完全な文の形をとらない訳語や用例
名詞[代名詞]部分には *one* を，
には *a person* を用いた．それぞれの

スワングダッシュ（〜）： 既出の単語
表す．

分を示す丸かっこ：
に部分は省略すること

きぐ¹ 器具 （家庭用などの）appliance Ⓒ；（特に一組の）apparatus /æpəræ̀təs/ Ⓒ《複 〜, 〜es》．《☞そうち¹》． ¶その台所には最新式の電気*器具が付いていた The kitchen was furnished with the latest electric *appliances*. // 暖房*器具 (a) heating *apparatus*

きぐ² 危惧 （恐れ）fear Ⓤ；（心配・不安）anxiety /æŋzáɪəti/ Ⓤ；（将来に関する気がかり）apprehension Ⓤ, misgiving Ⓤ 【語法】以上2語は fear や anxiety より格式ばった語で，しばしば複数形で用いる．misgiving のほうが悪い結果を予想するニュアンスが強い．《☞しんぱい¹（類義語）；ふあん》． ¶*危惧の念を抱く have ˹*misgivings* [*apprehensions*]

えきたい 液体 （固体・気体に対する）liquid Ⓤ (↔ solid; gas)；（流動体）fluid Ⓤ ★ いずれも種類を言うときは Ⓒ.

言い換えの角かっこ： 訳語や用例中で［ ］で囲まれた部分は直前の「以下の部分と入れ替えて用いることができる．ただし「が訳語や用例の先頭にくる場合は「を省略する．

反意語： 両矢印の後には訳語の反意語が続く．

えきちゅう 益虫 úseful [béneficial] ínsect Ⓒ.

えきちょう 益鳥 úseful [béneficial] bírd Ⓒ.

エプロン apron /éɪprən/ Ⓒ；（子供のエプロン服）pínafòre Ⓒ. ¶母は*エプロン姿で（⇒ エプロンをつけて）よく買い物に出かける My mother often goes shopping ˹with her *apron* on [wearing her *apron*]. ★ with her apron on のほうが口語的.

アクセント： 単語や成句の発音で強勢がおかれる場所を示す．´ は第一(強い) アクセント，` は第二(弱い) アクセントを示す．

エペ （フェンシングの剣）épée /épeɪ/ Ⓒ ★ フランス語より．épée の ´ はつづり本来のもの．

エベレスト Mount [Mt.] Everest.

えへん ahem! ¶*えへんと言う（⇒ のどのたんをとる）clear *one's* throat

エポキシじゅし エポキシ樹脂 epoxy /ɪpáksi/ résin Ⓤ.

えぼし 烏帽子 ceremonial hat worn by aristocratic and wealthy men in ancient times Ⓒ.

えぼだい えぼ鯛 〘魚〙harvest fish Ⓒ《☞さかな》.

エポック （新時代）epoch /épək/ Ⓒ.

エポックメーキング ―形（一時代を画するような）epoch-making Ⓐ, epoch making Ⓟ.

エボナイト （硬質ゴム）ébonìte Ⓤ.

エホバ ―名 固（ユダヤ教・キリスト教の神）Jehovah /dʒɪhóʊvə/.

複合語・成句のアクセント： 複合語や成句におけるアクセントの位置は個々の単語単独の場合とは異なることがある．この辞書では全体としてのアクセントを示しているので，個々の単語本来のアクセントの位置とは必ずしも一致しないことに注意されたい． 詳しくは巻末解説「アクセントの移動」参照．

つづり本来のアクセント： 非英語語源の語でつづりに本来アクセントが付いている場合，強勢の指示のアクセントと区別するために注記を付けた．

Luminous
JAPANESE-ENGLISH
DICTIONARY

ルミナス和英辞典 第2版

編者 小島 義郎／竹林 滋／中尾 啓介／増田 秀夫

研究社

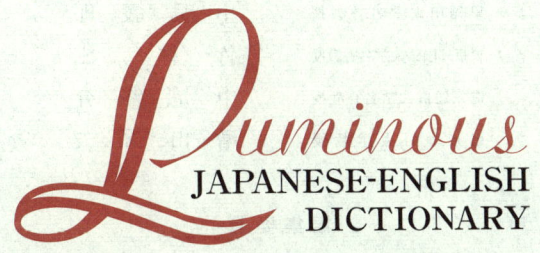

LUMINOUS JAPANESE-ENGLISH DICTIONARY

ルミナス和英辞典

第2版　2005年

編　　者

早稲田大学名誉教授	小島義郎
東京外国語大学名誉教授	竹林　滋
電気通信大学名誉教授	中尾啓介
東京理科大学教授	増田秀夫

編集委員

慶応義塾大学名誉教授	岩崎春雄
創価大学教授	Stephen N. Williams
津田塾大学名誉教授	上田明子
元白百合女子大学教授	緒方　勲
早稲田実業学校教諭	岸　曉
元桜美林大学教授	Reginald Smith
青山学院女子短期大学教授	高野嘉明
翻訳家	David P. Dutcher
岩崎研究会会員	永井一彦
明海大学名誉教授	仁木久恵
前東京外国語大学客員教授	Thomas E. Beck
早稲田大学助教授	山田　茂

（アイウエオ順）

執筆者

早稲田実業学校教諭	青柳文男
立命館大学教授	朝尾幸次郎
早稲田実業学校教諭	池側信明
ロンドン大学名誉研究員	Robert F. Ilson
慶応義塾大学名誉教授	岩崎春雄
創価大学教授	Stephen N. Williams
青山学院大学名誉教授	Hugh E. Wilkinson
津田塾大学名誉教授	上田明子
県立広島大学助教授	馬本勉
元白百合女子大学教授	緒方勲
元慶応義塾大学教授	小川繁司
亜細亜大学教授	William F. O'Connor
国士舘大学専任講師	長田哲男
聖徳大学非常勤講師	落合陽子
都立高島高等学校教諭	小野実
早稲田実業学校教諭	岸曉
元山梨大学教授	久保田泰夫
早稲田大学名誉教授	小島義郎
目白大学助教授	眞田亮子
羽生第一高等学校教諭	篠田隆春
早稲田大学名誉教授	篠田義明
千葉大学国際教育開発センター非常勤講師	清水由美
都立国際高等学校教諭	末広康
元桜美林大学教授	Reginald Smith
東京外国語大学教授	宗宮喜代子
前東京女学館短期大学教授	高瀬はま子
青山学院女子短期大学教授	高野嘉明
東京外国語大学名誉教授	竹林滋
翻訳家	David P. Dutcher
岩崎研究会会員	永井一彦
電気通信大学名誉教授	中尾啓介
共立女子大学助教授	中本恭平
明海大学名誉教授	仁木久恵
早稲田大学教授	Anthony P. Newell
開成学園教諭	根橋敏郎
早稲田大学名誉教授	橋本宏
東洋大学教授	人見憲司
前東京外国語大学客員教授	Thomas E. Beck
東京理科大学教授	増田秀夫
	Catherine T. C. Meech
岩崎研究会会員	水谷由美子
芸術総合高等学校教諭	峯岸弘之
東京理科大学非常勤講師	宮崎祐美子
前日本橋女学館短期大学教授	村井洋子
早稲田大学助教授	山田茂

（アイウエオ順）

ま え が き

本辞典は学生・一般社会人の方々を対象にした和英辞典で，今回の第二版で総収録項目数をさらに増大して16万2千(内訳: 複合語，慣用句，コロケーションを含めた見出し語10万，句例，文例6万2千)とし，上級者に一層役立つ和英辞典になったと自負している.

本辞典は2001年に発行した『ルミナス和英辞典』の改訂版であり，単に収録項目数を増やしただけでなく完全な発表用辞典 (active dictionary; encoding dictionary) を目指したものである. 完全な発表用辞典とは英和辞典をひき直さなくてもよい完全な発信型辞典のことである. この方針は1984年に出版され本辞典の根源となった『ライトハウス和英辞典』からずっと受け継がれてきたものである. 同書は主として初・中級学習者を対象としたものであったが, その後上級者向けに語彙項目を中心に改善した『カレッジライトハウス和英辞典』, さらにカタカナ語，専門語などの他に日本文化，日本歴史上の百科的語彙にも注目した『ルミナス和英辞典』を出版したのであった. その間『ライトハウス和英辞典』は本辞典と平行して初・中級者向けに改訂出版を続けている.

次に本辞典の特色をあげる.

(1) 総収録項目数16万2千の豊富な内容.

基本的・一般的語彙の他に，ビジネス・コンピューター用語，社会人用専門語，カタカナ語などで未収録のものを多数収録した. また，和英辞典を日本人のために真に有用な発表用辞典にするには，収録語彙を百科的にすること，とくに我々日本人が自国のことを英語で説明する際のことを考え，日本についての用語に力を入れるべきだという初版以来の編者らの考えを実現するために，日本の動植物名，日本の人名，地名，日本文化の用語等を多数収録した.

(2) 積極的に収録した日本の人名，固有名詞などに簡潔な英語による説明を付けた.

従来の和英辞典では，人物名などの固有名詞は主としてスペリングを示すために載せることが多かったので，特別な場合を除いては日本の人名を見出し語にすることはなかった. 本書では我々が日本について説明をする場合の参考になることを考慮してたとえば次のような簡潔な英語の説明を付した.

もうりもとなり 毛利元就 ━名 圖 Mori Motonari, 1497–1571; (説明的には) daimyo of the Warring States era who expanded his control over all the Chugoku district. He is remembered particularly for warning his three sons: "A single arrow readily snaps into two but three bound together will not bend."

(3) さらに充実したコロケーション.

コロケーションとは語と語との決まった結び付き方である. 発表用辞典としての和英辞典ではコロケーション情報がきわめて重要である. 本書では初版のコロケーション情報を整理・統合してさらに充実した.

(4) 発表用辞典として十分な発音表記.

発音表記は発表用辞典としての和英辞典には不可欠のものであるが, 本辞典には固有名詞や専門語が多く含まれているのでとくにそれらに対しての発音表記はぜひ必要である. 今回あらたに収録した語彙項目はもちろん, その他の語彙についてもすべてを再度検討し, 必要と思われる語には徹底的に発音を示し, アクセント表示だけで十分と考えられるものには第一, 第二アクセントを示した. なお, 本辞典では英語特有のリズムによるアクセントの移動を表示しているので, 使用に当たってはぜひ巻末解説の「アクセントの移動」の項目をお読みいただきたい.

(5) ネイティブスピーカーによる英語表現の徹底的なチェック.

本辞典の英語表現のチェックはネイティブスピーカーの編集委員によって徹底的に行った.

以上の特色に加えて, 本辞典はその根源となっている『ライトハウス和英辞典』から重要な特色をひきついでいる. 次にそれらの中から特に重要と思われるものをいくつかあげるが, それらの特色をひきつぐことによって本辞典は『ライトハウス和英辞典』とその基本的編集理念を一にしていることを強調しておきたい.

(1) 複数の訳語が並記される場合には, 入れ替え可能でない限り必ず意味または文体上の区別を記述した.

(2) 訳語は見出し語の日本語の品詞にこだわらず, 意味を中心に記述した. 付されている品詞は訳語のものである.

(3) 日英比較を重視し, 随所に [日英比較] 欄を設けた.

(4) 語法・文体上の注意, 選択制限, 非文情報などを [語法] 欄や ★ を用いてできるだけ詳しく記述した.

(5) 【類義語】欄を随所に設けて類義語間の意味の区別を記述した.

(6) 用例の多くに (⇒) の印で英語の発想法に切り替えるための発想指示を付けた.

(7) 用例は可能な限り複数の訳例を示した.

(8) 翻訳, 作文上必要な情報を「巻末解説」として巻末に載せ, 本文と縦横に相互参照させた.

(9) 複合語の見出し語はすべて第一要素で引けるようにした.

(10) 動詞には ㊀ ㊉ の区別, 名詞には Ⓤ Ⓒ の区別を示した.

(11) 限定用法のみの形容詞には Ⓐ を, 叙述用法のみのものには Ⓟ を付した.

本辞典の作成に当たっては，編集委員，執筆者，および調査・校正協力者の方々に多大なご尽力をいただいた．編者については，本辞典とその姉妹辞典『ルミナス英和辞典』とは小島，竹林の両名が共通であり，その編集理念を一にしているが，本辞典すなわち『和英』では小島が，『英和』では竹林が総括的な責任者である．研究社にあっては，編集部の改田宏，三谷裕，松原悟の各氏に編集担当者として最初から最後までお世話になった．また印刷については研究社印刷株式会社の多くの方々にお世話になった．ここに記して深く感謝申し上げる．

編者，編集委員，執筆者一同精一杯の努力をしたつもりであるが，思わぬ不備な点があるかもしれない．各位のご教示，ご叱正を賜らんことを切にお願い申し上げる．

2005 年 9 月

編　者

この辞書の使い方

1 見出し語

1.1 **表記:** かな見出しを採用し，五十音順に配列した.

1.2 **配列:** 清音，濁音，半濁音の順に配列した.

こうとう 口頭，**こうどう** 行動，**ごうとう** 強盗，**ごうどう** 合同
はは 母，**はば** 幅，**ばば** 馬場，**パパ**

1.3 **促音・拗音:** 促音の「っ」，拗音の「ゃ」「ゅ」「ょ」は，それぞれ「つ」「や」「ゆ」「よ」の後に置いた.

ねつき 寝付き，**ねっき** 熱気
きやく 規約，**きゃく** 客

1.4 **長音符:** カタカナ見出し中の長音符(ー)は，その直前の文字を長く伸ばした音を「ア」行の音に置き換えた位置に配列した.

パーマ → パアマ，ビール → ビイル，クーラー → クウラア，
ボール → ボオル

1.5 **同音語:** 同音語は引きやすさを考慮して，使用頻度が高いと思われる順に配列し，肩番号を付けた．ただし，カタカナ表記の外来語はひらがな見出しの後に置いた.

けっこう[1] 結構，**けっこう**[2] 決行，**けっこう**[3] 血行，**けっこう**[4] 欠航
おん[1] 恩，**おん**[2] 音，**オン**

1.6 **ハイフン付きの見出し:** 助詞，助動詞，接頭辞，接尾辞など，独立して使われることのない語は，ハイフン(-)を付けて見出しにした.

-で[1]，**-で**[2]，**-と**，**-という**，**-ので**，**-のに**，**-したい**，**-ねばならない**

1.7 **色付きの基本語:** 特に重要な基本語は色付き文字で示した．その数約 1,500 語である.

すき[1] **好き** —動 like 他; be fond of …; love 他; adore 他; prefer … (to …); care for … —形 (気に入っている) favorite (《英》favourite) A; (好きで得意な) pet A.

2 訳　語

2.1 **意味上の区別:** 訳語が複数にわたり，意味上の区別やニュアンスの違いがある場合はセミコロン(;)で区切り，訳語の前に丸カッコでその違いを示した．意味領域，使用頻度，文体上から訳語の代表になり得るものがある場合には「★ 最も一般的な語」という注，あるいはそれに準じる注を施した.

あたえる **与える** give 他《過去 gave; 過分 given》★ 一般的で平易な日常語．以下の語の代わりに用いられることも多い; (贈り物として進呈する) presént 他; (賞などを) award 他; (権利・許可・金品などを) grant 他 ★ やや改まった語; (必要なもの，不足しているものを供給する) supply 他, provide 他 ★ 後者は備蓄のためというニュアンスがある; (割り当てる) allot 他; (仕事などを) assign 他.
じゅうだい[1] **重大** —形 (重要な) important ★ 最も一般的な語; (深刻な) serious /sí(ə)riəs/; (特に憂慮しなくてはならないほど重大な) grave ★ serious よりも grave のほうが意味が強い.

ほぼ同じ意味で交換して用いられる場合はコンマ(,)で区切って列記したが，文体上の差が認められる場合は ★ を用いてできる限り記述した．その際，列記したものが同じく口語的と思われる場合でも「★ 後者のほうがより口語的」のように比較相対的な説明を加えた.

2.2 **文体上の区別:** 訳語の文体上の差異については全般にわたって特に注意を払い，★ を用いてできる限り詳しく記述した．基本的には単に「略式」「格式」などの絶対値を与えるのではなく，前項に述べたように，列記された訳語の中での相対関係として「後者のほうが格式ばった語」とか,「以上の中では最初の語が最も格式ばった語」などのような説明を施すように努めた．従って「前者のほうが格式ばった語」とあっても,「前者」が

絶対値として必ずしも《格式》というレベルに属するとは限らない点に注意されたい. ただし, 明らかに絶対値が示せる場合には 2. 3 にあるような記号で表示してある.

すます[1]　**済ます**　**1** «終える»: finish ⑪, get through ... ★ 後者がより口語的; (やり終える) complete ⑪ ★ 前の 2 語より改まった語.
すいりょう[1]　**推量**　— 動 (当てずっぽうをする) guess ⑪ ⓐ ★ 最も口語的; (不確かな根拠に基づいて推測する) conjécture ⑪; 《格式》(単なる想像に基づいて推測する) surmíse ⑪.

また, 区別をきめ細かにするために「やや」という表現を用いて,「やや格式ばった語」とか「やや文語的」のような中間段階をもうけた.「格式ばった」「改まった」「堅苦しい」はほぼ同じ意味で用いてあり, 統一はしなかったが,「文語的」は主として書き言葉で用いられる文学的表現という意味で区別してある.

かなり　— 副 pretty; fairly; rather 語法 これら 3 語のうち, pretty が最も一般的でくだけた語. 意味の強さの点では rather が最も強く, fairly が最も弱い; (相当に) considerably ★ やや格式ばった語.
かなた　**彼方**　— 副 (遠くに)《略式》a long way off; far away, far off, in the distance ★ far away, far off はやや文語的. 最後のはやや改まった言い方.

2. 3 **《略式》, 《格式》など:** 前項のように, 訳語が複数ある場合はできるだけ文体の差異を相対的に示すよう心がけたが,「常に格式ばった文脈で使われる」「常にくだけた文脈で使われる」などのような訳語には以下に示す記号を付けた.

《略式》　くだけた感じの語・句で, 特に友人・家族のような親しい人同士の会話や手紙に使う. (語法 や ★ による説明文中では同じ意味で「口語(的)」という表現も用いている.)
《格式》　格式ばった語・句で, 公式の改まった場面でのスピーチや公文書・商業文などに用いる.
《俗》　《略式》よりもさらにくだけた品位にかける語・句で, 普通限られた仲間うちで用いたり, 特殊な効果を狙って使う.
《卑》　卑わいな, または差別的な品のない語・句で, 人前で使ってはいけないとされる.
《文》　硬い文学作品や改まった文書に用いられる語・句.
《幼児》　主に幼児や子供が使う語・句.

2. 4 **品詞:** 見出し語の品詞にこだわらぬ訳語をあげた. そのため — 名 — 代 — 動 — 助 — 形 — 副 — 接 — 前 など, 英語の品詞を表示し, 品詞ごとに訳語をまとめた. この場合, 見出し語を英語に置き替える際に最も多く使われる品詞の項を最初に示した. なお, 訳語が 2 種以上の品詞にわたる場合, あるいは訳語の品詞が 1 種類でも, 見出し語の日本語の品詞と食い違いがある場合には品詞を掲げ, その他の場合や品詞を示すことにあまり意義がない場合は品詞を示していない.

しんせつ[1]　**親切**　— 形 (親切な・優しい) kind; (性格として) kindly; (人に対して道徳的に振舞う) good; (友好的な) friendly; (温かくもてなす) hospitable; (優しく思いやりがあって) tenderhearted; (寛大な) generous.　— 副 (親切に) kindly; (優しく) tenderly; hospitably.　— 名 kindness Ⓤ ★「親切な行為」の意では Ⓒ; kindliness Ⓤ; (優しさ) friendliness Ⓤ; hospitality Ⓤ.
ていき[2]　**提起**　— 動 (問題・質問などを) bring úp ⑪, raise ⑪. ¶ 彼は重大な問題を*提起した He *brought up* an important question.
しみん[1]　**市民**　(市民・国民としての権利を持つ人) citizen Ⓒ.

2. 5 **配列:** 訳語の配列の順序については, 見出し語の訳として最も適当と思われるものを最初に掲げるようにした. 従って見出し語の日本語によっては, より格式ばった英語が先に置かれ, 口語的で一般的な英語が後に並べられている場合もしばしばある.

2. 6 **《英》の表示:** 訳語はアメリカで一般的に使われているものをあげ, もっぱらイギリスで使われるものについては《英》の表示をした. またアメリカ英語については, 特に《英》との対比を示す場合のみ《米》の表示をした.

2. 7 **Ⓒ, Ⓤ:** 数えられる名詞には Ⓒ, 数えられない名詞には Ⓤ を表示し, どちらともとれる Ⓤ,Ⓒ は避けて, 見出し語との関連において Ⓤ または Ⓒ に割り切って表示し, さらに必要な場合には「★ 具体的なものを表す場合は Ⓒ」のような説明を加えた. 詳しくは ☞ 可算・不可算名詞 (巻末). ただし, 定冠詞を付けて訳語としたもの, 複数形で訳語となるものについては U C を示していない.

ぜんと[1] **前途** (将来) future U ★ 具体的なものを表す場合は C; (見込み) prospects ★ 格式ばった語で, この意味では複数形で; (見通し) outlook C.
ていど **程度** (段階・度合) degree U ★ 具体的な意味では C; (範囲・限界) extént U; (水準・高さ) level C; (標準・基準) standard C; (等級) grade C.

2. 8 自, 他: 動詞には 自 (=自動詞), 他 (=他動詞) を表示し, 自 には見出し語との関連において結び付きの強い前置詞も併せて示した. また, もっぱら受身で用いられるものは受動態で訳語を示した.

かんじる **感じる** feel 自 他《過去・過分 felt》★ 最も一般的な語; (五感で知る) sense 他; (ものをあるがままに感じる) be aware (of ...); (意識的に感じる) be conscious (of ...); (感動する) be impressed (by ...; with ...); (心を動かされる) be moved (by ...).
つく[1] **付く** **1** 《付着する》: (くっつく) stick (to ...) 自; (こびりつく) adhere (to ...) 自; (しみがつく) be stained (with ...).

なお, 訳語が「動詞+前置詞(句)」のような場合には, 自 他 を示さず, 動詞または前置詞の目的語を「...」で示した.

しはん[1] **市販** ― 動 (市場に出す) put ... on the market; (売られている) be on sale.
しみこむ **染み込む** (水などが) soak into ...; (中へ深く入る) sink into ...

2. 9 動詞の変化形, 名詞の複数形: 必要に応じて, 不規則変化する動詞の過去形, 過去分詞形, 名詞の複数形を示した.

きく[1] **聞く, 聴く** **1** 《直接耳で》: (耳を傾けて) listen to ...; (耳に入る) hear 他《過去・過分 heard》.
さいころ 《米》 die C 《複 dice》, 《英》 dice C ★ 単複同形.
さけ[2] **鮭** salmon /sǽmən/ C 《複 ~(s)》.
きゆうきょく **喜遊曲** 〘楽〙 divertimento /dɪvə̀ːtəméntoʊ/ C 《複 ~s, -ti /-tiː/》.

~ は訳語と同じつづり (または発音) を表し, - は一部が変わるときの変わらない部分を表す《☞ 10. 1》. 従って例えば上記 **さけ**[2] の ~(s) は, salmon, salmons の意となり, **きゆうきょく** の ~s, -ti は divertimentos, divertimenti の意となる.

2. 10 A, P: 形容詞で限定用法 (attributive use) のみに用いられるものには A を, また叙述用法 (predicative use) のみに用いられるものには P を表示した. 詳しくは ☞ 形容詞の 2 用法 (巻末).

てつや **徹夜** ― 動 stay ⌈up [awake] all night. ― 形 all-night A. ― 副 through(out) the night.
げんき[1] **元気** ― 形 (達者で変わりのない) fine P, well P, all right P, OK P 〔語法〕 (1) 以上はいずれも口語的であり, ほぼ同意だが, OK が最もくだけた表現. OK は O.K. とも Okay とも書く. また well は《米》では A として用いることもある.

2. 11 【類義語】: 丸カッコによる意味の区別だけでは不十分な項目については適宜【類義語】欄をもうけ, 和英辞典という立場を意識した解説を施した.

たてる[1] **建てる** build 他《過去・過分 built》★ 最も一般的な語; (建設する) construct 他; (高い建物などを) erect 他 ★ 以上 2 語は build より格式ばった語; pùt úp 他 ★ 口語的.
【類義語】 いろいろな部品を組み合わせてある建造物を作り上げるのが *build*. 建てる作業よりも, あるプランに従って建造物を作り上げることを強調し, 特に大きな建造物を建てることを意味する言葉が *construct*. もとは高い物を打ち立てるという意味で使われたが, 現在では単に建てるという意味でも広く使われる語が *erect* で, 作る過程より建設される事実に重点がある. 口語的なくだけた語が *put up*.

2. 12 【参考語】: 訳語欄をもうけることが, かえって不自然な場合には, 見出し語の後に直接用例を続け, さらに, 理解を助ける語句を示すことが有効な場合には【参考語】として, 用例の後に列記した.

ぴょんと ¶ 蛙が*ぴょんと池の中へ飛び込んだ A frog ⌈*hopped* [*jumped*; *leaped*] into the pond. 《☞ とぶ[2]; 擬声・擬態語 (囲み)》
【参考語】 ― 動 (片足で, または足をそろえて跳ぶ) hop 自; (飛び上がる) jump (up) 自; (飛び越える・飛び込む) leap 自 ★ 意味によって over ..., into ... などが付く.

2. 13 反意語: 必要に応じて, (↔) により, 反意語を示した.

2. 14 *one's, a person, do* など: イタリック体の *one*, *one's*, *oneself* はだいたいにおいて

動作主を表し，文脈により I, my, myself, you, your, yourself, he, his, himself, she, her, herself, we, our, ourselves, they, their, themselves などに変化することを意味している．*a person, a person's* は動作主以外の人称代名詞または人名に置き換えられることを意味し，その他，限定できない場合は「...」で表示してある．また，イタリック体の *do* は，文脈に応じて適当な動詞に置き換えられることを意味する．なお，その他の訳語におけるイタリック体については ☞ イタリック体(巻末).

2. 15　**図表:** 見出し語の日本語と訳語の英語の間に包括する概念のずれがある場合，理解の助けとなるように図表による説明を設けた．

くび　首　1 《身体の部分》: (首の部分) neck Ⓒ; (頭) head Ⓒ 日英比較 日本語の「首」は頭部全体をいうことがあるので英語の head に当たることがある. 《☞ かお (挿絵); あたま》.
¶ 窓から*首 (⇒ 頭) を出してはいけない Don't put your *head* out (of) the window. // 彼は*首が太い[細い] He has a ⌈thick [thin] *neck*. // あなたのシャツの*首回りは幾つですか What is your *neck* size? // 彼は子猫の*首をつかまえた He seized a kitten by the *neck*. 《☞ つかまえる》 // この扇風機は*首を振る This electric fan has ⌈a swivel [a rotating; an oscillating] *head*.

日本語	英語
首	neck
	head

2. 16　**発音，アクセント:** 訳語および用例中の語について，発音表記が必要と思われる語には /　/ で囲んで発音(米音) を付け (| で区切った後に英音も併記した箇所もある)，アクセント表示だけで十分と考えられるものには第一アクセント (´)，第二アクセント (`) を示した. 《☞ つづり本来のアクセント (表見返し); 発音記号表 (裏見返し); アクセントの移動 (巻末)》.

3　用　例

3. 1　用例はできる限りセンテンスで示し，平明で口語的な表現を心がけた．

3. 2　***印とイタリック体:** 和文中の見出し語該当箇所に * 印を付け，対応する英文中の箇所をイタリック体で示した．

3. 3　**発想指示:** (⇒　) により，日本語からは発想しにくい英語構文の組み立て方をできる限り多く示した．日本語をまず日本語のまま英語的な発想の文に置き換え，その後でそれを英語に訳出する方法をとることが，和文英訳の学習法として有効であると考えたからである．しかし，慣れてきたら，発想指示を介せずに，英文が発話できるように練習していただきたい．詳しくは ☞ 発想 (巻末).

-ぶり, -ぶり　...振り　1 《様子・仕方》 ¶ 彼女の仕事*ぶりを見習いたまえ (⇒ あなたは彼女の仕事の仕方を見て彼女の例に倣うべきだ) You should watch the *way* she works and follow her example. / (⇒ 彼女がいかに熱心に[能率よく]仕事をするかを) You should watch *how* ⌈*enthusiastically* [*efficiently*] she works and follow her example.

3. 4　**文型表示:** 必要な場合は，構文発想上の助けとなる文型を示した．文型はまず一般に用いられている五文型を基礎とし，その S (＝主語)，V (＝動詞)，O (＝目的語)，C (＝補語) の各々について，(　) を用いて作文上必要と思われる下位区分を示した．

その下位区分は (1) 動詞を中心として主語には「人」がくるのか「物」がくるのか，また目的語は「物」か「人」かなどの，言葉の結びつき方についての情報と，(2) 目的語や補語は「名詞」か「to 不定詞」か「-ing 形」か，形容詞か，それとも「that 節」「wh- 節」かなどの文法的情報の 2 種類の情報を与えるのが目的である．次にそのいくつかの例をあげる．

とる　取る ¶ 私にいすを*取って下さい <S (人)＋V (*get*)＋O (人)＋O (物)> Would you please *get* me a chair?

うえる[1]　植える ¶ 庭にばらを*植えた I *planted* some roses *in* my garden. / <S (人)＋V (*plant*)＋O (場所)＋*with*＋名(植物)> I *planted* my garden *with* some roses.

おしえる　教える ¶ 日本史は青木先生が*教えています <S (人)＋V (*teach*)＋O (人)＋O (学科)> Mr. Aoki *teaches* us Japanese history. / <S (人)＋V (*teach*)＋O (学科)＋*to*＋名・代(人)> Mr. Aoki *teaches* Japanese history *to* us.

以上のように文型は日本文と英語の訳文との間に <　> を用いて置かれている．これは日本文を見て，英訳する前に意味と文法の両面から，英語の文構造の基本となる形を明確にしておくためである．

3.5 **対話形式の用例:** 必要に応じて，問いかけの文章には答えの文章を，答えの文章には問いかけの文章を与え，対話形式の用例を多く採り入れた．

> **けっこう**[1] **結構 2**《拒絶》 ¶「たばこはいかがですか」「*結構です．私はたばこは吸いませんので」"How about a cigarette?" "*No, thank you.* I don't smoke." // 「コーヒーをもう1杯いかがですか」「もう*結構です．十分いただきました」"How about another cup of coffee?" "*No, thank you.* I've had enough."
> **3**《是認》 ¶「これでよろしいでしょうか」「非常に*結構です」"Is this all right?" "Yes, that's *perfectly all right.*" //「ペンは持っておりません」「鉛筆で*結構です」"I don't have a pen." "A pencil *will do.*"

3.6 **(/)と(//):** ほぼ同じ意味で異なった言い回しや，スピーチレベルの異なる英文をできるだけ多く示し，文の区切りを斜線(/)で示した．なお，二重の斜線(//)は別の用例が続くことを示す．

3.7 [語 法]，[参 考]，[日英比較]，★ などにより，用法上の注意や，文化的な参考事項を数多く示した．

4 参 照

4.1 **(☞):** 本辞典では(☞)の記号を用いて他項目参照をできる限り徹底するように努めた．他項目参照は類義項目，関連項目はもとより，特に囲み・巻末解説(☞ 7, 8)への参照を徹底するように努めた．参照の形式は次の通り．

①「**遺伝子** ☞ 見出し」または「☞ **いでんし**」のような場合は当該独立見出し，つまりこの場合は「**いでんし 遺伝子**」を参照．

②「遺伝子」の項で「遺伝子資源 ☞ **いでん**(**遺伝資源**)」とあるような場合は「**いでん 遺伝**」の項の複合語・成句にある「遺伝資源」を参照(☞ 5.3)．「**ガス**」の項で「☞ ガスクロマトグラフィー(見出し)」とあれば独立見出しの「**ガスクロマトグラフィー**」を参照．

③「頭」の項で(☞ 頭を絞る)のような参照は同じ「頭」の項目内にある成句・複合語の当該語句を参照(☞ 5.1)．

④ また大きな項目では同一項目であっても見出しを示した場合がある．例えば「手」の項で(☞ て 5)とある場合は同じ「手」の語義番号5の項を参照．ただし同形見出しを区別する肩番号(☞ 1.5)と混同しないよう注意されたい．

5 成句(慣用句)，複合語見出し

5.1 **成句(慣用句):** 日本語の慣用句で，見出し語の訳語とは別種の訳語・訳文が当てはまるものは，日本語の成句として独立させ，用例の後，複合語見出しの前に，五十音順で配列した．

> **きも** **肝** (肝臓) liver Ⓒ; (度胸) courage Ⓤ. (☞ きもったま; どきょう[1]; かんぞう[1]). ¶ 彼は*肝の太い[小さい]男だ (⇒ 彼は勇気のある[臆病な]男だ) He is a ˹*brave* [*timid*] man. **肝が据わる** ¶ 彼は*肝が据わっている (⇒ 鉄の神経を持っている) He *has* ˹*iron nerves* [*nerves of steel*]. **肝に銘じる** ¶ 私たちはこの教訓を*肝に銘じておかなければならない We must *take* this lesson *to heart*. **肝を据える** ¶ *肝を据えて (⇒ 決心して) *with determination* **肝をつぶす** ¶ 私は彼の計画を聞いて*肝をつぶした (⇒ びっくり仰天した) I *was* ˹*flabbergasted* /flǽbəgæ̀stɪd/ [*astounded*] ˹at [by] his plan. ★ be flabbergasted は大げさな口語表現. (☞ おどろく (類義語)) **肝を冷やす** be ˹frightened [scared] to death. **肝吸い** eel liver soup Ⓤ **肝試し** test of *a person's* courage Ⓒ.

5.2 **複合語:** 見出し語に準じる複合語(2つ以上の語が結びついてできた語)は，成句の後に，五十音順で列記した．

5.3 **複合語のひき方:** 複合語の見出しはすべて第一要素びきとした．例えば**天然ガス**は「**てんねん 天然**」の項に入っている．しかし，**ガス**の項の用例にも入れてある．このように複合語を第二要素の項目で再度取り上げるときは一貫して用例として示したが，重複も辞さず，複合語をすべて第一要素びきとしたことによって，使用者は複合語をどの要素でひいてよいか迷う必要がなくなったと信ずる．複合語はまとめて主見出しの中で扱う(成句の後に置く)か，もしくはそれぞれを独立した主見出しとして扱うか，語によって原則としてどちらかに統一してある.

てんねん　天然 ― 形 natural (↔ artificial) 《☞ しぜん》. **天然ガス** natural gas U.

ガス　1 《燃料用ガス》: gas U 《☞ きたい²》; (プロパンガス) propane gas U.
¶ *ガスを出して[止めて]下さい Turn ˹on [off] the *gas*, please. // *ガスの火を弱く[強く]しなさい Turn the *gas* ˹down [up (high)]. // ここには*ガスが来ていますか Do we have *gas* available here? // 天然*ガス natural *gas*

6　コロケーション

6. 1　「コロケーション」の囲み: 英語で情報を発信する際に，文の骨格となる構造が正しく組み立てられていること，個々の語が自然な結びつきをなしていることが重要である《☞ コロケーション(巻末)》. また本書では用例に文型を示すことで《☞ 3. 4》構文に関する情報を与え，訳語欄，用例で語句の結びつきに関する情報を与えている.

コロケーションの基語 (base) は「軽い痛み」に対する英語 (a slight *pain*) のように「形＋名」や「客を出迎える」に対する英語 (greet a *guest*) のように「動＋名」の場合は「名」,「きれいに書く」に対する (*write* neatly) のような「動＋副」の場合は「動」としてある.「人に(手紙を)書く」に対する英語 (*write* (to) *a person*) のような「動＋前＋名」の形式で動詞と前置詞の結びつきを示す場合も「動」を基語としてある. コロケーション情報は訳語欄や用例としても記述しているので両方を探していただきたい.

きって　切手 (postage) stamp C.
¶ 郵便局で 80 円の*切手を 5 枚買った I bought five 80-yen *stamps* at the post office. // この手紙はいくらの*切手をはるのですか (⇒ この手紙の郵送料はいくらか) What is the *postage* ˹for [on] this letter? // この手紙には 130 円*切手をはらなければならない You have to ˹put [stick] a 130-yen *stamp* on this ˹letter [(⇒ 封筒) envelope]. // 彼の趣味は*切手の収集です His hobby is collecting *stamps*.
切手アルバム stamp album C　**切手収集** stamp collection U, philately /fɪlǽtəli/ U ★ 後者は格式語.　**切手収集家** stamp collector C, philátelist C ★ 後者は格式語.

> **コロケーション**
> 切手に消印をする cancel a *stamp* / 切手をなめる lick a *stamp* / 切手を発行する issue a *stamp* // 記念切手 a ˹memorial [commemorative] *stamp* / 消印のある切手 a canceled *stamp* / 使用済み切手 a used *stamp* // …を記念する切手 a *stamp* in honor of …

7　囲み項目

7. 1　「コミュニケーションのための概念・機能別の表現のまとめ」や「日英の文化の相違についての情報」を以下の 13 の囲み項目にまとめた. 実際の会話表現に役立つものが多数あるので，ぜひ活用されたい.

8　巻末解説

8. 1　句読点，パラグラフ，比喩，つづり字，語法，文法など英文を書くときに必要な技術的な知識を 55 項目にまとめて巻末に収録した.

9　挿絵，写真

9. 1　集約的に単語の知識が得られる総合挿絵，日英の文化的な違いを示す挿絵，米英の掲示の写真などを多く採り入れて理解の助けとした.

10　記号，略号

10. 1　**記号:** この辞書で使われている記号には次のようなものがある．

( )	(1) 訳語の前で，意味の説明を包む． (2) 上記以外の箇所では，省略可能な文字・語句を包む．
[ ]	入れ替えて用いることが可能な語句を包む．
「	[ ] の箇所と入れ替え可能な語句の始まりを示す．ただし日本語においては自明であるため省略した．また英語でも語句・文の最初から置き換わる場合は原則として省いた．例えば “have 「misgivings [apprehensions]” は “have misgivings” または “have apprehensions” を表し，“have no [lack] brains” は “have no brains” または “lack brains” を表す．また言い換えが複数ある場合は [ ] の中をセミコロン(;)で区切った．例えば “I hear [I'm told; They say] that ...” は “I hear that ...” または “I'm told that ...” または “They say that ...” を表す．
《 》	語形変化，略語，文体《☞ 2. 3》を包む．
« »	見出し語がいくつかの語義に分かれる場合，語義番号に続けて « » 内にその語義を簡略に示した．
/ /	発音表記を包む．
(⇒)	発想指示を包む．
(↔)	反意語を包む．
《☞ 》	参照すべき項目の見出し語を包む．
〘 〙	専門用語の分野を示す《☞ 裏見返しの表》．
¶	用例の最初を示す．
/	用例中で，1 つの日本文に対し 2 つ以上の英語の表現を出す場合には / で区切る．
//	別の用例が続くときに，用例全体を区切る．
*	用例の日本文における見出し語該当箇所を示す．
~	既出の単語と同じつづり，または発音を表す．
—	既出の単語が一部変わるとき (先頭 1 文字が大文字になるとき等) の変わらない部分を表す．
-	(1) つづり本来のハイフン (2) 複数形 (およびその発音) 等で一部が変わるときの変わらない部分を表す．
-	1 つの単語を行末で途中で切るときのハイフン．
★	注意すべき説明．

10. 2　**略号:** この辞書で使われている略号には次のようなものがある．

名	名　詞	形	形容詞	《米》	米国用法
固	固有名詞	副	副　詞	《英》	英国用法
代	代名詞	接	接続詞	過去	過去形
動	動　詞	前	前置詞	過分	過去分詞形
自	自動詞	感	感嘆詞	現分	現在分詞形
他	他動詞	接頭	接頭辞	動名	動名詞
助	助動詞	接尾	接尾辞	複	複数形

巻末解説 索引

ローマ字表

あ ア	a	い イ	i	う ウ	u	え エ	e	お オ	o										
か カ	ka	き キ	ki	く ク	ku	け ケ	ke	こ コ	ko	が ガ	ga	ぎ ギ	gi	ぐ グ	gu	げ ゲ	ge	ご ゴ	go
きゃ キャ	kya			きゅ キュ	kyu			きょ キョ	kyo	ぎゃ ギャ	gya			ぎゅ ギュ	gyu			ぎょ ギョ	gyo
さ サ	sa	し シ	shi si*	す ス	su	せ セ	se	そ ソ	so	ざ ザ	za	じ ジ	ji zi*	ず ズ	zu	ぜ ゼ	ze	ぞ ゾ	zo
しゃ シャ	sha sya*			しゅ シュ	shu syu*	シェ	she	しょ ショ	sho syo*	じゃ ジャ	ja zya*			じゅ ジュ	ju zyu*	ジェ	je	じょ ジョ	jo zyo*
た タ	ta	ち チ	chi ti*	つ ツ	tsu tu*	て テ	te	と ト	to	だ ダ	da	ぢ ヂ	ji zi*	づ ヅ	zu	で デ	de	ど ド	do
ちゃ チャ	cha tya*			ちゅ チュ	chu tyu*	チェ	che	ちょ チョ	cho tyo*	ぢゃ ヂャ	ja zya*			ぢゅ ヂュ	ju zyu*	ヂェ	je	ぢょ ヂョ	jo zyo*
な ナ	na	に ニ	ni	ぬ ヌ	nu	ね ネ	ne	の ノ	no										
にゃ ニャ	nya			にゅ ニュ	nyu	ニェ	nye	にょ ニョ	nyo										
は ハ	ha	ひ ヒ	hi	ふ フ	fu hu*	へ ヘ	he	ほ ホ	ho	ば バ	ba	び ビ	bi	ぶ ブ	bu	べ ベ	be	ぼ ボ	bo
ひゃ ヒャ	hya			ひゅ ヒュ	hyu	ヒェ	hye	ひょ ヒョ	hyo	びゃ ビャ	bya			びゅ ビュ	byu	ビェ	bye	びょ ビョ	byo
										ぱ パ	pa	ぴ ピ	pi	ぷ プ	pu	ぺ ペ	pe	ぽ ポ	po
										ぴゃ ピャ	pya			ぴゅ ピュ	pyu	ピェ	pye	ぴょ ピョ	pyo
ま マ	ma	み ミ	mi	む ム	mu	め メ	me	も モ	mo										
みゃ ミャ	mya			みゅ ミュ	myu	ミェ	mye	みょ ミョ	myo										
や ヤ	ya			ゆ ユ	yu	イェ	ye	よ ヨ	yo	ファ	fa	フィ	fi	フュ	fyu	フェ	fe	フォ フョ	fo fyo
ら ラ	ra	り リ	ri	る ル	ru	れ レ	re	ろ ロ	ro	ツァ クァ	tsa kwa	ツィ	tsi			ツェ クェ	tse kwe	ツォ クォ	tso kwo
りゃ リャ	rya			りゅ リュ	ryu	リェ	rye	りょ リョ	ryo	グァ	gwa	ティ	ti	トゥ	tu	グェ	gwe	グォ	gwo
わ ワ	wa	ウィ	wi			ウェ	we	ウォ	wo			ディ	di	ドゥ デュ	du dyu				
ん ン	n	(ヘボン式では m, p, b, の前で m). はねる音 n と, 次にくる母音字または y とを切り離す必要がある場合には, n の次に ' を入れる.																	
っ ッ		次の音節の最初の子音字を重ねて表す. (ヘボン式では ch の前は t)																	

*訓令式

外来語等に現れるエ段拗音は表中にカタカナで示した.

その他外来語等で現れる音の表記例
(ヘボン式に従う)

あ, ア

ああ[1] Oh!, Ah! 語法 前者のほうが一般的で用途も広く, 日本語の「ああ」以外に「やあ」「あら」「まあ」((例) *Oh,* hi, George!),「ほう (それでどうしたんですか)」((例) *Oh?* 《上り調子で》) などにも当たる; (ははあ, なるほど) Aha /ɑːhɑ́ː/!; (ところで・やっと) now ★ 話題や気分を変えたり, 注意を促したりするときなどに用いる; (やれやれ) well ★ 安心・あきらめ・譲歩などの気持ちを表す.
¶*ああ, きれいだ *Oh,* how beautiful! // *ああ, わかった *Aha*! Now I understand. // *ああ, (あの子は) かわいそうに The [That] poor ˹boy [girl]! // *ああ, もし金があればなあ *Ah*! [*Oh*!] If I (only) had money. // *ああ, 思い出した *Now* I remember (it). // *ああ, やっと着いた *Well*, here we are at last.

ああ[2] ああ言えばこう言う (常に口答えの準備をしている) be always ready to ˹talk [《英》 answer] back 《☞ くちごたえ; くち (口が減らない)》.
ああ見えて ¶彼は*ああ見えて (⇒ そうは見えないけれど) 利口だ He *may not look like much*, but he's (really) quite bright.
ああやって ¶あの女は*ああやって今の地位を手に入れた *That's how* she got ˹where she is [the job she has].

ああいう (あのような) such; (あんな風) like that, that way. 《☞ あんな; そういう》.

アーカイブズ ── 名 (大規模な記録・資料のコレクション, 公文書保管所または古文書) archives /ɑ́əkaɪvz/ ★ 複数形で. ── 形 (古文書の) árchive; archíval ★ 後者は「公文書保管所の」の意にもなる.

アーカンソー ── 名 固 (米国の州) Arkansas /ɑ́əkənsɔ̀ː/. ── 形 (アーカンソー州の) Arkansan /ɑəkǽnzən/ 《☞ アメリカ (表)》. アーカンソー州人 Arkansan Ⓒ.

アーキテクチャー (建築学・建築様式) árchitècture Ⓤ; 〚コンピューター〛 architecture Ⓒ.

アーキテクト (建築家) árchitèct Ⓒ.

アーギュメント (議論・主張) argument Ⓒ.

アークとう アーク灯 arc lamp Ⓒ.

アーケード arcáde Ⓒ; (歩行者専用の商店街) mall Ⓒ.

アーサー (男性名) Arthur /ɑ́əθə/; (アーサー王) King Arthur ★ 6 世紀頃, ブリテン島に侵入するアングロサクソン人と戦ったとされるケルト人の王.

アージェント (緊急な) urgent.

アース ── 名 《米》 ground Ⓒ, 《英》 earth Ⓒ. ── 動 《米》 ground 他, 《英》 earth 他. ¶洗濯機の*アースを付ける *ground* [*earth*] the washer

アースデー Earth Day ★ 4 月 22 日.

アーチ ── 名 arch Ⓒ. ── 形 (アーチ形の) arched. ¶*アーチ型の入口 an *arched* doorway

アーチェリー (洋弓術) archery Ⓤ.

アーチボールド (男性名) Archibald /ɑ́ətʃbɔːld/ ★ 愛称は Archie, Archy で, いずれも /ɑ́ətʃi/.

アーティクル (記事・品物・条項) article Ⓒ; 〚文法〛 (冠詞) article Ⓒ. 《☞ 冠詞 (巻末)》.

アーティスティック (芸術的な) artístic.

アーティスト (美術家, 歌手, 演奏家など) ártist Ⓒ ★ 特にプロの演者は artiste /ɑətíːst/ Ⓒ; (演奏家) musícian Ⓒ.

アーティチョーク 〚植〛 (朝鮮あざみ) artichoke Ⓒ ★ 西洋料理に使う.

アーティフィシャル (人造の・人工の) àrtifícial.

アート art Ⓤ. ¶モダン*アート modern *art*

アートし アート紙 art paper Ⓤ.

アートディレクター árt dirèctor Ⓒ.

アートフラワー artificial flower (crafted from pieces of fabric) Ⓒ ★ 日英比較 「アートフラワー」は和製英語. 《☞ ぞうか[2]》.

アーノルド (男性名) Arnold.

アーバナイゼーション (都市化) ùrbanizátion Ⓤ.

アーバン (都市の) urban.

アーバンウェア (都会風のあかぬけた服) stylish [fashionable] clothes ★ 複数形で. 日英比較 「アーバンウェア」は和製英語.

アーバンライフ (都会生活) urban [city] lífe Ⓤ.

アーベント (夕べ) evening Ⓒ ★ ドイツ語 Abend から. 《☞ ゆうべ[1]》.

アーミー (陸軍, 軍隊) army Ⓒ.

アーミッシュ the Amish ★ 複数扱い; キリスト教プロテスタントのメノナイトから独立した宗派. 《☞ メノナイト》.

アーミン 〚動〛 ermine Ⓒ.

アーム (腕・腕状のもの) arm Ⓒ.

ああむじょう ああ無情 ── 名 固 *Les Misérables* ★ ユゴー (Victor Marie Hugo) の小説 (1862).

アームチェア (ひじ掛けいす) ármchàir Ⓒ; (安楽いす) easy chair Ⓒ.

アームレスト (ひじかけ) armrest Ⓒ ★ しばしば the armrests.

アーメン ── 感 amen.

アーモンド 〚植〛 almond /ɑ́ːmənd/ Ⓒ.

アーリアじん ── 名 (古代中央アジアの) Aryan Ⓒ. ── 形 (アーリア民族の) Aryan.

アール[1] (面積の単位) are /éə/ Ⓒ 《略 a》 《☞ 度量衡 (囲み)》.

アール[2] (アルファベットの第 18 字) R Ⓒ, r Ⓒ.

アールアンドディー R and D Ⓤ, R & D Ⓤ ★ *r*esearch and *d*evelopment (研究開発) の略. 《☞ 会社の組織と役職名 (囲み)》.

アールエイチ (因子) Rh factor Ⓒ. ¶*アールエイチプラス[マイナス]の血液型 an *Rh* ˹positive [negative] blood type

アールデコ 〚美〛 art deco, Art Deco /ɑ́ətdeɪkóu/ Ⓤ ★ 1920–30 年代にかけてフランスを中心に流行した装飾様式.

アールヌーボー 〚美〛 art nouveau /ɑ́ətnuːvóu/ Ⓤ ★ 19 世紀末から 20 世紀初頭の芸術運動・様式. 植物をモチーフにした曲線を特徴とする.

あーん ¶*あーんしてごらん (⇒「アー」と言いなさい) Say "*ah.*" ★ ah を発音すると口を一番大きく開くことから. 医者が患者に, 母親が子供などに言う.

あーんあーん ¶子供が*あーん あーんと泣いていた The child was crying *loudly*. 《☞ 擬声・擬態語 (囲み)》

アーンドラン 〚野〛 earned run Ⓒ.

あい[1] **愛** (親子・異性間などの強い愛情) love (for *a person*; of *something*) Ⓤ ★ 最も一般的で, 以下の語の代わりに使える場合も多い; (温和で永続的な愛情) affection (for ...; toward ...) Ⓤ ★ しばしば複数形で; (愛着) attachment (to …) Ⓒ. (☞ あいする; あいじょう (類義語)). ¶親の子に対する*愛 parental *love* // 子供への溺*愛 blind *love for one's* child // 偽りの*愛 false *love* // あなたに対する彼の*愛は本物ですよ (⇒ 彼は本当にあなたを愛している) He really *loves* you. // 激しい*愛 intense [violent] *love* // ほろ苦い*愛 bittersweet *love* // 彼女の*愛 (⇒ 心 [愛情]) を勝ち得るのはだれだろう Who will win her ˹*heart* [*affections*]? // 彼は祖国*愛に燃えていた He was burning with ˹*love* of his country [patriotism /péɪtriətìzm/].
愛の結晶 the child of a loving couple.

コロケーション
一途な愛 obsessive *love* / 永遠の[変わらぬ]愛 eternal [everlasting] *love* / かなわぬ愛 unrequited [hopeless] *love* / 真の愛 true [genuine] *love* / 兄弟愛 brotherly [sisterly] ˹*love* [*affection*] / 熱愛 burning [torrid; passionate] *love* / 深い愛 deep [profound] ˹*love* [*affection*] / 無償の愛 unconditional *love*

あい² 藍 (染料) índigò Ⓤ. **あい色** indigo Ⓤ, indigo blue Ⓤ.
藍より出でて藍より青し The color blue comes from the indigo plant, and bluer than indigo it is. / (⇒ 自分の師匠をしのぐ) The student overreaches the master who trains him. (☞ しゅつらん)

アイ¹ (眼) eye Ⓒ. **アイローション** (洗眼液) eye lotion Ⓤ.

アイ² (アルファベットの第 9 字) I Ⓒ, i Ⓒ.

アイアールビーエム (中距離弾道弾) IRBM Ⓒ ★ *i*ntermediate *r*ange *b*allistic *m*issile の略.

あいあい 藹藹 ☞ わきあいあい

あいあいがさ 相合傘 ¶*相合傘で行きましょう (⇒ この傘をいっしょに使いましょう) Let's *share this umbrella*. // *相合傘の若い男女 a young man and woman *sharing the same umbrella*

アイアン (ゴルフクラブの) iron Ⓒ. ¶ファイブ*アイアン a five *iron*

あいいく 愛育 ━ 動 (かわいがって育てる) nurture … with tender care.

アイーダ (オペラ) Aïda /ɑːíːdə/ ★ ヴェルディ (Verdi) 作のオペラの女主人公 (1871).

あいいれない 相容れない (衝突する) clash (with …); (…と両立しない) be incompatible with …; (…と調和しない) be out of harmony with … (☞ あいはんする; むじゅん). ¶彼の考えは私の考えと*相いれない His views ˹*clash with* [*run counter to*] mine. // 彼の思想は時勢と*相いれなかった His ideas were *out of harmony with* the time(s).

あいいん 愛飲 ¶ビールはどの銘柄を*愛飲しておられますか What brand of beer do you *usually have*?

アイウエオ the Japanese (kana) syllabary. ¶*アイウエオ順に in the order of *the Japanese syllabary*

あいうち 相打ち ¶戦いで両者は*相打ちとなった (⇒ 同じ程度に被害を受けた) The two of them *equally suffered* in the fight.

アイエスオー (国際標準化機構) ISO /àɪèsóʊ/ ★ the International Organization for Standardization の通称.

アイエスディーエヌ (統合サービスデジタル通信網) ISDN ★ *I*ntegrated *S*ervices *D*igital *N*etwork の略.

アイエスビーエヌ (国際標準図書番号) ISBN ★ *I*nternational *S*tandard *B*ook *N*umber の略.

アイエムエフ (国際通貨基金) IMF ★ the *I*nternational *M*onetary *F*und の略.

アイエルオー (国際労働機関) ILO ★ the *I*nternational *L*abor *O*rganization の略.

アイエルシー (国際労働会議) ILC ★ the *I*nternational *L*abor *C*onference の略.

あいえんか 愛煙家 (たばこを吸う人) smoker Ⓒ; (ヘビースモーカー) heavy smoker Ⓒ.

あいえんきえん 合縁奇縁 uncanny force at work in the world that links some people, while keeping others apart Ⓤ.

あいおい 相生 (1 つの根元から 2 つの幹が分かれ出ること) two trunks growing from the same roots.
相生の松 a red and a black pine growing from the same roots (symbolic of connubial longevity).

アイオーシー (国際オリンピック委員会) IOC ★ the *I*nternational *O*lympic *C*ommittee の略.

あいおれくぎ 合折釘 (U 字形の止めくぎ) staple Ⓒ; (締めつけ金具) clamp Ⓒ; (小さな留め金) small clamp Ⓒ. (☞ かすがい).

アイオワ ━ 名 固 (米国の州) Iowa /áɪəwə/.
━ 形 (アイオワ州の) Iowan. (☞ アメリカ (表)).
アイオワ州人 Iowan Ⓒ.

あいか 哀歌 (悲しみの歌) song of sorrow Ⓒ; (死者を悼む挽歌) elegy Ⓒ.

アイガー ━ 名 固 the Eiger /áɪgə/ ★ スイス中部の山. 標高 3970 m. **アイガー北壁** the North Face (of the Eiger).

あいかぎ 合鍵 duplicate /d(j)úːplɪkət/ key Ⓒ; (マスターキー) master key Ⓒ. (☞ かぎ¹).

あいがき 合欠 〘建〙 half-lap joint Ⓒ, halving joint Ⓒ.

あいかた 相方 (相手) partner (in a comedy duo) Ⓒ.

アイカメラ éye càmera Ⓒ ★ 眼球の動きを連続的にとらえる装置.

あいがも 間鴨 〘鳥〙 *aigamo* Ⓒ; (説明的には) the hybrid offspring of a domestic and a wild duck.

あいかわらず 相変わらず (いつもと変わらず) (as) … as ˹ever [always] 語法 最初の as を省略するほうが口語的; (いつものように) as usual; (以前のように) as before; (いつも) always.
¶彼女は*相変わらず美しい She is *as* beautiful *as* ˹*ever* [*always*]. // 私は*相変わらず (⇒ いつものように) 忙しい I'm busy *as usual*. // 「どうだい, 景気は」「*相変わらずさ (⇒ まあまあさ)」"How's your business going?" "Only *so-so*."

あいかん¹ 哀歓 (うれしさと悲しさ) happiness and sadness, joys and sorrows ★ 後者はやや固い表現.

あいかん² 哀感 (もの悲しい感じ) melancholy Ⓤ; feeling of sadness Ⓒ; (悲哀) pathos Ⓤ ★ 主に文語. ¶*哀感を込めて歌う sing with ˹*deep feeling* [*pathos*]

あいがん¹ 哀願 ━ 動 (切実に哀願する) implore ⓗ; (懇願する) entreat ⓗ; (恩恵などを頼む) beg ⓗ 語法 最初の 2 語は beg より改まった語だが, 日本語の「哀願」というニュアンスに近い. (☞ たんがん¹; こんがん; たのむ). ¶彼女は彼に一緒にいてくれるように*哀願した She ˹*implored* [*entreated*; *begged*] him to stay with her.

あいがん² 愛玩 ━ 動 (手でやさしくなでる) pet ⓗ; (ペットにする) make a pet of … (☞ かわいがる).
愛玩動物 pet Ⓒ.

あいき 愛機 (飛行機) *one's* own plane Ⓒ; (日常使っている機械) machine *one* uses habitually Ⓒ.

あいぎ 合着, 間着 spring [fall] ˹clothing [wear] Ⓤ.

あいきどう 合気道 aikido Ⓤ ★ 英語に入った

日本語のひとつだが，judo ほど一般的ではないので a Japanese martial art of self-defense（自己防衛の日本の武芸）のように説明するのもひとつの方法.

あいきゃく 相客 （訪ねた人の家で一緒になった客）another guest ★ 一人の場合; other guests ★ 複数の場合;（仲間の客）fellow ⌈guest [visitor] Ⓒ;（旅館で相部屋となった人）róommàte Ⓒ.

アイキャッチャー （人目を引くもの）éye-càtcher Ⓒ.

アイキュー （知能指数）IQ Ⓒ ★ *i*ntelligence *q*uotient /kwóuʃənt/ の略. ¶ *アイキューの高い[低い]子供 a child with a ⌈high [low] *IQ* score

あいきょう 愛敬，愛嬌 ── 形（魅力のある）charming, attractive;（愛想のよい）ámiable. ── 名 charm Ⓤ; amiability Ⓤ.《☞ かわいい》. ¶ 彼女はなかなか*愛敬がある She's very *charming.* / She has an *attractive* personality. // 彼女は来た人みんなに*愛敬をふりまいた She turned on her *charm* for everyone who was there.
愛敬者（愛相のよい人）amiable person Ⓒ. ¶ その子猿は皆の*愛敬者だ（⇒ 皆のペットだ）The cute little monkey is *everybody's pet.* 愛敬笑い（人を引きつける微笑）winning smile Ⓒ;（相手に気に入られようとする微笑）ingratiating smile Ⓒ.

あいきょうしん 愛郷心 （故郷を慕う心）love for *one's* hometown Ⓤ;（故郷への忠誠心）loyalty to *one's* hometown Ⓤ.

あいぎん 愛吟 ── 動（…を好んで歌う）love to sing …;（詩などを）love to recite …

あいくぎ 間釘，合い釘 （板を張り合わせるための両端の尖った釘）double pointed nail. Ⓒ.

あいくち 合口 （片刃の小刀）knife Ⓒ;（説明的には）small knife without a hand guard Ⓒ.

あいくるしい 愛くるしい ── 形（小さくてかわいい）cute ★ 米口語;（子供などがいとしくてかわいい）adorable ★ 女性が多く使う.《☞ かわいい》.
愛くるしさ（愛らしさ）lovableness Ⓤ;（かわいさ）cuteness Ⓤ; sweetness Ⓤ;（魅力）charm Ⓤ.

あいけん 愛犬 *one's* (pet) dog Ⓒ. 愛犬家 dog lover Ⓒ.

あいこ[1] ── 形（同等の）even;（貸し借りのない）square. ¶ さあ，これで*あいこだ Now we are *even.*

あいこ[2] 愛顧 （ひいき）patronage /pǽtrənɪdʒ/ Ⓤ. ¶ 日頃のご*愛顧に感謝いたします Thank you for your continued *patronage.*

あいご 愛護 ── 名（保護）protection Ⓤ. ── 動（保護する）protect ⑩. ¶ 動物*愛護週間 Animal *Protection* Week

あいこう 愛好 ── 動（愛する）love ⑩;（好む）like ⑩, be fond of … ★ be fond of のほうが like より意味が強い.《☞ すき[1]（類義語）》. 愛好家（一般に）lover Ⓒ《☞ ファン[1]》. ¶ 彼は熱烈な音楽*愛好家だ He is an ardent music *lover.*

あいこうしん 愛校心 love ⌈for [of] *one's* school Ⓤ.

あいこく 愛国 ── 形（愛国心の強い）patriotic /pèɪtriátɪk/. ¶ 彼は*愛国の念にかられた He was filled with ⌈*patriotic* sentiment [*love of his country*]. 愛国者 pátriot Ⓒ 愛国心 patriotism /péɪtriətìzm/ Ⓤ.

あいことば 合言葉 （敵味方を区別する）password Ⓒ, watchword Ⓒ ★ 後者には「スローガン」の意味もある.

あいごま 合い駒 ── 動（将棋で…を合い駒する）interpóse ⑩. ── 名（合い駒となるもの）interpóser Ⓒ;（合い駒にされたもの）interposed piece Ⓒ. ¶ 飛車で*合い駒する *interpose* a rook

アイコン 〘コンピューター〙（絵記号）icon Ⓒ.

アイコンタクト （目と目を合わせること，会話中相手の目を見ること）éye còntact Ⓤ.

あいさい 愛妻 *one's* (precious) wife Ⓒ.

あいさいか 愛妻家 devoted [loving] husband Ⓒ.

あいさつ 挨拶 **1**《口頭・会釈など》── 名 greeting Ⓒ, salutation Ⓒ ★ 後者は文語的. ── 動 greet ⑩, salute ⑩.《☞ おじぎ; れい[2]; えしゃく》. ¶ 我々は入口で*あいさつを交わした We exchanged *greetings* at the entrance. // 彼女は加藤先生に笑顔で*あいさつした She *greeted* Mr. Kato with a smile.
2《返事》: answer Ⓒ, reply Ⓒ ★ 後者のほうが格式ばった語.《☞ へんじ》. ¶ いまもって彼からは何の*あいさつ（⇒ 返事）もない I have had no ⌈*answer* [*reply*] from him yet.
3《会合などでの》:（演説）speech Ⓒ, address Ⓒ ★ 後者のほうが改まった語.《☞ えんぜつ》. ¶ 皆さんにちょっと歓迎のご*あいさつを申し上げます Ladies and gentlemen, please allow me to say a few *words of welcome.*
あいさつ代わり（あいさつとして）by way of greeting. ¶ これはほんのご*あいさつ代わりです. お気にめせば幸いです This is just a little something I've brought you *by way of greeting.* I hope you like it. あいさつ語 word used as a greeting Ⓒ, greeting Ⓒ; 〘言〙phatic communion of greeting Ⓤ. あいさつ状（季節・新年などの）《米》gréeting càrd Ⓒ,《英》greetings card Ⓒ;（通知状）notice Ⓒ. あいさつ回り ── 動（表敬訪問のため次々に回る）make a round of courtesy visits.

アイザック （男性名）Isaac /áɪzək/.

あいし 哀史 （悲劇的な歴史）tragic history Ⓤ. ¶『女工*哀史』*A sad Story of Miserable Factory Girls*

あいじ 愛児 *one's* (beloved) child Ⓒ.

アイシー （集積回路）IC Ⓒ《複 ICs》★ *in*tegrated *c*ircuit の略. **IC** カード smart [IC] card Ⓒ **IC** タグ IC tag Ⓒ.

アイシービーエム （大陸間弾道弾）ICBM Ⓒ ★ *I*nter-*C*ontinéntal *B*allístic *M*issile の略.

アイシーピーオー （国際刑事警察機構）ICPO ★ the *I*nternational *C*riminal *P*olice *O*rganization の略.

アイシーユー （集中治療室）ICU Ⓒ ★ *I*nténsive *C*áre *U*nìt の略.

アイシェード （ひさしにベルトをつけた日よけ帽）éyeshàde Ⓒ.

あいしゃ[1] 愛車 *one's* own car Ⓒ.

あいしゃ[2] 間遮 ☞ あいごま

あいしゃせいしん 愛社精神 loyalty to the company Ⓤ. ¶ 彼は*愛社精神がない He lacks *loyalty to his company.* / He is not *loyal to his company.*

アイシャドー eye shadow Ⓤ《☞ けしょう（挿絵）》.

あいしゅう 哀愁 pathos /péɪθɑs/ Ⓤ.

あいしょう[1] 相性，合性 ¶ 私は彼と*相性がよい（⇒ いつもうまくいっている）I always *get* ⌈*along* [*on*] *well with* him. // あの夫婦は*相性が悪い They are *not* a *well-matched* couple. / That couple's *chemistry* is wrong. / The *chemistry* between that couple is ⌈wrong [bad]. ★ 後の 2 文のほうが口語的. chemistry は互いに性的にひかれる魅力，相性.

あいしょう[2] 愛称 pet name Ⓒ;（あだ名）nickname Ⓒ.《☞ あだな; つうしょう[2]》.

あいしょう[3] 愛唱 ¶ 私は若いころこの歌を*愛唱していました（⇒ 歌うのが好きだった）I *loved to sing* this song when I was young. 愛唱歌 *one's*

favorite song [C].

あいしょう⁴ 愛誦 ── [動] (詩などを口にするのが好きだ) love to recite ... ¶*愛誦する (⇒ 私のお気に入りの) 詩 my *favorite* poem

あいじょう 愛情 ── [名] love [U]; affection [U] ★ しばしば複数形で; (愛着) attachment [C]. ── [形] loving; affectionate.

【類義語】 最も一般的な語で強い愛情, 例えば母親の子供に対する愛, 恋人同士の愛情などは ***love***. この語は以下の語の代わりに使えることも多い. 穏やかな永続的な愛情は ***affection(s)*** で, 普通は人や動物に対する愛を指す. 愛着は ***attachment*** で, 人にも物にも用いる. (☞ あい¹; あいする)

¶ 彼女は彼に少しも*愛情を持ってはいなかった (⇒ 彼をまったく愛していなかった) She didn't *love* him at all. // 彼女の*愛情あふれる手紙に感動した Her very *affectionate* letter moved me. // *愛情こまやかな老夫婦 a *loving* elderly couple // *愛情のない結婚 *loveless* marriage

あいしょか 愛書家 book lover [C], bíbliophìle [C] ★ 後者は格式ばった語.

あいじるし 合印 (ギアなどの部品を対にして合わせるための印) mark for mating (the gears) [C]; (印刷の見当合わせ) guidemark [C].

あいじん 愛人 (通例男から見た女の) love [C]; (通例女から見た男の) lover [C] ★ 肉体関係を暗示することがあるので注意; (男女とも) sweetheart [C] ★ やや古風で使われなくなってきている; (情婦・めかけ) mistress [C], kept woman [C]. (☞ こいびと).

アイシング (洋菓子の砂糖ごろも) icing [U]; 〖アイスホッケー〗 icing [U].

アイス (氷) ice [U] (☞ こおり).

あいず 合図 ── [名] (動作・言葉による) sign [C]; (習慣的に決まった意味を持っている信号など) signal [C]; (身ぶり) motion [C]; gesture [C]. ── [動] sign (他) (自); signal (他) (自); motion (他) (自). (☞ しんごう; サイン¹). ¶ 彼は私に逃げろという*合図をした He *made a* ˹*sign* [*gesture*] to me to run away. / He ˹*signed* [*motioned*] me to run away. // 警官は懐中電灯で車に止まれと*合図をした The policeman ˹*signaled* [*ordered*] the car to stop with a flashlight. // 彼が立ち上がったのを*合図に皆は部屋から出はじめた (⇒ 彼が立ち上がるのが合図だった) His standing up was the *signal* for everybody to start leaving the room. / (⇒ 皆が合図によって立ち去り始めた) Everybody started leaving the room ˹at [on] the *signal* he gave by standing up.

アイスアックス (登山用ピッケル) ice ax [C], 《英》 ice axe [C]. (☞ ピッケル).

アイスアリーナ (観客席なども含めた施設) ice skating arena [C]; (スケート場) ice skating rink [C].

アイスウォーター (冷やした水) ice(d) water [U].

アイスキャンデー 《米》 Popsicle [C] ★ 商標名, 《英》 ice lolly [C].

アイスキューブ ice cube [C].

アイスクリーム ice cream [U] ★ 一つ一つを指す時は [C], 《英》 ice [C]. **アイスクリームコーン** íce-cream còne [C]. **アイスクリームサンデー** sundae [C]

日英比較 英語では単に sundae で "ice cream" は不要. (☞ サンデー). **アイスクリームソーダ** íce-crèam sóda [C].

アイスコーヒー ice(d) coffee [U] ★ 一杯ずつを指す時は [C]. (☞ コーヒー).

アイスショー ice show [C].

アイススケート ── [名] ice skating [U]. ── [動] ice-skate (自). (☞ スケート). ¶ *アイススケート靴 (ice) skates ★ 複数形で.

アイスダンス ice ˹dance [dancing] [U].

アイスティー ice(d) tea [U] ★ 一杯ずつの意味では [C].

アイスバーン (スキー場の) icy slope [C]; (道路の) icy street [C]; (積雪の凍った表面) crust [C] 参考 日本語の「アイスバーン」はドイツ語の Eisbahn (スケート場の意) から.

アイスピック (氷割り用のきり) íce pick [C].

アイスフォール ícefàll [C] ★ 凍結した滝・氷河の崩落部.

アイスペール ice bucket [C] ★ ice pail よりこちらが普通. 氷を入れてワインを冷やすのに使うのでワインクーラー (☞ ワイン) とも呼ぶ.

アイスボックス (氷を入れて冷やす冷蔵箱) icebòx [C] ★ 《米》 では冷蔵庫の意味でも用いる.

アイスホッケー ice hockey [U] ★ 《米》 では単に hockey とも言う.

アイスランド ── [名] (固) Iceland ★ 正式名は the Republic of Iceland. ── [形] Icelandic. **アイスランド語** Icelandic [U] **アイスランド人** Icelander [C].

アイスリンク (スケートリンク) íce rìnk [C].

あいする 愛する ── [動] (愛している) love (他) ★ 最も一般的. また「状態」を表す動詞なので進行形にはならない; (...に対して愛情を抱く) have affection ˹for [toward] ...; (...と恋愛中である) be in love (with ...). ── [形] dear, loved, much-loved, beloved /bɪlʌ́vɪd/ ★ beloved は古めかしく文語的. (☞ あいじょう (類義語); すき¹ (類義語)).

¶ 祐三は久美子をとても*愛している Yuzo *loves* Kumiko very much. / Yuzo *is* deeply *in love with* Kumiko. // 彼は*愛する子供たちを残して死んだ He died leaving behind him his ˹*much-loved* [*beloved*] children.

あいせき¹ 相席 ── [動] (同じテーブルに着く) share ˹a [the] table (with ...) (☞ どうせき). ¶「あの女の方と*相席でよろしいですか」「ええ, ちっともかまいません」 "Would you mind *sharing* ˹*a* [*the*] *table with* that lady over there?" "No, not at all."

あいせき² 哀惜 ¶ (...を失って)*哀惜の念に堪えない We are in *deep sorrow* over having lost ....

あいせつ 哀切 ── [形] (悲しげな・悲しい気持にさせる) mournful; (声などが悲しそうな・哀れな・訴えるような) plaintive; (悲嘆にくれている) sorrowful. ¶ *哀切な声で in a *plaintive* voice

アイゼン crampons, climbing irons ★ 前者のほうが一般的. 左右の靴につけて一対で使うので, 普通複数形で用いる. 参考 日本語の「アイゼン」はドイツ語で「アイゼン」を意味する Steigeisen からきたもの.

アイゼンハワー ── [名] (固) Dwight /dwáɪt/ David Eisenhower /áɪznhàuə/, 1890-1969. ★ 米国の第 34 代大統領.

あいそ¹ 愛想 ── [形] (愛想のよい) áffable; (人好きのする) amiable /éɪmiəbl/; (人づきあいのよい) sociable; (感じのよい) agreeable; (友好的な) friendly. ── [副] amiably. ── [名] sociability [U]; amiability [U].

¶ 彼は*愛想がいい He is ˹*affable* [*amiable*; *sociable*]. / (⇒ いつもにこにこしている) He *is always smiling*. // 彼はだれにでも*愛想よく振舞った He was very *friendly* to everybody. // 彼は*愛想のない (⇒ そっけない) 返事をした He gave me a ˹*curt* [*blunt*] answer. (☞ ぶあいそう) // 彼には*愛想がつきた (⇒ うんざりした) I *am disgusted with* him. // 我ながら*愛想がつきた (⇒ 自分自身が恥ずかしい [いやになる]) I'm ˹*ashamed* [*sick*] *of* myself. / I *hate myself*. // じきに彼女に*愛想をつかされるよ (⇒ 彼女の愛情を失うよ) You'll soon *lose her affection(s)*.

お愛想 (お勘定) 《米》 check [C], 《英》 bill [C]. ¶ *お愛想! (Can I have the) *check*, please.

愛想笑い put-on [fake; diplomatic; phon(e)y] smile [C].

あいそ² 哀訴 ― [動] (哀願する) implóre ㊀; (…に…を望むと切に訴える) appeal to … earnestly for … ― [名] (哀願すること) imploration Ⓤ; (切なる訴え) earnest appeal Ⓒ. ⦅☞ あいがん⦆. ¶ 慈悲を*哀訴する *implore* mercy // 民衆に支援を*哀訴する *appeal earnestly* to the public *for* help

あいぞう¹ 愛憎 (愛情と憎しみ) love and hatred.

あいぞう² 愛蔵 ― [動] (宝として蓄える) treasure ㊀; (大切にする) cherish ㊀. ― [名] (貴重品) treasure Ⓒ. ¶ *愛蔵の美術品 one's ˹*treasured* [*cherished*] piece of artwork

あいそうづかし 愛想づかし (相手にうんざりして示す厳しい言動) harsh words or behavior to *someone* showing *one* is fed up with them. **愛想づかしを言う** (思いやりのないことを言う) say something unkind (about *a person*).

アイソタイプ (国際的に通じる交通標識などの絵言葉) ísotỳpe Ⓒ ★ *I*nternational *S*ystem of *T*ypographic *P*icture *E*ducation の略.

アイソトープ ísotòpe Ⓒ.

あいぞめ 藍染め (藍染め法・藍染め業) indigo [deep-blue] dyeing Ⓤ.

アイソメトリックス 〘スポ〙 isometrics ★ しばしば単数扱い.

アイソレーショニズム (孤立主義) isolátionìsm Ⓤ ★ 他国から孤立して一国の安定, 繁栄を望む態度.

あいだ 間 **1** «…の間に» ― [前] in …, within …; for …; during …; between … ― [接] while …

【類義語】「…のうちに」と一定期間の限度を表すのは *in*. 特に限度を強調したいときは *within*. 不特定期間の長さを示すのに用いられるのは *for*. 特定の期間中の継続, あるいはその期間中のいつかの時点を示すときは *during*. 2 つの時点の間を表すのは *between*. 特定の期間中という意味を示す従位接続詞が *while*. ⦅☞ ま¹; あいま⦆

¶ 彼女はほんのちょっとの*間に食事の用意をした She prepared the meal *in* a very short time. // 私は長い*間待たされるのは嫌いだ I don't like to be kept waiting *for* a long time. // 夜の*間に雨が降った It rained *during* the night. //「休みの*間にどこかへ行きましたか」「はい, 箱根へ行きました」"Did you go anywhere *during* the vacation?" "Yes, I went to Hakone." // お留守の*間に田中さんがみえました Mr. Tanaka called ˹*during* your absence [*while* you were out]. // この薬を食事と食事の*間に飲みなさい Take this medicine *between* meals.

2 «間隔» ― [前] between … ⦅☞ かんかく¹⦆.
¶ 行と行の*間をもっとあけなさい Leave more space *between* the lines.

3 «間柄・関係» ― [前] (2 人の場合) between …; (3 人以上の場合) among …
¶ その金は我々の*間で分けてしまった We divided the money ˹*between* [*among*] us. // その条約は日本, ドイツ, イギリス, アメリカの*間で調印された The treaty was signed *between* Japan, Germany, Great Britain and the United States. [語法] 3 つ以上のものでも個々の関係を表す時は between を用いる. // 2 人の*間はうまくいっていますか *Are* the two of them *getting along well*?

間に立つ (仲介する) mediate (between) ㊁; (調停を申し出る) offer mediation; (とりなす) intervene (on *a person's* behalf) ㊁. **間に立てる** (仲裁役になってもらう) have someone act as (a) ˹mediator [peacemaker]; (だれかに仲裁してもらう) have someone call in a mediator; (仲人役を務めてもらう) engage a go-between. **間を割く** (離反させる) alienate ㊀; (引き離す) separate ㊀; (間に割り込む) come between …; (人との関係を断つ) sever (all) relations with *a person*.

アイダ (女性名) Ida /áɪdə/.

あいたいずく 相対尽く ☞ なっとく

あいたいする 相対する **1** «向かい合った» ― [形] opposite. ― [動] (向かい合う) face each other.
¶ *相対する 2 つの角 the angles *opposite* to each other // 2 人は*相対して座った The two sat *facing each other*.
2 «対立した» ― [形] conflicting ⦅☞ あいはんする⦆.
¶ *相対するふたつの考え the two *conflicting* ideas

あいだがら 間柄 (関係) relation Ⓤ; (仲) terms [語法] (1) 複数形で. なお, on … terms (with …) で用いることが多い. ⦅☞ かんけい¹ (類義語); なか²⦆.
¶「彼女とはどういう*間柄ですか」「彼女は私の婚約者です」"*What* is she to you?" "She's my fiancée." // 彼とは親しい*間柄だ I'm *on* friendly *terms with* him. / We are good friends. [語法] (2) terms は「仲のよさ [悪さ]」を示す形容詞と共に用いられ, 親族関係などには用いない.

あいたけ 藍茸 〘植〙 green russula Ⓒ ⦅複 ~s, green russulae⦆.

アイダブリューシー (国際捕鯨委員会) IWC ★ the *I*nternational *W*haling *C*ommission の略.

アイダホ ― [名] ㊋ (米国の州) Idaho /áɪdəhòu/. ― [形] (アイダホ州の) Ìdahóan. ⦅☞ アメリカ (表)⦆.
アイダホ州人 Idahoan Ⓒ.

あいちゃく 愛着 (心を引かれること) attachment Ⓒ; (主として人に対する愛情) affection Ⓤ ★ しばしば複数形で. ⦅☞ あいじょう (類義語)⦆. ¶ 彼女はその古い家に強い*愛着を持っていた She ˹had a great *attachment* [*was* greatly *attached*] to that old house.

あいちょう¹ 哀調 (悲しげなメロディー) sad ˹melody [tune] Ⓒ; (感傷的なメロディー) sentimental ˹melody [tune] Ⓒ. ⦅☞ かなしい⦆. ¶ この歌は*哀調をおびている This song sounds ˹*sad* [*sentimental*].

あいちょう² 愛鳥 *one's* (pet) bird Ⓒ. **愛鳥家** bird lover Ⓒ **愛鳥週間** Bird Week.

あいつ (あの男) that man Ⓒ, ⦅米略式⦆ that guy Ⓒ. ⦅☞ やつ⦆.

あいついで 相次いで (次から次へと) one after another; (連続して) in succession ★ 前者のほうが口語的な表現. ⦅☞ あいつぐ; つづけざま; つぎつぎ⦆.
¶ 彼は*相次いで 3 試合に勝利をおさめた He won three games *back-to-back*.

あいつうじる 相通じる (共通点を持つ) have … in common (with …) ¶ 言語の学習は身体トレーニングと*相通じる点が多い Language learning *has a lot in common with* physical training.

あいつぐ 相次ぐ ― [形] ⦅米⦆ back-to-back ★ くだけた語. ― [副] back-to-back. ― [動] happen one (right) after ˹another [the other]. ¶ 島は*相次ぐ災害に見舞われた The island was struck by *one* disaster *after another*.

あいづち 相槌 (応答) response Ⓒ. ¶ 彼はすぐに*相づちを打った He *made a* quick *response*.

あいて 相手 (話し相手・仲間) compánion Ⓒ; (2 人で組になる遊戯・競技の; 仕事などの; 結婚の) partner Ⓒ; (電話の) party Ⓒ; (子供の遊び友達) playmate Ⓒ; (競争相手) match Ⓒ; (敵対者) oppónent Ⓒ; (好敵手) rival Ⓒ. ⦅☞ せんぽう¹⦆.
¶ 彼女は君のよい話し*相手になるだろう She will be a good *companion* ˹to [for] you. // 私には相談*相手がいない I have *no one to talk* ˹*to* [*with*]. / (⇒ 助言を求めに行く人がいない) I have *no one to* ˹*go* [*turn*] *to for advice*. // あの子には遊び*相手がいない He has no ˹*playmates* [*friends*]. // ラストダンスの*相手は彼女だった She was my *partner* in the last

dance. // あんなやつを*相手にするな (⇒ 彼を放っておけ) Leave him alone. // いまにだれも*相手にしてくれなくなるよ Soon nobody will *have anything to do with* you. / (⇒ 友人がいなくなるよ) Soon you will find yourself *friendless*.
相手にとって不足はない (⇒ よい対戦相手だ) be a good match for … ¶ 彼なら*相手にとって不足はない He'll *be a good match for* me.
相手方 the other party. **相手次第** ¶ それは*相手次第だよ (⇒ 君がどんな人を扱うかによる) It depends ⌈on [upon] what kind of (a) person you deal with. **相手役** (主役の共演者) co-star Ⓒ; (主な脇役) (the ⌈actor [actress] who plays) the chief supporting role. ¶ 彼女は次回作で大物スターの*相手役を務める In her next film she'll *be playing opposite* a big star.

アイデアル (理想的な) ideal /aɪdíːəl/.

アイディア idea /aɪdíːə/ Ⓒ 《☞ おもいつき; かんがえ》. ¶ それはいい*アイディアだ That's a good *idea*. // そのとき突然いい*アイディアが浮かんだ Then all of a sudden a good *idea* ⌈came [occurred] to me.
アイディアマン idea person Ⓒ, idea man Ⓒ; person who ⌈creates [thinks up] good ideas Ⓒ.

アイディアリズム (理想主義・〖哲〗観念論) idéalism Ⓤ.

アイティー (情報技術) IT Ⓤ ★ *i*nformation *t*echnology の略.

アイディーカード (身分証明書) ID card Ⓒ ★ 特に「カード」を強調する以外は単に ID ということが多い. *id*entification または *id*entity の略.

アイディーばんごう アイディー番号 (データや人物などを識別するための番号) ID number ★ *id*entity [*id*entification] number の略.

あいでし 相弟子 (相撲の同部屋の力士) stáblemàte Ⓒ; (同じ師について学ぶ者どうし) fellow ⌈students [apprentices] ★ 複数形で.

あいてどる 相手取る ¶ 彼女は彼を*相手取って (⇒ 彼に対して) 損害賠償の訴訟を起こした She sued *him for* damages.

アイテム item Ⓒ.

アイデンティティー identity Ⓤ. ¶ 現代人は*アイデンティティーを喪失している People today have lost their *identity*. **アイデンティティークライシス** 〖心〗(自己認識の喪失の危機) identity crisis /kráɪsɪs/ Ⓒ 《複 ~ crises /-siːz/》.

アイデンティファイ (ある人または物をたしかにその人または物であると認知する) idéntifỳ ⑯.

アイデンティフィケーション (確認すること・身元保証になるもの) idèntificátion Ⓤ.

あいとう 哀悼 (悔やみ) condolence /kəndóʊləns/ Ⓤ ★ 格式ばった語. しばしば複数形で. 《☞ おくやみ》. ¶ 御尊父の死に謹んで*哀悼の意を表します Please accept our *condolences on* the death of your father.

あいどく 愛読 ¶ 私は彼女の小説を*愛読している (⇒ 彼女の小説が好きだ) I ⌈*like* [*am fond of*] her novels. **愛読者** (熱烈な読者) avid reader Ⓒ. ¶ 私の同僚は『英語青年』の*愛読者だ (⇒ いつも必ず読んでいる) My colleague is a regular *reader* of *The Rising Generation*. // 彼には青年層の*愛読者が多い (⇒ 若者たちに広く読まれている) He *is widely read* by young people. / (⇒ その著者は若者たちに人気がある) The author is very *popular* ⌈among [with] young people. // 読売新聞の*愛読者 (⇒ 購読者) a *subscriber* to the *Yomiuri* **愛読書** *one's* favorite book Ⓒ.

アイドナー (献眼者) éye dònor Ⓒ.

アイドリング ¶ エンジンを*アイドリングさせておく keep the engine *idling* **アイドリングストップ** ━ 動 ((短時間でも)駐停車時にエンジンを停止する) turn off the engine when ⌈parked [stopped].

アイドル idol Ⓒ. **アイドル歌手** pop-⌈star [idol] Ⓒ ★ 英語では idol はあまり一般的ではない.

アイドルコスト (生産設備等の遊休による損失) idle-capacity cost Ⓒ ★ しばしば複数形で.

あいなかばする 相半ばする ━ 動 (帳尻が合う) bálance óut ⓐ; (相殺する) offset each other. ━ 形 (半々である) half-and-half.
¶ その制度の功罪は*相半ばする The merits and demerits of the system ⌈*balance out* [*offset each other*]. // その計画の賛否は*相半ばする Opinions for and against the project are *half-and-half*. // 喜びと不安の*相半ばする気持ち *mixed* feelings of joy and worry

あいなめ 〖魚〗greenling Ⓒ.

あいにく ━ 副 (不運にも) unfortunately, unluckily ★ 後者は特に個人的な状況を示すときに用いられる. ¶ *あいにく店は閉まっていた *Unfortunately*, the store was closed. // *あいにく (⇒ 残念ながら) 兄はいま留守です *I'm sorry*. My brother is out. // きょうは運動会には*あいにくの天気です (⇒ 天気が運動会には不向きだ) The weather is *unfavorable* for our ⌈athletic meet [field day] today.

アイヌ ━ 名 固 Ainu /áɪnuː/ Ⓒ; (集合的に) the Ainu(s). ━ 形 Ainu. **アイヌ語** Ainu Ⓤ **アイヌ新法** the new Ainu law ★ the Ainu Cultural Promotion Law とも言う.

あいねずみ 藍鼠 (色) grayish blue Ⓤ.

あいのて 間の手, 合いの手 (邦楽で, 歌の間の器楽演奏部) instrumental interlude (between the songs) Ⓒ. **間[合い]の手を入れる** ¶ 彼は私たちが話しているといつも*間[合い]の手を入れてくる (⇒ 人の話の間に短い言葉を言う) He always *slips in a remark or two* while we are talking.

あいのり 相乗り ━ 動 (一緒に乗る) ride together; (1 台の車を共同で使う) share ⑯. 《☞ どうじょう²》. ¶「(タクシーに)*相乗りさせてもらえますか」「どうぞ」"Can we [May I] *share* the cab?" "Certainly."

あいば 愛馬 *one's* (pet) horse Ⓒ.

アイバー (男性名) Ivor /áɪvɚ/.

あいばさみ 相挟 ━ 動 (一つのものを二人が互いの箸で挟む) pick … up together, with their chopsticks ★ 説明として taboo, due to the practice of so carrying cremated bone fragments to a cinerary urn を加えるとよい.

アイバン (男性名) Ivan /áɪvən/.

アイバンク éye bànk Ⓒ.

あいはんする 相反する ━ 動 (一致しない) conflíct ⓐ; (食い違う) clash ⓐ. ━ 形 conflícting; (正反対の) ópposite. 《☞ あいいれない; むじゅん; たいりつ》. ¶ 我々の利害は*相反するようだ Our interests seem to ⌈*conflict* [*clash*] (*with* each other). // 2 つの*相反する意見 two ⌈*conflicting* [*contrary*] opinions

アイバンホー ━ 名 固 *Ivanhoe* ★ スコット (Sir Walter Scott) の小説 (1819).

アイビー (女性名) Ivy /áɪvi/.

アイビーカレッジ (アイビーリーグの大学) Ivy League college Ⓒ.

アイビーリーグ (米国東部の有名私立 8 大学・それらから成る競技連盟) the Ivy League. ★ Harvard, Yale, Columbia, Princeton, Brown, Pennsylvania, Cornell, Dartmouth の 8 大学.

アイビールック (アイビーリーグの学生が好むスタイル) the Ivy League look, the Ivy League style.

あいびき¹ 逢引 secret meeting (of lovers) Ⓒ 《☞ デート; しのぶ》.

あいびき[2] **合挽き** (牛と豚の混合ひき肉) beef and pork minced together.

あいびょう 愛猫 *one's* (pet) cat Ⓒ.

あいびん 哀憫 ―[名] (哀れみ) pity Ⓤ. ―[形] sympathetic. ¶彼女は*哀憫のまなざしで私を見た She gave me a ⌜*sympathetic* [*pitying*] look.

あいふ 合符 ☞ あいふだ

あいぶ 愛撫 ―[名] caress /kərés/ Ⓒ. ―[動] (恋人同士などが) caress (他); (ペットとして) fondle (他). 《☞ かわいがる》.

あいふく 合い服 ☞ あいぎ

あいふだ 合い札 (手荷物などの預かり証) baggage claim check Ⓒ; (割り符) tally Ⓒ.

アイブロー (眉) eyebrow /áıbràʊ/ Ⓒ. **アイブローペンシル** (眉墨) éyebrow pèncil Ⓒ.

あいべつ 哀別 (悲しい別れ) sad parting Ⓤ; (別れの悲しみ) sorrow of parting Ⓤ; (死別の悲しみ) deep sorrow at *a person's* death Ⓤ.

アイベックス 〖動〗 ibex Ⓒ 《複 ~es, ibices》.

あいべつりく 愛別離苦 〖仏教〗 the anguish of parting from *one's* beloved ones.

あいべや 相部屋 ¶私は彼と*相部屋でも (⇒ 部屋を共用しても) かまわない I don't mind *sharing the room* with him.

あいぼ 愛慕 ―[動] (心から愛する) love … dearly; (敬慕する・熱愛する) adore (他). ¶*愛慕する母はもういない (⇒ いなくてさびしい) I *miss* my *dearest* mother very much.

あいぼう 相棒 (組む相手) partner Ⓒ; (仲のよい友達) 《略式》 pal Ⓒ. 《☞ あいて; なかま》.

あいぼし 相星 (相撲で同数の勝ち星) an equal number of wins.

アイボリー (象牙) ivory Ⓤ. **アイボリーホワイト** ―[名] ivory (white) Ⓤ, creamy white Ⓤ. ―[形] ivory(-white), creamy-white.

あいま 合間 (間隔) interval /íntəvəl/ Ⓒ; (仕事・勉強などの間の休憩時間) break Ⓒ; (休止) pause Ⓒ. 《☞ あいだ》. ¶仕事の*合間に during a *break*

あいまい 曖昧 ―[形] (2つ以上の意味にとれる) ambiguous /æmbígjuəs/; equivocal ★ 後者は意図的にする意がある. 日英比較 これら2語は日本語の「あいまい」のように「漠然とした」などの意味はないことに注意; (はっきりしない) unclear, obscure; (漠然とした) vague; (態度を明らかにしない) nòncommíttal ★ やや格式ばった語; (不確かな) uncertain. ―[名] àmbigúity Ⓤ; vagueness Ⓤ; uncertainty Ⓤ; obscúrity Ⓤ. 《☞ ばくぜん; ふめいりょう; どっちつかず; あやふや》.

¶この文は意味が*あいまいだ (⇒ 2つ以上の意味にとれる) The meaning of this sentence is ⌜*ambiguous* [(⇒ 明らかでない) *not clear*]. // 彼は*あいまいな返事をした He gave a ⌜*vague* [*noncommittal*] answer. // 彼は*あいまいな態度をとった He took an *uncertain* stance. **曖昧模糊** ―[形] (見分けがつかない) indiscérnible; (とても漠然とした) very vague.

あいまって 相俟って ¶智徳両々*相俟ってはじめて完全な人格ができる (⇒ 完全な人格を作るためには智徳が組み合わせられなければならない) Wisdom and virtue *must be combined* to make a perfect character.

あいみたがい 相身互い ―[動] (互いに同情し合う・気持を分かち合う) sympathize with … ―[名] mutual sympathy Ⓤ. ¶武士は*相身互いですよ (⇒ 我々は同業者 [同じ船の同乗者] です) We are in the same ⌜business [boat], so we should *sympathize with* each other.

あいやく 相役 ―[名] (同僚) colleague /káli:g/ Ⓒ. ―[動] (同じ役目を持っている) have the same job. ¶彼と私は*相役だ He and I ⌜are *colleagues* [*have the same job*].

あいやど 相宿, 合い宿 (同じホテルに泊まること) staying at the same hotel Ⓤ. ¶たまたま旧友と*相宿だった An old friend of mine and I happened to *stay at the same hotel*.

あいよう 愛用 ―[形] (気に入りの) favorite. ¶これは父の*愛用のパイプです This is my father's *favorite* pipe. // これが祖父の*愛用した (⇒ いつも持って歩いた) 傘だ This is the umbrella my grandfather *used to carry*.

愛用者 regular user (of …) Ⓒ.

あいよく 愛欲 (肉欲) lust Ⓤ; (性欲) sexual desire Ⓤ. 《☞ よくぼう》.

あいよつ 相四つ (相撲の) *aiyotsu* Ⓤ 《☞ よつ; けんか[1] (喧嘩四つ)》. ¶両力士は*相四つである (⇒ 互いに相手の同じ側のまわしをつかもうとする) Each sumo wrestler likes to grip the other's belt with both hands in the same manner.

アイライン 〖美容〗 ―[動] (アイラインを引く) apply [put on] (an) eyeliner 日英比較 「アイライン」は和製英語. ★ eyeliner は化粧品としては Ⓤ だがペンシル状のものは Ⓒ.

あいらく 哀楽 ☞ きどあいらく

あいらしい 愛らしい (かわいい) pretty, 《米略式》 cute. 《☞ かわいい》.

アイラッシュカーラー 〖美容〗 (まつ毛を上にそらせるための器具) éyelash cùrler Ⓒ.

アイランド (島) island Ⓒ. **アイランドキッチン** (部屋の中央部にあるタイプの流し・料理場) island kìtchen Ⓒ.

アイリーン (女性) Irene /áıri:n/, Eileen /áıli:n/.

アイリス[1] 〖植〗 iris Ⓒ.

アイリス[2] (女性名) Íris.

アイリッシュ ―[形] (アイルランドの) Irish /áı(ə)rıʃ/. ―[名] (アイルランド語・ゲール語) Irish Ⓤ; (アイルランド人) Irishman Ⓒ 《複 -men》; (女性) Irishwoman Ⓒ 《複 -women》; (総称) the Irish ★ 複数扱い.

アイル (座席間の通路) aisle Ⓒ ★ しばしば the を付けて. **アイルシート** (飛行機などの通路側の席) áisle sèat Ⓒ.

アイルランド ―[名] (固) Ireland /áıələnd/ 参考 正式な国名は「アイルランド共和国」the Republic of Ireland. また英領の「北アイルランド」は Northern Ireland, 通称 Ulster /ʌ́lstə/ とも呼ばれる. 《☞ えいこく (挿絵)》. ―[形] Irish. **アイルランド語** Irish Ⓤ **アイルランド人** (男性) Irishman Ⓒ 《複 -men》, (女性) Irishwoman Ⓒ 《複 -women》.

アイレット (鳩目) eyelet Ⓒ.

あいれん[1] **愛憐** **愛憐の情** compassion Ⓤ; (愛しみあわれむ感情) feelings of love and sympathy ★ 複数形で.

あいれん[2] **哀憐** **哀憐の情** (相手の悲しみに同情する感情) feelings of sympathy ★ 複数形で.

あいろ 隘路 (狭い道) narrow path Ⓒ; (難関) difficulty Ⓒ. ¶成功までには幾多の*隘路を切り抜けねばならなかった Before we succeeded, we had to overcome a number of *difficulties*.

アイロニー irony Ⓤ 《☞ ひにく[1]》. ¶人生の*アイロニー life's *ironies* ★ このように「皮肉な巡り合わせ」といった具体的な意味で使う場合には Ⓒ.

アイロン ―[名] iron /áıən/ Ⓒ. ―[動] (アイロンをかける) iron (他) (自), press (他). ¶シャツに*アイロンをかける *iron* a shirt // *アイロンでスカートのしわを伸ばす *iron* out wrinkles in a skirt // このブラウスは*アイロンをかけなくてはいけない This blouse needs *ironing*. // *アイロンのかかったズボン *ironed* [*pressed*] trousers **アイロン台** ironing board Ⓒ.

アインシュタイン ―名 固 Albert Einstein /áɪnstaɪn/, 1879–1955. ★ドイツ生まれで米国に帰化したノーベル賞物理学者. ―形 (アインシュタインの) Einsteinian /aɪnstáɪniən/.

あう¹ 会う, 遇う **1**《会う》: see 他《過去 saw; 過分 seen》; meet 他 自《過去・過分 met》; run into …; meet with …

【類義語】人と顔を合わせ, 話をするということに重点をおく語が **see**. 元来, 1 か所に集まるという意味で, 日時を決めて人に会うことを表す語が **meet**. なお, この語は他人に紹介されたり, 自己紹介などで, 初対面のあいさつを交わして知り合いになるという社交用語としても使われる. 例えば *Have* you *met* her? という質問は, 単に顔を見たことがあるかどうかを聞いているのではなく, 紹介を通して正式な知り合いになっているかどうかを尋ねる場合に使われる. 人に思いがけなく会うのは **run into** で, 口語的な表現. 約束して公式な会見をするのは **meet with** で, やや改まった表現.

¶あした彼女に*会いに行く I'll go and *see* her tomorrow. // 最近彼とあまり*会わない I *haven't seen* much of him recently. // きょうはだれにも*会わないことにする I won't *see* anyone today. // その人には一度も*会ったことはない I'*ve* never *met* ⌈him [her]. // 山田さんとはあす午後 6 時にさくらホテルで*会うことになっています I'm going to *meet* Mr. Yamada at the Sakura Hotel tomorrow at 6 p.m. // 首相はあす中国首相と*会う予定である Our [The] Prime Minister is scheduled /skédʒuːld/ to *meet with* the Chinese Premier tomorrow. // 駅前でばったり旧友に*会った I *ran into* an old friend of mine outside the station.

2《遇う》: (事故・不幸などに出くわす・遭遇する) meet with …, encounter 他 ★後者は格式ばった語; (経験する) go through, experience 他 ★前者のほうが口語的. (☞ そうぐう; けいけん¹).

¶彼女はまだ不運な目に*あったことがない (⇒ 経験したことがない) She *has* never ⌈*experienced* [*met with*] misfortune. // その遠征ではずいぶんつらい目に*あった We ⌈*went through* [*encountered*] a lot of difficulties on the expedition. // 私の提案は思わぬ反対に*あった My proposal *met with* unexpected opposition. // 駅へ行く途中でにわか雨に*あった (⇒ つかまった) I *was caught in* a shower on my way to the station. // 交通事故に*あった (⇒ 巻き込まれた) I *was involved in* a traffic accident.

会うは別れの始め Meeting a person is the beginning of parting from him/her. (⇒ どんな親友もいつかは別れなければならない) The best of friends must part. 《ことわざ》

あう² 合う **1**《寸法・型などが》: (合致する) fit 他 (☞ ぴったり). ¶このワイシャツは首まわりが*合わない This shirt doesn't *fit* me (a)round the neck. // この上着は私にぴったり*合う This jacket *fits* me perfectly.

2《適合する・調和する》: (適合する) suit 他; (釣り合う) match 他; (性に合う) agree (with …) 自; (調和する) go well with … (☞ てきする; にあう; しょう³; マッチ²). ¶このデザインは私の趣味に*合わない This design doesn't *suit* my taste. // そのネクタイは上着と*合わない The tie doesn't ⌈*match* [*go well with*] the coat. // 牡蠣(かき)は私の体に*合わない Oysters ⌈don't *agree* [*disagree*] *with* me.

3《一致する》: (同意する) agree (with …) 自 ★ with の後は「人」がくる; (合致する) square [《米》jibe] (with …) 自; (対応する) correspond /kɔ̀ːrəspɑ́nd/ (to …; with …) 自. (☞ いっち (類義語)).

¶彼と意見が*合った I *agreed with* him. // あなたの話は事実と*合わない (⇒ 合致しない) Your story doesn't ⌈*square* [《米》*jibe*] *with* the facts. // この品物は見本と*合わない (⇒ 一致しない) These goods don't *correspond* ⌈*with* [*to*] the samples. // 2 人の目が*合った Their eyes *met*. ★この met は 自.

4《正しい》 ―形 (正確な) right, correct 語法 前者は判断の正しさにも使うが, 後者は主として数値などについて言う. (☞ ただしい).

¶私の時計は*合っている My watch is ⌈*right* [*correct*]. // あなたの答えは*合っている Your answer is ⌈*right* [*correct*].

アウグスチヌス ―名 固 Saint Augustine /ɔ́ːgəstiːn/, 354–430. ★ラテン語名は Aurelius Augustinus. 古代キリスト教の教父・思想家.

アウシュビッツ ―名 固 (ポーランド南部の都市のドイツ名) Auschwitz /áuʃvɪts/ ★第二次大戦中ナチスの強制収容所があった.

アウストラロピテクス (アフリカで発見された化石人類) Australopithecus.

アウター (上に着るもの, 上着・コートなど) óuterwèar U.

アウターウェア ☞ アウター.

アウト 〘野〙 ―形 副 out (↔ safe). ―名 out C. ¶彼は*アウトだった He was *out*. // 次のバッターはフライ [ゴロ] を打って*アウトになった The next batter ⌈flied [grounded] *out*. // ワン[ツー]*アウト one [two] ⌈*out* [*down*]

アウトオブデート ―形 (時代遅れの・旧式の) out-of-date A 語法 P の用法では out of date.

アウトカウント ¶*アウトカウントはいくつですか How many *outs* are there?

アウトコース 〘野〙 outside C (☞ インコース). ¶*アウトコースに直球を投げる throw a pitch that is fast and *outside*

アウトコーナー 〘野〙 the outside corner (of the plate) ★ the を付けて.

アウトサイダー outsider C.

アウトサイド (外側) outside ★通例 the を付けて.

アウトソーシング (外部委託) outsourcing U.

アウトドアスポーツ outdoor sport C.

アウトドアライフ (野外生活) outdoor life U ★しばしば the を付けて.

アウトバーン autobahn C ★ドイツ語 Autobahn (自動車用高速路) から. 発音は英語では /ɔ́ːtoubɑ̀ːn/ ということが多い.

アウトフィールド 〘野〙 (外野) the outfield ★ the を付けて. 語法 英語では外野手全体を指す場合もある. 外野手の 1 人は outfielder C.

アウトフォーカス 〘写・映〙 ―形 (焦点のぼけた) out-of-focus A ★ P の用法および 副 では out of focus.

アウトプット óutpùt U ★ an を付けるときもある. (☞ コンピューター (囲み)).

アウトプレースメント (転職のあっせん) òutplácement C.

アウトボクシング 〘ボク〙 (離れて戦う戦法) fighting outside U, 《英》 out-fighting U.

アウトライン (出来事や歴史などのあらまし・概要) óutlìne C; (小説などのあらすじ) synópsis C; (要点) main point C. 日英比較 英語の outline と一致しない場合も多いことに注意. (☞ がいりゃく; りんかく).

アウトラインプロセッサー 〘コンピューター〙 outline processor C.

アウトレット (工場・卸売店などの直販店) outlet C.

アウトロー (無法者) outlaw C.

アウロラ ―名 固 〘ギ神・ロ神〙 Aurora /ɔːrɔ́ːrə/ ★あけぼのの女神.

あうん 阿吽 ¶指揮者と楽団員の*あうんの呼吸(⇒

息のぴったりあった連携) *perfect coordination* between the conductor and the orchestra

アウンサンスーチー —[名] (固) Aung San Suu Kyi /áuŋsà:nsù:tʃí:/, 1945– . ★ ミャンマーの女性改革家.

あえぎ 喘ぎ (激しい動きなどで) pant [C]; (激しい息づかい) hard [quick] breathing [U]; (息を切らした状態) breathlessness [U].

　あえぎ声 —[名] gasp [C]. —[動] (あえぎ声を出す) gasp (自), give [let out] a gasp.

あえぐ 喘ぐ (驚き・怒りなどで) gasp (自); (激しい運動の後などで) pant (自); (苦しそうに息をする) breathe hard (自). 《☞ いきぎれ; はあはあ》. ¶「もう歩けない」と彼は*あえぎながら言った "I can't walk any farther," he *panted*. // 彼は*あえぎあえぎ階段をかけ上った He ran up the stairs *breathing* very *hard*.

あえて 敢えて ¶その会には*あえて出席するには及びません (⇒ わざわざ出席する必要はない) You need not *bother* to attend the meeting. // あなたが*あえて一人で行きたいとおっしゃるのならどうぞ (⇒ もし言い張るのなら) If you *insist on* going alone, please do so. // 君の提案に*あえて反対はしない (⇒ 反対するつもりはない) I don't *mean to* object to your proposal. 《☞ わざわざ; たって》.

あえない ¶彼は*あえない最期を遂げた(⇒ みじめな死に方をした) He died ⌈*in a miserable way* [a *miserable* death].

あえもの 和え物 Japanese-style mixed salad tossed with dressing.

あえる 和える (野菜などを) dress (他) 《☞ 料理の用語 (囲み)》. ¶彼女はきゅうりを酢みそで*あえた She *dressed* slices of cucumber *with* ⌈miso [soybean paste] and vinegar /vínɪgə/.

あえん 亜鉛 〘化〙 zinc [U] 《元素記号 Zn》. **亜鉛鉄板** (亜鉛めっきした鉄板) gálvanìzed íron shéet [C] 《☞ トタン》.

あお 青 —[名] (青) blue [U]; (緑) green [U]. —[形] (青い) blue; (緑の) green [日英比較] 日本語の「あお」は「青葉」「青々とした芝生」などのように「緑」の意味を持つことがあることに注意; (顔色が) pale ★ 英語の pale は色が薄く白っぽいこと.

¶明るい*青 light *blue* // 鮮やかな*青 bright [brilliant; vivid] *blue* // 淡い*青 tender [pale] *blue* // くすんだ*青 dusky *blue* // 濃い[暗い]*青 deep [dark] *blue* // 澄んだ*青 clear [crystalline; transparent] *blue* // 空[海]のような*青 sky [marine; sea] *blue* // 雲一つない*青(い)空 a cloudless *blue* sky 《☞ あおぞら》 // 公園の芝生は*青く美しい The grass in the park is *green* and beautiful. // 信号が*青に変わった The (traffic) light turned *green*. 《☞ あおしんごう》 // 顔が*青いですよ You look *pale*.

　青は藍より出でて藍より青し ☞ あい[2] (藍より出でて藍より青し)

　青色申告 blue return [C].

あおあお 青青 —[形] (空が) blue; (海が) blue, green; (草や樹木の葉が) green. 《☞ あお [日英比較]》. ¶*青々とした芝生 *fresh and green* grass

あおあざ 青痣 (殴打などによるもの) black-and-blue mark [C], bruise /brú:z/ [C] ★ 後者は傷に重点がある. 《☞ あざ[1]》; (蒙古斑) Mongolian spot [C].

あおあらし 青嵐 (初夏の強風) early-summer gale [C].

あおい 葵 〘植〙 mallow [C] ★ ゼニアオイの総称.

あおいきといき 青息吐息 ¶輸出業界は*青息吐息だ (⇒ 非常に不振だ) The export business ⌈*isn't doing well* [*is in the doldrums*].

あおいとトンボ 青糸とんぼ 〘昆〙 emerald damselfly [C].

あおいとり 青い鳥 (幸福の象徴) the blue bird of happiness ★ メーテルリンク (Maeterlinck /méɪtəlìŋk/) の小説『青い鳥』(*The Blue Bird*) に由来する表現.

あおいろはっこうダイオード 青色発光ダイオード ☞ はっこう[3] (発光ダイオード)

あおうなばら 青海原 blue expanse of ⌈ocean [water] [C]; the wide blue sea; the deep green sea.

あおうみがめ 青海亀 〘動〙 green turtle [C].

あおうめ 青梅 (熟していない青い梅) green unripe ⌈*ume* [Japanese apricot] [C].

あおえんどう 青豌豆 〘植〙(グリーンピース) green peas ★ 複数形で.

あおおに 青鬼 green ogre [C].

あおがい 青貝 〘貝〙 Schrenck's limpet [C].

あおがえる 青蛙 〘動〙 green [tree] frog [C].

あおかび 青かび blue ⌈mold [《英》 mould] [U] 《☞ かび》.

あおがり 青刈り **青刈り稲** green rice stalks harvested for composting or silage **青刈り飼料** green silage [U] **青刈りとうもろこし** young corn harvested for composting or silage [U].

あおがれ 青枯れ —[動] (植物が青いまま枯れる) wilt (自). —[名] wilt [U]. **青枯れ病** 〘植〙 wílt disèase [U] ★ 具体的なケースをいうときは [C].

あおき 青木 (青々とした木) green tree [C]; (ミズキ科の常緑樹) Japanese laurel [C].

あおきこんよう 青木昆陽 —[名] (固) Aoki Konyo, 1698–1769; (説明的には) A scholar of Dutch studies who popularized sweet potatoes.

あおぎす 青鱚 〘魚〙 small-scale(d) sillago [C].

あおぎり 青桐 〘植〙 Chinese parasol (tree).

あおぐ[1] 仰ぐ (上を見る) look up (at …) (自); (尊敬する) look up to …; (求める) ask for … 《☞ みあげる; そんけい》. ¶空を*仰ぐと飛行機雲が見えた *Looking up*, I saw the vapor trail from a jet plane. // 私が師と*仰ぐのは青木先生だけだ Mr. Aoki is the only person I can *look up to* as a mentor. // 私は彼女の助言を*仰いだ I *asked for* her advice.

あおぐ[2] 扇ぐ (せんすなどで) fan (他).

あおくさ 青草 green grass [U] 《☞ あお [日英比較]》.

あおくさい 青臭い (草の臭いのする) grassy-smelling; (未熟な) green, callow ★ 後者のほうが格式ばった語; (経験不足の) inexperienced. 《☞ みじゅく》.

あおくびだいこん 青首大根 (野菜) Japanese ⌈*Aokubi* [greenhead] radish [C]; Japanese radish with a greenish head [C] ★ 後者は説明的.

あおぐろい 青黒い (あざなどが) blue-gray, livid; (濃緑色の) dark green. ¶*青黒いあざ *livid* bruises

あおげいとう 青鶏頭 〘植〙 redroot pigweed [C].

あおげら 青啄木鳥 〘鳥〙 Japanese green woodpecker [C].

あおこ (藻類) alga /ǽlgə/ [C] 《複 algae /ǽldʒi:/》.

あおごけ 青苔 〘植〙 blue-dew moss [U].

あおさ 石蓴 〘海藻〙 sea lettuce [U].

アオザイ (ベトナムの民族服) áo dái [C]; (説明的には) Vietnamese high-necked long dress [C].

あおざかな 青魚 (背の青い魚) fish with (metallic-)blue backs 《☞ あじ[2]; いわし; さば; さんま》.

あおさぎ 青鷺 〘鳥〙 gray heron [C].

あおざめ 青鮫 〘魚〙 mako shark [C].

あおざめる 青ざめる turn pale (自) 《☞ あお; かおいろ; まっさお》. ¶そのニュースを聞いて彼は*青ざめた He *turned pale* at the news.

あおしぎ 青鷸 〘鳥〙 solitary snipe [C].

あおじそ 青紫蘇 〘植〙 green ⌈perilla [beefsteak

plant] Ⓒ.

あおじゃしん 青写真 blueprint Ⓒ《☞ せっけい¹ (類義語)》.

あおじる 青汁 grèen végetable jùice Ⓤ.

あおじろい 青白い (顔色などが) pale; (病的に) pallid, wan. 《☞ かおいろ; あおざめる》.

あおしんごう 青信号 green light Ⓒ ［日英比較］ 日本語ではこの場合「青」とも「緑」ともいうが, 英語では常に green を用いる点に注意.《☞ しんごう》. ¶ *青信号で道路を渡りましょう Only cross the street ⌈on the *green light* [when the *light* ⌈*is* [*turns*] *green*].

あおすじ 青筋 ¶ 彼は*青筋を立てて怒った (⇒ 怒って血管が浮き出た) He was so furious that the *veins* stood out on his forehead.《☞ おこる¹》

あおすじあげは 青条揚羽(蝶) 〘昆〙 green-banded swallowtail Ⓒ.

あおぞら 青空 the blue sky ［語 法］ 曇り空などと対比して, 空のあるひとつの状態を念頭に言う場合には a blue sky と言う.《☞ そら¹》. 青空市場[教室] outdoor ⌈market [class] Ⓒ 青空駐車 roadside parking Ⓤ.

あおた 青田 (稲が青くて未成熟の水田) rice paddy with green and unripe rice Ⓒ. 青田売り ── ［動］ sell rice ⌈while it is still unripe in the paddy [before the harvest] 青田刈り ── ［動］ (未成熟の稲を刈る) reap rice before it is ripe; (卒業よりずっと以前の大学生から新入社員を採用する) recruit new employees from college students long before they graduate 青田売買 buying and selling of [dealing in] rice before ⌈it is ripe [the harvest] ［日英比較］ 「売買」は日本語と語順が逆.

あおだいしょう 青大将 〘動〙 rat snake Ⓒ ［参 考］ ネズミなど小動物を食べる, 毒のないヘビの総称.

あおたがい 青田買い ── ［動］ (水田で未成熟の状態の米を買う) buy rice ⌈while it is still unripe in the paddy [before the harvest]; (学生の早期採用の内定) snap up the best from the new crop of employees.

あおだけ 青竹 green bamboo Ⓤ.

あおだたみ 青畳 (新しい畳) new tatami Ⓒ; (新しくて青みがかった畳) fresh and greenish straw mat Ⓒ.

あおっぽい 青っぽい ── ［形］ (青みがかった) blu(e)-ish; (緑がかった) greenish.《☞ あお ［日英比較］》.

あおでんしゃ 青電車 (終電車の前の電車) the second to (the) last train.

あおてんじょう 青天井 (青空) the [a] blue sky ［語 法］ sky に ［形］ が付くとしばしば冠詞は a となる; (高値続きの株価) 〘株〙 skyrocketing stock prices ★ 複数形で.

あおとかげ 青蜥蜴 〘動〙 blue-tailed skink Ⓒ.

あおな 青菜 greens ★ 複数形で. ¶ 彼は*青菜に塩だ (⇒ すっかり意気消沈している) He is completely *disheartened*.

あおナイル 青ナイル the Blue Nile ★ ナイル川の支流.

あおにさい 青二才 (新米の未熟者) new recruit Ⓒ《☞ わかぞう; みじゅく》.

あおのり 青海苔 green laver Ⓤ.

あおば 青葉 (緑の葉) fresh green leaves ★ 複数形で.《☞ しんりょく¹》.

あおばありがたはねかくし 青翅蟻形隠翅虫 〘昆〙 blue-winged rove beetle Ⓒ.

あおばえ 青蝿 〘昆〙 bluebottle fly Ⓒ.

あおばずく 青葉木菟 〘鳥〙 brown hawk-owl Ⓒ.

あおばと 青鳩 〘鳥〙 Japanese green pigeon Ⓒ.

あおばはごろも 青翅羽衣 〘昆〙 green broad-winged planthopper Ⓒ.

あおびかり 青光り ── ［動］ (光を発する) give out [emit] bluish light ★ give out のほうが口語的; (輝く) shine silvery-blue. ¶ 新鮮な鯖は*青光りする A mackerel fresh from the sea *shines metallic-blue*.

あおひげ¹ 青髯 (舞台化粧) blue makeup on the cheeks suggesting a shadow of whiskers (often worn on the Kabuki stage by the hero's rival) Ⓤ ★ 説明的な訳.

あおひげ² 青髯 ── ［名］ (固) *Blúebèard* ★ シャルル・ペロー (Charles Perrault) の童話集に含まれる物語で 6 人の妻を次々に殺す主人公.

あおびょうたん 青瓢箪 (青く未熟な瓢箪の実) blue and unripe gourd /gɔ́əd/ Ⓒ; (やせて不健康な感じの男) thin and unhealthy-looking man Ⓒ.

あおぶくれ 青膨れ ── ［形］ (青白くはれた) pale and swollen; (皮膚が青白い) doughy /dóʊi/. ¶ *青膨れした顔 a *pale, swollen* face

あおぶさ 青房 (相撲の) *aobusa* Ⓒ; (説明的には) the green tassel hanging from the northeast corner of the roof over the professional sumo ring.

あおまめ 青豆 green ⌈beans [peas] ★ 複数形で.

あおみどり 青緑 ── ［名］ bluish green Ⓤ. ── ［形］ (青みがかった緑の) bluish green; (青と緑の) blue-green.

あおみどろ 〘植〙 spirogyra /spàɪ(ə)rəʤáɪ(ə)rə/ Ⓤ.

あおむく 仰向く ── ［動］ (上を向く) look up. ¶ 彼女は*あおむくと私を見た She *looked up* at me.

あおむけ 仰向け ── ［副］ (あおむけで) on *one's* back (↔ on *one's* stomach). ── ［形］ 《格式》 supine. ¶ 彼は*あおむけになってベッドに寝ていた He was lying in bed *on his back*.

あおむし 青虫 (green) caterpillar Ⓒ.

あおむらさき 青紫 (青みがかった紫) ── ［形］［名］ blu(e)ish purple Ⓤ.

あおもの 青物 (青菜) greens ★ 複数形で; (野菜) vegetables ★ 複数形で.《☞ やさい》. 青物市場 vegetable market Ⓒ.

あおやき 青焼き ☞ あおじゃしん

あおり 煽り ¶ *あおりを食う (⇒ 影響を受ける) be affected by ... / (⇒ ひどく打撃を受ける) be badly hit by ... // 強風の*あおりで火事が広がった *Fanned by* a strong wind, the fire spread. // 不況の*あおりで倒産が続出した (⇒ 不況が数多くの倒産を引き起こした) The recession *caused* a number of bankruptcies. ［語 法］ 「...のあおりを食らって...」も「...のあおりで...」と同じ構文になる.

あおりいか 障泥烏賊 〘魚〙 bigfin reel squid Ⓒ, oval squid Ⓒ.《☞ いか²》.

あおりたてる 煽り立てる (演説などで) ágitàte (against ...; for ...) (自); (けしかける・そそのかす) ínstigàte (他) ★ 格式ばった語.《☞ せんどう¹》.

あおる 煽る **1** 《風が》: (激しく吹きつける) drive (他). ¶ その火は東風に*あおられて市の中心部を焼き尽くした The fire, *driven* by an east wind, destroyed the center of the city.

2 《煽動する》: (感情を奮い立たせる) stir (up) (他), arouse (他); (アジる) agitate (for ...) (自).《☞ アジる; せんどう¹; そそのかす》. ¶ その話は私の好奇心を*あおった (⇒ 呼び起こした) The story *stirred* my curiosity. // 民衆を*あおって暴動を起こさせる *stir up* [*incite*] the crowd to riot

あか¹ 赤 ── ［名］ (赤色) red Ⓤ; (深紅色) crimson /krímzn/ Ⓤ; (緋(ひ)色) scarlet Ⓤ. ── ［形］ (赤い) red; crimson; scarlet; (赤みがかった・赤っぽい) red-

dish. ― 動(赤くなる) redden 自;(恥ずかしさで顔が赤くなる) blush 自;(運動・興奮・アルコールなどで顔が赤くなる) flush 自 ★ 以上2つは 名 C としても用いられる.《☞ あからめる; まっか》.
¶ 薄い*赤 pale [light] *red* // 濃い*赤 dark [deep] *red* // 鮮やかな*赤 bright *red* // 燃えるような*赤 flaming *red* // *赤みがかった茶色 *reddish* brown // *赤(インク)で書いてはいけません Don't write in *red* (ink). // 信号が*赤になった The (traffic) light turned *red*.《☞ あかしんごう》// 私は恥ずかしくて顔が*赤くなった I *blushed* [My face became *red*; I went *red*; My face *reddened*] ⌈for [with] shame. // 少年のほおは*赤く輝いていた The boy's cheeks *flushed* brightly. // 夕日が*赤く輝いていた The setting sun shone with a *red* glow.
赤の他人 ¶ あの人は*赤の他人です(⇒ あの人と私とは何の(血縁)関係もない) He and I *are not* ⌈*blood relations* [*related by blood*]. / (⇒ まったく未知の人だ) He is a *total stranger* to me.《☞ たにん》
赤い羽根運動 Red Feather Campaign C, community ⌈chest [fund] drive C.

あか² 垢 (不潔物) dirt U;(耳の) earwax /íəwæ̀ks/ U;(ボイラーなどの湯あか) scale U;(汚れ) grime U.《☞ よごれ》. ¶ 彼は顔も手も*あかだらけだった(⇒ 汚れていた) His face and hands were ⌈*dirty* [covered with *dirt*]. // ごしごしこすって手足の*あかをよく落としなさい Scrub the *dirt* off your arms and legs. // 風呂に入ってゆっくり*あかを落とす(⇒ 心身さっぱりときれいになる) *clean and refresh oneself* with a hot bath

あか³ (船の底にたまった水) bilge (water) U. ¶ ボートから*あかをくみ出す bail out *water* from a boat

あか⁴ 閼伽 (仏に捧げる水) sacred offering of water C.

あかあか ― 副(明るく) brightly. ― 動(炎が激しく燃える) blaze 自. ¶ 家は*あかあかと灯がともっていた The house was lit up *brightly*. // 暖炉には火が*あかあかと燃えていた A fire *was blazing* in the fireplace.

あかあり 赤蟻 〔昆〕 red ant C.

あかいえか 赤家蚊 〔昆〕 hóuse mosquìto C.

アカウンタビリティー (説明責任) accountability U.

アカウンティング (会計学・経理)《米》 accóunting U,《英》 accountancy U.

アカウント (銀行口座・勘定・計算) account C.

あかえい 赤鱏 〔魚〕 stingray C《☞ えい¹》.

あかおに 赤鬼 red ogre C《☞ おに》.

あかがい 赤貝 〔貝〕 ark shell C.

あかがえる 赤蛙 〔動〕 Japanese brown frog C; (広くアカガエル科の蛙) brown frog C.

あかがねいろ 銅色 ― 形(銅のような) cóppery.

あかかぶ 赤蕪 〔植〕(はつか大根) radish C;(砂糖大根)《米》 bet C,《英》 beetroot C.《☞ はつかだいこん》.

あかがみ 赤紙 ☞ しょうしゅう¹ (召集令状)

あがき 足掻き (苦闘すること) struggling U;(体をのたくってもがくこと) wriggling U.《☞ わるあがき》.
¶ 最後の*あがき(⇒ どたん場の戦い) a *last-ditch* ⌈*fight* [*struggle*; *effort*]

あかぎれ ― 名 cracks, chaps ★ いずれも通例複数形で. ― 動(ひび割れさせる) crack 他, chap 他.《☞ ひび¹》. ¶ 手の指先に*あかぎれが切れた The tip of my finger [My fingertip] *is* ⌈*cracked* [*chapped*].

あがく 足掻く (苦闘する) struggle 自;(もがく) wriggle 自.《☞ もがく; じたばた》.

あかぐろい 赤黒い dark ⌈red [brown].

あかげ 赤毛 red hair U;(赤毛の人)《略式》 redhead C. ¶ 彼女は*赤毛だ She ⌈has *red hair* [is a *redhead*].

あかゲット 赤ゲット (田舎からの観光客) visitor [sightseer] from the country C;(野暮な田舎者) bumpkin C.《☞ おのぼりさん》.

あかげのアン 赤毛のアン ― 名 固 *Anne of Green Gables* ★ カナダの女性作家モンゴメリー (Lucy Maud Montgomery) 作の小説.

あかげら 赤啄木鳥 〔鳥〕 great spotted woodpecker C.

あかご 赤子 baby C《☞ あかんぼう》.
赤子の手をねじる ¶ 相手を*赤子の手をねじるがごとく負かす defeat *one's* opponent as easily *as it would be to twist a baby's arm* // *赤子の手をねじるがごとく易しい It's (*as*) *easy as pie*. ★ easy as pie は「ごく易しい」を表す決まり文句.

あかごめ 赤米 (赤みがかった米) reddish rice (grain) U;(説明的には) the ancient variety of rice which has reddish grains.

あかざ 藜 〔植〕 goosefoot C《複 goosefoots》.

アガサ (女性名) Agatha /ǽgəθə/ ★ 愛称は Aggie /ǽgi/.

あかざとう 赤砂糖 brown sugar U.

あかさび 赤錆 (鉄のさび) rust U《☞ さび》.

あかし 証 (証明) proof U;(証拠) evidence U.《☞ しょうこ (類義語); しょうめい¹》. ¶ 私は自分の身の*証を立てる(⇒ 無実を証明する) ことができる I can *prove* my *innocence*.

あかじ 赤字 ― 名(公式会計の不足額) déficit C (↔ súrplus);(赤い数字) red figure C. ― 形(赤字で) in the red.《☞ けっそん; くろじ》.
¶ わが家の家計は*赤字だ Our household budget is *in the red*. // 市の財政は*赤字になった Our municipal finances *went into* ⌈*the red* [*a deficit*]. // 彼らは*赤字を借金で埋めた They made up the *deficit* by a loan. // 政府は巨額の*赤字財政で悩んでいる The government is suffering from a huge *deficit*. **赤字経営** deficit operation U **赤字国債** government bond to cover the budget deficit C **赤字財政** deficit finance U **赤字予算** deficit budget C.

アカシア 〔植〕 acacia /əkéɪʃə/ C.

あかしお 赤潮 red tide C.

あかしんごう 赤信号 red (traffic) light C《☞ しんごう》.
¶ *赤信号で道路を渡ってはいけません Don't cross the street ⌈on the *red* (*light*) [when the (*traffic*) *light is red*]. // あの車は*赤信号で止まらなかった That car ⌈went through [didn't stop at] the *red light*.

あかす¹ 明かす **1** «過ごす»: (時を費す) spend 他 《過去・過分 spent》, pass 他.《☞ すごす》. ¶ 彼はその小屋で一夜を*明かした(⇒ 過ごした) He ⌈*spent* [*passed*] a night in the hut. // 彼は勉強して夜を*明かした He ⌈*stayed* [*sat*] *up* all night studying. // 今夜は一つ語り*明かそうではないか Let's *talk the night away* tonight, shall we? // 彼女は一晩泣き*明かした She *cried all night*.
2 «打ち明ける»: (秘密などを) reveal 他;(発表されていないことを明らかにする) disclose 他 ★ やや格式ばった語.《☞ うちあける; ばくろ》. ¶ 彼は身元を*明かさなかった He didn't *reveal* his identity. // 彼はついに真実を*明かそう(⇒ 言おう) とはしなかった He would not *tell* the truth after all.

あかす² 飽かす ¶ 金に*飽かして(⇒ 金を浪費して) 毎日豪遊する have a spree every day, *spending money* ⌈*extravagantly* [*like water*] / (⇒ 費用は気にせずに) go on a spree day after day, *not caring about the cost*

あかず 開かず ¶*開かずの (⇒ 開けることを禁じられている) 間 a room *not to be opened* // *開かずの (⇒ めったに開くことのない) 踏み切り a (railroad) crossing gate that rarely opens

あかずきん 赤頭巾 赤頭巾ちゃん Little Red Riding Hood.

あかすり 垢すり body scrubber Ⓒ.

あかだし 赤だし soup prepared from dark-brown bean paste Ⓤ.

あかちゃける 赤茶ける ━ 形 (赤味をおびた茶色の) reddish brown. ━ 動 (色合いが悪くなる) be discolored (《英》 discoloured); (色があせる) fade 自 ★「色あせさせる」という 他 の使い方もある. ¶*赤茶けた岩 a *reddish brown* rock // 紙が日にあたって*赤茶けた The paper *was discolored* by the sun. / The sun *faded* the paper.

あかちゃん 赤ちゃん baby Ⓒ (☞ あかんぼう).

あかちょうちん 赤提灯 (提灯) red paper lantern Ⓒ; (一杯飲み屋) cheap Japanese-style pub (with a red paper lantern at the entrance) Ⓒ.

あかチン 赤チン Mercurochrome /mə́:kjuroukròum/ ★ 商標. ¶ かすり傷に*赤チンをぬる apply *Mercurochrome* to the scratch

あかつき 暁 1 《夜明け》: dawn Ⓤ, daybreak Ⓤ ★ ほぼ同意だが, 前者は「始まり」の意味で比喩的にも用いられる. (☞ よあけ; あけがた; みめい).
2 《場合》 ━ 接 (…した時には) when …
¶ 当選の*あかつきには (⇒ いったん当選すれば) 皆様のために一生懸命に働きます *Once* elected, I will do my best for all of you who support me. ★ once は接続詞.

あがったり 上がったり ¶ 不況で私の商売は*上がったりだ (⇒ 行き詰まっている [全然もうからない]) My business is at a standstill [I can't make any profit] because of the recession.

あかつち 赤土 red ˹clay [earth]˺ Ⓤ (☞ つち¹).

アカデミー (アカデミー賞) Acádemy Awárd Ⓒ; (オスカー像) Oscar Ⓒ. ¶ 彼は 2000 年度*アカデミー賞主演男優賞を受賞した He won the 2000 *Academy Award* for Best Actor.

アカデミーフランセーズ ━ 名 固 (フランス学士院) Académie française /àːkədeɪmí:frɑːnséɪz/ ★ フランス語. Académie のアクセント記号はつづりの一部. 英語では the French Academy. フランスの国語純化のための委員会. 40 名から成る.

アカデミズム acádémicism Ⓤ ★ acádemism Ⓤ ともいう.

アカデミック ━ 形 àcadémic 日英比較 日本語では「学究的」「学問的」という意味でしか用いないが, 英語ではそのほかに「大学の [に関する]」「非実際的」などの意味がある.

あかでんしゃ 赤電車 (最終電車) the last train of the day (with a red lamp on at the front).

あかとんぼ 赤蜻蛉 〔昆〕 red drágonflỳ Ⓒ.

あがない 贖い 〔宗〕 (罪からの解放・救い) redemption Ⓤ 贖い主 The [Our] Redeemer.

あがなう 贖う (罪や過ちなどを償う) atone for …; (罪を悔いて償う) éxpiate 他 ★ いずれも格式ばった語. (☞ つぐなう).

あかぬけた 垢抜けた (洗練された) refined; (教養がある) sophísticàted ★「世慣れた」という多少悪い意味に使われることもある; (服装などがしゃれた) stylish, smart; (優雅な) elegant; (都会風の) ùrbáne (↔ rustic). (☞ しゃれた; せんれん; じょうひん).
¶*あかぬけた振舞い *refined* [*elegant*] manners // *あかぬけた洋服 *stylish* clothes

あかね 茜 〔植〕 madder Ⓒ.
茜色 madder red Ⓤ, dark red Ⓤ 茜雲 (朝夕の茜色の雲) crimson cloud Ⓒ.

あかねずみ 赤鼠 〔動〕 large Japanese field mouse Ⓒ (☞ ねずみ; のねずみ).

あかはじ 赤恥 ¶*赤恥をかく be *put to shame* / (⇒ 公衆の面前で恥をかく) be *disgraced in public*

あかはた 赤旗 red flag Ⓒ; (共産党の旗) the Red Flag.

あかはだか 赤裸 ━ 形 (真っ裸の) stark naked. ━ 動 (皮膚を剝ぐ) skin 他. (☞ はだか; まるはだか).

あかばな 赤花 〔植〕 willow herb Ⓒ; (赤い花) red flower.

あかばむ 赤ばむ ━ 動 (赤くなる) redden 自; (赤みをおびる) be tinged with red. (☞ あからむ). ¶ 午後ずっと太陽の下で過ごしたら皮膚が多少*赤ばんだ After spending a whole afternoon out in the sun, my skin had *turned* a bit *reddish*.

あかはら 赤腹 〔鳥〕 red-bellied thrush Ⓒ; 〔魚〕 (うぐい) chub Ⓒ ★ 単複同形; 〔動〕 (いもり) newt Ⓒ.

あかふく 赤福 *Akafuku* Ⓒ; (説明的には) rice cake covered with sweet bean paste of the Ise region Ⓤ.

あかぶさ 赤房 (相撲の) *akabusa* Ⓒ; (説明的には) the red tassel hanging from the southeast corner of the roof over the professional sumo ring.

あかふじ 赤富士 red Mt. Fuji.

あかぶどうしゅ 赤葡萄酒 ☞ あかワイン

アカプルコ ━ 名 固 Acapulco /ɑ:kəpú:lkoʊ/ ★ メキシコ太平洋岸の保養地.

アガペー 〔宗〕 agape /ɑ:gá:peɪ/ Ⓤ ★ キリスト教の神の愛. もとはギリシャ語.

アカペラ ¶*アカペラで (⇒ 楽器の伴奏なしで) 歌を歌う sing ˹*a cappella* [*without instrumental accompaniment*]˺ 参考 「アカペラ」 はイタリア語の a cappella から.

あかぼう 赤帽 《米》 rédcàp Ⓒ, 《英》 (luggage) porter Ⓒ.

あかまつ 赤松 〔植〕 Japanese red pine Ⓒ ★ akamatsu という語も英語に入っているが専門的.

あかみ¹ 赤身 (脂肪の少ない肉) lean meat Ⓤ; (牛肉・羊肉の) red meat Ⓤ; (鶏肉の) dark meat Ⓤ; (魚の) red flesh Ⓤ.

あかみ² 赤味 ━ 形 (赤みがかった, 赤っぽい) reddish; (ほおなどが) (be) tinged with pink. ━ 名 (薄い赤) pale [light] red Ⓤ.

あかむらさき 赤紫 ━ 形 名 reddish purple Ⓤ.

アガメムノン ━ 名 固 〔ギ神〕 Agamemnon /ægəmémnɑn/ ★ トロイ戦争の時のギリシャ軍の総大将.

あがめる 崇める (尊敬する) respect 他; (畏敬の念をもって) revere 他 ★ 格式ばった語; (深く敬慕する) adore 他; (宗教的に) worship 他. (☞ そんけい).

あからがお 赤ら顔 ruddy face Ⓒ. ¶ 彼は*赤ら顔をしている He has a *ruddy face*.

あからさま ━ 形 (単純明快な) plain; (明瞭な) clear; (隠し立てのない) open; (率直な) frank; (腹蔵のない) candid; (はっきり言う) outspoken; (単刀直入の) stráightfórward. (☞ そっちょく; ろこつ).
¶ 彼は我々とはもう協力しないと*あからさまに言った (⇒ 協力しないということを明瞭にした) He made it ˹*clear* [*plain*]˺ that he was no longer going to cooperate with us.

あからむ 赤らむ ━ 動 (顔が) blush 自. ¶ 彼女の顔がほんのりと*赤らんだ She *blushed* slightly.

あからめる 赤らめる (顔を赤くする) turn red; (恥ずかしさで) blush 自; (運動・熱・興奮で) flush 自. (☞ あか¹; こうちょう³; じょうき³). ¶ 彼女は恥ずかし

さて顔を*赤らめた She *turned red* with shame. / She *blushed* ˹for [with] shame.

あかり　明かり（灯火）light Ⓒ;（電灯・スタンド・ランプなど，器具に重点を置いて）lamp Ⓒ.（☞ でんき¹; ライト¹; しょうめい²; てんとう³）.

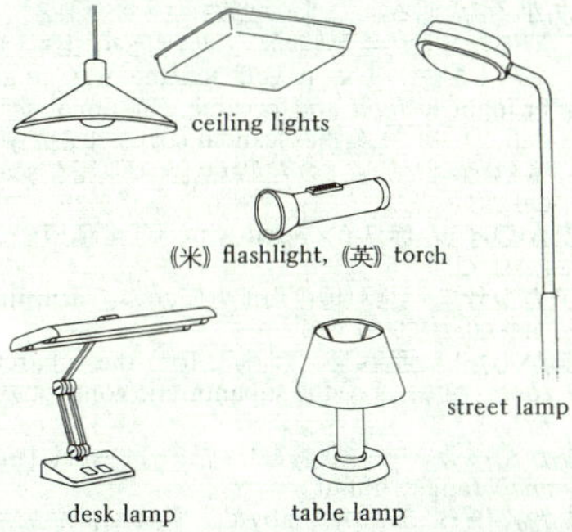

¶ *明かりをつけ[消し]なさい Turn [Switch] ˹on [off] the *light(s)*. // 突然その*明かりが消えた The *light(s)* suddenly went out. // *明かり（⇒ 懐中電灯 [ろうそく]）を持ってきてくれ．よく見えないんだ Bring me a ˹*flashlight* [*candle*]. I can't see things (here) very clearly. 日英比較 日本語では単に「明かり」と言うが，英語の場合は明かりの種類を具体的に述べる必要がある．

コロケーション
青白い明かり a pale *light* / **ネオンの明かり** a neon *light* / **ぼんやりした明かり** a ˹dim [faint; feeble; weak] *light* / **町[街]の明かり** city [town] *lights*; the *light* of the ˹city [town] / **目も眩む[まばゆい]明かり** a ˹blinding [dazzling; glittering] *light* // **明かりがついて[消えて]いる** the *lights* are ˹on [off] / **明かりを入れる** let in *light* / **明かりを暗くする** dim the *light(s)* / turn the *light(s)* down / **明かりをともす** light a ˹*lamp* [*candle*]

あがり　上がり　**1**《収益》: profit Ⓤ ★ しばしば a を付けて．（☞ りえき）．¶ この事業からの*上がりはたいへん大きい（⇒ 彼らはこの事業から大きな収益を得ている）They make *a* huge *profit* from this business.　**2**《終了・完成》:（すごろく・ゲームなどの）finish Ⓒ;（工事・仕事などの）completion Ⓤ.

-あがり　…上がり　— 形（…直後の）right after …;（以前の）former Ⓐ.　— 接頭（元…）ex-.（☞ ぜん-²; もと²）．¶ 雨*上がりの並木道 the avenue *right after* a rain /（⇒ 雨に濡れた）the tree-lined street wet *after a rain* // 役人*上がり an *ex*-government official

あがりおり　上がり降り　— 動（階段などを）go [walk] up and down …（☞ あがる¹; おりる）．¶ 荷物を持って階段を*上がり降りするのはつらい It's hard for me to *walk up and down* the steps carrying this baggage.

あがりがまち　上がり框（玄関の上がり口）the front portion of the floor at the *genkan* or entrance hall of a Japanese-style house ★ 説明的な訳．

あがりぐち　上がり口（戸口）doorway Ⓒ;（入口）entrance Ⓒ;（階段やはしご段の下）the ˹foot [bottom] (of the stairs).（☞ げんかん¹）．

あがりこむ　上がり込む（人の家に入る）enter [come into; step into] *a person's* house ★ [ ] 内のほうがより口語的．（☞ はいりこむ）．

あがりさがり　上がり下がり　— 名 rise and fall Ⓤ;（変動）flùctuátion Ⓤ ★ 具体的な場合は Ⓒ. 後者のほうが改まった語．　— 動 go up and down, rise and fall; fluctuate /flʌ́ktʃuèɪt/ 自 ★ この順に改まった言い方となる．（☞ へんどう）．

¶ 昨年度は石油価格の*上がり下がりが激しかった The price of oil ˹*went up and down* [*fluctuated*] sharply last year.

あかりまど　明かり窓（天井の窓）skylight Ⓒ.

あがりめ　上がり目 turned-up eyes.

あがりゆ　上がり湯（風呂から上がるときに体をきれいにするのに使うお湯）*agariyu*;（説明的には）fresh hot water to splash oneself just as one steps out of the bath.

あがる¹　上がる　**1**《上昇する》:（上へ行く）go up 自 (↔ go down), rise 自（過去 rose; 過分 risen）(↔ fall) ★ 最も一般的なのは go up で，以下の動詞の代わりに使える場合が多い;（物価などが急激に上がる）soar 自, jump 自, skyrocket 自;（演壇などに）mount 他;（高い所へ上がる）climb 自 他;（花火が）be ˹set [let] off;（凧が）fly 自;（のろしなどが）be sent up.

¶ エレベーターが 9 階まで*上がっていった[来た] The elevator ˹*went* [*came*] *up* to the ninth floor. 語法 自分のほうへ上がってくる場合は come up と言う．（☞ ゆく¹）// 物価が*上がった Prices ˹*went up* [*rose*]. // 物価が急激に*上がった Prices ˹*soared* [*jumped*; *skyrocketed*; *went up sharply*].（☞ きゅうとう¹）// 幕が*上がった The curtain *rose*. // 彼は演壇に*上がった He *mounted* the platform. // 模型飛行機はますます高く*上がって行った The model plane *climbed* higher and higher. // 今夜 3000 発の花火が*上がる 3,000 fireworks will *be set off* this evening. // 凧々*上がれ! Kite, kite, *fly higher*. // のろしが*上がった A smoke signal *was sent up*.

2《向上する》:（良くなる）improve 自;（進歩する）make progress /prɑ́gres/, progress /prəgrés/ 自.（☞ しんぽ; じょうたつ; こうじょう²）．¶ 彼の学校の成績が*上がった His ˹school [academic] performance *has improved*. /（⇒ 成績の向上を示した）He *has shown* some *improvement* in his grades. // 彼女は料理の腕が*上がった She *has* ˹*made progress* [*progressed*] in the art of cooking.

3《入学する》¶ 子供たちは 6 歳で小学校に*上がる Children *start* ˹elementary [primary] school at the age of six. // お宅の坊ちゃんはもう学校に*上がっていらっしゃるのですか（⇒ 通学していますか）Does your son *go to* school?（☞ にゅうがく）

4《終わりになる》:（止む）stop 自 他;（終わる）end 自;（終える・完了する）finish 自 他;（晴れる）clear up 自.（☞ やむ¹）．¶ 雨が*あがった（⇒ やんだ）It *has stopped* raining. / The rain *has* ˹*stopped* [*ended*; *finished*]. /（⇒ 晴れた）It has *cleared up*.

5《家などに入る》: enter 他;（…の中へ入って行く[来る]）go [come; step] into … ★ enter よりも口語的．また go と come については ☞ ゆく¹（類義語）;（中へ入る）go [come; step] in 自．¶ どうぞお*上がり下さい Please *come* (*on*) *in*. 語法 on を付けるほうがより口語的．

あがる²　揚がる　**1**《揚げ物ができ上がる》: be (deep-)fried;（今でき上がったところ）have just been (deep-)fried.（☞ あげる²）．¶ 天ぷらが*揚がりましたよ（⇒ できましたよ）The tempura is *ready* (now).

2《歓声などが起こる》: go up 自, rise 自 ★ 後者のほうが少し格式ばった語．¶ 彼が現れると観衆から大歓声が*揚がった（⇒ 観衆が歓声を揚げた）The audience *cheered* loudly as he appeared. / A loud cheer ˹*went up* [*rose*] from the audience as he appeared. 語法 第 1 文のほうが一般的.

3《上陸する》: land 自《☞ じょうりく》. ¶ 私たちは長い航海の後やっと陸に*揚がった We finally ⌐got off the ship [came ashore] after the long voyage.

あがる³ ― 動 (気持ちが落ち着かない) get nervous; (人前で話したり演じたりするときに) get stage fright. ― 名 stage fright Ⓤ.

¶ 私は試験場で*あがってしまった I *got nervous* in the examination room. // 私は人前で話すときはいつも*あがってしまう I always *get stage fright* when I talk in ⌐front of a group [public].

あがる⁴ 挙がる 1《上に持ち上がる》: be raised.

¶ 腕が肩より上に*挙がらない (⇒ 上げられない) I can't *raise* my arm above the shoulder.

2《犯人などが捕まえられる》: be arrested. ¶ 犯人は未だ*挙がらない No suspect has yet been arrested.

3《例・証拠・名前などが出される》: be given, be provided, be cited ★ 最初のものが最も口語的; (言及される) be mentioned. ¶ 例が*挙がっていない No examples *are* ⌐*given* [*provided*; *cited*]. // この事件に関連して 5 人の人々の名前が*挙がっている Five persons' names *are mentioned* concerning this incident.

4《よい結果が出る》: (有効だとわかる) prove successful; (よい結果を得る) achieve good results.

¶ 新しい方法は成果が*挙がった The new method *proved successful*. / The new method *achieved good results*.

あかるい 明るい 1《明暗》 ― 形 (光が十分さしている) light (↔ dark); (輝くような) bright. ― 副 (明るく) bright(ly). 《☞ かがやく; まぶしい》.

¶ まだ外は*明るい It's still *light* outside. // *明るいうちに仕事をやってしまおう Let's finish our work ⌐while it's still *light* [(⇒ 暗くなる前に) *before* (*it gets*) *dark*]. // 真昼の太陽が*明るく輝いていた The midday sun was shining *bright*(*ly*). // *明るい緑色 *light* green

2《性格・見通しなど》: (明朗な) cheerful; (物事の明るい面など) sunny; (見通しなどが明るい) bright; (ばら色の) rosy. 《☞ めいろう》. ¶ 彼は*明るい性格だ He is *cheerful* by nature. // この国の将来は*明るい The future of this country is ⌐*bright* [*rosy*]. / This country has a ⌐*bright* [*rosy*] future. // 君は物事の暗い面ばかり見過ぎる (⇒ いつも暗い面を見ている). たまには*明るいほうも見たまえ You always look ⌐on [at] the dark side of things. Why don't you try to look ⌐on [at] the *bright* side? // *明るい家庭 (⇒ 幸せな家庭) a *happy* home

3《政治など》: (公明な) fair; (清潔な) clean. ¶ *明るい政治がなければ国はよくならない Our country will never get any better without *clean* politics.

4《精通している》 ― 動 (よく知っている) know ... very well ★ 最も口語的; (深い知識を持っている) have a ⌐deep [profound] knowledge of ... ★ やや改まった言い方; (なじんでいる) be familiar (with ...); (経験を積んで熟知している) be well acquainted (with ...). 《☞ くわしい; せいつう》.

¶ 彼はこの辺の地理に*明るい He *knows* the geography of this area *very well*. // 彼は中国の古典に非常に*明るい He *has a profound knowledge of* (the) Chinese classics. // 私のおじは西洋の習慣に*明るい My uncle *is* ⌐*familiar* [*well acquainted*] *with* Western customs.

あかるさ 明るさ (輝き) brightness Ⓤ; (光) light Ⓤ; (快活) cheerfulness Ⓤ.

¶ 星の*明るさ the *brightness* of a star // 1 等星の*明るさは 6 等星の 100 倍である (⇒ 100 倍明るい) A first-magnitude star *is* a hundred times *brighter* than a sixth-magnitude star. // ブラインドで*明るさを調節できる The venetian blinds enable us to control the *light*. // 彼女はいつもの*明るさを取り戻していた (⇒ いつもの快活な彼女だった) She was her usual *cheerful* self again.

あかるみ 明るみ ¶ その贈賄スキャンダルはとうとう*明るみに出た (⇒ 贈賄のたくらみが明るみに出てスキャンダルになった) The payoff scheme was finally brought to *light* and became a national scandal. 日英比較 英語の scandal は明るみに出た不祥事をいう. したがってこの英文の場合には主語を scandal とすることはできない.

あかワイン 赤ワイン red wine Ⓤ ★ 種類を言うときは Ⓒ.

アカンサス 〘植〙(地中海地方産の草花) acanthus /əkǽnθəs/ Ⓒ.

あかんたい 亜寒帯 (北極に近い) the sùbárctic zóne; (南極に近い) the sùbantárctic zóne. 《☞ かんたい³》.

あかんべえ ― 動 (軽蔑して舌を出す) stick [put] *one's* tongue out at ...

あかんぼう 赤ん坊 baby Ⓒ. ¶ かわいい*赤ん坊 a cute *baby* // まるまると太った*赤ん坊 a plump *baby* // 生まれたばかりの*赤ん坊 a newborn *baby* // 月足らず [早産] の*赤ん坊 a premature *baby* // *赤ん坊を取りあげる deliver a *baby* ★ 医師・助産婦などが. // 母親が*赤ん坊に授乳している The mother is ⌐nursing [feeding] the *baby*. // *赤ん坊をあやして寝かせる lull [calm; hush] a *baby* to sleep // *赤ん坊がはいはいしている The *baby* is crawling. // *赤ん坊を母乳[人工栄養]で育てる breast-[bottle-]feed a *baby* // *赤ん坊のような顔 a *baby* face // 人を*赤ん坊扱いする treat *a person* like a *baby*

あき¹ 秋 autumn Ⓤ, 《米》 fall Ⓤ 語法 (1) アメリカでも autumn は用いられるが, 格式ばった場合や, 形容詞的用法として用いる. 詩や比喩的な場合の形容詞は autumnal /ɔːtʌ́mnl/.

¶ 夏が過ぎ*秋が来た Summer has gone and ⌐*fall* [*autumn*] has arrived. // 読書の*秋だ It's ⌐*fall* [*autumn*], the best season for reading. 日英比較 欧米では秋を読書の季節と考える習慣はない. // 2 人は 1994 年の*秋に結婚した The couple married in *the* ⌐*fall* [*autumn*] of 1994. 《☞ はる¹ 語法》 // その本はこの*秋に出版される The book will be published this ⌐*fall* [*autumn*]. 語法 (2) this, last, next などが前に付くときは前置詞を伴わずに副詞句を作る. // 菊は*秋に咲く花だ The chrysanthemum /krɪsǽnθəməm/ is an *autumn* flower.

あき² 飽き ¶ それはすぐに*飽きがくる (⇒ あなたはそれにすぐ飽きる) You will soon ⌐*be* [*get*] *tired of* it. / (⇒ それはあなたを飽きさせる) It will *bore* you sooner or later. // この絵はいつ見ても*飽きがこない (⇒ 何度見ても見る人を退屈させない [魅了する]) No matter how often you look at this picture, it ⌐never *bores* you [always *charms* you]. 《☞ あきる; うんざり》

「空き室あり」という掲示

あき³ 空き (空き室・欠員) vacancy Ⓒ; (就職などの) opening Ⓒ. 《☞ あく²; くうせき》.

¶ この階には*空きが 2, 3 室ある There are a few ⌐*vacancies* [*vacant* rooms] on this floor. // *空き時間 *free* time

あきあき 飽き飽き ― 動 (うんざりする) be tired of, be fed up with ... ★ 後者が意味が強い; (特に長話などに) be bored 「with [by] … ★ いずれも動作(「…になる」)の意味ではbeに代えてgetを用いるほうが口語的.《☞ あきる; うんざり》. ¶ この仕事にはもう*飽き飽きした I'm「tired of [fed up with] all this work. // 私は彼の海外旅行の話には*飽き飽きした I'm「fed up with [tired of] his story about his overseas trip.

あきあじ 秋味 (鮭) salmon Ⓒ《複 ~, ~s》★ 魚肉は Ⓤ; (特に秋に産卵のため川を遡行する鮭) salmon going upstream to spawn Ⓒ.

あきかぜ 秋風 autumn breeze Ⓒ.

あきかん 空き缶 empty can Ⓒ, 《英》 empty tin Ⓒ. ¶ *空き缶を車から投げてはいけないよ Don't throw *empty*「*cans* [*tins*] out of a moving car.

あきくさ 秋草 autumn flower Ⓒ.

あきぐち 秋口 early「fall [autumn] Ⓤ.

あきさむ 秋寒 (秋の肌寒さ) áutumn chíll Ⓒ.

あきさめ 秋雨 autumn rain Ⓤ.

あきさめぜんせん 秋雨前線 the autumn rain front ★ theを付けて.

あきす 空き巣 (行為) sneak-thieving Ⓤ; (人) sneak thief Ⓒ《複 ~ thieves》. 《☞ どろぼう; ぬすむ; こそどろ》. ¶ 彼の家は*空き巣にやられた (⇒ 留守中泥棒に入られた) His house *was*「*broken into* [*burgled*; *burglarized*] during his absence.

あきすねらい 空き巣狙い ☞ あきす

あきたいぬ 秋田犬 ☞ あきたけん

あきたけん 秋田犬 Akita (dog) Ⓒ.

あきたりない 飽き足りない (物が不十分である) be ùnsàtisfáctory; (不満・残念に思う) be unhappy. 《☞ ふまん; くいたりない》. ¶ この計画には*飽き足りない (⇒ 満足していない) I *am not entirely*「*happy* [*satisfied*] with this plan. / This plan *is not satisfactory*.

あきち 空き地 vacant「land [ground] Ⓤ; (空いている敷地) vacant lot Ⓒ; (占有されていない土地) unoccupied「land [ground] Ⓤ.

あきっぽい 飽きっぽい tend to get tired of …; (すぐ興味を失う) soon lose interest in …

あきない 商い (取り引き・貿易) trade Ⓤ; (商売・売買) business Ⓤ; (商業) commerce Ⓤ. 《☞ しょうばい; とりひき; ばいばい》. **商い上手** ── 图 (商売でうまくいっている人) successful businessperson Ⓒ; (判断力のすぐれた商人) shrewd businessperson Ⓒ. ── 形 good at selling. **商い下手** ── 图 (商売がうまくいかない人) unsuccessful businessperson Ⓒ. ── 形 poor at selling.

あきなう 商う (売る) sell ⑩; (取り引きする) deal in …; (扱う) handle ⑩. 《☞ うる¹; あつかう》.

あきなす 秋茄子 áutumn éggplànt Ⓒ. ¶ *秋茄子は嫁に食わせるな Don't let the daughter-in-law eat *autumn eggplants*. 参考 美味だから (because they're delicious) とか体が冷えるから (because they lower the body temperature) などの理由による.

あきのそら 秋の空 (秋の空模様・天候) the autumn skies ★ theを付けて複数形で. ¶ 男心と*秋の空 (⇒ 男心は秋の空のように変わりやすい) Men's hearts are as changeable as *the autumn skies*. / (⇒ 男はいつもうそを言う) Men were deceivers ever. ★ シェイクスピアより.

あきのななくさ ☞ ななくさ

あきばしょ 秋場所 〔相撲〕 the Autumn Grand Sumo Tournament 《☞ すもう》.

あきばれ 秋晴れ (秋晴れの空) clear autumn(al) sky Ⓤ. ¶ きょうは*秋晴れのよい天気だ What a beautiful「*autumn* [*fall*] day!

あきびん 空き瓶 empty bottle Ⓒ ★ 略式では, 通例 empties を用いる. 《☞ あきかん; びん¹》.

あきべや 空き部屋 (住人のいない部屋) vacant [unoccupied] room Ⓒ ★ アパートなら room の代わりに apartment; (特に貸間の場合) vacancy Ⓒ. 《☞ あき³ (写真)》.

あきま 空き間 (使われていない部屋) unused room Ⓒ; (住人のいない部屋[アパート]) vacant [unoccupied]「room [apartment] Ⓒ; (貸間の場合) vacancy Ⓒ.

あきまきやさい 秋蒔き野菜 vegetable「planted [sown; sowed] in autumn Ⓒ.

あきまつり 秋祭り áutumn féstival Ⓒ. ¶ *秋祭りを行う hold an *autumn festival*

あきめく 秋めく (秋らしくなる) feel like「autumn [fall]. ¶ 少し*秋めいてきた (⇒ 秋が近づいているように思う) I feel that「*autumn* [*fall*] *is coming*. / It's *feeling like*「*autumn* [*fall*].

あきもの 秋物 fall [《英》 autumn] clothes Ⓤ.

あきや 空き家 (住むべき人がいない家) vacant [unoccupied] house Ⓒ; (空になった家) empty house Ⓒ. 《☞ かしや; あき³》.

あぎょう あ行 the *a* column; (説明的には) the *a* column of the Japanese syllabary.

あきらか 明らか ── 形 (不明な点がなくはっきりした) clear; (確定的で明確な) définite; (事実から推論して明らかな) évident; (だれの目にも明らかな) óbvious; (自信を持って確かな) positive. ── 副 clearly; definitely; evidently; obviously, positively. 《☞ たしか (類義語); はっきり (類義語); めいはく》.
¶ 彼が犯罪にかかわったという*明らかな証拠がある There is「*clear* [*definite*] evidence that he was involved in the crime. // 彼が無実であるということはだれにも*明らかであった It was *evident* to everybody that he was innocent. // それは*明らかに間違いだ It is「*clearly* [*obviously*] a mistake. // 私の答えは*明らかにノーである My answer is *definitely* no. // その話し合いの結果は火を見るよりも*明らかだ (⇒ どのように終わるかはだれにもはっきりしている) It is「*quite clear* [*quite obvious*; (*as*) *clear as day*] to everyone how the talks will end. // プライバシー保護のために名前は*明らかにされていません To protect the privacy of the persons involved, the names「*are* not (*being*) *disclosed* [will remain *undisclosed*].

あきらめ 諦め (甘受) resignation Ⓤ; (断念) abandonment Ⓤ. 《☞ あきらめる》. ¶ 時には*あきらめも (⇒ 運命に身をまかせることも) 必要だ Sometimes we must *resign ourselves to* fate.

あきらめる 諦める (断念する) give úp ⑩ ⓐ ★ 一般的な語; (必要上やむをえず放棄する) abandon ⑩; (人, 特に恋人などへの情を断ち切る) 《略式》 gèt óver ⑩. ¶ 私たちは最初の計画はだめだと*あきらめた We *have*「*given up* [*abandoned*] our first plan as hopeless. // 私たちは彼を死んだものと*あきらめるべきだ We should *give* him *up* for「lost [dead]. // 彼女はまだ別れた恋人を*あきらめられない She still cannot *get over* her old boyfriend.

あきる 飽きる (うんざりする) be [get; become; grow]「tired of [bored by] … 語法 be は「状態・動作」両方に用いるが, はっきり動作 (「…になる」) の意味を表すときは get, become, grow を用いる. get が最も口語的; (食傷する) 《略式》 be fed up with … 《☞ うんざり; あき²; あきあき; しょくしょう》.
¶ 彼の長い演説に*飽きてしまった We *got*「*tired of* [*bored by*] his long speech. // 彼は勉強に*飽きてしまった (⇒ 勉強に対する興味を失った) He *has lost interest in* his studies. // 彼女の話にはもう*飽きた I'm *fed up with* her talking. // もうスキーには*飽きた (⇒ もう十分やった) I'*ve had enough of* skiing.

あきれかえる 呆れ返る (びっくりして言葉も出な

い) be dùm(b)fóunded, be flábbergàsted ★ 後者はくだけた表現. いずれも「驚く」の強調表現.《☞ あきれる》.

あきれがお 呆れ顔 (度肝をぬかれた顔) look of 「astonishment [stupefaction] Ⓒ; (うんざりした顔) disgusted look Ⓒ.《☞ あきれかえる; あきれる》.

アキレス — [名] (固) Achilles /əkíli:z/ ★ ホメロス (Homer) の叙事詩「イリアッド」(*Iliad*) に登場する英雄. 唯一の弱点であるかかとを射られて死ぬ.

アキレスけん アキレス腱 Achilles' /əkíli:z/ tendon Ⓒ; (弱み) Achilles' heel Ⓒ; (弱点) weak point Ⓒ. ¶ *アキレス腱を切る rupture [pull] *one's Achilles' tendon*

あきれはてる 呆れ果てる ☞ あきれかえる

あきれる 呆れる (驚きあきれる) be astónished (at ...; by ...); (びっくり仰天する) be astóunded (at ...; by ...) ★ 後者のほうが意味が強い; (ぼう然となり言葉も出ない) be dum(b)founded /dʌ̀mfáʊndɪd/, be flabbergasted /flǽbəgæ̀stɪd/ ★ 後者は意味が強く, 大げさな口語表現としてよく用いられる; (非常にびっくりしてとまどう) be amazed (at ...; by ...).《☞ あぜん; あっけ; おどろく (類義語)》.
¶ 私は彼の行動に*あきれた I *was* 「*astonished at* [*astounded by*] his behavior. // 彼らは皆*あきれて言葉もなかった They *were* all (just) 「*dum(b)founded* [*flabbergasted*]. // 彼女は彼の間抜けさに*あきれた She *was amazed at* his silliness. // 私は自分の愚かさに*あきれている (⇒ 愛想をつかしている) I *am* simply *disgusted* by my foolishness.

あきんど 商人 ☞ しょうにん[2]

あく[1] 開く — [動] (ドアなどが) open (自); (幕が) rise (自) [語法] 「第2幕 (Act II) が開く」という場合には begin (自) を用いる. — [形] (開いている) open.《☞ あける[1]; ひらく》. ¶ 戸が*開いた The door *opened*. // この窓は普通は*開いている This window is usually (kept) *open*. // この鍵でドアが*開くはずです I'm sure this is the key 「to [for] this door. // 店は10時に*開きます Our store *opens* at ten (o'clock).《☞ かいてん[2]》
開いた口がふさがらない (あきれ返る) be flabbergasted; (口をあけて聞く[見る]) listen [stare] with *one's* mouth agape, listen [stare] open-mouthed.

あく[2] 空く **1** 《空になる》: (場所などが) become vacant; (中身が) become empty.《☞ あき[3]; から[1]》.
¶ 前列の席が1つ*あいた One of the front-row seats *became vacant*. // *あいている席はなかった (⇒ 席は全部ふさがっていた) All the seats were occupied.《☞ くうせき》// *あいた箱 an *empty* box // 教員[輸出部]のポストが1つ*あいている (⇒ あきがある) There is [We have] an *opening* 「on the teaching staff [in the export department]. // 垣根には大きな穴が*あいていた (⇒ 穴があった) There was a big 「*hole* [*gap*] in the fence.
2 《用済みで》: (終える) be through with ...《☞ おえる; すむ[2]》. ¶ 本があいたら (⇒ 読み終えたら) 貸して下さい Please lend me the book when you 「*are through with* it [*have finished* reading it]. // 手が*あいたら (⇒ 仕事が終わったら) ちょっと手伝って下さい Will you help me when 「you'*ve finished* [you'*re through with*] *your work*?

あく[3] 悪 (よくないこと) bad Ⓤ (↔ good); (邪悪) evil Ⓤ; (不道徳) immorality Ⓤ; (悪徳・悪行) vice Ⓤ; (不正) wrong Ⓤ (↔ right).《☞ わるい; じゃあく; ふせい[1]》. ¶ 彼には善と*悪の区別がわかっていない He cannot tell good from 「*evil* [*bad*]. // 彼は*悪に染まった生活を送った He lived an *immoral* life. / His life was filled with *vices* of every sort.
悪の枢軸 the axis of evil ★ アメリカのブッシュ大統領の言葉. **悪の道** (悪業) the path of 「crime [bad karma]; (犯罪) crime Ⓤ; (悪行) wrongdoing Ⓒ. ¶ *悪の道に入る enter into *a life of crime* **悪の報い** retribution for *one's* crimes Ⓤ《☞ あくほう[2]》.

あく[4] 灰汁 (灰の上澄み汁) lye Ⓤ; (野菜などの渋み) harshness Ⓤ, harsh taste Ⓤ; (煮汁などの) scum Ⓤ. ¶ 浮いてくる*あくをすくい取る skim off any *scum* that forms // 彼は*あくが強い (⇒ 強い個性を持っている) He *has a* 「*strong* [*forceful*] *personality*. **灰汁洗い** — [動] (灰汁で洗う) scour with lye **灰汁抜き** — [動] (野菜などの渋味をとる) remove the harshness (from ...) **灰汁抜けした** ☞ あかぬけた

アクアカルチャー (魚・貝類等の水産物養殖; 植物の水栽培) aquaculture /ɑ́:kwəkʌ̀ltʃɚ/ Ⓤ, aquiculture /ɑ́:kwəkʌ̀ltʃɚ/ Ⓤ ★ aqua- (水の), culture (養殖) から.

アクアマリン — [名] (藍玉) 〘宝石〙 àquamaríne Ⓒ. — [形] (淡青緑色の) àquamaríne.

アクアラング aqualung /ɑ́:kwəlʌ̀ŋ/ Ⓒ, scuba /sk(j)ú:bə/ (tank) Ⓒ. ★ 前者は商標から.

アクアリウム (水族館) aquarium /əkwé(ə)riəm/ Ⓒ《複 ~s, aquaria》.

あくい 悪意 — [名] (悪感情) ill will Ⓤ, málice Ⓤ ★ 前者がより一般的; (敵意) hostility Ⓤ. — [形] malicious /məlíʃəs/; hostile /hástl/; (悪い意図を持った) ill-intentioned.《☞ てきい; いじわる; にくしみ》. ¶ 彼はあなたに*悪意を抱いている He is *hostile* toward you. / He *has it in for* you. ★ 第2文のほうが口語的. // 彼はあなたに*悪意を抱いていない He bears you no 「*ill will* [*malice*]. ★ この表現は否定表現に限られる. // 彼女は*悪意に満ちた目で私を見た She gave me a 「*malicious* [*malevolent*] look. // 彼女の言葉を*悪意に (⇒ 悪く) とるな Don't take her words 「*ill* [*amiss*].

アクースティック ☞ アコースティック

あくうん 悪運 ¶ 彼は*悪運が強い He *has the devil's own luck*. ★ 慣用句. // 今度は彼の*悪運も尽きた (⇒ 運の最後に行き着いた) He has come to the end of his *luck* this time.《☞ うん[1]》

あくえいきょう 悪影響 bad influence Ⓤ ★ 通例 a を付けて.《☞ えいきょう; へいがい》. ¶ この事件は若い世代に*悪影響を与えた This affair had a *bad influence* (*up*)*on* the younger generation.

あくえき 悪疫 (流行病) infectious disease Ⓒ, plague Ⓒ, pestilence Ⓒ ★ 後の2つは古風な語.

アクエリアス (水がめ座) 〘天〙 Aquarius /əkwé(ə)riəs/.

あくえん 悪縁 — [名] (悪因縁) evil destiny Ⓒ. — [形] (悪縁の) ill-fated.

あくかんじょう 悪感情 (悪意) ill will Ⓤ; (悪い感情) ill feeling Ⓤ.《☞ あくい; てきい》. ¶ この提案は市民の*悪感情を招くかもしれない This proposal might provoke *ill will* among the residents of the city.

あくぎゃくひどう 悪逆非道 — [形] extremely cruel and inhuman; (極悪な) atrocious; (残酷な) brutal.

あくぎょう 悪行, 悪業 (悪い行い) evil [wicked /wíkɪd/] deed Ⓒ; (悪・悪事) evil Ⓤ. ¶ 彼が重ねた*悪行の数々 the various 「*evil* [*wicked*] *deeds* he has engaged in so far

あくさい 悪妻 bad wife Ⓒ.

あくじ 悪事 (悪い行い) evil [wicked] deed Ⓒ ★ 法律に触れるかどうかは含まない; (法律上の罪) crime Ⓒ; (道徳・宗教上の罪) sin Ⓒ.《☞ あく[3]; つみ[1]》. ¶ 貧しさから彼は*悪事を働いた He committed the *crime* because of his poverty.
悪事千里を走る Bad news travels fast.《ことわざ:

悪い知らせはたちまち伝わる》★ news は U.

アクシス (軸) axis /ǽksis/ C 《複 axes /-siːz/》.

あくしつ 悪質 ━形 (非常に悪い) extremely bad; (商人などが不正な) dishonest, crooked /krʊ́kɪd/; (凶悪な) atrócious. 《☞ あくらつ》. ¶ 彼は*悪質な (⇒ 凶悪な) 犯罪を繰り返した He repeatedly committed *atrocious* crimes.

アクシデント (事故) accident C.

あくしゅ 握手 ━動 shake hands (with ...) 《過去 shook; 過分 shaken》. ━名 handshake C. ¶ 私たちは(契約をして)*握手をした We *shook hands* (*on* the bargain). // 私は彼女と*握手した I *shook hands with* her. // 彼は手を差しのべて*握手を求めた He offered his hand. 語法 文脈から明白なので for a handshake とする必要はない.

あくしゅう[1] 悪臭 ━名 (bad) smell C 語法 最も一般的. smell は形容詞が付かないと悪いにおいを意味する. よいにおいには good, nice などを付ける; (胸が悪くなるような) stench C, stink C ★ stench のほうが悪臭の度合いが強い. ━動 (悪臭を放つ) smell 自; stink 自. 《☞ くさい (類義語); におい (類義語)》. ¶ 何か*悪臭がする Something *smells* here. / I smell a *stink* here.

あくしゅう[2] 悪習 (個人的な) bad habit C; (社会的に不正な[有害な]習慣) unjust [harmful] custom C, abuse C. 《☞ くせ; しゅうかん[1]》.

あくしゅみ 悪趣味 bad [vulgar] taste U 《☞ しゅみ; けばけばしい》.

あくじゅんかん 悪循環 vicious /víʃəs/ circle C ★ 決まった言い方. ¶ *悪循環を断ち切る break the *vicious circle*

あくしょ 悪書 bad book C; (悪い影響を与える本) book which has a bad influence C.

あくじょ 悪女 (たちの悪い女) wicked [evil] woman C.

アクション action U; (身ぶり) gesture C 日英比較 日本語では主として演技の意味で使うが, 英語では実行・行為・振舞いなど, 広い意味で用いる. また日本語で「アクション」とあっても, 必ずしも英語では action とならないこともある. ¶ *アクション場面の多い映画 an *action* film // あの人は*アクションが大げさだ (⇒ 大げさな身ぶりをする) He makes exaggerated *gestures*.
アクションプログラム (実行計画) action program C
アクションペインティング 〘美〙 action painting U アクションリサーチ 〘心〙 action research U.

あくしん 悪心 (よこしまな考え) evil thought C; (邪悪な意図) bad [evil] intention C. ¶ *悪心を起こさせる make *a person* ⌈have [harbor] an *evil thought* / cause *a person* to form ⌈a *bad* [an *evil*] *intention*

あくせい[1] 悪性 ━形 (悪い) bad ★ 意味の広い日常語で, 以下の語の代わりに使える場合が多い; (病気などの) malignant, virulent /vír(j)ʊlənt/ 語法 malignant はがんや腫瘍などに, virulent は伝染性の病気などに用いられる. ━名 malignancy U. 《☞ わるい》. ¶ 私は*悪性の風邪にかかった I have caught a ⌈*bad* [*nasty*] cold.
悪性インフレ vicious inflation U 悪性腫瘍 malignant tumor C 悪性リンパ腫 〘医〙 malígnant lymphoma /lɪmfóʊmə/ C 《複 ~s, -mata》.

あくせい[2] 悪政 misrule U, misgovernment U ★ 後者のほうが格式ばった語. ¶ その国の人たちは*悪政に苦しんだ The country groaned under the ⌈*misrule* [*misgovernment*].

あくせい[3] 悪声 (質の悪い声) bad [horrible] voice C; (耳障りな声) harsh [raucous] voice C.

あくせく ━副 (忙しく) busily; (一生懸命) (very) hard. 《☞ 擬声・擬態語 (囲み)》. ¶ 彼はいつも*あくせく働いている He is always working ⌈*busily* [*very hard*]. // (奴隷のように) *あくせく働く *slave away*

アクセサリー accessory /əksés(ə)ri/ C ★ ブローチなどの服飾品の意では通例複数形で用いる.

アクセス (通路・交通の便) access (to ...) U; 〘コンピューター〙 áccess U 《☞ コンピューター (囲み)》. アクセス権 (情報の公開を求めたり意見の発表を要求したりする権利) right of access C アクセスタイム access time U アクセスチャージ 〘通〙 (接続料金) access charge C アクセスプロバイダー 〘通〙 (インターネット接続業者) access provider C アクセスポイント 〘通〙 access point C.

アクセラレーター (車のアクセル) accéleràtor C; 〘コンピューター〙 accéleràtor C.

アクセル accelerator /əksélərèɪtə/ C, 《米》 gas (pedal) C. ¶ *アクセルを踏みなさい Step on the ⌈*accelerator* [*gas*].

あくせん 悪銭 ill-gotten money U.
悪銭身に付かず Ill gotten, ill spent. 《ことわざ: 不正に得られたものは無駄に使われる》

あくせんくとう 悪戦苦闘 ¶ 私は窮地を逃れようと*悪戦苦闘した (⇒ 一生懸命奮闘した) I *struggled hard* to escape the difficulty.

アクセント (発音の高低・強弱) áccent U; (強勢) stress U ★ 以上いずれも具体的には C; (アクセント記号) accent C. 《☞ きょうせい[3]》. ¶ この単語の*アクセントは第 1 音節にある The ⌈*accent* [*stress*] in this word ⌈falls [is] on the first syllable.

あくそうきゅう 悪送球 bad throw C 《☞ あくとう[2]》.

あくた 芥 ☞ ちり[2]

アクター (俳優) áctor C ★ 現在では女性でも actor と呼ぶのが普通.

あくたい 悪態 ━動 (悪態をつく) call *a person* names; (ののしる) curse 他. ━名 abuse U. 《☞ ののしる; ばとう 語法》. ¶ 彼は私に*悪態をついた He *called* me *names*. / He showered ⌈*abuse* on me [me with *abuse*].

あくたがわしょう 芥川賞 ━名 固 the Akutagawa Award; (説明的には) a literary award given twice a year to an up-and-coming novelist (in memory of writer Akutagawa Ryunosuke (1892–1927)).

あくだま 悪玉 (物語などの) víllain C, bad guy C (↔ good guy), baddy C (↔ goody) ★ 後者はくだけた語. 《☞ わるもの》. 悪玉コレステロール the bad cholesterol.

あくたれぐち 悪たれ口 (ののしる言葉) abusive language U; (悪態) curse C. ¶ *悪たれ口を叩く throw *curses* at *a person* / *call a person names* ★ 後者はくだけた表現.

あくたれる 悪たれる (悪態をつく) call *a person* (ugly) names; (ののしる) curse [swear at] *a person*.

アクチノイド 〘化〙 áctinòid C.

アクチュアリー (保険経理士) áctuàry C ★ 死亡率, 危険率などの数理の専門家.

アクチュアリティー (現実(性)・実在) àctuálity U ★「現状」の意では actualities と複数形.

アクチュアル ━形 (現実の・実際の) áctual.

アクティビスト (活動家・行動派) áctivist C.

アクティビティー activity U 語法 社交・スポーツ・課外活動などの意ではしばしば複数形で.

アクティブ ━形 (活発な) active. ━名 (活動分子) active member C.

アクティブウインドウ 〘コンピューター〙 (現在の操作の対象になっているウインドウ) áctive wíndow C.

あくてんこう 悪天候 bad weather U. ¶ *悪天

候にもかかわらず試合は行われた The game was played in spite of ｢(the) bad weather [the weather].

アクト (行為) act Ⓒ; (条例･法令) act Ⓒ ★ しばしば大文字ではじめる; (劇の一幕) act Ⓒ ★ しばしば大文字ではじめる.

あくどい (けばけばしくて俗っぽい) gaudy; (卑劣な) nasty. (☞ けばけばしい; ひれつ; あくしつ).

あくとう[1] 悪党 (悪漢) víllain Ⓒ ★ 特に劇･小説での; (ならずもの) scóundrel Ⓒ. (☞ わるもの; あくにん).

あくとう[2] 悪投 bad throw Ⓒ. ¶3塁手は1塁へ*悪投した The third baseman made a *bad throw* to first (base).

あくどう 悪童 bad [naughty] child Ⓒ; (いたずらな) mischievous child Ⓒ.

あくとく 悪徳 vice Ⓤ (↔ virtue) ★｢悪徳行為｣は Ⓒ. (☞ あく[3]).

アクトレス (女優) actress Ⓒ.

あくなき 飽く無き (飽くことを知らない･貪欲な) ìnsátiable ★ 格式ばった語; (満たされない) unsatisfied. ¶*飽く無き権力欲 *insatiable* desire for (political) power

あくにん 悪人 (悪い人) bad [wicked] person Ⓒ ★ 日常的な表現で, 以下の語の代わりにも使える; (悪漢) víllain Ⓒ ★ 特に劇･小説での; (ならず者) scóundrel Ⓒ. (☞ わるもの; あっかん[2]).

アグネス (女性名) Ágnes 愛称は Aggie, Aggy.

-あぐねる …倦ねる ☞ -あぐむ

あくび 欠伸 ─名 yawn Ⓒ. ─動 yawn ⓐ. ¶私は*あくびが出そうになった I felt a *yawn* coming (on). // 私は*あくびを抑えようとした I tried to ｢stifle [suppress] a *yawn*. / I tried to stop myself from *yawning*. // あの人の話は*あくびが出る (⇒ 退屈だ) What she says is *boring*. あくびをかみ殺す (こらえる) bite back [stifle; suppress] a yawn.

あくひつ 悪筆 (下手な筆跡) bad [poor] handwriting Ⓤ, a ｢bad [poor] hand ★ 後者は a を付けて. 古風な表現. ¶彼は*悪筆です (⇒ 字を書くのがうまくない) He has *poor handwriting*. / He writes *a* ｢*bad* [*poor*] *hand*.

あくひょう 悪評 (悪い評判) a ｢bad [poor] reputation (☞ ひょうばん (類義語); ふひょう[1]).

あくびょう 悪病 (悪い病気) bad ｢illness [disease] Ⓤ; (不治の病) fatal [incurable] disease Ⓤ.

あくびょうどう 悪平等 ¶今は*悪平等の世の中だ (⇒ 平等という観念をはきちがえている人が多い) Many people *have a* ｢*wrong* [*mistaken*] *idea of equality*.

あくふ 握斧 〖考古〗hand ax Ⓒ ★ 旧石器時代の石製の斧.

あくふう 悪風 (個人的な悪い習慣) bad habit Ⓒ; (社会的な悪習) bad custom Ⓒ; (悪徳･非行) vice Ⓤ ★ 具体的な行為は Ⓒ; (害悪) evil Ⓤ ★ 具体的な行為は Ⓒ. ¶都会の*悪風に染まる be infected ｢with [by] the ｢*vices* [*evils*] of city life

あくぶん 悪文 (悪い文体) bad style Ⓒ; (下手な文章) poor writing Ⓤ.

あくへい 悪弊 (不道徳な慣行) unjust [corrupt] practice Ⓒ. ¶この*悪弊に終止符を打たねばならない We ought to do away with this ｢*unjust* [*corrupt*] *practice*.

あくへき 悪癖 bad habit Ⓒ (☞ くせ).

あくほう[1] 悪法 (悪い法律) unjust [bad] law Ⓒ.

あくほう[2] 悪報 (悪い知らせ) bad news Ⓤ ★ 数える必要があるときは piece を用いる; (仏教で, 悪事の罰) punishment for evil deeds Ⓒ; (天罰) retribution Ⓤ ★ 格式ばった語.

あくま 悪魔 ─名 devil Ⓒ, demon /díːmən/ Ⓒ 語法 devil は神の敵で, キリスト教でいう悪魔. demon は神と人間の中間に位するギリシャ神話でいう悪魔; (魔王) Satan /séɪtn/. ─形 (悪魔のような) devilish. ¶*悪魔にとりつかれる be possessed by *the devil* // *悪魔払い exorcism /éksɔːsìzm/ // 人に*悪魔払いをしてやる exorcise *the devil* from a person // *悪魔払いの祈禱師 an exorcist 悪魔主義 Satanism /séɪtənìzm/ Ⓤ ★ 悪魔崇拝と世紀末的退廃主義とをいう. 悪魔主義者 Sátanist Ⓒ.

あくまで 飽くまで ¶私は*あくまで自分の道を行くつもりです (⇒ わが道を行く堅い決心をしている) I'*m firmly determined* to go my own way. // 我々は*あくまで戦うぞ We will *fight it out*. (☞ どこまでも; だんこ; がんとして)

あくみょう 悪名 ☞ あくめい

あくむ 悪夢 (悪い夢) bad dream Ⓒ; (不安を抱かせる恐ろしい夢) nightmare Ⓒ ★ 恐ろしいことの比喩によく使われる. (☞ ゆめ[1]). ¶その経験は*悪夢のようだった The experience was a *nightmare*.

-あぐむ …倦む ¶敵はその城を攻め*あぐんでいる (⇒ 攻略しようとして苦労している) The enemy ｢*is* [*are*] *having a hard* ｢*time* [*struggle*] capturing the castle. // ずいぶん考え*あぐんだ末, その計画は中止することにした (⇒ 何度も考えた末) I *thought* (*about*) it *over and over again* and finally I decided to give up the plan.

アクメ (性的な絶頂感) orgasm /ɔ́ːgæzm / Ⓤ.

あくめい 悪名 ─名 (悪い評判) bad reputation Ⓒ; (悪い事が原因で有名になること) notoriety /nòutəráɪəti/ Ⓤ ★｢悪名高い人｣では Ⓒ. ─形 (悪名高い) notorious /noutɔ́ːriəs/, infamous /ínfəməs/ ★ 後者のほうが悪い意味が強い. (☞ ゆうめい (類義語)). ¶彼は*悪名が高い He has a ｢*bad* [*notorious*] *reputation*.

あくやく 悪役 víllain Ⓒ.

あくゆう 悪友 mischief-making [dìsréputable] friend Ⓒ; (悪い仲間) bad [disreputable] companion Ⓒ; (集合的に) bad [disreputable] company Ⓤ ★ 以上いずれも [ ] 内のほうが改まった語. (☞ なかま (類義語)).

あくよう 悪用 ─動 (悪い目的に使う) put ... to a bad use; (濫用する) abuse /əbjúːz/ ⓣ; (悪用する) misuse ⓣ. ─名 (濫用) abuse /əbjúːs/ Ⓤ; (悪用) misuse Ⓤ. (☞ ぎゃくよう; つけこむ[1]; りよう[1] 語法). ¶彼は自分の地位を*悪用して私腹を肥やした He *abused* his position for personal gain.

あぐら ¶*あぐらをかく sit *cross-legged* // 名誉の上に*あぐらをかく rest on *one's* laurels / sit on *one's* reputation

あくらつ 悪辣 ─形 (悪意のある) wicked; (下劣な) villainous. (☞ あくしつ; ひれつ).

アグリカルチャー (農業) ágricùlture Ⓤ.

アグリケミカル (農薬) agrichemical Ⓤ, àgrochémical Ⓤ.

アグリビジネス (農業関連産業) ágribùsiness Ⓤ ★ 職業の意では Ⓒ となることがある.

あくりょう 悪霊 evil spirit Ⓒ.

あくりょく 握力 grip Ⓒ. ¶彼は*握力が強い (⇒ 強い握力を持つ) He has a strong *grip*. 握力計 (hánd) dỳnamómeter Ⓒ.

アクリル アクリル絵の具 acrylic /əkrílɪk/ paint Ⓤ アクリルガラス acrýlic gláss Ⓤ アクリル酸 acrýlic acíd Ⓤ アクリル樹脂 acrylic resin /rézn/ Ⓤ アクリル繊維 acrýlic ｢fiber [(英) fíbre] Ⓤ.

あくる 明くる ─形 (次の) next, following ★ 前者のほうが口語的. (☞ つぎ[1] (類義語); よく-). ¶*あくる朝目が覚めたら友達はもう出かけてしまっていた When I woke up the ｢*next* [*following*] morning, I found my friend had already left. // *あくる

日 the ˹*next* [*following*] day ★ the を付けて. // *明くる月[年] the ˹*next* [*following*] ˹month [year]

あくれい[1] **悪例** bad example Ⓒ; (悪い先例) bad precedent Ⓒ ★ 悪例を「作る」「残す」という場合の動詞は set, leave.

あくれい[2] **悪霊** ☞ あくりょう

アグレッシブ ― 形 (積極的な・活動的な・攻撃的な) aggressive 日英比較 英語の aggressive は「攻撃的な, 侵略的」という悪い意味もあり, セールスやビジネスの活動には適した形容詞だが, 一般的に活動が「積極的な, 熱心な」の意には active が適当な場合もある.

アグレマン agrément /àːgreɪmáːnt/ Ⓒ ★ agrément のアクセント記号はつづりの一部. 日本語はフランス語の発音による. ¶ 中村氏は駐英大使として女王から*アグレマンを与えられた Mr. Nakamura has been ˹given [accorded] an *agrément* by the Queen as Ambassador to the United Kingdom.

あくろ **悪路** bad road Ⓒ; (泥道) muddy road Ⓒ; (凹凸した道) bumpy [rough] road Ⓒ. ¶ 我々は*悪路に悩まされた We had a terrible time with *bad roads*.

アクロスティック acróstic Ⓒ ★ ことば遊びの一種 (各行頭[行末]の文字をつなぐとある語になるような詩など).

アクロバット ― 名 (軽わざ) àcrobátics ★ 複数形だが, 時に単数扱い; (人) ácrobàt Ⓒ. 日英比較 日本語の「アクロバット」は軽わざの芸の意で用いるが, 英語では acrobatics という. acrobat はそれをする人の意. ― 形 àcrobátic. ⦅☞ きょくげい; かるわざ⦆. ¶ *アクロバットダンス an *acrobatic* dance アクロバット飛行 aerial /é(ə)riəl/ acrobatics, aerobatics ★ 両者とも複数形で単数扱い; (曲乗り飛行) stunt flying Ⓤ.

アクロポリス (古代ギリシャの都市の城砦) acrópolis Ⓒ ★ アテネのパルテノン神殿のある所をいう時は the Acropolis.

あけ **朱** (朱色) vermílion Ⓤ. **朱に染まる** (血まみれになる) get bloody. ¶ その男は*朱に染まって (⇒ 血の海の中に) 倒れていた The man was found lying *in a pool of blood*.

-あけ …**明け** ¶ 休会*明けの (⇒ 後の) 国会 the Diet session *after* recess // 休暇*明けに (⇒ 休暇の後で) 英語の試験がある We'll have an examination in English *after* the vacation. // 今年の梅雨*明けは (⇒ 梅雨が終わるのは) いつでしょうか When will the rainy season *be over* this year?

あげ[1] **揚げ** deep-fried ˹tofu [bean curd] Ⓤ.

あげ[2] **上げ** ― 名 (衣服の縫い上げ) tuck Ⓒ. ― 動 (上げをする) tuck … and sew … up. ¶ 着物の丈[ゆき]に*上げをする *tuck* the ˹middle section [upper parts of the sleeves] of a kimono and *sew* ˹*it* [*them*] *up* // *上げをおろす undo the *tuck*

あげあし **揚げ足** **揚げ足を取る** (あらを捜す) find fault with … ¶ 彼は人の*揚げ足を取る悪い癖がある He has ˹a [the] bad habit of *finding fault with* others.

あげいた **上げ板** **1** «床下収納箱の蓋の役目をする部分»: part of the floor which serves as the lid of the storage box below Ⓒ. **2** «すのこ» ☞ すのこ

アゲーン 〖テニス・卓球〗 (公式の試合の場合) deuce; (非公式の場合) (deuce) once again.

あげおろし **上げ下ろし** (上げ下げ) raising and lowering Ⓤ; (積荷の) loading and unloading Ⓤ. ⦅☞ つみおろし⦆. ¶ 毎日布団を*上げ下ろしする (⇒ 布団を敷いたり片付けたりする) のはやっかいだ It is troublesome to *spread* (*out*) *and put away* ˹futon [bedding] every day.

あけがた **明け方** (夜明け) dawn Ⓤ, daybreak Ⓤ ★ ほぼ同意だが, 前者は比喩的にも用いられる. ⦅☞ よあけ; あかつき⦆. ¶ 彼女は*明け方に出かけた She left at ˹*dawn* [*daybreak*]. // *明け方近く雨が降った It rained toward ˹*dawn* [*daybreak*].

あげく **挙句** ¶ よく考えた*あげく (⇒ 後で), この結論に達したのです I've come to this conclusion *after* a great deal of thinking. // 父親と言い争った*あげく (⇒ 言い争って結局), 彼は家を出た He quarreled with his father and *finally* ran away from home. ⦅☞ すえ⦆

あけくれ **明け暮れ** ― 副 (昼も夜も) night and day, day and night; (毎日) every day; (常に) all the time; (いつも) always. ⦅☞ まいにち⦆. ¶ このところ仕事だけに*明け暮れしています (⇒ 昼も夜も [毎日] 働いているだけだ) Nowadays I do nothing but work ˹*day and night* [*every day*].

あけくれる **明け暮れる** (没頭する) devote *oneself* to … ⦅☞ ぼっとう; せんねん[1]⦆.

あげさげ **上げ下げ** (上げたり下げたりすること) raising and lowering Ⓤ; (株価などの変動) fluctuation Ⓤ ★ 具体的な事例は Ⓒ. ⦅☞ あげおろし⦆. ¶ 手[腕]の*上げ下げが不自由だ I have difficulty (in) *raising and lowering* my arms. // 株価の*上げ下げが激しい The *fluctuations* of stock prices are ˹sharp [violent].

あげしお **上げ潮** (潮が満ちてくること) flood /flʌ́d/ Ⓒ, flow Ⓤ (↔ ebb); (満ちてくる潮) flood tide Ⓒ, flowing [rising] tide Ⓤ. ⦅☞ しお[2]; みちしお⦆. ¶ いまは*上げ潮だ The tide *is* ˹(*coming*) *in* [*rising*].

あけしめ **開け閉め** ☞ かいへい[1]

あけすけ ― 形 (隠し立てなく率直な) open; (ざっくばらんな) frank ★ 以上 2 語は最も一般的; (ずけずけ物を言う) òutspóken; (遠慮のない) candid. ― 副 openly; frankly; outspokenly; candidly. ⦅☞ そっちょく; ざっくばらん⦆. ¶ 彼は*あけすけにすべてのことを私たちに話した He told us everything ˹*frankly* [*openly*; *candidly*].

あげぜんすえぜん **上げ膳据え膳** ¶ *上げ膳据え膳の生活は (⇒ 手とり足とり世話されるのは) もうたくさんだ I'm fed up with *being waited on hand and foot*.

あげぞこ **上げ底** raised bottom Ⓒ; (ごまかしの底) false bottom Ⓒ.

あけたて **開けたて** opening and ˹closing [shutting] Ⓤ. ¶ 戸の*開けたては静かにねがいます (⇒ 戸は静かに閉めて下さい) Please ˹*close* [*shut*] the door quietly. / (⇒ 戸をばたんと閉めるな) Don't *slam* the door.

あげだま **揚げ玉** deep-fried batter ball Ⓒ.

あけっぱなし **開けっ放し** ― 動 (窓・ふたなどを開けたままにしておく) leave [keep] … open. ¶ ドアは*開けっ放しになっていた The door *was* ˹*left* [*kept*] *open*. / I found the door *left open*.

あけっぴろげ **開けっ広げ** ― 形 (ざっくばらんな) frank; (隠し立てなく率直な) open; (遠慮のない) candid. ⦅☞ そっちょく⦆.

あげつらう **論う** (細部にわたって論じる) argue out ⑩; (あら探しをする) find fault (with …). ¶ 彼らは私の提案を散々*あげつらったあげく却下した They *argued out* my proposal and turned it down.

あげて **挙げて** ¶ 国を*挙げて勝利を祝った (⇒ 全国民が勝利を祝った) *The whole* nation celebrated the victory.

あげどうふ **揚げ豆腐** ☞ あぶらあげ

あけに **明荷** *akeni* box Ⓒ; (説明的には) a box in which a sumo wrestler's ceremonial apron is kept.

あけのみょうじょう 明けの明星 the morning star; (金星) Venus ★ Lucifer /lúːsəfə/ とも呼ぶ.

あげは(ちょう) 揚羽(蝶) swallowtail (butterfly) Ⓒ.

あけはなす 開け放す (開いておく) keep [leave] ... open 《☞ あけっぱなし》.

あけび 木通, 通草 〘植〙 akebi /áːkebìː/ Ⓒ ★ 日本語が語源.

あけひろげる 開け広げる (広く開ける) open ... wide ㊍.

あげぶた 上げ蓋 ☞ あげいた 1

あけぼの 曙 (明け方) dawn Ⓤ; (比喩的に, 始まり) the dawn. ¶ 文明の*曙 *the dawn* of civilization

あけぼのそう 曙草 〘植〙 *akebonoso* Ⓒ; (説明的には) star-shaped flower Ⓒ

あげまき 総角, 揚巻 〘史〙 *agemaki* Ⓒ; (説明的には) an ancient hairdo worn by children. The hair was parted in the middle and done up in a bun over each ear.

あげもち 揚餅 *agemochi* Ⓒ; (説明的には) slice of deep-fried rice cake Ⓒ.

あげもの 揚げ物 fry Ⓤ, fried food Ⓤ; (揚げた料理) fried ˹dish [thing] Ⓒ. 《☞ フライ[1]; あげる[2]》.

あける[1] 開ける, 空ける **1** 《開く》: open ㊍ (↔ close); (錠を) unlock ㊍ (↔ lock); (カーテンを) open ㊍, pull aside ㊍, 《英》 draw ㊍ ★ draw は閉める場合にも用いる. 《☞ あく[1]; ひらく; おしあける》.
¶ 彼女はカーテンを*開け, 次に窓を大きく*開けた She ˹*opened* [*pulled aside*; 《英》 *drew*] the curtains, and then *opened* the window wide. // この鍵で扉の錠は*開けられます We can ˹*open* the lock of [*unlock*] the door with this key.
2 《空にする》: (中のものをあける) empty ㊍; (注ぐ) pour ㊍; (部屋などを) move out (of ...) ㊎, vácate ㊍ ★ 後者のほうが格式ばった語; (強制されて立ち退く) clear out (of ...) ㊎; (あいた場所を作る) make room (for ...); (道をあける) make way (for ...); (家を留守にする) stay away (from ...) ㊎. 《☞ から[1]; るす》.
¶ 彼はバケツの水を*あけた He *emptied* (the water from) the bucket. // 彼女は牛乳を瓶からコップに*あけた She *poured* some milk from the bottle into the glass. // 今月末までに部屋を*あけます I'll ˹*move out of* [*vacate*] the room by the end of this month. // 彼の座る場所を*あけて下さい Please *make room for* him. // 彼らは救急車のために道を*あけた They *made way for* the ambulance. // 彼はよく家を*あける He often *stays away from* home. // きのうは一日中, 家を*あけていた (⇒ 外出していた) I ˹*was* [*stayed*] *out* all day yesterday.
3 《穴を》: (くり抜く) bore ㊍; (穴を作る) make a hole. 《☞ あな》. ¶ 私はドリルで板に穴を*あけた I *bored* a hole in the board with a drill. / I *drilled* a hole in the board. // 彼は壁に小さな穴を*あけた He *made a* small *hole* in the wall.

あける[2] 明ける **1** 《夜が》: (夜が明ける) break ㊎; (白みはじめる) dawn ㊎. 《☞ よあけ》. ¶ いまは朝 5 時ごろに夜が*明ける Dawn ˹*comes* [*breaks*] (at) ˹around [about] five in the morning at this time of year.
2 《年が》: (新年などが) come ㊎ 《☞ とし[1]》. ¶ *明けましておめでとう (A) Happy New Year (to you)! 《☞ しんねん[2] 日英比較》
3 《終わる》 ¶ 梅雨(つゆ)が*明けた (⇒ 終わった) The rainy season *is over*. ★ was over とならないことに注意. 《☞ おわる》
明けても暮れても (来る日も来る日も) day in, day out; (昼も夜も) day and night, night and day. 《☞ いちにち》.

あげる[1] 上げる, 挙げる, 揚げる **1** 《高くする》: (現在の位置よりももっと高くする) raise ㊍ (↔ lower); (持ち上げる) lift (up) ㊍ 語法 ほぼ同意のこともあるが, raise が客観的であるのに対して, lift は努力して上げるニュアンスが加わる. また raise は給料などを上げる意味にも用いる; (特に重いものなどを力を入れて) heave ㊍; (凧(たこ)や旗を) fly ㊍; (物を上に持ち上げる) pùt úp ㊍. 《☞ もちあげる》.
¶ わかった人は手を*上げなさい If you know the answer, ˹*raise* [《英》 *put up*] your hand(s). 《☞ て》 // 組合は給料を 5 パーセント*上げることを要求した The (labor) union demanded that wages *be* ˹*raised* [*increased*] by five percent. / The union demanded a five percent wage *hike*. ★ hike は 《米略式》 で「賃上げ」の意の, もと新聞用語. 《☞ ちんあげ》 // 凧(たこ) を*揚げる *fly* a kite // 花火を*上げる *set off* fireworks // このスーツケースを棚の上に*上げていただけますか Would you please *put* this suitcase *up* on the rack?
2 《与える》: give ㊍ 《過去 gave; 過分 given》 語法 (1) この語は日本語の「あげる」よりずっと意味が広く, 「渡す」「送る」「与える」などの日本語にも当たる. 《☞ さしあげる》.
¶ これをお子さんに*あげて下さい Please *give* this to your ˹son [daughter]. 語法 (2) この文のように間接目的語が長いときは to を用いて直接目的語の後にまわすのが普通. 《☞ 語順 (巻末)》 また, 間接目的語に人称代名詞が来るときは, 「私はそれを彼に*あげた」 I *gave it* (*to*) *him*. のようにする. to を省くのは 《英略式》. // これをあなたに*あげましょう This is for you. 日英比較 このように日本語で「あげる」とあっても, 英語では必ずしも give が使われないことに注意. この場合, I'll *give* this to you. と言うことも可能だが, 贈り物などをする場合 give を使うとかなり失礼な調子になる.
3 《相手のためにある行為を行う》 日英比較 英語にはこの日本語に対する特定の表現はないので, 適当な動詞を用いて意訳しなくてはならない.
¶ 家まで車で送って*あげますよ (⇒ 車で運んでやる) I'll *drive* you home. // 駅まで連れていって*あげますよ (⇒ 駅まで案内します) I'll *take* you to the station. // かばんを持って*あげましょう (⇒ 私に持たせて下さい) *Let me carry* your bag. // 私の車を貸して*あげましょう(⇒ 使ってもよい) You *can use* my car.
4 《増す》: (向上する・させる) improve ㊎ ㊍; (増す) incréase ㊍. 《☞ こうじょう[2]》
¶ 彼はこのごろゴルフの腕を*上げた His golf *has improved* a great deal recently. 《☞ うで》 // 我々はもっと仕事の能率を*上げなければならない We must ˹*improve* [*increase*] our efficiency. 《☞ のうりつ》
5 《吐く・戻す》: thrów úp ㊎, vómit ㊎, 《俗》 puke ㊎. 《☞ はく[1]》. ¶ *上げたい (⇒ 吐きたい) ような感じです I feel like *vomiting*.
6 《声を》: (張り上げる) raise *one's* voice; (金切り声を上げる) scream ㊎ ㊍. 《☞ さけぶ; こえ[1]》. ¶ 彼らは強い反対の声を*上げた They *raised* strong objections. // 彼女は痛くて叫び声を*上げた (⇒ 発した) She ˹*gave* [*uttered*] *a cry* of pain. // 彼女はヒステリックな金切り声を*上げた She *screamed* hysterically. // デモ隊は国会前で気勢を*あげている (⇒ 声を合わせてスローガンを叫んでいる) In front of the Diet building, a group of demonstrators are *yelling out* their slogans *in chorus*. 《☞ きせい[3]》
7 《式などを催す》: hold ㊍ 《過去・過分 held》 《☞ しき[2]》. ¶ 多くの人が神前で (⇒ 神式に従って) 結婚式を*挙げる Many people *hold* their wedding ceremony according to Shinto rites.

8 «示す»: (例などを) give ㊥; (言及する) mention ㊥. ¶例を*あげましょう I'll *give* an example. // いろいろ理由を*あげる *give* various reasons // 彼は彼らの名前を*あげた He *has mentioned* their names.

9 «費用をある額で抑える» ¶忘年会を1人8千円以下で*上げたい (⇒8千円に制限したい) We want to *limit* each person's share of the year-end party expenses to eight thousand yen.

10 «手に入れる»: (一般的に) get ㊥; (努力して) obtain ㊥; (名声・勝利などを) win ㊥; (得点を) score ㊥. (☞ える[1]). ¶彼らはすばらしい成果を*上げた (⇒すばらしい結果を得た) They ⌈*got* [*obtained*] wonderful results.

11 «捕らえる»: (逮捕する) arrest ㊥. ¶彼は殺人容疑で*あげられた (⇒逮捕された) He *was arrested* on suspicion of murder. // 犯人はまだ*あげられていない The criminal is still *at large*. ★ at large で「捕えられないで」「逃走中で」の意.

あげる[2] 揚げる (油で揚げる) deep-fry ㊥ (☞ いためる[2]; てんぷら; 料理の用語 (囲み)). ¶夕食用にえびを*揚げた I *deep-fried* ⌈prawns [shrimp] for dinner.

あけわたす 明け渡す (引き払う) vácate ㊥ ★ やや格式ばった語; (立ち退く) move [clear] out of … ★ [ ] 内のほうが口語的. (☞ たちのく). ¶私は1週間後にアパートを*明け渡さなくてはならない I have to ⌈*vacate* [*move out of*; *clear out of*] my apartment in a week.

アゲンスト 〔ゴルフ〕 (向かい風) head wind [C] ★ 英語の against は [前] で, [名] 用法はない.「風に向かって」なら against the wind.

あご 顎 jaw [C]; (人間の下あごの先端) chin [C] [語法] 上歯を中心とした部分が「上あご」(upper jaw) で, 下歯を中心とした部分が「下あご」(lower jaw). 合わせて jaws というが, jaw だけで下あごの意味に用いることが多い. chin は下あごの先の突き出た部分をいう. (☞ かお (挿絵)).

¶バイオリンをまず*あごの下にあてなさい Put the violin under your *chin*, first of all. // *あごを引け Pull your *chin* in. // *あごがはずれる (⇒あごを脱臼する) dislocate *one's jaw*

あごで使う ¶彼は私を*あごで使う (⇒こき使う) He *orders* me *around*.

あごを出す ¶くたびれて*あごを出してしまった (⇒すっかり疲れ切った) I was ⌈*tired out* [*exhausted*]. (☞ つかれる[1])

あご骨 jáwbòne [C] (☞ ほね).

あこうだい 赤魚鯛 〔魚〕 red rockfish [C]; (めぬけ) ocean perch [C].

アコースティック 〔楽〕 ── [形] acoustic /əkúːstɪk/ ★ 楽器が「アンプなどを使わない, 生の音の」の意. **アコースティックギター** acóustic guitár [C].

アコーディオン 〔楽器〕 accordion [C].

アコーディオンドア accordion door [C].

アコーディオンプリーツ accordion pleats ★ 通例複数形で.

アコード (一致・協調) accórd [U]; (企業間などの協定) accórd [C].

あこがれる 憧れる ── [動] (あこがれ求める) yearn for …; (切望する) long for … ★ yearn のほうが意味が強い; (身も細るばかりに思い焦がれる) pine for …; (渇望する) thirst for … ── [名] yearning [C]; longing [C]; (賛美の的) the admiration.

¶もっと平穏な暮らし方に*あこがれる *yearn* [*have a yearning*] *for* a more peaceful lifestyle // 若者たちは都会の生活に*あこがれる (⇒引きつけられる) Young people *are attracted* ⌈by [to] city life. // 私はふるさとの空に*あこがれる (⇒ふるさとを恋しく思う) I ⌈*pine* [*have a longing*; *long*] *for* home. // 少女はスターの名声に*あこがれた The girl *yearned for* stardom. // 彼女は*あこがれの (⇒あれほど見たいと願っていた) パリにとうとうやってきた She has finally come to Paris, which she *wished so much to see*. // 彼は学生の*あこがれの的だ He has *the admiration* of ⌈his [the] students.

あこぎ 阿漕 ── [形] (貪欲な) greedy; (行い・方法などが無慈悲な) cruel, ruthless /rúːθləs/ ★ 後者のほうが格式ばった語.

あごひげ 顎髭 beard [C] (☞ ひげ[1]). ¶*あごひげを生やした人 a man with a *beard* // *あごひげを生やす grow [have] a *beard*

あごひも 顎紐 chin strap [C]. ¶*あご紐のついた帽子 a cap with a *chin strap* // 我々は*あご紐をしっかりとしめた We ⌈fastened [had] the *chin straps* as tight as possible.

アコモデーションビル 〔商〕 (融通手形・空手形) accommodátion bill [C].

アコモデーター (仲介・調停する人) accómmodàtor [C]; (一般的に仲介者) médiàtion [C]; (争いなどの仲裁者) árbitràtor [C].

あこやがい 阿古屋貝 〔貝〕 pearl oyster [C].

アゴラ (古代ギリシャ都市国家の公共広場) agora /ǽgərə/ (複 ~s, -rae /-rìː/).

アコンカグア ── [名] (固) Àconcágua ★ アンデス山脈の最高峰. アルゼンチンにある. 標高 6,960 m.

あさ[1] 朝 morning [C] [語法] (1) この語は日本語の「朝」に当たるだけでなく, 普通, 夜明けから正午または昼食をとるまでの間, すなわち「午前中」を指す. (☞ 時刻・日付・曜日 (囲み)). ¶*朝早く起きる get up early *in the morning* // 彼は毎*朝散歩をする He takes a walk *every morning*. [語法] (2) morning の前に every, next, this などが付くときは副詞句となるので, 前置詞 in は付けない. // 寒い*朝だった It was a cold *morning*. (☞ 冠詞 (巻末)) // 私たちは4月10日の*朝出発するつもりです We're going to leave *on the morning of* April 10. [語法] (3)「朝のうちに・午前中に」の場合, 前置詞は in を用いるが, 特定の日の午前中を指すときには on を用いる. // 彼は*朝から晩まで精出して働いた He worked hard from *morning* till night.

朝シャン morning shampoo [C]. ¶息子は*朝シャンを欠かさない (⇒毎朝髪を洗う) My son *shampoos his hair every morning*.

あさ[2] 麻 (亜麻およびその繊維) flax [U]; (麻・大麻およびその繊維) hemp [U]; (麻製品) linen [U] ★ flax を原材料にしたもの.

麻の如く乱れる (ごちゃごちゃになる) be in chaos. ¶天下*麻の如く乱れる (⇒大混乱が国中を支配する) Pandemonium reigns throughout the land.

麻糸 hemp thread [C] **麻織り(物)** hemp fabric [C] ★ しばしば複数形で. **麻縄** hemp rope [C] **麻布** hemp cloth [U] **麻の実** hemp fruit [U].

アサ ASA /éièséi/ ★ *A*merican *S*tandards *A*ssociation (米国規格協会) の略. 現在は ANSI (American National Standards Institute) に改組されている. **アサ感度** ASA ⌈number [speed] [C] ★ ASA が定めた感光材料の感度の規格で, 現在のイソ感度 (ISO ⌈number [speed]) に相当. (☞ イソ).

あざ[1] 痣 (けがによる) bruise /brúːz/ [C]; (殴打などによる目のまわりの) bláck éye [C]; (生まれながらの) bírthmàrk [C]. (☞ きず (類義語)). ¶彼は身体中*あざだらけだった He had *bruises* all over his body.

あざ[2] 字 district in a village or a city [C] ★ 説明的な訳. なお, 住所の場合は町, 区などと同じように固有名詞と考えてローマ字で *aza* とすればよい. ¶山田村*字新田 *aza* Shinden, Yamadamura

あさい 浅い **1** «深さが»: (水深など) shallow (↔

deep). ¶ 水が*浅いところで泳ぎなさい Swim where the water is *shallow*. // 川は一番*浅いところを渡れ Cross the stream where it is *shallowest*. 《ことわざ》// *浅い (⇒ 軽い) 傷 a *slight* injury

2 《時間が短い》: short 《☞ みじかい》. ¶ 彼女とは知り合ってまだ日が*浅い (⇒ ほんの短期間しか付き合っていない) I have known her only for a *short* time. // 春はまだ*浅い It is still *early* spring.

3 《眠りが》: light (↔ deep; sound). ¶ このごろ眠りが以前より*浅くなった (⇒ 以前のように熟睡できない) I *can't sleep* as ｢*deeply* [*soundly*] as I used to.

4 《経験が》 ── 動 (欠いている) lack ⑩. ── 形 (不足している) lacking (in ...); (未熟な) green. 《☞ みじゅく; けいけん¹》. ¶ 彼は経験がまだ*浅い He *lacks* experience. / (⇒ 未熟だ) He is still *green*.

5 《知識などが》: (浅薄な) shallow ; (うわべだけの) sùperficial. 《☞ せんぱく¹》.

あさいち 朝市 morning market Ⓒ.

アサイン 〘コンピューター〙 (割り当てる) assign /əsáɪn/ ⑩.

アサインメント (宿題・仕事などの割り当て) assignment Ⓒ ★ 抽象的な意味では Ⓤ.

あさおき 朝起き (朝早く起きる人) early riser Ⓒ 《☞ はやおき》.

あさがえり 朝帰り ── 動 (外泊する) stay out overnight (and return home on the following morning); (パーティーなどで遅くなって午前様となる) 《英略式》 come [go] home with the milk ★ ミルクは朝配達されるので.

あさがお 朝顔 〘植〙 mórning glòry Ⓒ. **朝顔市** morning glory market Ⓒ ★ 後に説明として held every year in early July in Iriya, Tokyo を加えるとよい.

あさがけ 朝駆け ── 動 (軍隊・警察などが早朝に攻撃・手入れする) make an early morning raid on ..., conduct [carry out] a dawn raid on ...; (予告なしに人を早朝に訪れる) visit *a person* early in the morning without notice ★ 失礼とされる; (突然訪問する) pay *a person* a surprise visit early in the morning.
¶ 報道記者はニュースを追いかけて夜討ち*朝駆けをする (⇒ 一日中ニュースを追いかける) Reporters *chase* news at all hours of the day.

あさかぜ 朝風 morning breeze Ⓒ.

あさがた 朝方 in the morning; (午前中に) during the morning.

あさぎ 浅黄 (淡い黄色) pale yellow Ⓤ.

あさぎり 朝霧 morning mist Ⓒ.

あさぎりそう 朝霧草 〘植〙 *asagiriso* Ⓒ; (説明的には) a variety of silvery-colored Japanese wormwood or mugwort.

あさくさのり 浅草海苔 (purple) laver Ⓤ 《☞ のり²》.

あさぐろい 浅黒い dark; (黒ずんだ) darkish. 《☞ くろ》.

あさげ 朝食 ☞ あさはん

あざけり 嘲り derision /dɪríʒən/ Ⓤ, scoffing Ⓤ 語法 derision のほうが格式ばった語. また scoffing は通常口に出していう場合に用いる; (悪意をもって嘲笑すること) ridicule Ⓤ. ¶ 彼はみんなの*あざけりの的になった He became the object of general *derision*.

あざける 嘲る (傲慢・無礼な態度で) scoff (at ...) ⓐ; (冷やかして) jeer ⓐ; (冷笑する) sneer (at ...) ⓐ; (悪意をもって嘲笑する) ridicule /rídɪkjùːl/ ⑩; (人の弱点などをあざ笑う) mock ⑩. 《☞ あざわらう; ちょうしょう¹》. ¶ 彼は競争相手の失敗を*あざけった He ｢*jeered* [*scoffed*] at his opponent's failure.

あさざ 莕菜, 荇菜 〘植〙 water fringe Ⓒ, yellow floating heart Ⓒ.

あさざけ 朝酒 ¶ 彼は*朝酒をやる (⇒ 朝から酒を飲み始める) He *starts drinking in the morning*.

あさじも 朝霜 morning frost Ⓤ.

あさせ 浅瀬 (川・海などの) shallows ★ 複数形で; (砂の) shoal Ⓒ; (川などの歩いて渡れる所) ford Ⓒ. ¶ 船は*浅瀬に乗り上げた (⇒ 座礁した) The ship ｢ran [went] *aground*.

あさだち 朝立ち ── 動 (早朝に…を去る) leave ... early in the morning; (早朝に…へ向けて出発する) leave for ... early in the morning. ── 名 departure early in the morning Ⓤ.

あさぢえ 浅知恵 (浅はかな理解力) shallow wit Ⓤ; (うわべだけの見方) superficial view Ⓒ.

あさつき 浅葱 〘植〙 *asatsuki* Ⓒ; flowering chives ★ 複数形で.

あさづけ 浅漬け ── 形 lightly pickled 《☞ つけもの》. ¶ *浅漬けのきゅうり *lightly pickled* cucumber

あさって 明後日 the day after tomorrow 《☞ 時刻・日付・曜日 (囲み)》. ¶ *あさって英語の試験があります We are going to have an ｢exam in English [English test] *the day after tomorrow*. // *あさっての朝[晩]までにはやってしまいます I'll have it finished by *the* ｢*morning* [*evening*] *after next*.

あさっぱら 朝っぱら ¶ *朝っぱらから (⇒ こんな早い時刻に) 電話で起こされた I was woken up by a phone call *at such an early hour in the morning*.

あさつゆ 朝露 morning dew Ⓤ.

あさで 浅手 (軽い傷) slight injury Ⓒ; (特に戦い, 争いなどで武器によって受けた軽傷) slight wound Ⓒ. 《☞ けが 日英比較》.

あざとい (小利口である) clever; (押しの強い) pushy. ¶ *あざとい商売 a *dishonest* business practice

あさドラ 朝ドラ morning soap opera Ⓒ. ¶ NHK *朝ドラ the NHK ｢TV [television] *morning (soap opera) series*

あざな 字 (本名以外の名) pseudonym /súːdənɪm/ Ⓒ; (あだな) nickname Ⓒ.

あざなう 糾う (縒り合わせる) twist ... (into ...); (編み合わせる) weave ... (into ...); (互いに, あるいは他のものと絡み合わせる) interweave ... (with ...) ★ 受身形で用いられることが多い. ¶ わらで縄を*あざなう *twist* straw into a rope // 禍福は*あざなえる縄の如し ☞ かふく

あさなぎ 朝凪 morning calm on the sea Ⓒ.

あさなゆうな 朝な夕な (いつも・常に) all the time, always; (朝も昼も夜も) morning, noon and night.

あさね 朝寝 ¶ 日曜日はたいてい*朝寝をする (⇒ 遅く起きる) I usually *get up late* (on) Sunday(s). // その朝彼女は10時ごろまで*朝寝をした (⇒ 床の中にいた) That morning she *stayed in bed until* about ten o'clock.
朝寝坊 (人) late riser Ⓒ 《☞ ねぼう; ねすごす》.

あさはか 浅はか ── 形 (考え方・知識などが足りない) shallow; (うわべだけの) sùperficial; (愚かな) silly, foolish. 《☞ あさい; ばか》. ¶ それは*浅はかな考えだ That is a *superficial* ｢way of thinking [view]. // そんなことを言うなんて, 我ながら*浅はかだった (⇒ 私はばかだった) It was very ｢*silly* [*foolish*] of me to say that kind of thing.

あさはん 朝飯 breakfast Ⓤ.

あさばん 朝晩 morning and evening. ¶ *朝晩は涼しくなりました We have cooler *mornings and evenings* now.

あさひ 朝日 the morning sun; (昇りかけている太陽) the rising sun. 《☞ ひ¹; 冠詞 (巻末)》. ¶ 私の

部屋は*朝日が差し込む *The morning sun* shines into my room.

あさぶろ 朝風呂 ☞ あさゆ

あさぼらけ 朝ぼらけ (暁・あけぼの) dawn Ⓤ, daybreak Ⓤ; (早朝) early morning Ⓤ. ¶ *朝ぼらけに at 「*dawn* [*daybreak*] / *early in the morning*

あさましい 浅ましい (卑劣な) mean; (下劣な) 《格式》 base; (恥ずべき) shameful. 《☞ さもしい; げれつ》.

あさまだき 朝未だき ―副 (夜の明けきらぬうちに) just before 「dawn [daybreak].

あざみ 薊 〘植〙 thistle /θísl/ Ⓒ.

あさみどり 浅緑 (薄い緑・淡い緑) light green Ⓤ.

あざむく 欺く (うそをついてだます) deceive ⑱, take in ⑱ ★ 後者のほうが口語的; (不正な手段でごまかす) cheat ⑱; (かつぐ) trick ⑱. 《☞ だます; ごまかす》.

あさめし 朝飯 breakfast Ⓤ 《☞ ちょうしょく[1]》. ¶ *朝飯にしよう Let's have *breakfast*.

朝飯前 ¶ そんな仕事は*朝飯前だ (⇒ 非常に簡単にできる [非常に易しい]) That kind of job 「can be done *quite easily* [is *very easy*]. 《☞ かんたん[1]; やさしい[2]》

あさもや 朝靄 (薄い霧) morning mist Ⓤ; (薄いかすみ) morning haze Ⓤ. 《☞ もや; きり[1]; かすみ》.

あざやか 鮮やか **1** «鮮明な» ―形 vivid; bright; brilliant; fresh. ―副 vividly; brightly; brilliantly.

【類義語】 光や色が生き生きとして鮮明なのは ***vivid***. 明るく輝かしい意味では ***bright*** や ***brilliant*** を用いるが, ***brilliant*** は ***bright*** よりも強い輝きを示す. 新鮮でみずみずしいのは ***fresh***. 《☞ せんめい[1]》

¶ *鮮やかな赤 a 「*vivid* [*bright*; *brilliant*] red ∥ 若葉は*鮮やかな緑色だ The new leaves look *bright* green. / The new leaves are (a) *fresh* green.

2 «やり方・状態について» ―形 (手並みが見事な) skillful (《英》 skilful); (手先の器用な) dext(e)rous /dékst(ə)rəs/. ―副 skillfully (《英》 skilfully); dext(e)rously. 《☞ みごと; すばらしい》.

¶ フェンシングにおける彼の*鮮やかな腕前は皆が称賛している Everybody admires his 「*skill* [*skillfulness*] in fencing. ∥ *鮮やかなものだね (⇒ 私はあなたの技量[能力]を称賛する) I admire your 「*skill* [*ability*]. ∥ そのオーケストラの演奏は*鮮やかだった (⇒ すばらしい演奏をした) The orchestra gave 「a *superb* [an *excellent*] performance.

あさやけ 朝焼け a red sky in the morning ★ a を付けて. **朝焼け雲** cloud bright with the morning glow Ⓒ.

あさゆ 朝湯 ―動 have [take] a bath in the morning 《☞ ふろ》.

あさゆう 朝夕 morning and evening 《☞ あさばん; まいにち》.

あざらし 海豹 〘動〙 seal Ⓒ.

あさり 浅蜊 〘貝〙 littleneck clam Ⓒ.

あさる 漁る (馬, 牛などが食べ物などを引っかき回して探す) forage /fɔ́:rɪdʒ/ (for ...) ⓐ; (鳥がえさなどを) peck (for ...) ⓐ; (何かを見つけ出そうと捜す) search (for ...) ⓐ 【語法】 一般に「...を求めて」は for ... で表す. 《☞ さがす》. ¶ 野生の馬が食べ物を*あさっていた The wild horses *were* 「*foraging* [*searching*] *for* food. ∥ その犬は食べ物を*あさって町をうろつき回った The dog prowled the streets *looking for* food. ★ prowl ⑱ は「獲物を求めてうろつく」の意.

アザレア 〘植〙 (つつじ) azalea /əzéɪljə/ Ⓒ.

あざわらう 嘲笑う (笑い者にする) ridicule /rídɪkjù:l/ ⑱; (あざける) scoff (at ...) ⓐ, deride ⑱ ★ 後者のほうが格式ばった語; (冷笑する) sneer (at ...) ⓐ; (...をばかにして笑う) laugh at ... ★ 必ずしも声を立てなくてもよい. 《☞ ちょうしょう[1]; からかう; わらう (類義語); けいべつ》. ¶ 我々は彼の幼稚な考えを*あざ笑った We 「*ridiculed* [*scoffed at*] his childish idea. ∥ 彼らは彼の臆病を (⇒ 臆病であることを)*あざ笑った They *laughed at* him for being a coward.

あし[1] 足, 脚 **1** «足»: (足首から先) foot Ⓒ (《複》 feet); (脚部) leg Ⓒ 【語法】 leg は太ももの付け根から足首まで. この語は人間のみでなく, テーブルなどの脚にも用いる. なお, leg は foot も含めて足全体を指すこともある; (犬や猫などのつめのある足) paw Ⓒ; (ひづめのある足) hoof Ⓒ; (いかやたこの) arm Ⓒ.

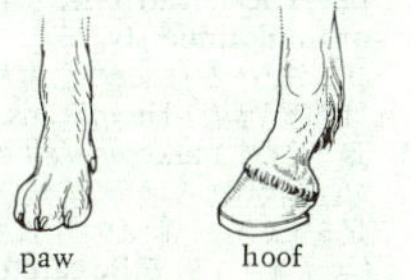

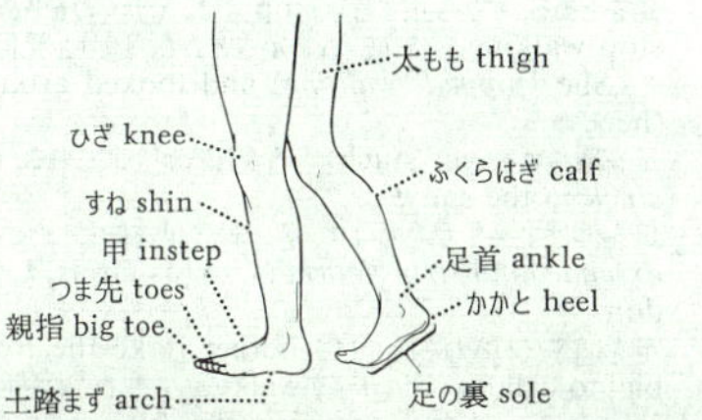

¶ 長い[短い]*足 long [short] *legs* ∥ *足の長い long-*legged* (↔ short-legged) ∥ *足が太い have 「fat [thick] *legs* ∥ *足が細い have 「slender [thin] *legs* ∥ 4 本*足の four-*legged*, quadruped ★ 後者は専門用語. ∥ テーブルの*脚が壊れている One of the table *legs* is broken. / A *leg* of this table is broken. ∥ きょうは左*足が痛い My left *foot* is sore today. ∥ *足がしびれてしまった My *feet* have gone to sleep. ∥ 彼女は*足が達者だ She is a good walker. ∥ 彼は*足が速い (⇒ 彼は速く歩く[走る]) He 「*walks* [*runs*] very fast. / He is a fast 「*walker* [*runner*]. ∥ 彼はつえを持ち, *足を引きずって歩いていた He *was hobbling* along with a stick. ∥ どうぞ*足を伸ばして下さい Please stretch your *legs* out. ∥ 彼女は*足を組んで座っている She is sitting with her *legs* crossed. ∥ 私の部屋に二度と*足を踏み入れるな Don't 「set *foot* in [enter] my room again. ∥ 彼女は交通事故で*足を折った She broke her *leg* in a traffic accident. ∥ 彼は凍った道路で*足を滑らせた He *slipped* on the frozen street. ∥ バスの中でだれかに*足を踏まれた (⇒ だれかが足を踏んだ) Somebody stepped on my *foot* on the bus. ∥ 彼は*足 (⇒ 歩調) を速めた[ゆるめた] He 「quickened [slackened] his *pace*.

2 «交通手段» ¶ その鉄道ストライキは多くの人の唯一の*足を奪った The railroad strike deprived many people of their only *means of transportation*.

足が地に付かない ¶ 君の考えは*足が地に付いていない (⇒ 現実をふまえていない) Your idea is *unrealistic*. ∥ 彼女は嬉しくて*足が地に付かない様子だった She seemed to *be walking on air*. ★ walk on air で「浮き浮きしている」の意.

足が付く ¶ 質屋の手に渡った盗品から*足が付いた (⇒ 彼は突き止められた) He *was traced* through the stolen goods which he had taken to a pawnshop.

足が出る ¶ 3 千円*足が出た (⇒ 予算を超過した)

We ⌈*ran over* [*exceeded*] the budget /bʌ́dʒɪt/ by three thousand yen. ★ ran over のほうが口語的.

足が棒になる ¶さんざん歩いて*足が棒になった I *walked my legs off*.

足が向く *one's* feet lead *one*; (無意識に…の方向に歩く) walk toward … unconsciously.

足にまかせる (足が進む方向に行く) let [go where] *one's* feet lead *one*; (目的なく歩き回る) wander around aimlessly.

足を洗う ¶彼はその仕事から*足を洗った (⇒自分の仕事をやめた) He *quit* his job.

足をくずす make *oneself* comfortable ★正座をしている状態から足をくずすこと. (☞ せいざ²)

足をすくう ¶気をつけないとあの男に*足をすくわれる (⇒だまされる)ぞ Be careful, or you will *be* ⌈*taken in* [(⇒裏切られる) *betrayed*] by that man.

足を出す (足を前方に出す) put out *one's* foot; (赤字になる) go into ⌈debt [the red]; (予算を超える金額を使う) overspend 他 自.

足をとめる (立ち止まる) stop 自; (歩くのをやめる) stop walking. ¶彼女は*足をとめて, 辺りを見回した. She *stopped* (*walking*) and looked around (her).

足を取られる get stuck. ¶雪に*足を取られる *get stuck* in the snow

足を伸ばす ¶私たちはロンドンまで*足を伸ばした We *extended our* ⌈*trip* [*journey*] ⌈to [as far as] London.

足を運ぶ (わざわざ出向く) bother [take the trouble] to call on …; (歩く) walk 自. ¶わざわざ私が*足を運ぶこともない (⇒行く必要はない) I don't have to *bother to go* there.

足を引っ張る ¶彼らは*足を引っ張り合っている (⇒あら探しをしている) They *are finding fault with* one another. / (⇒互いの邪魔をしようとしている) They are trying to *get in* each other's *way*.

足をふみこむ (足を一歩前に出す) step forward 自; (歩いて入る) step into …; (体験する) experience 他.

足を棒にする walk until *one's* legs get stiff, walk *one's* ⌈feet [legs] off.

足を向ける ¶あの人には*足を向けて寝られない (⇒あの人にたいへん恩義を感じている) I *feel* ⌈*greatly* [*deeply*] *indebted to* him.

その足で ☞ そのあしで

コロケーション

形のよい足 shapely *legs* / がっしりした足 stout [solid] *legs* / くさい足 smelly *feet* / 筋肉質の足 muscular *legs* / 毛深い足 hairy *legs* / むくんだ足 swollen ⌈*legs* [*feet*] / はだしの足 bare *legs* / ほっそりした足 slim [slender] *legs* / しびれた足 numb ⌈*feet* [*legs*] // 足をくじく sprain *one's* ⌈*ankle* [*foot*] / 足を取られる lose *one's* balance; trip (over …) / 足を引きずる drag *one's leg* / 足を開く spread *one's legs* / 足を踏み鳴らす stamp *one's* ⌈*foot* [*feet*] / 通勤の足を奪う deprive the commuters of their *means of transportation* / 必要な足となる be an essential *means of transportation* // 足の便がいい be easy to reach; have easy access

あし² 脚 (漢字の) bottom radical of kanji Ⓒ ★忘の心, 点の灬など.

あし³ 葦 reed Ⓒ.

あじ¹ 味 **1** 《味覚》 ―名 taste Ⓤ; (風味) flavor (《英》 flavour) Ⓤ. ―動 (味がする) taste 自.

【類義語】舌で感じる味一般を表すのが *taste*. 食べ物が持っている特有の風味が *flavor* で, 味覚だけでなく嗅覚も含む.

¶それは酸っぱい[甘い, 苦い]*味がする It *tastes* ⌈sour [sweet; bitter]. / It has a ⌈sour [sweet; bitter] *taste*. (☞ 可算・不可算名詞(巻末)) // この食べ物はほとんど*味がない This food has very little *taste* (to it). / This food is almost *tasteless*. // お腹がぺこぺこで*味などわからなかった I was too hungry to pay attention to the *taste*. // 「アイスクリームはどんな*味が好きですか」「バニラです」"What *flavor* ice cream do you like?" "I like vanilla /vənílə/." // そのスープは少しにんにくの*味がした The soup had a slight *flavor* of garlic. // そのクッキーは*味がよい (⇒よい味がする) The cookies *taste* ⌈good [nice]. // 「それはどんな*味がしますか」「たまねぎのような*味がします」"What does it *taste* like?" "It *tastes* like onion." // このケーキはレモンの*味がする This cake *tastes of* lemon. 【語法】チューインガムのような場合は is lemon-flavored とする. // 彼女は塩でその魚の*味つけをした She *seasoned* the fish with salt. / She *put* salt *on* the fish. // 「*味はよかったですか」「ええ, とてもおいしかったですよ」"Was it good?" "Yes, it was very tasty."

2 《経験・味わい》: experience Ⓤ.

¶彼は貧乏の*味を知らない (⇒貧乏の経験がない) He has no *experience* of poverty. / (⇒貧乏であることが何たるかを知らない) He doesn't know what *it is* (*like*) to be poor. // 彼は酒の*味を覚えてしまった (⇒酒を飲む癖がついてしまった) He *has gotten into the habit of* drinking. / He *has taken to* drink(ing).

3 《面白味・妙味》 ¶彼は時に*味な(⇒気の利いた)ことをいう He sometimes makes *smart* remarks. (☞ あじな) // 彼女は*味のある人柄だ(⇒魅惑的な人柄を持っている) She has a *fascinating* /fǽsənèɪtɪŋ/ personality.

味加減 (調味料を入れること) seasoning Ⓤ. ¶みそ汁の*味加減を見る taste *miso* soup to see ⌈how it *is seasoned* [the *seasoning*] // *味加減はいかがですか (⇒どんな味がしますか) How does it *taste*? / (⇒お気に召しますか) How do you like the food?

味も素っ気もない ¶この随筆は*味も素っ気もない (⇒おもしろくない) I found this essay *dull*. (☞ そっけない)

味をしめる ¶彼女は一度成功したことに*味をしめてまた万引をしてしまった (⇒次の成功を期待して) *Expecting to succeed again*, she shoplifted again. / (⇒最初の成功が勇気づけた) Her first success *encouraged* her *to* shoplift again.

あじ² 鰺 〖魚〗hórse máckerel Ⓒ ★単複同形.

アジ agitation Ⓤ (☞ アジる; せんどう¹). **アジ演説** agitational speech Ⓒ **アジビラ** protest ⌈leaflet [handbill] Ⓒ (☞ ビラ¹).

アジア ―名 固 Asia /éɪʒə/. ―形 Asian /éɪʒən/, Asiátic ★前者が普通. 後者は差別的.

アジア開発銀行 the Asian Development Bank **アジア競技大会** the Asian Games ★複数形で. **アジア人** Asian Ⓒ; (集合的に) Asian people **アジア太平洋経済協力会議** the Asia-Pacific Economic Cooperation Summit **アジア大陸** the Continent of Asia **アジア民族** Asian nations ★複数形で.

あしあと 足跡 (歩いた跡) footprint Ⓒ; footstep Ⓒ; tracks ★複数形で.

【類義語】歩いた後に残った足そのものの跡は, 人・動物を問わず *footprint* を用いる. 歩いた後に残された歩みの跡が *footstep* で, 単に step ともいう. アメリカでは歩いて行った跡の意味で特に *tracks* を用いることがあり, 雪の上に残した動物の足跡を snow *tracks* などという. (☞ ゆくえ)

¶彼は畳の上に*足跡を残した He left his *foot-*

prints on the *tatami.* // うさぎはきれいな*足跡を雪につける The rabbit ˹makes attractive *tracks* [leaves pretty *footprints*] in the snow.

アジェンダ (議事日程・議題(表)) agénda Ⓒ.

あしおと 足音 (foot)step Ⓒ. ¶私の後ろであわただしい*足音がした (⇒ 足音を聞いた) I heard hurried (*foot*)*steps* behind me. // 彼女は父親が階段を上ってくる*足音を聞いた She heard her father's *footsteps* on the stairs. / (⇒ 父が階段を上ってくるのを聞いた) She *heard* her father *coming* up the stairs. 日英比較 後者のように日本語で「足音」とあっても, 必ずしも footstep などを使わなくてもよい場合があることに注意. // 彼は*足音を立てないように (⇒ そっとした足取りで) その部屋を出た He walked out of the room with ˹stealthy [soft] *steps.* 語法 この場合は footsteps を用いないのが普通.

あしか 海驢 〘動〙 sea lion Ⓒ.

あしかががっこう 足利学校 ― 名 固 (室町時代の) Ashikaga School; (説明的には) an educational institute (from the 15th to the late 19th century) in Ashikaga in Tochigi Prefecture, Japan.

あしかがじだい 足利時代 ☞ むろまち

あしかがたかうじ 足利尊氏 ― 名 固 Ashikaga Takauji, 1305–1358; (説明的には) the first Shogun of the Muromachi Shogunate.

あしかがばくふ 足利幕府 the Ashikaga Shogunate (☞ むろまち).

あしがかり 足掛かり (足を支える場所) foothold Ⓒ; (建築用の足場) scáffold Ⓒ. (☞ あしば). ¶彼は社長の娘と結婚して出世の*足がかりにした By marrying the president's daughter, he gained a *foothold* on the ladder of advancement.

あしかけ 足掛け ¶*足かけ (⇒ 約) 6 年 *about* [*almost*] six years // ロンドンへ来て*足かけ 3 年です (⇒ これで 3 年目だ) This is my *third year* in London. (☞ やく[3])

あしかけあがり 足掛け上がり (鉄棒の) single leg swing up Ⓒ.

あじかげん 味加減 ― 名 (味) taste Ⓤ; (味つけ) seasoning Ⓤ. ― 動 (味を見る) taste (the soup) to see how the seasoning is.

あしかせ 足枷 fetters ★ 通例複数形で; irons, shackles ★ 2 つとも複数形で. 語法 irons, shackles は手かせも含む.
¶彼らはその奴隷に*足かせをはめた They put the slave in ˹*fetters* [*irons*]. // 彼らは*足かせをかけられていた They were in *fetters.* // 古い伝統が*足かせになって, なかなか自由にならないものです *Fettered* by a long tradition, we sometimes find it hard to go our own way.

あしがた 足形 (足跡) fóotprìnt Ⓒ (☞ くつ (靴型)).

あしがため 足固め **1** «準備» ― 動 (…の準備をする) make preparations for …; (基礎的作業をする) lay the groundwork for … ★ やや格式ばった表現; (前もって手配をする) make preliminary arrangements ★ 予約, 取り決めなどをしておくこと; (舞台裏で根回しする) maneuver behind the scenes ★ 悪い意味で. ¶選挙の*足固めをする *make preparations for* the election / (⇒ 根回しする) *maneuver behind the scenes* in order to win the election // 平和条約の*足固めをする *lay the groundwork for* the peace treaty
2 «足慣らし»: (歩く練習) walking practice Ⓤ ★ 具体的な場合は Ⓒ. (☞ あしならし).
3 «柔道・レスリングの»: *ashigatame* Ⓒ, lég hòld Ⓒ.

あしからず 悪しからず ¶先約があって会合に出席できませんが*悪しからず (⇒ 残念ですが出られません) I *am sorry*, but [I *regret* that] I cannot attend the meeting because of a previous appointment.

あしがる 足軽 (日本の封建時代の) samurai of the lowest rank, serving as a foot soldier Ⓒ; (鉄砲足軽) mùsketéer Ⓒ.

あじきない 味気ない ☞ あじけない

あしきり 足切り ― 動 (排除する) weed out (他).
¶この試験は数学の点の悪い学生の*足切り用のものです This test is intended to *weed out* students who are bad at math. // *足切り点は何点ですか What's the *cut-off point*?

あじきりぼうちょう 鯵切り包丁 small kitchen knife Ⓒ; (説明的には) small knife for filleting fish Ⓒ. (☞ でばぼうちょう).

あしくせ 足癖 (柔道・相撲などの足技) foot technique Ⓒ; (歩いたり座ったりする仕方) *one's* way of walking and sitting. ¶あの男の子は*足癖が悪い (⇒ ちゃんとした座り方を知らない) The boy doesn't know the proper way of sitting.

あしくび 足首 ankle Ⓒ (☞ あし[1] (挿絵)).

あしげ[1] 足蹴 ― 動 (蹴る) kick (他); (ひどい扱いをする) treat … badly. (☞ ける). ¶若者はその乞食を*足蹴にした The young man *kicked* the beggar. // *足蹴にされて黙っていられるか (⇒ ひどい扱いを我慢できるか) How can I put up with such ˹*bad treatment* [*ill-treatment*]?

あしげ[2] 葦毛 ¶*葦毛の馬 a *dappled gray* horse

あじけない 味気無い (つまらない・退屈な) dull; (うんざりする) bored (with …). (☞ たいくつ; つまらない). ¶その小説は*味気なかった I found the novel *dull.* // 彼らは結婚生活を*味気なく感じ始めた They began to feel *bored with* their married life.

あしこし 足腰 (体) body Ⓒ ★ そのほか前後関係からいろいろに意訳する必要がある. (☞ からだ). ¶トレーニングで*足腰を (⇒ 体を) 鍛える harden [toughen] *one's body* through training // *足腰の立つうちは (⇒ 元気な間は) 働きます I'll keep working while I am *strong enough.*

あしごしらえ 足拵え ― 動 (足拵えをする・出発準備をする) get ready to start; (履き物を用意する) get *one's* footwear ready.

あじさい 紫陽花 〘植〙 hydrangea /haɪdréɪndʒə/ Ⓒ.

あしさき 足先 ☞ つまさき

あじさし 鯵刺し 〘鳥〙 tern Ⓒ, sea swallow Ⓒ.

あしさばき 足さばき (ボクシング・踊りなどでの足の運び) footwork Ⓤ.
¶絶妙な[速い, 敏捷な]*足さばき fancy [fast; nimble] *footwork* // ぎこちない*足さばき awkward *footwork*

あしざま 悪し様 ¶人を*悪し様にののしる *call a person names* // 彼は人前で私を*悪し様にののしった He *abused* me *using foul language* in public. // 他人を*悪し様に言う (⇒ 他人の悪口を言う) *speak ill of* others

あししげく 足繁く ― 形 (度々の) frequent. ― 副 (度々) frequently. ― 動 (度々訪れる) visit frequently. ¶大英博物館へ*足繁く通ったものだった I used to *visit* the British Museum *frequently.* // 彼女は*足繁くやってくるようになった Her visits have become more *frequent.*

アジスアベバ ― 名 固 Addis Ababa /ǽdɪsǽbəbə/ ★ エチオピアの首都.

アシスタント (助手) assistant Ⓒ; (手伝い人) helper Ⓒ 日英比較 英語では assistant のほうが改まった語であり, また helper はそれほど大した技術を要しないような仕事の手伝い人という区別があるが, 日本語ではそのような区別をしない. 日本語で「アシスタント」とあっても場合によっては helper と言ったほうがよい場合もある. ((☞ じょしゅ)). アシスタントディレクター (演出助手・監督) assistant director Ⓒ.

アシスト ―動 (手伝いをする・助ける・(スポーツで)アシストする) assist ⑩. ―名〔スポーツ〕(ゴールとなるシュートを助けるプレー) assist Ⓒ; (シュートのための適切な送球をする選手) assister Ⓒ.

あした[1] 明日 tomorrow. ¶*明日は*明日の風が吹く (⇒明日は(今日とは)別の日) *Tomorrow* is another day. ((☞ あす))

あした[2] 朝 朝には紅顔ありて夕べには白骨となる Rosy-cheeked in the morning, bleached bones by dusk. 朝に道を聞かば夕べには死すとも可なり If a man learns the Way in the morning, he may die in the evening without regret.

あしだ 足駄 wooden clog with high supports Ⓒ ★一足の場合は a pair of を付け複数形で; (説明的には) a kind of Japanese traditional wooden footwear with high wooden supports chiefly for use on rainy days.

あしだい 足代 (電車賃・バス代) fare Ⓒ, ((米)) carfare Ⓒ. ((☞ うんちん)).

あしだかぐも 足高蜘蛛 〔動〕 huntsman spider Ⓒ, banana spider Ⓒ.

あしたば 明日葉 〔植〕 Japanese angelica Ⓒ; (説明的には) a Japanese herb that grows on Hachijo Island and other nearby Pacific islands.

あしつき 足付き, 脚付き **1** 《家具などで足が付いている》 ―形 legged, with legs. ¶4本の*足[脚]付きテーブル a four-*legged* table
2 《歩き方》 ☞ あしどり

あじつけ 味付け ―動 (塩・こしょうなどで味をつける) season ⑩ ((☞ あじ[1])). 味付け海苔 dried and seasoned laver /léɪvə/ Ⓤ, flavored *nori* seaweed Ⓤ.

アシッド ―名 (酸・酸っぱいもの) ácid Ⓤ. ―形 (辛らつな) ácid.

アシッドレイン ☞ さんせい[2] (酸性雨)

アジテーション agitation Ⓤ.

アジテーター ágitàtor Ⓒ.

あしでまとい 足手まとい (重荷) burden Ⓒ; (人の自由を妨げる物・人) encúmbrance Ⓒ ★格式ばった語; (目的に向かって進むのに邪魔になる物・人) drag Ⓒ. ((☞ じゃま)). ¶子供は彼には*足手まといだった The child was 「a *burden* [an *encumbrance*] to him. // 彼女は君の出世の*足手まといになるぞ She will be a *drag* on your career.

アジト ((略式)) hídeòut Ⓒ ((☞ かくれが; ねじろ)).

アジドチミジン 〔化〕 azidothymidine /əzàɪdouθáɪmɪdìːn/ Ⓤ ★エイズ治療薬.

あしどめ 足留め, 足止め ¶彼らはそのホテルに*足留めされた (⇒そのホテルの中にいるように言われた) They *were told to stay* 「*in* [*inside*] the hotel. // その国を訪れているすべての観光客は出発を3日間延期するようにと*足止めを食った All the tourists visiting the country *were ordered to* 「*put off* [*delay*] their departure for three days.

あしどり 足取り **1** 《歩き方》: (歩調) step Ⓒ; (歩く速さ) pace Ⓒ; (歩く様子) manner of walking Ⓒ. ((☞ あしなみ; ほちょう)). ¶彼は軽い[重い]*足取りで家へ帰った He went home with 「light [heavy] *steps*. // 家に近づくと彼の*足取りは速くなった As he neared his home his *steps* quickened.
2 《犯人などの》: trace Ⓒ. ¶彼の*足取りはまだわからない They have found no *trace* of him yet.

あじな 味な (機知に富んだ) witty; (器用・巧妙な) deft; (生意気な・気の利いた) smart, clever. ((☞ しゃれた)). ¶彼はなかなか*味なことを言う He says *witty* things. / He makes *witty* remarks. // 彼女はなかなか*味なまねをするね (⇒そんなことをするとは彼女も生意気だ) It's 「*smart* [*clever*] of her to do that.

あしながおじさん 足長おじさん (匿名の恩恵者) anonymous benefactor Ⓒ; (Jean Webster の同名の小説の主人公) Daddy-Long-Legs.

あしながばち 足長蜂 〔昆〕 paper wasp Ⓒ.

あしなみ 足並み (歩く速さ) pace Ⓒ; (歩調) step Ⓤ. ((☞ はちょう; あしどり)). ¶*足並みをそろえる keep the same *pace* // 我々は*足並みが乱れている We are out of *step*.

あしならし 足慣らし ¶明日のレースのために, 1時間ばかり*足慣らしをした I *ran* for an hour or so *to prepare myself for* the race tomorrow.

あしのうら 足の裏 sole Ⓒ ★靴の底にも言う. ((☞ あし[1] (挿絵))).

あしのこう 足の甲 instep Ⓒ ((☞ あし[1] (挿絵))).

あしば 足場 (建築用の) scáffold Ⓒ, scaffolding Ⓤ ★後者は集合的に足場の全構築を指す; (足を支えるための) footing ★単数のみ; (足を支える場所) foothold Ⓒ. ¶家の周りに*足場を組む put up 「a *scaffold* [*scaffolding*] around the house

あしばや 足早 ¶彼女は私たちのそばを*足早に歩いて行った She walked past us 「*at a quick pace* [*with quick steps*; *quickly*]. 語法 at a quick pace は速度に重点があり, with quick steps は足取りの様子を強調した表現. ((☞ あしどり))

あしはら 葦原 (葦の茂った湿地) marsh overgrown with reeds Ⓒ.

あしばらい 足払い ―名 (足技) leg technique Ⓒ; leg flicking Ⓤ. ―動 (足払いをする) flick *one's* leg to *one's* opponent's.

あしび 馬酔木 〔植〕 *ashibi* Ⓒ, (Japanese) andrómeda Ⓒ.

あしびょうし 足拍子 ―動 (足で拍子を取る) beat time with *one's* 「foot [feet].

アジびら agitator's 「flier [handbill] Ⓒ ((☞ ビラ)).

あしぶえ 葦笛 réed (pìpe) Ⓒ.

あしふき 足拭き (風呂場などの) báth màt Ⓒ.

あしぶみ 足踏み ―動 (足踏みする) mark time ★比喩的に物事が停滞するときにも用いる. ―名 (行き詰まり・停止) stándstill Ⓒ. ¶先生は生徒に*足踏みさせた The teacher made the students *mark time*. // その交渉は*足踏み(⇒停止)状態である The negotiations are *at a standstill*.

あしへん 足偏 (漢字の) foot radical on the left of kanji Ⓒ.

あしまかせ 足任せ ―動 (歩けるだけ歩き回る) wander about (...) as long as *one* can keep walking; (目的地を決めずに歩き回る) walk around (...) having no destination in mind.

あしまめ 足まめ ―動 (面倒がらずに出歩く) be always on the go. ―名 (人) person who is always on the go Ⓒ.

あしまわり 足回り ¶この車は*足回りがいい(⇒運転しやすい) This car *steers* easily.

あじみ 味見 ―動 (味加減を見る) taste ⑩; (飲食物の選択などのために少しずつ味わって見る) sample ⑩. ―名 tasting Ⓤ; sampling Ⓤ. ¶スープを慎重に*味見する *taste* the soup carefully // 彼はいくつかのワインを*味見した He *tasted* [*sampled*] several wines.

あしもと 足元, 足下 **1** 《足のそば》 ―副 at *one's* feet, ùnderfóot.
¶彼は*足もとで何か動いているのを感じた He felt something moving *at his feet*. // *足もと(⇒足の下)はぬかって滑りやすくなっていた It was muddy and slippery *underfoot*.

2 《歩み》: step Ⓒ. ¶みんな*足もとに気をつけてそろそろと歩いた Everybody walked slowly, watching ˹his [their] *step*. // 車から降りたとき私は*足もとがふらついた I *stumbled* (while) getting out of the car. 語法 このように step などの語を使わないで訳すことも多い. (☞ ふらつく) // *足もとにご用心 Watch Your *Step*

足もとに火がつく (危険が間近に迫っている) be in ˹immediate [extreme; imminent] danger of …; (いつ…するかわからない) (at) any moment. ¶ 彼は汚職逮捕事件で*足もとに火がついた He *is in immediate danger of* being arrested in the payoff scandal. // うちの会社の経営も*足もとに火がついた (⇒ いつ倒産するかわからない) Our company may go bankrupt (at) any moment.

足もとにも及ばない (相手にならない) be no match for …; (競争できない) can hardly compete with …; (比較にならない) not to be compared with … ¶私は企画力では彼の足もとにも及ばない I *am no match for* him in planning. // 私は数学では彼の*足もとにも及ばない (⇒ 彼と比べものにならない) As regards mathematics, I *can't compare with* him.

足もとを見る ¶彼はすぐ人の*足もとを見る男だ (⇒ 弱みなどにつけこんでそれを利用する男だ) He is the sort of man who *takes advantage of* you. (☞ つけこむ)

アジャスター (調節装置) adjuster Ⓒ.

あしゆ 足湯 (足だけ湯につかること) fóotbàth Ⓒ. ¶*足湯をつかう take [(英) have] a fóotbàth

あしゅ 亜種 〘生〙 ── 名 subspecies Ⓒ. ── 形 subspecific.

アシュケナージ ── 名 固 Vladimir Ashkenazy /àːʃkənáːzi/, 1937– . ★ ロシア生まれのピアニスト.

あしゆび 足指 toe Ⓒ (☞ つまさき; ゆび).

あしゅら 阿修羅 Asura /ʌ́surə/ ★ サンスクリット語で「鬼, 悪魔」の意. ¶ 彼は*阿修羅のように怒った He was *furious*. / He *flew into a rage*. (☞ しゅら)

アショカおう アショカ王 ── 名 固 King Asoka /əsóukə/ ★ 紀元前 3 世紀頃のインドのマガダ国王で, 初めてインドを統一した.

あしよわ 足弱 ── 動 (足が弱い) be weak in the legs, have weak legs; (遠くまでは歩けない) cannot take a long walk. ── 名 (足の弱い人) poor walker Ⓒ; (歩き方ののろい人) slow walker Ⓒ.

あしらい (扱い) treatment Ⓤ (☞ あつかう). ¶ ひどい [残酷な] *あしらい rough [cruel] *treatment* // あのホテルは客*あしらいが悪い The *service* at that hotel is poor.

あしらう 1 《取り扱う》: (人を) treat ⑩, deal with …; (鼻であしらう) sniff at … (☞ あつかう). ¶ 私は彼らに冷たく*あしらわれた I *was treated* coolly by them. / (⇒ 彼らは私に冷淡な態度をとった) They *gave* me *the cold shoulder*. ★ 口語的.

2 《つけ合わせる》: (料理に…をあしらう) garnish … with …; (側に置く) place ⑩. (☞ そえる; つけあわせ).

アジる (扇動する) ágitàte (for …) ⓐ (☞ アジ; あおる; せんどう¹). ¶組合の指導者はストライキをやるよう*アジった The union leader *agitated for* a strike.

あじわい 味わい ── 名 (おもむき) taste Ⓤ. ── 形 (風流な) tasteful; (意味のある) meaningful, significant. (☞ おもむき; ふぜい).

あじわいぶかい 味わい深い ── 形 (深遠な) profound; (微妙な) subtle; (意味深い) meaningful; (含蓄のある) pregnant with meaning; (陰影に富んだ) be rich in nuance. ── 動 have a subtle charm. ¶ その言葉は年とともに*味わい深い (⇒ 意味のある) ものになった The words became more and more ˹*meaningful* [*significant*] as the years passed.

あじわう 味わう (味をみる) taste ⑩; (楽しむ) enjoy ⑩; (文学や芸術などを鑑賞する) appréciàte ⑩; (経験する) go through …, experience ⑩ ★ 前者のほうがより口語的. (☞ あじ¹; けいけん¹).

¶私は本物のスペイン料理はまだ*味わったことがない I *haven't tasted* real Spanish food yet. // 我々は自由の喜びを*味わっている We *are enjoying* our freedom. // 人生の苦しみを*味わう *go through* [*experience*] the hardships of life

あしわざ 足技 (フットワーク) footwork Ⓤ.

アシンメトリー (非対称性) asymmetry /eɪsímətri/ Ⓤ.

あす 明日 tomorrow 語法 副詞と名詞の用法があるが, 名詞の場合も常に無冠詞. (☞ 時刻・日付・曜日 (囲み)).

¶*あすは休みだ *Tomorrow's* a holiday. / We'll have a holiday *tomorrow*. / (⇒ 仕事をしなくてもよい) I'll be off *tomorrow*. / *Tomorrow* is my day off. // そのニュースは*あすの新聞に出るだろう The news will appear in *tomorrow's* papers. // *あすのいまごろ僕は彼女と一緒にいるだろう I'll be with her this time *tomorrow*. // 彼は来週の*あすここに帰ってくる He'll be back here ˹a week from *tomorrow* [(英) *tomorrow* week]. (☞ きょう¹) // *あすまで延ばすな Don't put it off till *tomorrow*. // *あすの朝[午後]来て下さい Please come *tomorrow* ˹morning [afternoon].

明日は我が身 Tomorrow it might be ˹me [you; me or you]. / (⇒ 誰にでも起こりうる) It could happen to anyone.

あすかじだい 飛鳥時代 the Asuka period.

あずかり 預かり ¶(空港・駅などの)手荷物一時*預かり所 (米) a checkroom / (米) a baggage ˹room [office] / (英) a left baggage office // きのうの試合は*預かりになった (⇒ 引き分けに終わった) Yesterday's game *ended in a tie*.

あずかりしょう 預かり証 (手荷物の) check Ⓒ, cláim tàg Ⓒ; (預かったしるしに渡される札) depósit recéipt Ⓒ. (☞ ふだ).

あずかりしる 与り知る (否定を伴って) have nothing to do with …; be not concerned in … ★ 前者のほうが口語的. ¶ それは私の*あずかり知らぬことです (⇒ 私は無関係だ) I *have nothing to do with it*.

あずかりもの 預かり物 article left in *one's* charge Ⓒ. ¶これは*預かり物 (⇒ 一時的に私の管理に任された物) で, 私の物ではありません This *has been* temporarily *left in my* ˹*charge* [*keeping*] and is not mine.

あずかる¹ 預かる 1 《保管する》: keep ⑩ (過去・過分 kept) (☞ あずける; ほかん¹).

¶この包みを*預かって下さい Will you *keep* this package *for* me? // この箱をブラウンさんから*預かっています We *are keeping* this box *for* Mr. Brown. 日英比較 英語では「ブラウンのために」という意味で for を使うことに注意. これを from とすると,「ブラウンから箱を隠している」という意味になる. // 私は彼に傘を*預かってもらった (⇒ 傘を保管してくれるように頼んだ) I asked him to *keep* my umbrella *for* me.

2 《引き受けて世話をする》: take ˹charge [care] of

…;（めんどうを見る）look after …《☞ うけもつ; せわ》. ¶ 私たちがその子供たちを*預かることにした We have decided to _take_ ˹_charge_ [_care_] _of_ the children. // 私たちのいない間，犬を*預かってもらえますか May I ask you to _look after_ our dog while we are ˹gone [away]?

あずかる² 与る （参加する）take part (in …), partícipàte (in …) (自) ★ 前者のほうが口語的.《☞ さんか¹》.
¶ 私はその企画に*あずかることができてうれしい I am glad that I can ˹_take part_ [_participate_] _in_ the project. // 私はその問題については相談に*あずからなかった I was not _consulted about the problem._ // だれがその利益の分配に*あずかるのですか（⇒ だれが利益を分け合うのか）_Who is going to share_ the profits? // 彼はそのクラブの規約の草案を作るのに*あずかって力があった（⇒ 重要な役割を果たした）He _played_ an important _part_ in drafting the club rules.

あずき 小豆 adzuki /ædzúːki/ bean Ⓒ.
あずき色 dull red Ⓤ.

アスキー （情報交換用米国標準コード・アスキーコード）ASCII /ǽski/ ★ _A_merican _S_tandard _C_ode for _I_nformation _I_nterchange の略.
アスキーファイル ÁSCII file Ⓒ アスキー文字 ASCII character Ⓒ.

あずけいれる 預け入れる （銀行に預金する）make a deposit in the bank;（口座に預金する）deposit money into _one's_ account.

あずける 預ける **1**《保管を頼む》:（置いておく）leave (他)《過去・過分 left》★ 最も口語的で一般的;（安心して任せる）entrust (他);（手荷物などを）check (他);（預金する）depósit (他).《☞ あずかる¹; ほかん¹; よきん》.
¶ 荷物をここへ*預けましょう Let's [Why don't we] _leave_ our baggage here. 語法 leave だけでは必ずしも「預ける」の意味にはならないが，実際の場合ではこのような表現で十分意味が通じる.《☞ にもつ》// 私は札入れを鈴木君に*預けた I _left_ my wallet _with_ Suzuki. / I _entrusted_ Suzuki _with_ my wallet. ★ 第 1 文のほうが口語的. // 私は貴重品をフロントに*預けた I _checked_ my valuables at the front desk. // 私は銀行へ 2 万円*預けた I _deposited_ 20,000 yen in the bank. // 私はこの銀行に 100 万円*預けてある（⇒ 口座預金がある）I have a _deposit_ of 1,000,000 yen in this bank. / I have 1,000,000 yen _on deposit_ ˹in [with] this bank.
2《世話を頼む》:（置いて行く）leave (他);（任せる）entrust (他).
¶ 彼らは子供たちを私たちのところへ*預けて旅行に行った They went on a trip, _leaving_ their children ˹_with_ us [_in_ our _hands_]. // 私は子供たちを彼女に*預けた ＜S（人）＋V（_entrust_）＋O（世話）＋_to_＋名・代＞ I _entrusted_ the care of my children _to_ her. / ＜S（人）＋V（_entrust_）＋O（人）＋_with_＋名（世話）＞ I _entrusted_ her _with_ the care of my children.

あすこ ☞ あそこ

アスコットタイ （幅広のネクタイ）ascot (tie) Ⓒ.

あずさ 梓 〔植〕Japanese cherry birch Ⓒ.

アスター 〔植〕（菊科の草花）áster Ⓒ ★ しおん，えぞぎくなどの総称.

アスタチン 〔化〕（放射性元素）astatine /ǽstətìːn/ Ⓤ ★ 記号 At.

アスタマニャーナ I'll see you. ★ もとはスペイン語 Hasta mañana (＝until tomorrow) で，別れの言葉.

アステカぶんめい アステカ文明 Áztec civilizátion.

アステリスク asterisk /ǽstərìsk/ Ⓒ ★ * の印.

アステロイド 〔天〕（小惑星）ásteròid Ⓒ ★ minor planet ともいう.

アストラカン （子羊の黒毛皮）astrakhan /ǽstrək(ə)n/ Ⓤ ★ ロシア南西部原産.

アストリンゼン(ト) （化粧水）astringent lotion Ⓤ.

アストロノート （米国の宇宙飛行士）ástronàut Ⓒ.

アストロノミー （天文学）astrónomy Ⓤ.

アストロロジー （占星術）astrólogy Ⓤ.

あすなろ 翌桧 〔植〕_asunaro_, a variety of Japanese cypress Ⓒ.

アスパラガス 〔植〕aspáragus Ⓤ. ¶ *アスパラガス 1 本 a ˹stalk [piece] of _asparagus_

アスパラギン 〔生化〕asparagine /əspǽrədʒìːn/ ★ アミノ酸の一種. アスパラギン酸 〔生化〕aspártic ácid Ⓤ.

アスピリン 〔薬〕aspirin /ǽsp(ə)rɪn/ Ⓤ ★ 錠剤 (aspirin tablet) を指す場合は Ⓒ.

アスファルト asphalt /ǽsfɔːlt/ Ⓤ.
アスファルトコンクリート（アスファルトと砂・砂利などを混ぜた道路舗装材）ásphalt cóncrete Ⓤ,《英》asphàltic cóncrete Ⓤ アスファルトジャングル ásphalt júngle Ⓒ ★ 生存競争の厳しい大都会のこと アスファルト舗装 asphalt paving Ⓤ アスファルト舗装道路 asphalt ˹street [road] Ⓒ.

アスペクト aspect Ⓤ.

アスベスト 〔鉱〕asbéstos Ⓤ《☞ いしわた》.

あずまぎく 東菊 〔植〕erigeron Ⓒ.

あずまにしきがい 吾妻錦貝 〔貝〕Farrer's scallop Ⓒ.

あずまや 東屋，四阿 （木陰の休息所）bower /báuə/ Ⓒ;（つたなどをからませた日よけでできた休息所）arbor Ⓒ.

アスリート （スポーツ選手）athlete /ǽθliːt/ Ⓒ.

アスレチック （レジャー施設）leisure [recreation] facilities ★ 複数形で;（障害物通過訓練場）obstacle course Ⓒ. 日英比較 英語の athletic は「運動競技の」という 形.
アスレチッククラブ sport(s) [athletic] club Ⓒ.

アスワンハイダム ── 名 固 the Aswán High Dám ★ エジプトのナイル川にあるダム. 1970 年完成.

あせ 汗 ── 名（人・動物の）sweat /swét/ Ⓤ;（人の）perspiration Ⓤ. ── 動（汗をかく）sweat (自)《過去・過分 sweat または sweated》; perspíre (自) ★ 後者のほうが上品な語とされる.
¶ 彼は顔の*汗をぬぐった He wiped the ˹_sweat_ [_perspiration_] ˹off [from] his face. 語法 the を省略することもある. // *汗が出て来た（⇒ 私は汗をかきはじめた）I began to ˹_sweat_ [_perspire_]. // *汗臭い smell ˹of _sweat_ [_sweaty_] // 玉の*汗が彼女の額にふき出した Beads of _perspiration_ ˹appeared [broke out] on her forehead. // 彼は*汗びっしょりだ He is ˹soaked [covered] ˹with [in] _sweat_. / He is dripping with _sweat_.《☞ びっしょり》// 私はすぐ*汗をかく I ˹_sweat_ [_perspire_] easily. // 興奮のあまり手に*汗をにぎった（⇒ 手が汗でぬれた）My palms were wet with _sweat_ from excitement. // 彼は額に*汗して働かなければならなかった He had to work by the _sweat_ of his brow. // 彼のシャツは*汗じみていた His shirt was stained with _sweat_.
汗かき (heavy) sweater Ⓒ. ¶ 私は*汗っかきです I ˹_sweat a lot_ [_perspire heavily_]. ★ 前者のほうが口語的.
汗の結晶（額に汗して働いた結実）the fruit of _one's_ working by the sweat of _one's_ brow;（苦労の結果）the ˹fruits [fruit] of _one's_ ˹labors [hard

work].

あぜ 畔 ridge between rice paddies Ⓒ.

アセアン ASEAN /ǽsiən/ ★ *A*ssociation of *S*outheast *A*sian *N*ations の略.《☞ 略語(巻末)》. アセアン自由貿易地域 ASEAN Free Trade Area《略 AFTA》.

あせくさい 汗臭い ━動 smell sweaty《☞ あせ; くさい》.

あぜくらづくり 校倉造り 〘建築〙the *Azekura* style of architecture; (説明的には) the ancient style of Japanese architecture characterized by *hinoki* cypress, stacked triangular cross-section logs, no pillars and the corrugated facade.

アセスメント (評価) assessment Ⓤ. ¶環境*アセスメント environmental *assessment*

あせだく 汗だく ¶彼は*汗だくだった He *was all in a sweat*. / He *was dripping with sweat*. / He *was perspiring all over*. ★ 第 3 文は上品な表現. // 彼は*汗だくになって仕事をしている (⇒ 仕事に精出している) He *is sweating at* his work.《☞ あせ》

アセチルサリチルさん アセチルサリチル酸 〘薬〙acetylsalicylic /əsíːtlsæləsílɪk/ ácid Ⓤ.

アセチレン 〘化〙acetylene /əsétəlɪn/ Ⓤ. アセチレン灯 acetylene lamp Ⓒ アセチレン溶接 acetylene welding Ⓤ.

アセット (資産・財産・宝) ásset Ⓒ ★ 資産・財産の意では 通例複数形で. アセットマネージメント (資産管理) ásset mánagement Ⓤ.

アセテート 〘繊維〙acetate /ǽsətèɪt/ Ⓤ.

アセトアルデヒド 〘化〙acetaldehyde /æ̀sitǽldəhàɪd/ Ⓤ.

アセトン 〘化〙ácetòne Ⓤ.

あせばむ 汗ばむ be [get] a little sweaty《☞ あせ》. ¶陽気がいいので*汗ばんだ The warm weather made me *a little sweaty*.

あせび 馬酔木 ☞ あしび

あせまみれ 汗まみれ ¶彼は*汗まみれだ He is ˹*soaked* [*covered*]˺ *with* [*in*] *sweat*. / He *is dripping with sweat*.

あせみず 汗水 ¶彼は畑で一日中*汗水流して (⇒ 一生懸命) 働いた He *worked hard* all day in the fields. // これは私が*汗水流して (⇒ 額に汗して) 稼いだ金だ This is the money I have earned by the *sweat* of my brow.《☞ あせ》

あぜみち 畦道 (田と田の間の細い道) footpath between rice paddies Ⓒ.

あせみどろ 汗みどろ ━動 (汗みどろになる) be dripping with sweat《☞ あせ; あせだく; あせまみれ》. ¶*汗みどろになって働く *sweat at one's* work

あせも 汗疹 prickly heat Ⓤ.

あせり 焦り (せっかちでじれったい気持ち) impatience Ⓤ; (いらだち・腹立たしい気持ち) irritation Ⓤ.《☞ あせる[1]》.

あせる[1] 焦る (待ち切れなくてもどかしがる) get impatient; (じれったくていらいらする) gèt írritàted; (うろたえる) get mixed up; (びっくりする) be surprised. 語法 get の代わりに become を用いてもよい. be を用いれば状態を表す.《☞ いらいら; あわてる》.
¶仕事がはかどらないので彼は*焦っていた He *was irritated* because the project was making little progress. // このゲームでは*焦らない (⇒ 冷静を保つ) ようにすることが大切です In this game it is important to *keep cool*. // 先生に指されて*焦っちゃったよ I *got mixed up* when I was called on to answer the question by the teacher. // 通りで偶然先生に会って*焦った I *was surprised* when I happened to meet the teacher in the street.

あせる[2] 褪せる (日光などで色がさめて変わる) fade ⓐ ⓗ; (化学物質などで変色する) be ˹discolored [《英》discoloured].《☞ さめる; へんしょく[1]》. ¶色が*あせた The color *has faded*. // 洗剤でシャツの色が*あせた The shirt *was discolored* by the detergent. / The detergent *discolored* the shirt.

アゼルバイジャン ━名 ⓖ Azerbaijan /àːzəbaɪdʒáːn/ ★ カスピ海沿岸の共和国.

あぜん 唖然 ━動 (物も言えないほどびっくりする) be dum(b)founded; (びっくり仰天する) be flábbergàsted ★ 大げさな口語表現.《☞ あきれる; あっけ; ぼうぜん》. ¶私はその知らせを聞いて*あぜんとした I *was* ˹*dumbfounded* [*flabbergasted*]˺ by [at] the news.

アセンブラー 〘コンピューター〙assembler Ⓒ.

アセンブリー 〘コンピューター〙assembly Ⓤ. アセンブリー言語 assémbly lànguage Ⓤ ★ プログラム言語. 個々のものを指す場合は Ⓒ.

アセンブル 〘コンピューター〙 ━動 assemble ⓗ.

アソート ━形 (詰め合わせの) assórted 日英比較 英語の assort は 動 ⓗ. ¶*アソートチョコレート *assorted* chocolates

あそこ over there, there 日英比較 英語の there は相手の近く, すなわち「そこ」と, 話し手からも相手からも離れた場所「あそこ」の両方を意味する. 距離がある程度離れていることを強調するためには over there が用いられる. なお, 相手が遠く離れている場合には「そこ」の意味で over there を用いるので, there と over there は日本語の「そこ」「あそこ」の区別とは違う; (あの場所) that place.《☞ そこ[2] 日英比較; あちら 日英比較; むこう[1]》.
¶*あそこにいるのは私の父です That's my father *over there*. 語法 「あそこ」という場所が下のほうであれば down there, 上のほうであれば up there, 外へ向かった方向であれば out there になる. // 彼は*あそこから走って来た He came running from ˹*there* [*that place*]˺.

アソシエーション (協会・連合) association Ⓒ. アソシエーションフットボール《英》association football Ⓤ《☞ サッカー[1]》.

あそばせる 遊ばせる (人を自由に振舞わせる) let ... play; (楽しませる) èntertáin ⓗ; (使わないでおく) leave ... idle.《☞ あそぶ》. ¶彼女は公園で子供たちを*遊ばせていた (⇒ 子供の世話をしていた) She *was looking after* the children *playing* in the park. // そんなに何年間もこの土地を*遊ばせておくのはもったいない (⇒ むだだ) It's a waste to *leave* the land *idle* for so many years.

あそび 遊び **1**《遊ぶこと》: (一般に) play Ⓤ (↔ work); (ゲーム) game Ⓒ.
【類義語】仕事に対して, 楽しみを目的にした一般的な活動が ***play***. 特に一定のルールに従って勝負をするような遊びの形態が ***game*** である.
¶子供たちは*遊びに夢中である The children are ˹wrapped up [absorbed] in *play*. 語法 具体的に遊びの種別があるような場合には game を用いる. // 「*遊びに行ってもいい」「いいよ」"Can I go out and *play*?" "Yes, you can." // 私たちはトランプ*遊びを楽しんだ We enjoyed a *game* of cards.
2《娯楽》: (余暇を過ごす気晴らし) pástìme Ⓒ; (仕事を離れた楽しみ) pleasure Ⓤ; (意識的に行う楽しみ) amusement Ⓤ.《☞ ごらく (類義語)》.
¶カラオケはたいへん人気のある*遊びである Karaoke is a very popular *pastime*. // 彼女はヨーロッパへ*遊びに行った She went to Europe ˹for *pleasure* [*to enjoy herself*]˺.
3《行って楽しい時を過ごす》 ¶「あした*遊びに来ないか」「いいとも」"Why don't you come over tomorrow?" "OK."
4《(機械などの) 余裕・ゆとり》: play Ⓤ. ¶ブレーキの*遊びが少ない There is not enough *play* in the

brakes. **遊び相手** ☞ 遊び友達 **遊び着** playclothes ★ 複数形で; (子供の) pláysùit Ⓒ **遊び癖** (怠け癖) habit of being lazy Ⓒ; (遊び回る癖) habit of playing around Ⓒ. ¶ 彼は*遊び癖がついた (⇒ 仕事の習慣がなくなった) He's got out of the habit of working. **遊び心** (ユーモアのセンス) a sense of humor. ¶ *遊び心で (⇒ 趣味で) 俳句を作る write haiku *as a pastime* **遊びざかり** ¶ うちには*遊びざかりの (⇒ 若い [活発な, 健康な]) 子供が 2 人いる We have two ⌜*young* [*active*; *healthy*] children. **遊び時間** playtime Ⓤ; (学校などの休み時間) récess Ⓒ **遊びづかれ** ―― 動 (楽しみすぎるのにあきる) get tired of living it up; get tired of playing **遊び道具** plaything Ⓒ; (おもちゃ) toy Ⓒ **遊び友達[仲間]** (友達) friend Ⓒ; (子供の) playmate Ⓒ **遊び人** (金持ちの道楽者の男) 《略式》 playboy Ⓒ, (女) playgirl Ⓒ; (ばくち打ち) gambler Ⓒ **遊び場** playground Ⓒ **遊び半分** (半ば楽しみのために) half for pleasure; (半ば好奇心から) partly out of curiosity; (おもしろ半分に) partly for fun **遊び回る** play around ⓐ.

あそぶ 遊ぶ **1** 《遊戯などをする》: play ⓐ 語法 この意味では主に子供の遊びに用いられ, 成人の楽しみなどには用いられない; (もて遊ぶ) toy with … (☞ ふざける). ¶ 子供たちはこの公園で*遊ぶのが好きだ Children like to *play* in this park. // 私たちは外で [うちで] *遊んだ We *played* ⌜outdoors [indoors]. // 彼女は人形で*遊んでいる She *is playing* with dolls. // よく学び, よく*遊べ (⇒ 働くときには働き, 遊ぶときには遊べ) Work while you work, *play* while you *play*. / All work and no *play* makes Jack a dull boy. 《ことわざ: 勉強ばかりで遊ばないことはジャックをばかな少年にする》

2 《楽しむ》: amuse [enjoy] *oneself*; (楽しい時を過ごす) have a good time. (☞ たのしむ). ¶ 私たちは午後は浜辺で楽しく*遊んだ In the afternoon we ⌜*had a good time* [*enjoyed ourselves*] at the seashore. // 子供たちは絵をかいて*遊んだ The children *amused themselves* by drawing pictures.

3 《何もしないで怠ける》: (怠けて時を過ごす) idle away ⓣ; (遊び暮らす) loaf ⓐ. ¶ 私は*遊んでばかりいられない (⇒ ぶらぶらしていることはできない) I can't *idle away* my time. / (⇒ 怠けている余裕がない) I can't afford to be *idle*.

4 《遊興する》 ¶ 彼は若いときはずいぶん*遊んだ (⇒ 放蕩生活を送った) He *led a dissipated life* in his youth.

5 《使用されないでいる》: be ⌜not in use [idle]. ¶ 人手不足のため*遊んでいる機械が少しある Due to ⌜a [the] lack of manpower, some machines *are not in use*.

アゾフかい アゾフ海 ―― 名 固 the Sea of Azov /á:zav/ ★ 黒海北部の入り海.

アゾレスしょとう アゾレス諸島 ―― 名 固 the Azores /éɪzɔəz/ ★ ポルトガル西方の大西洋上の諸島.

あだ¹ 仇 ―― 動 (あだを討つ) avénge ⓣ, revénge *oneself* … (☞ かたき; ふくしゅう²). ¶ 殺された父親の*あだを討つ *avenge one's* father's murder

あだ² 徒 ¶ 彼によかれと思ってやったことが*あだ (⇒ 害) になった What I meant for his good ⌜proved [turned out] *harmful*.

アダージョ 〔楽〕 (アダージョの曲・楽章) adagio /ədá:dʒiòu/ Ⓒ.

あたい 値, 価 ―― 形 (価値のある) worth Ⓟ ★ 後に目的語がくる. ―― 動 (値する) deserve ⓣ. ―― 名 (価値) value Ⓤ. (☞ かち¹; ねうち). ¶ 彼の行いは称賛に*値する (⇒ 称賛される値打ちがある) His behavior *deserves* ⌜praise [to be praised]. // 彼の提案は考慮に*値しない His proposal is not *worth* ⌜consideration [considering]. // x の*値は何か What is the *value* of x?

あたいりく 亜大陸 sùbcóntinent Ⓒ.

あだうち 仇討ち (復讐(ふくしゅう)) vengeance Ⓤ, revénge Ⓤ ★ 前者のほうが格式ばった語; (報復) retaliation Ⓤ ★ やや格式ばった語. (☞ あだ¹; かたき; ふくしゅう²; ほうふく¹).

あたえる 与える give ⓣ 《過去 gave; 過分 given》 ★ 一般的で平易な日常語. 以下の語の代わりに用いられることも多い; (贈り物として進呈する) presént ⓣ; (賞などを) award ⓣ; (権利・許可・金品などを) grant ⓣ ★ やや改まった語; (必要なもの, 不足しているものを供給する) supply ⓣ, provide ⓣ ★ 後者は備蓄のためというニュアンスがある; (割り当てる) allot ⓣ; (仕事などを) assign ⓣ. (☞ ていきょう).

¶ 彼女は彼に偽の情報を*与えた She *gave* him false information. // 彼はノーベル平和賞を*与えられた He *was* ⌜*awarded* [*given*] the Nobel ⌜Prize for Peace [Peace Prize]. // 我々は被災者たちに食べ物と衣服を*与えなくてはならない We must *provide* ⌜the victims *with* food and clothing [food and clothing *for* the victims]. // 我々は教室の掃除をする仕事を*与えられた We *were* ⌜*given* [*allotted*; *assigned*] the task of cleaning the classroom. // *与えられた数 a *given* number // 台風は農作物に多大な被害を*与えた (⇒ 引き起こした) The typhoon *caused* a lot of damage to the crops. // 先生は生徒に罰を*与えた (⇒ 罰した) The teacher *punished* the students.

あだおろそか ☞ あだやおろそか

あたかも (…のように, 同じ方法・程度で) (just) like …; (まるで…かのように) as ⌜if [though] … (☞ まるで 語法). ¶ 彼は私を*あたかも妹のようにかわいがってくれた He loved me *like* a sister. / He loved me *as* ⌜*if* [*though*] I were his sister. 語法 後に続く節には仮定法が用いられるのが原則だが, 口語では直説法 (上の例では I *was*) が用いられることが多い. // 彼は*あたかも母語のようにフランス語を話す He speaks French ⌜(*just*) *like* [*as if* he were] a native speaker.

あたたかい 暖かい, 温かい **1** 《温度》: (気候・物が) warm; (気候が温和な) mild. ¶ 日ごとにだんだん*暖かくなっている It is ⌜getting [becoming; growing] *warmer* (and *warmer*) every day. // この冬は*暖かかった It was *mild* this winter. / We had a *mild* winter this year. 語法 冬が暖かいという場合は普通 mild を用いる. // 風邪を治すには*暖かくして寝ていなさい To cure your cold, keep yourself *warm* in bed.

2 《温情のある》 ―― 形 (心や態度が温かい) warm; (親切な) kind; (思いやりのある) wármhéarted; (優しい心の) ténderhéarted; (心からの) cordial. ―― 副 warmly; kindly. (☞ やさしい¹; しんせつ¹).

¶ 彼女は*温かい心の持ち主だ She is ⌜*warmhearted* [*tenderhearted*]. // 人々は難民を*温かく迎えた People ⌜received [welcomed] the refugees ⌜*warmly* [*kindly*]. // 私は*温かい歓迎を受けた I received a ⌜*cordial* [*warm*] welcome.

あたたかさ 暖かさ, 温かさ ☞ あたたかみ

あたたかみ 暖かみ, 温かみ warmth Ⓤ; (温情) warmth of heart Ⓤ, warm heart Ⓒ; (優しさ) kindness Ⓤ. (☞ ぬくもり). ¶ 彼は*温かみのある[ない]人だ (⇒ 温かい[冷たい]心を持っている) He has a ⌜*warm* [*cold*] *heart*. / He is ⌜*warmhearted* [*coldhearted*].

あたたまる 暖まる, 温まる (自然に暖かくなる) get [become] warm; (食べ物・エンジンなどが) warm up

㊀; (火などにあたって) warm *oneself*.

¶ 走ったら体が*暖まった I ⌈*got* [*became*] *warm* after running. / (⇒ ランニングが私を熱くした) Running made me *hot*. 語法 運動で体がほてるような場合には hot も用いる. // 火にあたって*暖まろう Let's *warm ourselves* ⌈at [by] the fire. // スープがよく*温まった The soup *has warmed up*. // そういう記事を読むと心が温まる Reading an article like that *warms* my heart.

あたためる 暖める, 温める (適度な温度にする) warm ㊀; (直火にかけて) heat ㊀ ★ 前者と違い, どの程度の温度にするかは含まない; (食べ物・エンジンなどを) wárm úp ㊀; (計画, 望みなどを心の中に抱きつづける) nurse ㊀. ¶ 火にあたって体[手]を*温めた I *warmed* ⌈myself [my hands] ⌈at [by] the fire. // 冷えたスープを*温める *warm* [*heat*] *up* the cold soup // この部屋はスチームで*暖められている This room *is heated* by steam.

アタッカー (攻撃する人) attacker Ⓒ; 〔球〕(バレーボールで球を相手コートに打ちこむ人) spiker Ⓒ.

アタック 日英比較 英語の attack (動) は本来「攻撃して損害を与える」意味で, 比喩的に「難問などに取り組む」意味はあるが, 普通はよくない事を対象とし, 日本語のアタックとは意味がずれる. ¶ 登山隊は山の北壁を*アタックした The climbers *tried* to go up the north face of the mountain. // 相手チームのゴールに*アタックする attack the opponent's goal

アタッシェ (大公使館の随行員・専門職員) attaché /ætəʃéɪ/ Ⓒ ★ もとはフランス語. attaché のアクセント記号はつづりの一部.

アタッシェケース (書類入れ用手提げかばん) attaché case /ætəʃéɪkèɪs/ Ⓒ. ★ attaché のアクセント記号はつづりの一部.

アタッチメント (付属品) attachment Ⓒ.

あだっぽい (媚びるような) coquettish; (性的な魅力のある) sexy; (好色の・なまめかしい) amorous; (肉感的な) voluptuous ★ 後の 2 つは格式語. ¶ 彼女は*あだっぽい目つきで彼を見た She looked at him *amorously*.

あだな あだ名 ―名 nickname Ⓒ. ―動 (あだ名をつける) nickname ㊀. (☞ つうしょう²).

¶ 彼の*あだ名はクマだ His *nickname* is "Bear." // 我々は彼にピーナツという*あだ名をつけた We *nicknamed* him "Peanut."

あだばな 徒花 (実を結ばない花) abortive flower Ⓒ; (実現しなかった試み) abortive attempt Ⓒ; (結局は実を結ばなかったこと) something that proves (to be) fruitless. ¶ 彼女の努力も*徒花だった Her efforts ⌈*did not bear fruit* [*proved to be fruitless*]. / (⇒ 努力を無駄にした) She *wasted her efforts*. // バブル景気は*徒花だった The bubble economy *proved to be worthless*.

あたふた ―副 in a hurry, hurriedly, hastily ★ hastily は多少格式ばった言葉. (☞ あわてる).

アダプター adapter Ⓒ, adaptor Ⓒ.

アダプテーション (脚色・翻案) adaptation Ⓤ.

アダプト (脚色する・改作する・翻案する) adapt ㊀.

あたま 頭 1 «頭部»: (首から上) head Ⓒ; (頭髪) hair Ⓤ 日英比較 日本語の「頭」は普通頭髪部分をいうのに対して, 英語の head は首から上全部をいう. (☞ かお).

¶ (ひどく)*頭が痛い I have a (bad) *headache*. // *頭がくらくらする (⇒ 私はめまいがする) I *feel* ⌈*dizzy* [*giddy*]. / My *head* is swimming. // 彼は丁寧に[軽く]*頭を下げた (⇒ おじぎをした) He *made a* ⌈*deep* [*slight*] *bow*. // 恥じて*頭を垂れる hang *one's head* in shame // 彼は弟の*頭をぶった He hit his brother *on the head*. 語法 on his head としないで身体の部分を指す the を用いることに注意. // 大きな*頭 a massive *head* // 白髪まじりの*頭 a gray *head* // 丸い*頭 a round(ish) *head* // 私はきのう*頭を刈ってもらった (⇒ 散髪した) I had ⌈my *hair* cut [a *haircut*] yesterday. // *頭を縦に[横に]振る nod [shake] *one's head* / say ⌈yes [no]

2 «頭脳・知力»: (知力) brains, head Ⓒ 語法 brain は「知力」の意味では複数形で用いられることが多く, 「脳」の意味では単数形; (知能) intelligence Ⓤ; (理性) mind Ⓤ. (☞ ずのう).

¶ 彼は*頭がいい He has (good) *brains*. / He is ⌈*clever* [*smart*]. ★「抜け目がない」という意味になることもある. // 彼は*頭が悪い He is *stupid*. // *頭を酷使する overtax *one's brain(s)* // 彼女は夫が死んでから*頭がおかしくなった (⇒ 気が狂った) *She went* ⌈*off her head* [*out of her mind*] after her husband's death.

頭が上がらない ¶ あの人には*頭が上がらない (⇒ 義理がある) I am *under an obligation* to him. / (⇒ 太刀打ちできない) I *can't compete* with him.

頭が痛い ¶ この問題は*頭が痛い (⇒ 解決が難しい) This problem is ⌈*hard* [*difficult*] *to solve*.

頭が重い (頭がすっきりしない) *one's* head feels heavy; (心配ごとがあって気分がすぐれない) *one* has a heavy heart.

頭が堅い (柔軟性がない) not ⌈flexible [adaptable]; (頭が切れない) not sharp; (鈍い) dull.

頭が切れる (聡明な) bright; (理解が早い) clever; (鋭い) sharp. (☞ かしこい).

頭隠して尻隠さず ¶ それは*頭隠して尻隠さずだ (⇒ だちょうのように頭を砂に突っ込むようなものだ) It's like *burying your head in the sand like an ostrich*. 参考 だちょうは追われると砂の中に頭を突っ込み, 隠れたつもりでいるといわれる.

頭が下がる ¶ 彼の親切には*頭が下がる (⇒ 脱帽である) I *take my hat off to* him for his kindness. / (⇒ 心から敬服する) I *really admire* him for his kindness.

頭が古い ¶ あの人は少し*頭が古い (⇒ 考えが旧式だ) He is rather *old-fashioned in his ideas*. / He *has old-fashioned ideas*.

頭から ―副 (きっぱりと) flatly (☞ きっぱり).

¶ 彼はそこにいたことを*頭から否定した He *flatly* denied (his) having been there.

頭から湯気を立てる ¶ *頭から湯気を立てて怒る be steaming (mad) / (⇒ もうれつに怒る) be furious

頭が割れるような ¶ *頭が割れるような頭痛 a *splitting* headache

頭に浮かぶ come into *one's* head (☞ うかぶ 2).

頭にくる (腹が立つ) get mad (at ...). ¶ 私は彼が約束を破ったので*頭にきた I *got mad at* him because he broke his promise.

頭のてっぺんからつま先まで from head to toe. ¶ *頭のてっぺんからつま先までぬれた I was soaked from ⌈*head* [*top*] *to toe*.

頭を痛める ¶ 兄には*頭を痛めている My older brother is *a nagging worry* to me. / I am very ⌈worried [concerned] about my brother.

頭を抱える ¶ 彼は*頭を抱えてしまった (⇒ 途方に暮れた) He *had no idea* what to do. (☞ かかえこむ)

頭をかく scratch *one's* head. ¶ 彼は困って*頭をかいた He made a gesture of embarrassment. (☞ かく² 日英比較)

頭を下げる ¶ あいつに*頭を下げるのはごめんだ (⇒ 屈服するのはいやだ) I won't *bow down to* him.

頭を絞る rack [beat] *one's* brains. ¶ ずい分*頭を絞ったがよい考えは浮かばなかった I ⌈*racked* [*beat*] *my brains*, but no good ideas came to me.

頭を使う use *one's* ⌈head [brains]. ¶ *頭を使う仕事 *mental* ⌈labor [labour] / *brainwork*

頭を突っ込む ☞ くび(首を突っ込む) ¶ 他人のことに*頭を突っ込むな Don't poke your nose into other people's affairs.

頭を悩ます[悩ませる] puzzle *one's* brains; (心配する) worry (about …; over …) ㊀ ㊉ ¶ 彼には*頭を悩まされる I *worry about* him. / He *worries* me.

頭をひねる think hard (☞ 頭を絞る); (困惑する) be puzzled. ¶ *頭をひねったが, その問題を解決できなかった I *thought hard*, but I couldn't solve the problem.

頭を冷やす (冷静になる) cool ˹off [down] ㊀; (落ち着く) calm down ㊀.

頭を丸める shave *one's* head; (出家する) become a Buddhist ˹priest [monk]; enter the priest hood; (修道士になる) take the tonsure.

頭をもたげる raise *one's* head; (勢いを増す) gain strength. ¶ ヘビが*頭をもたげた The snake *raised its head.* // 軍国主義が*頭をもたげ始めた Militarism began to *gain strength.*

あたまうち 頭打ち ¶ 彼の給料は*頭打ちになった (⇒ 賃金表の最高に達した) He *has reached the top* of the wage scale for his position. // 物価の上昇は*頭打ちだ (⇒ 最近は物価の上昇はなかった) Recently there has been no ˹increase [rise] in consumer prices. / (⇒ 物価が最高値に達した) Consumer prices *have reached their peak.*

あたまかず 頭数 the number (of people), the head count. ¶ *頭数を揃える make up *the* (necessary) *number*

あたまきん 頭金 down payment Ⓤ (☞ てつけ; げんきん¹; うちきん).

あたまごし 頭越し ── 動 (当然相談[報告]すべき人を無視して … に相談[報告]する) go over *a person's* head to …; (ある過程で人を無視する) ignore [leave out] *a person*; (人・規則などを無視して飛び越える) bypass ㊉ ★ 目的語は人または規則.

¶ 彼が上司の*頭越しに社長に相談したので上司が怒っている His boss is angry because he ˹*went over his head* [*bypassed him* and went straight] *to* the president. // 会社と組合の取り決めが組合員の*頭越しに[⇒ 相談することなしに]行われた The agreement was reached between the company and the union *without consulting with* the union members.

あたまごなし 頭ごなし ¶ 父は私のことを*頭ごなしに (⇒ 言い訳を待たずに) しかった Father scolded me *without waiting for excuses.*

あたまだし 頭出し ── 動 (ビデオ・音楽テープなどの頭出しをする) cùe úp ㊉. ── 名 cueing Ⓤ; (プログラム検索) program search Ⓒ. ¶ 3 番目の曲の*頭出しをする *Cue up* the cassette player to the beginning of the third song.

あたまでっかち 頭でっかち ── 形 top-heavy. ── 名 (学者ぶって理屈ばかりこねる人) pedant Ⓒ.

あたまわり 頭割り ¶ その費用は*頭割りにしよう (⇒ 均等に分担しよう) Let's ˹*share* [*split*] the expenses. // 料金は*頭割りで 1 人 1 万円です (⇒ 1 人につき) The fee is ten thousand yen ˹*for each person* [*per person*]. (☞ きんとう¹)

アダム (男性名) Adam ★ 聖書にあるエホバが最初に造った男の名でもある. (☞ イーブ).

アダムスミス ☞ スミス

あだ(や)おろそかに 徒(や)疎かに ¶ 彼女の助言を*あだ(や)おろそかにしてはならない (⇒ 軽んじてはいけない) You shouldn't *make light of* her advice. // ご親切は*あだ(や)おろそかにはいたしません (⇒ いつも感謝いたします) I will always *be grateful to* you.

あたら (残念ながら) regrettably; (…にとって残念なことに) to *one's* regret. ¶ *あたら好機を逃してしまった *To my regret*, I've lost a golden opportunity.

あたらしい 新しい ── 形 (できたばかりの) new; (真新しい・新品の) brand-new; (果物や野菜などが新鮮な) fresh; (時間的に一番新しい) (the) latest; (ニュースなどが) 《略式》 hot. ── 名 (新しさ) newness Ⓤ; freshness Ⓤ. ── 副 (新しく) newly. (☞ さいしん¹; しんき¹).

¶ 彼は先月*新しい[真*新しい]家へ引っ越した He moved to his ˹*new* [*brand-new*] house last month. // この本は*新しい This book is *new.* // あの店の卵は*新しい (⇒ あの店では新鮮な卵を売る) They sell *fresh* eggs at that store. // *新しいニュース *the latest* news // ドアに*新しくペンキが塗られた The door has been *newly* painted. // 時刻表が*新しくなった (⇒ 新しい時刻表が出た) A *new* timetable has just come out.

新しい酒を古い皮袋に入れる put new wine into old bottles ★ 聖書のことば.

あたらしがりや 新しがり屋 person who loves anything ˹modern [novel; new] Ⓒ.

あたらしがる 新しがる ¶ *新しがってばかりいないで歴史も学びなさい Don't ˹*look for* [*pursue*] ˹*new ideas* [*novelty*] all the time; study history as well.

あたらしずき 新し好き novelty seeker Ⓒ. ¶ 彼は*新し好き (⇒ 新しい物は何でも好き)だ He *likes anything new.*

あたらずさわらず 当たらず障らず ¶ このことについては*当たらず障らずのことしか言えない (⇒ はっきり言明することはできない) I *can't commit myself on* this issue. / (⇒ 当たり障りのない返事しかできない) I can only give a *noncommittal answer* ˹on [concerning] this problem. (☞ あたりさわり)

あたり¹ 辺り ── 名 (近所) neighborhood Ⓒ; (近隣一帯) 《格式》 vicinity Ⓒ; (地区) district Ⓒ; (地域) area Ⓒ. ── 副 (周りに) around, about. (☞ ちかく¹; へん²; きんじょ; ふきん¹; このへん).

¶ *辺りに人影はなかった There was nobody ˹*around* [*about*]. // 「この*辺りに公衆電話はありませんか」「すぐそこの角を曲がったところにあります」 "Is there a ˹public telephone [pay phone] ˹*around* [*near*] *here*?" "Yes, there's one just around the corner." (☞ このへん) // 「この*辺りで山田さんという方をご存じですか」「ここから 3 軒先の家です」 "Do you happen to know a Mr. Yamada in this *neighborhood*?" "Yes, he lives three doors down." // この*辺りには倉庫が多い There are lots of warehouses in this ˹*district* [*area*]. // 書類が*辺り一面に散らばっていた There were papers scattered ˹*all over the place* [*on every side*; *everywhere*]. // 彼は*辺りかまわず大声でしゃべる He talks too loud(ly), without any concern for other people *around* him.

あたり² 当たり **1** 《命中・的中・成功》: (大当たり) hit Ⓒ; (成功) success Ⓒ. (☞ めいちゅう; せいこう¹).

¶ その映画は大*当たりだった The movie was a ˹big [great] ˹*hit* [*success*]. (☞ おおあたり) // それは彼女の*当たり役の一つだった It was one of her most *successful* ˹roles [parts] (☞ あたりやく).

2 《他人に対する感じ》 ── 形 (愛想のよい) áffable; (感じのよい) amiable /éɪmiəbl/; (親しげな) friendly. (☞ かんじ¹; あいそ). ¶ 今度の市長は*当たりがよい The new mayor is an ˹*affable* [*amiable*] person. // 彼は*当たりが柔らかい (⇒ もの柔らかな態度をしている) He has a *mild manner.*

3 《…につき》: a …, per … (☞ -つき¹). ¶ 費用は 1 人*あたり千円です The expenses are 1,000 yen ˹*per person* [*each*]. // 1 週間*あたり 300 ドル使った

I spent 300 dollars *a* week.

4 «野球»: (ヒット) hit Ⓒ (☞ ヒット).

当たり狂言 (成功した出し物) hit ˹play [show] Ⓒ, successful program Ⓒ 当たりくじ (当せん番号) lucky number Ⓒ; (当たり券) winning ticket Ⓒ.

あたりきんじょ あたり近所 (近所) neighborhood Ⓒ; (近隣一体) «格式» vicinity Ⓒ.

あたりさわり 当たり障り ¶ *当たり障りのない (⇒ 害のない) ことだけを言う say only ˹*harmless* [*inoffensive*] things // 彼は*当たり障りのない (⇒ 言質を取られないような) 返事をした He gave a *noncommittal* answer. // 私は*当たり障りのない (⇒ 安全な) 話題を持ち出した I introduced a *safe* topic. (☞ あたらずさわらず)

あたりちらす 当たり散らす ¶ 彼女はいらいらして, 人に*当たり散らした (⇒ 周りの人に向かって腹を立てた) She was irritated and *got mad at the people around* her.

あたりどし 当たり年 (よい年) good year Ⓒ (☞ ほうさく[1]; ほうねん[1]). ¶ 今年は彼の*当たり年だった This has been a *good year* for him. // 昨年はみかんの*当たり年だった (⇒ 豊作だった) We *had a bumper crop* of mandarin oranges last year.

あたりはずれ 当たり外れ (個人の自由意志で冒す危険) risk Ⓤ ★ 具体的なものを指すときは Ⓒ; (傷ついたり失敗したりする危険) danger Ⓤ. (☞ きけん[1]). ¶ その仕事には*当たりはずれがある That business involves ˹some *risk* [the *danger* of failure]. // この種の事業には*当たりはずれはほとんどない There is very little *risk* in enterprises of this kind. / This kind of business is practically ˹free from *risk(s)* [*risk*-free].

あたりまえ 当たり前 **1** «当然の» ── 形 (自然な) natural; (理にかなった) reasonable; (驚くに当たらない) not surprising; (納得できる) understandable. ── 副 (もちろん) of course. (☞ とうぜん[1]).

¶ 彼の要求は*当たり前だ His demands are quite *reasonable.* // あんな人間が罰せられるのは*当たり前だ (⇒ あんな人間は罰に値する) That kind of person well *deserves* the punishment. // 彼が失敗したのは*当たり前だ (⇒ 不思議ではない) *No wonder* he failed. / It is ˹*natural* [*not surprising*] that he failed. // 彼が怒ったのも*当たり前だ (⇒ 驚くに当たらない) It's *not surprising* that he got angry. / (⇒ 納得できる) It's *understandable* that it made him angry. ★ このような文脈では natural は使わないほうがよい.

「君は賛成したのかい」「*当たり前だよ」"Did you approve of it?" "*Of course.*" // *当たり前のことを (⇒ なすべきことを) したまでです I did what I *should have (done)*.

2 «普通の・正常な» ── 形 (いつもの) usual (↔ unusual); (普通の) ordinary (↔ extraordinary); (ありふれた) common (↔ uncommon); (常態の) normal (↔ abnormal); (並みの) average.

¶ 夜の 12 時に眠くなるのは*当たり前 (⇒ 正常) です It is quite ˹*normal* [*natural*] ˹that you (should) get sleepy [for you to get sleepy] at midnight. これは*当たり前の事件ではない Such a case is quite ˹*uncommon* [*extraordinary* /ɪkstrɔ́ədənèri/].

あたりや 当たり屋 (くじなどによく当たる人) lucky person Ⓒ; (わざと車にはねられて賠償金をゆする人) person who deliberately gets hit by a car in order to extort money from the driver Ⓒ.

あたりやく 当たり役 successful role Ⓒ.

あたる 当たる **1** «命中する»: hit 他 «過去・過分 hit» (☞ あてる[1]; めいちゅう).

¶ 弾が的に*当たった[*当たらなかった] The bullet ˹*hit* [*missed*] the target. // ボールが私の頭 [目] に*当たった The ball *hit* my ˹head [eye]. / The ball *hit* me ˹on the head [in the eye]. 〔語法〕 体の部分には常に the を付ける. 当たった場所を強調するときは前の例文となる.

2 «ぶつかる»: (打ち当たる) strike 他 «過去・過分 struck»; (触れる) touch 他; (風が) blow (against ...) 自; (雨・波などが) lash 他; (衝突する) dash (against ...) 自. (☞ ぶつかる; しょうとつ).

¶ 彼の片手が私の肩に*当たった (⇒ ぶつかった [触った]) His hand ˹*struck* [*touched*] my shoulder. // 風が窓ガラスに強く*当たっている The wind *is blowing* hard *against* the windowpanes. // 波が崖に*当たって砕けた Waves *lashed* the cliff and broke. / Waves *broke against* the cliff. // *当たって砕けろだ (⇒ 運に任せてやってみろ) Take a chance.

3 «日光などが; 火・風に»: (照る) shine 自 (☞ ひ[1]; ひあたり; にっこう).

¶ 私の部屋は日がよく*当たる (⇒ 日当たりがよい) My room is *sunny*. / (⇒ 豊富な日光を得る) My room *gets* plenty of *sunshine.* // 本を日の*当たる所へ置いてはいけない (⇒ 日にさらしてはだめだ) Don't *expose* the books to the sun. // ベランダに日が*当たっている The sun *is shining on* the veranda. // 私は火に*当たって暖を取った I warmed myself ˹*at* [*by*] the fire. // 外に出て冷たい風に*当たろう (⇒ 新鮮な空気を吸おう) Let's go out and ˹*breathe* the cool fresh air [(⇒ 冷たいそよ風を楽しもう) *enjoy* the cool breeze].

4 «予言などが»: (実現する) be fulfilled; (真実となる) come true ★ 口語的; (言い当てる) guess right ★ 口語的. (☞ あてる[1]).

¶ 予言は*当たった The prophecy ˹*was fulfilled* [*came true*]. // 君の予想が*当たった You *have guessed* (it) *right*. / (⇒ 予想したとおりだった) It was *just as you had expected.* // *当たらずといえども遠からずだ (⇒ ひどい的はずれではない) It is not ˹far off [very wide of] the mark. // 天気予報は*当たった (⇒ 天気予報は正しいとわかった) The weather forecast *proved right.* // *当たるも八卦当たらぬも八卦 You cannot tell whether fortune-telling *comes true* or not.

5 «くじに» ¶ 私はくじに*当たった (⇒ 当選番号を引いた) I *drew* a lucky number. // 宝くじに*当たった (⇒ 宝くじで賞を取った) I *won a prize in* the public lottery. (☞ くじ; とうせん[2])

6 «相当する»: (対応する) còrrespónd to ...; (等しい) be éqúal [equívalent] to ...; (時日が) fall on ... (☞ そうとう[1]).

¶ 1 キロは約 2.2 ポンドに*当たる One kilo *is* ˹*about* [*equivalent to*] 2.2 pounds. // 「手紙」に*当たる英語は何ですか What is the English (word) *for* 'tegami'? // 今年のクリスマスは日曜日に*当たる Christmas (Day) *falls on* a Sunday this year.

7 «うまくゆく» ── 動 (大当たりする) be a hit; (成功する) succeed 自. ── 形 successful. ── 名 success Ⓒ. (☞ あたり[2]; せいこう[1]). ¶ その芝居は*当たった The play *was a* big *hit.* // 彼の計画は*当たった His plan ˹was [proved] a great *success.*

8 «方向»: (位置する) lie 自, be situated ★ 後者のほうが格式ばった表現. (☞ いち[2]).

¶ 大阪は東京の西南に*当たる Osaka ˹*lies* [*is situated*] (*to* the) southwest of Tokyo.

9 «中毒する»: (食べ物で) get food poisoning.

¶ たこに*当たった (⇒ 腐ったたこで食中毒になった) I *got food poisoning* from tainted octopus. ★ by eating ... とはしないほうがよい.

10 «つらい扱いをする»: treat *a person* ˹badly [harshly] (☞ やつあたり; あたりちらす). ¶ 彼女はま

ま子につらく*当たる (⇒ ひどい扱いをする) She *treats* her stepchild *badly*.
11 «試す»: try ㊐; (人の意向を探る) sound out ㊐. (☞ さぐる 語法) ¶ ほかの店を*あたります I'll *try* another store. // 人に*あたってみる *sound a person out* (about ...)
12 «適用する»: apply to ...; (あてはまる) hold good. (☞ あてはまる) ¶ この非難は私には*当たらない (⇒ 適用しない) This criticism does not *apply to* me.
13 «指名される» ¶ 私は数学の時間に*当たってしまった I *was called on* to answer a question in math class.
14 «...に際して»: on the occasion of ... ★ やや格式ばった表現; (...のとき) as ..., when ... (☞ さいして). ¶ このおめでたい時に*当たって心からお祝いを申し上げます I would like to offer you my hearty congratulations *on* this happy *occasion*. ★ スピーチなどで. // 当社の 80 周年記念に*当たって *on the occasion of* the eightieth anniversary of our corporation // 年の始めに*当たって *as* we are at the start of another year

アダルト (成人・大人) adult /ədʌ́lt, ǽdʌlt/ Ⓒ 語法 形容詞としても用いる. (☞ せいじん¹; おとな). **アダルトグラフィック** (ポルノ写真・ポルノ本) pornógraphy Ⓤ, (略) porn(o) Ⓤ, adult graphics Ⓤ **アダルトショップ** (ポルノ販売店) pórn [pórno] shòp Ⓒ, adult shop Ⓒ **アダルトスクール** (成人学校) school for adult education Ⓒ, school for part-time adult students, adult school Ⓒ **アダルトビデオ** pornographic /pɔ̀ənəgrǽfɪk/ video Ⓒ, adult video Ⓒ.

あたん 亜炭 〘鉱〙 lignite /lígnaɪt/ Ⓤ.

あだん あ段 (五十音図の) the *a* row; (説明的には) the *a* row of the Japanese syllabary.

アチーブメントテスト achíevement tèst Ⓒ (☞ テスト; しけん¹).

あちこち (ここかしこ) here and there ★ 語順は there and here のように逆には変えられない. これは次の 2 表現の場合も同じ; (行ったり来たりするような動作を表して) up and down; (いろいろな方向へ) this way and that; (次から次へと場所を変えて) from one place to another. (☞ ほうぼう¹).
¶ 蝶が庭の*あちこちで飛んでいた Butterflies were flying *here and there* in the garden. // *あちこち (⇒ 至るところ) それを探したが見つからなかった We searched for it *here, there and everywhere*, but we could not find it. // 庭を*あちこち (⇒ 行きつ戻りつ) 歩き回る Walk ˹*up and down* [*back and forth*] in the garden. // 私は*あちこち渡り歩いた I went *from one place to another*. // その会議には世界の*あちこち (⇒ 世界中) から人が集まった People came *from all over the world* to the conference. // 私は*あちこちからできるだけ情報を集めた I gathered information *from all* available *sources*.

あちら **1** «場所・方向»: there, over there; (あの方向へ) in that direction. 日英比較 英語には元来日本語のように相手のいる場所を「そちら」, 自分と相手の両方から離れた場所を「あちら」というように区別して言う言い方はない. 距離がある程度離れた場所という意味では over there を用いる. なお, 相手が遠く離れている感じのときにも 「そちら」 の意味で over there を用いるので, there, over there の区別は日本語の「そちら」「あちら」の区別とは違う. (☞ こちら; そちら; あそこ; そこ²). ¶ 電話は*あちらにあります The telephone is *over there*. // 「*あちらにいらっしゃるご婦人はどなたですか」「山田さんです」 "Who's the lady *over there*?" "That's [She's] Mrs. Yamada." // 車は*あちらへ (⇒ あの方向へ) 行きました The car went *in that direction*.
2 «物・人を指して»: (あれ) that (☞ あれ 日英比較). ¶ 私はこちらよりも*あちらが気に入りました I like *that* (one) better than this. // 「*あちらはどなたですか」「私は知りません」 "Who's *that* ˹man [woman; gentleman; lady]?" "I don't know."
あちら立てればこちらが立たず (⇒ 全ての人を満足させることは不可能だ) There's no pleasing everybody. / It is impossible to [You cannot] please everybody. / (⇒ 全ての人の友だちにはなれない) You *can't be everybody's friend*. (☞ はっぽう (八方美人))

あちらこちら here and there; (方々に) in ˹many [various] places. (☞ あちこち).

あつ 圧 (圧力) pressure Ⓤ.

あっ (驚きの声) Oh! ★ 最も一般的な語; (あっ, たいへん) Gosh!, (Oh,) my God!; (驚き・感嘆) (Oh) Wow /wáʊ/!; (あらまあ) Oh, dear! ★ Oh の後にコンマを伴う, Dear me!, (Good) heavens!, My goodness! ★ Oh, dear! 以降は女性がよく使う. (☞ 感嘆符(号) (巻末)).
¶ *あっ, そうか *Oh*, I see. // *あっ, しまった. 間違えた *Oh, dear*! I made a mistake. // *あっ, だめですよ(そんなことをしては) *Oh*, no! // *あっ, 火事だ (*Oh*) *my God*! Fire! // *あっ, 痛い *Ouch*! // 彼女は*あっと小さな声を上げた She let out *a little cry*. (☞ あっと) // それは*あっという間の (⇒ 一瞬の) 出来事だった It happened *in an instant*.

あつあげ 厚揚げ deep-fried thick tofu Ⓤ.

あつあつ ¶ あの二人は目下*あつあつです (⇒ 深く愛し合っている) Those two are ˹*head over heels* [*deeply*] *in love* with each other now. ★ head over heels は口語表現.

あつい¹ 熱い hot (↔ cold); (熱した) heated. ¶ *熱いコーヒーが飲みたい I'd like to have some *hot* coffee. // この風呂はちょっと*熱い (⇒ 熱すぎる) The bath is a little too *hot*. // 二人の仲は*熱い (⇒ 二人は深く愛し合っている) Those two [They] *are deeply in love*.

あつい² 暑い ― 形 hot; (やや穏やかに暑い) warm ★ very warm は hot とほぼ同意となる; (蒸し暑い) sultry. ― 名 (暑さ) heat Ⓤ. (☞ あつさ¹).
¶ きょうはひどく*暑い It is ˹very [terribly; awfully] ˹*hot* [*warm*] today. / (⇒ 焼けつくように) It's scorching *hot* today. // 日本の夏は湿気が多く, 蒸し*暑い Summer in Japan is *hot and humid*. (☞ むしあつい) // 5 月にしては*暑過ぎるようだ I think it is too *warm* for May. // こう*暑くてはかなわない (⇒ 暑さに耐えられない) I can't stand the *heat*. / (⇒ 暑さが耐え難い) The *heat* is unbearable.

あつい³ 厚い **1** «厚みがある»: thick (↔ thin) ★ thick は「厚み」のほかに「太さ」も表す; (厚みと重みがある) heavy (↔ light). (☞ あつさ²). ¶ *厚い本[板] a *thick* ˹book [board] // 空は*厚い雲で覆われていた The sky was covered with ˹*massive* [*heavy*; *thick*] clouds. 語法 大きなかたまりの暗雲には massive または heavy を用い, 一面に覆っている雲には thick を用いる.
2 «心のこもった»: (温かみのある) warm; (友好的な) friendly; (心からの) hearty; (手厚い) hospitable; (看護などが行き届いた) tender. (☞ てあつい; あたたかい). ¶ 私たちは*厚いもてなしを受けた We were given a *warm and* ˹*friendly* [*hospitable*] welcome. // 彼女の*厚い看護のかいもなく彼は亡くなった Despite her *tender* care he died.

あついた 厚板 (鋼板の) steel plate Ⓒ; (一般に厚い板) thick board Ⓒ; (厚い絹織物・錦) heavy brocade Ⓤ. **厚板ガラス** thick plate glass Ⓤ.

あついんき 圧印機 plate press Ⓒ.

あつえん 圧延 ―[名] métal rólling Ⓤ. ―[動] (金属をローラーで伸ばす) roll (他). **圧延機** rólling mill Ⓒ, roller Ⓒ.

あっか¹ 悪化 ―[動] (悪化する) get worse (自), worsen (自) ★ (他) の用法もある; (悪化させる) make ... worse; (天候・病状・質などが) deteriorate /dɪtí(ə)riərèɪt/ (自) ★ 格式ばった語; (病状などが) become more serious; (ますます悪くなる) go from bad to worse. ―[名] deterioration Ⓤ.

¶ 彼の病気は*悪化した (⇒ 悪く[重く]なった) His ⌜sickness [illness] *got* ⌜*worse* [*more serious*]. / His condition *took a turn for the worse*. // 事態はますます*悪化した Things *got worse and worse*. / (⇒ ますます重大なことになった) The situation *grew more and more serious*. / Everything *went from bad to worse*. // 両国の関係は急激に*悪化した Diplomatic relations between the two countries rapidly *worsened*. / (⇒ 両国の友好関係は急に冷めた) The friendship between the two countries *cooled down* rapidly. // 天気はだんだん*悪化した The weather gradually *deteriorated*.

あっか² 悪貨 (悪い貨幣) bad money Ⓤ. ¶ *悪貨は良貨を駆逐する *Bad money* drives out good (money). 《ことわざ》

あつかい 扱い (取り扱い) handling Ⓤ; (処理) dealing Ⓤ; (待遇) treatment Ⓤ; (客扱い) service Ⓤ. 《☞ あつかう; とりあつかう》. ¶ 化学薬品の*扱いは十分に気をつけて下さい Please *handle* the chemicals with great care. // そこではひどい*扱いを受けた I *was* badly *treated* there. // このホテルの客*扱いはよくない The *service* at this hotel is poor.

コロケーション

(人の)思いやりのある扱い considerate [humane; kind] *treatment* / (人の)丁重な扱い courteous [red-carpet] *treatment* / (人の)特別扱い special [preferential] *treatment* / (人の)平等な扱い equal [fair; impartial] *treatment* / (人の)不当な扱い shabby *treatment* / (人の)不平等な扱い unfair *treatment* / (人を)見下した扱い patronizing *treatment* / (物事の)お粗末な扱い inept [sloppy] *handling* / (物事の)慎重な扱い delicate *handling* / (物事の)粗雑な扱い rough *handling* / (物事の)巧みな扱い skillful [professional; tactful] *handling*

あつかう 扱う **1** 《人を》 ―[動] (遇する) treat (他); (ある態度で接する) deal with ...; (迎える) receive (他); (自由に操る) manage (他). ―[名] (扱い) treatment Ⓤ.

¶ 彼らは私を丁重に*扱った They ⌜*treated* [*received*] me politely. // 彼女は*扱いにくい (⇒ 彼女を相手にするのは難しい) She is hard to *deal with*. / (⇒ 彼女は満足させるのが難しい) She is hard to please. // だれでも公平に*扱わなくてはいけない (⇒ だれに対しても公平でなくてはならない) You must be fair to everyone.

2 《物・問題などを処理する》: (商品などを扱う・商う) deal in ...; (問題や機械などを取り扱う) handle (他). 《☞ とりあつかう》.

¶ この店では洋書は*扱いません We don't ⌜*deal in* [*handle*] foreign books in this store. // この問題[機械]はどう*扱ってよいかわからない I don't know how to *handle* this ⌜problem [machine]. // この窓口では小包は*扱いません (⇒ この窓口は小包のためのものではない) This window is not *for* parcels. // それは*扱いにくい (⇒ 処理の難しい) 問題だ That's a *delicate* problem.

コロケーション

(記事を)一面で大きく扱う *splash* (a story) on the front page / 遺漏なく扱う *treat* ⌜exhaustively [thoroughly] / 公平に扱う *treat* equally / 慎重に扱う *treat* carefully / 手荒く扱う *treat* roughly / 次の章で扱う *take up* in the next chapter / 丁寧に扱う *handle* with care / 人を冷たく扱う give *a person* a cold reception

あっかく 圧覚 sense of pressure Ⓤ; baresthesia Ⓤ ★ 医学用語.

あつかましい 厚かましい (人の迷惑も構わず主張する) 《略式》 pushy; (ずうずうしい) brazen; (生意気な) ímpudent; (恥を知らない) shameless. 《☞ なまいき; ずうずうしい; おくめん》.

¶ あいつは*厚かましい奴だ He's a *pushy* fellow. // 彼は*厚かましくもそれを口にした He was *impudent* enough to put it into words. // 私はそんな*厚かましいことはできない (⇒ そんなことをする勇気はない) I don't have the *nerve* to do such a thing.

あつかましさ 厚かましさ (強引さ) 《略式》 pushiness Ⓤ; (ずうずうしさ) brazenness Ⓤ; (生意気) ímpudence Ⓤ; (恥知らず) shamelessness Ⓤ.

あつがみ 厚紙 (厚い紙) thick paper Ⓤ; (ボール紙) cardboard Ⓤ; (何枚も層を成して重ねて作った合板的厚紙) pasteboard Ⓤ.

あつがり 暑がり person who is sensitive to the heat Ⓒ.

あつがる 暑がる ¶ 彼は*暑がっていた (⇒ 暑さをこぼしていた) He *was complaining about the heat*. // 彼は*暑がるから窓を開けておいたほうがよい Since he *feels the heat*, we'd better keep the window open. 《☞ -がる》

あつかん 熱燗 hot [heated] sake Ⓤ.

あっかん¹ 圧巻 (最も興味をそそる部分) highlight Ⓒ 《☞ ハイライト; よびもの》.

あっかん² 悪漢 (悪い男) bad man Ⓒ; (悪者) villain Ⓒ ★ 特に劇・小説での. 《☞ わるもの》.

あっき 悪鬼 (鬼) demon /díːmən/ Ⓒ; (悪霊) fiend Ⓒ ★ 後者はこの意味では古風な語. 《☞ あくま》.

あつぎ 厚着 heavy [thick] clothing Ⓤ.

¶ 彼はきょうは*厚着している He's wearing *heavy* ⌜*clothing* [*clothes*] today. // 外は寒いから*厚着をしていきなさい (⇒ 暖かいものを身に着けたほうがよい) It's cold outside. You'd better *put on warm clothes*.

あつぎり 厚切り (厚切りの) thick-sliced.

あつくるしい 暑苦しい (暑くて湿気がある) hot and humid (↔ cool and fresh); (天候が蒸し暑い) sultry, sweltering ★ 後者のほうが口語的; (むっとするほど熱い) oppressively warm; 《略式》 muggy. 《☞ あつい²; むしあつい》.

あっけ 呆気 ¶ 彼の言葉に皆*あっけにとられた (⇒ びっくりした[物も言えないほど驚いた]) Everybody *was* ⌜*amazed* [*dum(b)founded*] *by* what he said. ★ [ ] 内のほうが程度が強い. / (⇒ 彼の言葉にひどく驚いた) Everybody *was* ⌜*astonished* [*astounded*] *by* what he said. ★ [ ] 内を用いるほうが程度が強い. 《☞ あぜん; あきれる; びっくり》

あつげしょう 厚化粧 ¶ *厚化粧をしている wear *heavy makeup*

あっけない 呆気ない ¶ *あっけない勝負だった (⇒ 試合はあまりにも早く終わってしまった) The game was over *all too soon*. / (⇒ 一方的な試合だった) It was a *one-sided* game. // 彼は*あっけなく (⇒ あまりにも簡単に) 負けてしまった He was beaten *too easily*.

あっけらかん ―[形] (無頓着な) cárefrèe; (気楽でのんきな) háppy-gò-lúcky. 《☞ へいき¹》.

あっこう 悪口 ―[名] (ののしり) abuse /əbjúːs/

[U]《☞ あくたい; ののしる》. ―[動] (悪口を言う) *abuse* /əbjúːz/ (他). ¶彼は私に向かって*悪口雑言をはいた He *called* me *names*.

あつさ[1] 暑さ ―[名] heat [U], hotness [U] (↔ coldness) [語法] いずれも天候についてはほぼ同じに用いられるが, heat のほうが種々の熱に用いられる点で用法が広い. ―[形] (暑い) hot [日英比較] 日本語で「暑さ」とあっても英語では形容詞を用いるほうがよい場合もあることに注意.

¶きょうの*暑さはひどい (⇒ きょうはとても暑い) It's terribly ˹*hot* [*warm*] today. // この夏は 10 年ぶりの*暑さだ (⇒ この夏はこの10 年間で一番暑い夏だ) This is *the hottest* summer in ten years. // この*暑さに外出はごめんだ (⇒ 外出したくない) I don't like to go out in ˹this *heat* [such *hot* weather]. // この*暑さにはまいった (⇒ 暑さに耐えられない) I can't stand this *heat*. // 彼女は*暑さに当てられた (⇒ 熱中症にかかった) She had heatstroke. / (⇒ 暑さばてしている) She is suffering from heat exhaustion. // *暑さをしのぐ stand the *heat* // *暑さ寒さも彼岸まで ☞ ひがん[1]

コロケーション
異常な暑さ unusual [exceptional] *heat* / うだるような暑さ sweltering [oppressive] *heat* / 季節外れの暑さ unseasonable *heat* / 記録的な暑さ record *heat* / 耐えられない暑さ intolerable [unbearable] *heat* / 蒸し蒸しする暑さ sultry [steamy] *heat* / 猛烈な暑さ intense [brutal; extreme; fierce; terrible] *heat*

あつさ[2] 厚さ ―[名] thickness [U] (↔ thinness) ★ thickness は厚さだけでなく, ロープなどの太さも意味する. ―[形] thick [日英比較] 日本語で「厚さ」とあっても, 英語では形容詞を用いる場合もあることに注意. 《☞ あつい[3]》.
¶この壁は 5 cm の*厚さがある This wall is five centimeters /séntəmìːtəz/ *thick*. / This wall has a *thickness* of five centimeters. ★ 第 1 文のほうが普通. なお後者のように, 後に具体的な数字がくるときは不定冠詞を付ける. // 「その氷の*厚さはどのくらいですか」「3 cm あります」 "How *thick* is the ice? / What is the *thickness* of the ice?" ★ 第 1 文のほうが普通. "It is three centimeters *thick*." / "Three centimeters."

アッサイ ―[副]〘楽〙 assai /ɑːsáɪ/ ★ 非常に, とての意でイタリア語から. ¶アレグロ*アッサイ (非常に速く) allegro *assai*

あっさく 圧搾 ―[名] compression [U]. ―[動] press ... together, compress (他) ★ 機械用語としては compress が普通. 《☞ あっしゅく》. ¶*圧搾空気 *compressed* air // ポンプでガスを*圧搾する *compress* gas with a pump 圧搾機 compressor [C] 圧搾ポンプ compression pump [C].

あつさしのぎ 暑さしのぎ ¶*暑さしのぎに冷たいビールを一杯いかがですか How about a glass of cold beer to *cool off*? // 彼は*暑さしのぎに泳いだ To *cope with the heat* he went swimming.

あつさしらず 暑さ知らず ¶山頂は*暑さ知らずだ The mountaintop isn't *affected* by (the) summer heat.

あっさつ 圧殺 ―[動] (比喩的に, 権力で押しつぶす) crush [smash] (by power) (他); (押しつぶして殺す) squeeze to death (他). ¶その反乱は*圧殺された The rebellion *was* ˹*crushed* [*smashed*] (by power).

アッサム ―[名] (固) Ássam ★ インド北東部の州. 紅茶で有名.

あっさり ―[形] (食べ物がしつこくない・軽い) light; (手をかけない) plain, simple; (性格が率直な) frank; (断り方などがきっぱりした) flat; (短くて簡潔な) brief. ―[副] frankly, flatly, briefly. 《☞ たんぱく[1]; そっけない》. ¶*あっさりした食べ物 *plain* [*simple*] food // あの人は*あっさりした (⇒ 率直な) 人だ He [She] is very *frank*. / He [She] is a very *frank* person. // 彼の返事はいつも*あっさりしすぎている (⇒ あまりにも簡単だ) His answers are always too *brief*. // 彼は*あっさり (⇒ ぴしゃりと) 断った He *flatly* refused. / He refused *point-blank*.

あっし 圧死 ―[動] be crushed to death.

あつじ 厚地 ―[名] (厚い布) thick cloth [U]. ―[形] (厚手の) thick; (暖かい) warm; (厚ぼったい) heavy. ¶*厚地のセーター a *warm* sweater // *厚地の冬のコート a *heavy* winter coat

アッシジ ―[名] (固) (地名) Assisi /əsíːsi/ ★ イタリア中部の都市. フランチェスコ修道院がある.

あっしゅく 圧縮 ―[動] (重要でない部分を取り除いて短くする) condense (他); (圧力を加えて全体をそのまま小さくする) compress (他); (短くする) shorten (他); (主要点を残して縮める) abridge (他); (要旨をまとめる) súmmarìze (他). ―[名] condensation [U]; compression [U]. 《☞ あっさく》.
¶ポンプを使って空気を*圧縮する *compress* air with a pump
圧縮解凍ソフト〘コンピューター〙 compression/decompression software [U] 圧縮ガス compressed gas [U] 圧縮機 compressor [C] 圧縮空気 compressed air [C] 圧縮酸素 compressed oxygen [U]. ¶圧縮酸素ボンベ a cylinder of *compressed oxygen* 圧縮比 compression ratio [C] 圧縮ファイル〘コンピューター〙 compressed file [C] 圧縮ポンプ compressor [C] 圧縮率 compression rate [C].

あっしょう 圧勝 ―[名] òverwhélming víctory [C]; (完勝) sweeping victory [C]; (選挙の圧倒的勝利) landslide [C]. ―[動] (圧勝する) overwhelm (他). 《☞ あっとう; たいしょう[4]》. ¶彼は第 1 試合で*圧勝した He *overwhelmed* his opponent in the first game. // 選挙は民主党の*圧勝に終わった The election ended in a Democratic *landslide*.

アッシリア ―[名] (固) Assyria /əsíriə/ ★ メソポタミアの古代帝国.

あっする 圧する (圧倒する) overwhelm (他); (力で圧倒する) òverpówer (他); (…に勝る) be superior to … 《☞ まさる; あっとう》.

あっせい 圧政 (圧制・圧迫) oppression [U]; (専制政治) déspotism [U]; (暴政) tyranny /tírəni/ [U].

あっせん 斡旋 ―[名] (世話・尽力) the ˹good [kind] offices ★ 複数形で; (調停) mediation [U]. ―[動] (調停に立つ) go between …, mediate /míːdièɪt/ (between …) (自) ★ 前者のほうが口語的. 《☞ せわ; しゅうせん[1]; ちゅうかい》.
¶彼は私に仕事を*あっせんしてくれた (⇒ 仕事を見つけてくれた) He *found* a job for me. // 山田さんの*あっせんで銀行に勤めることになった I got a job at a bank *through the good offices of* Mr. Yamada. // 私が二人の仲を*あっせんして (⇒ 二人の間に入り[調停に立ち]) 問題を解決しましょう I'll *mediate between* the two people and settle the problem.
あっせん者 (仲を取り持つ人) go-between [C]; (調停者) mediator /míːdièɪtə/ [C] ★ 前者がより口語的.
あっせん収賄罪 (便宜を与えるために権力を用いる収賄罪) crime of taking a bribe in return for using influence to grant a favor [C]; (権力乱用の罪) crime of influence abusing [C].

あつぞこぐつ 厚底靴 platform shoes ★ 通例複数形で. 数えるときは a pair of ～s, two pairs of ～s のようにする.

あったかい 暖かい, 温かい ☞ あたたかい

あっち (over) there 《☞ あちら》.

あづちももやまじだい 安土桃山時代 the Azuchi-Momoyama Period ★ 1568-1600.

あつで 厚手 (厚い) thick 《☞ あつい³》. ¶ *厚手のセーター a *thick* sweater

あつでんき 圧電気 〘物理〙 piezoelectricity /pièzouɪlèktrísəti/ Ⓤ.

あっと ¶ その知らせに彼らは*あっと驚いた They *were* ⌈*surprised* [*astonished*] by the news. // 彼は*あっと恐怖の声を上げた He gave a *frightened* cry. // 君が*あっと驚くものがある I have a *surprise* for you. 《☞ おどろく (類義語); あっ; 擬声・擬態語 (囲み)》

あっとう 圧倒 ── 動 (優勢な力で) òverpówer ㊥; (数・勢力で) òverwhélm ㊥. ── 形 (圧倒的な) overwhelming; (一掃するような) sweeping. ¶ 我々のチームは彼らを*圧倒した Our team *overpowered* them. // 敵は数の上で我々を*圧倒した (⇒ 我々に勝った) The enemy *exceeded* us in number. / (⇒ 我々より数が多かった) The enemy *outnumbered* us. // その議案は*圧倒的多数で可決された The bill was passed by an *overwhelming* majority. // 保守党は総選挙で*圧倒的な勝利をおさめた The conservative party won ⌈an *overwhelming* [a *landslide*; a *sweeping*] victory in the general election.

アットホーム ── 形 (家庭的な温かい雰囲気の) homelike, homely, 《米略式》 hom(e)y 《☞ かてい¹》. ¶ *アットホームな雰囲気 a ⌈*homelike* [*homely*; *hom(e)y*] atmosphere

アットマーク at ⌈sign [mark] Ⓒ ★ @ の記号. 場所・代価などを表す前置詞 at を記号化したもの. 電子メールアドレスなどを読むときには単に at という. ¶ *アットマークの前に私のフルネームが一語で来ます Place my full name as one word before the *at* ⌈*sign* [*mark*].

アットランダム ☞ アトランダム

あつにゅう 圧入 ── 動 (高圧で注入する) press fit ㊥.

アッパーカット ── 名 uppercut Ⓒ. ── 動 (アッパーカットを浴びせる) uppercut ㊥, hit *a person* with an uppercut.

アッパークラス (上流階級の人々) the úpper cláss ★ the を付けて. 時に ～es.

アッパーミドル (中流の上の階級の人々) the upper-middle class ★ the を付けて. 時に ～es.

あっぱく 圧迫 ── 名 (圧力を加えること・圧力) pressure Ⓤ ★ 比喩的にも用いる; (重圧・弾圧) oppression Ⓤ. ── 動 (弾圧する) oppress ㊥; (抑圧する) suppress ㊥. 《☞ あつりょく》.
¶ 政府は世論の*圧迫に屈した The Government yielded to the *pressure* of public opinion. // 彼らは官憲の*圧迫に対して戦った They fought against official *oppression*.
圧迫感 stress Ⓤ, pressure Ⓤ. ¶ 少なからず*圧迫感を感じている be under a lot of *stress*

あっぱれ 天晴れ ¶ 彼の働きは*あっぱれであった (⇒ 彼はそれを見事にやった) He did it *splendidly*. // まことに*あっぱれだ (⇒ よくできた) Well done! / (⇒ でかした) Bravo! / (⇒ 私はお前を誇りに思う) I'm proud of you. 《☞ みごと; すばらしい (類義語); りっぱ》

あつびょうし 厚表紙 hard cover Ⓒ.

アップ ── 動 (値段などが上がる) gò úp ㊀, rise ㊀ ★ 前者のほうが口語的. ── 形 (上がって) up. 日英比較 英語の up に当たらない場合のほうが多いことに注意. ── 名 (昇給) raise Ⓒ, 《英》 (wage) rise Ⓒ; (賃[値]上げ) wage [price] ⌈increase [rise] Ⓒ, 《米略式》 wage [price] hike Ⓒ; (上がること) up Ⓒ; (髪形) upsweep Ⓒ; (写真のクローズアップ) close-up /klóusʌ̀p/ Ⓒ. 《☞ ねあがり; ちんあげ; あがる¹》.
¶ 給料が少し*アップした I got a small ⌈*raise* [《英》 *rise*] in salary. // 彼女は髪を*アップにしていた She wore her hair *upswept*. // その花の写真を*アップで撮った I took a *close-up* of the flower.

あっぷあっぷ ── 動 (おぼれて死にそうになる) nearly [almost] drown, be ⌈nearly [almost] drowned; (困っている) 《略式》 be in a fix. 《☞ おぼれる; こまる》.

あっぷく 圧伏, 圧服 ── 動 (抑えつけて服従させる) subdue ㊥, bring ... under control by force ★ 前者のほうが格式ばった語. 《☞ せいあつ》.

アップグレード ── 動 (性能・品質を上げる) úpgràde ㊥.

アップスケール ── 形 (商品が高級の・上流向けの) 《米》 úpscále, 《英》 úpmárket.

アップターン (物価などの上昇・景気の好転) úptùrn Ⓒ.

アップタウン (町の周辺の住宅地) úptówn Ⓤ ★ 英語では uptown は 副 形 として「住宅地へ[の]」の意味でよく用いる.

アップダウン (起伏) ups and downs ★ 複数形で; 人生の浮き沈みの意にもなる. 「アップダウン」は和製英語. 《☞ きふく¹; うきしずみ》.

アップツーデート ── 形 up-to-date Ⓐ, up to date Ⓟ. ── 動 ùpdáte ㊥. 《☞ あたらしい; さいしん¹》. ¶ *アップツーデートな情報 a piece of *up-to-date* information // この人たちについての記録を*アップツーデートなものにしてください Please *update* the records on these persons.

アップデート ── 動 (最新情報を与える, 最新のものに改訂する) ùpdáte ㊥. ── 名 (最新情報, データの更新) updating Ⓤ.

アップビート ── 名 〘楽〙 (上拍・弱拍) úpbèat Ⓒ. ── 形 (陽気な) úpbèat.

アップライト ── 形 (直立した) úpright. アップライトピアノ úpright piáno Ⓒ.

アップリケ appliqué /æ̀pləkéɪ/ Ⓤ ★ 動詞としても用いる. é のアクセントはつづりの一部.

アップル 〘植〙 (リンゴ) apple Ⓒ.

アップルジュース (果汁 100% のもの) ápple jùice Ⓤ; (果汁 100% でないもの) ápple drìnk Ⓒ. 《☞ ジュース¹ 日英比較》.

アップルパイ ápple píe Ⓒ.

アップロード ── 動 〘コンピューター〙 ùplóad ㊥ (↔ download).

あつぼったい 厚ぼったい (厚い) thick; (重くて) heavy. 《☞ あつい³》. ¶ *厚ぼったい本 a *thick and heavy* book // *厚ぼったい上着 a *heavy* jacket

あつまり 集まり (集会) gathering Ⓒ; (会合) meeting Ⓒ. 《☞ かい¹ (類義語); しゅうかい; つどい》.
¶ あすは公の[非公式の]*集まりがある We'll have ⌈a public [an informal] *gathering* tomorrow. // 参加者の最初の*集まりはきのうあった The first *meeting* of the participants took place yesterday. // きょうの会は*集まりがよかった[よくなかった] There was ⌈excellent [poor] *attendance* at today's meeting. // 返事の*集まりが悪い (⇒ 到着が遅い) The answers *are coming in* very slowly.

あつまる 集まる **1** 《寄り集まる》: gather (together) ㊀; come together ㊀; flock (together) ㊀; assemble ㊀; crowd ㊀; swarm ㊀; throng ㊀; meet ㊀; get together ㊀.
【類義語】最も一般的な表現で, ばらばらにあるものが 1 か所に集まるのは ***gather***. この語は以下の語の代わりに使える場合も多い. また, 集まる動作に重点があると ***come together*** という. 動物, 特に家畜が群れをなして集まるのは ***flock***. 公の目的で集まるのが ***assemble***. 特に目的も秩序もなく大勢の人が群がり集まるの

が *crowd*. はちなどの昆虫類が集まるのが *swarm*. たいへんな数の人・物が集まるのが *throng*. 人が時間・場所を決めて会合するのが *meet*. 人が非公式に集まるのが *get together* である. 《☞ あつめる (類義語)》
¶たくさんの人が彼の回りに*集まった Many people *gathered around* him. // 多くの有名な科学者たちが*集まってその問題を討議した Many famous scientists ⌈*came* [*got*] *together* and discussed the problem. // みつばちは花に*集まる Bees *swarm around* flowers. // 私たちは月に 1 度*集まる (⇒ 会合する) We *meet* once a month. // ひと晩*集まって昔を語り合おう Let's *get together* one evening, and talk about old times. // *集まった (⇒ 出席した) 人たちは全部で 50 人だった Those *present* came to 50 in all. // *集まれ! (⇒ 整列) Line up! // 京都には観光客が*集まる (⇒ 京都は多くの観光客を引きつける) Kyoto *attracts* many ⌈tourists [visitors].
2 《集中する》: (組織的に集められる) be collected; (注意・関心などが) center (on ...; upon ...) (自); (集まって 1 つになる) focus (on ...) (自).
¶寄付金が*集まる (⇒ 集められる) contributions *are collected* (by ...) // 人々の関心は総選挙に*集まった Public interest *centered* ⌈*on* [《略式》 *around*] the general election. / (⇒ 総選挙が人々の関心の中心だった) The general election was the ⌈*focus* [*center*] of ⌈public [people's] ⌈interest [attention].

あつみ 厚み (厚さ) thickness Ⓤ; (比喩的な意味での深さ) depth Ⓤ. 《☞ あつさ²》. **厚み計** cal(l)ipers ★ 複数形で.

あつめる 集める **1** 《寄せ集める》: bring together (他); gather (together) (他); collect (他); raise (他); crowd (他); recruit (他); róund úp (他).
【類義語】最も平易で一般的な表現は *bring together*. 散在するものを寄せ集めるのは *gather* (*together*). 金や物などを組織的・分類的に集めるのが *collect*. ただし, 資金などを募って集めるのは *raise* という. ある場所にぎっしりと人を詰め込むのが *crowd*. 軍隊・団体などに人を募集して集めるのは *recruit*. 放牧中の家畜などを集めるのは *round up* という. 《☞ あつまる (類義語)》
¶彼は切手を*集めている He *collects* stamps. // 100 あまりの小話が*集められて (⇒ まとめられて) 1 冊の本になった About 100 short stories *were* ⌈*brought together* [*collected*] in a single volume. // 我々はいろいろな材料を*集めなくてはならない We must *gather* various materials. // 我々はその計画のための資金を*集めなければ (⇒ 調達しなければ) ならない We must *raise* the ⌈funds [money] for the project. // 市長は全委員を市役所に*集めた (⇒ 集まるように命じた) The mayor ordered the committee to *assemble* in the city hall. [語法] assemble は「人を集める」という意味では使われない. // 小さなホールにたくさんの人を*集める (⇒ 人をホールにぎっしり詰め込む) のは危険だ It is dangerous to *crowd* many people into a small hall. // その団体は新会員を*集められるだけ*集めようとしている The organization is trying to *recruit* as many new members as possible. // 家畜が市に出すために*集められた The cattle *were rounded up* to be driven to market.
2 《集中させる》: (注意・関心などを引く; 人などを引き寄せる) draw (他); (魅力で引きつける) attract (他).
¶その事件は世間の注目を*集めた The incident ⌈*drew* [*attracted*] public attention. // その催しものは相当な人を*集めた (⇒ 引きつけた) The show ⌈*attracted* [*drew*] a large audience. // その歌手は若者の人気を*集めている (⇒ アイドルになっている) That singer *is idolized* by youngsters. // その孤児はみんなの同情を*集めた (⇒ みんな同情した) Everybody felt sympathy for the orphan.

あつもの 羹 hot ⌈soup [broth] Ⓤ ★ 後者は薄い澄んだスープ. ¶*あつものに懲りて膾(なます)を吹く Once bitten, twice shy. 《ことわざ: 一度かまれると二度目からは慎重になる》 / Once burned, twice cautious. 《ことわざ: 一度やけどをすると二度目からは気を付ける》

あつもりそう 敦盛草 〖植〗 (large-flowered) lady's-slipper Ⓒ.

あつやき 厚焼き (卵の) thick ómelet /ám(ə)lət/ Ⓒ.

アッラー ☞ アラー

あつらえ 誂え order Ⓒ 《☞ あつらえる》. ¶*あつらえの (⇒ 注文で作った) 品 an article *made to order* // *あつらえの服 a ⌈*tailored* [*tailor-made*] suit

あつらえむき 誂え向き ¶これはお*あつらえ向きの品だ (⇒ これはまさに私の欲していたものだ) This is *just* ⌈*what* [*the thing*] I wanted. // 彼はこの仕事にはお*あつらえ向きだ (⇒ この仕事に適している) He *is suited* ⌈to [for] this job. / (⇒ この仕事にぴったりの人だ) He is *just* the *person* for this job. // ピクニックには*あつらえ向きの (⇒ 理想的な) 天気だ It's *ideal* weather for a picnic. 《☞ うってつけ》

あつらえる 誂える (注文する) order (他) 《☞ ちゅうもん》. ¶私は新しい背広を*あつらえた I *ordered* a new suit. // 父は私に新しいドレスを*あつらえてくれた My father *has ordered* a new dress *for* me. // この靴は*あつらえて作ったものです These shoes *were made to order*.

あつりょく 圧力 pressure Ⓤ 《☞ あっぱく》.
¶大気の*圧力 the ⌈air [atmospheric /ætməsférɪk/] *pressure* // ボイラーの(蒸気の)*圧力が少し高[低]すぎる The (steam) *pressure* in the boiler is a little too ⌈high [low]. // たいへんな*圧力がそれにかかった A great [Heavy] *pressure* was put on it. // *圧力が増してきた The *pressure* is ⌈increasing [building up]. // *圧力が減ってきた The *pressure* is decreasing. // 政府は世論の*圧力に屈した The government yielded to the *pressure* of public opinion. // 彼らは*圧力をかけられてやむなくそれを認めた They *were* ⌈*pressured* [《英》 pressurized] ⌈to admit [into admitting] it. / *Pressure* was put on them to admit it. // インフレ*圧力 inflationary *pressure* // 絶え間ない*圧力 constant *pressure* // 道徳的*圧力 moral *pressure*
圧力がま[鍋] pressure cooker Ⓒ **圧力計** pressure gauge /géɪdʒ/ Ⓒ **圧力団体** pressure group Ⓒ **圧力抵抗** 〖空〗 pressure drag Ⓤ.

> **コロケーション**
> 圧力に抗する resist the *pressure* / 圧力に耐える endure *pressure* / 圧力をゆるめる relieve (the) *pressure* / (人に)圧力をかける exert [place; put] *pressure* on ... / (物に)圧力を加える add [apply] *pressure* to ... / 親の圧力 parental *pressure* / 外交的[軍事的, 経済的, 財政的, 政治的, 社会的]圧力 diplomatic [military; economic; financial; political; social] *pressure* / 心理的[精神的]圧力 psychological [mental] *pressure* / 強い圧力 intense [strong; tremendous; enormous; immense] *pressure* / 内部[外部]からの圧力 internal [external] *pressure* / 仲間の圧力 peer *pressure*

あつれき 軋轢 (摩擦・不和) friction Ⓤ; (争い) conflict Ⓤ ★ 具体的な場合は Ⓒ; (意見の不一致) disagreement Ⓤ. ¶この出来事のために彼らの間に*あつれきが生じた *Friction* developed between them because of the incident. // *あつれきを起こす cause ⌈*friction* [*conflict*]

あて 当て **1** «目的・目標»: (個人的な目的) objéctive Ⓒ; (自分の意志で心に定めた目的) purpose Ⓒ; (ねらいを定めた目標) aim Ⓒ; (ある過程を経て到達する目標) goal Ⓒ; (行く先) place to go (to) Ⓒ; (目的地) destination Ⓒ ★ 格式ばった語. ⦅☞ もくてき (類義語)⦆.

¶ 彼は何の*あて (⇒ 目的) もなく上京した He came (up) to Tokyo without any definite ⌈*purpose* [*objective*]. // 彼らは何の*あてもなく外国に行く They travel abroad ⌈*with no aim* [*aimlessly*]. // 私にはどこにも行く*あてがなかった I had *nowhere to go*. / (⇒ 特定の目的地は考えていなかった) I had no particular *destination* in mind. ★ 第 1 文のほうが口語的.

2 «期待・見込み» ── [動] (…をあてにする) count on …; (確実なこととして期待する) expect (他); (予測する) antícipàte (他). ── [名] expectation Ⓒ; antìcipátion Ⓤ; (望み) hope Ⓒ. ⦅☞ あてこむ; たよる; みこみ⦆.

¶ 人の助けを*あてにしてはいけない Don't *count on* ⌈the help of other people [others for help]. // あなたの協力を*あてにしていますよ We *expect* ⌈that you will [you to] be able to assist us.

3 «信用・信頼» ── [動] (…を信頼して頼りにする) rely ⌈on [upon] …; (…に依存する) depend ⌈on [upon] …; (信用する) trust (他). ── [形] (頼りになる) reliable; dependable. ⦅☞ たより[1]; たよる⦆.

¶ …を一部[主に, かなり]*あてにする *depend* ⌈partly [mainly; largely] ⌈*on* [*upon*] … // …をすっかり*あてにする *depend* ⌈entirely [totally; completely] ⌈*on* [*upon*] …

当てがはずれる be disappointed; (期待に達しない) fall short of *one's* expectation; (幻滅する) be disillusioned. ¶ 一千万円の寄付を予想したが, まったく*当てがはずれた We expected a ten-million-yen donation, but it *fell* far *short of* that.

当てになる ── [動] (信頼する) rely ⌈on [upon] …; (…に依存する) depend ⌈on [upon] …; (信用する) trust (他). ── [形] (頼りになる) reliable; dependable. ¶ 彼は*あてにならない We cannot ⌈*rely* [*depend*] ⌈*on* [*upon*] him. / He is an ⌈*undependable* [*unreliable*] person. // 天気予報は*あてにならない (⇒ いつも信頼できるとは限らない) We cannot always *depend on* the weather forecast. / Weather forecasts are not always *reliable*.

-あて …宛て ¶ 田中氏*あての手紙 a letter ⌈*for* [(*addressed*) *to*] Mr. Tanaka [語法] [ ] 内のほうが格式ばった表現. // 「その手紙は私*あてですか」「そうです」"Is that letter *for* me?" "Yes, it is." // 「その手紙はだれ*あてですか」「あなた*あてです」"Who is that letter *for*?" "It's *for* you." // 私は彼女*あてにその手紙を出した I ⌈*addressed* [*sent*] the letter *to* her. // その小包は編集部*あてだった The parcel *was directed to* the editorial staff. ⦅☞ あてな⦆

アディオス (さようなら) adios /æ̀diόus/ ★ スペイン語から.

アディクティブ ── [形] (薬物・嗜好品などが習慣性のある) addíctive.

アティテュード (態度) áttitùde Ⓒ.

あてうま 当て馬 (雌馬が発情しているか確かめるために使われる雄馬) stallion [stud] brought near a mare to see if she is in heat Ⓒ; (選挙の候補者) stalking-horse Ⓒ. ¶ 彼は*当て馬に使われた (⇒ 相手の反応を見るために利用された) He was ⌈used [employed] *to* ⌈*test* [*measure*] *the competitor's reactions*.

あてがい 宛てがい (割り当てられた領地) allocated domain Ⓒ.

あてがいぶち 宛がい扶持 allowance /əláuəns/ provided at ⌈the [*one's*] employer's discretion Ⓒ.

あてがう 宛てがう **1** «与える»: give (他); (選んで与える) choose (他); (支給する) provide (他); (分量などを割り当てる) allot (他); (公の仕事などを割り当てる) assign /əsáɪn/ (他); (食べ物を配分する) ration /rǽʃən/ (他). ⦅☞ あたえる; わりあてる (類義語)⦆.

¶ 子供にはよい本を*あてがうべきだ You should *give* your children good books. / You should ⌈*give* [*choose*] good books ⌈*to* [*for*] your children. [語法] (1) give の場合の前置詞は to で, choose の場合は for. // 支配人は彼女に難しい仕事を*あてがった <S (人) +V (*assign*)+O (人)+O (仕事)> The manager *assigned* her a difficult task. // 私は小さな部屋を*あてがわれた I *was* ⌈*assigned* [*provided*] a small room. [語法] (2) 部屋は分量ではないので allot は使わないほうがよい.

2 «ぴったりと付ける»: put [apply] … (to …) ★ put のほうが口語的; (持って押しあてる) hold … (to …). ⦅☞ あてる[1]⦆. ¶ 彼は受話器を耳に*あてがった He ⌈*put* [*held*] the receiver *to* his ear.

あてがき 宛て書き (受取人の住所・氏名) addressee's name and address Ⓒ; (郵便用の住所) mailing address Ⓒ; (電子メールの) e-mail address Ⓒ.

あてこすり 当て擦り (意地の悪い[皮肉な]言葉) snide [sarcastic] remark Ⓒ; (いやなことを遠まわしに言うこと) 《格式》 insinuation Ⓒ. ⦅☞ ひにく[1]⦆.

あてこする 当て擦る (含みをもって言う) imply (他); (ほのめかす) hint (他); (いやなことを遠まわしに言う) 《格式》 insínuàte (他). ⦅☞ あてつける⦆.

¶ あなたのことを*当てこすって言ったわけじゃない (⇒ 私の言ったことはあなたに対してではない) What I said was not *meant for* you. // 私は彼女が故意にやったと*当てこすって言ったのではない My remark(s) did not *imply* [I did not mean (to *imply*)] that she did it on purpose. // 彼はそれが私の過ちであるかのように*当てこすった He ⌈*hinted* [*insinuated*] that it might be my fault.

あてこむ 当て込む (…を確信をもって当てにする) count ⌈on [upon] …; (期待する) expect (他); (希望を持って待つ) hope (for …) (自). ⦅☞ あて; きたい[1]⦆.

¶ ボーナスを*当て込んで (⇒ 期待して) お金を使い過ぎた We ⌈overspent [spent too much] *in* ⌈*expectation* [*anticipation*] *of* a bonus. // 彼らは豊作を*当て込んでいた (⇒ 期待していた) They *hoped for* a good crop.

あてさき 宛て先 (手紙の) address /ədrés, ǽdres/ Ⓒ ⦅☞ あてな; -あて; おくりさき; 手紙の書き方 (囲み)⦆. ¶ その手紙は*あて先が間違っていた The letter *was* incorrectly *addressed*.

あてじ 当て字 (音だけで当てた字) Chinese character used as a phonetic equivalent Ⓒ; (代用漢字) arbitrarily substituted Chinese character Ⓒ.

あてずいりょう 当て推量 ☞ あてずっぽう

あですがた 艶姿 (女性の) lovely and sexy figure Ⓒ ⦅☞ あでやか⦆.

あてずっぽう 当てずっぽう guesswork Ⓤ; (でたらめの推測) wild guess Ⓒ. ⦅☞ すいりょう[1]; すいそく (類義語)⦆. ¶ 彼は*当てずっぽうでその問いに答えた He made a *guess* at the answer to the question.

あてつけ 当て付け 《略式》 dig Ⓒ, 《格式》 insìnuátion Ⓒ. ⦅☞ あてこする⦆. ¶ それは私に対する*当て付けだ It is a *dig* at me.

当て付けがましい (当てこするような) insínuating ★ やや格式ばった語; (批判的な言葉として) as a critical remark; (当て付けながら) 《略式》 having [taking] a dig at *a person.*

あてつける 当て付ける ―[動] (…を…向けのつもりで言う) mean [intend] … for …; (暗に意味する) imply (他); (ほのめかす) hint (他), suggest (他); (反感をこめて遠回しに言う) 《格式》 insínuàte (他). ―[副] (間接的に・それとなく) indirectly. 《☞ あてこする》.
¶ 彼は私に*当て付けて言った (⇒ 彼の言葉は実際には私に対して言われた) What he said *was* really ⌈*meant* [*intended*] *for* me. / (⇒ 彼はあてこするようなことを言った) He made an *insinuating* remark. // 彼は田中の過ちを私の過ちに*当て付けて話した (⇒ それとなく私の過ちをほのめかして) He talked about Tanaka's errors, *suggesting indirectly* that they were also my (own) errors.

あてっこ 当てっこ guessing game [C]. ¶ *当てっこをする play a *guessing game*

あてど 当所 ¶ *あてどもなくぶらぶら歩く wander *aimlessly* 《☞ めあて; もくてき》

あてな 宛て名 ―[名] address /ədrés, ǽdres/ [C]. ―[動] (あて名を書く) address /ədrés/ (他). 《☞ -あて; 手紙の書き方 (囲み)》.
¶ 私は手紙[封筒]に*あて名を書いた I wrote the *address* on the ⌈letter [envelope]. // その手紙の*あて名は私になっていた The letter *was addressed to* me. // この手紙は*あて名が違っている The letter *is* ⌈wrongly [incorrectly] *addressed*. // この*あて名の人は最近移転しました The *addressee* /ædresí:/ moved (away) recently.
宛名印刷機 addressing machine [C].

アテナ ―[名] (固) 〘ギ神〙 Athena /əθí:nə/ ★ 知恵, 芸術などの女神でアテネの守護神.

あてにげ 当て逃げ (当て逃げ事故) hit-and-run accident [C] [語法] この表現は人身事故の場合も含む. 《☞ ひきにげ》.

あてぬの 当て布 (継ぎきれ) patch [C]; (アイロンをかけるときの) protective cloth for ironing [C].

アテネ ―[名] (固) Athens /ǽθənz/. ―[形] Athenian /əθí:niən/. アテネ人 Athenian [C].

アデノイド adenoids ★ 複数形で.

アデノウィルス 〘医〙 adenovirus /ædənouvái(ə)rəs/ [C].

あてはずれ 当て外れ ―[名] (失望・がっかりすること) disappointment [U] ★ 当て外れの物, 事, 人のような具体的な場合は [C]. ―[形] (当て外れの) disappointing; (期待したほどではない) not as good as *one* expected.

あてはまる 当てはまる (適用する・される) apply (他) (自); (有効である) hold true (in …); (該当する) be [hold] true (for …; of …); (ぴったり合う) fit (他); (適している) be suitable (for …). 《☞ がいとう¹》.
¶ 一律に[うまく, 完全に, 正確に]*当てはまる *apply* ⌈uniformly [aptly; perfectly; accurately] // その規則はこの場合にも*あてはまる (⇒ 適用できる) The rule ⌈can *be applied* [*applies*] ⌈to [in] this case. / (⇒ 有効である) The rule *holds true in* this case. // それは彼についても*あてはまる It also *holds true* ⌈*for* [*of*] him. / That *goes for* him, too. / (⇒ それは彼についても同様だ) It is also *the case with* him. // その説明はここには*あてはまらない (⇒ 該当しない) The explanation ⌈does not *hold* [*is* not] *true* here. // その語はこの文脈には*あてはまらない (⇒ 適当でない) The word is ⌈*unsuitable in* [*unsuited to*] this context.

あてはめる 当てはめる (規則などを…に) apply … to …; (満たす・空所などに入れる) fill (他). 《☞ てきよう¹》. ¶ その規則はこの場合に*あてはめることはできない We cannot *apply* the rule *to* this case. / The rule does not *apply* ⌈*in* [*to*] this case.

あてみ 当て身 blow to a vital point (of *a person's* body) [C]; (致命的な一撃) fatal blow [C].

あてもの 当て物 (なぞ) riddle [C]; (あてがう物) pad [C].

あでやか 艶やか ―[形] (美しい) lovely; (魅惑的な) fáscinàting. ―[副] fascinatingly. ―[名] (美しさ) loveliness [U]; (魅惑) fascination [U]. 《☞ みりょく; うつくしい (類義語)》. ¶ 彼女の着物姿は*あでやかだった She looked ⌈*lovely* [*fascinating*] in (her) kimono. // 彼女の着物の*あでやかさ (⇒ 着物姿の魅力) にうっとりした I was entranced by the *charm* of her kimono-clad figure.

アデュー (さようなら) adieu /əd(j)ú:/! ★ 英語の Good-by(e) に当たるフランス語 adieu から.

あてられる 当てられる ¶ 私は彼らの人目をはばからない仲のよさに*あてられた (⇒ 当惑した) I *was embarrassed* by their open display of affection.

あてる¹ 当てる, 充てる **1** «命中させる»: hit (他) 《過去・過分 hit》; (ぶつける) strike (他) 《過去・過分 struck》; (軽くがたんとぶつける) bump (他). 《☞ あたる; めいちゅう》.
¶ 彼は矢を的に*当てた [*当てそこなった] (⇒ 彼の矢が的に当たった[はずれた]) His arrow ⌈*hit* [*missed*; *went wide of*] the mark. // 私は頭を壁にぶち*当てた <S (人)+V (*hit*)+O (体の部分)+*against*+ 名 (物)> I *hit* my head *against* the wall.

2 «あてがう»: (手や物などをある場所に持っていく) put [apply] … (to …; on …) ★ put のほうが口語的; (物をある場所に置く) place (他); (手に持ってあてがう) hold … (to …). 《☞ おしあてる; あてがう》.
¶ 彼女は手をひたいに*当てた She *put* her hand ⌈*on* [*to*] her forehead. // 私は受話器を耳に*当てた I *held* the receiver *to* my ear. // 彼女は目にハンカチを*当てて (⇒ ハンカチの中へ) 泣いた She cried into her handkerchief. // ズボンにつぎを*当ててもらった (⇒ つぎをしてもらった) I *had* my trousers *patched* (*up*).

3 «推測する»: guess (他) (自), make [take; give] a guess, have [take] a shot ★ いずれもほぼ同じ意味だが, 3 番目が最も口語的な表現. 《☞ あたる》.
¶ *当ててごらん *Guess* (it). // *当てられるかい Can you *guess* (it)? / Can you ⌈*make* [*take*] *a guess at* it? // だれも彼女の年齢は*当てられなかった Nobody could *guess* her age. // 私はうまく言い*当てた I *took a* good *shot at* it. / I *guessed* (it) right.
[語法] guess は正しく当てようと推量することで, 必ずしも正しく言い当てることを意味しない. // 私は*当てそこなった (⇒ 間違って推測した) I *guessed* (it) wrong.

4 «触れさせる»: (さらす) expose (他).
¶ この包装食品は日に*当てないで下さい This packaged food shouldn't *be exposed to* the ⌈sun [sunlight]. // 書物は時々風に*当てたほうがよい We had better *air out* our books once in a while.

5 «当たりくじを引く»: draw a prizewinning number; (賞金などを当てる) win a prize; (山を当てる) make a hit, strike it rich. 《☞ あたる; あたり²》.
¶ 彼はくじを*当てた (⇒ 当たりくじを引いた) He *won a prize* in the lottery. // くじで 100 万円*当てる *win* one million yen in the lottery // その男は一山*当てた The man ⌈*struck it rich* [*made a lucky strike*]. // 彼の計画は大いに*当たった His plan *was a* big *hit*.

6 «充当する»: (とっておく) set aside … (for …); (指定する) assign (他). 《☞ わりあてる; じゅうとう¹》.
¶ 彼女は毎日 2 時間をピアノの練習に*あてた She *set aside* two hours *for* (her) daily piano practice. // その金は生活費に*あてる (⇒ 費やす) つもりだ I'm going to ⌈*spend* the money *on* [*use* the money *for*] my living expenses.

7 «指名する»: (名前を呼ぶ) call *a person's* name; (要求する) call on ...; (命じる) tell ㊀. ¶ 先生は私を*あてた The teacher *called on* me. // 先生は私を*あててその詩を訳させた (⇒ 訳すように要求した) The teacher ⌐*called on* [*told*; *asked*] me to translate the poem.

あてる[2] **宛てる** (手紙など) address ㊀. ¶ 山田氏に*宛てた手紙 a letter *addressed* to Mr. Yamada

アデレード ── 图 ㊀ Adelaide /ǽdəlèɪd/ ★ オーストラリア南部の都市.

あてレコ 当てレコ dubbing Ⓤ (☞ ふきかえ).

アデン ── 图 ㊀ Aden /éɪdn/ ★ イエメンの紅海入口の港湾都市.

アテンション (注意・注目) attention Ⓤ.

アテンダント (案内人・接客係) attendant Ⓒ.

アテンド ── 動 (出席する・看護する) attend ㊀. ── 图 attendance Ⓤ.

アテンポ 〔楽〕 ── 副 (もとの速度で) a témpo ★ 形 としても, また 楽節の意で 图 Ⓒ としても用いる. イタリア語から.

あと[1] **後** **1** «以後» ── 副 (のちほど) later (on); (ある出来事の後で) afterward, afterwards ★ 《英》では主に後者. ── 前 接 after ... (☞ -ご; そのご).
¶ *後で電話をします I'll call you *later* (*on*). // 彼は何日か*後でやってきた He came several days *later*. // 夕食の*後で散歩に行こう Let's ⌐take [go out for] a walk *after* dinner. // 彼女が出かけた*後で彼がやってきた He came here *after* she'd gone. // その*後でどうしましたか What did you do *after* that?

2 «余分の»: (これ以上) more (☞ もう[1]).
¶ *あと 2, 3 分待って下さい Please wait a few *more* minutes. // りんごを*あと 3 つ下さい Please give me three *more* apples. // お金は*あと幾ら残っていますか How much money is left? // *あと千円しか残っていない There's only ⌐a [one] thousand yen left. // *あと 1 時間で (⇒ 1 時間後に) 列車は出る The train leaves *in* an hour.

3 «後方・後ろ» ── 图 (後部・後ろの部分) back Ⓒ, rear Ⓒ. ── 副 (後ろへ) back; (後方へ) backward(s); (後ろに) behind. (☞ うしろ).
¶ もう一歩も*後へは引けない (⇒ 譲歩できない) I can't *compromise* any more. / (⇒ 1 インチも譲れない) I can't *yield* an inch now. // 彼女は*後に残された She was left *behind*. // 彼はその夜故郷を*後にした He *left* his ⌐home [hometown] that night.

4 «順序» ── 前 after ... ── 形 (後のほうの・後者の) latter Ⓐ ★ the を付けて用いる; (最後の) last ★ the を付けて用いる; (すぐ次の) next; (後に続く) following.
¶ 冬の*後に春が来る Spring comes *after* winter. / (⇒ 春は冬に続く) Spring *follows* winter. // その物語の*後の半分は面白くない The ⌐*second* [*latter*] half of the story is ⌐uninteresting [boring]. 語法 latter を使うほうが格式ばった言い方. // 彼が一番*後にやってきた (⇒ 最後の人だった) He was *the last* to ⌐come [arrive]. // *後から*後から事件が起こった Many incidents occurred *in rapid succession*.

5 «残り»: the rest ★ the を付けて. (☞ のこり).
¶ *後は私がやります I'll do *the rest* of the work. // 山田君と僕が行きますから, *後の人はここに残っていて下さい Yamada and I will go. *The rest* (of you) please stay here.

6 «将来・結果»: (未来) future Ⓤ; (結果) result Ⓒ. ¶ *後は運を天にまかせよう Let's leave ⌐our [the] *future* to ⌐Providence [providence; destiny; fate]. // *後のことは心配するな (⇒ 去った後は心配するな. 我々に任せてくれ) Don't worry *after* you leave (here). Leave everything to us.

7 «後任・相続» ── 動 (仕事・商売を引き継ぐ) tàke óver ㊀; (...の代わりになる) take *a person's* place, replace ㊀. (☞ あと[2] (跡を継ぐ); つぐ[2]; ひきつぐ). ¶ ブラウン先生がスミス先生の*後に来た Mr. Brown ⌐*took* Mr. Smith's *place* [*replaced* Mr. Smith].

後がない ¶ 今度また失敗すれば彼は*後がない (⇒ 背後は壁だ) If he fails again, he will *have his back to the wall*.

後は野となれ山となれ ☞ の

後を引く ¶ その論争はまだ*後を引いている (⇒ 解決されないで残っている) The controversy *remains unsettled*. // ピーナッツは*後を引く(⇒ 食べ始めるとやめられない) Once we start eating peanuts, *we can't stop*.

あと[2] **跡** **1** «以前に物事が行われたり, 建物などが存在したりしていた場所»: (かつて何かがあった場所) site Ⓒ; (廃墟になっている遺跡) ruins ★ 通例複数形で; (部分的に崩れているが一部は残っている遺跡) remains ★ 通例複数形で. (☞ はいきょ; なごり). ¶ これが昔の城の*跡です This is the *site* of the castle.

2 «痕跡»: (物の表面に残された汚れ・傷など) mark Ⓒ; (そこにいたこと, または通過を示す形跡) trace Ⓒ; (タイヤの跡などのように連なっている痕跡) track Ⓒ; (長く残る傷跡) scar Ⓒ; (足跡) footprint Ⓒ. (☞ こんせき[1]; けいせき[1]).
¶ 熱い茶わんでテーブルの上に*跡ができた (⇒ 跡を残した) The hot cup ⌐made [left] a *mark* on the table. // 路上にはブレーキをかけた*跡は見られなかった There were no skid *marks* on the road. // 我々はその車の*跡をたどって行った We followed the (tire) *tracks* of the car. // やけどの*跡 a *scar* from fire // 死体には暴行を受けた*跡はなかった There was no *trace* of violence on the body. // 生物のいた*跡がない There's no *sign* of life.

跡を追う (追いかける) go [run] after ...; (犯人などを追跡する) chase ㊀, pursúe ㊀ ★ 後者のほうが格式ばった語; (死者の後にすぐ死ぬ) die soon after another person died; (殉死する) kill *oneself* [commit suicide] on the death of ...

跡を絶たない ¶ 犯罪は*跡を絶たない *There is no end* to crime.

跡を継ぐ **1** «受け継ぐ・引き継ぐ»: (人の跡を継ぐ) succeed ㊀ ★ 目的語は「人」(☞ つぐ[2]). ¶ 彼は父の*跡を継いで商売の道に入った He *took over* his father's business. **2** «相続する»: inherit ㊀, succeed to ... (☞ つぐ[2]).

跡をつける (尾行する) 《略式》 follow ㊀, shadow ㊀, tail ㊀ ★ 後の二語がより口語的. ¶ 彼は*跡をつけられていた (⇒ 尾行されていた) He *was being shadowed*. (☞ つける[1])

跡を濁す ¶ 立つ鳥*跡を濁さず ☞ にごす

> **コロケーション**
> かすかな跡 a faint ⌐*mark* [*trace*] / 消えない跡 an indelible ⌐*mark* [*trace*] / 車のこすり傷の跡 scratch *marks* on the car / 人の住んだ跡 *traces* of human habitation / 跡を消す remove a ⌐*mark* [*trace*] / ...に跡をつける make [put] a *mark* ⌐in [on] ... / ...の跡がある have [bear; carry; wear] a ⌐*mark* [*trace*; *scar*] of ...

アド (広告) ad Ⓒ ★ advertisement の略.

あとあし 後足 hind leg Ⓒ (☞ あし[1]). ¶ 犬が*後足で立った The dog stood on its *hind legs*. / (⇒ ちんちんをした) The dog *sat up*. // 彼は*後足で砂をかける(⇒ 去るときに意地の悪いことをする)ような男ではない He is not the sort of man to do anything spiteful when he leaves.

あとあじ 後味 áftertàste Ⓤ. ¶ *後味が悪かった

It left an unpleasant ⌈*taste* [*aftertaste*] (in my mouth). ★ 比喩的に後で気分が悪いという意味のときは leave *a bad* taste を用いる. // その出来事は*後味が悪かった (⇒ 悪い気分を持った) I had an unpleasant *feeling* after the incident.

あとあと 後後 ―― 名 (将来) future Ⓤ ★ 形容詞をとるときは a … future とする. ―― 副 (いつか・そのうち) someday, one day. 《☞ あと¹; しょうらい¹》. ¶ 彼は*後々 (⇒ 将来) のために給料の半分を貯金している He saves half his salary for the *future.* // 私はあなたの*後々のことを思って言うのですよ (⇒ あなたがよい未来を持てることを願って) I say this because I want you to have *a* (good) *future.* // そんなことをすると*後々困ることになるよ If you do that, it will *someday* cause you trouble.

アドインソフト 〘コンピューター〙 add-in software Ⓤ; (個々のソフトウエア) add-in program Ⓒ.

あとおい 後追い ¶*後追い心中 suicide [killing *oneself*] *on the death of one's* lover // *後追い企画 (⇒ 真似した企画) a plan ⌈*imitating* [*copying after*] …

あとおし 後押し ―― 動 (後ろから押す) push ⑩; (人を支持する) support ⑩, báck úp ⑩ ★ 後者のほうがより口語的. ―― 名 (押すこと) push Ⓒ; (支持・支援) support Ⓤ. 《☞ しじ¹; こうえん³》. ¶ 私は彼の*後押しをしてやった I ⌈*supported* [gave *support* to] him. / I *backed* him *up.*

アトーニー (弁護士) attorney Ⓒ 語法 事務弁護士をいうが, 通常の弁護士 lawyer と同じ意味で用いられることもある.

アドーニス ―― 名 固 〘ギ神話〙 Adonis /ədóunɪs/ ★ Venus に愛された美少年.

アドオンソフト 〘コンピューター〙 ádd-òn sóftware Ⓤ; (個々のソフトウエア) ádd-òn prógram Ⓒ.

アドオンほうしき アドオン方式 ádd-òn sỳstem Ⓒ.

あとがき 後書き postscript /póus(t)skrìpt/ Ⓒ ★ 手紙などの署名の後に, 書き残したことなどを書き入れたもの. 普通 P. S. と略す; (書物の) áfterwòrd Ⓒ (↔ foreword). 《☞ 手紙の書き方 (囲み)》. ¶ 手紙に*後書きをつける add a ⌈*postscript* [*P.S.*] to a letter

あとかた 跡形 ¶ その家は*跡形もなかった (⇒ 何も残っていなかった) *Nothing remained* of the house. // その城は*跡形もなく (⇒ 完全に) 壊された The castle was *completely* destroyed. // その一行は不思議にも*跡形もなく (⇒ 何の跡も残さず) 消えてしまった The party mysteriously disappeared *without* (*leaving*) *a trace.*

あとかたづけ 後片付け ―― 動 (整理・整頓する) straighten up ⑩; (きれいに掃除する) cléan úp ⑩; (食器などを) clear the table. 《☞ かたづける》. ¶ 彼は部屋の*後片付けをした He *straightened up* his room. // 彼女は母親の手伝いをして食事の*後片付けをした She helped her mother *clear the table.* 参考 食器を洗うのは wash the dishes という.

あとがま 後釜 (後任者) succéssor Ⓒ 《☞ こうにん²; あと¹》.

あときん 後金 (残りの支払い金) balance ⌈of *one's* debt [what one owes] Ⓒ; (延滞金) arrears ★ 複数形で; (繰り越しの借金) debt left over (for …) Ⓒ; (貸し方への残りの支払い金) balance due Ⓒ. 《☞ ざんきん》. ¶*後金は来月払います I'll pay (off) *the rest of what I owe* next month. // 私の支払いの*後金はいくらですか How much am I *in arrears*? ★ be in arrears で「延滞して」の意. / (⇒ 繰り越しの借金はいくらか) How ⌈big [large] is my remaining *debt*? / (⇒ まだいくら借金をしているか) How much do I still *owe*?

あとくされ 後腐れ ¶ すべて解決し, *後腐れは (⇒ それ以上の面倒は) なかった Everything was settled and there was no ⌈*further* [*more*; *subsequent*] *trouble.* 《☞ めんどう; ごたごた》

【参考語】―― 名 (将来の面倒なこと) trouble in the future Ⓤ, future [further] difficulty Ⓒ.

あとくち 後口 (後味) áftertàste Ⓤ; (残り) the rest. 《☞ あとあじ》.

あどけない (無邪気で罪のない) innocent 《☞ むじゃき》. ¶*あどけない子供 an *innocent* child // 彼女はどことなく*あどけない There is something *innocent* [She has an *innocence*] about her.

あどけなさ (無邪気さ) ínnocence Ⓤ; (純真) naiveté Ⓤ, naiveté /nɑːìːvətéɪ/ Ⓤ.

あとさき 後先 ¶*後先をよく考えずにやってはいけない (⇒ 行動を起こす前によく考えよ) You must think things through before you act. // 彼は*後先も考えずに (⇒ 結果を考えないで) それを言ってしまった He said that without considering *the consequences.* // 話が*後先になりましたが… (⇒ これを先に言うべきでしたが…) I should have said this first, but ….

後先知らず ―― 形 (向こう見ず・無鉄砲な) reckless; (無分別な) rash. 《☞ むこうみず; むてっぽう》.

後先無く ¶ 彼は*あとさきなく (⇒ あとどうなるかも考えずに) 会社を辞めた He quit his job *without thinking about the repercussions.*

後先見ずに ☞ 後先無く

あとさく 後作 ☞ うらさく

あとざん 後産 áfterbirth Ⓤ.

あとしまつ 後始末 ¶ その問題は私が*後始末をしましょう (⇒ 責任を持つ[解決する]) I'll ⌈*take care of* [*settle*] the ⌈matter [problem]. // 彼は借金の*後始末をした (⇒ 片をつけた) He *settled* ⌈*with* his creditors [his debts]. 《☞ あとかたづけ; しまつ》

あとずさり 後ずさり ―― 動 (退く) dràw báck ⓐ; (一歩後退する) stép báck ⓐ (↔ step forward(s)); (後方へ移動する) móve báckward(s) ⓐ (↔ move forward(s)); (尻込みする) shrínk báck ⓐ. 《☞ さがる》.

あとぜめ 後攻め ¶*後攻めになる(⇒ 最初に守備につく) *take to the field first*

あとち 跡地 site Ⓒ. ¶ ビルの*跡地 the *site* of a building

あとつぎ 後継ぎ (後継者) successor Ⓒ 《☞ あととり (類義語); そうぞく》.

あとづけ 後付け (書物の) back matter Ⓒ 《↔ front matter (前付け)》.

あととり 跡取り (男の相続人) heir /éə/ Ⓒ; (女の相続人) heiress /é(ə)rɪs/ Ⓒ; (遺産の) inhéritor Ⓒ; (後継者) succéssor Ⓒ.

【類義語】 血縁関係・遺言などで法律的に決まる跡取りを **heir** または **heiress** と言う. これに対して, 必ずしも血縁関係などに限らず財産・肩書きなどを受け継ぐ者を *inheritor* と呼ぶ. 従って, *inheritor* は *heir* よりも一般的な意味で用いられる. 特に相続とは関係なく, ある人の地位・職業などを後継者として引き継ぐ者を **successor** と呼ぶ. 《☞ こうけいしゃ》

¶ 彼はおじの*跡取りとされた He ⌈was made [fell] *heir* to his uncle's estate. ★ 冠詞を省略する.

跡取り息子 *one's* son and heir **跡取り娘** *one's* daughter and heiress.

アトニー 〘医〙 (無緊張症) atony /ǽtəni/ Ⓤ. ¶ 胃*アトニー gastric *atony*

あとのまつり 後の祭り ¶ もう*後の祭りだ (⇒ もう遅すぎる) It's *too late now.*

アドバイザー adviser Ⓒ ★ advisor とも書く.

アドバイザリーグループ 〘経〙 (国際的融資の問題について勧告する銀行などのグループ) advísory

gròup Ⓒ.
アドバイス ― 名 advíce Ⓤ. ― 動 advíse 他. (☞ちゅうこく(類義語); じょげん).
アドバタイザー (広告主) ádvertìser Ⓒ.
アドバタイジング ― 名 (広告(業)) ádvertìsing Ⓤ.
アドバタイズメント (広告) advertisement Ⓒ.
あとばらい 後払い deférred pàyment Ⓤ; (着払い) cásh on delívery Ⓤ (略 C.O.D.).
アドバルーン ádvertising ballòon Ⓒ ★ 説明的表現. 日英比較 英米では普通気球による広告がないため, ad balloon は和製英語と言われているが, ad balloon で意味は通じる. ¶*アドバルーンを上げる send up an *advertising balloon*
アドバンス (前払い金・前渡し金) advánce Ⓒ ★ 普通は an ～ として.
アドバンテージ 〖球〗(テニス・卓球などで, ジュースの後の先取得点) advántage Ⓤ ★ 本来「有利, 利点」の意. アドバンテージルール 〖ラグ・サッカー〗 advántage rùle Ⓒ.
アトピー ― 名 átopy Ⓤ. ― 形 atópic. ¶*アトピー性皮膚炎 *atopic* dermatitis
あとひき 後引き ¶彼は*後引き上戸だ (⇒ いったん酒を飲みだすと止まらない) Once he starts drinking (*sake*), he *can't stop*.
アドベンチャー adventure Ⓒ (☞ぼうけん¹). アドベンチャーゲーム advénture gàme Ⓒ.
アドベンチャラー (冒険家) adventurer Ⓒ.
アドベンティスト(は) アドベンティスト(派) 〖プロテスタント〗(キリスト再臨派) Adventists ★ 信者は Adventist Ⓒ.
アドホック ― 形 (その場限りの) *ad hoc*.
あとまわし 後回し ― 動 (延期する) pùt óff 他 (☞のばす; えんき). ¶それは*後回しにしよう (⇒ 後でやろう) Let's do it *later*. / (⇒ それは後で取り上げよう) Let's take it up *later*. / (⇒ それには後で戻ってこよう) We'll come back to it *later*.
アドマン (広告業者・広告係) ádmàn Ⓒ (複 -men /-mèn/) ★ くだけた語.
アトミック (原子の) atomic.
アドミッション (入場料・入会金・入会や入学許可) admission Ⓤ. アドミッションオフィス (入試担当事務局) admissions office Ⓒ ★ admissions と複数形とする (☞エーオーにゅうし).
アドミニストレーション (経営・管理・行政) admìnistrátion Ⓤ 語法 「行政機関」の意では the ～ とする.
アドミラル (提督・海軍大将) ádmiral Ⓒ.
アドミラルズカップ (英国で行われるクルーザーヨットのレース) the Admiral's Cup.
アトム (原子) atom Ⓒ.
あとめあらそい 跡目争い dispute over the ⌈inheritance [succession] Ⓒ. ¶父親の死後彼は*跡目争いに巻き込まれた He got involved in a *dispute over the inheritance* after his father's death.
あとめそうぞく 跡目相続 ― 名 (受け継ぐこと) inheritance Ⓤ; (後を継ぐこと) succession Ⓤ. ― 動 inherit 他; succeed (to ...) 他 自. (☞つぐ²; そうぞく).
アトモスフィア (雰囲気・環境・大気) átmosphère Ⓤ 語法 「大気」の意では the ～ として.
あともどり 後戻り ― 動 (帰る) gò [móve; tùrn] báck 自 語法 ほぼ同意のこともあるが, move back は「後方へ動く」という客観的な表現, turn back は「くるりと向きを変えて戻る」というニュアンスがある; (一歩後退する) stép báck 自. (☞もどる(挿絵); ひきかえす; ぎゃくもどり). ¶車が*後戻りした (⇒ 後ろへ移動した) The car *moved backward(s)*. (☞バック¹) // 彼は駅へ行く途中で*後戻りして家に帰った (⇒ 家へ引き返した) He *turned back* (for) home on his way to the station. // これ以上先へ行くと出発点に*後戻りできない (⇒ 帰れない) If we ⌈go [proceed] any farther, we can't *get back* to where we started.
アトラクション (余興) èntertáinment Ⓒ; (ナイトクラブなどの余興) flóor shòw Ⓒ; (呼び物) attraction Ⓒ. 日英比較 英語の attraction には当たらないことが多い点に注意. (☞よきょう; よびもの).
アトラクティブ (魅力的な) attractive.
アトラス 〖ギ神〗 Atlas; (地図帳) atlas Ⓒ.
アトランタ ― 名 固 Atlánta ★ 米国 Georgia 州の州都.
アトランダム ― 副 at random (☞むさくい). ¶*アトランダムに本を読む read books *at random*
アトランティス ― 名 固 Atlántis ★ 大西洋にあったとされる伝説上の島.
アドリアかい アドリア海 ― 名 固 the Adriatic /èɪdriǽtɪk/ Séa ★ イタリアとバルカン半島との間の海. Adriatic のアクセントは単独では Àdriátic.
アトリウム 〖建〗 atrium /éɪtriəm/ Ⓒ (複 atria /-triə/, ～s).
アトリエ atelier /ǽtəljéɪ/ Ⓒ, studio Ⓒ.
アドリブ àd líb Ⓒ ★ 副 は ad lib, 動 形 は ad-lib. (☞そっきょう). ¶彼は*アドリブでしゃべった He ⌈*ad-libbed* [spoke *ad lib*].
アドレス (住所) address Ⓒ; (ゴルフの) address Ⓤ ★ an を付けることもある. (☞じゅうしょ).
アドレスくうかん アドレス空間 〖コンピューター〗 address space Ⓤ.
アドレスブック (住所録) address book Ⓒ.
アドレナリン 〖生化〗(副腎髄質ホルモン) adrenaline /ədrénəlɪn/ Ⓤ.
あな 穴 1 «あいたくぼみ»: (一般に) hole Ⓒ; (道路などの) póthòle Ⓒ; (中が空洞のくぼみ) hollow Ⓒ; (空き) opening Ⓒ; (裂け目) gap Ⓒ; (へこみ) cavity Ⓒ ★ 格式ばった語; (針の穴) eye Ⓒ.
【類義語】他の面に突き抜けているかいないかにかかわらず, ある面に丸またはそれに近い形の口のある穴は一般に **hole** という. 特に道路などの穴は **pothole**. 固体の面にあいた穴またはくぼみは **hollow**. また, かなり適用範囲が広く, いろいろな物のあいている部分, 例えば垣根の一部が壊れている所とか, 戸にあいた穴とかはすべて **opening** という語で表せる. *hole* や *hollow* も *opening* の一種である. 無理に壊したり, こじ開けたりしてできた穴で, 細長くあいているような穴は **gap** という. 学術用語などに用いられる格式ばった言葉で, *hole* や *hollow* とほぼ同じ意味の語が **cavity** である.
¶地面に*穴を掘った We ⌈dug [made] a *hole* in the ground. // この道路は*穴だらけだ This road is full of *potholes*. // *穴をセメントでふさいだ I ⌈stopped up [filled (up)] the ⌈*hole* [*gap*] with cement. // 靴下の*穴を繕ってもらった I had the *hole* in the sock mended. / I had the sock darned.
2 «欠陥»: (抜け穴) loophole Ⓒ; (帳簿・計算上の穴) déficit Ⓒ; (欠陥) défect Ⓒ. (☞けっかん¹). ¶彼はその法律の*穴を見つけた He found a *loophole* in the law. (☞ぬけあな) // この計画には*穴がある There is a *defect* in this plan.
3 «賭け事の»: a long shot ★ a を付けて; (大当たり) jáckpòt Ⓒ; (競馬の) dark horse Ⓒ. (☞おおあな; あなうま). ¶*穴を当てる hit the *jackpot* / (⇒ 競馬で) pick a *dark horse* (in a race) and win big // *穴をねらう (⇒ 大当たりをねらう) aim at a *long shot* / (⇒ 穴馬を当てようとする) try to pick a *dark horse*
穴があく ¶長靴に*穴があいた I've got a *hole* in

my boot. // この丸太は中に*穴があいている (⇒ 中空である) This log is *hollow*. ★ この hollow は [形]. // 垣根に大きな*穴があいている There is a large *opening* in the fence. // これで帳簿に 100 万円の*穴があいた This caused a *deficit* of ˹one [a] million yen in the accounts.

穴がうまる The ˹hole [pit] *fills up*.

穴に入りたい (消えてしまいたい) I wish I could *disappear*. // 私は恥ずかしくて*穴があったら入りたいほどだった I was so ashamed that I wished the ground would open up and swallow me.

穴のあくほど ¶ (そんなふうに)*穴のあくほど (⇒ じっと) 見ないで下さい Don't ˹*stare* at me [drill me with your gaze] (˹that way [like that]).

(一つ)穴のむじな ☞ むじな; ひとつあな ¶ 彼らは一つ*穴のむじなだ They are all of the *same ilk*. / One of them is like another.

穴をあける 《☞ コロケーション》 ¶ きりで板に*穴をあけた I drilled a *hole* through ˹the [a] board. // 彼は壁に*穴をあけた He bored a *hole* ˹in [through] the wall. ★ through は貫通していることを表わす. // 爆弾が城壁に大きな*穴をあけた A bomb *opened a big hole* in the castle ramparts. // 彼は株に手を出して家計に大*穴をあけた His stock-market losses put a big dent in his domestic budget.

穴をうめる fill up a hole; (赤字・損失をうめる) make up a deficit; (余白・空席をうめる) fill a ˹blank [gap]. ¶ 彼らは滑走路の*穴をコンクリートでうめた They *filled up a hole* in the landing strip with concrete.

> **コロケーション**
> 広い穴 a wide ˹*hole* [*pit*] / 深い[浅い]穴 a ˹deep [shallow] ˹*hole* [*pit*] / ぽっかりあいた穴 a gaping *hole* / 虫食いの穴 a moth *hole* / 論理の穴 a *hole* in *one's* argument / 穴をあける make a *hole*; (虫が) eat a *hole* / 穴を閉じる close a *hole* / かじって穴をあける gnaw /nɔ́ː/ a *hole* / 焼き穴をあける burn a *hole* / パンチで紙に穴をあける make two *holes* with a (hole) punch

アナ ☞ アナウンサー

アナーキー (無政府状態) anarchy /ǽnəki/ [U].

アナーキスト (無政府主義者) anarchist /ǽnəkɪst/ [C] 《☞ むせいふしゅぎ》.

アナーキズム ánarchìsm [U].

あなうま 穴馬 dárk hórse [C] 《☞ あな》.

あなうめ 穴埋め ── [動] (空所を埋める) fill in ㊥; (損失を補う) make up ㊥, make up for ..., make good ... ── [名] (当座の間に合わせ) stopgap [C]. 《☞ うめあわせ; うめる¹》. **穴埋め記事** filler [C].

アナウンサー annóuncer [C].

アナウンス ── [名] announcement [U]. ── [動] (アナウンスする) announce ㊥. ¶ 間もなく水泳競技の結果の*アナウンスがあります The ˹final [official] results of the swimming meet will *be announced* soon. [日英比較] アナウンスを [名] として用いるのは和製英語. また, 日本語のアナウンスはラウドスピーカーで放送することをいうが, 英語の announce は「知らせる, 公表する」という意味で「放送」の意は普通は含まない. 従って場内放送などでアナウンスすることを英語でいうには announce ... over the PA (PA は public address system つまり場内放送設備の略)としなくてはならない.

あなかがり 穴かがり hole darning [U]. ¶ 彼女は袖口の*穴かがりをした She *darned* the *hole* in her sleeve cuff.

あながち 強ち **1** 《必ずしも》: (必ず) necessarily /nèsəsérəli/; (常に) always [語法] これらは否定語と共に用いられ, 部分否定になり, 下降上昇調で話されるのが普通. ¶ *あながちそうとも限らない It is *not necessarily so*. / That is *not always* the case.

2 《完全に》: (まったく) àltogéther; (完全に) quite; (すっかり) wholly [語法] 1 と同様, 否定語と共に用いられるのが普通. 《☞ ぜんぜん》. ¶ 君の言うことも*あながち無理ではない Your remarks are *not altogether* unreasonable.

あなかんむり 穴冠 (漢字の) hole radical at the top of kanji [C].

あなぐま 穴熊 〘動〙 badger [C].

あなぐら 穴蔵 cellar [C].

アナグラム (綴り換え語) ánagràm [C] ★ top が pot, time が emit などの類. 日本語でも「上野 → 野上」「クスリ → リスク」などがこれに当たる.

アナクロ ☞ アナクロニズム

アナクロニズム (時代錯誤) anáchronìsm [C].

あなご 穴子 〘魚〙 conger eel [C].

アナコンダ 〘動〙 anaconda [C] ★ 中南米の大蛇.

あなた 貴方 (男女に関係なく, 相手のこと) you; (男性に対する丁寧な呼びかけ) sir; (女性に対する丁寧な呼びかけ) madam, ma'am /mǽm/; (若い女性への呼びかけ) Miss; (夫婦の間で) (my) dear, darling; (妻・恋人に向かって) honey ★ 娘に向かっても用いられる. 《☞ きみ¹ [日英比較]; 代名詞 (巻末)》.

貴方まかせ ¶ この件は*貴方まかせにはできない (⇒ 傍観者ではいられない) I can't be an *onlooker* in this matter. / (⇒ 言われたとおりにしてはいられない) I can't *do as I am told* in this matter.

あなつばめ 穴燕 〘鳥〙 swiftlet [C] ★ 洞窟内に作る巣は中国料理で珍重される.

あなづり 穴釣り (氷上に穴をあけてわかさぎなどを釣る) íce fishing [U]; (特に, うなぎの) snigging [C].

アナトール・フランス ☞ フランス²

あなどり 侮り disdáin [U] 《☞ けいべつ (類義語)》.

あなどる 侮る (見下す) lóok dówn ˹on [upon] ..., despise ㊥ ★ 後者のほうが改まった語; (軽視する) make light of ... 《☞ けいべつ (類義語); みくだす; みくびる》.

あなば 穴場 (人目につかない場所) good out-of-the-way place [C]; (見つけもの) real find [C]. ¶ 私は釣りのいい*穴場を知っている I know a *good out-of-the-way spot* for fishing. // このレストランは*穴場だ This restaurant is a *real find*.

あなばち 穴蜂 〘昆〙 digger (wasp) [C], mud dauber ★ 前者の方が一般的.

あなぼこ 穴ぼこ ── [名] (路面などの) pothole [C]. ── [形] (穴ぼこのあいた) potholed. ¶ 彼らはアスファルトで路面の*穴ぼこを補修した They repaired the *potholes* with asphalt. // *穴ぼこだらけの道 a *potholed* road / a road full of *potholes*

あなほり 穴掘り digging a ˹hole [pit] [U]; 《格式》 excavating [U]; (墓穴を掘る人) gravedigger [C]. **穴掘り器** (苗や種を植えるときに使う) dibble [C].

アナポリス ── [名] ㊒ Annápolis ★ 米国 Maryland 州の州都.

アナライザー (分析記録装置) ánalỳzer [C].

アナリシス (分析) analysis /ənǽləsɪs/ [C] 《複 analyses /-sìːz/》.

アナリスト (分析する人) ánalyst [C].

アナログ ánalòg [C], ánalògue [C] ★ 《米》では主として前者を用いる. コンピューター用語としては前者. ¶ *アナログの時計 an *analog* watch // *アナログ計算機 an *analog* computer **アナログデジタル変換** analog-to-digital conversion [U].

アナロジー análogy [C] 《☞ るいすい》.

あに 兄 older [elder] brother [C] (↔ younger brother), 《略式》 big brother [C] (↔ little brother) [語法] 米国では兄, 姉を指す場合に older, oldest を用いることが多い. また big brother という言い方は

口語的でくだけた表現で，子供が使うのが普通．なお英語の習慣として長幼の順をあまり問題にしないので，特に必要のある場合以外は単に brother と言うだけで済ませることが多い．《☞ きょうだい¹; 親族関係 (囲み)》. ¶ 一番上の*兄 my ⌈*eldest* [*oldest*] *brother* // 2 番目の*兄 my second ⌈*eldest* [*oldest*] *brother* // 私の*兄はエンジニアです My (⌈*older* [*elder*; *big*]) *brother* is an engineer.

アニータ (女性名) Anita /əníːtə/.

あにき 兄貴 (年長者・先輩) senior Ⓒ ★ 男女の区別なし． 日英比較 「ねえ兄貴」などと呼びかけるときは英語では名 (first name) を用いるのが普通．名がわからず「そこのお兄さん」の意の場合は "Hey, mister." のように言う．《☞ あに》. **兄貴顔** ¶ あいつはいつも俺たちに*兄貴顔をする He's always *lording it over* us. **兄貴風** ¶ *兄貴風を吹かす (⇒ 庇護者ぶった態度をとる) act in a *patronizing* way / (⇒ 優越性を誇示する) make much of *one's seniority*

アニサキス (回虫) anisakis Ⓒ ★ 魚の寄生虫，アニサキス症 (anisakiasis) を発生させる．

あにでし senior ⌈disciple [apprentice] Ⓒ 《☞ でし》.

アニバーサリー (記念日) ànnivérsary Ⓒ.

あにはからんや 豈図らんや (予期に反して) contrary to *one's* expectation, quite unexpectedly; (驚いたことには) to *one's* surprise.

アニマリスト (動物の権利の保護を主張する人) animal rights protector Ⓒ ★ 英語の animalist は人間動物説の主張者の意．

アニマル (動物) animal Ⓒ 語法 英語でも日本語と同じく，「四足獣」という狭い意味と植物 (plant) に対する動物という広い意味がある．

アニマルトラッキング (野生動物の糞や食べ残しなどを辿って生態を研究すること) animal tracking Ⓤ.

アニミズム (精霊崇拝) ánimìsm Ⓤ.

アニメ(ーション) (動画) ànimátion Ⓒ, ánimàted cartóon Ⓒ; (動画の大作) animated feature Ⓒ.

アニメーター (アニメーション作家) ánimàtor Ⓒ.

アニュスデイ 〘キ教〙 Agnus Dei /áːgnusdéiː/ Ⓤ ★ キリストの呼称，神の小羊 (Lamb of God) の意味．この言葉で始まる祈りも指す．

あによめ 兄嫁 (兄の妻) *one's* ⌈older [elder] brother's wife; (義理の姉妹) sister-in-law Ⓒ. 《☞ ぎり; 親族関係 (囲み)》.

アニリン 〘化〙 aniline Ⓤ.

アヌス (肛門) 〘解〙 anus /éɪnəs/ Ⓒ.

あね 姉 older [elder] sister Ⓒ (↔ younger sister), big sister Ⓒ (↔ little sister) 語法 米国では兄，姉を指す場合に older, oldest を用いることが多い．big sister は口語的で子供が使うのが普通．また英語の習慣として長幼の順をあまり問題にしないので，特に必要のある場合以外は単に sister と言うだけで済ませることが多い．《☞ 親族関係 (囲み)》.
¶ 一番上の*姉 my ⌈*eldest* [*oldest*] *sister* // *姉はエンジニアです My (⌈*older* [*elder*; *big*]) *sister* is an engineer.

アネクドート (逸話・こぼれ話) ánecdòte Ⓒ 《☞ いつわ 日英比較; エピソード》.

あねご 姉御 (女親分) (woman) boss Ⓒ ★ boss は男女の性別はないので，woman は通例不要; (やくざの組長の妻) wife of a gang leader Ⓒ. **姉御肌の女** (親分風を吹かすが面倒見もいい女) bossy but helpful woman; (気はやさしいが口うるさい女) kindly ⌈shrew [harridan] Ⓒ.

あねさまにんぎょう 姉様人形 doll with a cut-out hairdo dressed in an origami or cloth wedding kimono Ⓒ.

あねさんかぶり 姉さんかぶり ¶ 彼女はいつも*姉さんかぶりで部屋掃除をする When she sweeps the rooms, she always *ties her hair up with a towel*.

あねさんにょうぼう 姉さん女房 wife older than her husband Ⓒ.

アネックス (別館) ánnex Ⓒ.

あねったい 亜熱帯 ―名 the subtropical ⌈zone [region], the subtropics ★ 後者は複数形で． ―形 (亜熱帯の・亜熱帯性) subtropical. 《☞ ねったい》. **亜熱帯気候** subtropical climate Ⓒ **亜熱帯植物[動物]** subtropical ⌈plant [animal] Ⓒ.

アネット (女性名) Annette /ənét/.

あねはづる 姉羽鶴 〘鳥〙 demoiselle /dèm(w)əzél/ crane Ⓒ, Numidian /n(j)uːmídiən/ crane Ⓒ ★ 前者の方が一般的．

アネモネ 〘植〙 anémone Ⓒ, windflower Ⓒ.

アネロイドきあつけい アネロイド気圧計 〘気象〙 aneroid /ǽnərɔ̀ɪd/ barómeter Ⓒ ★ aneroid は「液体 (水銀) を用いない」の意．

あの 《指示形容詞》(話者から離れた位置にあるものを指して) that 《複 those》(↔ this 《複 these》) 日英比較 英語の that は日本語の「その」を含む．つまり話者と相手の双方から離れているものも that であるし，話者から離れた相手の所にあるものも that という．《☞ その; この; 代名詞 (巻末)》.
¶ *あの男の人はだれですか(⇒ あの男の人がだれか知っていますか) Do you know who *that* man is? // *あの本を借りてもいいですか Can I borrow *that* book? // 「*あの人たちはだれですか」「山田さん夫妻ですよ」"Who are *those* people?" "That's Mr. and Mrs. Yamada." // *あのころは私も若かった I was young in *those* days. // *あのときあなたはどこにいたんですか Where were you ⌈at *that* time [*then*]?

あの(う) (人に聞くとき) Excuse me; (相手の言葉を受けて) Well; (とっさに答えが出ないとき) Let me see. ¶ *あのう，この席は空いていますか *Excuse me*, is this seat taken? // *あのう，それはどういうことでしょうか *Well*, what do you mean by that?

アノード 〘電〙 anode /ǽnoud/ Ⓒ ★ 電解槽・電子管の陽極，電池の陰極．(↔ cathode).

あのてこのて あの手この手 this way and that. ¶ *あの手この手 (⇒ 可能なあらゆる手段) を尽くしたがだめだった We tried *every possible means*, but to no avail. // 彼は税金を逃れるために*あの手この手(⇒ あらゆる策略)を使った He used *all kinds of tricks* to evade ⌈taxes [taxation].

あのね Well, Listen, Look here, Say, Hey. 《☞ ねえ》. ¶ *あのね，トム，きょうの午後ひまかしら *Say*, Tom, are you free this afternoon? // *あのね，君はその点が違っているんだよ *Look here*! You are wrong ⌈on [about] that point.

あのよ あの世 (現世に対する) the world after death. ¶ *あの世へ行く (⇒ 死ぬ) die / (⇒ 天国に行く) go to *Heaven* / (⇒ 墓場へ行く) go to *one's grave* ★ 以上のほか英語には婉曲的に「死ぬ」を意味する表現がたくさんある．《☞ 婉曲語法 (巻末); しぬ (類義語)》

アノラック (フード付き防寒服) 《米》 parka Ⓒ, 《英》 ánoràk Ⓒ.

アパート (アパート内の 1 世帯分) 《米》 apártment Ⓒ, 《英》 flat Ⓒ; (アパートの建物全体) apártment ⌈hòuse [building] Ⓒ ★ 単に apartment ともいう，《英》 block of flats Ⓒ. 《☞ マンション; だんち》. ¶ 私は*アパートを借りたい I would like to rent an *apartment*. // 彼は*アパートの 2 階に住んでいる He lives in a second⌈-floor [-story] *apartment*.

アバウト ―形 (無責任な) irresponsible; (いいかげんでちゃらんぽらんな) unreliable 日英比較 英語の

about にはこの意味の形容詞用法はなく,「アバウト」は和製英語.

あばく 暴く **1**《暴露する》:(悪事などを暴露する) expose (他); (陰謀など) uncover (他); (発表されていなかったことを明らかにする) disclose (他); (秘密などを) reveal (他); (明るみに出す) bring … to light.《☞ ばくろ(類義語)》.
2《発掘する》:(開く) open (他); (掘る) dig (他).《☞ はっくつ》. ¶墓を*暴く *dig up* [*violate*] a grave ★ violate は格式ばった語.

アパシー (無関心・無気力状態) ápathy [U].

あばずれ ── [名] (意地の悪い・ふしだらな女)《俗》bitch [C] ★ 日本語同様軽べつ的なので注意; (気性が激しくがみがみ言う女)《俗》battleax(e) [C], shrew [C]. ── [形] (ずうずうしい) shameless.《☞ すれっからし》.

あばた 痘痕 pockmark [C]. ¶*あばたもえくぼ Love is blind.《ことわざ: 愛情は盲目》

アパッチ (アパッチ族の人) Apache /əpǽtʃi/ [C]; (アパッチ族全体) the Apaches ★ アメリカ南西部の先住民の一族.

アパラチアさんみゃく アパラチア山脈 ── [名] (固) the Appalàchian /ǽpəlèɪtʃ(i)ən/ Móuntains, the Appaláchians /æ̀pəléɪtʃ(i)ənz/ ★ the を付けて. 北米大陸東部を縦断する山脈.

あばらぼね 肋骨 rib [C]《☞ ほね》.

あばらや あばら家, あばら屋 (掘っ立て小屋) shack [C].

アバランシュ (なだれ) avalanche /ǽvəlæ̀ntʃ/ [C].

アパルトヘイト (人種隔離政策) apartheid /əpɑ́ɚteɪt/ [U]《☞ じんしゅ》.

あばれうま 暴れ馬 (手に負えない) unruly horse [C]; (跳ねて人をふり落とそうとしている馬) bucking horse [C].

あばれがわ 暴れ川 flood-prone river [C].

あばれこむ 暴れ込む (暴れながら入ってくる) burst [charge] (into *a person's* house) (自), push *one's* way (into a crowd).

あばれまわる 暴れ回る (暴力をふるって回る) go on ˹the [a] rampage, rámpage (through …) (自); (思う存分動き回る) run wild ★ 子供などがはめを外す意味にもなる. ¶怒った観客が*暴れ回った The angry audience *went on* ˹*the* [*a*] *rampage*. // 竜巻はその地域を*暴れ回った The tornado ˹*swept* [*rampaged*] through the area.

あばれもの 暴れ者 (気性が激しい人) wild ˹man [woman] [C]; (乱暴者) rowdy /ráʊdi/ [C].

あばれる 暴れる **1**《乱暴する》:(乱暴する) behave [act] violently; (じたばたする) struggle (自).《☞ らんぼう》. ¶容疑者は*暴れたが 3 人の警官が押さえ付けた The suspect *struggled*, but the three policemen restrained him. // 父親がいなくなると子供たちはすぐ*暴れだした (⇒ 始末におえなくなった) The children ˹*got unruly* [*ran wild*] as soon as their father was gone.
2《暴動を起こす》: riot (自); (暴れ回る) go on ˹a [the] rampage.《☞ ぼうどう》.
¶観客が審判の判定に抗議して*暴れた The spectators *rioted* over the umpire's decision. // デモ隊が*暴れて警官に投石した The demonstrators *went on a rampage* and threw stones at the police.

アパレル appárel [U]《☞ いふく[1]》.

あばれんぼう 暴れん坊 (乱暴者) rowdy /ráʊdi/ [C], tough [C],《米略式》roughneck /rʌ́fnèk/ [C],《英》rough [C].《☞ あばれもの; らんぼう》.

アバンギャルド (芸術などの前衛派) the avant-garde /ɑ̀ːvɑːŋgɑ́ɚd/ [語法] [形] としても用いる. フランス語で「前衛」の意.

アバンゲール (戦前派) prewar generation [C] ★ 単数形でしばしば複数扱い; 日本語のアバンゲールはフランス語の avant-guerre から.《☞ アプレゲール》.

アバンチュール romantic adventure [C]; (恋愛) love affair [C]. ★ 日本語はフランス語の aventure から.

アピール ── [名] (友人や一般の人への呼びかけ) appeal [C] [日英比較] 英語の appeal は日本語の「アピール」よりもっと意味が広く, 心に訴えて興味や魅力を感じさせることも意味する. また, 日本語の「アピール」は請願の意味でも使われることがあることに注意; (権力・権威者への請願) petítion [C]. ── [動] appeal (to …) (自)《格式》petition … for …《☞ うったえ; うったえる》.
¶国会への*アピール a *petition* to the Diet

あびきょうかん 阿鼻叫喚 ¶ガス爆発により現場は*阿鼻叫喚の巷と化した (⇒ ガス爆発が現場を全くの地獄に変えた) The gas explosion turned the scene into *an inferno*.

あひさん 亜砒酸 〔化〕arsenious /ɑːɚsíːniəs/ acid [U].

アビシニア ── [名] (固) Àbyssínia ★ エチオピア (Ethiopia) の旧称. アビシニア語 Àbyssínian [U] アビシニア人 Àbyssínian [C].

アビシニアン 〔動〕(猫) Àbyssínian (cát) [C].

アビジャン ── [名] (固) Abidjan /æ̀bidʒɑ́ːn/ ★ アフリカのコートジボアール共和国の実質的首都.

あびせかける 浴びせ掛ける (乱暴に物などを投げつける) throw (water) on *a person* (他), dash *a person* with water; (厳しい口調で言葉などを投げつける) rain down (insults; jeers; curses) on *a person* (他).《☞ あびせる》.

あびせたおし 浴びせ倒し (相撲の技) *abisetaoshi* [U]; (説明的には) the backward force down [U].

あびせる 浴びせる (雨のように注ぐ) shower (他); (注ぎかける) pour (他); (ぶっかける) dash (他); (投げつける) throw (他).
¶人に水を*浴びせる *throw* [*dash*; *pour*; *shower*] water ˹over [on] *a person* // 彼らは講師に質問を*浴びせた <S (人)+V (*shower*)+O (人)+*with*+名(質問)> They *showered* the speaker *with* questions. / <S (人)+V (*shower*)+O (質問)+*on* [*upon*]+名(人)> They *showered* questions ˹*on* [*upon*] the speaker. // 彼らは相手チームに猛打を*浴びせた They *showered* hits on the opposing team.

アビニョン ── [名] (固) Avignon /æ̀vinjɔ́ːŋ/ ★ フランス南東部の都市.

アビューズ (麻薬の乱用) drug abuse /drʌ́g əbjùːs/ [U] 英語の abuse は一般に権力・地位・特権などの乱用, 虐待などの意.

アビリティー (能力) ability [U].

あひる (雌) duck [C] ★ あひるの総称としても用いられる; (雄) drake [C]; (子) duckling [C].《☞ めす[1] [語法]; おす[3] [語法]; 動物の鳴き声 (囲み)》.

あびる 浴びる (風呂などを浴びる) take [have] a bath [語法] take のほうが積極的な語なので赤ん坊には使えない; (水浴びする) bathe (自) ★ 特に《英》では「泳ぎに行く」(go swimming) の意にもなる; (泳ぐ) swim (自); (泳ぎに行く) go ˹swimming [for a swim]; (日光に当たる)《文》bask (自).
¶川で水を*浴びよう Let's (*have a*) *swim* in the river. / Let's *go* ˹*swimming* [*for a swim*] in the river. // ひとふろ*浴びたい (⇒ 入浴したい) I'd like to ˹*take* [*have*] *a bath*. // 車はほこりを*浴びていた (⇒ ほこりで覆われていた) The car *was covered with* dust. // その声明は世の非難を*浴びた (⇒ 非難にさらされた) The statement *was* ˹*subjected* [*exposed*] *to* public censure. // 彼の提案は嘲笑を*浴びた (⇒

嘲笑の的となった) His proposal *became the object of* ridicule. // *浴びるように酒を飲む *drink like a fish*
あぶ 虻 〚昆〛gadfly Ⓒ. **虻蜂取らずになる** (2 つのいすの間に落ちる) fall between two stools《☞ にと》.
アファーマティブアクション affirmative áction Ⓤ ★ 雇用・教育などにおいて差別解消のためにとられる優遇措置.
アフェアー (仕事・事柄) affair ★ 通例単数形で; (情事・恋愛事件) love affair Ⓒ.
アフォリズム (金言・警句・格言) áphorìsm Ⓒ.
アフガニスタン ── 图 固 Afghánistàn; (正式国名; アフガニスタンイスラム共和国) the Islamic Republic of Afghanistan. ── 形 Áfghàn. **アフガニスタン人** Afghan Ⓒ.
アフガン ☞ アフガニスタン
アフガンあみ アフガン編み ¶ *アフガン編みのショール an *afghan* shawl
アフガンハウンド (犬) Áfghan (hóund) Ⓒ.
あぶく 泡 bubble Ⓒ; (泡の集まり) foam Ⓒ.《☞ あわ¹》. **あぶく銭** (労せずして得た金) easy money Ⓤ, unearned income Ⓤ ★ 後者のほうが格式ばった言い方; (不正手段で得た金) ill-gotten gains ★ 複数形で.
アブサン (酒) absinth(e) /ǽbsɪnθ/ Ⓤ ★ フランス語から.
アブシンベル ── 图 固 Ábu Símbel ★ エジプトのナイル川上流のエジプト古代王朝のラムセス 2 世の神殿の遺跡のある場所.
アブストラクト (抽象芸術作品・論文などの抜粋) ábstract Ⓒ. **アブストラクトアート** ábstract árt Ⓤ.
アブソリューティズム (絶対主義・専制政治) ábsolùtism Ⓤ.
アブソリュート ── 形 (絶対的な・完全な・専制の) ábsolùte.
アフタ 〚医〛(口の中などにできる白い斑点) aphtha /ǽfθə/ Ⓒ.
アフターイメージ (残像)〚心〛afterìmage Ⓒ ★ photogene ともいう.
アフターケア (退院後の健康管理・術後の手当て) áftercàre Ⓤ 日英比較 日本語ではかなり広い意味で使われるが, 英語では退院後の健康管理および刑務所出所後の指導監督をいう.
アフターサービス (保証期間中のサービス) service under warranty Ⓤ; (販売後のサービス) after-sale(s) service Ⓤ; (修理サービス) repair service Ⓤ; (顧客サービス) customer service Ⓤ. ¶ *アフターサービスをする provide *after-sale(s) service*
アフタースキー (スキーの後での集いやアクティビティー) after-ski Ⓒ, après-ski /æ̀preɪskíː/ Ⓒ ★ 後者はフランス語から. è のアクセント記号はつづりの一部. また, 両者とも 副 形 にもなる.
アフターバーナー 〚機〛(エンジン再燃焼装置) áfterbùrner Ⓒ.
アフターファイブ (仕事を終えた後の自由時間) àfter-dárk hòurs ★ 複数形で; (説明的には) free hours after closing time ★ 複数形で; (夕方からのパーティーなどに着る衣服) àfter-dárk drèss Ⓒ. ★ 图 としての after five は英語では一般的ではない.
アフターワールド (死後の世界・あの世) áfterwòrld Ⓤ.
アフタヌーン (午後) afternoon Ⓒ. **アフタヌーンシャドウ** (夕方伸びかけたひげ) five-o'clock shádow ★ 通例 a ～ として. **アフタヌーンドレス** (午後の女性の外出着) áfternoon dréss Ⓒ.
アブダビ ── 图 固 (アラブ首長国連邦の一員, またその首都) Ábu Dhábi.
アプトしきてつどう アプト式鉄道 (急坂用の歯車式鉄道) the Abt railway ★ スイス人 R. Abt /ά:pt/, 1850–1933 の考案によるもの.
あぶない 危ない **1** «危険な»: dangerous; périlous; (冒険的な) risky; (不安定で危なっかしい) precárious.
【類義語】最も一般的な語が ***dangerous***. *dangerous* より危険の度合い・確率が大きく, 重大な場合に用いるのが ***perilous***. 利益を期待して危険を冒す場合は ***risky***.《☞ きけん¹ (類義語)》
¶ そんな*危ない場所で遊ぶな Don't play in such a *dangerous* place. // この川で泳ぐのは*危ない It is *dangerous* to swim in the river. // *危ないことをする (⇒ 危険を冒す) run [take] a *risk*
2 «生命が» ── 形 (危篤の) critical. ── 動 (危険な状態にある) be in danger.《☞ じゅうたい¹》.
¶ 医者はその患者は*危ないと言った The doctor said that the patient *was in danger*. 語法 He is dangerous. というと「彼は危険な人物だ」の意味になる. // 彼の容態が*危ない His condition is *critical*.
3 «頼りない・疑わしい»: (不確実な) uncertain; (不安定な) unsteady; (疑わしい) doubtful; (不審な) questionable; (頼りにならない) unreliable.《☞ うたがわしい; あやしい》.
¶ 彼は足元が*危ない (⇒ ふらついている) He is *unsteady* on his feet. // 彼の成功は*危ないもんだ It is ˹*doubtful* [*uncertain*] that he will succeed. // 彼女が合格するかどうか*危ないものだ I *doubt* (*that*) she will pass the exam.《☞ どうか¹》// 空模様が*危ない (⇒ 降りそうだ) It *looks like rain*.
4 «間一髪»: (かろうじての) narrow.
¶ 我々は*危ないところを助かった We had a *narrow* escape. / (⇒ 間一髪で) We escaped *by a hair's breadth*.
5 «警告»: (行く手に何かあったりする場合) Look out!; Watch out!; Be careful!.
6 «変態»: abnormal. ¶ 彼は*危ない人だ He is Mr. *Abnormal*.
危ない橋を渡る (⇒ 薄い氷の上でスケートをする[薄い氷の上を歩く]) skate [tread] on thin ice.
あぶなく 危なく (ほとんど) nearly《☞ あやうく》.
あぶなげ 危なげ ¶ 彼は*危なげな (⇒ 不器用な) 手つきでナイフを研いでいた He was sharpening a knife ˹in a *clumsy* manner [*clumsily*; *awkwardly*]. // 彼の投球はまったく*危なげない (⇒ 信頼できる) His pitching is very *reliable*. // *危なげな (⇒ 不安定な) 足取りで歩く walk with an *unsteady* gait《☞ あやしい》
あぶなさ 危なさ (危ないこと) the (degree of) danger; (容態の) the criticality, the criticalness; (不確実さ) the uncertainty.《☞ あぶない》.
あぶなっかしい 危なっかしい (危険な) dangerous; (不安定な) precárious.《☞ あぶない》.
アブノーマル (異常な) abnormal. ¶ *アブノーマルな行動 *abnormal* behavior
アブハズ ── 图 固 Abkhaz /æbkά:z/; (正式名; アブハズ共和国) the Abkhaz Republic ★ グルジア共和国の北西部に位置する自治共和国.
あぶはち 虻蜂 ☞ あぶ
あぶみ 鐙 stirrup Ⓒ ★ 通例複数形で.
あぶら 油, 脂 **1** «油» ── 图 (原油・石油・灯油・潤滑油などの総称) oil Ⓤ; (料理用の) oil Ⓤ; (燃料) fuel Ⓤ; (水面に浮いた油) oil slick Ⓒ ★ 単に slick ともいう. ── 動 (油をさす・塗る) oil 他. ── 形 (油だらけの) oily.《☞ せきゆ; オイル; げんゆ》.
¶ *油と水とは混ざらない *Oil* and water don't mix. // (燃料の) *油が切れた We have run short of (fuel) *oil*. // この機械は*油が切れている (⇒ 油をさす必要がある) This machine needs *oiling*. // 自転車に*油をさす *oil one's* bicycle // 彼の手は*油だらけ

だった (⇒ 油で汚れていた) His hands were stained with *oil.* // この*油の染みはおちない This *oil* stain won't come out. // 彼らは水と*油だった They were like *oil* and water. / (⇒ その 2 人は仲が悪かった) The two did *not get* ˹*on* [*along*] (*well*) *together.* // 動物[植物]性の*油 animal [vegetable] ˹*oil* [*fat*] **2** 《脂》 ── 图 (溶解した獣脂) grease Ⓤ; (常温で固体の脂肪) fat Ⓤ; (豚の) lard Ⓤ. ── 形 (脂の多い・脂で汚れた) greasy; (脂肪の多い) fatty, oily. ¶ 彼は*脂染みた作業服を着ていた He was wearing ˹*grease*-stained [*greasy*] overalls.

油を売る ¶ 彼女はまたどこか途中で*油を売っているに違いない (⇒ むだ話でひまつぶしをしている) She must *be killing time chatting* somewhere on her way home.

油をしぼる (しかる) give ... a good scolding

油を注ぐ ¶ 彼女の仲裁は争いに*油を注ぐようなものだった (⇒ 争いに燃料を追加した) Her intervention added *fuel* to the dispute.

脂が乗る ¶ *脂が乗ったさんま a *fatty* saury // 彼は今*脂が乗っている (⇒ 全盛期だ) He *is* now *in his prime.*

あぶらあげ 油揚げ deep-fried bean curd Ⓤ.

あぶらあし 脂足 greasy feet ★ 通例複数形で.

あぶらあせ 脂汗 greasy [oily] sweat Ⓤ ★ 汗をかいた状態を指すときは a を付ける. ¶ *脂汗をかく break out in ˹*a greasy* [an *oily*] *sweat*

あぶらいため 油炒め ¶ 野菜の*油炒め vegetables *sautéed* /soːtéɪd/ *in oil* ★ sautéed の é の ´ は綴り本来のもの.

アプラウト 〘言〙 (母音交替) ablaut /ǽblaut/ ★ sing-sang-sung のようなもの. (☞ ウムラウト).

あぶらえ 油絵 oil painting Ⓤ ★ 個々には Ⓒ. ¶ *油絵を描く *paint in oils* 油絵画家 oil painter Ⓒ.

あぶらえのぐ 油絵の具 oil paints, oil colors (《英》 oil colours), oils ★ いずれも複数形で.

あぶらかす 油粕 oil cake Ⓤ.

あぶらがみ 油紙 oilpaper Ⓤ, oiled paper Ⓤ.

あぶらぎる 脂ぎる ── 動 (脂肪でぎらぎらする) become greasy. ── 形 greasy; (油だらけの) oily. (☞ しぼう³; あぶら).

あぶらけ 油気, 脂気 greasiness Ⓤ, oiliness Ⓤ. ¶ *油気の ˹ある[ない]髪 *oily* [*dry*] hair

あぶらげ 油揚げ ☞ あぶらあげ

あぶらさし 油差し óilcàn Ⓒ; lubricator /lúːbrəkèɪtə/ Ⓒ ★ 後者は人も指す.

あぶらしょう 脂性 ── 形 (手足や肌などが) greasy, oily; (肉などが脂肪質の) fatty ★ 人に用いると「太った」の意.

あぶらぜみ 油蟬 large brown cicada /sɪkéɪdə/ Ⓒ.

あぶらっこい 油[脂]っこい (食物が) fatty, greasy. ¶ 私は*脂っこい料理は嫌いだ I don't like *greasy* dishes.

あぶらな 油菜 〘植〙 rape Ⓒ.

アブラハム (男性名) Abraham /éɪbrəhæ̀m/ ★ 愛称は Abe /éɪb/.

あぶらみ 脂身 fat Ⓤ; (脂身の多い肉) fatty meat Ⓤ.

あぶらむし 油虫 (植物につく小さな害虫) plant louse Ⓒ (《複 lice》); (ゴキブリ) cockroach Ⓒ.

アプリオリ ── 形副 (演繹的な[に]・先天的な[に]) a priori /àːprióːri/. ★ ラテン語から.

アフリカ ── 图 固 África. ── 形 African. アフリカ開発銀行 African Development Bank (《略 ADB》) アフリカ人 African Ⓒ アフリカ象 African élephant Ⓒ アフリカ大陸 the African Continent アフリカ統一機構 the Organization of African Unity (《略 OAU》).

アフリカーナ Afrikaner /æ̀frɪkáːnə/ Ⓒ ★ 南アフリカのオランダ系白人.

アフリカーンス (南アフリカ共和国の公用語) Afrikaans /æ̀frɪkáːns/ Ⓤ.

アフリカンアメリカン (アフリカ系アメリカ人) Áfrican-Américan Ⓒ, Àfro-Américan Ⓒ.

アプリカント (志願者・応募者) ápplicant Ⓒ.

アプリケーション application Ⓒ.

アプリケーションソフト ☞ アプリケーションプログラム

アプリケーションプログラム 〘コンピューター〙 application(s) ˹program Ⓒ [software Ⓤ].

アプリコット 〘植〙 (あんずの木・実) apricot /ǽprəkɑt, éɪp-/ Ⓒ.

アプリシエーション (感謝) appreciation Ⓤ.

あぶりだし 焙り出し (通常見えないが熱を加えると見えてくるインクで書かれたメッセージ[描かれた絵]) message written [picture drawn] in ˹secret [sympathetic] ink Ⓒ.

アブリビエーション (省略) abbrèviátion Ⓤ ★ 具体的に省略形を指すときは Ⓒ.

あぶる 焙る (火にかざして温める) warm [heat] ... over a fire (☞ あたためる; やく¹).

アプレゲール (戦後派) postwar generation Ⓒ ★ 単数形でしばしば複数扱い.「アプレゲール」はフランス語の après-guerre から. (☞ アバンゲール).

アフレコ (映画・テレビの) postrecording Ⓤ, dubbing (in) Ⓤ, mixing Ⓤ.

あふれだす 溢れ出す ☞ あふれでる

あふれでる 溢れ出る (外へこぼれ出る) overflow (onto ...) 自; (縁から) brim over 自. (☞ あふれる). ¶ 群衆は入りきれず廊下に*あふれ出た The crowd *overflowed* into the halls.

あぶれもの 溢れ者 (仕事にありつけなかった者) out-of-work person Ⓒ.

あふれる 溢れる (入りきらないで外に出る) òverflów (with ...) 自 ★「川」などを主語とするほかに,「場所」も主語となる; (液体が満ちてこぼれる) run over 自; (川などが氾濫する) flood 自; (満たされる) be filled (with ...). (☞ あふれでる; みちる; いっぱい¹; こぼれる¹).

¶ お茶[茶わん]が*あふれた The ˹tea [cup] *overflowed.* // 街は人が (⇒ 人で) *あふれていた The streets *were overflowing with* people. // 川が*あふれた The river *flooded.* // 彼女の目には涙が*あふれていた Her eyes *were* ˹*filled* [*brimming*] *with* tears.

あぶれる (仕事にあぶれる) fail to ˹get a job [find work] (☞ しつぎょう). ¶ 私は仕事に*あぶれている (⇒ 失業中だ) I am now *out of* ˹*work* [*a job*].

アフロ ☞ アフロヘア

アフロアメリカン ── 形图 (アフリカ系アメリカ人(の)) African-American, Afro-American ★ 图 はいずれも Ⓒ.

アプローズ (拍手かっさい) applause Ⓤ.

アプローチ (研究などの方法) approach Ⓒ; (ゴルフの) approach (shot) Ⓒ.

アフロディテ ── 图 固 〘ギ神〙 Aphrodite /æ̀frədáɪti/ ★ 愛と美の女神でローマ神話の Venus に当たる.

アフロビート 〘楽〙 the Áfro-bèat.

アフロヘア (パーマをかけて頭髪を縮らせて丸くしたヘアスタイル) Áfro Ⓒ.

アフロユーラシア ── 图 固 (アフリカ・ヨーロッパ・アジアの 3 大陸の総称) Afro-Eurasia /æ̀frouju(ə)réɪʒə/.

あべかわもち 安倍川餅 *abekawa* sweet rice cake Ⓤ; (説明的には) toasted slices of rice cake dipped in boiling water and dredged in a blend of soybean flour and sugar.

あべこべ ── 形 (位置・方向・形などが) ópposite; (考え・内容などが) cóntrary; (順序などが) reverse; (間違った) wrong. ── 副 (逆に) on the contrary; (期待とは逆に) the other way (a)round ★ 口語的な表現; (順序が) in the reverse order; (上下さかさまに) upside down; (裏表に) inside [wrong side] out. ── 動 (順序を逆にする) reverse ㊀; (上下をさかさまにする) invert ㊀. ── 名 (正反対) opposite Ⓤ; reverse Ⓤ; contrary Ⓤ ★ いずれも the を付けて用いる. (☞ ぎゃく (類義語)).
¶それはまったく*あべこべ (⇒ 反対) だ It's quite the *contrary*. / (⇒ 逆だ) It's *the other way (a)round*. // 彼はその絵を上下*あべこべに持っていた He was holding the picture *upside down*. // セーターを*あべこべに (⇒ 表裏逆に) 着る wear *one's* sweater 「*inside out* [(⇒ 後前に) *back to front*] // 靴を*あべこべに (⇒ 間違った足に) はく wear *one's* shoes *on the wrong feet* // 番組の順序を*あべこべ (⇒ 逆) にする *reverse* the order of the program

アペタイザー (前菜・食前酒など) áppetìzer Ⓒ ★ 食欲をそそるものの意.

アベック (男女の2人連れ) couple Ⓒ 〔参考〕 日本語のアベックはフランス語の avec (＝with) から入った語. (☞ カップル; 借用語 (巻末)).

アヘッド ── 副 (先行して) ahead. ¶《野球で》我々は3点*アヘッドしている We 「*lead* the game [are *ahead* of the opposing team] by three runs.

アベニュー (大通り) ávenùe Ⓒ.

アベマリア Ave Maria /ɑ́:veɪmərí:ə/.

アペリティフ (食前酒) aperitif /ɑ:pèrətí:f/ Ⓒ ★ フランス語から.

アベレージ áverage Ⓒ (☞ へいきん). ¶バッティング*アベレージ a batting *average*

あへん 阿片 ópium Ⓤ. ¶*阿片を吸う smoke [eat] *opium* **阿片常用者** opium 「smoker [eater] Ⓒ **阿片戦争** the Opium War **阿片中毒者** opium addict Ⓒ.

アペンディックス (付録) appendix Ⓒ ★ (複 ～es; appendices /əpéndəsì:z/).

アベンド 〔コンピューター〕 (異常終了) abend /əbénd/ Ⓒ ★ *ab*normal *end*(ing) の略.

アペンド ── 動 〔コンピューター〕 append ㊀.

アポイント appointment Ⓒ. 〔日英比較〕 英語の appoint は動詞としてしか用いない. (☞ よやく; やくそく). ¶*アポイントをとる make an *appointment* (with ...)

アポイントメント ☞ アポイント

あほう 阿呆 fool Ⓒ, idiot Ⓒ. (☞ ばか).

あほうどり 信天翁 〔鳥〕 álbatròss Ⓒ.

アボーション (人工妊娠中絶) abortion Ⓤ ★ 具体的な場合は Ⓒ.

アボカド 〔植〕 avocado /æ̀vəkɑ́:doʊ/ Ⓒ.

あほくさい 阿呆臭い idiotic, silly, stupid. (☞ ばか).

アポステリオリ ── 形 副 (帰納的な・後天的な) a posteriori /ɑ̀:poʊstì(ə)rió:ri/ ★ ラテン語から. (☞ アプリオリ).

アポストロフィ apóstrophe Ⓒ (☞ 巻末).

あほらしい 阿呆らしい foolish, silly, stupid. (☞ ばか).

アボリジニー (オーストラリア原住民) Aborigine /æ̀bərídʒənì:/ Ⓒ.

アポロ 〔ギ神・ロ神〕 (音楽・詩歌などの神) Apóllo. **アポロ宇宙船** the spaceship Apollo **アポロ計画** the Apollo program.

アポロン ☞ アポロ

あま[1] 尼 (一般に尼僧) nun Ⓒ; 〔カトリック〕 sister Ⓒ.

あま[2] 海女 female diver Ⓒ.

あま[3] 亜麻 〔植〕 flax Ⓤ ★ 亜麻繊維の意ともなる. **亜麻糸** linen yarn Ⓤ **亜麻色** ── 形 (特に髪が) flaxen **亜麻布** linen (fabric) Ⓤ.

アマ (アマチュア) amateur Ⓒ (☞ アマチュア).

あまあし 雨足 ¶*雨足がひどくなってきた. 急ぎましょう It's going to *rain harder*. Let's hurry (up). (☞ あめ[1]; ふり[3]).

あまい 甘い **1** 《味が》: (舌に甘い) sweet; (砂糖のような) súgary.
¶このケーキはとても*甘い This cake is very *sweet*. // 私は*甘いものが好きだ I like *sweet* things. / I have a *sweet tooth*. // このスープは塩かげんが*甘い (⇒ 十分に塩気がない) This soup *isn't salty enough*.
2 《言葉が》 honeyed, sweet. ¶*甘い言葉に気をつけろ (⇒ 信じるな) Don't trust (in) *honeyed* words. / Put no trust in *honeyed* words. (☞ くちぐるま; かんげん[3]).
3 《寛大な》: (厳しくない) lenient /lí:niənt/ (↔ strict) (☞ かんだい[1]). ¶山田先生は生徒に*甘い Mr. Yamada is *lenient* with his students. // あの先生は点が*甘い That teacher is a *lenient* grader.
4 《のんきな》: (楽天的な) òptimístic; (のんきな) éasygóing. (☞ あんい). ¶彼の人生観は*甘い (⇒ 人生に対して楽観的な見方をしている) He has an *optimistic* view of life. // 相手を*甘く見るな (⇒ 見くびるな) Don't 「*underestimate* [*underrate*] your opponent.
5 《機械などがうまく作用しない》 ¶この車はブレーキのききが*甘い This car *doesn't brake well*. / (⇒ うまく作用しない) The brakes on this car are *weak*.
甘い汁を吸う (一番いい部分を取る) take the best profit of ..., skin off the cream, take the lion's share ★ 最後はイソップ物語より.

アマウント (総計) the total 「amount [sum], total Ⓒ; (最終的な合計) the sum [grand] total.

あまえ 甘え (依存心) dependence (on ...) Ⓤ; (独立心の欠如) lack of self-reliance Ⓤ. ¶社会に対する*甘え (⇒ 社会を見くびること) *thinking lightly* [*making light*] *of* society **甘え声** ¶彼女は*あまえ声で私に金をせがんだ In a *wheedling voice* she pestered me for money. **甘え心** ¶*あまえ心 (⇒ 人に頼るの) は禁物だ You shouldn't *rely on others*. **甘えっ子** ☞ あまえんぼう

あまえび 甘海老 〔動〕 red shrimp Ⓒ.

あまえる 甘える **1** 《甘ったれる》: (子供が) behave like a spoiled child; (犬などが) fawn on *a person*.
2 《好意・親切に》: (人の親切につけ込む) take advantage of *a person's* 「kindness [good will].
¶人の親切に*甘えてはいけない Don't *take advantage of* somebody else's kindness.

あまえんぼう 甘えん坊 spoiled child Ⓒ (☞ あまえる).

あまおおい 雨覆い (一般に覆い) covering Ⓒ; (防水布) waterproof canvas Ⓤ; (防水シート) tarpáulin Ⓒ.

あまおと 雨音 the sound of the rain ★ 地面, 窓などに当たる音ならば beating [whipping] the 「ground [windows] をおぎなう.

あまがえる 雨蛙 tree 「frog [toad] Ⓒ (☞ かえる[6]).

あまがき 甘柿 (果実) swéet persímmon Ⓒ.

あまかける 天翔る (鳥, 神, 人のたましいなどが) soar 「down from [up into] the heavens.

あまがさ 雨傘 umbrella Ⓒ (☞ かさ[1]).

あまがっぱ 雨合羽 ráincòat Ⓒ.

あまからい 甘辛い salty-sweet (☞ ほろにがい).

あまぐ 雨具 rainwear Ⓤ. ¶*雨具の用意がなかった (⇒ 雨を防ぐものを何も持っていなかった) のでずぶぬ

れになった We got soaking wet, because we had *nothing to protect us* from the rain.

あまくだり 天下り ¶*天下りの制度は廃止すべきだ We should abolish the *practice of government officials landing corporate positions after retirement.*

あまくだる 天下る，天降る (天下りする) move from public office to an important position in the private sector (☞ あまくだり); (天から地に降る) descend from the heavens.

あまくち 甘口 ―［形］(酒など) sweet (↔ dry).

あまぐつ 雨靴 (一般的に) rain shoes; (オーバーシューズ) galóshes ★ ともに複数形で.

あまぐも 雨雲 rain cloud [C] (☞ くも¹).

あまぐり 甘栗 sweet roasted chestnut [C].

あまごい 雨乞い praying for rain [U]. ¶*雨乞いをする *pray* [*offer prayers*] *for rain*

あまさ 甘さ (甘味) sweetness [U]; (のんきさ) ease [U], easiness of manner [U]; (甘やかし) indulgence [U]. (☞ あまい).

あまざけ 甘酒 sweet drink made from fermented rice [C] ★ 説明的訳.

あまざらし 雨曝し ―［形］(風雨にさらされた) weather-beaten, weathered. ―［動］(雨ざらしにする) expose ... to rain; (雨ざらしになる) be exposed to rain, be left out in the rain. (☞ さらす).

あまじお 甘塩 ―［形］lightly salted. ¶*甘塩のさけ *lightly salted* salmon

あましょく 甘食 (パン) sweet cone-shaped muffin [C].

あます 余す (残す) leave (他); (とっておく) save (他). (☞ のこす; あまる). ¶試験まで*余すところ 1 週間だ We have only one week *left* before the examination. // 彼はその問題を*余すところなく (⇒ 徹底的に) 説明した He explained the matter ˹*thoroughly* /θə́ːrouli, -rə-/ [*exhaustively* /ɪgzɔ́ːstɪvli/].

あまず 甘酢 sweetened vinegar [U].

あまずっぱい 甘酸っぱい sweet and sour.

アマゾン ―［名］(固) the Ámazòn ★ 南米のアンデス山脈から大西洋に注ぐ大河.

あまだい 甘鯛 tilefish [C].

あまだれ 雨だれ (雨のしずく) ráindròp [C]. ¶*雨だれの音 the patter of *raindrops*

雨だれ石を穿(うが)つ (辛抱すれば最後には目的を達する) Perseverance will win ˹out [in the end].

あまちゃ 甘茶 (植物) hydrangea [C]; (飲物) hydrangea tea [U].

アマチュア amateur /ǽmətə̀ː/ [C] (↔ professional) (☞ しろうと). ¶*アマチュアテニス選手 an *amateur* tennis player // *アマチュア規定 *amateur*-status requirements // *アマチュア無線局 an *amateur* radio station // *アマチュア無線家 a (radio) ham / an *amateur* radio operator

アマチュアリズム (素人芸) amateurism /ǽmətərìzm/ [U].

あまつさえ 剰え besides; moreover ★ 後者のほうが意味が強い. (☞ おまけに; そのうえ).

あまったるい 甘ったるい too sweet (☞ あまい).

あまったれ 甘ったれ spoiled child [C] (☞ あまったれる).

あまったれる 甘ったれる (ひどく甘える) behave like a spoiled child (☞ あまえる); (こびる態度をとる) fawn (over ...; on ...).

あまっちょろい 甘っちょろい (むとんちゃくな・安易な) easygoing; (未熟な) immatúre. ¶きみの考えは*甘っちょろい Your idea is too *easygoing.* // あいつの言うことは*甘っちょろい (⇒ 彼は事態を真剣に受けとめていない) He doesn't *take it seriously.*

あまつばめ 雨燕 〖鳥〗 swift [C].

あまでら 尼寺 cónvent [C], nunnery [C].

あまてらすおおみかみ 天照大神，天照大御神 〖日本神話〗 ―［名］(固) *Amaterasu Omikami*; (説明的には) Great Divinity Illuminating Heaven, the Sun Goddess ancestor of the Imperial Family, ruler of *Takamagahara*, the High Celestial Plain. She is regarded as the chief Shinto god of Japan. (☞ たかまがはら).

あまど 雨戸 (引き戸) sliding door [C] 日英比較 欧米の家には普通，日本のような雨戸はない; (よろい戸) shutter [C]. ¶*雨戸を開ける[閉める] pull open [close] the *sliding doors*

あまどい 雨樋 trough /trɔ́ːf/ [C].

あまとう 甘党 ¶彼は*甘党だ He *has a sweet tooth.* (☞ あまい)

あまなつ 甘夏 sweet Chinese citron [C].

あまなっとう 甘納豆 sugared beans ★ 複数形で.

あまに¹ 甘煮 (しょうゆと砂糖で料理したもの) food cooked with soy sauce and sugar [U].

あまに² 亜麻仁 linseed [U].

亜麻仁油 linseed oil [U].

あまねく 普く，遍く ―［副］(広く) widely; (広範囲に) extensively; (普遍的に) universally; (遠く広く) far and wide; (どこでも) everywhere. ―［前］(...じゅう) all over ..., throughout ...

あまのいわと 天の岩戸 〖日本神話〗 (説明的に) the Door of the Heavenly Rock Cave. The Sun Goddess, *Amaterasu Omikami*, hides in the cave when insulted by *Susanoo no Mikoto*, thus plunging the world into darkness

あまのいわや 天の岩屋 〖日本神話〗 the Heavenly Rock Cave. (☞ あまのいわと).

あまのがわ 天の川 the Milky Way, the (Milky Way) Gálaxy ★ 後者はやや格式ばった言い方.

あまのじゃく 天の邪鬼 (つむじ曲がりの人) crank [C], cóntrary pérson [C]. (☞ ひねくれる).

あまのはしだて 天の橋立て ―［名］(固) Amanohashidate (literally "Heavenly Bridge"); (説明的には) a long and beautiful sandbar in Kyoto Prefecture.

あまみ 甘み ―［名］sweetness [U]. ―［動］(甘みをつける) sweeten (他). ―［形］(甘みがある) sweet-tasting. (☞ あまい). ¶*甘みのあるりんご *sweet(-tasting)* apples // このお菓子は*甘みが足りない (⇒ もっと砂糖が必要だ) This cake needs more *sugar.*

あまみず 雨水 rainwater [U].

あまみそ 甘味噌 sweet soybean paste [U], low-salt miso [U].

あまめ 甘め ―［形］(やや甘い・甘ったるい) sweetish 語法 「やや」「かなり」などの意は a little, a bit, rather などで表す. ¶彼女は*甘めの料理が好きだ She prefers ˹*sweet* [*sweet-seasoned*] dishes.

あまもよい 雨催い threat of rain [C] (☞ あめもよい).

あまもり 雨漏り ―［名］leak in the roof [C] ★ leak は穴そのものを指すこともある. ―［動］(雨漏りする) leak (自). ―［形］leaky. ¶彼は*雨漏り (⇒ 雨漏りする屋根) を直した He fixed the *leaky* roof. // この屋根はひどく*雨漏りがする The roof *leaks* badly.

あまやかす 甘やかす ―［動］(甘やかしてだめにする) spoil (他); (過保護にする) pamper (他); (勝手気ままなことをさせる) indulge (他) ★ やや格式ばった語. ―［副］(勝手気ままに) indulgently. (☞ ちやほや). ¶ 君は子供を*甘やかしてだめにした You *have spoiled* that child. // 子供を*甘やかして育てる bring up a child *indulgently*

あまやどり 雨宿り ―動 shelter [take shelter] from (the) rain.

あまよけ 雨除け ☞ あまおおい

あまよのしなさだめ 雨夜の品定め (説明的に) a rainy night's conversation, occurring in the Broom Tree chapter of *The Tale of Genji*, in which types of women are discussed.

あまり¹ 余り 1《残余》: (最も広い意味で) the remainder; (列挙したり言及したりしたもの以外のもの) the rest ★ いずれも the を付ける; (必要以上に残ったもの) súrplus Ⓒ; (会計上の残額) the balance ★ the を付けて; (食事の残り物) léftòvers ★ 通例複数形で. (☞ のこり; のこる; あまる).

¶ 彼はリンゴを 2 つ袋に入れ, *余りは人にやってしまった He put two of the apples in a bag and gave *the rest* away. // 15 から 5 を引くと*余りは 10 である If you take 5 from 15, *the remainder* is 10. 語法 計算の「余り」には remainder を用い, 会計上の「残額」には balance を用いる.

2《以上》: (超えている; …より以上) over …, more than … ★ 前者のほうが後者よりやや口語的だが, いずれも平易な言い方として一般的; (約) about …

¶ 彼は 70 歳*余りだ He is ⌈*over* [*more than*] seventy. // 私は東京に 5 年*余り住んでいる I have been living in Tokyo ⌈*more than* [*over*] five years.

余り物には福がある ☞ のこり (残り物)

あまり² 余り ―副 (あまりにも) too; (非常に) very (much); (あまり…でない) not … much, not very, little; (めったに…しない) seldom; (まれにしか…しない) rarely.

¶ *あまり勉強しすぎるな Don't work *too hard*. / Don't *overwork*. (☞ -すぎる) // 彼は*あまり (⇒ めったに) 外出しない He ⌈*seldom* [*rarely*] goes out. // 私はメロンは*あまり好きでない I *don't very much* ⌈like [care for] melons. / I care *little* for melons. // この本は*あまり難しいので僕には読めない This book is *too* difficult for me to read. // 私は驚きの*あまり (⇒ 非常に驚いたので) 何も言えなかった I was *so* surprised *that* I couldn't say a word.

余りと言えば (言いようがないほどひどい[無礼な]) unutterably ⌈bad [rude]. ¶ *あまりと言えばあまりの仕打ちを受ける receive *unutterably bad* treatment

あまりある 余り有る (十分すぎる) be more than enough; (…してもし尽くせない) cannot … enough, can never … enough. ¶ おほめの言葉は私のした事には*余り有るものです Your praise *is more than enough* for what I have done. // 彼らの苦しみは想像に*余り有る We *can never* fully understand their ⌈hardship [suffering].

アマリリス 〘植〙 amaryllis /æ̀mərílɪs/ Ⓒ.

あまる 余る 1《残る》: (ほかの物を取り除いた後に残る) remain (over) ㊀; (後に残される) be left (over). (☞ のこる; あまり¹; ありあまる).

¶ お金は幾ら*余っていますか How much money *is left*? // 燃料はたっぷり*余っている There is plenty of fuel *left*. // 彼は*余るほど金を持っている (⇒ 使える以上の[必要以上の]金を持っている) He has *more* money *than* he ⌈can spend [needs]. // 我々の会社は人が*余っている (⇒ 余分に人が置かれている) Our office *is overstaffed*. ★ 日本語に「会社」とあっても overstaff を用いる場合は office のほうがよい.

2《越える》: be beyond …. ¶ この仕事は私には手に*余る (⇒ 私の力 [能力] 以上だ) This task *is beyond my* ⌈*powers* [*ability*]. // それは身に*余る (⇒ 私にふさわしい以上の) 光栄です The honor is *more than* I deserve.

アマルガム 〘化〙 amalgam Ⓤ.

あまんじる 甘んじる (現状に満足する) be ⌈contént(ed) [satisfied] with … 語法 content は必ずしも十分ではないが, contented は十分に満足している状態を表す; content *oneself* with … (☞ まんぞく; がまん). ¶ 彼は安月給に*甘んじていた He *was* ⌈*content(ed)* [*satisfied*] *with* his small salary. // 彼女は現状に*甘んじている She *contents herself with* the present situation.

アマンダ (女性名) Amánda.

あみ¹ 網 net Ⓒ ★ 最も一般的に用いられる語; (投網) casting net Ⓒ; (網製品) netting Ⓤ; (捜査網) drágnèt Ⓒ.

¶ *網を打つ cast [throw] a *net* // *網を引く pull in a *net* // *網を張る set a *net* // *網を拡げる spread a *net* // 法の*網をかいくぐる (⇒ 法の抜け道を利用する) exploit some *loopholes* in the law // 大きな魚が*網にかかった A big fish was caught in the *net*. // 警察は彼を捕えようと全国に*網を張っている The police have (set up) a nationwide *dragnet* for him.

> ―コロケーション―
> **法の網** the *meshes* of the law / **虫取り網** an insect [a butterfly] *net* / **目の細かい網** a fine-meshed *net* / **網から逃れる** slip through the *net* / **網を仕掛ける** lay [spread] a *net* / **網を手繰る** draw in a *net*

あみ² 醤蝦 (小型の甲殻類) opóssum shrìmp Ⓒ, mysid /máɪsɪd/ shrimp Ⓒ; (沖あみ) krill Ⓒ. ¶ *あみの佃煮 *opossum shrimps* boiled in soy sauce and sugar

あみあげ 編み上げ (編み上げ靴) lace(-up) boots ★ 複数形で. (☞ くつ).

あみあげる 編み上げる (紐や髪を) braid ㊍, plait ㊍; (編み物を仕上げる) finish knitting ….

アミーゴ (友達) amigo /əmíːgou/ Ⓒ ★ スペイン語より.

アミーバ ☞ アメーバ

あみうち 網打ち ―動 (網を投げ打つ) cast [throw] a net; (網を仕掛ける) lay a net. (☞ あみ¹).

あみかけ 網掛け (印字・プリントの) shading Ⓤ. ¶ テキストを*網掛けにする add [apply] *shading* ⌈behind [to] the text

あみがさ 編笠 (伝統的な日本式わら帽子) traditional Japanese-style straw hat Ⓒ. ¶ 深*編笠 a *Japanese-style* broad-brimmed *straw hat* (for covering *one's* whole head)

あみき 編み機 knítting machìne Ⓒ.

あみだ 阿弥陀 (阿弥陀如来) 〘仏教〙 the buddha Amitabha /ʌ̀mɪtáːbə/. (☞ ほとけ). **阿弥陀くじ** ladder lottery Ⓒ; (説明的には) a lottery made up of a network of lines one of which each participant traces, and the person who reaches the lucky goal wins.

あみだす 編み出す (考え出す) wórk [thínk] óut ㊍; (発明する) invént ㊍; (考案する) devíse ㊍. (☞ かんがえだす; こうあん¹).

あみだな 網棚 (列車などの) rack Ⓒ. ¶ *網棚にかばんを載せる put a bag on the *rack*

あみど 網戸 screen door Ⓒ; (窓にはめ込むもの) window screen Ⓒ.

アミノ 〘化〙 [連結形] (アミンの) amino- /əmíːnou/ ★ amíne の連結形. **アミノ基** ámino gròup Ⓒ, amíno ràdical Ⓒ **アミノ酸** amíno ácid Ⓒ.

あみのめ 網の目 mesh (of a net) Ⓒ (☞ あみめ¹). ¶ *網の目のように交差した (⇒ 網状の) 道路が全市に広がっている A *network* of roads covers the whole city.

あみばり 編み針 knitting needle Ⓒ.

あみぼう 編み棒 (編み針) knítting nèedle Ⓒ.

あみめ[1] 網目 (1つの) mesh Ⓒ; (網全体の) meshes ★ 複数形で.《☞ あみのめ》.

あみめ[2] 編み目 (編み物の) stitch Ⓒ《☞ ぬいめ》.

あみもと 網元 fishermen's boss Ⓒ.

あみもの 編み物 ― [名] (編むこと) knitting Ⓤ; (編んだもの) knitted goods ★ 複数形で, knitwear Ⓤ. ― [動] (編み物をする) knit (他) (自).《☞ あむ》.

あみやき 網焼き ― [動] (焼肉をする) grill (他), 《米》broil (他). ― [名] (網焼きした料理) grill Ⓒ.

アミューズメント amusement Ⓤ.
アミューズメントセンター amusement arcade Ⓒ. [日英比較]「アミューズメントセンター」は和製英語.

アミラーゼ 〘生化〙(酵素の一種) amylase /ǽməlèɪs/ Ⓤ ★ 日本語の発音はドイツ語から.

アミン 〘化〙amine /əmí:n/ Ⓤ.

あむ 編む (編み針で) knit (他) (自)《過去・過分 knit, knitted》; (髪を) braid (他), plait /《米》pléɪt, plǽt, 《英》plǽt/ (他). ¶ 姉は靴下を*編んでいる My sister *is knitting* socks. // 彼女の髪の毛は*編むには短すぎる Her hair is too short to「*braid* [*plait*]. // 姉は髪を*編んでお下げにしていた My sister *wore* her hair *in*「*braids* [*plaits*; *pigtails*] down her back.

アムールがわ アムール川 ― [名] (固) the Amur (River) /ɑ:múə/ ★ 中国東北部とロシアとの国境を流れる大河. 中国名は黒龍江.

アムステルダム ― [名] (固) Amsterdam /ǽmstədæ̀m/ ★ オランダの首都.

アムトラック Amtrak /ǽmtræk/ ★ 全米鉄道旅客輸送公社 (National Railroad Passenger Corporation) の通称.

アムネスティーインターナショナル (政治犯などの人権擁護団体) Amnesty International.

アムンゼン ― [名] (固) Roald Amundsen /ɑ́:mənsn/, 1872-1928. ★ ノルウェーの探検家.

あめ[1] 雨 ― [名] rain Ⓤ; (雨降り) rainfall Ⓤ. ― [動] (雨が降る) rain (自) ★ it を主語として. ― [形] (雨の) rainy, wet.
¶ ほとんど一日中*雨が降った It *rained* [We had *rain*] almost all day (long). // *雨は間もなくやんだ The *rain*「soon stopped [was soon over]. [語法] (1) 一般的に「雨」という場合, rain は無冠詞だが, 降り始めや, 現に降っている雨, またはすでにやんだ雨を指すときは定冠詞を付ける. // *雨が降り出した It「started [began] to *rain*. / *Rain* began to fall. // *雨がひどく降っている It *is raining*「hard [heavily; cats and dogs]. // けさ, 小*雨 [大*雨] が降った There was *a*「light [heavy] *rain* this morning. [語法] (2) rain の前に形容詞がくる場合は不定冠詞が付くことがある.《☞ 可算・不可算名詞 (巻末)》// *雨になりそうだ (⇒ 雨が降りそうな空模様だ) It「looks like [is likely to] *rain*. / (⇒ いまにも降りそうだ) It's threatening to *rain*. // *雨にぬれる get wet in the *rain* // *雨でずぶぬれになる get soaked through by the *rain* // *雨に遭う (⇒ 雨に降られる) be [get] caught in the *rain* // 試合は*雨で中止になった The game *was*「*rained out* [called because of the *rain*]. [語法] be rained out は最初から取り止め. be called は途中で中止. // それは6月の*雨の降っている日だった It was a「*rainy* [*wet*] day in June. // *雨あがりで道がぬかっていた The road was muddy after the *rain*. // 先月は*雨続きでした We had a (long) spell of *rainy* weather last month. // *雨の多い季節 the *rainy* season // *雨降って地固まる After a storm comes a calm.《ことわざ: 嵐の後に静かな日が来る》// 質問の*雨 a *shower* of questions // 弾丸の*雨 a *shower* of bullets // 涙の*雨 (⇒ 氾濫) *a flood* of tears
雨が降ろうが槍が降ろうが (何事が起ころうと) no matter what happens, whatever may happen, come what may ★ 後のものほど格式ばった言い方.

> **コロケーション**
> 小止みなく降る雨 a「constant [steady] *rain* / どしゃ降りの雨 (a)「pouring [soaking; torrential] *rain* / 降ったりやんだりの雨 occasional [intermittent] *rain* / 恵みの雨 a nourishing *rain* / 横なぐりの雨 (a) driving *rain* / 弱い雨 (a) drizzly *rain* / 雨が落ちてくる *rain*「comes down [falls] / 雨が小降りになる[やむ] *rain* lets up / 雨が激しくなる *rain* intensifies

あめ[2] 飴 (砂糖菓子) candy Ⓤ ★ 種類をいうときは Ⓒ, 《英》sweet Ⓒ [参考] キャラメル (cáramel), ヌガー (nougat /nú:gət/) などを含む. ¶ *あめをしゃぶる chew (「on [up]) (a piece of) *candy* // 事故でレールが*あめのように曲がった (⇒ ひどく曲げられた) The rails were *badly* twisted in the accident.
あめとむち ¶ 先生は*あめとむちを使って生徒たちを指導した The teacher used a *carrot-and-stick* approach with「his [her] students. [日英比較] 英語では馬を調教するときの好物のにんじんと, 言う事を聞かないときにたたく棒にたとえて言う.
飴をしゃぶらせる (人を満足な気持ちにさせる) make *a person* feel happy; (思ったようにやらせておく) let *a person* do as「he [she] pleases.
飴色 amber (color) Ⓤ **飴細工** candy work Ⓤ; (動物[人形]の形の飴) animal- [doll-] shaped candy Ⓤ.

あめあがり 雨上がり ― [副] (雨上がりに) after the rain.《☞ やむ[1]; あめ[1] 用例》.

あめあし 雨脚 ☞ あまあし

あめあられ 雨霰 a hail (of ...) ★ a 〜 として. ¶ *雨霰の弾丸 *a hail of* bullets

アメーバ amoeba /əmí:bə/ Ⓒ《複 amoebae /əmí:bi:/》★《米》では ameba Ⓒ《複 amebae》ともつづる. **アメーバ運動** amóeboid movement Ⓤ **アメーバ赤痢** amóebic dýsentery Ⓤ.

あめおとこ 雨男 (male) rain-bringer Ⓒ.

あめおんな 雨女 (female) rain-bringer Ⓒ.

あめかぜ 雨風 wind and rain Ⓤ《☞ ふうう》.

あめかんむり 雨冠 (漢字の) rain radical at the top of kanji Ⓒ.

アメシスト, アメジスト 〘鉱〙(紫水晶) amethyst /ǽməθɪst/ Ⓒ.

あめたいふう 雨台風 typhoon which brings much rain Ⓒ [参考]「風台風」は typhoon with strong winds and little rain. ★ 英語ではこのように説明的にしか言えない.

アメダス ― [名] (固) AMeDAS ★ the *A*utomated *Me*teorological *D*ata *A*cquisition *S*ystem の略《☞ 略語 (巻末)》.

あめだま 飴玉 candy Ⓤ ★ piece を使って数える.

あめつゆ 雨露 ¶ 彼らには*雨露をしのぐ家もない (⇒ 頭の上に屋根がない) They *have no roof over their heads*. [語法] 英語の決まり文句.

アメニティー (生活の快適さ) amenity Ⓤ ★ 格式ばった語. comfort Ⓤ のほうが一般的な語. 具体的な設備, 施設などは複数形で.

あめのした 天の下 (全世界) the whole world; (全国) the whole country.《☞ てんか[1]》.

アメフト ☞ アメリカンフットボール

あめもよい 雨催い ― [動] look like rain, be likely to rain. ― [形] (降り出しそうな) threatening.

あめもよう 雨模様 (雨のきざし) sign of rain Ⓒ; (雨天) rainy skies ★ 複数形で.《☞ あめ[1]》. ¶ きょうは午後から*雨模様になるでしょう (⇒ 雨が降る) It will be *rainy* this afternoon.

アメラグ ☞ アメリカンフットボール
アメリカ ―名固(地名又は米国の通称) Amérіca; (正式名として, アメリカ合衆国) the United States of America《略 the U.S.A.》 語法 しばしば the United States《略 the U.S.》と呼ばれる. the States という呼び方もあるが, これはアメリカ人が自国を指していう言葉だから, 他国の人が使うのはおかしい. ―形(アメリカの) American. (☞ 次頁表・地図). ¶ 北・中央・南*アメリカ North, Central, and South *America* / *the Americas* ★ 北・中央・南アメリカの総称. // ラテン*アメリカ Látin *América*
アメリカアリゲーター〔動〕American alligator Ⓒ **アメリカ英語** American English Ⓤ; (米国語法) Américanism Ⓒ **アメリカクロコダイル**〔動〕American crocodile Ⓒ **アメリカ国旗** the American flag; (星条旗) the Stars and Stripes (☞ せいじょうき) **アメリカしろひとり**〔昆〕fall webworm Ⓒ **アメリカ人** American Ⓒ; (全体) the Americans **アメリカ杉**〔植〕Western red cedar Ⓒ ★ 木材の意では Ⓤ.「米杉(べいすぎ)」ともいう. **アメリカスペイン戦争** the Spanish-American War (1898) **アメリカ政府** the American government; (米国政権) the Administration; (米国政府を正式に指すときは) the United States Government (☞ せいけん[1]) **アメリカ先住民** Native American Ⓒ, American Indian Ⓒ **アメリカ独立戦争** the Revolutionary War, the American Revolution (1775–1783) **アメリカ文学** American literature Ⓤ **アメリカメキシコ戦争** the Mexican War (1846–48).
アメリカーナ (アメリカに関する文献・アメリカの風物) Americana /əmèrikǽnə/ Ⓤ.
アメリカズカップ the America's Cup 参考 最も古くかつ著名な国際ヨットレースの優勝カップ; ヨットレースそのものも指す.
アメリカナイズ (アメリカ風にする [なる]) Américanize 他 自.
アメリカナイゼーション (アメリカ化) Americanization Ⓤ.
アメリカニズム (アメリカ語法・アメリカ風のもの) Américanism Ⓒ.
アメリカン(コーヒー) (薄いコーヒー) weak coffee Ⓤ.
アメリカンドリーム the American Dream ★ 米国社会の民主主義・自由平等の理想, 米国では誰でも富と名声を得る機会があるという考え.
アメリカンフットボール 《米》fóotbàll Ⓤ, 《英》American football Ⓤ 参考 《英》では football は普通サッカーかラグビーを指す.
アメリカンリーグ 〔野〕the American League ★ アメリカプロ野球の major leagues の一つ.
あめんぼ 〔昆〕water strider Ⓒ.
アモイ 厦門 ―名固 Xiamen /ʃiá:mán/, Amóy ★ 前者が一般的. 中国福建省の港湾都市.
アモーラル ―形(道徳とは関係のない) amoral /èimɔ́:rəl/ 参考「不道徳な」は immoral.
あもく 亜目 〔生〕―名 suborder. ―形 subordinal.
アモルファス 〔化〕(非結晶の) amórphous. **アモルファス金属** amorphous metal Ⓤ **アモルファスシリコン** amorphous silicon Ⓤ.
あや 綾, 文 **1**《言葉のあや》: (比喩的表現) figure of speech Ⓒ; (微妙な意味の違い) shade Ⓒ. (☞ ニュアンス). ¶ 彼女はただ言葉の*あやでそう言ったのだ What she said was intended as a *figure of speech*. **2**《織物の綾》: (模様) figure Ⓒ.
あやいと 綾糸 (色のついた色) colored thread Ⓤ.
あやうい 危うい ☞ あぶない
あやうく 危うく **1**《ほとんど》: almost; (もう少しで) nearly 語法 (1) almost と nearly は多くの場合, 交換して用いることができるが, almost はある事柄に対してそこまで至らないことを示し, nearly はそこへの接近を示す.
¶ 彼女は*危うく命を落とすところだった She was *almost* killed. 語法 (2) nearly を使えば「助かったのが不思議だ」の意味が強くなる. // *危うくがけを踏みはずして海中に落ちるところだった I *nearly* stepped over the cliff and fell into the sea. (☞ 副詞の位置 (巻末))
2《かろうじて》: (やっと) barely; (すんでのところで) narrowly. (☞ かろうじて (類義語); きわどい).
¶ 我々は*危うく死をのがれた We *narrowly* escaped 「getting [being] killed.
あやおり(もの) 綾織(物) twill Ⓤ.
あやかる ¶ あなたの幸運に*あやかりたい (⇒ 私があなたと同じくらい幸運だといいのだが) I wish I were as lucky as you. / (⇒ あなたと同じ幸運を得たい) I wish I had your luck. // 彼は試験に受かったが, 私もそれに*あやかりたい (⇒ その例にならいたい) He passed the examination, and I want to *follow his example*. // 祖母に*あやかって (⇒ ちなんで) 私は娘の名を花子とつけた I named my daughter Hanako 「*after* [《米》*for*] my grandmother. (☞ ちなむ)
あやしい 怪しい **1**《信じがたい》: (根拠があって疑わしい) doubtful; (根拠がなくて漠然と疑わしい) dubious 語法 表面上の意味は doubtful より弱いが,「うさんくさい」という意味ではかなり強い疑いを表すこともある; (疑いを起こさせる) suspícious; (不確かな) uncertain; (当てにならない) unreliable; (信じられない) incredible; (奇妙な) strange. (☞ うたがわしい; くさい; へん[1]).
¶ *怪しい人物 a 「*doubtful* [*dubious*; *suspicious*] character // *怪しい話 a *doubtful* [an *unreliable*] story // 天候が*怪しい The weather looks very 「*doubtful* [*uncertain*]. // 私は裏庭で*怪しい (⇒ 妙な) 物音を聞いた I heard *strange* noises in the backyard.
2《下手な・まずい》: ―形(ぎこちない) clumsy; (下手な) poor. ―副 clumsily. (☞ あぶなげ; ぶきよう). ¶ 彼は*怪しげな手つきではしを使った He used chopsticks *clumsily*.
あやしげ 怪し気 ―形 suspicious, doubtful; 《略式》fishy. (☞ あやしい).
あやしむ 怪しむ (…ではないらしいと否定的に疑う) doubt 他; (…であるらしいと肯定的に疑う) suspéct 他; (不思議に思っていぶかる) wonder 他. (☞ うたがう).
¶ 彼女は彼が父を殺したのではないかと*怪しんだ She *suspected* that he had killed her father. // あの男はだれなのだろうかと私は*怪しんだ I *wondered* who he was. // 彼はスパイではないかと*怪しまれた He *was suspected* of being a spy.
あやす (小さな子供を揺すって) dandle 他; (なだめる) soothe 他; (あやして寝かしつける) lull 他. (☞ ねかす). ¶ 彼は泣いている赤ん坊を*あやした He *soothed* the crying baby. // 私は赤ん坊を*あやして寝つかせた I *lulled* the baby to sleep.
あやつりしばい 操り芝居 (人形劇) marionette [string-puppet] drama Ⓒ.
あやつりにんぎょう 操り人形 (糸で操るもの) marionette /mæ̀riənét/ Ⓒ; (主に手にはめたり針金で操るもの) string puppet Ⓒ; (他人の手に踊らされている人) dummy Ⓒ. **操り人形師** puppeteer Ⓒ.
あやつる 操る (手で操作する) manípulàte 他 ★ 人・世論などを不正手段で操る場合にも用いられる; (操縦する) handle 他; (うまく御する) mánage 他; (自由に使いこなす) have a good command of… (☞ そうじゅう; つかいこなす; くし[3]).

アメリカ合衆国の州

州	名	略語	主要都市
① アーカンソー	Arkansas	Ark., AR	リトルロック Little Rock
② アイオワ	Iowa	Ia., IA	デモイン Des Moines
③ アイダホ	Idaho	Ida., Id., ID	ボイシ Boise
④ アラスカ	Alaska	Alas., AK	アンカレッジ Anchorage
⑤ アラバマ	Alabama	Ala., AL	モン(ト)ゴメリー Montgomery
⑥ アリゾナ	Arizona	Ariz., AZ	フェニックス Phoenix
⑦ イリノイ	Illinois	Ill., IL	シカゴ Chicago
⑧ インディアナ	Indiana	Ind., IN	インディアナポリス Indianapolis
⑨ ウィスコンシン	Wisconsin	Wis., Wisc., WI	ミルウォーキー Milwaukee
⑩ ウエストバージニア	West Virginia	W.Va., WV	チャールストン Charleston
⑪ オクラホマ	Oklahoma	Okla., OK	オクラホマシティー Oklahoma City
⑫ オハイオ	Ohio	O., OH	シンシナチ Cincinnati コロンバス Columbus
⑬ オレゴン	Oregon	Oreg., Ore., OR	セーレム Salem
⑭ カリフォルニア	California	Calif., Cal., CA	サンフランシスコ San Francisco ロサンゼルス Los Angeles サンディエゴ San Diego サンホゼ San Jose
⑮ カンザス	Kansas	Kan., Kans., KS	トピーカ Topeka
⑯ ケンタッキー	Kentucky	Ky., Ken., KY	フランクフォート Frankfort
⑰ コネチカット	Connecticut	Conn., CT	ニューヘブン New Haven
⑱ コロラド	Colorado	Colo., CO	デンバー Denver
⑲ サウスカロライナ	South Carolina	S.C., SC	コロンビア Columbia
⑳ サウスダコタ	South Dakota	S.Dak., S.D., SD	ピア Pierre
㉑ ジョージア	Georgia	Ga., GA	アトランタ Atlanta
㉒ テキサス	Texas	Tex., TX	ヒューストン Houston ダラス Dallas フォートワース Fort Worth サンアントニオ San Antonio
㉓ テネシー	Tennessee	Tenn., TN	ナッシュビル Nashville メンフィス Memphis
㉔ デラウェア	Delaware	Del., DE	ドーバー Dover
㉕ ニュージャージー	New Jersey	N.J., NJ	トレントン Trenton
㉖ ニューハンプシャー	New Hampshire	N.H., NH	コンコード Concord
㉗ ニューメキシコ	New Mexico	N.Mex., N.M., NM	サンタフェ Santa Fe
㉘ ニューヨーク	New York	N.Y., NY	ニューヨーク New York (City) バッファロー Buffalo
㉙ ネバダ	Nevada	Nev., NV	ラスベガス Las Vegas
㉚ ネブラスカ	Nebraska	Neb., Nebr., NE	リンカン Lincoln
㉛ ノースカロライナ	North Carolina	N.C., NC	ローリー Raleigh
㉜ ノースダコタ	North Dakota	N.D., N.Dak., ND	ビスマーク Bismarck
㉝ バージニア	Virginia	Va., VA	リッチモンド Richmond
㉞ バーモント	Vermont	Vt., VT	モントピーリア Montpelier
㉟ ハワイ	Hawaii	HI	ホノルル Honolulu
㊱ フロリダ	Florida	Fla., FL	タラハシー Tallahassee
㊲ ペンシルベニア	Pennsylvania	Pa., Penn., PA	ピッツバーグ Pittsburgh フィラデルフィア Philadelphia
㊳ マサチューセッツ	Massachusetts	Mass., MA	ボストン Boston
㊴ ミシガン	Michigan	Mich., MI	デトロイト Detroit
㊵ ミシシッピー	Mississippi	Miss., MS	ジャクソン Jackson
㊶ ミズーリ	Missouri	Mo., MO	セントルイス St. Louis
㊷ ミネソタ	Minnesota	Minn., MN	ミネアポリス Minneapolis
㊸ メイン	Maine	Me., ME	オーガスタ Augusta
㊹ メリーランド	Maryland	Md., MD	ボルチモア Baltimore
㊺ モンタナ	Montana	Mont., MT	ヘレナ Helena
㊻ ユタ	Utah	Ut., UT	ソルトレークシティー Salt Lake City
㊼ ルイジアナ	Louisiana	La., LA	ニューオーリンズ New Orleans
㊽ ロードアイランド	Rhode Island	R.I., RI	プロビデンス Providence
㊾ ワイオミング	Wyoming	Wyo., Wy.,WY	シャイアン Cheyenne
㊿ ワシントン	Washington	Wash., WA	シアトル Seattle
★ ワシントン D.C.	Washington, D.C.	D.C., DC	

参考 大文字2字の州の略語(ピリオドのないもの)は手紙などで郵便番号 (zip code) の前に付ける.

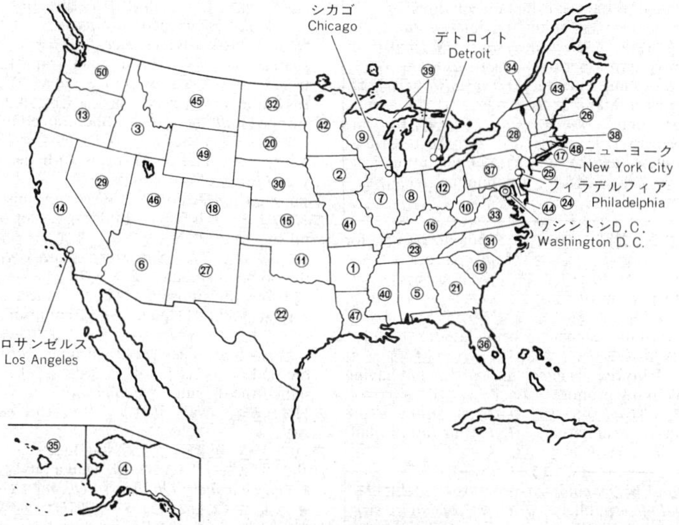

THE UNITED STATES OF AMERICA

¶彼はヨットの帆を巧みに*操った He「skillfully *manipulated* [deftly *handled*] the sails of his yacht. // 彼は英語を自由に*操る He *has a good command of* English. / (⇒ 彼は英語を上手に話す) He *speaks* English「*well* [*fluently*]. // 彼の母親が背後で彼を*操った His mother *manipulated* him.

アヤトラ (イスラム教シーア派の最高指導者) ayatollah /àɪətóʊlə/ Ⓒ.

あやとり 綾取り ¶*あや取りをする play *cat's cradle*

あやなす 綾なす, 彩なす ― 形 (色とりどりで美しい) colorful; (種々の色の) of various colors, multicolored Ⓐ; (万華鏡のように色が時々刻々と変わってゆく) kalèidoscópic.

¶*綾なす紅葉 *colorful* autumn leaves // *綾なすネオンの輝き *kaleidoscopic* neon lights

あやにしき 綾錦 (生地) damask and brocade; (衣服) elegant clothes; (紅葉) trees draped in their autumn finery.

あやぶむ 危ぶむ (…かどうかを疑う) doubt ㊀; (よくないことを気遣う) fear ㊀; (心配する) be afraid of … (☞ うたがわしい; ぎもん).

¶彼が試験に通るかどうか*危ぶんでいる I *doubt* (that) he will pass the exam. // 台風が九州に上陸するのではないかと*危ぶまれている It is *feared* that the typhoon will「hit [strike] Kyushu. ★[ ]内のほうが格式ばった語.

あやふや ― 形 (当てにならない) doubtful; (不確実な) uncertain; (疑わしい) dubious; (漠然とした) vague. (☞ あいまい). ¶彼は*あやふやな返事をした He gave a *vague* reply. // *あやふやな約束はするな Don't make *dubious* promises.

あやまち 過ち (過失) fault Ⓒ ★「過失についての責任」の意では Ⓤ; (間違い) error Ⓒ, mistake Ⓒ ★前者のほうが格式ばった語. 交換可能な場合も多い. (☞ まちがい (類義語); かしつ).

¶それは私の*過ちでした It was my *fault*. / (⇒ 私が責められるべきです) I *am to blame* for it. 〔語法〕 I am to be blamed … とはならない. // 彼女は自分の*過ちを認めて謝罪した She admitted her「*mistake* [*error*] and apologized for it. // どうしてあんな*過ちを犯したのか自分にもわからない I don't know why I made such an *error*. // だれでも*過ちは犯す (⇒ 我々は間違いを犯しやすい) We are all liable to make *mistakes*. // *過ちを改める correct *one's mistake* / (⇒ 行いを改める) mend *one's* ways // 若気の*過ちを犯す sow *one's wild oats* // *過ちを避ける avoid「an *error* [a *mistake*]

―コロケーション―
過ちを隠す conceal [hide] *one's*「*error* [*mistake*] / 過ちを悔い改める repent of *one's wrongdoing* / 過ちを繰り返す repeat the same「*error* [*mistake*] / 過ちを見つける find [spot]「an *error* [a *mistake*] / 過ちを許す forgive a *mistake* // 過去の過ち a past *error* / 取り返しのつかない過ち an irredeemable *mistake*

あやまって 誤って (間違えて) by mistake; (うっかりして) by accident. (☞ まちがえる; とりちがえる; あやまる[2]).

¶彼は*誤って毒薬を飲んでしまった He took (the) poison *by mistake*.

あやまり 誤り error Ⓒ; mistake Ⓒ ★前者のほうが格式ばった語. (☞ まちがい (類義語)).

¶*誤りがあれば直しなさい Correct (the) *errors* if any. // 私の英作文の*誤りを直していただけますか Will you please「correct the *mistakes* in [check] my English composition? // 弘法も筆の*誤り Even monkeys sometimes fall from trees. (ことわざ: 猿も木から落ちる) / Even Homer sometimes nods. (ことわざ: ホメロスのような大詩人でもときには油断して失敗する) // *誤りのない文章を書くのは (⇒ 誤りを犯さないで書くことは) とても難しい It is very difficult to write without making (any) *mistakes*. 〔語法〕 any を用いたほうが強調的.

―コロケーション―

明らかな誤り a ⌈clear [blatant; obvious] *error* / 大きな[ひどい]誤り a ⌈big [terrible] *mistake* / 事務的な誤り a clerical *error* / 重大な誤り a ⌈grave [gross; serious] ⌈*error* [*mistake*] / 初歩的な誤り an elementary ⌈*error* [*mistake*] / 致命的誤り a fatal *mistake* / ちょっとした誤り a ⌈minor [slight] ⌈*error* [*mistake*] / ばかげた誤り an absurd ⌈*error* [*mistake*] / 不注意による誤り a careless *mistake* / 文法的な誤り a grammatical *error* / よくある誤り a common ⌈*error* [*mistake*]

あやまる[1] 謝る (わびを言う) apólogize (to …; for …) ㊀ 〔語法〕「人」に対する場合は to,「事柄」に対する場合は for; (人の許しを請う) ask [beg] *a person's* pardon (for …).
¶ 彼女は先生に遅刻したことを*謝った She *apologized to* the teacher *for* being late for school. // 私は約束を破ったことで彼に*謝った (⇒ 彼の許しを求めた) I ⌈*asked* [*begged*] *his pardon for* having broken my promise. // お父さんに*謝りなさい (⇒ お父さんに自分が悪かったと言いなさい) *Say you are sorry* to your father. / *Tell* ⌈your father [dad] *you're sorry*. (☞ ごめん)

―コロケーション―

きちんと謝る *apologize* properly / 公式に謝る *apologize* publicly / 心から謝る *apologize* sincerely / しぶしぶ謝る *apologize* unwillingly / 涙ながらに謝る *apologize* tearfully / 平謝りに謝る *apologize* ⌈humbly [unreservedly] / 深く謝る *apologize* deeply

あやまる[2] 誤る ― 動 (間違える) mistake ㊉; (誤解する) misùnderstánd ㊉; (…を…と取り違える) take [mistake] … for … ― 形 (正しくない) wrong (↔ right); (誤った) mistaken. (☞ まちがえる; まちがった).
¶ 私は方角を*誤った (⇒ 間違った方角へ行ってしまった) I went in the *wrong* direction. // 彼は*誤って私を先生だと思った (⇒ 先生と取り違えた) He ⌈*took* [*mistook*] me *for* a teacher. // 彼は賭け事で身を*誤った (⇒ 賭け事が彼を破滅させた) Gambling *ruined* him. // *誤った答えをする give the *wrong* answer // 彼は車の運転を*誤って事故を起こした (⇒ 彼の不注意な運転のために) He had an accident because of his *careless* driving. / (⇒ 彼の不注意な運転は事故をもたらした) His *careless* driving caused an accident. // これは*誤った (⇒ 誤って導かれた) 民主主義の一例だ This is a case of *misguided* democracy. // 政府は政策を*誤って土地が値上がりした (⇒ 誤った政策を導入して) The government introduced a *wrong* policy and land prices went up. / (⇒ 政府の誤った政策が地価を高騰させた) The government's *wrong* policy made land prices soar. (☞ あやまって)

あやめ 菖蒲 〘植〙 iris /áɪ(ə)rɪs/ Ⓒ.

あやめる 殺める (意図的・非意図的にかかわらず殺す) kill ㊉; (意図的に殺す) murder ㊉; (事故などで傷つける) injure ㊉; (意図的に武器などで傷つける) wound ㊉. (☞ ころす).

あゆ[1] 鮎 〘魚〙 *ayu* Ⓒ, sweetfish Ⓒ ★ ともに単複同形. (☞ さかな). **鮎釣り** *ayu* fishing Ⓤ **鮎簗**(やな) weir fishing for sweetfish Ⓤ.

あゆ[2] 阿諛 ☞ へつらう

アユタヤ(ちょう) アユタヤ(朝) Ayutthaya /ɑːjúːθiàː, -θiə/ (dýnasty) ★ 14 世紀から 18 世紀にかけてのタイの王朝. 首都は Ayutthaya.

あゆみ 歩み (歩く速さ) pace Ⓒ; (歩くこと) walking Ⓤ; (歩調) step Ⓒ; (歴史) history Ⓤ. (☞ ほちょう; れきし).
¶ 私は*歩みを速めた[ゆるめた] I ⌈quickened [slackened] my *pace*. // きびきびした*歩み a ⌈brisk [lively] *pace* // 遅々とした*歩み a snail's *pace* // 速い*歩み a ⌈quick [rapid] *pace* // ゆっくりした*歩み a slow *pace* // ゆるやかな*歩み an easy [a leisurely] *pace* // 彼女は*歩みを止めた She stopped *walking*. 〔語法〕 She stopped to walk. は間違い. // この本はわが社 30 年の*歩み (⇒ 歴史) をまとめたものだ This book deals with the thirty-year *history* of our company.

あゆみより 歩み寄り (妥協) compromise Ⓤ.

あゆみよる 歩み寄る **1** 《近づく》: step [walk] up (to …) ㊀ (☞ ちかづく). ¶ 彼女はその少年に*歩み寄って微笑んだ She ⌈*stepped* [*walked*] *up to* the boy and smiled. **2** 《妥協する》 ― 動 (妥協する) cómpromise ㊀; (折り合う) meet … halfway ★ 前者より口語的. ― 名 compromise Ⓤ. (☞ だきょう; じょうほ; おりあう). ¶ 彼らは結局お互いに*歩み寄った They *met* each other *halfway* in the end. // 彼らは*歩み寄って争いを解決した They settled the dispute by *compromise*.

あゆむ 歩む walk ㊀; (ゆっくりと) stroll ㊀. (☞ あるく).

あゆもどき 鮎擬 〘魚〙 kissing loach Ⓒ.

あら[1] ¶ *あら, かわいそうに *Oh*, what a pity! // *あらまあ *Oh, dear me*! / *Oh, dear*! / *Oh, no*! / *Oh, my*! ★ 以上はいずれも女性的. //「来週私はハワイへ行きます」「*あら, そうなの」"I'm going to Hawaii next week." "*Really*?" (☞ あっ; おや[2])

あら[2] (欠点) fault Ⓒ; (不備・欠陥) flaw Ⓒ; (機能を妨げるような欠陥) défect Ⓒ. (☞ けってん (類義語); あらさがし).

あら[3] 粗 (魚の) fish head and bones (for making stock for a one-pot dish) Ⓒ.

あら[4] 鯍 〘魚〙 saw-edged perch Ⓒ.

アラー Allah /ǽlə/ ★ イスラム教の唯一神.

アラート 〘コンピューター〙 (警告) alert Ⓒ ★ 通例単数形で.

アラーム (警報装置) alarm Ⓒ, alarm system Ⓒ ★ 前者のほうが口語的. ¶*アラームつきの腕時計 a watch with an *alarm* function 〔語法〕 an alarm clock は「目覚まし時計」.

アラームシステム alarm system Ⓒ.

あらあらしい 荒々しい (激しい) violent; (乱暴な) rough; (不作法な) rude. (☞ らんぼう; そぼう).
¶ 彼は*荒々しい気性の人だ He has a *violent* temper. // 彼は*荒々しくドアを開けた He opened the door ⌈in a *rough* manner [in a *rough* way; *roughly*].

あらい[1] 荒い, 粗い **1** 《荒い》: (一般的に) rough; (不作法な) rude; (気性の激しい) violent, violent-tempered, bad-tempered. (☞ あれる; はげしい).
¶ きょうは波が*荒い (⇒ 海が荒れている) The sea is *rough* today. // *荒い言葉を使ってはいけない You should not ⌈use *rough* language [speak *rudely*]. // 彼は気が*荒い He has a *violent* temper.
2 《粗い》: (ざらざらした) rough; (きめが粗い) coarse. (☞ ざらざら). ¶ この布は手触りが*粗い (⇒ ざらざらする) This cloth feels *rough*. // この網は目が*粗い This net ⌈has *large* meshes [is *coarse*-meshed].

あらい[2] 洗い *arai* Ⓤ; (説明的には) sashimi [sliced raw fish] soaked in cold water Ⓤ.

あらいあげる 洗い上げる (洗たくを仕上げる) finish washing; (身元などを調べ上げる) make a thorough investigation (into …).

あらいおとす 洗い落とす wash ⌈off [out] ㊉; (すすいで落とす) rinse ⌈off [out] ㊉. ¶ 服のしみを*洗い

落とす wash ˹*off* [*out*] the stains on a dress // 塀の落書きを*洗い落としておきなさい *Wash* the graffiti *off* the wall. [語法] この off は前置詞. // 洗髪をしたらシャンプーはよく*洗い落としておきなさい *Rinse out* the shampoo well after washing your hair.

あらいがみ 洗い髪 freshly washed hair Ⓤ.

あらいきよめる 洗い清める wash (*oneself*) ⑩, perform *one's* ablutions. (☞ あらう; きよめる).

あらいぐま 洗い熊 〘動〙 raccóon Ⓒ.

あらいざらい 洗いざらい ¶ 彼は*洗いざらいしゃべった (⇒ 全部白状した) He confessed (to) *everything*. (☞ いっさい)

あらいざらし 洗い晒し ── 形 (洗剤で色があせた) discolored by detergent; (何度も洗った) washed-out.

あらいそ 荒磯 wave-lashed rocky shore Ⓒ.

あらいだす 洗い出す (調べ出す) dig up ⑩. ¶ 新聞はスキャンダルを*洗い出すのが好きだ Newspapers love to *dig up* scandals.

あらいたて 洗い立て ── 形 (洗ったばかりの) freshly washed. ¶ *洗いたてのゆかた a *freshly washed* yukata

あらいなおす 洗い直す (もう一度洗う) wash … again; (もう一度研究する) study … again.

あらいながす 洗い流す wash away ⑩; (すすいで流す) rinse out ⑩. ¶ 洪水でたくさんの家が*洗い流された A lot of houses *were washed away* by the flood. // もしこの薬品が目に入ったら, よく*洗い流して下さい If the medicine gets into your eyes, *rinse* it *out* well. [参考] 薬品の注意書きによくある言葉. // わだかまりを*洗い流す (⇒ 忘れる) *forget about* bad feelings

あらいば 洗い場 washing place Ⓒ.

あらいはり 洗い張り ── 動 launder kimono cloth; (説明的に) dry and stretch the washed and starched kimono cloth by putting it on a board. ── 名 laundering of kimono cloth Ⓤ.

アライバル (到着) arrival Ⓤ (☞ デパーチャー).

あらいもの 洗い物 (洗濯物) wash Ⓤ, washing Ⓤ, laundry Ⓤ. (☞ せんたく¹; あらう).

あらう 洗う (水などで) wash ⑩; (髪を) shampoo ⑩; (傷などを) 《格式》 cleanse /klénz/ ⑩; (清める) purify ⑩. (☞ すすぐ; ゆすぐ; せんたく¹).

¶ 手をきれいに*洗いなさい *Wash* your hands (clean). // 体を*洗ってきなさい (⇒ 洗いに行きなさい) Go and *wash* ˹*yourself* [《米》 *up*]. [語法] wash ˹*oneself* [up] は体を洗うほかに, 手や顔を洗う意にも用いられる. // 髪を*洗う *shampoo one's* hair // 皿を*洗う *do* [*wash*] the dishes // 美しい光景に心が*洗われる思いがした The sublime scene was ˹*purifying* [*refreshing*] to my spirit.

あらうま 荒馬 (乗りこなされていない馬) unbroken horse Ⓒ. ¶ *荒馬を乗りこなす break a *horse* ★ break は「ならす」の意味.

あらうみ 荒海 rough [heavy] seas ★ 複数形で.

あらがう 抗う (さからう) resist ⑩; (権力に対して実力行使で) rebel (against …) ⓐ; (謀反を起こす) revolt (against …) ⓐ. ¶ 権力に*抗うことが彼らの目的だった It was their aim to *revolt against* the authorities.

あらかじめ 予め befórehànd, in advance. (☞ まえもって [語法]; じぜん¹). ¶ *あらかじめすべて用意しておくつもりです I'll get everything ready *beforehand*. // もしそれが必要なら*あらかじめご連絡下さい If you need it, let me know *in advance*.

あらかせぎ 荒稼ぎ ── 動 (金をごっそりもうける) 《略式》 rake in ⑩; (おおもうけをする) 《略式》 rake it in. ¶ 彼は 1 か月で約 1 億円の*荒稼ぎをした He *raked in* about a hundred million yen in a single month. // 彼は相場で*荒稼ぎをした (⇒ 大金を作った) He *made a great deal of money* through speculation.

あらかた 粗方 (たいていは) for the most part; (ほとんど) almost; (ほぼ) nearly. (☞ だいぶぶん; ほとんど (類義語); だいたい¹; たいてい¹).

あらかべ 荒壁, 粗壁 (下塗りした壁) undercoated wall Ⓒ; (しっくいのあら塗り壁) roughcast wall Ⓒ.

アラカルト ── 形 副 (一品料理) à la carte /æ̀ləkáːət/ ★ à の ` はつづりの一部. [参考] 元来はフランス語で献立表から自由に選んで注文する料理のことで, 献立の決まっている定食は table d'hôte /táːbldóʊt/ Ⓒ. [日英比較] アラカルトは日本語では 名 として使われるが, 英語では 名 の用法はない. ¶ *アラカルトのディナー dinner *à la carte*

あらぎも 荒肝 (図太さ) nerve Ⓤ; (大胆さ) boldness Ⓤ. ¶ 彼は*荒肝を拉(ひし)がれた He lost his *nerve*.

あらぎょう 荒行 religious austerities ★ 複数形で.

あらくれ 荒くれ (暴力) violence Ⓤ; (不作法) rudeness Ⓤ; (粗野) uncouthness, loutishness Ⓤ; (人) (☞ 荒くれ者). **荒くれ者** (乱暴で不作法な) uncouth [loutish] person Ⓒ; (けんか好きな) rowdy person Ⓒ.

あらくれる 荒くれる (…に暴行を加える) do violence to …; (乱暴な行いをするようになる) start to ˹act [behave] violently.

あらけずり 粗削り ── 形 (ざらざらした) rough; (粗雑な) coarse; (態度・言葉遣いが洗練されていない) unrefined. (☞ ざつ; そや).

あらさがし あら探し ── 動 find fault with … ── 名 fault-finding Ⓤ, nitpicking Ⓤ. ★ 後者は口語的. ¶ 彼はいつも彼女の*あら探しをしている He *is* always *finding fault with* her.

あらし 嵐 storm Ⓒ [参考] 特別に北太平洋西部および南シナ海の大暴風雨を typhoon /taɪfúːn/ Ⓒ, メキシコ湾のものを hurricane /hə́ːrəkèɪn/ Ⓒ, インド洋のものを cyclone /sáɪkloʊn/ Ⓒ と呼ぶ. (☞ たいふう).

¶ 船が*あらしにあった[で沈んだ] The ship ˹was caught in a *storm* [sank in a *storm*]. // 今夜は激しい*あらしになりそうだ We are going to have a ˹strong [violent] *storm* tonight. // *あらしになりそうだ It is getting *stormy*. // *あらしが荒れ狂っている A *storm* is raging. // じきに*あらしは静まるだろう The *storm* will ˹pass [be] over soon. // *あらしが通り過ぎた The *storm* is over. // その歌手は*あらしのようなかっさいを浴びた The singer received ˹a *storm* of [*tumultuous*] applause. // それは*あらしの前の静けさに似ていた It was like the ˹calm [lull] before the *storm*.

あらじお 粗塩 unrefined salt Ⓤ.

あらしごと 荒仕事 (力仕事) hard labor Ⓤ; (強盗) burglary Ⓤ, robbery Ⓤ ★ 具体的な事件の場合は Ⓒ.

あらしまわる 荒らし回る (略奪する) loot ⑩; (盗賊が) attack and rob … ★ 場所・人を目的語とする. (☞ あらす). ¶ 昔, 瀬戸内海を*荒らし回った海賊 the pirates who *attacked* ships in the Inland Sea in the past

アラジン ── 名 固 Aladdin /əlǽdn/ ★ 千夜一夜物語の若者の名. **アラジンのランプ** Aladdin's lamp ★ 人の望みをすべて叶える魔法のランプ.

あらす 荒らす (荒廃させる) lay … waste, ruin ⑩ ★ 前者は格式ばった語; (害する) dámage ⑩; (破壊する) destroy ⑩; (盗むために襲う) rob ⑩ ★ 目的語は「人」または「場所」; (皮膚を荒れさす) roughen

(他), chap (他) ★ 後者は特に受身形で. ⦅☞ りゃくだつ⦆.

¶ 村はその洪水によって*荒らされてしまった The village was ⌜*laid waste* [*ruined*] by the flood. // いなごが作物を*荒らすことはよくある Locusts often ⌜*destroy* [*do damage to*; *damage*] crops. // そのスーパーは昨夜*荒らされた (⇒ 泥棒に入られた) The supermarket *was robbed* last night. // その化粧品は肌を*荒らします That cosmetic *roughens* your skin.

アラスカ ── [名] (固) (米国の州) Alaska. ── [形] (アラスカの) Alaskan. ⦅☞ アメリカ (表)⦆.

あらすじ 粗筋 (概略) óutline Ⓒ; (要約) summary Ⓒ; (概要) synopsis Ⓒ. ⦅☞ ようやく[2]; たいい[1]; すじ 5⦆. ¶ 彼女はその小説の*あらすじを述べた She gave an *outline* of the novel. // この章の*あらすじを述べよ Make [Write] a *summary* of this chapter.

あらずもがな 有らずもがな ── [形] (不必要な) unnecessary, needless, ⦅格式⦆ superfluous /suːpə́ːfluəs/. ¶ *有らずもがなの前置きは省くべきだ We should delete the *unnecessary* introduction.

あらせいとう 〚植〛 stock Ⓒ.

あらそい 争い (論争·紛争) dispute Ⓒ; (長期にわたる重要な論争) cóntrovèrsy Ⓤ; (もめごと) trouble Ⓤ; (口論) quarrel Ⓒ ★ trouble, quarrel は他の語より口語的; (長期にわたる騒々しい言い争い) wrangle Ⓒ; (死力を尽くしての戦い) struggle Ⓒ; (敵意にあふれた闘争) strife Ⓤ. ⦅☞ ろんそう; こうろん; ぎろん⦆.

¶ 彼女の子供たちの間に*争いが生じた A *dispute* arose [A *quarrel* broke out] among her children. // 労使間の*争いはやっと決着がついた The ⌜*trouble* [*struggle*; *dispute*] between labor and management has come to an end at last. // 学問上の*争い academic *controversy*

── コロケーション ──
争いに決着をつける terminate a ⌜*controversy* [*dispute*] / 争いに火をつける ignite [kindle] a *controversy* / 争いの調停をする arbitrate a *dispute* / 争いを煽る fuel [stir up] ⌜(a) *controversy* [a *dispute*] / 争いを解決する settle a ⌜*controversy* [*dispute*] / 争いを避ける avoid *controversy* / 争いを静める quell a *dispute* / 争いを引き起こす cause [arouse; provoke] (a) *controversy* [a *dispute*] / 権力争い a ⌜*struggle* [*battle*] for power / 国家間の争い an international *dispute* / 国境[領土]をめぐる争い a ⌜border [territorial] *dispute* / 激しい争い a fierce ⌜*controversy* [*dispute*; *competition*]

あらそう 争う (論争する) dispúte (over …) (自), dispute (他) ★ いずれもやや格式ばった語; (口論する) argue (about …; over …) (自); (けんかする) quarrel (with …; about …) (自); (議論する) argue (with …; over …; about …) (自); (競争する) compete (with …; for …) (自); (闘う) contend (with …; for …) (自) ★ compete と比較すると contend は敵対して争う感じが強く, 格式ばった語. 以上いずれも with の後には「人」, それ以外の場合は「事柄」. ⦅☞ あらそい; けんか[1]⦆.

¶ 我々はその問題で*争った (⇒ その点を論争した) We *disputed* that point. // 彼はいつも家計のことで妻と*争う <S (人) + V (*argue*) + *with* + 名(人) + *about* + 名(事柄)> He always *argues with* his wife *about* the housekeeping. // 彼らは品物の分け方で互いに*争った (⇒ 口論した) They *quarreled with* each other ⌜*over* [*about*] how to divide the goods. // 彼らは優勝を*争った (⇒ 競った) They ⌜*competed* [*were in contention*] *for* the championship. // 子供たちは先を*争ってバスに乗り込んだ The children *scrambled* to get on the bus. ⦅☞ われがちに⦆ // その件は法廷で*争われることになるだろう (⇒ 法廷に持ち出されるだろう) The matter will *be brought* to court (for trial). // 彼の容態は一刻を*争う (⇒ 危険だ) His condition is *critical*. / He is in *critical* condition. // 年は*争えない (⇒ 年齢は物を言う) Age will *tell*.

あらた 新た ── [形] (新しい) new; (新鮮な) fresh. ── [副] newly; afresh ★ 後者のほうは格式ばった語; (再び) again. ⦅☞ あたらしい; あらためて⦆. ¶ 彼らは*新たな生活を始めた They started a *new* life. // 彼らは決意を*新たにした (⇒ 新たな決意をした) They have made a *fresh* resolution.

あらたか 灼 ☞ れいげん[1]

あらだつ 荒立つ (波[海]が) become rough (自), run high (自); (物事が) get complicated (自). ¶ 事が*荒立つと困ります I'll be in trouble if things *get* ⌜*complicated* [*involved*].

あらだてる 荒立てる (事を一層悪く [重大に] する) make matters ⌜worse [serious]. ¶ それでは事を*荒立てるでしょう That would *make matters worse*.

あらたまる 改まる (全面的に変わる) change (自); (部分的に変わる) alter /ɔ́ːltə/ (自); (よくなる) improve (自); (新しくなる) be renewed; (儀式ばる) be formal. ⦅☞ かわる[1]⦆. ¶ 事情は*改まりつつある Conditions *are improving*. // もうじき年が*改まる (⇒ 新年がやってくる[また巡ってくる]) The new year will soon ⌜*arrive* [*come around*]. // そう*改まらないで下さい Don't *be* so *formal*.

あらためて 改めて ── [副] (再び) again; (別の時に) another [some other] time; (新たに) anew, afresh, freshly ★ anew は文語, afresh は格式ばった語. ⦅☞ また[1]; ふたたび⦆. ¶ *改めて言うまでもないが … (⇒ 言う必要はないと思うが) I don't think I have to tell you that …

あらためる 改める (全面的に変える) change (他); (部分的に変える) álter (他); (正しく直す) correct (他); (改革する) reform (他); (変更する) revise (他); (改善する) improve (他). ⦅☞ かえる[2]; かいかく; なおす⦆.

¶ 彼は計画を*改めた He *altered* his plan(s). // 教育制度を*改める必要がある The educational system must be *reformed*. // 誤りを*改める *correct* [*rectify*] ⌜an error [a mistake] ★ rectify (他) は⦅格式⦆. // 行いを*改める *mend one's* ways

あらづくり 粗造り ── [形] (未完成の·粗削りの) unfinished; (しっくいなどが粗塗りの) roughcast; (木材·石材などが粗削りの) rough-hewn; (下塗りした) undercoated. ¶ *粗造りの壁 an *unfinished* [a *roughcast*] wall / (⇒ 上塗りのしてない; 下塗りだけの) an *undercoated* wall

あらつち 荒土, 粗土 (下塗りのための土) clay for undercoating Ⓤ; (よく耕してない土) soil which has not been ploughed enough for planting Ⓤ.

あらっぽい 荒っぽい (激しい) violent; (乱暴な) rough; (不作法な) rude. ⦅☞ らんぼう⦆.

あらて 新手 (新しい兵力) fresh forces ★ 通例複数形で; (新しいタイプ) new type Ⓒ. ⦅☞ しんき[1]⦆. ¶ 敵は*新手を送り込んできた The enemy sent in *fresh forces*. // *新手の商売 a *new type* of business

あらと 荒砥 rough grindstone Ⓒ.

あらなみ 荒波 (激しい波) angry waves; (荒れ狂う波) raging waves ★ いずれも複数形で. ¶ 船は*荒波に翻弄された The ship was tossed about by *angry waves*. // 彼女は世間の*荒波にもまれた (⇒ 人生の苦難を経験した) She experienced *the hardships* of life.

あらなわ 荒縄 straw rope Ⓒ.

あらぬ 有らぬ (見当違いの) wrong; (思いもよらない) unexpected. ¶*有らぬうわさをたてる start an *unexpected* rumor // 彼は*有らぬ (⇒見当違いに) 疑いをかけられた He was *wrongly* suspected.

あらの 荒野 ☞あれの

アラバマ ―名 固 (米国の州) Àlabáma 《☞アメリカ (表)》.

アラビア ―名 固 Arabia /əréɪbiə/. ―形 Arabic /ǽrəbɪk/ ★言語や文化の場合; Arabian /əréɪbiən/. アラビア語 Arabic Ⓤ アラビア人 Arab /ǽrəb/ Ⓒ アラビア数字 Arabic numeral Ⓒ アラビア文字 Árabic létter Ⓒ.

アラビアンナイト ―名 固 (千夜一夜物語) *The Arabian /əréɪbiən/ Nights' Entertáinments, The Arabian Nights, The Thousand and One Nights.* 《☞せんやいちやものがたり》.

アラビアンライト (アラビア産の軽質石油) Arabian light Ⓤ.

あらびき 粗挽き ―形 roughly ground. ¶豚肉の*粗挽き *roughly ground* pork

あらひとがみ 現人神 (人の姿をした神) deity in human form Ⓒ; (天皇) emperor Ⓒ.

アラブ ―名 (アラブ人) Árab Ⓒ. ―形 (アラブ人の) Arab, Árabic. 《☞アラビア》. ¶*アラブ諸国 *Arab* nations アラブ首長国連邦 ―名 固 the United Arab Emirates /émərəts/ アラブ連盟 ―名 固 the Arab League, the League of Arab States.

アラファト ―名 固 Yasser Arafat /jáːsə ǽrəfæ̀t/, 1929–2004. ★パレスチナ解放機構 (the Palestine Liberation Organization 《略 PLO》) 元議長.

あらぶる 荒ぶる ―形 (荒々しい) rough; (勇ましい) brave, courageous ★後者の方が格式ばった語. ¶*荒ぶる魂 a *brave* spirit 荒ぶる神 violent god who inflicts suffering on humans Ⓒ.

アラベスク arabesque /æ̀rəbésk/ Ⓒ.

あらまき 新巻 lightly salted salmon /sǽmən/ Ⓒ.

あらまし óutline Ⓒ 《☞がいりゃく》.

アラムご アラム語 〘言〙 Aramaic /æ̀rəméɪɪk/ ★古代東地中海沿岸からオリエントにかけての共通言語.

あらむしゃ 荒武者 (勇猛な戦士) daring [fearless] warrior Ⓒ; (比喩的に, 向こうみずな男) reckless man Ⓒ.

あらめ 粗目, 荒目 (編物などの) loose [large] stitch Ⓒ (↔ tight [small] stitch).

アラモ ―名 固 the Alamo /ǽləmòʊ/ ★米国テキサス州 San Antonio の元伝道布教所. 1836 年にテキサス独立戦争の折, ここを砦として戦った守備隊がメキシコ軍と戦って全滅した.

アラモード (最新流行の) à la mode ★元は「流行にしたがって」の意のフランス語; à のアクセント記号はつづりの一部; (最新流行型) the latest fashion. 《☞りゅうこう》. ¶夏の*アラモード *the latest* summer *fashion(s)*

あらもの 荒物 (金物類) hardware Ⓤ. 荒物屋 hardware store Ⓒ.

あらゆる (すべての) all; (どの 1 つをとっても・すべて) every Ⓐ 語法 (1) every のほうが口語的で意味も強い. また, all は数えられる名詞, 数えられない名詞の両方に使われるが, every は数えられる名詞のみで, 単数扱いとなる. 《☞すべて》.
¶彼は入手できる*あらゆる資料を集めた He has collected *all* the material(s) available. 語法 (2) all は定冠詞・指示代名詞・人称代名詞の所有格の前に置かれる. // 我々の目的達成のために*あらゆる努力をするつもりです I'll make *every* effort to achieve our aim. // 彼女はそれを手に入れるためにありと*あらゆる方法を試みた She tried ｢*every* [*all*] possible means to get it. 語法 (3) means は単数にも複数にも扱われる.

あららげる 荒らげる (声を大きくする) raise (*one's* voice). ¶彼は怒って声を*荒らげた He *raised his voice* in anger.

アララトさん アララト山 ―名 固 Mount Ararat /ǽrəræ̀t/ ★トルコ東部の火山. 聖書にはノアの箱舟がこの山に漂着したとある.

あらりえき 荒利益, 粗利益 (必要経費などを差し引いていない利ざや) gross ｢profit [margin] Ⓒ.

あらりょうじ 荒療治 (根治的療法) radical [heroic] ｢treatment [measure] Ⓒ; (極端な治療法) extreme measure Ⓒ; (思い切った手段) drastic measure Ⓒ. ¶インフレに対して*荒療治をほどこす take *drastic measures* against inflation

アラルかい アラル海 ―名 固 the Aral /ǽrəl/ Séa ★カスピ海東方の巨大塩湖.

あられ 霰 ―名 (気象現象としての) hail Ⓤ; (あられの粒) hailstone Ⓒ. ―動 (あられが降る) hail 自. ¶*あられがばらばらと窓ガラスに当たった The *hail* pattered on the windowpanes. // きのう*あられが降った It *hailed* yesterday. // 弾丸が雨*あられと彼らに降り注いだ A *hail* of bullets met them. / Bullets *hailed* down on them.

あられもない ¶彼女は*あられもない姿だった (⇒肌もあらわで) She *was scantily dressed.* / (⇒正視できないような姿勢だった) She lay *in an* ｢*unsightly* [*unseemly*] posture. 語法 「あられもない」はこのほか例えば「公序良俗に反する」という意味なら improper,「だらしがない」だったら slovenly など前後関係で変化がある.

あらわ 露 ―形 (むき出しの) bare; (あからさまの) open. ―副 (公然と) openly; (明白に) clearly. 《☞あからさま; むきだし; まるだし》. ¶胸も*あらわな女性 a *bare*-breasted woman // 彼は*あらわに敵意を示した He showed *open* hostility.

あらわざ 荒技 (柔道などの) rough [violent] technique Ⓒ.

あらわす[1] 表す (言葉などが表す; 行為・表情などが示す) express 他; (感情を) give expression to …; (感情・特徴・方法などを) show 他; (芸術的なものや記号で) rèpresént 他. 《☞ひょうげん[1]》.
¶彼女の悲しみを涙が*表していた Her tears ｢*expressed* [*showed*] her sorrow. // あなたの考えを言葉で*表してごらんなさい *Express* your ideas in words. // ÷ [×] の符号は除法[乗法]を*表す (⇒表すのに使われる) The sign ｢÷ [×] is used to ｢*express* [*show*] ｢division [multiplication].

あらわす[2] 現す (人が姿を現す) appear 自, shów úp 自, túrn úp 自 ★後の 2 つは口語的. 《☞あらわれる; すがた》. ¶彼はその会合に突然姿を*現した He suddenly ｢*appeared* [*showed up*; *turned up*] at the meeting.

あらわす[3] 著す (書く) write 他; (公にする) publish 他. 《☞かく[1]; だす》.

あらわす[4] 顕す (皆に知らせる) make … known to everyone; (功績などを認める) recognize 他 ★格式ばった語; (顕彰して表彰する) honor 他, give honorable mention to *a person.* 《☞けんしょう[6]》.

あらわれ 表れ, 現れ (気持ちなどを示すもの) expression Ⓒ; (表明) mànifestátion Ⓒ ★格式ばった語; (しるし) sign Ⓒ.
¶それは喜びの*表れだった It was ｢an *expression* [a *sign*] of joy. // 彼らの行為は若さの*表れ (⇒爆発) とみなされた Their behavior was regarded as an *outburst* of youthful vitality.

あらわれる　現れる，表れる　(目に見える所に) appear ㊀ (↔ disappear, vanish); (ひょっこり出てくる)《略式》tùrn úp ㊀; (約束の時間などに人が現れる)《略式》shów úp ㊀; (出席・出頭する) present *oneself* ★ 以上の中で一番改まった表現; (出てくる) còme óut ㊀; (視野に入ってくる) come into view, come ⌈in [within] sight. 《☞ みえる》.
¶ 大きなすい星が*現れた A big comet *appeared.* // いろいろな歌手が次から次へと*現れては消えた One after another, many singers *appeared* and then disappeared. // 彼はすぐに*現れますよ He'll *show up* soon. // この文章は著者の考えがよく*表れている (⇒ よい反映である) This passage is a good *reflection* of the author's views. / (⇒ はっきりと読み取ることができる) In this passage we can clearly ⌈*read* [*see*; *understand*] the author's intentions.

アラン　(男性名) Alan, Allan, Allen.

あらんかぎり　有らん限り　¶ 子供たちは*あらん限りの声を張り上げて (⇒ 彼らの最高の声で) 叫んだ The children shouted *at the top of* their voices. // 彼女は*あらん限りの力を出して走った (⇒ できるだけ速く) She ran *as fast as she could.* 《☞ ありったけの》

あり　蟻　〖昆〗ant Ⓒ.　¶ *蟻の塔 ☞ ありづか
蟻の穴から堤も崩れる A small leak will sink a great ship. 《ことわざ: 小さな漏れ口でも大船を沈める》
蟻の一穴(いっけつ) (わずかな油断) a little slip; ☞ 蟻の穴から堤も崩れる.
蟻のはい出るすきもない　¶ 空港周辺は警官に厳重に見張られていて*蟻のはい出るすきもない The police are keeping a close watch on the airport and *no one can slip out of it.*

アリア　〖楽〗aria /á:riə/ Ⓒ.

ありあけのつき　有明けの月　(色あせた朝の月) wan morning moon ★ 通例 a ～ として.

ありあまる　有り余る　━ 動 (十分以上に持つ) have more than enough; (非常にたくさん持つ) have too ⌈many [much]　語法　many は数えられる名詞に, much は数えられない名詞に用いる.
━ 形 (余るほどたくさんの) plenty of ... 《☞ たくさん; ほうふ¹; あまる》.　¶ 彼女には金が*あり余るほどある She *has more than enough* money. // 時間は*あり余るほど (⇒ たっぷり) ある There is *plenty of* time.

ありあり　━ 副 (はっきりと) clearly, distinctly ★ 後者が前者よりやや改まった語; (生き生きと) vividly. 《☞ まざまざ》.　¶ あの情景が*ありありと目に浮かびます The scene comes *clearly* to mind. // この手紙から彼女が幸せな様子が*ありありとわかります (⇒ どんなに幸せかはっきりと心に浮かべることができる) Reading this letter, I can *see clearly* how happy she is.

ありあわせ　有り合わせ　(有り合わせの料理) potluck Ⓤ.

アリアンロケット　Ariane /à:riá:n/ (rocket) Ⓒ ★ 欧州宇宙機関 (ESA) の開発したロケット.

アリーナ　(競技場) aréna Ⓒ.

ありうる　有りうる　━ 形 probable; possible ★ 前者のほうが可能性が大きい. 《☞ ありそう》.

ありえない　有り得ない　━ 形 (ありそうにない) unlikely; (まず起こる見込みのない) improbable; (絶対にない・不可能な) impossible　語法　この順に可能性が少なくなる; (信じられない) incredible, unbelievable.　¶ 彼女がうそをつくなんて*ありえない It is ⌈*unlikely* [*improbable*] that she would tell a lie. // チンパンジーが人間の言葉を話すなんて*ありえない It is *impossible* for a chimpanzee to speak human language.

ありか　在りか　¶ 彼は彼女にその宝石の*ありかを尋ねた (⇒ どこに宝石が保管されているのかを尋ねた) He asked her *where* the jewels were kept. 《☞ しょざい; ゆくえ》

ありかた　在り方　¶ 学校における英語教育の*あり方 (⇒ どのようにして英語は教えられるべきか) *how* English *should be* taught in the schools // 午後私たちは生徒会の*あり方 (⇒ どのようなものであるべきか) について話し合った In the afternoon we talked about *what* student councils *should be.*

ありがたい　有難い　日英比較　日本語の「ありがたい」は前後関係によって, いろいろに訳せる.
¶ そう言って下さるのは*ありがたい (⇒ たいへん親切なことだ) It's *very* ⌈*nice* [*kind*] of you to say so. // *ありがたいことに子供たちは皆よく勉強している (⇒ …ということができてうれしい) I am *happy* to say my children are all doing well ⌈at [in] school. // *ありがたいことに (⇒ 幸運にも) 職はすぐに見つかった *Fortunately,* I found a job very quickly. // あまり*ありがたくないニュースだ (⇒ そのニュースはあまり愉快ではない) The news is rather *unpleasant.* // 彼はあまり*ありがたそうな様子ではなかった He did not seem very *thankful.* // 彼がどうしてもくれるというので*ありがたく (⇒ 感謝して) 頂戴した He insisted on giving it to me, so I accepted it *with thanks.* // そうしていただければ, たいへん*ありがたい (⇒ 恩に着る) のですが I would be ⌈(very) much [greatly] *obliged* (to you) if you would do ⌈so [that]. ★ 格式ばった表現. // 仏教の*ありがたい (⇒ 神聖な) 教え *sacred* teachings of Buddhism

ありがたがる　有難がる　be ⌈thankful [grateful] (to ...) ★ [　]内のほうが改まった表現.
¶ 彼は私のちょっとした親切をとても*有難がった He was very ⌈*thankful* [*grateful*] (to me) for ⌈that [my] small kindness.　語法　thankful は行為に, grateful は人に感謝する気持ちが強く表れる. // 子供は親の忠告など*有難がらない (⇒ 十分理解しない) Children don't *appreciate* their parents' advice.

ありがたさ　有難さ　☞ ありがたみ

ありがたなみだ　有難涙　tears of gratitude ★ 複数形で.

ありがたみ　有難味　(値打ち) value Ⓤ, worth Ⓤ; (恩恵) blessing Ⓒ. 《☞ かち¹》.　¶ 健康を損なって初めてその*ありがたみがわかった (⇒ 健康を失うまではその価値を知らなかった) I didn't ⌈know [appreciate] the *value* of health until I lost it.

ありがためいわく　有難迷惑　(不必要な好意) unwanted favor Ⓒ; (間違えて向けられた親切) misplaced kindness Ⓒ; (歓迎されない好意) unwelcome favor Ⓒ. 《☞ めいわく》.

ありがち　有りがち　¶ 若い者に*有りがちな (⇒ 普通の) 気負い the self-confidence *common* among young people // 雨の日に*有りがちの (⇒ 起こりやすい) 事故 an accident *apt to happen* on a rainy day // 子供には*有りがちのことだが, うちの子もテレビゲームに夢中だ *As is often the case with* children, our son is crazy about video games.　語法　as is often the case with ... は「…にはよく有りがちのことであるが」の意味の決まり文句. 《☞ とくゆう》.

ありがとう　有難う　(一般的に) Thank you.
日英比較　英語では, 日本語の「ありがとう」「ありがとうございました」のように相手によって言い方を変える必要はなく, Thank you. はだれに向かっても使える. ただしやや改まった感じの表現なので, 会話では次にあげる thanks のほうを多く使う傾向がある; Thanks. ★ ややくだけた言い方.
¶ どうも*ありがとう *Thank you* [*Thanks*] very much. / *Thanks* a lot. // こちらこそ*ありがとう《相手の Thánk you. に対して》*Thànk yóu.* // とにかく*ありがとう《自分の希望や依頼が相手の努力にもかかわらず実現しなかったとき》*Thank you* ⌈just the same

[anyway]. // お手紙*ありがとうございました *Thank you* ˹very much [so much] for your letter. 語法 (1) Thank you so much. は男女ともに使うが, 女性好みの表現. // ご親切に*ありがとうございました *Thank you* very much for your kindness. / (⇒親切に感謝します) I (really) *appreciate* your kindness. // *ありがとう存じます I am ˹much *obliged* [really *grateful*] *to* you. 語法 (2) 改まった礼の言い方.

ありがね 有り金 (持っている金全部) all the money *one* has; (都合がつく金額) all of *one's* available money. (☞ かね¹). ¶ 彼は*あり金をはたいてその車を買った He spent *all the money he had* to buy that car.

ありきたりの 在り来たりの (ありふれた) commón; (平凡な) cómmonplàce ★ 普通は「つまらない」という悪い意味を含む; (普通の) órdinàry; (伝統的な) conventional; (型にはまった) stereotyped; (使い古された) hackneyed. (☞ ありふれた).

ありくい 蟻食い 〘動〙 anteater Ⓒ.

アリゲーター 〘動〙 àlligàtor Ⓒ (☞ わに).

ありさま 有様 (あるがままの状態) state Ⓒ ★ 通例単数形で; (一時的な状況) condition Ⓒ; (悲惨な状態) plight Ⓒ ★ 普通は単数形で; (光景) sight Ⓒ, scene Ⓒ. (☞ じょうたい¹; ようす; こうけい¹).

ありじごく 蟻地獄 ant lion larva Ⓒ (複 ant lion larvae /lάːviː/).

ありしひ 在りし日 ¶*在りし日の M 氏を偲(しの)んで語り合った We talked about our *memories of the late Mr. M and his times*.

アリス (女性名) Álice.

ありすい 蟻吸 〘鳥〙 (Eurasian) wryneck Ⓒ.

アリストクラシー (貴族社会・上流階級) the àristócracy ★ the をつけて; (貴族政治) aristocracy Ⓤ.

アリストテレス ―名 固 Aristotle /ǽrɪstὰtl/, 384–322 B.C. ★古代ギリシャの哲学者.

アリストファーネス ―名 固 Aristophanes /æ̀rɪstάfənìːz/, 448?–?380 B.C. ★ 古代ギリシャの劇作家.

ありそう 有りそう ―形 (大いに可能性のある) probable; (信じられる) believable; (道理に合って無理のない) reasonable; (もっともらしい) likely 語法 possible (起こりうる) と probable の中間で, ある程度の強い可能性を表す. ¶*ありそうな話 (⇒当然あってもよい) a ˹*believable* [*reasonable*] story // *ありそうもない話 an ˹*improbable* [*unlikely*] story (☞ ありもしない) // *ありそうもない事 an *improbability* // 彼がそんなことをしたというのは*ありそうなことです It is quite ˹*probable* [*likely*] that he did ˹that [so].

アリゾナ ―名 固 (米国の州) Arizona /æ̀rəzóʊnə/ (☞ アメリカ (表)).

ありたやき 有田焼 Arita ware Ⓤ (☞ やき²; やきもの).

ありづか 蟻塚 anthill Ⓒ.

ありつく (見つける) find (他); (得る) get (他). (☞ みつける). ¶ 私は仕事に*ありついた (⇒仕事を見つけた[得た]) I ˹*found* [*got*] a job. // 昼食時にはとても忙しくて, 3 時になってやっと昼食に*ありついた I was very busy at lunchtime, and finally at three (o'clock) I ˹was able [managed] to have my lunch.

ありったけ ¶ 彼女は強盗に*ありったけの金 (⇒持っていた金全部) を渡した She handed the ˹robber [mugger] *all the money she had*. // 彼は*ありったけの力で (⇒自分の力全部で) ドアを押した He pushed (at) the door *with all his* ˹*strength* [*might*]. (☞ あらんかぎり)

ありてい 有り体 ¶*有り体に言うと (⇒率直に言うと) *frankly* (speaking) / (⇒実を言うと) to tell (you) the *truth* 語法 後のほうが意味が強い. (☞ じつは)

ありとあらゆる 有りとあらゆる ☞ あらゆる

ありのまま 有りのまま ―形 (むき出しの) bare; (率直な) plain; (ざっくばらんな) frank. ―副 plainly; frankly; (そのまま) as it is. (☞ そっちょく). ¶ 彼は*ありのままの事実を話してくれた He told me the ˹*bare* [*naked* /néɪkɪd/] facts. // *ありのままの私 (⇒本当の自分) my *real* self // そのことを彼は*ありのままに (⇒率直に) 話してくれた He told it to me ˹*plainly* [*frankly*]. // *ありのままに (⇒ざっくばらんに) 言えば私は君の意見に賛成できない *To be frank* (*with you*) [*Frankly*], I can't agree with your opinion.

アリバイ álibì Ⓒ. ¶ 彼には問題の時間の*アリバイがない[ある] He has ˹no *alibi* [an *alibi*] for the time in question. // 彼女の*アリバイがくずれた Her *alibi* ˹fell apart [was broken (down)]. // 彼は自分の*アリバイを立証した He proved his *alibi*.

アリババ ―名 固 Ali Baba /ǽlibάːbə/ ★『千夜一夜物語』(*The Arabian Nights' Entertainments*) の「アリババと 40 人の盗賊」の主人公.

ありふれた (日常茶飯事の) everyday Ⓐ; (平凡な) cómmonplàce ★「つまらない」という悪い意味を含む; (普通よく見られる) common; (通り一遍の) 《略式》 just another; (使い古された) hackneyed, trite. (☞ ふつう¹; へいぼん). ¶ これらは日常*ありふれた事だ These are ˹*everyday* [*commonplace*] ˹occurrences /əkə́ːrənsɪz/ [events]. // それは*ありふれた映画だった It was *just another* ˹film [movie].

ありもしない 有りもしない ―形 (偽りの) false; (まったくでたらめの) wild. ¶*ありもしない話 a *false* story (☞ ありそう) // 彼女は*ありもしないこと (⇒ばかなこと) を言う She talks *nonsense*.

ありゅう 亜流 (模倣者) ímitàtor Ⓒ; (追随者) follower Ⓒ.

ありゅうさん 亜硫酸 〘化〙 sulfurous /sʌ́lfərəs/ ácid Ⓤ. **亜硫酸塩** súlfur chloride /klɔ́ːraɪd/ Ⓤ **亜硫酸ガス** súlfur dioxide /dàɪάksaɪd/ Ⓤ **亜硫酸ソーダ[ナトリウム]** sodium sulfite /sóʊdiəm sʌ́lfaɪt/ Ⓤ.

アリューシャンれっとう アリューシャン列島 the Aleutian Islands, the Aleutians.

アリュージョン (ほのめかし) allusion Ⓤ ★ 具体的な事柄の場合は Ⓒ.

アリュートご アリュート語 Aleut Ⓤ ★ アラスカ西部などの言語.

ありよう 有り様 **1** 《ありのまま》: the actual conditions, the bare facts ★ 以上 the をつけて; 複数形で. **2** 《あるはず》 ¶ そんなことは*有り様がない That's impossible.

アリラン (朝鮮の民謡) Arirang Ⓤ; (説明的には) a sentimental Korean folk song.

ある¹ 有る, 在る **1** 《存在する》: there ˹is [are] 語法 (1) この表現は不特定のものについて用い, 定冠詞, my, his などの代名詞の所有格, John's などの名詞の所有格の付いた名詞については用いられない. ¶ 机の上に本が 1 冊*ある *There is* a book on the desk. // この部屋には窓が 4 つ*ある *There are* four windows in this room. / (⇒この部屋は 4 つの窓を持っている) This room *has* four windows. // その本は机の上に*ある The book *is* on the desk. 語法 (2) 定冠詞などを伴う場合はこのような言い方となる. // 「テーブルの下には何が*ありますか」「テニスのラケットが*あります」"What *is* under the table?" "A tennis racket." 語法 (3) What is there under the table? という言い方は普通は用いられない. **2** 《位置する》: (建物などが) be (自), stand (自); (位置する) be ˹located [situated]. (☞ いち²). ¶その城は丘の上に*ある The castle ˹*is* [*stands*] on a hill. // ロンドンはテムズ川のほとりに*ある London *is* ˹*located* [*situated*] on the Thames.

3 «所有する»: (持つ) have (他). ¶彼女には音楽の才能が*ある (⇒才能を持っている) She *has* a gift for music. // 彼には兄弟が3人*ある (⇒3人の兄弟を持つ) He *has* three brothers.

4 «高さ・幅など»: be (自). ¶彼は身長が183 cm *ある He *is* 183 centimeters tall.

5 «見つかる»: be found. ¶公衆電話は日本中どこにでも*ある (⇒どこででも見つかる) Pay phones can *be found* everywhere in Japan.

6 «起こる»: (人が経験する) have (他) (☞ おこる²). ¶1923年に関東地方に大地震が*あった (⇒大地震を経験した) We *had* a terrible earthquake in the Kanto ˹district [region] in 1923.

7 «行われる»: take place (☞ おこなう). ¶きょうは学校が4時まで*ある We *have* classes until four today.

8 «…に存する»: consist (in …) (自). ¶この詩の魅力は形容詞の使い方に*ある The charm of this poem *consists in* its use of adjectives.

ある² 或る ― ［形］ a certain Ⓐ; (単数名詞の前に付けて) some ［語法］ 話し手にはわかっているが, 言いたくない場合に用いるのが a certain, はっきりとわからない人・物などに用いるのが some; (過去のある時を指して) one; (ある1つの) a ★ 不定冠詞で, a certain を軽くした感じ.

¶きのう私のところに*ある人が訪ねて来た A (*certain*) man ˹called on [came to see] me yesterday. // 私たちは市内の*あるところで会合した We met at *a certain* place in the city. // 彼は*ある意味では正しい He is right in *a* sense. // そのうわさは*ある程度までは本当だ The rumor is true to ˹*a certain* [*some*] ˹extent [degree]. // *ある日[朝] *one* ˹day [morning] // *ある時*あるアメリカ人の家庭に招待されて夏を過ごしたことがあった *Once* I was invited by *an* American family to spend the summer (with them).

あるいは **1** «または»: … or …; (2つのうちどちらか) either … or … ★ 厳密に二者択一のとき. (☞ または).

¶イエス*あるいはノーで答えなさい Answer (*either*) yes *or* no. // 君か*あるいは彼女のどちらかが行かなければならない *Either* you *or* she has to go. ［語法］ either … or … では動詞の人称や数は or の後の名詞や代名詞に合わせる. (☞ どちら)

2 «もしかすると・多分»: (ことによると) perhaps, máybe ★ 後者は口語的; (恐らく) probably ★ 確実性が高い. (☞ おそらく (類義語); ことによると; たぶん¹). ¶*あるいはあなたの言うとおりかもしれない *Perhaps* [*Maybe*; *Probably*] you're right.

アルカイダ ― ［名］ (固) al-Qaeda, al-Qaida /ælkéɪdə/ ★ イスラム原理主義グループの1つ.

アルカディア (牧歌的理想郷) Arcadia /ɑəkéɪdiə/ Ⓒ ★ 元来は古代ギリシャの景勝地.

あるがまま 有るがまま ☞ ありのまま

アルカリ 〘化〙 alkali /ǽlkəlàɪ/ Ⓤ. **アルカリイオン水** alkaline (ionized) water Ⓤ **アルカリ化** ― ［名］ alkalization Ⓤ. ― ［動］ alkalize (他)(自). **アルカリ乾電池** alkaline cell Ⓒ **アルカリ性** ― ［形］ (アルカリ性の) alkaline /ǽlkəlɪn, -làɪn/. ¶*アルカリ性反応 an *alkaline* reaction **アルカリ性食品** (総称) alkaline foods **アルカリ蓄電池** álkaline stórage bàttery Ⓒ **アルカリ土壌** alkaline soil Ⓤ.

アルカロイド 〘化〙 ― ［名］ álkalòid Ⓒ. ― ［形］ alkaloidal.

あるきかた 歩き方 (歩きぶり) step Ⓒ; (歩く様子) gait Ⓒ ★ 通例単数形で; way of walking Ⓒ. (☞ あしどり; ほちょう).

あるきまわる 歩き回る walk around (…), walk up and down(…). ¶教室の中を*歩き回る *walk up and down* the classroom // 私は夏休みにヨーロッパ中を*歩き回った I *traveled around* Europe during the summer vacation.

アルキメデス ― ［名］ (固) Archimedes /ɑ̀əkəmíːdiːz/, 287?–212 B.C. ★ 古代ギリシャの物理学者. ¶*アルキメデスの原理 *Archimedes' principle*

アルギンさん アルギン酸 〘化〙 alginic /ælʤínɪk/ ácid Ⓤ.

あるく 歩く walk (自) ★ 最も一般的; (徒歩で行くことを強調するとき) go on foot ★ やや格式ばった言い方. (☞ とほ).

¶彼は毎朝学校へ*歩いて行く He ˹*walks* to school [*goes* to school *on foot*] every morning. // 「学校へはバスで行くのですか」「いいえ, *歩いて行きます」 "Do you take the bus to school? / Do you go to school by bus?" "No, I *walk*." ［語法］ go on foot より walk のほうが普通. // 芝生の上を*歩いてはいけません Don't *walk* on the grass. // 彼女は*歩いて帰宅した She *walked* home. // 私の家から駅まで*歩いて10分です (⇒10分の道のりだ) It is a ten-minute *walk* from my house to the station. ［日英比較］ 英語では「歩いて…分」という時間の表現よりも, どちらかというと「…マイル歩いたところにある」という距離の表現が好まれる. ((例) 駅は私の家から2マイル*歩いたところにある The station is a two-mile *walk* from my house.) // きょうは3時間[キロ]*歩いた I *walked* three ˹hours [kilometers] today. // この道を*歩いて行くと駅に出ます If you *walk* ˹*along* [*down*; *up*] this street you will come to the railroad station. / (⇒この道はあなたを駅に連れて行く) This street will take you to the railroad station. ★ 英語的な発想としては第2文のほうが好まれる. // 彼は四球で1塁に*歩いた He *was walked*. / (⇒投手はバッターを(四球で)歩かせた) The pitcher *walked* the batter.

> **コロケーション**
>
> (人と)腕を組んで歩く *walk* arm in arm / 重い足取りで歩く *walk* with heavy steps / しとやかに歩く *walk* gracefully / 忍び足[つま先立ち]で歩く *walk* on tiptoe / すたすた歩く *walk* ˹briskly [at a brisk pace] / そっと歩く *walk* softly / 早足で歩く *walk* quickly / 当てもなく歩く *walk* aimlessly / ゆっくり歩く *walk* slow(ly) / よたよた歩く *walk* with faltering steps / 歩きまわる *walk* ˹about [around] / …の後について歩く *walk* ˹after [behind] … / 前に**3**歩歩く *take* three steps forward

アルコール ― ［名］ alcohol /ǽlkəhɔ̀ːl/ Ⓤ; (強い酒) spirits ★ 複数形で. ― ［形］ alcoholic /æ̀lkəhɔ́ːlɪk/. (☞ さけ¹). ¶*アルコールはまったくやりません I do not *drink* (*alcohol*) at all.

アルコール依存症[中毒] alcoholism /ǽlkəhɔ̀ːlɪzm/ Ⓤ **アルコール依存症[中毒]患者** alcoholic /æ̀lkəhɔ́ːlɪk/ Ⓒ **アルコール飲料** alcoholic ˹drink [beverage] Ⓤ; liquor /líkə/ Ⓤ ★ 後者は《米》では強い蒸留酒, 《英》ではアルコール飲料で, 格式語. **アルコールランプ** spirit lamp Ⓒ.

アルゴリズム 〘コンピューター〙 algorithm Ⓒ.

アルゴン 〘化〙 argon Ⓤ (元素記号 Ar).

あるじ 主 master Ⓒ (☞ しゅじん).

アルジェ ― ［名］ (固) (都市) Algiers /ælʤíəz/ ★ アルジェリアの首都.

アルジェリア ― ［名］ (固) Algeria /ælʤí(ə)riə/; (正

式名; アルジェリア民主人民共和国) the Democratic and Popular Republic of Algeria ★ アフリカ北部の共和国. ── 形 (アルジェリア(人)の) Algérian. アルジェリア人 Algerian Ⓒ.

アルジャジーラ ── 名 固 Aljazeera, al-Jazeera ★ カタールの衛星テレビ局.

アルスター ── 名 固 Ulster /ʌ́lstə/ ★ イギリス領北アイルランド (Northern Ireland) の別称.

アルセーヌルパン ☞ルパン

アルゼンチン ── 名 固 Argentina /àədʒəntíːnə/; (正式名; アルゼンチン共和国) the Argentine /ɑ́ədʒəntìːn/ Republic. ── 形 (アルゼンチンの) Argentine. アルゼンチン人 Argentine Ⓒ.

アルタイさんみゃく アルタイ山脈 ── 名 固 the Altai /ǽltaɪ/, the Altai Mountains ★ 中国北西部, シベリア, モンゴル地区にまたがる山脈. ── 形 Altaic /æltéɪɪk/, Altaian /æltáɪən/ ★ アルタイ地方人(の); アルタイ語族(の)の意にもなる.

アルタイしょご アルタイ諸語 〘言〙 Altáic lánguages ★ モンゴル語, ツングース語など, アルタイ山脈に沿った地域の諸言語. アルタイ語族とも呼ばれる.

アルチザン (腕のいい職人) ártisan Ⓒ ★ 格式ばった語.

アルちゅう アル中 (病気) álcohòlism Ⓤ; (患者) àlcohólic Ⓒ. 《☞ アルコール》.

アルツハイマーびょう アルツハイマー病 〘医〙 Alzheimer's /ɑ́ːltshàɪməz/ (disease) Ⓤ.

アルデヒド 〘化〙 aldehyde /ǽldəhàɪd/ Ⓒ.

アルデンテ ── 形 al dente /ældénteɪ/ ★ イタリア語で, "to the tooth"「歯ごたえがある」の意で, パスタ料理の用語.

アルト 〘楽〙 alto Ⓤ ★ 形 としても用いられる; (歌手) alto (singer) Ⓒ. アルトサックス〘楽器〙 álto sáxophòne Ⓒ.

あるときばらい 有る時払い ¶*ある時払いでいいよ (⇒ いつでも都合のいいときに返してくれ) You can pay it back to me *at your convenience*.

アルバータ ── 名 固 (地名) Alberta /ælbə́ːtə/ ★ カナダ西部の州.

アルバート (男性名) Álbert ★ 愛称は Al または Bert.

アルバイター (パートで働く人) párt-tímer Ⓒ, párt-tìme wórker Ⓒ ★ 前者のほうが口語的. 《☞ アルバイト; パート[1]》.

アルバイト ── 名 (パートの仕事) párt-time jób Ⓒ; (定職のある人の) second job Ⓒ (↔ regular job), job on the side Ⓒ, extra job Ⓒ, sideline Ⓒ ★ 第 1 番目が最も一般的; (定職ある人が内職をすること) 《略式》 móonlighting Ⓤ ★ 特に夜間に仕事をすることから; (パートの仕事をする人) párt-tímer Ⓒ; 《略式》 móonlìghter Ⓒ. ── 動 have a part-time job, work part-time; 《略式》 moonlight 自. 《☞ パート[1]; ないしょく》.

¶あの学生は*アルバイトをしている (⇒ あの学生は仕事を持っている) That student has a (*part-time*) *job*. / That student *is working part-time*. ★ この part-time は 副. 次例も同様. // 私は*アルバイトで子供に教えている I am teaching a ⌈boy [girl] *part-time*. // 彼らは夏休みにデパートで*アルバイトをした (⇒ 働いた) They *worked* ⌈at [in] a department store during the summer vacation. // 公務員は*アルバイトを禁じられている Government employees are prohibited from *moonlighting*.

アルバイト学生 working student Ⓒ.

アルパイン ☞ アルペン

アルパカ 〘動〙 alpáca Ⓒ ★ 南米産のらくだ科の家畜; (アルパカの毛, または毛織物) alpáca Ⓤ.

アルバトロス 〘鳥〙 (あほうどり) albatross /ǽlbətrɔ̀ːs/ Ⓒ.

アルバニア ── 名 固 Albania /ælbéɪniə/; (正式名; アルバニア共和国) the Republic of Albania. ── 形 (アルバニア(語, 人)の) Albanian. アルバニア語 Albánian Ⓤ アルバニア人 Albánian Ⓒ.

アルバム album Ⓒ. ¶彼女はその写真を*アルバムにはった She pasted the picture in the *album*. // 写真の*アルバム a photo *album* // レコード*アルバム a record *album*

アルハンブラ ── 名 固 (スペインのグラナダにある 13–14 世紀ごろムーア人の建てた王宮・古城) the Alhambra /ælhǽmbrə/.

アルピニスト (登山する人) (mountain) climber Ⓒ; (スポーツ・職業としての登山家) mountaineer Ⓒ; (アルプスのような高山に登る) alpinist Ⓒ ★ しばしば先頭の a を大文字で. 《☞ とざん》.

アルファ (ギリシャ語アルファベットの第 1 字) alpha Ⓒ ★ ギリシャ文字は A, α. 《☞ プラス》. アルファ化米 ☞ アルファ米 アルファ星 α-star Ⓒ アルファ線 〘物理〙 α-ray Ⓒ アルファ波 (安静時の脳波) alpha ⌈rhythm [wave] Ⓒ アルファ米 (加工米の一種) alpha rice Ⓤ アルファ粒子 〘物〙 α-particle Ⓒ.

アルファベット alphabet Ⓒ 参考 日本語でアルファベットにあたるものは「五十音図」だが, これは the Japanese syllabary という. ¶英語 (⇒ ローマ) の*アルファベット the Roman *alphabet* // 次の単語を*アルファベット順に並べ替えなさい Put [Rearrange] the following words ⌈*alphabetically* [*in alphabetical order*].

アルファルファ 〘植〙 《米》 alfálfa Ⓤ, 《英》 lucerne /luːsə́ːn/ Ⓤ ★ マメ科の多年草.

アルプス ── 名 固 the Alps ★ 複数形で. ── 形 (アルプスの) Alpine. ¶日本*アルプス *the* ⌈Japanese [Japan] *Alps*

アルプススタンド ── 名 固 the "Alps Stands" (of Koshien Stadium) ★ 甲子園球場の内外野席; (説明的には) infield stands and outfield bleachers of Koshien Stadium.

アルブミン 〘化〙 albumin /ælbjúːmən/ Ⓤ.

アルフレッド (男性名) Álfred ★ 愛称は Al, Fred, Freddy; (アルフレッド大王) Alfred the Great, 849–99. ★ イギリスのウェセックス王. (在位 871–99).

アルペジオ 〘楽〙 arpeggio /ɑəpédʒiòʊ/ Ⓒ ★ イタリア語から.

アルペン ── 形 (アルプス [高山] の) Alpine, alpine /ǽlpaɪn/. 参考 日本語のアルペンはドイツ語の Alpen より. アルペン種目 the Alpine events ★ 複数形で. アルペンスキー Alpine skiing Ⓤ アルペンホルン alpenhorn Ⓒ.

アルマイト alumite /ǽljumàɪt/ Ⓤ, anodized aluminum Ⓤ ★ 陽極酸化処理をして表面を強化したアルミニウム. 英語では後者が一般的. 「アルマイト」は日本の商標.

アルマゲドン ☞ ハルマゲドン

あるまじき (値しない) unworthy (of ...); (似つかわしくない) 《格式》 unbecoming (to ...). ¶彼の行為は警察官に*あるまじきものだった His conduct was ⌈*unworthy of* [*unbecoming to*] a policeman. // 学生には*あるまじき (⇒ 許すべからざる) 行為 totally [wholly] *unforgivable* conduct for a student

アルマジロ 〘動〙 àrmadíllo Ⓒ 《複 ~s》.

アルマナック (暦) almanac /ɔ́ːlmənæ̀k/ Ⓒ ★ calendar より詳しく日の出, 日没, 干[満]潮時刻, 月齢, その日の聖人名, 宗教的祝祭日などを書いてあるもの.

アルミ alúminum Ⓤ 《☞ アルミニウム》.

アルミ合金 aluminum alloy Ⓒ アルミサッシ aluminum sash Ⓒ アルミ製品 aluminum ware Ⓤ アルミ箔[ホイル] aluminum foil Ⓤ.

アルミニウム 《米》aluminum /əlúːmənəm/ [U], 《英》aluminium /æljumíniəm/ [U]《元素記号 Al》.

アルメニア ― [名] (固) (the Republic of) Armenia /ɑəmíːniə/. ― [形] Armenian. アルメニア語 Armenian, the Armenian language アルメニア人 Armenian [C].

アルル ― [名] (固) Arles /áəl(z)/ ★ フランス南部の都市.

あれ 《指示代名詞》(話者と相手から離れたところにあるものを指して) that 《複 those》, that over there

[日英比較] 英語の that は日本語の「それ」つまり, 話者から離れた相手の近くにあるものも指す. また over there を付けると, 離れているという距離感が明らかになる. 《☞ それ; これ; 代名詞 (巻末)》. ¶「*あれは何ですか」「市役所です」"What's *that* (*over there*)?" "It's the city hall." // *あれをごらんなさい Look at *that*. // *あれは誰ですか Who's *that* ˹man [woman]? // *あれから不運続きだ I've had a run of bad luck since *then*.

あれい 亜鈴 dúmbbèlls ★ 通例複数形で. 数えるときは a pair [two pairs] of dumbbells.

アレキサンダーだいおう アレキサンダー大王 ☞ アレクサンドロス

アレキサンドリア ☞ アレクサンドリア

アレグザンダー (男性名) Alexander /ælɪgzǽndə/ ★ 愛称 Al, Alec, Alex, Sandie, Sandy.

アレグザンドラ (女性名) Alexandra /ælɪgzǽndrə/ ★ 愛称は Sandie, Sandy, Sandra.

アレクサンドリア ― [名] (固) Alexandria /ælɪgzǽndriə/ ★ エジプト北部にある港市; 古代エジプトの首都.

アレクサンドロス ― [名] (固) Alexánder the Gréat, 356–323 B.C. ★ マケドニアの国王. ギリシャからペルシャ, インドまでを征服し, ヘレニズムの基礎を作った.

あれくるう 荒れ狂う (あらし・火・波などが) rage (自) 《☞ あれる》.

アレグレット 〔楽〕― [副] (やや急速に) allegretto ★ [形] としても, また楽章や曲の意で [名] [C] としても用いる.

アレグロ 〔楽〕― [副] (急速に) allegro ★ [形] としても, また楽章や曲の意で [名] [C] としても用いる.

アレゴリー (寓喩) állegòry [U] ★「寓話」の意味では [C].

あれこれ (あれやこれや) this ˹and [or] that, one thing ˹and [or] another. 《☞ なにやかや; とやかく》.

あれしょう 荒れ性 ¶ 私は*荒れ性だ (⇒ 肌が荒れやすい) My skin ˹*chaps easily* [*is dry*]. 《☞ あれる》

あれすさむ 荒れすさむ ― [形] (生活が放蕩な) 《格式》dissolute, 《格式》dissipated; (乱暴な) wild. ― [動] (人が自暴自棄になる) become desperate; (人が乱暴になる) go wild. 《☞ すさむ》. ¶ *荒れすさんだ生活を送る人 a ˹*dissolute* [*dissipated*] person // 若い頃の彼は実に*荒れすさんでいた He was really *wild* when (he was) young. // 妻を失い彼の心は*荒れすさんだ He lost his wife and *grew despondent*.

あれち 荒れ地 (自然のままの未開墾の土地) wasteland [U].

あれっきり (あの時以後) since ˹that time [then] 《☞ いご; それっきり; -きり》. ¶ 彼女には*あれっきり会っていない I haven't seen her *since* (*then*). / (⇒ あのときが彼女に会った最後だった) That was *the last time* I saw her.

あれでら 荒寺 (とてもいたんでいる寺) dilapidated (Buddhist) temple [C]; (住人がなく荒れ果てた寺) desolate (Buddhist) temple [C].

あれの 荒野 (荒れ果てた土地) wilderness [U]; (荒涼とした野原) 《英》moor [C] ★ しばしば複数形で.

あれはてる 荒れ果てる ― [動] fall ˹to [into] ruin, be ruined. ― [形] (荒れ果てた[て]) ruined; (土地が) waste; (建物が年月・手入れ不足で) dilapidated; (土地・建物が住む人もなくて) desolate. 《☞ あれる; あれほうだい》.

あれほうだい 荒れ放題 ¶ *荒れ放題である (⇒ 土地が草ぼうぼうである) be overgrown / (⇒ 建物が全く修理されていない) be in utter disrepair / (⇒ 土地・建物が全くほったらかしになっている) be utterly neglected 《☞ あれる; あれはてる》

あれほど (あんなに) so; (あんなに多く) so much; (あのように) like that; (あれほどに) 《略式》that. 《☞ あんな; -ほど》. ¶ *あれほど言ったのに (⇒ そう言ったじゃないか) I told you *so*! ★ 相手の後悔などに対して. // 英語の試験は*あれほど難しいとは思わなかった I never expected that the English exam would be ˹*so* [*that*] hard.

あれもよう 荒れ模様 ― [名] (近づくあらしのきざし) sign of a coming storm [C]; (あらしの天候) stormy weather [U]. ― [形] (荒れ模様の) stormy, violent.

あれやこれや this ˹and [or] that, one thing ˹and [or] another. 《☞ なにやかや》.

あれよあれよ ¶ 彼は*あれよあれよというちに試合に勝ち続けた (⇒ いつ負けるかと思いながら見ているうちに) He won while we watched him play, *thinking he might lose any moment*. // そのひったくりは*あれよあれよという間に逃げてしまった (⇒ どう対処してよいかわからないうちに) The purse snatcher ran away *before we knew what to do about it*.

あれる 荒れる **1** 《天候が》: be stormy; (海が) be rough, run high; (あらしや火が猛威をふるう) rage (自).
¶ きのうは 1 日中*荒れどおしだった It *was stormy* all day yesterday. // きょうは海が*荒れている The sea *is* ˹*rough* [(*running*) *high*] today. // 各地で強風が吹き*荒れた Strong winds ˹*blew* [*raged*] in many areas.

2 《荒廃する》 ― [動] (手入れされず土地・建物が荒れている) lie neglected, 《文》be laid waste; (建物が) fall to ruin, be ruined; (修理されないまま放置されている) be in disrepair. ― [形] (土地が荒れた) waste; ruined.
¶ その土地は*荒れている The land *lies neglected*. // その家は住む人もなく*荒れていた The house was unoccupied and *in disrepair*. // *荒れた (⇒ 放っておかれた) 庭 a *neglected* garden

3 《皮膚が》: chap (自); (手触りがざらざらになる) get rough; (荒れさせる) roughen (他).
¶ この洗剤を使うと手が*荒れますよ (⇒ 手を害するでしょう) This detergent will *harm* your hands.

4 《気持ち・生活などが》 ¶ 彼女は気持ちが*荒れている (⇒ 将来に希望がないと感じている) She feels her future is hopeless. // 彼は*荒れた生活をしている He is leading a ˹*wild* [(⇒ 不道徳な) *immoral*] life. // その会はちょっと*荒れた The party got a little *wild*. 《☞ すさむ》

アレルギー ― [名] allergy /ǽlədʒi/ [U] ★ 口語的に, 反感・毛嫌いの意味では [C]. ― [形] allergic /əlɚ́ːdʒɪk/.
¶ *アレルギー体質は遺伝する *Allergic* reactions tend to be inherited. // 私はある種の薬に*アレルギー(反応)を起こす I am *allergic* to some kinds of medicine. // 牛乳*アレルギーである have an *allergy* to milk // 花粉*アレルギーになる develop ˹a pollen *allergy* [an *allergy* to pollen] // 核*アレルギー a "nuclear *allergy*" ★ 英語としては一般的でないので,「いわゆる」という意味で引用符で囲む. 《☞ 引用符(号) (巻末)》 アレルギー性疾患 allergic disease [C] アレルギー性鼻炎 allergic coryza /kəráɪzə/ [U]

アレルギー反応 allergic reaction Ⓤ.

コロケーション
食物アレルギー a food *allergy* / ひどいアレルギー a severe *allergy* / 薬物アレルギー a drug *allergy*

アレルゲン 〘生化〙 allergen /ǽlərdʒèn/ Ⓤ.

アレンジ ―動 (編曲する) arrange ⑩. ―名 arrangement Ⓤ ★ 編曲した曲の場合は Ⓒ. ¶ピアノ曲をバイオリン用に*アレンジする *arrange* piano music for the violin // この物語は子供向きに*アレンジしたものだ This is a story ⌈*adapted* [*retold*] for young children. ★ 前者は子供に合うようにしたもの, 後者は子供向きに書き直したもの.

アレンジメント (準備) arrangements ★ 通例複数形で; (草・木の枝・葉・花等を配列すること, フラワーアレンジメント) arrangement Ⓤ ★ できあがった作品の場合は Ⓒ. ¶季節の花の*アレンジメントを楽しんでいる I'm enjoying myself *arranging* flowers of the season.

アロイ ―名 (合金) álloy Ⓤ. ―動 (合金にする) alloy … with ….

アロエ 〘植〙 aloe /ǽlou/ Ⓒ ★ 薬の意では通例複数形で単数扱い.

アローアンス, アローワンス ―名 (定期的な手当・支給金) allowance /əláuəns/ Ⓒ.

アロハシャツ Hawaiian shirt Ⓒ, aloha /əlóu-(h)ɑː/ shirt Ⓒ.

アロマ (芳香) aróma Ⓒ.

アロマテラピー (香水・香脂などを用いる療法) aròmathérapy Ⓤ.

アロワナ 〘魚〙 arowana Ⓒ ★ 南米の淡水魚.

あわ[1] 泡 (あぶくの1つ) bubble Ⓒ; (液体の表面, 特に海の) foam Ⓤ ★ bubble の集まったものが foam; (ビールや口元にできる) froth Ⓤ ★ foam と froth はしばしば交換して用いることができるが, foam のほうが上品な語; (ひげそりなどの) lather Ⓤ; (石けんの) suds ★ 単複両方に扱う. (☞ あわだつ).
¶大きな*泡ができて, すぐ消えた A big *bubble* formed and soon burst. // 彼は口から*泡を飛ばして怒った He *foamed* ⌈at the mouth [with anger]. // この石けんはよく*泡が立つ This soap *lathers* well.
泡を食う be confused (☞ あわてる; あたふた).

あわ[2] 粟 foxtail millet Ⓤ. ¶*粟粒 a grain of *millet*

アワー (時間・時間帯) hour Ⓒ.

アワード (賞・賞品) award /əwɔ́ːrd/ Ⓒ.

あわい 淡い (色が薄い) pale, light ★ pale はより薄い; (かすかな) faint. (☞ うすい; かすか). ¶*淡い望み[恋] a *faint* ⌈hope [love]

あわおどり 阿波踊り *awaodori*; (説明的には) a Bon Festival dance performed in Tokushima.

あわさる 合わさる (紙・板などが) be put together; (まぶたが閉じる) close ⓐ; (力などが結集される) be combined.

あわせ 袷 (裏のついた着物) lined kimono Ⓒ.

-あわせ …合わせ ¶本番の前に音*合わせをした (⇒リハーサルをした) We *rehearsed* before performing in front of an audience. // それは実に見事な語呂*合わせだ That's a very witty *pun*.

あわせかがみ 合わせ鏡 ―動 use two mirrors held against each other at an angle to see *one's* back. ―名 pair of mirrors (for seeing *one's* back) Ⓒ. ¶彼女は*合わせ鏡で帯をたしかめた She checked her obi ⌈with [using] a *pair of mirrors*.

あわせガラス 合わせガラス (有機質の膜を中間に挟んだガラス) laminated /lǽmənèitid/ gláss Ⓤ, sándwich glàss Ⓤ ★ 後者は俗称; (安全ガラス) sáfety glàss Ⓤ ★ 割れても飛び散らないことから. ただしこれは総称で, wíre glàss Ⓤ (間に金属網を入れたもの) なども含む.

あわせて 合わせて (全部で) in all; (みんな一緒にして) àltogéther; (合計で) all told. (☞ ごうけい; そうけい[1]). ¶*合わせて5千円です It's 5,000 yen ⌈*in all* [*altogether*]. / (⇒ 合計5千円に達する) It ⌈*totals* [*comes to*; *amounts to*] 5,000 yen.

あわせみそ 合わせ味噌 *awasemiso*; blend of several types of miso Ⓒ.

あわせもつ 併せ持つ (両者を持つ) have both … and …. ¶この家は鉄の強さと木のぬくもりを*併せ持っている This house *possesses both* the strength of iron *and* the warmth of wood.

あわせる[1] 合わせる, 併せる **1** «1つにする»: (重ね合わせる) put … together; (合計する) súm úp ⑩; (足す) add ⑩. ¶手を*合わせる *put one's* hands *together* // XとYを*合わせるとZになる If you *add* X and Y, you get Z.
2 «適合させる»: (正しくする) adjust ⑩; (調整して合わせる) set ⑩. (☞ あう[2]). ¶テストの前に時計を*合わせておきなさい You should *set* your watch to the right time before you take the exam. // ピントは*合わせましたか *Is* your camera *focused*? 語法 被写体がわかっていれば Is … in focus? とも言う. // ピアノに*合わせて歌う sing *to* a piano accompaniment
3 «照合する»: check ⑩ (☞ しょうごう[1]). ¶各自答えを*合わせなさい Please *check* your own answers.
合わせる顔がない ¶人に*合わせる顔がない I'm ashamed to be seen in public. / How can I face ⌈people [any one]? (☞ かおむけ)

あわせる[2] 会わせる let … see someone; (会うことを許す) allow … to see someone. ¶ぜひとも社長に*会わせて下さい Please *let* me *see* the president. / (⇒ 紹介して下さい) Please *introduce* me to the president. // 悪態をつくと痛い目に*会わせるぞ I'll *teach* you to call me names. ★ くだけた表現.

あわせわざ 合わせ技 (柔道で) double waza-ari Ⓒ.

あわただしい 慌ただしい ―形 (急いだ) hasty; (せきたてられた) hurried; (短時間の) quick; (ろうばいした) confused; (忙しい) busy; (せかせかした) bustling /bʌ́sliŋ/. ―副 in a hurry, in haste ★ 後者は文語的; hurriedly; confusedly /kənfjúːzɪd-li/. (☞ いそがしい; いそぎ). ¶彼はアメリカまで*あわただしい (⇒ 急ぎの) 旅をした He made a ⌈*hasty* [*hurried*; *quick*] trip to America. // 彼は*あわただしく部屋から出て行った He went out of the room *in a hurry*. // 政局が*あわただしくなった The political situation has become ⌈*unstable* [*confused*].

あわだちそう 泡立草 〘植〙 (アキノキリンソウ) goldenrod Ⓒ ★ セイタカアワダチソウとは違う.

あわだつ 泡立つ (ぶくぶくと) bubble ⓐ; (小さな泡がかたまりを作る) foam ⓐ, froth ⓐ ★ foam のほうが上品な語; (せっけんなどが) lather ⓐ. (☞ あわ[1]). ¶湯が煮たつと*泡立つ Boiling water *bubbles*.

あわだてき 泡立て器 (回転式の) (egg)beater Ⓒ; (針金をふくらませた形の) whisk Ⓒ.

あわだてる 泡立てる (卵を勢いよく) beat (up) ⑩; (卵・クリームをふんわりと) whip (up) ⑩; (石けん水・ビールなど液体を) froth (up) ⑩.

あわてふためく 慌てふためく be upset (☞ あわてる).

あわてもの 慌て者 (性急な人) bustling /bʌ́sliŋ/ [hasty] person Ⓒ; (軽率な人) careless person Ⓒ; (おっちょこちょい) scátterbràin Ⓒ.

あわてる 慌てる (まごつく) be confused; (どうしてよいかわからなくなる) be flurried; (ろうばいする) be flustered; (急ぐ) be ˹hurried [in a hurry]. (☞ まごつく; めんくらう; いそぐ).

¶ *慌てるな (⇒ のんきにかまえろ) *Take it easy.* // *慌てて (⇒ 急いでいたので) おつりをもらうのを忘れた *In my hurry*, I forgot to get the change. // 問題が多いので私は*慌てた (⇒ 多くの問題が私をまごつかせた) So many questions *confused* me. // 爆発音に私たちはすっかり*慌ててしまった (⇒ 爆発音が私たちを混乱させた) The explosion *threw* us *into confusion.* // 彼らは危機にあっても*慌てなかった (⇒ 冷静だった) They ˹*remained calm* [*kept their presence of mind*] even in the crisis. ★[ ] 内のほうが格式ばった言い方.

あわてんぼう 慌てんぼう ☞ あわてもの

あわび 鮑 〘貝〙 abalone /æbəlóuni/ Ⓒ.

あわもち 粟餅 millet cake Ⓤ.

あわもり 泡盛 *awamori* Ⓤ; Okinawan liquor distilled from rice Ⓤ ★ 2 つとも種類をいうときは Ⓒ.

あわや ¶ *あわやダンプと衝突というところで (⇒ 衝突の一瞬前に) 電車が止まった The train stopped ˹only [just] *a moment before* it was going to hit a dump truck. (☞ あやうく)

あわゆき 淡雪, 泡雪 light snow Ⓤ; (わずかな降雪) light snowfall Ⓒ; (薄い積雪) thin layer of snow Ⓒ; (卵白で作ったデザート用の菓子) snow Ⓤ.

あわよくば (もし可能なら) if possible; (運がよければ) if *one* is lucky; (もし物事がうまくゆけば) if things go well, if all goes well; (もし周囲の状況が許せば) if círcumstànces ˹allów [permít]; (もしわずかの幸運でもあれば) with a little bit of luck.

あわれ 哀れ — 名 (不幸な人に対する哀れみ) pity Ⓤ; (相手を助けたいという気持ちを含んだ同情) compassion Ⓤ ★ やや改まった語. — 形 (かわいそうな) poor Ⓐ ★ 最も一般的で平易な日常語; (哀れみを誘う) pítiable, pítiful ★ 後者のほうが意味が強い; (みじめな) míserable. (☞ かわいそう (類義語); いたましい; みじめ).

¶ 何という*哀れな子だろう What a *poor* child! // その孤児は私たちの*哀れを誘った The orphan aroused our ˹*pity* [*compassion*]. // 私はその子を*哀れに感じた I ˹had [took] *pity* on the child. // 彼らは*哀れな境遇にあった They were in a *pitiable* situation. // *哀れにも (⇒ かわいそうな) その子は父親の死を知らなかった The *poor* child knew nothing ˹of [about] ˹his [her] father's death.

哀れを催す — 形 (哀れみの情を起こさせる) pitiable, pitiful. ★ 前者は格式ばった語. — 動 (哀れみの情が起こる) be moved by compassion. ¶ *哀れを催す光景 a *pitiful* sight // 難民たちのひどい生活にいたく*哀れを催した I *felt* deep *compassion* for the refugees due to the harsh conditions of their lives.

あわれっぽい 哀れっぽい (声・音などが) plaintive, 《格式》 doleful. ¶ 子供の*哀れっぽい泣き声についほろりとした The *plaintive* crying of the child in the end touched my heart. // 彼は*哀れっぽい目つきをしていた He had a *doleful* look. // *哀れっぽい話 a *sad* story

あわれみ 哀れみ pity Ⓤ; compassion Ⓤ. (☞ あわれ; どうじょう[1] (類義語)).

あわれみぶかい 哀れみ深い — 形 (助けたい気持で) compássionate; (慈愛の気持で) merciful; (同情をこめて) sỳmpathétic (☞ おもいやり; なさけぶかい; どうじょう[1]). — 副 (哀れみ深く) compassionately; mercifully; (哀れみを持って) with compassion.

あわれむ 哀れむ (かわいそうに思う) pity ㊎, have [take] pity on ...; (ふびんに思う) feel pity for ...; (同情する) sympathize (with ...) ㊎; (慈悲をかける) have mercy on ... (☞ どうじょう[1] (類義語)).

あん[1] 案 (計画) plan Ⓒ; (思いつき) idea Ⓒ ★ 以上は平易な日常語で, 最も一般的; (提案) proposal Ⓒ; (具体的な計画) program (《英》 programme) Ⓒ; (実行可能か否か明らかではない計画) scheme Ⓒ; (大規模で具体的な企画) prójeсt Ⓒ. (☞ けいかく (類義語); きかく[1]). ¶ *案を立てる make a *plan* // それは私の*案ではありません That is not my ˹*idea* [*plan*]. // いい*案が浮かんだ I've come up with a good *idea.* // 彼女の*案はすぐに採択[拒絶]された Her ˹*plan* [*proposal*] was ˹adopted [rejected] on the spot.

案に相違して contrary to (*a person's*) expectations (☞ あんがい).

—コロケーション—

改革案 a reform *plan* / 急ごしらえの案 the last-minute *plan* / 具体案 a concrete *proposal* / 原案 a ground *plan* / 暫定案 a provisional *plan*; a tentative *proposal* / 事業案 a business *plan* / 代替案 an alternative ˹*proposal* [*plan*] / 大胆な案 an ambitious [a bold] *plan* / 妥協案 a compromise *proposal* / 腹案 a preconceived *plan* / よく練った案 a ˹well-laid [well-thought-out] *plan*

あん[2] 餡 bean paste Ⓤ.

あん[3] 庵 (いおり) hermitage Ⓒ; (人里離れたすみか) place of seclusion Ⓒ.

アン (女性名) Anne, Ann ★ 愛称は Annie.

あんい 安易 — 形 (安楽な) easy; (気楽な・のんきな) éasygóing; (行きあたりばったりの) háppy-gò-lúcky. (☞ あんちょく; あまい).

¶ 近ごろの若者は*安易な暮らしを求めがちだ Young people nowadays tend to want an *easy* life. // その問題は*安易に考えると失敗するよ If you regard the problem as *easy*, you may encounter ˹difficulties [difficulty]. // 君の態度はあまりにも*安易すぎる Your attitude is too ˹*easygoing* [*happy-go-lucky*].

あんいつ 安逸 — 名 (何もしないでぶらぶらしていること) idleness Ⓤ; (怠惰) 《格式》 indolence Ⓤ. — 形 idle; 《格式》 indolent. ¶ *安逸をむさぼる *idle away one's* time 語法 必ずしも悪い意味ではなく, 中立的な意味. / (⇒ のんびりした生活を楽しむ) enjoy a *carefree* life / (⇒ 静かな暮らしをする) enjoy [lead] a *peaceful* life

あんうん 暗雲 **1** 《黒い雲》: dark clouds ★ 複数形で. ¶ *暗雲が低く垂れこめ, 今にも雨が降りそうだった It was threatening to rain, with *dark clouds* hanging low.

2 《暗い情勢》 ¶ 戦争の急を告げる*暗雲がその国を覆い始めていた The *clouds* of war were gathering quickly over the country. // 新社長には敵が多く, 行く手には*暗雲が垂れこめている (⇒ 様々な困難が横たわっている) The new president has many enemies, and *various difficulties* lie in his way.

あんえい 暗影 (暗い影) (dark) shadow Ⓒ 語法 比喩的に不吉な前兆の意にもなる. その場合は shadow のみが普通. ¶ この事件は彼女の将来に*暗影を投げかけた This incident cast a *shadow* ˹on [over] her future.

あんか[1] 行火 Japanese foot warmer (put in the bed) Ⓒ ★ 説明的な言い方. ¶ 電気*あんか an electric *foot warmer*

あんか[2] 安価 — 形 (物が安い) cheap, low-priced, low in price; inexpensive ★ やや格式ばった語. (☞ やすい (類義語)).

アンカー (リレー競技の) ánchor(màn) Ⓒ, án-

chorpèrson Ⓒ.
アンカーマン (テレビなどの男のキャスター) ánchormàn Ⓒ 《複 -mèn》; (女の) ánchorwòman Ⓒ 《複 -wòmen》; (男女ともに) anchorperson Ⓒ.

あんがい 案外 ―副 (思いがけなく) unexpéctedly; (予想に反して) contrary to [against] (*a person's*) expectations; (驚いたことに) surprisingly, to *a person's* surprise. ―形 unexpected; surprising; (失望するような) disappointing. 《☞ いがい¹; おもいのほか; わりに; わりあい》.
¶結果は*案外よかった The result was ⌜*unexpectedly* [*surprisingly*] good. / (⇒ 期待していたよりよかった) The results were better *than* (*I had*) *expected.* ∥ *案外彼も信用できることがわかった *Contrary to* our *expectations*, he has proved himself trustworthy. ∥ 被害は*案外 (⇒ 恐れていたよりも) 少なかった The damage was less *than I had feared.* ∥ 彼は*案外 (⇒ あなたが思っているよりも) 頭がいい He is more intelligent *than you might think*.

あんかけ 餡掛け dish with *kudzu*-starch sauce Ⓒ ★「くず掛け」と同じ.

アンガス (男性名) Angus.

あんかっしょく 暗褐色 ―名 dark brown Ⓤ. ―形 dark brown.

アンカラ ―名 固 Ánkara /ǽŋkərə/ ★ トルコの首都.

アンカレッジ ―名 固 Anchorage /ǽŋkərɪdʒ/ ★ 米国アラスカ州の港湾都市.

あんかんと 安閑と ―副 (怠けて) idly; (何もしないで) in idleness. ―動 (怠けて過ごす) idle away 他. 《☞ なまける》. ¶私は青春時代を*安閑と過ごしてしまった I *idled away* my youth.

あんき 暗記 ―動 (そらで覚える) learn ... by heart; (意識的に記憶する) mémorize 他 ★ 以上 2 つは交換可能だが, 後者はやや改まった語. ―名 mèmorizátion Ⓤ. 《☞ きおく; おぼえる; まるあんき》.
¶テキストの地名と人名を*暗記する *memorize* the geographical and biographical names in the textbook / *learn* the geographical and biographical names in the textbook *by heart*
暗記物 (成績が暗記に左右される学問分野) academic area in which grades depend a lot on memorization Ⓒ ★ 説明的訳; (暗記を要する科目) subject needing memorizing Ⓒ **暗記力** (記憶力) memory Ⓒ. ¶*暗記力がいい have ⌜a good [an excellent] *memory* ∥ *暗記力が悪い have a ⌜poor [bad] *memory*

あんぎゃ 行脚 ―動 (修行のため徒歩で旅に出る) go on a walking tour for ascetic self-discipline; (巡礼する) go on a pilgrimage; (旅に出かける) go on a tour. 《☞ りょこう (類義語)》.
¶彼はよく講演*行脚に出かける He often *goes on* lecture *tours*.

あんきょ 暗渠 underground drain Ⓒ, culvert Ⓒ ★ 前者のほうが平易な表現.

アンクタッド UNCTAD /ʌ́ŋktæd/ ★ *U*nited *N*ations *C*onference on *T*rade *a*nd *D*evelopment (国連貿易開発会議) の略.

アングラ ―形 (秘密の・前衛的な) únderground. ¶*アングラ新聞[映画] an *underground* ⌜newspaper [movie]

アングラー (釣り人) angler Ⓒ.

あんぐり ¶彼は驚きのあまり口を*あんぐりあけ, 何も言わなかった He said nothing, *with his mouth* ⌜*wide open* [*agape*] in surprise. ∥ 彼は口を*あんぐりあけて私を見つめた He stared at me *open-mouthed.* 《☞ ぽかんと; 擬声・擬態語 (囲み)》.

アングル (角度) angle Ⓒ ★ 比喩的に「物事を見る角度」の意でも用いる. 《☞ かくど¹; かんてん¹》. ¶カメラ*アングル a camera *angle* ∥ 高い[低い]*アングルから(写真を)撮影する take a photograph from a ⌜wide [narrow] *angle* ∥ それは別の*アングルから考えて見る必要がある We should think about it from another ⌜*angle* [*viewpoint*]. ★ angle のほうがくだけた語.

アンクルサム Uncle Sam ★ *U*nited *S*tates をもじったもので, 米国政府や米国民の別称.

アンクルブーツ (足のくるぶしまでのブーツ) ánkle bòots Ⓒ ★ 通例複数形で.

アンクレット (足首の飾り輪) anklet Ⓒ.

アングロアメリカ ―名 固 Anglo-America ★ 主にアングロサクソン系が開拓した北アメリカ. ラテンアメリカと対比される. ―形 Anglo-American.

アングロサクソン (人) Anglo-Saxon Ⓒ ★ 形 としても用いる. ¶*アングロサクソン民族 the *Anglo-Saxon* race / the *Anglo-Saxons*

アンケート questionnaire /kwèstʃənéə/ Ⓒ
参考 「アンケート」は enquête というフランス語から.
¶私たちは家庭経済に関して 100 人に*アンケートを配った We sent out *questionnaires* on household expenses to a hundred people. ∥ *アンケートに記入する fill ⌜out [in] a *questionnaire*

あんけん 案件 (項目) item Ⓒ; (事柄) matter Ⓒ.

あんこう 鮟鱇 〘魚〙 angler Ⓒ, anglerfish Ⓒ, fishing frog Ⓒ.

あんごう 暗号 (文字単位で別の文字・符号などに置き換えたもの) cipher Ⓒ ★《英》では cypher とも綴る; (意味の単位で任意の文字・符号の連続に置き換えたもの) code Ⓒ; (暗号文) crýptogràm Ⓒ, crýptogràph Ⓒ; (合言葉) password Ⓒ. ¶だれもその*暗号を解読できなかった Nobody could ⌜decode [decipher /dɪsáɪfə/] the *cryptogram.* **暗号電報** coded message Ⓒ, code telegram Ⓒ **暗号文字** cipher Ⓒ, code word Ⓒ.

あんこうしょく 暗紅色 ―名 crimson /krímzn/ Ⓤ, dark [deep] red Ⓤ. ―形 crimson, dark [deep] red.

アンコール encore /ɑ́ːnkɔə/ Ⓒ. ¶彼は*アンコールにこたえて 5 曲演奏した He ⌜gave [played] five *encores*.

アンコールトム ―名 固 Angkor Thom ★ カンボジアのクメール人の王城遺跡. 9 世紀建造.

アンコールワット ―名 固 Angkor ⌜Wat [Vat] ★ カンボジアの石造寺院遺跡. 12 世紀の建造.

あんこく 暗黒 ―名 (暗やみ) darkness Ⓤ. ―形 dark; (真っ暗な) pitch dark. 《☞ くらやみ; まっくら》.
暗黒街 the underworld Ⓒ 語法 the を付けて. **暗黒時代** dark ages; (ヨーロッパ中世の) the Dark Ages ★ いずれも複数形で.

アンゴラ¹ ―名 固 Angóla; (正式名; アンゴラ人民共和国) the People's Republic of Angola. ―形 (アンゴラの) Angolan. **アンゴラ人** Angolan Ⓒ.

アンゴラ² (アンゴラウール) angóra Ⓤ ★ アンゴラやぎ[うさぎ]の毛.

あんころもち 餡ころ餅 rice cake covered with sweet bean paste Ⓒ.

あんざいしょ 行在所 temporary imperial palace Ⓒ ★ 天皇の旅先での仮の御所.

アンザス ANZUS /ǽnzəs/ ★ *A*ustralia, *N*ew *Z*ealand, and the *U*nited *S*tates Treaty の略. 「オーストラリア, ニュージーランド, アメリカ合衆国協定」または「太平洋安全保障条約」, 1951 年締結.

あんさつ 暗殺 ―動 assássinàte 他. ―名 assàssinátion Ⓤ. 《☞ ころす》. ¶ケネディ大統領は 1963 年に*暗殺された President Kennedy *was as-*

sassinated in 1963. 暗殺者 assássin Ⓒ.

あんざん¹ 暗算 ―名 méntal ˹aríthmètic [càlculátion] Ⓤ. ―動 calculate [do sums] ˹mentally [in *one's* head]. ¶私はその答えを*暗算で出した I worked out the answer by *mental* ˹*arithmetic* [*calculation*]. // *暗算で計算してごらんなさい *Do* these *sums in your head.*

あんざん² 安産 easy ˹delivery [birth] Ⓒ《☞ おさん》.

あんざんがん 安山岩 andesite /ǽndɪzàɪt/ Ⓤ.

アンサンブル ensemble /ɑːnsɑ́ːmbl/ Ⓒ《☞ がっそう》.

あんじ 暗示 ―動(それとなく言う) suggest ㊗; hint ㊗; imply ㊗. ―名 suggestion Ⓤ; hint Ⓒ; (それとなく示す意味)《格式》 implication Ⓒ. ―形(暗示的な) suggestive.

【類義語】ある情報を与えてそこから相手が思いつくようにするのが ***suggest***. 相手が何のことかはっきりわかるように遠回しに言うのが ***hint***. それと明示しないが, 相手が察することのできるようにほのめかすのが ***imply***. *imply* と *suggest* は交換して用いることのできる場合が多い.《☞ ほのめかす; におわす》

¶彼はその秘密を知っていると*暗示した He ˹*hinted* [*gave a hint*; *dropped a hint*] that he knew the secret. // 私は*暗示にかかりやすい I'm ˹easily [readily] ˹influenced by [susceptible to] *suggestion*.

暗示療法 suggestion therapy Ⓒ.

アンシア (女性名) Anthea /ǽnθiə/.

アンジェラス 〖カトリック〗(お告げの祈り) the ˹angelus [Angelus] ★ 天使による聖母マリアの受胎告知を記念する祈り. 朝, 昼, 夕の3回行われる. アンジェラスの鐘 ˹angelus [Angelus] (bell) Ⓒ.

アンジェリカ 〖植〗 angelica /ændʒélɪkə/ Ⓒ.

アンジェリコ ☞ フラアンジェリコ

あんししょく 暗紫色 ―名形 dark purple ★ 名 では Ⓤ.

あんしそうち 暗視装置 night-vision optical instrument Ⓒ, (infrared) noctovision device Ⓒ ★ 赤外線利用で暗闇でも物が見える装置.

あんしつ 暗室 darkroom Ⓒ.

あんしやけんびきょう 暗視野顕微鏡 (限外顕微鏡) ultramicroscope Ⓒ.

アンシャンレジーム (旧体制) ancien régime /àːnsjænreɪʒíːm/《複 anciens régimes /―/》★ フランス語. 英訳は the ˹old [former] Establishment.

あんじゅ 庵主 master [(女) mistress] of a Buddhist hermitage Ⓒ.

あんじゅう 安住 ―動(平和に暮らす) live ˹in peace [peacefully]《☞ ち²; ていじゅう》.

あんしゅつ 案出 ―動(考案する) devise ㊗; (工夫する) contrive ㊗ ★ 以上2語はやや格式ばった語; (考え出す) think [work] out ㊗; (発明する) invent ㊗. ―名 contrivance Ⓤ ★ やや格式ばった語; invention Ⓤ.《☞ こうあん¹; かんがえだす》.

あんしゅ(れい) 按手(礼) 〖キ教〗 imposition of hands Ⓤ ★ 司祭が信者の頭に手を置いて祈ること. 具体的な動作をいうときは Ⓒ.

あんしょう¹ 暗礁 (岩礁) rock Ⓒ; (海面近くの一群の岩) reef Ⓒ; (行き詰まり) deadlock Ⓒ.《☞ のりあげる; ざしょう》. ¶その船は*暗礁に乗り上げた The ship ˹struck [went on; ran on] a *rock*./ The ship was stranded on a *reef*. // 会議は*暗礁に乗り上げてしまった (⇒ 行き詰まった) The meeting ˹has come to a *deadlock* [has reached a *deadlock*; is *deadlocked*].

あんしょう² 暗唱 ―動(詩などをそらで言う) recite ㊗; (覚えたことをそらで言う) say ... by heart, repeat ... from memory. ―名 recitation Ⓤ.

あんしょう³ 暗証 code Ⓒ. 暗証番号 (銀行通帳などの) personal identification number Ⓒ ★ 略 PIN.

あんじょう 鞍上 鞍上人なく鞍下(あんか)馬なし (人馬一体となった巧みな馬の乗りこなし) ―動 ride as one with *one's* horse.

あんじる 案じる worry [be worried] ˹about [over] ...《☞ あんずる; しんぱい》.

あんしん 安心 ―名(心の安らぎ) peace of mind Ⓤ; (安全) security Ⓤ, safety Ⓤ; (信頼) cónfidence Ⓤ; (ほっとすること) relief Ⓤ. ―動(ほっとする) feel ˹easy [assured; relieved]; (安心して任せる) trust ㊗. ―形(安全な) safe; (安心させるような) rèassúring.《☞ ほっと; あんぜん》.

¶近づく試験のことを考えると*安心していられない The thought of the coming exam ˹disturbs my *peace of mind* [*worries* me; *troubles* me]. ★ [ ] 内のほうが口語的. // この部屋にいれば*安心だ I feel ˹*secure* [*safe*] in this room. // 目的地に着いて一*安心した (⇒ ほっとした) Having reached my destination, I ˹*felt* [*was*] *relieved*. // 彼なら*安心してその仕事を任せることができる We can *trust* him to do the job. // 敵は行ってしまった. もう*安心だ (⇒ 危険から脱した[安全だ]) The enemy is gone. We *are* ˹*out of danger* [*safe*] now. // 家族は皆無事で一*安心でした *To my great relief*, my family ˹were [was] all safe. // 彼女の手紙を見てやっと*安心した (⇒ 彼女の手紙が私の気を楽にさせた) Her letter ˹*put* [*set*] *me at ease*. / I *was relieved* to see her letter.

安心感 a sense of security /sɪkjú(ə)rəti/ ★ 通例 a を付けて.

あんじんりゅうめい 安心立命 ―名 peace of mind that nothing can disturb Ⓤ. ―動 acquire peace of mind, through religious practice, that nothing can disturb.

あんず 杏子 〖植〗(実および木) ápricòt Ⓒ.

あんずる 案ずる (気をもむ) worry [be worried] ˹about [over] ...; (やきもきする) be anxious (about ...); (危ぶむ) fear ㊗.《☞ しんぱい》.

¶*案ずるより産むがやすし (⇒ 何かをやってみると思っていたより易しいことがある) When you try something it is sometimes easier than *expected*. // それは*案ずるよりも産むがやすしだった (⇒ 考えていたよりも易しかった) It was easier than I (*had*) *thought*.

あんせい¹ 安静 ¶病人は1週間の絶対*安静 (⇒ 完全な休養) を必要としている The patient needs complete *rest* for a week.

あんせい² 安政 安政の大獄 the Ansei Purge; (説明的には) Tokugawa purge of royalist sympathizers during the Ansei era (1854–60).

アンセム (賛歌) anthem Ⓒ ★ national anthem で「国歌」.

あんぜん¹ 安全 ―名(危険のないこと) safety Ⓤ; (危険から守られていること) security Ⓤ ★ 後者は特に攻撃・干渉などからの安全. ―形 safe; secure; (危険から逃れている) free from danger. ―副 safely, in safety; securely.《☞ あんしん; ぶじ》.

¶*安全な場所 a *safe* ˹place [area] / a *safe* spot / a place *free from danger* // ここなら*安全だ (⇒ 危険はない) You are ˹*safe* [*secure*] from danger here. // 彼らは*安全に海峡を渡ることができた They crossed the channel ˹*in safety* [*safely*].

安全運転 safe driving Ⓤ;《標語》(安全に運転せよ) Drive safely. 安全かみそり sáfety razor /réɪzə/ Ⓒ 安全ガラス safety glass 安全管理 (危険を防止する管理) safety management Ⓤ; (盗難などを防止する管理) maintenance of security Ⓤ 安全週間 Safety Week 安全性 safety Ⓤ 安全装置 safety device Ⓒ; (エレベーター・銃などの) safety catch Ⓒ. ¶ *安全装置をかけた銃 a gun *on safety* 安全第一 Safety First 安全地帯 safety zone Ⓒ; (道路中央の一段高くなった) safety island Ⓒ 安全灯 (坑夫などの) safety lamp Ⓒ 安全ピン safety pin Ⓒ 安全ベルト safety belt Ⓒ; (乗り物の座席の) seat belt Ⓒ 安全弁 safety valve Ⓒ 安全保障 secúrity Ⓤ. ¶ 日米*安全保障条約 the Japan-U.S. *Security* 「Treaty [Pact] // *安全保障理事会 the *Security* Council 安全ランプ ☞ 安全灯

あんぜん² 暗然 ―形 (暗い・陰うつな) gloomy; (悲観的な) pessimistic. 《☞ くらい¹》. ¶ *暗然たる気持ちになる feel *gloomy* (about ...)

あんそく 安息 (休息) rest Ⓤ; (心静かな休養) 《格式》 repose Ⓤ.

あんそくび 安息日 the Sabbath (day) ★ the を付けて. 参考 ユダヤ教では土曜日, キリスト教では日曜日.

アンソロジー (文学作品などの) anthology Ⓒ.

あんだ 安打 〔野〕 ―名 (base) hit Ⓒ, safety Ⓒ ★ シングルヒットとは限らない; (シングルヒット) single Ⓒ. ―動 hit ⊕; single ⊜. 《☞ ヒット》. ¶ 彼は2*安打に抑えた He held them to two *hits*.

アンダーウェア (下着類) únderwèar Ⓤ, underclothes ★ 複数形で. 《☞ したぎ》.

アンダーグラウンド ―名 úndergròund Ⓤ. ―形 úndergròund, subterranean /sʌ̀btəréɪniən/ 語法 いずれも通例 Ⓐ. 後者のほうが格式ばった語. 前者は比喩的に「秘密の・隠れた」の意でも用いる. ―副 underground. 《☞ ちか¹; ちちゅう》.

アンダーシャツ (1枚の肌着) úndershìrt Ⓒ, 《英》 vest Ⓒ; (下着類) únderwèar Ⓤ. 《☞ シャツ》.

アンダースロー 〔野〕 ―名 únderhànd [únderàrm] thrów Ⓒ. ―形副 únderhànd. ¶ ピッチャーは*アンダースローでボールを投げた The pitcher threw the ball *underhand*.

アンダーパー ―副 〔ゴルフ〕 ùnder pár.

アンダーハンド ―形 副 〔球〕 underhand (↔ overhand), underarm.

アンダーライター 〔保・証券〕 (保険業者・証券引受業者) únderwrìter Ⓒ.

アンダーライン ―名 (下線) únderlìne Ⓒ; (下線を引くこと) underlining Ⓤ. ―動 underline ⊕ ⊜. 《☞ かせん¹; 巻末》.

あんたい 安泰 ―形 (安全な) safe; (攻撃などから守られて) secure. ―動 (安全に確保する) secure ⊕. 《☞ あんぜん》. ¶ これで会社での彼女の地位も*安泰だ (⇒ 地位を確保した) Now she *has secured* her position in the company.

アンタイドローン 〔経〕 (無条件の貸付け金) untied loan Ⓒ.

アンタゴニスト (敵対者) antágonist Ⓒ.

アンタゴニズム (敵対) antágonism Ⓤ.

アンタッチャブル ―名 (インドの不可触民) untouchable Ⓒ. ―形 untouchable.

アンダルシア ―名 固 Andalusia /æ̀ndəlúːʒiə/ ★ スペイン南部の地方.

あんたん 暗澹 ―形 (暗い) dark; (憂うつな) gloomy; (希望の持てない) hopeless. 《☞ ゆううつ》.

アンダンテ 〔楽〕 ―副 (ゆっくりと) andánte ★ 形 としても, また楽章や曲の意で 名 Ⓒ としても用いる.

あんち 安置 ―動 (ある場所に置く) place ⊕; (次の段階の準備のために置く) lay (out) ⊕. ¶ 観音像は本堂の奥に*安置されている An image of Kannon *is placed* in the back of the inner temple. // 犠牲者の遺体は学校の講堂に*安置されている The bodies of the victims *are laid* (*out*) in the school auditorium. // 国王のひつぎは大寺院に*安置された The coffin of the king 「*was laid* [*lay*] *in state* in the Abbey. ★ lay ... [lie] in state は告別のために安置する意. // 遺体*安置所 a *mortuary* ★ 病院などの霊安室.

アンチテーゼ antithesis /æntíθəsɪs/ Ⓒ 《複 antitheses /-sìːz/》 ★ 日本語の「アンチテーゼ」はドイツ語の antithese に由来する.

アンチモン 〔化〕 antimony Ⓤ 《元素記号 Sb》.

あんちゅうもさく 暗中模索 ―動 (手探りで進む) grope *one's* way; (...を手探りで捜す) grope for ...; (暗がりの中で手探りする) grope in the dark (for ...) ★ 以上いずれも比喩的な意味で. 《☞ もさく; てさぐり》.

あんちょく 安直 ―形 (たやすい) easy; (簡単な) simple; (安っぽい) cheap. 《☞ あんい; かんたん¹》.

あんちょこ (解答集) key Ⓒ; (とらの巻) crib Ⓒ, 《米略式》 pony Ⓒ. 《☞ とらのまき》.

アンチョビ 〔魚〕 ánchovy Ⓒ.

あんちんきよひめ 安珍清姫 ―名 固 Legend of the Priest Anchin and the Maiden Kiyohime. (Kiyohime falls desperately in love with Anchin. When he flees she turns into a great serpent and pursues him to the temple Dojoji. The story was adapted for the Noh stage.)

アンツーカー ―形 (全天候型の) all-weather ★「アンツーカー」はフランス語の en tout cas から. ¶ *アンツーカーのトラック[テニスコート] an *all-weather* 「track [tennis court]

あんてい 安定 ―名 (ぐらつかないこと) stability Ⓤ; (一定不変) steadiness Ⓤ; (均衡) balance Ⓤ; (平衡状態) 《格式》 equilibrium /ìːkwəlíbriəm/ Ⓤ. ―形 stable; steady. ―動 (安定させる) stabilize ⊕; (釣り合わせる・釣り合う) balance ⊕ ⊜. 《☞ きんこう¹; ふあんてい》. ¶ その国はまだ経済的に*安定していない The nation has not yet attained economic *stability*. // 彼は*安定した収入がある He has a *steady* income. // どうやら生活の*安定を得た (⇒ そこそこの生活費を確保した) I *have* somehow *secured* a decent living. // 物価の*安定 price *stability* 安定感 stabílity Ⓤ 安定剤 ☞ せいしん¹ (精神安定剤) 安定成長 stable growth Ⓤ.

アンティーク (骨董品) antique /æntíːk/ Ⓒ 参考 アメリカの関税法によれば, 購入時より100年以上前のものとされている. 日英比較 英語では 形 としても用いられる. 《☞ こっとう》.

アンティクライマックス (尻すぼみ・竜頭蛇尾) ànticlímax Ⓒ.

アンティショック ―名 antishock Ⓤ. ―形 antishock. ★ 振動, 衝撃によって故障を起こさない(こと).

アンティロマン ―名 (反小説) anti-romance Ⓒ, anti-novel Ⓒ. ―形 anti-romance. ★ 伝統的な小説の概念を破る手法の小説. 1950年代より.

アンデス ―名 固 the Andes /ǽndiːz/ ★ the を付けて複数形で. 南米西部の大山脈.

アンテナ anténna Ⓒ, aerial /é(ə)riəl/ Ⓒ. ¶ *アンテナを立てる set up an *antenna* // *アンテナを張る extend an *antenna* // 室内*アンテナ an indoor *antenna*

アンデパンダン ―名 (独立美術家協会) Indépendants /æ̀ndeɪpɑːndɑ́ːŋ/ ★ フランス語. 正式名は la Société des Artistes Indépendants. アンデパンダン展 le Salon des Indépendants ★ フランス語. 19世紀末より官展に反対して開かれる, 無審査, 無賞の美術展.

アンデルセン ―名 固 Hans Christian Andersen, 1805–75. ★ デンマークの童話作家, 詩人.

アンテロープ 〔動〕 (羚羊(れいよう)) ántelòpe Ⓒ.

あんてん 暗転 ―動 ((比喩的に) 悪化する) worsen ⊜, get worse; (悪い方へ変わる) take a turn for the worse. ── 名〘劇〙(場面を変えるなどのために舞台を暗くすること) bláckòut Ⓒ.

あんど 安堵 ── 名 (ほっとすること) relief Ⓤ. ── 動 (ほっとする) feel relieved. (☞ ほっと). ¶ 彼は*安堵の胸をなでおろした (⇒ ほっとした) He *felt relieved.* / (⇒ 心を落ち着けることができた) He could set his mind *at rest.*

あんとう 暗闘 secret feud Ⓒ; (内紛) infighting Ⓤ.

アンドゥー 〘コンピューター〙 ── 名 ùndóing Ⓤ ★ 処理を取り消して処理前の状態に戻すこと. ── 動 (アンドゥーする) ùndó 他.

あんどうひろしげ 安藤広重 ── 名 固 Ando Hiroshige also known as Utagawa Hiroshige (☞ うたがわひろしげ).

アントニー (男性名) Anthony /ǽntəni/, Antony /ǽntəni/ ★ 愛称は Tony /tóuni/.

アントニム (反意語) antonym Ⓒ (↔ synonym).

アンドラ ── 名 固 Andórra ★ スペインとフランスの国境にある国.

アンドルー (男性名) Ándrew ★ 愛称は Andy.

アントレ 〘料理〙 entrée /ɑ:ntréɪ/ Ⓒ ★ フランス語より. 《米》では食事の主要料理, 《英》では dinner で魚と肉の料理の間で出す料理をいう.

アントレプレナー (ベンチャー企業家) entrepreneur /ɑ̀:ntrəprənə́:/ Ⓒ ★ フランス語から.

アンドロメダ 〘天〙 Andrómeda (☞ せいざ (表)). アンドロメダ銀河 the Andromeda Galaxy ★ the を付けて.

あんどん 行灯 lamp in a box frame with a paper shade Ⓒ.

あんどんくらげ 行灯水母 〘動〙 box jellyfish Ⓒ.

あんな (そのような) such; (あれ・あの) that; (その種の) that ˹sort [kind] of ... ★ sort のほうがくだけた語. (☞ そんな; こんな; あれほど).
¶ *あんなうわさには耳を貸すな Pay no attention [Don't listen] to *such* a rumor. // *あんな本で役に立つのかい Is *that* book of any use to you? 語法 この that の使い方には軽蔑・怒りなどの感情が含まれることがある. // *あんな人とは付き合いたくない I don't want to be friends with *that* ˹*sort* [*kind*] *of* person.

アンナ (女性名) Anna /ǽnə/ ★ 愛称は Annie, Nan, Nannie, Nancy.

あんない 案内 ── 名 (導くこと) guidance Ⓤ; (招待) invitation Ⓤ ★「招待状」の意では Ⓒ; (通知) notice Ⓒ. ── 動 guide 他; (連れて回る) take ... around; (場所に案内する) show 他; (劇場などで係が) usher /ʌ́ʃə/ 他 ★ やや格式ばった語.
¶ 解説係の*案内で私たちは博物館を見学した The docent *guided* us through the museum. ★ docent は美術館, 博物館などのガイド. // お客様を応接間へご*案内して下さい Please *show* the guests *into* the drawing room. // 学校の中をご*案内しましょう I'll *show* you *around* the school. // 結婚式の*案内 a *letter of invitation* [an *invitation*] to the wedding
案内係 (劇場などの) úsher Ⓒ ★ 女性の場合は ùsherétte Ⓒ を用いることもある; (ホテル・デパートなどの) information desk clerk Ⓒ　案内広告 classified ˹ad [advertisement] Ⓒ　案内者 ☞ 案内人　案内書 guide Ⓒ, guidebook Ⓒ. (☞ ガイドブック)　案内所 information ˹desk [bureau; office] Ⓒ; (掲示) Information　案内状 invitation Ⓒ; (葉書の) invitation card Ⓒ; (手紙の) letter of invitation Ⓒ　案内図 map Ⓒ; (道案内板) (informational) signboard Ⓒ　案内人 guide Ⓒ (☞ 案内役)　案内役 (一般的には) guide Ⓒ; (見学などの) tour conductor Ⓒ.

あんなに ☞ あれほど

アンナプルナ ── 名 固 Annapurna ★ ネパール, ヒマラヤ山脈の中の山塊.

あんに 暗に ── 副 (はっきり述べず暗示的に) implícitly; (遠回しに) indiréctly. ── 形 implicit; indirect. (☞ それとなく; ほのめかす; あんじ). ¶ 彼は*暗に金を要求した He ˹made an *indirect* request [*indirectly* asked] for money.

アンニュイ (倦怠) ennui /ɑ:nwí:/ Ⓤ (☞ けんたい; たいくつ).

あんにんどうふ 杏仁豆腐 Annin-dofu Ⓤ; (説明的に) a Chinese dessert dish of powdered and jellied apricot kernels with fruits.

あんねい 安寧 (平和) peace Ⓤ; (治安・秩序) order Ⓤ. (☞ ちつじょ; へいわ).
¶ 国家の*安寧を乱す *throw* [*put*] the whole country *into disorder* / disturb *peace and order* of a country // 社会の*安寧を守る maintain *peace and order* of society

アンネのにっき アンネの日記 ── 名 固 (英訳書名) (*Anne Frank:*) *The Diary of a Young Girl, The diary of Annne Frank.* (☞ アンネ フランク).

アンネ フランク ── 名 固 Anne Frank, 1929–45. ★ ユダヤ系実業家の娘. ナチスの強制移送を逃れるためアムステルダムで屋根裏に潜んでいる間に書いた日記が死後出版された.

あんのじょう 案の定 (思っていたとおり) as (was) expected, as *a person* (had) ˹expected [feared] 語法 fear は結果がよくないときに用いる; (やっぱり) 《略式》 sure enough. (☞ はたして). ¶ *案の定 (⇒ 恐れていたように), 計画は失敗に終わった *As we* (*had*) *feared,* the scheme ended in failure.

あんのん 安穏 ── 形 (平和な) peaceful; (平穏な) quiet; (安らかな) restful. ── 副 peacefully, in peace; quietly; restfully. (☞ へいわ; おだやか).

あんば 鞍馬 (種目) the ˹《米》 side [《英》 pommel] horse; (器具) 《米》 side [《英》 pommel] horse Ⓒ.

アンバー (こはく色・黄色) amber Ⓤ.

あんばい 塩梅 ¶ よい*あんばいに (⇒ 運よく) 雨が上がった *Fortunately* it has stopped raining. // この*あんばいでは (⇒ この調子では) 仕事はきょう中に終わるまい *At this rate,* we can't finish the work today, ˹I'm afraid [I fear]. (☞ ぐあい)

アンパイア (野球の) úmpire Ⓒ 参考 umpire は野球のほかにクリケット・バレーボール・テニス・バドミントン・卓球などの審判. (☞ しんぱん¹).

あんばこ 暗箱 (写真では) camera obscura Ⓒ; (電子工学) black box Ⓒ.

アンバサダー (大使) ambássador Ⓒ.

アンバランス ── 名 ìmbálance Ⓤ 日英比較 英語の unbalance は本来 動 であり, 日本語のアンバランスに相当する 名 は imbalance. ── 形 imbalanced, unbalanced. (☞ ふきんこう; ふつりあい).

あんパン 餡パン bean-paste bun Ⓒ.

あんぴ 安否 (安全) safety Ⓤ (☞ あんぜん; ぶじ).
¶ 台風があったので, 姉の家族の*安否が気遣われる I'm concerned about the *safety* of my sister's family because a typhoon hit the district she lives in. // 私は彼の*安否 (⇒ 暮らしぶり) が知りたい I'd like to know *how he is getting along.*

アンビギュイティー (あいまいさ) àmbigúity Ⓤ.

アンビシャス ── 形 (大望を抱いている) ambítious ★ 1876 (明治 9) 年に来日し, 1 年で離日したクラーク (William S. Clark) という当時の札幌農学校 (後の北海道大学) の米人教師の残した「少年よ, 大志を抱け」(Boys, be ambitious.) という言葉で知られる. 語法 英語の ambitious はときに軽蔑的に「野心のある」の意で使われる.

アンビバレンス (どっちつかずの状態;〘心〙両面価値) ambívalence Ⓤ ★ 同一物に対して愛と憎しみを同時に持つような, 相反する感情を持つこと.
アンビュランス (救急車) ámbulance Ⓒ.
アンビリーバブル (信じられない・驚くべき) unbelievable 《☞ まさか》.
あんぷ 暗譜 ―動 memorize 「scores [music] 《☞ がくふ》. ¶ *暗譜で演奏する (⇒ 記憶で) play from *memory*
アンプ (増幅器) ámplifier Ⓒ, 《略式》amp Ⓒ.
アンフェア ―形 (公正でない) unfair; (不当な) unjust. ―副 unfairly; unjustly. 《☞ ふこうへい; ふとう¹》.
アンプル (注射用の) ampoule Ⓒ, ampul(e) Ⓒ ★ 発音はいずれも /ǽmp(j)uːl/.
アンブレラ (洋傘) umbrélla Ⓒ.
アンプロンプテュ (即興曲[詩]) impromptu /ɪmprɑ́m(p)t(j)uː/ Ⓒ.
あんぶん 案分 ―動 divide ... proportionally. ―名 proportional division Ⓤ. **案分比列** (比例配分) proportional distribution Ⓤ.
アンペア ampere /ǽmpɪə/ Ⓒ 《略 a, A, amp.》; (アンペア数) amperage /ǽmp(ə)rɪdʒ/ Ⓤ. ¶ 20*アンペアの電流 an electric(al) current of 20 「*amperes* [*amps*]
あんぽじょうやく 安保条約 (安全保障条約) security 「treaty [pact] Ⓒ 《☞ じょうやく》. ¶ 日米*安保条約 the Japan-U.S. *Security* 「*Treaty* [*Pact*] 《☞ あんぜん》
あんぽり 安保理 the (United Nations) Security Council 《☞ こくれん》.
あんぽんたん (お人よし, 間抜け) simpleton Ⓒ; (ばか者) stupid Ⓒ; (大あほう) blockhead Ⓒ ★ 大体同じ意味だが, 後の方ほどきつい言葉となる.
あんま 按摩 ―名 (行為) massage /məsɑ́ːʒ/ Ⓤ; (男の) masseur /mæsə́ː/ Ⓒ; (女の) masseuse /mæsə́ːz/ Ⓒ. ―動 massage ⊕.
あんまく 暗幕 blackout curtain Ⓒ.
あんまり **1** «度を過ぎてひどいこと» ―形 (不当な) unreasonable 《☞ ひどい; あまり²》.
¶ 彼の要求は*あんまりだ His demand is *unreasonable*. / He is demanding *too much*. // あんなふうに彼女に言うとは*あんまりだ (⇒ 残酷だ [無情だ, 思いやりがない]) It was 「*cruel* [*heartless*; *inconsiderate*] of you to speak to her in that way.
2 «非常に»: (あまりにも) too much; (過度に) excessively. 《☞ あまり²》.
あんまん 餡饅 bean-paste bun Ⓒ; (説明的には) bun filled with sweetened bean paste Ⓒ.
アンマン ―名 ⊚ Amman /ɑːmɑ́ːn/ ★ ヨルダンの首都.
あんみつ 餡蜜 bowl of bean jam, cubes of agar jelly and pieces of fruit with syrup poured over the top Ⓒ ★ 説明的な訳.
あんみん 安眠 ―名 a 「sound [good; restful; quiet] sleep ★ a を付けて. ―動 sleep 「well [quietly; in peace; soundly]. 《☞ ねむる; じゅくすい; ぐっすり》. ¶ 昨夜は*安眠できた I had *a* 「*good* [*sound*] *sleep* last night. / I *slept well* last night. // その騒音で*安眠できなかった (⇒ 騒音が私の睡眠を妨害した) The noise disturbed my *sleep*.
安眠妨害 sleep disturbance Ⓤ.
アンメーター (電流計) ammeter /ǽmìːtə/ Ⓒ.
あんもく 暗黙 ―形 (明示しないが暗に含まれた) implícit; (言葉に表さない) tácit 〔語法〕 以上の2語は交換して用いることができるが, tacit は特に了解・合意などに用いられることが多い; (口に出さない) unspoken. ―副 implicitly; tacitly.
¶ 私たちにはお互いに*暗黙の了解があった We had [There was] 「an *unspoken* agreement [a *tacit* understanding] between us. / We 「*implicitly* [*tacitly*] agreed. ★ 第 2 文のほうが口語的.
アンモナイト 〘古生物〙 ámmonìte Ⓒ.
アンモニア 〘化〙 ammónia Ⓤ.
あんや 暗夜 (暗い夜) dark night Ⓒ; (月のない夜) moonless night Ⓒ.
あんやく 暗躍 ―名 (秘密工作) secret 「maneuver [《英》 manoeuvre /mənúːvə/] Ⓒ. ―動 (内密に行動する) maneuver [《英》 manoeuvre] secretly ⊜; (舞台裏で行動する) act behind the scenes; (陰で操る) pull the strings.
あんゆ 暗喩 ―名 métaphòr Ⓤ ★ 個々の事例は Ⓒ. ―形 metaphorical. 《☞ 比喩 (巻末)》.
あんよ ―名 (足の幼児語) tootsy Ⓒ, tootsie Ⓒ. ―動 (幼児がぎこちなく歩く) toddle ⊜.
あんらく 安楽 ―名 (気苦労がなく満ち足りた状態) cómfort Ⓤ; (気楽) ease Ⓤ. ―形 cómfortable; easy; (居心地のよい) cozy. ―副 comfortably. 《☞ きらく》.
¶ 老夫婦は*安楽な暮らしをしていた The old couple lived 「*in comfort* [*comfortably*]. / The old man and his wife had 「a *comfortable* [an *easy*] life.
安楽いす easy chair Ⓒ 《☞ いす² (挿絵)》
安楽死 mercy killing Ⓤ, euthanasia /jùːθənéɪʒ(i)ə/ Ⓤ. ★ 後者は専門用語.
アンラッキー ―形 (不運な) unlucky 《☞ ふうん》.
あんりょくしょく 暗緑色 dark green Ⓤ.
あんろくざん 安禄山 ―名 ⊚ An Lu-shan, 705–757. ★ 中国, 唐代の節度使. 安禄山の乱を起こすが敗れて死す.

い, イ

い¹ 胃 ―名 stomach /stʌ́mək/ Ⓒ. ―形 (胃の・胃部の) gastric Ⓐ. 《☞ ないぞう¹ (挿絵); おなか》. ¶*胃が痛い I have a *stomachache.* / My *stomach* ˹aches [hurts]. // 食べすぎで*胃がおかしかった I ˹ate too much [overate], and my *stomach* felt bad. // このごろ*胃の調子がよくない (⇒ ずっと胃の不調をわずらっている) I have been suffering from a *stomach* disorder. // 彼は*胃が丈夫だ [弱い] (⇒ 彼は丈夫な [弱い] 胃を持っている) He has a ˹strong [weak] *stomach.* // 私は 1 日にコーヒーを何杯も飲むと*胃をこわす (⇒ 数杯のコーヒーを飲むことが私の胃をこわす) Drinking several cups of coffee in one day upsets my *stomach.*

胃アトニー gástric atony /ǽtəni/ Ⓤ **胃液** the gastric juices; (消化液) digestive juices **胃炎** gastritis /gæstráɪtɪs/ Ⓤ **胃かいよう** gástric ulcer /ʌ́lsə/ Ⓒ **胃拡張** gástric ˹dilatation /dìlətéɪʃən/ [dilation /daɪléɪʃən/] Ⓤ, dilatation [dilation] of the stomach Ⓤ **胃下垂** gastroptosis /gæ̀strɑptóusəs/ Ⓤ **胃カタル** catarrh /kətɑ́ə/ of the stomach Ⓤ, gastric catarrh Ⓤ **胃カメラ** gástroscòpe Ⓒ **胃癌** gastric cancer Ⓒ, cancer of the stomach Ⓒ. 《☞ がん¹》 **胃痙攣** stomach cramp(s), cramp(s) in the stomach ★ 後者のほうが改まった言い方. 《☞ けいれん》. ¶*胃痙攣を起こす have *stomach cramp(s)* / have a *cramp in one's stomach* **胃穿孔** gastric perforation Ⓤ ★「あいた孔」の意では Ⓒ. **胃痛** stómachache Ⓒ **胃病** stomach ˹disease [disorder; illness; trouble] Ⓒ **胃壁** the stomach walls ★ 複数形で.

> ――コロケーション――
> むかむかする胃 a ˹queasy [churning] *stomach* / もたれている胃 an upset *stomach* // 胃が締めつけられる A *stomach* knots. / 胃がむかつく A *stomach* ˹churns [turns (over)].

い² 意 **意に介さない** ¶彼は人が何と言おうと*意に介さない He *doesn't* ˹*care* [*mind*; *pay attention to*; *worry about*] what ˹others [other people] say. 《☞ かいする²》

意にかなう ¶その計画は彼女の*意にかなった She *took a* ˹*liking* [*fancy*] *to* the plan.

意に染まない (その気になれない) don't feel like (doing) it, don't want to (do it). ¶彼女は両親の*意に染まない貧乏青年と結婚した She married a poor young man ˹although her parents *didn't want* her *to* [(⇒ 両親の願いに逆らって) against her parents' wishes].

意に反して (いやいやながら) relúctantly, ùnwíllingly; (…の意志とは逆に) against *one's* will; (…の希望に逆らって) against ˹*a person's* [*one's*] wishes. ¶彼は父の*意に反して学校をやめた He quit school *against* his father's *wishes.*

意に満たない (満足できない) be unsatisfactory, do not meet *one's* expectations; (気に入らない) don't like.

意のまま ¶すべては彼の*意のままであった (⇒ 彼はあらゆることを自分の意志どおりにした) He *had* everything *his own way.*

意を受ける (…の考え[希望]に従って行動する) carry out *a person's* wishes.

意を酌む (…の気持ちを考慮する) respect *a person's* ˹wishes [views].

意を決する ¶彼はついに*意を決した (⇒ 決心した) He *has made up his mind* at last.

意を体する (…の気持ちに従う) comply with *a person's* views; (助言に従う) follow [take] advice.

意を尽くす (すべて考えを言い表す) say everything that is on *one's* mind; (ていねいに説明する) give an exhaustive explanation.

意を強くする (自信を持つ) gain confidence; (勇気づけられる) be encouraged.

い³ 亥 (十二支の) the (Wild) Boar 《☞ ね⁴》.

い⁴ 異 ―名 (異議) objection Ⓒ; (異論) different opinion Ⓒ; (不思議なこと) wonder Ⓒ. ―形 (奇妙な) strange; (変な) odd; (怪しい) suspicious. 《☞ いぎ²; いろん; へん¹; みょう》. ¶これは*異なことをおっしゃる What a *strange* thing you are saying!

異を立てる (違った意見を主張する) voice a ˹different [contrary] opinion **異を唱える** (異議を唱える) object, raise an objection; (反対する) oppose ⑩, argue against …. 《☞ いぎ²; はんたい》. ¶彼女はその案に*異を唱えた She ˹*raised an objection* [*objected*] to the plan.

い⁵ 井 **井の中の蛙**(かわず) ¶あいつは*井の中の蛙だ(⇒ 自分が偉いつもりでいる) He *fancies himself* (*as*) *a great man.* / (⇒自分を買いかぶり過ぎている) He *thinks too highly of himself.* // *井の中の蛙大海を知らず *The frog in the well* knows nothing of the ocean.

い⁶ 医 (医術) medicine Ⓤ 《☞ いがく》. ¶*医は仁術なり *Medicine* is a benevolent art.

い⁷ 威 (威厳) dignity Ⓤ; (威光) power Ⓤ; (権威) authórity Ⓤ; (勢力) ínfluence Ⓤ. ¶虎の*威を借るきつね (⇒ ライオンの皮をかぶったろば) an ass *in a lion's skin*

威を振るう ―動 (…を思いのままにする・支配する) have power over …; (嵐・病気・火事などが荒れ狂う) rage ⓐ. ―形 (病気などがはびこる・蔓延する) rampant.

い⁸ 藺 ☞ いぐさ

い⁹ 夷 (野蛮人) barbarian Ⓒ.

い¹⁰ 衣 clothing Ⓤ. 《☞ いしょく³》.

い¹¹ 胆 (胆のう) gallbladder Ⓒ 《☞ くま¹; たんのう²》.

い¹² 偉 **功を偉とする** ¶大学は彼女の功を*偉として (⇒ 立派な功績に対して) 名誉博士号を授与した The university conferred an honorary doctorate on her *for* her ˹*great* [*remarkable*] *achievements.*

イ 〘楽〙(音名) A Ⓤ. ¶*イ短 [長] 調のソナタ a sonata in *A* ˹minor [major]

-い …位 (順位) place Ⓒ ★「小数点以下の位」の意でも用いる; (位階) rank Ⓒ. 《☞ -ちゃく; いちい²》. ¶競争で 2 *位に入った I ˹took [won] second *place* in the race. / I finished ˹the race in second *place* [second in the race]. // 小数点以下第 4 *位まで求めなさい Calculate (down) to four decimal *places.*

いあい¹ 居合 **居合抜き** ―動 draw *one's* sword from a squat and in one motion slash a person and sheathe the sword.

いあい² 遺愛 ¶故人*遺愛の掛け軸 a hanging scroll ⌈*treasured* [*cherished*] by the ⌈departed [deceased]

いあつ 威圧 ― 動 (権力・威力によって抑えつける) coerce /kouə́ːs/ ⑩; (威張りちらす) domineer /dɑ̀mənɪ́ə/ (over …) ⑪. ― 形 (威圧的な) coercive /kouə́ːsɪv/; (威張った) domineering, overbearing. ― 名 coercion /kouə́ːʒən/ Ⓤ. ¶彼はしばしば*威圧的な態度をとった He often assumed a ⌈*coercive* [*domineering*] manner.

いあわせる 居合わせる (たまたま…にいる) happen [chance] to be (present) (at …; in …; on …). ¶私はその場に*居合わせました I ⌈*happened* [*chanced*] *to be* ⌈there [*on* the spot]. // *居合わせた人はみな彼の話に心を動かされた All those *present* [All (of those) *who happened to be there*] were moved by his story.

いあん 慰安 (慰め) consolation Ⓤ, sólace Ⓤ; (楽しみ) amusement Ⓤ; (娯楽・気晴らし) rècreátion Ⓤ. 《☞ なぐさめ》. **慰安婦** (第2次大戦中の) "comfort woman" Ⓒ, forced prostitute Ⓒ. ★ 前者は「いわゆる」という意味で引用符で囲む.

イアン ☞ イーアン

いい¹ good; (すてきな) nice; (立派な) fine. 《☞ よい¹》. **いい男** (美男子) handsome man Ⓒ; (顔立ちがよい) good-looking man Ⓒ; (気持ちよくつきあえる) nice guy Ⓒ **いい女** (美人) beautiful woman Ⓒ; (顔立ちがよい) good-looking woman Ⓒ; (魅力的な女性) attractive woman Ⓒ **いい線** ¶それは*いい線だ (⇒ それはよい推察だ) That's a *good guess*. / You've made a *good guess*. **いい年** ¶*いい年をして! (⇒ もっと分かりがよくてよいはずだ) You ought to know better. **いい仲** ☞ いいなか

いい² 謂 (いみ) meaning Ⓒ; (理由) reason Ⓒ.

イー (アルファベットの第5字) E Ⓒ, e Ⓒ.

いいあい 言い合い quarrel Ⓒ; (論争) dispúte Ⓤ. 《☞ こうろん¹》.

いいあう 言い合う (口げんかをする) quarrel (with *a person* ⌈over [about] …) ⓐ ★ over が一番関心の度合いが強い; (堅苦しい問題を論争する) dispúte ⑩; (言い争う) have words (with …) ★ quarrel とほぼ同意だが, 婉曲的表現. 《☞ こうろん¹; おしもんどう; ろんそう¹》. ¶彼らはその件について激しく*言い合った They *had words with* each other ⌈*over* [*about*] the problem. / They *quarreled* bitterly ⌈*about* [*over*] the problem.

いいあてる 言い当てる guess (…) right, make a good guess. 《☞ あてる¹》. ¶私はうまく*言い当てた I ⌈*guessed right* [*made a good guess*].

いいあやまり 言い誤り (うっかり口をすべらした間違い) a slip of the tongue 《☞ いいまちがい》.

いいあらそい 言い争い (口げんか) quarrel Ⓒ; (論争) dispúte Ⓒ. 《☞ こうろん¹》.

いいあらそう 言い争う quarrel (with *a person* ⌈about [over] …) ⓐ; (論争する) dispúte (about …; over …) ⓐ; (口論する) have words (with …) ★ 婉曲的表現. 《☞ いいあう; こうろん¹; おしもんどう》.

いいあらわす 言い表す (表現する) express ⑩; (描写する) describe ⑩; (言葉にする) give expression (to *one's* thoughts). 《☞ ひょうげん¹; いいつくす》. ¶私たちの喜びは*言い表せないほどだった (⇒ いかなる言葉も私たちの大きな喜びを言い表せなかった) No words could *express* our great joy. // その景色は口では*言い表せないほど美しい The scene is beautiful *beyond description*.

イーアン (男性名) Ian /íːən/.

いいえ no. ¶「あすはお暇ですか」「*いいえ, 残念ながら」"Are you free tomorrow?" "*Nó*, I'm afràid nót." // 「コーヒーはお好きではありませんでしたね」「*いいえ, 大好きです」"You don't like coffee, do you?" "*Yes* [*Actually*], I like it very much."
日英比較 日本語では相手のいうことに反対して「いいえ」という場合でも, 英語では肯定文に先立つ時は yes となる. actually は少しやわらかい否定の言い方. ただし, 上例のような否定文をもとにする付加疑問つきの表現では「とんでもない」という意味で "No, not at all. I like it very much." などの答えも可能. // 「お茶をもう一杯いかがですか」「*いいえ, もう十分です」"Would you like ⌈some more [another cup of] tea?" "*No* (*more*), *thank you*. I've had enough." 語法 No だけでなく thank you を添えるのが普通.

イーエムエス E.M.S. ★ the *E*uropean *M*onetary *S*ystem (欧州通貨制度) の略.

いいおく 言い置く leave ⌈word [a message] (with *a person*) 《☞ いいのこす》.

いいおくる 言い送る (伝言する) send word (to *a person*); (人に…と伝える) tell *a person* (that …).

いいおとす 言い落とす (言い忘れる) forget to ⌈say [mention] …; (言わないでおく) leave … unsaid. 《☞ いう》. ¶大事なことを*言い落とした There was something important (that) I ⌈*forgot to mention* [*left unsaid*].

いいおよぶ 言い及ぶ (引き合いに出す) refer to …, make reference to …; (偶然話に出す) mention ⑩. 《☞ げんきゅう¹》.

いいかえ 言い換え (ほかの言い方) another way of saying … Ⓒ; (易しい言い換え) paraphrase (of) Ⓒ. 《☞ いいかえる》.

いいかえす 言い返す (目上の人などに口答えをする) talk [answer] back (to …) ⓐ; (相手の非難や意見などに言い返す) retort ⑩. 《☞ くちごたえ; おうしゅう¹》. ¶「それが何の役に立つのだ」と彼は*言い返した "What's the use of it?" he *retorted*.

いいかえる 言い換える put [say] … (in) another way, say [put; express] … in other words 語法 以上はほぼ同意だが, express を用いるとやや改まった言い方となる; (文などを別の易しい言い方で言う・意訳する) páraphràse ⑩. 《☞ いいなおす; かんげん²; パラフレーズ (巻末)》. ¶それを別の表現で*言い換えなさい *Say* it (*in*) *another way*. / *Put* it *in other words*. / *Paraphrase* it.

いいかお 好い顔 **1** 《有力者》: important person Ⓒ; (影響力のある人) influential person Ⓒ. 《☞ かお; かおやく》. **2** 《機嫌のよい顔》: happy face Ⓒ; (にこにこ顔) smiling face Ⓒ; 晴れやかな顔 beaming face Ⓒ. ¶写真を撮ります. 皆さん*いい顔をして (⇒ 笑って) I'll take a photo. *Smile* everybody! // 上司は私の提案に*いい顔をしなかった (⇒ 暗い顔をした) The boss made a long face at my proposal. **3** 《美しい顔立ち》: good looks ★複数形で. 《☞ かお》.

いいがかり 言い掛かり (いわれのない非難) false ⌈charge [accusation] Ⓒ; (口実) pretext /príːtekst/ Ⓒ. ¶彼は私に*言いがかりをつけているのだ He is making a *false charge* against me. / He is *falsely accusing* me. // 彼はその侮辱を*言いがかりにしてけんかを始めた He used the insult as ⌈the [a] *pretext* ⌈for a quarrel [to start a quarrel].

いいかげん いい加減 ― 形 (無責任な) irrespónsible; (疑わしい) 《略式》 fishy; (でっち上げた) máde-úp; (あいまいな) vague /véɪg/; (態度を明らかにしない) nòncommíttal ★ やや格式ばった語. 《☞ ちゃらんぽらん; でたらめ; てきとう; むせきにん》. ¶彼は*いい加減な (⇒ 無責任な) 男だ He is an *irresponsible* person. // *いい加減なこと (⇒ 疑わしい[でっち上げた]話) を言っても信じないよ I don't believe your ⌈*fishy* [*made-up*] story. / (⇒ どうしてあなたのでっち上げた話が信じられようか) How can I believe your ⌈*made-up* story [*invention*; *fabrication*]? // 彼女は*いい加減な (⇒ あいまいな [どっちつかずの]) 返事しかしなかった She gave only a ⌈*vague* [*noncommittal*] reply. // もう*いい加減にしろ Enough is enough! // ふざけるのも*いい加減にしなさい (⇒ ふざけるのはやめなさい) *Stop* joking. / *No more* [*Enough*] of your ⌈jokes [joking].

いいかた 言い方 way [manner] of speaking Ⓒ; (表現) expression Ⓒ. (☞ いいよう). ¶ あの男は物の*言い方を知らない That man doesn't know ⌈*how to speak* [*the proper way of speaking*]. // 内容ではなく, *言い方であなたは彼女を怒らせたのだ It's not what you said, but ⌈*how* [*the way*] *you* ⌈*said* [*put*] *it*, that made her angry. // これはやや口語的な*言い方です This *expression* is ⌈a bit [somewhat; rather] colloquial.

いいかねる 言い兼ねる (言うのをためらう) hesitate to say (…) (自) (他); (言うことができない) can't say (…) (自) (他); (言いたくない) don't want to say (…) (自) (他). (☞ いいにくい). ¶ 彼女ならそんなことも*言い兼ねないだろう I suppose she won't *hesitate to say* that. // 失敗が誰の責任かは*言い兼ねます I *can't say* who was to blame for the failure.

いいかわす 言い交わす ― 〔動〕 (言葉などを) exchange (他). ― 〔形〕 (言い交わした, 婚約した) engaged. ¶ あの二人は*言い交わした仲だ They are *engaged*.

いいき いい気 ― 〔形〕 (ひとりよがりな・うぬぼれた) (self-)conceited, vain; (高慢で思い上がった) proud. ¶ うまく行ったからといって*いい気になるな Don't be ⌈(self-)*conceited* [*so sure of yourself; so self-assured*] just because of your success.

いいきかせる 言い聞かせる (人に…しろと) tell *a person* to *do* … ¶ もっと慎重にするように彼に*言いきかせます I will *tell* him *to* be more careful.

いいきみ いい気味 ¶ *いいきみだ! (It) serves you right! / That would serve you right! 〔語法〕「それは君にとって当然の報いだ」の意. 第三者については you の代わりに him, her などを入れる. (☞ ざま)

いいきり 言い切り (断言) affirmation Ⓒ; (言明) declaration Ⓒ; (主張) assertion Ⓒ. (☞ いいきる).

いいきる 言い切る (明確に言う) say [state] … clearly; (公に断言する) declare (他); (確信を持って断言する) affirm (他); (はっきりと断言する) assert (他) ★ 最後の 2 語のほうが改まった語. (☞ だんげん). ¶ 彼は述べたことはすべて真実だと*言い切った He ⌈*declared* [*affirmed*; *asserted*] that everything he had ⌈stated [said] was true.

いいぐさ 言い草 (言うこと) what *a person* says; (言葉) *one's* words; (意見として述べたこと) *one's* remarks ★ この 2 つは複数形で. ¶ 私は彼の*言い草が気に入らない I don't like ⌈*what he says* [*his remarks*].

イーグル 〘鳥〙(わし) eagle Ⓒ; 〘ゴルフ〙 eagle Ⓒ ★ 1 ホールで基準打数(パー)より 2 つ少ないスコア.

いいくるめる 言いくるめる (言って…させようとする) coax *a person* to *do* …; (言ってうまく…させる) coax *a person* into *doing* …, talk *a person* into *doing* …; (なだめすかして…を手に入れる) coax (他) ★ 物事が目的語. (☞ まるめこむ). ¶ 私は彼を*言いくるめて秘密を聞き出した I *coaxed* him *into* telling me the secret. / I *coaxed* the secret *out of* him.

いいこ いい子 good ⌈child [boy; girl] Ⓒ. ¶ *いい子だね That's a *dear*! // *いい子だから静かにしていてね Be quiet like a *good* ⌈*boy* [*girl*]. // *いい子だから, こっちへおいで Come here, *that's a good* ⌈*boy* [*girl*]. // 彼は自分ばかり*いい子になろうとする (⇒ 人を犠牲にして信用 [人気] を得ようとする) He tries to ⌈*take the credit* [*make himself popular*] at the expense of ⌈others [other people].

いいこめる 言い込める (しゃべり負かす) argue [(米) talk] *a person* down; (相手よりもっと話して圧倒する) outtalk (他). (☞ やりこめる).

イーサネット 〘コンピューター〙〘商標〙 Ethernet /íːθənèt/ ★ LAN (=local area network) の規格.

イージー ― 〔形〕 (安易な) easy.

イージーオーダー ¶ このスーツは*イージーオーダーで作りました I bought this suit ⌈*semi-tailor-made* [*semi-custom-made; hand-finished*]. 〔日英比較〕「イージーオーダー」は和製英語.
【参考語】― 〔形〕 (オーダーメードの) tailor-made, made-to-order.

イージーゴーイング ― 〔形〕 (のんきな・無頓着な) éasygóing. 〔日英比較〕 日本語では「安易な」「いいかげんな」という悪い意味で用いるが英語は「いらいらしない」「くよくよしない」というよい意味に用いる. 悪い意味を出すためには too optimistic などの表現を使う (☞ あんい; のんき; いいかげん).

イージーペイメント ― 〔名〕 (分割払い) (米) instállment plàn Ⓒ, (英) híre púrchase Ⓤ.

イージスかん イージス艦 Aegis ship Ⓒ.

いいしぶる 言い渋る (話すのをためらう) hesitate to ⌈say [speak] …; (いやいやながら言う) be reluctant to say … (☞ ためらう).

いいしれない 言い知れない ― 〔形〕 inexpressible, unspeakable, ùnútterable ★ 3 つとも「言語に絶する」という意味でほぼ同意. (☞ いいよう).

いいすぎ 言い過ぎ (誇張) exaggeration Ⓤ. ¶ 彼は現在第一級の演奏家と言っても*言い過ぎではない It is no *exaggeration* to say that he is one of the ⌈greatest [best] musicians of our time.

いいすぎる 言い過ぎる (立ち入り過ぎる) go too far (in *one's* talk); (度を超えて言う) say too much; (誇張する) exaggerate (他); (過激に非難する) criticize too severely (他). (☞ いいすぎ). ¶ すいません. *言い過ぎました I'm sorry. I *said too much*.

いいすごす 言い過ごす ☞ いいすぎる

イースター Easter, Easter Sunday.

イースターとう イースター島 ― 〔名〕 (固) Easter Island ★ 巨石遺跡で有名な南太平洋の島 (チリ領).

いいすてる 言い捨てる (捨てぜりふをいう) take [give] a parting shot (at …). ¶ ここへは二度と来ないと*言い捨てて彼は部屋から出て行った "I won't be back." With that *parting shot*, he left the room.

イースト yeast Ⓤ. イースト菌 yeast (culture) Ⓒ.

イーストエンド ― 〔名〕 (固) (地名) the Éast Énd ★ ロンドンの東部一帯.

イーストサイド ― 〔名〕 (固) (地名) the Éast Síde ★ 米国ニューヨーク市のマンハッタン (Manhattan) 島の Fifth Avenue より東側の地区.

イーゼル easel Ⓒ.

いいそえる 言い添える (言い足す) add (他), say … in addition. (☞ いいたす).

いいそこない 言い損ない (口をすべらした誤り) a slip of the tongue (☞ いいまちがい).

いいそこなう 言い損なう (口をすべらして誤る) make a slip of the tongue; (一般的に, 間違って言う) make a mistake in speaking, misspeak (他) (自).

いいそびれる 言いそびれる (言う機会を逸する) miss the chance ⌈to tell [of telling] …; (言い損なう) fail to ⌈tell [mention] …

いいだくだく 唯々諾々 ― 〔副〕 (従順に) obediently; (人の言いなりになって) at *a person's* beck and call. ¶あの男はいつも上役の命令に*唯々諾々として従っている That man always *obeys* his boss's orders. / (⇒ 上役の命ずることは何でも喜んでやる) That man *is* always *ready to* do whatever his boss ⌈asks [orders]. / That man is always *at his boss's beck and call*.

いいだこ 飯蛸 〔動〕*iidako*, small octopus Ⓒ.

いいだしっぺ 言い出しっ屁 (最初に言い出した人) the one who brought ... up. ¶*言い出しっぺが先にするのが当然だ It is natural that *the one who* ⌈*brought it up* [*mentioned it; introduced it* (as a topic)] should take the initiative.

いいたす 言い足す (付け加える) add ⊕; (付け加えて言う) say ... in addition. ¶「あしたまた電話します」と彼女は*言い足した "I'll call you back tomorrow," she *added*.

いいだす 言い出す (提案する) propose ⊕; (…しようと勧める) suggest ⊕; (話題などを持ち出す) brìng úp ⊕; (提案などを議題にする) bring ... forward. ¶これはだれが*言い出した案なのか Who ⌈*proposed* [*suggested*] this plan? / (⇒ これはだれの案なのか) Whose idea is this? // あなたが散歩をしようと*言い出したのですよ You *suggested* ⌈that we (should) take [taking] a walk.

いいたてる 言い立てる (述べる) state ⊕; (…と強く主張する) insist (that ...) ⊕; (断言する) assert ⊕. ¶彼女は彼の言うことはうそだと*言い立てた She *insisted that* his story was ⌈false [a fabrication]. // 彼はその企画の欠点を一つ一つ*言い立てた (⇒ 指摘した) He *pointed out* the drawbacks of the plan one by one.

いいちがい 言い違い (口をすべらした誤り) a slip of the tongue 《☞ いいまちがい》.

いいつかる 言い付かる (言われる) be told; (命じられる) be ordered. 《☞ いいつける》. ¶私はお使いを*言いつかった I *was told to* go on an errand.

いいつぐ 言い継ぐ (口頭で伝える) hand down ... ⌈orally [by word of mouth]; (伝承する) transmit ... by word of mouth (from generation to generation). 《☞ いいつたえる》.

いいつくす 言い尽くす (すべてを言う) say ⌈everything [all]; (意を尽くす) express [say] ... fully ★ 前者のほうがより口語的. ¶言いたいことは*言い尽くした I *have said everything* I ⌈wanted [had] to say. // 私の喜びは言葉では*言い尽くせない (⇒ 言葉は私の喜びを表現できない) Words *cannot express* my joy. // 私の感謝の念は言葉では*言い尽くせません (⇒ (いくら感謝しても) 十分に感謝できない) I *cannot thank you enough*. 《☞ いいあらわす》

いいつくろう 言い繕う (覆い隠す) cóver úp [gloss over] (*one's* fault); (言い訳をする) make an excuse (for ...). 《☞ とりつくろう》.

いいつけ 言い付け (命令) order Ⓒ; (権威者などの) command Ⓒ. 《☞ めいれい; さしず》. ¶親の*言い付けは聞きなさい (⇒ 親には従いなさい) You should *obey* your parents. / (⇒ 親がしろと言ったとおりにしなさい) Do what your parents *tell* you.

いいつける 言い付ける **1** 《命じる》: (…しなさいと言う) tell [instruct] *a person* to *do* ...; (命令してやらせる) order ⊕; (権限のある者が命じる) command ⊕. 《☞ めいじる[1]; めいれい》. ¶彼は息子に毎朝庭に水をまくよう*言いつけた He ⌈*told* [*instructed*] his son to water the garden every morning.

2 《告げ口する》: tell on ... 《☞ つげぐち》. ¶もう一度したら先生に*言いつけますよ If you do it again, I'll *tell* ⌈*on* you to the teacher [the teacher *on* you; the teacher all about it].

いいつたえ 言い伝え (伝説) legend /lédʒənd/ Ⓒ; (伝承) tradition Ⓤ ★ 具体的なものを指す場合は Ⓒ. 《☞ でんせつ》. ¶*言い伝えによれば, ここには美しい湖があったということだ An old *legend* tells us that [According to ⌈an old [a local]) *legend*,] there used to be a beautiful lake here.

いいつたえる 言い伝える (伝説を) hánd dówn ⊕. ¶その話はずっと昔から*言い伝えられてきた The story *has* ⌈*been handed* [*come*] *down* from ancient times.

いいつらのかわ 好い面の皮 (恥さらし) disgrace Ⓒ; (恥ずかしい思い) shame Ⓤ. ¶いつも彼女の引き立て役にされるなんて*いい面の皮さ It *hurts my dignity* to be made to play second fiddle to her all the time. // それは*いい面の皮だ (⇒ 当然の報いだ) It *serves you right*!

イーディー (勃起障害) ED Ⓤ ★ *erectile dysfunction*の略.

イーディス (女性名) Edith /íːdɪθ/.

イートン ── 〔名〕〔固〕 Eton /íːtn/ ★ 英国南部の町. 有名なパブリックスクール (public school) のイートン校 (Eton College) の所在地.

いいなおす 言い直す (訂正する) correct *oneself*; (別な表現で) put [express] ... in ⌈another [a different] way. 《☞ いいかえる; かんげん[2]》. ¶彼女はすぐに*言い直した She *corrected herself* at once. // こう*言い直してみましょう Let me *put* it *this way*.

いいなおすけ 井伊直弼 ── 〔名〕〔固〕 Ii Naosuke, 1815–60; (説明的には) the hard-liner ⌈grand councilor [*tairo*] toward the end of Edo period who was assassinated as he made his way to Edo Castle.

いいなか 好い仲 ¶彼らは*いい仲だ (⇒ 愛し合っている) They *love each other*. / (⇒ 相思相愛だ) They *are in love* with each other. 《☞ なか[2]》

いいなずけ 許嫁 (男) *one*'s fiancé; (女) *one's* fiancée ★ 発音は fiancé も fiancée もともに /fìːɑːnséɪ, fiáːnseɪ/; *one's* betrothed /bɪtróʊðd/ ★ やや古風な語. はじめの 2 つはフランス語からの借用だが, いまでは一般的な言い方. 《☞ こんやく》.

いいならわし 言い習わし (伝承的な) tradition Ⓤ ★ 具体的なものを指す場合は Ⓒ; (言い習わされていることわざ) (common [proverbial]) saying Ⓒ.

いいならわす 言い習わす ¶*言い習わされている have traditionally been know as ... / have long been called .... 《☞ いいつたえる》

いいなり 言いなり ¶彼は父親の*言いなりだ (⇒ 彼は父親が言うとおりにする) He *does just as* his father *tells him*. // 彼らは征服者の*言いなりにならざるをえなかった (⇒ 征服者のなすがままだった) They *were at the mercy of* ⌈the [their] conquerors.

いいにくい 言いにくい ── 〔動〕 (言うのをはばかる) hesitate to say ... ── 〔形〕 (微妙な) délicate. 《☞ -にくい》. ¶それは*言いにくい事だ I *hesitate to say* ⌈so [it; that]. / (⇒ それは微妙な事柄だ) It is a *delicate* matter.

いいぬけ 言い抜け evasion Ⓒ; (言い訳) excuse /ɪkskjúːs/ Ⓒ. 《☞ いいわけ; いいのがれ》.

いいぬける 言い抜ける (言い訳をする) come up with an excuse; (うまく釈明する) explain (it) away; (問題を回避した答えをする) answer evasively, dodge the question. 《☞ いいのがれ》.

いいね 言い値 asking [offering] price Ⓒ (↔ selling price). ¶*言い値ではとても買えない I can't ⌈afford [buy] it at the *asking price*.

いいのがれ 言い逃れ ── 〔名〕 (のらりくらりした返事) evasive /ɪvéɪsɪv/ answer Ⓒ; (言い訳) excuse /ɪkskjúːs/ Ⓒ. ── 〔動〕 (口実を考え出す) invent [make up; cook up] an excuse ★ cook up は口語表現; (言い訳をする) make an excuse; (言い訳をしてわびる) excuse /ɪkskjúːz/ *oneself*; (説き伏せて

難を逃れる) talk *oneself* out of trouble.
¶彼はいつもうまい*言い逃れを考え出す He always ⌜*invents* [*makes up*; *cooks up*] a good *excuse*. / (⇒何かの口実をつけて言い訳をする) He always *excuses himself* on one pretext or another. // 何とか*言い逃れることができるだろうか Can we *talk ourselves out of trouble* somehow? // *言い逃れ (⇒ごまかしの返事) をしてしばらく時をかせごう Let's *give an evasive answer* (in order) to gain time.

いいのこす 言い残す (言い置く) leave ⌜word [a message] (with *a person*); (言い忘れる) forget to say ..., neglect to mention ...; (遺言で言う) state ... in *one's* will. (☞ でんごん; ことづけ). ¶「彼は何か*言い残しましたか」「いいえ, 何も」"Did he *leave* ⌜*word* [*a message*]?" "No, he didn't."

イーノック (男性名) Enoch /íːnək/.

いいはなつ 言い放つ (明確に言う) say ... clearly; (公言する) say ... publicly; (宣言する) declare ㊍. ¶「私は彼を支持する」と彼女は*言い放った "I'll support him," she *said clearly*.

いいはやす 言い囃す (世間で盛んに言う・評判にする) it is widely ⌜rumored [《英》rumoured] that ..., there's a widespread ⌜rumor [《英》rumour] that ...; (大評判になる) create a sensation (among ...; over ...); (有名にする) bring *a person* fame ★有名になった原因を主語として. (☞ ひょうばん). ¶王子と女優との恋愛関係が*言い囃されている *There's a widespread rumor* about a romance between the prince and the actress.

いいはる 言い張る (強く主張する) insist (on ...; that ...) ㊀ ㊍; (固執する) persist (in ...) ㊀; (権利として主張する) claim (that ...) ㊍. (☞ しゅちょう¹).
¶彼は自分の意見が正しいと*言い張った He *insisted that* his opinion was correct. / He *insisted on* the correctness of his opinion. / (⇒彼は自分の意見に固執した) He *persisted in* his opinion. ★第1文が最も口語的. // 両者とも自分たちがその機械の発明者であると*言い張った Both sides *claimed that* they had invented that machine.

いいひと 好い人 (気だてのよい人) good-matured person Ⓒ; (男友達) boyfriend Ⓒ; (女友達) girlfriend Ⓒ; (適任者) suitable [fit] person Ⓒ; (善良な人) good person Ⓒ. (☞ いい¹ (いい男; いい女)).

いいひらき 言い開き ―名 (説明) explanation Ⓒ; (正当化) justification Ⓤ; (言い訳) excuse Ⓒ; (弁明) vindication Ⓤ. ―動 (自分の行為をはっきり説明する) explain [clarify] *oneself*; (動機や理由を明確にする) make *one's* reasons clear; (自分の行為を正当化する) justify *one's* actions; (言い訳する) offer an explanation for ..., make excuses for .... (☞ べんかい; もうしひらき).

イーブ (女性名) Eve /íːv/ (☞ イブ).

いいふくめる 言い含める (入念な指示を与える) give *a person* ⌜careful [detailed] instructions (☞ じょげん¹). ¶私は彼に*言い含めておいた I *have given* him ⌜*careful* [*detailed*] *instructions*.

いいふらす 言い触らす (うわさを立てる) start [spread; círculàte] a rumor; (すべての人に言う) tell everybody (that ...). (☞ ふれまわる). ¶彼は近いうちに大地震があると*言い触らした He ⌜*started* [*spread*; *circulated*] *a rumor* that there would be a major earthquake in the near future.

イーブリン (女性名) Evelyn /év(ə)lɪn, íːv-/.

いいふるされた 言い古された ―形 (決まり文句の) háckneyed; (古くさい) worn-out. ¶*言い古された表現 a ⌜*hackneyed* [*worn-out*] expression / a *cliché*

いいぶん 言い分 (言いたいこと・意見) what *one* has to say, *one's* say 語法 後者は have *one's* say の形で用いられる; (主張) claim Ⓤ. ¶私の*言い分も聞いてほしい I would like you to listen to *what I have to say*. / Let me *have my say*.

イーブン ―形 (互角の) even; (等しい) equal.
¶これでわれわれの立場は彼らと*イーブンだ (⇒彼らと対等の立場にある) Now we stand *on* ⌜*equal terms* [*an equal footing*] with them. // 《ゴルフの》*イーブンパー *even* par

いいまかす 言い負かす argue [《米》talk] *a person* down (☞ やりこめる). ¶彼はとても強引だからだれでも*言い負かしてしまう He is so pushy (that) he can ⌜*argue* [*talk*] anyone *down*. 語法 that を省くほうが口語的.

いいまぎらす 言い紛らす (不明なことを言って確答を避ける) avoid giving a direct answer (by saying something else), use vague language (to avoid speaking straight) 《格式》equívocàte ㊀.

いいまちがい 言い間違い ―名 (うっかり口を滑らせた誤り) a slip of the tongue; (一般的に間違い) mistake Ⓒ. ―動 make a ⌜slip of the tongue [mistake in speaking]. (☞ まちがい).

いいまわし 言い回し (表現) expression Ⓒ (☞ いいかた; いいよう). ¶この*言い回しはおかしい (⇒ぎこちない) This *expression* is awkward. / This is an awkward *expression*.

イーメール (電子メール) e(-)mail Ⓤ, E-mail /íːmèɪl/ Ⓤ ★electronic mail の略. 個々のメールは Ⓒ. (☞ インターネットと E メール (囲み)). ¶トムに*E メールを送った I sent an *email* (message) to Tom. // 今日は*E メールが5通きた I ⌜got [received] five *emails* today. // 伝言を*E メールで送る send a message by *email*

いいもらす 言い漏らす ☞ いいおとす

イーユー ―名 ⓐ (欧州連合) EU ★the *Euro*pean *Union* の略.

いいよう 言い様 (言い方) the way *one* puts ..., way of saying ... Ⓒ; (言う態度) manner of speaking Ⓒ; (表現) expression Ⓒ. (☞ いいかた).
¶あなたの*言い様で彼らの意見が変わるかもしれない (⇒あなたの言い様が彼らの意見に影響を与える) *The way you put it* [Your *way of saying it*] may influence their opinion. // その景色の美しさは*言い様もない (⇒言い様もなく美しい) The scenery is ⌜*unutterably* [*indescribably*] beautiful.

いいよどむ 言い淀む (言うのをためらう) hesitate to say; (言葉に詰まる) be stuck for a word. ¶彼は返答するまでしばらく*言い淀んだ He *hesitated* for a few moments before making a reply.

いいよる 言い寄る (取り入ろうとする) make ⌜approaches [advances] to ... ¶彼女に*言い寄る青年は多かった Many young men *made* ⌜*approaches* [*advances*] *to* her.

いいわけ 言い訳 ―名 (弁解) excuse /ɪkskjúːs/ Ⓒ. ―動 (言い訳する) make an excuse; (言い訳をしてわびる) excuse /ɪkskjúːz/ *oneself*; (正当化しようとする) try to justify ...; (自己弁護する) defend *oneself*, try to justify *oneself*. (☞ べんかい; いいのがれ; こうじつ¹). ¶彼女は*言い訳がうまい She is good at *making excuses*. // 私はうまい*言い訳を考え出せなかった I couldn't ⌜find [think of] a good *excuse*. // 私のした事について*言い訳がましいことを言うつもりはない I don't intend to ⌜*justify* [*defend* (*myself for*)] what I have done. / I don't intend to *justify* my actions.

コロケーション
表向きの言い訳 an ostensible *excuse* / 苦しい言い訳 a strained *excuse* / 単なる言い訳 a mere *excuse* / 都合のよい言い訳 a convenient *excuse*

/ 下手な言い訳 an awkward [a feeble; a clumsy; a poor; a thin] *excuse* / 見え透いた言い訳 a ˹transparent [flimsy] *excuse* // 言い訳を言う give [make] an *excuse* (for ...) / 言い訳を受け入れる[受け入れない] accept [reject] *one's excuse* / 言い訳をでっちあげる make up [invent] an *excuse*

いいわたす 言い渡す ((刑を) …に宣告する) sentence ㊀; (命じる) order ㊀; (告げる) tell ㊀. 《☞ せんこく[1]》. ¶ 彼は 6 か月の刑を*言い渡された He *was sentenced* to six months (in jail).

いいん[1] 委員 (委員会のメンバー) member of a committee Ⓒ, committee member Ⓒ ★ 後者のほうが口語的; (集合的に, 全委員) committee Ⓒ. ¶ 彼は運営*委員だ He is ˹on [a *member of*] the steering *committee*. // この委員会には 7 人の*委員がいる (⇒7 人の委員で成り立つ) This committee ˹is made up [consists] of seven *members*. / There are seven *members* on this committee. // 彼女は執行*委員に選ばれた She was elected ˹to [a *member of*] the executive *committee*.

いいん[2] 医院 doctor's office Ⓒ, medical clinic Ⓒ. 《☞ びょういん[1]》.

いいんかい 委員会 commíttee Ⓒ; commission Ⓒ; board Ⓒ; (委員会の会合) committee meeting Ⓒ, committee session Ⓒ.

【類義語】一般に委員会は ***committee*** だが, 特に調査・管理などの任務・権限をほかから与えられたものは ***commission***. 企業・法人・学校制度などの管理・経営をするための委員会を ***board*** と呼ぶ.

¶ 運営*委員会 a stéering *committee* // 懲罰*委員会 a dísciplinàry *committee* // 原子力*委員会 the Atomic Energy *Commission* // 教育*委員会 a [the] *board* of education 語法 「重役会」(*board* of directors),「評議員会」(*board* of trustees) のように日本語では「委員会」という呼称が用いられないこともある. // 小*委員会 a súbcommìttee // 組織*委員会 an organizing *committee* // 彼は実行*委員会の一員だ He is ˹a member of [on] the executive ˹*committee* [*board*]. // 問題は*委員会に付託された The problem has been referred to a *committee*. // 7 人*委員会が構成され, 間もなく第 1 回の*委員会が招集されるであろう A ˹seven-member-[seven-person-]*committee* has been ˹organized [formed; appointed], and the first *committee meeting* will soon be called.

コロケーション

委員会の議長を務める chair a *committee* / 委員会を解散する disband [discharge] a *committee* / 委員会を設置する set up [create; establish] a *committee* // 委員会がある[開かれる] A *committee* meets // (案件[人]が)委員会にかけられる ... goes [appears] before a *committee*

いいんちょう 委員長 (普通は男性だが女性にも使って) chairman Ⓒ; (女性委員長) chairwoman Ⓒ; chairperson Ⓒ, chair Ⓒ 語法 chairman, chairperson, chair はいずれも男女両性に用いられるが, 2 番目は性別による差別をなくすために使われ始めた言葉. 現在では最後が一般的; (委員長の職) chairmanship Ⓤ, the chair ★ the を付けて.

¶ 委員会が A 氏を*委員長にして構成された A committee was ˹organized [formed; created] ˹under the *chairmanship* of Mr. A [with Mr. A as ˹the [its] *chair*]. // *委員長, 質問があります *Mr. Chairman* [*Madam Chairman*; *Chair*], I have a question. / I have a question ˹to ask [for] the *chair*.

いう 言う **1** 《口で言う・しゃべる》: (人にある事柄・言葉を) say ㊀ 《過去・過分 said /séd/》; (人に内容を伝える) tell ㊀ 《過去・過分 told》; (打ち解けて話す・しゃべる) talk ㊁ ㊀; (口に出してしゃべる) speak ㊁ ㊀ 《過去 spoke; 過分 spoken》.

【類義語】「言う」を表すのは *say, tell, talk, speak* の 4 つが基本的な動詞. 他人に口頭で言ったことをそのまま目的語とするのが ***say***. 内容を要約したり立場を変えたりして, 言葉そのものではなく, 内容を伝えることを表す動詞が ***tell***. 従って「彼は『そうです』と言った」は He *said* yes. とは言えても He *told* me yes. とは言えず, He admitted it. などのようにしなければならないことに注意. くだけた話しぶりや打ち解けた会話を連想させる動詞が ***talk***. 特に演説調であったり, 改まって発言したりすることを表すのは ***speak***. 《☞ かたる[1]; しゃべる; はなす[1]》

語法 (1) 他動詞としての say, tell, speak の主要な文型は次のとおり. 《☞ 文型 (巻末)》

say V＋O (語; *that* 節; 引用句)
　V＋O＋*to*＋名・代 (人)
　V＋*to*＋名・代 (人)＋O (*that* 節; 引用句)
tell V＋O (人)＋O (語; *to* 不定詞; *that* 節)
　V＋O＋*to*＋名・代 (人)
speak V＋O＋*to*＋名・代 (人)

★ なお ***talk*** は以上と異なり, 自動詞用法のほうが普通で, talk *about* ... (…について話す・言う), talk ˹*to* [*with*] *a person* (人と話す) などのように前置詞を伴う. ただし, talk English (英語を話す), talk nonsense (ばかなことを言う) のように, 他動詞用法もある.

¶「放課後プールへ泳ぎに行く」 と彼は*言った He *said*, "I'll go to the pool for a swim after school." / He *said* that he would go to the pool for a swim after school. //「今夜は早く寝ます」と彼女は私に*言った She *said* to me, "I'm going to bed early this evening." / She *told* me that she was going to bed early that evening. // 彼女は私に「駅で待っていて下さい」と*言った She *asked* me, "Will you meet me at the station?" / She *asked* me to meet her at the station. // 彼は「早く来い」と私たちに*言った He *said* to us, "Come quickly!" / He ˹*told* [*ordered*] us to come quickly. //「お茶でも飲みませんか」と彼は私に*言った He *said* to me, "Let's have a cup of tea." / He *suggested* that we (should) have a cup of tea.

語法 (2) 以上の 5 例では発話を引用句としてそのままの形で示すときは say を用い, 間接話法でその内容を示す形で表すときはその内容によって tell, ask, suggest などの動詞を用いている. 《☞ 話法 (巻末)》

// 彼の*言うことはあてにならない You can't believe ˹what [anything] he *says*. / You can't believe him. // 彼女はその件については一言も*言わなかった She didn't *say* a word (about it). // もう少し大きな声で*言って下さい Would you *speak* a little louder? / *Speak* up, please. ★ 後者はぞんざいな言い方. // もう一度*言っていただけますか I beg your pardon? / Pardon (me)? / Excuse me? 《☞ いちど》 // 本当のことを*言ったほうがいいよ You should *tell* the truth. // この子は生後 11 か月でまだ物が*言えません The baby is 11 months old and *is*n't *talking* yet. // そのニュースは彼女のいるところでは*言わないほうがよい You'd better not *talk about* that news in her presence. // 彼女は*言うばかりで実行はしない She *is* always *talking*, never doing. // あきれて物が*言えなかった I was left *speechless* with disgust.

2 《言及する》: (言及する) mention ㊀; (あることを引き合いに出す) refér to ...

¶ あなたの名前を彼女に*言っておいた I *mentioned* your name to her. // 彼女は私の計画については何も*言っていなかった She *made* no *mention* of my plan. // これはあなたのことを*言っているのではないと思う I don't believe (that) this *refers to* you.

3 《表現する》: (表現する) express (他); (称する・呼ぶ) call (他); (示す・述べる) give (他); (言う) say (他). 《☞ いいあらわす》.

¶ 考えていることをもっとはっきりと*言えるようにしなさい Try to *express* ⌈your ideas [yourself] more clearly. //「1 月」を英語では何と*言いますか What's the English for *ichigatsu*? / What do you *call* the first month of the year in English? // あらすじを英語で*言って下さい Please *give* an outline in English. //「"Good morning" を日本語で何と*言いますか」「午前 10 時ごろまでは『おはよう』です. それ以後は『こんにちは』です」"How do you *say* 'Good morning' in Japanese?" "'Ohayo', until about ten o'clock in the morning. After that, you say 'Konnichiwa.'" // 彼は仕事についての不平を*言ったことがない He never ⌈*complains* [*grumbles*] about his ⌈job [work].

4 《忠告する・意見を述べる》: (言葉をしゃべる) say (他); (…しろと言う) tell (他); (意見を言う) speak (自), talk (自) ★ 後者のほうがより口語的; (忠告する) advise (他).

¶「すぐ出かけなさい」と彼は私に*言った He *said* to me, "Start at once." / He ⌈*advised* [*told*] me to start at once. 《☞ 話法 (巻末)》// 私の*言うことをよく聞きなさい Please listen (to me)! [語法]「…の言うこと」は, このように人称代名詞だけで表せばよい. ((例) 私の*言うことが聞こえますか Do you hear *me*?) // 彼女は私の*言うことをきかない (⇒ 不従順である) She is disobedient (to me). / (⇒ 耳を貸さない) She is deaf to my *advice*. // この件について彼は何と*言っていますか (⇒ 彼の意見はどうか) What's his *opinion* (⌈about [on] it)?

5 《うわさをする・伝える》: (話題にのせる) speak about …, talk ⌈about [of] … ★ 後者のほうが口語的; (…について…という) say … ⌈about [of] … [語法] (1) 以上いずれも前置詞は about のほうが口語的.

¶ 彼はみんなからよく*言われていない He'*s* not well *spoken of* by others. [語法] (2) この場合, 前置詞は of で, about は使えない. // 彼は新聞紙上でいろいろと*言われている He *is* much ⌈*talked* [*written*] *about* in the newspapers. // 彼女は来年アメリカへ行くと*いうことです (⇒ …と言われている) *It is said that* she is planning to go to the United States next year. // 津和野は日本で一番美しい町 (の一つ) だと*言われている Tsuwano *is said* to be one of the most beautiful ⌈towns [places] in Japan. / They [People] *say* that Tsuwano is one of the most beautiful ⌈places [towns] in Japan. // 私のやり方について人がどう*言おうと平気です I don't care what people *say about* my way of doing things.

6 《…という》 ¶ 田川と*いう (⇒ …と呼ばれている) 小さな村 a small village *called* Tagawa 《☞ -という》// 9 時だと*いうのに彼はまだ寝ている It's nine in the morning *and* (*yet*) he's still in bed!

言う事を聞く (耳を傾ける) listen to …; (忠告に従う) follow [take] *a person's* advice; (従順である) be obedient to … 《☞ きく¹ 4》. ¶ 彼はなかなか*言う事を聞かない He won't *listen to* me. / (⇒ 扱いにくい) He is very hard to *deal with*. / You'll find him *a* ⌈*hard* [*tough*] *nut to crack*. ★「固くて割りにくい木の実」とは扱いにくい人のこと. // 彼女はどうしても私の*言う事を聞かない (⇒ 承諾しない) She won't *say yes* to my offers.

言うだけ野暮 ¶ *言うだけ野暮だが Though it's crude to come right out and say it, … 《☞ 言うまでもない》

言うに言われぬ (言い表せない) indescríbable; ìnexpréssible ★ 後者は感情, 気持ちを表すときに用いられる格式ばった語. ¶ 私は*言うに言われぬ苦労をしてきました I have gone through *indescribable* hardship(s). // 優勝したときは*言うに言われぬ喜びだった I was filled with *inexpressible* joy when I won the championship. // *言うに言われぬ美しさ beauty beyond *description*

言うに及ばず (言うまでもなく) to say nothing of …. ¶ 彼は英語は*言うに及ばず, ドイツ語も話せる He can speak German, *to say nothing of* English.

言うは易く行うは難し Easier *said* than done. 《ことわざ》

言うまでもない (もちろんのこと) of course; (言及する必要はないが) needless to say; (…は言うまでもなく) not to ⌈speak of [mention] …, to say nothing of …, let alone … ★ 普通は否定文の後で. 《☞ もちろん; -おろか; -どころか》. ¶ 勉強が大切なことは*言うまでもない *Needless to say*, [It *goes without saying* that] studying is important for you. / You should study, *needless to say*. // 彼女はロンドン, パリは*言うまでもなく, ベルリン, ローマへも行った She has visited Berlin and Rome, ⌈*not to speak of* [*to say nothing of*] London and Paris.

言うもおろか (…は言うまでもない) It ⌈goes without saying [hardly needs to be said] that …. 《☞ いう (言うまでもない)》

言わず語らず (暗黙のうちに) tacitly; (何も言わないでも) without saying a word. ¶ 二つの政党の間にはその問題について*言わず語らずの合意があった There was a *tacit* agreement on the issue between the two political parties.

言わずと知れた (明らかな) obvious. ¶ *言わずと知れた事実 an *obvious* fact

言わずもがな (言わない方がよい) be better left unsaid; (言う必要のない) needless to say. ¶ 彼が*言わずもがなのことを言ったため話がまとまらなかった The deal fell through, because he said what *was better left unsaid*. // 私がその会に出席するのは*言わずもがなです *Needless to say*, I will attend the party.

言わぬが花 Better leave it unsaid. 《ことわざ: 言わずにおいたほうがよい》

言わんばかり as if to say. ¶ それは私のせいだと*言わんばかりに彼は私をにらみつけた He scowled at me *as if to say* it was my fault.

コロケーション

遠慮なく言う *say* … [*speak*; *talk*] unreservedly / 大声で言う *say* … [*speak*; *talk*] ⌈loudly [in a loud voice] / 穏やかに言う *say* … [*speak*; *talk*] softly / 口ごもりながら言う *say* … [*speak*] hesitantly [hesitatingly] / 言葉激しく言う *say* … [*speak*; *talk*] strongly / 静かに言う *say* … [*speak*; *talk*] quietly / 慎重に言う *say* … [*speak*; *talk*] ⌈carefully [cautiously] / 率直に言う *say* … [*speak*; *talk*] ⌈frankly [candidly] / つっけんどんに言う *say* … [*speak*; *talk*] sharply / 丁寧に言う *say* … [*speak*] ⌈politely [respectfully] / 遠回しに言う *say* … [*speak*; *talk*] in a roundabout way / はっきり言う *say* … [*speak*; *talk*] clearly / 早口で言う *say* … [*speak*; *talk*] ⌈quickly [rapidly] / 無作法に言う *say* … [*speak*; *talk*] rudely / ゆっくり言う *say* … [*speak*; *talk*] slowly / 分かりやすく言う *say* [explain] … in easy terms

いうなり 言う成り ☞ いいなり

いえ 家 **1** 《建物》: (家屋) house [C]; (住居) dwelling [C], résidence [C]; (建物) building [C].

【類義語】一般的に建物としての一戸建ての家屋は *house*. 家庭すなわち家族と住んでいる所という意味では *home* を用いる. 従って *home* は必ずしも一戸建ての家とは限らず, アパートでも間借りでもよい. 日本のアパートのような場合には *house* とは言わないことに注意. 《米》ではまた *home* を *house* と同義に用いることが多い. これは暖かみがあるということで不動産業者などによって用いられ始めた語法である. 個人または家族の住居という意味で *dwelling* を用いるのは事務所や店などと区別した改まった言い方で, 法律用語.「住んでいる所」という意味では *residence* を使うことも多い. 客観的な感じの言葉なので, 会話でも少し改まった言い方の場合には用いる.

¶一戸建ての*家 a detached *house* 《☞ いっこだて》 // 二階建ての*家 a ⌜two-story [two-storied] *house* // 小さな*家に住む live in a small *house* // 立派な*家を建てる build a fine *house* // この*家はとても風通しがいい This *house* is well ventilated. / This *house* has good ventilation. // 彼女の*家は角から三番目です Her *house* is the third from the corner. // この辺りは古い*家が多い There are a lot of old *houses* in this neighborhood. // 私たちは小川さんから*家を借りています We're renting our *house* from Mr. Ogawa. 《☞ かりる》 // 彼は去年*家を新築した He built a new *house* last year. / (⇒ 建ててもらった) He *had* a new house *built* last year. [語法] (1) 2 番目の意味でも最初の文を使うのが普通. // 彼は独力でその*家を建てました He built the *house* (by) himself. [語法] (2) 自分が手を下して建てたのか, 自己資金だけで建てたのかは前後関係で決まる. // その洪水で数百人の人たちが*家を失った Hundreds of people were ⌜made *homeless* in the flood [left *homeless* by the flood]. // 「あなたの*家はどこですか (⇒ あなたはどこに住んでいるのか)」「桜町3丁目です」"Where do you *live*?" "I live in Sakura-machi san-chōme." / "Where is your *home*?" "It's in Sakura-machi 3-chome." [語法] (3) 後者の質問は「あなたの故郷はどこか」の意味にもなるので注意. // その若いカップルは横浜に*家を持った (⇒ 世帯を持った) The young couple ⌜set up *house(-keeping)* [(⇒ 住居を構えた) took up *residence*; established *residence*] in Yokohama. // 彼らはやっと自分たちの*家を持つことができた At last they had their own *house*.

2 《家庭》 ── 名 home Ⓒ; (家族) family Ⓒ. ── 副 (家に・在宅で) home; (在宅で) at home, in. [日英比較] 日本語で, 建物の意味の「家」と, 家庭の意味の「家」とでは区別がはっきりしないものがある. 英語の home も場合によってこの両方の意味に使われる. 《☞ かてい; かぞく[1]; うち[2]》.

¶私は9時に*家に着いた I got *home* at nine. // 私は9時には*家に (帰って) いました I was *home* by nine. // 「お父さんは*家にいらっしゃいますか」「はい, おります」"Is your father ⌜(*at*) *home* [*in*]?" "Yes, he is." // 彼は*家におりません He's not (*at*) *home*. / (⇒ 外出しています) He's *out*. // 彼らは皆*家へ帰った All of them [They all] went *home*. // 私たちは9時に*家を出た We left *home* at nine. // 私は1週間*家を空けていました I have been away from *home* for a week. // 彼女は毎週1回*家へ手紙を書きます She writes *home* once a week. // 彼は15歳のときに*家を出てしまった When he was fifteen, he ran away from *home*. // *家ではみな元気です My *family* is well.

3 《家系》: family Ⓒ 《☞ かけい[1]; いえがら》. ¶私の*家は代々歯医者です My *family* ⌜have [has] been dentists for generations. // 彼の次男が*家を継いだ (⇒ 家業を引き継いだ) His second son ⌜succeeded to [took over] the *family* business. ★[ ]内のほうが口語的.

コロケーション

大きな家 a large [an outstanding; a stately; a majestic; an imposing] *house* / 家具つきの家 a furnished *house* / 瓦葺きの家 a tile-roofed *house* / 希望通りの家 a [*one's*] dream *house* / 新築の家 a newly-built *house* / 狭い家 a cramped *house* / 粗末な家 a ⌜modest [simple; shabby; humble] *house* / 平屋の家 a one-storied *house* / 広々とした家 a spacious *house* / 木造の家 a wooden *house* / レンガ造りの家 a brick *house* / わらぶきの家 a thatched *house* // 家を改築する rebuild [remake] a *house* / 家を貸す rent (out) [《英》 let (out)] a *house* (to *a person*) / 家を壊す pull down [demolish] a *house* / 家を修理する repair [fix up] a *house* / 家を増築する extend [enlarge] a *house* / 家をリフォームする remodel [renovate] a *house*

いえい[1] 遺影 (故人の写真[肖像画]) photograph [portrait] of a deceased person Ⓒ.

いえい[2] 遺詠 (故人の未発表の詩歌) unpublished ⌜verse [poem] by the deceased Ⓒ; (作者の死後発表の) posthumous verse Ⓒ; (辞世) valedictory poem Ⓒ. 《☞ じせい[5]》.

イェーツ ── 名 固 William Butler Yeats, 1865–1939. ★アイルランドの詩人・劇作家.

イェールだいがく イェール大学 ── 名 固 Yale /jéɪl/ University ★米国コネチカット州にある大学.

いえか 家蚊 (house) mosquito Ⓒ 《複 ～es, ～s》.

いえがまえ 家構え (家の外観) the outward appearance of a house; (家の建築様式) the style of architecture of a house. ¶どっしりとした*家構え a ⌜massive [stately] *residence*

いえがら 家柄 (家の格) the social ⌜standing [status] of a family Ⓤ ★説明的な訳; (一族) family Ⓒ; (生まれ) birth Ⓤ; (家系) stock Ⓤ. 《☞ うまれ; かけい[1]》. ¶彼女はよい*家柄の出だ She comes ⌜from [of] ⌜a good *family* [good *stock*].

いえじ 家路 *one's* way home. ¶旅人は*家路についた The traveler ⌜made *his way home* [started *for home*]. // 私は*家路を急いでいた I was hurrying ⌜*home* [*homeward*].

いえしろあり 家白蟻 〘昆〙 Formosan subterranean termite Ⓒ.

イエス ── 副 (はい・そうです) Yes. ★相手の問いに対して肯定・同意・賛成などを表す. [語法] Yes, I do. などと後に言葉を続ける場合は書くときにはコンマで区切る. ── 名 (イエスの返事) yes Ⓒ. 《☞ はい[1]》.

イエスキリスト ── 名 固 Jesus Christ /dʒíːzəs kráɪst/.

イエズス ☞ イエスキリスト **イエズス会** the Society of Jesus ★1534年にスペインで結成されたカトリック男子修道会. **イエズス会員** Jesuit Ⓒ.

イエスタデー ── 副 名 (昨日) yesterday ★名としては無冠詞.

イエスペルセン ── 名 固 Otto Jespersen, 1860–1943. ★デンマークの言語学者・英語学者.

イエスマン 《略式》 yés-màn Ⓒ ★軽蔑的.

いえだに 家だに mite Ⓒ.

いえつき 家付き ¶*家付きの娘 (⇒ 女子相続人) an heiress // *家付きの土地 (⇒ 家屋敷) a house and lot

いえで 家出 ── 動 (家庭から出る) leave [go away from] home; (逃げうせる) run away from home; (駆け落ちして) elope 自. ¶近ごろは若い少年少女が簡単に (⇒ 理由もなく) *家出する Nowadays [These days; Today], many young boys and girls ⌜run [are running] *away from home* for no particular reason.

いえども 雖も ―― 接 (…ではあるが) although …, though … ★ 前者のほうが格式ばった語. ―― 副 (…でさえも) even. 《☞ とはいえ》. ¶ 彼は老いたりと*いえどもかくしゃくとしている *Although* (he is) old, he is still very active. // そんなことは小児(しょうに)と*いえども知っている *Even* a [*Every*] child knows that. ★ even より child を強く発音する.

いえなみ 家並 (家の並び) row of houses Ⓒ.

いえぬし 家主 ☞ やぬし

いえねずみ 家鼠 mouse Ⓒ《複 mice》, rat Ⓒ. 《☞ ねずみ 語法; どぶねずみ》.

いえのころうとう 家の子郎党 (武家の一族とその従者たち) samurai's family and retainers Ⓒ; (従う者) *one's* entourage; (従者たち) *one's* attendants Ⓤ ★ 以上全て複数扱い. ¶ *家の子郎党を引き連れる go attended by *one's retinue*

いえばえ 家蝿 housefly Ⓒ.

いえばと 家鳩 domestic pigeon Ⓒ.

イエメン ―― 名 固 Yemen /jémən/; (正式名) the Republic of Yemen ★ アラビア半島の共和国. ―― 形 Yemeni /jéməni/, Yemenite /jémənàɪt/. イエメン人 Yemenite Ⓒ.

いえもち 家持ち (家屋の所有者) owner of a house Ⓒ; (住宅所有者) homeowner Ⓒ; (世帯主) householder Ⓒ; (戸主) the head of a house; (やり繰り) household management Ⓤ. ¶ 彼女は*家持ちがいい (⇒ やりくり上手だ) She is a good household manager.

いえもと 家元 the head of a school Ⓒ. ¶ 表千家の*家元 *the head of* the Omotesenke *school* of the tea ceremony

いえやしき 家屋敷 (家とその敷地) house and lot Ⓒ; (不動産) real ˹estate [property] Ⓤ; 〖法〗 messuage Ⓒ.

イェリツィン ☞ エリツィン

いえる 癒える ☞ なおる

イエロー yellow Ⓤ 《☞ きいろ》. イエローカード (サッカーの警告カード, 予防接種証明書) yellow card Ⓒ イエローキャブ (アメリカのタクシー) Yellow Cab Ⓒ イエローページ (職業別電話帳) the Yellow Pages ★ 複数形で.

イエローストーン ―― 名 固 (川) the Yellowstone (River) ★ 米国ワイオミング州, モンタナ州を流れる川. 川沿いの一帯は Yellowstone 国立公園.

いえん¹ 以遠 ―― 前 beyond. ¶ 事故のため山田駅*以遠は電車が動いていません Due to an accident, rail service is suspended *beyond* Yamada Station. 以遠権 (航空協定の) (commercial) rights to the air route (beyond …).

いえん² 胃炎 ☞ い¹ (胃炎)

いおう 硫黄 sulfur /sʌ́lfɚ/ Ⓤ, sulphur Ⓤ 《元素記号 S》. 硫黄酸化物 〖化〗 súlfur óxide Ⓤ 硫黄泉 sulfur spring Ⓒ.

いおうじま 硫黄島 ―― 名 固 (地名) Iwo Jima (Island) ★ 第 2 次世界大戦の激戦地 (1945).

イオマンテ ☞ イヨマンテ

いおり 庵 hermitage Ⓒ. ¶ *庵を結ぶ (⇒ 庵に引きこもる) seclude *oneself* in a *hermitage*

いおん 異音 〖言〗 allophone /ǽləfòun/ Ⓒ.

イオン 〖化〗 ―― 名 ion /áɪən/ Ⓒ. ―― 動 (イオン化する) ionize /áɪənàɪz/ 他. ¶ 陽*イオン a cation / a positive *ion* ★ 前者は専門用語. // 陰*イオン an anion / a negative *ion* ★ 前者は専門用語. イオン価 〖化〗 ionic /aɪánɪk/ ˹valence [charge] Ⓤ イオン化エネルギー 〖化・物〗 ionization energy Ⓤ イオン結合 〖化〗 iónic bónd Ⓒ イオン結晶 〖化〗 ionic crystal Ⓒ イオン交換樹脂 〖化〗 ion-exchànge résin Ⓤ イオンビーム 〖化〗 ion bèam Ⓒ イオンロケット ion rocket Ⓒ.

イおんびん イ音便 (日本語音声) i-euphony Ⓤ.

いか¹ 以下 **1** 《数量》: (未満の) less than …, under …, below … (↔ above …) 日英比較 日本語では, 例えば「3 以下」は 3 を含むので, 英語では not exceeding three または three or less とするのが正確. 《☞ いじょう¹; みまん》. ¶ その品は千円*以下の価値しかない That article is worth ˹1,000 yen *or less* [only 1,000 yen *or even less*]. // 5 歳*以下の子供は半額です Children ˹(of) five years *and under* [*under* six] are allowed in at half price. // それは 2 千円*以下では買えまい (⇒ 少なくとも 2 千円はするだろう) It will cost *at least* 2,000 yen. / You can't get it for *less than* 2,000 yen.

2 《程度》: (…より下の[で]) below …, less [lower] than … ¶ 彼の成績は普通*以下です His grades are ˹*below* [*lower than*] average. // これらは原価*以下で売っております We are selling these ˹*below* [at *less than*] cost.

3 《下記》: the following ★ 単数または複数扱い; (次のとおり) as follows. 《☞ かき³》. ¶ *以下が彼の述べた所です His story is [What he said was] *as follows*: / He stated *the following*: 《☞ コロン (巻末)》 // *以下次号 To be continued.

4 《全部で》: (全部で) in all; (…を含めて) including … ¶ わが社は社長*以下 500 人の社員がいる In our company there are 500 employees *including* the president.

いか² 烏賊 〖動〗 (甲いか) cúttlefish Ⓒ 《複 ～(es)》; (甲のないもの) squid Ⓒ 《複 ～(s)》. いかさし sashimi of ˹cuttlefish [squid] Ⓤ, sliced raw ˹cuttlefish [squid] Ⓤ いかそうめん long and thin (noodle-shaped) sashimi of ˹cuttlefish [squid] Ⓤ いかの甲 cúttlebòne Ⓒ, pen Ⓒ.

いか³ 異化 〖言・心・社〗 ―― 名 dissimilation Ⓤ (↔ assimilation); 〖生・生理〗 catábolism Ⓤ (↔ anabolism). ―― 動 dissimilate 他 自; catábolize 他 自.

いか⁴ 易化 (単純化) simplification Ⓤ; (容易にすること) facilitation Ⓤ.

いが 毬 (栗などの) bur(r) Ⓒ.

いかい¹ 位階 **1** 《官僚の位》: rank of a government official Ⓒ. **2** 《国から与えられる栄典》: cóurt rànk Ⓒ ★ 正…位, 従…位など.

いかい² 遺戒 (子孫のための人生訓) rules for *one's* descendants to live by; (子孫のためのいましめ) admonitions to [instructions for] *one's* descendants; (死者の教訓) the wisdom of the dead.

いがい¹ 意外 ―― 形 (思いがけない) unexpected; (驚くべき) surprising; (偶然の) àccidéntal. 《☞ よそうがい; おもいがけない; おもいのほか; おもわぬ》. ¶ それはまったく*意外なニュースだった It was quite ˹a *surprising* [an *unexpected*] piece of news. // 彼は*意外に (⇒ 予期されたより) 早く来た He came earlier *than expected*. // あなたにここで会うとはまったく*意外だ (⇒ 会おうとはまったく予期しなかった) I *never expected* to see you here. / (⇒ ほとんど考えなかった) I *hardly* ˹*thought* [*imagined*] I would see you here. / (⇒ あなたは私がここで会うと考えた最後の人だ) You are *the last person* I expected to meet here. ★ 第 3 文が最も強意的. // 彼女の病気は*意外に軽かった (⇒ 恐れたより) Her illness was not as serious *as* ˹*she* [*I*] *had feared*.

いがい² 遺骸 《格式》 (*a person's* or *animal's*) remains ★ 複数形で; (死体・遺体) (dead) body Ⓒ; (人間の) corpse Ⓒ. 《☞ したい¹ (類義語)》.

いがい³ 貽貝 〖貝〗 séa mussel /mʌ́sl/ Ⓒ.

-いがい …以外 (…を除いて) except …, but …

語法 except のほうが一般的で, but より意味が強い; (…に加えて) in addition to …, besides …; (…のほかに) other than … 《☞ ほか》.
¶ 日曜*以外ならいつでもお会いできます I can see you anytime *except* (on) Sundays. // このことは私*以外だれも知らない Nobody knows this *but* me. // これ*以外に何か持って行くものはないのですか Aren't you going to take anything ˹*other than* [*besides*] this? // 彼女は小説*以外に随筆も書く *In addition* to novels(,) she writes essays.

いかいよう 胃潰瘍 ☞ い¹ (胃かいよう)

いかが 如何 (どんなふう[具合]で) how; (どんなもの[こと]) what. 《☞ どう¹》. ¶「ご機嫌*いかがですか」「おかげさまで, 元気です」"*How are you* (˹*getting along* [*doing*])?" "Fine(, thank you)." // 近ごろご商売は*いかがですか *How*'s your business (˹doing [going]) these days? / *How* ˹are things [is everything] with you these days? //「お茶は*いかがですか」「ええ, いただきます」"*Would you like* [*Will you have*] a cup of tea?" "Yes, please." ★ 最初の言い方のほうが丁寧. // こちらは*いかがでございますか《店員の言葉》*How about* this one, ˹sir [ma'am]? //「東京は*いかがですか (⇒ 気に入りましたか)」「とても気に入りました」"*How* do you like Tokyo?" "I like it very much."

いかがく 医化学 medical chemistry Ⓤ.

いかがわしい ── 形 (人物・行動・性格などが怪しげな) questionable, dubious; (本などがわいせつな) obscéne; (ポルノの) pòrnográphic. 《☞ みだらな》.

いかく 威嚇 ── 名 (おどし) threat /θrét/ Ⓒ. ── 動 threaten ⑩; 《格式》 ménace ⑩. ── 形 (脅迫の) threatening; (警告の) warning. 《☞ おどす》. ¶ 警官は*威嚇射撃をした The policeman fired ˹a *warning* shot [*warning* shots].

いがく 医学 ── 名 (医学・医術・医療) medicine Ⓤ; (医学) medical science Ⓤ. ── 形 medical. ¶ 彼はベルリン大学で*医学を修めた He studied *medicine* at the University of Berlin.
医学界 medical circles ★ 複数形で. **医学生** medical student Ⓒ **医学博士** (人) doctor of medicine Ⓒ; (学位) Doctor of Medicine 《略 M.D.》 **医学部** the ˹school [college] of medicine, the medical ˹school [college] ★ 以上のほかに大学によっては英米ともに department も用いられる. 《☞ がくぶ (類義語)》.

コロケーション
家庭医学 family *medicine* / **公衆医学** community *medicine* / **西洋医学** Western *medicine* / **東洋医学** Oriental [Asian; Eastern] *medicine* / **法医学** forensic *medicine* / **臨床医学** clinical *medicine*

いがぐりあたま 毬栗頭 (短く刈った髪[頭]) close-cropped ˹hair Ⓤ [head Ⓒ].

いかけ 鋳掛け ── 動 (鍋・釜を修繕する) tinker ⑩. ── 名 tinkering Ⓤ. **鋳掛け屋** tinker Ⓒ.

いかける 射掛ける (敵に矢を射る) shoot an arrow at (the enemy); (矢を放つ) release [let fly] *one's* arrow.

いかさま (本物でない物・人) fake Ⓒ; (まやかしの行為) impósture Ⓒ; (ごまかしを言う人, またはその話) humbug Ⓒ; (偽物) counterfeit /káuntəfɪt/ Ⓒ; (詐欺行為) fraud Ⓒ 語法「偽物」という意味で, 最も平易で一般的な語は fake で, fraud ほど強い意味はない. imposture, counterfeit は改まった言葉. humbug は実物以上に見せようとするごまかしをいう口語的な語. 《☞ にせ (類義語); いんちき; ぺてん》.
¶ 彼の買ったレンブラントの作品は*いかさまだった The Rembrandt he bought turned out to be a ˹*fake* [*counterfeit*]. **いかさま師** impóstor Ⓒ, 《米》 imposter Ⓒ, fake(r) Ⓒ, cheat(er) Ⓒ.

いかす¹ 生かす **1** 《生かしておく》: (生きた状態にしておく) keep … alive; (殺さないでおく) spare ⑩.
¶ 彼を*生かすも殺すもあなたの胸ひとつだ (⇒ 彼の生命は完全にあなたの手中にある) His life is entirely *in your hands*.
2 《活用する》: make the ˹most [best use] of …
¶ あなたの英語の知識を*生かしなさい *Make the best use of* your knowledge of English. // 自分の才能を*生かすよう (⇒ 十分に伸ばすよう) 努めなさい Try to *develop* your talents *to the fullest*. // 彼は自分の経験を*生かした (⇒ 実地に利用した) He *put* his experience *to practical use*. // 素材を*生かした服 a dress designed to *take full advantage of* its material / a suit *making the best use of* the material // 牛肉の味を*生かした料理 a dish with the ˹*real* [*full*] flavor of beef
3 《校正》 ☞ いき³

いかす² ── 形 (すてきな) neat; (気の利いた) nifty; (すばらしい) funky ★ いずれもくだけた表現. ¶ 彼は*いかす車を持っている He has a *neat* car. // 彼女は*いかしている She's a *funky* woman.

いかすい 胃下垂 ☞ い¹ (胃下垂)

いかぞく 遺家族 (戦没者の家族) war bereaved family Ⓒ, families of the war dead; (遺族) bereaved family Ⓒ. 《☞ いぞく》.

いかだ 筏 raft Ⓒ. **筏流し** (木材を流していくこと) rafting Ⓤ.

いがた 鋳型 mold (《英》 mould) Ⓒ, cast Ⓒ; (活字の) matrix /méɪtrɪks/ Ⓒ 《複 matrices /méɪtrəsìːz/, ～es》. 《☞ ちゅうぞう》.
鋳型にはめる (一つの型にはめる) force *a person* into the common mold. ¶ *鋳型にはめたような (⇒ 同じ鋳型から鋳造されたような) as if struck from the same mold

いかだいがく 医科大学 medical school Ⓒ.

いかつい ── 形 (厳しい) stern; (怖い顔の) grim; (角張った) square. 《☞ いかめしい》. ¶ *いかつい顔つき a ˹*stern* [*grim*] look // *いかつい肩 *square* shoulders

いかなご 玉筋魚 〔魚〕 sand lance Ⓒ.

いかなる 如何なる any; every. 《☞ どんな》.

いかに 如何に **1** 《どのように》: how ★「程度」「疑問」を表す. 《☞ どんなに》.
¶ 近くへ行ってみればそれが*いかに大きいかわかります When you get nearer, you will realize *how* big it is. // *いかに生くべきかよりも*いかに死すべきかのほうがずっと難しい *How* one should die is a much more difficult question than *how* one should live.
2 《譲歩》: (どんなに…しても) however …, no matter how … 《☞ どんなに》.

いかにも ¶ 彼女は*いかにも (⇒ とても) 悲しそうな顔をしていた She looked *very* sad. 《☞ とても; さも》 // 彼は*いかにも物知り顔に話した (⇒ あたかも何でも知っているかのように話した) He talked ˹*as if* he knew everything [(⇒ たいへん物知り顔で) *quite* knowingly]. // *いかにも (⇒ 非常に) ありそうなことだ It is *most* likely. // そんなことを言うなんて*いかにも彼女らしい It's *just like* her to say that.

いかほど (数) how many …; (量) how much … 《☞ いくら》.

いがみあい (長期に及ぶ激しい反目) feud Ⓒ; (主に個人的な口論) quarrel (over …) Ⓒ; (人や国家間の紛争) dispute (over …) Ⓒ. 《☞ いがみあう》.

いがみあう いがみ合う (口論する) quarrel ⓐ; (仲が悪い) be on bad terms (with …); (犬猫のようにいつもけんかしている) be always fighting like cats and dogs; (いがみ合って暮らす) lead a cat-and-dog life. (☞ いいあらそう; けんか¹).

いかめしい 厳めしい ── 形 (威厳がある) dígnified; (厳しい) stern; (重々しい・まじめな) grave. (☞ いげん; おごそか; おもおもしい). ¶祖父は*いかめしい顔つきの人だった My grandfather had a ˹*stern* [*grave*] look about him.

いカメラ 胃カメラ ☞ い¹ (胃カメラ)

いかもの 如何物 (いんちきな品物) bogus article C; (本物でないもの) spurious article C; (偽物) fake C ★くだけた言い方; (普通食べないようなもの) unusual food U; (非常に変わった食べ物) weird food U. ¶私は*いかものをつかまされた (⇒まがいものでだまされた) I was dishonestly sold (some) *bogus goods*. **いかもの食い** (変わった食べ物を食べる人) person who eats ˹unusual [weird] foods C; (食べ物に風変わりな趣味を持つこと) having unusual tastes in food U.

いかよう 如何様 (どのような種類の) what ˹type [kind] of …; (どのような形の) in any form. ¶*いかようなカメラをお求めになりたいのですか *What* ˹*type* [*kind*] *of* camera are you looking for? // 宴会は*いかような形式にもご用意いたします We'll prepare the banquet *in any* ˹*form* [*fashion*] you wish. (☞ どんな)

いからす 怒らす (いばって肩を角張らせる) square *one's* shoulders, draw up *one's* shoulders. ¶肩を*怒らして歩く (⇒いばって歩く) swagger / (⇒肩を張って) walk with *one's* shoulders thrown back

いがらっぽい (ひりひりする) írritàting. ¶煙でのどが*いがらっぽくなった The smoke *irritated* my throat.

いかり¹ 怒り (一般的な腹立ち) anger U; (激しい怒り) rage U, fury U 語法 fury のほうが意味が強い. いずれも in a ˹rage [fury], into a ˹rage [fury] は成句として a を付けて用いる; (不正などに対する憤り・義憤) indignation U. (☞ おこる¹).

¶私はやっとのことで*怒りを抑えた I managed to ˹control [contain; suppress] my *anger*. ★[ ] 内は格式語. // それを見て思わず*怒りがこみ上げた I was filled with *anger* when I saw that. / It drove me into a ˹*rage* [*fury*]. // 彼は*怒りにまかせてその男の顔を殴った He hit the man in the face in a fit of *anger*. // 彼は部長の*怒りに触れて左遷された (⇒部長を怒らせたことで) He was demoted for *offending* the director.

怒り心頭に発する fly into a ˹fury [rage].

> **コロケーション**
> うっ積した怒り smoldering *anger* / 抑え切れない怒り uncontrollable *anger* / 衝動的な怒り blind *anger* / 根の深い怒り deep [profound] *anger* / 激しい怒り fierce [great; intense; strong; violent] *anger* [*rage; fury*] // 怒りがこみあげる (*one's*) *anger* ˹builds up [mounts] / 怒りが鎮まる (*one's*) *anger* subsides / 怒りが燃え上がる (*one's*) *anger* flares up / 怒りを表す show [express] (*one's*) *anger* / 怒りを買う cause [arouse] *a person's anger* / 怒りをかきたてる stir up (*one's*) *anger* / 怒りを静める calm [quell] (*one's*) *anger* / 怒りを…にぶちまける take *one's anger* out on …; vent *one's* ˹*fury* [*rage*] on … / 怒りを…に向ける direct (*one's*) *anger* against … / 怒りを呑み込む swallow (*one's*) *anger* / 怒りを招く invite (*a person's*) *anger*

いかり² 錨 anchor /ǽŋkə/ C ★慣用的に無冠詞の場合もある. ¶船は入り江に*錨を降ろした The ship ˹dropped [cast] *anchor* in the bay. / The ship *anchored* in the bay. // 私たちの船は横浜に*錨を降ろしている Our ship ˹*is anchored* [*is lying at anchor*; *is at anchor*] at Yokohama. // もうすぐ*錨を上げるだろう It will soon be time to ˹weigh [raise the; hoist the] *anchor*. ★weigh anchor では定冠詞は用いられない. **錨綱** cable C.

いかりがた 怒り肩 ── 名 (角張った肩) square shoulders ★複数形で. ── 形 square-shouldered. (☞ なでがた).

いかりそう 碇草 〖植〗 barrenwort C.

いかる 怒る (腹を立てる) get [become; be] angry (with *a person*; at …) (☞ おこる¹; いかり¹).

イカルス ☞ イカロス

いかれぽんち (軽薄な男) frivolous man C; (頭が空っぽの人) idiot C, empty-headed person C; (ばか者) blockhead C. (☞ けいはく¹).

いかれる 1 «頭が狂って» ── 形 《略式》 crazy, nuts P ★後者のほうがよりくだけた語. (☞ くるう). ¶彼は(頭が)*いかれている He's ˹*crazy* [*nuts*]. / He's *out to lunch*. / He's *off his rocker*. ★後の2文はふざけて言う慣用的な表現.

2 «夢中になって» ── 形 《略式》 crazy, nuts P ★後者のほうがくだけた語. (☞ むちゅう). ¶弟は彼女に*いかれている My brother is ˹*crazy* [*nuts*] *about* her.

3 «不良っぽい» ── 形 (とっぴな) wild; (狂気じみた) crazy, 《米俗》 wacky; (下品な) cheap; (パンク調の) 《米俗》 punk. ¶彼女は*いかれた髪をしている She looks ˹*wild* [*crazy; cheap*] with that hairstyle.

4 «役に立たない» ── 形 (すっかりだめになった) 《米略式》 shot; (故障した) 《略式》 on the blink. ── 動 (役に立たない) be done ˹for … [in …]; (悪くなる) go bad; (突然故障する) break down 自. (☞ くるう; こわれる; こしょう¹).

¶あの時計は*いかれてきた That clock is about ˹*shot* [*done for*]. ★前者のほうがより口語的. // 電灯が*いかれた The light is *on the blink*. // エンジンが*いかれた The engine *broke down*.

イカロス 〖ギ神〗 Ícarus ★ダイダロス (Daedalus) の子. 蠟づけの翼を付けて飛行中, 太陽の熱で蠟が溶けて墜死した.

いかん¹ 遺憾 ── 形 (残念な) regréttable; (嘆かわしい) deplórable; (不満足な) ùnsàtisfáctory. ── 名 (残念) regret U. ── 動 regret 他. (☞ ざんねん). ¶あなたがその機会を逃したのは*遺憾である It's ˹*regrettable* [*to be regretted*] that you missed the chance. // *遺憾の意を表す express *one's regret*(*s*)

遺憾ながら (残念なことに) regrettably. ¶*遺憾ながら (⇒そう言うのは残念なのですが) それは事実です I ˹*regret* [*am sorry*] to ˹tell you [say] (that) it's true. ★sorry の方がくだけた言い方. / (⇒残念なことに) *To my regret* [*Regrettably*], it's true.

遺憾なく ── 副 (十分に) fully, to the full, thóroughly ★最初の2つがより一般的; (完全に) pérfectly; (満足ゆくまで) sàtisfáctorily. ¶彼女は才能を*遺憾なく (⇒存分に) 発揮した She displayed her abilities *to the full*.

いかん² 移管 ── 動 transfér (the management of …) (☞ うつす¹ (類義語)). ¶その件は…に*移管されました That case *has been transferred to* (*the* ˹*control* [*authority*] of) …

いかん³ 如何 ¶事の*いかんを問わず (⇒何であっても) それはよくない *Whatever it may be*, it is not good. // 結果の*いかんにかかわらず (⇒どのような結果になろうとも) 連絡してください *No matter how it turns out*, please ˹let me know [tell me] the result. // それは君の努力*いかんによる It *depends* ˹*on* [*upon*] your effort. // それは*いかんともしがたい (⇒仕方がない) It *can't be helped*. / (⇒避けられない)

It's *unavoidable.* / (⇒ できることは何もない) There's *nothing we can do about it.*

いがん 胃癌 ☞ い[1] (胃癌)

いかんそくたい 衣冠束帯 (宮廷人の正装) formal dress of courtiers [U].

いがんたいしょく 依願退職 ―[動] resign /rizáɪn/ (自) (他); (職を) resign from *one's* job; (会社を) resign from *one's* company; (地位を) resign *one's* ⌜position [post] ★ 後者は公に任命された地位の場合. [語法] resign は「自分の意志で退職する」ことなので, voluntarily や at one's own request などをつける必要はない. ―[名] resignation [U] ★「届け」の意味のときは [C]. 《☞ じしょく》.

いき[1] 息 ―[名] (息) breath /bréθ/ [U]; (呼吸) breathing /brí:ðɪŋ/ [U]. ―[動] (息をする) breathe /brí:ð/ (自); (息を吸い込む) breathe in (自), inhále (自) ★ 前者のほうが口語的; (息を吐き出す) breathe out (自), exhále (自) ★ 前者のほうが口語的.

¶ *息ができない I can't *breathe.* // *息が苦しい (⇒ 窒息しそうだ) I'*m choking.* / (⇒ ほとんど息ができない) I can hardly *breathe.* // 彼は*息がくさい He has ⌜bad [foul] *breath.* / He has *halitosis.* ★ hàlitósis 〘医〙 は「口臭」の意味. // ちょっと*息を止めて Hold your *breath* [Stop *breathing*] for a second. // 深く*息を吸い, 次に吐き出しなさい *Breathe in* [*Inhale*] deeply, and then ⌜breathe out [exhale]. // 彼は*息を切らして (⇒ あえぎながら) 走り続けた He *was* ⌜*gasping* [*panting*] *for breath* as he ran. // おぼれかけた人は幸い*息を吹き返した The man who (had) nearly drowned fortunately began to *breathe.* // 今日のバッテリーはぴたりと*息が合っている The pitcher and catcher *are* really *in synch* today. ★ be in synch /síŋk/ (synchronism の略) は「ぴたりと一致している」の意. // 辞書作りは*息の長い仕事です (⇒ 長く持続された努力を必要とする) Dictionary compilation requires a *long, sustained* effort. // この小説は*息もつかせないほどおもしろかった I found this novel *breathtakingly* interesting. // すべてがうまくいって, 彼女はほっと*息をついた (⇒ 安堵の息を) Everything went well, so she *gave a sigh of relief.* // 彼は*息もつかずに (⇒ 息をするために休まずに) しゃべり続けた He talked *on and on without pausing for breath.* / (⇒ 途中で話し止めずに) He talked *nonstop.* ★ 後者のほうが口語的. // 忙しくて*息つく間もなかった (⇒ ひと休みするには忙しすぎた) I was too busy to *take a* ⌜*rest* [*breather*]. ★ [ ] 内がより口語的. / (⇒ 座る時間もなかった) I was so busy that I had no time to *sit down.*

息がかかる (…の支配下にある) be under the control of…; (後援されている) be ⌜supported [backed] (by …).

息が切れる ¶ 仕事が済んでいないのにもう*息が切れてきた Although the work is not finished, ⌜I'm running out of *steam* [(⇒ もうできない) I *can't keep at it anymore*; (⇒ もう続けられない) I *can't go on any more* (like this)]. 《☞ いきぎれ》

息が続く (息が長く持つ) *one's* breath lasts; (息切れしない) be long-winded. ¶ 水の中でどの位*息が続きますか (⇒ 息を止めていられますか) How long can you *hold your breath* (for) under water?

息が詰まる ―[動] (息が吸えないで窒息死する) suffocate (自); (緊張で息詰まる) be so nervous *one* can hardly breathe; (口やのどが詰まって窒息する) choke (自). ―[形] (部屋などが暑苦しい) suffocating, stifling; (緊張した). 《☞ いきづまる[1]; おもくるしい》. ¶ その老人はもちで*息が詰まった The old man ⌜*choked* [*suffocated*] on piece of a rice cake. ★ 後者は死んだことを意味する. // 電車は*息が詰まるほど込んでいた The train was so crowded I *could hardly breathe.* // この部屋は*息が詰まりそうだ (⇒ 風通しが悪い) This room *is* very ⌜*stuffy* [*stifling*]. / (⇒ 狭苦しく感じる) This room *feels* so *cramped.* // 彼女には結婚生活は*息が詰まるものだった She found married life ⌜*stifling* [*suffocating*].

息が長い ―[形] (長期の) long-term; (長く続く) long-standing; (永続する) lasting, enduring. ¶ この本は*息が長いベストセラーとなっている. This book is a *long-run* best-seller.

息の根をとめる ¶ 討論で彼の*息の根をとめてやった (⇒ 完全に負かした) I ⌜*defeated* him *completely* [(⇒ 虐殺した) *slaughtered* him] in the debate. ★ [ ] 内は俗語的表現. killed him とも言う.

息を殺す ¶ 私は*息を殺して待った I *held my breath* and waited. / I waited *with bated breath.* [語法] hold *one's* breath は驚きや不安などで「かたずを飲む」の意味になることがしばしばある. 獲物などを待ち伏せして息を殺すのは with bated breath で, bate は「減らす・弱める」の意.

息を抜く (ひと休みする) take [have] a ⌜break [rest]; (くつろぐ) relax (自); (一息つく) catch *one's* breath. ¶ ちょっと*息を抜いてコーヒーでも飲みましょう Let's *take a break* and have a cup of coffee.

息をのむ ¶ その映画は*息をのむようなシーンで終わった (⇒ 最後のシーンは一瞬はっとさせるものだった) The last scene of the film was ⌜*breathtaking* [(⇒ スリルがあった) *thrilling*]. ★ 前者は静止した場面, 後者は動きを伴う場面に使う. // その光景に私は思わず*息をのんだ (⇒ その光景が私の息を持ち去った) The scene ⌜*took my breath away* [was *breathtaking*].

息をはずませる ¶ 子供は*息をはずませて (⇒ 息を切らして) そのニュースを伝えた The child was *out of breath* when she told the news.

息を引き取る ―[動] (死ぬ) die (自); (婉曲な表現で) pass away (自); (息が絶える) take *one's* last breath, 《文》 breathe *one's* last (自). ¶ 病人は昨夜*息を引き取った (⇒ 死んだ) The patient ⌜*passed away* [(⇒ 最後の息をした) *breathed his last*] last night. ★ [ ] 内は文語的な言い方.

―コロケーション―

息を切らす lose *one's breath* / **息を継ぐ** catch *one's breath* / **ひと息入れる** draw *one's breath*

いき[2] 粋 ―[形] (シックな) chic /ʃí:k/ ★ 主として女性に用いる; (流行の・しゃれた) stylish, fashionable. 《☞ しゃれた; あかぬけた》.

¶ 彼女はいつも*粋ななりをしている She is always ⌜*stylishly* dressed [dressed *in style*]. / She always wears ⌜*fashionable* [*chic*] clothes. // 彼は*粋なはからいをしてくれた (⇒ たいへんな配慮を示した) He showed (me) a great deal of *consideration* in dealing with it. / He was very *understanding* in dealing with it. **粋がる** ―[動] (洗練され[あかぬけ] て見えるようにする) put on a show of sophistication; (気取る) put on airs; (洗練された人のふりをする) act like a refined person; (見えを張る) ☞ みえ; いばる; きょせい[1]. ―[形] (気取った) pretentious. ¶ 彼はただ*粋がっている (⇒ あかぬけた人のふりをしている) だけだ He's just *acting like a* ⌜*sophisticated* [*refined*] *person.*

いき[3] 生き **1** 《鮮度》 **生きがよい** ―[形] (新鮮な) fresh. ¶ この魚はとても*生きがよい[悪い] This fish is ⌜really *fresh* [not *fresh*].

2 《校正》: stet ★ もとラテン語で let it stand の意. 消去した箇所を元に戻すこと. 略して st. とも書く. 日本語では普通カタカナで「イキ」と書く.

いき[4] 意気 **意気があがる** ¶ 我々の*意気は大いにあがった We *were* ⌜*in high spirits* [*elated*]. ★ [ ]

内はやや格式ばった語.《☞ きせい³》
意気軒昂 ☞ 意気があがる
意気消沈 ¶失敗して私たちは*意気消沈している We *are* ⌈*depressed* [*in low spirits*] because of our failure. / We have lost ⌈*heart* [*courage*] because of ⌈the [our] failure.
意気衝天 ¶第一試合に勝ってそのチームは*意気衝天の勢いだった *The spirits of the team have risen* after their victory in the first game.
意気阻喪 ☞ 意気消沈
意気投合 ¶私と健一は*意気投合した I have found a ⌈*congenial* [*kindred*] *spirit in* Ken'ichi.
意気揚揚 ¶*意気揚揚と (⇒勝ち誇って) 引き上げる return *triumphantly*

いき⁵ 遺棄 ── 名 (やむをえず放棄すること) abandonment Ⓤ; (無責任に見捨てること) desertion Ⓤ; (遺体などの) illegal disposal Ⓤ. ── 動 abandon ㊀; desert ㊀; (遺体などを) illegally dispose of ... 《☞ ほうき¹; みすてる》. ¶死体*遺棄罪 a charge of *illegally disposing of* a body

いき⁶ 域 (段階) stage Ⓒ; (レベル) level Ⓒ; (境界) boundary Ⓒ, limits ★ 複数形で. 《☞ はんい¹》.
¶名人の*域に達する reach the *level* of a virtuoso // まだテストの*域を出ない (⇒まだテストの段階にある) be still in the testing *stage* // 人間の想像の*域を超える be beyond the ⌈*boundary* [*limits*] of human imagination // 素人の*域を出ない (⇒まるで素人だ) be *no better than* an amateur

いき⁷ 行き ¶*行きは飛行機で, 帰りは列車だった (⇒飛行機で行って列車で帰ってきた) I *went* by plane and came back by train. // *行きも帰りも (⇒往復とも) 飛行機にした I ⌈flew [took a plane] *both ways*.

いき- 行き… ★「行き」で始まる語については「ゆき…」の見出しをも参照のこと.

いぎ¹ 意義 ── 名 (意味) meaning Ⓒ; (価値) signíficance Ⓒ 語法 (1) 以上 2 語はほぼ同意で用いられることもあるが, 前者が「意味」を表す一般的な語であるのに対して, 後者は格式ばった語で, ある言葉や事実に含まれる隠された意味というニュアンスがあり, さらに「重要性・重大さ」の意味でも用いられる. ── 形 meaningful, significant; (価値がある) worthwhile; (…の価値がある) worth 語法 (2) この語は後に動名詞形の目的語をとる. 《☞ いみ¹》.
¶彼の生涯は*意義のあるものだった His was a life *worth* living. / (⇒立派に生きた生涯だった) His was a *well-spent* life. // 人生の*意義とは何だろうか What is the ⌈*meaning* [*significance*] of life?
意義のない insignı́ficant; meaningless ★ 前者がやや格式ばった語. **意義深い** (very) signíficant; (印象深い) impressive.

いぎ² 異議 (反対意見) objéction Ⓒ; (異議の申し立て) prótest Ⓒ; (不賛成) dissént Ⓤ.
¶《会議で》*異議あり *Objection*! // *異議なし No *objection*! // 《議長が》*異議ありませんか. *異議なしと認めます Does anyone have any *objection*(*s*)? I see no *objection*(*s*). // 《裁判長が》*異議の申し立てを認めます[却下します] *Objection* ⌈sustained [overruled]. // 私はその案に何の*異議もない I have no *objection* to the plan. / I have *nothing to say against* the plan. ★ 後者のほうがより口語的. // 彼女はそれに対し*異議を申し立てた She ⌈*protested against* [*raised an objection to*] it.
異議申し立て (抗議) protest Ⓒ; 〘法〙 demur Ⓤ; (反対意見) (formal) objection Ⓒ; 〘法〙 (文章などによる正式異議) exception Ⓒ.

いぎ³ 威儀 ── 名 (威儀・威厳) dignity Ⓤ; (厳粛さ) solemnity /səlémnəti/ Ⓤ. ── 形 (威儀のある) dígnifièd, solemn /sáləm/. ¶人々は*威儀を正して式に参列した (⇒式に参列した人々は威儀を正した態度であった) The people attending the ceremony behaved in *a* ⌈*dignified* [*solemn*] *manner*.

いぎ⁴ 異義 different meaning Ⓒ. ¶同音*異義 (性) homónymy ★ Ⓤ, 個々の語を指すときは Ⓒ. // 同音*異義語 a hómonỳm

いきあたりばったり 行き当たりばったり
── 形 (偶然の) hàpházard; (のんきな) happy-go-lucky. ── 副 (でたらめに) at random; haphazardly. 《☞ でたとこしょうぶ》.
¶彼はすべて*行き当たりばったりだ He does everything ⌈*in a haphazard way* [*haphazardly*]. / (⇒すべてを運にまかせる) He leaves everything *to chance*. / (⇒のんきだ) He is *happy-go-lucky*. ★ 最後の例はよい意味で用いる.

いきいき 生き生き ── 形 (新鮮な) fresh; (生命にあふれた) full of life; (元気な) lively, ánimàted, vivacious; (生気にあふれた・描写が真に迫った) vivid. 《☞ あざやか (類義語); しんせん; げんき¹》.
¶あの子供の*生き生きとした (⇒輝く) 目をごらんなさい Look at the *bright* eyes of that child. // *生き生きとした表現 a *vivid* expression

いきうつし 生き写し (そっくり) close /klóus/ resemblance Ⓒ; (生き写しの人) double Ⓒ. ¶彼女は母親に*生き写しだ She looks ⌈*just* [*exactly*] *like* her mother. / She bears a *close resemblance* to her mother. / She is *the* ⌈*living* [*spitting*] *image of* her mother. 語法 第 1 文と第 3 文が第 2 文より口語的. ただし, 相互の間に大差はない.

いきうま 生き馬 **生き馬の目を抜く** ¶東京は*生き馬の目を抜くような所だ (⇒抜け目のないことが終始行われている) *Shrewd practices are common* in Tokyo. / (⇒情け容赦のない競争がある) *There is cutthroat competition* in Tokyo.

いきうめ 生き埋め ── 動 (生き埋めにする) bury ... alive. ¶彼は泥で*生き埋めになった He *was buried alive* in the mud.

いきえ 生き餌 live bait Ⓤ. ¶ミミズは*生き餌に最適だ Earthworms make excellent *live bait*.

いきおい 勢い **1** 《力・活気・権力》 ── 名 (動作や物理的な動きなどの) force Ⓤ; (大きな力) might Ⓤ ★ やや格式ばった語; (活気) vigor (《英》 vigour) Ⓤ; (元気) énergy Ⓤ; (影響力) ínfluence Ⓤ. ── 形 (力がある・強い) forceful; (活気にあふれた) vigorous; (元気のよい・精力的な) ènergétic. ── 副 forcefully; vigorously; ènergétically. 《☞ ちから (類義語)》.
¶風の*勢い (⇒風力) the *force* of the wind // 彼はすごい*勢いでそれをやった He did it ⌈with all his *might* [with amazing *speed*; very *energetically*]. // 彼の筆の*勢いは少しも衰えていない (⇒彼の力強い文体は変わっていない) His *vigorous* style has not changed. // 彼の*勢いには圧倒された We were overwhelmed by his ⌈*energy* [*vigor*]. // 彼は酒の*勢いで (⇒酒の影響で) その男をののしった *Drunkenly* [*Under the influence of* alcohol], he swore at the man. // 彼の*勢いのよい話し声が聞こえた We heard him talking *cheerfully*. // 彼らは*勢いをつけて (⇒力を取り戻して)反撃をしてきた They *regained their strength* and made a counterattack. // その知らせで(私たちは)*勢いをそがれた (⇒その知らせが気力を失わせた) The news ⌈*discouraged* [*dispirited*] us. ★ [ ] 内のほうが格式ばった語. / (⇒熱意を弱めた) The news ⌈*dampened our enthusiasm* [(⇒無気力にした) *unnerved* us]. ★ [ ] 内は格式ばった言い方. // *勢いを増す increase [gather] *strength* // *勢いに乗じる (⇒好機を利用する) take advantage of ⌈the [an] *opportunity*
2 《成り行き》 ── 名 ((物事の) 過程) the course

of things. —副 (…しているうちに) in the course of …; (成り行きとして) cónsequèntly; (必然的に) nècessárily; (自然に) naturally, as a (natural) ⌈result [cónsequènce]. 《☞ なりゆき》. ¶ *勢い議論がその問題になった (⇒ 討論の過程で我々はその問題に直面した) We faced the problem *in the course of* discussion. // *勢いそうならざるを得ない It must *necessarily* be so.

> **コロケーション**
> 勢いを失う lose ⌈*strength* [*force*; *energy*; *momentum*] / 勢いを得る gain [gather] ⌈*strength* [*force*; *momentum*] / 勢いを回復する recover [regain] *strength* [*force*; *energy*; *momentum*] / …の勢いを弱める break the *force* [slow (down) the *momentum*] of …

いきおいこむ 勢い込む —副 (勢い込んで) with vigor; (張り切って) with enthusiasm /ɪnθ(j)úːziæ̀zm/. 《☞ いきごむ; はりきる》. ¶ 一同*勢い込んで仕事にかかった They all got to work *with enthusiasm and vigor*. ★ このように強意的に enthusiasm と vigor を 2 つ並べて用いることがある.

いきおいづく 勢いづく (はずみがつく) gain [gather] momentum; (勇気づけられる) be encouraged; (勢いを増す) strengthen 自; (いきおいづける) give impetus to …. ★ 物が主語. 《☞ いきおい》. ¶ 我々は初戦に勝って*勢いづいた We *were encouraged* by our victory in the first game. / The victory in our first game *gave* us *impetus*.

いきがい¹ 生きがい ¶ 私は*生きがいのある生活がしたい (⇒ 生きる値打ちのある生活) I want to lead a ⌈life *worth living* [(⇒ 役に立つ) *useful* life]. / (⇒ はっきりした人生の目的を持って) I want to live with a definite ⌈*aim* [*purpose*; *goal*]. // 私には*生きがいがない I have nothing *to live for*. // それが私の*生きがいだ That's my *reason for living*.

いきがい² 域外 —形 (領域外の) outside the ⌈region [territory]; (海外から[へ]の) overseas; (国外で行われる) offshore. ¶ *域外生産 *offshore* production

いきかう 行き交う come and go 自. ¶ 日中は何千人という買物客がこの通りを*行き交う In the daytime, thousands of shoppers *come and go* along this street. // *行き交う人もない通り (⇒ 人の通らない) a *deserted* street

いきかえり 行き帰り —名 副 both ways 《☞ おうふく》.

いきかえる 生き返る come back to life, revive /rɪváɪv/ 自 他 ★ 前者のほうが口語的; (爽快な気分になる) feel refreshed. ¶ 雨で枯れかけた草木が*生き返った The withered plants *came back to life* again in the rain. / (⇒ 雨が枯れかけた木を生き返らせた) The rain *revived* the withered plants. // ひと風呂浴びて*生き返ったようだ (⇒ 爽快に感じる) I *feel refreshed* after taking a bath.

いきがかり 行き掛かり (事情) circumstances /sə́ːkəmstæ̀nsɪz/ ★ 通例複数形で. ¶ *行き掛かりで仕事を引き受けた (⇒ その状況が私に…させた) *Circumstances* ⌈forced [compelled] me to accept the work. / I was compelled to accept the ⌈work [job] *by* (*sheer*) *force of circumstance*.

いきがけ 行き掛け (…への途中) on ⌈*one's* [the] way to … 《☞ とちゅう; -がけ¹; -がてら》. ¶ 学校へ*行きがけに君のところへ寄ろう I will come and see you *on my way to* school. **行き掛けの駄賃** ¶ *行きがけの駄賃に (⇒ 余分に[チップに]) これもらっていこう I'll take this, too, *as* ⌈*an extra* [*a tip*].

いきかた¹ 生き方 (生活のやり方) way of ⌈life [living] Ⓒ ★ [ ] 内のほうがより具体的; (生活様式) lifestyle Ⓒ. ¶ まっとうな (⇒ 正直な) *生き方をする have an honest *way of life* // 自分の*生き方は自分で決める I will choose my own ⌈*lifestyle* [*way of life*].

いきかた² 行き方 ☞ ゆきかた

いきき 行き来 —名 (往来) coming and going Ⓤ; (交通) traffic Ⓤ; (交際) assòciátion Ⓤ. —動 (行ったり来たり, 出たり入ったりする) come and go 自; (行き来する) go back and forth; (交友関係を持つ) have friendly relations (with …); (交際する) assóciate (with …) 自, keep company (with …). 《☞ つきあい; こうさい¹》.
¶ 彼女は図書館と教室の間を毎日何度も*行き来した She ⌈*walked* [*went*] *back and forth* between the classroom and the library many times every day. // 私はあの人とはもう*行き来していない (⇒ 友好関係は持っていない) I no longer ⌈*have friendly relations* [*am on good terms*] *with* that person.

いきぎれ 息切れ **1** 《呼吸が苦しくなる》 —動 (息が切れる) get out of breath; (息切れしている) be short of breath. 《☞ いき¹》. ¶ 私は長い階段を上ると*息切れする I *get out of breath* when I go up a long staircase.
2 《途中で気力が尽きる》 ¶ 無理しすぎると途中で*息切れするよ (⇒ 燃え尽きる) If you overwork yourself, ⌈you'll *burn out* [(⇒ 続けられなくなる) you *won't be able to go on*].

いきぐされ 生き腐れ ¶ さばの*生き腐れ (⇒ さばはいたみ方が非常に早く生きている内に腐ると言われる) A mackerel goes bad so quickly that it is often said to *be going rotten while alive*.

いきぐるしい 息苦しい —形 (息が詰まる) choking; (窒息しそうな・させるような) suffocating ★ choking より少し格式ばった言葉; (部屋など, 風通しが悪い) stuffy, close /klóʊs/. 《☞ いき¹》.
¶ たばこの煙で*息苦しかった I *was choking* ⌈with [from the] cigarette smoke. // *息苦しいほどの暑さで私はくたびれきった I was exhausted by the *suffocating* heat. // 人が多すぎてこの部屋は*息苦しい This room is ⌈*stuffy* [*close*], because there are too many people (in it).

いきごみ 意気込み (燃えるような熱意) ardor (《英》 ardour) Ⓤ; (強い関心を示して熱中すること) enthúsiàsm Ⓤ. 《☞ きはく¹; いきおいこむ》.
¶ あの*意気込みで続ければ彼は成功疑いなしだ He will certainly succeed if he keeps on going with that ⌈*enthusiasm* [*ardor*]. // すさまじい*意気込みで with ⌈*great enthusiasm* [*a great deal of ardor*]

いきごむ 意気込む (一心である) be intént (on *doing* …); (しきりに…したがる) *be eager* (*to do* …). 《☞ いきおいこむ; はりきる》. ¶ 彼は非常に*意気込んで (⇒ 非常な期待をもって) その地位についた He took the position with ⌈*great expectations* [*high hopes*]. // 始めからうまくやろうと*意気込むな. のんびりやりなさい Don't *be* too *intent on* succeeding from the beginning. You'd better relax.

いきさき 行き先 (目的地) destination Ⓒ; (行方) 《格式》 whereabouts ★ 単数または複数扱い.
¶ *まだ行き先 (⇒ どこに行くか) を決めていない I have not yet decided *where* ⌈to *go* [I will *go*]. // *行き先を言って外出しなさい Tell me your *destination* before you leave.

いきさつ (細かな経緯) details ★ 複数形で; (理由) reason Ⓒ; why ★ 後者は「なぜ…なのかという理由」という意味で, 口語的な用法. 《☞ けいい²; じじょう¹ (類義語)》. ¶ *いきさつ (⇒ 何が起こったかの詳細) は知らないが, 彼は仕事をやめたそうだ I hear he has quit the job, but I don't know ⌈the *details of what happened* [(⇒ どうしてそうなったのか) *how it*

came about; (⇒ なぜかの理由) why].

いきざま 生き様 (生き方) life style Ⓒ; (人の生活のやり方) *one's* way of life Ⓒ. 《☞ いきかた¹》. ¶ その本はその芸術家の*生き様 (⇒ どのように生き死んだか) を描いている The book depicts *how* the artist *lived and died*.

イキシア 〖植〗 ixia /íksia/ Ⓒ, córn lily Ⓒ.

いきじごく 生き地獄 (この世の地獄) hell on earth Ⓒ; (苦痛・苦悩) torture Ⓒ ★ しばしば複数形で. 《☞ じごく》.

いきしな 行きしな ☞ いきがけ

いきしに 生き死に ☞ せいし²

いきじびき 生き字引 (歩く辞書・百科事典) walking ˹dictionary [encyclopedia /ɪnsàɪkləpíːdiə/] Ⓒ.

いきすぎ 行き過ぎ ―動 (行き過ぎる) go too far ⓐ. ―名 (度を過ぎた行為) excesses ★ 複数形で. ―形 excessive. 《☞ ど 3》.
¶ それは少し*行き過ぎだ That'*s* [You *are*] *going* a little *too far*. // 親切の*行き過ぎはありがた迷惑だ *Too much* [*Excessive*] kindness is rather annoying.

いきせききる 息せき切る (はあはあとあえぐ) pant (for breath) ⓐ, gasp ⓐ; (息切れする) be ˹out [short] of breath. 《☞ いき¹; いきぎれ》.
¶ *息せき切って走る (⇒ 一生懸命) run *very hard*

いぎそ 意義素 〖言〗 sememe /síːmiːm/ Ⓒ ★ 意味を持つ最小単位.

いきた 生きた ―形 live /láɪv/ Ⓐ, living, alive Ⓟ 語法 live は限定的に a *live* fish のようにのみ用いられる. 述語的な形容詞は alive で, The fish is *alive*. となる. living は両方に用いられ, 特に「存命して生活している」の意味に用いられる. 《☞ 形容詞の 2 用法 (巻末)》. ¶ 私は*生きたえびを買った I bought ˹*live* prawns [prawns (that were) still *alive*]. // 子供は人形に*生きた人に話すように話しかけた The child talked to the doll as if to a *living* person. // 恐怖のあまり*生きた心地がしなかった (⇒ 死ぬほど怖かった) I was frightened ˹to death [(⇒ 正気を失うほど恐ろしかった) out of my senses; out of my mind; out of my wits].

いきたい 生き体 (相撲で) ―名 *ikitai*. ―動 keep *one's* balance. ¶ 両力士はほとんど同時に倒れたが高山は*生き体と判定された (⇒ 判定勝ちした) The two wrestlers fell almost at the same time, but Takayama *won by* (*a*) *decision*.

いきだおれ 行き倒れ (人) person ˹dead [dying] on the street Ⓒ.

いきち 生き血 (生きている動物の) the blood of a living animal; (生きている人間の) the blood of a living person; (活力のもと) lifeblood Ⓤ. ¶ 貧しい人たちの*生き血を吸う (⇒ 情け容赦なく金を絞り取る)悪徳業者 a ruthless racketeer who ˹*squeezes money out of* [*extorts money from*] poor people

いきちがい 行き違い ¶ 私たちは途中で*行き違いになったらしい We seem to *have missed each other* on the way. // 君の手紙は私のと*行き違いになってしまったようです Your letter seems to *have crossed* mine. / Our letters seem to *have crossed*. // 本状の*行き違いでお支払い[お返事を]いただいた場合はご容赦ください (⇒ すでに支払った[返事を出した]ならば, このお知らせを無視してください) If you have already ˹paid [replied], please ignore this notice. // 彼らの間に何か*行き違いがあったらしい (⇒ 誤解があったにちがいない) There must have been some *misunderstanding* between them.

いきづかい 息遣い breathing /bríːðɪŋ/ Ⓤ 《☞ いき¹; こきゅう¹》. ¶ 彼女の*息遣いが荒くなった She began to *breathe* hard.

いきつぎ 息継ぎ (楽器・水泳など) breathing Ⓤ.

いきつく 行き着く arrive ˹at [in; on] ..., reach ⓗ. 《☞ つく²; とうちゃく》. ¶ *行き着く先 (⇒ 結局どうなるかは) だれにもわからない No one knows how it will turn out.

いきづく 息衝く (呼吸する) breathe ⓐ; (ため息をつく) sigh ⓐ; (生き返る) come (back) to life, revive ⓐ ★ 後者のほうが格式ばった語.

いきづくり 生き作り, 活き作り sashimi arranged in the shape of the original fish (using the head and the backbone of the fish) Ⓤ.

いきつけ 行きつけ ―形 (気に入りの) favorite (《英》 favourite). ―動 (いつも行く) usually go (to ...). 《☞ ひいき》. ¶ 僕の*行きつけのレストランへ君を招待しよう I would like to invite you to my *favorite* restaurant. // これが私の*行きつけのレストランへ君を招待しよう I would like to invite you to my *favorite* restaurant. // これが私の*行きつけの美容院です This is the beauty shop I *usually go to*.

いきづまり 行き詰まり ―名 (交渉などが停滞して先へ進まないこと) deadlock ★ 単数形のみ. ―動 (行き詰まる) come to a deadlock. 《☞ きゅうち¹》. ¶ 我々はいま*行き詰まりの状態にある We are at a *deadlock*. // 我々の交渉は*行き詰まりになった Our negotiations *came to a deadlock*. // どうしたらこの*行き詰まりが打開できるだろうか How can we break the present *deadlock*?

いきづまる¹ 息詰まる ―形 (緊張して一瞬息をのむような) breathtaking; (わくわくさせる) thrilling; (圧迫感で気の重くなるような) oppréssive. 《☞ いき¹》. ¶ *息詰まるような試合 [ゴール前の力走] a ˹*thrilling* game [*breathtaking* finish] 語法 breathtaking は長時間の継続を表す名詞には使えない. // *息詰まるような沈黙 an *oppressive* silence

いきづまる² 行き詰まる come to a deadlock 《☞ いきづまり》.

いきどおり 憤り (怒り) anger Ⓤ; (特に不正などに対する憤り) indignátion Ⓤ. 《☞ ぎふん; いかり¹》. ¶ 我々は自然環境の破壊に*憤りをおぼえる We feel ˹strong [great] *indignation* ˹over [at] the destruction of the natural environment.

いきどおる 憤る be ˹angered [enraged] (at ...; with ...) ★ [ ] 内は格式ばった語; (特に不正などに義憤を感じる) be indignant (at ...; about ...; over ...). 《☞ おこる¹; ぎふん; ふんがい》.

いきどころ 行き所 (行くべき所) place to go (to) Ⓒ; (住む所) place to live (in) Ⓒ.

いきとしいけるもの 生きとし生ける物 (あらゆる生物) all living things.

いきとどく 行き届く ☞ ゆきとどく

いきどまり 行き止まり ☞ ゆきどまり

いきながらえる 生き長らえる (生き続ける) live ˹on [long] ⓐ; (生き残る) survíve ⓗ ⓐ; (命拾いする) escape death. 《☞ いきのびる; いきぬく》.

いきなやむ 行き悩む ☞ ゆきなやむ

いきなり ―副 (突然) suddenly, all of a sudden ★ 後者のほうが意味が強い; (不意に) abrúptly ★ 唐突であることを強調する語; (予告なしに) without ˹warning [notice]. 《☞ とつぜん; だしぬけ; きゅう¹》. ¶ *いきなり数匹の狼が彼を取り巻いた *Suddenly* [*All of a sudden*] he found himself surrounded by several wolves. // 先生は*いきなり (⇒ 予告なしに) 試験をした Our teacher gave us a test *without* ˹*notice* [*warning*]. / Our teacher gave us a *pop quiz*. ★ pop quiz は予告なしの突然のテスト.

いきぬき 息抜き (休息) rest Ⓤ; (息つく暇) time to rest Ⓤ; (一休み) 《略式》 breather Ⓒ; (くつろぎ) relaxation Ⓤ. 《☞ ひとやすみ》.

いきぬく 生き抜く live through ...; (生き残る)

survive ⊕ ⓐ. ((☞ いきのこる; いきのびる)). ¶ 彼らはその困難な時代を忍耐強く*生き抜いた They *lived through* that difficult period with patience.

いきのこり 生き残り (事故・災害などの) survivor Ⓒ; (前時代からの) ((主に米)) holdover Ⓒ.

いきのこる 生き残る (危険などを切り抜けて) survíve ⊕ ⓐ ((☞ いきのびる; いきながらえる)). ¶ 彼は*生き残った数人の1人だった He was one of the few ⌈*survivors* [*who survived*]. // この不況の中で, いくつの会社が*生き残れるだろうか I wonder how many companies can *survive* this depression.

いきのびる 生き延びる (生き残る) survíve ⊕ ⓐ; (… より長生きする) òutlíve ⊕; (命拾いする) escape death. ((☞ いきのこる; ながいき)). ¶ 彼は仲間より*生き延びた He *outlived* his peers. // 大火事の時に, とにかく逃げて*生き延びられたのは幸せだった We were lucky to somehow *escape death* in that ⌈big [great] fire.

いきば 行き場 ☞ ゆきば

いきはじ 生き恥 **生き恥をさらす** (面目を失って生きる) live in disgrace; (嘲笑の的になる) lay *oneself* open to ridicule.

いきぼとけ 生き仏 (聖人のような人) saint Ⓒ, saintly person Ⓒ; (生きている仏陀) living Buddha Ⓒ.

いきまく 息巻く (まくしたてる) rattle off ⊕; (猛烈に論じる) argue furiously ⓐ ⊕; (…すると脅す) threaten (to *do* …). ¶ 彼は復讐するぞと*息巻いた He *threatened* to take revenge.

いきむ 息む (トイレで) strain (on the toilet); (下腹に力を入れる) push with *one's* abdomen; (分娩時に) bear down ⓐ.

いきもの 生き物 living ⌈thing [being] Ⓒ, (living) creature Ⓒ. ((☞ せいぶつ[1]; どうぶつ)). ¶ *生き物をむやみに殺してはならない You should not kill any *living* ⌈*thing* [*creature*] thoughtlessly. // 言葉は*生き物だ (⇒ 生命がある) Language has *life*. / (⇒ 生き物のようだ) Language is like a *living* ⌈*thing* [organism].

いきょう[1] 異郷 (見知らぬ土地) strange land Ⓒ; (外国) foreign ⌈country [land] Ⓒ. ((☞ がいこく)). **異郷の鬼となる** (外国で死ぬ) die in a ⌈foreign country [strange land].

いきょう[2] 異教 ― 图 (異なった宗教) different relígion Ⓒ; (特にキリスト教の立場から) heathenism /híːðənìzm/ Ⓤ, paganism /péɪɡənìzm/ Ⓤ [語法] heathenism は未開の土地などの偶像崇拝などを指すことが多く, paganism はキリスト教布教以前の多神教を指すことが多い. ― 形 heathen, pagan. **異教徒** pagan Ⓒ, heathen Ⓒ.

いぎょう[1] 偉業 great work Ⓤ, great achievement Ⓒ.

いぎょう[2] 医業 médicine Ⓤ, the medical profession.

いきょく[1] 医局 medical office Ⓒ; (医局員がくつろぐ場所) doctors' lounge Ⓒ. **医局員** (内科の) staff physician Ⓒ; (外科の) staff surgeon Ⓒ; (内科・外科の区別なく) staff physician Ⓒ; member of the medical staff Ⓒ ★ 前者のほうがより口語的; (全体を指して) the medical staff **医局長** the chief of the medical staff.

いきょく[2] 委曲 (詳細) the details; (明細) the particulars ★ 2つとも複数形で. ¶ *委曲をつくす (⇒ 詳しく説明する) explain *in* ⌈*detail* [*full*] / give *a* ⌈*detailed* [*full*] *account* (of …)

イギリス ― 图 ⓖ (国名の略称) Great Britain; (正式名, (グレートブリテンおよび北部アイルランド) 連合王国) the United Kingdom (of Great Britain and Northern Ireland); England [参考] (1) England は英国の南部地区の名称で, かつてはイギリス全体を指すのに使われたが, 現在ではだんだん使われなくなりつつある. ― 形 (英国の・英国人の) British; English [参考] (2) England の形容詞だが, イギリス全体を指す形容詞としてはだんだん使われなくなりつつある. ((☞ えいこく [参考])).

イギリス英語 British English **イギリス海峡** the English Channel **イギリス人** (イングランド人・英国人) Englishman Ⓒ ((複 -men)); (女性) Englishwoman Ⓒ ((複 -women /-wímɪn/)); (ブリテン島の人) Briton Ⓒ ★ やや文語的; (英本国人) Brit Ⓒ, ((米)) Britisher Ⓒ; (総称) the British, the English ★ 以上2つは複数扱い. [参考] (3)「彼はイギリス人だ」は最も普通には He is British. あるいは He is from Britain. と言う. 従来から Englishman, Englishwoman がイギリス人の代表とされてきたが, この言い方にはスコットランド人やアイルランド人が含まれていないという認識が一般的になっている. ((☞ えいこく [参考])) **イギリス連邦** the Commonwealth (of Nations).

いきりたつ いきり立つ (たいへん怒る) get very angry, become enraged; (かんかんに怒っている) be furious. ((☞ げきど; おこる[1])).

いきりょう 生き霊 (祟りをなす) the roving and vengeful spirit of a living person Ⓒ; (自分の分身) Doppelgänger Ⓒ, double Ⓒ, wraith Ⓒ.

いきる 生きる **1** ((生物が)): (生存する) live /lív/ ⓐ (↔ die); (生きている) be alive /əláɪv/ (↔ be dead). [語法]「生きている」を表す 形 の alive は Ⓟ, live /láɪv/ は Ⓐ, living は Ⓟ Ⓐ 両方に用いられる. ((☞ 形容詞の2用法 (巻末); いきた)).

¶ 我々は*生きるために働かなければならない We must work (in order) to *live*. // あなたは何のために*生きているのですか What do you *live* for? // 彼はまだ*生きている He is still *alive*. / (⇒ 息をしている) He is still breathing. // 私は90歳まで*生きるつもりだ I'll *live* to be ninety. // 水だけでは*生きていけない We can't *live on* water alone. // *生きるか死ぬかの問題 a matter of *life* and death // *生きている間にもう一度彼女に会いたい I want to see her once again before I die.

2 ((生物以外のものが)): (効力をもつ) be good, be in effect ★ 前者のほうが口語的; (生命を与えられる) be brought to life.

¶ この交通規則はまだ*生きている This traffic regulation *is* still ⌈*good* [*in effect*]. // 対話形式にすると例文が*生きてくる Presented in dialogue form, the example sentences *are brought to life*.

3 ((校正)) ☞ いき[3]

いきわかれ 生き別れ lifelong ⌈parting [separation] Ⓤ. ¶ 父と子はそれぞれ*生き別れになってしまった (⇒ 別れて一生会うことがなかった) Father and son *parted*, ⌈*never to see each other again* [*forever*; *for good*].

いきわたる 行き渡る (数・量がみんなに回る) go ⌈around [round] ⓐ; (普及している) prevail ⓐ; (うわさ・知識などが広がる) spread ⓐ ((過去・過分 spread)). ((☞ ひろまる; ふきゅう[1])).

¶ りんごはみんなに*行き渡るだけである There are enough apples to *go* ⌈*around* [*round*]. // その知らせはあっという間に*行き渡った The news *spread* in an instant. // テレビはほとんどの家庭に*行き渡っている (⇒ ほとんどの家庭がテレビを持っている) Almost every home has a television set.

いく 行く ☞ ゆく

イグアナ 〘動〙 iguana /ɪɡwáːnə/ Ⓒ.

イグアノドン iguanodon /ɪɡwáːnədàn/ Ⓒ ★ 中生代の草食恐竜.

いぐい 居食い ― 图 (怠惰な生活) idle life Ⓒ.

—[動]（働かないで生活する）have a living without working;（財産で食べて暮らす）live off *one's* assets;（のらくらして暮らす）live ˹a life of ease [idly].《☞ としょく》.

いくいく 郁郁 —[形]（文章などの格調が高い）high-toned;（高邁な）elevated;（香気に富んだ）fragrant /fréigrənt/;（甘い香りの）sweet-scented.

いくえいかい 育英会 scholarship ˹society [association; foundation] [C]. ¶彼女は日本*育英会から奨学金をもらっていた She ˹had [received] a scholarship from the *Japan Scholarship Foundation*.

いくえいしきん 育英資金 scholarship [C]《☞ しょうがくきん》.

いくえにも 幾重にも（何重にも）many-layered;（繰り返して）repeatedly;（何度も）many times. ¶度重なる間違いを*幾重にもおわびしなければなりません I must apologize *many times* for my repeated mistakes. /（⇒心からおわびする）I must offer my ˹*sincerest* [*most earnest*] apologies for my repeated mistakes.

いくさ 戦（大規模な）war [U] ★個々の戦争を意味するときは [C];（一回限りの局地戦）battle [C] ★戦争・戦争状態という意味では [U].《☞ たたかい; せんそう¹（類義語）》.

いぐさ 藺草〔植〕rush (used to weave *tatami* covers) [C].

いくさき 行く先 ☞ いきさき

いくじ¹ 育児 —[名] child care [U], nursing [U]. —[動]（子供を育て上げる）raise a child, bring up a child;（職業として）nurse (他);（子供の世話をする）take care of a child. ¶*育児には時間がかかる It takes time to *take care of children*. / *Taking care of children* requires time. // *育児に追われる be very busy with *the care of one's* ˹*child* [*children*] // *育児に専念する devote *oneself* to *the care of one's* ˹*child* [*children*]

育児休暇 child-care leave [C]. ¶一年の*育児休暇を取る take a year's *child-care leave* 育児室 nursery [C] 育児手当 child-care allowance [C];《英》child benefit [U] ★具体的には [C]. 育児ノイローゼ（出産後のうつ病）postnatal depression [U] ★具体的には [C];（育児に疲れて）infant-care depression [C] 育児嚢(のう)（カンガルーなどの）pouch [C], marsupium [C]（複 -pia）. ¶カンガルーは*育児嚢で子供を育てる Kangaroos raise their young in *pouches*.

いくじ² 意気地 意気地がない —[形]（臆病な）chickenhearted, fainthearted, cowardly ★第1語が口語的;（びくびくしている）timid. ¶彼は*意気地がない He is ˹*chickenhearted* [*cowardly*; *timid*]. 意気地なし（臆病者）coward [C];（弱虫）《俗》wimp [C].《☞ よわむし》.

いくしゅ 育種〔生〕（品種改良）breeding [U].

いくせい 育成 —[動]（訓練する）train (他);（教育する）educate (他).《☞ ようせい²》.

いくた 幾多 —[形]（多くの）many;（数が非常に多くの）a great number of …;《格式》numerous.

いくたりゅう 生田流（箏曲の流派）the Ikuta school of koto playing.

イクチオサウルス〔古生〕（魚竜）ichthyosaur /íkθiəsɔ̀ə/ [C].

いくつ 幾つ（どれほどの数）how many;（何歳）how old [語法] how many は後に名詞を伴うときは複数形がくる. 前後関係で明瞭なら名詞を付けないで単独でも用いられる. また日本語では「幾つ」のほかに物の種類によって,「何冊の」「何本の」「何枚の」などいろいろな言い方をするが, 英語では数に関する限りすべて how many を用いる.《☞ 数の数え方（囲み)》.

¶「りんごは箱の中に*幾つありますか」「30 あります」"*How many* apples are there in the box?" "Thirty." //「坊ちゃんは*幾つにおなりですか」「5歳です」"*How old* is your son?" "He's five." // *幾つでも, お好きなだけお取りなさい Please take *as many as* you like. // *幾つも（⇒たくさんは）いりません. 少しでよいのです I don't want *many*. Just a few will do. // *幾つになっても彼は子供だ（⇒大人なのに子供っぽい）*Although he is an adult*, he is quite childish.

いくつ目 ¶新宿はここから*いくつ目の駅ですか *How many* stops are there from here to Shinjuku?

いくつか 幾つか some; several [A]; a few; a number of …

【類義語】ごく軽い意味で, 特に日本語で「幾つかの」というほどでないときでも複数名詞に冠詞がわりに添える言葉が **some** で, 日本語で「幾つかの」としない場合でも付けることが多いことに注意. 5つ, 6つ, またときには7つ, 8つぐらいの数を表すのが **several**.「2つか3つ」という割に少ない数を意味するのが **a few** であるが, この言葉は, 特に数の厳密な限定のないときに,「幾つかある」「少しはある」というように「ある」ということを積極的に言うときに使われる.（(例) この作文には*幾つか間違いがある There are *a few* mistakes in this composition.）逆にほとんどないことを強調するのが few である. 日本語の「若干の」, あるいは「かなりの数の」に当たるのが **a number of** … なお, 日本語では「幾つかの」のほかに「何軒かの」「何冊かの」「何本かの」「幾人かの」など人や物の種類によっていろいろな言い方があるが, 英語ではこれらは数に関する限りすべて以上の言い方が用いられる.《☞ 数の数え方（囲み); たしょう（類義語)》

¶食卓の上に(*幾つかの)りんごがある There are *some* apples on the table. // ここに*幾つか似た例がある Here are ˹*some* [*a few*] similar examples. // *幾つかの点で私は彼と意見を異にする I disagree with him on *several* points.

いくど 幾度（回数を尋ねるとき）how often, how many times.《☞ なんかい¹》.

いくどうおん 異口同音 —[副]（口々に声をそろえて）with one voice, in unison /jú:nəsn/, in chorus;（満場一致で）unánimously. ¶彼らは*異口同音に「そうだ」と言った They all said yes ˹*with one voice* [*in unison*; *in chorus*]. // 彼らは*異口同音に賛成を表明した They agreed *unanimously*.

いくにち 幾日（ひと月のどの日）what day (of the month);（何日間）how many days;（どのくらい）how long. ¶それを完成するのに*幾日必要ですか *How many days* will you need to complete it? // 期日までもう*幾日もない（⇒少しの日数しか残っていない）We have *only a few days* left before the deadline.

イグニッション（点火装置）ignition /ıgníʃən/ [C] ★「点火」を意味するときは [U]. イグニッションキー car [ignition] key [C] イグニッションコイル ignition coil [C] イグニッションノイズ ignition noise [C].

いくび 猪首 —[名]（雄牛のような首）bull neck [C], short and thick neck [C]. —[形] bullnecked. ¶*猪首の人 a person with ˹a *bull neck* [a *short and thick neck*] / a *bullnecked* person

いくぶん 幾分（ちょっと）《略式》a little;（やや）somewhat;（多少）more or less;（ある程度）to some extent, to a certain degree ★この順序で多少格式ばった言い方になるが, どれも会話でも使われる.《☞ いくらか; すこし》. ¶彼女は*幾分感傷的だ She is ˹*somewhat* sentimental [sentimental *to some extent*]. // きょうは*幾分気分がよい I feel *a little* better today.

いくもう 育毛 hair restoration Ⓤ. **育毛剤**（毛を活性化させる）tonic Ⓒ;（毛を修復させる）hair restorer Ⓒ;（毛を成長させる）《略式》hair grower Ⓒ ★ 3 語はほぼ同意だが, 前のものほど一般的.

いくら 幾ら **1**《金額》: how much; what 〔語法〕(1) how much は金額そのものをきく言い方. what は値段 (price) などのような語と共に使われる.

¶「このパイプは*いくらですか」「2 千円です」"*How much* is this pipe? / *What's the price* of this pipe?" "It's 2,000 yen." //「この花瓶は*いくらで買いましたか (⇒いくら払いましたか)」「1500 円です」"*How much* [*What*] did you *pay* for this vase?" "I paid 1,500 yen." // 駅まで*いくらでしょうか《タクシー・バスで》*How much* is the fare to the station? //「この手紙を航空便で送ると*いくらですか」「170 円です」"*How much* will it cost to send this letter (by) airmail?" "It will cost 170 yen." / "*What*'s the airmail postage for this letter?" "It's 170 yen." // 我々は 1 時間*いくらでボートを借りた We rented a rowboat *by the hour*. 〔語法〕(2) 1 日いくらで by the day, 1 ダースいくらで by the dozen のような表現となる.

2《どんなに・どれほど》: however ..., no matter how ....

¶*いくら速く走っても彼には追いつかないでしょう *However* [*No matter how*] fast you run, you won't catch up with him. // *いくらでもお取りなさい (⇒あなたの好きなだけ取ってよい) You can take *as* ˹*much* [*many*] *as* you like. 〔語法〕数えられるものを指すときは many, 数えられないものを指すときは much. // *いくら長く[短く]ても 10 メートルぐらいでしょう (⇒最長[短]でも) It will be about ten ˹meters [《英》metres] *at the* ˹*longest* [*shortest*]. // その絵になら*いくら払ってもよい I'll pay *any price* for that painting. // 彼は*いくらやってもうまくいかなかった *For all* his trying, he has never succeeded in doing it.

イクラ salmon roe /sǽmən róu/ Ⓤ 〔参考〕日本語のイクラはロシア語の ikra から.

いくらか 幾らか ━ 副（少し）a little, a bit ★ 後者のほうがより口語的;（やや）somewhat;（多少）more or less;（ある程度）to some extent, to a certain degree;（一部分）partly. ━ 形（若干の）some;（少しの）a little, a few 〔語法〕前者は量に, 後者は数えられるものについて用いる. some はそのどちらにも用いられる.《☞ たしょう（類義語）; いくぶん》.

¶ここは*幾らか (⇒少し) 涼しい It's *a* ˹*little* [*bit*] cooler here. // 彼女は*幾らか疲れているように見えた She looked *somewhat* tired. // 彼は*幾らか金を持ち合わせていた He had ˹*some* [*a little*] money with him. // そのうわさは*幾らか当たっている (⇒ある程度まで本当だ) The rumor is true ˹*to some extent* [*up to a point*]. / (⇒多少なりとも真実である) The rumor is *more or less* true. // それは私にも*幾らか (⇒部分的に) 責任がある It is *partly* my fault.

いくりん 育林 ━ 名（森を育てること）forestry Ⓤ;（森の世話）forestry timber management Ⓤ;（造林）afforestation Ⓤ. ━ 動（森を育てる）cultivate [grow] a forest.

イグルー（イヌイットの冬の家）igloo /íglu:/ Ⓒ.

いくん 偉勲（戦いなどにおける抜群の功労）distinguished service Ⓤ;（見事な功績）great [superb] achievement Ⓒ. ¶*偉勲を立てる (⇒見事な功績をあげる) attain a ˹*great* [*superb*] *achievement*. ★ カッコ内の方が意味が強い.

いけ 池 pond Ⓒ;（小さい）pool Ⓒ.《☞ ぬま; みずうみ》. ¶*池の周りを散歩しましょう Let's ˹take [go for] a walk around the *pond*. // 猿沢の*池 Sarusawa *Pond*

いけい¹ 畏敬（深い尊敬の念）reverence /rév(ə)rəns/ Ⓤ;（畏怖）awe /ɔ́:/ Ⓤ.《☞ そんけい》.

いけい² 異形 ━ 名〘生〙（変形）heteromorphism /hètəroumɔ́əfìzm/ Ⓤ, heteromorphy Ⓤ;（発音やつづり字などの）variant Ⓒ;〘言〙（異音）allophone Ⓒ;（異形態）allomorph Ⓒ. ━ 形（異形の）heteromorphic, heteromorphous;（つづり字などが）variant.

いけいこうはい 異系交配 ━ 名 òutbréeding Ⓤ;〘生物〙exogamy /eksɑ́gəmi/ Ⓤ ★ 後者は専門語. ━ 形 exógamous, èxogámic. ━ 動 outbreed ⑩.

いけいれん 胃痙攣 ☞ い¹（胃痙攣）; けいれん

いけがき 生け垣 hedge Ⓒ《☞ かきね》.

いけじめ 活け締め（魚など）letting out fish blood with a kitchen knife ˹for preserving the fish [to keep the fish fresh].

いけしゃあしゃあと ━ 形（恥知らずの）shameless;（ずうずうしい）brazen. ━ 副（厚かましくも）brazenly;（恥知らずにも）shamelessly;（腹立たしいほど無頓着に）with exasperating ˹unconcern [indifference]. ¶彼女はよくも顔色ひとつ変えず*いけしゃあしゃあと嘘がつけるものだ How *shameless* of her to tell a lie with an infuriatingly straight face!《☞ しゃあしゃあと》

いけす 生洲, 生け簀（魚を保護しておく所）fish preserve Ⓒ;（養魚池）fishpond Ⓒ.

いけずうずうしい（腹の立つほど厚かましい）(be) exasperatingly impudent《☞ しゃあしゃあと; ずうずうしい》.

いけすかない いけ好かない ━ 形（ひどく不快にさせる）disgusting;（意地悪な）nasty ★ 前後関係によっては「みだらでわいせつな」という意味になる;（むずむずする）《俗》creepy;（付き合いにくい）disagreeable.《☞ きらい¹; いやらしい》.

いげた 井桁（井戸のふち）well ˹curb [《英》kerb] Ⓒ;（井桁の形）square frame made from four overlapped and interlocking members Ⓒ. ¶*井桁に組む make a *square frame from four interlocking members*

いけづくり 生け作り, 活け作り ☞ いきづくり

いけどり 生け捕り ━ 動（動物などを生け捕りにする）catch ... alive.

いけない **1**《よくない》 ━ 形（悪い）bad 〔語法〕広い意味で使われる語で, 口語では「(病気などが) ひどい」とか「気の毒な」のような意味にもなる;（間違った）wrong;（言うことをきかない）naughty /nɔ́:ti/;（いたずらな）mischievous.《☞ だめ》.

¶*いけない子だね You're really a ˹*bad* [*naughty*] boy! // この答えのどこが*いけない (⇒間違っている) のですか What's *wrong* with this answer? // 風邪を引いたって. *いけないね You've caught a cold? That's *too bad*. //「このデザインはどう?」「*いけないね」"How about this design?" "It's *no good*. / *It won't do*."

2《禁止・用心》: (...するな) Don't ...; (...してはいけない) must not ...;（すべきではない）should not ...;（当然...すべきでない）ought not (to) ... 〔語法〕以上の「...」には動詞が入る. must not は強い禁止を表す. 義務・当然を表す should と ought to は入れ替え可能だが, should のほうが意味が穏やかで一般的. なお, 会話ではしばしば mustn't, shouldn't, oughtn't のように短縮形が用いられる.《☞ 短縮形（巻末）》.

¶道路で遊んでは*いけません *Don't* play ˹on [《英》in] the road. // 土足で上がってきては*いけない You *mustn't* come in with your shoes on. // そんなにたばこを吸っては*いけない You *shouldn't* smoke so much.

3 «懸念»: so that ... ⌈may [will] not ...; in case .... ¶ 忘れると*いけないから (⇒ 忘れないように) 書き留めておこう Let me write it down ⌈*so* (*that*) I *won't* forget [*in case* I forget].

いけにえ 生け贄 (神に捧げるために殺された動物) sácrifice Ⓒ (☞ ぎせい). ¶ 羊が*いけにえとして供えられた A sheep was offered ⌈as a [in] *sacrifice*.

いけばな 生け花 (the art of) flower arrangement Ⓤ, ikebana Ⓤ; (生けた花) flowers arranged in a vase.

イケメン (かっこいい男) attractive man Ⓒ; (顔立ちのよい) good-looking man Ⓒ; (たくましくセクシーな) 《略式》 hunk Ⓒ.

いける¹ 生ける, 活ける, 埋ける **1** «生け花をする»: (整える) arrange ⓗ; (挿す) put ⓗ. ¶ この花はどう*生けましょうか How shall I *arrange* these flowers (in the vase)? **2** «埋める»: ☞ うめる¹

いける² — 形 (味がよい) good, nice (☞ うまい; おいしい). ¶ このワインはなかなか*いける (⇒ よい味がする) This wine *tastes* pretty *good*.

いける³ 行ける ¶ 彼は野球もサッカーも*行ける (⇒ うまくやれる) He's *good at* both baseball and soccer. (☞ じょうず; うまく; せいこう¹) // 彼女は相当*行ける口だ (⇒ 大酒飲みだ) She can *drink* quite *a lot*. / She's quite a *drinker*.

いけん¹ 意見 **1** «考え»: (考え) opinion Ⓒ; (見解) view Ⓒ; (見地・観点) point of view Ⓒ, víewpòint Ⓒ; (論評) cómment Ⓒ.

【類義語】自分で考え出した結論や判断が **opinion**. 物の見方や見解が **view**. 総合的に判断した個人的な観点が **point of view**, または **viewpoint**. 人の話や作品などについて口に出したり書いたりする論評・意見が **comment**. (☞ かんがえ)

¶ この件についてのあなたのご*意見はいかがですか What is your *opinion* ⌈on [about] this matter? / May I ask [Will you tell us] your *opinion* ⌈on [about] this matter? // 彼女は日本の将来について私たちとは違った*意見を持っている Her *views* ⌈of [on; about] the future of Japan ⌈differ [are different] from ours. // 何かご*意見 (⇒ 論評[言う事]) はありますか Do you have ⌈any *comment* [*anything to say*]? // *意見を述べてよろしいですか May I ⌈express [state; give] my *opinion*? ★ [ ] 内のほうがより格式ばった言い方. say, speak は用いないことに注意. // 私の*意見では彼の計画は現実性がない In my *opinion*, [*I am of the opinion* that; I take the *view* that] his plan is unrealistic. / From my *point of view* [To my *mind*], his plan lacks ⌈practicality [realism]. // その件に関してはあなたと同*意見だ (⇒ 賛成する) I *agree* with you about the matter. / I share your *opinion* on the matter. / (⇒ 同じ見解を共有する) I share your *view* of the matter. // その提案については賛成・反対両方の*意見がある There are *opinions for* and *against* the proposal. / There are *pros and cons* ⌈on [about] the proposal. 語法 pros and cons は賛否両論という成句. // *意見の一致 (⇒ 合意) に至らず, 委員会は散会した The committee adjourned without ⌈reaching (an) agreement [achieving a consensus (of *opinion*)].

2 «忠告»: (個人的な助言) advíce Ⓤ; (戒め) àdmonítion Ⓤ. (☞ ちゅうこく (類義語)).

コロケーション

意見に従う follow [take] *a person's advice* / 意見を…に押しつける impose *one's opinion* on ... / 意見を変える change *one's opinion*; compare *notes* (on ...) / 意見を交換する exchange *views* / 意見を(頭の中で)まとめる form ⌈an *opinion* [a *view*] / 意見を求める ask for [seek] *a person's* ⌈*opinion* [*advice*]; invite *a person's comment(s)* // 受け売りの意見 a secondhand *opinion* / きたんのない(率直な)意見 a candid [a frank; an honest] *opinion* / 貴重な意見 a valuable *view*; a valuable piece of *advice* / 肯定的な意見 a positive ⌈*opinion* [*view*] / 個人的な意見 a personal ⌈*opinion* [*view*] / 事情通の意見 an informed *opinion* / 支配的な意見 a ⌈prevailing [prevalent] ⌈*opinion* [*view*] / 素人の意見 a lay ⌈*opinion* [*view*] / 進歩的な意見 an advanced [a progressive] ⌈*opinion* [*view*] / 専門家の意見 an expert ⌈*opinion* [*view*] / 対立意見 a conflicting ⌈*opinion* [*view*] / 多数意見 the majority *opinion* / 妥当な意見 a sound ⌈*opinion* [*view*] / 中立意見 a ⌈neutral [disinterested] *opinion* / 陳腐な意見 a hackneyed *opinion* / 反対意見 a contrary [an opposing] ⌈*opinion* [*view*] / 悲観的意見 a pessimistic ⌈*opinion* [*view*] / 否定的意見 a negative ⌈*opinion* [*view*] / 古くさい意見 an ⌈old-fashioned [outmoded; antiquated] ⌈*opinion* [*view*] / 楽観的意見 an optimistic ⌈*opinion* [*view*]

いけん² 違憲 — 形 ùnconstitútional. **— 名** violation [breach] of the constitution Ⓒ. (☞ けんぽう¹).

いけん³ 異見 (異なった意見) different opinion Ⓒ; (異なった見解) different view Ⓒ. ¶ *異見を述べる state [express] a *different* ⌈*opinion* [*view*]

いげん 威厳 — 形 (威厳のある) dígnified. **— 名** dignity Ⓤ. (☞ どうどう¹). ¶ 彼は*威厳がある He is a *dignified* man. // 彼は*威厳のある態度だった He behaved with *dignity*.

いご¹ 以後 — 前 接 (…の後) after ... **— 副** (今後) after this, from ⌈now on [this time (on)]; (その後) after that (time), since (then), from that time on, afterward(s); (それ以来いままで) ever since. (☞ こんご; それから).

¶ 今晩6時*以後は家にいます I'll be at home *after* six this evening. // *以後はもっと気をつけます I'll be more careful *from now on*. // それ*以後, 彼はここに姿を現していない He hasn't shown up here *since* (⌈*then* [*that time*]). / He didn't show up here *after that*.

いご² 囲碁 the game of *go* (☞ ご²).

いこい 憩い (くつろぎ) relaxation /rìːlæksèɪʃən/ Ⓤ; (休息) rest Ⓤ.

いこう¹ 憩う (くつろぐ) relax ⓗ ⓘ; (休息する) rest ⓗ ⓘ. (☞ くつろぐ).

いこう² 以降 ☞ いご¹

いこう³ 威光 (権力) power Ⓤ; (権威) authórity Ⓤ; (勢力) ínfluence Ⓤ. (☞ けんりょく; せいりょく¹).

いこう⁴ 意向 (意図) intention Ⓒ; (考え) mind Ⓒ. (☞ いし²; かんがえ; ほうしん¹).

いこう⁵ 移行 — 動 (移す) transfér ⓗ; (切り換える) switch over (to ...) ⓘ ⓗ. **— 名** transference /trænsfə́ːrəns/ Ⓤ; swítchòver Ⓒ.

いこう⁶ 遺稿 (死後発表された原稿) posthumously-published mánuscrìpt Ⓒ; (未発表の原稿) unpublished manuscript Ⓒ.

いこう⁷ 移項 〘数〙 **— 動** (移項する) transpose (a term). **— 名** (移項) transposition (of a term) Ⓤ ★ 具体的には Ⓒ.

いこう⁸ 遺構 (建物などがあった場所) site Ⓒ; (部分的に残っている遺跡) remains ★ 複数形で.

¶ 縄文時代の竪穴住居の*遺構 the *site* of a pit dwelling of the Jomon period

いこう⁹ 胃腔 〘動〙 (胃の内腔) the gastral cavity; (海綿動物の) the spongocoel /spáŋgousìːl/ Ⓒ.

イコール ―形 (等しい) équal. ―動 equal 他. 《☞ ひとしい》. ¶ 6×7＝(*イコール) 42 Six times seven ｢*is equal to* [*equals*; *is*] forty-two. // 8÷4＝2 Eight divided by four ｢*gives* [*is*] two. // 3＋4＝7 Three ｢and [plus] four ｢*makes* [*is*] seven. // 10－2＝8 Ten minus two ｢*is* [*leaves*] eight. 語法 計算の場合の動詞は普通は単数. 《☞ 数字 (囲み)》

イコールパートナー (対等の提携相手) équal pártner Ⓒ **イコールフッティング** (競争などにおける平等な立場) an equal footing ★ an ～ の形で. ¶ *イコールフッティングで on *an equal footing*

いこく 異国 ―名 (外国) foreign ｢country [land] Ⓒ; (見知らぬ国) strange land Ⓒ. ―形 (異国情緒の) exotic /ɪgzátɪk/; (外国の) foreign. ¶ *異国情緒 an *exotic* atmosphere **異国趣味** (外国趣味) exóticism Ⓤ.

いごこち 居心地 ¶ この部屋は*居心地がよい This room is ｢*snug* [*cozy*; 《英》 *cosy*]. / (⇒ 私はこの部屋でくつろいだ感じになる) I feel ｢*at home* [*comfortable*] in this room. 《☞ ここち》

いこじ 意固地 ―形 (自分の意見・意志を押し通す) óbstinate; (生まれつき性格的に頑固な) stúbborn; (しつこく言い張る) persístent. ―名 óbstinacy Ⓤ; stubbornness Ⓤ; persistence Ⓤ. 《☞ がんこ (類義語); ごうじょう》.

いこつ 遺骨 (火葬に付した遺骨) ashes; (遺体の婉曲語) remains ★ 共に複数形で. 《☞ 婉曲語法 (巻末)》. ¶ 戦死者の*遺骨を拾う (⇒ 集める) gather the *remains* of the war dead

いごっそう (高知方言) (気骨のある人) spirited person Ⓒ; (頑固者) stubborn person Ⓒ; (いじっぱりな人) obstinate person Ⓒ. 《☞ がんこ》.

イコノグラフィー 〘美〙 (図像学) iconography /àɪkənágrəfi/ Ⓤ.

イコノロジー 〘美〙 (図像解釈学) iconology /àɪkənáləʤi/ Ⓤ.

いこみ 鋳込み (鋳造) casting Ⓤ; (流しこみ) pouring Ⓤ. 《☞ いこむ》.

いこむ 鋳込む (…を型に流し込む) pour … into [cast … in] a mold. ¶ 溶かした金属を*鋳込む *pour* molten metal *into a mold*

イコライザー 〘電子〙 equalizer /íːkwəlaɪzə/ Ⓒ ★ 本来「等しくするもの」の意. スポーツで「同点になる得点《主に英》」の意もある.

いこん 遺恨 grudge Ⓒ, spite Ⓤ. 《☞ うらみ[1]》.

イコン (聖像) icon /áɪkɑn/ Ⓒ.

いごん 遺言 〘法〙 (「遺言(ゆいごん)」の法律上の読み方) will Ⓒ, testament Ⓒ ★ 通例 *one's* last will and testament という. 《☞ ゆいごん》.

いざ ―副 (いざ…という時になると) when it is time to ｢act [*do* …]; when the time comes to ｢act [*do* …], 《米略式》 when it comes time to ｢act [*do* …]. ¶ *いざ行くという段になって, 彼は病気にかかった *When it was time to* go [(⇒ 実際に出かける準備が整った時に) *At the moment when he was actually ready to* start], he ｢got sick [《英》 fell ill]. // *いざ実行するとなるとずいぶん金がいるだろう *When the time comes* [*When it comes time*] *to* carry it out, it will require a great deal of money.

いざ鎌倉 ¶ *いざ鎌倉という時には (⇒ 何か重大な事が起こったならば) if *something serious* happens / (⇒ あなたの助けが必要なときには) when *your help is needed*

いざという時 ¶ *いざという時 (⇒ 緊急の時) は力を貸そう *In* ｢*the event of* [*an*] *emergency* I'll help you. / *If there's* ｢*an* [*some sort of*] *emergency*, I'll help you.

いさい[1] 委細 (詳細) details; (明細) particulars ★ 2 つとも複数形で; (すべて) everything. 《☞ しょうさい[1]》. ¶ *委細は面談の上 *The particulars* [*Details*] will be discussed ｢in [at] the interview. **委細構わず** (遠慮なく) without reserve; (状況を考えずに) regardless of [without considering] the circumstances.

いさい[2] 異彩 **異彩を放つ** ―形 (目立つ) conspícuous; (顕著な) distinguished. ―動 (際立つ) stànd óut 自; (頭角を現す) cut a figure. 《☞ きわだつ》. ¶ 彼女はその仲間の中でも*異彩を放っていた She ｢was *conspicuous* [*stood out prominently*] even in her group.

いさい[3] 偉才 (並はずれた才能) extraordinary /íkstrɔ́ədənèri/ [òutstánding] talent ★ 通例単数形で; (並はずれた才能を持つ人) person of ｢extraordinary [outstanding] talent Ⓒ, extraordinarily gifted person Ⓒ; (天才) génius Ⓒ.

いさお 功, 勲 ☞ こう[1]; てがら

いさかい 諍い (ごたごた) trouble Ⓤ; (口げんか) quarrel Ⓒ. 《☞ もめごと; ごたごた》.

いざかや 居酒屋 bar Ⓒ, 《英》 pub Ⓒ; távern Ⓒ.

いさき 伊佐木 〘魚〙 grunt Ⓒ.

いさぎよい 潔い (勇敢な) brave, gallant ★ 後者はやや格式ばった語; (正々堂々とした) spórtsmanlike; (男らしい) manly. ¶ 彼の*潔い態度は人々の共感を得た His ｢*gallant* [*manly*; *sportsmanlike*] attitude won him public sympathy. // *潔く過ちを白状したまえ *Make a clean breast of* your mistakes. 語法 make a clean breast of … で「…をすっかり打ち明ける」という慣用表現. // 負けても*潔くしよう (⇒ 潔く容認しよう) Let us accept defeat *with good grace*.

いさぎよしとしない 潔しとしない ―動 (自尊心が高くて…できない) be too proud to *do* …; (良心にかけて…できない[しない]) cannot [will not] *do* … in all conscience ; (自分の良心が…するなと言う) *one's* conscience tells *one* not to *do* … ¶ 彼はそのような金を受取るのを*潔しとしなかった He *was too proud to* accept that kind of money. // 私はそのようなことをするのを*潔しとしない I *can't, in all conscience*, [*My conscience tells me not to*] do such a thing.

いさく 遺作 *one's* posthumous /pástʃʊməs/ work ★ しばしば複数形で.

イサク ―名 (男性名) Isaac /áɪzək/; 固 〘聖〙 (旧約聖書に登場するイスラエルの族長) Isaac.

いざこざ (口げんか) quarrel Ⓒ; (感情的な言い争い) dispúte Ⓒ; (ごたごた) trouble(s) ★ しばしば複数形で. 《☞ ごたごた; もめごと; あらそい; けんか (類義語)》. ¶ 彼は家庭内の*いざこざに悩んでいる He is worried about (his) family *trouble*(*s*). // 彼らの間にはいつも*いざこざがたえないようだ There seems to be no end to their *quarrels*.

いささか ―副 (少し) a little, a bit, slightly ★ 以上はほぼ同意だが, はじめの 2 つのほうが口語的; (幾分) somewhat; (かなり) rather. 《☞ いくぶん》.

いざとい (目が覚めやすい) awake easily; (眠りが浅い) sleep lightly.

いざない 誘い ☞ さそい

いざなう 誘う (招待する) invite 他; (導く) lead 他; (誘惑する) lure 他, tempt 他. 《☞ さそう》.

いざなぎのみこと 伊弉諾尊 〘日本神話〙 ―名 固 Izanagi no Mikoto; (説明的には) a mythological male deity who according to *Kojiki* and *Nihonshoki* created the islands of Japan with his consort Izanami no Mikoto. 《☞ こじき[2]; いざなみのみこと》.

いざなみのみこと 伊弉再尊 〘日本神話〙 ―名 固 Izanami no Mikoto; (説明的には) a mythological female deity who according to

Kojiki and *Nihonshoki* created the islands of Japan with her consort Izanagi no Mikoto. 《☞ いざなぎのみこと》.

イザベラ (女性名) Isabella /ìzəbélə/.

イザベル (女性名) Isabel /ízəbèl/.

いさましい 勇ましい (勇敢な) brave; (勇気ある) courágeous; (雄々しい)《文語》 valiant; (大胆な) bold; (勇気を鼓舞する) stirring.

【類義語】危険や困難に対し, ひるむことなく行動するのが **brave** で, 最も一般的な語. 危険や困難に直面しても屈せず, 苦痛・不幸などに耐えて立ち向かう精神的な強さを示すのが **courageous**. 雄々しく勇ましい中にも気品のあることを表すのが **valiant** で, 文語的な語. 向こう見ずともいえるほど大胆で, 自ら危険なことに飛び込んでゆくのが **bold**. 人の勇気を奮い起こすのが **stirring**. 《☞ ゆうかん[1]; ゆうき[1]; だいたん》

¶ 彼の*勇ましい行為は称賛されるべきだ His *brave* deed should be praised. // *勇ましく戦う者が最後の勝利を得るとは限らない (Even) those who fight ˹*bravely* [*boldly*] don't necessarily win the final victory. // *勇ましいラッパの響き a *stirring* flourish of trumpets

いさみあし 勇み足 ── 動 (自分の力を過信してかえって失敗する) overplay *one's* hand; (早まったことをする) jump the gun ★ 号砲より先にスタートすることから. ── 名 (相撲の) (losing a match by) stepping out of the ring Ⓤ.

いさみたつ 勇み立つ (元気である) be in high spirits; (勇気づけられる) be encouraged (by ...); (奮い立つ) be stirred up; (元気づく) cheer up ⓐ. 《☞ いさむ; はりきる》.

いさみはだ 勇み肌 ── 名 (威勢のよい気質) dashing disposition Ⓤ; (仁侠(にんきょう)の気質) gallant nature Ⓒ. ── 形 (威勢のよい) spirited, dashing; (勇敢な) brave, courageous. ── 動 have (a lot of) spirit. ¶ *勇み肌の若者 a *spirited* young man

いさむ 勇む (奮い立つ) be stirred up, be spirited; (元気づく) cheer up ⓐ. 《☞ はりきる》.

いさめ 諫め (...しないようにとの忠告)《格式》 dissuasion /dɪswéɪʒən/ Ⓤ; (忠告) advice Ⓤ.

いさめる 諫める (異議を申し立てる) make a protest (against ...); (たしなめる) remónstrate (with ...) ⓐ; (思いとどまらせる) dissuáde ⓣ ★ 後の 2 つは格式ばった語. ¶ その件について主任を*いさめるなんて私にはできない I can't possibly ˹*remonstrate* [*take issue*] *with* my boss ˹on [about] the matter. // 彼は父を*いさめて計画から手を引かせた He *dissuaded* his father from taking part in the project.

イザヤ ── 名 固 〖聖〗 Isaiah /aɪzáɪə/ ★ 紀元前 8 世紀のユダ王国の予言者.

いざよい 十六夜 (陰暦 16 日の夜) the sixteenth night (of the lunar month); (陰暦 8 月 16 日の夜) the night of August 16 on the lunar calendar. ¶ *十六夜の月 a *sixteen-day-old* moon / (⇒ 陰暦 8 月 16 日夜の月) the moon on *the night of August 16 on the lunar calendar*

いざよいにっき 十六夜日記 ── 名 固 (古典) The Diary of the Waning Moon; (説明的には) the diary relating a journey to Kamakura by Abutsuni, Buddhist nun, in the middle of the Kamakura period (1277).

いさりび 漁り火 light on a fishing boat Ⓒ.

いさん[1] 遺産 (残された財産) property left (by a deceased person) Ⓤ ★ 平易な言い方; (相続遺産) inheritance Ⓒ; (遺言による) légacy Ⓒ; (金銭の)《格式》 bequest Ⓒ; (祖先から受け継いだ) heritage Ⓒ ★ 普通は単数形で. ¶ 彼の住んでいる家はおじの*遺産だ The house he lives in is the *property left* by his uncle. // 彼は莫大な遺産 (⇒ 財産) を相続した He (*has*) *inherited* a great *fortune*. // おばは私に 1 万ドルの*遺産を残してくれた My aunt left me a ˹*legacy* [*bequest*] of $10,000. // その国にはすばらしい歴史的・文化的*遺産がある The country has a glorious cultural and historical *heritage*. // *遺産を...に伝える hand down [pass on] a ˹*legacy* [*heritage*] to ...

遺産相続 succession to ˹property [estate] Ⓤ **遺産相続人** inhéritor Ⓒ, heir /éə/ (to property) Ⓒ, (女性の相続人) heiress /é(ə)rɪs/ Ⓒ.

> **コロケーション**
> **遺産を手に入れる** come into [receive] *one's* ˹*legacy* [*inheritance*] / **遺産を...に与える** bestow a *heritage* on ... / **遺産を分配する** divide a *legacy* // **芸術[文学, 音楽, 建築]遺産** an artistic [a literary; a musical; an architectural] *heritage* / **国家遺産** a national *heritage* / **祖先からの遺産** an ancestral *legacy* / **知的遺産** an intellectual *legacy* / **民族遺産** an ethnic *heritage*

いさん[2] 胃酸 stomach [gastric] acid Ⓤ. **胃酸過多** 〖医〗 gastric hyperacidity /hàɪpəəsídəti/ Ⓤ.

いさん[3] 胃散 (粉末の胃の内服薬) powdered (internal) medicine for the stomach Ⓒ.

いし[1] 石 (石塊) stone Ⓒ, 《米口語》 rock Ⓒ; (小石) pebble Ⓒ; (砂利) gravel Ⓤ; (石材) stone Ⓤ. ¶ 子供は犬に*石を投げた The child threw a ˹*stone* [*rock*] at the dog. // *石づくりの塀 a *stone* wall // *石造りの家 a house built of *stone* / a *stone* house

石にかじりついても ── 副 (是が非でも) by any means necessary; (どんな犠牲を払っても) at any cost, whatever the cost; (どんなに困難でも) no matter how difficult. ¶ 私は*石にかじりついてもその計画をなし遂げる I'll carry out the plan *at any cost*. / (⇒ 骨身を惜しまない) I'll *spare no effort* to carry out the plan.

石の上にも三年 Perseverance will win in the end. 《ことわざ: 忍耐が最後には勝つ》/ (⇒ 忍耐が成功をもたらす) Perseverance brings success.

いし[2] 意思 (意向) intention Ⓒ; (考え) mind Ⓤ. 《☞ いと[2] (類義語); かんがえ》. ¶ 私たちは互いの*意思の疎通をはかった (⇒ お互い理解し合おうとした) We tried to *understand each other*. // 外国語で*意思を通じさせる (⇒ 自分の気持ちをわからせる) のはなかなか難しい It is hard to *make oneself understood* in a foreign language.

意思表示 declaration [expression] of ˹intent [intention] Ⓒ. ¶ あなたははっきりと*意思表示をしなくてはなりません You must *express* your ˹*intentions* [*ideas*] clearly.

いし[3] 意志 will Ⓤ ★ 時々 a 〜 として. ¶ 彼は*意志が強い[弱い]人だ He has a ˹strong [weak] *will*. / He is ˹strong [weak]-*willed*. // 彼は自分の*意志でやって来た He came of his own free *will*. // 自分の*意志に反して against *one's will* // *意志薄弱な人 a *weak-willed* person // *意志の力は悪習を克服し得る *A strong will* can overcome bad habits. // 彼女は*意志の力で難局を切り抜けた She overcame that difficulty by *willpower*.

意志決定 decision-making Ⓤ.

いし[4] 医師 (医者) doctor Ⓒ 《☞ いしゃ》.

医師会 medical association Ⓒ **医師国家試験** the National Examination for Medical Practitioners **医師法** the Medical Practitioners' Law **医師免許状** medical ˹license [《英》 licence] Ⓒ.

いし[5] 遺志 (故人の生前の意志) the ⌈wish(es) [intention(s)] of a deceased person; (臨終の際の願い) *one's* dying wish [C]. ¶故人の*遺志により葬儀は行わない In accordance with *the wishes of the deceased*, there will be no funeral.

いし[6] 縊死 ―[動] (首をつる) háng *onesèlf*.

いし[7] 遺子 《☞ いじ[3]》

いじ[1] 意地 (意志) will [U] ★時々 a～ として; (気骨) báckbòne [U]; (誇り) pride [U]; (自尊心) self-respect [U]; (強情) stúbbornness [U]. 《☞ こんじょう[1]; ごうじょう; がんこ (類義語)》. ¶こんな所で*意地を通すのは愚かだ It is foolish to try to ⌈have [get] *your own way* in a case like this. // *意地でもこの仕事はやり遂げなければならない (⇒ 私の誇り [自尊心] がこの仕事をやり遂げさせずにはおかない) My ⌈*pride* [*self-respect*] compels me to finish this work.

意地が悪い ¶彼は*意地が悪い He is a *nasty* person. 《☞ いじわる》

意地になる (頑固になる) grow obstinate.

意地を張る ¶そんなに*意地を張るなよ Don't be so *stubborn*.

いじ[2] 維持 ―[名] máintenance [U]; (家屋などの) úpkèep [U]. ―[動] (よい状態に保つ) maintain [他]; (価値あるものをそのまま保つ) preserve [他]; (保ち続ける) kèep úp [他]; (生命などを維持する) sustain [他]; (生命・気力などを支える) support [他]. 《☞ たもつ》. ¶平和を*維持するためには努力が必要だ We need to make an effort to ⌈*maintain* [*keep* the] peace. // 現状*維持でさえも難しそうだ It certainly seems difficult even to ⌈*maintain* [*preserve*] the ⌈present state of things [status quo]. // 生命を*維持する *sustain* [*support*] life // 生命*維持装置 a life-*support* system **維持費** upkeep [U], maintenance costs ★通例複数形で. ¶この建物の*維持費はかなりかかりそうだ This building will cost a great deal in *upkeep*. / The *maintenance costs* for this building will be pretty high.

いじ[3] 遺児 (後に遺(のこ)された子供) bereaved child [C], child of a deceased parent [C]. 《☞ いぞく》.

いじ[4] 医事 (医療に関する事柄) medical ⌈matters [affairs] ★複数形で.

いじ[5] 異字 (異なった文字) different character [C]; (異体字) variant character [C].

いしあたま 石頭 ―[形] (頑固な) óbstinate, hárdhéaded. 《☞ かたい[1] 3》.

いじいじ ―[副] (ぐずぐず) hesitatingly; (おずおずと) hesitantly; (臆病に) timidly; (優柔不断で) indecisively; (自信なげに) diffidently. ―[動] (ためらう) hesitate [自]; (自信がなくなる) become diffident. 《☞ ぐずぐず》. ¶彼は*いじいじしていて嫌いだ I don't like him for his *indecisiveness*.

いしうす 石臼 (ひき臼) stóne mill [C]; (つき臼) stóne mòrtar [C].

いしがき 石垣 (城壁などの) stóne [rock] wáll [C]; (石の塀) stone [rock] fence [C]. **石垣いちご** stone-wall-grown strawberry [C]; strawberries grown along stone walls on sunny slopes **石垣栽培** cultivation of plants utilizing stone walls on sunny slopes.

いしがっせん 石合戦 ―[名] stone fight [C]. ―[動] have a stone fight.

いしがめ 石亀 〘動〙(日本産の淡水ガメ) Japanese pond turtle [C].

いしがれい 石鰈 〘魚〙 stone flounder [C].

いしかわたくぼく 石川啄木 ―[名] [固] Ishikawa Takuboku, 1886–1912; (説明的には) a tanka poet and novelist born in Iwate Prefecture. His *Ichiaku no suna* in 1910 (*A Handful of Sand*), a collection of innovative tanka poems, attracted a wide readership.

いしき 意識 1 《感覚》 ―[名] (回りに起こっていることや, 自分のしていることについての) consciousness [U]; (五官による体の感覚) *one's* senses ★この意味では複数形を用いる. ―[形] (意識のある) conscious. ¶彼女は*意識を失った She lost *consciousness*. / (⇒ 無意識になった) She fell *unconscious*. / She *passed out*. ★後者のほうが口語的. 《☞ しっしん[1]》 // 私は数分間*意識を失った I was *unconscious* for a few minutes. // 患者は徐々に*意識を取り戻した The patient gradually ⌈recovered *consciousness* [*came (a)round*]. // 彼女は*意識不明のまま死んだ (⇒ 意識を回復せずに) She died without regaining *consciousness*.

2 《自覚・自意識》 ―[名] (自覚) consciousness [U]; (気付いていること) awareness [U]. ―[形] conscious; aware [P]. ¶彼女は罪を*意識している (⇒ 罪悪感がある) ようには見えなかった She didn't seem to ⌈be *conscious* of (her) guilt [*feel* guilty]. // 彼女は人に見られているのを*意識していた She was *conscious* ⌈of being watched [that she was being watched]. // 彼は危険を*意識していた He was *aware* of the danger. // 都会の人は政治*意識が高いと言われる It is said that people living in big cities tend to be politically *minded*. // 私は*意識的 (⇒ 故意) にそれをやったのです I did it ⌈*intentionally* [*deliberately*]. 《☞ こい[3]》

意識障害 cónsciousness disòrder [U] **意識の流れ** 〘心・文学〙(the) stream of consciousness.

いじきたない 意地汚い ―[形] (がつがつした) greedy; (食いしんぼうの) gluttonous /glʌ́t(ə)nəs/; (貪欲な) avaricious /æ̀vəríʃəs/ 〔語法〕 前2者は食欲・物欲両方, avaricious は物欲のみ.

いしきりば 石切り場 quarry [C].

いしく 石工 (建物の石組みをする) (stóne)màson [C]; (石切り・石割り・加工をする) stónecùtter [C].

いじくる (不器用にいじくり回す) fumble with ...; (目的もなくもてあそぶ) fiddle with ... 《☞ いじる》.

いしけり 石蹴り ―[名] hopscotch /hάpskɑ̀tʃ/ [U]. ¶*石蹴りをする play *hopscotch*

いじける ―[動] (ひるむ) shrink [自]; (ひがませる) warp [他]. ―[形] (おどおどした) timid. 《☞ いしゅく》. ¶*いじけた子 (⇒ 劣等感を持つ子) a child ⌈who has [with] a *sense of inferiority* // 悲劇的経験が彼を*いじけさせて (⇒ ひがませて) しまった The tragic experience *has warped* his mind.

いしころ 石塊 (小石) pebble [C]; (小さな石) (small) stone [C], 《米》 rock [C]. 《☞ いし[1]》.

いしずえ 礎 (土台・基礎) foundation [C].

いしだい 石鯛 〘魚〙(false) parrot fish [C].

いしたたき 石叩き 〘鳥〙(セキレイの別名) wagtail [C].

いしだたみ 石畳 stone ⌈pavement [floor] [C] 《☞ ほそう》. ¶道は*石畳になっていた The road *was paved with stone(s)*.

いしだみつなり 石田三成 ―[名] [固] Ishida Mitsunari, 1560–1600; (説明的には) One of the five commissioners of Toyotomi Hideyoshi. He was defeated by Tokugawa Ieyasu at the Battle of Sekigahara and was executed.

いしだん 石段 stone steps ★通例複数形で. 《☞ だん[1]》. ¶山頂の神社まで行くには*石段を何百段も登らなければならない We have to ⌈go [climb] up hundreds of *stone steps* to reach the shrine on the mountaintop.

いしつ 異質 ―[形] (異なった種類の) of different kinds ★平易な表現; (いろいろな種類から成る) heterogeneous /hèt(ə)rədʒíːniəs/; (まったく異種

の) dísparate ★ 以上 2 つはいずれもやや格式ばった語. ―― [名] heterogeneity /hètərədʒəníːəti/ [U], heterogeneousness [U]; disparateness [U].
¶ それは*異質の人たちを集めたグループだった It was a *heterogeneous* group of people.

いしづき 石突き (傘・ステッキなどの) ferrule /férəl/ [C], tip [C]; (きのこの) hard tip [C]. ¶ 金属の*石突きをつけたこうもり傘 an umbrella with a metal *tip*

いじっぱり 意地っ張り ―― [形] (生まれつき頑固な) stúbborn; (自分の意見・意志を押し通す) óbstinate. ―― [名] (人) stubborn [obstinate] person [C]. 《☞ いじ¹; ごうじょう》.

いしつぶつ 遺失物 (物品) lost article [C], lost property [U]. ¶ *遺失物取扱所 the ˹*lost-and-found* office [*Lost and Found*]

いしどうろう 石燈篭 stóne lànter n [C].

いしばい 石灰 ☞ せっかい²

いしばし 石橋 stone bridge [C] 《☞ はし¹》.
石橋をたたいて渡る (よく考えてから行動する) think carefully before *one* acts; (跳ぶ前に見る) look before *one* leaps ★ 後者は決まり文句. ¶ 彼はとても慎重で, *石橋をたたいて渡るような人だ He is cautious, and always ˹*thinks carefully before* he *acts* [*looks before* he *leaps*].

いしべい 石塀 (石で作った塀) stone ˹fence [wall] [C].

いしべきんきち 石部金吉 (堅物) moral person [C]; (融通のきかない頑固な人) inflexible and obstinate person [C].

いしへん 石偏 (漢字の) stone radical on the left of kanji [C].

いじましい (つまらないことに気を使う) petty; (軽蔑すべき) contemptible. ¶ *いじましい根性[嫉妬心] *petty* ˹nature [jealousy] // *いじましい (⇒ 軽蔑すべき) 考え a *contemptible* idea

いじめ 苛め (弱い者いじめ) bullying [U]; (からかい) teasing [U]. 《☞ いじめる》. ¶ 最近は高校生の間にも*いじめが広がっている *Bullying* has recently become more widespread even among high school students. **いじめっ子** bully /búli/ [C].

いじめる 苛める (…につらく当たる) be hard on … ★ 口語的; (言葉や行為で虐待を加える) abúse (他); (酷使・虐待する) 《格式》 màltréat (他), mìstréat (他), ìll-tréat (他) [語 法] abuse 以下 4 語は入れ換え可能なことがあるが, abuse は意図的ではないのに対し, maltreat 以下の語は意図的で maltreat が一番意味が強い; (からかう) tease (他); (困らす) annóy (他); (悩ます) torment (他); (弱い者をおどす) bully (他); (あら探しをしていびる) pick on … 《☞ ぎゃくたい》.
¶ シンデレラはまま母に*いじめられた Cinderella /sìndərélə/ *was* ˹*maltreated* [*mistreated*; *ill-treated*] by her stepmother. // そんなに*いじめないで下さい. 努力しているのですから Don't *be so hard on* me. I'm trying my best. // 一群の少年たちが田舎から来た男の子を*いじめて泣かしてしまった A group of boys *teased* the boy from the country and made him cry. // 男の子は妹を*いじめて熊のぬいぐるみを取り上げてしまった <S (人) + V (*bully*) + O (人) + *into* + 動名> The boy *bullied* his little sister *into* giving him the teddy bear she had. // 彼はいつも私を*いじめる He *picks on* me all the time. ★ 《略式》.

いしもち 石持 〘魚〙 white croaker [C].

いしや 石屋 (石の売買人) stóne dèaler [C]; (石工) stónemàson [C], mason [C]. 《☞ いしく》.

いしゃ 医者 (medical) doctor [C] [語 法] 内科・外科を問わず医者を指す最も一般的な語. doctor はもともと「博士」の意であるから医者は正式には medical doctor であるが, 前後関係で明らかならば medical は省かれる; (内科医; 開業医) physician [C]; (一般開業医) géneral practítioner [C]; (専門医) specialist [C].
¶ 私の兄は*医者をやっている My brother is a *doctor*. / My brother *practices medicine*. ★ 後者のほうが格式ばった言い方. // *医者にみてもらいましたか Did you go to ˹a [the] *doctor*? / Did you ˹see [consult] ˹the [a] *doctor*? ★ consult のほうが格式ばった言い方. // かかりつけの*医者に来てもらった We called in our *family doctor*. // すぐ*医者を呼びなさい Send for a *doctor* right away. // ここ数週間*医者にかかっている I've been ˹*receiving* [*undergoing*] *medical treatment* for several weeks. // 心臓専門の*医者にかかったほうがいい You should see a heart *specialist*.
医者の不養生 (⇒ 自分では一番医者に見てもらわないのは医者だ) The last person to see a doctor is a doctor. / Doctors often *neglect their own health*. / Physician, heal thyself. 《ことわざ: 医者よ, 自分自身を治せ》

コロケーション

腕のよい医者 a competent [skillful; an able] *doctor* / **信頼のおける医者** a reliable *doctor* / **面倒見のよい医者** a ˹dedicated [caring] *doctor* / **やぶ[へたな]医者** a ˹quack [incompetent] *doctor*; a quack / **良心的な医者** a conscientious *doctor* // **医者が患者を診察する** a *doctor* ˹examines [sees] a patient / **医者が患者を治療する** a *doctor* treats a patient / **医者が患者を手術する** a *doctor* ˹operates [performs surgery] a patient

いしやき 石焼き ―― [動] cook … on hot stones.
石焼き芋 sweet potato roasted in hot pebbles [C].

いじゃく 胃弱 (消化不良) dyspépsia [U], indigestion [U] ★ 前者のほうがより格式ばった語.

いしやま 石山 (岩石の山) (solid-)rock mountain [C]; (石材をとる山) quarry [C].

いしゃりょう 慰謝料 (賠償) còmpensátion [U].
¶ この損害に対する*慰謝料を請求しよう We will demand *compensation* for the damage.

いしゅ¹ 異種 (異なる種類) different kind [C]; different species [C] ★ 単複同形. species は「種(しゅ)」という生物学用語としても用いられる; (変種) variety [C]. ¶ *異種の動物 an animal of a *different* ˹*kind* [*species*] **異種移植** 〘医〙 héteroplàsty [U] ★ 個々の例は [C]; (移植片) heterograft [C] **異種交配** 〘生〙 hybridization [U], crossbreeding [U].

いしゅ² 意趣 (他人の仕打ちに対する恨み) grudge [C]; (悪感情) ill feeling [U]; (悪意) spite [U]; (意向) intention [C]. ¶ *意趣を含む言葉 *spiteful* words // 人に*意趣を抱く have [bear; hold] a *grudge* against *a person* // 彼女は私の言葉に*意趣を抱いている She bears a *grudge* for what I said.
意趣遺恨 a grudge **意趣返し** ―― [名] (報復) retaliation [U], revenge [U]. ―― [動] retaliate against (*a person*), take revenge on (*a person*).

いしゅ³ 異趣 (不思議な雰囲気) a strange atmosphere ★ 単数形で.

いしゅ⁴ 縊首 ―― [動] (首をつる) hang *oneself*, commit suicide by hanging ★ 後者のほうが格式ばった表現.

いしゅう¹ 異臭 ―― [名] (悪臭) (bad) smell [C]. ―― [動] (異臭を放つ) give ˹out [off] a foul smell, stink (自). 《☞ あくしゅう¹》.

いしゅう² 蝟集 ―― [動] throng (自) (他) 《☞ むらがる》.

いしゅう³ 遺習 traditional [old] practice [C].

イシュー (発行・発行物) issue /íʃuː/ Ⓒ.

いじゅう 移住 ―名 (ほかの国または地域へ移り住むこと) migration Ⓤ; (他国へ) èmigrátion Ⓤ; (他国から) ìmmigrátion Ⓤ 〔語法〕 migration は動物の定期的な移住・移動についても用いるが, emigration, immigration は人間だけ; (転居) move Ⓒ. ―動 mígrate (to …) ⓐ; émigràte (to …) ⓐ; ímmigràte (to …; into …) ⓐ; move ⓐ.
¶ アメリカ先住民は有史前にアジアから*移住したといわれている Native Americans are said to *have* ˹*come* [*migrated*] *from* Asia *to* America in prehistoric times. // 多くの人々が第二次大戦後アメリカへ*移住してきた Many people *immigrated to* the United States after World War II. / (⇒移住者としてアメリカへ来た) Many people ˹came to live [settled] in the United States as *immigrants* after World War II. // 私はブラジルへの*移住を決意した I am determined to *emigrate to* Brazil.
移住者 (他国からの) ímmigrant Ⓒ; (他国への) émigrant Ⓒ; (初期の開拓者) settler Ⓒ **移住地** settlement Ⓒ. ¶*移住地を建設する build [establish] a *settlement*

いしゅく 畏縮, 萎縮 ―動 (ちぢこまる) shrink (from …) ⓐ 《過去 shrank, shrunk; 過分 shrunk, shrunken》; (ひるむ) wince (at …) ⓐ; (人が精神的に) be daunted (at …; by …) ★ やや格式ばった表現. (☞ いじける; ひるむ; きおくれ); 〔生・医〕 atrophy ⓐ ⓗ (☞ たいか[4] (退化器官)). **萎縮腎** 〔医〕 atrophy of the kidney Ⓤ **萎縮病** 〔植〕 atrophy Ⓤ.

いしゅつ 移出 ―動 (送り出す・輸送する) send ⓗ, transport ⓗ ★ 後者のほうがより格式ばった語; (出荷する) ship ⓗ ★ 船便のみでなく, あらゆる輸送手段についていう. (☞ いにゅう; いしゅつにゅう; ゆしゅつ; しゅっか[1]).

いじゅつ 医術 medicine Ⓤ (☞ いがく).

いしゅつにゅう 移出入 ―動 exchange shipments with other domestic areas (☞ いしゅつ; いにゅう).

いしゆみ 石弓・弩 catapult Ⓒ.

いしょ[1] 遺書 (遺言書) will Ⓒ (☞ ゆいごん).
¶ 彼は*遺書を書いた He ˹made [drew up] ˹his [a] *will*. // 何か*遺書が残されていませんでしたか Wasn't there any *will* left behind?

いしょ[2] 医書 medical book Ⓒ.

いしょ[3] 異書 ☞ いほん

いしょう[1] 衣装, 衣裳 (国民・時代特有の) costume Ⓒ; (衣服一般) clothes ★ 複数形で; (総称) clothing Ⓤ ★ やや格式ばった語; (婦人の) dress Ⓒ.
¶ 韓国の民族*衣装 the national *costume* of Korea // 彼はカウボーイの*衣装をつけて現れた He appeared in a cowboy *costume*. // 時代*衣装 (a) period *costume* // 流行の*衣装 fashionable *clothes* // すばらしい花嫁*衣装だった (⇒彼女は美しいウェディングドレスを着ていた) She was wearing a beautiful wedding *dress*.
馬子にも衣装 ☞ まご[2]
衣装持ち (人) person with ˹a large [an extensive] wardrobe Ⓒ.

> **コロケーション**
> 宴会用の衣装 a party *dress* / 儀式用衣装 a ceremonial *costume* / けばけばしい衣装 flashy *clothes* / 婚礼衣装 a bridal *dress* / 地味な衣装 conservative *clothes* / 伝統的な衣装 (a) traditional *costume* / 民族衣装 an ethnic *costume*

いしょう[2] 意匠 (デザイン) design Ⓤ ★「図案」の意味では Ⓒ. (☞ もよう 〔語法〕).
意匠権 right for (the use of) design Ⓤ **意匠登録** registration of design Ⓤ.

いしょう[3] 異称 ☞ べつめい

いじょう[1] 以上 **1** 《…から上》: (その数を含まない数量) over …, above …, more than …; (少なくとも) not less than …; (程度) beyond …, past …, above …, more than … ★ 上にあげた表現はほぼ同意だが, more than が最も確実な言い方.
〔日英比較〕 日本語の「…以上」は,「3 以上」のように「3」を含み, 3, 4, … を意味する場合と,「3 を超えたもの」を意味し「3 を含まない」こともあり, 明確でない場合がある. 英語の more than, over, above, beyond, past などはその数字は含まず, それを超えた部分, 例えば, more than three の場合, 整数なら 4, 5 … を意味する. もし 3 を含むのであれば three or more, upwards of three あるいは《略式》では from three on up と言う. (☞ いか[1]).
¶ ここは 15 分*以上駐車できません You can't park here *more than* 15 minutes. 〔語法〕 15 分まではよい場合. // 6 歳*以上 12 歳未満の子供は半額です Children between the ages of six and eleven pay half fare. / Children ˹(of) six years and *over* [from six (years) and] up to twelve pay half fare. // 彼はロンドンに 1 か月*以上も滞在した He stayed in London for *over* a month. // 高校卒業者は英語を 6 年*以上勉強している High school graduates have studied English for ˹six years *or more* [(⇒少なくとも) *at least* six years]. // これ*以上言うことがありますか Do you have anything ˹*more* [*further*] to say? // 災害ははるかに想像*以上だった The disaster was far ˹*beyond* my imagination [*greater* than I could have imagined].
2 《いままでに述べたこと》 ―名 the above(-mentioned), the above(-stated) ★ 単複両扱い. ―形 (以上の) preceding, foregoing. ¶*以上のとおり相違ありません (⇒上記の件は私の知る限り真実です) *The above* is true to the best of my knowledge (and belief). ★ 履歴書や誓約書などに書く言葉. // *以上申し述べた事実は幾つかの例にすぎません *The* ˹*above-mentioned* facts [facts I *have stated above*] are only some instances.
3 《…するからには》 ―接 (…だから) since …; (一度…したからには) once …; (いやしくも…するからには) if … at all; (…となったいま) now (that) … ¶ だれも私の提案に賛成しなかった*以上, それをやめざるをえなかった *Since* no one agreed to my proposal, I had to give it up. // いったん仕事を始めた*以上, やり通さなくてはならない *Once* you have started on your work, you have to ˹complete [stick to] it.
4 《終わり》: (それですべて) That's all, The End ★ 前者は口語; (完結) Concluded. ★ シリーズものの最後などで.

いじょう[2] 異常 ―形 (正常でない) abnormal (↔ normal); (普通ではない) unusual; (並はずれた) extraordinary /ɪkstrɔ́ədənèri/; (奇妙な) strange. (☞ へん[1] (類義語)) ¶ 彼には何か*異常なところがある There is something ˹*strange* [*abnormal*] about him. // このことに関する彼の興味の持ち方は*異常だ His interest in this matter is *extraordinary*. // 彼女は*異常な記憶力の持ち主だ She has an ˹*unusually* [*uncommonly*] good memory. **異常乾燥注意報** (警報) dry-weather alert Ⓒ (☞ ちゅういほう) **異常気象** abnormal weather Ⓤ **異常震域** 〔地〕 zone of abnormal seismic intensity Ⓒ **異常心理学** abnormal psychology Ⓤ **異常性格** abnormal character Ⓒ **異常性欲** abnormal sexual appetite Ⓒ **異常増殖** abnormal multiplication Ⓒ **異常妊娠** abnormal pregnancy Ⓒ **異常反応** allergy Ⓒ.

いじょう[3] 異状 ―名 (故障) trouble Ⓤ; (心・体

の不調) disorder Ⓤ. ―形 (具合が悪い) wrong; (調子が狂っている) out of order; (正常でない) abnormal. ¶何も*異状ありません (⇒ すべて順調です) Everything is *all right*. // *異状があれば報告しなさい If you find ⌈any *trouble* [anything *wrong*; anything *out of order*], report it to me. // この車はどこか*異状がある (⇒ 何かがおかしい) Something is *wrong* with this car.

いじょう⁴ 委譲 ―名 tránsfer Ⓤ. ―動 transfér ㊀. ¶…に権限を*委譲する *transfer one's* right(s) to …

いじょう⁵ 移乗 ―動 (別の船に乗りかえる) transfer (to another ship) ㊁, change ships. 《☞ のりかえる》.

いじょう⁶ 移譲 ―動 (権利などを他の人に移す) transfer (the title for the land) ㊀ 《☞ ゆずる》.

いじょうち 囲繞地 enclave Ⓒ.

いじょうふ 偉丈夫 (体格がりっぱ) man of ⌈imposing build [commanding appearance] Ⓒ; (人格がりっぱ) man of character Ⓒ.

いしょく¹ 委嘱 ―動 (任せる) entrúst ㊀; (権限を与えて委託する) commission ㊀; (任命する) appoint ㊀; (指名する) nóminàte ㊀. ―名 commission Ⓤ; appointment Ⓤ; nomination Ⓤ. 《☞ いたく¹ (類義語)》. ¶この件は彼に*委嘱する I will *entrust* him with this case. / I will *entrust* this case to him. / (⇒ 彼にこの件を引き受けてくれるように頼む) I will *commission* him to take care of this case. // 彼女はその研究を*委嘱された (⇒ 研究の責任を任された) She *was placed in charge of* the research. // A 氏は会長を*委嘱された Mr. A. *was nominated* (for) president. 語法 この場合 president は無冠詞. 《☞ 冠詞 (巻末)》.

いしょく² 移植 ―動 (植物を植えかえる) transplánt ㊀ ★比喩的に人間の臓器などの移植にも用いられる; 〘医〙 (皮膚・骨など組織を) graft ㊀. ―名 trànsplantátion Ⓤ. ¶私は苗木を庭に*移植した I *transplanted* some seedlings in the garden. // 心臓*移植手術 a heart-*transplant* operation 移植鏝(ごて) trowel Ⓒ 移植免疫〘医〙 transplantation immunity Ⓤ.

いしょく³ 衣食 (衣服と食事) food and clothing Ⓤ; (生計) lívelihòod Ⓤ; (暮らし) living Ⓤ. 《☞ くらし》. **衣食足りて礼節を知る** Well fed, well bred. 《ことわざ: 食べ物が十分に与えられれば立派に育つ》 **衣食住** food, clothing, and shelter. 語法 food, shelter, and clothing あるいは shelter, clothing and food の語順もある.

いしょく⁴ 異色 ―形 (類がない) unique /juníːk/; (斬新な) novel. 《☞ かわった; ふうがわり》.

いしょくしょう 異食症 〘医〙 pica Ⓤ.

いしょくどうげん 医食同源 medicine and food have the same origin.

いじらしい ―形 (心を打つ) moving; (いたいたしい) touching; (哀れを誘う) pitiful. 《☞ かわいそう (類義語)》. ¶あの小さな女の子が病気の母親の世話をしているのは本当に*いじらしい It is ⌈*moving* [*touching*] to see that little girl taking care of her sick mother.

いじる (指で) finger ㊀; (触る) touch ㊀; (いじくり回す) fumble [play] with …; (もてあそぶ) 《略式》 monkey around (with …) ㊁. ¶赤ん坊はおもちゃの車を*いじっていた The baby *was fingering* a toy car. // だれかこの書類を*いじったか *Has* anybody *touched* these papers? // 私の道具を*いじるな Don't *monkey around with* my tools.

いしわた 石綿 asbéstos Ⓤ.

いじわる 意地悪 ―名 (意地の悪い人) nasty [mean] person Ⓒ. ―形 (意地悪な) nasty; (悪意のある) malícious; (人を困らせるような) embárrassing ★「質問」などに用いる. 《☞ いじめる; いじ¹ (意地が悪い)》.
¶あんな*意地悪はほかにはいない You can't find a *nastier* man (than him). // 彼は*意地悪な (⇒ 悪意のある [困らせる]) 質問をするのが好きだ He likes to ask ⌈*malicious* [*embarrassing*] questions. // 小さな子に*意地悪をする (⇒ いじめる)のはやめなさい Stop ⌈*bullying* [*teasing*] little children.

いしん¹ 威信 (信望) prestige /prestíːʒ/ Ⓤ; (威厳) dignity Ⓤ; (名誉) honor (《英》 honour) Ⓤ. ¶国の*威信 (⇒ 名誉) がいまや問題となっている The national *honor* is at stake.

いしん² 維新 the (Meiji) Restoration; (刷新) renovation Ⓤ.

いしん³ 異心 treacherous ⌈intentions [ideas] ★複数形で. ¶*異心を抱く think ⌈*treacherous* [*traitorous*] *thoughts* // *異心なきことを誓う (⇒ 忠誠を誓う) swear never to ⌈*have a change of heart* [*turn against a person*]

いしん⁴ 移審 transfer of a case to a higher court Ⓒ.

いじん¹ 偉人 great ⌈person [man; woman] Ⓒ; (男の英雄) hero 《複 ~es》; (女の英雄) heroine Ⓒ; (歴史上の偉人達) great historical figures. ¶彼は*偉人伝を好んで読む He likes to read biographies of ⌈*great historical figures* [*the great*].

いじん² 異人 foreigner Ⓒ 《☞ がいじん》.

いしんでんしん 以心伝心 ¶私たちは*以心伝心の間柄だ (⇒ 言葉を使わなくても理解し合える) We can *understand each other without* (*the use of*) *language*. / (⇒ テレパシーで意思伝達ができる) We can communicate with each other *by telepathy*.

いす 椅子 **1** 《腰かけ》: chair Ⓒ; (ソファー) sofa /sóufə/ Ⓒ; (寝いす) couch Ⓒ ★couch は今日では sofa と同じ意味で使われることが多い; (背なしの) stool Ⓒ; (2 人以上用の長いす) bench Ⓒ.

日英比較 日本語で「いす」は腰かけ類の総称として用いられる. ところが英語では chair は背もたれのある 1 人用の腰かけのみをいい, 腰かけ類の総称ではない. 英語では腰かけ類の名称が細かく分かれており, 総称はない. 背もたれの有無にかかわらず 2 人以上用の長い腰かけを bench といい, 背もたれがない 1 人用のいす (日本語で「丸いす」などと呼んでいるもの) は stool である. 座がふかふかと柔らかく, ひじかけのあるゆったりした 2 人以上用の長い腰かけが sofa [couch], 寝台兼用にもなる 2 人以上用のひじかけのある長いすが couch, 劇場や乗り物などの固定された座席は seat.

stool

日本語の「いす」と英語の chair の関係を図示すると次のようになる.

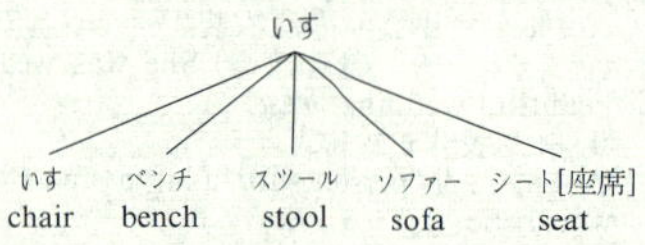

以上のような日英の食い違いがあるので, 例えば日本語の「長いす」を long chair と訳すなどの誤りを犯さないように注意する必要がある.
¶*いすをどうぞ Have [Take] a *seat*, please. / (⇒ おかけ下さい) Please sit down. // 彼は*いすに座っている He is sitting ⌈*in* [*on*] *a chair*. 語法 ひじかけのあるいすに深く座るのが in, ひじかけのないいすに乗っている感じは on. // 彼女は*いすから立ち上がった She ⌈rose [got up] from her *chair*. // 彼は*いすを引き寄

on a chair

in a chair

せた He ˹pulled [drew] up the *chair*. // ひじかけ*いす an *armchair*
2 «地位»: (公的な) post [C]; (勤め口) position [C]; (議席) seat [C]; (講座制の教授の) chair [C]. 《☞ ちい; ぎせき》. ¶ 彼は大学で経済学教授の*いすを占めている He ˹holds [occupies] the (professorial) *chair* of economics at a University. // 委員長の*いすが空いたままになっている The chairman's *post* has remained ˹open [vacant]. 《☞ くうせき》

コロケーション
折りたたみ式いす a folding *chair* / (野外用の) a camp *chair* / 机用のいす a desk *chair* / 籐いす a ˹cane [rattan] *chair*

いすい 渭水 ―[名] (固) the Wei ★ 中国の川.

いすか 鶍 〖鳥〗 cróssbill [C] ★ スズメ目の小鳥. くちばしが交差している.
鶍の嘴(はし)と食い違う (すべてがうまくいかない) everything goes wrong; (2 人の人が互いにその目的・意図が食い違っている) be at cross-purposes.

いすくまる 居竦まる remain motionless (自); (恐怖で動けなくなる) freeze with fear (自).

いすくむ 居竦む ☞ いすくまる

いすくめる 射竦める (じっとにらみつける) transfix *a person* with *one's* gaze ★ 通常受身で.

いずこ 何処 ☞ どこ

イスタンブール ―[名] (固) Istanbul ★ トルコ最大の都市. 旧称 Constantinople.

いずまい 居住まい ¶ *居住まいを正す *sit up straight* / *straighten up*

いずみ 泉 spring [C], fountain [C] ★ 後者はこの意味では《詩語》.

いずみしきぶ 和泉式部 ―[名] (固) Izumi Shikibu; (説明的には) a poetess and diarist who served at the court of Emperor Ichijo (reigned 986–1011).

いずみねつ 泉熱 〖医〗 Izumi fever [U]; (説明的には) a variety of scarlet fever first reported by Dr. Izumi.

イズム (主義) ism [C].

いずも 出雲 the Izumo region (in northeast Shimane Prefecture).
出雲大社 Izumo Shrine **出雲風土記** records of the natural features, legends, and myths of the Izumo region (733).

イスラエル ―[名] (固) Israel /ízriəl/; (正式名; イスラエル国) the State of Israel. ―[形] (イスラエルの) Israeli /izréɪli/, 〖聖書〗 Israelite /ízriəlàɪt/. **イスラエル人** Israeli [C] 《複 Israelis》, 〖聖書〗 Israelite [C]; (総称) the Israelites ★ 複数形で.

イスラマバード ―[名] (固) Islamabad /ɪslá:məbà:d/ ★ パキスタンの首都.

イスラム **イスラム教** ―[名] Islam /ɪslá:m/ [U]
[語法] マホメット教という意味の Muhammadanism /muhǽmədənìzm/ [U], またその教徒という意味での Muhammadan [C] の両形は, マホメットを崇拝するという誤解を嫌って現在ほとんど用いられない.
―[形] (イスラム(教徒)の) Islamic /ɪslá:mɪk/. **イスラム教国** (全体を指して) Islam [U] **イスラム教徒** (イスラム教徒全体) Islam [U]; (個人) Muslim [C] ★ Moslem ともつづる. **イスラム原理主義** Islamic /ɪslá:mɪk/ Fùndaméntalìsm [U] **イスラム法** Islámic láw [U], the Sharia /ʃəríːə/ [U] **イスラム暦** Islámic cálendar [C].

いずれ **1** «どちら» ―[代] (2 つの間で) either ★ 単数扱い; (多くのものについて) any; (全部) all ★ any は単数, all は複数扱い; (疑問詞として) which. 《☞ どちら; どの》. ¶ *いずれのやり方でもうまくいきます *Any* method will work. // あの 4 人は*いずれも優秀な人たちです *All* four of them are very bright.
2 «将来»: (いつか) someday, one day; (近いうちに) one of these days; (間もなく) before long; (遅かれ早かれそのうちに) sooner or later. 《☞ いつか》. ¶ *いずれまた See you ˹*later* [*soon*]! // *いずれまた (⇒ 2, 3 日中に) お電話いたします I'll call you *again* in a ˹couple of [few] days.
3 «最終的に»: after all; (どんなことをしても) anyhow; (いずれにしても) anyway; (とにかく) at any rate ★ 以上は交換可能な場合もある. ¶ *いずれにせよそれは私には大きすぎる *Anyway* it's too big for me. 《☞ とにかく》
いずれ菖蒲(あやめ)か杜若(かきつばた) They're ˹both [all] so fine it's hard to choose.
いずれ劣らぬ ¶ 2 人とも*いずれ劣らぬ (⇒ 同じようによい) 成績だ The two of them are *equally good* at school.

いすわる 居座る (頑固に居続ける) stay on obstinately (自); (腰を落ち着ける) settle down (自); (公的な地位などにしがみつく) cling to ˹office [power]; (ある職に) cling to ˹the [a] position. ¶ 彼は数年間, 権力の座に*居座った He *clung to power* for several years.

いせ 伊勢 **伊勢神宮** Ise Shrine **伊勢参り** ¶ *伊勢参りに行く go on [make] *a pilgrimage to Ise Shrine*

いせい[1] 威勢 **威勢がいい[のよい]** ―[形] (非常に活発な) very active; (精力的な) ènergétic; (活発な) lively /láɪvli/; (元気のいい) in high spirits. 《☞ げんき[1]; いきおい》. ¶ 彼は運動場に出ると*威勢がいい He is *very active* on the ˹sports [playing] field. // *威勢のよいかけ声をかける (⇒ 大声で叫ぶ) shout *loudly* // *威勢よく叫ぶ cry out ˹*vigorously* [*in high spirits*] ★ この場合 spirits は常に複数形.

いせい[2] 異性 the ˹opposite [other] sex ★ 通例単数形で. ¶ 彼には*異性の友人がいない He has no *girlfriends*. // *異性間に真の友情はありえないのだろうか Can't ˹boys [girls] find real friendship with (members of) *the opposite sex*?

いせい[3] 以西 (…より西に[で]) west of …; (その場所およびその西方) … and westward. 《☞ にし[1]》. ¶ 私は広島*以西は行ったことがない I've never been in Hiroshima *or* ˹*westward* [*further west*].

いせい[4] 医聖 eminent physician [C]; (その技術と知識によりあがめられる医者) doctor venerated for his skill and learning [C].

いせいしゃ 為政者 (政治家) statesman [C]; (統治者) ruler [C]; (行政官) admínistràtor [C].

いせいたい 異性体 〖化〗 isomer [C].

いせえび 伊勢蝦 spiny lobster [C] 《☞ えび》.

いせき[1] 遺跡 (過去から残された物) remains; (廃墟) ruins ★ 以上は通例複数形で. 《☞ しせき[1]; はいきょ; あと[2]》. ¶ 古代ローマの*遺跡 the *ruins* of ancient Rome

いせき[2] 移籍 ―[動] transfér (*one's* registration) (他); (トレードする) trade (他). ―[名] tránsfer [U]; (トレード) trade [C]. ¶ 彼はライオンズからジャイア

ンツに*移籍された He *was traded* from the Lions to the Giants.

いせき³ 井堰 (川の水量調節用の) weir [C]; (ダム) dam [C].

いせき⁴ 胃石 (ザリガニなどの胃の中にある) gastrolith [C].

いせつ 異説 (異なった意見) different ⌈view [opinion] [C]; (はっきり分かれた [様々な] 意見) divergent [varied] opinions ★ 複数形で; (相反する意見) conflicting ⌈views [opinions] ★ 複数形で.

いせものがたり 伊勢物語 *Tales of Ise*; (説明的に) a collection of 125 tales from the early to middle Heian period (794–c1000). The tales depict the life and love affairs of the elegant society of the day.

いせん¹ 胃腺 〘解〙 gastric gland [C].

いせん² 緯線 parallel [C], line of latitude [C].

いぜん¹ 以前 ¶ *以前はこのあたりに水車小屋があった There *used to* be a water mill around here. // 10 年ほど*以前は暮らし向きが苦しかった I was hard up about ten years *ago*. // 私は*以前彼に会ったことがある I've seen him *before*. // 彼は*以前ほど元気ではない He's not as healthy as he *used to be*. // 彼は*以前より勉強するようになった He works harder than *before*. (☞ べんきょう (類義語)) // 私はずっと*以前から (⇒ 長い間) ここに住んでいる I've been living here *for a long time*. // 氷河期*以前のものと思われるこれらの遺跡は最近見つかった These remains, ⌈supposed [believed] to be *preglacial*, have been excavated recently. (☞ まえ; むかし)

いぜん² 依然 ── [副] (いまなお) still; (相変わらず) as ever; (前と同じく) as before. (☞ あいかわらず). ¶ 患者は*依然として重態だ The patient is *still* in a critical condition. // 彼は*依然として頑固だ He is *as* obstinate *as* ⌈*before* [*ever*].

いせんこう 胃穿孔 ☞ い¹

いそ 磯 (浜辺) beach [C]; (海岸) seashore [C]; (岸) shore [C].

磯臭い (⇒ 海のにおいがする) I smell the sea.

磯遊び ── [動] play on the beach **磯伝い** ── [副] along the beach **磯釣り** surf-fishing [U]; fishing ⌈from [in; on] the rocks along the shoreline [U] **磯の香り** the smell of the sea **磯料理** seafood meal [C].

イソ ISO /áıèsóu/ ★ the *I*nternational *O*rganization for *S*tandardization (＝国際標準化機構) の通称. **イソ感度** ISO ⌈number [speed] [C].

いそいそと (楽しげに) cheerfully; (喜んで) gladly; (快く) willingly; (気軽に) lightheartedly. (☞ 擬声・擬態語 (囲み)). ¶ 彼女はボーイフレンドと*いそいそと外出した She went out *cheerfully* with her boyfriend. // 彼女は彼を*いそいそと (⇒ 暖かく) 迎えた She gave him a *warm* welcome.

いそいで 急いで ☞ いそぐ

いそう¹ 位相 〘物理・電〙 phase [C]; 〘数〙 topology [U]. ¶ …と*位相が一致している[いない] be ⌈in [out of] *phase* with … **位相幾何学** ── [名] topology [U], análysis situs /sáıtəs/ [U]. ── [形] (位相幾何学の) tòpológical **位相空間** 〘数〙 topological space [U]; 〘理〙 phase space [U] **位相差顕微鏡** phase [phase-contrast] microscope [C] **位相数学** topology [U].

いそう² 移送 ── [動] (移す) transfér [他]; (輸送する) transport [他]. ¶ 手荷物をある場所から別の場所に*移送する *send* [*transport*] *one's* baggage from one place to another

いそう³ 異装 ── [名] (変わった服装) strange attire [U] ★ 格式ばった表現; (奇妙な衣服) odd [funny] clothes ★ 複数形で; (その場に適さない衣服) improper [inappropriate] clothes ★ 複数形で. ── [形] oddly [bizarrely] dressed. ── [動] wear strange-looking clothes.

いぞう 遺贈 ── [動] (遺言で財産・不動産などを人に譲る) bequeath … to *a person* ★ 格式ばった表現; (遺贈品を残す) leave [make] a bequest to *a person*; (遺言で財産・不動産などを処理する) dispose of … in *one's* will. ── [名] (遺贈) bequest [U] ★ 格式ばった語. 遺贈品の意では [C]. **遺贈品** bequest [C] ★ 格式ばった語.

いそうがい 意想外 ☞ よそうがい

いそうろう 居候 (他人の善意につけ込んで食住を得る人) freeloader [C]; (ただで宿を借りる人) free lodger [C]; (何の貢献もせずただ世話になる人) párasìte [C]. (☞ やっかい; せわ). ¶ 彼は*居候のようなものだ He is something of a ⌈*freeloader* [*parasite*]. // 彼はおじのところに*居候している (⇒ おじのやっかいになっている) He *lives off* his uncle. / His uncle *supports* him.

居候三杯目にはそっと出し Shyly does the free lodger ask for a third bowl of rice.

いそがしい 忙しい ── [形] busy (↔ free); (仕事に従事して) engaged [P]. ── [副] (忙しく) busily. ¶ 彼は*忙しい人だ He is a *busy* man. / He always keeps himself *busy*. / (⇒ いつもするべきことがたくさんある) He always *has a* ⌈*great deal* [*pile*] *of work to do*. // 「きょうはお*忙しいですか」「いいえ, 暇です」"Are you *busy* today?" "No, I'm free." // けい子はあしたの予習で*忙しい Keiko is *busy* preparing for tomorrow's classes. [語法] busy (in) *doing* のように in を用いる言い方は口語では普通用いられない. 後に名詞がくるときは busy with … となる. // 彼はいつも何かつまらないことで*忙しくしている He always *busies himself* ⌈with [doing] trivial things. // そこでは男たちが*忙しく働いていた Men were *busy* at work there. // ずいぶん*忙しい (⇒ ぎっしり詰まった) 日程だね What a ⌈*crowded* [*heavy*; *full*] schedule you have! // 父はいま年賀状書きで*忙しい My father *is* now *occupied* (*in*) writing New Year cards.

いそがせる 急がせる (せかす) hurry [他]; (はやめる) hasten [他] ★ 文語的な語; (せきたてる) press [他]; (駆り立てる) urge (*a person* to *do* …) [他]. (☞ せかす; せきたてる). ¶ 彼を*急がせてくれ *Hurry* him *up*! // 彼を*急がせてもむだだ It's no use *pressing* him.

いそがに 磯蟹 〘動〙 Japanese shore crab [C].

いそぎ 急ぎ ── [名] hurry [U], haste [U] ★ 後者は格式ばった語. ── [形] (急いで) in a hurry ★ [副] にも用いる; (緊急の) úrgent; (いますぐにでも何とかしなくてはならないような) pressing; (至急の・せかせる) rush; (あわただしい) hasty. (☞ いそぐ (類義語); きゅう¹; きんきゅう; おおいそぎ; しきゅう²). ¶ お*急ぎでしたらこちらへどうぞ If you are *in a hurry*, please come this way. // これは*急ぎの仕事だ This is *urgent* business. // *急ぎの注文には応じかねます I am afraid we can't accept *rush* orders.

急ぎ足 ── [副] (急ぎ足で) at a quick pace; (相当な速さで) at a good pace.

いそぎく 磯菊 〘植〙 gold-and-silver chrysanthemum [C].

いそぎんちゃく 磯巾着 〘動〙 sea anemone [C].

いそぐ 急ぐ (あたふたと) hurry /hə́ːri/ [自]; (急いで行く) make haste, hasten /héısn/ [自]; (突進する) rush [自]; (差し迫って) press [自].

【類義語】 あたふたと慌てて急ぐという意味で最も口語的なのが ***hurry***. ほぼ同意で文語的なのが ***make haste***, ***hasten*** だが, 両者とも使われる頻度が少なくなっている. ある目的に向かって突進するように急ぐのが ***rush***. 差し迫った事情で急ぐのが ***press***.

¶*急ごう. 暗くなってきた Let's *hurry*. It's getting dark. // *急げ, さもないとバスに乗り遅れるよ *Hurry up*, or you'll miss the bus. // *急ぐな, 時間はたっぷりある Don't ｢*hurry* [*be in a hurry*]; we have plenty of time. // *急ぐことはない You don't have to ｢*hurry* [*be in a hurry*]. / There's no (need to) *hurry*. // 何をそんなに*急いでいるんだ Why are you *in* such *a hurry*? // *急いで家に帰った I *hurried* home. // ちょっと*急ごう (⇒スピードを上げよう) Let's *speed* (*it*) *up* a little. // 救急車は事故現場に*急いだ The ambulance ｢*hurried* [*rushed*; *sped*] to the scene of the accident. // *急いで昼食をすませた I had lunch *in a hurry*. / (⇒手早い昼食をとった) I had a ｢*quick* [*hasty*] lunch. // *急いで来てくれ Come *quickly*. // 善は*急げ Make hay while the sun shines. 《ことわざ: 日の照っているうちに干し草を作れ; 好機を逃すな》/ Strike while the iron is hot. 《ことわざ: 鉄は熱いうちに打て》

急がば回れ (The) more haste, (the) less speed. 《ことわざ: 急げば急ぐほど遅くなる》 / Make haste slowly. 《ことわざ: ゆっくり急げ》

いぞく 遺族 bereaved family Ⓒ; (集合的に) the bereaved; (残された人) survívor Ⓒ. ¶戦没者*遺族 the war *bereaved* (*family*) **遺族年金** pension for the bereaved Ⓒ, survivor's ｢pension [annuity] Ⓒ **遺族扶助料** bereavement allowance Ⓒ **遺族補償(金)** bereavement ｢indemnity [payment] Ⓒ.

いそじ 五十路 *one's* ｢fifties [50's; 50s].

いそしぎ 磯鷸 〔鳥〕 sándpìper Ⓒ.

いそしむ 勤しむ work hard 《☞ せいだす》. ¶仕事に*勤しむ *work* ｢*hard* [*diligently*]

いそちどり 磯千鳥 ☞ ちどり

イソップものがたり イソップ物語 *Aesop's* /í:sɑps/ *Fables*

イソロイシン 〔生化〕 isoleucine /àɪsoʊlú:si:n/ Ⓤ.

いぞん¹ 依存 ―動 (…を頼りにする) depend on …; (…を信頼して当てにする) rely on … ―名 dependence Ⓤ; reliance Ⓤ; (相互依存) interdepéndence Ⓤ. ―形 dependent; interdependent. 《☞ たよる》. ¶日本は資源の多くを外国に*依存している Japan largely *depends on* foreign countries for raw materials. // 両者は相互*依存の関係にある They are *interdependent*.

いぞん² 異存 objéction Ⓒ 《☞ はんたい; ふふく》. ¶私はあなたの提案に*異存はありません I have no *objection* to your proposal.

いた 板 (薄く縦に長い板) board Ⓒ; (幅のある厚板) plank Ⓒ; (金属板) plate Ⓒ; (金属・ガラスなどの薄板) sheet Ⓒ. ¶厚さ1センチの*板がいる I need a *board* one centimeter thick. // 窓には*板が打ちつけてあった The windows *were boarded up*. // 長い*板張りの廊下 a long *wood-floored* corridor // *板塀 a *board* fence

板につく ¶彼女の演説はまったく*板についている (⇒彼女は演壇に立つのによく慣れている) She is perfectly *at home* on the ｢platform [podium].

板囲い ☞ 見出し **板切れ** ☞ 見出し

いたい¹ 痛い ¶｢*痛いっ｣と彼は叫んだ "*Ouch*," he cried. // 胸が*痛い I *have a pain* in my chest. 語法 (1) pain は痛み・苦痛を表す最も一般的な語. 《☞ いたみ (類義語)》 // のどが*痛い I have a *sore* throat. 語法 (2) この場合の sore は｢炎症を起こして痛い｣の意. // 歯[おなか]が*痛い I have a ｢*toothache* [*stomachache*]. // 体中が*痛い I *have* ｢*pain* [*aches and pains*] all over. / I'm *aching* all over. // 頭が割れそうに*痛い I have a splitting *headache*. / My head *is splitting*. // そこに触ると*痛い This ｢region [area] is *painful* to the touch. // ｢ちっとも*痛くありませんよ｣と歯医者は言った "It's not going to *hurt* (you) at all," said the dentist. // この靴はきつすぎて*痛い These shoes are so tight that they *hurt* (me). // 私には彼の心情が*痛いほどよくわかった (⇒強く同情した) I *deeply* sympathized with him. / (⇒十分に理解した) I *fully* understood what he had on his mind. / It came *home* to me how he felt. // 君は彼の*痛い所を突いた You touched him on a ｢*raw* [*sore*] *spot*. 語法 (3) raw spot は｢弱点｣, sore spot は｢触ると痛い所｣. tender spot とも言う. // そんなことをしても*痛くもかゆくもない (⇒私に少しも影響はない) That *does not affect* me at all.

痛い目 ¶そんなことをすると*痛い目にあうぞ (⇒困ったことになる) You'll *get into trouble* if you do ｢such a thing [that]. / (⇒…に対して報いを受けなくてはならないだろう) You'll have to *pay for* ｢doing such a thing [(doing) that]. 《☞ め¹ 6》

痛くもない腹を探られる (理由なく疑いをかけられる) be suspected without reason 《☞ いたむ¹; いためる¹; いたがる; くつう》

いたい² 遺体 (dead) body Ⓒ ★最も一般的. 前後関係で意味が明らかなときは dead を付けないのが普通; (死体) corpse Ⓒ; (遺骸) remains ★複数形で. 婉曲表現. 《☞ したい¹ (類義語)》. ¶*遺体を安置する lay out the *remains* // *遺体を収容する recover the ｢*bodies* [*remains*] **遺体安置所** mortuary Ⓒ.

いたい³ 異体 ―名 variation Ⓒ, variant Ⓒ. ―形 variant; (標準的でない) nonstandard. **異体文字** ―名 nonstandard form of a character Ⓒ; (活字体の) nonstandard type Ⓒ.

いだい¹ 偉大 ―形 (偉大な) great; (壮大な) grand; (強大な) mighty. ―名 greatness Ⓤ; grándeur Ⓤ. ¶*偉大な作曲家 a *great* composer // 彼は*偉大な業績をなし遂げた He ｢accomplished [made] a *great* achievement.

いだい² 医大 ☞ いかだいがく

いたいいたいびょう 痛い痛い病 ―名 *itai-itai* disease Ⓤ; (カドミウム中毒による病気) disease caused by cadmium poisoning Ⓒ.

いたいけな ―形 (幼弱な) 《文》 tender Ⓐ; (幼い) young; (小さい) little; (無邪気な) ínnocent.

いたいたしい 痛痛しい ―形 (苦痛をおぼえる) painful; (哀れを誘う) pitiful. ―副 painfully; pitifully. 《☞ いたましい; あわれ; かわいそう》. ¶彼女の手首の包帯が*痛々しかった (⇒包帯をした彼女の手首を見るのは苦痛をおぼえる[哀れを誘う]) It was ｢*painful* [*pitiful*] to see her bandaged wrist. // 彼は*痛々しいくらいやつれていた He was ｢*painfully* [*pitifully*] ｢emaciated [thin].

いたえ 板絵 painted panel Ⓒ; (技法) panel painting Ⓤ.

いたおもり 板錘 sheet lead /léd/ for making sinkers Ⓒ.

いたがこい 板囲い ―名 boarding Ⓤ. ―動 (板囲いをする) bóard ｢úp [óver] ⑩. ¶建築予定地を*板囲いする *board* ｢*up* [*over*] the building site

いたがね 板金 ―名 metal plate Ⓒ, sheet metal Ⓒ.

いたかべ 板壁 wooden wall Ⓒ; (鏡板をはめた壁) paneled wall Ⓒ; (羽目板壁) clapboard wall Ⓒ.

いたがみ 板紙 ☞ あつがみ

いたガラス 板ガラス (厚くて上質の) plate glass Ⓤ; (薄い) sheet glass Ⓤ; (ガラス板) plate Ⓒ.

いたがる 痛がる (苦痛を訴える) complain of (a) pain; (痛がっている) be in pain. 《☞ いたい¹》. ¶子供が*痛がって泣いています. すぐ来て下さい The child is crying *with pain.* Please come quick!

いたきれ 板切れ (板の一片) piece [length] of board Ⓒ.

いたく¹ 委託 ―動 (任せる) entrúst ⑩; (ゆだねる)《格式》consígn ⑩; (一任する) commit ⑩; (仕事などを委任する) commission ⑩. ―名 (一般的に, 信用して任せること) trust Ⓤ; (荷物などの) consignment Ⓤ; (責任などを委任すること・されること) commitment Ⓤ; (任務などの) commission Ⓤ.
【類義語】相手を信頼して任せるのが *entrust*. 格式ばった語で, 相手に引き渡して任せるのが *consign* で, 商用文などで多用される. 客観的な意味で単にほかの人に責任を移すのが *commit*. 権限を与えて公的な任務などを委託するのが *commission*.
¶その問題は人事委員会に*委託した ＜S (人)＋V (*entrust*)＋O (人)＋*with*＋名(事柄)＞ We *entrusted* the personnel committee *with* the matter. / ＜S (人)＋V (*entrust*; *consign*)＋O (事柄)＋*to*＋名(人)＞ We「*entrusted* [*consigned*] the matter *to* the personnel committee. // 彼はその件についての交渉を*委託された He *was*「*commissioned* [*given a commission*] to negotiate (on) the matter.
委託加工貿易 processing trade Ⓒ **委託金** money in trust Ⓤ **委託証拠金** consignment guarantee money Ⓤ **委託売買** consignment sales and purchases; (証券業務としての) brokerage Ⓤ **委託販売** consignment /kənsáɪnmənt/ sale Ⓒ. ¶私共のところは本の*委託販売をやっております We sell books *on*「*commission* [*consignment*]. **委託販売人** commission agent Ⓒ.

いたく² 甚く ☞ たいへん¹

いだく 抱く **1**《腕に抱える》: (抱える) hold ⑩; (抱擁する) embrace ⑩.《☞ だく¹》.
2《心の中に持つ》: (持つ) have ⑩; (じっと持ち続ける) hold ⑩; (悪意・うらみなどを) bear ⑩; (心の中などに隠し持つ) harbor ⑩; (希望などを大切に胸にしまっておく) cherish ⑩, èntertáin ⑩; (はぐくみ育てるように抱く) foster ⑩, nurse ⑩. ¶彼は私に恨みを*抱いている He「*has* [*harbors*; *bears*] a grudge *against* me. // 私は彼に悪意を*抱いてはいない I *bear* him no malice. // 彼はまだ成功の希望を*抱いている He still「*cherishes* [*entertains*] some hope of success. // 彼は将来に不安を*抱いている He *feels* uneasy *about* his future.

いたけだか 居丈高 ―形 (高圧的な) high-hánded; (横柄な) árrogant; (脅迫的な) threatening; (攻撃的な) aggressive.《☞ おうへい; たかびしゃ; こうしせい》.

いたこ 巫子 ☞ れいばい¹

いたご 板子 (船の底板) plank Ⓒ. **板子一枚下は地獄** (⇒ 船員は危険と隣り合わせて暮らしている) Sailors live next door to danger.

イタコンさん イタコン酸 〘化〙 itaconic /ìtəkànɪk/ ácid Ⓤ.

いたざい 板材 ☞ ざいもく

いたしかゆし 痛し痒し ―名 (多少の不都合を伴うよい事柄) a mixed blessing ★ 常に a を付けて. ¶女房があまり美人なのも*痛し痒しだ Having a very beautiful wife is *a mixed blessing.* / (⇒長所も短所もある) *There are both advantages and disadvantages* in having a very beautiful wife.

いたじき 板敷き ―形 wood, wooden; (板張りの) hardwood. ¶*板敷きの部屋 a room with a「*wood* [*wooden*; *hardwood*] floor

いたす 致す **1**《「する, 行う」の謙譲語》: do《☞ する¹; 丁寧な表現 (巻末)》. ¶いかが*いたしましょうか What shall「I [we] *do*? / What do you want「me [us] to *do*? **2**《結果を引き起こす》: bring about ⑩; (原因となる) cause ⑩.《☞ もたらす; まねく》.
¶すべては私の不徳の*致すところです It was all my fault.《☞ ふとく 日英比較》

いたずら 悪戯 ―名 (少々害のある悪さ) míschief Ⓤ ★ 主に子供のいたずら; (悪ふざけ) trick Ⓒ; (さして罪のないからかいやいたずら) practical joke Ⓒ, prank Ⓒ ★ やや古い語; (性的な) mòlestátion Ⓤ《☞ ちかん²》. ―形 (いたずらな) míschievous; (子供などがわんぱくでいたずらな) naughty ★ 後者のほうが口語的. ―動 (いたずらをする) do mischief; (悪ふざけしてからかう) play a trick (on ...), play「a practical joke [pranks] (on ...) ★ 後者のほうが罪のないふざけ方; (性的に) molést.《☞ ふざける》.
¶男の子は*いたずらが好きだ Boys are fond of *mischief.* / Boys like to *play tricks.* // なんて*いたずらな子供たちでしょう What *naughty* children they are! // 子供たちに*いたずらをさせないようにしておくのは容易なことではなかった It wasn't easy to keep the children out of *mischief.* // それは*いたずら半分にやったことだ I meant it to be a (*practical*) *joke.* / I did it out of *mischief.* 語法 前者のほうが口語的. // マッチを*いたずらしちゃいけないよ (⇒ もてあそぶな) Don't *play with* matches.
いたずら書き (壁などの落書き) graffiti ★ この形で複数形; (意味不明の絵や記号など) scribble Ⓒ ★ 通常複数形で; (考え事をしながらの) doodle Ⓒ **いたずら小僧** mischievous /místʃɪvəs/ child Ⓒ; (わんぱくな)「naughty [ill-behaved] child Ⓒ **いたずら電話** crank [prank] call Ⓒ. ¶*いたずら電話をかける make a「*crank* [*prank*] (*phone*) *call*

いたずらに 徒らに (無益に) in vain; (むだに) to no purpose; (無為に) idly. ¶彼らは*いたずらに騒ぎ立てただけだった They made a big fuss, but「*in vain* [*to no purpose*]. // *いたずらに時を過ごすのはやめよう Let's not *waste* our time.

いただき 頂 (山頂) móuntaintòp Ⓒ; (最高地点) summit Ⓒ ★ 前者より格式ばった語, peak Ⓒ; (てっぺん) top Ⓒ; (最上部) head Ⓒ.《☞ ちょうじょう; てっぺん¹》.

いただきもの 頂き物 gift Ⓒ, present Ⓒ ★ 前者のほうが改まった語.

いただく¹ 頂く, 戴く **1**《「…をもらう」の丁寧な表現》 日英比較 食事の始めにいう「いただきます」は英語では相当する表現がない.
¶「お茶をもう一杯*いただけますか」「ええ, どうぞ」"May I *have* another cup of tea?" "Certainly." // もう結構です. 十分*いただきました No thanks. I'*ve had* enough. // 早急にご返事を*いただければ幸いです I would be very grateful if you would「*give* (me) [let me *have*] a prompt reply.《☞ もらう; くれる¹; ちょうだい¹》
2《「…をしてもらう」の丁寧な表現》 ★ 助動詞の過去形を使うと丁寧な表現になる.《☞ 丁寧な表現 (巻末)》.
¶《食卓で》「塩を取って*いただけますか」「はい, どうぞ」"*Would* [*Will*] you pass me the salt, *please*? / *Could* you reach me the salt, *please*?" "Certainly. Here you are." // 「窓を開けて*いただけませんか」「いいですとも」"*Would you mind* opening the window?" "Not at all." // 「鉛筆をちょっと貸して*いただけますか」「どうぞ」"*Could* [*May*] I borrow your pencil a moment?" "Certainly." // この仕事をやって*いただきたいんですが I *would appreciate* it if you could do this job. // ご親切にして*いただいて恐縮です (⇒ 親切をありがとう) Thank you very much for your kindness.

いただく² 頂く, 戴く ¶あの山頂は常に雪を*頂いている (⇒ 覆われている) The mountaintop *is* always

「covered with snow [snow-capped].
いただけない 頂けない ―動 (賛成できない) cannot agree to …; (受け入れられない) cannot accept ㊥. ―形 (容認できない) unacceptable. ¶その意見は*頂けない I can't 「agree to [accept] that opinion. / That opinion is *unacceptable.* // そんなことをするのは*いただけない (⇒ しないほうがいい) I don't think you should do that.
いたたまれない 居たたまれない (あえて居られない) do not dare to stay; (逃げ出したいような気がする) feel like running away. ⦅☞ つらい⦆. ¶恥ずかしくて*居たたまれなかった I was so ashamed (that) I 「*didn't dare to* stay [felt like running away]. 語法 that を省くのは口語.
いたち 鼬 〚動〛 weasel Ⓒ. **いたちごっこ** ¶それじゃまるで*いたちごっこだ (⇒ 悪循環だ) It's like a *vicious circle.* ⦅☞ あくじゅんかん; どうどうめぐり⦆
いたちうお 鼬魚 〚魚〛 barbed brotula /brátʃʊlə/ Ⓒ.
いたチョコ 板チョコ chócolate bàr Ⓒ; (説明的) bar [slab] of chocolate Ⓒ. ⦅☞ チョコレート⦆.
いだつ 遺脱 ☞ いろう²
いたって 至って (非常に) very, most, awfully; (並はずれて) uncommonly; (極度に) excéssively; (極端に) extrémely ★最後の 3 つはやや改まった語. ⦅☞ とても (類義語); ひじょうに⦆.
いたで 痛手 (損害) dámage Ⓤ; (精神的打撃) heavy [great] blow Ⓒ; (名誉・感情などを傷つけるもの) wound /wúːnd/ Ⓒ, ínjury Ⓒ ★この場合, 以上 2 つはほぼ同意だが, wound のほうがやや文学的な言葉. ⦅☞ だげき; そんがい; きず⦆. ¶彼は*痛手を負った He received a *severe blow.*
イタでん イタ電 crank [prank] call Ⓒ ⦅☞ いたずら (いたずら電話)⦆.
いだてん 韋駄天 (足の速い人) ―名 fast [swift] runner Ⓒ ★[ ] 内のほうが格式ばった語. **韋駄天走り** ―動 (韋駄天のように (⇒ 稲光のように) 走る) run like (a streak of) lightning.
いたど 板戸 (木の引き戸) wooden sliding 「shutter [door] Ⓒ ★前者は普通複数形で用い, 雨戸などをいう; (木製のドア) wood paneled door Ⓒ.
いたどり 虎杖 〚植〛 Japanese knotweed Ⓒ.
いたのま 板の間 (床) wooden floor Ⓒ; (部屋) room with a 「wooden [hardwood] floor Ⓒ. **板の間稼ぎ** báthhouse thìef Ⓒ.
いたば 板場 (調理場) kitchen Ⓒ; (料理人) cook Ⓒ ⦅☞ いたまえ⦆.
いたばさみ 板挟み ¶彼は嫁と姑の*板挟みになって困っている *Placed* [*Caught*] *between* his wife and his mother, he finds himself in an awkward position. / (⇒ 嫁と姑の不和に悩まされている) He is suffering from the 「discord [conflict] *between* his wife and his mother. // 彼は義理と人情の*板挟みになった He *was torn between* duty and sentiment. ⦅☞ ジレンマ; きゅうち¹⦆.
いたばり 板張り ―名 (屋内の壁などの) panel(l)ing Ⓤ (; 床などの) planking Ⓤ. ―形 panel(l)ed. ⦅☞ いたじき⦆.
いたぶき 板葺き ―名 shingle roofing Ⓤ; (板葺き屋根) shingle roof Ⓒ. ―形 shingle-roofed, shingled.
いたぶる (ゆすり取る) extort ㊥; (恐喝する) bláckmail ㊥; (虐待する) abuse ㊥; (いじめる) maltreat ㊥ ★格式ばった語.
いたべい 板塀 board fence Ⓒ.
いたまえ 板前 (料理人) cook Ⓒ; (コック長) chef /ʃéf/ Ⓒ.
いたましい 痛ましい (悲しむべき) sad; (哀れを誘う) pitiful; (哀れ・悲痛な気持ちにさせる) pathétic; (みじめな) míserable; (悲痛な) héartbrèaking; (辛い) painful; (心を打つ) touching; (悲劇的な) tragic. ⦅☞ あわれ; ひさん¹; さんたん¹⦆. ¶彼はその*痛ましい事故で亡くなった He was killed in that 「*awful* [*tragic*] accident. // *痛ましい光景だった It was a *pitiful* sight. // 彼女はその*痛ましい話を聞いて涙ぐんだ She was moved to tears by the 「*pathetic* [*touching*] story.
いたみ 痛み, 傷み **1** «痛み»: (一般的な) pain Ⓤ ★局部的な痛みの意味では Ⓒ; (部分的鈍痛) ache /éɪk/ Ⓒ; (突然の激痛) pang Ⓒ; (刺すような痛み) twinge Ⓒ; (ずきずきする痛み) smart Ⓒ 語法 以上の語は比喩的に精神的な「痛み」にも用いられる; (心の痛み) sorrow Ⓤ; grief Ⓤ.
【類義語】「痛み」を表す最も一般的な語は **pain** で, 弱いものから強いものまで肉体的・精神的なあらゆる痛みに当てはまる. 身体の一部に長く続く鈍痛は **ache** で, 痛む場所を示す語と合成語を作ることが多い. ((例) 胃痛 stomach*ache*, 頭痛 head*ache*). 突然の激痛で, 特にしばしば繰り返し襲ってくるような痛みは **pang**. リューマチや神経痛・筋肉痛のような刺すような痛みは **twinge**. これは痛みの程度としては **pang** よりも弱い. 傷などのずきずきするような痛みは **smart**. また心の痛みという意味で一般的に悲しみを表す語は **sorrow**. 一時的な強い悲しみを表すのは **grief**. ⦅☞ いたい¹; くつう⦆
¶激しい*痛み (a) 「sharp [acute; severe] *pain* // 鈍い*痛み (a) dull *pain* // ずきずきする*痛み (a) throbbing *pain* // きりきりする[刺すような]*痛み (a) piercing *pain* // 背中 [わき腹] に*痛みを感じた I 「felt [had] *pain* in my 「back [side]. // *痛みが急に治まった The *pain* suddenly stopped. // *痛みが激しくなった The *pain* increased. / The *pain* became 「severer [more severe]. // この薬を飲めばすぐ*痛みが止まりますよ This drug will 「kill [relieve] the *pain* at once. // この薬は*痛みを軽くする This medicine will reduce the *pain.* // 立ち上がったとき, 足にずきんと*痛みを感じた I felt a *twinge* in my leg when I stood up. // 悲惨な光景に胸の*痛みを感じた The miserable sight caused me a great deal of *pain.* // 良心の*痛み a *twinge* of conscience
2 «損傷»: (損傷) dámage Ⓤ; (破損) breakage Ⓤ, break Ⓒ; (果物などがぶつかったりして変色した傷) bruise /brúːz/ Ⓒ. ¶その家はあらしで*いたみがひどい (⇒ あらしで家はひどく壊された) The house *has been* badly *damaged* by the storm.
痛み止め painkilling drug Ⓒ, painkiller Ⓒ, 《格式》 analgésic Ⓒ. ⦅☞ ちんつうざい⦆.

コロケーション
痛みが消える *pain* 「disappears [goes away; leaves] / 痛みが始まる[現れる] *pain* 「begins [appears; comes] / 痛みに耐える bear [endure; stand] *pain* / 痛みがひく *pain* ebbs // 痛みをやわらげる ease 「an *ache* [a *pain*] // 軽い痛み a 「slight [mild] *pain* / 頑固な痛み (a) 「persistent [nagging] *pain* / 局部的痛み (a) local *pain* / 筋肉の痛み a muscular 「*ache* [*pain*] / ずきずきする痛み (a) 「throbbing [grinding; smarting] *pain* / 堪えがたい痛み (an) intolerable *pain* / ひどい痛み a bad *pain* / 慢性的な痛み (a) chronic *pain*

いたみいる 痛み入る ☞ きょうしゅく
いたみわけ 傷み分け, 痛み分け (相撲の) drawn bout 「because of [due to] an injury (to either wrestler) Ⓒ. ¶その争いは*痛み分けとなった The fight has come to an end, with both parties *meeting each other halfway.* ★meet … halfway は「妥協する」.
いたむ¹ 痛む, 傷む **1** «肉体が»: (部分的に) ache

/éɪk/ ⓐ, hurt ⓐ ★ 後者のほうが口語的; have [feel] a pain; (炎症などでひりひりする) feel sore. ¶ 歯はまだ*痛む My tooth still 「*aches* [*hurts*]. // 歯[腹]がひどく*痛む I have a bad 「*toothache* [*stomachache*]. // 頭が割れるように*痛む I have a splitting *headache*.
2 «精神的に» ―動 ache ⓐ; (悩ます) bother ⓑ. ―形 (つらい) painful; (悲しい) sad. ¶ そのかわいそうな子のことを思うと心が*痛む My heart *aches* for the poor boy. // 良心が*痛む My conscience *bothers* me. / I *have a guilty conscience*. / I feel a *pang* of conscience. // 彼女の様子を見ると胸が*痛む She is *painful* to watch. / It is *painful* to watch her. / It makes my heart *ache* to watch her. // その知らせを聞いて私の胸は*痛んだ I felt very *sad* when I heard the news. / (⇒ その知らせが私を悲しませた) The news made me very *sad*.
3 «物が»: (悪くなる) go bad ⓐ; (腐る) spoil ⓐ; (果物などが傷む) bruise /brúːz/ ⓐ; (損なう) damage ⓑ. 《☞ くさる (類義語)》.
¶ この魚は*いたんでいる The fish *has gone bad*. // いちごは*いたみやすい Strawberries *spoil* quickly. / (⇒ 長くもたない) Strawberries *do not keep long*. // このオイルを使うとエンジンが*いたむ This oil *damages* the engine.

いたむ[2] **悼む** (人の死を悲しむ) mourn ⓑ ⓐ 《☞ あいとう; おくやみ》. ¶ 全国民が大統領の死を*悼んだ The whole nation *mourned* the death of the president.

いため 板目 (板の継ぎ目) seam Ⓒ; (平行していない木目) cross grain Ⓤ (↔ straight grain).

いためつける 痛めつける (思い知らせる) teach ⓑ; (ひどい目にあわす) punish ⓑ; (傷つける) harm ⓑ. 《☞ いじめる; しごく[1]; ぎゃくたい》.
¶ あの男は今回はうんと*痛めつけてやる必要がある I must *teach* him a lesson this time. // 街路樹は排ガスで*痛めつけられた The roadside trees *were harmed* by exhaust fumes.

いために 炒め煮 ―動 braise ⓑ. ―名 (炒め煮した食物) braised dish Ⓒ. ¶ キャベツの*炒め煮 *braised* cabbage 《☞ 料理の用語 (囲み)》.

いためぼり 板目彫り carving a board cut in vertical section Ⓤ.

いためる[1] **痛める, 傷める** (人・動物の体を) íinjure ⓑ, hurt ⓑ 《過去・過分 hurt》 語法 hurt のほうがくだけた表現. injure と違ってけがとは限らない; (物を) dámage ⓑ; (精神的に苦しめる) pain ⓑ; (悩ます) afflict ⓑ ★ 普通は受身形で; (悲しませる) grieve ⓑ; (食物などを腐らせる) let ... go bad.
¶ 転んでくるぶしを*痛めた I fell and 「*hurt* [*injured*] my ankle. // のど[足]を*痛めている (⇒ 痛むのど[足]をもっている) I *have a sore* 「throat [foot]. // 日光が直接当たると目を*痛める (⇒ 直接の日光は目を痛める) Direct sunlight *injures* 「the [one's] eyes. // 息子の愚かな振舞いに父親は心を*痛めた The father *was pained* by his son's foolish conduct.

いためる[2] **炒める** fry ⓑ; (フライパンで) panfry ⓑ, sauté /soːtéɪ/ ⓑ ★ 以上 3 語はほぼ同意. 最後の語はフランス語からの借用語で, sauté の ´ は綴り本来のもの. 《☞ 料理の用語 (囲み)》. ¶ みじん切りの玉ねぎをさっと*炒めた I lightly 「*fried* [*panfried*; *sautéed*] the chopped onion(s).

いたやがい 板屋貝 〔貝〕 Japanese baking scallop Ⓒ.

いたやかえで 板屋楓 〔植〕 painted maple Ⓒ.

いたやき 板焼き (説明的に) thin slices of wildfowl cooked on a cedar board.

いたよせ 板寄せ the *itayose* price bid; (説明的には) a method of determining opening or closing prices using small pieces of board for competitive bidding at the (stock) exchange.

いたらない 至らない ☞ いたらぬ

いたらぬ 至らぬ ―形 (能力のない) incómpetent (↔ competent); (不注意な) careless (↔ careful); (思慮のない) thoughtless (↔ thoughtful); (経験の乏しい) inexpérienced (↔ experienced). 《☞ みじゅく》.
¶ 自分が*至らぬことは重々承知している (⇒ 自分に欠点のあることはよく知っている) I am well aware that I *have my faults*. // 私が*至らぬばかりに (⇒ 私が不注意だったのです) 申し訳ありません I'm sorry. I was *careless*. / (⇒ 私の過失です) I'm sorry. It was *my fault*. / (⇒ 私の力が及ばなかったのです) I'm sorry. I was *not up to* it. // *至らぬ点があれば (⇒ 私のどのような欠点でも) 直します I'm willing to correct all (of) *my shortcomings*. // 「あなたが新しく来た秘書ですね」「はい. なにかと*至らぬところがあるかと思いますが, どうぞよろしく (⇒ よい仕事ができればと思います)」 "You're the new secretary, aren't you?" "Yes. I hope I can do a good job."
日英比較 日本語でのこのような謙遜(けんそん)の表現は英語に直訳しても通じないことが多い.

いたり 至り **1** «極限» ¶ このような賞をいただくのは光栄の*至りです It is *a great honor* for me to be awarded 「a prize like this [such a prize]. // あなたとお近づきになれたのは喜びの*至りです Having got(-ten) to know you is *my greatest joy*.
2 «結果»: 若気の至り ☞ わかげ

イタリア ―名 固 Ítaly; (正式名; イタリア共和国) the Republic of Italy. ―形 Itálian.
イタリア語 Italian Ⓤ　イタリア人 Italian Ⓒ.

イタリック ―名 itálics ★ 複数形で. ―動 itálicize ⓑ. 《☞ イタリック体 (巻末)》.

いたる 至る, 到る **1** «結果»: (なる) get ⓐ; (導く) lead (to ...) ⓐ; (...の結果になる) end (in ...) ⓐ, result (in ...) ⓐ; (人がある心境に至る) come to ...
¶ そのため彼は破滅に*至った (⇒ それは彼の破滅に終わった) It *ended in* his ruin. // 大事には*至らなかった (⇒ 重大にはならなかった) It did not *get* serious. // 橋はいまだ完成には*至っていない The bridge 「is not yet complete [has not yet been completed]. // 私は彼の無実を信じるに*至った I *have come to* believe in his innocence.
2 «範囲» ¶ 東京から仙台に*至る道 the road from Tokyo *to* Sendai // この道は小田原を経て箱根に*至る This road *leads to* Hakone 「via [by way of] Odawara. // 現在に*至るまで何の手がかりもない No clue has been found 「*up to* now [yet].
【参考語】―前 (...まで) to ..., till ..., until ... ―動 (通じる) lead (to ...) ⓐ; (及ぶ) extend (to ...) ⓐ.

いたるところ 至るところ ¶ *至るところで暴動が起こった Riots occurred *everywhere*. // 私たちは*至るところで (⇒ どこへ行っても) 歓迎された We were welcomed *wherever* we went. // 全国*至るところから投書が来た Letters poured in from *all parts* of the country. 《☞ ほうぼう[1]》

いたれりつくせり 至れり尽くせり ―形 (完璧な) perfect; (十分以上の) more than satisfactory. ¶ サービスは*至れり尽くせりだった The service was 「*perfect* [*more than satisfactory*].

いたわさ 板わさ slices of 「*kamaboko* [boiled fish(-)paste] served with grated (Japanese) horseradish ★ 通例複数形で.

いたわしい 労しい feel 「sorry [pity] (for ...). ¶ 彼女はやせ細った孤児たちを*いたわしいと思った She felt a great *pity for* the thin and feeble orphans.

いたわり 労り ―名 (同情) sympathy Ⓤ. ―形 (優しい) kind; (優しい感じのする) kindly;

(慰める) cómforting. 《☞ おもいやり (類義語); どうじょう¹》. ¶あなたは他人に対する*いたわりの心が欠けている (⇒ いたわりをもっていない) You have no *sympathy* for ʳothers [other people]. // *いたわりの言葉 *kindly* [*kind*; *comforting*] words

いたわる 労る (優しくする) be kind (to …); (優しく扱う) treat … kindly; (思いやる) be considerate (to …); (元気づける) comfort ㊍; (十分な世話をする) take good care of … 《☞ おもいやり (類義語)》. ¶老人は*いたわらなければいけない You should *be* ʳ*kind* [*considerate*] *to* old people. / Old people should *be treated kindly*.

いたん 異端 ── 图 héresy Ⓤ. ── 形 herétical. 《☞ いきょう²》. ¶*異端の説 a *heretical* view

異端視 ¶人々は彼を*異端視した People ʳ*considered* him (to be) [*regarded* him *as*] *a heretic*. // 彼の説は長いこと*異端視されてきた His theory *has* long *been condemned as heresy*. **異端者** héretic Ⓒ; (反対者) dissenter Ⓒ.

いだん い段 the *i* row; (説明的には) the *i* row of the Japanese syllabary.

いち¹ 一, 1 ── 图 one. ── 形 (1つの) one; (第1 (番目) の) the first. 《☞ 数字 (囲み); だいいち》. ¶その子は*1から10まで数えられる The child can count from *one* to ten. // *1足す*1は2である *One* and *one* ʳmakes [is] two. / *One* plus *one* ʳequals [is] two. [語法] and を用いた場合は動詞は複数形 (make; are) でもよい. plus を用いた場合は動詞は単数形. 《☞ 数字 (囲み) 1 (6)》 // そこは景色のよさでは日本*一だ For scenic beauty, it is the *best* ʳplace [spot] in Japan. / It has no equal in Japan as a ʳplace [spot] of scenic beauty.

一か八か ☞ 見出し **一から** (初めから) from the beginning. **一から十まで** (何でも) everything; (すべて) all. ¶彼はロンドンのことなら*一から十まで知っている (⇒ すべてを知っている) He knows ʳ*all* [*everything*] about London. / He knows London *inside out*. / (⇒ 隅から隅まで知っている) He knows *every* (*square*) *inch of* London.

一にも二にも ── 動 (…に専念する) devote *oneself* to … ── 副 (誠心誠意) wholeheartedly.

一二を争う compete for first place

一姫二太郎, 一富士二鷹三茄子(なすび) ☞ 見出し

一も二もなく ── 副 (すぐに) readily; (たちどころに) at once; (断り方がすげなく) flatly. ¶彼は*一も二もなく我々の申し出に応じてくれた He *readily* agreed to our proposal. / He gave *ready* consent to our offer. // 彼は*一も二もなく我々の申し出を断った (⇒ きっぱりと) He *flatly* rejected our proposal. / He gave a *flat* refusal to our offer.

一を聞いて十を知る ── 形 (とても聡明な) very ʳintelligent [bright]. ¶賢者は*一を聞いて十を知る *A word* to the wise *is enough*. 《ことわざ: 賢者には一言で十分伝わる》

いち² 位置 ── 图 (ほかと比べた相対的な位置) position Ⓒ; (ある物の地理的位置) location Ⓒ; (ある物の置かれている状況) situation Ⓒ. ── 動 (位置を捜し当てる・示す) locate ㊍; (…の位置にある) be ʳsituated [located]. ¶今日では船の*位置を知るのにレーダーを用いる Today we use radar to ʳfind the *position* of [*locate*] ships. // 青森は本州の北端に*位置している Aomori ʳ*is located* [*lies*] at the northern end of Honshu. // *位置について. 用意. どん! *Ready*! (Get) Set! Go! / *Òn your márk*(*s*), gèt sét, gó! // 机の*位置がずれている (⇒ 正しい場所にない) The desk is not *in place*.

位置角 〘天〙 position angle Ⓒ **位置感覚** sensation of body position Ⓤ; consciousness of body position Ⓤ ★ 前者は直感的, 後者は意識的. **位置天文学** 〘天〙 positional astronomy Ⓤ.

いち³ 市 market Ⓒ, mart Ⓒ; (《英》で, 特に定期の) fair Ⓒ ★ 《米》では「品評会」の意に用いられる. 《☞ いちば; えんにち》. ¶次に*市が立つのはいつですか When is the next *market* (day)? // 青物*市 a vegetable ʳ*market* [*mart*] // 国際見本*市 an international trade *fair*

市をなす ¶その店は門前*市をなす盛況だった The store *was* ʳ*crowded with* [*full of*] *customers*.

コロケーション

青空市 an open-air [a street] *market* / **朝市** a morning *market* / **骨董市** an antique *fair* / **書籍市** a book *fair* / **農産物の市** an agricultural *fair* / **蚤の市** a flea *market* / **闇市** a black *market*

いちあん 一案 ¶それは*一案 (⇒ よい考え)だ That's a good *idea*. / (⇒ それも一つのよい考えだ) That's an *idea*. // *一案を思いつく have an *idea* / hit on an *idea*

いちい¹ 一意 **一意専心** ── 副 (誠心誠意) wholeheartedly. ── 動 (…に専念する) devote *oneself* to … 《☞ せんねん¹》.

いちい² 一位 ── 图 (一番の人・もの) (the) first; (一番の位置) (the) first place; (最上位) the top. ── 形 (最初の) first; (最上位の) top; (先頭の位置にいる) leading. ── 副 first. 《☞ -い; いちばん; しゅい¹》 ¶彼は今年のピアノコンクールで*一位になった He won *the first place* in this year's piano contest. // 彼女のニューアルバムは5週連続でヒットチャートの*一位の座を占めている Her new album is at *the top* of the charts for five successive weeks. // 答えは小数点第*一位まで求めよ Give the answer to the *first* decimal place. // 日本のマラソン選手は2人が*一位集団にいる Two Japanese marathon runners are among the *leading* group. // 女子100メートル決勝でアフリカの選手が*一位でゴールした An African runner reached the finish line *first* in the women's 100-meter final.

いちい³ 一位, 櫟 〘植〙 Japanese yew (tree) Ⓒ.

いちいたいすい 一衣帯水 (一本の帯のように狭くて長い川[海]) narrow channel of water Ⓒ. ¶九州は下関から*一衣帯水の地だ (⇒ 狭い海峡で隔てられているだけだ) Kyushu *is separated* from Shimonoseki *only by a narrow strait*(*s*). / Kyushu is *just across a narrow strait*(*s*) from Shimonoseki.

いちいち 一々 ¶彼の言うことは*いちいち気にさわる (⇒ すべてが私をいら立たせる) *Everything* he says irritates me. // 些細(ささい)なことは*いちいち説明しなくともよい (⇒ 詳しく述べる必要はない) You don't have to [It's not necessary to] *go into detail*(*s*). // 彼女は*いちいち言われなくてもてきぱき仕事をする She does her work efficiently *without being* ʳ*told* [*instructed*; *supervised*]. 《☞ そのつど》

いちいん 一因 one of the ʳcauses [reasons]. ¶彼の頑固さが夫婦不和の*一因だった His stubbornness was *one of the causes* of their marital discord.

いちいんせい 一院制 (議会の) unicameral /jú:nəkǽmərəl/ sýstem Ⓒ.

いちう 一宇 ☞ はっこういちう

いちえいいちらく 一栄一落 (⇒ 繁栄の後には没落がやって来る) After prosperity comes decline. / Good times lead to bad.

いちえん 一円 ¶近畿*一円 *all over* [*throughout*] the Kinki region

いちおう 一応 (とにかく) anyway; (さしあたって)

for the time being; (万一のため) just in case; (非公式に) informally; (まず) first; (大体のところ) pretty much, more or less, nearly. 《☞ とにかく; さしあたり; だいたい¹; ざっと》.
¶*一応目を通す *glance* [*skim*] *through* … // *一応 (⇒ とにかく) 彼に礼を言わねばなるまい I must thank him *anyway*. // *一応 (⇒ 万一のため) 傘を持って行きなさい Take an umbrella with you *just in case*. // *一応本人の意見を聞いてみましょう (⇒ まず彼の意見を聞くべきだ) We should ask his opinion *first*. // これは*一応の (⇒ 仮の) 案だ This is a *tentative* plan. // 仕事は*一応 (⇒ 大体のところ) 終わった The work is ⌜*pretty much* [*more or less*] finished. // 彼にも*一応の話はしておいた (⇒ ことの概略は話しておいた) I gave him an *outline* of the story. // 話し合いは*一応の結論をみた (⇒ 暫定的な同意で終わった) The negotiations ended in (a) ⌜*tentative* [*provisional*] agreement.

いちがいに 一概に (必ずしも) necessarily /nèsəsérəli/ ★ 否定語を伴うと部分否定になるのが普通; (無差別に) indiscríminately. ¶ 彼が間違っているとは*一概にいえない (⇒ 彼が必ずしも間違っているとは限らない) He is not *necessarily* wrong.

いちがつ 一月 January 《略 Jan.》 ★ 語頭は必ず大文字. 《☞ 時刻・日付・曜日 (囲み); 略語 (巻末)》. ¶*1 月は寒い It is cold in *January*. // 私は*1 月 4 日生まれです I was born on ⌜*January* 4 [the 4th of *January*]. 語法 「1 月に」の前置詞は in.「1 月の…日に」の場合は on the … of January, または on January … とする.

いちかばちか 一か八か ¶*一か八かやってみよう Let's *take a chance*. // *一か八かその株を買ってみよう Let's *take* ⌜a *chance* [*our chances*] and buy those stocks. 《☞ のるかそるか; おもいきって》

いちがん 一丸 **一丸となって** —副 in a ⌜body [group]. —動 (団結する) unite (together) (to *do* …).

いちがんレフ 一眼レフ single-lens reflex /rí:fleks/ (camera) Ⓒ 《略 SLR》.

いちぎ 一義 (一つの意味) a [one] ⌜sense [meaning]; (一つの道理) one reason; (根本の意義) the fundamental principle. **一義的** ¶ 第*一義的な原因 the *principal* cause // 法律家は*一義的な (⇒ あいまいでない) 言葉のみを使うべきである Members of the legal profession should use ⌜only *unambiguous* language [(⇒ 最も厳密な意味の言葉を) the word in the strictest sense].

いちく 移築 —動 (建物を移動する) move … (from … to …); (建物を解体して…に再建築する) pull down … and rebuild it (in …).

いちぐう 一隅 corner Ⓒ 《☞ かたすみ; かど¹》. ¶ 公園の*一隅にレストランがあった There was a restaurant at a *corner* of the park. 語法 公園の中の場合, また一般に部屋・箱などの場合には at の代わりに in を用いる.

いちぐん 一軍 (スポーツのチームで) the first team ★ 通例 the〜 として.

いちげい 一芸 ¶*一芸に秀でた人 an expert in *some field* / a master of *an art* **一芸入試** (説明的に) a special ⌜admission [entrance examination] for students who possess outstanding merit or record of achievements.

いちげき 一撃 (強烈な) a [one] blow; (鋭い) a [one] stroke ★ 特に「一」という意味を強く言う場合には one を用いる. ¶ あいつの脳天に*一撃をくらわせた I ⌜dealt [struck] him *a blow* on the head.

いちげん 一見 ¶*一見の客 (⇒ 振りの客) a *chance* customer // (掲示で)*一見さんお断り *First-time Customers* Refused.

いちげんか 一元化 —名 (統合すること) unification Ⓤ; (集中すること) centralization Ⓤ. —動 unify; centralize ⑩.

いちげんきん 一弦琴 〘楽器〙 monochord Ⓒ.

いちげんこじ 一言居士 (何でもすぐ意見を言いたがる人) ready critic Ⓒ; (何にでも言い分のある人) person who has an opinion on ⌜every subject [everything] Ⓒ.

いちげんごじてん 一言語辞典 monolingual dictionary Ⓒ.

いちげんてき 一元的 —形 unitary /jú:nətèri/.

いちげんろん 一元論 〘哲〙 monism Ⓤ. **一元論者** monist Ⓒ.

いちこ 市子 (霊媒) (spirit) medium Ⓒ, channeler Ⓒ; (巫女) shrine maiden Ⓒ 《☞ みこ¹》.

いちご 苺 〘植〙 stráwbèrry Ⓒ. **苺ジャム** strawberry ⌜jam [preserve] Ⓤ.

いちごいちえ 一期一会 (直訳的には) One time, one meeting.; (すべての出会いは一生に一度のもの) Every encounter is a once-in-a-lifetime opportunity. ★ 本来茶道の言葉.

いちこつ 壱越 (日本音楽の音名) *Ichikotsu* Ⓤ; (説明的に) the ⌜keynote [lowest tone] in the traditional twelve-note Japanese music scale. **壱越調** *Ichikotsu* key Ⓤ.

いちごぶん 一語文 one-word sentence Ⓒ.

いちころ 一ころ **一ころで負ける** (勝負にならない) be no match for …; (球技などでストレート負けする) suffer a straight-set defeat (from …); (すぐに打ちのめされる) be beaten up right away. 《☞ まける》.

いちごん 一言 ¶*一言も聞き逃すまいと体中を耳にした I was all ears, so I wouldn't miss *a single word*. 《☞ ひとこと》 // 私は彼の申し出を*一言のもとにはねつけた (⇒ きっぱりと断った) I *flatly* refused his offer. // そう言われると*一言もない (⇒ 弁解の言葉もない) I have *no excuse* for that. / (⇒ どのように謝ってよいかわからない) I don't know how to ⌜apologize [excuse myself].
一言一句 (人が言うすべて) everything [whatever] *a person* says. ¶*一言一句も聞きもらさないように傾聴する listen carefully (in order) to catch ⌜everything [whatever] *a person* says 語法 「一言」の用例の第一文のように訳すこともできる.
一言半句 (ほんのわずかの言葉さえも) even a single word. ¶*一言半句もおろそかにしない (⇒ 言うことについて慎重に考える) think carefully about what *one* says / (⇒ 言葉の価値をよく見極める) weigh *one's* words carefully

いちざ 一座 (列席の人々) all those present; (興行団) company Ⓒ. 《☞ どうせき; げきだん¹》.

いちさがり 一下り *ichisagari* Ⓤ; (説明的に) tuning the first string of a shamisen two scales lower than normal.

いちじ¹ 一時 **1** 《かつて・ある時》: once, at one time 語法 ほぼ同意だが, once は文頭のほか一般動詞の前, be 動詞の後にも用いられる. ¶ 私は*一時切手収集にこった (⇒ 一時切手を集めることにとても興味をもった) *At one time* I was deeply interested in ⌜collecting stamps [stamp collecting; philately]. / (⇒ 一時熱心な切手収集家だった) I was *once* a keen ⌜stamp collector [philatelist].
2 《しばらく》: for a ⌜time [while] 《☞ しばらく (類義語); ちょっと》. ¶ 患者は*一時危篤だった The patient was in a critical condition *for a* ⌜*time* [*while*]. // こんなものは*一時の流行さ It's only a *passing* fashion. // 荷物を*一時預けにした I left my ⌜baggage [bags] at the ⌜station (baggage) checkroom [《英》 left luggage office]. // *一時停

止 *Stop* / *Halt* // *一時的な措置をとる take *temporary* measures
一時預かり checking (of baggage) Ⓤ 一時預かり所 (劇場やレストランなどの) cloakroom Ⓒ; (空港や駅などの) 《米》 checkroom Ⓒ, 《英》 left luggage office Ⓒ 一時預かり証 claim check Ⓒ 一時解雇 ☞ レイオフ 一時帰休 ☞ レイオフ 一時金 (一括払いの金) lump sum Ⓒ; (ボーナス) bonus Ⓒ 一時磁石 temporary magnet Ⓒ 《☞ でんじしゃく》 一時しのぎ ── 名 (当座の間に合わせ) makeshift Ⓒ. ── 形 (間に合わせの) makeshift. ¶ *一時しのぎに as a *makeshift* 一時所得 occasional [transitory] income Ⓒ 一時逃れ (間に合わせ) makeshift Ⓒ; (当座の口先だけの言い訳) glib excuse Ⓒ 一時払い (全額払い) payment in full Ⓤ.

いちじ² 一次 ── 形 (第一の) the first; (第一次的な・主要な) primary Ⓐ. ¶ 第*一次世界大戦 World War I /wʌ́n/ / The *First* World War
一次エネルギー primary energy Ⓤ 一次関数 〖数〗 linear function Ⓒ 一次産業 primary industry Ⓤ ★ 個別の業種は Ⓒ. 《☞ さんぎょう》 一次産品 primary products ★ 複数形で. 一次試験 preliminary examination Ⓒ 一次電池 〖電〗 primary ⌈cell [battery] Ⓒ 一次変換 〖数〗 linear transformation Ⓒ 一次方程式 〖数〗 linear equation Ⓒ, equation of the first degree Ⓒ 一次冷却水 (原子炉の) primary cooling water Ⓤ.

いちじ³ 一事 一事が万事 He that will steal an egg will steal an ox. 《ことわざ: 玉子一個を盗む者は牛一頭をも盗む》; (一つの事例ですべてが分かる) can judge everything by a single instance.
一事不再議(の原則) the principle of not reintroducing the same topic for debate during a single session 一事不再理 〖法〗 pròhibítion of dóuble jéopardy Ⓤ ★ 英語の意味は 2 度の危険, すなわち罪状の審理にさらすことの禁止の意.

いちじいっく 一字一句 ── 副 (文字どおりに) literally; (逐語的に) word ⌈for [by] word; (一言一句そのままに) verbatim /vəːbéɪtəm/. ¶ *一字一句違えずに日本語に訳す translate ... into Japanese ⌈*word for word* [*literally*; *verbatim*]

いちじく 無花果 〖植〗 (実) fig Ⓒ; (木) fig (tree) Ⓒ.

いちじげん 一次元 ── 名 one dimension Ⓒ. ── 形 one-dimensional.

いちじつ 一日 一日千秋の思い ¶ 彼女は*一日千秋の思いで彼の帰りを待った (⇒ 我慢できないほどに) She looked forward *impatiently* to his homecoming.
一日の計は晨(あした)にあり (⇒ 一日の計画は朝早くに決めておくべきだ) Plans for the day should be laid out early in the morning.
一日の長がある (人より経験を積んでいる) be a little more experienced (than ...); (より進歩している) be a little ahead of ... ¶ 英語を話すことにおいては彼女はあなたより*一日の長がある She *is a little ahead of* you in speaking English. // 物理学では私たちより彼に*一日の長があった He *was one lesson ahead of* us in physics.

いちじゅ 一樹 一樹の蔭一河の流れも他生の縁 (⇒ 同じ木陰に休み, 同じ流れから水を汲むのもすべて前世からの定めである) Strangers who shelter in the shade of the same tree or draw water from the same stream share a bond forged in another life.

いちじゅういっさい 一汁一菜 simple meal of rice, soup, and a single dish Ⓒ.

いちじゅん 一巡 (一回り) round Ⓒ; (周遊) tour Ⓒ. 《☞ まわる》. ¶ 調査団の一行は市内を*一巡した The party of investigators *made* ⌈*its round(s)* [*a tour* (of inspection)] of the city. // 巡査は管内を*一巡した The policeman *patrolled his beat*. // 打者*一巡する bat around (the order)

いちじょ 一助 ── 動 (一助となる) be ⌈a help [of some help] (to ...).

いちじょう¹ 一条 ¶ *一条の光 *a streak* of light

いちじょう² 一場 一場の夢 (はかない夢) ephémeral dréam Ⓒ.

いちじるしい 著しい ── 形 (注目すべき) remarkable; (際立った) marked; (強く印象に残る) striking. 《☞ きわだつ; けんちょ》.
¶ 彼の英語の上達は*著しい He has made *remarkable* progress in (his) English. // 両者は*著しい対照をなしている There is a *striking* contrast between them. / They ⌈form [make] a *striking* contrast. // 両者の間には*著しい相違がある There is a ⌈*marked* [*world of*] difference between the two.

いちじん 一陣 ¶ *一陣の風 *a gust* of wind

いちず 一途 ¶ 彼女はその男を*一途に愛した She loved that man *with all her heart*. // 彼は自分が欺されたものと*一途に思い込んでいる He is *simply obsessed* with the idea that he has been ⌈taken in [cheated].

いちぜんめし 一膳飯 bowl of rice Ⓒ. 一膳飯屋 (大衆食堂) cheap restaurant Ⓒ.

いちぞく 一族 (親族) relatives ★ 複数形で; (血族) kinfolk ★ 複数扱い; (一家) family Ⓒ 〔語法〕 集合名詞で, 個々の成員を指すときには複数扱いであるが, 全体を指すときは単数扱い; (氏族) clan Ⓒ. 《☞ いっか¹》. ¶ 田中*一族 (⇒ 田中家につながるすべての人々) は皆死に絶えた *All the people related to the* Tanaka *family* are dead. // 平家*一族の子孫 the descendants of *the Heike clan* 一族郎党 *one's* family and followers.

いちぞん 一存 ¶ あなたのご*一存にお任せします I leave it to your *discretion* /dɪskréʃən/. // 私の*一存では (⇒ 私自身の責任において) あなたの申し出を受け入れることはできない I cannot accept your offer on my own *responsibility*. 《☞ せきにん; けんげん¹》

いちだ¹ 一打 ¶ *一打同点のチャンス a chance to ⌈tie [even] the score *with one hit* // *一打逆転のチャンス a chance to turn the tables *with one hit*

いちだ² 一朶 (一枝) a branch; (小枝) a twig; (花・葉などのついた) a spray. ¶ *一朶の花 *a spray* of blossoms

いちだい 一代 ¶ 彼は*一代で財産を築いた (⇒ 一生の間に) He ⌈built up [accumulated] a fortune during his *lifetime*. // *一代目があまり偉いと二代目はたいていぼんくらだ (⇒ あまりにもすぐれた父親はたいてい凡庸な息子をもっている) A great *father* usually has a mediocre son. // その店は*一代でつぶれた (⇒ 創始者が死ぬとつぶれた) The store went bankrupt after the death of its *founder*.
一代記 (伝記) biography Ⓒ; (生涯) life Ⓒ.

いちたいいち 一対一 ¶ *一対一の対応 *one-to-one* correspondence

いちだいじ 一大事 ¶ こりゃ*一大事だ Heavens! / Good heavens! / That's *serious*. // いま彼がここへ来たら*一大事だ (⇒ いま彼が来たら非常に困る) We would be *in great trouble* if he came here now. / (⇒ いま彼が来たら事態は悪くなる) It would *make matters worse* if he came here now. / (⇒ もし万一彼が来たらどうしよう) *What if* he ⌈should [were to] ⌈come here [arrive] now?

いちだく 一諾 ¶ *一諾を与える (⇒ 承諾を) give [grant] *one's consent* // *一諾を得る (⇒ 容認を)

gain [win] *acceptance*

一諾千金（いったん約束したことは絶対に守るべきである）Once you make a promise, you must keep it no matter what.

いちだん[1] **一団** （集団）group Ⓒ ★最も一般的な語;（行動を共にする）party Ⓒ.《☞ グループ; だん[2]; だんたい[1]（類義語)》. ¶来月高校生の*一団がアメリカへ出発します A「*group* [*party*] of high school students is leaving for America next month. // *一団となって in *a group* // 五, 六十人が*一団となって入口に押し寄せた *A group of* about fifty or sixty people made for the door.

いちだん[2] **一段** （階段の）a step;（はしごの）a rung 語法「一」という意味を強調する場合は a の代わりに one を用いる.《☞ だん》. ¶彼は階段をもう*一段のぼった He climbed *a step* higher up the staircase. // 私は階段を*一段おきに（⇒一度に2段）のぼった I took the stairs *two at a time*.

い

いちだんかつよう 一段活用 ☞ かみいちだんかつよう

いちだんと 一段と （なおさら・いっそう）even, still ★いずれも比較級を強める;（なおいっそうの）further Ⓐ. ¶彼女は黒い服を着たら*一段と美しかった She looked「*even* [*still*] *more* beautiful in her black dress. // 彼女は*一段とピアノが上達した She has made *further* progress in her piano technique.

いちだんらく 一段落 ¶これで*一段落ついた（⇒第1の段階の終わりに来た）Now we've come to *the end of the first stage*. /（⇒当分の間問題は片づいている）We'*ve settled the matter for the time being*.《☞ くぎり》

いちづけ 位置付け （格付け）ranking Ⓒ;（配置）placing Ⓒ, placement Ⓤ, positioning Ⓤ;（評価）evaluation Ⓒ. ¶その理論の全体系における*位置付けは今後の課題である The theory is yet to find its「*position* [*place*] in the whole paradigm.

いちづける 位置付ける （決まった場所に置く）place ⊕;（等級をつける）rank ⊕;（評価する）evaluate ⊕. ¶その原則を他のすべてのものより上に*位置づける *place*「the [that (one)] principle above all others

いちてんき 一転機 turning point Ⓒ;（決定的な時）critical [decisive; crucial] moment Ⓒ.《☞ てんき[2]》.

いちど 一度 **1**《1回》: once, one time.

¶彼には*一度会ったことがある I've seen him *once*. 語法 (1)「かつて」の意味では *once* seen him とするのが普通.《☞ ど; -かい》// あの人には*一度も会ったことがない I've *never* seen her. // *一度でもうたくさんだ *Once* is enough for me. // 一生に*一度だけでも試験で100点を取ってみたいものだ I wish (that) *for once* in my life I could「score [get] a hundred percent on an examination. 語法 (2) for once in my life はそのことが実際には起こらないことの含みをもつ. // もう*一度やってごらん Do it *once*「more [again].《☞ もう》// 恐れ入りますがもう*一度おっしゃっていただけますか I beg your pardon? / Pardon (me)? / Excuse me? ★いずれも上昇調で発音する. // 彼は*一度約束したら必ず守る *Once* he makes a promise, he keeps it. ★この once は 接. // 一年に*一度の行事 a *yearly* [an *annual*] event // *一度に1 [2] つずつ one [two] at *a time* // 今*一度 *once* more / (*once*) again《☞ もう》// *一度きり（⇒一回だけ）only *once* /（⇒その時一度だけ）(just) for *once*

2《同時に》: all at once《☞ どうじ[1]; いっしょ》.

¶桜の花が*一度にぱっと（⇒急に）咲き出した The cherry blossoms came out *all at once*.

いちどう[1] **一同** all《☞ みな》. ¶*一同（⇒すべての人々）がその状況を喜んでいた *All* were [*Everybody* was] happy with the situation. // 私たち*一同元気です We are *all* very well. // *一同そろって出かけた *All of us* went out together. / We went out *all* together.

いちどう[2] **一堂** **一堂に会する**（集まる）gather together ⓐ, come together ⓐ, meet ⓐ. ¶世界各国からの言語学者が*一堂に会して会議を開いた Linguists from all over the world「*gathered together* [*met*] and hold a conference.

いちどう[3] **一道** （一つの芸）an art. ¶*一道を極めた人（⇒最高の専門家）the master of *one's* art

いちどきに 一時に （一時に・同時に）at the same time, at once ★ほぼ同じ意味だが, 前者のほうが一般的. 後者は「直ちに」の意味もある; simultaneously /sàɪməltéɪniəsli/ ★やや格式ばった語.

いちどく 一読 ¶この本は*一読の価値がある This book is worth *reading*. / It is worth (while) *reading* this book. / It is worth your while to *read* this book. // 彼はその本を*一読することを私たちに勧めた He recommended the book to us. // *一読しただけではその文の意味がわからなかった *At first reading*, I couldn't make out what the sentence meant.《☞ よむ[1]; つうどく》

【参考語】—動（読む）read ⊕ ⓐ;（読み通す）read through ⊕;（ざっと目を通す）run through …

いちとんざ 一頓挫 ¶深刻な経済不況で事業は*一頓挫をきたした（⇒つまずきに遭遇した）The business met with *a setback* due to the major economic downturn.《☞ とんざ》

いちなん 一難 ¶*一難去ってまた*一難 *One calamity* follows close on the heels of another.《ことわざ: 災害は別の災害のかかとのすぐ後についてくる》/（⇒悲しいことは続く）*Sorrows* come in succession. / *Misfortunes* never come「singly [single].《ことわざ: 不幸は一つだけではやって来ない》★「泣きっ面に蜂」の意味でも使われる.

いちに 一二 ☞ いち[1]（一二を争う）

いちにち 一日 a [one] day ★特に「一」の意味を強調する場合には one を用いる.

¶「あなたは*1日何時間働きますか」「8時間です」"How many hours do you work per *day*?" "Eight (hours)." // 食事は*1日に3回が普通だ（⇒我々は普通1日に3回の食事をする）We usually have three meals *a day*. 語法「…につき」の意味で a または per を用いる. // *一日も早く帰ってきて下さい（⇒できるだけ早く）I hope you'll come back *as soon as possible*. // *1日もあればそんな仕事はできる *One day* is enough for me to finish the job. // ローマは*一日にしてならず Rome was not built *in a day*.《ことわざ》// この仕事は*一日二日ではできない This work cannot be finished *in* (*just*) *a day or two*. // きょうは*一日中忙しかった I've been busy *all day* (*long*). // 日*一日と暖かくなってゆく It's getting warmer「*day by day* [*from day to day*]. // 彼は*一日おきに訪ねてきた He came to see me *every other day*.

一日千秋の思い ☞ いちじつ（一日千秋の思い）

一日の長 ☞ いちじつ（一日の長がある）

コロケーション

あわただしい一日 *a* hectic *day* / 忙しい一日 *a* busy *day* / 退屈な一日 *a*「boring [dull] *day* / 大切な一日 *a* big *day* / 大変な一日 *a*「hard [rough] *day* / てんやわんやの一日 *a* chaotic *day* / 長い[大変な]一日 *a* long *day* / 実り多い一日 *a*「productive [prosperous; profitable] *day* / 盛り沢山の一日 *an* eventful *day*

いちにちへんじ 一日片時 instant Ⓒ, a short

time. ¶ *一日片時もそのことを忘れたことはない I've never forgotten it even for ⌈an *instant* [a *very short time*].

いちにん 一任 ―― 動 (委任する) entrust ⊕; (任せる) leave ⊕. (☞ いにん; まかせる).

いちにんしょう 一人称 〖文法〗 the first person (☞ にんしょう¹).

いちにんまえ 一人前 ¶ これは*一人前千円です (⇒ 一人につき千円です) This is 1,000 yen ⌈*per head* [*per person*; *each*; *for each person*; *a person*]. // 彼ももう*一人前だ (⇒ 彼はもう子供ではない) He *is no longer a child*. / (⇒ 成年に達した) He *has come of age*. / (⇒ 自活している) He is now *self-supporting*. / (⇒ 十分に訓練を受けた) He is now *fully trained*. // あの子は口だけは*一人前だ (⇒ 大人のような口をきく) The ⌈boy [girl] talks like *a grown-up*.

いちねん¹ 一年 **1** «期間»: a [one] year ★ 特に「一」の意味を強調する場合には one を用いる.
¶「*1 年は何か月ですか」「12 か月です」"How many months are there in *a year*?" "(There are) twelve." // *1 年たったら戻ってきます I'll be back *in a year*. // 私はニューヨークで*1 年働いた I worked in New York for *a year*. // 結婚してからちょうど*1 年になる It's just *one year* since we got married. 語法 It's been *a year* since ...も可能. / Just *one year* has passed since we got married. / (⇒ 私たちは 1 年間結婚している) We've been married (for) ⌈*one* [*a*] *year*. // ここは*一年中風が強い It's windy here ⌈*all* (《英》 *the*) *year round* [*throughout the year*]. // この雑誌は*1 年に 4 回出る This magazine comes out four times *a year*. / This is a *quarterly* magazine.
【参考語】 ―― 形 (1 年の・年 1 回の) yearly, annual.
2 «学年»: (一年生) first-year student Ⓒ; (大学・高校の) freshman Ⓒ. (☞ いちねんせい).
一年の計は元旦にあり New Year's Day is the day to make plans for the rest of the year. ★ この時の決心を New Year's resolution という.

いちねん² 一念 (一途な望み) sheer desire Ⓤ; (切なる願い) ardent wish Ⓤ. ¶ 彼女に会いたさの*一念で彼は歩き続けた He kept on walking out of *sheer desire* to see her.
一念岩をも通す (⇒ 意志のある所道あり) Where there's a will, there's a way.
一念発起する (何かをしようと堅く決心する) firmly make up *one's* mind to *do* ...; make a firm resolution to *do* ... ★ 後者は格式ばった言い方.

いちねんせい 一年生 **1** «学校»: (小学校の) first grader Ⓒ 語法 (1) この表現は《米》のもの. 日本の場合は first-year ⌈student [pupil] Ⓒ でもよい; (大学・高校の) 《米》 freshman Ⓒ 《複 -men》. 語法 (2) 中学 1 年生は《米》では小学校から通して 7th grader ということが多い. 高校 1 年の場合も 10th grader と呼ぶこともある. (☞ 学校・教育 (囲み)).
¶ 彼は W 大学の*1 年生だ He is ⌈a *freshman* [in his *freshman year*] at W. University. // *一年生議員 a ⌈*new* [*newly elected*] Diet member / a *freshman* member of the Diet
2 «植物» ―― 形 annual /ǽnjuəl/ (☞ にねんせい 2).

いちねんせいしょくぶつ 一年生植物 annual (plant) Ⓒ (☞ にねんせい; たねんせいしょくぶつ).

いちねんそう 一年草 ☞ いちねんせいしょくぶつ

いちのとり 一の酉 the first Day of the Cock in November (☞ とり²).

いちば 市場 market Ⓒ, mart Ⓒ; (市場の開かれる広場) marketplace Ⓒ. (☞ いち³). ¶ 魚 [青物] *市場 a ⌈fish [vegetable] *market*

いちばつひゃっかい 一罰百戒 (⇒ 最初の違反者を厳しく罰することが一般の人へのよい見せしめ[警告]となる) Punishing the first offender severely will ⌈be [constitute] a good ⌈lesson [warning] ⌈to [for] the public.

いちはやく 逸早く (ぐずぐずしないで) without (a moment's) delay; (すばやく) quickly, promptly ★ 前者のほうが口語的; (直ちに) at once, immediately /ɪmíːdiətli/ ★ 前者のほうが口語的だが, 意味は後者のほうが強い; (すぐ) right away ★ 最も口語的. (☞ すぐ (類義語); ただちに).
¶ 彼は*いち早く計画を実行に移した He ⌈*quickly* [*promptly*] carried out his plans. / He carried out his plans *without* (*a moment's*) *delay*. / He *lost no time* in carrying out his plans.

いちばん 一番 **1** «順番» ―― 名 the first (place) 語法「1 番の位置」の意味では place を付け, しばしば the を省略する; (番号・順位・実力などが) number one, No. 1 ★ 無冠詞, 単数形で用いる. ―― 形 the first ★ the を伴う; (一番よい) the best. ―― 副 (1 番に・最初に) first. (☞ ばん²; さいしょ¹; トップ; せんとう¹; 数字 (囲み)).
¶ あなたが*1 番だ You are *number one*. // 彼はいつもクラスの*1 番だった He was always at *the* ⌈*top* [*head*] of ⌈his [the] class. // 試験ではだれが*1 番になるだろう I wonder who will ⌈take *first place* [come out (*on*) *top*; come out *tops*; come (out) *first*] in the examination.
2 «最も» ★ 形容詞・副詞の最上級を用いて表す. (☞ もっとも²).
¶「季節のうちでどれが*一番好きですか」「春です」"Which is your favorite season?" "I like spring *best*." // この包みが*一番軽い This package is (*the*) *lightest* (*of all*). / This package weighs (*the*) *least* (*of all*). // 砂糖は*一番左の箱にあります The sugar is in the *leftmost* box. // それは*一番下の棚に置いて下さい Put it on *the* ⌈*bottom* [*lowest*] shelf.
一番勝負 the deciding ⌈contest [game] Ⓒ ★ the をつけて. **一番線** platform (no.) 1 **一番煎じ** the first ⌈brew [infusion] of tea **一番出し** the best stock **一番打者** the leadoff batter **一番茶** the first pick of tea **一番手** the first (one) **一番抵当** first mortgage Ⓒ **一番鶏** the first ⌈cock's crow [cock to crow] at dawn **一番乗り** the first (person) to arrive Ⓒ **一番星** the first star of the evening **一番槍** warrior who spearheads the attack on the enemy Ⓒ **一番列車** the first train.

いちび 市日 market day Ⓒ.

いちひめにたろう 一姫二太郎 ¶ よく*一姫二太郎と言う It is said that it is good to have ⌈*a daughter first and then a son* [*first a girl, then a boy*].

いちびょうそくさい 一病息災 ¶ 俗に*一病息災と言う (⇒ 軽い持病のある人のほうが注意をするので病気をしない人よりも長生きをすることが多いと言われる) It is said that people with a slight ailment will take good care of their health and often live longer than those who are never ill.

いちぶ¹ 一部 **1** «一部分» ―― 名 (a) part ★「...の一部」という表現では a は付けないほうが普通; (区切られた一部) a section; (少数) a minority. ―― 副 (部分的に) partially, partly, in part, partly. (☞ ぶぶん (類義語)).
¶ 彼女は私の論文の*一部しか読んでいなかった She read only ⌈*part* [*a section*] of my paper. // *一部の人たちは到着していますが, 全部ではありません *Some* (people) have arrived, but not all. // 彼の

答えには*一部(⇒部分的に)間違いがあった His answer was ⌈partially [partly] wrong. // この地図は*一部, 修正が必要だ This map should be corrected *in part*. // *一部の労働者しかストライキに加わらなかった Only *a minority* of the workers ⌈took part [participated] in the strike.

2《一冊》: copy (of a book) Ⓒ.

一部始終 (すべて) everything; (細かな部分まですべて) all the details ★ 複数形で; (話の全部) the whole story.

いちぶ² 一分 ―― 图 (10 分の 1) one-tenth; (1 割の 10 分の 1) one-hundredth. ―― 副 (わずか) a little, a bit.

一分一厘も違わない (⇒全く同じ) be exactly alike.

一分のすきもない (⇒攻撃のすきを与えない) be unassailable. ¶ *一分のすきもない論理 *unassailable* logic.

いちふじにたかさんなすび 一富士二鷹三茄子 The lucky things to have in one's first dream of the new year are Mt. Fuji, a hawk, or an eggplant.

いちぶぶん 一部分 ―― 图 a part. ―― 副 (部分的に) in part, partly ★ 前者はやや格式ばった表現. (☞ いちぶ¹). ¶ 彼の意見で正しいのはほんの*一部分だけだ Only *a* small *part* of what he said is true.

いちぶん¹ 一分 (体面) face Ⓤ; (威厳) dignity Ⓤ; (名誉) honor Ⓤ. ¶ それでは彼女の*一分が立たない That will make her lose *face*

いちぶん² 一文 (文章) composition Ⓒ, piece of writing Ⓒ. ¶ *一文を草する draft a ⌈*piece of writing* [*literary piece*]

いちべつ¹ 一瞥 (ちらりと見ること) a glance; (ちらりと見た光景) a glimpse; (一見) a look. (☞ ちらりと; みる¹ (類義語)). ¶ *一瞥して彼だとわかった I recognized him *at* ⌈*a glance* [*first sight*].

いちべつ² 一別 (別離) parting Ⓤ. **一別以来** ¶ 彼とは*一別以来 10 年になる It ⌈has been [is] ten years *since* I *saw* him *last*.

いちぼう 一望 **一望のもと[うち]に** ¶ その丘の頂から全市が*一望のもとに見渡せる You can see the whole city from the top of the hill.

一望千里 ¶ *一望千里の (⇒見渡すかぎり広がる) 大草原 a vista of grasslands extending as far as the eye can see.

いちぼくづくり 一木造り sculpture carved out of a singleblock of wood Ⓒ.

いちまい 一枚 (紙・板・ガラスなど) a sheet; (パン・肉など) a slice; (一片) a piece 語法 (1) 以上の 3 つは数えられない名詞に付けて用いる. 数えられる名詞の時は, a または one を付ければよい. (☞ -まい¹; 数の数え方 (囲み); 可算・不可算名詞 (巻末)).

¶ 紙を*1 枚下さい Give me *a* ⌈*sheet* [*piece*] of paper, please. 語法 (2) piece を用いると,「紙切れ」でもよいという含みがある.「細長い紙片」なら slip. // トースト [ハム] をもう*1 枚下さい Please give me another *slice* of ⌈toast [ham]. // 窓ガラスが*1 枚割れていた *A* windowpane was broken. // お皿を*1 枚 1 枚丁寧に拭く wipe *each* plate carefully

一枚上, 一枚うわて ¶ 彼は私より*一枚上だ He is *a cut above* me. // 犯人のほうが刑事より*一枚うわてだった (⇒頭がよかった) The criminal was *smarter* than the detective. / (⇒出し抜いた) The criminal *outwitted* the detective. **一枚かむ** ¶ 新会社の旗上げには彼も*一枚かんでいた He ⌈*was* also *involved* [also *took part*] in starting the new company.

一枚岩 ―― 形 (異分子の入っていない) mònolíthic; (団結している) united, solid; (全員同意見である) unanimous. ―― 图 (団結・結束) solidarity Ⓤ.

¶ その党は我々の考えているほど*一枚岩ではない The party is not so ⌈*united* [*unanimous*] as we think.

一枚貝 ☞ 見出し **一枚看板** (唯一人のスター) the only star; (唯一の特徴) the only feature. (☞ かんばん).

いちまいがい 一枚貝 〚貝〛 únivàlve Ⓒ.

いちまつ 一抹 ¶ 彼の目には*一抹の不安の色があった There was *a touch* of uneasiness in his eyes. // 彼女を一人で帰すには*一抹の不安があった (⇒ちょっと不安に感じた) I felt *slightly* uneasy at the thought of letting her go home alone.

いちまつにんぎょう 市松人形 *ichimatsu* doll Ⓒ; (説明的には) late Edo-period boy doll with articulated limbs and changes of clothing Ⓒ.

いちまつもよう 市松模様 ―― 图 checker-board (pattern), 《英》 chequer-board (pattern) Ⓤ. ―― 形 check, 《英》 chequer.

いちみ 一味 (悪者の一団) gang Ⓒ ★ 集合的に用いる; (一団) lot Ⓒ. ¶「密輸団は捕えたのか」「はい, *一味全員を逮捕しました」"Did you catch any of the smugglers?" "Yes, we caught the whole *lot*." // あいつが強盗の*一味だとは知らなかった I never knew that he was *one* of the robbers.

一味唐辛子 Chili powder Ⓤ.

いちみゃく 一脈 ¶ …と*一脈相通じるものがある (⇒共通のものを持っている) have *something in common* with …

いちめい 一命 life Ⓒ (☞ いのち). ¶ 彼はかろうじて*一命をとりとめた (⇒危うく死を免れた) He narrowly *escaped death*. / He had a narrow *escape from death*.

いちめん 一面 **1**《全面》 ¶ 野原は*一面の雪だった (⇒野原一面に雪があった) There was snow *all over* the fields. / (⇒(全体に) 雪で覆われていた) The fields were ⌈covered [blanketed] (*all over*) with snow. // あたり*一面火の海だった (⇒場所全体が炎に包まれていた) *The whole place* was enveloped in flames.

2《半面・側面》 ¶ あなたは問題の*一面しか見ていない You are looking at only *one side* of the problem. / (⇒1 つの角度からしか見ていない) You are viewing the matter from *one angle* only. (☞ いちめんかん) // そのニュースは世の中の暗い*一面をのぞかせるものだった The news revealed the dark *side* of the world. // 彼は厳しいことは厳しいが, *一面優しいところがある On one hand he is stern, but *on the other* he can be tender. (☞ めん¹)

3《新聞の第 1 ページ》: the ⌈front [first] page.

いちめんかん 一面観 one-sided ⌈view [contention] Ⓒ. ¶ 彼の*一面観に惑わされてはならない You shouldn't be misled by his *one-sided view*.

いちめんしき 一面識 ¶ 彼とは*一面識もない I have never met him. / (⇒彼は未知の人だ) He is a total stranger to me.

いちめんてき 一面的 ―― 形 (一方に偏った) one-sided; (偏見のある) prejudiced.

いちもうさく 一毛作 a single crop. ¶ *一毛作を行う grow [plant; harvest] *a single crop*

いちもうだじん 一網打尽 ―― 動 (一斉に逮捕する) make a wholesale arrest; (大規模な手入れで逮捕する) arrest … in one big raid. (☞ けんきょ²). ¶ 警察は密輸団を*一網打尽にした The police *made a wholesale arrest* of the smugglers. / The police *rounded up all* the smugglers.

いちもく 一目 **一目置く** ¶ 彼には*一目置かざるを得ない (⇒彼のほうがすぐれていることを認めざるを得ない) I must *admit* ⌈*his superiority* [*that he is superior* (*to* me)]. / (⇒脱帽する) I *take off my hat to* him. **一目瞭然** ☞ 見出し

いちもくさん 一目散 (必死で) for *one's* life; (全速力で) at ⌈full [top] speed. ¶ 彼は*一目散に逃げた (⇒ 必死で) He ran *for ⌈his [dear] life*. / (⇒ 脱兎のごとく) He ran *like a rabbit*. / He *took to his heels*. / (⇒ 全速力で) He fled *at full speed*.

いちもくりょうぜん 一目瞭然 ── 形 (極めて明白な) quite obvious; (昼のように明るい) (as) clear as day. ¶ 彼がうそをついているのは*一目瞭然だ It is ⌈*quite obvious* [*(as) clear as day; perfectly clear*] that he is telling a lie.

いちもつ 一物 (秘めた計画) secret intention Ⓒ; (陰謀) plot Ⓒ; (悪だくみ) scheme Ⓒ. ¶ 腹に*一物ある be up to something 《☞ はら¹》

いちもん¹ 一文 a farthing, a penny, a (red) cent, a dime 語法 いずれも最小またはそれに近い金や貨幣の名で, 否定文に用いると「少しも…でない」の意になる. 《☞ むいちもん》. ¶ そんなことをしても*一文にもならない (⇒ 一文の価値もない) That isn't worth *a ⌈farthing* [*penny; dime*].

一文惜しみの百知らず Penny-wise and pound-foolish. 《ことわざ: 小さな事にとわられると後で大損する》

一文無し ── 形 penniless. ¶ *一文無しになる go *broke* // *一文無しである be *penniless* / be *broke* ★ broke は「破産して」の意でこれを使った表現は口語的.

いちもん² 一門 (一家・一族) family Ⓒ; (氏族) clan Ⓒ; (流派) school Ⓒ. 《☞ いっか¹; いちぞく》.

いちもんいっとう 一問一答 a series of questions and answers 参考 表題などでは略して Q & A と書くこともある.

いちもんじぎく 一文字菊 〔植〕 *ichimonjigiku* Ⓒ; (説明的に) chrysanthemum with a visible disk and, usually, a single row of ray florets Ⓒ.

いちもんじに 一文字に (真っすぐに) straight; (一直線に) in a straight line. ¶ 口を*一文字に結んで with *one's* lips *firmly ⌈closed* [*set*]

いちや 一夜 a (single) night ★ 特に「一」の意味を強調する場合には single を付ける.
¶ 寝ずに*一夜を明かした (⇒ 一晩中起きていた) I sat up *all night*. // 私はある安ホテルで*一夜を過ごした I ⌈stayed *overnight* [spent *a night*] at a cheap hotel. // 彼らは不安な*一夜を過ごした They ⌈spent [passed] *an* uneasy *night*.

一夜城 〔史〕 (秀吉の一夜城) *Ichiyajo*; (説明的に) a castle said to have been built in a single night in 1590 by Toyotomi Hideyoshi as he laid siege to Odawara Castle.

いちゃいちゃ ☞ いちゃつく

いちやく 一躍 ── 副 (突然) suddenly; (一夜にして) òvernight. ¶ 彼は小説家として*一躍有名になった He *suddenly* became a popular novelist. / He became a popular novelist *overnight*.

いちゃつく flirt (with …) 自 《☞ べたべた》. ¶ 彼女はいつも男と*いちゃついている She *is* always *flirting* (*with* men).

いちやづけ 一夜づけ ── 形 副 òvernight.
¶ *一夜づけの勉強では英語でよい点は取れない You can't get good grades in English by *overnight* cramming. // 外国語は*一夜づけで (⇒ すぐに) はマスターできない You can't master a foreign language *overnight*.

いちゃもん ¶ *いちゃもんをつける (⇒ 言いがかりをつける) *make a false charge* against … (to start a fight) / (⇒ …にけんかを売る) *pick a ⌈fight* [*quarrel*] with … 《☞ いいがかり; いんねん》

いちゅう¹ 意中 **意中の人** a person in *one's* heart, a person *one* loves.

いちゅう² 移駐 ── 動 (軍隊などを) transfér 他; (移駐させられる) be transférred.

いちょ 遺著 posthumous /pástʃuməs/ (literary) work Ⓒ. ¶ その小説は*遺著として出版された The novel was published *posthumously*.

いちよう¹ 一様 ── 形 (均一の) uniform; (等しい) equal; (普通の) common. ── 副 (同じように) in a similar way; (全員が同意見で) unanimously /juːnǽnəməsli/. 《☞ どうよう¹》. ¶ 彼らは*一様にその計画に反対した They are *unanimously* opposed to the plan. // 各部屋の大きさは*一様です Each room is of (a) *uniform* size.

いちよう² 一葉 a [one] leaf. **一葉落ちて天下の秋を知る** A leaf falls and we know (that) autumn has come. / A straw shows which way the wind blows. 《ことわざ: わら1本でも風の吹く方向がわかる; わずかな兆候からでも大勢がわかる》

いちょう¹ 胃腸 ¶ 私は*胃腸が弱い [強い] (⇒ 弱い [強い] 消化力を持っている) I have a ⌈weak [strong] ⌈*digestion* [(⇒ 胃) *stomach*]. 語法 weak, strong の代わりに poor, good を用いることもできる. // 少し*胃腸をこわしている I have a slight *stomach* ⌈disorder [upset]. 《☞ い¹; おなか》 **胃腸薬** stomach medicine Ⓤ; (消化剤) digestive Ⓒ.

いちょう² 銀杏 〔植〕 ginkgo /gíŋkou/ (tree) Ⓒ ★ gingko ともつづる. **銀杏返し** *icho-gaeshi* Ⓒ; (説明的に) late Edo-period women's hairdo in which the side-locks were puffed and swept back in half circles suggesting the lobes of a ginkgo leaf Ⓒ **銀杏髷(まげ)** *icho-mage* Ⓒ; (説明的に) mid Edo-period hairdo in which the back hair was worn puffed and looped in the shape of a ginkgo leaf Ⓒ.

いちょう³ 移調 〔楽〕 ── 動 transpose 他. ── 名 transposition Ⓤ. 《☞ てんちょう》.

いちようらいふく 一陽来復 (春の到来) the arrival of spring; (…に幸運が向いてくる) fortune begins to smile on …; (冬至) the winter solstice.

いちようらん 一葉蘭 〔植〕 *ichiyoran* Ⓒ; (説明的に) a species of perennial unifoliate cattleya orchid indigenous to subalpine coniferous forests of Japan. Each stem puts forth one leaf and one pale-green flower.

いちよく 一翼 ¶ *一翼を担う play *a ⌈part* [*role*] (in …)

いちらん 一覧 **1** 《ざっと見る》 ── 動 (一見する) have [take] a look at …; (ざっと読む) glance [skim] through … ¶ この報告書をご*一覧下さい (⇒ 見て下さい) Please ⌈*look* [*have a look*] *at* this report. / (⇒ ざっと目を通して下さい) Please ⌈*glance* [*skim*] *through* this report.
2 《まとめ》: (リスト) list Ⓒ.
一覧表 ☞ 見出し

いちらんせいそうせいじ 一卵性双生児 (双子の1人) identical [monovular; monozygotic] twin Ⓒ 《☞ ふたご》.

いちらんひょう 一覧表 (表) list Ⓒ; (系統立てて並べた表) table Ⓒ; (カタログ) catalog Ⓒ, catalogue Ⓒ. 《☞ ひょう¹》.

いちり¹ 一理 (ある程度の真実性) some truth.
¶ あなたの言うことにも*一理ある There is *some truth* in what you say. / (⇒ 納得できる点がある) You have *a point* there.

いちり² 一利 (一つのよい点・長所) a good point, a merit ★ この見出し語に対する訳語としてはどちらも a〜 または one〜 となる. ¶ 百害あって*一利なし ☞ ひゃくがい **一利一害** ☞ いっちょういったん

いちりつ¹ 一律 ── 形 (均一の) flat, uniform /júːnəfɔ̀ːm/ ★ 前者のほうが口語的; (同等の) even, equal; (無差別の) indiscriminate. ── 副

uniformly; equally, evenly; indiscriminately. (☞ きんいつ; びょうどう; おなじ). ¶組合は*一律 5 % の賃上げを要求した The union demanded ⌈a *flat* [a *uniform*; an *across-the-board*] 5 percent ⌈increase [pay rise] in wages. // それは*一律には論じられない (⇒ 同じ規則をそれらすべてに当てはめることはできない) The same rule cannot be applied to them all. / (⇒ 同じ範疇(はんちゅう)には入れられない) They cannot be put in the same category.

いちりつ² 市立 ☞ しりつ¹

いちりづか 一里塚 *ri*-mark Ⓒ, *ri*-post Ⓒ ★ 英米でこれに相当するものは mile-mark Ⓒ, mile-post Ⓒ; (石の里程標) milestone Ⓒ ★ 日本の一里塚は一里ごとに置かれていたが, milestone は目的地までのマイル数を示す; (比喩的に発展の一段階) stage Ⓒ; (次へ進む一歩) step Ⓒ.

いちりゅう 一流 ━ 形 (一級の) first-class, first-rate; (最上の) best; (主要な) leading. (☞ さいこう¹). ¶*一流のホテル a ⌈*first-class* [*first-rate*] hotel // *一流の小説家 *one of the best* novelists // *一流メーカー *one of the leading* manufacturers // *一流会社 a *leading* ⌈company [firm] // *一流校 (⇒ 名門の) a *prestigious* school / (⇒ 知名度が最も高い) the *best-known* school

いちりょうじつ 一両日 a day or two. ¶*一両日中に伺います I'll come to see you *in a day or two.* // ここ*一両日は忙しい I'll be busy *for a* ⌈*day or two* [*couple of days*].

いちりん 一輪 ¶花*一輪 *a* flower

一輪ざし single-flower vase Ⓒ.

いちりんしゃ 一輪車 unicycle Ⓒ.

いちりんそう 一輪草 〔植〕 *ichirin-so* Ⓒ; (説明的に) perennial plant with a single-petaled flower in the family of the buttercup Ⓒ.

いちる 一縷 一縷の望み a (faint) ray of hope.

いちるい 一塁 first base Ⓤ, first Ⓤ. ¶彼は*一塁を守っている He plays *first base.* // *一塁側スタンド the right-field stands (on the *first-base* side)

一塁手 first baseman Ⓒ, first (base) Ⓒ.

いちれい¹ 一礼 ¶*一礼する make *a bow*

いちれい² 一例 ¶これは…の*一例である This is ⌈*an instance* [(⇒ 好例) *a good example*] of… // *一例をあげると for ⌈*instance* [*example*] (☞ れい³)

いちれつ 一列 ¶*一列に並ぶ (⇒ 縦に) form *a line* / (⇒ 横に) form *a row* // *一列に並んで in *a* ⌈*line* [*row*] (☞ れつ)

いちれん 一連 a series (of…); a chain (of…); a sequence (of…); a string (of…); a train (of…).

【類義語】一般的に同類のものが並んだものには *series*. 前後が関係しあって論理的な順序に並んだものには *chain*. 論理的関係・因果関係・時間的な関係で並んだものには *sequence*. ひも状にひと続きになったものには *string*. 事件や考えなどには *train* を用いる.

¶*一連の質問 *a series of* questions // *一連の数字 *a string of* numbers // その*一連の出来事は 1987 年に始まった *The whole* ⌈*train* [*chain*] *of* events began in 1987. // *一連番号 *serial* numbers

いちれんたくしょう 一蓮托生 ¶*一蓮托生だ (⇒ 同じ船に乗っている) be in the same boat (with…) / (⇒ 運命を共有する) share the same fate

いちろ 一路 ━ 副 (まっすぐに) straight, directly; (着実に) steadily. ¶私たちは*一路ロンドンへ向かった We headed *straight* for London. // 彼は破滅への*一路をたどっている He's *on the high road to* ruin.

いちろう 一浪 日英比較 英語にはこれに当たる語がないので説明的に訳すしかない. ¶彼は*一浪して T 大に入った (⇒ 2 年目の挑戦で) On his *second try,* he succeeded in entering T. University. // 君は*一浪しなければ K 大は無理でしょう (⇒ 1 年余分の準備なしには) You could not enter K. University without *a year of extra preparation.*

いちろくしょうぶ 一六勝負 (さいころ賭博) dice Ⓤ; (一般に賭博) gambling Ⓤ. ¶*一六勝負をする play *dice*

いつ¹ 何時 when; (何時に) what time 語法 (1) what time が「時刻」をきくのに限られるのに対して, when は時刻だけでなく,「日付け・年・漠然とした時期」などをきくのにも用いられる; (いつから・いつまで) how long. (☞ いつも).

¶「あなたは*いつ大学を出ましたか」「3 年前です」"*When* did you graduate from college?" "I graduated from college three years ago." / "*How long* has it been *since* you graduated from college?" "It's been three years." 語法 (2) 後者は卒業してからの経過年数に重点をおいた表現. It's been three years. は《米》用法. // 「*いつお伺いしましょうか」「*いつでもいいよ」"*When* shall I come to see you?" "Come *anytime* you like." // 彼が*いつ来るか聞いてみよう I'll ask him *when* he will come. 語法 (3) when he comes とすると「彼が来たら聞いてみよう」の意になる. // *いつからここにお住まいですか *How long* have you been living here? // 君は*いつ来ても勉強しているね You're *always* working *when* I come to see you.

いつまで ☞ 見出し

いつ² 一 ¶心を*一にする be of ⌈*one* [*a*; *the same*] mind // 心を*一にして (緊密に協力して) in close cooperation (with…) / (力を合わせて) in concert (with…) // 軌を*一にする be on [follow] *the same* path

いつう 胃痛 stómachàche ★ 通例 a ～ として. ¶*胃痛を起こす get a *stomachache* // *胃痛がする have a *stomachache* (☞ ふくつう)

いつか ━ 副 (過去のある時) once; (先日) the other day; (以前に) before; (過去のある時に) sometime in the past; (未来の) someday, sometime; (遅かれ早かれ) sooner or later. (☞ いずれ; そのうち). ¶あの人は*いつか見たことがある (⇒ 見たおぼえがある) I remember seeing him ⌈*once* [*before*]. // *いつかご一緒にその寺を訪ねましょう Let's visit that temple ⌈*someday* [*sometime*; *one of these days*]. // 私たちは皆*いつか老人となるのだ We will all get old *sooner or later.* // *いつかひまなときにこの本を読んでごらんなさい I ⌈recommend [suggest] that you read this book *when you have time.* ★ このような「いつか」は訳さないのが普通.

いっか¹ 一家 (家族) family Ⓒ; (同居人を含めた家族) household Ⓒ; *one's* people, folks ★ 複数形で. 最後の 2 語は口語的; (家庭) home Ⓒ. (☞ かぞく¹; いちぞく; -け²). ¶父の死後長男が*一家を支えた After his father's death(,) the oldest son supported the *family.* // 田中*一家は大阪へ引越した *The Tanakas* moved to Osaka. // 鈴木さんのところは休暇で*一家をあげてハワイに行った Mr. Suzuki took his whole *family* to Hawaii for a vacation.

一家を成す (…の権威となる) establish *oneself* as an authority on…; (…として名声を確立する) establish *one's* fame as… 一家言 (独自の考え) *one's* own opinion Ⓒ 一家眷(けん)属 *one's* family and followers 一家心中 family suicide Ⓒ (☞ しんじゅう) 一家団欒(だんらん) ¶*一家団欒を楽しむ have *a pleasant time with one's family*

いっか² 一下 ¶命令*一下直ちに出動する execute [act on] an order immediately

いっか³ 一過 ¶台風*一過快晴となった It [The

weather] cleared up *as soon as* the typhoon *had passed.* 一過性 ☞ 見出し

いっか⁴ 一価 〘化〙 ―名 monovalence Ⓤ, univalence Ⓤ. ―形 (一価の) monovalent, univalent. **一価関数** 〘数〙 single-valued function Ⓒ.

いっかい¹ 一階, 1 階 the first floor, 《英》 the ground floor. 《☞ -かい³》. ¶ 彼の事務所は*一階です His office is on *the* ˹*first* [*ground*] *floor.* ‖ 彼は*1 階に降りていった He went *downstairs.* ★ 2 階建ての家について言うとき.

いっかい² 一回, 1 回 one time, once ★ 両者とも副詞として用いられる. 《☞ いちど;-かい¹》. ¶ *1 回だけ神戸に行ったことがあります I have been to Kobe *once.* ‖ *1 回の裏 the bottom of the *first inning* ‖ 彼女は*1 回目で合格した She succeeded on her *first* try.

いっかい³ 一介 ¶ *一介の会社員 a *mere* office worker

いっかい⁴ 一塊 (土などの比較的小さな塊) a clod; (より大きなものから切り取った塊) a hunk; (チーズ, 肉など厚く切ったもの) a chunk. 《☞ かたまり》.

いっかく¹ 一角 (片隅) corner Ⓒ; (一部分) part Ⓒ. 《☞ すみ¹; かたすみ》. ¶ 町の*一角 a *part* of the city ‖ 氷山の*一角 (⇒ 先端) the *tip* of the iceberg

いっかく² 一画 **1** 《土地の》: a plot of land; (地域) area Ⓒ. **2** 《漢字の》: stroke Ⓒ.

いっかく³ 一郭 (街区) a block; (地域) a quarter. ¶ 建物は大通りの*一郭を占めている The building occupies *a block* on Main Street.

いっかくじゅう 一角獣 unicorn Ⓒ.

いっかくせんきん 一攫千金 ¶ 彼は*一攫千金を夢みている He dreams of ˹*making a fortune overnight* [(⇒ 突然大金持ちになることを) *striking it rich*].

いっかせい 一過性 ―形 (一時的な) temporary /témpərèri/; (すぐ終わる) passing; (短期間の) transient /trǽnʃənt/. 《☞ つかのま》. ¶ *一過性の流行 a *temporary* ˹vogue [fad] / a *passing* fancy

いっかつ¹ 一括 ―副 (一緒に) together; (まとめて) collectively; (一まとめにして) in a lump sum; (ばらばらでなく) as a unit; (そっくりそのまま) in its entirety. ―名 (種々の内容のものを 1 つにまとめたもの) package Ⓒ. ―動 (1 つにまとめる) lump … together. 《☞ ひとまとめ; まとめる》. ¶ 私は蔵書を*一括して売りたい I'd like to sell my ˹library *in its entirety* [*whole* library]. ‖ *一括して払いたい I want to pay it *in a lump sum.*

いっかつ² 一喝 ―動 (大声でしかる) scold (in a loud voice) ㊀ ★ scold だけでも「大声で」の意が含まれる. この語はやや古風となりつつある; (どなりつける) storm at …

いっかな ―副 (全然…しない) never. ¶ 彼は我々の意見を*いっかな聞き入れない He *never* listens to our advice.

いっかん¹ 一貫 ―形 (矛盾がない) consistent (↔ inconsistent). ―名 (一貫性) consistency Ⓤ. ―副 (矛盾なく) consistently; (ずっと通して) throughout; (最後まで) to the last. 《☞ しゅうし⁴》. ¶ 彼女は*一貫して態度を変えなかった She kept the same attitude ˹*throughout* [*to the last*]. / She was *consistent* in her attitude. ‖ 政府の教育政策は*一貫性に欠ける The government lacks *consistency* in its educational policies. ‖ 中高*一貫教育 an *integrated* secondary education system ★ その制度の学校は a 6-year secondary school.

一貫作業 (流れ作業) assembly line Ⓒ. ¶ この機械は*一貫作業で作られる These devices are produced on an *assembly line.*

いっかん² 一環 (部分) (a) part ★ a は付けないほうが普通. ¶ これはわが国の外交政策の*一環だ This ˹is [forms] (*a*) *part* of our foreign policy.

いっかん³ 一巻 **一巻の終り** (万事休す) be finished, be done for ★ 後者のほうがより口語的. ¶ もし計画が失敗すれば我々は*一巻の終りだ If our plans fail, we will *be* ˹*finished* [*done for*].

いっき 一揆 (暴動) riot Ⓒ; (国家や権力に対する反抗) uprising Ⓒ, revólt Ⓒ. 《☞ はんらん¹》.

いっきいちゆう 一喜一憂 ―動 (喜んだり悲しんだりする) be sometimes happy, sometimes sad; be now joyful, now sorrowful.

いっきうち 一騎打ち ―名 single combat Ⓤ. ―動 (一騎打ちをする) engage in single combat.

いっきかせい 一気呵成 ―副 (一気に) at a dash; (休みなく) without a break. ―動 (…をさっと仕上げる) dash off ㊀. ¶ 彼はその草案を*一気呵成に一夜で仕上げた He *dashed off* the draft in one night.

いっきく 一掬 (少量の) a ˹small amount [smattering] of …; (ひとすくいの) a scoop of …. ¶ *一掬の涙を流す shed *a sprinkling of* tears

いっきとうせん 一騎当千 ―形 (無比の・無敵の) matchless; (打ち負かすことのできない) ùndeféatable. ¶ *一騎当千の勇者 a *matchless* [an *undefeatable*] warrior

いっきに 一気に (休まずに) at a stretch, at a sitting; (一挙に) at a stroke; (一飲みに) in one gulp; (一息に) at a draught. 《☞ いっきょに》. ¶ その小説を*一気に読んでしまった I read the novel through *at* ˹*a* [*one; a single*] sitting. ★「途中で座を立たないで」が原意. ‖ 彼はビールを*一気に飲みほした He drank the beer *in one gulp.* ‖ *一気に空けて下さい Bottoms up! ★ 乾杯のときなど.

いっきのみ 一気飲み ―動 (ビールなどを一気に飲みほす) 《米略式》 chug-a-lug ㊀ 《☞ 擬声・擬態語(囲み)》; (酒などを続けざまに飲む) guzzle ㊀; (一飲みで空ける) empty … in one gulp. 《☞ いっきに》. ¶ *一気飲みコンテスト a *chug-a-lug* contest

いっきゅう 一級 ―形 first-class, first-rate, first rank. 《☞ いちりゅう; さいこう¹》. ―名 (第一位の級) the first class ★ the を付けて. ¶ 英検の*一級(者) (a person certified as) *first-rank* ˹on [in] the English Proficiency Examination ‖ 碁[将棋]の*一級(者) (⇒ 碁[将棋]の一級免状保持者) a holder of the first-degree certificate of ˹go [*shogi*] 参考 初段は the first grade と訳すことが多い.

一級河川 first-class river Ⓒ **一級建築士** registered architect of the first class Ⓒ **一級整備士** registered mechanic of the first class Ⓒ.

いっきょいちどう 一挙一動 *one's* every move(ment).

いっきょう 一興 ¶ それまた*一興だろう That sounds *interesting.* 《☞ きょう²》.

いっきょく 一局 ¶ 碁[将棋]を*一局いかがですか How about playing *a game* of ˹go [*shogi*]?

いっきょしゅいっとうそく 一挙手一投足 (すべての動作) every movement (of *a person*).

いっきょに 一挙に once and for all, at a stroke, at a stretch. 《☞ いっきに》. ¶ 彼の逮捕で事件は*一挙に解決した His arrest cleared up the case *once and for all.*

いっきょりょうとく 一挙両得 ¶ それは*一挙両得になる (⇒ 一石二鳥だ) That will *kill two birds with one stone.*

いつく 居着く settle (down) ㊀; (住みつく) come to live. 《☞ いすわる; おちつく》. ¶ 一人の浮浪者がその空き家に*居着いてしまった A vagrant *settled*

(*down*) in that empty house. 語法 無断で空き家や他人の土地などに居着くのを squat 自 ともいう.

いっく 一句 ¶私はそのとき*一句浮かんだ I composed *a haiku* at the time. 《☞ はいく》

いつくしま 厳島 ━ 图 固 Itsukushima; (説明的に) an island in Hiroshima Bay where Itsukushima Shrine is located.

いつくしみ 慈しみ (愛情) love Ⓤ; (優しくて長く続く愛情) affection Ⓤ. ¶*慈しみ深い聖母マリア様 the Virgin Mary [Our Lady], who is *affectionate* ⌈to [toward] us

いつくしむ 慈しむ (愛する) love ⑱; (大切にしてかわいがる) cherish ⑱. 《☞ あいする; かわいがる》.

いっけい 一計 ¶*一計を案じる think [work] out a *plan*

いっけつ 一決 ¶その計画を直ちに実行に移すことが衆議*一決された It was unanimously *decided* that the plan should be carried out immediately.

いっけん[1] 一見 ━ 副 (見たところでは) seemingly, apparently; (一見したところでは) at first sight. ¶ここの桜は*一見の価値がある The cherry blossoms here are really worth *seeing*. // 彼女は*一見弱そうだがそうではない She is not as weak as she *looks*. // 彼は*一見刑事のようだった He *looked like* a detective. // 問題は*一見非常にやさしそうだった The problem *appeared* (to be) very easy. // 百聞は*一見にしかず *Seeing* is believing. 《ことわざ: 見ることは信ずることだ》

いっけん[2] 一件 (事件) affair Ⓒ; (事柄) matter Ⓒ; (問題) problem Ⓒ; (出来事) incident Ⓒ; (犯罪などの事件) case Ⓒ. 《☞ けん[1]》. ¶例の*一件 that ⌈*affair* [*problem*; *matter*] // *一件落着 The ⌈*case* [*matter*; *problem*] has been settled.

いっけん[3] 一間 ☞ けん[9]

いっけんや 一軒家 (他から1つだけぽつんと離れた) isolated [solitary] house Ⓒ; (一戸建ての家) single-family house Ⓒ. 《☞ いっこだて 日英比較》. ¶川のそばの*一軒家 a *solitary house* by the river

いっこ[1] 一戸 (家) house Ⓒ; (世帯) household Ⓒ. 《☞ いっけんや; いっこだて》. ¶*一戸を構える have ⌈a *house* of *one's* own [*one's* own *home*]

いっこ[2] 一顧 ¶*一顧にも値しない (⇒ 価値がない) worth little / (⇒ 注意を払う価値がない) be not worthy of ⌈notice [attention] // *一顧をも与えない (⇒ …を少しも心に留めない) *take no notice of* … / (⇒ …に少しも注意を払わない) *pay no attention to* … 《☞ ちゅうい; ちゅうもく》

いっこう[1] 一行 party Ⓒ, company Ⓤ 語法 特に短期間共通の目的で集まった人たちには party を用いる; (随行員) staff Ⓒ; entourage /ɑ̀ːntʊrɑ́ːʒ/ Ⓒ. 《☞ だん[2]; だんたい[1] (類義語); ずいいん》. ¶その*一行は男3人, 女4人だった The ⌈*party* [*company*] consisted of three men and four women. // 外相とその*一行はワシントンに向け昨夜東京を発った The Foreign Minister and her ⌈*party* [*staff*; *entourage*] left Tokyo yesterday evening for Washington.

いっこう[2] 一考 ¶*一考の余地がある leave room for *consideration* // さらに*一考の要がある require [demand] further *consideration* // この点についてご*一考下さい Please ⌈*think over* [*consider*] this point. 《☞ かんがえる; こうりょ》

いっこういっき 一向一揆 (日本の室町・戦国時代の) The *Ikko* uprising; (説明的には) the revolt stirred up by the supporters of the *Jodo* Shinshu Sect of Buddhism in the 15th and 16th century Japan.

いっこうに 一向に (少しも) at all, in the least, 《略式》 a bit ★ いずれも否定文に用いる. 《☞ すこしも; ぜんぜん》. ¶彼の勉強は*一向にはかどらない (⇒ 少しも進歩しない) He has made *no* progress in his studies. // そんなことは*一向に気にしない I do*n't* care about it (*even*) *a bit*. / I could*n't* care *less* about it. // 彼は*一向にへこたれなかった He was *not in the least* depressed.

いっこく 一刻 (一瞬) a moment, a minute ★「分」の意を離れて「瞬間」の意味で用いられる. ¶*一刻を争う (⇒ 一瞬も失ってはならない) There is not *a moment* to be lost. // *一刻も早く始めたほうがよい We should start ⌈*as soon as possible* [*without a moment's delay*]. 《☞ そっこく》

一刻千金 Every moment is precious. / (⇒ 時は金なり) Time is money. 《ことわざ》.

いっこくいちじょうのあるじ 一国一城の主 (封建時代の城主) feudal lord Ⓒ. ¶*一国一城の主となる (⇒ 他人に干渉されず思い通りにする) be *a master in one's own house* / (⇒ 人に雇われず自分でやる) be *one's own* ⌈*master* [*mistress*]

いっこくしゃかいしゅぎ 一国社会主義 (自分の国1国だけのための社会主義) socialism in one country Ⓤ.

いっこくもの 一刻者 (頑固で一徹な人) obstinate [stubborn] person Ⓒ.

いっこじん 一個人 private citizen Ⓒ 《☞ こじん[1]》.

いっこだて 一戸建て (一軒の家) house Ⓒ; 《主に英》 detached house Ⓒ. 日英比較 英語では単に house と言えば普通は一戸建てのものに限られるので, 特に「一戸の」とか「独立した」などの表現は付けなくてよい. ただし主に《英》では一つの建物を壁で仕切り二戸の住宅とした semidetached house やアパートなどに対して独立した家を detached house という. また《米》では, アパート・戸建てとも区別しないで home ということが多い.
¶東京で*一戸建てはなかなか買えません We cannot afford a *house* in Tokyo.

いつごろ 何時頃 ━ 副 (いつ) when; (何時ごろに) about [around] what time. 《☞ いつ[1]》.

いっこん 一献 (酒一杯) a cup of sake. ¶*一献差し上げたい (⇒ 酒を飲みながらおしゃべりすることに誘いたい) I'd like to invite you to have a chat with me over *a cup of sake*.

いっさい 一切 **1** 《全部》 ━ 代 all, everything 語法 (1) ほぼ同意だが, everything のほうが口語的. また, いずれもこの意味では単数扱いとなる.
━ 副 (まったく・全体が) entirely; (欠けていることなく完全に) completely; (絶対に) absolutely; (全部合わせて) altogether, in all. 《☞ すべて》.
¶彼は*いっさいを失った He lost ⌈*everything* [(⇒ 持っているものすべて) *all he had*]. 語法 (2) He lost *all*. は普通は使われない. // 私に*いっさいを任せなさい Leave *everything* to me. // このことは*いっさい (⇒ 絶対) 秘密です This is *absolutely* secret. / This is *strictly* confidential.
2 《少しも…でない・全然…しない》: not … any …, not … at all. 《☞ まったく》.
¶私は彼らとは*いっさい関係がありません I ⌈*don't* have *anything* [have *nothing*] to do with them.

一切合切 ━ 代 everything. ━ 图 (ひとそろい全部) the whole lot. ━ 副 (全部で) altogether; (完全に) completely. 《☞ すべて》.

いつざい 逸材 man [person] of talent Ⓒ, talented ⌈man [person] Ⓒ ★ 女性の場合は woman よりむしろ person が普通; (有能な人) able ⌈man [person] Ⓒ. ¶彼はたいへんな*逸材だ He is a *man of* exceptional *talent*.

いっさいたふ 一妻多夫 ━ 图 polyandry

/pάliӕ̀ndri/ Ⓤ. ━[形] polyandrous /pὰliӕ́ndrəs/. (☞ いっぷたさいせい).

いっさく 一策 a plan, an idea. ¶ 窮余の*一策 ☞ きゅうよ[2]

いっさくさくじつ 一昨昨日 (さきおととい) three days ago.

いっさくさくねん 一昨昨年 (さきおととし) three years ago.

いっさくじつ 一昨日 the day before yesterday (☞ おととい).

いっさくねん 一昨年 the year before last (☞ おととし).

いっさくばん 一昨晩 the evening before last.

いっさくや 一昨夜 the night before last.

いっさつ 一札 一札入れる[取る] (念書を「与える[取る]) give [obtain] *a written promise*

いっさんかたんそ 一酸化炭素 〘化〙 cárbon monóxide Ⓤ. ¶ *一酸化炭素中毒にかかる be poisoned by *carbon monoxide* / get *carbon-monoxide* poisoning

いっさんかちっそ 一酸化窒素 〘化〙 nitrogen monoxide /náitrədʒən mənάksaid/ Ⓤ.

いっさんに 一散に (全速力で) at「full [top] speed (☞ いちもくさん).

いっし[1] 一糸 一糸まとわず (丸裸で) completely nude, 《略式》 stark naked; (何も着ないで) with nothing on, without any clothes on.

一糸乱れず ¶ *一糸乱れず (⇒ 整然と) 行進する march on in「*good order* [*an orderly line*]

いっし[2] 一矢 一矢を報いる (仕返しをする) retaliate against *a person* by *doing* …; (言い返す) retort ㊀ ★ 格式ばった語; (仕返しをする) get back at *a person* ★ くだけた表現.

いっし[3] 一指 一指もつけない (少しも触れない, 元のままにしておく) do not touch … at all, leave … untouched ★ 金や財産などにも言う.

いっし[4] 一子 ¶ *一子をもうける have *a child*

一子相伝 ¶ 多くの武術は*一子相伝であった (⇒ 父から息子に渡された) Many martial arts used to *be*「*passed* [*handed*] *down from father to son.*

いつじ 逸事 ánecdòte Ⓒ.

いつしか 何時しか ☞ いつのまにか

いっしき 一式 set Ⓒ; (完全に何から何までそろっているもの) complete set Ⓒ; (ある部屋のための必要な家具・道具類のひとそろい) suite /swíːt/ Ⓒ. (☞ そろい; くみ; 数の数え方 (囲み)). ¶ 学用品*一式 a *set* of school supplies // 茶道具*一式 a (*complete*)「*set* of tea things [tea *set*] // 寝室用家具*一式 a bedroom *suite*

いっしつ 一失 ¶ 千慮の*一失 (⇒ 慎重に用心したにも関わらず紛れ込んだ誤り) *error* that has crept in in spite of elaborate precautions Ⓒ

いっしつりえき 逸失利益 lost profit Ⓤ.

いっしどうじん 一視同仁 (公明正大・不偏不党) impartiality Ⓤ.

いっしゃせんり 一瀉千里 ━[副] (大急ぎで) in a great hurry; (休まずに) at a stretch. (☞ いそぐ). ¶ *一瀉千里に仕事を片づける finish off [get through with] *one's* work「*at a stretch* [*in a great hurry*] / (⇒ 急いで仕上げる) *rush through one's* work

いっしゅ[1] 一種 (種類の 1 つ) a kind, a sort; (型などの 1 つ) a type; (変種などの 1 つ) a variety /vəráiəti/. (☞ しゅるい (類義語)). ¶ それは魚の*一種だ That's *a*「*kind* [*sort*] of fish. [語法] a「kind [sort] of …で「…のようなもの」「いわば…だ」のように軽い意味で用いられることが多い. // おおかみは犬の*一種か Is the wolf *a*「*kind* [*species*] of dog? ★ species /spíːʃiːz/ Ⓒ 《複 species》 は生物分類上の「種(しゅ)」. // *一種独特の匂い *a* peculiar *sort* of smell

一種の a「kind [sort] of … ¶ 彼はまあ*一種の (⇒ いわば) 理想主義者だ He is *a*「*kind* [*sort*] *of* (an) idealist. [語法] kind [sort] of に続く単数形の名詞には a を付けないのが普通. ただし口語では a を付けることもある. // 彼の言っていることは*一種の (⇒ ある意味では) 矛盾だ What he says is contradictory *in a sense.*

いっしゅ[2] 一首 ¶ 別れに際して彼は*一首を詠んだ He wrote *a tanka poem* on parting.

いっしゅう[1] 一周 ━[動] go [walk; run; travel]「around [round] … [語法] 《米》では around を用いることが多い. 手段・方法にかかわりなく一周する意味では go, 歩いて一周する場合には walk, 走って一周する場合には run, 旅行して一周する場合には travel を用いる; (自動車で一周する) drive around …; (船で一周する) sail around … ━[名] (ひと回り) one round. (☞ ひとまわり; まわる).

¶ 世界*一周旅行をする take [go on] a trip「*around* [*round*] *the world* / take [go on] an *around-the-world* trip // 「市内*一周のドライブをしませんか」「それはいいですね」 "How about *driving around* the city?" "That sounds great." // この池は*一周するとどのくらいですか 《距離》 How big *around* is this pond? / What is the *circumference* /səkʌ́mf(ə)rəns/ of this pond? / 《時間》 How long will it take us to *go around* this pond?

いっしゅう[2] 一蹴 ━[動] (申し出・要求などを強い調子で断る) refuse ㊀; (許可を与えない・拒否する) reject ㊀, 《略式》 tùrn dówn ㊀. (☞ ことわる (類義語)). ¶ 彼は申し出を*一蹴した He *said no* to the proposal. / He「*turned down* [*rejected*] the request. / (⇒ きっぱり断る) He flatly「*rejected* [*refused*] the proposal. / He gave a *flat refusal* to the proposal. // 我々は相手チームを*一蹴できると思う I'm sure we will win an「*easy* [*overwhelming*] *victory* over our opponents.

いっしゅう(かん) 一週(間) (for) a week ★ 副詞として用いれば for が付く. (☞ しゅう[2]).

いっしゅうき 一周忌 the first ànnivérsary of *a person's* death.

いっしゅうねん 一周年 (記念日) the first ànnivérsary (of …) (☞ -しゅうねん).

いっしゅくいっぱん 一宿一飯 ¶ *一宿一飯の恩義を受ける be offered the hospitality of *a night's lodging and a meal* // 彼には*一宿一飯の恩義がある (⇒ 過去における援助に対して礼を言わなくてはならない) I owe him (a debt of) gratitude for his kind help in the past.

いっしゅん 一瞬 (時間として感知できないような短い瞬間) ínstant Ⓒ; (短いが多少の時間がある感じ) moment Ⓒ. (☞ しゅんかん). ¶ それは*一瞬にして過ぎ去った It passed *in an instant.* / (⇒ 一瞬の間の出来事だった) It happened *in*「*an instant* [*a moment*]. // 私は*一瞬はっとした I was taken aback *for*「*an instant* [*a moment*].

いっしょ 一緒 1 《共に》 ━[副] together; (全部のものが共に) all together [語法] together は 2 人以上, all together は 3 人以上について用いる. ━[前] (…と共に) with …, along with …

¶ *一緒に行こう Let's go (*all together*). // 私と*一緒に来て下さい Please come (*along*) *with* me. // 彼と私は*一緒に住んでいる He and I live *together.* / (⇒ 1 つの部屋を共有している) He and I *share*「a [the same] room. // 私たちと*一緒にトランプをしませんか Will you play cards *with* us? / Will you *join* us「at cards [for a card game]? // 私も*一

緒にやってよいですか May I *join* you? ★ 人々が何かしているのに加えてもらうときに言う. // それとこれとを*一緒にしては困る (⇒ 混同するな) Don't ｢*mix* this *up with* that [*confuse* this *with* that]. / (⇒ 2 つのものを) You should not *mix* the two things *up*. // ご*一緒させていただいて楽しかったです I enjoyed *your company*.

2 《同時に》: at the same time; (まったく同時に) (all) at once; (口をそろえて) in unison /júːnəsn/. 《☞ いっせい¹》. ¶ 2 つのことを*一緒に行うことはできない One cannot do two things *at the same time*. // 皆が*一緒にしゃべった Everybody spoke ｢*at once* [*in unison*].

いっしょう¹ 一生 life 語法 (1) 「人生」という意味では Ⓤ, 「(個人の) 一生」という意味では Ⓒ. 《☞ 可算・不可算名詞 (巻末)》; lifetime Ⓒ 語法 (2) life が「生命」という意味が中心であるのに対し, lifetime は「一生の間」と, 時間を強調する. ¶ あなたのご恩は*一生忘れません (⇒ ご親切は決して) I ｢shall *never* forget [will always remember] your kindness. // *一生の間 (⇒ 一生涯) all *one's life* / (⇒ 生きている間) during *one's lifetime* / (⇒ 一生を通じて) throughout *one's life* / (⇒ 生きている限り) as long as *one lives* ★ 文末に置かれるのが普通. // 彼女は*一生独身で過ごした She remained single ｢*all* [*throughout*] *her life*. // 彼らはその後*一生幸福に暮らした They lived happily ｢*all the rest of their lives* [《文》 *ever after*]. / They ｢led [lived] a happy *life* after that. // そのような仕事をするには*一生かかるだろう It will take a *lifetime* to complete such a ｢work [project]. // *一生のお願いがあります (⇒ 今度だけは特に頼みごとを聞いて下さい) Will you do me a favor just *this once*? // この研究は私の*一生の仕事だ This research is my *lifework*. // *一生に一度の好機 the chance of a *lifetime* / a once-in-a-*lifetime* chance // *一生の望み *one's lifelong* desire // *一生の別れ a parting for *life* // …に*一生を捧げる devote *one's life* to …

> **コロケーション**
> **苦難の多い一生** a *life* full of hardship(s) / **孤独な一生** a lonely *life* / **幸せな[不幸な]一生** a ｢happy [miserable] *life* / **数奇な一生** a checkered *life*; a *life* full of vicissitudes / **涙と笑いの一生** a *life* of both tears and laughter / **短い[はかない]一生** a brief [an ephemeral] *life* / **波瀾万丈の一生** a turbulent *life*

いっしょう² 一笑 **一笑に付す** (ばかばかしいと言って断る・笑い飛ばす) laugh off ⊕; (根拠がないと言って笑って退ける) laugh away ⊕. ¶ 彼は私の提案を*一笑に付した He *laughed off* my suggestion. / (⇒ ばからしいものとして断った) He *turned down* my suggestion as mere nonsense. // 彼は私の恐怖を*一笑に付した He *laughed away* my fears.

いっしょう³ 一勝 ━ 動 win one game.

一勝一敗 ━ 名 one win and one loss. ━ 動 win one game and lose one.

いっしょう⁴ 一将 **一将功なりて万骨枯る** (⇒ 一人の成功は多くの犠牲者の上に築かれる) One's success is built on the sacrifice of many.

いっしょうがい 一生涯 ¶ 彼は*一生涯師の恩を忘れなかった *For the rest of his life* [*As long as he lived*] he never forgot his debt of gratitude to his teacher. 《☞ しょうがい²》

いっしょうけんめい 一生懸命 ━ 副 (熱心に) hard; (力一杯) with all *one's* ｢strength [force; might], with [by] might and main ★ 後者はやや文語的慣用句; (命がけで) for ｢*one's* [dear] life. 《☞ ちからいっぱい; ぜんりょく》. ¶ 私は*一生懸命勉強した I studied very *hard*. // もっと*一生懸命勉強しなさい Study *harder*. // 彼は*一生懸命走った He ran *for* ｢*his* [*dear*] *life*. 語法 they が主語であれば *for their lives* となる. // とにかく*一生懸命やってみます I'll ｢*do* [*try*] *my best* anyway.

いっしょく 一色 ¶ 青*一色の (⇒ 雲一つない)空 the *cloudless blue* sky // 僕たちの学校は受験*一色に染まっている (⇒ 僕たちの学校は入学試験の準備の雰囲気にすっかり包まれている) Our *school is completely enveloped in the atmosphere of* preparing for the entrance examinations.

いっしょくそくはつ 一触即発 ━ 形 (問題などがいまにも爆発しそうな) explosive; (危険な) dangerous; (危機的な) critical. ¶ *一触即発の国際情勢 an *explosive* international situation

いっしょくた 一緒くた ━ 動 (ごっちゃにする・混同する) míx úp [confuse] … (with …) 《☞ ごっちゃ; ごちゃごちゃ; こんどう》.

いっしょけんめい 一所懸命 ☞ いっしょうけんめい

いっしん¹ 一心 ¶ 彼は*一心に仕事をした (⇒ 仕事に専念した) He *devoted himself to* his work. // 彼女は*一心に神に祈った She prayed (to) God ｢*earnestly* [*fervently*; *devoutly*]. 語法 「真剣になって」の意味では earnestly, 「熱烈に」は fervently, 「宗教的に敬虔(けいけん)な気持ちで」「信仰をこめて」などの意味では devoutly を用いる. // 彼女は彼に会いたい*一心でやってきた (⇒ 彼にとても会いたいという理由だけで) She came *only because* she was *so eager* to see him.

一心同体 ¶ 夫婦は*一心同体だ Husband and wife are *one flesh*. 《☞ いったい³》

一心不乱 ━ 副 (真心をこめて) with all *one's* heart, with *one's* whole heart ★ いずれも文語的. ━ 動 (心を集中する) cóncentràte (on …; upon …) ⓐ; (専念する) devote *oneself* to … 《☞ いっしょうけんめい; ねっしん》.

いっしん² 一新 ¶ よく眠ったので気分が*一新した I had a good sleep, and I feel quite *refreshed* now. // 彼の家は改築で外観を*一新した His house has been rebuilt and *looks as good as new*.

━ 動 (新しくする) reform ⊕; remodel ⊕; improve ⊕.

いっしん³ 一身 ¶ 彼は仕事に*一身を捧げた He *devoted himself to* his work. // 彼女は男たちの人気を*一身に集めた (⇒ 非常に人気があった) She was *extremely popular* with men. / (⇒ 男たちのアイドルだった) She was the men's *idol*. // *一身上の都合で for ｢*personal* [*private*] reasons

いっしん⁴ 一審 the first trial Ⓒ 《☞ さいしん³》. ¶ 彼は*一審では無罪だった He was acquitted of the charge(s) in ｢*the* [his] *first trial*.

いっしんいったい 一進一退 ¶ 彼女の病状は*一進一退です (⇒ 不安定な状態にある) Her condition ｢*is* [*hangs*] *in the balance*.

いっしんきょう 一神教 monotheism /máːnəθìːɪzm/ Ⓤ; (一神を崇める宗教) mònotheístic relígion Ⓒ.

いっしんとう 一親等 the first degree of ｢relationship [kinship] Ⓤ 《☞ しんとう³》.

いっすい 一睡 ¶ 昨夜は*一睡もできなかった I *couldn't sleep at all* last night. // その夜は*一睡もしなかった (⇒ 眠れない夜を過ごした) I had a *sleepless* night.

いっすいのゆめ 一炊の夢 the vanity of worldly wealth 《☞ かんたん⁴》.

いっする 逸する (失う) lose /lúːz/ ⊕ 《過去・過分 lost》; (つかまえそこなう) miss ⊕; (そのまま見逃す) let … go. 《☞ のがす; にがす; こうき³》.

いっすん　一寸　¶猛吹雪で*一寸先も見えなかった I couldn't see *an inch* ahead of me because of the heavy snow.

一寸先は闇 It is pitch-black even an inch in front of one's nose. / (⇒明日何が起こるか誰にもわからない) Nobody knows what may happen tomorrow.

一寸の光陰軽んずべからず (⇒光陰矢の如く, 一瞬も無駄にしてはならない) Time flies, so don't waste even a moment. / (⇒貴重な時間を最大限に利用すべきだ) We must try to make the best use of our precious time.

一寸の虫にも五分の魂 Even a worm will turn. 《ことわざ: みみずのような弱いものでも意地があって急に向かってくることがあるものだ》

いっすんぼうし　一寸法師　(小人) dwarf /dwɔ́ːəf/ Ⓒ; (親指トム) Tóm Thúmb Ⓒ ★イギリス童話の小人の主人公.

いっせい¹　一斉　— [副] (同時に) at the same time, at once, simultaneously /sàɪməltéɪniəsli/ ★以上3つはほぼ同意だが, simultaneously は格式ばった表現に用いる; (一緒に・そろって) all together; (口をそろえて) in chorus, in unison /júːnəsn/, with one voice. 《☞どうじ¹; いっしょ》. ¶少女たちが*いっせいに「先生, おはようございます」と言った The girls said 「*in unison* [*in chorus*; *with one voice*], "Good morning, sir." // 皆*いっせいにどっと笑った Everybody *burst into roars of laughter*.

一斉検挙 — [名] róundùp Ⓒ. — [動] róund úp (他). 《☞けんきょ²》　**一斉射撃** — [名] volley Ⓒ. — [動] volley (他)(自), fire a volley.

いっせい²　一世　**1** 《同じ名の王などで最初の人》 ★ローマ数字 I を名前の後に付け the first と読む. 《☞数字 (囲み)》. ¶エリザベス*一世 Elizabeth I **2** 《日系米人で, 最初に移民した世代の人》: issei Ⓒ ★大文字で始めることもある; first-generation Japanese-American Ⓒ. 《☞にせい》.

いっせい³　一世　**一世を風靡(ふうび)する** ¶その思想は*一世を風靡した (⇒それがその時代の主な考え方だった) That was the 「*ruling* [*dominant*] idea of *the* 「*day* [*age*; *time*]. / The idea *took hold of the world in those days*. 《☞じだい¹》

いっせい⁴　一声　¶汽笛*一声 (⇒汽笛を鳴らして) with (*the blowing* of) a whistle

いっせいいちげん　一世一元　one-emperor, one-era system Ⓒ.

いっせいちだい　一世一代　¶それは彼の*一世一代の (⇒一生に一度の) 賭けだった It was his *once-in-a-lifetime* gamble. // それは彼の*一世一代の仕事だった (⇒彼はその仕事に一生を捧げた) He *devoted* 「*all his life* [*his whole life*] to the work.

いっせいとりしまり　一斉取り締まり　general crackdown (on traffic violation) Ⓒ 《☞とりしまり》.

いっせき¹　一席　¶仕事がうまくいったら*一席設けよう (⇒祝宴を開こう) If our job is successful, we'll *have a celebration party*. // 新会長のために (⇒に敬意を表して) *一席設けてはどうか How about *giving a party* in honor of our new president.

いっせき²　一石　a [one] stone.

一石を投じる (評判になる・騒ぎを起こす) create [cause] a sensation.

一石二鳥 ☞見出し

いっせきにちょう　一石二鳥　— [動] kill two birds with one stone 《ことわざ: 一つの石で二羽の鳥を殺す》.

いっせつ¹　一説　¶*一説によると *Some* say [*One story* is] that … / According to *another* 「*report* [*authority*], … ★前2つの表現がより口語的. 後者はやや改まった表現.

いっせつ²　一節　(文章や曲の一節, 引用部分) passage Ⓒ; (文章の段落) paragraph Ⓒ; (詩の) stanza Ⓒ.

いっせん¹　一線　**一線を画す** draw a line. ¶A と B との間に*一線を画すのは難しい It is hard to *draw* 「*a* (*dividing*) *line* [*a line of demarcation*] between A and B.

いっせん²　一戦　¶*一戦を交える (⇒戦争をする) fight [engage in] *a battle* (with …) ★[　] 内のほうが格式ばった言いかた; (⇒勝負をする) have *a* 「*game* [*bout*] (with …) ★ bout はボクシングやレスリングの勝負.

いっせんいちやものがたり　一千一夜物語　☞せんいちやものがたり

いっそ　¶*いっそ行かないほうがよい (⇒あなたは行くな) You *had better* not go. // *いっそ死んでしまいたい (⇒死ねればよいのだが) *I wish* I were dead. // 彼にその金をやるくらいなら*いっそ捨てたほうがましだ You *might as well* throw away the money *as* give it to him. 《☞むしろ¹》

いっそう¹　一層　¶スミスさんはブラウンさんよりなお*いっそう年寄りだ Mr. Smith is 「*still* [*even*] older than Mr. Brown. [語法] Mr. Brown is *old*, but Mr. Smith is 「*still* [*even*] *older*. と内容的には同じ. もし最初の文から still [even] を除くと, 「スミスさんがブラウンさんより年上だ」というだけで, 「スミスさんが年寄りだ」ということにはならない. 《☞さらに》 // 何も食べものがなかったので*いっそう空腹を感じた Since there was nothing to eat, I felt *all the more* hungry. // 彼女は*いっそう (⇒いままでになく) 美しく見えた She looked *more* beautiful *than ever*. 《☞いちだんと》 // 事態は前より*いっそう深刻になった Things have got(ten) *even* worse. // 彼は*いっそうの努力を約束した He promised me that he would make *greater* efforts.

【参考語】 — [副] (なおさらに) still, even; (はるかに・ずっと) much, far ★以上4語はいずれも比較級を強める; (その分だけますます) all the more; (…に加えて) in addition to … — [前] beyond …; over …

いっそう²　一掃　— [動] sweep (away) (他) 《過去・過分 swept》; clear (「away [out]) (他); wipe out (他); (拭い去る) mop up (他); drive 「away [out] (他) 《過去 drove; 過分 driven》.

【類義語】 ほうきで掃くように一掃するのは **sweep (away)**. 邪魔なものを一掃してきれいにすることを強調する表現が **clear** (「**away** [**out**]). 雑巾などで拭きとるように一掃するのが **wipe out**, **mop up**. 力で追い出すのが **drive** 「**away** [**out**]. 以上の相違は一掃する方法についての比喩的なニュアンスの違いが主である.

¶彼らは敵を*一掃した They 「*wiped out* [*swept away*; *mopped up*; *cleared away*; *drove away*] the enemy. // 不正を*一掃しなくてはならない We must *wipe out* injustice. // すべての偏見を*一掃できるか Can we *clear away* all prejudice? // 彼は走者*一掃の2塁打を打った He hit a double to *clear* the bases.

いっそくとび　一足飛び　— [副] (一躍して) at 「a [one] bound, at a 「jump [leap], in one leap, with 「a [one] bound ★以上はほぼ同意で入れ替えて用いることができる. bound, jump, leap の相違については ☞はねる¹ (類義語). ¶彼女は*一足飛びにスターになった She sprang to stardom 「*with one bound* [*in one leap*].

いつぞや　何時ぞや　— [副] (以前) before; (先日) the other day; (少し前) some time back. — [形] (最近の) recent. ¶*いつぞやお目にかかりましたね I believe we've met *before*, haven't we? // *いつぞやお貸ししたお金はいつお返しいただけますか When do you think you'll return the money I lent you ˹the other day [some days ago].

いったい[1] **一体** 《いったい全体》 ── 副 on earth, in the world, ever 語法 一般的には疑問詞の後に強調語句として付ける.
¶ *一体どうしたのかね What ˹on earth [in the world] has happened? // *一体僕にどうしろと言うんだ What in the world are you trying to tell me to do?

いったい[2] **一体** 《全般的に見て》 ── 副 on the whole, as a whole ★ 後者は形容詞的にも用いられる; (概して) generally, in general. 《☞ いっぱんに》.

いったい[3] **一体** 《一つ・一団》 ── 名 (一つ) one; (一団) one [a] body ★ 特に「一」の意味を強調する場合は one を用いる. ¶ 彼らは*一体となって行動した They acted in ˹one [a] body. // 小さなグループが結合されて*一体となった Small groups were united into one. // A と B が渾然*一体となっている A and B ˹form [constitute] a harmonious whole. **一体化** ── 動 (一つのものにする) unify ㊀; (結合する・合体する) unite ... (with ...); (部分を全体に統一する) integrate ㊀. ── 名 (統一) unification Ⓤ; (統合) integration Ⓤ. ── 形 unified; (統合した) integrated **一体型** (すべてが一体に組み込まれた) all-in-one; (いくつかのものが組み込まれた) integrated **一体感** sense of unity Ⓒ.

いったい[4] **一帯** ¶ 関東*一帯に大雪が降った There was a heavy snowfall all over the Kanto region. // このあたり*一帯には病院がない There is no hospital in the entire district.
【参考語】 ── 前 throughout ...; all over ...; around ... ── 副 (近所に) in the ˹neighborhood [vicinity]. ── 名 (あたり全部) the whole ˹place [neighborhood; area; district; region].

いったい[5] **一隊** ☞ たい[4]

いったいぜんたい **一体全体** ☞ いったい[1]

いつだつ **逸脱** ── 動 (正しい進路からはずれる) 《格式》 deviate (from ...) ㊀. ── 名 《格式》 deviation Ⓤ. 《☞ それる》. ¶ それは規則から*逸脱している It deviates from the rules. // この文は文法から*逸脱している This sentence deviates from correct grammar. / (⇒ 文法的に間違っている文だ) This is an ungrammatical sentence. // 彼の行為は常識を*逸脱した (⇒ 反した) 行為である His conduct goes against common sense.

いったん[1] **一旦** ── 接 副 once 《☞ いちど》.
¶ 彼は*いったん決心したら必ずやりとげる Once he makes up his mind, he will always follow through (on his decision).
一旦緩急あれば (非常の場合には) in ˹an [case of] emergency; (国家の危機の際には) in a national crisis.

いったん[2] **一端** **1** 《一方の端》: one end ★ 片方の端は one end, 残りの端を the other end と言う. 《☞ いっぽう[1]》. ¶ ひもの*一端 one end of a string **2** 《一部分》: part Ⓒ; (一部についての知識) some idea Ⓤ. 《☞ いちぶ[1]》. ¶ 私も責任の*一端を担っている I take partial responsibility for it.

いっち **一致** ── 動 agree (with ...) ㊀ ★ 最も一般的な語; accord (with ...) ㊀; coincide /kòuɪnsáɪd/ (with ...) ㊀; confórm (to ...) ㊀; còrrespónd (with ...; to ...) ㊀; concúr (with ...) ㊀; harmonize (with ...) ㊀. 語法 なお「一致している」という意味の動詞句として be in ˹agreement [harmony; accord; line] with ...もある. ── 形 congruous /káŋgruəs/; corresponding; conformable; (意見が満場一致である) unanimous /juːnǽnəməs/. ── 名 agreement Ⓤ; accord Ⓤ; coincidence /kouínsədns/ Ⓤ; conformity Ⓤ; congruity Ⓤ; congruence /kəŋgrúːəns/ Ⓤ; harmony Ⓤ; correspondence Ⓤ; (意見の一致) consensus Ⓒ; concurrence /kənkə́ːrəns/ Ⓤ; (満場一致) unanimity /jùːnənímәti/ Ⓤ.
【類義語】 意見や事柄などが何の食い違いもなく一致するという意味で最も一般的な語は agree. 本質・精神などで一致するのは accord. 形状・性質が一致するのは conform. 意見・興味・判断などが完全に一致すること, およびしばしば出来事が時間的に一致することを coincide という. 2 つのものについて, 互いにその主要な特徴が類似・匹敵し合ったりするのは correspond. 2 つのものが互いに調和・協調し合ったりするのは concur. 互いに相違点があるにもかかわらずうまく調和するのを harmonize という. 2 つのものが本質においても道理においてもぴたりと適合し合う状態は congruous 形 という. 意見などが満場の一致を見るような状態を unanimous 形 という. 《☞ あう[2]》
¶ 彼と私は意見がまったく*一致している He agrees entirely with me. / (⇒ 彼と私は同じ考えだ) He and I are ˹of the same opinion [(⇒ 心が一つだ) of one mind]. / (⇒ 彼の意見は私のとまったく一致する) His opinion is in perfect accord with mine. / His views perfectly coincide with mine. // 彼らは意見の*一致を見るには至らなかった They failed to ˹reach [arrive at] (an) agreement. // 我々は言行を*一致させるべきだ (⇒ 我々の行いは言葉と一致すべきだ) Our ˹actions [deeds; conduct] should correspond ˹with [to] our words. / (⇒ 自ら説くことを実行せねばならない) We must practice what we preach. ★ 後者のほうが普通. // あなたの考えは私たちの計画にうまく*一致する Your idea fits in well with our plan. // 君と僕は趣味が*一致する (⇒ 共通の多くの趣味・趣向がある) You and I have many tastes in common. // 会社の経営者側の*一致した決定 the unanimous decision of (the company) management // 会社の経営者側の*一致した意見 the consensus (of opinion) of (the company) management // 私たちは*一致協力して事に当たった (⇒ 問題解決に力を合わせて努力をした) We made a united effort to take action to solve the problem. // 彼は満場*一致で議長に選ばれた He was elected chairman by (a) unanimous vote. // 我々は共通の目的に向かって*一致協力しなくてはならない We must cooperate /kouápərèɪt/ in our efforts toward a common end.
一致団結 (団結) union Ⓤ; (結束) solidarity Ⓤ; (一団) unified group Ⓒ. ¶ 我々は*一致団結して (⇒ 一団となって) 事に当たった We dealt with the affair as a unified group. / (⇒ 団結した) We united (together) to deal with the affair.

いっちはんかい **一知半解** (うわっつらの理解) superficial understanding Ⓤ. ¶ *一知半解の知識 superficial knowledge

いっちゃく **一着** the first (to come); (首位走者) leader Ⓒ. 《☞ いっとう[1]》.

いっちゅうや **一昼夜** ¶ 彼らは*一昼夜ぶっ通しで働いている They are working ˹around [《英》 round] the clock. // *一昼夜熱が高くて苦しみました I suffered from a high fever ˹the whole [all] day and night.

いっちょう[1] **一朝** ¶ *一朝にして in a day / in a very short time

いっちょう[2] **一丁** **1** 《助数詞》: 《☞ ちょう[7]》 ¶ 豆腐*一丁 a block of tofu // ライフル*一丁 a rifle // はさみ*一丁 a pair of scissors **2** 《勝負事》: a game. ¶ *一丁いくか Shall we play a game? // よし, *一丁もんでやるか All right, then, I'll put you through your paces. ★ put a person through ˹his [her] paces で「人の力量を試す」の意.

一丁上がり ¶ガーリックトースト*一丁上がり (⇒焼けた) A piece of garlic toast is *done*.

いっちょういっせき 一朝一夕 ¶それは*一朝一夕でできることではない (⇒一日 [短い時間] ではできない) That cannot be done *in a* ⌈(*single*) *day* [*short time*]. // 大事業は*一朝一夕ではできない Rome was not built *in a day*.《ことわざ: ローマは一日でできたのではない; ローマは一日にして成らず》// 英語は*一朝一夕には (⇒一晩では) 習得できない You cannot ⌈master [learn] English *overnight*.

いっちょういったん 一長一短 ¶彼らのどの案も*一長一短だ (⇒よい所も悪い所もある) Every one of their plans *has both* ⌈*merits and demerits* [*good and bad aspects*; *pros and cons*].《☞ こうざい¹ 語法》

いっちょうまえ 一丁前 ☞ いちにんまえ

いっちょうら 一張羅 the only good ⌈clothes [suit; dress] *one* has 語法 一般的に衣服の意では clothes だが, 男女とも上下そろいの衣服の場合は suit, 女性の外出着の場合は dress; (外出着) *one's* Sunday best ★口語的.《☞ はれぎ》.

いっちょくせん 一直線 straight line Ⓒ《☞ ちょくせん¹; まっすぐ》. ¶我々は目標をめざして*一直線に進んだ We *went straight on* toward the goal.

いつつ 五つ ―名 five. ―形 (5つの) five; (5つ目の) the fifth.《☞ 数字 (囲み)》. **五つ子** (五つ子全員) quintuplets /kwɪntʌ́plɪts/; (五つ子の1人) quintuplet Ⓒ, one of a set of quintuplets.

いっつい 一対 a pair《☞ くみ; つい²; 数の数え方 (囲み)》. ¶*一対の茶わん *a pair* of cups

いつづけ 居続け ―動 stay (on) ⓐ.

いって 一手 **1**《独占》¶彼はこの町で自転車を*一手に販売している He is *the only* bicycle *dealer* in this town. // すべての問題は私が*一手に引き受ける I'll *handle* all the problems (*by*) *myself*. // 責任を*一手に引き受けた I took the ⌈whole [entire] responsibility ⌈*on* [*upon*] *myself*.
2《方法・手段》: way Ⓒ; (チェス・将棋などの, あるいは一般的な) move Ⓒ.《☞ て》. ¶今はこの*一手しかない This is the best *move* I can make now.

いってい 一定 ―形 (定まった) fixed; (基準に合致した・正常な・時間的に規則的な) regular; (一様の) uniform; (いつも同じで変わらない) constant. ―動 (明確に定める) fix ⓗ; (場所・時間・値段などを定める) set ⓗ; (規格化する) standardize ⓗ.《☞ きまる》. ¶*一定の収入 (⇒固定した) a *fixed* income / (⇒額の変動のない) a *regular* income // *一定の割合で at a *fixed* rate // *一定の間隔で at *regular* intervals // 部屋を*一定の温度に保つ keep the temperature of the room *constant* // *一定の期間 for a *given* period / (⇒指定された期間) for a *specified* period of time

いってき 一滴 ¶彼は酒は*一滴も飲まない (⇒全然飲まない) He does*n't* drink *at all*. // ガソリンはもう*一滴もない There's not a *drop* of gas left. // *一滴ずつ *drop* by *drop*

いってきます 行ってきます Good-by(e), Bye-bye 日英比較 英語では特に決まった表現のパターンはない. 「ただいま」についても同じ.《☞ いってらっしゃい》.

いってくる 行ってくる go (to ...); (...に向かって出発する) leave (for ...); (訪問する) visit ⓗ; (...に出席する) attend ⓗ.

いってすき 一手透き (将棋の) the move before mating *one's* opponent's king.

いってつ 一徹 ―形 (生まれつき頑固な) stúbborn; (あくまで自説を押し通す) óbstinate.《☞ がんこ》. ¶老いの*一徹 the *obstinacy* of old age // あの人の行動には*一徹なところがある Some of his behavior is very *obstinate*.

いつでも 何時でも ―副 (常に) always; (ずっと切れ目なく) all the time; (どんな時でも) at any time. ―接 (...する時はいつでも) whenever ..., no matter when ...《☞ いつも》. ¶彼は*いつでも本を読んでいる He is *always* reading (books). / He is reading (books) *all the time*. //「いつ伺ったらよいでしょうか」「*いつでもいいですよ」"When shall I ⌈call on [visit] you?" "(*At*) *any time* (you like)." // 私が訪ねる時には彼は*いつでも留守だ *Whenever* [*No matter when*] I call on him, he's out.

いってらっしゃい (またね) (I'll) see you!; (楽しんでいらっしゃい) Have a ⌈good [nice] ⌈day [time]!; (幸福を) Good luck! ★旅行に行ったり試験を受けに行く時のように多少の困難を伴なう場合にいう《☞ こううん¹; がんばる》; (気を付けてね) Take care!. 日英比較 英語には日本語に相当する決まった表現はない. Good-by(e)! と言って出かける人に同じように Good-by(e) や See you!, パーティーに行く人に Have a good time! などその場に応じた言い方をする.《☞ いってきます; おかえりなさい》.

いってる (おかしい) crazy; (普通でない) abnormal. ¶彼の目は*イッテル (⇒感情を表していない) His eyes *show no emotion*. / (⇒彼の表情は) His (facial) expression *looks* ⌈*crazy* [*abnormal*].

イッテルビウム 〘化〙 ytterbium /ɪtə́ːbiəm/ Ⓤ《元素記号 Yb》.

いってん¹ 一転 (回転) turn Ⓒ; (事態などの大変化) complete change Ⓒ; (急変) sudden change Ⓒ.《☞ いっぺん²; かいてん¹; しんきいってん》. ¶事態は*一転した (⇒予想外の進展をした) The affair *developed quite unexpectedly*. // 景気は*一転して上向いた The economy took a *sharp* ⌈*turn* upward [upward *turn*].

いってん² 一天 ¶*一天にわかにかき曇り, ものすごい雷雨となった *It* quickly got overcast [*The sky* suddenly became overcast], and we had a violent thunderstorm.

いってん³ 一点 **1**《一つの点》: (小さな印) dot Ⓒ; (考える点・特徴ある点) point Ⓒ; (斑点) speck Ⓒ.
2《品物の一つ》: (家具) piece Ⓒ; (項目・品目) item Ⓒ.《☞ てん¹》. ¶家具*一点 *a* [*one*] *piece* of furniture // 衣類*一点 *an* [*one*] *item* of clothing

いってんばり 一点張り ¶彼はその件について何を聞いても知らぬ存ぜぬの*一点張りだった (⇒関係がないと繰り返した) I fired questions at him, but he ⌈*repeated that* he (had) had nothing to do with the affair [(⇒頑固に関係を否定した) *persistently* denied any connection with the affair]. ★[ ] 内のほうが改まった言い方. // うちの父は頑固*一点張りだ My father is obstinacy *itself*.

いっと 一途 ¶悪化の*一途をたどる *keep* [*go*] *on* worsening / be *steadily* getting worse

いっとう¹ 一等 ―名 (乗り物などの) (the) first class; (競走・競技などの1等賞) (the) first prize; (1位) (the) first place. ―形 (一番の) the first; (一番よい) first-class, first-rate; (品質が) Grade A.《☞ にとう; いちばん》. ¶彼はスピーチコンテストで*1等 (賞) を取った He ⌈got [won] (*the*) *first prize* in the ⌈speech [public-speaking; oratory] contest. 語法 この表現では first prize に the を付けないことが多い. / He was (*the*) *first-prize* winner in the ⌈speech [public-speaking; oratory] contest.
一等航海士 first officer Ⓒ **一等親** (両親の1人) *one's* parent; (子供) *one's* child; (息子) *one's* son; (娘) *one's* daughter; (直接のつながりのある家族) immediate family ★複数扱い.《☞ 親族関係 (囲み)》 **一等星** 〘天〙 star of the first magni-

tude, first-magnitude star Ⓒ **一等船室** first class cabin Ⓒ **一等地** (高級住宅地) upscale residential area Ⓒ; (最上の商業地) the best business district **一等兵** (米陸軍) private first class Ⓒ; (米海軍) seaman apprentice Ⓒ; (米空軍) airman Ⓒ; (米海兵隊) private first class Ⓒ ★ これらに相当する英陸軍, 英海軍, 英空軍, 英海兵隊の階級名は lance corporal, ordinary seaman, aircraftman, lance corporal. 語法 階級は Private First Class Jones のように肩書きとして使うときのみ頭文字を大文字とする.

いっとう² 一党 ¶*一党独裁 *one-party* rule

いっとう³ 一刀 (刀の一回の斬りつけ・一太刀) a blow of the sword. ¶*一刀のもとに敵を斬り捨てる kill *one's* adversary ⌈at [with] *one blow of the sword* / cut down *one's* adversary ⌈at [with] *a single blow of the sword* **一刀彫り** (一本の小刀で彫ること) carving with a single knife; (一本の小刀で彫ったもの) sculpture carved with a single knife Ⓒ **一刀流** (一刀で戦う技; 説明的に) *kenjutsu* [Japanese fencing] techniques with a ⌈single [two-handed] sword ★ 複数形で; (流派の名) single-sword school Ⓒ. ¶北辰*一刀流 the *single-sword school* of Hokushin

いっとう⁴ 一頭 ¶ライオン*一頭 *a* [*one*] lion《☞-とう²; 数の数え方 (囲み)》

いっとう⁵ 一灯 ☞ひんじゃ (貧者の一灯)

いっとうちをぬく 一頭地を抜く (傑出している) be outstanding; (異彩を放つ) cut a ⌈brilliant [conspicuous] figure.

いっとうりょうだん 一刀両断 ―動 (刀の一振りで二つに切る) cut ... in two with a stroke of ⌈*one's* [a; the] sword; (即座に必要な処置をする) lose no time (in) taking necessary measures (against ...).

いっとき 一時 ☞いちじ¹

いつとはなく 何時とはなく (知らぬ間に) before *one* knows it; (徐々に) gradually; (少しずつ) little by little.《☞いつのまにか; じょじょに》.

イットリウム 〖化〗 yttrium /ítriəm/ Ⓤ《元素記号 Y》.

いつなんどき いつ何時 (at) any moment. ¶*いつ何時戦争が起こるかわからない War may break out (*at*) *any moment.* // *いつ何時災害が起こってもよいように準備をしておかなくてはならない (⇒常に準備をしておかなくてはならない) We must *always be prepared for* a disaster.

いつに 一に (ひとえに) solely; (完全に・全く) wholly, entirely. ¶成功は*一にあなたの努力にかかっている Success ⌈*solely* [*wholly*; *entirely*] depends ⌈on [upon] your efforts.

いつにない 何時にない ―形 unusual. ―副 (いつになく) unusually.

いつのまにか 何時の間にか (知らないうちに) before *one* knows it, while *one* is unaware ⌈of it [that ...]. ¶*いつのまにか彼はいなくなっていた (⇒彼がいなくなったのに気がつかなかった) We *were unaware that* he had gone. / He was gone *before we knew it*.

いっぱ¹ 一派 (党派) party Ⓒ; (集団) group Ⓒ; (派閥) faction Ⓒ; (宗派) sect Ⓒ; (大きめの宗派) denomination Ⓒ.《☞は³; とうは¹; はばつ》. ¶メソジスト派はプロテスタントの*一派である The Methodists are a Protestant *denomination*.

いっぱ² 一波 ¶津波の第*一波 the first *wave* of a tsunami // 地震の第*一波 the first *shake* of an earthquake // 波状攻撃の第*一波 the *first* of a series of attacks

いっぱい¹ 一杯 **1** 《分量》: (茶わん一杯) cup (of ...) Ⓒ; (コップ一杯) glass (of ...) Ⓒ; (茶わん一杯の分量) cupful Ⓒ; (コップ一杯の分量) glassful Ⓒ; (さじ一杯の分量) spoonful Ⓒ; (かご一杯の分量) basketful Ⓒ. 語法 cup, glass などを用いて a *cup* of tea (茶わん一杯のお茶) というときは, 漠然と量をはかる感じであるのに対し, two *teaspoonfuls* of sugar (茶さじ二杯分の砂糖) のように, -ful を用いた場合には正確に分量をはかる感じが強い.《☞-はい¹》. ¶「コーヒーを*一杯いかがですか」「いただきます」 "How about (having) a *cup of* coffee?" "That sounds nice." / "Would you like a *cup of* coffee?" "Yes, please." //「ミルク [ビール] を*一杯下さい」「はい」 "Please give me [I'd like] a *glass of* ⌈milk [beer]." "Certainly [Sure(ly)]." 日英比較 英米ではミルクは冷たいまま飲むのが普通なので, a glass of milk と言うのが普通. // かご*一杯分のいちご a *basketful* of strawberries

2 《多数・多量; 物・人が満ちあふれていること》 ―動 (人や物で) be full of ..., be filled with ... ★ 前者のほうが平易な表現; (人で混雑して) be crowded with ...; (ぎっしりと詰め込まれて) be packed with ... ―形 (たくさんの) a lot of ... ¶かごにはりんごが*いっぱい入っている The basket *is full of* apples. // 駅は人が*いっぱいだった The station *was* ⌈*crowded with* [*full of*] people. // 私はバケツに*いっぱい水を入れた (⇒バケツを水でいっぱいにした) I *filled* the ⌈bucket [pail] *with* water. // パーティーには知らない人が*いっぱいいた There were *a lot of* strangers at the party. // 彼女は胸が*いっぱいだった Her heart was *full*.

3 《酒類を飲むこと》 ―名 drink Ⓒ. ―動 drink ㊀ ㊁. ¶「*一杯やりませんか」「いいね」 "How about (having) a *drink*?" "O.K." // ビールを*一杯飲みながら話しましょう Let's (have a) talk *over a glass of* beer. 語法 over は「(飲食を) しながら」という意.

一杯機嫌 ¶彼は*一杯機嫌で出かけていった (⇒少し酔っ払って) He went out a little *tipsy*.

いっぱいくう be taken in, be fooled, fall for *a person's* trick.《☞一杯食わす》.

一杯食わす (だます) deceive ㊀, cheat ㊀ ★ 一般的には以上 2 語を用いる; have ㊀, take *a person* in, put one over on *a person* ★ この 3 つは口語的; (人をからかうために悪ふざけする) play a trick (on ...) 語法 deceive, cheat はふざけてだますニュアンスはないが, 後の 4 つはいわゆる「かつぐ」という意味に使われることが多い.《☞かつぐ》.

¶我々は*一杯食わされたのだ We've been ⌈*had* [*taken*]. // 彼に*一杯食わされた (⇒私は彼にだまされた) I *was taken in* by him. / He *played a trick on* me. // *一杯食わされた It was all a *hoax*. ★ hoax は人をかつぐ悪ふざけ.

いっぱい² 一敗 a [one] ⌈defeat [loss]. ¶時津山は 10 日目に初の*1 敗を喫した Tokitsuyama suffered his first ⌈*defeat* [*loss*] on the tenth day. // 3 勝*1 敗 three wins and *one* ⌈*defeat* [*loss*]

一敗地にまみれる (大敗する) suffer [meet with] (a) crushing defeat; (完敗する) be completely defeated.

-いっぱい ―前 (...まで) till ..., until ...; (...の間ずっと) throughout ...《☞-まで; -までに(は)》.

¶当地に今週*いっぱい (⇒今週の終わりまで) います I will stay here ⌈*until the end of* [(⇒今週中) *throughout*; *all*] ⌈this [the] week. // 今月*いっぱいにはでき上がるでしょう It will be ⌈finished [completed] *by the end of* ⌈this [the] month.

いっぱいいっぱい 一杯一杯 ―動 (これ以上前進[後退]できない) cannot move ⌈forward(s) [backward(s)] anymore. ―名 (限界) the very limit (of …). (☞ ぎりぎり; げんかい¹).

いっぱく¹ 一泊 ── 名 overnight stay Ⓒ; (ホテルなどでの) night Ⓒ. ── 動 stay overnight; (一晩だけ泊まる) stay for a night 語法 決まった日をいうときには the night. それぞれ場所を示す表現とともに用いる. (☞ -はく).
¶ 私はパリに*一泊した I *stayed overnight* in Paris. / I had an *overnight stay* in Paris. // *1 泊旅行に行く make [take] an *overnight* trip (to …) // 今夜ここで*一泊したいのですが (ホテルなどで) I'd like to *stay* here ⌐*for the night* [*tonight*]. // 「宿泊料はいくらですか」「ツインベッドルームで*一泊 1 万 5 千円でございます」"What's the rate?" "Fifteen thousand yen ⌐*per* [*a*] *night* for a ⌐twin [twin room; room with twin beds]."

いっぱく² 一拍 〘楽〙a [one] beat (☞ はく³).

いっぱし 一端 ── 形 (有能な) able, capable, cómpetent. (☞ ひとなみ¹; ひとかど; いちにんまえ).
¶ 彼も*いっぱしの職人だ He is a *competent* ⌐artisan [craftsman]. / He is *something of* a craftsman.

いっぱつ 一発 ¶ *一発撃つ fire *a shot* // 獲物を*一発で仕留める kill an animal with ⌐*a single shot* [*one's first shot*] // *一発食らわす give a person *a blow*

いっぱん¹ 一般 ── 名 (一般の人々) the public. ── 形 (一般的な, 全(般)的な・総合的な) general; (よくある・普通の) common; (普遍的な) universal.
¶ 講演は*一般に公開される The lecture is open to *the public*. // *一般向きの for *general* use
一般意味論 〘言〙general semantics ★ 複数形で単数扱い. **一般化** ── 名 generalization Ⓤ. ── 動 generalize 自, 他 **一般会計** the general account **一般概念** general concept, generalization Ⓒ **一般教書演説** (米国大統領の) the State of the Union ⌐address [message] **一般教養** general education Ⓤ **一般教養(科目)** 《米》 the liberal arts ★ the をつけて. **一般言語学** general linguistics ★ 複数形で単数扱い. **一般項** 〘数〙general term Ⓒ **一般質問** (国会の) géneral interpellation /ìntəpəléɪʃən/ Ⓒ **一般消費税** general consumption tax, (売上税) sales tax Ⓒ **一般職** regular civil service Ⓤ **一般庶民, 一般人** the general public ★ 集合的. **一般担保** general security interest Ⓒ **一般論** (一般原則) generalities ★ 複数形で; (一般化) generalization Ⓒ.

いっぱん² 一半 ¶ その責任の*一半 (⇒ 一部分) は当方にあります I am *partially* responsible for it.

いっぱん³ 一斑 (一部) part Ⓒ; (特に部分に区分けした一部) portion Ⓒ.
一斑を見て全豹(ぜんぴょう)をト(ぼく)す (⇒ 部分から全体を判断する) make a judgment about the whole by looking at a part / (⇒ ある人をその行為の一部から判断[評価]する) judge [evaluate] a person by observing part of his/her conduct.

いっぱんに 一般に ── 副 generally, in general, generally speaking 語法 以上 3 つはほぼ同意だが, generally は文頭または文中に, in general, generally speaking は普通文頭に置かれる. また in general は名詞の後に置いて形容詞的にも用いられる. ¶ *一般に子供たちは新しい環境への順応が速い (⇒ 速く順応する) *Generally* (*speaking*) [*In general*], children quickly adapt themselves to new circumstances. // この習慣はこのあたりでは広く*一般に行われている This custom is quite ⌐*popular* [*prevalent*; *common*] around here.

いっぴ 一臂 ¶ 及ばずながら*一臂の労をとりましょう (⇒ できるだけの助力をいたします) I will give you *as much assistance as* I *can*. (☞ えんじょ)

いっぴき 一匹 ¶ そこにはねずみ*一匹いなかった (⇒ 生物のいる気配がない) There was *no sign of life* there. // 彼女は虫*一匹殺さないような顔をしている (⇒ 天使のようだ) She looks *like an angel*. // 男*一匹当たって砕けろだ (⇒ 男としてやってみるしかない) *As a man* I'll take a chance.

いっぴきおおかみ 一匹狼 lone wolf Ⓒ.

いっぴつ¹ 一筆 ¶ 私は彼に*一筆したためた (⇒ 手紙を書いた) I *wrote* (*to*) him. / I *wrote a letter to* him. / I *wrote* him *a letter*. / I *dropped* him *a line*. (☞ てがみ) // *一筆の土地 *a lot* [《英》 *an area*] of land // A と B で*一筆の地所を成す A and B ⌐make up [constitute] *one* ⌐*lot* [*area*] of land.
一筆啓上 (手紙の始めで) I am writing this letter to tell you about …. 日英比較 この表現は日本語の「一筆啓上」のように定形化したものではない. 英語にはこの日本語に当たる慣用的表現はない.

いっぴつ² 溢泌 ── 動 (樹液を出す) bleed 自. ── 名 bleeding Ⓤ.

いっぴょう 一票 ¶ …に*一票を投ずる *vote* [*cast a vote*] for … // *一票の重み the weight of *one vote* // 清き*一票 an honest *vote* // *一票の価値をめぐる訴訟 *a vote*-value suit. (☞ ひょう²)

いっぴん 逸品 (品質のすぐれた品) excellent ⌐article [item] Ⓒ; (珍品) rare item Ⓒ, rarity Ⓒ; (傑作) másterpiece Ⓒ; jewel in the crown Ⓒ.

いっぴんりょうり 一品料理 dishes à la carte /æ̀ləkáːət/.

いっぷ 一夫 (一人の男) one man; (一人の夫) one husband; (一人の武人) one soldier.
一夫関に当たれば万夫も開くなし ── 形 (要塞などが難攻不落の) impregnable; (山道などが非常に険しい) precipitous, very steep ★ 前者のほうが格式ばった語.

いっぷいっぷせい 一夫一婦制 monogamy /mənɑ́gəmi/ Ⓤ (☞ いっぷたさいせい). **一夫一婦(制)主義者** monógamist Ⓒ.

いっぷう 一風 **一風変わった** ── 形 (奇妙な) strange; (一種独特の) pecúliar; (風変わりな) eccéntric, odd; (独特な) unique. (☞ へん¹ (類義語); かわった). ¶ 彼は*一風変わった男だ He is ⌐a *peculiar* [a *strange*; an *eccentric*] person in a way. // 彼の考え方は*一風変わっている His way of thinking is *very peculiar*. / His ideas are *unique*.

いっぷく¹ 一服 (薬の) dose /dóʊs/ Ⓒ; (たばこの) smoke Ⓒ; (休憩) rest Ⓒ; (短い休憩) break Ⓒ. (☞ きゅうけい¹). ¶ この辺で*一服しよう (⇒ ここで手を休めて休憩しよう) Let's stop here and ⌐*take* [*have*] *a rest*. / Let's ⌐*take* [*have*] *a break* now. 語法 take a ⌐rest [break] は《米》, have … は《英》でよく用いられる.

いっぷく² 一幅 ¶ *一幅の絵のような景色 a *picturesque* view

いつぶす 鋳潰す mélt dówn 他. ¶ 古い貨幣を*鋳潰して地金にする make bullion by *melting down* old coins

いっぷたさいせい 一夫多妻制 polygamy /pəlígəmi/ Ⓤ ★ 広義では多夫制も含むので, 厳密を期するなら polygyny を使う. (☞ いっぷいっぷせい; いっさいたふ; たさい³).

いつぶん¹ 逸文 (大部分が失なわれた書き物) writing with the greater part of it missing Ⓤ; (断篇) fragment Ⓒ; (失われた作品) lost literary work Ⓒ; (すぐれた文章) excellent writing Ⓤ.

いつぶん² 逸聞 (世間にあまり知られていない話) episode little known to the world Ⓒ.

いっぺん¹ 一遍 (一度・一回) once, one time. (☞ いちど). ¶ もう*一ぺんやってみます I'll try *once* more. // 通り*一遍の知識 (⇒ 浅いうわべだけの知識) (a) *súperficial* knówledge (☞ とおりいっぺん) ─

遍こっきり ☞ -こっきり　一遍に（同時に）at the same time;（一度に）all at once.《☞ いちど; いっしょ》.

いっぺん[2] **一変** ¶事態が*一変した The situation [Things] *changed completely.* /（⇒ 急に変わった）There was a ˹*sudden* [*drastic*; *dramatic*] *change* in the situation. /（⇒ 事態が大きな変化を受けた）The situation [Things] *underwent a great change.*《☞ きゅうへん; きゅうてん; うってかわる》

いっぺん[3] **一片** ¶*一片の紙切れ *a scrap of* paper // *一片の肉 *a piece of* meat // *一片（⇒ ほんの少し）の良心もない without *a* ˹*trace* [*shred*] *of* conscience《☞ かけら》

いっぺんとう 一辺倒 ¶その国の政府はアメリカ*一辺倒である（⇒ アメリカに完全な忠誠心を示す）The government of that country ˹*gives* [*shows*] ˹*outright* [*unqualified*] *allegiance* /əlíːdʒəns/ *to* the United States. / The government of that country is *completely pro-*American.

いっぽ 一歩 a [one] step;（第一歩）the [a] first step. ¶彼は*一歩前へ進んだ[後ろへ下がった] He ˹took [made] *a step* ˹forward(s) [backward(s)]. // 私はこれ以上*一歩も歩けない I can't ˹take *another step* [walk anymore]. // 私は暗闇の中を*一歩一歩進んでいった I went forward in the dark *step by step.* // 大きな*一歩 a ˹giant [great] *step* // 避けて通れない*一歩 an inevitable *step* // 重要な*一歩 an important *step* // 歴史的な*一歩 a historic *step* // これは成功への第*一歩だ This is *the first step* ˹*to* [*toward*] success. // これは確かに*一歩前進だ This is certainly *a* ˹forward [positive] *step.* /（⇒ 正しい方向への一歩だ）This is a *step* in the right direction. // 我々は勝利へ*一歩近づいた We moved *a step* ˹nearer [closer] to victory. // タンクは爆発の*一歩手前だった The tank was ˹*on the verge of* exploding [*about to* explode].

一歩(を)譲る ¶数学では君に*一歩を譲るよ As for math, you're *a bit better* than me. // *一歩譲っていくつかの点で君が正しいとしても全体としては間違っていると思う *Granting* that you are in the right in several respects, I believe you are in the wrong as a whole. // 私はこの議論では*一歩も（⇒ 一点も）譲れない I will never *concede* ˹*a point* [*even a single point*] in this argument.《☞ ゆずる 2》

いっぽう[1] **一方** **1**《片方》★ 2 つのうちのどちらか一つを one, 残りを the other で表す.《☞ かたほう》. ¶棒の*一方はとがっている. でももう*一方の端は丸くなっている *One end* of the stick is pointed. But *the other end* is rounded. // 船が*一方に傾いた The ship listed to *one side.* // *一方に偏った意見 a *one-sided* view // 金持ちがいるかと思えば*一方では貧乏人もいる Some are rich(,) *while* others are poor. // 彼らは*一方では一生懸命働き，また他方では余暇を楽しむ *On the one hand* they work very hard, but *on the other* (*hand*) they enjoy themselves during their leisure time. [語法] on the one hand は省略されることがあるが，その場合 on the other hand の hand は省略しない.

2《…し続ける》 ¶物価は上がる*一方だ Prices are *steadily* rising.

【参考語】(…し続ける) keep *doing*, go on *doing*;（…することをやめない）never stop *doing*.

一方通行 one-way traffic Ⓤ [参考] 道路標識などでは ONE WAY と表示する. これに対して通常の両面通行は two-way traffic Ⓤ. ¶*一方通行路 a *one-way* street

一方的 ── 形 one-sided. ¶*一方的な勝利 a *one-sided* victory // 彼らの言うことは*一方的だ What they say is *one-sided.* /（⇒ 彼らは偏見から物を言う）They speak *out of prejudice.*

いっぽう[2] **一報** ── 動（…に知らせる）let … know …, inform ㊀ ★ 後者のほうが改まった語;（手紙を送って知らせる）notify /nóʊtəfàɪ/ ㊀.《☞ しらせる》. ¶当地にご到着の時刻をご*一報下さい Please *let* us *know* ˹the time of your arrival [what time you are going to arrive] here. // 午後 3 時に新聞社に事故の第*一報が入った *The first report* of the accident reached the news room at 3:00 p.m.

いっぽう[3] **一法** （別の[1 つの]方法）another [one] ˹way [method]《☞ ほうほう》. ¶それも*一法だな That's *another way* to do it.

いっぽん 一本 ★ 可算名詞（Ⓒ）の場合には不定冠詞 a, an, または数を強調するときは one を用いる. 不可算名詞（Ⓤ）の場合には a piece of …, a bottle of …などを用いるが， 日英の間の数え方の相違に注意.《☞ 数の数え方（囲み）; 可算・不可算名詞（巻末）; -ほん》. ¶鉛筆を*1 本下さい Please give me *a* pencil. // たばこを*1 本いかがですか How about *a* cigarette? // チョークを*1 本下さい Give me *a piece of* chalk. // これは*一本まいった（⇒ 君の勝ちだ）You *win.* /（⇒ 私の負けだ）You *beat* me. / I *lose.* /（⇒ 君にとっちめられた）Now you'*ve got me.*

一本化 ── 名 unification Ⓤ. ── 動 unify ㊀.

一本勝ち ── 名（柔道の）win by ippon Ⓒ. ── 動 win by ippon. ¶彼女は背負い投げで*一本勝ちした She threw her opponent over her shoulder and *won by ippon.* **一本気** ── 形（純真な・誠実な）síngle-mínded, síngle-héarted;（無邪気な）símplemínded, símplehéarted **一本勝負** one-game match Ⓒ **一本背負い**（柔道・相撲の）── 動 throw *one's* opponent over *one's* shoulder by taking ˹his [her] arm **一本立ち** ── 形 indepéndent《☞ ひとりだち》. ¶彼は 25 歳で*一本立ちして，自分の店を開いた He *became independent* at (the) age (of) twenty-five and opened his own ˹store [shop]. **一本立て**（映画の）single-feature (show) Ⓒ **一本調子** ── 形（単調な）monótonous;（つまらない）dull;（退屈な）tedious. ¶彼の話はいつも*一本調子だ His language is always *monotonous.* **一本釣り** pole-and-line fishing Ⓤ **一本道**（まっすぐな道）straight road Ⓒ;（分かれていない道）road with no forks Ⓒ. ¶駅までは*一本道です This road ˹*goes* [*leads*] ˹*direct* [*straight*] *to* the station. **一本槍** ¶彼は勉強*一本槍だ（⇒ 彼は勉強に打ち込んでいる）He *is entirely* ˹*devoted* [*dedicated*] *to* his studies. /（⇒ 彼はただ勉強するだけだ）He *does nothing but* study. // 私は X 大学*一本槍で受験する I'm *aiming only at* (passing the entrance exam for) X University.

いつまで 何時まで ¶*いつまで（⇒ どのくらいの期間）この本を借りられますか *How long* ˹could [can] I borrow this book? / *Until when* [*Until what day*] ˹may [could; can] I borrow this book? ★ 後者はやや形式ばった言い方. /（⇒ いつこの本を返しますか）*When* must I return this book?《☞ いつ[1]》 // *いつまでにこの仕事を仕上げなければなりませんか *When* do I have to have this work finished? / *By when* do I have to finish this work? // *いつまで待っても（⇒ どんなに長く待っても）彼は来ないでしょう *However long* [*No matter how long*] you wait, he will not come. // *いつまで経っても（⇒ 長い間待ったが）事態は改善されなかった We waited *for a long time* [*We waited and waited*], but the situation ˹did not improve [had not improved].

いつまでも 何時までも（永久に）forever;（終わり

なく) endlessly, without (an) end; (長い間) for a long time 日英比較 以上のほかに, 日本語の「いつまでも」を含む表現は内容をくんで別の表現で意訳するほうがよい場合が多い. ¶ご恩は*いつまでも (⇒ 決して) 忘れません I'll *never* forget your kindness. // 彼女は列車が見えなくなるまでホームで*いつまでも手を振っていた She *kept waving* her hand until the train was out of sight. // どうか私の家に*いつまでも (⇒ 好きなだけ) 居て下さい Please stay here *as long as you like*.

いつも 何時も **1** 《常に》 ── 副 always; (普通) usually 語法 (1) 一般に動詞の前に置くが, be 動詞の場合はその後に置く; (年がら年中) all the time. ── 接 (…の時はいつも) every time …, whenever … ★ 以上 2 つはほぼ同意だが, 前者のほうが口語的. ── 助 (いつも…したものだ) used to /júːstu, júːstə/ ★ 過去における継続的な習慣を表す. 《☞ いつでも; かならず; しじゅう¹; たえず》.
¶彼は*いつも遅れる He is *always* late. / He comes late *all the time*. // 私は*いつもは夕食前にはテレビを見ません I *usually* don't watch television before dinner. 語法 (2) usually は don't の後に置くこともできる. 《☞ 副詞の位置 (巻末)》 // 彼は*いつも暇なわけではない He is not *always* free. // 彼は*いつもうそをつく (⇒ 彼は常習的なうそつきだ) He is a *habitual* liar. / He is *always* telling lies. // 彼女は*いつも (⇒ 毎朝) 6 時に起きる She gets up at six *every morning*. // 彼は夕方, 犬を連れて*いつもこのあたりを散歩していた In the evening, he *used to* ˹walk [take a walk with] his dog around here. // *いつものように午前 8 時ごろ家を出た I left home (at) about 8 a.m. *as usual*.
2 《ふだん》 ── 形 (いつもの・ふだんの) usual; (習慣となっている) cústomàry. 《☞ ふだん¹》. ¶*いつもより 5 分早く出発しなさい Start five minutes earlier *than usual*. ★ than usual は成句. // あした*いつものところでお会いします I'll see you at the *usual* place tomorrow. // けさの彼は*いつもの彼ではない He is not *himself* this morning. ★ be *oneself* は「(体の調子が) いつもどおりである」の意.

いつもながら 何時もながら ¶あなたの演説は*いつもながら (⇒ いつものように) すばらしかった Your speech was, *as always*, splendid. // 彼は*いつもながらの投げやりな態度だった He was nonchalant *as usual*. 《☞ いつも》

いつゆう 逸遊 ☞ いつらく

いつらく 逸楽 (idle pursuit of) pleasure Ⓤ. ¶*逸楽にふける indulge in *pleasure*

いつわ 逸話 (あまり知られていないおもしろい話) anecdote /ǽnɪkdòʊt/ Ⓒ; (話) story Ⓒ. 日英比較 日本語の「エピソード」にはある人にまつわる知られていない面白い話, すなわち「逸話」の意味があるが, 英語の episode はある物語の中の挿入的な部分という意味で, 逸話の意味はない. ¶彼にはおもしろい*逸話がある There is an ˹interesting [amusing] ˹*anecdote* [*story*] about him.

いつわり 偽り ── 名 (人をだまそうとして言ううそ) lie Ⓒ; (真実でないこと) untruth Ⓒ; (事実を偽ること) falsehood Ⓒ 語法 以上 3 語はほぼ同意として用いられることもあるが, lie は強い非難を含む言葉であることに注意; (作りごと) fiction Ⓒ, fabrication Ⓒ. ── 形 false; untrue; fictitious /fɪktíʃəs/; (ごまかしの) deceitful /dɪsíːtf(ə)l/; (事実と一致しない) untruthful. 《☞ うそ¹ (類義語); でたらめ》.

いつわる 偽る (うそを言う) lie 自, tell a lie; (虚偽の申し立てをする) make a false statement; (事実に似せた話を作る) feign 他; (だます) deceive 他; (事実らしく見せる) pretend 他. 《☞ うそ¹; でたらめ》.
¶彼は名前を*偽った (⇒ 偽りの名前を言った) He gave a ˹*false* [*fictitious*] name. // 彼はその事実を知らないと*偽った He ˹*pretended* to be ignorant [*feigned* ignorance] of the fact.

イデア 〔哲〕 idea /aɪdíːə/ Ⓒ ★ ギリシャ語より.

イディオム idiom Ⓒ 《☞ イディオム (巻末)》.

イディッシュ Yiddish /jídɪʃ/ ★ 特に東欧で話されるユダヤ人の共通語.

イデオロギー ── 名 ideology /àɪdiɑ́ləʤi/ Ⓒ. ── 形 ideological /àɪdiəlɑ́ʤɪk(ə)l/. ¶*イデオロギーの論争 an *ideological* dispute // *イデオロギーの相違 a difference in *ideology* // マルクス主義的*イデオロギー Marxist *ideology*

いてかえる 凍て返る ¶4 月でも*凍て返る (⇒ 寒が戻る) ことが時々ある *Cold weather* sometimes *returns* even in April.

いてき 夷狄 (野蛮人) barbarian Ⓒ 《☞ やばん (野蛮人)》.

いてざ 射手座 Sagittarius /sæ̀ʤɪtéˑ(ə)riəs/, the Archer. 《☞ せいざ¹》.

いでたち 出立ち (身なり・服装) dress Ⓒ, attíre Ⓤ ★ 文語的. 《☞ みなり; ふくそう¹》.

いてつく 凍て付く freeze 自 《☞ こおる》.

いてもたっても 居ても立っても ¶試験の結果が待ち遠しくて*いても立ってもいられなかった (⇒ じっと座っていることができなかった) I was so impatient for the examination results that I *couldn't* ˹*sit still* [(⇒ 待ち切れなかった) *wait*].

いでゆ 出で湯 ☞ おんせん¹

いてん 移転 ── 動 move 自 ★ 最も平易で一般的; change *one's* place ★ これは説明的表現. ── 名 (引っ越し) move Ⓒ, removal Ⓒ ★ 前者が平易な語. 《☞ ひっこし》.
¶彼は大阪に*移転した He *moved to* Osaka. / He made a *move* to Osaka. // 私たちは来週新しい家に*移転する We will *move* ˹*to* [*into*] a new house next week. // あの人はもう*移転しました He *has* already *moved out*. // このたび下記へ*移転しました We *have moved to* the following address: 《☞ コロン (巻末)》 // *移転先は下記のとおりです (⇒ 新しい住所は) The *new address* is as follows:
移転収支 transfer balance Ⓤ **移転所得** transfer income Ⓤ **移転通知** change-of-address notice Ⓒ, notice of change of address Ⓒ **移転登記** registration of a (land) transfer Ⓤ.

いでん 遺伝 ── 名 herédity Ⓤ, transmíssion Ⓤ ★ 以上 2 語はいずれも生物学上の遺伝の意味で用いられる; (祖先から受けついだもの) inheritance Ⓒ. ── 形 (遺伝性の) heréditàry. ── 動 (遺伝する) be passed ˹down [on] (to …), be transmitted (to …) ★ 後者のほうが格式ばった言い方; (性格・才能などが受けつがれる) be inherited.
¶その病気は*遺伝する (可能性がある) The disease is ˹*hereditary* [*transmissible*]. // 父親の病気が子供に*遺伝した The father's disease *was passed* ˹*down* [*on*] *to* his children.
遺伝暗号 the genetic code ★ the をつけて. **遺伝学** genétics Ⓤ **遺伝子** ☞ 見出し **遺伝資源** gene resources ★ 複数形で. **遺伝情報** ☞ 遺伝暗号 **遺伝病** hereditary disease Ⓒ.

いでんし 遺伝子 ── 名 gene Ⓒ. ── 形 genetic. **遺伝子銀行** (遺伝子(物質)貯蔵所) gene bank Ⓒ **遺伝子組み替え** genetic [gene] recombination Ⓤ **遺伝子組み替え食品** genetically ˹modified [engineered] food Ⓤ **遺伝子群** gene cluster Ⓒ **遺伝子工学** genetic engineering Ⓤ **遺伝子資源** ☞ いでん (遺伝資源) **遺伝子操作** genetic [gene] manipulation Ⓤ **遺伝子地図** genetic map Ⓒ **遺伝子治療[療法]** gene therapy Ⓤ **遺伝子突然変異** gene [genetic] mutation Ⓤ.

いと¹ 糸 ―名(縫い糸) thread Ⓒ 〔語法〕縫い物の糸は普通 Ⓤ として扱われ, a spool of thread (一巻きの糸) のように数える. その他では Ⓒ; (織物・編み物用の糸) yarn Ⓤ; (楽器の弦) string Ⓒ; (つり糸) line Ⓒ. ―動(糸を(針などに)通す) thread ⊕; (糸を紡ぐ) spin ⊕ ⊜.
¶針と*糸 (a) needle and *thread* // 一巻きのカタン(⇒木綿)*糸 a ˹spool [《英》reel] of cotton *thread* // 太い[細い]*糸 thick [thin] *thread* // 彼女は*糸を糸巻きに巻いている She is winding *thread* on a spool. / She is spooling *thread*. // *糸が切れた The ˹*thread* [*string*] broke. // 私は針に*糸を通した I *threaded* the needle. // 彼は*糸を紡いでいる He *is spinning*. // *糸は綿から作られる *Thread* is spun from cotton./ (⇒綿は糸に紡がれる) Cotton is spun into *thread*. // 私はもつれた*糸をほどこうとした I tried to unravel the tangled *thread*. // あす(手術の)*糸を抜く予定です The doctor will take out the *stitches* tomorrow. // 私は川に釣*糸をたれた I ˹dropped [cast] my *line* in the river. // *糸が突然引いて, すぐ切れた《釣りで》There was a sudden pull at my *line* and then it broke. // *糸くず waste *thread* // ほつれた*糸 a loose *thread*
糸を引く ¶だれかが彼の後ろで*糸を引いている (⇒操っている) Someone *is pulling his strings*. (☞いとひき) **糸繰り** spinning Ⓤ (☞つむぐ) **糸(繰り)車** ☞いとぐるま

いと² 意図 ―名(意志) intention Ⓤ ★具体的な事例は Ⓒ; intént Ⓤ; (目的) purpose Ⓒ; (もくろみ) design Ⓒ. ―動(意図する) intend ⊕, mean ⊕. ―形(意図的な) intentional, delíberate. ―副(意図的に) on purpose, intentionally, deliberately ★ほぼ同意だが,一番目が最も口語的.
【類義語】心に抱いている意志を表す最も一般的な語が ***intention***. より明確な意図を意味し, 格式ばった用語としても用いられるのが ***intent***. かなり決定的な, 行動についての意図が ***purpose***. 熟慮の末作り上げられた具体的な計画を伴う意図が ***design***.
¶私は法律を破る*意図はまったくなかった I had no *intention* whatsoever of breaking the law. // 彼が殺人の*意図をもってそのナイフを買い求めたことは明らかだ It is evident that he purchased the knife ˹with (the) *intent* to (commit) murder [with murderous *intent*]. // 彼女は*意図的にそれをやった She did it ˹*on purpose* [*intentionally*].

いど¹ 井戸 well Ⓒ. ¶*井戸を掘る dig a *well* // この*井戸は深い[浅い] This *well* is ˹deep [shallow]. // この*井戸は涸れている This *well* is dry. / (⇒涸れた) This *well* has ˹dried up [run dry]. **井戸替え[浚(さら)え]** ―名 well cleaning Ⓤ. ―動 clean a well. **井戸端会議** idle chatter Ⓤ, housewives' gossip session Ⓒ **井戸掘り(人)** well digger Ⓒ **井戸水** well water Ⓤ.

いど² 緯度 latitude /lǽtət(j)ù:d/ ★赤道からの距離の度合を表す場合は Ⓤ.「地方・地帯」の意味では通例複数形で. (☞けいど¹; ほくい; なんい¹; ど)
¶その地の*緯度は何度か What is the *latitude* of the place? // 東京はサンフランシスコとほぼ同じ*緯度にある Tokyo is ˹in [at; on] about the same *latitude* as San Francisco. // 高[低]*緯度地方 high [low] *latitudes* **緯度線** parallel Ⓒ.

イド 〘心〙 id Ⓤ ★本能的衝動の源泉.

いといがわしずおかこうぞうせん 糸魚川静岡構造線 the Itoigawa-Shizuoka Tectonic Line.

いとう¹ 厭う (気にする・いやがる) mind ⊕. ¶私はそこに行くことは*厭いません (⇒私はそこに行くことはかまわない) I don't *mind* going there. // 体を*いとう *take good care of oneself*

いとう² 以東 (…より東に[で]) east of …; (その場所およびその東方) … and eastward; … and points east. (☞ひがし¹; いせい³)

いとう³ 伊富 〘魚〙 Japanese huchen Ⓒ.

いどう¹ 移動 ―動(動く・動かす) move ⊜ ⊕; (動き回る) móve ˹abóut [aróund] ⊜; (位置・方向をずらす) shift ⊕; (場所・地位などを変える) transfér ⊕; (旅行する) travel ⊜ ⊕. ―名(移動) movement Ⓤ. (☞うごく; うごかす; うつす¹ (類義語))
¶人口の*移動 the *movement* of population / a population *movement* // 彼らはあちこち*移動した They *moved* from place to place. / They *traveled* from one place to another. // 休み時間に別の教室へ*移動しなくてはならない We have to *move* to another classroom during (the) recess.
移動証明 certificate of change of address Ⓒ **移動申告** report of change of address Ⓒ, change-of-address report Ⓒ. ¶*移動申告を出す submit a *report of change of address* **移動性高気圧** migratory anticyclone Ⓒ **移動性盲腸** mobile cecum /móubl sí:kəm/ Ⓒ **移動電話** cellular phone Ⓒ, mobile phone Ⓒ.

いどう² 異動 ―名(変化) change Ⓒ; (場所・地位などを動かすこと) tránsfer Ⓒ; (人事などの再編成) reorganization Ⓒ, reshuffle /rì:ʃʌ́fl/ Ⓒ ★以上 2 語はほぼ同意だが, 後者のほうが口語的; (大がかりな人事異動)《米》sháke-ùp Ⓒ. ―動(人事異動をする) reshuffle ⊕, reorganize ⊕; sháke úp ⊕; transfér ⊕.
¶このたび職員の*異動があった There was a *change* ˹in [of] ˹personnel [(the) staff] recently. // 今国会閉会後, 閣僚の*異動があるだろう There will be a cabinet ˹*reshuffle* [*change*; *reorganization*] after the current Diet session. // 彼女は支店へ*異動となった She *was transferred* to a branch office.

いどう³ 異同 difference Ⓒ; (変化) change ★通例 a〜として; (問題点) problem Ⓒ. ¶両者間に*異同はない There is no *difference* between the two. // スケジュールに多少*異同があった There was a small *change* in the schedule.

いとうお 糸魚 ☞いとよ

いとうひろぶみ 伊藤博文 ―名 固 Ito Hirobumi, 1841–1909; (説明的には) Japan's politician and first prime minister, assassinated by An Chung-kŭn, a Korean nationalist.

いとおしい 愛おしい ☞いとしい; ふびん

いとおしむ (深い愛情を抱く) feel ˹deep [great] affection (for …); (不びんに思う) feel pity (for …), take pity (on …). (☞かわいがる)

いとおす 射通す ☞いぬく

いとかけがい 糸掛貝 〘貝〙 wentletrap Ⓒ.

いときりば 糸切歯 〘解〙 cuspid Ⓒ; (犬歯) canine tooth Ⓒ.

いとく¹ 遺徳 ¶故人の*遺徳 (⇒…の業績[…への貢献]) を偲んで in memory of the great ˹(⇒…の業績を) *achievements* in … [(⇒…への貢献を) *contribution to* …] of the ˹deceased [late Mr. …]

いとく² 威徳 (徳と威厳[勢力]) virtue and ˹reverence [power] Ⓤ.

いとぐち 糸口 ―名(物事の始まり) beginning Ⓒ, start Ⓒ; (手がかり・きっかけ) clue Ⓒ; (理解・解決の助けとなるもの・かぎ) key Ⓒ; (ヒント) hint Ⓒ. ―動(糸口を開く) make a (good) beginning; (率先してやる) take the initiative /iníʃətiv/ (in *doing* …). (☞てがかり; かぎ¹) ¶私には話の*糸口が見つからなかった (⇒私にはその話題をどうやって会話に持ち込んでよいかわからなかった) I didn't know how to ˹*bring* [*introduce*] that topic *into* the conversation. // それが彼の出世の*糸口となった (⇒

それが発端だった) That was the *beginning* of his successful career. // 問題解決の*糸口がつかめない I can't find the *key* to the solution.

いとぐるま 糸車 spinning wheel Ⓒ.

いとけない 幼い ☞おさない

いとこ 従兄弟, 従姉妹 (first) cousin Ⓒ《☞親族関係(囲み)》.

いどころ 居所 (いる所) where *a person* is; (住所) address /ədrés, ǽdres/ Ⓒ; (所在・居所・行方) whereabouts ★単数扱いのことが多い.《☞じゅうしょ; しょざい; ゆくえ》.

いとこんにゃく 糸蒟蒻 *konnyaku* (in) shreds ★複数形で.《☞こんにゃく》.

いとざくら ☞しだれざくら

いとしい 愛しい (親愛な) dear; (最愛の) beloved /bɪlʌ́vɪd/ Ⓐ ★やや文語的. ¶*いとしい恋人 my *loved* one

いとしご 愛し子 *one's* beloved child Ⓒ.

いとすかし 糸透かし (説明的に) (steel) openwork with the delicate parts of the design made up of fine lines Ⓤ ★透かし彫りの一種.

いとすぎ 糸杉 〘植〙 cypress Ⓒ.

いとぞこ 糸底 footing [rim of the bottom] (of a porcelain cup) Ⓒ.

いとづくり 糸作り finely sliced sashimi Ⓤ.

いととんぼ 糸蜻蛉 〘昆〙 damselfly Ⓒ.

いとなみ 営み ¶日々の*営み (⇒日々の生活) daily *life* // 自然の*営み (⇒自然の仕事) the *working(s)* of nature

いとなむ 営む (店などを経営する) run ㊎; (所有する) have ㊎, own ㊎; (挙行する) hold ㊎.《☞けいえい》. ¶小売店を*営む *run* [*have; own*] a retail store // 法要を*営む *hold* a memorial service

いとのこ 糸鋸 (手で用いる歯の細いのこぎり) coping saw Ⓒ; (雲形などの切れる機械のこぎり・クランクのこぎり) jigsaw Ⓒ; (引き回し細工用の糸のこ) fretsaw Ⓒ.《☞のこぎり(挿絵)》.

いとひき 糸引き ── 動 (食物, 液体などが糸を引く) rope ㊌. ── 名 roping Ⓤ.《☞いと¹ (糸繰り)》.

いとひきあじ 糸引き鯵 〘魚〙 threadfish Ⓒ, cobbler(fish) Ⓒ.

いとへん 糸偏 (漢字の) thread radical on the left of kanji Ⓒ.

いとま 暇 **1**《ひま》: time Ⓤ《☞ひま; よゆう》.
2《別れ》 ¶もうお*いとましなくてはなりません (⇒さようならを言わなければならない) I must say *good(-)by(e)* now. / (⇒行かなければならない) I must *go* now. / I must *be* ˹*going* [*leaving*] now.
暇乞い ── 動 (…に別れのあいさつをする) say good-by(e) to …; take *one's* leave of … ★後者のほうが格式ばった表現.

いとまき 糸巻き spool Ⓒ; (小さな) bobbin Ⓒ; (糸だけでなくフィルム・ロープなどを巻きとる) reel Ⓒ. ¶糸を*糸巻きに巻く wind thread on a ˹*spool* [*reel; bobbin*]

いとまきえい 糸巻えい 〘魚〙 devilfish Ⓒ, devil ray Ⓒ, sea devil Ⓒ.

いとまきひとで 糸巻海星 〘動〙 starfish belonging to the Asterinidae family Ⓒ.

いとみち 糸道 (琴や三味線を引く技術) skill in playing the ˹koto [samisen] Ⓤ; (釣ざおやミシンなどの) guide Ⓒ.

いとみみず 糸蚯蚓 〘動〙 túbifèx Ⓒ.

いどむ 挑む (やってみる) try ㊎; (向かって行く) challenge ㊎; defy /dɪfáɪ/ ㊎.
【類義語】何かを試みてみるという一般的な語は **try**. 自分に何らかの意味で対抗・敵対するものに挑戦するのは **challenge**. やれるものならやってみろと嘲笑的に挑むのは **defy** と言う.《☞ちょうせん¹》
¶私はそれにもう一度*挑んでみよう I'll *try* it again. // 彼は私にもう一回競走を*挑んだ He *challenged* me *to* another race. / He *dared* me to race him again. // 彼らは最高峰に*挑んだ They *took on* the highest peak. // 彼は相手にさあ来いと*挑んだ He *defied* his opponent.

いとめ 糸目 **金に糸目をつけない** ¶彼は*金に糸目をつけない (⇒惜しげもなく金を使う) He *spends money* ˹*lavishly* [*extravagantly*]. / (⇒費用を気にしない) He *does not care about the cost*. ★後者のほうが口語的.

いとめる 射止める (獲得する) win ㊎《過去・過分 won》; (得る) get ㊎; (苦労して手に入れる) gain ㊎ (↔ lose). ¶彼はその女性の心を*射止めた He ˹*won* [*gained*] the woman's heart.

いとも ☞ひじょうに

いとやなぎ 糸柳 〘植〙 weeping willow Ⓒ.

いとよ 糸魚 〘魚〙 three-spined stickleback Ⓒ.

いとよりだい 糸縒鯛 〘魚〙 golden threadfin bream Ⓒ.

いとらん 糸蘭 〘植〙 silk grass Ⓒ, Adam's needle Ⓒ, yucca /jʌ́kə/ Ⓒ.

いとわしい 厭わしい ── 形 (ひどく嫌な) abóminable, detéstable ★前者のほうが口語的.
── 動 (気持ちを悪くさせる) make *a person* sick ★主語には厭わしいものがなる.《☞いや¹》.

いな 否 ── 副 no; 《文》 nay ★格式ばった文で語気を強めるために用いられる.《☞いいえ》. ¶それがうまくいくか*否かは疑問だ I wonder whether it will be successful *or not*.

-いない …以内 within …; (…より少なく) less than …; (多くても…ぐらい) not more than …
¶3日*以内に仕上げましょう I will finish it ˹*within* [*in not more than*] three days. // それを800字*以内でまとめなさい Summarize it ˹*in a maximum of* 800 characters [800 characters *or less*]. / Summarize it *within no more than* 800 characters. // 学校はここから歩いて10分*以内です You can walk from here to our school ˹*within* [*in*] ten minutes. // いまから5分*以内に戻ってきます I'll be back ˹*within* [*in*] five minutes. 語法 in は「…の時間のうちに, …の時間がたてば」の意味で, within と相互に入れ換えて用いることができる場合が多いが, within のほうが, 「…以内に」という意味を強調する.

いないいないばあ peekaboo /pìːkəbúː/ Ⓤ, 《英》 bo-peep /bòʊpíːp/. ¶*いないいないばあをする play ˹*peekaboo* [*bo-peep*]

いなおりごうとう 居直り強盗 thief [robber] who threatens violence when cornered Ⓒ, potentially violent thief Ⓒ ★英語では説明的にしか言えない.《☞ごうとう》.

いなおる 居直る (態度を変える) change *one's* attitude; (おどしの態度をとる) take [assume] a threatening attitude. ¶その男は突然*居直った (⇒おどしの態度をとった) The man suddenly ˹*took* [*assumed*] *a threatening attitude*.

いなか 田舎 **1**《都会に対して》 ── 名 (一般的に) the country; (都会との対照を強調して) the countryside ★両者とも通例 the を付けて; (説明的に) rural ˹area [region] Ⓒ; (やや軽蔑的に) 《略式》 the sticks ★複数形で. ── 形 country Ⓐ; (田園の・都会から離れた) rural /rʊ́(ə)rəl/; (田舎風の) rustic; (やや軽蔑的に) províncial; (牧歌的な田舎の) pastoral.
¶私のおじは*田舎に住んでいる My uncle lives in *the* ˹*country* [*countryside*]. // 私は小さな*田舎の町に生まれた I was born in a small ˹*country* [*rural*] town. // *田舎の人は素朴でいい I like (the) ˹*coun-*

tryfolk [*country people*; *rural people*] because they are simple and good-natured. ★countryfolk は集合名詞. // 彼は*田舎のなまりがある He「has [speaks with] a「*regional* [*provincial*] accent. // *田舎を歩くのは気持ちがよい It is pleasant to walk in (*the*) *open country*. // *田舎の景色 *rural* scenery // *田舎に行く go to *the country* // *田舎くさい *rustic* / *countrified*

2 «故郷»: home Ⓒ ★「故郷の」という形容詞あるいは「故郷へ」という副詞としても用いる; (故郷の市・町・村) hometown Ⓒ; (出生地) *one's* birthplace Ⓒ. (☞ こきょう; きょうり [語法]; ふるさと).

¶あなたの*田舎はどこですか Where is your「*home* [*hometown*]? / (⇒どこの出身ですか) Where are you from? // 私の*田舎は九州です My *home* is (in) Kyushu. / (⇒私は九州出身です) I'm [I come] from Kyushu. [語法] 第一文の home は「故郷」とも「家」ともとれる. 例えば長崎市のように都市の名前を出すのならば, My *hometown* is (the city of) Nagasaki. のように言うことができる. // 私は夏休みに*田舎に帰る I'll go *home* during the summer vacation. (☞ きせい[4])

田舎じみる be [get] countrified; (⇒田舎風になる) become rustic. ¶*田舎じみた身なり a *countrified* appearance

田舎言葉 províncialism Ⓤ ★軽蔑的. ¶*田舎言葉で話す (⇒田舎なまりで) speak with a *provincial accent* [語法] provincial accent は軽蔑的なので, 中立的な表現としては「地域方言」regional dialect Ⓒ を使うのがよい. **田舎芝居** (地方の芝居) províncial theátrical perfórmance Ⓒ; (下手な[素人らしい]芝居) amateurish /æ̀mətə́ːrɪʃ/ (theatrical) performance Ⓒ **田舎そば** black noodles made from coarse-grained buckwheat without thickening (☞ そば[2]) **田舎町** country town Ⓒ **田舎回り** ── [形] (巡業の) touring. ── [動] (巡業する) tour (自), (《米》) barnstorm (自). ¶*田舎回りの劇団 a *provincial touring*「troupe [company] **田舎道** country road Ⓒ **田舎者** people from the country; (1人) country person Ⓒ; (軽蔑的に) bumpkin Ⓒ, rustic Ⓒ.

いながらにして 居ながらにして ¶テレビのおかげで*居ながらにして宇宙旅行ができる Thanks to television we can travel in space *as we sit in our living room*.

いなご 蝗 〔昆〕lócust Ⓒ (☞ ばった).

いなさく 稲作 (稲を栽培すること) rice「growing [cultivation] Ⓤ; (稲の作柄・収穫) rice crop Ⓒ. **稲作伝来** the introduction of rice cultivation.

いなす 往なす (体をかわす) dodge (他); (はぐらかす) parry (他) ★フェンシングなどで突きを払いのけることから; (軽くあしらう) treat ... lightly. ¶彼は突きを*いなされてよろけてしまった His thrust *was dodged* and he tottered. // 質問を*いなす *parry* a question

いなずま 稲妻 lightning Ⓤ ★1回の稲妻は a flash of lightning. (☞ かみなり). ¶空に*稲妻が走った There was *a flash of lightning* in the sky. // それは*稲妻のように速い It goes as「fast [quickly; quick] as (*greased*) *lightning*. ★fast [quick] as greased lightning, または like greased lightning は「電光石火のように」というフレーズ. greased は「潤滑油を塗って滑りをよくした」の意.

稲妻模様 zigzag「design [pattern] Ⓒ.

いなせ 鯔背 ── [形] (勇気があって, 粋で, 自信がある) dashing; (威勢がよくてはつらつとしている) vigorous. ¶*いなせな若い衆 *dashing* [*vigorous*] young men

いなだ 〔魚〕very young yellowtail Ⓒ.

いななく 嘶く (馬・ろばが) neigh /néɪ/ (自); (馬が静かにいななく) whinny (自); (ろばが) bray (自) ★以上は名詞 Ⓒ としても用いられる. (☞ 動物の鳴き声 (囲み)). ¶馬の*いななき the *neigh*(*ing*) of a horse

いなばのしろうさぎ 因幡の白兎 ── [名] (固) the white hare of Inaba (which appears in a Japanese legend).

いなびかり 稲光り ☞ いなずま

いなほ 稲穂 ear of rice Ⓒ (☞ いね (挿絵)).

いなむ 否む (断る) refuse (他); (否定する) deny (他).

いなむし 稲虫 (稲の害虫) insect harmful to rice plants Ⓤ; (いなご) locust Ⓒ.

いなもりそう 稲森草 〔植〕Japanese madder Ⓒ.

いなや 否や ¶私が家に帰りつくや*否や雨が降り出した *As soon as* [*The moment*] I got home, it started to rain. / I had「*hardly* [*scarcely*] gotten home「*when* [*before*] it started to rain. / I had *no sooner* gotten home *than* it started to rain. [語法] 以上3つの表現は多くの場合ほぼ同意だが, 第2, 第3の構文は「…するかしないうちに…」という意味で, まだ動作が完全には完了していないことを強調するのに対し, as soon as ..., the moment ... はその動作が完了直後であることを表す. the moment は名詞の接続詞用法で, 同様に the minute, the second, the instant なども用いられる. no sooner ... than ..., hardly [scarcely] ...「when [before] ... を用いるときは, 前半の部分が過去完了形になることに注意. // 彼は大学を卒業するや*否や (⇒卒業直後に) アメリカに行った He went to the U.S. *immediately after* graduating from college.

いならぶ 居並ぶ ¶彼は*居並ぶ重役たちを相手に (⇒すべての重役たちの前で) 自説を主張した He persisted in his opinion *in the presence of all* the directors.

いなり 稲荷 (穀物の神) the god of「cereal(s) [grain(s)]. **稲荷神社** *Inari* shrine Ⓒ **稲荷鮨** a kind of sushi made of vinegared rice wrapped in fried bean curd ★説明的な訳. **稲荷詣で** ── [動] go and worship at an *Inari* shrine.

いなわら 稲藁 (rice) straw Ⓤ.

いなん 以南 (…より南に[で]) south of ...; (その場所およびその南方) ... and southward; ... and points south. (☞ みなみ; いほく).

イニシアチブ (主導権) initiative /ɪníʃətɪv/ Ⓤ (☞ しゅどうけん). ¶その国際会議では日本が*イニシアチブを取った Japan took the *initiative*「in [at] the international conference.

いにしえ 古 ☞ むかし

イニシエーション (手ほどき・加入) initiation /ɪnìʃiéɪʃən/ (into ...) Ⓤ; (入会式) initiation Ⓒ.

イニシエーター (反応を起こさせるもの) initiator /ɪníʃièɪtə/ Ⓒ ★医学用語では「発癌物質」. ★promóter は発癌促進物質.

イニシャライズ 〔コンピューター〕 ── [動] (初期化する) initialize /ɪníʃəlàɪz/ (他), fórmat (他). ── [名] initialization Ⓤ.

イニシャル initial /ɪníʃəl/ Ⓒ. ¶彼の名前は John Brown だから, *イニシャルは JB だ His name is John Brown, so his *initials* are J.B.

いにゅう 移入 ── [動] (持ち込む・取り入れる) bring in (他); (導入する) introduce (他); (他の地域から買入れる) impórt (他); (感情などを) put ... into ...; (つぎ込む) invest (他). ¶その考えは明治になって西欧から*移入された The idea *was*「*brought in* [*introduced*] from the West during the Meiji era. // 感情を*移入する *put one's* feelings *into* ...

いにん 委任 ── [動] (人に任せる) leave ... to *a person* (過去・過分 left); (信頼してゆだねる) commit ... to *a person*; (信頼に答える義務を相手方に

期待して，仕事などを委任する) entrust ˹*a person* with ... [... to *a person*]; (職権を伴う任務を委任する) commission ⊕. ── 名 (委任・委託) commission Ⓤ. (☞ いたく¹ (類義語); いしょく¹).
¶ 我々はその問題の決定を委員会に*委任した We ˹*left* [*entrusted*] the problem *to* (the decision of) the committee. // 彼らはその仕事を我々に*委任した They ˹*committed* [*entrusted*] the work *to* us. / They *entrusted* us *with* the work. // 彼は両者の調停を*委任された He *was commissioned to* mediate between the two parties.
委任行政 mandatory administration Ⓤ **委任事務** delegated affairs ★ 複数形で. **委任状** letter [power] of attorney Ⓒ. ¶ 白紙*委任状 (a) carte blanche /káːətbláːnʃ/ **委任統治** (国連による) trustéeship Ⓒ; mandate Ⓒ **委任命令** delegated order Ⓒ.

イニング 〘野〙 inning Ⓒ.

いぬ¹ 犬 **1** «動物»: dog Ⓒ; (めす犬) bitch Ⓒ; (猟犬) hound Ⓒ. (☞ めす¹ 語法).
¶ 私は*犬を飼っている I ˹have [keep; raise] a *dog*. // *犬がほえた A *dog* barked. 参考 (1) 犬の鳴き声は bark, growl (うなる), snarl (歯を見せてうなる), howl (遠吠えする), whine (クーンと鳴く), yelp (キャンキャン鳴く) などの動詞・名詞で示す. (☞ 動物の鳴き声 (囲み)) // *犬はワンワンとほえる *Dogs* go, "Bowwow /báuwáu/." 参考 (2) 犬のほえ声の擬音語はほかに arf, arf! もある. (☞ 擬声・擬態語 (囲み)) // 私は毎朝*犬を散歩に連れていく I walk my *dog* every morning. // 何てかわいい*犬だろう What a cute *dog*! // この*犬は知らない人にほえる This *dog* barks at strangers. // 彼は「シロ」と*犬を呼んだ "Shiro!" he called to his *dog*. // *犬をつないでおかなくてはいけません You must ˹tie up [chain; leash] your *dog*. / You must keep your *dog* on a ˹chain [leash]. / Your *dog* must be kept on a ˹chain [leash; 《英》 lead]. // *犬がちんちんをしている The *dog* is sitting up. // *犬に芸を教えた I taught my *dog* a trick. // 彼は我々に*犬をけしかけた He set a *dog* on us.
2 «密告者・通報者»: informer Ⓒ. ¶ 警察の*犬 a police *informer* / (⇒ 仲間を売る犯罪者) 《米俗》 a stool pigeon
犬も歩けば棒に当たる Nothing seek, nothing find. 《ことわざ: 探しまわらなければ何もみつからない》 / (⇒ 災難は呼ばれなくてもやってくる) Trouble comes without ˹calling [being called]. ★ 悪い意味で用いられる. **犬も食わぬ** ¶ 夫婦げんかは*犬も食わない (⇒ 口出しは無用) *It's no use interfering* [*Don't interfere*] in marital squabbles.
犬かき ── 名 dog paddle Ⓒ. ── 動 dog-paddle ⓐ. ¶ *犬かきで泳ぐ do a *dog paddle* **犬小屋** 《米》 doghouse Ⓒ, 《英》 kennel Ⓒ ★ 《米》 で kennel は大型の犬舎を指す. **犬ぞり** dog ˹sled [sledge] Ⓒ **犬と猿** (仲の悪い間柄) cat-and-dog relationship Ⓒ (☞ けんえん¹) **犬猫病院** pet ˹clinic [hospital] Ⓒ; (獣医) 《略式》 vet Ⓒ **犬の首輪** dog collar Ⓒ **犬の遠吠え** howl of a dog Ⓒ; (虚勢) bravado /brəváːdou/ Ⓤ; (見せかけの勇気) show of courage Ⓒ (☞ まけいぬ (成句)).

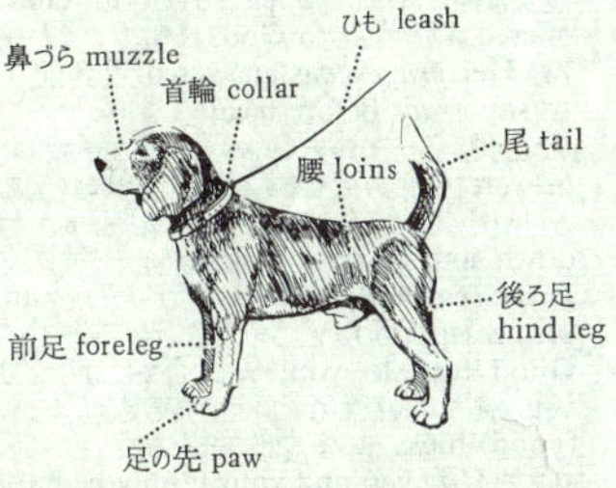

コロケーション
愛玩犬 a toy *dog* / 飼い犬 a ˹family [pet] *dog* / 純血種の犬 a pedigree(d) *dog* / (麻薬などの) 捜索犬 a sniffer *dog* / 獰猛な犬 a ferocious *dog* // 犬に餌をやる feed a *dog* / 犬を去勢する have a *dog* neutered / 犬を躾る train a *dog* / 犬を繁殖させる breed a *dog* // 犬が尾を振る a *dog* wags its tail / 犬がかみつく a *dog* ˹bites [snaps] at ...

いぬ² 戌 (十二支の) the Dog (☞ ね⁴).

いぬい 戌亥, 乾 ── 名 (北西) northwest Ⓤ. ── 形 (北西の方の[への]) northwestern, northwestward. ── 副 (北西へ向かって) northwestward.

イヌイット Inuit Ⓒ (複 ~, ~s) ★ 北米大陸に住むエスキモーの人々の正式名称:「人」という意味.

いぬがや 犬榧 〘植〙 Japanese plum yew Ⓒ.

いぬがらし 犬芥 〘植〙 yellow [marsh] cress Ⓒ.

いぬく 射抜く (矢や弾などが) pierce ⊕, go through ... ★ 後者のほうがくだけた表現; (命中する・当たる) hit ⊕. ¶ 弾丸は彼の腕を*射抜いた The bullet ˹*pierced* [*went through*] his arm. // 矢は的の中心を*射抜いた The arrow *hit* the bull's-eye.

いぬぐい 犬食い ── 動 (動物のような食べ方をする) eat (...) like an animal.

いぬくぎ 犬釘 (線路用) railroad [dog] spike Ⓒ; (工作用) offset-head [dog] nail Ⓒ.

いぬくぐり 犬潜り doghole (in a ˹wall [hedge]) Ⓒ.

いぬくぼう 犬公方 ── 名 ⓐ (徳川五代将軍綱吉) the Dog Shogun; (説明的には) Tokugawa Tsunayoshi, who issued a series of unreasonable official orders to prohibit cruelty to animals (☞ とくがわつなよし).

いぬざくら 犬桜 〘植〙 (説明的には) wild cherry tree that bears white, five-petaled flowers Ⓒ (☞ さくら¹).

いぬサフラン 犬サフラン 〘植〙 colchicum /káltʃɪkəm/ Ⓒ.

いぬじに 犬死に meaningless [purposeless; pointless] death Ⓤ. ¶ 彼は*犬死にした (⇒ 彼は何の意味もなく死んだ) He *died* ˹*to no purpose* [*in vain*]. 参考 die like a dog は「みじめな死に方をする」という意味になることに注意.

いぬ(の)ふぐり 犬(の)陰嚢 〘植〙 spéedwèll Ⓒ.

いぬはりこ 犬張り子 papier-mâché /pæpjéɪməʃèɪ/ dóg Ⓒ.

いぬぼうカルタ 犬棒カルタ (いろはガルタの一種) cards of Japanese proverbs (☞ いろはガルタ).

いぬほおずき 〘植〙 bláck níghtshade Ⓒ.

いぬわし 犬鷲 〘鳥〙 (Japanese) golden eagle Ⓒ.

いね 稲 rice Ⓤ; rice plant Ⓒ 日英比較 日本語の「稲」「米」などと異なり, rice は「稲」「もみ」「米」「ごはん」などのすべてに用いられる語で, 特に必要な場合以外は rice plant は使われない. (☞ 次頁挿絵)
¶ *稲を植える[栽培する] grow *rice* // *稲は水田に植えられる *Rice* is planted in a rice paddy.
稲刈り rice ˹reaping [harvesting] Ⓤ **稲扱(こ)き** rice threshing Ⓤ **稲象虫** 〘昆〙 rice plant weevil Ⓒ **稲つき** ☞ こめつき

いねむり 居眠り ── 名 (浅い眠り) doze Ⓒ; (眠くてぼんやりとした状態) drowse /dráuz/ Ⓒ. ── 動 (居眠りする) doze (off) ⓐ, drowse ⓐ; (こっくりする) nod ⓐ. (☞ うとうと; うつらうつら). ¶ 彼は少し

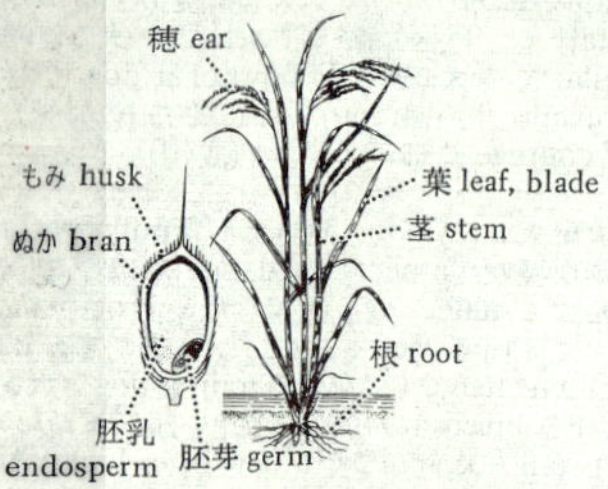

の間*居眠りした He *dozed off* for a moment or two. / He fell into a *doze* for a short time.
居眠り運転 —[動] doze off at the wheel
[日英比較] 日本語のように名詞形は普通は使われない.

いのいちばん いの一番 ¶彼が*いの一番に現場に駆けつけた He was *the very first* to run to the scene. (☞ まっさき)

いのう 異能 special [superb; unique] ability Ⓤ.

いのこ 猪の子 〔動〕(いのしし) wild boar; (いのししの子) young wild boar Ⓒ.

いのこずち 牛膝 〔植〕Japanese chaff flower Ⓤ.

いのこのいわい 亥の子の祝い *inoko* festival Ⓒ; (説明的に) harvest festival held in farm districts of Western Japan in October according to the lunar calendar Ⓒ.

いのこり 居残り —[名] (残業) overtime work Ⓤ. —[動] work overtime. ¶その作文を書き終えるまでは*居残りだ (⇒ 帰宅してはいけない) You ⌈*can't* [*mustn't*] *go home* until you have finished writing your essay. // その生徒は午後 5 時まで*居残りをさせられた The pupil *was kept at school* until 5 p.m. **居残り当番** (仕事) *one's* turn to ⌈remain [stay] behind; (人) the person whose turn is to ⌈remain [stay] behind.

いのこる 居残る (そのままの位置に残留する) stay (自), remain (自); (残業をする) work overtime. (☞ のこる; ざんぎょう)

いのしし 猪 〔動〕wild boar Ⓒ. **猪武者** (向こう見ずな人) reckless ⌈person [(武士) warrior] Ⓒ, dáredèvil Ⓒ.

イノシンさん イノシン酸 〔化〕inosinic /ìnəsínɪk/ ácid Ⓤ ★ うまみの主成分.

イノセンス (無罪・無垢) ínnocence Ⓤ.

イノセント —[形] (無実の・無邪気な) innocent.

いのち 命 life Ⓤ ★「生命」という一般的な意味では Ⓤ,「一個人の命」という意味では Ⓒ. なお複数形は lives となる. (☞ せいめい[1])
¶彼は子供の*命を救った He saved the child's *life*. // 私は*命が惜しい (⇒ 死にたくない) I don't want to die. / (⇒ 生きたい) I want to *live*. / (⇒ 生きていたい) I want to *stay alive*. // 彼はコレラで*命を失った (⇒ 死んだ) He *died* ⌈of [from] cholera. // その事故で 8 人が*命を失った Eight people ⌈*were killed* [lost their *lives*] in the accident. / Eight *lives* were lost in the accident. / (⇒ その事故が 8 人の命を奪った) The accident ⌈took [claimed] the *lives* of eight people. // 私は*命のある限り (⇒ 生きている限り) この仕事を続けたい I want to continue with my work ⌈*as long as I live* [*all my life*; (*for*) *my whole life*]. // 彼女の*命が危ない She [Her *life*] is in danger. // 心配すると*命が縮まる Care killed the cat. (ことわざ: 心配は猫さえも殺した) [参考] 英語には A cat has nine lives. (猫は 9 つの命を持つ) ということわざがあって, 猫はしぶとい動物とされているが, その猫も心配ごとには勝てないという意味. // *命を危険にさらす risk *one's life* // …に*命を捧げる give [devote; dedicate] *one's life* to …
命あっての物種 While there is life, there is hope. (ことわざ: 生きていれば希望もある). ¶引き返そう, *命あっての物種だからな (⇒ 生命を危険にさらすほどの価値はない) Let's go back. *It's not worth risking our lives.*
命から二番目 ¶この本は私にとって*命から二番目に (⇒ ほとんど命と同じくらい) 大切なものです I value this book *almost as much as my life*.
命長ければ辱(はじ)多し The longer you live, the more shame you ⌈feel [suffer].
命の洗濯 —[名] refreshing diversion Ⓒ, refreshment Ⓤ. —[動] (命の洗濯をする) have refreshing diversion, feel refreshed in mind and body.
命を落とす (命を失う) lose *one's* life.
命をかける risk [hazard] *one's* life.
命を削る ¶その借金を返すのに*命を削る思いだった (⇒ 死に物狂いだった) I *made desperate efforts* to pay back the money.
命を捧げる (自分の命を…のために犠牲にする) sacrifice *one's* life to …; (…に全身全霊をつくす) give body and soul to …; (命を捧げて) at the sacrifice of *one's* life.
命を縮める ¶深酒が彼の*命を縮めた Heavy drinking *shortened his life*.
命がけ(で) at the risk of *one's* life **命からがら** ¶我々は*命からがら逃げた (⇒ 一生けんめいに走って逃げた) We ran *for* ⌈*our lives* [*dear life*]. ★ for dear life は決まった形で, 複数形にはしない. / (⇒ かろうじて逃げた) We had *a narrow escape*. **命ごい** ¶彼は*命ごいをした He *begged for his life*. **命知らず** —[名] (人) dáredèvil Ⓒ; (向こう見ずな人) reckless person Ⓒ. —[形] daredevil; (思慮の欠けた) reckless **命づな** lifeline Ⓒ **命の綱** (最後のより所) the last resort ★ the を付けて. **命拾い** ¶彼は*命びろいをした (⇒ 彼は死を免れた) He *escaped death*. / (⇒ 彼は間一髪で助かった) He had *a narrow escape* (*from death*). **命冥加(みょうが)な** lucky enough to escape death.

いのちとり 命取り —[形] (死につながる) fatal ★ 結果的に死に至ることを意味する; (恐ろしい) deadly. (☞ ちめいてき; ちめいしょう). ¶*命取りの病気 a *fatal* disease // *命取りの毒薬 (a) *deadly* poison // 彼の胸の傷が*命取りになった The wound to his chest proved (to be) *fatal*.

いのふ 胃の腑 (胃) stomach Ⓒ.

いのぶた 猪豚 (猪と豚の交配種) cross between a wild boar and a pig Ⓒ.

イノベーション innovation Ⓤ ★ 具体的なものを指す場合は Ⓒ. (☞ かくしん[2]; さっしん; しんきじく).

イノベーター (革新者) ínnovàtor Ⓒ.

いのり 祈り prayer /préə/ Ⓒ; (食前・食後の感謝の祈り) grace Ⓤ. ¶彼女は神に*祈りを捧げた (⇒ 彼女は神に祈った) She *prayed to* God. / She offered a *prayer* to God. // 彼女の*祈りはかなえられた Her *prayer* was answered. // 食前の*祈りをする say *grace* before meal

いのる 祈る pray (自) (他) ★ 最も一般的; offer a prayer; (食前の祈りをする) say grace; (望む・希望する) wish (他). ¶彼はひざまずいて*祈った He knelt down and *prayed*. // 私は熱心に(神に) *祈った I *prayed* earnestly (to God). / I *offered* an earnest *prayer* (to God). // ご成功を (⇒ 幸運を) *祈ります Good luck to you! ★ 試合や仕事などで出かける人に対してよく言われる口語的表現. / I wish you (good) luck. ★ 多少改まった調子. // ご多幸を*祈ります *May* you and your family be happy. // 道

中のご無事を*祈ります (⇒よい旅行をしていらっしゃい) (I *hope* you) have a nice trip.

いは 異派 different school Ⓒ.

いはい[1] 位牌 (Buddhist) memorial tablet Ⓒ.

いはい[2] 違背 ☞いはん[1]

いはつ[1] 遺髪 the hair of the「departed [deceased].

いはつ[2] 衣鉢 (袈裟と托鉢用の鉢) a Buddhist surplice /sə́ːplɪs/ and a begging bowl; (物事の奥義) the secrets (of…).

衣鉢を継ぐ inherit the secrets of…from *one's* master; assume the mantle of *one's* master.

いばら 茨 (とげ) thorn Ⓒ; (とげのある灌木(かんぼく)) bramble Ⓒ. **いばらの道** a thorny road. ¶平和への*いばらの道を歩まねばならない We have to walk「*a* [*the*] *thorny road* to peace.

いはらさいかく 井原西鶴 ―名固 Ihara Saikaku, 1642–93; (説明的には) a haiku poet and novelist in the seventeenth century, his most popular work being *Koshoku Ichidai Otoko* (*The Life of an Amorous Man*).

いばる 威張る ―動 (尊大ぶる) assume an air of importance; (威張りちらす) swagger /swǽgə/ 自; (偉ぶって気取る) give *oneself* airs, put on airs; (豪語する) boast 自 他; (大ぼらを吹く) brag 自 他, talk big 自. ―形 (うぬぼれて) proud; (横柄で) árrogant; (尊大ぶって) haughty; (相手を見くびって) ínsolent; (力ずくの) òverbéaring.

【類義語】うぬぼれて思い上がった態度は **proud**. 横柄で傲慢(ごうまん)な態度は **arrogant**. 自分を偉いと信じこみ, 他を軽蔑する態度は **haughty**. **haughty** がさらに高じて人を怒らせるほど無礼な態度が **insolent**. 支配者・雇用主などの一方的に傲慢な態度は **overbearing**. (☞おうへい (類義語); ごうまん)

¶私は彼の*威張った態度が気にくわない I don't like his「*proud* [*haughty*; *arrogant*] manner. // それは*威張れることではない That's nothing to be *proud of*. // ジョンは1等賞をもらったと*威張っていた John *boasted of* having won (the) first prize. // 彼はいつも自分の故郷が世界中で一番美しいと*威張る He always「*brags* [*boasts*] that his hometown is the most beautiful place in the world.

いはん[1] 違反 ―名 (決められたことを破ること) breaking Ⓤ, breach Ⓒ ★後者のほうが格式ばった語; (犯罪となるような) violation Ⓤ; (宗教上の) transgression Ⓤ ★Ⓤの語は具体的な行為を意味するときは Ⓒ; (犯罪行為) 《米》 offense Ⓒ, 《英》 offence Ⓒ; (命令の違反) disobédience Ⓤ. ―動 break 他; (説明的に) act against…; violate 他; transgréss 他 自; offend (against…) 自; disobéy 他.

【類義語】法律・規則などに違反する [を破る] という意味で最も一般的な動詞は **break**. 違反を表す語で多少古風な名詞は **breach** で, a **breach of**… の形で用いられる. 積極的な, ときには暴力に訴えての違反は **violation**. 主として道徳律の違反が **transgression**. 法律・規則などの違反行為を総称して **offense** と呼ぶ. 重罪は ***major offense***, 軽犯罪は ***minor offense*** という.

¶それは法律*違反だ That's *against* the law. / That's a *violation* of the law. / (⇒あなたは法律を破っている) You *are breaking* the law. // 彼は契約*違反に問われた He was accused of (a) *breach* of contract. // 学則*違反 *violation* of the school「rules [regulations] // 交通*違反 a traffic「*violation* [*offense*] // 交通*違反者 a traffic *offender* // スピード*違反 (a) *violation* of the speed limit / a speeding *violation* / (⇒スピードを出すこと) *speeding* // 税法*違反 a tax *violation* // 駐車*違反 a parking *violation* // 憲法*違反 a constitutional *offense* // 選挙*違反 an electoral [a voting] *irregularity*

いはん[2] 違犯 ―動 commit a crime.

いび 萎靡 ―動 (なえしおれる・気落ちする) be [get] depressed; (元気がない) feel low, be in low spirits; (元気を失くす) lose spirits.

いびき 鼾 ―名 snore Ⓒ; (いびきをかくこと) snoring Ⓤ. ―動 (いびきをかく) snore 自. ¶彼は大きな*いびきをかく He *snores*「loudly [terribly]. / He is a terrible *snorer*.

いひつ 遺筆 ☞いこう[6]

いびつ 歪 ―形 (ゆがんだ円形の・卵形の) oval; (形が崩れた) out of shape, distorted ★前者のほうが口語的.

いひょう 意表 **意表をつく** ¶彼はいつも人の*意表をつくようなことをする (⇒特別なことをやって我々を驚かす) He always *surprises* us by doing something extraordinary /ɪkstrɔ́ədənèri/.

意表外 ☞いがい[1]

いびょう 胃病 ☞い[1] (胃病)

いびりだす いびり出す ¶彼は会社から*いびり出された (⇒いじめられて辞職させられた) He *was treated badly* at the office *and was forced to* resign.

いびる (つらくあたる) be hard on…; (苦しめる) tormént 他. (☞いじめる; いじわる)

いひん 遺品 ¶この万年筆は父の*遺品です (⇒父から残されたものだ) This fountain pen *was left* to me by my father.

いふ[1] 畏怖 awe Ⓤ, fear Ⓤ ★ほぼ同意だが, 前者は格式ばった語. (☞おそれ[1]) ¶神に対する*畏怖の念 (the) *fear* of God // 私は大自然の力の前に*畏怖の念を感じた I「had a feeling of [was struck with] *awe* before the great power of nature.

いふ[2] 委付 ―動 (ゆだねる) entrust … to *a person*, entrust *a person* with… ―名 (委任) commission Ⓤ. (☞いにん; ゆだねる)

いふ[3] 移付 ―動 transfer … from one government office to another 他. ★目的語は権限ないし物件.

いぶ[1] 威武 authority and force Ⓤ.

いぶ[2] 慰撫 ―動 consóle 他, sólace 他 ★両者とも格式ばった語.

イブ[1] (祭日などの前夜) Eve. ¶クリスマス*イブ Christmas *Eve*

イブ[2] ―名固〔聖〕Eve /iːv/ ★神が造った最初の女性; (女性名) Eve. (☞アダム)

いふう[1] 威風 **威風堂堂** ¶兵士たちは街を*威風堂々と行進した The soldiers marched down the street *in grand style*. // (エルガー (Edward Elgar) 作曲の行進曲) *Pomp and Circumstance*

いふう[2] 異風 peculiar manners and customs.

いぶかしい 訝しい ―形 (半信半疑の・いかがわしい) dubious /d(j)úːbiəs/; (疑いを抱かせる) suspicious; (真偽のほどが疑わしい) doubtful. (☞あやしい) ¶だれもそれを*いぶかしく思わなかった No one「felt *doubtful* about [*doubted*] it.

いぶかる 訝る wonder 他 自; (…ではなかろうかと疑う) doubt 他 自; (…だろうと疑う) suspéct 他.

いぶき 息吹き (息・呼吸) breath Ⓤ. ¶もう田舎では春の*息吹きが感じられる We already feel the *breath* of spring in the countryside.

いふきょうだい[しまい] 異父兄弟[姉妹] half「brother [sister] Ⓒ ★英語では通例異父と異母兄弟[姉妹]の両方を区別せずこう呼ぶ. 説明的に区別する言い方は ☞**はらちがい; たね (種違い)**

いふく[1] 衣服 clothes /klóu(ð)z/ ★最も一般的な語. 常に複数形で; (総称的に) clothing Ⓤ; (格式ばった語で) garment Ⓒ; (正装および婦人のドレス)

dress Ⓒ; (ある地域・時代特有の服装) cóstume Ⓒ. 《☞ ふく²》. ¶ 彼は*衣服にあまりかまわない He doesn't care much about *clothes.* / (⇒ 着るものにあまり関心がない) He isn't very interested in *what he wears.*

いふく² 威伏 ―― 動 force [threaten] ... into submission ㊀.

いふく³ 畏服 ―― 動 submit [yield] to ... with awe ㊀; give in ... ㊀ ★ 前者は格式ばった表現.

いぶくろ 胃袋 stomach Ⓒ 《☞ い¹》.

イブ サンローラン ―― 名 ㊂ Yves Saint Laurent /íːv sænlɔ:rá:ŋ/, 1936– . ★ フランスのデザイナー.

いぶしぎん 燻し銀 oxidized /áksədàizd/ sílver Ⓤ; (渋くて味わいのあるもの) something quiet and artistic Ⓤ, something simple and refined Ⓤ. ¶*燻し銀のような演技 *simple and masterly* performance

いぶす 燻す (魚・肉などを燻製にするため, また昆虫などを追い払ったり, 殺菌したりするためにいぶす) smoke ㊀; (特に殺菌のため煙・蒸気などで) fumigate /fjúːməgèɪt/ ㊀; (金属を酸化させる) óxidize ㊀. 《☞ いぶる》.

イプセン ―― 名 ㊂ Henrik Ibsen /íbsn/, 1828–1906. ★ ノルウェーの劇作家.

いぶつ¹ 遺物 (昔の遺品) relic Ⓒ; (遺跡) remains ★ 常に複数形で. 《☞ いせき¹》. **遺物崇拝** rélic wòrship Ⓤ.

いぶつ² 異物 foreign substance Ⓒ; (何か外部から入ったもの) something foreign.

イブニング (夕方・晩) evening Ⓒ ★ 日の入りもしくは仕事を終えた以後就寝時まで; (イブニングドレス) evening ⌜dress [gown] Ⓒ 日英比較 英語の evening にはこの意味はない.

イブニングコート (夜会服) 《米》 tuxedo /tʌksíːdou/ Ⓒ; 《英》 dinner jacket Ⓒ 日英比較 「イブニングコート」は和製英語.

イブニングドレス évening ⌜drèss [gòwn] Ⓒ.

イブプロフェン 〖薬〗 ibuprofen /àɪbjuːpróufən/ Ⓤ.

イブ モンタン ―― 名 ㊂ Yves Montand, 1921–91. ★ フランスのシャンソン歌手.

いぶる 燻る (煙が出る) smoke ㊀; (燃えさしなどが炎を出さないで煙る) smolder (《英》 smoulder) ㊀.

いぶん 異聞 (変わった話[うわさ]) strange ⌜story [rumor] Ⓒ.

いぶんかかんコミュニケーション 異文化間コミュニケーション cross-cultural communication Ⓤ.

いぶんし 異分子 foreign element Ⓒ; (外部から入った人) òutsider Ⓒ.

いへき 胃壁 ☞ い¹ (胃壁)

イベリアはんとう イベリア半島 ―― 名 ㊂ the Iberian /aɪbí(ə)riən/ Peninsula ★ ヨーロッパ南西部の半島.

イペリット 〖化〗 (びらん性毒ガス) mústard gàs Ⓤ, yperite /íːpəraɪt/ Ⓤ ★ 前者が一般的. 「イペリット」はドイツ語 Yperit より.

いへん 異変 (異常な出来事) something unusual; (思わぬ出来事) accident Ⓒ; (災難) disaster Ⓒ. 《☞ さいなん》. ¶ 天候の*異変 *unseasonable [unusual]* weather

イベント (競技種目) event Ⓒ 日英比較 英語の event には「出来事」「行事」「事件」などの意がある. 日本語でも社会的行事に「イベント」を使う傾向が増えているが, 必ずしも日本語の「イベント」が英語の event に当たらないこともある. ¶ 当日のメーン*イベント the main *event(s)* of the day

いぼ 疣 wart /wɔ́ət/ Ⓒ; 〖医〗 verruca /vərúːkə/ 《複 verrucae /-kiː/》. **いぼがえる** toad Ⓒ **いぼ痔** blind piles ★ 複数形で単数扱い; 〖医〗 (痔核) hemorrhoids /hémərɔ̀ɪdz/ ★ 複数形で単数扱い.

いほう¹ 違法 ―― 名 ùnlàwfulness Ⓤ, illegálity Ⓤ ★「違法行為」の意味では illegality は Ⓒ. ―― 形 (違法な) unlawful, ìllégal ★ 前者のほうがより正式な語. 《☞ ふほう¹》. ¶ 私は*違法行為はしたくない I don't want to commit an ⌜*unlawful* [*illegal*] act. / (⇒ 法を破りたくない) I don't want to *break the law.* **違法駐車** illegal parking Ⓤ.

いほう² 彙報 (学会などの会報・公報) bulletin /búlətn/ Ⓒ; (団体などの会報) néwslètter Ⓒ; (紀要) journal Ⓒ.

いほう³ 遺芳 (残り香) lingering scent Ⓒ; (故人の業績) achievements of the deceased.

いほう⁴ 遺法 the law handed down from the ancestors.

いぼう¹ 威望 power and popularity Ⓤ.

いぼう² 遺忘 oblivion Ⓤ 《☞ わすれる》.

いほうじん 異邦人 (見知らぬ人) stranger Ⓒ; (外国人) foreigner Ⓒ; (市民権のない人) alien Ⓒ.

いぼがえる 疣蛙 〖動〗 (ひきがえる) toad Ⓒ.

いぼきょうだい[しまい] 異母兄弟[姉妹] ☞ いふきょうだい

いほく 以北 (...より北に[で]) north of ...; (その場所およびその北方) ... and ⌜northward [points north]. ¶ 富士山*以北は晴れの予想です Fine weather is predicted *north of* Mount Fuji.

いぼく¹ 移牧 moving *one's* stock regularly (from pasture to pasture) as seasons change Ⓤ.

いぼく² 遺墨 calligraphic works of the deceased.

いぼじ 疣痔 ☞ いぼ

いぼだい 疣鯛 〖魚〗 Japanese butterfish Ⓒ.

いぼたのき 水蠟樹 〖植〗 (Japanese) privet Ⓒ.

いほん 異本 different version Ⓒ; (異なった原文) variant text Ⓤ.

イボンヌ (女性名) Yvonne /ɪván/.

いま¹ 今 **1** 《現在》: now, at present, at the present ⌜time [moment] ★ この順に格式ばった言い方となる; (このごろ) nowadays; (今日) today. 《☞ げんざい¹; こんにち》.
¶*いま, 何時ですか What time is it (*now*)? 日英比較 日本語に「いま」とあっても英語では特に now を入れる必要はない. // *いま, この町の人口はどのくらいですか What is the population of this town ⌜*now* [*at present*]? // *いまとなっては手遅れだ It's too late *now.* // *いまからでも遅くはない It's not too late ⌜*now* [*yet*]. // *いまの若い人たちは気が利く Young people ⌜*nowadays* [(*of*) *today*] are quick-witted. // *いまの内閣は 2 か月前に組閣された The *present* cabinet was formed two months ago. // *いまのうちに仕事をしよう I'll do the work ⌜*now* [(⇒ あまり遅くならないうちに) *before it's too late*]. // *いまから 100 年後, 世界はどうなっているだろう What will have become of the world a hundred years from *now*? // *いまでも君が好きだ I *still* love you.

2 《近い未来・過去》: (いますぐに) at once, 《略式》 right away, immédiately ★ 以上はどれも「いますぐに」と, 近接未来を強調する; (間もなく) soon; (たったいま) just now ★ 過去形とともに用いられる; (ほんの少し前) a moment ago. 《☞ すぐ (類義語)》.
¶「何しているの, 太郎」「*いま行きます」"What are you doing, Taro?" "I'm coming! / I'll be there ⌜*in a minute* [*right away*]." // *いま出かけます I'll leave ⌜*at once* [*right away*; *immediately*]. // 手紙は*いま書くところです I'm going to write the letter (right) *now.* // *いま帰ったところです I've *just* come

back. / I came「back [home] *just now*.

今か今かと ━副 (我慢できないような気持ちで) impatiently. ¶私たちは飛行機の到着を*今か今かと待っていた We were「*impatiently* waiting [*impatient*] for the arrival of the plane.

今泣いた烏がもう笑う (⇒ 子供の気持ちは変わりやすい) A child's feelings are changeable. ¶《子供に向かって》*今泣いた烏がもう笑っている I saw you *crying a few minutes ago, but now you are smiling*. / You easily cry, easily laugh. / Your feelings are changeable. **今は是迄** (⇒ これでおしまいだ) It's all over. / (⇒ もうだめだ) We're done for. ★ 後者はくだけた表現. **今や遅しと** ☞ いまや; いま¹; (今か今かと) **今をときめく** (非常に有力な) very influential; (非常に有名な) very well-known, very famous; (成功の頂点にある) at the height of *one's* success.

いま² 居間 living ròom Ⓒ, 《主に英》 sítting ròom Ⓒ 参考 《英》でも現在では living room と言うことが多い. 《☞ 挿絵》.

イマーム (イスラム教の導師) imam /ɪmáːm/ Ⓒ.

いまいち 今いち ¶「結果はどうでした」「*今いちです (⇒ やや不満足で, もう少し良くできたかも知れない)」"How were the results?" "(They were) *rather poor*; they could have turned out better."

いまいましい ━形 (腹立たしい) írritàting; (ひどく腹立たしい) exásperàting; (悩ませるような) annoying; (事柄などが) 《文》 vexatious.

いまがた 今方 ☞ いましがた

いまがわやき 今川焼 (焼饅頭) *Imagawa-yaki* cake Ⓤ; (説明的には) Japanese baked cake stuffed with sweetened adzuki bean paste, so named because it was originally sold near the Imagawa Bridge in Kanda, Tokyo.

いまごろ 今頃 (いま) now; (同じころ) (about) this time 語法 この後に直接または of … として, さらに時を示す語を付ける; (このごろ) nowadays. 《☞ いま¹》. ¶もう*いまごろ彼女は列車に乗っている She is *now* on the train, I suppose. あすの*いまごろまでに東京に着きます We will「be [have arrived] in Tokyo by *this time* tomorrow.

いまさら 今更 **1** 《いまになって》: now 《☞ いま¹》. ¶*いまさら怠惰を後悔しても仕方がない It is no use regretting your laziness「*now* [*when it is too late*]. / It is too late *now* to regret your laziness. // *いまさらどうにもしようがない There is no way out *now*. / It cannot be helped *now*.
2 《改めて》: again. ¶*いまさら (⇒ 繰り返して) 言うまでもないが, 夜は9時までに帰りなさい I don't want to tell you *again*: but be sure to come home before nine p.m.

いましがた 今し方 (ほんの少し前) a moment ago; (たったいま) just now. 《☞ さっき¹》. ¶彼は*いましがた戻った [出かけた] ところだ He「came back [went out]「*just now* [*a moment ago*].

イマジネーション (想像(力), 空想(力)) imagination Ⓤ ★ 具体的な想像は Ⓒ.

いまじぶん 今時分 ☞ いまごろ

いましめ¹ 戒め (教訓) lesson Ⓒ; (忠告・助言) advíce Ⓤ; (警告) warning Ⓒ; (公的な警告の言葉) caution Ⓒ. 《☞ きょうくん》. ¶その経験は私によい*戒めとなった The experience was a「good [valuable] *lesson* for me.

いましめ² 縛め (足[手]かせ) chains, bonds ★ 後者のほうが格式ばった語. ¶彼らは*縛めを解かれた They were freed from their「*chains* [*bonds*].

いましめる 戒める (…に…しないように言う [忠告する]) tell [advise] *a person* not to *do* …; (禁じる) prohíbit ⑩; (「人」に注意する) caution *a person* against …; (自分が用心する) be on (*one's*) guard (against …). ¶ぜいたくはかたく*戒められている <S (人) + V (*prohibit*) + O (人) + *from* + 動名の受身> We *are* strictly *prohibited from* indulging in luxury. // 悪習に染まらないよう自ら*戒めるべきだ You should「*be on* (*your*) *guard* [*guard yourself*] *against* (getting into) bad habits.

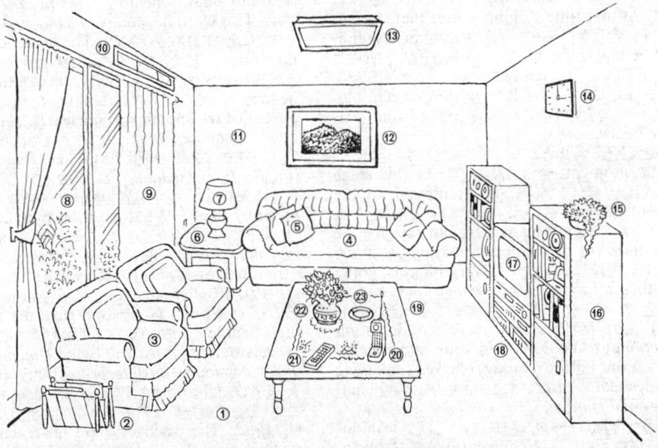

① 床 floor ② マガジンラック magazine rack ③ 安楽いす easy chair, armchair ④ ソファー couch, sofa ⑤ クッション cushion ⑥ 側卓 end table ⑦ ランプ table lamp ⑧ 引き戸 sliding door ⑨ カーテン curtain ⑩ エアコン air conditioner ⑪ 壁 wall ⑫ 絵 picture ⑬ 蛍光灯 fluorescent light ⑭ 時計 clock ⑮ 室内植物 houseplant ⑯ 本箱 bookcase ⑰ テレビ TV, television (set) ⑱ オーディオ装置 audio equipment ⑲ テーブル coffee table ⑳ コードレス電話 cordless phone ㉑ リモコン remote control ㉒ 花瓶 vase ㉓ 灰皿 ashtray

居間 living room

いましも 今しも ―副 (ちょうど今) right now, just now ★ 後者は過去時制とともに用いられると「今しがた」の意となる. ―副 (まさに…しようとする) be about to (*do* …). ¶ *今しも決勝戦の幕が切って落されようとしていた The final game *was about to* ⸢start [begin].

いまだ 未だ ―副 (まだ) yet, as yet ★ 後者のほうが格式ばった語; (まだ…ない) not yet; (依然として) still. 《☞ いまだかつて; まだ》. ¶ 彼は*いまだに姿を見せない He has *not* come *yet*. / He has*n't* ⸢shown [showed] up *yet*. ★ 口語的表現.

いまだかつて 未だ嘗て ―副 (いまだかつてない) never (before). ¶ 私は*いまだかつてこんなおもしろい本を読んだことがない (⇒ いままでに読んだうちで一番おもしろい) This is the most interesting book I (have) *ever* read. // 彼女のような親切な人は*いまだかつて見たことがない (⇒ 私がいままでに会った最も親切な人だ) She is the kindest person I have *ever* known.

いまどき 今時 ―副 (このごろは) nówadàys. ―形 (このごろの) … of today ★ 名詞の後に置く. ¶ *いまどき彼女みたいに親切な人は珍しい A kind person like her is rare *nowadays*. // *いまどきの若い者は礼儀を知らない Young people *today* [The young people of *today*] have no manners.

いまに 今に (すぐに) soon; (間もなく) before long; (近いうちに) one of these days; (いつの日か) someday; (将来) in the future; (そのうちに) in time. ¶ *いまに君にもわかるようになるよ You will ⸢realize [understand] it *someday*. // *いまに後悔することになるぞ You will be sorry for it. // *いまに彼は大物になるぞ He will ⸢be [become] a great man *in the future*. // その秘密は*いまにばれるだろう The secret will come to light *in time*. // *いまに見ていろ (Just) you wait! ★ 復讐を予告するときなどの脅し文句.

いまにして 今にして (今) now, at present ★ 後者のほうがより格式ばった表現. ¶ *今にして思えば (⇒ そのことを振り返って考えると) When I look back on it, …. / (⇒ あの時は…ということに気付かなかった) At that time I didn't notice that ….

いまにも 今にも ―副 (いつなん時) at any moment ★ may と共に用いる. ―動 (「人」がいまにも…しそうである) be ready to *do* … 《☞ すんぜん》. ¶ *いまにも雨になりそうだ It *may* rain *at any moment*. // 彼女は*いまにも泣きそうだった She *was ready to* cry.

いまのところ 今のところ (差し当たって・当座は) for the moment; (いまの段階では) at this stage ★ 格式ばった言い方; (現在は) at present, at the moment. 《☞ さしあたり》. ¶ *いまのところ (は) これくらいしか言えません This is all I can say ⸢*for the moment* [*at the moment*; *at this stage*]. // *いまのところすべて順調にいっている Everything is going smoothly *at* ⸢*present* [*the moment*].

いまひとつ 今一つ ¶ 君は*いま一つ (⇒ ほんの少しばかり) 努力 [勇気] が足りない There is ⸢*a bit* [*something*] to be desired in your ⸢effort [courage]. / Your ⸢effort [courage] leaves *something* to be desired. // それは*いま一つ物足りない It [That] *is not good enough*.

いまふう 今風 ―形 (現在はやっている) fashionable; (現在行われている) current; (最新の) up-to-date.

いままで 今まで till [until] now ★ until のほうが改まった語で, しかもより普通. 文頭では until が普通; (これまで・いままでのところ) so far, as yet. 日英比較 日本語の「いままで」は英語では完了形で表されることもある. 《☞ -まで (類義語)》.
¶ *いままでどこにいたのですか Where *have* you *been*? // 仕事が*いままでかかった (⇒ いままで働いていた) I'*ve been working* ⸢*till* [*up to*] *now*. / (⇒ いま仕事を終えたところだ) I'*ve just finished* my work. // *いままで何をしていたの What *have* you *been doing*?

いまもって 今以て ―副 (それ以後) since; (まだ…していない) not … yet. ¶ 彼からは*今もって便りがない I haven't heard from him *since*.

いまや 今や now. ¶ *いまや腐敗分子を追放すべき時だ *Now*'s the time to get rid of the rotten apples. // 我々は*いまや遅しと出番を待っている (⇒ うずうずしている) We are *raring* to go. 《☞ いま[1] (今か今かと)》

いまよう 今様 ☞ いまふう

いまわ 今際 いまわの際(きわ)に (臨終のときに) in *one's* last moments; (死の床で) on *one's* deathbed.

いまわしい 忌まわしい ―形 (胸がむかつくような) disgústing, abóminable, detestable, loathsome ★ 以上 4 語はほぼ同意だが, disgusting が最も一般的; (不吉な) unlucky; (縁起の悪い) óminous; (呪われた) damned.

いみ[1] 意味 **1** 《意味内容》 ―名 meaning Ⓒ; (特定の意味) sense Ⓒ; (全体的意味内容) 《格式》 import Ⓒ; (含み・含蓄・ニュアンス) implication Ⓒ, cònnotátion Ⓒ; (内に含まれる意味) 《格式》 significance Ⓤ. ―動 (意味する) mean ⓗ 《過去・過分 meant》, 《格式》 signify ⓗ; (暗に意味する) imply ⓗ.

【類義語】最も一般的なものは ***meaning***. 語句のもつ一つ一つの意味には ***sense*** を用いることが多い. ある文章や行為全体の意味内容は ***import*** というが, 格式語. 公然と表明せずに, におわせた意味, あるいはニュアンスということでよく使われる語は ***implication***, または ***connotation***. 同様に, 背後にある意味という感じで, 日本語の「意義」にも当たるのは ***significance***. 《☞ いぎ[1]》

¶ 辞書を引いて, この語の*意味を調べなさい Look up this word in the dictionary to ⸢find its *meaning* [find out what it *means*]. // この語には多くの*意味がある This word has many ⸢*meanings* [*senses*]. // この文は全然*意味をなさない This sentence makes no *sense*. // 彼のとった行動の*意味は何だったのだろうか What ⸢was [is] the *significance* of the action he took? // 演説の*意味ははっきりしていなかった The *import* of the speech was unclear. // 良い*意味 a good ⸢*meaning* [*implication*] // その言葉には悪い*意味がある That word has a bad ⸢*connotation* [*implication*; *meaning*]. // それはどういう*意味ですか (⇒ それによって何を意味するか) What do you *mean* by that? / What *is meant* by that? // 彼は*意味のないことばかり言っている He is always talking *nonsense*. // 厳密な [狭い] *意味では in the ⸢strict [narrow] *sense* (of the word) // ある*意味ではあなたは正しい In a ⸢*sense* [way] you're right. // 彼女は*意味ありげに笑った She gave me a *meaningful* smile. // 彼は私のことばの*意味を取り違えた He mistook ⸢my *meaning* [what I *meant*]. / He ⸢*misunderstood* [*misinterpreted*] my remarks. ★ 後者は前者よりやや格式ばった語. 《☞ かんちがい; ごかい[1]》 // この発見は免疫学の発展にとてつもない*意味を持った The discovery had far-reaching *implications* for the development of immunology.

2 《意図・目的・意義》: meaning Ⓤ; (目的) purpose Ⓒ; (より具体的な目的) aim Ⓒ; (意義) point Ⓤ, sense Ⓤ. 《☞ いぎ[1]; もくてき》.
¶ 人生の*意味とは何だろう What is the *meaning* of life? / What is the *purpose* of our life? / (⇒ 何のために生きるか) What does one live *for*? // 彼に会ってもたいした*意味はない There is little *point* in see-

ing him. // 彼女が死んでしまっては生きていても*意味がない Now that she is dead, there is no ⌜*sense* [*point*] in my continuing (on) to live.
意味論〘言〙semántics Ⓤ.

コロケーション
あいまいな意味 an ambiguous *meaning* / 裏の意味 a hidden *meaning* / 正確な意味 the exact *meaning* / 二重の意味 a double *meaning* / 漠然とした意味 a ⌜vague [obscure] *meaning* / 比喩的意味 a figurative *meaning* / 深い意味 a ⌜deep [profound] *meaning* / 含まれた意味 an implied [a connotative] *meaning* / 文字どおりの意味 the literal *meaning* // 意味を曲解する distort *a person's meaning* / 意味を説明する explain [clarify] the *meaning* / 意味をつかむ grasp [catch] the *meaning* / 意味を定義する define the *meaning* / …の意味を理解する figure out [make out; understand] the *meaning* of …

いみ² 忌み (喪に服すること) mourning Ⓤ; ((宗教的)節制) ábstinence Ⓤ; (忌みことば) taboo (word) Ⓒ. (☞ タブー).
いみあい 意味合い ¶手紙の*意味合いを誤って解釈する misinterpret the *implications* of a letter // その語には少しずつ異なった*意味合いがある The word has several *shades of meaning*.
いみあけ 忌み明け ¶その件については*忌み明けの後でお話しましょう (⇒ 服喪期間が終わったら) I will discuss the matter with you after *the period of mourning is over*.
いみきらう 忌み嫌う (ひどく嫌がる) hate … very much, detest ⑱ ★ 前者のほうがくだけた表現, いずれも進行形には用いられない.
イミグレーション (入国管理) immigration Ⓤ; (入国管理事務所) the immigrátion òffice.
いみことば 忌み言葉 ☞ いみ²
いみじく(も) ―副 (まことにうまく) exquisitely; (適切に) aptly. (☞ ぜつみょう).
いみしん 意味深 ☞ いみしんちょう
いみしんちょう 意味深長 ¶*意味深長な微笑 a *meaningful* smile // *意味深長な目配せ a *suggestive* glance
いみづける 意味付ける (…に意味を与える) give meaning to …; (…を意味深いものにする) make … ⌜meaningful [significant].
イミテーション ―名 (模造品) imitation Ⓒ. ―形 imitation. (☞ にせ; もぞう).
いみな 諱 (死後の名) pósthumous /pástʃuməs/ náme Ⓒ.
いみび 忌み日 (精進潔斎の日) day for ⌜abstinence [purification and fasting] Ⓒ; (凶日) unlucky day Ⓒ.
いみょう 異名 (あだ名) nickname Ⓒ; (別名) alias /éɪliəs/ Ⓒ. ¶彼は日本のエジソンの*異名を取った He *was nicknamed* the "Edison of Japan."
いみん 移民 ―名 (外国からの移住民) ímmigrant Ⓒ; (外国への移住民) émigrant Ⓒ; (入植者) settler Ⓒ; (外国から移住すること及び移民団) immigration Ⓤ; (外国へ移住すること及び移民団) emigration Ⓤ. ―動 (外国から移住してくる) immigrate (to, into, from) ⓐ; (外国へ移住する) emigrate (to) ⓐ. ¶ブラジルへの*移民 *emigrants* ⌜to [for] Brazil // *移民は労働力として受け入れられた The *immigrants* were admitted as laborers.
移民局 immigration office Ⓒ 移民法 the immigration law.
いむしつ 医務室 (学校などで薬を用意してあるような所) dispénsary Ⓒ; (医師の診察室) doctor's office Ⓒ.
いめい¹ 威名 (大変な名声) great fame Ⓤ. ¶*威名をとどろかす be a person of *great fame*
いめい² 遺命 (亡くなった人の命令) order [request] of the late … Ⓒ.
イメージ ―名 image /ímɪdʒ/ Ⓒ (☞ いんしょう). ―動 (心に描く) picture … (in) *one's* mind ⑱; (想像する) imagine ⑱; (印象を与える) create [give] an impression (of …). ¶彼の*イメージはよい He has a ⌜good [positive] *image*. / He *comes across* as a charming man. // 島での生活を*イメージする *picture* life on the island // 朝日を*イメージした旗 a flag *giving an impression of* the rising sun
イメージアップ ¶彼の成功は会社の*イメージアップに大いに役立った (⇒ 彼の成功は会社の評判を高めた) His success brought *a* ⌜*higher reputation* [*better image*] to his company. / His success contributed much to *improving the image* of his company. ★ 第1文のほうが普通. 〔参考〕「イメージアップ」は和製英語. イメージギャップ image ⌜gàp [discrèpancy] Ⓒ イメージキャラクター mascot character Ⓒ, poster ⌜boy [girl] Ⓒ 〔参考〕「イメージキャラクター」は和製英語. イメージ広告 image advertising Ⓤ イメージサークル〘写〙image circle Ⓒ イメージスキャナー〘コンピューター〙ímage scànner Ⓒ イメージセッター〘コンピューター〙ímage sètter Ⓒ イメージセンサー (撮像素子) ímage sènsor Ⓒ
イメージダウン ¶そのニュースは学校の*イメージダウンにつながった The news *tarnished the image* of the school. / (⇒ 名声を傷つけた) The news ⌜*hurt* [*damaged*] *the reputation* of the school. 〔参考〕「イメージダウン」は和製英語. イメージチェンジ ¶彼女は*イメージチェンジしようとしている She is trying to ⌜*change* her *image* [*give* herself *a new look*]. ★ look は内面よりも外観を強調する. イメージ作り image ⌜building [making] Ⓤ イメージトレーニング〘スポ〙ímagery rehéarsal Ⓤ イメージファイル〘コンピューター〙ímage file Ⓒ.

コロケーション
誤ったイメージ a false *image* / 暗いイメージ a sinister *image* / プラスのイメージ a positive [favorable] ⌜*image* [*impression*] / ぼんやりしたイメージ a vague [a hazy; an obscure] *image* / マイナスのイメージ a negative [an unfavorable] ⌜*image* [*impression*] / 明確なイメージ a ⌜clear [sharp; distinct] *image*

イメチェン ☞ イメージ (イメージチェンジ)
いも 芋, 藷 (じゃがいも) potato Ⓒ (複 ~es); (さつまいも) sweet potato Ⓒ; (さといも) taro Ⓒ.
芋の煮えたもご存じない ―動 (世間の事情にうとい) know but little of the world. ―形 unworldly; (世間ずれしていない) unsophisticated, naive.
芋を洗うような ¶海岸は*芋を洗うような混雑だった There was *hustle and bustle* of swimmers on the beach. ★ hustle and bustle で「大変な混雑」. / The beach *was* (*jam-*)*packed* with swimmers.
芋飴 sweet-potato candy Ⓤ, candy made from sweet potatoes Ⓤ 芋粥 rice-and-sweet potato porridge Ⓤ 芋幹(がら) dried stems of the taro 芋刺し ―動 (とがった物で突き刺す) pierce ⑱; (ぐさっと突き刺す) stab ⑱, transfix ⑱ ★ 格式語. 芋焼酎 sweet potato *shochu* Ⓤ; (説明的には) Japanese distilled liquor made from rice and sweet potatoes Ⓤ 芋汁 taro soup Ⓤ 芋田楽 taros (on bamboo spits) broiled with *miso* 芋

版 stamp made out of a potato Ⓒ, potato stamp Ⓒ ★ 前後関係でわかれば後者でよい. **芋掘り** potato digging Ⓤ **芋羊羹** sweet-potato jelly Ⓤ.

いもうと 妹 younger sister Ⓒ (↔ older sister); (年少の妹の場合) little sister Ⓒ (↔ big sister). 日英比較 英語では特に必要あるとき以外は姉・妹の区別はせず, 単に sister のみで表す. ((☞ あね 語法; 親族関係 (囲み)). ¶ 一番下の*妹は小学校 2 年生です My *youngest sister* is in the second grade.

イモジェン (女性名) Imogen /ímədʒèn/.

いもせ 妹背 (夫婦) husband and wife.

いもちびょう 稲熱病 rice blight Ⓤ.

いもづる 芋蔓 いもづる式に (次々に) one after ʳanother [the other]. ¶ 泥棒の一味は*いもづる式に捕えられた All the thieves were arrested *one after the other.*

いもの 鋳物 ― 名 (鋳造によるもの) casting Ⓒ; (鋳型によるもの) molding ((英)) moulding) Ⓒ. ― 形 (鋳物の) cast; molded. ((☞ ちゅうぞう)). **鋳物工場** foundry Ⓒ.

いもむし 芋虫 〔動〕 cáterpillar Ⓒ ((☞ ちょう¹ (挿絵)).

いもり 井守 〔動〕 newt Ⓒ.

いもん 慰問 ― 名 (慰め) consolation Ⓤ, cómfort Ⓤ; (見舞い) visit Ⓒ. ― 動 (慰める) console ⊕, cómfort ⊕. ¶ 老人ホームを*慰問する *visit* a nursing home **慰問品** consolation gift Ⓒ **慰問袋** comfort ʳbag [kit] (sent to soldiers) Ⓒ.

いや¹ 嫌 ― 形 (いやな・不愉快な) dìsagréeable, unpleasant; (むかむかするような) offensive, disgústing; (ぞっとするような) horrid, horrible; (好ましくない・望ましくない) undesirable; (ありがたくない) unwelcome; (気が進まない) unwilling, relúctant; (飽きた) tired, weary, sick ★ 後のものほど意味が強くなる. ((☞ ふゆかい; いやがる)).

¶ あんな人は*いやだ (⇒ 好きではない) I ʳ*don't like* [*dislike*] such people. // 試験なんて*いやだ*いやだ (⇒ 憎む) I *hate* examinations! // 本当に*いやな奴だ What a *disgusting* person! // 彼は*いやな顔をして, だめだと言った He made a ʳ*wry face* [*grimace*] and said no. // 部屋の中は*いやなにおいがした The room had ʳan *offensive* [a *bad*; a *nasty*] smell. // それを聞いて私は*いやな気持ちになった I *was displeased* ʳto hear [by] it. // 実に*いやな光景だった It was a ʳ*horrible* [*horrid*] sight. // 私は行くのは*いやだ I ʳ*am unwilling* [*am not inclined*; *do not want*] to go. // 生きているのがほとほと*いやになった I am *sick* (*and tired*) *of* ʳlife [living].

嫌というほど (痛切に) acutely. ¶ 自分の無力を*いやというほど思い知る be *acutely* aware of *one's* (own) incompetence

いや² no ((☞ いいえ)).

¶ 私の申し出に*いやとおっしゃる (⇒ 拒否する) つもりではないでしょうね You aren't going to *refuse* my offer, are you?

いやが応でも ☞ いやでも応でも

いやでも応でも whether *one* wants it or not; willy-nilly ★ 後者はくだけた副詞. ¶ *いやでも応でも君は態度をはっきりさせなくてはならない *Whether you want to or not* [*Willy-nilly*], you have to make your ʳattitude [position] clear.

いやあ ― 感 (「やあ」と同じく呼びかけの語) helló, hi; (まさか,なんということだなど驚き・困惑などの感嘆詞) Oh(,) my God!, My [Oh] God! ¶ *いやあ, 久しぶりだね *Hello*! It's been ages since I saw you last. // *いやあ, 参った (⇒ 君は私を負かした) *Oh God*! You've got me there!

イヤーブック (年鑑) yearbook Ⓒ.

いやいや 嫌嫌 (気の進まないまま) unwillingly; (不承不承) relúctantly. ((☞ しぶしぶ)). ¶ 彼女は彼の申し出に*いやいや同意した She *unwillingly* agreed to his offer.

いやおうなしに 否応なしに ¶ *いやおうなしに私はここに連れてこられた (⇒ 来ることを強制された) I *have been* ʳ*forced* [*compelled*] to come here. // *いやおうなしに (⇒ 好んでも好まなくても) 彼にこの薬を飲ませなさい Have him take this medicine *whether he likes it or not*. ((☞ むりやり))

いやがうえにも (all) the more ((☞ いっそう¹)).

いやがらせ 嫌がらせ ¶ 彼は*いやがらせを言う悪い癖がある He has a bad habit of saying ʳ*unpleasant* [*disagreeable*] *things* to others. ((☞ いやみ)) // 性的*いやがらせ sexual *harassment* **いやがらせ電話** crank [nuisance] call Ⓒ.

【参考語】 ― 動 (困らせる) bother ⊕; (迷惑をかける) annoy ⊕. ― 名 annoyance Ⓤ.

いやがる 嫌がる (気が進まない) be ʳunwilling [relúctant] (to *do* ...); (嫌う) dislike ⊕; (非常に嫌う) detést ⊕, hate ⊕. ((☞ きらう (類義語); しぶる)). ¶ 彼は外出するのを*いやがっていた He *was* ʳ*unwilling* [*reluctant*] *to* go out. // 子供は歯医者へ行くのを*いやがる Children ʳ*hate* [*detest*] going to (see) the dentist.

いやき 嫌気 〔証券〕 bearish sentiment Ⓤ.

いやく¹ 違約 ― 動 (約束を破る) break ʳa promise [a contract; an agreement]. ― 名 (約束違反・不履行) breach of contract Ⓒ; (義務や債務の不履行・怠慢) default Ⓤ.

¶ *違約はしたくない I don't want to *break* ʳ*promises* [*contracts*]. / (⇒ 約束を守りたい) I want to *keep my* ʳ*promise* [*word*].

違約金 ¶ 契約を廃棄すれば, *違約金を払わねばならない (⇒ 契約違反の損害を償わなければならない) If you ʳbreak [violate] a contract, you have to pay ʳ*breach-of-contract* damages [forfeit; penalty]. **違約賠償** 〔株〕 breach-of-contract compensation Ⓤ.

いやく² 医薬 medicine Ⓤ ((☞ くすり (類義語)). **医薬品** medical supplies ★ 複数形で. **医薬部外品** (医薬に準じるもの) quàsi-médicine Ⓤ **医薬分業** separation of ʳpharmacological dispensary [pharmacy] from medical practice Ⓤ.

いやく³ 意訳 free translation Ⓤ ((☞ 翻訳 (巻末)).

いやけ 嫌気 嫌気がさす ¶ 私はこの仕事に*嫌気がさしてきた (⇒ 飽きてきた) I *am getting* ʳ*tired* [*sick*] of this ʳwork [job]. ((☞ いや¹; うんざり))

いやさか 弥栄 ¶ 貴家の*弥栄をお祈りします We hope for your *prosperity and happiness*. ((☞ はんえい²; りゅうせい²))

いやしい 卑しい 1 《意地汚ない》 ― 形 (貪欲な) greedy; (特に食物について) gluttonous /glʌ́tənəs/. ¶ 彼は実に*卑しい奴だ He is really *greedy*.

2 《下品な》 ― 形 vulgar, coarse. ((☞ げひん)). ¶ 彼は*卑しい言葉づかいしかできない He can use only ʳ*vulgar* [*coarse*] language.

3 《低い身分の》 ― 形 humble, low.

いやしくも ¶ *いやしくも学生なら (⇒ もし学生であるなら[学生になったのだから]) 学生らしく勉強しなさい Study as a student should, ʳ*if* you are one *at all* [*now that* you are one]. // *いやしくも競技に参加するなら最善を尽くせ (⇒ もし参加するならば) Do your best, *if* you are to take part in a game *at all*.

いやしむ 卑しむ (軽蔑する) despise ⊕; (優越的な態度で) 《文》 disdain ⊕. ((☞ けいべつ (類義語)).

いやしんぼう 卑しん坊 (大ぐらい) glutton Ⓒ, gourmand /gúəma:nd/ Ⓒ. ((☞ くいしんぼう)).

いやす 癒す cure ⊕, heal ⊕. ((☞ なおす; なおる)).

¶一切れのパンが空腹を*いやした A piece of bread *satisfied* my hunger.

いやに 嫌に (非常に) very, exceedingly ★ 後者は very よりも強意的で, 格式ばった語; (ひどく) awfully, terribly ★ いずれも口語的. 《☞ ひどく》. ¶彼はきょうは*いやに機嫌がいい He looks ˹*very* [*exceedingly*] happy today.

いやはや ── 感 (驚いたりあきれたりしたときの呼び声) Oh, God!, Gosh!, Well, well!, Oh dear!, Good heavens! ★ 最初のものは信仰心の厚い人は用いず, 代りに2番目を用いる. 最後の2つは女性が多く用いる. ¶*いやはや, そんなばかげたことは聞いたことがない *Well, well*! [*Oh, God*!] I've never heard of such (an) absurdity.

イヤバンク (死亡した人の中耳を移植用に貯える所) éar bànk Ⓒ.

イヤホーン éarphòne Ⓒ. ¶*イヤホーンをつけて下さい Put on your *earphones*, please.

イヤマーク ── 名 (識別の印) éarmàrk Ⓒ ★ 本来家畜の識別のため耳につけた印のこと. ── 動 (用途を指定し確保しておく) earmark ⑱. ¶計画のために巨額の資金を*イヤマークする *earmark* a large sum for the project

いやます 弥増す (ますます強く[大きく, 多く]なる) grow [become] more and more intense; (くだけた表現では) get stronger and stronger; (増加する) increase ⓐ. 《☞ つのる¹》.

いやみ 嫌味, 厭味 ── 形 (ひどく不快にさせる) offensive; (辛らつな) sàrcástic; (皮肉な) ironic. ── 名 (皮肉) sárcasm, írony ★ 以上は「いやみな言葉」の意味では Ⓒ,「皮肉」の意では Ⓤ; (いやみな言葉) sarcastic remark Ⓒ; (あてこすり) snide comment Ⓒ. 《☞ ひにく¹; いやがらせ; いじわる》.
¶*いやみを言ったつもりだったが, 彼女にはわからなかったらしい I meant to be ˹*ironic* [*sarcastic*], but she didn't seem to understand. / I made a ˹*sarcastic* [*snide*] ˹*remark* [*comment*], but she didn't get it.
嫌味のない ── 形 (感じのよい) pleasant; (率直な) frank, candid; (気取らない) unaffected. **嫌みたらしい** (見るからに嫌みな) obviously [evidently] ˹sarcastic [disagreeable].

いやらしい ── 形 (ひどく不快にさせる) disgústing; (汚らわしい) nasty ★ 前後関係によっては「卑わいな」の意味にもなる; (卑わいな) obscene; (下品な) dirty, ìndécent ★ dirty のほうが意味がきつい. 2語とも「卑わいな」の意味にもなる. 《☞ けがらわしい; げひん; わいせつ》. ¶あの男はまったく*いやらしい That man is really ˹*disgusting* [*nasty*]. // 彼は*いやらしい冗談をたくさん知っている He knows a lot of ˹*dirty* [*obscene*] jokes. // 人に*いやらしい行為をする *molest a person*

イヤリング earring Ⓒ. ¶彼女はいつも銀の*イヤリングをしている She always wears silver *earrings*.

いゆう 畏友 (よき友) *one's* good friend Ⓒ; (貴重な友人) *one's* valued friend Ⓒ.

いゆうごうきん 易融合金 fusible alloy Ⓒ.

いよいよ **1** «ますます»: more and more 語法 (1) 形容詞・副詞の前に付けて用いる. -er, -est の活用形を持つ形容詞・副詞では more に代わって比較級が用いられる; all the more 語法 (2) 文中で副詞的に用いる. 《☞ ますます》.
¶風は*いよいよ激しくなってきている It [The wind] is blowing *harder and harder*.
2 «ついに»: (長時間たってやっと) at last; (最後に) finally. 《☞ ついに》. ¶*いよいよ行動する時が来た *Finally* [*At last*], the time has come for us to act. / (⇒ いまこそ) *Now's* the time for action.
3 «まさにその時» ¶*いよいよとならないと (⇒ 締め切りが来ないと) 彼は書きはじめない He never starts writing ˹*until* [*unless*] he *is* ˹*facing a deadline* [(⇒ せきたてられないと) *pressed*].

いよう¹ 異様 ── 形 (変わった) strange; (一風変わった) eccéntric; (風変わりな・妙な) odd; (さらにひどく変わった) queer. 《☞ へん¹ (類義語); きみょう》.

いよう² 威容 ¶その城は丘の頂に*威容を誇っていた (⇒ 堂々と立っていた) The castle stood ˹*magnificently* [*splendidly*] on the top of the hill.

いよう³ 移用 ── 動 (資金などを他の目的に転用する) divert ... (from ... ˹to [into] ...). ── 名 diversion Ⓤ ★「流用」「転用」は違法のニュアンスがあるが,「移用」は政府予算などについては許可を受ければ合法的. 《☞ りゅうよう; てんよう》. ¶割当て額を他の目的に*移用する *divert* the appropriation ˹*to* [*for*] another ˹use [purpose]

いよかん 伊予柑 〔植〕 *Iyo* orange Ⓒ.

いよく 意欲 (意志・意欲) will Ⓤ; (熱意) eagerness Ⓤ; (動機づけ・行動する意欲) motivation Ⓤ; (野心・野望) ambition Ⓤ. ★ 以上は具体的なものを指す場合は Ⓒ. 《☞ ねつい; ねっしん; いきごみ》. ¶彼には勉強に対する強い*意欲がある (⇒ 勉強したがっている) He is very *eager* to study. // 働く*意欲がない have no ˹*motivation* [(⇒ 意志) *will*] to work

いよくてき 意欲的 **1** «人が» ── 形 (熱心な) eager; (強い動機づけのある) highly motivated. ── 副 (熱心に) eagerly; (熱中して) with enthúsiàsm. 《☞ ねっしん》. ¶*意欲的な学生は進歩が速い *Highly motivated* students will make rapid progress in their studies.
2 «仕事・作品などが»: ambitious 《☞ やしん》.
¶*意欲的な作品 an *ambitious* piece of work

イヨマンテ (アイヌの熊祭り) *iomante*; (説明的には) the Ainu festival to send a bear, as the incarnation of a god, to Heaven. 《☞ くままつり》.

いら¹ 伊良 〔魚〕 scarbreast tuskfish Ⓒ.

いら² 刺 (草木のとげ) thorn Ⓒ; (魚の背びれのとげ) spine on a dorsal fin Ⓒ.

いらい 依頼 **1** «願い» ── 名 request Ⓤ ★ 具体的には Ⓒ. ── 動 (頼む) ask ⑱, request ⑱ ★ 後者のほうが格式ばった語. 《☞ たのみ》.
¶変わった*依頼 an unusual *request* // 電話による*依頼 a telephone *request* // 彼の*依頼でまいりました I came at his *request*. // 彼は我々の再三にわたる援助の*依頼を拒絶した He ˹declined [refused] our repeated *requests* for help. // 私は彼にクラスの代表として会に出ることを*依頼した I *requested* him to attend the conference as the representative of our class. // 弁護士に*依頼する (⇒ 相談する) *consult* a lawyer / (⇒ 雇う) *hire* a lawyer / (⇒ まかせる) *leave* [*entrust*] ... to a lawyer // *依頼に応ずる agree to [comply with; grant] someone's *request* // *依頼に応じて on *request*
2 «任せること» ── 動 (責任を持たせて) entrust ⑱; (仕事を与える) commission ⑱. 《☞ いにん》.
3 «頼ること»: dependence Ⓤ, reliance Ⓤ. ¶他人に*依頼ばかりするな You mustn't *depend on* others (for help). 《☞ いぞん》
依頼状 written request Ⓒ **依頼心** lack of self-reliance **依頼人** (弁護士などの) client Ⓒ.

―― コロケーション ――
厚かましい依頼 a brazen *request* / **公式の依頼** an official *request* / **口頭[文書]による依頼** an oral [a written] *request* / **個人的な依頼** a personal *request* / **正式な依頼** a formal *request* / **切なる依頼** an earnest *request* / **ちょっとした依頼** a small *request* / **無理な依頼** an unreasonable *request*

-いらい …以来 (…以来いままで) since …; (…から) from … ((☞ それから; そのご)). ¶ その時*以来, 100年の年月がたった A hundred years have passed *since* ⌈then [that time]. // 卒業*以来どうしていらっしゃいましたか How have you been *since* you graduated?

イライザ (女性名) Eliza /ɪláɪzə/ ★ 愛称は Lisa /líːsə/, Liza /líːzə/.

いらいら ―形 nervous; (いらいらさせる) irritàting; (いらいらした) irritated, annoyed; (じれったい) impatient. ―動 (いらいらさせる) irritate ⊕; (うるさがらせる) ((格式)) vex ⊕; (腹を立てさせる) annoy ⊕. ((☞ いらだつ)).
¶ 彼は*いらいらしている He's *nervous.* // 彼と話していると*いらいらしてくる (⇒私をいらいらさせる) His way of talking ⌈*irritates* me [is *irritating*]. // 彼は*いらいらして部屋の中を歩き回った He walked about the room in a show of *irritation.*

いらか 甍 (瓦屋根) tile(d) roof Ⓒ; (瓦) tile Ⓒ.

イラク ―名 ㊎ Iraq /ɪráːk/; (正式名; イラク共和国) the Republic of Iraq. ―形 (イラクの) Iraqi /ɪráːki/. **イラク人** Iraqi Ⓒ

いらくさ 刺草, 蕁草 nettle Ⓒ.

いらざる 要らざる (不要の) needless, unnecessary; (無用の) useless; (頼みもしない) uncalled-for. ¶ *要らざる心配をする worry *needlessly* // *要らざる差し出口 an *uncalled-for* remark // *要らざることをしたものだ (⇒する必要はなかった) You *need not* have done so. ((☞ いる²)).

イラショナル ―形 (不合理な) irrátional.

イラスト (挿絵・図) illustrátion Ⓒ; (本などの挿絵・図) figure Ⓒ. ((☞ え¹)).

イラストレーション (挿絵) illustration Ⓒ ★ 日本語では「イラスト」と略すことが多い. ((☞ イラスト)).

イラストレーター (proféssional) íllustràtor Ⓒ [日英比較] 英語の illustrator は「挿絵を描く[描いた]人」で, 必ずしもそれを職業にしているという意味ではない.「彼はイラストレーターです」などの場合は He is a *professional illustrator.* とするほうが明確.

いらだたしい 苛立たしい ¶ *苛立たしい騒音 (an) *irritating* noise // *苛立たしげに舌打ちする (go) tut-tut *with annoyance*

いらだち 苛立ち (立腹していらいらすること) irritation Ⓤ; (神経質で) nervousness Ⓤ; (気がせいて) impatience Ⓤ. ((☞ いらだつ)).

いらだつ 苛立つ (いらいらする) get írritàted; (神経質に) get nervous; (忍耐できずに) get impatient; (しびれを切らす) lose patience. ((☞ いらいら)). ¶ そんなに*いら立つな. 彼女はすぐ来るよ Don't *get* so ⌈*irritated* [*impatient*]. She'll come soon.

いらだてる 苛立てる írritàte ⊕, annoy ⊕ ★ 前者のほうがやや強い苛立ちを表す. ¶ 神経を*苛立てる騒音 the noise which *irritates one's* nerves

いらっしゃい ¶ *いらっしゃい (⇒お入りなさい) Please come in. / Step right in. / (⇒ようこそ) Welcome! // ((店で)) *いらっしゃいませ May [Can] I help you, ⌈sir [ma'am; madam]? [語法] 「何かお手伝いしてよろしいでしょうか」が原意. 女性客には ma'am または madam.

イラワジ ―名 ㊎ the Irrawaddy ★ ミャンマーを流れる川.

イラン ―名 ㊎ Iran /ɪráːn/; (正式名; イランイスラム共和国) the Islamic Republic of Iran. ―形 (イランの) Iranian /ɪréɪniən/. **イランイラク戦争** the Iran-Iraq War ★ 1980–88 **イラン革命** the Iranian revolution ★ 1978–79. パーレビ王朝が崩壊した. **イラン語** Iranian Ⓤ ★ 言語的には Persian Ⓤ (ペルシャ語; イラン・アフガニスタンの言語) ともいう. **イラン人** Iranian /ɪréɪniən/ Ⓒ.

いり 入り ¶ きょうは (劇場の) *入りが多い [少ない] The ⌈*attendance* [*audience*] today is ⌈large [small]. ((☞ まんいん)) // 日の*入りは何時ですか (⇒太陽は何時に沈むか) What time does the sun *set*? / When is (the) *sunset*? // 今年の梅雨(つゆ)の*入りはきのうだった Yesterday was *the first day* of the rainy season this year.

-いり -入り ¶ 10万円*入りの財布 a wallet *containing* 100,000 yen // 18リットル*入りの容器 an 18-liter container // 挿し絵*入りの本 an *illustrated* book // 著者の署名*入りの本 a book *with* the author's autograph / an *autographed* copy

いりあい¹ 入り会い 〘法〙 commonage Ⓤ.
入会権 right of common Ⓒ; commonage Ⓤ **入会地** common land Ⓤ; common(s).

いりあい² 入相 (日暮れどき) sunset Ⓤ, ((米)) sundown Ⓤ; (たそがれ) dusk Ⓤ.
入相の鐘 (晩鐘) vesper (bell) ★ キリスト教, 特にカトリック教会の夕の祈りの鐘; (寺の鐘の音) evening bell of a temple ★ 両方とも普通単数形で.

イリーガル ―形 (非合法の) illegal.

いりうみ 入り海 ☞ いりえ

いりえ 入江 (細長い湾) inlet Ⓒ; (湾) bay Ⓒ.

いりえわに 入江鰐 〘動〙 estuarine crocodile Ⓒ.

いりがた 入り方 (日没時) the time of sundown, sunset time Ⓤ.

いりぐち 入口 (出口に対する) entrance Ⓒ; (戸・戸口) door Ⓒ; (戸口) doorway Ⓒ [語法] (1) 以上2語はほぼ同意にも用いられるが, door が家の玄関の扉を指すのに対し, doorway はその扉 (door) (普通内側に開く) が開いてできる空間 (space); (敷居のところ) threshold Ⓒ; (門) gate Ⓒ. ((☞ とぐち)).
¶ 正面*入口から入ってきて下さい Please come in through the front *entrance.* // *入口にだれか男の人が立っていますよ A man is standing *at the door.* [語法] (2) at the door は「入口のところに・入口の前に」の意. ドアを開けて敷居の上に立つ感じのときは in the doorway, at [on] the threshold と言う. // これがほら穴[湾]の*入口です This is the ⌈*entrance* [*mouth*] ⌈to [of] the ⌈cave [bay]. // 高速道路の*入口 the ⌈*entrance ramp* [*access road*] to an expressway / ((英)) a *slip-road* to a motorway

いりくむ 入り組む ―動 (複雑になる) become [get] ⌈complicated [intricate]. ―形 (入り組んだ) cómplicàted, íntricate, involved, compléx. ((☞ ふくざつ; こみいる; ややこしい)).

いりこ 熬り子 ☞ にぼし

いりこむ 入り込む (強引に中に入る) force *one's* way in; (やや格式ばって) make a forcible entrance (into …); (込み入る・複雑になる) become complicated. ((☞ はいりこむ; いりくむ)).

イリジウム 〘化〙 ―名 iridium /ɪrídjəm/ Ⓤ ((元素記号 Ir)). ―形 (イリジウムの) iridic.

いりしお 入り潮 ☞ ひきしお

いりたまご 炒り卵 scrambled eggs ★ 通例複数形で.

いりつける 煎り付ける (水分が無くなるまで煮る) bóil dówn ⊕; (豆などを直火にかけたりオーブンで) roast ⊕.

いりでっぽうにでおんな 入り鉄砲に出女 (江戸時代の) incoming [arriving] guns and ⌈outgoing [departing] women(, which were strictly inspected at the *sekisho* barrier stations around Edo during the Tokugawa period).

いりどうふ 炒り豆腐 scrambled tofu Ⓤ.

いりなべ 炒り鍋 roaster Ⓒ.

イリノイ ―名 ㊎ (米国の州) Illinois /ìlənɔ́ɪ/ ((☞ アメリカ (表))).

いりはま 入り浜 (塩田の一種) salt farm Ⓒ. **入り浜権** the right to use the beach.
いりひ 入り日 (沈む太陽) the setting sun; (日の入り) sunset Ⓤ.
いりびたる 入り浸る (よく出かけて行っては長く居る)《略式》hang ⌈around [out] (at …) (自)《過去・過分 hung》. ¶彼はパチンコ狂で毎日パチンコ屋に*入り浸りだ He is so crazy about *pachinko* (pinball) (that) he *hangs* ⌈*around* [*out*] *at pachinko* parlors every day. ★ that を省くとより口語的になる.
いりふね 入船 (入ってくる船) incoming ship Ⓒ; (到着する船) arriving ship Ⓒ. 《☞ でふね》.
いりまじる 入り交じる ☞ まじる; まざる
いりまめ 炒り豆 roasted soybeans ★ 複数形で.
いりみだれる 入り乱れる be jumbled (up); (ごったがえす) jostle (他) (自) ★ 動作を指す. 《☞ ごちゃごちゃ》.
いりむこ 入り婿 (養子としての娘の夫) daughter's husband as an adopted son Ⓒ 《☞ むこ (婿養子)》. ¶*入り婿になる *marry into* another family
いりもやづくり 入母屋造り (破風の屋根のある家) Japanese-style gabled house Ⓒ.
いりゅう[1] 慰留 ―[動] (説得して職に留まらせる) persuade [induce] *a person* to stay in office; (辞めないように頼む) ask *a person* not to resign. 《☞ ひきとめる》. ¶彼を*慰留してみたがだめでした I tried to *persuade him to stay*, but I failed. / I tried in vain to ⌈*induce* [*get*] him *to stay in office*. ★ 第1文のほうが口語的.
いりゅう[2] 移流 〘気象〙 advection Ⓤ. **移流霧** advection fog Ⓤ.
イリュージョン illusion /ɪlúːʒən/ Ⓤ ★ 具体的には Ⓒ.
いりゅうひん 遺留品 (後に残されていった品物) article [object] left behind Ⓒ. ¶犯行現場には*遺留品があまりなかった Few *objects were left behind* at the scene of the crime.
いりゅうぶん 遺留分 〘法〙(財産の) an entitled inheritor's (distributional) share of ⌈his [her] deceased relative's property.
いりよう 入り用 ☞ ひつよう
いりょう[1] 医療 ―[名] (治療) medical ⌈treatment [care] Ⓤ; (広い概念での) medical service Ⓤ, health care Ⓤ. ―[形] (医療の) medical. ¶*医療費が 20 万円近くになった The *medical* expenses came to about 200,000 yen. // 健康保険による*医療費が引き上げられた *Medical* fees ⌈under [in] the health insurance system have been raised. // *医療制度を改革する必要がある The ⌈*health care* [*medical service*] system has to be reformed.
医療過誤 ☞ 医療ミス **医療器械** médical instrument Ⓒ **医療機関** medical institution Ⓒ **医療技術** medical technology Ⓤ **医療給付** medical benefits ★ 複数形で. **医療控除** tax deduction for excessive medical expenses **医療施設** medical facility Ⓒ **医療少年院** medical reformatory Ⓒ《☞ しょうねん (少年院)》 **医療チーム** medical team Ⓒ **医療廃棄物** medical waste Ⓤ **医療品** (製品) medical product Ⓒ; (用品・備品) medical equipment Ⓤ 《☞ 挿絵》 **医療法** the medical law ★ the を付けて. **医療法人** medical [health care] corporation Ⓒ **医療保険** medical insurance Ⓤ **医療ミス** medical malpractice Ⓒ.

> **コロケーション**
> **救急医療** EMS (emergency *medical service*) / **終末医療** terminal *care* / **先端医療** advanced *medical care*; high-tech *medicine* / **地域医療** community *medicine* / **長期医療** long-term *medical care* / **老人医療** *medical care* for the aged

いりょう[2] 衣料 clothes /klóʊ(ð)z/ ★「身に着ける物」の意味で, 常に複数形で; clothing Ⓤ ★ 前者より格式ばった語; (商業用語で) garment Ⓒ. 《☞ いしょく[3] (衣食住)》. ¶うちの店は子供用の*衣料だけを扱っています We specialize in children's *wear*.
[語法] wear Ⓤ は多少商業的な用語で, underwear, ladies' [men's] wear などとして用いる. **衣料品店** clothing store Ⓒ.
いりょう[3] 衣糧 food and clothing Ⓤ 《☞ いしょく[3]》.
いりょく[1] 威力 (力) power Ⓤ; (権威・権力) authórity Ⓤ; (勢力・支配力) ínfluence Ⓤ. 《☞ ちから》. ¶金の*威力で彼はその地位を得た He used the *power* of (his) ⌈money [wealth] to gain his position. // この爆弾の*威力 (⇒ 破壊力)は大きい The *destructive power* of this bomb is very great. / (⇒ この爆弾は強力です) This bomb is *quite powerful*. **威力業務妨害** forcible obstruction of business Ⓤ **威力をふるう** wield [exercise] (*one's*) ⌈power [authority] over …
いりょく[2] 偉力 ¶(手段などが)*偉力を発揮する (⇒ うまくゆく) *work well* // (薬などが) *偉力を発揮する (⇒ よく効く) *work like a miracle*
いる[1] 居る 1 《存在する》: be (自) [語法] <S (人・生物) + *be* 動詞 + 副詞(句)> で人・生物の「居る」ことを表す. 不特定の人・生物のときは <*there* + *be* 動

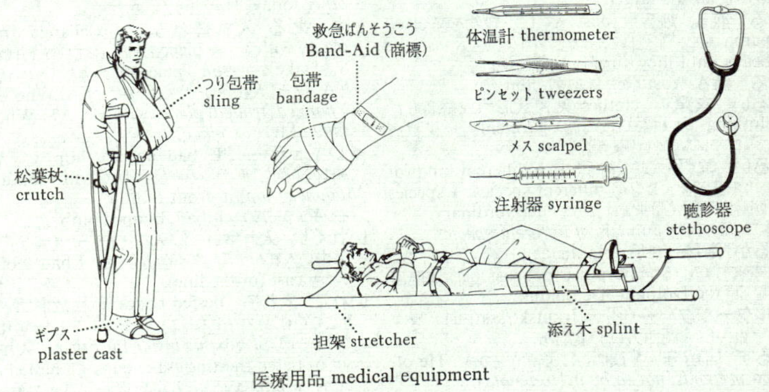

医療用品 medical equipment

詞+S（人・生物）+副詞(句)＞ で表す；（存在する）exist (自)；（とどまっている）stay (自), remain (自)；（住む）live (自). 《☞ すむ[1]》.

[日英比較] 日本語では存在を表す場合, 主語が無生物なら「ある」((例) あそこに池がある), 主語が生物なら「いる」((例) あそこに犬がいる), を用いるが, 英語ではこの区別はない. 英語の存在を表す動詞を be で代表させれば, この関係は右の図のようになる. ★ 日本語では「あそこにバスがいる」「タクシーが1台もいない」のように, 交通機関など, 人が動かす物については「いる」が用いられる.

日本語	英語
ある	be
いる	

¶「どこに*いるの」「私はここに*いるわよ」"Where *are* you?" "I'*m* here!" // 部屋の中には 30 人ほど*いる There *are* about thirty people in the room. // 私には姉は*いません I *have* no sister(s). // あの家には犬が*いる（⇒ 犬を飼っている）They *have* a dog in that house. // もうここに*いるわけにはいかない We can no longer ˹*stay* [*remain*] here. // 彼女はおばさんと一緒に*いる She *lives* with her aunt. // 何年日本に*いますか How long *have* you *been* in Japan?

2 《…している》 [日英比較] 日本語では動詞の連用形を受ける用法で, 英語では進行形, be 動詞+状態の形容詞(句)で示すことが多い. ¶私はいままで本をずっと読んで*いた I *have been reading* (a book). // 彼女はいま仕事をして*いる She *is* ˹*working* [(⇒ している最中だ) *at work*] now. // 食事ができて*いる Dinner *is* ready. // 窓が開いて*いる The window *is* open. // 私の兄は大学に通って*いる My brother *goes to* college. [語法] この場合は現在の習慣を表すので, 進行形ではなく, 単純な現在時制が用いられる.

3 《経験を表す》 ¶委員長なら一度やって*いるよ（⇒ 務めたことがある）I *have* once *served* as (the) ˹chairman [chairperson]. // その映画なら見て*いる I'*ve seen* that movie. // ニューヨークには三回行って*いる I *have been* to New York three times.

いる[2] 要る （必要とする）want (他), need (他) ★ 後者はやや格式ばった語；（…が必要とされる）be ˹necessary [needed; required] ★ 後のものほど格式ばった表現. 《☞ ひつよう》.
¶*いるだけ持って行きなさい Take as much as you ˹*need* [*want*]. // *いらない物（⇒ 不用の物）は捨てよう Let's ˹throw away everything we don't *need* [discard all *useless* items]. // おつりは*いらない（⇒ そちらでとっておきなさい）Keep the change. // それは*いらないお節介だ That's none of your business.

いる[3] 射る （矢を・鳥を）shoot (他)；（的を）hit (他) 《過去・過分 hit》. 《☞ うつ[2]》. ¶矢は的を*射た The arrow *hit* the target.

いる[4] 煎る, 炒る roast (他)；（豆・穀物を軽くいる）parch (他). ¶豆はこんがりと*いりなさい *Roast* the beans until they ˹turn [are] brown.

いる[5] 鋳る cast (他)；（貨幣を）mint (他).

いるい[1] 衣類 clothes ★ 複数形で；（総称して）clothing [U]；（格式ばった語）garments ★ 複数形で. 《☞ いふく[1]; いりょう[2]》.

いるい[2] 異類 （違う種類(の)）a different kind (of …)；（違う種(の)）(of) different species ★ species は単複同形；（通常とは異った）extraordinary.
*¶*異類の動物* animals *of different species*

いるか 海豚 〖動〗dolphin [C]；（一般にいるか, および特にねずみいるか）porpoise /pɔ́ːpəs/ [C]. **海豚座** 〖星座〗the Dolphin, Delphinus.

イルクーツク ―[名] (固) Irkutsk /ɪəkúːtsk/ ★ ロシアのバイカル湖西方の工業都市.

いるす 居留守 ¶彼はよく*居留守をつかう He often *pretends* ˹*not to be in* [*to be out*].

イルミネーション ―[名]（照明）illùminátion [U]. ―[動]（イルミネーションで飾る）illuminate (他), decorate … with lights.

-いれ …入れ ¶名刺*入れ a card *case* // 定期(券)*入れ a commutation-ticket *holder*

いれあげる 入れ揚げる spend a great deal of money (by) patronizing …

いれい[1] 異例 ―[名]（例外）exception [C], exceptional case [C]. ―[形]（普通ではない）unusual;（例外的な）exceptional;（先例のない）《格式》ùnprécedènted. 《☞ れいがい[1]》.

いれい[2] 慰霊 ¶災害の犠牲者を*慰霊する *comfort the spirits* of people killed in a disaster **慰霊祭** memorial service [C] **慰霊碑[塔]** memorial [C]; cenotaph [C]. ¶戦没者の*慰霊碑を建てる erect a *memorial* to war victims

いれい[3] 威令 order from the authorities [C].

いれい[4] 違令 （命令違反）violation of an order [U].

イレイザー （消しゴム・インク消しなど）eraser /ɪréɪzə/ [C].

イレイン （女性名）Elaine /ɪléɪn/.

いれかえ 入れ替え, 入れ換え （人員の）rèshúffle [C]；（鉄道車両の）shunting [C]. ¶閣僚の*入れ替えが行われた There has been a cabinet *reshuffle*. // *入れ替えなし(の切符)《表示》（映画館で）a ticket valid for all performances on (the) day of issue // 重役陣は総*入れ替えになった There was a total ˹*reshuffle* [*reshuffling*] of the executive board.
入れ替え線 〖鉄〗siding [C] **入れ換え部品** replaceable parts [C].

いれかえる 入れ替える, 入れ換える （A を B で置き換える）replace A with B, substitute B for A ★ A と B の関係を示す語順に注意. 《☞ とりかえる》.
¶古い資料と新しい資料を*入れ替える必要がある It is necessary to ˹*replace* the old set of data *with* the new set [*substitute* the new set of data *for* the old set]. // お茶を*入れ替えて下さい（⇒ 新しいお茶を入れて下さい）Please *make some fresh tea*. // 心を*入れ替える（⇒ 自己を改革する）*reform oneself* / *mend one's* ways 《☞ こころ; かいしん[2]》 // 《劇場などで》観客を*入れ替える *shift* the audience

いれかけ 入れ掛け ―[動]（中止となる）be called off. ―[名] cancel(l)ation of an event [U].

いれかわり 入れ替わり ¶君と*入れ替わりに（⇒ 君が去った直後に）奥さんが来たよ *Right after* you left, your wife came in. // 今日は*入れ替わり立ち替わり（⇒ 次から次へと）大勢の来訪者があった A large number of visitors came in *one after another* today. 《☞ こうご[1]; つぎつぎ》

いれかわる 入れ替わる (ex)change [trade] places with … ★ place は複数形で；（人の代わりをする）take *a person's* place. 《☞ かわる[2]; こうたい[1]》.
¶A さんと*入れ替わったのはだれですか Who *has* ˹*changed* [*traded*] *places with* Mr. A? / Who *has taken* Mr. A's *place*?

イレギュラー 〖野〗bad ˹bounce [hop] [C]. ¶ボールは彼の前で*イレギュラーした The ball took a *bad* ˹*bounce* [*hop*] in front of him.
イレギュラーバウンド bad ˹bounce [hop] [C].

いれぐい 入れ食い ¶*入れ食いだった（⇒ 釣り針を水中に入れるたびにすぐ魚がかかった）I had a bite at every cast (of the line).

いれこ 入れ子 nested boxes ★ 複数形で.
¶この箱は*入れ子になっている（⇒ もう 1 つの中にうまくはまる）This box *fits inside the other*. **入れ子杯** set of tiered (nesting) sake cups [C], nested sake cups ★ cup は両方とも複数形で. **入れ子鮭** seed

salmon Ⓒ, salmon with ˹roe [eggs] in its body Ⓒ　**入れ子重** nest of lacquered boxes Ⓒ, nested lacquered boxes ★ box は両方とも複数形で.　**入れ子鍋** nest of pans Ⓒ, nested pans ★ pan は両方とも複数形で.　**入れ子鉢** nest of bowls Ⓒ, nested bowls ★ bowl は両方とも複数形で.　**入れ子枡** nest of measuring boxes Ⓒ, nested measuring boxes ★ box は両方とも複数形で.

いれこみ　入れ込み　communal seating Ⓤ.

いれこむ　入れ込む　**1** «押して入れる»: (押し込む) push [thrust; stuff; crush] ... into ...; (入れ子にする) nest ㊀. (☞ おしこむ).　**2** «興奮する»: (馬が) get excited; (人が) feel excited, be spirited.

いれずみ　入れ墨　── 名 tattóo Ⓒ.　── 動 (...に入れ墨をする) tattoo ㊀.

いれぢえ　入れ知恵　(暗示) suggestion Ⓒ.　¶ これはだれかが彼に*入れ知恵したに違いない　Someone must *have* ˹*suggested the idea* to him [*put the idea* ˹in [into] his head].

いれちがい　入れ違い　── 動 pass [cross] each other (☞ ゆきちがい).　¶ 私たちは*入れ違いになってしまった (⇒ 途中で行き違った) We *passed each other* on the way. / Our paths *crossed* on the way.　語法 以上は両方とも, 途中で出会った場合も行き違いになった場合も含む. // 鈴木君と*入れ違いに田中君が来た　Tanaka came in just when Suzuki had left. // 僕の手紙は彼女の手紙と*入れ違いになった My letter *crossed* hers.

いれちがう　入れ違う　☞ いれちがい; いれちがえる

いれちがえる　入れ違える　**1** «間違って入れる»: (間違った場所に入れる) put [insert] ... in the wrong ...; (間違って他のものを入れる) put ... ˹in [into] ... instead of ... by mistake.　¶ その火事はオイルヒーターに灯油とガソリンを*入れ違えたことで起こった The fire was caused by someone's mistakenly *putting* gasoline *into* the oil heater *instead of* kerosene.

2 «入れ違いになる» ☞ いれちがい

いれば　入れ歯　fálse tóoth Ⓒ (複 teeth), dentures.　¶ *入れ歯をする (⇒ 作ってもらう) have ˹*false teeth* [*dentures*] made // *入れ歯をしている wear *one's false teeth* // *入れ歯をはめる[はずす] put in [take out] *one's false teeth*

いれふだ　入れ札　☞ にゅうさつ

イレブン　(サッカー・クリケットのチーム) eleven Ⓒ.

いれぼくろ　入れ黒子　patch Ⓒ, beauty spot Ⓒ.

いれもの　入れ物　(容器一般) contáiner Ⓒ; (ケース) case Ⓒ.　¶ そのジャムを*入れ物に入れなさい Put the jam ˹in [into] a *container*.

いれる　入れる, 容れる　**1** «物を器に»: put ... in ... (過去・過分 put); (いっぱいに入れる) fill (up) ㊀; (入れておく) keep ... in ... (過去・過分 kept); (詰め物を) stuff (up) ㊀; (衣類に綿などを) wad ㊀.

¶ ポケットに手を*入れるな Don't *put* your hands *in* your pockets. // コーヒーに砂糖を*入れますか Would you like sugar *in* your coffee? // ガソリンを満タンに*入れて下さい *Fill* ˹it [her] *up*.　語法 自分の自動車を女性代名詞 her で言うのはくだけた表現. // ポケットに何を*入れているの (⇒ 何を持っているか) What ˹do you *have* [*have* you *got*] *in* your pocket(s)? // 貴重品はこの箱の中へ*入れておきなさい You'd better *keep* your valuables *in* this box. // 座布団に綿を*入れる *stuff* ˹a cushion with cotton [cotton into a cushion]

2 «狭い所へ挿入する・差し挟む»: pùt ín ㊀, insért ㊀ ★ 同意だが, 後者のほうが格式ばった語; (手紙などに) enclose ㊀. (☞ そうにゅう).

¶ この 2 つの単語の間にコンマを*入れなさい *Put* (*in*) [*Insert*] a comma between these two words. // この手紙の中に写真を*入れておきます I *am enclosing* a photo with this letter. // 指輪に宝石を*入れる *set* ˹a jewel in a ring [a ring with a jewel] // コンタクトレンズを*入れる *wear* contact lenses

3 «入るようにする・入ることを許す»: let ... in, admít ㊀ ★ やや格式ばった語.

¶ 彼女を*入れてやりなさい Please *let* her *in*. // 子供も会場に*入れていただけますか *Are* children ˹*admitted* [*allowed in*]?　日英比較 [　]内のほうが口語的, またこの場合, 「会場」は特に訳す必要はない. // 窓を開けて空気を (⇒ 新鮮な空気を)*入れて下さい Will you open the window to *let* some fresh air *in*?

4 «収容する»: (人を学校・病院などに) send ㊀ (過去・過分 sent); (学校が生徒を入学させる) admit ㊀; (人を採用・雇用する) employ ㊀, hire ㊀ ★ 後者は口語的で一時的雇用を意味する. (☞ やとう); (建物などが人を) accómmodàte ㊀; (...人分の座席をもつ) seat ㊀.　¶ 彼女は娘を大学に*入れた She *sent* her daughter to college. // あの老人は病院へ*入れたほうがいい (⇒ 入院させる) The elderly man had better *be* ˹*hospitalized* [*sent* to (the) hospital]. ★ hospital に the を付けるのは《米》. // 会社は新しい技術者を 2 人*入れた (⇒ 雇った) The company has *employed* two new engineers.

5 «包含する・加える»: (含める) include ㊀; (受け入れる) accept ㊀.

¶ 私の小遣いは 1 万円の本代, 新聞代を*入れて月 2 万円です I spend 20,000 yen a month on minor expenses, *including* about 10,000 yen on books and newspapers. // 私をあなた方の仲間に*入れて下さい (⇒ 加わってよいですか) Can [May] I *join* you? // 私はテニスクラブに*入れてもらった I *was* ˹*accepted* [*admitted*] as a new member ˹of [at] the tennis club. / I *was allowed to join* the tennis club.

6 «要求・意見などを聞き入れる»: (受け入れる) accept ㊀; (要求などに応じる) 《格式》 comply with ...; (忠告などに耳を貸す) listen to ...

¶ 私たちの要求は*入れられなかった (⇒ 拒否された) Our ˹demand [request] *was* ˹*turned down* [*refused*]. // お耳に*入れておきたいことがあります May I have a word with you? / (⇒ 私はあなたにお話ししたいことがある) I have something to tell you. // 彼は私の忠告を*いれる人ではない He never *takes* my advice. / (⇒ 耳を傾けない) He is deaf to my advice. ★ 文語的表現.

7 «電気・スイッチなどをつける»: (スイッチを入れる) switch [turn] on ㊀ (↔ switch [turn] off).　¶ 彼は洗濯機のスイッチを*入れた He *switched on* the washing machine. // 冷房を*入れる *turn* the air conditioner *on*

8 «茶・コーヒーを沸かす»: (お茶を) make tea; (コーヒーを) make [brew] coffee. (☞ わかす).

9 «投票する»　¶ 共和党候補に票を*入れる *cast one's* vote for the Republican (party's) candidate (☞ とうひょう¹)

いろ　色　**1** «色彩»: color (《英》 colour) Ⓒ; (色合い) hue Ⓒ; shade Ⓒ; (明るい) tint Ⓒ; (混じり合った) tinge Ⓒ; (色調) tone Ⓒ.

【類義語】「色」に対する最も一般的な語は *color* である. 詩や文学的な文体の文では *color* の代わりに *hue* がほぼ同意で用いられることがある. また「その緑は少し鮮やかさを失った (⇒ その緑は少し鮮やかさの少ない色合いに変わった)」The green changed into a less vivid *hue*. のように, 色の変化をいう場合に *hue* を用いることも多い. ある色の濃淡をいう場合には *shade*. ((例) もっと濃い黄色 a darker *shade* of yellow / もっと明るい青 a brighter *shade* of blue). 軽快で明るい色合いを意味するのが *tint*. いくつかの色がわずかずつ混合してできた色合いは *tinge*. 比喩的に

「…的な色彩を帯びる」という意味でも用いられる. 色の性質の違いをいう場合には *tone* を用いる. ((例) 3つの違った赤色 three *tones* of red).

¶ 派手な*色 a ˹showy [loud; gaudy] *color* // 落ち着いた*色 a ˹quiet [mellow] *color* // 感じのよい*色 a ˹pleasant [delightful] *color* // その車は何*色ですか What *color* is the car? // 何*色のシャツがよろしいですか《店員の言葉》 What *color* shirt would you like? // その子供はクレヨンで*色を塗っていた The child *was coloring* with crayons. // *色が濃い[薄い] be a ˹deep [light] *color* // *色が変わる change *color* // *色をつける *color* / (⇒ 与える) give *color* (to …) // このシャツはいくら洗濯しても*色は落ちない The *color* will never wash out of this shirt. // 木の葉は秋に*色が変わる Leaves *turn* (red) in the autumn. // このカーテンは壁の*色に合わない This curtain does not match the *color* of the wall. // その*色はあなたによく似合います That *color* suits you very nicely. / That *color* ˹is becoming to [becomes] you. // この*色は少し私には派手すぎる This *color* is a little too loud for me.

2 《顔色・皮膚の色》: (皮膚の色・一時的な顔色) color (《英》 colour) Ⓤ; (皮膚の色) skin Ⓤ; (特に顔の皮膚の色) complexion Ⓒ; (顔つき) look Ⓒ. (☞ かおいろ; ひょうじょう¹).

¶ 彼女は*色が白い She has a fair *complexion.* // 彼は*色が黒い He is dark. / He is dark-*skinned.* // 彼はその知らせを聞いて顔*色を変えた (⇒ 青白くなった) He *turned pale* at the news. // 王はその演説に憤然として*色をなした (⇒ たいへんに立腹した) The king got *very angry* at the speech. / (⇒ 怒りで赤く[土色に]なった) The king *turned* ˹*red* [*livid*] with anger at the speech. // 彼女の表情には憂いの*色が見えた She showed some *signs* of deep anxiety. // 目の*色を変えて (⇒ 険しい表情をして) with a fierce *look* (in *one's* eyes)

3 《情事・恋愛》 ¶ 彼は*色におぼれた He ˹gave himself up [was addicted] to *sensual pleasures.* ★ sensual pleasures は複数形で.

4 《手ごころ・加減》 ¶ *色よい返事 (⇒ 好ましい返事) a *favorable* answer

コロケーション

明るい色 a bright *color* / **鮮やかな色** a ˹brilliant [vivid] *color* / **暖かい色** a warm *color* / **穏やかな色** a ˹soft [quiet; moderate] *color* / **くすんだ色** a ˹somber [muted] *color* / **けばけばしい色** a ˹loud [noisy; gaudy; glaring] *color* / **しつこい色** an ˹oppressive [insistent] *color* / **趣味の悪い色** a distasteful *color* / **調和のとれた色** a ˹harmonious [consonant] *color* / **強い色** a strong *color* / **どぎつい色** a harsh *color* / **虹色** rainbow *colors* / **目立つ色** a ˹dominant [predominant] *color* // **色があせる** the *color* fades / **色が (洗って) 落ちる** the *color* comes out (in the wash) / **色がにじむ** the *color* runs / **色が変色する** the *color* changes; discolor

色の白いは七難隠す (色白は顔だちが悪くてもその埋め合わせをする) A fair complexion makes up for ˹poor features [(⇒ 多くの難点を) many defects].

色を失う (青ざめる) turn pale, lose color.

色を付ける ¶ 5万円に少し*色をつけて払いましょう (⇒ 5万円に少しプラスして払いましょう) I will pay you 50,000 yen *plus a small bonus.*

いろあい 色合い (色彩) color Ⓒ (☞ いろ).

いろあげ 色揚げ ── 图 (染め直し) redyeing /riːdáɪɪŋ/ Ⓤ. ── 動 redye ㊀.

いろあせる 色褪せる (色が薄くなる) fade ㊀; (変色する) be discolored; (古くなる) become ˹out-dated [ántiquàted]; (流行遅れになる) go out of ˹fashion [style]; (表現などが陳腐になる) become hackneyed. (☞ あせる²).

いろいと 色糸 colored thread Ⓤ.

いろいろ 色色 ── 形 (種々の・異なった) so many, various /vé(ə)riəs/, different; (多種の) a wide variety of …, all kinds of …; (あらゆる種類の) every sort of …; (多くの) many. (☞ しゅじゅ).

¶ その店では*いろいろなものを売っている The shop ˹has [sells] *all* ˹*sorts* [*kinds*] *of* things. // *いろいろな意見が出て, 結論に至らなかった With *so many* opinions presented, we couldn't reach a conclusion. // *いろいろお世話になりました (⇒ 有り難うございました) Thank you very much for *your kindness.* 日英比較 日本語の「いろいろ」は消極語で, 特にとり立てて言うほどでないようなときに使うことが多い. 従ってこの意味でのぴったりの英語表現はない.

いろう¹ 慰労 ¶ 彼らを*慰労する必要がある (⇒ 彼らの努力に対して我々の謝意を表す) We should *express our* ˹*appreciation* [*thanks*] *for their effort.* // *慰労会を開催する give a party in ˹*appreciation for* [*recognition of*] … (☞ ねぎらう) **慰労休暇** special holiday to show appreciation for an employee's efforts Ⓒ **慰労金** (ボーナス) bonus Ⓒ.

いろう² 遺漏 (脱落・ぬかすこと) omission Ⓤ; (不注意) négligence Ⓤ; (見落とし) óversight Ⓒ 日英比較 日本語の「遺漏」は普通否定表現で使われるので, 以上の訳語にこだわらず, 前後関係によっていろいろに訳す必要がある. (☞ ておち; ぬかり).

¶ 万事*遺漏のないよう気をつけなさい (⇒ どんな細かい点にまでも気を配りなさい) Pay attention even to the smallest detail(s). / (⇒ 万事うまく運ぶようにしなさい) See (to it) that everything goes well.

いろえ 色絵 (絵画) painting Ⓒ; (色のついた絵) colored picture Ⓒ; (陶磁器に描かれた絵) colored ˹picture [figure] on pottery Ⓒ. (☞ うわえ).

いろえんぴつ 色鉛筆 color(ed) pencil Ⓒ.

いろおとこ 色男 (好男子) handsome man Ⓒ; (女性にもてる男) lady-killer Ⓒ.

いろおんな 色女 (セクシーな女性) sexy woman Ⓒ; (情婦) mistress Ⓒ.

いろか 色香 (女性の容色) a woman's ˹beauty [charm].

いろがたき 色敵 rival in love Ⓒ (☞ こいがたき).

いろがみ 色紙 colored paper Ⓤ.

いろガラス 色ガラス colored [stained] glass Ⓤ.

いろきちがい 色気違い sex maniac Ⓒ.

いろぐすり 色ぐすり (陶磁器の) color glaze Ⓤ (☞ うわぐすり).

いろけ 色気 **1** 《女性の》 ── 图 (性的に魅力があること) sexiness Ⓤ; (性欲) sexual ˹passion [desire] Ⓤ ★ 以上は具体的には Ⓒ. ── 形 (色気のある) sexy; (好色の・なまめかしい) ámorous. (☞ なやましい). ¶ *色気のない女 a woman with no *sex appeal*

2 《物事に対する興味・欲》 ── 图 interest Ⓤ; (野心) ambítion Ⓒ. ── 形 (興味を抱いた) interested; (野心のある) ambítious. ¶ 彼はその地位に大いに*色気がある He ˹has an *ambition* [is *ambitious*] to get the position. // 彼はその計画に*色気たっぷりである He *is very much interested in* the project. // *色気のない (⇒ やる気のない) 返事 a *reluctant* answer

いろけし 色消し ── 形 (色収差を補正した) àpochromátic. **色消しレンズ** ápochromàt Ⓒ, àpochromátic léns Ⓒ.

いろけづく 色気づく (異性に関心を持つようにな

る) become interested in the opposite sex.
いろこい 色恋 love Ⓤ《☞ こい²; れんあい》.
いろごと 色事 (情事) (love) affair Ⓒ; (恋愛) románce Ⓒ. 色事師 (女たらし) lády-killer Ⓒ; (男優) actor specializing in love affairs Ⓒ.
いろごのみ 色好み ―形 (みだらな) lewd, lustful; (軽蔑的に) lecherous /létʃ(ə)rəs/ ★3番目は特に男性が. ―名 (好色) lustfulness Ⓤ, lewdness Ⓤ; léchery Ⓤ; (官能におぼれること) sensuálity Ⓤ; (人) lewd [lustful; lecherous] person Ⓒ.
いろざと 色里 ☞ いろまち
いろじかけ 色仕掛け ¶彼女は*色仕掛けで彼を計画に誘いこんだ She tempted him into the scheme by *flirting with* him.
【参考語】(性関係を持つ) make love to ...; (いちゃつく) flirt (with ...) ㊀.
イロジカル ―形 (非論理的な) illogical.
いろしすう 色指数 〘天〙(星の) color index Ⓒ《複 color indexes, color indices》.
いろしゅうさ 色収差 〘光〙 chromátic aberration /æbəréɪʃən/ Ⓤ.
いろじろ 色白 ―形 fair-complexioned.
いろすな 色砂 colored sand Ⓤ.
いろずり 色刷り ―名 color printing Ⓒ. ―形 color(ed), in color ★後者は名詞の後に付けて. ―動 print ... in color. ¶この本には*色刷りの挿絵がたくさん入っている This book has many ˹*color(ed)* illustrations [illustrations *in color*]. / This book is lavishly illustrated *in color*. ★ in color は副詞句.
いろぞめ 色染め dyeing Ⓤ《☞ そめる; そめもの》.
いろづく 色付く ―動 (色が変わる) color (《英》 colour) ㊀; (特別な色が付く) appear ㊀, come out ㊀ ★色を主語にする; (赤く色付く) turn ˹red [crimson]; (黄色く) turn yellow. 《☞ いろどる》. ¶もみじが*色付きはじめた The maple leaves *are turning* ˹*red* [*scarlet*].
いろづけ 色付け ―動 color (《英》 colour) ㊉; (染料で) dye ㊉; (塗料などで) paint ㊉. ―名 (色付けすること) coloration (《英》 colouration) Ⓤ; (色付けの方法・過程) coloring (《英》 colouring) Ⓤ.
いろっぽい 色っぽい (性的魅力のある) sexy; (魅惑的な) seductive ★以上2語は普通は女性に関して用いる. ¶彼女は*色っぽい眼つきで私を見た She stared at me *seductively*.
いろつや 色艶 (顔色) complexion Ⓒ; (物のつや) luster (《英》 lustre) Ⓤ; (特に表面的な) gloss Ⓤ. 《☞ かおいろ; つや¹》. ¶彼女はいつも*色つやがよい She always has a ˹healthy [good] *complexion*.
いろどめ 色止め ―名 (染色の) dye fixation Ⓤ. ―動 (染色で) fix ㊉.
いろどり 彩り (部屋などの) color scheme Ⓒ; (一般的な配色) arrangement [pattern] of colors Ⓒ; (華やかさを添えるもの) color (and variety) Ⓤ. 《☞ はいごう¹; しきさい》. ¶王女の出席がパーティーに*彩りを添えた The presence of the princess added *color and attractiveness* to the party.
いろとりどり 色とりどり ―形 of various colors; (多色の) multicolored; (たくさんの種類の) of various kinds, a variety of ....
いろどる 彩る (彩色する) color (《英》 colour) ㊉; (絵の具などで) paint ㊉. 《☞ いろづく》. ¶秋には赤や黄に紅葉した木々が美しく山々を*彩る In the fall, the mountains *are colored* beautifully with red and yellow leaves.
いろなおし 色直し ¶新婦はお*色直しのために(⇒衣装を替えるために)席を外した The bride left the reception for a short time to *change her dress*.
いろぬき 色抜き ―動 (漂白する) bleach (out) ㊉; (色を除く) remove color, decolor (《英》 decolour) /dìːkʌ́lə/ ㊉ ★後者は格式ばった語; 〘染色〙 discharge ㊉. ―名 bleach(ing) Ⓤ; removal of color Ⓤ, decoloring (《英》 decolouring) Ⓤ; 〘染色〙 discharge Ⓤ.
いろは (日本語の仮名) the Japanese ˹syllabary [alphabet]; (基礎的な学習事項) the ABC(s); (まず最初に知らなくてはならないこと) the first thing, the basics. 《☞ きほん》. ¶彼は政治の*いろは(⇒基本的な知識)も知らない He doesn't have even ˹an [the most] *elementary knowledge* of politics. / He doesn't have even ˹a [the most] *rudimentary knowledge of* politics.
いろはかえで 以呂波楓 〘植〙 Japanese maple Ⓒ.
いろはガルタ cards of the Japanese ˹syllabary [alphabet]; (説明的には) two different sets of cards for a matching game, one for 48 Japanese proverb cards each of which begins with a particular syllable and one for 48 picture cards illustrating the proverb.
いろまち 色町 (遊興地区) pleasure district Ⓒ; (赤線地帯) réd-líght dìstrict Ⓒ.
いろめ 色目 色目をつかう make eyes at ...; (好色な目つきで見る) cást an ámorous glánce at ...
いろめがね 色眼鏡 (サングラス) sunglasses; (色レンズのめがね) tinted [colored] ˹lenses [glasses] ★ともに常に複数形で. ¶あの人は我々のことを*色眼鏡で見ているようだ (⇒偏見がある) He seems to ˹*be prejudiced* [*have a prejudice*] against us.
いろめく 色めく (腹を立てる) be annoyed 《☞ おこる¹》. ¶社長の発言に組合側は*色めき立った The union members *were annoyed* ˹at [by] the president's ˹comments [remarks].
いろもの 色物 (織物など) colored clothes; (寄席で音曲・曲芸・奇術など) variety shows.
いろもよう 色模様 beautifully colored design Ⓒ; (歌舞伎で) love scene Ⓒ.
いろやけ 色焼け ―名 fading of color Ⓤ. ―形 faded. ¶*色焼けしたカーテン a *faded* curtain
いろよい 色好い ¶*色よい(⇒好都合な)返事 a *favorable* answer
いろり 囲炉裏 fireplàce Ⓒ; (暖炉) hearth /hɑ́əθ/ Ⓒ. 《☞ だんろ》. いろり端 the fireside.
いろわけ 色分け ―動 (性格や利害で分ける) divide ... into groups; (科学的に分類する) classify ㊉; (色をつけて区別する) color-code ㊉. ―形 (色分けした) color-coded. ―名 (識別のための色分け) cólor códing Ⓤ. ¶この図はこれらの政治家たちの*色分けを示しています This diagram shows how these politicians *are grouped*. // 各教室はドアが*色分けしてあります Each classroom has its doors painted *in a different color*.
いろん 異論 (異なった意見) different opinion Ⓒ; (異議) objection Ⓒ; (異議の申し立て) prótest Ⓤ. 《☞ いせつ》. ¶これは*異論の出る問題だ This is a *controversial* matter. // その問題については*異論があった(⇒意見が分かれた) Opinion *is divided* on that issue. // 教師の間にも*異論があった There were *different opinions* among the teachers.
いろんな 色んな ☞ いろいろ
いわ 岩 ―名 (岩石) rock Ⓒ 語法 「岩盤」の意味では Ⓤ,「岩礁」の意味では rocks と複数形になる. なお rock Ⓒ は《米》では stone Ⓒ の意味にもなる; (ごつごつした岩・岩山) crag Ⓒ. ―形 (岩の多い・岩石からなる・岩のような) rocky. 《☞ いし¹》. 岩棚 (rock) ledge Ⓒ 岩登り rock climbing Ⓤ 岩肌

(岩の表面) rock surface Ⓒ; (岩の多い地面) the rocky ground **岩風呂** natural-stone bathtub Ⓒ **岩室** (洞窟) cave Ⓒ **岩屋** (先史時代の洞窟の住居) cave dwelling Ⓒ **岩山** (岩の多い山) rocky mountain Ⓒ; (険しい岩山) crag Ⓒ.

いわい 祝い (祝賀) celebration Ⓤ ★「祝賀の式」の意味では Ⓒ; (祝いの言葉) congràtulátions ★複数形で; (祝いの宴・祭り) festival Ⓒ. 《☞ しゅくが》. ¶ 心からお*祝いを申し上げます I wish to offer you my sincere *congratulations*. [語法] 少し改まった表現. 普通は Congratulations! とだけ言う.

祝い歌 celebrating song Ⓒ; (祝祭の歌) festive song Ⓒ **祝い木** celebratory tree Ⓒ; (説明的には) magical stick with the power of bringing harvest, used at New Year's according to the lunar calendar Ⓒ **祝い事** (祝いの儀式) celebration Ⓒ; (めでたいできごと) happy event Ⓒ **祝い酒** celebratory drink Ⓒ. ¶ 君の昇進の*祝い酒を飲もう (⇒お酒で祝う) Let's *celebrate* your promotion *with a drink*. / (⇒祝うために一杯飲む) Let's have a *drink to celebrate* your promotion. / (⇒乾杯する; 祝杯をあげる) Let's (*drink a*) *toast* (to) your promotion. **祝い箸** chopsticks used on festive occasions ★通例複数形で. **祝い棒** ☞ 祝い木

—コロケーション—

結婚の祝い (パーティー) a wedding *party*; (披露宴) a wedding *reception*; (贈り物) a wedding ⌈*present* [*gift*]; (お祝い金) a monetary ⌈wedding *gift* [*gift* for a wedding] / **七五三の祝い** a *ceremony* for boys of three and five years old and girls of three and seven / **新築祝い** (パーティー) a housewarming *party*; (贈り物) a housewarming ⌈*present* [*gift*] / **新年の祝い** New Year *celebration* / **成人の祝い** a coming-of-age *ceremony* / **卒業祝い** a graduation ⌈*present* [*gift*] / **誕生日の祝い** (パーティー) a birthday *party*; (贈り物) a birthday ⌈*present* [*gift*] / **…の還暦[古稀]の祝い** *one's* ⌈60th [70th] birthday *celebration*

いわう 祝う (祝典などにより祝う) célebràte ⓗ; (記念して) commémoràte ⓗ; (言葉で) congrátulàte ⓗ; (祝いの言葉を述べる) offer *one's* congratulations; (行事などを) observe ⓗ, keep ⓗ. 《☞ しゅくが; きねん¹》. ¶ 私たちは正月を*祝う We ⌈*celebrate* [*observe*] New Year's Day. // 彼らは勝利を*祝って乾杯した They drank a toast to *celebrate* the victory. // 彼らは私の成功を*祝ってくれた They *congratulated* me on my success.

—コロケーション—

大騒ぎして祝う *celebrate* ⌈noisily [riotously] / **厳かに祝う** *celebrate* solemnly / **国を挙げて祝う** *celebrate* nationally / **公式に祝う** *celebrate* officially / **盛大に祝う** *celebrate* on a grand scale / **世界中で祝う** *celebrate* worldwide / **ひっそりと祝う** *celebrate* quietly / **皆で祝う** *celebrate* publicly

いわえのぐ 岩絵の具 mineral pigment Ⓤ.

いわかがみ 岩鏡 〔植〕 fringe-bell Ⓒ, fringed galax Ⓒ.

いわがねそう 岩が根草 〔植〕 bamboo fern Ⓒ.

いわかん 違和感 ¶ 彼女があの連中といるとどうも*違和感がある She *doesn't seem to fit in with* that crowd. // その新しいビルはこの町並には*違和感を感じさせる That new building looks *out of place* on this street.

いわぎりそう 岩桐草 〔植〕 *iwagiriso* Ⓤ; (説明的には) a kind of alpine gesneriad 《☞ いわたばこ》.

いわく¹ 曰く —動 (言う) say ⓗ. —前 (…に従えば) according to … ¶ ことわざに*曰く「困っている時の友こそ真の友」 *According to* ⌈a [the] proverb, a friend in need is a friend indeed. / As the proverb *says*, a friend in need is a friend indeed.

いわく言い難し (⇒そのことは説明するのがちょっと難しい) The matter is rather hard to explain. / (⇒それをことばで十分に説明できない) I can't fully explain it ⌈with [in] words. / (⇒ことばで言いつくせない) It's beyond description.

いわくがある ¶ 彼の行動はおかしいが, 何か*いわくがありそうだ His behavior is strange, but there must be some *reason* for it. // 彼女は*いわくありげに (⇒意味ありげに) 彼を見た She looked at him *meaningfully*.

いわく² 結く ☞ ゆわえる

いわくいんねん 曰く因縁 (由来) (long) history Ⓒ, (long) story Ⓒ. ¶ それには*曰く因縁がある It has a (*long*) ⌈*history* [*story*] behind it.

いわくつき 曰付き ¶ *いわく付きの車 a car *with* ⌈*some* [*a strange*] *history*

いわざる 言わ猿 ☞ みざる

いわし 鰯 〔魚〕 sardine /sɑəˈdíːn/ Ⓒ《複 ~(s)》.

いわし雲 (羊のような雲) fleecy clouds ★複数形で; (巻積雲) cìrrocúmulus 《複 -li》 ★後者は正式名. なお, いわし雲の広がった空を the mackerel sky (さば雲の空)ともいう. 《☞ くも¹ 挿絵》. **鰯油** sardine oil Ⓤ.

いわしくじら 鰯鯨 〔動〕 sei (whale) Ⓒ.

いわす 言わす ¶ 好きなように*言わしておけ *Let* him *speak* as he likes. // あいつにうんと*言わすのは難しそうだ It'll be difficult to *make* him *say* yes. 《☞ いわせる》

いわずかたらず 言わず語らず ¶ 私のプランは*言わず語らずのうちに認められた My plan ⌈had [met with] their *tacit* approval. // 我々は*言わず語らずに心が通じた We communicated *nonverbally*.

いわずとしれた 言わずと知れた (周知の) well-known; (明白な) obvious; (言うまでもない) needless to say. ¶ 働かなければ金がもらえないのは*言わずと知れたことだ *Needless to say*, [*It goes without saying that*] if you don't work, you don't get paid.

いわずもがな 言わずもがな ¶ そんなことは*言わずもがなだ (⇒言わずにおいたほうがよい) It is better *left unsaid*. // 彼女はドイツ語もフランス語もしゃべれる. 英語は*言わずもがなだ (⇒英語の上にさらに) She speaks both German and French, ⌈*on top of* [*to say nothing of*] English. // *言わずもがなのことを言ってしまった I said something I *shouldn't have*.

いわせる 言わせる let *a person* say ★ let は制止しないでやらせておく意. 話者の意志で行わせる場合は make [have; get] を用いる. ただし get は後に to 不定詞を伴う. 《☞ いう》. ¶ 生徒に答えを口頭で*言わせる *make* a student *answer* a question orally // 彼には言いたいだけ*言わせてやれ *Let him say* all he wants to (say). // 山田に*言わせれば間違っているのは私だと言う *According to* Yamada [(⇒山田の意見では) In Yamada's opinion] it is I who am wrong. [語法] according to Yamada's opinion とは言わない. // 私に*言わせれば… *in my opinion* … / (⇒私は…を強調したいのだが) *I must say that* …

いわだぬき 岩狸 〔動〕 hyrax Ⓒ.

いわたばこ 岩タバコ 〔植〕 alpine gesneriad Ⓒ.

いわづた 岩蔦 〔植〕 *iwazuta* ("rock-ivy"); (説明的には) green seaweed of the genus *Caulerpa* that sends out runners on sand or rocks.

いわつつじ 岩つつじ 〘植〙 *iwatsutsuji* Ⓤ; (説明的には) a kind of alpine azalea.
いわつばめ 岩燕 〘鳥〙 martin Ⓒ.
いわとがくれ 岩戸隠れ (『古事記』の) the hiding in the rock cave; (説明的には) the hiding of *Amaterasu Omikami*, the sun goddess, in the heavenly rock cave.
いわな 岩魚 〘魚〙 char Ⓒ, 《英》 charr Ⓒ ★ 複数形は通常 ~s だが, 漁師などは ~ を用いる.
いわのり 岩海苔 〘植〙 laver /léɪvə/ Ⓤ.
いわば¹ 言わば so to speak, as it were [語法] いずれも挿入的に用いられる; (ある意味では) in a sense; (ある点で) in a way; (実際上は) practically. ¶ 彼は*いわば私の第二の父だ He is, *so to speak*, a second father. / He has been a father to me *in a way*.
いわば² 岩場 rocky tract Ⓒ; (岩盤) rock Ⓤ; (岩壁) wall Ⓒ. (☞ いわ).
いわひば 岩桧葉 〘植〙 *iwahiba* Ⓤ; (説明的には) a kind of alpine fern.
いわひばり 岩雲雀 〘動〙 alpine accentor Ⓒ.
いわむし 岩虫 〘動〙 *iwamushi* Ⓤ; (説明的には) a kind of marine worm; (ごかい) lugworm Ⓒ, clam worm.
いわゆる 所謂 what ⌜you [we; they] call, what is called, the so-called ... ★ 最後はしばしば軽蔑的. ¶ 彼は*いわゆる優等生だ He is ⌜*what you call* [*what is called*] an honor student. / He is one of those *so-called* honor students.
いわれ 謂れ **1** «理由»: (事情) círcumstances ★ 通例複数形で; (理由・動機) reason Ⓒ; (理由・根拠) cause Ⓤ. (☞ りゆう). ¶ 何の*いわれもなく彼は私を恨んでいる He bears a grudge against me *without any* ⌜*reason* [*cause*]. / He bears a grudge against me *for no* (*good*) *reason*.
2 «由来»: story Ⓒ.
いわれのない (根拠のない) groundless; (理不尽な) unreasonable; (不当な) unjust.
いわれんげ 岩蓮華 〘植〙 dune('s) cap Ⓒ.
いわんや ¶ 彼は新聞もろくに読めない. *いわんや哲学の本などにおいてをやである He has trouble reading newspapers, ⌜*not to mention* [*to say nothing of*] books ⌜on [of] philosophy. (☞ まして¹)
【参考語】(まして…でない) much less ...; (…はさておいて) let alone ...
いん¹ 印 ―[名] (印章) seal Ⓒ; (スタンプ・印章) stamp Ⓒ. ―[動] (印を押す) affix a seal, stamp ㊀. (☞ いんかん¹ [日英比較]).
いん² 韻 ―[名] rhyme /ráɪm/ Ⓤ ★「韻を踏む語」の意味では Ⓒ. ―[動] (韻を踏む・踏ませる) rhyme ㊂ ㊀. ¶ この詩は*韻を踏んでいる This poem *is rhymed*. // "king" と "ring" は*韻を踏む "King" and "ring" *rhyme*. / "King" *rhymes with* "ring." **韻脚** (英詩などの詩脚) foot Ⓒ 《複 feet》 ★ 母音の長短・強弱による各行のリズム単位; (漢詩・和歌などの句末の韻の型) rhyme scheme Ⓒ.
いん³ 陰 ¶ 彼は*陰に陽に私を助けてくれた He took both direct and *indirect* measures to help me. / He helped me both ⌜publicly [in public] and *behind the scenes*. **陰にこもる** ¶ 寺の鐘が*陰にこもって鳴った The temple bell sounded *gloomy*.
いん⁴ 院 (日本史の上皇, 女院の称号) *In* Ⓒ; (上皇・法皇) ex-emperor Ⓒ; (皇太后) the Empress Dowager. ¶ 白河*院 Shirakawa-*in* / the *former emperor* Shirakawa
いん⁵ 殷 ―[名] ㊍ (中国の王朝名) Shang /ʃáːn/, Yin /jín/ ★ 前 16 世紀頃から前 11 世紀頃まで.
いん⁶ 因 (原因) cause Ⓒ. ¶ 深酒が彼の死の*因を成した Heavy drinking was the *cause* of his death.
いん⁷ 淫・婬 ―[名] (みだらであること) licentiousness Ⓤ. ―[形] (淫を好む) licentious.
イン¹ **1** «テニス・バドミントン・サッカーなど» ―[形] (ボールがライン内またはゴール内に入って) in [語法] 英語では be *in* のように述語的に用いる.
2 «「…における」の意味で» ―[前] in ... ¶ バロック音楽フェスティバル*イン長野 the Baroque Music Festival *in* Nagano
イン² (宿屋・旅館) inn Ⓒ.
いんい 陰萎 ☞ インポテンツ
いんイオン 陰イオン 〘化〙 anion /ǽnàɪən/ Ⓒ; (説明的には) negatively charged ion Ⓒ.
いんいつ¹ 淫佚 ―[形] (性的に放縦な) licentious.
いんいつ² 隠逸 (俗世間から離れた生活) seclusion Ⓤ, secluded life Ⓒ.
いんいん 殷々 ―[形] (大砲などが殷々たるとどろきの) roaring, booming, pealing ★ 3 番目は「耳をつんざくような」の意. ¶ *殷々たる砲声が山野にこだました The ⌜*roars* [*booms*; *peals*] of guns echoed over the fields and mountains.
いんいんめつめつ 陰々滅々 ―[形] (暗くて気が滅入るような) gloomy and depressing.
いんう¹ 淫雨 (長い間続く雨) long spell of rain Ⓒ; (いつまでも続く雨) persistent rain Ⓤ.
いんう² 陰雨 (憂うつな長雨) long spell of depressing rain Ⓒ.
いんうつ 陰鬱 ―[形] (陰うつな) gloomy, dark; (憂うつな) melancholy /mélənkàli/; (落胆して) depressed; (人を陰うつにする) depressing; (空や天気が陰気な) sullen. (☞ いんき; ゆううつ).
いんえい 陰影 (影) shadow Ⓒ; (部分的な陰) shade Ⓒ. (☞ かげ¹·²).
いんおうごぞく 印欧語族 〘言〙 (the) Indo-European /ìndoujurəpíːən/ lánguages ★ 複数形で. インドからヨーロッパ大陸のほとんどにわたる地域の言語で, 同一祖語から派生した言語.
いんおうひかくげんごがく 印欧比較言語学 〘言〙 Indo-European (historical) comparative linguistics ★ 複数形で単数扱い. 印欧語族相互の比較による歴史的研究.
いんか¹ 引火 ―[動] (引火する) catch fire (from ...). ―[形] (引火性の) inflámmable, flammable. (☞ はっか¹). ¶ 火花からガソリンに*引火して火事になった The gasoline ⌜*caught fire from* [*was ignited by*] a spark, causing the fire. **引火点[温度]** 〘物・化〙 flásh pòint Ⓒ.
いんか² 允可 (許可) permission Ⓤ.
いんか³ 陰火 ☞ おにび
インカ ―[名] ㊍ Inca. ―[形] Incan. ¶ *インカ人 an *Incan*
インカ帝国 the Inca Empire.
いんが¹ 因果 (原因と結果) cause and effect Ⓤ; (仏教思想の) karma Ⓤ; (運命) destiny Ⓤ; (宿命) fate Ⓤ. ¶ 私はこれも*因果とあきらめた I ⌜have resigned myself [am resigned] to my *fate*. / (⇒ あきらめて運命を受け入れる) I have decided to ⌜meet [accept] my *fate* with resignation. // あの人は*因果 (⇒ 不運) な人だ The man is ⌜*unlucky* [*unfortunate*].
因果を含める (運命とあきらめるように勧める) advise *a person* to resign ⌜himself [herself] to ⌜his [her] fate. **因果関係** the relation ⌜of [between] cause and effect **因果律** 〘哲〙 the law of causality.
いんが² 印画 print Ⓒ. **印画紙** printing paper Ⓤ; (ブロマイド紙) bromide paper Ⓤ; (ガスライト紙) chloride paper Ⓤ; (クロロブロマイド紙) chlorobromide paper Ⓤ.

いんが[3] **陰画** negative [C] (☞ ネガ).

インカーネーション (化身・権化) incarnation [U] ★ 具体化したものの場合は [C].

いんがい 院外 ―[形] extraparliamentary. ¶ *院外団 a group of *extraparliamentary* party members // *院外闘争 an 「*extraparliamentary* [*extra-Dietary*] conflict / a conflict *outside the Diet*

いんがおうほう 因果応報 (天罰) némesis [C] (複 ～es, nemeses /-sì:z/) ★ ギリシャ神話の天罰を与える神の名より; (ヒンズー教・仏教の) Karma [U] (☞ てんばつ). ¶ *因果応報だ (⇒ まいた種は刈り取らなければならない) As a man sows, so shall he reap. / Such a life such 「a death [an end]. (ことわざ: 生き方が生き方なら, 死に方も死に方)

いんかく 陰核 clítoris [C].

いんがし 印画紙 photographic paper [U].

いんかしょくぶつ 隠花植物 crýptogàm [C]; (説明的に) crỳptogámic plant [C].

インカム (収入) income [U] (☞ ディンクス).

いんかん[1] **印鑑** (印章) seal [C] 【日英比較】 日本の印鑑と同じものは英米では用いられない. 卒業証明書, 成績証明書などの公文書には昔は蠟をのばしたものにある紋章を押したものが用いられたが, いまはイニシャルのゴム印, あるいは大きな切手のような紙片をはりつけたりする. (☞ はん[1]). **印鑑証明** certified seal 「impression [registration] [C] **印鑑届** legal registration of *one's* seal impression [U].

いんかん[2] **殷鑑** (教訓となる具体例) object lesson [C]; (他人の失敗) others' [*a person's*] failure [U]. (☞ たざんのいし).
殷鑑遠からず (禍の見本は近きにあり) An illustration of the evil is not hard to find.

いんかんすう 陰関数 implicit function [C].

いんき 陰気 ―[形] gloomy; (うす暗くて) dark; (陰惨な) dismal; (わびしい) dreary; (憂うつな) mélanchòly; (楽しさのない) cheerless. (☞ くらい[1]). ¶ 彼は*陰気な人だ He is 「*gloomy* [*melancholy*].

インキ ☞ インク

いんきくさい 陰気臭い (陰気な) gloomy; (気がめいるような) depressing. (☞ いんき). ¶ この部屋は日当りが悪くて*陰気臭い This room is *gloomy* because it doesn't get a lot of sun.

インキュベーション (卵のふ化・人工保育) incubation [U].

インキュベーター (人工保育器) incubàtor [C].

いんきょ[1] **隠居** ―[名] (隠居すること) retirement [U]; (人) retired person [C]. ―[動] retire (from active life). **隠居所** retréat [C].

いんきょ[2] **引拠** ―[動] (…を引用して論拠とする) quote … as the basis of *one's* argument.

いんきょく 陰極 negative pole [C] (↔ positive pole).

いんきん[1] **陰金** (皮膚病) ringworm /ríŋwə̀:m/ [U].

いんきん[2] **印金** gold-leaf imprint [C].

いんぎん 慇懃 ―[形] (丁寧な・礼儀正しい) polite (☞ ていねい; ていちょう[1]).
いんぎん無礼 ¶ 彼は*いんぎん無礼だ (⇒ 丁重なうわべに彼の横柄さが隠されている) His *insolence is masked by a* 「*veneer* [*façade*] *of politeness*.

いんきんたむし 陰金田虫 ☞ いんきん[1]

インク ink [U]. ¶ 答は*インクで書きなさい Write your answers 「*in ink* [*with* (*pen and*) *ink*]. **インク消し** (ink) eraser [C] **インクスタンド** ínkstànd [C] **インク瓶** ínk bòttle [C]; (インク壺) ínkpòt [C]; (はめこみ式の) ínkwèll [C].

インクジェットプリンター 〔コンピューター〕 ink-jet printer [C].

インクライン (急斜面にレールを敷いて船や車両を運ぶ装置) íncline [C].

イングランド ―[名] (固) England. ―[形] (イングランドの) English. (☞ えいこく [参考]; イギリス). **イングランド銀行** ―[名] (固) the Bánk of Éngland.

イングリッシュ ―[名] (英語) English [U]; (格式) the English Language. ―[形] (英語の) English.

イングリッシュホルン 〔楽器〕 English horn [C].

イングリッド (女性名) Íngrid.

インクリボン (プリンターなどの) ribbon [C].

インクレディブル ―[形] (信じられない) incredible.

いんけい 陰茎 〔解〕 penis /pí:nɪs/ [C] (複 ～es, penes /-ni:z/).

いんけん[1] **陰険** ―[形] (悪賢く立ち回る) sly /sláɪ/; (悪知恵が働く) cunning, crafty, tricky.

いんけん[2] **引見** (公式な会見・拝謁) audience [C] ★ 元首や王族などについて用いられる格式ばった語; (面接・面談) interview [C].
¶ 王はその兵士を*引見された The king 「gave [granted] an *audience* to the soldier. // 私の推薦する青年をご*引見下さらば幸いに存じます I would be very much obliged if you would 「give [grant] an *interview* to a young man I would like to recommend to you. ★ 格式ばった表現.

いんげん 隠元 〔植〕 (豆) kidney beans, (英) French beans; (さやいんげん) string beans ★ どれも複数形で用いることが多い.

いんこ 鸚哥 〔鳥〕 (一般に) párakèet [C]; (せきせいいんこ) búdgerigàr [C], (略式) budgie [C].

いんご 隠語 (秘密に使われる言葉) secret language [U]; (泥棒・浮浪者などの用語) argot [U]; (特定の職業の人の言葉) cant [U]. (☞ ぞくご).

いんこう[1] **咽喉** the throat.

いんこう[2] **淫行** (みだらな行為) indècent [lécherous] 「áct [cónduct] [C].

いんこう[3] **印行** ―[動] (印刷して発行する) print and publish (他).

いんごう 因業 ―[形] (情け容赦のない) merciless; (欲の深い) àvarícious; (頑固な) óbstinate. ―[名] (仏教でいう業(ごう)) karma [U]. ¶ *因業な (⇒ 頑固な) 婆さん an *obstinate* old woman

インコース 〔野〕 inside [C] (☞ アウトコース).
¶ *インコースに直球を投げる throw an *inside* fast ball // 投球は*インコースを外れてボールになった The pitch was *inside* for a ball.

インコーナー 〔野〕 the inside corner.

いんこく[1] **印刻** (印章を彫る) carve [engrave] a seal.

いんこく[2] **陰刻** (沈み彫り) intaglio /ɪntǽljoʊ/ [U].

インゴット (鋳塊・金銀の延べ棒) ingot [C].

インサーション (挿入・はめ込み) insertion [U]; (挿入物・布にはめこんだレースなどの飾り) insertion [C].

インサート ―[動] (挿入する) insért (他).

インサイダー (内部関係者) insider [C]. **インサイダー取引** 〔株〕 insider trading [U].

インサイド inside [C]. ¶ *インサイド低めの直球 a low *inside* fastball // *インサイドキック an *inside* kick **インサイドストーリー** (裏話) inside story [C]; (内部事情) inside information [U]; (暴露記事) exposé /èkspoʊzéɪ/ [C] ★ exposéの ´ は綴り本来のもの. **インサイドトラック** 〔スポ〕 (トラックの内側走路) the ínside tráck ★ the を付けて. **インサイドレポート** ☞ インサイドストーリー 【日英比較】「インサイドレポート」は和製英語. **インサイドワーク** (頭を使った試合ぶり) clever play [U] 【日英比較】「インサイドワーク」は和製英語.

いんさつ 印刷 ―[動] (印刷する) print (他), put

…｢in [into] print. ── 名 print U; (印刷をすること) printing U; (印刷の技術など) press U. 《☞ する³》. ¶ これはきれいに*印刷されている This *is* ｢clearly [neatly] *printed*. // 私の本は*印刷中です My book ｢is *in press* [(⇒ 印刷へまわした) has gone to *press*]. // この字の*印刷がはっきりしないね (⇒ うまく出ていない) This letter ｢*has* [*did*] *not come out well*. // これは*印刷の誤りに違いない This must be a ｢*misprint* [*typographical* error].

印刷機 printing ｢machine [press] C ★ 単に press ともいう. **印刷局** the Printing Bureau, the Bureau of Printing and Engraving **印刷工** printer C **印刷所** printing office C **印刷物** printed matter U 《☞ プリント; すりもの》 **印刷屋** (印刷業者) printer C; (大きい印刷所) printing office C; (小さい) printshop C.

いんさん 陰惨 ── 形 dismal; (陰気な) gloomy. 《☞ いんき》. ¶ *陰惨な光景 a *dismal* sight

いんし¹ 印紙 stamp C. ¶ 収入*印紙 a revenue *stamp* **印紙税** the [a] stamp duty.

いんし² 因子 〘数・生〙 factor C. **因子分析** 〘数・統〙 factor analysis U.

いんじ¹ 印字 ── 名 (印刷機の) print U; (タイプライターの) type U; 〘コンピューター〙 (プリンターの) príntòut U ★ 具体的なものを指すときは C. ── 動 print ⊕; type ⊕; prínt óut ⊕.

いんじ² 韻事 (詩文を作ること) verse-making U.

いんじ³ 陰事 (秘密) secret C; (秘密にしておくこと) secrecy U. 《☞ かくしごと》.

インジウム indium /índiəm/ U 《元素記号 In》.

インジェクション (注射・注入) injection C.

インジケーター (計器・メーター) indicàtor C.

インジゴ ☞ インディゴ

いんしつ 陰湿 ── 形 (場所や人格が暗い) dark; (場所や人格が陰気な) gloomy; (場所が暗く湿っている) dark and moist; (人格や笑い, 企てなどが腹黒く邪気のある) sinister. ¶ *陰湿ないじめ *sinister* bullying

いんじゃ 陰者 hermit C; (世捨て人) 《格式》 récluse C. ¶ *陰者の住み家 a *hermitage*

いんしゅ 飲酒 drinking U. **飲酒運転** drunk(en) driving U, driving ｢while intoxicated [under the influence] U 《略 DWI》.

いんじゅ¹ 印綬 (ribbon of) an official seal C. **印綬を帯びる** (役職に任命される) be appointed to an office; (官職につく) accept [enter (into)] office. **印綬を解く** (役職から解任する) release … from office, (免職する) relieve … of *one's* position ★ 悪い意味で; (辞任する) leave office.

いんじゅ² 院主 ☞ じゅうしょく¹

いんじゅ³ 陰樹 shade(-tolerant) tree C.

インシュアランス insurance U 《☞ ほけん¹》.

いんしゅう 因習 ── 名 (古い習慣) old custom C; (自然発生的な社会の約束ごと) convention C. ── 形 (因習的な; 型にはまった) conventional; (古い) old; (長く守られてきた, 体制的な) long established. 《☞ かんしゅう¹》. ¶ *因習にとらわれる (⇒ 先入観をもつ) be preoccupied with *conventional wisdom* / conform to *social customs* // *因習にとらわれない be free from *convention*(*alities*)

インシュリン 〘薬・医〙 insulin /ínsəlɪn/ U.

いんじゅんこそく 因循姑息 ── 形 (因習にとらわれ, 粗雑で間に合せの) conventional, crude and temporary; (因習に捕われ方便的な) conventional and expedient. ¶ *因循姑息な方法 a *conventional* ｢*makeshift* [*stopgap*] (means) ★ makeshift, stopgap は「当座の間に合わせ」. 名 C としても, また形容詞的にも用いる.

いんしょう¹ 印象 ── 名 impression C. ── 動 (…に印象を与える) impress ⊕. ── 形 (印象的な) impressive. 《☞ かんじ¹》.

¶ 彼の*印象はどうでしたか (⇒ 彼をどう思いましたか) What did you think of him? / How did you find him? // その土地の*印象ははっきりしていない I have only a ｢vague [faint] *impression* of the place. // 「日本の*印象はいかがですか (⇒ 日本はいかがですか)」「大好きです. とても美しい国ですね」"How do you like Japan?" "I like it very much. It's a beautiful country." // 我々は彼にいい*印象を持った (⇒ 彼は我々にいい印象を与えた) He made a favorable *impression* on us. // 動転しているという*印象を与えたくなかった I didn't want to give the *impression* that I was upset. // 主な*印象 the main *impression* // 目立った*印象 an outstanding *impression*

印象主義 impressionism U ★ しばしば I- として. **印象派** impressionist C ★ しばしば I- として. また 形 として. ¶ *印象派の画家 an *impressionist* painter **印象批評** impressionistic comment C.

コロケーション

鮮やかな印象 a vivid *impression* / **誤った印象** an erroneous [a false; a deceptive; a wrong] *impression* / **うすい印象** a ｢faint [feeble] *impression* / **片寄った印象** a biased *impression* / **好印象** a good [a favorable; a positive; a pleasing; an agreeable] *impression* / **個人的な印象** *one's* personal *impression* / **第一印象** *one's* first *impression* / **強い印象** a ｢strong [lasting] ｢*impression* [*impact*] / **深い印象** a ｢deep [profound] *impression* / **悪い印象** a bad [a negative; a poor; an unfavorable] *impression*

いんしょう² 引証 ── 動 (証拠として引用する) quote … in ｢proof [support] of … ── 名 quotation in ｢proof [support] of … C.

いんしょう³ 印章 stamp C, seal C. 《☞ はん¹》.

いんしょう⁴ 引照 ── 動 consult various documents.

いんしょく 飲食 ── 名 eating and drinking U. ── 動 eat and drink ⊜. 日英比較 日本語と語順が逆になることに注意. 《☞ たべる; のむ》. **飲食店** restaurant /réstrənt/ C. **飲食費のつけ** food-and-beverage [wining-dining] tab C ★ tab は 《米》 レストランなどの勘定書き. **飲食物** (一般的に) food and drink U; (軽い食物, 飲み物, 又はその両方) refreshments ★ 複数形で.

いんしるい 隠翅類 〘昆〙 Siphonaptera /sàɪfənǽptərə/ U.

いんしん¹ 殷賑 (繁栄・繁盛) prosperity U. ¶ *殷賑を極める be at the height of *prosperity*

いんしん² 陰唇 the labia /léɪbiə/ ★ labium の複数形; 《略式》 the lips.

いんしん³ 音信 ☞ おんしん

いんすう 因数 〘数〙 factor C. **因数定理** the factor theorem **因数分解** ── 名 factorization U, factoring U. ── 動 (因数分解する) factor ⊕, factorize ⊕. ¶ a^2-b^2 を*因数分解せよ *Factor* [*Factorize*] a^2-b^2. 参考 a^2 は a squared または the square of a と読む.

いんずう 員数 the number (of …). ¶ 学童は*員数外だ Schoolchildren are not ｢included in *the number* [*counted* in].

インスタレーション 〘美〙 installation /ìnstəléɪʃən/ U ★ 個々の作品の意味では C.

インスタント ── 形 instant 《☞ そくせき²》. ¶ *インスタントコーヒー *instant* coffee **インスタント食**

品 instant food Ⓒ　インスタントラーメン instant noodles ★ 複数形で.

インスティテューション　（機関・団体）institution Ⓒ.

インスティテュート（協会・研究所）ínstitùte Ⓒ.

インスティンクト（本能）ínstinct Ⓤ.

インストール〘コンピューター〙――動 install ⓗ. ――名 installátion Ⓤ.

インストールメント（分割払い）instállment Ⓒ.

インストラクション（命令・指示）instruction Ⓒ ★しばしば複数形で.

インストラクター　instructor Ⓒ.　¶テニスの*インストラクター a tennis *instructor*

インストルメンタル　――形（楽器の・器楽による）instruméntal.　――名（器楽曲）instrumental Ⓒ.

インスピレーション　inspiration Ⓒ.　¶*インスピレーションがわく have an *inspiration*

インスブルック　――名 固 Innsbruck /ínzbrʊk/ ★オーストリア西部の観光都市.

インスペクター（検査員）inspéctor Ⓒ.

インスリン　☞ インシュリン

いんする　印する（印をつける）mark ⓗ;（強く印象づける）imprint ⓗ.　¶南極に足跡を*印する *place* one's foot on the South Pole

いんせい¹　陰性　――形 negative（↔ positive）. 陰性反応 negative reaction Ⓒ.

いんせい²　院生（大学院生）graduate student Ⓒ.

いんせい³　院政（上皇・法皇による政治）government [rule] by ex-emperors in ancient Japan Ⓤ.

いんせい⁴　隠棲（世間から離れた生活）secluded life Ⓒ, life in seclusion Ⓒ.

いんぜい　印税　royalty Ⓒ.

いんせいしょくぶつ　陰性植物　shade(-tolerant) plant Ⓒ.

いんせき¹　引責　¶彼は*引責辞職した He *took* ˹(the) *responsibility* [the *blame*] and resigned.

いんせき²　姻戚　*one's* in-law Ⓒ（☞ 親族関係（囲み））.　¶私は彼と*姻戚関係にある I *am related* to him by marriage.

いんせき³　隕石　meteorite /míːtiəràɪt/ Ⓒ.

インセキュリティー（不安・不安定）insecúrity Ⓤ.

インセスト（近親相姦(きんしんそうかん)）íncest Ⓤ.

いんせん　陰癬〘医〙（紅色陰癬）erythrasma /èrəθrǽzmə/ Ⓤ.

いんぜん　院宣（上皇の命令）orders from an ex-emperor ★しばしば複数形で.

インセンス（香り・線香）íncense Ⓤ.

いんぜんたる　隠然たる　――形（隠れた）cóvert, hidden.　¶彼は*隠然たる勢力を保っている He still has ˹*covert* power [*hidden* influence].

インセンティブ（誘因・刺激）incéntive Ⓤ.

いんせんりょうほう　飲泉療法　hot-spring water-drinking therapy Ⓤ.

いんぞう　印相〘仏教〙（説明的に）symbolic finger gesture used in Buddhism Ⓒ ★指による宗教的理念の表現.

いんそつ　引率　――動（引き連れる）lead ⓗ, head ⓗ.　¶だれが*引率して行くのですか Who will *take care of* the group? // よい*引率者があって幸いだった We were lucky to have a good *leader*.

インター　☞ インターチェンジ

インターアクション　☞ インタラクション

インターカレッジ　――形（大学対抗の）ìntercollégiate, ìntercóllege　語法 野球の対抗試合などの場合は an *intercollegiate* baseball game のようにする.

インターコース（性交）（séxual）íntercòurse Ⓤ ★ intercourse には本来「交際」「交通」などの意味もあるが, 現在ではこの意味が普通.

インターコム　íntercòm Ⓒ（☞ インターホン）.

インターコンチネンタル　――形（大陸間の）ìntercòntinéntal.

インターセプション〘球〙（ディフェンスが相手のパスを奪うこと）intercéption Ⓤ.

インターセプト　――動〘球〙（ディフェンスが相手のパスを奪う）intercépt ⓗ.

インターチェンジ（道路の）ínterchànge Ⓒ.

インターディシプリナリー　――形（学際的な）interdisciplinary /ìntədísəplɪnèri/.

インターナショナライゼーション（国際化）ìnternàtionalizátion Ⓤ.

インターナショナリズム（国際協調主義）internátionalism Ⓤ.

インターナショナル　――形（国際的な）internátional　日英比較 international は多くの国と関係があること, あるいは多くの国が参加していること, または多国間に知られていることなどを意味するが, 「日本人はもっとインターナショナルになるべきだ」などの場合は「国際的な考え方をする」意味であるから The Japanese should be more *internationally minded.* のように言わなくては意味が不明確である. このように日本語の「インターナショナル」が必ずしも英語の international にそのまま訳せるとは限らない.

インターナル　――形（内部の・中の）internal.

インターネット〘コンピューター〙the Ínternèt. インターネットアドレス　URL Ⓒ ★ *u*niform *re*source *l*ocator の略.　インターネットカフェ ☞ ネット³（ネットカフェ）　インターネットソサエティー（インターネット普及・育成のための協会）the Internet Society　インターネットプロトコル（インターネットによる通信のための規約）the Internet Protocol　インターネットプロバイダー（インターネット接続業者）Ínternet provider Ⓒ, Internet service provider（略 ISP）Ⓒ.

インターハイ（高校対抗の競技会）inter-high-school ˹sports [athletics] ★複数形で.

インターバル（間隔）ínterval Ⓒ（☞ かんかく¹）.

インターフェア〘スポ〙――動（相手のプレーを故意に妨害する）interfere /ìntəfíə/（with ...; in ...）ⓐ. ――名 interférence Ⓤ.

インターフェアランス〘スポ〙（妨害）interference /ìntəfí(ə)rəns/ Ⓤ.

インターフェイス（接続器）ínterfàce Ⓒ.

インターフェロン〘生化〙interferon Ⓤ /ìntəfí(ə)rɑn/.

インタープリター（通訳）intérpreter Ⓒ.

インターポール（国際警察）Interpol /íntəpòul/ ★正式名称は International Criminal Police Organization（＝国際刑事警察機構）（略 ICPO）.

インターホン　íntercòm Ⓒ ★正式な名称は ìntercommùnicátion sýstem Ⓒ.　日英比較 日本語の「インターホン」は英語の商標名 ínterphòne Ⓒ に由来するが, 英語では intercom のほうが普通.　¶家に*インターホンを取り付けた I had an *intercom* installed in my house. // 社長は*インターホンで秘書と話せる The president can speak to his secretary ˹over [on] the *intercom.*

インターラーケン　――名 固 Interlaken /íntəlàːkən/ ★スイス中部の観光都市.

インターランゲージ〘言〙（中間言語）ínterlànguage Ⓤ.

インターン（インターン生）íntern(e) Ⓒ,《英》houseman Ⓒ.　インターンシップ（就業体験）internship Ⓤ　インターン制度《米》the intern system,《英》the houseman system.

いんたい¹　引退　――動（引退する）retire（from ...）ⓐ;（辞職する）resign ⓗ ⓐ.　――名（定年退

インターネットとEメール

インターネット (the Internet) に関する言葉には, (1) インターネットの情報公開システムである**ワールドワイドウェブ** (World Wide Web) のように英語の単語をそのままカタカナにしたもの, (2) 前者を略した**WWW** (★「ダブリューダブリューダブリュー」, または「スリーダブリュー」と読む) や, インターネット上の所在を示してホームページのアドレスとなる URL (★ *u*niform *r*esource *l*ocator の頭文字で「ユーアールエル」と読む) のように英語の頭文字をそのまま用いるもの, さらに (3) ウェブ上のデータを検索するプログラムである**検索エンジン** (search engine Ⓒ) のように英語の単語と日本語を組み合わせたものなどがある. 使われる英語も, 古くからある語にインターネット用語として新しい意味が加わったものが多い. インターネットという言葉自体が inter (相互の) と network (もともと網状組織の意味から, テレビ・ラジオなどの放送網, コンピューターのネットワーク) を組み合わせて作った造語である.

1 ウェブサイト

インターネットでは英語の頭文字や単語をそのまま使うことが多いが, ここではそれらを主としてカタカナで示して表記する.

ワールドワイドウェブ上の情報がある場所は**ウェブサイト** (Web site Ⓒ ★ Website, web site; website とも書く). その内容は**ウェブコンテンツ** (Web contents). これを**閲覧する** (browse ⑩) ためのアプリケーションソフト (application software Ⓤ) を**ウェブブラウザ** (Web browser Ⓒ), 単に**ブラウザ** (browser Ⓒ) また**ウェブクライアント** (Web client Ⓒ) という. ブラウザで閲覧できる**ウェブページ**または ウェブサイトは日本語で 「ホームページ」 (home page) と呼ばれることが多いが, 正しくは Web ˈpage [site] という. 英語で home page といえば, 本来, ブラウザが最初に表示するページ, あるいはさまざまな Web ページを組み合わせて公開したサイトのうち, その起点となるページのこと.

知りたい情報は**検索エンジン** (search engine Ⓒ) で求める. **検索** (―名 search Ⓒ; retrieval Ⓤ ―動 search ⑩; retrieve ⑩; find ⑩) の代表的な方法は**キーワード検索** (keyword search Ⓤ). ウェブページに関連したページや, 他のホームページへの**リンク** (―動 link ⑩ ―名 link Ⓒ) がある場合は, マウスの**クリック** (―動 click ⓐ ⑩ ―名 click Ⓒ) などでそのページに**ジャンプ** (jump ⓐ) できる. ホームページを次々に閲覧することは**ネットサーフィン** (―名 net surfing Ⓤ; (人) net [Internet] surfer Ⓒ ―動 net surf ⑩). 情報を求めていろいろ検索することは**ナビゲート** (navigate ⑩); 検索用のホームページは**ナビゲーター** (navigator Ⓒ). インターネット上の**掲示板** (message board Ⓒ, BBS Ⓒ ★ bulletin board system の略) などの**内容更新**は (―動 updáte ⑩ ―名 úpdate Ⓒ). 意見の交換を行う場は**電子会議** (electronic conference Ⓒ). リアルタイムにメッセージを交換するのは**チャット** (―名 chatting Ⓤ ―動 chat ⓐ). ウェブサイトからファイルなどのデータを転送するのは**ダウンロード** (―動 download ⑩), 逆にウェブサイトにデータを転送するのは**アップロード** (―動 upload ⑩).

ネットワークに接続するのは**ログオン** (―動 log on ⓐ, sign on ⓐ), 接続を切るのは**ログオフ** (―動 log off ⓐ, sign off ⓐ). インターネット接続業者は**プロバイダー** (Internet service provider Ⓒ).

ホームページアドレスの例: http://www.unicef.or.jp (日本ユニセフ協会のホームページ) ★「エイチティティピー コロン スラッシュスラッシュ ダブリューダブリューダブリュー ドット ユニセフ ドット オーアール ドット ジェーピー」と読む. http は**ハイパーテクスト トランスファー プロトコル** (*H*yper*t*ext *T*ransfer *P*rotocol) の頭文字で, **サーバー** (server Ⓒ) と通信を行うためのデータの通信方法やデータ形式などを定めた通信規約, WWW がサーバーの名称, unicef.or.jp の部分は**ドメイン名** (domain name Ⓒ) で unicef が組織名, or が組織の種類のコード, jp は国別コード.

2 仮想空間

インターネットのホームページのようなコンピューター上の空間は**サイバースペース** (cyber space Ⓤ); **バーチャルスペース** (virtual space Ⓤ); **電脳空間** (electronic space Ⓤ). この空間上にある仮想の店は**サイバーショップ** (cyber shop Ⓒ); **仮想商店街**, **サイバー[バーチャル, 電脳]モール** (cyber [virtual; electronic] mall Ⓒ). 買い物は**サイバーショッピング** (cyber shopping Ⓤ). 商取引は**サイバービジネス** (cyber business Ⓤ). 通貨は**サイバー[デジタル]キャッシュ** (cyber [digital] cash Ⓤ); **電子マネー** (electronic money Ⓤ). ネット上の企業体は**バーチャルコーポレーション** (virtual corporation Ⓒ). ネット上の交流の場は**バーチャルコミュニティー** (virtual community Ⓒ). ネット上のペットは**バーチャルペット** (virtual pet Ⓒ).

3 インターネットに関する表現

¶このコンピューターはインターネットに接続していますか Is this computer connected to the Internet?

ネットワークに接続するにはユーザー ID とパスワードを入力しなさい Enter your user ID and password to log on to the network.

メールがウイルスに感染しています Your ˈemail [e-mail] is infected with a virus.

メーリングリストに加入する方法を教えてください Tell me how I can subscribe to a mailing list.

ブラウザを使って http://www.whitehouse.gov/ のページを表示しなさい Click on your (web) browser to http://www.whitehouse.gov/. ★ピリオドは dot と発音する.

インターネットのログオンにはパスワードを入力します Enter your password to log on (to) the Internet.

キーワード検索は閲覧したいウェブページを見つける便利な方法です The keyword search is a convenient way to find the Web page you want to browse.

首相官邸のインターネットアドレスを知っていますか Do you know the Internet address of the prime minister's official residence?

ナビゲーターサイトの検索エンジンを使えばその URL はすぐ見つけられます You can find the URL easily by using the search engine of a navigator site.

彼女はコンピューターのスイッチを入れ, ウェブサイトめぐりをした She turned on the computer and went surfing on the Web.

このページの色のついた語句をクリックすれば関連したページにジャンプできます You can jump to other related pages by clicking on the colored words of this page.

オンライン[サイバー]書店で本を3冊買いました I bought three books at ˹an on-line [a cyber] bookstore.

4 E メール

メールを表す email, e-mail の語源は electronic mail (電子的な郵便). 今では文脈から誤解がない場合は単に mail といえばメールを指すことも多い. 電子メールと区別して従来の郵便を指すにはややユーモラスに snail mail (かたつむりメール) という表現が使われることがある. かたつむりのように遅いという意味.

さて, email は electronic mail から来たものなので元来, mail と同じく, 数えられない名詞である. ただし, メールが普及してくるにつれ, 数えられない名詞として扱うのは不便になったという事情から, two emails (メール2通) のように, 数えられる名詞としての使い方も広まりつつある. 無難な表現は an email message, two email messages のように message をつけて表す言い方.

メール用のアプリケーションソフトは**メーラー** (mailer Ⓒ); **メールプログラム** (mail program Ⓒ); **メールハンドラー** (mail handler Ⓒ); **メールリーダー** (mail reader Ⓒ) などという. メールの**宛先, アドレス** ((mail) address Ⓒ), **カーボンコピー** (carbon copy Ⓒ ★ CC と略) などを記載するのは**ヘッダー** (mail header Ⓒ). メールの本文は**メッセージ** (message Ⓒ). メーラーの中にあるメールの送受信用**トレイ** (tray Ⓒ) には**受信トレイ** (inbox Ⓒ), **送信トレイ** (outbox Ⓒ) などがある.

同じ内容のメールを一度に大勢の人に送るためのシステムは**メーリングリスト** (mailing list Ⓒ); メールのサービスを受ける利用者は**メールクライアント** (mail client Ⓒ); メールのメッセージを保管する記憶媒体の領域は**メールボックス** (mailbox Ⓒ); メールの送信・受信処理を行うコンピューターは**メールサーバー** (mail server Ⓒ).

メールアドレスの例: taroyamada@xyz.co.jp ★「タローヤマダ アット エックスワイゼット ドット シーオードット ジェーピー」と読む. taroyamada は**ユーザー名** (username Ⓒ). @ (★「アット」(at) または「アットサイン[マーク]」(at ˹sign [mark] と読む) の後ろはドメイン名.

(1) メールの構成

手紙と違ってメールでは「表題」(Subject) をつける. 表題にはメールの内容を簡潔に記す. 返信すると表題には自動的に Re: がつけられる. 上のメールは返信の例. この Re は「～について」を表すラテン語 re に由来するもので, 商業通信文で広く使われてきたものの転用. メールでは本文の末尾にシグニチャー (signature), すなわち「署名」をつける習慣がある. これは差出人の名前やメールアドレス, 電話番号など連絡に必要な情報を3～4行程度, 簡潔にまとめてメール本文の最後に記したものである.

メールは同時に複数の人に送ることができる. 同じ内容を別の人に同時に送ったことを示すのに cc という表記が使われる. カーボンコピー (carbon copy) の略. 以前, タイプライターでカーボン紙を使ってコピーを作り, 別の人に送った習慣にちなむ表現. 同じメールを複数の人に送る場合, コピーを別の人に送ったことを本来の受取人にはあきらかにせずに送ることもある. これを bcc と呼ぶ. ブラインド・カーボンコピー (blind carbon copy) の略.「目に見えない」ように送られたカーボン・コピーの意.

メールではワープロで作成した文書ファイルや画像などをメールに添付した別文書として送ることもできる. これを添付ファイル (attachment) とよぶ.

(2) メールの書き方

簡潔に: メールでは手紙のように定まった書き方があるわけではない. しかし, 要点をついた簡潔な書き方が勧められる. くだけたメールでは下の例のように相手の名前を呼びかけて始めるものが多い. あらたまったメールでは手紙のように Dear Ms. Smith, のように始めてもよい.

読みやすく: 1行60文字くらいで改行するのが読みやすく, 推奨されている. 段落を区切るときは空行をひとつ作ることが多い.

ネチケット: メールなどをインターネットで使う場合の相手への配慮をネチケット (netiquette) という.「ネットワーク」(network) と「エチケット」(etiquette) からの造語. たとえば, 文章を全部大文字で書かないといった約束はその例. 全部大文字で書くと, 読みにくいだけでなく, 大声を出しているような印象を与える. 1行60文字くらいで改行するというのもネチケットのひとつ.

(3) メール表現集

(a) 書き出しの表現

¶ おたずねがありメールを差し上げております I am writing this email to ask you a question.
はじめてメールをお送りいたします This is the first time that I have written to you.
佐藤洋子, 日本の高校生です I am Sato Yoko, a high school student in Japan.

(b) 返事の書き方

¶ メール, ありがとう Thanks for your email.
さっそくのご返事, ありがとう Thanks for your quick reply.
また, メールをもらってうれしいわ Hi, it's nice to hear from you again.
もっと早く返事をしなければいけなかったのにごめんね Sorry I didn't write to you earlier.

(c) メールのやりとりに関する表現

¶ あなたの名前とメールアドレスを先生から教えていただきました My teacher gave me your name and email address.
あなたとメール交換ができてうれしく思います I am happy to exchange email with you.
メールアドレスが変わりました. アドレスブックを更新してください My email address has changed. Please update your address book.
写真を何枚か添付ファイルで送ります I'm sending some photos via email attachment.
添付ファイルをつけてこのメールをお送りしています I am sending this email with (an) attachment.
あなたのメールを陽子に転送しました I forwarded your email to Yoko.
会議の日が変更になったことを彼女にメールしてください Please mail her that the date of the meeting has been changed.
彼が受信したメールは文字化けしていた The mail he received contained some unreadable characters.

(d) しめくくりのことば

¶ また, メール, 待っています Write me again soon.
また, 連絡しますね I'll keep in touch.
じゃ, またね (さようなら) Cheers!
どうぞよろしく (「敬具」にあたるあらたまった表現) Best regards.

(e) 顔文字

気持ちを表すため文字や記号を組み合わせ，顔の表情を表した顔文字 (smiley) が使われることも多い．英語の顔文字は 90 度左に傾けた形で表される．

:-) にっこり :) とも表される
;-) ウインク
:-(むっつり(口をへの字にしている)
:D 口を開けて笑っている

(f) 略語

単語の頭文字をとった略語もよく用いられる．

BTW ところで (by the way)
ASAP できるだけ早く (as soon as possible)
CUL またね (See you later.) CU は see you の発音をそのまま表したもの．L は later の頭文字
FYI ご参考までに (for your information)
IMHO 私見を言わせていただけば (in my humble opinion)

(g) メール特有の表記法

メールでは文字の書体を指定できないため，次のような表記が使われることがある．

アンダーバー (_) で囲んでイタリック体を示す
¶映画「タイタニック」を見ましたか? Have you seen the film _Titanic_? ★一般の表記では書名や映画の題名などはイタリックで表記する

アステリスク (*) で囲んで強調を示す
¶メッセージはひどく不快なものでした The message was so *disgusting*. ★「不快な」という意味を強調している

宛先: tony@abc.def.com	To: tony@abc.def.com
表題: Re: 誕生日おめでとう!	Subject: Re: Happy Birthday!
トニー,	Tony,
思いがけないメールをいただいてうれしかったわ．誕生日を覚えていてくれてありがとう．また連絡するわね．	What a wonderful surprise to receive your email! Thank you for remembering my birthday. I'll keep in touch.
――	――
玲子	Reiko
reiko@ghi.ne.jp	reiko@ghi.ne.jp

職) retirement Ⓤ; (辞職) resignation Ⓤ. ¶彼は 60 歳で*引退するつもりだ He is going to *retire* at (the) age (of) sixty. // 彼は政界を*引退して田舎に引っ込んだ He *retired from* ˹politics [the political world] (and went) to live in the country.

いんたい² 隠退 ―動 (社会や人との接触を絶つ) seclude ⓣ; (定年や病気で仕事をやめる) retire ⓘ; (説明的には) quit all social activities to live a quiet life. ¶私は郷里に*隠退したい I want to *retire* to my hometown.

いんたく 隠宅 (隠れ家) hiding place Ⓒ; (隠居所) dwelling of a retired person Ⓒ.

インダクション 〔電〕(電磁気の誘導) induction Ⓤ. **インダクションコイル** 〔電〕(誘導コイル) indúction còil Ⓒ **インダクションモーター** 〔電〕(誘導電動機) indúction mòtor Ⓒ.

インダス ―名 固 the Índus ★チベットからパキスタンを通りアラビア海に注ぐ川. **インダス文明** the Indus Valley Civilization, the Indus Civilization.

インダストリアル ―形 (産業の・工業の) indústrial.

インダストリアルエンジニアリング (経営工学) indústrial èngineéring Ⓤ.

インダストリアルソサエティー (産業社会) indústrial society Ⓤ ★しばしば an を付けて.

インダストリアルデザイナー (産業・工業デザイナー) indústrial designer Ⓒ.

インダストリアルデザイン (産業・工業デザイン) indústrial design Ⓤ.

インダストリー (産業) índustry Ⓒ.

インタビュアー (面接をする人; インタビューをする記者) interviewer Ⓒ ★される人は interviewée Ⓒ.

インタビュー ―名 interview Ⓒ. ―動 interview ⓣ. (☞ かいけん¹). ¶彼女は新聞記者の*インタビューに応じた She had an *interview* with a newspaper reporter. // 私はラジオの*インタビュー番組に出た (⇒ラジオ番組でインタビューを受けた) I *was interviewed* on a radio program.

インタラクション (相互のやりとり・一方通行でないコミュニケーション) interáction Ⓤ.

インタラクティブ ―形 (相互作用の・双方向のやりとりのある) interáctive.

インタラクティブビデオ (双方向ビデオ) ínteràctive video /vídiòu/ Ⓤ.

インタラプト 〔コンピューター〕 ―動 (割込み処理を行う) interrúpt ⓣ. ―名 interrupt Ⓤ.

インタレスト (興味・利息) interest Ⓤ.

インタレストグループ (利害関係が共通の団体・利益団体) interest gròup Ⓒ.

インタロゲーションマーク (疑問符) interrogátion ˹màrk [pòint] Ⓒ ★「?」の印.

いんち¹ 引致 ―動 (逮捕した者などを拘禁する) take *a person* into custody.

いんち² 印池 (印肉) stamp pad Ⓒ, (ink) pad Ⓒ.

インチ inch Ⓒ (略 in) (☞ 度量衡 (囲み)). ¶5 フィート 8*インチ 5 ft 8 *in* 〔語法〕 five ˹feet [foot] eight (inches) または単に five eight と読む．feet と読むのが普通．記号としては 5′8″ のようにも書く．1 インチは 1/12 フィートで，約 2.54 センチ.

いんちき ―名 (さぎ) fraud Ⓤ; (八百長) (略式) put-up job Ⓒ; (偽物) fake Ⓒ, counterfeit /káuntəfìt/ Ⓒ, forgery Ⓤ 〔語法〕以上 3 語はほぼ同意だが，後のものほど格式ばった言い方となる．なお forgery は行為も意味し，その場合は Ⓤ. ―形 (偽の) fake; (さぎの) fraudulent /frɔ́ːdʒulənt/; (紙幣などが精巧に作られた偽の) bogus, counterfeit; (医療に関しての) quack /kwǽk/. ―動 (ゲーム・テストなどでいんちきする) cheat ⓘ; (だます) deceive ⓣ; (偽物などを作る) fake ⓣ. (☞ にせ; いかさま). ¶あの絵は*いんちきだ (⇒偽物だ) That picture is a ˹*fake* [*forgery*]. // それは*いんちき会社ではないだろうか I wonder if it isn't a *bogus* company. // トランプで彼は*いんちきをした He *cheated* at cards.

いんちょう 院長 (病院の) the director of a hospital; (学院などの) the ˹president [director].

インディアナ —名 固 (米国の州) Indiana /ìndiǽnə/ 《☞ アメリカ (表)》.

インディアペーパー Índia páper U ★ 辞書や聖書などに用いられる薄い紙.

インディアン Native American C 参考 Indian, American Indian または Amerindian とも言うが, 現在ではいずれも差別語とされ, 上の訳語のように言うのがよい. 単に Indian としたときは「インド人」の意味もあるので注意.

インディアンサマー (小春日和) Indian summer C.

インディーズ (大手の系列に入らない独立のレコード会社, 映画プロダクション, テレビ局など) indie /índi/ C ★ independent の変異形で口語表現. 形としても用いる. **インディーズデザイナー** (独立デザイナー) indie designer C **インディーズマガジン** (雑誌) indie magazine C; (出版社) indie magazine publisher C.

インディオ (南・北米大陸の原住民) Indian C; (中[南]米の) Central [South] American Indian C ★ スペイン語 indio に由来.

インディカまい インディカ米 indica (rice) U; (長粒の米) long-grain rice U.

インディゴ 〘化〙 indigo /índigòu/ U ★ 藍色の染料. 《☞ あい²》.

インディビデュアリスト (個人主義者) individualist.

インディビデュアリズム (個人主義) indivídualism U.

インテグラル —形 〘数〙 (積分の) integral.

インテグレーション (融合) integration U.

インテグレート —動 (融和させる) íntegràte 他.

いんてつ 隕鉄 〘天〙 íron mèteorite C.

インデックス (本の索引) index C 《複 ~es, indices》 日英比較 index には「索引」のほかに,「指数」「指針」, 動 で「索引をつける」などの意味がある.

インデックスファンド 〘証券〙 index fund C.

インデペンデンス (独立) indepéndence U.

インデペンデント —形 (独立の) indepéndent.

インテリ (知識人・知的な仕事をしている人) intelléctual C; (教育のある人) educated person C; (総称して) the intelligentsia /ɪntèlədʒéntsiə/, intellectuals. 《☞ ちてき; ちしき》. ¶*インテリはとかく行動性に欠ける *Intellectuals* are [*The intelligentsia* is] often slow (at) getting into action.

インテリア (室内装飾) interior /ɪntí(ə)riə/ ˹design [decoration] U. **インテリアクラフト** (室内工芸・調度品) intérior ˹cráftwork [cráft ìtem] C ★ craft は「工芸技術」. **インテリアコーディネーター** interior coordinator C **インテリアデザイナー** interior ˹designer [decorator] C **インテリアデザイン** (室内装飾) intérior desígn U **インテリアファブリック** (室内装飾用布・カーテン生地など) íntérior ˹fábric [téxtile] C **インテリアプランナー** (室内装飾設計者) intérior plánner C.

インテリゲンチャ (知識人) intelléctual C; (知識階級) the intelligentsia /ɪntèlədʒéntsiə/ ★ 総称法表現. ★ もとロシア語. 《☞ インテリ》.

インテリジェンス (知性・知能) intélligence U.

インテリジェントカー intélligent cár C ★ コンピューターを利用して高度な機能を持つ車.

インテリジェントハウス intelligent house C ★ コンピューターで自動制御される機器が設備された住宅.

インテリジェントビル intelligent building C ★ 高度な情報・通信設備をもったオフィスビル.

インテルサット Íntelsàt ★ 国際商業衛星通信機構 the *In*ternational *Tel*ecommunications *Sat*ellite Organization の略. その通信衛星も指す.

インテルメッツォ 〘楽〙 (間奏曲) intermezzo /ìntəmétsou/ C ★ イタリア語より.

インテレクチュアル —形 (知的な・知性のすぐれた) ìntelléctual. —名 (知識人) ìntelléctual C.

インテレクト (知力) íntellèct U.

いんてん 院展 (日本美術院展覧会) the *Inten*; (説明的には) the Japanese Institute of Fine Arts Exhibition.

いんでんき 陰電気 〘物理〙 negative electricity U.

いんでんし 陰電子 〘物理〙 negatron C.

インテンシブ —形 (集中的な) intensive.

インデント —動 (行の頭下げをする) indént 他 自. —名 (行の頭下げ) ìndentátion U.

インド —名 固 India; (正式名; インド共和国) the Republic of India. —形 Indian. ¶ 東[西]*インド諸島 the ˹East [West] *Indies* **インド麻** 〘植〙 (つなそ) jute U ★ 穀物用の麻袋生地などに用いられる; (インド大麻(たいま)) Indian hemp U ★ マリファナ (marijuana) などの原料. **インド語** (ヒンディー語) Hindi U ★ 公用語の 1 つ. **インド国民会議派** the Indian National Congress (party), the Congress party ★ 1885 年結党. **インド犀** Indian rhinoceros C **インド更紗** Indian ˹calico [chintz] U **インド人** Indian C **インド水牛** Indian buffalo C, water buffalo C **インド象** Indian elephant C **インド哲学** Indian philosophy U **インド半島** the Indian peninsula ★ インド亜大陸 (the Indian subcontinent) と呼ばれることもある. **インド菩提樹** pipal (tree) C, bo-tree C **インド鮪** Indian tuna C **インド文字** Indian letter C **インド洋** the Indian Ocean **インド洋(大)津波** the (2004) Indian Ocean Tsunami **インドヨーロッパ語族** the Indo-European languages **インド林檎** Indiana apple C; (説明的には) bright-green apple with sweet firm flesh which originally comes from Indiana State, U.S. C **インド綿** Indian cotton U.

インドア —形 (屋内の) indoor A. ¶*インドアスポーツ *indoor* sports

いんとう¹ 咽頭 the pharynx /fǽrɪŋks/ 《複 pharynxes, pharynges /færíndʒiːz/》. **咽頭炎** 〘医〙 pharyngitis /fæ̀rɪndʒáɪtɪs/ U **咽頭音** 〘音声〙 pharyngeal /fæ̀rɪndʒíːəl/ C.

いんとう² 淫蕩 —形 (酒色におぼれた) debauched /dɪbɔ́ːtʃt/ ★ 格式ばった語; (好色な) lecherous /létʃ(ə)rəs/. —名 (淫蕩な行為) debauchery /dɪbɔ́ːtʃ(ə)ri/ U. ¶(非常に)*淫蕩な生活 a life of (total) *debauchery*

いんどう 引導 **引導を渡す** (⇒ 人に最悪の事態を覚悟するよう申し渡す) tell *a person* to prepare for the worst.

いんとうかじょ 隠頭花序 〘植〙 hypanthium /haɪpǽnθiəm/ C 《複 -thia /-θiə/》.

いんとく¹ 隠匿 —動 hide 他 《☞ かくす》. **隠匿罪** crime of ˹harboring [concealing] a criminal C.

いんとく² 陰徳 (ひそかになされる善) good done ˹in secret [secretly] U. ¶*陰徳あれば陽報あり *Good done* ˹*in secret* [*secretly*] will be openly rewarded. // *陰徳を積む cast [throw] *one's* bread upon the waters ★「見返りを当てにしないで善行を施す」という意味の聖書のことば.

インドシナ —名 固 Indochina, Indo-China. —形 Indo-Chinese. **インドシナ語** Indo-Chinese U **インドシナ人** Indo-Chinese C ★ 単複同形. **インドシナ半島** —名 固 Indochina.

イントネーション intonátion U ★ 具体的な事

例では Ⓒ. ¶上昇［下降］調の*イントネーション (a)「rising [falling] *intonation*

インドネシア ―名 固 Indonesia /ìndəní:ʒə/; (正式名; インドネシア共和国) the Republic of Indonesia. ―形 Indonesian. **インドネシア語** Indonesian Ⓤ **インドネシア人** Indonesian Ⓒ.

インドメタシン 〖薬〗indomethacin Ⓤ.

イントラプレナー (社内企業家) intrapreneur /ìntrəprənə́:/ Ⓒ《☞ アントレプレナー》.

イントレランス (偏狭・不寛容) intólerance Ⓤ.

イントロ (導入・序論) introduction ★「導入」の意味では Ⓤ,「序論」は Ⓒ; (音楽)《略式》intro Ⓒ.
［日英比較］英語にも introduction の略語として intro があるが, この語は人を紹介する意味と, 音楽の「序奏」の意味でしか使われない. 他の意味の場合は日本語で「イントロ」とあっても introduction と訳すべきである. また日本語では「序文」「初歩」「入門コース」なども イントロ ということがあるが, これらは英語ではそれぞれ preface, the first step, introductory [elementary] course などとなる.《☞ じょぶん; にゅうもん》.

イントロダクション (紹介・導入・序論) introduction ★「序論」の意味では Ⓒ, 他は Ⓤ.

いんとん 隠遁 ―名 (人目から離れての) seclusion Ⓤ; (引きこもっての) retirement Ⓤ. ―動 live in seclusion. ¶*隠遁生活 a *secluded* life

インナー ―形 (中の・内部の) ínner.

インナーキャビネット (閣内実力者グループ) ínner cábinet Ⓒ.

インナーシティー ínner cíty Ⓒ; (都市の中心部) the heart of the city ★ 前者は 米国で人口の郊外移動の結果, 荒廃した「低所得者居住地帯」の意がある.

インナースペース (大気圏の内側の空間) ínner spáce Ⓤ《☞ アウタースペース》.

いんない 院内 ―形 (国会の) parliamentary. ¶*院内交渉団体 a negotiation group「*inside the Diet* [of *parliamentary* members]

いんないかんせん 院内感染 in-hospital infection Ⓤ ★ 具体的なケースは Ⓒ.

いんにく 印肉 stamp pad Ⓒ, (ink) pad Ⓒ.

いんにん 隠忍 ―名 (忍耐・辛抱) patience Ⓤ; (長期にわたる我慢) endurance Ⓤ. ―動 (辛抱する) be patient; endure ⑯.《☞ しんぼう¹》. ¶*隠忍自重する be prudent and *patient*

いんねん 因縁 (関係) relation Ⓒ; (結びつき) connection Ⓒ; (けんかの言いがかり) pretext for a fight Ⓒ. ¶A さんと B さんの*因縁は浅くない There is「a close *connection* [a *strong bond*] between Mr. A and Mr. B. // あの男が我々に*因縁をつけてきたのだ That man has made up a *pretext for a fight* with us.

いんのう 陰嚢 the scrotum /skróutəm/《複 -ta, ～s》.

インバーター (直流電流の交流への変換装置・入力の反転回路) inverter Ⓒ.

いんばい 淫売 prostitute Ⓒ, whore Ⓒ ★ 後者の方がより軽蔑的;《俗》tart Ⓒ. **淫売宿** brothel Ⓒ,《文》whorehouse Ⓒ.

インパクト (衝撃・影響) impact Ⓒ《☞ しょうげき》. **インパクトプリンター** 〖コンピューター〗ímpact prìnter Ⓒ.

インバネス (長くゆったりしたコート) ínverness Ⓒ.

インバランス (不均衡) imbálance Ⓤ ［日英比較］日本語では「アンバランス」のほうがより一般的だが, 英語では imbalance が普通.

インパルス (衝動) ímpulse Ⓤ.

いんび¹ 陰微 ―形 (あいまいな) obscure; (謎めいた) mysterious; (かすかな) faint.

いんび² 淫靡 ☞ みだらな

いんぴ 陰避 indistinctive appearance Ⓒ.

インピーダンス 〖電・物理〗impédance Ⓤ ★ ときに an～.

インビジブル ―形 (目に見えない) invisible.

インビテーション (招待状) invitation Ⓒ.

いんぶ 陰部 (婉曲に) private parts.

いんぷ 淫婦 (浮気者) flirt Ⓒ ★ 男にも用いる; (売春婦) próstitùte Ⓒ.

インファイト 〖ボク〗infighting Ⓤ.

インフィールド 〖野〗(内野) ínfield ★ 通例単数形で. **インフィールドフライ** ínfield flý Ⓒ.

インフィニティー (無限) infinity Ⓤ.

インフェリア ―形 (劣った) inferior.

インフェリオリティーコンプレックス inferiority /ɪnfì(ə)rió:rəti/ còmplex Ⓒ《☞ れっとうかん》.

インフェルノ (焦熱地獄・地獄のような所) inferno /ɪnfə́:nou/ Ⓒ.

インフォーマー (通告者・密告者) informer Ⓒ.

インフォーマル ―形 (格式ばらない・非公式の) informal.

インフォーマント (情報提供者) informant Ⓒ.

インフォームドコンセント 〖医〗(患者に治療の目的・内容を事前に説明して納得を得ること) informed consent Ⓤ.

インフォメーション (情報) information Ⓤ ［語法］数えるときは a「piece [bit] of *information*. **インフォメーションギャップ** information gap Ⓒ **インフォメーションセンター** (案内所) informátion cènter Ⓒ **インフォメーションプロバイダー** (情報ネットに情報を提供する業者) informátion provìder Ⓒ **インフォメーションリトリーバル** (情報検索) informátion retrìeval Ⓤ.

インプット ―名 (入力) ínpùt Ⓤ. ―動 ínpùt ⑯.《☞ コンピューター (囲み)》.

インフラ ☞ インフラストラクチャー

インフライトショッピング (航空機内の免税販売・買物) in-flight shopping Ⓤ.

インフラストラクチャー (経済基盤) infrastructure Ⓤ.

インプリンティング 〖心・動〗(刻印・刷り込み) imprinting Ⓤ.

インプリント ―名 (印象・痕跡押印・書物の奥付) ímprìnt Ⓒ.

インフルエンザ ìnfluénza Ⓤ,《略式》flu Ⓤ.《☞ かぜ²》. ¶*インフルエンザにかかった I have caught (the) *flu*. // 全国的に*インフルエンザがはやっている *Influenza* is raging throughout the country. **インフルエンザウイルス** influenza virus Ⓒ **インフルエンザ予防接種** flu shot Ⓒ《☞ よぼうせっしゅ》 **インフルエンザワクチン** influenza vaccine Ⓒ.

インフルエンス (影響[力]・威光) ínfluence Ⓤ.

インフレ(ーション) ―名 inflation Ⓤ (↔ deflation). ―形 inflationary. ¶悪性*インフレ an *inflationary* spiral ★ 物価と賃金の悪循環. **インフレ傾向[状態]** inflationary「trend [situation] Ⓒ **インフレターゲット** inflation targeting Ⓤ **インフレ対策** anti-inflation「measure [policy] Ⓒ.

インプレッショニズム (印象主義) impréssionìsm Ⓤ.

インプレッション (印象) impression Ⓒ.

インフレヘッジ (インフレからの財産の防護法) inflation hedge Ⓒ.

インプロージョン (内部破壊) implosion Ⓤ.

インプロビゼーション (ジャズなどの即興演奏) impròvisátion Ⓤ.

いんぶん 韻文 (散文に対して) verse Ⓤ; (小説に対して) poetry Ⓤ.

いんぺい 隠蔽 ―動 conceal ⑯; hide ⑯ ★ こ

れらはほぼ同義だが, conceal のほうが格式ばった語; (覆い隠す) bury ㊀; cover up ㊀ ★ これらはほぼ同義だが, cover up のほうが「失態をとり繕う」など軽い意味にも用いる. ── 名 concealment Ⓤ.

インベーダー (侵略者) invader Ⓒ.

インベスターリレーションズ (投資家に対する広告) investor relations ★ 複数形で.

インベストメント (投資) investment Ⓤ.

インペリアリズム (帝国主義) imperialism /ɪmpí(ə)riəlìzm/ Ⓤ.

インペリアル ── 形 (帝国の) imperial /ɪmpí(ə)riəl/.

インベンション (発明) invention Ⓤ.

インベントリー (目録) invèntory Ⓒ. **インベントリーファイナンス** (在庫金融) inventory finance Ⓤ.

インポ ── 名 (性的不能) ímpotence Ⓤ. ── 形 ímpotent. 《☞ インポテンツ》.

インボイス 〘商〙 (送り状) invoice Ⓒ.

いんぼう 陰謀 (計画) plot Ⓒ; (危険な) intrigue Ⓤ; (策略) machinations /mæ̀kənéɪʃənz/ ★ 通例複数形で; (徒党を組んでの) conspíracy Ⓒ.

【類義語】最も普通には *plot*. より手のこんだ陰険なものを表すのは *intrigue*. 巧妙さが強調されるのは *machinations*. 複数の人による陰謀は *conspiracy*. 《☞ たくらみ》

¶ 国王暗殺の*陰謀が企てられた There was a ˹*plot* [*conspiracy*] against the king's life. / Some people ˹*conspired* [*plotted*] against the king's life.

【参考語】── 動 (陰謀を企てる) conspire ㊂, plot ㊂ ㊀. ── 名 (陰謀を企てる者) conspirator Ⓒ; (謀反) treason Ⓤ; (特に国家に対する) high treason Ⓤ.

インポータント ── 形 (重要な) important.

インポート ── 名 (輸入) ímport Ⓤ. ── 動 (輸入する) impórt ㊀.

インポシブル ── 形 (不可能な) impóssible.

インポテンツ (男性の性的不能) ímpotence Ⓤ ★「インポテンツ」はドイツ語の Impotenz から.

インボルブ ── 動 (人を巻き込む) involve ㊀.

いんめつ[1] 隠滅 ── 動 (かくれて見えなくなる) hide and disappear ㊂.

いんめつ[2] 湮滅 ── 動 (証拠を) destroy ㊀, suppress ㊀. ── 名 destruction Ⓤ, suppression Ⓤ. ¶ 証拠を*湮滅する *destroy* [*suppress*] evidence // 証拠*湮滅 *destruction* [*suppression*] of evidence

いんもう 陰毛 pubic hair Ⓤ.

インモラル ── 形 (不道徳な) immóral.

いんもん 陰門 〘解〙 vulva Ⓒ 《複 ~s, vulvae /vʌ́lviː/》.

いんやく[1] 淫薬 ☞ びやく

いんやく[2] 陰約 (暗黙の了解) tacit understanding Ⓒ ★ 通例 a ~ として.

いんゆ 隠喩 metaphor Ⓒ 《☞ 比喩 (巻末)》.

いんよう[1] 引用 ── 動 quote ㊀ ㊂. ── 名 (引用すること・引用した語句) quotation Ⓒ. ¶ これは聖書からの*引用だ These words are *quotations* from the Bible. **引用符(号)** quotation marks, quotes ★ いずれも普通は複数形で. 後者のほうが口語的. 《☞ 引用符(号) (巻末)》 **引用文** quotation Ⓒ; (説明的には) quoted passage Ⓒ.

いんよう[2] 飲用 ── 形 (飲むのに適する) drinking, for drinking. ¶ これは*飲用水ですか Is this *drinking* water? / Can we *drink* this water? / (⇒ 安全ですか) Is this water ˹*safe* [*all right*] *to drink*?

いんよう[3] 陰陽 (中国の易学の) yin /jín/ and yang /jáːn/ ★ 中国では昔「陰」すなわち女性と「陽」すなわち男性と 2 つ合わせて世界を成すと考えた; (光と影) light and darkness.

いんよく 淫欲 ☞ しきじょう[2]

いんらん 淫乱 ── 形 (みだらな) lewd; (みだらな行いを欲しいままにする) lecherous /létʃ(ə)rəs/.

いんりつ 韻律 (韻文の) meter (《英》 metre) Ⓒ; (リズム) rhythm Ⓒ.

いんりょう 飲料 (飲みもの) drink Ⓤ ★ 種類をいうときは Ⓒ; (やや格式ばった語) beverage /bév(ə)rɪdʒ/ Ⓒ; (酒) liquor Ⓤ. ¶ 清涼*飲料が欲しい I would like a soft *drink*. // 食料と*飲料は十分持っている We have enough food and *drink*. **飲料水** drinking water Ⓤ.

いんりょく 引力 (引きつけ合う力) attraction Ⓤ; (重力) gravitation Ⓤ. 《☞ じゅうりょく》.

インレイ 〘歯〙 (虫歯の穴の充填物) ínlày Ⓒ.

いんれき 陰暦 the lunar calendar.

いんろう 印籠 (昔武士が腰に下げた薬入れ) samurai's portable medicine box Ⓒ.

いんわい 淫猥 ☞ わいせつ; ひわい

う, ウ

う[1] **鵜** 〘鳥〙cormorant Ⓒ. ¶ *鵜飼(船) (a boat for)*cormorant* fishing **鵜の真似をする鳥** ¶ *鵜の真似をする鳥は水におぼれる (⇒ 人の猿真似をするとろくなことはない) Some people ruin themselves by trying to ape their betters. **鵜の目鷹の目** ¶ 彼らは*鵜の目鷹の目で手掛かりを捜した They searched for clues *with very* ⌈*sharp* [*keen*] *eyes.* ⟪☞ うのめたかのめ⟫

う[2] **卯** (十二支の) the Rabbit ⟪☞ ね[4]⟫.

うい 憂い (憂うつな) depressing; (わびしくやるせない) dreary. ⟪☞ ものうい⟫.

ヴィー ☞ ブイ[2]

ウィークエンダー (週末に旅行や別荘などで楽しむ人) wéekènder Ⓒ.

ウィークエンド wéekènd Ⓒ ⟪☞ しゅうまつ[1]⟫.

ウィークデー wéekdày Ⓒ ⟪☞ へいじつ⟫. ¶ *ウィークデーは朝 6 時に起きます I get up at six *on weekdays*.

ウィークポイント (弱点) weak point Ⓒ; (弱み) weakness Ⓒ. ⟪☞ よわみ; じゃくてん⟫. ¶ 数学が彼の*ウィークポイントだ He's ⌈*weak in* [*not good at*] mathematics. 日英比較 科目などの場合は weak point は使わないほうがよい.

ウィークリー (週刊の出版物) weekly Ⓒ.

ウィークリーマンション (週単位で貸すマンション) apartment rentable by the week Ⓒ, weekly rental apartment Ⓒ.

ウィーン ― 图 固 (オーストリアの首都) Vienna /viénə/. **ウィーン学派** the Vienna Circle ★ 1920 年代から活動した科学哲学者の集団. **ウィーンフィルハーモニー管弦楽団** the Viénna Phìlharmònic Órchestra.

ういういしい 初初しい (無邪気な) innocent; (新鮮な) fresh; (悪ずれしてない) unsophisticated.

ういきょう 茴香 〘植〙fennel Ⓤ.

ウィクリフ ― 图 固 Jóhn Wyclif(fe) /wíklɪf/, 1324?–84. ★ 英国の宗教改革家・聖書翻訳者.

ウイグル ― 图 固 (ウイグル族の人) Uig(h)ur /wíːguə/ Ⓒ ★ 8–12 世紀にモンゴルなどで活動したトルコ系民族. 現在は主に中国西北部に居住. **ウイグル語** Uig(h)ur Ⓤ **ウイグル文字** the Uig(h)ur alphabet letters.

ウィザード (魔法使い・ある分野に特別に精通した人) wizard Ⓒ ⟪☞ まほう(魔法使い); まじょ⟫. ¶ コンピューター*ウィザード a computer *wizard*

ういざん 初産 *one's* first childbirth Ⓤ.

ういじん 初陣 maiden battle Ⓒ; (選挙などの最初の戦い) *one's* first campaign.

ウィスカー 〘化〙(髭結晶) whisker Ⓒ.

ウイスキー whisk(e)y Ⓤ ★ ⟪米⟫ では普通国産品を whiskey, 輸入品を whisky とつづる. 種類をいうときは Ⓒ ⟪複 whiskeys, whiskies⟫. ¶ *ウイスキーの水割り *whisk(e)y* and water // *ウイスキーソーダ *whisk(e)y* and soda

ウィズキッド (天才児・事業などのやり手の若者) whiz(z) kid Ⓒ ★ くだけた表現.

ウィスコンシン ― 图 固 (米国の州) Wiscónsin ⟪☞ アメリカ (表)⟫.

ウィッグ (かつら) wig Ⓒ ⟪☞ かつら[1]⟫.

ウィッチ (魔女) witch Ⓒ ⟪☞ まじょ⟫.

ウィッティー ― 形 (機知のある) witty ⟪☞ ウィット; きち[2]; とんち⟫.

ウィット ― 图 (機知) wit Ⓤ. ― 形 (ウィットのある) witty. ¶ 彼のスピーチは*ウィットにあふれていた His speech was full of *wit*.

ういてんぺん 有為転変 (栄枯盛衰) vicissitudes /vɪsísət(j)ùːdz/ ★ 複数形で; (無常であること) mutability Ⓤ; (人生の浮沈) the ups and downs (of life). ¶ *有為転変は世のならい Here today, gone tomorrow.

ウィドー (未亡人) widow Ⓒ (↔ widower) ⟪☞ みぼうじん⟫.

ウィトゲンシュタイン ― 图 固 Ludwig Wittgenstein /lúːtvɪk vítgənʃtàɪn/, 1889–1951. ★ オーストリア生まれの英国の哲学者.

ウィナー (勝者) winner Ⓒ.

ウィニー (女性名) Wínnie ★ Wínifred の愛称.

ウィニフレッド (女性名) Wínifred ★ 愛称は Wínnie.

ウィニングショット (勝利に結び付くシュート) game-[championship-]winning shot Ⓒ; (決勝の一打) winning shot Ⓒ.

ウィニングボール 〘野〙(アウトにしてゲームに勝った時のボール) the ball caught for the game's final out ★「ウィニングボール」は和製英語.

ウィニングラン (優勝選手の場内一周) the victory lap.

ういまご 初孫 *one's* first grandchild Ⓒ.

ウィリアム (男性名) William ★ 愛称は Bill, Billy, Will, Willy.

ウィリアムテル ― 图 固 William Tell ★ スイスの伝説的勇士で弓の名人.

ウィリー[1] (男性名) Willie; Willy ★ William の愛称.

ウィリー[2] (オートバイ・自転車の後輪走行) wheelie /(h)wíːli/ Ⓒ. ¶ *ウィリーをする do a *wheelie*

ウィル (男性名) Will ★ William の愛称.

ウイルス virus /váɪ(ə)rəs/ Ⓒ. ¶ インフルエンザの*ウイルスには大別して 3 つある There are three major types of influenza *virus(es)*. // コンピューター*ウイルス a computer *virus* **ウイルス性肝炎** viral hepatitis /váɪ(ə)rəl hèpətáɪtɪs/ Ⓤ.

ウィルバー (男性名) Wilbur.

ウィルフレッド (男性名) Wilfred, Wilfrid.

ういろう 外郎 (菓子の) *uiro* Ⓒ; (説明的には) sweet jelly made from rice Ⓒ.

ウィン (勝利) win Ⓒ ⟪☞ しょうり; かち[2]; かつ[1]⟫.

ウインカー (方向指示器) turn signal Ⓒ, direction indicator Ⓒ ★ 前者のほうが口語的.

ウインク ― 图 wink Ⓒ. ― 動 wink (at ...) 自. ⟪☞ めくばせ⟫. ¶ 彼女は私にちらっと*ウインクした She gave me a quick *wink*.

ウイング (鳥・飛行機・建物などの翼) wing Ⓒ ⟪☞ つばさ⟫.

ウイングチップ (ウイングチップ型のつま先の靴) wing tip Ⓒ.

ウィンザー ― 图 固 Windsor /wínzə/ ★ イングランド南部の町. **ウィンザー宮** Windsor Castle ★ 英王室の居城.

ウィンター (冬) winter Ⓤ ⟪☞ ふゆ⟫.

ウインタースポーツ winter sport Ⓒ ★ 総称としては複数形で.

ウインチ （巻き上げ機) winch Ⓒ.
ウィンチェスター ―名 (固) Winchester ★ イングランド南部のハンプシア州 (Hampshire) の州都.
ウィンチェスターじゅう **ウィンチェスター銃** Winchester (rifle) Ⓒ ★ 連発式ライフル銃.
ウインド （風) wind 《☞ かぜ》.
ウインドウズ 〘コンピューター〙(パソコン用基本ソフト)《商標》 Windows.
ウインドー （店の) (shop [store; show]) window Ⓒ; (特にそのガラス) wíndowpàne Ⓒ; (コンピューターの画面上の窓) window Ⓒ. 《☞ まど》.
ウインドーウォッシャー （車のフロントガラス洗浄装置) windshield washer Ⓒ **ウインドーシート** (窓側の席) window seat Ⓒ **ウインドーショッピング** ―名 window-shopping Ⓤ. ―動 wíndow-shòp; go [do] window-shopping **ウインドードレッシング** (ショーウインドーの飾りつけ) wíndow drèssing Ⓤ **ウインドーファン** window fan Ⓒ **ウインドーペーン** (窓ガラス) windowpane Ⓒ.
ウインドーディスプレー （ショーウインドーの商品の陳列) wíndow displày Ⓒ.
ウインドサーファー windsurfer Ⓒ.
ウインドサーフィン ―名 wíndsùrfing Ⓤ, boardsailing Ⓤ. ―動 (ウインドサーフィンをする) windsurf (自).
ウインドシールド （自動車・オートバイの風防ガラス) windshield Ⓒ 《☞ フロントガラス 日英比較》.
ウインドブレーカー （防寒用ジャケット) 《米》 wíndbrèaker Ⓒ.
ウインドミル （風車) windmill Ⓒ 《☞ ふうしゃ》.
ウインドヤッケ 《米》 wíndbrèaker Ⓒ; (パーカ) 《主に米》 parka /pɑ́ːkə/ Ⓒ; (アノラック) 《主に英》 ánoràk Ⓒ; (説明的には) pullover hooded jacket Ⓒ. ★「ウインドヤッケ」はドイツ語から入った語.
ウインナ （ソーセージ) Vienna /viénə/ sáusage Ⓒ, wiener /wíːnə/ Ⓒ. 《☞ ウィーン; ソーセージ》. **ウインナコーヒー** Viennese /vìːənìːz/ cóffee Ⓤ; (説明的には) coffee with whipped cream Ⓤ **ウインナワルツ** Víennèse wáltz /wɔ́ːlts/ Ⓒ.
ウインブルドン ―名 (固) Wímbledon ★ 英国ロンドン郊外地区; 全英テニス選手権大会が行われる.
ウーステッド （毛織物の一種) worsted /wústɪd/ Ⓤ.
ウーファー （低音用スピーカー) woofer /wúfə/ Ⓒ ★ 高音用スピーカーは tweeter Ⓒ.
ウーマン （大人の女性) woman /wúmən/ Ⓒ (複 women /wímɪn/). **ウーマンリブ** Women's Liberation Ⓤ, women's lib Ⓤ.
ウーリー （羊毛製の) woolly /wúli/ ★《米》ではまた wooly. 《☞ ウール》.
ウール ―名 wool /wúl/ Ⓤ. ―形 wool(l)en. 《☞ けいと》.
ウーロンちゃ **烏龍茶** oolong /úːlɔːŋ/ (téa) Ⓤ.
うーん ―感 (考え込む時に発する声) Mmm; (何と言おうか迷っている時) Um /ʌm, əm/. ―動 (苦痛・心配・不満のためうなる) groan (自). ―名 groan Ⓒ. ¶*うーんとうなる make a _groan_

うえ¹ 上 **1** 《表面》 ―前 (直接触れて) on ... (↔ off ...) 語法 on は物の表面に接していることを示し, 上下には関係ない. 接する面は机のように水平の場合もあれば, 壁のように垂直の場合もあり, 天井のように下向きになっている場合もある; (上を覆って) over ... ★ 接触している場合とそうでない場合の両方を含む. ―名 (テーブルなどの上面) top Ⓒ; (平らな表面) surface Ⓒ.
¶その本は棚の*上にある The book is _on_ the shelf. // 彼女はテーブルの*上に新しいテーブルクロスをかけた She spread a fresh tablecloth _over_ the table. // 水の*上 (⇒ 表面) に何かが浮かんでいる There is something floating _on the surface_ of the water.
① The outlet is _on_ the ceiling. (コンセントは天井にある)
② A clock is _on_ the wall. (時計が壁にかかっている)
③ The clock is _higher_ than the light. (時計は明かりよりも上にある)
④ A light hangs ⌈_above_ [_over_] the table. (明かりはテーブルの上に下がっている)
⑤ Six candles are _on_ (_the top_ of) the cake. (6本のろうそくがケーキの上にある)
⑥ Chocolate letters are _on_ (_the surface_ of) the cake. (チョコレートの文字がケーキの上にある)
⑦ The _upper part_ of the cake is covered with icing. (ケーキの上部はアイシングで覆われている)
⑧ A birthday cake is _on_ the table. (バースデーケーキがテーブルの上にある)
⑨ The tablecloth is spread _over_ the table. (テーブルクロスがテーブルの上にかけられている)

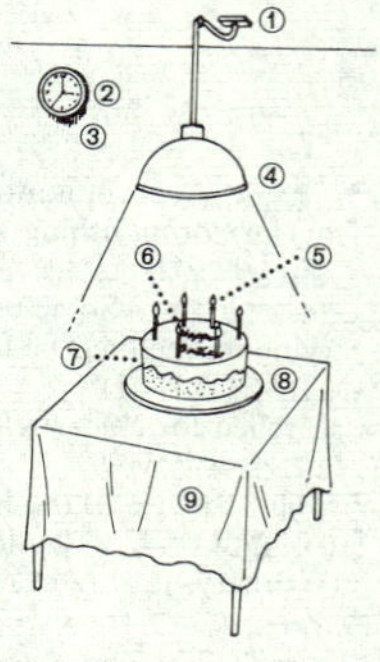

2 《上方》 ―前 (真上に) over ... (↔ under ...); (高い位置に) above ... (↔ below ...) 語法 over ...は物が真上にある場合, または覆いかぶさる感じを表し, above は位置が上のほうにあることを示し, 必ずしも真上にあるとは限らない. 物に接触していない場合は over の代わりに above が用いられることも多い. ―副 (低い所から高いほうへ) up (↔ down); (上の方向に) upward (↔ downward). ―形 (高い) high (↔ low); (ほかのものより上にある) upper Ⓐ (↔ lower); (頭の上の) overhead Ⓐ.
¶そのテラスの*上にバルコニーがあった There was a balcony _over_ the terrace. // 飛行機は雲の*上を飛んだ The airplane flew _above_ the clouds. // 食卓の*上にはシャンデリアが下がっていた A chàndelíer hung ⌈_over_ [_above_] the table. // 《エレベーターで》「*上ですか下ですか」「*上です」 "(Going) _up_ or down?" "_Up._" // *上へ行けば行くほど空気は希薄になる _The higher_ you go up, the thinner the air becomes. // *上の階で火事があった There was a fire on one of the _upper_ floors. // 頭の*上の明かり an _overhead_ light

3 《最上部》 ―名 (てっぺん) top Ⓒ (↔ bottom); (頂上) summit Ⓒ; (一番上の部分) head Ⓒ (↔ foot). ¶その山の*上からの眺めはすばらしい We can have a splendid view from the ⌈_top_ [_summit_] of the mountain. // 私は*上から3行目に誤植を見つけた I found a misprint in the third line from the _top_. // そのページの一番*上に at the _head_ of the page // 彼は*上から下まで (⇒ 頭からつま先まで) ずぶぬれになった He got ⌈wet through [soaked] from ⌈_head_ [_top_] to toe. // *上と下を反対にして _upside_ down

4 《年齢・地位》 ―形 (より年をとっている) older, elder Ⓐ 語法 (1) どちらも old の比較級だが, 《英》では兄弟・姉妹の関係を表すときは elder. 《米》ではその場合にも older を用いることが多い. ―前 (上位の) above ... ―名 (2人のうち年上の者) senior /síːnjə/ Ⓒ, elder Ⓒ; (目上の人) superior /sʊpí(ə)riə/ Ⓒ. 《☞ としうえ》.
¶彼は私よりも3つ年が*上です He is three years _older_ than ⌈I [me]. / He is _older_ than ⌈I [me] by

three years. 語法 (2)《略式》では … than me の形のほうがよく用いられる. / He is three years my *senior*. / He is my *senior* by three years. ★ 最後の 2 文は格式ばった表現. // 一番*上の息子は医者になった My「*oldest* [*eldest*] son has become a doctor. // 会社では私の妻のほうが地位が*上です My wife is *above* me at the office. // 彼は*上の者に気に入られようとした He tried to curry favor with his *superior*.

5《すぐれている》 —— 形 (優秀な) superior (to …); (よりよい) better (than …) ★ 後者のほうが口語的. —— 副 (さらに一層) more; (もっとよく) better. (☞ うわて; すぐれる; まさる). ¶ 質ではこちらのほうがそれよりずっと*上だ (⇒ 上等だ) In quality this is「far *superior to* [much *better than*] that. // 水泳は彼女のほうが私より*上だ (⇒ 私よりも上手に泳げる) She can swim *better than*「I (can) [me].

6《結果》 —— 前 (…の後で) after … (☞ すえ). ¶ 弁護士と相談の*上 (⇒ 後で) ご返事します I'll give you my answer *after* consulting with my lawyer.

7《さらに・その上》: besides, moreover; (A ばかりでなく B も) not only A but (also) B, B as well as A. (☞ そのうえ; このうえ).

8《関して》 ¶ 日本では酒の*上での行為は大目にみられがちだ In Japan people will often excuse what you do *when you're drunk*. // 仕事の*上ではだれにもひけはとらない (⇒ 一番の働き手だ) I'm the best worker in this office.

上には上 ¶ *上には上がある (⇒ 最高の人でもその競争相手に出会う) Even the best man meets his match. / (⇒ だれでも自分より上の人がいる) Everyone has somebody *better than* him.

上を下への大騒ぎ ¶ 劇場内は*上を下への大騒ぎだった (⇒ まったくの混乱だった) The theater was in *utter confusion*. / There was *utter confusion* in the theater. **上を見ればきりがない** (⇒ あまり野心を抱きすぎるな) Don't be too ambitious. / (⇒ 分相応の暮らしをすべきだ) One should live within one's means.

うえ² 飢え (空腹) hunger U; (飢餓・餓死) starvation U. (☞ うえる²; きが¹; しぬ 語法). ¶ 老人は*飢えで死んだ The old man died of *hunger*. // 1 片の古いパンで*飢えをいやした I satisfied my *hunger* with a piece of stale bread.

ウエア (衣服) wear U ★ 主に合成語で. ¶ スポーツ*ウエア sports*wear* // スキー*ウエア ski*wear*

ウェアハウス (倉庫) warehouse C.

ウェイスト —— 動 (浪費する) waste 他. —— 名 (浪費・廃棄物) waste U ★ 廃棄物の意味ではしばしば複数形で.

ウェイン (男性名) Wayne /wéɪn/.

ウエーター waiter C.

ウエート (重さ・重要性) weight U; (重点) emphasis U. (☞ おもき; じゅうてん¹). ¶ …に*ウエートを置く lay [put; place]「*emphasis* [*stress*]「on [upon] … **ウエートトレーニング** weight training U.

ウエートリフティング (重量挙げ) weight lifting U.

ウエートレス waitress C.

ウエーバー —— 名 固 (カール マリア フォン ～) Carl Maria (Friedrich Ernst) von Weber /(frí:drɪk éənst) fɔ:n véɪbə/, 1786–1826 ★ ドイツの作曲家; (マックス ～) Max Weber, 1864–1920 ★ ドイツの社会・経済学者.

ウエーブ —— 名 (頭髪などの) wave C. —— 動 wave 自. (☞ カール¹; パーマ). ¶ 彼女の髪は生まれつき*ウエーブしている She has naturally *wavy* hair. / She has a natural *wave* in her hair. // 彼女の髪は美しく*ウエーブしている She has a beautiful *wave* in her hair.

ウェールズ —— 名 固 (グレートブリテン島南西部の地方名) Wales. —— 形 (ウェールズの) Welsh. (☞ えいこく 参考; イギリス). **ウェールズ語** Welsh U.

うえかえ 植え替え —— 動 (移す) move 他; (移植する) transplant 他. (☞ いしょく²).

うえき 植木 (鉢植えの) potted plant C; (庭木) garden「tree [plant; shrub] C. **植木ばさみ** garden shears ★ 複数形で. 数えるときは a pair of ～ のように言う. (☞ はさみ¹ (挿絵)) **植木鉢** flowerpot C **植木屋** (庭師) gardener C.

うえこみ 植え込み (生け垣) hedge C; (灌木(かんぼく)の) shrubbery C.

うえこむ 植え込む (植える) plant 他; (思想などを) embed 他 ★ 普通受け身で用いる; 〘医〙 (組織などを移植する) implant 他 ★ 思想などを人の心の中にしっかり植えつける意味でも用いる.

ウェザー (天気) weather U. **ウェザーキャスト** (天気予報) wéathercàst C, wéather fòrecast C **ウェザーコック** (風見鶏) weathercock C **ウェザープルーフ** —— 形 (風雨に耐える) wéatherpròof.

うえさま 上様 (将軍に対する呼びかけ) Your Majesty; (間接の呼称) His Majesty; (領収書などの) (男) Sir; (女) Madam.

うえした 上下 ¶ その抽象画は*上下逆さまに掛かっていたがだれも気がつかなかった That abstract (painting) was hung *upside down*, but no one realized it. (☞ じょうげ)

うえじに 飢え死に —— 動 starve to death 自; die of「starvation [hunger] 自 ★ 前者のほうが格式ばった表現. —— 名 starvation U. (☞ がし).

うえすぎけんしん 上杉謙信 —— 名 固 Uesugi Kenshin, 1530–1578; (説明的には) a warlord in the Warring-States period, known for his strategy and rivalry with Takeda Shingen.

ウエスタン (映画の西部劇) western (film) C; (ウエスタンミュージック) country(-and)-western U, country (music) U.

ウエスト¹ ☞ にし¹

ウエスト² waist C (☞ からだ (挿絵)). ¶ 彼女の*ウエストは 56 センチしかない Her *waist* (measurement) is only 56 centimeters. (☞ 度量衡 (囲み)) // 私は服の*ウエストを詰めた I took in the *waist* of my dress. **ウエストサイズ** waist measurement U.

ウエストエンド —— 名 固 the West End ★ ロンドン中央部西寄りの地区. 富豪の邸宅や一流商店, 劇場などが多い.

ウエストコースト (米国の太平洋沿岸地域) the West Coast.

ウエストサイド —— 名 固 the West Side ★ ニューヨーク, マンハッタン西部のハドソン川に沿う地区.

ウエストバージニア —— 名 固 (米国の州) West Virginia (☞ アメリカ (表)).

ウエストポイント —— 名 固 West Point ★ ニューヨーク州南東部の軍用地. そこにある陸軍士官学校 (West Point Academy) の意味にも用いる.

ウエストボール 〘野〙 (捨て球) pitchout C ★「ウエストボール」は和製英語.

ウエストミンスター —— 名 固 Westminster ★ ロンドン中央部の自治区で, 英国国会議事堂・バッキンガム宮殿がある. 英国議会の意味でも用いる.

ウェセックス —— 名 固 Wessex ★ イングランド南西部にあった Anglo-Saxon の王国.

うえつける 植え付ける (植物を) plant 他; (移植する) transplant 他; (心に銘記させる) implant … (in *one's* mind). (☞ うえる¹).

ウェッジ 〘ゴルフ〙 wedge C.

ウェット ―[形] (感傷的な) sentimental [参考] wet はこの意味では使われない. (☞ センチメンタル). ウェットスーツ wet suit [C].

ウェディング wedding [C] (☞ けっこん[1]). ウェディングケーキ wedding cake [C] ウェディングドレス wedding dress [C] ウェディングマーチ wedding march [C].

ウエハース wafer [C].

ウェブ the Web ★ the World Wide Web の略 (☞ インターネットと E メール (囲み)). ウェブサイト Web site [C] ウェブページ Web page [C].

ウェブスター ―[名] (固) Noah /nóuə/ Webster, 1758–1843. ★ 米国の辞書編集者.

ウェリントン ―[名] (固) (地名) Wéllington ★ ニュージーランドの首都; (ウェリントン公) Duke of Wellington, 1769–1852 ★ ワーテルローでナポレオン 1 世を破った英国の将軍・政治家.

うえる[1] 植える (木・草・種など) plant (他); (種芋などを植え付ける・種をまく) sow (他) ★ plant のほうが普通の言葉; (植え育てる・栽培する) grow (他), raise (他); (1 列に並べて植える) line (他) ★ 受身で用いられることが多い. (☞ さいばい).
¶ 庭にばらを*植えた I *planted* some roses *in* my garden. / <S (人)+V (*plant*)+O (場所)+*with*+名(植物)> I *planted* my garden *with* some roses. [語法] (1) 第 2 文は庭一面にばらを植えた意味になることが多い. // その通りにはいちょうが*植えてある The street *is lined with* gingkoes. [語法] (2) 並木があることを意味する. 特に「両側に」という意味を明瞭にする場合には on both sides あるいは on either side という句をそえる.

うえる[2] 飢える (空腹である) be hungry; (空腹になる) go hungry; (餓死するほど) starve (自); (渇望する) have a thirst for ..., starve (for ...) (自). (☞ くうふく; うえ[2]). ¶ 私は家族を*飢えさせるわけにはいかない I cannot let my family *go hungry*. // 彼は愛情に*飢えている He *is* ⌈*hungry* [*starving*] *for* love and affection. // 彼は知識に*飢えている He ⌈*has a thirst* [*is thirsting*] *for* knowledge.

ウェルカム ―[感] (ようこそ) Welcome!

ウェルターきゅう ウェルター級 〘ボク〙 the welterweight class. ウェルター級の選手 welterweight [C].

ウェルダン ―[形] well-done. ¶ ステーキは*ウェルダンにして下さい I'd like my steak *well-done*.

ウェルネス (総合的な健康) wellness [U]. ウェルネスアプローチ wellness approach [C] ★ 健康な生活のために運動・食生活の改善などを行うこと.

ウェルフェア (福祉) welfare [U]. ウェルフェアステート (福祉国家) welfare state [C].

うえん 迂遠 ―[形] (まわりくどい) roundabout [A]; (ことばがまわりくどい) circumlócutòry ★ 後者は格式語.

ウェンズデー (水曜日) Wednesday.

ウェンディー (女性名) Wendy.

うお 魚 fish ★ 単複同形. 種類や個々の魚をいうときのみ fishes. (☞ さかな). 魚の水を得たよう (得意とする環境にある) be in *one's* element. 魚市場[河岸] fish market [C] 魚心 ☞ 見出し 魚座 Pisces /páɪsiːz/, the Fishes. (☞ せいざ[2]) 魚釣り fishing [U]; (川・湖などでの) angling [U] 魚と水 (魚と水のように親密な間柄) close [intimate] friendship [C] 魚偏 (漢字の) fish radical on the left of kanji [C].

うおうさおう 右往左往 ―[動] (混乱して走り回る) run ⌈around [about] in confusion; (あっちへ行ったりこっちへ行ったりする) go this way and that. ¶ 出口を求めて観客は会場内を*右往左往した Looking for a way out, the spectators *ran around in confusion* in the hall.

ウォー (戦争) war [U]. ウォークライ (攻撃の時のかん声) war cry [C].

ウォーキング (歩くこと) walking [U]. ウォーキングシューズ walking shoes ★ 複数形で. ウォーキングディクショナリー (何でもよく知っている人) walking ⌈dictionary [encyclopedia] [C].

ウォーク (散歩) walk [C] ★ 野球で四球による出塁なども表す. ウォークアウト (抗議の退場・ストライキ) wálkòut [C] ウォークインクローゼット (納戸) wálk-in clóset [C] ウォークスルー (連絡通路) wálk-thròugh [C] ★ [形] では「通り抜け式の」意. ウォークラリー cross-country walking race (in which participants follow a course using a map and answer questions at each checkpoint) [C] ★ ウォークラリーは日本で考案されたレクリエーションなので, なじみのない相手には( )内のような説明が必要.

ウォークマン walkman [C] (複 ~s), personal stereo [C] [参考] 前者は日本製の商品名だが, 今では普通名詞化した.

ウォーター water [U].

ウォーターガン (水鉄砲) water ⌈gun [pistol] [C]; (洗車などに使うもの) water gun [C].

ウォータークーラー (冷水器) water cooler [C].

ウォーターシュート wáter chute /ʃùːt/ [C].

ウォータープルーフ ―[形] (防水の) waterproof.

ウォーターフロント (湾岸[海岸]の土地) waterfront ★ 通常単数形で; waterfront area [C].

ウォーターポロ 〘スポ〙 (水球) water polo [U].

ウォーニング (警告) warning [C].

ウォーマー (暖めるもの) warmer [C] (☞ レッグ (レッグウォーマー)).

ウォーミングアップ ―[名] wárm-ùp [U]. ―[動] wárm úp (自) (他) ★ (他) の場合は「エンジン」などを目的語にとる.

ウォームアップ ―[名] (準備運動) wárm-ùp [C]. ―[動] wárm úp (自).

ウォームカラー (暖色) warm color [C].

ウォームギア 〘機〙 worm gear [C].

ウォールがい ウォール街 ―[名] (固) (ニューヨーク市の株式取引所の所在地) Wall Street.

ウォールキャビネット (壁に取り付ける戸棚) wall cabinet [C]; (収納壁) storage wall [C].

ウォールナット (くるみ材) walnut [U]. ¶ *ウォールナットのテーブル a *walnut* table

ウォーレン (男性名) Warren /wɔ́ːrən/.

うおごころ 魚心 (相手に対する好意) favor [U]. 魚心あれば水心 Claw me, and I'll claw thee. / Scratch my back, (and) I'll scratch yours. (ことわざ: かゆい所をかいてくれれば, あなたのかゆい所をかいてあげよう)

ウオッカ (ロシアの酒) vodka /vάdkə/ [U].

ウォッシャー (洗濯機・洗浄機) washer [C]. ¶ ディッシュ*ウォッシャー a dish*washer*

ウォッシャブル ―[形] (洗濯のきく) washable.

ウォッシュ (洗うこと) wash [C].

ウォッシュアンドウェアー ―[形] (ノーアイロンの) wash-and-wear, non-iron.

ウォッシュレット 《商標》 Washlet [C]; (説明的には) combination toilet and bidet /bɪdéɪ/ [C].

ウォッチ (腕時計・観察) watch ★ 腕時計は [C], 観察は [U].

ウォッチマン (ガードマン) watchman [C].

ウォッチャー (観測者・研究者) watcher [C]. ¶ バード*ウォッチャー a bird *watcher* // チャイナ*ウォッチャー a China *watcher* ★ 中国の政治動向などを観測・研究する人.

ウォッチング (観測すること) watching [U]. ¶ バー

ド*ウォッチング bird *watching*

うおのめ 魚の目 corn Ⓒ ★ 特に足指の.

ウォリー (男性名) Wally /wɔ́ːli/ ★ Walter /wɔ́ːltə/ の愛称.

ウォルター (男性名) Walter ★ 愛称は Wally.

ウォルナット ☞ ウォールナット

ウォレン (男性名) Warren.

ウォン (韓国の通貨) won Ⓤ.

ウォントアド (求人・求職・捜し物などの広告) want ad Ⓒ ★ 新聞の項目別広告 (classified ad).

ウォンバット 〘動〙 wombat Ⓒ.

うおんびん う音便 euphonic change into a *u*-sound Ⓒ.

うか 羽化 ── 图 (生物学で特に昆虫が) eclosion Ⓤ; (広く鳥や昆虫などが) hatch Ⓤ. ── 動 eclose ⓐ; hatch ⓗ ⓐ.

うかい¹ 迂回 (遠回りの道) róundabòut way Ⓒ, indirect route Ⓒ; (交通障害による迂回) detour /díːtʊə/ Ⓒ. 《☞ まわりみち》. ¶ 道路が補修中だったので私たちは*迂回した The road was under repair, so we ⌈made a *detour* [*detoured*; took an *indirect route*].

うかい² 鵜飼い ☞ う¹

うがい 嗽い ── 图 gargling Ⓤ. ── 動 gargle ⓐ. ¶ 私は塩水で*うがいをした I *gargled* with salt water. うがい薬 gargle Ⓒ.

うかうか ── 形 (不注意な) careless; (無とんちゃくな) inattentive; (怠けた) idle. ── 動 (怠けて過ごす) idle away ⓗ, live in idleness. 《☞ ぼやぼや; 擬声・擬態語 (囲み)》. ¶ *うかうかしているとけがをするぞ If you're ⌈*careless* [*inattentive*], you may ⌈get hurt [hurt yourself]. / Be careful, or you'll get hurt.

うかがい 伺い (広く, 質問や要求) asking Ⓤ; (問い合わせ) inquiring Ⓒ; (相談) consulting Ⓤ, consultation Ⓤ. ¶ 店長に*お伺いを立ててみましょう I'll ⌈*consult* [*talk with*] the store manager. // 彼から進退*伺いが出ている He handed in his *resignation*. / He has submitted a *notice of* resignation. ★ 後者のほうが格式ばった表現.

うかがう¹ 伺う **1** 《訪問する》: (人を訪問する) call on …; (人の家へ立ち寄る) call at …; (訪ねる) visit ⓗ; (訪問する) make [pay] a visit. 日英比較 日本語の「訪ねる」「行く」と「伺う」の間に見られるような敬語用法による差異は単語の段階では英語にはない. しかし May I …? のような表現を使うなどして文全体の表現を丁寧にすることはある程度可能. ただし, 英語には日本語のように複雑な敬語法がないことに注意しなくてはならない. 《☞ たずねる² (類義語); 丁寧な表現 (巻末)》. ¶ あすお*伺いします I'd like to ⌈*call on* [*visit*] you tomorrow. // 「事務所にお*伺いしてよろしいでしょうか」「いいですとも」"May I ⌈*call at* [*visit*] your office?" "Certainly."

2 《質問する》: (聞く) ask ⓗ 《☞ たずねる¹》.
¶ ちょっと*伺いますが, 駅はどこでしょうか Excuse me, (but) ⌈*can you tell me* [*do you know*; *may I ask*] the way to the station?

3 《耳にする》: (知らされている) hear ⓗ ⓐ; (伝え聞く) be told. 《☞ きく¹》. ¶ ご病気と*伺いましたが I *was told* you were ill. // 彼女のお父さんは著名な外科医と*伺っています I *hear* (that) her father is a famous surgeon.

うかがう² 窺う **1** 《のぞく》: (そっと穴などから) peep (in) through … 《☞ のぞく²; かいまみる》.
¶ 泥棒は塀の穴から中を*窺った The thief *peeped through* a hole in the wall.

2 《機会を待つ》: (期待して待つ) watch for … 《☞ ねらう》. ¶ 囚人は一日中脱獄の機会を*窺っていた The prisoner *watched* all day *for* a chance to escape from (the) prison.

3 《観察する》: (見ている) see ⓗ; (動きを見守る) watch ⓗ; (観察する) observe ⓗ. ¶ しばらく形勢を*窺うことにしよう (⇒ 風向きがどうか見てみよう) Let's *see* which way the wind ⌈blows [is blowing] for a while. ★ 慣用句. // あの子はいつも母親の顔色を*窺ってばかりいる (⇒ 母親の気分に敏感だ) That boy is very *sensitive to* his mother's moods. 《☞ かおいろ》

うかされる 浮かされる (熱に) be delirious (with fever); (うわごとを言う) lapse into delirium.

うかす 浮かす, うかせる 浮かせる (浮かべる) float ⓗ; (経費などを節約する) save ⓗ. ¶ おもちゃのボートを*浮かす *float* a toy boat // 車の中で寝てホテル代を*浮かす sleep in a car to *save* hotel expenses

うかつ 迂闊 ── 形 (不注意な) careless; (愚かな) stupid; (ばかな) foolish. ── 图 carelessness Ⓤ; stupidity Ⓤ; foolishness Ⓤ. 《☞ うっかり; ふちゅうい》. ¶ ドアに鍵をかけないなんて本当に*うかつだった (⇒ 不注意だった) It was very *careless of* me to leave the door unlocked. // あんな提案を受け入れてしまったなんて私も*うかつだった (⇒ 愚かだった) It was *stupid of* me to have accepted such a proposal. / How *stupid* I was to have accepted such a proposal!

うがつ 穿つ (穴を掘る) dig (a hole); (きりやドリルで穴をあける) bore (a hole); (穴あけ機で) drill (a hole).

うがった 穿った ── 形 (鋭い) sharp; (正確な) accurate; (洞察力のある) penetrating. ¶ 彼はよく*うがったことを言う (⇒ よく観察して鋭い発言をする) He often makes *shrewd* observations.

うかぬかお 浮かぬ顔 ── 形 (つまらなさそう, 又は不満気な) unhappy, long-faced ★ ほぼ同義だが, 後者のほうがくだけた表現; (むっつりした様子の) sullen; (つかれて元気がない) weary; (心配ごとがある) worried; (意気消沈して悲しげな) glum.
¶ なぜそんなに*浮かぬ顔をしているんだい How come you're making such a *long face*?

うかばれる 浮かばれる (成仏する) rest in peace.
¶ 私はもう一生*浮かばれない (⇒ 私の経歴はこれで終わりだ) My career *is finished*. / (⇒ 私はもうだめだ) It's *all* ⌈*over* [*up*] *for* me now. / I *am ruined* (for life).

うかびあがる 浮かび上がる (水面に上がってくる, 隠れた事実などが知られる) come up to the surface, surface ⓐ ★ 前者のほうがくだけた表現; (事実などが明らかになる) emerge ⓐ; (ふわふわと) float up (into [to] …). ¶ 調査の後で重要な事実が*浮かびあがった An important fact *emerged* after the investigation was closed.

うかぶ 浮かぶ **1** 《水・空に》: float ⓐ 《☞ うく; ただよう》. ¶ 白い雲が青空に*浮かんでいる White clouds *are floating in* the blue sky.

2 《心に》: (ふと思いつく) occur (to …) ⓐ, hit ⌈on [upon] … 語法 occur の主語は「考え」などの無生物で, hit ⌈on [upon] … の主語は「人」; (頭に浮かぶ) come [pop] into *one's* head; (心をかすめる) come across *one's* mind. 《☞ おもいつく》.
¶ 新しい考えが彼女の頭に*浮かんだ A new idea ⌈*occurred to* her [*came across her mind*]. / She *hit* ⌈*on* [*upon*] a new idea.

3 《出現する》: (見える) look ⓐ; (現れる) appear ⓐ; (ぼんやり現れる) loom (up) ⓐ. 《☞ あらわれる》.
¶ 憂うつな表情が彼の顔に*浮かんだ (⇒ 憂うつそうに見えた) He *looked* depressed. // 捜査線上に一人の容疑者が浮かんだ We *came up with* a likely suspect in the course of the investigation.

うかべる 浮かべる 1 《水などに》: (浮くようにする) float (他); (浮かばせる) set … afloat.
¶ 彼女は池に燈籠(とうろう)を*浮かべた She ˹*floated* a lantern [*set* a lantern *afloat*] on the pond.
2 《心に》: (心に描く) picture (他); (意識的に思い出す) recall (他); (努力して思い起こす) recollect (他); (思い出す) call … to mind. 《☞ おもいうかべる; えがく》.
¶ 彼女は大都会での楽しい生活を心に*浮かべた (⇒ 心に描いた) She *pictured to herself* a happy life in a big city.
3 《顔に》: (顔つきをする) look (自); (表す) express (他), show (他). ¶ 彼女は顔に悲しみの色を*浮かべた (⇒ 悲しそうに見えた) She *looked* sad. / Her face ˹*expressed* [*showed*] sorrow. ∥ そのおもちゃを見て少年は笑みを*浮かべた (⇒ ほほえんだ) The boy *smiled* when he saw the toy. / (⇒ おもちゃは少年をほほえませた) The toy *brought a smile* to the boy's face. ∥ 口元に微笑を*浮かべて *with a smile on one's face* ∥ 彼女は目に涙を*浮かべてその手紙を読んだ She read the letter *with tears in her eyes*.

うかる 受かる (試験に合格する) pass (他), succeed in passing. 《☞ ごうかく》. ¶ 試験に*受かる *pass* the exam(ination)

うかれあるく 浮かれ歩く walk [stroll] around in a festive mood; (夜の街へ遊興に出かける) go [be] out on the town ★ くだけた表現.

うかれでる 浮かれ出る come [go] out in a ˹happy [festive] mood. ¶ たくさんの人が花見に*浮かれ出た A lot of people *came* to see the cherry blossoms *in a* ˹*happy* [*festive*] *mood*.

うかれる 浮かれる (陽気に騒ぐ) have fun; (上機嫌である) be in high spirits. 《☞ はしゃぐ; おまつりさわぎ》. ¶ 彼らは宴会で*浮かれ騒いでいた They *were having fun* at the party.

うがん 右岸 the right bank (of …).

ウガンダ ― [名] (固) Uganda /(j)uːgǽndə/; (正式名; ウガンダ共和国) the Republic of Uganda. ― [形] (ウガンダの) Ugandan. ウガンダ人 Ugandan Ⓒ.

うかんむり ウ冠 (漢字の) roof radical at the top of kanji Ⓒ.

うき[1] 雨季 the ˹rainy [wet] season 《☞ つゆ[2]》. ¶ *雨季に入った *The rainy season* has set in.

うき[2] 浮き (釣の) float Ⓒ 《☞ つり[1](挿絵)》.

うきあがる 浮き上がる 1 《浮上する》: come (up) [rise] to the surface; (潜水艦などが) surface (自). 《☞ ふじょう[1]》. ¶ 鯨は呼吸のためにときどき海面に*浮き上がる Whales periodically ˹*come up* [*rise*] *to the surface* of the sea to breathe.
2 《比喩的に》: (支持を失う) lose the support (of …) 《☞ ゆうり[2]》. ¶ その政策は国民の多数から*浮き上がっている That policy *has lost the support of* the majority of (the) people.

うきあしだつ 浮き足立つ (動揺する) waver (自); (逃げようとする) be ready to run away; (足もとが不安定になる) become unsteady; (自信を喪失する) lose confidence. 《☞ そわそわ; どうよう[2]》.

うきうお 浮き魚 (遊泳魚) pelagic fish Ⓒ.

うきうき 浮き浮き ― [形] (陽気な) cheerful; (上機嫌の) cheery; (心の軽い) lighthearted. ― [副] cheerfully; with a light heart. ¶ 彼は*浮き浮きと (⇒ 心も軽く) 出かけて行った He went out *with a light heart*.

うきがし 浮き貸し ― [動] (不正に貸し付けを行う) make private loans with the money.

うきぎ 浮き木 floating tree Ⓒ; (丸太の) floating log Ⓒ.

うきくさ 浮き草 (浮いている草) floating weed Ⓒ; (あおうきくさ) duckweed Ⓤ ★ 総称. ¶ *浮き草の生活をする (⇒ 不安定な生活を送る) lead a precarious life 浮き草稼業 ¶ *浮き草稼業の暮らし a *rootless* life

うきぐも 浮き雲 (空に浮かぶ雲) floating cloud Ⓒ; (不安定な物事) floating factor Ⓒ.

うきごけ 浮き苔 *ukigoke* Ⓤ; (説明的には) a variety of floating ˹moss [liverwort].

うきごし 浮き腰 〘柔道〙 *ukigoshi* Ⓤ; (説明的には) floating loin Ⓤ.

うきごり 浮鮴 〘魚〙 floating goby Ⓒ.

うきしずみ 浮き沈み (浮沈) ups and downs ★ 複数形で; (盛衰) rise and fall Ⓒ. ¶ 人生の*浮き沈み the *ups and downs* of life

うきしま 浮き島 floating island Ⓒ.

うきす 浮き洲 ☞ うきしま

うきせいこう 雨奇晴好 (雨では奇観, 晴では好い眺め) spectacular view in rain, splendid in sunshine Ⓒ; (どんな天気でも美しい眺め) lovely view in all weathers Ⓒ.

うきだす 浮き出す (表面に浮かびあがる) rise [come up] to the surface (自).

うきたつ 浮き立つ ― [動] (元気づく) be cheered up. ― [形] (浮き浮きする) cheerful. 《☞ うきうき》.

うきでる 浮き出る (水面に) come up [rise] to the surface; (目立つ) stand out (from …; against …). ¶ 周囲が暗かったので彼女の黄色のドレスが*浮き出て見えた Her yellow dress *stood out* against dark surroundings.

うきドック 浮きドック floating (dry) dock Ⓒ.

うきな 浮き名 (恋愛のうわさ) rumor of a love affair Ⓒ. ¶ 若い頃私は大いに*浮き名を流したものだ In my younger days I was notorious for my ˹*romantic episodes* [*scandalous love affairs*].

うきね 浮き寝 ― [動] (水鳥などが) sleep on the water (自).

うきはえなわ 浮き延縄 floating longline Ⓒ.

うきはし 浮き橋 floating bridge Ⓒ.

うきびしゃ 浮き飛車 〘将棋〙 (前線の飛車) castle [rook] in the front line Ⓒ; (戦法) the tactics of putting a ˹castle [rook] in the front line.

うきぶくろ 浮き袋 (救命浮輪) life bùoy /bùːi/ Ⓒ; (水泳用の) swimming ˹belt [ring; float] Ⓒ; (魚の) (air) bladder Ⓒ.

うきぼり 浮彫り relief Ⓤ ★ 個々の作品は Ⓒ. ¶ 薄[高]*浮彫りの作品 a work in ˹low [high] *relief* ∥ これで真相がはっきり*浮彫りにされた (⇒ このことが真相を完全な浮彫りにして現した) This brought out the truth *in* ˹*sharp* [*bold*] *relief*.

うきみ 憂き身 憂き身をやつす ¶ 流行に*憂き身をやつす人 a slave of fashion ∥ 彼女は恋に*憂き身をやつしている She *is always having* love affairs.

うきめ 憂き目 (不運) misfortune Ⓤ; (悲惨・困窮) misery Ⓤ. ¶ 彼は失業の*憂き目を見た He had the *misfortune* to lose his job.

うきよ 浮世 ― [名] (この世) the world; (はかない生活) transient [fleeting] life Ⓤ. ― [形] (世俗的な) worldly Ⓐ; (天国に対して, この世の) earthly Ⓐ. 《☞ せけん》. ¶ それが*浮世の習いというものだ That's the way ˹it is [people are]. / (⇒ 人生とはそんなものだ) That's [《英》 Such is] *life*. / C'est la vie. ★ フランス語から. 浮世離れ ¶ 彼は*浮世離れした男だ (⇒ この世のことはあまり気にかけない) He *doesn't care much about worldly things*. 浮世は夢 The world is nothing but a dream.
浮世絵 ukiyoe print Ⓒ; (説明的には) Japanese woodblock print of common life in the Edo period Ⓒ 浮世草子 *ukiyo* storybook Ⓒ; (説明的には) realistic novel of the Edo period Ⓒ.

うきょく 迂曲 ― [動] (川などが曲がりくねる) meander /miǽndə/ 自, wind /wáind/ 自.

うきわ 浮き輪 ☞ うきぶくろ

うく 浮く **1** «水・空中に»: (浮かぶ) float 自; (浮き上がる) come (up) [rise] to the surface; (いったん沈んだ物が) reappear on the surface. (☞ うかぶ; うきあがる; ただよう). ¶ 木片は水に*浮く Wood *floats* on water.
2 «節約になる»: be saved (☞ せつやく). ¶ バスで行けば 500 円*浮く (⇒ 節約できる) If you go by bus, you can *save* 500 yen.

うぐ 迂愚 ── 形 (愚かな) foolish; (行動が非常識な) silly; (理解力に欠ける) stupid.

うぐい 鯎 〘魚〙 chub C ★ 単複同形.

うぐいす 鶯 〘鳥〙 Japanese bush warbler C. うぐいす色 greenish brown U **鶯の谷渡り** flight of a bush warbler from valley to valley C; (鳴き声) song of a bush warbler in flight C **鶯張り** singing floorboard C **鶯豆** sweetened peas ★ 通例複数形で.

うぐいすがい 鶯貝 〘貝〙 winged pearl shell C.

ウクライナ ── 名 固 the Ukraine /juːkréɪn/ ★ 東ヨーロッパの共和国. ── 形 Ukrainian /juːkréɪniən/. ウクライナ語 Ukrainian U ウクライナ人 Ukrainian C.

ウクレレ 〘楽器〙 ukulele /jùːkəléɪli/ C ★ 口語では短縮して uke /júːk/ という.

うけ[1] 受け ¶ 彼は若い人に*受けがよい He'*s popular* 「*among* [*with*] young people. (☞ にんき[1])

うけ[2] 有掛 ¶ *有掛に入(い)る have a run of good luck

うけ[3] 筌 cylindrical basket for catching fish C.

うけあい 請け合い (保証) gùarantée C; 〘法〙 gúaranty C; (確約) assurance C; (約束) promise C.

うけあう 請け合う (確かで間違いないと断言する) assure 他; (他人の契約・品質などを保証する) guarantee 他. (☞ ほしょう[1] (類義語)). ¶ この時計が 2 年間は狂わないことを*請け合います We *guarantee* the watch will keep perfect time for two years.

うけい 右傾 ── 動 (右に傾く) lean [turn] to the right; (右翼になる) become a rightist. ¶ 彼の政治姿勢は*右傾している Politically, he *leans to the right*.

うけいれ 受け入れ ── 動 (受け入れる) accept 他. ¶ 日本は移民の*受け入れに積極的でない Japan is not keen 「on *accepting* [《英》 to *accept*] immigrants.

うけいれる 受け入れる (同意して受け入れる) accept 他 (↔ reject); (権限のある者が承認して受け入れる) grant 他; (学校などへ) admit 他. (☞ うける[1]; ききいれる; じゅだく). ¶ 彼は私の願いを*受け入れてくれた He *granted* my request. / (⇒ 要求に応じてくれた) He *complied with* my request. // メアリーは招待を*受け入れるでしょう Mary will *accept* the invitation. // 日本の大学は外国人留学生をもっと*受け入れる必要がある Japanese universities should *admit* more 「foreign students [students from overseas; overseas students].

うけうり 受売り ── 名 (人から聞いた間接的な情報) secondhand information U. ── 動 (また聞きで話す) pass on secondhand information. (☞ またぎき).

うけおい 請負 (工事などの契約) cóntract C; (工事などを引き受けること) ùndertáking U. (☞ したうけ). **請負業** cóntracting bùsiness U **請負契約** contract C **請負師** contractor C **請負仕事** cóntracted wòrk C **請負制度** cóntract sỳstem C **請負値段** cóntract prìce C.

うけおう 請け負う (請負の契約をする) cóntract 他; (仕事・役目などを引き受ける) ùndertáke 他. (☞ ひきうける). ¶ 彼は新校舎の建築を*請け負った He *contracted* to build a new school (building).

うけぎ 受け木 (wooden) support C.

うけぐち 受け口 **1** «下あごの出た口(の人)»: mouth [person] with a protruding lower jaw C. ¶ *受け口だ have an *undershot jaw* ★ 歯科用語では反対咬合 (anterior crossbite または reversed occlusion) という. **2** «受け入れ口»: (mailbox) slot C, mail drop C; (差込・接続用) socket C, 〘情報・通信〙 port C, connection point C. (☞ うけざら; まど (窓口)).

うけごし 受け腰 (受け身の態度) passive attitude C. ¶ *受け腰である take a *passive attitude*

うけこたえ 受け答え (答え) answer C ★ 最も一般的な語; reply C ★ 前者より格式ばった語; (応答) response C. (☞ こたえ (類義語); へんじ[1]).

うけざら 受け皿 saucer C (☞ さら (挿絵)). ¶ *受け皿つきの(コーヒー・紅茶)茶わん a cup and *saucer* ★ 成句で単数扱い. **受け皿会社** ¶ A 会社が B 会社の*受け皿会社になった (⇒ A 会社が B 会社の経営を引き継いだ) Company A *took over the operations* of Company B. **受け皿銀行** bridge bank C.

うけしょ 請書 (承認書・領収書) (written) acknowledgment C; (特に金銭の領収書) receipt C; (…を約束した証書) (written) guarantee (of …) C; (受諾書) letter of acceptance C.

うけだす 受け出す (質受けする) redeem 他.

うけだち 受け太刀 (守勢) the defensive (☞ しゅせい[1]). ¶ *受け太刀になっている be on *the defensive*

うけたまわる 承る (謹んで聞く) give an audience to …; hear 他 ★ 前者が格式ばった表現; (伝え聞く) hear it said that …; (命令や要請を承知する) comply with …. ¶ ご用命, 確かに*承りました We will certainly *attend to* your request.

うけつぐ 受け継ぐ **1** «地位・事業などを»: (相続する) succeed to …; (引き継ぐ) take over 他. (☞ つぐ[2]; ひきつぐ; けいしょう[1]). ¶ 彼は父が死んだあと家業を*受け継いだ He 「*succeeded to* [*took over*] the family business when his father died.
2 «性質・財産を»: (遺伝・相続により) inherit 他; (相続人となる) be heir /éə/ to … (☞ そうぞく).

うけつけ 受付 **1** «来客の»: (受付係) receptionist C; (受付所) reception desk C.
2 «願書などの»: (受理) acceptance U. ¶ *受付 (⇒ 応募) 期限 the deadline for *application* / the *application* deadline

うけつける 受け付ける (受諾する) accept 他 (↔ reject; refuse) (☞ うける[1]). ¶ 入学願書は 1 月 20 日まで*受け付けます Applications for admission *are accepted* until January 20. // 彼女は人の言うことを*受け付けない (⇒ 聞こうとしない) She won't *listen to* others. / (⇒ ほかの人の忠告に耳を貸さない) She always *turns a deaf ear to* others' advice. // 胃が食物を*受け付けない My stomach 「*revolts against* [*rejects*] food. // 彼は私の忠告を全く*受け付けない (⇒ 彼は私の忠告に対して精神的な障害物を持っている) He *has a mental block* about my advice. / (⇒ 聞き入れようとしない) He *turns a deaf ear* to my advice.

うけとめる 受け止める (球を) catch 他; (考える) take 他. (☞ キャッチ). ¶ レフトが大フライを*受け止めた The left fielder *caught* a long fly ball. // 私の批評がどのように*受け止められているかぜひ知りたい I'm anxious to know how my criticism *is taken*. / (⇒ 私の批評に対する反応を知りたい) I'd like to know the *reaction* to my criticism.

うけとり 受取 receipt /rɪsíːt/ Ⓤ ★「受領証」の場合はⒸ.《☞ りょうしゅうしょ》. ¶この*受取にサインして下さい Please sign this *receipt*. // 払った金の*受取 a *receipt* for the money paid **受取勘定** account receivable Ⓒ《複 accounts ～》★単に receivable Ⓒ ともいう. **受取手形** note receivable Ⓒ《複 notes ～》 **受取人** (一般的に) recipient Ⓒ; (手形・小切手の) payee /peɪíː/ Ⓒ; (年金・保険金・遺産などの) beneficiary /bènəfíʃièri/ Ⓒ.

うけとる 受け取る 1《入手する》: (受領する) receive ⑩; (手に入れる) get ⑩; (もらう) take ⑩; (喜んで) accept ⑩.《☞ うける¹》. ¶きのうあなたのお手紙を*受け取りました I ⌜*received* [*got*] your letter yesterday. // 彼の贈り物は*受け取れない I cannot ⌜*take* [*accept*] his gift.
2《考える》: (解釈する・理解する) take ⑩; (考える) think of ....《☞ とる; みなす》.
¶彼の言葉をまじめに*受け取らないほうがよい We'd better not *take* his words seriously.

うけながす 受け流す (質問などをうまくかわす・そらす) turn aside ⑩《☞ ききながす》. ¶首相は多くのやっかいな質問を巧みに*受け流した The prime minister skillfully *turned aside* a lot of embarrassing questions.

うけみ 受身 ── 名〘文法〙the passive (voice); 〘柔道〙ukemi Ⓤ, breakfall technique Ⓒ. ── 形 passive (↔ active). ¶彼は何をするにも*受身だ He is *passive* in everything. // *受身になる be [stand] on *the defensive*

うけもち 受け持ち ── 動 (担当である) be in charge of ....《☞ たんにん; たんとう¹》. ¶青木先生が私たちのクラスの*受け持ちです Mr. Aoki *is in charge of* our homeroom. / (⇒ ホームルームの先生です) Mr. Aoki is our homeroom teacher.
受け持ち区域 (セールスマンなどの) territory Ⓤ; (警官・交番などの) beat Ⓒ. ¶*受け持ち区域を巡回する patrol *one's beat*

うけもつ 受け持つ (担当する・教える) teach ⑩; (預かっている) be in charge of ....《☞ たんにん; たんとう¹》. ¶私はこの学校で数学を*受け持っている (⇒ 教えている) I *teach* mathematics at this school. // 看護師はそれぞれ 5 人の患者を*受け持っている Each nurse *is in charge of* five patients.

うけもどす 受け戻す (金を払って取り戻す) redeem (a mortgage) (from ...) ⑩; (捕虜を) ransom ⑩.

うける¹ 受ける 1《...される》 日英比較 日本語の「招待を受ける」「罰を受ける」のような表現を英語に訳す場合,「招待」「罰」などを名詞として英訳し, それらを「受ける」という動詞の目的語とする構文をとるよりも,「招待を受ける」=「招待される」,「罰を受ける」=「罰せられる」のように受身構文として訳すほうが, より平易で口語的な表現となることが多い; (受け取る) receive ⑩; (損害などをこうむる) suffer ⑩
語法 (1) 以上を用いた表現は内容的には受身とほぼ同じことになる. ただし, 多少格式ばった言い方となることが多い; (もらう・手に入れる) get ⑩; (苦労して手に入れる) obtain ⑩ ★ 前者のほうが口語的.
語法 (2) 以上の動詞の意味は能動的であるが, 例えば「許可を受ける」を obtain permission とする場合, この前後関係では permission という名詞は内容的には「許されること」という受身的な意味合いなので, 全体としては「許可を得ようと努力した結果許される」という受身的ニュアンスを持つことになる.《☞ もらう; える¹; こうむる》.
¶私はそのパーティーへの招待を*受けていない (⇒ 招待されていない) I'*m* not *invited* to the party. / I *haven't received* an invitation to the party.
語法 (3) invitation は「招待」とも「招待状」ともとれる. 第 1 文のほうが口語的. // 厳しい罰を*受ける (⇒ 厳しく罰せられる) be severely *punished* // 私たちはその絵を複製する許可を*受けている We ⌜*have* [*obtained*; *have gotten*] ⌜permission [a permit] to reproduce the picture. / We *are permitted* to make copies of the picture. ★ 第 1 文のほうが格式ばった表現. // 彼女は虫垂炎の手術を*受けた (⇒ 虫垂炎で手術された) She *was operated* ⌜*on* [*upon*] for appendicitis /əpèndəsáɪtɪs/. // 困った質問を*受けた I *was asked* an embarrassing question.
2《試験を受ける》: take ⑩, (英) sit (for) ....《☞ しけん¹; じゅけん¹》. ¶全国で約 30 万人の学生がその試験を*受けた About three hundred thousand students ⌜*took* [*sat* (*for*)] the ⌜examination [test] throughout the country.
3《受諾する》: accept ⑩《☞ うける²; うけいれる; しょうだく》. ¶あなたの申し出[ご招待]を*受けるわけにはいきません I cannot *accept* your ⌜offer [invitation].
4《受け止める》: catch ⑩《☞ うけとめる》. ¶彼はそのボールを両手で*受けた He *caught* the ball with both hands.
5《評判がいい》: (人気がある) be popular (⌜among [with] ...)《☞ にんき¹; こうひょう²》. ¶彼の小説は若い人に*受ける His novels *are popular* ⌜*among* [*with*] young people.
6《考える・解釈する》: take ⑩《☞ とる》.
¶彼の言葉を真に*受けるなよ Don't *take* his words too seriously.《☞ まにうける》

うける² 請ける (仕事などを引き受ける) take ⑩《☞ ひきうける》.

うける³ 承ける (仕事などを引き継ぐ) take over ⑩; (相続する) inherit ⑩.《☞ ひきつぐ》.

うけわたし 受け渡し ── 名 (引き渡し) delivery Ⓤ. ── 動 (引き渡す) deliver ⑩; (手渡す) hand over ⑩.《☞ わたす》. ¶品物の*受け渡しはまだしてない *Delivery* of the goods has not been made yet. / The goods *have* not *been delivered* yet.

うげん 右舷 (船・航空機などの) starboard /stáəbəd/ Ⓤ (↔ port)《☞ ふね (挿絵)》.

うご 雨後 **雨後の竹の子のように** like mushrooms. ── 動 (急に現れる) mushroom ⓐ. ¶都心では高層ビルが*雨後の竹の子のように増えている High rises *are* ⌜*mushrooming* [*sprouting up*] in the center of the city. // 類似の会社が*雨後の竹の子のように (⇒ 次々と) 作られた Many similar companies were established *one after another*.

うこうこつ 烏口骨 〘解〙coracoid /kɔ́ːrəkɔ̀ɪd/ Ⓒ.

うこうとっき 烏口突起 〘解〙coracoid process Ⓒ; 《略式》crow's-bill Ⓒ.

うごうのしゅう 烏合の衆 (デマなどにすぐ動かされやすい群衆) mob Ⓒ; (無秩序で自分勝手な群衆) (disorderly) crowd Ⓒ.《☞ やじうま; ぐんしゅう》.

うごかす 動かす 1《位置を変える》: move ⑩ ★ 一般的な語. 以下の語の代わりにも使える; (本来の位置・定位置から移動させる) remove ⑩; (位置・方向を変える) shift ⑩.《☞ いどう¹; うつす¹ (類義語)》. ¶だれもその大きな岩を*動かせなかった Nobody could *move* the big rock. // 車を少し前に*動かしてくれませんか Will you *move* your car forward a little? // レッカー車は駐車違反の車を*動かした The tow truck *removed* a car that had been illegally parked. // 我々は家具を*動かした We ⌜*shifted* [*moved*; *changed*] the furniture around.
2《体の部分や物体などを運動させる》: move ⑩
語法 (1) この語は位置を変えることを意味するだけで動かし方については特定のことは意味しない; (軽く・小刻みに動かす) stir ⑩; (振り動かす) swing ⑩; (地

震のようにゆり動かす) shake (他); (ぴくぴくと動かす) twitch (他). ¶頭を*動かすな Don't *move* your head. // 指をもっと速く*動かしなさい *Move* your fingers more quickly. // そよ風が木の葉を*動かしていた A gentle breeze *was stirring* the leaves. 語法 (2) moving を使うと単に動いていたことのみを言うことになり,「そよ風」との結びつきが悪くなる.

3 «運転する»: (機械を) operate /ápərèɪt/ (他); (始動させる) start (他). (☞ うんてん; そうさ[2]).
¶あなたはこの機械を*動かせますか Can you ⌈*operate* [*work*] this machine? // エンジンを*動かす *start* an engine

4 «心を動かす»: (感動させる) move (他); (心の琴線に触れる) touch (他). (☞ かんどう[1]; かんげき[1]).
¶彼の話は我々を深く*動かした His story ⌈*moved* [*touched*] us deeply. // 彼は心を*動かさなかった (⇒ 気持ちを変えなかった) He didn't *change* his mind.

うこぎ 五加 〔植〕 aralia /əréɪliə/ Ⓒ.

うごき 動き **1** «運動»: (具体的な物の動き・一定方向への規則的な動き) movement Ⓤ; (常に動いていること) motion Ⓤ; (特定の限定された動き) move Ⓒ. (☞ どうさ).
¶ 彼は風に揺れる木の葉の*動きを観察した He observed the *movement* of the leaves in the breeze. // 彼女の目は彼の*動きを一つ一つ追った Her eyes followed every *move* he made.

2 «動向»: (傾向) trend Ⓒ; (進展) development Ⓒ. (☞ どうこう[1]). ¶彼は最近の政治の*動きに明るい He is well informed about the latest political *developments*.

3 «活動»: activity Ⓒ; (行動) action Ⓤ. ¶警察は彼らの*動きを調べている The police are investigating their *activities*. // 証拠がないので警察も*動きがとれない The police cannot take *action* because there is no evidence.

―コロケーション―
機械的な動き a mechanical *movement* / **ぎこちない動き** awkward [jerky; uncoordinated] *movements* / **器用な動き** a ⌈deft [dexterous] *movement* / **ジグザグな動き** a zigzag *movement* / **上方[下方, 横]への動き** (an) upward [(a) downward; (a) sideward] ⌈*movement* [*motion*]; an upward [a downward; a sideward] *move*] / **身体の動き** a body ⌈*movement* [*motion*] / **前方[後方]への動き** (a) ⌈forward [backward] ⌈*movement* [*motion*]; a ⌈forward [backward] *move* / **絶え間ない動き** constant *movement* / **直線的な動き** a linear *movement* / **時計回りの動き** a clockwise *movement* / **とっぴな動き** an erratic *movement* / **滑らかな動き** a smooth ⌈*movement* [*motion*] / **速い動き** a ⌈quick [swift] *movement* / **ゆっくりした動き** a slow *movement* / **リズミカルな動き** a rhythmic *movement*

うごく 動く **1** «移動する»: (場所・位置が変わる) move (自) ★ 最も一般的な語; (乗り物などが走る) run (自); (いまいる場所からちょっと動く) budge (自), stir (自) ★ 前者は否定文で用いる; (特に方向・位置などが変わる) shift (自); (転勤する) transfer (自); (転任させられる) be transferred. ¶この車はどうしても*動かない This car won't ⌈*move* [*go*]. // *動くと命はないぞ (⇒ 動くな, さもないと…) *Freeze* or you're ⌈a dead man [dead]. // その重い岩はびくとも*動かなかった The heavy rock wouldn't *budge* an inch. ★ will not の形, すなわち won't, wouldn't などは拒絶を表す. // 輸送中に荷物が*動いてしまった The goods *shifted* in transit.

2 «揺れる»: (軽く少し動く) stir (自); (上下・左右などに不規則に細かく動く) shake (自); (ぶら下がっているものが規則正しく動く) swing (自). (☞ ゆれる; ゆらゆら). ¶風がなく, 木の葉ひとつ*動かなかった The air was still, and not a leaf *stirred*. // このテーブルの脚はぐらぐら*動く The legs of this table *are* ⌈*shaky* [(⇒ しっかり固定されていない) *not firmly joined*].

3 «機械などが作動する»: (機能を発揮して正常に動く) work (自); (順調に動き続ける) run (自); (うまく動く) go (自); (効果的に動く) act (自). (☞ さどう[1]).
¶この自動車はアルコールで*動く This car *runs* on alcohol. // この洗濯機はどうして*動かないのかわからない I don't know why this washing machine won't ⌈*work* [*run*]. // ストライキ中は電車もバスも*動かなかった The trains and buses didn't *run* during the strike. // 私の時計は*動いていない (⇒ 止まってしまった) My watch *has* ⌈*stopped* [(⇒ ねじや電池が切れて) *run down*].

4 «心が»: (感動させる) move (他); (心の琴線(きんせん)に触れる) touch (他). (☞ かんどう[1]; かんめい[1]; どうよう[2]).
¶彼の言葉に彼女の心は*動いた (⇒ 彼の言葉は彼女を感動させた) His words ⌈*moved* [*touched*] her.

5 «行動する»: (実行する) act (自); (動き回る) get ⌈about [around] (自). (☞ じっこう[1]; こうどう[1]).
¶彼は上の命令で*動いたにすぎない He just *acted* on orders from his boss. / (⇒ 上の者の命令を実行したにすぎない) He just *carried out* his superior's orders. // まだ*動く (⇒ 行動を起こす) のは早い It is too early to *take action*. // 彼は年の割によく*動く (⇒ 動き回る) He *gets* ⌈*about* [*around*] well for his age.

6 «変動する»: (不規則または断続的に変わる) vary (自); (不規則に連続的に変わる) fluctuate (自) ★ 後者は格式ばった語. (☞ へんか[1]). ¶株価は毎日*動く Stock prices ⌈*vary* [*fluctuate*] from day to day. // 彼の当選は*動かないところだ (⇒ 確かだ) It *is certain* that he will be elected. // 私は*動かぬ (⇒ 争う余地のない[決定的な]) 証拠をつかんだ I obtained ⌈*indisputable* [*conclusive*] evidence.

うこさべん 右顧左眄 ― 動 ((…と…の間で)迷う) waver (between ... and ...) (自).

うごめかす 蠢かす ¶得意になって鼻を*うごめかす (⇒ うぬぼれて得意になる) be puffed up with pride

うごめく 蠢く (体をくねらせる) wriggle (自); (蛇のようにのたくる) squirm /skwə́ːm/ (自).

うこん[1] 右近 the 'Right-Wing' Division of the ancient Imperial Guard. **右近の橘** *tachibana* of *ukon*; (説明的には) *tachibana*, a kind of orange tree, planted at the west foot of the staircase leading to the main building of the Imperial Palace in Kyoto.

うこん[2] 鬱金 〔植〕 túrmeric Ⓤ.

うさ 憂さ melancholy Ⓤ (☞ うさばらし). ¶酒に*憂さを紛らす drown one's *melancholy* in drink

うざ(った)い ― 形 (つまらなくて退屈な) boring; (単調でおもしろくない) dull; (人がおせっかいな) nos(e)y; (うっとうしい・いらいらする) annoying, irritating. ― 動 《略式》 be a big pain in the neck. (☞ うっとうしい; うるさい) ¶あいつのおしゃべりは*うざったい His ⌈continual chatter [chattering] *annoys* me.

うざうざ ☞ うじゃうじゃ

うさぎ 兎 (家うさぎ) rabbit Ⓒ; (野うさぎ) hare Ⓒ. **うさぎ切り** ¶りんごを*うさぎ切りにする *cut* and peel an apple *into the shape of a rabbit* **うさぎ小屋** rabbit hutch Ⓒ ★ 比喩的に狭い住居の意味でも使われる. ¶小さい家で, *うさぎ小屋に住んでいるようなものです Our house is so small it's like living in a *rabbit hutch*. **うさぎ跳び** jumping along in a squatting position **うさぎ結び** loop Ⓒ.

うさぎぎく 兎菊 〘植〙 arnica Ⓒ.
うさぎざ 兎座 〘天〙 the Hare, Lepus /líːpəs/.
うざく 鰻ざく dish of vinegared eel and cucumber Ⓒ.
うざったい ☞ うざ(ったい)
うさばらし 憂さ晴らし (気分転換) diversion Ⓤ; (気を紛らすもの) distraction Ⓤ ★ いずれも具体的には Ⓒ. (☞ まぎらす; きばらし; いきぬき).
¶ 一番ありきたりの*憂さ晴らしは一杯やることだ The most common form of *diversion* is to have a few drinks. // 彼は*憂さ晴らしに旅に出た He went on a trip ⌈as a *diversion* [as a *distraction*; (⇒ 悲しみを忘れるために) to forget his grief].
うさんくさい 胡散臭い (疑いを抱かせる) suspicious; (疑いの余地がある) questionable; (くさい) 《略式》 fishy. (☞ くさい; あやしい). ¶ *うさん臭い男 a *suspicious-looking* man // 彼は私を*うさん臭げに見た He looked *suspiciously* at me.
うし¹ 牛 ― 名 (総称) cattle ★ 集合名詞で複数扱い. 1 頭の牛を言うときは (雄) bull Ⓒ; (雌) cow Ⓒ; (まだ子を産まない若い雌牛) heifer /héfə/ Ⓒ; (去勢牛) ox Ⓒ (複 oxen); (子牛) calf /kǽf/ Ⓒ (複 calves /kǽvz/). ― 形 (牛科の, 牛の(ような)) bóvine. (☞ おす³ (表); 動物の鳴き声 (囲み)).
¶ 食用*牛 beef *cattle* // 乳*牛 a (milk) *cow* // 2 頭の*牛 two head of *cattle* 語法 家畜を数えるときの単位としての head は単複同形. (☞ 数の数え方 (囲み)) // 彼らは*牛のようにのろのろと進んでいった (☞ 牛の歩み) They moved along *at a snail's pace*. **牛にひかれて善光寺参り** (偶然のできごとによってよい行いに導かれる) be led to do good by some accidental events. **牛の涎**(よだれ) ¶ あいつの話はいつも*牛の涎だ (⇒ 長くて退屈だ) His talks are always *long and tedious*. **牛は牛連れ** Birds of a feather flock together. (ことわざ: 類は友を呼ぶ) **牛を馬に乗り換える** (より良いものを得るためにあるものを捨てる) throw away one thing for something better. **牛飼い** cowboy Ⓒ, cowherd Ⓒ, cowhand Ⓒ; 〘星座〙 the Herdsman **牛車** (牛の引く荷車) oxcart Ⓒ (☞ ぎっしゃ) **牛小屋** cowshed Ⓒ **牛の歩み** ― 名 (ゆっくりした歩み) slow pace Ⓒ. ― 副 (非常にゆっくりしたかたつむりのような速さで) at a snail's pace **牛偏** (漢字の) cow radical on the left of kanji Ⓒ.
うし² 丑 (十二支の) the Ox (☞ ね⁴). **丑年** the Year of the Ox **丑の(時)刻** the Hour of the Ox (, from two to four o'clock in the morning) **丑の時参り** ☞ 見出し **丑の日** the Day of the Ox (☞ どよう).
うし³ 大人 (My) Master ★ 江戸時代以降, 国学者が自分の先生に対して用いた尊称.
うじ¹ 蛆 (ハエなどの幼虫) maggot Ⓒ; (地虫など) grub Ⓒ. (☞ うじむし).
うじ² 氏 (家名) family name Ⓒ; (姓) surname Ⓒ; (家系) lineage /líniiʤ/ Ⓒ; (家柄) birth Ⓤ. **氏より育ち** Breeding is more important than birth. **氏素性** *one's* family background ★ 単数形で.
うじうじ ― 形 (優柔不断の) wishy-washy; (決断力のない) indecisive. (☞ ゆうじゅうふだん).
¶ *うじうじした性格 an *indecisive* character
うしお 潮 (潮汐) tide Ⓒ; (潮流) current Ⓒ; (海水) seawater Ⓤ. (☞ しお²). **潮汁** fish soup seasoned simply with salt Ⓤ.
うしおい 牛追い (追う人) cattle drover Ⓒ; (事) cattle droving Ⓤ.
うしがえる 牛蛙 〘動〙 bullfrog Ⓒ (☞ しょくよう (食用蛙)).
うじがみ 氏神 (氏族の祖先の神) ancestral deity of a clan Ⓒ; (守護神) guardian god Ⓒ.
うじこ 氏子 parishioner of a shrine Ⓒ.
うしなう 失う (財産・持ち物などを) lose ⑩ (過去・過分 lost) ★ 最も一般的な語で, 以下のすべてに代用できる; (機会などを失う) miss ⑩; (物・権利などを奪われる) be deprived of … ★ 他人によって, あるいは外的な原因によって奪われる場合. やや格式ばった表現; (家族・近親などを死によって奪われる) be bereaved /bɪríːvd/ of … ★ 格式ばった表現.
¶ 彼は幼いころに父を*失った He *lost* his father in his childhood. // 彼はその戦いで片脚を*失った He *lost* his leg in the battle. // 英文学に興味を*失う *lose* interest in English literature // 彼は全財産を*失った He ⌈*lost* [*was deprived of*] all his property. // 我々は彼に会う最後の機会を*失った We *missed* the last chance of meeting him.
うしのときまいり 丑の時参り midnight visit to a shrine by a jealous woman who wishes to put a curse upon her rival Ⓒ ★ 説明的な訳.
うしばえ 牛蝿 〘昆〙 warble [heel] fly Ⓒ; (幼虫) cattle grub Ⓒ.
うしはこべ 牛繁縷 〘植〙 water chickweed Ⓤ.
うしみつ 丑三つ the third quarter of the Hour of the Ox; (真夜中) midnight Ⓤ, the dead of night. (☞ まよなか). ¶ 草木も眠る*丑三つ時 *the* ⌈*wee* [*small*] *hours* of morning when even (the) plants are said to sleep
うじむし 蛆虫 (うじ) maggot Ⓒ; (虫けら同様の人) worm Ⓒ; (つまらぬ人たち) small fry Ⓤ ★ 集合的に. (☞ むしけら).
うじゃうじゃ ― 動 (人・虫などが群がる) swarm ⌈around [about] …; (場所を主語として) be swarming with …; (場所が人で満員で) be overcrowded with … ― 副 (虫などが群がって) in swarms. (☞ うようよ).
うじょうみゃく 羽状脈 〘植〙 pinnate vein Ⓒ.
うしろ 後ろ ― 名 (後方の部分) back Ⓒ (↔ front) ★ 最も一般的な語. 「後ろの部分」ということで, 離れた後方は意味しないことに注意; (特に車や建物の) rear Ⓒ. ― 形 back Ⓐ; rear Ⓐ. ― 前 (…の後方に) behind … (↔ in front of …) ★ 最も標準的; (特に場所について) at the back of …, 《米》 in back of … ★ いずれも口語的; (…の後部に; …の後ろの部分に) in [at] the back of … 語法 (1) in back of が離れた後方の意味であるのに対して, in the back of はその物の後ろの部分を指すことに注意. なお, at the back of は両方の意味で用いられる; (順序が後の) after … (↔ before …) 日英比較 日本語の「…の後ろに」は「後部に」と「離れた後方に」の 2 つの意味を持つが, 英語ではこの 2 つは原則として別々の表現で表す.

日本語	英 語	
…の後ろに	(…の後部に)	in the back of … at the back of …
	(…の後方に)	behind … at the back of … in back of …

― 副 (後ろに向けて) back (↔ forth); (後方に向かって) backward (↔ forward); (背後に) behind. (☞ あと¹; こうほう¹; はいご¹; うら).
¶ その池は彼の家の*後ろにある The pond is ⌈*behind* [*at the back of*; *in back of*] his house. ★ 後のものほど口語的になる. // ボールは彼の頭の*後ろに当たった The ball hit him on the *back* of his head. 語法 (2) The ball hit the *back* of his head. より慣用的な言い方. // 彼女はカーテンの*後ろに隠れた

She hid「*behind* [*in back of*] the curtain. ★［ ］内が口語的. // 私は車の*後ろに座るほうが好きだ I prefer to sit *in the back* (*seat*) *of* a car. // 彼は先生の*後ろに続いて入って来た He came in *after* the teacher. // 犬は駅まで彼の*後ろについて行った (⇒ 彼に従って行った) His dog *followed* him to the station. // 彼の*後ろには会長がついている He has the president「*backing* him *up* [*behind* him]. ★ 会長が後援・支援しているの意. // 彼は彼女の*後ろを歩いた[*後ろに座った] He「walked [sat] *behind* her. // *後ろを見てはいけない Don't look「*back* [*behind*]. // 敵に*後ろを見せるようなことはするな Never turn your *back* on an enemy! // だれかが*後ろから私の名を呼んだ Someone called out my name *from behind*. // *後ろの車輪がぬかるみにはまってしまった The「*rear* [*back*] wheels got stuck in the mud.

後ろ姿 *one's* back Ⓒ.

うしろあし　後ろ足　hind leg Ⓒ《☞ まえあし》. ¶ 象は*後ろ足で立ち上がった The elephant rose on its *hind legs*.

うしろがみ　後ろ髪　¶ *後ろ髪を引かれる思いだった (⇒ 心が後に残されるように思った) I felt *as if I'd left my heart there*. // 生まれ故郷を離れるのは*後ろ髪を引かれる思いだった (⇒ いやいやながら後にした) I left my birthplace *with great reluctance*.

うしろきず　後ろ傷　wound received from behind Ⓒ.

うしろぐらい　後ろ暗い　(いかがわしい・不審な) questionable, 《略式》shady; (公明でない) underhand(ed); (身に覚えのある・やましい) guilty. 《☞ やましい; うしろめたい》. ¶ 彼は何か*後ろ暗いことをやっている He is engaged in something「*questionable* [*shady*]. // 彼は*後ろ暗いやり方でそれを手に入れた He got it in an *underhand*(*ed*) way.

うしろだて　後ろ楯　(支え・支持) support Ⓤ, backup Ⓒ ★ 後者のほうがくだけた語; (援助者) supporter Ⓒ; (保護者) patron Ⓒ. 《☞ えんじょ》.

うしろで　後ろ手　¶ 我々はその男を*後ろ手に縛った We「bound [tied] the man with *his hands behind his back*.

うしろまえ　後ろ前　― 副 back to front. ¶ 彼はセーターを*後ろ前に着ていた He was wearing his sweater *back to front*.

うしろみ　後ろ身　☞ うしろみごろ

うしろみごろ　後ろ身頃　(着物の胴の後の部分) the (two) back panels of a kimono.

うしろむき　後ろ向き　― 副 (後ろ向きに) backward. ― 動 (後ろ向きになる) turn *one's* back; (振り返る) turn around 自. ¶ 彼は*後ろ向きになった He *turned his back* on me. // *後ろ向きに歩く walk *backward*　語法 walk *back* なら「歩いて元へ戻る」という意味になる.

うしろめたい　後ろめたい　(身に覚えのある・やましい) guilty; (いかがわしい) 《略式》shady. 《☞ やましい; うしろぐらい》. ¶ 私には少しも*後ろめたいことはない (⇒ すっきりした心を持っている) I have *a clear conscience*. / (⇒ やましい心は持っていない) I don't have *a guilty conscience*.

うしろゆび　後ろ指　¶ *後ろ指をさされないようにしなさい (⇒ 疑いをかけられないようにしなさい) *Keep* yourself *above suspicion*. / (⇒ 人の噂になるようなことをするな) Don't do anything to *make people talk about* you.

うしん　有心　(思慮分別のあること) having discretion Ⓤ.

うしんしつ　右心室　〖解〗the right ventricle /véntrɪkl/ (of the heart).

うしんぼう　右心房　〖解〗the right atrium /éɪtriəm/.

うす　臼　(つき臼) mortar Ⓒ; (手まわし臼) hand mill Ⓒ. ¶ *臼でつく pound ... in a *mortar*

うず　渦　― 名 (水の渦) whirlpool Ⓒ; (海の大渦巻) 《文》maelstrom /méɪlstrəm/ Ⓒ; (ねじれるような動きで回る渦) swirl Ⓒ; (非常に速く回転する渦) a whirl　語法 in a whirl (渦を巻いて・旋回して) というフレーズでよく用いられる; (回りのものを引き込む強い渦) vórtex Ⓒ《複 vortices /vɔ́ətəsìːz/, ～es》. ― 動 (渦を巻く・ぐるぐる回る) whirl 自; swirl 自. ¶ 彼は論争の*渦に巻き込まれた He was drawn into a「*swirl* [*whirlpool*; *storm*; *maelstrom*] of controversy. // 落ち葉が風で*渦を巻いている Leaves *are*「*whirling* [*swirling*] in the wind.

うすあお　薄青　light [pale] blue Ⓤ《☞ あお》.

うすあかり　薄明かり　(主に日没後の) twilight Ⓤ ★ 時には日の出前の薄明かりにも用いられる; (夜明けの) dawn Ⓤ; (微光) dim light Ⓤ. 《☞ たそがれ; うすくらがり》. ¶ *薄明かりの中で彼の顔がよく見えなかった (⇒ 彼だとはわからなかった) I could not recognize him in the *twilight*.

うすあかるい　薄明るい　¶ 仕事を終えた時はまだ*薄明るかった (⇒ すっかり暗くはなかった) It *wasn't quite dark* when I finished the work. // 仕事を終えた時はもう*薄明るかった (⇒ 明るくなりつつあった) It *was getting light* when I finished the work.

うすあきない　薄商い　light trading Ⓤ; (沈滞市場) slack [sluggish] market Ⓒ.

うすあじ　薄味　― 形 (茶・酒・コーヒーなどが薄い) weak; (軽く味付けされた) lightly seasoned.

うすい[1]　薄い　**1**《厚さが少ない》: thin (↔ thick). ¶ *薄い本[板] a *thin*「book [board] // 彼女は朝食に*薄いパンを一切れ食べた She ate a *thin* slice of bread for breakfast.

2《濃くない》: (茶・酒・コーヒーなどが) weak (↔ strong); (スープ・かゆなどが) thin; (味が) lightly seasoned. ¶ *薄い紅茶が好きだ I like *weak* tea. // このスープはもう少し*薄いほうがいい I like this soup a little *thinner*. // この料理は味が*薄い This dish is *lightly seasoned*. / (⇒ もう少し塩気が必要だ) This dish *needs a little more salt*.

3《色が淡い》: light 《☞ あわい》. ¶ *薄い緑色 *light* green

4《少ない》 ― 形 (希薄な) thin; (量が少ない) little. ― 動 (薄くなる) thin 自. ¶ 父の髪は年ごとに*薄くなっていく Father's hair *is thinning* year by year. 《☞ のぞみうす》

うすい[2]　雨水　rainwater Ⓤ.　**雨水溝** ditch Ⓒ.

うすいた　薄板　thin board Ⓒ《☞ いた》.

うすうす　薄薄　(わずかに) slightly; (少しは) a little; (漠然と) vaguely. 《☞ ばくぜん》. ¶ 私はそのことを*うすうす知っていた I was *slightly* acquainted with the facts. / (⇒ うすうす感づいていた) I had only *an inkling of* the facts. ★ 第 2 文のほうが口語的. // 私にはそれがだれなのか*うすうすわかっていた (⇒ 漠然と知っていた) I had a *vague* idea (of) who he was.

うずうず　― 動 (切望する) long「for ... [to *do* ...]; (じっとしていられない気持ちがする) be itching [have an itch]「for ... [to *do* ...]; (我慢していられない) be impatient (to *do* ...). 《☞ 擬声・擬態語 (囲み)》. ¶ 彼はそこにまた行きたくて*うずうずしている He *longs to* go there again. / He「*is itching* [*has an itch*] *to* go there again. ★ 第 2 文のほうが口語的. // 子供たちはゲームを始めたくて*うずうずしていた The children *were impatient to* start the game.

うすがき　薄書き　writing in thin「Indian [black] ink Ⓤ.

うすがみ　薄紙　thin paper Ⓤ.　**薄紙をはぐように**

(徐々に) gradually; (少しずつ) little by little. ¶ 病人の症状は*薄紙をはぐように快方に向かった The patient's condition has *gradually* improved.

うすかわ 薄皮 (薄い表皮) thin skin Ⓤ; (薄い膜) film Ⓒ. **薄皮まんじゅう** bean-paste bun with a thin covering Ⓒ.

うすかわまいまい 薄皮蝸牛 〔動〕 land snail Ⓒ.

うすぎ 薄着 —形 lightly dressed.

うすぎたない 薄汚ない (きたない) dirty(-looking); (色あせてくすんだ) dingy. ¶ *薄汚ない部屋 a *dirty* room // *薄汚ないホテル a *dingy* hotel

うすぎぬ[1] 薄衣 thin clothes ★ 複数形で.

うすぎぬ[2] 薄絹 thin [light] silk Ⓤ.

うすきみわるい 薄気味悪い weird /wíəd/, eerie /í(ə)ri/ ★ 前者が一般的. 後者は迷信的な恐ろしさを感じさせるニュアンスがある. (☞ きみ[2]; ぶきみ). ¶ *薄気味悪い幽霊の話 a *weird* story about ghosts

うすぎり 薄切り (thin) slice Ⓒ ★ 特に薄いことを強調するときに thin をつける. ¶ じゃがいもを*薄切りにする cut a potato into *thin slices*

うずく 疼く (鈍く痛む) ache /éɪk/ 自; (ずきずき・ひりひり痛む) smart 自. (☞ いたむ[1]). ¶ 彼は全身が*うずいた His whole body *ached*. // 傷がまた*うずきはじめた The cut started to *smart* again.

うすくちしょうゆ 薄口醤油 light-colored soy sauce Ⓤ.

うずくまる 蹲る (ひざを曲げて身をかがめる) crouch /kráutʃ/ (down) 自; (体を痛みなどで前かがみに曲げる) double ⌈up [over] 自. (☞ しゃがむ 日英比較 (挿絵)). ¶ 私は急に胃が痛くなって*うずくまった Suddenly I had a pain in my stomach and ⌈*crouched down* [*doubled up*; *doubled over*].

うすぐも 薄雲 (薄い雲) thin cloud Ⓒ.

うすぐもり 薄曇り slightly cloudy weather Ⓤ (☞ くもり). ¶ きょうは*薄曇りだ (⇒ 少し曇っている) It is *slightly cloudy* today.

うすぐらい 薄暗い (光が弱くてぼんやり見える) dim; (たそがれて暗い) dusky. (☞ くらい[1]). ¶ 電燈は*薄暗かった The electric light was *dim*. // *薄暗いランプの光 the *dim* light of a lamp

うすくらがり 薄暗がり (かすかな明るさ) dim light Ⓤ; (主に日没後の) twilight Ⓤ; (夕暮れ時の) dusk Ⓤ 語法 twilight は日の出前の薄明かりも指すが, 普通は日没後の薄明かりの状態について言う. それより暗さがさらに増した状態が dusk. (☞ うすぐらい; うすあかり; くらい[1]). ¶ *薄暗がりにだれか立っていた There was someone standing in the *dusk*.

うすくれない 薄紅 light crimson /krímzn/ Ⓤ; (薄赤色) pale red Ⓤ ★ 形 としても用いる.

うすぐろい 薄黒い blackish.

うすげしょう 薄化粧 light makeup Ⓤ. ¶ *薄化粧をする[している] put on [have] *light makeup*

うすごおり 薄氷 thin ice Ⓤ.

うすじ 薄地 —形 (薄い) thin; (織物などが透ける程薄い) sheer. ¶ *薄地のナイロン *sheer* nylon

うすじお 薄塩 —形 slightly [lightly] salted.

うずしお 渦潮 eddying current Ⓒ.

うすずみ 薄墨 —名 thin black ink Ⓤ. —形 (灰色の) gray; (暗い色の) dark. ¶ *薄墨を流したような (⇒ 暗い雲で一面におおわれた) 空 an *overcast* sky **薄墨紙** recycled gray paper Ⓤ.

ウスターソース Worcester /wústə/ sauce Ⓤ, 《米》 Worcestershire /wústəʃìə/ sauce Ⓤ ★ 日本で普通にいうソース. (☞ ソース[1]).

うずたかく 堆く in a heap. ¶ 机には本が*うずたかく積んであった (⇒ 机の上に本の山があった) There was *a heap of* books on the desk. / (⇒ 本が積み上げられていた) Books *were piled* ⌈*up* [*high*] on the desk. / The desk *was piled high* with books.

うすたけ 臼茸 〔植〕 woolly chanterelle /ʃæntərél/ Ⓒ.

うすちゃ 薄茶 (薄く抽出した茶) weak tea Ⓤ; (薄い茶色) light brown Ⓤ. **薄茶点前** weak (green) tea served at the tea ceremony Ⓤ.

うすづくり 薄造り (薄切りの刺身) thinly sliced ⌈sashimi [raw fish] Ⓤ. ¶ ふぐの*薄造り *thin slices* of raw globefish

うすっぺら 薄っぺら **1** «薄い»: thin (☞ うすい[1]; ぺらぺら).
2 «浅薄な»: (人・知識など深みのない) shallow; (知識が表面的な) superficial /sù:pəfíʃəl/; (人が浅薄な) frívolous. (☞ せんぱく[1]; あさはか).
¶ 彼は*薄っぺらな知識をひけらかした He paraded his ⌈*shallow* [*superficial*] ⌈knowledge [learning]. // *薄っぺらな人間 a ⌈*shallow* [*frivolous*] person

うすで 薄手 —形 (織物・陶器など) thin.

うすなさけ 薄情け (薄っぺらな愛) shállow [súperficial] lóve Ⓤ; (変わりやすい愛) changeable [wishy-washy] love Ⓤ.

うすにくいろ 薄肉色 pale [thin] pink color Ⓒ.

うすにくぼり 薄肉彫り low relief Ⓤ, bas-relief /bà:rɪlí:f/ Ⓤ.

うすのろ 薄鈍 (あほう) blockhead Ⓒ; (うすばか) half-wit Ⓒ. (☞ ばか).

うすば 薄刃 (薄い刃) thin blade Ⓒ; (薄刃包丁) thin-bladed kitchen knife Ⓒ.

うすばか 薄馬鹿 ☞ うすのろ

うすばかげろう 薄羽蜉蝣 〔昆〕 ant lion Ⓒ.

うすび 薄日 soft sunlight Ⓤ. ¶ 雨が上がって庭に*薄日が差してきた The rain has stopped and the garden is bathed in *soft sunlight*.

ウズベキスタン —名 固 Uzbekistan /uzbèkɪstǽn/; (正式名; ウズベキスタン共和国) the Republic of Uzbekistan ★ 中央アジア西部の国.

ウズベクご ウズベク語 Uzbek /úzbek/ Ⓤ.

ウズベクじん ウズベク人 —名 Uzbek Ⓒ. —形 Uzbek.

うすべったい 薄べったい ☞ うすい[1]

うすべに 薄紅 (薄いほお紅や口紅・その色) light [pale] rouge Ⓤ (☞ べに).

うすべり 薄縁 bordered matting Ⓤ.

うすぼける 薄ぼける (写真などが少しぼやける[あせる]) get a little ⌈blurred [faded]; (少し薄暗くなる) become a little dim. (☞ ぼやける).

うすぼんやり 薄ぼんやり —形 (記憶などが漠然とした) vague; (かすかな) faint; (物の形・様子が不明瞭な) obscure; (人がうわの空でぼんやりした) absent-minded; (不注意な) careless. —副 vaguely; faintly; obscurely; absentmindedly; carelessly.

うずまき 渦巻 (水が勢いよく回って作る) whirlpool Ⓒ; (水や気体の小さい) eddy Ⓒ; (何でも巻きこむような水または気体の) vórtex Ⓒ; (激しい大渦巻) 《文》 maelstrom /méɪlstrəm/ Ⓒ. (☞ うず). **渦巻き銀河** spiral ⌈galaxy [nebula] Ⓒ.

うずまく 渦巻く (急速にぐるぐる回る) whirl 自; (舞うように) swirl 自. (☞ うず). ¶ さまざまな思いが脳裏に*渦巻いていた Diverse thoughts *were whirling* around in my head.

うすまる 薄まる (液体が薄くなる) become ⌈thin [weak], thin 自; (水で薄められる) be diluted.

うずまる 埋まる ☞ うまる

うすみどり 薄緑 —名 light [pale] green Ⓤ. —形 (薄緑色の) light [pale] green.

うずむしるい 渦虫類 〔動〕 Turbellaria /tə̀:bəlé(ə)riə/ Ⓤ.

うすめ[1] **薄目** ¶彼は*薄目を開けて (⇒ 目を半分閉じて) 私を見た He looked at me with *his eyes half closed*.
うすめ[2] **薄目** ── 形 (厚さ・液体が) rather thin; (色が) rather pale. 《☞ うすい》. ¶パンを*薄めに切る slice a loaf of bread *rather thin*
うすめる **薄める** (薄くする) thin ⑩, make ... thin; (液体にほかの液体を混ぜて) dilute ⑩; (水で) water down ⑩. ¶私はコンデンスミルクをお湯で*薄めた I *diluted* the condensed milk with hot water. // アルコールはニスを*薄めるのに使われる Alcohol is used for *thinning* varnish. // スープを水で*薄める *water down* the soup
うずめる **埋める** (埋める) bury /béri/ ⑩; (ふさぐ) fill ⑩. 《☞ うめる[1]》.
うすもの **薄物** (薄い布) thin [light] cloth Ⓤ; (薄い服) light clothes ★ 複数形で; (軽くて薄い服) flimsy dress Ⓒ.
うすもや **薄靄** (煙・水蒸気などの) haze Ⓤ; (薄い霧) thin mist Ⓤ. 《☞ もや》.
うずもれる **埋もれる** be buried 《☞ うもれる》.
うすゆきそう **薄雪草** 〔植〕 Japanese edelweiss /éɪdlwàɪs/ Ⓒ.
うすよごれる **薄汚れる** ── 形 (汚ない) dirty(-looking); (洋服などを着古した) shabby; (しみのついた) stained, soiled; (環境などがむさ苦しい) sordid, squalid. ¶*薄汚れたシャツ a *shabby* shirt
うずら **鶉** quail Ⓒ《複 ～, ～s》.
うずらがい **鶉貝** 〔貝〕 Pacific partridge tun Ⓒ.
うすらぐ **薄らぐ** (熱・痛みが次第に) go away gradually; (興味などが) flag ⓐ, wane ⓐ ★ 後のものほど格式ばった語となる. 《☞ おさまる》. ¶右腕の痛みがだいぶ*薄らいだ The pain in my right arm *has* almost *gone* (*away*). // 彼らの熱意は*薄らいだ Their enthusiasm ˹*flagged* [*waned*]. // 日ごとに寒さが*薄らいでいる It *is getting* ˹*less cold* [*warmer*] day by day.
うすらさむい **薄ら寒い** (はだ寒い) chilly; (少し寒い) somewhat [slightly] cold. 《☞ さむい》.
¶きょうは*薄ら寒い It's *chilly* today.
うずらまめ **鶉豆** 〔植〕 pinto (bean) Ⓒ, kidney bean Ⓒ.
うすれる **薄れる** (色などが) fade ⓐ 《☞ うすらぐ》.
うすわらい **薄笑い** ── 名 (にやにやとしてきざっぽい, あるいは間の抜けたほほえみ) simper Ⓒ; (独りで悦に入ったような, うぬぼれ顔の) smirk Ⓒ ★ 軽蔑的.
── 動 simper ⓐ; smirk ⓐ. 《☞ にやにや》.
うせつ **右折** ── 動 (右に曲がる) turn (to the) right ★ 最も一般的; (車などが) make a right turn. ¶次の交差点を*右折して下さい Please *turn right* at the next intersection. // *右折禁止《掲示》 No *Right Turn*
うせる **失せる** (姿を消す) disappear ⓐ; (突然見えなくなる) vanish ⓐ. 《☞ きえる》.
うそ[1] **嘘** ── 名 (偽り) lie Ⓒ; (真実でないこと) untruth Ⓤ (↔ truth); 《格式》 falsehood Ⓤ ★ 以上2つは個々のうそを指すときは Ⓒ; (たわいないうそ) fib Ⓒ. ── 動 (うそをつく) tell a lie, lie ⓐ 《過去・過分 lied; 現分 lying》 ★ 前者のほうが口語的. ── 形 (偽りの) false /fɔ́:ls/; (真実でない) untrue.
【類義語】故意に人をだまそうとする悪意を含んだ「うそ」が ***lie*** で, この語は強い非難の響きを持っており, 日本語の「うそ」のように軽い意味では使えない. 悪意というニュアンスはなく, 単に真実でないことという意味の客観的な語が ***untruth***. 真実を述べたくないようなときに言う「うそ」は ***falsehood***. たいして重要でないささいなことについて軽くつく「うそ」は ***fib***. なお, 日本語では「うそ」という名詞が使われていても, 英語では形容詞で表されることも多い. 《☞ いつわる》
¶*うそでしょう (⇒ あなたは私をからかっているんでしょう) You'*re* [You must *be*] *kidding* (me)! / *No kidding*! ★ 2 文とも口語的な表現. 日英比較 これを日本語の「うそ」にひかれて Don't *lie* to me. とすると意味が強くなりすぎるので注意. / (⇒ 私は信じられない) I don't believe it. // そのうわさは*うそです That rumor is ˹*untrue* [*not true*]. // 彼女はときどきもっともらしい[見えすいた]*うそをつく She sometimes tells ˹plausible [blatant; obvious; transparent] *lies*. // 彼は真っ赤な*うそをついた He *lied* in his teeth. ★ かなり強い表現. lie in *one's* teeth はイディオム. // 彼は彼女の気持ちを傷つけないように*うそをついた He told a ˹*falsehood* [*white lie*] so as not to hurt her feelings. ★ white lie は「罪[悪意]のないうそ」. falsehood を用いたほうが格式ばった表現になる. // 彼は*うその証言をした He ˹bore *false* witness [perjured himself; committed perjury]. ★ perjure *oneself* は〔法〕「偽証する」. perjury Ⓤ は「偽証」.
うそから出たまこと Many a true word is spoken in jest. 《ことわざ: 冗談の中にも多くの真理がある》
うそで固める (話をでっちあげる) fabricate the whole story. ¶*うそで固めた言い訳 a *fabricated* excuse /ɪkskjú:s/ **うそも方便** ¶*うそも方便だ (⇒ ちょっとしたうそも場合によっては役に立つ) A little *lie* is useful in some cases. / (⇒ 必要なうそは害がない) A necessary *lie* is harmless. / (⇒ 目的は手段を正当化する) The end justifies the means. **うそ字** (誤った漢字) miswritten [incorrectly written] Chinese character Ⓒ; (誤ったつづり) misspelling Ⓤ **うそつき** liar Ⓒ **うそっぱち** (大うそ) whopping lie Ⓒ; (真っ赤なうそ) downright lie Ⓒ ★ 前者のほうが口語的. **うそ泣き** ¶*うそ泣きする *pretend to cry* 《☞ そらなみだ》 **うそ発見器** lie detèctor Ⓒ **うそ八百** all sorts of lies, a pack of lies. ¶*うそ八百を並べる tell *all sorts of lies*

── コロケーション ──
いつもの嘘 the same old *lie* / **大嘘** a ˹big [monstrous; whopping] *lie* / **ちょっとした嘘** a little *lie* / **罪のない嘘** an innocent [a harmless; a white] *lie* / **下手な嘘** a clumsy *lie* / **真っ赤な嘘** an ˹outright [a brazen; a barefaced; a bald-faced] *lie* / **まったくの嘘** an ˹absolute [out-and-out] *lie*

うそ[2] **鷽** 〔鳥〕 bullfinch Ⓒ.
うそう **有相** (形があること) materiality Ⓒ.
うぞうむぞう **有象無象** (暴徒・やじ馬) the rabble ★ 軽蔑的; (大衆) the masses.
うそさむい **うそ寒い** (ちょっと寒い) a ˹little [bit] ˹cold [chilly]; (なんとなく寒い) somewhat ˹cold [chilly].
うそぶく **嘯く** (傲慢(ごうまん)に言う) say .. arrogantly; (大ぼらを吹く) brag ⓐ ⑩. ¶そんなことは全然気にしないと彼は*うそぶいた He ˹*said arrogantly* [*bragged*] that he did not care a bit about it.
うた **歌** (歌う歌) song Ⓒ; (詩) poem Ⓒ; (和歌) *waka* Ⓒ, *tanka* Ⓒ. 《☞ うたう[1]》.
¶さあ, みんなで*歌を歌おう Let's sing (a *song*) ˹together [in chorus], shall we? 《☞ うたう[1] 語法》 // この*歌はいまとてもはやっている This *song* is very popular now. // *歌を詠(よ)む compose a ˹*poem* [*tanka*] **歌合わせ** *waka* composition match (in which two teams of poets compete with one another) Ⓒ.
うたい **謡** ☞ ようきょく[2]
うたいあげる[1] **歌い上げる** (詩歌に詠んでたたえる) praise ... in a poem; (詩歌に詠む) write a poem about ... ¶自然の美しさを*歌い上げる *praise* the

beauty of nature *in a poem*

うたいあげる² 謳い上げる (詳しく述べる) recount ⊕; (一つずつ詳しく述べる) recite ⊕; (列挙する) enumerate /ɪn(j)úːmərèɪt/ ⊕. ¶ 薬の効能を*うたい上げる *recount* the éfficacy of a drug

うだいじん 右大臣 (律令制の) the minister of the right.

うたいて 歌い手 singer Ⓒ (☞ かしゅ).

うたいもんく 歌い文句 (標語・座右銘) motto Ⓒ; (政治的または宣伝用の) slogan Ⓒ, catchphrase Ⓒ. ¶「確実で早く」がわが社の*歌い文句です Our *motto* is "Speedy and steady."

うたう¹ 歌う sing ⊜ ⊕ (過去 sang; 過分 sung); (詩などを朗唱する) recite ⊜ ⊕; (鼻歌を) hum ⊜ ⊕. (☞ うた). ¶ 彼女は歌を*歌うのが上手だ She is a good *singer*. / She can *sing* well. 語法 (1)「上手な歌い手だ」の意になる前者のほうが口語的な言い方. このように singer は「歌を歌う人」の意で, 必ずしもプロの歌手を指すとは限らない. (2) 2 番目の文のように動詞を用いる場合「歌を歌う」は sing a song ではなく, 単に sing だけでよい. ただし, この例のように副詞(句) などを伴うのが普通. sing a song の形式は次の例のような「…な歌を歌う」という言い方を訳す時に用いるのが普通. // 彼は我々に愉快な歌を*歌ってきかせた He *sang* a happy song ˹for [to] us. / He *sang* us a happy song. // 彼女はピアノに合わせて (⇒ピアノの伴奏で)*歌った She *sang* ˹accompanied by [to the accompaniment of] the piano. // みんなで*歌おう Let's *sing* ˹in chorus [together]. // 大きな声で*歌いなさい *Sing* out! / *Sing* in a loud voice.

うたう² 謳う **1《述べる》:** (表現する) express ⊕; (はっきり述べる) state ... clearly. ¶ 憲法には戦争放棄が明確に*うたわれている In the Constitution the renunciation /rɪnʌ̀nsiéɪʃən/ of war *is* ˹*clearly stated* [*expressly stipulated*]. // 歴史上最も偉大な科学者と*うたわれる *be reputed* to be the greatest scientist ever born

2《盛んに言い立てる》: (ほめたたえる) praise ⊕, extol ⊕ ★ 後者は格式語.

うたかい 歌会 poetry party Ⓒ. **歌会始め** the New Year Poetry Party held at the Imperial Court.

うたがい 疑い (真実ではないらしいと疑うこと) doubt Ⓤ ★ しばしば複数形で; (疑惑・嫌疑) suspicion Ⓤ ★ 普通は悪い意味に用いる. しばしば a を付けて. (☞ ぎわく; けんぎ¹; ふしん¹).

¶ *疑いを抱かせる cause (a) *doubt* // *疑いを生じる create [breed] *doubt* // もっともな*疑い a reasonable *doubt* // 彼が成功することは*疑いない (⇒私は彼の成功について疑いを持っていない) I have no *doubts* ˹about his success [that he will succeed]. / (⇒彼の成功を確信している) I'm sure he will succeed. // 彼女が優秀な秘書であることに*疑いの余地はない (⇒疑いもなく彼女は優秀な秘書である) *No doubt* she is a competent secretary. / She is *undoubtedly* an able secretary. 語法 前者のように no doubt を certainly の意味で慣用的に使うほうが口語的. // この小説は*疑いもなく彼女の最高傑作だ *Without doubt* [*No doubt*] this novel is the best of all her works. ★ without doubt のほうが意味が強い. // 彼には共犯者がいる*疑いがある (⇒共犯者がいると私は嫌疑をかけている) I *suspect* that he has an accomplice. // 彼に殺人の*疑いがかかっている (⇒彼は殺人の嫌疑をかけられている) He *is suspected of* murder. // みんなが私を*疑いの眼で見る Everybody looks upon me ˹*with suspicion* [*suspiciously*]. // 彼は強盗の*疑いで逮捕された He was arrested *on suspicion of* robbery. // *疑いをかけられているのはだれだ Who is *under suspicion*? **疑い深い** ── 形 (人を信用しない) distrustful; (猜疑(さいぎ)心が強い) skeptical, 《英》 sceptical. (☞ さいぎ). ¶ 彼は*疑い深い男だ He is ˹*distrustful* [*skeptical*]. / He is a ˹*distrustful* [*skeptical*] man.

コロケーション

疑いを感じる feel (a) *doubt* / 疑いを口にする express [voice] *one's doubt* (about ...) / 疑いを解く resolve a *doubt* / 疑いを投げかける cast [throw] (a) *doubt* (on [upon] ...) / 疑いを晴らす clear [clean] up *doubts*; eliminate [dispel] *doubts* / 疑いを払拭する brush [sweep] away *doubts* / 疑いを招く arouse [raise] (a) *doubt* / 疑いを持つ[抱く] have [hold; entertain; harbor] a *doubt* (about ...) // いわれなき疑い a ˹misplaced [groundless] *doubt* / 軽い疑い a slight *doubt* / 心をさいなむ疑い a gnawing *doubt* / 重大な疑い a ˹grave [serious] *doubt* / 募る疑い a growing *doubt* / 強い疑い a ˹strong [deep] *doubt* / ぬぐいがたい疑い a ˹lingering [nagging] *doubt*

うたがう 疑う (「…ではないらしい」と思う・信じかねる) doubt ⊕; (「…であるらしい」と思う・嫌疑をかける) suspect ⊕ ★ 普通は悪い意味. (☞ あやしむ). ¶ 私は彼の無実を*疑っている I *doubt* his innocence. / (⇒彼が無実かどうか疑っている) I *doubt* ˹if [whether] he is innocent. ★ if のほうが口語的. // 私は彼女が私を愛していることを*疑わない I don't *doubt that* she loves me. 語法 doubt の次にくる接続詞は一般に肯定文では if, whether を用い, that は否定文・疑問文の場合が多い. // 彼は賄賂(わいろ)を受け取ったのではないかと*疑われている He *is suspected of* ˹taking [accepting] a bribe. // 奥さんまでが彼を*疑っている (⇒不審に思っている) Even his wife feels *distrust* of him. // 私は自分の眼を*疑った (⇒自分の眼が信じられなかった) I could *hardly believe* my eyes. // 彼は*疑う余地なく無実だ He is *undoubtedly* innocent.

うたがき 歌垣 dancing and singing feast of young men and women in ancient Japan Ⓒ.

うたかた 泡沫 ── 名 (あわ) bubble Ⓒ ★ しばしば複数形で. 比喩的な意味でも用いる. ── 形 (はかない) 《格式》 ephemeral; (素早く過ぎ去る) fleeting Ⓐ. (☞ あわ¹; はかない). ¶ 淀みに浮かぶ*うたかた *bubbles* floating on stagnant water **うたかたの恋** fleeting love Ⓤ.

うたがわしい 疑わしい ── 形 (強い疑念のある) doubtful ★ 最も一般的な語; (半信半疑の) dubious ★ doubtful とほぼ同意に使われることもあるが, 疑いの気持ちは少し弱い; (嫌疑をかけられるような・怪しい) suspicious ★ 通例犯罪などのような悪い意味に使う; (疑問の余地がある) questionable; (猜疑(さいぎ)心がある) skeptical, 《英》 sceptical. ── 動 (どうも…ではならしいと思う) doubt ⊕; (どうも…だと思う) suspect ⊕. (☞ あやしい; ぎもん).

¶ 彼の成功する可能性は*疑わしいと思う I am ˹*doubtful* [*dubious*] about his (chances of) success. // 彼がそこへ 1 人で行ったかどうか*疑わしい (⇒私は疑う) I *doubt* ˹if [whether] he went there alone. / It is ˹*doubtful* [*questionable*] ˹if [whether] he went there alone. 語法 いずれの文も if を用いるほうが口語的. 第 2 文は客観的な表現. // 彼女は 22 歳だといっているが*疑わしい She says she is twenty-two, but I *doubt* it. // 私は彼が*疑わしいと思う I *suspect* him. / I am *suspicious* of him. **疑わしきは罰せず** give *a person* the benefit of the doubt; (被告人は有罪と決まるまで無罪だ) The accused is innocent until proven guilty. ¶

彼のことは*疑わしきは罰せずということにしよう Let's *give* him *the benefit of the doubt*.

うたがわひろしげ 歌川広重 ―名 固 Utagawa Hiroshige, 1797–1858; (説明的には) an ukiyoe artist in the late Edo period. His most important work is the *Tokaido Gojusantsugi* (Fifty-three Stages on the Tokaido) or the old-time fifty-three stations of the Tokaido. 《☞ とうかいどう》

うたぐる 疑る ☞ うたがう

うたげ 宴 banquet Ⓒ, feast Ⓒ. 《☞ えん⁴; えんかい》.

うたごえ 歌声 singing voice Ⓒ 《☞ うた》. **歌声喫茶** tearoom in which customers can sing (in chorus) accompanied by a band Ⓒ ★ 説明的な訳.

うたごころ 歌心 (詩的な性質) a poetic 「disposition [turn of mind] ★ a を付けて; (詩が好きなこと) taste for poetry Ⓤ; (詩的才能のある人) poet Ⓒ; (詩の意味) the meaning of a poem. ¶ 彼は*歌心がない He has no *taste for poetry*. / He cannot *appreciate poems*.

うたた 転た (なぜか) somehow; (本当に) indeed; (ますます) all the more. 《☞ そぞろ》. ¶ 廃墟を前に*うたた今昔の感に耐えない (⇒ 遠きよき日を思い出させる) The ruins before me *somehow* remind me of the good old days.

うたたね 転た寝 ―名 (浅い眠り) doze Ⓒ; (特に昼間の短い眠り) nap Ⓒ, 《略式》 catnap Ⓒ, 《略式》 forty winks ★ 複数または単数扱い. ―動 nap ⓐ; doze ⓐ. 《☞ いねむり; うとうと; うつらうつら》.

うだつ うだつが上がらない (成功しない) do not succeed; (出世しない) do not get ahead ★ 後者のほうが口語的. ¶ 彼は何をやっても*うだつが上がらなかった Whatever [No matter what] he did, he *couldn't* 「*succeed* [*get ahead*]. / (⇒ やることすべてにおいて失敗者だった) He *was a failure* in everything he did.

うたひめ 歌姫 (女性歌手) woman singer Ⓒ, 《略式》 songbird Ⓒ. 《☞ かしゅ》.

うたまくら 歌枕 (詩歌で有名な場所) place cited in famous poems Ⓒ; (歌人の手引き書) poets' handbook of words, phrases, and place names of poetical importance Ⓒ.

うたよみ 歌詠み *waka* composer Ⓒ.

うだる 茹だる (ゆだる) be boiled; (暑さで参る) swelter ⓐ. ¶ 夏の暑さに*うだる *swelter* in the summer heat

うだるような (じゅうじゅう焼けるような) sizzling; (汗だくになるような) sweltering; (沸騰するような) boiling. ¶ *うだるような暑さ the 「*sizzling* [*sweltering*] heat // *うだるように暑い日 a *boiling* hot day ★ この boiling は副詞的用法. / a *sweltering* day // きょうは*うだるように暑い It's 「*sizzling* [*sweltering*] hot today. ★ sizzling, sweltering 共に副詞的に用いられている. / It's 「*sizzling* [*sweltering*] today. ★ 第 2 文のほうが口語的.

うたわれる 謳われる ☞ うたう²

うだん う段 the *u* row; (説明的には) the *u* row of the Japanese syllabary.

うち¹ 内, 中 **1** 《内部》 ―名 (内側) inside Ⓤ. ―副 (家の中に) indoors. 《☞ なか¹; うちがわ》. ¶ このドアは*内から錠がおろしてある This door is locked 「on the *inside* [from *within*; from the *inside*]. ★ from within は文語的. // 彼は手の*内 (⇒ 持ち札) を見せようとしない He won't *show his cards*. / He won't 「*lay* [*put*] *his cards on the table*.

2 《時間》 ―前 (…の時間が経ったあとで) in …; (…以内に) within …; (一定期間の中で) in …; (…の前に) before … ―接 (…の間に) while …; (…の前に) before … 《☞ あいだ; そのうち》.
¶ 2, 3 日の*うちに帰って来ます (⇒ 2, 3 日たったら帰ってくる) I'll be back *in* a few days. // (⇒ 2, 3 日以内に帰ってくる) I'll be back *within* a few days.
これらの事故はすべて 1 週間の*うちに起きた All these accidents happened 「*in* [*within*] a week. 語法 (1) ある一定期間を指す場合には in も within も用いられるが, within は強調的. // 私は夜の明けぬ*うちに起きた (⇒ 夜明け前に起きた) I got up *before* dawn. // 彼が帰って来ない*うちに仕事を終えてしまった (⇒ 彼が帰る前に) I 「had finished [finished] my work *before* he came back. ★ 主節の動詞を過去時制にするのは口語的. // 忘れない*うちに (⇒ 忘れる前に) それをノートに書いておきなさい Write it down in your notebook *before* you forget it. 語法 (2) 以上の 3 文で日本語にひかれて否定にしないように注意. 同様なことは「暗くならないうちに」before it gets dark,「知らないうちに」before we know などについてもいえる. // 外国語は若い*うちに学ぶのがよい You should learn a foreign language *while* (you are) young.

3 《…の中で》 ―前 (2 者のうちで) between …; (3 者以上のうちで) among … 語法 (1) 3 者以上についても between を使うことがある; (…のうちで) of …, in … 語法 (2) 以上の 2 つは比較表現とともに用いられる. 数のはっきりしている場合は of, 数が不明である場合 (例えばグループの中など) は in; (…のうちから) out of …. 《☞ なか¹; あいだ》.
¶ この 2 つの*うち 1 つを選びなさい Choose *between* the two of them. / (⇒ この 2 つのうちからどちらかを) Choose either (one) *of* these two. // これらの*うちから 1 つを選びなさい Choose one 「from *among* [*out of*] these. // 5 人の*うち 3 人が助かった Three *out of* (the) five people 「were rescued [survived]. // 私は 2 つの*うちで安いほうを買った I bought the cheaper *of* the two. // 彼は 3 人の*うちで一番背が高い He is the tallest *of* the three.

うち² 家 ―名 (家庭) home Ⓤ; (家・住宅) house Ⓒ; (家族) family Ⓒ, 《略式》 folks ★ 複数形で. ―副 (在宅で) (at) home; (家の中に[で]) indoors. 《☞ いえ (類義語); かぞく¹; じたく》. ¶ *うちの人たちはみな早起きだ All my *family* are [My *folks* are all] early risers. // *うちへ帰るところです I'm going *home* now. // 雨が降っているから*うちにいなさい Stay *indoors*, because it's raining. // きょうは 1 日*うちにいます I'll stay (*at*) *home* all day today. // *うちの人 (⇒ 夫) my husband // *うちの会社には寺田という名前のものはおりません There is no one by the name of Terada in 「*this* [*our*] company.

うちあい¹ 撃ち合い shóot-òut Ⓒ. ¶ 警官とギャングたちの*撃ち合いになった The policemen and the gangsters began a *shoot-out*.

うちあい² 打ち合い (テニスなどの) rally Ⓒ; (なぐり合い) exchange of blows Ⓒ; (素手の) fistfight Ⓒ.

うちあう¹ 撃ち合う (銃を) exchange shots; (砲火を交える) exchange fire. ¶ 敵と*撃ち合う *exchange fire* with the enemy

うちあう² 打ち合う (テニスなどで) rally ⓐ; (なぐり合う) hit each other, exchange blows ★ 後者のほうが格式ばった表現. ¶ チャンピオンと挑戦者は始めからはげしく*打ち合った The champion and the challenger *exchanged* hard *blows* from the start.

うちあげ 打ち上げ ―動 (ロケットなどを) launch ⓣ; (終える・終わる) end ⓐ ⓣ; (完了する) finish ⓣ ⓐ. ―名 launch Ⓤ; end Ⓒ. 《☞ うちあげる》.

¶ 彼らはロケットの*打ち上げに成功した They successfully *launched* the rocket. / The rocket *was* successfully *launched*. // この芝居はあすで*打ち上げとなる (⇒ あすが最終公演だ) Tomorrow is the *final performance* of this play.

打ち上げパーティー celebration party Ⓒ.

うちあけばなし 打ち明け話 (秘密) secret Ⓒ; (告白) confession Ⓒ; (内緒ごと) confidential talk Ⓒ, confidence Ⓒ ★ 後者のほうが格式ばった語. 《☞ うちあける》. ¶ 彼はしみじみと私に*打ち明け話をした He *confided* his *secret* to me with a serious face. // 彼女たちはお互いに恋人について*打ち明け話をした They *talked confidentially* about their boyfriends. / They told each other *confidences* about their boyfriends.

うちあける 打ち明ける (言う・話す) tell (他) ★ 意味の広い平易な語; (秘密などを相手を信用して) confide (他); (白状する) confess (他); (心の重荷などを) 《格式》 unburden (他). 《☞ こくはく¹; あかす》.

¶ 彼はその秘密を妻に*打ち明けた He ｢*told* [*confided*] the secret to his wife. // 彼は自分が結婚していることを(彼女に)*打ち明けた He *confessed* (to her) that he was married. // 私は彼に胸のうちを*打ち明けた (⇒ 率直に考えていることを言った) I frankly *told* him what was on my mind. / I *unburdened* myself to him. [語法] 2つ目の文は文語的で, 打ち明ける内容が多少深刻なニュアンスがある.

うちあげる 打ち上げる **1** «ロケットなどを»: send up (他), launch (他) ★ 後者はやや格式ばった語だが, ロケットなどの打ち上げで正式に使われる語; (花火を) set off (他), let off (他). 《☞ はっしゃ²; うちあげ》.

¶ 人工衛星を最初に*打ち上げたのはロシアだ The Russians were the first to ｢*launch* [*send up*] an artificial satellite. // 彼らは花火を*打ち上げた They ｢*set off* [*let off*] some fireworks.

2 «波が漂流物などを»: wash up (他) ★ 普通は受身で. 《☞ うちよせる》. ¶ おぼれた子供の死体が岸に*打ち上げられた The body of the drowned child *was washed up* on the beach.

うちあわせ 打ち合わせ ― [名] (手はず) arrangements ★ この意味では通例複数形で. ― [動] (打ち合わせをする) make arrangements (for ...), arrange (for ...) (自) ★ 前者のほうが一般的.

¶ 何もかも*打ち合わせどおりやった Everything was done exactly according to the *arrangements*. // 彼らは次の会合について*打ち合わせた They *made arrangements for* the next meeting. / They *arranged for* the next meeting. // 日程については彼と*打ち合わせてある I *have made arrangements* with him about the schedule. / I *have arranged* the schedule with him.

うちいり 討ち入り (四十七士の) the raid on Kira's residence made by the forty-seven former retainers of the feudal lord Asano to avenge their lord('s death) ★ 説明的な訳.

うちいわい 内祝い (身内だけの祝い) family celebration Ⓒ; (内祝いの贈り物) gift given on the occasion of a private celebration Ⓒ.

¶ 病気全快の*内祝いをする hold a *family celebration* on *a person's* recovery

うちうち 内内 ― [形] (私的な・内密の) private, *confidential* ★ 後者のほうが格式ばった語; (形式ばらない) informal; (秘密の) secret. ― [副] in private, confidentially; informally; secretly. 《☞ ないない》. ¶ 彼の家庭の*内々のことは知りません I don't know his *private* family affairs. // 両親の金婚式を*内々のパーティーで祝った We had an *informal* party to celebrate our parents' golden wedding anniversary. // 警察は警部補の犯罪を*内々でもみ消した The police covered up the lieutenant's crime ｢*secretly* [*in secret*].

うちうみ 内海 inland sea Ⓒ.

うちおとす 打ち落とす, 撃ち落とす (航空機などを撃墜する) shoot down (他); (降下させる・鉄砲などで撃ち落とす) bring down (他); (たたき落とす) strike down (他); (落下させる) drop (他) ★ 後のものほど意味が広くなる. ¶ 私は一発でその鳥を*撃ち落とした I ｢*dropped* [*brought down*] the bird with a single shot.

うちおろす 打ち下ろす ¶ 彼はバットを泥棒の頭めがけて力いっぱい*打ち下ろした He *brought* the bat *down* hard on the thief's head.

うちかえす 打ち返す return (他). ¶ 彼のサーブを*打ち返せるものはいなかった Nobody was able to *return* his serve.

うちかかる 打ち掛かる (攻撃する) attack (他); (なぐりかかる) strike out at ...

うちかけ 打ち掛け (囲碁の中断) suspension of a game of go Ⓤ; (着物) long formal overgarment Ⓒ.

うちがけ 内掛け (相撲の技) *uchigake* Ⓤ; (説明的には) inside leg trip Ⓤ.

うちかた 撃ち方, 打ち方 (銃砲の) how to ｢fire [shoot]; (テニス・ゴルフなどの) stroke Ⓒ; (野球の) batting Ⓤ. ¶ いい*打ち方だ! A nice *shot*! / Nice *batting*! // *撃ち方やめ! 〔軍〕 Cease *fire*!

うちかつ 打ち勝つ **1** «困難などに»: (克服する) overcome (他); (誘惑などを退ける) resist (他). 《☞ こくふく; かつ¹》. ¶ 彼は幾多の困難に*打ち勝った He *overcame* many difficulties.

2 «野球で»: (相手よりヒット数が勝る) outhit (他). ¶ 相手チームに*打ち勝ったが試合には負けた We *outhit* the other team but lost the game.

うちがわ 内側 ― [名] the inside (↔ the outside). ― [形] inside Ⓐ. ― [副] inside; (中の方向へ) inward(s); (中の範囲内に) within. 《☞ なか¹; ないぶ》. ¶ 箱の*内側を白く塗った I painted *the inside* of the box white. // 玄関は*内側から鍵が掛かっていた The front door was locked ｢from [on] *the inside*. / The front door was locked from *within*. // この窓は*内側には開かない This window does not open ｢*inward(s)* [to *the inside*].

うちかわす 打ち交わす (テニスなどで球を) rally (自); (あいさつなどを) exchange (他).

うちき 内気 ― [形] (引っ込み思案で恥ずかしがりの) shy; (特に若い女性・子供がはにかみ屋の) bashful; (控えめな) modest; (遠慮した) reserved. ― [名] shyness Ⓤ; bashfulness Ⓤ. 《☞ はにかむ; はずかしい》. ¶ 彼女は*内気で人に会いたがらない (⇒ 会うのを恥ずかしがる) She is *shy* about meeting strangers. / She is too *bashful* to meet strangers.

うちきず 打ち傷 bruise /brúːz/ Ⓒ 《☞ うちみ; きず (類義語)》.

うちきり 打ち切り (継続していたものを中止すること) discontinuance Ⓤ, discontinuation Ⓤ; (止めること) stop Ⓒ. ¶ 商品製造の*打ち切り a *discontinued* line

うちきる 打ち切る (調査・告訴・要求・議論などを取りやめる) drop (他); (急にやめる) break off (他); (供給することをやめる) cut off (他); (続けてきたことをやめる) discontinue (他); (期限が来て終わらせる) terminate (他) ★ 後の2つのほうが格式ばった語; (断念する) give up (他), abandon (他) ★ 後者のほうが格式ばった語. 《☞ やめる¹; ちゅうし¹》.

¶ 彼らとの交渉は*打ち切った We ｢*broke off* [*discontinued*] (the) negotiations with them. // 仕送りが*打ち切られた My allowance *has been cut off*. // その迷子の捜索は*打ち切られた The search for the lost child *has been abandoned*.

うちきん 内金 ―名（支払い金の一部）part(ial) payment Ⓤ;（分割払いの頭金）down payment Ⓒ;（手付金）deposit Ⓒ ★普通は単数形で. ―副（前金で・前払いとして）in advance.《☞てつけ; げんきん¹》. ¶*内金として1万円お支払いします I will pay you ten thousand yen ⌈as *part payment* [*in advance*]. / I'll *advance* you ten thousand yen.

うちくずす 打ち崩す（議論などを打ち破る）knock down ㊀ ★しばしば受身で;（野球などで投手を）knock out ㊀;（打ち壊す）break down ㊀;（夢・希望などを粉々にする）shatter ㊀.《☞だは; うちくだく》. ¶新発見により少なくとも定説の一部は*打ち崩された At least a part of the established theory *was knocked down* by the new discovery. // タイガースの打者はジャイアンツの投手をことごとく*打ち崩した The batters of the Tigers *knocked out* all the pitchers of the Giants.

うちくだく 打ち砕く（叩いて壊す）smash down ㊀;（壊す）break down ㊀;（粉々に壊す）break ... ⌈to [into] pieces;（計画などを挫折させる）frustrate ㊀;（希望などを粉々にする）shatter ㊀.《☞くだく》. ¶壁を*打ち砕く *smash down* the wall / *smash* the wall *down* // 彼の希望はすべて無残にも*打ち砕かれた All his hopes *were* mercilessly *shattered*.

うちくび 打ち首 beheading Ⓤ,《格式》decapitation Ⓤ. ¶江戸時代には極悪な人殺しは*打ち首となり, その首は獄門にさらされた In the Edo period, atrocious /ətróʊʃəs/ murderers *were* ⌈*beheaded* [*decapitated*] and their heads were displayed on the gate of the prison.

うちくら 内蔵（古代朝廷の）Imperial warehouse in ancient times Ⓒ;（家に接した蔵）warehouse attached to a dwelling Ⓒ.

うちけし 打ち消し ☞うちけす

うちけす 打ち消す ―動（否定する）deny ㊀;（無効にする）《格式》negate ㊀. ―名 denial Ⓒ; negation Ⓤ.《☞ひてい¹》.
¶彼は収賄の事実を（⇒収賄したことを）*打ち消した He *denied* ⌈that he had accepted [accepting; having accepted] a bribe. // 頑として*打ち消す *deny* stoutly // きっぱり*打ち消す *deny* ⌈flatly [categorically; firmly] // 即座に*打ち消す *deny* promptly // 強く*打ち消す *deny* ⌈strongly [emphatically] // むきになって*打ち消す *deny* vehemently

うちゲバ 内ゲバ（内紛）ínfighting Ⓤ;（同一グループ内の）intragroup [internecine /ìntənésiːn/] strife Ⓤ;（集団間の）ínter-fàctional strífe Ⓤ.

うちげんかん 内玄関 side ⌈door [entrance] Ⓒ.

うちこ 打ち粉（との粉）polishing powder Ⓤ;（小麦粉）flour Ⓤ;（米粉）rice flour Ⓤ;（化粧用の）talcum powder Ⓤ;（汗取り用の）dusting powder Ⓤ.

うちこう 内校《印》in-house proofreading Ⓤ.

うちこみ 打ち込み（テニスなどの）smash Ⓒ;（剣道などの）thrust Ⓒ;（献身）devotion Ⓤ;（専念）dedication Ⓤ;（熱中）enthusiasm Ⓤ.《☞せんねん¹; けんしん》. ¶私たちは彼女の福祉事業への*打ち込みように深く感銘を受けた We are deeply impressed by her ⌈*devotion* [*dedication*] to (the) welfare work.

うちこむ 打ち込む **1**《打って中へ入れる》:（釘・くいなどを）drive ㊀;（弾丸を）shoot ㊀;（テニス・卓球などで）smash ㊀. ¶彼はくいを地面に深く*打ち込んだ He *drove* the pile deep into the ground.
2《熱中する》:（…に自らを投げ込む）throw *oneself* into ...;（献身的に身をささげている）be devoted to ...;（一身をささげる）devote *oneself* to ...《☞せんしん¹; せんねん¹; ねっちゅう; ぼっとう》.
¶彼は仕事に身を*打ち込んだ He *threw himself into* his work. / He *devoted himself to* his work. ★第1文のほうが口語的. // 彼は蝶の採集に*打ち込んでいる（⇒蝶の採集に多くの時間をあてる）He ⌈*devotes* [*gives*; *spends*] *much of his time to* collecting butterflies. ★giveを用いたほうが口語的.

うちころす 打ち殺す, 撃ち殺す（打って殺す）beat ... to death《過去 beat; 過分 beaten,《米》beat》;（射殺する）shoot ... to death《過去・過分 shot》.《☞ころす; ぼくさつ; しゃさつ》.

うちこわし 打ち毀し（江戸時代の）the ravaging of the rich farmers, merchants and usurers by the lower classes in the Edo period.

うちこわす 打ち毀す（建物・計画などを）destroy ㊀;（計画・関係などをだめにする）wreck ㊀;（制度などを覆す）overthrow ㊀;（建物を解体する）knock down ㊀.《☞こわす; だは》. ¶古い社会制度を*打ちこわす *overthrow* the old social system

うちじに 討ち死に ―動 die [be killed] ⌈in battle [on the battlefield]《☞せんし¹》.

うちじゅう 家中 ¶*家中大騒ぎだった *The house* was in chaos. // *家中を探す look ⌈*all over* [*throughout*] *the house*

うちぜい 内税 tax included in the price Ⓤ《☞ぜいきん》.

うちそと 内外 ¶武装したガードマンが屋敷の*うちそとを見回っている Armed guards are patrolling *inside and outside* the mansion.《☞ないがい》

うちそろう 打ち揃う ¶*打ち揃って観劇に出かけた *Together* we went to see a play.

うちそんじる 打[撃]ち損じる miss hitting ..., fail to hit ...;（的をはずす）miss the mark. ¶彼は打ちやすいカーブ球を*打ち損じた He ⌈*missed hitting* [*failed to hit*] an easy curve(ball).

うちたおす 打ち倒す（敵などを打倒する）overthrow ㊀;（相手を負かす）defeat ㊀;（政府などを倒す）topple ㊀;（殴って倒す）knock [strike] down ㊀;（撃って倒す）shoot down ㊀.《☞たおす; だとう²》. ¶かいらい政権を*打ち倒す *overthrow* [*topple*] the puppet government

うちだし 打ち出し（興行のはね）the close;（打ち出し細工）embossment Ⓤ. ¶青銅の*打ち出し細工 an *embossed* bronze

うちだす 打ち出す（方針などを）come out with .... ¶組合は新しい方針を*打ち出した The union *came out with* a new policy.

うちたてる 打ち立てる（記録などを樹立する）set ㊀;（制度・名声などを確立する）establish ㊀;（施設などを設立する）found ㊀.《☞かくりつ¹; じゅりつ》.
¶世界新記録を*打ち立てる *set* a new world record // 福祉国家を*打ち立てる *establish* ⌈a [the] welfare state

うちちがえる 打ち違える ¶（キーボードなどで）数字を*打ち違える *type* the *wrong* figures *in* // 箱にひもを*打ち違えて（⇒交差させて）かけた I *crossed* the strings as I tied the box.《☞うちそんじる》

うちつけ 打ち付け ―形（率直な）frank;（ずけずけした）outspoken;（出し抜けの）abrupt. ¶*打ち付けの申し入れ an *abrupt* offer // あの人はずいぶん*打ち付けな物言いをする He is very *outspoken*.

うちつける 打ち付ける（くぎで）nail ㊀;（ぶつける）hit ㊀.《☞ぶつける》. ¶私はその掲示をドアにくぎで*打ち付けた I *nailed* the sign ⌈*on* [*to*] the door. // 窓をくぎで*打ち付ける *nail up* a window

うちつづく 打ち続く（切れ目なしに続く）continue ㊂. ¶*打ち続く雨天 *a long spell of* rainy weather // *打ち続く不幸 *a* ⌈*series* [*succession*] *of* misfortunes

うちっぱなし 打ちっ放し ―形（コンクリートがむ

き出しの) exposed-concrete; (コンクリートがモルタル仕上げをしていない) unmortared. ━ [名] (ゴルフ練習場) (golf) driving range Ⓒ.

うちづら　内面　¶ *内面がよい[悪い] (⇒ 家庭で機嫌がよい[悪い]) be in (a) ˹good [bad] *humor at home* / be in a ˹good [bad] *mood at home*

うちて　打ち手　(射手) shooter Ⓒ; (太鼓の) drummer Ⓒ.

うちでし　内弟子　appréntice Ⓒ 《☞ でし》.

うちでのこづち　打ち出の小槌　(魔法の小槌) magic mallet Ⓒ; (願いを何でもかなえてくれるもの) Aladdin's lamp Ⓒ.

うちとける　打ち解ける　(友好的になる) become [get] friendly; (…と親しくなる) make friends (with …); (気が楽になる) feel at ˹ease [home], feel relaxed; (ざっくばらんに話し合う) open up (to …) (自). 《☞ なごむ》. ¶ 子供たちはすぐ*打ち解けて一緒に遊び始めた The children soon ˹*became* [*got*] *friendly* and started to play together. / The children soon *made friends* (*with* each other) and started to play together. // 私たちはそのアメリカの学生たちとすぐ*打ち解けて (⇒ 親しくなって) 話し合った We soon *made friends with* the American students and we all ˹talked [*opened up*] *to each other*. // 彼のあけっぴろげな態度で彼女もじきに*打ち解けた (⇒ 彼の率直な態度が彼女を気楽にした) His frankness soon made her *feel at ease*.

うちどころ　打ち所　¶ 彼は階段から落ちて*打ち所が悪く (⇒ 急所を打ち) 死んでしまった He fell down the stairs and was struck dead when he *hit a vital spot*. 《☞ うつ[1]》

非の打ち所がない ☞ ひ[6]

うちどめ　打ち止め　━ [動] (終わる) end (自); (催し物・会合などが) be brought [come] to a close. ¶ ロングランの続いたその芝居は成功裡に*打ち止めになった After a long run, the play *ended* successfully. // 《相撲で》 この一番で本日の*打ち止め (⇒ この取り組みが最後です) This is the *last bout* of the day. // 《パチンコで》 *打ち止め (⇒ 休止中) *Closed* / (⇒ 故障中) *Out of Order*

うちとる　打ち取る　〘野〙 (三振でアウトにする) strike out (他); (ゴロでアウトにする) ground out (他); (フライでアウトにする) fly out (他); (ライナーでアウトにする) line out (他); (ファウルフライでアウトにする) foul out (他). 《☞ アウト》. ¶ 3 人の打者を連続三振に*打ち取る *strike out* three batters in a row // サードフライに*打ち取られる *fly out* to (the) third

うちなおす　打ち直す　(もう一度打つ) strike … again; (もう一度振る) swing … again; (キーボードを打ち直す) retype (他).

うちならす　打ち鳴らす　(鐘などを大きな音で) ring [strike] … loudly ★ strike はついて鳴らすこと; (太鼓などを) beat out on …; (ピアノなどを勢いよく打つ) hammer out on …

うちにわ　内庭　inner court Ⓒ; (スペイン・ラテンアメリカの家屋の) patio Ⓒ.

うちぬき　打ち抜き　(型を打ち抜くこと) punching Ⓤ; (穴をあけること) perforation Ⓤ. **打ち抜き型** die Ⓒ **打ち抜き機** punching ˹press [machine] Ⓒ **打ち抜き模様** perforated pattern Ⓒ.

うちぬく　撃ち抜く, 打ち抜く　(弾が) shoot [go] *through* …; (パンチで穴をあける) punch (他); (型で打ち抜く) stamp out (他). 《☞ つらぬく》. ¶ 弾がドアを*撃ち抜いた A bullet *went through* the door.

うちのめす　打ちのめす　(打ち倒す) knock [beat] down (他); (ひどく殴る) 《略式》 beat up (他); (がっくりさせる) overwhelm (他). 《☞ なぐる》. ¶ 私はアッパーカットで彼を*打ちのめした I *knocked* him *down* with an uppercut. // 今度彼に会ったら*打ちのめしてやる The next time I see him, I'll *beat* him *up*. // 彼女は悲しみに*打ちのめされた様子だった She looked *overwhelmed* ˹with [by] grief.

うちのり　内法　inside [interior] measurement Ⓒ. ¶ この箱の幅は*内法で 30 センチだ The box is thirty centimeters wide *on the inside*.

うちのれん　内暖簾　(split) curtain separating the domestic area from the work area Ⓒ.

うちはたす　討ち果たす　(敵を殺す) slay (他), kill (他); (相手を倒す) fell (他). ¶ 敵をことごとく*討ち果たす *kill* all the enemies

うちばらい　内払い　partial payment Ⓤ, payment on account Ⓤ; (手付金) deposit Ⓒ; (頭金) down payment Ⓒ. 《☞ うちきん》.

うちはらう　打ち払う　(ほこりなど叩いて払う) beat off (他); (ブラシや手で払う) brush off (他); (振って払う) shake off (他); (追い払う) drive away (他).

うちぶところ　内懐　(胸の内ポケット) inside [inner] breast pocket Ⓒ; (内心) *one's* heart. 《☞ ないしん[1]; ポケット》. ¶ 彼が本当は何を考えているのか*内懐まではわからない I don't know what he really thinks *in his heart*.

うちぶろ　内風呂　(浴室) bath Ⓒ ★ 特に bath at home と言わなくてもよい; bathroom Ⓒ ★ トイレ・洗面台などを含む浴室. 《☞ ふろ》.

うちべんけい　内弁慶　a lion at home but a mouse ˹abroad [outside]　[参考] この訳語は「内ではライオン, 外ではねずみ」ということわざ.

うちポケット　内ポケット　inside pocket Ⓒ.

うちぼり　内堀　inner moat Ⓒ.

うちまかす　打ち負かす　(敵・競争相手を) defeat (他), beat (他) ★ 後者の方が口語的; (相手に打ち勝つ) outdo (他) ★ しばしば受身で. 《☞ まかす[1]》.

うちまく　内幕　(内部の事実) inside story Ⓒ, inside facts ★ 前者のほうが普通. 後者は通例複数形で; (内部の情報) inside information Ⓤ; (実情) actual conditions ★ 通例複数形で; (秘密) secret Ⓒ. 《☞ ないじょう》. ¶ 彼は*内幕に通じているようだ He seems to have *inside information*. /He seems to be familiar with the *inside story*. // 彼らはその*内幕を探ろうとした (⇒ 舞台裏に行こうとした) They tried to *go behind the scenes*.

うちまご　内孫　(一緒に暮らしている孫) grandchild who lives in *one's* home (together) Ⓒ; (息子の子) child of *one's* son Ⓒ.

うちまた　内股　━ [名] (股の内側) inner thigh Ⓒ, the inside of the thigh; (内股の歩き方) pigeon-toed walk Ⓒ. ━ [形] (内股の) pigeon-toed. ¶ 彼は*内股だ He is *pigeon-toed*. // *内股で歩く walk *pigeon-toed* **内股膏薬** (二枚舌を使うこと) duplicity Ⓤ; (表裏のある言行) double-dealing Ⓤ; (人) double-dealer Ⓒ.

うちまわり　内回り　(鉄道の環状線で内側の線路) the ˹inner [inside] tracks. ¶ 山手線の*内回りに乗る take a train on *the inner tracks* of the Yamanote Line

うちみ　打ち身　━ [名] bruise /brúːz/ Ⓒ. ━ [動] bruise (他). 《☞ きず (類義語); だぼくしょう》. ¶ いすにぶつかって向こうずねに*打ち身をこしらえた I *bruised* my shin on the chair. / I ˹knocked [banged] my shin ˹against [on] the chair and *bruised* it.

うちみず　打ち水　━ [動] (水をまく) water (他); (散水する) sprinkle water (on …), sprinkle … with water. ¶ 庭に*打ち水をした I *watered* the garden. / I *sprinkled* the garden (*with water*). / I *sprinkled water* ˹*on* [*in*] the garden.　[語法] on は「庭一面に」, in は「庭の中でその一部に」水をやった, のように意味が少し違う.

うちむそう　内無双　(相撲の技) *uchimuso* Ⓤ; (説

明的には) inner thigh propping twist down Ⓤ.
うちもも 内股, 内腿 inner thigh Ⓒ.
うちモンゴルじちく 内モンゴル自治区 ―名 固 Inner Mongolia Autonomous Region.
うちやぶる 打ち破る (負かす) defeat 他 《☞ やぶる; まかす[1]; だは》.
うちゆ 内湯 (温泉旅館の) indoor bath of a hot-spring inn Ⓒ.
うちゅう 宇宙 ―名 the únivèrse; the cósmos; space Ⓤ; outer space Ⓤ. ―形 cósmic.
【類義語】あらゆる天体を包みこんだ宇宙の意味では **the universe** を用いる. 秩序ある統一を持った宇宙は **the cosmos** で,「混沌」(chaos) に対する. ただし,「宇宙の」の意味ではこの形容詞形の **cosmic** を用い, universal は使わない. また, 一般的な科学用語として宇宙空間の広がりを **space** といい, 特に地球から考えた場合は **outer space** ともいう.
¶ *宇宙へ発進する物体は地球の引力から脱出しなければならない An object travel(l)ing into (*outer*) *space* must escape the earth's gravity.
宇宙医学 (aero)space medicine Ⓤ, astromedicine Ⓤ **宇宙開発計画** space development project Ⓒ **宇宙開発事業団** ☞ 宇宙航空研究開発機構 **宇宙科学** space science Ⓤ **宇宙科学者** space scientist Ⓒ **宇宙空間** (outer) space Ⓤ **宇宙工学** space engineering Ⓤ; (航空宇宙工学) aerospace engineering Ⓤ **宇宙航空研究開発機構** the Japan Aerospace Exploration Agency 《略 JAXA》 **宇宙雑音** cosmic ⌈(radio) noise [static] Ⓤ **宇宙産業** the space industry **宇宙時代** the Space Age, the space age **宇宙実験室** space lab Ⓒ **宇宙条約** Outer Space Treaty **宇宙食** space food Ⓤ **宇宙塵** cosmic dust Ⓤ **宇宙人** ☞ 見出し **宇宙ステーション** space station Ⓒ, space platform Ⓒ **宇宙生物学** astrobiology Ⓤ, space biology Ⓤ **宇宙船** ☞ 見出し **宇宙線** cosmic rays ★ 通例複数形で. **宇宙速度** space velocity Ⓤ, cosmic speed Ⓤ **宇宙探査** space exploration Ⓤ **宇宙探査機** space probe Ⓒ **宇宙中継** (communications) satellite transmission Ⓤ **宇宙飛行** spaceflight Ⓤ **宇宙飛行士** ☞ 見出し **宇宙服** space suit Ⓒ **宇宙物理学** cosmophysics Ⓤ **宇宙兵器** space weapon Ⓒ **宇宙遊泳** spacewalk Ⓒ **宇宙遊泳者** spacewalker Ⓒ **宇宙旅行** space travel Ⓤ **宇宙ロケット** space rocket Ⓒ **宇宙論** cosmology Ⓤ.
うちゅうかん 右中間 〘野〙 right center field Ⓤ 《☞ やきゅう》. ¶ *右中間に 3 塁打を放つ hit a triple into *right center* (*field*)
うちゅうじん 宇宙人 (地球人に対する) alien /éɪliən/ Ⓒ; (他の惑星からの人) person from another planet Ⓒ, extraterrestrial /èkstrətəréstriəl/ Ⓒ.
うちゅうせん 宇宙船 spacecraft Ⓒ ★ 単複同形; spaceship Ⓒ; space shuttle Ⓒ.
【類義語】ロケット推進の宇宙船を **spaceship** というが, その他宇宙旅行や宇宙探索のための衛星 (satellite) なども含めて広い意味に使うのが **spacecraft**. 宇宙連絡船を **space shuttle** という. 《☞ ロケット[1]》
うちゅうひこうし 宇宙飛行士 ástronàut Ⓒ; cósmonàut Ⓒ; spaceman Ⓒ 《複 -men》.
【類義語】アメリカの宇宙船の場合は **astronaut**, 旧ソ連の宇宙船の場合は **cosmonaut**, 宇宙 (科学) 小説などに登場するものには **spaceman** を用いる.
うちょうてん 有頂天 ¶ 彼は自分の大成功に*有頂天になった (⇒ 狂喜した) He was ⌈*overjoyed* [(⇒ 喜びに我を忘れた) *beside himself with joy*] at his great success. / (⇒ 大成功が彼を恍惚(こう)とさせた) His great success threw him into *ecstasy*. ★ 第 2 文のほうが格式ばった言い方. // (…で)*有頂天である[になる] *be in* [*go into*] *raptures* (at …; about …; over …) 語法 rapture は複数形で. 格式ばった表現. 《☞ きょうき[3]; よろこび》
うちよせる 打ち寄せる (波がひたひたと) lap 自; (波がうねって) roll (in) 自; (波が激しく) beat (against …) 自, dash (against …) 自; (岸辺などに打ち上げる) wash (up) 他 ★ 普通は受身で.
¶ 波がひたひたと浜辺に*打ち寄せる音 the sound of the waves *lapping* on the beach // 大波が岸に*打ち寄せた Huge waves ⌈*rolled in* to [*beat against*] the beach. // 鮫(さめ)の死骸が岸に*打ち寄せられた A dead shark *was washed up* on (the) shore.
うちわ[1] 内輪 ―形 **1** 《内部だけの》: (家族の) family(-style) Ⓐ; (個人的な・私的な) private.
¶ *内輪の事柄 (⇒ 家庭内の事柄) a *family* matter / (⇒ 当人(同士)だけの事柄) a *private* affair // 結婚式は*内輪ですませよう Let's have a quiet wedding *within* ⌈*the family* [*our family circle*]. / (⇒ こぢんまりとした家族だけの結婚式を持とう) Let's have a small, *family*(*-style*) wedding.
2 《控えめの》: (慎重な) conservative Ⓐ; (度を超さない) moderate; (謙虚な) modest; (低い) low. 《☞ ひかえめ》. ¶ 費用は最も*内輪に見積もっても 100 万円になる The expenses will come to one million yen at the ⌈most *conservative* [*lowest*] estimate.
内輪の恥をさらす wash [air] *one's* dirty linen (in public). **内輪話** private talk Ⓒ; (密談) private conversation Ⓒ **内輪もめ** ¶ 彼らは*内輪もめをした (⇒ 自分たち同士でけんかした) They quarreled *among themselves*. 《☞ ないふん[1]》.
うちわ[2] 団扇 Jápanèse (róund) fán Ⓒ. **団扇太鼓** fan-shaped hand drum Ⓒ.
うちわけ 内訳 ―名 (項目別に分類したもの) breakdown Ⓒ; (個々の項目を箇条書きにしたもの) items; (明細) details ★ 以上の 2 つは通例複数形で. ―動 (内訳を示す) itemize 他. 《☞ めいさい[1]; さいもく》. ¶ この勘定の*内訳を下さい (⇒ 箇条書きにして下さい) Please *itemize* the account. / (⇒ 勘定の各項目をあげて下さい) Please ⌈list [set down] *each item* ⌈of [in] the account. // 総額だけ教えてくれ. *内訳はいいから Let me know the ⌈total amount [(grand) total]. I don't want the *details*. // 彼の報告書には費用の*内訳が書いてない No *breakdown* of the expenses is given in his report. **内訳書** itemized /áɪtəmàɪzd/ ⌈statement [account] Ⓒ.
うつ[1] 打つ **1** 《打撃を与える》: strike 他 自 《過去・過分 struck》; knock 他; hit 他 《過去・過分 hit》; bang 他; slap 他; pat 他; punch 他; pound 他; box 他; beat 他 自 《過去 beat; 過分 beaten, 《米》 beat》; (手を) clap 他.
【類義語】最も一般的な語は **strike** で, 手または手に持ったもので打つことを意味する. こぶし, または固いもので打つのは **knock**. もっと口語的なのは **hit** で,「ねらい打つ」という感じ. どんと打つのは **bang**, 平手でぴしゃりと強くたたくのは **slap**, 軽くたたくのは **pat**. こぶしでたたくのは **punch**. こぶしで繰り返したたくのは **pound**. 平手, またはこぶしで横っ面をたたくのは **box**. 続けざまにたたくのは **beat**. 拍手するように手を打つのは **clap**. 《☞ たたく; なぐる》
¶ 私はこぶしで彼のあごを*打った I ⌈*struck* [*hit*] him *on* the chin with my fist. 語法 身体の接触を表す動詞 (strike, hit, hold, grab, catch, kiss など) は, まず「人」を目的語として, 次に前置詞を用いて身体の部分を示すのが普通. ((例) 私は彼の手をとらえた I *caught him by the hand*. // 私は彼女の頬にキスした I *kissed her on the cheek*.). // 私は金づちで強く釘(くぎ)を*打った <S(人)+V (*strike*; *hit*)+O(物)+副+*with*+名(物)> I ｢*struck* [*hit*] the nail hard *with* the hammer. // 壁に釘を*打って絵をかけた I *drove* a nail into the wall and hung a picture on it. // あごを強く*打たれて気絶した (⇒ あごに強い打撃をくって気絶した) I *got* a hard ｢*knock* [*blow*] *on* the chin and passed out. // 彼は壁にぶつかって額を*打った (⇒ 額を壁にぶつけた) He ｢*knocked* [*banged*] his forehead *against* the wall. // 彼は私に*打ってかかった He ｢*hit* [*struck*] me. // 彼は転んで後頭部を*打った He fell down and *hit* the back of his head. // いやというほど背中を*打たれた I *was* ｢*hit* [*struck*] very hard *on* the back. // 子供は太鼓を*打つのが好きだ Children like to *beat* (*on*) drums. // 激しい雨が窓を*打った The heavy rain *beat against* the windows. // 彼はバットでボールを強く*打った He *hit* the ball with the bat very hard. // 彼は5打席で3安打を*打った He *made* three *hits* in (his) five times at bat. // 彼は今シーズン30号目のホームランを*打った He ｢*hit* [*smacked*] his 30th home run of the season. ★[ ] 内は俗語.

2 «心を打つ»: (感動させる) move ⑩; (感銘を与える) impress ⑩; (感傷的な気持ちにさせる) touch ⑩. ¶ 彼の演説は大いに私たちの心を*打った His speech ｢*moved* [*impressed*] us greatly. // 彼女の悲しい話は私の心を*打った Her sad story *touched* my heart. // それは心*打たれる光景だった It was a *moving* scene.

3 «時を打つ»: strike ⑩ ⓐ《過去・過分 struck》. ¶ 時計はちょうど3時を*打ったところだ The clock *has* just *struck* three. [語法] strike three o'clock とはいわない.

打つ手 ¶ この件には*打つ手がない (⇒ 何もすることができない) There is *nothing we can do about* this. // 不景気を撃退するために何か*打つ手 (⇒ なされるべきこと)はないだろうか Isn't there *anything to be done* to counteract the slump? 《☞ て; さく[4]》

うつ[2] 撃つ (人・動物などを撃つ, 弾丸・矢などを放つ) shoot ⑩ ⓐ《過去・過分 shot》; (銃弾などを発射する) fire ⑩ ⓐ [語法] (1) ⑩ の場合 fire は人・動物を目的語にとらない. 《☞ はっぽう[2]; はっしゃ[2]》. ¶ 彼は拳銃で私を*撃った He *shot* me with a ｢gun [pistol]. // 彼は私をねらって*撃った He ｢*shot* [*fired*] *at* me. [語法] (2) この場合の at は「…を目がけて」という「目標・目的」を示す. // 彼はライオン目がけてライフルを*撃った He ｢*fired* [*shot*] a rifle at the lion. // *撃て! 《号令》 *Shoot*! / *Fire*! // 動くな. さもないと*撃つぞ Don't move [Freeze], or I'll *shoot*. / Move and I'll *shoot*.

うつ[3] 鬱 depression Ⓤ. ¶ *うつ状態 a state of *depression*

うつ[4] 討つ (攻撃する) attack ⑩; (負かす) defeat ⑩; (滅ぼす) destroy ⑩; (あだを討つ) revenge ⑩, take revenge on … (for …), avenge ⑩. [語法] revenge または take revenge on … は被害者自身を主語にすることが多く, revenge *oneself* on … の形をとることも多い. avenge は revenge よりも格式ばった語で, 正義感などから当然の報いを加える意で, 被害者以外の人を主語にして, 被害者に代わって復讐する形をとることが多い. 《☞ うちたおす; うちはたす; かたき; あだうち》. ¶ 部隊は待ち伏せして敵を*討った *The troop* waited in ambush and *attacked* the enemy. // 殺された妹のあだは必ず*討ってやる I vow to *avenge* my murdered sister.

うつうつ 鬱鬱 ― 形 (ふさぎ込んだ) gloomy (about …; over …); (気落ちした) depressed (at …); (意気消沈して) in low spirits. 《☞ ゆううつ》. ¶ 将来を考えて*うつうつとした気持ちになる feel *gloomy* ｢*about* [*over*] the future

うっかり ― 形 (ぼんやりした) absent-minded; (不注意な) careless; (故意でない) 《格式》 inadvertent Ⓐ. ― 副 (気付かずに) unawares; (不注意で) carelessly; (誤って) by mistake; (故意でなく) 《格式》 inadvértently. 《☞ うかつ; ふちゅうい; ぼんやり》. ¶ 彼女は*うっかり秘密をもらした (⇒ 気がつく前に秘密をもらしてしまった) She let the secret ｢out [slip] *before she knew* it. // *うっかりして (⇒ ぼんやりしていたので) 自分の駅を乗り過ごした I was so *absent-minded* (that) I went past my station. // 私は切符が見つからなかった. どこかで*うっかり落としたに違いない I couldn't find my ticket and must have dropped it *unawares*. // 私は*うっかり口をすべらせてそのことを彼に言ってしまった I *made a slip of the tongue* and told him about it. // 「ドアをロックして鍵を持たずに出てしまった」「君もずいぶん*うっかりしているね」"I've locked myself out." "That's very *careless* of you."

うつぎ 空木 〘植〙 deutzia /d(j)úːtsiə/ Ⓤ.

うづき 卯月 (旧暦の四月) the fourth month of the lunar calendar; (現在の四月) April.

うつくしい 美しい beautiful; pretty; handsome /hǽnsəm/; lovely; good-looking; (声が) sweet; (風景が) picturesque /pìktʃərésk/.

【類義語】 調和と均整のとれた完璧な美しさを表すのが **beautiful** で, 最も一般的な語. 人に関して用いられるときは特に優雅で気品のある美しさを示す. 必ずしも美しいとは限らないが, 顔立ちがよく, 愛らしい感じは **pretty** で, 女性に用いられる. 特に愛くるしいという意味では **lovely**. 以上の3語は「人」以外にも広く用いられる. 主に男性に用いられ, 容姿のよいことを表すのは **handsome**. *handsome*, *pretty* とほぼ同意で, 器量がよいことを表す口語的な語は **good-looking** で, 男女ともに用いられる. 風景が絵のように美しいのは **picturesque**. 声が美しいのは **sweet**. 《☞ きれい》

¶ 彼女は*美しい少女だ She is a ｢*pretty* [*beautiful*; *lovely*; *good-looking*] girl. // 何て*美しい景色だろう What ｢*beautiful* [*lovely*] scenery this is! / What a ｢*pretty* [*fine*] view this is! // その丘の間に絵のように*美しい村があった There was a *picturesque* village in the hills. // あの老夫婦は心の*美しい人たちだ (⇒ 心が純粋だ) That old couple are ｢*pure in heart* [(⇒ 心が高潔だ) *noble-minded*]. // 彼の妹は*美しい声をしている His sister has a ｢*sweet* [*good*] voice. // 彼女は*美しく着飾っている She is ｢dressed *beautifully* [(*all*) *dressed up*]. // *美しい話 (⇒ 感動的な話) a *moving* story

うっくつ 鬱屈 ― 名 (暗い気持ち) gloom Ⓤ; (極度の落ち込み・ふさぎ) depression Ⓤ; (長く続く憂鬱) melancholy Ⓤ. ― 動 get [grow; become] gloomy; be depressed. 《☞ ゆううつ; ふさぎこむ》. ¶ 親友の死で彼は気持ちが*うっくつした He *was depressed* by the death of his close friend.

うっけつ[1] 鬱血 (充血) congestion Ⓤ, 〘医〙 engorgement Ⓤ. 《☞ じゅうけつ》.

うっけつ[2] 鬱結 ― 名 (気持ちがふさぐこと) depression Ⓤ; (重苦しい感じ) oppression Ⓤ. ― 動 be depressed; be oppressed. 《☞ うっくつ; おもくるしい》. ¶ 彼女の心に深刻な疑惑が*うっけつした She *was* ｢*depressed* [*oppressed*] by (the) deep suspicion.

うつし 写し ― 名 copy Ⓒ, duplicate /d(j)úːplɪkət/ Ⓒ ★ 前者は意味の広い語で, 手書きの写しなどにも用いるが, 後者はもっと厳密な意味での写しをいう; (複写機による) photocopy Ⓒ. ― 動 (写しをとる) copy ⑩, duplicate /d(j)úːplɪkèɪt/ ⑩; (複写機で) Xerox /zí(ə)raks/ ⑩, photocopy ⑩. 《☞ ふくしゃ[1]; コピー; うつす[2]》. ¶ この書類の*写しを

とったほうがいい You should *make* ˹*a copy* [*copies*] of these papers. / You should *have* these papers ˹*copied* [*duplicated*].

うつしえ¹ 写し絵 (子供の) copy picture Ⓒ; (影絵) shadowgraph Ⓒ; (似顔絵) (hand-drawn) portrait Ⓒ.

うつしえ² 移し絵 (技法) decalcomania /dìːkæ̀lkəméɪniə/ Ⓤ; (絵) decal(comania) Ⓒ.

うつしだす 写し出す, 映し出す (映像などを) show ... on ...; (投射する) project ... on ...; (反射して映す) reflect ⓗ; (鏡に映す) mirror ⓗ; (表現する) describe ⓗ; (描写する) depict ⓗ. (☞ うつす²; びょうしゃ). ¶ビデオをテレビ画面に*写し出す *show* a video *on* the TV screen // 湖は周囲の木々を*映し出した The lake ˹*reflected* [*mirrored*] the trees around it.

うつしとる 写し取る (文書・絵などの写しを作る) make a copy (of ...); (紙に書き写す) copy ˹down [out] ⓗ; (複写機で複写する) phótocòpy ⓗ; (全く同じ写しを作る) duplicate /d(j)úːplɪkèɪt/ ⓗ ★主に受身で用いる. duplicate と copy も複写機で複写する意味にも用いる; (談話などを文字に書き写す) transcribe ⓗ; (図・絵を透写する) trace ⓗ. (☞ コピー; ふくしゃ¹). ¶生徒は黒板の数式をノートに*写し取った Students *copied down* the mathematical formulas on the blackboard in their notebooks.

うつす¹ 移す **1** «場所を»: move ⓗ; remove ⓗ; shift ⓗ; transfér ⓗ.

【類義語】物の移動を表す最も一般的な語は **move**. そのもの本来の場所からの移動を強調するのは **remove**. 位置や方向の変更を強調するのは **shift**. やや格式ばった語で, 地位・職場・権利などの移動を表すのが **transfer**. (☞ うごかす; うつる¹; いどう¹·²)

¶私はいすをもっとストーブのそばへ*移した I *moved* my chair closer to the heater. // 彼女は家具の位置をあちこちに*移した She *shifted* the furniture around. // 彼は千葉の支店へ*移された He *was transferred* to a branch office in Chiba. // やかんのお湯を魔法瓶に*移した (⇒ 注いだ) I *poured* the (hot) water from the kettle into the ˹thermos bottle [(英) flask].

2 «病気を»: (感染させる) infect ⓗ ★格式ばった語. 医学用語としても用いられる; (次へ回す) pass ⓗ; (与える) give ⓗ. (☞ うつる¹; かんせん¹; でんせん²). ¶赤ん坊に風邪を*うつさないよう気をつけなさい Be careful not to ˹*pass* [*give*] your cold (on) to the baby. // 彼女に風邪を*うつされた (⇒ 彼女は私に風邪を与えた) She *gave* me her cold. / (⇒ 彼女から風邪をもらった) I *caught* ˹(a) cold from her [her cold].

3 «時を» ¶彼らは時を*移さず (⇒ ぐずぐずしないで) 行動を起こした They took action *without delay*. / (⇒ ただちに行動を起こした) They took action ˹*immediately* [*at once*]. / (⇒ 行動を起こすのに時間を浪費しなかった) They *lost no time* (in) taking action. (☞ ただちに)

うつす² 写す, 映す **1** «写しとる»: (書き写す) copy ⓗ; (厳密に複写する) duplicate /d(j)úːplɪkèɪt/ ⓗ; (薄い紙などをのせたりしてトレースする) trace ⓗ. (☞ コピー; うつし). ¶彼女はそのページをノートに*写した She *copied* the page in her notebook.

2 «写真を撮る»: take ⓗ 語法 目的語になるのは picture Ⓒ, phóto(gràph) Ⓒ; (人・物を撮影する) phótogràph ⓗ. (☞ しゃしん; さつえい).

¶あなたの写真を*写してもいいですか May I ˹*take* a photograph of you [*photograph* you]? / May I *take* ˹your picture [a picture of you]?

3 «反映する»: (反射して映す) reflect ⓗ; (鏡(のよう)に映す) mirror ⓗ ★前者は「反映する」という日本語に当たる場合. 後者は「より正確に映す」というニュアンスがある; (映画・スライドなどを映写する) project ⓗ. ¶澄んだ水面が月を*映していた The clear water ˹*reflected* [*mirrored*] the moon. / The moon *was* ˹*reflected* [*mirrored*] in the clear water. // 彼はスクリーンにスライドを次々に*映した He *projected* his slides onto the screen one after ˹another [the other]. // 彼女は鏡に顔を*映してみた (⇒ 鏡をのぞきこんだ) She *looked* (at herself) *in* the mirror.

うっすら ― 副 (わずかに) slightly; (かすかに) faintly; (ぼんやり) dimly; (薄く) thinly; (軽く) lightly. (☞ かすか; おぼろげ). ¶彼女は*うっすらと目を開けて辺りを見た She looked around with her eyes *slightly* open. / She opened her eyes *slightly* and looked around. // 山は*うっすらと雪化粧をしていた The mountain was *lightly* ˹sprinkled [dusted] with snow.

うっせき 鬱積 ― 形 (鬱積した) pent-up Ⓐ. ¶*うっせきした怒り[感情]を…にぶちまける vent *one's pent-up* ˹anger [feelings; emotion] on ...

うつせみ 空蟬 (現世) this mundane world.

うつぜん 鬱然 ― 形 (繁茂した・栄えた) flourishing; (繁栄している) thriving. (☞ はんも).

うっそう 鬱蒼 ― 形 (生い茂った) thick, dense. (☞ おいしげる). ¶*うっそうとした森 a ˹*thick* [*dense*] forest

うったえ 訴え (訴訟) suit /súːt/ Ⓒ, lawsuit Ⓒ; action Ⓒ ★action は訴えることよりも実際の訴訟手続きに重点が置かれている; (懇請) appeal Ⓒ; (不満) complaint Ⓒ. (☞ そしょう; たんがん¹).

¶彼女の*訴えは退けられた[取り上げられた] Her ˹*suit* [*lawsuit*] was ˹dismissed [allowed]. // 彼女は彼に対して離婚の*訴えを起こした She brought a divorce *action* against him. // 彼はタクシー会社に対して損害賠償の*訴えを起こした He ˹brought [started; filed] a ˹*suit* [*lawsuit*] for damages against the taxi company. // 彼は彼女の*訴えに耳を貸そうとしなかった He turned a deaf ear to her ˹*appeal* [*complaint*].

うったえる 訴える **1** «訴訟する»: (訴訟を起こす) bring (an) action (against ...), bring (a) suit (against ...); (告訴する) sue ⓗ; (訴訟の書類を提出する) file a ˹suit [lawsuit] (against ...); (告発する) accuse ⓗ, charge ⓗ 語法 accuse は個人的に責める場合に用いられることが多く, 必ずしも法律上の告訴を意味しないが, charge は法律上の告発を指し, accuse よりも格式ばった語. (☞ きそ²; そしょう; こくそ). ¶私は彼を詐欺罪で*訴えた (⇒ 彼に対して訴訟を起こした) I *brought* (*a*) *suit against* him for fraud. / I *accused* him *of* fraud. // 彼らはその製薬会社を*訴えた They ˹*sued* [*filed* (*a*) *suit against*] the pharmaceutical /fɑ̀ːəməsúːtɪkəl/ company. // 私は彼らを損害賠償を求めて*訴えた (⇒ 告訴した) I *sued* them for damages.

2 «苦痛などを告げる»: (不満を言う) complain (of ...) ⓙ; (苦情を言う) make a complaint (of ...; about ...; against ...). (☞ くつう). ¶患者はしきりに頭痛を*訴えた The patient continually *complained of* a headache.

3 «呼びかける»: (働きかける) appeal (to ...) ⓙ; (懇請する) make an appeal (to ...). (☞ よびかける; アピール). ¶市長は全市民に対して協力を*訴えた The mayor *made an appeal to* every citizen for cooperation.

4 «感動させる»: appeal (to ...) ⓙ (☞ うつ¹). ¶彼の演説は聴衆の心に強く*訴えた His speech *appealed* strongly *to* the audience.

5 «用いる»: (利用する) resort (to ...) ⓙ, have

recourse (to ...) ★ 後者のほうが格式ばった言い方; (力などで解決しようとする) appeal (to ...) ⓐ. 《☞ たよる; ぼうりょく》.

コロケーション
援助を訴える *appeal* for ⌈help [support] / 常識に訴える *appeal* to common sense / 武力[暴力]に訴える *appeal* [resort] to ⌈arms [violence] / 法に訴える *appeal* to the law; *resort to* the law courts / 良心に訴える *appeal* to *a person's* conscience

うっちゃり (相撲の技) *utchari* Ⓤ; (説明的には) backward pivot throw Ⓤ.

うっちゃる (相撲で) throw *one's* opponent out of the ring at the last moment. ¶ あの子は*うっちゃっておきなさい (⇒ ひとりにしておきなさい) *Leave* ⌈him [her] *alone*. // あの男は*うっちゃっておいても (⇒ 監督しなくても) ちゃんと仕事をする He works well even *without supervision*.

うつつ 現 ¶ これは夢か*うつつか (⇒ これは本当か, または夢を見ているのか) Is this *true* or am I dreaming? 《☞ ゆめ¹; げんじつ》
うつつを抜かす ¶ 彼はゴルフ[賭け事]に*うつつを抜かしている (⇒ 凝っている) He *is addicted to* ⌈golf [gambling]. 《☞ むちゅう》

うって 討っ手 (討伐隊) punitive /pjúːnətɪv/ ⌈fórce [èxpedítion] Ⓒ; (追っ手) pursuer Ⓒ.

ウッディーライフ (自然の中での生活) life in nature Ⓤ; (森の中の生活) life in the woods Ⓤ ★ 「ウッディーライフ」は和製英語. ¶ ログハウスで*ウッディーライフを楽しむ enjoy (the) *life* in a log cabin *in the woods*

うってがえ 打って替え 〔碁〕 snapback Ⓒ 《☞ いれかえ; いれかわり》.

うってかわる 打って変わる (完全に変わる) change completely ⓐ 《☞ いっぺん²; きゅうへん》.
¶ 彼女は私に*打って変わった態度をとった (⇒ 私に対する態度を完全に変えた) She *completely* ⌈*changed* [*altered*] her attitude toward me. / (⇒ 私に対して完全に変わった[まったく違った]態度をとった) She adopted ⌈a *completely changed* [an *entirely different*] attitude toward me.

うってつけ ―形 (最良の) best; (正しく当てはまる) right; (ふさわしい) suitable; (ぴったり合った) fit; (申し分のない) perfect. ―動 (ぴったりである) be cut out ⌈to be [for] ... 語法 しばしば否定構文で用いる. 《☞ てきにん; あつらえむき》.
¶ 彼こそこの仕事に*うってつけだ (⇒ この仕事に最も適切な人だ) He is *the* ⌈*very best person* [*right man*] for the job. // 彼は調停役に*うってつけとは言い難い He *is* not *cut out to be* a mediator. / (⇒ 彼が調停役にうってつけであると私は思わない) I don't think (that) he *is cut out for* mediating. // これは君に*うってつけの仕事だ This is a job ⌈*eminently* [*very*] *suitable* for you.

うってでる 打って出る **1** 《出撃する》: (軍隊などが) sally out ⓐ, make a sally, sortie ⓐ. 《☞ しゅつげき; とつげき》.
2 《自分から出てゆく》: (新しく始める) start ⓐ, launch ⓐ; (選挙に) run [《英》 stand] for ... 《☞ のりだす》. ¶ 彼は市長選に*打って出るだろう He will *run for* mayor.

ウッド (木材) wood Ⓤ; (ゴルフクラブの) wood Ⓒ.
ウッドクラフト (木工術) woodcraft Ⓤ; (木工・木工品) woodwork Ⓤ ウッドハウス (木造家屋) frame house Ⓒ ★ 木材を骨組みにした家; (丸太で作った小屋) log cabin Ⓒ 日英比較 英語の woodhouse は材木小屋の意. ウッドパルプ wood pulp Ⓤ.

うっとうしい 鬱陶しい (陰気な) gloomy; (どんよりした) dull; (気がめいるような) depressing; (重苦しくて耐えられないような) oppressive. 《☞ おもくるしい》. ¶ きょうは*うっとうしい天気だった We had ⌈*dull* [*oppressive*] weather today. / The weather was ⌈*gloomy* [*depressing*] today. // 雨の日は*うっとうしい (⇒ 雨の日には憂うつに感じる) I feel *gloomy* on rainy days.

ウッドチャック 〔動〕 woodchuck Ⓒ.

うっとり ―動 (魅惑される) be ⌈fáscinàted [enchánted]. ―形 (我を忘れた) ecstátic; (魅惑された) fascinated, enchanted; (魅惑するような) fascinating, enchanting ★ 以上 2 組の訳語はいずれも後者のほうが意味が強い. ―副 (歓喜して) in (an) écstasy; (夢見ているように) in a trance ★ 眠りのような状態をいう. 《☞ こうこつ¹; ほれぼれ; みわく》.
¶ 彼は彼女の美しさに*うっとりした He *was* ⌈*fascinated* [*enchanted*] ⌈by [with] her beauty. // 彼女は*うっとりするような声をしている (⇒ 魅惑的な声を持っている) She has ⌈a *fascinating* [an *enchanting*] voice.

うつねん 鬱念 ―形 (暗い気持ちの) gloomy; (憂鬱な) depressive. ―名 gloom Ⓤ; depression Ⓤ. 《☞ ゆううつ》.

うつびょう 鬱病 depression Ⓤ. 鬱病患者 depressive Ⓒ.

うつぶす 俯す lie ⌈on *one's* face [prone] ★ [ ] 内は格式ばった語. 《☞ うつぶせ; つっぷす》.

うつぶせ 俯せ ―副 on *one's* face (↔ on *one's* back) 《☞ はらばい》. ¶ 彼は*うつぶせに倒れた He fell *on his face*. // 彼は床の上に*うつぶせになった He *lay prone* on the floor.

うっぷん 鬱憤 (うっせきした怒り) pént-ùp ánger Ⓤ; (うっせきした欲求不満) pent-up frustration Ⓤ; (恨み・憎しみ) grudge Ⓒ. 《☞ いかり¹; うらみ》. ¶ 彼は*うっぷんをぶちまけた He gave vent to his *pent-up* ⌈*anger* [*frustration*].

うつぼ 鱓 〔魚〕 moray (eel) Ⓒ.

うつぼかずら 靫葛 〔植〕 pitcher plant Ⓒ.

うつぼぐさ 靫草 〔植〕 self-heal Ⓒ.

うつぼつ 鬱勃 ―名 (気力が旺盛なこと) vigor Ⓤ. ―形 vigorous; (精力的な) energetic; (激しい) burning. 《☞ きりょく¹; せいりょく²》.

うつむきがち 俯きがち ―形 (うなだれた) drooped; (視線が下向きの) downcast; (元気のない) dispirited. 《☞ うつむく》. ¶ *うつむきがちに歩く walk with *one's* head *slightly* ⌈*drooped* [*down*]

うつむく 俯く (下を見る・目を伏せる) look down ⓐ; (頭をたれる) hang *one's* head; (頭などが垂れる) droop (down) ⓐ. 《☞ うなだれる》. ¶ 彼女は恥ずかしそうに*うつむいた (⇒ 頭をたれた) She ⌈*looked down* [*hung her head*] shyly.

うつむけ 俯け ―副 (顔を下に) on *one's* face; (腹ばいに) on *one's* stomach. 《☞ うつぶせ; はらばい》. ¶ *うつむけに倒れる fall *on one's face* // *うつむけに寝そべる lie *on one's stomach*

うつむける 俯ける (顔を) droop *one's* head, drop *one's* head; (底部を上に向けさかさまにする) turn ... ⌈bottom up [upside down] ⓐ.

うつらうつら ¶ 彼は*うつらうつらした (⇒ うたた寝をした) He *dozed off*. // 部屋が暖かくてつい*うつらうつらした (⇒ 眠くなった) I *felt drowsy* /dráuzi/ in the warm room. 《☞ うたたね; うとうと; いねむり》

うつり 映り ¶ あの着物にはこの帯のほうが*映りがいい (⇒ よく似合う) This obi *goes better with* that kimono. 《☞ みばえ¹》

うつりが 移り香 lingering ⌈fragrance [scent] Ⓒ.

うつりかわり 移り変わり (変化) changes ★ 通例複数形で; (転換) turning Ⓤ; (移行) transítion

Ⓒ ★ 以上の中で最も格式ばった語. (☞ へんせん; すいい¹). ¶ 季節の*移り変わり the *turning* of the seasons // 言葉にも*移り変わりがある (⇒ 言語は変化する) Language *changes.* / (⇒ 言語も変化を受ける) Language undergoes *changes.*

うつりかわる 移り変わる (変わってほかのものになる) change ⓐ; (変化を受ける) undergo changes. (☞ へんか; すいい¹).

うつりぎ 移り気 ―動 (気持ちを変える) change *one's* mind; (何事もやり通せない) cannot stick to … ―形 (気まぐれの) fickle, inconstant ★ 前者が口語的; (突然気が変わるような) caprícious ★ 突然ということに重点がある. ―名 fickleness Ⓤ, inconstancy Ⓤ; caprice /kəpríːs/ Ⓒ. (☞ きまぐれ). ¶ *移り気な恋人 an *inconstant* [a *fickle*] lover // あれは*移り気な男だ (⇒ しばしば気持ちを変える) He often *changes his mind.* / (⇒ 何事にも身が入らない) He *cannot stick to* anything.

うつりゆく 移り行く ―動 (変化する) change ⓐ. ―形 (変わって行く) changing; (つかのまの) passing; (はかない) transient.

うつる¹ 移る **1** 《移住する》: move ⓐ, remove ⓐ ★ 住所を変わる意味では move のほうが普通. remove は (英) で (格式). (☞ ひっこし; いてん). ¶ 私たちは来週新しい家へ*移ります (⇒ 引っ越します) We *are moving* ⌈*to* [*into*] a new house next week. 語法 into はホテルやアパートなどに移るときに多く用いられる.

2 《話題などが移る》: (転じる) turn (to …) ⓐ; (知らず知らず移る) drift into …; (進む) go (on) (to …) ⓐ. ¶ それから私たちの話題は野球に*移った (⇒ 転じた) Then our talk *turned to* baseball. // 会話はいつの間にか問題点に*移っていた The conversation *drifted into* a controversial area. // 次の問題に*移りましょう (⇒ 進みましょう) Let's *go* (*on*) *to* the next problem.

3 《感染する》 ―動 catch ⓗ ⓐ; (病気が) be transmitted (to …) ★ 前者のほうが意味が広く口語的. ―形 (伝染性の) contágious, inféctious. ★ contagious は「接触による」という意味を含む. (☞ かんせん¹; うつす¹; でんせん²). ¶ 弟に私の病気が*うつった (⇒ 弟は私から病気をもらった) My brother *caught* the disease *from* me. // この病気は*うつりやすい This disease is ⌈*contagious* [*infectious*]. // あくびは*うつる Yawning is *contagious.*

4 《時が過ぎる》: pass ⓐ (☞ けいか; すぎる; たつ²). ¶ 時が*移ると共に (⇒ 時と共に) ファッションも変わる Fashions change *with time.* / Fashions come and go.

うつる² 写る ¶ このカメラはよく*写る (⇒ よい写真がとれる) This camera *takes good pictures.* // 右端に*写っているのが私のおばです The woman at the extreme right is my aunt. // 富士山がよく*写らなかった Mt. Fuji did not *come out* well in the photo.

うつる³ 映る (水面・鏡などに) be reflected; (似合う) suit ⓗ. (☞ うつしだす; にあう). ¶ 月が湖水に*映っていた The moon *was reflected* ⌈on [in] the water of the lake. // 赤は彼女によく*映る Red *suits* her.

うつろ 虚ろ, 空ろ ―形 (中が空の(ような)・力のない) hollow; (ぼんやりした) vacant; (ぽかんとした) blank. (☞ ぼんやり; ぽかんと). ¶ *うつろな笑い声 a *hollow* laugh // *うつろな表情 a ⌈*blank* [*vacant*] look // 彼は*うつろな眼で私を見た He looked at me with *vacant* eyes. / (⇒ ぽかんとして私を見た) He looked *blankly* at me.

うつろい 移ろい (変化) change Ⓒ; (世の中の変転) vicissitudes ★ 複数形で. (☞ うつりかわり; へんか). ¶ 季節の*移ろい the *change* of seasons

うつろう 移ろう (変化する) change ⓐ; (色があせる) fade ⓐ; (衰える) decline ⓐ. (☞ すいい¹).

うつわ 器 **1** 《容器》: (入れ物) container Ⓒ, vessel Ⓒ, recéptacle Ⓒ ★ 後の 2 つは格式ばった語. (☞ いれもの).

2 《器量》: (最も一般的に, 能力) ability Ⓤ; (才能・力量) caliber /kǽləbə/ Ⓤ; (潜在的な能力) capacity Ⓤ. (☞ のうりょく (類義語); さいのう¹ (類義語)). ¶ 彼は社長の*器ではない (⇒ 社長としての能力を疑う) I doubt his *ability* to be president. / (⇒ 社長に適していない) He is not *fit* to be president. // 彼は*器が大きい[小さい] He is a man of ⌈high [low; poor] *caliber.*

うで 腕 **1** 《身体の部分》: (肩から手首まで) arm Ⓒ; (上膊(じょうはく)・二の腕) upper arm Ⓒ ★ 肩からひじまで; (下膊(かはく)) forearm Ⓒ ★ ひじから手首または指先まで. (☞ て).

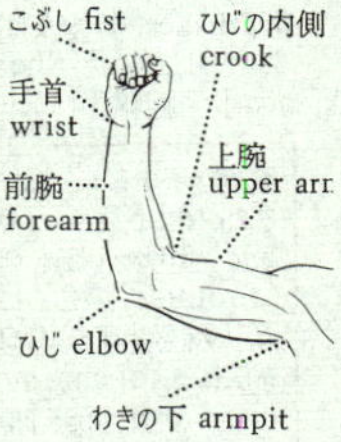

¶ 彼女はほっそりした*腕をしている (⇒ 細い腕を持っている) She has slender *arms.* // 彼女は*腕にハンドバッグをさげていた She had a handbag on her *arm.* // 彼は*腕いっぱいに本を抱えていた He had *an armful of* books. // 彼女は赤ん坊をしっかり*腕に抱いた She held her baby tight(ly) in her *arms.* // 彼は*腕をまくった (⇒ 腕をむき出しにした) He bared his *arms.* / (⇒ そでをまくった) He ⌈rolled [turned] up his *sleeves.* // 交通事故で*腕を折る break *one's arm* in a traffic accident // 彼は*腕組みをして立っていた He stood ⌈with his *arms* folded [with folded *arms*]. // 私は彼女と*腕を組んで歩いた I walked *arm in arm* with her. (☞ 冠詞 (巻末))

2 《手腕》: (能力) ability Ⓤ ★ 最も一般的な語; (身に備わった才能) faculty Ⓒ; (潜在的能力) capácity Ⓤ; (芸術的な才能) talent Ⓤ; (技量) skill Ⓤ 語法 いずれの語もしばしば複数形で用いられる. (☞ うでまえ; のうりょく (類義語)).

¶ *腕のいい大工 (⇒ 熟練した) a *skilled* carpenter // *腕のいい (⇒ 有能な[すぐれた]) オペレーター an ⌈*efficient* [*excellent*] operator // *腕ききの (⇒ 鋭敏な) 刑事 a ⌈*keen* [*clever*] detective // あの弁護士は本当に*腕は確かか (⇒ 彼は本当に能力のある弁護士か) Is he really a *competent* lawyer? // 碁の*腕がとみに上がった (⇒ 技術を向上させた) I've greatly improved my *skill* ⌈in [at] go. // プロ級の*腕になるには (⇒ プロの技術を身につけるには) 何年もの練習が必要だ It takes years of practice to acquire the *skill* of a professional. // すべては君の*腕 (⇒ 能力[手腕]) 次第だ Everything depends upon your ⌈*ability* [*skill*]. // お宅の奥さんの料理の*腕は大したものだ (⇒ すばらしい料理人だ) Your wife is really a very *good* cook.

腕が鳴る ¶ 実力の程を証明する機会がないかと*腕が鳴っている (⇒ むずむずしている) I'*m itching for* a chance to prove my ⌈ability [abilities; talents].

腕に覚えがある ¶ 水泳なら*腕に覚えがある (⇒ 下手な泳ぎ手ではない) I'm *not a bad* swimmer. // 大工仕事なら私は*腕に覚えがあります (⇒ 技術に自信がある) I'*m confident of my skill* ⌈at [in] carpentry.

腕によりをかける ¶ 彼女は*腕によりをかけて (⇒ ありったけの技術を使って) コンテスト用のケーキを作った She ⌈*used* [*employed*] *all her skill* to make a cake for the contest.

腕を拱(こまぬ)く (傍観する)

look on ⓐ; (のんきに構える) sit back ⓐ. ¶彼は*腕をこまぬいているだけで彼女を救うために何もしてやらなかった He just ⌈*looked on* [*sat back*] and did nothing to save her. **腕をさする** be itching to exert *one's* ability. **腕を振るう** ¶彼は自慢の料理に*腕をふるった (⇒ 一生懸命取り組んだ) He ⌈*tried* [*did*] *his best* (at) cooking his specialty. // 経営に*腕をふるう (⇒ 能力を示す) *show one's ability* at management / (⇒ 技術を用いる) *exercise one's skill* at management **腕くらべ** (競技) contest Ⓒ **腕ずく** ¶彼はそれを彼らから*腕ずくでとり上げた He took it from them *by force*. **腕ずもう** arm wrestling Ⓤ **腕立て伏せ** 《米》 púsh-ùp Ⓒ, 《英》 préss-ùp Ⓒ **腕っぷし** ¶彼は*腕っぷしが強い (⇒ 強い男だ) He is a *strong* man. (☞ ちから; わんりょく) **腕時計** wristwatch Ⓒ (☞ とけい) **腕まくら** ¶その子は母親の*腕まくらで眠った The child slept ⌈*with* [*pillowing*] *his head on* his mother's *arm*. **腕まくり** ¶*腕まくりして皿を洗った I ⌈*turned* [*rolled*] *up my shirtsleeves* and washed the dishes. // 彼女は*腕まくりして (⇒ 意欲的に) 仕事にとりかかった She set to work ⌈*eagerly* [*with zeal*]. **腕輪** bracelet /bréɪslɪt/ Ⓒ.

コロケーション

腕組みをする cross [fold] *one's arms* / **腕を上げる** hold up [raise] *one's arm* / **腕を降ろす** lower *one's arm* / **腕をぐるっと回す** swing *one's arm* (a)round / **腕を…に回す** put *one's arm* around … / **腕を伸ばす** stretch [extend] *one's arm* / **腕を広げる** open *one's arms* / **腕を振る** wave *one's arm* / **腕を曲げる** bend *one's arm* // **筋肉質な腕** muscular *arms* / **毛深い腕** hairy *arms* / **力強い腕** strong *arms* / **太い腕** thick [stout] *arms* / **細い腕** thin [slender] *arms* / **むき出しの腕** naked [bare] *arms*

うでおし 腕押し ¶彼に忠告してものれんに*腕押しだ (⇒ 時間[労力]の無駄だ) It's *a waste of* ⌈*time* [*labor*] to try to give him a piece of advice. (☞ のれん)

うでがため 腕固め armlock Ⓒ.

うでカバー 腕カバー sleevelet Ⓒ.

うてき 雨滴 raindrop Ⓒ, drop of rain Ⓒ.

うでぐみ 腕組み folded arms. ¶*腕組みをして立つ ☞ うで 1

うでこき 腕扱き ━ 名 (有能な人) person of ability Ⓒ, able person Ⓒ. ━ 形 (有能な) able; (腕のいい) skilled, skillful (《英》 skilful). (☞ うで 2).

うでじまん 腕自慢 ¶釣りの*腕自慢がたくさんその川に釣りにでかける A lot of anglers *confident of their skill* go fishing in that river.

うでたまご ☞ ゆでたまご

うでだめし 腕試し ¶それは*腕試しにやったまでです (⇒ 試してみただけです) I just ⌈*had* [*made*] *a* ⌈*try* [*go*] at it. / (⇒ 自分の能力 [技量] を試したかっただけです) I just wanted to *test my* ⌈*ability* [*skill*]. 語法 技量・腕前は skill, 能力は ability. / (⇒ 自分自身を試したかっただけです) I just wanted to ⌈*try* [*test*] (myself) *out*. / (⇒ それはほんの試し[実験]だった) That was a mere ⌈*tryout* [*experiment*]. ★ 第1文が最も口語的. (☞ ためす; こてしらべ).

うでぬき 腕貫 (事務員などが使う腕カバー) sleevelet Ⓒ.

うでまえ 腕前 (すでに備わっている技量) skill Ⓤ ★ 具体的な意味では Ⓒ; (芸術的な才能) talent Ⓤ; (能力) ability Ⓤ 語法 いずれもしばしば複数形で. (☞ うで; のうりょく). ¶私の射撃の*腕前 (⇒ 私が射撃がどのくらい上手か) を見せてやろう I'll show you *how good* I am at shooting. / I'll show you ⌈*how skilled* I am [my *skill*] at shooting.

うでる ☞ ゆでる

うてん 雨天 (雨降りの天気) rainy [wet] weather Ⓤ; (雨の日) rainy [wet] day Ⓒ; (雨降り) rain Ⓤ. (☞ あめ¹). ¶*雨天で遠足は中止 [順延] になった Our school picnic was ⌈canceled [put off until the first clear day] because of the *rain*. // 野球の試合は*雨天のため中止になった The baseball game *was rained* ⌈*out* [《英》 *off*].

雨天決行 (降っても照っても) rain or shine 語法 独立しても文の一部としても用いることができる. **雨天体操場** (体育館) gymnásium Ⓒ (《複 ～s, gymnasia》, 《略式》 gym Ⓒ.

うど 〔植〕 *udo* Ⓒ; (説明的には) arálіaceous /əréɪlièɪʃəs/ móuntain plànt(, young sprouts of which are edible) Ⓒ. **うどの大木** (大きいだけで役に立たない人) big but useless person Ⓒ. ¶彼は*うどの大木だ He is just *bulky and* ⌈*quite useless* [*good-for-nothing*].

うとい 疎い (無知な) ignorant (of …; about …); (慣れていない) not used to /júːstə/ …, unused to /ʌnjúːstə/ …, not accustomed to …, unaccustomed to … 語法 後のものほど格式ばった言い方. 以上いずれも to の後には名詞または… ing 形がくる; (情報を受けていない) uninformed ★ 格式ばった語; (世慣れていない) ùnsophísticàted. (☞ ふなれ). ¶彼女は世間に*疎い (⇒ 悪ずれしていない) She is *unsophisticated*. / (⇒ 彼女は世間について無知だ) She is *ignorant of* the world. // 私はこの辺の地理にはまったく*疎い (⇒ この辺りに不案内な人間だ) I'm a complete *stranger* here. // 事情に*疎い (⇒ 十分に情報を得てない) 人たちに説明しなければなるまい You'll have to explain about it to those who are ⌈*not well informed* [*poorly informed*]. // 私はこういうことには*疎いのです (⇒ 無知だ) I'm *ignorant* ⌈*of* [*about*] these things. / (⇒ 慣れていない) I'm *not used to* this kind of thing. // 去る者は日々に*疎し Out of sight, *out of mind*. 《ことわざ》

うとうと ¶子供は*うとうと眠ってしまった The child *dozed off*. // ちょっと*うとうとしている間に財布を盗まれた I had my wallet stolen while I *was dozing* ⌈for a while [awhile]. // 彼の話を聞いている間*うとうとしてしまった (⇒ 眠気を覚えた) I *felt drowsy* /dráuzi/ while listening to his talk. (☞ うつらうつら; うたたね; いねむり)

うとましい 疎ましい ━ 形 (物や人の言動などが不快な) offensive, unpleasant. ━ 動 (縁を切りたいと思う) feel like breaking off with …

うとむ 疎む (遠ざける) shun ⓣ; (冷たくあしらう) treat … coldly; (きらう) dislike ⓣ. (☞ けいえん; うとんじる). ¶その詩人は家族を*疎み, 家に戻らなかった The poet *shunned* his family and didn't return (to his) home. // その大臣は王に*疎まれた The minister *fell into disfavor* with the king.

うどん wheat noodle Ⓒ. ¶手打ち*うどん handmade *noodles* **うどん粉** (小麦粉) (wheat) flour Ⓤ **うどん粉病** mildew Ⓤ **うどんすき** *udonsuki* Ⓤ; (説明的には) wheat noodles, fish and vegetables cooked in a pot at the table **うどん屋** noodle shop Ⓒ.

うどんげ 優曇華 〔植〕 *udumbara* flower Ⓒ; (説明的には) imaginary plant which is said to flower once in three thousand years Ⓒ; (クサカゲロウの卵) lacewing's egg Ⓒ.

うとんじる 疎んじる (さける) avoid ⓣ, keep away from … ★ 後者のほうが口語的; (冷たくあしらう) give … the cold shoulder, give the cold shoulder to … (☞ けいえん; うとむ). ¶彼はいつも

同僚に*疎んじられている（⇒ 同僚はいつも彼を避けている）His colleagues always ｢*avoid* [*keep away from*] him.

うながす 促す（身振りで促す）motion (他);（手振りで促す）wave (他);（せきたてる）urge (他), press (他) ★後者のほうが強いる感じが強い;（刺激する・促進する）stímulàte (他).《☞ せきたてる; さいそく¹; しげき¹》.

¶ 彼女は身振りで私に出て行くよう*促した <S（人）+V（*motion*）+O（人）+C（*to* 不定詞または副詞）> She *motioned* me (*to* go) out. / She *motioned to* me *to* go out. // 彼は電話中だったので, 手を振って私に部屋へ入るよう*促した As he was on the phone, he *waved* ｢me (*to* come) [*to* me *to* come] into the room. // 彼は私に即答を*促した <S（人）+V（*urge*）+O（人）+C（*to* 不定詞）> He *urged* me *to* answer promptly. /（⇒ 要求した）He *demanded* a prompt reply *from* me. /（⇒ せきたてた）He *pressed* me *for* a prompt reply. // 彼に現状に対する注意を*促す必要がある We must *call his attention to* present conditions. // 好奇心が学習意欲を*促す（⇒ 刺激する）Curiosity *stimulates* learning.

うなぎ 鰻 eel Ⓒ ★しばしば集合的に, ただし 2 種類以上を指すときは eels. ¶ *うなぎのかば焼き barbecued [broiled] *eel* **うなぎどんぶり** bowl of rice topped with ｢barbecued [broiled] eel Ⓒ **うなぎの寝床** long and narrow ｢room [house] Ⓒ **うなぎ上り** ―動《略式》（物価がものすごく上がる）skýròcket (自);（急激に上がる）soar (自). ―形 soaring;《略式》skyrocketing.《☞ じょうしょう¹》.

¶ *うなぎ上りの（⇒ 急騰する）物価 *skyrocketing* prices // 物価は*うなぎ上りだ（⇒ どんどん上昇している）Prices *are* ｢*rising rapidly* [*skyrocketing*; *soaring*]. /（⇒ 毎日上がる）Prices *are going up every day*. **うなぎ屋** eel restaurant Ⓒ.

うなされる 魘される（恐ろしい[悪い]夢を見る）have a ｢nightmare [bad dream]《☞ ゆめ¹》.

うなじ 項 the ｢nape [scruff] of the neck ★ nape が普通.《☞ えりあし; えりくび 語法》.

うなじゅう うな重 barbecued [broiled] eel on rice Ⓤ.

うなずく 頷く nod (自)(他);（承認する）approve (of …) (自);（了解する）understand (他).《☞ えしゃく; なっとく; しょうふく》.

¶ 彼女は軽く私に*うなずいた She *nodded* slightly to me. / She *gave* me *a* slight *nod*. // 彼の説明はどうも*うなずけない（⇒ 納得させるものではない）His explanation is ｢not very *convincing* [*unconvincing*]. // 彼が離婚したのも*うなずける（⇒ 理解できる）I *can understand* why he divorced his wife.

うなだれる hang *one's* head《☞ うつむく》.

うなどん ☞ うなぎ（うなぎどんぶり）

うなばら 海原（広々とした海）vast ocean Ⓤ.

¶ 大*海原 a *vast* expanse of *ocean*

うなり(ごえ) 唸り(声)（人の苦しむ時の唸り声）groan Ⓒ;（犬などの）growl Ⓒ;（ライオンの吠え声）roar Ⓒ;（狼や風の）howl Ⓒ.《☞ 動物の鳴き声（囲み）》.

うなる 唸る（動物が怒って）growl /gráʊl/ (自);（獣が大きな声でほえる）roar (自);（風がごうごうと音を立てる）howl /háʊl/ (自).《☞ ほえる; 動物の鳴き声（囲み）》. ¶ 犬は知らない人に向かって*うなった The dog *growled* at the stranger. // 外では風が*うなっていた The wind ｢*howled* [*roared*] outside. // 彼のところには金が*うなるほどある（⇒ ものすごくたくさんある）He has a *tremendous amount of* money. // 彼の名演技は聴衆を*うならせた（⇒ 熱狂状態を作り出した）His wonderful performance roused *great enthusiasm* in the audience.

うに¹ 海胆〘動〙sea urchin Ⓒ.

うに² 雲丹（食品）seasoned sea-urchin eggs.

うぬぼれ 自惚れ conceit /kənsíːt/ Ⓤ, self-conceit Ⓤ;（虚栄心）vanity Ⓤ;（誇り・自負心）pride Ⓤ.《☞ じまん（類義語）; とくい¹》. ¶ あの男は*うぬぼれが強い He is full of *conceit*. /（⇒ 自分自身を買いかぶり過ぎる）He ｢*thinks too highly* [（⇒ 自信があり過ぎる）*is too confident*] *of himself*. / He is *full of himself*.

うぬぼれる 自惚れる（…のつもりでいる）fancy *oneself* …;（うぬぼれて…と思う）flatter *oneself* (that …);（自分自身たいした人物だと思い込む）think too highly of *oneself*;（思い上がっている）be conceited,《略式》have [get] a ｢swelled [swollen] head;（…をひどく得意がる）be vain (about …);（自己中心的になる）be egotistical.《☞ とくい¹; じまん（類義語）》. ¶ 彼女は自分では天才だと*うぬぼれている She *fancies herself* (to be) a genius. // トムは自分がクラスの中で一番頭がいいと*うぬぼれている Tom *flatters himself that* he is the most intelligent boy in his class.

うね 畝（畑の）ridge Ⓒ;（織物・編物の）rib Ⓒ.

¶ 畑を鋤(す)いて*畝を立てる make *furrows* (with a plough) in a field / *furrow* a field (with a plough) ★ furrow は畝と畝の間の溝. 動詞にも用いる. **畝作り** growing crops on ridges Ⓤ.

うねうね ―動（道・川などが曲がりくねる）wind /wáɪnd/ (自)《過去・過分 wound /wáʊnd/》;（川が曲がりくねってゆったり流れる）meander /miǽndə/ (自);（地表が起伏する）úndulàte (自) ★以上の順に格式ばった語になる;（ジグザグ形になる）zigzag (自). ―形 winding; meandering /miǽndərɪŋ/; undulating; zigzag Ⓐ. ―副 windingly; meanderingly; zigzag(ingly).《☞ まがりくねる; うねる; くねくね》.

¶ *うねうねした山道 a *winding* mountain path // *うねうねと流れる川 a *meandering* stream

うねり（大きく盛り上がった）swell Ⓒ, swelling Ⓒ;（地表の起伏）undulation /ʌ̀ndʒʊléɪʃən/ Ⓤ.《☞ なみ¹》. ¶ 私たちの船は大きな波の*うねりに翻弄(ほんろう)された Our ship rolled in the heavy *swell*.

うねる（波が大きく盛り上がる）swell (自);（波が前方へ押し寄せる）surge (自);（川が曲がりくねってゆったり流れる）meander /miǽndə/ (自) ★後の 2 語は格式ばった語;（道・川などが）wind /wáɪnd/ (自)《過去・過分 wound /wáʊnd/》;（地表が起伏する）undulate /ʌ́ndʒʊlèɪt/ (自) ★文語的;（地表が穏やかに）roll (自).《☞ うねうね; まがりくねる》. ¶ 波が*うねって岸に押し寄せた The waves *surged* over the beach.

うのけ 兎の毛（うさぎの毛）the fur of a rabbit;（きわめて微細なこと）the smallest trifle.

うのはな 卯の花〘植〙（うつぎ）deutzia /djúːtsiə/ Ⓒ;（おから）okara Ⓤ, tofu [bean-curd] ｢lees [waste] Ⓤ;（説明的には）pulpy remains of boiled soybean after (the) soybean milk has been extracted.

うのはなづき 卯の花月 ☞ うづき

うのみ 鵜呑み ―動（真に受ける）swallow (他);（盲目的に信じる）believe blindly (他) ★前者のほうが口語的;（疑問をもたずに信じこむ）take … on faith.《☞ まにうける》.

¶ 彼の言うことを*うのみにするほど馬鹿じゃない（⇒ 彼の話を*うのみにする以上の分別はある）I know better than to ｢*swallow* his story [*believe* his story *blindly*; *take* his story *on faith*]. // 彼の言うことを*うのみにするな（⇒ 彼の言葉を額面どおりに受け取るな）Don't *take him at his word*. /（⇒ 全部の話を信じるな）Don't *believe the whole of his story*.

うのめたかのめ 鵜の目鷹の目 ¶ 彼はいつも*鵜の目鷹の目で人のあら探しをしている（⇒ 注意して見て

いる) He's always ˹*watching* (*out*) for [*on the lookout for*] other people's mistakes. 《☞ う¹》
うは 右派 (集合的に) the right (wing); (党内の) rightist faction Ⓒ; (個人) rightist Ⓒ, right-winger Ⓒ ★ 前者のほうが普通. 《☞ うよく》.
うば 乳母 nurse Ⓒ [語法] 赤ん坊に乳を与える乳母を wet nurse Ⓒ, 乳を与えない乳母 [子守女] を dry nurse Ⓒ, nursemaid Ⓒ, nanny Ⓒ という.
うばいあう 奪い合う scramble ⓐ. ¶ 少年たちはボールを*奪い合った The boys *scrambled* to get the ball. // 席を*奪い合う *scramble for* a seat
うばいかえす 奪い返す grab ... back. ¶ 警官は男からうまく拳銃を*奪い返した The policeman managed to *grab* the pistol *back* (away) from the man.
うばいとる 奪い取る (力ずくで取る) take ... by force; (人や場所から金品を奪う) rob ⓗ [語法] 人を目的語とするときは The man *robbed* me *of* my bag. (その男は私からバッグを奪った) のように言い, 場所を目的語とするときは The man *robbed* the bank *of* ten million yen. (その男は銀行から 1000 万円を奪った) のように言う. 《☞ うばう》.
うばう 奪う **1** 《取り上げる・盗む》: (力ずくで) take ... (by force); (持ち去る) take away ⓗ; (ひったくる) snatch ⓗ; (盗む) steal ⓗ 《過去 stole; 過分 stolen》 ★ 以上 4 つとも「物」が目的語になる; (人から強奪する) rob *a person* of ...; (財産などを) 《格式》 dispossess *a person* of ...; (権利などを) deprive *a person* of ... ⓗ [語法] 以上 3 つとも「人」が目的語になるが, rob は「場所」が目的語になることもある; (事故・災害などが人の命を奪う) claim ⓗ; (権力・地位などを) 《格式》 usurp /juːsə́ːp/ ⓗ. 《☞ ぬすむ (類義語); とりあげる; とる》.
¶ がき大将は小さな子供の手からおもちゃを*奪った The bully ˹*took* [*snatched*] a toy from the small child's hand. // 彼は財産を*奪われた <S (人) + V (*deprive*; *dispossess*) + O (人) + *of* + 名(物) の受身> He *was* ˹*deprived* [*dispossessed*] *of* his estate. // その大地震は 2000 人の生命を*奪った The big earthquake ˹*took* [*claimed*] the lives of 2,000 people. // 王位を*奪う *usurp* a throne // 鉄道ストライキで多くの人々の通勤の足が*奪われた (⇒ この鉄道ストライキは多くの通勤者に迷惑をかけた) The railroad strike *inconvenienced* many commuters.
2 《心などを》: (魅惑する) fáscinàte ⓗ; (夢中にさせる) carry away ⓗ ★ 普通は受身で. 《☞ みりょう》.
¶ 私はその考えに心を*奪われた (⇒ その考えは私の心を魅惑した) The idea *fascinated* me. / I *was* ˹*carried away* [*fascinated*] ˹by [with] the idea.
うばがい 姥貝 (バカガイ科の二枚貝) Sakhalin /sǽkəliːn/ surf clam Ⓒ.
うばぐるま 乳母車 《米》 baby carriage Ⓒ, baby buggy Ⓒ, baby coach Ⓒ ★ 第 2 番目は 《米》 西部に多い. また 3 番目は 《米》 東部の一部で使われる; 《英》 perámbulàtor Ⓒ ★ 《英》 口語では短縮して pram Ⓒ という; (腰掛け式の) stroller Ⓒ, 《英》 pushchair Ⓒ.
うばざくら 姥桜 attractive middle-aged woman Ⓒ.
うばざめ 姥鮫 〔魚〕 basking shark Ⓒ.
うばすて 姥捨 granny dumping Ⓤ. **姥捨山** *mountain* where old people were abandoned Ⓒ.
うひょう 雨氷 (地面や樹木などにできる) glaze (ice) Ⓤ; 《英》 glazed frost.
うぶ 初心 — 形 (無邪気な) ínnocent; (純真な) naive /nɑːíːv/, naïve [語法] (1) 軽蔑的に用いられることがある; (素直な・単純な) ingenuous /ɪndʒénjuəs/ ★ 悪い意味で用いられることが多い; (世慣れない) ùnsophísticàted; (単純な) simple; (経験のない) inexperienced /ìnɪkspí(ə)riənst/. — 名 innocence Ⓤ; naiveté /nɑːìːv(ə)téɪ/ Ⓤ, naïveté Ⓤ [語法] (2) 後の 2 つ (é のアクセント記号はつづりの一部) は軽蔑的に用いられることがある. 《☞ じゅんしん; そぼく》.
¶ あの娘は本当に*うぶだ (⇒ 赤ん坊のように純真だ) She is as ˹*innocent* [*naive*] as a newborn ˹baby [babe]. ★ a newborn babe は慣用表現. / She is really ˹*naive* [*unsophisticated*].
うぶぎ 産衣 clothes for a newborn baby ★ 通例複数形で.
うぶげ 産毛 downy hair Ⓤ; (鳥の綿毛) down Ⓤ. ¶ *うぶ毛の生えた頬 *downy* cheeks
うぶごえ 産声 the first cry of a newborn baby 《☞ うまれる》. ¶ *産声をあげる (⇒ 生まれる) be *born* / (⇒ 日の目を見る) *see the light of day* ★「生まれる」の意の慣用表現.
うぶすな 産土 (生地) birthplace Ⓒ.
うぶゆ 産湯 newborn baby's first bath Ⓒ.
うへん 右辺 ¶ 方程式[等式]の*右辺 *the right side* of an equation
うま¹ 馬 horse Ⓒ 《☞ 動物の鳴き声 (囲み)》.

> 馬のいろいろ
> 雌馬 mare, 子馬 foal /fóʊl/, 雄の子馬 colt, 雌の子馬 filly, 種馬 stallion, 競走馬 racehorse, ポニー pony ★ 子供の乗馬用の小型の馬. 役馬 a workhorse ★ 比喩的に「役馬のようによく働く人」の意味にもなる, 荷馬 a ˹draft [cart] horse; a packhorse

¶ 私は*馬に乗れる I can ride a *horse*. [語法] (1) ride ⓐ ⓗ 《過去 rode; 過分 ridden》 は「(馬に)乗る」の意. // 私は*馬に乗ったことがない I've never ridden a *horse*. / I've never been on a *horse*. // 彼は*馬に乗って町へ出かけた He went to town *on horseback*. / He *rode* to town. [語法] (2) この ride は「(馬に)乗ってゆく」の意. // 彼はひらりと*馬にまたがった He jumped onto the *horse*. / He vaulted into *the saddle*. // 彼は*馬から降りた He ˹gòt dówn [gòt óff; 《格式》 dìsmóunted] from his *horse*. // 彼は*馬から落ちた He fell off his *horse*. // *馬は全速力で[速足で]走り去った The *horse* ˹galloped [trotted] away. // 彼は*馬に乗って全速力で走り去った He *galloped* away. [語法] (3) gallop (=疾駆) は「人」が主語になった場合は必ず「馬に乗って」の意味になることに注意. // 彼女は*馬を門のところで止めた She pulled her *horse* up at the gate.
うまが合う ¶ 彼とはどうも*うまが合わない (⇒ 仲よくいかない) Somehow I don't *get* ˹*along* [*on*] (*well*) *with* him. // あの 2 人は*うまが合う (⇒ 仲がよい) They *get* ˹*along* [*on*] *well with* each other.
馬の足 (芝居で馬の足の役をする人) player [actor] who serves as the legs of a horse on stage Ⓒ; (下手な役者) poor actor Ⓒ. **馬の背を分ける** ¶ 夏の夕立は*馬の背を分ける An evening shower in summer *pours down on one side of the street and leaves the other side dry*. **馬の骨** (素性の知れない男) man of ˹doubtful origin [unknown identity] Ⓒ; (怪しげな男) dubious ˹person [fellow] Ⓒ. ¶ あの男はどこの*馬の骨かわからない (⇒ どこの出身かだれも知らない) Nobody knows where that man comes from. / (⇒ だれもその男の経歴を知らない) Nobody knows the ˹past [background] of that man. **馬の耳に念仏** ¶ 我々の忠告は彼には*馬の耳に念仏だった (⇒ 忠告に全然耳を傾けなかった) He was *deaf* to our advice. / He *turned a deaf ear* to our advice. ★ 前者のほうが普通. 《☞

ばじとうふう; ききいれる》 **馬を牛に乗り換える** exchange a swift horse for a slow ox; (よいほうを捨てて, 悪いほうを取ること) make a change for the worse. **馬市** horse fair Ⓒ **馬小屋** stable Ⓒ, 《米》 barn Ⓒ **馬面** ☞ 見出し

コロケーション

馬に鞍を置く saddle a *horse* / 馬に蹄鉄を打つ shoe a *horse* / 馬に拍車をかける spur a *horse* / 馬に馬具を付ける harness a *horse* / 馬に馬ろくをつける bridle a *horse* / 馬にブラシをかける groom a *horse* / 馬に鞭を当てる whip a *horse* / 馬を飼育する raise [breed] a *horse* / 馬を疾走させる gallop a *horse* / 馬を調教する train a *horse* / 馬を並足で歩かせる walk a *horse* / 馬を走らせる drive a *horse* // 馬がいななく[穏かにいななく] a *horse* ⌈neighs [whinnies] / 馬が後足で立ちあがる a *horse* rears up / 馬がおびえて後ずさりする a *horse* shies / 馬が駆け足で走る a *horse* canters; (疾駆する) a *horse* gallops / 馬が側対歩で歩く a *horse* ambles // 栗毛の馬 a chestnut *horse* / サラブレッドの馬 a thoroughbred *horse* / はだか馬 a barebacked *horse* / まだらの馬 a piebald *horse* / 野生の馬 a wild *horse* / やせ馬 a lean *horse*

うま² 午 (十二支の) the Horse 《☞ ね⁴》.

うまい 旨い, 上手い **1** 《上手な》: good ★ 一般的な語; (熟練して巧みな) skillful (《英》 skilful) 語法 (1) 英訳する場合には以上の形容詞のほかに副詞の well, very well を使うこともある. ほぼ同じだが, very well のほうが好まれる. 《☞ じょうず》.
¶ 彼はスキーが*うまい He is a *good* skier. / He *is good at* skiing. 語法 (2) 英語としてはいずれの表現も可能であるが, be a good ... -er という形がより好んで用いられる. // 彼女は英語が*うまい She is a *good* English speaker. / She speaks English *very well*. 語法 (3) 前者のほうがより英語的な表現と言える. 同様に, 「歌がうまい」は a *good* singer, 「テニスがうまい」は a *good* tennis player, 「写真を撮るのがうまい」は a *good* photographer という. // 彼はクラスで一番料理が*うまい He is the *best* cook in our class. // 彼は道具を使うのが*うまい He is *skillful with* his tools. // 確かにこれは*うまい答えだ This is certainly ⌈a *good* [(⇒ 適切な) an *appropriate*] answer.
2 《おいしい》: (味がよい) delícious, good, nice 語法 delicious はほめ言葉として用いられ, 疑問文, 否定文では用いられない. また後の 2 つは口語的. good は味や香り中心で, nice はもっと幅広いほめ言葉; (口あたりがよく, おいしい) tasty /téɪsti/ ★「食欲をそそるような」というニュアンスがある. 《☞ おいしい; まずい》. ¶ これは*うまい This is ⌈*good* [*delicious*; *tasty*]. / This tastes ⌈*good* [*nice*]. ★ 前者のほうが口語的. // 彼は*うまそうにステーキを食べた He ate the steak *with relish*. // 腹がへっていればなんでも*うまい Hunger is the best sauce. 《ことわざ》
3 《好都合な》: (首尾よい・うまくいった) successful; (よい) good ★ 広い意味をもつ最も一般的な語; (幸運な) lucky; (もうかる) prófitable; (収入の多い) well-paid. ¶ それは話が*うますぎる (⇒ 本当であるにはよすぎる) It's too *good* to be true. // 彼は*うまいことを考え出した He thought up something *clever*. // *うまい具合に (⇒ 幸運にも) 彼は留守だった *Luckily* (enough) he was not at home. // 何か*うまい話はないか (⇒ もうかる仕事はないか) Isn't there any ⌈*profitable* [*well-paid*] job for me? **旨い汁を吸う** (利益などを搾り取る) milk ⊕; (いちばんよい所を取る) take the lion's share. 《☞ しる²; あまい》. ¶ 彼だけが*うまい汁を吸った (⇒ 利益をひとりじめにした) He *skimmed off all the profits* just for himself.

うまうまと (巧みに) skillfully (《英》 skilfully); (首尾よく) successfully. 《☞ まんまと》.

うまおい 馬追い (客や荷物を馬に乗せて運ぶ人) horse driver Ⓒ; (放牧場で馬をさくの中に追い込むこと) corralling Ⓤ; 〘昆〙 katydid Ⓒ.

うまがえし 馬返し (登山道がけわしく馬では先へ行けず馬を送り返す地点) the point on a path up a mountain where the footing becomes so precarious a (pack)horse balks and is sent back ★ 説明的な訳.

うまく 旨く **1** 《上手に》: well; (巧みに) skillfully (《英》 skilfully); (巧妙に) éxpertly. 《☞ うまい; じょうず》.
2 《具合よく》: (首尾よく) successfully; (順調に) well Ⓐ; (運よく) luckily. ¶ 計画は*うまくいった The plan was *successful*. / (⇒ すべて計画どおりになった) Everything went ⌈*well*, as we had planned [as *well* as we had planned; according to plan]. // 彼は難しい仕事を*うまくやってのけた He managed the difficult job *successfully*. // あの 2 人は*うまくいっていないようだ They don't seem to *be getting along well*. // 彼らの結婚は*うまくいかなかった (⇒ 失敗に終わった) Their marriage *ended in failure*. // *うまくいけば (⇒ 運がよければ) 賞がもらえる If you are *lucky*, you'll win the prize. / (⇒ 万事が順調に進めば) If everything goes *well*, you'll win the prize. // *うまくやれよ (⇒ 幸運を祈る) *Good luck*!

うまごやし 馬肥やし 〘植〙 toothed [hairy] medick Ⓒ, California burclover Ⓒ.

うまづら 馬面 horseface Ⓒ. ¶ *馬面の人 a person with a *long face* / a *horse-faced* person

うまとび 馬跳び leapfrog Ⓤ. ¶ *馬跳びをして遊ぶ play *leapfrog*

うまに 旨煮 *umani* Ⓤ; (説明的には) fish or meat boiled with vegetables in thick soy and sugar Ⓤ.

うまのあしがた 馬の足形 ☞ きんぽうげ

うまのすずくさ 馬の鈴草 〘植〙 birthwort Ⓒ.

うまのほね 馬の骨 ☞ うま¹ (馬の骨)

うまのり 馬乗り ¶ 子供は父親に*馬乗りになった The child *sat astride* his father. 《☞ またがる》

うまばえ 馬蝿 〘昆〙 botfly Ⓒ.

うまへん 馬偏 (漢字の) horse radical on the left of kanji Ⓒ.

うまみ 旨み (妙味) attractive point Ⓒ; (魅力) charm Ⓤ; (利点) advántage Ⓒ. 《☞ うまい》.
¶ *うまみのある仕事 (⇒ もうかる仕事) a *profitable* job // この契約には*うまみがある (⇒ 有利な点がある) This contract has its *advantages*.

うまや 厩 stable Ⓒ; (家畜小屋) 《米》 barn Ⓒ.

うまる 埋まる (埋もれる) be buried /bérid/; (いっぱいになる) be filled (up); (補う) cover ⊕. 《☞ うめる¹》. ¶ 道が雪で(深く)*埋まってしまった The road *is buried* (deep) in snow. // ホールは人で*埋まっていた (⇒ 人でいっぱいだった) The hall *was filled* (*up*) *with* people. // これで赤字が*埋まるだろう (⇒ これが赤字を埋める) This will ⌈*cover* [*make up for*; *take care of*] the deficit. ★ take care of のほうが口語的.

うまれ 生まれ (出生・素姓・家柄) birth Ⓤ; (家系) descent /dɪsént/ Ⓤ; (血統) lineage /líniɪdʒ/ Ⓤ ★ この順に格式ばった語となる. 《☞ うまれる; いえがら; かけい¹》. ¶ *生まれはどちらですか Where *were* you *born*? // 何年*生まれですか When [In what year] *were* you *born*? // 何どし*生まれですか Under which sign of the Chinese zodiac *were* you *born*? // *生まれの卑しい人 a person of low *birth* / a *lowborn* person // 彼女は名門の*生まれだ She is of noble *birth.* / She is *highborn.* / She ˹is *descended* [*comes*] *from* ˹a noble [an aristocratic] family. ★ comes のほうが口語的. // *生まれも育ちも大阪です（⇒ 大阪で生まれ育った）I *was born* and ˹raised [bred] in Osaka. // 私は 4 月*生まれだ（⇒ 4 月に生まれた）I *was born* in April. // ドイツ*生まれの教授 a German-*born* professor　**生まれ故郷** *one's* hometown, *one's* birthplace.

—コロケーション—
アメリカ生まれの (be) of American *birth*; American by *birth*;（アメリカ製の）*made* in America / **卑しい生まれの** (be) of ˹low [humble] *birth* / **下賤の生まれの** (be) of mean *birth* / **よい生まれの** (be) of gentle *birth*

うまれおちる　生まれ落ちる　be born.

うまれかわり　生まれ変わり　reincarnation /rìːinkɑɚnéɪʃən/ Ⓒ.　¶ この地方では白蛇は神の*生まれ変わりだと思われている In this part of the country, white snakes are regarded as *reincarnations* of gods.

うまれかわる　生まれ変わる　（新しい人間になる）become a new person;（生活を一新する）start *one's* life afresh;（心を入れ替えて生活を一新する）turn over a new leaf ★ 口語的な言い方;（もう一度生まれる）be born again, be reborn.《☞ べつじん》.　¶ 彼は*生まれ変わった He *has become a new man.* /（⇒ 以前の彼ではない）He is not what he used to be. // 彼は*生まれ変わったように（⇒ 別人のように）よく働く He works hard, as if he were *quite* ˹*another man* [*a different person*] *now.*

うまれぞこない　生まれ損ない　（何の役にも立たない穀つぶし）good-for-nothing person Ⓒ.

うまれつき　生まれつき　—副 by ˹nature [birth] ★ 前者は「性質」, 後者は「出生」を強調;（本来）naturally.《☞ せいらい; せんてんてき》.
¶ 彼は*生まれつき丈夫だ [弱い]（⇒ 強い [弱い] 体質を持っている）He has a *naturally* ˹strong [weak] constitution. // 彼女は*生まれつき頭がよい [悪い] She is ˹clever [stupid] *by nature.* /（⇒ 賢く[頭が鈍く]生まれた）She *was born* ˹clever [stupid].

うまれつく　生まれ付く　¶ 幸運に*生まれ付く *be born* under a lucky star《☞ うまれながら》

うまれどし　生まれ年　☞ せいねん[3]

うまれながら　生まれながら　—形 born.
—副 by nature.《☞ うまれつき; せいらい》.　¶ 彼は*生まれながらのギャンブラーだ He's a *born* gambler.

うまれる　生まれる　（人・動物などが）be born ★ 最も一般的な言い方;（国・団体などが生まれる）come into ˹existence [being] ★ 前者より格式ばった言い方.《☞ うまれ; うむ[2]; たんじょうび》.
¶ 彼は 1969 年 3 月 10 日に*生まれた He *was born* on March 10, 1969.《☞ 時刻・日付・曜日（囲み）》// その夫婦に男の子が*生まれた A ˹boy [son] *was born to* the couple. // *生まれたばかりの子供[子猫] a *newborn* ˹baby [kitten] // ここが私の*生まれた町だ（⇒ 故郷の町だ）This is my *hometown.* // *生まれ育った場所 the place where *one was born* and bred // 17 歳の時*生まれて初めて恋をした I fell in love for the first time *in my life* when I was seventeen. // その時代には多くの偉大な詩人が*生まれた（⇒ その時代は多くの偉大な詩人を生み出した）That age *produced* many great poets. // その革命で新しい共和国が*生まれた A new republic *came into existence* as a result of the revolution. /（⇒ 革命が生み出した）The revolution *brought* a new republic *into existence.* // 2 つの世界記録が*生まれた（⇒ 作られた）Two world records *have been* ˹*made* [*set*].

うみ[1]　海　—名 the sea;（大洋）the ocean　語法 (1)《米》ではごく普通に「海」という意味で ocean を用いる. また sea は「たくさんの人の顔」a *sea* of faces のような比喩的な意味にも用いられる.　**—**形 marine /mərίːn/ Ⓐ; oceanic /òuʃiǽnɪk/　語法 (2) sea や ocean も形容詞的に用いる.《☞ かいがん[1]》.
¶ *海の動植物 *marine* [*oceanic*] plants and animals / *marine* life // *海に泳ぎに行こう Let's go swimming in *the* ˹*ocean* [*sea*].　語法 (3) in の代わりに to を用いるのは誤り. // 夏休みに*海（⇒ 海岸）に行った I went to the *seaside* for the summer vacation. // 休暇は*海で（⇒ 海辺で）過ごした I spent my holidays *by the sea.* // *海は穏やかだった[荒れていた] *The sea* was ˹calm [rough]. // このあたりの*海（⇒ 海域）は鮫(さめ)が多い There are a great many sharks in these *waters.* // あたり一面火の*海だった The whole area was *a sea of* flames.　**海のものとも山のものともつかず**　¶ 彼はまだ*海のものとも山のものともつかない（⇒ 彼の将来は定かでない）His future is still *uncertain.*　**海の家**（会社の保養所）seaside clubhouse Ⓒ;（簡易更衣場）beach hut Ⓒ　**海の幸**　marine products ★ 複数形で;（海産物）seafood Ⓤ　**海の日**（7 月第 3 月曜日）Marine Day.

—コロケーション—
青い[エメラルドグリーンの]海 an ˹azure [emerald green] *sea* / **荒れ狂う海** a ˹raging [furious; wild] *sea* / **荒れた海** a ˹high [heavy; rough; stormy; turbulent] *sea* / **内海** an inland *sea* / **穏やかな海** a ˹calm [quiet; peaceful; smooth; serene; placid] *sea* / **白波の立つ海** a white-capped *sea* / **透き通った海** a crystal(-clear) *sea* / **外海** the open *sea* / **波立つ海** a ˹broken [billowy; choppy] *sea* / **果てしない海** a boundless *sea* / **広い海** a ˹vast [wide] *sea*

うみ[2]　膿　pus Ⓤ;（耳だれ・目やに・傷からの分泌物など）díscharge Ⓤ.《☞ うむ[2]; かのう[3]》.　¶ 耳から*うみが出る I have a *discharge* from my ear(s).

うみ[3]　生み, 産み　生みの親 *one's* ˹real [true] parent(s) ★ 両親なら複数. /（⇒ 生物学的な親）*one's* ˹biological [birth; natural] parent(s) ★ 育ての親と区別して言う場合. /《比喩的に》（創始者）the originator, the founder;（発明者）the inventor　**生みの親より育ての親** ☞ そだてのおや　**生みの苦しみ** ¶ *生みの苦しみを味わう experience *the pain of childbirth* /《比喩的に》experience *the* ˹*throes of birth* [*labor pains*; *birth pangs*]

うみう　海鵜　〘鳥〙 Japanese cormorant Ⓒ.

うみうし　海牛　〘動〙 sea slug Ⓒ.

うみおとす　生み落とす　give birth to ….

うみかぜ　sea breeze Ⓒ.

うみがめ　海亀　〘動〙 (sea) turtle Ⓒ.

うみがらす　海烏　〘鳥〙 murre /mɚ́ː/ Ⓒ, guillemot /gíləmɑ̀t/ Ⓒ.

うみぎり　海霧　〘気象〙 séa fòg Ⓒ.

うみすずめ　海雀　〘鳥〙 murrelet /mɚ́ːlət/ Ⓒ.

うみせんやません　海千山千　（狡猾(こうかつ)な古狐）sly [wily] old fox Ⓒ ★ 男の場合;（女性）cunning old girl Ⓒ.

うみだす　生み出す, 産み出す　（創造する）create ⑩;（大量に作り出す）produce ⑩;（利益などを生ずる）yield ⑩;（発明する）invent ⑩.《☞ せいさん[1]; つくる》.　¶ 大きな利益を*生み出す *yield* large profits

うみたて　生み立て, 産み立て　—形（卵が新鮮な）fresh;（産んだばかりの）freshly-laid.

うみたなご　海たなご　〘魚〙 súrf fìsh Ⓒ.

うみづき　産み月　☞ りんげつ

うみつける　生みつける, 産みつける　（鳥・昆虫が卵を) lay (他); (魚・かえるが卵を) spawn (自) (他). ¶かっこうはほかの鳥の巣に卵を*産みつける Cuckoos *lay* their eggs in the nests of other birds.

うみつばめ 海燕 〔鳥〕storm(y) petrel Ⓒ, storm finch Ⓒ.

うみとかげ 海とかげ 〔動〕sea lizard Ⓒ.

うみどり 海鳥 seabird Ⓒ.

うみなり 海鳴り the ˹rumbling [roaring] of the sea ★ rumbling は低い音, roaring は大きな音.

うみねこ 海猫 〔鳥〕black-tailed gull Ⓒ.

うみばと 海鳩 〔鳥〕pigeon guillemot /gíləmɑ̀t/ Ⓒ.

うみひごい 海緋鯉 〔魚〕vermillion goatfish Ⓒ, red mullet Ⓒ.

うみびらき 海開き the opening of an ocean beach (to swimmers).

うみべ 海辺 the seaside, the seashore. ¶*海辺のホテル a *seaside* hotel

うみへび 海蛇 〔動〕sea snake Ⓒ, sea serpent Ⓒ ★ 前者が一般的. **海蛇座** the Sea Serpent, the Water Snake.

うみぼうず 海坊主 (海の化け物) sea monster Ⓒ; 〔動〕(あおうみがめ) green turtle Ⓒ.

うみほおずき 海酸漿 (海産の巻貝の卵のう) whelk egg case Ⓒ.

うみほたる 海蛍 〔動〕sea firefly Ⓒ; (説明的には) a blue-fluorescing swimming crustacean found off the Pacific coast of Japan.

うみゆり 海百合 〔動〕crinoid /kráɪnɔɪd/ Ⓒ, séa lily Ⓒ.

うむ[1] 生む, 産む **1** «出産する»: give birth to ..., bear (他) ★ 前者のほうが一般的; (動物が) breed (自) 《過去・過分 bred》; (卵を) lay (他) (自) 《過去・過分 laid》. 《☞ うまれる; しゅっさん》. ¶彼女は双子を*生んだ She ˹*gave birth to* [*had*] twins. ★ had のほうが平易な言い方. // 彼女は彼との間に3人の子を*生んでいる <S (人)+V (*bear*)+O (人)+O (人)> She *has borne* ˹him [them] three children. // 彼の長男は先妻の*生んだ子だ (⇒ 先妻の子だ) His eldest son is a child ˹of [by] his former wife. / (⇒ 先妻から生まれた子だ) His eldest son *was borne* by his ex-wife. [語法] 「生まれる」は (be) born であるが, 前の文のように能動態の完了形と, by ... などがついて受動態の意味が強い時には borne を用いる. // ねずみは次から次と子を*生む (⇒ 繁殖が速い) Rats *breed* quickly. // 最近うちのにわとりは卵を*生まなくなった Recently our hens have stopped *laying* (eggs).

2 «生ぜしめる»: cause (他); (引き起こす) breed (他) 《過去・過分 bred》 [語法] cause が単に「原因となって引き起こす」ことをいうのに対して, breed は本来の「卵から子供をかえす」という意味から, ある程度時間的な長さが必要な場合に用いる; (持ってくる) bring (他); (結果として引き起こす) bring about (他); (...へ導く) lead to ...; (特に好ましくない事態を起こす) give rise to ... ★ 少し格式ばった言い方; (発生させる) engender (他) ★ 格式ばった語; (産出する) produce (他); (利益を) yield (他). 《☞ うまれる; しょうじる; もたらす》. ¶貧困は時に犯罪を*生む Poverty sometimes ˹*breeds* [*produces*; *causes*; *leads to*; *engenders*] crime. // 彼は日本の*生んだ最大の作曲家だ He is the greatest composer Japan *has* ever ˹*produced* [*had*]. ★ had を用いるほうが平易な言い方. // この株はあまり利益を*生まなかった These stocks *have yielded* little profit.

うむ[2] 膿む ―動 (うみを生じる) form pus; (傷口が炎症を起こす) fester (自). ―形 purulent /pjʊ́(ə)r(j)ʊlənt/ ★ 格式ばった語. 《☞ かのう[2]》. ¶*膿んでいる傷 a *purulent* wound // 切り傷が*膿んだ The cut *has* ˹*formed pus* [*festered*].

うむ[3] 有無 (あるかないか) whether there is ... or not; (存在しているかいないか) existent or nonexistent; (諾否) yes or no. ¶扶養家族の*有無を言ってください Let us know *whether or not* you have family dependents. // 《申請書や調査書などで》配偶者の*有無: 有・無 Are you married? *Yes*/*No* // 賃金は経験の*有無で決まる Your pay *depends on* your experience. **有無相通じる** ¶あの二人は*有無相通じる (⇒ お互いの弱点を補う) ところがあったようだ They seemed *to* ˹*make up* [*compensate*] *for each other's weak points*. **有無を言わせず** ¶*有無を言わせず彼を連れてこい (⇒ 彼に来る意志があるかないかにかかわらず) Bring him here *whether he is willing or not*. // 彼はいつも私に*有無を言わせない (⇒ 私の願いなど考慮してくれない) He *never gives any consideration to my wishes*. 《☞ ちからずく》

うむ[4] 倦む be [get] tired of ... **倦まず弛(たゆ)まず** (精力的に) tirelessly; (たゆまぬ根気をもって) with dogged /dɔ́ːgɪd/ perseverance.

ウムラウト 〔言〕umlaut /ʊ́ːmlaʊt/ Ⓤ ★ 元ドイツ語. ゲルマン語派で後続音節の i, j の影響で先行する母音(a, o, u) が音韻変化する現象. 英語は mutation Ⓤ. **ウムラウト(記号)** umlaut Ⓒ ★ ドイツ語の (¨) の記号で母音字の上につける.

うめ 梅 (木) *ume* tree Ⓒ, Jápanese ápricot trèe Ⓒ ★ 同種類のものが英米にないので, 後者は説明的な言い方; (実) *ume* Ⓒ ★ 単複同形, Japanese apricot Ⓒ; (花) *ume* blossom Ⓒ. 《☞ イタリック体 (巻末)》. **梅に鶯** (鶯と梅はよく調和した絵になる) A bush warbler and ˹*ume* [*Japanese apricot*] *blossoms* make a well-assorted picture. / (バイオリンと弓のようにぴったり呼吸が合う) They agree like fiddle and bow.

うめあわせ(る) 埋め合わせ(る) ―名 (償い) còmpensátion Ⓤ. ―動 (償う) make up (for) ..., cómpensàte for ... ★ 前者のほうが口語的; make good .... 《☞ ほしょう[3]; ばいしょう[1]; つぐなう》. ¶この損害の*埋め合わせはしてもらいます I want you to *make* ˹*up* (*for*) [*good*] the loss. / I want you to ˹*compensate* [*make compensation*] *for* the loss.

うめき 呻き groan Ⓒ; moan Ⓒ. 《☞ うめく》.

うめきざいく 埋め木細工 mosaic /moʊzéɪɪk/ Ⓤ.

うめく 呻く (苦痛などで短く不規則にうめく) groan (自); (悲しみ・苦しみなどで長くうめく) moan (自). ¶彼は痛さのあまり*うめいた He ˹*groaned* [*moaned*] with pain. // 負傷者の*うめく声が聞こえた I heard the injured people *groan*(*ing*). / I heard the *groans* of the injured people.

うめくさ 埋め草 (新聞・雑誌の) filler Ⓒ; (穴ふさぎ) stopgap Ⓒ. 《☞ うめる[1]》.

うめこむ 埋め込む ―動 (装飾として) inláy (他); (ぴったりとはめ込む) embed (他). ―形 (埋め込んである) búilt-ìn. 《☞ はめこむ》. ¶その王冠にはたくさんのダイヤモンドが*埋め込んであった The crown *was inlaid* with many diamonds.

うめしゅ 梅酒 *ume* [plum] liqueur /lɪkə́ː/ Ⓤ.

うめず 梅酢 (漬物・料理用) *ume* [plum] vinegar Ⓤ; (説明的には) the sour liquid from salted ˹*ume* [plums].

うめたて 埋め立て ―動 (穴・溝などを) fill in (他); (池・水路などを) fill up (他); (海などを) reclaim (他). ―名 reclamation Ⓤ. 《☞ うめる[1]》. ¶湖[海]を*埋め立てた土地 land *reclaimed* from ˹a lake [the sea] // *埋め立て工事 *reclamation* work **埋め立て地** reclaimed ˹land [ground] Ⓤ.

うめぼし 梅干し pickled ⌈plum [*ume*] Ⓒ ★単複同形.《☞ うめ; イタリック体（巻末）》.

うめる¹ 埋める (物・人を土などに) bury /béri/ ⓗ《過去・過分 buried》; (穴・空所を) fill in ⓗ.《☞ うまる; ふさぐ; うめあわせ(る)》. ¶海賊は宝を地中に*埋めた The pirates /páɪ(ə)rəts/ *buried* their treasure *in* the ground. // 彼女はその墓に*埋められた She *was buried in* the grave. // 空欄を*埋めよ *Fill in* the blanks.

うめる² (風呂の熱いのに水を加える) add (some) cold water to a bath《☞ うすめる》.

うもう 羽毛 (一般的に) feather Ⓒ; (飾り用などの特に大きなもの) plume Ⓒ; (feather の集まったもの) plumage /plúːmɪdʒ/ Ⓤ; (鳥の綿毛) down Ⓤ.《☞ はね¹; ダウン²》. ¶*羽毛のまくら a pillow stuffed with *down*

うもれぎ 埋もれ木 (長く水中・土中に埋まっていた木) bogwood Ⓤ. ¶一生*埋もれ木で (⇒ 世に知られずに) 終わる live in *obscurity* all *one's* life **埋もれ木に花が咲く** rise ⌈out of [(up) from] obscurity. ¶彼の場合は*埋もれ木に花が咲いたようなものだ He seemed to *rise up out of nowhere*. **埋もれ木細工** bogwood work Ⓤ.

うもれる 埋もれる be buried《☞ うまる》. ¶道は雪に*埋もれていた The road *was buried* ⌈in [under] snow. // *埋もれた (⇒ 隠れた) 人材を発掘する discover *hidden* talent(s)

うやうやしい 恭しい ─ 形 (相手に敬意を表した) respectful; (丁寧な) polite. ─ 副 respectfully.《☞ ていちょう¹》. ¶彼は*恭しく一礼をした He made a ⌈*respectful* [*polite*] bow /báʊ/.

うやまう 敬う (一般的に) respect ⓗ, look up to … ★後者は口語的; honor (《英》 honour) ⓗ ★respect より尊敬の度が強い; (特に神聖なものを) worship ⓗ.《☞ そんけい》. ¶私は彼女のことを師としていつも*敬っている I always ⌈*respect* [*look up to*] her as my teacher. // 父母を*敬いなさい *Honor* your father and mother.

うやむや ¶その問題は*うやむやにしておくことはできない (⇒ 未決定[あいまい]のまま放っておくことはできない) We cannot *leave* the matter ⌈*undecided* [*unclarified*]. // 彼女の提案は*うやむやになった (⇒ 無視された) Her proposal *was* ⌈*ignored* [(⇒ 打ち切られた) *dropped*]. // 彼女は*うやむやな返事をした (⇒ 不確実な) She gave ⌈an *inconclusive* [(⇒ あいまいな) a *vague*] reply.《☞ あいまい; あやふや; いいかげん》

うゆう 烏有 (無) nothing Ⓤ. **烏有に帰す** (無くなる) come to nothing; (すっかり燃えて跡形もなく灰になってしまう) be reduced to ashes.

うようよ ¶小魚の大群が*うようよ泳いでいた Various kinds of small fish were swimming *in large schools*. ★school Ⓒ は魚などの群. // 通りには子供たちが*うようよしていた (⇒ 子供たちで混雑していた) The street *was crowded with* children. // 花畑に蜂が*うようよしている (⇒ 群がっている) Bees *are swarming* in the flower garden. // その沼地には蚊が*うようよしている The marsh *is swarming with* mosquitoes. 【語 法】「群がるもの」が主語の場合 (Bees … の例) と,「場所」が主語の場合 (The marsh … の例) の両方可能であるが, 前置詞の違いに注意.《☞ むらがる; 擬声・擬態語 (囲み)》.

うよきょくせつ 紆余曲折 ¶その法案が通るまでは*紆余曲折 (⇒ 多くの取り引き) があった There was *a lot of* ⌈*bargaining* [*give-and-take*] before the bill was passed. // 2人が結婚するまでは*紆余曲折 (⇒ 多くの問題) があった There were *many problems* before they got married. // その決定は*紆余曲折の末に (⇒ 多くの議論の後) なされた The decision was made *after many disputes*. ★前後関係によっていろいろに意訳する必要がある.

うよく 右翼 ─ 名 (極右的な人) ultra-rightist /ʌ̀ltrəráɪtɪst/ Ⓒ; (政治などで保守的な党派) the right wing; (右派の人) rightist Ⓒ (↔ leftist), right-winger Ⓒ ★前者が普通; (野球の) right field Ⓤ. ─ 形 (右翼の) rightist. **右翼手** right fielder Ⓒ **右翼団体** (ultra-)rightist organization Ⓒ.

うら 裏 **1**《表面に対する》: the back; the reverse (side); the ⌈wrong [other] side.

【類義語】以上の表現はほぼ同意で, 入れ換えて使うことができるが, 事物によりどの表現を主として使うかが定まっている. 裏側を指す最も一般的な語が **back** で,「表」に対して, 誤って裏が出ているような場合は **the wrong side**. 単に反対側という意味が **the other side** で, 背面・裏側 (硬貨・木の葉・レコードなどの) に対しては **the reverse** (**side**) を用いる.

¶封筒[はがき]の*裏 *the back* of ⌈an envelope [a postcard] // レコードの*裏 *the reverse side* [*Side 2; the flip side*] of a record // 葉の*裏 *the reverse* (*side*) of a leaf // 月の*裏側 *the other side* of the moon // 足の*裏 the *sole* (of a foot) // 布地の*裏 *the wrong side* of (the) cloth // その上着は*裏が絹だ (⇒ 絹の裏がついている) The coat *is lined with* silk. //《商品説明書などで》*裏もご覧下さい (⇒(紙やページを)めくって下さい) (Please Turn) Over 【参 考】頭文字をとって P.T.O. と略すこともある. // 9回の*裏 the ⌈*second half* [*bottom*] of the ninth inning

2《背後》 ─ 前 (…から離れた背後に) behind …, at the back of …,《米》in back of … ★この順に口語的になる; (…の後ろの部分に) in the back of … 【語 法】in back of …とは定冠詞の有無で意味の異なることに注意.《☞ うしろ; はいご¹; こうほう¹》.

¶家の*裏には池がある There is a pond ⌈*behind* [*at the back of*; *in back of*] my house. // 入り口は建物の*裏にある The entrance is *at the* ⌈*back* [*rear*] *of* the building. // その女の子はカーテンの*裏 (⇒ 後ろ) に隠れた The girl hid herself *behind* the curtain. // 家の*裏へ回って下さい Go to the *rear* of the house. / (⇒ 裏口へ) Go around to the *back door*.

3《比喩的な使い方》 ¶*裏の意味 (⇒ 隠されている意味) a *hidden* meaning / (⇒ 含意) implication // 彼は*裏を見抜く目がある (⇒ 明敏な観察者だ) He is a *shrewd* observer. // だれかが*裏で工作をしている Somebody is ⌈maneuvering *behind* the scenes [pulling (the) strings]. // この事件には何か*裏がありそうだ (⇒目に見える以上のものがあるようだ) I think there's more to this affair than meets the eye. **裏には裏がある** There are wheels within wheels. ★wheels within wheels は「複雑な事情」の意味で聖書に由来する表現. **裏の裏を行く** ¶警察は容疑者の*裏の裏を行った (⇒ 容疑者は警察の裏をかこうとしたが警察はそのまた裏を行った) The suspect had attempted to outwit the police, but they were too smart and outwitted him instead. // 彼は*裏の裏を行った (⇒ 二重に策略をめぐらした) He hatched plots within plots. **裏を返せば** ¶彼はそのようなことをする立場にないと言っているが, *裏を返せば (⇒ 別の言葉でいえば) 責任を取りたくないのだ He says he's in no position to do that; *in other words*, he doesn't want to take responsibility. **裏をかく** ¶泥棒は警察の*裏をかいた (⇒ 出し抜いた) The thief ⌈*outwitted* [*outsmarted*] the police. **裏をとる** ¶やつのアリバイの*裏をとれ *Collect evidence* to check his alibi.

うらうち 裏打ち ─ 名 (衣服の) lining Ⓒ; (絵などの) backing Ⓤ. ─ 動 line … with …; back

… with … (☞ うら).

うらうつり 裏写り ¶この紙は薄くて*裏写りする This paper is so thin that the *printing shows through from the other side*.

うらおもて 裏表 (表と裏) both sides ★ 複数形で. ¶それは包み紙の*裏表に印刷されていた It was printed on *both sides* of the wrapper. 参考 紙の表[裏]は特に the ˹*right* [*wrong*] side of the paper と呼ぶ. // この紙の*裏表は見分けがつかない (⇒ この紙のどちらが表なのか私は見分けることができない) I cannot tell which is the *right side* of the paper. // 物には*裏表があるものだ (⇒ どんなものもよい面と悪い面をもっている) Everything has ˹*two sides* [*a right and a wrong side*]. / (⇒ どんなものにも 2 つの面がある) There are *two sides* to everything. // *裏表のある (⇒ 二心のある) 人 a *two-faced* person / a *double-dealer*

うらかいどう 裏街道 (わき道・間道) byroad Ⓒ, bypath Ⓒ; (人生の) the ˹dark [shady] side of life. ¶人生の*裏街道を歩く lead a *shady* life

うらがえし 裏返し ── 副 inside out; (表を下にして) face down. ¶彼は片方の靴下を*裏返しにはいていた He had one of his socks on *inside out*. ★「はいていた」は状態なので have … on, あるいは be wearing … を使う. (☞ あべこべ) // 彼女はセーターを*裏返しに着ていた (⇒ 間違った側を外に出して) She ˹was wearing her sweater [had her sweater on] *wrong side out*. // 彼は書類を*裏返しに置いた He put the papers *face down*. // あいつの傲慢は劣等感の*裏返しさ (⇒ 別の形をとった劣等感だ) His arrogance is his inferiority complex in *another form*.

うらがえす 裏返す (紙などを) turn … over; (靴下・ポケットなどを) turn … inside out. (☞ うら). ¶彼女はそのカードを*裏返した She *turned* the card *over*. (☞ うら (類義語))

うらがえる 裏返る turn inside out ⓐ.

うらがき 裏書き ── 名 (手形・小切手の) endorsement Ⓤ. ── 動 (手形・小切手を) endorse ⓗ; (考えなどを確証する) confirm ⓗ. (☞ こぎって). ¶手形に*裏書きする *endorse* a bill // 最近発見された事実が彼の考えを*裏書きした (⇒ 確証した) The recently discovered fact *has confirmed* his view. **裏書き人** endorser Ⓒ.

うらかた 裏方 (舞台裏で働く人) backstage worker Ⓒ; (演劇の道具方) sceneshifter Ⓒ; (舞台係) stagehand Ⓒ. ¶*裏方を務める work *behind the scenes*

うらがなしい 心悲しい ── 形 plaintive.

うらがね 裏金 (わいろ) bribe Ⓒ; (秘密の資金) secret fund Ⓒ.

うらがれる 末枯れる ¶裏庭には*うら枯れた (⇒ 葉のしぼみかけた) 木がほんの 2, 3 本立っていた In the backyard there were only a few trees, the leaves of which *were beginning to wither*.

うらがわ 裏側 ☞ うら **1**

うらきど 裏木戸 back [rear] door Ⓒ.

うらきもん 裏鬼門 Devils' Back Gate; (説明的には) the unlucky southwest direction from a house, according to the Chinese *feng-shui* geomantic system. (☞ きもん).

うらぎり 裏切り betrayal Ⓤ ★ 行為は Ⓒ; (だまし討ち) stab in the back Ⓒ.

うらぎりもの 裏切り者 (背信者・密告者) betrayer Ⓒ; (反逆者) traitor Ⓒ; (密告者) informer Ⓒ.

うらぎる 裏切る (人・約束・信頼にそむく) betray ⓗ; (人を失望させる) disappoint ⓗ; (比喩的に, 売り渡す・変節する) 《略式》 sell out ⓗ. (☞ ねがえる; そむく). ¶私は彼女を*裏切るようなことはしない I won't ˹*betray* [*be unfaithful to*] her. // その結果は私の期待を*裏切った (⇒ 期待に反するものだった) The ˹result *was* [results *were*] *contrary to* my expectations. / (⇒ 期待にそわなかった) The result(s) *fell short of* my expectations. / (⇒ 結果は私を失望させた) The result(s) *disappointed* me.

うらぐち 裏口 back ˹door [entrance] Ⓒ (☞ うら; うらて). **裏口入学** ¶彼はその大学に*裏口入学をした He got into the university ˹by [through] the *back door*. / (⇒ 金を使って大学へ入った) He *bought his way into* college.

うらけい 裏罫 (太い罫線) thick-ruled line Ⓒ.

うらげい 裏芸 ☞ かくしげい

うらごえ 裏声 ── 名 falsetto /fɔːlsétoʊ/ Ⓤ. ── 形 副 falsetto. ¶*裏声で歌う sing (in) *falsetto*

うらごし 裏ごし ── 名 (裏ごしの器具) strainer Ⓒ. ── 動 strain ⓗ. (☞ 料理の用語 (囲み)).

うらさく 裏作 secondary crop Ⓒ.

うらさびしい うら寂しい (人里離れてさびしい) lonely; (とてもさびしい) desolate; (人が住んでいない) deserted. (☞ さびしい). ¶森の中の*うらさびしい家 a *lone, desolate* house in the wood

うらじ 裏地 lining Ⓒ.

ウラジオストク ── 名 固 Vladivostok /vlædəvəstɑ́k/ ★ ロシアのアジア南東部の港湾都市.

うらしまそう 浦島草 〘植〙 *urashima-so* Ⓒ ★ 単複同形; (説明的には) a species of Japanese cobra lily belonging to the arum family.

うらしまたろう 浦島太郎 ── 名 固 Urashima Taro; (説明的には) the Japanese equivalent of Rip Van Winkle.

うらじょうめん 裏正面 (相撲の) the south side of the sumo ring.

うらじろ 裏白 **1** 《裏が空白の頁》: page with a blank back Ⓒ. **2** 《植物の》: (葉の裏が白いしだ類) fern with white-backed leaves Ⓒ.

うらじろのき 裏白の木 〘植〙 whitebeam Ⓒ.

うらせんけ 裏千家 (茶道の) Urasenke (school of the tea ceremony).

うらだな 裏店 house on the backstreet Ⓒ.

うらづけ 裏付け ¶事実の*裏付けのない (⇒ 事実に基づいてない) 意見 an opinion not *based* on fact(s) // 彼の有罪の*裏付けとなる (⇒ 有罪を証明する) 証拠は見つからなかった We could not find (the) evidence to *prove* ˹his guilt [that he was guilty; him guilty]. ★ [ ] 内のほうが口語的. (☞ こんきょ; よりどころ) **裏付け捜査** corroborative investigation Ⓒ.

うらづける 裏付ける support ⓗ; (支持する) back (up) ⓗ; (証明する) prove ⓗ; (確証する) confirm ⓗ; (基礎を置く) base ⓗ. (☞ こんきょ; よりどころ; しょうめい¹). ¶この説を*裏付けるデータがない We have no data to ˹*support* [*prove* (*the validity of*); *confirm*] this theory. // 彼の理論は信頼できる証拠で*裏付けられている His theory *is* ˹*supported* [*backed* (*up*)] by reliable evidence.

うらて 裏手 ── 名 (後ろ) back Ⓒ; (後部) rear Ⓒ. ── 前 (…の裏手に) behind …, 《略式》 at the ˹back [rear] of …, 《米略式》 in back of …; (建物本体の後部に) in the back of …. (☞ うら; うしろ).

うらどおり 裏通り backstreet Ⓒ; (路地) alley Ⓒ.

うらない 占い fortune-telling Ⓤ; (占者) fortune-teller Ⓒ 参考 ヨーロッパでは普通は女性; (手相見) palmist /pɑ́ːmɪst/ Ⓒ. ¶私は*占いに見てもらった I *had* my *fortune told*. / I consulted a *fortune-teller*. // トランプで独り*占いをする play solitaire /sɑ́lətèə/ ★ solitaire は一人でするトランプ遊びの意で，占いとは限らない．

うらなう 占う (運勢を) tell [read] *a person's* fortune《☞ うんせい》. ¶私はトランプであなたの運勢を*占える I can ⌈*tell* [*read*] *your fortune* from cards. // 彼女は結婚について*占ってもらった She *had her fortune told* about her marriage.

うらながや 裏長屋 (江戸時代の) row house (on a backstreet) Ⓒ ★ 江戸時代には表通りは商店街で庶民の長屋は裏通りと決まっていたから on a backstreet はなくてもよい．

うらなり 末生り **1**《つるの先に時季はずれに実がなること》 ¶*うらなりの瓢簞(ひょうたん) a gourd /gɔ́əd/ that *grows out of season at the top end of* ⌈*the* [*a*] *vine*
2《顔色の悪い人》: sick(ly)-looking person Ⓒ.

ウラニウム 〘化〙uranium /jʊréɪniəm/ Ⓤ《元素記号 U》.

うらにわ 裏庭 backyard Ⓒ 日英比較 日本の家の場合，普通は backyard に相当するものがない．backyard は「裏庭」といってもかなり広く，車庫があったり物干場になっていたりする．ときには小さな畑を作って自家用の野菜や果物を栽培することもあり kitchen garden Ⓒ とも呼ばれる．《☞ にわ 語法》.

うらはずかしい うら恥ずかしい ¶*うら恥ずかしい年頃 (⇒ 思春期) àdoléscence / the *áwkward* àge

うらばなし 裏話 inside story Ⓒ《☞ うちまく》.

うらはら 裏腹 ―名 (正反対) the contrary. ―形 contrary (to …) Ⓟ.《☞ ぎゃく》.
¶彼は心と*裏腹なことをした (⇒ 意図と反対のことをした) He acted *contrary to* his intentions. // 彼の口と心は*裏腹だ (⇒ 本気でそう言っているのではない) He *doesn't mean what he says*. / (⇒ 口ではあることを言いながら別のことを意味している) He *says one thing* ⌈*and* [*but*] *means another*.

うらばんぐみ 裏番組 program on a different channel Ⓒ.

うらびょうし 裏表紙 the back cover.

うらぶれる ―動 become shabby. ―形 (うらぶれた) shabby.《☞ みすぼらしい; まずしい》.

うらぼん(え) 盂蘭盆(会) ☞ ぼん[1]

うらまち 裏町 backstreet Ⓒ ★ しばしば複数形で．

うらみ[1] 恨み (不平不満などからくる恨み) grudge Ⓒ; (敵意をもった強い恨み) spite Ⓤ; (悪感情) ill feeling Ⓤ.《☞ あくい; てきい; うらむ[1]》.
¶彼は私に対して*恨みを抱いているようだ I feel he ⌈has [bears] a *grudge* against me. ★ [ ] 内のほうが格式ばった語. / I feel he bears me a *grudge*. // その秘密をばらしたら彼の*恨みを買うぞ (⇒ 彼を敵に回すことになる) If you disclose the secret, you will *make an enemy* (*out*) *of* him. // 私は彼女に対して何の*恨みも持っていない I have no *ill feelings* against her. // 彼は父の*恨みを晴らした He ⌈*took revenge* for [*avenged*] the wrongs done to his father. 恨み骨髄に徹する ☞ こつずい

うらみ[2] 憾み (残念·失望·後悔) regret Ⓤ. ¶あなたの判断には公正を欠く*うらみがありますな (⇒ 残念ながらそう思う) I'*m afraid* your judgment is not quite fair. // 自分の能力を十分発揮できなかった*うらみがある (⇒ 残念に思う) I *regret* I could not *show my full ability*.

うらみがましい 恨みがましい (とがめるような) reproachful. ¶*恨みがましい目つきをする give *a person* a *reproachful* look

うらみごと 恨み言 ¶僕に*恨み言を言っても始まらない (⇒ 無駄だ) It's no use *grumbling* to me. // 彼に会って*恨み言の一つも言ってやりたい I *have* (*got*) *a bone to pick with* him. 語法 have a bone to pick with … は「…に対して言うことがある」という熟語.《☞ ふへい; くじょう》

うらみごろ 裏身頃 the four lining panels of a kimono Ⓒ《☞ おもてみごろ》.

うらみち 裏道 back lane Ⓒ, backstreet Ⓒ; (間道) byway Ⓒ, bypath Ⓒ.

うらみつらみ 恨みつらみ complaints ★ 複数形で. ¶彼女は私に前夫についての*恨みつらみを述べたてた She told me all the *complaints* of her ex-husband. // …に*恨みつらみを晴らす (⇒ 積もる恨みを) pay off [settle] *old scores* with *a person*

うらむ[1] 恨む (人の仕打ちを恨みに思う) have [bear] a grudge against … ★ [ ] 内のほうが格式ばった表現; (悪く思っている) think ill of …《☞ うらみ[1]》. ¶私は彼女を*恨む I *bear a grudge against* her. / <S (人)+V (*bear*)+O (人)+O (恨み)> I *bear* her *a grudge*. ★ 第 2 文のほうが格式ばった言い方. // 彼は天を*恨んだ (⇒ 呪った) He *cursed* ⌈Heaven [God].

うらむ[2] 憾む (残念である) regret ㊀. ¶数人の落伍者が出たのが*うらまれる *It is regrettable* that a few people dropped out.

うらめ 裏目 裏目に出る backfire (on …) ㊂. ¶彼の慎重さが*裏目に出た (⇒ 慎重さで失敗した) He failed due to his own cautiousness. / His carefulness *backfired on* him.

うらめしい 恨めしい ―形 (非難するような) reproachful; (憤慨しているような) resentful. ―動 (残念に思う) be sorry (for …), regret ㊀ ★ 前者のほうが口語的. ¶彼女は*恨めしそうな (⇒ 非難するような) 顔つきで私を見た She gave me a *reproachful* look. 語法「恨めしそうな目つき」も a reproachful look でよい. // それをいまも*恨めしく思っている Even now I ⌈*am sorry for* [*regret*] that.

うらもん 裏門 back gate Ⓒ.

うらやくそく 裏約束 secret agreement Ⓒ.

うらやま 裏山 mountain [hill] behind *one's* house Ⓒ.

うらやましい 羨ましい ―形 (うらやましがる) envious; (ねたんだ) jealous (of …). ―動 (うらやむ) envy ㊀.《☞ せんぼう》. ¶私はあなたの成功が*うらやましい I ⌈*am envious of* [*envy* you] your success. // *うらやましいね How I *envy* you! / (⇒ 君の立場になれたらいいんだが) I wish I *were in your shoes*. 語法 (1) be in …'s shoes で「…の立場にある」の意の慣用句. // 彼は*うらやましそうな顔をした (⇒ うらやましそうに見えた) He looked *envious*. / (⇒ うらやましそうな表情が顔にあった) There was an *envious* look on his face. ★ 後者はやや文語的. // 彼女はまり子を*うらやましそうに見た She ⌈looked at [regarded] Mariko ⌈*enviously* [*with envy*]. 語法 (2) このような regard はやや改まった言い方で，ある感情をもって見ること. // 彼女の美貌は同級生から*うらやましがられていた (⇒ 同級生をうらやましがらせた) Her beauty made her classmates ⌈*envious* [*jealous*]. / (⇒ 彼女の美貌は同級生の羨望(せんぼう)の的だった) Her beauty was the *envy* of her classmates.

うらやむ 羨む énvy ㊀, be énvious (of …), feel envy (of …) ★ どれもほぼ同意で，入れ換えて使うことができる.《☞ せんぼう》. ¶明夫は彼の成功を*うらやんだ Akio *envied* him his success. / Akio *was envious of* his success.

うららか 麗らか (天候がすばらしい) beautiful; (明るい) bright; (晴れた) clear; (すてきな) lovely ★ どれも晴れて気持ちのよい天候に対して用いるが，beautiful と lovely は口語的.《☞ のどか; ぽかぽか》.
¶*うららかな春の日 a ⌈*beautiful* [*bright*; *lovely*]

spring day

ウラル ウラルアルタイ語族 〘言〙 Ural-Altaic /jʊ̀(ə)rəlæltéɪɪk/ Ⓤ ウラル山脈 ━ 名 ⓖ the Ural Mountains, the Urals.

うらわかい うら若い young and fresh.

ウラン 〘化〙 uranium /jʊréɪniəm/ Ⓤ《元素記号 U》. ¶ 天然[濃縮]*ウラン natural [enriched] *uranium* // *ウラン鉱 *uranium* ore

ウランバートル ━ 名 ⓖ Ulan Bator, Ulaanbaatar /ú:lɑ:n bá:tɔə/ ★ モンゴルの首都.

うり¹ 売り (売ること) selling Ⓤ; (販売) sale Ⓤ ★ 売れ行きや売上高の意味では Ⓒ. (☞ うる¹). ¶ 大量の*売りで株価は急落した Heavy *selling* sent share prices plummeting. // *売りに出す (個人が) put ... up for *sale* / (店が) put ... on *sale*

うり² 瓜 〘植〙 (マクワウリ) melon Ⓒ; (キュウリ) cucumber Ⓒ. 瓜の蔓(つる)に茄子(なすび)はならぬ (悪い犬から良い子犬は期待できない) We may not expect a good whelp from an ⌈ill [unhealthy] dog. 瓜二つ ¶ その双子は*うり二つだ (⇒ (同じさやの中の) 2つの豆のようだ) The twins are *as alike as two peas* (*in a pod*).

うりあげ 売り上げ (売り上げ高) sales; (売り上げ金) proceeds /próusi:dz/; (受け取り高) receipts /rɪsí:ts/ ★ 以上3語は通例複数形で. (☞ うる¹; うれゆき). ¶ 午前中は*売り上げがなかった There were no *sales* ⌈during [in] the morning. // バザーの*売り上げは15万円だった The *proceeds* from the bazaar amounted to ¥150,000. // デパートの*売り上げが落ちてきた Department-store *sales* have begun to slow down. // 今月の*売り上げは目標に達しなかった (⇒ 今月は売り上げの目標は達成されなかった) *The sales target* has not been ⌈attained [reached] this month. // *売り上げの上昇[下降] a ⌈rise [fall] in *sales* 売り上げ総額 gross sales 売り上げ高[金] proceeds, takings, sales ★ いずれも複数形で. (☞ たか¹). ¶ 1日の*売り上げ高が500万円に達した *Proceeds* for the day came to five million yen. 売り上げ帳 sales book Ⓒ.

コロケーション

...の売り上げが上向く *sales* of ... ⌈pick up [improve] / ...の売り上げが減少する *sales* of ... ⌈shrink [decrease; drop off] / ...の売り上げが上昇[下降]する *sales* of ... ⌈climb [decline] / ...の売り上げが **2**[**3**] 倍になる *sales* of ... ⌈double [triple] / ...の売り上げが増える *sales* of ... ⌈grow [increase] // **1** 月の売り上げ (the) January *sales* / 空前の売り上げ record-breaking *sales* / 月間売り上げ monthly *sales* / 好調な売り上げ brisk *sales* / 国内売り上げ domestic *sales* / 四半期の売り上げ quarterly *sales* / 純売り上げ net *sales* / 年間売り上げ annual *sales* / 平均売り上げ average *sales*

うりあるく 売り歩く (比較的小さな物を行商する) peddle ⓗ; (路上で大声を上げて) hawk ⓗ.

うりいえ 売家 house for sale Ⓒ (☞ うりや). 売り家と唐様で書く三代目 (ある世代によって作られた財産は続く世代によって浪費される) The family fortune built up by one generation is often squandered by the following generations.

うりいそぐ 売り急ぐ (急いでする) rush ⓗ. ¶ *売り急ぐことはない. この家の買い手はいくらでもある Don't *rush* things. There's no lack of buyers for a house like this.

うりおしむ 売り惜しむ (将来の値上がりを期待して売る気になれない) be unwilling to sell ... (in ⌈expectation [anticipátion] of better prices); (将来の販売を考えて商品を押さえる) hold goods (for future sale); (不足を見越して蓄える) stockpile ⓗ. ¶ 生産者は値上がりを見越してコーヒー豆の*売り惜しみをしている In ⌈anticipation [expectation] of ⌈better [higher] prices, producers *are* ⌈*unwilling to sell* [*stockpiling*] coffee (beans).

うりオペレーション 売りオペレーション 〘証券〙 selling operation Ⓒ.

うりかい 売り買い buying and selling.

うりかけ 売り掛け credit Ⓤ. ¶ あの店では*売り掛けはしない That store doesn't give *credit*. // *売り掛けで on *credit* 売り掛け勘定 《米》 charge account Ⓒ, 《英》 credit account Ⓒ 売り掛け金 accounts receivable.

うりかた 売り方 (売り手) seller Ⓒ; 〘株〙 bear Ⓒ, the selling side.

うりき 売り気 〘株〙 bearish sentiment Ⓤ.

うりきる 売り切る séll óut ⓐ ⓗ.

うりきれる 売り切れる (売りつくされる) be sold out; (品切れになる) be out of stock. ¶ 切符は*売り切れです The tickets *are sold out*. / We ⌈*are* [*have*] *sold out of* tickets. ★ 英語では第2文のように人を主語にする言い方もよく用いる. // このサイズの靴はいま*売り切れです (⇒ 品切れです) The shoes in this size *are* now *out of stock*. (☞ しなぎれ) // 本日*売り切れ《掲示》(All) *Sold Out* (for) Today

うりぐい 売り食い ¶ *売り食いでどうにかやっていく (⇒ 所持品を売って何とか暮らす) manage to get along by selling off *one's* belongings

うりぐすり 売り薬 ☞ ばいやく²

うりこ 売り子 (小売店の店員) 《米》 (salesclerk Ⓒ, salesperson Ⓒ 《複 salespeople》 ★ 性差別反対運動の結果使われるようになった語, 《英》 shop assistant Ⓒ; (女店員) saleswoman Ⓒ. (☞ てんいん¹ 日英比較).

うりこし 売り越し ━ 名 óversèll Ⓤ. ━ 動 òversél ⓗ.

うりことば 売り言葉 売り言葉に買い言葉 ¶ それは単なる*売り言葉に買い言葉だった It was just *tit for tat*. 語法 tit for tat は言葉にも行為にも用いられる「しっぺ返し」という意味の慣用句. // *売り言葉に買い言葉でけんかになった (⇒ 荒々しい言葉に対する荒々しい言葉がけんかに導いた) *Harsh words* ⌈*for* [*in response to; exchanged for*] *harsh words* led to a quarrel.

うりこむ 売り込む (売りつける) sell ⓗ; (販路を見つける) find ⌈a market [an outlet] (for ...); (積極的な努力をして売る) push ⓗ; (自己宣伝をする) sell [advertise; publicize] *oneself* ★ sell のほうが口語的; (評判をとる) make *one's* reputation (by ...); (有名になる) gain [get] publicity (by ...); (芸能人などを) promote ⓗ. (☞ うる¹; せんでん; ばいめい). ¶ 私はこの新製品を主婦向けにたくさん*売り込んだ I'*ve sold* these new products to many housewives. // 彼らは新製品の*売り込み中だ They *are pushing* their new (line of) products. // 彼は汚ない手を使って自分の*売り込みを (⇒ 名声を得ようと) 図った He tried to *gain publicity by* a dirty trick. // 自分を*売り込む *sell* [(⇒ 宣伝する) *advertise*; *publicize*] *oneself*

うりさき 売り先 (買受人) buyer Ⓒ, purchaser Ⓒ.

うりざねがお 瓜実顔 slender face Ⓒ.

うりさばく 売り捌く (販売する) sell ⓗ; (売り尽くす) sell out ⓗ. (☞ うる¹; さばく²).

うりしぶる 売り渋る (売るのを抑える) hold off selling; (商品を押さえる) hold back goods.

うりだし 売り出し **1** 《商品の》: (安売り) (bargain) sale Ⓒ; (特売) special sale Ⓒ; (蔵払い・棚ざらえ) clearance (sale) Ⓒ. 日英比較 英語の bargain は単独では「売り出し」の意味で使われない. 《☞ おおうりだし; バーゲン; とくばい》. ¶ 年末大*売り出し the year-end (*bargain*) *sale* ∥ 本日大*売り出し《掲示》*Special* [*Bargain*; *Clearance*] *Sale* Today

2《人気》 ── 形 (将来有望な) up-and-coming. ¶ *売り出し中の歌手 an *up-and-coming* singer

うりだす 売り出す (品物を) put … on sale; (市場に出す) place [put] … on the market; (売りに出す) offer … for sale ★ やや格式ばった言い方; (名声を得る) gain *one's* reputation, win publicity ★ publicity はマスコミなどによって有名になることをいう; (有名になる) become famous; (人気が出る) become popular. 《☞ はつばい》. ¶ この新製品は来年の3月に*売り出されます This new product will *be* ˹*put on sale* [*on the market*; *ready for sale*] next March. ∥ 最近若者に*売り出した (⇒ 人気が出た) 歌手 a singer who has recently *become popular* with young people

うりたたく 売り叩く 〔商〕 bear (the market); (説明的には) push (sales of) a stock in order to bring the market price down.

うりつくす 売り尽くす séll óut 他. **売り尽くしセール** clearance sale Ⓒ.

うりつける 売り付ける (無理に買わせる) force [push] … on …; (偽物の類を)《略式》palm off … on …; (不良品などをつかませる) fob *a person* off with … 《☞ おしうり》. ¶ 彼は私に模造の真珠を*売り付けた He *forced* an ˹imitation [artificial] pearl *on* me.

うりつなぎ 売り繋ぎ ── 名 〔商〕 hedge Ⓤ, hedging Ⓤ ★ 価格変動による損失を避けるために先物などを売り買いすること; 〔株〕 (空売り) short sale Ⓒ. ── 動 〔商〕 hedge 他 ★「買いつなぎ」も同じ語を用いる; 〔株〕 sell short 自 他.

うりて 売り手 seller Ⓒ (↔ buyer). **売り手市場** sellers' [seller's] market ★ a または the を付けて.

うりてすじ 売り手筋 〔商〕 influential sellers in the market ★ 複数形で.

うりとばす 売り飛ばす sell (off) 他《過去・過分 sold (off)》; (処分する) dispose of … ★ 前者のほうが平易な日常語. 《☞ うりはらう; うる¹》.

うりぬけ 売り抜け ── 名 〔株〕 (大量売り) séll-òff Ⓒ; ── 動 (安値に構わず売り渡す) séll óff 他.

うりぬし 売り主 seller Ⓒ; 〔商〕 (小売店へ卸し売りする人) vendor Ⓒ.

うりね 売り値 selling price Ⓒ; (小売り値段) retail price Ⓒ; (定価) list price Ⓒ. 《☞ ねだん》.

うりのき 瓜の木 〔植〕 *urinoki* Ⓒ ★ 単複同形; (説明的には) a deciduous shrub native to mountainous areas of Japan. It is one of 17 plants that comprise the family Alangiaceae.

うりば 売り場 (カウンター) counter Ⓒ; (デパートなどの) depártment Ⓒ. ¶ 切符*売り場 a ticket *office* / 《劇場の》 the box *office* ∥ 紳士服*売り場 the men's clothing *department*

うりはむし 瓜葉虫, うりばえ 瓜蠅 〔昆〕 cucurbit /kjuːkə́ːbɪt/ lèaf bèetle Ⓒ.

うりはらう 売り払う (安値で手放す) sell (off) 他《過去・過分 sold (off)》★ 平易な日常語; (家具などの動産を処分する) dispose of … ★ 前者より格式ばった言い方. 《☞ ばいきゃく; てばなす》. ¶ 彼は家を*売り払った He *sold* (*off*) his own house.

うりもの 売り物 article ˹for [on] sale Ⓒ 〔参考〕 掲示の場合は For Sale (↔ Not for Sale (非売品)) または On Sale となる. ただし On Sale は《米》では「特価での売り物」の意にもなる.
¶ この製品は*売り物になる[ならない] This product is ˹*marketable* [*unmarketable*]. ∥ 彼女は美貌を*売り物にした (⇒ 美貌を活用した) She ˹*capitalized* [*traded*] *on* her beauty. 〔語法〕 trade on は「不当に利用する」という悪いニュアンスを伴う表現.

うりや 売り家 house for sale Ⓒ; 《掲示》 House for Sale.

うりょう 雨量 (降雨量) rainfall Ⓤ, precipitation Ⓤ ★ 後者のほうがより専門的な用語; (降雨) rain Ⓤ. ¶ 東京の年間*雨量 the annual ˹*rainfall* [*precipitation*] in Tokyo ∥ きのうの*雨量は 10 ミリだった We had ten millimeters of *rain* yesterday. / The *precipitation* yesterday totalled ten millimeters. ★ 前者のほうが平易な表現. **雨量計** rain gauge Ⓒ.

うりわたし 売り渡し sale Ⓒ. ¶ *売り渡し価格 a ˹*sales* [*selling*] price ∥ *売り渡し契約 a *sales* contract **売り渡し抵当** mortgage selling Ⓤ.

うりわたす 売り渡す sell … to … 《☞ うる¹; うりはらう》. ¶ 彼は自分の家を友人に*売り渡した He *sold* his house *to* a friend of his.

うる¹ 売る **1**《品物を》: sell 他《過去・過分 sold》(↔ buy) 《☞ うれる¹; うりはらう》. ¶ 彼は家を5千万円で*売った <S (人)+V (*sell*)+O (物)+*for*+名(金額)> He *sold* his house *for* fifty million yen. ∥ この店では輸入物のワインを安く*売っている This store *sells* imported wines at low prices. 〔語法〕 (1) price の場合は前置詞は at. ∥ 私は彼に車をただ同然で*売った <S (人)+V (*sell*) +O (人) +O (物)> I *sold* him my car for next to nothing. / <S (人)+V (*sell*) +O (物) + *to* + 名・代 (人)> I *sold* my car *to* him for next to nothing. ∥ あの店では卵を1ダース 200 円で*売っている Eggs *sell* at that store ˹*for* [*at*] ¥200 a dozen. 〔語法〕 (2) この sell は 自 で「売られる」の意.

2《名を》 ¶ 彼は自分の名前を*売りたがっている (⇒ 有名になりたがっている) He *is* ˹*seeking* [*looking for*] *publicity*. ∥ 彼女はその小説で名前を*売った (⇒ 名声を得た) She *made her reputation* ˹*from* [*with*] that novel. 《☞ うりこむ》

3《裏切る》: (売り渡す) séll óut 他; (裏切る) betray 他 ★ 前者のほうが口語的. 《☞ うらぎる; そむく》. ¶ 国を*売る *sell out* [*betray*] *one's* country

4《けんかを》 ¶ 私は彼にけんかを*売る (⇒ 彼とけんかを起こす) つもりはない I have no intention of ˹*starting* [*picking*; 《格式》 *entering into*] *a quarrel* with him. 《☞ けんか¹》

コロケーション

あまり売れない *sell* poorly / **ばらで売る** *sell* piecemeal / **安く[高く]売る** *sell* ˹cheap(ly) [dear] / **よく[飛ぶように]売れる** *sell* ˹well [like hot cakes] ∥ **掛けで売る** *sell* (…) on credit / **原価で売る** *sell* (…) at cost / **コスト割れで売る** *sell* (…) below cost / **市価[時価]で売る** *sell* (…) at the ˹market [current] price / **ダース[メートル, キロ]単位で売る** *sell* (…) by the ˹dozen [meter; kilo] / **手数料を取って売る** *sell* (…) on commission / **バーゲン価格で[値引きして]売る** *sell* (…) at a ˹bargain price [discount] / **法外な値段で売る** *sell* (…) at ˹a fancy price [an exorbitant price] / **良い値で[損して]売る** *sell* (…) at a ˹good price [loss]

うる² 得る ☞ える¹

うるう 閏 (暦に日・月を加えること) embolism Ⓤ; (閏日・閏月を置くこと) intercalation Ⓤ. **閏月** leap [intercalary] month Ⓒ **閏年** leap [intercalary] year Ⓒ **閏日** leap [intercalary] day Ⓒ ★ 閏年の2月29日. **閏秒** leap second Ⓒ.

うるうる ¶ (目が)*うるうるする be *teary*-eyed / have *tears* in *one's* eyes

うるおい 潤い ── 名 (湿り気) moisture Ⓤ; (ゆか

しさ) charm Ⓤ; (利益) profit Ⓤ; (得・恩恵) bénefit Ⓤ. ── 形 charming, tasteful. ¶ 彼女の声には*潤いがある There is (a) great *charm* in her voice. / (⇒ 潤いのある声を持っている) She has a ⌈*charming* [*sweet*] voice. // *潤いのない生活 (⇒ 無味乾燥な生活) a ⌈*prosaic* /prouzéɪɪk/ [*dull*] life

うるおう 潤う (望ましい程度に湿り気を帯びる) be moistened /mɔ́ɪsnd/; (ぬれる) get wet; (利益や恵みを得る) receive benefit(s), profit 自 ★ 意味に大差はなく, 多くの場合入れ換えて使用できる; (豊かになる) become prósperous. 《☞ ぬれる; しめる²》.

¶ 土は雨で*潤った The ground *was moistened* ⌈by [with] (the) rain. // 漁港は今いわしの大漁で*潤っている (⇒ 繁栄している) The fishing port *is prosperous* now because of (its) big ⌈catches of sardines [sardine catches].

うるおす 潤す (湿らす) wet 他; (軽く湿らす) moisten 他; (利する) profit 自, benefit 自. ¶ 私は冷たい泉の水でのどを*潤した (⇒ 渇きをいやした) I *satisfied* my thirst with a drink of cold spring water. // その発見は彼らを大いに*潤した (⇒ 彼らはその発見で儲けた) They ⌈*profited* [*made* (a lot of) *money*] from the discovery.

ウルガタせいしょ ウルガタ聖書 〘カトリック〙 the Vulgate /vʌ́lgeɪt/ ★ ラテン語訳聖書.

ウルグアイ ── 名 固 Uruguay /(j)úrəgwàɪ/; (正式名; ウルグアイ東方共和国) the Oriental Republic of Uruguay. ── 形 (ウルグアイの) Uruguayan /(j)ùrəgwáɪən./ **ウルグアイ人** Uruguayan Ⓒ **ウルグアイラウンド** the Uruguay Round; (多角的貿易交渉) multilateral trade negotiations ★ 複数形で.

うるさい ── 形 (迷惑な) annoying; (わずらわしい) troublesome; (しつこい) persístent; (騒々しい) noisy; (好みがやかましい) partícular (about ...), fussy (about ...). ── 動 (しかる・がみがみ言う) scold 自 他; (うるさくせがむ) nag (at ...) 自 他; (悩ます) bother 他; (邪魔する) disturb 他; (いらいらさせる) annoy 他. ── 名 (やっかいなもの・人) núisance Ⓒ. ── 副 persistently; noisily. 《☞ さわがしい (類義語); しつこい; やかましい》. ¶ 隣の家のピアノは*うるさい (⇒ 迷惑だ) My neighbor's piano playing is *annoying*. // 彼は食べ物に*うるさい (⇒ 好みがやかましい) He is ⌈*particular* [*fussy*] *about* his ⌈diet [food]. // 彼の妻は*うるさい His wife *is* always *nagging* him. 語法 このように進行時制を用いると非難の気持ちが加わる. // 彼は*うるさい (⇒ しつこい) セールスマンに根負けした He gave in to the *persistent* salesman. // はえは*うるさいものだ Flies are a *nuisance*. // 勉強中は*うるさく (⇒ 邪魔) しないで下さい Please don't *disturb* me while I'm studying. // 私は子供たちに*うるさいぞ (⇒ 騒々しすぎるぞ) と言った I told the children ⌈that they were too *noisy* [(⇒ 静かにしろ) *to be quiet*]. // *うるさい (⇒ 私を邪魔するのはやめろ) *Stop bothering me*! / (⇒ その騒ぎをやめなさい) *Stop that noise*! / (⇒ 黙れ) *Shut up*! / (⇒ 静かに) *Be quiet*!

うるさがた うるさ型 ── 形 (些細なことにこだわる) fussy, fastídious ★ 前者のほうが口語的. ¶ おじは*うるさ型だ My uncle is ⌈*fussy* [*fastidious*]. / (⇒ 気難しい) My uncle is rather *hard to please*.

うるさがる (迷惑に感じる) feel annoyed ⌈with [at] ...; (迷惑な行為とみなす) regard ... as a nuisance /n(j)úːsns/; (うるさいと思う) consider ... annoying ★ 2 番目と 3 番目の言い方では 2 番目のほうが一般的. ¶ 彼は赤ん坊の泣き声を*うるさがる He *feels annoyed at* the baby's crying. // 彼女は彼のおせっかいを*うるさがっている She *regards* his interference *as a nuisance*. / She *considers* his interference *annoying*.

うるし 漆 Jápanese lacquer /lǽkə/ Ⓤ, japan Ⓤ ★ japan は日本特有の漆を指す場合に用いられる語. ¶ 私は*漆でかぶれた (⇒ 漆の毒を受けた) I was poisoned by *lacquer*. / (⇒ 漆まけをおこした) I got *lacquer* poisoning. ★以上 2 つはほぼ同意. / (⇒ 漆から発疹をおこした) I got a rash from *lacquer*. **漆絵** lacquer painting Ⓒ **漆かぶれ[まけ]** lacquer poisoning Ⓤ **漆細工** lacquer ware Ⓤ **漆塗り** (漆を塗ること) lacquering Ⓤ. ¶ *漆塗りの盆 a ⌈*lacquered* [*japanned*; *lacquer*; *japan*] tray **漆箱** lacquer(ed) [japan(ned)] box Ⓒ.

うるち 粳 nonglutinous /nɑ́nglùːtɪnəs/ ríce Ⓤ.

ウルップそう 得撫草 〘植〙 weaselsnout Ⓒ.

ウルドゥーご ウルドゥー語 Urdu /ʊ́ədu:/ Ⓤ.

ウルトラ ── 接頭 ultra- /ʌ́ltrə-/ ★「超…」「過…」「極度に…」の意.

ウルトラシー (すばらしい離れ技) superb feat Ⓒ.

ウルトラナショナリズム (超国家主義・国粋主義) ùltranátionalìsm Ⓤ.

ウルトラマイクロスコープ (限外顕微鏡) ùltramícroscòpe Ⓒ.

ウルトラモダン ── 形 (超モダンな) ùltramódern.

ウルトラライトプレーン (超軽量飛行機) últralight pláne Ⓒ.

うるむ 潤む (涙で湿る) be ⌈wet [moist] with tears ★ wet のほうが一般的; (涙でかすむ) be ⌈dimmed [filmed] with tears ★ [ ] 内のほうが格式ばった言い方. ¶ 涙で*うるんだ目 *watery* [*misty*] eyes // 彼女の目は涙で*うるんでいた Her eyes *were* ⌈*wet* [*misty*; *filled*] *with tears*. / (⇒ 涙が彼女の目にたまっていた) *Tears* ⌈*were in* [*came to*] her eyes.

うるめいわし 潤目鰯 〘魚〙 róund hérring Ⓒ.

うるわしい 麗しい (美しい) beautiful; (心暖まる) heartwarming; (機嫌がいい) in excellent spirits.

うれあし 売れ足 (売れ具合) sales ★ 複数形で; (需要) demand Ⓤ. 《☞ うれゆき》. ¶ この夏はエアコンの*売れ足があまりよくない There isn't much *demand* for air conditioners this summer. / (⇒ 売れ行きが鈍い) Air-conditioner *sales* are slow this summer.

うれい 憂い (悲しみ) sorrow Ⓤ; (深い悲しみ) grief Ⓤ; (心痛) distréss Ⓤ; (心配) worry /wə́ːri/ Ⓤ; (悩みの種) trouble Ⓤ; (不安) fear Ⓤ; (これから先の不安) anxiety /æŋzáɪəti/ Ⓤ. 《☞ かなしみ; しんぱい¹ (類義語); ゆうりょ》. ¶ 彼女は*憂いに沈んでいた (⇒ 悲しみに押しつぶされた) She was oppressed by *sorrow*. **憂い顔** sad face Ⓒ, a pensive look.

うれえる 憂える (心痛する) be distréssed; (気遣う) be ánxious (about ...). 《☞ しんぱい¹ (類義語); ゆうりょ》. ¶ 彼は国の将来を*憂えた (⇒ 気遣った) He *was anxious about* the future of his country.

うれくち 売れ口 (売れ行き) sale Ⓒ; (需要) demand Ⓤ; (販路) market Ⓒ; (就職口) employment Ⓤ. ¶ その新製品は大きな*売れ口 (⇒ 販路) を見つけた The new product has found a large *market*. // この大学の卒業生の*売れ口はよい (⇒ 卒業生に対するかなりの需要がある) There is (a) great *demand* for the graduates of this university. 《☞ 冠詞 (巻末)》

うれしい 嬉しい ── 形 (喜ばしい) glad Ⓟ; (満足して喜ぶ) happy 語法 (1) 以上 2 つは日常, 例えば「会えてうれしい」などのような表現で, 相手への儀礼的な言葉として同じように用いられるが, glad のほうが意味が強く丁寧な感じになる; (強い大きな喜びを感じる) joyful 語法 (2) glad や happy のように儀礼的な言葉には使わない. ── 動 (満足に思う) be pleased 語法 (3) 目上の人に使うと尊大に響き,失礼になることがある; (非常にうれしく思う) be delighted [語法] (4) 以上 2 つは glad, happy の代わりに儀礼的な言葉として用いられるが, 後者は前者より意味が強い. ¶あなたにまたお目にかかれて*うれしい I *am* ⌜*glad* [*happy*; *delighted*; *pleased*] to see you again. // 私はあなたが来てくれたので非常に*うれしい I am very ⌜*glad* [*happy*] (that) you've come. // 息子に会えるので彼女は非常に*うれしかった She felt *joyful* at the prospect of seeing her son. // あなたがその提案に賛成してくれて私は非常に*うれしい I *am* very *pleased* that you have agreed to the proposal. [語法] (5) much も用いられるが very のほうが普通. // きょうは一年中で一番*うれしい日だ This [Today] is the *happiest* day of the (whole) year. // 彼女は*うれしそうな顔をしていた (⇒ うれしそうに見えた) She looked *happy*. // 客が殺到して店は*うれしい悲鳴を上げた (⇒ 喜ぶと同時に疲れた) With customers pouring in, they *were both exhilarated* /ɪɡzíləreɪtɪd/ *and exhausted* /ɪɡzɔ́ːstɪd/.

うれしがらせる ☞ よろこばす

うれしがる ☞ よろこぶ

うれしなき 嬉し泣き ¶彼女は息子の生存の知らせに*うれし泣きした She ⌜*wept* [*cried*] ⌜*with* [*for*] *joy* ⌜to hear [when she heard] (the news) that her son was alive. [語法] (1) cried は「声をあげて泣く」の意. (2) with joy と for joy はほぼ同意.

うれしなみだ 嬉し涙 tears of joy ★ 複数形で. ¶彼女は*うれし涙を流した She shed *tears of joy*. / (⇒ うれし泣きをした) She *cried for joy*. ★ 第 2 文のほうが口語的.

うれだか 売れ高 sales ★ 複数形で. (☞ うりあげ).

うれだす 売れ出す ¶エアコンが*売れ出した *Sales* of air conditioners *are beginning to rise*. // あの女優はやっと*売れ出した That actress *is becoming popular* at last.

ウレタン urethane /jʊ́(ə)rəθèɪn/ Ⓤ, urethan /jʊ́(ə)rəθæ̀n/ Ⓤ. **ウレタンフォーム** urethane foam Ⓤ.

うれっこ 売れっ子 (大衆に人気のある人) popular person Ⓒ; (ひっぱりだこの人) sought-after person Ⓒ. (☞ にんき¹). ¶その女優はいまなかなかの*売れっ子だ (⇒ 人気がある) The actress is ⌜very *popular* [(⇒ ひっぱりだこだ) much *sought after*] now.

うれのこり 売れ残り (売れ残った品物) goods left unsold ★ 複数形で; (店ざらしの品物) shopworn goods ★ 複数形で. ¶それらのボールペンは*売れ残りとなった The ballpoint pens *remained unsold*.

うれのこる 売れ残る ¶2 枚の絵が*売れ残った Two pictures ⌜were *left* [*remained*] *unsold*. ★ [remained] のほうが格式ばった語.

うれゆき 売れ行き (売れ具合) sale Ⓒ; (需要) demand Ⓤ. (☞ うる¹; うれる¹; うりあげ). ¶*売れ行きが落ちた (⇒ 減少した) *Sales* have ⌜fallen off [dwindled]. ★ [ ] 内はやや改まった語で, 「徐々に落ちる」というニュアンスがある. // *売れ行きは伸びる (⇒ よくなる) だろう *Sales* will ⌜improve [(⇒ 上がる) rise]. // その本は*売れ行きがよい (⇒ その本はよく売れる) The book *is selling* ⌜*well* [*fast*]. / The book is a *good seller*. / (⇒ その本に対する需要が大きい) There is (a) great *demand* for the book. // この雑誌は*売れ行きが悪い (⇒ この雑誌はあまり売れない) This magazine does not *sell well*. / This magazine is a *poor seller*. / (⇒ 発行部数が少ない) This magazine has only a small *circulation*.

うれる¹ 売れる **1** «品物が»: sell ⓐ《過去・過分 sold》(☞ うる¹; うれゆき). ¶雨の日は傘がよく*売れる On a rainy day umbrellas *sell* well. // 彼の本は飛ぶように*売れた His book(s) *sold* ⌜very well [(⇒ ホットケーキのように) like hot cakes]. ★ sell like hot cakes は慣用的表現.

2 «名が»: (有名になる) become famous; (有名である・名が売れている) be well-known. (☞ うれっこ).

うれる² 熟れる be ripe (☞ じゅくす).

うろ¹ 迂路 (回り道) roundabout [circuitous] ⌜way [route] Ⓒ; (遠回り) detour Ⓒ. (☞ まわりみち). ¶*迂路を取る take a *roundabout* [*circuitous*] *way* / make a *detour*

うろ² 雨露 rain and dew (☞ あめつゆ). ¶*雨露をしのぐ take shelter [shelter *oneself*] from the *rain*

うろうろ — 動 (うろつく) loiter ⓐ; (ある場所の付近をうろつく) hang ⌜around [about] ...; (ぶらぶら歩き回る) wander (about) ⓐ. (☞ うろつく; 擬声・擬態語 (囲み)).

うろおぼえ うろ覚え (かすかな[不確実な, ぼんやりした]記憶) faint [uncertain; vague] ⌜memory [recollection] Ⓒ (☞ おぼろげ).

¶その事件のことを私は*うろ覚えにしか覚えていない I have only a *faint* ⌜*memory* [*recollection*] of that affair. / (⇒ ぼんやりとしか覚えていない) I *remember* that affair only *vaguely*.

うろこ 鱗 scale Ⓒ. **鱗雲** cirrocumulus /sìroʊkjúːmjʊləs/ Ⓒ (複 -cumuli /-làɪ/).

うろたえる (まごつく) get mixed up ★ 主として口語; (混乱する) be [become] confused; (気が転倒する) be upset; (頭が混乱する) lose *one's* head. (☞ とうわく (類義語); まごまご; あわてる).

¶私は彼の最初の言葉に*うろたえてしまった I *got* quite *mixed up* by ⌜his initial remarks [what he said at first]. / (⇒ 彼の最初の言葉が私をうろたえさせた) His initial remarks ⌜*confused* [*upset*] me. // 彼女はその手紙を読み終わると, すっかり*うろたえていた She *was* ⌜*confused* [*upset*] when she read through the letter. // 彼は*うろたえなかった (⇒ 冷静だった) He ⌜*remained* [*kept*] *calm*.

うろちょろ — 動 (うろつく) loiter ⓐ; (ほっつく) hang ⌜around [about] ... (☞ うろつく).

うろつく (あちこちに立ち止まったりしながら) loiter ⓐ; (ほっつき歩く) 《略式》 hang ⌜around [about; out] ...; (さまよい歩く) wander (about ...) ⓐ. (☞ ぶらつく; ほっつきあるく). ¶変な男が家の回りを*うろついている There is a strange man *loitering* near my house.

うろぬく 疎抜く (間引く) thin out ⓣ (☞ まびく). ¶苗木を*うろぬく *thin out* seedlings

うろん 胡乱 ¶*うろんな男 a *suspicious-looking* man // *うろんな商売 *dubious* business

うわあご 上顎 the upper jaw (☞ あご [語法]).

うわえ 上絵 dyed [printed] figures (on cloth or pottery).

うわおおい 上覆い (物の上をおおう布・紙など) covering Ⓒ; (衣服の上に着るもの) overalls ★ 複数形で.

うわがき 上書き (手紙の名宛て人の住所と名) the name and address of the addressee on the envelope.

うわかわ 上皮 (表皮) outer skin Ⓒ; (液面の薄膜) film Ⓤ; (パンの) crust Ⓤ.

うわがわ 上側 the upper side; (表面) surface Ⓒ.

うわき 浮気 — 形 (移り気な) fickle; (不貞な) unfaithful; (不実な) ìncónstant. — 動 (情事を持つ) have an affair (with ...). **浮気者** flirt Ⓒ ★ 男にも女にも用いる; playboy Ⓒ ★ 資産家で次から次へ快楽を求める男; (女) fickle woman Ⓒ.

うわぎ 上着 coat Ⓒ; jacket Ⓒ.

【類義語】ズボンやスカートに対する上着が coat で，替えズボンの上に着るのは *jacket*．オーバーやレインコートのように長い外衣も coat というが，それに対しジャンパーのように短いものは *jacket* である．《☞ コート¹》

うわぐすり 釉薬，上薬 (陶磁器の) glaze Ⓤ; (金属器にほどこすほうろう) enámel Ⓤ.

うわくちびる 上唇 the upper lip《☞ くちびる》.

うわぐつ 上靴 indoor shoes ★ 複数形で.

うわごと 譫言 ━名 delirious /dılíriəs/ utterances ★ 複数形で. ━動 talk deliriously ⓐ ⓗ, rave ⓐ ⓗ.

うわさ 噂 ━名 (一般的に) rumor (《英》 rumour) Ⓒ; (個人に関するうわさ話) gossip Ⓤ; (世の中の風説) report Ⓤ 語法 (1) false, untrue などの形容詞を伴うことが多い．またその場合は a が付く; (聞き伝えのうわさ) hearsay Ⓤ; (話の種) talk Ⓤ 語法 (2) 口語的で，*the talk* of the town (町のうわさの種) というように，the を付けて用いることが多い．《☞ ひょうばん (類義語)》. ━動 (…とうわさする) rumor ⓗ ★ 普通は受け身で.

¶ 不気味な*うわさ a dark *rumor* // *うわさが飛ぶ a *rumor* flies // その*うわさは町中に広がった The *rumor* has spread ⌈through(out) [all over] (the) town. // 彼がその*うわさを立てた He ⌈started [(⇒ ばらまいた) spread] that *rumor*. / (⇒ 彼がうわさを言いふらした人だ) He is the ⌈author [source] of that *rumor*. // うちの社長が近く辞任するという*うわさだ (⇒ 辞任するそうだ) I *hear* [*Rumor* has it] that our president will resign soon. ★ Rumor has it that … は「…というううわさである」の意の慣用表現. / It *is rumored* that our president will resign soon. // *うわさによると… a *rumor* says that … // 彼は人に*うわさされるのを全然心配していないようだ He seems to have no fear of *being* ⌈*talked* [*gossiped*] *about*. 語法 (3)「…のうわさをする」は talk of でもよいが，talk about のほうが普通. // 人の*うわさも 75 日 A wonder lasts but nine days. 《ことわざ: 不思議なものも 9 日の寿命しかない，9 日たてば不思議でもなんでもなくなる》 参考 9 日ではなく 7 日とする説もある．また，「一時は大変なうわさになってもすぐ忘れられてしまう事件」を a ⌈nine-day [nine days'] wonder という. // お*うわさはかねがね (⇒ たくさん) 伺っております I *have heard* a lot about you. / (⇒ あなたのことについてはしばしば) I *have* often *heard of* you. // 町は彼の*うわさで持ち切りだ He is now *the talk* of the town.

うわさをすれば影 (悪魔のことを話せば悪魔が現れる) Speak [《英》 Talk] of the devil(, and he ⌈will [is sure to] appear). 語法 (4) このことわざでは talk of を使う《☞ 語法 (3)》. うわさの主が現れた場合など ( ) 内を略すことが多い.

噂話 gossip Ⓤ.

コロケーション

噂の出所を明らかにする trace [track down] a *rumor* / 噂の根を止める spike the *rumor* / 噂を生む breed [beget] a *rumor* (that …) / 噂を確かめる check a *rumor* / 噂を流す circulate a *rumor* / 噂を否定する deny a *rumor* / 噂をもみ消す hush up [burke] a *rumor* // 噂が立つ a *rumor* rises / 噂が広まる a *rumor* ⌈circulates [goes around] / …という噂が流れる a *rumor* runs that … / …という噂が耳に入る a *rumor* reaches *one's* ears that … // 悪意のある噂 a ⌈malicious [vicious] *rumor* / いつまでも消えない噂 a persistent *rumor* / 根拠のない噂 a groundless [an unfounded; a baseless] *rumor* / でたらめな噂 a wild *rumor* / 根も葉もない噂 an idle *rumor* / ばかげた噂 an absurd [a ridiculous] *rumor* / 人騒がせな噂 a disquieting *rumor* / 広く行き渡った噂 a widespread *rumor* / 妙な噂 a strange *rumor*

うわざや 上鞘 ━形〘証券〙(他の同種の銘柄より相場が高い) higher in a quotation (than other stocks in the same category).

うわすべり 上滑り ━形 (深みのない) shallow; (浅薄な) superficial /sùːpəfíʃəl/ ★ 2 語とも軽蔑的．後者のほうが格式ばった語. ¶*うわすべりの議論 a *shallow* argument // *うわすべりの (⇒ うわべの) 理解 a *superficial* understanding

うわずみ 上澄み ━動 (上澄みをすくう) skim ⓗ《☞ あく⁴》. ¶ 時々スープの*上澄みをすくいなさい *Skim* the broth from time to time.

うわずる 上擦る (声がうつろに聞こえる) sound hollow; (真実味がなく聞こえる) ring false; (気持ちがのぼせる) be [get] excited. ¶*上ずった (⇒ 調子の高い[興奮した]) 声で in ⌈a *shrill* [a *high-pitched*; an *excited*] voice

うわぜい 上背 (身長) height Ⓤ; (背丈) stature Ⓤ ★ 後者は格式ばった語.《☞ しんちょう³》. ¶*上背がある[ない] be ⌈tall [short] ⌈of [in] *stature*

うわちょうし 上調子 ☞ うわっちょうし

うわつく (軽々しい) be flippant; (落ち着かない) be restless; (女性が) be flighty. ¶*うわついた娘 a *flighty* girl

うわつち 上土 surface soil Ⓤ.

うわっちょうし 上っ調子 ━形 (軽薄な) flippant; (うわついた) flighty; (浅はかな) frívolous.《☞ けいはく¹》.

うわっつら 上っ面 (外見) appearance Ⓒ; (表面) surface Ⓒ; (外面) outside Ⓤ.《☞ うわべ; みせかけ; みかけ; がいけん》.

うわっぱり 上っ張り (ズボンの上に重ねてはく作業用のもの) óveralls, cóveralls 語法 胸あてのついたものを overalls，上着とズボンが一緒になったものを coveralls という．両語とも複数形で.《☞ さぎょう¹》. ¶*上っ張りを着た人 a man in *overalls*

うわづみ 上積み ━動 (荷の上にさらに積む) place [put; load] extra goods on top of …; (金額などに追加する) add ⓗ.

うわつら 上面 ☞ うわっつら

うわて 上手 ━形 (すぐれた) better (than …), superior (to …) ★ 前者のほうが口語的. ━動 (…よりすぐれる) excel ⓗ; surpass ⓗ ★ いずれも格式ばった語.《☞ うえ¹; すぐれる》. ¶ 彼女のほうが彼より一枚*上手だ (⇒ すぐれている) She is *superior to* him. / She is *a cut above* him. 語法 a cut above … は口語で「…よりすぐれている」の意の慣用句. 上手出し投げ (相撲の) *uwatedashinage* Ⓤ; (説明的には) pulling overarm throw Ⓤ 上手投げ (相撲の) *uwatenage* Ⓤ; (説明的には) overarm throw Ⓤ. ¶ その力士は*上手投げを打った (⇒ 上手投げで相手を投げ倒した) The wrestler threw his opponent down by *uwatenage*. / (⇒ 相手の腕の上を自分の腕が交差するように相手のベルトをつかみ相手を投げ倒した) The wrestler *grabbed the opponent's belt, with his own arm crossing over the opponent's arm, and threw him down.* 上手捻り (相撲の) *uwatehineri* Ⓤ; (説明的には) twisting overarm throw Ⓤ.

うわてまわし 上手回し **1**《相撲の》: outside grip Ⓒ. ¶*上手回しを取る take [have, get] an *outside grip* **2**《船の》: tacking Ⓤ. ¶ 帆船を*上手回しにする *tack* the sailboat into the wind

うわぬり 上塗り (塗りものの) a final coat. ¶ このお盆はあとは*上塗りをするだけだ This tray only needs *a final coat*. // そんなことをすれば恥の*上塗りになるよ (⇒ もっとみっともない状態になる) That will only *make* you *look even worse*.

うわのせ 上乗せ ¶その額に 1 万円*上乗せする *add* ¥10,000 to the amount

うわのそら 上の空 ―[形] (ぼんやりした状態の) ábsent-mínded; (不注意な) inatténtive.
¶彼女はその時*うわの空だった She was ˹*absent-minded* [*inattentive*] then. / (⇒ 彼女の心はどこかほかの所にあった) Her *mind was somewhere else* at ˹that [the] time. // 彼は校長先生の話を*うわの空で聞いた He listened to the principal's talk ˹*absent-mindedly* [*inattentively*]. / (⇒ 校長の話にほとんど注意を払わなかった) He *paid little attention to* the principal's talk.

うわのり 上乗り ¶トラックに*上乗りする ride a truck on top the load

うわば 上歯 upper tooth [C]; (全体) the upper teeth.

うわばき 上履き (室内ばきの靴) (pair of) shoes for indoor use; (つっかけ式の室内ばき) (pair of) slippers 《☞ スリッパ (挿絵)》; (日本のスリッパのようなの)《米》(pair of) scuffs [日英比較] 英米では室内でも上ばきの使用はあまり普通ではないので，学校などで使う「上ばき」という日本語のニュアンスをぴったり表すのは不可能. ¶校舎内では生徒は*上ばきを着用のこと Students should wear ˹*indoor shoes* [*slippers*] in the school building.

うわばみ 蟒蛇 (大蛇) huge snake [C]; (大酒飲み) heavy drinker [C].

うわばみそう 蟒蛇草 〘植〙 potherb /pát(h)ə̀ːb/ mústard [U].

うわばり 上張り ―[動] (襖・壁などに仕上げの化粧張りをする) face (他). ¶壁の*上張りをする *face* [*cover*] a wall with wallpaper

うわびょうし 上表紙 (本の) top [upper] cover [C].

うわべ 上辺 ―[名] (表面) surface /sə́ːfəs/ [C]; (外見) appearance [C]; (外面) outside [U]; (見せかけ) show [U] ★ しばしば a を付けて. ―[形] (うわべだけの) superficial /sùːpəfíʃəl/. 《☞ がいけん; みかけ; みせかけ》. ¶君は物の*うわべ (⇒ 表面) しか見ない You look only at the *surface* of things. // 彼の親切は*うわべだけだ His kindness is *superficial*. // 人 [物事] を*うわべ (⇒ 外観) だけで判断してはいけない You mustn't judge ˹people [things] by *appearances*. // 彼の悲しみ [同情] は*うわべだけだ (⇒ 単なる見せかけだ) His ˹sorrow [sympathy] is mere *show*. // 彼女は*うわべは上品だが，本当は品のない女だ She looks respectable *on the surface*, but actually she is vulgar. / (⇒ 上品な見せかけを装ってはいるが) Though she puts on *a show* of respectability, she is really a vulgar woman. ★ 第 1 文のほうが口語的. // 彼はどうにか*うわべを取り繕った He managed to save *appearances*.

うわまえ 上前 《略式》 kickback [C] ★ 正式の手数料ではなく，おどしや密約による割り戻し金.
上前をはねる ¶彼らは売り上げから*上前をはねた They *pocketed* a *kickback* from the sale. ★ pocket は「着服する・ねこばばする」の意.

うわまわる 上回る (…より上である) be above … (↔ be below …); (越える) be beyond …, exceed (他) ★ 後者のほうが格式ばった語; (…以上である) be more than … 《☞ こえる¹》. ¶今年の小麦の収穫は平年を*上回っている This year's wheat harvest *is above* average. // 輸出が輸入を 200 万ドル*上回った Exports *exceeded* imports by two million dollars. // 支出は収入を*上回っている (⇒ 超過している) Expenditures ˹*exceed* [*are in excess of*] income. ★ [ ] 内のほうが格式ばった言い方. // 私のクラスでは女の子の数が男の子を*上回っている (⇒ 女の子のほうが男の子よりも多くいる) There are *more* girls *than* boys in my class. // この仕事は私の能力を*上回る This task *is beyond* my ability.

うわむき 上向き ¶景気は*上向きだ Business *is* ˹*picking* [*looking*] *up*. // 日本では赤ん坊は*上向きに寝かせる In Japan babies are made to sleep *on their backs*. 《☞ あおむけ》

うわむく 上向く (上を向く) look [turn] upward (自); (運・調子などが) turn for the better (自); (景気などが) look [pick] up (自). ¶経済は*上向いている The economy *is* now ˹*looking* [*picking*] *up*.

うわめづかい 上目使い ¶その男の子は彼女を*上目使いで見た (⇒ 目を上げて後ろめたそうな目で見た) The boy raised his eyes, and ˹gave her a guilty look [looked at her guiltily].

うわもの 上物 house [tree] standing on a lot [C]. ¶*上物つきの土地 (a piece of) land with a *house* (*and trees*) on it

うわや 上屋 (建築中の建物の仮屋根) temporary roof [C]; (雨露を防ぐための仮屋) shelter [C]; (税関の倉庫) customs shed [C].

うわやく 上役 (上司) *one's* ˹boss [superior] [C] ★ boss のほうが口語的. [日英比較] boss は女性にも用いてよく，日本語の「ボス」のように悪い意味は含まない; (先任者) *one's* senior colleague /kɑ́liːg/ [C].

うん[1] 運 ―[名] luck [U]; fortune [U]; chance [U] ★ 偶然出くわした「具体的な好機」の意味では [C]. ―[形] (運のよい) lucky; fortunate. ―[副] (運よく) luckily; fortunately ★ いずれも文全体を修飾する副詞として用いる.

【類義語】 最も一般的で，例えば賭事のように何の因果関係もない偶然の運を言う言葉が **luck**. それよりもっと重大なことについての運で，*luck* より少し格式ばった感じの言葉が **fortune**. 以上 2 語は幸運にも悪運にも使われ，例えば good *luck*, bad *luck*, good *fortune*, bad *fortune* などのいずれの表現にも用いられる. (ただし，[形] は「幸運」の意味のみ.) しかしまた，good, bad などの形容詞を伴わずに，*luck* あるいは *fortune* のみで「幸運」という意味に用いられることもある. その区別は前後関係による. 偶然のめぐり合わせという点では *luck* と似た意味であるが，幸運・悪運に関係なく偶然性を強調する言葉が **chance** である. 《☞ うんめい; こううん¹; ふうん》

¶彼は*運がよかった [悪かった] He had ˹good [bad; hard; ill; poor] *luck*. / He was ˹*lucky* [*unlucky*]. / He had ˹good [bad] *fortune*. / He was ˹*fortunate* [*unfortunate*]. [日英比較] 日本語では「運がよい [悪い]」のような言い方をするが，英語では，「幸運 [悪運] を持つ」のような言い方をするか，あるいは lucky (幸運な), unlucky (不運な), fortunate (幸運な), unfortunate (不運な) のように形容詞を用いるかのいずれかである. 特に形容詞を用いるのが最も口語的で一般的である. // 彼は*運悪くその事故に巻き込まれた *Unfortunately* [*Unluckily*], he was involved in the accident. // 船は*運よく風向きが変わったので (⇒ 幸運な風向きの変化によって) 助かった The ship was saved by a *fortunate* change in the wind. / *Fortunately*(,) the ship was saved by a change in the wind. // 彼らは*運よく時間に間に合った They were *fortunate* enough to be on time. // 私は*運よく 1 等賞をもらった I had the (good) *luck* to win (the) first prize.

運次第 ¶うまくいくかどうかは*運次第だ Success *depends on* (*one's*) *luck*. **運の尽き** ¶目撃者の証言が彼の*運の尽きだった (⇒ 証言が彼の運命を決した) The witness's testimony *sealed his fate*. **運まかせ** ¶それは*運まかせのゲームだ It's a game of *chance*. **運を天にまかせる** ¶*運を天にまかせよう (⇒ 一か八かやってみよう) Let's take a *chance*. / Let's ˹trust to *luck* [leave it to *fortune*].

コロケーション
運が尽きる *one's luck* runs out // 運がない have no *luck* / 運を試す(一か八かやってみる) try *one's luck* / 幸運を祈る wish *a person* good *luck* / 幸[不]運をもたらす bring ⌈good [bad] *luck* / 不運を嘆く deplore *one's luck*

うん² yes; (よろしい) all right, OK., O.K. (☞ はい¹; うんともすんとも). ¶いくら頼んでも, 彼はついに*うんと言わなかった However many times I asked, he would not ⌈*say yes* [*give his consent*]. ★ say yes を用いるほうが口語的. // 「*うん, よかろう」と彼は言った "*All right*. That'll do," he said.

うんえい 運営 ── 動 (管理する) mánage ⑩; (経営する) run ⑩; (動かして機能させる) operate ⑩; (職務としてつかさどる) admínister ⑩. ── 图 management Ⓤ; operation Ⓤ; administration Ⓤ. (☞ けいえい; かんり¹). ¶その学校は5人の理事によって*運営されている The school *is managed* by five directors. // 彼は大きな事業を*運営している He *runs* a big business. **運営委員会** steering committee Ⓒ **運営資金** working [operating] funds ★ 複数形で. **運営費** operation [operating; running] costs ★ 複数形で.

うんえん 雲煙 (雲と煙) clouds and smoke. **雲煙過眼** (雲や煙が目前からすぐに消えてなくなるように物事に執着しないこと) being ⌈indifferent [unconcerned] Ⓤ, being blasé /blɑːzéɪ/ Ⓤ ★ blasé の ´ は綴り本来のもの. ¶*雲煙過眼視する pass on, *like smoke and clouds before the eye* **雲煙飛動** (筆跡がみごとで勢いのよいこと) bold, free-flowing strokes ★ 複数形で.

うんおう 蘊奥 ☞ うんのう

うんか¹ 浮塵子 〖昆〗 leafhopper Ⓒ.

うんか² 雲霞 ¶*うんかの如き人の群れが国境を越えた *Hordes* [*Swarms*] of people crossed the border. // 新しいスーパーに*うんかの如く人が押し寄せた People came *swarming* to the new supermarket.

うんが 運河 canal /kənǽl/ Ⓒ. ¶パナマ*運河 the Panama *Canal* (☞ 冠詞 (巻末); 大文字 (巻末)) // *運河を開く construct [build; dig; cut] a *canal* ★ construct, build はともに「建造する」の意で, 前者のほうが格式ばっている. dig は「掘る」, cut は「切る」の意.

うんかい 雲海 a sea of cloud(s); (雲の広大なつらなり) a vast stretch of cloud(s). ¶眼下に*雲海が広がっていた There was *a* ⌈*sea* [*vast stretch*] *of cloud*(*s*) down below.

うんき¹ 温気 stifling heat Ⓤ (☞ むしあつい).
¶*温気のこもった部屋 a *stuffy* room

うんき² 運気 (運勢) fortune Ⓤ (☞ うんせい).

うんき³ 雲気 (雲の動く様子) the movement of clouds.

うんきゅう¹ 運休 ── 图 suspension (of (the) ⌈bus [train] service) Ⓤ ★ 列車・バスの1便だけでなく全部の運行が止まっている場合; (便の取り消し) cancellation (of a ⌈bus [train]) Ⓤ. ── 動 suspénd ⑩; cáncel ⑩. ¶列車は*運休している (⇒一時停止している) The train [Train] service *has* ⌈*been suspended* [*stopped*]. // その列車は*運休だった The train *was canceled*.

うんきゅう² 雲級 the classification of clouds. **雲級図** atlas of clouds Ⓒ.

うんきゅうほう 運弓法 bowing /bóuɪŋ/ Ⓤ.

うんけいじょうぎ 雲形定規 French curve Ⓒ, curve Ⓒ.

うんこう¹ 運行, 運航 **1** 《乗り物》 ── 图 (公共的乗り物を動かす業務) service Ⓤ; (列車・バスなどの便) run Ⓒ; (飛行機の便) flight Ⓒ. ── 動 (列車などの) run ⓐ ⑩; (飛行機の) fly ⓐ ⑩.
¶バスは10分ごとに*運行している The buses [Buses] *run* every ten minutes. / There is a bus every ten minutes. // 大雪で列車の*運行が乱れた The trains [Trains; Rail services] were disrupted due to (the) heavy snow.
2 《天体》 ── 图 (天体の運動) movement Ⓤ. ── 動 move [go] (around ...; round ...) ⓐ; (軌道上を) orbit (around ...; round ...) ⓐ.

うんこう² 雲高 the height of the cloud ceiling /síːlɪŋ/.

うんざり ── 動 (あきあきして閉口する) be fed up with ...; (嫌悪感を感じるほどいやになる) be sick of ..., be disgusted with ... ★ 後者のほうが意味が強い; (あきあきする) be tired of ... 語法 前の言い方と合わせて be sick and tired of の形で用いると強い意味になる. ── 形 (退屈な) boring; (あきあきする) wearisome. ── 图 (うんざりさせる人[物]) bore Ⓒ. (☞ あき²; あきる; いやけ; たいくつ; へきえき).
¶彼の長話には*うんざりだ I'*m fed up with* his long talks. // 私は彼女の泣き言に*うんざりしている I'*m* ⌈*disgusted with* [*sick* (*and tired*) *of*] (hearing) her complaints. // それは*うんざりする (⇒退屈させる) 仕事だった It was a *boring* job.

うんさんむしょう 雲散霧消 ¶計画は*雲散霧消した (⇒無に帰した) The plan *came to nothing*. / (⇒煙となって昇って行った) The plan *went up in smoke*. / (⇒霧のように消えた) The plan *vanished like* (*the*) *mist*.

うんし(ほう) 運指(法) fingering Ⓤ.

うんしん 運針 (どう縫うか) how to sew; (縫いもの) sewing Ⓤ; (針仕事) needlework Ⓤ. (☞ はり¹; ぬう; ぬいもの).

うんすい 雲水 (itinerant [mendicant]) Buddhist ⌈priest [monk] Ⓒ ★ itinerant は「旅することが生き方となっているような」, mendicant は「托鉢, 物ごいをする」の意.

ウンスンカルタ *unsun* cards ★ 複数形で; (説明的には) the card game introduced from Portugal in the Muromachi period /pí(ə)riəd/ ★「ウンスン」はポルトガル語の un (1) sum (最高)から.

うんせい 運勢 (運命) fortune Ⓤ (☞ うん¹; うらない). ¶彼女は易者に自分の*運勢を見てもらった She had her *fortune* told by a fortune-teller. // 私の*運勢はいい[悪い] (⇒私は幸運な[不運な]星の下に生まれた) I was born under ⌈a lucky [an unlucky] *star*.

うんそう 運送 ── 图 《米》 trànsportátion Ⓤ, 《英》 tránsport Ⓤ, convéyance Ⓤ ★ 最後はやや格式ばった語. ── 動 (送る) send ⑩; (輸送する) transpórt ⑩; (運搬する) convéy ⑩; (商品などを出荷する) ship ⑩ ★ 元来船で運送することをいうが, 《米》では列車・トラックで運送する場合にも用いる. ただし, この用法は《英》では商用語. (☞ うんぱん; ゆそう¹; はこぶ; はいたつ; しゅっか¹).
¶品物はトラックで*運送します We will ⌈*send* [《米》 *ship*] the goods by truck. / We will *truck* the goods. ★ 第2文のほうが口語的. // 陸上[海上]*運送 *transportation* by ⌈land [sea]
運送会社 express company Ⓒ; (特に引っ越し運送などの) moving company Ⓒ, mover Ⓒ **運送業** the transport industry, forwarding business Ⓤ **運送状** ínvoice Ⓒ **運送店[人]** forwarding agent Ⓒ **運送費** cost of transport Ⓤ, shipping expenses ★ 複数形で. **運送保険** transport(ation) insurance Ⓤ **運送料** 《米》 transportation, 《英》 carriage /kǽrɪdʒ/ Ⓤ; (特に長距離輸送の) freight Ⓤ.

うんだい 雲台 (三脚の) tripod head Ⓒ.

うんだめし 運試し test of *one's* luck Ⓒ; (どれほど運がいいかの試し) test to see how lucky *one* is Ⓒ. ¶ *運試しに宝くじを買った I bought some lottery tickets just to ˹*try* [*test*] *my luck*. / I bought some lottery tickets just to ˹*test* [*see*] *how lucky I was*. ★ test のほうが具体的に調べるニュアンスが強い.

うんちく 蘊蓄 (深い学識) profound knowledge Ⓤ ★しばしば a を付けて; (学識の蓄積) *one's* ˹stock [store] of knowledge Ⓤ; (該博な知識) erudition Ⓤ ★格式ばった語. ¶ *うん蓄のある人 a person of *profound* ˹*knowledge* [*learning*] **うん蓄を傾ける** ¶ 彼女は*うん蓄を傾けてその章を書いた (⇒彼女の専門知識のすべてをその章の準備にささげた) She *devoted all* (*of*) *her expertise* to the preparation of that chapter. // 彼はその講演の中で文楽に関する*うん蓄を傾けた (⇒知識のすべてを注ぎ込んだ) He included *all* (*of*) *his knowledge* ˹*of* [*about*] Bunraku into his lecture.

うんちん 運賃 (旅客の料金) fare Ⓒ; (代金) charge Ⓒ; (単位当たり決められた料金) rate Ⓒ; (貨物の) 《米》 transportation Ⓤ, 《英》 carriage Ⓤ; (長距離輸送の) freight Ⓤ. (☞ りょうきん (類義語)). ¶「*運賃はいくらですか」「往復で 1500 円です」"How much [What] is the *fare*?" "The round trip *fare* is ¥1,500." // *運賃が高い[安い] The *fare* is ˹high [low]. // 片道の*運賃 a ˹《米》 one way [《英》 single] *fare* // 往復の*運賃 a ˹《米》 round trip [《英》 return] *fare* // 6 歳未満の子供の*運賃は無料だ Children under six (can) travel free (of *charge*). // 私鉄[バス]の*運賃が来月上がる Private railway [Bus] *fares* will ˹be raised [go up] next month. ★ go up のほうが口語的.
運賃表 (旅客の) fare table Ⓒ; (貨物の) freight list Ⓒ **運賃保険** freight insurance Ⓤ.

うんでいのさ 雲泥の差 great [wide] difference Ⓒ. ¶ A と B では*雲泥の (⇒大きな) 差がある There is ˹*a great difference* [*a vast difference*; *all the difference in the world*] between A and B.

うんてん 運転 ── 動 (車を) drive ⑩ ⑪ (過去 drove; 過分 driven); (鉄道・バスなどを) run ⑩ ⑪ 〔語法〕 運転士が運転するときにも用いるが, 主として「運行する」の意で用いる; (機械などを) operate ⑪ ⑩. ── 名 driving Ⓤ; run Ⓒ; operation Ⓤ. (☞ そうじゅう). ¶ 気をつけて*運転して下さい *Drive* carefully. // 彼女は自動車の*運転ができる She can *drive*. / (⇒彼女は運転免許証を持っている) She has a ˹driver's license [《英》 driving licence]. // 地震のため 15 本の列車が*運転を取りやめた Fifteen trains were canceled due to the earthquake. // 大みそかには電車は終夜*運転します We will *run* the trains [The trains will *run*] all night on New Year's Eve. ★ We を使うと鉄道側の, [ ] 内は一般の人の言葉. // この機械の*運転には高度の技術を必要とする The *operation* of this machine requires considerable skill.
運転技術 driving skill(s) Ⓤ, skill in driving Ⓤ ★ skill は「技能」の意味では Ⓒ. 両者はほぼ同意. ¶ *運転技術を身につける (⇒運転を習得する) learn to *drive* / acquire ˹*driving skill(s)* [*skill in driving*] **運転系統** (バス等の路線(の体系)) (system of) routes **運転士** ☞ うんてんしゅ **運転資金** [資本] working ˹funds [capital Ⓤ] **運転手** ☞ 見出し **運転席** (電車の) motorman's seat Ⓒ; (自動車の) driver's seat Ⓒ **運転免許** 《米》 driver's license Ⓒ, 《英》 driving license Ⓒ.

―コロケーション―
安全運転 safe [defensive] *driving* / 酒気帯び運転 drunken *driving* / 慎重な[不注意な]運転 careful [careless] *driving* / 無謀運転 reckless *driving* // 酒気帯びで運転する *drive* ˹under the influence of alcohol [while intoxicated]; drink and *drive* / 慎重に運転する *drive* cautiously / 注意深く[不注意に]運転する *drive* ˹carefully [carelessly] / 無謀な運転をする *drive* recklessly

うんてんしゅ 運転手 (自動車の) driver Ⓒ; (自家用車用におかかえの) chauffeur /ʃóufər/ Ⓒ; (タクシーの) taxi driver Ⓒ, cabdriver Ⓒ; (バスの) bus driver Ⓒ, 《英》 busman Ⓒ; (トラックの) truck driver Ⓒ; (電車の) 《米》 motorman Ⓒ; (市内電車の) streetcar driver Ⓒ, 《英》 tram driver Ⓒ; (機関車の) (locomotive) engineer Ⓒ, 《英》 train driver Ⓒ. (☞ ドライバー[1]).

うんと (ひどく) hard, severely; (たくさん) much.

うんどう 運動 **1** 《身体の》 ── 名 (健康維持または鍛練のために身体を動かすこと) éxercise Ⓤ ★身体の一部を鍛えるために規則的に動かす一連の運動を指すときは Ⓒ; (練習・トレーニング) wórkòut Ⓒ; (主に戸外で楽しみに行う運動) sport Ⓒ. ── 動 éxercise ⑪, get [《英》 take] some exercise ★後者のほうが口語的. (☞ たいそう[1]; スポーツ).
¶ 筋肉の*運動 muscular *exercise* // 適度の*運動は健康によい Moderate *exercise* is good for the health. // 彼は*運動にジョギングをしている He jogs for *exercise*. // この犬は少し*運動させる必要がある (⇒少し運動が必要だ) This dog needs some *exercise*. // 医者は彼にもっと*運動するように勧めた The doctor advised him to ˹get [《英》 take] more *exercise*. // 若さを保ちたければ*運動しなくてはだめだ If you want to stay young, you must *exercise*. // テニスは私の好きな*運動だ Tennis is my favorite *sport*. //「どんな*運動が好きですか」「野球とボクシングです」"What kind of *sports* do you like?" "I like baseball and boxing."
2 《物体の》 ── 名 (理論的・抽象的な意味での動き) motion Ⓤ; (一定方向への具体的な動き) movement Ⓤ. ── 動 move ⑪.
3 《目的達成のための奔走(ほんそう)》 ── 名 (選挙など, 特定の目的のために行われる組織的な一連の運動) càmpáign Ⓒ; (集団で組織的に行う社会的・政治的な運動) movement Ⓒ; (実際に動き回る活動) activity Ⓒ; (募金など, ある目的のために行われる特別の努力) drive Ⓒ. ── 動 campaign ⑪. (☞ かつどう; キャンペーン).
¶ 彼らは選挙*運動を開始した They have ˹started [launched] an election *campaign*. // 私はその法律廃止*運動を支援する I support the *movement* for the abolition of the law. // 彼らは交通遺児のために募金*運動を行っている They are having a *drive* to raise money for traffic accident orphans. // 私たちは公共料金値上げに反対する*運動を行った We *campaigned* against the increase in (public) utilities charges. // 彼は大学時代, 学生*運動に加わっていた (⇒学生の政治活動家だった[学生の政治活動に参加していた]) He ˹was a student political *activist* [took part in student political *activities*] when he was in college. // 労働*運動 labor *movement* // 交通安全*運動 a traffic safety *campaign* // 改革*運動 a reform *movement* // 禁煙*運動 an anti-smoking *campaign* **運動員** (ある目的のための) campaigner /kæmpéɪnər/ Ⓒ; (選挙・寄付などの) cánvasser Ⓒ **運動エネルギー** 〔物理〕 kinetic energy Ⓤ **運動家** (スポーツマン) athlete Ⓒ; (活動家) activist Ⓒ **運動会** (学校などの) 《米》 field day Ⓒ, 《英》 sports day Ⓒ; (競技会) athletic [《英》

athletics] meet Ⓒ　**運動学**〘物理〙kinemátics Ⓤ　**運動着** sportswear Ⓤ《☞トレーナー》　**運動競技** athletics Ⓤ　**運動具** sporting goods ★複数形で; (備品・設備) sports equipment Ⓤ　**運動具店** sporting goods store Ⓒ　**運動資金** campáign fùnds ★複数形で.　**運動場** (学校の) playground Ⓒ; (競技場) (athletic) field Ⓒ.《☞グラウンド》　**運動障害**〘医〙motor disturbance Ⓤ　**運動神経** motor nerve Ⓒ; (反射神経) reflexes /ríːfleksɪz/ ★複数形で.　¶私は*運動神経が鈍い[発達している] I have ˹slow [good; fast] *reflexes*.　**運動生理学** exercise physiology Ⓤ　**運動選手** áthlete Ⓒ　**運動中枢** motor center Ⓒ　**運動の法則**〘物理〙law of motion Ⓒ　**運動費** (選挙などの) canvassing expenses ★通例複数形で.　**運動不足** lack of exercise Ⓤ.　¶*運動不足で彼は太りはじめた He began to ˹get fat [put on weight] through *lack of exercise*. ★put on weight は「体重が増える」の意で婉曲的な言い方. // ホワイトカラーの大半は*運動不足だ (⇒不十分な運動をしている) Most white-collar workers get *insufficient exercise*.　**運動方程式**〘物理〙equation of motion Ⓒ　**運動麻痺** akinesia /èɪkaɪníːʒiə/ Ⓤ　**運動量**〘物理〙moméntum Ⓤ.

コロケーション

屋外運動 open-air [outdoor] *exercise* / **軽い運動** light *exercise* / **減量のための運動** slimming *exercises* / **呼吸運動** a breathing *exercise* / **弛緩運動** relaxation *exercise* / **柔軟運動** flexibility *exercise* / **準備運動** a warm-up *exercise* / **激しい運動** hard [strenuous] *exercise* / **反復運動** repetitive *exercises* / **腹筋運動** abdominal *exercises* / **無酸素運動** anaerobic *exercise* / **有酸素運動** aerobic *exercise* / **リハビリのための運動** remedial *exercise*

うんどうぐつ　運動靴　(スニーカー) sneakers; (特にスポーツ用のもの) sport(s) [gym] shoes; (幼児用) play shoes ★いずれも複数形で.《☞くつ》.

うんともすんとも　¶あれから彼は*うんともすんとも言ってよこさない (⇒便りがない) I've *heard nothing from* him (ever) since. / (⇒だれにも手紙一本書いてこない) He *hasn't dropped a line to any of us* since then. // 彼女は*うんともすんとも言わなかった (⇒一言も発しなかった) She did*n't* ˹*say* [*utter*] *a word*.

うんなん　雲南　― [名] (固) Yunnan /jùːnnáːn/ ★中国南部の省.

うんぬん　云云　(等々) and só ˹fòrth [òn], et cetera /et sétərə/ [語法] いずれも並列した名詞などの後に付ける. et cetera は and so forth に当たるラテン語で普通は etc. と略して改まった文章で用いる. いずれも and so on and so forth や etc., etc., etc. のように重ねて用いることもある.《☞-など; エトセトラ (巻末)》.　¶彼の手紙にはロンドンに 3 日, パリに 4 日滞在した, *うんぬんと書いてある His letter says that he stayed in London for three days, (and) in Paris for four days, ˹*and so forth*. [*etc., etc.*] // あなたのした事を*うんぬんする (⇒批判する) つもりはないが… I don't mean to ˹*criticize* [*comment on*] what you did, but ….

うんのう　蘊奥　¶彼女は生け花の*うんのうを極めた (⇒習うべきことすべてを習った) She has learned *all there is to learn about* flower arranging. / (⇒最も深いレベルで理解するに至った) She has come to understand flower arranging at *its most profound levels*.

うんぱん　運搬　― [動] (手や車などで物を運ぶ) carry (他) ★最も一般的. 以下の語の代わりにも使われる; (船・飛行機・列車などで遠方に運ぶ) transpórt (他); (ある手段を使って連続的に運ぶ) convéy (他) ★carry と同意でも用いられるが, 格式ばった語.
― [名] carriage /kǽrɪdʒ/ Ⓤ; 《米》transportation Ⓤ, 《英》tránsport Ⓤ; convéyance Ⓤ ★以上の中で一番格式ばった語.《☞うんそう; ゆそう[1]; はこぶ》.　**運搬人** carrier Ⓒ　**運搬費** carriage Ⓤ.

うんぴつ　運筆　(書法) penmanship Ⓤ; (芸術的な書き方) calligraphy Ⓤ.　¶見事な*運筆 superb *penmanship* / exquisite *calligraphy*

うんぴょう　雲豹　〘動〙clouded leopard Ⓒ.

うんめい　運命　(避けられない不幸な運命) fate Ⓤ; (必ずしも悪い意味ではないが, 避けられない運命) destiny Ⓤ ★後者のほうが不可避である意味が強い; (幸運・不運のいずれでもよいが, 幸運というニュアンスが強い語として) fortune Ⓤ [語法] (1) 宿命という意味はなく, 偶然性が強い. 不運のときには bad fortune のように形容詞を付ける.《☞うん[1]; うんせい; しゅくめい》.　¶不幸になるのが私の*運命なのだ It is my ˹*fate* [*destiny*] to be unhappy. / I *am* ˹*fated* [*destined*] to be unhappy. [参考] fate (他), destine /déstɪn/ (他) はともに「運命づける」の意. // 私たちの将来の*運命 our future *destiny* // だれも自分の*運命からは逃れられない No one can escape his *destiny*. [語法] (2) この文のように不可避であることを強調する場合には destiny のほうが適当. // 船長は船と*運命をともにした (⇒船と一緒に沈んだ) The captain went down with ˹the [his] ship. // 彼はこの商売に自分の*運命をかけた He tried his *luck* in this business. // 彼は*運命とあきらめた (⇒あきらめて運命を受け入れた) He resigned himself to his *fate*. // *運命の女神は彼らにほほえんだ *Fortune* smiled on them. [語法] この Fortune は女神の意味で固有名詞扱い. // *運命のいたずらでふたりは会わなかった *By* ˹*a quirk* [*the whim*; *the caprice*; *an irony*; *the irony*] *of fate*, the two people did not see each other. ★quirk は「奇妙な巡り合わせ」, whim は「気まぐれな考え」, caprice は「気が変わること」, irony は「皮肉」の意. / (⇒たまたま会わなかった) It *so happened that* the two did not see each other. / (⇒会うという幸運を持たなかった) The two people did not have the good *fortune* to see each other.《☞きまぐれ (類義語)》// その戦闘はフランスの*運命を決した The battle ˹decided [determined] France's ˹*fate* [*destiny*]. // 超大国は周辺諸国の*運命を支配しがちだ A super-power tends to ˹control [affect; decide; determine] the ˹*fate* [*destiny*] of its surrounding countries.　**運命論** fatalism /féɪtəlɪzm/ Ⓤ　**運命論者** fatalist Ⓒ.

コロケーション

恐ろしい運命 an awful [a dreadful] *fate* / **悲しい運命** a sad *fate* / **国の運命** (a) national *destiny* / **つらい運命** a hard *fate* / **人間の運命** human *destiny* / **悲劇的な運命** a tragic *fate*; tragic *destiny* / **悲惨な運命** a ˹bitter [cruel] *fate* / **皮肉な運命** an ironic *fate* / **無情な運命** inexorable *fate* // **一国の運命** the ˹*destiny* [*fate*] of a nation // **運命の不幸な犠牲者** an unlucky victim of *fate*

うんも　雲母　〘鉱〙mica /máɪkə/ Ⓤ.

うんゆ　運輸　(輸送)《米》transportation Ⓤ, 《英》tránsport Ⓤ; (運搬) convéyance Ⓤ ★格式ばった語.《☞うんそう; ゆそう[1]; うんぱん》.　**運輸機関** means of ˹transportation [conveyance] Ⓒ ★単複同形.　**運輸省** the Ministry of Transport, the Transport Ministry　**運輸大臣** the Minister of Transport ★現在は国土交通省[大臣]《☞こくど》.

うんよう 運用 ―名(生かして用いること) practical use Ⓤ; (適用) application Ⓤ. ―動(用いる) use ⑩; (適用する) apply ⑩. 《☞ かつよう; りよう¹; てきよう¹》. ¶ 彼は知識を*運用する (⇒ 実際に生かして用いる) のが上手だ He is good at *putting* his knowledge *to practical use.* ∥ 彼らはその法の*運用を誤った (⇒ 間違った適用をした) They *misapplied* the law.

うんりゅうがた 雲竜型 (相撲の) the *Unryu* style of ring-entering ritual; (説明的には) one of two styles performed by grand champion sumo wrestlers. 《☞ しらぬい (不知火型)》.

うんりょう 雲量 〘気象〙(全天に対する雲の割合) cloud cover Ⓤ.

え，エ

え[1] 絵 (一般的に) picture Ⓒ; (絵の具で描いたもの) painting Ⓒ; (鉛筆・ペン・クレヨンなどで描いたもの) drawing Ⓒ. ⟪☞ さしえ; かく[1]⟫.
¶ 彼は馬の*絵をかいた He ⌈drew [painted] a *picture* of a horse. // 私は*絵をかくのは下手だ I am ⌈a bad [an unskilled] *painter*. // この*絵は油*絵[クレヨン画]だ This *picture* is ⌈an oil *painting* [a crayon *drawing*]. // *絵にかいたようなファインプレーだった (⇒ 見事な捕球だった) It was a *beautiful* catch. **絵に描いた餅** ¶ 会社の計画はまさに*絵に描いた餅だと考えざるを得ない I cannot help thinking that the company's plan is just a *pie in the sky*. ⟪☞ がべい⟫ **絵になる** ¶ この景色は*絵になる This view would *make a good* ⌈*painting* [*picture*].

コロケーション
絵に手を入れる retouch a *picture* / 絵を仕上げる finish a *picture* / 絵を収集する collect *pictures* / 絵を修復する restore a *painting* / 絵を手に入れる acquire a *painting* / 絵を展示する exhibit *pictures* / …に絵を懸ける hang [set up] a *picture* on …

え[2] 柄 (道具・傘の) handle Ⓒ; (機械・武器の握り) grip Ⓒ; (おのなどの長い) haft Ⓒ ★ やや専門的な語; (槍などの細長い) shaft Ⓒ; (ほうきの) broomstick Ⓒ. ⟪☞ とって (挿絵)⟫.

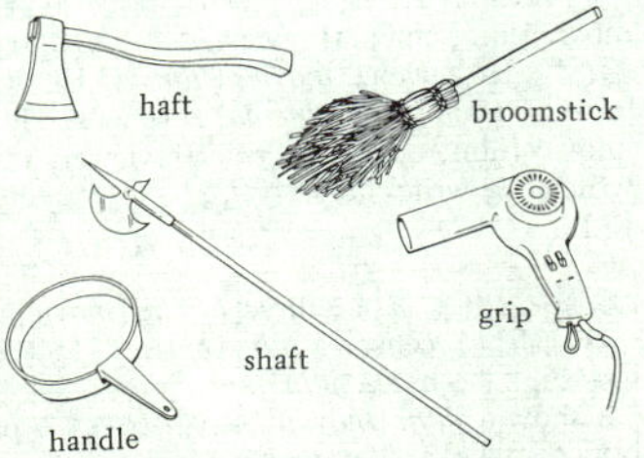

¶ *柄がぐらぐらしてきた (⇒ 外れそうになってきた) The *handle* is ⌈coming [working] loose.
え[3] 餌 (えさ) bait Ⓤ ★ ときに a ～ として. ⟪☞ えさ⟫.
エア (空気) air Ⓤ ⟪☞ くうき⟫. ¶ ブレーキの*エアを抜く remove extra *air* from brake oil
エアエクスプレス (小荷物航空便) áir exprèss Ⓤ. ¶ *エアエクスプレスで送る send [transport] … by *air express*
エアカーゴ (航空貨物) áir càrgo Ⓒ.
エアカーテン air ⌈curtain [door] Ⓒ ★ 両者は同義.
エアガス (空気ガス) áir [prodúcer] gàs Ⓤ.
エアガン (空気銃) áir gùn Ⓒ.
エアクッション áir cùshion Ⓒ.
エアクラフト (飛行機・グライダー・ヘリコプターなど航空機の総称) áircràft Ⓒ ★ 単複同形で個別にも用いる.
エアクリーナー (空気清浄器) air cleaner Ⓒ.
エアコン(ディショナー) (冷暖房機) air conditioner Ⓒ ⟪☞ クーラー [日英比較]; いま[2] (挿絵)⟫.
エアコンディショニング air conditioning Ⓤ ⟪☞ くうちょう[1]⟫.
エアコンプレッサー (空気圧縮機) air compressor Ⓒ.
エアサービス air service Ⓤ ★ 旅客・郵便・貨物などの航空運送事業.
エアサスペンション (空気式懸架装置) air suspension Ⓒ.
エアシックネス (飛行機酔い) áirsickness Ⓤ ⟪☞ よう[4]⟫.
エアシップ (飛行船) áirshìp Ⓒ.
エアシャトル (áir) shùttle (⌈service [flight]) Ⓒ ★ 予約なしで利用できる通勤用近距離航空便.
エアシューター (気送管) pneumatic /n(j)uːmǽtɪk/ tube Ⓒ [日英比較] 「エアシューター」は和製英語.
エアシュート ☞ エアシューター
エアスペース (領空) áirspàce Ⓤ.
エアゾール (噴霧剤) aerosol /é(ə)rəsɔ̀l/ Ⓒ; (薬剤噴霧のための缶) aerosol (⌈can [spray]) Ⓒ ★ aerosol spray は霧状の薬剤等そのものを指すこともある.
エアターミナル (空港内の) (áir) tèrminal Ⓒ.
エアチェック air check Ⓒ ★ 放送番組を受信して録音・録画すること.
エアドーム (空気圧で支えるドーム) air supported dome Ⓒ.
エアドロップ ── [名] (空中投下) áirdròp Ⓒ. ── [動] áir-dròp (他).
エアぬき エア抜き air bleeding Ⓤ, air bleed Ⓤ. ⟪☞ エア⟫.
エアバス (短・中距離の大型定期旅客機) airbus Ⓒ.
エアバッグ (緩衝用空気袋) áir ⌈bàg [cùshion] Ⓒ.
エアフォース (空軍) (the) air force Ⓒ ⟪☞ くうぐん⟫.
エアブラシ ── [名] (塗料・絵の具噴霧器) airbrush Ⓒ. ── [動] airbrush (他). ¶ *エアブラシで写真のきずを消す *airbrush* the blemishes from a picture
エアブレーキ (空気ブレーキ) air [pneumatic /n(j)uːmǽtɪk/] brake Ⓒ.
エアプレーン (飛行機) ⟪米⟫ airplane Ⓒ, ⟪英⟫ aeroplane Ⓒ. ⟪☞ ひこうき⟫.
エアページェント (航空ショー) airshow Ⓒ.
エアポート (空港) airport Ⓒ ⟪☞ くうこう⟫.
エアポケット 〘空〙 air pocket Ⓒ ★ 局部的乱気流. 単に pocket ともいう. ¶ *エアポケットに入る hit an *air pocket*
エアホステス (男女ともに) flight attendant Ⓒ; (スチュワーデス) stewardess Ⓒ, air hostess Ⓒ ★ 現在では性別の明示をさけるために最初の表現が一般的. ⟪☞ スチュワーデス⟫.
エアポンプ (空気ポンプ) áir pùmp Ⓒ.
エアマット (空気でふくらます携帯用マットレス) áir màttress Ⓒ [日英比較] 「エアマット」は和製英語.
エアメール (航空便) airmail Ⓤ [日英比較] 日本語では航空郵便物 (an airmail ⌈letter [parcel]) のことをエアメールと言うことが多いが, 英語の airmail は, 例えば「手紙を航空便で送る」send a letter (by) *airmail* のように, 航空便で送るシステムのことを言うのが普通. ただし, 日本語と同じ意味で使うこともあり, その場合は Ⓒ. (☞ こうくう¹).

エアライナー (定期旅客機) airliner Ⓒ.

エアライフル (空気銃) aír rìfle Ⓒ.

エアライン ☞ こうくう¹

エアリフト ─名 (緊急時の物資などの空輸) airlift Ⓒ. ─動 airlift (他). ¶ *エアリフトで人[貨物]を輸送する transport ⌈persons [cargo] by *airlift*

エアレーン (航空路) áir làne Ⓒ, airway Ⓒ, skyway Ⓒ.

エアログラム (航空書簡) aerogram Ⓒ ★ 今は air letter が普通.

エアロスペース (航空宇宙) aerospace Ⓤ ★ 大気圏および大気圏外.

エアロゾル ☞ エアゾール

エアロダイナミックス (空気力学) aerodynamics Ⓤ.

エアロック (気密室) áir lòck Ⓒ.

エアロノート (気球·飛行船などの操縦者) aeronaut Ⓒ.

エアロビクス aerobics /e(ə)róubɪks/ Ⓤ.

えい¹ 鱏 〘魚〙(総称) ray Ⓒ. ¶ いとまき*えい a manta *(ray)* / a devilfish // がんぎ*えい a skate ★ 吻の長いえいの総称. // しびれ*えい an electric *ray* // とび*えい an eagle *ray* // のこぎり*えい a sawfish // ☞ あかえい

えい² 嬰 ☞ えいきごう

えい³ 栄 (名誉) honor (《英》 honour) Ⓤ; (光栄) glory Ⓤ. (☞ こうえい¹; めいよ). ¶ 文化勲章受章の*栄に浴する be *honored* by an Order of Cultural Merit

えいい 鋭意 ─副 (まじめで真剣に) earnestly; (熱心に) zealously; (勤勉に) diligently; (精魂を傾けて) wholeheartedly. ¶ *鋭意努力します (⇒ 一生懸命にやります) I'll *do* my *best*.

えいえい¹ 営営 ─副 (せっせと) assiduously; (精力的に) strenuously /strénjuəsli/. (☞ せっせと). ¶ *営々として (⇒ 一生懸命に) 働く work *hard*

えいえい² 永々 ¶ 未来*永々 *forever* and ever / *forever more* (☞ えいえん; えいきゅう; えいごう)

えいえいじてん 英英辞典 English-English dictionary Ⓒ ★ 英国や米国では単に English dictionary でよい.

えいえん 永遠 ─形 (始めも終わりもない) eternal; (いつまでも続く) èverlásting; (不変の) pérmanent; (不滅の) immortal; (終わりのない) endless. ─副 (永久に) forever ★ 最も一般的な語. for ever と 2 語につづることがある; eternally; permanently. (☞ えいきゅう; ふめつ; ふきゅう²). ¶ 彼らは*永遠の愛を誓った They pledged (their) *eternal* love. // 神は*永遠の存在である God is (an) *Eternal* Being. // 我々は*永遠の平和をこの地上に望んでいる We want ⌈*everlasting* [*permanent*] peace on (this) earth. // その事故は*永遠に我々の心に残るだろう The accident will remain *forever* in our memory.

えいか 穎果 〘植〙 caryopsis /kæ̀riápsɪs/ Ⓒ (複 -ses /-siːz/, -sides /-sədìːz/).

えいが¹ 映画 (総称的に) 《米》 the movies, 《英》 the cinema ★ 以上 2 つは最も一般的な語. the を付けて; (個々の映画) 《米》 movie Ⓒ, film Ⓒ; (正式名としては) motion [moving] picture Ⓒ. ¶「*映画を見に行こう」「いいね」"Let's go to *the* ⌈*movies* [*cinema*]." "That's a good idea." 語法 日本語では「見に行く」と言うが, 英語では go to *see* the movies とはならないことに注意. // 私は先週の日曜日*映画に行った I went to ⌈*the movies* [*a movie*] last Sunday. //「この*映画は見ましたか」「いいえ, まだ見ていません」"Have you seen this ⌈*movie* [*film*]?" "No, not yet." //「いまどんな*映画をやっているの」「コメディーです」"What (kind of *movie*) is ⌈on [showing] now?" "A comedy." // 彼女は 1960 年代によく*映画に出ていた She ⌈often appeared [often acted; was often] in ⌈*movies* [*films*] in the 1960s. ★ act は「演技する」の意で, 端役には用いられない. // この*映画にはマドンナが出ている This ⌈*movie* [*film*] ⌈features [stars] Madonna. //「ヘンリー五世」は*映画で見た I saw Henry ⌈the Fifth [V] as *a* ⌈*movie* [*film*]. / (⇒ 映画版を見た) I saw a ⌈*movie* [*film*] *version* of Henry ⌈the Fifth [V]. // *映画でよく見る大きな暖炉 a big fireplace that one often sees in ⌈*a movie* [*a film*; *movies*; *films*] // 2 [3]本立ての*映画 a ⌈double [triple] *feature* ★ 2 [3]本をまとめてひとつの出し物と考える表現. / two [three] *features* on the bill ★ 各映画をそれぞれひとつの出し物と考える表現. // 日本*映画 a Japanese ⌈*movie* [*film*] // **映画化** ─名 movie [film; screen] version of ... Ⓒ. ─動 film (他), make a movie of ..., make ... into a movie. ¶ この小説はある有名な映画監督によって*映画化された This novel *was* ⌈*filmed* [*turned into a movie; made into a movie*] by a famous director. **映画界** the world of ⌈movies [motion pictures; film; the cinema], the ⌈movie [motion picture; film; cinema] world, the cinema ★ 意味はほぼ同じ. **映画会社** movie [film; motion picture; cinema] ⌈studio [company] Ⓒ **映画館** 《米》 movie ⌈theater [house] Ⓒ, 《英》 cinema Ⓒ **映画監督** movie [film] director Ⓒ **映画祭** film festival Ⓒ **映画撮影所** movie [cinema] studio Ⓒ **映画産業** the ⌈motion-picture [movie; film] industry **映画スター** movie [film; cinema] star Ⓒ **映画俳優** (男優) movie [(《英》 cinema] actor Ⓒ; (女優) movie [(《英》 cinema] actress Ⓒ. (☞ はいゆう) **映画評論** movie [film; cinema] review Ⓒ. ¶ 彼は*映画評論をする He *reviews* ⌈*movies* [*films*]. / He ⌈*writes* [*does*] ⌈*movie* [*film; cinema*] *reviews*. / He is a ⌈movie [film; cinema] ⌈critic [reviewer; review writer]. ★ write 以外は放送などでの評論の場合も使える.

コロケーション

映画を演出[監督]する direct a ⌈*film* [*movie*] / **映画を検閲する** censor a ⌈*film* [*movie*] / **映画を上映禁止にする** ban a ⌈*film* [*movie*] / **映画を上映する** show a ⌈*film* [*movie*] / **映画を製作する** produce [make] a ⌈*film* [*movie*] / **映画を撮る** shoot a ⌈*film* [*movie*] / **映画を配給する** distribute a ⌈*film* [*movie*] / **映画を封切りする** release a new ⌈*film* [*movie*] // **アクション映画** an action ⌈*film* [*movie*] / **アニメ映画** an animation; an animated cartoon / **SF 映画** an SF [a science-fiction; a sci-fi] ⌈*film* [*movie*] / **ギャング映画** a gangster ⌈*film* [*movie*] / **記録映画** a documentary (⌈*film* [*movie*]) / **子供(向けの)映画** a children's ⌈*film* [*movie*] / **賞を受賞した映画** an award-winning ⌈*film* [*movie*] / **白黒映画** a ⌈monochrome [black-and-white] ⌈*film* [*movie*] / **スリラー映画** a thriller (⌈*film* [*movie*]) / **政治宣伝用映画** a propaganda ⌈*film* [*movie*] / **成人映画** an ⌈adult [X-rated] ⌈*film* [*movie*] / **戦争映画** a war ⌈*film* [*movie*] / **大ヒット映画** a ⌈blockbuster [blockbusting; smash-hit] ⌈*film* [*movie*] / **伝記映画** a ⌈screen [*film*] biography; a biopic / **ハリウッド映画** a Hollywood *movie* / **B 級映画** a B-*movie* / **ホラー映画** a horror ⌈*film* [*movie*] / **ポルノ映画** a ⌈blue [dirty; porn; porno(graphic)] 「*film* [*movie*] / ミステリー映画 a mystery「*film* [*movie*]

えいが² 栄華 (ぜいたくな生活) luxurious life Ⓒ; (富み栄えること) prosperity Ⓤ; (繁栄) glory Ⓤ. ¶ 彼はその当時*栄華を極めた He was at the height of his「*prosperity* [*glory*] at that time.

えいかいわ 英会話 English conversation Ⓤ 《☞ かいわ》. ¶ 彼女は*英会話が得意だ[得意ではない] She is「good [poor]「at [in]「*conversational* [*spoken*] *English*. ★ このような場合の「英会話」は「会話の英語」とするほうがよい. / (⇒ 英語を上手にしゃべる[しゃべらない]) She「*speaks* [doesn't *speak*] *English* very well. // 私は*英会話の学校へ行っている I go to (an) *English conversation* school. // 彼は*英会話のレッスンを受けている He is taking lessons in *conversational English*. // 彼女はいま一生懸命*英会話の練習をやっている She is practicing her「*conversational* [*spoken*] *English* very hard.

えいかく 鋭角 acute angle Ⓒ (↔ obtuse angle) 《☞ かく⁶ (挿絵); さんかく(けい)》.

えいがく 英学 English studies ★ 複数形で. ¶ 日本*英学史 a history of *English studies* in Japan

えいかん¹ 栄冠 (冠) crown Ⓒ; (栄誉) laurels ★ 通例複数形で. 《☞ めいよ》. ¶ 何年も苦労して彼はとうとう*栄冠を得た (⇒ 勝利の冠をいただいた) After many years of hard work, he「finally won the *laurels* [*was* finally *crowned with victory*].

えいかん² 叡感 ¶ 彼らに対して*叡感は甚だしきものだった (⇒ 天子は彼らに大いに満足して喜ばれた) *The emperor was highly pleased* with them.

えいき¹ 英気 (元気) spirit Ⓤ; (精力) energy Ⓤ. **英気を養う** (元気をつける) refresh *oneself* ★ 普通食べたり飲んだり風呂に入ったりすることを含む. ¶ 十分休んで*英気を養って下さい Take a good rest and *refresh yourself*.

えいき² 鋭気 (活気) spirit Ⓤ; (意気込み) ardor (《英》 ardour) Ⓤ. 《☞ いきごみ》. ¶ *鋭気をくじく break [damp] *a person's spirit* // *鋭気をそぐ deprive *a person* of *ardor*

えいきごう 嬰記号 〚楽〛(シャープ) sharp Ⓒ.

えいきゅう 永久 ━ 形 (変化なくいつまでも続く) pérmanent; (永遠の) eternal. ━ 副 (永久に) forever, for good ★ 後者のほうが口語的; permanently; eternally. ━ 名 permanence Ⓤ; eternity Ⓤ. 《☞ えいえん》. ¶ その退屈な演説は*永久に続くかと思われた The dull speech seemed to last an *eternity*. 語法 無限と思われるような長い時間を指すときは eternity は不定冠詞を伴う. // 彼は*永久に日本を去った He left Japan *for good*. // この機械は半*永久的に使えます (⇒ 決して壊れないだろう) This machine *will never break down*. **永久欠番** retired number Ⓒ. ¶ 長嶋の背番号“3”は*永久欠番である Nagashima's uniform *number* “3” *has been retired*. **永久歯** permanent tooth Ⓒ 《☞ は¹》. ¶ この子は*永久歯が生えかかっている This child is「cutting [getting] (his) *permanent teeth*. **永久磁石** permanent magnet Ⓒ **永久凍土** permafrost /pə́ːməfrɔ̀ːst/ Ⓤ.

えいきょ 盈虚 ¶ 月が*盈虚するように幾つかの国も栄えそして衰えた As the moon *waxes and wanes*, some nations thrived and declined. 《☞ せいすい¹; みちかけ》

えいきょう 影響 ━ 名 (権力・勢力などで他に及ぼす影響) influence Ⓤ; (効果) effect Ⓒ; (強力な影響) impact Ⓒ. ━ 動 (力によって影響を与える) ínfluence ㊀; (結果・効果として影響を与える) affect ㊀. 《☞ およぼす》. ¶ 彼は政界に対して大きな*影響力を持っている He has (a) great *influence*「in [on] politics. / (⇒ 大きな影響力を持った人物だ) He is a person of great *influence* in politics. // こういう本は青少年に悪い*影響を及ぼす These books will have a harmful *effect* on young people. 《☞ あくえいきょう》 // 寒い天候が作物に*影響を与えた The cold weather *affected* the crops. // 賃金水準は明らかに不況の*影響を受けた Wage levels *were* clearly *affected* by the recession. // 私は母より父の*影響を多く受けた I *was influenced* more by my father than (by) my mother. // 台風の*影響で雨が降った (⇒ 台風が原因で) It rained「*because of* [*owing to*; *on account of*] the typhoon. / (⇒ 台風が雨をもたらした) The typhoon brought (the) rain.

コロケーション

影響(力)を抑える curb [neutralize] *a person's influence* / **影響力を行使する** assert *one's influence*「on [over] … / **影響(力)を強める** strengthen [consolidate] *one's influence* / **影響(力)を排除する** exclude an *influence*「on [over] … / **…に影響(力)を及ぼす** exercise [exert; wield] *one's influence*「on [over] … / **…に対する影響力を使う** use *one's influence* with … / **…に対する影響(力)を失う** lose *influence*「on [over] … // **…の影響を受ける** come [fall] under the *influence* of … // **永続的影響** permanent「*influence* [*effect*] / **限られた影響** marginal *effect* / **間接の影響** indirect「*influence* [*effect*] / **決定的な影響** decisive *influence* / **広域に渡る影響** far-reaching *influence* / **ごくわずかな影響** minimal「*influence* [*effect*] / **重大な影響** enormous [tremendous]「*influence* [*effect*] / **深刻な影響** a profound「*influence* [*effect*] / **心理的影響** psychological「*influence* [*effect*] / **政治[経済]的影響** political [economic]「*influence* [*effect*] / **長期的影響** long-term *effect* / **直接の影響** direct「*influence* [*effect*] / **強い影響** strong [powerful]「*influence* [*effect*] / **長引く影響** lasting「*influence* [*effect*] / **不当な影響** undue *influence* / **プラスの影響** positive「*influence* [*effect*] / **マイナスの影響** negative「*influence* [*effect*] / **良い影響** good [favorable]「*influence* [*effect*]; (有益な) beneficial「*influence* [*effect*] / **悪い影響** bad [adverse]「*influence* [*effect*]; (有害な) harmful「*influence* [*effect*]

えいぎょう 営業 ━ 名 (業務) business Ⓤ; (営業活動) business activities ★ 複数形で; (商売) trade Ⓤ. ━ 動 (営業を行う) do [carry on; conduct] business ★ do, carry on, conduct の順に格式ばった語; (営業に従事する) engage in business. 《☞ しょうばい》. ¶ これがわが社の*営業概要です This is「an outline [a summary] of our *business activities*. // 我々の*営業成績は彼らのものに劣らずよい Our (*business*) results are as good as theirs. // 彼は写真屋を*営業している (⇒ 経営している) He *runs* a photo shop. // ここで*営業してゆくには莫大な資金がいる To *carry on business* here requires tremendous「capital [capitalization]. // 《掲示》*営業中 *Open* // *営業時間: 午前 10 時から午後 4 時まで *Open* from 10 a.m. to 4 p.m. / *Business* hours: 10 a.m. – 4 p.m. **営業外収益** non-operating income Ⓤ **営業許可** license [permission] to「do business [operate] ★ license (《英》 licence) Ⓒ は「許可証」, permission Ⓤ は「許可」. do business は operate よりくだけている. 以上は説明的言い方; business license Ⓒ. ¶ 彼は地方自治体から運送会社の*営業許可を得た

He ⌜got [received; obtained; acquired] ⌜*a license* [*permission*] from the local government *to* ⌜*run* [*operate*] a moving company. **営業キロ** distance (of business) in kilometers /kılάmətəz/ Ⓒ **営業権** right of ⌜business [trade] Ⓒ; (買入れのれん代) goodwill Ⓤ **営業財産** operating assets ★複数形で. **営業車** commercial vehicle Ⓒ **営業収益** operating income Ⓤ **営業所** (事務所) (business) office Ⓒ; (支店・支所) branch (office) Ⓒ; (営業活動のための事務所) sales office Ⓒ **営業停止** suspension of a business license Ⓤ. ¶*営業停止になる be ordered to *suspend business* **営業年度** business year Ⓒ **営業費** business expenses ★複数形で. **営業部** the sales ⌜division [department], the marketing ⌜division [department]. 《☞ 会社の組織と役職名 (囲み)》 **営業妨害** obstruction of *a person's* business Ⓤ **営業報告** business report Ⓒ **営業方針** business policy Ⓒ **営業保険** proprietary insurance Ⓤ **営業免許** business license Ⓒ **営業利益[損失]** operating ⌜profit [loss] Ⓤ.

えいぎん 詠吟 ¶詩人は誇らしげに自作詩を*詠吟した The poet proudly *recited* his ⌜verse [poem]. 《☞ えいじる[1]; ぎんじる; ろうえい[2]》

えいけつ[1] 永訣 ☞ しべつ

えいけつ[2] 英傑 great man Ⓒ; (英雄) hero Ⓒ.

えいこ 栄枯 (興隆と没落) the [a] rise and fall; (浮き沈み) ups and downs. ¶ローマ帝国の*栄枯盛衰 *the rise and fall* of the Roman Empire

えいご 英語 English Ⓤ, the English language ★後者はやや改まった言い方. ¶彼は*英語がうまい[下手だ] He is ⌜good [poor] at *English.* / He is a ⌜good [poor] speaker of *English.* / He speaks ⌜good [poor] *English.* / He speaks *English* ⌜well [poorly]. ∥「あなたは*英語が話せますか」「はい, 話せます[いいえ, 話せません]」"Do you speak *English*?" "Yes, I do [No, I don't]." 語法 (1) Can you speak English? は相手の能力を露骨に問うことになるので避けたほうがよい. ∥「『鉛筆』は*英語で何と言うのですか」「pencil です」"What is *the English* (*word*) for *enpitsu*?" "Pencil." 語法 (2) この例のように特定の語(句)を指す場合には定冠詞が必要. ∥ *英語はいまや世界語です *English* is now ⌜a world [(⇒ 国際語) an international] language. ∥ 彼女の*英語は完璧だ Her *English* is ⌜perfect [impeccable]. / (⇒ 彼女は英語を完全に知っている[操る]) She has a perfect ⌜knowledge [command] of *English.* ∥ 私は*英語が(まったく)わかりません I don't understand (a word of) *English.* ∥ 私たちの*英語の先生はアメリカ人です Our ⌜*English* teacher [teacher of *English*] is (an) American. 語法 (3) この場合は Énglish tèacher と English に強勢をおくが, Énglish téacher と teacher も強く発音すると, 教える教科に関係なく「イギリス人の先生」の意味になる. ∥ *英語の授業は週に何時間ありますか How many *English* classes do you have ⌜(in) a week [each week; per week]? ∥ この国では*英語を使わない *English* is not spoken in this country. ∥ *英語の新聞 an *English-language* newspaper ∥ 時事[商業]*英語 current [business] *English* ∥ 実用*英語 practical [living] *English* ∥ アメリカ[イギリス]*英語 American [British] *English* **英語学** English linguistics Ⓤ **英語教育** the teaching of English, English-language teaching Ⓤ **英語国民** English-speaking people Ⓒ **英語史** the history of ⌜English [the English language] **英語辞書** English dictionary Ⓒ, dictionary of the English language Ⓒ **英語力** (英語の実力) English proficiency Ⓤ; (英語の能力) ability in English Ⓤ, English ability Ⓤ ★後のものほどくだけた言い方. **英語話者** English speaker Ⓒ, speaker of English Ⓒ; (英語を母語とする者) native speaker of English Ⓒ; (多言語社会での) Anglophone Ⓒ, anglophone Ⓒ.

コロケーション

英語が上達する improve *one's English* / 英語に磨きをかける brush up *one's English* / 英語を…に翻訳する translate *English* into … / 英語を流暢に話す speak fluent *English* ∥ 堅い[くだけた]英語 formal [informal] *English* / 現代英語 present-day *English* / 口語体の英語 colloquial *English* / 古(期)英語 Old *English* / こなれた英語 idiomatic *English* / 初期近代英語 Early Modern *English* / 中(期)英語 Middle *English* / 話し[書き]言葉の英語 spoken [written] *English* / 標準[教養のない]英語 standard [substandard] *English* / ブロークンな英語 broken *English* / わかりやすい英語 plain *English*

えいこう[1] 栄光 (栄誉) glory Ⓤ 《☞ めいよ》. ¶勝利の*栄光を獲得する attain a *glorious* victory (over …)

えいこう[2] 曳航 ── 動 (船を) tow /tóʊ/ ⑩, take … in tow.

えいこう[3] 曳行 ── 名 tow Ⓒ. ── 動 tow ⑩. ¶グライダーを*曳行する *tow* a glider

えいごう 永劫 eternity Ⓤ 《☞ えいきゅう; えいえん》. ¶未来*永劫に *forever* and ever

えいこうだん 曳光弾 tracer (bullet) Ⓒ.

えいこく 英国 ── 名 ㊍ (通称) (Great) Britain; ((グレートブリテンおよび北部アイルランド)連合王国) the United Kingdom (of Great Britain and Northern Ireland) 《略 U.K.》; (南部のイングランドでイギリスを代表させる場合) England. ── 形 (英国の) British; English. 参考 England, Scotland, Wales からなる島が Great Britain であるが, 漠然とイギリスを指す通称にはこの島の名をとって Britain という. Northern Ireland を加えた英国の正式名が, the United Kingdom (of Great Britain and Northern Ireland) である. 英国の政治・経済の中心は England にあるので, 英国のことを England ということもあるが, スコットランド (Scotland) やウェールズ (Wales) の人々はこの呼び方を好まないので注意を要する. 無難な呼び方は Britain である. なお手紙などに書く国名は the United Kingdom としなければならない. 《☞ イギリス; 略語 (巻末)》. **英国国教会** the Anglican Church, the Church of England **英国人** ── 名 (男) Englishman Ⓒ 《複 -men》; (女) Englishwoman Ⓒ 《複 -women》; (総称) the British, the English; (個人) Briton Ⓒ ★新聞などで使われる; (異名) John Bull; 《略式》 Brit Ⓒ. ── 形 (英国人の) British; English. 参考 Englishman, Englishwoman は厳密にはイングランド出身の人をいい, それ以外のスコットランド人, ウェールズ人, 北アイルランド人にはそれぞれ, Scottish, Welsh, Irish (普通は形容詞形) を用い, He is ⌜*Scottish* [*Welsh*; *Irish*]. のように言うが, イングランドの人を含め, 全体を引っくるめて言う場合には British (形容詞形) を用い, He is *British.* のように言うのが一般的である. また, 個々の人を呼ぶ名詞形はスコットランド人は Scot Ⓒ, Scotsman Ⓒ (男), Scotswoman Ⓒ (女), ウェールズ人は Welshman Ⓒ (男), Welshwoman Ⓒ (女), アイルランド人は Irishman Ⓒ (男), Irishwoman Ⓒ (女) である. ¶私はアメリカ人だが彼は*英国人です I am (an) American but he is ⌜*British* [an *Englishman*; *English*].

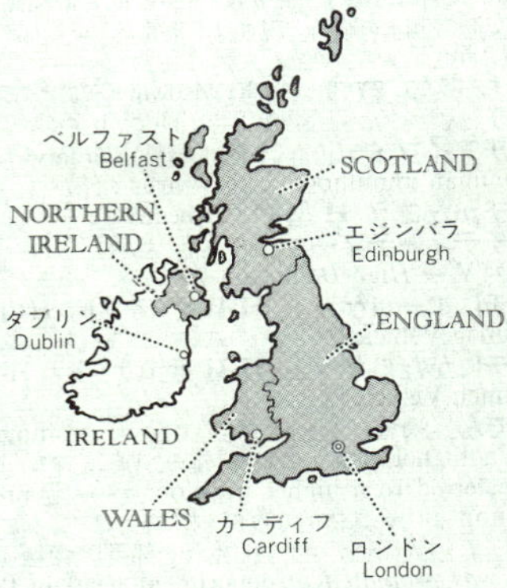

**THE UNITED KINGDOM
OF GREAT BRITAIN
AND NORTHERN IRELAND**

エイコサペンタエンさん エイコサペンタエン酸 〘化〙eicosapentaenoic /àɪkousəpéntənòuɪk/ ácid Ⓤ《略 EPA》.

えいこせいすい 栄枯盛衰 ¶*栄枯盛衰は世の習い (⇒ 人生には浮き沈みがある) A ˹man's [person's] life has its *ups and downs*.

えいさい 英才 (才能のある人) gifted person Ⓒ, person [man; woman] of ability Ⓒ, able person Ⓒ. 《☞ しゅうさい》. **英才教育** educational program for gifted children Ⓒ.

えいさくぶん 英作文 (英作文をすること) English composition Ⓤ ★ 書いたものは Ⓒ; (英語で書いた文章) English essay Ⓒ. 《☞ さくぶん 語法》. ¶私は*英作文を彼に添削してもらった I had my *English* ˹*essay* [*composition*] corrected by him. // 彼女は*英作文でよい点を取った She got a good ˹grade [《英》 mark] in ˹*English composition* [*Japanese-*˹*to* [*into*]*-English translation*].

語法 composition は自分で文章を書く作文のことを指すので, 日本でよく行われているような和文英訳式の英作文は Japanese-˹to [into]-English [Japanese-English] translation と言うべきであろう.

えいし¹ 英詩 (総称) English poetry Ⓤ; (1 編) English poem Ⓒ.

えいし² 衛視 (国会の守衛) Diet guard Ⓒ《☞ しゅえい》.

えいし³ 英姿 (雄々しい) gallant figure Ⓒ; (堂々とした) magnificent figure Ⓒ. 《☞ ゆうし³》. ¶若き将軍の馬上の*英姿 the *gallant figure* of the young general mounting a horse

えいじ¹ 英字 (英語の文字) English letter Ⓒ; (アルファベット) the English alphabet Ⓤ ★ 26 文字の総称. 1 字 1 字は letter という; (ローマ字) Roman letter Ⓒ. **英字新聞** English-language newspaper Ⓒ.

えいじ² 嬰児 (newborn) baby Ⓒ.

エイジ ☞ エージ

エイジズム ☞ エージズム

えいしゃ¹ 映写 ―動 projéct (他)《☞ うつす²》. ¶彼はカラースライドを壁に*映写した He *projected* the color slides on the wall. **映写機** (movie) projector Ⓒ **映写室** projection ˹room [booth] Ⓒ **映写幕** screen Ⓒ.

えいしゃ² 営舎 bárracks Ⓒ《複 ～》《☞ バラック 日英比較》.

えいしゃ³ 影写 ―動 trace (他).

えいじゅう 永住 ―動 settle [reside] permanently (in ...) (自) ★ reside のほうが格式ばった言い方. 《☞ ていじゅう》. ¶彼はそこに*永住することを決意した He has decided to ˹*settle* [*reside*] there *permanently*. **永住権** the right of permanent residence.

えいしゅうじ 英習字 English penmanship Ⓤ.

えいしゅつ 詠出 ―動 (詩歌を詠む) compose [write] a poem; (詩歌で表現する) express ... in a poem.

えいしゅん 英俊 (天才) genius Ⓒ; (英才の人) person with talent Ⓒ.

えいしょう¹ 詠唱 ―名 (詠唱曲) aria /ɑ́:riə/ Ⓒ. ―動 (歌う) sing (他); (聖歌を歌う) chant (他). ¶賛美歌を*詠唱する *sing* a hymn

えいしょう² 詠誦 〘カトリック〙tract Ⓒ.

えいじる¹ 詠じる (詩歌をつくる) compose (自) (他); (詩歌を声に出してうたう) recite (他). ¶短歌を*詠じる *compose* a tanka // 詩を*詠じる *recite* a poem

えいじる² 映じる **1** 《映す》: reflect (他) ★ しばしば受け身で.
2 《輝く》: shine (自). ¶夕日に*映じてもみじが美しかった The maple leaves looked beautiful *shining* against the setting sun.
3 《心に映す》: impress (他); (映って見える) be seen. ¶外国人の目に*映じた日本 Japan as *seen* by foreign people

エイジレス ☞ エージレス

えいしん 栄進 ―名 (昇進) promotion Ⓤ; (昇格) advancement Ⓤ. ―動 be ˹promoted [advanced] (to a higher rank). 《☞ しょうしん¹》.

えいじん 英人 ☞ えいこく (英国人)

エイジング ☞ エージング

エイズ 〘医〙AIDS /éɪdz/ Ⓤ ★ *A*cquired ˹*I*mmuno*d*eficiency [*I*mmune *D*eficiency] *S*yndrome の頭文字略語. 後天性免疫不全症候群. ¶*エイズに感染する get [contract] *AIDS* // *エイズが発症する develop *AIDS* **エイズウイルス** hùman ìmmunodeficiency vìrus Ⓒ ★ HIV と略される; AIDS virus Ⓒ **エイズ感染者** HIV /éɪtʃàɪví:/ [AIDS] càrrier Ⓒ **エイズサーベイランス委員会** the AIDS Surveillance Committee **エイズホスピス** AIDS hospice Ⓒ **エイズ予防法** the AIDS Prevention Law **エイズワクチン** AIDS vaccine Ⓒ.

えいせい¹ 衛星 (天体または人工の) satellite /sǽtəlàɪt/ Ⓒ; (天体の) moon Ⓒ. ¶月は地球の*衛星である The moon is a *satellite* of the earth. // 土星は 30 個以上の*衛星を持っている Saturn has more than 30 ˹*satellites* [*moons*]. // 日本は 1976 年に気象*衛星の打ち上げに成功した Japan succeeded in launching a weather *satellite* in 1976. 《☞ うちあげる》 // 人工[通信]*衛星 an artificial [a communications] *satellite* // 放送*衛星 a broadcast(ing) *satellite* **衛星国** satellite (state) Ⓒ **衛星中継** (生中継) live /láɪv/ ˹transmission [coverage] via satellite Ⓤ. ¶この番組はニューヨークから*衛星中継されています This program *is being transmitted live via satellite* from New York. **衛星通信** satellite communications ★ 複数形で. **衛星都市** satellite ˹city [town] Ⓒ **衛星放送** satellite broadcasting Ⓤ.

えいせい² 衛生 ―名 (衛生状態・設備) sanitation Ⓤ; (清潔な状態) hygiene /háɪdʒi:n/ Ⓤ. ―形 (清潔で衛生的な・衛生上の) sanitary (↔ unsanitary); (健康によい) hygienic /hàɪdʒí:nɪk/ (↔ unhygienic). ¶この包み紙は*衛生的[不*衛生]だ This wrapping (paper) is ˹*sanitary* [*unsanitary*]. // このレストランは*衛生状態がよい[悪い]

This restaurant is ｢*sanitary* [*unsanitary*]. / This restaurant is in ｢good [poor] *sanitary* condition. / The *sanitary* condition(s) of this restaurant ｢are [is] ｢good [poor]. / (⇒よい[悪い]衛生設備を持っている) This restaurant has ｢good [poor] *sanitation*. ★ 第1文が最も口語的. その他の文はより丁寧な表現. // わが国は一般に*衛生観念が高い In Japan, we are generally very conscious of *hygiene*. **衛生害虫** insect ｢injurious [which does harm] to human beings and farm animals Ⓒ《☞がいちゅう¹》 **衛生学** hygiene Ⓤ, hygienics Ⓤ ★ 前者は衛生, 衛生法の意味もある. **衛生試験場** hygienic laboratory Ⓒ **衛生設備** (施設など) health facilities ★ 複数形で; (下水などの公衆衛生設備) sanitation Ⓤ.

えいせい³ 永世 ☞えいきゅう **永世中立** ―名 permanent neutrality Ⓤ. ―形 permanently neutral **永世中立国** permanently neutral ｢country [state] Ⓒ.

えいせん 曳船 túgbòat Ⓒ.

えいぜん 営繕 building and maintenance Ⓤ. **営繕課** building and maintenance section Ⓒ **営繕費** building and maintenance expenses ★ 複数形で.

エイゼンシュテイン ―名 固 Sergey Mikhaylovich Eisenstein /séəɡeɪ mɪkáɪləvɪtʃ áɪznstàɪn/, 1898-1948. ★ 旧ソ連の映画監督.

えいそう¹ 営巣 ―名 nest building Ⓤ, nesting Ⓤ. ―動 build a nest. **営巣地** nesting ground Ⓒ.

えいそう² 営倉 (兵営の留置場) guardhouse Ⓒ, 《主に米》 stockáde Ⓒ ★ 通例単数形で.

えいぞう 映像 (テレビの) picture Ⓒ; (反射映像) reflection Ⓒ. ¶ このテレビの*映像ははっきりしない This television (set) doesn't ｢have [give] ｢a clear *picture* [good *resolution*]. ★ resolution はテレビなどの「解像度」.

えいぞうぶつ 営造物 (建物) building Ⓒ; (公共施設) public facilities ★ 複数形で.

えいぞく 永続 ―動 (永く持ちこたえる) last ｢long [for a long time] ⓐ 語法 最も平易で口語的な表現. last long は否定文・疑問文で用いるのが普通; (無期限に続く) continue indefinitely ⓐ; (困難にめげず存続する) endure long ⓐ ★ やや文語的. ―形 lasting, enduring. 《☞つづく; じぞく》. ¶ この状態は*永続しないだろう This situation will not *last long*. // 私たちは*永続的な平和を切望する We long for an *enduring* peace.

えいたいくよう 永代供養 ―名 memorial service held every year (for ...) Ⓒ. ―動 hold a memorial service (for ...) every year.

えいたつ 栄達 (出世) success in life Ⓤ 《☞しゅっせ》.

えいだつ 穎脱 ―形 (すぐれた才能のある) exceptionally [extraordinarily; extremely; highly; incredibly; outstandingly] talented.

えいたん 詠嘆 ―名 (感動を声に出すこと) exclamation Ⓤ; (感嘆) admiration Ⓤ. ―動 exclaim ⓐ; admire ⓣ. **詠嘆の助詞** particle of admiration Ⓒ **詠嘆の助動詞** auxiliary /ɔːɡzíljəri/ verb of admiration Ⓒ.

えいだん 英断 (賢い決断) wise decision Ⓒ; (最終的な決断) final decision Ⓒ; (決定的な判断) decisive judgment Ⓒ; (決定的処置) decisive step Ⓒ; (断固たる処置) resolute step Ⓒ. 《☞けつだん》. ¶ この件は首相の*英断を必要とする This matter calls for a (*final*) ｢*decision* [*judgment*] by the prime minister.

えいだんちかてつ 営団地下鉄 Teito Rapid Transit Authority 《略 TRTA》 ★ 旧「帝都高速度交通営団」の略称. 現在は「東京メトロ」《☞とうきょう》.

えいち 英知, 叡知 (知恵) wisdom Ⓤ 《☞ちえ》.

エイチ (アルファベットの第8字) H Ⓒ, h Ⓒ.

エイチアイブイ (エイズウイルス) HIV /éɪtʃàɪví:/ Ⓒ ★ *h*ùman *i*mmunodeficiency *v*ìrus の略.

エイチがたこう H型鋼 H beam Ⓒ.

エイチディーティーブイ (高品位テレビ) HDTV ★ *H*igh-*D*efinition *TV* の略.

エイチにエーロケット H-IIA ロケット H-IIA Launch Vehicle Ⓒ.

エイチにがたロケット H-II 型ロケット H-II Launch Vehicle Ⓒ.

えいてん¹ 栄転 ―動 (昇進する) be promoted (to a higher position); (昇進のため転任する) be transferred to a higher position. ―名 promotion Ⓤ ★ 具体的な事例を指すときは Ⓒ. 《☞しゅっせ; てんにん¹》. ¶ 彼は本社の部長に*栄転した He *was promoted to* department head in the head office.

えいてん² 栄典 (儀式) ceremony Ⓒ; (国家が与える栄誉など) honors [《英》 honours] (｢bestowed on [awarded] *a person*).

エイト (数字の8) eight Ⓤ; (8本オールのボートのチーム) eight Ⓒ.

エイド (援助) aid Ⓤ 《☞えんじょ; じょりょく》.

えいない 営内 ―副 (兵営内で) in (a) barracks.

えいねん 永年 ―形 long-time, long. 《☞ながねん》. **永年勤続** long service Ⓤ, continuous employment Ⓤ. ¶ 私は*永年勤続で表彰された (⇒会社に長く勤めたことを認められて私の名前が表彰者名簿に記載された) My name was listed on the honor roll in recognition of my *long service* to the company.

えいのう 営農 ―動 farm ⓐ, manage a farm. ―名 farming Ⓤ.

えいびん 鋭敏 ―形 (感覚が鋭い) sharp; (とぎすまされた感覚の) acute; (五感で感じるのが敏感な) sensitive. ―名 sharpness Ⓤ; keenness Ⓤ; acuteness Ⓤ. 《☞するどい (類義語); びんかん》. ¶ 彼の鼻は*鋭敏だ His sense of smell is *very good*. / (⇒彼は鋭敏な嗅覚をもっている) He has a *very good* sense of smell. // 犬は耳が*鋭敏だ Dogs have *sharp* ears. / A dog hears *very well*.

えいぶん 英文 ―名 (英語) English Ⓤ; (英語の文) English sentence Ⓒ; (英語の書きもの) English writing Ⓤ, writing in English Ⓤ ★ 以上2つは「著作」の意では複数形で. ―形 English, in English. 《☞えいご》. **英文解釈** interpretation of an English text Ⓤ; (読解) reading comprehension of English (text) Ⓤ.

えいぶんか 英文科 Énglish depàrtment Ⓒ, department of English Ⓒ ★ 後者のほうが改まった言い方. 固有名詞の場合は D- とする. ¶ 彼女は*英文科の学生だ She is a student in the *English department*. / (⇒彼女は英語[英文学]を専攻している) She *is majoring in* ｢*English* [*English literature*]. / (⇒彼女は英語[英文学]の専攻学生だ) She is an ｢*English* [*English literature*] *major*.

えいぶんがく 英文学 English literature Ⓤ 《☞ぶんがく》.

えいぶんぽう 英文法 English grammar Ⓤ; (英文法書) English grammar (book) Ⓒ.

えいぶんわやく 英文和訳 English-Japanese translation Ⓤ, translation from English into Japanese Ⓤ. 《☞えいやく; ほんやく》.

えいへい 衛兵 (見張りをする人) guard Ⓒ; (歩哨)

sentry Ⓒ. 《☞ みはり》.
えいべい 英米 ── ［名］ Britain and America. ── ［形］ British and American. 《☞ イギリス; アメリカ》. ¶ *英米の事情 *British and American* affairs // *英米人 the *British and* (the) *Americans*
えいべつ 永別 ── ［動］ leave [part] … forever ★ [ ] 内の方が格式ばった語; (死別により失う) lose ㊀. 《☞ しべつ》.
エイペック (アジア太平洋経済協力会議) APEC /éɪpek/ ★ *A*sia-*P*acific *E*conomic *C*ooperation Conference の略.
えいほう 泳法 swimming ⌜style [technique] Ⓒ.
えいまい 英邁 ── ［形］ wise and great; (傑出した) illustrious. ¶ *英邁な君主 an *illustrious* monarch
えいみん 永眠 ── ［動］ (死ぬ) die ㊀; (亡くなる) pass (away) ㊀ ★ die の婉曲な表現. ── ［名］ death Ⓤ ★ 具体的な事実の場合は Ⓒ; (永遠の眠り) eternal rest Ⓤ ★ 文語的な表現. 《☞ しぬ (類義語); 婉曲語法 (巻末)》. ¶ 彼は昨夜*永眠した He ⌜*passed away* [*died*] last night.
エイム (目的) aim Ⓒ 《☞ もくてき》.
えいめい[1] 英明 ── ［形］ (すぐれて賢い) intelligent; (才気煥発の) brilliant. ¶ *英明な指導者 an *intelligent* [a *brilliant*] leader
えいめい[2] 英名 ☞ めいせい
えいやく 英訳 ── ［名］ English translation Ⓤ ★ 訳された具体的なものを指すときは Ⓒ. ── ［動］ transláte [put] … into English ★ put のほうが平易な表現. 《☞ ほんやく; 翻訳 (巻末)》. ¶ 次の日本語を*英訳しなさい *Translate* [*Put*] the following Japanese material *into English.* // これは日本語からの*英訳である This is an *English translation* from (the) Japanese.
えいゆう 英雄 ── ［名］ (武勇にすぐれている男) hero /hí(ə)roʊ/ Ⓒ 《複 ～es》; (武勇にすぐれている女) heroine /héroʊɪn/ Ⓒ; (偉人) great ⌜person [man; woman] Ⓒ ★ 前 2 者より意味の広い表現. ── ［形］ heroic /hɪróʊɪk/. ── ［副］ heróically. ¶ 彼は国を救った*英雄として尊敬されている He is admired as a ⌜*hero* [*great man*] who saved the country. // *英雄的な行為 an act of *heroism* /hérouìzm/ // 国民的*英雄 a national *hero* / a *hero* of the people ★ 前者のほうが国家として英雄と見る感じがある. **英雄色を好む** (⇒ 偉い男はみんな女性を好む) All great men like women. / (⇒ 偉い男は女性の魅力に弱い) Great men are susceptible to feminine charms. **英雄主義** heroism Ⓤ **英雄叙事詩** epic of a hero Ⓒ **英雄神話** myth of a hero Ⓒ; (総称) mythology of a hero Ⓤ **英雄崇拝** hero worship Ⓤ **英雄伝** story of a hero Ⓒ.
えいよ 栄誉 (名誉) honor (《英》 honour) Ⓤ; (はえあるほまれのしるし) distinction Ⓒ; (栄光) glory Ⓤ. 《☞ めいよ; えいかん[1]; えいこう[1]》. **栄誉礼** salute of guards of ⌜honor [《英》 honour] Ⓒ.
えいよう 栄養 ── ［名］ (栄養(の摂取)) nutrition /n(j)uːtríʃən/ Ⓤ; (成長に必要な養分) nutriment /n(j)úːtrəmənt/ Ⓒ ★ 以上の 2 つは専門用語; (栄養のある物) nourishment /nə́ːrɪʃmənt/ Ⓤ. ── ［形］ (栄養分のある) nutritious /n(j)uːtríʃəs/; (滋養に富んだ) nourishing. 《☞ ようぶん; カロリー》. ¶ この食物は*栄養が多い This food is ⌜*nutritious* [*nourishing*]. // *栄養のない *unnourishing* / be without *nourishment* // *栄養が足りない be *undernourished* / be *underfed* / be ill *fed* ★ 以上 3 つは人が主語. / be low in *nutritional value* / lack *nourishment* ★ 以上の 2 つは食物が主語. // *栄養が十分な人 a well⌜*-fed* [*-nourished*] person // 私は*栄養のある物をたっぷり食べた I ⌜took [had] plenty of *nourishment*. // この料理は*栄養満点だ This is very *nourishing.* // 彼は*栄養満点だ He's *full of beans.* ★ くだけた表現. 豆の餌をたっぷり与えられた馬に使った形容から. **栄養価** nútritive válue Ⓤ **栄養化学** nutrition chemistry Ⓤ **栄養学** nutrítion Ⓤ **栄養器官** 〘植〙 vegetative [〘動〙 digestive] organ Ⓒ **栄養共生** 〘生〙 syntrophism Ⓤ **栄養剤** nutrient /n(j)úːtriənt/ Ⓒ; (栄養的物質) nutrient substance Ⓒ **栄養雑種** 〘植〙 vegetative hybrid Ⓒ **栄養士** dietician /dàɪətíʃən/ Ⓒ **栄養失調** màlnutrítion Ⓤ **栄養障害** nutrition disorder Ⓤ **栄養食** nourishing food Ⓤ **栄養素** nutrient Ⓒ **栄養組織** 〘植〙 vegetative tissue Ⓤ ★ または複数形で. **栄養体** 〘生〙 (非生殖部) nonreproductive ⌜organ [part] Ⓒ 《☞ えいよう (栄養組織); えいよう (栄養器官)》; (原虫などの) trophozoite /tròʊfəzóʊaɪt/ Ⓒ **栄養繁殖** vegetative reproduction Ⓒ **栄養不良** (栄養不足) undernourishment Ⓤ; (説明的に) lack of nourishment Ⓤ **栄養分** nutriment Ⓒ **栄養補給** nutrition Ⓤ.
えいようえいが 栄耀栄華 prosperity Ⓤ 《☞ えいが[2]》.
えいらくせん 永楽銭 *eirakusen* Ⓒ ★ 単複同形; (説明的には) copper coin minted in China from 1411 that circulated in Japan until 1608 Ⓒ.
えいらんせんそう 英蘭戦争 the British-Dutch Wars ★ 第 1 回 (1652–54), 第 2 回 (1665–67), 第 3 回 (1672–74).
えいり[1] 営利 ── ［名］ (利益) profit Ⓤ ★ しばしば a を付けて; (金もうけ) moneymaking Ⓤ. ── ［形］ (営利を目的とする) profit-making Ⓐ, profit making Ⓟ; (商業的な) commercial ★ 前者より婉曲的. 《☞ りえき; もうけ》. ¶ 自分の*営利のためにだけ働くべきではない One should not work for (one's own) personal *profit* alone. // この団体は*営利を目的としていない (⇒ これは非営利団体だ) This is ⌜not a *commercial* [a *nonprofit*; a *not-for-profit*] organization. **営利会社** profit-making company Ⓒ **営利行為** commercial [profit-making] activities ★ 複数形で. **営利事業** commercial [profit-making] enterprise Ⓒ **営利主義** commercialism Ⓤ **営利保険** commercial insurance Ⓤ **営利誘拐** kidnapping for ransom Ⓤ.
えいり[2] 鋭利 ── ［形］ (鋭い) sharp 《☞ するどい》. ¶ *鋭利な刃物 a *sharp* knife
えいり[3] 絵入り **絵入り辞典** illustrated dictionary Ⓒ 《☞ さしえ》.
エイリアス 〘コンピューター〙 alias /éɪliəs/ Ⓒ ★ ファイル・コマンド・アイコンなどの「別名」.
エイリアン (外国人・異星人) alien Ⓒ.
えいりん 映倫 the Motion Picture Code of Ethics Committee.
えいりんしょ 営林署 local forestry office Ⓒ.
えいれい 英霊 soul Ⓒ, spirit Ⓒ; (戦死者の魂) the ⌜souls [spirits] of the war dead.
えいれんぽう 英連邦 ☞ イギリス (イギリス連邦)
えいわじてん 英和辞典 English-Japanese dictionary Ⓒ 《☞ じしょ[2]》.
えいわたいやく 英和対訳 ☞ たいやく[2]
えいん 会陰 〘解〙 perineum /pèrəníːəm/ Ⓒ 《複 -nea》. **会陰切開** 〘医〙 episiotomy /ɪpìziátəmi/ Ⓒ.
エウリピデス ── ［名］ ㊢ Euripides /jʊrípədìːz/, 480?–?406 B.C. ★ 古代ギリシャの悲劇詩人.
ええ (肯定) yes; (確かに・もちろん結構) 《略式》 sure, surely, certainly ★ 後の 2 つのほうが丁寧. 《☞ はい[1]》. ¶ *ええ, そのとおりです *Yes,* you're right. // 「質問してもいいですか」「*ええ, どうぞ」 "May I ask you a question?" "*Sure.* / *Certainly.* / *Go*

ahead."

エー (アルファベットの第1字) A Ⓒ, a Ⓒ.

エーイーティー AET Ⓒ ★ *a*ssistant *E*nglish *t*eacher の略. 和製英語.

エーエーしょこく AA 諸国 Afro-Asian countries ★ 複数形で.

エーエム (午前) A.M., a.m. ★ 数字の後につける; (中波放送) AM Ⓤ ★ *a*mplitude *m*odulation の略. エーエム放送 AM broadcasting Ⓤ.

エーエルティー ALT Ⓒ ★ *a*ssistant *l*anguage *t*eacher の略. 和製英語.

エーオーにゅうし AO 入試 entrance examination (in) American style Ⓒ ★ アメリカの大学には *a*dmissions *o*ffice という入試担当事務局がある. AO はその頭文字を取ったもの. admissions-office examination は和製英語.

エーカー (面積の単位) acre Ⓒ《略 a》《☞ 度量衡(囲み)》.

エーがたかんえん A 型肝炎 〔医〕 hepatitis /hèpətáɪtɪs/ A Ⓤ.

エーキュー (成就指数) AQ Ⓒ ★ *a*chievement *q*uotient の略.

エーきゅうせんぱん A 級戦犯 (第二次大戦の) class A war criminal Ⓒ.

エークラス A クラス ―名 A class Ⓒ. ―形 (第1級の) A one; (一流の) first-rate.

エーゲかい エーゲ海 ―名 固 (地中海東部の) the Aegean /ɪdʒíːən/ Séa. ―形 Aegean. エーゲ海諸島 the Aegean Islands.

エーゲぶんめい エーゲ文明 Aegean /ɪdʒíːən/ civilization Ⓤ.

エーごはん A5 判 ―形 A5. ¶*A5 判のバインダー an *A5*(-size) binder

エージ (年齢・時代) age Ⓒ《☞ ねんれい; じだい¹》.

エーシー 〔電〕 (交流) AC Ⓤ ★ *a*lternating *c*urrent の略.

エージェンシー (代理店) agency Ⓒ.

エージェント (代理人) agent Ⓒ.

エージグループ (特定の年齢層) áge-gròup Ⓒ.

エージズム (ある年齢層, 特に老人に対する差別) ageism Ⓤ, agism Ⓤ.

エージレス ―形 (年をとらないように見える) ageless. エージレスファッション (年齢にこだわらないファッション) fashion for all ages Ⓤ.

エージング (年をとること・熟成) aging Ⓤ.

エース ―名《略式》ace Ⓒ ★ 形 としても用いる; (最高のもの)《略式》number one ★ 冠詞を付けず単数形で. ―形 (一流の) first-rate; (最高の) top, number-one Ⓐ ★ Ⓟ ではハイフンなし.
¶*エースのピッチャー an *ace* pitcher

エーディー (紀元後) A.D. (↔ B.C.) ★ ラテン語の *a*nno *D*omini の略. A.D. 92 (西暦92年) のように数字の前に付けるのが正式とされるが,《米》ではしばしば数字の後に付けられる.

エーティーエス (自動列車停止装置) ATS Ⓒ ★ *a*utomatic *t*rain *s*top の略.

エーティーエム (自動預け入れ引き出し機) ATM Ⓒ ★ *a*utomated *t*eller *m*achine の略.

エーティーオー (自動列車運転) ATO Ⓤ ★ *a*utomatic *t*rain *o*peration の略.

エーティーシー (自動列車制御) ATC Ⓤ ★ *automatic train control* の略.

エーディーへんかんき AD 変換器 〔コンピューター〕 A/D [analog(-to)-digital] converter Ⓒ.

エーテル 〔化〕 ether /íːθə/ Ⓤ.

エーデルワイス 〔植〕 edelweiss /éɪdlvàɪs/ Ⓒ ★ 単複同形.

えーと (何かを思い出したり, とっさに答えが出ない場合) let me see; (話を続けるときに, ところで) well; (言葉の間のつなぎとして) er /ə:, ʌ:/.《☞ あのね》.
¶*えーと, しめて20ドルになります *Let me see.* That'll be twenty dollars altogether. // 「*えーと, あなたのご質問は何でしたか」「あなたの趣味についてです」"*Well*, what was your question?" "It was about your hobby." // 「君の弟の奥さんの, *えーと, ゆき子さんはどうしていますか」「おかげさまで, 元気です」"How is your brother's wife, *er*—Yukiko?" "She's fine, thank you."《☞ ダッシュ(巻末)》

エード -ade ★「果物から作られた甘い飲料」の意の接尾辞. ¶オレンジ*エード orange*ade*

エートス ☞ エトス

エーピー ―名 固 (米国の通信社) AP ★ *As*sociated *P*ress の略.

エーピーエス (小型カートリッジ入りフィルムを使用する写真システム) Advanced Photo System Ⓤ《略 APS》. ¶*エーピーエスフィルム3本 three rolls of *APS* film

エービーエム (ミサイル迎撃ミサイル) ABM Ⓒ ★ *a*nti*b*allistic *m*issile の略.

エービーシー (アルファベット) alphabet Ⓤ; (初歩) the ABC(s) (of …).

エービーシーへいき ABC 兵器 (原子・生物・化学兵器) ABC weapons ★ 複数形で. ABC は *a*tomic, *b*iological and *c*hemical の略.

エーブイ ―形 (視聴覚の) AV ★ *a*udio*v*isual の略.《☞ アダルトビデオ》. AV 機器 audiovisual equipment Ⓤ.

エープリルフール (エープリルフールの日) April Fools' Day; (エープリルフールにかつがれた人) April Fool Ⓒ.

エール¹ (声援)《米》yell /jél/ Ⓒ. ¶*エールを交換する exchange *yells* ★ yell は本来 動 で「大声で叫ぶ」の意.

エール² (ビールの一種) ale Ⓤ ★ 種類をいうときは Ⓒ.

エールだいがく エール大学 ☞ イェールだいがく

エーワックス (早期警戒管制機) AWACS /éɪwæks/ Ⓒ ★ *a*irborne *w*arning *a*nd *c*ontrol *s*ystem の略.

エオス ―名 固 〔ギ神〕 Eos /íːɑs/ ★ 曙の女神, ローマ神話の Aurora に相当.

エオリアせんぽう エオリア旋法 〔楽〕 Aeolian /ióʊliən/ móde Ⓒ.

えがお 笑顔 (微笑) smile Ⓒ《☞ びしょう¹; にこにこ》.
¶彼女は*笑顔を絶やすことがない (⇒ 彼女はいつも笑顔でいる) She always wears a *smile* on her face. / She *is* always *smiling.* ★ 後者のほうが平易な表現. // 彼女は夫を*笑顔で迎えた She welcomed her husband with a *smile.* // 私は無理に*笑顔を作った I had to force myself to *smile.* // 子供は母親に*笑顔を見せた The child *smiled* at his mother.

えかき 絵かき (絵の具で絵をかく人) painter Ⓒ; (美術家・画家) artist Ⓒ 【語法】 前者はプロでない人も含むが, 後者は含まない.

えがく 描く (絵にかく・心に描く) picture ⑩; (彩色して) paint ⑩; (特徴などを言葉で描写する) describe ⑩; (芸術的に描き出す) depict ⑩; (見たままをそのまま描く) portray ⑩ ★ 以上2語は格式ばった語.《☞ かく¹; びょうしゃ》. ¶彼女は結婚式の模様を心に*描いていた She *was picturing* to herself (the scene of) her wedding (ceremony). // この小説は貧しい人たちの生活を*描いている This novel *depicts* the life of the poor.

えがたい 得難い ―形 (まれな) rare; (入手するのが難しい) hard [difficult] to obtain; (たやすく手に入らない) not easily obtainable; (手の届かない) beyond *a person's* reach; (貴重な) inváluable; (有

益な) worthwhile ★ P としては worth while も同意. ((☞ きちょう'; めずらしい (類義語))). ¶ 彼は*得難い人材だ (⇒ 彼はまれな才能をもった人だ) He is a man of *rare* talent. / (⇒ 彼のように有能な人はなかなか見つからない) You *rarely* find a talented man like him. // 海外生活で*得難い経験を積んだ My stay abroad was a *very worthwhile* experience.

エカテリーナ ―名 固 (エカテリーナ1世) Catherine I, 1684–1727 ★ ロシアの女帝; (エカテリーナ2世) Catherine ⌈II [the Great], 1729–1796 ★ ロシアの女帝.

エカフェ (アジア極東経済委員会) ECAFE ★ *E*conomic *C*ommission for *A*sia and the *F*ar *E*ast の略.

えがら 絵柄 páttern C, design C ★ 前者は形式的模様. 後者は全体的図柄で, より芸術的なもの. ¶ そのじゅうたんは花の*絵柄だ The carpet has a floral *pattern* on it. // 私はこの敷物の*絵柄は好きでない I don't like the *design* on this rug.

えき[1] 駅 station C, ((米)) railroad [((英)) railway] station C, train station C; (列車またはバスの) ((米)) depot /díːpoʊ/ C; (地下鉄の) ((米)) subway [((英)) tube] station C. ((☞ ていりゅうじょ)).

日英比較 英語の station は「人・物が配置されている所」という意味で, 警察署は police *station*, 消防署は fire *station*, ラジオ局は radio *station*, 鉄道などの駅は railroad [railway] *station* という. ただし, 駅などは前後関係で明らかであれば単に station でよい. これに対して, 日本語では「駅」「署」「局」「部」「所」などはみな違う言葉で表し, 英語の station に当たる総称がない.

¶ 私は次の*駅で降ります I'll get off at the next *station*. // 「*駅へ行く道を教えて下さい」「2 つめの角を右へ曲がって下さい」"Can you tell me the way to the *station*? / How can I get to the *station*?" "Walk two blocks and turn right." // 「上野*駅へはこの道を行けばよいのですか」「はい, そうです」"Is this the (right) way to Ueno *Station*?" "Yes, it is." 語法 (1) 駅名には冠詞を用いない. また「…駅」とする場合は普通 Station と大文字で始める. // 「博多まであと*駅はいくつですか」「3 *駅です」"How many ⌈*stations* [*stops*] is it from here to Hakata?" "It's three ⌈*stations* [*stops*]." 語法 (2) stop は「止まる場所」の意味. // 終着[始発]*駅 the ⌈terminal (*station*) [*terminus*] 語法 (3) いずれも始発・終着両方に使う. 特に始発という意味では starting station という. **駅員** station ⌈employee [worker] C; (駅員全体) station staff C **駅売り** ¶ *駅売りのネクタイ a tie *sold at a station* **駅舎** railroad station building C **駅長** stationmaster C **駅長室** stationmaster's office C **駅頭** (駅) station C; (駅前広場) station plaza C **駅ビル** railroad station building (containing a shopping complex) C, commercial building constructed over a railroad station C **駅弁** railroad box lunch C, box lunch sold at a railroad station C **駅弁売り** a railroad-station box-lunch vendor C.

えき[2] 液 (液体) liquid U; (流動体) fluid U; (果物などの汁) juice U ★ 以上 3 語はいずれも種類をいうときは C; (溶液) solution C. ¶ この*液は塩辛い This ⌈*liquid* [*solution*] tastes salty.

えき[3] 益 (効用) use U; (利益) profit U; (よい点) good U; (恩恵) benefit U. ((☞ えきする)). ¶ 英語の勉強は何の*益があるか What is the ⌈*use* [*good*] of studying English?

えき[4] 易 (占い) fortune-telling U, dìvinátion U ★ 後者のほうが改まった語. ¶ *易を見てもらう have *one's fortune told* **易学** the art of divination.

えきあつ 液圧 fluid pressure U. **液圧式ブレーキ** hydraulic brake C.

えきか 液化 ―動 (液化する) liquefy 他 自. ―名 liquefáction U. ¶ *液化ガス *liquefied* gas

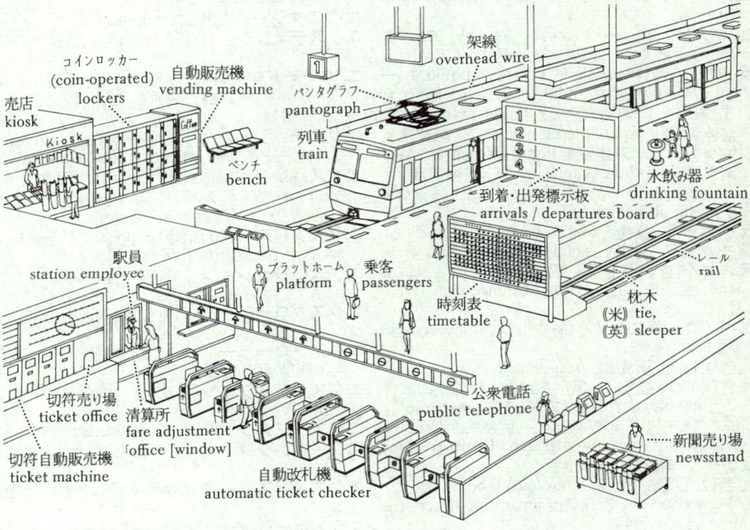

駅 railroad station

えきがく 疫学 ―名 epidemiology /èpədì:miάlədʒi/ U. ―形 epidemiological /èpədì:miəlάdʒɪkəl/. 疫学者 epidemiologist C.

えきぎゅう 役牛 (荷牛) draft ox U.

えききょう 易経 *The Book of Changes* ★五経の一つ. 中国, 周代の占いの書.

えききん 益金 profit C ((☞ もうけ)).

エキサイティング ―形 (人を興奮させるような) exciting. ¶*エキサイティングな試合 an *exciting* game

エキサイト ―動 (興奮させる) excite 他; (興奮する) get [be] excited. ((☞ こうふん¹)).

エキシビション (展示会) exhibition /èksəbíʃən/ C.

えきしゃ 易者 (他人の運勢を占う人) fortuneteller C ((☞ うらない)).

えきしょう 液晶 liquid crystal U. ¶*液晶(表示の) 時計 an *LCD* watch ★LCD は *l*iquid *c*rystal *d*isplay の略. 液晶パネル LCD (panel) C.

えきじょう 液状 ―形 (液状の) liquefied /líkwəfàɪd/, liquid. ¶*液状化する go into [change to] (a) liquefied state 液状化現象 liquefáction U.

エキス (抽出物) éxtract U. ¶牛肉の*エキス beef *extract*

エキストラ (映画などの) éxtra C.

エキスパート (専門家・熟練者) éxpert (in ...) C 日英比較 英語の expert は形としても用いる. ((☞ せんもん; プロ; くろうと)). エキスパートシステム〖コンピューター〗expert system C エキスパートシステムツール〖コンピューター〗expert system tool C.

エキスパンダー (chest) expander C.

エキスポ (博覧会) ((略式)) expo /ékspoʊ/ C ((複 ~s)) ★exposition の短縮形.

えきする 益する ¶私は彼女との会見で大いに*益するところがあった I *have* ˹*gained* a great deal from [*gotten* a lot out of] my interview with her. / (⇒彼女との会見は有益であった) The interview with her was very (much) *worth* (˹*my* [*our*]) *while*.

エキセントリック (風変わりな) eccentric.

エキゾチ(シ)ズム (異国情緒・異国趣味) exoticism U.

エキゾチック ―形 exotic /ɪgzάtɪk/ ★「外国の」「外国産の」「異国風」などの意味. ((☞ いこく)).

えきたい 液体 (固体・気体に対する) liquid U (↔ solid; gas); (流動体) fluid U ★いずれも種類を言うときは C. 液体アンモニア liquid ammonia U 液体温度計 liquid thermometer C 液体空気 liquid air U 液体酸素 liquid oxygen U 液体消火器 fluid fire extinguisher C 液体窒素 liquid nitrogen U 液体燃料 liquid fuel U 液体ヘリウム liquid helium U.

えきちゅう 益虫 úseful [béneficial] insect C.

えきちょう 益鳥 úseful [béneficial] bird C.

えきでん(きょうそう) 駅伝(競走) *ekiden* (race) C; (説明的には) long-distance relay (race) C.

エキノコックス 〖動〗(寄生虫) echinococcus C ((複 echinococci)).

えきばしゃ 駅馬車 stagecoach C.

えきびょう 疫病 (命にかかわるような悪性の流行病) (the) plague /pléɪg/ C; (伝染病) èpidémic C. ((☞ でんせんびょう; びょうき)). ¶*疫病の流行地 a *plague* spot / a *plague*-stricken ˹district [region]

えきべん 駅弁 ☞ えき¹

えきむ 役務 (労務) labor ((英)) labour) U; (サービス) service U. 役務賠償 reparation in services U.

えきめんけい 液面計 water gauge C.

えきゆう 益友 useful friend C.

エキュー (欧州連合の旧通貨単位) ECU /eɪkú:/ C ★*E*uropean *C*urrency *U*nit の略. ((☞ ユーロ)).

エキュメニズム (全世界教会主義) ecumenicalism /èkjuménɪkəlìzm/ U, ecumenism /ekjú:mənìzm/ U.

えきり 疫痢 chíldhood dýsentèry U.

えきれいきかん 液冷機関 liquid-cooled engine C.

エクアドル ―名 固 (国名) (the Repúblic of) Écuadòr. ―形 (エクアドルの) Ècuadórian, Ècuadóran. エクアドル人 Ècuadórian C, Ècuadóran C.

えぐい 蘞い (味などが刺すような) acrid; (ぴりっとする) pungent.

エクイティ (公平・衡平法) equity /ékwəti/ U. エクイティファイナンス〖株〗equity finance U.

エクイティーズ 〖株〗(普通株) equities ★複数形で.

エクサ exa- ★10^{18} を表す連結形. 記号は E. ¶*エクサメートル *exa*meter ★10^{18} m.

エクサイズ (国内消費税) excise /éksaɪz/ C ((☞ ぜい¹)).

エクササイズ (運動・練習) exercise ★運動の意では U, 練習(問題)の意では C.

エグザミネーション (試験) exàminátion C ((☞ しけん¹)).

エグザンプル (例) example C ((☞ れい¹)).

エグジスタンス (存在) existence U ((☞ そんざい)).

エグジット (出口) exit /égzɪt, éksɪt/ C ((☞ でぐち)).

エクスカーション (遠足) excursion C ((☞ えんそく)).

エクスキューズ (言い訳) excuse /ɪkskjú:s/ C ((☞ いいわけ; べんかい)).

エクスクルーシブ ―形 (独占的な) exclusive (↔ inclusive) ((☞ はいたてき)).

エクスターナル ―形 (外部の) external. ―名 external C. ((☞ がいぶ)).

エクスタシー (恍惚状態) écstasy U.

エクスチェンジ (交換) exchange C ((☞ こうかん¹)).

エクステリア (外部・外面) exterior /ɪkstí(ə)riə/ C 日英比較 英語では「外部の」という形として用いるほうが普通.

エクステンション (期間などの延長) extension U; (大学公開講座) university extension C.

エクスパンション (拡張) expansion C ((☞ かくちょう¹; かくだい)). エクスパンションスロット〖コンピューター〗(拡張スロット) expansion slot C.

エクスプレス (急行電車) express C. ¶成田*エクスプレス the Narita *Express*

エクスプレッション (表現) expression C ((☞ ひょうげん¹)).

エクスプロージョン (爆発) explosion C ((☞ ばくはつ)).

エクスプローラー ―名 固 (米国の科学調査用人工衛星) Explorer C.

エクスペディション (探検) expedition C ((☞ たんけん¹)).

エクスペリメント (実験) experiment C.

エクスペンシブ ―形 (高価な) expensive ((☞ こうか⁵)).

エクスペンス (経費) expense C ((☞ けいひ¹; ひよう)).

エクスポージャー (さらされること) exposure C.

エクスポート (輸出) export U.

エクスポジション (博覧会) exposition Ⓒ (☞ はくらんかい).
エグゼクティブ (会社などの重役) executive Ⓒ.
エクセプション (例外) exception Ⓒ (☞ れいがい).
エクセレンス (優れていること) excellence Ⓤ.
エクセレント ― 形 (優れた) excellent.
エクセントリック ☞ エキセントリック
エグゾーストパイプ (排気管) exháust pìpe Ⓒ.
エクソシスト (悪魔払いの祈とう師) exorcist /éksɔəsɪst/ Ⓒ.
エクソダス (集団での移動) éxodus Ⓒ ★ 旧約聖書のモーゼに率いられたイスラエル人のエジプト脱出は Exodus.
えくぼ dimple Ⓒ.
えぐる 抉る (掘る) scoop (away) ⓣ; (丸くえぐる) gouge (out) ⓣ; (真相などをえぐる) bring ... to light; (暴露する) lay ... bare. ¶ そこの土はすっかり*えぐられていた The soil there *was* completely *scooped away*. // 彼は目玉を*えぐり出すぞと私をおどした He threatened to *gouge out* my eyes. // *えぐるような痛みを感じる have ⌈an *acute* [a *sharp*] pain
エクレア (ケーキの一種) éclair /eɪkléə/ Ⓒ ★ フランス語から. é の ´ は綴り本来のもの.
えぐれる 抉れる (表面がくりぬかれる) be gouged out; (中がくりぬかれてくぼむ) be [get] hollowed. (☞ えぐる). ¶ 地面には*えぐられた穴があった There was a hole *gouged out* of the ground.
えげつない (下劣な・わいせつな) dirty; (俗悪で低級な) vulgar; (意地悪で卑劣な) mean, nasty.
エゴ ― 名 (利己主義) selfishness Ⓤ, égoism Ⓤ; (自我) ego Ⓒ; (自己中心主義) ègocentrícity Ⓤ ★ 格式ばった語. ― 形 selfish, ègoístic; ègocéntric.
エゴイスト (利己的な人) selfish person Ⓒ; (利己主義者) égoist Ⓒ, égotist Ⓒ ★ 後の 2 つは軽蔑的なニュアンスをもつ. (☞ りこ).
エゴイズム (利己主義) selfishness Ⓤ, égoism Ⓤ ★ 後者のほうがより格式ばった語; (自己中心癖) egotism Ⓤ.
えこう 回向 (供養) memorial service Ⓒ (☞ くよう). ¶ 死者のために*回向する hold a *memorial service* for the dead
エコー (こだま・山びこ) echo Ⓒ; (マイクなどの) echo effect Ⓒ. ¶ マイクに*エコーをかける use the *echo effect* on a microphone
エコーチェック 〖コンピューター〗 écho chèck Ⓒ.
エコールドパリ 〖美〗 the École de Paris /eɪkɔ́:l-dəpærí:/ ★ School of Paris の意. 第一次大戦後パリで活躍した画家の一派. École の ´ は綴り本来のもの.
エコグッズ (環境保護を考えた雑貨や道具) ecological /í:kəlàdʒɪkəl/ góods ★ 複数形で.
えごころ 絵心 (絵を描く心得や理解する能力) artistic taste Ⓤ. ¶ *絵心がある have *artistic taste* / (⇒ 絵を見る目がある) have *an eye for* ⌈*art* [*paintings*] // *絵心がわく (⇒ 絵を描きたい気持ちになる) be in *the mood to* ⌈*draw* [*paint*]
エココンシャス ― 形 (環境を意識した) èco-cónscious /i:koʊ-/.
エコサイド (環境汚染による生態系破壊) ecocide /í:koʊsàɪd/ Ⓤ.
えこじ 依怙地 ☞ いこじ
エコシステム (生態系) ecosystem /í:koʊsìstəm/ Ⓒ.
エコシティー (環境共生都市) ecologically-sound city Ⓒ.
エコステーション (環境対策のための非ガソリン車の燃料を売るスタンド) alternative fuel refueling station Ⓒ, filling station which sells ecologically-friendly fuel instead of gasoline Ⓒ.
エコタックス (環境税) ecotax /í:koʊtæ̀ks/ Ⓒ.
エコツアー (環境志向の旅行) ecotour /í:koʊtʊ̀ə/ Ⓒ.
エコツーリズム (環境志向の観光) ecotourism /ì:koʊtʊ́(ə)rɪzm/ Ⓤ.
エコディザスター (環境異変による大規模災害) ècodisáster Ⓒ, ècocatástrophe Ⓒ.
エゴティスト (自己中心主義者) égotist Ⓒ.
エゴティズム (自己中心主義) égotism Ⓤ.
エコテクノロジー ècotechnólogy Ⓤ ★ 自然破壊を防止し自然と人間の共存を図る技術.
えごのき えごの木 〖植〗 Japanese snowbell Ⓒ. ¶ *エゴノキ科 the storax family
エコノナショナリズム (経済・通商などでナショナリズムを強く出す政策) económic nátionalism Ⓤ.
エコノマイザー (ボイラーの給水加熱装置) ecónomìzer Ⓒ.
エコノミー (経済) economy Ⓤ (☞ けいざい).
エコノミークラス (飛行機の普通席) economy class Ⓤ. ¶ *エコノミークラスで行く go [fly] *economy* (*class*) **エコノミークラス症候群** economy class syndrome Ⓒ.
エコノミーラン (自動車の燃料節約競走) fuel economy ⌈race [rally] Ⓒ.
エコノミカル ― 形 (経済的な) èconómical.
エコノミクス (経済学) èconómics Ⓤ.
エコノミスト (経済学者) ecónomist Ⓒ.
エコノメトリックス (計量経済学) ecòno-métrics Ⓤ.
エコハウス écològical hóuse Ⓒ.
えこひいき 依怙贔屓 ― 動 (偏愛する) favor (《英》 favour) ⓣ. ― 形 (一部の人をひいきする) partial (to ...) (↔ impartial) ★ 格式語; (不公平な) unfair (↔ fair). ― 名 pàrtiálity Ⓤ ★ 格式語; fávoritism Ⓤ. (☞ ひいき; ふこうへい). ¶ 彼女は一番下の子を*えこひいきする She *favors* her youngest child. // 先生は生徒を*えこひいきすべきではない A teacher must not be *partial to* any (one) of ⌈his or her [the] students. / (⇒ 公平であるべきだ) A teacher must be *impartial to* all students. // 彼のとった処置には*えこひいきがないとはいえない (⇒ まったくえこひいきがないわけではない) Not all the actions he has taken are free from ⌈*favoritism* [*partiality*].
エコビジネス ecology-minded business Ⓒ ★ 地球環境の保全を図る企業活動. 日英比較 「エコビジネス」は和製英語.
エコファクトリー ecologically-friendly factory Ⓒ ★ 生態系に調和する生産過程をもつ工場. 日英比較 「エコファクトリー」は和製英語.
エコフェア (環境保護を訴える博覧会) èco-fáir Ⓒ, Eco-Fair Ⓒ.
エコフレンドリー ― 形 (環境にやさしい) eco-friendly.
エコマーク Eco Mark Ⓒ ★ 環境保全に役立つ商品につけられるマーク. 和製英語.
エコロジー (生態[生物]環境) ecology /ɪkáləʤi/ Ⓤ.
エコロジカルマップ (生態学的環境評価地図) écològical máp Ⓒ.
エコロジスト (生態学者) ecologist /ɪkáləʤɪst/ Ⓒ.
えさ 餌 ― 名 (魚・動物をとるための) bait Ⓤ ★ ときに a ～ として; (動物などを飼うための) feed Ⓤ. ― 動 (針にえさをつける) bait ⓣ; (えさをやる) feed ⓣ; (…をえさにする) feed on .... ¶ 私は*えさにミミズを使った I used angleworms for *bait*. // 魚が*えさに

食いついた A fish nibbled at the *bait*. // 釣り針の*えさを魚にとられてしまった A fish took my *bait*. // 釣り針に*えさをつける *bait one's* ⌜hook [fishhook] // 動物に*えさをやらないで下さい Please don't *feed* the animals. ★ 動物園の掲示などで. // このペットの*えさは何ですか (⇒ このペットは何をえさにしているか) What does this pet ⌜*feed on* [*eat*]? // あの会社は高給を*えさにして (⇒ 提供して) 各社から人材を集めている They are ⌜enticing [headhunting] talented staff from other companies *by offering* high salaries.

えさきダイオード 江崎ダイオード 〔電工〕Ésaki diode Ⓒ.

えざら 絵皿 (絵をかいた装飾用の皿) decorative plate Ⓒ; (絵の具のパレット) palette Ⓒ.

えし[1] 壊死 〔医〕 ― 名 necrósis Ⓤ. ― 動 (壊死する) necrose ⓐ.

えし[2] 絵師 painter Ⓒ (☞ えかき).

えしき 会式 (法会の儀式) Buddhist memorial service Ⓒ; (日蓮宗の法会) memorial service for Nichiren Ⓒ.

えじき 餌食 (肉食動物の) prey Ⓤ; (犠牲) victim Ⓒ ★ 慣用句の場合, 前者ではしばしば a が付き, 後者では a が省かれる. (☞ ぎせい; くいもの). ¶ …の*餌食になる be [fall; become] (a) *prey* to … // 多くの人々がエイズの*餌食となった Many people fell *victim* to AIDS.

エジソン ― 名 固 Thomas Alva /ǽlvə/ Edison, 1847–1931. ★ 米国の発明家.

エシック (倫理) ethic Ⓒ.

エジプト ― 名 固 Egypt /íːdʒɪpt/; (正式名; エジプトアラブ共和国) the Arab Republic of Egypt. ― 形 (エジプトの) Egyptian /ɪdʒípʃən/. **エジプト人** Egyptian Ⓒ **エジプト文明** ancient Egyptian civilization Ⓤ **エジプト文字** Egyptian ⌜script [hieroglyph] Ⓒ.

えしゃく 会釈 ― 動 (うなずく) nod ⓐ; (やあとあいさつする) say hello to …. ― 名 nod Ⓒ. 日英比較 英米では日本のように日常のあいさつとしておじぎをする習慣がない. 従って「軽くおじぎをする」という意味の会釈を正確に英語に訳すことは不可能である. nod は首を軽く縦に振って, 相手を認めたという合図として行われる動作をいうが, 遠慮をおく間柄の人に対しては多少失礼な方法で, 日本語の「会釈」とはニュアンスが異なる. 英米では日本で会釈をするような間柄の人に対しては言葉で Hello. (やあ, こんにちは) とか Good morning. (おはよう) とか言うのが普通である. (☞ うなずく; おじぎ). ¶ 彼は通りすがりに私に*会釈した He ⌜*nodded* (*hello*) to me [gave me a *nod*; *said hello to* me] when he passed me on the street.

えしゃじょうり 会者定離 (⇒ 会う者は必ずいつか離れる) Those who meet must part.

エジンバラ ― 名 固 Edinburgh /édnbə̀ːrə | -bərə/ ★ スコットランドの主要都市.

エス (アルファベットの第 19 字) S Ⓒ, s Ⓒ. (☞ エスサイズ).

エスアイ (国際単位系) SI ★ フランス語の *S*ystème *I*nternational d'Unités (＝International System of Units) の略. それぞれの単位は SI unit Ⓒ という.

エスエーティー *SAT* Ⓤ ★ *S*cholastic ⌜*A*ssessment [(旧称) Aptitude] *T*est の略. 《米》の大学進学適性テスト.

エスエスティー (超音速旅客機) SST Ⓒ ★ *s*upersonic *t*ransport の略.

エスエフ (空想科学小説) SF, sf ★ *s*cience *f*iction の略で, 《略式》では sci-fi /sáɪfáɪ/ ともいう.

エスエル (蒸気機関車) steam locomotive Ⓒ ★ 英語では SL という省略形は使わない.

エスオーエス SOS Ⓒ; (遭難信号) distress signal Ⓒ. ¶ その船は*エスオーエスを発信した The ship sent out ⌜an *SOS* [a *distress signal*]. 参考 無線電話による遭難信号では Mayday という.

エスカップ ― 名 固 ESCAP ★ *E*conomic and *S*ocial *C*ommission for *A*sia and the *P*acific (アジア太平洋経済社会委員会) の略.

エスカルゴ (食用かたつむり) escargot /èskɑəgóʊ/ Ⓒ ★ 元来はフランス語.

エスカレーション (紛争・インフレなどの拡大) escalation Ⓤ.

エスカレーター éscalàtor Ⓒ. ¶ 私は下りの*エスカレーターに乗った I got on the ⌜down *escalator* [*escalator* going down]. // この小学校は*エスカレーター式に (⇒ エスカレーターにでも乗ったかのように入試を受けずに) 大学まで進める Once you enter this elementary school, you can go on to the university without taking entrance examinations, *as if you were on an escalator*. ★説明的な訳.

エスカレート ― 動 (規模が段階的に拡大する) éscalàte ⓐ (☞ かくだい). ¶ 口論は*エスカレートして殴り合いになった The quarrel *escalated* into a fistfight.

エスキモー ― 名 (エスキモー族) Éskimò Ⓒ (複 ～, ～(e)s), Inuit /ín(j)uɪt/ Ⓒ 語法 カナダでは Eskimo は軽蔑的名称と考えられ Inuit が使われる. ― 形 (エスキモー(語)の) Eskimo. **エスキモー犬** Eskimo dog Ⓒ, sled dog Ⓒ **エスキモー語** Eskimo Ⓤ, Inuit Ⓤ.

エスきょく S 極 the south pole.

エスケープ ― 動 (授業などをサボる) cut class, play [be] truant , play hookey 日英比較 英語の escape にはこの意はない. ¶ 今日は学校を*エスケープして映画を見に行った I ⌜*cut class* [*played truant* (from classes)] today and went to a movie.

エスコート ― 動 (護衛する) escórt ⓗ. ― 名 (護衛) éscort Ⓒ ★ 1 人 1 人にもグループ全体にも用いる. 日英比較 英語の escort はグループ全体をいう集合名詞の場合がしばしばあり, また, デートに同伴する男性の意もある. ¶ 数人のボディーガードが*エスコートして under the *escort* of several bodyguards

エスサイズ S [small] size Ⓤ (☞ エムサイズ; エルサイズ).

エスじょうけっちょう S 状結腸 〔解〕 the sigmoid colon.

エスタブリッシュメント (既成の体制) the Establishment ★ the を付けて単数または複数扱い.

エスティー (言語聴覚[療法]士) speech therapist Ⓒ.

エスディー 〔統〕 (標準偏差) SD Ⓒ ★ *s*tandard *d*eviation の略.

エスティーマーク ST mark Ⓒ ★ 日本国内の玩具の完全基準マーク.

エステート estate ★「地所」の意味では Ⓒ,「財産」の意味では Ⓤ. (☞ じしょ[1]; ざいさん).

エステティシャン (全身美容師) esthetician Ⓒ (☞ エステティック).

エステティック (全身美容) esthétique ★ フランス語. ´の印はフランス語のアクサン. これに当たる英語は aesthetic(s) だが, 特にその意味では使われない.

エストール (短距離離着陸機) STOL /stɔ́ːl/ (aircraft) Ⓒ ★ *s*hort *t*ake *o*ff and *l*anding の略.

エストニア ― 名 固 Estonia; (正式名; エストニア共和国) the Republic of Estonia ★ バルト海に面する共和国. ― 形 Estonian. **エストニア語** Estonian Ⓤ **エストニア人** Estonian Ⓒ.

エストロゲン 〔生化〕 estrogen Ⓤ ★ 女性ホルモン

の特性を持つ物質の総称.
エスニック — 形 (民族的な・人種的な) ethnic. エスニック料理 ethnic food(s). ¶ *エスニック料理店 an *ethnic* (*food*) restaurant
エスノサイエンス (民族科学) èthnoscíence Ⓤ.
エスノセントリズム (自民族中心主義) èthnocéntrism Ⓤ.
エスノポリティクス (少数民族のための政策) ethnopolitics Ⓤ ★ ときに複数扱い.
エスノロジー (民族学) ethnology Ⓤ.
エスパニョル (スペイン語) Spanish Ⓤ; (スペイン人) Spaniard Ⓒ ★「エスパニョル」はスペイン語 español から.
エスばん S 版 ☞ エスサイズ
エスピー (要人警護の警官) special policeman Ⓒ ((複 -men)), (総称) the special police; (米海軍憲兵隊) SP Ⓒ ★ *s*hore *p*atrol(man) の略. 組織をいう場合は Ⓤ.
エスピオナージュ (スパイ行為) espionage /éspiənὰːʒ/ Ⓤ.
エスプリ (精神) spirit Ⓒ; (機知) wit Ⓒ, esprit /ɪsprí:/ Ⓤ ★ もとはフランス語.
エスプレッソ (濃厚なコーヒー) esprésso Ⓒ ((複 ～s)).
エスペランチスト (エスペラント語使用者) Èsperántist Ⓒ.
エスペラント(ご) エスペラント(語) Èsperánto Ⓤ ★ 1887 年に造られた人工の国際補助語. エスペラント(語)使用者 Esperantist Ⓒ.
えずめん 絵図面 illustrated plan Ⓒ ((☞ ずめん)).
えせ 似非 — 形 (偽の・いんちきの) pseudo /súːdoʊ/; (…のふりをする) ((略式)) fake; (…気取りの・自称…) would-be. えせ学者 pseudo scholar Ⓒ えせ詩人 would-be poet Ⓒ.
エセックス — 名 固 Essex ★ イングランド南東部の州.
エセル (女性名) Éthel.
えそ 壊疽 〖医〗gangrene /gǽŋgriːn/ Ⓤ.
えぞ 蝦夷 (古代の種族) Yezo Ⓒ; (蝦夷地; 北海道の古い呼称) Yezo(, former name of Hokkaido).
えぞうし 絵草紙 〖史〗illustrated book in the Edo period Ⓒ.
えぞぎく 蝦夷菊 〖植〗China aster Ⓒ.
えぞしか 蝦夷鹿 〖動〗sika /síːkə/ [Japanese] deer Ⓒ.
えぞまつ 蝦夷松 〖植〗Yezo [Japanese] spruce Ⓒ.
えぞらいちょう 蝦夷雷鳥 〖鳥〗hazel grouse Ⓒ.
えそらごと 絵空事 (架空のこと) fabrication Ⓒ ★ 格式語; (実現困難な夢) pipe dream Ⓒ ★ アヘン吸飲者のパイプから; (大げさな空想) exaggerated fancy Ⓒ.
えだ 枝 (一般に) branch Ⓒ ★ 大小いずれの枝にも用いられる; (中心となる大枝) bough /báʊ/ Ⓒ ★ 特に花や果実でいっぱいの枝を指すことがある. 文語的; (幹から出ている大きな枝) limb /lím/ Ⓒ; (細い小枝) twig Ⓒ, sprig Ⓒ ★ 後者のほうが小さく若い枝; (若枝) shoot Ⓒ; (葉や花・果実などがついた若枝) spray Ⓒ. ((☞ き² (挿絵))). ¶ 私は松の*枝を少し切った I cut some *branches* off the pine tree. // *枝ぶり (⇒ 木の格好) the *shape* of a tree // 庭に*枝ぶりのよい (⇒ 形のよい枝をもった) 古い木があった There was an old tree with shapely *branches* in the garden. // 柿の木は*枝もたわわに実をつけていた The *branches* of the persimmon tree were heavily laden with fruit. 枝分かれ ¶ この道路はここで三方に*枝分かれする This road *branches off* in three directions at this point. 枝打ち[下ろし] — 動 cut off low branches.
エターナル — 形 (永遠の) eternal ((☞ えいえん)).
えたい 得体 得体が[の]知れない — 形 (妙な) strange(-looking); (見なれない) ùnfamíliar; (普通ではなく妙な) odd; (不思議な) mysterious /mɪstí(ə)riəs/; (怪しい) suspicious(-looking); (正体のわからない) unknown; (怪しげな) dubious. ¶ 宇宙から*得体の知れない (⇒ 奇妙な [不思議な]) 物体が落ちてきた A ˹*strange* [*mysterious*] object fell from outer space. // 彼は*得体の知れない (⇒ 怪しげな) 男だ He is a *dubious* character. / (⇒ 私たちは彼の本当の性格をちゃんと知らない) We do not (really) know his true character.
えだげ 枝毛 split hair Ⓤ.
えだにく 枝肉 (屠畜した動物の胴体) carcass Ⓒ.
エタノール 〖化〗ethanol /éθənɔ̀ːl/ Ⓤ ★ エチルアルコール (ethyl alcohol) の別名.
えだは 枝葉 (枝と葉) branches and leaves ★ 複数形で; (ささいな事) side issue Ⓒ. ((☞ しよう²)). ¶ *枝葉を出す shoot out *branches*
えだまめ 枝豆 green soybean Ⓒ.
えだみち 枝道 (本道から分かれた道) branch road Ⓒ; (わき道) byroad Ⓒ; (本筋からそれること) digression Ⓒ. ¶ *枝道にそれる make a *digression* / *digress* ((☞ だっせん))
えだん え段 the *e* row; (説明的には) the *e* row of the Japanese syllabary.
エチオピア — 名 固 Ethiopia /ìːθióʊpiə/. — 形 Èthiópian. エチオピア人 Ethiopian Ⓒ.
エチケット etiquette /étɪkət/ Ⓤ ((☞ れいぎ; さほう; ぎょうぎ)). ¶ それは*エチケットに反する It is ˹against [a breach of] *etiquette*. / (⇒ 失礼だ) It is *impolite*. // 客に対する*エチケット *etiquette* toward(s) a guest / (⇒ 客がいるときの適切な作法) *proper manners* when there are guests // *エチケットを守る observe the rules of *etiquette* // 旅の*エチケット travel *etiquette*
エチュード (練習曲) étude /éɪt(j)uːd/ Ⓒ ★ étude の ´ はつづりの一部.
エチルアルコール 〖化〗ethyl /éθəl/ alcohol Ⓤ.
エチレン 〖化〗ethylene /éθəlìːn/ Ⓤ.
えつ¹ 悦 ¶ *悦に入る (⇒ 有頂天である) be in *rapture(s)* / (⇒ 有頂天になる) go [fall] into *rapture(s)*
えつ² 斉魚 〖魚〗Japanese grenadier anchovy /grènədíə ǽntʃoʊvi/ Ⓒ.
えっ (驚き) Oh! ★ 下がり調子; Ha!, Eh! ★ 以上 2 つは上がり調子. 以上の 3 つは次の 2 つより軽い感じ; (それは驚いた) Well! ★ 下がり調子で, 大げさに; (何だって) What! ★ 上がり調子で, 大げさに; (何ですって) What?; (それがどうしたの) Well?; (ややぞんざいに, 何だって) Huh? ★ 以上 3 つは上がり調子. ((☞ あっ)).
えっきょう 越境 — 動 (国境を越える) cross ˹the [a] border ((☞ こっきょう¹)). ¶ 彼は*越境して (⇒ 国境を越えて) 逃げた He escaped ˹*over* [*across*] *the border*. // その子供は隣の [ほかの] 学区の有名校に*越境入学した The child *illegally gained admission* to a famous school in ˹a neighboring [another] school district.
エッグ egg Ⓒ ((☞ たまご)).
エックス (アルファベットの第 24 字) X Ⓒ, x Ⓒ.
エックスきゃく X 脚 — 名 knock-knees ★ 複数形で. — 形 knock-kneed.
エックスじく X 軸 〖数〗the x-axis.
エックスせん X 線 X rays ★ 通例複数形で. ((☞ レントゲン 日英比較)). エックス線写真 X ray Ⓒ.

¶彼は骨折した脚の*エックス線写真をとってもらった He *had* his broken leg *X-rayed.* **エックス線天体**〘天〙X-ray star Ⓒ **エックス線天文学** X-ray astronomy Ⓤ **エックス線療法** X-ray therapy Ⓤ.

エックスせんしょくたい X 染色体 〘生〙X-chromosome /króumәsòum/ Ⓒ.

えつけ 絵付け painting on china Ⓤ.

えづけ 餌付け ¶猿の*餌付けをする *get* the monkeys *to feed on* the food *one* gives them

えっけん¹ 越権 ¶そんなことをするのは*越権行為だ (⇒そんなことをする権利はない) You *have no right* to do such a thing. / (⇒権限を越えている) You *are overstepping your authority.* (☞けんげん¹; しょっけん¹)

えっけん² 謁見 audience Ⓒ (☞はいえつ).

エッジ (へり・端) edge Ⓒ.

エッジング (縁取り) edging Ⓤ; (スキーの) edging Ⓤ.

エッセイスト (随筆家) éssayist Ⓒ.

エッセー (随筆・作文) éssay Ⓒ (☞ずいひつ).

エッセンシャル — 形 (必須の) essential. 日英比較 英語の essential は本来「本質的な」の意.

エッセンス (本質) éssence Ⓤ (☞ほんしつ; すい²).

エッチ — 形 (いやらしい・わいせつな) dirty, indécent, obscéne ★初めの2つは婉曲な言い方. (☞エイチ; セックス). ¶*エッチな冗談 a *dirty* joke

えっちらおっちら (苦労して) laboriously; (努力して) with great effort, strenuously ★後者のほうが格式ばった語.

エッチング (技法) etching Ⓤ ★作品は Ⓒ.

えっとう 越冬 — 動 (冬を過ごす) pass [spend] the winter; (特に, 寒さを避けて) winter (in ...) 自. ¶彼らは南極で*越冬した They ⌈*passed* [*spent*] *the winter* in the Antarctic. **越冬隊** wintering ⌈team [party] Ⓒ.

えつねん 越年 — 動 (新年を迎える) greet the New Year. ¶私は今年は山で*越年するつもりだ I plan to ⌈*spend* [*pass*] *the year end* in the mountains. **越年性植物**〘植〙(二年生植物) biennial /bàiéniәl/ (plant) Ⓒ.

エッフェルとう エッフェル塔 — 名 固 (パリの) the Eiffel /áifәl/ Tower.

えっぺい 閲兵 — 名 inspection [review] of troops Ⓒ. — 動 inspect [review] troops.

えつぼ 笑壺 chuckle Ⓒ. ¶*笑壺に入る chuckle with glee / (⇒よろこぶ) be pleased (☞ほくそえむ)

えつらく 悦楽 joy Ⓤ ★具体的には Ⓒ. (☞よろこび). ¶*悦楽を味わう taste the *joys* of ...

えつらん 閲覧 — 動 (読む) read 他; (注意深く) perúse 他 ★前者より格式ばった語. — 名 reading Ⓤ; perusal Ⓤ. ¶その本は特別の許可がないと*閲覧できない Nobody can *read* the book without special permission. // 図書館はこれらの本を公衆の*閲覧に供する予定だ The library plans to offer these books for public *perusal.* **閲覧室** réading ròom Ⓒ.

えつりゅう 越流 〘土〙overflow Ⓒ.

えて 得手 (人が長じている点) strength Ⓒ, strong point Ⓒ. (☞とくい¹). ¶人には*得手と不*得手 (⇒弱点) がある Everyone has (⌈his [their]) *strengths* and *weaknesses.* ★ their を用いるほうがいっそう口語的. / A person has both *strong* and *weak points.*

エディー (男性名) Éddie, Éddy ★Edgar, Edmund, Edward, Edwin の愛称.

エディション (版) edition Ⓒ (☞はん³).

エディター (編集者) editor Ⓒ (☞へんしゅう¹).

エディティング (編集) editing Ⓤ (☞へんしゅう¹).

エディトリアル (社説) editorial Ⓒ.

エディプスコンプレックス 〘心〙Oedipus /édәpәs/ còmplex Ⓒ ★普通は単数形で. (↔ Electra complex).

エディブルフラワー (食用になる花) edible flower Ⓒ.

エティモロジー (語源・語源学) etymology Ⓤ ★具体的には Ⓒ.

えてかって 得手勝手 — 名 selfishness Ⓤ. — 形 selfish, self-centered. (☞かって). ¶あいつは*得手勝手なやつだ He is a *selfish* person. // *得手勝手なふるまい a *selfish* act

えてして 得てして ¶人は緊張している時に*得てして失敗する (⇒失敗しがちである) One *is apt to* make mistakes when one is tense.

エデュケーション (教育) education Ⓤ (☞きょういく).

エデン Eden /íːdn/ ★旧約聖書にあるアダムとイブが住んだ楽園. ¶*エデンの園 The Garden of *Eden*

えと 干支 the twelve signs of the Chinese zodiac /zóudiæ̀k/ (☞ね⁴ (表); じっかん²). ¶今年の*えとは戌(いぬ)だ (⇒今年は犬の年だ) This is the Year of the Dog (according to Chinese astrology).

えど 江戸 Edo, Yedo ★前者のほうが普通. **江戸家老** *Edo-garo* Ⓒ; (説明的には) one of the highest ranking vassals of a daimyo during the Edo period in Japan, being stationed at his lord's mansion in Edo and in charge of his lord's administration. (☞くにがろう) **江戸小紋** *Edo-komon* Ⓤ; (説明的には) fine pattern on formal clothing in the Edo period Ⓒ **江戸時代** the Edo period **江戸城** Edo Castle **江戸幕府** the Shogunate (government) at Edo **江戸八百八町** the whole extent of Edo **江戸町年寄** *Edo machi-doshiyori* Ⓒ; (説明的には) high-ranking city official of Edo, who worked under the direction of the city commissioner Ⓒ **江戸町奉行** *Edo machi-bugyo* Ⓒ; (説明的には) city commissioner in charge of keeping the peace of Edo in the Edo period Ⓒ. (☞まちぶぎょう).

エド (男性名) Ed ★Edgar, Edmund, Edward, Edwin の愛称.

エドウィン (男性名) Edwin ★愛称は Ed.

エドガー (男性名) Edgar ★愛称は Ed.

えとく 会得 — 動 (十分に飲み込んで理解する) understand 他; (しっかり把握する) grasp 他; (深く完全に知る) còmprehénd 他 ★以上3つは後のものほど格式ばった語になる; (熟達する) master 他; (覚えて身につける) learn 他. — 名 understanding Ⓤ; grasp Ⓤ; comprehension Ⓤ; mastery Ⓤ. (☞しゅうとく¹; りょうかい¹; たいとく). ¶その言葉の真の意味はなかなか*会得できるものではない One can hardly ⌈*understand* [*grasp*] (fully) the true meaning of the word. // この技術の(完全な)*会得には時間がかかる The [A] (complete) *mastery* of this technique ⌈requires [takes] time. // すぐにそのこつを*会得するようになるでしょう (⇒やり方を覚える) You will soon *learn* how to do it. / (⇒要領を飲み込む) You will soon *get the* ⌈*knack* [*hang*] *of* it. ★第1文は一般的, 第2文は口語的な言い方.

エトス ethos /íːθɑs/ Ⓤ ★ある個人や社会の持つ精神・気風・風潮など.

エトセトラ (…その他, …など) etc., et cetera. (☞巻末).

えどっこ 江戸っ子 (東京の住人) Tokyoite /tóukiouàit/ Ⓒ 日英比較 -ite は日本語の「子」と少し違い, 必ずしもその土地に生まれ育った人だけでなく住民という意味も含む. ¶私は*江戸っ子だ (⇒東京に生まれ育った) I *was born and bred in Tokyo.* / (⇒ 私は生まれも育ちも東京の人間だ) I'm a *Tokyoite born and bred.*
エドナ (女性名) Edna.
えどまえ 江戸前 ── 副 (江戸[東京]の流儀で) in the ˹Edo [Tokyo] style.
エドマンド (男性名) Edmund, Edmond ★ 愛称は Ed.
えどむらさき 江戸紫 bluish purple Ⓤ.
エトランゼ (見知らぬ人) stranger Ⓒ; (外国人) foreigner Ⓒ ★「エトランゼ」はフランス語 étranger より.
えとろふとう 択捉島 ── 名 固 Iturup Island.
エドワード (男性名) Edward ★ 愛称は Ed.
エトワール (星) êtoile /eɪtwɑ́ːl/ ★ フランス語より.
えな 胞衣 afterbirth Ⓒ; (胎盤) placénta Ⓒ《複 ~s, placentae》.
エナメル ── 名 enámel Ⓤ. ── 動 (エナメルを塗る) enamel 他. **エナメル革** enameled [patent] leather Ⓤ **エナメル質** (歯の) tooth enamel Ⓤ.
エニグマ (謎) enígma Ⓒ《☞ なぞ》.
エニシダ 金雀児 〔植〕 genísta Ⓒ.
えにっき 絵日記 picture diary Ⓒ, illustrated diary Ⓒ.
エヌ (アルファベットの第 14 字) N Ⓒ, n Ⓒ.
エヌエイチケー ── 名 固 NHK ★ *N*ippon *H*oso *K*yokai の略.
エヌオーエックス ☞ ノックス
エヌオーシー NOC Ⓒ ★ *N*ational *O*lympic *C*ommittee (各国オリンピック委員会) の略.
エヌきょく N 極 the north pole.
エヌジー [日英比較] エヌジーは N.G., n.g. とつづられ,《米略式》で no good の略語として使われる.《英略式》では N.B.G. (=no bloody good). しかし, 日本語の「エヌジー」のように映画, TV 専用の語ではない. また書く時が主で, 口で言う時は "No good!" のほうが普通. ¶ そのシーンは*エヌジーだ (⇒ だめだ) The scene ˹was *no good* [had to *be cut*]. / (⇒ もう 1 度撮り直しだ) The scene must be shot again.
エヌジーオー (非政府組織) NGO Ⓒ ★ *n*óngovernméntal *ò*rganizátion の略.
エヌティーティー ── 名 固 NTT ★ *N*ippon *T*elegraph and *T*elephone Corporation の略.
エヌピーオー (非営利団体) NPO Ⓒ ★ *n*on*p*rofit *o*rganization の略.
エヌビーシー[1] ── 名 固 NBC ★ 米国の 3 大放送会社の一つ, *N*ational *B*roadcasting *C*ompany の略.
エヌビーシー[2] NBC ★ *n*uclear, *b*iological and *c*hemical の略. 核・生物・化学(兵器).
エネルギー energy /énəʤi/ Ⓤ《☞ せいりょく[2]》. ¶ 石油資源の乏しいわが国にとっては*エネルギーの節約が何より大切だ *Energy* conservation is all-important to our country, which is so poor in petroleum resources. // 彼女はこの仕事に全*エネルギーを費した She ˹expended [spent] all her *energy* on this work. ★ spent のほうが口語的.
エネルギー革命 energy revolution Ⓤ **エネルギー源** source of energy Ⓒ. ¶ 太陽は我々にとって最も貴重な*エネルギー源だ The sun is our most precious *source of energy*. **エネルギー代謝** energy metabolism Ⓤ **エネルギー代謝率** rate of energy metabolism Ⓒ **エネルギー保存の法則** the principle of the conservation of energy **エネルギー問題** energy problem Ⓒ.

> ── コロケーション ──
> エネルギー切れになる run out of *energy* / (人の)エネルギーを失わせる sap *a person's energy* / (核)エネルギーを応用する apply (nuclear) *energy* to … / エネルギーを供給する supply *energy* / エネルギーを消費する consume *energy* / エネルギーを節約する save [conserve] *energy* / エネルギーを…に変える convert *energy* into … / (人が)エネルギーを…に傾ける apply [devote] (*one's*) *energy* to … / (人の)エネルギーを…に集中する concentrate (*one's*) *energy* on … / (人が)エネルギーを…に向ける direct *one's energy* to … / (太陽)エネルギーを…に利用する harness (solar) *energy* ˹as [for] … / エネルギーを浪費する waste [dissipate] *energy* // 位置エネルギー potential *energy* / 運動エネルギー kinetic *energy* / 核エネルギー nuclear *energy* / クリーンなエネルギー clean *energy* / 原子エネルギー atomic *energy* / 潜在エネルギー latent *energy* / 代替エネルギー alternative *energy* / 太陽エネルギー solar *energy* / 地熱エネルギー geothermal *energy* / 波動エネルギー wave *energy* / 無尽蔵のエネルギー inexhaustible *energy*

エネルギッシュ ── 形 energetic /ènəʤétɪk/. ── 副 energetically.《☞ せいりょく[2]》. ¶ *エネルギッシュに働く work *energetically*
えのき 榎 〔植〕 (Chinese) nettle tree Ⓒ, (Chinese) hackberry Ⓒ.
えのきだけ 榎茸 〔植〕 velvet shank Ⓒ.
えのぐ 絵の具 colors, paints ★ 以上は以下の 2 つのいずれの意味にも使える; (油絵の具) oil colors, oils; (水彩絵の具) watercolors ★ 以上いずれも通例複数形で; (粉末の絵の具・顔料) pigment Ⓤ ★ 種類をいうときは Ⓒ. ¶ *絵の具を溶く dissolve *colors* **絵の具皿** palette Ⓒ **絵の具箱** color box Ⓒ, paintbox Ⓒ.
エバーグリーン ── 形 (常緑の) évergrèen《☞ じょうりょくじゅ》.
えはがき 絵葉書 picture postcard Ⓒ《☞ はがき》.
エバポレーション (蒸発) evaporation Ⓤ.
エバミルク (無糖練乳) evaporated /ɪvǽpərèɪtɪd/ mílk Ⓤ.
エバリュエーション (評価) evaluation Ⓤ《☞ ひょうか[1]》.
エバンジェリスト (伝導者) evángelist Ⓒ.
えび 蝦, 海老 (伊勢えび) spiny lobster Ⓒ ★ lobster (うみざりがに)は「伊勢えび」とは少し違う; (車えび) prawn Ⓒ; (小えび) shrimp Ⓒ. ¶ *えびでたいを釣る throw a sprat to catch a whale《ことわざ: 鯨をとるのに小魚を投げる》★ sprat はにしん類の小魚. / use a sprat to catch a mackerel《ことわざ: さばをとるのに小魚を使う》 **えび茶(色)** maroon (color) Ⓤ, reddish brown Ⓤ **えびフライ** fried prawn Ⓒ.
えびがため 海老固め 〔レス〕 crotch hold Ⓒ.
エピキュリアン (快楽主義者) Epicurean /èpɪkjú(ə)riən/ Ⓒ.
エピグラフ (碑文) épigràph Ⓒ《☞ ひぶん》.
エピグラム (警句) épigràm Ⓒ《☞ けいく》.
エピクロス ── 名 固 Epicurus /èpəkjú(ə)rəs/, 341–270 B.C. ★ 古代ギリシャの哲学者.
エピゴーネン (模倣者) epigone /épəgòun/ Ⓒ ★ 日本語のエピゴーネンはドイツ語の Epigonen より.
えびす 恵比須 *Ebisu*; (説明的には) the God of fishery and commerce.
エピステモロジー (認識論) epistemólogy Ⓤ.
エピソード (挿話) episode Ⓒ; (逸話) anecdote Ⓒ.《☞ いつわ》.
エピデミック (流行病) epidemic Ⓒ.
えびね 海老根 〔植〕 calanthe /kəlǽnθi/ Ⓒ.
エピローグ (物語などの結び) épilògue Ⓒ.
エフ (アルファベットの第 6 字) F Ⓒ, f Ⓒ.

エフアール (後輪駆動) RWD ★ *r*ear-*w*heel *d*rive の略. 英語では FR は一般的でない.

エフアールビー ―[名] (固) FRB ★ *F*ederal *R*eserve *B*oard (連邦準備制度理事会) または *F*ederal *R*eserve *B*ank (連邦準備銀行) の略. 《米》では the Fed と縮めるのが普通.

エフィシェンシー (能率・効率) efficiency [U].

エフェクター effector [C] ★ 酵素活性の促進または阻害に働くホルモン.

エフェクティブ ―[形] (効果的な) effective 《☞ こうか¹》.

エフェクト (効果) effect [C].

エフェドリン 〘化〙 ephedrine [U] ★ 喘息(ぜんそく)・枯草熱・風邪などの薬.

エフエムほうそう FM放送 FM broadcast [C], FM [U] ★ FM は *F*requency *M*odulation の略. 《☞ ほうそう¹》.

えふで 絵筆 paintbrush [C].

エフティーシー ―[名] (固) FTC ★ *F*ederal *T*rade *C*ommission (《米》 連邦取引委員会) の略.

エフビーアイ (米国連邦捜査局) FBI /èfbìːáɪ/ ★ *F*ederal *B*ureau of *I*nvestigation の略; (FBI の捜査官) FBI agent [C]; (FBI の職員) FBI employee [C]. 《☞ 略語 (巻末)》.

エブリン (女性名) Evelyn /év(ə)lɪn/.

エプロン apron /éɪprən/ [C]; (子供のエプロン服) pínafòre [C]. ¶ 母は*エプロン姿で (⇒ エプロンをつけて) よく買い物に出かける My mother often goes shopping ⌈with her *apron* on [wearing her *apron*]. ★ with her apron on のほうが口語的.

エフワン (レーシングカーの最高公式規格) F1 ★ Formula One の略.

エペ (フェンシングの剣) épée /épeɪ/ [C] ★ フランス語より. épée の ´ はつづり本来のもの.

エベレスト Mount [Mt.] Everest.

えへん ahem! ¶ *えへんと言う (⇒ のどのたんをとる) clear *one's* throat

エポキシじゅし エポキシ樹脂 epoxy /ɪpɑ́ksi/ résin [U].

えぼし 烏帽子 ceremonial hat worn by aristocratic and wealthy men in ancient times [C].

えぼだい えぼ鯛 〘魚〙 harvest fish [C] 《☞ さかな》.

エポック (新時代) epoch /épək/ [C]. エポックメーキング ―[形] (一時代を画するような) epoch-making [A], epoch making [P].

エボナイト (硬質ゴム) ébonite [U].

エホバ ―[名] (固) (ユダヤ教・キリスト教の神) Jehovah /dʒɪhóʊvə/.

エボラしゅっけつねつ エボラ出血熱 〘医〙 Ebola hemorrhagic fever [U].

エボリューション (進化・発展) evolution [U].

エポレット (肩飾り) epaulet [C].

えほん 絵本 picture book [C]; (挿絵入りの本) illustrated book [C]. 《☞ ほん》.

えま 絵馬 (願かけの馬の絵) votive picture tablet of a horse [C].

エマ (女性名) Emma.

エマージェンシー (緊急事態) emergency [C]. エマージェンシーランディング (緊急着陸) emergency landing [C].

エマーソン ―[名] (固) Ralph Waldo Emerson /émə·sn/, 1803–1882. ★ 米国の思想家・詩人.

えまきもの 絵巻物 illustrated (hand) scroll [C].

えみ 笑み smile [C] 《☞ えがお; ほほえみ》. ¶ 彼は*笑みを浮かべてそれを受け取った He ⌈received [accepted; took] it with a *smile*. ★ took のほうが口語的.

エミーしょう エミー賞 the Emmy Awards ★ 米国テレビ界の賞. 部門別では Emmy として [C].

エミグラント (他国への移住者) emigrant [C] (↔ immigrant) 《☞ いみん》.

エミグレーション (他国への移住) emigration [U] (↔ immigration) 《☞ いみん》.

エミュー 〘鳥〙 emu [C] ★ ダチョウに似た飛べない大形の鳥.

エミュレーション 〘コンピューター〙 emulation [C] ★ 他機種用のプログラムを自分のコンピューターで動かす方法.

エミリー (女性名) Emily.

エム (アルファベットの第 13 字) M [C], m [C]. 《☞ エムサイズ》.

エムアールアイ 〘医〙 (磁気共鳴断層撮影) MRI [U], magnetic resonance imaging [U]; (装置) MRI [C], magnetic resonance imager [C].

エムアールエスエー 〘医〙 MRSA ★ *m*ethicillin-*r*esistant *S*taphylococcus *a*ureus (メチシリン耐性黄色ブドウ球菌)の略.

エムアイティー ―[名] (固) MIT ★ *M*assachusetts *I*nstitute of *T*echnology (マサチューセッツ工科大学) の略.

エムエスドス 〘コンピューター〙《商標》 MS-DOS [U] ★ 米国マイクロソフト社製のパソコン用オペレーティングシステム.

エムサイズ ―[名] M [medium] size [U]. ―[形] medium-size(d) [A], medium size(d) [P]. 《☞ エルサイズ》 ¶ *エムサイズのセーター a *medium-sized* sweater

エムばん M 版 ☞ エムサイズ

エムピー MP ★ *M*ilitary *P*olice (憲兵隊), または *M*ilitary *P*oliceman (憲兵) の略. 後者の場合は [C].

エムブイピー MVP [C] ★ *m*ost *v*aluable *p*layer (最優秀選手) の略.

エムリン (男性・女性名) Emlyn.

エメラルド (宝石) emerald [C]; (色) emerald [U] ★ [形] としても用いられる. 《☞ たんじょうせき (表)》. エメラルドグリーン émerald gréen [U].

エメリーペーパー (紙やすり) emery paper [U].

えもいわれぬ 得も言われぬ (説明できないほどの) indescribable, beyond words. [日英比較] ★ 日本語の「得も言われぬ」はよい意味が普通だが英語はよい意味にも悪い意味にも使う.

エモーショナル ―[形] (感情的な) emotional.

エモーション (感情) emotion [C].

えもじ 絵文字 pictograph [U].

えもの 獲物 (狩猟の) game [U] ★ 集合的に用いる; (漁獲・釣果) catch [C], bag [C] ★ 両者とも動詞 (獲物をとる) としても使う; (分捕り品) spoil [U] ★ しばしば複数形で. ¶ 私はなんの*獲物もなかった (⇒ 何もつかまえなかった) I didn't ⌈*catch* [*bag*] anything. // 狩猟の*獲物は鹿 2 頭だった We ⌈*bagged* [(⇒ 銃でしとめた) *shot*] two deer. [語法] このように具体的な数をいうときは game は普通は使われない. // 魚の*獲物がどっさりあった We had a good *catch* (of fish).

えものがたり 絵物語 (物語を絵で表したもの) picture story [C]; (絵入りの物語) illustrated story [C]; (絵本) picture book [C].

エモン (男性名) Eamonn, Eamon /éɪmən/.

えもんかけ 衣紋掛け (kimono [coat]) hanger [C].

えら 鰓 gills /gílz/ ★ 通例複数形で. 《☞ さかな (挿絵)》. 鰓呼吸 branchial respiration [U] 鰓蓋 gill cover [C], operculum /oʊpə́ːkjʊləm/ [C] 《複 opercula, ~s》 ★ 後者のほうが格式ばった語 鰓骨 branchial bones.

エラ (女性名) Ella.

エラー (野球の) error [C]. ¶ あのショートはよく*エラーをする That shortstop often makes *errors*. エラーメッセージ 〘コンピューター〙 error message [C].

えらい¹ 偉い (偉大な) great; (著名な) distinguished; (地位・身分の高い) high. 《☞ いだい; りっぱ; ゆうめい¹》. ¶ アルバートシュバイツァーは*偉い人物だった Albert Schweitzer was a *great* person. // 彼はその省では*偉いほうの 1 人だ He is one of the *high* officials ⌈at [of] the ministry. // *偉い (⇒ 有名な) 学者 a *distinguished* scholar // よくやった. 君は*偉い Well done! You were *great*! [語法] この場合の great は口語で「すばらしい」という意. / (⇒ 君のことを誇りに思う) You('ve) made [You've done] it! I'm proud of you. ★ 第 1 文よりやや改まった言い方.

えらい² (ひどい) 《略式》 awful; (たいへんな) great, big; (数・量などが非常に多い) treméndous, enormous; (深刻な) serious /sí(ə)riəs/. 《☞ ひどい》. ¶ *えらい結果になったぞ Look at ⌈this [the] *awful* result. ★ this のほうが感情的な表現. // そこは*えらい人出だった There was a ⌈*big* [*tremendous*; *enormous*] crowd there. ★ [ ] 内のほうが意味が強い. // *えらい問題を抱え込んだものだ (⇒ 君はまったく深刻な問題をもっているよ) You surely have (got) a *serious* problem there.

えらがり 偉がり (気取り) pretension Ⓤ; (いばること) snobbery Ⓤ. 《☞ いばる》. ¶ *偉がりを言うな (⇒ 自慢するな) Don't *talk big*.

エラスムス ― [名] (固) Desiderius Erasmus /dèsɪdí(ə)riəs ɪrǽzməs/, 1466?–1536. ★ オランダの人文学者.

えらそう 偉そう ― [形] (偉そうに見える) important-looking Ⓐ, important looking Ⓟ; (尊大な) self-important. ― [副] (尊大に) self-importantly.

えらびだす 選び出す ☞ えらぶ

えらぶ 選ぶ (選択する) choose (他) (自) 《過去 chose; 過分 chosen》; (精選する) select (他), pick (out) (他); (A より B のほうを好む) prefér B (to A); (選挙する) elect (他).
【類義語】 与えられたものの中から自分の判断で決めて選ぶのが **choose** で, 最も一般的な語. 多数の中から比較吟味して, 慎重に選ぶのは **select**. 同じ意味のくだけた語が **pick**. ただし *pick* は深い考えもなく適当に選ぶ場合にも用いられる. 他と比べて自分の好みに合ったほうを選ぶのは **prefer**. 選挙によって人を選ぶのは **elect**. 《☞ よりぬき》
¶ どれでも好きなのを*選びなさい *Choose* whatever you like. / The *choice* is yours. / (⇒ 好きな物を選んでよい) You may *take your choice*. ★ 第 1, 2 文は口語的. 第 3 文はやや格式ばった言い方. // よい本を*選んで読むべきだ You should *select* good books to read. // 次の中から正しいものを 1 つ*選びなさい *Choose* the correct answer from the following. // A と B のどちらかを*選ぶ *choose* between A and B // 選挙で*選ぶ *choose* by election // …として…を*選ぶ *choose* … as … // 僕はそれより, こっちを*選ぶよ I would *prefer* this *to* that. // 座席は自由に*選べる You *have your choice* of seats. // 委員会は最も優秀な学生を候補の中から*選んだ The committee *picked* the best student from among the candidates. // 私たちは彼を議長に*選んだ We *elected* him ⌈chair [chairperson; chairman]. [語法] 役職が 1 名に限られる場合は無冠詞. 《☞ 冠詞 (巻末)》

えらぶうみへび 永良部海蛇 〘動〙 Erabu [banded] sea snake Ⓒ.

えらぶる 偉ぶる ― [形] (尊大な) self-important; (もったいぶった) pompous. ― [動] put on airs, give *oneself* airs. 《☞ うぬぼれる; えらそう; のぼせあがる》.

えり 襟 (首・襟元) neck Ⓒ; (洋服・ワイシャツの襟) collar Ⓒ; (和服の) neckband Ⓒ; (スーツの上着の返し襟) lapel Ⓒ. ¶ オーバーの*襟を立てる turn up *one's* coat *collar*. // 彼は私の*襟をつかまえた He caught me by the *collar*. // 君のワイシャツの*襟は汚れている Your (shirt) *collar* is dirty.

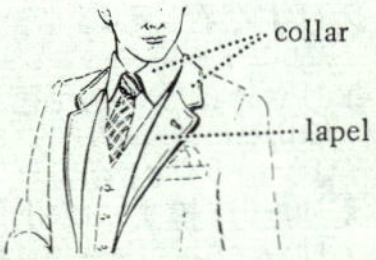

襟を正す ¶ 彼はその言葉を*襟を正して聞いた (⇒ 敬意を表して) He listened to the words *with reverence*. // 我々は公務員として*襟を正さなくては (⇒ きちんと行動しなければ) ならない We must *behave ourselves* as public officials.

エリア area /é(ə)riə/ Ⓒ. **エリアスタディ** (地域研究) area studies ★ 複数形で単数扱い.

えりあか 襟垢 dirt on the collar Ⓤ.

えりあし 襟足 (うなじ) the nape of the neck; (首の後ろの生えぎわ) the hairline at the back of the neck. 《☞ えりくび; くび》.

えりあて 襟当て cloth that is used to cover the collar Ⓤ.

エリー (女性名) Ellie ★ Alice, Eleanor, Helen の愛称.

エリーこ エリー湖 ― [名] (固) Lake Erie /í(ə)ri/ ★ 米国・カナダの国境にある五大湖の一つ.

エリート the [an] elite /eɪlíːt/ ★ 単複同形で集合名詞として用いられる. ¶ 彼は政府内での権力*エリートの 1 人だ He belongs to *the* power *elite* in the government. **エリート意識** elitism Ⓤ. ¶ *エリート意識が強い人 an *elitist* **エリート社員** elite employee Ⓒ.

エリオット ― [名] (固) George Eliot, 1819–80. ★ 英国の女流小説家. 本名 Mary Ann Evans.

エリカ (女性名) Erica.

えりかざり 襟飾り ☞ ブローチ; ネックレス

えりくず 選り屑 odds and ends.

えりくび 襟首 the ⌈nape [scruff] of the neck [語法] nape が普通. scruff は動物の首筋を指すことがある; (首・襟首; シャツの襟) neck Ⓒ ★ 前者の代わりに使える. 《☞ くび; えり; えりあし》. ¶ 彼はその男の*襟首をつかまえて外へ放り出した He took the man by *the scruff of the neck* and threw him out.

えりぐり 襟刳 neckline Ⓒ. ¶ 深い*襟ぐり a low *neckline*

えりこし 襟腰 the height of a collar.

えりごのみ 選り好み ― [形] (自分の好みに合ったものでないと満足しない・細かいことにうるさい) particular (about …); (気難しい) 《略式》 choos(e)y. 《☞ すききらい》. ¶ 彼女は自分の着る物を*えり好みする She is *particular about* the clothes she wears. // *えり好みをしなければどんな物でも安く手に入れることができる You can get anything cheap ⌈if [as long as] you're not (too) *choosy*.

えりさき 襟先 the tip of a collar.

エリザベス (女性名) Elizabeth. ― [名] (固) Elizabeth I, 1533–1603. ★ イングランド女王. 在位 (1558–1603). Elizabeth the first と読む; Elizabeth II, 1926– ★ 英国の現女王. 在位 (1952–). Elizabeth the second と読む.

えりした 襟下 the length from the tip of the collar to the bottom of a kimono.

えりしょう 襟章 lapel pin Ⓒ.

えりしん 襟芯 collar padding Ⓤ.

えりすぐり 選りすぐり ¶ 我がチームは*選りすぐりの (⇒ 最上の) 選手から成る Our team is made up of *the very best* players. 《☞ よりぬき; つぶより; エリート》

えりすぐる 選りすぐる select (他) 《☞ よりぬき; つぶより; えらぶ》.

エリゼきゅう エリゼ宮 ― [名] (固) the Élysée /èilizéi/ ★ パリのフランス大統領官邸. Élysée の ´ はつづり本来のもの.

えりたけ 襟丈 the length of a collar.

エリツィン ― [名] (固) Boris (Nikolayevich) Yeltsin /bɔ́:rɪs nɪkəláɪɪvɪtʃ jéltsɪn/, 1931– . ★ ロシアの政治家. ロシア大統領 (1991–99).

エリック (男性名) Eric.

えりどめ 襟留 ☞ ブローチ

えりぬき 選り抜き ― [名] (選び出すこと) selection [U]; (最上のもの) the pick ★ the を付けて. ― [形] (選り抜きの) select. 《☞ よりぬき; つぶより》. ¶ *選り抜きの選手 *the pick* of the players

えりぬく 選り抜く ― [動] (念入りに選ぶ) select (他), pick (out) (他). 《☞ えらぶ; せんばつ; よりぬく》. ¶ 多数の中から優秀な学生を*えり抜く *select* [*pick* (*out*)] the best students from among many

えりはば 襟幅 the width of a collar.

えりまき 襟巻き (マフラー) muffler [C]; (スカーフ) scarf [C]. ¶ 外は寒いから*襟巻きをしていったほうがよい It's cold outside, so you had better ⌈wear a *muffler* [put a *scarf* on].

エリミネーター 〘電〙(交流整流器) elíminàtor [C].

えりもと 襟元 ― [形][副] (首の回りの[に]) around the neck.

えりわける 選り分ける (類別する) classify (他) ★ 最も一般的な語; (仕分ける) assort (他) ★ やや格式ばった語; (グループの中などから選び出して種類分けする) sórt óut (他). 《☞ ぶんるい》. ¶ 彼はつかまえた昆虫を*えり分けるのに苦労した He had a hard time ⌈*classifying* [*sorting*] the insects he had collected. // 彼女はとっておく雑誌を*えり分けた She *sorted out* the magazines to be set aside.

エリンギ (食用茸) king oyster (mushroom) [C] ★「エリンギ」は学名 *Pleurotus eryngii* から.

える¹ 得る (手に入れる) get (他) 《過去 got; 過分 got, 《米》ではまた gotten》 ★ 最も口語的で一般的な語. 以下の語の代わりに用いる場合もかなりある; (希望のものを努力して手に入れる) obtain (他) ★ やや改まった語; (時間をかけて手に入れる) acquire (他); (人望・勝利などを) win (他); (名声などを) earn (他); (有利なもの・利益などを) gain (他). 《☞ かくとく (類義語); しゅとく; にゅうしゅ》. ¶ 彼は不正手段でその金を*得た He *got* the money by unsavory means. // 私たちはその情報を彼女から*得た We *obtained* the information from her. // 彼はやっと米国の市民権を*得た He *acquired* United States citizenship at last. // 彼は彼自身の力で富と名声を*得た He ⌈*won* [*earned*] fame and fortune through his own effort(s). // 彼らは大きな利益を*得た They ⌈*gained* [*made*] a large profit. // 私はそれから大いに*得るところがあった [何も*得るところがなかった] I *have gained* ⌈a lot [nothing] from it.

える² 選る ☞ よる⁴

エル (アルファベットの第 12 字) L [C], l [C]. 《☞ エルサイズ》.

エルエスアイ 〘電工〙(大規模集積回路) LSI [C] ★ *l*arge-*s*cale *i*ntegrated circuit の略. 英語の LSI はしばしば大規模集積技術 (large-scale integration) の略なので, 回路を指す時は an LSI circuit のようにするとより正確.

エルエル (語学実習室) lánguage làboratory [C] [日英比較] LL は日本式の略語. 英語では language lab と略す; (衣服のサイズ) extra large (size) [U] 《☞ エルサイズ》.

エルゴノミックス (人間工学) ergonomics /ə̀:gənámɪks/ [U].

エルゴメーター (作業計) ergometer /ə:gámətə/ [C].

エルサイズ L [large] size [U] [参考] 英語では普通は単に L という. 特大は XL (＝extra large). 《☞ エムサイズ》.

エルサルバドル ― [名] (固) (国名) (the Repúblic of) El Sálvadòr. ― [形] Sàlvadórian, Sàlvadóran. エルサルバドル人 Sàlvadórian [C], Sàlvadóran [C].

エルサレム ― [名] (固) Jerusalem /ʤərú:s(ə)ləm/ ★ イスラエルの首都.

エルシー (女性名) Elsie ★ Elizabeth の愛称.

エルディー (レーザーディスク) LD [C] ★ *l*aser *d*isc の略; (学習障害) LD [U] ★ *l*earning *d*isability の略.

エルディーケー a living room and (a) dining room with a kitchen.

エルドラド ― [名] (固) (黄金郷) El Dorado /èldərá:doʊ/ ★ 南米アマゾン川岸にあると想像された黄金の国.

エルニーニョ 〘気象〙El Niño /elní:njoʊ/ [U] ★ 元来はスペイン語.

エルばん L 版 ☞ エルサイズ

エルピー (レコードの) LP [C] ★ *l*ong-*p*laying (record) の略.

エルピーガス (液化石油ガス) LPG [U] ★ *l*iquefied *p*etroleum *g*as の略.

エルピージー ☞ エルピーガス

エルフ (小妖精) elf [C] 《複 elves》.

エルベがわ エルベ川 ― [名] (固) the Elbe ★ チェコ北部に発し, ドイツ北東部を北西に流れて北海に注ぐ.

エルボー (ひじ) elbow [C].

エルマー (男性名) Elmer.

エルミタージュびじゅつかん エルミタージュ美術館 ― [名] (固) the Hermitage /hə́:mɪtɪʤ, èəmitá:ʒ/ ★ サンクトペテルブルクにあるロシアの国立美術館.

エルム 〘植〙(にれ) elm [C].

エルロイ (男性名) Elroy.

エレアノア (女性名) Eleanor, Eleanore /élənə/ ★ 愛称は Nell, Nellie, Nelly, Nora.

エレアノーラ (女性名) Eleanora /èliənɔ́:rə/.

エレガンス ― [名] (優雅) elegance [U]. ― [形] elegant. 《☞ ゆうが》.

エレガント ― [形] (優雅な) elegant.

エレキギター eléctric guitár [C] 《☞ ギター (挿絵)》.

エレキテル (江戸時代の発電器) small power generator used in the Edo period [C] ★ 説明的な訳.

エレクション¹ 〘生理〙(勃起) erection [U].

エレクション² (選挙) election [C].

エレクトーン (電子オルガン) eléctric órgan [C] ★「エレクトーン」は日本のメーカーの商標名.

エレクトラコンプレックス the Electra complex ★ 娘が無意識のうちに母親に反発し, 父親に対して性的思慕をいだく傾向.

エレクトロオフィス (電子オフィス) electrónic òffice [C] ★ 情報処理技術を高度に活用したオフィス.

エレクトロセラミックス (電子セラミックス) elèctrocerámics [U].

エレクトロニクス (電子工学) elèctrónics [U].

エレクトロニックスモッグ (電波スモッグ) electronic smog [U].

エレクトロニックバンキング (電子化された銀行業務) electronic banking [C].

エレクトロニックボイス (電子音声) electronic voice C.
エレクトロニックライブラリー (電子図書館) electronic library C.
エレクトロン (電子) electron C.
エレジー (悲歌・挽歌) elegy C.
エレベーション (立面図) elevation C.
エレベーター 《米》elevator /éləvèɪtə/ C, 《英》lift C. ¶*エレベーターに乗って5階へ行った I took the *elevator* to the fifth floor. 参考 the fifth floor は《英》では6階になる. // この*エレベーターの定員は6人です This *elevator* ⌈holds [can take] six people.

> **コロケーション**
> エレベーターで上がる[下りる] go ⌈up [down] in an *elevator* // エレベーターに乗り込む get ⌈in [on] an *elevator* / エレベーターに乗る take [ride] an *elevator* / エレベーターを降りる get ⌈out of [off] an *elevator* / エレベーターを操作する operate an *elevator* / エレベーターを止めておく hold an *elevator* / エレベーターを止める stop an *elevator* // 押しボタン式エレベーター a self-service *elevator* / 各階止まりのエレベーター a local *elevator* / 貨物用エレベーター a freight *elevator* / 急行のエレベーター an express *elevator* / 高速エレベーター a fast *elevator* / 上り[下り]エレベーター an up [a down] *elevator*

エレメンタリー ―形 (基本の) elementary.
エレメント (要素) element C.
エレン (女性名) Ellen ★ Eleanor の愛称.
エロ eróticism U. ¶*エロ文学 *erotic* literature / (ポルノ) pornógraphy. // *エロ本 an ⌈*erotic* [*obscene*] book ★ obscene のほうが不潔感がある.
エロキューション (雄弁術) elocution U.
エログロ ―形 erotic and grotesque.
エロス (性愛) eros U.
エロチシズム (官能的であること) eróticism U.
エロチック ―形 (好色な) erótic; (官能的な) 《文》sensual.
エロル (男性名) Errol /érəl/.
えん[1] 縁 (血縁関係・縁故関係) relation U; (何らかのつながりによる関係) connection C 日英比較 (1) 日本語の「縁」には元来仏教的なニュアンスがあるが, 日常的な表現では軽い意味で使われることも多く, 内容に合わせて意訳する必要がある. ¶あの人とは何の*縁もゆかりもない I have no ⌈*relation* [*connection*] whatsoever ⌈with [to] that person. / (⇒まったく知らない人である) That man is *a perfect stranger* to me. ★第2文のほうが口語的. // 彼とは*縁を切った I ⌈*broke off* [*am through*] *with* him. ★[ ] 内のほうが口語的. // 親子の*縁を切られる be disowned by *one's* parents // クラブ活動が*縁で彼らは知り合い, しまいに結婚した They got to know each other *through* their club activities and eventually got married. // *縁があったらお会いしましょう (⇒いつかお会いできればよいと思っています) I hope I'll see you someday. // 不思議な*縁で by a strange *chance* / by a twist of *fate* // どうも私は金に*縁がない (⇒金をたくさん持ったことがない) I have never had much money. // これをご*縁に今後ともよろしくお願いします I am very glad to have made your acquaintance, and I hope we will meet again. 日英比較 (2) 「よろしく」はそのまま英語に訳せないので前後関係を考えて意訳するか無視するしかない. (☞よろしく) **縁は異なもの味なもの** Strange are the ties that bind people.
えん[2] 円 (貨幣の単位) yen C ★単複同形. ¥という記号を数字の前に付ける. ¶私はこの靴を7千*円で買った I bought this pair of shoes for seven thousand *yen*. // *円 (の相場) は急激に上がって[下がって]いる The *yen* (exchange rate) is going ⌈up [down] sharply. 語法 rise または fall を用いてもよい. // このところ*円はドルに対して強くなっている Recently the *yen* has grown stronger against the dollar. **円借款** credit in yen U, yen credit U **円相場** the exchange rate of the yen, the yen exchange rate.
えん[3] 円 (円形) circle C (☞わ[1]). ¶*円を描きなさい Draw a *circle*. // 四分*円 a *quadrant* // 小*円 a small *circle* // 大*円 a great *circle* // 八分*円 an *octant* // 六分*円 a *sextant*

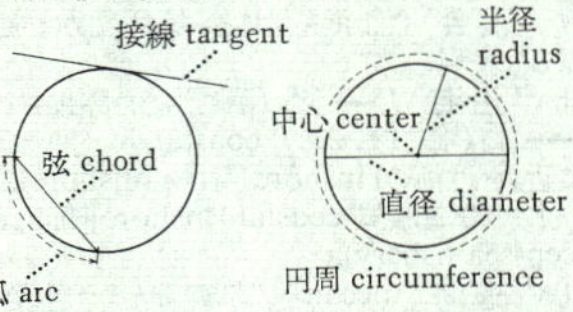

えん[4] 宴 (家庭などで催す食事会) dinner C; (豪華な祝宴) feast C; (どちらかといえば公的な) banquet C; (歓迎会・披露宴) reception C. ¶結婚披露*宴 a wedding *reception*
えん[5] 塩 〔化〕salt C (☞しお[1]).
えん[6] 冤 (無実の罪) false charge C (☞えんざい; ぬれぎぬ).
えんいん[1] 遠因 (間接的な原因) indirect cause C (☞げんいん[1]).
えんいん[2] 延引 (遅延) delay U; (延期) postponement U. (☞ちえん[1]; ていたい[2]; えんき[1]).
えんう 煙雨 ☞きりさめ
えんうんどう 円運動 circular movement C.
えんえい 遠泳 long-distance ⌈swim C [swimming U] (☞すいえい).
えんえき 演繹 〔論〕 ―名 deduction U (↔ induction) ★「演繹された推論」の意味では C. ―形 (演繹的な) deductive. ―動 (演繹する) deduce 他. **演繹法** deduction U, deductive method C.
えんえん[1] 延延 ¶彼の演説は*延々3時間も続いた His speech ⌈*went on and on* [*dragged on*] for three hours. (☞ながながと)
えんえん[2] 炎炎 ―動 (盛んに燃える) blaze 自. ―形 (燃え立って) ablaze, aflame. (☞もえる[1]; ほのお). ¶森は何日も*炎々と燃えた The forest *blazed* for days. // カーテンに火がつくとたちまち家全体が*炎々と炎に包まれた Once the curtains caught fire, the whole house was soon *ablaze*.
えんおう 鴛鴦 (つがいのオシドリ) pair of mandarin ducks C. **鴛鴦の契り** (強い夫妻愛) strong love between husband and wife U; (終生の結婚の誓約) lifelong marriage pledge C.
えんか[1] 演歌 Japanese balladic popular song C ★説明的訳.
えんか[2] 塩化 ―名 〔化〕 chlorination /klɔ̀ːrənéɪʃən/ U. ―動 chlorinate /klɔ́ːrənèɪt/ 他. **塩化亜鉛** zínc chloride /klɔ́ːraɪd/ U **塩化アルミニウム** alúminum chlóride U **塩化アンモニウム** ammónium chlóride U **塩化エチレン** ethylene /éθəlìːn/ chlóride U **塩化カリウム** potássium chlóride U **塩化カルシウム** calcium chloride U **塩化銀** silver chloride U **塩化コバルト** cobalt chloride U **塩化水銀** mercury chloride U **塩化水素** hydrogen chloride U **塩化鉄** iron chloride U **塩化銅** copper chloride U **塩化ナトリウム** sodium chloride U **塩化鉛** lead /léd/ chlóride U **塩化バリウム**

barium /bé(ə)riəm/ chlóride [U] **塩化ビニール** vinyl /váinl/ chlóride [U] **塩化物** chloride [C] **塩化マグネシウム** magnesium /mægní:ziəm/ chlóride [U].

えんかい¹ 宴会 (パーティー) party [C] ★ 最も一般的な語; (晩餐(ばんさん)会) dinner (party) [C]; (楽しい祝宴) feast [C]; (儀式ばった堅苦しい宴会) banquet [C]. (☞ パーティー). ¶ 私たちは河合氏のために*宴会(⇒ 食事の会) を開きます We are going to hold a *dinner* in honor of Mr. Kawai. / A *dinner* is to be ˹given [held] in honor of Mr. Kawai. [語法] 「食事をする」という意味では have dinner で無冠詞であるが, 「宴会」には a を付ける. 第 2 文のほうがやや格式ばった表現.

えんかい² 沿海 ―[名] (海に沿った陸地) coast [C]. ―[形] (海に近い陸の) coastal [A]; (沖から見て海岸に近い・近海の) ìnshóre [A] (↔ offshore). (☞ えんがん). **沿海漁業** coastal [inshore] fishery [U] (↔ deep-sea fishery).

えんかい³ 遠海 ocean [C] (☞ えんようぎょぎょう; えんようこうかい).

えんがい¹ 塩害 damage from salt [U].

えんがい² 鉛害 pollution caused by lead exhaust [U].

えんがい³ 煙害 pollution caused by smoke [U].

えんがい⁴ 掩蓋 cover [C] (☞ おおい²).

エンカウンター (出会い) encounter [C] (☞ であい).

えんかく 沿革 (歴史) history [C]; (変遷) historical change [C]. (☞ れきし¹; へんせん).

えんかくさよう 遠隔作用 〘物理〙 action at a distance [U].

えんかくせいぎょ 遠隔制御 ☞ えんかくそうさ

えんかくそうさ 遠隔操作 ―[名] remote control [U]. ―[形] remote-controlled [A], remote controlled [P]. (☞ リモコン).

えんかし 演歌師 ☞ ながし

えんかつ 円滑 ―[形] (滑らかな) smooth. ―[副] smoothly; (支障なく) without a hitch. (☞ じしょう¹; すらすら). ¶ 事は*円滑に運んだ Things went (on) *smoothly*. / Everything was carried out *without a hitch*. ★ 第 2 文のほうがやや格式ばった表現.

えんかビニール 塩化ビニール ☞ えんか² (塩化ビニール)

えんがわ 縁側 (ベランダ) veránda(h) [C], 《米》 porch [C] [日英比較] 床と屋根はあるが, 家に隣接した屋外の付属物という点で日本の縁側と少し異なる. (☞ ベランダ (挿絵)).

えんがん 沿岸 coast [C]. ¶ 太平洋*沿岸には多くの工業都市がある There are many industrial cities ˹*on* [*along*] *the* Pacific *coast*. **沿岸漁業** coastal [inshore] fishery [U] **沿岸警備隊** coast guard [C] **沿岸動物** littoral animal [C] **沿岸貿易** coastal [coasting] trade [U] **沿岸流** 〘海〙 littoral current [C].

えんかんぎょ 塩乾魚 salted and dried fish [C].

えんき¹ 延期 ―[動] (先へ延ばす) pùt óff (他), postpóne (他) ★ 前者のほうが口語的; (ある期間, 理由があって差し止めておく) suspend (他); (遅らせる) delay (他); (会を一時[ある時まで]休止する) adjourn (他). ―[名] postponement [U]; adjournment [U]. (☞ のばす; おくらせる). ¶ その競技会は雨のため*延期となった The athletics meet *was* ˹*put off* [*postponed*] because of (the) rain. / The athletics meet *was rained out*. [語法] be rained out は《米》で「雨で流れる」の意. 《英》は be rained off. // 新しいダムの建設を*延期する *suspend* the construction of the new dam // その会は来月まで*延期された The meeting *was adjourned* till next month.

えんき² 塩基 base [C]. **塩基化** ―[名] basification [U]. ―[動] (塩基化する) basify (他).

えんぎ¹ 演技 (役の演じ方) perfórmance [C]; (演じるわざ) acting [U]. ¶ 彼は*演技がうまい[へただ] He is a ˹good [bad] actor. // 彼女の*演技はすばらしかった Her *performance* was ˹amazing [first-rate; superb].

えんぎ² 縁起 ¶ これは*縁起がよい[悪い] (⇒ 幸運[不運]の印だ) This is a sign of ˹good [bad] *luck*. **縁起でもない** ¶ *縁起でもないことを言わないでくれ Don't say such a thing—it ˹might bring [will only invite] *bad luck*. **縁起をかつぐ** ¶ 彼は*縁起をかつぐ (⇒ 迷信深い) He is *superstitious*. **縁起物** luck-bringer [C].

えんぎ³ 演義 (注解) commentary [C]; (演義小説) popular version of a historical novel [C]. ¶『三国志*演義』*The Story of the Three Kingdoms*

えんぎょ 塩魚 (塩漬けの魚) salted fish [C].

えんきょく 婉曲 ―[形] (遠回しの) róundabòut [A]; (間接的な) ìndiréct. ―[名] roundaboutness [U]; indirectness [U]. (☞ とおまわし; まわりくどい). ¶ *婉曲な表現 a *roundabout* expression // 彼女は*婉曲に彼のことを好きではないと言った She told him in a *roundabout* way that she did not like him. **婉曲語法** ―[名] euphemism /jú:fəmìzm/ [U] ★ 個々の例をいうときは [C]. ―[形] èuphemístic. (☞ 巻末).

えんきょり 遠距離 ―[名] (長い距離) long distance [C]. ―[形] long-distance [A]. (☞ ちょうきょり; とおい). **遠距離列車** long-distance train [C].

えんきりでら 縁切寺 ☞ かけこみ (駆け込み寺)

えんきんほう 遠近法 perspective [U]; (遠近画法) perspective representation [U].

えんきんりょうよう 遠近両用 ―[形] bifocal. ¶ *遠近両用コンタクトレンズ *bifocal* contact lenses (☞ めがね 1).

えんぐみ 縁組み (結婚) marriage [C]; (婚約) engagement [C]; (養子の) adoption [U]. (☞ けっこん¹). ¶ 和夫と貴子の*縁組みがまとまった (⇒ 婚約が発表されたところだ) The *engagement* of Kazuo and Takako has just been announced. // あの子供とは正式に養子*縁組みをした (⇒ あの子を正式に養子にした) We *have* ˹formally [officially] *adopted* that child.

えんグラフ 円グラフ circle [pie] graph [C].

えんぐん 援軍 rèinfórcements ★ 複数形で.

えんげ 嚥下 ―[動] swallow (他) (☞ のみこむ).

えんけい¹ 円形 ―[名] circle [C]. ―[形] (円形の) circular, round. **円形劇場** ámphithèater [C], 《英》 ámphithèatre [C] **円形脱毛症** alopecia areata /æ̀ləpí:ʃ(i)ə æ̀riéitə/ [U].

えんけい² 遠景 distant view [C]. ¶ 富士山の*遠景 a *distant view* of Mt. Fuji

えんげい¹ 演芸 (接待のための余興) entertainment [C]; (公演) performance [C]. **演芸会** entertainment [C], show [C]; (歌・踊り・漫才などいろいろなものを含むショー) variety show [C].

えんげい² 園芸 (庭いじり) gardening [U]; (科学技術としての園芸) hórticùlture [U] ★ 専門語. **園芸作物** garden products ★ 複数形で. **園芸植物** garden plant [C] **園芸農業** hórticùltural ágricùlture [U].

エンゲージメント (婚約) engagement [C].

エンゲージリング engagement ring [C] [日英比較] 「エンゲージリング」は和製英語.

えんげき 演劇 drama [U] ★ 個々の芝居の場合は

Ⓒ; (芝居) play Ⓒ 語法 drama のほうが意味が広く改まった言い方で, 演劇の総称として用いられる. 《☞ ドラマ; しばい; げき¹》. ¶ 彼は*演劇を勉強している He is studying *drama*. **演劇界** the theatrical world, drama circles ★ 後者は複数形で. **演劇評論家** drama critic Ⓒ **演劇部** drama club Ⓒ, dramatic society Ⓒ ★ 後者のほうが格式ばった言い方.

エンゲル ―名 ㊀ Ernst Engel /éənst éŋəl/, 1821–96. ★ ドイツの統計学者・経済学者. **エンゲル係数** Engel's coefficient Ⓒ **エンゲルの法則** Engel's law Ⓤ.

エンゲルス ―名 ㊀ Friedrich /fríːdrɪk/ Engels, 1820–95. ★ ドイツの社会主義者・経済学者.

えんこ¹ 縁故 (コネ) connection Ⓒ; (血縁関係) relation Ⓤ; (親類の人) relative Ⓒ, relation Ⓒ. 《☞ コネ; しんるい¹》. ¶ 彼は上の人に (⇒ 上部に) 有力な*縁故がある He has powerful *connections* in high places. // 私はあの政治家と何の*縁故もない (⇒ いままで無関係だった) I *have had nothing to do* with that politician. / There is no *connection* between that politician and me.
縁故採用 nepotism Ⓤ, 《英》 jobs for the boys. ¶ *縁故採用される *get a job through personal* ⌈*connections* [*contacts*] **縁故募集** ―動 seek new people with connections. ―名 〖株〗 private ⌈subscription [offering] Ⓒ.

えんこ² ―動 (背中をきちんと立てて座る) sìt úp ㊎; (車が故障する) brèak dówn ㊎. ―名 bréakdòwn Ⓒ. ¶ 赤ん坊が*えんこできるようになった The baby has learned to *sit up*. // 車が途中で*えんこしてしまった The car ⌈*broke down* [had a *breakdown*] on the way. ★ [ ] 内のほうが口語的.

えんこ³ 塩湖 salt lake Ⓒ.

えんこ⁴ 円弧 (circular) arc Ⓒ. ¶ *円弧を描く describe [draw] an *arc*

えんご 援護 ―動 (支持する・支援する) support ㊉, báck (úp) ㊉ ★ 後者のほうが口語的; (助ける) help ㊉ 語法 意味の広い言葉なので, 前後関係がはっきりしていない場合にはあいまいになることがある. ―名 support Ⓤ; báckùp Ⓤ; help Ⓤ. 《☞ えんじょ; しじ³》. ¶ 私たちはこの運動を始めから*援護してきた We *have* ⌈*supported* [*backed* (*up*)] this movement from the beginning. // だれか*援護の手を差し伸べる人はないのか Isn't there anybody who will lend a *helping* hand?

えんこう 援交 ☞ えんじょこうさい

えんごう 掩壕 trench for protecting military horses Ⓒ.

えんこうきんこう 遠交近攻 (説明的に) diplomatic policy (in former China) of befriending distant states and of antagonizing neighbors Ⓒ.

えんこうるい 円口類 〖魚〗(八目鰻など口が円型の魚類) cyclostome /sáɪkləstòʊm/ Ⓒ.

エンコーダー 〖コンピューター〗 encoder Ⓒ ★ データを符号化する装置.

エンコーディング 〖コンピューター〗 (データの符号化) encoding Ⓤ.

エンコード ―動 (符号化する) encode ㊉ (↔ decode).

えんごく 遠国 remote country Ⓒ.

えんこん 怨恨 grudge Ⓒ 《☞ うらみ¹》.

えんざ¹ 円座 (車座) sitting in a circle Ⓤ; (敷き物) round straw mat Ⓒ. 《☞ くるまざ》. ¶ *円座を作る sit in a *circle*

えんざ² 縁座 implication of the offender's relatives Ⓤ 《☞ れんざ》.

えんざい 冤罪 false [trumped-up] charge Ⓒ. ¶ 彼はやっと*冤罪を晴らした Eventually he cleared himself of the *false charge*(*s*). // 彼女は*冤罪をこうむった She *was falsely accused*.

エンサイクロペディア (百科事典) encyclop(a)edia /ɪnsàɪkləpíːdiə/ Ⓒ.

えんさき 縁先 the edge of a veranda.

えんさん 塩酸 〖化〗 hydrochloric /háɪdrəklɔ́ːrɪk/ ácid Ⓤ.

えんざん 演算 operation Ⓒ. **演算子** operator Ⓒ.

えんし 遠視 ―名 farsightedness Ⓤ, 《英》 longsightedness Ⓤ. ―形 farsighted, 《英》 longsighted.

えんじ¹ 臙脂 ―名 (色) dark red Ⓤ. ―形 dark red.

えんじ² 園児 (保育園の) nursery school child Ⓒ; (幼稚園の) kindergartener Ⓒ, kindergarten ⌈child [pupil] Ⓒ.

エンジェル (天使) angel Ⓒ.

えんじつてん 遠日点 〖天〗 aphelion /æfíːljən/ Ⓒ 《複 ～s, aphelia /-ljə/》.

エンジニア (技師) èngineér Ⓒ 《☞ ぎし¹ 参考》.

エンジニアリング (工学) èngineéring Ⓤ. **エンジニアリングコンストラクター** engineers and constructors **エンジニアリングセラミックス** engineering ceramics Ⓤ **エンジニアリングプラスチック** engineering plastic Ⓤ.

えんじむし 臙脂虫 〖昆〗 cochineal /kɑ́tʃənìːl/ ínsect Ⓒ.

えんしゃ 遠写 long shot Ⓒ.

えんじゃ 縁者 (親族) relative Ⓒ, relation Ⓒ ★ 前者の方が一般的; (総称) kinsfolk ★ 複数扱い. 古風な語; (血縁) blood ⌈relation [relative] Ⓒ. 《☞ しんるい¹》.

えんじゃく 燕雀 small birds (like sparrows and swallows); (比喩的に) small-minded person Ⓒ. **燕雀安**(いずく)**んぞ鴻鵠**(こうこく)**の志を知らんや** A man must be a hero to understand a hero.

えんしゅう¹ 円周 circumference /səkʌ́mf(ə)rəns/ Ⓒ 《☞ えん³ (挿絵)》. ¶ 円の直径かける円周率は*円周である π [Pi /páɪ/] times the diameter equals the *circumference* (of a circle). **円周率** the ratio of the circumference of a circle to its diameter, pi Ⓤ ★ 記号は π. 参考 π は「周囲」の意味の periphery の最初の文字 p に相当するギリシャ文字. なお次の英文の単語の字数を並べると円周率となり, 記憶の助けとなる: May I have a ⌈large [small] container of coffee? (コーヒーを大きな[小さな]入れ物で 1 杯いただけませんか)

えんしゅう² 演習 **1** 《セミナー・ゼミナール》: seminar /sémənɑ̀ə/ Ⓒ. ¶ *演習室 a *seminar* room
2 《軍事演習》: (大演習) maneuvers /mən(j)úːvəz/ (《英》 manoeuvres) ★ 通例複数形で. **演習林** 〖林学〗 experimental plantation Ⓒ.

えんじゅく 円熟 ―形 (十分に成熟して完成の域に達した) matúre; (角が取れて円満な) mellow. ―動 mature /mət(j)ʊ́ə/ ㊎ ㊉. ―名 maturity /mət(j)ʊ́(ə)rəti/ Ⓤ; mellowness Ⓤ. ¶ *円熟した思想家[ピアニスト] a *mature* ⌈thinker [pianist]

えんしゅつ 演出 ―動 (劇を演出する) direct ㊉; (上演する) stage ㊉. ―名 direction Ⓤ. ¶ その劇の*演出はとてもよかった The play *was* well ⌈*directed* [*staged*]. **演出家** director Ⓒ.

えんしょ 炎暑 sweltering [intense] heat Ⓤ.

えんじょ 援助 ―名 (助け・手伝い) help Ⓤ ★ 一般的な語; (特に, かなり大がかりで公的な援助) aid Ⓤ; (脇役的な援助) assistance Ⓤ; (支持) support Ⓤ. ―動 help ㊉; aid ㊉; assist ㊉; support ㊉. 《☞ たすける (類義語); じょせい²》. ¶ 彼らを*援助しなくてはならない We ought to ⌈*help* [*aid*; *assist*; *support*] them. / (⇒ 彼らは援助を必要としている) They need our ⌜*help* [*aid*; *assistance*; *support*]. ★ 第 1 文のほうが話し手の積極的な気持ちが表現される. // 彼は*援助を申し出たが受け入れられなかった He offered ⌜*help* [to *help*; to lend *assistance*; to extend *aid*], but was refused. ★ [ ] 内はこの順に改まった言い方になる. // 日本は開発途上国への経済*援助を増加すべきだ Japan should increase its economic ⌜*aid* [*assistance*] to developing countries. **援助物資** relief supplies ★ 複数形で.

—コロケーション—
援助の手を差しのべる extend ⌜*aid* [*help*; *assistance*] to ... / 援助を与える give [provide; render] *aid* [*help*; *assistance*] to ... / 援助を当てにする count on ⌜*aid* [*help*; *assistance*] / 援助を一時停止する suspend ⌜*aid* [*help*; *assistance*] / 援助を受け入れる accept ⌜*aid* [*help*; *assistance*] (from ...) / 援助を受ける get [receive] ⌜*aid* [*help*; *assistance*] from ... / 援助を打ち切る cut off *aid* / 援助を得る obtain [enlist] ⌜*aid* [*help*; *assistance*] from ... / 援助を期待する expect ⌜*aid* [*help*; *assistance*] from ... / 援助を請う appeal [ask] for (*a person's*) ⌜*aid* [*help*; *assistance*] / 援助を増やす[減らす] increase [reduce] ⌜*aid* [*help*; *assistance*] / 援助を求める call for ⌜*aid* [*help*; *assistance*] // 一時的援助 temporary ⌜*aid* [*assistance*] / 医療援助 medical ⌜*aid* [*assistance*] / 緊急援助 emergency ⌜*aid* [*assistance*; *help*] / 財政[技術]援助 financial [technical] ⌜*aid* [*assistance*; *help*] / 国際援助 international ⌜*aid* [*assistance*] / 食糧援助 food *aid* / 人道的援助 humanitarian ⌜*aid* [*assistance*] / 政府援助 governmental ⌜*aid* [*assistance*] / 相互援助 mutual [reciprocal] ⌜*aid* [*assistance*; *help*] / 対外援助 foreign [overseas] *aid* / 短期的[長期的]援助 short-term [long-term] ⌜*aid* [*assistance*] / 追加援助 additional [extra] ⌜*aid* [*assistance*] / 物質的[金銭的]援助 material [monetary] ⌜*aid* [*assistance*]

エンジョイ ━動 (楽しむ) enjoy ㊥ (☞ たのしむ). ¶ 生活[人生]を*エンジョイする *enjoy* life

えんしょう¹ 延焼 ━動 (火が広がる) spread ㊍; (建物がもらい火をする) catch fire. ━名 the spread of (a) fire. (☞ かじ¹). ¶ 火はたちまち隣近所に*延焼した The ⌜fire [flames] rapidly *spread* to (the) neighboring houses. // *延焼を防ぐ stop [keep] a fire from *spreading* / keep a fire in check

えんしょう² 炎症 ━動 (炎症を起こさせる) inflame ㊥. ━名 inflammation Ⓤ. (☞ ただれる). ¶ 傷は*炎症を起こした[起こしている] The wound ⌜*became* [*is*] *inflamed*. // スモッグで目に*炎症を起こした The smog *inflamed* my eyes.

えんしょう³ 遠称 〘文法〙 demonstrative pronoun denoting something distant from both the speaker and the listener Ⓒ (☞ きんしょう³; ちゅうしょう³).

えんしょう⁴ 塩硝 (火薬) gunpowder Ⓤ; (硝石) niter ((英)) nitre) /náɪtə/ Ⓤ.

えんしょう⁵ 艶笑 (あでやかな笑い) bewitching smile Ⓒ; (好色なおかしさ) ámorous fún Ⓤ. **艶笑小話集** collection of amorous anecdotes Ⓒ.

えんじょう 炎上 ━動 (燃え上がる) burst into flames; (全焼する) burn down ㊍ ㊥, be destroyed by fire ★ 前者が口語的. ¶ その寺は失火で*炎上した (⇒ 失火で破壊された) The temple ⌜*burned down* in [*was destroyed* by] an accidental fire.

えんしょく 艶色 (あでやかな顔つき) amorous look Ⓒ; (つややかな顔色) fair complexion Ⓤ.

えんしょくはんのう 炎色反応 〘化〙 flame reaction Ⓒ.

えんじょこうさい 援助交際 compensated dating Ⓤ. ¶ 高価な品物を買うお金を得るために*援助交際をする女子高校生がいる Some high school girls take part in *compensated dating* in order to earn money to buy expensive goods.

えんじる 演じる (役を) play ㊥, act ㊥ ★ 後者のほうがやや格式ばった語; (演技をする) perfórm ㊥. ¶ 彼はハムレットを*演じることになっている He is going to ⌜*play* [*act*; *perform*] (the part of) Hamlet.

えんじん¹ 円陣 circle Ⓒ. ¶ 彼らは監督を囲んで*円陣を作った They ⌜formed a *circle* [(⇒ 立って) stood in a *circle*; (⇒ 座って) sat in a *circle*] around the manager.

えんじん² 猿人 ape-man Ⓒ; (ピテカントロプス) pìthecánthropus Ⓒ.

エンジン engine Ⓒ. ¶ *エンジンをかける [止める] start [stop] the *engine* **エンジンブレーキ** ¶ *エンジンブレーキをかけて急な坂道を下りた Going down the steep hill, I shifted down using the ⌜*engine* [*compression*] *for braking*.

えんしんぶんりき 遠心分離機 centrifuge /séntrɪfjùːdʒ/ Ⓒ; (説明的に) centrifugal /sentrífjʊgəl/ ⌜machine [separator] Ⓒ.

えんしんぼいん 円唇母音 〘音声〙 round(ed) vowel Ⓒ.

えんしんポンプ 遠心ポンプ centrifugal /sentrífjʊgəl/ púmp Ⓒ.

えんしんりょく 遠心力 centrifugal /sentrífjʊgəl/ force Ⓤ (↔ centripetal force).

えんすい 円錐 ━名 cone Ⓒ. ━形 (円錐形の) conic(al). (☞ りったい (挿絵)). **円錐曲線** 〘幾何〙 conic section Ⓒ.

えんすいぎょ 塩水魚 saltwater fish Ⓒ ★ 種類についていうとき以外は単複同形.

えんすいこ 塩水湖 saline lake Ⓒ, salt [saltwater] lake Ⓒ ★ 後者のほうが口語的.

エンスト (engine) stall Ⓒ. ¶ 踏切で*エンストを起こしてしまった The *engine* of my car [My car] *stalled* as I was crossing the tracks.

えんせい¹ 遠征 (連隊・探検隊の) èxpedítion Ⓒ; (運動選手の) (playing) tour Ⓒ. (☞ りょこう; たんけん¹). ¶ 彼らはエジプトへ考古学の*遠征をした They ⌜made [went on] an archaeological *expedition* to Egypt. // 我々は相手チームのところまで*遠征して試合をやった (⇒ 試合のために相手チームを訪れた) We *visited* our rivals for a game. **遠征試合** away ⌜game [match] Ⓒ.

えんせい² 厭世 ━形 (厭世的) pèssimístic (↔ òptimístic) (☞ ひかん¹). ¶ 彼は*厭世的な人生観を持っている He has a *pessimistic* view of life. **厭世家** péssimist Ⓒ (↔ óptimist). ¶ 彼は*厭世家だ He is ⌜*pessimistic* [a *pessimist*]. **厭世観** péssimìsm Ⓤ (↔ óptimìsm) **厭世自殺** despondent suicide Ⓤ. ¶ 彼は*厭世自殺をした *Despairing of this world*, he committed *suicide*.

えんせき¹ 宴席 (宴会) banquet Ⓒ; (宴会場) banquet hall Ⓒ; (パーティー) party Ⓒ. (☞ えんかい¹) ¶ M 氏のために*宴席を設ける hold a *party* in honor of Mr. M.

えんせき² 縁戚 relative Ⓒ, relation Ⓒ ★ 前者の方が一般的. (☞ しんるい¹). ¶ 彼は私の遠い*縁戚です He is my distant ⌜*relative* [*relation*].

えんせきがいせん 遠赤外線 far infrared ⌜ray Ⓒ [radiation Ⓤ].

えんぜつ 演説 ── 名 speech C ★ 一般的な語; (重要な問題についてよく準備して行うもの) addréss C ★ 前者より格式ばった語. ── 動 speak 自; addréss 自. ((☞ こうえん²)). ¶ 彼は*演説がうまい (⇒ 雄弁だ) He is *eloquent*. / (⇒ うまい演説家だ) He is a great *orator*. // 私は彼の*演説を聞いたことがある I heard him ⌈make a *speech* [give a *speech*; deliver an *address*] before.

コロケーション

演説の草稿を作る draft a *speech* / 演説を…で締めくくる finish [end] the *speech* with … / 演説を…で始める open [begin] a *speech* with … // 歓迎演説 a ⌈welcome [welcoming] ⌈*speech* [*address*] / 感動的な演説 a ⌈stirring [moving] *speech* / 基調演説 a keynote ⌈*speech* [*address*] / 就任演説 an inaugural ⌈*speech* [*address*] / 受諾演説 an acceptance *speech* / 政治演説 a political *speech* / 選挙演説 a campaign *speech* / 扇動的な演説 an agitative *speech* / 大統領演説 a presidential ⌈*speech* [*address*] / 追悼演説 a funeral *speech* / へたな演説 a poor *speech* / 短い演説 a ⌈short [brief] *speech* / 要領を得ない演説 a pointless *speech*

エンゼル ☞ エンジェル

エンゼルフィッシュ 〔魚〕 angelfish C ★ 単複同形.

えんせん¹ 沿線 ── 副 (鉄道に沿って) along ⌈the [a] railroad line. ¶ *沿線の住人たち people living *along the railroad* (*line*)

えんせん² 厭戦 war-weariness U ((☞ はんせん¹)). ¶ *厭戦的になる grow *weary of war*

えんせん³ 塩泉 salt [saline /séɪliːn/] spring C.

えんぜん¹ 婉然 ── 形 graceful ((☞ しとやか)).

えんぜん² 艶然 ── 形 gracious. ¶ *艶然たる笑顔 *one's graciously* smiling face

えんそ 塩素 〔化〕 chlorine /klɔ́ːriːn/ U ((元素記号 Cl)). **塩素ガス** chlorine gas U **塩素酸** chloric acid U **塩素酸カリウム** potassium chlorate U **塩素酸ナトリウム** sodium chlorate U **塩素水** chlorinated water U.

えんそう 演奏 ── 動 (楽器・曲を) play 他 ★ 一般的な語; (公演する) give a performance ★ やや改まった言い方; (演奏会を開く) hold a concert. ── 名 (musical) performance C. ¶ オーケストラはいまワルツを*演奏している The orchestra *is* now *playing* a waltz. // その交響曲の*演奏は日本では初めてです (⇒ これは日本での初演奏だ) This is the first *performance* of the symphony in Japan. **演奏会** cóncert C; (特に独奏会) recítal C. ¶ *演奏会形式の公演 a *concert* performance ★ オペラなどの. **演奏曲目** (musical) program C **演奏者** player C, performer C, artist C 語法 最初の語が最も一般的. 第 2 番目はやや格式ばった語. 最後は「芸術家」という意味だが, ジャズなどの演奏者に対して用いられる.

えんぞう 塩蔵 preservation in salt U ((☞ しお¹ (塩づけ))).

えんそく 遠足 (集団による遊覧旅行) excursion C; (短期間の) ((略式)) outing C; (行楽旅行) pleasure trip C; (ピクニック) picnic C; (ハイキング) hike C. ((☞ りょこう (類義語); ピクニック; ハイキング)). ¶ 私たちは*遠足で御岳山へ行った We went on ⌈an *excursion* [a day's *outing*; a *short trip*] to Mt. Mitake. // 「学校の*遠足はどこへ行きますか」「相模湖へ行きます」 "Where are you going on your school ⌈*excursion* [*trip*; *picnic*]?" "We're going to Lake Sagami."

エンターテイナー (演芸タレント) èntertáiner C.

エンターテインメント (演芸) entertainment C.

エンタープライズ (企業) énterprìse C.

えんたい 延滞 ── 動 (支払いを遅らす) delay payment; (滞納している) be in arrears /əríəz/ ★ 格式ばった言い方. ── 名 delay (in payment) C. ((☞ たいのう¹; とどこおる)). **延滞利子** interest on overdue payments U.

えんだい¹ 遠大 ── 形 (計画などが広い範囲の) far-reaching A, far reaching P; (先見の明のある) farsighted; (偉大な) great; (野心的な) ambítious. ¶ *遠大な計画を立てる make ⌈a *far-reaching* [an *ambitious*] plan

えんだい² 縁台 bench C 参考 日本の縁台には背もたれがないが, bench は背もたれのないもの, あるものの両方を含む. ((☞ いす)).

えんだい³ 演題 subject [topic] of a ⌈lecture [speech] C. ¶ 彼女の*演題は「悲しみ」についてであった (⇒ 彼女は「悲しみ」について話した) She ⌈*talked about* [*spoke on*] sorrow.

えんだい⁴ 演台 (講演用の机) lectern C, podium C.

エンタイトル ¶ *エンタイトルツーベース(ヒット) a *ground rule* double

えんだか 円高 ¶ ドルに対して*円高になった *The yen has grown stronger* against the dollar. // 急激な*円高 a sharp ⌈*rise* [*appreciation*] *of the yen* ★ [ ]内のほうが改まった言い方. // *円高ドル安の傾向が強まっている *The yen is gaining strength* against the dollar. // *円高不況 (a) recession caused by *the strong yen* **円高差益** foreign exchange surplus U. ¶ *円高差益を消費者に還元する pass on the *foreign exchange surplus* to consumers.

えんたく 円卓 round table C. **円卓会議** round-table discussion C **円卓物語** (アーサー王の) *Tales of the Round Table.*

えんだて 円建て ── 形 yen-based; (円での) in yen. ¶ 輸出入の*円建て取引を促進する promote *yen-quoted* exports and imports **円建て債** yen-based [samurai] bond C **円建て相場** quotation in yen C.

えんだん¹ 縁談 (結婚の申し出) marriage proposal C. ¶ 彼女には降るように*縁談がある She has had many *marriage proposals*. // その*縁談はまとまった (⇒ 結婚についての最終的な取り決めがなされた) All the arrangements have been made for their *wedding*. 日英比較 結婚についての日英の習慣が違うのでぴったりの訳は不可能. 習慣の相違についての説明を加えるほうがよい. // 彼女はその*縁談を受け入れた[断った] She ⌈accepted [refused] the *proposal*.

えんだん² 演壇 platform C, rostrum C. ((☞ だん⁴)).

えんち 園池 garden with ⌈a pond [ponds] C.

えんちてん 遠地点 〔天〕 apogee /ǽpədʒìː/ C.

えんちゃく 延着 ── 動 (遅れて着く) be [arrive] late ★ 一般的表現. 以下の表現の代わりにも用いる; (遅れる) be delayed ★ やや改まった言い方; (予定時刻に遅れる) be behind schedule, be overdue. ((☞ おくれる)). ¶ 列車は 1 時間*延着した The train ⌈*was* [*arrived*] ⌈one [an] hour *late*. / (⇒ 1 時間予定時刻に遅れた) The train *was* ⌈one [an] hour ⌈*behind schedule* [*overdue; late*]. // 事故でバスは 30 分*延着した The bus *was delayed* (for) 30 minutes by the accident.

えんちゅう 円柱 (円柱一般) pillar C; (ギリシャ建築におけるような飾りのついた円柱) column /kɑ́ləm/ C; (幾何学図形としての) cýlinder C.

《☞ りったい (挿絵)》.

えんちゅうどく　鉛中毒　lead /léd/ pòisoning Ⓤ, plumbism /plʌ́mbɪzm/ Ⓤ, saturnism /sǽtənìzm/ Ⓤ ★ 後の 2 つは医学の専門用語.

えんちょう¹　延長　━動 (現状よりも拡張する・先へ伸ばす) extend (他); (予定された時間や期間を引き延ばす) prolóng (他); (空間的・時間的に長くする) lengthen (他); (契約の期限を更新する) renew (他). [語法] extend が範囲を含むのに対し, prolong, lengthen は長さだけ, しかも prolong はかなり長くするニュアンスがあるが, lengthen は無色の語.　━名 extension Ⓤ ★ an を付けても用いる; pròlongátion Ⓤ; renewal Ⓤ. 《☞ のばす; かくちょう¹; ひきのばす》.　¶ この道路はもうすぐ秋田市まで*延長される This road is soon to be ⌈extended [lengthened] ⌈as far as [to] (the city of) Akita. // 私は米国留学期間の 1 年*延長を考えている I'm thinking of a one-year *extension* of my period of study in the United States. // 彼は滞在を*延長することにした He decided to ⌈*prolong* [*extend*] his stay. // 私はその雑誌の予約購読を*延長した I *renewed* my subscription to the magazine. // その国の鉄道は*延長 5 万キロに及ぶ *The total length* of tracks in the railroad system in that country is 50,000 kilometers /kɪlɑ́mətəz/.
延長記号〘楽〙(フェルマータ) fermata /feəmɑ́ːtə/ Ⓒ
延長線 extension line Ⓒ　**延長戦** extended game Ⓒ; (野球の) extra-inning game Ⓒ.　¶《野球で》試合は*延長戦となった The game went into ⌈an *extra inning* [*extra innings*].

えんちょう²　園長　the head (of ...), the chief (of ...)　[語法] 一般的な語でほぼ同意だが, 前者には最終責任者という意味あいが強い; (大きな組織の長) the director (of ...). 《☞ ちょう³》.　¶ 幼稚園の*園長 *the head of* a kindergarten // 動物園の*園長 *the* ⌈*director* [*head*] *of* a zoo

えんちょく　鉛直　━形 vertical, perpendicular (↔ horizontal)　**鉛直線** vertical line Ⓒ; (測鉛線) plúmb lìne /plʌ́mlàɪn/ Ⓒ　**鉛直線偏差** plumb line deviation /dìːviéɪʃən/ Ⓤ.

えんづける　縁付ける　marry *one's* ⌈daughter [son] to ... 《☞ けっこん¹》.

えんつづき　縁続き　relative Ⓒ 《☞ しんるい¹》.　¶ 彼女と*縁続きの人がみんな結婚式に出席した All her *relatives* attended the wedding.

えんてい¹　堰堤　dam Ⓒ 《☞ ダム》.　¶ *堰堤を築く build a *dam*

えんてい²　園丁　gardener Ⓒ.

エンティティー　(実在物) entity Ⓒ.

エンディング　(終わり) ending Ⓒ 《☞ おわり》.　エンディングテーマ closing theme of a ⌈TV program [movie] Ⓒ.

エンデュアランス　(忍耐) endurance /ɪnd(j)ʊ́(ə)rəns/ Ⓤ 《☞ にんたい; たいきゅう》.　エンデュアランステスト endurance test Ⓒ.

えんてん¹　炎天　(焼けつくような太陽) the ⌈blazing [scorching] sun; (暑い気候) hot weather Ⓤ; (夏の暑さ) summer heat Ⓤ.　¶ *炎天下を私たちは 5 キロ歩いた We walked (for) five kilometers /kɪlɑ́mətəz/ ⌈in *the summer heat* [⌈under [in] *the blazing sun*; ⌈under [in] *the scorching sun*].

えんてん²　遠点　〘天〙 apocenter Ⓒ (↔ pericenter) ★ 楕円軌道で引力の中心から最も離れた点.

えんでん　塩田　salt pans ★ 通例複数形で.　**塩田法** the method of obtaining salt by evaporating seawater.

えんてんかつだつ　円転滑脱　━形 (融通のきく) versatile /vɚ́ːsətl/; (臨機応変の才能がある) resourceful; (如才ない, 気転のきく) tactful; (気のきいた) adroit /ədrɔ́ɪt/.

エンド　(終わり) end Ⓒ.

えんとう¹　円筒　━名 cýlinder Ⓒ.　━形 (円筒状[形]の) cylíndrical. 《☞ つつ; りったい (挿絵)》.

えんとう²　遠島　(遠くの島) remote [outlying] island Ⓒ; (島流し) exile Ⓤ, banishment Ⓤ. 《☞ しまながし》.　¶ *遠島になる *be* ⌈*exiled* [*banished*]

えんどう¹　沿道　(道筋) route Ⓒ; (路傍) roadside Ⓒ. 《☞ みち¹》.　¶ *沿道は応援の群衆でうまった The *route* was thickly lined with cheering crowds.

えんどう²　豌豆　〘植〙 pea Ⓒ.

えんどおい　縁遠い　━動 (結婚の相手が見つからない) have very little prospect of marriage; (関係が薄い) be not closely related.　¶ 私は*縁遠い娘のことが心配だ I am worried about my daughter, who *has little prospect of getting married.* // 彼は音楽とは*縁遠い人だ (⇒ 音楽にほとんど関心がない) He is a person who *has little interest in* music.

えんどく　鉛毒　lead poisoning Ⓤ 《☞ えんちゅうどく》.　¶ *鉛毒にかかる suffer from *lead poisoning*
鉛毒患者 saturnic patient Ⓒ.

えんとつ　煙突　chimney Ⓒ ★ 最も一般的; (特に工場・機関車などの, 高く突き出た) smokestack Ⓒ; (民家の屋根などで, 何本かの煙突・排気管などをまとめて 1 つにしたもの) chimney stack Ⓒ; (特に汽船の) funnel Ⓒ; (ストーブの) stovepipe Ⓒ. 《☞ 挿絵》.

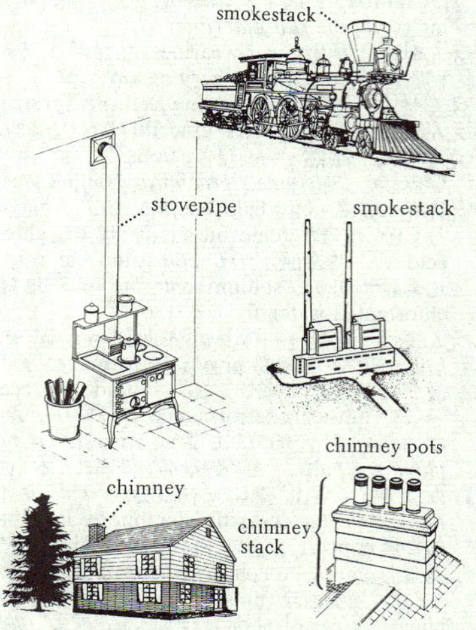

¶ *煙突が詰まっている The ⌈*chimney* [*stovepipe*] is clogged up. // *煙突から煙が出ている Smoke is ⌈going up [rising] from the *chimney*.

エンドライン　(球技) end line Ⓒ.

エンドラン　〘野〙 hit-and-run play Ⓒ 《☞ ヒットエンドラン》.

エントランス　(入口) entrance Ⓒ.

エントリー　━名 (競技会などに参加すること) entry Ⓒ ★ 競技への参加者もいう. 一人一人も全体も指す.　━動 (競技などにエントリーする) enter (a race).

エンドレス　━形 (無限の) endless.　¶ *エンドレステープ an *endless* tape

エントロピー　〘理〙 éntropy Ⓤ.

えんにち　縁日　(祭り) festival Ⓒ; (祝祭) fete Ⓒ, fête /féɪt/ Ⓒ; (祭りの日) fête day Ⓒ. 《☞ いち³; ま

つり》.
えんねつ 炎熱 extreme [intense] heat Ⓤ. ¶ *炎熱下で under「a [the] *burning sun* **炎熱地獄** ☞ しょうねつじごく
えんのう 延納 delayed [deferred] payment Ⓒ.
えんのした 縁の下 underfloor space Ⓤ; (the) space under the floorboards Ⓤ. **縁の下の力持ち** ¶ 彼は*縁の下の力持ちだ (⇒ 表面に出ないで一生懸命働く) He *works* hard *in the background.* / (⇒ 報われない仕事をしている) His is [He has] a thankless「job [task].
エンバーゴー (商船の出入港禁止・輸出入禁止) embárgo Ⓒ.
エンバーミング embalming Ⓤ ★ 遺体保存のため防腐処理などを施すこと.
エンパイア (帝国) émpire Ⓒ. **エンパイアステートビルディング** ── 名 固 the Émpire Stàte Buílding.
エンバイロンメント (環境) environment Ⓒ.
エンパワーメント (能力開発・権限付与) empowerment Ⓤ.
えんばく 燕麦 〘植〙 oats ★ 通例複数形で用いるが, ときに単数扱い.
エンバシー (大使館) embassy Ⓒ.
えんばん¹ 円盤 disk Ⓒ ★ disc ともつづる; (特に円盤投げの) discus Ⓒ; (未確認飛行物体) unidentified flying object Ⓒ, UFO /jú:èfóʊ/ Ⓒ; (空飛ぶ円盤) flying saucer Ⓒ. **円盤投げ** discus throw Ⓒ **円盤投げ選手** discus thrower Ⓒ.
えんばん² 鉛版 stereotype Ⓒ.
えんび¹ 婉美 ── 形 (美しい) beautiful; (うっとりさせる) fascinating.
えんび² 艶美 ── 形 (魅力的な) sensuously attractive; (うっとりさせる) charming.
えんぴつ 鉛筆 pencil Ⓒ. ¶ *鉛筆で書いてよい You may write「with a [in] *pencil.* 《☞ -で》/ (⇒ 鉛筆を使ってもよい) You can use a *pencil.* // 色*鉛筆 a colored *pencil* **鉛筆入れ** pencil「box [case] Ⓒ **鉛筆画** pencil「picture [sketch] Ⓒ **鉛筆削り** pencil sharpener Ⓒ.
えんびふく 燕尾服 swallow-tailed [swallowtail] coat Ⓒ, swallowtail Ⓒ, tailcoat Ⓒ ★ 最初の語が正式.
えんぶ 円舞 (サークルダンス) circle [round] dance Ⓒ; (ワルツ) waltz Ⓒ. **円舞曲** waltz Ⓒ.
エンファシス (強調) emphasis /émfəsɪs/ Ⓒ 《複 emphases /-sì:z/》.
エンフォースメント (法執行・強制) enforcement Ⓤ.
えんぷく 艶福 success with women Ⓒ. **艶福家** favorite with women Ⓒ.
エンブリオ 〘生〙 (胚芽・胎児) émbryò Ⓒ 《☞ はいが; たいじ²》.
エンプレス (女帝; 皇后) empress Ⓒ.
エンブレム (記章) emblem Ⓒ.
エンプロイーフレンドリー ── 形 (従業員にやさしい) émployèe-fríendly.
えんぶん¹ 塩分 ── 名 salt Ⓤ. ── 形 salty. 《☞ しお¹》. ¶ この食品は*塩分を多量に含んでいる This food「contains a lot of *salt* [is very *salty*]. // 私は血圧が高いので*塩分を控えた食事が必要です I need a low-*salt* diet, because I have high blood pressure.
えんぶん² 艶聞 gossip about *a person's*「love affair [romance] Ⓤ.
えんぺい 掩蔽 ── 動 (覆う) cover (up) ⑭; (覆い隠す) screen ⑭; 〘天〙 occult ⑭. ── 名 covering Ⓤ; screening Ⓤ; 〘天〙 occultation Ⓤ.
エンペラー (皇帝) emperor Ⓒ.
えんぼう 遠望 distant view Ⓒ. ¶ そのホテルから富士山を*遠望することができる From the hotel you can get a *distant view* of Mt. Fuji.
えんぽう 遠方 (遠い所) faraway place Ⓒ; (かなり離れた距離) distance Ⓒ. 《☞ とおく; えんろ》. ¶ 友達が*遠方から来た A friend of mine came from「a *faraway place* [a *distance*; *far away*]. // *遠方に見えるあの山は赤城山だ The mountain *in the distance* is Mount Akagi.
えんま 閻魔 Yama ★ 梵語名. **閻魔大王** the great king *Yama*, the King of Hell.
エンマ (女性名) Emma ★ 愛称は Emmy, Emmie.
えんまく 煙幕 smoke screen Ⓒ. **煙幕を張る** lay a smoke screen.
えんまこおろぎ 閻魔蟋蟀 〘昆〙 large cricket Ⓒ.
えんまちょう 閻魔帳 teacher's「grade [marking] book Ⓒ.
えんまん 円満 ── 形 (調和のとれた) harmónious; (友好的な) ámicable; (性格などが常識のある) well-balanced Ⓐ, well balanced Ⓟ; (平和的な) peaceful, peaceable. ── 名 harmony Ⓤ; peace Ⓤ. ¶ 彼女は*円満な性質の人だ She has「a *peaceable* [an *amicable*] disposition. // 私たちはその問題を*円満に解決した We resolved the problem *peacefully*. / We came to「an *amicable* [a *peaceful*]「settlement [(re)solution] of the problem. ★ 第 2 文のほうが格式ばった言い方. // *円満な家庭 a *very happy* home
えんむ 煙霧 (もや) haze Ⓒ; (スモッグ) smog Ⓤ. ¶ 濃い*煙霧が野に立ちこめていた A thick *haze* hung over the field.
えんむすび 縁結び (結婚の仲立ち) matchmaking Ⓤ; (結婚) marriage Ⓒ. **縁結びの神** the god of marriage; (ギリシャ神話の) Hymen /háɪmən/; (ローマ神話の) Cupid.
えんめい 延命 ── 動 (延命する) prolong *a person's* life; (生かしておく) keep *a person* alive. **延命処置** life support Ⓤ **延命装置** life-support equipment Ⓤ.
えんもく 演目 program (《英》 programme) Ⓒ.
えんやす 円安 ¶ 最近ドルに対して*円安になった Recently *the yen has become weaker* against the dollar. // 急激な*円安 a sharp「*fall* [*depreciation*] *of the yen* ★ [ ] 内のほうが改まった言い方. // 為替相場は*円安に転じた *The yen has lost ground* in the foreign-exchange market. // *円安ドル高の傾向が続くだろう *The yen* will continue (to *be*) *weak* against the dollar.
えんゆうかい 園遊会 garden party Ⓒ.
えんようぎょぎょう 遠洋漁業 deep-sea [ocean] fishery Ⓤ (↔ coastal fishery).
えんようこうかい 遠洋航海 (大洋航海) ocean voyage Ⓒ; (長い航海) long voyage Ⓒ; (長い巡航) long cruise Ⓒ.
えんようこうろ 遠洋航路 ocean route Ⓒ. **遠洋航路船** ocean liner Ⓒ.
エンラージメント (拡大) enlargement Ⓤ ★ 写真の「引き伸ばし」の意味では Ⓒ.
えんらい¹ 遠来 **遠来の客** visitor from afar Ⓒ. ¶ *遠来の客をもてなした I entertained the *guest who came from a faraway place.*
えんらい² 遠雷 distant thunder Ⓤ. ¶ *遠雷のとどろき a rumble of「*distant* [*faraway*] *thunder*
エンリッチ ── 形 (食品の栄養価を高めた, 強化された) enriched.
エンリッチドフード enriched /ɪnrítʃt/ fóod Ⓒ.
えんりゃくじ 延暦寺 ── 名 固 Enryaku-ji (temple); (説明的には) the head temple of the

Tendai Sect.

えんりょ　遠慮　**1**《控え目》　━━形(自分の気持ちや考えをあまり表に出さない)　reserved; (内気な) shy.　━━動(ためらう) hésitàte ⓐ.　━━名 reserve Ⓤ. (☞ きがね; ひかえめ; つつしむ).

¶ 彼女は*遠慮がちだった She was rather ｢*reserved* [*shy*]. // *遠慮なく私の作文を批判して下さい Please criticize my essay ｢*freely* [*without reserve*]. / (⇒ ためらわずに批評して下さい) Please ｢*don't hesitate* [*feel free*] to make comments on my essay. // *遠慮なく (⇒ 自由に取って) 召し上がって下さい Please help yourself. // *遠慮なくご用をお申しつけ下さい (⇒ いつでも自由に私を使って下さい) I'm always at your service.　語法 現在では客に対して企業が使う場合が多い. / (⇒ いつでも私はあなたの役に立てる) I'm always available to you. // 私たちは*遠慮のいらない間柄だ (⇒ お互いに親密である) We are very close (to each other). // *遠慮なく私の車をお使い下さい (⇒ 私の車はあなたの自由です) My car is *at your disposal*. ★ 格式ばった言い方. // その男は*遠慮会釈もなく (⇒ 断りもなく) 家に上がり込んできた The man entered the house *without* (*so much as*) *a by-your-leave*. ★ イタリック体の部分は「無断で」の意の慣用句. // 悪者は*遠慮会釈なく取り締まれ (⇒ 容赦なく罰せよ) Punish the wicked *without mercy*.

2《差し控え》　━━動(差し控える) reserve ⓗ; (一時的に衝動を抑える)《格式》refrain from .... (☞ ひかえる; やめる¹). ¶ 彼の話を聞くまで意見は*遠慮します I will *reserve* judg(e)ment until I hear his story. // 彼女は忙しそうなので話しかけるのを*遠慮した She seemed so busy that I *refrained from* speaking to her. // ペットを連れての入場はご*遠慮下さい (⇒ ペットを持ち込まないで下さい) Please *do not* bring your pets with you. // 駐車[たばこ]はご*遠慮下さい《掲示》*No* ｢Parking [Smoking]

えんれい¹　婉麗　━━形(しとやかな) graceful; (優雅な) elegant; (洗練された) polished.　¶ 彼は*婉麗な文章を書く He writes in an *elegant* style.

えんれい²　艶麗　━━形(魅惑的な) alluring; (うっとりさせる) fascinating. (☞ なまめかしい).　¶ 彼女にはどこか*艶麗なところがある There's something *alluring* about her.

えんろ　遠路　a long way ★ a ～ として. (☞ はるばる).　¶ *遠路わざわざおいで下さってありがとうございます Thank you for coming such *a long way*.

お, オ

お¹ 尾 (動物の) tail Ⓒ; (流星などの) trail Ⓒ. 《☞ しっぽ》. **尾を引く** ¶内紛が*尾を引いている (⇒ まだ余波が残っている) The internal conflict still *has its aftereffects*. **尾を振る** ☞ しっぽ (しっぽを振る)

お² 緒 (やや太めのひも) cord Ⓒ; (下駄の) (clog) thong Ⓒ. 《☞ はなお; すげかえる》.

お- 日英比較 日本語で, 名詞・形容詞・動詞連用形につけて, 丁寧さを表す接頭辞の「お」には直接相当する英語の表現はない. しかし次の2つの場合は訳にあたって注意が必要である. (i)「お+名詞」によって, 日本語では「あなたの」を表す場合. (ii) 助動詞などにより, 英語でも丁寧さを表現できる場合. 《☞ 丁寧な表現 (巻末)》. ¶*お手紙は昨日頂きました I received *your* letter yesterday. // *お父様はご在宅ですか Is *your* father (at) home? // いつ*お発ちですか When are *you* leaving? // ここで, しばらく*お待ち下さい *Please* wait here for a short time. / *Will* [*Would*] you wait here (for) a few minutes?

おあいにくさま 御生憎様 (残念ながら…) sorry; (お気の毒) bad [hard; tough] luck ★ 後者は口語的な言い方. ¶「黒砂糖が欲しいんですが」「*おあいにくさまです, 切らしております」"I'd like some brown sugar." "*Sorry*, ˹we're [we've] sold out." //「ちょっと金貸してくれないか」「*おあいにくさま. 私も残りが500円しかないんで」"Lend me some money, will you?" "*Tough luck*. I'm down to my last 500 yen."

おあし 御足 (金) money Ⓤ, 《米略式》dough Ⓤ ★《英》では古風, 《英古風》brass Ⓤ.

オアシス (砂漠の中の緑のある泉地) oasis /ouéisis/ Ⓒ (複 oases /-siːz/).

おあずけ お預け **1** 《延期》 ¶旅行は嵐で*お預けになった (⇒ 延期された) The trip *has been* ˹*postponed* [*put off*] because of the storm. // 昇給はしばらく*お預けになりそうだ The pay ˹raise [《英》 rise] will *be* ˹*postponed* [*shelved*] for some time. ★ shelve ⑩ は「棚上げする」の意. / Pay ˹raises [《英》 rises] will *be put on hold* for some time. ★ 口語的な表現. 《☞ えんき¹》 **2** 《犬に言う場合》 ¶*お預け! *Wait*! / *Don't* ˹*eat* [*touch*] *it*!

おあつらえむき 御誂え向き ☞ あつらえむき; あつらえ

オアフとう オアフ島 ── 图 ⑩ Oahu /ouáːhuː/ ★ 米国ハワイ諸島の中心となる島.

おい¹ 甥 nephew /néfjuː/ Ⓒ 《☞ 親族関係 (囲み)》. ¶ジョンは私の*おいです John is my *nephew*. / John is a *nephew* of mine. 語法 第2文は何人かいる中の一人という気持ち.

おい² (ぞんざいな呼びかけ) Hey!; (話の初めや注意を引くとき) Say, … ★《英》では I say, … と言う; (相手の注意を促すとき) Look (here)!; (あいさつの呼びかけ) hi, hello 語法 前者は親しい間柄で使い, 後者のほうが一般的だが, 日本語の「おい」には前者のほうが近い. 《☞ ねえ》. ¶「*おい, 何をやってんだ」「眼鏡を探しているんだ」"*Hey*! What are you doing?" "I'm looking for my glasses." //「*おい, あれは私の本じゃないか」「いや, 君のは向こうだ」"*Say* [*I say*], isn't that my book?" "No, yours is over there." // *おい, 見てごらん *Look*!

おい³ 老い (老齢) old age Ⓤ. **老いの一徹** stúbbornness due to old age Ⓤ. **老いの繰(く)り言** the long and ˹tedious [repetitive] talk of old folks. **老いも若きも** (both) young and old.

おい⁴ 笈 (説明的に) box a (traveling) monk carries (on his back) Ⓒ.

おいあげる 追い上げる (追いつく) catch up (with …). ¶アメリカの選手が*追い上げてきて (⇒ 追いついてきて) もう少しで前の走者を追い越すところだった The American runner *caught up with* and almost passed the runner in front of him.

おいうち 追い打ち, 追い撃ち ── 图 (追撃) pursuit Ⓤ 《☞ ついげき》. ── 動 (逃げる敵を追い討つ) attack [give chase to] the ˹fleeing [routed] enemy; (弱っている相手を更に攻撃する) give an additional blow to *one's* almost beaten opponent.

おいうつし 追い写し 〚映・テレビ〛 follow shot Ⓒ.

おいえげい お家芸 (専門) *one's* ˹spécialty [《英》 spèciálity] Ⓒ; (得意) *one's* forte ★ 普通は単数形で. 《☞ おはこ》.

おいえそうどう お家騒動 (内輪もめ) family trouble Ⓤ, family problem Ⓒ ★ 後者はしばしば複数形で.

おいおい¹ (おいおい (泣く)) (cry) bitterly 《☞ 擬声・擬態語 (囲み)》. ¶その知らせを聞いて, 彼は*おいおい泣いた (⇒ 激しく) He *cried* ˹*bitterly* [(⇒ 心が張り裂けるほどに) *his heart out*] when he heard the news.

おいおい² 追追 (だんだんに) gradually; (少しずつ) by degrees; (慎重に少しずつ) step by step; (そのうちに) in (the course of) time; (今後いつか) in due ˹time [course]. 《☞ だんだん》. ¶天候も*おいおい回復するでしょう The weather will *gradually* improve. // このことはすべて, *おいおいお話ししましょう I'll tell you all about this *in due time*.

おいおとし 追い落とし ¶社長の*追い落としを企む conspire to *unseat* the president 《☞ おいおとす》

おいおとす 追い落とす (地位から追い出す) remove *a person* from office, unseat ⑩ ★ 後者は格式語. 《☞ おいだす; おいはらう》.
¶敵を海に*追い落とす *drive* [*chase; push*] the enemy *into* the ocean

おいかえす 追い返す send [drive] … back; (追い払う) send [drive] … away; (訪問者などを) turn *a person* away. 《☞ おいはらう》.

おいかけっこ 追い掛けっこ ¶子どもたちが*追いかけっこをして遊んでいた The children *were running around playfully chasing* one another. 《☞ おにごっこ》

おいかける 追い掛ける **1** 《後ろから追う》: (後を追う) go [run] after …; (すばやく追う) chase ⑩; (捕まえようとして追う) 《格式》 pursue /pəsúː/ ⑩. 《☞ おう¹》. ¶あいつを*追いかけろ *Go after* him! // 我々は彼を*追いかけたが見失った We ˹*ran after* [*chased*] him, but lost (sight of) him. **2** 《せかす》 ¶私はいつも仕事に*追いかけられている (⇒ 追われている) I *am* always *pressured by* work. 《☞ おう¹》

おいかぜ 追い風 tail [following] wind Ⓒ 《☞ かぜ¹》. ¶風は*追い風だ The wind is *at our back*. // ヨットは*追い風を受けて疾走した The yacht ˹flew [sailed at full speed] ˹*before the wind* [*with a* following wind].

おいかわ 追川 〘魚〙 (☞ はや[1])

おいくちる 老い朽ちる grow ˹weak [feeble] with age; (もうろくする) become senile.

おいごえ 追い肥 ☞ ついひ

おいこし 追い越し passing Ⓤ. 追い越し禁止 《掲示》 No passing (permitted). 追い越し車線 fast [《米》 passing] lane Ⓒ.

おいこす 追い越す ━動 (車などが) pass (他) (自); (追いつき追い越す) overtake (他) ★ 多くの場合, 主として追いつくことを意味する; (…より先に出る) get ahead of …; (競走などで) outstrip (他), outdistance (他); (走って) outrun (他); (上回る) surpass /sərpǽs/ (他). ━名 ☞ おいこし

¶ 私には右側を*追い越す余裕が十分にあった I had plenty of room to _pass_ on the right. // 彼の車はパトカーを*追い越した His car [He] ˹_overtook_ [_passed_] the ˹police [patrol] car. // 2 番目のランナーが前のランナーをいま*追い越します The second runner _is_ now ˹_overtaking_ [_passing_; _slipping ahead of_] the first. // 世界の人口増加率は食料生産の増加率を間もなく*追い越すであろう World population growth will soon _surpass_ the increase(s) in food production.

おいこみ 追い込み (競技・選挙運動などでのゴール直前のがんばり) last [final] spurt Ⓒ; (最後の段階) last [final] stage Ⓒ; 〘印刷〙 run-on Ⓒ ★ 行の終わりを改行しないで詰めて印刷すること. ¶ 走者は最後の*追い込みをかけています The runners are putting their _last spurt_ of energy into the race. // 仕事は*追い込みの段階だ The work is now _in_ ˹_the final stage(s)_ [_its final stage(s)_]. / We're _making a final push_ to finish the work.

おいこむ[1] 追い込む (追って狭い所に入れる) drive [chase] … into …; (比喩的に困難な立場に) drive [back] … into a corner ★ 単に corner (他) という動詞でも表せる; 〘印刷〙 run on (他). (☞ おいつめる). ¶ 子牛を囲いに*追い込む _drive_ [_chase_] the steers into the corral // 債権者たちは彼を窮地に*追い込んだ His creditors ˹_drove_ [_backed_] him _into a corner_. / He _was cornered_ by his creditors.

おいこむ[2] 老い込む grow old and feeble.

おいさき 老い先 (余生) remaining ˹years [days] (of _one's_ life) ★ 複数形で; (人生の残り) the remainder of _one's_ life. (☞ ろうご). ¶ 私は*老い先は長くない I have _little time left_ (_to live_)./ (⇒ 長くは生きていない) I won't _be_ ˹_around_ [_living_] _much longer_.

おいさらばえる 老いさらばえる become ˹feeble [decrepit] with age ★ [ ]内の方が程度が強い.

おいしい ━形 (一般に) nice, good ★ 2 つとも口語的; (美味である) delicious 語法 delicious は普通のほめ言葉なので疑問文, 否定文では用いられない; (味がいい) tasty; (食欲をそそるような) áppetizing. (☞ うまい 語法).

¶ このステーキはとても*おいしかった The steak was really ˹_good_ [_delicious_; _tasty_]. // 何て*おいしいケーキだろう What a _delicious_ cake! // レストランから*おいしそうなにおいがしてくる There's an _appetizing_ smell coming from the restaurant.

おいしげる 生い茂る (密集して育つ) grow ˹thick [thickly; densely] ★ 最も一般的な言い方; (繁茂する) grow luxuriantly /lʌgʒú(ə)riəntli/, grow in abundance. (☞ しげる). ¶ 広い庭には木が*生い茂っていた Shrubs _were growing_ ˹_thick_ [_thickly_; _densely_; _luxuriantly_; _in abundance_] in the spacious /spéiʃəs/ garden. / The large garden _was_ ˹_thick_ [_overgrown_; _dense_] with shrubs.

おいすがる 追いすがる follow ˹close /klóus/ [right] behind …. ¶ 男は彼に*追いすがり, 助けを求めた The man _followed_ ˹_close_ [_right_] _behind_ him and ˹begged [pleaded] for help.

オイスター (牡蛎(かき)) oyster Ⓒ (☞ かき[3]). オイスターソース oyster sauce Ⓤ オイスターチャウダー oyster chowder Ⓤ オイスターホワイト oyster white Ⓤ.

おいせん 追い銭 (追加して支払った金) money paid in addition Ⓤ (☞ ぬすびと (盗人に追い銭)).

おいそれと (ただちに) immediately /ɪmíːdiətli/, at once; (たやすく) easily, readily; (即席に) offhand. (☞ すぐ (類義語); かんたん[1]).

おいだき[1] 追い炊き ━動 (追加して炊く) cook more rice (in addition).

おいだき[2] 追い焚き ━動 (風呂を) reheat the bath (water).

おいだし 追い出し (駆逐) expulsion Ⓤ; (免職・解任) dismissal Ⓤ. ¶ 反対派の*追い出しを図る try to _oust_ the objectors (from …)

おいだす 追い出す (追って…を外へ出す) drive [send; get; put; chase; turn] out (他); (追放する) expel (他); (場所・地位などから) oust (他). (☞ おいたてる; おいはらう). ¶ 部屋の中にはえが一匹いる. 早く*追い出してしまえ There's a fly in the room. _Drive_ [_Get_] it _out_ quickly. // その学生は非行のため大学から*追い出された The student _was expelled_ from college for misconduct. (☞ ついほう)

おいたち 生い立ち (教育・しつけ) úpbrìnging Ⓤ; (教育・育った環境などの背景) _one's_ background Ⓒ; (経歴) _one's_ work history Ⓒ; (若いころ) _one's_ early days ★ 複数形で; (子供時代) _one's_ childhood Ⓤ. ¶ 彼の*生い立ちを知っていますか Do you know ˹_where he grew up_ [_his background_]?

おいたて 追い立て ¶ アパートから*追い立てをくっている (⇒ 立ち退き通知をもらった) I was ˹given [served] _notice to move out_ of ˹the [my] apartment. // アパートから*追い立てをくった I _was forced to move out_ of the apartment.

おいたてる 追い立てる (せきたてる) push [press; hurry; hasten; rush] (_a person_ (˹along [on]) to _do_ …) (他); (…を追い出す) send [drive] … away. (☞ おいだす).

¶ 私は彼を*追い立てるようにして出発させた I ˹_pushed_ [_hurried_; _rushed_] him (˹_along_ [_on_]) _to_ get started. // 私は家主から*追い立てられている (⇒ 家主は私に家をあけるようにと通達した) The owner of the house has given me notice to _move out_. / (⇒ 家から追い出そうとしている) The landlord is trying to ˹_drive_ [_kick_] me _out of_ ˹the [my] house. // 私はいつも時間に*追い立てられている I _am_ always ˹_pressed_ [_pushed_] _for_ time. ★ [ ] 内は口語的.

おいちらす 追い散らす (追い払う) drive away (他); (散りぢりにする) scatter (他); (四散させる) 《格式》 disperse (他). ¶ 警官は群衆を*追い散らした The police _scattered_ the crowd.

おいつく 追い付く catch up with …, overtake (他) ★ 前者がより口語的. ¶ 私は駅でやっと彼に*追いついた I finally ˹_caught up with_ [_overtook_] him at the station. // 彼らは経済力で西洋諸国に*追いつき追い越すかもしれない They might _overtake_ or even surpass the Western nations in economic power.

おいつめる 追い詰める (…を窮地に) get … cornered, drive [put] … into a corner, corner (他) ★ はじめの 2 つがより口語的な表現; (追跡して) track [run] down (他). (☞ おいこむ[1]). ¶ 彼らを*追い詰めてしまってはいけない Don't ˹_get_ them _cornered_ [_corner_ them]. // 我々はついに犯人を袋小路に*追い詰めた We finally ˹_tracked_ [_ran_] _down_ the ˹suspect [culprit] in a blind alley.

おいて 追風 ☞おいかぜ

-おいて …於て ―前 (場所で) at …; in … 語法 at は場所を点としてとらえた場合であり, in は広がりをもった感じのときに用いる; (…について) on …; (…については) as to …, as for … ★ 後者は文頭に置いて用いる. (☞ -で[2]; ついて).

おいで お出で 1 《いる》: (在宅である) be (at) home (☞ ざいたく 語法; いる[1]). ¶お母様は*おいでですか (⇒ ご在宅ですか) *Is* your mother (*at*) *home*? 2 《来る》: come (自). ¶ようこそ*おいで下さいました (⇒ あなたが来ることができてとてもうれしい) I'm really glad you could *come*! // どうぞこちらへ*おいで下さい (⇒ 来て下さい) *Come* [*Step*] this way, please. 3 《手招きする》: beckon (自) (他). ¶その女は幼児に向かって*おいでおいでをした The woman *beckoned to* the toddler.

おいてきぼり 置いてきぼり ―動 leave … behind; (無人島などに) maroon (他). ¶みんなは先に出発してしまい, 私は*置いてきぼりをくってしまった Everybody started off without me, and I *was left behind*.

おいとま 御暇 ―動 (おいとまする) take leave (of …); leave (自); go (自); say good-by(e); (辞職する) leave *one's* job, 《略式》 quit (自). (☞ いとま; じしょく).

おいぬく 追い抜く (追い越す) pass (他); (走って) outrun (他); (…の先へ行く) get ahead of …. (☞ おいこす).

おいはぎ 追剥 (昔, 街道に出没した) highwayman Ⓒ; (盗賊) robber Ⓒ; (公の場で人を襲う強盗) mugger Ⓒ.

おいばね 追い羽根 ☞ はねつき

おいはらう 追い払う send [chase; drive; turn] … ⌜away [out]; (追放する) expel (他); (四方へ) disperse (他) ★ 後の2つは格式ばった語. (☞ おいだす; おいかえす). ¶警官隊はデモ隊を*追い払った The police *dispersed* the ⌜marchers [demonstrators].

おいぼれ 老耄 (男女とも) 《英》 (old) crock Ⓒ; (女性) (old) crone Ⓒ ★ 以上は (男性) geezer Ⓒ; (女性) ... 軽蔑的; (弱った老人) feeble ⌜elderly [old] ⌜man [woman] Ⓒ ★ 説明的; 《略式》 oldster Ⓒ ★ 戯言的; (もうろくした老人) dotard Ⓒ ★ 文語的. (☞ ろうじん).

おいぼれる 老い耄れる (ぼける) grow [become] senile /síːnaɪl/.

おいまわす 追い回す (あちこちと追いかける) chase (after) …; (後を追いかける) run (after) …; (後をつける) follow (他). (☞ つけまわす). ¶彼女の後を*追い回すのはやめろ Stop *following* her ⌜*about* [*around*]. // 私は仕事に*追い回されている (⇒ いつも仕事が私を追いかけているように見える) Work always seems to *be* ⌜*chasing after* [*pursuing*] me.

おいめ 負い目 (恩義) debt Ⓤ ★「借金」という意味では Ⓒ. (☞ かり[2]). ¶私は彼に*負い目がある I'm *indebted to* him. / I'm *in his debt*. 語法 (1)「世話になった・義理がある」という意味でしか使われない. / I ⌜am in *debt* [have a *debt*] to him. 語法 (2)「借金をしている」という意味でも使われる.

おいもとめる 追い求める ¶学者は真理を*追い求める Scholars *pursue* /pəsúː/ the truth. // 幸せを*追い求める *pursue* [*seek* (*after*)] happiness ★ [ ] 内は文語的. (☞ ついきゅう[2])

おいやる 追いやる send [drive] … away; (せき立てて行かせる) drive (他). (☞ おいはらう). ¶人を辞職に*追いやる *drive* [*force*; *press*; *pressure*] *a person* to resign

おいらく 老いらく 老いらくの恋 old people's love affair Ⓒ, 《文語》 December love Ⓤ.

おいらん 花魁 (high-ranking) geisha Ⓒ (☞ げいしゃ[1]).

おいる 老いる get [grow; become] old; age (自). (☞ ふける[2]; とし[2]).

オイル oil Ⓤ; (日焼け用の) súntan ⌜crèam [lòtion; òil] Ⓤ. (☞ あぶら; せきゆ). ¶《エンジンの》*オイル交換 an *oil* change　オイルガス oil gas Ⓤ　オイルグラット (石油の供給過剰) oil glut Ⓤ　オイルサンド (油砂) oil sand Ⓤ　オイルシェール 〖鉱〗 (油母頁岩) oil shale Ⓤ　オイルシャンプー (油成分を含んだ洗髪剤) oil shampoo Ⓤ　オイルショック (石油危機) óil crìsis Ⓒ 日英比較 「オイルショック」は和製英語.　オイルスキマー (流出オイル回収船) oil skimmer Ⓒ　オイルスキン (防水布) oilskin Ⓤ　オイルストーン oilstone Ⓒ　オイルダラー (産油国余剰資金) óil dòllar Ⓒ, pétrodòllar Ⓒ　オイルタンカー óil tànker Ⓒ　オイルダンパー oil damper Ⓒ　オイルドレザー (防水皮革) oiled leather Ⓤ　オイルバーナー oil burner Ⓒ　オイルフェンス óil bòom Ⓒ 日英比較 「オイルフェンス」は和製英語.　オイルポンプ (給油用ポンプ) oil pump Ⓒ　オイルマネー óil mòney Ⓤ. ¶*オイルマネーの環流 recycling of *oil money*　オイル漏れ óil ⌜sèepage Ⓤ [spill Ⓒ].

おいろなおし お色直し ☞ いろなおし

おう[1] 追う (後を追う) go [run; chase] after …; (…について行く) follow (他); (追跡する) chase (他); (つかまえようとして) pursue /pəsúː/ (他) ★ 以上の中では最も格式ばった語. (☞ おいかける).
¶子供は母親の後ばかり*追っている That child ⌜*follows* [*goes after*; *runs after*] his mother wherever she goes. // 警官は怪しい男の後を*追った The policeman ⌜*chased* [*pursued*; *followed*; *ran after*] the suspicious-looking man. // 私は仕事に*追われている (⇒ 仕事で忙しい) I *am very busy with* work. // これらの件は順を*追って説明します (⇒ 順に) I'll explain these cases ⌜*in order* [(⇒ 1 つずつ) *one after another*]. // *追う者と*追われる者 the *pursuer* and the *pursued* // 日を*追って day by day // 年を*追って year after year / each year // *追いつ追われつの接戦 a seesaw (game)

おう[2] 負う 1 《背負う》: carry [take; have] … on *one's* back (☞ せおう; かつぐ).
¶彼は*負ってきた重荷を下ろした He ⌜put [set] down the heavy ⌜burden [load] he *had been carrying on his back*.
2 《引き受ける》: take … upon *oneself*, assume (他) ★ 後者はやや格式ばった表現.
¶彼は重大な責任を*負わされた He had to ⌜*take* (*up*)*on himself* [*assume*] heavy responsibilities. // 我々は法律により納税の義務を*負っている (⇒ 法律は我々に税金を払うことを義務づけている) The law ⌜*obliges* [*requires*] us to pay our taxes. / (⇒ 我々は義務づけられている) We *are* ⌜*obliged* [*required*] by (the) law to pay (our) taxes. // 市はここに駐車した車については一切責任を*負いません The city ⌜*has* [*holds*; *assumes*] no ⌜liability [responsibility] for the cars parked here.
3 《傷・損害・罪などを》: (武器などで傷を負う) be [get] wounded; (事故などで) be [get] ⌜injured [hurt]; (損害を招く) incur (a) loss; (罪を) be charged with … ¶彼らの何人かは重傷を*負った (⇒ けがをさせられた) Some of them *were* seriously ⌜*injured* [*wounded*]. / Some of them *suffered* serious ⌜*injuries* [*injury*]. ★ 第2文は格式ばった言い方.
4 《恩恵を受ける》: owe (他), be indebted /ɪndétɪd/ to … ★ 後者のほうが格式ばった表現. (☞ おかげ).
¶私の今日あるのは母に*負うところが大きい I *owe* a great deal to my mother for what I am today.

おう[3] 王 1 《君主》: king Ⓒ ★ 最も一般的; (性

別に関係なく世襲の) monarch /mánək/ Ⓒ. ¶*王がその国を治めている A *king* rules that country.
2 《王座を占める者》: king Ⓒ. ¶ライオンは百獣の*王だ The lion is the *king* of beasts. // 今期はだれがホームラン*王になるだろう Who is going to be the home run *king* this season?
3 《将棋の》: king Ⓒ.

おう[4] **翁** old [aged] man Ⓒ. ¶吉田*翁 *old* Mr. Yoshida

おうあ 欧亜 ── 名 固 (両者を一つとみた場合の名称) Eurasia. ── 形 Eurasian.

おうい[1] **王位** the throne, the crown 語法 前者は「王座」という意味で, 王位を表す最も一般的な語. 後者は元来「王冠」という意味で, 比喩的用法. ¶王子が*王位につくことになっている The prince is to ascend to *the throne.* // エリザベス二世は1952年に*王位についた Elizabeth II *was crowned* in 1952. // *王位にある be on *the throne* // *王位を奪う usurp /jusə́ːp/ [seize] *the throne* // *王位を王子に譲る abdicate *the throne* in favor of the prince **王位継承権** the right of succession to the throne.

おうい[2] **王維** ── 名 固 Wang Wei /wáːŋwéi/, 699-761; (説明的には) a Chinese poet and painter in the eighth century.

おういつ 横溢 ── 動 be ˹filled with ... [full of ...]; (あふれるほど) overflow with .... (☞ あふれる).
¶彼らのスピーチには活気が*横溢していた Their speeches *were full of* life.

おういん[1] **押印** ☞ なついん; いん[1]

おういん[2] **押韻** ☞ いん[2]

おうえん 応援 **1** 《助け》 ── 名 help Ⓤ ★最も一般的で, 以下の語の代わりに用いることができる; (かなり大がかりで公的な援助) aid Ⓤ ★具体的な援助をいう場合は Ⓒ; (脇役的な助力) assistance Ⓤ ★やや格式ばった語; (支持) support Ⓤ; (後援) backing Ⓤ. ── 動 (助ける) aid 他; help 他; assist 他; (支持する) support 他; back (up) 他. (☞ たすけ; えんじょ; えんご).
¶数人の青年が私たちを*応援しに来てくれた Several young men came to our ˹*assistance* [*aid*]. // *応援しますから頑張って下さい Do your best; we *are* ˹*supporting* you [*backing* you (*up*)].
2 《競技での声援》 ── 名 cheering Ⓤ; (米略式) rooting Ⓤ. ── 動 (競技で声援する) cheer 他; (米略式) root for .... (☞ せいえん[1]). ¶我々は皆でK大学チームを*応援した We all ˹*cheered* [*rooted for*] the K University team.
応援演説 campaign speech Ⓒ. ¶Aさんの*応援演説を頼まれた I have been asked to make a ˹(*campaign*) *speech* for [*speech in support* of] Mr. A. **応援歌** rooter's song Ⓒ **応援合戦** cheerleading [rooting] competition Ⓒ **応援旗** rooter's pennant Ⓒ **応援席** cheering section Ⓒ; (米略式) rooter's seat Ⓒ **応援団** cheering ˹squad [party] Ⓒ **応援団長** head of a cheering ˹squad [party] Ⓒ, (米) cheerleader Ⓒ.

おうおう 往往 (時々) sometimes; (時たま) occasionally; (しばしば) often. (☞ ときどき (類義語); しばしば).

おうか[1] **謳歌** ── 動 (たたえる) praise 他; (たたえて歌う) sing ˹in praise [the praises] of ...; (...の喜びを歌う) sing the joys of ...; (美化する・賛美する) glorify 他. ¶青春を*謳歌する (⇒ 青春の喜びに酔う) *be intoxicated with* the joy of youth

おうか[2] **王化** (王権の下の繁栄) peace and prosperity under the reigning sovereign.

おうか[3] **欧化** ── 動 (欧米化させる) westernize 他; (ヨーロッパ化させる) Europeanize 他. ── 名 westernization Ⓤ; Europeanization Ⓤ.

おうか[4] **桜花** cherry blossoms.

おうが 横臥 ── 動 lie (on *one's* side; down) 自.

おうかく 凹角 reentering [reentrant] angle Ⓒ.

おうかくまく 横隔膜 〔解〕 diaphragm /dáiəfræ̀m/ Ⓒ.

おうかっしょく 黄褐色 ocher ((英)) ochre) /óukə/ Ⓤ.

おうかん[1] **王冠** crown Ⓒ; (瓶のブリキ製のふた) bottle cap Ⓒ.

おうかん[2] **往還** ☞ おうらい

おうぎ[1] **扇** (folding) fan Ⓒ.

おうぎ[2] **奥義** (秘訣・極意) secret Ⓒ; (技能) (supreme) skill Ⓒ; (武道などの) esoteric point Ⓒ. **奥義を究める** (深い知識を身につける) acquire a profound knowledge of ...; (秘訣を学ぶ) learn the secrets of ... **奥義を授けられる** be initiated into the ˹secrets [mysteries] of ...

おうぎがい 扇貝 ☞ ほたてがい

おうぎがた 扇形 ☞ せんけい[1]

おうぎゃく 横逆 ── 形 (道理に合わない) unreasonable; (無法な) outrageous. ── 名 (無法) outrage Ⓤ ★行為をさすときは Ⓒ. ¶彼の*横逆を許しておくのか Are you going to turn a blind eye to his *outrageous behavior*?

おうきゅう[1] **応急** ── 形 (緊急の) emérgency Ⓐ; (臨時の) témporàry; (間に合わせの・一時しのぎの) mákeshìft. (☞ きんきゅう). ¶どんな*応急策を提案するつもりですか What *emergency* measures are you going to propose? // *応急修理だけをしておいた We have made ˹*temporary* [*emergency*] repairs only. **応急手当** ── 動 (...に応急手当をする) give ... first aid. ¶*応急手当の用品 a *first-aid* ˹kit [case; box]

おうきゅう[2] **王宮** royal [king's] palace Ⓒ.

おうけ 王家 royal ˹family [house] Ⓒ (☞ おうしつ).

おうけのたに 王家の谷 ── 名 固 the Valley of the ˹Kings [Tombs] ★ナイル川西岸, エジプト新王国時代の王墓のあるテーベ近郊の谷.

おうけん 王権 sovereign /sáv(ə)rən/ ˹power [right] Ⓤ.

おうこ 往古 ── 形 (昔の) old; (大昔の) ancient. (☞ むかし; おおむかし).

おうこう[1] **横行** ── 動 (大またで歩く) stride 自; (威張って歩く) swagger 他, strut 他 ★後者が不遜の度合が強い; (はびこる) be rampant. (☞ はびこる). ¶やくざがこのあたりを*横行している Gangsters *are* ˹*swaggering* [*strutting*] around here like peacocks. ★peacock (くじゃく) は威張った様子を表す. // 違法駐車の*横行は目に余る (⇒ 違法駐車の増加は大変な迷惑だ) The *increase* ˹of [in] illegal parking is a great public annoyance.

おうこう[2] **往航** outward [outbound] ˹voyage [flight] Ⓒ ★voyage は船, flight は飛行機による.

おうこうきぞく 王侯貴族 róyalty and ˹àristócracy [nobílity] ★集合的に用いる. 普通 the を付けて; (王室および貴族の人たち) princes and nobles ★複数形で. (☞ きぞく[2]).

おうこく[1] **王国** kingdom Ⓒ.

おうこく[2] **横谷** 〔地質〕 transverse valley Ⓒ.

おうごん 黄金 ── 名 gold Ⓤ. ── 形 golden. (☞ きん[1]). **黄金時代** (文芸・国力などの最盛期) the [a] golden age.

おうごんかいがん 黄金海岸 ── 名 固 the Gold Coast ★西アフリカ, ガーナ共和国の海岸地帯, また同国の旧称.

おうごんぶんかつ 黄金分割 the golden ˹sec-

tion [mean].
おうごんりつ 黄金律 the golden rule.
おうざ 王座 throne Ⓒ ★「王位」の意では the を付けて. (☞ おうい[1]).
おうさつ[1] 殴殺 knock *a person* dead (☞ なぐる; ころす).
おうさつ[2] 鏖殺 ☞ みなごろし
おうさまペンギン 王様ペンギン 〘鳥〙 kíng pènguin Ⓒ.
おうし[1] 牡牛 (去勢しない) bull Ⓒ; (去勢した) ox Ⓒ (複 oxen). (☞ おす[3] (表); 動物の鳴き声 (囲み)). **牡牛座** Taurus /tɔ́:rəs/, the Bull. (☞ せいざ[1]).
おうし[2] 横死 ☞ ふりょ
おうじ[1] 王子 (royal) prince Ⓒ. ¶ エドワード*王子 *Prince* Edward
おうじ[2] 皇子 (imperial) prince Ⓒ.
おうじ[3] 往時 ―― 名 (過去) the past; (過去の事) things「past [of old]. ―― 副 (その頃) in those days; then; at [about] that time.
おうしつ 王室 (王家) royal family Ⓒ; (公的機関としての) royal household Ⓒ. (☞ こうしつ[1] 日英比較).
おうじつ 往日 bygone days ★ 複数形で.
おうじつせい 横日性 〘植〙 diaphototropism Ⓤ.
おうしゃ[1] 応射 ―― 動 fire [shoot] back ㊀; (…に撃ち返す) return (…'s) fire. ―― 名 return「shot [fire] Ⓒ. ¶ 我々はただちに*応射した We immediately「*fired* [*shot*] *back*.
おうしゃ[2] 往者 (行く・去る人) person who is going (away) Ⓒ; (過ぎ去ったこと) past event Ⓒ. ¶ *往者をとめようとは思わない I don't intend to stop *someone going away*.
おうじゃ 王者 (ある分野で最高・最強の人) king Ⓒ; (優勝者) champion Ⓒ.
おうしゅ 応手 (対応策) countermeasure Ⓒ ★ 普通複数形で; (碁・将棋で) countermove Ⓒ.
おうじゅ 応需 ―― 形 (求めに応じられる) available (upon request). ¶ 詳細*応需 details *available upon request* // 入院*応需 (掲示) Ínpatient Facilities
おうしゅう[1] 応酬 ―― 名 (やりとりすること) exchange Ⓒ; (返答) answer Ⓒ, reply Ⓒ ★ 後者はやや格式ばった語; (きつい調子で言い返すこと) retort Ⓒ. ―― 動 reply (to …) ㊀; answer ㊀ ㊉; (相手に反応を示す) respond (to …) ㊀ ★ answer より格式ばった語; retort ㊀ ㊉. (☞ いいかえす; やりあう). ¶ 鋭い意見の*応酬がしばらく続いた The sharp *exchange* of opinions continued for some time. // 非難の*応酬 (⇒ 投げつけ合い) *hurling* accusations *at each other*
おうしゅう[2] 押収 ―― 動 (没収する) seize /sí:z/ ㊉; (罰として正式に没収する) cónfiscàte ㊉ ★ 後者のほうが格式ばった語. ―― 名 seizure Ⓤ; confiscation Ⓤ. (☞ ぼっしゅう). ¶ 彼らは家宅捜索をして書類を*押収した They searched the house and「*seized* [*confiscated*] some papers.
おうしゅう[3] 欧州 ―― 名 固 Europe /jʊ́(ə)rəp/. ―― 形 European /jʊ̀(ə)rəpí:ən/. **欧州議会** the European Parliament, Europarliament **欧州共同市場** the Common Market **欧州通貨制度** the European Monetary System (略 EMS) **欧州通貨単位** ECU /ékju:/ ★ the *E*uropean *C*urrency *U*nit の略. ユーロ (Euro) の旧称. **欧州理事会** the European Council **欧州連合** the European Union (略 EU) 参考 1993 年マーストリヒト条約 (the Maastricht Treaty) の発効とともに, EC から発展した国家共同体. 従来の EC を中心に経済面でのより一層の統合を図るほか, 外交・司法・内務などより広い分野での協力関係を敷き, 将来の欧州統合を目指している.
おうじゅほうしょう 黄綬褒章 Yellow Ribbon Medal Ⓒ.
おうじょ[1] 王女 (royal) princess Ⓒ.
おうじょ[2] 皇女 (imperial) princess Ⓒ.
おうしょう[1] 王将 (the) king Ⓒ.
おうしょう[2] 応召 ―― 動 (軍の召集に応ずる) obey a summons to join the army; (召集される) (米) be drafted, be conscripted. ¶ 数人の若者が村から*応召した Several young men *were*「*drafted* [*conscripted*] from the village. **応召兵** (米) draftée Ⓒ, cónscript Ⓒ.
おうじょう 往生 **1** 《あきらめ・困惑》 ―― 動 (あきらめる) resign (*oneself*) ㊀ ㊉; (降参する) give in ㊀; (困惑する) be in a fix, be at *one's*「wit's [wits'] end. (☞ あきらめる). ¶ 雨はひどく降るし, 傘もないし, *往生した I *was at my*「*wit's* [*wits'*] *end*, as it was raining very hard and I didn't have even an umbrella (with me).
2 《死》 ―― 名 death Ⓤ. ―― 動 die ㊀. (☞ しぬ). ¶ 大*往生を遂げる *die* a「peaceful [calm] *death* **往生ぎわの悪い** ¶ 彼は*往生ぎわの悪い男だ (⇒ 負け方が見苦しい) He is *a bad loser*. / (⇒ 負けているのに気がつかない) He doesn't know when he is beaten.
おうしょくしょくぶつ 黄色植物 〘植〙 (金褐色の藻類) chrysophyte /krísəfàɪt/ Ⓒ; golden(-brown) algae ★ 複数形.
おうしょくじんしゅ 黄色人種 the「Mongoloid [Mongolian; yellow]「race [people] ★ yellow は軽蔑的. people は「民族」の意.
おうしょくやさい 黄色野菜 yellow vegetables ★ 総称. 複数形で.
おうじる 応じる (答える) answer ㊉; (反応を示す) respond (to …) ㊀ ★ answer とほぼ同意のこともあるが, より格式ばった語; (従う) obey ㊉; (承諾する) (格式) comply with …; (快く承知する) consent (to …) ㊀; (受け入れる) accept ㊉; (要求などを満たす) satisfy ㊉; (要求・条件などに見合う) meet ㊉ ★ この意味では satisfy と入れ換え可能; (適する) suit ㊉; (応募する) apply (for …) ㊀. (☞ したがう; こたえる[2]).
¶ 彼女は私の質問にすぐ*応じた She「*answered* [*responded to*] my question promptly. // 挑戦に*応じる *accept* [*take up*] challenge // 要求にすべて*応じる *satisfy* [*meet*] all the demands that have been made // 彼女は身分に*応じた暮らし方をしている She leads a life「*suited to* [*appropriate to*; *appropriate for*] her (social) position. // 野菜の値段は季節に*応じて (⇒ 季節と共に) 変わる Vegetable prices「vary *with* the season [are seasonal; are subject to seasonal fluctuations]. // 彼らはやった仕事に*応じて (⇒ 比例して) 金をもらった They were paid「*in proportion to* [*according to*] the work they did. // 私は必要に*応じて (⇒ 必要なとき) 食べ物を買う I buy food「*as* the need arises [*when* necessary; *whenever* I need it].
【参考語】(…に応じて・比例して) in proportion to …; (…に従って) following …; (…によって) according to …; (…次第で) depending on …
おうしん[1] 往診 ―― 名 house call Ⓒ. ―― 動 (往診する) make a house call. **往診料** doctor's fee for a house call Ⓒ.
おうしん[2] 往信 (往復葉書の) the first half of a return postcard.
おうせ 逢瀬 (lovers' secret) meeting Ⓒ, (lovers') rendezvous /rá:ndɪvù:/ Ⓒ (複 ～/-z/).
おうせい[1] 旺盛 ―― 形 (華やかで) flourishing

/flə́ːrɪʃɪŋ/; (商売などが) prósperous. — 動 (元気がある) be full of ˹energy [vigor]; (活気がある) be in high spirits. ¶ 彼らは元気*旺盛だ They *are* ˹*full of energy* [*in high spirits*].

おうせい[2] **王制** (王・女王による政治) royal ˹rule [government] Ⓤ. ¶ 英国は今日でも*王制である (⇒ 王国である) Britain still remains a *kingdom.* / Britain is still a *monarchy*. // イランでは 1979 年に*王制が廃止された *Royal rule* in Iran was ˹abolished [ended] in 1979.

おうせい[3] **王政** (君主政治) monarchy /mɑ́nərki/ Ⓤ; (王[皇]室による政治) royal government Ⓒ. **王政復古** the Restoration ★ 大文字にして各国の固有のものに用いる. (☞ いしん[2]).

おうせつ 応接 — 名 reception Ⓒ. — 動 (受け入れる・受け付ける) receive (他). (☞ おうたい[1]). ¶ お客が多くて彼女は*応接に忙しい She is busy *receiving* many guests. **応接に暇がない** (物事が次々に起こり, 非常に忙しい) be kept very busy because so many things happen one after another. ¶ 問い合わせが多くて*応接に暇がない (⇒ きちんと対応ができない) There are *too many* inquiries *to respond to properly*. **応接係** receptionist Ⓒ (☞ うけつけ) **応接間** drawing room Ⓒ; (会社などの) reception room Ⓒ.

おうせん[1] **応戦** — 動 (砲火による) return fire, respond to enemy fire ★ 後者のほうがやや格式ばった言い方; (反撃する) fight back (自). — 名 (攻撃に対する) reply Ⓒ.

おうせん[2] **黄癬** 〔医〕 honeycomb tetter Ⓤ, favus Ⓤ.

おうぜん 汪然 ¶ 涙が*汪然として彼女の頰を伝った (⇒ 流れ落ちた) Tears *streamed* down her cheeks.

おうせんこぎって 横線小切手 crossed check Ⓒ.

おうそ 応訴 — 動 (相手の訴訟に対抗する) file a counter suit, contest a suit. — 名 counter suit Ⓒ.

おうぞく 王族 (総称) royalty Ⓤ, the royal family ★ いずれも集合的に.

おうそん 王孫 royal descendant Ⓒ, descendant of a king Ⓒ.

おうだ 殴打 — 動 give (*a person*) a blow; beat (他) ★ 後者は特に体罰的意味に用いられる. — 名 blow Ⓒ; beating Ⓤ; 〔法〕 battery Ⓤ. (☞ なぐる; うつ[1]).

おうたい[1] **応対** — 名 (応接) reception Ⓒ; (もてなし) hospitality Ⓤ. — 動 (応対する) receive (他), give a ... reception ★ ...に 形 が入る; (人に対して, 振舞う) deal (with ...) (自); (客などに) wait (on ...) (自). (☞ おうせつ; せったい). ¶ あの女性の店員はお客への*応対が親切だ (⇒ お客の助けになる) That saleswoman is very *helpful* to (the) customers. // 彼女の*応対ぶりは気に入らない I don't like her ˹manner [way; style] of *dealing with* people.

コロケーション

温かい応対 a warm *reception* / 形式ばった応対 a stiff *reception* / 好意的な応対 a ˹friendly [favorable] *reception* / 心温まる応対 a heart-warming *reception* / 心からの応対 a ˹heartfelt [cordial] *reception* / そっけない応対 a dry [an indifferent; a curt] *reception* / 冷たい応対 a cold [an icy] *reception* / 熱心な応対 an enthusiastic *reception* / 非友好的な応対 an unfriendly [a hostile; an unfavorable] *reception* / 冷淡な応対 a ˹cool [chilly] *reception*

おうたい[2] **横隊** (兵隊やタクシーなどの) rank Ⓒ ★ 兵隊の縦隊は file Ⓒ; (人や物の) row Ⓒ. (☞ れつ; じゅうたい[3]); 〔海〕 (艦船の) line abreast Ⓒ.

おうたい[3] **黄体** **黄体刺激ホルモン** luteotrophic /lùːtioutrɑ́fɪk/ hórmone Ⓤ, luteotrophin /lùːtioutróufən/ Ⓤ **黄体ホルモン** luteal hormone Ⓤ.

おうたかっけい 凹多角形 〔数〕 reéntrant [reéntering] pòlygon Ⓒ.

おうだく 応諾 ☞ しょうだく

おうだつ 横奪 ☞ ごうだつ

おうだん[1] **横断** — 名 (横切ること) crossing Ⓒ, 《格式》 tráverse Ⓒ. — 動 go across ... 語法 (1) 最も口語的な表現. 動作の種類によって come [fly; run; travel] across などとなる; cross (他), 《格式》 travérse (他) 語法 (2) 一般的には cross. 特に広い所を横断するのは traverse; (交通規則や信号を無視して横断する) jaywalk (自). (☞ よこぎる; わたる[1]).

¶ ここで道路を*横断してはいけない Don't *cross* the street here. // リンドバーグは大西洋を単独*横断飛行した最初の飛行士だ Lindbergh /lín(d)bəːg/ was the first pilot to fly solo *across* the Atlantic. / Lindbergh was the pilot who made the first solo *transatlantic* flight.

徐行. 横断歩道」の掲示

横断組合 industrial and/or craft union, as opposed to company unions Ⓒ ★ 説明的な訳. **横断歩道** pedéstrian cróssing Ⓒ, 《米》 crosswalk Ⓒ; (まだら模様で示されている所) 《英》 zebra /zíːbrə/ crossing Ⓒ ★ 最初のが正式な言い方. **横断歩道橋** pedestrian ˹overpass [bridge] Ⓒ, 《英》 flyover Ⓒ **横断幕** banner Ⓒ; (道路の上に張った) banner ˹strung across [slung over] a street Ⓒ **横断面** cross section Ⓒ.

おうだん[2] **黄疸** 〔医〕 jaundice Ⓤ (☞ かんえん).

おうちせい 横地性 〔植〕 diageotropism Ⓤ.

おうちゃく 横着 — 形 (ずうずうしい) impudent; (怠け者の) lazy. — 名 (ずうずうしさ) impudence Ⓤ; (無精さ) laziness Ⓤ.

おうちょう 王朝 dynasty /dáɪnəsti/ Ⓒ (☞ -ちょう[2]). **王朝時代** the Monarchic(al) Age; (奈良・平安時代) the Nara and Heian ˹Periods [Eras]; (平安時代) the Heian ˹Period [Era].

おうちょうせき 黄長石 〔鉱物〕 mélilite Ⓤ.

おうて 王手 check Ⓒ ★ 動 または 感 としても用いられる. ¶ *王手 *Check!* 参考 勝ったときは「これで詰みだ」の意で Checkmate! と言う. (☞ つむ[3]) **王手飛車取りをかける** fork the (opponent's) king and rook ★ fork は「両当たりをかける」, rook はチェスの駒で飛車に当たる. **王手をかける** check the opponent's king.

おうてっこう 黄鉄鉱 pyrite Ⓤ, iron pyrites /paɪráɪtiːz/ Ⓤ ★ 通俗的には fool's gold と言う.

おうてん 横転 — 動 (ひっくり返る) overturn (自); (ひっくり返って横になる) turn [roll] over (自). ¶ トラックが*横転した (⇒ ひっくり返って横になった) The truck ˹*overturned and lay on its side* [*rolled over on its side*].

おうと[1] **嘔吐** — 動 (吐く) vómit (自) (他), 《略式》 throw up (自) (他), spew (up) (自) (他), puke (自) (他). — 名 vomiting Ⓤ. (☞ はく[1]).

おうと[2] **王都** the royal ˹capital [metropolis].

おうど[1] **黄土** 〔地質〕 ocher (《英》 ochre) /óukər/ Ⓤ, loess /lés/ Ⓤ.

おうど[2] **王土** the royal domain.

おうどいろ 黄土色 ―名 ocher /óʊkɚ/ Ⓤ, 《英》ochre Ⓤ. ―形（黄土色の）ocher(ous), 《英》ochre(ous).

おうとう¹ 応答 ―名（応え・答え）answer Ⓒ;（返答）reply Ⓒ;（反応）response Ⓒ 語法 後のものほど格式ばった表現. 格式ばった表現では Ⓤ としても使われる. ―動 answer ⑯ ⓐ; reply (to …) ⓐ; respond ⓐ. 《☞ こたえ（類義語）; へんじ¹》.
¶ 何度か彼に電話したが*応答はなかった I called him several times, but ⌈there was no *answer* [nobody *answered*].

おうとう² 桜桃 cherry Ⓒ《☞ さくらんぼう》. **桜桃忌**（6月19日）the anniversary of Dazai Osamu's death.

おうどう¹ 王道（楽な道）royal road Ⓒ. ¶ 学問に*王道なし There is no *royal road* to learning.《ことわざ》

おうどう² 横道（不正な）unjust;（不道徳な）unprincipled.

おうどうこう 黄銅鉱〘鉱物〙chalcopyrite Ⓤ, copper pyrites /paɪráɪtiːz/ Ⓤ.

おうとつ 凹凸 ―形（平らでない）uneven;（ごつごつした）rugged /rʌ́gɪd/.《☞ でこぼこ; きふく¹; ごつごつ》. **おうとつレンズ** concavo-convex /kɑnkéɪvoʊkɑnvéks/ lens Ⓒ《☞ レンズ》.

おうなつ 押捺 ☞ なついん; しもん¹（指紋押捺）

おうにんのらん 応仁の乱 the Onin Rebellion, the ⌈rebellion [civil war] of the Onin era.

おうねつびょう 黄熱病 ☞ こうねつびょう

おうねん 往年 ―形 former Ⓐ;（かつての）onetime Ⓐ ★ 後者のほうが口語的. ¶ 彼女は*往年の名歌手である（⇒ かつては有名な歌手だった）She was *once* a famous singer.

おうのう 懊悩 ☞ なやみ; もだえ

おうばい 黄梅〘植〙winter jasmine Ⓒ.

おうはん 横帆〘海〙square sail Ⓒ.

おうばんぶるまい 椀飯振る舞い ―名 special treat Ⓒ. ―動（…に豪華な食事を振舞う）treat … to a gorgeous dinner.《☞ ごちそう》.

おうひ 王妃 queen Ⓒ;（皇后）empress Ⓒ.

おうふう¹ 欧風 ―形 European(-style);（西洋風の）Western(-style), Occidental. ¶ *欧風のレストラン a *European-style* restaurant

おうふう² 横風 ☞ おうへい

おうふく 往復 ―名（行ったり来たりすること）coming and going Ⓤ;（行って帰ること）going and returning Ⓤ;（行きと帰りの両方）two ways;（交通機関の）round trip Ⓒ. ―動（往復する）go and ⌈come back [return]; make a round trip.《☞ いきき》. ¶ 彼は週に1度, 東京と福岡の間を*往復している He ⌈*makes a round trip* [*goes back and forth*] between Tokyo and Fukuoka once a week. // 横浜までの*往復は何時間かかりますか How long ⌈does [would] it take (to travel) *to* Yokohama *and back* (*here*)? // 私は*往復立ち通しだった I had to stand *both ways*. // 東京から大阪まで*往復いくらですか How much is it from Tokyo *to* Osaka *and back*? **往復運賃** round-trip [《英》return] fare Ⓒ **往復（折り返し）運転** shúttle sèrvice Ⓤ **往復運動**（機械部品などの）reciprocating /rɪsíprəkèɪtɪŋ/ motion Ⓤ **往復切符** round-trip [《英》return] ticket Ⓒ **往復葉書** double [reply-paid] postcard Ⓒ.

おうぶん¹ 応分 ―形（応分の・然るべき）due Ⓐ;（ほどほどの）reasonable.《☞ そうおう; しかるべき》. ¶ 彼は*応分の寄付をした（⇒ 自分の資力に応じた）He contributed ⌈*according to his means* [what he *could afford*].

おうぶん² 欧文 Western [European] language Ⓒ. ¶ *欧文原稿 a manuscript in a *Western language*

おうへい 横柄 ―形 árrogant; haughty; ínsolent.
【類義語】傲慢(ごうまん)な気質・性格の横柄さは ***arrogant***. 地位や生まれなどの優越性の認識からくる横柄さは ***haughty***. 以上2語は最も一般的な語. 傲慢さと同時に他に対する軽蔑を表すのは ***insolent***.《☞ こうまん; ごうまん; いばる（類義語）》
¶ 彼は私に対して*横柄だった He was *arrogant* ⌈toward [to; with] me. // 彼は*横柄なので人に好かれない（⇒ 彼の横柄さが人を遠ざける）His ⌈*haughtiness* [*arrogance*] drives people away. // 彼の態度はひどく*横柄だ He has a very ⌈*haughty* [*arrogant*] manner. // 彼は*横柄な口のきき方をする He speaks ⌈*arrogantly* [*in an arrogant manner*].

おうべい 欧米 ―名 固 Europe and America;《格式》（ヨーロッパとアメリカ）the Occident. ―形 European and American, European-American;《格式》Occidental.《☞ せいおう; せいよう¹》. **欧米諸国** Western ⌈nations [countries] **欧米人** Europeans and Americans;（西欧人）Westerners;《格式》Occidentals ★ いずれも複数形で.

おうぼ 応募 ―動（申し込む）apply (for …) ⓐ, make [submit] an application for … ★ submit のほうが格式ばった言い方;（寄付などに）subscribe (to …) ⓐ;（競争などに）enter ⑯.《☞ もうしこみ》. ¶ 私はその仕事に*応募して結果を待っている I *have* ⌈*applied* [*made an application*; *submitted an application*; *turned in an application*] *for* the job and am waiting for a response. // 彼はその短編小説のコンテストに*応募した He *entered* that short-story contest. // *応募原稿（⇒ 送付された原稿）はお返ししません Manuscripts (*submitted*) ⌈will not be returned [are nonreturnable]. **応募者** ápplicant Ⓒ;（寄付などの）subscriber Ⓒ;（競技などの参加者）entrant Ⓒ;（競争者）contéstant Ⓒ **応募手続** application procedure Ⓒ **応募用紙** application (form) Ⓒ.

―コロケーション―
応募が殺到する be ⌈flooded [inundated] with *applications* / **応募を受け付ける[受理する]** receive [accept] *applications* / **応募を締め切る** close *applications* / **応募を選抜する** screen *applications* / **応募を募る** invite *applications* / **応募を取り下げる** withdraw an *application* / **応募をはねる**（不合格にする）reject [turn down] *applications*

おうほう¹ 応報（むくい）《格式》retribution Ⓤ《☞ いんが¹》. ¶ 因果*応報 the law of ⌈cause and *effect* [*retribution*; *rewards*] // 因果*応報だ As you sow, so shall you reap.《ことわざ: 蒔いた種は刈らねばならない》

おうほう² 往訪 visit Ⓒ《☞ ほうもん¹; たずねる²》.

おうぼう 横暴 ―形（暴君的な）tyrannical /tɪrǽnɪkəl/;（専制・独裁的な）despotic ★ 軽蔑的;（常軌を逸した）unreasonable;（非民主的な）ùndèmocrátic.

おうまし 黄麻紙 jute paper Ⓤ.

おうみしょうにん 近江商人 merchant from Omi Ⓒ ★ 説明として known for his acumen and diligence を後に加えるとよい.

おうむ 鸚鵡 parrot Ⓒ《☞ 動物の鳴き声（囲み）》. **おうむ返し** ―動（おうむ返しに言う）parrot ⑯ ★ やや軽蔑的;（他人の言葉を繰り返す）repeat (another's words). **鸚鵡病** parrot ⌈disease [fever] Ⓤ, psittacosis /sìtəkóʊsɪs/ Ⓤ ★ 後者は学術用語.

オウム Om /óʊm/, Aum ★ 発音は前者と同じ. ヒンズー教で祈禱・儀式・瞑想の間に唱える呪文.

おうむがい 鸚鵡貝 náutilus Ⓒ《複 ~es, -li》.

おうめんきょう 凹面鏡 concave mirror Ⓒ.

おうもんきん 横紋筋 〘解〙 striated [striped] muscle Ⓒ.

おうよう[1] 応用 ―名(理論などの) application Ⓤ; (実用に供する) practice Ⓤ. ―動 apply ... to ..., put ... (in)to use. (☞ てきよう[1]).
¶この課で習ったことを*応用しなさい *Put to use* what you have learned in this lesson. // 彼は英語教育に言語学を*応用しようと考えている He is trying to *apply* linguistics *to* English teaching.
応用科学 applied science Ⓤ 参考 各分野を総括して applied sciences となることが多い. **応用化学** applied chemistry Ⓤ **応用言語学** applied linguistics Ⓤ **応用心理学** applied psychology Ⓤ **応用数学** applied mathematics Ⓤ **応用地質学** applied geology Ⓤ **応用物理学** applied physics Ⓤ **応用問題**(練習問題) exercise Ⓒ; (さらに進んだ練習問題) exercise for further practice Ⓒ **応用力学** applied mechanics Ⓤ.

おうよう[2] 鷹揚 ―形(おおらかな) easy; (物おしみしない) liberal; (度量の大きい) generous; (心の広い) broad-minded.
【類義語】気楽でのんびりしていることを表す日常的な語が *easy*. この語は人を表す名詞は修飾しない. 物を与える場合のおうようさ, その与える物の量の多さを表すのは *liberal*. 与え手の心の豊かさ・気前のよさを強調するのは *generous*. 心の広さ・寛大さを表すのは *broadminded*. ¶彼女は*おうように(⇒おおらかな環境の中で)育った She grew up *in easy circumstances*. // 彼は金づかいが*おうようだ He is ˹*liberal* [*generous*] with his money.

おうらい 往来 ―名(通り・街路) street Ⓒ; (人・車の交通(量)) traffic Ⓤ. ―動(人や乗り物が往来する) come and go ⓐ. (☞ とおり; みち[1]). ¶道路は人の*往来が絶えた The streets *were deserted*. // *往来の激しい道路 a ˹*busy* [*crowded*] street **往来手形** pass Ⓒ, passport Ⓒ **往来妨害罪** charge of obstructing traffic Ⓒ.

おうりつ 王立 ―形(王立の) royal.

おうりょう 横領 ―動(公金などを使い込む) embézzle ⓗ ⓐ; (他人の金を着服する)《格式》misappróprìate ⓗ. ―名 embezzlement Ⓤ; mìsappròpriátion Ⓤ ★ 後者は婉曲的な表現. (☞ ぬすむ; ちゃくふく; つかいこむ).
¶彼は公金を*横領した(⇒自分のことに使った) He *misappropriated* public money for his ˹own [personal] use. // 彼は勤め先の銀行から1千万円*横領した(⇒だまして使った) He *embezzled* ten million yen from ˹his [the] bank.
横領罪 embézzlement Ⓤ **横領者** embezzler Ⓒ.

おうりょく 応力 〘機・物理〙 stress Ⓤ.

おうりょくしょく 黄緑色 olive (green) /álɪv (gríːn)/ Ⓤ; (やや説明的な表現で) yellowish green Ⓤ ★ 以上いずれも 形 としても用いられる.

おうりん 黄燐 white [yellow] phósphorus Ⓤ.

おうれつ 横列 row Ⓒ (↔ line 縦の列); (兵隊の) rank Ⓒ (↔ file). (☞ れつ).

おうれん 横蓮 〘植〙 goldthread Ⓒ.

おうレンズ 凹レンズ cóncave léns Ⓒ (↔ convex lens).

おうろ 往路 the way (to ...) (☞ ゆき[2]).

おえつ 嗚咽 ―名(すすり泣くこと) sobbing Ⓤ; (しのび泣く声) sob Ⓒ. ―動 sob ⓐ. (☞ なく[1]; むせぶ).

おえらがた お偉方 (地位のある偉い人)《略式》big ˹man [name; wheel] Ⓒ; (高官) dígnitàry Ⓒ ★ やや文語的; (有名人) pérsonage Ⓒ ★ 格式ばった語. この語には多少皮肉なこっけい味が加わることが多い; (権威者) authority Ⓒ; (特に政界・財界などの要人)《略式》VIP Ⓒ, V.I.P. Ⓒ ★ 発音はともに /víːàɪpíː/, 複数形は VIPs, V.I.P.'s. (☞ 略語(巻末)). ¶彼もこの分野ではお*偉方の一人だ He is an ˹*authority* [*outstanding individual*] in this field.

おえる 終える (完結をして) finish ⓗ; (ある事を終了する) end ⓗ; (長期にわたることを完成して) complete ⓗ ★ 前の2語よりは格式ばった語; (結末をつけて終える) conclude ⓗ; (やり終える)《略式》get through with .... (☞ すます[1]; おわる(類義語)). ¶食事を*終えたら出かけましょう Let's leave ˹when [after] we *finish* eating. // その仕事を*終えたら出てよろしい You can go out when you *get through with* your work. // 学校を*終えたら(⇒卒業したら)どうしますか What are you going to do after you ˹*graduate* (*from* school) [《英》*leave* school]?

オー (アルファベットの第15字) O Ⓒ, o Ⓒ.

おお- 大... **1** «形・数・量・程度などが大きい» ―形(形・数・量が) large, big 語法 入れ替えて用いられることも多いが, 前者は客観的, 後者は感じのこもった言葉で口語的; (形・数・量・程度が) great. (☞ おおきい(類義語)). ¶*大人数で2台の車に乗りきれなかった We couldn't fit into two cars, (as) there were so *many* of us. // 彼らは*大急ぎで立ち去った They left in a *great* hurry.
2 «年長の者を指す» ―形 great, grand ★ 血縁上二世代離れたという意味. ¶彼女は*大おばに当たります She is my *great*-aunt.

おおあかげら 大赤啄木鳥 〘鳥〙 white-backed woodpecker Ⓒ.

おおあきない 大商い (大口取り引き) big ˹deal [《格式》transaction] Ⓒ (☞ とりひき).

おおあぐら 大胡座 ¶*大あぐらをかく(⇒無作法にあぐらをかく) rudely sit cross-legged (☞ あぐら).

おおあざ 大字 *oaza*; (説明的には) a larger section (of a village). (☞ あざ[2]).

おおあじ 大味 ―形(風味がない) flavorless; (おいしくない) tasteless.

おおあせ 大汗 ―動(汗をたくさんかく) sweat [perspire] ˹heavily [profusely]; (大苦労する) make a great effort; take great pains.

おおあたり 大当たり (的中すること) great [big] hit Ⓒ; (大成功) great success Ⓒ; (大もうけ)《略式》bonanza Ⓒ. (☞ あたり[2]; あたる). ¶芝居は*大当たりだった The play was ˹a *great hit* [*quite a hit*; *a great success*].

おおあな 大穴 **1** «大損失»: huge [great] loss Ⓒ; (金銭の大欠損) great [huge] deficit Ⓒ.
2 «競馬などで»: great hit Ⓒ. ¶彼は*大穴を当てた He made a *great hit*.

おおあめ 大雨 (激しい) hard [heavy] rain Ⓒ; (一時的にどっと降る) torrential rain Ⓒ ★ しばしば複数形で; (どしゃぶり) downpour Ⓒ. (☞ あめ[1]; ごう[1]). ¶きのうは*大雨だった(⇒ひどく雨が降った) It rained ˹*hard* [*heavily*] yesterday. / There was a ˹*heavy* [*torrential*] ˹*rain* [*rainfall*] yesterday. ★ 第2文は事実を客観的に述べる言い方.
大雨洪水注意報[警報] heavy rain and flood ˹alert [warning] Ⓒ.

おおあらし 大嵐 big [powerful; terrible] storm Ⓒ (☞ あらし).

おおあり 大有り ¶「成功の見込みはあるのかい」「もちろん*大有りだ」"Is there any hope of success?" "Sure, *you bet* there is!" 語法 you bet! は「もちろん」の意.

おおありくい 大蟻食 〘動〙 giant anteater Ⓒ.

おおあれ 大荒れ (ひどい嵐) powerful [severe] storm Ⓒ; (紛糾) confusion Ⓤ. 《☞ あらし; ふんきゅう》. ¶ 一晩中*大荒れだった A ⌈*powerful* [*severe*] *storm* raged all night (long). // 彼の発言をめぐり会は*大荒れとなった The meeting *was thrown into confusion* by his remarks. // 試合は*大荒れだった (⇒ リードが何度も入れ替わった) The lead changed from one ⌈side [team] to the other ⌈again and again [repeatedly].

おおい¹ 多い ── 形 (数・量両方に) a lot [lots] of ...; plenty of ...; (数が) many, a large number of ...; (量が) much, a large ⌈amount [quantity] of ...; (数が非常に多い) a great many; (多数の) numerous; (量が非常に多い) a ⌈great [good] deal of ... ── 副 (頻度が) often, frequently ★ 後者のほうが改まった語.

【類義語】数・量に共通して用いられる口語表現は *a lot of ..., lots of ..., plenty of ...* ただし, *plenty of* は必要以上に多いことを表すニュアンスがある. 数には *many*, 量には *much* も用いるが, これらは普通は文の主語または疑問文・否定文で用いる場合に限られる. 数が多いことを強調するやや格式ばった語は *a great many, numerous, a large number of ...* 量が多いことを強調する表現は *a* ⌈*great* [*good*] *deal of ..., a large* ⌈*amount* [*quantity*] *of ...* 副 として頻度が高いことを表す最も口語的な語は *often.* やや格式ばった語は *frequently.* 《☞ たくさん (類義語); おおく; たいりょう¹; たりょう》

¶ この夏は雨が*多かった We've had *a lot of* rain this summer. // 日本ではたばこを吸う人がまだ*多い *Many* people still smoke in Japan. // きょうは公園に子供連れが*多い There are *many* people with children in the park today. // この川は魚が*多い (⇒ 魚でいっぱいだ) This river is *full of* fish. // このページには誤植が*多い There are *many* misprints on this page. / (⇒ 誤植だらけだ) This page is *full of* misprints. // この学校では女子が男子より*多い In this school (the) girls *outnumber* (the) boys. // 彼は収入が*多い (⇒ 大きな収入を持つ) He has a *large* income. // 彼は昼食はここに来ることが*多い (⇒ たびたび来る) He ⌈*often* [*frequently*] comes here for lunch. // 参加者は*多くても 50 人でしょう We expect fifty participants *at most*.

おおい² 覆い (保護するためのカバー) cover Ⓒ; (かぶせるもの) covering Ⓒ. 《☞ カバー》. ¶ この*覆いは取らないでおいて下さい Do not ⌈*uncover* this [remove this *cover*; take the *cover* off]. / (⇒ 覆ったままにしておいて下さい) Please keep this *covered*. // CD の箱に*覆いをかけて下さい Please put a *cover* ⌈on [over] the box of CDs.

おおい³ Hey!; Hello! ★ ともに日常的な呼びかけ語; (やっほう) Yoo-hoo! /júːhúː/; (船に呼びかける) Ahoy! ¶ *おおい, みんな来たかい *Yoo-hoo*, are you all there? // *おおい, 待ってくれ *Hey*, wait for me. // *おおい, その船 Ship *ahoy*!

オーイーシーディー OECD, O.E.C.D. ★ the Organization for Economic Cooperation and Development (経済協力開発機構) の略.

オーイーディー OED, O.E.D. ★ the Oxford English Dictionary (オックスフォード英語辞典) の略.

おおいかくす 覆い隠す (覆う) cover (up) ⊕; (隠す) hide ⊕; (見せないようにする) 《格式》 conceal ⊕. 《☞ かくす》. ¶ 真実を*覆い隠すことはできない You cannot ⌈*cover* (*up*) [*hide*; *conceal*] the truth.

おおいかぶさる 覆いかぶさる ¶ 大きないちょうの木が家に*覆いかぶさっている (⇒ 枝を広げている) A big ginkgo tree *spreads its branches* over the house. / (⇒ 枝が覆っている) The branches of a big ginkgo tree *spread* (*out*) *over* the roof (of the house).

おおいかぶせる 覆いかぶせる cover ⊕.

おおいそぎ 大急ぎ ── 副 (あわてて) in a ⌈great [terrible] hurry; (すばやく) in great haste ★ 前者より文語的; (急いで) hurriedly. ── 形 (今すぐにでも何とかしなくてはならないような) urgent, pressing. 《☞ いそぎ; しきゅう²》. ¶ 私はこの仕事を*大急ぎでやった I finished this work *in a* ⌈*great* [*terrible*] *hurry*. // *大急ぎの用事で on ⌈*urgent* [*pressing*] business

オーいちごななな O157 (病原性大腸菌) E. coli /ìːkóʊlaɪ/ O157 (: H7).

おおいちばん 大一番 big [decisive] ⌈game [bout] Ⓒ ★ bout は相撲やレスリングなどの格闘技の試合. 《☞ しあい》.

おおいちょう 大銀杏 (相撲力士の髪型) *o-icho* topknot Ⓒ; (説明的には) sumo wrestler's formal hairstyle.

おおいに 大いに (非常に) very, extremely, greatly; (高度に・非常に) highly ★ 動詞から派生した形容詞の前に付けて用いる; (度を超えて) exceedingly ★ 最後の 2 つはやや格式ばった言葉. 《☞ ひじょうに; とても (類義語)》. ¶ 彼は*大いに喜んだ He was *extremely* happy. // 彼女は*大いに (⇒ 一生懸命) 勉強した She studied (*very*) *hard*. // あなた方の助力が*大いに必要なのです Your help is ⌈*greatly* [*badly*] needed.

おおいぬざ 大犬座 〔天〕 the Great Dog, Canis Major. 《☞ せいざ¹》.

おおいばり 大威張り ¶ 彼女はきっと勝つと*大威張りだった She *bragged* that she would win. // 彼は獲った魚を*大威張りで見せた He *proudly* showed off the fish he had caught. // 君はこの成績なら*大威張りだ (⇒ 成績を誇ってよい) You may well be *proud* of your academic record.

おおいり 大入り full [packed] house Ⓒ 《☞ まんいん》. ¶ 芝居は*大入りだった The play ⌈pulled in *a large audience* [(⇒ 大当たりだった) was *a big hit*]. **大入り袋** full-house bonus (to staff) Ⓒ **大入り満員** ── 名 full [packed] house Ⓒ. ── 動 (収容能力ぎりぎりまで) be ⌈packed [full; filled] to capacity.

おおう 覆う cover ⊕ ★ 最も一般的な語, blanket ⊕; (一面に覆う) spread over ⊕ 《過去・過分 spread over》; (ベールで覆うように隠す) veil ⊕; (包み込む) (en)shroud ⊕ ★ 格式ばった語. 普通は受身で用いる; (すっかり包みこむ) envélop ⊕; (くるむ) wrap ⊕. 《☞ つつむ》. ¶ うっすら[厚く]*覆う *cover* ... ⌈lightly [heavily; thickly] // すっかり*覆う *cover* ... ⌈completely [entirely] // 全面的に[部分的に]*覆う *cover* ... ⌈all over [partly] // 地面は雪で*覆われていた I found the ground ⌈*covered* 〔*blanketed*〕 with snow. // 厚い雲が山頂を*覆っていた Thick cloud(s) *enveloped* the mountaintop. // 町は霧に*覆われている The town *is* ⌈*enveloped* [(*en-*)*shrouded*; *wrapped*] in mist. // 思わず目を*覆いたくなるような惨状だった (⇒ あまりの惨状に目を覆った) The scene was so horrible that we *covered* our eyes.

おおうけ 大受け ── 名 hit Ⓒ, great success Ⓒ. ── 動 make a great ⌈hit [success], win [enjoy] popularity.

おおうちがり 大内刈り (柔道の技) *ouchigari* Ⓒ; (説明的には) major inner reap Ⓒ.

おおうつし 大写し ── 名 close-up /klóʊsʌ̀p/ Ⓒ. ── 動 take a close-up (of ...).

おおうなばら 大海原 (大海) (great) ocean Ⓒ; (広大な海) vast expanse of water Ⓒ. (☞ たいかい³).

おおうりだし 大売り出し (売り出し) sale Ⓒ; (特別の) special sale Ⓒ; (お買得の) bargain sale Ⓒ. (☞ うりだし; セール¹; とくばい).
¶あの店はいま*大売り出しをしている That store has a *special sale* on now. // *大売り出し中 《掲示》 Now on *Sale* / *Sale*

オーエイチピー overhead projector Ⓒ, OHP Ⓒ ★前者が普通.

オーエー office automation Ⓤ. **OA 機器** office automation equipment Ⓤ **OA 症候群** office automation sýndrome Ⓤ.

オーエス 〔コンピューター〕OS Ⓒ (☞ オペレーティングシステム).

オーエル (女子事務員) female office worker Ⓒ; (勤め人一般) office worker Ⓒ, clerk Ⓒ. 日英比較 OL (＝office lady) は和製英語. 英語では特別に必要のない限り男女の区別をせず, office worker または clerk を用いるのが普通. もっとも代名詞を用いれば, he, she で性別が判明する. また secretary, typist などと具体的に言うことが多い.

オーエン (男性名) Owen /óʊən/.

おおおく 大奥 the inner palace, the shogun's harem Ⓒ.

おおおじ 大伯父, 大叔父 great-uncle Ⓒ (☞ 親族関係(囲み)).

おおおとこ 大男 large [tall; big] man Ⓒ; (並はずれて大きな男) giant Ⓒ. **大男総身に知恵が回りかね** Big head, little wit.

おおおにばす 大鬼蓮 〔植〕giant water lily Ⓒ ★Amazon water lily Ⓒ, Queen Victoria water lily Ⓒ, royal water lily Ⓒ などとも呼ばれる.

おおおば 大伯母, 大叔母 great-aunt Ⓒ (☞ 親族関係(囲み)).

おおおんな 大女 large [tall; big] woman Ⓒ; (並はずれて大きな女) giantess Ⓒ.

オーカー (黄土(色)) 《米》 ocher Ⓤ, 《英》 ochre Ⓤ.

おおがかり 大掛かり ―形 (大規模の) large-scale Ⓐ; (野心的な) ambitious. ―名 (大規模) large scale Ⓒ. (☞ だいきぼ). ¶*大掛かりな事業 a *large-scale* [an *ambitious*] undertaking

おおかぜ 大風 (強風) strong [violent; big; high] wind Ⓒ; gale Ⓒ ★気象用語として時速 50 km から 102 km の強風; (暴風) storm Ⓒ. (☞ かぜ¹; きょうふう¹).

おおかた 大方 **1** 《ほとんど》 ―副 (あともう少しで) nearly, almost ★almost のほうがもっと近い感じ; (大部分は) for the most part. (☞ だいたい¹; ほとんど (類義語); ほぼ¹; たいはん; だいぶぶん). **2** 《多分》 ―副 probably; (ことによると) perhaps. (☞ たぶん¹; おそらく (類義語)). **3** 《世間一般》 ―名 people in general ★複数扱い. (☞ いっぱんに). ¶*おおかたの評判はよかった (⇒ 広く受け入れられた) It was *generally* well received.

おおがた 大型, 大形 ―形 large-size(d); (大きい) large, big ★後者がより口語的; (特大の) 《略式》 jumbo Ⓐ. ―名 large size Ⓒ. (☞ おおきい). ¶*大型の冷蔵庫を買うつもりです I'm going to buy a ˹*large* [*large-size(d)*; *full-size(d)*] refrigerator. // 飛行機は*大型化してきている Airplanes are getting *larger* (*and larger*) *in size*. // 超*大型の extra-*large* // *大型タンカー a very *large* crude carrier ★16–30 万トン級のもの. // 超*大型タンカー a supertanker ★30 万トン級以上のもの.

オーガナイザー (主催者) órganìzer Ⓒ.

オーガニゼーション (組織・団体) òrganizátion Ⓒ (☞ そしき).

オーガニック ―形 (有機体[物]の) orgánic (☞ ゆうき²). **オーガニックフード** (自然食品) organic food Ⓤ.

おおかべ 大壁 〔建〕(説明的に) flat wall finished with plywood or mortar so that the frames are covered Ⓒ.

おおかみ 狼 wolf Ⓒ (複 wolves); (女を付け回す男) 《俗》 wolf Ⓒ. ¶*狼の群れ a pack of *wolves* // 一匹*狼 a lone *wolf* // 送り*狼 an aggressive would-be seducer of women **狼座** the Wolf, Lupus.

おおかみうお 狼魚 〔魚〕wolffish Ⓒ.

おおがら 大柄 ―形 (体格が) heavy-built, 《略式》 hefty, 《略式》 big-boned; (模様が) large-patterned. (☞ がら¹).

おおかれすくなかれ 多かれ少なかれ more or less. ¶あなたの言ったことは*多かれ少なかれ私の考えと同じです (⇒ 私はあなたの考えにだいたい賛成です) I *more or less* agree with you.

おおかんばん 大看板 (大きな看板) big [large] signboard Ⓒ; (道路沿いの) 《米》 billboard Ⓒ; (人気のある人・呼び物) 《略式》 draw Ⓒ, attraction Ⓒ. (☞ かんばん).

おおきい 大きい (形の) big (↔ little); large (↔ small); (非常に大きな) huge; (びっくりするほど大きい) enórmous, 《略式》 treméndous; (かさばった) bulky; (どっしりした) massive; great; (強力な) powerful; (音が) loud.
【類義語】形の大きなものを表す形容詞として, 最も口語的で一般的なのは **big** と **large** である. この 2 つは多くの場合入れ換えて用いることもできるが, より口語的で, しかも単に形の大きさでなく, 程度や重要度の大きいことも示し, 感覚的に大きいと感じられるときに使うのが *big*, 客観的に形の大きいこと, 数の多いことを表すのが *large* である. ((例) *大きな間違い a *big* mistake).「たいへん大きな」という意味で誇張した意味によく用いられるのは **huge**. ((例) *大きなスーパーマーケット a *huge* supermarket). 同様に誇張した意味で **enormous**, **tremendous** も使われるが, どちらかというと「巨大な」「莫大な」という日本語に相当することが多い. かさが大きいことは **bulky**. どっしりとして大きいのには **massive** が当たることもある. 驚異的, 印象的に大きく, また重要度のある意味では **great** を用いる. ((例) *大きな川 a *great* river). しかし, 一般には日本語の「大きな」に *great* が相当する場合は割に少ない. エンジンなどの力が大きい[強い]のは **powerful**. 音が大きいのは **loud** という. (☞ きょだい (類義語); だい³; おおきさ)
¶彼は*大きな家に住んでいる He lives in a ˹*big* [*large*] house. // なんて*大きい飛行機なんだろう What a ˹*big* [*huge*] (air)plane (that is)! // 彼は*大きな荷物を背負っていた He had a ˹*big* [*heavy*] load on his back. // その後*大きな変化はみられない No *great* change has been observed since then. // それは*大きな問題だ It's ˹a *big* [an *important*] problem. 語法 (1) large は使えない. // *大きい数と小さい数 a *large* (number) and a small number 語法 (2) big は使えない. // あの*大きな音は何だ What was that *loud* noise? // 彼はいつも*大きなことを言う (⇒ 自慢をする) He *is* always ˹*boasting* [*bragging*; *talking big*].
大きなお世話(だ) (⇒ あなたの仕事ではない) It's none of your business. / (⇒ 自分の仕事に気をつけろ) Mind your own business. ★以上 2 文とも非常に強い表現. **大きな顔をする** (横柄である) be arrogant; (偉そうにふるまう) act big; (思い上がっている) have a bighead ★後の 2 つはくだけた表現. ¶*大きな顔をするな Don't *be* ˹*arrogant* [*stuck-up*]. ★[ ] 内はくだけた表現. / (⇒ うぬぼれるな) Don't *be*

「so [too] proud (of yourself). 大きな口をきく[たたく] (自慢する) brag ⓐ, boast ⓐ; (偉そうな口をきく) talk big. 《☞ おおぐち》.

おおきく 大きく 日英比較 日本語の「大きく」は「大きくなる」「大きくする」「大きく…する」のような表現で用いられるが, 形の大きさだけでなく, 幅・量・程度, あるいは比喩的な意味などかなり広い意味で用いられるので, 英語に直す場合は前後関係によっていろいろに訳される. (☞ おおきい).

¶ 僕は*大きくなったら (⇒ 成長したら) 科学者になりたい When I *grow up*, I want to be a scientist. // 私は九州で*大きくなりました (⇒ 育てられた) I *was brought up* in Kyushu. // この会社は最近急に*大きくなった Recently, this company *has grown* rapidly. // 彼の逮捕で問題はさらに*大きく (⇒ 深刻に) なった His 「arrest [being arrested] *made* the problem more *serious*. // テレビの音を*大きくしてくれませんか Will you *turn up* (the volume on) the TV? // 口をもっと*大きく (⇒ 広く) 開けなさい Open your mouth *wider*. // そのニュースは世界中の新聞で*大きく取り上げられた (⇒ 新聞の見出しとなった) The news *made the headlines* in newspapers around the world.

おおきさ 大きさ (最も普通の意味で) size Ⓤ; (やや格式ばって, 面積・容積・大きさ) dimensions ★ この意味では複数形で; (主に数学・天文学などの専門語として) magnitude Ⓤ; (かさ) bulk Ⓤ; (容積) volume Ⓤ; (音量) loudness Ⓤ, volume Ⓤ. 《☞ すんぽう》. ¶ 君の靴はどのくらいの*大きさですか How *large* are your shoes? / (⇒ サイズはいくつですか) What is your shoe *size*? 《☞ サイズ》 / (⇒ いくつのサイズの靴をはくか) What *size* shoes do you 「take [wear]? // 「君の帽子と僕のとどちらが大きいかな」「両方とも同じ*大きさです」 "Which is bigger, your hat or mine?" "They're the same *size*." // その箱の*大きさを測りなさい Measure the box. // あなたの学校はどのくらいの*大きさですか How *big* is your school? / (⇒ 何人の学生がいるか) How *many* students are there 「in [at] your school? // この瓶の*大きさはわかりますか Do you know 「the *volume* of this bottle [what the *volume* of this bottle is]? // その土地の*大きさは千平方メートルだ (⇒ その土地は千平方メートルの広さに及んでいる) The plot *covers* (an area of) one thousand square meters. // いろいろな*大きさの上着 jackets of various *sizes* // 猫ぐらいの*大きさの動物 a cat-*sized* animal // *大きさの異なる帽子 different-*sized* hats

オーキッド 〔植〕(らん) orchid Ⓒ.

おおきな 大きな ☞ おおきい

おおきみ 大君 (天皇) the Emperor.

おおきめ 大き目 ¶ 私はその紙を少し*大きめに切った (⇒ 必要以上に大きく) I cut the paper *a little larger than necessary*. 《☞ -め》.

オーきゃく O脚 ― 名 bowlegs ★ 複数形で. ― 形 bowlegged /bóʊlèg(ɪ)d/. ¶ 彼は*O脚だ He's *bowlegged*.

おおく 多く ― 形 (たくさんの数の) many; (たくさんの量の) much, a lot of ..., lots of ... 語法 a lot [lots] of ...は数にも量にも用いられる最も一般的な語. many, much は普通は文の主語か疑問文・否定文で用いられる; (数が非常に多い) a great many; (多数の) 《格式》 numerous; (量が非常に多い) a great deal of ...; (たいていの) most. ― 代 many; much; most. ― 副 (たいていは) mostly; (主として) mainly, chiefly. 《☞ おおい¹; たくさん (類義語); おおぜい; たいてい¹; たいりょう¹; たりょう》.

¶ *多くの人が戦争で死んだ *Many* people 「died [were killed] in the war. // この件については*多くの問題がある There are 「*many* [*a lot of*] problems 「with [connected with] this issue. // この問題についてはいままでに*多くの討議がなされてきた *Much* has been said about this problem. / There has been *a great deal of* discussion 「of [on; about] this problem. // 彼女はそれについて*多くを語りたがらない She doesn't *much* want to talk about it. // 日本の大企業の*多くは外国に支店を持っている *Most* (of the) major 「corporations [companies] in Japan have branch offices overseas. // 聴衆の*多くは女子高校生だった (⇒ 聴衆は主として女子高校生で成り立っていた) The audience 「was made up [consisted] 「*mostly* [*mainly*; *chiefly*] of high school girls.

オーク 〔植〕 oak Ⓒ ★ 木材は Ⓤ. 《☞ かし⁵》.

おおぐい 大食い ― 名 (行為) gluttony Ⓤ; (人) glutton Ⓒ. ― 形 gluttonous, voracious ★ 前者は食欲の強さ, 後者は格式ばった語で, 習慣性の意味合いがある.

オークション (競売) auction Ⓒ.

オークションブリッジ auction bridge Ⓤ ★ トランプのブリッジの一種.

おおぐち 大口 ― 形 (金額・規模などが大きい) big. ― 動 (自慢する) talk 「big [tall] ⓐ; (大げさに言う) exaggerate /ɪgzǽdʒərèɪt/ ⓣ ⓐ. ― 名 (大きな口) big [large] mouth Ⓒ. ¶ 彼は*大口をあけて笑った He laughed with *his mouth wide open*. // 我々はその会社から*大口の注文をもらった We received a *big* order from the company. // 彼はよく*大口をたたく He often 「*talks big* [*boasts*; *brags*].

おおくにぬしのみこと 大国主命 (日本神話の) Prince Okuninushi.

おおぐまざ 大熊座 〔天〕 the Great Bear, Ursa /ə́ːsə/ Major. 《☞ せいざ² (表)》.

おおくらしょう 大蔵省 ★ 現在は財務省 《☞ ざいむ》. the Finance Ministry, the Ministry of Finance ★ 前者は略式の呼び方; 《英》 the Exchéquer, the Treasury.

おおくらだいじん 大蔵大臣 ★ 現在は財務大臣 《☞ ざいむ》. the Finance Minister, the Minister of Finance ★ 前者は略式の呼び方.

オークランド ― 名 固 Auckland /ɔ́ːklənd/ ★ ニュージーランド北島の港市; Oakland /óʊklənd/ ★ 米国カリフォルニア州の都市.

オーケー ― 副 (承知の返事として) OK, O.K., Okay, all right 語法 「承知した」という意味を表すごくくだけた答え方. 発音に注意 /òʊkéɪ/. OK, O.K., Okay は「承知」,「承知する」,「好都合である」など 名, 動, 形 としても用いられる. all right は OK ほどはくだけていない言い方. 日本語では「オーケー」という場合でも英語では all right としたほうがよい場合があることに注意. ¶「あした必ず来いよ」「*オーケー」 "Be sure to come tomorrow." "*O.K.* / *Okay*. / *All right*." // 父からそのことについては*オーケーをもらっています (⇒ 父はそのことを承認した) My father 「*approved* [*OK'd*] it. // 「何か問題ありますか」「万事*オーケーです」 "(Is there) anything wrong?" "No, everything is 「*all right* [*OK*]."

おおげさ 大袈裟 ― 動 (大げさに言う・誇張する) exaggerate /ɪgzǽdʒərèɪt/ ⓣ ⓐ. ― 形 (大げさな・誇張した) exaggerated. ― 副 (大規模に) on a large scale. ― 名 (誇張) exaggeration Ⓤ. 《☞ こちょう¹; ぎょうぎょうしい; オーバー²》.

¶ 彼は何でも*大げさに (⇒ 誇張して) 言う He *exaggerates* everything. // 少し*大げさに言えば, その記事には何の真実もない If I may *exaggerate* a little, you will find no truth in that article. // あなたの好意はありがたいが, *大げさに祝わないでくれ (⇒ あまり儀式ばるな[正式にするな]) I appreciate your goodwill, but please don't make the occasion too 「*ceremonious* [*formal*].

オーケストラ órchestra Ⓒ; (交響楽団) symphony orchestra Ⓒ. ¶*オーケストラの音楽 *orchéstral* músic **オーケストラボックス** orchestra pit Ⓒ.

オーケストレーション (管弦楽作曲法) orchestration Ⓤ.

おおごえ 大声 ―名 loud voice Ⓒ (↔low voice). ―副 (大声で) in [with] a loud voice; (大きな音で) loudly. ¶彼は*大声だ He has a *loud voice*. // もっと*大声で話して下さい Speak「*louder* [*up*], please!

おおごしょ 大御所 (第一人者) leading figure Ⓒ; (退位した将軍) retired shogun Ⓒ.

おおごと 大事 serious「matter [affair] Ⓒ《☞ いちだいじ》. ¶それは*大事だ That's *serious*. // *大事になる get too *serious*

オーサー author Ⓒ《☞ ちょしゃ》.

おおさか 大阪 ―名 固 Osaka. ¶*大阪の食い倒れ *Osaka* people ruin themselves by extravagance in food. **大阪城** ―名 固 Osaka Castle.

おおざけ 大酒 (行為) heavy drinking Ⓤ. **大酒飲み** heavy [hard] drinker Ⓒ.

おおさじ 大匙 tablespoon Ⓒ; (計量の単位として, 大さじ 1 杯分) tablespoonful Ⓒ.《☞ 数の数え方 (囲み); スプーン (挿絵)》. ¶砂糖を*大さじ 2 杯加えます Add two *tablespoonfuls* of sugar.

おおざっぱ 大雑把 ―形 (概略の) rough; (細かい区別をしない) broad; (略した) sketchy; (一般的な) general. ―副 roughly; broadly; generally.《☞ おおよそ; ざっと; だいたい¹》. ¶*大ざっぱに見積って 100 万円くらいでしょう The cost is *roughly* (estimated at) a million yen. / (⇒ 大ざっぱな見積り) A *rough* estimate「comes [amounts] to「a [one] million yen. // その陳述は*大ざっぱすぎる That statement is too *general*. // *大ざっぱに言って千人ぐらいの人がその大会に集まった *Roughly speaking* [*In round numbers*], about a thousand people attended the rally.

おおざと 邑 (漢字の) village radical on the right of kanji Ⓒ.

おおさわぎ 大騒ぎ ―名 (つまらぬことでの) fuss Ⓤ ★ しばしば a を付けて. 最も一般的で口語的な言葉; (喧噪) uproar Ⓒ; (混雑) hustle Ⓤ; (大きな混乱) great「disturbance [commotion] Ⓒ; (興奮した騒ぎ) great excitement Ⓤ. ―動 (つまらぬことで大騒ぎする) make a fuss「about [over] ....《☞ さわぎ; おまつりさわぎ》. ¶なぜそんなに*大騒ぎをしているんだい Why *are* you *making* such *a fuss*「*about* [*over*] it? // パレードの準備で, 道では人々が*大騒ぎだった There was (a) *great hustle and bustle* on the street to prepare for the parade. 語法 hustle はこの例のようにしばしば bustle と一緒に使われる. // その知らせが入ると人々は*大騒ぎとなった (⇒ その知らせが大騒ぎを引き起こした) The news caused「a *great disturbance* [*great excitement*]. // 家中*大騒ぎだった The house was *in confusion*.

おおさんしょううお 大山椒魚 〘動〙 giant sálamànder Ⓒ.

おおしい 雄雄しい (男らしい) manly; (勇ましい) 《文》 valiant. ¶彼は*雄々しく (⇒ 男らしく) 苦難に耐えた He endured his hardship(s)「*like a man* [*resolutely*].

オージー¹ (女性の同窓生) alumna /əlʌ́mnə/ Ⓒ 《複 alumnae /əlʌ́mni:/》; 《英》 old girl Ⓒ, Old Girl Ⓒ《略 OG》.《☞ どうそう; オービー》.

オージー² (オーストラリア人) 《略式》 Aussie /ɔ́:si/ Ⓒ. **オージービーフ** Aussie [Australian] beef Ⓤ.

おおしお 大潮 the spring tide.

おおしけ 大時化 violent [heavy] storm Ⓒ《☞ しけ; あらし》.

おおしごと 大仕事 (大きな仕事) big job Ⓒ; (たいへんな仕事) hard [difficult] task Ⓒ.

おおじしん 大地震 big [huge; massive] earthquake Ⓒ; (壊滅的な地震) destructive [devastating] earthquake Ⓒ.

おおしばい 大芝居 ¶*大芝居をうつ play a *big game* / play [stage] a *great drama*

オーシャン (海・大洋) ocean Ⓒ《☞ たいよう³; うみ¹》. **オーシャンライナー** (遠洋航路の定期船) ocean liner Ⓒ.

おおじょたい 大世帯 large「family [household] Ⓒ《☞ しょたい¹》.

おおすじ 大筋 (概略) outline Ⓒ; (要点) main point Ⓒ; (大体の意味) rough idea Ⓒ.《☞ だいたい¹》. ¶*大筋において (⇒ ほとんどの重要な問題について) 合意に達した They've「come to [reached] (an) agreement on *most of the important questions*. // 君の計画の*大筋はつかめた I got a *rough idea* of your plan.

オースティン ―名 固 (ジェーン〜) Jane Austen, 1775–1817 ★ 英国の女流小説家; (ジョン ラングショー〜) John Langshaw Austin, 1911–60 ★ 英国の哲学者, 日常言語学派の中心的存在.

オーストラリア ―名 固 Australia /ɔ:stréɪljə/. ―形 Australian. **オーストラリア人** Australian Ⓒ.

オーストラレーシア ―名 固 Australasia /ɔ̀:strəléɪʒə/.

オーストリア ―名 固 Austria. ―形 Austrian. **オーストリア継承戦争** the War of the Austrian Succession ★ 1740–48. **オーストリア人** Austrian Ⓒ.

オーストロネシアごぞく オーストロネシア語族 ☞ マライポリネシアごぞく

おおずもう 大相撲 (興行) grand sumo tournament Ⓒ; (熱戦) exciting, long-drawn-out bout Ⓒ.《☞ すもう》.

おおせ 仰せ ¶*仰せのとおりです (⇒ あなたは正しい) You're right. / (⇒ あなたに同意します) I completely agree with you. // *仰せに従います I'll do whatever *you tell* me to do. / (⇒ あなたの命令に) I'll obey *your orders*.

おおぜい 大勢 (群衆) crowd (of people) Ⓒ ★ ある場所に密集している人を表す最も一般的な言葉; 《格式》 throng Ⓒ; (多数の人) a great many [a large number of] people ★ crowd と違って密集しているとは限らない; (やや格式ばった表現で) a multitude.《☞ たすう; たくさん; おおく; おびただしい》. ¶*大勢の人がそこに集まっている A「*throng of* [*great many*] *people* have gathered there. / *A multitude* has gathered there.

おおぜき 大関 (地位) the second-highest rank in sumo Ⓤ; (力士) ozeki Ⓒ《複 〜s》, sumo wrestler of the second-highest rank Ⓒ.

おおせつかる 仰せ付かる (命令される) be ordered to *do* ...; (要請される栄誉に浴する) have the honor of being requested to *do* ...; (役職・地位などを任命される) be appointed (as ...). ¶議長を*仰せつかり身に余る栄光に存じます I am honored to have *been appointed* (*as*) chairman.

おおせつける 仰せ付ける (命令する) order ⑪; (要請する) request; (任命する) appoint ⑪; (刑罰などを) sentence ⑪.

オーセンティック ―形 (真正の・本物の) authentic.

おおそうじ 大掃除 general (house)cleaning Ⓒ; spring cleaning Ⓒ ★ 普通は春に行なう.《☞

そうじ¹》. ¶*大掃除をする *clean* [*spring-clean*] a *house*
おおそとがり 大外刈り (柔道の技) *osotogari* Ⓒ; (説明的には) major outer reap Ⓒ.
オーソドクシー (正統性)《格式》órthodòxy Ⓤ.
オーソドックス ―形 (正統な) órthodòx; (権威のある) authóritative; (根拠があって信頼すべき) authentic. 日英比較 英語の orthodox は元来宗教の正統派を意味する語で, 日本語の「オーソドックスな」とは少しずれるので, 第 2, 第 3 の訳語のほうがよい場合もある.
おおぞら 大空 the sky, 《文》 the heavens. 《☞ そら¹》.
オーソライズ ―動 (認可する) authorize ⓣ 《☞ にんか; けんげん¹》.
オーソリゼーション (認可・公認) authorization Ⓤ ★ 個々の件は Ⓒ. 《☞ にんか; こうにん¹》.
オーソリティー (権威者・大家) authority (on ...) Ⓒ; (専門家・熟練者) éxpert Ⓒ. 日英比較 英語の authority はかなり重い言葉. expert と訳したほうがよい場合もある.
オーダー (注文) order Ⓒ; (順序) order Ⓒ. ¶チームの打撃*オーダーは変わらない There's no change in the batting *order* (of the team). **オーダーエントリーシステム** 〘商〙 order-entry system Ⓒ **オーダーストップ** (ラストオーダー) last orders 日英比較「オーダーストップ」は和製英語. ¶*オーダーストップは 9 時《掲示》 *Orders closed* at 9:00 **オーダーブック** (注文控え帳) order book Ⓒ; (カタログ) catalogue Ⓒ **オーダーメード** ―形 made-to-order (↔ ready-made); (服が) tailor-made. 日英比較「オーダーメード」は和製英語. 《☞ あつらえる》.
おおだい 大台 (めど) mark Ⓒ. ¶平均株価は急騰し, きょう 2 万円の*大台に乗った The average stock price soared to *over* twenty thousand yen today. // 10 億ドルの*大台を超える top the $1,000,000,000 *mark* 《☞ 数字(囲み)》 **大台割れ** ―動 〘証券〙 decline below a major price level.
おおだすかり 大助かり ¶それは*大助かりです That's a *great help* to me. // 新しい機械が入って*大助かりだ (⇒ 我々の手間をたくさん省いてくれる) This new machine *saves* us *a great deal of trouble*.
おおたちまわり 大立ち回り (乱闘騒ぎ) free-for-all Ⓒ; (大げんか) great fight Ⓒ; (舞台での) exaggerated mock fighting Ⓤ. 《☞ たちまわり》. ¶*大立ち回りを演じる go for a *free-for-all*
おおだてもの 大立者 (芝居の) starring [leading] ⌜actor [actress] Ⓒ, male [female] ⌜lead [star] Ⓒ; (重要な人物) leading [prominent] figure Ⓒ; (くだけた表現で) boss Ⓒ. 《☞ おおもの》.
おおたどうかん 太田道灌 ―名 ⓖ Ota Dokan, 1432–86; (説明的には) a warlord in the Muromachi period who built a castle at Edo, which was later expanded and became the headquarters of the Tokugawa shogunate.
おおだな 大店 big ⌜store [shop] Ⓒ; (大商店) large establishment Ⓒ.
おおたにわたり 大谷渡り 〘植〙 a variety of bird's-nest fern Ⓒ.
おおちがい 大違い (大きな差異) great [big; tremendous] difference Ⓒ; (大きな間違い) big [huge] mistake Ⓒ ★ huge のほうが意味が強い. 《☞ ちがい¹》. ¶君の言うことと彼女の言うことは*大違いだ (⇒ 大きな差異がある) There is a ⌜*great* [*big*; *tremendous*] *difference* between what you say and what she says. // どうも*大違いをしたようだ I seem to have made a ⌜*big* [*great*] *mistake*.
オーチャード (果樹園) orchard Ⓒ.
おおづかみ 大摑み ―形 (概略の) rough; (ほぼ正確に近い) approximate; (細かい区別をしない) broad. ―副 roughly; approximately; broadly. ¶*大づかみに言って *roughly* [*broadly*] speaking 《☞ おおざっぱ》
おおづくり 大作り ―形 large, of large build. ¶かなり*大作りな女性 a ⌜fairly *large* woman [woman *of* fairly *large build*] 《☞ おおがら》
おおつづみ 大鼓 big Japanese hand drum Ⓒ.
おおつのみやこ 大津京 Otsu, seventh century capital city (of Japan).
おおっぴら ―形 (秘密でない) open; (公然たる) public; (自由な) free. ―副 openly; publicly; freely. 《☞ こうぜん¹》. ¶事件は*おおっぴらになった The ⌜affair [matter] has become *public*. // このことはまだ*おおっぴらには話せない I cannot talk about this ⌜*freely* [*openly*] yet. / This cannot be made *public* yet. ★ 第 2 文は格式ばった言い方.
おおつぶ 大粒 big drop Ⓒ 《☞ つぶ》. ¶*大粒の雨 *big* [*large*] *drops* of rain // *大粒の涙 *big* teardrops
おおづめ 大詰め (劇などの) finale /fɪnǽːli/ Ⓒ; (最後) end Ⓒ, ending Ⓒ; (結末) close /klóʊz/ Ⓒ. ¶交渉はいまや*大詰めにさしかかっている The negotiations are now drawing to a *close*.
おおて 大手 (主要な会社) big company Ⓒ, major corporation Ⓒ ★ 前者の方が口語的.
おおで 大手 大手を振って (意気揚々と) in triumph, triumphantly.
オーディーエー ODA ★ *O*fficial *D*evelopment *A*ssistance (政府開発援助) の略.
オーディエンス (聴衆) audience Ⓒ.
オーディオ (オーディオシステム) stereo [audio] system Ⓒ; (装置全体) stereo [audio] equipment Ⓤ; (構成している部分) stereo component Ⓒ. ¶*オーディオマニア an *audiophile*
オーディオメーター (聴力測定器) àudiómeter Ⓒ.
オーディション audition Ⓒ. ¶*オーディションに合格した I passed the *audition*. // *オーディションを行う give [hold] an *audition* for ... // *オーディションを受ける sit for [try for; have] an *audition* ★ sit for は《英》.
オーディトリアム (講堂) auditorium Ⓒ.
おおでき 大出来 great [big] success Ⓒ; brilliant performance Ⓒ. ¶*大出来, 大出来! Well done! / Well played! 《☞ じょうでき》
オーデコロン cologne /kəlóʊn/ Ⓤ, eau de cologne /óʊdəkəlóʊn/ Ⓤ ★ もとはフランス語.
おおてもん 大手門 the ⌜front [main] gate (of a castle).
オート¹ (自動車) auto(mobile) Ⓒ, car Ⓒ.
オート² ―形 (自動的な) automatic ★ auto- として複合語に用いられる.
オートインデント 〘コンピューター〙 auto indent Ⓤ.
おおどうぐ 大道具 (stage) ⌜setting [set] Ⓒ; (大道具方) sceneshifter Ⓒ, stagehand Ⓒ.
オートオークション (中古車のせり市) automobile auction Ⓒ.
おおどおり 大通り (町の主要な通り) main street Ⓒ; (にぎやかな主要道路) thoroughfare Ⓒ; (街路樹・グリーンベルトのある) boulevard /búləvàəd/ Ⓒ. 《☞ みち¹ (類義語); とおり》.
オートキャンプ (自動車でのキャンプ旅行) car camping Ⓤ.
オートクチュール haute couture /òʊtkuːtúə/

[U] ★ フランス語から; (高級ファッション) high fashion [U] ★ 服の意では [C].

オートクラシー (独裁政治) autocracy [U].

おおどころ 大所 (権威者) authority [C]; (有力者) important person [C]; (資産家の家) rich family [C].

おおどしま 大年増 woman (well) past her prime [C] (☞ としま).

オードトワレ eau de toilette /òudətwɑːlét/ [U] ★ もとはフランス語.

オートノミー (自治(権)) autonomy [U].

オートバイ motorcycle [C] (☞ バイク; 挿絵).

オートバイオグラフィー (自叙伝) àutobiógraphy [C].

オートパイロット (自動操縦装置) automatic pilot [C], autopilot [C] ★ 前者が普通.

オートパワーオフ auto power off [U].

オートフォーカス (自動焦点) áutofòcus [C]. ¶ *オートフォーカスのカメラ an ⌈*autofocus* [*automatic focusing*] camera

オートプシー (検死(解剖)) autopsy [C].

オードブル (前菜) hors d'oeuvre /ɔədə́ːv/ [C] ★ もとはフランス語.

オートマチック ― [形] (自動的な) automatic (↔ manual) (☞ じどう[1]). ¶ この機械は*オートマチックだ This machine is *automatic*. オートマチック車 automatic [C]; (正式には) car with an automatic transmission [C] ★「手動式の」は manual.

オートマトン (自動装置) automaton [C] (複 ～s, -mata).

オートミール (朝食用の) oatmeal [U].

オートメーション ― [名] automation [U]. ― [動] (オートメーション化する) automate (他). オートメーション工場 automated factory [C].

オートメーティッドオフィス (自動化された事務所) electronic [wired; automated] office [C].

オートモービル (自動車) automobile /ɔ́ːtəmoubìːl, ɔ̀ːtəmoubíːl/ [C] (☞ じどうしゃ).

オードリー (女性名) Audrey /ɔ́ːdri/.

オートリバース (自動逆転) auto-reverse [U] ★ 個々の装置は [C].

オートリピート (自動反復(機能)) auto-repeat [U].

オートレース (自動車の) automobile race [C]; (オートバイの) motorcycle race [C].

オートローディング (銃器などの自動装塡) autoloading [U].

オートローン car-purchase financing [U] [日英比較]「オートローン」は和製英語.

オートロック ― [形] (自動施錠の) self-locking.

オーナー (所有者) owner [C]. ¶ *オーナードライバー an *owner*-driver

オーナーシップ (所有権) ownership [U].

おおなた 大鉈 big hatchet [C]. ¶ 人員削減に*大鉈を振るう (⇒ 思い切って削減する) make *drastic* personnel *cuts* // 予算に*大鉈を振るう make *drastic cuts* in the budget (☞ さくげん)

オーナメント (装飾) ornament [U] ★ 個々のものは [C]. (☞ そうしょく[1]; そうしんぐ).

オーバー[1] (コート) overcoat [C]. ¶ この*オーバーは厚い[薄い] This *overcoat* is ⌈heavy [light]. ★ heavy [light] は「生地が厚[薄]手で重[軽]い」の意.

オーバー[2] (誇張) exaggeration [U] (☞ おおげさ; こちょう[1]). ¶ *オーバーだなあ (⇒ 君は大げさに言う) You *exaggerate*! / (⇒ それは少しばかり誇張されている) That *is* a little *exaggerated*.

オーバー[3] ― [動] (超過する) exceed (他). ¶ 定員を*オーバーする *exceed* the prescribed number // 予算を*オーバーする *go beyond* the estimate / *exceed* the budget

オーバーアクション ― [名] (大げさな演技) over-emotive [(略式) hammy] acting [U]. ― [動] overact (自). ¶ *オーバーアクションだ You *are overacting*.

オーバーウェイト ― [形] (重量超過の) overweight. ¶ ここにいる人の約 3 分の 1 は*オーバーウェイトだ About one-third of the people here are ⌈*overweight* [(⇒ 太りすぎ) *too fat*].

オーバーオール (胸当て付き作業ズボン・つなぎ服) óverålls, (英) dùngarées ★ どちらも複数形で.

オーバーキル ― [名] (引き締め・抑制などのやり過ぎ) óverkill [U]. ― [動] òverkíll (自) (他).

オーバーコート overcoat [C] (☞ オーバー[1]).

オーバーシューズ (靴の上にはく靴) overshoes, galoshes, rubbers ★ いずれも普通は複数形で.

オーバースカート (別のスカートの上に重ねてはくスカート) óverskirt [C].

オーバーストック ― [名] (過剰貯蔵品) overstock ★ 全体をいう. ― [動] overstock (他). ¶ 米は*オーバーストックです We have *an overstock of* rice. / We *are overstocked with* rice.

オーバースロー 〔野〕 ― [名] overhand [overarm] throw [C]. ― [形][副] overhand, overarm. ¶ *オーバースローで速球を投げる pitch an *overhand*

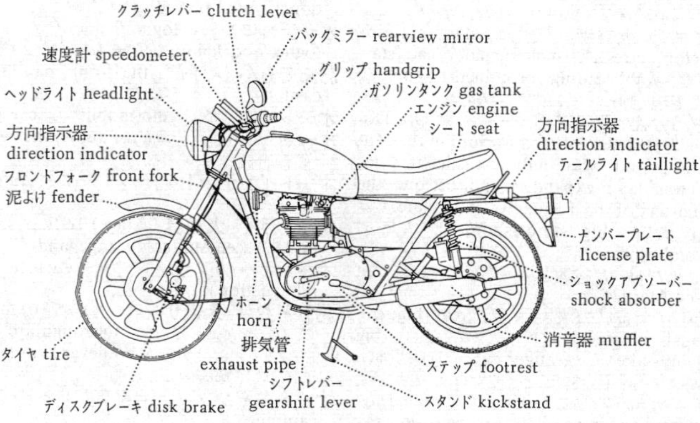

オートバイ motorcycle

fast ball

オーバータイム ¶*オーバータイムで (⇒超過勤務で)働く work *overtime* // *オーバータイムで反則をとられた《バスケットボールで》We were penalized for *violating the*「*three-second* [*ten-second; thirty-second*] *rule*. /《バレーボールで》We were penalized for *touching the ball too many times* before returning it over the net.

オーバーチャージ ―動 (余計な代金を請求する) òvercháge ⓗ. ¶あのタクシー運転手は*オーバーチャージした That taxi driver *overcharged* me.

オーバーチュア 〘楽〙(オペラの序曲) overture Ⓒ.

オーバードクター (未就職の博士課程修了者) unemployed Ph. D. Ⓒ; (博士課程を修了した研究者) postdoctoral (fellow) Ⓒ. 日英比較 「オーバードクター」は和製英語.

オーバードライブ 〘自動車・ゴルフ〙overdrive Ⓒ.

オーバーネット 〘球〙 ―動 (バレーボールで) reach over the net. ¶ブロックしようとして*オーバーネットで反則をとられた I was penalized for *reaching over the net* to block the ball.

オーバーハング ―名 (張り出し) óverhàng Ⓒ. ―動 (上に張り出す) òverháng《過去・過分 overhung》ⓗ ⓙ. 《☞ はりだす²》. ¶そこには上に*オーバーハングがあった There was an *overhang* above.

オーバーハンド ―形 (上手投げの・打ちおろしの) overhand ★ 名詞は Ⓒ. ¶*オーバーハンドの投球 an *overhand* throw // *オーバーハンドストローク an *overhand* stroke

オーバーヒート ―動 (過熱する) overheat ⓙ 日英比較 英語は名ではなく, 名は overheating という. ¶エンジンが*オーバーヒートした The engine *overheated*.

オーバーブッキング ―名 (定員超過の予約受付) overbooking Ⓤ. ―動 overbook ⓗ. ¶*オーバーブッキングで 1 人飛行機に乗れなかった The plane *was overbooked*, and one passenger「was left behind [couldn't board].

オーバープレゼンス (目立ちすぎ) excessive presence Ⓤ. ¶沿岸に空母三隻とは*オーバープレゼンスだ A battle group of three (aircraft) carriers along the coast *made an excessive presence*.

オーバーフロー (液体があふれること) óverflòw Ⓤ.

オーバーヘッド (固定的経費) overhead Ⓤ, 《英》overheads; 〘コンピューター〙overhead Ⓤ.

オーバーヘッドキック 〘サッカー〙overhead kick Ⓒ.

オーバーヘッドプロジェクター overhead projector Ⓒ.

オーバーホール ―名 (分解検査[修理]) óverhàul Ⓒ. ―動 (オーバーホールする) òverhául ⓗ.

オーバーライト ―動 (上書きする) overwrite ⓗ.

オーバーラップ ―動 (重なり合う) overlap ⓗ ⓙ 《☞ かさなる》. ¶経済学と社会学が*オーバーラップしている領域がある There are some areas in which economics and sociology *overlap* (each other). オーバーラップウィンドウ overlapping window Ⓒ.

オーバーラン ―動 (飛行機が滑走路を行き過ぎる) òverrún ⓗ. ―名 óverrùn Ⓤ. ¶飛行機は滑走路を*オーバーランした The plane *overran* the runway. // 彼は二塁を*オーバーランした He *overran* second (base).

オーバーロード ―名 (過積載) óverlòad Ⓒ. ―動 (荷を積みすぎる) òverlóad ... (with ...).

オーバーワーク (過労) òverwórk Ⓤ 日英比較 英語の òverwórk は動として, ⓗ ⓙ いずれも用いる. 《☞ かろう¹》. ¶彼は*オーバーワークだ He *overworks* (himself). / He *is overworked*.

おおばくち 大博打 (大博打を打つ) gamble heavily, play for high stakes, play high; (大冒険をする) run「a high risk [high risks] (of ...).

おおはくちょう 大白鳥 〘鳥〙whooper [whooping] swan Ⓒ.

おおばこ 大葉子 〘植〙(broad-leaved) plantain Ⓒ.

おおはし 大嘴 〘鳥〙toucan Ⓒ ★ 熱帯アメリカ産で巨大なくちばしの鳥.

おおはば 大幅 ―形 (大きい) large, big ★ 後者が口語的; (思い切った) drastic; (金額・程度などがかなりの) substantial. ―副 (急激に) sharply; (大きく) greatly. ¶*大幅な賃上げを得ることは難しい It is difficult to get a *substantial* pay「raise [《英》rise]. // 計画は*大幅に変更された There was a *drastic* change in the「scheme [plan]. // 列車は*大幅に遅れた The train was *very* late. / There were *considerable* delays in the train service. ★ 第 2 文は格式ばった言い方.

おおはらえ 大祓 (Shinto) purification Ⓤ.

オーバルルーム[オフィス] the Oval Office ★ ホワイトハウス内の大統領執務室.

おおばん 大判 ―形 (大判の) large-size(d). ―名 (大判の金貨) *oban* Ⓒ; (説明的には) large oval gold coin Ⓒ.

おおばんぶるまい 大盤振舞い feast Ⓒ. ¶彼は友人たちに*大盤振舞いをした He *laid out a* (*huge*) *feast* for his friends.

オービー (卒業生) graduate Ⓒ, (男子) alumnus /əlʌ́mnəs/ Ⓒ《複 alumni /-naɪ/》, (女子) alumna 《複 alumnae /-niː/》; 《英》old boy Ⓒ, Old Boy Ⓒ 《略 OB》.

おおびけ 大引け 〘株〙closing (session) Ⓒ ★ 午前 11 時と午後 4 時. ¶*大引け値段 the *closing* price // *大引けは 22,450 円になった The (stock) market *closed* at ¥22,450.

オービター (人工衛星) orbiter Ⓒ.

おおひろま 大広間 (great [grand]) hall Ⓒ.

オープナー (缶切り) opener Ⓒ 《☞ かんきり》.

オープニング (開会) opening Ⓤ 《☞ オープン》. ¶*オープニングパーティー an *opening*「reception [party] オープニングナンバー the「first [opening]「number [piece] (on the program).

おおぶね 大船 大船に乗った気 ¶*大船に乗った気でいなさい (⇒心配するな. 私を全面的に信頼してよい) Don't worry. You can rely on me completely. / (⇒私に任せなさい. すべて面倒をみる) Leave it to me. I'll look after everything.

おおぶり¹ 大振り ―名 (バットなどの) big swing Ⓒ. ―形 (大型の) large(-sized). ¶*大ぶりのりんご *large*(*-sized*) apples

おおぶり² 大降り downpour Ⓒ 《☞ どしゃぶり》.

オーブリー (男性名) Aubrey /ɔ́ːbri/.

おおぶろしき 大風呂敷 大風呂敷を広げる (ほらを吹く) talk big ⓙ; (大げさに自慢する) brag (about ...) ⓙ. 《☞ ほら², じまん》. ¶いつも*大風呂敷を広げるので彼の話を聞きたがる友人なんて一人もいない He always *talks big*, so none of his friends wants to listen to him.

オーブン oven /ʌ́v(ə)n/ Ⓒ. オーブントースター toaster oven Ⓒ.

オープン ―動 open ⓙ ⓗ; (開始する) start ⓙ ⓗ. ―形 open. 《☞ かいてん²》. ¶その店は毎日午前 10 時に*オープンする The store *opens* at 10(:00) a.m. every day.
オープンエア ―名 (戸外) the open air. ―形 open-air Ⓐ オープンカー (屋根が折り畳めるほろの) convertible Ⓒ オープン価格 open price Ⓒ 《☞

オープンプライス》 **オープンキャンパス** open house on campus Ⓒ《複 open houses》 **オープンゲーム**〘スポ〙 opening game Ⓒ **オープンコース**〘スポ〙 open course Ⓒ **オープンサンド(イッチ)** (パンに具を載せただけで, パンではさまないもの) open sandwich Ⓒ《☞ サンドイッチ》 **オープンシステム**〘コンピューター〙 open system Ⓒ **オープンショップ** (労組の) open shop Ⓤ **オープンスタンス**〘スポ〙 open stance Ⓒ **オープンスペース**〘建〙 open space Ⓤ **オープンセット** (撮影の) outdoor set Ⓒ **オープン戦** (野球などの) exhibition [pre-season] game Ⓒ **オープンチケット** (搭乗の予約をしていないチケット) open ticket Ⓒ **オープンハウス** (日を決めて自宅・工場・学校などを知人・一般に開放すること) open house Ⓤ **オープンプライス** (卸・小売り価格を自由にすること) open price Ⓒ. ¶この品は*オープンプライスです (⇒希望小売価格がありません) There's *no suggested retail price* for this item. **オープンリール** ── [形] (カセット方式でない) open-reel.

おおべや 大部屋 (大きな部屋) large room Ⓒ; (劇場の) common [general] dressing room Ⓒ. **大部屋俳優** (端役をする人) utility man Ⓒ.

オーベロン (男性名) Auberon.

オーボエ 〘楽器〙 oboe /óʊboʊ/ Ⓒ. **オーボエ奏者** oboist /óʊboʊɪst/ Ⓒ.

おおまか 大まか ── [形] (大ざっぱな) rough; (一般的な) general; (おうような) generous. 《☞ おおざっぱ; おうよう²; ざっと》.

おおまけ 大負け ☞ たいはい²; おおやすうり

おおましこ 大猿子 〘鳥〙 Pallas's rosefinch Ⓒ.

おおまじめ 大真面目 (大まじめで) in 「good [real] earnest《☞ まじめ》. ¶彼は*大まじめで問題を解いていた He was trying to solve the problem *in* 「*real* [*good*; *dead*] *earnest*.

おおまた 大股 (大きな歩幅) long stride Ⓒ. ¶彼は*大股で私に近づいてきた He walked toward me 「taking [in; with] *long strides*.

【参考語】(大股に歩く) stride (away; along ...) 自; (闊歩する) strut 自.

おおまわり 大回り long detour Ⓒ《☞ とおまわり》. ¶彼の家へ寄ると*大回りになる We'll have to make a *long detour* to visit him.

おおまんどころ 大政所 *Omandokoro*, title of respect for Toyotomi Hideyoshi's mother.

おおみえ 大見得 **大見得を切る** (俳優が) strike a pose, pose 「for a dramatic effect [to attract a lot of attention]; (芝居がかって言い放つ) declare 「pompously [dramatically]. ¶首相は景気回復に政治生命をかけると*大見得を切った The Prime Minister *pompously declared* that he would stake his career on the issue of a strong economy. // 彼は必ず成功すると*大見得を切った (⇒大げさに宣言した) He *pompously declared* that he would certainly succeed.

おおみず 大水 flood Ⓒ《☞ こうずい》.

おおみずなぎどり 大水凪鳥 〘鳥〙 streaked shearwater Ⓒ.

おおみそか 大晦日 New Year's Eve《☞ くれ》.

おおみだし 大見出し big [splash] headline Ⓒ, 《米》 streamer Ⓒ, banner Ⓒ. ¶その記事は*大見出しで報じられた The news was reported under a 「*big headline* [*streamer*; *banner*].

おおみやびと 大宮人 courtier /kɔ́ətiə/ Ⓒ, court official Ⓒ.

オーム 〘電〙 ohm /óʊm/ Ⓒ《記号 Ω》.

おおむかし 大昔 ¶*大昔, お姫様がいました *Long, long ago* [*A long time ago*], there lived a princess. // これは*大昔からの言い伝えです This is a saying handed down to us from *time immemorial*. 《☞ むかし》

【参考語】(昔) olden days ★複数形で; (はるかな過去) the remote past Ⓤ; (古代) ancient times; (原始時代) primitive ages ★以上 2 つは複数形で.

おおむぎ 大麦 〘植〙 barley Ⓤ.

おおむこう 大向こう (天井桟敷の見物人) the gallery; (大衆) the masses ★複数形で. **大向こうをうならせる** play to the gallery.

おおむね 概ね ☞ だいたい¹; おおよそ

おおむらさき 大紫 〘昆〙(蝶) giant purple butterfly Ⓒ, Sasaki's purple emperor butterfly Ⓒ.

おおめ¹ 大目 **大目にみる** (見逃す) òverlóok 他; (寛大に取り扱う)《格式》 tóleràte 他. 《☞ かんべん¹》. ¶失敗を何とか*大目にみて下さい I hope you'll *overlook* my failure.

おおめ² 多め ¶*多めにください Give me a 「*big* [*large*] helping. / (⇒もう少し) Give me *a little more*.

おおめだま 大目玉 (ひどくしかること) scolding Ⓒ, 《略式》 talking-to Ⓒ. 《☞ おめだま; こごと; しかる》. ¶息子に*大目玉をくわせなくてはならない I must give my son a 「*talking-to* [*scolding*]. **大目玉を食らう** get a good scolding, be severely scolded. ¶子供たちは*大目玉をくらった (⇒ひどくしかられた) The children *got a good scolding*.

おおめつけ 大目付 (江戸時代の) *ometsuke*, upper superintendent officer (in the feudal age) Ⓒ.

おおもじ 大文字 capital letter Ⓒ (↔ small letter)《☞ 大文字 (巻末)》. ¶*大文字で in 「*capital letters* [*capitals*]

おおもて 大もて (...に大もてである) be very popular with ... 《☞ もてる¹; にんき¹》.

おおもと 大本 (基礎) base Ⓒ《☞ きそ¹ (類義語); きほん; こんぽん》.

おおもの 大物 (実力者) big [important] man Ⓒ; (特に政界・財界などの要人)《略式》 VIP /víːàɪpíː/ Ⓒ《複 VIPs》 [語法] V.I.P. 《複 V.I.P.'s》 とも書く. *v*ery *i*mportant *p*erson Ⓒ の略. 《☞ 略語 (巻末)》; (狩り・釣りの) big game Ⓤ. 《☞ おえらがた》. **大物食い** giant killer Ⓒ.

おおもり 大盛り ── [形] jumbo(-sized). ¶ピラフの*大盛り (a) *jumbo(-sized)* pilaf

おおや 大家 (男の) landlord Ⓒ; (女の) landlady Ⓒ; (家の持ち主) owner (of *one's* house) Ⓒ ★ *one's* owner と言うと「私の主人」という意味にとられる.

おおやいし 大谷石 〘鉱物〙 Oya stone Ⓤ; (説明的には) tuff quarried in the neighborhood of Oya (in Tochigi Prefecture) Ⓤ.

おおやけ 公 ── [形] (社会一般の) public; (公開の) open; (公式の) official. ── [副] publicly; openly; officially; (正式に) formally. ── [動] (出版する) publish 他 自; (世間に知らせる) make ... public. ¶彼は*公の席でそのことを話した He talked about it *in public*. / (⇒正式に) He made *formal* mention of it. / (⇒公式の) He made *official* statements about it. // これは*公にできないことです (⇒公表するのは得策でない) It's not advisable to *make* this *public*. / (⇒公表するべきものではない) This is not for *publication*. / (⇒秘密にしておくべきことだ) This should be kept 「secret [strictly confidential]. / (⇒個人的なことだ) This is a strictly private matter.

おおやしま 大八洲 the Eight Great Islands ★説明として an ancient name for the Japanese islands を加える.

おおやすうり 大安売り big [great; special] bargain Ⓒ《☞ おおうりだし》.

おおやまねこ 大山猫 〘動〙 lynx Ⓒ.
おおやまれんげ 大山蓮華 〘植〙 Siebold's magnolia Ⓒ.
おおゆき 大雪 heavy (fall of) snow Ⓒ; (降雪量) heavy snowfall Ⓒ. (☞ ゆき[1]).
¶ 先週*大雪が降った We had *a heavy* ⌈(*fall of*) *snow* [*snowfall*] last week. // 10 年来の*大雪だ This is *the* ⌈*heaviest* [*biggest*] *snowfall* that we have ⌈had [seen] in ten years.
おおよしきり 大葦切 〘鳥〙 great reed warbler Ⓒ.
おおよそ 大よそ **1** 《概要・大体》 ― 形 (概略の) rough; (数量について) approximate /əprɑ́ksəmət/. ― 副 roughly, roughly speaking ★ 文頭に用いる. やや格式ばった言い方; (全体から見て) on the whole, approximately ★ 後者のほうが改まった語. (☞ だいたい[1]; ほぼ[1]; ほとんど; やく[3]).
¶ *おおよその計画はできた I've ⌈made [drawn up; put together] a *rough* plan. // それは*おおよそ当たっている That's just *about* right. // 費用は*おおよそどのくらいだろう How much [What] is the *approximate* cost? // *おおよそ半分 *roughly* (a) half // *おおよそのところ, 30 日ばかりかかるでしょう *Roughly speaking*, it will take thirty days (to finish it). / It will take *approximately* thirty days (to ⌈finish [complete; accomplish] it).
2 《まったく》 ☞ およそ
オーライ ― 副 all right, O.K., OK. (☞ オーケー 語法).
おおらか ― 形 (度量の豊かな) tolerant; (心が広い) broad-minded; (寛大な) generous. (☞ おうよう[2]). ¶ 彼女は*おおらかな人だ She is ⌈*tolerant* [*broad-minded*; *generous*].
オーラミン 〘化〙 auramine /ɔ́ːrəmìːn/ Ⓤ ★ 黄色の塩基性染料.
オーラルメソッド (外国語教授法の一つで口頭教授法) oral method Ⓒ.
オール (ボートの) oar /ɔ́ə/ Ⓒ (☞ かい[3] (挿絵)).
オール受け 《米》 oarlock, 《英》 rowlock Ⓒ.
オールアウト ― 形 (全面的な) all-out Ⓐ ★ くだけた表現.
オールインワン ― 名 (女性用の下着) all-in-one Ⓒ, all in one Ⓒ, body suit Ⓒ. ― 形 (すべて一体となった) all-in-one Ⓐ.
オールウェザー ― 形 (すべての天候に適した) all-weather Ⓐ (☞ ぜんてんこうがた).
オールオアナッシング ― 形 (全か無かの) all-or⌈-nothing[-none]. ¶ 昇進をかちとるか会社をやめるか, *オールオアナッシングだ I'll get a promotion or I'll leave the company—it's *all or nothing*.
オールオケージョンドレス (すべての場合に着られるドレス) dress for all ⌈purposes [occasions] Ⓒ, all-purpose dress Ⓒ.
オールシーズン ― 名 (四季) all seasons. ― 形 (四季を通じての) all-season Ⓐ.
オールスター ― 形 (スター総出演[場]の) all-star ★ 英語は名詞ではなく形容詞. (☞ スター). ¶ 私はその*オールスターの試合をテレビで見た I watched the *all-star* game on television.
オールスパイス (植物・香辛料) allspice Ⓤ.
オールタナティブ ― 名 (代わりの手段) alternative /ɔːltə́ːnətɪv/ Ⓒ. ― 形 alternative. (☞ にしゃたくいつ).
オールディーズ (なつメロ) oldie Ⓒ, oldy Ⓒ ★ 複数形で oldies として使うことが多い.
オールド ― 形 (年とった・古い) old.
オールドタイマー (古風な人・老人) old-timer Ⓒ ★ くだけた表現.
オールドファッション ― 形 (古風な・流行遅れの) old-fashioned. ― 名 (カクテル) Old Fashioned Ⓒ.
オールドボーイ (卒業生・校友) old boy Ⓒ (☞ オービー; どうそう (同窓生)).
オールドミス spinster Ⓒ, old maid Ⓒ. 日英比較 「オールドミス」は和製英語.
オールドラングザイン Auld Lang Syne /ɔ̀ːl(d)læ̀ŋzáɪn/ ★ 「蛍の光」の原曲となったスコットランド民謡. スコットランド語で old long since の意.
オールナイト ― 形 (終夜の) all-night (☞ しゅうや). ¶ *オールナイトの店 an *all-night* store
オールバック ¶ 髪を*オールバックにする wear *one's* hair *combed straight back*
オールマイティー ― 形 (全能の) almighty.
オールラウンド ― 形 (万能の) all-around, all-round. (☞ ばんのう). ¶ *オールラウンドプレーヤー an *all-around* player / 《英》 an *all-rounder*
オーレオマイシン 〘商標〙 (抗生物質) Aureomycin Ⓤ.
オーロラ (極光) aurora /ərɔ́ːrə/ Ⓒ (複 ～s, aurorae /ərɔ́ːriː/).
おおわざ 大技 ¶ 彼は*大技をきめて (⇒ 派手に) 相手に勝った He defeated his opponent *with panache* /pənǽʃ/. ★ panache は「堂々たる態度」.
おおわし 大鷲 〘鳥〙 Steller's sea eagle Ⓒ.
おおわらい 大笑い a good laugh (☞ ばくしょう). ¶ 彼のジョークで*大笑いした His joke gave us *a good laugh*. // こいつは*大笑いだ This is really something *to laugh at*.
おおわらわ 大わらわ ¶ みんな自分の部屋の掃除で*大わらわだ (⇒ とても忙しい) Everyone is *very busy* cleaning ⌈his own room [their own rooms]. ★ 格式ばった言い方では his, くだけた言い方では their. // *大わらわで働く (⇒ 死に物狂いで働く) work *desperately* (☞ いそがしい)
おか[1] 丘 hill Ⓒ; (高台) heights ★ 複数形で, 単数扱い. ¶ あの*丘に登ろう Let's go up that *hill*. // *丘を下りる go down a *hill* // 彼の家は*丘の中腹にある His house ⌈stands [is (built)] on a *hillside*.
おか[2] 陸 (陸地) land Ⓤ; (船から見て) the shore.
陸にあがった河童 ¶ 彼は営業にまわされて, 今は*陸にあがった河童同然だ (⇒ 自分の本領から外れている[水から離れた魚のようだ]) He's been transferred to the sales department and now he is completely ⌈*out of his element* [like *a fish out of water*].
おかあさん お母さん (一般に, 母親) mother Ⓒ; (子供が母親の呼びかけとして) Mom /mɑ́m/ (《英》 Mum /mʌ́m/), Mommy (《英》 Mummy), Mama, Mamma, Ma 語法 家族の間では mother を固有名詞のように扱い, 冠詞や所有格の代名詞を付けず, また書くときは大文字で始めることが多かったが, この習慣は消えつつある. 現在では子供が母親に対して呼びかけるときは, Mom (《英》 Mum) が最も一般的である. Mommy, Mummy は幼児の場合. Mama, Mamma は《米》では Mom ほど一般的ではない. Ma は多少方言的であり, 都会ではあまり聞かれない. (☞ はは; おとうさん 語法; 親族関係).
¶ *お母さん, 電話ですよ *Mom*, you're wanted on the phone. // *お母さんはどこにいるの Where's *Mom*? ★ 話者が自分の母親の居場所を尋ねている. // *お母さんによろしくね Please give my best ⌈wishes [regards] to your *mother*.
おかえし お返し (感謝のしるし) token of gratitude Ⓒ; (返礼) return Ⓤ. 日英比較 英米の習慣では, 物をもらってそのお返しにまた物を贈るような習慣はない. (☞ れい[2]; へんれい[1]). ¶ *お返しに何か差し上げたい (⇒ 感謝のしるしとして何か贈りたい) I'd like to give you something *as a token of* (my) *gratitude*. // 彼女のもてなしの*お返しに何を送ろうか

What shall I send to her *in return for* her hospitality?

おかえりなさい お帰りなさい (日常的なあいさつ) Hello!; (帰国の歓迎などの) Welcome home!; (遠い旅行などから) Glad to see you back! 《☞ ただいま [日英比較]》.

おかか flakes of dried bonito.

おかかえ お抱え ―[形] (弁護士など) retained; (個人的な) personal; (王室付きの; 常任の) in ordinary. ¶*お抱え弁護士 a *retained* lawyer // *お抱え秘書 a *personal* secretary // 王室*お抱えの絵師 a royal painter *in ordinary* / a painter *in ordinary to* the royal family

おがくず おが屑 sawdust [U].

おかぐら 御神楽 ☞ かぐら

おかげ お陰 ¶「御家族の皆さんはお元気ですか」「*おかげさまで皆元気です」"How is your family?" "All of them are [They are all] fine, *thank you.*" [日英比較] (1) 日本語では特に相手の助力を得ていない場合でも, 一種の社交辞令として「おかげさまで…」と言う. こういう表現は英語にはないので, thank you などで表すのが適当である. // *おかげさまで助かります (⇒ 助力をたいへんにありがとう) *Thank you very much* for your kind ˹help [assistance]. / (⇒ 私を助けに来て下さるとは何と親切なことでしょう) *How kind of you* to come and help me! // *おかげさまで卒業することができました *Thanks to you* [*Through your kind assistance*], I was able to graduate. [日英比較] (2) この表現は相手に本当に世話になった場合で, 社交辞令的な「おかげさまで」なら上述の [日英比較] (1) のように言う. // あなたの*おかげで成功しました (⇒ 私は私の成功をあなたに負うている) I *owe* my success to you. / I'*m greatly indebted* to you for my success. ★ 第 2 文のほうが格式ばった言い方. // 彼の*おかげで (⇒ 彼の失敗のために) 計画はめちゃめちゃになった Our plan was spoiled ˹*because of* [*due to*] his failure. // 彼女の*おかげで会社での女性の地位が向上した (⇒ 彼女は多くをなした) She *has done a* ˹*great deal* [*lot*] to improve working conditions for women ˹in [at] the company.

【参考語】«助け»: assistance [U]; help [U]; aid [U].
«後援»: support [U]; backing [U].
«おかげで»: (…の助力で) through *a person's* ˹help [assistance]; (原因で) because of…; owing to…; due to…

おかざり 御飾り (神社などの) divine ornament [C]; (新年の) (New Year's) decoration [C]; (名目的に高い地位にいる人) figurehead [C], nominal head [C]. 《☞ かざり》. ¶この国の国王はただの*お飾りに過ぎず首相が実権を握っている The king of this country is only a *figurehead*, and the prime minister has the real power.

おがさわらりゅう 小笠原流 (礼儀作法の流派) the Ògasawára ˹schòol [stỳle] étiquette [U]; (一般的に良い作法) good manners ★ 複数形で.

おかしい **1** «おもしろい»: (人を楽しませるような) amusing; (こっけいで) funny; (ばかばかしいようで) ridiculous. 《☞ おもしろい (類義語); ユーモラス; こっけい》. ¶*おかしい話 (⇒ 楽しい) an *amusing* story / (⇒ 思わずふき出して笑うような) a *funny story* [語法]「奇妙な」の意味でも funny を使う. 《☞ 2》. その意味では a *strange* story ともいう. // 彼の冗談はちっとも*おかしくなかった His joke wasn't *funny* at all. / (⇒ 笑わせなかった) His joke didn't *make* us *laugh* at all. // 何がそんなに*おかしかったんだい (⇒ 何があなたをそんなに笑わせたのか) What *made* you *laugh* so much? 《☞ 発想 (巻末)》
2 «奇妙な»: (不思議な) strange; (風変わりな) queer; (通常とは違って) unusual; (常識からはみ出した) odd; (適切でない) wrong. 《☞ へん[1] (類義語); ふしぎ; かわった》. ¶彼はどこか*おかしいところがある There's something *strange* about him. // あなたが彼を知らないなんて*おかしい It's *strange* you've never met him. // 彼が遅れるとは*おかしい (⇒ 異常だ) It's *unusual* for him to be late. / (⇒ なぜ遅れているのかと思う) I *wonder why* he's late. // *おかしなことに彼はその日は学校を休んだ *Curiously*, he was ˹away [absent] from school on that day. // 車の調子が*おかしい Something's *wrong* with the car. // そんなことを言うなんてあの男は頭が*おかしい He must be ˹*crazy* [*out of his mind*] to say such a thing.
3 «怪しい»: suspicious 《☞ あやしい》. ¶門のところにいた男は*おかしい The man at the gate looked *suspicious*.

おかしがたい 犯し難い (威厳のある) dignified; (堂々とした) imposing. ¶彼女の物腰には*犯し難い気品があった There was ˹*dignified* [*imposing*] grace in her ˹bearing [attitude].

おかしがる be amused ˹at [by; with] …; 《略式》 be tickled ˹at [by] …. ¶彼らは私の冗談を*おかしがった They *were greatly amused by* my joke.

おかしさ (滑稽さ) laughableness [U], funniness [U] ★ 後者のほうが口語的. ¶*おかしさをこらえる (⇒ 笑いたい衝動を抑える) suppress *one's* ˹*urge* [*impulse*] *to laugh*

おかじょうき 陸蒸気 steam train [C]; (蒸気機関車) steam locomotive [C].

おかしらつき 尾頭付き whole fish (with its head and tail) [C]; (丸ごと焼いた魚) fish grilled whole [C] ★ いずれも単複同形.

おかす[1] 犯す (罪悪を) commit [他]; (法律を) violate [他], break [他] ★ 前者のほうが格式ばった言葉; (女性を) rape [他], assault [他], commit (an) assault ˹on [upon] … ★ 後の 2 つは rape の婉曲語として用いられる. ¶あの男は殺人[罪]を*犯した That man ˹*committed* [*is guilty of*] ˹murder [a crime]. // 法律を*犯すものは罰せられる Anyone who *breaks* the law [*Lawbreakers*] will be punished.

おかす[2] 侵す (侵入する) invade [他]; (権利などを) violate [他]; (侵害する) infringe (˹on [upon] …) [他] [自]. 《☞ しんがい[1] (類義語)》. ¶他人のプライバシーを*侵す *invade* the privacy of others // 人権を*侵してはならない Human rights should not *be* ˹*violated* [*infringed* (*upon*)]. // 何人も*侵すことのできない権利 *inalienable* rights

おかす[3] 冒す (危険を) risk [他], run a risk. ¶彼は生命の危険を*冒してまでそれをやった He did it *at the risk of* his life. // 風雨を*冒して *in spite of* the storm / (⇒ あらしが荒れ狂っていたけれども) *even though* the storm was raging

おかず (中心となる料理に対して付随的な) side dish [C] [日英比較] 英米では日本の習慣と違って, 主食に対する「おかず」という考え方がないために, 正確にこれに当たる英訳表現はなく, 説明的な表現しかできない. side dish も「おかず」とは概念が異なり, 単に主要な料理ではないものという意味にすぎない. ¶*おかずの種類は (⇒ 料理の品数は) 多くはなかった There were ˹not so many [(rather) few] *dishes* on the table.

おかっぱ お河童 bob [C]. ¶あの子は*おかっぱ頭でかわいい That girl is cute *with her straight* ˹*hair cut short* [*bobbed-hair*].

おかっぴき 岡っ引き detective (in the Edo era /ì(ə)rə/) [C].

おかづり 陸釣り (磯釣り) surf-fishing [U].

おかどちがい お門違い ―[形] (間違いの)

wrong; (適切でない) irrélevant. ¶その質問に答えろというのかい. *お門違いだよ (⇒ 間違った人に尋ねている) Do you want me to answer the question? You *are asking the wrong person.* // あまり*お門違いのことばかり言っていると相手にされなくなるよ You'll be ignored ˹if you keep making *irrelevant remarks* [*unless you* ˹*speak* [*stick*] *to the point*].

おかばしょ 岡場所 unlicensed red-light district (in Edo) Ⓒ.

おかぶ お株 **お株を奪う** ¶山田は映画通だが, 今度ばかりは小川に*お株を奪われた Yamada is an expert on movies, but this time Ogawa *beat* him *at* his *own game*. 語法 beat ... at his own game は「…を彼の得意なことで打ち負かす」が原意.

おかぼ 陸稲 dry-land rice Ⓤ; (特に稲) dry-land rice plant Ⓒ.

おかぼれ 岡惚れ (ひそかに恋い慕う) entertain secret affections toward ...; worship ... at a distance.

おかま 御釜 (釜) iron pot Ⓒ; (火口) crater Ⓒ; (同性愛の男)《米俗》fag Ⓒ; (同性愛者) gay Ⓒ, homo(sexual) Ⓒ. 《☞ かま¹; ホモ¹》. **御釜を掘る** sodomize ㊍, practice sodomy; (追突する) bump into the rear of ... ㊐.

おかまい 御構い ¶どうぞ*お構いなく Please don't *bother*. / Please don't *go to any trouble* (over me). // 何の*お構いもできませんが, どうぞおいで下さい Do come, though we're not having *anything special* for you. // 彼女は誰が何と思おうと*お構いなしだった She didn't *care* what anybody thought.

おかまこおろぎ 〘昆〙 camel [cave] cricket Ⓒ.

おかみ¹ 女将 (旅館などの) proprietress Ⓒ; female innkeeper Ⓒ.

おかみ² 御上 (権威者) the authorities; (政府) the government; (天皇) the emperor; (主君) *one's* ˹lord [master].

おがみたおす 拝み倒す ¶友人連中を*拝み倒して100万円借りた I *begged and begged* my friends to lend me a million yen. / I managed to borrow a million yen from my friends after *begging on bended knee*.

おがむ 拝む (あがめる) worship ㊍; (祈る) pray (to ...) ㊐. 《☞ いのる》. ¶老人は拝殿の前で手を合わせて*拝んだ The old man ˹*prayed* with clasped hands [put his hands together and *prayed*] in front of the outer shrine.

おかめいんこ お亀鸚哥 〘鳥〙 cockatiel Ⓒ.

おかめうどん お亀饂飩 bowl of noodle soup with slices of fish paste Ⓒ.

おかめこおろぎ お亀蟋蟀 〘昆〙 *okame* cricket Ⓒ; (説明的には) a kind of field cricket.

おかめざさ お亀笹 〘植〙 Kuma bamboo-grass Ⓤ.

おかめはちもく 岡目八目 Spectators see more of the game than do the players. ★「観衆のほうが選手よりもよく試合が見える」という意味. / People watching the game see more than the players do.

おかもち 岡持ち wooden box with a handle to carry foods Ⓒ.

おかやき 岡焼き ☞ しっと

おから soy pulp Ⓤ, tofu waste Ⓤ, bean-curd waste Ⓤ.

オカリナ 〘楽器〙 òcarína Ⓒ ★ イタリア語から.

オカルト ―形 (神秘的な) occúlt ★名「神秘的なもの」は the occult として単数扱い.

おがわ 小川 brook Ⓒ, stream Ⓒ, 《米》creek Ⓒ. 語法 brook は文語的. stream は少し広い意味で用いられる言葉. small stream＝brook という感じ; (さらに小さな流れ) brooklet Ⓒ, streamlet Ⓒ. 《☞ かわ¹》.

おかわり お代わり another [second] helping 語法 他人に勧めたりする場合には another を使わないほうがよいとする人もある. ¶コーヒーの*お代わりを下さい May I have *another cup* of coffee? // とてもおいしいので*お代わりをしたい This is delicious. I'd like *another helping*. / May I have a *second helping*? // 「*お代わりいかがですか」「いや, もう結構です」"Won't you have *some more*?" "No, thank you."

おかん 悪寒 a chill ★ a を付けて. 《☞ さむけ》. ¶*悪寒がする feel [catch; get; have] *a chill*

おかんむり お冠 ―動 (不機嫌である) be cross (at *something*; with *a person*), be in a ˹sullen mood [bad temper] ★ be cross のほうがより口語的; (怒っている) be irritated (by *something*; with *a person*).

おき 沖 the offing; (公海) the open sea. ¶その船は房総*沖に停泊した The ship dropped anchor *off* the Boso Peninsula. 語法「…の沖」という言い方は「off＋地名」の形をとる. // 5マイル*沖の小さな島に泳いで行った We swam to a small island five miles *offshore*. // あの*沖の船は捕鯨船のようだ That ship *out at sea* looks like a whaler.

-おき …置き ¶1日*おきに来て下さい Please come *every other* day. // バスは10分*おきに走っています Buses run ˹at ten-minute *intervals* [*every* ten minutes]. 語法 ten minutes は1つの単位として考えられる. // 苗は50センチ*おきに (⇒ …の間隔を置いて) 植えます We plant the seedlings ˹*at intervals of* 50 centimeters [50 centimeters *apart*]. // 列車は1時間*おきに, 毎正時に出ます The train leaves *every* hour on the hour. 《☞ かくしゅう; かくげつ¹; かくねん》

おぎ 荻 Amur silver-grass Ⓒ.

おきあい 沖合い the offing 《☞ おき》. **沖合漁業** offshore fishery Ⓒ.

おきあがりこぼし 起き上がり小法師 tumbler Ⓒ; (説明的には) small dharma doll (with a self-uprighting, quasi-spherical base) Ⓒ.

おきあがる 起き上がる (起床する) gèt úp ㊐ ★ 立ち上がる意味にも使う; (立ち上がる) rise ㊐; (ベッドの上で) sìt úp ㊐; (転んで) pick *oneself* up. 《☞ おきる; たちあがる》. ¶はやく*起き上がりなさい *Get up* [*Pick yourself up*] quick(ly). // 彼はベッドの上に*起き上がって本を読んでいた He was *sitting up* in bed reading.

おきあみ 沖醤蝦 krill Ⓒ ★ 単複同形.

おきいし 置き石 (庭の) stone ˹set [placed] in the garden (for scenic effect) Ⓒ; (碁の) go stone placed for handicap Ⓒ.

おきかえる 置き換える (A の代わりに B を使う) substitute B for A; (A を B で換える) replace A with B ★ 前置詞および A, B の順序に注意; (並べかえる) rearrange ㊍; (場所を移す) move ㊍. 《☞ いれかえる; とりかえる》. ¶古い絵をとって, 新しいのに*置き換えて下さい Please *replace* the old pictures *with* the new ones. / Please *substitute* the new pictures *for* the old ones.

おきがけ 起き掛け ☞ おきぬけ

おきがさ 置き傘 spare umbrella (˹left [kept] at *one's* office or school) Ⓒ.

おきぐすり 置き薬 set of household medicines left by a (medicine) peddler to be used as needed Ⓒ.

おきご 置き碁 (game of) go played with a handicap ★ game は Ⓒ.

おきごたつ 置き火燵 portable foot warmer Ⓒ.
オキサイド 〘化〙(酸化物) oxide /ɑ́ksaɪd/ Ⓒ.
おきざり 置き去り ―― 動 (…を後へ残す) leave … (behind); (見捨てる) desért ㊍, abandon ㊍. ¶ 彼は妻子を*置き去りにしていなくなった He disappeared, ˹leaving his family *behind* [*deserting* his wife and children].
オキシダント (酸化性物質) óxidant Ⓒ. ¶ きょうの*オキシダント濃度はかなり高い The concentration of *oxidants* is fairly high today. 日英比較 このような表現は英米では普通用いられない. 従って英米人に理解しやすいようにするには The smog is ˹quite [rather] bad today. のように意訳する必要がある.
オキシドール (過酸化水素) hydrogen ˹peroxide /pərɑ́ksaɪd/ [dioxide /dàiɑ́ksàɪd/] Ⓤ ★ Oxydol はドイツ語の商標名.
おきしな 起きしな ☞ おきぬけ
オキシフル ☞ オキシドール
オキソさん オキソ酸 〘化〙 òxoácid Ⓤ.
おきづり 沖釣り offshore fishing Ⓤ.
おきて 掟 (規則) rule Ⓒ (☞ きそく; きまり).
¶ *掟を守る[破る] follow [break] ˹the [a] *rule*
おきてがみ 置き手紙 (書き置き) note (left behind) Ⓒ; (伝言) méssage Ⓒ. (☞ かきおき). ¶ 彼は留守だったので*置き手紙をしてきた As [Since] he was out, I *left a* ˹*note* [*message*].
おきどけい 置き時計 (一般的に) clock Ⓒ ★ 腕時計, 懐中時計など持ち運ぶ時計 (watch) と対照して; (壁かけ時計) wall clock Ⓒ; (飾台に置く) mantel(piece) clock Ⓒ; (卓上時計) table [desk] clock Ⓒ; (目覚まし時計) alarm clock Ⓒ. (☞ とけい).
おきどころ 置き所 ¶ この世に身の*置き所もない There is no ˹*place* [*room*] for me. (☞ おきば; ばしょ)
おぎない 補い ¶ むだにした時間の*補いをつけなければ (⇒ 埋め合わせなければ) いけない I'll have to *make up for* lost time. // 研究費の*補いをする (⇒ 不足を埋め合わせる) *make up* the difference in *one's* research expenses (☞ うめあわせ)
おぎなう 補う (不足・損失などを埋め合わせる) make up for …, make good …, make up ㊍ 語法 以上いずれも交換可能だが, 最初のものが最も一般的; (補充する) súpplemènt ㊍; (欠員などを) fill ㊍. (☞ うめあわせ; ほじゅう). ¶ こんな多額の赤字を*補うのは困難だ It will be hard to *make up* such a large deficit. // 収入の不足を*補うために, 彼は夜もアルバイトをした He had a side job in the evening in order to *supplement* his income.
おきなえびす 翁恵比須 〘貝〙 slit shell Ⓒ.
おきなかし 沖仲仕 (港湾労働者) stevedore Ⓒ, (米) longshoreman Ⓒ, (英) docker Ⓒ.
おきなぐさ 翁草 〘植〙 pasqueflower Ⓒ.
おきにいり お気に入り ―― 名 (身分の上の人の) favorite ((英) favourite) Ⓒ ★ 軽蔑的な意味を持つことがある; (特に子供を指す) pet Ⓒ. ―― 形 favorite Ⓐ; pet Ⓐ. (☞ きにいる; すき¹). ¶ 彼女は A 夫人の*お気に入りだ She is Mrs. A.'s ˹*favorite* [*pet*]. // これは彼の*お気に入りのレストランだ This is his *favorite* restaurant.
おきにやく 沖荷役 offshore loading and unloading (of a vessel) Ⓤ; (沖荷役に従事する人) *offshore* ˹*stevedore* [(米) longshoreman] Ⓒ.
おきぬけ 起き抜け ¶ 私は*起き抜けに (⇒ 起きたらすぐ) 風呂に入った I took a bath *as soon as I got up*.
おきば 置き場 (一般的な場所) place Ⓒ; (余裕) space Ⓒ. ¶ 物が増えすぎて*置き場に困っている (⇒ 私の家に入らない) I have too many things to fit them all in my ˹*place* [*house*]. // 恥ずかしくて身の*置き場もない感じだ (⇒ 自分自身をどうしたらよいかわからない) I feel so ashamed that I don't know *what to do with myself*. // そこは足の*置き場もない程 (⇒ 座れない程)散らかっていた So many things were scattered around there that I could find *no* ˹*space* [*room*] *to sit* (*down*). (☞ ふみば)
おきばな 置き花 tabletop ˹ikebana [flower arrangement] Ⓒ; (説明的には) flower arrangement (placed) in an alcove or on a table Ⓒ.
おきばり 置き針 fish(ing) hook and line left overnight in the river Ⓒ; (漁法) river fishing with hooks and line left overnight in the water Ⓤ.
おきびき 置き引き ―― 動 (盗む) steal ㊍. ―― 名 (人) baggage thief Ⓒ. 日英比較 英語では日本語の「置き引き」に当たる 1 語はない. ¶ 切符売り場でかばんを*置き引きされた I *had* my bag *stolen* [My bag *was stolen*] at the ticket counter when I wasn't looking.
おきふし 起き伏し (日常生活) daily life Ⓤ.
¶ *起き伏しの度に(⇒ 朝に夕に)ふるさとのことを思う I think of (my) home *mornings and evenings*. // 彼は*起き伏しにさえ不自由している He ˹is helpless [needs help] even *in his daily life*.
おきまち 沖待ち offshore wait Ⓤ.
おきまり お決まり お決まりの ―― 形 usual; (習慣的な) customary ★ 格式語. ¶ *お決まりの仕事 *one's routine* work // 彼の*お決まりの手は泣き落とし戦術(⇒ 哀願)だ His *usual* trick is a piteous entreaty.
おきみやげ 置き土産 (形見) keepsake Ⓒ; (別れの際の贈り物) farewell [parting] ˹present [gift] Ⓒ. (☞ みやげ). ¶ 彼はこの本を*置き土産とした He left this book as a sort of ˹*parting* [*farewell*] *present*. / (⇒ この本は彼が去った時の贈り物だ) This book was a *present* from him when he left. // 社長は引退の*置き土産に莫大な債務を残した When the president retired and left, the company was (saddled) with a huge debt (to pay off).
おきもの 置物 (飾り物) ornament Ⓒ; (小立像) figurine /fìgjəríːn/ Ⓒ. ¶ 床の間の*置物 an *ornament* ˹for [in] the alcove (☞ かざり)
おきや 置き屋 *geisha* house Ⓒ.
おぎゃあ ¶ 赤ん坊は*おぎゃあと泣いた The baby *cried*. (☞ なく¹; 擬声・擬態語 (囲み)).
おきゃん 御侠 (活発な女の子) lively girl Ⓒ; (男の子のようなおてんば娘) tomboy Ⓒ.
おぎゅうそらい 荻生徂徠 ―― 名 固 Ogyu Sorai, 1666–1728; (説明的には) a Confucian scholar in the middle of the Edo period.
おきる 起きる **1**《起床する》: gèt úp 自, rise 自 ★ rise はこの意味では文語的. (☞ おきあがる).
¶「毎朝何時に*起きますか」「8 時に*起きます」"What time do you usually *get up* in the morning?" "At eight every morning." // 母は朝*起きるのが早い My mother always *gets up* early. / (⇒ 早起きの人です) My mother is an early *riser*. 語法 名詞としては riser が普通. get up の名詞はない. // もう*起きなさい (⇒ 起きる時間です) It's time to *get up*. // 彼はもう*起きている He's already *up*.
2《目を覚ます》: wake (up) 自 (過去 woke, waked; 過分 woken, waked), awake 自 ★ wake up は口語的; (眠らずに起きている) be [stay] awake 語法 (1) この awake は 形 Ⓟ. (☞ 形容詞の 2 用法 (巻末)); (夜ふかしをして起きている) stày úp 自, sìt úp 自 ★ 前者のほうが普通. (☞ おこす¹).
¶ おい, *起きろよ Hey! *Wake up*! 語法 (2)「目を覚ませ」という意味.「立ち上がれ」なら Get up! となる. // 赤ちゃんが*起きるといけないから静かにしてね (⇒ さもないと赤ちゃんを起こしてしまう) Please be quiet, or you'll *wake* the baby. // 小鳥は暗いうちに*起きて鳴きはじめる Birds *wake up* before it is light and start to sing. // 昨夜は一晩中 (眠れずに) *起きていた I *was* wide *awake* all night last night. // 「昨夜は何時まで*起きていた?」「テレビを見て真夜中まで*起きていました」"How late did you *stay up* last night?" "We *stayed up* till midnight watching television."

3 《立ち上がる》: gèt úp (自), rise (自) ★ 前者のほうが口語的; (横になっている状態から上半身を起こす) sit úp (自); (自力で立ち上がる) pick *oneself* up. 《☞ おきあがる; たちあがる》. ¶ 彼女はベッドの上で*起きていた I found her *sitting up* in bed. // 彼はどうにかして*起きようとしたが, すっかり弱っていて*起きられなかった He tried to *pick himself up*(,) but was too weak to *rise*. // 長いこと具合が悪くて寝ていましたが, もう*起きています I was sick in bed a long time(,) but now I'*m* (*back*) *on my feet* again.

4 《事柄が発生する》: (偶然に起こる) happen (自); (特定の時に起こる) occur (自) ★ happen より格式ばった語. 《☞ おこる²》.

おきわすれる 置き忘れる (置いてくる) leave ... (behind); (忘れる) forget (他) [語法] この語には「置く」という意味は含まれていないので, ある物について「まったく念頭になかった」という意味で用いる; (うっかりと一時的に) misláy (他). 《☞ わすれる》.
¶ きのうお宅に傘を*置き忘れました I *left* my umbrella at your house yesterday. // 彼はカメラをどこかへ*置き忘れてなくしてしまった He *forgot* his camera and ended up losing it.

おきわたし 沖渡し 〔商〕 —— [副] [形] free ⌈over-side [overboard] 《略 fo, f/o》.

おく¹ 置く 1 《ある場所に物をすえる》: put (他) 《過去・過分 put》; set (他) 《過去・過分 set》; place (他); lay (他) 《過去・過分 laid》. [語法] これらの動詞はいずれも目的語のほかに場所を示す副詞または様態を示す副詞を添えて用いる.
【類義語】 最も一般的な語で, 漠然と置くのは **put** で, 動作に重点がある. 特定の位置・状態にきちんとすえておくのは **set**. 目的をもって一定の順序などに配列して置くのは **place** で, 置かれた場所に重点がある. 横にして置くのは **lay** で, 何かの用意・準備のためであることが多い. 《☞ すえる¹》
¶「君はカバンをどこに*置きましたか」「あそこの棚の上に*置きました」"Where did you *put* your bag?" "I *put* it on the rack over there." // 全部もとのところへ*置きなさい *Put* everything *back* where it ⌈was [belongs]. // 彼女は電気スタンドをテーブルの上に*置いた She *set* a lamp on the table. // ここの本を順序よく*置いて下さい Please *place* these books in the right order. // 机の上に手を*置いて *Place* [*Put*] your hands on the desk! // 看護師さんは赤ちゃんをそっとベッドの上に*置いた The nurse *laid* the baby *down* gently on the bed. // この花瓶はここに*置いておくものですか Does this vase *belong* here? // 新しく村に駐在所を*置くことになった The village *is getting* a new police station. / We'll *have* [We'*re getting*] a new police station in this village.

2 《置き去りにする・そのままにして[放って]おく・ある状態にしておく》: (後に残す・置き去りにする) leave ... (behind) 《過去・過分 left》; (ある状態にしておく) keep (他) 《過去・過分 kept》; (放っておく) leave ... alone. ¶ 彼は妻を日本に*おいてアメリカへ行った He went to America, *leaving* his wife (*behind*) in Japan. // 傘をどこかに*おいてきた I'm afraid I('*ve*) ⌈*left* my umbrella (*behind*) [*lost* my umbrella] somewhere. // それはそのままにして*おけ *Leave* it *alone*. / (⇒ いまあるままに) *Leave* it as it is. // メモを机の上に*置いておきますから読んで下さい I'll *leave* the note on the desk for you to read. // そのことは言わないで*おきなさい You'd better ⌈*leave* it unsaid [(⇒ 黙っておく) *keep* quiet about it]. // 8 時までに宿題をすませて*おきなさい Finish your homework by eight (o'clock). // 切符はこちらで買って*おきます (⇒ あなたのために買う) We're going to get you a ticket. / (⇒ 手配をする) We'll arrange for your ticket.

3 《店などで扱う・陳列する》: (商品としてもっている) carry (他); (説明的には) have ... for sale; (商品を扱う) deal in ... ¶ この店はいろいろな辞書を*置いている This store *carries* a wide variety of dictionaries. // この店はたばこを*置いていますか (⇒ 売るか) Do you ⌈*have* [*sell*] cigarettes in this shop?

4 《家庭内に人を抱える》: (下宿人・使用人などを) keep (他), take (in) (他) [語法] (1) 前者は状態を, 後者は動作を表す. keep は意味が広くて, しばしばあいまいになるため, 部屋を貸していることをはっきりさせるには以下のような言葉を使う; (特に下宿人を) lodge (他); (部屋を貸す) rent (他) [語法] (2) 「部屋」が目的語. 相手は to ...とする. ¶ 彼女は家が広いので学生を 3 人*おいている She lives in a large house and *has taken in* three students. / (⇒ 部屋を貸している) She has a large house, so she *rents* rooms (out) to three students.

5 《隔てる・別にする》 ¶ 君たち 2 人はもう少し間隔を*おきなさい *Keep* a little *space* between the two of you. / (⇒ 少し離れなさい) You two should *keep* a little ⌈*apart* [*away from* each other]. // 列車は 1 時間*おきに出ます The trains leave ⌈one hour *apart* [*every* hour]. 《☞ -おき》 // 1 軒*おいて隣が彼の家です He lives two doors down. // 彼女はそれから 3 年*おいてまたアメリカへ行った She went to the United States again *after* three years.

おく² 奥 (背後) the back [C]; (内部) the interior [C]; (奥深い所) the depths ★ 通例複数形で; (海岸・山脈などの引っ込んだところ) the recess [C] ★ しばしば複数形で文語的. [語法] 以上の語はこの意味では the を付けて用いる. 《☞ おくふかい; おくそこ》.
¶ *奥の部屋のほうが涼しい It is cooler in ⌈*the back* room [the room in *the back* of the house]. // 森の*奥深くに木こりの小屋があった There was a woodcutter's cottage in *the depths* of the forest.
奥座敷 inner ⌈room [parlor; drawing room] [C]
奥の間 inner room [C].

おく³ 億 a [one] hundred million ★ one を用いるほうがやや格式ばった言い方. 《☞ 数字 (囲み)》.
¶ 十*億 a [one] billion [参考] 《英》 では以前は a [one] thousand million といっていたが, 現在では公式には billion.

おくがい 屋外 —— [名] the òutdóors, the open air ★ 以上はともに the を付けて. —— [形] (屋外の) óutdóor [A], open-air [A], òutside [A]. —— [副] (屋外で) òutdóors, out of doors, in the open (air), òutsíde. 《☞ おくない; こがい¹; そと》. ¶ *屋外で運動しましょう Let's exercise ⌈*outdoors* [*out of doors*; *outside*; *in the open* (*air*)]. // *屋外の気温はあまり高くない The ⌈*outdoor* [*outside*] temperature is not so high.

おくがた 奥方 nobleman's wife [C], lady [C].

おくぎ 奥義 ☞ おうぎ²

おくさま 奥様 1 《呼びかけ》: ma'am /mǽm, məm/, madam [語法] いずれも既婚者に限らず未婚者にも用いる丁寧語. 《米》 では前者が一般的.
¶ 《店頭などで》「それを見せて下さい」「こちらでございますか, *奥様」"May I have a look at that?" "This

one, *ma'am?*"

2 《夫人》: Mrs. 語法 (1) 姓の前に付けて用いる. 《英》ではピリオドなし; (…さんの妻) …'s wife. 《☞ ふじん[2]》. ¶田中さんの*奥様はきょうはお見えになりますか Is *Mrs.* Tanaka coming today? // 「*奥様はお元気ですか」「おかげさまで元気です」"How's your *wife*?" "She's fine, thank you." 語法 (2) 格式ばった言い方をするときは, your wife の代わりに Mrs. … を使って, "How is Mrs. Brown?" のような聞き方をする.

3 《人妻》: wife Ⓒ 《複 wives》; (主婦) housewife Ⓒ; (既婚女性) married woman Ⓒ.
¶彼女はお嬢様ですか*奥様ですか Is she single or *married*? // 私たちのお客の大半は*奥様です Most of our customers are ｢*housewives* [*ladies*]. // 彼女はいまでは重役の*奥様です She is now the *wife* of a corporate executive. / (⇒ 重役と結婚している) She *is married to* a corporate executive.

おくさん 奥さん wife Ⓒ 《複 wives》 語法 呼びかけの場合は使わない, 呼びかけには Mrs. Smith のように名を用いる. 《☞ おくさま; ふじん[2]》. ¶お隣の*奥さん my neighbor's *wife*

オクシデンタル (西洋の) Òccidéntal (↔ Oriental).

オクシデント (西欧) 《格式》 the Óccident.

おくじょう 屋上 roof Ⓒ; (特に屋根と区別するとき) rooftop Ⓒ. 《☞ やね》. ¶彼は*屋上に上がった He climbed (up) onto the *roof*.
屋上屋を架す (重ねて無用なことをする) add unnecessary things.

おくじょちゅう 奥女中 waiting maid of (the household of) a shogun or a daimyo Ⓒ.

オクスフォード ☞ オックスフォード

おくする 臆する (ひるむ) shrink (from …) ⓐ; (たじろぐ) flinch (from …) ⓐ. 《☞ しりごみ (類義語); ひるむ; きおくれ》.

おくせつ 憶説 (推察) guess Ⓒ, conjecture Ⓒ, surmíse Ⓤ ★ この順に格式ばった語となる. ¶*憶説を立てる make [take] a *guess*

おくそく 憶測 ── 動 guess ⓐ ⓗ. ── 名 guess Ⓒ. 《☞ すいそく (類義語)》.

おくそこ 奥底 ¶心の*奥底では逃げ出したい思いがあったのは事実だ It is true that, at *the back* of my mind, there was a desire to run away. 《☞ おく[2]》

オクターブ 〘楽〙 octave /áktɪv/ Ⓒ.

オクタンか オクタン価 octane /ákteɪn/ ｢nùmber [ràting; vòlume] Ⓤ. ¶*オクタン価の高いガソリン high-*octane* gasoline

おくち 奥地 (内陸部) the interior /ɪntí(ə)riə/; (沿岸に対して) the hínterlànd Ⓒ; (森林などの) the backwoods 語法 以上の語は普通 the を付けて用いる. なお backwoods は単複両方に扱われる. 《☞ おく[2]; ないりく》.

おくつき 奥つ城 ☞ はか[1]

おくづけ 奥付け publisher's inscription (at the end of a book) Ⓒ 日英比較 洋書では奥付けはなく, 著者名・出版社名・出版年月日等は本のタイトルページ, またはその裏に印刷される.

おくて 奥手 ── 形 (成熟が遅い) slow to mature. ── 名 (成熟が遅い人) late bloomer Ⓒ.

おくない 屋内 ── 形 (屋内の) indoor Ⓐ (↔ *outdoor*). ── 副 (屋内で) indoors. 《☞ しつない》. ¶*屋内プール an *indoor* swimming pool // *屋内配線 *interior* /ɪntí(ə)riə/ wíring **屋内運動場** gymnasium /dʒɪmnéɪziəm/ Ⓒ, 《略式》 gym Ⓒ.

おくにじまん お国自慢 ── 動 (お国自慢をする) praise [boast about] *one's* ｢home [hometown; home prefecture].

おくのいん 奥の院 the ｢inner [innermost] shrine, the sanctuary.

おくのて 奥の手 (最後の手段) last ｢resort [resource] Ⓒ 語法 resort は通例好ましくない手段をいう; (最後・最善の手) *one's* ｢last [best] card Ⓒ; (切り札) trump (card) Ⓒ; (最高の札・エース) ace Ⓒ. 《☞ きりふだ》. ¶彼は*奥の手を出して事態を収拾した He ｢*played* [*used*] *his trump* and got things under control. // 僕にはまだ*奥の手がある I still *have an ace* ｢*up my sleeve* [*in the hole*].

おくのほそみち 奥の細道 (松尾芭蕉の俳諧紀行) Matsuo Basho's travelogue, *The Narrow Road to the Deep North*.

おくのま 奥の間 ☞ おく[2] (奥の間)

おくば 奥歯 (臼歯) molar (tooth) Ⓒ 《☞ きゅうし[3]; は[1] (挿絵)》. **奥歯に物が挟まる** (遠回しな言い方をする) beat ｢《米》 around [about] the bush; be méalymóuthed. ¶*奥歯に物の挟まったような言い方をするなよ Don't ｢*beat around the bush* [*be mealymouthed* with me]. / (⇒ 要点をはっきり言いなさい) Come [get] to the point.

おくび belch Ⓒ 《☞ げっぷ[2]》. **おくびにも出さない** ¶彼は金に困っていることなど*おくびにも出さなかった (⇒ そぶりを全く示さなかった) He *never gave the slightest indication* that he was poorly off. / (⇒ だまっていた) He *kept mum* about his money problems. ★ 後者は口語的.

おくびょう 臆病 ── 形 (勇気の欠けた) cowardly; (気の弱い) timid. ── 名 cowardice Ⓤ; timidity Ⓤ. 《☞ よわむし; しょうしん[3]》. ¶そんなに*臆病ではいけない You shouldn't be so ｢*timid* [*cowardly*]. / (⇒ 臆病者であってはいけない) You shouldn't be such a *coward*. **臆病風に吹かれる** (びっくりしておびえる) be scared; (気後れする) lose *one's* nerve **臆病神** (恐慌) panic Ⓒ. ¶*臆病神にとりつかれる be pánic-stricken **臆病者** coward Ⓒ.

おくふかい 奥深い deep; (深遠な) profound ★ 後者は格式ばった語で, 比喩的に使われることが多い. 《☞ おく[2]; しんえん[1]》. ¶この洞穴はかなり*奥深い This cave ｢is pretty *deep* [(⇒ 奥へ伸びている) extends pretty *far back*]. // 彼の言葉の*奥深い意味がはじめはわからなかった At first I couldn't grasp the *profound* nature of what he was saying.

おくまった 奥まった ¶*奥まった (⇒ 引き離された) 部屋 a *secluded* room (in the building) // *奥まった (⇒ 遠くのへんぴな) 村 a *remote* village

おくまんちょうじゃ 億万長者 billionaire /bìljənéə/ Ⓒ, multimillionaire /mʌ̀ltimìliənéə/ Ⓒ.

おくむき 奥向き (家庭内の用事に関することがら) things related to housekeeping.

おくめん 臆面 **臆面もない[なく]** ── 形 (臆面もない・ずうずうしい) bold; (大胆な) audacious /ɔːdéɪʃəs/; (生意気で厚かましい) ímpudent; (恥ずかし気もない) unashamed; (恥じない) unabashed. ── 副 boldly; audaciously; impudently; unashamedly /ʌ̀nəʃéɪmɪdli/, unabashedly. 《☞ ずうずうしい; あつかましい》. ¶*臆面もなく, よくあんなことを彼は言えたものだ How ｢*audacious* [*impudent*] he was to say such a thing! // 彼女は*臆面もなく再びここへやって来た She came here again ｢*unashamedly* [*unabashedly*]. / (⇒ ここへ来るだけの図々しさを持っていた) She *had the nerve* to come ｢here again [back here].

おくやみ お悔やみ condolence Ⓤ; (哀悼のことば) condolence Ⓒ ★ しばしば複数形で; (弔問) visit of condolence Ⓒ. 《☞ あいとう; いたむ[2]》.
¶心から*お悔やみ申し上げます (⇒ 私の心からの弔慰の気持ちを受け取って下さい) Please accept my sin-

cere *condolences*. / (⇒ 心からの同情の気持ちを述べます) I extend my heartfelt *sympathy* to you. / (⇒ 深く同情申し上げます) I offer you my deepest *sympathy*. // 彼の家へ*お悔やみに行った I called on him to offer my *condolences*.

お悔やみ状 letter of ˹condolence [sympathy] Ⓒ.

おくゆかしい 奥床しい (洗練されていて上品な) refined; (優雅で) elegant; (優美な) graceful; (しとやかな) modest; (控え目な) reserved. 《☞ しとやか》.

おくゆき 奥行き (長さ) length Ⓤ. ¶その土地は*奥行き 30 メートル, 間口 40 メートルだ The plot of land measures 40 meters *by* 30 (meters). 日英比較 日本では「たて・よこ」の順だが, 英語では「よこ・たて」の順になることが多い. // 彼の知識には*奥行きがない (⇒ 彼の知識は深さに欠ける) His knowledge lacks *depth*. / (⇒ 深くない) His knowledge is not ˹*deep* [*profound*].

オクラ okra Ⓤ. ¶*オクラのさや *okra* pods

おぐらあん 小倉餡 ☞ つぶしあん

おくらいり お蔵入り ¶彼の脚本は*お蔵入りになった His screenplay *was put on a shelf without ever being produced*. // 猥褻(わいせつ)文書としてこの翻訳は数年間*お蔵入りさせられた As (a work of) eroticism, this translation *was withheld from publication* for several years. 《☞ そうこ》

おくらせる 遅らせる (進行・予定などを) delay ⊕; (延期する) put off ⊕; (時計の針を戻す) turn [put] back ⊕. 《☞ のばす; えんき¹; おくれる》. ¶彼は出発を*遅らせた He *delayed* his departure. // 会議を*遅らせることはできない We cannot ˹*put off* [*postpone*] the meeting. // 時計を 5 分*遅らせる *set* [*turn*; *put*] a clock *back* five minutes.

おぐらひゃくにんいっしゅ 小倉百人一首 ☞ ひゃくにんいっしゅ

オクラホマ 一 名 ⓖ (米国の州) Òklahóma 《☞ アメリカ (表)》.

おくり 送り (おくること) sending Ⓤ 《☞ おくる¹》; 〚機〛(材料・燃料などの供給) feed Ⓤ; 〚印〛(他の行・ページや欄への移動) overrun Ⓒ. ¶あいつも刑務所*送りか, いい気味だ He *was sent* to prison. Serves him right!

おくりあし 送り足 (相撲の) *okuriashi* Ⓤ; (説明的には) stepping out of the ring in the act of carrying the opponent out Ⓤ.

おくりおおかみ 送り狼 man who escorts a woman home with lecherous intent Ⓒ.

おくりかえす 送り返す send back ⊕, return ⊕ ★前者のほうが口語的. ¶この小包は送り主に*送り返して下さい Please ˹*send back* [*return*] this package to the sender.

おくりがな 送り仮名 (説明的に) inflectional ending in *kana* added to a Chinese character Ⓒ.

おくりこむ 送り込む send ⊕; (派遣する) dispatch ⊕. ¶軍隊を戦場に*送り込む *send* troops ˹*into* battle [*onto* the battlefield] // 救援隊を被災地に*送り込む *dispatch* [*send*] a rescue team *to* the disaster area // コンピューターに情報を*送り込む *input* [*feed*] information *into* the computer

おくりさき 送り先 (受取人) recipient Ⓒ; (到着先) destination Ⓒ; (荷受人) 《格式》 consignee /kɑ̀nsəníː/ ★貿易用語. 《☞ あてさき》.

おくりじょう 送り状 〚商業〛 ínvoice Ⓒ.

おくりそうち 送り装置 〚機〛 feeder Ⓒ.

おくりだし 送り出し (相撲で) *okuridashi* Ⓤ; (説明的には) driving *one's* opponent out of the ring from the rear Ⓤ.

おくりだす 送り出す (発送する) sènd óut ⊕; (荷物を) 《格式》 forward ⊕; (人を送り出す) see [show] *a person* ˹out [to the door]. 《☞ おくる¹; みおくる》. ¶子供を学校に*送り出したところです I *have* just *sent* the children *off* to school.

おくりつける 送り付ける send ⊕ 《☞ おくる¹; おくりとどける》.

おくりとどける 送り届ける (物を) deliver ⊕; (人を) get *a person* home. ¶この本は家に週末までに*送り届けて下さい Please *deliver* this book to my house by this weekend. // 彼女はたしかに*送り届けます I'll be sure to *get* her *home* safely.

おくりな 贈り名 pósthumous ˹náme [títle] Ⓒ.

おくりにん 送り人 sender Ⓒ, 《格式》 consignor /kɑ̀nsaɪnɔ́ə/ Ⓒ.

おくりバント 送りバント sacrifice bunt Ⓒ.

おくりび 送り火 (盆の) the bonfire to send off the ˹spirits [souls] of ancestors back to heaven (after their brief annual visit to this world). ★説明的な訳.

おくりむかえ 送り迎え ¶駅まで子供の*送り迎えをする *take* a child *to and bring from* the station

おくりもの 贈り物 présent Ⓒ; gift Ⓒ.

【類義語】 個人間などでごく日常的な感じの贈り物は **present**. やや改まった贈り物, 価値のある贈り物などには **gift** を用いる. 《☞ おくる²; せんべつ¹; みやげ; てみやげ》 ¶誕生日の[結婚記念の]*贈り物 a ˹birthday [wedding] *present* // 妻への*贈り物はネックレスにするつもりだ I am going to make a *present* of a necklace to my wife. / I am going to make my wife a *present* of a necklace. / I am going to *give* my wife a necklace (as a *present*). ★初めの 2 文は格式ばった言い方. // あなたにちょっとした*贈り物があります I've got a little *something* for you.

—コロケーション—

贈り物攻めにする shower [rain] ˹*presents* [*gifts*] on *a person* / **贈り物を開ける** open *one's* ˹*present* [*gift*] / **贈り物を与える** give a ˹*present* [*gift*] to *a person* / **贈り物を受け取る** accept [receive] a ˹*present* [*gift*] from ... / **贈り物を送る** send a ˹*present* [*gift*] to *a person* / **贈り物を買う** buy a ˹*present* [*gift*] for *a person* / **贈り物を交換する** exchange ˹*presents* [*gifts*] with ... / **贈り物を断わる[受け取らない]** decline [refuse] a ˹*present* [*gift*] / **贈り物を包装する[開く]** wrap [unwrap] a ˹*present* [*gift*] / **贈り物をもって行く** bring a ˹*present* [*gift*] for *a person* / **贈り物をもらう** get a ˹*present* [*gift*] from ... // **お別れの贈り物** a ˹farewell [parting] ˹*present* [*gift*] / **記念日の贈り物** an anniversary ˹*present* [*gift*] / **クリスマスの贈り物** a Christmas ˹*present* [*gift*] / **高価な贈り物** a costly [an expensive] ˹*present* [*gift*] / **卒業祝いの贈り物** a graduation ˹*present* [*gift*]

おくる¹ 送る **1** «物品などを»: (手紙・小包を送る) send ⊕ 《過去・過分 sent》 (↔ receive) ★この語は基本的な日常語で, 以下の訳語のいずれの代わりにも使うことができる; (やや格式ばった語, または特に回送・転送する場合) forward ⊕; (送金する) remit ⊕ ★銀行などで使う公式用語; (海路または陸路で, 主として貨物を送る) ship ⊕; (電波などで) transmit ⊕. 《☞ だす; はっそう¹; ゆうそう¹》. ¶私は毎年彼女にクリスマスカードを*送っています <S (人)+V (*send*)+O (人)+O (物)> I *send* her a Christmas card every year. / <S (人)+V (*send*)+O (物)+*to*+名 (人)> I *send* a Christmas card *to* her every year. // 電子メール[ファックス]を*送る *send* ˹(an) email [a fax] to ... // その小包を航空便で*送った We *sent* the package (by) airmail. // 普通便で*送る *send* ... by surface // 船便で*送る *send* ... by sea // この手紙は次の住所へ*送って下さい (⇒ 回送し

て下さい) Please *forward* this letter to the following address.

2 «人を見送る»: see off ⑭, send off ⑭ ★ see off のほうが普通; (一緒に連れて行く) take ⑭; (相手の家まで) see … home; (護衛をして) ⦅丁寧⦆ escort ⑭. ⦅☞ みおくる; おくりだす⦆. ¶ 彼女は父を成田空港へ*送りに行った She went to ⌈*see off* her father [*see* her father *off*] at Narita Airport. // 駅まで車で*送ってあげましょう I'll *drive* you to the station. / (⇒ 駅まで乗車を与える) I'll *give* you *a* ⌈*ride* [*lift*] to the station. // 子供たちを毎朝学校まで車で*送ります I *take* the children to school in our car every morning. // 遅くなったから彼女を家まで*送ってあげなさい It's very late. You'd better *see* her *home*.

3 «時を»: (過ごす) pass ⑭; (時間を費やす) spend ⑭; (暮らす) lead ⑭, live ⑭ [語法] 後の2語はともに a … life を目的語として「…のような人生・生涯を送る」の意味で用いられる. やや格式ばった表現. ⦅☞ すごす⦆. ¶ 彼女は幸福な人生を*送った She *lived* a happy life. / (⇒ 彼女の人生は幸せな一生だった) Her life was a very happy one.

おくる² 贈る give ⑭ ⦅過去 gave; 過分 given⦆ [語法] (1)「あげる・与える」という意味の最も一般的な語. ただし,「与える」というのが中心の意味で, 少しぞんざいな言い方になる; (贈呈する) presént ⑭ [語法] (2) give よりも格式ばった語で, 価値あるものを正式に与えることを意味する; (位・名誉・称号を) ⦅格式⦆ confér … on … ⦅☞ おくりもの (類義語); きぞう; ぞうてい¹; あたえる⦆. ¶ これは退職のときに学生から*贈られた時計です This is the clock ⌈*presented* to me [*given* (to) me] by my students on my retirement. // その大学はその有名な音楽家に対して名誉学位を*贈った The university *conferred* an honorary degree *on* the well-known musician.

おぐるま 小車 〔植〕 *oguruma* Ⓒ; (説明的には) a variety of inula native to Japan. It puts out yellow daisy-like flowers in late summer.

おくるみ 御包み baby wrap Ⓒ.

おくれ 遅れ, 後れ (遅れること) delay Ⓤ ⦅☞ おくれる; たちおくれる⦆. ¶ 列車は1時間の*遅れだった The train was one hour *late*. / The train *was delayed* one hour. ★ 第2文のほうが格式ばった言い方. // *遅れを取り戻すために懸命に働いた I tried hard to *catch up on* my work. ★ catch up on で「遅れを取り戻す」の意味. **後れを取る** ¶ 我々は計画の段階で彼らにすっかり*後れを取ってしまった We ⌈*fell* [*got*; *lagged*] far *behind* them during the planning stage. // だれにも*後れを取りたくない I don't want to *be beaten* by anybody.

> **コロケーション**
>
> 遅れを回避する avoid (the) *delay* / 遅れを被る suffer [experience] *delays* / 遅れを生じさせる create [produce] *delay* / 遅れをなくす eliminate *delay* / 遅れを引き起こす cause [give rise to] *delay* / 遅れを減らす reduce (the) *delay* / 遅れを増す aggravate [worsen] (the) *delay* / 遅れを許さない brook no *delay* // **1時間の遅れ** an hour's *delay* / かなりの遅れ considerable *delay* / 避けられる[避けられない]遅れ avoidable [unavoidable] *delay* / さらなる遅れ further *delay* / 重大な遅れ *(a) serious delay* / 少しの[短い]遅れ a ⌈slight [short] *delay* / 長期にわたる[長い]遅れ an extended [a long] *delay* / 予期せぬ[できない]遅れ unexpected [unforeseen] *delay*

おくれげ 後れ毛 ¶ *後れ毛をかき上げる push back *one's* ⌈*loose* [*straggly*] *hair*

おくればせながら 遅ればせながら ¶ *遅ればせながら (⇒ いささか遅すぎたかもしれませんが) 一応以上のことをご報告します I've reported the above to you, even though I'm afraid it may be a little *too late*. ⦅☞ おそまきながら⦆

おくれる 遅れる, 後れる **1** «予定時間に»: be late for … (↔ be in time for …), be delayed ★ 後者はやや格式ばった言い方. ⦅☞ おそい; ちこく¹; おくらせる; たちおくれる⦆. ¶ *遅れてすみません I'm sorry I'*m late*. // いつでも[よく]*遅れる *be* ⌈habitually [frequently] *late* // ちょっと[ひどく]*遅れる *be* ⌈slightly [extremely; terribly] *late* // わざと*遅れる *be* intentionally late // けさ私は学校に*遅れた I *was late for* school this morning. // ロンドンからの飛行機は2時間*遅れる見込みです The flight from London will arrive two hours ⌈*late* [*behind schedule*]. [語法] arrive two hours *late* の late は 副.「バスは10分遅れている」The bus is ten minutes *late*. の late は 形. 遅れの範囲を示す時間を late の前におくことに注意. // 故障のために列車は約30分*遅れます Due to mechanical problems, the train is to *be delayed* about 30 minutes.

2 «時機・進歩が, また, ほかに比べて»: (後れを取っている) be behind (…); (後れを取る) fall behind (…) ★ 前者は状態, 後者は動作; (はかどらずに遅れる) get behind (…). ¶ 私は仕事がとても*遅れている I *am* far *behind* in my work. // 1か月休んだので学校の勉強が*遅れた I'*m behind* with my schoolwork because I've been absent for a month. // 世の中に*後れる *be left* (far) *behind* (the times)

3 «時計が»: lose ⑭ ⓐ (↔ gain); (遅れている) be slow (↔ be fast). ⦅☞ とけい⦆. ¶ あなたの時計は10分*遅れている Your watch *is* ten minutes *slow*. // この時計は1日に10分*遅れる This watch *loses* ten minutes a day.

おくんち 御九日 (9月の9日) the ninth day of September; (祭り) ninth of September festival Ⓒ.

おけ 桶 (大きな桶) tub Ⓒ; (バケツ) (wooden) bucket Ⓒ, pail Ⓒ. ⦅☞ バケツ⦆. **桶屋** cooper Ⓒ ⦅☞ かぜ¹ (風が吹けば桶屋が儲かる)⦆.

オケ (オーケストラ) orchestra Ⓒ ⦅☞ オーケストラ; カラオケ⦆.

オケージョナル ― 形 (時たまの) occasional.

オケージョン (機会) occasion Ⓒ.

おけら¹ 朮 〔植〕 *okera* Ⓒ; (説明的には) perennial of the composite family whose rhizome is used in Chinese medicine Ⓒ.

おけら² 螻蛄 〔昆〕 mole cricket Ⓒ.

おこえがかり お声掛かり ¶ …の*お声掛かりで (⇒ …の推薦で) on the recommendation of … / recommended by … / (⇒ …の権力で) through the influence of …

おこがましい (厚かましい) impudent; (出しゃばりな) presumptuous /prɪsʌ́m(p)tʃuəs/; (生意気な) impértinent.

おこげ 御焦げ scorched rice Ⓤ.

おこさまランチ お子様ランチ special dish for children Ⓒ.

おこし¹ 起こし ¶ 村*起こし measures to ⌈*build up* a village [*revive* a village's *prosperity*]

おこし² (菓子) millet-and-rice cake Ⓒ.

おこじょ 〔動〕 ermine Ⓒ.

おこす¹ 起こす **1** «眠りから起こす»: wake (up) ⑭ ⦅過去 woke, waked; 過分 waked, woken⦆, awake ⑭ ★ 前者のほうがより口語的; (声を出して呼びさます) call ⑭; (騒がしくして) disturb ⑭. ⦅☞ おきる⦆. ¶ 明朝は7時に*起こして下さい Please *wake* me *up* at seven tomorrow morning. // 母はけさいつもより早く私を*起こした My mother *called* me earlier than usual this morning. // 母親は赤ちゃんを*起こさないようにそっと出ていった The baby's mother went out quietly so that she wouldn't *wake* ˹her [him]. // 寝た子を*起こすな Let sleeping dogs lie. 《ことわざ: 眠った犬は寝かしておけ》 ★「いやなことはそうっとしておけ」という意味.

2 «倒れたもの・人などを»: (上にあげる) raise up (他); (垂直にすえる) set … upright; (人が倒れたのを起こす) pick up (他). 《☞ おきる》. ¶ 彼女を*起こしてあげなさい. 弱っていて自分では起き上がれない Help her (to *get*) *to her feet*. She's too weak to pick herself up. // 君がいすを倒したんだ. *起こしておきなさい You tipped over the chair. *Put* it back *upright*.

3 «引き起こす»: (…の原因となる) cause (他); (結果として引き起こす) bring about (他) ★ 口語的; (問題・事件などを) give rise to … ★ 前2者より格式ばった言い方; (発生させる) devélop (他) ★ 少し格式ばった語. 《☞ おこる²; ひきおこす; まねく》. ¶ 途中で事故を*起こさないように, 気をつけて運転しなさい Drive carefully, so you won't *cause* an accident. // あの子はよく問題を*起こす (⇒ 困った子だ) He's a *troublesome* child. / (⇒ 問題児だ) He's a *problem child*. // 貿易問題は国際紛争を*起こすことがある Trade problems often ˹*cause* [*bring about*] international disputes. // その飛行機は途中エンジンの故障を*起こして成田へ緊急着陸した The plane *developed* engine trouble and made an emergency landing at Narita. // 心臓麻痺を*起こす *have* [*suffer*] a heart attack

4 «開始する・提起する»: (訴え・団体運動などを起こす) start (他); (告訴などを提出する) file (他); (会社・学校を) set up (他), establish (他) ★ 後者はやや格式ばった語. ¶ その薬を使った人たちはその製造会社に対して訴訟を*起こした The users of the medicine *filed* (a) suit against the manufacturer. // 全国的な運動を*起こす *start* [*launch*] a nationwide campaign (against …)

おこす² 興す (衰えたものを再び盛んにする) revive /rɪváɪv/ (他); (再建・再興する) restore (他); (産業・企業の発展を助ける) promote (他). 《☞ おこる³》.

おこす³ 熾す (火を) kindle (他), start (他).

おこぜ 虎魚 〘魚〙 stonefish [C].

おごそか 厳か ― [形] (厳粛な) solemn /sáləm/; (荘重な) grave. 《☞ おもおもしい; げんしゅく》. ¶ *厳かな儀式 a *solemn* ceremony

おこそずきん 御高祖頭布 hood-and-veil combination [C].

おこたり 怠り ¶ *怠りなく (⇒ せっせと) diligently / (⇒ 注意深く) carefully // 用意おさおさ*怠りなし (⇒ すべて注意して準備を整えた) We've prepared everything *carefully*. 《☞ たいまん》

おこたる 怠る (なおざりにする) neglect (他); (常習的に怠慢な) be ˹négligent [negléctful] (of …). 《☞ なまける; ずるける; おろそか》. ¶ 自分の義務を*怠るな You shouldn't ˹*neglect* [*be negligent in*; *be neglectful of*] your duties. // くれぐれも注意を*怠らないように You should be very careful.

おこない 行い **1** «行為»: (意図的な行い) 《文》 deed [C]; (1回の行為) act [C]; (何回かにわたる行為) action [C]. 《☞ こうい¹ (類義語); こうどう¹》. ¶ 彼の*行いは称賛に値する His ˹*deed* [*act*; *action*] deserves praise. **2** «振舞い»: (道徳的観点から見た行為) cónduct [U]; (行状・振舞い) behavior [U]; (態度・様子) manner [U]. 《☞ ふるまい; たいど (類義語)》. ¶ もう少し*行いを慎みなさい Be a little more ˹careful [prudent; discreet] in your ˹*conduct* [*behavior*]. // 彼の*行いには何か怪しい所がある There is something suspicious about his ˹*manner* [*behavior*; *conduct*].

おこなう 行う (する・行う) do (他) ★ 最も一般的な語; (習慣的に行う・実践する) practice (他); (計画などを実行する) cárry óut (他); (会などを開く) hold (他), give (他); (試験などを) give (他); (儀式などを型どおりに) observe (他). 《☞ じっし¹》. ¶ 彼は何事も誠意をもって*行った He *did* everything ˹with sincerity [sincerely]. // 来週英語の試験を*行います (⇒ 与えるつもりだ) I'm going to *give* you an English test next week. // 先月英国で総選挙が*行われた (⇒ …があった) *There was* a general election in Britain last month. // 式典は明日*行われる The ceremony will *be held* tomorrow. // 来月*行う (⇒ 行われる) お祭りは, 秋祭りと呼ばれる The festival which *is observed* next month is called the Autumn Festival.

おこのみやき お好み焼き *okonomiyaki* [U]; (説明的には) Japanese savory pancake made from batter and meat or seafood and vegetables [C].

おこぼれ お零れ ¶ …の*おこぼれにあずかる get a small share of …

おこもり 御篭もり ― [動] go to a shrine for an overnight retreat of prayer.

おこらせる 怒らせる make … angry, anger (他), offend (他). ¶ 私の不用意な言葉が彼女を*怒らせてしまった My careless remark ˹*offended* her [*made* her *angry*; *angered* her]. / (⇒ 口をすべらせて彼女を怒らせた) I put my foot in ˹it [my mouth] and *made* her *angry*.

おこり¹ 起こり **1** «原因»: (原因) cause [C]; (理由) reason [C]; (動機) motive [C]; (動機づけ) motivation [U]. 《☞ おこる²; げんいん¹; ほったん》. ¶ 事の*起こりはこうです (⇒ これが事の起こった次第です) This is how it ˹*happened* [*started*]. // けんかの*起こりは何ですか What is the *cause* of the quarrel? / (⇒ 彼らは何についてけんかしているのですか) What are they quarreling ˹for [about; over]? / (⇒ 彼らは何についてけんかをはじめたのですか) What did they *start* quarreling ˹for [about; over]? / (⇒ 彼らはどういうふうにけんかをはじめたのですか) How did they *start* quarreling? // 彼が先に悪態をついたのが事の*起こりだ (⇒ 彼が悪態をつくことによって事を起こした) He *started* it by calling me names.

2 «起源» ¶ それがこの市の名の*起こりです (⇒ それがこの市にその名前がついた次第です) That's *how* the city got its name. // そのことわざ[考え]の*起こりは中国です The ˹proverb [idea] *originated in* China. 《☞ きげん³; はじまり》

【参考語】 (起源) origin [C]; (根源) source [C], root [C].

おこり² 瘧 ague /éɪgjuː/ [U], fever and chills.

おごり 奢り, 驕り **1** «ごちそう»: treat [C] 《☞ おごる¹; ごちそう》. ¶ これは私の*おごりです This is my *treat*. // このコーヒーは私の*おごりです This coffee is *on* me.

2 «高ぶること»: (得意) pride [U]; (傲慢) arrogance [U]. 《☞ おごる²》.

おこりじょうご 怒り上戸 person who gets angry when drunk [C].

おこりっぽい 怒りっぽい (気が短い) short-[quick-; hot-]tempered; (激しやすい) excitable; (些細(ささい)なことにすぐ怒る) irritable, irascible; (気難しい) touchy. 《☞ たんき¹》. ¶ 彼は前よりずっと*怒りっぽくなった He has become far more ˹*irritable* [*short-tempered*] than before.

おこりんぼう 怒りん坊 quick-tempered [choleric] person [C].

おこる¹ 怒る (腹を立てる) get angry ˹at [with; about] … [語法] 平易で日常的な表現.「…に対して腹をたてる」という場合, 人, または人の言動に対しては with または at, 物・事に対しては about を用いるのが普通; (ぷりぷり[かっか]して怒る) fume (at ...) ⓐ; (感情を害される) get offended ★ 少し格式ばった言い方; (機嫌を悪くする) lose *one's* temper; (しかる・がみがみ言う) scold ⓗ. 《☞ いきりたつ; いきどおる; げきど; ふんがい》. ¶ 彼女の手紙を読んで彼は*怒った He *got angry* when he read her letter. / (⇒ 彼女の手紙は彼を怒らせた) Her letter 「*made* him *angry* [*angered* him]. // 先生はトムのことでとても*怒っている The teacher *is* very *angry* 「*at* [*with*] Tom's behavior. // 父はそのことで*怒っている My father *is angry about* that. // 私の言ったことで妻はたいへん*怒った (⇒ 私の言ったことが妻を怒らせた) What I said *made* my wife very *angry*. / (⇒ 私の言葉が) My remark deeply *offended* my wife. ★ 第 2 文はやや格式ばった言い方. // 彼女は*怒って部屋から出てしまった She left the room 「*in anger* [*angrily*; *fuming*]. / She *got furious* and left the room. // 彼はすぐ*怒る He *gets angry* easily. / (⇒ 気が短い) He *has a short temper*. / (⇒ すぐにかんしゃくを起こす) He *loses his temper* easily. // すごく*怒る *get* 「extremely [terribly; thoroughly] *angry* // 相当*怒る *get* 「quite [fairly; pretty] *angry* // 本当に*怒る *get* really *angry* // 猛烈に*怒る *get* furiously *angry* // 妻は息子のことを*怒ってばかりいる My wife *is* always *scolding* our sons. 《☞ しかる》 // 彼はまっかになって[かんかんになって] *怒っている He *is red in the face with anger*. / (⇒ 激怒している) He *is* 「*furious* [*burning with anger*].

おこる² 起こる **1** 《発生する》: (事件などが偶然に) happen ⓐ; (ある特定のときに起こる) occúr ⓐ 【語法】 (1) happen より格式ばった語. 後者は「時・場所」を示す副詞を伴うのが普通; (予定した行事などが) take place; (突発的に, 戦争・火事など悪いことが) brèak óut ⓐ; (始まる) begin ⓐ; (問題・事件などが持ち上がる) arise ⓐ. 《☞ しょうじる; もちあがる; はっせい¹》. ¶ その爆発はいつ*起こったのですか When did the explosion *occur*? // 昨夜すぐそこの交差点で交通事故が 2 件*起こった Two traffic accidents 「*happened* [*occurred*] [(⇒ 2 件の交通事故があった) There were two traffic accidents] at the intersection near here last night. // 1939 年に第二次世界大戦が*起こった World War II 「*began* [*broke out*] in 1939. // ここでは地震はめったに*起こらない (⇒ 非常に少ない地震を持つ) We have very few earthquakes here. // 途中で彼女の身に何か*起こったのではないか I'm afraid something may *have happened to* her on the way. 【語法】 (2) 事件などが人の身にふりかかるときは ＜*happen to*＋名(人)＞ の形で用いる. // 何が*起こったんだ What's *up*? ★ 口語的.

2 《起因する》: (...から始まる) start from ...; (結果などが...から生じる) arise from ...; (...によって起こる) result from ...; (...に原因・起源がある) oríginàte in ... 《☞ おこり¹; げんいん¹》. ¶ その戦争は何で*起こったのですか (⇒ どうやって) How did the war *start*? / (⇒ 原因は何か) What was the *cause* of the war? / (⇒ 何が戦争をもたらしたか) What *caused* the war? // 事故は往々にして不注意から*起こる Accidents often *arise from* carelessness. // *病気は食べすぎから*起こることが多い* Sickness [Illness] often *results from* overeating. // そのうわさはどこから*起こったのだ What was the *origin* of the rumor?

3 《電気・熱が発生する》: be generated.

コロケーション

偶然起こる *happen* by accident / 散発的に起こる *happen* [*occur*] sporadically / 実際に起こる actually 「*happen* [*occur*] / 不意に起こる *happen* (quite) unexpectedly / めったに起こらない hardly [rarely] 「*happen* [*occur*] / よく起こる commonly 「*happen* [*occur*]

おこる³ 興る (国などが生まれる) come into 「existence [being]; (産業などが急に生まれる) spring up ⓐ; (繁栄する) prosper ⓐ. 《☞ おこす²》. ¶ 戦後新しい産業が*興った New industries *sprang up* after the war.

おこる⁴ 熾る catch fire, begin to burn, be kindled.

おごる¹ 奢る (ごちそうする) treat ⓗ; (買ってやる) buy ⓗ. 《☞ おごり; ごちそう》. ¶ きょうは私に昼食をおごらせて下さい Let me *treat* you *to* lunch today. / (⇒ あなたの昼食を買う) Let me *buy* you lunch today. // 口が*奢っている (⇒ 食べ物の好みがうるさい) be 「particular [fastidious] about food

おごる² 驕る (高ぶる・慢心する) be proud; (...で得意になる・思い上がる) be puffed up with ... ★ 後者は口語的. 《☞ まんしん¹》. ¶ 勝っても*おごるな (⇒ 謙虚な勝者であれ) Be a *modest winner*. **おごる平家は久しからず** Pride will have a fall. 《ことわざ: 慢心はやがて没落を招く》

おこわ 御強 stéamed glutinous /glúːtənəs/ ríce Ⓤ ★ 赤飯の場合は 〜with red beans とする.

おさ 長 the head, the chief.

おさえ 押さえ, 抑え (重し) weight Ⓒ; (抑制) control Ⓤ. **おさえがきく** (統率力を持っている) have control over .... ¶ 暴徒化したデモ隊は指導者の*おさえがきかなくなった The mob of demonstrators got out of their leader's *control*.

おさえこみ 押さえ込み 〔柔道〕 *osaekomi* Ⓤ, holding (down) Ⓤ, pin Ⓒ.

おさえこむ 押さえ込む 〔柔道〕 hold [pin] down (on the mat) ⓗ.

おさえつける 押さえ付ける press ... against ...; (下に向かって) press [hold] down ⓗ; (抑圧する) suppress ⓗ; (抑制する) bring ... under *one's* control. ¶ 数人の警備員がピストルを持った強盗を*押さえ付けた Several (security) guards *held down* the gunman. // 政府はあらゆる反対運動を*押さえ付けようとした The government tried to *suppress* all (the) opposition movements. // 腹がたってはいたが, 彼女はやっとのことでかっとする気持ちを*押さえ付けた She was angry, but she managed to *control* 「her temper [herself].

おさえる 押さえる, 抑える **1** 《手などで押さえる》: (一定の時間押さえている) hold ⓗ; (押しつける) press [hold] down ⓗ. ¶ だれかが中からドアを*押さえている Somebody *is holding* the door from (the) inside. // 何か上に置いて書類を*押さえなさい Put something on the papers to *hold* them *in place*.

2 《抑制する》: (不穏な動きなどを抑える) pùt dówn ⓗ, suppress ⓗ, subdue ⓗ ★ ほぼ同意だが, 後になるほど格式ばった語; (統制の下におく) control ⓗ, bring ... under control; (阻止する) check ⓗ; (抑圧する・抑えておく) kèep dówn ⓗ; (行為・感情などを) restrain ⓗ, control ⓗ, suppress ⓗ ★ ほぼ同意だが, keep down が最も口語的; (涙などを) hold back ⓗ. 《☞ こらえる; よくせい; よくあつ; だんあつ》. ¶ 警察は暴徒を*抑えることに成功した The police succeeded in 「*putting down* [*suppressing*; *controlling*] the riot. // 生活費を 20 万円以下に*抑える *keep one's* living expenses below 200,000 yen // 物価上昇を年 3 % 以下に*抑える *prevent* prices from rising more than 3 percent a year // インフレを*抑える *control* [*check*] inflation // 政府は物価を

*抑えるのに失敗した The government failed to 「*keep* prices *down* [(⇒ 安定させる) *stabilize* prices]. // 私たちは感情を*抑えることができなかった We could not 「*control* [*restrain*; *contain*] our emotion(s). // 彼女は涙を*抑えて話し続けた She talked on, 「*suppressing* [*holding back*] her tears.
3 《確保する》:(手に入れる) get (他), obtain (他); (確保する) secure (他) ★ 後の 2 つは格式ばった語. ¶ 警察はまだ確たる証拠を*押さえていない The police haven't *secured* any physical evidence.

おさおさ ¶ 我々はまさかの時に備えて用意*おさおさ怠りありません We 「*are* (*well*) *prepared* [*have provided*] *for* a rainy day.

おさがり お下がり ―[名] (説明的には) clothes handed down (from …); (お下がりの物) hand-me-downs ★ 複数形で. ―[形] hand-me-down [A], handed-down [A]. 《☞ おふる》. ¶ 私はいつも姉の*お下がりばかり着せられた I always had to wear 「*clothes handed down from* my older sister [my big sister's *hand-me-downs*]. // これは兄の*お下がりの上着です This is 「a coat *handed down from* my brother [my brother's *handed-down* coat; my brother's *hand-me-down* coat].

おさきぼう お先棒 **お先棒をかつぐ** (進んで…の道具として行動する) act as a willing tool (for …) 《☞ てさき 2》.

おさげ お下げ (三つ編みなど) braid [C], 《英》 plait [C]; (長いもの) pigtail [C]. ¶ 少女は*お下げにしていた The girl 「wore [had] her hair in 「*braids* [*plaits*]. / The girl had *pigtails*. 《☞ あむ》

おさだまり 御定まり ―[形] (型にはまった) stereotyped /stériətàɪpt/; (習慣的な) customary; (いつもの) usual.

おさと お里 **お里が知れる** ¶ 運転手を口汚くののしったとき, 彼の*お里が知れた (⇒ 正体を現した) He *gave himself away* when he cursed his driver with foul language. // 彼女の言葉づかいで*お里が知れた (⇒ 言葉が彼女のしつけ[人柄]をばらした) Her language *betrayed her* 「*upbringing* [*personality*].

おさない 幼い **1** 《年が少ない》: very young. ¶ 彼の子供たちはまだ*幼かった His children were still *very young*. // 彼は*幼い時に両親を失った He lost his parents 「*very early in life* [*in early childhood*; *in his infancy*].
2 《幼稚な》: (子供っぽい) childish; (未熟な) immature. 《☞ ようち¹; みじゅく》. ¶ あの人の考え方はまだ*幼い He is still 「*immature* [*childish*] in his thinking.

おさながお 幼な顔 ¶ 彼女にはまだかすかに*幼な顔が残っている She still retains faint traces of *the features she had when she was a baby*.

おさなご 幼子 (幼児) infant [C]; (赤ん坊) baby [C]. 《☞ ようじ²》.

おさなごころ 幼心 the mind of a child; (子供らしい心) childlike mind [C].

おさなづま 幼妻 child [very young] wife [C].

おさなともだち 幼友達 ☞ おさななじみ

おさななじみ 幼なじみ childhood friend [C]; (幼児の時からの友達[遊び友達]) friend [playmate] from *one's* childhood [C] ★ 説明的な訳. ¶ 彼女とは*幼なじみだ She and I were *childhood friends*. / She and I 「have been *friends from childhood* [were *playmates in our childhood*]. / (⇒ 一緒に育った) She and I grew up together.

おざなり お座なり ―[形] 《格式》 perfunctory /pəfʌ́ŋ(k)təri/. ―[副] perfunctorily. 《☞ とおりいっぺん》. ¶ 彼の講演は*おざなりのものだった His lecture was *perfunctory*.

おさまり¹ 収まり, 納まり ¶ この掛け軸はこの床の間では*収まりが悪い (⇒ 調和しない) This hanging scroll doesn't 「*suit* [*fit in* with] the alcove.

おさまり² 治まり ¶ その件は*治まりがついた (⇒ 解決された) The matter *has been settled*.

おさまる 収まる, 納まる, 治まる **1** 《落着する》: settle (down) (自), be settled ★ settle は (自) (他) 両用に用いられる. 《☞ まとまる; しゅうしゅう¹; おちつく》. ¶ 情勢はやがて*収まるだろう Things will soon *settle* 「*down* [*back*] (to normal). // 彼らの争議はうまく*収まった Their dispute *has been* 「*settled* [*resolved*]. // その件が*収まって (⇒ 解決して) みんながほっとした To the relief of everybody, the matter 「*was settled* [(⇒ 円満に終わった) *was brought to an agreeable conclusion*]. // ようやく丸く*収まった An amicable *settlement* was finally reached.
2 《復旧する》: be restored to …. ¶ 彼は元の地位に*収まった (⇒ 戻された) He *has been restored to* his former position.
3 《和らぐ・やむ・消える・衰える》: (風などが衰える) díe dówn (自); (勢いが衰える) fáll [dróp] óff (自); (静まる) subside (自) ★ 前の 2 つがより口語的; (穏やかになる) become calm; (静かになる) 《米》 quiet (自), 《英》 quieten. 《☞ しずまる》. ¶ 風が*おさまった The wind *has died* 「*down* [*away*]. / The wind *has* 「*fallen* [*dropped*] *off*. / The wind *has subsided*.
[語法] 「次第に衰えて行く」 の意味では第 1 の例文を用いる. この場合は go down を用いてもよい. // 私は横腹に痛みを覚えたが, それはもう*おさまった I felt a pain in my side, but it *has* 「*gone* (*away*) [*stopped*; *subsided*]. // この薬で痛みが*おさまるでしょう (⇒ この薬はその痛みを和らげる) This medicine will *soothe* the pain. / (⇒ この薬はその痛みを取り除く) This medicine will 「*remove* [*kill*] the pain. // 彼の怒りは*おさまらなかった He could not 「*hold back* [*control*; *contain*] his rage.
4 《はまる・収容できる》: (ぴったりと) fit into …; (収容される) be 「put [kept] in …; (分量などが十分である) be enough for …. 《☞ はまる; はいる》. ¶ その箱は(大きすぎて)この金庫には*おさまらない (⇒ 入れられない) The box is too large to *be* 「*put into* [*kept in*] this safe. / (⇒ この金庫に対して大きすぎる) The box is too large for this safe. / (⇒ その箱はこの金庫にどうしてもはまらない) The box won't *fit into* this safe. // 四角いものは丸い穴には*おさまらない You cannot *fit* a square peg *into* a round hole.
[参考] これはことわざで, 「それは無理な注文だ」 という意味などを表す. // ちゃんと[完璧に]*おさまる *fit* into … 「properly [perfectly] // これらの発見は従来の分類にはうまく*おさまらない These findings do not *fit* neatly *into* the existing categories. // きれいに*おさまる *fit* into … 「beautifully [nicely] // しっかり[ぴったり]*おさまる *fit* into … 「tightly [closely]
5 《満足する・納得する》: be satisfied (with …) 《☞ まんぞく; なっとく》. ¶ それでは彼は*おさまらないだろう (⇒ それは彼を満足させないだろう) It will not *satisfy* him. // 彼は重役に*おさまっている (⇒ 重役の地位に満足している) He *is content*(*ed*) *with* 「his position as a director of the company [the position of director]. / (⇒ 獲得した) He *has obtained* a seat on the board of directors.

おさむし 筬虫 〔昆〕 ground beetle [C].

おさめ 納め, 収め (最後) the last 《☞ みおさめ; ききおさめ; ごようおさめ》. ¶ (大相撲の)一年*納めの場所 *the last* grand sumo tournament of the year

おさめる¹ 納める, 収める **1** 《納付する・払い込む》: pay (他) (自) 《☞ はらう》. ¶ 今月は税金を*納めなければならない We must *pay* our taxes this month. // あなたはいつ授業料を*納めるのですか When do you *pay* your tuition /tjuíʃən/ fees? / When *is* your tuition fee ⌈*due* [*supposed to be paid*]? 語法 取り決めや予定によって時期が決められているような場合には be due を用いることができる. // クラブ会費をすぐ*納めて下さい Please *pay* your club dues immediately.

2 《収納する・元に返す》: (片付ける) pùt awáy ⊕; (元の場所へ戻す) pùt ... báck; (元の所に置く) replace ⊕, 《格式》 restore ⊕. 《☞ しまう》. ¶ 我々は道具を小屋に*納めた We *put* the tools *back* in the shed. // そのことは胸に*納めておいて下さい (⇒ あなただけのことにしておいて) Please *keep it to yourself*.

3 《手に入れる》: (得る) get ⊕; (努力して得る) obtain ⊕ ★ get より格式ばった語; (努力して目的・望みなどを遂げる) attain ⊕; (有利なもの・利益などを獲得する) gain ⊕; (確保する・獲得する) secure ⊕ ★ やや格式ばった語. 《☞ える[1]; かくとく (類義語)》. ¶ 我々は満足な結果を*おさめることができた We ⌈*got* [*obtained*] satisfactory results. // 我々は彼らに対してやすやすと勝利を*おさめた We ⌈*won* [*achieved*; *gained*] an easy victory over them.

4 《受納する》: accept ⊕ 《☞ うけとる》. ¶ 私たちのささやかな感謝のしるしとしてお*納め下さい Please *accept* this (as a) small token of our gratitude.

5 《調整する・(なんとか)中へ入れる》 ¶ 夕食代を全部でなんとか千円以下に*おさめることができた I managed to *keep* the whole cost of the dinner under ⌈one [a] thousand yen. 《☞ やりくり》

おさめる[2] 治める **1** 《統治する》: (支配して) rule ⊕ ⊜; (政治一般にわたって) govern ⊕; (管理をして) administer ⊕; (君臨して) reign /réɪn/ ⊜.

【類義語】 権力で国を治めるのが **rule**. 政治組織を通して支配するのは **govern**. 行政の運営をするのは **administer** を用いる. また, 君主が臣民に君臨するのが **reign** である. 《☞ しはい[1] (類義語); とうち[2]》

¶ その王はたいへんうまく国を*治めた The king *ruled* his country very wisely. // そのころはだれがその国を*治めたか Who *ruled* (*over*) the country in those days? 語法 over を用いると高所から広く全般にという意味が含まれる. / (⇒ だれがその国の統治者だったか) Who was the *ruler* of the country in those days? // その島は以前日本が*治めていた (⇒ 日本の統治下にあった) Formerly(,) the island was under Japanese *administration*. // 英国では君主は主権を持ってはいるが国を*治めることはしない (⇒ 君臨しているが統治しない) In Great Britain the sovereign reigns but does not *rule*. ★ 英国の君主制についてしばしば言われる言葉. reign と rule の具体的な意味の違いに注意.

2 《善処して常態に直す・解決する》: settle ⊕ 《☞ かいけつ (類義語); まとめる; しゅうしゅう[1]》. ¶ 早急にその紛争を*治めねばならない We must *settle* the dispute as soon as possible.

おさめる[3] 修める (学習する) study ⊕; (学業などを完了する) complete ⊕. 《☞ しゅうりょう[1]》. ¶ 医学を*修める *study* medicine // 身を*修める (⇒ 高潔な生き方をする) lead a virtuous life

おさらい ― 名 (復習) review Ⓒ. ― 動 (再び調べる) gò ⌈óver [thróugh] ...; (復習する) 《米》 review ⊕, 《英》 revíse ⊕. 《☞ ふくしゅう[1]》.

おさん お産 (出産) childbirth Ⓤ; (分娩) delivery Ⓒ ★ *後者のほうが格式ばった語*; (陣痛) labor (《英》 labour) Ⓤ. 《☞ しゅっさん》. ¶ 彼女は*お産が近い (⇒ 赤ちゃんを持とうとしている) She's going to *have a baby*. / She's expecting (*a baby*). 語法 (1) 第 1 文のほうが平易な言い方. be expecting は「妊娠している」という意味の口語. 初産の場合は She's an *expectant mother*. あるいは She's going to *be a mother*. あるいは She is a *mother-to-be*. のようにも言う. // 彼女は*お産の直後に死んだ She died immediately after *childbirth*. // *お産は軽かった The mother had an easy *delivery*. / The child had an easy *birth*. 語法 (2) 「難産である」は have a difficult labor.

おさんどん (台所仕事) kitchen work Ⓤ; (台所女中) kitchen [scullery] maid Ⓒ.

おし 押[圧]し **1** 《強引で我意を通すこと》 ― 形 (積極的な) aggressive; pushy /púʃi/ ★ 後者のほうが口語的. 普通悪い意味で. ― 名 aggressiveness Ⓤ; push Ⓤ, pushiness Ⓤ ★ 後の 2 つのほうが口語的. ¶ 彼は*押しが強い He is ⌈*aggressive* [*pushy*]. / He has a lot of *pushiness*. / (⇒ 厚かましい) He is *impudent*. // 彼は政治家になるには*押しが足りない He is not *aggressive* enough to succeed as a politician. / 《略式》 He doesn't have enough *push* to succeed as a politician.

2 《押すこと》: push Ⓒ 《☞ おす[1]》. ¶ 彼はドアを一*押しした He gave the door a *push*.

3 《おもし》: weight Ⓒ.

(...に)押しがきく (影響力を行使できる) can use one's *influence* (in ..., with ...) 押しの一手 ¶ *押しの一手でいくしかない The only thing to do is (to) *push forward*.

おじ 伯父, 叔父 uncle Ⓒ 《☞ 親族関係 (囲み); おじさん》. ¶ 和夫*おじさん *Uncle* Kazuo

おしあい 押し合い (押し進むための) jostle Ⓤ; (狭い所へ入る) squeeze Ⓤ. 語法 (1) ひじなどで押し分けて進む場合には jostle, 進行に関係なく押し合っている場合には squeeze を用いる. いずれも具体的な出来事の場合には Ⓒ. ¶ 入口ではすごい*押し合いがあった There was ⌈an awful [a tight] *squeeze* at the ⌈gate [gateway]. 語法 (2) tight squeeze は身動きもできないような押し合いのこと.

おしあいへしあい 押し合い圧し合い ― 動 push and shove 《☞ おしあい》. ¶ 買い物客たちはバーゲンで掘り出し物を見つけようと*押し合いへし合いをしていた The shoppers *were jostling each other* trying to find bargains at the sale.

おしあう 押し合う jostle [push] one another.

おしあげポンプ 押し上げポンプ force pump Ⓒ.

おしあける 押し開ける push open ⊕; (力ずくで) force open ⊕. 《☞ おす[1] (類義語)》. ¶ 彼はドアを*押し開けた He *pushed* the door *open*. // 彼女は台所に通じるドアを*押し開けた She *pushed open* the door to the kitchen. 語法 目的語の部分が長くなる場合は目的補語の open をその前におく. // 彼は力いっぱいドアを*押し開けた Using all his strength, he *forced* ⌈*open* the door [the door *open*]. // 銃を持った男がドアを*押し開けて私の部屋へ入って来た An armed man [A man with a gun] ⌈*forced open* [*broke through*] the door to my room.

おしあげる 押し上げる púsh [préss] úp ⊕ 《☞ おす[1]; あげる[1]; もちあげる》.

おしあてる 押し当てる press ... ⌈against [to] ... 《☞ あてる》. ¶ 彼女はドアに耳を*押し当てた She *pressed* her ear ⌈*against* [*to*] the door. // 目にハンカチを*押し当てて彼女はしくしく泣いた *Holding* a handkerchief *to* her eyes, she sobbed. / She sobbed *with* a handkerchief *held to* her eyes. 語法 この場合は「当てて」の意味で, 別に「押す」という意味はない.

おしい 惜しい **1** 《貴重な》 ― 形 (大切な) dear Ⓟ; (尊い) precious. ¶ 命はだれでも*惜しい (⇒ だれにとっても貴重だ) Life is *dear* to everybody. // 私には時間が*惜しい (⇒ 時間は貴重だ) Time is *precious* to me. // 私たちにとってたいへん*惜しい人を亡くしてしまった (⇒ 彼の死は私たちにとって大きな損失である) His death is a great loss to us.

2《もったいない》 ¶その靴は捨てるには*惜しい (⇒まだ捨てるにはよすぎる) Those shoes are still *too good to* throw away.《☞ もったいない》

3《残念な》 ¶*惜しい! What *a* ⌈*shame* [*pity*]! / Isn't that *a* ⌈*shame* [*pity*]! 語法 いずれも感嘆文で,「それは残念なことだ」I'm sorry about it. とほぼ同意. // 彼のような前途有望な青年ががんで倒れるのは*惜しい (⇒残念だ) It is ⌈*regrettable* [a matter of *regret*] that a promising young man like him should fall victim to cancer. // *惜しい (⇒勝てたかもしれない) 勝負だったね It was a game you could have won. / (⇒ほとんど勝負に勝った) You almost won the game.《☞ おしむ; おしくも》

オジー (男性名) Ozzie /ázi/ ★ Oswald /ázwɔːld/ の愛称.

おじいさん お祖父さん, お爺さん **1**《祖父》: grandfather Ⓒ, (略式) grandpa /grǽn(d)pàː/ Ⓒ ★後者は小児の呼びかけ語として多く用いられる; 《米略式》 gran(d)daddy Ⓒ.《☞ 親族関係 (囲み)》. ¶*おじいさん, お元気ですか How are you, *Grandpa*? // うちの*おじいさんは90歳です Our *grandaddy* is 90.

2《男の老人》: old man Ⓒ. ¶村の大きな家に*おじいさんが一人で住んでいました There was an *old man* living ⌈alone [by himself] in a big house in the village.

おしいただく 押し頂く raise ... above *one's* head to show *one's* gratitude.

おしいる 押し入る (泥棒などが) break ⌈in [into ...] ㊀; (力ずくで侵入する) enter ... by force ★後者は多少格式ばった言い方; (...へ侵入する) intrude (into ...) ㊀; (強盗に入る)《米》búrglarìze ㊉, burgle ㊉.《☞ しんにゅう¹; ごうとう (類義語)》. ¶その晩, 2人組の強盗が*押し入った That night two burglars *broke in*. // 突然一人の男が事務室へ*押し入って彼にピストルを突きつけた Suddenly a man ⌈*broke* [*forced his way*] *into* the office and pointed a gun at him. 語法「勢いよく飛び込んでくる」のような場合には burst into ... を用いてもよい. // 少年たちはその倉庫に*押し入る計画だった The boys planned to *burglarize* the warehouse.

押し入り強盗 burglar Ⓒ.

おしいれ 押し入れ (物入れ)《米》closet Ⓒ

日英比較 日本語の「押し入れ」は, 布団などの寝具を入れる所であるが, 英米では寝具を格納する場所はない. 従って,「押し入れ」にぴったりと当てはまる英語はないと考えてよい. closet は食料・衣服・道具を入れておく所で, 日本語の「納戸(なんど)」に近い. シーツ・シャツ・テーブルクロスなど, リネン製品を格納して置く所は linen closet と言う.「物置き」に近い意味で「押し入れ」を用いるとすれば storeroom.

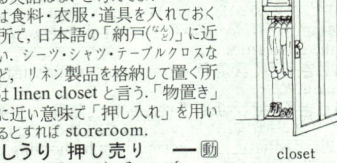

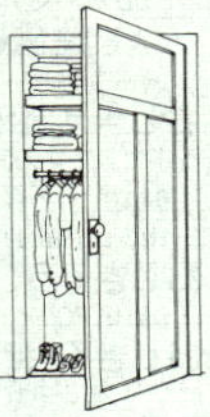

closet

おしうり 押し売り —動 (無理に買わせる) force [pressure] *a person* to buy ... 語法 force は結果的に買わせたことになるが, pressure は結果は含まない.

—名 (強制的な態度で売ること) high-pressure ⌈sales [selling Ⓤ; salesmanship Ⓤ], hard sell Ⓒ; (人) high-pressure [aggressive; pushy] (door-to-door) salesman Ⓒ ★主として《米》.《☞ うりつける》. ¶彼はその本を彼女に*押し売りした (⇒無理に買わせた) He *pressured* her *into buying* the book. / (⇒押しつけた) He *forced* the book *on* her. // それは言わば*押し売りのようなものだった It was basically a *hard sell*. // *押し売りお断り No ⌈*Peddlers* [*Pedlars*] or *Salesmen* ★必ずしも「押し売り」とは限らず, 行商人から物を買わないという意味. // 親切の*押し売りは迷惑だ (⇒親切を押しつけるな) Don't *force* your kindness *on* me.《☞ おしつける》

おしえ¹ 教え (教えること) teaching Ⓤ; (教授) instruction Ⓤ; (課業・教訓) lesson Ⓒ; (指導・手引) guidance Ⓤ; (訓示・戒律)《格式》precept /príːsept/ Ⓒ.

【類義語】一般的に, 身につける知識などを教えることが *teaching*.「キリストの教え」「孔子の教え」などのように内容を集大成したものは *teachings* と複数形を用いる. 組織的に系統立てた教授は *instruction*. 課業やけいこの教え・レッスンは *lesson*. この語はまた「見せしめ」の意味でも用いる. ある方向へ導いて行くことが *guidance*. 戒律としての教えが *precept*.《☞ おしえる (類義語); きょうくん》

¶この本には孔子の*教えが書いてある This book contains the *teachings* of Confucius. // 私は彼から親しく*教えを受けるために上京した I went to Tokyo to ⌈ask for his personal *instruction* [seek personal *instruction* from him; get personal *tuition* from him]. 語法「限られた分野での教授を仰ぐ」の意味では, 一般的な teaching よりも instruction を用いるほうが適当である. // その事故は彼らに貴重な*教えとなった The accident ⌈served as [was] a valuable *lesson* for them. / (⇒その事故から貴重な教訓を学んだ) They learned a valuable *lesson* from the accident. // 彼はキリスト教の*教えを説くばかりでなく実行した Not only did he preach the *precepts* of Christianity, but he (also) practiced them.

コロケーション

教えに従う follow the *teachings* (of ...) / 教えに背く violate [disobey] the *teachings* (of ...) / 教えを広める spread [disseminate] the *teachings* (of ...) / 教えを守る observe [keep to; stick to] the *teachings* (of ...) / 教えを無視する disregard [ignore] the *teachings* (of ...)

おしえ² 押し絵 padded [raised] cloth picture Ⓒ.

おしえご 教え子 student Ⓒ 語法 この語は個人としての教え子をいう場合には年齢・学年などの関係なく用いられる. ¶彼女は私の*教え子だ She was one of my *students*. / (⇒私は彼女を教えた) I *taught* her at school. // 彼女は彼の*教え子だった She was a *student* of his. // 昔の*教え子の結婚披露宴に招かれた I was invited to a wedding reception by one of my former *students*.

おしえこむ 教え込む (教える) teach ㊉; (思想など)《格式》inculcate ... (into ...; with ...); (考えなどを次第に) instill [《英》instil] ... (into ...; with ...); (教えて信じさせる) teach *a person* to believe (that ...). ¶犬に芸を*教え込む *teach* a trick to *one's* dog // 子供たちによい作法の必要を*教え込む *instill* [*inculcate*] the need for good manners *into* the children // 私は正直は最善の策だと*教え込まれた I *was taught to believe that* honesty is the best policy.

おしえる 教える (知識・技術などを教える) teach ㊉㊀《過去・過分 taught》(↔ learn); (...(音楽・絵画など)を個人的に教える) give ... lessons, give lessons (in ...); (指導する) instruct ㊉; (動作・具体的なことで示して教える) show ㊉; (情報を与える・内容を伝える) tell ㊉《過去・過分 told》; (知らせる) let ... know.

【類義語】知識・技術あるいは処世術・道徳など, 何らかの努力・代償を払って身につけるようなことを指導・実地訓練・経験させることなどによって教えるのが *teach*. ところが日本語の「教える」には「駅へ行く道を教える」「電話番号を教える」など, 単に「情報を与える・内容を話してやる」という意味の場合も多い. この意味では英語では最も一般的な語としては *tell* を用いることに注意. *tell* のほかに図をかいたり, 指で指したり, あるいはわかりやすく説明したりして示すのは *show*. 「知らせる」という意味で教えるのは *let ... know* で, 意味の上では *tell* に近い. *teach* よりもっと狭い意味で, 音楽・絵画などを個人的に教えるという意味では *give lessons*. 学校の授業や教育的な指導とは限らないが, 何らかの細かい指示を与えて指導することを表す少し格式ばった語が *instruct*. (☞ おしえ¹ (類義語)) [日英比較] 日本語の「教える」には, 大ざっぱに分けて, (i) 学問・技術などを教える, (ii) 情報を与えるという 2 つの意味がある. それに対して英語の teach には (i) の意味しかない. (ii) の意味は tell で表す. 従って, 日本語の「教える」は下図のように, その意味領域が teach と tell の両方にまたがっている.

例えば,「秘密を教えてあげよう」I'll *tell* you a secret.「なぜだか教えて下さい」*Tell* me why. のような場合, 英語では teach ではなく, tell を用いる.

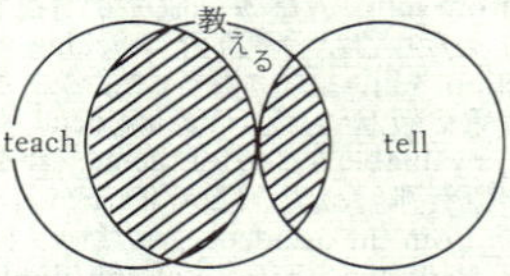

¶ おばは都立[県立, 市立, 私立]の高等学校で英語を*教えています My aunt *teaches* English at a ⌜metropolitan [prefectural; municipal; private] high school. [語法] (1)「公立の」というのであれば public でよい. / My aunt is ⌜a *teacher* of English [an English *teacher*] at a ⌜metropolitan [prefectural; municipal; private] high school. [語法] (2) 第 2 文のほうが改まった表現. //「渡辺先生は何を*教えていらっしゃるのですか」「国語です」"What does Mr. Watanabe *teach*?" "Japanese." // 彼の奥さんは自宅でピアノを*教えている His wife *gives* piano *lessons* at her home. // 日本史は青木先生が*教えています <S (人)+V (*teach*)+O (人)+O (学科)> Mr. Aoki *teaches* us Japanese history. / <S (人)+V (*teach*)+O (学科)+*to*+名・代(人)> Mr. Aoki *teaches* Japanese history *to* us. // この学校ではフランス語は*教えていません (⇒ 教えられていない) French *is* not *taught* at this school. // 母は私に料理を*教えてくれた <S (人)+V (*teach*)+O (人)+O (*to* 不定詞)> My mother *taught* me (how) *to* cook. // すみませんが駅へ行く道を*教えて下さい <S (人)+V (*tell*)+O (人)+O (事)> Excuse me, but ⌜can [could] you *tell* me the way to the station? ★ [ ] 内のほうが丁寧. // その事件で大いに*教えられるところがあった (⇒ 学んだ) I *learned* a ⌜lot [great deal] from that affair. / (⇒ その事故は私に教訓を教えた) That [The] accident *taught* me a (good) lesson.

おしおき　お仕置き　— [動] (罰する) punish ㊍ (☞ こらしめる).

おじか　牡鹿　〔動〕 buck Ⓒ, stag Ⓒ, male deer Ⓒ.

おしかえす　押し返す　push [press] back ㊍.
¶ 勢ぞろいした警官が群衆を*押し返した A line of policemen ⌜*pushed back* the crowd [*pushed* the crowd *back*].

おしかくす　押し隠す　put ... out of sight; (隠すのに全力をつくす) do *one's* best to hide .... (☞ ひたかくす).

おしかけにょうぼう　押しかけ女房　¶ 彼女は*押しかけ女房だ She invited herself to be his wife. / (⇒ 彼のところへ入り込んだ) She moved in ⌜on him [with him uninvited]. ★ 第 1 文は「自分自身を彼に押しつける」の意味. 第 2 文は文字どおりに彼の家に入り込むこと.

おしかける　押し掛ける　**1** 《殺到する》: (群れをなして集まる) crowd (into ...) ㊀ ★ 最も一般的な語; (押し合いへし合いして) throng (to ...; toward ...) ㊀ [語法] いずれも ㊍ の用法もあるが,「押しかける」という動作に重きを置くときは ㊀ が普通; (大急ぎで駆けつける) rush ㊀; (大挙してなだれ込む) pour (into ...) ㊀. (☞ つめかける; おしよせる (類義語); さっとう). ¶ 観光客がそのレストランに*押しかけた Tourists ⌜*crowded into* [*thronged* (*in*) *to*] the restaurant. / (⇒ レストランは観光客で混んでいた) The restaurant *was* ⌜*crowded* [*thronged*] *with* tourists. // その決定に抗議して主婦たちが市役所に*押しかけた Housewives *poured into* the municipal office, protesting the decision. // その新しい大学に 10 万人近くの志願者が*押しかけた Nearly a hundred thousand people *rushed* to apply for admission to the new college.

2 《訪ねる》: come [go] and see ㊍; (訪れる) visit ㊍; (強引に) invite *oneself*.
¶ 近いうちに君の新居へ*押しかけるよ I'll *come and visit* (you in) your new ⌜home [house; apartment; place] one of these days.

おじぎ　お辞儀　— [名] bow /báu/ Ⓒ.　— [動] bow ㊀, bow *one's* head. [日英比較] 英米では人とのあいさつとしておじぎをする習慣はない. 従って bow という語は深い尊敬や崇拝を表す重々しい言葉で, しばしば「完全な服従」などを意味する比喩的な意味にも使われる点に注意. (☞ れい²; えしゃく [日英比較]).
¶ 彼女は私に頭を低く下げて*おじぎをした She ⌜*bowed* deeply [made a deep *bow*] to me. // 彼は軽く*おじぎをして立ち去った He departed with a slight *bow*. [語法] (1) slight の部分に,「丁寧な」polite,「うやうやしい」respectful,「しとやかな」graceful など適当な形容詞を用いることができる. // 彼女は感謝の意を込めて*おじぎをした She *bowed* her appreciation. [語法] (2) この bow は ㊍ で,「おじぎをして(感謝の念を)表す」の意.

コロケーション
愛想の良いお辞儀(をする) (give [do; make; take]) a friendly *bow* / **堅苦しいお辞儀** a ⌜rigid [formal; stiff] *bow* / **上品なお辞儀** a courtly *bow* / **へつらうようなお辞儀** an obsequious *bow* / **よそよそしいお辞儀** a chilly *bow*

おしきせ　お仕着せ　¶ *お仕着せの (⇒ 上から与えられた) プログラムはごめんだ We don't want the program ⌜*provided* [(⇒ 押しつけられた) *imposed*] by the authorities.

おじぎそう　含羞草　〔植〕 mimosa Ⓒ, sensitive plant Ⓒ.

おしきる　押し切る　¶ 彼は最後まで頑張って自分のやり方で*押し切った (⇒ 最後までがんばることによって思いどおりにした) He *got his way* by holding out to the ⌜last [end]. // 彼らは親の反対を*押し切って (⇒ 反対にもかかわらず) 結婚した They got married ⌜*despite* [*in spite of*] their parents' disapproval. (☞ おしとおす)

おしくも　惜しくも　(きわどいところで) by a narrow margin; (残念なことには) to *one's* regret; (がっかりしたことには) to *one's* disappointment. (☞ おしい; ざんねん). ¶ 彼は*惜しくもレースに敗れた He lost the race *by a narrow margin*. // 彼女は*惜しくも選挙に落選した *To our* ⌜*regret* [*disappointment*], she was defeated in the election.

おしくらまんじゅう　押し競饅頭　(説明的に) children's game in which they ⌜jostle [push against] each other to keep warm Ⓒ.

おじけづく 怖じ気づく (恐怖心にとらわれる) be ⌈gripped by [seized with] fear; (恐怖心に圧倒される) be overcome with ⌈fear [fright] ★ fright は突然わく恐怖心; (突然怖くなる) be [get] frightened; (気後れする) lose *one's* nerve. 《☞ おそれる; ちぢみあがる; しりごみ》. ¶ その影を見て彼女は*おじけづいた (⇒ 恐怖に襲われた) Seeing [When she saw] the shadow, she *was* ⌈*seized with* [*gripped by*] *fear*. / (⇒ その影は彼女を怖がらせた) The shadow *frightened* her. // 耳をつんざくような雷鳴に, その子はすっかり*おじけづいた The child *was overcome with* ⌈*fear* [*fright*] on hearing the loud ⌈clap of thunder [thunderclap]. // 彼女はマイクの前ではいつも*おじけづく She *gets frightened* whenever she stands in front of a microphone. / (⇒ 舞台であがる) She always ⌈*gets* [*has; suffers from*] stage *fright* before standing in front of a microphone.

おしげ(も)なく 惜しげ(も)なく (気前よく) generously; (多量に) liberally. 《☞ おしむ; きまえ》. ¶ 彼らは自分の食料まで*惜しげ(も)なく腹をへらした子供たちに与えた They *generously* gave ⌈out [away] even their own food to the hungry children. // *惜しげ(も)なく金を使う (⇒ 湯水のように使う) spend money *like water*

おじける 怖ける (恐れる) be afraid of …; (突然怖くなる) be frightened ⌈by [of] …. 《☞ おじけづく; こわがる》.

おしこみごうとう 押し込み強盗 house-breaker Ⓒ; (夜の押し込み強盗) burglar Ⓒ.

おしこむ 押し込む push … into … 〔語法〕 (1) 比較的小さな場所へ無理に入れることで, その様態によって, push, thrust, stuff, crowd, squeeze, crush, jam, stick, tuck などの他動詞を適当に用いる; (力ずくで) force … into …. 《☞ つめこむ (類義語)》. ¶ 彼はポケットに新聞を*押し込んだ He ⌈*pushed* [*stuffed*] a newspaper *into* his pocket. // 彼らは小さな部屋に*押し込まれた They *were* ⌈*crowded* [*jammed*] *into* a small room. 〔語法〕 (2)「ぎゅうぎゅうづめに」の意味では squeeze を用いる. // 彼はその紙幣をシャツのポケットに*押し込んだ He ⌈*crushed* [*stuck*] the bills *into* his shirt pocket. 〔語法〕 (3) crush は本来,「つぶす」の意味であるから, ここでは 「くしゃくしゃにして」 という意味が加わる. stick は crush ほど無理に押し込む意味はない.

おしこめる 押し込める (閉じ込める) shút úp (他); (鍵をかけて) lóck úp (他). 《☞ とじこめる》.

おしころす 押し殺す (したいことを我慢する) refrain (from …) (自); (感情を抑える) take in (他), suppress (他) ★ 前者のほうが口語的. 《☞ こらえる; よくせい》.

おじさん 小父さん **1** 《中年の男性》 ¶ よその*おじさん (⇒ 知らない人) からそれをもらった I got it from a *stranger*. 〔語法〕 (1) この stranger は必ずしも男性とは限らない. // *おじさん, 何か落としましたよ *Sir* [*Mister*], you've dropped something. 〔語法〕 (2) mister はくだけた呼びかけ方.
2 《伯父・叔父》: uncle Ⓒ 《☞ 親族関係 (囲み)》. ¶ 二郎*おじさん *Uncle* Jiro 〔語法〕 大文字で書き始めて名の前に置く.

おししずまる 押し静まる ☞ しずまる

おししずめる 押し鎮める ☞ しずめる[1]

おしずし 押し鮨 *oshizushi* Ⓤ, pressed sushi Ⓤ; (説明的には) marinated fish and vinegared rice pressed together in a box-shaped utensil.

おしすすめる 推し進める (促進する) push on with …; (進行させる) go ahead with … 《☞ すすめる[1]; すいしん[1]》. ¶ 彼らは計画を*推し進めた They *pushed on with* their plan. // 我々はその仕事を*推し進めることに決めた We have decided to *go ahead with* the work.

おしせまる 押し迫る (近づく) approach (自), near (自) ★ いずれも (他) としても用いる; (やってくる) come (自) ★ 以上の中でこの語がいちばん口語的. 《☞ まぢか; ちかづく》. ¶ 年の瀬も*押し迫り… As the end of the year *is* ⌈*coming* soon [*approaching*] …

おしだ 雄羊歯 〔植〕 thick-stemmed wood fern Ⓒ; (西洋雄羊歯) male fern Ⓒ.

おしたおし 押し倒し (相撲の技) *oshitaoshi* Ⓤ; frontal push-down Ⓤ.

おしたおす 押し倒す púsh dówn (他), brèak dówn (他); (強い力で立木などを倒す) brìng dówn (他); (風が) blów dówn (他). 《☞ たおす[1]》.
¶ 暴徒が門を*押し倒した The mob ⌈*pushed* [*broke*] ⌈the gate *down* [*down* the gate]. // 小屋は強風で*押し倒された The hut *was* ⌈*knocked* [*blown*] *down* by a strong wind.

おしだし 押し出し (相撲の技) *oshidashi* Ⓤ; frontal push-out Ⓤ. ¶ 彼は*押し出しの立派な男だった He was a man of ⌈*stately appearance* [*imposing presence*]. 《☞ かっぷく》 // *押し出しで 1 点入った 《野球》 They forced in a run with a *bases-loaded walk*.

おしだす 押し出す púsh óut (他); (チューブなどから) squéeze óut (他). 《☞ おす[1]》. ¶ 私はのりを少々チューブから*押し出した I *squeezed* a little paste *out of* the tube. 〔語法〕「押す」という動作の様態によって squeeze, press, force などを適当に用いる.

おしたてる 押し立てる (高く掲げる) raise (他); (旗・棒などを立てる) set up (他); (見せるために高く掲げる) hold up (他). 《☞ たてる[2]》.

おしだまる 押し黙る (黙っている) keep silent; (口をとざす) 《略式》 clam up. 《☞ だまる; だまりこくる》.

おしちや 御七夜 the seventh day after birth.

おしつけがましい 押し付けがましい (強引な) 《略式》 pushy /pʊ́ʃi/; (出しゃばりの) intrusive.

おしつける 押し付ける **1** 《圧する》: push [pin] … against … 〔語法〕「動けないように」の意味では pin を用いる. 動作の方向に対する物には against を用いる. ¶ 彼は私を壁に*押しつけた He ⌈*pushed* [*pinned*] me (up) *against* the wall.
2 《強制的に受け取らせる》: (無理やりに) force … (on …; to *do* …); (自分の意志などを) impose … (on …); (責任などを) place [put] … (on …); (何かを強く押しやる) thrust … (on …). ¶ 彼らは私にその仕事を*押しつけた (⇒ 引き受けるように強制した) They *forced* me *to* undertake the task. / They *forced* the task *on* me. ★ 後者は「私に」を強調する言い方. // 彼らは失敗の責任を私に*押しつけようとしている They are trying to ⌈*place* [*put*] the blame for the failure *on* me. / They are trying to *thrust* the responsibility for the failure ⌈*on* [*onto; upon*] me. ★ 第 2 文のほうが格式ばった言い方. // 私は寄付を*押しつけられた (⇒ 寄付をするように強制された) I *was forced to* make a contribution. // 自分の意見を他人に*押しつけるな Do not *impose* your opinions (*on* others).

おしっこ — 名 《幼児》 weewee, wee ★ ともに a を付けて; 《略式》 pee Ⓒ. — 動 weewee (自), have [do] a ⌈weewee [wee]; 《略式》 pee (自), have [go for] a pee. 《☞ しょうべん》. ¶ *おしっこがしたい I want to *weewee*. / I have to go for a *pee*. ★ 改まった大人の会話では I have to go to the rest room. // 犬は立ち止まって街灯に*おしっこをした The dog stopped to *pee* at a lamppost.

おしつつむ 押し包む hide (他), conceal (他) ★ 後

者のほうが格式ばった語.《☞ かくす》.

おしつぶす 押し潰す crush (他); (つぶしてどろどろにする) squash (他).《☞ つぶす; つぶれる》. ¶ 彼が座って帽子を*押しつぶした He sat on the hat and 「*crushed* [*squashed*] it. // 雪の重みで屋根が*押しつぶされた (⇒ つぶれた) The roof 「*collapsed* [*fell in*] under the weight of the snow.

おしつまる 押し詰まる ¶ 時間が*押し詰まって来た We *are pressed for* time. // いよいよ(年の暮れが)*押し詰まって来ましたね (⇒ 年末に近づきつつある) We *are getting close to the end of* the year. / (⇒ 今年の残りもわずかしかない) There is very little left of the year. / (⇒ 今年もほとんど終わった) The year *is almost over.* / (⇒ ほとんど年の暮れだ) It's *almost the end of* the year. / We're *almost at year-end.* 《☞ さしせまる》

おしつめる 押し詰める (詰め込む) pack (他); (追い詰める) drive ... into a corner; (短く簡潔にする) make ... short and succinct. 《☞ つめこむ; おいこむ[1]》.

おして 押して (…にもかかわらず…する) *do* ... in spite of ... 《☞ たって; しいて; あえて》. ¶ 雨を*押して出発した We started out *in spite of* the rain. // そこを*押して (⇒ それがとても大変なことはわかりますが) 助けて下さい Please help us *although* we know it is extremely difficult.

おしとおす 押し通す (主張などを頑として変えない) persist (in *doing* ...) (自); (言い張る) insist (on ...) (自) ★ (他) として that節を伴うこともある. 《☞ いいはる; とおす; おしきる》. ¶ 彼はわがままを*押し通すにちがいない (⇒ 自分の思いどおりの行動をするにちがいない) He has to *have his own way.* // 彼は病気であったという口実を*押し通した He *persisted with* the excuse that he had been ill. // 彼は無罪の主張を*押し通した He *insisted* 「*on* his innocence [(*that*) he was innocent].

おしとどめる 押し止める (させないようにする) restrain (他); (やめさせる) stop (他). 《☞ とめる[1]; せいし[3]》.

おしどり 鴛鴦 〘鳥〙 mandarin duck [C]. **おしどり夫婦** ── [名] (幸せな夫婦) happy couple [C]; (a couple of) lovebirds ★ lovebird は「ぼたんいんこ」. 雌雄の仲がよいことが知られている. ── [形] (ぼたんいんこのつがいのような) like a couple of lovebirds.

おしながす 押し流す (流し去る) wash away (他); (運び去る) carry away (他); (一挙に運び去る) sweep away (他) [語法] away を用いるのはこの場合「流し去る」の意味であるが, 「川の下流へ」の場合は down,「沖のほうへ」の場合は out, off などのように副詞を替えて用いる. 《☞ ながす; りゅうしつ》. ¶ 川が増水して橋が*押し流された The bridge *was washed away* by the swollen river. // 船が沖へ*押し流された The boat *was carried out* to the open sea.

おしなべて 押し並べて (一般的に言えば) generally speaking; (だいたいにおいて) on the whole. 《☞ がいして; いっぱんに》.

おしのける 押しのける (脇へ) push aside (他); (ひじで押しのけるように) elbow (他). 《☞ おしわける》. ¶ その少年は私を*押しのけた The boy *pushed* me *aside.* // 彼は群衆を*押しのけて前へ出た He came forward, *pushing aside* the bystanders. // 長身の男の人が人ごみを*押しのけて通って行った A tall man 「*elbowed* [*forced*] *his way through the crowd.* // 彼は人を*押しのけてまで出世しようとするタイプの男ではない He is not the type to *elbow* 「his way to (a) promotion [others out of his way (in order) to get a promotion].

おしのび お忍び ── [副] incognito /ìnkɑgníːtoʊ/. ¶ 王は*お忍びで旅行をしていた The king was traveling *incognito.*

おしはかる 推し量る guess (他) (自), suppose (他), conjécture (他) (自) ★ はじめの 2 つが口語的. 《☞ おす[2]; すいりょう[1]; すいそく (類義語)》.

おしばな 押し花 pressed flower [C].

おしばひょうほん 押し葉標本 specimen of pressed leaves [C].

おしひらく 押し開く (開く) open (他); (押して開ける) push ... open. 《☞ おしあける》.

おしひろげる 押し広げる (力ずくで広げる) extend ... by force 《☞ ひろげる》.

おしぶた 押し蓋 pressure lid [C]; (説明的には) undersized lid for pressing down the contents of a jar or barrel [C].

おしべ 雄蕊 stamen /stéɪmən/ [C] 《複 ~s, stamina /stǽmənə/》 (↔ pistil).

おしボタン 押しボタン ── [名] (装置) púsh bùtton [C]. ── [形] (押しボタン式の) púsh-bùtton [A]. ¶ この鍵は*押しボタン式だ (⇒ 押しボタンがついている) This lock is fitted with *push buttons.* / This is a *push-button* lock. // *押しボタン戦争 a *push-button* war

おしぼり お絞り (熱いタオル) hot towel [C]; (蒸したタオル) steamed towel [C] [参考] 英米には普通おしぼりを出す習慣はない.

おしまい 御仕舞い ☞ しまい[1]; おわり

おしまくる 押しまくる (押し続ける) keep pushing; (どんどん押す) push and push ★ 比喩的にも使う. ¶ その力士は*押しまくって勝った The sumo wrestler 「*kept pushing* [*pushed and pushed*](,) and won the bout. // 賃上げ要求を*押しまくる *keep pushing* [*push and push*] (for) a wage(-)hike demand

おしみない 惜しみない ── [形] (気前のよい) generous; (出し惜しみしない) unstinting, unstinted. ── [副] (惜しげなく) freely, lavishly; unstintingly, without stint. 《☞ おしむ》. ¶ 彼女は衣服に*惜しみなく金を使う She spends money 「*freely* [*lavishly*] on clothes. // *惜しみない (⇒ 大きな) 拍手を受ける receive 「*loud* [*thunderous*] applause (from the audience)

おしむ 惜しむ **1** «出し惜しむ»: (節約して) spare (他), be sparing ★ 後者は「状態」をいう; begrudge (他), grudge (他); be frugal; be stingy.

【類義語】「なるべく使わないようにする」 の意味では **spare**.「嫌だがしぶしぶ出す」の意味では **begrudge**, **grudge**. 食事などがつましいのは **frugal**. けちけちしているのは **stingy**.

¶ 彼は骨身を*惜しまなかった He didn't *spare* himself. / He *spared* no 「pain(s) [effort]. ★ 格式ばった言い方. // 彼は費用を*惜しまない He *spares* no expense.

2 «悔やむ»: regret (他) 《☞ くやむ》. ¶ だれしも過ぎ去った歳月を*惜しむ Everybody *regrets* the passage of time. ★「失ったものを残念がる」の意味.

3 «尊重する»: (大切にする) value (他); (大事なものと考える) place [put] a high value on ... 《☞ たいせつ[1]; おもんじる; じゅうし[1]》. ¶ 彼らは命よりも名を*惜しむ (⇒ 尊重する) They *value* honor above life. / (⇒ 名のほうをより高く評価する) They *place a higher value on* their reputation than (on) their 「life [lives]. ★ 第 2 文のほうが格式ばった表現. // 彼は寸暇を*惜しんで植物学の研究をした (⇒ あらゆる余暇を植物学の研究にあてた) He 「*gave* [*devoted*] every spare moment *to* (「studying [the study of]) botany. / (⇒ わずかの時間でもそれをすべて植物学の研究にささげた) He *devoted* what little time he could find *to* (「studying [the study of]) botany.

おしむぎ 押し麦 rolled barley [U].

おしむらくは 惜しむらくは regrettably, to *one's* regret. 《☞ ざんねん; おしい》.

おしめ[1] 《米》diaper /dáɪ(ə)pə/ Ⓒ, 《英略式》nappy Ⓒ. 《☞ おむつ》.

おしめ[2] **押し目** (相場の) dip Ⓒ, reaction Ⓤ. 押し目買い ― 動 buy ⌜on [in] reaction, buy on the dips.

おしめり お湿り (軽い雨) light [soft; gentle] rain ★ a を付けて; (ぱらぱらと降る雨) sprinkle ★ a を付けて. ¶ 結構な*お湿り a most welcome *rain*

おしもおされもしない 押しも押されもしない ― 形 (一流の) leading; (揺るぎない) unchallenged ★ 通例 the を付けて. 《☞ ふどう[1]》. ¶ 彼女は*押しも押されもしない国際的経済学者だ She is a *leading* international economist. // 彼は*押しも押されもしない (⇒ 名声の定まった) 世界的な数学者だ He is a world-famous mathematician *with an established reputation.*

おしもどし 押し戻し (押し戻すこと) pushing back Ⓒ; (歌舞伎の) *oshimodoshi*; (説明的には) drawing a kabuki character who is departing by the runway back onto the main stage.

おしもどす 押し戻す púsh [préss] báck ㊀ 《☞ おしかえす》.

おしもんどう 押し問答 ― 動 (…と言い合う) bandy words with …; (…について言い合う) bandy words about …; (…と言葉をやり取りする) toss words ⌜around [about] with …; (口論する) quarrel (with …) ㊀; (やかましく口論する) wrangle (with …) ㊀; (きつい言葉を交わす) exchange hard words. ― 名 (口論) quarrel Ⓒ; (やかましい口論) wrangle Ⓒ. 《☞ こうろん[1]》. ¶ ばかな人と*押し問答をする (⇒ 言葉をやりとりする) のは無益だ It is useless ⌜*bandying words* [*tossing words around*; *tossing words about*] *with* a foolish person. // すったもんだの*押し問答のあげくに (⇒ 何度も口論が繰り返された後で) 強硬手段がとられた After their repeated ⌜*wrangles* [*wrangling*], drastic measures were taken.

おじや ☞ ぞうすい[2]

おしゃか お釈迦 お釈迦様 ☞ しゃか お釈迦様でも気が付くまい Even the omniscient Buddha will not notice … お釈迦になる (だめである) be no good; (廃物になる) go to waste. ¶ このカメラはもう*おしゃかだ This camera ⌜is *no good* [(⇒ もう使えない) *won't stand any more use*].

おしゃく 御酌 ☞ しゃく[2]

おしゃぶり (環状の) teething ring Ⓒ; (乳首型の) 《米》pacifier Ⓒ, 《英》dummy Ⓒ.

おしゃべり ― 形 (よくしゃべる) talkative; (人の私事などのうわさをする) gossipy. ― 名 (おしゃべりな人) talkative person Ⓒ; (たいへんなおしゃべり) quite a talker, windbag Ⓒ, gasbag Ⓒ ★ 後の 2 つはくだけた語; (人の私事などのうわさを好んでする人) gossip Ⓒ. ― 動 (話をする) talk ㊀; (楽しく雑談をする) chat with …, have a chat with …; (人の私事などのうわさをする) gossip ㊀. 《☞ しゃべる; ぺちゃくちゃ》. ¶ 授業中の*おしゃべりはやめなさい Don't *talk* in class. // 弟は私に輪をかけて*おしゃべりだ My brother is even more *talkative* than ⌜I (am) [me]. // 彼女はたいへんな*おしゃべりだ She is *quite a talker*. // *おしゃべりをしましょうよ Let's *shoot the breeze*. ★ 米口語.

おしゃま ― 形 (早熟な) precocious /prɪkóʊʃəs/ 《☞ ませる》.

おしやる 押しやる (向こう[脇へ]押しのける) pùsh ⌜awáy [asíde] ㊀ 《☞ おしのける》.

おしゃれ ― 動 (着る物に気を配る) be careful ⌜with [about] *one's* ⌜clothes [clothing; dress]; (よい衣服を着ることが好きだ) like to dress nicely; (正装する) dress (*oneself*) up, be dressed up. ― 名 sharp [smart] dresser Ⓒ; 《略式》fashion plate Ⓒ. 日英比較 かつて使われた dandy という言葉はいまはあまり使われない. 《☞ しゃれた》. ¶ 彼女は*おしゃれだ (⇒ 衣服や身なりにたいへん気を使う) She *is* very *careful* ⌜*with* [*about*] *her* ⌜*dress* [*clothes*; *clothing*] *and appearance.* / (⇒ すてきに見えることを重んじる) She *thinks it's important to look nice.* / (⇒ すてきに装うことが本当に好きだ) She really *likes to dress* ⌜*nicely* [*well*]. // 彼はずいぶん*おしゃれをしてやって来た (⇒ きちんと正装して) He came all *dressed up.* / (⇒ 最新のいでたちで) He showed up *in* ⌜*the latest style* [*a stylish outfit*; *stylish clothes*].

おじゃん ― 動 (むだになる) come to nothing; (失敗する) fail ㊀; (中止になる) be cancel(l)ed. 《☞ だめ; ふい[2]; しっぱい》. ¶ その企画は結局*おじゃんになった (⇒ だめになった[失敗した]) The project ⌜*came to nothing* [*failed*] (in the end). // 雨でピクニックは*おじゃんになった (⇒ ピクニックが中止された) Our picnic *was canceled* because of (the) rain.

おしゅう 汚臭 bad ⌜smell [odor] Ⓒ 《☞ あくしゅう[1]》.

おしょう 和尚 (Buddhist) priest Ⓒ 参考 呼びかけには使えないので, sir を代用する.

おじょうさん お嬢さん (相手[第三者]の娘) your [his; her; their] daughter Ⓒ; (良家の娘) girl of a good family Ⓒ; (呼びかけ) young lady; miss; ma'am /mǽm/, madam. 語法 「はい, お嬢さん[奥さま]」を, "Yes, ⌜ma'am [madam]." と言うのは礼儀正しい言い方で, 店員が女の客に対して言うような場合に用いる. 大人が子供に対して呼びかけるのに young lady を用いるのは一般的であるが, 名前を言わないでわざわざこれを用いるのは, むしろ注意をしたりしかったりする場合に多い. 店員や未知の若い女性に対しての呼びかけに miss を用いるのはかなりくだけた多少下品な用法である. 《☞ おくさま; はこいりむすめ》. ¶ 彼女は*お嬢さん育ちだ (⇒ 良家の出だ) She *comes from a good family.* / (⇒ 過保護に育てられた) She has been *brought up in an overprotective manner.* // *お嬢さん学校 a school for *girls from good families* // ありがとうございます, *お嬢さん Thank you, *ma'am.* // *お嬢さん, 言葉づかいに気をつけるんだね Watch your language, *young lady.*

おしょうばん お相伴 ― 動 (…を共にする) share [take part; participate; partake] in …. ¶ 彼らは宴会の真っ最中だったので, 私たちも*お相伴にあずかった As they were in the middle of a banquet, we ⌜*took part* [*participated*; *joined*] *in* it. // 僕も(その利益の)*お相伴にあずかりたいものですな I'd like to (*have a*) *share in* the profit(s).

おしょく 汚職 ― 名 corruption Ⓤ, 《米》graft Ⓤ; (事件) corruption affair Ⓒ; (贈収賄事件) 《略式》(payoff [kickback]) scandal Ⓒ. ― 形 corrupt. 《☞ しゅうわい; ぞうわい; ばいしゅう; わいろ; ふせい》. ¶ 最近の政界[市]の*汚職は嘆かわしい The recent ⌜political [municipal] *corruption* is ⌜deplorable [something for regret; something to be regretted]. // *汚職にまみれた *scandal*-⌜plagued [ridden] // 彼はその*汚職事件に関係していたものと思われる He is believed to have been [It is believed (that) he was] involved in the ⌜*corruption affair* [*payoff scandal*]. // *汚職役人が数名逮捕された Some *corrupt* (government) officials were arrested.

おじょく[1] **汚辱** (不名誉) disgrace Ⓤ; (侮辱) insult Ⓒ; (恥辱) shame Ⓤ. 《☞ ちじょく; ぶじょく》.

おじょく[2] **汚濁** ☞ おだく

おしよせる 押し寄せる crowd (自) (他); flock (自) (他); swarm (自) (他); surge (自); throng (自) (他).
【類義語】特に人が所せましと群をなすのは *crowd*. 「(鳥のように)群がる」のは *flock*. 「(蜂のように) 群がる」は *swarm*. 「波のように迫る」は *surge*. *crowd* とほぼ同意だが，押し合いへし合いして移動する意味をもつのが *throng*. (☞ あつまる (類義語); さっとう; おしかける; つめかける)
¶ *押し寄せる敵 the ⌈*advancing* [*surging*] enemy [語法] advancing は「前進して来る」の意味. // 大勢の人が戸口へ*押し寄せた A great many people *made for* the door. // パレードを見に大群衆が*押し寄せた People *flocked* to see the parade. // 少女たちはその映画スターのまわりにサインを求めて*押し寄せた The girls ⌈*crowded* [*swarmed*] around the movie star (asking) for autographs. ★ サインは単数形で his [her] autograph とも言う. // 物見高いやじ馬が現場に*押し寄せていた Curious onlookers *were swarming* about the scene.

おしろい 白粉 (face) powder Ⓤ (☞ けしょう (挿絵)). ¶ 彼女は*おしろいをつけない She never ⌈uses [puts] *powder* on her face. / She never *powders* her face. / (⇒ 化粧をしない) She wears no *makeup*. // 彼女は*おしろいをこてこてに塗っていた Her face *was* heavily ⌈*powdered* [*made up*]. [参考]「うすく」は lightly. // この*おしろいはよくつかない This *powder* won't stay on my face.
白粉下 foundation (cream) Ⓤ, powder base Ⓤ
白粉焼け ¶ *白粉焼けした顔 a brown ⌈face [complexion] *caused by the long use of powder*

おしろいばな 白粉花 〔植〕 four-o'clock Ⓒ, marvel-of-Peru Ⓒ (複 marvels-of-Peru).

オシログラフ 〔電〕 (振動記録器) oscillograph /ɑsíləgræ̀f/ Ⓒ.

オシログラム 〔電〕 oscíllogràm Ⓒ.

おしろじか 尾白鹿 〔動〕 white-tailed deer Ⓒ ★ 単複同形.

オシロスコープ 〔電〕 oscílloscòpe Ⓒ.

オシロメーター 〔電〕 (振幅測定装置) oscillometer Ⓒ.

おじろわし 尾白鷲 〔鳥〕 white-tailed sea eagle Ⓒ.

おしわける 押し分ける **1** 《引き離す》: push apart (他) [語法]「分ける」ときの動作の様態によって，push の部分に，「引っぱって」pull，「力ずくで」force，「引き裂くように」tear /téə/ などの動詞を用いる. ¶ 2 人がけんかになろうとするところを*押し分けた I ⌈*pushed* them *apart* [*separated* them] ⌈when [as] they were about to fight. / (⇒ 割って入って分けた) I *stepped in* and made them *break it up*. ★ 口語的な言い方.
2 《押しのける》: (前進する) advance through ...; (どんどん押し分けて進む) push *one's* way through ... (☞ おしのける). ¶ 彼は群衆を*押し分けて進んだ He *pushed his way through* the crowd. // 私は人を*押し分けてやっとその劇場に入ることができた I managed to ⌈*squeeze* (*myself*) [*push my way*] *into* the theater.

おしわりむぎ 押し割り麦 pressed barley Ⓤ.

おしん 悪心 sickness Ⓤ, nausea /nɔ́:ziə/ Ⓤ ★ 後者のほうが格式ばった語. (☞ はきけ; むかつく).
¶ *悪心を催す feel ⌈*sick* [*nauseous*]

おしんこ 御新香 (Japanese-style) pickled vegetables (☞ つけもの).

おす[1] 押す **1** 《力を加える》: (一般的に) push (他); (急に) thrust (他); (ひどく) shove (他); (圧する) press (他); (頭や角で突くように) butt (他) ★ 以上はいずれも (自) としても用いる.
【類義語】引く (pull) の逆で，最も一般的な語が *push*. 急に力を入れたり突き刺すように押すのは *thrust*. 表面を滑らせるように，または乱暴に押すのは *shove* である. 次第に力を加えて圧縮するような押し方は *press* で，ボタンを押したり，自動車のアクセルやブレーキを踏み込んで押すような場合に *push* と同じように用いる. 牛や山羊のような動物が頭や角で突くように押したり，頭突きをしたりするのは *butt* という.
¶ *押さないで下さい Please don't *push*. [語法] (1)「私を」の意味では push me とするが，人ごみの中などではこれを用いない. // 私はその机を*押したが動かなかった I ⌈*pushed* [*pushed at*; *gave a push to*] the desk, but it wouldn't ⌈budge [move]. // エンジンをかけるためにその車を*押してみた We ⌈*gave* the car *a push* [*pushed* the car] to start the engine. [語法] (2)「車を押してあげようか」は Shall I *give* it *a push*? と言うのが普通. // 私は戸を力いっぱい*押してみた I *gave* the door *a* hard *push*. // 私はドアを*押して(ぴったりと)閉めた I *pushed* the door ⌈shut [to]. [語法] (3) この場合の to は副詞で，強勢を置く. // 彼女は自転車を*押して通りを渡った She crossed the street(,) *pushing* her bicycle. / She ⌈*walked* [*wheeled*] her bicycle across the street. [語法] (4)「人・犬・自転車などにそって歩く」のを walk (動)(他) で表す. // 彼は後ろから私を*押した He ⌈*shoved* [*pushed*] me from behind. // 乱暴に[軽く; そっと; 強く; 激しく]*押す *push* ⌈rudely [lightly; gently; hard; violently, forcefully] // ボタンを*押す *press* [*push*] the button
2 《無理をする》 ¶ 彼は病気*を押して (⇒ 病気であるのに) その会に出席した He attended the meeting ⌈*in spite of* his illness [(even) *though* he was sick]. (☞ かかわらず; おして)
3 《印判を押す》: stamp (他) (☞ いんかん[1] [日英比較]; はん[1]).
押しも押されもしない, 押すな押すな ☞ 見出し

おす[2] 推す **1** 《推測する》: suppose (他), (格式) surmíse (他); (憶測する) guess (他) (自), (格式) conjécture (他); (想像する) imagine (他); (推断する) conclude (他); (推論する) infer (他). (☞ そうぞう[1]; すいそく (類義語)). ¶ 顔つきから*推して彼はかなり疲れていたようだ From ⌈his appearance [the look of him], I *guessed* that he was pretty tired. // 結果は*推して知るべし (⇒ それがどうなるかは容易に想像できる) You can easily *imagine* what it would lead to.
2 《推薦する》: (人・物を) rècomménd (他); (提議する) (格式) propose (他); (指名して) nominate (他). (☞ すいせん[1]; すすめる[2]).

おす[3] 雄, 牡 male Ⓒ (↔ female); (鳥の) cock Ⓒ; (象・鯨などの大きな動物) bull Ⓒ; (鹿・うさぎなど，やや小さい動物) buck Ⓒ ★ 以上の語は形容詞的にも使われる; (略式) he Ⓒ ★ 動物一般に使える. [語法] 口語では he Ⓒ で雄の動物のことを，また he- を動物名に付けてその動物の雄を示す. ((例) 雄の山羊 *he*-goat). (☞ めす[1] [語法]).

	動物名	雄	雌	子
犬	dog	dog	bitch	pup(py)
牛	cow	bull	cow	calf
馬	horse	stallion	mare	foal, colt
鹿	deer	buck	doe	fawn
		stag	hind	fawn
猫	cat	tom(cat)	tabby(cat)	kitten
羊	sheep	ram	ewe	lamb
豚	pig	boar	sow	piglet
山羊	goat	billy goat	nanny goat	kid
あひる	duck	drake	duck	duckling
がちょう	goose	gander	goose	gosling
鶏	chicken	cock(erel)	hen	chick
		rooster ★ 特に (米).		

¶ これは*雄猫です This is a ⌈*male* cat [*he*-cat; *tom-cat*]. // この犬は*雄ですか雌ですか Is this dog ⌈*male* or female [a *he* or a she]?

オズ (男性名) Oz /ɑ́z/ ★ Oswald /ɑ́zwɔːld/ の愛称.

おすい 汚水 (汚れた水) filthy water Ⓤ; (汚染された水) polluted water Ⓤ.

おずおず ── 副 (びくびくして) timidly; (ためらって) hesitantly, hesitatingly; (神経質に) nervously; (用心深く) cautiously. 《☞ おそるおそる; こわごわ; おどおど; 擬声・擬態語 (囲み)》.

¶ 彼女は*おずおずと (⇒ びくびくして) ドアに近づいた She approached the door *timidly*. // 彼は*おずおず (⇒ ためらって) 前へ出て来た He stepped forward ⌈*hesitantly* [*with hesitation*]. // 少女は*おずおず (⇒ 神経質に) その問いに答えた She answered the question *nervously*. // 彼は青ざめて*おずおずと (⇒ 恐怖で青くなって) のぞきこんだ He peeked in, ⌈white [pale] *with fear*.

オスカー ── 名 固 (アカデミー賞受賞者に贈られる金の像) Oscar Ⓒ; (アカデミー賞) Academy Award Ⓒ; (男性名) Oscar.

おすそわけ お裾分け ── 動 (分かち合う) share (他) (自); (部分に分ける) divide (他). 《☞ わける; くばる》. ¶ りんごをたくさんもらいましたので*おすそ分けしましょう We've received a lot of apples and I'd like to *share* them with you. // 漬け物を近所の人たちに*おすそ分けした We *shared* the pickled vegetables with our neighbors.

オストリッチ 〚鳥〛 (だちょう) ostrich Ⓒ.

おすなおすな 押すな押すな (超満員の) overcrowded; (いっぱい入っている) packed. 《☞ ぎゅうぎゅう; まんいん》.

¶ 店の前は*押すな押すなの大繁盛だった (⇒ 大きな人だかりがあった) There was a *large crowd* in front of the store. // 会場は*押すな押すなの大入り満員だった The hall *was* ⌈*overcrowded* [(⇒ 破裂しそうだった) nearly *bursting*] (with people).

おすまし 御澄まし clear soup Ⓤ 《☞ すましじる》.

オスマン ── 名 固 Osman, 1259–1326. ★ オスマン帝国の始祖. **オスマン語** Ottoman Ⓤ, Osmanli Ⓤ **オスマン帝国** the Ottoman Empire.

おすみつき お墨付 (有力な人からのお声がかり) word from a person in power Ⓒ; (計画などに対する正式な許可) 《略式》 official go-ahead Ⓒ, 《略式》 green light Ⓒ.

オスロ ── 名 固 Oslo ★ ノルウェーの首都.

オズワルド (男性名) Oswald /ɑ́zwɔːld/ ★ 愛称は Oz /ɑ́z/, Ozzie /ɑ́zi/.

オセアニア Òceánia.

おせいぼ 御歳暮 ☞ せいぼ[2]

おせおせ 押せ押せ **1** 《押しまくる》 ── 動 push and push; (最後まで) keep pushing to the end. ¶ *押せ押せで攻め立てる *be* constantly *on the offensive* (throughout the game)

2 《遅延した仕事が積み重なる》 ¶ 年末にかけて仕事が*押せ押せになっていた Toward(s) the end of the year, we ⌈*were pressed with an accumulation of work* [*had much pressing work to do*].

おせじ お世辞 ── 名 (ほめるための) cómpliment Ⓒ; (必要以上の) flattery Ⓤ. ── 動 cómplimènt (他); flatter (他) (自). ── 形 còmpliméntary.

【類義語】あいさつで, あるいは賛辞を呈してお世辞を言う場合は **compliment**. おべっかを言ったりへつらう場合は **flattery**. 《☞ おだてる; へつらう》

¶ *お世辞がお上手ですね That's a ⌈nice [lovely] *compliment*. / I'*m flattered*. 語法 (1) いずれも人からほめられたような場合に「そうでもない, それほどでもない」のように謙遜して言う表現. // 彼女は私にいろいろと*お世辞を言った She paid me many *compliments*. // 彼は絵がうまいと彼女に*お世辞を言った He ⌈*flattered* [*complimented*] her ⌈about [on] her painting. / He paid her a *compliment* on her painting. 語法 (2) 第 2 文のほうが格式ばった言い方. この文の a compliment の部分に,「から世辞」an empty [a false] compliment,「最高のお世辞」a high compliment,「心からのお世辞」a sincere compliment,「口のうまいお世辞」a smoothly-delivered compliment などを適当に用いることができる. // 彼は心にもない (⇒ 不誠実な) *お世辞を言う He ⌈makes insincere *compliments* [*flatters*]. // 彼がそう言ったのは*お世辞だ His remarks on it were *complimentary*. / (⇒ お世辞として言ったのだ) He ⌈said [meant; intended] it as a *compliment*. // 彼が芸術家だなんて*お世辞にも言えない (⇒ 芸術家どころではない) He is *anything but* an artist. / (⇒ 芸術家にほど遠い) He is *far from* being an artist.

コロケーション

お世辞に乗せられる fall for *flattery* / **お世辞に弱い** be susceptible to *flattery* / **…をお世辞として受け止める** take … as a *compliment* // **お世辞を浴びせる** shower [heap] ⌈*compliments* [*flattery*] on *a person* / **お世辞を受ける** accept a *compliment* / **お世辞を返す** return [reciprocate] the ⌈*compliment* [*flattery*] / **お世辞を交わす** bandy *compliments* with … // **悪意のこもったお世辞** a backhanded *compliment* / **いつものお世辞** a routine *compliment* / **大袈裟なお世辞** an effusive *compliment* / **気の利いたお世辞** a tactful *compliment* / **言葉巧みなお世辞** a smooth *compliment* / **長たらしいお世辞** a long-winded *compliment* / **見え透いたお世辞** obvious [patent] *flattery* / **わざとらしいお世辞** empty *flattery*

オセチア ── 名 固 Ossetia /ɑsíːʃiə/ ★ カフカス山脈のロシアとグルジアにまたがる地域.

おせち(りょうり) 御節(料理) special New Year's food(s).

おせっかい お節介 ── 形 (他人のことに口を差し挟む) meddlesome; (差し出がましい) 《格式》 officious /əfíʃəs/; (詮索好きの) 《略式》 nos(e)y; (出しゃばりな) obtrusive. ── 名 (おせっかいをすること) meddlesomeness Ⓤ, meddling Ⓤ; officiousness Ⓤ; (おせっかいな人) meddler Ⓒ; (他人のことに不必要な口を挟む人) busybody Ⓒ, 《英略式》 nos(e)y parker Ⓒ. ── 動 (おせっかいをする) meddle (in …) (自); (あれこれと知りたがる) pry (into …) (自); (…に干渉する) 《略式》 poke *one's* nose into …, nose into ….

【類義語】他人のことに介入したり邪魔になることをしたりするのは **meddlesome**. 必要以上に世話をやきすぎてうるさくすることは **officious**. むやみに他人のことに無作法なまでに好奇心をもつことは **nos(e)y** で, これは非常に口語的な表現. 押しつけがましく, 時には不愉快なほど目に余って出しゃばるのが **obtrusive**.「よく走り回る人」の意味から,「おせっかいな人」を表すやや皮肉な言い方は **busybody**. 《☞ くちだし; かんしょう[1]》 ¶ 彼女は*おせっかいなばあさんだ She is a *meddlesome* old woman. // それは余計な*おせっかいだ It is ⌈needless [unwanted] *meddling*. / (⇒ あなたの知ったことではない) That's none of your business. / Mind your own business. 語法 後の 2 つの文は非難をこめた口語的な言い方. // 彼は近所で一番の*おせっかいだった He was the *nosiest* person in the neighborhood.

オセロ[1] ── 名 固 Othello /əθélou/ ★ シェークスピ

ｱ劇『ｵｾﾛ』(*Othello*) の主人公.

オセロ² (ｹﾞｰﾑ)《商標》Othello /əθélou/.

おせわさま 御世話様 ¶先日は*御世話様になりまして (⇒あなたが私のためにしてくれたこと) どうもありがとうございました Thank you very much for ˹*what* [*everything*; *all*] you did for me the other day. / (⇒あなたの援助[お骨折り, 親切]) Thank you very much for (*all*) *your* ˹*help* [*trouble*; *kindness*] the other day. 《☞ せわ》

おせん 汚染 ―图 pollution Ⓤ, contàminátion Ⓤ 〔語法〕 ほぼ同意に用いられることもあるが, 前者は化学物質に, 後者は細菌に冒されていることをいう場合が多い. ―動 pollute ㊉, contáminàte ㊉. 《☞ こうがい²》

¶大気*汚染は大都市では重大な問題である Air [Atmospheric] ˹*pollution* [*contamination*] is a serious problem in large cities. // それは*汚染された水によって起こる病気である It is a disease caused by *contaminated* water. // 都市の空気は車からの排気ｶﾞｽでひどく*汚染されている The air in cities *is being* heavily *polluted* by vehicle emissions. // この水は化学工場からの産業廃棄物によって*汚染されている This water *is contaminated* by industrial waste from a chemical plant. **汚染監視** pollution monitoring Ⓤ **汚染監視人[委員]** pollution watchdog Ⓒ **汚染基準** pollution standards ★複数形で. **汚染源** source of pollution Ⓒ, pollution sources ★複数形で. **汚染対策** antipollution measures ★複数形で. **汚染度[レベル]** pollution level Ⓒ **汚染物質** polluting matter Ⓤ, pollutant Ⓒ, contaminant Ⓒ **汚染防止** pollution ˹control [prevention] Ⓤ **汚染防止管理[規制]** pollution prevention control Ⓤ **汚染防止法** antipollution law Ⓒ **汚染問題** pollution problem Ⓒ.

―コロケーション―

汚染の被害を受ける suffer (from) ˹*pollution* [*contamination*] / 汚染を阻止する combat [fight] ˹*pollution* [*contamination*] / 汚染を引き起こす cause [contribute to] ˹*pollution* [*contamination*] / 汚染を広げる spread ˹*pollution* [*contamination*] / 汚染を防ぐ prevent [avoid] ˹*pollution* [*contamination*] / 汚染を減らす reduce [cut down] ˹*pollution* [*contamination*] / 汚染を抑制する control [curb] ˹*pollution* [*contamination*] // 海洋汚染 sea [oceanic; marine] ˹*pollution* [*contamination*] / 河川[湖]の汚染 river [lake] ˹*pollution* [*contamination*] / 環境汚染 environmental *pollution* / 高度な汚染 high-level ˹*pollution* [*contamination*] / 細菌による汚染 bacterial *contamination* / 産業汚染 industrial ˹*pollution* [*contamination*] / 食物汚染 food *contamination* / 水質汚染 water ˹*pollution* [*contamination*] / 土壌汚染 ground ˹*pollution* [*contamination*] / 放射能汚染 radioactive ˹*pollution* [*contamination*]

おぜんだて お膳立て ―图 (準備) preparations ★通例複数形で; (手配) arrangements ★通例複数形で; (計画) plan Ⓒ. ―動 make preparations, prepare ㊉ ㊊; make arrangements; (計画などを立てて将来への道をひらく) pave the way (for ...); (食事の) set [lay] the table. 《☞ じゅんび; したじゅんび; ようい¹》

おそい 遅い 1 《時間が》 ―形 late (↔ early) ★「遅く」という意味で副としても用いる. 《☞ おくれる》 ¶彼は*遅いな. どうしたんだろう He's *late*. What happened to him? // *遅かったね (⇒やっと来た) So here you are *at last*! // 彼女はいつも帰りが*遅い She always comes ˹home [back] *late*. // 昨夜は*遅くまで起きていたので, けさ起きるのが*遅かった I stayed up too *late* last night, so I got up *late* this morning. // 夕方*遅くなって出発した I left there *late* in the evening. // 予定より1時間*遅く着いた We got there one hour ˹*late* [*later* than scheduled]. // *遅くとも5時までには来て下さい Please be here by 5 o'clock *at the latest*. 《☞ おそくとも》

2 《速度が》 ―形 slow (↔ fast, quick). ―副 (遅く) slowly 〔語法〕 口語では動詞の後では slow が副詞として用いられることがある. 《☞ ゆっくり; のろい¹; かんまん¹》 ¶彼女は歩くのが*遅い She walks ˹*slowly* [*slow*]. / (⇒のろのろ歩く人だ) She is a *slow* walker. // 彼女は食事の用意をするのがいつも*遅い (⇒時間がかかる) She always *takes* ˹*forever* [*too long*] to prepare a meal.

遅かりし由良之助 ¶いまさら弁解してみるも*遅かりし由良之助 (⇒遅すぎる) It is *too late* now to excuse myself. 〔語法〕 相手に向かってならば yourself, 第三者のことならば himself などになる.

遅きに失する ¶今年になって資金調達を始めたのは*遅きに失した It was ˹*much too late* [*way overdue*] to begin raising the capital this year.

おそいかかる 襲い掛かる (飛びかかって襲う) pounce on ..., jump on ...; (襲撃する) make an attack on .... 《☞ とびかかる; おそう》

おそう 襲う (襲撃する) attack ㊉ ㊊, make an attack on ...; (激しく) assault ㊉; (集団で一時的に) raid ㊉, make a raid on ...; (強盗などが侵入する) break into ...; (攻め込んで) invade ㊉ ㊊; (猛禽(もうきん)が餌食を) fall on ...; (災いなどが降りかかるように) descend on ...; (災害・疫病などが) strike ㊉, 《文》 visit ㊉; (痛手を負わせる) hit ㊉.

【類義語】 襲撃する・攻撃するという意味で一般的な語は ***attack***. 突然の激しい攻撃は ***assault***. この語は rape (強姦する) の婉曲語として用いられることがある点に注意.「空襲」an air raid や「警察の(不意打ち的な)手入れ」a police raid のように, 不意に侵入して目的が達せられると引きあげるのは ***raid***. 特に侵入を強調すれば ***invade***. 《☞ こうげき; しゅうげき》

¶敵は彼らを背後から*襲った The enemy ˹*attacked* [*made an attack on*] them from the rear. 〔語法〕「背後を」の場合は in [at] the rear とする. // 彼らは旅行者を*襲って持ち物を奪った They *attacked* the travelers and ˹took [robbed them of] their belongings. // 警察がｷﾞｬﾝｸﾞの本拠を*襲った The police ˹*raided* [*made a raid on*] the headquarters of the gangsters. // 彼の家は強盗に*襲われた (⇒強盗が彼の家に入った) A burglar *broke into* his house. // 疫病がその地方を*襲った The plague ˹*struck* [*descended on*] the province. // 日本は9月には台風に数回*襲われる Japan *is* ˹*hit* [*struck*] by several typhoons every September.

おそうまれ 遅生まれ ¶*遅生まれの子供 children [a child] *born between April 2 and December 31* 〔日英比較〕 日本の学校制度による年齢の言い方なので説明的な表現になる.

おそかれはやかれ 遅かれ早かれ sooner or later 〔日英比較〕 日本語と順序が逆である点に注意; (いつかは) someday. 《☞ どっちみち》 ¶*遅かれ早かれそれはみんなに知れるだろう It will ˹be [become] a matter of common knowledge *someday*. / *Sooner or later* it will ˹become known to [come to the attention of] everyone. // *遅かれ早かれこの問題に対処しなければなるまい We will have to face this problem ˹*at one time or another* [《略式》 *sometime or other*].

おそく(と)も 遅く(と)も (比較的短期間) at the latest; (長期間の場合) at the ⌈utmost [outside]. 《☞ おそい》. ¶ 私は*遅くとも日曜日までには帰って来ます I'll be back by Sunday *at the latest*. // *遅くとも 2 年以内に借金は全部払います I'll pay off the debt in two years *at the* ⌈*latest* [*outside*].

おそざき 遅咲き ― 形 late-⌈flowering [blossoming; blooming] Ⓐ; late blooming Ⓟ 語法 flowering は主として草花に, blossoming は樹木に, blooming は鑑賞用の花に用いられる. 《☞ さく[1]》. ¶ *遅咲きの桜の木 a *late-*⌈*blossoming* [*blooming*] cherry tree

おそじも 遅霜 a ⌈spring [late] frost ★ a を付けて. ¶ *遅霜注意報 *a spring frost* warning

おそぢえ 遅知恵 (知恵の発達の遅れ) delayed cognitive development Ⓤ, mental retardation Ⓤ; (後知恵) áfterthòught Ⓒ. 《☞ ちえ》.

おそで 遅出 ― 名 later office schedule Ⓒ, late shift Ⓒ. ― 動 work till late at the office, be on the late shift. 《☞ おそばん》.

おそなえ お供え offering Ⓒ; (かがみ餅) rice-cake offering Ⓒ. 《☞ そなえる[2]》.

おそばごようにん 御側御用人 ☞ そばようにん

おそばづき お側付き ― 名 (付き添う人) attendant Ⓒ; (男の) valet Ⓒ. ― 動 be in close attendance (to *one's* master).

おそばまい 遅場米 (米) late rice Ⓤ; (収穫) late rice crop Ⓒ.

おそばん 遅番 (午後の) afternoon [《略式》 swing] shift Ⓒ; (夜の) night [《略式》 graveyard] shift Ⓒ. 《☞ おそで》. ¶ だれが*遅番ですか Who is (going to work) on the ⌈*afternoon* [*night*] *shift*? // この工場は 8 時間ずつの*遅番と早番 (⇒ 交替) で操業している This factory is operating on two 8-hour *shifts*.

おそまきながら 遅まきながら ― 副 (遅れて) late; (遅すぎて) belatedly. ― 形 (遅れた) late; belated. 《☞ おくればせながら》. ¶ *遅まきながら彼に礼状を出した (⇒ 出すのが遅れた) I was a little *late* (in) sending him a thank-you letter. / (⇒ かなり遅れて) I wrote a thank-you letter to him rather *belatedly*.

おぞましい (ぞっとする) horrifying; (見るのもいやな) hideous; (不快を催す) revolting. 《☞ ぞっと; おそろしい》.

おそまつ 御粗末 ― 形 (へたな) poor 《☞ そまつ》. ¶ *お粗末さまでした (⇒ もっとうまくできればよかったのですが) I wish I could have done better. // 「ごちそう様でした」「どうも*お粗末でした」 "Thank you for the lovely meal." "I'm glad you enjoyed it." 日英比較 日本語ではへり下った表現をする場合でも, 英語では「おいしく食べていただいて嬉しい」のように言う.

おそめ 遅め ― 形 (時間) a little late; (速度) a *little slow*, *on the slow side*. 《☞ -め; おそい》.

おそらく 恐らく próbably; likely; possibly; perhaps, 《略式》 maybe; presúmably; (十中八九) in all likelihood.

【類義語】 可能性が強い順に並べると ***probably***, ***likely***, ***possibly*** となる. *probably* は十中八九まで確実な感じ. *likely* は信頼すべき根拠があるような場合に言う. *possibly* は格式ばった語で, 一番可能性が薄く, 意味も弱い. ***perhaps***, ***maybe*** はいずれも可能性が薄い点では *possibly* と同じくらいだが, *maybe* は口語的. また, 推定の気持ちを含むときは ***presumably*** を用いる. 《☞ たぶん[1]; -だろう; きっと[1]》

¶ 「彼女は来るだろうか」「*恐らく来ないでしょう」 "Will she come?" "*Probably* not." // *恐らく彼女は来週やって来るでしょう She is *probably* coming here next week. / It is (quite) ⌈*probable* [*likely*] that she will come here next week. ★ 第 2 文のほうが格式ばった言い方. // *恐らく午後は雨でしょう It *is likely to* rain in the afternoon. 語法 (1) この場合の likely は形容詞で, probably を用いた文より可能性が弱い. // *恐らく午後は晴れるでしょう It may *possibly* clear up in the afternoon. 語法 (2) possibly を入れなくても文の内容はほぼ同じであるが, これを用いると表現が控えめになる. // 彼は*恐らく家にいるでしょう He is *probably* at home. / You will most *likely* find him at home. ★ 第 2 文のほうが格式ばった言い方. // *恐らくそれは本当だ *Perhaps* that is true. // *恐らく彼は病気なのだ *Maybe* he's sick. / He *may* be sick. // 「彼はまた失敗したのかもしれない」「*恐らくそうでしょう」 "He may have failed again." "*Possibly*." // 彼は*恐らく (⇒ 十中八九) その計画を承認しないだろう *In all likelihood* he will disapprove of the plan. // 彼は*恐らく (⇒ どう見ても) 退学になるだろう There is *every likelihood* that he will be expelled from school. 語法 (3) 見込みが大きい場合に用いる. // 彼女は*恐らく本校では一番歌がうまい She is *presumably* the best singer in our school. 語法 (4) I *presume* that she is the best ... としてもよい.

おそるおそる 恐る恐る (こわごわと) timidly; (ためらいがちに) hésitàtingly; (用心して) cautiously; (びくびくして) nervously ★ timidly とほぼ同意. 《☞ おずおず; こわごわ》. ¶ 彼は*おそるおそるドアを開けた He opened the door *timidly*. // 私は*おそるおそる (⇒ 用心深く) そのふたを持ち上げた I lifted the lid *cautiously*. // 彼女は*おそるおそる (⇒ びくびくして) 私を見た She glanced at me *nervously*.

おそるべき 恐るべき (驚くべき) marvelous 《☞ おどろくべき》.

おそれ[1] 恐れ (恐怖) fear Ⓤ; (体がすくむような) terror Ⓤ; (身の毛のよだつような) horror Ⓤ; (心配を伴った) dread Ⓤ; (突然でぎょっとするような) fright Ⓤ. ★ 以上の語は具体的には Ⓒ.

【類義語】 最も一般的な語は ***fear*** で, 恐怖のみならず心配や懸念も表す. 衝撃的な強度の恐怖は ***terror***. 身の毛がよだつようなぞっとする恐怖は ***horror***. 危険や失敗などを予期する心配からの恐れは ***dread***. 突然ぎょっとすくむような短時間の恐怖は ***fright***. 《☞ きょうふ[1]; おそれる; いふ[1]》

¶ 私は何の*恐れも感じなかった I felt no *fear*. // *恐れの念が彼を襲った *Fear* ⌈came over [gripped] him. / (⇒ 恐れの気持ちでいっぱいだった) He was filled with *fear*. // その光景を見て少年は*恐れを感じた The sight ⌈struck [filled] the boy with *horror*. // 彼女は人前で話すことに*恐れを感じている She ⌈*is frightened* [has a *fear*] of speaking in public. / She *dreads* speaking in public. **恐れをなす** (ひどく恐れる) dread ⑯; (おびえる) be scared (of ...); (脅される) be intimidated. 《☞ おそれる》.

―― コロケーション ――

恐れに打ち勝つ overcome *fear* / 恐れを煽る kindle *fear* in *a person* / 恐れを起こさせる arouse (*one's*) *fear*(*s*) / 恐れを抑える suppress (*one's*) *fear*(*s*) / 恐れを表に出す show (*one's*) *fear*(*s*) / 恐れを隠す hide [hold back] (*one's*) *fear*(*s*) / 恐れを口に出す express (*one's*) *fear*(*s*) / 恐れを鎮める calm [allay; dispel; quiet; still] (*one's*) *fear*(*s*) / 恐れを抱く harbor *fear* / 恐れを募らせる develop [intensify] (*one's*) *fear*(*s*) / 恐れを吹き込む inspire [instill] *fear* in *a person* / 恐れを増す increase *fear* / 恐れを和らげる lessen (*one's*) *fear*(*s*)

おそれ[2] 虞 (心配) fear Ⓤ ★ 具体的には Ⓒ. 《☞

しんぱい)．¶その伝染病が広がる*おそれはない There is no *fear* ⌈of the infection spreading [that the infection will spread]. // 余病を併発する*おそれがある There is (a) *fear* of complications (arising). 《☞ 可算・不可算名詞 (巻末)》 // 彼はまた失敗する*おそれがある (⇒ 失敗しそうだ) He *is likely to* fail again.

おそれいる 恐れ入る ¶*恐れ入ります (⇒ たいへんご親切なことです) That's very kind of you. / (⇒ ありがとうございます) Thank you very much. // *恐れ入りますが (⇒ 失礼ですが), 駅へ行く道を教えて下さい *Excuse me*, but do you know the way to the station? 【語法】 ほかに, I'm sorry to trouble you. / Pardon me. などを用いることができる. 《☞ しつれい》 // *恐れ入りますが窓を開けて下さいませんか *Would you mind* opening the window for me? // *恐れ入りました (⇒ あなたに脱帽します) I *take my hat off* to you. // 彼女の口が達者なことには*恐れ入った (⇒ 驚嘆している) I'*m amazed by* her glib tongue. 《☞ きょうしゅく》

おそれおおい 恐れ多い ¶陛下からお見舞いの言葉を賜わるとは*恐れ多いことです His Majesty (the Emperor) *very graciously* asked after my health. 【日英比較】 graciously は「目下の人に優しい」という意. 英語にはぴったりの語がないのでこのように意訳する以外にない. // 彼は*恐れ多くも陛下に拝謁を賜った He *was granted an audience* ⌈*with* [《英格式》 *of*] His Majesty (the Emperor). ★ grant an audience to … は「…に拝謁を賜わる」の意.

おそれおののく 恐れ戦く (恐怖で体が小刻みにぶるぶる震える) tremble with fear ㊐; (体がわなわなと大きく震える) shudder ㊐. 《☞ ふるえる》

おそれながら 恐れながら ━副 (非常に謙遜して) most humbly; (大いなる敬意を込めて) with great respect. ¶*恐れながら申し上げます (⇒ 話すことが許されることを請う) I *beg* to be allowed to speak.

おそれる 恐れる (懸念する) fear ㊉; (怖がる) be afraid (of …); (何かが起こりはしないかと予期して恐れる) dread ㊉. 《☞ おそれ¹; こわがる; おじけづく》 ¶私は何物をも*恐れない (⇒ 何物も私を恐れさせることはできない) Nothing ⌈makes [can make] me *afraid*. / Nothing *frightens* me. ★ やや格式ばった言い方. // 彼はその危険を*恐れなかった He *was* not *afraid of* the danger. / He didn't *fear* the danger. ★ 第 1 文のほうが口語的. // 彼らは死を*恐れない They ⌈have [know] no *fear* of death. // 罰せられるのを*恐れて彼はうそをついた He lied *for fear of* being punished. // 英語を話すときは間違いを*恐れるな In speaking English, don't *be afraid of* making mistakes. // 彼は私の父に会うのを*恐れている He *is afraid to* see my father. 【語法】 afraid to *do* … は「…することができない」, または「したくない」の意味で用いる. これに対して,「…しはしないかと心配している」の意味では afraid of *doing* … を用いる. 従って, He *is afraid of seeing* my father. とすれば,「彼は私の父に会うのではないかと心配している」の意味になる. // だれでも病になるのを*恐れる Everybody *dreads* falling ill. / Everybody *dreads* ⌈getting sick [to get sick]. // 神をも*恐れない (⇒ ものともしない) *defy* even God Almighty

おそろい お揃い ━*副* (一緒に) together. ━名 (よく似た物の片方) twin Ⓒ; (よく釣り合っている物の片方) match Ⓒ. 《☞ そろい; おなじ》 ¶彼らは*おそろいで出かけた They went out *together*. // 私は彼女と*おそろいの服を買った I bought a dress that exactly *matches* hers. // 女店員は*おそろいの服 (⇒ 制服) を着ていた The saleswomen were ⌈(dressed) in *uniform* [all wearing the same *uniform*].

おそろしい 恐ろしい (怖がって) afraid (of …) Ⓟ ★ 一般的な語; (恐れて・恐ろしい) fearful; (非常に強い恐怖を与える) terrible; (身の毛もよだつほど恐ろしい) horrible. 《☞ こわい; おそれ¹ (類義語); すごい (類義語); ぞっと》. ¶私は暗い所が恐ろしい I'*m afraid of* the dark. ★ 一般的で平易な言い方. / (⇒ 恐れを持つ) I *have a fear of* dark places. // 途中で*恐ろしい事故を目撃した We saw a *terrible* accident on the way. // 虎が飢えているときはとても*恐ろしい (⇒ 飢えている虎は危険だ) A hungry tiger is very *dangerous*.

おそろしく 恐ろしく (たいへんに) very; (やや口語的で大げさに) awfully /ɔ́:fli/, terribly. 《☞ ひじょうに; とても (類義語)》.

おそろしさ 恐ろしさ fear Ⓤ ★ 恐怖を表す最も一般的な語; (体がすくむような) terror Ⓤ; (身の毛もよだつ) horror Ⓤ; (突然でぎょっとするような) fright Ⓤ. ★ 以上の語は具体的には Ⓒ. 《☞ おそれ¹》. ¶*恐ろしさのあまり彼女はそこに立ちすくんだ She stood rooted to the spot with *fear*. // あまりの*恐ろしさに (⇒ ぎょっとしたので) 震えが止まらなかった I was ⌈so *frightened* [in such a *fright*] that I couldn't stop ⌈trembling [shaking].

おそわる 教わる (教えられる) be taught; (…から習う) learn … from …; (継続的にレッスンを受ける) take [receive] lessons. 《☞ ならう¹; まなぶ》. ¶彼女はアメリカの女性に英語を*教わった She *was taught* English by an American woman. / (⇒ …から習った) She *learned* English *from* an American woman. // 私の娘は山田先生にピアノを*教わっている (⇒ レッスンを受けている) My daughter *is taking* ⌈piano *lessons* [*lessons* on the piano] from Miss Yamada.

おそわれる 魘れる (付きまとわれる) be haunted; (とりつかれる) be seized. ¶悪夢に*魘れる (⇒ 怖い夢を見る) *have* a dreadful dream

おそん 汚損 (腐敗) corruption Ⓤ; (きず) flaw Ⓒ; (よごれ) stain Ⓒ. 《☞ きず; よごれ》.

オゾン 〘化〙 (酸素の同素体) ozone /óuzoun/ Ⓤ. **オゾン層** the ozone layer. ¶*オゾン層の消滅 (the) depletion of *the ozone layer* // *オゾン層の保護 (the) ⌈protection [preservation] of *the ozone layer* **オゾン病** ozone sickness Ⓒ **オゾンホール** hole in the ozone layer Ⓒ, ozone hole Ⓒ.

おだ おだを上げる (得意げに無責任なことを言う) talk boastfully and irresponsibly; (おしゃべりである) have a big mouth. 《☞ きえん²》.

おたいこ(むすび) 御太鼓(結び) (説明的に) square-shaped fastening (of the *obi*) Ⓤ.

おだいば 御台場 seaside battery Ⓒ.

おだいもく 御題目 (法華経の題目) the Nichiren prayer /préə/; (内容のない意見) empty opinion Ⓒ.

おたおた ━動 (あわてふためく) get [become] flustered 《☞ あわてる; どうてん²》. ¶*おたおたするな (⇒ あわてるな) Don't ⌈*get* [*be*] *upset*. / Don't *become flustered*. / (⇒ のん気に構えよ) Take it easy.

おたかい 御高い (気位の高い) proud; (威張った態度の) árrogant; (高慢な) 《略式》 upstage. 《☞ こうまん; そんだい》. **お高くとまる** (気取る) put on airs; (もったいぶる) stand on *one's* dignity; (傲慢な態度である) have a haughty manner. ¶そんなに*お高くとまるなよ (⇒ うぬぼれるな) Don't *be* so *stuck-up*. 《☞ たかい¹ 3》

おたがいさま お互い様 ¶「私は時間をむだにしてしまった」「それは*お互いさまだ (⇒ 私もむだにしてしまった)」"I wasted my time." "*So did I.*" // 悪いのは*お互いさまだ (⇒ 君が非難されるべきなら僕もだ)

If you are to blame, *so am I.* // 困ったときは*お互いさまですよ (⇒もし私が困ったことになればあなたも私に同じことをしてくれると思います) If I were in trouble, *you'd do the same*, I hope.

おたから 御宝 (秘蔵の品) treasure [C]; (お金) money [U]; (宝船の絵) print of a treasure ship [C] ★ 枕の下に敷いて吉夢を見るための絵. 《☞ たから》.

おたく お宅 ── [名] (あなたの家) your 「house [home]. ── [代] (あなた) you. 《☞ うち²; いえ (類義語); あなた》. ¶ あす*お宅へ伺ってよろしいでしょうか May I visit *you* (*at home*) tomorrow? // 「*お宅はお子さんは何人ですか」「3人です」"How many children do *you* have?" "(I have) three." // きのう*お宅のご主人にお会いしました I met *your* husband yesterday.

オタク (コンピューターなどにのめり込んでいる人) 《略式》 nerd [C], geek [C] ★ nerd の方が社会性がない; otaku ★ 複数扱い. ¶ コンピューター*オタク a computer 「*nerd* [*geek*]

おだく 汚濁 (液体などの混濁) turbidity [U]; (濁り) muddiness [U]; (汚れ) soil [U]. 《☞ にごり; よごれ》.

おたけび 雄叫び (ときの声) battle cry [C]; (どうもうなほえ声) ferocious roar [C].

おたずねもの お尋ね者 hunted [wanted] person [C]; (指名手配の犯人) wanted criminal [C].

おたちあい 御立ち会い ¶ さあさあ, *お立ち会い (⇒近よって見なさい) Ladies and gentlemen, *come closer and look at* what I have here.

おたちだい お立ち台 (皇族が参賀などのときに並ぶバルコニー) the Balcony of Appearances; (一段高くなった台, 演壇) platform [C]; (舞台) stage [C].

おたっし 御達し (公式通知) official notice [C] 《☞ つうたつ》.

おだて 煽て flattery [U]; (そそのかすこと) instigation [U]. 《☞ おだてる》. ¶ *おだてには乗らないよ *Flattery* will get you nowhere. // ジョンはすぐに*おだてに乗る (⇒うれしがらせるのが容易だ) John is easy to 「*please* [*flatter*]. / (⇒簡単にお世辞の [お世辞を言う人の] えじきになる) John easily falls prey to 「*flattery* [*flatterers*].

おだてる 煽てる (大げさにほめる) flatter (他); (うれしがらせる) please (他). 《☞ おせじ》. ¶ そんなに*おだててもだめだよ I am not the sort of person who will *be flattered* (in) that way.

おたな 御店 *one's* employer's 「store [shop] [C] 《☞ みせ》.

おたふくかぜ お多福風邪 (the) mumps ★ 複数形だが, 通例単数扱い.

おたふくまめ お多福豆 (そらまめ) broad bean [C]; (甘く煮たもの) sweetened broad beans.

おだぶつ お陀仏 ── [動] (死ぬ) die (自), 《俗》 kick the bucket, croak (自) ★ 後の2つは古い言い方で最近はあまり使われない. 《☞ しぬ》.

おたま お玉 (しゃくし) sóup làdle [C] 《☞ しゃくし (挿絵)》.

おだまき 〘植〙 columbine /kάləmbàɪn/ [C], aquilegia /æ̀kwəlíːdʒ(i)ə/ [C]; (麻糸を巻いた玉) ball of hemp thread [C].

おたまじゃくし お玉杓子 **1** 《かえるの子》: tadpole [C]; (音符) (musical) note [C]; (楽符) score [C].
2 《しゃくし》 ☞ おたま

おためごかし お為ごかし ¶ また彼の*おためごかしだ (⇒彼のうわべは親切そうな言葉を信じるな) Don't believe his 「*seemingly* [*deceptively*; *superficially*] kind 「remarks [statements].

おだやか 穏やか **1** 《平穏》 ── [形] (天候・海などが) calm; (静かな) quiet; (のどかな・平和な) peaceful; (動き・態度などが) gentle; (安らぎを与える) restful. ── [名] calm [U], calmness [U]; quiet [U], quietness [U] [語法] (1) -ness を付けない名詞形は特定の連語関係や, やや文語的な表現として用いることが多い; (平穏無事) 《格式》 quietude [U]; peace [U]; gentleness [U]. 《☞ しずか (類義語)》. ¶ *穏やかな海 a [the] *calm* sea // 海は*穏やかだった The sea was *calm.* // きょうは*穏やかな一日でした It has been a *quiet* day today. [語法] (2) 「一日中静かに過ごした」という意味. / It has been a 「*calm* [*tranquil*] day. [語法] (3) calm は天候についていう場合. 「何事もなく平和な」という意味では peaceful, tranquil. // 彼は*穏やかな人でした He was 「a *quiet*(*-mannered*) person [*quiet* (*mannered*)]. // 彼女はいつも*穏やかな話し方をする She always 「speaks *quietly* [(⇒穏やかな言葉づかいで) talks in a *gentle* way].
2 《適度》 ── [形] (適度な) móderate ★ 格式ばった語; (厳しくない・激しくない) mild; (友好的な) ámicable ★ 格式ばった語; (穏当な) reasonable. ── [名] mòderátion [U]. 《☞ てきせつ》. ¶ *穏やかな処置をとってほしい I want you to take 「*moderate* measures [*reasonable* steps]. // あなたはもっと*穏やかな表現を用いるべきだった You should have used a *milder* expression. // その件を*穏やかに話し合おう Let's discuss it *amicably*. / (⇒平静な話し合いをしよう) Let's have a *quiet* talk about it. // 彼の態度は*穏やかではなかった (⇒おどすような[挑戦的な]態度をとった) He took a 「*threatening* [*defiant*] stance.

オダリスク (オスマン帝国の宮中の女奴隷) ódalisque [C], odalisk [C].

オタワ ── [名] (固) Ottawa /άtəwə:/ ★ カナダの首都.

おだわらぢょうちん 小田原提灯 (説明的に) collapsible [folding] cylindrical paper lantern [C].

おだわらひょうじょう 小田原評定 (長びいて結論の出ない議論[会議]) lengthy, inconclusive 「discussion [meeting] [C]; (長いばかりで実りのない議論 [会議]) lengthy but fruitless 「discussion [meeting] [C] ★ いずれも説明的な訳.

おだん お段 the *o* row; (説明的には) the *o* row of the Japanese syllabary.

おち 落ち **1** 《脱落》: omission [C] 《☞ ぬける; ぬかり》. ¶ リストに*落ちがあった There was an *omission* from the list.
2 《手抜かり》: (落ち度) fault [C]; (怠り) neglect [U]; (うっかりミス) slip [C]. 《☞ てぬかり》.
3 《重要な個所》: point [C]; (笑話などの) punch line [C]. ¶ あなたはその話の*落ちがわかりましたか Did you 「understand [get] the *punch line* of the story?
4 《結末》 ¶ 笑われるのが*落ちだろう (⇒あなたは結局笑われることになろう) You will *end up* (*by*) being laughed at.

おちあい 落ち合い (出会うこと) meeting [C]; (川の合流地点) confluence [C], junction [C] ★ 前者のほうが格式ばった語. 後者は道路の合流点も表す.

おちあう 落ち合う (出会う) meet (自) 《☞ あう¹; まちあわせる》. ¶ 私たちは3時に駅で*落ち合うことになっている We're going to *meet* at the station at three o'clock.

おちあゆ 落ち鮎 *ayu* [sweetfish] going downstream to spawn [C] ★ 説明的な訳.

おちいる 陥る (好ましくない状態に) be thrown into ...; (病気などに) fall [go] into .... ¶ 町中が混乱状態に*陥った The whole town *was thrown into* a state of 「disorder [confusion]. // 昏睡状態に*陥る *fall* [*go*] *into* a coma

おちうお 落ち魚 (産卵のため川を下る魚) fish going downstream to spawn Ⓒ; (水温が高い所へ移動する魚) fish that moves to warmer waters Ⓒ; (死んだ魚) dead fish Ⓒ.

おちうど 落人 defeated warrior on the run Ⓒ.

おちおち ¶それが心配で夜も*おちおち眠れなかった (⇒とても心配なのでよく眠れなかった) I was so anxious about it (that) I *couldn't get a good (night's) sleep.* [語法] could not sleep well, slept badly (よく眠れなかった), had a bad night's sleep (不十分な一夜の眠り), had a ⌈fitful [(frequently) interrupted] sleep (寝たり覚めたり) などを用いてもほぼ同意. // その物音で*おちおち眠っていられない (⇒物音が私を目覚めさせている) The noise keeps me awake. 《☞ 擬声・擬態語 (囲み)》

おちくぼむ 落ち窪む ― [動] sink in (自). ― [形] sunken. 《☞ おちこむ; くぼむ》. ¶目の*落ちくぼんだ老人 an old man with *sunken* eyes

おちこぼれ 落ちこぼれ ― [名] (中途退学者・落伍者) drópòut Ⓒ. ― [動] (中途退学する・落伍する) dróp óut (自); (置いてけぼりにされる) be left behind. [語法] 以上は学校だけでなく広く一般的に用いる. また前者は退学者をいうが, 後者はそこまでは至っていないものをいう. 《☞ らくご》.
¶*落ちこぼれない (⇒遅れない) ように一生懸命勉強しています I'm working hard so that I won't ⌈*be left* [*fall*] *behind.*

おちこむ 落ち込む (下にさがる) drop (自); (くぼむ) sink (自); (意気消沈している) be depressed. 《☞ くぼむ; さがる; らくたん》. ¶彼の目[ほお]は*落ち込んでいる His ⌈eyes [cheeks] *are sunken.* // 出生率が5パーセント*落ち込んだ The birth rate *has dropped* by 5 percent. / (⇒5パーセントの下降があった) There has been a 5 percent *drop* in the birthrate. // 彼女は恋人に振られてすっかり*落ち込んでいる She *is* very *depressed* over ⌈being [having been] jilted by her lover.

おちつき 落ち着き ― [名] calmness Ⓤ; (心の) compósure Ⓤ; (感情の抑制) self-possession Ⓤ; (態度の) poise Ⓤ; (沈着) presence of mind Ⓤ. ― [形] calm; composed; self-possessed; (心がわずらわされずに落ち着いている) ùndistúrbed.
【類義語】 一般に動揺がなくて平静なのは **calmness** だが, 心の状態・態度・様子については **composure**. 感情や行動をよく制御しているのは **self-possession**. 自信があって特に態度が落ち着いているのは **poise**. あわてて軽はずみなことをしたりしない沈着冷静さは **presence of mind**. 《☞ おちつく; れいせい¹》
¶彼女にはどこか*落ち着きがある There is something ⌈*calm* [*undisturbed*] about her. [語法] (1) 気持ちが騒がずに安定して物静かである様子に用いる. // 人前で話す時はだれでも*落ち着きが必要だ When you speak in public, you must have ⌈*self-possession* [*poise*]. [語法] (2) 態度のほうを強調する場合は poise を用いる. // 地震を感じたとき, 彼は*落ち着きを失った When he felt the first jolt of the earthquake, he lost his *presence of mind.* // 彼女は徐々に*落ち着きを取り戻した Her *composure* returned gradually. // 彼は授業中に*落ち着きがなかった He was ⌈*restless* [*nervous*] in class. [語法] (3) そわそわしている場合には restless, 神経質で気がいらいらしているような場合には nervous を用いる.
落ち着き先 (新しい住所) *one's* new address Ⓒ; (定住した場所) place where *a person* has settled (down) Ⓒ. ¶あなたの*落ち着き先を知らせて下さい Please let me know *your new address.*

おちつきはらう 落ち着き払う (冷静にしている) keep cool 《☞ れいせい¹》. ¶彼は*落ち着き払って (⇒たいへん冷静な様子で) 着席した He sat down looking *very cool.* // 彼女は最後まで*落ち着き払っていた She remained ⌈*calm* [*self-possessed*] all the way.

おちつく 落ち着く **1** «平静になる»: calm /kάːm/ down (自); (腹立ちなどが) cool down (自). 《☞ おちつき; れいせい¹》. ¶まあ*落ち着きなさい *Calm down.* / (⇒興奮するな) Don't get so excited. // *落ち着いて (⇒静かに) 話し合おう Let's discuss it *quietly.* // 彼は*落ち着かなかった (⇒いらいらしていた) He felt ⌈*nervous* [*ill at ease*]. / (⇒そわそわしていた) He was *restless.* // 彼はたいへん*落ち着いた態度だった His manner was very *quiet and self-controlled.* // この部屋では*落ち着かない (⇒くつろいだ気分がしない) I feel ⌈*uncomfortable* [*ill at ease*] in this room. // 父の病状は少なくとも*落ち着いている (⇒病状が安定している) My father's condition *is* ⌈*stable* [*stabilizing*] at least. // *落ち着いた感じのドレス a *quiet* dress
2 «仕事・新居などに»: (定住・定職・結婚などによって身を固める) settle (down) (自) (他); (新居・新しい場所などに) settle in …. 《☞ ていじゅう; いつく》.
¶やっと私たちは新居に*落ち着きました (⇒定住することになった) At last we *have settled* (*ourselves*) ⌈(*down*) in [into] our new house. // 宿に*落ち着いたらすぐに電話をします I will call you as soon as I *have* ⌈*checked in somewhere* [*found a place to stay*].
3 «帰結する»: (終わる) end up (自), wind /wáɪnd/ up (自); (結果として…になる) come to … 《☞ おさまる; まとまる》. ¶結局そこへ*落ち着くことになるだろう We will have to ⌈*come* [*get*] *to* it eventually.

おちつける 落ち着ける (平静にする) calm down (自). ¶気を*落ち着けて聞きなさい *Calm down* and listen.

おちど 落ち度 (過失) fault Ⓒ ★「過失の責任」の意では Ⓤ; (間違い) error Ⓒ; (ちょっとした落ち度) slip Ⓒ; (罪) blame Ⓤ. 《☞ まちがい (類義語); かしつ; あやまち》. ¶こちらに*落ち度がある (⇒それは私の過失です) That's my *fault.* / (⇒その過失は私にある) The *fault* ⌈is mine [lies with me]. // 彼は自分の*落ち度を認めた He ⌈admitted [acknowledged] his ⌈*fault* [*error*]. // それはあなたの*落ち度ではない That's no *fault* of yours. / (⇒あなたは責められるべきではない) You are not to *blame.* // 私のほうにはなんの*落ち度もない There is no *fault* on my ⌈part [side]. / (⇒過失の責任を免れている) I am free ⌈from [of] *blame* (in the matter).

おちのびる 落ち延びる escape safely (to …) (自) 《☞ にげる》.

おちば 落ち葉 fallen leaf Ⓒ (複 leaves); (枯れ葉) dead leaf Ⓒ. **落ち葉色** (落ち葉のような色) color of a ⌈dead [fallen] leaf Ⓤ; (黄色[赤色]がかった茶色) yellowish [reddish] brown Ⓤ ★後者は [形] としても用いられる.

おちぶれる 落ちぶれる còme dówn (自), 《略式》 go to ⌈the dogs [hell]. 《☞ れいらく; ぼつらく》.
¶どうして彼はそんなに*落ちぶれたのですか (⇒何が彼をそんな低い状態にもってきたか) What *brought* him *down* so ⌈*low* [*far*]? / What caused him to *fall to* such ⌈*miserable circumstances* [*a dreadful condition*]?

おちぼ 落穂 ― [名] (拾い集めた落穂) gleanings ★複数扱い. ― [動] (落ち穂を拾う) glean (他).
¶*落穂拾い a *gleaner* ★人. / *gleaning* ★仕事.

おちめ 落ち目 ¶彼は*落ち目だ (⇒不運である) He is *down on his luck.* / (⇒運が傾いている) His *fortunes are* ⌈*declining* [*in decline*; *on the decline*]. ★第1文のほうが口語的. // 彼女の人気は

*落ち目である (⇒ 人気を失いつつある) She *is losing* her *popularity*. / (⇒ 人気が衰えている) Her *popularity is* 「*declining* [*waning*]. / (⇒ 人気は下り坂だ) Her *popularity* is *on the* 「*decline* [*skids*]. ★ on the skids は米口語.

おちゃ お茶 ☞ ちゃ **お茶を濁す** (うまく言い逃れる) gloss over ㊓; (時間稼ぎのためごまかす)《格式》temporize ㊐. 《☞ とりつくろう; いいのがれ》. **お茶を挽く** (芸者などが客がなくて暇である) be free [have too much time to kill] without being called by a client.

おちゃっぴい ── ㊒ (おしゃべりで出しゃばりな) talkative and forward; (茶目っ気のある) mischievous; (ませた) precocious. ── ㊔ talkative and forward girl Ⓒ.

おちゃのこさいさい 御茶の子さいさい very easy, quite simple. 《☞ かんたん[1]; ようい[2]》. ¶ あんな試験なんて*お茶の子さいさいだ It would be *very easy* (for me) to pass that exam.

おちゃらかす (笑いとばす) laugh away ㊓; (あざける)《格式》mock ㊓. 《☞ ちゃかす》. ¶ 彼らは私のまじめな申し出を*おちゃらかした They *laughed away* my serious proposal. / (⇒ 笑いながら退けた) They *dismissed* my serious proposal *with a laugh*.

おちゅうど 落人 ☞ おちうど

おちょうしもの 御調子者 (軽薄な人) frívolous person Ⓒ; (口先だけの人) glib talker Ⓒ; (すぐおだてに乗る人) person who is 「easily pleased by [susceptible to] flattery Ⓒ ★ [ ] 内はおだてを受けやすいの意.

おちょくる (からかう) tease ㊓; (ばかにする) make a fool of ... 《☞ からかう; ばか》.

おちょこ 御猪口 ☞ ちょこ **御猪口になる** ¶ 風で私の傘が*御猪口になった The wind 「*turned* [*blew*] my umbrella *inside out*.

おちょぼぐち おちょぼ口 ── ㊖ (口をすぼめる) pucker (up) *one's* 「lips [mouth].

おちる 落ちる **1** «物が落下する・崩れる»: (落下する) fall ㊐ 《過去 fell; 過分 fallen》; (突然に落ちる) drop ㊐; (重さなどに耐えられなくなって) give way ㊐; (陥没して) fàll in ㊐; (飛行機が墜落する) crash ㊐; (広い意味で一般的に物が落下すること) còme [gò] dówn ㊐; (日・月が没する) gò dówn ㊐, sink ㊐, set ㊐ ★ go down が一般的で, 後のものほど文語的. ¶ 私はベッドから*落ちた I *fell* out of (my) bed. // 階段から*落ちないように気をつけなさい Be careful not to *fall* down the stairs. // 棚の上から花瓶が*落ちた A vase *dropped* from the shelf. / A vase *fell* off the shelf. // きのう軽飛行機が水田に*落ちたがけが人はなかった Yesterday a light plane *crashed* on the paddy fields, 「with no casualties [but there were no casualties]. // ピアノの重みで床が*落ちた The floor *gave way* under the weight of the piano. // 日が*落ちると急に涼しくなる Suddenly it becomes cool as the sun 「*goes down* [*sets*]. // 彼女は深い眠りに*落ちた She *fell* into a deep sleep.

2 «低下・衰え»: (程度などが下がる) gò [còme] dówn ㊐; (低くなる) fall ㊐; (急に落ちる) drop ㊐ ★ go down が最も口語的. 《☞ さがる; ていか[1]》. ¶ 石油危機以来生産が*落ちた Production *has fallen* since the oil crisis. // 2 学期は学校の成績が*落ちた (⇒ よくやらなかった) I did*n't do well* 「at [in] school during the second term. / (⇒ 悪い成績を取った) I *got poor grades* in the second term. // 彼女の人気はすっかり*落ちてしまった (⇒ 彼女は人気を失った) She *has lost* her popularity. // 例の件で彼の信用はすっかり*落ちてしまった (⇒ 例の事件が彼の信用を破滅させた) That affair *ruined* his reputation. // 彼女は*落ちる所まで*落ちた She *has* really *gone* 「*wrong* [*astray*]. 《☞ だらく》 // 彼の話はすぐ*落ちる (⇒ 下品になる) His talk quickly *becomes* 「*vulgar* [*coarse*].

3 «落第»: fail (in) the exam(ination) 《☞ ふごうかく; らくだい》. ¶ 1 次試験は通ったが 2 次で*落ちた I was successful in the 「first [initial] screening, but *failed* (*in*) the second 「step [stage].

4 «取れる»: (ペンキ・汚れなどが離れる・取れる) còme óff ㊐ ★ 最も口語的な表現; (しみなどが) be taken off, be removed ★ 後者のほうが改まった表現; (洗って落ちる) wásh 「óff [óut] ㊐. 《☞ とれる; はがれる; はげる[1]》. ¶ 暑さで窓のペンキが*落ちた The paint on the window *came off* because of the heat. / (⇒ 暑さがペンキをはがした) The heat *took* the paint *off* the window. // 触っただけでドアの取手が*落ちた The doorknob *came off* at the first touch of my hand. // この油はいくら洗っても*落ちなかった I tried to remove the grease but 「it wouldn't *wash off* [I couldn't *get* it *off*].

5 «抜ける»: (見当たらない) be missing; (抜かされている) be left out. ¶ 名簿から私の名前が*落ちています My name 「*is missing* from [*was left off*; *was left out* of] the 「list [directory].

おつ 乙 ── ㊒ (味がしゃれた) tasty; (機知に富んだ) witty. ¶ これは*おつな味だ This is *pretty tasty*. // なかなか*おつな表現ですね This is a *witty* remark.

おっかけ 追っ掛け ── ㊔ (芸能人を追いかける人) groupie Ⓒ; (追いかけること) entertainer chasing Ⓤ. ── ㊖ (一般的に, 追いかける) run [go] after ..., chase after ...; (ついて回る) follow ... around. 《☞ おいかける》.

おっかなびっくり ── ㊙ (臆病に) timidly; (びくびくして) nervously ★ timidly とほぼ同意; (ためらいがちに) hésitàtingly. 《☞ おそるおそる; びくびく》.

おっかぶせる 押っ被せる (責任などを) place [put] ... (on ...); (意思などを) impose ... (on ...). 《☞ てんか[3]; おしつける》. ¶ 失敗の責任を他の人に*押っ被せるな Don't 「*put* [*place*] the 「blame [responsibility] for the failure *on* others.

おつかれ(さま) ☞ さようなら; くろう; それはそれは (用例)

おつき お付き (従者) attendant Ⓒ; (護衛) escort Ⓒ; (側近の者) aide Ⓒ.

おっくう 億劫 ── ㊒ bothersome, troublesome. 《☞ めんどう》.

オックスフォード ── ㊔ ㊍ Oxford ★ イングランド南部の都市. **オックスフォードシューズ** oxfords, oxford shoes ★ 通例複数形で. **オックスフォード大学** Oxford University.

オックスブリッジ (オックスフォード大学と[または]ケンブリッジ大学) Oxbridge Ⓤ ★「名門大学」の意でも用いられる. **オックスブリッジ卒業生** Oxbridge graduate Ⓒ, Oxbridgean, Oxbridgian Ⓒ.

おつくり 御造り ☞ さしみ

おつげ お告げ (神託) óracle Ⓒ, divine message Ⓒ ★ 後者は説明的.

おっしゃる say ㊓ 《☞ いう》. ¶ *おっしゃるとおりです You *said* it!

オッズ (賭け事の配当率) odds ★ 通例複数扱い.

おったて(る) 追っ立て(る) ☞ おいたて(る)

おっちょこちょい (注意散漫な人)《略式》scatterbrain Ⓒ; (軽薄な人) frivolous [flighty] person Ⓒ ★ [ ] 内は特に女性に用いる. 《☞ けいそつ; かるはずみ》.

おっつかっつ ¶ 背丈は*おっつかっつだった (⇒ どっちがより背が高いかを言うのは難しい) *It is difficult to say* which of us is (the) taller (one). // 私の年収は彼と*おっつかっつだ (⇒ ほとんど同じだ) My annual income is ｢*about* [*nearly*] *the same as* his. ★ about は額がやや多い場合, 少ない場合の両方. nearly はもう少しで彼の年収に達しそうなときに用いる. // 車で行っても電車で行っても時間的には*おっつかっつだ (⇒ ほとんど違いはない) *There is little difference* in time whether you go by car or by train.

おっつく 追っ付く ☞ おいつく

おっつけ¹ 追っ付け (間もなく) soon, before long ★ 後者はより格式ばった言い方で, やや長めの時間を意味する; (それと知る前に) before you know it. 《☞ まもなく》.

おっつけ² 押っ付け 〔相撲〕 ― 图 (説明的に) locking the opponent's elbow under *one's* forearm Ⓤ. ― 動 lock the opponent's elbow under *one's* forearm.

おっつける 押っ付ける ☞ おしつける; おっつけ²

おって¹ 追って ― 副 later (on) 《☞ あと¹; ごじつ》. ¶ 詳細は*追って発表されるであろう Full particulars will be announced *later* (*on*). // *追って通知 (⇒ それ以上の通知) があるまで現在の場所で待機していて下さい Please stay where you are until *further* notice.

おって² 追っ手 pursuer /pəsúːə/ Ⓒ.

おっと¹ 夫 husband Ⓒ 《☞ 親族関係 (囲み)》. ¶ 私には*夫がいます (⇒ 私は結婚している) *I'm married.* // 彼女にはフランス人の*夫がいる (⇒ 彼女はフランス人の男性と結婚している) She's *married to* a Frenchman.

―コロケーション―
愛妻家の夫 a ｢doting [loving] *husband* / 浮気な夫 an ｢unfaithful [errant] *husband* / 横暴な夫 a ｢dominant [domineering] *husband* / 思いやりのある夫 an attentive *husband* / 家事専業の夫 a house *husband* / 将来の夫 a ｢prospective [future] *husband* / 妻から心が離れた夫 an estranged *husband* / 妻の尻に敷かれた夫 a ｢henpecked [tame] *husband* / 妻を虐待する夫 an abusive *husband* / 内縁の夫 a common-law *husband* / 似合いの夫 a fitting *husband* / 働き者の夫 a diligent *husband* / 暴力的な夫 a ｢violent [brutal] *husband* / 前の夫 *one's* ｢former *husband* [ex-*husband*] / やきもち焼きの夫 a jealous *husband* / 離婚した夫 *one's* divorced *husband*

おっと² oh 《☞ おや²》. ¶ *おっと, 危ない (⇒ 気をつけなさい) *Oh,* look out! // *おっと, もう少しで忘れるところだった *Oh!* I almost forgot (it).

おっとせい 〔動〕 seal Ⓒ 《複 ~(s)》.

オットマン (女性用服地の一つ) ottoman Ⓒ ★ 背やひじかけのない長いソファーや, 足のせ台もいう.

おつとめ 御勤め (仕事) work Ⓤ 《☞ つとめ¹》; (仏前の読経) sutra chanting Ⓤ. ¶ (僧が) *お勤めをする officiate at a service お勤め品 bargain Ⓒ.

おっとり ― 形 (態度が) gentle; (物静かで) quiet; (冷静で) calm. 《☞ ものしずか; おうよう²》. ¶ 彼女は*おっとりした人だ She is a *quiet* person. / (⇒ いつも冷静だ) She is always *calm.*

おっとりがたな 押っ取り刀 ¶ *押っ取り刀で (⇒ 刀を手にして) sword in hand / (⇒ とても急いで) in *great haste*

オッフェンバック ― 图 固 Jacques Offenbach /ʤɑ́ːk ɔ́ːfənbɑ̀ːk/, 1819–80. ★ ドイツ生まれのフランスのオペレッタ作曲家.

オッペンハイマー ― 图 固 J(ulius) Robert Oppenheimer, 1904–67. ★ 米国の理論物理学者. 原子爆弾製造の最終工程を指導した.

おつまみ ☞ つまみ

おつり お釣り change Ⓤ 《☞ つり²》.

おてあげ お手上げ ¶ もう*お手上げだ (⇒ もうどうしようもない) I *can't help it.* / It *can't be helped.* ★ 第 1 文は主観的, 第 2 文は客観的な言い方. // この問題は難しい. *お手上げだ (⇒ 私はあきらめる) This question is too difficult for me. I *give up*! / (⇒ 白旗を振る [両手を挙げる]) What a hard question! I'll (just) have to ｢*wave the white flag* [*throw up my hands*].

throw up [raise] *one's* hands

日英比較 throw up *one's* hands は英米ではあきらめたり, 降参したり, どうしようもないということを表すジェスチャーとして用いられる. この点では日本語と意味がほぼ一致する. 《☞ ぜつぼう; あきらめる》.

【参考語】 ― 動 (どうしてよいかわからない) be at a loss; (万事終わる) be over. ― 形 (望みがない) hopeless; (絶望して) desperate.

おでい 汚泥 (軟泥) sludge Ⓤ; (おり) dregs ★ 複数形で. 《☞ どろ》.

おでき boil Ⓒ 《☞ できもの》.

おでこ (額) forehead /fɔ́əhèd, fɔ́ːrɪd/ Ⓒ 《☞ ひたい》.

おてしょ 御手塩 small plate Ⓒ.

おてだま お手玉 beanbag Ⓒ 日英比較 豆 (bean) を入れた布製のもので, 英米でもゲームに使われる. ただし日本語のお手玉については *otedama,* jacks played with beanbags など特別な説明を要する. ¶ *お手玉をする play *beanbags*

おてつき 御手付き ― 動 (カルタ取りで) pick up [touch] the wrong card.

おてつだいさん お手伝いさん help Ⓒ 語法 今日では servant という語はほとんど用いないし, maid もだんだん使われなくなっている. 《☞ てつだい》.

おてなみはいけん 御手並み拝見 ¶ *お手並み拝見といくか Let's *see how* (*well*) *they do it.* ★ they は対象によって変わる. 《☞ てなみ》

おてのもの お手のもの (上手な事・物) *one's* specialty Ⓒ; (得意なもの) *one's* forte /fɔ́ət(eɪ)/ ★ 普通は単数形で; (長所) *one's* strong point Ⓒ. 《☞ とくい¹》. ¶ コーヒーを入れるのは*お手のものです Coffee making is ｢*my specialty* [*my forte*; *my strong suit*]. / (⇒ 達人) I'm an *expert* ｢at [when it comes to] making coffee.

おてまえ 御手前, 御点前 (茶道の) tea-serving manners 《☞ てまえ²》. ¶ けっこうな*お手前でした It was a well-performed *tea serving.*

おでまし 御出座 (出かけること) going out Ⓤ; (訪ねること) visit Ⓒ; (現れること) appearance Ⓤ. ¶ 次はいつ*おでましですか When *are* you *going out* next? // 女王が開会式に*おでましになった The Queen ｢*was present* at the opening ceremony [(⇒ 出席により栄誉を与えた) *honored* the opening ceremony *with her presence*].

おてもり お手盛り ― 形 (自身で認めた) self-approved. ¶ *お手盛りの昇給 *self-approved* [*self-authorized*] pay raise

おてやわらかに お手柔らかに ¶ どうぞ*お手柔らかに願います (⇒ 厳しすぎないように) Please *don't be too hard* on me. / (⇒ 寛大に願います) Please ｢*be easy* with [*go easy* on] me.

オデュッセイア, オデュッセー ― 图 固 the Odyssey /ɑ́dəsi/ ★ ホメロスの作とされる大叙事詩.

オデュッセウス ― 图 固 Odysseus /oʊdísiəs/ ★『オデュッセイア』の主人公で, トロイ戦争の知勇兼備のギリシャの将軍.

おてん 汚点 ―图 (よごれ・しみ) blot Ⓒ, stain Ⓒ; (きず) blemish Ⓒ ★ 比喩的な意味ではいずれもほぼ同意; (欠点) flaw Ⓒ. ―動 (汚点をつける) stain ⑩. ¶ 彼の行動は彼の経歴に*汚点を残した His behavior ˹*stained* [*cast a blot on*; *left a stain on*] his career.

おでん 御田 〖料理〗 *o-den* Ⓤ; (説明的には) vegetables and Japanese-style fish cakes cooked in fish broth.

おてんきや お天気屋 ―形 (気分が変わりやすい) moody; (気まぐれな) fickle, capricious ★ 後者がより格式ばった語; (いらいらした) edgy. ((☞ きまぐれ)). ¶ 彼女は*お天気屋だ She's ˹*moody* [*fickle*; *edgy*]. / (⇒ しばしば気を変える) She *often changes her mind*.

おてんば お転婆 tomboy Ⓒ ((☞ おきゃん)).

おと 音 sound Ⓤ ★ 最も一般的な語; (騒音・雑音) noise Ⓤ ★ いずれも具体的な事例は Ⓒ として用いられる; (楽器などの快い音) note Ⓒ, ((米)) tone Ⓒ. ((☞ ね²; ねいろ; 擬声・擬態語 (囲み))).
¶ かすかな [不愉快な, 恐ろしい, 変な, 聞きなれない] *音 a faint [an unpleasant; a terrifying; a strange; an unfamiliar] *sound* // やかましい[耳をつんざくような, 耳も割れんばかりの] *音 clamorous [deafening; ear-splitting] *noise* // 車の*音 ((道路などでの)) traffic *noise* / the *noise* of the traffic // ピアノの*音 the *sound* of a piano // *音の速さ the speed of *sound* // 「ド」と「レ」の間の*音 a half-*tone* up from C / C sharp ★ a half-tone down from D ともいう. // 隣の部屋で何か変な*音がした (⇒ 何か変なものを聞いた) I *heard* something strange in the next room. // 廊下で人の足*音が聞こえた I heard *footsteps* in the hall. / (⇒ だれかが歩いているのを聞いた) I *heard* someone walking in the corridor. 日英比較 「…の音がする」,「…の音が聞こえる」を英訳するとき, I [we; you] hear … を用いるのが普通で, その場合特に「音」に相当する部分を sound, noise として訳す必要はない. ((例)) 鐘の*音が聞こえる I can *hear* the bell. // ドアが閉まる*音がした I *heard* the door ˹close [shut].˺ // この目覚まし時計は大きな [小さな] *音を立てる This alarm makes a ˹loud [soft] *sound*. // その*音で目が覚めた The ˹*noise* [*sound*] woke me up.

―コロケーション―
音を吸収する absorb *sound* / 音を遮断する shut off *sound* / 音を立てる[出す] make [produce; emit; give (out)] (a) *sound* / 音を小さく[大きく]する turn down [turn up] the *sound* (on the TV) / 音を伝える transmit a *sound* / 音を発する utter [pronounce] a *sound* // 音がしなくなる *sound* dies ˹away [down] / 音が伝わる *sound* travels / 音が(よく)通る *sound* carries (well) / 音が響き渡る *sound* rings out // 甲高い音 a ˹high-pitched [shrill] ˹*sound* [*noise*] / キーキーいう音 a creaking *noise* / 金属的な音 a metallic *sound* / 鈍い[鋭い]音 a ˹dull [sharp] *sound* / はっきりした音 a clear *sound* / 低い音 a ˹low [deep] *sound* / (風の)ピューという音 a whistling *sound* (of the wind) / (蜂の)ブーンという音 a buzzing *sound* (of a bee) / 妙な音 an odd [a curious; a strange] *sound* / よく通る音 a penetrating *sound*

おとあわせ 音合わせ ―動 (オーケストラの) tune up ⓐ. ¶ 演奏家たちは*音合わせをしている The musicians *are tuning up*.

おといれ 音入れ ―图 (録音) recording Ⓤ. ―動 record ⑩. ((☞ ろくおん)).

おとうさん お父さん (一般に, 父親) father Ⓒ; (子供が父親への呼びかけとして) Dad, Daddy, Papa, Pa 語法 家族の間では father をしばしば固有名詞のように扱い, 冠詞や所有格の代名詞を付けず, また書くときには大文字で始めることが多かったが, この習慣は消えつつある. 現在では, 子供が父親に対して呼びかけるときは Dad が最も一般的であるが, ほかに幼児は Daddy をよく用いる. Papa は ((米)) では Dad ほど一般的ではない. Pa は多少方言的であり, 都会ではあまり聞かれない. ((☞ おかあさん 語法; 親族関係 (囲み))). ¶ *お父さんはどこにいるのかしら Where is *Dad*? // *お父さん, おやすみなさい Good night, *Dad(dy)*. // *お父さんはきょうはご在宅ですか Is your *father* at home today?

おとうと 弟 younger brother Ⓒ (↔ older brother); (年少の弟の場合) little brother Ⓒ (↔ big brother). 日英比較 英語では特に必要のあるとき以外は兄・弟の区別をせず, 単に brother のみで表す. ((☞ あに 語法; きょうだい¹; 親族関係 (囲み))).
¶ あなたには*弟がいますか Do you have any (*younger*) *brothers*? // 彼は私を*弟のようにかわいがってくれた (⇒ 弟のように扱った) He treated me like a *brother*.
弟弟子(でし) (younger) fellow apprentice Ⓒ **弟分** (弟として扱われる人) person treated as *one's* younger brother Ⓒ.

おとおし 御通し (食前の軽いつまみ物) áppetizer Ⓒ ★ 飲み物も含まれる; (料理の前に出されるつまみ物) something (to munch on) served before the meal ★ 説明的な訳.

おどおど ―形 (臆病で) timid; (内気で) shy; (怖がって) fearful. ((☞ おずおず; びくびく; 擬声・擬態語 (囲み))). ¶ 彼女は*おどおどして答えた She answered ˹*timidly* [(⇒ 恐れに震えながら) *trembling with fear*]. // 私は人前に出ると*おどおどするたちだった I used to be ˹*shy* [*timid*] ˹in public [with strangers].

おどかし 脅かし (脅迫) threat Ⓒ ((☞ おどし)).

おどかす 脅かす (びっくりさせる・脅かして…させる) frighten ⑩; ((格式)) intimidate ⑩; (より口語的に) scare ⑩; (急に) startle ⑩. ((☞ おどす)). ¶ 彼は彼女を*脅かしてその書類にサインさせた He ˹*frightened* [*intimidated*] her into signing the paper. // これは鳥を*脅かして追い払うものだ This is to ˹*scare* [*frighten*] away birds.

おとぎ 御伽 ―動 (貴人のお相手をする) entertain a man of high ˹rank [personage] ⓐ; (寝室に侍る) attend on … at night ⑩.

おとぎのくに 御伽の国 (妖精の世界) fairyland Ⓤ; (夢のような国) never-never land Ⓒ.

おとぎばなし 御伽話 (妖精などの出てくる) fairy tale Ⓒ; (子供向きの話) children's story Ⓒ; (子供を寝かしつけるための) bedtime story Ⓒ 語法 tale と story は入れ替えてもよいが, 一般には上記の形で言うことが多い. ((☞ どうわ²)).

おとぎりそう 弟切草 〖植〗 (同属の総称) hypericum Ⓒ; (特に西洋弟切草) Saint-John's-wort Ⓒ.

おとく 汚瀆 ―图 (神への不敬) blasphemy Ⓤ; (神聖なものを汚すこと) desecration Ⓤ. ―動 blaspheme ⓐ ⑩; desecrate ⑩.

おどけ 戯け ―图 (ふざけ) fun Ⓤ; (冗談) joke Ⓒ. ―副 (ふざけて) in fun; (冗談で) jokingly. ((☞ おどける; ふざける)).

おどけもの 戯け者 (悪ふざけで人を笑わせる) buffóon Ⓒ; (サーカスなどの道化) clown /kláun/ Ⓒ; (冗談を言う人) joker Ⓒ.

おどける (ひょうきんなまねをする) clown (around) ⓐ; (ばかなまねをする) play the fool; (ふざけている) be funny. ((☞ ふざける)). ¶ 彼は*おどけて (⇒ ばかなま

ねをして) 私たちを楽しませた He amused us by 'acting foolish [playing the fool]. // *おどけたまねはよせ. 私は真剣なのだ Don't *be funny*. I'm serious.

おとこ 男 **1**《男子・男性》: man Ⓒ《複 men》; gentleman Ⓒ; male Ⓒ (↔ female); the male sex, the masculine gender; boy Ⓒ.

【類義語】女性 (woman) や子供と区別して成人の男子を *man* という. 敬意を表する場合は *gentleman* というが, 事実上これを *man* と同じように用いることもある. 生物学的に動植物とともに人の性別を表すものは *male* で, その全体は *the male sex*, *the masculine gender*. *male* は 形 にもなる. 日英比較 英語の man は成人男子をいうのに対し, 日本語の「男」は「男の子」「男の赤ん坊」の代わりにも使う. その場合の英語は boy である. また, 英語の boy は状況によっては成人男子についても使われることがある. (☞ だんせい¹) ¶一般的に*男は女よりもがっしりしている Generally, *men* are (physically) stronger than women. 語法「男というものは」のように総称的に用いるときは複数形が普通. // ここでは*男の事務員[店員]は何人働いていますか How many *male* clerks are working here? // 彼らに*男の子が生まれた They had a (baby) *boy*. / A '*boy* baby [son] was born to them. // 彼女には*男の友達がいますか Does she have any *male* friends? // それは*男ばかりの会合だった It was 'a strictly *male* [an all-*male*] party. / (⇒ 男性だけが出席した会合) It was a 'party attended by *men* only [*male*-only party]. / It was a *stag* party. // *男はつらいよ It's not easy 'to be [being] a *man*. / Life is hard for a *man*.

2《男らしい素質》 ── 名 (男らしい性格を有する人) man Ⓒ; (勇気などの) manliness Ⓤ, machismo Ⓤ ★後者は男っぽさを誇張; (精神的な) màsculínity Ⓤ. 日英比較「男らしさ」を強調する表現は日本語に多いが, この語は男性中心社会のイメージがあるため, 英語文化圏の人々は使わないようにしているので注意. ── 形 (男らしい) manly, macho ★男っぽさを誇張して, ときに軽蔑を表す語として用いられる; (男のような) manlike. ¶彼はどこから見ても立派な*男だ He is every inch a *man*. // 彼は*男らしい最期を遂げた He died like a *man*. // 彼には*男らしいところがまったくない He is totally lacking in *masculinity*. // その女優は*男のような低い声をしている That actress has a deep, *masculine* voice. 語法 女が「男のような」という意味では másculine を用いる.

3《人・やつ》: 《略式》 fellow Ⓒ; 《略式》 guy Ⓒ ★man や boy を用いてもよい. ¶あいつはいい*男だ He is a nice '*fellow* [*guy*]. // 彼は大した*男だ He is quite a '*man* [*guy*].

男がすたる ¶ここで引っ込んでいたら*男がすたる (⇒ 卑怯者になる) If I stand back and do nothing, 'I'll *be* [I *am*] *a coward*. / (⇒ 面目を保つために何かしなくてはならない) I have to do something to 'save face [preserve my honor].

男が立つ ¶やつの挑戦を断りでもしたら僕の*男が立たない (⇒ 自分自身に顔向けできない) If I were to refuse his challenge, I couldn't *face myself*. **男になる** (成人になる) become an adult, come of age, become grown-up; (ひとり立ちする) stand on *one's own (two) feet*. **男は敷居を跨げば七人の敵あり** Once a man leaves his house, he has to be prepared to meet up with seven enemies. / (⇒ 世間は男にとって苛酷な所だ) The world is a cruel place for men. **男は度胸, 女は愛嬌** Men should have courage, women charm. / (⇒ 男は戦い, 女は楽しませる) A man fights, a woman charms. **男を上げる** ¶彼はその一件で*男を上げた (⇒ 名声を得た) He *earned* (*a good*) *reputation* through this work. **男一匹** (一人前の男) full-fledged man Ⓒ. ¶*男一匹 (⇒ 男らしく) 勇気を出せ Be brave *like a man*. **男運** ¶私はつくづく*男運が悪いようです Honestly, I haven't had (*good*) *luck with my boyfriends*. **男親** father Ⓒ, male parent Ⓒ **男気** manly spirit Ⓤ; (騎士的精神) 《格式》 chivalry /ʃívəlri/ Ⓤ **男嫌い** ── 名 man(-)hater Ⓒ. ── 動 (男を避ける) avoid [keep away from] men **男臭い** (男性の体臭がある) having masculine odor; (男らしい) manly; (男っぽい) macho **男狂い** self-indulgent flirtation with men Ⓤ; (人) flirtatious woman Ⓒ **男心** man's 'heart [spirit] Ⓒ; masculine spirit Ⓒ **男殺し** (男たらし) coquette /koukét/ Ⓒ; (妖婦) vamp Ⓒ; (浮気女) flirt Ⓒ **男盛り** ¶彼は*男盛りだ He is 'in [at] *the prime of his manhood*. **男所帯** all-male household Ⓒ, womanless household Ⓒ **男好き** ¶*男好きのする顔 a face which '*attracts* [*is liked by*] *men* // *男好きの女 a *flirt* **男伊達** chivalrous man Ⓒ **男手** (男の働き手) male help Ⓒ; (男の人) man Ⓒ **男泣き** ── 動 (号泣する) weep [cry] bitterly **男の子** (少年) boy Ⓒ; (若い男性) young man Ⓒ; (息子) son Ⓒ **男振り** ☞ 男前 **男前** ¶彼はなかなかの*男前だ He is very *handsome*. **男勝り** ☞ 見出し **男冥利** ¶まわりの女性すべてに愛されて*男冥利につきる I *am very lucky as a man* to be loved by all the women around me. **男結び** the way to tie tight knots **男物** (男性用の衣類) menswear Ⓤ. ¶この店では*男物を扱っていない This store doesn't 'have [stock] *menswear*. // 彼女は*男物のセーターを着るのが好きだ She is fond of wearing *men's* sweaters. // *男物の売り場はどこですか Where's the *men's* department? **男役** male 'part [role] Ⓒ. ¶*男役をする play a *male* '*part* [*role*] **男やもめ** ☞ 見出し

おとこまさり 男勝り ── 形 (よい意味で男性的な) manly; (悪い意味で女が容貌・振舞いなど男のような) mannish; (積極的で活発な) aggressive. ¶彼女は*男まさりだ (⇒ 押しが強くて活発な女) She is an *aggressive* person.

おとこやもめ 男やもめ widower Ⓒ (☞ やもめ).

おとさた 音沙汰 **音沙汰がない** ¶それ以来, 彼からは何の*音沙汰もない I *haven't heard from* him since (then). / I'*ve heard nothing of* him since. 語法「本人から直接便りがある」は hear from を用いるが, 「当人の消息を風の便りに聞く」は hear of という. // 彼から何の*音沙汰もないままに何日もたった (⇒ 何の短信もなく) Many days passed *without a line from* him. (☞ たより²; おんしん)

おどし 脅し, 威し ── 名 (脅迫) threat Ⓒ; (恐怖感を抱かせる脅迫) 《格式》 ménace Ⓤ; (はったり) bluff Ⓤ. ── 動 (こけおどしをする) bluff 他 自. (☞ きょうはく¹; こけおどし; おどす). ¶彼の*脅しなど怖くない I'm not afraid of his *threats*. // *脅してもだめだよ (⇒ はったりを言ったって何にもならないよ) *Bluffing* will get you nowhere. / (⇒ こけおどしは通用しない[役に立たない]) There's no use *bluffing*. / Your *bluff* is worthless. **脅し文句** ¶彼は私に*脅し文句を並べた He uttered *threats* against me.

おとしあな 落とし穴 (上を覆い隠したもの) pitfall Ⓒ 語法 比喩的に「思わぬ困難に出会う」の意味で drop into a pitfall のようにも使う; (わな) trap Ⓒ. (☞ わな).

おとしあみ 落とし網 trap net Ⓒ.

おとしいれる 陥れる (だまして) play a trick (on ...); (わなにかける) set a trap for ..., 《格式》 entráp 他; (たくらんで人を罪に陥れる) frame 他. (☞ だます; ぺてん; わな). ¶彼は私を*陥れた (⇒ だました) He *played a trick on* me. // 彼は同僚の一人に*陥れられた He *was framed* by one of his associates. // 彼はいつも私を*陥れようと (⇒ わなにかけようと) している He *is* always *setting traps for* me.

おとしがみ 落とし紙 toilet [lavatory] paper Ⓒ.

おとしご 落とし子 ☞ おとしだね; もうしご

おとしだね 落とし胤 illegitimate child (of a man of high rank) Ⓒ.

おとしだま お年玉 New Year's ˹present [gift] Ⓒ. ¶ *お年玉付き年賀はがき a New Year's post-card with a *lottery* number // おばあちゃんは*お年玉に五千円くれた My grandmother gave me 5,000 yen as a *New Year's present.*

おとしたまご 落とし卵 poached egg Ⓒ.

おどしつける 脅し付ける threaten ㊀, frighten ㊀. 《☞ おどす; おどかす》. ¶ 頭目は手下を*脅しつけて従わせた The headman ˹*threatened* [*frightened*] his men into submission.

おとしぬし 落とし主 (失くした人) loser Ⓒ; (遺失物の所有者) the owner (of a lost article).

おとしばなし 落とし話 story ˹with a comic ending [ending with a wordplay] Ⓒ.

おとしぶた 落とし蓋 inside ˹lid [cover] Ⓒ; (説明的には) lid [cover] placed directly on the food cooking in a pot Ⓒ.

おとしまえ 落とし前 ¶ お前さんのやったことには*落とし前をつけてもらう (⇒ あなたが代償を払わなければならない) ぜ You'll have to *pay the price* for what you've done.

おとしめる 貶める (さげすむ) look down (up)on … ㊀, despise ㊀. ★ 前者のほうが口語的.

おとしもの 落とし物 lost article Ⓒ《☞ いしつぶつ》. ¶ 私は*落とし物を捜しているのです I am looking for *something* I'*ve lost.* // *落とし物 (⇒ 遺失物) 取扱所はどこですか Where is *the* ˹*lost and found* [*Lost and Found*] (office)? // その少年はその*落とし物を警察へ届けた The boy took *the thing he* (*had*) *found* to the police station.

おとす 落とす **1**《落下させる》: drop ㊀; (なくす) lose ㊀《過去・過分 lost》. ¶ 彼女は床の上にコップを*落とした She *dropped* a glass on the floor. // その飛行機はこの近くへ爆弾を*落とした The plane *dropped* a bomb near here. // 私はどこかこの辺に財布を*落とした (⇒ なくした) I *lost* my wallet somewhere around here.

2《減少させる》: (速力を) slow down ㊀ ㊁; (信用などを) lose ㊀《過去・過分 lost》; (人気・名声などを) decline ㊁; (値段・品質などを) lower ㊀; (声などを) drop ㊀ ㊁. ¶ (自動車の) スピードを*落とせ《掲示》*Slow Down* // 彼は世間の評判を*落としている He *is losing* (his) popularity. / (⇒ 人気が落ちている) His overall popularity *is* ˹*waning* [*declining*]. 《☞ おちめ》// 彼らは値段は下げたが品質は*落とさなかった They *lowered* the price, but not the quality. // 気を*落とすなよ Don't *lose heart*! / (⇒ 元気を出せ) Cheer up! // 彼女は声を*落としてささやいた She *lowered* her voice to a whisper.

3《除去する》: (除く) tàke óut ㊀; (取り去る) remove ㊀. ¶ このしみはどうやって*落とせばよいのですか How can I *take* ˹*out* the stain [the stain *out*]?

4《不合格点を取る・与える》: fail ㊀ ㊁. ¶ 数学を*落とした I *failed* (in) mathematics. // 試験官は筆記試験で志願者の 3 分の 2 を*落とした The examiners *failed* two-thirds of the applicants on the written test.

5《金銭の処理をする》 ¶ 代金はこの銀行口座から*落として下さい (⇒ この口座につけにして下さい) Please *charge* it *to* this bank account. // この項目は必要経費として*落とせます I can *put* this item *down to* necessary expenses.

おどす 脅す (危険などで) threaten /θrétn/ ㊀; (強迫的に)《格式》ménace ㊀; (金を巻き上げるために恐喝する) bláckmàil ㊀; (脅して何かをさせる)《格式》intímidàte ㊀. 語法 ほかに make … afraid, fill … with fear で表すこともできる. 《☞ おどし; おどかす; きょうはく[1] (類義語)》. ¶ 彼は私を殺すぞと*脅した He *threatened* to kill me. / <S (人)+V (*threaten*)+O (人)+*with*+名> He *threatened* me *with* death. // 彼らは暴力に訴えるぞと*脅した They *threatened* (to use) violence. // 彼は警察に訴えると言って私を*脅した He *blackmailed* me by saying that he would report me to the police.

おとずれ 訪れ arrival Ⓒ《☞ とうらい》. ¶ 白鳥の姿は冬の*訪れを告げる The sight of swans signals the *arrival* of winter.

おとずれる 訪れる (訪問する) visit ㊀ ㊁; (人を) call on …; (場所を) call at …; (来る) come ㊁. 《☞ たずねる[2] (類義語); ほうもん[1]》.

おととい 一昨日 the day before yesterday 《☞ いっさくじつ》. ¶ 私は*おとといここへ着きました I arrived (*the*) *day before yesterday.* 語法 the を省略することがあるのは《米》.「ここへ」を表す here は付けなくてもよい.

おととし 一昨年 the year before last. ¶ 私たちは*おとといここへ来た We came here *the year before last.*

おとな 大人 ―名 (子供に対して)《略式》grówn-ùp Ⓒ; (成人) adult /ədʌ́lt, ǽdʌlt/ Ⓒ ★ 前者より改まった語; (男の) man Ⓒ; (女の) woman Ⓒ. ―形 grown-up; adult; (体がすっかり大人になった) full-grown; (成熟した・態度が賢明で慎重な) matúre. 《☞ せいじん[1]》. ¶ その会は*大人だけです The party is for ˹*adults* [*grown-ups*] only. // *大人 2 人, 子供 3 人下さい《切符売り場などで》Two *adults* and three children, please. // 彼には*大人になった息子が一人いる He has a *grown-up* son. // 彼は*大人になった He *has grown up.* / He *has become* ˹*a man* [*an adult*]. **大人じみる** ¶ あの子は*大人じみた口をきく That child speaks ˹*like a grown-up* [*precociously*]. **大人っぽい** look like ˹an adult [a grown-up]. ¶ *大人っぽい服装をする dress *like* ˹*an adult* [*a grown-up*] **大人びる** ¶ *大人びた口をきく talk *like* ˹*an adult* [*a grown-up*] // 息子は急に*大人びてきた My son *is* rapidly *growing up to be a man.* **大人ぶる** behave like ˹an adult [a grown-up]. ¶ 彼は*大人ぶるのが好きだ He likes to ˹*behave* [*act*] *like a* ˹*man* [*grown-up*].

おとなう 訪う ☞ おとずれる

おとなげない 大人気ない (子供っぽい) childish; (未熟な) ìmmatúre. 《☞ ようち[1]》. ¶ *大人気ない行動 *childish* [*immature*] behavior // 彼は*大人気ない He's ˹*childish* [*immature*]. / (⇒ 子供のように振舞う) He *acts like a* ˹*child* [*kid*]. / (⇒ 大きな子供[赤ん坊]だ) He's *a big* ˹*kid* [*baby*].

おとなしい ―形 (上品で穏やかな) gentle; (温厚な) mild; (柔和な) meek; (物静かな) quiet; (従順な)《格式》obédient; (動物が馴れている) tame 語法 馬・犬・猫などペットとして飼われている動物以外の野獣に使う. ―副 gently; quietly; obediently; meekly; (我慢強く) patiently. 《☞ すなお; じゅうじゅん; しずか》. ¶ *おとなしくするんだよ Be *quiet*! / Be *good*! / (⇒ よい子でいなさい) Be a *good* ˹boy [girl]! / (⇒ お行儀よくするんですよ) *Behave yourself*! 彼は非常に (⇒ 子羊のように) *おとなしい He is as *meek* as a lamb. / (⇒ 非常に従順だ) He is quite *obedient.* // 彼は*おとなしく両親のすすめに従った He followed his parents' advice *obedi-*

ently. // 子供たちは*おとなしく本を読んでいた The children were reading *quietly.*

おとなしやか 大人しやか mild-mannered, meek and mild.

おとひめ 乙姫 Princess Otohime, the Princess of the undersea Dragon Palace.

おとぼけ 御惚け ¶ *お惚けはやめてもらおう (⇒ 知らないふりをするな) Don't *pretend ignorance.* // あいつは*お惚けの名人だ He's a master at *playing dumb.* (☞ とぼけ; とぼける; しらばくれる)

おとめ 乙女 (young) girl Ⓒ, (文) maiden Ⓒ. **乙女心** (少女の心) (young) girl's heart Ⓒ; (少女らしい感情) girlish feelings **乙女座** Virgo /vә́ːgoʊ/, the Virgin. (☞ せいざ[1])

オドメーター (走行距離計) odómeter Ⓒ.

おとも お供 ☞ とも[2]

おどらす[1] 踊らす (人を自分の意のままに動かす) have ... like a puppet on a string, make ... dance to *one's* tune ★ 前者は当人が踊らされているのに気づいていない場合. ¶ もうしばらくあいつを*踊らし[せ]ておこう I'll *have* him *like a puppet on a string* for a little longer.

おどらす[2] 躍らす ¶ 彼は胸を*躍らし[せ]て彼女を待った He waited for her *with his emotions astir.* / (⇒ 熱望して) He was *anxiously* waiting for her. // 彼は崖の上から海に身を*躍らし[せ]た He ⌜*jumped* [*made a jump*] from the top of the cliff into the sea.

おどらせる ☞ おどらす[1,2]

おとり decoy /díːkɔɪ/ Ⓒ. ¶ 犯人をつかまえるのに彼女が*おとりに使われた She was used as a *decoy* to trap the criminal. **おとり捜査** sting (operation) Ⓒ.

おどり 踊り dance Ⓒ; (踊ること) dancing Ⓤ. (☞ ダンス). ¶ 彼女は*踊りがうまい She is good at *dancing.* / (⇒ よい踊り手だ) She is a good *dancer.* / (⇒ 上手に踊る) She *dances* well. (☞ うまい; じょうず)

おどりあがる 躍り上がる (飛び上がる) jump (up) ⓘ; (大きく跳ぶ) leap (up) ⓘ. (☞ とびあがる). ¶ *躍り上がって喜ぶ *jump* [*leap*] for joy

おどりぐい 踊り食い ¶ えびの*踊り食いをする *eat* a prawn *still alive and moving*

おどりこ 踊り子 (職業的) professional dancer Ⓒ, dáncing girl Ⓒ 【語法】 単に dancer というと「踊る人」の意で, 必ずしも職業的な踊り子は意味しない; (ショーの) showgirl Ⓒ, chorus girl Ⓒ.

おどりこそう 踊子草 〔植〕 white dead-nettle Ⓒ.

おどりこむ 躍り込む (飛び込む) jump [leap] into ... ⓣ; (勢いよく入る) rush into ... ⓣ.

おとりさま 御酉様 market [festival] held on the day of the Cock at an Otori Shrine Ⓒ (☞ とり[2]; ね[4]).

おどりでる 躍り出る (勢いよく出る) rush out ⓘ. ¶ 裏口から若い男が*躍り出た A young man *rushed out* of the back door. // 彼は5位からトップへ*躍り出た He *jumped* from (the) fifth place to the top.

おどりば 踊り場 (階段の) landing Ⓒ (☞ かいだん[1] (挿絵)).

おとる 劣る (他と比べて) (格式) be inferior /ɪnfí(ә)riә/ (to ...); (ある基準より下である) be [fall] below ...; (他の人より進度が劣っている) be [fall] behind ... (☞ みおとりする). ¶ これはあれに*劣る (⇒ あれほどよくはない) This one *is not* ⌜*as* [*so*] *good as* that one. / This *is inferior to* that. ★ 第2文のほうが格式ばった言い方. / (⇒ より悪い) This *is worse than* that. // この織物は品質が*劣る This cloth *is* ⌜*inferior in* [*of inferior; of lower*] quality. // 彼の学業成績は平均よりずっと*劣っている (⇒ 下である) His school record ⌜*is* [*has fallen*] far *below* (the) average. // 彼は数学がクラスのほかの者より*劣っている He ⌜*is* [*has fallen*] *behind* the rest of the class in mathematics. // 彼女は英語ではクラスのだれにも*劣らない She *is second to none* in English in her class. / (⇒ 一番である) She is the best English student in her class.

おどる 踊る dance ⓣ ⓘ (☞ ダンス; おどらす[1]; むね[1] (胸が踊る)). ¶ 君はワルツが*踊れますか Can you *dance* the waltz? / Can you *waltz*? // 子供たちは笛に合わせて*踊った <S (人)+V (*dance*)+*to*+名 (音楽・楽器)> The children *danced to* (the music of) the flute. // この次一緒に*踊ってもらえませんか May I have the next *dance*? 【参考】 ダンスパーティーなどで男性が女性に申し込むときの言葉.

おどろ ¶ 髪を*おどろに振り乱して with *horribly disheveled* hair

おとろえ 衰え (体力・勢力・人気などの) decline Ⓒ ★ 普通は単数形で; (弱まること) weakening Ⓒ, failing Ⓒ. ¶ 体力の*衰え a ⌜*decline* [*weakening*] in *one's* strength // 急激な人気の*衰え a sharp *decline* in *one's* popularity // 記憶の*衰え a *failing* of *one's* memory

おとろえる 衰える (体などが弱くなる) become weak, weaken ⓘ; (弱まる) fail ⓘ; (衰弱する) decline ⓘ ★ 最後はやや格式ばった語. (☞ よわる; すいじゃく[1]; したび). ¶ 病後で彼は体力が*衰えている (⇒ 弱っている) He is *weak* ⌜after [from] his illness. // 私は視力が*衰えてきている My eyesight *is* ⌜*failing* [*getting weak*]. // 彼の健康は*衰えかけている His health *is* ⌜*on the decline* [*declining*]. ★ [ ] 内のほうが口語的. / He is in *declining* health. // 彼女は人気が*衰えかけている She *is* ⌜*becoming less popular* [*losing popularity*; *declining in popularity*]. // 風(の勢力)が*衰えかけている The wind *is dying down.*

おどろおどろしい (不気味で恐ろしい) uncanny, weird, eerie ★ ほぼ同意で, 後のものほど不気味さの程度が強い; (この世の物とも思われない) unearthly; (仰々しい) exaggerated. ¶ *おどろおどろしい光景 an ⌜*uncanny* [*eerie*] sight

おどろかす 驚かす ☞ おどろく

おどろき 驚き surprise Ⓤ ★ 最も一般的な語; (非常に強い驚き) astónishment Ⓤ; (精神的な衝撃) shock Ⓤ; (恐怖) fear Ⓤ; (驚異) wonder Ⓤ ★ 以上, いずれの語も具体的には Ⓒ; (非常に強い驚嘆) marvel Ⓒ. (☞ きょうい[1]). ¶ 彼女は*驚きを顔に出さなかった She concealed her *surprise.* // その知らせは私にとって大きな*驚きだった The news came as a ⌜great *surprise* [*shock*] to me. / (⇒ 青天のへきれきだった) The news was *a bolt* ⌜*out of* [*from*] *the blue.* // 彼はそれを見て*驚きの声を上げた He ⌜*exclaimed* [expressed (his) *surprise*] at the sight. // 彼らは*驚き (⇒ 恐怖) のあまり口もきけずに立っていた They stood speechless *in* ⌜*fear* [*horror*]. // その知らせを聞いたときの両親の*驚きはいかばかりだったでしょう You can imagine the ⌜*shock* [*astonishment*] of the parents when they heard the news. **驚き桃の木山椒の木** (これはおどろいた) What a surprise!; (おどろいたことに) to *one's* ⌜surprise [astonishment].

おどろく 驚く 1 《びっくりする》: be surprised; be amazed, be astónished; be astóunded; be shocked; be startled; be stunned; be dùmbfóunded, be flábbergàsted. 【語法】 (1) 英語では「物・事」を主語にして「…が…を驚かした」のようにするか, あるいは「驚かされた」のような受動態で表す.

【類義語】 最も一般的なものは **be surprised** で, 不意のことに驚く意味. とても信じられないような驚き方には **be amazed**, **be astonished**. 後者のほうがやや程度が大きい. びっくり仰天するようなたいへんな驚き方は **be astounded**. 精神的な衝撃を受けるような驚き方は **be shocked**. 瞬間的にはっとするような驚き方は **be startled**. 肝をつぶして茫然とするような, 多少大げさでオーバーな表現が **be stunned**. びっくりして口もきけない,「あ然とする」という意味で大げさな表現として **be dumbfounded**, **be flabbergasted** が使われる. 《☞ びっくり》

¶ 私はその知らせに (とても) *驚いた I *was* (very) *surprised* by the news. / (⇒ その知らせは私を (とても) 驚かせた) The news *surprised* me (very much). // あなたがそんなことを言うとは (⇒ 言うのを聞いて) *驚いた I *am surprised* ｢to hear you say such a thing [that you (should) say a thing like that]. [語法] (2) 日本語では「驚いた」とあっても, 現在なお驚いている状態であれば, I am surprised のように現在形にする. // いくぶん[多少]*驚く be ｢somewhat [slightly, a little] *surprised* // 大いに[とても]*驚く be ｢greatly [extremely] *surprised* // (コンピューターの) プログラムがうまく作動したのでとても*驚いた (⇒ たいへん驚いたことには) To my (great) *surprise* [Much to my *surprise*], the program ran perfectly. // 彼の勤勉さには*驚いた I *am amazed* by his diligence. / (⇒ 彼の勤勉さは驚くほどだ) His diligence is *amazing*. / It's *amazing* how diligent he is. / (⇒ 彼は驚くほどに勤勉だ) He's *amazingly* diligent. // 彼の大胆さには*驚いた I *was astonished* by his boldness. / (⇒ 彼の大胆さは我々を驚かせた) His boldness *astonished* us. // 彼がそんなことをするとは*驚きました I *am astonished* that he ｢would [should] do such a thing. // 私は*驚いて口がきけなかった I *was* ｢*dumbfounded* [*flabbergasted*].

2 《驚嘆する》: wonder ⓐ, marvel ⓐ ⓣ ★ 後者のほうが驚嘆の意味が強い; (特に称賛の気持ちで) admire ⓣ. 《☞ きょうたん》.

¶ 彼の深遠な学識には*驚いた I *marveled* at his profound ｢knowledge [learning]. // それはちっとも*驚くにはあたらない It is no ｢*surprise* [*wonder*]. / It is nothing to ｢*wonder* [*be wondered*] at. ★ 第 2 文は格式ばった言い方.

おどろくべき 驚くべき ── 形 (非常にすばらしい) marvelous; (並はずれて立派な) remarkable; (驚くような) surprising. ¶ *驚くべき発明 a *marvelous* invention // *驚くべき記憶力 a *remarkable* [an *astonishing*] memory

オナー 〖ゴルフ〗 honor (《英》 honour) 《☞ めいよ》.

おないどし 同い年 ☞ おなじ; とし¹

おなか お腹 (腹部) stomach Ⓒ; (腹・腹部) 《略式》 belly Ⓒ; 《小児語》 tummy /tʌ́mi/ Ⓒ. 《☞ はら¹ (類義語); い¹》. ¶ 私は*おなかが痛い I have a pain in my *stomach*. / I have a *stomachache*. // 私は*おなかの具合が悪い I am feeling ｢sick to my *stomach* [*queasy*]. ★ 口語的. // 彼は*おなかが出てきたのを (⇒ 胴回りが太くなってきたのを) 気にしている He is concerned about his ｢expanding *waistline* [growing *paunch*]. // 赤ん坊は*おなかをすかせている (⇒ 空腹だ) The baby is *hungry*. // もう結構です, *おなかがいっぱいです (⇒ 満腹です) No, thank you. *I'm full*. // 彼の奥さんは*おなかが大きい (⇒ 妊娠している) His wife *is* ｢*pregnant* [*expecting*]. / His wife *is in the family way*. ★ 第 2 文はくだけた表現.

おなが 尾長 〖鳥〗 azure-winged magpie Ⓒ.

おながざめ 尾長鮫 〖魚〗 thresher Ⓒ.

おながざる 尾長猿 〖動〗 guenon /gwénən/ Ⓒ.

おながどり 尾長鶏 〖鳥〗 long-tailed ｢cock [《米》 rooster] Ⓒ ★ 一般的には雄を指すが, 特に雌を指すときには hen を使う.

おながれ お流れ ── 動 (試合などが中止となる) be ｢called off [cancel(l)ed]; (実行不能としてとりやめになる) be given up. ¶ 早慶戦は雨で*お流れとなった The game between Keio and Waseda *was called off* because of the rain. // 京都行きの計画は*お流れさ Our intended trip to Kyoto *was given up*. 《☞ ながれる》

おなさけ お情け (哀れみ) pity Ⓤ; (慈悲) mercy Ⓤ; (寛容・思いやり) charity Ⓤ. 《☞ なさけ》. ¶ 彼らは*お情けをと願った They pleaded for *mercy*. // 私は試験官の*お情けで試験をパスした I passed the examination thanks to the *mercy* of the examiner.

おなじ 同じ ── 形 **1** 《同一・同種の》: the same ★ the を付けて; (まったく同じ・同一の) 《格式》 idéntical; (ほぼ同じ) similar; (よく似ている) like, alike Ⓟ. 《☞ 形容詞の 2 用法 (巻末); どうよう¹》.

¶ 私は彼と*同じ学校へ通った I attended *the same* school ｢*that* [*as*] he did. [語法] 一般に, same が同種の物を表す場合は the same ... as を, 同一の物を表す場合は the same ... that を用いると言われているが, この規則はあまり厳密には守られていない. // 私はあなたと*同じ時計を持っている I have *the same* watch *as* you do. / (⇒ 私の時計はあなたのと同じである) My watch is *the same as* yours. // 私はあなたと*同じ年です I am *as* old *as* you (are). / I am your age. / I am *the same* age *as* you (are). // 彼らは*同じ年だ They are (of) *the same* age. // これ(ら)はだいたい*同じです These are ｢just about [more or less; substantially] *the same*. ★ substantially は格式ばった語. // この 2 本のテープに入っている声は*同じものだ The voices on these two tapes are *identical*. //「コーヒーを一杯いただきます」「(私にも) *同じものを」"I'll have a cup of coffee." "(*The*) *same* here, please." // 私の場合も*同じ(こと)です It is *the same* with me. / *The same* is true ｢of [for] me. / *The same* goes for me. // ボブと彼の妻は*同じ考え方をしている Bob and his wife think ｢*alike* [in *the same* way]. ★ この alike は 副. // 私(にとって)はどちらでも*同じだ (⇒ 違いはない) It ｢*makes no difference* [(⇒ 問題ではない) *doesn't matter*] to me. / It's *all the same* ｢to [with] me. / It's *all the same* as far as I'm concerned. // 彼は私をまるで弟と*同じように扱ってくれた He treated me ｢*like* a [*as if* I were his] brother. ★ この like は前置詞. his brother の代わりに a brother としてもよい. // 彼はほとんど物乞いと*同じだ He is *little* ｢*better* [*more*] *than* a beggar. // 君が彼の申し出を受けなかったのなら拒否したのと*同じだ (⇒ 君は事実上拒否した) If you didn't accept his offer, then *for all practical purposes* you refused it.

2 《同等・等価な》: (等価の) 《格式》 equívalent; (同等の) équal. 《☞ ひとしい; どうとう¹》. ¶ うなずくことはイエスと言うのと*同じだ Nodding your head is *equivalent* to saying yes. // その語とまったく*同じ (意味の) 日本語が見当たらない We cannot find a precise Japanese *equivalent* for the word. ★ この equivalent は名詞 Ⓒ. // 10 セント貨 10 枚は 1 ドルと*同じだ Ten dimes ｢is (*equal* to) [*equals*; *makes*] ｢a [one] dollar.

おなじく 同じく ── 前 (…のように) like ... ── 接 (…と同様に) like ..., as ... ── 副 (同じやり方で) in the same way; (同様に) símilarly ★ 文全体を修飾する. 《☞ どうよう¹》. ¶ 彼女も彼と*同じくユーモアがある She has a sense of humor, (just) *as* he does. // 彼も君と*同じくたくさんたばこを吸う He is a heavy smoker *like* you (are). // 私も*同じくだまされた I was deceived *in the same way*.

おなじみ　御馴じみ　☞ なじみ; ゆうめい[1]

オナニー　(自慰) màsturbátion Ⓤ, ónanìsm Ⓤ [日英比較] 英語としては前者が普通. 日本語のオナニーはドイツ語の Onanie から.

おなみだちょうだい　御涙頂戴　¶(映画・演劇など の)*お涙頂戴ものストーリー a téarjèrker / a sob story ★ いずれもくだけた表現.

おなもみ　菜耳　〖植〗cocklebur Ⓒ.

おなら　― [名] (腹にたまるガス) gas Ⓤ; wind Ⓤ ★ 婉曲的な言葉; (屁(へ))《卑》fart Ⓒ ★ 改まった場所では使えない.　― [動] break wind ★ 婉曲的な表現;《卑》fart ㊀ ★ 前者が普通.　¶ いもを食べると*おならが出る (⇒ ガスを出す[腹にガスがたまる]) Sweet potatoes ˹give me *gas* [make me *flatulent*]. ★ [ ] 内は格式ばった言い方.

おに　鬼　demon Ⓒ, fiend /fíːnd/ Ⓒ; devil Ⓒ [語法] 最初の2つは「悪霊」または「悪霊を持ったもの」ということでほぼ同意. devil は悪霊の筆頭で「悪魔」という日本語に近い場合がある; (おとぎ話や民話に出てくる人喰い鬼・恐ろしい人) ogre /óʊgə/ Ⓒ; (鬼ごっこなど遊戯の) it Ⓤ. (☞ あくま).　¶ あいつは*鬼(のような人)だ He is a ˹*demon* [*devil*]. / He is a *devil* of a man. // 彼は仕事の*鬼だ He is a ˹*demon* [*fiend*] for work. / (⇒ 仕事中毒だ) He is a ˹*workaholic* [work *addict*]. // 心を*鬼にして彼の頼みを断った (⇒ 気の毒に思ったが冷たく断った) I felt sorry for him, but ˹*coldly* [*coolly*] refused his request anyway. / (⇒ 断るのにやましいと感じなかった) I *didn't feel guilty about* refusing his request. //「福は内, *鬼は外」"In with luck! Out with the ˹*devil* [*demon*]!"

鬼が住むか蛇が住むか (⇒ ひとの心の奥底はわからない) There is no knowing what lies in the bottom of a person's heart. / (⇒ 建物の中にはどんな邪悪な生きものが住んでいるかだれにも分からない) No one knows what evil creatures live in the building.　**鬼が出るか蛇が出るか** (⇒ 行く手にどんな苦難が待ちうけているか全くわからない) You never can tell [(⇒ 神のみぞ知る) God only knows] what hardship may lie ahead.　**鬼が笑う**　¶ 来年のことを言うと*鬼が笑う (⇒ だれも来年何が起こるかわからない) Nobody knows what will happen next year.　**鬼に金棒**　¶ これで君は*鬼に金棒だね (⇒ 二重の強みを得たことになる) You('ve) got *a double advantage* out of it.　**鬼のいぬ間に洗濯** When [While] the cat's away, the mice will play.《ことわざ: 猫がいないとねずみが暴れる》　**鬼の霍乱(かくらん)**　¶ *鬼のかくらんだ (⇒ 鬼でさえも時には病気になる) Even demons sometimes get ill.　**鬼の首**　¶ 彼は*鬼の首でもとったようだった (⇒ 成功して得意だった) He was triumphant ˹in [over] his success. / (⇒ 成功に狂喜した) He was mad with joy about his success.　**鬼の目にも涙** Even the hardest heart will sometimes feel pity.　**鬼も十八番茶も出花** (直訳的には) Even an ogre looks attractive at the age of eighteen. / (⇒ どんな女性も10代の後半は魅力的に見える) Every girl looks attractive in her late teens.　¶ あの少女は*鬼も十八番茶も出花の年頃だ That girl is *sweet sixteen.* [日英比較] 英語では sweet sixteen という決まった表現がある.

鬼監督 (厳格な監督) strict coach Ⓒ　**鬼刑事** (有能な刑事) outstanding detective Ⓒ; (手ごわい刑事) tough detective Ⓒ　**鬼検事** (冷酷無情な検事) iron-hearted prosecutor Ⓒ　**鬼軍曹** (冷酷な軍曹) hard-hearted sergeant Ⓒ　**鬼将軍** (勇猛な将軍) lion-hearted general Ⓒ　**鬼婆** hag Ⓒ; (魔女) witch Ⓒ; (残忍で情け知らずの女) harpy Ⓒ.

おにあざみ　鬼薊　〖植〗plumed thistle Ⓒ.

おにおこぜ　鬼虎魚　〖魚〗lumpfish Ⓒ.

オニオン　(たまねぎ) onion /ʌ́njən/ Ⓒ.

おにがしま　鬼ケ島　the ogres' island.

おにがらやき　鬼殻焼き　〖料理〗broiled ˹lobster [prawn] with its shell on Ⓒ.

おにがわら　鬼瓦　〖建〗demon tile Ⓒ, ridge-end tile Ⓒ; (説明的には) large decorative tile with the demon mask at the edges of the Japanese tiled roof Ⓒ.

おにぎり　お握り　rice ball Ⓒ《☞ 料理の用語 (囲み)》.

おにぐも　鬼蜘蛛　〖動〗garden spider Ⓒ.

おにぐるみ　鬼胡桃　〖植〗Japanese walnut Ⓒ.

おにご　鬼子　(親に似ていない子) child with features quite unlike its parents Ⓒ; (歯が生えて生まれた子) newborn baby with teeth already coming through Ⓒ.

おにごっこ　鬼ごっこ　tag Ⓤ; (目隠しの) blindman's buff Ⓤ. (☞ -ごっこ).　¶ *鬼ごっこをしよう Let's play ˹*tag* [*blindman's buff*].

おにしばり　鬼縛　〖植〗daphne with yellow flowers Ⓒ ★ 説明的な訳.

おにば　鬼歯　(突き出ている歯) protruding tooth Ⓒ; (八重歯) double tooth Ⓒ.

おにばす　鬼蓮　〖植〗gorgon waterlily Ⓒ.

おにび　鬼火　elf fire Ⓒ; (燐火・狐火) jack-o'-lantern Ⓒ, will-o'-the-wisp Ⓒ, friar's lantern Ⓒ, ignis fatuus /ígnɪsfǽtʃuəs/ Ⓒ《複 ignes fatui /ígniːzfǽtʃuàɪ/》.

おにひとで　鬼海星　〖動〗crown-of-thorns starfish Ⓒ《複 ～, ～es》.

おにもつ　御荷物　☞ にもつ

おにやんま　鬼蜻蜓　〖昆〗Japanese golden ringed dragonfly Ⓒ.

おにゆり　鬼百合　〖植〗tiger lily Ⓒ.

おにわばん　御庭番　*oniwaban* Ⓒ, shogun's spy Ⓒ; (説明的には) spy who served the shogun in the Edo period Ⓒ.

おね　尾根　(山の背) ridge Ⓒ《☞ やま (挿絵)》.　¶ *尾根づたい along the *ridge*

おねじ　雄ねじ　male screw Ⓒ.

おねしょ　― [名] bed-wetting Ⓤ, 〖医〗enuresis /ènjuríːsɪs/ Ⓤ.　― [動] wet ˹*one's* [the] bed.《☞ ねしょうべん》.

オネスティー　honesty Ⓤ《☞ しょうじき》.

おの　斧　ax《《英》axe》Ⓒ; (手斧) hatchet Ⓒ.

おのえらん　尾上蘭　〖植〗*onoe-ran* Ⓒ; (説明的には) small, perennial orchid native to northern Honshu. It puts out a white flower in July or August.

おのおの　各, 各各　― [形][代][副] each ★ [形] の場合は [A]. (☞ めいめい[1]; それぞれ; かくじ).　¶ 人には*おのおの好き嫌いがある *Each* person has their own likes and dislikes. ★ their の代わりに his or her としてもよいが, やや不自然になる.

おのずから　自ずから　(自然に) naturally《☞ しぜん》.　¶ 水は*おのずから低いほうへ流れる Water *naturally* flows ˹downhill [downward(s)].

おののく　戦く　(震える) shake ㊀; (怖がる) be terrified.《☞ ふるえる (類義語); ふるえあがる》.

おのぼりさん　お上りさん　(田舎からの観光客) visitor [sightseer] from the country Ⓒ.

オノマトペ(ア)　〖言〗(擬声語・擬音語・擬態語) onomatopoeia /ɑ̀nəmæ̀təpíːə/ Ⓒ《☞ ぎせいご; 擬声・擬態語 (囲み)》.

おのまんねんぐさ　雄之万年草　〖植〗*onomannengusa* Ⓒ, carpet sedum Ⓒ.

おのれ　己　― [代] (自分自身) oneself.　― [形] (己の) one's (own).《☞ じぶん[1]; じこ[2]》.

己に克つ　¶ *己に克つ方法 how to ˹*control* [*be*

master of] oneself

おば 伯母, 叔母 aunt Ⓒ《☞ 親族関係 (囲み)》.

おばあさん お祖母さん, お婆さん **1**《祖母》: grandmother Ⓒ, 《略式》 grandma /grǽn(d)mɑ̀ː/ Ⓒ ★ 後者はくだけた語で, 小児の呼びかけ語として多く用いられる. 《☞ 親族関係 (囲み)》. **2**《女の老人》: elderly [old] woman Ⓒ, elderly [old] lady Ⓒ ★ elderly のほうが丁寧な言い方. その場にいる人や, 相手の関係者には elderly lady を用いる.

オパール ópal Ⓒ《☞ たんじょうせき(表)》.

オハイオ ― 图 固 (米国の州) Ohio《☞ アメリカ(表)》.

おはうちからす 尾羽打ち枯らす (落ちぶれている) be down and out; (ひどい境遇になる) fall to ˹miserable circumstances [a dreadful condition]. 《☞ おちぶれる; れいらく》. ¶*尾羽打ち枯らした身なりをする be *shabbily* dressed

おはぎ 御萩 rice dumpling covered with bean paste Ⓒ ★ 説明的な訳.

おはぐろ お歯黒 (歯を黒く染めること) tooth blackening Ⓤ; (染料) tooth-blackening dye Ⓤ. ¶昔, 結婚した女性は*お歯黒を付けた In the old days married women *dyed their teeth black*.

おはぐろとんぼ 御歯黒蜻蛉 〔昆〕 damselfly Ⓒ.

おばけ お化け (幽霊・亡霊) ghost Ⓒ, 《略式》 spook /spúːk/ Ⓒ; (人にとりつく悪霊) bogey /bóugi/ Ⓒ ★ bogy, bogie とも綴る. 子供を怖がらせるためによく用いる語; (悪さをする醜い鬼) goblin Ⓒ; (怪物) monster Ⓒ. 《☞ ゆうれい》.
¶*お化けが出た A *ghost* appeared. // あの家には*お化けが出る That house *is haunted*. ★ haunt 他 は「幽霊などが…に出没する」の意. / (⇒ あれはお化け屋敷だ) That is a *haunted* house. // これは*お化け(のような大きな)大根だ This is a *monster* (of a) radish.

おはこ (専門にしているもの) spécialty (《英》 spèciálity) Ⓒ; (お気に入りのもの) favorite (《英》 favourite) Ⓒ. 《☞ とくい¹》. ¶その歌は父の*おはこだ That song is my father's ˹*specialty* [*favorite*]. // ほらまた彼の*おはこが始まった There he goes again with his *stuff*. ★ stuff は「十八番」の意味. / He's at *it* again. 語法 be at it は「例のことを (せっせと) やっている」の意だが, 話者がそれに対してにがにがしく思っていることを暗示する.

おばさん 小母さん **1**《中年の女性》: lady Ⓒ, woman Ⓒ ★ 前者のほうが丁寧な語; (呼びかけで) ma'am /mǽm/ ★ 既婚・未婚に関係なく用いる. ¶私は家に帰る途中で年輩の*おばさんに話しかけられた I was spoken to by an elderly *woman* on my way home. // 木村さんの*おばさん (⇒ 木村夫人) がやって来たよ Here comes *Mrs.* Kimura. // *おばさん, 切符が落ちましたよ *Ma'am*, you dropped your ticket. **2**《伯母・叔母》: aunt Ⓒ《☞ 親族関係 (囲み)》. ¶ゆかり*おばさん *Aunt* Yukari

おはじき marbles ★ 複数形で単数扱い.
日英比較 英米のおはじきは日本のおはじきに似ているが, 丸いガラス玉を使うので, ビー玉遊びにも似ている. 自分の玉を親指ではじいて相手の玉を印の中から外にはじき出せば勝ちになるゲーム. ¶*おはじきをしよう Let's play *marbles*.

おばすて 姨捨 ☞ うばすて

おはち お鉢 rice tùb Ⓒ. **お鉢が回る** ¶彼があきらめて私に*お鉢が回ってきた He has given up, and ˹*it's my turn* [*my turn has come around*].

おばち 雄蜂 〔昆〕 drone Ⓒ.

おはつ 御初 (初物) the first product of the season; (新調の衣服) brand-new [newly-made] clothes. ¶*お初にお目にかかります How do you do? 《☞ はつ》

おはな お花 (生け花) flower arrangement Ⓤ 《☞ はな¹; いけばな》.

おばな 雄花 male flower Ⓒ.

おはなばたけ お花畑 field of flowers Ⓒ; (高山の) field of alpine flowers Ⓒ.

おばね 尾羽 tail feather Ⓒ.

おはよう(ございます) お早う(ございます) Good morning! / Morning! ★ 日常会話ではしばしば good を省略する. 語法 真夜中の午前0時過ぎから昼食または正午まで用いる. 従って, このあいさつを言う時刻によっては日本語の「こんにちは」に当たることもある. 《☞ こんにちは; こんばんは》.

おはらい 御祓い ― 图 (罪などを清めること) purification Ⓤ; (悪魔祓いの祈禱) exorcism /éksɔːsìzm/ Ⓤ. ★ いずれも具体的には Ⓒ. ― 動 purify 他; exorcise /éksɔːsàɪz/ 他.

おはらいばこ お払い箱 ― 動 (解雇する) fire 他 ★ 口語的; dischárge 他, dismíss 他 ★ 両語とも格式ばった語. 《☞ くび; かいこ¹; かいにん¹(類義語)》.

おはりこ 御針子 ☞ はりこ²

おび 帯 (日本の) *obi* /óubi/ Ⓒ 《複 *obi(s)*》; (説明的には) belt for a kimono Ⓒ, kimono belt Ⓒ; (女帯) sash Ⓒ; (総称) belting Ⓤ. ¶*帯の締め方を教えて下さい Please show me how to ˹tie [do up] the *obi*. // 彼女は*帯を解いて横になった She ˹untied [undid] ˹the [her] *sash* and lay down.
帯に短したすきに長し ¶それは*帯に短したすきに長しである (⇒ 一つのものにも, またほかのものにもよくない) It's good for neither the one thing nor the other.
帯揚げ support for an *obi* Ⓒ **帯地** *obi* material Ⓒ; (説明的に) material for the kimono belt Ⓒ **帯下** (長さ) the length from the *obi* to the ankle Ⓤ; (帯の下に締める紐) narrow belt worn under the *obi* Ⓒ **帯締め** *obi* belt Ⓒ **帯芯** *obi* padding Ⓤ **帯留** *obi*-belt ˹clip [fastener] Ⓒ **帯枕** *obi-makura* Ⓒ; (説明的に) pillow-like oval pad to keep the *obi* support in shape Ⓒ.

おびえる 脅える, 怯える become [get] frightened (by …), get scared (by …) 語法 後者のほうが口語的. いずれも「おびえている」という状態を表すときは be 動詞を用いる. 《☞ こわがる; おそれる》.
¶その子供はその音に*おびえていた The child *was* ˹*frightened* [*scared*] *by* the sound. // 彼女はその男を見て*おびえた She *got scared* when she saw the man.

おびがね 帯金 (iron) band Ⓒ; (帯鋼) hoop iron Ⓒ.

おびがみ 帯紙 (帯封) wrapper Ⓒ; (細い紙片) strip of paper Ⓒ.

おびかれは 帯枯葉 〔昆〕 lackey moth Ⓒ.

おびきだす おびき出す lure … ˹away from [out of] …. ¶そのにおいがライオンを穴から*おびき出した The smell *lured* the lions ˹*away from* [*out of*] ˹the [their] cave.

おびきよせる おびき寄せる lure 他. ¶彼らはとらをわなに*おびき寄せる策を練った They made a plan to *lure* the tiger into the trap.

おびきん 帯筋 (鉄筋コンクリート柱に巻く帯鉄筋) hoop Ⓒ.

おびグラフ 帯グラフ band graph Ⓒ.

おひざもと 御膝下 (君主などの支配する土地) domain Ⓒ《☞ ひざもと》. ¶国王の*おひざもとで反乱が起こった A riot broke out in the *domain* of the king.

おびじょう 帯状 ☞ たいじょう²

おひたし boiled green vegetables eaten with soy sauce Ⓤ ★ 説明的な訳.

おびただしい 夥しい ¶*おびただしい数の群衆が彼

の到着を待ち受けていた There were *a great many* people waiting for his arrival. / There was *a* ⌈*crowd* [*multitude*] *of* people waiting for his arrival. ★ multitude はやや格式ばった表現. ⦅☞ おおぜい; たくさん; たすう; たいりょう¹⦆

おひつ 御櫃 (飯びつ) (cooked) rice tub Ⓒ; (大きな入れ物) chest Ⓒ; (貴重品入れ) coffer Ⓒ. ⦅☞ めし(飯びつ)⦆.

おひつじざ 牡羊座 Aries /é(ə)ri:z/, the Ram. ⦅☞ せいざ¹⦆

おひとよし お人好し ── 形 (気立てのいい) good-natured; ⦅格式⦆ amicable. ── 名 (だまされやすい人・まぬけ) dupe Ⓒ. ¶ 彼は*お人好しの老人でした He was a *good-natured* old man. // 彼はだまされやすい*お人好しだ (⇒ 簡単にだまされる) He is easily ⌈taken in [duped]. / (⇒ だますのが簡単だ) He is easy to cheat. // なんて*お人好しなんだ What a *dupe* (you are)!

【参考語】── 形 (だまされやすい) simpleminded. ── 名 (人のかもにされる人) ⦅俗⦆ easy mark Ⓒ.

おびな 男雛 doll Emperor Ⓒ ⦅☞ ひな¹⦆.

おひなさま 御雛様 ☞ ひな¹

オピニオン (意見) opinion Ⓒ ⦅☞ いけん¹⦆.

オピニオンポール (世論調査) (public) opinion poll Ⓒ ⦅☞ よろん⦆.

オピニオンリーダー (社会の意見形成に強い影響力のある人) opinion leader Ⓒ. ¶ 経済界の*オピニオンリーダー an *opinion leader* in (the) business circles

おひねり 御捻り (小銭を紙に包んでひねったもの) monetary offering or gift wrapped in a twisted piece of paper Ⓒ ★ 説明的な訳.

おびのこ 帯鋸 band saw Ⓒ ⦅☞ のこ(ぎり)⦆.

おびふう 帯封 (郵送の) (mailing) wrapper Ⓒ.

おひめさま 御姫様 princess Ⓒ ⦅☞ ひめ⦆; (甘やかされてわがままな娘) spoiled girl Ⓒ; (世間知らずな娘) naive girl Ⓒ. ¶ *御姫様育ち (⇒ 優しく大事に育てられた娘) a girl brought up with tender care and affection ⦅☞ はこいりむすめ⦆

おびやかす 脅かす (脅す) threaten /θrétn/ ⑭; (脅威を与えて) ⦅格式⦆ menace /ménəs/ ⑭; (人を怖がらせる) frighten ⑭; (生命・地位・身分などを危くする) ⦅格式⦆ jeopardize /dʒépədàɪz/ ⑭.

¶ その軍事同盟は世界平和を*おびやかすものだ That military alliance is a *menace* to world peace. 語法 この menace は 名 Ⓒ で,「脅威となるもの」の意. // いま彼の地位は*おびやかされている His position is now *in jeopardy*. / His position *is* now *jeopardized*.

おひゃくど お百度 ¶ 保育所認可の陳情書を配布するために市役所に*お百度を踏んだ (⇒ 繰り返し行った) We visited the city office ⌈*over and over again* [(⇒ 何回も) *many times*] to circulate a petition for authorizing day-care centers.

【参考語】── 動 (お百度を踏む) walk a hundred times between two points in the grounds of a shrine or temple, praying at each round ★ 説明的な訳.

おひょう¹ 大鮃 〖魚〗 halibut Ⓒ ★ 単複同形. ただし種類をいうときには ⦅複 ~s⦆.

おひょう² 〖植〗 Manchurian elm Ⓒ.

おひらき お開き ── 名 (行事などの終わり) close /klóuz/ Ⓤ 語法 成句などでは a が付くことがある. ── 動 (終わりにする) bring ... to a close ★「終わりになる」は come to a close; (会などが解散する・会などを解散させる) brèak úp ⓐ ⑭. ⦅☞ おわり; かいさん¹⦆. ¶ 会は間もなく*お開きになった The meeting *broke up* quickly.

おびる 帯びる **1** «含む» ¶ その木の葉は赤味を*帯びて来た (⇒ 赤くなり始めている) The tree's leaves ⌈*are starting to turn* red [(⇒ 赤に染まってきた) *have become tinged with* red]. // 彼は酒気を*帯びて (⇒ 酒の影響の下で) 車を運転していた He was driving *under the influence* (*of* alcohol). // 空気が湿気を*帯びていた (⇒ 空気の中に湿気があった) There was (a) dampness *in* the air.

2 «委任される»: be ⌈entrusted [charged] with ... ★ entrust のほうが格式ばった語. ¶ 彼は重要な使命を*帯びて渡米した He went to the United States(,) ⌈*entrusted* [*charged*] *with* an important mission.

おひるぎ 雄蛭木 〖植〗 orange mangrove Ⓒ.

おひれ 尾鰭 **尾ひれがつく** ¶ 噂話にはよく*尾ひれがつく Gossip *is* often ⌈*embellished* [*exaggerated*].

尾ひれをつける ── 動 (誇張する) exággeràte ⑭; (あることないことを付け加えておもしろくする・潤色する) embéllish ⑭ ⓐ ★ 後者のほうが格式ばった語. ⦅☞ おおげさ⦆.

おびれ 尾鰭 tail [caudal] fin Ⓒ ⦅☞ さかな (挿絵)⦆.

おひろめ 御披露目 (結婚などを公表すること) (wedding) announcement Ⓒ; (結婚披露宴) wedding reception Ⓒ; (芸者の最初のあいさつまわり) round of calls to announce *one's* debut Ⓒ. ⦅☞ ひろう³⦆.

オフ ── 副 形 off (↔ on). ¶ テレビを*オフにして (⇒ スイッチを切って)ください Could you turn *off* the TV? // シーズン*オフ the *off*-season

オファー (申し出・申し込み) offer Ⓒ.

オフィーリア ── 名 固 Ophelia /oufí:ljə/ ★ シェークスピアの『ハムレット』に登場する女性.

オフィサー (高級船員・軍の士官) officer Ⓒ ★ 英米では警官への呼びかけにも用いられる.

オフィシャル ── 形 (公式・公認の) official ⦅☞ こうにん¹⦆. ¶ *オフィシャルレコード an *official* record // *オフィシャルハンディキャップ an *officially-recognized* handicap // *オフィシャルゲーム a *regular* ⌈game [match]

オフィス (事務所) office Ⓒ ⦅☞ じむしょ; かいしゃ⦆. **オフィスアメニティ** (職場の快適さ) office amenities ★ 複数形で. **オフィスインフラストラクチャー** (事務所の基盤的設備) office infrastructure Ⓒ **オフィスオートメーション** (事務処理のオートメーション化) office automation Ⓤ **オフィスガール** female office worker Ⓒ ★ office girl は雑役係の女性, 普通は secretary, programmer のように職種名を用いる. **オフィスコンピューター** office computer Ⓒ **オフィスビル** office building Ⓒ **オフィスラブ** office affair Ⓒ **オフィスレディー** female office worker Ⓒ 日英比較「オフィスレディー」は和製英語. ⦅☞ オーエル⦆ **オフィスワーカー** (事務系の勤労者) office worker Ⓒ **オフィスワーク** office work Ⓤ ⦅☞ じむ⦆ **オフィスワークステーション** (事務所用の多機能コンピューター) (office) workstation Ⓒ.

おぶいひも 負ぶい紐 strap for carrying a baby on *one's* back Ⓒ.

おぶう 負ぶう carry ... on *one's* back ⦅☞ せおう⦆.

オフェンス (攻めること) offense Ⓤ, ⦅英⦆ offence Ⓤ (↔ defense, ⦅英⦆ defence); (攻撃側) offense Ⓒ, ⦅英⦆ offence Ⓒ. ⦅☞ こうげき⦆.

オフオフブロードウェイ (前衛的演劇活動) off-off-Broadway Ⓤ.

おふくろ mother Ⓒ ⦅☞ おかあさん 語法⦆. ¶ *おふくろの味 the taste of *one's mother's* cooking

オフコース of course /əvkɔ́əs, əf-/ ⦅☞ もちろん⦆.

オフコン ☞ オフィス (オフィスコンピューター)

オブザーバー (傍聴者) observer Ⓒ.

オフサイド ── 形 (反則の位置の) offside.

— [副]（反則の位置で）offside. ¶ 彼は*オフサイドの反則をした（⇒ 反則の位置にいた）He was *offside*.

オフザジョブトレーニング　（職場外訓練）off-the-job training [U].

オブザベーション　（観察）observation [U]《☞ かんさつ[1]》.

おぶさる　負ぶさる　（背負われる）be carried on *a person's* back《☞ おんぶ》.　¶ けがをした男の子は先生の背に*おぶさった（⇒ 先生がおぶった）The teacher *carried* the injured boy *on his back*. [日英比較] 日本語を直訳すると「背負われた」となるが，英語では受動態では言わない．

オフシーズン　（閑散期）off-season [C].

オフシーン　¶ その映画は長い*オフシーンのせりふで始まる That movie begins with a long monologue *off the scene*.

オブジェ　（物体・芸術表現の対象物）objet d'art /ɔ́:bʒeɪdáə/ [C] ★ フランス語から．

オブジェクト　（目的）óbject [C]《☞ もくてき; もくひょう; たいしょう[2]》.　**オブジェクト指向** — [形] object-oriented.

オブジェクトプログラム　〘コンピューター〙object program [C].

オフショアきんゆう　オフショア金融　（海外での金融業務）óffshòre bánking [U].

オフショアしじょう　オフショア市場　（海外の金融市場）offshore market [C].

オフショアせいさん　オフショア生産　（海外での生産）offshore production [U].

オフショアセンター　offshore center [C].

オフショアファンド　（海外投資信託）offshore fund [C].

オプショナル　（任意の）optional（↔ obligatory）《☞ せんたく[2]》.

オプショナルツアー　（希望者だけのための小旅行）optional tour [C].

オプション　— [名]（自由選択）option [C].　— [形] optional.　**オプション取引** option transaction [C].

オフスクリーン　— [形]（スクリーンの外の）offscreen.

オブストラクション　（妨害）obstruction [U]《☞ ぼうがい[1]》.

オフセット　— [名] offset [U].　— [動]（オフセット刷りにする）offset [他] [自].　**オフセット印刷** offset printing [U]　**オフセット印刷機** offset ˹press [printing machine] [C].

おふだ　御札　（お守り）charm [C];（魔除け）talisman [C]《複 ~s》.

オフタイム　（作業などの中休み）time-out [U];（仕事を休んだ時間数）time-off [U];（休みの日）off-day [C];（閑散時）off-time [U].

オプチミスト　☞ オプティミスト

オプチミズム　☞ オプティミズム

おぶつ　汚物　（排泄物）excrétion [U];（くそ）《卑》shit [U]　[語法] 前者は改まった語だが，後者はタブー視されている語なので遠慮のある状況では使わないほうがよい．

オプティカル　— [形]（眼の・光学的）optical,《格式》optic.　— [名]〘映〙（現像所で処理する特殊効果）optical [U].　**オプティカルアート**（光学的トリックを採り入れた抽象芸術）op (art) [U], optical art [U]　**オプティカルコンピューター** optical computer [C]　**オプティカルディスク**（光ディスク）optical ˹disc [disk] [C].

オプティマイズ　〘コンピューター〙óptimize [他].

オプティミスト　（楽観論者）óptimist [C]（↔ pessimist）.

オプティミズム　（楽観論）óptimìsm [U]（↔ pessimism）.

オプトエレクトロニクス　（光電子工学）optoelectronics [U].

オフバランスシート　off-balance sheet [U].

オフピーク　— [形]（ピーク時でないときの）off-peak.

オフブロードウェイ　off Broadway [U] ★ 実験的な演劇活動．

オブラート　wafer [U] ★具体的には [C].　[参考] 日本語のオブラートはドイツ語 Oblate，あるいはオランダ語 oblaat より．

オフライン　— [形]〘コンピューター〙（主コンピューターと直結しない）off-line [A]（↔ on-line）.　¶ *オフラインシステム an *off-line* system

オブリガート　〘楽〙（助奏）ob(b)ligáto [C]《複 ~s, -ti /-ti:/》.

オブリゲーション　obligation [C]《☞ ぎむ》.

オフリミット　— [形]（立ち入り禁止の）off-limits.

おふる　お古　（着古し）hand-me-downs ★ 口語的．具体的に 1 つの物をいうとき以外は通例複数形で．《☞ おさがり》.　¶ 彼女は姉の*お古（⇒ 姉から使い下げられた洋服）を着ようとしない She refuses to wear that dress *handed down from* her sister. // この背広は父の*お古です This suit is a *hand-me-down* from my father. /（⇒ 父が着てそれから私に回されてきた）This suit was worn by my father and then *passed* ˹*on* [*along*] to me. ★ 第 1 文のほうが口語的．第 2 文は説明調．

オフレコ　— [副]（記録にとどめないで）off the record.　— [形] off-the-record [A].　¶ 彼は*オフレコでしゃべった He spoke *off the record*. // *オフレコの発言 *off-the-record* remarks

オフロード　— [形]（一般道路外用の）off-road [A].　¶ *オフロード自動車 an *off-road* [(⇒ 四輪駆動の) a *four-wheel-drive*] vehicle

オペ　（手術）operation [C]《☞ しゅじゅつ》.

オペアガール　（外国語学習のためその国の一般家庭に住み込み，家事手伝いをする若い女性）au pair (girl) [C].

オベーション　（拍手喝采）ovation [C].　¶ スタンディング*オベーションを受ける get a standing *ovation*

おべっか　flattery [U]《☞ おせじ; おべんちゃら》.

オペック　（石油輸出国機構）OPEC /óupek/ ★ *O*rganization of *P*etroleum *E*xporting *C*ountries の略．《☞ 略語（巻末）》.

オペラ　ópera [C].　**オペラ歌手** opera singer [C]　**オペラグラス** opera glasses ★ 複数形で．　**オペラハウス** opera house [C]　**オペラハット**（たたみ込み式シルクハット）opera hat [C].

オペランド　〘コンピューター〙óperànd [C].

オベリスク　（方尖柱）obelisk /ábəlìsk/ [C].

オペレーション　（手術・作戦）operation [C]《☞ そうさ[2]; しゅじゅつ》.

オペレーションズリサーチ　operations [operational] research [U] ★ コンピューターによって企業などの経営についての情報を得る技術システム．

オペレーションセンター　（運航本部・作戦本部）operation(s) center [C].

オペレーター　（機械の操作をする人）óperàtor [C].

オペレーティングシステム　〘コンピューター〙operating system [C].

オペレッタ　òperétta [C].

おべんちゃら　（おべっか）flattery [U]《☞ おせじ》.　¶ 彼は*おべんちゃらを言う He often makes *insincere compliments*. /（⇒ いつもおべっかを言っている）He *is* always *flattering* (people).

おぼえ　覚え　**1**《記憶力》　¶ 彼はもの*覚えのよい生徒だった（⇒ 利口な生徒 [素早い学習者] だった）He was a ˹*bright* student [*fast* learner].《☞ ものおぼえ》

2《体験・記憶》　¶ あの人にパーティーで会った*覚えがある（⇒ 会ったことを覚えている）I *remember* ˹seeing [having seen] him at a party. // 彼の顔には*覚えがある (⇒ どこかで会ったと思う) I think I've met him somewhere. / (⇒ 彼の顔を思い出せる) I (can) *recall* his face. // そんなことを言った*覚えがない I don't ⌜*remember* [*recall*] having told you anything like that. / I have no *recollection* of having said so. // 彼はそんな約束をした*覚えがない (⇒ 決してそのようなことを約束しなかった) と言っている He says (that) he (*has*) *never promised* anything like that. / (⇒ そのような約束をしたことを否定している) He *denies* having made such a promise. 《☞ きおく; おぼえる; みおぼえ》

3 《信任・信頼》 ¶彼女は部長の*覚えがめでたい (⇒ いい名簿に入っている) She's *on* the general manager's *white list*. ★ 口語的な言い方. 覚えがめでたくないときは blacklist を使う. / (⇒ 気に入られている) She's *in* ⌜*favor* [《英》 *favour*] *with* the general manager. ★ やや格式ばった言い方. / (⇒ 信頼されている) She'*s trusted by* the general manager. / (⇒ お気に入り) She's the general manager's ⌜*favorite* [《英》 *favourite*]. ★ 軽蔑的なニュアンスがある. 《☞ きにいる》.

4 《自信》 ¶彼女は料理なら腕に*覚えがある (⇒ 料理の技術に自信がある) She is *confident* in her cooking. 《☞ じしん[1]》

おぼえがき 覚え書き (一般に手記) note Ⓒ; (メモ) memo Ⓒ 《複 ～s》, mèmorándum Ⓒ 《複 ～s, memoranda》 ★ 前者は後者の略語で口語的. 後者は格式ばった語で, 特に「外交上の覚え書き」という意味もある. 《☞ メモ [日英比較]》.

おぼえこむ 覚え込む (しっかりと[消えないように]記憶する) fix … ⌜firmly [indelibly] in *one's* memory; (熟達する) master (他). 《☞ あんき; おぼえる》. ¶その技術を*覚え込もうと努力した I tried to *master* the technique.

おぼえる 覚える **1** 《学ぶ・会得する》: learn (他) (自) 《☞ ならう[1]; おそわる》.
¶あなたはどこでそれを*覚えたのですか Where did you *learn* it? // 私は自動車の運転を*覚えたい I want to *learn* (how) to drive. // その少女はものを*覚えるのが早い (⇒ 早く覚える) That girl *learns* ⌜quickly [rapidly]. // 彼はもうずいぶん日本語の言い回しを*覚えた He *has* already ⌜*picked up* [*learned*] quite a few Japanese ⌜expressions [phrases]. [語法] この場合の pick up は言葉などを「身に付ける」の意.

2 《記憶する》: (暗記する) memorize (他), learn … by heart ★ 前者のほうがやや格式ばった語; (覚えている) remember (他) (自); (記憶にとどめておく) keep [bear] … in mind ★ remember よりも積極的な意味を持つ. 《☞ おもいだす; きおく; あんき》.
¶彼は本文をぜんぶ*覚えた He *learned* the whole text *by heart*. / He *memorized* the whole text. // このことを*覚えておきなさい *Keep* [*Bear*] this *in mind*. / *Remember* this. // 私は彼女の名前を*覚えていない I don't ⌜*remember* [(⇒ 思い出す) *recall*] her name. // 「僕を*覚えているかい」「もちろん. ジョージ スミス君だろ」 "Do you *remember* me?" "Of course I do. You're George Smith." // 私はその家をはっきり*覚えている I *remember* the house ⌜clearly [distinctly]. // 昔, この部屋で彼女に会ったことを*覚えている I *remember* ⌜seeing [*having seen*] *her in this* room a long time ago. [語法] remember の後に動名詞の完了形がくるのは誤りとする人がいるが, 最近ではよく見られる.

—コロケーション—
覚えるのが遅い *learn* slowly / 経験して覚える *learn* ⌜by [from; through] experience / 失敗して覚える *learn* from *one's* ⌜failure(s) [mistake(s)] / 知らない内に覚える *learn* by osmosis / 反復して覚える *learn* by ⌜repeating [repetition; rote] / まねして覚える *learn* ⌜through imitation [by copying (…)]

オホーツクかい オホーツク海 the Sea of Okhotsk /oʊkátsk/. ¶*オホーツク海高気圧 (the) high (atmospheric) pressure over *the Sea of Okhotsk*

オホーツクプレート the Okhotsk plate.

オポーネント opponent Ⓒ 《☞ てき》.

おぼこ innocent girl Ⓒ; (処女) virgin Ⓒ. 《☞ むく[3]; しょじょ》.

おぼしい 思しい — 動 (…と思われる) seem (自); (見たところは…らしい) appear (自), look (自) ★ appear には「実際はともかく外観からそう見える」という気持ちが含まれる. — 副 apparently. 《☞ みえる 2; -らしい; -そうだ》. ¶誘拐犯人と*おぼしい男 a man who ⌜*seems* [*appears*] to be the kidnapper / a man who is *apparently* the kidnapper

オポジション opposition Ⓤ 《☞ たいりつ; はんたい》. **オポジションパーティー** (野党) opposition (party) Ⓒ (↔governing [ruling] party); (集合的に) the opposition ★ 単数あるいは複数扱い. 両者とも大文字で始めることがある. 《☞ やとう[2]》.

おぼしめし 思し召し ¶社長の*思し召し (⇒ 考えて[感じて]いること) には逆らえない We can't oppose *what* our president ⌜*thinks* [*feels*]. // 「いかほどでしょうか」「*思し召しで結構です (⇒ 自分が好きな[適当と考える]額だけ)」 "How much do I owe you?" "*Whatever you* ⌜*like* [*think proper*]."

おぼしめす 思し召す ☞ おもう

オポチュニスト (日和見主義者) òpportúnist Ⓒ.

オポチュニズム (日和見主義) òpportúnism Ⓤ 《☞ ごつごうしゅぎ》.

オポチュニティー (機会・好機) òpportúnity Ⓒ 《☞ きかい[3]; チャンス》.

おぼつかない 覚つかない **1** 《見込み・可能性などが疑わしい》: (事柄が不確かな) uncertain; (疑わしい) doubtful; (常に話者の意見として) I am [We are] not entirely confident …, I am [We are] doubtful ⌜of [about] … ★ 前者のほうがより口語的. 《☞ うたがわしい》. ¶私たちの成功は*覚つかない (⇒ 成功の見込みがほとんどない) We *have very little chance* of success. / (⇒ 成功は不確かである) Our success *is* ⌜*questionable* [*in question*]. / I'*m not entirely confident* ⌜about our success [that we will succeed]. // 彼女の回復は*覚つかない (⇒ 回復の望みはほとんどない) There is *little hope* ⌜of her recovering [for her recovery]. / (⇒ 彼女はもう元気にならないと思う) *I'm afraid* she will never recover. ★ 第 2 文のほうが口語的.

2 《危なっかしい》 ¶彼は*覚つかない足取りで帰って行った He walked home with ⌜*unsteady* [*uncertain*; *faltering*] steps. // 彼女の運転では少々*覚つかない (⇒ まったく満足という訳ではない) I'm *not very happy* about her driving. 《☞ あぶない; ふあん》
【参考語】 (不安定な・危なっかしい) unsteady, uncertain; (よろめくような足取りで) with ⌜unsure [tottering] steps; (ぎこちない) clumsy; (当てにならない・根拠の怪しい) precárious; (不確かな・頼りにならない) unreliable.

オポッサム 〖動〗 opóssum Ⓒ, 《米略式》 possum Ⓒ.

おぼれる 溺れる **1** 《水に》: drown /dráʊn/ (他) (自) [語法] しばしば be drowned の形で用いられるが, 自動詞用法も多い. この語は「おぼれて死ぬ」ことを意味するので助かった場合には使えない. 従って「おぼれかける」は be almost drowned または almost [nearly] drown となる. ¶3 人の男が川で*おぼれた Three men (*were*) *drowned* in the river. // この夏には 3

人の人がおぼれた (⇒ 溺死が 3 件あった) There were three deaths from *drowning* this summer. // *おぼれる者はわらをもつかむ A *drowning* man will clutch at a straw. 《ことわざ》

2 «夢中になる»: (…の癖がつく) take to … 《☞ ふける²》. ¶ 妻の死後, 彼は酒に*おぼれるようになった (⇒ 酒を飲む癖がついた) He *took to* drink(ing) after his wife died.

【参考語】(快楽・ぜいたくなどにふける) indulge in …; (習慣になっている) be given to …; (恋人などにうつつを抜かす) be infátuated with …; (盲目的に…する) be blinded by …; (夢中になってかわいがる) dote on …, be excessively fond of …

おぼろ 朧 (魚の) minced boiled fish Ⓤ 《☞ そぼろ》. おぼろ昆布 sliced (and) steamed ˹*kombu* [kelp] Ⓤ.

おぼろげ 朧気 ━形 (かすかな・ぼんやりした) faint; (漠然とした・あいまいな) vague. ━副 faintly; vaguely. 《☞ ぼんやり; かすか; ばくぜん》. ¶ 私はそのことを*おぼろげながら記憶している I remember it *vaguely*. / (⇒ それのぼんやりした記憶を持っている) I have a *vague* ˹memory [recollection] of it.

おぼろづき 朧月 a ˹hazy [misty] moon ★ a を付けて. おぼろ月夜 hazily moonlit night Ⓒ.

オマージュ (尊敬・賛辞) 《格式》 homage /(h)ámɪdʒ/ Ⓤ ★ 日本語はフランス語 hommage から. 《☞ けいい¹》.

オマーン ━名 固 Oman /oʊmáːn/; (正式名) the Sultanate /sʌ́ltənèɪt/ of Omán. ━形 Omani /oʊmáːni/. オマーン人 Omani Ⓒ.

おまいり お参り ━動 (寺社に詣でる) visit a ˹temple [shrine]; (参拝する) worship at a ˹shrine [temple].

おまえ お前 ━代 you 《☞ きみ¹ 日英比較》.

おまきざる 尾巻猿 〖動〗 capuchin (monkey) Ⓒ, ringtail monkey Ⓒ.

おまけ ━名 (無料配布の) giveaway Ⓒ, freebie Ⓒ ★ 以上 2 つとも口語的; free gift Ⓒ. ━動 (おまけとして添える) 《略式》 throw in ⑩. 《☞ まける》. ¶ この本を*おまけに付けよう (⇒ おまけとして(ただで)添えよう) I'll *throw in* this book (*free*).

おまけに ¶ *おまけに (⇒ さらに悪いことに) 雨が降り出した *To make* ˹*the matter* [*matters*] *worse* it began to rain. / *What is worse* [*Worse still*], it began to rain. 語法 (1) 以上 worse を用いた表現はいずれも悪い場合にのみ用いる. // *おまけに (⇒ その上さらによいことには) 彼は先生に大いにほめられた *What is more* [*Moreover*], he received high praise from his teacher. 語法 (2) Moreover を用いる方が格式ばった表現. また What is more はよい場合にも悪い場合にも用いられる. // *おまけに彼女はフランス語も話す She speaks French *as well*. / (⇒ そのほかに) *Besides*, she speaks French. 《☞ そのうえ (類義語); さらに》

おまじり 御交じり (重湯) rice water Ⓤ; (説明的には) thin rice gruel (with some soft grains) Ⓤ.

おまちどおさま お待ちどおさま ¶「*お待ちどおさま (⇒ お待たせしてすみません)」「どういたしまして」 "*Sorry to have kept you waiting.*" "That's all right." / "*I'm sorry for* ˹*keeping* [*having kept*] *you waiting.*" "That's O.K." // *お待ちどおさま 《頼まれたものを差し出すとき》 *Here you are.* ★「はい, どうぞ」の意味.

おまつりさわぎ お祭り騒ぎ ━動 (浮かれる) have a great time, make merry ⓐ ★ 後者は文語的; (どんちゃん騒ぎをする) have a wild party. 《☞ まつり; どんちゃんさわぎ》. ¶ その*お祭り騒ぎは夜遅くまで続いた The *wild party* went on until late (at night). // パーティーは*お祭り騒ぎだった They *had a* ˹*great time* [*lot of fun*] at the party. // 彼らは優勝して*お祭り騒ぎだった (⇒ 歓喜の状態にあった) Because they [Having] won the championship, they *were flying high*.

おまもり お守り (魔除(よ)けなどのための言葉などが刻んであるもの) talisman Ⓒ; (厄除けの効果があると信じられているもの) ámulet Ⓒ ★ 小さな宝石などでてきていて首から下げるようになっているもの; (幸運をもたらしたり厄を除けたりする力があると信じられているもの) charm Ⓒ ★ 後の 2 つは身に付けて持ち歩くもの. 《☞ まよけ》.

おまる (病人用の) bedpan Ⓒ; (寝室用の) chamber pot Ⓒ.

おまわりさん お巡りさん (男の警官) policeman Ⓒ; (女の警官) policewoman Ⓒ; police officer Ⓒ ★ 3 番目は男女両方に用い, 前 2 者より改まった言い方; (呼びかけて) Officer. 《☞ けいかん¹》.

おみき 御神酒 sacred [holy] sake /sáːki/ Ⓤ 日英比較 これだけでは「聖なる酒」ということで, 意味は正確には伝わらない. ギリシャ神話の不老長寿の酒 (nectar) と混同される恐れもある. 外国人に正確な理解を期待するためには "drink offered to the Shinto gods in the indigenous Japanese religion" のように日本の宗教的背景の説明をしなければならない; (酒) sake Ⓤ. 《☞ さけ¹》. 御神酒徳利 pair of (porcelain) sake bottles offered before the Shinto altar Ⓒ.

おみくじ 御籤 shrine [sacred] lot Ⓒ, fortune Ⓒ. ¶ *おみくじを引く draw ˹a *lot* [*one's fortune*] at the shrine

おみこし 御神輿 portable shrine Ⓒ 《☞ みこし》.

おみしりおき 御見知り置き ¶ 佐藤一郎と申します. *お見知りおき下さい (⇒ お目にかかってしあわせです) My name is Ichiro Sato. I'*m very happy to meet you.* // 田中氏を*お見知りおき願いたく存じます I would like you to *meet* Mr. Tanaka.

おみずとり 御水取り *omizutori* Ⓤ; (説明的には) the rite of drawing water, held in March at the Nigatsudo Hall of the Todaiji Temple in Nara.

おみそれ お見それ ¶ これは*お見それいたしました (⇒ 気が付かなくて本当にすまない) I'm very sorry *I couldn't recognize you.* // この絵はあなたがおかきになったのですか. どうも, *お見それいたしました (⇒ あなたがこんなすばらしい芸術家とは知らなかった) Did you paint this picture? *I didn't know that you were such a wonderful artist.*

オミット ━動 (省く) omit ⑩; (除外する) exclude ⑩. ━名 omission Ⓤ ★ 省略部分の意では Ⓒ; exclusion Ⓤ. 《☞ はぶく; のぞく¹; しょうりゃく》.

おみとおし 御見通し ¶ 彼女はすべてを*お見通しだ (⇒ 知っている) She *knows* everything. / (⇒ 彼女には何も隠せない) *Nothing can be hidden from* her. // 神様はすべてを*お見通しだ (⇒ 全知だ) God is *omniscient*.

おみなえし 女郎花 〖植〗 valerianaceae ★ 複数形.

おみや お宮 shrine Ⓒ 《☞ じんじゃ》. 御宮入り ☞ めいきゅう (迷宮入り)

おみわたり 御神渡り *omiwatari* Ⓤ; (説明的には) the line of crashed ice across Lake Suwa, which is considered by Shinto believers to be a trace of the gods of Upper Shrine in Suwa Shrine crossing the lake to its Lower Shrine.

おむすび お結び rice ball Ⓒ.

おむつ 《米》 diaper /dáɪ(ə)pɚ/ Ⓒ, 《英》 nappy Ⓒ. ¶ 私が*おむつを替えましょう I'll change ˹his [her] *diaper*. // トムはまだ*おむつをしている Tom is still in *diapers*.

オムニバス ¶*オムニバス映画 an *ómnibus* ⌈móvie [film]

オムライス fried rice wrapped in a thin omelet Ⓒ ★説明的な訳.

オムレツ omelet(te) /ám(ə)lət/ Ⓒ.

おめ 御目 **御目にかかる** ¶*お目にかかれて(⇒お会いできて)嬉しいです I am glad to *see* you. 《☞あう¹》 **御目にかける** ¶我が家の家宝を*お目にかけ(⇒お見せし)ましょう I will *show* you our family treasure. 《☞みせる; しょうかい¹; ひろう³》 **御目にとまる** ¶*お目にとまりました宝石は当店で一番よいものです That jewel that *caught your eye* is the best one in our store.

おめい 汚名 (悪い評判) a bad name ★aを付けて; (不名誉) disgrace Ⓤ. 《☞ふめいよ》.

おめおめと ¶彼はそのようなむごい仕打ちに*おめおめと甘んじてはいないだろう(⇒おとなしく服従しないだろう) He will not submit *tamely* to such ⌈harsh [cruel; rough] treatment. / (⇒自分自身がそのようにひどく扱われることを許さない) He will not *allow himself* to be treated so harshly. 《☞むざむざと; 擬声・擬態語(囲み)》.

オメガ (ギリシャ語アルファベットの第24字) omega /oʊméɪgə/ Ⓒ ★ギリシャ文字はΩ, ω. **オメガシステム** 〘空〙(電波航法システム) OMEGA Navigation System; 〘空・海〙 omega system Ⓒ.

おめかし ―動 (化粧する) put on (*one's*) makeup, màke úp (自) ★(他)で make *oneself* up もある; (正装する) drèss úp (自), be dressed up. 《☞おしゃれ; めかす》.

おめし 御召し ―動 (呼び出す) summon (他), call (他) ★前者のほうが格式ばった語; (着る) be dressed. 《☞よぶ; きる²》. ¶王様の*お召しです You *are* ⌈*summoned* [*called*] *to* the king's presence. **御召し替え** ☞きがえ; きがえる **御召しちりめん** silk crepe /kréɪp/ Ⓤ **御召し物** dress Ⓒ, clothes. 《☞ふく²; きもの》. ¶なんてすてきな*お召し物! What a lovely *dress* you have on! **御召し列車** the ⌈Imperial [Royal] train.

おめずおくせず (恐れることなく) fearlessly; (大胆に) boldly; (ひるむことなく) without flinching; (ためらうことなく) without hesitation. 《☞だいたん; ゆうかん¹》. ¶*おめずおくせず苦難に立ち向かう confront hardship(s) ⌈*fearlessly* [*boldly*]

おめだま お目玉 ¶彼は*お目玉をくった(⇒こっぴどくしかられた) He *got a good scolding*. // 見つかると*お目玉をくうぞ If you're ⌈found out [discovered] you'll ⌈*catch* [*get*] *it*. 語法 catch [get] it は「しかられる」の意. いずれも口語的な表現. 《☞こごと; おおめだま; しかる》

おめでた happy event Ⓒ 語法 出産をひかえた人に向かって質問するときによく用いられる. ¶*おめでたはいつですか When is the *happy event*? // 彼女は近々*おめでただそうですね(⇒まもなく子供を生むことになっている) I ⌈am told [hear] that she *is* ⌈*going to have* [*expecting*] *a baby* soon.

おめでたい **1**《慶祝すべき》: 《格式》 congrátulatòry 《☞めでたい》. ¶それは*おめでたいことだ(⇒祝辞を要求する) This calls for *congratulations*.
2《人がよすぎる》: (ばかげた) foolish; (ばかな) weak; (頭の足りない) wanting Ⓟ, 《英》 lacking Ⓟ; (愚直な) naive, naïve. 《☞ばか》. ¶彼は少々*おめでたい He is a little *weak*. // それを知らないとは君もずいぶん*おめでたいね How *naive* of you not to be aware of it!

おめでとう ¶「*おめでとう(ございます)」「ありがとう」"*Congratulations*!" "Thank you (very much)." 語法 一般に祝意を表すための表現. 常に複数形で用いる. // 「新年あけまして*おめでとう」「*おめでとう」"(I wish you a) Happy New Year!" "(The) same to you." 《☞しんねん² 日英比較》 // ご成功*おめでとう *Congratulations* on your success. // (誕生日) *おめでとう Happy birthday (to you)! / Many happy returns! 参考 後者は「今後何度も誕生日を迎えられますように」という意味で, 書状に用いることが多い.

おめどおり 御目通り (拝謁) audience Ⓒ 《☞おめみえ》.

おめみえ 御目見(得) (公式に目上の人に会うこと) audience Ⓒ; (伝統芸能人の初公演) *one's* debut (performance) Ⓒ; (新製品などの) (first) appearance Ⓒ. 《☞はいえつ; はつぶたい》. ¶女王は明日*お目みえを賜る The Queen will grant you an *audience* tomorrow. **御目見以下** *omemie-ika* Ⓒ; (説明的には) low-ranking vassal of the shogun (who is not admitted to the shogun's presence) **御目見以上** *omemie-ijo* Ⓒ; (説明的には) direct vassal of the shogun (who is admitted to the shogun's presence).

おめもじ 御目文字 ¶*御目文字いたしたく存じます(⇒会う光栄を持ちたい) I would like to have *the honor of meeting you*. 《☞あう¹》

おも 面 (表面) surface; (顔) face Ⓒ. ¶池の*面 the *surface* of the pond

おもい¹ 重い **1**《重量》: heavy (↔ light). ¶*重いかばん a *heavy* bag // 金は鉄よりも*重い Gold is *heavier* than iron. // この箱は*重すぎて持てない This box is too *heavy* for me (to ⌈lift [carry]).
2《程度》: (責任などが) heavy, great; (病気などが) serious, grave; (病気が重く危篤の) critical. ¶家庭の主婦は責任が*重い(⇒多くの責任[するべき多くの重要なこと]を持つ) A housewife has *many* ⌈responsibilities [*important* things to do]. // 彼は学校で責任の*重い地位にある He holds a *responsible* position at the school. / He holds a position of *great* responsibility at the school. ★第2文のほうがより格式ばった表現. // *重い病気 a *serious* illness // 彼の病状はだいぶ*重いようだ His condition appears (to be) ⌈*critical* [*grave*].
3《気分などが》: (頭が) heavy; (ひどく気分が悪い) miserable; (気持ちが沈んだ) 《略式》 down. 《☞おもくるしい》. ¶きょうは気分が*重い I feel ⌈*down* [*miserable*] today. // きょうは頭が*重い My head feels ⌈*heavy* [*dull*] today.

おもい² 思い **1**《考え》: (考え) thought Ⓤ ★個々の思いはⒸ; (感情・気持ち) feeling Ⓒ ★しばしば複数形で. 《☞かんがえ; おもう》. ¶彼女はその*思いを心にしまっておいた She kept her *thoughts* to herself. // 彼は深い*思いに沈んでいた He was deep in *thought*. // 楽しい*思いを抱いて彼女は彼に会いに出かけた With sweet *thoughts*, she went to see him. // その絵を見て私は故郷の町に*思いをはせた The picture ⌈took [carried] my *thoughts* back to my hometown. / (⇒絵が思い出させた) The picture *reminded* me *of* my hometown. // 彼女に悲しい*思いをさせるな(⇒彼女を悲しませるな) Don't make her *feel* sad. // 彼はその少女に*思いを寄せている(⇒好きだ) He *likes* the girl. / He *has given his heart* to the girl. ★前者のほうが口語的. // 私は答えられなくてひどく恥ずかしい*思いをした(⇒恥ずかしかった) I ⌈*was* [*felt*] deeply *ashamed* ⌈of [for] being unable to answer.
2《期待・希望》 ¶ようやく家を買うという*思いがかなった I finally fulfilled my *wish* to buy a house. // 彼は*思いどおりの(⇒自分で選んだ)大学に入った He entered the university *of his choice*. // 何でも

*思いどおりにはならない (⇒望んだような結果にはならない) Things will not turn out *as you wish*. / (⇒好き勝手なことはできない) You cannot *have your own way*.

3 «気づかい» ¶彼はずいぶん母親*思いだ (⇒優しい) He is very *kind* to his mother. / (⇒深い愛着がある) He *is* deeply *attached to* his mother.

思い半ばに過ぐ ¶彼女の悲嘆の様, *思い半ばに過ぐ (⇒およそは想像できる) Her grief can *be imagined in general*. **思いも寄らない** ☞ おもいもよらない

おもいあう 思い合う love each other, be in love with each other. (☞ あいする; そうしそうあい).

おもいあがり 思い上がり ― 名 (うぬぼれ) (self-)conceit Ⓤ; (傲慢) árrogance Ⓤ. ― 形 conceited; árrogant; (独断的な) cocksure. (☞ うぬぼれ; ごうまん).

おもいあがる 思い上がる become conceited (☞ うぬぼれる; まんしん¹). ¶彼はすごく*思い上がっている (⇒うぬぼれでいっぱいだ) He is full of *conceit*.

おもいあたる 思い当たる ¶そのことについてはなにも*思い当たることはない (⇒私はそれについては全然なにも知らない) I 「don't have [haven't got] the 「slightest [faintest] *idea* about it. // そう言われてみると*思い当たるふしがある (⇒私に思い出させる) That *reminds me of* something about it. / Now that you mention it, I *am reminded of* something about it.

おもいあまる 思い余る (途方に暮れる) be at a loss; (どうしてよいかわからない) do not know what to do ★このほうがより一般的. (☞ とほう). ¶*思いあまって (⇒どうしたらよいのかわからないので), 私は彼の助言を求めた *Not knowing what to do*, I asked for his advice.

おもいあわせる 思い合わせる consider 「things [this and that] together. ¶あれこれ*思い合わせてみると if I *consider all things together*,

おもいいたる 思い至る (come to) 「recognize [realize] …; (気付く) become [be] aware of … ¶いま私の誤解に*思い至った Now I'*ve come to* 「*recognize* [*realize*] my misunderstanding.

おもいいれ 思い入れ ― 動 (俳優がせりふなしで仕草をする) strike a pose; (…のふりをする) pose as …, pretend to be …. ¶いかにも専門家のように*思い入れたっぷりに振舞う *pose as* an expert // 彼女の*思い入れたっぷりの (⇒見えを張る)態度 her *showy* attitude

おもいうかぶ 思い浮かぶ occur to …, come to mind. ¶すばらしいアイデアが*思い浮かんだ A bright idea 「*occurred to* [*struck*] me. // その名を聞いても誰も*思い浮かばない That name *brings* nobody *to mind*.

おもいうかべる 思い浮かべる (思い出す) remember ㊐; (絵のように心に描く) vísualize ㊐, picture … to *oneself* ★前者のほうがやや格式ばった語. (☞ おもいだす; そうぞう¹). ¶彼は母親の忠告を*思い浮かべた He *remembered* his mother's advice. // 私は海辺の古い家を*思い浮かべた I *pictured* (*to myself*) the old house by the sea.

おもいえがく 思い描く (想像する) imagine ㊐ (☞ そうぞう¹).

おもいおこす 思い起こす remember ㊐; rècolléct ㊐; recall ㊐. (☞ おもいだす (類義語); おもいかえす).

おもいおもい 思い思い ¶なんでも*思い思いのことを (⇒好きなように) してよい You can do just *as you* 「*like* [*please*]. // 子供たちはめいめい*思い思い花の絵をかいた (⇒自分のやり方で) The children painted flowers, *each in* 「*his or her* [*their*] *own way*. / (⇒自分の好みに従って) The children painted flowers *according to their fancy*. (☞ じゆう¹; すきかって; ずいい; それぞれ 語法)

おもいおよぶ 思い及ぶ think as far as …; (思い付く) think of … (☞ おもいつく; おもいいたる).
¶そこまでは*思い及ばなかった I *haven't thought* 「*that far* [*as far as* that; *of* that].

おもいかえす 思い返す (思い出す) remember ㊐; (再考する) think over ㊐, think again ㊀, rethink ㊐; (思い直す) change *one's* mind about …. ¶自分の提案(の文言)を何度も*思い返してみた I 「*reconsidered* [*rethought*] (the phrasing of) my proposal many times (over).

おもいがけず 思い掛けず (予想外に) unexpectedly; (驚いたことに) to *one's* surprise. (☞ おもいがけない). ¶*思い掛けず, 支店長に任命された Much *to my surprise* I was appointed as manager of a branch office.

おもいがけない 思いがけない ― 形 (予期しない) ùnexpécted. ― 副 unexpectedly. (☞ おもわぬ; いがい¹; ふい¹). ¶*思いがけない (⇒予期しない) 来客があった I had 「an *unexpected* visitor [a visitor *unexpectedly*]. // それは*思いがけないことだった It was quite a *surprise*. / (⇒少しも期待していなかった) It was *the last thing* (*that*) *I* (*had*) *expected*. // まったく*思いがけないときに母が訪ねて来た (⇒まったく予期しないときに) My mother came 「when I *least expected* her [(⇒まったく不意に) quite *unexpectedly*]. // 私が1等賞をもらうなんてまったく*思いがけなかった (⇒夢にも思わなかった) I *never dreamed* of getting (the) first prize. / (⇒大いに驚いた) I *was* 「very [greatly] *surprised* at receiving (the) first prize. / (⇒たいへん驚いたことには) Much *to my surprise* I 「received [won] (the) first prize.

おもいきった 思い切った ― 形 (徹底的な) drastic ★やや格式ばった語; (断固たる) résolùte ★前者よりさらに格式ばった語; (大胆な) daring. (☞ だいたん; てってい; だんこ). ¶私たちは*思い切った手段をとるつもりだ We are going to 「take [adopt] *drastic* measures. // 彼はまったく*思い切ったことをするもんだね He really 「does *daring* things [*takes chances*], doesn't he?

おもいきって 思い切って ― 副 (断固として) résolùtely; (決定的に) decisively ★前者と同意に用いることもある. ― 動 (思い切って…する) dare ㊐ 語法 後に to 不定詞および原形不定詞が来る. 原形が来る場合は助動詞に近い働きで, 主として否定・疑問文で用いる; (危険を覚悟で…する) venture ㊐. (☞ だんこ; だいたん; ゆうき²). ¶*思い切って次の会合でその話をしたらどうだ Why don't you *speak out* about it at the next meeting? // 彼は*思い切ってやってみる (⇒運だめしをする) ことにした He decided to *try his luck*.

おもいきり 思い切り ¶彼は*思い切りが悪い (⇒決断力のない男だ) He is 「an *irresolute* person [*irresolute*]. // 彼はいつも*思い切りがよい (⇒決心する際に迷わない) He never wavers in his decisions. // *思い切り (⇒できるだけ強く) 彼をたたいた I hit him *as hard as I could*. (☞ おもうぞんぶん)

おもいきる 思い切る (断念する) give úp ㊐; (見切りをつける) abandon ㊐ ★前者よりはやや格式ばった語. (☞ あきらめる). ¶つまらない考えだ. *思い切りなさい It's just a useless idea. *Give* it *up*. / *Give up* 「such a [that] useless idea. // 彼はその女を*思い切れないでいる (⇒考えずにはいられない) He cannot *get* that woman *out of his* 「*thoughts* [*mind*]. / (⇒まだ未練じみた愛情を持っている) He *retains a lingering passion for* that woman. / He's still *carrying a torch for* that woman.

おもいこがれる 思い焦がれる （切望する）long [pine; yearn] for … ★ 最後の表現は格式ばったもの;（恋する）be deeply in love with …; have a burning love for …（☞ こい²）.

おもいこみ 思い込み （確信）settled [firm] belief Ⓤ, conviction Ⓤ.（☞ おもいこむ）. ¶ *思い込みは時に誤解を生む Having a ˹*fixed* [*settled*]˹*idea* [*belief*] sometimes leads one to misunderstanding.

おもいこむ 思い込む （固く信じる）be convinced ˹of [that] …;（当然のことと思う）take it for granted that …;（心に決める）set *one's* heart on …（☞ きめこむ）. ¶ 彼はそれが本当だと*思い込んでいる He *is convinced* ˹*of* its truth [*of* the truth of it; *that* it is true]. // 彼はすっかりそう*思い込んでしまった（⇒ その考えが彼に強くとりついた）The *idea has* (*taken*) *a* strong *hold on* him. /（⇒ その考えを強く心に根づかせた）He *has got the idea* firmly ˹*fixed* [*rooted*] *in his mind*. // 彼が勝つものと*思い込んでいた（⇒ 勝つのが当たり前だと思っていた）We *took it for granted that* he would win. /（⇒ 勝つのを当然期待していた）We *naturally expected* him to win. // これと*思い込んだら彼は決してあきらめようとはしない Once he *has set his heart on* something, he never gives up.

おもいさだめる 思い定める ☞ けっしん¹

おもいし(らせ)る 思い知(らせ)る ¶ やつにきっと*思い知らせてやる I'll *show* him. /（⇒ 罰を受けさせてやる）I will *make* him *pay*. ★ 前者は口語, pay は「罰を受ける」の意. // 今度の失敗で*思い知らされ[知り]ました（⇒ 教訓となった）This failure *has been a lesson* to me. / This failure *taught* me *a lesson*.

【参考語】（実感としてわかる）realize ㊀;（痛感する）be deeply impressed.

おもいすごし 思い過ごし （根拠のない心配）a groundless [an unfounded] fear. ¶ それは私の*思い過ごしだった（⇒ それについて心配しすぎた）*I've been worrying too much* about it. /（⇒ 根拠のない心配とわかった）It turned out to be *a groundless fear*. /（⇒ 私の想像にすぎなかった）It was *just my imagination*.

おもいだしわらい 思い出し笑い ¶ *思い出し笑い（⇒ 思い出したことに笑う）をしているの? *Are* you *smiling over something* you *remember?*

おもいだす 思い出す （思い出させる）remind ㊀, bring [call] … to mind ★ 以上 2 つは「思い出させる物・人」が主語になる;（思い出す）remember ㊀ ㊁ ★「人」が主語. 以下の 2 つも同じ; recall ㊀; rècolléct ㊀;（心に浮かぶ）come to mind ★「物」が主語.

【類義語】忘れたものや忘れかかっていたものを思い起こさせるのは **remind**, または **bring** [**call**] … **to mind**. forget の反対で, すでに覚えていることを思い出すのは **remember** で, あまり努力しないでひとりでに思い出すことに用いる. 物が主語であれば **come to mind**. 忘れたり忘れかかっていることを努力して思い出すのは **recollect**, または **recall** であるが, 後者は何らかの刺激によって記憶が呼びさまされるような場合に用いる. いずれも格式ばった語.

¶ 彼の名前を*正確に思い出せない I can't *remember his name exactly*. // ああ, それで*思い出した（⇒ それが私に思い出させる）Oh, that *reminds* me! / Now I *remember!* // 彼を見るといつも弟を*思い出す（⇒ 彼が私に私の弟を思い出させる）<S（人・物）+V (*remind*)+O（名）+*of*+名> He always *reminds* me *of* my (younger) brother. / When(ever) I see him, I *am* always *reminded of* my brother. // 彼は約束を忘れたらしいので*思い出すように手紙を出そう（⇒ 催促状を送る）He seems to have forgotten his promise, so I will send him a *reminder*. // 私は宿題をしなければならないことをふと*思い出した I suddenly *remembered* that I had to do my homework. // 私はここで彼女に会ったことをはっきり*思い出すことができる（⇒ はっきりとした記憶を持っている）I *have* a ˹*vivid* [*clear; distinct*] *recollection* of having seen her here. / I ˹vividly [clearly; distinctly] *remember* ˹having seen [seeing] her here. // その場面はいまでも時々ぼんやりと*思い出す（⇒ その場面のぼんやりとした記憶が心に浮かぶ）Even now a dim *recollection* of the scene *comes to mind* now and then. // ちょうどいい言葉が*思い出せない（⇒ 思いつかない）I cannot *think of* the right word. // 事故を*思い出して（⇒ 考えて）彼はぞっとした He shuddered *at the thought of* the accident. // このエンジンは時々*思い出したように（⇒ とぎれとぎれに）しかかからない This engine starts only *in fits and starts*.

おもいたつ 思い立つ （思いつく）take … into *one's* head;（決心する）set *one's* mind ˹on [upon] …（☞ おもいつく）. ¶ 私は急に故郷へ帰ることを*思い立った I suddenly *took* it *into my head* to go home. /（⇒ 時のはずみで決心した）I *decided* to go home *on the spur of the moment*. // いったんこうと*思い立ったら矢もたてもたまらない（⇒ やってしまうまでは落ち着かない）Once I *set my mind on* something, I (will) never rest until I get it done. 思い立ったが吉日（⇒ いまほどの好機はない）There is no time like ˹the present [now]. ★ [ ] 内は口語.

おもいちがい 思い違い ── 動（誤解する）mìsùnderstánd ㊀ ㊁;（(間違って)…を…と思う）take … for …;（間違いをする）make a mistake, be mistaken. ── 名 misunderstanding Ⓤ, mìsàpprehénsion Ⓤ ★ 後者のほうが格式ばった語. ── 形（間違った）wrong;（思い違いをさせるような）misleading.（☞ ごかい¹; かんちがい; かんがえちがい）. ¶ すみません. *思い違いをしていました I'm sorry, but I *was* ˹*mistaken* [*wrong*]. 語法 but を省いて 2 つの文に分けてもよい. // 私は彼を英語の先生と*思い違いしていた <S（人）+V (*take*)+O（人・物）+*for*+名・代> I *took* him *for* an English teacher. // 私はいままで彼を正直者だと*思い違いをしていた（⇒ 誤った印象を持っていた）I have been *under the* ˹*false* [*wrong*] *impression* that he is honest. ★ 改まった言い方. // *思い違いをしないでくれ（⇒ 私を誤解するな）. 私はそんな人間じゃない Don't *get* me *wrong*. I'm not that ˹type [kind].

おもいつき 思い付き （着想）idéa Ⓒ ★ 一般的な語;（考え）thought Ⓒ.（☞ おもいつく; ちゃくそう¹; かんがえ）. ¶ それはいい*思いつきだ（⇒ よい着想だ）That's a ˹good [wonderful; great] *idea*. 語法 (1) 提案などに対して用いる表現. // 私は*思いつきで（⇒ 即席で）5 分ほど話をした I talked ˹*off the cuff* [*impromptu* /ɪmprάm(p)t(j)uː/] for about five minutes. 語法 (2) off the cuff は口語. / I ˹*improvised* [*ad-libbed*] for about five minutes.

おもいつく 思い付く hit [strike] ˹on [upon] …;（考えなどが心に浮かぶ）occúr ㊁;（考え付く）think of …（☞ うかぶ; ひらめく）. ¶ すばらしい考えを*思いついた I *hit* ˹*upon* [*on*] a wonderful idea. /（⇒ いい考えが心に浮かんだ）A great ˹idea [thought] ˹*occurred* [*came*] *to* me. /（⇒ すばらしい考えが心にひらめいた）A brilliant idea *flashed across my mind*. // それは*思いつかなかった Well, I never *thought of* that. 語法 相手の考えなどがすばらしいという意味で用いる表現.

おもいつめる 思い詰める （くよくよ考える）brood

over …;（深刻に考える）take … seriously;（心配する）worry ⓐ.《☞ かんがえこむ; くよくよ》. ¶ 彼は失敗したことを*思い詰めていた（⇒ くよくよ考え込んでいた）He *brooded over* his failure. // 何もそんなに*思い詰める（⇒ 深刻に考える）ことはないよ Don't *take* it so *seriously*. /（⇒ のんびりするのがよい）Why don't you *take it easy*? 語法 形式は疑問文だが, 意味は勧告を表わす.

おもいで 思い出 （記憶）memory Ⓒ, remembrance Ⓒ ★ 後者のほうがやや格式ばった語;（思い起こすこと）rèccolléction Ⓒ ★ やや格式ばった語;（回想・追憶）reminiscence /rèmənísns/ Ⓒ 語法 (1) 以上いずれも Ⓤ と Ⓒ があるが, Ⓒ で用いることが多い. また後の 2 語が特に「思い出話」「回想録」などを意味する時は, 通例複数形となる.《☞ きおく》. ¶ それは昔懐かしい*思い出だ That is a nice old *memory*. // 私たちにとってこれはいつまでも楽しい*思い出になるでしょう This will always remain a ˹fond [pleasant; happy; delightful] *memory* for us. 語法 (2)「さまざまな思い出」の場合は memories を用いる. // 楽しかった当時の*思い出はいまなお私の心に新しい The *memory* of those happy days is still ˹fresh [vivid] (in my mind). /（⇒ 生き生きとした記憶を持っている）I still ˹have [preserve] a vivid *recollection* of those happy days. ★ [ ] 内のほうが改まった言い方. // その絵は(私に)子供時代の*思い出の数々を思い起こさせた The picture brought back (to me) many *memories* of ˹my childhood [(the days) when I was a little boy]. / The picture brought back (to me) many childhood *memories*. // 学生時代の*思い出に（⇒ 思い出として）この古い辞書を取っておこう I will ˹keep [save] this old dictionary as a ˹*memento* [*reminder*] of my student days. // 彼女は私たちに日本の*思い出を話してくれた She gave us her *reminiscences* of Japan. // 彼女は*思い出にふけりながらひとりすわっていた She sat alone(,) indulging in *reminiscence*. / She sat alone *reminiscing*.

思い出話 reminiscences, recollections ★ 後者は少し改まった語. いずれも複数形で.

【参考語】── 名（思い出の品など）memento Ⓒ, keepsake Ⓒ;（回顧録）memoirs /mémwɑəz/ ★ 複数形で.

コロケーション

おぼろげな思い出 a ˹hazy [misty; cloudy] *memory* / 悲しい思い出 a sad *memory* / 大切な思い出 a precious *memory* / 辛い思い出 a ˹painful [poignant] *memory* / 遠い思い出 a distant *memory* / 苦い思い出 a bitter *memory* / 不愉快な思い出 an unpleasant *memory* / 誇らしい思い出 a proud *memory* / ほろ苦い思い出 a bittersweet *memory* / ぼんやりした思い出 a ˹dim [faint; vague] *memory* / 忘れられない思い出 a ˹lasting [haunting] *memory*

おもいどおり 思い通り as *one* ˹likes [wishes; thinks fit]. ¶ 計画は*思い通りに進行している The plan is going *as I wish*. // 私は自分の*思い通りにやるつもりです I'll do *as I think fit*. // *思い通りに事を運んでいい Do things *just as you want to*. /（⇒ あなたの判断で）*Use your own* ˹*discretion* [*judgment*] in carrying things out.

おもいとどまる 思いとどまる be dissuáded (from …) ★ 非常に格式ばった表現;（考え直す）change *one's* mind;（あきらめてやめる）give úp ⓣ;（思いとどまらせる・やめる）stop ⓣ ⓐ;（自制する）check *oneself*, hold *oneself* back.《☞ かんがえなおす; やめる¹; ふみとどまる》. ¶ 辞職は*思いとどまって（⇒ 考え直して）もらえませんか Will you *change your mind* about resigning? // 彼に辞職を*思いとどまらせた I *persuaded* him *not to* resign. / I *dissuaded* him *from* resigning. ★ 第 2 文のほうが格式ばった表現. // 彼女は自殺を*思いとどまった（⇒ 自殺の考えを捨てた）She ˹*gave up* [abandoned] the idea of killing herself. ★ [ ] 内は格式語. // 彼を殴り倒してやろうと思ったが*思いとどまった I thought I would knock him down, but I ˹*checked myself* [*held myself back*; *stopped myself*]. // だれも彼女が彼と結婚するのを*思いとどまらせる（⇒ 止める）ことはできなかった Nobody could *stop* her (from) marrying him.

おもいなおす 思い直す （考えを変える）change *one's* mind;（考え直して…をやめる）think better of …;（再考する）reconsider ⓣ.《☞ かんがえなおす》. ¶ 辞職しようと思ったが*思い直した I considered ˹leaving [quitting] my job but (I) ˹*changed my mind* [*thought better of* it].

おもいなし(か) 思い做し(か) （いくらか）somewhat. ¶ 彼は*思いなしかさびしそうな顔をしていた He looked *somewhat* sad. /（⇒ 私の想像かもしれないが）*It may be my fancy*, but he looked sad.

おもいなやむ 思い悩む be ˹worried [troubled], worry ⓐ.《☞ なやむ; しんぱい¹》.

おもいのこす 思い残す ¶ もうこれで死んでも*思い残すことはない（⇒ 満足して死ねる）Now I can die *content*. /（⇒ 後悔なく死ねる）Now I can die *without regret(s)*.《☞ くい²》

【参考語】── 名（後悔）regret Ⓤ ★ しばしば複数形で.

おもいのたけ 思いの丈 ¶ *思いの丈を述べる open up *one's heart* to … /（悩みなどを打ち明ける）pour out [lay bare] *one's heart*《☞ たけ²》

おもいのほか 思いの外 ¶ その仕事は*思いのほか（⇒ 私が思ったより）時間がかかった The work took longer *than I (had) expected*. // 売り上げは*思いのほか悪かった（⇒ 期待に達しなかった）The sale(s) *fell short of our expectations*.《☞ いがい¹; よそうがい》

おもいのまま 思いの侭 do as *one* ˹pleases [likes; wishes]《☞ おもいどおり》. ¶ 彼女はすべてを*思いのままにしたいのだ She wants to *have* everything ˹*under her control* [*as she pleases*; *her own way*].

おもいまどう 思い惑う be unable to ˹decide … [make up *one's* mind about …];（逡巡する）hesitate ⓐ ⓣ. ¶ 出発するかどうか私は*思い惑っている I *can't* ˹*make up my mind* [*decide*] to start or not.

おもいみだれる 思い乱れる be distracted by …《☞ おもいなやむ》. ¶ 心が*思い乱れてどうにもならない I can't cope with *my conflicting* ˹*emotions* [*thoughts*].

おもいめぐらす 思い巡らす （熟考する）think (about …) ⓐ, ponder (˹on [over] …) ⓐ ★ 後者は文語的.《☞ しあん¹》. ¶ 問題の解決法について*思い巡らす *ponder* how to solve the problem

おもいもよらない 思いもよらない ── 形（予期しない）unexpected;（考えもしない）unthought-of;（想像もできない）unthinkable.《☞ おもいがけない; おもわぬ》. ¶ その日に雪が降ろうとは*思いもようないことだった（⇒ だれもその日に雪が降ることを予期しなかった）*Nobody* ˹*anticipated* [*expected*] snow that day.

おもいやり 思いやり ── 名 consideration Ⓤ; thoughtfulness Ⓤ; sýmpathy Ⓤ; pity Ⓤ; compassion Ⓤ. ── 形 considerate (of …); thoughtful (of …); kind (to …); sỳmpathétic (˹to [toward(s)] …).

【類義語】他人の感情・立場などを思慮深くおもんぱかるのは *consideration*, または *thoughtfulness* で, この 2 語はほぼ同意だが, 後者のほうが口語的. 苦しんでいる人への理解・同情は *sympathy*. 自分より下のもの，苦しみ悲しんでいるものへの憐れみは *pity*．さらに一歩進んで，愛情と援助の意欲を含んだ場合は *compassion*．《☞ いたわり；どうじょう[1]》
¶彼は他人に*思いやりがある He is ˹*considerate of* [*thoughtful toward*(*s*)；(⇒ 親切だ) *kind to*] others. / (⇒ 他人のことを考えている) He always *thinks of* others. // あなたは他人の感情に*思いやりを持つべきだ You should have *consideration* for other people's feelings. // 彼女の招待を断るなんて，彼もずいぶん*思いやりがない It is very ˹*inconsiderate* [*thoughtless*] of him to decline her invitation. // 彼は貧しい人たちに対する*思いやりが深い He has great *compassion* ˹*for* [*toward*(*s*)] the poor. / He is very *sympathetic* ˹*to* [*toward*(*s*)] the poor.

おもいやる 思いやる ¶彼の将来が*思いやられる (⇒ 彼の将来が心配だ) I ˹*am anxious* /ǽŋ(k)ʃəs/ [*feel anxiety* /æŋzáɪəti/] about his future. 《☞ しんぱい[1]》

おもいわずらう 思い煩う be worried, worry (about …) (自). 《☞ わずらう；くよくよ》

おもう 思う **1**《推量・判断・意見》: think (他)《過去・過分 thought》; believe (他); consider (他); suppose (他); guess (他); fancy (他).

【類義語】最も一般的な言葉は *think* で，推量・意見を表す場合は「理知的で冷静な感じで思う」の意味を持つ．ある程度自信があって推量する場合は *believe*．「判断」の意味が強く，少し改まった語は *consider*．「推量」の意味が強いのは *suppose*．「推量」の意味で，より口語的には *guess*．「想像」の意味が強いのは *fancy*．なお，助動詞 *will* によって推量の意味が表されることもある．《☞ かんがえる》

¶あしたは雨が降ると*思う ＜S (人)＋V (*think*)＋O (*that* 節)＞ I *think* (*that*) it'll rain tomorrow. [語法] (1) think の後の接続詞 that は省かれることが多い．// あしたは雨が降らないと*思う (⇒ 降るとは思わない) I don't *think* it'll rain tomorrow. ★ 和文と英文との否定の仕方の違いに注意．《☞ 発想 (巻末)》//「あの人はきれいだと*思いますか」「ええ，そう*思います」"Do you *think* she's pretty?" "Yes, I *think* ˹so [she is]." //「彼は来ると*思いますか」「いや来ないと*思いますね」"Do you ˹*think* [*suppose*] he'll come?" "No, I ˹*think* [*suppose*] not." [語法] (2) この not は he will not come に相当する．また，No, I don't ˹*think* [*suppose*] ˹so [he will]. という答え方もある．//「彼は治る (⇒ 病気に打ち勝つ) だろうか」「だめだと*思います」"Will he recover from his illness?" "I'*m afraid* not." [語法] (3) 思わしくないことが予想される場合には be afraid がよく用いられる．//「彼女は試験に受かるだろうか」「きっと受かると*思いますよ」"Will she pass the examination?" "I'*m sure* she will." // 彼は抜け目がないと私は*思った ＜S (人)＋V (*think*)＋O (代)＋C (形)＞ I ˹*thought* [*considered*] him clever. / I *thought* (*that*) he was clever. [語法] (4) 第 2 文のほうが口語的．// 彼女は 30 をとうに過ぎていると*思う She is well over thirty, I *guess*. // 彼女は自分がきれいだと*思っている ＜S (人)＋V (*fancy*; *consider*)＋O (代)＋C (形)＞ She ˹*fancies* [*considers*] herself pretty. // どちらが勝つと*思いますか Which do you ˹*think* [*suppose*] will win? [語法] (5) 疑問詞で始まる文では，「思う」に当たる部分を疑問詞の次に置く．// 彼女は最も有望な小説家(の一人)だと*思う (⇒ 私の意見では) She is, *in my opinion*, ˹one of the most promising novelists [a most promising novelist]. // あなたはこの計画についてどうお*思いですか What do you *think* ˹*of* [*about*] this plan? / (⇒ この計画についてのあなたの考えはどうですか) What is your *opinion of* this plan? // 彼は絶対に潔白だと*思う (⇒ 潔白だと信じる) I *believe* (*that*) he is innocent. / ＜S (人)＋V (*believe*)＋O (代)＋C (形)＞ I *believe* him innocent. / ＜S (人)＋V (*believe*)＋O (代)＋C (*to* 不定詞)＞ I *believe* him *to* be innocent. [語法] (6) 最初の構文が最も普通．// 私は彼が誠実かどうか怪しいと*思う (⇒ 彼の誠実さを疑う) I *doubt* his sincerity.

2《感じる》: feel (他)《過去・過分 felt》《☞ かんじる》.
¶私は確かに彼が正しいと*思う ＜S (人)＋V (*feel*)＋C (形)＋*that* 節＞ I *feel* certain *that* he is right. // どうも彼は誠実でないように*思う ＜S (人)＋V (*feel*)＋O (名)＋*about*＋名＞ I *feel* doubts *about* his sincerity. // どうも彼女は働きすぎなのではないかと*思う (⇒ 感じがする) I *have* ˹*a feeling* [*an idea*] that she may ˹work too hard [be overworking].

3《みなす》: look upon … (as …), think of … (as …), regard … (as …), consider (他) [語法] いずれもほぼ同意であるが，最初の 2 つが口語的な表現．《☞ かんがえる；みなす》 ¶たいていの人は 5 月 5 日を男の子の日だと*思っている Most people *think of* May 5 *as* Boys' Day. // 彼は右翼だと*思われている He *is* ˹*regarded* [*looked upon*] *as* a rightist. / ＜S (人)＋V (*consider*)＋O (代)＋C (名) の受身＞ He *is considered* a rightist. / ＜S (人)＋V (*consider*)＋O (代)＋C (*to* 不定詞) の受身＞ He *is considered to* be a rightist.

4《予期・期待》: expect (他), think (他) [語法] ほぼ同意だが，後者は主として疑問文・否定文で用いる．《☞ よき》 ¶*思ったとおりだ (⇒ それは正に私が予期したことだ) That's just what I ˹*thought* [*expected*]. // 彼女は*思ったよりきれいだった She was more beautiful than I (*had*) *expected*. // 彼の*思わぬ (⇒ 予期しない) 反撃にびっくりした I was surprised ˹at [by] his *unexpected* counterattack. // きのういらっしゃると*思っていましたのに I *was expecting* you yesterday. // 何もかも*思ったとおりにいった Everything went (off) ˹according to my *expectation*(*s*) [as I *expected*]. // ここであなたに会うとは*思わなかった I never *thought* I'd meet you here.

5《希望・願望・心配・懸念》: want (他); would like (to *do* …); wish (他); hope (他); be afraid (of …; that …); care (to *do* …) (他).

【類義語】「…したいと思う」の意味を最も強く直接的に表すのは *want*．丁寧にいうときには *would like* を用いる．単に願望だけで実現を必ずしも期待しないのは *wish*．期待を伴った願望は *hope*．その反対によくない事を懸念するのは *be afraid*．*want* とほぼ同じ意味で *care*＋*to* 不定詞を用いるが，疑問文・否定文に限られる．

¶学校を出たら何をしたいと*思いますか ＜S (人)＋V (*want*; *would like*)＋O (*to* 不定詞)＞ What ˹do you *want* [*would* you *like*] *to* do ˹when [after] you ˹graduate [finish school]? ★ would like を用いるほうが丁寧な言い方．//「彼女はもう死んでいるだろうか」「そうでなければいいと*思うんだが」"Is she already dead?" "I *hope* not." [語法] (1) この not は she is not dead に相当する．また，I *hope* she isn't. と答えてもよい．//「会合に間に合うでしょうか」「間に合わないと*思います」"Will we be in time for the meeting?" "I'*m afraid* not." [語法] (2) この not は we will not be in time に相当する．また，I'*m afraid* we won't. と答えてもよい．// あすは雨だと*思います I'*m afraid* it'll rain tomorrow. // 午後には晴れると*思います I *hope* it'll clear up in the afternoon. // 私は弁護士になりたいと*思う ＜S (人)＋V (*want*; *wish*; *hope*)＋O (*to* 不定詞)＞ I ˹*want* [*wish*; *hope*] *to* become a lawyer. [語法] (3) want＋to 不定詞は単なる希望だが，wish＋to

不定詞のほうは，必ずしも自分が弁護士になれるとは思っていないが，なれればよいという多少非現実的な願望を暗示する．// またお目にかかりたいと*思います I *hope* to see you again. / <S（人）+V（*hope*）+O（*that* 節）> I *hope*（*that*）「I'll see [I see] you again. // ご一緒できればいいと*思うのですが残念です I *wish* I could go with you. 語法 (4) 行きたくても実際は行けないことを意味する. // 彼女はいつも自分の*思うとおりにしようとする She always has to「*have* [*get*] *her own way*.

6《意図・予定》:（…するつもりである）be going to *do* …; be thinking of *doing* …; will ★ 助動詞;（…しようという明確な意図を持つ）intend（to *do* …）㊀ ★ 以上のうちでは最も格式ばった表現. 語法 (1) 最初の2つはよく用いられる口語表現だが，最初が最も普通の言い方. be thinking of は予定が多少不確定な感じ. 助動詞 will を使っても be going to とほぼ同じ内容になるが，be going to のほうがよりはっきりした予定を意味する.《☞ -つもり》. ¶来週京都に行こうかと*思っている I'*m going to* Kyoto next week. 語法 (2) I'*m going to* go to Kyoto. も可能であるが，go が重複するのを避けるため普通は go to は省略する. / I'*m thinking of* going to Kyoto next week. / I *think* I'*ll* go to Kyoto next week. // あの学生は弁護士になろうと*思っている That student *intends to* be a lawyer. // 彼は彫刻家になろうと*思ってパリに行った（⇒ 彫刻家になる考え[望み]をもって）He went to Paris「with the *idea* [in the *hope*] of becoming a sculptor.

おもうさま 思う様 ☞ おもうぞんぶん

おもうぞんぶん 思う存分 ¶*思う存分食べた（⇒ 欲しい[好きな]だけ食べた）I ate *as much as I*「*wanted* [*liked*]. /（⇒ 腹いっぱい食べた）I ate *my fill*. /（⇒ 心ゆくまで食べた）I ate *to my heart's content*. // 彼女は*思う存分泣いた She cried *her*「*eyes* [*heart*] *out*. /（⇒ 十分泣いた）She had a *good* cry.《☞ -だけ¹; おもいきり》

おもうつぼ 思う壺 ¶彼は私の*思うつぼにはまった（⇒ まさに私がやってほしいと思ったことをやった）He *did just what* I *hoped* he *would*. /（⇒ 私のわなにかかった）He *fell right into* my *trap*. // 私は彼の*思うつぼにはまってしまった I *played into* his *hands*. // 何もかも私の*思うつぼだった（⇒ 望んだ[計画した]とおりになった）Everything turned out *just as I*（*had*）「*wanted* [*planned*].

おもうに 思うに ¶*思うにその計画は無理だ I don't *think* the plan will work well. /（⇒ 私の意見では）*In my opinion* the project will not be feasible.

おもうまま 思う侭 ☞ おもいのまま

おもえる 思える ☞ おもわれる

おもおもしい 重重しい ━形（威厳のある）grave, dígnified;（真剣な・厳粛(げんしゅく)な）serious;（まじめくさった）solemn;（威張った）important. ━副 gravely; seriously; solemnly; impórtantly.《☞ おごそか; いかめしい; いげん》. ¶「それは本当です」と彼女は*重々しく言った "It's true," she said「*solemnly* [*gravely*]. // 彼は*重々しい態度をとろうと努めた He tried to assume a *dignified* air. /（⇒ 重々しく見えるように努めた）He tried to look *dignified*.

おもかげ 面影（生き写し）the「ímage [picture];（形跡）trace Ⓒ.《☞ なごり》. ¶彼女には母親の*面影がある（⇒ 彼女は母親を思い起こさせる）She *reminds* me *of* her mother. // 彼は父親の*面影そのまま（⇒ まさに生き写しだ）He is *the spitting image* of his father. ★ the spitting image（= the spit and image）は「生き写しの人」の意. // 彼には昔の*面影はない（⇒ 彼は昔の彼ではない）He is not *what he used to be*. /（⇒ 昔の彼の単なる幻だ）He is *a mere*「*ghost* [*shadow*] of his former self. // その町には昔の華やかな*面影は少しも残っていない（⇒ かつての華やかさの痕跡をとどめていない）The city retains no *trace* of its former glory.

おもかじ 面舵 ¶*面かじを取れ! Turn（the helm）to *starboard*! / *Right rudder*! // *面かじ一杯! Hard to *starboard*!《☞ かじ³》

おもがわり 面変わり ¶彼女は*面変わりした（⇒ 昔と違って見える）She *looks quite different from what she once was*. /（⇒ やつれて見える）She *looks gaunt*.

おもき 重き 重きを置く put [lay] emphasis on …. ¶この大学は基礎研究に*重きを置いている（⇒ 特別な力を入れる）This university *puts special emphasis* on basic research. 重きをなす ¶あの人たちの間では彼の意見がいつも*重きをなしている His opinion「always *carries weight* [(⇒ 尊重される) *is* always *held in high esteem*] in that circle. ★ [ ] 内のほうが格式ばった言い方.《☞ おもんじる; じゅうし¹》

【参考語】━名（重み・有力）weight Ⓤ;（影響力）ínfluence Ⓤ;（重要性）importance Ⓤ. ━形 weighty; influéntial; important.

おもくるしい 重苦しい（天候・気分などが）heavy;（陰気な）gloomy;（耐えられないような）oppressive;（息が詰まりそうな）stifling.《☞ うっとうしい; ゆううつ》. ¶胃が*重苦しい I've got「a *heavy* [an *unpleasant*] feeling in my stomach. / My stomach feels「*heavy* [*unpleasant*]. // 彼の言葉が*重苦しい沈黙を破った His words broke the *heavy* silence. // 胸が*重苦しい I have a「*stifling* sensation [*tight* feeling] in my chest.

おもさ 重さ ━名（目方・重量）weight Ⓤ. ━動（重さがある・重さを測る）weigh ⓐ ㊀.《☞ じゅうりょう¹; めかた; たいじゅう; 度量衡（囲み）》. ¶「この荷物の*重さはどのくらいですか」「20キロです」"What's the *weight* of the baggage?" "It's twenty kilograms." // その荷物は*重さが（⇒ 重さの点で）20キロだ The baggage is twenty kilograms（in *weight*）. / The baggage *weighs* 20 kilos. // 2本の鉄骨が張り出し窓の*重さを支えていた Two iron frames supported the *weight* of the bay window.

おもざし 面差し ☞ かおだち

おもし 重し weight Ⓒ. ¶押し花をするのに大きな辞書を*重しにした（⇒ 重しとして使った）I used a big dictionary as a *weight* to press the flowers.

おもしろい 面白い ━形 interesting; amusing; èntertáining; funny; jolly; exciting. ━動（楽しく過ごす）have a good time, enjoy *oneself*;（おもしろく遊び興じる）have fun.

【類義語】人の興味・関心をそそるのは **interesting** だが，これには別に愉快という意味は含まれない. 愉快で人を楽しませるのは **amusing**. 特に芸や音楽など人間の知恵を使った物事がおもしろいのは **entertaining**. こっけいでおかしいのは **funny**. 人が冗談など言って陽気でおもしろいのは **jolly**. 胸が躍るようなのは **exciting**.《☞ ゆかい; おかしい; たのしい; きょうみ》

¶きのうはとても*おもしろかった I *had a* very *good time* yesterday. / I *enjoyed myself* very much yesterday. // その小説は*おもしろかった The novel was *interesting*. / I found the novel *interesting*. // *おもしろい映画だった It was an「*exciting* [*entertaining*] movie. // ピクニックはとても*おもしろかった We *had*「a lot of [great] *fun* at the picnic. // 彼はとても*おもしろい人だ He is a *jolly* kind of man. /（⇒ 奇妙な人）He's a *strange* man. /（⇒ 風変わりな）He's *eccentric*. // 彼女はその光景を見て*おもしろ

そうに笑った She laughed ｢*in amusement* [*amusedly*] at the sight. // 彼はその知らせを聞いて*おもしろそうな顔つきをした He wore an *interested* look at hearing the news. // ジャズはちっとも*おもしろいとは思わない (⇒ 興味を感じない) I'*m* not *interested in* jazz at all. / (⇒ 私の心に訴えない) Jazz doesn't *appeal* to me at all. // 彼と付き合うのは*おもしろい (⇒ よい交際相手だ) He is *good company*. ★「おもしろくない」は poor company. // 英語が*おもしろくなくなった (⇒ 英語に対する興味を失った) I'*ve lost interest* in English.

おもしろおかしい 面白可笑しい (こっけいな) funny; (愉快な) amusing. 《☞ こっけい; おかしい》.

おもしろがる 面白がる be amused (by ...) 《☞ たのしむ》. ¶ 彼は私のしゃれを*おもしろがらなかった He *was* not *amused* by my joke. / My joke didn't *amuse* him. // 子供たちはチンパンジーを見て*おもしろがった The children *amused themselves* (by) watching the chimpanzees. / (⇒ おもしろがって見た) The children watched the chimpanzees with *amusement*.

おもしろさ 面白さ (対象物が人の心に訴える魅力) appeal Ⓤ; (自分が感じる興味) interest Ⓤ 日英比較 日本語が [名] でも英語では [名] にならない場合が多い. 《☞ おもしろい; きょうみ》. ¶ 彼女にはクラシック音楽の*おもしろさがわからない (⇒ クラシック音楽は彼女の心に訴えるものがほとんどない) Classical music ｢has [holds] little *appeal* for her. / (⇒ 彼女はクラシック音楽に興味がない) She is not *interested* in classical music. // 私はジャズの*おもしろさがわかってきた (⇒ 楽しめるようになってきた) I'm ｢getting [beginning] to ｢*appreciate* [*enjoy*] jazz. // しゃれの*おもしろさ the *point* of a joke

おもしろずく 面白尽く ¶*おもしろ尽くでうわさを立てる spread a rumor ｢(⇒ 騒ぎを起こすために) *simply to create a sensation* [(⇒ 自分自身を楽しませるだけの目的で) *simply to amuse oneself*]

おもしろはんぶん 面白半分 ¶ 私はただ*おもしろ半分でやったのだ I did it just *for fun*. / I *was* only *joking* when I did it.

おもしろみ 面白み (人を引きつける魅力) attráctiveness Ⓤ; (心に訴えるような魅力) appeal Ⓤ. 日英比較 日本語が [名] でも英語では [名] にならない場合がある. 《☞ おもしろさ》. ¶ 彼は*おもしろみのない人間だ (⇒ あまり魅力がない) He is not very *attractive*. / (⇒ 退屈な人だ) He is ｢*dull* [a *bore*]. / (⇒ ユーモアのセンスがない) He has no *sense of humor*. // この絵には*おもしろみがない (⇒ この絵は私の心に訴えるものをあまり持っていない) This painting doesn't ｢have much *appeal* for [*appeal to*] me.

おもたい 重たい ☞ おもい¹

おもだか 沢瀉 〔植〕 arrowhead Ⓒ.

おもだち 面立ち (容貌) looks; (目鼻立ち) features ★ ともに複数形で. 《☞ かおだち》.

おもだった 主立った, 重立った (首位の) chief Ⓐ; (主要な) main Ⓐ; (一流の) leading Ⓐ; (最も重要な) principal Ⓐ ★ やや格式ばった語; (重要な) important. 《☞ おもな (類義語); しゅよう¹》. ¶*おもだった政治家 *leading* statesmen

おもちゃ toy Ⓒ, plaything Ⓒ ★ 後者は前者より格式ばった語で, 比喩的に「慰み者」の意でも用いる. ¶ 少年は*おもちゃで遊んでいた The boy was playing with his *toys*. // マッチを*おもちゃにしてはいけません (⇒ マッチで遊んではいけない) Don't *play with* matches. **おもちゃ箱** toy box Ⓒ **おもちゃ屋** toy store Ⓒ, 《英》 tóyshòp Ⓒ.

おもぢゃわん 主茶碗 〔茶道〕 teabowl for the main guest of a tea ceremony (as opposed to the ones for other guests) Ⓒ ★ 説明的な訳. 《☞ かえ (替え茶碗)》.

おもったるい 重ったるい ¶ 胃が*重ったるい I'*ve got a heavy feeling* in my stomach.

おもて 表 **1** 《表面》: (裏に対して) face Ⓒ; (前面) front Ⓒ; (内側に対して) súrface Ⓒ; (硬貨・メダルなどの) head Ⓒ (↔ tail). 《☞ ひょうめん; そとがわ》. ¶ この生地はどちらが*表ですか Which side is ｢the *face* [*the wrong side*] of the fabric? // 靴下が裏*表ですよ (⇒ 内側を外にしてはいている) You are wearing your socks *inside out*. // 日本では発信人の住所氏名は封筒の*表ではなく裏に書く In Japan the sender's name and address are not written on the *front* of the envelope but on the back.

2 《前部》 ―[名] the front. ―[形] front Ⓐ. 《☞ しょうめん; まえ》. ¶*表口も裏口も鍵をかけた I locked both the *front* door and the back door. // 彼は*表門から入り裏門から出た He came in by the *front* gate and went out by the back gate.

3 《戸外》 ―[名] the òutdóors; (表通り) the street. ―[副] òutdóors, out of doors, òutside. 《☞ おくがい; そと》. ¶*表は寒い It's cold ｢*outdoors* [*outside*]. // 子供たちは暗くなるまで*表で遊んだ The children played *out of doors* until it got dark. // 彼は*表へ飛び出した He dashed out into *the street*.

4 《野球で》: the first half, the top (half). ¶ 6 回*表に in ｢*the first half* [*the top* (*half*)] of the sixth inning

5 《外面》 ¶ 政界には*表に出ない (⇒ 発表されない) スキャンダルが多くある In the political world there are many scandals that ｢*are not disclosed* [(⇒ 表面化しない) *do not surface*]. 《☞ おもてざた》

おもてあみ 表編み knit stitch Ⓤ.

おもてかいどう 表街道 (幹線道路) trúnk ròute Ⓒ, main road Ⓒ, 《英》 trúnk ròad Ⓒ.

おもてがき 表書き ☞ うわがき

おもてがまえ 表構え the front of a house, facade Ⓒ ★ 後者は格式ばった語.

おもてがわ 表側 the front (side) 《☞ おもて》.

おもてかんばん 表看板 (看板) signboard Ⓒ 《☞ かんばん》. ¶ 彼は輸入業者を*表看板にした (⇒ 装った) 麻薬の密輸人だ He is a drug smuggler ｢*in* [*under*] *the guise of* an importer.

おもてぐち 表口 ☞ おもて 2

おもてけい 表罫 〔印〕 thin ruled line Ⓒ.

おもてげい 表芸 (主たる芸) *one's* main accomplishments ★ 複数形で.

おもてげんかん 表玄関 front ｢door [entrance] Ⓒ.

おもてざしき 表座敷 front drawing-room Ⓒ.

おもてざた 表沙汰 ¶ これは*表ざたにはしたくない (⇒ これを公にしたく [知られたく] ない) I don't want to *make* this ｢*public* [*known*]. // 我々の失敗は*表ざたにはならずにすむでしょう (⇒ 明るみに出ないことを私は望む) I hope our mistake won't *come to light*. 《☞ あかるみ; ばくろ》

おもてじ 表地 outer material Ⓤ.

おもてせんけ 表千家 (茶道の) Omotesenke (school of the tea ceremony).

おもてだつ 表立つ ¶ いままでのところ*表立った (⇒ 目に見える) 動きはありません There have been no ｢*visible* developments [developments *visible*] ｢so [thus] far. // 彼女は*表立つこと (⇒ 積極的な役割を果たすこと) は好きではない She doesn't like to *take an active role*. // そんなことは*表立って (⇒ 公には) 言えない We can't say that ｢kind [sort] of thing ｢*openly* [*in public*].

おもてどおり 表通り main street Ⓒ.

おもてみごろ 表身頃 the four outer panels of

a kimono Ⓒ《☞ うらみごろ; みごろ》.

おもてむき 表向き ━━形 (公の) public; (公式の) official. 《☞ うわべ》. ¶ 彼は*表向きは外交官だが実はスパイだ *Officially* he is a diplomat, but in reality he is a spy.

おもてもん 表門 ☞ おもて 2

おもと 万年青 〘植〙 *omoto* Ⓒ; (説明的には) thick-leaved liliaceous foliage plant Ⓒ.

おもな 主な chief Ⓐ; principal Ⓐ; main Ⓐ; major Ⓐ; leading Ⓐ.

【類義語】階級・権力・重要性などが最高で，ほかのものがこの下に従属しているか，あるいは従属しているような感じがする場合は *chief*. 大きさ・地位・重要性がほかのすべてにまさっていて，最高と考えられる場合に用いるやや格式ばった語は *principal*. 同種類の人や物の中で大きさ・力・重要性がすぐれているものには *main*. 特に他との比較においてまさっていることを強調するのが *major*. 以上の 4 語は入れ替えて用いられる場合もかなりある. 先頭に立ってほかを率いてゆく感じを強調する場合は *leading* を用いる. 《☞ おもだった; しゅよう¹》 ¶ この会の*主な目的は何ですか What is the *chief* aim of this society? ∥ そういったところが私の企画の*主な特徴です Those are the *main* features of my plan. ∥ わが国の*主な政治家はみなそのパーティーに出席した All our *leading* statesmen attended the party.

おもなが 面長 ━━形 (卵形の顔をした) oval-faced Ⓐ; oval faced Ⓟ. 《☞ ほそおもて》.

おもに¹ 主に chiefly, mainly; (大部分・たいてい) mostly, largely, for the most part ★ 3 番目は前 2 者より格式ばった言葉. 《☞ おもな; しゅとして》.
¶ 聴衆は*主に若い女の子だった The audience consisted ˹*chiefly* [*mainly*] of young girls. ∥ 客は*主に老人だった (⇒ 客のほとんどは) *Most of* the guests were old people. / The guests were ˹*mostly* [*for the most part*] elderly people. ∥ 彼の失敗は*主に不注意が原因だ His failure was *largely* due to his carelessness.

おもに² 重荷 (精神的な負担) burden Ⓒ, load Ⓒ
[語法] 前者は格式ばった語で主に比喩的に. 後者は実際の荷物の意味にも使われる. 《☞ ふたん》.
¶ 彼は借金の*重荷を背負っていた He had a heavy ˹*burden* of debt(s) [debt *burden*]. / He was ˹*deep* [*deeply*] in debt. ∥ 彼女がこのごろ*重荷になってきた She has become a *burden* to me. ∥ これで心の*重荷がとれた That now takes a *load* off my mind. / (⇒ ほっとした) Now I feel relieved. ∥ 相当な*重荷 a considerable *burden* ∥ ひどい*重荷 a ˹terrible [tremendous] *burden*
【参考語】━━動 (重荷を負わせる) burden ㊀, load ㊀.
重荷を下ろす (自分の) be relieved of a burden.

―コロケーション―
(心の)重荷に堪える bear [endure] the *burden* (of …) / 重荷を降ろす lay down [unload] a *burden* / (…に)重荷を負わせる place [put; impose] a ˹*burden* [*load*] on … / 重荷を背負う shoulder [assume; take on] a *burden* / 重荷を背負っている have a *burden* on *one's* ˹back [shoulders] / 重荷(重い荷物)を担う carry [bear] a heavy *load* / …の重荷を降ろしてやる take [remove; ease; reduce; relieve] the *burden* from … ∥ 大きな重荷 an ˹enormous [immense] *burden* / 経済的な重荷 a financial *burden* / 精神的な重荷 a psychological *burden* / 税の重荷 a tax *burden* / 堪えがたい重荷 an ˹unbearable [intolerable] *burden*

おもねる flatter ㊀ 《☞ へつらう》.

おもはゆい 面映ゆい ━━形 (当惑してばつが悪い) embarrassed 《☞ てれくさい; きまずい》.

おもみ 重み (重量) weight Ⓤ; (威厳) dignity Ⓤ; (重要さ) importance Ⓤ. ¶ *重みのある人 a man of *dignity* ∥ 実の*重みで枝が垂れ下がっていた (⇒ 実が重みで枝を押し下げていた) The fruit *weighed down* the branches. ∥ おじの体の*重みで椅子がつぶれた The chair collapsed under my uncle's *weight*.

おもむき 趣 **1** 《風情(ふぜい)・味わい》: (人の気持ちを引きつけて楽しくさせる点) attractive point Ⓒ, attraction Ⓒ; (魅力) charm Ⓤ ★ しばしば a ～ として. 《☞ あじわい; ふぜい¹》. ¶ 何の*趣もない公園だ (⇒ その公園は人を引きつける特徴がない) The park has no ˹*attractive features* [*attractions*; *character*]. ∥ 冬枯れの景色にもまた*趣がある (⇒ それなりの魅力がある) A desolate winter scene has *a charm* of its own.
2 《様子・有様》 ¶ 彼の近作はいままでのものとは*趣を異にする (⇒ 幾分違っている) His latest novel *is* rather *different* from ˹his earlier ones [those he has written up to now].

おもむく 赴く (行く) go ㊁; (出発する) leave ㊁ ㊀. ¶ 彼は新しい任地に*赴いた (⇒ 出発した) He *left for* his new post. ∥ 彼は常に大勢の*赴くところに従う (⇒ 大勢に従う) He always follows the general trend. / (⇒ 流れと共に泳ぐ) He always swims with the ˹current [tide].

おもむろに 徐に (ゆっくりと) slowly; (静かに) quietly; (穏やかに) gently. ¶ 彼は*おもむろに立ち上がった He stood up *slowly*. ∥ 彼は*おもむろに口を開いた (⇒ 穏やかに話し始めた) He began to talk *gently*.

おもめ 重め ¶ この赤ん坊は体重が*重めだ This baby is ˹*rather heavy* [*a bit on the heavy side*].

おももち 面持ち (顔つき) look Ⓒ; (表情) 《格式》 cóuntenance. 《☞ かおつき》.

おもや 母屋 the main ˹house [wing].

おもやつれ 面やつれ ━━形 (面やつれした) haggard(-looking). ━━動 (面やつれする) grow thin in the face (from too much care).

おもゆ 重湯 thin rice gruel Ⓤ.

おもらし 御漏らし ━━動 (小便で着衣をぬらす) wet *one's* ˹pants [clothes]; (ベッドを) wet the bed; (用便のしくじりをする) have a toilet accident.

おもり¹ お守 ━━動 (世話をする) take care of …, look after …; (親が留守の間，雇われて赤ん坊や子供の面倒を見る) baby-sit ㊁ 《過去・過分 baby-sat》. ━━名 (子守をする人) baby-sitter Ⓒ ★ 単に sitter ともいう; (子守をすること) baby-sitting Ⓤ. 《☞ せわ; こもり》. ¶ 出かけている間赤ん坊の*お守をしてくれませんか (⇒ 面倒を見てくれませんか) Will you ˹*take care of* [*look after*] the baby while we're out? / Will you *baby-sit* for us while we're out?

おもり² 重り, 錘 ━━名 weight Ⓒ; (釣糸・網などの) sinker Ⓒ. ━━動 (重りをつける) weight ㊀. 《☞ つり¹ (挿絵)》.

おもわく 思惑 (見込み) èxpectátion Ⓤ ★ 具体的な場合はしばしば複数形で; (計算・打算) càlculátion Ⓤ ★ 具体的な場合はしばしば複数形で; (意図) intention Ⓤ; (投機) spèculátion Ⓤ. 《☞ みこみ; よそう¹》. ¶ 私の*思惑は外れた (⇒ 間違った) My *calculations* have gone wrong. / I *have miscalculated*. ∥ 何もかも私の*思惑どおり (⇒ 私が意図した[欲した]よう) に行った Everything has turned out (just) as I ˹*intended* [*wanted*]. ∥ 結果は私の*思惑どおりにはならなかった The results did not ˹come up to [meet] my *expectation(s)*. ∥ 彼は*思惑で土地をうんと買い込んだ He has bought a lot of land *on speculation*. 思惑売り〘株〙speculative selling Ⓤ 思惑買い〘株〙 speculative buying Ⓤ 思惑違い (誤算) miscalculation Ⓒ; (誤解) misunderstanding Ⓒ. ★ 両者とも個々の例として.

おもわしい 思わしい (望ましい) desirable; (満足のいく) satisfactory. ¶ 結果は*思わしくなかった (⇒ 期待はずれだった) The results did not ⌈*come up to* [*meet*] *my expectation*(*s*). / (⇒ 不満足だった) The results were ⌈*unsatisfactory* [(⇒ がっかりさせるような) *disappointing*]. // 患者の容体は*思わしくない (⇒ かなり悪い) The patient's condition is *rather serious*. / (⇒ 患者は重い状態にある) The patient is *in serious condition*.

おもわず 思わず (われ知らず・心ならずも) in spite of [despite] *oneself*; (意志に反して) against *one's* will; (何気なしについ) involuntarily /ìnvɑ̀ləntérəli/, unintentionally; (無意識に) unconsciously. 《☞ つい¹》. ¶ 私は*思わず吹き出した I burst out laughing ⌈*in spite of myself* [*against my will*]. // 私は*思わず (⇒ つい) うそをついてしまった I ⌈*involuntarily* [*unintentionally*] told a lie.

おもわずしらず 思わず知らず ¶ *思わず知らずそこに長居をした (⇒ 気がつかないで) I stayed there much too long *without noticing it*.

おもわすれ 面忘れ ―［動］forget what *a person* looks like.

おもわせぶり 思わせ振り ―［形］(暗示するような) suggestive; (あだっぽい) coquéttish. ¶ その女は*思わせぶりな目つきで私を見た She ⌈gave [threw] me a *suggestive* ⌈glance [look]. 《☞ いろめ》

おもわせる 思わせる (想起させる) remind ... of ...; (暗示・連想させる) suggest ㊥, be suggestive of ...; (信じさせる) make ... ⌈believe [think]. 《☞ おもう; おもいこむ》. ¶ この絵は故郷を*思わせる This picture *reminds* me *of* my hometown.

おもわぬ 思わぬ ―［形］(思いがけない) unexpected; (予期しない) unlooked-for ★ 後者は格式ばった語で, Ⓐ で用いられることが多い. 《☞ おもいがけない; いがい¹; よき》. ¶ 私は批評家から*思わぬ賛辞を得た I ⌈earned [received] *unlooked-for* praise from the critics.

おもわれる 思われる (…と見える) seem ㊀, look ㊀, appear ㊀; (…と考えられる) be considered (as) ..., be regarded as ... 《☞ おもう; みえる; -らしい》. ¶ この本は役に立ちそうに*思われる This book *seems* (to be) useful. // この候補者が最有力と*思われている This candidate *is* ⌈*considered* (*as*) [*regarded as*] (the) strongest.

おもんじる 重んじる (尊敬する・尊重する) respect ㊥, pay respect to ..., esteem ㊥ ★ 最初の 2 つが一般的; (重要視する) make [think] much of ... ★ think much of は通例否定文で用いる; (…を高く評価する) hold ... in high esteem ★ 格式ばった表現; (評価する) value ㊥. 《☞ そんちょう¹》.
¶ 人のプライバシーは*重んじなければいけない We should *respect* other people's privacy. // 彼は同僚にたいへん*重んじられている He *is* highly ⌈*esteemed* [*respected*] by his colleagues. / He *is held in high esteem* among his colleagues. // 私は何よりも名誉を*重んじる I *value* honor more than anything else.

おもんぱかり 慮り (考慮) consideration Ⓤ; (分別) prudence Ⓤ. 《☞ しりょ》.

おもんぱかる 慮る (考慮する) give consideration to ...; (思いやる) be thoughtful about ... 《☞ こうりょ; おもいやり》.

おや¹ 親 ―［名］(両親) parents ★ 複数形で; (父・母のどちらか一方) parent Ⓒ; (トランプの) dealer Ⓒ.
―［形］(親 (として) の・親らしい) parental Ⓐ. 《☞ ふぼ; 親族関係 (囲み)》. ¶ 私の*親は田舎で農業をしている My *parents* ⌈farm [are farmers] in the country. // *親がかり ☞ おやがかり // *親思い ☞ おやおもい // 生みの*親 ☞ うみ³ // 育ての*親 ☞ そだてのおや // この*親にしてこの子あり Like ⌈*father* [*mother*](,) like ⌈son [daughter]. 《ことわざ》 // *親に愛される be loved by *one's parents* // *親を失う lose ⌈a *parent* [*one's parents*] // *親のない子 a child with no *parents* / an orphan // *親を敬う respect *one's parents* // *親を親とも思わない (⇒ 親を侮る) defy one's *parents* **親思う心にまさる親心** Parental love is greater than the love of a child for its parents. **親が死んでも食休み** (⇒ どんなに忙しくてもゆっくり食事の時間を取りなさい) Allow plenty of time for your meals however busy you are. **親の心子知らず** (⇒ 子は親がどんなに深く自分達を愛しているか知らない) Children usually do not realize how deeply their *parents* love them. **親の脛(すね)をかじる** (親に頼る) be dependent on *one's* parents; (親のお金で暮らす) sponge on *one's* parents. 《☞ すね》. **親の光は七光** (⇒ 有名な親を持つことは大助かり) It's a great help to have a famous parent. 《☞ ななひかり》 **親の欲目** ¶ *親の欲目かも知れないが (⇒ 親心で分別を失っているかもしれないが) うちの娘は頭がいい I may *be blinded by parental love*, but to me my daughter seems very bright. 《☞ よくめ》 **親はなくとも子は育つ** Nature is a good mother. 《ことわざ》

コロケーション

親に逆らう disobey *one's parents* / **親に従う** obey *one's parents* / **親の世話をする** take care of *one's parents* / **親を失望させる** disappoint *one's parents* / **親をないがしろにする** slight *one's parents* / **親を養う** support *one's parents* / **親を喜ばせる** delight *one's parents* // **愛情の深い親** loving *parents* / **甘い親** indulgent [permissive] *parents* / **口やかましい親** scolding *parents* / **厳格な親** strict [severe] *parents* / **子供を虐待する親** an abusive *parent* / **子煩悩な親** doting *parents* / **無責任な親** irresponsible *parents* / **理解のある親** an understanding *parent*

おや² ―［感］(驚き・不審・哀れみなど) Oh! ★ 最も一般的な語; (あらまあ) Oh dear!, Dear me!, Good heavens!, Good gracious! ★ 以上 4 つは女性がよく使う; (おやおや) Oh, God! ★ 信仰の厚い人にはこれは好まれず, Gosh! が代用されることが多い; My!, Well! ★ 次に続く発言につなぐ表現. 《☞ あっ》.
¶ *おや, ご存知なかったんですか *Oh dear*! You didn't know that? // *おや, 何か焦げてるにおいがするわ *Good heavens*! I can smell something burning. // *おや, また何かいたずらをしているね *My*! You're up to some mischief again! // *おやおや君の仕事もたいへんだね *Well, well*, your job isn't easy, is it! // *おやおや, どうしてセーターにこんな穴があいたのかしら *Oh, God* ! How did I get this hole in my sweater?

おやいも 親芋 mother ⌈corm [tuber] of a taro Ⓒ.

おやおもい 親思い love for *one's* parents Ⓤ; 《文》 filial affection Ⓤ. ¶ 彼は*親思いだ He ⌈has [feels; shows] *love for his parents*. / He *is devoted to his parents*.

おやがいしゃ 親会社 parent company Ⓒ.
¶ 彼は*親会社から関連会社へ出向させられた He was transferred to an affiliated firm from his *parent company*.

おやがかり 親掛かり ¶ 彼は*親掛かりだ (⇒ 親のすねをかじっている) He *is dependent on* his *parents*. / He *lives off* his *parents*. / (⇒ 親がすべての費用を

払っている) His *parents pay all* his *expenses*.

おやかぎ 親鍵 master key Ⓒ.

おやかた 親方 (統率する人)《略式》 boss Ⓒ 日英比較 この語は女性にも用い, 日本語の「ボス」のような悪いニュアンスはない; (上に立つ者) chief Ⓒ; (職人の) master Ⓒ; (相撲の) stable master Ⓒ. (☞ おやぶん). ¶ 大工の*親方 a *master* carpenter **親方日の丸** the "*government-will-foot-the-bill*" attitude 語法 「どうせ政府が勘定をもってくれるだろうという態度」という意味. foot the bill はくだけた表現で,「勘定を受けもつ·責任を引き受ける」の意.

おやかぶ 親株 1 «植»: parent ˹root [plant] Ⓒ. 2 «株»: old ˹stock [share] Ⓒ.

おやがわり 親代わり ━名 (育ての親) foster ˹parent [mother; father] Ⓒ. ━動 foster ⊕. ¶ 母親が重い病気の間ポリーおばさんが少年たちの*親代わりをした Aunt Polly *fostered* the boys while their mother was seriously ill.

おやきょうだい 親兄弟 *one's* parents and brothers and sisters (☞ 親族関係 (囲み)).

おやぎんこう 親銀行 parent bank Ⓒ.

おやくごめん 御役御免 ¶ *御役御免になる (⇒ 解雇される) *be* ˹*dismissed* [(⇒ 解放される) *excused*] *from one's post* // この役立たずの洗濯機は*御役御免だ (⇒ 捨てるしかない) This useless washing machine *can only be thrown away*.

おやくしょしごと 御役所仕事 ☞ やくしょ[1]

おやこ 親子 father [mother] and ˹son [daughter] ★ 性別に従って使い分ける. これが一般的; parent and child 語法 少し格式ばっていて, 一般的ではない. 前者·後者ともあまり複数形としては使わない. (☞ おや[1]). ¶ あの 2 人は*親子です They are ˹*father* [*mother*] *and* ˹*son* [*daughter*]. // *親子のきずな the ties between *parents and children* // *親子の情愛 the ˹affection [love] between ˹*mother* [*father*] *and* ˹*son* [*daughter*] // 息子とは*親子の縁を切った (⇒ 息子を勘当した) I *have disowned* my son. // 彼女は*親子ほど年が違う男と結婚した (⇒ 父親といってもいいほどの年の男と結婚した) She married a man who was *old enough to be her father*. **親子関係** parent-child relationship Ⓤ **親子鑑別[定]** ━名 parentage ˹test [diagnosis] Ⓒ. ━動 (血のつながりを判断する) judge a parent-child blood relationship **親子電話** (共同加入電話) party line Ⓒ; (子機つきの電話) phone with additional cordless handsets Ⓒ **親子丼** bowl of rice topped with cooked chicken and eggs Ⓒ ★ 説明的な訳.

おやこうこう 親孝行 ¶ *親孝行をしなさい (⇒ 親に優しくしなさい) Be ˹*good* [*kind*] *to* your *parents*. // あの子は*親孝行な子だ (⇒ よい息子[娘]だ) He is *a good son* [She is *a good daughter*]. (☞ こうこう[2] 日英比較)

おやごころ 親心 parental love Ⓤ.

おやごろし 親殺し the murder of *one's* own ˹parent [father; mother]; 〚法〛 párricìde Ⓤ; (父殺し) pátricìde Ⓤ; (母殺し) mátricìde Ⓤ.

おやじ 親父 (父親) father Ⓒ, 《略式》 dad Ⓒ (☞ おとうさん 語法); (中高年の男性) middle-aged man Ⓒ; (店主) storekeeper Ⓒ, 《英》 shopkeeper; (経営者) proprietor Ⓒ; (上司) superior Ⓒ, 《略式》 boss Ⓒ; (年長者) senior Ⓒ, elder Ⓒ, 《略式》 old man Ⓒ. ¶ 酒屋の*おやじ a ˹*storekeeper* [*proprietor*] of a liquor store **親父狩り** (中年男性を襲うこと) attacking a middle-aged man Ⓤ; (襲って金を奪うこと) preying on a middle-aged man Ⓤ **親父ギャグ** (使い古した冗談) worn-out joke Ⓒ.

おやしお 親潮 (千島海流) the ˹Kurile [Okhotsk] Current.

おやしらず 親知らず (歯) wisdom tooth Ⓒ《複 teeth》(☞ は[1] (挿絵)).

おやすみ(なさい) お休み(なさい) Good night!; Sweet dreams!

おやだま 親玉 ☞ おやぶん

おやつ お八つ (食事と食事の間にとる軽い食物) (afternoon) snack Ⓒ; (午後の軽い食事) 《英》 (afternoon) tea Ⓤ. (☞ けいしょく; スナック).

おやといがいこくじん 御雇外国人 (明治時代の) fóreign emplòyée (of the Méiji period) Ⓒ; foreigner employed by the Japanese government Ⓒ.

おやどけい 親時計 master clock Ⓒ.

おやどり 親鳥 parent bird Ⓒ.

おやばか 親馬鹿 (甘い親) fond ˹father [mother] Ⓒ; (溺愛する親) indulgent [doting] parents ★ 複数形で.

おやばなれ 親離れ ━動 (自立する) be [become] independent of *one's* parents; (自活を始める) start to support *oneself*.

おやふこう 親不孝 ¶ *親不孝な息子[娘] a *bad* ˹*son* [*daughter*] (☞ ふこう[2]).

おやぶね 親船 mother ship Ⓒ. **親船に乗る** ☞ おおぶね

おやぶん 親分 (統率する人)《略式》 boss Ⓒ (☞ おやかた 日英比較); (上に立つ者) chief Ⓒ; (指導者) leader Ⓒ. ¶ *親分風を吹かせるな Don't be so *bossy*. / Don't *boss me around*. / (⇒ 大物ぶるな) Don't *play the big man*.

おやま 女形 *oyama* Ⓒ; (女の役を演じる人) female impersonator Ⓒ; (説明的には) kabuki actor who plays ˹female [women's] parts Ⓒ.

おやまさり 親勝り ¶ *親勝りの子供 a child who *surpasses* ˹*his* [*her*] *parents*

おやまのたいしょう 御山の大将 (大物) the cock of the walk; (がき大将) boss [leader] of the kids in the neighborhood Ⓒ; 《米》 king of the mountain Ⓒ. (☞ い[5] (井の中の蛙))

おやみ 小止み ¶ 雨は*小止みなく降った It rained *without* ˹*ceasing* [*letup*]. (☞ こやみ)

おやみだし 親見出し main entry Ⓒ.

おやもと 親元, 親許 (両親) *one's* parents; (家庭) *one's* home. ¶ *親元を離れ独立する leave one's *home* and become independent

おやゆずり 親譲り ¶ 彼の頭脳は*親譲りだ He *inherited* his brains *from his* ˹*father* [*mother*]. / (⇒ 彼が頭がいいのは) His intelligence *comes from his* ˹*father* [*mother*].

おやゆび 親指 (手の) thumb /θʌ́m/ Ⓒ; (足の) big toe Ⓒ 日英比較 日本語では親指も指の一つだが, 英語の thumb は普通は finger とは言わない. ただし We have ten *fingers*. のような言い方をする場合もあるが, We have eight fingers and two thumbs. と言うべきだという人もいる. (☞ ゆび; て (挿絵); あし[1] (挿絵)).

およがす 泳がす (放しておく) leave ... at large (☞ およぐ).

およぎ 泳ぎ (泳ぐこと) swimming Ⓤ; (ひと泳ぎ) a swim, 《英》 a bathe ★ いずれも通例 a を付けて. (☞ すいえい). ¶ ひと*泳ぎするか Let's ˹*have* [*take*] *a* ˹*swim* [*bathe*]. // 川へ*泳ぎに行こう Let's *go for a* ˹*swim* [*bathe*] in the river. / Let's *go swimming* in the river. // 彼は*泳ぎがうまい[下手だ] He is ˹good [bad] at *swimming*. / (⇒ 上手な[下手な]泳ぎ手だ) He is a ˹good [poor; bad] *swimmer*. // *泳ぎ方を教えてあげよう I'll teach you (how) to *swim*.

およぎまわる 泳ぎ回る 1 «泳ぐ»: swim around ⊜; (あちこちに) swim here and there; (⇒

行きつ戻りつ) swim ⌈up and down [back and forth]. **2** «比喩的に»: (世間を渡り歩く) make *one's* way in the world.

およぐ 泳ぐ **1** «水泳する»: swim 自 《過去 swam; 過分 swum》 (☞ すいえい). ¶「あなたは*泳げますか」「はい, 少しは」"Can you *swim*?" "Yes, a little." // 川を*泳いで渡った I *swam across* the river. // 私は全然*泳げない I can't *swim* ⌈at all [a stroke]. / (⇒ 石のように沈む) I sink like a stone.
2 «比喩的»: (世の中を) get along 自. ¶ 彼は政界を巧みに*泳いでいる He *is getting along* well in the political world. // 犯人を逮捕しないで (⇒ する前に)しばらく*泳がせておいた We *left* the culprit *at large* for some time before arresting him. ★ at large は「捕らえられないで」の意.

およそ 凡そ **1** «大体»: about, appróximately ★ 前者が一般的で, 後者のほうが格式ばった語; (数詞の前に付けて) some, 《略式》 around. (☞ おおよそ; ほぼ 語法; やく³ (類義語)).
2 «まったく»: quite, entirely, àltogéther ★ 三者の中で quite が最も口語的. (☞ まったく; ぜんぜん). ¶ そんなことをするなんて*およそ意味がない It is *quite* meaningless to do it. // *およそ役に立たない代物だ (⇒ それはまったく役に立たない) It's *entirely* useless.

およばずながら 及ばずながら ¶*及ばずながらお力になりましょう (⇒ できるだけのことをしましょう) I'll do *what little I can* to help you. / (⇒ 力の限り) I'll help you *to the best of my ability*.

およばない 及ばない ¶ 来るには*及びません (⇒ 来る必要はない) You *don't* ⌈*have* [*need*] *to* come. / You *needn't* come. / It is*n't necessary* for you to come. // 急ぐには*及ばない There is *no* hurry. / There is *no need* for you to hurry. (☞ ひつよう) // 彼の技量はとても先代には*及ばない His ⌈skill [technique] *is* ⌈*not equal to* [*no match for*] his ⌈father's [predecessor's]. / He *is not* ⌈*so* [*as*] *skillful as* his ⌈father [predecessor]. // 考えも*及ばない事 an *unimaginable* thing

およばれ 御呼ばれ (招待されること) invitation Ⓤ; (ご馳走の) dinner [lunch] invitation Ⓤ. 日英比較 「お呼ばれ」は「招待される」ことであるが, invitation には「招待する」,「招待される」両方の意味がある. (☞ しょうたい¹).

および 及び ― 接 (…と) and …; (…も) and … as well. (☞ -と 語法 (1)). ¶ 家庭*および学校での生活 home *and* school life // A, B, *および C も候補者として受け入れられた A, B, *and* C *as well* have been accepted as candidates.

およびがたい 及び難い ☞ およびもつかない

およびごし 及び腰 ¶*及び腰で (⇒ 前かがみで半ば立ち上がりながら)鍋を取ろうとしてやけどをした I *bent forward, half rising*, to reach for a pot and burned myself. // 彼はいつも*及び腰だ (⇒ 決断力に乏しい) He is always ⌈*indecisive* [*irresolute*].

およびたて お呼び立て ☞ よびたてる

およびもつかない 及びもつかない ¶ 誰も彼女の語学の才能には*及びもつかない (⇒ 競争できない) *No* one can *match* her [(⇒ 比較できない) *No* one can *be compared with* her] when it comes to a talent for language(s). (☞ かなう¹)

およぶ 及ぶ (達する) reach 自 他; (広がる) spread 自 《過去・過分 spread》; (続く) last 自; (範囲が) extend 自; (総計が…になる) amount (to …) 自. (☞ わたる²). ¶ 彼の勢力は全県に*及んでいる (⇒ 影響力は全県に達している) His ⌈influence [power] ⌈*reaches* [*extends*] throughout the prefecture. // 大気汚染はすでに田舎にまで*及んでいる (⇒ 広がっている) Air pollution *is* already *spreading into* the countryside. // 彼の演説は 5 時間に*及んだ (⇒ 続いた) His speech *lasted* five hours. // そのようなことは私の力の*及ぶところではない (⇒ 私の力を超えている) Such things are *beyond* my power.

およぼす 及ぼす (影響・感化などを) exercise 他, exért 他; (害を) do 他. ¶ 彼は彼女に多大の影響を*及ぼした He *influenced* her a great deal. / He ⌈*exercised* [*exerted*] a great influence ⌈on [over] her. 語法 第 2 文は積極的に影響力を行使した意となる. / (⇒ 彼は彼女に多大の影響を及ぼした人だ) He was a great *influence* on her. ★ 最後の文が最も普通. // こういう本は青少年に大きな害を*及ぼすだろう <S (物) + V (*do*) + O (名) + *to* + 名(人)> Books like these [This kind of book] will *do* a lot of harm *to* young people.

オラクル (神託) oracle Ⓒ.

オラショ (日本の昔のキリシタンの祈り) prayer Ⓒ ★「オラショ」はポルトガル語から.

オラトリオ 〔楽〕(聖譚(せいたん)曲) oratorio /ɔ̀ːrətɔ́ːriòʊ/ Ⓒ.

オランウータン 〔動〕 orangutan(g) /ərǽŋutæ̀ŋ/ Ⓒ.

オランダ ― 名 固 (公称) (the Kingdom of) the Netherlands /néðələndz/; (俗称) Holland. ― 形 (オランダの) Dutch. **オランダ語** Dutch Ⓤ **オランダ人** (男性) Dutchman Ⓒ 《複 -men》; (女性) Dutchwoman Ⓒ 《複 -women》; (総称) the Dutch **オランダ通詞** official Dutch interpreter (in Dejima, Nagasaki, under the Tokugawa shogunate) Ⓒ.

オランダいちご オランダ苺 〔植〕(野苺などに対して普通の食用苺) strawberry Ⓒ.

おり¹ 折 (時) time Ⓤ; (機会) occasion Ⓒ; (偶然の機会) chance Ⓒ; (よい機会) opportunity Ⓒ. (☞ きかい³ (類義語); せつ²). ¶ 彼に会う*折はあまりなかった I have not had many ⌈*opportunities* [*chances*] to see him. // そのうち*折を見て (⇒ 都合のよい時に) 彼を訪ねてみましょう I'll go and see him *at some convenient time*. **折にふれて** ¶ 私たちは*折にふれては (⇒ 時たま) 行き来しています We visit each other ⌈*on occasion* [*from time to time*]. / We *occasionally* visit each other.
折も折 (ちょうどその時) at the very moment. ¶*折も折, 私は出かけようとしていた *At that very moment*, I was going out. **折よく** ☞ おりよく

おり² 檻 (獣の) cage Ⓒ; (家畜の) pen Ⓒ; (小動物の) hutch Ⓒ; (動物園などで鳥を入れる大きな) áviàry Ⓒ.

cage

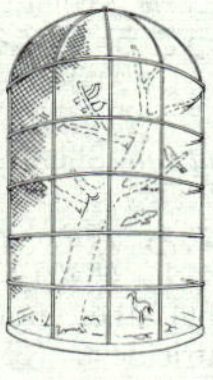

aviary

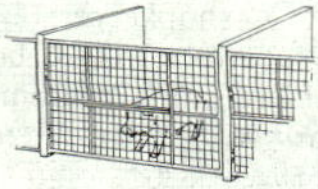

pen

hutch

おり³ 織り (織り具合) weave Ⓒ, texture Ⓤ ★ 後者のほうが格式ばった語; (織物) fabric Ⓒ.

¶有名な博多*織りの帯 a sash from the famous Hakata *looms* ★ loom は「はた織り機」の意. // *織りの粗い[詰んだ]布 cloth of a「coarse [close]「*weave* [*texture*]

おり⁴ 澱 the dregs ★ the を付けて複数形で.

おりあい 折り合い (協定) agreement Ⓒ; (了解) an understanding ★ 単数形で; (妥協) compromise Ⓒ. ¶彼らは*折り合いがついた (⇒ 協定に達した) They have「reached [come to] (an) *agreement*. // 私の妻と母は*折り合いが悪い (⇒ 仲よくやっていけない) My wife and my mother don't *get*「*on* [*along*] well. / My wife doesn't *get*「*on* [*along*] well with my mother.

おりあう 折り合う (仲よくやっていく) get「on [along] ㊐; (妥協する) cómpromise (with ...) ㊐; (協定に達する) reach [come to] (an) agreement; (話がつく) come to terms (with ...); (同意する・一致する) agree (with ...) ㊐. (☞ あゆみよる).
¶あの二人は決して*折り合わないだろう They will never *get*「*on* [*along*] (well). / (⇒ 一致し[合意に達し]ないだろう) They will never「*agree* [*reach an agreement*]. // そんな条件で彼らと*折り合う (⇒ 妥協する) ことはできない I cannot *compromise with* them under such conditions.

おりあしく 折悪しく (運悪く) ùnfórtunately, unluckily. (☞ あいにく).

オリー (男性名) Óllie ★ Óliver の愛称.

おりいって 折り入って ¶*折り入ってお話したいことがあります (⇒ 特別にお願いしたいことがある) I have *a special favor* to ask (of) you.

オリーブ¹ ― 名 (木・実) olive /ɑ́lɪv/ Ⓒ; (色) olive (green) Ⓤ. ― 形 (オリーブ(色)の) olive. オリーブ油 olive oil Ⓤ.

オリーブ² (女性名) Olive /ɑ́lɪv/.

おりえり 折り襟 (シャツの) turned-down collar Ⓒ; (背広の) lapel Ⓒ.

オリエンタル ― 形 (東洋の) Oriental, oriental /ɔ̀:riéntl/.

オリエンテーション (新しい環境への適応のための指導) orientation Ⓤ (☞ ガイダンス).

オリエンテーリング 〘スポ〙 orienteering /ɔ̀:riəntí(ə)rɪŋ/ Ⓤ.

オリエント ― 名 (東洋) the Órient. ― 形 Òriéntal. (☞ とうよう¹). オリエント学 (古代オリエントを研究する分野) Oriental studies ★ 複数形で.

おりおり 折折 (時々) occasionally, sometimes, (every) now and then ★ 後者ほど口語的. ¶四季*折々の花 flowers of *the season*

オリオン (星座) Orion /əráɪən/ (☞ せいざ¹ (表)). オリオン大星雲 the Orion Nebula.

おりかえし 折り返し (ズボンの) 《米》 cuff Ⓒ, 《英》 turnup Ⓒ; (水泳の) turn Ⓒ; (歌の) refrain Ⓒ.
¶*折り返しご返事下さい Please answer *by*「*mail* [《英》*post*]. 参考 R.S.V.P. と書くこともある. フランス語 Répondez s'il vous plaît. の略で,「ご返事下さい」の意. (☞ しょうたい¹ (招待状)) // *折り返しお電話致します I'll *call* you *back*. 折り返し運転 shuttle service Ⓤ 折り返し(地)点 the turn, the turning point 折り返し列車 shuttle train Ⓒ.

おりかえす 折り返す (向きを変えて戻る) turn around ㊐; (来た道と同じ道を戻る) double back (on ...) ㊐; (折り曲げる) turn「back [down] ㊀, fold (back) ㊀. (☞ ひきかえす; おりまげる).

おりかさなる 折り重なる ― 副 (次々に重なって) one on top of the other; (山になって) in a heap. (☞ かさなる; つみかさなる).
¶ガスに中毒した人は次々に*折り重なって倒れた People poisoned by the gas fell down *one on top of the other*.

おりかさねる 折り重ねる fold ㊀; (折って積む) fold and pile up ㊀. ¶彼は一月分の新聞紙を*折り重ねて物置に入れた He *folded* a month's newspapers *and piled* them *up* in the storeroom.

おりがみ 折り紙 (用紙) colored paper used for making shapes by folding Ⓤ ★ 説明的な訳; (手芸としての技術) *origami* Ⓤ, (説明的には) the art of folding paper into various shapes. 折り紙つき ― 形 (認められた) acknówledged; (保証された) gùarantéed.

おりから 折から ¶*折からの雪 (⇒ ちょうど降り始めた雪) the snow that has *just* begun to fall // *折から (⇒ たまたま) 通りかかった人 the man that *just happened to* be passing by

おりぐち 下り口, 降り口 (下りの通路) the way down; (階段の) the top (of a flight of stairs); (乗り物の出口) exit Ⓒ.

オリゴとう オリゴ糖 〘生化〙 oligosaccharide /ɑ̀lɪgousǽkəràɪd/ Ⓤ.

おりこみ 折り込み (雑誌などの) fóldòut Ⓒ; (新聞などに入れた広告) insertion Ⓒ, ínsert Ⓒ.

おりこむ¹ 折り込む (布の端などを) túck ín ㊀; (挿入する) insért ㊀ ★ やや改まった語.

おりこむ² 織り込む weave ... into ...; (合同させる) incórporàte ...「in [into] ... (☞ くみいれる).
¶その小説には彼の体験が*織り込まれている (⇒ 彼は自分の体験をその小説に織り込んだ) He *wove* his experiences *into* the novel. / His experiences are *woven into* the novel. // 最近の物価の上昇は景気の先行きを*織り込んだものである (⇒ 好景気を予期して最近物価が上昇している) Prices have risen recently「*in anticipation of* [*anticipating*] good business prospects. / (⇒ よい景気の見通しが物価上昇を引き起こした) Good business prospects *have*「*led to* [*brought about*] the recent rise in prices.

オリジナリティー (創造力[性]) originality Ⓤ.
¶...に*オリジナリティーを発揮する show [display] *originality* in ... // *オリジナリティー豊かな作家 a writer (who is) rich in「*originality* [*creativity*] / an *original* [a *creative*] writer

オリジナル ― 名 (原物・原型) original Ⓒ. ― 形 (独創的な) original. (☞ どくそう¹).

おりしも 折しも ☞ おりから

オリジン (起源) origin Ⓒ.

おりたたみ 折り畳み ― 形 (折り畳み式の) folding Ⓐ, collápsible; (引き伸ばし式の) telescopic.
¶*折り畳みのいす a *folding* chair // *折り畳み傘 a「*folding* [*collapsible*] umbrella

おりたたむ 折り畳む fold (up) ㊀ (☞ おる¹; たたむ). ¶彼は地図を*折り畳んだ He *folded up* the map. // 彼女はその紙を小さく*折り畳んだ She *folded* the paper small. // 彼はその手紙を 2 つに*折り畳んだ He *folded* the letter *in* two.

おりたつ 降り立つ ¶(列車から)ホームに*降り立つ *get off* onto the platform

オリックス 〘動〙 óryx Ⓒ ★ 単複同形.

おりづめ 折詰 food [lunch] packed in a thin wooden box ★ food は Ⓤ, lunch は Ⓒ; (箱に詰めた弁当) box lunch Ⓒ.

おりづる 折鶴 folded-paper crane Ⓒ (☞ おる¹ 用例).

おりづるらん 折鶴蘭 〘植〙 spider [ribbon] plant Ⓒ.

おりど 折り戸 folding door Ⓒ.

おりなす 織り成す weave ... into a「design [pattern].

オリバー (男性名) Óliver ★ 愛称は Óllie.

オリビア (女性名) Olívia.

おりひめ 織り姫 (織女星) Vega; (機織りの女子工員) weaver Ⓒ.

おりまげる 折り曲げる (棒などを) bend ㊀; (紙などを折り返す) fóld (báck) ㊀, tùrn ⌈bàck [dówn] ㊀; (笑い・苦痛などで体を) dóuble úp ㊁ ㊀. (☞ おる[1]; まげる). ¶その書類は*折り曲げてはいけない Don't *fold* the papers. // 60 ページのすみが*折り曲げられていた The corner of page 60 *was turned* ⌈*back* [*down*]. // 彼は体を*折り曲げるようにして (⇒自分自身を 2 つに折り曲げて) その穴に隠れた He ⌈*bent* (*himself*) *double* [*doubled* (*himself*) *up*] to hide in the hole.

おりまぜる 織り交ぜる interwéave ㊀.

おりめ[1] 折り目 fold Ⓒ; (ズボンの) crease Ⓒ. ¶きちんと*折り目のついたズボン *sharply-creased* [*neatly-pressed*] trousers **折り目正しい** ― 形 (礼儀正しい) good-mannered Ⓐ, well-behaved Ⓐ.

おりめ[2] 織り目 weave Ⓒ (☞ め[1]).

おりもの[1] 織物 (textile) fabric Ⓒ, textiles /tékstaɪlz/ ★後者は通例複数形で; (繊維製品) textile [woven] goods ★複数形で; (布) (woven) cloth Ⓤ. ¶*織物工場 a *textile* factory // *織物産業 the *textile* industry // *織物業者 a *textile* manufacturer // 毛 [絹, 綿] *織物 woolen [silk; cotton] *fabrics*

おりもの[2] 下り物 (月経) the menses /ménsiːz/; (子宮分泌物) vaginal /vǽdʒənl/ discharge Ⓒ.

おりよく 折好く (都合のよいことに) fortunately, luckily; (ちょうどよい時に・きわどい時に) in the nick of time. (☞ うん[1]).

おりる 降りる, 下りる **1**《乗り物から》: get off ㊁, get off ..., get down from ...; get out of ...; step off ㊁, step off ...; alight from ...

【類義語】列車・バスなどから降りるのは **get off** (「乗る」は get on) と言い, 自動車・タクシーなどから降りるのは **get out of** ... (「乗る」は get ⌈in [into] ...) と言うのが普通. **get down from** ... は乗り物だけでなく木などから下りるのにも用いられるが, 列車などの場合は *get off* のほうが普通. また「降りる」ときの動作・方法によって, come, step, jump, climb などを適当に用いる. 列車・バス・馬などから降りる場合の非常に改まった表現では **alight from** ...を用いる.

¶私は次の駅で*降ります I'*m getting off* at the next station. // 彼は車から*降りて店のほうへ歩いて行った He *got out of* his car and walked up to the store. // あの停留所で学生の一団がバスを*降りた A group of students *got off* the bus at that stop. / (⇒バスが学生の一団を降ろした) The bus ⌈*unloaded* [*let off*] a group of students at that stop.

2《高い所から下りる》: go [come] down ㊁, get down ㊁; step down ㊁; descend ㊁.

【類義語】一般に **go** [**come**] **down**, **get down** を用いるが動作の方法によって, jump, step, move, climb などに down または downwards を付けて用いる. やや改まった表現では descend. (☞ くだる)

¶「*下りなさい」と彼は叫んだ "*Get down!*" he shouted. // 彼は木から*下りた He ⌈*came* [*climbed*] *down* (from) the tree. // 先生は教壇から*下りて生徒の間を歩き回った The teacher *stepped down* from the platform and walked about among the students. // 少年たちは山を登り反対側の谷へ*下りた The boys went up the mountain and (*went*) *down* into a valley on the other side. // 彼女は急いで階段を*下りた She *hurried down* the stairs.

3《認可などが下る》 ¶新薬販売の許可が*下りた (⇒許可が与えられた) Permission *was* ⌈*granted* [*given*] for sale of the new drug.

4《辞める》: resign /rɪzáɪn/ ㊀ ㊁, (《略式》 quit ㊀ ㊁ 《過去・過分 quit》). (☞ やめる[2]; じしょく).

オリンピア ― 名 固 (オリンピック発祥の地) Olympia.

オリンピアード Olýmpiàd Ⓒ ★(1) 古代ギリシャの紀年法の単位で, オリンピア競技祭から次の競技祭までの 4 年間. (2) 国際オリンピック大会.

オリンピック (国際オリンピック大会) the Olýmpic Gámes, the Olympics, the Olympiad /əlímpiæ̀d/ 語法 前の 2 つは複数扱い. 最後のものは格式ばった表現に用いられ, 単数扱い. ¶*オリンピックは 4 年ごとに開かれる *The Olympics* [*The Olympic Games*] are held every four years. // 第 26 回*オリンピックは 1996 年にアトランタで開催された *The* 26th *Olympiad* was held in Atlanta in 1996. // 彼は東京*オリンピックに出場した He took part in *the* Tokyo ⌈*Olympics* [*Olympic Games*]. // 彼は*オリンピック記録を出した He set a new *Olympic* record. // 彼女はシドニーの*オリンピックで金メダルをとった She won the gold medal at the Sydney ⌈*Olympics* [*Olympic Games*]. // 国際*オリンピック委員会 the International *Olympic* Committee 《略 IOC》 // 日本*オリンピック委員会 the Japanese *Olympic* Committee 《略 JOC》

オリンピック競技場 the Olýmpic Stadium /stéɪdiəm/ **オリンピック種目** Olympic event Ⓒ **オリンピック聖火** the Olympic torch **オリンピック選手** Olympian Ⓒ **オリンピック組織委員会** the Olympic Organizing Committee 《略 OOC》 **オリンピック冬季競技会** the Olympic Winter Games, the Winter Olympics **オリンピック(選手)村** (the) Olympic Village Ⓒ.

オリンポス ― 名 固 Mòunt Olýmpus ★ギリシャ北部の山.

おる[1] 折る (骨などを) break ㊀ 《過去 broke; 過分 broken》; (ぽきんと) snap ㊀; (草花を) pick ㊀; (折り畳む) fold ㊀; (すみなどを折り曲げる) tùrn ⌈báck [dówn] ㊀. (☞ おれる; おりまげる; おりたたむ).

¶彼は右足を*折った He *broke* his right leg. / <S (人)+V (*have*)+O (足)+C (過分)> He *had* his right leg *broken*. // 彼女は小枝をぽきんと*折った She *snapped* a twig. // 花を*折らないで下さい Don't *pick* the flowers. // 彼は新聞を 2 つに*折った He *folded* the newspaper *in* two. // 彼はページのすみを*折って目印にした He *turned* ⌈*down* [*back*] the corner of the page to mark his place. // 彼女は鶴を*折った (⇒鶴の形に紙を折った) She *folded* a piece of paper into the shape of a crane.

おる[2] 織る weave ㊀ 《過去 wove; 過分 woven》.

おる[3] 居る ☞ いる[1]

オルガズム orgasm Ⓒ. ¶*オルガズムに達する have [reach] an *orgasm*

オルガナイザー ☞ オーガナイザー

オルガニック ☞ オーガニック

オルガン (パイプオルガン) (pipe) organ Ⓒ; (足踏み式のリードオルガン) harmónium Ⓒ. **オルガン奏者** organist Ⓒ.

オルグ (労働組合などの) organizer Ⓒ.

オルゴール músic [(英) músical] bòx Ⓒ.

オルターナティブ (代案) altérnative Ⓒ.

オルドビスき オルドビス紀 〔地質〕 Ordovician /ɔ̀ədəvíʃən/ period Ⓒ.

オルフェウス ― 名 固 〔ギ神〕 Orpheus /ɔ́əfjuːs/.

オルレアン ― 名 固 Orleans /ɔ̀əleɪáːŋ/ ★フランス中北部の都市; 百年戦争時, ジャンヌダルク (Joan of Arc) が英軍の包囲から解放 (1429).

おれ 俺 ☞ わたし[1]

おれあう 折れ合う ☞ おりあう

おれい 御礼 ☞ れい[2] 3, 4

おれいまいり お礼参り ― 動 (神社へ...のお礼

に参拝する) go to a shrine to offer *one's* thanks for …; ((やくざが)…に仕返しにくる) (gangsters) come to take revenge on … (☞しかえし).

オレオレさぎ オレオレ詐欺 ☞ふりこめさぎ

おれくぎ 折れ釘 (折れた釘) broken nail Ⓒ; (かぎ状に曲がった釘) hooked nail Ⓒ; (ねじ折れ釘) screw hook Ⓒ.

オレゴン ―[名][固] (米国の州) Óregon (☞アメリカ(表)).

おれせんグラフ 折れ線グラフ (line) graph Ⓒ.

おれまがる 折れ曲がる break and bend [自]; (道などがくねくね曲がる) wind [自].

おれめ 折れ目 fold Ⓒ (☞おりめ[1]).

おれる 折れる **1**《物が》: break [自] (過去 broke; 過分 broken), be broken; (重さなどに屈する) give way [自]; (ぽきっと) snap [自]; (折り畳まれる) be folded. (☞おる[1]). ¶右足が*折れた (⇒右足を折った) I *broke* my right leg. / <S (人)+V (*have*)+O (足)+C (過分)> I *had* my right leg *broken*. // 彼の重みで枝が*折れた The branch ˹*broke* [*gave way*] under his weight. // 小枝はぽきっと*折れた The twig *snapped*. // このマットレスは3つに*折れるThis mattress can *be folded* ˹in [into] three.
2《人が屈服する》: gìve ˹ín [wáy] [自], yield [自] ★前者のほうが口語的. (☞くっする). ¶父親もとうとう*折れて彼の要求を呑んだ His father finally ˹*gave in* [*yielded*] to his demand(s).
3《角を曲がる》: turn [自]. ¶その病院なら次の角を右に*折れれば目の前ですよ *Turn* (to the) right at the next corner and the hospital will be just in front of you.

オレンジ ―[名] (実・木) orange /ɔ́ːrɪnʤ/ Ⓒ; (オレンジ色) orange Ⓤ. ―[形] (オレンジ(色)の) orange. ¶*オレンジは暖かい国でとれる *Oranges* ˹grow [are raised; are produced] in warm countries. **オレンジエード** orangeade /ɔ̀ːrɪnʤéɪd/ Ⓤ **オレンジジュース** órange jùice Ⓤ (☞ジュース[1] [日英比較]).

オレンジボウル 〖アメフト〗 the Órange Bòwl.

おろおろ ―[動] (心配する) worry [自]. ―[形] (いらいらした) nervous; (あわてた) flustered. (☞あわてる; うろたえる; 擬声・擬態語(囲み)). ¶*おろおろしなさんな Don't be *nervous*. / (⇒あまり心配するな) Don't *worry* too much. // 彼女は*おろおろしていた She was ˹*in a fluster* [*flustered*].

おろか 愚か ―[形] (ばかな) foolish, silly, stupid ★この順で意味が強い. (☞ばか).

-おろか (…は言うまでもなく) to say nothing of …, not to ˹speak of [mention] …, let alone … ★普通は否定文の後で. (☞いう(言うまでもない)). ¶車は*おろか自転車を買う余裕もない I can't afford a bicycle, ˹*to say nothing of* [*not to speak of*; *not to mention*; *let alone*] a car.

おろし 卸し whólesàle Ⓤ. ¶*卸して買えば安上がりだ You can save a lot if you buy them ˹*wholesale* [*at wholesale prices*]. ★最初の wholesale は[副], 後のは[形]. **卸売り** wholesale Ⓤ **卸売り業者** wholesaler Ⓒ, wholesale dealer Ⓒ **卸売り市場** wholesale market Ⓒ **卸売り店** wholesale store Ⓒ (☞とんや) **卸売り値** wholesale price Ⓒ **卸売り物価** wholesale prices ★複数形で. **卸売り物価指数** wholesale price index Ⓒ (略 WPI) **卸問屋** wholesale ˹merchant [dealer] Ⓒ (☞とんや).

おろしがね おろし金 grater Ⓒ ★日本のものとは形が異なる.

おろしだいこん 卸し大根 grated radish Ⓤ.

おろしたて 下ろし立て ☞しんちょう[3]

おろす[1] 降ろす, 下ろす **1**《乗り物から人を》: drop (off) [他]; (バスなどが) unload [他] [自], let óff [他]. ¶次の角で*降ろして下さい Please ˹*drop* me (*off*) [*let* me *off*] at the next corner. // バスが客を*降ろしているときは追い越してはいけない Don't pass a bus while it *is* ˹*unloading* [*letting off*] (passengers).
2《荷物を》: (積荷を) unload [他]; (船荷を) discharge [他]; (高い所から) tàke [brìng] dówn [他]. ¶トラックの運転手は大きな冷蔵庫を*下ろした The truck driver *unloaded* a large refrigerator. // 網棚のスーツケースを*下ろすのを手伝ってくれませんか Will you please help me *take* my suitcase *down* from the rack?
3《新品をはじめて使う》: use (a new thing), put (a new thing) to use, bréak (a new thing) ín. ★いずれも (a new thing) の部分におろす物を入れ替えて用いる. ¶彼女は新しい靴を*おろす (⇒はき始める) ことにした She decided to ˹*start wearing* [*break in*] her *new* shoes.
4《幕などを》: (引き下ろす) púll dówn [他]; (落とす) drop [他]; (巻き下ろす) róll dówn [他]; (下げる) lower [他]. (☞さげる). ¶ブラインドを*下ろして下さい Please *pull* the blinds *down*. // 彼は車の窓ガラスを*下ろして手を差し出した He *rolled down* the car window and put his hand out. [語法] 反対は roll up と言う.
5《預金を》: withdraw [他] (過去 withdrew; 過分 withdrawn), dràw óut [他]. (☞ひきだす). ¶彼女は銀行 (⇒銀行預金口座) から2万円*おろした She ˹*withdrew* [*drew out*] 20,000 yen from her bank account.
6《料理で》: (魚を三枚に) fillet [他] (☞料理の用語(囲み); さんまい).

おろす[2] 卸す **1**《問屋が》: (商品を卸で売る) sell … wholesale. **2**《料理で》: (大根などを) grate [他] (☞料理の用語(囲み)).

おろす[3] 堕す ☞ちゅうぜつ

おろそか 疎か ―[動] neglect [他], slight [他] ★前者のほうが一般的. ―[形] neglectful, négligent. (☞おこたる). ¶仕事を*おろそかにしてはいけませんよ Don't *neglect* your work.

おろぬく 疎抜く (間引く) thin (out) [他].

おろろんちょう おろろん鳥 〖鳥〗 (ウミガラス) murre /mɑ́ː/ Ⓒ; (オオハシウミガラス) rázorbill Ⓒ.

おわせる 負わせる (義務・税金などを) impose … on …; (仕事・責任を) charge … with …; (罪・重荷を) lay … on …; (傷を) injure [他]. ¶その法案は消費者にもっと税金を*負わせることになる The bill will *impose* heavier taxes *on* consumers. // その上司は部下に責を*負わせた The boss *laid* the blame *on* his men. // 誤ってその子に傷を*負わせてしまった I have accidentally *injured* the boy.

おわらいぐさ ☞わらい(笑い種)

おわり 終わり end Ⓒ; close /klóuz/ ★単数形でのみ用いる; ending Ⓒ; termination Ⓒ; (最後) the last; (終結) conclusion Ⓒ.
【類義語】最も一般的な語は *end*. 次いで *close*. この2語は入れ替え可能な場合も多いが, *end* は単に終わりを言う客観的な言葉であるのに対して, *close* のほうは会合とかスピーチとか, あるいは1日とか, ある期間活動していたものが終わる感じを表すニュアンスがある. 物語などの終わりは *ending*. 格式ばった語で, 契約など, 期限のあるものの終わりは *termination*. 「最後」という意味では *the last*. 物語の結果や結論は *conclusion*. (☞さいご)
¶夏休みも*終わりに近づいた The summer vacation has now come to ˹an *end* [a *close*]. / The summer vacation is close /klóus/ to its *end*. / (⇒ほとんど終わりだ) The summer vacation *is* almost

over. // もうその争いは*終わりにしなければならない We must *put an end to* the dispute. // 彼女は始めから*終わりまで無言だった She kept silent from beginning to *end.* // この計画は来年の*終わりには実現するだろう This plan will be realized ˹by [at] the *end* of the next year. // 会合は万歳三唱で*終わりになった The meeting ˹*ended* [*closed*] with three cheers. // その物語はめでたしめでたし (⇒ ハッピーエンド)で*終わりになる The story has a happy *ending.* // その本を*終わりまで読みましたか Did you read the book *through*? // 彼ももう*終わりだ (⇒ 彼についてはすべてが終わった) It's *all* ˹*over* [*up*] with him. // きょうの仕事はすっかり*終わりだ (⇒ すべてをやってしまった) I *have finished* everything for today. / I am *through* for the day. // きょうはこれで*終わりとしよう *So much for* today. / *That's all for* today. / Let's *call it a day.* [語法] 第1文と第2文は主に教室などで先生が生徒に向かっていう言葉. 第3文は主に職場などで用いるくだけた言葉.

終わりを告げる ¶ 第2次世界大戦は1945年に*終りを告げた (⇒ 終わった) World War II ˹*came to an end* [*ended*] in 1945. **終わりを全うする** ¶ 彼は*終りを全うした (⇒ 責務を果した) He *brought his duties to completion.*

おわりね 終わり値 〚株〛 closing price Ⓒ, closing quotation Ⓤ.

おわる 終わる end ㊀; be over; be closed; be concluded; (終わる・終える) finish ㊀ ㊉; be completed; (終わっている) be through with ...; result ㊀; términàte ㊀.

【類義語】最も意味が広く, 物事・行為の完了, 未完を問わずに用いることができるのは **end**. 目的まで到達する感じを表し, 最も口語的なのが **be over** である. ((例) 夏休みが*終わった The summer vacation *is over.*) ある期間継続中の動作が終了する感じを表す語が **be closed**. 何か決着がついて終わることを表すやや格式ばった語が **be concluded**. 完了の意味を表すのは「終える」という他動詞の **finish**, および「終わる」という意味の自動詞の **finish**, それに受身形の **be finished**. 課せられた仕事の終了を暗示するのが **be completed**. 終わってしまっているという状態を特に強調するのが **be through with** ...「結果が…に終わる」のは **result**. やや格式ばった語で, 契約などの期間が終わるのが **terminate**. (☞ おえる; すます)

¶ 彼の実験は失敗に*終わった His experiment *ended* in failure. // 試合は我々の勝利に*終わった The game ˹*ended* [*resulted*] in (a) victory for us. // 試験が*終わった The examination *is over.* // 私たちが着いたときにはコンサートは*終わっていた The concert *was over* when we arrived. // 試合は8時に*終わった The game *finished* at eight. // 会は9時に*終わった The meeting ˹*was closed* [(⇒ 解散した) *broke up*] at nine o'clock. / The meeting *ended* at nine o'clock. // 彼の退屈な話もやっと*終わった (⇒ 終わりに到達した) His tedious speech *came to* ˹*an end* [*a close*] at last. / His tedious speech *ended* at long last. // その本はもう読み*終わりました I'*ve finished* (reading) the book already. / I'*m through with* the book already. // 仕事はもう*終わりましたか *Have* you ˹*finished* [*completed*] your work? / *Are* you *through with* your work?

おん[1] 恩 (恩義) obligation Ⓒ; (好意) kindness Ⓤ, favor (《英》 favour) Ⓤ; (援助) support Ⓤ [語法] 最初の語は恩を受けた人が感じる義務感を, 後の3語は受けた行為を表す. [日英比較] 日本語の「恩」は上下関係を思わせるニュアンスがあるが, 以上の英語にはそのニュアンスはない. 日本語の「恩」を表すぴたりとした訳語はない場合が多い. (☞ ぎり).

¶ 私は彼にたいへん*恩を受けている I *am* very much ˹*under* (*an*) *obligation* [*indebted*] *to* him. / (⇒ 彼に多くを負うている) I *owe* him a great deal.

恩に着せる ¶ 彼は私への親切を*恩に着せようとしている He is trying to ˹(⇒ 私が彼に負っている親切を思い出させる) *remind me of a favor I owe him* [(⇒ 私に義理をおわせる) place me under *an obligation*]. (☞ おんきせがましい) **恩に着る** ¶ 一生*恩に着ます (⇒ 一生感謝の気持ちでいます) I will be forever *grateful* to you. / (⇒ ご親切は決して忘れません) I will never forget your *kindness.* **恩に報いる** repay an obligation. **恩を仇で返す** ¶ それでは*恩を仇て (⇒ 善に対して悪を) 返すようなものだ That's like *returning evil for good.* **恩を売る** ¶ 彼女はいやに私に*恩を売る (⇒ 親切を押しつけ続ける) She keeps *forcing her kindness on* me. **恩を着せる** ☞ 恩に着せる **恩返し** ☞ 見出し

おん[2] 音 (speech) sound Ⓒ; (言語音) 〚音声〛 phone Ⓒ. (☞ おんせい; おんよみ).

オン on. ¶ テレビのスイッチを*オンにする turn [switch] the television *on* // グリーンにツー*オンする carry the ball *on* the green in two

おんあい 恩愛 affection Ⓤ.

おんいき 音域 range Ⓒ, register Ⓒ.

おんいん 音韻 (音素) phoneme /fóuniːm/ Ⓒ. **音韻交替** sound alternation Ⓤ, phonetic alternation Ⓤ **音韻変化** sound change Ⓒ, phónològical chánge Ⓒ **音韻論** phonology Ⓤ.

オンエア ―動 (テレビ・ラジオで放送する) broadcast ㊉; (放送中で) be on the air. [語法] 「放送中」などの掲示では "ON AIR" のように the のないこともあり, また 《英》 では the を付けない言い方もあるが, 通例定冠詞は必要. ¶ その番組は来週*オンエアされる The program will *be* ˹*on the air* [*broadcast*] next week.

おんか 音価 (音声の) phonetic value Ⓒ, sound value Ⓒ; (音楽の) note value Ⓒ.

おんかい 音階 (musical) scale Ⓒ (☞ ドレミファ). ¶ 長[短]*音階 a ˹major [minor] *scale*

おんがえし 恩返し ―動 (親切・好意に返礼する) return [repay] *a person's* ˹kindness [favor]; (感謝を示す) show *one's* gratitude. ¶ 私は姉に*恩返しをしようと一生懸命に働いた I worked hard to ˹*return* [*repay*] my sister's *kindness.* / I worked hard to *show my gratitude* to my sister. // 私は彼に*恩返しをしなければならない I must *repay* him *for* his ˹*kindness* [*favor*]. / I must *repay* his ˹*kindness* [*favor*].

おんがく 音楽 ―名 music Ⓤ. ―形 musical. ¶ 彼は*音楽が大好きだ He likes *music* very much. / He loves *music.* / (⇒ 大の音楽愛好家だ) He is a great ˹lover of *music* [*music* lover]. // 彼女は*音楽を習っている She is studying *music.* // 彼女は*音楽の才能がある She has (got) *musical* talent. / (⇒ とても音楽的である) She is quite *musical.* // 癒しの*音楽 healing *music*

音楽映画 (ミュージカル) musical (film) Ⓒ **音楽家** musician Ⓒ **音楽会** concert Ⓒ **音楽学** musicology Ⓤ **音楽学校** music school Ⓒ, consérvatòry Ⓒ **音楽教育** music(al) education Ⓤ **音楽教室** music(al) class Ⓒ; (専門家養成用の) music(al) studio Ⓤ **音楽コンクール** music(al) ˹contest [competition] Ⓒ **音楽室** music ˹hall [room] Ⓒ **音楽隊** (musical) band Ⓒ **音楽大学** music college Ⓒ **音楽評論家** music critic Ⓒ **音楽療法** music therapy Ⓤ.

おんかん 音感 (音楽に対する感覚) an ear for music, a feeling for music ★ 前者のほうがより口語的. 単数形で用いる; (音程に対する感覚) (sense of) pitch Ⓤ. ¶ 彼女は絶対*音感がある She has

「absolute [perfect] *pitch*.
音感教育 acoustic [auditory; ear] training 🅄.

おんぎ 恩義 obligation 🄲《☞ おん¹; ぎり》.

おんきせがましい 恩着せがましい (庇護者ぶった) patronizing. ¶ *恩着せがましいものの言い方 a *patronizing* way of speaking

おんきゅう¹ 恩給 pension 🄲《☞ ねんきん》.

おんきゅう² 温灸 indirect moxa treatment 🅄; (説明的には) moxibustion using heat from a small tube in which moxa is burned 🅄.

おんきょう 音響 sound 🅄; (爆発音) report 🄲; (衝撃の音) crash 🄲. 《☞ おと; ばくおん》. ¶ ビルは大*音響と共に崩れ落ちた The building collapsed with a terrific *crash*. // ガソリンタンクは大*音響と共に爆発した The gasoline tank exploded with a loud 「*report* [*bang*].
音響音声学 acoustic /əkúːstɪk/ phonétics 🅄 **音響学** acoustics 🅄 **音響効果** (テレビ・映画などの) sound effects ★ 複数形で; (講堂・ホールなどの) acoustics ★ 複数扱い. ¶ この講堂は*音響効果がよい[悪い] The *acoustics* of this 「auditorium /ɔ̀ːdətɔ́ːriəm/ [hall] are 「good [bad]. **音響信号** audio [sound] signal 🄲 **音響装置** (マイク・拡声器などから成る拡声装置) public-address system 🄲《略 PA system》 **音響測深** echo sounding 🅄 **音響測深器** echo sounder 🄲, sonic depth finder 🄲 **音響兵器** acoustic weapon 🄲.

オングストローム (光の波長の測定単位) angstrom /ǽŋstrəm/ (ùnit) 🄲《略 Å, A, A.U.》.

オングルとう オングル島 ―― 名 固 Ongul Island ★ 日本南極観測隊の昭和基地がある.

おんくん 音訓 the Chinese- and Japanese-style reading of 「kanji [Chinese characters]. **音訓表** list of kanji readings 🄲.

おんけい 恩恵 bénefit 🄲; (利益) boon 🄲. ¶ この発明は人類にとってたいへんな*恩恵だ This invention is a great *boon* to mankind. / (⇒ 人類はこの発明から非常に利益を受ける) Mankind *benefits* a great deal from this invention. ★ この benefit は 動 自. // その島の住民は近代文明の*恩恵に何ら浴していない The inhabitants of the island do not enjoy any of the *benefits* of modern civilization.

おんけつどうぶつ 温血動物 warm-blooded animal 🄲.

おんけん 穏健 ―― 形 (節度のある) móderate, témperate; (妥当な) sound. 《☞ おだやか; おんとう》. ¶ *穏健な人柄 a *temperate* disposition // *穏健な考え方 a *moderate* view // あの人の意見はいつも*穏健だ He is always *moderate* in his opinions. **穏健派** (個人) moderate person 🄲, moderate 🄲; (団体) the moderates ★ 複数形で.

おんげん 音源 sound source 🄲.

おんこ 恩顧 (引き立て) favor (《英》favour) 🅄; (援護) patronage 🅄 ★ 格式ばった語. 《☞ ひきたて》.

おんこう¹ 温厚 ―― 形 (温和な) gentle; (人当たりのよい) áffable; (穏やかな物腰の) mild-mannered Ⓐ, mild mannered Ⓟ. 《☞ おだやか》. ¶ 彼は*温厚な人だ He is 「a *gentle* [an *affable*] person.

おんこう² 音高 (音の高さ) pitch 🄲; (音の周波数) frequency of sound 🅄.

おんこちしん 温故知新 ―― 動 (古いことをたずねることによって新しい知識を得る) acquire new knowledge by inquiring into the old.

おんさ 音叉 tuning fork 🄲. **音叉発振機** tuning fork oscillator 🄲.

オンサイド 〘サッカー・ホッケー〙 ―― 形 副 onside (↔ offside). **オンサイドキック** 〘アメフト〙 onside kick 🄲.

オンザジョブトレーニング (作業を通じての訓練) on-the-job training 🅄《略 OJT》.

オンザロック (ウイスキーの) on the rocks ★ 形容詞または副詞として用いられる. rocks と複数形になることに注意. ¶ ウイスキーを*オンザロックで飲む drink whisk(e)y *on the rocks*

おんし¹ 恩師 *one's* former teacher 🄲.

おんし² 恩賜 imperial /ɪmpí(ə)riəl/ endówment 🅄. **恩賜公園** the Imperial Park **恩賜賞** the Impérial Award /əwɔ́ɚd/.

おんしつ¹ 温室 gréenhòuse 🄲, hóthòuse 🄲. **温室効果** the greenhouse effect **温室効果ガス** greenhouse gas 🅄 **温室栽培[園芸]** greenhouse cultivation 🅄 **温室植物** hothouse [greenhouse] plant 🄲 **温室育ち** ¶ 彼は*温室育ちだ (⇒ 彼の人生は安楽な境遇だった) His life has been a bed of roses. ★ a bed of roses は「安楽な境遇」の意. / (⇒ 人生の苦汁をなめたことがない) He *has never tasted the bitter cup of life*. / (⇒ 過保護だ) He is *overprotected*.

おんしつ² 音質 sound [tone] quality 🅄 ★ [ ] 内は音楽音; (音色) timbre /tǽmbə/ 🅄.

おんしっぷ 温湿布 hot compress 🄲, poultice /póultɪs/ 🄲.

おんしゃ 恩赦 ámnesty 🄲《☞ とくしゃ¹》. ¶ 彼は*恩赦に浴した (⇒ 恩赦を与えられた) He was granted an *amnesty*.

おんじゃく 温石 heated stone (used as a body warmer) 🄲, warming stone 🄲.

おんしゅう 恩讐 love and hate 🅄.

おんじゅう 温柔 ―― 形 mild and gentle, gentle and amenable.

おんしゅうかい 温習会 ☞ はっぴょう (発表会)

おんじゅん 温順 ―― 形 (従順な) obedient, (素直な) docile.

おんしょう¹ 温床 hótbèd 🄲. ¶ 悪の*温床 a *hotbed* of vice

おんしょう² 恩賞 (ほうび) reward 🅄 ★ 具体的には 🄲.

おんじょう¹ 温情 sympathy 🅄, (kind) consideration 🅄. 《☞ なさけ; おもいやり》. **温情主義** paternalism 🅄.

おんじょう² 恩情 (慈悲心) benévolence 🅄; (同情) compassion 🅄.

おんしょく¹ 音色 (ねいろ) tone 🄲, tone quality 🅄.

おんしょく² 温色 warm 「color [《英》colour] 🄲.

おんしらず 恩知らず ―― 形 (感謝の気持ちを持たない) ungrateful. ―― 副 ungratefully. ¶ 彼はまさに*恩知らずだ He is really *ungrateful*. / He does*n't have any gratitude* in him.

おんしん 音信 ¶ この 2 年ほど彼とは*音信不通だ (⇒ 彼は便りをよこさない) He *has not written to me* for the past two years. / (⇒ 彼から便りがない) I 「*have not heard* [*have heard nothing*] from him for the past two years. 《☞ てがみ; おとさた; たより²》

おんじん 恩人 (恩恵を施す人) bénefàctor 🄲; (後援者・保護者) patron /péɪtrən/ 🄲. 《☞ おん¹》. ¶ 彼女は私の*恩人です (⇒ 彼女に負うところ大である) I *owe* her a great deal. / I *am* much *indebted* to her. // 彼は私の命の*恩人です (⇒ 彼は私の命を救った) He *has saved my life*. / (⇒ 私が生きているのは彼のおかげだ) I *owe* him *my life*.

オンス ounce /áʊns/ 🄲 ★ oz《複 ～, ～s》と略す. 《☞ 度量衡 (囲み)》.

おんすい 温水 (ぬるい湯) lukewarm water 🅄; (温かい湯) warm water 🅄. **温水器** water-heater

Ⓒ　温水暖房 hot(-)water heating Ⓤ　温水プール heated (swimming) pool Ⓒ.

オンステージ　━ 形 副　(舞台の上の[で]) on-stage.　¶ボブ ディラン*オンステージ Bob Dylan *on (the) stage*

おんせい 音声　(声) voice Ⓒ; (言語音) (speech) sound Ⓒ; (人間の音声・言語音) vocal sound Ⓒ. 音声学 phonétics Ⓤ　音声学者 phòneticián Ⓒ　音声器官 speech [vocal] organ Ⓒ　音声記号 phonetic ⌈sign [symbol] Ⓒ　音声言語 spoken language Ⓒ　音声合成 speech [voice] synthesis Ⓤ　音声処理 speech processing Ⓤ　音声生理学 speech physiology Ⓤ　音声多重放送 multiplex ⌈broadcasting [transmission] Ⓤ ★[　]内はやや専門的; (番組) multiplex broadcast Ⓒ　音声入力装置〘コンピューター〙voice (data) input system Ⓒ　音声認識 voice [speech] recognition Ⓤ　音声表記 phonetic transcription Ⓤ　音声物理学 acoustic physics Ⓤ.

おんせつ 音節　syllable Ⓒ《☞つづり字の切れ目(巻末)》.　音節文字 syllabic (character) Ⓒ, syllábogràm Ⓒ, syllábogràph Ⓒ.

おんせん[1] 温泉　hot spring Ⓒ; (場所) spa /spɑ́ː/ Ⓒ; (温泉のある保養地) hot-spring(s) resort Ⓒ, hot spring Ⓒ ★しばしば複数形で.　日英比較　日本の温泉には独特の伝統や雰囲気があるので, 外国人にはさらに説明が必要.　¶この*温泉は万病に効く(⇒ほぼすべての病気に効力をもつ) This *hot spring* has an effect on almost all diseases. // *温泉につかってのんびりしたいものだ I just want to soak into a *hot spring* bath and relax.
温泉客 visitor ⌈at [to] a hot-spring facility Ⓒ　温泉権 hot-spring rights ★複数形で.　温泉生物 thermal [hot-]spring organism Ⓒ　温泉卵 (温泉でつくられた固ゆでのゆで卵) hot-spring egg Ⓒ; (説明的には) egg boiled in a hot spring Ⓒ; (黄身が固く白身のやわらかいゆで卵) *onsen tamago* Ⓤ; (説明的には) egg cooked in low-heated water with a solid yolk and a semi-solid white Ⓒ　温泉マーク hot-spring mark Ⓒ; (連れ込みホテル) hotel for couples Ⓒ　温泉巡り tour of the hot springs Ⓒ　温泉宿 inn [hotel] at a hot-spring(s) resort Ⓒ　温泉療法 hot-spring cure Ⓒ; (専門語) balneotherapy Ⓤ.

おんせん[2] 音栓　(オルガンの) stop Ⓒ.

おんそ 音素　〘音声〙phoneme /fóuniːm/ Ⓒ. 音素論 phonemics /fəníːmɪks/ Ⓤ.

おんぞうし 御曹司　(名家の息子) son from a good family Ⓒ; (貴族の息子) son of a noble Ⓒ.

おんそく 音速　the ⌈speed [velocity] of sound, sonic ⌈speed [velocity] Ⓤ. 《☞ちょうおんそく》. ¶*音速に近い速さ near-*sonic speed* // *音速以下の subsonic // *音速を超える exceed *sonic speed* // この飛行機は*音速の2倍の速さで飛ぶ This plane flies at ⌈double *the speed of sound* [Mach 2].　参考　Mach /mɑ́ːk/ (マッハ) は音速に対する物体の速度の比. // *音速を超えて飛ぶ break through the ⌈*sound* [*sonic*] *barrier* // 超*音速輸送旅客機 a *supersonic* transport《略 SST》

おんぞん 温存　━ 動 (とっておく) set ... aside; (保存する) keep ㊀, preserve ㊀, retain ㊀ ★この順に格式ばった語となる. 《☞とっておく》.　温存療法〘医〙conservative ⌈treatment [therapy] Ⓤ.

おんたい[1] 温帯　the temperate zone《☞ちきゅう[1](挿絵)》.　¶*温帯植物[動物] the ⌈flora [fauna] of *the temperate zone*　温帯気候 temperate climate Ⓒ　温帯湖 temperate lake Ⓒ　温帯低気圧 extratropical cyclone Ⓒ　温帯林 temperate forest Ⓒ.

おんたい[2] 御大　the boss, the chief.

オンタイム　¶*オンタイムに到着する arrive *on time*

おんたく 恩沢　(好意) favor (《英》favour) Ⓤ; (幸福につながる利益) benefit Ⓤ ★具体的には Ⓒ. ¶文明の*恩沢にあずかる share in [enjoy] the *benefits* of civilization

おんたで 御蓼　〘植〙*ontade* Ⓤ; (説明的には) a variety of knotweed with light yellow flowers.

オンタリオ　━ 名 固 (カナダの州) Ontario /ɑntέ(ə)riòu/; (米国とカナダの間の湖) Lake Ontario.

おんだん 温暖　━ 形 mild, temperate ★前者が一般的. 《☞おだやか》.　¶*温暖な気候 a ⌈*mild* [*temperate*] climate // 地球*温暖化 global *warming*　温暖前線 warm front Ⓒ《☞ぜんせん[2]》.

おんち 音痴　━ 形 tone-deaf.　¶私は*音痴です I am *tone-deaf*. / (⇒音感が悪い) I *have no ear for music*. // 彼は方向*音痴だ (⇒方角のセンスがない) He *has no sense* of direction.

おんちゅう 御中　Messrs. /mésəz/ ★ Messieurs の略. 《☞略語 (巻末)》.　¶田中商会*御中 *Messrs.* Tanaka & Co. // W 大学教務課*御中 (*To*) The Department of Curriculum and Instruction, W University

おんちょう[1] 恩寵　(神の) grace Ⓤ; (人の) favor (《英》favour) Ⓤ.

おんちょう[2] 音調　(声の上がり下がり) intonation Ⓤ; (音・声の調子, 音色) tone Ⓒ; (音の高さ) pitch Ⓒ; (音の強弱) accent Ⓤ.

おんてい 音程　(musical) interval Ⓒ《☞ちょうし[1]》.　¶このバイオリンは*音程が狂って [合って] いる This violin is ⌈out of [in] *tune*.

オン デマンド　━ 副 形 (要求・注文に応じて[た]) on demand.　¶ビデオ*オンデマンド方式 a video-*on-demand* system《☞プリントオンデマンドしゅっぱん》

おんてん 恩典　special favor Ⓒ《☞おんけい; とくてん[2]》.

おんど[1] 温度　temperature /témp(ə)rətʃùə, -tʃə/ Ⓤ《☞きおん[1]; たいおん; 度量衡 (囲み)》.
¶*温度は5度上がった[下がった] The *temperature* ⌈rose [fell] five degrees. // 湖水の*温度を測ってみよう Let's check the *temperature* of the lake water. // この部屋は*温度が高[低]すぎる (⇒暑[寒]すぎる) It's too ⌈hot [cold] in this room. / The *temperature* is too ⌈high [low] in this room.
温度感覚〘生理〙thermal [thermic] sense Ⓤ　温度差発電 electricity generation by temperature difference Ⓤ　温度目盛り temperature scale Ⓒ.

おんど[2] 音頭　音頭をとる (先頭に立って導く) take the lead, lead ㊀《☞そっせん; さいはい》.　¶彼が万歳の*音頭をとった He *led* the cheering. // *音頭をとる者がいなかった There was no one to *take the lead*.　音頭取り (乾杯の) toastmaster Ⓒ; (先頭に立つ人) leader Ⓒ.

おんとう 穏当　━ 形 (当を得た) fit; (世の中の基準に当てはまる) proper; (正当な) just; (正しい・妥当な) right; (理にかなった) reasonable; (適切な) appróopriate; (中庸を得た) móderate. 《☞だとう[1]; てきせつ (類義語); おんけん》.
¶それは*穏当な処置だった That was a ⌈*just* [*right*] *and proper* measure. // このような行為は紳士として*穏当ではない Such behavior is improper for a gentleman.

おんどく 音読　━ 動 (声を出して読む) read ... aloud《☞よむ[1]》.

おんどけい 温度計　thermometer /θəmɑ́mətə/ Ⓒ.　¶摂氏*温度計 a ⌈Celsius [centigrade] *thermometer* // 華氏*温度計 a Fahrenheit /fǽrənhàɪt/ *thermometer* // *温度計は 35° C になっていた The *thermometer* ˹read [stood at] 35° C. 語法 35 degrees ˹Celsius [centigrade] と読む. 《☞ 度量衡 (囲み)》

おんどり 雄鳥 cock Ⓒ, cockerel Ⓒ, 《米》 rooster Ⓒ ★《米》では rooster が普通. 《☞ にわとり; めす[1] 語法; 動物の鳴き声 (囲み)》.

オンドル Korean floor heater Ⓒ.

オントロギー (存在論) ontology Ⓤ ★もとはドイツ語から.

おんな 女 **1** 《女性》 ── 名 woman Ⓒ 《複 women /wímɪn/》; lady Ⓒ; (生物一般の) female Ⓒ; (少女) girl Ⓒ; (女性全体) womankind Ⓤ. ── 形 woman Ⓐ; girl Ⓐ; (女性の) female (↔ male) 語法 (1) female を人に対する形容詞として用いるのは生物学的な意味合いが強い場合で, 場合によっては失礼になるので注意を要する. 例えば, 職業を表す時は woman を用いることが多く female は避けることが多い. ((例) *女の医者 a woman doctor ★ a female doctor とはしない.); (女性らしい・女のような) féminine (↔ masculine), womanly ★前者は「女性の本質を持った」という客観的な言葉; (悪い意味で男が女のような) womanish.

【類義語】 成人した女性を指す最も一般的な語は **woman**. 未婚の若い女性は通常 **girl** である. **girl** は口語では年齢に関係なく用いられることがあるが, 成人女性に対して使うと失礼になる. **lady** は目の前にいる女性を指したり, 「老婦人」an old *lady* などのように形容詞を伴うときなどに用いるやや丁寧な語であるが, 最近では少し古い感じとなった. 「女というもの・女性全体」を指すには単数無冠詞で *woman* とするか, 複数形の *women*, あるいは以上より格式ばった語である **womankind** を用いる. 《☞ じょせい[1]; ふじん[1]》

¶ *女は普通男より長生きだ *Women* usually ˹live longer than [outlive] men. // 彼女はまだ一人前の *女じゃない She is not yet a *woman*. // かわいい*女 (⇒ かわいらしい女) a pretty *girl* / (⇒ 魅力のある女) an attractive *woman* 語法 (2) attractive は必ずしも容姿だけではない. // 実にいい*女だなあ (⇒ 何ときれいな女だ) What a ˹beautiful [good-looking] *girl* (she is)! // この筆跡は間違いなく*女だ (⇒ 女性的だ) This handwriting is certainly *feminine*. // この学部には*女の学生はほとんどいない There are very few ˹*female* students [*women*; *girls*] in this department.

2 《女性の愛人》: girlfriend Ⓒ; mistress Ⓒ ★前者は「女友達」の意味で多少婉曲的だが, 後者は性的関係を持つことを明確に含む. ¶ 彼はよそに*女ができたらしい He evidently has a ˹*girlfriend* [*mistress*] somewhere else.

女三人寄れば姦しい Three women (and a goose) make a market. 《ことわざ: 女三人 (と鵞鳥一羽) がいれば市が立つ》. **女は三界に家なし** Women have no home of their own in the world. ★差別的な表現.

女遊び ── 動 fool around with ˹women [(⇒ 売春婦と) prostitutes] **女運** luck with women Ⓤ. ¶ *女運がいい[悪い] have ˹*luck* [*no luck*] *with women* / be ˹*lucky* [*unlucky*] *with women* **女親** mother Ⓒ **女形** female-role player Ⓒ, female impersonator Ⓒ **女嫌い** (人) woman-hater Ⓒ, 《格式》 misogynist /mɪsáʤənɪst/ Ⓒ **女癖** ¶ *女癖が悪い (⇒ 女たらしだ) be a philanderer ★やや古風な表現. / (⇒ 女をもてあそんで捨てるタイプだ) be a love-them-and-leave-them type **女狂い** ── 動 (女にのぼせあがる) be infatuated with a woman, be crazy about women. ── 名 womanizer Ⓒ, philánderer Ⓒ **女気** ¶ 部屋の中には*女気がなかった There was no *sign of a woman's* presence in the room. **女心** woman's heart Ⓒ **女坂** gentle slope Ⓒ **女盛り** ¶ *女盛りで be in *one's prime* (*as a woman*) ★普通は ( ) 内を付ける必要はない. **女主人** hostess Ⓒ; (宿の) landlady Ⓒ **女好き** ¶ 彼は*女好きだ He is very *fond of women*. / (⇒ 女性との付き合いを楽しむ) He *enjoys the company of women*. **女世帯** all-female household Ⓒ; (母子世帯) fatherless household Ⓒ **女大学** (日本の昔の女性教訓書) *Onna daigaku*; *The Great Learning for Women*; (説明的には) a manual for the moral training of women which was widely read in the late Edo period **女だてら** ¶ *女だてらに怒鳴る yell in an *unwomanlike* ˹*manner* [*way*] **女たらし** woman-chaser Ⓒ, skirt-chaser Ⓒ, womanizer Ⓒ **女っ振り** ¶ *女っ振りがいい be *very* ˹*attractive* [*good-looking*] **女手** (筆跡) woman's hand(writing) Ⓤ; (家事をする家族の女性) female member of the family who does the housekeeping Ⓒ. ¶ 彼女は*女手一つで 2 人の息子を育てた She brought up her two sons *by herself*. **女出入り** ¶ あの家は*女出入りが (⇒ 女のことでもめごとが) 絶えない There is no end of *trouble over women* in that family. **女道楽** woman hunting Ⓤ, womanizing Ⓤ **女友達** girlfriend Ⓒ; female [woman] friend Ⓒ ★後者は特に男の友達でないことを強調するときにのみ用いる. **女の子** girl Ⓒ; (娘) daughter Ⓒ **女旱(ひでり)** (望ましい女の不足) a ˹scarcity [dearth] of eligible women; (説明的には) situation in which it is difficult for a man to find a girlfriend Ⓒ **女偏** (漢字の) woman radical on the left of kanji Ⓒ **女冥利** (女に生まれた幸せ) the good fortune of being born a woman. ¶ 玉のこしに乗れるなんて, *女冥利につきるわ How lucky to marry into wealth! I'm so *happy I'm a woman*! **女向き** ¶ この柄は*女向きだ This pattern is (*suitable*) *for women*. **女結び** *onna-musubi* [woman's knot] Ⓒ; (説明的には) a kind of prolonge knot made by looping first the left end of the rope around the right end **女文字** woman's hand Ⓒ, woman's handwriting Ⓤ **女物** (女の品物) women's [ladies'] thing Ⓒ; (女の着る物) ladies' wear Ⓤ. ¶ これは*女物の傘[時計]だ This is a ˹*women's* [*ladies'*] ˹umbrella [watch]. **女やもめ** widow Ⓒ 《☞ やもめ》 **女湯** women's section (of a public bathhouse) Ⓒ **女らしい** ── 形 (よい意味で) womanly; (しばしば弱点を指して) womanlike. ── 副 like a woman.

おんねつりょうほう 温熱療法 thermotherapy Ⓤ, hyperthermia Ⓤ.

おんねん 怨念 deep [bitter] grudge Ⓒ.

おんのじ 御の字 ¶ この難しいテストで 60 点取ったのなら*御の字だよ (⇒ 満足すべきだ) If you got 60 percent ˹on [in] this difficult test, you should *be satisfied*.

おんぱ 音波 sound wave Ⓒ.

おんばひがさ 乳母日傘 ¶ *乳母日傘で (⇒ 優しく手をかけてもらって) 育つ be brought up *with tender care* / (⇒ 両親の過保護のもとで) be brought up *overprotected by one's parents*

オンパレード (俳優などが総出で) on parade ★形容詞, 副詞として用いる. 日英比較 英語の on parade には軍隊などが「閲兵式に参加して」の意味がある.

おんびき 音引き ── 動 (辞書で) look up a word phonetically.

おんぴょうもじ 音標文字 phonetic ˹alphabet [sign] Ⓒ.

おんびん[1] 穏便 ── 形 (平和的な) peaceful; (円

満な) ámicable. ― 副 peacefully; amicably. (☞ おだやか). ¶ 我々は*穏便に事を済ませた (⇒ 平和的な手段で解決した) We settled the matter ｢by *peaceful* means [(⇒ 我々の間だけで) (*just*) *between ourselves*].

おんびん² 音便 euphonic /juːfánɪk/ chánge C, éuphony U. 音便形 euphonic sound change C.

おんぶ ¶*おんぶする give a *piggyback* // 彼女は赤ん坊を*おんぶしていた She was carrying a baby ｢*on her back* [*pickaback*; *piggyback*]. // 何から何まであなたに*おんぶする (⇒ 頼る) わけにはいかない I should not *depend on* you for everything.
【参考語】 ― 副 (背中に乗せて) on *one's* back, pickaback, piggyback. ― 動 (頼る) depend [rely] on ...

おんぷ¹ 音符 (musical) note C. ¶ 二分[四分]*音符 a ｢half [quarter] *note* // 八分[十六分]*音符 an eighth [a sixteenth] *note*

おんぷ² 音譜 ☞ がくふ¹

おんぷう 温風 warm breeze U ★ 一吹きの風なら C. 温風暖房機 (ファンヒーター) fan heater C; (循環式の) warm air circulator C.

おんぷきごう 音部記号 clef C.

オンブズパーソン ombudsperson C (複 -people) (☞ オンブズマン).

オンブズマン (行政監察官) ombudsman /ámbʊdzmən/ C (複 ombudsmen) ★ 行政に対する苦情を処理する.

おんぼろ ― 形 (使い古した) worn-out A (☞ ぼろ).

おんみつ 隠密 ― 名 (江戸時代の秘密の任務を帯びた人) secret agent during the Edo period C. ― 副 (ひそかに) secretly, in secret; (内緒で) privately, in private.

おんみょうじ 陰陽師 yin-yang diviner C ★ 中国語に由来. yin は「陰」, yang は「陽」.

おんみょうどう 陰陽道 the Way of Yin and Yang.

おんめい 音名 〘楽〙 pitch name C.

オンモン (ハングル文字の旧称) the Onmun ★ 現在では the Hankul /háːŋkʊl/ alphabet という.

おんやく 音訳 transliteration U.

おんやさい 温野菜 heated vegetable C.

オンユアマーク 〘スポ〙 (位置について!) On your ｢mark [(英) marks].

おんよう 温容 gentle [amiable] look C.

おんようじ 陰陽師 ☞ おんみょうじ

おんようどう 陰陽道 ☞ おんみょうどう

おんよく 温浴 warm bath C; (高温浴) hot bath C. 温浴法 warm bath ｢treatment [method] C.

おんよみ 音読み ¶ この漢字の*音読みは何ですか What is the *Chinese-style reading* of this character? // 漢字を*音読みする read a Chinese character *phonetically*

オンライン ― 形 on-line A. ― 副 on-line. オンラインクライアント ón-lìne clíent C オンラインゲーム ón-lìne gáme C オンラインコミュニティー òn-líne commúnity C オンラインサービス on-line service U オンラインサインアップ ón-lìne síɡn-ùp C オンラインサポートセンター on-line support center C オンライン辞書 on-line dictionary C オンラインシステム on-line system C. ¶ 銀行はみな*オンラインシステムが取り入れられている The *on-line system* has been adopted in all banks. オンライン情報サービス òn-líne informátion sèrvice U オンラインショッピング ón-lìne shópping U オンラインデータベース ón-lìne dátabàse C オンラインバンキングシステム ón-lìne bánking sỳstem C オンラインリアルタイム処理 on-line real-time processing U.

おんりつ 音律 rhythm U; 〘楽〙 temperament U.

おんりょう¹ 音量 volume /váljʊm/ U. ¶ 彼はラジオの*音量を上げた [下げた] He turned ｢up [down] the *volume* ｢on [of] the radio.

おんりょう² 怨霊 vengeful ｢ghost [spirit] C.

おんりょう³ 温良 ― 形 (優しい) gentle; (愛想のいい) amiable.

おんわ 温和 ― 形 (気候の) mild, temperate; (性質が) gentle. (☞ おとなしい; おだやか; おんこう¹; やさしい²). ¶*温和な気候 a ｢*mild* [*temperate*] climate // *温和な人 a *gentle* person

か, カ

か¹ 可 (成績の) C Ⓒ 参考 《英米》では通例学校の成績を A, B, C, D, F で表し, 可は C または D に当たる. F (=failure) は不合格. 《☞ ゆう¹ 日英比較; よい¹》. ¶「英語の成績は何でしたか」「*可でした」 "What did you get in English?" "I got a *C*." // どちらでも*可 (⇒ 役に立つ) Either (of them) will *do*. **可もなく不可もなし** (よくも悪くもない) neither good nor bad; (まずまずの) satisfactory. ¶ 彼女の演奏は*可もなく不可もなしだった Her performance was *not good*, but it was *not bad*.

か² 科 (学校・病院などの) department Ⓒ; (生物学の) family Ⓒ. ¶ 国文*科 the *department* of Japanese literature 《☞ がっか》 // 内*科 the internal medicine *department* // ねこ*科 the cat *family*

か³ 香 (かすかな芳香) scent Ⓤ; (花などの芳香) fragrance Ⓤ; (食べ物・飲み物などの美味しそうなにおい) aróma Ⓒ 語法 smell は一般的な語ではあるが, 形容詞なしでは悪臭を指すことが多い. 《☞ かおり; におい (類義語)》.

か⁴ 課 (教科書の) lesson Ⓒ; (会社・官庁などの課) section Ⓒ; (大きな組織の課) department Ⓒ. 《☞ 会社の組織と役職名 (囲み)》. ¶ 第 5 *課 *Lesson* 5 / the Fifth *Lesson* ★ 前者のほうが一般的. // この*課が済んだらテストをします (⇒ 与える) I'm going to give you a test when we finish this *lesson*. // 販売*課 the sales ˹*section* [*department*]

課員 (全体) the staff of a section; (個人の) member of the section staff Ⓒ **課長** section chief Ⓒ, the ˹chief [head] of the ˹section [department].

か⁵ 蚊 mosquito /məskíːtoʊ/ Ⓒ (複 ~es, ~s). ¶ 私はやぶ*蚊に刺された I was ˹bitten [stung] by a striped *mosquito*. // *蚊が一匹ぶんぶん飛び回っている There's a *mosquito* ˹buzzing [humming] around. // 少女は*蚊の鳴くような声で (⇒ とてもか細い声で) 答えた The girl answered *in a very faint voice*.

蚊伝染 ━ 形 (蚊によって伝染する) mosquito-borne **蚊取り線香** mosquito-repellent incense Ⓤ; (一般に蚊取り・蚊よけ) mosquíto repéllent Ⓒ.

か⁶ 価 (価値) value Ⓤ; (値段) price Ⓒ. 《☞ ね³; ねうち; ねだん; かち¹ (類義語)》.

か⁷ 佳 ━ 形 (すぐれている) very good; (美しい) beautiful. ¶ 風味*佳なり It has a ˹*pleasant* [*nice*] flavor. **佳人** ☞ かじん²

-か¹ 《疑問を表す終助詞》 日英比較 英語では疑問文を作るには次のようにする. (1) be 動詞または助動詞を含む文では主語と語順を逆にし, 文尾を上がり調子で言う. (2) 一般動詞を含む文では do, does, did を用いて, 文尾を上がり調子で言う. ただし, 口語では You're a student? ↗ のように文尾を上がり調子に言うだけで疑問文となることがある.

-か² -化 ━ 接尾 (…にする, …になる) -ize (《英》 -ise) /àɪz/ 語法 real*ize*, central*ize*, civil*ize* などの一般的な語彙の他にかなり自由に 名 形 につけて「…化する」という語を作ることができる. ¶ 自由*化する liberal*ize* // 民主*化する democrat*ize* // 日本*化する Japan*ize* // アメリカ*化する American*ize*

が¹ 我 (哲学の自我) ego Ⓤ; (利己心) self Ⓤ; (わがまま) self-will Ⓤ. ¶ 彼は*我が強い (⇒ 自己を主張する (人だ)) He's ˹*self-assertive* [a *self-assertive* person]. / (⇒ 頑固(な男)だ) He's ˹*obstinate* [an *obstinate* man]. // 彼はいつも*我を通す (⇒ 思いどおりにする) He always ˹*has* [*gets*] *his own way*. // 彼女はあくまでも*我を張った (⇒ 自分の意見に固執した) She persistently *stuck to her own opinion*.

が² 蛾 moth Ⓒ 《☞ ちょう¹ (挿絵)》.

が³ 賀 (祝賀) celebration Ⓤ ★ 祝賀会の意では Ⓒ. **賀の祝い** celebration of *a person's* long life Ⓒ. ¶ 谷女史の 100 歳の*賀の祝い (the) *celebration* of Ms. Tani's (one) hundredth birthday

-が **1** 《しかし》: but …; (それでも) (and) yet …; (…だけれども) though …, although …, while … 語法 though と although はほぼ同意だが, 前者のほうが口語的で, 後者は文頭に用いられるのが普通. また while をこの意味で使うとやや格式ばった語となる; (しかるに・一方では) whereas …, while … 《☞ だが; けれども》.

¶ 彼は金持ちだ*がとても謙虚だ He is rich, *but* he is very modest. / *Though* [*Although*] he is rich, he is very modest. // 太郎は頭がいい*が, 弟はそうではない Taro is bright, ˹*while* [*whereas*] his brother isn't. // 彼女は高慢ちきだ*が私は愛している She is haughty, *and yet* I still love her. // 暇があれば行きたいのです*が I *would* go if I had time.

2 《そして》: … and … 《☞ そして》. ¶ 私は最近その人に会った*が, たいへん親切にしてくれた I met the man recently *and* he was very kind to me. // 彼には息子が 3 人ある*が, みんな医者だ He has three sons *and* they are all doctors.

かあ ━ 名 (からすの鳴き声) caw Ⓒ. ━ 動 (かあと鳴く) caw 自. ¶ からすが*かあかあ鳴いている I can hear some crows *cawing* .

カー (自動車) car Ⓒ. **カーエレクトロニクス** cár electrónics Ⓤ **カーオーディオ** car audio (system) Ⓒ **カークーラー** car air-conditioner Ⓒ 日英比較 「カークーラー」は和製英語. **カージャック** cárjàcking Ⓤ **カーショップ** (カー用品の店) car accessories store Ⓒ **カーステレオ** car stereo (set) Ⓒ **カーチェイス** car chase Ⓒ **カートレイン** train for transporting both passengers and their cars Ⓒ ★「カートレイン」は和製英語. **カーナビ(ゲーションシステム)** car navigation system Ⓒ **カーフェリー** (automobile [《英》 car]) ferry 日英比較 英語では単に ferry といえば日本でいうカーフェリーの意になることが多い. 《☞ フェリー》 **カーポート** carport Ⓒ **カーラジオ** car radio Ⓒ **カーリース** auto [car] lease Ⓒ.

があがあ ━ 名 (かえるの鳴き声) croak Ⓒ; (あひるの鳴き声) quack Ⓒ. ━ 動 (かえるががあがあ鳴く) croak 自; (あひるが) quack 自. 《☞ 動物の鳴き声 (囲み); 擬声・擬態語 (囲み)》.

カーキいろ カーキ色 khaki /kǽki/ Ⓤ.

カーク (男性名) Kirk /kɚ́ːk/.

カーゴ (船・航空機・車などの積み荷, 貨物) cargo Ⓒ 《☞ つみに》. **カーゴスペース** (自動車の) cárgo spàce Ⓤ.

ガーゴイル 〔建〕 (ゴシック建築の屋根の怪物の形をした水落とし口) gargoyle Ⓒ.

かあさん 母さん mother Ⓒ 《☞ おかあさん》.

ガーシュイン ━ 名 固 George Gershwin /gɚ́ːʃwɪn/, 1898-1937. ★ 米国の作曲家.

カースト (インドの階級制度) caste /kǽst/ Ⓒ.

ガーゼ gauze /gɔ́ːz/ Ⓤ.

カーソル （コンピューターやワープロの）cursor [C].

カーター ―[名] [固] Jimmy Carter, 1924– .
★ 第 39 代米大統領. フルネームは James Earl Carter, Jr.

ガーター[1] （靴下どめ）garter [C]《☞ くつした(靴下どめ)》. **ガーター勲章** the Garter ★ 英国の最高勲章. the Order of the Garter ともいう.

ガーター[2] ☞ ガター

かあちゃん 母ちゃん 《米幼児》mommy (《英》mummy) [C]. ★ 呼びかけの場合は大文字で始める.《☞ ママ》.

かあつ 加圧 ―[動] （加圧する）pressurize /préʃəràɪz/ [他]. ―[名] pressurization [U]. **加圧装置** pressure device [C].

カーディガン cardigan [C].

カーディナル 〘カトリック〙（枢機卿）cardinal [C].

カーディフ ―[名] [固] Cárdiff ★ ウェールズの首都.

ガーデニング （園芸）gardening [U]《☞ えんげい[2]》.

カーテン curtain [C] ★ 最も一般的;（厚手で布地や柄がぜいたくなもの）《米》drapes ★ 複数形で; drapery [C] ★ しばしば複数形で. ¶ *カーテンを開けて［閉めて］下さい Open [Close] the *curtains*, please. // 私は部屋にレースの*カーテンを掛けた I hung lace *curtains* in the room. // 部屋の一部を*カーテンで仕切る *curtain off* part of a room **カーテンウォール**〘建〙（非耐力壁）cúrtain wàll [C] **カーテンコール** curtain call [C] **カーテンスピーチ**〘劇〙curtain speech [C] ★ 芝居の最後のせりふや終幕のあいさつ. **カーテンリング** curtain ring [C] **カーテンレール** curtain rail [C] **カーテンロッド** curtain rod [C].

ガーデン （庭園）garden [C] ★ 家の前面の手入れされた庭をいい, 裏庭は意味しない.《☞ うらにわ》. **ガーデンパーティー** garden party [C]《☞ えんゆうかい》.

カート[1] （男性名）Curt /kə́ːt/.

カート[2] （手押し車）《米》cart [C],《英》trolley [C]. ¶ ショッピング*カート a shopping *cart* /《英》a supermarket *trolley*

カード （通常厚紙の）card [C];（クレジットカード）(credit) card [C];（普通紙の細長い紙片）slip (of paper) [C]. ¶ 彼はそれを*カードに書き留めた He noted it down on a *card*. // 英単語*カード English vocabulary /voukǽbjulèri/ *cards* // この*カード使えますか Do you accept [Can I use] this *card*? // *カードで支払います I'll pay with my *card*. //（スポーツなどの）好*カード a drawing *card* [語法] この drawing は「(客や注意を）引きつける」の意. / a *feature* **カード型データベース** card-type database [C] **カード式索引** cárd index [C] **カード式目録** cárd càtalog [C] **カードシステム** card system [C] **カード箱** card box [C] **カードラジオ** card-sized radio [C] **カードリーダー**（カード読み取り機）cárd rèader [C] **カードローン** loan card service [U].

ガード[1] （陸橋）railroad overpass [C],《英》elevated railway bridge [C];（鉄道などの桁橋）girder bridge [C];（道路橋も含めて）óverpàss [C]. ¶ *ガード下をくぐる go under a *railroad overpass*

ガード[2] （防衛）guard [U]. ¶ *ガードを固める keep up *one's guard* /（⇒ 警備を強化する）increase *security*

カードホリック （クレジットカード中毒の人）person too dependent on credit [C].

ガードマン (security) guard [C] [日英比較]「ガードマン」は guard と man を組み合わせた和製英語.《☞ ごえい; ボディーガード》.

カートリッジ cartridge [C]. ¶ 万年筆の*カートリッジを入れ替える put a new ink *cartridge* in a fountain pen

ガードル girdle [C]《☞ したぎ(挿絵)》.

ガートルード （女性名）Gertrude /gə́ːtruːd/.

ガードレール guárdràil [C].

カートン carton [C]. ¶ 紙巻たばこ 1 *カートン a *carton* of cigarettes // *カートン入り牛乳 a *carton* of milk

ガーナ ―[名] [固] Ghana /gáːnə/;（正式名; ガーナ共和国）the Republic of Ghana. ―[形] Ghanaian /gɑːnéɪən/. **ガーナ人** Ghanaian [C].

カーナビ ☞ カー(カーナビ(ゲーションシステム))

カーニバル （謝肉祭）carnival [U] ★「お祭り騒ぎ」という意味では [C].

カーネーション 〘植〙carnation [C].

カーネギーホール ―[名] [固] Carnegie /káənəgi/ Háll ★ 米国の鉄鋼王 Andrew Carnegie (1835–1919) によって建てられた世界的音楽の殿堂.

ガーネット （ざくろ石）garnet [C].

カーネル 〘コンピューター〙kernel [C].

カーバイド carbide [U].

カービング **1**《肉を切り分けること》: carving [U]. **2**《彫刻術》: carving [U].
カービングナイフ cárving knife [C].

カービングスキー 〘スポ〙carving ski [C] ★ 一組の板をいう時は a pair of carving skis.

カービンじゅう カービン銃 （銃身の短いライフル）carbine /káəbiːn/ [C].

カーフ （子牛）calf /kǽf/ [C]. **カーフ(スキン)**（子牛のなめし革）calf skin [U] ★ 単に calf ともいう.

カーブ ―[名]（道路などの）curve [C], bend [C] ★ 前者のほうが一般的. 後者はかなり急な曲がり方の場合がある;（野球の）curve [C], curve ball [C]. ―[動]（道路などがカーブする）curve [自];（車などが）turn [自].《☞ まがる》. ¶ *カーブを高速で曲がってはいけない You shouldn't take *curves* at a high speed. // その自動車は右へ急*カーブを切った（⇒ 急に右へ曲がった）The car「*turned* sharply [*made a* sharp *turn*] to the right. // *カーブを投げる throw a *curve* **カーブミラー** traffic mirror at a road curve [C].

ガーベッジ 《米》（生ごみ）garbage [U]. **ガーベッジコレクション**〘コンピューター〙gárbage collèction [U].

カーペット carpet [C]《☞ じゅうたん》.

ガーベラ 〘植〙gerbera /gə́ːbərə/ [C].

カーペンター （大工）carpenter [C]《☞ だいく[1]》.

カーボン （炭素）carbon [U]《☞ たんそ[1]》. **カーボンコピー** cárbon cópy [C] ★〘電算〙では cc, CC と略す. **カーボン紙** ☞ 見出し **カーボンデーティング** carbon [radiocarbon] dating [U] **カーボンファイバー** cárbon fíber [C] **カーボンブラック** cárbon blàck [U] **カーボンレスペーパー** carbonless paper [U].

カーボンし カーボン紙 carbon (paper) [C] ★ これを使って写し取ったものも carbon という. ¶ *カーボン紙でこれの写しをとって下さい Make a *carbon* (copy) of this.

カーマスートラ ―[名] [固] the Kamasutra, the Kama Sutra /kàːməsúːtrə/ ★ 古代インドのヒンズー教性典.

ガーメントバッグ garment bag [C] ★ 携帯用折りたたみ衣服用バッグ.

カーラ （女性名）Carla /káələ/.

ガーラ ☞ ガラ

カーラー （髪の）curler [C] ★ ピン, クリップ他, 円筒形のものも含む.《☞ カール[1]》.

カーライル ―[名] [固] Thomas Carlyle, 1795–1881. ★ 英国の思想家・歴史家.

カーリーヘア （一般に縮れ毛）curly hair [U].

ガーリック （にんにく）garlic [U] ★ 一片は a clove of garlic. **ガーリックトースト** garlic toast [C].

カーリング 〘スポ〙curling [U].

カール[1] ―[名] curl [C], ringlet [C] ★ 後者はカール

して長く垂れ下がっている髪を言う. ―動(カールする・させる) curl ⓐ ⓑ. ―形(カールしている) curly. ((☞ ウエーブ; パーマ)).

¶ 彼女は髪を*カールした She *curled* her hair. // 彼女の髪は自然に*カールしている Her hair is naturally *curly*. // 髪を洗ったら*カールが取れた When I washed my hair, it lost its *curl*.

カール[2] (山の窪地) cirque /sə́:k/ Ⓒ ★「カール」はドイツ語の Kar から.

カール[3] (男性名) Carl.

ガール (少女) girl Ⓒ.

ガールスカウト (組織名) the Girl Scouts, ((英)) the (Girl) Guides; (メンバー) girl ⌈scout [((英)) guide] Ⓒ.

ガールフレンド (female [woman]) friend Ⓒ; (男性から見た恋人) girlfriend Ⓒ.

ガーンジー (英国ガーンジー島原産の乳牛) Guernsey Ⓒ.

かい[1] 会 (集まり) meeting Ⓒ; gathering Ⓒ, ((略式)) gét-togèther Ⓒ; (会議) conference Ⓒ; (大会) convention Ⓒ; (社交上の集まり) party Ⓒ, function Ⓒ; (運動競技の集まり) meet Ⓒ, ((英)) meeting Ⓒ; (団体) society Ⓒ; association Ⓒ; club Ⓒ; circle Ⓒ.

【類義語】最も一般的で意味の広い語は *meeting* で, あらゆる会合について用いることができる. 打ち解けた雰囲気の集まりは *gathering*. これとほぼ同意の口語的な語は *get-together*. 専門的な問題を協議する集会は *conference*. 大規模な年次大会などは *convention*. 社交上の集まりは *party* で, 特に大きな集まりや何かを記念する集まりは *function*. 運動競技のための会は *meet*, ((英)) では *meeting* ともいう. 共通の関心を深めるために組織された団体は *society* と *association* で, 前者は会の目的・会員資格・活動などの点でより限定されている. 会員資格・会費・会合時間などがはっきり決められている規模の小さい集まりが *club*. 共通の関心のもとに楽しみに集まっている小グループは *circle*. ((☞ あつまり; かいぎ[1]; かいごう[1]; パーティー))

¶ 私はその*会に出席した I ⌈attended [was present at] the ⌈*meeting* [*party*]. // その*会は年に 1 回開かれる The *conference* is held once a year. // この医師*会は国際的基盤に基づいて組織された This medical *association* was organized on an international basis. // *会に入会する join the *society*

かい[2] 貝 shellfish Ⓒ ((複 ～)) ★ かに・えびなどの甲殻類も含む. 集合的に貝類を指したり食品の意味では Ⓤ; (貝殻) shell Ⓒ. ¶ *貝を掘る dig *shellfish* **貝合わせ** game in the Heian era in which participants compete to find matching shells Ⓒ **貝細工** shellwork Ⓤ.

かい[3] 櫂 (普通のボート用) oar Ⓒ; (カヌー用) paddle Ⓒ. ¶ *かいをこぐ pull (on) an *oar* // ボートを*かいでこぐ *row* a boat // カヌーを*かいでこぐ *paddle* a canoe

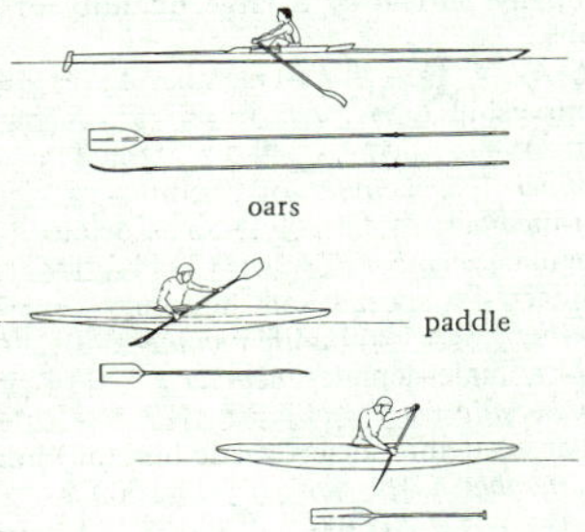

かい[4] 下位 ―名 low(er) rank Ⓒ, subórdinate posítion Ⓒ ★ 後者のほうが格式ばった語. ―形 (下位の) low-ranking, subordinate ★ 後者のほうが格式ばった語. ¶ 序列では私は彼の*下位に立つ I hold a *subordinate position* to him. **下位概念** ☞ 見出し **下位区分 [分類]** sùbdivísion Ⓤ **下位打者** 〔野〕 lower-order batter in a team's lineup Ⓒ.

かい[5] 甲斐 ¶ それはそんなに骨折り*がいのあるものだろうか (⇒それほどの骨折りに値するか) Is it *worth* all the trouble? // だれもが生き*がいのある (⇒生きるに値する) 人生をおくりたいと思っている Everybody wants to lead a ⌈life *worth living* [*worthwhile* life]. // これはやり*がいのある (⇒やるに値する) 仕事です This is ⌈something *worth doing* [a *rewarding* job].

甲斐ない[なし] (無駄な) useless, futile ★ 後者のほうが格式ばった語; (値しない) unworthy Ⓟ; (価値のない) worthless. ¶ いまごろ後悔しても*かいないことだ *It* [*There*] *is no use* (your) regretting it now. // 努力の*かいがなかった All our efforts *were in vain*.

かい[6] 怪 (謎に包まれた) mystery Ⓒ; (不思議なできごと) wonder Ⓒ. ¶ 密室の*怪 the *mystery* of a locked room

かい[7] 買い buying Ⓤ ((☞ うり[1])). ¶ その会社の株は今が*買いだ (⇒買うときだ) Now is the best time for *buying* that company's shares. **買いオプション** call option Ⓒ **買い為替** buying exchange Ⓤ **買い相場** (強気の相場) bull market Ⓒ **買い損** ¶ この中古車はその値段なら*買い損だった I ⌈*lost* [*wasted*] *money* by buying that old car at that price. **買い得** ☞ 見出し

かい[8] 解 (解法) solution Ⓒ; (答) answer Ⓒ. ((☞ かいとう[2])).

かい[9] 隗 ¶ *隗より始めよ (⇒おしゃべりするだけではいけない. 手本を示せ) Don't be a one to talk. Set a good example. / Practice what you preach. ((ことわざ: お説教することは自分で実行せよ)) / Example is better than precept. ((ことわざ: 実例は教訓に勝る))

かい[10] 下意 (一般人の意見) opinion of the general public Ⓒ; (民意) (the) popular opinion Ⓤ; (一般従業員の望み) what the ordinary employees want. **下意上達** (民意を悟る) consider [accept] the opinions of the general public; (一般従業員の願いを理解する[とり入れる]) understand [accept] what the ordinary employees want.

(-)かい[1] …回 (回数) time Ⓒ; (テニスなどの) game Ⓒ; (野球の) inning Ⓒ; (ボクシングの) round Ⓒ. ((☞ ど; 数の数え方 (囲み))).

¶ 1*回 once // それを 2*回くり返しなさい Repeat it ⌈*twice* [two *times*]. // 彼は週に 3*回東京に出てくる He comes to Tokyo three *times* a week. // 彼には何*回会いましたか How ⌈*often* [*many times*] did you see him? // 彼の投球は*回を重ねるごとに[*回が進むにつれて]よくなった (⇒各々の回ごとに) His pitching improved with each *inning*. // 3*回勝負 a three-*game* ⌈match [contest] // 〔野〕 1*回の表[裏] (に) (in) the ⌈top [bottom] of the first *inning* // 〔ボクシング〕 12*回戦 a twelve-*round* ⌈bout [fight]

-かい[2] …界 (世界) the world; (特定の社会) circles ★ 複数形で; (自然界の) kingdom Ⓒ ★ 動物・植物・鉱物の三大区分を表す語; (商売) business Ⓤ.

¶ あの教授は政*界入りをうかがっている That professor is seeking a position in *the world* of politics. // 彼女は芸能*界を追われた She was forced out of ⌈the entertainment *business* [*the world* of show business]. // 文学*界 *the* literary *world* // 実業

[政] *界 *the* ˹business [political] *world* / business [political] *circles* // 動物 [植物, 鉱物] *界 the ˹animal [vegetable; mineral] *kingdom*

-かい³ … 階 floor Ⓒ; story (《英》storey) Ⓒ [語法] 居住の場所で, 部屋などをも考えての階は floor. 建物の高さを中心にして階層を示すのは story. 「階」の表し方は《米》と《英》で次のように異なる: 「1 階」《米》the first floor, 《英》the ground floor, 「2 階」《米》the second floor, 《英》the first floor, 「3 階」《米》the third floor, 《英》the second floor.

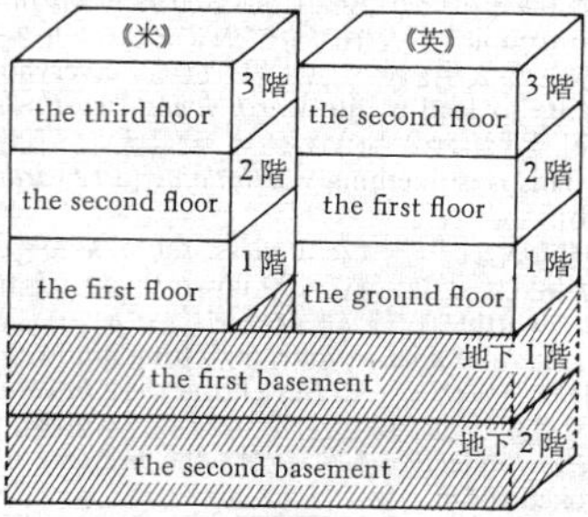

¶「あの人たちは何*階に住んでいますか」「4*階に住んでいます」"What [Which] *floor* do they live on?" "They live on the ˹fourth [《英》third] *floor.*" // このエレベーターはどの*階にも止まります This elevator stops at each *floor.* // 私たちの事務所は最上*階にあります Our office is on the top *floor.* // 私たちはエレベーターで地下 1 [3] *階へ行った We took the ˹elevator [《英》lift] to the ˹first [third] *basement.* // 私の寝室は 2*階です My bedroom is *upstairs.* ★ 2 階建ての家の 1 階で言うとき. // 母は 1 *階に (⇒ 下に) います Mother is *downstairs.* ★ 2 階建ての家の 2 階で言うとき.

がい¹ 害 — 名 harm Ⓤ ★ しばしば道徳的な害に用いられる. — 動 (害する) do harm. — 形 (害のある) harmful; (害のない) harmless. (☞ ひがい¹; そんがい; きがい¹; ゆうがい¹). ¶ それは益どころか*害になる (⇒ 益よりも多くの害をなす) It does more *harm* than good. // たばこは健康に*害がある Smoking is *harmful* to the health.

がい² 我意 (わがまま) sélf-will Ⓤ. ¶ *我意を張る (⇒ 自説を主張する) assert *oneself* / (⇒ わがままである) be *self-willed* // *我意を通す (⇒ 自分のやり方をする) have *one's* (*own*) *way*

ガイ¹ (男性名) Guy /gáɪ/.

ガイ² 《米略式》(やつ) guy Ⓒ.

-がい -外 (… の外) out of …; (… の範囲を超えて) outside … (☞ そと). ¶ 戸*外で遊ぶ play *out of* doors // 彼らの要求は問題*外だ Their demands are *out of* the question. // この問題は私の専門*外です This problem is *outside* my field. // 時間*外に働く work *overtime*

ガイア — 名 固 〔ギ神〕 Gaia /gáɪə/, Gaea /dʒíːə/ ★ 大地の女神.

かいあく 改悪 change for the worse Ⓒ. ¶ 憲法*改悪 (⇒ 憲法の望ましくない改正) an *undesirable amendment* ˹of [to] the Constitution // 税法が*改悪された The tax laws *were changed for the worse.*

がいあく 害悪 (害) harm Ⓤ; (悪) evil Ⓒ; (悪い事) ills ★ 複数形で. (☞ がい¹; あく³). ¶ 戦争のもたらす*害悪 the *evils* of war

かいあげ 買い上げ — 名 (購入) purchase /pə́ːtʃəs/ Ⓤ. — 動 buy ㊀, purchase ㊀ ★ 後者のほうが格式ばった語. (☞ かう¹; かいつけ). ¶ 米の*買い上げ価格 the (government's) *purchasing* price of rice

買い上げ償還 ☞ かいいれ (買い入れ償却)

かいあさる 買い漁る (買うために捜し求める) hunt for … (☞ かいしめ).

がいあつ 外圧 (外部からの圧力) external [outside] pressure Ⓤ; (外国からの圧力) foreign [diplomatic] pressure Ⓤ. ¶ *外圧に屈する yield ˹under [to] *outside pressure*

ガイアナ — 名 固 Guyana /gaɪǽnə/; (正式名; ガイアナ協同共和国) the Cooperative Republic of Guyana. — 形 (ガイアナの) Guyanese /gàɪəníːz/. **ガイアナ人** Guyanese Ⓒ.

かいあん 改案 — 名 (改正議案) reform bill Ⓒ; (改正された案) revised plan Ⓒ; (改めた案) revision Ⓒ. — 動 (案などを改める) revise ㊀. (☞ かいせい²).

かいい¹ 階位 (官職の階級) rank Ⓒ; (等級) grade Ⓒ.

かいい² 海尉 (海上自衛官の階級) (一等) lieutenant /luːténənt/ Ⓒ; (二等) lieuténant júnior gràde Ⓒ; (三等) ensign /énsn/ Ⓒ; (海准尉) warrant /wɔ́ːrənt/ òfficer Ⓒ.

かいい³ 怪異 — 名 (化け物) monster Ⓒ; (幽霊) ghost Ⓒ; (不可解なこと) mystery Ⓒ; (奇妙さ) strangeness Ⓤ. — 形 monstrous; mysterious; strange. (☞ ばけもの; ふしぎ).

かいい⁴ 会意 formation of an ideogram by combining the forms and meanings of more than one Chinese character Ⓤ. **会意文字** ideogram composed of the forms and meanings of more than one Chinese character Ⓒ.

がいい 害意 〔法〕(予謀の傷害意図) premédítated intént to ínjure … (☞ あくい).

かいいき 海域 séa area /è(ə)riə/ Ⓒ; (ある地域に隣接している海域) waters ★ 複数形で. (☞ すいいき). ¶ 200 マイル*海域 a 200-mile *maritime zone*

かいいぬ 飼い犬 pet dog Ⓒ; (持ち主がわかっているときは) *one's* dog Ⓒ. (☞ いぬ¹). ¶ *飼い犬に手をかまれた (⇒ 信頼していた助力者に裏切られた) I was double-crossed by *my trusted assistant.*

かいいれ 買い入れ buying Ⓤ; purchase /pə́ːtʃəs/ Ⓤ ★ 後者は格式ばった語. (☞ かいいれる). **買い入れ価格** the purchase price **買い入れ原価** the cost price. **買い入れ償却** (債券などの) redemption by purchase Ⓤ.

かいいれる 買い入れる buy ㊀ (過去・過分 bought); purchase ㊀ ★ 後者は特に高価な物や, 大量に物を購入するときに用いられる格式ばった語; (商品などを) stock *one's* ˹store [shelves] (with …) (☞ かう¹; しいれ). ¶ 古本を高価で*買い入れます We (will) *buy* secondhand books at a high price. // その会社は大豆を大量に*買い入れた That company *purchased* a large quantity of soybeans.

かいいん¹ 会員 (個々の) member Ⓒ; (会員全体) membership Ⓒ ★ この語は「会員数」も意味する. (☞ メンバー; ぶいん). ¶ クラブの*会員 a club *member* / a *member* of a club // 非*会員 a non-*member* // 準 [正] *会員 an associate [a full; a regular] *member* // 通常 [特別, 名誉] *会員 an ordinary [a special; an honorary /ánərèri/] *member* // 終身*会員 a life *member* // 男性[女性] *会員 a ˹male [female] *member* // *会員名簿 the *membership* list // その学会では彼を名誉*会員とした The academic society made him (an) honorary *member.* // 私たちの会の*会員は 500 名を超えている (⇒ 我々の会は 500 人以上の会員を持つ) Our society has over five hundred *members*. // そのクラブの*会員数は非常に多い (⇒そのクラブは多くの会員数を有している) The club has a large *membership*. // 私はそのクラブの*会員になった I became a *member* of the club. // 年会費を払わないので彼は*会員の資格を失った Since he failed to pay the annual dues, he lost his *membership*. **会員券** membership card Ⓒ **会員証** [バッジ] membership ｢card [badge] Ⓒ **会員制** the [a] membership system. ¶*会員制のクラブ a club for *members* only

コロケーション
会員として…を登録する enroll … as a *member* / 会員の申し込みをする apply for *membership* // 会員の資格を得る gain *membership* / 会員を除名する expel a *member* / 新会員を募る recruit new *members* / 会員を減らす reduce *members* // **地元会員** a local *member* / **創立会員** 《米》 a charter [《英》 a founder] *member* / **年会員** an annual *member* / **非活動会員** an inactive [a low-profile] *member* / **法人会員** a corporate *member*

かいいん² 海員 (船員) seaman Ⓒ 《複-men》; (水夫) sailor Ⓒ. **海員組合** seamen's union Ⓒ.

かいいん³ 改印 ━图 (印鑑の変更) change of *one's* seal Ⓒ. ━動 change *one's* (registered) seal. **改印届** report about changing *one's* seal Ⓒ.

がいいん 外因 ━图 (外部からの原因) external cause Ⓒ (↔ internal cause). ━形 〘生理〙 (外因性の) exogenous /eksɑ́dʒənəs/. **外因性心臓病** exogenous heart disease Ⓒ.

がいいんぶ 外陰部 the extérnal génital órgans ★ the を付け複数形で; (女性の) vulva /vʌ́lvə/ Ⓒ 《複 vulvae /-viː/, ～s》.

かいうける 買い受ける ¶私は彼の蔵書を*買い受けた (⇒買うことによって手に入れた) I *acquired* his collection of books *by purchasing* it. 《☞ かう¹; かいいれる》

かいうん¹ 海運 (海運業) shipping Ⓤ; (海上運送) maríne ｢trànsportátion [tránsport] Ⓤ. **海運業** the shipping business **海運業界** shipping circles ★ 複数形で. **海運業者** shipping agent Ⓒ.

かいうん² 開運 (運がよくなること) good fortune Ⓤ; (幸運) good luck Ⓤ. ¶*開運のお守り a *good-luck* charm // 私は*開運を祈願した I prayed for *better fortune*. 《☞ ひらける》

カイエ (ノート) notebook Ⓒ; (練習帳) workbook Ⓒ. ★「カイエ」はフランス語の cahier から. 《☞ ノート》

かいえき 改易 ━图 (封建時代の私権剝奪) attainder (during the feudal age) Ⓤ; (大名の領地の召しあげ) deprivation of a daimyo's fief Ⓤ. ━動 (改易する) deprive … of …'s personal property and real estate.

かいえん¹ 開演 the raising of the curtain. ¶*開演は午後 6 時です (⇒幕は午後 6 時に上がる) *The curtain* ｢*rises* [*is raised*] at 6 p.m. // *開演中の入場はお断りいたします 《掲示》 No Admittance During *Performance*

かいえん² 海淵 (海溝の最深部) the deepest place in the ocean; 〘地理〙 deep Ⓒ. 《☞ かいこう⁴》. ¶チャレンジャー*海淵 the Challenger *Deep*

かいえん³ 開園 ¶動物園は*開園中です The zoo is now *open*. // その植物園は 10 時に*開園する The botanical garden *opens* at ten. **開園式** (庭園・公園・幼稚園・遊園地などの) the opening ceremony of ｢a garden [a park; a kindergarten; an amusement park].

がいえん¹ 外延 〘論〙 extension Ⓤ, denotation /dìːnoutéiʃən/ Ⓤ ★ 前者は intension に対し, 後者は connotation に対する語.

がいえん² 外苑 outer garden Ⓒ. ¶明治神宮*外苑 the *outer gardens* of (the) Meiji Shrine

がいえん³ 外縁 (外側のへり) outer edge Ⓒ; (外回り) circumference Ⓤ. 《☞ ないえん¹》.

かいえんたい 海援隊 *Kaientai*, the political and trading organization ｢founded by Sakamoto Ryoma during the last days of the Tokugawa shogunate ★ 説明的な訳.

カイエン(ヌ)ペッパー (植物・香辛料) cayenne /káièn/ pépper Ⓤ.

かいおうせい 海王星 〘天〙 Néptune.

かいおき 買い置き (買い置きの品) things laid in; (貯蔵品) (reserve) stock Ⓒ. 《☞ かいだめ》. ¶私たちの灯油の*買い置きは少なくなった Our (*reserve*) *stock* of kerosene is low.

かいオペレーション 買いオペレーション 〘経〙 buying operation Ⓒ (↔ selling operation).

かいおれくぎ 掻い折れ釘 brad Ⓒ.

かいおん 快音 (気持ちのよい音) pleasant sound Ⓒ; (急激な鋭い音) crack Ⓒ, cracking sound Ⓒ. ¶*快音を残して (⇒とともに) 打球は左翼フェンスを越えていった With the *crack* of the bat, the ball cleared the left field fence.

かいか¹ 開花 ━動 (一般的に花が咲く) flower ⓐ; (特に果樹が) blossom ⓐ; (観賞用の花が) bloom ⓐ. 《☞ さく¹; はな¹》. **開花期** the flowering time. ¶この花の*開花期は 5 月です (⇒5 月に花が咲く) These flowers *come out* in May. **開花前線** flower front Ⓒ ¶桜*開花前線 a cherry *blossom front* **開花ホルモン** flowering hormone Ⓒ **開花予想** the expected time for flowering.

かいか² 開架 ¶*開架式図書館 an *open-access* library // *開架式図書室 an ｢*open-shelf* [*open-stack*] reading room

かいか³ 階下 ━图 the downstairs ★ 単数扱い. ━形副 (階下の[に; で]) downstairs. ¶私の書斎は*階下にあります My study is *downstairs*. // *階下の部屋 *downstairs* room // *階下へ降りる go *downstairs*

かいか⁴ 開化 ━图 (文明化) civilization Ⓤ; (啓発) 《格式》 enlightenment Ⓤ. ━動 (文明化される) be civilized; (啓発される) be enlightened. 《☞ ぶんめい¹ (文明開化)》. **開化丼** ☞ 見出し

かいが 絵画 ━图 (一般に) picture Ⓒ; (絵の具の) painting Ⓒ; (鉛筆などで描いたもの) drawing Ⓒ. ━形 (絵画的な) pictorial /pɪktɔ́ːriəl/; (美しい) picturesque /pìktʃərésk/. 《☞ え¹》.

がいか¹ 外貨 (外国の金) foreign ｢money [currency] Ⓤ; (外国為替) foreign exchange Ⓤ. ¶日本の手持ち*外貨は増え続けている Japan's *foreign-exchange* holdings are continuing to increase. **外貨獲得** the obtaining of foreign currency **外貨換算** foreign currency conversion Ⓤ **外貨金融** foreign currency finance Ⓤ **外貨(建)債** foreign currency bonds ★ 複数形で. **外貨準備** foreign currency reserves ★ 複数形で. **外貨証券** foreign (currency) securities **外貨手形** foreign money bill Ⓒ; bill in foreign currency Ⓒ **外貨保有高** foreign currency holdings ★ 複数形で. **外貨預金** foreign currency deposit Ⓒ.

がいか² 凱歌 ¶彼らは*凱歌をあげた (⇒勝利の大声を出した) They ｢raised [gave] a *shout of* ｢*triumph* [*victory*]. / (⇒勝利に大喜びした) They *exulted* /ɪgzʌ́ltɪd/ *in their victory*.

ガイガーカウンター (放射能測定器) Geiger /gáɪgə/ counter Ⓒ.

かいかい 開会 ―動 (始まる・始める) open ⓐ ⓗ. ―名 the opening of a meeting. (☞ひらく). ¶国際会議はあす*開会される The international conference *opens* tomorrow. // 会長が*開会の辞を述べた The president gave an *opening* address. // 議長は*開会を宣した The ⌈chair [chairperson] *called the meeting to order*. ★(米)の表現. / The ⌈chair [chairperson] declared the meeting *open*. // 国会は*開会中である The Diet is now *in session*. **開会式** the ópening cèremony **開会日** (the) ópening dày.

かいがい 海外 ―名 (外国) foreign countries. ―副 (海外へ) òverséas, abroad ★以上2つは交換可能だが前者のほうが用途の広い語. ―形 (海外(から)の) overseas Ⓐ. (☞がいこく). ¶今日では*海外に出るのはしごく簡単だ Today it's quite easy to go ⌈*overseas* [*abroad*]. // 彼は*海外から帰ったばかりだ He has just returned from ⌈*overseas* [*abroad*]. // 学校を卒業したら*海外で働きたい After ⌈graduating [leaving school], I'd like to work *overseas*.
海外移住者 expatriate Ⓒ **海外居住者** resident in a foreign country Ⓒ **海外経済[軍事]援助** foreign ⌈economic [military] aid Ⓤ **海外経済協力基金** the Overseas Economic Cooperation Fund **海外事業部** the overseas operations ⌈division [department] (☞会社の組織と役職名(囲み)) **海外市場** international [foreign] market Ⓒ (☞しじょう[1]) **海外事情** foreign affairs **海外駐在員** overseas representative Ⓒ **海外投資** foreign [overseas] investment Ⓤ **海外渡航禁止令** the Overseas Travel Ban, the Decree Prohibiting Foreign Travel **海外ニュース** foreign news Ⓤ **海外部** the ⌈overseas [international] ⌈division [department] (☞会社の組織と役職名(囲み)) **海外貿易** foreign trade Ⓤ (☞ぼうえき[1]) **海外放送** overseas broadcasting Ⓤ (☞ほうそう[1]) **海外旅行** trip overseas Ⓒ, foreign travel Ⓤ, foreign tour Ⓒ, tour abroad Ⓒ (☞りょこう(類義語)).

がいかい[1] 外海 (湾・港の外の海域) the open sea; (公海) the high seas ★複数形で; (大洋) the ocean.

がいかい[2] 外界 the outside world. ¶その刑務所は*外界から完全に閉ざされていた The prison was completely shut off from *the outside world*.

かいがいしい 甲斐甲斐しい ―形 (忠実な) faithful; (献身的な) devoted; (勤勉な) díligent; (きびきびした) brisk. ―副 faithfully; devotedly; diligently; briskly; (忙しそうに) busily. ¶数人の女性が*かいがいしく働いていた Several women were working ⌈*diligently* [*busily*; (⇒(みつばちのように) せっせと) *like bees*].

かいがいねん 下位概念 〔論・言〕(下位語[概念]) hyponym /háɪpənɪ̀m/ Ⓒ ★通例上下関係の中の下位概念を指す. subórdinate (idea) ともいう (↔ superordinate).

かいかえる 買い換える ¶彼は古い車を売って新車に*買い換えた (⇒下取りに出して新車を買う) He *traded in* his old car for a new car.

かいかく 改革 ―名 (作り変え) refórm Ⓤ, rèformátion Ⓤ ★前者は具体的な事実を指す場合は Ⓒ. 後者は抽象的な概念をいう. ―動 reform ⓗ. (☞かいりょう(類義語); かいぜん; かいせい[2]; しゅうせい[1]). ¶彼らは抜本的な党*改革を行った They ⌈made [carried out] a drastic *reform* of their party. // 行政*改革 administrative *reform* // 構造*改革 structural *reform*
改革案 refórm plàn Ⓒ; (議会の法案) refórm bill Ⓒ **改革開放(路線)** (中国などの) reform, opening up and modernization **改革者** reformer Ⓒ **改革派** reformist group Ⓒ.

がいかく[1] 外角 〔数〕exterior /ekstí(ə)riə/ angle Ⓒ; 〔野〕outside Ⓒ. (☞かく[6](挿絵)). ¶*外角低めの球 a pitch low and *outside* **外角球** pitch on the outside corner Ⓒ. **外角高め** ―形 up-and-away, high-and-outside. ¶*外角高めのボールを打つ hit an *up-and-away* pitch

がいかく[2] 外殻 (貝などのから) shell Ⓒ; 〔生〕(外皮) intégument Ⓒ.

がいかく[3] 外郭 (外部の固まり) the outer block Ⓒ; (輪郭の線) the contour Ⓒ; (外囲い) outer fence Ⓒ.

がいかくだんたい 外郭団体 (補助的な機関) auxiliary /ɔːgzíljəri/ organ Ⓒ; (政府組織外の団体) extra-governmental organization Ⓒ. (☞だんたい[1]).

かいかくはきょうかい 改革派教会 ―名 ⓖ the Reformed Church ★プロテスタント教会の一宗派.

かいかけ 買い掛け ―名 (掛けで買うこと) credit purchase Ⓤ. ―動 purchase [buy] ... on credit. **買掛金(勘定)** accounts payable ★通例複数形で.

かいかぜんせん 開花前線 ☞かいか[1] (開花前線)

かいかた 買い方 〔株〕(強気筋) bull Ⓒ ★しばしば複数形で. (☞うりかた).

かいかつ[1] 快活 ―形 (明るくて元気のよい) cheerful; (元気がよくて活発な) lively /láɪvli/; (陽気な) merry ★やや古風な語. (☞ようき[1]).

かいかつ[2] 快闊 ―形 (偏見にとらわれない) liberal; (気持ちの晴れやかな) cheerful.

かいかつ[3] 開豁 ―形 (度量の広い) large-minded; (広大な) extensive; (さえぎる物のない) open.

がいかつ 概括 ―名 (概要) summary Ⓒ; (要約) súmming-úp Ⓒ. ―動 (手短に述べる) summarize ⓗ; (要約する) súm úp ⓗ. ¶彼は授業でその本の内容を*概括して述べた (⇒概要を示した[与えた]) He ⌈presented [gave] a *summary* of the book in class.

かいかどんぶり 開化丼 bowl of rice topped with *sukiyaki* Ⓒ.

かいかぶる 買い被る (過大評価をする) overestimate ⓗ, have too high an opinion of ..., give ... too much credit. ★後のものほど口語的. (☞かだい[2]).

かいがら 貝殻 shell Ⓒ; (特に海の貝を指すときは) seashell Ⓒ. (☞かい[2]). **貝殻細工** shellwork Ⓤ **貝殻追放** 〔史〕ostracism /ástrəsɪ̀zm/ Ⓤ ★陶片追放とも言う. **貝殻虫** scále (insect) Ⓒ.

かいかん[1] 快感 (満足感を与える) pleasant ⌈sensation [feeling] Ⓒ; (自分の好みに合った) agreeable ⌈feeling [sensation] Ⓒ. ¶よい音楽を聞くと何ともいえない*快感(⇒大きな喜び)を覚える I feel enormous *pleasure* when I listen to good music.

かいかん[2] 会館 hall Ⓒ. ¶学生*会館 a students' *hall*

かいかん[3] 開館 ―動 (開館する) open (↔ close); (開いている) be open. (☞ひらく; あく[1]).

かいがん[1] 海岸 (sea)shore Ⓒ; beach Ⓒ; the seaside; (sea)coast Ⓒ.
【類義語】海辺の土地を表す最も一般的な語は (*sea*)*shore* で, 一面に砂や小石で覆われている平らな

浜辺は *beach*. この語は大きな湖の岸辺にも用いられる. 行楽地としての海岸地帯は *the seaside*. 地理的に沿岸という意味では (*sea*)*coast*. 《☞ うみ[1]; きし[1]; はまべ》

¶ *海岸は海水浴客で混雑していた The *beach* was crowded with swimmers. // 夏休みには*海岸に行こうか, 山に行こうか Shall we go to *the* ˹*seaside* [*seashore*] or (to) the mountains for our summer vacation? // *海岸に(⇒ 海のそばに)一列に並んでいる松の木を見てごらん Look at the pine trees standing in a line by *the sea*.
海岸気候 coastal climate Ⓒ **海岸工学** coastal engineering Ⓤ **海岸砂丘** coastal sand dune Ⓒ **海岸線** coastline Ⓒ, shoreline Ⓒ **海岸段丘** maríne térrace Ⓒ **海岸地方** coastal ˹area [district] Ⓒ **海岸平野** coastal plain Ⓒ **海岸保安林** coastal protection forest Ⓒ.

かいがん[2] 開眼 ── 動 (目覚める) be awakened; (悟りの境地に達する) reach the state of spiritual enlightenment. ── 名 (真理を悟る瞬間) moment of awakening Ⓒ. 《☞ かいげん[2]》.

がいかん[1] 外観 appearance Ⓒ 語法 特に「外側の」を強調したい時には external [outward] appearance とする. appearances とすると「見かけ・うわべ」の意味合いが強い. 《☞ うわべ; みかけ; がいけん》.
¶ 人を*外観で判断してはいけない You shouldn't judge a person by *appearance*.

がいかん[2] 概観 ── 名 (概括的な考察) general view Ⓒ, súrvey Ⓒ; (短めの概要) overview Ⓒ; (大要・あらまし) outline Ⓒ. ── 動 (概観する) survéy ⑩. ¶ 彼は現在の経済情勢をうまく*概観した論文を書いた He wrote an essay which provides a good ˹*overview* [*survey*] of current economic conditions.

がいかん[3] 外患 ☞ ないゆう

がいかん[4] 碍管 〘電〙 bushing Ⓒ ★ 漏電を防ぐため屋内配線に用いる陶製の管.

かいき[1] 会期 (議会・会議などの) session Ⓒ; (会議の期間) period (of …) Ⓒ. ¶ 国会の*会期は長くなるだろう (⇒ 国会は長い会期を持つだろう) The Diet will have a long *session*. // 彼らは*会期を延長した They extended the *session*.

かいき[2] 怪奇 ── 形 (神秘的でなぞのような) mysterious /mɪstí(ə)riəs/; (不思議な) strange. 《☞ ふしぎ; きみょう》. **怪奇小説** mystery story Ⓒ, thriller Ⓒ ★ 後者は映画・劇なども含む.

かいき[3] 回忌 anniversary of *a person's* death Ⓒ. ¶ 父親の 3 *回忌 the second *anniversary of one's father's death* ★ 3 回忌以降は死んだ年を含めて数えるので second となる.

かいき[4] 回帰 ── 名 (循環) revolution Ⓒ; (繰り返し起こること) recurrence Ⓒ; 〘統〙 regression Ⓤ. ── 動 revólve; recúr; (元の場所へ帰る) retúrn ⓐ. 《☞ もどる》. **回帰熱** recurrent fever Ⓤ **回帰分析** 〘数〙 regression analysis Ⓤ **回帰本能** (帰巣本能) the homing instinct Ⓒ.

かいき[5] 買い気 〘株〙 (買い方の強気の気持ち) bullish sentiment Ⓒ 《☞ うりき》.

かいき[6] 開基 〘仏教〙 the foundation (of a temple) Ⓤ 《☞ かいざん[3]》.

かいぎ[1] 会議 (公式の場で協議するための) cónference Ⓒ; (相談や打ち合わせのための) meeting Ⓒ ★ あらゆる会合に用いられる意味の広い語. 《☞ かい[1] (類義語); かいだん[2] (類義語)》. ¶ 鈴木さんはいま*会議中です (⇒ 会議に出席している) Mr. Suzuki is attending a ˹*conference* [*meeting*] now. / Mr. Suzuki is ˹in *conference* [at a *meeting*; in a *meeting*] now. ★ in conference は成句で無冠詞. // *会議中 《掲示》 In *Conference* // その*会議はあすの 3 時から開かれる The *meeting* will be held tomorrow at three o'clock. // 議長は時間どおり*会議を始めた The chairperson opened the ˹*meeting* [*conference*] at the scheduled time. // 約 60 の外国代表が*会議に参加した About sixty foreign delegates participated in the *conference*. // 家族*会議 a family *conference* // 国際*会議 an international *conference* // 職場*会議 a staff *meeting* / (労組の支部会) a local union *meeting* **会議室** conference room Ⓒ **会議録** minutes, proceedings ★ いずれも複数形で. 後者は改まった語.

コロケーション

★ 以下で meeting は conference と言い換えてもよい.
会議で議長を務める chair a *meeting* / 会議の司会をする preside over a *meeting* / 会議の段取りをする arrange a *meeting* / 会議の日取りを…に決める fix a *meeting* for … / 会議を延期する put off [postpone] a *meeting* / 会議を休会とする adjourn a *meeting* / 会議を繰り上げる move up [bring forward] a *meeting* / 会議を招集する call [convene /kənvíːn/] a *meeting* / 会議を閉会にする close [end; break up] a *meeting* // 高官による会議 a high-level *meeting* / 実務者会議 a working-level *meeting*

かいぎ[2] 懐疑 ── 名 doubt Ⓒ; skepticism (《英》 scepticism) Ⓤ ★ 後者のほうが疑いの念が強い. ── 形 skeptical (《英》 sceptical). ¶ 私はその治療法にまだ*懐疑の念を抱いている I still have my *doubts* about the therapy. // 彼はあまりにも*懐疑的すぎる傾向がある He tends to be overly *skeptical*. **懐疑論** skepticism Ⓤ **懐疑論者** skeptic Ⓒ.

がいき 外気 (外の空気) (open) air Ⓤ 《☞ くうき》. **外気圏** the exosphere.

かいきいわい 快気祝い the celebration of *a person's* recovery (from ˹an [his; her] illness). ¶ きのう祖母の*快気祝いをした Yesterday we *celebrated our grandmother's* ˹*recovery* (*from her illness*) [*getting well*].

かいきえん 怪気炎 ── 名 (大ぼら) big [tall] talk Ⓒ. ── 動 (ばかなことを言う) talk nonsense; (大きなことを言う) talk big, brag. 《☞ きえん[2]》.

かいきげっしょく 皆既月食 ☞ かいきしょく

かいぎし 海技士 lícensed séaman Ⓒ 《複 ～ seamen》.

かいぎしょ 会議所 (会合のための会館) meeting hall Ⓒ; (集会所) assembly hall Ⓒ; (協会などの) chamber Ⓒ. ¶ 商工*会議所 the Chamber of Commerce (and Industry)

かいきしょく 皆既食 tótal eclípse (of the ˹sún [moon]) Ⓒ.

かいきせん 回帰線 (北回帰線) the Tropic of Cancer; (南回帰線) the Trópic of Capricorn /kǽprɪkɔ̀ən/. 《☞ ちきゅう[1] (挿絵)》.

かいきにっしょく 皆既日食 ☞ かいきしょく

かいきゃく 開脚 **開脚倒立** 〘体操〙 straddle-legged handstand Ⓒ **開脚登行** 〘スキー〙 ── 名 herringbone Ⓤ. ── 動 herringbone ⓐ **開脚跳び** 〘体操〙 straddle vault Ⓒ.

かいぎゃく 諧謔 (冗談) joke Ⓒ; (ユーモア) humor (《英》 humour) Ⓤ. 《☞ ユーモア; じょうだん[1]》.
¶ いまは*かいぎゃくを弄する場合ではない This is not a time for cracking *jokes*. **諧謔曲** 〘音〙 scherzo /skéətsoʊ/ Ⓒ.

かいきゅう[1] 階級 (社会の) class Ⓒ; (相対的な地位・身分) rank Ⓤ; (等級) grade Ⓒ. 《☞ かいそう[4]; くらい[2]》. ¶ あの人は上流 [中流] *階級だ He ˹is [belongs to the] ˹upper [middle] *class*. // 支配*階

級 the ruling *class(es)* // 私のほうが彼より*階級が上です《軍隊などで》I'm above him in *rank*. // 彼と私では*階級が違います (⇒ 違う階級に属する) He and I belong to different *classes*. // *階級が最高の警察官 a top-*ranking* police officer // *階級制度 the *class* system **階級意識** class consciousness Ⓤ. ¶ 彼らは*階級意識が強い They are strongly *class-conscious*. **階級社会** hierarchical society Ⓒ **階級政党** class party Ⓒ **階級値**〖数〗class value Ⓒ **階級闘争** class ⌈struggle Ⓒ [strife Ⓤ] ★[ ]内は格式ばった語.

かいきゅう² 懐旧 (思い出) rèminíscence Ⓒ; (回顧) retrospection Ⓒ ★ 格式ばった語. 《☞ おもいで》. ¶ 私たちは彼の*懐旧談に耳を傾けた We listened to his *reminiscences*. // ここへ来るといつも*懐旧の情にかられる (⇒ この場所はいつも私を昔のよき時代に引き戻す) This place always carries me back to ⌈my [the] good old days.

かいぎゅう 海牛 〖動〗(マナティー) mánatèe Ⓒ, séa còw Ⓒ; (ジュゴン) dugong /d(j)úːgɑŋ/ Ⓒ.

かいきょ¹ 快挙 (すばらしい業績) splendid achievement Ⓒ; (目ざましい行為) remarkable deed Ⓒ; (手柄) feat Ⓒ ★ 格式ばった語. ¶ 彼の新種の発見は*快挙といえる His discovery of a new species is a *splendid achievement*. // 彼女はオリンピックで金メダルをとる*快挙を成し遂げた She accomplished the *brilliant feat* of winning a gold (medal) at the Olympic Games.

かいきょ² 開渠 (上部を開け放した溝) ópen conduit /kánd(j)uːɪt/ Ⓒ; (道路の側溝) open channel Ⓒ. 《☞ あんきょ》.

かいきょう¹ 海峡 strait Ⓒ; channel Ⓒ ★ strait よりも広いもの. ¶ 津軽*海峡 the Tsugaru *Strait* // イギリス*海峡 the (English) *Channel*

かいきょう² 回教 ―名 Islam /ɪslάːm/ Ⓤ. ―形 (回教(徒)の) Islámic. 《☞ イスラム(イスラム教) 語法》. **回教寺院** mosque /mάsk/ Ⓒ **回教徒** Muslim Ⓒ **回教暦** the ⌈Islamic [Muhammadan] calendar.

かいぎょう¹ 開業 ―動 (商売を始める) start a business; (店などを開く) open ⓗ, start ⓗ; (会社などを設立する) establish ⓗ; (医業・弁護士業を) practice ⓗ. 《☞ かいてん²; ひらく》.
¶ 2, 3 年前に彼は本屋を*開業した He ⌈*opened* [*established*] a bookstore a few years ago. // 新しい歯医者が最近この通りで*開業した (⇒ 診療所を開いた) Recently a dentist (*has*) *opened* ⌈an office [a practice] on this street. // 彼は弁護士 [医者] を*開業している He *practices* ⌈law [medicine].
開業医 géneral practítioner Ⓒ ★ 専門医 (specialist) に対する一般開業医. G. P. と略されることもある. 《☞ いしゃ》.

かいぎょう² 改行 ―動 start a new ⌈paragraph [line] 《☞ ぎょう¹; パラグラフ (巻末)》.

がいきょう 概況 general conditions ★ 通例複数形で. ¶ 気象*概況 (the) *general* weather *conditions*

かいきょく 開局 the opening of a new office. ¶ 放送局を*開局する (⇒ 設立する) *set up* a broadcasting *station*

がいきょく 外局 (官庁の) extra-ministerial bureau Ⓒ; (外部の機関) external organ Ⓒ.

かいきり 買い切り (座席などの) reservations; (物を残らず買うこと) buying up Ⓤ 《☞ かいしめ》.

かいきる 買い切る (全部買い上げる) búy úp ⓗ; (予約する) reserve ⓗ; (チャーターする) charter ⓗ. 《☞ チャーター》. ¶ その会社は大量の在庫品を*買い切った The company *bought up* a large stock of goods. // 私たちはその劇場の特等席を全部*買い切った We *reserved* all the best seats at the theater.

かいきん¹ 解禁 (輸出入・販売などの) the ⌈lifting [removal] of the ⌈ban [embárgo] (on ...) 語法 embargo は入港・貨物輸送・通商などの禁止の意味であるが, 一般的な販売の禁止の意味にも用いられる; (猟 [漁] などの) the opening of the ⌈hunting [fishing] season. 《☞ かいじょ¹》. ¶ あゆ漁は来週*解禁される (⇒ あゆの漁期が始まる) The *ayu season opens* next week.

かいきん² 皆勤 perfect [regular] attendance Ⓤ 《☞ むけっせき; むきゅう²》.
¶ 田中君はこの 1 年間*皆勤で通した Tanaka had *perfect attendance* this year. / (⇒ 学校を 1 日たりとも休むことがなかった) Tanaka *wasn't absent* from school *a single day* this year.
皆勤者 (学校・会社の) person who has not missed a day (of ⌈school [work]) Ⓒ **皆勤賞** honor [award; prize] for perfect attendance Ⓒ.

がいきん 外勤 outside duty Ⓤ 《☞ ないきん》. ¶ あなたは内勤ですか*外勤ですか Do you work inside or *outside*?

かいきんシャツ 開襟シャツ open-neck(ed) shirt Ⓒ; (スポーツシャツ) sport(s) shirt Ⓒ.

かいぐ 戒具 (拘束服) straitjacket Ⓒ, straightjacket Ⓒ; (手かせ・足かせ) shackles ★ 通例複数形で; (手錠) handcuffs ★ 通例複数形で.

がいく 街区 (四方を道路に囲まれた)《米》block Ⓒ.

かいぐい 買い食い ―動 buy candy, spend *one's* money on candy.

かいくぐる 掻い潜る (くぐり抜ける) dodge ⓗ ⓐ; (うまくごまかして逃げる) escape ... cleverly, elude ⓗ ★ 後者のほうが格式ばった語. ¶ 私は人込みの間を*かいくぐってやっと外へ逃れた I *dodged* (my way) through the crowd and managed to get away. // 捜査網を*かいくぐって逃げる *cleverly escape* the police dragnet

かいぐすり 買い薬 ☞ ばいやく²

かいぐり 掻い繰り (子供の遊び) furning one's hands round and round at the chest in children's play Ⓤ.

かいぐる 掻い繰る ¶ 綱を掻い繰る *haul in* a rope *hand over hand* // 手綱を*掻い繰る (⇒ 手綱を操る) *handle* the reins 《☞ たぐる》

かいぐん 海軍 ―名 the navy. ―形 naval Ⓐ, navy Ⓐ. ¶ *海軍軍人 a *navy* man / (⇒ 水兵) a sailor // *海軍士官 a *naval* officer // 米国*海軍 the United States *Navy* 《略 USN》 // 英国*海軍 the Royal *Navy* 《略 RN》 **海軍省[大臣]** the ⌈Department [Minister] of the Navy **海軍伝習所**〖史〗the Naval Training School (established by the Tokugawa shogunate) **海軍奉行**〖史〗the Commissioner of the Navy towards the end of the Edo period **海軍兵学校** (海軍士官学校) the Naval Academy.

かいけい¹ 会計 (出納の計算(書)) account Ⓒ; (経理) accounting Ⓤ; (勘定書) bill Ⓒ, (レストランの)《米》check; (支払い) payment Ⓤ. 《☞ かんじょう²; しはらい; けいり¹》. ¶ *会計は彼がします (⇒ 彼が勘定を払います) He will pay the *bill*. // 《レストランで》*会計をお願いします *Check*, please. // *会計がでたらめだった The *accounts* were not in order. **会計課** accounting [financial] ⌈department [section] Ⓒ **会計係** accountant Ⓒ; (ホテル・レストランなどの) cashier /kæʃíə/ Ⓒ; (会社などの) treasurer Ⓒ **会計学** accounting Ⓤ **会計監査[検査]** audit Ⓒ. ¶ あす*会計監査 [検査] が行われる Our *accounts* will *be* ⌈*examined* [*audited*] tomorrow. 会計監査人[検査官] auditor Ⓒ 会計幹事(団体の) treasurer Ⓒ 会計検査院 the Board of Audit 会計士 accountant Ⓒ. ¶公認*会計士 ☞こうにん¹ 会計主任 chief accountant Ⓒ 会計年度 fiscal year Ⓒ《☞ねんど¹》 会計簿 account book Ⓒ 会計法 the Public Accounts Act 会計報告 financial report Ⓒ; the treasurer's report Ⓒ.

かいけい² 塊茎 〖植〗(ジャガイモなどの塊状の地下茎) tuber Ⓒ.

がいけい¹ 外形 (外から見た形) extérnal [óutward] fórm Ⓒ; (外から見た様子) external [outward] appearance Ⓒ ★いずれも [ ] 内の語を用いるほうがより口語的.《☞がいかん¹; がいけん》.

がいけい² 外径 óutside diámeter Ⓒ.

がいけいひょうじゅんかぜい 外形標準課税 size-based corporate tax Ⓒ.

かいけつ¹ 解決 ── 動 solve ⑩, resolve ⑩; settle ⑩; cléar úp ⑩. ── 名 solution Ⓒ; settlement Ⓒ.

【類義語】問題に解答や説明を与えるという最も一般的な語は *solve* または *resolve*. 最終的に決着をつけて事が終わったことを暗示するのは *settle*. 問題をはっきりさせ, 不明な点をなくすのは *clear up*.

¶まず食料問題を*解決しなくてはならない We must *solve* the food problem first. // 我々は*解決すべき問題がたくさんある We have a lot of problems to *solve*. // 紛争を力で*解決してはならない We should not ⌈*settle* [*resolve*] the dispute by force.《☞しゅうしゅう³》// 時が*解決するだろう Time will ⌈*settle* [*solve*] the problem. // 領土問題は円満な*解決がついた The territorial problem has come to an amicable *settlement*. // 警察は事件*解決につながりそうな手掛かりをつかんだ The police found a clue which they hope will help (to) *clear up* the case. // その問題は未*解決[*解決済み]だ The problem ⌈*is* still un*solved* [*was solved*].《☞みかいけつ》// *解決策 a *solution*

かいけつ² 快傑 (並外れた人) extraordinary person Ⓒ; (伝説的な[評判になっている]英雄・主人公[暴れ者]) legendary [popular] ⌈hero [outlaw] Ⓒ; (超自然的な力のある人) person with supernatural power Ⓒ.

かいけつびょう 壊血病 ── 名 scurvy Ⓤ. ── 形 scorbutic /skɔəbjúːtɪk/.

かいけん¹ 会見 ínterview Ⓒ《☞インタビュー》. ¶彼女は校長に*会見を申し入れた She asked for an *interview* with the principal. // その大臣は新聞記者と*会見した The minister had an *interview* with a newspaper reporter. ★これは記者が一人の場合. 次の文は記者会見の場合. / The minister had a ⌈*press* [*news*] *conference*.
会見記 interview Ⓒ.

かいけん² 改憲 ── 名 amendment of the constitution Ⓤ. ── 動 (改憲する) amend the constitution.《☞けんぽう¹》. 改憲論 the argument for amending the constitution.

かいけん³ 懐剣 (短刀) dagger Ⓒ.

かいげん¹ 改元 the change of an era. ¶日本では1989年, 昭和は平成に*改元された In 1989, Japan *moved from* the Showa *to* the Heisei *Era*.

かいげん² 開眼 ── 動 (悟りを開く) attain spiritual enlightenment《☞かいがん²》. 開眼供養〖仏教〗(仏像の奉献式) the *consecration* ceremony for a newly completed Buddhist image.

がいけん 外見 (外観・体裁) appearance Ⓒ; (外側) the outside, exterior Ⓒ ★前者のほうが口語的.《☞うわべ; みかけ; がいかん¹》. ¶彼女は*外見上は平静だったが, 心臓は高鳴っていた She ⌈*looked* [*appeared*] calm, but her heart was throbbing.

がいげん(ご) 外言(語) 〖言〗outer speech Ⓤ ★コミュニケーションの具として用いられる音声化した言葉. 思考の具としての内言(語) (inner [internal] speech) と対比させて用いる.

かいげんれい 戒厳令 martial law Ⓤ. ¶*戒厳令をしく[解く] proclaim [rescind] *martial law* // *戒厳令下にある be under *martial law*

かいこ¹ 解雇 ── 動 (解任する) dismíss ⑩, dischárge ⑩ 〔語法〕前者のほうが後者より格式ばった語. 後者は前者より厳しく, 特に怠慢・不始末などで解雇するときに用いる; (首を切る)《略式》fire ⑩, sack ⑩; (企業が一時的に解雇する) láy óff ⑩. ── 名 dismissal Ⓒ; discharge Ⓤ; láyòff Ⓒ.《☞かいにん¹ (類義語); くび; めんしょく¹》. ¶彼は怠け者だということで*解雇された He *was* ⌈*fired* [*dismissed*; *discharged*] because of his laziness.
解雇通知 (dismissal) notice Ⓒ 解雇手当 dismissal allowance Ⓒ 解雇予告 advance notice of dismissal Ⓒ.

かいこ² 回顧 ── 動 (昔を振り返る) look back ⌈on [upon] ...; (思い出す)《格式》rècolléct ⑩.《☞かいそう¹; おもいだす》. 回顧録 memoirs /mémwɑəz/ ★やや格式ばった語. 複数形で.

かいこ³ 懐古 ── 動 (昔を思い起こす) recall the past; (昔を振り返る) look back ⌈on [upon] the past. ── 名 (昔を振り返ること) rétrospèct Ⓤ, rètrospéction Ⓤ ★後者のほうが格式ばった語.《☞おもいだす》. ¶彼には*懐古趣味がある (⇒昔のよい時代をなつかしがる) He *yearns for the good old days*. 懐古談 reminiscence Ⓒ ★しばしば複数形で. ¶*懐古談をする *talk about old times* / give *one's reminiscences*

かいこ⁴ 蚕 silkworm Ⓒ. ¶*蚕を飼う《米》raise [《英》rear] *silkworms* // *蚕が糸を吐いてまゆを作っている The *silkworms* are spinning cocoons. 蚕棚 bed for raising silkworms Ⓒ.

かいご¹ 介護 ── 名 (看護) nursing Ⓤ; (世話) care Ⓤ. ── 動 nurse ⑩, take care of ..., care for ... ¶病人[老人]を*介護する *take care of* ⌈a sick [an elderly] person 介護タクシー care taxi Ⓒ 介護ビジネス nursing business Ⓤ 介護福祉 nursing care Ⓤ 介護福祉士 care worker Ⓒ 介護報酬 nursing fee Ⓒ 介護保険 (public) nursing-care insurance system Ⓒ 介護用品 nursing goods ★goods は複数扱い. 介護予防 preventive measure taken to avoid the necessity of nursing care for the aged Ⓒ ★measure は通例複数形で. 介護ロボット nursing robot Ⓒ.

かいご² 悔悟 ── 名 (悔い改めること) repentance Ⓤ, penitence Ⓤ; (後悔の念) remorse Ⓤ ★いずれも格式ばった語. ── 動 repent, become penitent for ...; feel remorse for ... ★いずれも格式ばった表現. ¶*悔悟の涙 *penitent* tears / tears of *remorse* // 心からの*悔悟 sincere *repentance*

かいご³ 開悟 ── 動 (悟りを開く) be spiritually awakened, attain spiritual enlightenment.

がいご 外語 ☞がいこくご

かいこう¹ 開港 the opening of a port. ¶下田は1854年に*開港した (⇒外国の船舶に開かれた港になった) Shimoda *became an open port* (*to foreign vessels*) in 1854. 開港場 (外国船の出入が許されていた港) open [treaty] port Ⓒ.

かいこう² 開校 ¶この学校は50年前に*開校された This school *was* ⌈*founded* [*established*] fifty years ago.

かいこう³ 回航 ── 動 (船を回す) take [bring] a ship (to ...).

かいこう⁴ 海溝 (深く細長くくぼんでいる所) trench

Ⓒ; (5400 メートル以上の深み) deep Ⓒ. ¶日本*海溝 the Japan *Deep* // ミンダナオ*海溝 the Mindanao *Trench* // フィリピン*海溝 the Philippine *Trench* // マリアナ*海溝 the Mariána *Trench*

かいこう⁵ 開口 **開口一番** ¶彼は*開口一番ジョークをとばした (⇒ジョークで話を始めた) He *began his speech* ˹with [by making] a joke. // 彼は*開口一番「辞職する」といった *The first thing he said* was that he would quit.

かいこう⁶ 開講 ―動 (講義を開始する) begin [start] ˹classes [a course]. ¶4月1日*開講予定 The *course* ˹will [is scheduled to] *start* on April 1.

かいこう⁷ 邂逅 ―名 (偶然の出会い) 《格式》 encounter Ⓒ. ―動 meet ... by chance; 《格式》 encounter (他). (☞ めぐりあう).

かいこう⁸ 改稿 ―動 change [revise] a manuscript ★[ ] 内は改良のための変更. ―名 (書き直された原稿) changed [revised] manuscript Ⓒ.

かいごう¹ 会合 meeting Ⓒ ★最も一般的な語; (くだけた感じの集まり) gathering Ⓒ. (☞ かい¹ (類義語); かいぎ¹; かいだん² (類義語)).

かいごう² 改号 ―動 (年号を改める) change the name of an era (☞ かいげん¹); (称号を改める) change the title.

がいこう¹ 外交 ―名 (外交術) diplomacy /dɪplóʊməsi/ Ⓤ; (対外の業務) foreign affairs ★複数形で. ―形 diplomátic; (対外的な) foreign. (☞ こっこう).

¶彼は*外交問題の専門家だ He is an expert in ˹*foreign affairs* [*diplomatic* problems]. // 彼らは敵国との*外交関係を断った They broke off *diplomatic* relations with the enemy. // 彼らはその問題を*外交ルートを通じて解決した They settled the problem through *diplomatic* channels. // 彼女は*外交的手腕を発揮した She displayed her *diplomatic* ˹talent [skill]. // 保険の*外交 ☞ 外交員

外交員 (男の) salesman Ⓒ 《複 -men》; (女の) saleswoman Ⓒ 《複 -women》; (男女両方に用いて) salesperson Ⓒ 《複 salespeople》 [語法] これらの語は店員 (salesclerk) の意味でも使われる. (☞ セールスマン; てんいん¹ [日英比較]). ¶彼女は保険の*外交員をしている She is an insurance *saleswoman*. **外交官** díplomàt Ⓒ. ¶彼は*外交官になりたいと思っている He wants to become a *diplomat*. **外交官試験** the Diplomatic Service Examination **外交機関** (外交上のルート) diplomatic channels ★複数形で. **外交儀礼** diplomatic ˹protocol [etiquette] Ⓤ **外交交渉** diplomatic negotiations ★複数形で. **外交使節** díplomàtic énvoy Ⓒ **外交使節団** diplomatic mission Ⓒ **外交辞令** diplomatic language Ⓤ (☞ おせじ). ¶私があぁ言ったのはただの*外交辞令さ I was just being *diplomatic* when I said that. **外交政策** foreign policy Ⓒ **外交青書** the Diplomatic Bluebook **外交団** (ある国に滞在している全外交官) the diplomatic ˹corps [body] **外交(官の)特権** diplomatic immunity Ⓤ **外交文書** diplomatic document Ⓒ **外交方針** foreign policy Ⓒ.

コロケーション

往復外交 shuttle *diplomacy* / **高圧的な外交** *high-handed* [*heavy-handed*] *diplomacy* / **積極外交** active [positive] *diplomacy* / **瀬戸際外交** (*diplomatic*) brinkmanship / **善隣外交** good neighbor *diplomacy* / **武力外交** armed [power] *diplomacy* / **平和外交** peaceful *diplomacy* / **弱腰な外交** weak-kneed *diplomacy*

がいこう² 外港 (入江内の港の外の停泊地) inlet anchorage outside the harbor Ⓒ; (近接港) neighboring harbor Ⓒ.

がいこう³ 外構 (建物の外面) the exterior of the building Ⓤ; (外側の構築物) outward structure Ⓒ; (外観) external appearance Ⓒ. ¶このビルの*外構は塗装が必要だ The *exterior* of this building needs painting. **外構工事** external works.

かいこうきねんび 開校記念日 anniversary of the ˹founding [foundation] of ˹the [a] school Ⓒ (☞ きねん¹).

がいこうせい 外向性 ―名 〖心〗 extroversion /èkstrəvə́ːʒən/ Ⓤ. ―形 éxtrovèrt(ed) (↔ introvert(ed)). ¶*外向性の人 a man of *outgoing type* / an *extrovert* (☞ がいこうてき)

がいこうせん 外航船 (外洋航行の) oceangoing ship Ⓒ; (外洋航路定期船) ocean liner Ⓒ.

がいこうてき 外向的 ―形 éxtrovèrted (↔ íntrovèrted), (社交性に富んだ) outgoing. ―名 (外向的な人) éxtrovèrt Ⓒ (↔ íntrovèrt).

がいこうは 外光派 〔美〕 plein-airism /plèɪné(ə)rɪzm/ Ⓤ.

かいこうぶ 開口部 〔建〕 (空気穴・風窓などの) opening Ⓒ; (裂け目) gap Ⓒ.

かいこうもんじ 蟹行文字 (ローマ字) European letters ★複数形で. (☞ よこもじ; ローマじ).

がいこきゅう 外呼吸 〖生〗 external respiration Ⓤ.

かいこく¹ 戒告 ―名 (公に行われる譴責(けんせき)) réprimànd Ⓒ ★改まった語. ―動 réprimànd (*a person* for ...) (他), deliver a reprimand (to *a person* for ...). (☞ けいこく¹).

かいこく² 海国 (島国) island nation Ⓒ; (海運大国) maritime power Ⓒ.

かいこく³ 開国 ―動 open a country to the world. ¶彼らは日本に*開国をせまった (⇒通商を開始するよう促した) They urged Japan to *open trade* with them.

かいこく⁴ 回国 traveling from one country to another Ⓤ. **回国巡礼** pilgrimage Ⓒ. ¶*回国巡礼の旅に出る go on [make] a *pilgrimage* from one country to another

がいこく 外国 ―名 foreign ˹country [nation] Ⓒ [語法] (1) nation のほうが改まった感じ; (見知らぬ国) strange ˹country [land] Ⓒ. ―形 (自国外の) foreign (↔ home; domestic); (他の国に属する) alien /éɪliən/ Ⓐ [語法] (2) foreign のほうが一般的; (海外の) overseas Ⓐ. ―副 (国外へ) abroad (↔ at home), òverséas [語法] (3) ほぼ同意だが, overseas のほうが用途の広い語; (日本の外へ) outside Japan. (☞ かいがい).

¶私のおじは*外国で暮らしている My uncle is living ˹in a *foreign country* [*overseas*; *abroad*]. // 私は*外国へ行ったことがない I've never been ˹*abroad* [*overseas*]. // 彼はいつ*外国へ行きますか When is he going ˹*abroad* [*overseas*]? // 彼女は先月*外国から帰った She returned from *abroad* last month. // あそこのスーパーでは*外国産の(⇒輸入された[外国でとれた])果物を売っている *Imported* [*foreign-grown*] fruit is sold at that supermarket. // *外国製のハンドバッグを買った I bought a *foreign-made* ˹purse [handbag].

外国為替 foreign exchange Ⓒ **外国為替管理** foreign exchange control Ⓤ **外国為替管理委員会** the Foreign Exchange Control Commission **外国為替管理法** the Foreign Exchange Control Law **外国為替銀行** foreign exchange bank Ⓒ **外国為替差益[差損]** foreign exchange ˹gains [loss Ⓒ] **外国為替資金** foreign exchange fund Ⓤ **外国為替市場** foreign exchange market Ⓒ

外国為替相場 foreign exchange rate Ⓒ 外国為替手形 foreign exchange bill Ⓒ 外国航路 overseas route Ⓒ. ¶*外国航路の船 a vessel on a *foreign route* 外国債 foreign ⌈bond [loan] Ⓒ 外国産 ── [形] foreign. ¶*外国産の製品 a *foreign* product 外国市場 foreign [overseas] market Ⓒ 外国商社 foreign ⌈firm [company] Ⓒ 外国人 foreigner Ⓒ; (市民権を持たずに外国に居住している人) alien /éɪliən/ Ⓒ; (日本人からみた外国人) non-Japanese Ⓒ. 《☞ がいじん [日英比較]》 外国人登録 alien registration Ⓤ 外国人登録証明書 alien registration card Ⓒ 外国人登録法 the Alien Registration Law 外国人労働者 foreign ⌈worker [laborer] Ⓒ 外国生活 life overseas Ⓤ 外国製品 foreign goods ★複数形で; (輸入品) imported goods ★複数形で. 外国船 foreign ship Ⓒ 外国電報 international telegram Ⓒ, 《格式》 cablegram Ⓒ 外国なまり foreign accent Ⓒ 外国奉行〔史〕Japanese feudal commissioner of foreign affairs Ⓒ 外国貿易 foreign trade Ⓤ 《☞ ぼうえき¹》 外国(産)米 imported rice Ⓤ 外国郵便 foreign [international] mail Ⓤ 外国郵便為替 international money order Ⓒ 外国旅行 overseas trip Ⓒ, foreign tour Ⓒ, tour [trip] abroad Ⓒ, foreign travel Ⓤ. 《☞ りょこう (類義語)》. ¶彼女は*外国旅行をするだけの金をためた She saved enough money to ⌈*take a trip* [*go on a trip; travel*] *abroad*.

がいこくかわせ 外国為替 ☞ がいこく (外国為替)

がいこくご 外国語 foreign ⌈language [tongue] Ⓒ ★ tongue を用いるのは格式ばった言い方. 《☞ ことば; げんご¹》. ¶彼はいろいろな*外国語が達者です (⇒数か国語に通じた人だ) He's quite a *linguist*. / (⇒数か国語ができる人だ) He's a *polyglot*. 外国語学校 language school Ⓒ.

がいこくじん 外国人 ☞ がいこく (外国人)

かいこし 買い越し 〔株〕buying on balance Ⓤ 《☞ うりこし》.

がいこつ 骸骨 skeleton Ⓒ; (骸骨になった死骸) bones ★複数形で. ¶彼は*骸骨のようにやせている He looks like a *skeleton*. / (⇒骨と皮だけだ) He *is* ⌈nothing but [all] *skin and bone*(*s*).

がいこっかく 外骨格 〔動〕the external skeleton.

かいことば 買い言葉 ☞ うりことば

かいこむ 買い込む buy (他), purchase /pə́ːtʃəs/ (他) ★後者のほうが格式ばった語. 《☞ かう¹》.

かいごろし 飼い殺し ¶彼は*飼い殺し同然の扱いを受けている (⇒彼らは彼につまらない仕事を与え, 彼が存在していないかのように扱っている) They've given him a meaningless job, treating him almost as if he doesn't exist.

かいこん¹ 開墾 ── [動] reclaim (他); (耕す) cultivate (他). ── [名] reclamation Ⓤ; cultivation Ⓤ. 《☞ かいたく; きりひらく》. ¶彼らは不毛の地を*開墾した They *cultivated* the barren land. 開墾地 cultivated land Ⓤ.

かいこん² 悔恨 remorse Ⓤ; regret Ⓤ ★前者は格式ばった語で後者よりも悔恨の情が強い; (悔い改めようとする強い意志) repentance Ⓤ. 《☞ こうかい¹》.

かいこん³ 塊根 〔植〕(栄養分をたくわえた根) túberous róot Ⓒ 《☞ かいけい²》.

かいさ¹ 海佐 (海上自衛官の階級; 一等海佐) cáptain Ⓒ; (二等) commánder Ⓒ; (三等) lieutenant /luːténənt/ commánder Ⓒ.

かいさ² 階差 〔数〕difference Ⓒ.

カイザー ☞ カイゼル

かいさい¹ 開催 ── [動] (会を催す) hold (他); (開会する) open (他) [語法] 2 語とも受身形で用いられることが多い; (開催中である) be open, be on. 《☞ ひらく》. ¶その国際会議は来月東京で*開催される That international conference will *be held* in Tokyo next month. // 彼の彫刻展は鎌倉の近代美術館で*開催中である The exhibition of his sculpture(s) *is* now (⌈*open* [*on*]) at the Modern Art Museum in Kamakura. // 次の冬期オリンピックの*開催地はどこですか Where is the *site* of the next Winter Olympics? 開催国 the host country 開催都市 the host city.

かいさい² 快哉 ¶その知らせを聞いて彼らは*快哉を叫んだ They ⌈*yelled with delight* [*shouted for joy*] at the news.

かいさい³ 皆済 ☞ かんさい²

かいざい 介在 lie [exist] between ... ¶2 国間にはいろいろな利害関係が*介在する Various areas of conflict *exist between* the two countries.

がいさい 外債 foreign loan Ⓒ. ¶*外債を募る raise a *foreign loan*

がいざい 外材 (輸入された) imported lumber Ⓤ; (外国の) foreign timber Ⓤ. 《☞ ざいもく》.

かいざいく 貝細工 (貝殻細工) shellwork Ⓤ 《☞ かいがら》.

かいざいりょう 買い材料 〔株〕(買い気を誘うよいニュース) information favorable for a bullish sentiment Ⓤ.

かいさき 櫂先 (オールの先) oar blade Ⓒ, blade of an oar Ⓒ; (茶道で, 茶杓の先端) *kaisaki* Ⓒ; (説明的には) blade-shaped part of a teaspoon used for tea ceremony Ⓒ.

かいさく¹ 改作 ── [名] àdaptátion Ⓤ. ── [動] adápt (他). 《☞ つくりなおす; きゃくしょく》.

かいさく² 改削 ── [名] (改訂) revision Ⓤ. ── [動] (改訂する) revise (他); (改善する) improve (他); (削って良くする) improve by cutting ... 《☞ すいこう²》.

かいささえ 買い支え ── [名] 〔株〕(支え買い) support buying Ⓤ; (買い支え操作) support operation Ⓤ; (価格維持) price support Ⓤ. ── [動] (値を支える) support the price (by buying).

かいさすうれつ 階差数列 〔数〕progression of differences Ⓒ.

かいさつ 改札 ── [動] (切符を調べる) inspect (tickets); (切符にパンチを入れる) punch (tickets). ── [名] the inspection of tickets. ¶自動*改札機 an automatic *ticket checker* 改札係 ticket collector Ⓒ 改札口 《米》(ticket) gate Ⓒ, 《英》(ticket) barrier Ⓒ. 《☞ えき¹ (挿絵)》. 改札止め ¶ただいま*改札止めです *The ticket gate is closed* now.

かいさん¹ 解散 ── [動] (群衆·会などが[を]) brèak úp (自) (他); (議会などが[を]) dissolve /dɪzɑ́lv/ (自) (他); (警察が群衆などを) dispérse (他) ★ (自) の用法もある. ── [名] bréakùp Ⓒ; dissolution /dìsəlúːʃən/ Ⓤ ★やや格式ばった語. 《☞ さんかい¹》. ¶その会は午後 8 時に*解散となった The meeting *broke up* at eight p.m. // パレード (の参加者) は駅前で*解散した The parade *broke up* in front of the station. // 警察はデモ隊を*解散させた The police ⌈*dispersed* [*broke up*] the group of demonstrators. // 先月衆議院 [国会] が*解散した The House of Representatives [The Diet] (*was*) *dissolved* last month. // 《号令で》*解散! *Dismissed*! 解散権 (議会の) the right to dissolve (the Diet) 解散請求 demand for the dissolution (of the Diet) Ⓒ.

かいさん² 改刪 ── [名] (改正) revision Ⓒ. ── [動] (変更する) revise. 《☞ あらためる; かいてい²》.

かいざん[1] **改竄** ── [動] (勝手に変更する) tamper with …; (作り変える) álter (他); (全面的に変える) change (他). 《☞ かえる[2] (類義語)》. ¶ 書類は*改ざんされていた The papers *have been altered.*

かいざん[2] **海山** 〘地質〙(海面下の山) séamòunt Ⓒ; (平頂海山) guyot /giːóʊ/ Ⓒ.

かいざん[3] **開山** ── [動] (寺を設立する) found [set up] a (Buddhist) temple. ── [名] (開祖) founder (of a Buddhist temple) Ⓒ. ★「かいさん」ともいう. **開山堂** building dedicated to the founder (of a Buddhist temple) Ⓒ.

がいさん 概算 ── [動] (大ざっぱに見積もる) éstimàte … róughly. ── [名] (おおよその計算) approximate calculation Ⓒ; (大ざっぱな見積もり) róugh éstimate Ⓒ. 《☞ みつもり》.
¶ *概算ではそれには100万円かかるだろう It will cost ⌈*roughly* a million yen [a million yen *at a rough estimate*]. // 我々の*概算では損害は50万円以上だった (⇒ 我々は … だと大ざっぱに見積もった) We *estimated roughly* that the damage was over five hundred thousand yen. // 家の建築費の*概算をする *make a rough estimate of* the cost of building a house **概算価格** approximate value Ⓤ **概算書** written rough estimate Ⓒ **概算払い** payment by rough estimate Ⓤ **概算要求** demand for budgetary appropriations Ⓒ.

かいさんぶつ 海産物 (海産食物) seafood Ⓤ 《☞ ぎょかいるい》.

かいし[1] **開始** ── [動] (始める・始まる) begin (他) (自) (↔ end), start (自) (他) (↔ stop) ★ 後者のほうが口語的; (仕事などを始める) launch (他); (会合などを[が]) open (他) (自) (↔ close). ── [名] beginning Ⓒ, start Ⓒ; launch Ⓤ; opening Ⓤ. 《☞ はじめる; はじまる (類義語)》. ¶ 試合*開始は何時ですか (⇒ 試合は何時に始まるか) What time does the game *begin*? // 彼らは交渉を*開始する (⇒ 交渉に入る) ことに決めた They decided to *enter* into negotiations. // この店は来月営業を*開始します This store *opens* next month. // 彼はすでに選挙運動を*開始している He *has* already *launched* his election campaign. // 彼らは一斉に行動を*開始した They all *went into* action at the same time.

かいし[2] **怪死** ── [名] (不可解な死) mysterious /mɪstí(ə)riəs/ death Ⓒ. ── [動] die a mysterious death.

かいし[3] **海士** (海上自衛官の階級; 一等海士) seaman Ⓒ, able seaman Ⓒ ★ 前者は米海軍で, 後者は英海軍で一等海士に当たる; (二等海士) seaman apprentice Ⓒ, ordinary seaman Ⓒ ★ 前者は米海軍で, 後者は英海軍で二等海士に当たる; (三等海士) seaman recruit Ⓒ, junior seaman Ⓒ ★ 前者は米海軍で, 後者は英海軍で三等海士に当たる. **海士長** petty officer 3rd class Ⓒ, leading seaman Ⓒ ★ 前者は米海軍で, 後者は英海軍で海士長に当たる.

かいし[4] **懐紙** (ふところ紙) fine (Japanese) pocket tissue Ⓤ, white, napkin-like paper (to wipe the tea bowl at the tea ceremony Ⓤ; (短歌用の) fine paper for writing a Japanese tanka poem on Ⓤ.

かいじ[1] **海事** ── [名] máritime ⌈affàirs [màtters] ★ 前者のほうがやや格式ばった語. ── [形] maritime Ⓐ. ***海事衛星*** *marine observation* satellite Ⓒ **海事公法** maritime public law Ⓤ **海事私法** maritime private law Ⓤ **海事代理士** maritime judicial scrivener Ⓒ **海事法** maritime law Ⓤ.

かいじ[2] **開示** ── [動] (情報を公開する) release (他); (情報などを公開する) disclose (他). ── [名] (情報などの公開) release Ⓤ; (情報を公表すること) disclosure Ⓤ.

かいじ[3] **快事** (愉快なこと) pleasure Ⓒ; (うれしいできごと) joyful event Ⓒ.

かいじ[4] **怪事** (不思議なこと) mystery Ⓒ; (驚くべきこと) wonder Ⓒ; (不面目) scandal Ⓒ.

がいし[1] **外資** foreign capital Ⓤ 《☞ しほん》. ¶ *外資導入 the introduction of *foreign capital* // *外資系の会社 a *foreign affiliated* ⌈firm [company] / a *foreign* affiliate **外資法** the Foreign Investment Law.

がいし[2] **碍子** ínsulàtor Ⓒ.

がいし[3] **外史** (非公式の歴史) unofficial history Ⓤ.

がいじ[1] **外耳** the external ear Ⓒ (↔ the internal ear), 〘医〙 auricle /ɔ́ːrɪkl/ Ⓒ. **外耳炎** inflammation of the external ear Ⓤ, 〘医〙 otitis externa /oʊtáɪtɪs ekstə́ːnə/ Ⓤ.

がいじ[2] **外字** (ワープロ等の) user-defined character Ⓒ. **外字紙[新聞]** (外国語の) foreign language newspaper Ⓒ.

がいじ[3] **外事** **外事課** the foreign affairs section.

かいしき 開式 ── [動] open a ceremony. ── [名] the opening of a ceremony. **開式の辞** opening address Ⓒ.

がいして 概して (一般に) generally, in general [語法] 後者は複数名詞の後において, 形容詞としても用いられる; (一般的に言うと) generally speaking; (通例) as a rule; (全体として) on the whole; (大ざっぱに言うと) roughly (speaking). 《☞ いっぱんに; いったい[2]》.
¶ *概して秋には雨が多い *Generally* [*As a rule*] we have a lot of rain in (the) fall. // *概して日本の気候は温和だ *Generally speaking*, the climate of Japan is mild. // *概して去年は米が豊作だった *On the whole*, we had a good rice crop last year.

かいしめ 買い占め ── [名] corner Ⓒ. ── [動] (物を) búy úp (他); (株や商品を) corner (他). 《☞ かう[1]》. ¶ 彼らは米の*買い占めをはかっている They are trying to *corner* the rice market. // 投機家たちはその会社の株を大量に*買い占めた Speculators *bought up* large quantities of the company's stock.

かいしゃ[1] **会社** company Ⓒ; firm Ⓒ; còrporátion Ⓒ; office Ⓒ.

【類義語】 規模・内容にかかわりなく, 日常的な意味での「会社」は **company** ないし ***firm*** と言うことができるが, *firm* は大小, 内容を問わず2人以上から成るすべての商社・商会をいう. *company* は普通は物を製造または販売する会社. ***corporation*** は法人化された会社をいう.「会社で働く」などという場合の仕事の行われる場所は ***office*** である. [語法] Company は Co. と略される. 会社名で Yamada & Co. とある場合の Co. は「仲間」という意味で, ほかの共同出資者である partners を指す. この & Co. の前には必ず人名がくる. 人名の次に Trading などの語が入った場合は Yamada Trading Co. としなければならない. なお & Co. は主として合資会社・合名会社に用い, 株式会社の場合は Co. の後, または Co. を省略して《米》では Inc. (＝Incorporated) を,《英》では Ltd. (＝Limited) を加える. また《英》では PLC, plc (＝Public Limited Company) も用いられる. 《☞ きぎょう[1]; つとめ[1]; かぶしき; 会社の組織と役職名 (囲み)》

¶ どちらの*会社にお勤めですか What ⌈*company* [*firm*] do you work for? // この*会社へ入ってもう10年になる Ten years have already passed since I ⌈joined [was hired by] this ⌈*company* [*firm*]. / (⇒ 10年間この会社で働いている) I have been working for this *company* for ten years. // 父はまだ*会社です (⇒ 会社にいます) My father is still at ⌈his [the] *office*. // 彼は自分で小さな*会社を作った

He ⌈set up [established; founded] a small *firm* of his own. // 店を*会社組織にする *incorporate* a business

会社更生法 the Corporate Rehabilitation /rìː-(h)əbìlətéɪʃən/ Law **会社ごろ** blackmailer to a company Ⓒ《☞ そうかい² (総会屋)》 **会社社長** the president of a company **会社重役** corporate executive Ⓒ **会社整理** reorganization of the company Ⓤ **会社説明会** meeting held by a company for job hunters Ⓒ **会社内規** company bylaw Ⓒ **会社法** 《米》 corporate [《英》 company] law Ⓤ **会社役員** member of the board of directors Ⓒ.

コロケーション

会社を起こす launch a *company* / 会社を解散する liquidate a *company* / 会社を合併する merge [amalgamate] *companies* / 会社を経営する run [operate; manage] a ⌈*company* [*business*] / 会社を再建する restructure [rebuild] a *company* / 会社を所有する own a *company* / 会社を組織する organize a *company* / 会社をたたむ close down [wind up] a *company* / 会社をつぶす bankrupt a company; make a *company* go bankrupt / 会社を乗っとる take over a *company* / 会社を買収する acquire [buy] a *company* / 会社を始める start a *company* / 会社をやめる (途中で) quit [resign /rɪzáɪn/ from] a *company*; (定年で) retire from a *company*

かいしゃ² 膾炙 ¶人口に*膾炙している (⇒よく知られている) be *well-known* / (⇒日常よく用いられている) be *in everyday use*

がいしゃ¹ 外車 (外国製の車) foreign [foreign-made] car Ⓒ ★ほぼ同意だが, 前者のほうが普通; (輸入車) impórted cár Ⓒ.

がいしゃ² 害者 ☞ ひがい¹ (被害者)

かいしゃいん 会社員 (事務系の) óffice wòrker Ⓒ ★会社員だけでなく, 事務職の公務員も指す. 男女の区別が必要な場合は male [female] office worker のようにいう; (会社の従業員) cómpany emplòyée Ⓒ (↔ employer).

¶彼は*会社員だ He's a *white-collar worker*. / He's an *office worker*. / (⇒彼は会社のために働いている) He *works for a company*. 日英比較 英語ではもっと具体的に, 例えば He works for an oil company. (彼は石油会社に勤めている) / He works in a bank. (彼は銀行員だ) のようにいうのが普通.

かいしゃく¹ 解釈 —名 (意味・意図などをくみとって理解すること) intèrpretátion Ⓤ ★具体的な事例を表す場合はⒸ; (意味・意図をくみとって説明すること) explanation Ⓤ. —動 intérpret ⑩; (言葉などを理解する) take ⑩. ¶一方的な*解釈 a one-sided *interpretation* //『英文*解釈法』(⇒英語を日本語に翻訳する方法) *How to Translate English into Japanese* 参考 書名は主要な単語を大文字で始める. 《☞ 大文字 (巻末); イタリック体 (巻末)》 // 彼の行動はこう*解釈するよりほかにない (⇒これが彼の行動の唯一の説明である) This is the only (possible) *explanation* for his behavior. // 彼女は私の言葉を誤って*解釈した She *took* my words in the wrong sense. // 善意に*解釈する take ... in a favorable sense **解釈論**〖法〗(新たな立法なしで現行法の解釈で事案を処理する論) intérpretive théory Ⓒ

かいしゃく² 介錯 —動 assist *a person* in committing ⌈harakiri [ritual suicide by disembowelment] by cutting off his head ★説明的な訳. **介錯人** assistant to a person committing harakiri cutting off his head Ⓒ.

がいしゃせん 外車船 (外輪船) paddle-wheel steamer Ⓒ, paddle wheeler Ⓒ, paddleboat Ⓒ.

かいしゆ 芥子油 ☞ からし (芥子油)

かいしゅ 魁首 (かしら) chief Ⓒ; (長) leader Ⓒ; (親分) boss Ⓒ.

がいじゅ 外需 foreign demand Ⓤ.

かいしゅう¹ 回収 —動 (集める) collect ⑩; (取り戻す) gèt báck ⑩; (不良品・欠陥商品などを) recall ⑩. —名 collection Ⓤ; recall Ⓒ. ¶月曜までゴミの*回収はありません 《掲示》 No Garbage *Collection* until Monday // 彼に貸した金はもう*回収できないよ You won't be able to *get back* the money you lent him. // その会社は不良品を*回収した The company *recalled* the defective products. // 答案を集めるときにアンケート用紙も一緒に*回収して下さい When collecting the answer sheets, please *collect* the questionnaires with them. // 宇宙船は無事*回収された The spacecraft *was recovered* in good condition.

かいしゅう² 改修 —動 (修理する) repair ⑩; (改良する) improve ⑩. —名 repair Ⓤ; improvement Ⓤ. 《☞ しゅうり; かいりょう》. ¶彼らはその堤防を*改修した They *repaired* the banks. // 河川*改修 (工事) river *improvement*

かいしゅう³ 改宗 —動 convért ⓐ ⑩. —名 conversion Ⓤ. ¶彼女はキリスト教に*改宗した She *has* (*been*) *converted to* Christianity. **改宗者** cónvert Ⓒ.

かいしゅう⁴ 会衆 (寄り集まった人々) people gathered together; (聴衆) audience Ⓒ; (教会の) congregation Ⓒ. **会衆派教会** (組合教会) the Congregational /kàŋgrɪgéɪʃ(ə)nəl/ Church ★英国国教会に対抗したプロテスタント教会の一つ.

かいじゅう¹ 怪獣 monster Ⓒ. **怪獣映画** monster movie Ⓒ.

かいじゅう² 懐柔 ¶彼らを*懐柔して味方に引き入れた We *have won* them ⌈*over* [*round*; *around*] (to our side). 《☞ だきこむ; てなずける》 **懐柔策** concíliatòry méasure Ⓒ.

かいじゅう³ 海獣 marine mammal Ⓒ.

かいじゅう⁴ 晦渋 —形 (難かしすぎて分からない) too difficult to understand.

がいしゅう¹ 外周 (外回り) (the outer) circumference Ⓤ (↔ the internal circumference); (円の周囲) periphery Ⓒ. 《☞ しゅうい》.

がいしゅう² 鎧袖 **鎧袖一触** (簡単に相手を負かす) defeat ... easily.

がいじゅう 害獣 (有害な) harmful [noxious] animal Ⓒ ★前者のほうが口語的; (きつね・ねずみなどの) vermin ★複数扱い.

がいじゅうないごう 外柔内剛 ¶彼は*外柔内剛だ (⇒弱々しく見えるかも知れないが, 強固な意志を持っている) He might look weak, but he has a strong will.

がいしゅつ 外出 —動 gò óut ⓐ. —副 (外出して) out. 《☞ でかける》.

¶ちょっと*外出していいですか May I *go out* for a while? // *外出の支度はできましたか Are you ready to *go out* ? // 彼は仕事で*外出しています He *is out* on business. // 私は日曜日はたいてい*外出しない (⇒家にいる) I usually *stay at home* on Sunday(s). // 夜間*外出禁止令 a curfew **外出着** street ⌈dress Ⓤ [wear Ⓤ; clothes] **外出嫌い (人)** homebody Ⓒ; stay-at-home Ⓒ ★いずれも略式語だが後者は軽べつ的な意味を含む.

がいしゅっけつ 外出血 (出血) bleeding Ⓤ (↔ internal bleeding); 〖医〗 hemorrhage /hém(ə)rɪdʒ/ Ⓤ. 《☞ ないしゅっけつ; しゅっけつ²》.

かいしゅん¹ 改悛 —名 repéntance Ⓤ. —形

会社の組織と役職名

会社の組織は，業種，規模，形態によってさまざまであるが，一般には縦割りで，上から取締役会 (board of directors), 事業本部 (division), 部 (department), 室 (office), 課 (section), 係 (subsection) などに分かれる．本部制をしいていない部課制の会社では, division (部) — department (課) — section (係) となる．つまり, department といっても，会社によっては部の場合もあり，課の場合もあることになる．ちなみに，官公庁などでは局を bureau, 部を department, 課を section と呼んでいる．なお同一名称の部門が本社と支社にあるような場合は，本社のほうは corporate accounts department のように corporate を付ける．

日本の会社の部門名は，そのまま直訳して通じるものもあるが，中には一致しないものもある．その場合は，仕事の具体的な内容を考えて英訳しなければならない．

以下にあげるのは代表的な部門名であるが，d. は department または division の略である．また，実際の使用では定冠詞が必要だが，ここでは省略する．社内の文書などでは固有名詞的に単語の先頭を大文字にすることが多い．

部

営業部 sales d. / marketing d. **海外事業部** overseas operations d. **海外部** overseas d. / international d. **開発技術部** marketing & technical services d. **監査部** internal auditing d. **管財部** properties administration d. **企画部** planning d. **企画業務部** corporate planning d. **機材部** machinery & materials d. **技術部** engineering d. / technical development d. **業務部** sales administration d. **経理部** accounts d. / general accounting d. / budget & accounting d. **(研究)開発部** research and development [R & D] d. **建設部** development & construction d. **購買部** purchasing d. **広報部** public relations d. / publicity d. **財務部** finance d. **事業部** enterprises d. **資金部** finance processing d. **資材部** materials d. **渉外部** foreign relations d. / public relations d. **証券部** securities d. **商品開発部** product development d. **商品管理部** product administration d. **情報システム部** information systems d. **庶務部** general affairs d. **人事部** personnel d. **生産部** production d. **生産管理部** production control d. **設計部** designing d. **宣伝部** advertising d. **総務部** administration d. / general affairs d. **調査部** business research d. / information & research d. **通信部** communications d. **電子計算部** information system d. **特許部** patent d. **能力開発部** personnel development d. **発送部** dispatch d. **販売管理部** sales administration d. **販売業務部** sales affairs d. **販売促進部** sales promotion d. **販売部** sales d. **福利厚生部** welfare d. **文書部** *legal* d. **貿易部** import & export d. **法務部** legal affairs d. / legal d. **輸出部** export d. **輸入部** import d. **労務部** labor relations d. / industrial relations d.

企画室 corporate planning office **社史室** corporate history office **秘書室** sècrétariat.

役職名

役職名は会社によっても異なり，定訳はないといってよい．米国で実権を持つトップの肩書は CEO (Chief Executive /ɪgzékjʊtɪv/ Officer) で，Chairman や President が最高責任者とは限らない．同じ director といっても，会社によっては，取締役のこともあり，ときには本部長，部長を指し，課長を指す会社もある．また managing director のようにアメリカとヨーロッパでは異なった意味で用いられる場合もある．しかし，日本の会社では，一般的に以下のように役職名を英訳して使っている．実際の使用に際しては定冠詞が必要だが，ここでは省略する．

会長 chairman / chairman of the board (of directors) / board chairman **副会長** vice-chairman (of the board of directors) **社長** president / 《英》managing director ★ 実権を握る社長のときは chief executive officer で，単に chief executive とも呼ぶ．会長が CEO のときは, chief operating officer. なおイギリスでは，実権のない元会長のことを president と呼ぶことがある． **社長付** assistant to president **副社長** executive vice-president ★ 単に vice-president とすると,《米》では日本の部長に当たるので，誤解を招きやすい．アメリカでは一つの会社に vice-president の肩書を持つ人は多い． **代表取締役** representative director / 《英》managing director **専務取締役** executive [senior] managing director / executive director **常務取締役** managing director **取締役** director / member of the board ★ 社外から委嘱された非常勤取締役，社外重役は external director と呼ばれる．これに対して，常勤の取締役は internal director. また part-time director, full-time director という呼び名もある． **監査役** auditor **相談役** executive adviser / senior (corporate) adviser **顧問** adviser / corporate adviser / counselor **本部長** division(al) director / general manager ★ 事業本部制の場合, group vice-president ともいう． **部長** general manager / director / manager / vice-president / division [department] head **副部長** deputy general manager / deputy director / assistant general manager **部長代理** acting general manager / assistant general manager **課長** manager / section ⌈head [chief] / section manager /assistant general manager **課長補佐** assistant manager **課長代理** acting manager **係長** subsection ⌈head [chief] / senior staff / assistant manager **局長** director / general manager **次長** deputy general manager / assistant general manager **支店長** branch manager / general manager / district [regional] manager **支店次長** deputy branch manager / assistant ⌈district [regional] manager **工場長** plant manager **職長** foreman **部員[課員]** staff **平社員** rank-and-file ⌈employee [worker] ★ 集合的には the ranks / the rank and file / the work force.

名刺と肩書

名刺には，肩書を前に書き，コンマをつけて後ろに部署名を併記する．輸出部長なら，General

Manager, Export Department. 海外部渉外課長なら, Manager, Public Relations, Overseas Division. 通例大文字で始める.

repentant ★ いずれも改まった語. (☞ こうかい). ¶ 彼は*改悛の情が顕著である (⇒ 改悛のはっきりした徴候を示した) He has shown clear signs of *repentance.* / He is quite *repentant* now.

かいしゅん² 回春 **1** 《若返り》 ― 名 《格式》 rejuvenation /rɪdʒùːvənéɪʃən/ Ⓤ. ― 動 (若返る) 《格式》 rejúvenàte ⓗ ★ しばしば受身で.
2 《病気の回復》 ― 名 recovery Ⓤ. ― 動 (病気が治る) recover from ...
3 《春が再び巡ってくること》: the return of spring.
回春剤 (若返り薬) rejúvenàtor Ⓒ, rejúvenàting médicine Ⓒ.

かいしゅん³ 悔悛 ― 名 (一般的な後悔, 遺憾) regret Ⓤ; (特に宗教的な罪を悔い改めること) 《格式》 repéntance Ⓤ; (一般的に悪事の罪の悔い改め) 《格式》 pénitence Ⓤ. ― 動 (後悔する, 遺憾に思う) regret [that ...], feel regret (for ...); repent ⌈of ... [having *done* ...; that ...]; be penitent (for ...) (☞ くいあらためる; こうかい).

かいしゅん⁴ 買春 ☞ ばいしゅん²

かいしょ¹ 楷書 the square style (of Chinese handwriting). ¶ お名前は*楷書でお書き下さい Please *print* your name. 参考 英文の申し込み書などにあるもので, print は「活字体で書く」の意.

かいしょ² 開所 (事務所などの初めての仕事) the opening (of an office).

かいしょ³ 回書 (返書) reply Ⓒ; (順を回して用件を知らせる文書) circular (memo) Ⓒ.

かいしょ⁴ 会所 meeting place Ⓒ. ¶ 碁*会所 a go *parlor*

かいじょ¹ 解除 ― 動 (警報などを) cáncel ⓗ; (ストライキを) cáll óff ⓗ; (武装を) disárm ⓗ; (禁止令を) lift ⓗ. ― 名 cancellation Ⓤ; (武装解除) disarmament Ⓤ. (☞ とく; とりけす).
¶ 台風警報は1時間前に*解除された The typhoon warning *was canceled* an hour ago. // ストは*解除になった The strike *has been called off.* // ハイジャック犯たちは空港で武装*解除された The hijackers *were disarmed* at the airport. // その禁止令はついに*解除された The ban *was* finally *lifted.*
解除反応 〔心〕 abreaction Ⓒ.

かいじょ² 介助 (助け) help Ⓤ; (介添え) assistance Ⓤ. (☞ たすけ; かいご; かいぞえ). **介助犬** service dog Ⓒ.

がいしょ 外書 (外国の書物) foreign book Ⓒ.

かいしょう¹ 解消 ― 動 (取り消す) cáncel ⓗ; (急に関係などを断つ) brèak óff ⓗ; dissolve ⓗ ★ 後者のほうが格式ばった語; (法的な手続きによって無効にする) annul /ənʌ́l/ ⓗ. ― 名 cancellation Ⓤ; annulment Ⓤ. (☞ とりけし). ¶ この契約は*解消したい I'd like to *cancel* this contract. // 2人は婚約を*解消した They *have broken off* their engagement. // 彼らの商取り引きは*解消されるというわさがある It is rumored that their business relationship will *be dissolved.* ★ 格式ばった表現.

かいしょう² 改称 ― 動 (名前を ... に変える) change the name to ...; (名前を付け直す) rènáme ⓗ.

かいしょう³ 甲斐性 ¶ *甲斐性のある男 (⇒ 有能な) an *able* man / (⇒ 頼りがいのある) a ⌈*dependable* [*reliable*] man / a man *to be* ⌈*depended* [*relied*] *on* // *甲斐性のない男 a good-for-nothing ⌈guy [person] (☞ きこつ; たより).
甲斐性なし bum Ⓒ ★ 口語的な表現. ¶ 君はなんて*甲斐性なしなんだ! What a *bum* you are!

かいしょう⁴ 快勝 sweeping [easy; òverwhélming] victory Ⓒ; (選挙での圧勝) landslide Ⓒ. (☞ あっしょう). ¶ 我々は彼らのチームに*快勝した We *gained an easy victory* over their team.

かいしょう⁵ 海将 (海上自衛官の階級) vice admiral Ⓒ **海将補** rear admiral Ⓒ.

かいしょう⁶ 海相 ☞ かいぐん (海軍大臣)

かいじょう¹ 会場 (会合の場所) meeting place Ⓒ. ¶ 研究会の*会場はどこですか (⇒ どこで行われるか) Where does your research meeting take place? / Where does your ⌈study group [seminar; workshop] meet?

かいじょう² 開場 ― 動 open ⓐ (☞ かいかい; かいえん). ¶ 午前10時*開場 (The) doors *open* at 10 a.m.

かいじょう³ 海上 ― 形 (海の) marine /mərí:n/ Ⓐ; (海に関する) máritìme Ⓐ. (☞ うみ). ¶ 彼は*海上勤務についている He is on *sea* duty. ★ 反対は shore duty.
海上運賃 ocean freight Ⓤ **海上交通** sea traffic Ⓤ **海上自衛隊** the Maritime Self-Defense Force 《略 MSDF》 **海上生活** life at sea Ⓤ **海上封鎖** sea blockade Ⓒ **海上保安大学校** Japan Coast Guard Academy **海上保安庁** Japan Coast Guard **海上保険** maríne insùrance Ⓤ **海上保険会社** marine insurance company Ⓒ **海上輸送** marine transportation Ⓤ.

かいじょう⁴ 階上 ― 副 úpstáirs (☞ -かい³; にかい¹; うえ¹). ¶ *階上の部屋 an *upstairs* room // *階上へ行く go *upstairs*

かいじょう⁵ 回状 ― 名 circular (letter) Ⓒ. ― 動 (回状を配る) circularize ⓗ. ¶ *回状を回す send a *circular* (to ...)

かいじょう⁶ 階乗 〔数〕 factorial Ⓒ. ¶ 整数 n の*階乗は n! で表される The *factorial* of *n* is represented as *n!*. // 5の*階乗は120です The *factorial* of 5 is 120.

かいじょう⁷ 塊状 ― 名 (定まった形のない大きな塊) mass Ⓒ. ― 形 massive. **塊状火山** 〔地質〕 mássive volcáno Ⓒ **塊状岩** 〔地質〕 mássive róck Ⓒ **塊状溶岩** 〔地質〕 blóck làva Ⓤ.

がいしょう¹ 外傷 extérnal ⌈ínjury [wound /wú:nd/] Ⓒ (☞ きず (類義語); けが).

がいしょう² 外相 foreign minister Ⓒ (☞ がいむだいじん). ¶ *外相会議 a *Foreign Ministers'* conference

がいしょう³ 外商 (注文を取るための外回り) going around to take orders Ⓤ. **外商部** (デパートの) direct sales department Ⓒ.

がいしょう⁴ 街娼 (街で客を誘う売春婦) streetwalker Ⓒ; (売春婦) prostitute Ⓒ ★ 前者のほうがくだけた言い方.

かいじょうたつ 下意上達 ☞ かい¹⁰ (下意上達)

かいしょく¹ 会食 ― 動 (一緒に食事をする) dine [eat dinner] together ⓐ; (人と食事をする) dine (with ...) ⓐ ★ dine は eat dinner より格式ばった語だが, 「会食」のニュアンスに近い. (☞ しょくじ¹).
¶ きのうは理事たちと*会食した I *dined with* the directors yesterday.

かいしょく² 解職 ― 名 (解雇) dismissal Ⓤ. ― 動 (免職する) dismiss ⓗ; (特に病気などの理由や, 軍隊などから職を解く) discharge ⓗ; (首にする) fire ★ くだけた語. ¶ 彼は収賄のかどで*解職となった He *was dismissed* from his post for taking bribes. **解職請求** (自治体の首長などの) recáll Ⓒ 《☞ かいにん¹》.

かいしょく³ **海食** wave erosion Ⓤ 《☞ しんしょく¹》. **海食崖** 〖地〗 sea cliff Ⓒ **海食台地** abrasion platform Ⓒ **海食洞** sea cave Ⓒ.

がいしょく **外食** ―[動] (外で食事する) eat [dine] out (自) ★ dine を用いるほうが格式ばった表現. **外食産業** the food service industry.

がいしるい **外翅類** 〖昆〗 Èxoptèrygóta ★ 類名. とんぼ, ばったなど; (昆虫) èxoptérygote Ⓒ, (説明的には) insect with wings developed externally Ⓒ.

かいしん¹ **会心** ¶ 彼は*会心の笑みを浮かべた (⇒ 満足して微笑した) He smiled *complacently* /kəmpléɪsntli/. // *会心の当たり (⇒ 満足のいくヒット) a *satisfactory* hit
会心の作 (満足のいく作品) satisfactory work Ⓒ; (最高作品の1つ) one of *one's* best works.

かいしん² **改心** ―[動] (改心する) reform (*oneself*); (改心させる) reform (他); (行いを改める) mend *one's* ways, turn over a new leaf. ―[名] amendment Ⓤ. 《☞ いれかえる》. ¶ *改心した犯罪者 a *penitent* criminal

かいしん³ **回心** ―[名] (心がわり) change of mind Ⓒ; 〖宗〗 (改宗) conversion Ⓤ. ―[動] (改宗する) be converted (to ...), convert (to ...) (自).

かいしん⁴ **回診** rounds ★ 通例複数形で. 《☞ じゅんかい》. ¶ 先生は午後*回診します The doctor will *come* ⌈*around* [*round*] *to see you* in the afternoon.

かいしん⁵ **改新** (社会制度などの改善) reform Ⓒ. ¶ 大化の*改新 the Taika *Reform*

かいしん⁶ **快心** (満足) satisfaction Ⓤ; (幸福感; 満足感) feeling of happiness Ⓒ; (いい気持ち) great [wonderful] feeling Ⓒ ★ くだけた表現.

かいじん¹ **灰塵** ashes and dust; (取るに足りないもの) rubbish Ⓤ.

かいじん² **灰燼** (燃え殻) ashes ★ 複数形で. ¶ *灰燼と化す[に帰す] (⇒ あとかたもなく焼けうせる) be ⌈burned [reduced] to *ashes*

かいじん³ **怪人** (正体のわからない不思議な人物) mysterious [mystery] person Ⓒ; (怪物) monster Ⓒ. ¶ *怪人二十面相 (⇒ 多くの顔を持つ謎の人物) a multi-faced *mystery man*

かいじん⁴ **海神** (海の神) the god of the sea, the sea god; 〖ロ神〗 Néptune; 〖ギ神〗 Poseidon /pəsáɪdn/.

がいしん¹ **外信** **外信部** the foreign news department.

がいしん² **外心** 〖幾〗 círcumcènter 《英》 círcumcèntre Ⓒ.

がいじん **外人** (外国から旅行または移住して来た人) foreigner /fɔ́ːrɪnə/ Ⓒ; (ある国に居住しているが, 別の国の国籍をもち, 帰化しない人) alien /éɪliən/ Ⓒ. [日英比較] foreigner という語には, 人を疎外するニュアンスがあるので, 対面する相手について言うときには, ほかの語, 例えば visitor (訪問者) などの置き替え可能な表現を用いるほうがよい場合がある. ((例) あなたは*外国人ですか (⇒ あなたはこの国を訪れている人ですか) Are you a *visitor* here? / (⇒ あなたは旅行者ですか) Are you a *tourist*?).
【参考語】 ―[形] (外国の) foreign.
外人部隊 (軍隊の) the Fóreign Legion /líːdʒən/ ★ 複数扱い.

かいず **海図** chart Ⓒ 《☞ ちず (類義語)》. ¶ *海図に載っていない島 an *uncharted* island

かいすい **海水** séawàter Ⓤ 《☞ うみ¹》. **海水着** swimming wear Ⓤ, swimwear Ⓤ ★ 以上2つは一般的な言い方; (女性用) báthing /béɪðɪŋ/ sùit Ⓒ, swimsuit Ⓒ; (男性用) (swimming) trunks ★ 複数形で. **海水魚** saltwater fish Ⓒ **海水帽** báthing càp Ⓒ, swim cap Ⓒ.

かいすいよく **海水浴** swimming in the ⌈sea [ocean] Ⓤ 《☞ うみ¹; すいえい》. ¶ 下田へ*海水浴に行った We *went* ⌈*swimming* [*for a swim*] at Shimoda. **海水浴客** swimmer Ⓒ **海水浴場** beach (resort) Ⓒ.

かいすう **回数** the number of times; (頻度) frequency Ⓒ. ¶ 彼の欠席*回数はどれくらいですか (⇒ 何回休んだか) How ⌈*often* [*many times*] was he absent? 《☞ ど; -かい¹》

がいすう **概数** (端数のない数) round ⌈numbers [figures]; (およその数) appróximate figures ★ いずれも複数形で. 《☞ がいさん》.

かいすうけん **回数券** coupon ticket Ⓒ.

ガイスト (精神) Geist, geist Ⓤ ★ ドイツ語より.

かいする¹ **介する** **1** «…を通して» ―[前] through ... 《☞ ちゅうかい¹; とおす》. ¶ 私は彼を*介して (⇒ 彼の仲介を通して) その会社と契約を結んだ I made the contract with the company *through* his *mediation*.
2 «気にかける» ¶ 彼女はそんなことは少しも意に*介しない (⇒ 心配しない) She doesn't ⌈*mind* [*care about*; *worry about*] things like that at all. / (⇒ 何とも思わない) She *thinks nothing of* things like that. 《☞ い²; しんぱい¹; き¹》

かいする² **解する** (理解する) understand (他), màke óut (他) ★ 後者のほうが口語的; (解釈する) intérpret (他); (鑑賞する) appréciàte (他). 《☞ わかる; りかい》. ¶ 彼は現代美術を*解さない He cannot *appreciate* modern art.

かいする³ **会する** (会う) meet (自); (集まる) gather (自). **一堂に会する** ☞ いちどう² (一堂に会する)

がいする **害する** (損傷を与える) injure (他); (傷つける) hurt (他). 《☞ そこなう; がい¹》. ¶ 他人の感情を*害することのないように気を付けなさい Be careful not to *hurt* other people's feelings.

かいせい¹ **快晴** ―[形] (雲のない) clear; (晴れた) fair, fine ★ 後者はやや意味が弱く, 天気予報などでは fair を用いる. ―[名] clear [fair; fine] weather Ⓤ. 《☞ はれ¹》. ¶ この前の日曜日は*快晴だった It [The sky] was very ⌈*clear* [*good*] last Sunday. / (⇒ 我々は晴天を持った) We had *fine weather* last Sunday. // *快晴に恵まれた (⇒ 幸運にも快晴の日だった) Fortunately it was a *clear* day.

かいせい² **改正** ―[動] (必要な部分を訂正して改める) revise (他); (法律などの字句を改める) amend (他); (部分的に変更する) alter /ɔ́ːltə/ (他). ―[名] revision Ⓤ; amendment Ⓤ; alteration Ⓤ ★ いずれも具体的な事例をいう場合は Ⓒ. 《☞ しゅうせい¹; かいかく》. ¶ 年金制度の早急な*改正が必要だ An immediate *revision* of the annuity system is needed. / It is necessary to *revise* the annuity system without delay. // 憲法*改正 an *amendment* to the Constitution
改正案 reform bill Ⓒ, plan to revise ... Ⓒ.

かいせい³ **改姓** ―[動] change *one's* ⌈family name [surname]. ¶ 彼女は佐藤から加藤に*改姓した She *changed her family name* from Sato to Kato.

かいせい⁴ **回生** (生きかえること) coming to life again Ⓤ; (復活) rèsurréction Ⓤ. ¶ 起死*回生の妙薬 a ⌈miracle [wonder] drug to ⌈*restore* [*resurrect*] the dead (to life) 《☞ きしかいせい》

がいせいき **外性器** external ⌈sexual organs [genitals] ★ 複数形で; 〖解〗 genitalia /dʒènətéɪliə/ ★ 複数形.

かいせいじょ 開成所 ―図 固 (江戸幕府の洋学校) Kaiseijo, the Western school established by the Tokugawa shogunate.

かいせき[1] 解析 análysis U. **解析学** 〘数〙 análysis U; (分析論) analýtics U **解析幾何学** 〘幾〙 ànalýtic geómetry U **解析力学** 〘数〙 analýtical dynámics U.

かいせき[2] 会席 (寄り合いの席) meeting place C, gathering place C. 《☞ かい[1]; かいごう[1]》. **会席膳** 〘盆〙 Japanese dinner tray (for each individual) C **会席料理** full-course Japanese meal served on a tray (to each member of a gathering) C.

かいせきこ 海跡湖 coastal lake C; (潟) lagoon C.

かいせきりょうり 懐石料理 tea-ceremony dishes; (説明的には) a simple meal served at a formal tea ceremony.

かいせつ[1] 解説 ―図 (説明) explanation U; (論評) cómment C, cómmentàry C 語法 前者は個々の問題についての解説. 後者は集合名詞として用いられることが多い. ―動 explain 他; comment (on ...) 自. 《☞ せつめい; ろんぴょう》.
¶この新聞は海外ニュースの*解説を載せている This newspaper ｢gives *comments* [*comments*] on overseas news. // ニュース*解説 a news *commentary* / *comments* on the news
解説記事 comment C **解説者** cómmentàtor C; (ニュースの) news commentator C, néws ànalyst C 《☞ ニュース》 **解説書** manual C.

かいせつ[2] 開設 ―動 (制度や施設などを設立する) sèt úp 他, establish 他 ★ 後者のほうがやや改まった語; (学校・企業体などを) found 他; (電話などを) install 他; (事務所などを開く) open 他. ―図 establishment U; foundation U. 《☞ せつりつ; せっち[1]; もうける[2]》. ¶この地域に支店を*開設する必要がある It's necessary to ｢*set up* [*establish*] a branch (office) in this area.

かいせつ[3] 回折 ―動 〘物理〙 (電波・光・音などが) be diffracted. ―図 diffraction U. **回折格子** 〘光〙 diffraction grating C **回折縞** 〘光〙 diffraction stripe C **回折波** 〘光〙 diffracted wave C.

がいせつ[1] 概説 ―動 (全般について述べる) survey 他; (概略を述べる) give an outline (of ...). ―図 (概略) outline C, summary C ★ 前者のほうが一般的. 《☞ がいろん; がいりゃく》. ¶教授は講義で科学における最近の発展について*概説した The professor *surveyed* recent scientific developments in his lecture.

がいせつ[2] 外接 ―動 círcumscribe 他. ―図 circumscríption U. **外接円** circumscribed circle C **外接多角形** círcumscribed pólygòn C.

カイゼル 〘史〙 (ドイツ[オーストリア, 神聖ローマ]帝国の皇帝の称号) Kaiser; (皇帝) kaiser C ★ ドイツ語から. 《☞ こうてい[6]》. **カイゼル髭** handlebar mustache /mʌ́stæʃ/ C 《☞ ひげ[1]》.

かいせん[1] 開戦 ―図 (戦争の勃発(ぼっ)) the outbreak of war. ―動 (戦いを始める) go to war (against *a country*); (宣戦する) declare war (on *a country*). 《☞ せんそう[1]》. ¶太平洋戦争の*開戦は 1941 年 12 月 8 日だった (⇒ 始まった) The Pacific War *began* on Dec. 8, 1941.

かいせん[2] 改選 ―動 (再選する) reelect /rì:ɪlékt/ 他 ★ 通例受身で; (新しい国会議員を選ぶ) elect new members (of the Diet). ―図 reelection U. 《☞ せんきょ[1]; さいせん[1]》. ¶参議員の半数が 3 年毎に*改選される. Half the members of the House of Councillors are subject to *reelection* every three years.

かいせん[3] 回線 〘電〙 circuit /sə́:kɪt/ C. ¶電話*回線 a telephone *circuit*

かいせん[4] 海戦 naval [sea] battle C. ¶日本海*海戦 the *Battle* of the Sea of Japan

かいせん[5] 疥癬 the itch; scabies /skéibiz/ ★ 後者は医学用語で単数扱い; (動物の) mange U. ¶*疥癬にかかる have [suffer from] *the itch*

かいせん[6] 会戦 ―図 (大規模な戦闘) battle C; (交戦) 《格式》 encounter C. ―動 (戦う) fight (against ...; with ...) 自; (敵軍と交戦する) 《格式》 engage 他 自 ★ 自 の場合は 前 は with ...

かいせん[7] 界線 (境界線) borderline C; (人為的な) demarcation line C 《☞ きょうかい[2]》.

かいせん[8] 回旋 ―図 (軸を中心にぐるぐる回ること) rotation U; (軌道を回ること) revolution U; 〘植〙 (内巻き) involution U. ―動 rótate 自; revólve 自; (植物が) twine around; 〘植〙 (つるが) cìrcumnútate /sə̀:kəmn(j)ú:teɪt/ 自. **回旋運動** rótary mótion U; (植物のつるの) circumnutation U **回旋橋** swing bridge C **回旋塔** giant stride C.

かいせん[9] 廻船, 回船 (貨物船) cargo vessel C. **廻船問屋** (店) shipping agency C; (人) shipping agent C.

かいぜん 改善 ―動 (不満足な点をよくする) improve 他 ★ 日本語の「改善」に最も合致する語; (よりよくする) better 他 ★ 現状が必ずしも悪くないという意味を含む; (改革する) reform 他. ―図 improvement U; betterment U; reform C. 《☞ かいかく; かいりょう (類義語)》.
¶我々は事態を*改善しなければならない We must ｢*improve* [*better*] ｢conditions [the situation]. // それは大いに*改善の余地がある (⇒ 余地を残す) It leaves much room for *improvement*. // *改善案を作り, すぐに実行に移すべきだ We should draft ｢a *reform* [an *improvement*] plan and carry it out without delay. // まず待遇を*改善して (⇒ 給料を上げて) もらいたい First of all, I want a ｢*higher* salary [*raise*]. // 彼らは労働条件の*改善を要求した They demanded *better* working conditions.
改善策 refórm mèasures ★ 通例複数形で.

がいせん[1] 外線 (電話の) outside line C; (外部) outside U. ¶《電話で》*外線をお願いします An *outside* [*Outside*] *line*, please. / Please give me an *outside line*. ★ 第 1 文より第 2 文のほうが丁寧な表現. // この電話で*外線がかけられますか Can I ｢*call outside* [make a *call outside*] ｢on [with; through] this telephone? **外線工事** outside wiring U.

がいせん[2] 凱旋 ―動 return in triumph /tráɪ(ə)mf/. ―図 triumphal /traɪʌ́mf(ə)l/ return C. ¶彼らは意気揚々と*凱旋した They *returned in triumph*. **凱旋将軍** triumphant general C **凱旋門** triumphal arch C.

がいぜんせい 蓋然性 probability U 《☞ かくりつ[2]; かのうせい》.

かいそ[1] 開祖 (宗派などの) founder C; (流行などの) oríginàtor C.

かいそ[2] 改組 ―動 (会社などの組織を) reorganize 他; (内閣などを) reshuffle 他. ―図 rèòrganizátion U; rèshúffle C. ¶首相は内閣を*改組することに決めた The Prime Minister decided to carry out a Cabinet *reshuffle*.

かいそう[1] 回想 ―図 (思い出すこと) 《格式》 recollection U; (遠い昔の回想) rèminíscence U. ―動 (過去を振り返ってみる) look back (on ...; upon ...) 自; recollect 他, recall ... (to *one's* mind), call ... to mind; (遠い昔を思い出す) rèminísce (about ...) 自. 《☞ おもいだす》.

¶彼は子供時代を*回想した He *looked back on* his childhood. // その老人は毎日*回想にふけった(⇒回想して毎日を送った) The old man spent every day in *reminiscence*. **回想場面**(映画・小説などの) flashback [C] **回想録**(作者の体験をもとにした思い出話) reminiscences; (親しい人による伝記, 自叙伝, あるいは重大事件の回想的な記録) memoirs /mémwɑəz/ ★いずれも複数形で.

かいそう² 改装 ―[動](別の物に作り変える) màke óver (into ...) (他), convért (into ...) (他) ★前者のほうがより口語的; (建物などの外観・内装を改める) remodel (他), renovate (他). ―[名] rèmódeling (《英》 remodelling) [U], renovation [U]. (☞ かいぞう¹). ¶この船はフェリーに*改装される予定だ This ship is going to *be converted into* a ferry (boat). // 店を*改装する *remodel* a store

かいそう³ 回送 ―[動](手紙を転送する) forward (他), send on (他), redirect (他) ★用語としては第1番目が普通; (荷物などを) transfér (他). (☞ てんそう). ¶この手紙を上記の住所へ*回送して下さい Please ˹*forward* [*send on*] this letter to the above address. **回送車** òut-of-sérvice ˹tàxi [bùs; tràin] [C]; 《米》 deadhead [C] **回送郵便** forwarded mail [U].

かいそう⁴ 階層 (社会の) class [C]; (身分などによる階級) rank [U]; (収入などの範囲による階層) bracket [C]; (階級の体系) hierarchy /háɪərὰəki/ [C]. (☞ かいきゅう¹). ¶社会のあらゆる*階層の人々 people ˹from [of] all ˹*classes* [*levels*] of society/people from all *walks of life* [参考] walk of life [C] は社会的地位, 身分, また職業の意の格式ばった表現. **階層ディレクトリ**〖コンピューター〗hierarchical /hὰɪərάəkɪkəl/ diréctory [C].

かいそう⁵ 会葬 ―[動](葬式に参列する) attend a funeral (☞ そうぎ²). ¶ご*会葬ありがとうございました《葬式で》Thank you very much for ˹your kind *attendance at* [your (kind) *presence at*; *attending*] *the funeral*. **会葬者** mourner [C], person who attends a funeral [C].

かいそう⁶ 海草 (海生植物) marine plant [C] (☞ かいそう¹¹).

かいそう⁷ 回漕 (船による輸送) shipping [U]; (海上輸送) transport by sea [U]. ¶我々の製品はニューヨークへ*回漕される Our products *are transported* to New York *by sea*. **回漕業者** shipping agent [C].

かいそう⁸ 快走 ―[動] run [sail] fast (自), scud (自) ★後者は文語的な語. ―[名] fast sailing [U]. ¶私たちの帆船は順風を受けて*快走した Our sailboat *ran fast and smoothly* before the wind.

かいそう⁹ 壊走 rout [C] ★格式ばった語. ¶我我は敵を*壊走させた We *put* the enemy *to rout*.

かいそう¹⁰ 海曹 (海上自衛官の階級; 一等海曹) petty officer 1st class [C]; (二等) petty officer 2nd class [C]; (三等) petty officer 3rd class [C]. **海曹長** chief petty officer [C]

かいそう¹¹ 海藻 (こんぶ・わかめなどの) seaweed [U]; (藻類) algae /ǽldʒiː/ ★複数扱い.

かいそう¹² 改葬 ―[名](再埋葬) reburial /rìːbériəl/ [U]; (埋めかえ) rèintérment [U]. ―[動] rèbúry /rìːbéri/ (他); reinter /rìːɪntə́ː/ (他). (☞ まいそう).

かいぞう¹ 改造 ―[動](デザインなどを) remodel (他); (別の物に作り変える) màke óver (into ...) (他), convért (into ...) (他) ★前者のほうがより口語的; (内閣・重要人事を)《略式》reshuffle /rìːʃʌ́fl/ (他). ―[名] remodeling (《英》 remodelling) [U]; 《略式》 reshuffle [C]. [日英比較] 家の改造を「リフォーム」というのは和製英語. (☞ かいそう²; つくりかえる). ¶近く店を大*改造しなくてはならない We must *remodel* our store extensively in the near future. // この台所は居間を*改造したものです This kitchen *was converted from* a living room. / (⇒我々は居間をこの台所に改造した) We *made over* the living room *into* this kitchen. // 首相は内閣を*改造した The Prime Minister *reshuffled* the Cabinet.

かいぞう² 解像 〖写〗resolution [U]. **解像力[度]** resolving power [U]; resolution [U]. ¶高*解像度のレンズ a high-*resolution* lens

がいそう 外装 (上塗り) coating [U]; (自動車などの外側の作り) trim [C]; (一般に外側の装飾) èxtérnal órnament [C]. ¶その建物の*外装はしっくいだった (⇒しっくいが塗られていた) The building *was coated with* plaster. / The building *was plastered*. // その車は*外装はよいが内装が少し貧弱だ The *trim* on this car is fine, but the interior is rather poor. **外装工事** exterior work [U].

かいぞえ 介添え (手助けする人) helper [C]; (補佐役) assistant [C]; (新婦の) bridesmaid [C]; (新郎の) best man [C]. ¶その病人は*介添えなしでは歩けない The patient can't walk without *assistance*.

かいそく¹ 快速 ―[副](快速で) at (a) high speed (☞ はやい¹ (類義語)). **快速艇** speedboat [C], fast ship [C] **快速電車[列車]** fast train [C] [日英比較] 日本のJRでは急行列車といえば急行料金を取る列車のことで, それには express train が訳語として用いられている. これに対して料金を取らない急行という意味では英米にぴたりのものはないが, 「都市相互を結ぶ」という意味で《英》intercity (train) [C] も外国人には理解しやすい訳語.

かいそく² 会則 the regulations of ˹...'s [the] society ★複数形で. (☞ きそく). ¶それは*会則に反する That is against ˹*the regulations of our society* [*our society's regulations*]. // *会則の改正には会員の3分の2の賛成が必要だ The assent of two thirds of the members is required to amend *the regulations of the society*.

かいそく³ 快足 ―[形](速い) fast; (足の速い)《文》fleet-footed; (飛ぶように速い) swift-footed. (☞ しゅんそく). ¶*快足の人 a ˹*fast* [*fleet-footed*] runner / (⇒ずば抜けて足の速い選手) a spéedster

かいぞく 海賊 pirate /pάɪ(ə)rət/ [C]. **海賊行為** piracy /pάɪ(ə)rəsi/ [U]. ¶*海賊行為をする commit *piracy* **海賊船** pirate (ship) [C] **海賊版** pirate(d) edition [C] **海賊ビデオ** pirated videotape [C].

がいそふ 外祖父 maternal grandfather [C], grandfather on *one's* mother's side [C].

がいそぼ 外祖母 maternal grandmother [C], grandmother on *one's* mother's side [C].

かいそん 海損 sea damage [U]; (保険で) average (loss) [C].

かいぞん 買い損 (つまらない[損な]買物)《略式》bad buy [C].

かいだ 快打 (野球の) clean hit [C]. ¶*快打を放つ make a *clean hit*

かいたい¹ 解体 ―[動](ばらばらにする) take [pull] ... apart; (飛行機などの装備をはずす) dìsmántle (他); (家を取り壊す) púll [stríp] dówn (他); (組織などを) disband (他). (☞ とりこわす). ¶彼はその機械を*解体して調べた (⇒部品を調べた) He *took* the machine *apart* and examined the parts. // その飛行機は専門家によって*解体された The plane *was* ˹*dismantled* [*stripped down*] by the experts. // その建物は*解体して改築された The building *was pulled down* and rebuilt. // その組織は裁判所の命令によって*解体された The syndicate *was disbanded* by court order.

解体新書 (江戸時代の西洋医学書; ☞ ターヘルアナトミア) *Kaitai Shinsho, A New Book on Anatomy*; (説明的には) the first Japanese Western medical book translated from a Dutch book on anatomy, which in turn is a translation from a German original, by Sugita Genpaku and others in the late Edo period.

かいたい² 懐胎 ―名 (受胎) conception Ⓤ ★ 古風な語; (妊娠状態) pregnancy Ⓤ. ―動 conceive ⑱, become pregnant ★ 後者のほうが現代的な表現. (☞ かいにん²; にんしん).

かいだい¹ 改題 change of the title (of ...) Ⓒ.

かいだい² 解題 (書物の紹介) bìbliográphical introdúction (to ...) Ⓒ; (解説) explanatory notes (on ...).

かいだい³ 海台 (海底の高原) súbmarine plateau /plætóʊ/ Ⓒ; (海底の台地) súbmarìne tableland Ⓒ.

かいたく 開拓 ―動 (開発して発展させる) ópen úp ⑱; (埋立て・干拓・灌漑などによって) reclaim ⑱; (耕す) cúltivàte ⑱. ―名 reclamation Ⓤ; cultivation Ⓤ. (☞ かいはつ; きりひらく).

¶ 彼らは新しい土地を*開拓した They *cultivated* (the) new land. // 長い間見捨てられていた土地が*開拓された The long-abandoned land *was* ⌜*reclaimed* [*opened up*]. // アメリカに新しい市場を*開拓しなければならない (⇒ 見つける [求める] べきだ) We should ⌜*find* [*seek*] a new market in America. // 彼は遺伝子工学で新しい分野を*開拓した He *broke new ground* in the field of genetic engineering. // この分野にはまだ大いに*開拓(⇒ 研究)の余地がある There is much room for further *investigation* in this field.

開拓事業 reclamation work Ⓤ **開拓者** (植民者) colonist Ⓒ; (移住民) settler Ⓒ; (ほかの人々よりも先に定住し, 開拓する人) pìonéer Ⓒ ★ この語は比喩的にも用いられることが多い. ¶ 彼らは宇宙科学の*開拓者だ They are the *pioneers* of space science. **開拓地** reclaimed land Ⓤ.

かいだく 快諾 ―名 ready [willing] consent Ⓤ ★ しばしば a を付けて. ―動 (快く引き受ける) gladly [willingly] consent (to ...) ⑬. (☞ ひきうける; しょうだく). ¶ 彼は我々の申し出を*快諾してくれた He gave (*a*) *ready consent to* our request. / He ⌜*gladly* [*willingly*] *consented to* our request.

かいだし 買い出し ¶ 彼女は毎朝市場へ*買い出しに行く (⇒ 買い物に行く) She *goes shopping* at the market every morning. (☞ かう¹; かいもの)

かいたす 買い足す buy more ... ¶ じゃがいもをもう少し*買い足しなさい *Buy* some *more* potatoes.

かいだす 掻い出す (バケツなどで船から水を) bail out ⑱; (ひしゃくで) ladle out ⑱. ¶ ボートから水を*かい出す *bail* ⌜*out* [water *out of*] the boat.

かいたたく 買い叩く (略式) béat dówn ⑱ 語法 「値段」「人」両方を目的語にとる; (不当な安値で買う) buy ... at an unreasonably low price. (☞ ねぎる; ねびき¹).

¶ 私は*買いたたいて 2 千円にさせようとした I tried to *beat* ⌜the price [him] *down* to ¥2,000. // キャベツが豊作で, 農家は*買いたたかれた (⇒ 農民は不当な安値で売らなければならなかった) Owing to the bumper crop of cabbages, the farmers had to *sell* them *at an* ⌜*unreasonably* [*unrealistically*] *low price*.

かいたて 買い立て ―形 (新品の) brand-new; (買ったばかりの) newly-bought. ¶ *買い立ての服を転んで汚してしまった I fell down and got my *brand-new* dress dirty.

かいだめ 買いだめ ―動 (買いだめする) stock up ⌜with [on] ...; (蓄える) hoard ⑱. ¶ 米を*買いだめする *stock up* ⌜*with* [*on*] rice // この冬の石油は十分に*買いだめがしてあります (⇒ 十分な蓄えがある) We have a large *stock* of oil for the winter.

がいため 外為 ☞ がいこく (外国為替)

かいだん¹ 階段 (踊り場から踊り場までの一続きの階段) stairs, steps 語法 両方とも常に複数形で用いる. 前者は特に屋内のもの. a flight, a flight of stairs ともいう; (建物の階段・手すりなどの部分すべてを含めて) staircase Ⓒ, stairway Ⓒ ★ 後者は通路というニュアンスがある; (階段の段の 1 つ) stair Ⓒ, step Ⓒ.

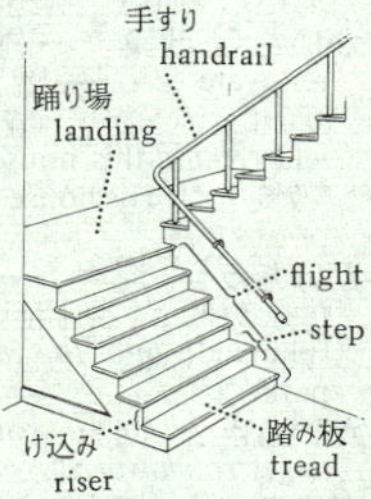

¶ この*階段はとても急です The *stairs* are very steep. // 私は*階段を上った [降りた] I went ⌜up [down] the *stairs*. // 私は*階段から転げ落ちてしまった I ⌜tumbled [fell] down the *stairs*. // この*階段を上がると彼の事務所です (⇒ この階段は彼の事務所に通じている) This *staircase* leads to his office. // らせん*階段 a spiral *staircase* // 非常*階段 emergency *stairs* / a fire escape

階段教室 theater (《英》 theatre) Ⓒ.

かいだん² 会談 ―名 talks ★ 通例複数形で; cónference Ⓒ; meeting Ⓒ. ―動 talk ⑬; confér ⑬ ★ 前者より改まった語; meet ⑬.

【類義語】公式に会合して意見を交換することを表す最も一般的な語は **talks**. 平等な立場に立って, 公式な場で意見の交換や討議をするのを **confer** といい, その会合を **conference** という. 委員会とか団体のメンバーが日を決めて会合するのが **meeting** で, やや口語的には **meet**. (☞ きょうぎ¹; かいぎ¹; こうしょう³)

¶ *会談は成功 [失敗] した The *talks* were ⌜successful [unsuccessful; a failure]. // *会談は行き詰まった The *talks* reached ⌜a deadlock [an impasse /ímpæs/]. // 3 人の大統領がパリで*会談をした The three presidents ⌜*talked* [had a *talk*; had a *conference*] in Paris. // 首脳*会談がパリで開かれた Summit *talks* were held in Paris. / A *summit* was held in Paris. // 中東問題の*会談は延期になった The Middle-East *talks* were postponed. / The *talks* on Middle-Eastern problems were put off. // 公式[非公式]*会談 formal [informal] *talks* // 通商*会談 trade *talks* // 二国間*会談 bilateral *talks* // 秘密*会談 confidential [secret] *talks*

かいだん³ 怪談 ghost story Ⓒ. **怪談噺** ghost story told by a professional storyteller Ⓒ ★ 説明的な訳.

かいだん⁴ 戒壇 〖宗〗 ordination platform in a Buddhist temple Ⓒ. **戒壇院** Buddhist temple building with an ordination platform in it Ⓒ.

がいたん 慨嘆 ―動 (嘆く) deplore ⑱; (遺憾に思う) regret ⑱. (☞ なげく (類義語); かなしむ).

かいだんじ 快男児 (すばらしい人) great [nice] fellow Ⓒ.

ガイダンス (教師の指導) guidance Ⓤ; (入学時, あるいはある活動などの始めに行う説明・指導) òrientátion Ⓤ. 日英比較 日本語では新入生や新入社員などへの説明(会)もガイダンスということがあるが, 英語の guidance は「指導」という意味で, 将来への方向づけの意味での orientation とは区別して用いる. ¶ クラブ活動の*ガイダンス extracurricular /èkstrəkəríkjʊlə/ activity *guidance* / (⇒ クラブ活動を始める前に説明するためのガイダンス) *orientation* for extracurricular activities // 入学式の後, 学生は教室で*ガイダンスを受けた After the ˹matriculation [entrance] ceremony, the students were given (an) *orientation* in the classrooms.

がいち 外地 (海外の土地) overseas land [C] (☞ がいこく; ないち). **外地勤務** overseas service [U].

かいちく 改築 ―[動] (建て直す) rèbuíld (他), renovate (他). ―[名] rebuilding [U], renovation [U]. (☞ かいぞう¹). ¶この家は来年*改築する We will *rebuild* this house next year. // 彼の家はいま*改築中です His house is undergoing *reconstruction.*

かいちゅう¹ 海中 ―[副] (海の中へ) into the sea (☞ うみ¹). ¶彼は*海中に飛び込んだ He ˹jumped [plunged] *into the sea.* **海中公園** undersea park [C].

かいちゅう² 回虫 róundwòrm [C]. ¶*回虫がわく get *roundworm(s)*

かいちゅう³ 懐中 (ふところ) breast pocket [C]; (ポケット) pocket [C]. (☞ ふところ). ¶*懐中無一文 be *penniless*

かいちゅうもの 懐中物 ¶*懐中物ご用心 (⇒ すりに注意) Beware of *pickpockets.*

がいちゅう¹ 害虫 harmful [destructive] insect [C]; (害虫・害鳥・害獣の総称) vermin [U] ★ 複数扱いだが, 数詞は付けない. ¶稲の*害虫 an *insect harmful* to rice plants // *害虫を駆除する exterminate *harmful insects*

がいちゅう² 外注 ―[動] (契約して他社の製品を買ったり, 仕事を下請けさせたりする) contract out (他). ¶部品はすべて*外注する *contract out* all the parts **外注品** outside product [C].

かいちゅうじるこ 懐中汁粉 dried sweet adzuki bean paste for instant *shiruko* soup [U] (☞ しるこ).

かいちゅうでんとう 懐中電灯 《米》flashlight [C], 《英》(electric) torch [C]. ¶彼は*懐中電灯を照らして案内してくれた He used a *flashlight* and guided me. // *懐中電灯をつける [消す] turn ˹on [off] the *flashlight*

かいちゅうどけい 懐中時計 (pocket) watch [C] (☞ とけい [日英比較]).

かいちゅうにっき 懐中日記 pocket diary [C], pocket-size(d) diary [C].

かいちょう¹ 会長 (学会などの) president [C]; (一般的に最高責任者) head [C]; (会社の) the ˹chairman [chairperson; chair], the ˹chairman [chairperson; chair] of the board (of directors), the board ˹chairman [chairperson; chair] ★ 米国で実権を持つトップの肩書は CEO (Chief Executive Officer) である. (☞ ちょう³ (類義語); 会社の組織と役職名 (囲み)).

¶山田氏は近代文学会の*会長だ Mr. Yamada is the *president* of the Modern Literature Society. // この会の*会長はだれですか Who is the *head* of this society? // 副*会長 《学会などの》 the vice *president* / 《会社の》 Vice-˹*Chairman* [*Chairperson*] (of the Board of Directors)

かいちょう² 快調 ¶私はこのところ*快調です (⇒ よい体の状態にある) I'm *in good* (*physical*) *condition these days.* // すべてが*快調に (⇒ 円滑に) 運んでいる Everything is ˹going *smoothly* [*in high gear*]. (☞ じゅんちょう; こうちょう¹)

かいちょう³ 回腸 ileum /íliəm/ [C].

かいちょう⁴ 海鳥 seabird [C].

かいちょう⁵ 開帳 ―[動] (仏像などを公開する) exhibit (他); (秘仏を) unveil a treasured Buddhist image; (賭場(とば)を) open (a gambling house). ―[名] exhibition (of a Buddhist image) [C].

かいちょう⁶ 階調 〘写〙 gradation [U].

がいちょう 害鳥 harmful [destructive] bird [C]; (害鳥・害虫・害獣の総称) vermin [U] ★ 複数扱いだが, 数詞は付けない.

かいちょうおん 海潮音 (海水の音) the sound of the ˹waves [sea].

かいちょく 回勅 (ローマ教皇から全カトリック教会に宛てた書簡) encýclical /ɪnsíklɪkəl/ (létter) [C].

かいちん 開陳 ―[名] (陳述) statement [C]. ―[動] (明言する) state (他); (言葉で表現する) express (他). (☞ のべる¹).

かいつう 開通 ―[動] (鉄道・道路・橋などが新しく通じる) open (自), be opened [語法] 後者のほうがやや格式ばった言い方. いずれの表現も道路・橋などの場合には後に to [for] traffic という句を付けることがある; (交通が再開される) be reopened; (不通箇所が復旧する) be restored ★ やや格式ばった言い方. ―[名] opening [U].

¶新線はあす*開通する The new line will ˹*open* [*be opened*] tomorrow. // 鉄道の不通箇所は 8 時間後に*開通した The damaged section of the railroad *was reopened* (*to traffic*) eight hours later. // 南北線が中央駅まで*開通した (⇒ 延長された) The Nanboku Line *was extended to* Chuo Station. / (⇒ いまでは全線運行している) The Nanboku Line now *runs all the way to* Chuo Station.

開通式 opening ceremony [C].

かいづか 貝塚 (kitchen) midden [C].

かいづかいぶき 貝塚伊吹 〘植〙 Chinese pyramid juniper [C].

かいつけ 買い付け ―[名] (購入) purchase /pə́ːtʃəs/ [U]. ―[動] (買う) buy (他), purchase (他) [語法] 後者のほうが格式ばった語で, 高価な物を買うニュアンスがある. ―[形] (いつも買っているなじみの) *one's* favorite (store). (☞ かう¹). ¶ロシアはアメリカから大量の小麦を*買い付けるだろう Russia will ˹*purchase* [(⇒ 輸入する) *import*] a large amount of wheat from the United States. / Russia will *make a* large *purchase of* wheat from the United States. // 雑誌は*買いつけの本屋で買います I buy magazines at my *favorite* bookstore.

かいつなぎ 買い繋ぎ hedge buying [U], hedging [U]. (☞ うりつなぎ).

かいつぶり 〘鳥〙 grebe [C], dabchick [C] ★ 前者のほうが一般的な呼称.

かいつまむ (要約する) summarize (他), sum up (他); (手短に言う) make ... short. (☞ てみじか).

¶*かいつまんで (⇒ 手短に) 話しましょう I'll tell it to you *briefly.* / (⇒ 事のあらましを言いましょう) I'll ˹give you an *outline* of the matter [*outline the essentials*]. // *かいつまんで言うとこうなんです (⇒ 主な概念はこうだ) The *main idea* is this. / (⇒ 事の要点はこれだ) This is the ˹*point* [*gist* (*of it*)]. / (⇒ 手短に言うと) *In* ˹*short* [*brief*], it's ˹like this [as follows]. / (⇒ 次のように要約できる) I can ˹*summarize* it [*sum* it *up*] as follows.

かいて 買い手 (買う人) buyer [C], purchaser [C] [語法] 後者のほうがより高価な物の買い手, あるいは交渉や熟慮の上での買い手をいい, 前者より格式ばった語; (店などの, 特に常連の客) customer [C].

¶それはすぐ*買い手がついた (⇒ すぐ売れた) It *was sold* immediately. / (⇒ すぐに買う人が見つかった) We found a ready *buyer* for it. // それは*買い手がつかない (⇒ だれも買いたがらない) Nobody wants to *buy* it. / (⇒ 売れないまま残っている) It *remains unsold.* ★ 第 2 文のほうがやや格式ばった表現.

買い手市場 a [the] buyer's market **買い手筋** buyer group [C] **買い手相場** buyer's price [C], price offered by buyers Ⓒ.

かいてい¹ 海底 ―名 the bottom of the sea; (一番深いところ) the depths of the ocean ★ 複数形で; (海底の表面) the seabed, the ocean floor, the floor of the ocean ★ 後の 2 つは海底の状況を問題とするような場合に用いるやや専門的な表現. ―形 (海底の) submarine /sʌ̀bmərí:n/, ùnderséa ★ 前者は専門的な言葉. (☞ うみ¹).
¶ その船は*海底に沈んだ The ship ⌈sank [went down] to *the bottom of the sea.* // *海底にはたくさんの種類の生物が生息している Many forms of life exist on *the* ⌈*ocean floor* [*floor of the ocean*].
参考 海底植物は submarine plant Ⓒ. // 科学者たちは*海底を探検[調査]した The scientists ⌈explored [conducted research into] *the depths of the ocean.* **海底火山** submarine [undersea] volcano Ⓒ (複 ~es, ~s) **海底ケーブル** submarine [undersea] cable Ⓒ ¶ *海底ケーブルを敷設する lay a *submarine cable* **海底山脈** submarine mountain range Ⓒ **海底地震** submarine earthquake Ⓒ **海底トンネル** submarine [undersea] tunnel /tʌ́nl/ Ⓒ **海底噴火** submarine eruption Ⓒ **海底油田** offshore oil field Ⓒ.

かいてい² 改訂 ―名 revision Ⓤ. ―動 revise 他. ¶ その本は*改訂中だ The book *is* now ⌈*being revised* [under *revision*]. // その辞書は一部[全面的に]*改訂された The dictionary *was* ⌈partly [completely] *revised.* **改訂版** revised edition Ⓒ.

かいてい³ 改定 ―名 revision Ⓤ; (変更) change Ⓒ. ―動 revise 他; change 他. ¶ 運賃の*改定 a *change* in fares

かいてい⁴ 開廷 ―動 (法廷・裁判を開く) open the (court) proceedings, hold ⌈court [a trial]. ¶ 法廷は午後 1 時に*開廷した *Proceedings began* at 1:00 p.m. // 現在*開廷中である The court *is* now *in session.*

かいてき 快適 ―形 (気持ちのよい) pleasant; pleasing; agreeable; comfortable /kʌ́mfətəbl/; (暖かさがあって心地のよい) cozy (《英》 cosy); snug; (楽しみを与えてくれるような) enjoyable. ―名 comfort Ⓤ; pleasure Ⓤ; coziness (《英》 cosiness) Ⓤ.
【類義語】人の精神や感覚に満足と喜びを与えるようなものは ***pleasant*** といい, 特にその結果よりも方法や経過に重点を置く場合には ***pleasing*** という. ((例) *快適な気候 a *pleasant* climate // 聞いて*快適な音 a sound *pleasing* to the ear). 人の好みに合うような快適さを持つものは ***agreeable***. 苦痛がなく, 安楽で心地よいのは ***comfortable***. 安全に身を寄せる所があり暖かくて心地のよいのは ***cozy***. ***cozy*** とほぼ同意だが, 暖かさを与えるもとになるものに過不足がなく適度にこぢんまりしていることを表すのが ***snug***. 楽しみを与えてくれるような快適さを持つものは ***enjoyable*** である. (☞ こころよい) ¶ 列車はすいていて*快適な旅行でした The train was not crowded, and it was ⌈a *comfortable* [an *enjoyable*] trip. // 当地は*快適な気候です The climate here is quite ⌈*pleasant* [*agreeable*]. // 彼の家はとても*快適だ His house is very *cozy and comfortable.* // 私たちの職場環境は*快適です (⇒ 申し分ない) Our work environment is *satisfactory.*

がいてき¹ 外敵 foreign enemy Ⓒ (☞ てき).
¶ *外敵の侵入 *foreign* invasion

がいてき² 外的 ―形 (外部の) external (↔ internal); (外側の) outward (↔ inward); (身体的) physical. (☞ ないてき). ¶ *外的圧力 *external* pressure

かいてん¹ 回転 ―動 (回る・回す) turn 自 他; revolve 自 他; rótate 自 他; (速く回る・回す) spin 自 他. ―名 turn Ⓒ; rèvolútion Ⓒ; rotation Ⓒ; spin Ⓒ.
【類義語】最も意味が広く, 日常的に用いられるのは ***turn***. 円の軌道を描いてあるものの周りを (周期的に) 回るのは ***revolve***. 軸を中心に自転するときは ***rotate***. わりに細長いものがかなりのスピードでくるくる回るのは ***spin***. (☞ まわる; まわす)

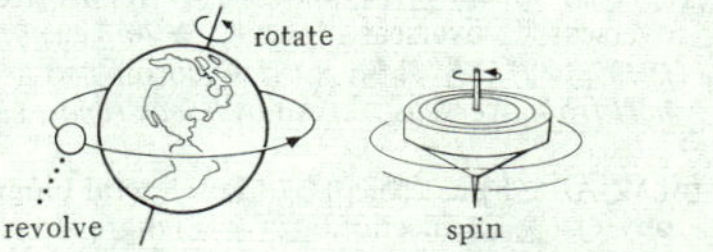

¶ 車輪は車軸を中心に*回転する A wheel *turns* on its axle. // 車輪がぐるぐると速く*回転している The wheel *is spinning* round and round. // すぐスタートできるようにエンジンの*回転数をあげた I *revved up* the engine so that I could make a quick start. // 地球は 365 日で太陽の回りを 1*回転する The earth ⌈*revolves* [makes one *revolution*] around the sun in 365 days. / The earth ⌈*goes* [*moves*] *around* the sun in 365 days. ★ 第 2 文のほうが, よりくだけた表現. // 彼は頭の*回転が速い (⇒ 彼は理解・反応などが速い) He's *quick-witted.* / He's *quick on the uptake.* ★ be ⌈quick [slow] on the uptake は「飲み込みが早い[遅い]」の意の成句. // 資金をすばやく*回転させなければならない We have to *turn over* our ⌈money [funds] rapidly. // 毎分 33 *回転のレコード a 33 *r.p.m.* record ★ r.p.m. は *r*evolutions *p*er *m*inute の略.
回転いす swivel chair Ⓒ **回転運動** rotary ⌈motion [movement] Ⓤ **回転角** angle of rotation Ⓒ, rotation angle Ⓒ **回転機** rotary Ⓒ **回転儀** ☞ ジャイロ **回転競技** (スキーの) slalom /slá:ləm/ Ⓒ **回転計** (回転速度計) tachometer /tækámətə/ Ⓒ; (積算回転計) revolution counter Ⓒ **回転子** rótàtor Ⓒ **回転式発動機** rótary éngine Ⓒ **回転資金** revolving fund Ⓒ **回転軸** 〔数〕axis of rotation Ⓒ; (車輪の軸) shaft Ⓒ **回転寿司** sushi ⌈shop [bar] with revolving counter Ⓒ **回転速度計** ☞ 回転計 **回転体** body of ⌈revolution [rotation] Ⓒ **回転ドア** revolving door Ⓒ **回転半径** turning radius Ⓒ **回転盆** lazy Susan Ⓒ, 《英》 dumb-waiter Ⓒ **回転ポンプ** rótary púmp Ⓒ **回転窓** pivoted window Ⓒ **回転木馬** mérry-go-ròund Ⓒ, 《米》 car(r)ousel /kæ̀rəsél/ Ⓒ, 《英》 róundabòut Ⓒ **回転翼** (ヘリコプターの) rotor Ⓒ **回転率** (資金・商品の) the (rate of) turnover ★ 通例 the を付けて; (資金回転率) turnover of funds Ⓒ **回転レシーブ** somersault receiving Ⓤ. ¶ *回転レシーブでボールを受ける *receive* a ball by ⌈making [doing] a *somersault* **回転炉** revolving ⌈kiln [furnace] Ⓒ; (ロータリー窯) rotary kiln Ⓒ.

かいてん² 開店 ―動 (店を開く) open 他 自 (↔ close). ―形 (開いている) open Ⓟ. (☞ ひらく; かいぎょう¹). ¶「この店は何時に*開店しますか」「午前 10 時です」"What time do you *open* (*your store*)?" "We *open* (*our store*) at 10 a.m." // これはつい最近*開店したスーパーです This is ⌈quite a new [a newly *opened*] supermarket. // *開店祝いに彼女に花束を贈った I sent her a bouquet ⌈in celebration of [to celebrate] the *opening of her shop.* // 本日*開店 《掲示》 *Opened* Today
開店休業 ¶ *開店休業の状態ですよ (⇒ 店は開いているが客が来ない) Our store is open, but no cus-

tomers come in. **開店披露** the announcement of the opening of a store.

かいでん 皆伝 ¶…の免許*皆伝を受ける (⇒ あらゆる極意を伝授される) be initiated into all the mysteries of … ★ initiation は「秘伝伝授」. / (⇒ 充分に熟達する) attain full proficiency in …

がいてん 外典 apocrypha /əpɑ́krəfə/ Ⓒ. ¶聖書*外典 the *Apocrypha*

がいでん[1] 外電 (海外からの報道) report from overseas Ⓒ, overseas report Ⓒ ★ 後者のほうがくだけた言い方. ¶*外電によれば According to a *report from overseas* … / An *overseas report* says …

がいでん[2] 外伝 (側面からの伝記) lateral biógraphy Ⓒ; (逸話) ánecdòte Ⓒ; (余談) digression Ⓒ. (☞ いつわ).

ガイド (人) guide Ⓒ; (バス・団体旅行などの添乗員) conductor Ⓒ; (本) guide(book) Ⓒ. (☞ あんない; ガイドブック). ¶博物館の中を*ガイド付きで回った We went on a *guided* tour ⌜of [around] the museum.

かいとう[1] 回答 ── 图 (答え) answer Ⓒ; (正式の返答) reply Ⓒ; (反応) response Ⓒ ★ 後のものほど格式ばった語となる. ── 動 answer ⑭; reply (to …) ⓐ; respond (to …) ⓐ ★ 後のものほど格式ばった語となる. (☞ こたえ (類義語); へんじ[1]).

¶私の手紙にあすまでに*回答して下さい Please ⌜give your *answer* [write a *reply*] *to* my letter by tomorrow. / Please ⌜*answer* [*reply to*] my letter by tomorrow. // できるだけ早くご*回答下さい Please *reply* ⌜as soon as possible [(⇒ 都合のよい最も早い機会に) at your earliest convenience]. // 彼はすぐに我々の要請に*回答してきた He *responded to* our request immediately.

かいとう[2] 解答 ── 图 (質問・問題などの答え) answer Ⓒ; (数学・物理などの問題の解答) solution Ⓒ 〔語法〕 answer を用いてもよい. 語法上からいえば, 一般に question に対するのは answer, problem に対するのが solution である. ── 動 answer ⑭; solve ⑭. (☞ こたえ (類義語)).

¶次の質問に*解答せよ *Answer* [Give (the) *answers* to] the following questions. // この問題は*解答できない I can't ⌜*answer* [find the *answer to*] this question. / (⇒ 問題が解けない) I can't *solve* this problem. // その*解答は正しい [間違っている] The *answer* is ⌜correct [wrong; incorrect].

解答者 (クイズ番組などの) pánelist (《英》 panellist) Ⓒ **解答集** answers ★ 複数形で; collection of answers Ⓒ **解答用紙** answer sheet Ⓒ **解答欄** (空所) blank (space) Ⓒ; (解答用の欄) answer column Ⓒ.

かいとう[3] 怪盗 mysterious /mɪstí(ə)riəs/ thief Ⓒ.

かいとう[4] 解凍 ── 動 dèfróst ⑭; (溶かす) thaw ⑭; 〔コンピューター〕 (圧縮されたデータを元に戻す) decompress ⑭, extract ⑭. ¶急速*解凍 rapid *thawing*

かいとう[5] 快刀 (切れ味のいい刀) sharp sword Ⓒ. **快刀乱麻を断つ** cut the Gordian knot ★ これを解く物がアジアを支配するといって, ゴルディオス王が結んだ結び目をアレキサンダー大王が剣を抜いて切断して一挙に解決した故事による. ¶彼はそのやっかいな問題を*快刀乱麻を断つように解決した He solved the perplexing problem decisively, as if he were *cutting the Gordian knot*.

かいとう[6] 会頭 (会長) chairman Ⓒ, chairperson Ⓒ ★ 以上は男女両方に用いる; (女性の) chairwoman Ⓒ. (☞ かいちょう[1]). ¶商工会議所*会頭 the ⌜*chairman* [*chairwoman*] of the Chamber of Commerce and Industry

かいとう[7] 解党 ── 图 dissolution (of …) Ⓤ. ── 動 dissolve ⑭ ⓐ. (☞ かいさん[1]).

かいどう[1] 街道 (都市間の幹線道路) highway Ⓒ, high road Ⓒ. (☞ みち[1] (類義語)). ¶甲州*街道 the Koshu *Highway* // 裏*街道 a byway

かいどう[2] 会堂 (会館) hall Ⓒ; (学校などの集会場) assembly hall Ⓒ; (教会堂) church Ⓒ; (礼拝堂) chapel Ⓒ. (☞ かいかん[2]).

かいどう[3] 海道 (主要道) highway Ⓒ; (海沿いの道) coast road Ⓒ. **海道筋** coastal route Ⓒ.

かいどう[4] 海棠 〔植〕 aronia Ⓒ.

がいとう[1] 該当 ── 動 (法律の条項などに当てはまる) come [fall] under …; (法律などが…に適用される) apply (to …) ⓐ, be ápplicable to … 〔語法〕 come [fall] under … では法律などを表す語が under の目的語になるのに対し, apply, applicable を用いる場合はその主語となる; (相当する) còrrespónd (to …) ⓐ. (☞ あてはまる).

¶それは第 3 条に*該当する It ⌜*comes* [*falls*] *under* Article 3. / Article 3 ⌜*applies* [*is applicable*] *to* it. // この規定に*該当する人はいません (⇒ この規定が適合する人がいない) There is nobody *to* whom this rule *applies*. // 英語の that は日本語の「それ」と「あれ」に*該当する "That" in English *corresponds to "sore"* and *"are"* in Japanese.

がいとう[2] 街頭 ¶候補者が*街頭で (⇒ 路上で) 選挙演説をしていた The candidate was making an election campaign speech *on the street*. **街頭演説** roadside [soapbox] speech Ⓒ **街頭デモ** street demonstration Ⓒ **街頭募金** street fund-raising Ⓤ **街頭録音** man-⌜on-[《英》 in-]the-street interview on the radio Ⓒ.

がいとう[3] 外套 óvercòat Ⓒ (☞ オーバー[1]).

がいとう[4] 街灯 stréetlight Ⓒ, stréet làmp Ⓒ. **街灯柱** lámp pòst Ⓒ.

がいとう[5] 外灯 (戸外の明かり) outdoor ⌜light [lamp] Ⓒ; (玄関の外の電灯) porch light Ⓒ.

かいどき 買い時 (買うのに一番よい時) the best time ⌜to buy [for buying].

かいどく[1] 解読 ── 動 (暗号・古代文字・読みづらい筆跡などを) decipher /dɪsáɪfə/ ⑭; (特に暗号を) decode /dìːkóʊd/ ⑭. ── 图 decoding Ⓤ. ¶彼はその大昔の文字の*解読に成功した He succeeded in *deciphering* the ancient writing. // 我々はその暗号を*解読できなかった We could not ⌜*decode* [*decipher*] the ⌜cryptogram [secret message].

かいどく[2] 買い得 ── 图 (格安の品) bargain Ⓒ, good buy Ⓒ ★ 後者は口語的. ── 形 (安い) inexpensive, cheap. (☞ とく[2]). ¶それは*買い得(品)だ That's a ⌜*good buy* [*bargain*]. / (⇒ それはとても安い) That's very ⌜*inexpensive* [*cheap*]. ★ 第 1 文のほうがより口語的.

かいどく[3] 回読 ¶本を*回読する *read* a book *in turn* / *take turns reading* a book

がいどく 害毒 ── 图 (不道徳が原因の悪・弊害) evil /íːv(ə)l/ Ⓒ ★ 格式ばった表現に用いる; (危害・傷害など) harm Ⓤ. ── 動 (毒する) poison ⑭. (☞ がい[1]). ¶それは社会に*害毒を流すものだ It *poisons* society. / It does *harm* to society.

ガイドナンバー (ストロボの露出係数) 〔写〕 guide number Ⓒ.

ガイドブック (旅行案内書) guidebook Ⓒ, guide Ⓒ. ¶湖水地方の*ガイドブック a ⌜*guidebook* [*guide*] to the Lake District

ガイドヘルパー handicapped person's assistant Ⓒ, helper Ⓒ. 〔日英比較〕「ガイドヘルパー」は和製英語.

ガイドポスト (路傍に立てた道しるべ) guidepost

Ⓒ;(経済政策上の指導目標)〘経〙guidepost Ⓒ, guideline Ⓒ.

ガイドライン (政策・施策などの指標・指針) policy guidelines ★ 通例複数形で;(日米防衛協力の指針) the Guidelines for Japan-U.S. Defense Cooperation Outlines.

かいとり 買い取り buying Ⓤ, purchasing Ⓤ. (☞ かう[1]).

かいどり[1] 飼い鳥 (飼いならされた鳥) domestic fowl Ⓒ;(かごで飼う小鳥) cage bird Ⓒ;(ペットの小鳥) pet bird Ⓒ.

かいどり[2] 掻取 women's long robe worn over a kimono Ⓒ (☞ うちかけ).

かいとる 買い取る buy ⓗ, purchase /pə́ːtʃəs/ ⓗ ★ 後者のほうが格式ばった語. (☞ かう[1]).

かいな 腕 **腕ひねり** (相撲の技) outside arm twist throw Ⓒ.

かいならす 飼い馴らす (野生動物を人と住めるようにする) tame ⓗ;(動物を特に人間の役に立つようにする) doméstìcàte ⓗ ★ tame よりも格式ばった語. ¶ 狼を*飼いならすことができるだろうか Can we ⌈*tame* [*domesticate*] a wolf? // *飼いならされた熊 a *tame* bear ★ この tame は 形.

かいなん 海難 (船の難破) shipwreck Ⓤ ★ 具体的な事例を指す場合は Ⓒ;(海上での事故) maritime [marine] accident Ⓒ;(航海中の大事故) disaster at sea Ⓒ. **海難救助** sea rescue Ⓤ ★ 具体的な事例を指すときは Ⓒ;(船の救助・貨物の救済など) salvage Ⓤ;(海難にあった人命の救助) life-saving Ⓤ **海難信号** distress signal Ⓒ, SOS Ⓒ, Mayday Ⓒ. (☞ そうなん (遭難信号)) **海難審判庁** the Marine Accidents Inquiry Agency.

かいなんとう 海南島 ― 名 固 Hainan /hàináːn/ (Tao) ★ 南シナ海にある中国海南省の島.

かいにゅう 介入 ― 名 (仲裁などのため間に入ること) ìntervéntion Ⓤ. ― 動 ìntervéne (in ...) 自;(口出しする・おせっかいをやく) meddle [ìnterfére] (in ...) 自. (☞ かんしょう[1]; くちだし). ¶ 大国の武力*介入 armed *intervention* by a major power // その争いに政府が*介入した The government *intervened in* the dispute.

かいにん[1] 解任 ― 動 (任務を解く) dismíss ⓗ; dischárge ⓗ;(首にする) 《略式》 fire ⓗ, sack ⓗ. ― 名 dismissal Ⓤ; díscharge Ⓤ.

【類義語】理由の如何にかかわらず,任を解くという意の格式ばった語が ***dismiss***. この語は無色の語なので解任の理由をぼかして言いたいときによく用いられる. ある好ましくない理由で免職にするのが ***discharge***, またはより口語的には ***fire*** あるいは ***sack*** という. (☞ くび; かいこ[1]) ¶ その教授は政治的な理由で大学を*解任された The professor *was* ⌈*dismissed* [*discharged*; *fired*] *from* the college for political reasons.

かいにん[2] 懐妊 (妊娠) pregnancy Ⓤ;(受胎) conception Ⓤ. (☞ にんしん).

かいにんき 買い人気 〘株〙(強気の見方) bullish sentiment Ⓒ (↔ bearish sentiment);(買い入れ傾向) buying disposition Ⓒ.

かいぬし[1] 飼い主 (所有者) owner Ⓒ;(飼っている人) keeper Ⓒ. ¶ この犬の*飼い主はだれですか (⇒ これはだれの犬か) *Whose* dog is this? / (⇒ だれがこの犬を飼っているのか) Who *owns* this dog? ★ 第1文のほうが平易な表現. // *飼い主のいない犬 (⇒ 家のない犬[野良犬]) a ⌈*homeless* [*stray*] dog // *飼い主のいる犬 a *pet* dog

かいぬし[2] 買い主 (買い手) buyer Ⓒ;(購買者) purchaser Ⓒ;(買受人) 〘法〙 vendee /vendíː/ Ⓒ. (☞ うりぬし).

かいね 買い値 purchase price Ⓒ;(競売・株式市場などでつけた値) bid price Ⓒ.

かいねこ 飼い猫 house cat Ⓒ.

がいねん 概念 ― 名 idea /aɪdíːə/ Ⓒ; cóncept Ⓒ; concéption Ⓤ. ― 形 (概念的) concéptual; (観念的) notional.

【類義語】「考え」という意味で,最も広く一般的に用いられる日常的な語は ***idea***. 論理学などで用いる概念という用語に当たるのが ***concept*** であるが,一般的な用法では,ある種のものに共通な特徴をとらえて1つの類として考える概念をいう. ***concept*** と同様の意味で用いられることもあるが,特にある事柄についての個人的な漠然とした考えは ***conception*** という. (☞ かんがえ; かんねん (類義語))

¶ 彼はそれについて固定*概念を持っている He has a fixed *idea* about it. // 我々は自由に対する明確な*概念を持つべきである We should have a clear ⌈*conception* [*concept*] of freedom.

概念図 schematic drawing Ⓒ.

がいねんきかん 外燃機関 〘機〙 extérnal-combústion éngine Ⓒ (↔ internal-combustion engine).

かいは 会派 (政党などの中の) faction Ⓒ;(宗教などの) denomination Ⓒ. (☞ はばつ).

かいば[1] 飼葉 feed Ⓤ, fodder Ⓤ. ¶ 馬に*飼葉をやる give ⌈*feed* [*fodder*] to a horse **飼葉おけ** feed bucket Ⓒ, trough /trɔ́ːf/ Ⓒ.

かいば[2] 海馬 〘解〙(大脳の) hippocampus Ⓒ 《複 -pi》;〘魚〙(たつのおとしご) sea horse Ⓒ;〘動〙(せいうち) walrus Ⓒ 《複 ~(es)》.

かいはい 改廃 (改めることとやめること) alteration and abolition Ⓤ ★ 具体的なものを指すときは Ⓒ; (再編成) reorganization Ⓤ.

かいばい 貝灰 (貝殻灰) shéll-lìme Ⓤ.

がいはく[1] 外泊 ― 動 (家をあける) stay out 自 (☞ とまる[2]). ¶ 2, 3日*外泊の予定だ I'm going to *stay out* for a few nights. // 彼は無断*外泊した He *stayed out overnight* without notice.

がいはく[2] 該博 ― 形 (学識などが深い) profound;(知識が広範囲にわたる) extensive. ― 名 profundity Ⓤ;(博学) erudition Ⓤ ★ いずれも格式ばった語. ¶ 彼は植物について*該博な知識をもっている He has an *extensive* knowledge of plants.

かいはくしょく 灰白色 ― 名 (灰色がかった白色) ash color Ⓤ;(薄い灰色) light gray Ⓤ. ― 形 ash-colored; light gray; 《格式》(灰色の) ashen.

かいばしら 貝柱 adductor muscle (of a shell) Ⓒ;(食用になるホタテガイの) scallop Ⓤ.

かいはつ 開発 ― 動 devélop ⓗ ★ 意味の広い一般的な語;(資源を) explóit ⓗ 語法 人や国・地域などを目的語にすると搾取を意図するよくない意味になることが多い. ― 名 devélopment Ⓤ; èxploitátion Ⓤ. ¶ この地域の経済*開発計画は着々と進んでいる The economic *development* plans for this region are making steady progress. // 宇宙*開発計画 a space *development* ⌈program [project] // 海の資源の*開発 *exploitation* of marine resources // 研究*開発 research and *development* ★ R&D と略す. **開発援助** development assistance Ⓤ **開発教育** developmental education Ⓤ **開発業者** (土地・宅地の) developer Ⓒ **開発途上国** developing ⌈country [nation] Ⓒ **開発輸入** (技術提供などにより海外で開発した資源の輸入) import of resources developed abroad Ⓤ;(現地国と分け合う方式の) import through product-sharing development of resources Ⓤ.

かいばつ[1] 海抜 above sea level. ¶ この山は*海抜1500メートルだ This mountain is 1,500 meters *above sea level.*

かいばつ² 皆伐 ― 名 (樹木を全て切り払うこと)《格式》(compléte) deforestation /dìːfɔ̀ːrɪstéɪʃən/ Ⓤ; (全ての樹木を切り倒すこと) cutting down all the trees in the forest Ⓤ; (森林の一区域の皆伐) clear-cutting Ⓤ. ― 動 deforest /dìːfɔ́ːrɪst/ (completely) (他).

カイバルとうげ カイバル峠 ― 名 固 the Khyber Pass /káɪbə pǽs/ ★ パキスタンとアフガニスタンを結ぶ峠.

かいはん¹ 改版 ― 名 (改訂) revision Ⓤ; (改訂版) revised edition Ⓒ. ― 動 revise (他); (改版を出版する) issue a ⌈revised [new] edition. (☞ かいてい²).

かいはん² 開板 ― 動 (木版で刷る) make a wood-block print; (出版する) publish (他).

かいはん³ 解版 ― 名 (活字を解きくずすこと)〘印〙 distribútion Ⓤ. ― 動 distríbute (他).

がいはんぼし 外反母趾 〘医〙 hallux valgus /hǽləksvǽlgəs/ Ⓤ.

かいひ¹ 回避 ― 動 (… に近寄らない) keep away from …; (望ましくないものを避ける) avoid (他); (責任・義務などからうまく逃れる) evade (他) ★ この順に格式ばった言葉となる. ― 名 avoidance Ⓤ; evasion Ⓤ. (☞ さける¹; のがれる). ¶ 彼は責任を*回避した He *evaded* his responsibility. // 彼は何とか危険を*回避した (⇒ 脱した) He managed to *escape* danger. // ストは*回避された (⇒ 中止された) The strike *was called off*.

かいひ² 会費 (入会金・料金) membership fee Ⓒ; (当然納めるべき分担金) (membership) dues ★ 複数形で.
¶ このクラブの*会費は 2 千円です The *membership fee* of this club is ¥2,000. / The club *dues* are ¥2,000 per person. ★ per person は「一人につき」の意. // 来年から年 [月] *会費が 500 円値上げになる The ⌈annual [monthly] *fees* will be raised by ¥500 from next year. // パーティーは*会費制だった (⇒ 自分の割り当て分を払わなければならなかった) We had to *pay our share* at the party.

かいひ³ 開扉 ― 動 open a door. ― 名 the opening of a door.

かいび 快美 ― 形 (非常に快い) extremely ⌈sweet [pleasant].

がいひ 外皮 (動植物・種子などの) intégument Ⓒ ★ 以下の語の意味を含む専門用語; (一般に物の) skin Ⓒ; (穀物・トウモロコシなどの) husk Ⓒ; (オレンジ・レモンなどの) rind Ⓤ; (卵・堅果などの) shell Ⓒ; (パン・パイなどの) crust Ⓤ. (☞ かわ²).

かいびかえ 買い控え (控えめの買い) restrained purchasing Ⓤ; 〘株〙 hesitancy Ⓤ.

かいびゃくいらい 開闢以来 ¶ それはわが国にとっては*開闢以来の (⇒ 前例のない) ことだった It was an *unprecedented* event for our nation.

かいひょう¹ 開票 ― 名 (票を数えること) vote [ballot] counting Ⓤ. ― 動 (票を数える) count the ⌈votes [ballots]. (☞ とうひょう¹ (類義語)). ¶ *開票は本日午後 9 時から始まる *Vote counting* will start at 9 p.m. tonight. // *開票の結果は本日深夜までに判明する (⇒ 発表される) The results of (the) *vote counting* will be announced by a very *late hour tonight*. **開票所[立会人]** vote [ballot] counting ⌈office [witness] Ⓒ **開票速報** flash [up-to-the-minute] report on vote counting Ⓒ.

かいひょう² 海氷 (海水の氷結) sea ice Ⓤ.

かいひょう³ 解氷 ― 名 thaw Ⓒ ★ 通例単数形で. ― 動 (氷が解ける) thaw (自). **解氷期** the thawing season.

かいひょう⁴ 開氷 ― 動 break up (自) ★ 海氷などが主語. ― 名 breaking up (of frozen waters) Ⓤ. **開氷面** water opening (in the frozen sea) Ⓒ ★ 海の表面が現れている海氷中の割れ目.

がいひょう 概評 general comment Ⓒ. ¶ 彼はその問題について*概評した He made some *general comments* on the problem.

かいひん 海浜 the seashore; (浜辺) beach Ⓒ; (海岸地帯)《米》the beach. **海浜公園** séaside pàrk Ⓒ **海浜植物** séaside plànt Ⓒ.

かいふ¹ 回付 ― 動 (送る) send (off) (他); (回覧する) círculàte (他); (転送する) forward (to …) (他). ― 名 sending Ⓤ; circulation Ⓤ; forwarding Ⓤ. (☞ そうふ¹).

かいふ² 開府 ― 動 (幕府を開く) lay the foundations of the shogunate.

がいぶ 外部 ― 名 (一般に物の外側・表面・外面) the outside (↔ the inside) ★ しばしば the を付けて; (建物などの外側; 人の見かけ・外見) exterior /ekstí(ə)riə/ Ⓤ (↔ interior). ― 形 (外側の・外面の・外からの) outside Ⓐ, exterior Ⓐ, external ★ この順に格式ばった語となる. (☞ そとがわ).
¶ *外部の人 *òutsiders* 語法 この語は軽蔑的な意味になることがある. // *外部の圧力 (an) *external* pressure // 建物の*外部 the ⌈*outside* [*exterior*] of the building **外部記憶装置** 〘コンピューター〙 extérnal stòrage device Ⓒ **外部金融** external financing Ⓤ (↔ internal financing).

かいふう¹ 開封 ― 動 (手紙をあける) open (a letter) (☞ ふう²). ¶ クリスマスカードは*開封で (⇒ 封をしないままで) 出せる You can send a Christmas card *unsealed*.

かいふう² 海風 (海上に起こる風) sea ⌈wind [breeze] Ⓒ ★ breeze は心地よいそよ風.

かいふく¹ 回復 ― 動 (健康・信用などを) recover (他) (自), regain (他); (体力・元気などを) restore (他) ★ やや格式ばった語; (病気を克服する) gèt óver …; (病人がよくなる) get well; (健康・天候などが) improve (自). ― 名 (病気からの) recovery Ⓤ ★ a の付くことがある; (体力・秩序などの) restoration Ⓤ; (天候などの) improvement Ⓤ. (☞ なおる; たちなおる; もちなおす; とりもどす).
¶ 彼は病気から*回復した He *has* ⌈*recovered* from [*gotten over*] his illness. ★ [ ] 内のほうが口語的. / He *has gotten well*. ★ 第 2 文のほうがくだけた表現. // その患者は*回復が早い[遅い] (⇒ 早く[遅く]回復している) The patient is making a ⌈quick [slow] *recovery*. // 天候が*回復した The weather *has improved*. // 一度失った信用を*回復するのは容易なことではない (⇒ 一度失われた信用は容易には回復され得ない) Confidence that has once been lost cannot easily *be* ⌈*regained* [*won back*].
回復期 convalescence /kɑ̀nvəlésns/ Ⓤ.

コロケーション

完全な回復 complete [full] *recovery* / 奇跡的な回復 a miraculous *recovery* / 景気の回復 economic *recovery* / 劇的な回復 dramatic *recovery* / 力強い回復 a strong *recovery* / 早い回復 a ⌈quick [rapid; speedy] *recovery* / 部分的回復 a ⌈partial [limited] *recovery* / めざましい回復 a remarkable *recovery* / ゆっくりした回復 a slow *recovery*

かいふく² 快復 ― 名 (病気が治ること) recovery Ⓤ. ― 動 recover from illness. (☞ かいふく¹).

かいふくしゅじゅつ 開腹手術 abdominal operation Ⓒ (☞ しゅじゅつ).

かいぶし 蚊燻し (蚊をいぶり出すこと) smoking out mosquitoes Ⓤ; (蚊やり火) smudge (fire) Ⓤ. ¶ *蚊いぶしをする *smoke out* mosquitoes

かいぶつ 怪物 monster Ⓒ (☞ ばけもの).

かいぶん1 回文 **1** «回状»: circular (letter) Ⓒ. **2** «上から読んでも下から読んでも同文句になるもの»: pálindròme Ⓒ.

かいぶん2 灰分 (灰) ash Ⓤ; (灰の含有量) ash content Ⓤ. (☞ はい2).

かいぶん3 怪聞 (妙なうわさ) strange rumor Ⓒ.

がいぶん1 外聞 ¶ *外聞の悪い話だ (⇒ 道徳的に恥ずかしい話だ) It's a *scandalous* story. / (⇒ 恥ずべき[不名誉な]話だ) It's ⌈a *shameful* [an *infamous*] story. ★ 以上のうちでは ínfamous を用いるのが最も格式ばった表現. / (⇒ 我々にとって不名誉なことだ) It's a *discredit* to us. // 私はもう恥も*外聞もあったものではなかった (⇒ 他人が私のことをどう考えようと気にしなかった) I didn't care what others would think about me.

がいぶん2 外分 〔数〕 ― 名 external division Ⓤ. ― 動 (外分する) divide externally. **外分点** externally dividing point Ⓒ.

かいぶんしょ 怪文書 mysterious /mɪstí(ə)riəs/ dócument Ⓒ.

がいぶんぴつ 外分泌 〔生理〕 ― 名 extérnal secrétion /sɪkríːʃən/ Ⓤ; (外分泌物) exocrine /éksəkrɪn/ Ⓤ. ― 形 (外分泌の) exocrine. (☞ ないぶんぴつ). **外分泌腺** éxocrine glànd Ⓤ.

かいへい1 開閉 ― 動 open and close (自) (他). ¶ 扉の*開閉は静かにして下さい (⇒ 扉を開閉するときに音を立てるな) Don't make a noise when you *open and close* the door. // ドアは自動的に*開閉します The door *opens and closes* automatically. // 踏切. *開閉機なし (掲示) Railroad Crossing. No Gates. **開閉器** switch Ⓒ.

かいへい2 開平 ― 動 (平方根を見つける) find [extract] the square root. ― 名 extraction of a square root Ⓤ. ¶ 64 を*開平せよ *Find the square root* of 64.

かいへい3 皆兵 ¶ 国民*皆兵制度 the *universal conscription* system

かいへい4 海兵 ☞ かいへいたい (海兵隊員)

かいへいたい 海兵隊 (米) the (U.S.) Marine Corps /məríːnkɔ̀əz/ (略 (US)MC), (英) the Royal Marines (略 RM). **海兵隊員** marine Ⓒ.

がいへき 外壁 outer [external] wall Ⓒ ★ [ ] 内は格式ばった語. (☞ へい1).

かいへん1 改編 ― 名 (再編成) reorganization Ⓤ. ― 動 reorganize (他); (作り変える) remodel (他); (改訂する) revise (他).

かいへん2 海辺 ☞ うみべ

かいへん3 貝偏 (漢字の) cowrie [cowry] radical on the left of kanji

かいへん4 改変 ― 名 (変更) change Ⓒ; (部分的変更) alteration Ⓒ, modification Ⓤ. ― 動 (全面的に変える) change (他); (部分的に) alter (他), modify (他).

かいへん5 壊変 ☞ ほうかい

かいべん 快弁 (さわやかな弁舌) éloquent ⌈spéech [addréss] Ⓒ.

がいへん 外辺 (外側) the outside; (町はずれ) outskirts; (隣接地域) environs. (☞ そとがわ).

かいほう1 解放 ― 名 (拘束・束縛・監禁状態からの) reléase Ⓤ ★ 具体的な事例は Ⓒ; (隷属状態からの) liberation Ⓤ ★ 政治的な意味での解放に用いられる最も普通の語. ― 形 (自由な) free. ― 動 (自由にする) free (他), set ... free ★ 最も広い意味で用いられ, 後者のほうがやや口語的; (自由を与える) give freedom (to ...); (自由放免する) release (他); líberàte (他) ★ release よりも格式ばった語. (☞ じゆう1). ¶ やっとその仕事から*解放された Finally I'm *free* from that job! / (⇒ その仕事から免れてうれしい) I'm glad to *be rid of* the work. // 彼は責任から*解放された He ⌈*was released* [obtained a *release*] *from* (his) responsibility. // 1863 年にリンカーンは奴隷を*解放した Lincoln ⌈*freed* [*liberated*] the slaves in 1863. / Lincoln *set* the slaves *free* in 1863. ★ 第 2 文のほうがややくだけた表現. 参考 「奴隷解放宣言」は the Emàncipátion Pròclamátion という. // 人民*解放戦線 the People's *Liberation* Front
解放感 feeling of freedom Ⓒ **解放戦争** (national) liberation war Ⓒ; war of liberation Ⓒ ★ 以上いずれも「戦争状態」の意のときは Ⓤ.

かいほう2 介抱 ― 動 (病人などの世話をする) look after ..., take care of ...; (看護する) nurse (他); (面倒を見る) care for .... (☞ せわ (類義語); かんびょう). ¶ 彼女は病人を*介抱した She *looked after* the patient. // 酔っ払いは*介抱する必要はありません You don't have to *take care of* drunks.

かいほう3 快方 ― 動 (病状が以前よりよくなる) get better, improve (自) ★ 前者のほうが口語的; (以前の状態に戻す・戻る) recover (他) (自). (☞ かいふく1). ¶ 病人は*快方に向かっている The patient *is* ⌈*getting better* [*recovering*]. ★ recovering を用いるほうがやや格式ばった表現となる. // 彼の健康は徐々に*快方に向かっている His health *is* gradually *improving*.

かいほう4 会報 (会員のための定期会報) bulletin /búlətn/ Ⓒ; (報告) report Ⓒ; (学会の会報) transactions ★ 格式ばった語. 常に複数形で.

かいほう5 開放 ― 動 (開ける・開く) open (他) (自); (開け放しにしておく) leave ... open. ― 形 (開いた・開放的な) open; (率直な) frank; (隠しだてのない) openhearted. ¶ (掲示で) *開放厳禁 (ドアについて) Don't *leave* the door *open*. **開放弦** ópen stríng Ⓒ **開放性結核** ópen tubèrculósis Ⓤ.

かいほう6 解法 (解決法) solution Ⓒ. ¶ その問題*解法 a *solution* to the problem.

かいほう7 懐抱 ― 名 (抱擁) embrace Ⓒ. ― 動 embrace (他). (☞ いだく).

かいほう8 快報 (吉報) good [welcome] news Ⓤ.

かいほう9 開法, 開方 〔数〕 (根の) extraction of roots Ⓤ, evolution Ⓤ ★ 後者は古い表現. (☞ かいへい2).

かいほう10 開封 ― 名 固 Kaifeng /kàɪfʌ́ŋ/ ★ 中国河南省の旧都.

かいぼう1 解剖 ― 名 (生体の構造などを調べるための) dissection Ⓤ; (死因を調べるための遺体の) áutopsy Ⓒ. ― 動 dissect (他).
¶ 生物の時間にかえるを*解剖した We *dissected* a frog in (the) biology (class). // その遺体は*解剖に付されることになった The dead body was scheduled for an *autopsy*. // *解剖の結果彼の死因がわかった (⇒ 解剖が彼の死因を確定した) The *autopsy* established the cause of his death. // 生体*解剖 vivisection // 司法*解剖 a legal postmortem // 病理*解剖 pathological anatomy
解剖学 anátomy Ⓤ **解剖学者** anatomist Ⓒ **解剖図** anatomical chart Ⓒ.

かいぼう2 海防 (海上・海岸の防備) coast(al) ⌈defense [(英) defence] Ⓤ.

がいほう 外報 (海外からのニュース) foreign news Ⓤ; (外電) foreign telegram Ⓒ; (海外からの報道) overseas report Ⓒ. (☞ がいしん1).

がいぼう 外防 (外敵に対する防備) defense against the invasion Ⓤ.

かいほうせき 海泡石 sepiolite /síːpiəlàɪt/ Ⓤ; meerschaum /míəʃəm/ Ⓤ.

かいぼり 掻い掘り ― 名 (排水) drainage Ⓤ.

— 動 (池などの水をくみ干す) drain ⑩. 《☞ はいすい¹》.
かいぼん 海盆 〔地理〕(海の盆地状の地形) ocean basin Ⓒ.
がいまい 外米 (外国産の[輸入した]米) foreign [imported] rice Ⓤ (↔ homegrown rice).
かいまき 搔巻 (綿入れの夜着) cotton-stuffed quilt with sleeves Ⓒ.
かいまく 開幕 — 名 (開始) opening Ⓒ. — 動 (開始する) open ⓐ; (演劇などが始まる) start ⓐ, begin ⓐ. ¶ 日本シリーズが*開幕となった (⇒ 始まった) The Japan Series *has* just ˹*started* [*begun*]. // *開幕第一戦 the ˹first [*opening*] game of the season / the *opener* [語法] 後者は「ショーなどの最初の出し物」の意にもなる. 第1例のほうが正式な言い方. // 午後6時に*開幕です (⇒ 上演は午後6時に始まる) The performance *begins* at 6 p.m. / (⇒ カーテンが上がる) *The curtain rises* at 6 p.m.
かいまみる 垣間見る (すきまなどからそっとのぞく) peek ⓐ, peep ⓐ, take a ˹peek [peep] (at ...) ★ 後者のほうが口語的. 《米》では peek のほうが好まれる; (ちらりと見る) catch [have; get] a glimpse of ... 《☞ みる¹ (類義語); のぞく²》. ¶ テレビの番組で彼らの生活を*かいま見ることができた We could ˹*catch* [*get*; *have*] *a glimpse of* their life through the TV program.
カイマン 〔動〕(中南米産のわに) caiman /kéɪmən/ Ⓒ 《複 ~s, ~》.
かいみょう 戒名 posthumous /pástʃuməs/ Buddhist name Ⓒ.
かいみん 快眠 (よい眠り) good sleep Ⓒ 《☞ ねる¹》. ¶ *快眠する have a *good sleep*
かいむ¹ 皆無 (無) nothing 《☞ ぜつむ》. ¶ 彼女のその方面についての知識は*皆無といってよい (⇒ 彼女はそれについてほとんど何も知らない) She knows ˹almost [next to] *nothing* about it. / (⇒ まったく無知だ) She is *quite ignorant* about it. // 彼の成功の見込みは*皆無だ (⇒ 全然ない) There is *no* chance *at all* that he will succeed.
かいむ² 会務 (会の業務) society's affairs ★ 複数形で; (会の仕事) society's business Ⓤ. 《☞ かい¹ (類義語); じむ》.
かいむ³ 怪夢 (ふしぎな夢) strange [curious] dream Ⓒ; (不可解な) mysterious dream Ⓒ; (奇怪で恐ろしい) nightmare Ⓒ; (奇怪な) bizarre dream Ⓒ. 《☞ ゆめ¹》.
かいむ⁴ 快夢 (ここちよい夢) pleasant dream Ⓒ; (よい夢) good dream Ⓒ. 《☞ ゆめ¹》.
かいむ⁵ 海霧 sea fog Ⓤ ★ ある状態の霧の場合は Ⓒ. 《☞ きり¹》.
がいむ 外務 foreign affairs ★ 複数形で. **外務公務員** diplomat Ⓒ, diplomatic official Ⓒ.
がいむしょう 外務省 the Ministry of Foreign Affairs, the Foreign ˹Ministry [Office] ★ 前者が正式名. [参考] イギリスには外務省に当たるものがあるが, アメリカには外務省はなく, 国務省 (the Department of State, the State Department) がこれに当たる.
がいむだいじん 外務大臣 the Foreign Minister, the Minister of Foreign Affairs ★ 後者が正式な言い方だが前者のほうがよく用いられる. [参考] イギリスでは Foreign Secretary. アメリカでは国務長官 (the Secretary of State) が外交問題を担当することになっている.
かいめい¹ 解明 — 動 (解決の光を与える) throw [shed] light on ...; (問題などを解く) solve ⑩; (綿密に調べて真相を突き止める) probe ⑩, probe into ...; (質問したりして調査する) inquire into ..., make an inquiry into ... ★ いずれもやや格式ばった言い方. 《☞ きゅうめい¹; ちょうさ¹》.
¶ あなたの論文はこの難問を*解明する手がかりになる (⇒ 難問に対して解決の光を与える) Your paper *throws light on* this difficult problem. / (⇒ 難問を解くのに役立つかも知れない) Your paper may help (to) *solve* this difficult problem. // 我々はその事故の原因の*解明に乗り出した (⇒ 始めた) We started ˹*probing* [*making inquiries*] *into* the cause of the accident.
かいめい² 改名 — 動 (名前を変える) change *one's* name; (新しい名前を付ける) assume a new name.
かいめい³ 開明 — 名 (文明開化) civilization Ⓤ; (啓蒙) enlightenment Ⓤ. — 形 civilized; enlightened. 《☞ ぶんめい¹》. ¶ *開明の御世 *enlightened* age / the age of *enlightenment*
かいめい⁴ 階名 〔楽〕 sol-fa syllables. ★ sol-fa syllable はドレミファなどの音.
かいめい⁵ 海鳴 ☞ うみなり
かいめつ 壊滅 — 動 (完全に破壊する) destroy ˹completely [totally] ⑩; (敵などを粉砕し壊滅させる) crush ⑩; (跡かたもないように消し去る) annihilate /ənáɪəlèɪt/ ⑩ ★ 格式ばった語. 《☞ ぜんめつ》. ¶ その市は大地震によって*壊滅した The city *was* ˹*completely* [*totally*] *destroyed* by the great earthquake. // 今度世界大戦が起これば人類は*壊滅するだろう (⇒ 次の世界戦争は全人類を壊滅させるだろう) Another world war will *annihilate* the entire human race. // その政党は総選挙で*壊滅的打撃を受けた The party suffered a *crushing* defeat in the general election.
かいめん¹ 海面 the surface (of the sea); (高度などを計るときの標準としての海面) sea level Ⓤ. 《☞ かいばつ¹》. ¶ *海面下 10 メートルのところに岩がある There is a rock lying 10 meters below *the surface* (*of the* ˹*sea* [*water*]). // この地域は*海面より低い This area is below *sea level*.
かいめん² 海綿 sponge /spʌ́ndʒ/ Ⓒ. **海綿質** (海綿状の物質) spóngy mátter Ⓤ; 〔動〕 spóngin Ⓤ **海綿状組織** 〔植〕 spóngy parenchyma /pəréŋkɪmə/ Ⓤ **海綿体** 〔解〕 corpus spongiosum /kɔ́ːpəsspʌ̀ndʒióusəm/ Ⓤ.
かいめん³ 界面 〔物理〕 ínterfàce Ⓒ. **界面化学** surface chemistry Ⓤ **界面活性剤** súrface-áctive àgent Ⓒ, surfactant /səfǽktənt/ Ⓒ **界面張力** 〔物理〕 interfacial tension Ⓤ.
がいめん 外面 — 名 (物の外側・表面) the outside (↔ the inside), the exterior /ekstí(ə)riə/ (↔ the interior) ★ 以上2つはほぼ同意だが, 前者がより口語的. — 形 (外側の・外部の) outside Ⓐ, exterior Ⓐ, external [語法] 以上3つはほぼ同意で, 後のものほど格式ばった語となるが, 最後の語には「表面的な・うわべだけの」という好ましくない意味もある. 《☞ そとがわ; がいけん; みかけ》.
¶ 建物の*外面 the ˹*outside* [*exterior*] of a building // *外面がよいからといって内部がよいとは限らない What is good *externally* is not always good internally. **外面描写** external description Ⓒ.
がいもうこ 外蒙古 — 名 固 Óuter Mongólia.
かいもく 皆目 (少しも…でない) not ... at all; (まったく・全然) completely, absolutely. 《☞ まったく; ぜんぜん》.
カイモグラフ (脈拍などの変化を波動曲線として記録する器械) kymograph /káɪməgræ̀f/ Ⓒ.
かいもどす 買い戻す — 動 búy báck ⑩, repurchase ⑩ ★ 後者のほうが格式ばった語; (質, 抵当に入ったものを) redeem ⑩; (空売りした株を) 〔株〕 cover (˹shorts [short sales]). — 名 (買い戻し) buying back Ⓤ, repurchase Ⓤ; redemption Ⓤ;

〘証券〙 covering Ⓤ. (☞ かう¹).

かいもとめる 買い求める (買う) buy ⑯; (高価なものを) purchase ⑯. (☞ かう¹).

かいもの 買い物 1 «物を買うこと»: (店に出かけて買うこと) shopping Ⓤ [語法] (1) go や do と共に用いられることが多い; (購入) purchase /pə́ːtʃəs/ Ⓤ ★ 格式ばった語. [語法] (2) purchase 動 は buy 動 よりも格式ばった語であるが, buy にはこの意味での 名 がないため, その代わりによく用いられる. (☞ かう¹). ¶ 母は*買い物に出かけました My mother *went shopping.* // 私はデパートに*買い物に行くところです I'*m going shopping* at a department store. // きょうは*買い物がたくさんある (⇒ 買うべきものがたくさんある) I have ˹a lot of [many] things to *buy* today. / (⇒ たくさんの物を買わなくてはならない) I have to *buy* ˹a lot of [many] things today. // きょうは少し*買い物をしなくてはならない I ˹have to *do* some *shopping* [have some *shopping* to *do*] today. // 彼女はその店でたくさんの*買い物をした She *bought* a lot of things at the store. / She *did* lots of *shopping* at the store. // 毎日[週末; 休日]の*買い物 daily [weekend; holiday] *shopping* // 衝動的な*買い物 impulsive *shopping* // 通信[電話]販売による*買い物 mail-order [telephone] *shopping* // インターネットでの*買い物 Internet [online] *shopping* // 閉店ぎりぎりの*買い物 last-minute *shopping*

2 «買った物・これから買う物»: purchase Ⓒ ★ 格式ばった語; (買い得の品) bargain Ⓒ, buy Ⓒ ★ 後者がより口語的. ¶ これはいい*買い物だ (⇒ これは安い) This is ˹*cheap* [*inexpensive*]. [語法] cheap は 品質が悪くて安いという意味を伴うことがある点に注意. / (⇒ これは格安品だ) This is a *bargain.* / This is a (good) *buy.* // つまらない*買い物 a bad ˹*buy* [*purchase*] // 高価な*買い物 a costly *purchase* // 高い*買い物 an expensive *purchase* ★ 比喩的にも使う.

買い物かご[袋] shopping ˹basket [bag] Ⓒ
買い物客 (買い物をしている人) shopper Ⓒ; (店の側からみた, 特に常連の客) customer Ⓒ.

かいもん 開門 ― 動 open the gate.

がいや 外野 the óutfield. **外野手** (全体) the outfield; (一人一人) óutfielder Ⓒ. ¶ 彼は*外野手だ He is an *outfielder.* / He *plays outfield.* **外野席** 《米》 outfield bleachers ★ 複数形で. 屋根のない外野の観覧席の意.

かいやく¹ 解約 ― 動 (契約などを取り消す) cáncel ⑯; (口座などを打ち切って清算する) close ⑯. ― 名 càncellátion of a cóntract Ⓤ. (☞ とりけす). ¶ 私はその銀行の預金口座を*解約した I *closed* my account at that bank. // 生命保険を*解約する *cancel* the contract on *one's* life insurance // 定期預金を*解約する *cancel* a time deposit **解約金** cancellation fee Ⓒ.

かいやく² 改訳 revised translation Ⓒ. ¶ 彼は今ファウストの*改訳中で忙しい He's busy *revising a translation* of *Faust*.

かいゆ 快癒 ― 動 get quite well again, completely recover (from *one's* illness), be completely cured ★ 第一番目は口語的.

かいゆう¹ 回遊 ― 名 (魚の) migration Ⓤ; (回遊旅行) excursion Ⓒ. ― 動 migrate ⓐ. **回遊魚** migratory fish Ⓒ.

かいゆう² 会友 (準会員) associate member Ⓒ (☞ かいいん).

がいゆう¹ 外遊 ― 名 overseas trip Ⓒ, travel abroad Ⓒ. ― 動 go [travel] abroad, go overseas ★ 以上はほぼ同意だが, go … は帰国を前提にしない場合も含む. (☞ りょこう (類義語)).
¶ 田中氏は*外遊中です (⇒ いま外国にいる) Mr. Tanaka is *abroad* now. / Mr. Tanaka *is traveling abroad.* // 私は来年*外遊しようと思って (⇒ 外遊することを計画して) いる I'm planning to *go abroad* next year. / I'm planning (to take) ˹a *trip abroad* [an *overseas trip*] next year.

がいゆう² 外憂 troubles abroad, external troubles ★ 前者がより口語的. いずれも複数形で.

かいゆうしきていえん 回遊式庭園 landscape garden in a circular style Ⓒ, tour garden Ⓒ.

かいよう¹ 海洋 ― 名 the sea, the ocean [語法] 用語・術語としては後者のほうが普通. ― 形 (海の) marine /mərìːn/ Ⓐ; (大洋の・大海の) oceanic /òuʃiǽnɪk/ Ⓐ ★ 格式ばった語. (☞ うみ¹ 語法). **海洋汚染防止条約** the International Convention for the Prevention of Pollution from Ships **海洋汚染防止法** the Sea Pollution Prevention Law ★「海洋汚染及び海上災害の防止に関する法律」(the Law Relating to the Prevention of Marine Pollution and Maritime Disaster) (1970 年公布, 1971 年施行) の略称. **海洋開発産業** marine resources development industry Ⓒ **海洋科学技術センター** the Japan Marine Science and Technology Center **海洋科学調査** scientific research of the sea Ⓤ **海洋(科)学** oceanography /òuʃ(i)ənɑ́grəfi/ Ⓤ, oceanology Ⓤ **海洋学者** oceanographer Ⓒ **海洋環境問題** sea [marine] environmental problem Ⓒ **海洋気象学** marine meteorology Ⓤ **海洋気象台** marine meteorological observatory Ⓒ **海洋気団** maritime air mass Ⓒ **海洋研究観測船** oceanographic research vessel Ⓒ **海洋国** maritime power Ⓒ **海洋小説** sea story Ⓒ **海洋少年団** the Sea Scouts **海洋深層水** ☞ しんそうすい **海洋性気候** oceanic [marine] climate Ⓒ **海洋生態学** marine ecology Ⓤ **海洋投棄** sea dumping Ⓤ; dumping at sea Ⓤ **海洋投棄規制条約** the Sea Dumping Regulation Treaty ★ 正式名ではないが, これで一般に通用している. **海洋物理学** physical oceanography Ⓤ **海洋法** maritime law Ⓤ **海洋牧場** sea farm Ⓒ.

かいよう² 潰瘍 ulcer /ʌ́lsɚ/. ¶ 胃*潰瘍 a stomach ulcer

がいよう¹ 概要 (あらまし) óutline Ⓒ; (まとめ・要約) summary Ⓒ. (☞ がいりゃく; ようし¹; ようやく²).

がいよう² 外洋 the open sea, the ocean Ⓒ.
¶ *外洋航路の *ocean*-going **外洋魚** ocean fish Ⓤ **外洋定期船** ocean liner Ⓒ.

がいようやく 外用薬 medicine for external ˹use [application] Ⓒ [参考] 薬のラベルなどには For external use only などと書かれていることが多い.

かいらい 傀儡 (操り人形のようなもの) puppet Ⓒ; (道具のようなもの) tool Ⓒ.
傀儡政府[政権] puppet government Ⓒ.

がいらい 外来 ― 形 (外国の) foreign; (輸入された) imported; (異質の土地・国の) alien ★ しばしば悪い意味を伴う.
¶ *外来文化の受容 acceptance of *foreign* cultures // *外来思想の影響を受けている be influenced by ˹*foreign* [*imported*] ideas
外来患者 óutpàtient Ⓒ (↔ ínpàtient) **外来語** loanword Ⓒ, borrowed word Ⓒ ★ 後者は「借りられた言葉」の意の説明的訳語. 術語としては前者が一般的. (☞ 借用語 (巻末)). ¶ それは英語からの*外来語だ (⇒ 我々はその語を英語から借用した) We *borrowed* the word from English. / That is ˹a *loanword* from English [an English *loanword*]. / (⇒ その語は英語から来ている) The word *comes from* English. ★ 以上の中では第 2 文がやや格式

ばった表現. **外来者** (訪問客) visitor Ⓒ ★ 観光客のような外国からの客にも用いる; (見知らぬ人) stranger Ⓒ **外来種** alien [foreign; exotic; introduced] species Ⓒ《複 ～》.

かいらく 快楽 (欲望が満たされて愉快な気持ち) pleasure Ⓤ; (楽しむこと) enjoyment Ⓤ ★ 以上 2 語とも「愉快なこと・楽しいこと」の意味では Ⓒ. 《☞ よろこび; たのしみ》. **快楽主義** (エピクロス的な) Epicureanism /èpɪkjuríːənìzm/ Ⓤ; (享楽主義) hedonism Ⓤ **快楽主義者** èpicuréan Ⓒ; hedonist Ⓒ.

かいらくえん 偕楽園 ―名 固 Kairakuen; (説明的には) a municipal park in Mito, Ibaraki Prefecture, famous for its *ume* blossoms.

かいらん 回覧 ―名 circulation Ⓤ. ―動 (書状などを順繰りに回す) send [pass] (a)round 他, círculàte 他 ★ 前者のほうがより口語的; (前の人からきた物を次の人に渡す) pass on 他. 《☞ まわす》. ¶ 我々は彼の手紙を*回覧して読んだ We ⌈*sent* [*passed*] (*a*)*round* his letter (among us) and read it. // これを*回覧して下さい Please *pass* this *on*. **回覧板** circular (notice) Ⓒ.

かいり[1] 乖離 ¶ 語学と文学の*乖離はつつしむべきである (⇒ 分離すべきでない) Linguistics and literature should not *be separated*. // 首相の思い上がりが人心の*乖離を招いた (⇒ 背を向けさせた) The prime minister's arrogance made the people *turn* their backs on him.

かいり[2] 海里 nautical mile Ⓒ《☞ 度量衡 (囲み)》.

かいり[3] 解離 〘化〙 dissociation Ⓤ. **解離性障害** 〘心〙 dissociative disorders ★複数形で. **解離度** degree of dissociation Ⓤ **解離熱** 〘理〙 heat of dissociation Ⓤ.

かいり[4] 海狸 〘動〙 beaver Ⓒ《☞ ビーバー》.

かいりき 怪力 (超人的な [ヘラクレスのような] 力) sùperhúman [herculean /hɜ̀ːkjulìːən/] stréngth Ⓤ. ¶ 彼は*怪力の持ち主だ (⇒ 怪力を授けられている) He is endowed with ⌈*superhuman* [*herculean*] *strength*.

かいりく 海陸 land and sea Ⓤ 日英比較 語順に注意. 《☞ すいりく》.

かいりつ 戒律 (仏教の規範) (Buddhist) precept /príːsept/ Ⓒ ★ 格式ばった語; (道徳上の規律に関する神の命令) commandment Ⓒ 語法 いずれも全体を指す場合は複数形で用いる. ¶ *戒律を守る [破る] practice [violate] the (*Buddhist*) *precepts*

がいりゃく 概略 (大筋を述べたもの) óutlìne Ⓒ; (内容を要約したもの) summary Ⓒ. 《☞ たいい[1]; だいたい[1]; ようし[1]; ようやく[2]》.

¶ 我々の計画の*概略をお話ししましょう I'll give you an *outline* of our plan. // ブラウン博士の講演の*概略は次のとおりです The following is a *summary* of Dr. Brown's lecture. / (⇒ ブラウン博士の講演は次のように要約される) Dr. Brown's lecture may *be summarized* as follows.

かいりゅう 海流 (ocean) current Ⓒ. ¶ 日本*海流 the Japan *Current* **海流図** current chart Ⓒ **海流瓶** (海流調査用) drift bottle Ⓒ.

かいりょう 改良 ―動 improve 他 自; better 他; reform 他. ―名 *improvement* Ⓤ ★ 具体的な場合は Ⓒ; betterment Ⓤ ★ 格式ばった語; reform Ⓒ.

【類義語】 不足している部分を補って向上させるのが *improve*. より満足すべき状態へと近づけるのが *better* (動). 以上 2 つは本質的には特に欠陥のないものを質的に向上させる意味を持つが, 本質的に重大な欠陥があるものを訂正してよくする[改善する]のは *reform* という. 《☞ かいぜん》 ¶ 彼はその機械を*改良しようとした He tried to *improve* (⌈*on* [*upon*]) the machine. 語法 (1) on, upon を加えると「改良を加えてさらによくする」というニュアンスが強くなる. また on より upon のほうが格式ばった表現. // 我々はこの制度を*改良しなくてはならない We must *make* this system *better*. 語法 (2) この better は 形. / We must *reform* this system. ★ 第 1 文のほうが口語的. // もう*改良の余地はほとんどない (⇒ それはほとんど改良され得ない) It can hardly *be improved upon*. / There is no room for further *improvement*. / (⇒ それはほぼ完璧だ) It is almost perfect. ★ 以上のうちでは第 3 文が最も口語的. // 品種 (⇒ 家畜 [植物]) の*改良 *improvement* of ⌈breeds [plants] // かなりの*改良 a significant *improvement* // 根本的な*改良 a fundamental *improvement* // 種々の*改良 various *improvements*

改良種 improved ⌈variety [breed] Ⓒ; (選び抜かれた種類) select breed Ⓒ **改良主義** reformism Ⓤ. ¶ 政府は*改良主義政策をとった The government adopted *reformist* policies.

―コロケーション―

著しい改良 substantial [remarkable] *improvement* / **大幅な改良** a ⌈dramatic [major] *improvement* / **小幅な改良** a ⌈slight [minor] *improvement* / **際立った改良** a marked *improvement* / **漸進的な改良** a gradual *improvement* / **全面的な改良** an all-round *improvement* / **着実な改良** steady [constant] *improvement*

がいりょく 外力 〘物理〙 external force Ⓤ.

かいりょくしょく 灰緑色 grayish blue Ⓤ.

がいりん 外輪 (船の) paddle wheel Ⓒ. ¶ *外輪船 a *paddle-wheel* steamer.

がいりんざん 外輪山 the outer rim of a crater.

かいれい 海嶺 undersea [submarine] mountain range Ⓒ.

かいろ[1] 海路 ¶ 彼は*海路で沖縄へ行った He went to Okinawa *by* ⌈*sea* [(⇒ 船で) *ship*; *boat*]. 参考 「陸路」の場合は by land, 「空路」は by air. // 待てば*海路の日和あり It's a long ⌈lane [road] that has no turning. 《ことわざ; 曲がり角のない道はない》

かいろ[2] 回路 〘電気〙 circuit /sɜ́ːkɪt/ Ⓒ. ¶ 集積*回路 an integrated *circuit* ★ IC と略す. // 電気*回路 a [an electric] *circuit* // 直列[並列] *回路 a ⌈series [parallel] *circuit* **回路計** circuit tester Ⓒ **回路遮断器** circuit breaker Ⓒ **回路制御器** circuit controller Ⓒ.

かいろ[3] 懐炉 body warmer Ⓒ. ¶ *懐炉をおなかに入れてゆく carry a *body warmer* next to *one's* stomach

カイロ ―名 固 Cairo /káɪroʊ/ ★ エジプトの首都.

がいろ 街路 (市中で片側または両側に建物の並ぶ歩道のある通り) street Ⓒ; (大通り) ávenùe Ⓒ 参考 ニューヨークなど米国のいくつかの都市では南北に走る街路を avenue, 東西に走る街路を street と呼ぶ習慣がある. 《☞ みち[1] (類義語); とおり 語法》. **街路樹** street tree Ⓒ. ¶ *街路樹のある通り a *tree-lined street* / a *street lined with trees*

かいろう 回廊 (片側に窓のある) gallery Ⓒ; (廊下) corridor Ⓒ. **回廊地帯** corridor Ⓒ.

かいろうどうけつ 偕老同穴 〘動〙 (海綿動物の一種) Venus's-flower-basket Ⓒ. ¶ *偕老同穴の契りを結ぶ promise to *live together* (*as husband and wife*) *until death parts them*

カイロプラクター (脊椎指圧師) chiropractor Ⓒ.

カイロプラクティック (脊椎指圧療法) chiropractic /kàɪ(ə)rəprǽktɪk/ Ⓤ.

がいろん 概論 (全般を概括的に述べたもの) óutline Ⓒ; (入門・手引) introduction Ⓒ. ¶経済学*概論 an *outline* of economic ⌈principles [theory] / (⇒経済学への入門) an *introduction* to economics

かいわ 会話 ―名 (何人かの間での話のやりとり) conversation Ⓒ; (2人の人の間での会話・対話) diálògue Ⓒ ★《米》では dialog ともつづる; (くだけた話・談話) talk Ⓒ. 語法 以上いずれも会話を抽象的な行為と考える場合は Ⓤ. ―動 convérse ⓐ ★格式ばった語; talk ⓐ. (☞はなし; えいかいわ).
¶「あなたは外国人と英語で*会話した (⇒話した) ことがありますか」「ええ, 2, 3度あります」"*Have* you ever *talked* ⌈*to* [*with*] a foreigner in English?" "Yes, I have. Two or three times." // これは夫婦の*会話になっています This is (in the form of) a *dialog* between a husband and his wife. // *会話体の英語 *conversational* [(⇒口語体の) *colloquial*; (⇒くだけた) *informal*] English
会話体 conversational style Ⓒ 会話文 (地の文と区別して) dialogue Ⓒ.

かいわい 界隈 neighborhood (《英》neighbourhood) Ⓤ (☞きんじょ; ふきん¹; あたり¹).

がいわくせい 外惑星 〖天〗(地球の軌道より外側の軌道を回る惑星) supérior plánet Ⓒ.

かいわれだいこん 貝割れ大根 white radish sprouts ★普通複数形で用いる.

かいん 下院 the Lower House ★英米に共通の一般的な言葉; 《米》the Hóuse of Rèpreséntatives; 《英》the House of Commons ★日本の衆議院は《米》と同じ言い方を用いるのが普通. ¶彼は*下院議員だ《米》He is a ⌈*Representative* [*Congressman*]. / He is a member of *the House of* ⌈*Representatives* [*Commons*]. // *下院議員スミス氏《米》*Rep.* Smith / 《英》Mr. Smith, *M. P.* (☞ぎいん¹)

カイン ―名 固 〖旧約〗Cain /kéɪn/ 参考 アダム (Adam) とイブ (Eve) の第一子. 弟アベル (Abel) を殺した.

がいん 雅印 seal on *one's* art works Ⓒ ★「押す」は place.

かう¹ 買う 1 《品物を》: buy ⓣ (《過去・過分 bought》) (↔sell) ★最も一般的な語. 以下の語の代わりに使える場合が多い; (比較的高価なものを買う) purchase /pə́ːtʃəs/ ⓣ ★buy よりも格式ばった語; (切符・券などを) get ⓣ; (買い物で品物を選択して買うことに決める) take ⓣ. (☞かいもの).
¶彼は新車を*買った He ⌈*bought* [*purchased*] a new car. //「そのTシャツはどこで*買ったの」「ショッピングセンターです」"Where did you *buy* that T-shirt?" "I *bought* it at the shopping center." // 私はそのラジオを彼から*買った I *bought* the radio from him. // 私はそのカメラを3万円で*買った I *bought* the camera for ¥30,000. / (⇒私はそのカメラに3万円払った) I *paid* ¥30,000 for the camera. // 彼は彼女に指輪を*買ってあげた <S (人)+V (*buy*)+O (人)+O (物)> He *bought* her a ring. / <S (人)+V (*buy*)+O (物)+*for*+名(人)> He *bought* a ring *for* her. // 彼女はその皿を1枚500円で*買った She *bought* the dishes *at* five hundred yen apiece. 語法 このように「…につきいくらで」という場合の「で」に当たる前置詞は at. //「前売り券は*買いましたか」「ええ, 買いました」"Did you *get* the reserved ticket?" "Yes, I did." //「お気に入りのものがありましたか」「ええ, これを*買います」"Have you found anything you like?" "Yes, I'll *take* this one." // クレジットで[衝動的に]*買う *buy* ... ⌈on credit [on impulse] // …を箱[100個単位]で*買う *buy* ... by the ⌈box [hundred] // プレゼントに買う *buy* ... as a present
2 《招く》: (好ましくない結果・事態などを招く) incúr ⓣ, elicit ⓣ ★以上は以下の語より格式ばった語; (怒り・笑いなどを引き起こす) provoke ⓣ; (同情などを得る) win ⓣ, gain ⓣ ★前者にはほかの人と競って手に入れるという意味がある. 後者のほうがやや格式ばった語; (引き受ける) tàke úp ⓣ.
¶彼女は彼の誤りを訂正して怒りを*買った (⇒招いた) She corrected his error and *incurred* his wrath. // 彼の発言は仲間の冷笑を*買った (⇒引き起こした) His statement *elicited* sneers from his colleagues. // 彼は彼女の歓心を*買おうと (⇒得ようと) 一生懸命だ He is eager to ⌈*win* [*gain*] her favor. // 彼はそのけんかを*買って出た (⇒引き受けた) He *took up* the quarrel.
3 《価値を認める》: (才能・功績などを認める) récognize ⓣ ★この意味ではやや格式ばった語; (大いに尊敬する) hold ... in high regard, have a high regard for ...; (高く評価する) have a high opinion of ...; (重く見る) think ⌈much [highly] of ... ★think much of は通例否定文で用いる.
¶会員はみな彼の外交的手腕を*買っている (⇒認めている) All the members *recognize* his diplomatic skill(s). // 私はその医者を高く*買っている (⇒尊敬している) I *hold* the doctor *in high regard*. / I *have a high regard for* the doctor. // 社長はその新しい方法を高く*買っている (⇒評価している) The president *has a high opinion of* the new method.

かう² 飼う (ペットなどを) have ⓣ; (飼って世話する) keep ⓣ; (家畜を飼育する) raise ⓣ, breed ⓣ (《過去・過分 bred》), 《英》rear ⓣ 語法 (1) breed は繁殖させる意味が強い. raise のほうが一般的. なお raise は動植物のみならず人を育てる場合にも用いられる. ((例) *raise* ⌈children [a family]). (☞しいく; そだてる).
¶「君はペットを*飼っているかい」「うん, 猫を*飼っているよ」"Do you *have* any pets?" "Yes, I *have* a cat." // その農場では牛を50頭*飼っている They *have* 50 cows on the farm. / The farm *has* 50 head of cattle. 語法 (2) 動物を数える単位としての head は単複同形. // 彼らは羊のほかに牛も*飼っている They *raise* cattle as well as sheep.

かう³ 支う (棒などで支える) próp úp ⓣ. ¶塀に突っかい棒を*かう *prop up* the fence with some poles

ガウス 1 《単位》: 〖物理〗gauss /gáʊs/ ★磁束密度の cgs 電磁単位. (記号 G).
2 《人名》 ―名 固 Karl Friedrich Gauss, 1777–1855. ★ドイツの数学者.
ガウス記号 〖数〗Gauss notation Ⓒ ガウス曲線 Gaussian curve Ⓒ ガウスの法則 Gauss'(s) law ガウス平面 〖数〗Gaussian [Gauss] plane Ⓒ.

カウチ (長椅子・寝椅子) couch /káʊtʃ/ Ⓒ.

カウチポテト couch potato Ⓒ. ¶*カウチポテト族 *couch potatoes*

カウチンセーター Cowichan /káʊɪtʃən/ swéater Ⓒ ★カナダのバンクーバー島の Cowichan インディアンが作っていたことから.

ガウディ ―名 固 Antonio Gaudi (y Cornet), 1852–1926. ★スペインの建築家.

カウベル cówbèll Ⓒ.

カウボーイ cowboy Ⓒ. カウボーイハット cowboy [ten-gallon] hat Ⓒ.

カウリング (航空機やオートバイなどのエンジンカバー) cowling Ⓒ.

カウル ☞カウリング

かうん 家運 the fortunes of a family. ¶*家運隆盛の祈願をする pray for the *prosperity of one's*

family

ガウン gown [C]. ¶彼女はサテンの*ガウンを着ていた She was ⌈wearing [dressed in] a satin *gown*.

カウンセラー counselor (《英》 counsellor) [C] (☞こもん).

カウンセリング (専門家の助言) counseling (《英》 counselling) [U].

カウンター[1] counter [C] ★酒場などでの細長いカウンターは bar [C] ともいう; (スーパーなどの勘定台・レジ) check-out counter [C].

¶《軽食堂・酒場などで》 テーブルは満席だから*カウンターに座ろう All the tables are occupied. Let's sit at the *counter*. // お金は*カウンターでお支払い下さい 《スーパーなどで》 Please pay at the *check-out counter*. / 《スーパー・食堂などで》 Please pay the *cashier*. [参考] cashíer [C] はスーパー・レストランなどでの計算係. ただし, 英米のレストランなどではテーブルで料金を支払うことが多い.

カウンター[2] 〖ボクシング〗 ―[名] counter(punch) [C]. ―[動] (カウンターパンチを打つ) counter (自).

カウンターアタック (逆襲) cóunteràttack [C].

カウンターカルチャー (若者の反体制文化) counterculture [U].

カウンターキッチン kitchen with a serving hatch [C] ★「カウンターキッチン」は和製英語.

カウンターテナー 〖楽〗 cóuntertènor [C].

カウンターテロリズム (テロ対抗措置) counterterrorism [U].

カウンターパーチェス (見返り輸入) cóunterpùrchase [U].

カウンターパート (相対物・対応物) cóunterpàrt [C].

カウンターバランス (つり合いおもり) cóunterbàlance [C].

カウンターパンチ cóunterblòw [C], 〖ボクシング〗 cóunterpùnch [C].

カウンターブロー counterblow [C].

カウンタープログラミング 〖放送〗 (他局の番組に対抗するための裏番組編成) cóunterprògramming [U].

カウンタープロパガンダ (逆宣伝) cóunterpropagànda [U].

カウント count [C] (☞かぞえる).

¶《野球で》「*カウントはいくつだ」「2ストライク3ボールだ」 "What's the *count*?" "It's ⌈three and two [three balls (and) two strikes]." [日英比較] 英語ではボールを先にストライクを後に言うことに注意. // 《野球で》フル*カウント a full *count* (of 3 and 2) // 《ボクシングで》*カウントを取り始める begin the *count* / begin to *count* // *カウントエイトで立ち上がる get up at the *count* of eight

カウントアウト ¶*カウントアウトになる *be counted out* / be *out for the count* / take the *count* カウントダウン (秒読み) cóuntdòwn [C].

かえ 替え (代用品) súbstitùte [C]; (着替え) change [C]. (☞よび; きがえ). ¶下着の*替えを持っていったほうがいいよ You'd better take a *change* of underwear with you. 替え芯 refill /ríːfìl/ [C] 替えズボン spare ⌈pants [trousers] ★数える場合には a pair of spare ⌈pants [trousers] のように言う. 替え茶碗 subsidiary teabowl used at the tea ceremony [C] (☞おもちゃわん).

かえい 花影 the sight of flowers in the moonlight.

かえいよう 過栄養 overnutrition /òuvən(j)uːtríʃən/ [U].

かえうた 替え歌 (もじった歌) parody [C].

かえき 課役 (割り当て仕事) assigned work [U].

かえぎ 替え着 change (of clothes) [C] (☞かえ; きがえ).

カエサル ☞シーザー カエサルの物はカエサルに Render unto Caesar the things which are Caesar's. ★新約聖書マタイ伝22章より.

かえし 返し ☞おかえし

かえしうた 返し歌 ☞へんか[2]

かえしぬい 返し縫い ―[名] backstitch [C]. ―[動] backstitch (他)(自).

かえしわざ 返し技 〖柔道〗 reversal (technique) [C].

かえす[1] **返す** (返却する) return (他), gìve báck (他) ★後者のほうが口語的; (手渡して返す) hánd báck (他); (持ってきて返す) brìng báck (他); (送り返す) sènd báck (他); (金を返済する) páy báck (他), repay (他) ★前者のほうが口語的; (支払われた金を払い戻す) 《格式》 refund (他); (移動したものを元の位置へ戻す) pùt báck (他).

¶私はあしたこの本を正夫に*返さなくてはならない I have to ⌈*return* [*give back*] this book to Masao tomorrow. // そのノートをあした私に*返して下さい Please *bring* the notebook *back* to me tomorrow. // 彼は借金をまだ*返していない He *has* not *paid* (*back*) the debt yet. // この機械が説明書のとおりに動かないときはすぐにお金はお*返しします If this machine does not work to specifications, we will *refund* ⌈the [your] money immediately. // それを元のところに*返しておいて下さい Please *put* it *back* ⌈in its place [where it was; where it came from]. // 彼に*返す言葉がなかった (⇒何と言ってよいかわからなかった) I didn't know ⌈what to *say* to him [how to *answer* him].

かえす[2] **帰す** (許可を与えて人を帰らせる) let *a person* go ⌈back [home]; (帰宅させる) send *a person* home. ¶あらしが来ないうちにこの女の子を家に*帰さなくてはならない We must ⌈*let* this girl *go* [*send* this girl] *home* before the storm breaks.

かえす[3] **孵す** (卵・ひなを) hatch (他); (鳥が巣につく) sít on … (☞かえる[5]; ふか[2]). ¶卵[ひな]を*かえす *hatch* ⌈an egg [a chick] // その鳥は卵を*かえしはじめた The bird began to *sit on* its eggs.

かえす[4] **反す** (裏返す) tùrn óver (他). ¶土を*反す *turn over* the soil // きびすを*反す *turn* (*round*)

かえすがえすも 返す返すも ¶彼が若死にしたのは*かえすがえすも (⇒とても) 残念だ It is a ⌈*great* pity [*terrible* shame] that he (should have) died so young. [語法] should を用いると「…とは」という驚き・遺憾の気持ちが表される.

かえだま 替え玉 (代用品または代わりの人) súbstitùte [C] (☞かわり[1]). ¶ジョンはトムの*替え玉として試験を受けた John took the examination for Tom as a (*spurious*) *substitute*. [語法] substitute は必ずしも悪い意味とは限らないので, 意味があいまいであれば spurious (いんちきの) のような形容詞を加えるか, 次の例のような言い方にする. // 彼は*替え玉投票[受験]をした He ⌈voted [took the exam] (illegally) *under* ⌈*a false* [*an assumed*] *name*.

かえち 替え地 substitute lot [C].

かえって 却って (反対に) on the contrary; (期待に反して) contrary to *one's* expectations; (そうしないで) instead; (実際には) actually; (結局は・結果としては) after all; (どちらかといえば) rather; (…だからこそますます) all the more. (☞むしろ[1]).

¶彼は喜ぶかと思ったら*かえって怒った I thought he would be pleased. ⌈*On the contrary*, he got angry [He got mad *instead*]. // この小さな家は前の大きな家より*かえって住み心地がよい *Contrary to our expectations*, this small house is more comfortable than was our previous large one. // 彼の親切が*かえってあだとなった His kind intentions turned out (to be) harmful *after all*. // 丁寧すぎると*かえって迷惑だ (⇒ 過度の丁寧は実際には迷惑だ) Excessive politeness is *actually* a nuisance. // 薬の中には*かえって害になるものもある (⇒ ある薬は益よりも害をなす) Some medicine will do *more* harm *than* good. // 雪の日のほうが風の吹く日より*かえって暖かいことが多い (⇒ 傾向がある) Snowy days tend to be *rather* warmer than windy days. // 彼女は欠点があるから*かえって好きだ I ˹like [love] her *all the* ˹*more* [*better*] *for* her faults.

かえで 楓 maple Ⓒ 参考 日本のものは Japanese maple (いろはかえで)が代表的. 北米では sugar maple (砂糖かえで). 《☞ もみじ》.

かえば 替え刃 (かみそりの) spare razor blade Ⓒ.

かえらぬ 帰らぬ ¶ *帰らぬ人となる (⇒ 死ぬ) die / pass away ★ 婉曲的. 《☞ しぬ》 // *帰らぬ日々 (⇒ 永久に過ぎ去った) days that *are gone forever*

かえり 帰り — 動 (帰宅する) come [go] home; (帰ってくる) come [go] back ⓐ. — 名 (帰ること) return Ⓤ. 《☞ かえる¹ (類義語); きたく¹》.

¶ 彼女は夫の*帰りを待っている She is waiting for her husband to ˹*come* [*return*] *home*. // *帰りに (⇒ 帰宅の途中)私のところに寄って下さい Please drop ˹by [in at] my house *on your way home*. // きょうは*帰りが遅くなる予定だ (⇒ 遅くまで外にいる予定だ) I'm staying [I'll be] out (till) late this evening. // *帰りの旅 [航海, 飛行, 切符] a *return* ˹trip [voyage; flight; ticket] 語法 最後の語は《英》では往復切符のことになる.

かえりうち 返り討ち ¶ 私は雪辱戦で*返り討ちにあった I *was defeated again* in the return ˹game [match]. // この前の仕返しをしようとしても*返り討ちだぞ We will *beat you again* if you try to get ˹revenge [even] for the previous loss.

かえりがけ 帰り掛け ¶ *帰りがけに (⇒ ちょうど帰ろうとした時に) 課長が話しかけてきた *Just when* I *was leaving* the office, the section chief spoke to me. // *帰りがけに (⇒ 帰る途中で) 旧友に出会った I ˹met [ran across] an old friend *on my way home*.

かえりざき 返り咲き — 名 cómebàck Ⓒ. — 動 còme báck ⓐ. 《☞ カムバック》. ¶ 彼はステージ[政界]に*返り咲いた He *made a comeback to* ˹the stage [politics]. // 今度の選挙で彼は衆議院議員としての*返り咲きを果たした (⇒ 衆議院の議席を再び手に入れた) In the recent election he *regained his seat* in the House of Representatives.

かえりじたく 帰り支度 ¶ *帰り支度をする get *ready to go home*

かえりち 返り血 ¶ 殺人犯は*返り血を浴びている (⇒ 衣服が血でよごれている) 可能性が高い It is highly probable that the murderer's clothes *were stained with the blood of the victim*.

かえりちゅう 返り忠 ☞ うらぎり.

かえりてん 返り点 (漢文の訓読に用いる) return mark (showing the order of reading characters) Ⓒ.

かえりにゅうまく 返り入幕 (相撲の) coming back to the senior-grade division of sumo wrestling.

かえりみち 帰り道 (帰る途中で) on *one's* way home.

かえりみる 顧みる, 省みる ¶ 彼は危険をも*顧みず (⇒ 危険を忘れて) 燃える家の中へ飛びこんだ *Forgetting* the danger, he ran into the burning house. // だれも彼女を*顧みる者はいなかった (⇒ だれも彼女の世話をしなかった) Nobody *took care of* her. // 彼は他人の意見など*顧みようともしない (⇒ 無視する [何とも思わない]) He ˹*ignores* [*thinks nothing of*] the opinions of others. // 人が何と言おうと私は*顧みてやましいところはない (⇒ やましいところのない心を抱いている) Whatever people may say, I have *a* ˹*good* [*clear*] *conscience*.

かえる¹ 帰る come [go] back ⓐ, get back ⓐ, return ⓐ; (帰宅する) come [go] home; (人の家などから去る) leave ⓐ, go ⓐ; (いとまを告げる) take *one's* leave ★ 格式ばった表現.

【類義語】 話し手がいまいる所に帰るのには **come back**. 話し手が元いた場所に帰るのには **go back** を用いる. 同様に,「帰宅する」というのを家にいて言う場合には **come home**. 学校など家以外の場所にいて言う場合には **go home** を用いる. ただし, 電話などで元いた場所あるいは自宅の人と話すときは, 外部にいても **come** を用いる. また, 出発点に戻るという意味では **get back**, **return** が用いられるが, ともに話し手のいる場所に従って **come back** の意味にも **go back** の意味にもなる. 《☞ もどる (挿絵); かえり; きたく¹; きこく¹》

¶「彼はいつ*帰りますか」「間もなく*帰ります」"When will he *come back*?" "He'll ˹*be* [*get*; *come*] *back* soon." // 父は夕方6時に会社から*帰ります My father ˹*gets back* [*comes home*] from the office at six in the evening. // 今夜はいつもより遅く*帰ります I'll ˹*go home* [*come back*] later than usual tonight. ★ go と come の使い方は類義語欄参照. // 田中氏は先月アメリカから*帰った Mr. Tanaka ˹*returned* [*came home*] from the U.S. last month. // すぐ*帰ってきますからここで待っていて下さい Can you wait here? I'll *be back* in a minute [I won't be long]. // 彼は6時には*帰っています He'll *be home* at six. // お*帰りなさい *Welcome home*. 日英比較 これは外国から故国へ帰ったりしたときに用いる言葉で, 英米ではこういう場合や勤務先・学校から帰宅したときに「ただいま」とか「お帰りなさい」に相当する決まったあいさつの表現はない. 人に会ったときのあいさつと同じ表現を用いればよい. "Hello." "Hi." などを用いることもある. // もう*帰ってもよろしい You ˹*may* [*can*] ˹*go* [*leave*] *now*. // もうそろそろ*帰らなくてはなりません (⇒ さよならを言わなければなりません) *I must say good-by*(*e*) now. / I must *be* ˹*leaving* [*going*] now. // *帰れ! (⇒ 行ってしまえ) *Go away*! / (⇒ 家へ帰れ) *Go home*! / (⇒ もう用はない) *Good-by*(*e*)! / (⇒ 出て行け) *Get out* (*of here*)!

かえる² 変える change ⓗ; alter /ɔ́ːltɚ/ ⓗ.

【類義語】全部を変えて元の状態と見分けがつかないほどにするのが **change**. 部分的に変更するのが **alter**. 《☞ かわる¹; へんこう¹; しゅうせい¹; へんか¹》

¶ 我々は計画を*変えた We ˹*changed* [*altered*] our plans. // 錬金術師は卑金属を金に*変えようとした The alchemist tried to *change* the base metal into gold. // 話題を*変えましょう Let's *change* the subject. // 日を*変えて伺います (⇒ いつか別の時に来ます) I'll come back *some other time*. // 彼女は顔色を*変えた (⇒ まっ青になった) She *turned pale*. / (⇒ (恐怖などで) 血の気が失せた) She *turned white as a sheet*.

かえる³ 替える, 換える, 代える (取り替える・交換する) change ⓗ, exchange ⓗ 語法 一般的には change が用いられるが, 特に交換の意味を強調する場合には exchange を用いる; (別なものと入れ替える) replace ⓗ; (改革する) reform ⓗ; (改善する) improve ⓗ. 《☞ とりかえる; いれかえる; こうかん¹; りょうがえ》.

¶ 銀行でお金を少し*換えなくてはならない I have to *change* some money at a bank. // 日本円をアメリカドルに*換えてもらえますか Can you *change* Japanese yen into American dollars? // 背に腹は*かえられない Necessity knows no law. 《ことわざ: 必要な

ことには決まりがない》// 私と席を*替えてくれませんか Could you *change* ⌈seats [places] with me? 〔語法〕 同種のものを交換するときには目的語は複数形をとる. // 彼は古いタイヤを新しいのに*替えた He *replaced* the old tires with new ones. // 何ものも健康には*代えがたい (⇒ 何ものも健康の代わりにはなり得ない) Nothing can *take the place of* good health. / (⇒ 健康ほど大切なものはない) Nothing is ⌈as [so] ⌈precious [valuable] as good health. // カリキュラムを*替える (⇒ 改善[良く]する) ために委員会を作るべきだ We have to establish a committee to ⌈*reform* [*improve*] the curriculum.

かえる[4] **返る** ¶なくなっていたカメラは持主に*返った (⇒ 返された) The lost camera *was returned to* its owner. // 貸した金がまだ*返ってこない (⇒ 返済されていない) The loans *have* not yet *been paid back*. 《☞ かえす[1]》

かえる[5] **孵る** hatch (自), be hatched ★ どちらかといえば (自) のほうが普通. 《☞ かえす[3]; ふか[2]》. ¶卵 [ひな] が*かえった The ⌈eggs [chicks] (*were*) *hatched*.

かえる[6] **蛙** frog [C]; (ひきがえる) toad [C]. ¶*蛙が鳴いている Some *frogs* are croaking. 《☞ 動物の鳴き声 (囲み)》 //雨*蛙 a tree *frog* // 殿様*蛙 a leopard *frog* // 食用[牛]*蛙 a *bullfrog* **蛙の子は蛙** (⇒ 子は親に似る) Like father, like son. **蛙の面(つら)に水** (⇒ あひるの背に水をかけるように何の効き目もなく) Like water off a duck's back. **蛙の目借時** (とても眠い春の時期) springtime when one gets very sleepy [U].

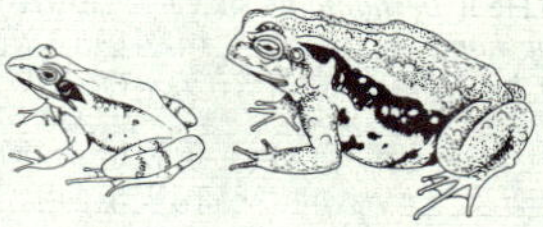
frog　　toad

-かえる **…反る** ¶会場は静まり*かえった (⇒ 沈黙が聴衆を襲った) A silence *fell* ⌈*on* [*upon*] the audience. // 彼の非常識にはあきれ*かえった I *was flabbergasted* at his lack of common sense.

かえるおよぎ **蛙泳ぎ** breaststroke [U] ★ 通例 the をつける. 《☞ ひらおよぎ》.

かえるとび **蛙跳び** ―(名) leapfrog [U]. ―(動) play leapfrog.

かえん **火炎, 火焰** (燃えさかる大きな炎) blaze [C]; (1つの燃える炎) flame [C]. 《☞ ほのお》. **火焰太鼓** large drum used in performances of gagaku [C] 《☞ ががく[1]》 **火炎放射器** fláme·thròwer [C].

がえんじる **肯んじる** (承諾する) consent (自); (同意する) agree (自); (受け入れる) accept (他). ¶その提案を*肯んじる者なし No one ⌈*agreed* [*consented*] to the proposal.

かえんびん **火炎瓶** Molotov /málətɔ̀ːf/ cocktail [C], 《英》 petrol bomb [C].

かお **顔** **1** «顔»: face [C]; (頭) head [C]; (目鼻立ち) features ★ 複数形で; (顔つき・表情) look [C]; countenance [C].

【類義語】 頭部の前面の目・鼻・口のある部分を指すのが **face**. 首から上全体を指すのが **head**. 目や鼻など人の顔立ちを特徴づけるものが **features**. 顔に表れる表情をいう最も一般的な語が **look** で, それよりやや格式ばった語で, 感情の表れというニュアンスが強い語が **countenance**. 《☞ ひょうじょう[1]; かおつき; かおだち》

¶朝食の前に*顔を洗いなさい Wash your *face* before (you eat) breakfast. // きれいにひげを剃った*顔 a clean-shaven *face* // 彼は整った*顔をしている (⇒ 美男子だ) He's *handsome*. / (⇒ 整った目鼻立ちを

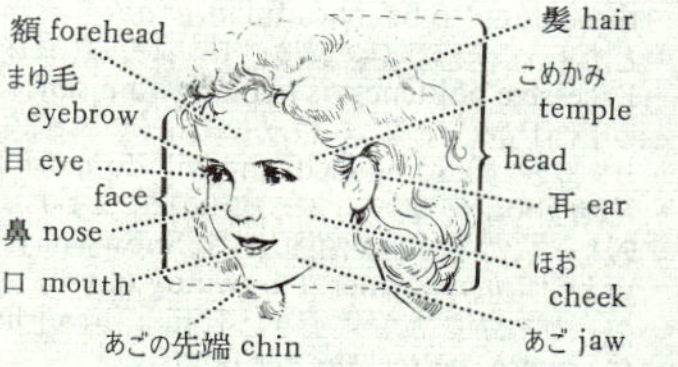

持っている) He has ⌈a handsome *face* [handsome *features*]. 〔日英比較〕 日本語で「…な顔をしている」とあっても, 英語では必ずしも「顔」という語にこだわらず,「美貌の」「美しい」などの形容詞を用いるほうが自然な英語になることが多い. // 彼女はきれいな*顔をしている (⇒ きれいだ) She is good-looking. / She is *pretty*. / (⇒ きれいな顔をもっている) She has a pretty *face*. // 彼は怖い*顔をした He made a frightening *face*. // いやな*顔 a disagreeable *face* // 黙りこくった*顔 a silent *face* // むっつりした*顔 a dark *face* // 熱心な*顔 an eager *face* // 彼女は悲しそうな[楽しそうな]*顔をしていた (⇒ 悲しそうに[楽しそうに]見えた) She *looked* ⌈sad [happy]. // 彼は丸*顔[あから*顔]だ He has a ⌈round [ruddy] *face*. // 四角い*顔 a square *face* // 彼女はぷいと*顔をそむけた She turned her ⌈*head* [*face*] away abruptly. // 恥ずかしくて彼女の*顔をまともに見ることができなかった I was so ashamed that I couldn't look her in the *face*. // 2人は*顔を見合わせた They *looked at each other*. // 窓から*顔を出すのは危険だ It's dangerous to ⌈stick [put] your *head* out (of) the window. 〔語法〕 この場合 face は使えない. 《☞ あたま 〔日英比較〕; くび 〔日英比較〕》 // 彼はこのごろあまり*顔を見せない (⇒ 会いにこない) He doesn't *come to see* me very often these days. // *顔が合ったとたんに彼らは口論を始めた As soon as they *met*, they began quarreling. // 彼は*顔は知っているが話したことはない I know him *by sight*, but I've never talked to him. // 彼女の*顔は覚えている (⇒ 識別できる) I can *recognize* her. // 彼女は感情をすぐに*顔に出す (⇒ 表す) She *shows* her feelings easily. / (⇒ うっかり表す) Her *face* often *betrays* her emotions. // がっくりきてるんだろ, *顔に書いてあるよ You're disappointed. It's written all over your *face*.

2 «比喩的に用いて» ¶彼はこのあたりでは*顔がきく (⇒ 有力者だ) He is ⌈a *big wheel* [an *important man*] in ⌈this neighborhood [town]. ★ big wheel はやや俗語的. / (⇒ 影響力がある) He is *an influential* ⌈*person* [*figure*] in this neighborhood. // 私は彼の*顔で (⇒ 影響力によって) この会社に入れた Through his *influence* I was able to get a job with this company. / (⇒ この会社で仕事を得るため彼の影響力を用いた) I used his *influence* to get a job in this company. // 君の*顔をきかせて切符をとってくれよ Will you use your *influence* to get me a ticket? // 彼は政界では*顔が売れている (⇒ よく知られている) He is ⌈*well* [*widely*] *known* in political circles. // 彼は*顔が広い (⇒ 多くの人を知っている) He *knows a lot of people*. / (⇒ 広範囲の知人を持っている) He *has a wide circle of acquaintances*. // あの男はいつも大きな*顔をしている (⇒ 威張っている) That man *is* always ⌈*arrogant* [*proud*]. 《☞ いばる (類義語); おおきい (成句)》 // *顔を売る (⇒ 宣伝する) のに絶好のチャンスだ This is the very best opportunity to *get publicity*. // 彼と*顔を合わせる (⇒ 会う) のはいやだ I don't want to *see* him. // 時々は彼の所へ*顔を出しておきなさい (⇒ 彼に会う) You'd better *see* him from time to time. // こんなことをして彼女に会わす*顔がな

い (⇒ どうして会えようか) How can I *see* her after doing a thing like that! 《☞ かおむけ》 // 彼は何くわぬ*顔で (⇒ まるで何事も起こらなかったかのように) 戻ってきた He came back *as if nothing had happened.* 《☞ なにくわぬかお》

顔から火が出る ¶ 私は*顔から火が出る思いだった (⇒ 恥ずかしさに赤面した) I *was flushed* with embarrassment. / I felt as if my *face* ˹*was* [*were*] *burning* (with shame). **顔に泥を塗る** ¶ 彼は私の*顔に泥を塗った He *disgraced* me. / He *brought disgrace* on me. **顔を貸す** ¶ 話があるんですが, ちょっと*顔を貸して (⇒ 時間をさいて)いただけませんか I have something to talk over with you. Could you *spare* (me) *a few minutes* ? **顔を立てる** ¶ 彼は私の*顔を立ててくれた He *saved my face.* **顔をつなぐ** ☞ かおつなぎ **顔をつぶす** ¶ 彼女は両親の*顔をつぶした She *made* her parents *lose face.*

コロケーション

浮かぬ顔をする make [pull; wear] a long *face* / 顔を(両手で)覆う cover *one's face* (with hands) / 顔を隠す hide *one's face* / 顔をしかめる twist *one's face* / 顔を…に向ける turn *one's face* (toward …) / 顔をまじまじと見る study *a person's face* / 顔を歪める distort *one's face* // 顔が(怒りで)赤くなる *a person's face* reddens (with anger) / 顔が(恥ずかしさで)赤らむ *a person's face* blushes (for [with] shame) / 顔が(喜びで)輝く *a person's face* ˹beams [gleams; brightens] (with pleasure) / 顔が曇る *a person's face* clouds / 顔が蒼白になる *a person's face* ˹goes [grows] pale / 顔が引きつる *a person's face* twitches // あいきょうのある顔 a charming *face* / あごひげを生やした顔 a bearded *face* / いかつい顔 a craggy *face* / 陰気な顔 a gloomy *face* / 笑顔 a smiling *face* / 怒った顔 an angry *face* / おなじみの顔 a familiar *face* / 褐色の顔 a bronzed *face* / かわいらしい顔 a sweet *face* / 厳しい顔 a stern *face* / 化粧していない顔 an unpainted *face* / 血色のよい顔 a ruddy *face* / 険しい顔 a grim *face* / 厚顔 a brazen *face* / 困惑した顔 a puzzled *face* / 自信に満ちた顔 a confident *face* / 死人のように青ざめた顔 a ghastly *face* / 渋い顔 a sour *face* / しわのない顔 a wrinkle-free *face* / しわの寄った顔 a wrinkled *face* / 心配そうな顔 a troubled *face* / 心労でやつれた顔 a careworn *face* / そばかすだらけの顔 a freckled *face* / 卵型の顔 an oval *face* / でっぷりした顔 a fleshy *face* / 得意そうな顔 a proud *face* / のっぺりした顔 a flat *face* / はにかんだ顔 a shy *face* / 日焼けした顔 a suntanned *face* / 無精ひげを生やした顔 an unshaven *face* / 細長い顔 an elongated *face* / 骨ばった顔 a bony *face* / 真面目な顔 a sober *face* / 真っ赤な顔 a crimson *face* / 昔馴染みの顔 an old *face* / むくんだ顔 a puffy *face* / 無邪気な顔 an innocent(-looking) *face* / 無表情な顔 a blank *face* / 物思いに耽った顔 a ˹pensive [thoughtful] *face* / やせこけた顔 a thin *face* / 若々しい顔 a youthful *face*

かおあわせ 顔合わせ (会合) meeting Ⓒ; (試合) match Ⓒ. 《☞ かいごう¹; あつまり》. ¶ 新入社員全員の*顔合わせ a *meeting* of all the new members of the staff // わが校は北高校とは今度が初*顔合わせだ (⇒ 今度が我々の北高校との初試合だ) This is our first *match* against the team from Kita High School.

かおいろ 顔色 (顔の皮膚の色) complexion Ⓒ; (血色) color (《英》 colour) Ⓤ; (顔の表情・顔つき) look Ⓒ. 《☞ けっしょく¹; けっそう》. ¶ *顔色が悪いようですが (⇒ 青ざめて見えるが), どうかしましたか You *look pale.* What's the matter? // 彼女は*顔色がよい (⇒ 彼女は健康に見える) She *looks well.* // それを聞くと彼は*顔色を変えた (⇒ 怒りで顔を真っ赤にした) When he heard that, he *turned red* with anger. // 彼はいつも上役の*顔色を窺っている (⇒ 上役を怒らせないよう気をつけている) He always takes care not to offend his boss. / (⇒ 上役の気分に神経をとがらせている) He is always sensitive to his boss's *mood(s).* 《☞ うかがう²》

かおう 花押 décorative sígnature Ⓒ.

かおかたち 顔形 (容貌) looks; (目鼻立ち) features ★ ともに複数形で. ¶ *顔かたちの整った気品のある若者 a noble youth of handsome *features* ★ 文語的な言い方. // 彼女の*顔かたちにだまされてはいけない Don't be misled by her good *looks.*

かおく 家屋 (家) house Ⓒ; (建物) building Ⓒ; (土地および付属物を含む家屋) 《格式》 premises ★ 複数形で. 《☞ いえ(類義語); たてもの》. **家屋税** house tax Ⓒ **家屋台帳** house register Ⓒ.

かおじゃしん 顔写真 photograph of *a person's* face Ⓒ. ¶ 容疑者の*顔写真 a *photograph of* a suspect's *face* / 《略式》 a *mug shot* // 志願者の*顔写真を照合する check the applicants' *identification photographs*

カオス (混沌・無秩序) chaos /kéɪɑs/ Ⓤ.

かおぞろい 顔揃い ¶ パーティーはみごとな*顔ぞろいであった (⇒ 有名人がたくさんいた) A lot of *celebrities* were present at the party.

かおだし 顔出し ── 動 (人または場所を訪ねる) visit ㊀; (人を訪れる) call on (*a person*) ★ 後者のほうが口語的; (出席する) attend ㊀; (立ち寄る) drop in ㊁ ★ 口語的. 《☞ たずねる²; しゅっせき》. ¶ たまには*顔出ししなさい *Drop in* once in a while. // きょうはその会に*顔出しする予定だ I'm planning to *attend* that meeting today.

かおだち 顔立ち (顔の各部の配列) features ★ 複数形で; (顔全体の様子・容貌) looks ★ 複数形で. 《☞ かお; にんそう》. ¶ 彼は*顔立ちがよい He is ˹*good-looking* [*handsome*]. // 彼女は*顔立ちのあまりよくないほうだ (⇒ 彼女はどちらかというと器量が悪い) She is rather ˹*plain* [*plain-looking*; 《米》 *homely*]. / She has plain *features.* 語法 いずれも ugly の婉曲的な表現. 《☞ 婉曲語法 (巻末)》

かおつき 顔つき ── 名 look Ⓒ ★「容貌」という意味では複数形で用いる; (表情) countenance Ⓒ. ── 動 (顔つきが…だ) look ㊁ 語法 後に形容詞がくる. 《☞ かお; ひょうじょう; にんそう》. ¶ その男は怒った [がっかりした] *顔つきをしていた The man *looked* ˹angry [disappointed]. / The man had ˹an angry [a disappointed] *look* (*on his face*). ★ 第 1 文のほうが口語的な言い方.

かおつなぎ 顔繋ぎ ── 動 (縁を切らずにそのままにしておく) maintain contact with …; (接触を保っておく) keep in ˹touch [contact] with …; (よい関係を維持する) maintain good relations with …. ¶ 私が会合に出るのは*顔つなぎの (⇒ 人に見知ってもらう)ためだ I attend those meetings *to be seen.*

かおなじみ 顔馴染み ¶ 彼とは*顔なじみだ (⇒ 私は彼をよく知っている) I *know* him very *well.* / (⇒ 彼とは親しい仲だ) I'm *on friendly terms with* him. // 彼とは古くからの*顔なじみだ (⇒ 友達 [知り合い] だ) He's an old ˹*friend* [*acquaintance*] of mine. // 彼女とはパーティーで*顔なじみになった (⇒ 知り合った) I *got acquainted with* her at a party. 《☞ かおみしり; しりあい》

かおパス 顔パス ¶ *顔パスがきく (⇒ 無料入場の権

利を持つ) have the right to *free entry*

かおぶれ 顔ぶれ (メンバー) member Ⓒ; (職員全体) staff Ⓒ ★ 集合的に用いる; (陣容) líneùp Ⓒ ★ 通例単数形で. 《☞ メンバー; じんよう》.
¶ 新内閣の*顔ぶれが決まった (⇒ 新内閣のメンバーがすべて選ばれた) All the *members* of the new Cabinet have been chosen. // 今度の執行部の*顔ぶれには新鮮味がない (⇒ 新顔がほとんどいない) There are few new *faces* on the new executive committee. // いつもと同じ*顔ぶれ the same old *faces* // うへー, すごい[ひどい]*顔ぶれだ Wow, that's ⌜quite a [a terrible] *lineup*!

かおまけ 顔負け ━ [動] (屈服する) bow /báʊ/ (to …) (自); (…に恥をかかせる) put … to shame.
¶ 料理[庭造り]のことになると専門家も彼には*顔負けだ (⇒ 彼を負かすことはできない) When it comes to ⌜cooking [gardening], even an expert ⌜*can't beat* [has to *bow to*] him. // 彼の作品にはくろうとも*顔負けだ (⇒ 彼の作品は大家に恥をかかせる) His work *puts* the masters *to shame*.

かおみしり 顔見知り (仕事などを通じての知り合い) acquaintance Ⓒ 《☞ かおなじみ; しりあい》. ¶ あの人は友人ではなく単なる*顔見知りです He's not a friend, only an *acquaintance*.

かおみせ 顔見世 (一座総出演) all-star cast Ⓒ.
顔見世興行 all-star (cast) show Ⓒ.

かおむけ 顔向け ¶ 世間に*顔向けができない (⇒ 公の場に出るのが恥ずかしい) I am ashamed to *show myself* in public. // そんなことをしては彼に*顔向けができなくなる (⇒ 彼との信頼関係を守ることが最も大切なので決してそんなことはしないつもりだ) I will never do such a thing because keeping faith with him means everything to me. 《☞ かお; めんぼく》

かおもじ 顔文字 〔コンピューター〕 emoticon Ⓒ; smiley Ⓒ ★ 後者は笑顔の文字だけを表すこともある.

かおやく 顔役 (有力者) important ⌜person [figure] Ⓒ; (実力者) influential man Ⓒ; (親分) boss Ⓒ. 《☞ かお》. ¶ 彼は町の*顔役だ He is an *important* ⌜*person* [*figure*] in this town. / He is a *big wheel* in our town. ★ 第 2 文はやや俗語的.

かおよごし 顔汚し ☞ つらよごし

かおよせ 顔寄せ meeting (of all the people concerned) Ⓒ.

かおり 香り, 薫り ━ [名] smell Ⓤ ★ 最も一般的な語. 個々の香りは Ⓒ; (芳香) fragrance Ⓤ; (コーヒーなどのふくいくとした香り) aróma Ⓤ ★ 格式ばった語. ━ [動] smell (自). 《☞ におい (類義語)》.
¶ この花は*香りがよい (⇒ よい香りがする) This flower *smells* sweet. / This flower has a sweet *smell*.
[語 法] 形容詞を伴うと普通 a が付く. 《☞ 可算・不可算名詞 (巻末)》 // 部屋にはばらの*香りが満ちていた (⇒ 部屋はばらの香りで満たされていた) The room was filled with the ⌜*fragrance* [*smell*] of roses. // 私はそのコーヒーの*香りを吸いこんだ I ⌜breathed in [inhaled] the *aroma* of the coffee.

―コロケーション―
かぐわしい香り a fragrant *smell* / かすかな香り a faint ⌜*smell* [*fragrance*] / 芳ばしい香り a mellow *fragrance*; the *aroma* (of …) / 強い香り a strong *scent* / 豊かな香り a rich *fragrance* / よい香り a delicious [a pleasant; a pleasing; a nice; an agreeable] *smell* [*fragrance*]

カオリン (陶磁器用の原料粘土) kaolin(e) /kéɪəlɪn/ Ⓤ.

かおる 薫る (匂いがする) smell (自); (かすかなよい匂いがする) be fragrant. 《☞ におい (類義語)》. ¶ 部屋はばらの花が*薫っていた The room *was fragrant with* roses. // 風*薫る五月に (⇒ 5 月の快い天候に) in the pleasant weather of May

カオルン 九竜 ━ [名] (固) (都市) Kowloon /kàʊlúːn/ ★ 香港島対岸の商業都市.

かおん 訛音 ☞ なまり[1]

かか 呵呵 ¶ *呵呵と大笑する roar with laughter

かが 花芽 〔植〕 flower [floral] bud Ⓒ.

がか[1] 画家 painter Ⓒ.

がか[2] 画架 easel Ⓒ.

がか[3] 雅歌 〔聖〕 The Song of ⌜Solomon [Songs].

がが 峨峨 ¶ *峨々たる山脈 a *rugged* range of mountains

かかあ 嬶 wife Ⓒ; 《略式》 *one's* missus /mísəz/.
かかあ天下 petticoat government Ⓤ. ¶ 彼の家は*かかあ天下だ 《略式》 His *wife wears the pants*.

かかい 歌会 ☞ うたかい

かがい[1] 課外 ━ [形] (学校の正規の授業外の) èxtracurrícular; (補習の) sùppleméntary. ¶ *課外授業 an *extracurricular* class / (⇒ 補習授業) a *supplementary* class // *課外の読み物 (⇒ 付随的な本) books for *supplementary* reading **課外活動** extracurricular activities ★ 複数形で.

かがい[2] 禍害 damage Ⓤ. ¶ *禍害をこうむる suffer *damage*

かがい[3] 花街 ☞ はなまち

がかい[1] 瓦解 ━ [動] (倒れる) fall (自); (崩壊する) collapse (自) ★ やや文語的. ━ [名] fall Ⓒ; collapse Ⓤ. 《☞ たおれる[1]; こわれる; ほうかい》.

がかい[2] 画会 (絵の展示会) art exhibition Ⓒ; (絵の批評会) painter's meeting Ⓒ.

かがいしゃ 加害者 (暴力・暴行事件の) 《格式》 assailant Ⓒ; (事故を起こした人) the person who caused the accident Ⓒ; (殺人者) murderer Ⓒ.

かかえ 抱え ☞ おかかえ

かかえこむ 抱え込む ¶ 私はたくさん仕事を*抱え込んでしまった (⇒ 私はなすべき仕事を多く持ちすぎている) I *have* too much work to do. // 彼は難問に頭を*抱え込んでしまった (⇒ 難問をどうしてよいかわからなかった) He didn't know what to do with the difficult problem.

かかえる 抱える (両腕で抱える) have [carry] … in *one's* arms ★ 小脇に抱える場合は under *one's* arm となる; (仕事などを持つ) have (他). 《☞ だく[1]; だきかかえる》. ¶ 彼女は両腕で本をたくさん*抱えている She *has* a pile of books *in her arms*. // 彼は机に座って両手で頭を*抱えていた He was at his desk with his head *buried in his hands*. // 彼は大家族を*抱えている (⇒ 彼には養うべき多くの家族がある) He *has* a large family to ⌜support [feed]. // 現代の世界は数多くの問題を*抱えている (⇒ 解決すべき多くの問題をもっている) Today, the world *has* a great many problems to solve.

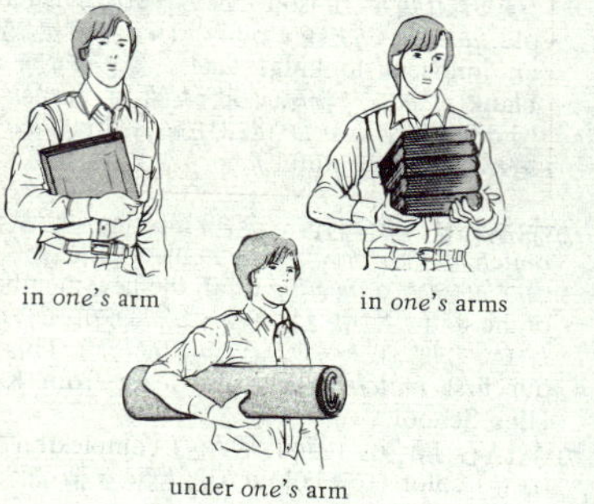

in *one's* arm　in *one's* arms　under *one's* arm

カカオ （実または木） cacao /kəkáʊ/ Ⓒ. **カカオバター** cacáo [cócoa] bùtter Ⓤ **カカオマス**（カカオ豆をすりつぶしたもの） cacao paste Ⓤ.

かかく¹ 価格 （値段） price Ⓒ; （金銭的な価値） value Ⓒ. 《☞ ねだん（類義語）; ていか²; しか²》.

¶*価格は変動する（⇒ 価格が上がったり下がったりする） *Prices* ˹go up and down [fluctuate]. // *価格を維持する maintain [keep up] the *price* // 彼らは*価格を上げた［下げた］ They ˹raised [lowered] the *price*. // 土地の*価格は近年値上がりしている Land *values* have gone up in recent years. // 日用品の*価格は急騰している Commodity *prices* are ˹soaring [skyrocketing]. // 来月 1 日から*価格を 10% 値上げします The *price* will be raised (by) 10% (as) from the first of next month. // 石油［エネルギー, 食品, 農産物］*価格 oil [energy; food; farm-product] *prices* // 公定*価格 the official *price* // 生産者［小売り］*価格 the ˹producer(s') [retail] *price* // 卸し売り*価格 a wholesale *price* // 協定*価格 a stipulated *price* // 最高*価格 the ˹highest [maximum] *price* // 最低*価格 the ˹lowest [minimum] *price* // 平均*価格 the average *price* // 適正*価格 the right *price*

価格安定 price stabilization Ⓤ **価格カルテル** príce càrtel Ⓒ **価格競争** price competition Ⓤ **価格協定** agreement on prices Ⓒ **価格差益金** márgin pròfit Ⓤ **価格操作** price manipulation Ⓤ **価格統制** price controls ★ 複数形で **価格破壊** destruction of the conventional price mechanism Ⓤ, price mechanism destruction Ⓤ **価格表** price list Ⓒ **価格変動** fluctuation in prices Ⓤ; price fluctuation(s) Ⓒ.

―――コロケーション―――

価格の交渉をする negotiate [haggle over] the *price* / **価格を安定させる** stabilize *prices* / **価格を(…未満に)抑える** hold [keep] the *price* (under …) / **価格を改定する** revise *prices* / **価格を決める** settle *prices* / **価格を下げる** bring down [lower; cut; reduce] *prices* / **価格を定める** fix [set] a *price* / **価格をつり上げる** drive up *prices* / **価格を凍結する** freeze *prices* / **価格を(1000 円)引く** reduce the *price* (by a thousand yen) / **希望の価格を言う** name *one's price(s)* / **…に価格を付ける** put *prices* on … // **(株・証券などの)売り出し価格** the offering *price* / **基本価格** a base *price* / **契約価格** the contract *price* / **すべて込みの価格** an all-inclusive *price* / **正常価格** the normal *price* / **(公債の)発行価格** the issue *price* (of a loan) / **引き渡し価格** the *price* (when) delivered / **元の価格** the original *price* / **輸入価格** import *prices*

かかく² 過客 （旅人） traveler (《英》 traveller) Ⓒ.

かがく¹ 科学 ― [名] science Ⓤ ★ 特に物理・化学など, 学問の分野を指す場合には Ⓒ. ― [形]（科学の・科学的な） scientific. ― [副]（科学的に） scientifically. ¶*科学を育成する promote *science* // *科学を応用する apply *science* (to …) // *科学を研究する study [do] *science* // *科学を専攻する major in *science* // *科学を発展［前進］させる develop [advance] *science* // 近年, *科学はめざましい発展を遂げた In recent decades *science* has made remarkable progress. // 君はその問題に対して*科学的な方法を用いるべきだ You should use a *scientific* approach ˹on [to] the problem. // *科学的に言って, 彼の考えは基本的に間違っている *Scientifically* (speaking), his idea is fundamentally flawed. // 環境*科学 environmental *science* // 近代*科学 modern *science* // 材料*科学 material *science* // 食品*科学 food *science* // 応用*科学 applied *science* // 自然*科学 natural *science* // 社会*科学 social *science* // 人文*科学 the humanities ★ 各分野を総称して複数形で扱う.

科学衛星 scientific research satellite Ⓒ **科学技術** technology Ⓤ **科学技術基本法** the Science and Technology Basic Law **科学技術庁（長官）** (the Director General of) the Science and Technology Agency ★ 現在は文部科学省に統合. **科学研究費** scientific research expenses **科学者** scientist Ⓒ **科学小説** science fiction Ⓤ ★ SF と略す. 個々の小説には novel または story を用いる; 《口語》 sci-fi /sáɪfáɪ/. **科学的社会主義** scientífic sócialìsm Ⓤ **科学哲学** philosophy of science Ⓤ **科学博物館** science museum Ⓒ **科学兵器** scientific weapon Ⓒ **科学万能主義** ¶ 今は*科学万能主義の時代だ（⇒ 科学が世の中を支配する） *Science rules the world* nowadays. **科学論文** scientific ˹literature Ⓤ [paper Ⓒ].

かがく² 化学 ― [名] chémistry Ⓤ. ― [形]（化学の・化学的な） chemical Ⓐ. ― [副]（化学的に） chemically. ¶ 水を*化学的に分解すると水素と酸素になる Water can be *chemically* separated into hydrogen and oxygen. // 有機［無機］*化学 organic [inorganic] *chemistry* // 応用*化学 applied *chemistry* // 工業*化学 industrial *chemistry* // 合成化学 synthetic *chemistry*

化学エネルギー chemical energy Ⓤ **化学記号** chemical symbol Ⓒ **化学結合** 〘化〙 chemical bond Ⓒ **化学元素** chemical element Ⓒ **化学工学** chemical engineering Ⓤ **化学工業** chemical industry Ⓤ **化学合成** chemosynthesis /kèmoʊsínsəθɪs/ Ⓤ **化学合成添加物** chemosynthetic /kìːmoʊsɪnθétɪk/ additive Ⓒ **化学作用** chemical action Ⓤ **化学式** chemical formula Ⓒ. ¶ 水の*化学式は H_2O です The *chemical formula* for water is H_2O. **化学実験［実験器具, 実験室］** chemical ˹experiment Ⓒ [apparatus Ⓒ; laboratory Ⓒ] **化学者** chemist Ⓒ **化学消防車** chemical fire engine Ⓒ **化学親和力** 〘化〙 chemical affinity Ⓤ **化学製品［薬品］** chemicals ★ 複数形で. **化学繊維** synthetic fiber Ⓒ **化学戦争** chemical warfare Ⓤ **化学調味料** mónosòdium glútamàte Ⓤ **化学天秤** chemical balance Ⓒ **化学当量** 〘化〙 chemical equivalent Ⓒ **化学反応** chemical reaction Ⓒ **化学肥料** chemical fertilizer Ⓒ **化学物質** chemical substance Ⓒ **化学分析** chemical analysis /ənǽləsɪs/ Ⓒ 《複 ～ analyses /-sìːz/》 **化学兵器** chemical weapon Ⓒ **化学平衡** 〘化〙 chemical equilibrium Ⓤ **化学変化** chemical change Ⓒ **化学方程式** chemical equation Ⓒ **化学薬品［製品］** chemical Ⓒ, chemical product Ⓒ ★ 通例複数形で. **化学リサイクル** chemical recycling Ⓤ **化学量** 〘化〙 chemical quantity Ⓤ **化学療法** chemotherapy Ⓤ.

かがく³ 下顎 lower jaw Ⓒ 《☞ あご》.

かがく⁴ 価額 （評価額） assessment Ⓒ, (the ˹estimated [appraised]) value Ⓤ.

かがく⁵ 歌学 （和歌の研究） systematic study of *waka*, classical Japanese poems of thirty-one syllables Ⓒ ★ 説明的な訳. **歌学書** book of *waka* studies Ⓒ.

ががく¹ 雅楽 gagaku Ⓤ, Japanese ceremonial court music Ⓤ.

ががく² 画学 (the art of) drawing Ⓤ.

かかげる 掲げる （旗を） fly ㊀; （掲示やプラカードなどを） pùt úp ㊀; （つるすようにして掲げる） háng úp ㊀. ¶ その船は日本の旗を*掲げていた The ship ˹*was flying* [*flew*] the Japanese flag. // 彼はドアに

掲示を*掲げた He ⌈put [hung] up a sign on the door. // 彼らは新しいスローガンを*掲げた They adopted a new slogan.

かかし 案山子 scárecròw Ⓒ. ¶*かかしを立てる set [put] up a *scarecrow*

かかす 欠かす ¶彼は一日も*欠かさず散歩する (⇒毎日散歩するのを習慣としている) He *makes it a* ⌈*practice* [*rule*] to take a walk every day. // 私はそのテレビ番組を毎回*欠かさず見ている (⇒決して逃さない) I never *miss* that TV program. / (⇒定期的に見ている) I *regularly* watch that TV program. // 電気は現代生活に*欠かせない (⇒絶対に必要だ) Electricity is ⌈*an absolute necessity* [*indispensable*] ⌈for [to] modern life. // 我々にはあの人は*欠かせない (⇒彼なしにはやっていけない) We *cannot do without* him. // 日本の観光に京都は*欠かせない (⇒観光客にとって京都を見ることは絶対必要なものだ) (Seeing) Kyoto is *a must* for tourists in Japan. 《☞ かく³》

かかずらう 係う (…に関わる) concern *oneself* ⌈in [with] …; (巻きこまれる) get mixed up; (こだわる) be fussy about … ¶そんなことに*かかずらうのは御免だ I don't want to *get mixed up* with a thing like that. // 細かいことに*かかずらうな Don't *be fussy about* minor details.

かがぞめ 加賀染 Kaga dyeing /ká:gə dáɪɪŋ/ Ⓤ; (説明的には) silk textile dyed plain or with patterns, product of Kaga, Ishikawa Prefecture Ⓤ.

かかたいしょう 呵呵大笑 ── 動 (大笑いする) roar 自; (心から笑う) give a hearty laugh.

かかと 踵 (足・靴・靴下のかかと) heel Ⓒ《☞ あし¹ (挿絵); くつ (挿絵)》.
¶この靴は*かかとがきつい These shoes are a little too tight ⌈at [in] the *heel*(*s*). / (⇒この靴は私のかかとを締めつける) These shoes pinch my *heels*. // *かかとの高い[低い]靴 high-[low-]*heeled* shoes / shoes with ⌈high [low] *heels* // 靴の*かかとがすり減った My shoes are (worn) down at the *heel*.

かがとび 加賀鳶 firefighter from the Kaga domain in the Edo period Ⓒ ★ 説明的な訳.

かがみ¹ 鏡 (一般にあらゆる種類の鏡) mirror Ⓒ; (姿見) (looking) glass Ⓒ. ★ 後者は古風.
¶彼女は*鏡を見た She looked in the *mirror*. / (⇒鏡で自分の姿を見た) She looked at herself in the *mirror*. // *鏡に映っている自分の姿 *one's* own image in the *mirror* // 彼女の泣き顔が*鏡に映っていた Her tearful face was reflected in the *mirror*. // 新聞は信頼できる世論の*鏡であるべきだ The press should be a reliable *mirror* of public opinion. // 海は*鏡 (⇒ガラス) のように穏やかだった The sea was as smooth as *glass*. // 手*鏡 a hand *mirror*
鏡立て mirror stand Ⓒ **鏡天井**〔建〕panel(l)ed ceiling Ⓒ **鏡文字** mirror writing Ⓤ.

かがみ² 鑑 (理想とされる人 [もの]) ideal /aɪdí:əl/ Ⓒ; (まねすべき手本) model Ⓒ ★ 後者は形容詞的にも用いられる.《☞ もはん; てほん》.

かがみびらき 鏡開き (an annual event of) cutting New Year's round rice cakes Ⓤ.

かがみもち 鏡餅 round (mirror-shaped) rice cake offered to (the) gods Ⓒ.

かがむ 屈む (上体を曲げる) bend (over …; *down; forward*) 自《過去・過分 bent》; (頭と肩のあたりの比較的上体の上部に当たるところをかがめる) stoop down 自; (うずくまる) crouch 自; (しゃがみこむ) squat 自. 《☞ しゃがむ 日英比較 (挿絵)》.
¶彼は*かがんでボールを拾った He ⌈*bent* [*stooped*] *down* and picked up the ball. // 彼女は前*かがみになって雨の中を歩いた She walked *crouched over* in the rain. // 彼女は*かがんで草取りをしていた She *was crouching down* picking (up) weeds.

かがめる 屈める (曲げる) bend 他 自; (頭や肩など, あるいは上半身を前かがみにする) stoop 自
語法 bend は意味の広い一般的な言葉で, 人体に限らず通常まっすぐなものを曲げることをいい, stoop は主に人について用いる. 《☞ まえかがみ; ちゅうごし》
¶彼は前に身を*かがめた He *bent forward*. / He *stooped down*. // 彼は腰を*かがめて歩いた (⇒前かがみで) He walked *with a stoop*. // 私は身を*かがめてその紙きれを拾った I ⌈*bent down* [*stooped* (*down*)] to pick up the piece of paper. // 彼女は身を*かがめて花の香りをかいだ She *bent over* the flower to smell it.

かがやかしい 輝かしい (明るい) bright; (光り輝く) brilliant ★ 後者のほうが意味が強い; (栄光ある) glorious. ¶君には*輝かしい未来がある You have a *bright* future. // 彼はその*輝かしい業績によって賞を受けた He was awarded ⌈the [a] prize for his ⌈*great* [*brilliant*; *glorious*] achievements. // 彼らは*輝かしい勝利をおさめた They ⌈won [achieved] a ⌈*glorious* [*brilliant*] victory.

かがやかす 輝かす ¶その少年は目を*輝かせて話に聞き入った The boy listened to the story with *sparkling* eyes.

かがやき 輝き (光輝) brightness Ⓤ; (ぴかぴかした輝き) brilliance Ⓤ. 《☞ ひかり (類義語)》.

かがやく 輝く ── 動 (明るく光る) shine 自《過去・過分 shone》★ 比喩的にも用いられる; (ぱっと光る) flash 自; (強い光でぴかぴか光る) glitter 自; (星などがきらきら光る) twinkle 自; (宝石・目などがきらめく) sparkle 自. ── 形 bright; brilliant; radiant Ⓐ.
【類義語】「暗い」(dark) に対する反意語として用いられるのが **bright** で, 最も一般的な語. 強い光で目もまばゆく輝くのが **brilliant**. 反射ではなく自ら光を発して輝くことを強調する語が **radiant**. 《☞ ひかる; きらきら; きらめく》 ¶太陽 [月] が明るく*輝いていた The ⌈sun [moon] *shone* bright(ly). // 彼女の顔は喜びで*輝いていた Her face *was* ⌈*shining* [*radiant*] with delight. // 水面が日光で*輝いていた The water was *brilliant* in the sunlight. // 彼女の目は興奮[期待]で*輝いた Her eyes ⌈*flashed* [*sparkled*] with ⌈excitement [expectation]. // 新入生はみんな希望に*輝いていた The new students' faces *were shining* with hope. // 星が夜空にきらきらと*輝いていた Stars *were* ⌈*glittering* [*twinkling*] in the dark sky. / (⇒夜空に星がちりばめられていた) The sky *was spangled with* stars.

かかり 係 (受け持ち) charge Ⓤ; (担当者 [店員, 事務員, 職員]) person [salesperson; clerk; official] in charge (of …) Ⓒ; (公共施設などの係員) attendant Ⓒ; (会社などの) súbsèction Ⓒ. 《☞ たんとう¹; かかりいん; かかりちょう》. ¶彼女は答案を集める*係だ She *is in charge of* collecting the papers. // この売り場の*係はだれですか Who is (the ⌈*person* [*clerk*]) *in charge* at this counter?

かがり 縢り darning Ⓤ; (かがったところ) darn Ⓒ. 《☞ かがる; つくろう》.

-がかり …掛かり ¶その仕事は 2 人*がかりだった (⇒その仕事を終えるのに 2 人必要だった) It *took two* (*people*) to finish the work. // あの美術館で展示品を全部見るのは 1 日*がかりだ (⇒展示品を全部見るにはまる 1 日必要だ) It *takes* an entire day to see all the exhibits in that museum. // その本は 10 年*がかりの労作だ The book is the product of ten years' labor.

かかりあい 掛かり合い ── 名 (関係) relation Ⓤ; connection Ⓤ ★ 具体的な関係をさすときは複数形. 下の 語法 (2) 参照. (巻きこまれること) involve-

ment Ⓤ. ―動 (何らかの形で関与する) have something to do with … 語法 (1) something は疑問文では anything に, 否定文では nothing または not … anything に変わる; (関係する) have relations with … ★ 取引・利害関係に用いる; (巻き込まれる) be ⌜involved [mixed up] ⌜in … [with …] (☞ かかわる; かんけい¹; かんよ; まきぞえ).
¶ 私はその事件と*掛かり合いがありません I *have nothing to do with* that affair. // 私どもはあの会社とは何の*掛かり合いもありません We *have* no ⌜*relation* [*connection*] *with* the firm. 語法 (2) connection は偶然できたような関係, relation は商取引などの関係. // 私はこんなことに*掛かり合いたくない (⇒ 巻き込まれたくない) I don't want to ⌜*get* [*be*] ⌜*involved* [*mixed up*] *in* that sort of business.

かかりいん 係員 (案内係) attendant Ⓒ; (担当の職員) clerk in charge Ⓒ. (☞ かかり). ¶ 緊急の際は*係員の指示に従って下さい In case of emergency, please follow the instructions of the *attendants*.

かかりかん 係官 official in charge Ⓒ.

かかりきり 掛かり切り ―動 (専心する) be devoted to … (☞ せんしん¹). ¶ 彼は仕事に*掛かり切りだ He *is devoted to* his work. // 私は育児に*掛かり切りだ (⇒ すべての時間を育児にあてている) I *give my whole time* to child care.

かかりげいこ 掛かり稽古 kendo practice in which swordsmen in lower ranks challenge the one higher in rank one after another Ⓤ ★ 説明的な訳.

かかりちょう 係長 subsection ⌜head [chief] Ⓒ, senior staff member Ⓒ, assistant (to the) manager Ⓒ. (☞ 会社の組織と役職名 (囲み)).

かかりつけ 掛かり付け ¶ *かかりつけの医者 *one's family* doctor (☞ しゅじい)

かがりぬい 縢り縫い ☞ かがる

かがりび 篝火 (戸外で祝いなどのためにたく) bonfire Ⓒ; (キャンプの) campfire Ⓒ. (☞ たきび) ¶ *かがり火をたく make [build] a *bonfire*

かかりむすび 係り結び 〘言〙 postpositional particle-verb agreement in literary Japanese Ⓤ ★ 説明的な訳.

かかりゆ 掛かり湯 ☞ あがりゆ

かかる¹ 掛かる, 架かる **1** «垂れ下がる»: hang (on …; over …) 自 (過去・過分 hung) (☞ かける¹; ぶらさがる; つるす). ¶ 壁に絵が*かかっている A picture *is hanging on* the wall. / *There is* a picture (*hanging*) *on* the wall. 語法 There is … よりも第 1 文のほうが picture を話題の中心にした表現. // 窓にはカーテンが*かかっていた There were curtains *hanging* ⌜*over* [in front of] the window.

2 «ある場所に支えられている» ¶ なべが火に*かかっている A ⌜pot [pan] *is on* the fire. / *There is* a ⌜pot [pan] ⌜*on* [*over*] the fire. // 入口に看板が*かかっていた A signboard *was* (*hung*) *on* the front door. / *There was* a signboard *on* the front door. 語法 ひもなどでぶら下げてあれば hang を用いる.

3 «鍵・ボタンなどが» ¶ 入口に鍵が*かかっている The front door *is locked*. // このシャツはボタンがなかなか*かからない This shirt ⌜is hard to *button* [doesn't *button* easily].

4 «一方から他方にさし渡される» ¶ その入江には橋が*かかっている There is a bridge *across* the bay. // ここに橋が*かかる (⇒ 建設される) 予定だ A bridge is going to *be built* here. 語法 家・橋・駅など構築物はすべて build と言ってよい. // 丘の上に美しい虹が*かかった (⇒ 現われた[できた]) A beautiful rainbow ⌜*appeared* [(*was*) *formed*] over the hills. // 箱にはひもが*かかっていた (⇒ ひもで縛ってあった) The box *was tied* (*up*) *with* string.

5 «費やされる・要する»: (時間・労力などが) take 他; (必要である) require 他; (金が) cost 他.
¶「駅までどのくらい*かかりますか」「歩いて 5 分です」"How long [How many minutes] does it *take* to get to the station?" "It's ⌜five minutes' [a five-minute] walk from here." //「それはいくら*かかりますか」「5 万円ぐらいです」"How much will it *cost* (me)?" "(It will *cost* you) about ¥50,000." / (⇒ どのくらい料金を取るのですか) "How much do you *charge* for that?" "About ¥50,000." // お金は一銭も*かかりません (⇒ 無料です) It's *free* (of charge). / (There is) no *charge*. // その仕事はたいへん手間 (⇒ 時間) が*かかった The work *took* (me) a long time. / (⇒ 完了までに多くの時間を要した) It *took* (me) a long time to finish the work.

6 «とらえられる»: (わなにかかる) be caught in a trap, be trapped; (網にかかる) be caught in a net. (☞ ひっかかる).
¶ くまがわなに*かかった A bear *was* ⌜*caught in the trap* [*trapped*].

7 «泥やほこりが»: (水や泥が) splash 自.
¶ 泥水が私のズボンに*かかった The mud *splashed* on my trousers. // それに雨が*かからないようにしておきなさい *Keep* it *out of* the rain. / (⇒ 雨にさらすな) Don't *expose* it *to* the rain.

8 «負担・迷惑・疑い・税金などが»: (迷惑がかかる) be troubled; (疑いがかかる) be suspected of …
¶ あなたに迷惑が*かからないようにします (⇒ 迷惑をかけないように) I will try not to *trouble* you. // あなたに収賄の疑いが*かかっている You *are suspected of* having accepted a bribe. // 所得にはすべて税金が*かかる All income *is taxed*.

9 «医者に»: see 他, consúlt 他 ★ 前者のほうが口語的. いずれも医者を目的語として.
¶ 医者に*かかったほうがいい You'd better ⌜*see* [*consult*] a doctor. / (⇒ 医者のところへ行ったほうがいい) You'd better *go to* a doctor.

10 «一方の作用が他方に及ぶ・うまく作用する»
¶ 彼から電話が*かかった I ⌜*had* [*got*] a (phone) call from him. // エンジンが*かからない (⇒ 始動しない) The engine won't *start*. / (⇒ エンジンを始動させることができない) I can't *get* the engine ⌜*started* [*to start*].

11 «始める»: start 他 自, begin 他 自 ★ 前者が口語的. (☞ とりかかる; はじめる).
¶ さあ仕事に*かかろう (⇒ 仕事を始めよう) Let's ⌜*start* [*begin*] the work. / Let's *get* the work *started*. ★ 後者はより口語的.

12 «相手になる» ¶ さあ, *かかってこい *Come on*!

13 «扱われる・関わる» ¶ あいつに*かかってはかなわない (⇒ 彼は私の手にあまる) He's more than a match for me. // 君なんか彼に*かかったら赤子同然だ You are a ⌜child [baby] *in his hands*. // 君の手に*かかって死ぬのなら本望だ I would be happy to be killed by you.

かかる² 罹る (病気に) get 自, become 自, fall 自 ★ くだけた会話では get が用いられ, 以下順に格式ばった語となる; (病気に感染する) catch 他; (病気で苦しむ) suffer (from …) 自. ¶ 彼は先週病気に*かかった He ⌜*got* [*became*] sick last week. / He *fell* ill last week. ★ sick と ill の区別については ☞ びょうき. // その赤ちゃんははしかに*かかった The baby ⌜*got* [*caught*] the measles. // その子は結核に*かかっている The child ⌜*has* [*is suffering from*] tuberculosis. ★ [ ] 内のほうが改まった言い方.

かかる³ 懸かる **1** «霧などが»: hang 自. ¶ 夕方になるとこのあたりはいつも霧が*かかる A mist always *hangs* over this neighborhood in the evening. // ご覧，きれいな虹が*かかっているよ（⇒あるよ）Look! There's a beautiful rainbow.

2《賞金・機会などが》:（賭けられている・あやうくなっている）be at stake《☞ けんしょう¹》. ¶ 賞金が*かかっているんなら（⇒賞金提供の申し出があるなら）一丁やってみてもいいよ I think I'll have a try if prize money *is offered*. // オリンピック出場が*かかっているので選手たちは真剣だった The players were serious because participation in the Olympics *is at stake*. // 優勝の*かかった（⇒優勝者を決定する）一番 a bout to *decide* the champion

3《依存する》: depend「on [upon] …, rest「on [upon] … ★ 後者のほうが格式ばった語.《☞ しだい¹; いぞん¹》. ¶ 成否は君の肩に*かかっている Whether or not we succeed「*depends on* you [*is on* your shoulders].

かかる⁴ 斯かる ¶ *かかる状況にあって in a situation *like this*

-かかる ¶ 彼女が私の家の前を通り*かかった（⇒たまたま通った）She *happened to* pass by my house. // 私は家を出*かかっていた（⇒ちょうど出ようとしていた）I *was just about to* leave home. // 私はトラックにひかれ*かかった I was *nearly* run over by a truck. // 太陽は沈み*かかっている（⇒太陽は沈みつつある）The sun *is going* down. // 彼の家は壊れ*かかっていた I found his house *falling apart*.

【参考語】— 副（半ば…である）half;（ほとんど）nearly, almost. — 動（まさに…しようとする）be about to (*do* …), be on the point of (*doing* …), be going to (*do* …);（たまたま…する）happen to (*do* …).

かがる 縢る（縫う）sew /sóʊ/ ⑩;（縫ってふさぐ）sew úp ⑩;（裂け目に布をあて，上から縦横に縫って繕う）darn ⑩;（繕う）mend ⑩.《☞ つくろう; さいほう¹（挿絵）》. ¶ この靴下の穴を*かがって下さい Please「*mend* [*sew up*] the hole in this sock. / Please *darn* this sock.

-がかる ¶ 緑*がかった黄色 green*ish* yellow /（⇒緑色を帯びた黄色）yellow「*tinged with* [*with a tinge of*] green // あの人は左翼*がかっている（⇒左翼の傾向を持っている）That man is leftist-*oriented*.《☞ -ぽい; -じみる》

かかわらず 拘らず 1《…ではあるけれども》— 接 though …, although … ★ 前者のほうが口語的. — 前 in spite of …, despite … ★ 後者のほうが格式ばっていて意味も弱い.《☞ けれど(も); -が 語法》. ¶ 雨にも*かかわらず運動会は開かれた The athletics meet was held *in spite of* the rain. // 彼らは反対があるにも*かかわらずその計画を実行した They carried out their plan *despite* (the) opposition. // 急いだにも*かかわらずバスに間に合わなかった *Although* we hurried, we missed the bus.

2《…に関係なく》: regardless of …, without regard to …, irrespective of …, independent of … ★ 以上 4 つはほぼ同意で入れ替えて用いることができるが，最初が最も普通;（…しようがしまいが）whether … or not. ¶ 年齢，性別に*かかわらずだれでも応募できる Any person can apply for it「*regardless of* [*without regard to*; *irrespective of*; *independent of*] age or sex. // 会は晴雨［天候］に*かかわらず（⇒降っても照っても）開かれます The meeting will be *held rain or shine*. // 好むと好まないに*かかわらず，それをしなければならない You must do it *whether* you like it *or not*. // 結果のいかんに*かかわらず（⇒どのような結果になろうと）私に電話して下さい Please call and let me know the result *no matter what* it turns out to be.

かかわり 関わり — 名（関係）relation [U]; connection [U] ★ 前者は主に血縁などの緊密な相互関係，後者は偶然の関係を言うが，入れ替え可能なことも多い;（抽象的関係）relationship [U];（事件などに深く関係すること）involvement [U]. — 動（関わりを持つ）have something to do with …《☞ かんけい¹（類義語）; かかりあい》. ¶ その議員は汚職事件との*関わりを強く否定した The Diet member strongly denied「his *involvement in* [*any connection with*] the payoff scandal. // 私はその事件とは何の*関わりもない I *have* nothing *to do with* that affair.

かかわる 拘る，係わる，関わる ¶ それは彼の命に*かかわる問題だ（⇒その問題は彼にとって生死の問題だ）That issue is *a matter of* life or death for him. // それは私の名誉に*かかわる（⇒名誉が賭けられている）My「honor [reputation] *is at stake*. // それは命に*かかわる（⇒重大な）病気だ That is a *serious* disease. // そんな細かいことに*かかわっては（⇒関係しては）いられない I never *concern myself with* such minor details. // ああいう人には*かかわらないほうがいい（⇒離れていたほうがいい）You'd better「*keep* [*stay*] *away from* a person like that.《☞ かかりあい; かんけい¹》

かかん¹ 果敢 — 形（危険など恐れない）bold;（思い切った）daring. — 副 boldly; daringly.《☞ ゆうかん¹》.

かかん² 花冠 corólla [C].

かがん 河岸 bank [C], riverbank [C].《☞ かわぎし》. **河岸段丘** terraced bank [C], riverside [stream] terrace [C].

ががんぼ 大蚊（昆虫）crane fly [C],《俗》daddy longlegs ★ 単数同形.

かき¹ 柿 persímmon [C]. ¶ 渋*柿 an astringent [a bitter] *persimmon* // 干し*柿 a dried *persimmon* **柿色** — 形 yellowish「red [brown] [U] **柿渋** persimmon tannin [U], bitter juice of persimmons [U] **柿の種 1**《種子》: persimmon stone [C]. **2**《菓子》: small rice cakes shaped like persimmon stones seasoned with hot pepper ★ 説明的な訳.

かき² 牡蠣 oyster [C]《☞ オイスター》. ¶ *かきフライ fried *oysters* **かき鍋** oyster stew cooked at the table [U] ★ 説明的な訳. **かき飯** rice cooked with oysters [U] **かき養殖** oyster「farming [culture] [U] **かき養殖場** oyster「farm [bed; bank] [C].

かき³ 下記 — 形（下記の・次の）the following … ★ 通例 the を付けて;（下にあげた）mentioned below 語法 修飾する名詞の後に置く. — 名（物・者）the following ★ 指すものの内容によって単数または複数扱い. ¶ *下記の品物はすでに注文済みだ *The following* articles [The articles *mentioned below*] are already on order. // *下記の者がその会に出席した *The following* were present at the meeting:《☞ コロン（巻末）》// 委員会のメンバーは*下記のとおりである The committee members are *as follows*:

かき⁴ 夏季，夏期 summer [U];（夏の期間）summertime [U] ★ 前者のほうが普通. 形容詞的にも用いる.《☞ なつ; かきねつ》. ¶ *夏季［期］講習会 *summer* school /（⇒夏の間の特別授業）*summer* session(s) // *夏期休暇 *summer*「vacation [《英》holidays]

かき⁵ 火気 fire [U]. ¶ *火気厳禁《掲示》（⇒注意: 可燃物）Caution: *Flammable(s)* / No open *fire(s)*《☞ ひ²》

かき⁶ 火器 firearms ★ 通例複数形で. ¶ *火器携帯許可証 a license to carry *firearms*

かき⁷ 花器（花瓶）(flower) vase [C];（水盤）flower bowl [C]. ¶ *花器に生けられた花 flowers arranged in a「*vase* [*bowl*]

かき[8] 垣 ☞ かきね; いけがき

かき[9] 花期 flowering period [C]. ¶けしの*花期は6月から9月である The *flowering period* of poppies extends from June to September. / Poppies *flower* from June to September.

かき[10] 花卉 flowering plant [C]. **花卉園芸[栽培]** flóricùlture [U] **花卉園芸[栽培]家** flóricùlturist [C].

かぎ[1] 鍵 ―名 key [C] ★ 比喩的に「手がかり・ポイント」などの意味でも用いる; (錠) lock [C] 日英比較 日本語の鍵は「錠」の意味も含むが, 英語では鍵(key) と錠 (lock) ははっきりと区別される. ―動 (錠を掛ける・錠がかかる) lock (他) (自). ⦅☞ キー; じょう[2]; かけがね (挿絵)⦆.

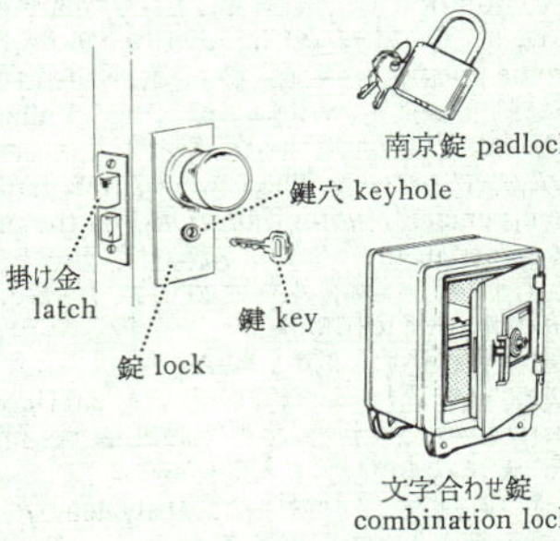

¶これが私の部屋の*鍵です This is the *key* to my room. // ドアに*鍵をかけた I *locked* the door. // ドアは内側から*鍵がかかっていた The door *was locked* ˹from [on] the inside. // *鍵を錠前にはめる put the *key* in the lock // 彼は家中に*鍵をかけた He *locked up* the whole house. //部屋の*鍵をかけ忘れた I left my room *unlocked.* // *鍵をあけて下さい Please *unlock* the door. // 彼は*鍵を回して戸を開けた He turned the *key* and opened the door. // 彼女は*鍵を錠前に差したままにしておいた She left her *key* in the lock. // この戸はどうしても*鍵がかからない This door won't *lock.* // その箱にはいつも*鍵をかけておきなさい Always keep the box *locked.* // 彼女は貴重品を*鍵をかけて金庫にしまいこんだ She *locked* (*up*) the valuables in the safe. // その男がそのなぞの*鍵を握っている That man holds *the key to* the mystery. // 親*鍵 a master *key*

鍵穴 keyhole [C] **鍵束** bunch of keys [C].

―コロケーション―

鍵を錠前に差す insert [fit] a *key* into a lock; put a *key* in the lock / **鍵を作る** make a *key*; (合鍵を作る) duplicate [copy] a *key* / **鍵を抜く** remove [take out] the *key* // **合鍵** a duplicate *key* / **家[部屋]の鍵** a ˹house [room] *key* / **カード式の鍵** a card *key* / **車の鍵** a car *key*

かぎ[2] 鉤 hook [C]. ¶帽子はこの*かぎに掛けて下さい Will you hang your hat on the *hook*, please?

がき 餓鬼 (子供)⦅略式⦆ kid [C]; (軽蔑的に) brat [C]. ⦅☞ がきだいしょう⦆. ¶この*がき! You *little devil*! // わる*がき a naughty *boy* // 俺を*がき扱い (⇒ 子供扱い) するなよ Don't treat me like a *kid.*

餓鬼道 the Buddhist hell of starvation.

かきあげ 搔き揚げ (mixture of) vegetables, shrimp(s) and other sea foods coated with batter and deep-fried [C] ★ 説明的な訳.

かきあげる[1] 書き上げる (書き終える) finish writing ...; (略さずに書く) write out (他). ⦅☞ かく[1]⦆.

かきあげる[2] 搔き上げる ¶彼女は長い髪を (指で) *かき上げた She *ran* her fingers (*up*) *through* her long hair.

かきあつめる 搔き集める (寄せ集める) gáther úp (他); (金などを苦労して集める) scrape ˹together [up] (他); (くまでのようなもので集める, またはそれに似た動作) rake ˹together [up] (他). ⦅☞ あつめる (類義語)⦆. ¶私は庭の落葉を*かき集めた I ˹*gathered* [*raked*] *up* the fallen leaves in the garden. // 私たちはやっと少しお金を*かき集めた We *have scraped together* some money.

かぎあてる 嗅ぎあてる scént óut (他), sniff óut (他) ★ 後者のほうが口語的. ⦅☞ かぎだす; かぎつける⦆.

かきあらためる 書き改める rewrite (他).

かきあらわす 書き表す (表現する) express in ˹words (alone) [writing]; (言葉で表す) put into words; (詳しく書く・仕上げる) write úp (他). ⦅☞ かく[1]; ひょうげん[1]; びょうしゃ⦆. ¶私の感謝の気持ちは筆では*書き表せない I can't *express* my gratitude *in words alone.* // 彼は自分の意見を*書き表すことにした He decided to *write up* his opinion. // その惨状はとうてい*書き表せなかった (⇒ 表現の域を超えていた) The misery was beyond *description.*

かきいだく かき抱く hug (他) (自) ⦅☞ だく[1]; だきしめる⦆.

かきいれ 書き入れ ☞ かきこみ

かきいれどき 書き入れ時 (一番忙しいとき) the ˹busiest [peak] season. ¶行楽地はいまが*書き入れ時だ This is *the* ˹*busiest* [*peak*] *season* for the holiday resorts. // 八百屋は夕方が*書き入れ時だ Late afternoon is *the busiest time* for vegetable stores.

かきいれる 書き入れる (項目に入れる) put ... in ..., enter (他) ★ 後者のほうが格式ばった語; (空所に書き入れる) fill ín (他); (書類などに書き入れて完成する) fill óut (他), complete (他) ★ 後者のほうが格式ばった語. ⦅☞ きにゅう⦆.

¶あなたの名前を申し込み書の欄に*書き入れましたか Did you *put* your name *in* the box on the application form? // ⦅問題の指示などで⦆ 空所に*書き入れなさい *Fill in* the blanks. // この書類に*書き入れて下さい (⇒ この書類を書いて完成して下さい) Please ˹*fill out* [*complete*] this form.

かきうつす 書き写す copy (他) ⦅☞ うつす[2]⦆.

¶私はそのページをノートに*書き写した I *copied* the page in my notebook. // 黒板のことばをノートに*書き写しなさい *Write down* the words on the blackboard in your notebooks.

かきえもん 柿右衛門 ☞ さかいだかきえもん

かきおき 書き置き (置き手紙) note left [C]; (書面の言づけ) written message [C]. ⦅☞ おきてがみ⦆.

¶彼は*書き置きを残していった He *left* a *note.* // 死体のそばには*書き置きがあった There was a *suicide note* beside the body. // 何か彼の*書き置きはありませんか Didn't he *leave* any *message*?

かきおくる 書き送る write [send] a letter (to ...). ¶... と*書き送る *write* to say that ... / *send a letter* saying that ... // 休暇に帰郷する旨母に*書き送った I *wrote* (*to*) my mother ˹*saying* [*to say*] that I would return home for the holidays.

かきおこす 書き起こす ¶その伝記はその小説家の誕生から*書き起こされている (⇒ 始まっている) The biography ˹*begins* [*starts*] *with* the birth of the novelist.

かきおとす 書き落とす (書き忘れる) forget to write; (忘れて抜かす) miss (他); (抜かす・省く) léave óut (他), drop (他) 語法 以上の2つは忘れて抜かす場合と, 故意に無視する場合の両方に使われる. ⦅☞ ぬかす[1]⦆. ¶名簿に彼の名前を*書き落とした I *forgot to write* his name on the list. // 彼の名前は名簿に

*書き落とされていた His name [He] *was left off* the list (of names). // 1 行*書き落とした I ˹*dropped* [*left out*; *omitted*] a whole line.

かきおろし 書き下ろし ― 图 (新作の作品) freshly written work Ⓒ. ― 動 (特に…のために書く) write … specially for … ¶*書き下ろしの小説 a ˹*freshly written* [*new*] novel // この小説は鈴木氏によって特にこの雑誌のために*書き下ろされたものです This story *was specially written for* this magazine by Mr. Suzuki.

かきかえる 書き換える 1 《書き直す》 ― 動 (別の語句を使ったり, 形式を変えたりして) rèwríte ㊀; (特に物語などを) rètéll ㊀ ★ 受身で用いられることが多い; (別の表現に言い換える) páraphràse ㊀ ★ 通例易しく言い換えることをいう; (外国の文字などを自国の文字や発音記号などに書き換える) transcribe … (˹into [in] …). ― 图 rewriting Ⓤ; paraphrasing Ⓤ; (書き換えた文) paraphrase Ⓒ. 《☞ かきなおす》.

¶次の文を別の言葉で*書き換えなさい《試験の問題などで》 *Rewrite* the following sentence in your own words. / *Paraphrase* the following sentence. 《☞ パラフレーズ (巻末)》 // シェークスピアの戯曲の多くは現代の作家によって子供向きに*書き換えられている Many of Shakespeare's plays *have been* ˹*rewritten* [*retold*] for children by modern writers. // これは易しく*書き換えたものです This is a *simplified* version. // 次の英語の単語を発音記号に*書き換えなさい *Transcribe* the following English word ˹in the phonetic alphabet [in phonetic notation]. // 株券を妻の名義に*書き換えた (⇒ 譲渡した) I *transferred* (ownership of) the stocks to my wife.

2 《証明書・免許証などを》 ― 動 (更新する) renéw ㊀. ― 图 renewal Ⓤ. 《☞ こうしん²》.

¶今月は運転免許証を*書き換えなくてはならない I have to *renew* my driver's license this month. / I have to ˹*get* [*have*] my driver's license *renewed* this month.

かきかた 書き方 (書く方法) how to write; (書類など) how to fill in; (習字) penmanship Ⓤ; (書道) calligraphy Ⓤ. 《☞ かく¹》. ¶英語の手紙の*書き方を教えてくれませんか Could you tell me *how to write* a letter in English? // この書類の*書き方がわかりません I don't know *how to fill in* this form. // 彼女はとてもすっきりした*書き方をする She has very clear *handwriting*.

かぎがた 鉤形 ― 形 hooked.

かぎかっこ 鍵括弧 Japanese quotation marks ★ 通例複数形で.

かきがら 牡蠣殻 oyster shell Ⓒ.

かききえる 掻き消える vanish into thin air 《☞ かきけす》.

かききず 掻き傷 scratch Ⓒ.

かきぐせ 書き癖 peculiarities in *a person's* handwriting.

かきくどく 掻き口説く (うるさくいう) keep after …; (せがむ) pester ㊀. ¶彼女は夫を*かきくどいて医者に行かせた She *kept after* her husband to see a doctor.

かきくもる 掻き曇る (空が) be [become] overcast, be clouded over.

かきくれる 掻き暮れる 1 《涙に暮れる》: be in (floods of) tears ㊁ 《☞ なく¹》.

2 《(空が)暗くなる》: get [grow] dark.

かきくわえる 書き加える (付け足す) add ㊀ 《☞ つけくわえる; くわえる¹; ついしん》. ¶私は手紙に妻からの伝言を*書き加えた I *added* my wife's message to the letter. / 《追伸を加える場合》 I *wrote a postscript* to ˹include [pass on] my wife's message.

かきけす 掻き消す (思い出・印象などを) efface ㊀; (姿を) disappear ㊁, vanish ㊁ ★ 後者のほうが突然消え去るという感じが強い; (声を) drown ㊀. ¶一瞬のうちにその人影は*掻き消すように消えた In the blink of an eye the figure *vanished*. // 彼女の声は列車の音に*掻き消された Her voice *was drowned out* by the noise of the train.

かきごおり かき氷 (細かく削った氷) shaved ice Ⓤ; (ぶっかき氷) chipped ice Ⓤ, chips of ice ★ 通例複数形で.

かきことば 書き言葉 written language Ⓤ.

かきこみ 書き込み ― 图 note Ⓒ; (ごく手短に書いたメモ) notation Ⓒ; (余白に書いたメモ) marginal note Ⓒ; (行間の書き込み) handwritten note between the lines Ⓒ. ― 動 (書き込む) wríte ín ㊀; (電子掲示板などに) write … to (the bulletin board). 《☞ かく¹; かきいれる》. ¶その本には前の所有者の*書き込みがあった There were some ˹handwritten [penciled] ˹*notes* [*notations*] by the previous owner in the book. // 教科書に*書き込みをしてはいけません (⇒ 落書きしてはいけない) Don't *scribble* in your textbook.

かきこむ¹ 書き込む ☞ かきこみ

かきこむ² 掻き込む 1 《急いで食べる》: eat [have] … hurriedly. 2 《手元に集める》: gather ㊀; rake (in) ㊀ ★ rake in はとくに大金をかきこむこと.

かぎざき 鉤裂き (引き裂いた裂け目) tear /téə/ Ⓒ; (大きな裂け目) rent Ⓒ. 《☞ さけめ》.

かきしたためる 書き認める (書き留める) write … down ㊀; (整った形で書き記す) write up … ㊀. ¶手紙を*書き認める *write* a letter // 彼女は先生の言ったことをすべて*書き認めておいた She has *written down* every word her teacher had told her. 《☞ かく¹》

かぎじゅうじ 鉤十字 (ナチスが党章に用いた 卐 の印) Hakenkreuz Ⓒ; (まんじ, 逆まんじ) swastika /swɑ́stɪkə/ Ⓒ. 《☞ まんじ》.

かきしるす 書き記す (書く) write ㊀; (書き留める) wríte [pùt] dówn ㊀ ★ put のほうがより口語的. 《☞ かく¹; かきつける; かきとめる; かきとる》.

かきすて 掻き捨て ¶旅の恥は*かき捨て (⇒ 人は故国を離れるとあらゆる恥知らずなことを勝手にできるという気持ちになる) One can feel free to do all sorts of shameful things away from home.

かきすてる 書き捨てる ¶手紙を*書き捨てる *write* a letter *and throw* it *away* / *throw away* the letter *one has written* // 雑記帳にたわごとを*書き捨てておいた I wrote some nonsense words in a notebook and left them there.

かきそえる 書き添える (加える) add ㊀ 《☞ かきくわえる; くわえる¹; ついか》.

かきそこなう 書き損なう make a mistake in writing …; (間違った…を書く) write a wrong … 《☞ かきちがえる》.

かきぞめ 書き初め (the) special New Year('s) calligraphy Ⓤ. ¶1 月 2 日には*書き初めをする We do *special New Year('s) calligraphy* on January 2.

かきそんじる 書き損じる ☞ かきそこなう

がきだいしょう 餓鬼大将 boss [leader] of the kids in the neighborhood Ⓒ.

かきだし 書き出し (始まり) beginning Ⓤ; (始まりの文) opening sentence Ⓒ; (始まりの一節) opening paragraph Ⓒ. ¶その物語は次のような*書き出しで始まっている The story *begins* ˹like this [with this sentence].

かきたす 書き足す (付け足す) add ㊀; (文中に)

insert (in ..., into ...) (他). 《☞ かきくわえる》.

かきだす[1] **書き出す** (一覧表を作る) make a list; (文章などをある表現で始める) open (他). ¶ 買う物を*書き出しておきなさい *Make a list* of things to buy. / (⇒ 買い物リストを作りなさい) *Make a* shopping *list*.

かきだす[2] **掻き出す** (灰などを) scrape out (他); (水などを) drain (out) (他).

かぎだす 嗅ぎ出す sméll óut (他) ★ 比喩的に用いられることが多い; (鋭い嗅覚でかぎつける) scént óut (他); (においをかぎ回って探し出す) sníff óut (他) ★ くだけた表現; (見つけ出す) detect (他). 《☞ かぐ[2] (類義語); みつける》.

¶ 犬が泥棒の足跡を*かぎ出した The dog ˹*smelled* [*scented*; *sniffed*] *out* the traces of a thief. // 彼はいつも他人の秘密を*かぎ出そうとしている He is always trying to *sniff out* other people's secrets.

かきたてる[1] **書き立てる** (ほめて[けなして]書く) wríte ˹úp [dówn] (他); (実際よりも大げさに書く) pláy úp (他) [語法] くだけた表現で, よいことにも悪いことにも用いる. またこの意味で write ˹up [down] を用いることもある.

¶ 彼の新作は大いに新聞に*書き立てられた His new work *was written up* in the papers. // その醜聞は出版界で大いに*書き立てられた The scandal *was played up* in the press. // 個人的なことをけなして*書き立てるのはよくない (⇒ 避けるべきだ) We should avoid *writing down* private matters.

かきたてる[2] **掻き立てる** (感情を刺激する) excite (他); (喚起する) arouse (他); (あおり立てる) stir (up) (他). 《☞ あおる》. ¶ 彼の話は我々の好奇心を*かき立てた His story ˹*aroused* [*excited; stirred* (*up*)] our curiosity /kjʊ̀(ə)riάsəti/.

かぎたばこ 嗅ぎ煙草 snuff Ⓤ 《☞ たばこ》.

¶ *かぎたばこを 1 服吸う take a pinch of *snuff*

かきたま 掻き卵 egg soup Ⓤ; (説明的に) clear soup with beaten egg added while it is hot Ⓤ.

かきためる 書き溜める ¶ 彼女は*書きためた作品を刊行するつもりだ She intends to publish *the writings* she *has piled up*.

かきちがえる 書き違える make a mistake in writing ...; (間違った...を書く) write a wrong ...; (つづりを) misspell (他). ¶ 私は Shakespeare を Shakespare と*書き違えた I *misspelled* " Shakespeare " as " Shakespare ". // 彼に出す手紙のあて先を*書き違えた I ˹*wrote the wrong address* on [*misaddressed*] my letter to him.

かきちらす 書き散らす (みみずののたくったような字で書く) scrawl (他); (ぞんざいに走り書きする) scribble (他). 《☞ かく[1]; なぐりがき; はしりがき》. ¶ 彼は紙片にメモを*書き散らした He *scrawled* some notes on a piece of paper.

かきつくす 書き尽くす (充分に書く) give a full account of ... ¶ そのことについては*書きつくされた (⇒ あらゆることが書かれた) 感がある *Everything* seems to *have been written* about it.

かきつけ 書き付け (書類) papers ★ この意味では複数形で; (覚え書き) note Ⓒ; (他人に対する覚え書き) memo Ⓒ 《複 ~s》. ¶ *書き付けを回す send around a *note*

かきつける 書き付ける (書き留める) wríte [pùt] dówn (他) ★ put を使うほうがより口語的; (メモをとる) take [make] notes on ... 《☞ かく[1]; かきとめる; かきしるす》. ¶ 私はそれらの名前をノートに*書き付けた I ˹*wrote* [*put*] *down* the names in the notebook. // その演説の要点を*書き付けた I ˹*took* [*made*] *notes on* the speech.

かぎつける 嗅ぎ付ける get wind of ..., sméll óut (他). 《☞ かぎだす》. ¶ その女優が結婚するという事実を*嗅ぎつけた I *got wind of* the fact that the actress was getting married.

かぎっこ 鍵っ子 latchkey child Ⓒ.

かぎって 限って ¶ 彼に*限ってそんな事はしまい (⇒ 彼はそういうことを一番しそうでない人だ) He would be *the last person to* do such a thing. // 彼女はいつもは用心深いのに, その日に*限って (⇒ 特にその日には) 鍵を掛け忘れた She is always very cautious, but *on that particular* day she forgot to lock ˹up [the door].

かきつばた iris /άɪ(ə)rɪs/ Ⓒ.

かきつらねる 書き連ねる ¶ 彼は上司に対する不満を*書き連ねた (⇒ 列挙した) He ˹*listed* [*enumerated*] his complaints against his boss. / He *made a list of* his complaints against his boss.

かきて 書き手 (書いた人) writer Ⓒ; (著作者) author Ⓒ ★ 2 語とも著者の意味で用いるが, 前者のほうが意味が広い.

かきとめ 書留 ― [名] (郵便) registered ˹mail [《英》 post] Ⓤ. ― [動] (書留にする) register (他).

¶ 彼女はその手紙を*書留で出した She sent the letter *by registered* ˹*mail* [《英》 *post*]. // その手紙は*書留にしたほうがいい You should ˹*get* [*have*] the letter *registered*. / You should *register* the letter. // *書留料 the *registration* fee // *書留速達 a *registered* special delivery letter

かきとめる 書き留める (書き付ける) wríte [pùt] dówn (他) ★ put を使うほうがより口語的; (メモとして書く) nóte dówn (他). 《☞ かく[1]; きろく》.

かきとり 書き取り (書き取りの試験) dictation Ⓒ ★ 書き取ることをいう場合は Ⓤ. 《☞ ディクテーション》. ¶ きょうは英語の時間に*書き取りがあった We had (a) *dictation* in (the) English class today. // あした*書き取りをします I'll give you some *dictation* tomorrow.

かきとる 書き取る write dówn (他); (メモとして書く) nóte dówn (他); (書き取らせる) dictate /díkteɪt/ (他). 《☞ かく[1]; かきつける; かきとめる》.

¶ 私は彼の言葉を*書き取った I *wrote down* what he said. // 先生は生徒に短文を*書き取らせた The teacher *dictated* some short sentences to the students. 《☞ こうじゅつ[1]》

かぎとる 嗅ぎ取る (においを) smell (他); (察知する) sense (他); (秘密・うわさなどを嗅ぎつける) get wind of ... ★ 口語的. ¶ あやしいけはいを*嗅ぎ取る *smell* something fishy

かきなおす 書き直す (もう一度書く) write ... again; (別の表現に直す) rèwríte (他); (別の表現に換える) páraphràse (他) ★ 通例易しく言い換えることをいう. 《☞ かきかえる; せいしょ[2]》. ¶ 私はその作文を 3 度*書き直した I *wrote* the same essay three times to improve it. // その手紙をもう一度*書き直しなさい *Write* the letter *over*. // 次の文を別の表現で*書き直しなさい 《試験問題などで》 *Rewrite* the following sentences in your own words. / *Paraphrase* the following.

かきながす 書き流す (すらすら書く) wríte óff (他); (さっと書き上げる) dásh óff (他); (あまり考えずに) write without much thought (他).

かきなぐる 書きなぐる (みみずののたくったような字で書く) scrawl (他); (ぞんざいに走り書きする) scribble (他). 《☞ はしりがき; かきちらす; なぐりがき》.

かきならす[1] **掻き均す** (くまでで) rake ... smooth; (平らにする) level (out, off) (他). ¶ 土俵の砂を*掻きならす *rake* the sand in the ring *smooth* / *smooth* the sand in the ring (*with a rake*)

かきならす[2] **掻き鳴らす** (無造作につまびきなどで弾く) *strum* (自) (他). ¶ ギターを*掻き鳴らす *strum* (on) *one's* guitar

かきならべる　書き並べる ¶欲しいものを*書き並べて (⇒ 表にして) ごらん *Make a list* of what you want. (☞ リストアップ)

かきなれる　書き慣れる be ⌈used [accustomed] to writing …. ¶おわびの手紙は*書き慣れている I'*m used to writing* apologetic letters. // *書き慣れた万年筆 the fountain pen I *regularly use*

かきにくい　書き難い (書くのが難しい) be difficult to ⌈write [draw] ★ draw の場合は絵や図を描くこと; (筆記用具が使いにくい) be difficult to write with; (よく書けない) do not write well. ¶ギリシャ文字は初心者には*書きにくい Greek letters *are difficult to write* for beginners. // このペンは*書きにくい This pen *does not write well.*

かきぬき　書き抜き extráct Ⓒ, excerpt /éksə:pt/ Ⓒ. (☞ ばっすい)

かきぬく　書き抜く (引用する) take [extract; excerpt] … from … ★ いずれも本などから文章を引用・抜粋すること. カッコ内を含め, この順に格式ばった語となる. (☞ いんよう¹)

かきね　垣根 (木または金網の囲い) fence Ⓒ; (生け垣) hedge Ⓒ. (☞ へい¹; かこい; さく³)
¶家の周りには*垣根が巡らされていた There was a *fence* around the house. / The house had a *fence* around it. // *垣根のある庭 a garden surrounded ⌈with [by] a *hedge* // 家の周りに*垣根を作った We ⌈made [built; put; set up] a *fence* around the house. / (⇒ 生け垣を作った) We ⌈planted [laid] a *hedge* around the house. // その*垣根を取り払う break [knock] down a *fence*. // 彼らは*垣根越しにあいさつをした They exchanged greetings *over the* ⌈*hedge* [*fence*].

かきねつ　夏季熱 〖医〗 summer fever Ⓤ. ★ 通例 a ～. (☞ ねつ 2)

かきのける　掻き退ける ¶彼は人込みを*かきのけて進んだ He *pushed his way through* the crowd.

かきのこす　書き残す **1** «書かないままに残す» ¶時間がなくて*書き残した部分がある (⇒ 全部は書けなかった) I was short of time and ⌈*couldn't write down everything* [*left* some parts *unwritten*].
2 «書いて置いていく»: leave a ⌈message [note] (☞ かきおき). ¶私は彼の郵便受けに一言*書き残しておいた I *left a* ⌈*message* [*note*] in his mailbox.

かきのもとのひとまろ　柿本人麻呂 ―名固 Kakinomoto no Hitomaro, ?–?; (説明的には) one of the most important and celebrated *waka* poets of *the Man'yo-shu* in the seventh century.

かぎばな　鉤鼻 ―名 hook(ed) nose Ⓒ. ―形 (かぎ鼻の) hook-nosed.

かぎばり　鉤針 (釣の) hook Ⓒ, fishhook Ⓒ; (編物の) crochet /krouʃéɪ/ needle Ⓒ. ¶*かぎ針でショールを編む *crochet* a shawl

かきぶり　書き振り (書き方) *a person's* manner of writing; (文体) style Ⓤ. ¶彼女の*書き振りからみると怒っていないようだ Her *manner of writing* shows that she was not offended.

かきまくる　書きまくる ¶彼はセンセーショナルな小説を*書きまくっている (⇒ 次々と書いている) He'*s writing* sensational novels *one after another*.

かきまぜる　掻き混ぜる (スプーンなどで液体を) stir ㊀; (道具を使って卵などを勢いよく) beat ㊀; (卵の白味やクリームを泡立つように急激にかきまぜる) whip ㊀. (☞ かくはん; 料理の用語 (囲み))
¶彼は紅茶をスプーンで*かきまぜた He *stirred* his tea (with a spoon). // 彼女は小麦粉と卵をなめらかになるまで*かきまぜた She *beat* the flour and eggs until they were smooth. // クリームを*かきまぜて泡立てなさい *Whip* the cream.

かきまちがえる　書き間違える ―動 make a mistake in writing; (うっかり) make a slip of the pen; (スペリングを) misspell (a word). ―名 mistake in writing Ⓒ; (うっかりした間違い) slip of the pen Ⓒ; (綴りの) misspelling Ⓒ.
¶先生は私のレポートの*書き間違いをマークした The teacher marked the *spelling mistakes* on my paper. // 宛名を*書き間違える *address* (*a letter*) ⌈*wrongly* [*incorrectly*] / *write* the *wrong* address / *misaddress* (a letter)

かきまゆ　描き眉 ―名 painted eyebrows. ―動 paint *one's* eyebrows.

かきまわす　掻き回す **1** «かきまぜる»: stir ㊀ (☞ かきまぜる; かくはん). **2** «秩序などを乱す» ¶あの男がこの会社をすっかり*かき回してしまった (⇒ この会社の内輪もめの原因だった) That man was the *cause of all the trouble* in our company.

かぎまわる　嗅ぎ回る (嗅いで回る) sniff ⌈around [about] ㊂; (探って回る) snoop ⌈around [about] ㊂. ¶警察犬は林の中を*嗅ぎ回った The police dog *sniffed around* in the grove. // 気をつけろよ. 記者が*嗅ぎ回っているぞ Be careful. Reporters *are snooping around*.

かきみだす　掻き乱す (平和・秩序などを乱す) disturb ㊀; (混乱させる) confuse ㊀. (☞ みだす¹; かくらん¹) ¶その問題は家庭の平和を*かき乱した The issue *disturbed* the peace of the household.

かきむしる　掻き毟る (髪を) tear /téə/ ㊀ (過去 tore; 過分 torn); (つめなどで引っかく) scratch ㊀. (☞ かく²; ひっかく) ¶彼女は怒って[絶望のあまり]髪の毛を*かきむしった She *tore* her hair in ⌈rage [despair].

かきもち　欠き餅 sliced and dried rice cake Ⓒ.

かきもの　書き物 ―名 (書くこと) writing Ⓤ; (書類) papers ★ 複数形で; (文書) dócument Ⓒ; (個人の全著作) writings ★ 複数形で. ―動 (書き物をする) write ㊀ ㊂ 語法 ㊂ の場合は write for … (…に寄稿する), write about … (…について書く) などのように書き物の内容を示す語句を伴うのが普通. (☞ かく¹) ¶父は書斎で*書き物をしていた My father *was writing* in his study.

かきもらす　書き漏らす ☞ かきおとす

かぎゃく　可逆 ―形 (可逆の) reversible /rɪvə́:səbl/. **可逆サイクル** reversible cycle Ⓒ **可逆電池** reversible cell Ⓒ **可逆反応[変化]** reversible ⌈reaction Ⓒ [change Ⓤ].

かきゃくせん　貨客船 cargo-passenger ⌈boat [ship] Ⓒ.

かきゅう¹　下級 ―形 (下の) lower Ⓐ; (下の階級の) lower-grade; (劣った) inferior /ɪnfí(ə)riə/; (従属している・部局などが下級の) subordinate; (官職・役職などが下級の) junior (↔ senior).
¶*下級裁判所 a *lower* court
下級官庁 subordinate agency Ⓒ **下級官吏** lower-ranking [junior; petty] official Ⓒ **下級職員** low-ranking staff member Ⓒ, junior clerk Ⓒ **下級審** trial in a lower court Ⓒ **下級生** student in the lower ⌈class [grade] Ⓒ. ¶彼は私の*下級生だ He is *junior* to me. ★ これは会社の下役などにも用いられるが, 格式ばった言い方.

かきゅう²　火急 ―形 urgent, pressing ★ 両者はほとんど同じだが urgent のほうが求められていることの重要性がやや強い. ¶*火急の場合 in (case of) *emergency* // *火急の用事で on *urgent* business

かきゅう³　加給 ―動 raise *a person's* pay. ―名 《米》 raise Ⓒ, 《英》 pay rise Ⓒ.

かぎゅう　蝸牛 (内耳の器官) 〖解〗 cochlea /kóʊkliə/ Ⓒ (複 ～s, -ae); (カタツムリ) snail Ⓒ.

かきょ　科挙 (昔の中国の) the civil service examination (system) in China of the past.

かきょう[1] 佳境 (最もおもしろい部分) the most interesting part; (物語などの最高潮の部分) climax Ⓒ. 《☞ やまば; さいこうちょう》. ¶物語は*佳境に入った (⇒ 我々はついにその物語の一番おもしろいところに達した) We finally reached *the most interesting part* of the story. / (⇒ 最高潮に達した) The story reached its *climax*.

かきょう[2] 架橋 (橋をかけること) bridge-building Ⓤ, bridge construction Ⓤ ★ 後者のほうが改まった言い方. 《☞ はし[1]》.

かきょう[3] 華僑 overseas Chinese Ⓒ, Chinese (merchant) abroad Ⓒ ★ 前者のほうが普通.

かぎょう[1] 家業 (商業・技術的な職業) trade Ⓒ; (活躍または従事する職業の分野) line (of work) Ⓒ ★ くだけた語; (客観的な言葉としての職業) occupation Ⓒ ★ やや格式ばった語; (家代々の仕事) family business Ⓤ ★ ややくだけた言い方. 《☞ しょくぎょう (類義語)》.

¶*家業は何ですか What is your 「*job* [*occupation*]? / What 「*occupation* [*line of work*] are you in? / (⇒ 何を取り扱っているのか) What do you 「*deal* [*trade*] *in*? 語法 trade, deal in などは主として自家営業などをしていることがわかっている場合に用いる. それ以外の場合には line (of work) または occupation を用いるほうがよい. / What is your *family('s) business*? // *家業は農業です My *occupation* is farming. / (⇒ 私は農民です) I'm a farmer (*by occupation*). // *家業は食料品販売業です I'm *in* the grocery *business*. / (⇒ 私は食料雑貨商です) I'm a grocer. // 彼は*家業に精を出した He worked very hard in his *business*. // 私は父の*家業を継ぐつもりです I will take over my father's *business*. / I am going to take over from my father in his *business*.

かぎょう[2] 稼業 (商売) business Ⓤ; (職業) trade Ⓒ; (仕事) job Ⓒ. ¶しがない*稼業 (⇒ 卑しい仕事) a humble *job* / (⇒ 召使のするような) a menial *job*

かぎょう[3] 課業 (学科) lesson Ⓒ; (業務) work Ⓤ; (ノルマ) *one's* assigned 「work [task] for the day Ⓤ. 《☞ ノルマ》.

かぎょう[4] か行 the *ka* column; (説明的には) the *ka* column of the Japanese syllabary.

かぎょうへんかくかつよう カ行変格活用 the irregular conjugation of the (Japanese) verb *kuru* ★ 説明的な訳.

かきょく 歌曲 song Ⓒ; (特にドイツ・オーストリア系作曲家の) lied Ⓒ 《複 lieder》 ★ ドイツ語から.

かきよせる 掻き寄せる (熊手・指などで) scrápe 「úp [togéther] ⑱.

かぎり 限り 1 《限界》: (限度) limit Ⓒ ★ しばしば複数形で; (終わり) end Ⓒ. 《☞ げんど; げんかい[1]》. ¶我々の知識には*限りがある There 「is a *limit* [are *limits*] to our knowledge. // 会員数には*限りがあります (⇒ 数が制限されている) Membership *is limited* (in size). // 人間の欲望には*限りがない There is no *limit* to man's desire. // *限りのない議論 an *endless* argument // *限りある資源 our *limited* natural resources // *限りない感謝 *unbounded* gratitude

2 《限度いっぱい》 ¶できる*限り早く仕上げて下さい Please finish it *as* soon *as possible*. // その会にはできる*限り多くの人を招待しようと思います I'm going to invite *as* many people *as* I *can* to the party. // できる*限りのことはいたしましょう I'll do 「*what* [*whatever*] *I can* for you. // 私の知る*限りでは, 何の異常もありませんでした *As* [*So*] *far as* I know, everything was all right. // 目の届く*限り水ばかりであった There was nothing but water *as* far *as* the eye could see.

3 《範囲内で》 ¶チャンスは3回*限りです (⇒ 3回だけトライできる) You can try it *only* three times. // 君の誤りを見逃すのは今回*限りだよ I'll overlook your error *just* this once. // 雨が降らない*限り行きます I'll be there *unless* it rains.

かぎりない 限りない boundless; (無限の) limitless; (終わりのない) endless. 《☞ かぎり》.

かぎる 限る 1 《範囲を定める》: (ある範囲に限定する) limit ⑱; (制限・条件をつける) restríct ⑱ ★ 後者のほうがより格式ばっていて, 意味が強い; (日などを定める) fix [set] (a date). 《☞ せいげん[1]; せいやく[1]》. ¶それは数が*限られている It *is limited* in number. // 時間が*限られている (⇒ 時間が少ない) My time *is limited*. / (⇒ 時間の制限がある) There is a time *limit*. // 参会する人数は3人に*限られている The number of people who can attend the meeting *is limited to* three. / (⇒ 3人だけが参会を許されている) Only three people *are permitted to* attend the meeting. // 演説は5分以内に*限られている Speeches *are limited to* five minutes. // …に*限って ☞ かぎって

2 《一番よい》 — 形 the best; (唯一の) the only Ⓐ. ¶旅行は秋に*限る (⇒ 秋は旅行に一番よい季節だ) Fall is *the best season for* traveling.

3 《…とは限らない》 ¶金持ちが常に幸福だとは*限らない The rich are *not always* happy. // 光るものがすべて金とは*限らない *All* that glitters is *not* gold. 《ことわざ》

かきわける[1] 書き分ける (分類する) sórt óut ⑱; (体系づける) órganìze ⑱; (違ったスタイルで書く) use different ways of writing. ¶その作家は推理小説と恋愛小説をみごとに*書き分けることができる (⇒ 全く違ったスタイルで) The writer can *write* both mysteries and romances, *in* completely *different styles*.

かきわける[2] 掻き分ける (押しのける) push aside ⑱; (押し分けて進む) push [elbow; force] *one's* way (through ...). 《☞ おしわける; おしのける》.

かぎわける 嗅ぎ分ける scent ⑱. ¶警察犬は麻薬を*嗅ぎ分けられる Police dogs can *scent* drugs. // 犬は人々を*嗅ぎ分ける (⇒ 臭いで識別する) ことができる Dogs can *recognize* people *by their scents*. // 私は香水を*嗅ぎ分けることができる (⇒ 区別ができる) I can tell one perfume from another.

かきわり 書き割り 〔劇〕 scenery Ⓒ.

かきん[1] 家禽 poultry /póultri/ ★ 集合的に家禽を表し複数扱い, doméstic fowl /fául/ Ⓒ. ¶*家禽飼養場 a *poultry* farm ★ 具体的には a 「chicken [turkey] farm のように言う. // *家禽業者 a dealer in *poultry*

かきん[2] 瑕瑾 (汚点) blot Ⓒ; (欠点) shortcomings ★ 格式ばった語. 普通は複数形で; (弱点) weak point Ⓒ.

かきん[3] 過勤 overtime (work) Ⓤ.

かく[1] 書く, 描く 1 《字や文を》: write ⑱ 《過去 wrote; 過分 written》 ★ 最も一般的な語; (書き留める) wríte dówn ⑱; (空所に書き込む) fill in ⑱; (書式などに書き入れる) fill óut ⑱ ★ 目的語には「カード・書式」などがくる; (印を付ける) mark ⑱; (新聞・掲示などに…と書いてある) say ⑱ ★「新聞」や「掲示」が主語; (…と書いてある) run ⓐ; (…と読める) read ⓐ ★ as や副詞をとることが多い. 《☞ かきいれる; かきしるす; きにゅう》.

¶答案は鉛筆でなくペンで*書いて下さい Please *write* your answers *with* a pen and not (*with*) a pencil. 語法 「インクで」という場合には in ink. // 彼女は英語で論文を*書いている She *is writing* her paper *in* English. // これはK氏の*書いた (⇒ K氏によって書かれた) 作文です This is an essay *written* by Mr.

K. // 私の言う言葉をノートに*書いて下さい Please ˹*write* [*put*] *down* what I say in your notebooks. // 申し込み用紙に必要事項を*書きなさい Please *fill out* the application form. // 彼女はその紙片に × 印を*書いた She *marked* an "×" on the slip. ★ × は /éks/ と読む. //「そのメモには何と*書いてありましたか」「『重要書類』と*書いてありました」"What did the note *say*?" "It *said*, 'important papers.'" 《☞ 引用符(号) (巻末)》 // その手紙にはこう*書いてある The letter ˹*goes* [*reads*] as follows.

2 《絵などを》: (鉛筆やペンで) draw (他); (絵の具で) paint (他). 《☞ えがく》.
¶ あなたの家に行く略図を*かいてくれませんか Will you ˹*draw* [*make*] a rough map showing the location of your house? // 彼女は風景画を油絵で*かいた She *painted* a landscape in oils.

コロケーション

急いで書く *write* ˹hastily [hurriedly] / きれいに書く *write* neatly / 明確に書く (内容が) *write* ˹clearly [distinctly] / 横[縦]書きに書く *write* ˹horizontally [vertically] / 読みやすい[読めない]字で書く *write* ˹legibly [illegibly] // …一面に書く *write* all over … / (上手な筆跡)で書く *write* in (a good hand) / (紙)に書く *write* on (a piece of paper) / (新聞のコラム)に書く *write* for (a newspaper column) / …について書く *write* ˹about [on] … / …のことを書く *write* of … / 人に(手紙を)書く *write* to (*a person*); 《米》 *write a person*

かく[2] **掻く** (つめなどでひっかく) scratch (他); (熊手で落葉などを) rake (他). ¶ 私はかゆいところをつめで*かいた I *scratched* the itch with my fingernails. // 彼は頭を*かいた He *scratched* his head. 日英比較 この表現は日本語と違い, 困惑・不満などのしぐさを意味する. 従って, 日本語の「ばつが悪くて頭をかく」という意味を表すには 「彼はばつの悪いしぐさをした」 He made a gesture of embarrassment. のように説明しなくてはならない. // 家の前の道の雪を*かく *shovel* [*clear*] the snow ˹*away from* [*off*] the road in front of the house. 《☞ ゆきかき》

かく[3] **欠く** **1** 《欠落している》: (必要なものがほとんどまたはまったくない) lack (他), be lacking in …; (必要なものが足りない) be wanting in …; (人または物が不足している・見当たらない) be missing. 《☞ かける[2]; たりない; かかす》. ¶ 彼は常識を*欠いている He ˹*lacks* [*is lacking in*; *is wanting in*] common sense. ★ 最初の語が最も普通 // 彼の返事は誠意を*欠いている His reply *lacks* sincerity. // 水は生きるために*欠かせない (⇒ 必要だ) Water is ˹*an absolute necessity* [*indispensable*] for life. / (⇒ 我々は水なしでは生きられない) We cannot live *without* water. // 礼儀を*欠いてはいけない (⇒ 礼儀を忘れるな) Don't *forget your manners*.

2 《こわす》: (物のふち・かどなどを) chip (他). ¶ 大事な茶わんのふちを*欠いてしまった I *chipped* my precious cup.

欠くべからざる necessary, essential, indispensable ★ 必要の度合は後のものほど強い. ¶ 電気は我々の日常生活に*欠くべからざるものです Electricity is ˹*absolutely necessary* [*essential; indispensable*] *for our daily life*.

かく[4] **核** — 名 (細胞・原子の) nucleus /n(j)úːkliəs/ Ⓒ 《複 nuclei /n(j)úːkliàɪ/; ~es》 ★ 比喩的に, 「中心・中軸」 などの意味でも用いられる; (植物の堅い種の中身) kernel Ⓒ. — 形 nuclear /n(j)úːkliə/. 《☞ かくしん[3]; げんし[1] (挿絵)》.
¶ 原子*核 an atomic *nucleus* // 家族は我々の社会の*核を成す The family is the *nucleus* of our society. // 日本は唯一の*核被爆国だ (⇒ 原子爆弾を受けた) Japan is the only country to have suffered ˹*nuclear* attack [*atomic* bombing]. // 非*核政策[三原則] ☞ ひかく[3] // 真珠の*核 the *core* of a pearl

核医学 nuclear medicine Ⓤ **核エネルギー** nuclear energy Ⓤ **核開発** nuclear development Ⓤ **核開発疑惑** suspicions ˹about [on; of; over] nuclear ˹arms [weapons] development **核拡散** nuclear proliferation Ⓤ **核拡散防止条約** the nuclear nonproliferation /nànprəlìfəréɪʃən/ treaty 《略 NPT》 **核家族** nuclear family Ⓒ **核軍縮** nuclear arms reduction; nuclear disarmament Ⓤ **核査察** inspection of a nuclear power station Ⓒ **核シェルター** bomb shelter Ⓒ **核磁気共鳴** 〔物理〕 nuclear magnetic resonance Ⓤ 《略 NMR》 **核磁気共鳴法** 〔物理〕 the nuclear magnetic resonance method **核時代** the nuclear age **核実験** nuclear (weapons) test Ⓒ. ¶ *核実験を行う carry out a *nuclear test* **(包括的)核実験禁止条約** (comprehensive) nuclear test-ban treaty Ⓒ 《略 CTBT》 **核戦争** nuclear war Ⓒ **核大国** (major) núclear pówer Ⓒ **核弾頭** nuclear warhead Ⓒ **核燃料** nuclear fuel Ⓤ **核燃料サイクル** núclear fúel cýcle Ⓒ **核の傘** nuclear umbrella Ⓒ **核廃棄物** nuclear waste Ⓤ. ¶ *核廃棄物投棄 *nuclear waste* dumping **核廃絶** abolition of nuclear weapons Ⓤ. ¶ 世界の*核廃絶を実現する create a *nuclear-free* world **核爆弾** nuclear bomb Ⓒ **核爆発** nuclear explosion Ⓒ **核反応** nuclear reaction Ⓤ **核武装** nuclear armament(s) Ⓤ ★「軍事力・装備」の意味では複数形. ¶ *核武装する arm *oneself* with *nuclear weapons* **核物理学** nuclear physics Ⓤ **核分裂** nuclear [atomic] fission Ⓤ **核兵器** nuclear weapon Ⓒ, nuclear arms ★ 後者は常に複数形で. **核保有国** nuclear power Ⓒ, member of the nuclear club Ⓒ **核膜** 〔生〕 núclear mémbrane /mémbreɪn/ Ⓒ **核融合** 〔物理〕 (nuclear) fusion Ⓤ **核融合炉** (nuclear) fusion reactor Ⓒ **核抑止力** núclear detérrent /dɪtə́ːrənt/ Ⓤ.

かく[5] **格** **1** 《格式・地位・身分》: (格式) status Ⓤ; (社会的な地位) position Ⓒ; (身分) rank Ⓤ; (社会的階級) class Ⓒ; (公の地位) post Ⓒ. 《☞ ちい; かくしき; かくづけ》.
¶ A は B より*格が上だ (⇒ 社会的地位[身分]が高い) A is higher in ˹social *status* [*rank*] than B. // 彼と私では*格が違う (⇒ 比べられない) He is not *comparable with* me. / (⇒ 同じ部類ではない) He and I are not in the same *league*. // 彼は今度*格が上がった (⇒ 昇格した) He was recently promoted to a higher *position*. 《☞ かくあげ; かくさげ》

2 《文法用語として》: case Ⓒ ¶ 主*格 subjective [nominative] *case* ★ subjective の方が一般的. // 目的[所有]*格 objective [possessive] *case* **格文法** case grammar Ⓤ **格変化** declension Ⓒ.

かく[6] **角** (角度) angle Ⓒ 《☞ かくど[1]》.

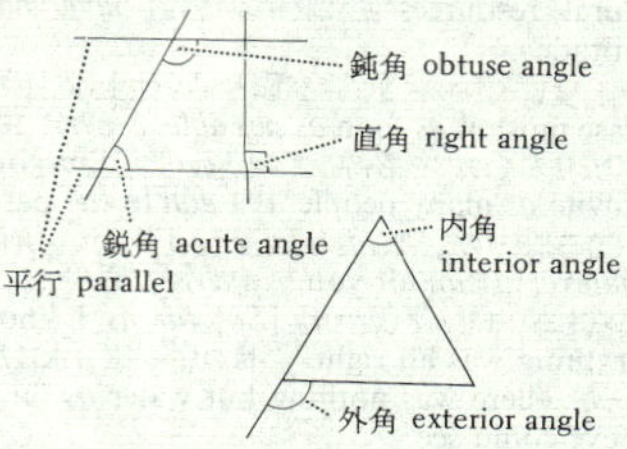

かく[7] 角 (将棋の角) bishop Ⓒ [参考] チェス(chess)で両方に2つずつあり, 動きが将棋の角に相当するもの. **角落ち** the way of playing *shogi* in which the stronger player plays without ⌈his [her] bishop ★説明的な訳.

かく[8] 角 (文字の幅) width Ⓤ; (文字の高さ) height Ⓤ. ¶この行の文字を横[縦]倍*角に変えなさい Change the characters on this line to double ⌈*width* [*height*]. // 4倍*角の文字 (⇒縦横2倍) a character in double *width* and *height* // 全*角文字 a full-*width* character // 半*角文字 a half-*width* character

かく[9] 画 (漢字の) stroke Ⓒ. ¶10*画の漢字 a Chinese character ⌈having [written with] ten *strokes*

かく[10] 殻 shell Ⓒ. ¶電子*殻 an electron *shell*

かく[11] 佳句 (佳い文章) excellent ⌈sentence [passage] Ⓒ ★多少気取ったというニュアンスがある; (佳い俳句) excellent haiku Ⓒ ★佳作の意.

かく- 各… ━形 (おのおのの) each 《☞それぞれ; めいめい[1]; かくじ》. ¶校長は*各教室を見回った The principal inspected *each* classroom. // 首相はこの冬ヨーロッパ*各国を訪問する The Prime Minister will visit several European nations this winter. [日英比較] 日本語で「諸国」とか「各国」とかいう場合, 普通はすべての国を回るわけではないので each は付けない.

かぐ[1] 家具 furniture Ⓤ [語法] furniture はある部屋・建物内のすべての家具 (じゅうたんなども含む) を指す不可算名詞. 《☞可算・不可算名詞 (巻末)》. 量を表すには little, much などを用いる. ((例) この部屋には家具がほとんどない[たくさんある] There is ⌈*little* [*a lot of*] furniture in this room.) また家具の1つ1つを言うときは a *piece* [an *article*] of furniture のように言う. ((例) そこには家具が1つしかなかった There was only one piece of furniture there.) 《☞びひん; ちょうど[2]; 数の数え方 (囲み)》.
¶この机は私の部屋では一番古い*家具だ This desk is the oldest *piece of furniture* in my room. // *家具付きの家 a *furnished* house [参考] 英米のアパートや貸家には家具付きのものが多い. 家具付きでない家やアパートは an *unfurnished* ⌈house [apartment] のように言う. 《☞かしや (写真)》 // その家には*家具が十分に備え付けてあった The house was well(-)*furnished*.
家具商 furniture dealer Ⓒ **家具店** furniture store Ⓒ.

> **コロケーション**
> **高価な家具** costly *furniture* / **高級家具** choice *furniture* / **骨董家具** antique *furniture* / **中古家具** secondhand [used] *furniture* / **注文家具** custom-made *furniture* / **手作り家具** handmade [handcrafted] *furniture* / **木製[オーク材の, スチール]家具** wooden [oak; steel] *furniture* / **ユニット家具** unit *furniture* // **家具を作る** build *furniture* / **家具の配置替えをする** rearrange *furniture*

かぐ[2] 嗅ぐ smell ㊀ 《過去・過分 smelled, smelt ★《米》は smelled, 《英》は smelt を多く用いる》; scent /sént/ ㊀; sniff (at …) ㊁.
【類義語】最も一般的な語は ***smell***. 嗅覚を働かせて, かすかなにおいや兆候などをかぎ出すような動作は ***scent***. くんくん音を立てたり, あるいは音を立てるほど息を吸い込んでかぐのが ***sniff***. 《☞におい (類義語)》
¶この花のにおいを*かいでごらんなさい *Smell* this flower. // 犬が何かを*かいでいる The dog *is sniffing at* something. // 彼女はエーテルを*かがされた She was given a *whiff* of ether /íːθɚ/. ★whiff はにおい・気体などを吸い込む行為.

がく[1] 額 (金額) sum Ⓒ; (量) amount Ⓒ ★以上いずれも「総額」という意味で用いられるときには the を付ける. 《☞きんがく; そうがく[1]》. ¶こんな少*額の金では何もできない We cannot do anything with such a small ⌈*sum* [*amount*] of money.

がく[2] 額 ━名 (絵に額縁をつけたもの) framed painting Ⓒ; (絵) picture Ⓒ; (額縁) picture frame Ⓒ. ━動 (額に入れる) frame ㊀, put … in a frame ★後者のほうが口語的. ¶壁に*額が掛かっている A *picture* is hanging on the wall. / There is a *picture* hanging on the wall. [語法] 前者は絵に話者の関心がある.

がく[3] 学 (学問) learning Ⓤ; (教育) education Ⓤ; (知識) knowledge Ⓤ. 《☞がくもん (類義語); きょうよう[1]》. ¶彼は*学がある (⇒教育がある) He *is well-educated*. / (⇒たいした学者だ) He is quite a *scholar*. // 上田氏は草花についてはたいへん*学がある (⇒すばらしい知識を持っている) Mr. Ueda has a wonderful *knowledge* of flowers.

がく[4] 楽 (音楽) music Ⓤ. ¶*楽をかなでる play *music*

がく[5] 萼 calyx /kéɪlɪks/ Ⓒ 《複 ~es, calyces /-ləsìːz/》.

がく[6] 顎 ☞あご

がぐ 画具 painting [drawing] implements [materials] 《☞がざい》.

かくあげ 格上げ ━動 (上げる) raise ㊀; (位を上げる) úpgràde ㊀. 《☞かく[5]; しょうかく; しょうしん[1]》. ¶その事務所は支店に*格上げされた The office *was upgraded* to branch status.

がくあじさい 額紫陽花 〖植〗 flat-headed hydrangea /haɪdréɪndʒə/ with a row of sterile flowers around a cluster of tiny flowers Ⓒ ★園芸ではこの型をしばしば lacecap と呼ぶ.

かくい[1] 各位 ¶部員*各位へ《手紙》To the members: 《☞コロン (巻末)》 // 関係*各位 To whom it may concern ★公式の文書・手紙の冒頭で不特定の人に対する書き出し文句.

かくい[2] 隔意 ¶*隔意のない (⇒率直な) 意見を交換する exchange *frank* opinions 《☞えんりょ; みぞ; へだたり; みずくさい; よそよそしい》

がくい 学位 (academic) degree Ⓒ 《☞学校・教育 (囲み)》.
¶博士の*学位 a *doctorate* / *Ph. D.* ★Doctor of Philosophy の略. / a doctoral *degree* // 修士の*学位 a Master's (*degree*) / a Master of Arts *degree* / *M.A.* ★Master of Arts の略. / *M.S.* ★*M*aster of *S*cience の略. // 彼は経済学博士の*学位を取った (⇒受け取った) He ⌈got [received; earned] a *Ph. D.* in economics.
学位授与機構 ━名 ㊎ National Institution for Academic Degrees ★現在の正式名称は「大学評価・学位授与機構」. 英名は同じ. **学位論文** 《米》 (doctoral) dissertation Ⓒ, 《英》 (doctoral) thesis Ⓒ [参考] 「修士論文」は《米》a Master's thesis, 《英》a Master's ⌈dissertation [essay].

かくいつ 画一 (すべてがそろっていること) uniformity Ⓤ; (規格化) standardization Ⓤ.
¶すべてを*画一的に (⇒同じ基準で) 考えるのはよくない It is undesirable to consider everything *on the same basis*.

かくいん 客員 ☞きゃくいん[1]

がくいん[1] 学院 (学校) school Ⓒ; (専門学校) academy Ⓒ. ¶大正*学院大学 Taisho *Gakuin* University // 明京高等看護*学院 Meikyo Senior Nursing ⌈*School* [*Academy*]

がくいん[2] 楽員 (オーケストラの) orchestra member Ⓒ.

かくう 架空 1《事実でない》 ── 形 (作り事の) fictitious ★ 以下の語より改まった語; (想像上の) imáginàry; (現実のものではない) ùnréal. (☞ つくりごと; くうそう[1]).
¶ これは*架空の話 (⇒ 作り話) です This is *fiction.* / This is a *fictitious* story. ★ 後者のほうが格式ばった言い方. // この劇の中の人名はすべて*架空のものです The names of all the ⌈persons [characters] in this drama are *fictitious.* // 彼の描く世界は*架空のものだ (⇒ 現実のものではない) The world he describes is *unreal.* // 龍は*架空の動物である Dragons are *imaginary* animals.
2《空中の》 ── 形 (頭上の) overhead; (空中にある) aerial. ── 動 (ぶら下げる) hang 他 自 (過去・過分 hung).
架空ケーブル overhead cable Ⓒ 架空(送電)線 overhead (electric) power ⌈line [wire] Ⓒ.
かぐう 仮寓 temporary residence Ⓒ.
カグー 〚鳥〛 kagu /kɑ́ːguː/ Ⓒ ★ 国際保護鳥.
かくえきていしゃ 各駅停車 ── 形 (各駅停車の) local. ── 名 (各駅停車の普通列車) local (train) Ⓒ. (☞ どんこう). ¶ 私は*各駅停車の列車で仙台まで行った I went as far as Sendai on a *local train.* // この電車は岡山から先は*各駅停車になる (⇒ 岡山駅から先は各駅に止まる) This train *stops at every station* from Okayama on.
がくえん 学園 school Ⓒ; (教育団体) educational institution Ⓒ 語法 普通日本の学校名で「…学園」とあるのは固有名詞の一部と考えて, そのままローマ字書きするほうがよい. ((例) 桜学園高等学校 Sakura Gakuen High School). (☞ がっこう).
学園祭 school festival Ⓒ 学園生活 school life Ⓤ 学園都市 college [university] town Ⓒ 学園紛争 campus dispute Ⓒ, campus unrest Ⓤ.
かくおび 角帯 stiff, narrow kimono ⌈*obi* [belt; sash] for men Ⓒ ★ 説明的な訳. (☞ おび).
がくおん 楽音 musical sound Ⓒ.
かくかい[1] 各界 ¶ *各界の名士 eminent figures from *all walks of life*
かくかい[2] 角界 the world of sumo, the sumo world.
かくがい 閣外 ¶ 彼は*閣外の数人の人物に協力を求めた He asked several people *from outside the Cabinet* to support the ⌈Administration [Government]. 閣外協力 ¶ A 党は*閣外協力している The A Party ⌈*supports* [*is supporting*] *the Government from outside the Cabinet.*
がくがい 学外 ¶ 大学は*学外の事故については責任を負いかねます The university authorities cannot be held responsible for accidents which occur ⌈*off campus* [*outside the university*]. // *学外から専門家が呼ばれて選考委員会に加わることもある Specialists from *outside the university* are sometimes invited to join screening committees.
かくかく[1] 斯く斯く ¶ 彼の言ったことは*かくかくしかじかだ (⇒ この様でした) What he said was *like this.* // *かくかくの理由で for *such and such* reasons (☞ しかじか)
かくかく[2] 赫赫 ☞ かっかく
がくがく ¶ このねじは*がくがくしている This screw is *loose.* // 歯が何本か*がくがくしている Some of my teeth feel a little *loose.* // 長い急な坂道を下ってひざが*がくがくした My legs *were trembling* after coming down the long, steep slope. (☞ がたがた)
かくがっこ 角括弧 bracket Ⓒ (☞ かっこ[1]).
かくがり 角刈り crew cut Ⓒ, flattop Ⓒ.
かくぎ[1] 閣議 (会議) cabinet meeting Ⓒ 語法 特定の政府のものを指すときは大文字で始める. (☞ ないかく[1]).
¶ きのう*閣議が開かれた A *Cabinet meeting* was held yesterday. // 首相は本日午後臨時*閣議を召集した The Prime Minister called an extraordinary *Cabinet meeting* this afternoon. // 全員が*閣議決定に同意した Everyone concurred with the decision taken at the *Cabinet meeting.*
閣議了解事項 items agreed upon at a Cabinet meeting.
かくぎ[2] 角技 ☞ すもう
かくぎ[3] 格技 ☞ かくとう[1] (格闘技)
がくぎょう 学業 (学校での勉強) schoolwork Ⓤ, studies ★ 複数形で. (☞ べんきょう (類義語); がくもん).
¶ 彼の*学業はあまりかんばしくない He does not do very well in his *schoolwork.* // 私は金がなくなって*学業を断念した (⇒ 学校をやめなければならなかった) I had to *leave school* for (a) lack of money.
学業成績 school [academic] record Ⓒ, grades ★ 後者のほうが口語的. (☞ せいせき[1]).
かくぎり 角切り ── 動 (小さな立方体に切る) cube 他; (さいの目に切る) dice 他. ¶ じゃがいもを*角切りにする *dice* potatoes
がくげい 学芸 学芸員 curator Ⓒ 学芸会 (学生の素人演劇と音楽会) student theatricals and concerts ★ 複数形で. 学芸大学 liberal arts college Ⓒ 学芸欄 arts and sciences column Ⓒ.
がくげき 楽劇 music drama Ⓒ.
かくげつ[1] 隔月 ── 副 every other month, bimónthly 語法 (1) 前者がより口語的. 後者は「1 か月に 2 度」という意味で用いられることもある. ── 形 bimonthly. (☞ かくしゅう; かくねん).
¶ *隔月発行の雑誌 a *bimonthly* magazine / a *bimonthly* 語法 (2) このように名詞としても用いる. // 会合は*隔月に開かれる Meetings are held ⌈*every other month* [*bimonthly*].
かくげつ[2] 各月 ☞ まいつき
かくげん 格言 (よく人の口にのぼるもので, 真理を手短に表したもの) saying Ⓒ; (比喩的な表現や具体的な事実を織り込んであることわざ) próverb Ⓒ; (処世訓的なもの) maxim Ⓒ. (☞ ことわざ). ¶ とらぬ狸の皮算用(はするな)という*格言がある There is a *saying,* "Don't count your chickens before they're hatched."
かくご 覚悟 ── 動 (…の用意ができている) be ready ⌈for … [to *do* …]; (…の準備ができている) be prepared for …; (決心ができている) be determined to *do* … ── 名 readiness Ⓤ; preparedness /prɪpé(ə)rɪdnəs/ Ⓤ; determination Ⓤ. (☞ けっしん[1]; こころがまえ; かんねん).
¶ *覚悟はいいですか (⇒ 準備はできているか) *Are* you ⌈*ready* [*prepared*] *for* it? // 私は命を賭ける*覚悟だ I *am ready to* risk my life. // 浪人*覚悟で (⇒ 入試に失敗するかもしれないが) T 大を受けてみよう I'll apply for admission to T University, *though* I *may fail* the entrance exam.
かくさ 格差 (相違) difference Ⓒ; (隔たり) gap Ⓒ; (等級・質などの差・不均衡) (格式) dispárity Ⓒ. (☞ さ[1]; へだたり).
¶ その 2 国の間には経済力に大きな*格差がある[ほとんど*格差がない] There is ⌈a wide [only a narrow] *gap* in economic power between the two countries. 語法 a ⌈large [small] gap という言い方もある. // 賃金の*格差は是正すべきだ Wage *disparities* must be ⌈corrected [rectified]. // 農村部における一票の*格差 the *disproportionate weight* of votes in rural areas
かくざい 角材 (四角い断面の大きな材木) rectan-

gular 「lumber [《英》 timber] Ⓤ; (梁などの) beam Ⓒ; (板状の) board Ⓒ; (小角材) scantling Ⓒ. 《☞ ざいもく (類義語)》.

がくさい¹ 学債 school bond Ⓒ.

がくさい² 学才 scholarly talent Ⓤ; scholarly abilities ★ 複数形で. 《☞ さいのう¹》.

がくさいてき 学際的 interdisciplinary /ìntədísəplɪnèri/. **学際的研究** interdisciplinary research Ⓤ.

かくさく 画策 —動 (操作する) manipulate ⑩; (策動する) maneuver (《英》 manoeuvre) /mən(j)úːvə/ ⑪ ⑩; (繰り人形の糸を引くように陰で工作をする) pull strings. 《☞ たくらむ》. ¶ だれが (舞台) 裏で*画策しているのか Who *is manipulating* /mənípjulèɪtɪŋ/ things in the background? / Who *is pulling (the) strings*?

かくさげ 格下げ —動 (降格する) 《格式》 demote ⑩; (下の地位に落とす) drop … to a lower 「position [rank]. —名 demotion Ⓤ (↔ promotion). 《☞ かく⁵》. ¶ 彼は*格下げされた (⇒ 地位を下げられた) He *was demoted.* // 彼はスキャンダルで*格下げされた He *was* 「*demoted* [*dropped*] *to a lower* 「*position* [*post*] because of the scandal.

かくざとう 角砂糖 cube sugar Ⓤ, lump sugar Ⓤ 語法 数を数えるときには two *cubes of sugar*, あるいは three *lumps of sugar* のように言う. 《☞ さとう¹; 数の数え方 (囲み)》.

がくざら 額皿 decorative plate Ⓒ.

かくさん¹ 拡散 —名 (方々に広がること) the spread; (内容物が細胞分裂のように増えて広がること) 《格式》 proliferátion Ⓤ. —動 spread ⑩ ⑪; prolíferàte ⑩ ⑪. 《☞ ひろがる》.
¶ 核の*拡散を防がなくてはならない We must stop *the spread* of nuclear arms. / We must prevent nuclear *proliferation.* ★ 後者の文のほうが格式ばった言い方.

かくさん² 核酸 〘生化〙 nucleic /n(j)uːklíːɪk/ ácid Ⓤ. ¶ リボ*核酸 ribo*nucleic acid* ★ RNA と略す.

がくさん 学参 ☞ がくしゅう (学習参考書)

かくし¹ 客死 —動 (外国で死ぬ) die 「abroad [in a foreign land] ⑪. ¶ 彼はアフリカで*客死した He *died* (during his stay) *in* Africa.

かくし² 隠し —名 (ポケット) pocket Ⓒ. —形 (名詞の前に置いて) hidden. 《☞ かくしあじ; かくしカメラ》.

かくじ 各自 —代 each (one). —副 each. 《☞ それぞれ; めいめい¹》.

がくし¹ 学士 bachelor Ⓒ 《☞ がくい; 学校・教育 (囲み)》.
¶ 文*学士 a *Bachelor* of Arts // 理*学士 a *Bachelor* of Science 語法 それぞれ B.A., B.S. と略す. 人名に付けるときは James Brown, 「*B.A.* [*B.S.*] のように後に付ける.
(日本)学士院(会員) (a member of) the Japan Academy **学士院賞** Japan Academy 「Award [Prize] Ⓒ ★ 通例 the を付けて. **学士号** Bachelor's (degree) Ⓒ **学士入学** ¶ 彼は*学士入学で (⇒ 他の学部を卒業して) 入ってきた He was admitted to our department *after graduating from another department.*

がくし² 学資 school expenses ★ 複数形で. 《☞ がくひ》.

がくし³ 楽師 musician Ⓒ. ¶ 大道の*楽師 a street *musician*

かくしあじ 隠し味 (風味をつけるもの) flavoring (《英》 flavouring) Ⓤ. ¶ 彼女は*隠し味にスープに醤油をたらした She added soy sauce to the soup as a *flavor enhancer.*

がくしいん 学士院 ☞ がくし (学士院)

かくしえ 隠し絵 (他の絵を気づかないように描き入れた絵) trick picture with hidden objects (in it); (中心になる絵の中に隠し入れられた絵) picture hidden in another Ⓒ ★ 説明的な訳.

かくしがね 隠し金 secret money Ⓤ.

かくしカメラ 隠しカメラ hidden camera Ⓒ 《☞ カメラ》.

かくしき 格式 (社会的な地位) social 「status [standing] Ⓤ; (形式・儀礼にこだわること) formality Ⓤ. 《☞ かく⁵; みぶん; けいしき》.
¶ 両家はまったく*格式が違う The two families have quite different *social status.* / The *social* 「*status* [*standing*] of the two families is totally different. // *格式ばった表現 a *formal* expression // *格式ばらずにやりましょう Let's 「dispense with [do without] *formality.* // 彼は*格式にこだわる He sticks to *formalities.*

がくしき¹ 学識 (学問) learning Ⓤ; (特定の分野における深い知識) scholarship Ⓤ; (知識) knowledge Ⓤ. 《☞ がくもん (類義語); がくりょく 語法》.
¶ あの人は*学識のある人だ He is a *learned* /lə́ːnɪd/ man. / (⇒ 彼は学者だ) He is a *scholar.* / (⇒ 深い知識がある) He is a man of profound *knowledge.* ★ やや格式ばった言い方. // 彼は*学識がない He has no sense of *scholarship.* / (⇒ 教育を受けていない) He *is uneducated.*
学識経験者 experts and well-informed people.

がくしき² 楽式 musical style Ⓒ.

かくしげい 隠し芸 (客の集まった所でする手品・芸など) parlor trick Ⓒ; (今まで表されなかった才能) hidden talent Ⓒ. ¶ 参加者は余興として*隠し芸をやった All the participants displayed their *hidden talents* just for fun.

かくしご 隠し子 secret love child Ⓒ.

かくしごと 隠し事 —名 (秘密) secret Ⓒ; (秘密であること) secrecy Ⓤ. —動 (隠し事をする) keep … from …. 《☞ かくす; ひみつ》.

かくしだて 隠し立て —動 (…を秘密にする) keep … secret from *a person*, hide [conceal] … from *a person* ★ カッコ内は格式語. 《☞ かくす》. ¶ 私たちの間には何も*隠し立てすることはありません We *keep* nothing *secret from* each other.

かくしだま 隠し球 〘野〙 hidden ball trick Ⓒ.

かくしつ¹ 角質 —名 keratin /kérətn/ Ⓤ. —形 horny, corneous. —動 (角質化する) keratinize ⑩ ⑪. **角質層** horny layer Ⓒ.

かくしつ² 確執 dispute Ⓒ. ¶ 組合員の間には長期にわたる*確執がある There is a long-standing *dispute* among the union members. // その二つの部族の間には大昔からの*確執がある (⇒ 反目している) The two tribes *have been feuding* for as long as anyone can remember.

かくじつ¹ 確実 —形 (確かな) certain, sure 語法 (1) 客観的に見た場合が前者で, 主観的に確かなのが後者; (明確で決定的な) positive; (確保された) secúre; (信頼できる) reliable. —副 certainly, surely; (疑いもなく) undoubtedly. —名 certainty Ⓤ, sureness Ⓤ; (信頼できること) reliableness Ⓤ; (確実性) reliability Ⓤ. 《☞ たしか (類義語)》.
¶ 彼が成功するのは*確実だ I'm 「*sure* [*certain*] he will succeed. / He is 「*sure* [*certain*] to succeed. / It is *certain* that he will succeed. 語法 (2) It is *sure* that … とは言わない. / (⇒ 彼の成功を確信している) I'm 「*sure* [*certain*] of his success. / He will 「*surely* [*certainly*] succeed. / (⇒ 彼が成功するのは疑いがない) There is *no doubt* that he will succeed. // 我々の勝利は*確実だ (⇒ 確信している)

I'm *sure* we'll win. / Our victory is *a certainty*. 語法 (3) 第 1 の文は話し手の主観が強く表れるのに対し, 第 2 の文は客観的な状況を述べる意味が強く, 格式ばった言い方. // *確実な証拠がある There is ˹*positive* proof [proof *positive*]. // その報道は*確実ですか (⇒ 信頼できるか) Is that news *reliable*? // それは 100 パーセント[絶対]*確実です It's ˹one hundred percent [absolutely] *certain*. // ほぼ*確実な almost [nearly] ˹*certain* [*sure*]

かくじつ² 隔日 ― 副 every other day. ¶ 当地では郵便は*隔日に集配する (The) mail is collected and delivered *every other day* here.

かくしどり 隠し撮り candid snapshot Ⓒ. ¶ 私はその二人連れの*隠し撮りをした I took a *candid snapshot* of the couple.

かくしぬい 隠し縫い ― 名 blind stitch Ⓤ. ― 動 blind-stitch ㊙.

かくしぼうちょう 隠し包丁 ¶ …に*隠し包丁を入れる (⇒ 包丁で小さな切れ目をつける) make a *tiny cut* with a kitchen knife at …

かくしマイク 隠しマイク hidden mícrophòne Ⓒ; (盗聴用マイク) 《略式》 bug Ⓒ.

がくしゃ¹ 学者 scholar Ⓒ, learned /lə́ːnɪd/ person Ⓒ ★ ほぼ同意だが, 後者は多少エレガントな言い方; (学問のある人) person of great learning Ⓒ ★ やや文語的. 《☞ がくもん》.
¶ 彼は*学者だ He is a ˹*scholar* [*learned man*]. / He is a *man of great learning*. // 大*学者 a great *scholar* / a *possessor of* profound *learning* ★ 後者のほうが格式ばった言い方. // 著名な[一流の]*学者 a distinguished [an eminent; a noted] *scholar* // 彼は法*学者だ He is a *scholar in* law. // 彼には*学者的なところがある He has something of the *scholar* in him.

がくしゃ² 学舎 schoolhouse Ⓒ, school building Ⓒ ★ 前者はやや古風な語.

かくしゃく 矍鑠 ¶ *かくしゃくたる (⇒ 活気にあふれた) 老人 a *vigorous* elderly person // 彼の父親は 80 歳でなお*かくしゃくとしている (⇒ 丈夫で健康だ) His father is eighty years old, and still ˹*strong and healthy* [*hale and hearty*]. 《☞ げんき¹; たっしゃ》

かくしゅ¹ 各種 ― 形 (あらゆる種類の) all ˹kinds [sorts] of … 語法 (1) sort のほうが kind より口語的; (いろいろな種類の) many [different; various] ˹kinds [sorts] of … 語法 (2) … of all kinds のような言い方もよく用いられる. 例えば「各種の本」というときに *all kinds of* books または books *of all kinds* のいずれでもよい. ただし後者のほうがより改まった言い方と考えられている. 《☞ しゅるい 語法》.
¶ 私どもの店では*各種の帽子を取りそろえてあります We have *all kinds of* hats in stock. // 会には*各種の職業の人々が集まった People *of various* occupations gathered for the meeting.

かくしゅ² 確守 ― 名 firm defense Ⓤ. ― 動 defend … firmly.

かくしゅ³ 馘首 ☞ かいこ¹; くび

かくしゅ⁴ 鶴首 ¶ *鶴首して (⇒ ひたすら) 吉報を待つ *wait eagerly* for good news

かくしゅう 隔週 ― 副 every other week, bìwéekly, 《英》 fórtnìghtly. ― 形 biweekly, 《英》 fortnightly. 《☞ かくげつ¹; かくねん》. ¶ 彼は*隔週月曜日に講義する He lectures *every other* Monday. // 私たちは*隔週金曜日にここへ集まる We meet here ˹on Friday (of) *every other week* [*every other* Friday].

かくじゅう 拡充 ― 動 (大きくする) make … large; (拡張・拡大する) expand ㊙ ㊐. ― 名 expansion Ⓤ. 《☞ かくだい; ひろげる》.

がくしゅう 学習 ― 動 (学んで修得する) learn ㊙; (学校の学科として勉強する) study ㊙. ― 名 learning Ⓤ; study Ⓤ. 《☞ べんきょう(類義語); ならう¹; まなぶ》. ¶ 英語の*学習法 how to *learn* English // 私は英語を第一外国語として*学習しています I'*m studying* English as my primary foreign language. **学習活動** learning activities ★ 複数形で. **学習漢字** 996 Chinese characters for student use **学習機能** (コンピュータープログラムの) "learn" function Ⓤ **学習効果** effect of learning Ⓒ **学習参考書** student handbook Ⓒ **学習辞典** learner's [learners'] dictionary Ⓒ **学習指導要領** course of study Ⓒ **学習指導要録** student counseling records **学習者** learner Ⓒ **学習塾** cram school Ⓒ **学習障害** learning disability Ⓒ ★ しばしば複数形で. 《略 LD》.

がくしゅういん 学習院 ― 名 ㊄ Gakushuin, Peer's School.

かくしゅがっこう 各種学校 (一般には) school Ⓒ 語法 料理・会話・タイプなどのいわゆる専門学校の名称には school, college, acádemy などを用いる; (職業につくための特定の技能を学ぶ学校) vocational school Ⓒ. 《☞ 学校・教育 (囲み)》.

がくじゅつ 学術 (学問) learning Ⓤ; (科学) science Ⓒ; (古典の知識など人文学的学識) scholarship Ⓤ. 《☞ がくもん》. **学術会議** (日本学術会議) the Science Council of Japan **学術講演** (scientific) lecture Ⓒ **学術雑誌** àcadémic [learned /lə́ːnɪd/; scholarly] jóurnal Ⓒ **学術書** academic book Ⓒ **学術団体** academic organization Ⓒ **学術調査** scientific ˹study [investigation] Ⓒ ★ study のほうが一般的な語で,「研究」の意も含む. **学術用語** technical term Ⓒ **学術論文** treatise Ⓒ.

かくしょ 各所 ― 副 (至る所に) everywhere, all over ★ 後者は一面に広がっているニュアンスを持つ; (ここかしこに) here and there. ― 前 all over … 《☞ かくち; ほうぼう¹; あちこち; いたるところ》.

かくしょう 確証 (十分な証拠) sufficient evidence Ⓤ; (信頼するにたる証拠) reliable evidence Ⓤ. 《☞ しょうこ; きめて》. ¶ 次のような結論を下す*確証があります There is *sufficient evidence* to conclude as follows. // まだ*確証をつかんでいない (⇒ まだ十分な証拠がない) There is ˹not *sufficient* [*insufficient*] *evidence*. // 検察側は*確証 (⇒ 決定的な証拠) を握った The prósecùtors have obtained *conclusive evidence*.

がくしょう¹ 楽章 movement Ⓒ. ¶ 第一*楽章 the first *movement*

がくしょう² 楽匠 (大音楽家) great musician, máestro Ⓒ ★ 後者はイタリア語から; (大指揮者) great conductor Ⓒ.

がくしょく¹ 学殖 (学識) learning Ⓤ; (特に人文学の) scholarship Ⓤ. ¶ *学殖豊かな人 a ˹man [woman] of ˹profound *learning* [great *scholarship*]

がくしょく² 学食 ☞ がくせい¹ (学生食堂)

かくじょし 格助詞 case particle Ⓒ.

かくしん¹ 確信 ― 動 (非常に確かだと思う) be quite ˹sure [certain], strongly [firmly] believe ㊙ ★ 前者が口語的; (自信がある) be confident ˹of [that] … ― 名 (強い信念) strong belief Ⓒ, conviction Ⓤ ★ 後者は多少格式ばった言い方; (自信) cónfidence Ⓤ. 《☞ しんじる; しんねん¹; たしか; じしん¹ (類義語)》.
¶ 我々は勝利を*確信しています We *are* ˹*sure* [*certain*] to win. / (⇒ 勝つと信じている) We *are* ˹*sure* [*certain*; *confident*] that we will win. // 私は彼は潔白だと*確信している I ˹*strongly* [*firmly*] *believe*

that he is innocent. // 次のことを私は*確信を持って言えます I can say the following *with* (*complete*) *confidence*. // そのことについてはあまり*確信が持てません I'*m* not very *sure of* that.

確信犯 prisoner of conscience Ⓒ.

かくしん² 革新 —名 (革新主義者) reformist Ⓒ (↔ conservative); (革新政党) reformist party Ⓒ; (進歩主義者) progressive Ⓒ; (進歩主義政党) progressive party Ⓒ [語 法]「革新」という語の訳には reformist を用いるほうが一般的; (技術などの刷新) innovation Ⓤ. —形 reformist; progressive, ínnovàtive. (☞ ほしゅ¹).

¶ 彼は*革新系代議士だ He is a ˹*reformist* [*progressive*] Member of Parliament. // 今度の選挙は保守と*革新の一騎打ちだろう The coming election will turn out to be a hard contest between a conservative and a ˹*reformist* [*progressive*] candidate. // 最近の技術の*革新は実にめざましい Technical *innovation* in recent years has been truly remarkable.

革新政党 reformist party Ⓒ.

かくしん³ 核心 (肝心な点) point Ⓒ; (最も大切なところ) the most important part; (中心になるもの) the ˹core [heart]. (☞ ようてん¹). ¶ いよいよ問題の*核心に触れてきた (⇒ 肝心なところに入りつつある) Now we are reaching *the* ˹*most important part* [*heart*] of the matter. // あなたの話は少しも*核心に触れていない What you have said is totally beside the *point*. // 彼の意見はまさに*核心に触れている His opinion is very much *to the point*.

かくじん 各人 (ひとりひとり) each (person); (すべての人) everyone, everybody. (☞ それぞれ; めいめい¹). ¶ 彼らはそのニュースに*各人各様の反応を示した They each reacted to the news *in their own way*.

がくじん 楽人 (演奏者) player Ⓒ ★ 普通 a piano player のような複合語として用いる; (演奏者・作曲家など広く音楽家) musician Ⓒ; (雅楽の演奏者) player of *gagaku* Ⓒ ★ 雅楽の説明に (ancient) Japanese court music を加えるとよい.

かくす 隠す **1** «見えない所に置く»: (見つからないようにする) hide ⑩ ⓐ (過去 hid; 過分 hidden), conceal ⑩ ★ 前者よりも格式ばった語; (目に触れない所へ置く) put [keep] ... out of sight. (☞ かくれる). ¶ 故意に[周到に]*隠す *hide* [*conceal*] ... ˹deliberately [carefully] // すっかり*隠す *hide* [*conceal*] ... ˹entirely [wholly] // 巧みに*隠す *hide* [*conceal*] ... ˹cleverly [cunningly] // 私はそれを押し入れに*隠した I ˹*hid* [*concealed*] it in the closet. // 彼女は木陰に身を*隠した She *hid* behind a tree. // ...の下に*隠す *hide* ... ˹under [beneath] ... // ...の中に*隠す *hide* ... inside ... // ...から隠す *hide* ... from ... // それを人目につかない所に*隠しなさい *Put* it somewhere *out of sight*. / *Hide* [*Keep*; *Get*] it *out of sight*.

2 «秘密にする»: (...を...に秘密にする) keep ... (a) secret from ...; (事実などを隠す) hide ⑩, keep ... from ...; (包み隠す) cóver úp ⑩. (☞ ひみつ).

¶ このことは彼には*隠しておいて (⇒ 秘密にしておいて) 下さい Please *keep* it (*a*) *secret from* him. // 彼は事実を*隠そうとした He tried to ˹*hide* [*cover up*] the fact. // 彼は何か*隠している He *is keeping* something *back* (from us). //「君は僕に何か*隠しているね. *隠さず話したまえ」「いいえ, *隠してなんかいません」"You *are* ˹*keeping* [*hiding*; *concealing*] something *from* me, aren't you? Say it." "No, I'*m* not *keeping* anything *from* you."

かくすい 角錐 pyramid Ⓒ. ¶ 6*角錐 a six-sided *pyramid* // 正*角錐 a right *pyramid*

かくすう 画数 the number of strokes ★「画」は stroke Ⓒ. ¶ その漢字の*画数は 5 です The character has five *strokes*.

カクストン —名 ⓐ William Caxton /kǽkstən/, 1422?–91. ★ 英国最初の活版印刷・出版業者.

かくする 画する (...の印を付ける) mark ⑩. ¶ それは新時代を*画した It *marked* the beginning of a new epoch. // 我々はいわゆる右翼とは一線を*画している (⇒ 明確な区別の線がある) There is *a clear line of demarcation* between what you call "rightists" and us.

かくせい¹ 隔世 ¶ 昔を振り返ると*隔世の感がある (⇒ 異なった時代に暮らしている感じがする) When I look back ˹on [at] the past, I really feel I am living in a different age.

隔世遺伝 〖生〗 atavism /ǽtəvìzm/ Ⓤ.

かくせい² 覚醒 ☞ さます; さめる 2

がくせい¹ 学生 student Ⓒ [語 法] (1) 《英》では大学生を指すが, 《米》では中学校・高等学校の生徒をも指すので注意. (☞ せいと¹ [日英比較]; 学校・教育 (囲み)).

¶ 彼女は心理学専攻の*学生です She is a psychology ˹*student* [*major*]. ★ 後者は専攻を強調する場合《米》. [語 法] (2)「法律[化学]専攻の学生」のように, ある学科の専攻学生であることを表すには a ˹law [chemistry] *student* のように言う. a student of ... と言えば学者や研究者を意味するので誤解を招く. // 彼はロンドン大学の*学生です He is a *student at* London University. [語 法] (3) ある特定の大学の学生であることを表すには前置詞は at を用いる. 日本語の「の」に引かれて of を用いるのは間違い. // その大学は*学生数が多い[少ない] It's a ˹large [small] university. // 私は*学生時代「よく学びよく遊べ」を座右の銘としていた I had "Work hard and play hard" for my motto ˹*when I was in school* [in my *school days*]. [語 法] (4) when で始める言い方のほうがより口語的で一般的. // オール A の*学生 a straight A *student* // 落ちこぼれた*学生 (⇒ 落後者・中途退学者) a drópòut / (⇒ 劣等生) a very poor *student* // 外国人*学生 a foreign *student* / a *student* from abroad // ガリ勉をする*学生《米略式》a grind / 《英略式》a swot // 女子*学生 a ˹girl [female] [語 法] (5) 現実の場面では「女子学生」「男子学生」というときには student は付けないことが多い. // 男子*学生 a ˹boy [male] // 夜間*学生 a night school *student*

学生運動 student(s') (political) activity Ⓒ　学生課[部] the student affairs office　学生会館 the student union　学生活動家 student activist Ⓒ　学生かばん schoolbag Ⓒ　学生時代 *one's* school days　学生自治会 the student body ★ 学生全体をいう.　学生証 student('s) identification card Ⓒ, student I.D. Ⓒ　学生食堂 school cafeteria Ⓒ (☞ しょくどう¹)　学生新聞 student newspaper Ⓒ　学生生活 student life Ⓒ; (大学生活) campus life Ⓒ　学生大会 a student meeting　学生服 school uniform Ⓒ　学生部長 student ˹adviser [advisor] Ⓒ, 《米》dean of students Ⓒ　学生帽 school cap Ⓒ (☞ かくぼう, がくぼう)　学生割引 student discount Ⓒ, discount for students Ⓒ.

コロケーション

頭のよい学生 a ˹bright [brilliant] *student* / 学部学生 an undergraduate *student* / 苦学生 a needy *student* / 交換学生 an exchange *student* / 女子[男子]学生 a ˹female [male] *student* / 成績のよい[悪い]学生 a ˹high [low] achiever (in a school) / 成績抜群の学生 an outstanding *student* / 大学院の学生 a graduate *student* / 聴講

の学生 an auditing *student* / できの悪い学生 a poor [an inferior] *student* / 独学の学生 a self-taught *student* / 並みの学生 a mediocre *student* / 熱心な学生 an eager *student* / 勉強しない学生 a lazy *student* / 夜間の学生 an evening [a night] *student* / 優秀な学生 an excellent [a high-caliber] *student* / よい学生 a ˹good [strong] *student* / よく勉強する学生 a hard-working *student* / 落第した学生 a failed *student* / 理解の早い[遅い]学生 a ˹quick(-learning) [slow(-learning)] *student*

がくせい² 学制 educational system Ⓒ.

がくせい³ 楽聖 great [virtuoso] musician Ⓒ; (作曲家) great [celebrated] composer Ⓒ. ¶ *楽聖ベートーベン Beethoven, the *great composer*

かくせいき 拡声器 lóudspéaker Ⓒ.

かくせいざい 覚醒剤 stimulant (drug) Ⓒ, 《俗》 upper Ⓒ.

かくせいそうち 拡声装置 public-address system Ⓒ ★ PA system と略す.

がくせきぼ 学籍簿 school register Ⓒ.

かくぜつ 隔絶 ― 動 (孤立している・分離されている) be ˹ísolàted [séparàted] from ...; (連絡を絶たれている) be cut off from ... ¶ その場所は外界と*隔絶している The place *is* ˹*isolated from* [*cut off from* (communication with)] (the rest of) the world.

がくせつ¹ 学説 theory /θíːəri/ Ⓒ (☞ りろん; せつ¹). ¶ 彼は新しい*学説を発表した He published a new *theory*. // 田中博士は新しい*学説を唱えた Dr. Tanaka ˹formulated [set out; put forth] a new *theory*.

がくせつ² 楽節 〘楽〙 (曲の一部分) passage Ⓒ; (楽式構造の) period Ⓒ.

かくぜん¹ 画然 ☞ はっきり

かくぜん² 確然 ☞ たしか; はっきり

がくぜん 愕然 ¶ 私はそれを知って*愕然とした (⇒ 驚いた) I *was* ˹*surprised* [*astonished*] to learn that. / (⇒ ショックを受けた) I *was shocked* to hear that. (☞ おどろく (類義語); ショック)

かくせんせき 角閃石 〘鉱物〙 amphibole /ǽmfəbòʊl/ Ⓒ.

がくそう¹ 学窓 (学校) school Ⓒ; (学生生活) *one's* school life; (大学の学生生活) *one's* college life. 学窓を巣立つ (卒業する) graduate from ....

がくそう² 楽想 〘楽〙 (楽曲に繰り返して現れる動機) motif /moʊtíːf/ Ⓒ; (主題・テーマ) theme Ⓒ.

がくそう³ 学僧 **1** 《修行僧》: dísciplinant Ⓒ; Buddhist priest under ˹strict [ascetic] discipline Ⓒ. (☞ しゅぎょう). **2** 《学問にすぐれた僧》: learned /lə́ːnɪd/ Buddhist priest Ⓒ.

がくそく 学則 school ˹regulations [rules] 語法 通例複数形で. rules のほうがより口語的. (☞ きそく; こうそく³). ¶ それは*学則に違反する It's against the *school* ˹*regulations* [*rules*]. // この*学則は 10 年前に設けられた These *school regulations* were laid down ten years ago.

かくそくど 角速度 〘物理〙 ángular ˹velócity [spéed] Ⓤ.

がくそつ 学卒 ¶ *学卒者 (⇒ 大学の学部卒業生) a college graduate

かくそで 角袖 (角形の袖) square [bag] sleeve Ⓒ; (洋服に対して着物) kimono Ⓒ.

かくだい 拡大 ― 動 (大きさ・量・範囲などを広げる) expand 他 自; (事業・意味などを拡張する) extend 他 自; (大きさを大きくする) enlarge 他; (実物より大きくする) magnify 他; (段階的に拡大する) éscalàte 自 他. ― 名 expansion Ⓤ; extension Ⓤ; enlargement Ⓤ; magnification Ⓤ; escalation Ⓤ. (☞ かくちょう¹; ひろげる).

¶ その 2 国間の貿易は最近*拡大した Trade between the two countries *has* recently *expanded*. // その会社は商売を東南アジアからオーストラリアまで*拡大しようとしている The firm is intending to *extend* its business from Southeast Asia to Australia. // 彼は研究を新しい分野にまで*拡大した He *extended* his research into a new field. // この複写機は*拡大縮小ができます This copying machine is capable of *enlargement* and reduction. // この顕微鏡は物体を 1000 倍に*拡大する This microscope *magnifies* (an object) 1,000 times. (☞ ばい) // 彼はその規則を*拡大解釈した (⇒ 自分の都合のよいように解釈した) He *interpreted* the rule *in his favor*. // 闘争の*拡大はなんとしても止めなければならない We must stop the *escalation* of fighting by all means. // 局地戦争は全面戦争に*拡大する可能性がある A local conflict has the potential to *escalate into* all-out warfare.

拡大均衡 expanding equilibrium /ìːkwəlíbriəm/ Ⓤ 拡大コピー(物) enlarged photocopy Ⓒ 拡大再生産 extended reproduction Ⓤ.

がくたい 楽隊 (軽音楽の) band Ⓒ; (吹奏楽の) brass band Ⓒ; (パレードの) marching band Ⓒ. ★ band は単数形で時に複数扱い. ¶ 町の*楽隊がいま公園でジャズを演奏している The town *band* is now playing jazz in the park. // 軍*楽隊 ☞ 見出し

かくだいきょう 拡大鏡 (虫めがね・ルーペなど) mágnifier Ⓒ, magnifying glass Ⓒ.

カクタス ☞ サボテン

かくたる 確たる ☞ たしか

かくたん 喀痰 ― 名 (たん) phlegm /flém/ Ⓤ; (医学的に) sputum Ⓒ 《複 sputa, ～s》; (たん・つばを吐くこと) expèctorátion Ⓤ. ― 動 (喀痰する) spit phlegm; expectorate 自. **喀痰検査** examination of *one's* sputum Ⓒ.

かくだん 格段 ― 形 (相違などが著しい) marked, distinct; (主に好ましいことで目立つ・注目すべき) remarkable. (☞ かくべつ; めざましい; けんちょ). ¶ 2 つの間には*格段の差がある There is a ˹*marked* [*distinct*] difference between the two. // 彼の勉強は*格段に進歩した He has made *remarkable* progress in his studies.

がくだん¹ 楽団 órchestra Ⓒ; (ポピュラー音楽・ジャズの) band Ⓒ. (☞ バンド²; オーケストラ). **楽団員** member of a band Ⓒ, band member Ⓒ.

がくだん² 楽壇 the musical world.

かくち 各地 (いろいろな[すべての]地方) various [all] parts (☞ ぜんこく; かくしょ).

¶ その大会には世界*各地から大勢の人が参加した Many people from *various* countries attended the conference. // 台風が*各地に大きな被害をもたらした The typhoon caused great damage to ˹*various* [*all*] *parts* of the country. // 彼は日本*各地 (⇒ 全国) を旅行した He traveled *all over* Japan.

かくちく 角逐 ― 名 competition Ⓤ. ― 動 (争う) compete 自. ¶ 組織の会長の地位をめぐる*角逐 *competition for* the presidency of the organization

かくちゅう 角柱 (四角い柱) square pillar Ⓒ; 〘数〙 prism Ⓒ.

かくちょう¹ 拡張 ― 動 (広げて大きくする) expand 自 他; (幅を広くする) widen 自 他; (大きさ・程度などを大きくする) enlarge 他. ― 名 expansion Ⓤ; widening Ⓤ; enlargement Ⓤ. (☞ かくだい; ひろげる).

¶ 我々は事業をもっと*拡張する計画です We are

planning to *expand* our business activities. // 道路が拡張された The road *was widened*.
拡張インターフェイスボード〘コンピューター〙extended interface board [C] **拡張カード**〘コンピューター〙expansion card [C] **拡張子**〘コンピューター〙extension [C] **拡張スロット**〘コンピューター〙expansion slot [C].

かくちょう² 格調 ¶ 彼は*格調の高い (⇒ 古典的な[気品のある]文体の) 文章を書く He writes in ˹a *classical* [an *elevated*] style.

がくちょう¹ 学長 (大学の) president [C]; (大学総長) chancellor [C] ★ 多くの大学では前者を用いる. 《☞ そうちょう² [参考]; 学校・教育 (囲み)》. ¶ 東西大学*学長 the *President* of Tozai University // 佐藤*学長 *President* Sato

がくちょう² 楽長 (楽隊の長) bandmaster [C]; (オーケストラなどの長) music director [C].

かくづけ 格付け ━[動] (等級をつける) grade (他); (評価する) rate (他); (人を地位や業績などで段階に分ける) rank (他). 《☞ ひょうか¹; かく⁵》. ¶ 学校はある基準で*格付けされている Schools *are ranked* ˹according to [by] a certain standard. // 彼は技術的*格付けが低い (⇒ 低く評価されている) He *is rated* low in skill. **格付け会社** rating company [C] **格付け機関** rating agency [C].

かくてい¹ 確定 ━[名] (決定) decision [U]. ━[動] (決定を下す) decide (他), decide (on ...) (自) ★ 後者は話者に有利なことを決めるとき; (日取りなどを明確に決める) fix (他), set (他). ━[形] (確定的な) définite; (日取りなどが決まった) fixed. ━[副] (確定的に) définitely. 《☞ きめる; けってい; ほんぎまり》. ¶ 彼が議長になることが*確定した (⇒ 決定された) It *was decided that* he would be chairman. // 4 階建てのビルを建てることが*確定した (⇒ 彼らは 4 階建てのビルを建てることを決めた) They *decided on* a four-story building. // パーティーの日取りは*確定しましたか *Has* the ˹day [date] for the party *been* ˹*set* [*fixed*] yet? // 会合の日時と場所がきのう*確定した The date and place ˹of [for] the meeting *were fixed* yesterday.
確定拠出年金 defined contribution pension plan [C] **確定裁判** final trial [C] **確定申告** (所得税の) final income tax return [C] **確定年金**〘保険〙annuity certain [C]《複 annuities certain》 **確定判決** final [irrevocable /ɪrévəkəbl/] júdg(e)ment [C] ★ irrevocable は「取り消すことのできない」の意. **確定利付証券** fixed-interest-bearing security [C] ★ 複数形で用いる.

かくてい² 画定 ━[動] (区画する) márk óut (他); (境界を定める)《格式》demárcate (他).

がくてき 学的 ━[形] (学問的) scholastic, academic 《☞ がくもん》.

カクテル (酒) cocktail /kɑ́kteɪl/ [C]; (前菜) cocktail [U]. ¶ エビの*カクテル shrimp [prawn] *cocktail*

カクテルグラス cócktail glàss [C].

カクテルこうせん カクテル光線 (野球場などの混合照明) mixed lighting [U], artificial daylight (produced with various kinds of floodlights) [U] ★ 後者は説明的.

カクテルサンドイッチ cocktail sandwich [C].

カクテルソース (かき・えびなどにかけるソース) cócktail sàuce [U].

カクテルドレス (女性の準正式のドレス) cócktail drèss [C].

カクテルパーティー (カクテルの出る形式ばらない会合) cócktail pàrty [C].

カクテルラウンジ (ホテルなどのバー) cócktail lòunge [C].

がくてん 楽典 musical theory [U]; (本) textbook of musical theory [C].

かくど¹ 角度 angle [C] 《☞ ど; かく⁶ (挿絵); 度量衡 (囲み)》. ¶ 45 度の*角度で at an *angle* of 45° ★ forty-five degrees と読む / at a forty-five-degree *angle* **角度定規** bevel ˹gauge [square] [C] ★ 単に bevel ともいう.

かくど² 確度 ━[名] (信頼性) reliabílity [U]; (正確さ) áccuracy [U]. ━[形] (確かな) reliable; áccurate. 《☞ たしか; しんらい¹》. ¶ その情報は*確度が高い The information is ˹highly [very] *reliable*.

がくと¹ 学徒 (学生・研究者) student [C]; (学者) scholar [C]. ¶ 古代史の真摯な*学徒 an earnest *student* of ancient history
学徒出陣 (第二次大戦中の日本で学生を兵役に召集したこと) drafting of students into military service [U] **学徒(勤労)動員** (第二次大戦中の日本で学生を工場などに動員したこと) mobilization of students to factories (during World War II) [U].

がくと² 学都 college [university] town [C]. ¶ オックスフォードは*学都としてよく知られている Oxford is ˹famous [well-known] as a *university town*.

かくとう¹ 格闘 ━[動] (殴り合う) fight (自) (他) 《過去・過分 fought》 ★ 比喩的にも用いられる; (つかみ合う) grapple (with ...) (自). ━[名] fight [C]; grapple [C]. 《☞ なぐりあい; とっくみあい; らんとう; たたかう》. ¶ 彼は強盗と*格闘した He *grappled with* the burglar. **格闘技** martial /mɑ́ːəʃəl/ árts.

かくとう² 確答 ━[名] définite ˹ánswer [replý] [C]. ━[動] ánswer clearly, give a definite answer. 《☞ へんじ¹》. ¶ 大臣は*確答を避けた The minister avoided giving *a definite answer*. ˏ (⇒ あいまいな返事をした) The minister gave a ˹vague [noncommittal] answer.

がくどう¹ 学童 schoolchild [C] 《複 -children》 《☞ せいと¹; 学校・教育 (囲み)》. **学童疎開** (第二次大戦中の日本の) evacuation of schoolchildren (from cities during World War II) [U] **学童保育** after-school child care [U], care of schoolchildren after school hours [U].

がくどう² 楽堂 concert hall [C].

かくとく 獲得 ━[動] get (他); gain (他); win (他); obtain (他); secure (他); acquire (他). ━[名] àcquisítion [U].
【類義語】 手に入れるという意味で最も一般的な語は **get**. やや改まった語で, 何か自分に有利なものを苦労して手に入れるのは **gain**. 競争などでほかの人と争って手に入れるのは **win**. ((例) 賞を*獲得する *win* a prize). やや改まった語で, 望んでいるものを手に入れるのは **obtain**. ((例) 地位を*獲得する *obtain* a position). 手に入れることが困難であるばかりでなく, 維持することも困難なものを手に入れるのは **secure**. 長いことかかってやっと手に入れるのは **acquire**. 《☞ える¹》
¶ 彼はスピーチコンテストで一等賞を*獲得した He ˹*won* [*got*] (the) first prize in the ˹speech [public-speaking] contest. // 彼らはついに勝利を*獲得した They finally *gained* a victory. // その男は不正な手段で富を*獲得した The man ˹*got* [*obtained*; *acquired*] his wealth dishonestly. // 我々は多くの命を犠牲にしてはじめて (⇒ 犠牲によってのみ) 平和を*獲得した We *secured* peace, but only at the cost of many lives. // 外国語の知識は長いことかかって*獲得されるものだ It takes a long time to *acquire* (a) true proficiency in a foreign language.
獲得形質〘生〙acquired character [C].

がくとく 学徳 learning and virtue [U]. ¶ *学徳兼備の人 a person of exceptional *learning and virtue* / a *learned* /lə́ːnɪd/ *and virtuous* person

かくない 閣内 ¶ *閣内に不協和音があるようだ

There seems to be discord *within the cabinet*. 《☞ ないかく¹》

がくない 学内 ¶寮は*学内(⇒校内)にある The dormitory is (located) *on the campus*. // その会合は*学内で開かれる The meeting will be held *on* (*the*) *campus*. // その事件は*学内で処理された The incident was dealt with *within the university*. // そのニュースは*学内ではみんなに知れ渡った The news ˹spread [became known] all over *the campus*. 《☞ こうない²》

かくに 角煮 diced ˹fish [meat] boiled down in soy (sauce) Ⓤ 《☞ 料理の用語 (囲み)》.

かくにん 確認 —動 (不確かなことを) confirm ⑩; (調査や事実に照らして) vérifỳ ⑩ ★ 前者より格式ばった語; (同一物[人]だと認める) idéntifỳ ⑩. —名 cònfirmátion Ⓤ; vèrificátion Ⓤ; idèntificátion Ⓤ. 《☞ たしかめる》.

¶そのうわさはまだ*確認していない We *have* not *confirmed* the report yet. // ホテルの予約は電話で*確認したほうがいいですよ You should *confirm* the hotel reservations by telephone. // その報告は目撃者によって*確認された The report *was* ˹*verified* [*confirmed*] *by* an eyewitness. // 再*確認する ☞ さいかくにん

確認事項 matters for confirmation; (点検すべき点) points [items] to be checked **確認書** letter of confirmation Ⓒ **確認団体** recognized organization Ⓒ, political organization given full privileges by the election law in campaign activities Ⓒ ★ 後者は説明的訳.

かくねん 隔年 —副 every other year, every two years, 《格式》 biennially /bàiéniəli/. —形 《格式》 biennial Ⓐ.

¶その会合は*隔年に開かれる The meeting is held ˹*every other year* [*biennially*]. // そのレポートは*隔年に刊行されます The report is published once *every two years*. / The report is a *biennial* publication. ★ 後者のほうが格式ばった表現.

がくねん 学年 **1** 《学校年》: schóol yèar Ⓒ, àcadémic yéar Ⓒ 〔語法〕 後者は少し改まった言い方で, 特に大学の学年には普通後者を用いる. 日本では4月から3月までであるが, 英米では9月から6月までで, 夏(7月, 8月)は含まれない. 《☞ 学校・教育 (囲み)》.

¶「アメリカの*学年はいつ始まり, いつ終わりますか」「大体9月に始まり, 6月に終わります」 “When does the ˹*school* [*academic*] *year* in the United States begin and (when does it) end?” “It usually begins in September and ends in June.”

2 《学級》: class Ⓒ; 《米》 grade Ⓒ 〔参考〕 (1) grade は普通は小学校・中学校の学年に用いる; 《英》 form Ⓒ 〔参考〕 (2) 中学校までの学年に用いる. 《☞ ねん¹; 学校・教育 (囲み)》.

¶第2*学年の生徒は3時に校庭に集合のこと The second-year students are requested to meet on the school field at 3 p.m. this afternoon. 〔語法〕 日本の学校の学年にはこのように year (class) を用いてもよい. 《米》 では高校以上では第1学年の学生は freshman, 第2学年は sóphomòre, 第3学年は junior, 第4学年は senior という. // 彼はある高校の最高*学年に在籍している He is a senior in a *certain high school*.

学年主任 ¶私は3年生の*学年主任になった I was given overall responsibility for the third-year students. **学年度** school year Ⓒ **学年末** the end of the school year **学年末試験** final exam(ination) Ⓒ.

かくのうこ 格納庫 (飛行機の) hangar /hǽŋ(g)ə/ Ⓒ 《☞ くうこう (挿絵)》.

かくのり 角乗り manipulating squared timbers, afloat in water, while balancing on them Ⓤ; acrobatics, such as birling, performed on timbers floating in water ★ acrobatics は複数形だが, 時に単数扱い. 両者とも説明的な訳.

かくは 各派 each faction. ¶*各派の首領が昨日会談した The leaders of *each faction* met yesterday.

がくは¹ 学派 school Ⓒ 《☞ は⁴》.

がくは² 楽派 school of music Ⓒ.

がくばつ 学閥 ácadèmic clique /klíːk/ Ⓒ 《☞ はばつ》. ¶*学閥を作る[解体する] form [break down] *academic cliques*

かくばった 角ばった —形 (四角い) square; (体などがやせて骨っぽい) angular. ¶彼は*角ばったあごをしている He has a *square* jaw.

かくはん 攪拌 —動 (液体をスプーンなどでかき回す) stir ⑩; (卵などを道具で勢いよくかきまぜる) beat ⑩; (卵やクリームなどをかき回して泡立てる) whip ⑩. —名 stir Ⓒ. 《☞ かきまぜる; まぜる; 料理の用語 (囲み)》. ¶シチューなべの汁を熱しながら*攪拌しなさい *Stir* the liquid in the saucepan while heating it.

攪拌器[機] (電動式の) mixer Ⓒ ★ 粉などを混ぜる料理用のものは food mixer, セメント用は cement mixer という; (卵の泡立て器) eggbeater Ⓒ; (手動の) (egg) whisk Ⓒ ★ 固型食物を液状にするための, 日本語でいうミキサーは blender Ⓒ, 《英》 liquidizer Ⓒ が用いられる. 《☞ ミキサー》.

がくひ 学費 (種々の費用をひっくるめて) school(-ing) expenses ★ 通例複数形で; (授業料など, 定期的なもの) school fees ★ 通例複数形で; (授業料) tuition (fees) Ⓤ. 〔参考〕 学校の授業料は school fees が一般的. ¶父の死後おじが私の*学費を出してくれた My uncle paid my *school fees* after my father's death.

かくびき 画引き ¶*画引きの漢和辞典 a dictionary of Chinese characters arranged by the number of strokes

かくひつ 擱筆 —動 (書くことを終える) stop [leave off] writing ★ stop, leave off の代わりに give up (放棄する)も可. 《☞ ふで》.

かくびん 角瓶 square bottle Ⓒ.

かくぶ 各部 ¶説明書に*各部の働きについての説明があります The (instruction) manual explains the function of *each component*.

がくふ¹ 楽譜 sheet music Ⓤ; score Ⓒ; (書いてある内容) music Ⓤ.

¶彼女は*楽譜が読める She can read *music*. // *楽譜なしで演奏する (⇒暗譜で) play (...) from memory / (⇒楽譜を見ないで) play (...) without ˹*music* [*a score*] // *楽譜を見て(初見で)演奏する sight-read *music*

がくふ² 岳父 father-in-law Ⓒ.

がくふ³ 学府 academic [educational] institution Ⓒ. ¶最高*学府 the highest ˹*institution of learning* [*academic institution*]

がくぶ 学部 college Ⓒ, school Ⓒ; department Ⓒ; faculty Ⓒ. 〔語法〕 以上は学内では固有名詞と同じように扱い, 無冠詞で用いるのが普通.

【類義語】《米》では大学の学部は普通 *college* または *school* と呼ぶ大学が多いが, *department* を用いる場合もある. 日本のように一定していないのは各大学の慣例に従って呼び名が違っているからである. 学部の中にさらに下位区分として学科が分かれている場合は *department* を用いる. 従って *department* のみの大学は1学科が1学部を成している形となる. *faculty* は主として《英》で用いられるが, 《英》でもロンドン大学のように *school* を用いる場合もある. ((例) *school* of economics (経済学部)). また《米》では *faculty* は学部または大学の教員全体を指す ((例) a *faculty* meeting (学部教授会)). なお, 《米》では *college*, *school* の両方を用いる場合には「教育学部」*school* of education, 「法学部」*school* of law, law *school*,「医学部」*school* of medicine, medical *school* などは school で呼ばれる場合が多い. そこで日本の大学の学部を英訳するには, 《米》の一般例にならって *college* または *school* を用い,「学科」に *department* を当てるのがよい. (☞ 学校·教育 (囲み))
¶ 文[理]*学部 the *College* of 「Literature [Science] // 工*学部 the *College* of Engineering // 理工*学部 the *College* [*Institute*] of 「Science and Engineering [Technology] // 経済*学部 the *College* of Economics / the *School* of Economics // 教養*学部 the *College* of Arts and Sciences / (⇒ 専門課程ではない一般教育のための学部) the *College* of General Education // 我々の大学には 8 つの*学部がある There are eight *colleges* in our university. // この*学部には何人の教員がいますか How many *faculty* (*members*) are there in this *college*? // 私は経済*学部の学生です I'm 「studying [majoring in] economics. // *学部の学生(大学院生に対して) an ùndergráduate **学部長** dean Ⓒ.

がくふう 学風 (学問の伝統) àcadémic tradítion Ⓒ; (学問上の遺産) àcadèmic héritage Ⓒ. (☞ こうふう). ¶ *学風が異なる (⇒ 研究方法が違う) have different *research methods* / (⇒ 異なる学派に属する) belong to a different *school*

かくふく 拡幅 ― 動 (広げる) widen ⑩.
¶ 道路は*拡幅中だ The road *is being widened*.

がくぶち 額縁 (picture) frame Ⓒ (☞ がく²).

かくぶんぽう 格文法 〔言〕case grammar Ⓤ.

かくべえじし 角兵衛獅子 lion dance Ⓒ; (説明的には) ritual dance performed by one or several young boys in itinerant troupes who wear lion headdresses Ⓒ.

かくへき 隔壁 (船·航空機などの内部の仕切り) bulkhead Ⓒ; (建物の) partítion Ⓒ.

かくべつ 格別 ― 形 (例外的な) exceptional; (いつもと違った) unusual ★ 前者のほうが意味が強い; (異常なほど著しい) remarkable. ― 副 exceptionally; unusually; remarkably. (☞ とくに (類義語); とくべつ). ¶ きょうの暑さは*格別だ (⇒ きょうは例外的に暑い) It's 「*exceptionally* [*unusually*] hot today. / Today's heat [The heat today] is 「*exceptional* [*unusual*]. // *格別のこともなく 1 年が過ぎた A year (has) passed 「(⇒ おだやかに) *peacefully* [(⇒ とりたてて言うこともなく) *without any events* (*worth mentioning*)].

かくほ 確保 ― 動 (手に入れて保持する) secure ⑩; (苦労して手に入れる) obtain ⑩. (☞ かくとく).
¶ あなたのために座席を*確保しておきました I 「*saved* [*got*] a seat for you. // 食糧は十分*確保してある (⇒ 食糧の十分な供給が手元にある) We *have* a good supply of food *on hand*. / (⇒ 食糧は十分に供給されている) We *are* well *supplied with* food.

がくぼ 岳母 mother-in-law Ⓒ.

かくほう 確報 (確認された) confirmed report Ⓒ; (確かな) reliable report Ⓒ; (信頼すべきソースのあるニュース) authentic news Ⓤ.

かくぼう 角帽 (大学などの式帽) mortarboard Ⓒ.

がくほう 学報 (学会などの) bulletin /búlətn/ Ⓒ; (学校の) school newspaper Ⓒ.

がくぼう 学帽 school cap Ⓒ.

かくほうめん 各方面 ― 副 in every direction, in all directions ★ 前者のほうが少し意味が強い. (☞ たほうめん). ¶ 彼の商売は*各方面に発展している His business is expanding *in* 「*every direction* [*all directions*]. // それは*各方面 (⇒ あらゆる種類の人々) に多大な影響を与えた It had a great influence on *all kinds of people*.

かくまう 匿う (ひそかに隠す) hide ⑩; (悪事を働いた者をかくまう) 《格式》harbor ⑩; (危険に迫られている人に隠れ場所を提供する) give réfuge to .... (☞ かくす). ¶ 犯罪者を*かくまうのは不法だ It is 「against the law [illegal] to 「*hide* [*harbor*] a criminal. // だれもその亡命者を*かくまう者はいなかった No one *gave refuge to* the defector. // その亡命者はアメリカ大使館に*かくまわれている (⇒ 保護されている) The 「defector [political refugee] is *sheltering in* the American embassy.

かくまく¹ 角膜 〔解〕 ― 名 cornea /kɔ́ːniə/ Ⓒ. ― 形 corneal. **角膜移植** transplantation of the cornea Ⓤ, córneal [córnea] tránsplant Ⓒ **角膜炎** inflammation of the cornea Ⓤ **角膜銀行** ☞ アイバンク

かくまく² 隔膜 septum Ⓒ, diaphragm /dáɪəfræ̀m/ Ⓒ ★ 後者は特に横隔膜を指すことが多い. (☞ おうかくまく).

かくまつじゃく 郭沫若 ― 名 固 Guo Moruo /gwóumòuʤuóu/, 1891–1978. ★ 中国の文学者·歴史家.

がくむ 学務 school affairs ★ 複数形で. **学務課** the school affairs office ★ もし教務課と同じなら the registrar's office とする.

かくめい 革命 ― 名 revolution Ⓒ. ― 動 (革命を起こす) revolutionize ⑩. ― 形 (革命的な) revolutionary. (☞ せいへん¹; クーデター).

日英比較 日本語では革命は結果の成否には関係なく用いるが, 英語の revolution は成就した変革をいうので, revolution を挫折させる (defeat), 鎮める (put down), 粉砕する (crush) などとは普通は言えない. このような場合には rebellion (反乱), revolt (反抗), insurrection (暴動) などを用いる方がよい. ただし, 一旦成就した革命が失敗に終わる場合は上記の表現や a failed revolution のような言い方ができる.

¶ その国に*革命が起こった A *revolution* occurred in that country. // 軍の幹部が*革命を起こした Military leaders started the *revolution*. // *革命は成功した[失敗した] The *revolution* was 「successful [a failure]. // 飛行機は旅行の方法に*革命をもたらした Airplanes have 「brought about a *revolution* in [*revolutionized*] travel. // 武力[無血]*革命 an armed [a bloodless; a peaceful] *revolution* // 産業 [フランス] *革命 the 「Industrial [French] *Revolution* // *革命政府[運動] a *revolutionary* 「government [movement] // *革命的な考え a *revolutionary* idea // 電子技術の*革命的な進歩 a *revolutionary* advance in electronic technology **革命歌** revolutionary song Ⓒ **革命家[児]** revolutionary Ⓒ, revolutionist Ⓒ ★ 前者のほうが普通. **革命暦** 〔史〕Revolutionary calendar Ⓤ.

コロケーション

革命に参加する join a *revolution* / 革命の引き金となる trigger a *revolution* / 革命を起こす start a *revolution* / 革命を企てる plot a *revolution* / 革命を準備する organize a *revolution* / 革命(軍)を鎮圧する[破る] crush [defeat; put down] a *revolution* / 革命を成し遂げる accomplish [achieve; carry out] a *revolution* / 革命を引き起こす spark a *revolution* // エネルギー革命 an energy *revolution* / 技術革命 a technological *revolution* / 共産主義[反共産主義]革命 a communist [an anti-communist] *revolution* / コンピューター革命 a computer *revolution* / 産業革命 the Industrial *Revolution* / 情報革命 the information *revolution* / 情報伝達革命 a communications *revolution* / 政治革命 a political *revolution* / 文化大革命 the Cultural *Revolution* / 暴力革命 a violent *revolution*

がくめい 学名 scientific name Ⓒ; (植物 [動物] の) botánical [zóològical] náme Ⓒ 参考 学名は一般にラテン語で書かれることが多いので, くだけた表現では Latin name ということもある. **学名命名法** nomenclature /nóumənklèitə/ Ⓤ.

がくめん 額面 (切手や貨幣などの表面にしるされた金額) face value Ⓤ. ¶ *額面どおりに受け取る accept [take] ... at *face value* // その株は*額面以下 [以上]の値がついている The shares are selling ⌐*below* [*above*] *par*. **額面価格** face value Ⓤ **額面株** par-value [face-value] stock Ⓒ **額面発行** ¶ 株券を*額面発行する *issue* stock certificates *at* ⌐*par* [*face*] *value* **額面割れ** drop below par Ⓒ.

がくもん 学問 ― 名 learning Ⓤ; study Ⓒ ★ときに複数形で; scholarship Ⓤ; education Ⓤ; knowledge Ⓤ; science Ⓤ. ― 形 (学問的な) academic; (学者的な) scholastic; (科学的な) scientific.

【類義語】一般には **learning**. 特に従事している学業や研究には **studies**.「学識」には **scholarship** を用いる. 広い意味では「教育」**education** や「知識」**knowledge**,「科学」**science** をも含めることができる. (☞ がく³; がくしき¹; ちしき)

¶ 多くの*学問分野からの学者が会合に参加していた There were scholars from ⌐a wide rage of *disciplines* [various branches of *learning*] at the meeting. // 彼の仕事には大した*学問は必要ない His job requires little ⌐*learning* [*education*]. // *学問に王道なし There is no royal road to ⌐*learning* [*knowledge*]. 《ことわざ》 // その著作は*学問の進歩に大いに貢献した The book ⌐contributed greatly [was a great contribution; made a great contribution] to the advancement of *learning*. // 社会学は社会現象を論ずる*学問である Sociology is a *science* which deals with social phenomena. // *学問のない人 an *uneducated* person // *学問のための*学問 *learning* for its own sake // *学問の自由 *academic* freedom // 私はみんな耳*学問でしてね Mine is all second-hand *knowledge*. // 彼はなかなか*学問がある He is truly *learned*. // 彼の論文は*学問的でないと非難されている His papers are disparaged as being non-*academic* // *学問をひけらかす parade [show off] *one's learning*

がくや 楽屋 (出演者控え室) greenroom Ⓒ ★ the を付けて. やや古い用法; (舞台裏の) dressing room Ⓒ. **楽屋入り** ¶ *楽屋入りをする *enter the* ⌐*greenroom* [*dressing room*] (for the performance) **楽屋裏** ¶ *楽屋裏の話 (⇒ 内輪だけの話) the *inside* story // *楽屋裏をさらけ出す (⇒ 内部の事実を全部知らせる) make known all *the inside information* **楽屋口** stage door Ⓒ **楽屋雀** (楽屋への頻繁な訪問者) greenroom frequenter Ⓒ; (裏話の好きな人) theater gossip Ⓒ **楽屋話** greenroom talk Ⓒ; (内輪の話) inside story Ⓒ. ¶ 私は彼女のスキャンダルについての*楽屋話を聞いた I heard an *inside story* about the scandal concerning her.

かくやく 確約 ― 動 (明確に約束する) make a définite prómise, prómise ⌐absolútely [définitely] ★ 後者のほうが改まった言い方; (誓約を与える) give *one's* word to .... (☞ やくそく).

¶ *確約いたしかねます I cannot *make a definite promise*. / I cannot *promise* ⌐*absolutely* [*definitely*]. // *確約しましょう I *give you my word*. / (⇒ それは私の誓言です) It's *my word of honor*.

かくやす 格安 (安い買い物) bargain Ⓒ; 《略式》good buy Ⓒ. (☞ やすい; ほりだしもの). ¶ このテレビは*格安だった This TV set was ⌐*quite a bargain* [*a good buy*].

かぐやひめ かぐや姫 ― 名 固 Princess Kaguya (of the *Tale of the Bamboo Cutter*).

がくゆう 学友 fellow student Ⓒ; (同窓) schoolmate Ⓒ ★ 後者はやや古い用法. (☞ ともだち; どうそう; どうきゅう).

がくようひん 学用品 school ⌐things [supplies] ★ 複数形で. (☞ ぶんぼうぐ).

かぐら 神楽 *kagura* Ⓤ; (説明的には) Shinto dance accompanied by music and performed on a sacred occasion Ⓤ. **神楽歌** hymn sung in *kagura* Ⓒ **神楽囃子** musical accompaniment to *kagura* (dance) Ⓒ.

かくらん¹ 攪乱 ― 動 (かき乱す・動揺させる) disturb 他; (混乱に陥れる) throw ... into confusion. ― 名 disturbance Ⓤ. (☞ みだす¹; かきみだす).

かくらん² 霍乱 (熱射病) heatstroke Ⓤ; (日射病) sunstroke Ⓤ. ¶ 鬼の*霍乱 ☞ おに

がくらん 学らん 〖服〗 male student's uniform, typically consisting of a long jacket with a closed collar and loose trousers Ⓒ ★ 説明的な訳.

かくり 隔離 ― 動 (患者を隔離する) isolate /áisəlèit/ 他 語法 一般的な語で, 病気のためだけでなく, ほかのものから離して孤立させる意味にも用いる; (病気予防のための) quarantine /kwɔ́:rəntì:n/ 他. ― 名 isolation Ⓤ; quarantine Ⓤ.

¶ 彼はコレラで*隔離された He *was quarantined* with cholera. / He *was put in quarantine* with cholera. **隔離患者** quarantined patient Ⓒ **隔離期間** quarantine Ⓤ, quarantine period Ⓒ **隔離病棟** isolation ward Ⓒ.

がくり 学理 (理論) theory Ⓒ; (科学的原理) scientific principle Ⓒ.

かくりつ¹ 確立 ― 動 (確立する) establish 他; (築き上げる) bùild úp 他; (基礎などを固定させる) lay 他 《過去・過分 laid》. ― 名 establishment Ⓤ. ¶ 我々は永遠の世界平和を*確立しなくてはならない We must *establish* lasting world peace. // その会社は公正な商法で広く名声を*確立した The firm ⌐*built up* [*established*] a widespread reputation for fair dealing. // 彼は新しい科学の基礎を*確立した人である He was the man who *laid* the foundation(s) of a new science.

かくりつ² 確率 〖数〗 probability Ⓤ (☞ こうさん¹; かのうせい). ¶ 我々の勝つ*確率は5分の1だ The *probability* of ⌐us [our] winning is one in five. // 彼の案は成功する*確率が高い The success of his plan is highly *probable*. **確率変数** 〖統〗 random variable Ⓒ **確率論** probability theory Ⓤ, (the theory of) probability Ⓤ.

かくりょう 閣僚 cabinet ⌐member [minister] Ⓒ, member of the cabinet Ⓒ 語法 of を用いるほうが格式ばった言い方. 特定の内閣を指すときはしばしば大文字で始められる. (☞ ないかく¹; かくぎ²; だいじん¹; 大文字 (巻末)). ¶ すべての*閣僚は個人資産の公開が義務づけられている All *Cabinet members* are required to disclose their personal wealth. **閣僚会議** ☞ かくぎ¹ **閣僚懇談会** informal gathering of ministers for discussion(s) Ⓒ **閣僚ポスト** cabinet post Ⓒ **閣僚名簿** the list of the names of the cabinet members.

がくりょう 学寮 school dormitory Ⓒ; (大学の) college dormitory Ⓒ; (英国の古い大学の) college Ⓒ.

がくりょく 学力 scholarship Ⓤ, learning Ⓤ

語法 以上2つはほぼ同意になることもあるが，前者は古典などの，より学問的な力をいうのに対し，後者は一般的な学習や技術の習得を意味することが多い．《☞ がくもん(類義語); がくしき¹》．

¶ 彼は*学力がある[ない] He is a ⌈good [poor] *scholar*. / (⇒ 彼は学力においてすぐれている[いない]) He is ⌈excellent [poor] in ⌈*scholarship* [*scholarly work*]. // ブラウン氏の*学力は大したものだ Mr. Brown is a man of great ⌈*scholarship* [*learning*]. // このごろの学生は*学力がない (⇒ 学力が低い) Students today are poor in *scholarship*. // 彼女は英語の*学力がない (⇒ 知識が多くない) She does not have much *knowledge* of English. / (⇒ 英語ができない) She is poor ⌈in [at] English.

学力適性テスト SAT. ★ Scholastic Assessment (旧称 Aptitude) Test の略.《米》の大学進学適性テスト. **学力テスト[検査]** achievement test Ⓒ.

かくれ 隠れ ── 形 secret. ── 接頭 (主義などが秘密の) crypto-. ¶ *隠れファン a *secret* fan (of ...) // *隠れファシスト a *crypto*-fascist

隠れもない (明らかな) open; (知れ渡っている) well-known; (悪名高い) notorious. **隠れキリシタン** crypto-Christian Ⓒ **隠れ念仏** crypto-⌈*Jodo* sect [Pure Land] Buddhism Ⓤ **隠れ場所** hiding place Ⓒ; (避難所) refuge Ⓒ; (犯人の) hideout Ⓒ.

がくれい 学齢 school age Ⓤ. ¶ うちの息子は*学齢に達している[達していない] My son ⌈has reached [is under] *school age*. **学齢人口** the number of school-age children.

かくれおに 隠れ鬼 ☞ かくれんぼう

かくれが 隠れ家 hiding place Ⓒ; (犯人などの) hideout Ⓒ. ¶ *隠れ家を突きとめる locate *a person's hideout*

がくれき 学歴 (学校に通うこと) schooling Ⓤ; (学校教育) school education Ⓤ; (教育上の経歴) educational background Ⓤ, academic career Ⓒ ★ 後者のほうがやや格式ばった表現.《☞ きょういく; けいれき》. ¶ あの人はほとんど*学歴がない He has had little *schooling*. / (⇒ 彼は学校教育はほとんど受けなかった) He has hardly received any (*school*) *education*. // 彼女は*学歴が高い (⇒ 彼女はよい学校教育を受けた) She has had a good (*school*) *education*. / She *is* highly *educated*. ★ 後者はやや格式ばった表現. **学歴詐称** falsifying [faking] *one's* academic record Ⓤ **学歴社会** ¶ 日本は*学歴社会だ (⇒ 日本の社会は学歴を重んじる) Japanese society *places* a great deal of *importance on one's academic background*. **学歴偏重** (学歴の過大評価) overvaluation of educational background Ⓤ.

かくれみの 隠れ蓑 (悪事などの) front Ⓒ; (遮蔽物) cover Ⓒ; (伝説上の) magic cloak Ⓒ.
¶ 麻薬密輸業者の*隠れみの a *front* for drug smugglers // 友情を*隠れみのにして (⇒ 友情の名のもとに) under (the) *cover* of friendship

かくれる 隠れる hide ⓐ《過去 hid; 過分 hidden》; (身を隠す) hide *oneself*; (隠れている) keep (*oneself*) out of sight.《☞ かくす》.
¶ 彼はどこに*隠れているだろうか Where *is* he *hiding*? // 木立の中に*隠れる *hide* among the trees // 子供はカーテンの後ろに*隠れた The child *hid* behind the curtain. // 彼はなぜ*隠れているのだろうか Why does he *keep* (*himself*) *out of sight*? // 太陽が雲に*隠れた (⇒ 雲が太陽を隠した) The clouds *hid* the sun. / (⇒ 太陽が雲に覆われた) The sun *was* ⌈*covered* [*hidden*] by (the) clouds. // その子供は親に*隠れて (⇒ 親に見られずに [気付かれずに]) たばこを吸った The boy smoked a cigarette *without being* ⌈*seen* [*noticed*] by his parents. // その岩は高潮のとき水面下に*隠れる (⇒ 水面下にある) The rock is under the water at high tide.

かくれんぼう 隠れん坊 hide-and-seek Ⓤ.
¶ *かくれん坊をしよう Let's play *hide-and-seek*.

かくろん¹ 各論 (細かな部分の説明・討論) detail /dɪtéɪl, dí:teɪl/ Ⓒ. ¶ 総論は終わりにして*各論に入ろう So much for the general outline. Now let's get down to ⌈(*the*) *details* [the *fine points*]. // それは*各論で詳しく述べてある (⇒ それぞれの見出しの下に) It is fully ⌈treated [explained] *under each heading*. // 総論賛成, *各論反対だ (⇒ 原則には反対ではないが, 各項目には賛成できない) I'm not against it on principle, but I can't agree with *every* ⌈*item* [*detail*].

かくろん² 確論 (確かな議論) solid argument Ⓒ; (健全な・合理的な論法) sound reasoning Ⓤ.

かぐわしい 香しい, 芳しい fragrant.

がくわり 学割 student discount Ⓒ《☞ わりびき》. ¶ *学割は 20% だ They ⌈make [give; allow] *a special discount* of 20% *for students*. // *学割あり《掲示》*Student Discount* Offered // *学割ありません《掲示》No *Student Discount*. **学割証明書** special discount certificate for students Ⓒ.

かくん 家訓 family motto Ⓒ.

がくんと ¶ エレベーターが*がくんと (⇒ ぐいと) 止まった The elevator ⌈stopped *with a jerk* [*jerked* to a stop]. / (⇒ 急に止まった) The elevator made an *abrupt* stop. // ひざが*がくんときた (⇒ ひざが急に折れ曲がった) My knees *buckled* under me. // 道が悪くて車は*がくんがくんと揺れた The car ⌈*jolted* [*bumped*] heavily on the rough road.《☞ 擬声・擬態語 (囲み)》

かけ¹ 賭 (一般に広い意味での) bet Ⓒ; (賭け金) stake Ⓒ ★ しばしば複数形で; (ばくち, 特に金を賭ける賭け事) gambling Ⓤ; (危険を伴う選択) a gamble ★ a を付けて.《☞ かける³; ばくち》. ¶ *賭をしよう Let's make a *bet*. // 彼は*賭に勝った[負けた] He ⌈won [lost] the *bet*. // 彼らはよくトランプで少額[高額]の*賭をする They often play cards for ⌈small [high; big] *stakes*.

かけ² 掛け credit Ⓤ《☞ つけ》. ¶ 当店では*掛け売りはいたしません We don't sell *on credit*. // 掛け買いをする buy [purchase] *on credit*

かけ³ 欠け ☞ かける²

-かけ¹, -がけ¹ …掛け (…の途中で) on *one's* way to ...; (…するときに) when ..., as ....《☞ とちゅう》. ¶ 書き*かけの手紙 a *half*-written letter // 食べ*かけのサンドイッチ a *half*-eaten sandwich // 吸い*かけの煙草 a *half*-smoked cigarette // 彼は仕事をやり*かけで出て行った He went out leaving his work ⌈*half-done* [*unfinished*]. // 帰り*がけに私の家に寄って下さい (⇒ 家へ帰る途中で) Please drop ⌈in at my house [by] *on your way home*.

-かけ², -がけ² …掛け **1**《…人が腰かけられる》: -person; (…人が腰かけられる) seating ..., for ... people. ¶ 3 人*掛けのソファー a 3-*person* ⌈couch [sofa] / a ⌈couch [sofa] *seating* three ★ 第 2 文のほうが普通. / a sofa *for three people*
2《掛ける物》 ¶ 帽子*掛け a hat *rack* // タオル*掛け a towel *rack*
3《体につけて・着て》: wearing. ¶ たすき*掛けで ☞ たすき // 私はゆかた*がけで (⇒ ゆかたを着て) 散歩した I took a walk ⌈*wearing* [*in*] (a) *yukata*.

かげ¹ 影 (輪郭・形のはっきりした投影) shadow Ⓒ ★ 比喩的にも用いられる; (シルエット) silhouette /sìluét/ Ⓒ; (水面などに映った映像) image /ímɪdʒ/ Ⓒ; (人影) figure Ⓒ.《☞ かげ²; ひとかげ》.
¶ 木の長い*影が地面に映っていた The long *shadow* of a tree was visible on the ground. / (⇒ 木が長

い影を地面に落としていた) The tree ˹cast [threw] a long *shadow* on the ground. // 彼女の犬は*影のように彼女につきまとっている Her dog follows her like a *shadow* wherever she goes. // 彼女の*影が障子に映っていた I saw her *silhouette* on the paper screen. // 富士山はその*影を水面に映していた (⇒映像が水面にあった) We could see the ˹*image* [*reflection*] of ˹Mt. [Mount] Fuji ˹on [in] the water. / (⇒水面に映し出されていた) Mt. [Mount] Fuji *was* ˹*reflected* [*mirrored*] ˹on [in] the water. // 彼女は見る*影もなかった (⇒以前の彼女の影に過ぎない) She's *a mere shadow* of her former self. // 彼は見る*影もなく落ちぶれていた (⇒見分けがつかない程に) He has changed for the worse, almost *beyond recognition.*

影が薄い ¶副社長は社長の下で*影が薄い The executive vice-president has *been pushed into the background by* the president./ (⇒あまり影響力がない) The executive vice-president *is not very influential* because of the president's presence. / (⇒社長の存在が副社長の存在をほとんど目立たせなくしている) The president's presence makes that of the executive vice-president hardly noticed.

影も形もない ── [動] disappear without (a) trace.
影を潜める (見えなくなる) disappear (自); (聞かれない) be not heard of; (例がない) have no instances of .... **影の内閣** the shadow cabinet.

> **コロケーション**
> かすかな影 a faint *shadow* / 黒い影 a ˹black [dark] *shadow* / 不吉な影 an ominous *shadow* / 輪郭のはっきりした[しない]影 a ˹sharp [dim] *shadow*

かげ² 陰 (日陰) shade [U] 《☞ かげ¹; ひかげ¹; こかげ¹》. ¶*陰になっているところで休もう Let's take a rest in the *shade*. // 男は建物の*陰に (⇒後ろに) 隠れた The man hid *behind* the building. // *陰で (⇒背後で) 人の悪口を言ってはいけない Don't criticize other people *behind* their backs. // *陰でだれかが糸を操っているに違いない Somebody must *be pulling* (*the*) *strings*. [語法] pull (the) strings で「(人形劇のように) 糸を操る」の意. // *陰になり日なたになり (⇒公的にも私的にも) 彼の運動を応援した I assisted his campaign both *publicly and privately*. **陰ながら** ¶*陰ながら (⇒お役に立てませんが) 御成功を祈ります I wish you success, *although I can't be* (*of*) *much help*. **陰の声** (テレビの) the mystery voice **陰干し** drying in the shade [U].

がけ 崖 cliff [C] ★特に海に面しているものをいう; (切り立った崖・山などに見られる絶壁) precipice /présəpɪs/ [C] ★前者より改まった語. 《☞ だんがい¹; ぜっぺき》.
¶その木は*崖っぷちに立っている The tree stands on the edge of a *cliff*. // 私は急な*崖をよじ登った I ˹climbed [scrambled up] a steep *cliff*. // 自動車が*崖から海に落ちた A car went over the ˹*cliff* [*precipice*] and fell in(to) the ocean. **崖崩れ** (大規模な山崩れや崖崩れ) landslide [C]; (少しずつぼろぼろ崩れる) cliff crumbling [U] **崖道** ledge [C].

> **コロケーション**
> 海岸に面した崖 an ocean *cliff* / 切り立った崖 a ˹vertical [sheer] *cliff* / 険しい崖 a ˹precípitous [steep] *cliff* / ごつごつした崖 a rugged *cliff* / 垂直に切り立った崖 a perpendicular *cliff* / 高い崖 a high *cliff* / 高くそびえる崖 a towering *cliff* / 張り出した崖 an overhanging *cliff*

かけあい 掛け合い (交渉) negòtiátion [C] ★しばしば複数形で用いる; (対話) diálògue [C]. 《☞ こうしょう¹》. ¶*掛け合い漫才 a comic *dialogue*

かけあう 掛け合う ── [動] (交渉する) negótiàte (自); (話し合う) talk (自); (駆け引きをする) bargain (自) (他). ── [名] negòtiátion [C], talk [C] ★いずれもしばしば複数形で.

【類義語】外交・商業などの正式な掛け合いで, 条件などを提示して正式に話し合うのは **negotiate**. 公式・非公式を問わず話し合うのを **talk** というが, これは口語的で一般的な語. 値段などの駆け引きをするのを **bargain** という. 《☞ こうしょう¹; かけひき; とりひき》

¶彼らは賃上げについて雇主と*掛け合った They *negotiated* with the employer about wage hikes. // 私が売り手と値段について*掛け合ってみましょう I'll ˹*talk* [*have a talk*] with the seller ˹about [over] the price. / I'll *bargain* with the seller.

かけあがる 駆け上がる run up (自) (他) 《☞ はしる》. ¶彼はタラップを[2階へ]*駆け上がった He *ran* ˹*up* the gangplank [*upstairs*].

かけあし 駆け足 ── [名] run [C]; (馬の) gállop [C]. ── [動] run (自); (馬が) gállop (自). 《☞ はしる》. ¶彼は*駆け足でやってきた (⇒走ってやってきた) He came ˹*running* [*at a run*]. // 馬は*駆け足になった The horse went into a *gallop*. // 私は*駆け足で美術館を回った I made a *hurried* round of the art museums /mjuːzíːəmz/. // 彼らは*駆け足で行進した They marched *at the double*. // *駆け足進め! *On the double*!

かけあわせる 掛け合わせる (交配させる) cross (他). ¶虎とライオンを*掛け合わせてライガーが生まれる A liger is produced by *crossing* a tiger and a lion.

かけい¹ 家系 (家柄) family [C] ★集合的に用いる; (血統) 《格式》 lineage /líniɪʤ/ [U]. 《☞ けっとう¹; いえがら》. **家系図** family tree [C] 《☞ 親族関係 (囲み)》.

かけい² 家計 (家庭の予算) the family budget; (家庭の金銭上のやりくり) family finance(s); (一家の生計費) household ˹expenses [costs] ★複数形で. 《☞ せいけい¹; くらし》.
¶我が家の*家計は豊かだ [苦しい] We are ˹*well* [*badly*] *off*. // うちの*家計は逼迫(ひっぱく)している Our *family finances* are tight. // 彼女は*家計を 10 パーセント切り詰めた She cut the ˹*living expenses* [*household costs*] by ten percent. // 物価の急騰が*家計に大きな影響を与えた Soaring prices strained *the family budget*. **家計簿** log [record] of household ˹expenses [expenditures] [C] ★log は「記録簿」の意, housekeeping accounts book [C]. ¶家内は*家計簿をつけません My wife doesn't keep a *record of household expenses*.

かけい³ 花茎 flower stalk [C] 《☞ くき》.
かけい⁴ 火刑 ☞ ひあぶり
かけい⁵ 家兄 my elder brother [C].
かけうどん 掛けうどん noodles in hot broth.
かけうり 掛け売り ── [名] credit [U], credit sale [C]. ── [動] (掛け売りする) sell ... on credit. 《☞ かけ²; クレジット; つけ》.
かげえ 影絵 (芸能としての) shadow picture [C]; (シルエット) silhouette /sìluét/ [C]. 《☞ かげ¹》.
かけおち 駆け落ち, 駈け落ち ── [動] rùn ˹awáy [óff] (with ...) (自), elópe (with ...) (自) ★後者のほうが格式ばった語. ── [名] elopement [C]. ¶その女性は恋人と*駆け落ちした The woman *ran* ˹*away* [*off*] *with* her lover.
かけおりる 駆け下りる run down ... 《☞ はしる》. ¶子供たちは斜面を*駆け下りた The children *ran down* the hill.
かけかえ 架け替え ── [名] rebuilding. ── [動] rebuild (他). ¶その橋は*架け替え作業中です The

bridge is being *rebuilt*.

かけがえのない 掛け替えのない ―形 (代わりの物がない) irreplaceable; (大切な) precious; (最愛の) dearest. ¶ あの人は*掛けがえのない (⇒ 代えることのできない) 大切な人です He is an important person who cannot *be replaced* (by anybody). // われわれはアマゾン川周辺の*掛けがえのない (⇒ 貴重な) 環境を破壊してはならない We should never destroy the *precious* environment of the Amazon.

かけがね 掛け金 ―名 (ドアなどの) latch Ⓒ; (箱などの) hasp Ⓒ ★ 普通南京錠 (padlock) で止める.

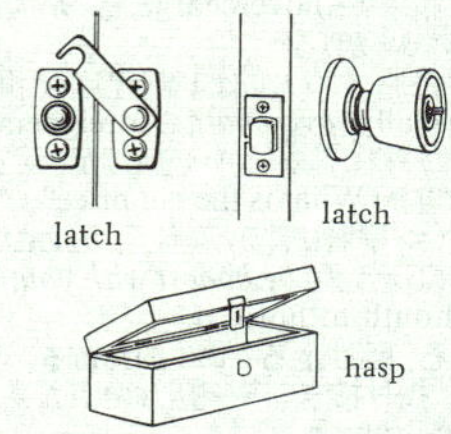

―動 (掛け金を掛ける) latch ⓗ. (☞ かぎ¹; じょう²; とめがね). ¶ 戸に*掛け金を掛けて下さい Please *latch* the door. // 戸の*掛け金がはずれていた The door was ⌈*unlatched* [*off the latch*].

かげき¹ 過激 ―形 (急進的な) radical; (極端な) extreme; (暴力的な) violent; (極左の) ultraleftist. (☞ きゅうしん¹; きょくたん).
¶ *過激な思想 a *radical* idea // *過激な学生 a *radical* student // *過激な学生運動 *radical* student movement
過激派 radical Ⓒ; (極端な行動に出る者) extrémist Ⓒ; (極左運動家) ultraleftist Ⓒ.

かげき² 歌劇 ópera Ⓒ (☞ オペラ).
¶ 彼女は今度のシーズンの*歌劇に出演します She will sing in an *opera* for the next season.
歌劇歌手 opera singer Ⓒ **歌劇場** opera house Ⓒ **歌劇団** opera company Ⓒ.

かけきん¹ 掛け金 (月賦などの) instállment (《英》 instalment) Ⓒ; (保険の) prémium Ⓒ. ¶ 生命保険の毎月の*掛け金はいくら払っていますか How much ⌈is [do you pay for] the monthly *premium* on your life insurance?

かけきん² 賭け金 bet Ⓒ, (the) stakes Ⓒ ★ 後者は通例複数形で.

かげぐち 陰口 ―動 (悪口を言う) criticize ⓗ, speak ill of ...; ★ 後者はやや古風, 口語では bad-mouth ⓗ という. (本人のいないところで悪く言う) báckbìte ⓗ. ―名 backbiting Ⓤ. (☞ わるくち). ¶ *陰口をきいてはいけない (⇒ 陰でほかの人の悪口を言うな) Don't ⌈*criticize* [*bad-mouth*; *speak ill of*] others *behind their back*(*s*). // *陰口 (⇒ 悪意のあるうわさ話) を気にしないほうがよい You shouldn't worry about *malicious gossip*.

かけくらべ 駆け競べ ☞ かけっこ

かけごえ 掛け声 ―動 (大声を出す) shout ⓐ ⓗ; (人に呼びかける) call (to ...) ⓐ. ―名 shout Ⓒ; call Ⓒ. (☞ おおごえ).
¶ 彼らは綱を引くたびに「よいしょ」と*掛け声をかけた They *shouted*, "Yo-heave-ho!" every time they gave a strong pull on the rope. // その計画は*掛け声だけに終わった (⇒ その計画は結局実現しなかった) The plan *did not materialize* in the end.

かけごと 賭け事 gambling Ⓤ. ¶ 彼は*賭け事で親が残してくれた莫大な財産を失った He *gambled away* the large fortune his parents left him.

かけことば 懸け詞, 掛け詞 (地口) pun Ⓒ; (ことば遊び) play on words Ⓤ.

かけこみ 駆け込み ¶ 利率の引き上げに先立ってローンの*駆け込み申請がたくさんあった There were a great many *last-minute* loan applications prior to the hike in interest rates. **駆け込み訴え** direct appeal to the magistrate Ⓒ (☞ じきそ) **駆け込み乗車** jumping onto a train when its doors are closing Ⓤ **駆け込み寺** temple offering refuge to women seeking (a) divorce Ⓒ **駆け込み亡命** ¶ *駆け込み亡命をする run into an extraterritorial area to ask for political asylum

かけこむ 駆け込む (走り込む) run into ...; (保護を求める) séek réfuge in .... ¶ 彼は家の中に*駆け込んだ He *ran into* the house. // その男は大使館に*駆け込んだ (⇒ 保護を求めた) The man *sought refuge in* the embassy.

かけざん 掛け算 ―名 mùltiplicátion Ⓤ (↔ division). ―動 múltiplỳ ⓗ, do [perform] multiplication ★ [ ] 内は格式語. (☞ かける¹; くく¹; 数字 (囲み)). ¶ 次の数を*掛け算しなさい *Multiply* the following numbers.

かけじ 掛け字 ☞ かけじく

がけじ 崖路 ☞ がけ (崖道)

かけじく 掛け軸 hanging scroll Ⓒ.

かけじる 掛け汁 (サラダなどへの) dressing Ⓤ; (肉汁) gravy Ⓤ; (ソース) sauce Ⓤ.

かけす 懸巣 〘鳥〙 (Japanese) jay Ⓒ.

かけず 掛け図 (地図) wall map Ⓒ; (図表) wall chart Ⓒ.

かけすて 掛け捨て ¶ *掛け捨ての 保険 (⇒ 定期の) *term* insurance

かけずりまわる 駆けずり回る rùn ⌈aróund [abóut] ⓐ (☞ かけまわる).

かげぜん 陰膳 meal set for *a person* far away from home (with wishes for ⌈his [her] safe return) Ⓒ.

かけそば 掛け蕎麦 buckwheat noodles in hot broth.

かけだおれ 掛け倒れ (貸し倒れ(金)) bad credit Ⓒ.

かけだし 駆け出し ―名 (初心者) beginner Ⓒ; (未経験者) inexpérienced pérson Ⓒ; (新米) novice /návɪs/ Ⓒ, tyro (《英》 tiro) Ⓒ. ―形 inexperienced; (特に新聞記者などについて, 若くて未経験の) (《略式》) cub Ⓐ. (☞ しょしんしゃ; しんまい).
¶ 私はまだ*駆け出しです I'm just a ⌈*beginner* [*novice*]. / (⇒ この職業に関しては未経験です) I'm *inexperienced* at this ⌈work [job]. // *駆け出しの新聞記者 a *cub* (newspaper) reporter

かけだす 駆け出す (外へ) rùn óut ⓐ; (駆け始める) start running, begin to run. ¶ 彼は急に部屋から表へ*駆け出した He suddenly *ran out of* the room.

かげち 陰地 shaded ⌈lot [ground] Ⓒ.

かけちがい 掛け違い mismatch Ⓒ (☞ かけちがう). ¶ その不幸な事件は 2 人の間のボタンの*掛け違いから始まった The unfortunate incident started from *an accidental mismatch in expectations* between the two.

かけちがう 掛け違う **1** 《行き違う》: pass each other. ¶ 私達は途中で*掛け違ったらしい We seem to have *passed each other* on the way.
2 《ボタンなどをはめ違える》: fail to button up properly. ¶ ボタンの*掛け違えをしているよ You haven't buttoned up properly. / (⇒ 出発点が食い違った) You've started in the wrong way.

かけつ 可決 ―動 (認める・承認する) approve ⓗ (↔ disapprove; reject); (議会で法案を) pass ⓗ ⓐ; (動議を) carry ⓗ, adopt ⓗ (↔ reject, turn

down). (☞ しょうにん³).
¶その提案は*可決された The proposal *was approved.* // その法案は衆議院で*可決された The bill ⌈*was passed* by [(⇒通過した) *passed in*] the House of Representatives. // その動議[決議案]は満場一致で*可決された The ⌈motion [resolution] *was* ⌈*carried* [*adopted*] unanimously.

-かげつ …箇月 month Ⓒ. ¶一*箇月 a [one] *month* // この子犬は生後三*箇月だ This puppy is three *months* old. / This is a three-*month*-old puppy. (☞ なん-; にんしん)

かけつぎ 掛け接ぎ 〔碁〕 *kaketsugi* Ⓒ; (説明的には) one of the measures to maintain the continuity of *go*-stones by placing a stone leaving an eye in between.

かけつけさんばい 駆けつけ三杯 ¶遅刻したものは*駆けつけ三杯ということになっている Latecomers are required to (*gulp*) *down three cups of sake as soon as they arrive.*

かけつける 駆けつける (走って行く・走って来る) run (to …) ⓐ; (走りながら来る) come running; (突進するように行く) rush (to …) ⓐ; (急いで行く) hurry (to …) ⓐ. (☞ はしる; いそぐ). ¶彼らは彼女の救助に*駆けつけた They *ran to* her aid. // 警察が現場に*駆けつけた The police *rushed to* the scene. // すぐ駅に*駆けつけたほうがいいですよ You'd better *hurry to* the station.

かけっこ 駆けっこ ―名 (競走) race Ⓒ. ―動 (走る) run ⓐ; (競走する) have [run] a race. (☞ きょうそう²; はしる).

かけづつ 掛け筒 cylindrical flower vase hung on the wall or a post Ⓒ.

かけづり 掛け釣り fishing with a long-handed hook Ⓤ.

かけて **1** «…から…にわたって» ¶私は7月から8月に*かけてヨーロッパを旅行する予定です (⇒7月から8月まで) I'm going to travel [I'll be traveling] in Europe ⌈*from* July *to* August [(⇒7月と8月に) *in* July and August]. (☞ -から) // 月曜日から木曜日に*かけて留守にします I won't be at home *from* Monday ⌈*to* [(米) *through*] Thursday. 語法 through は to よりも期間が長い含みがある. // 週末に*かけて泊まりがけでいらっしゃい (⇒週末の間) Please come and stay at my home ⌈*over* [(米) *on*; (英) *at*] the weekend. // いまから夜に*かけて一雨ありそうだ (⇒夕方近くに) It's likely to rain *toward* (the) evening. // 関東から東北に*かけて雪が降った It snowed *in* the Kanto and Tohoku regions. // 首から背中に*かけて痛む I have a pain *from* my neck down *to* my back.
2 «…に関して» ¶彼は音楽に*かけては天才だ (⇒彼は音楽の才能を持っている) He has a genius *for* music. / He is a genius ⌈*at* [*when it comes to*] music. // 野球に*かけては彼にかなう者はいない (⇒野球のことになると) *When it comes to* baseball, no one can beat him.
【参考語】(…について) about …, on …, as to …, concerning …, regarding …, as regards …; (に関する限り) as for …; as far as … is concerned; (…に対する) for …

かけどけい 掛け時計 wall clock Ⓒ.

かけとり 掛け取り (人) bill collector Ⓒ; (行為) collection of bills; bill collection. ¶負債者から勘定を*掛け取りに回る go round *collecting bills* from debtors

かけとりひき 掛け取引 dealings [sales] on credit (☞ とりひき).

かけなげ 掛け投げ (相撲の技) *kakenage* Ⓤ; (説明的には) hooking inner thigh throw Ⓤ. ¶その力士は*掛け投げを打った The wrestler threw his opponent down by *kakenage.* / (⇒内側から相手の足をはね上げながら投げた) The wrestler threw his opponent down while kicking up his leg from the inside.

かけぬける 駆け抜ける ¶3人のランナーがほとんど同時にゴールを*駆け抜けた Three runners *ran* across the finish line almost at the same time. // 一人の少年が私たちのわきを*駆け抜けた A little boy *ran* past us from behind.

かけね 掛け値 ―名 (普通より高い値段) óvercharge Ⓒ; (誇張) exaggeration Ⓒ. ―動 (不当な代金を請求する) òverchárge ⓗ ★ 人を目的語とする. (☞ ふっかける).
¶彼らは普通外国人には1割程度の*掛け値をする They usually *overcharge* foreigners (by) ten percent. // *掛け値なしでいくらですか (⇒正味の値段はいくらですか) What is the *net* price? // *掛け値のないところ (⇒率直に言うと) 仕上げるのにたっぷり1か月かかるでしょう *To be honest with you,* it'll take a whole month to finish it.

かけのぼる 駆け上る ☞ かけあがる

かけはぎ 掛け接ぎ ―動 (はぎ目が見えないようにはぐ) fine-draw ⓗ.

かけはし 掛け橋 ¶2者の*かけ橋 a *bridge* between two parties // 東西の*かけ橋 (⇒仲介者) となる act as a *go-between* for East and West

かけはなれる 掛け離れる, 懸け離れる (距離が) be ⌈a long way (off) [far away] from … ★ 前者のほうがより口語的; (内容がひどく違っている) be quite different from …; (…どころかまったく反対である) be far from … ¶その町はここと*かけ離れている That town *is* ⌈*a long way* [*far away*] *from* here. // 2人の意見はまったく*かけ離れていた The opinions of the two people *were quite different from* each other. // それは事実とは*かけ離れている It *is far from* ⌈being true [the truth].

かけばり 掛け針, 掛け鉤 (裁縫で) (use of) a pin with a loop of thread attached to keep the cloth stretched in blindstitching ★ 説明的な訳; (釣り針の) long-handed hook Ⓒ.

かけひ 懸け樋, 筧 bamboo water pipe Ⓒ.

かけひき 駆け引き ―動 (値段などについて相手と交渉する) bargain with …, make [strike] a bargain with …; (策略を用いる) use ⌈tactics [strategy]. ―名 (値段などの交渉の結果まとまる売買契約) bargain Ⓒ; (策略) tactics ★ 複数形で. (☞ かけあう (類義語)). ¶彼はその商人と値段の[じゅうたんについて] *駆け引きをした He ⌈*bargained* [*made a bargain*] *with* the merchant ⌈*over* the price [*for* the rug]. // あの人は*駆け引きがうまい (⇒人との交渉にすぐれている) He *is skilled* ⌈*at* [*in*] *dealing with other people.* / (⇒交渉の上手な人だ) He is a ⌈*skillful* [*skilled*] *negotiator.* / (⇒策略を用いるのがうまい) He is good at (*using*) ⌈*tactics* [*strategy*]. ★ この順に口語的になる.

かげひなた 陰日向 ¶彼は*陰ひなたなく働く (⇒彼は良心的に働く) He works *conscientiously* /kɑ̀nʃiénʃəsli/. // 彼女には*陰ひなたがある (⇒誠実ではない) She is *not* ⌈an *honest* [a *reliable*] person. / (⇒裏表がある) She is ⌈*two-*[*double-*]*faced.* // あの人は*陰ひなたのない人だ (⇒正直な[良心的な]人だ) That man is ⌈an *honest* [a *conscientious*] person.

かけぶとん 掛け布団 (一般的に) covers ★ 通例複数形で; (中に毛や綿を入れて縫い合わせたもの) quilt Ⓒ; (羽毛布団) goosedown Ⓒ, eiderdown /áɪdədàun/ Ⓒ ★ goosedown のほうが一般的.
日英比較 欧米ではベッドにはあまりたくさんの掛け布団を掛けないのが普通で, 毛布 (blanket) を用いるのがごく一般的習慣である．寒いときには毛布を重ね，さらにその上に quilt や goosedown を重ねることもある．《☞ しんしつ¹ (挿絵)》．¶ 母親は子供に*掛け布団を掛けてやった The mother covered her child with a *blanket*. / The mother laid a *quilt* over her child.

かげふみ 影踏み (children's) game of stepping on each others' shadows Ⓒ ★ 説明的な訳.

かけへだて 懸け隔て ── 名 estrangement Ⓤ. ── 動 estrange ⑮, distance ⑮ ★ 前者は格式ばった語. ¶ 長期の戦争は 2 人を*懸け隔てることとなった The long warfare has ⌈*estranged* [*distanced*] the two.

かげべんけい 陰弁慶 ☞ うちべんけい

かげぼうし 影法師 shadow Ⓒ《☞ かげ¹》.

かけまわる 駆け回る (走り回る) rùn ⌈aróund [《英》abóut] ⑪; (かけずり回ってばかりいる) be on the run; (せわしく動き回る) bustle ⌈around [《英》about] ⑪; (忙しく立ち回る) be busy *doing* ..., busy *oneself* ⌈by [in] *doing* ... ★ 前者は状態の表現に，後者は特定または習慣的行為に用いる．《☞ とびあるく; とびまわる》．¶ 子猫が 1 匹部屋の中を*駆け回っている A kitten *is running* ⌈*around* [*about*] in the room. // きょうは一日方々を*駆け回ってばかりいた I spent ⌈all [the whole] day *running* ⌈*around* [*about*] here and there. / (⇒ 私はきょう一日あちこち訪問して忙しく過ごした) I ⌈*was* [*kept* (*myself*)] *busy* all day visiting various places. // 母はいつも*駆け回っています My mother *is always on the run*. // 私たちは基金集めに方々*駆け回った We *busied ourselves* raising funds.

かげむしゃ 影武者 double Ⓒ. ¶ *影武者となる act as *a double* (for ...)

かけめ 欠け目 **1**《欠けたところ》: break Ⓒ; (裂け目) rupture Ⓒ. **2**《囲碁の》: fake eye Ⓒ.

かけめぐる 駆け巡る run ⌈around [about] ⑪; (忙しく) rush around.《☞ はしる》.

かけもち 掛け持ち ¶ 私は 2 つの仕事を*掛け持ちしている (⇒ 仕事口が 2 つある) I have *two jobs* now. / (⇒ 2 つの違った仕事をしている) I have *two different kinds of work* to do. // 私はここでは*掛け持ちで働いているのです (⇒ 非常勤者として) I work here as a *part-timer*. // 彼は 3 つの大学を*掛け持ちで教えている (⇒ 3 つの異なった大学で) He teaches *at three different* colleges.《☞ けんむ》

かけもどる 駆け戻る run [rush] back (to ...)《☞ はしる》.

かけもの 掛け物 ☞ かけじく

かけよる 駆け寄る rùn úp to ...《☞ はしる》. ¶ その子は母親に*駆け寄った The child *ran up to* ⌈his [her] mother.

かけら 欠けら (断片) (broken) piece Ⓒ; (粉々の一片) fragment Ⓒ ★ 以上ほぼ同意だが，後者は改まった語; (パンなどの) crumb Ⓒ ★ 通例複数形で; (ほんの少し) trace Ⓒ, an ounce /áʊns/ ★ 本来，前者は「形跡」，後者は「1 オンス」の意.《☞ だんぺん¹; はへん》. ¶ ガラスの*かけら *pieces* [*fragments*] of broken glass // 彼には良心の*かけらもない He doesn't have ⌈*a trace* [*an ounce*] *of* conscience.

かげり 陰り，翳り ¶ 彼女の微笑には何の*陰りもなかった Her smile gave no hint of her *inner despair*. // 彼女の顔に*陰りがみえた I saw *a trace of melancholy* on her face. // 景気に*陰りが見え始めた (⇒ 取り引きが減り始めた) Business is beginning to ⌈*drop off* [*fall*].

かける¹ 掛ける，懸ける，架ける ★ 日本語の「掛ける」は比喩的にさまざまの意味で用いられる．例えば「気にかける」「はかりにかける」「税金・保険をかける」「会議・裁判にかける」「声をかける」「なぞをかける」「わなにかける」「迷惑・心配・苦労をかける」「疑いをかける」「望みをかける」など，かなり広い範囲にわたって用いられる．
本項ではそのようなものを扱うことはかえって記述の混乱を招くので，以上のようなものについては「気」「はかり」「税金」などの項目を参照するか，あるいは「はかりにかける」＝「はかる」,「疑いをかける」＝「疑う」のように，日本語を関連する動詞に言い直してその項目を参照されたい．

1《ぶら下げる》: hang ⑮ ⑪《過去・過分 hung》. ¶ 彼の部屋の壁には絵が*掛けてあった (⇒ 掛かっていた) A picture *was hanging on* the wall of his room. // 私は窓にカーテンを*掛けた I *hung* a curtain *over* the window. // オーバーはあのハンガーに*掛けなさい *Put* your overcoat *on* that hanger.

2《上にのせる》: (広げて) lay ⑮《過去・過分 laid》; (置く) put ⑮, place ⑮ ★ 後者はやや格式ばった語; (覆う) cover ⑮; (広げて敷く) spread ... ⌈on [over].《☞ かぶせる》.
¶ 食卓にこのテーブルクロスを*掛けて下さい Please ⌈*put* [*spread*] this (table)cloth ⌈over the dinner table. / (⇒ このテーブルクロスで食卓を覆って下さい) Please *cover* the dinner table *with* this (table)cloth. // もう 1 枚毛布を*掛けてあげましょうか Shall I ⌈*spread* [*put*] another blanket ⌈over [on] you? // やかんを火に (⇒ レンジに) *かけて下さい *Put* the kettle on (the stove), please. // 老人はテーブルに手を*かけて立ち上がった The old man *put* his hands on the table and stood up.

3《橋などを渡す》: (造る) build ⑮, constrúct ⑮ ★ 前者が口語的; (据える) pùt úp ⑮ ★ 口語的; (両端をつなぐ) span ⑮ 語法 川・入江などを目的語とし，以上の語より改まった語.《☞ はし¹; わたす》. ¶ この川に橋を*かける必要がある We must ⌈*build* [*put up*] a bridge over this river. // その川に*かけた橋 a bridge ⌈*over* [*across*; which *spans*] the river

4《身につける》: (着ている) wear ⑮; (着る) put on ⑮ 語法 (1) 身につけた状態を表すのが wear で，身につける動作を表すのが put on.
¶ 彼女は眼鏡を*かけている She *wears* glasses. / She *is wearing* glasses. / She *has* glásses *òn*. 語法 (2) 第 1 文は視力の関係で常に眼鏡をかけていることを表し，第 2 文，第 3 文は視力の如何を問わず現在眼鏡をかけている状態であることを表す.《☞ めがね》// 私はよくエプロンを*かけたままで買い物に出かける I often go shopping ⌈*in* [*wearing*] an apron.

5《振りまく》: (水などを注ぐ) pour ⑮; (振りまく) sprinkle ⑮; (はねかける) splash ⑮; (水をかける) water ⑮.《☞ そそぐ¹; ふりかける》.
¶ それに熱湯[ソース]を*かけて下さい Please *pour* some ⌈hot water [sauce] over it. // その車は私に泥を*かけた The car *splashed* mud ⌈over [on] me. // 花に水を*かける *water* the flowers

6《機械などを作動させる》: (CD・ラジオ・テープなどを) play ⑮; (エンジンなどを) start ⑮; (スイッチを入れる) tùrn [swítch] ón ⑮.
¶ 彼女はその CD [テープ] を何度も*かけた She *played* the ⌈CD [tape] over and over (again). // 彼は 1 日中ラジオを*かけている He *plays* the radio all day. // エンジンを*かける *start* the engine

7《金や時間を使う》: (費す) spend ⑮《過去・過分 spent》; (時間がかかる) take (time); (支払う) pay ⑮.《☞ つかう; ついやす》.
¶ 私は食事の支度に長い時間を*かけた I *spent* a ⌈long [lot of] time preparing the meal. // いくら時間を*かけてもいいから (⇒ 十分時間をかけて)，徹底的にやりなさい Take ⌈your time and [the time to] do it thoroughly. / (⇒ 好きなだけ時間を費してよい) You can *spend* as much time as you like (in

order) to do it thoroughly. // 彼らは3時間*かけてその問題を話し合った (⇒ 話し合うのに3時間かかった) It took them three hours to discuss the matter. // その旅行はいくら*かかりましたか (⇒ その旅行にいくら使いましたか) How much did you spend on the trip?

8 《腰をおろす》: sìt (dówn) 自, tàke (a séat) ★ 後者はやや格式ばった言い方. (☞ すわる[1]).
¶ どうぞお*掛け下さい Please 「sit down [take a seat]. / Please be seated. ★ これは丁寧で格式ばった表現. // どうぞお*掛けになったままでいて下さい Please 「remain [stay] seated.

9 《掛け算をする》 ¶ 4*掛ける6は24 (4×6=24) Four times six 「is [makes] twenty-four. / Four sixes are twenty-four. // 4に8を*掛けると32になる Four (multiplied) by eight 「make(s) [equal(s)] thirty-two. ★ やや改まった表現. (☞ 数字 (囲み); くく[1]).

10 《電話をする》: 《米》 call 他, 《英》 ríng (úp) 他 ★ 口語的. 目的語には「人」がくる; phone 他, telephone 他 ★ 前者のほうが口語的; (電話をかける) make a phone call [語法] 「…に電話をかける」ではなくて, 単に電話をかける動作を示すときに使う. (☞ でんわ). ¶ 今晩電話を*かけて下さい Please 「call me [ring me (up)] tonight. // あした電話を*かけます I'll phone you tomorrow.

かける[2] 欠ける —[動] (瀬戸物などが) chip 他 自; (不足する) lack 他; (所有していない) do not possess 他; (不足している) be lacking in …, be wanting in … [語法] 以上2つの表現はやや古風で, 現在はあまり使われない; (月が) wane 自. —[形] (見当たらない) missing. (☞ かく[3]; たりない; ふそく[1]).
¶ この茶わんの縁は*欠けている The rim of this cup is chipped. // その子供は音楽の才能が*欠けている The child 「lacks [has very little] musical talent. // 彼女は常識が*欠けている She lacks common sense. // このパンフレットは何ページか*欠けている Several pages are missing from this pamphlet. // クラブからまた一人メンバーが*欠けた (⇒ もう一人のメンバーがやめた[抜けた]) Another member 「left [dropped out of] the club.

かける[3] 賭ける bet … (on …) 《過去・過分 bet, betted》 ★ 一般的な語; (金・生命・名誉など重要なものを) stake 他; (賭け事をする) gamble 自; (危険を冒す) risk 他. (☞ かけ[1]).
¶ 彼はそのレースに1万円*賭けた He 「bet [staked] 10,000 yen on the race. // マージャンで*賭けるのはよくない (⇒ 金のためにマージャンをするのは) It's not good to 「play mah-jongg for money [gamble at mah-jongg]. // 我々は自らの将来をその事業に*賭ける We'll stake our future on that project. // 彼は命を*賭けて祖国を守った He defended his country at the risk of his own life. // *賭けてもいい. あの人はきっと来る I bet (that) she'll come.

かける[4] 駆ける run 自 (☞ はしる (類義語); かけあがる; かけおりる; かけこむ; かけだす; かけつける; かけまわる; かけよる).

かける[5] 翔ける (舞い上る・滑空する) soar 自; (飛ぶ) fly 自. ¶ 空を*翔ける数羽の鳥 several birds 「soaring [flying high] in the sky

-かける …掛ける ¶ 彼女は立ち*かけてまた腰を下ろした She started to stand up, but then sat down again. // 彼は私を見て何か言い*かけた He saw me and started to say something. // 事の次第がわかり*かけてきた I'm beginning to understand the situation.

かげる 陰る, 翳る (暗くなる) get dark.
¶ 日が*陰った (⇒ 太陽が雲の後ろに隠れた) The sun 「went [disappeared] behind the clouds. // 午後5時には日が*陰り始めた (⇒ 辺りが暗くなりはじめた) It was getting dark at five in the afternoon.

かげろう[1] 陽炎 shimmer (of the air) [C].

かげろう[2] 蜉蝣 mayfly [C]; 《英》 green drake [C].
¶ *かげろうの命 (⇒ 短い) brief [(⇒ はかない) ephemeral] 「life [existence]

かげろうにっき 蜻蛉日記 —[名] 固 Kageronikki; (説明的には) The Diary of a Mayfly, An Ephemeral Life, the first autobiographical diary written by a woman and given to the world (954–975) ★ 英訳本では The Gossamer 「Years [Diary] という題で知られる.

かけわたす 架け渡す ¶ 川に橋を*架け渡す build a bridge 「over [across] the river // 彼らは二本の電柱の間にロープを*架け渡した They hung a rope between two telephone poles.

かけん 家憲 the family (principles and) rules.

かげん[1] 加減 1 《数の加減》: addition and subtraction [U], adding and subtracting [U] ★ 後者のほうが動作を表す感じが強い. (☞ 数字 (囲み)).
2 《ほどよく調節すること》 ¶ *加減して食べなさい (⇒ 食べすぎるな) Don't overeat. // まだ小さい子供だから*加減してしかったほうがいい (⇒ あまり厳しくしかるな) He's a little child. Don't scold him too severely. (☞ てかげん; ちょうせつ)
3 《程度・具合》 ¶「風呂の*加減はいかがですか」「ちょうどよい(*加減)です」"How's the (temperature of the) bath (water)?" "It's 「warm [hot] enough." // 味*加減はいかがですか (⇒ どんな味か) How does it taste? / (⇒ 食べ物はお気に召しますか) How do you like the food? // 彼のばかさ*加減にはあきれた I was amazed 「at [by] his stupidity. // 「きょうはお*加減はいかがですか (⇒ 気分はどうですか)」「少し気分がいいです」"How do you feel today?" "I feel a little better, thanks." ★ 病気の人との対話. // もういい*加減にしろ (⇒ もうやめろ) Stop it! / Cut it (out)! [語法] 冗談やいたずらに対して言う. cut (out) は口語で stop の意. (☞ いいかげん)
加減法 (the method of) addition and subtraction.

かげん[2] 下弦 ¶ *下弦の月 a [the] waning moon

かげん[3] 下限 lower limit [C].

かげん[4] 過言 ☞ かごん

かげんじょうじょ 加減乗除 addition, subtraction, multiplication and division; (四則) the four basic operations of arithmetic. (☞ しそく[2]).

かけんひ 科研費 ☞ かがく[1] (科学研究費)

かこ[1] 過去 —[名] (過ぎ去った時) the past; (過ぎ去った出来事・経歴) past [C]. —[形] past. (☞ むかし; いぜん[1]).
¶ それは*過去の出来事だ It's a past event. / It's something from the past. ★ 後者のほうがやや格式ばった言い方. // *過去のことは水に流しましょう (⇒ 忘れましょう) Let's forget about past 「troubles [difficulties]. / Let bygones be bygones. 《ことわざ: 過去のことは過去のこととしておこう》 // *過去を振り返って見てみよう Let's look back (into the past). [参考] look back だけでも過去を振り返る意味になる. // *過去にはそんなことはしばしば起こった Such things often happened in the past. / (⇒ 大昔はごく普通だった) Such things were very common in olden 「times [days]. // 物価は*過去10年間上がりっぱなしだ Prices [Consumer prices] have been rising continuously for the 「past [last] ten years. // 彼女は歌手としては*過去の人だ As a singer she's 「through [a has-been]. // *過去のある女性 a woman with a past 過去完了 〖文法〗 past perfect [U]; (大過去) plùpérfect [U] ★ 個々には [C].

過去完了形〘文法〙past perfect form Ⓒ　過去完了時制〘文法〙the past perfect (tense)　過去形〘文法〙the past tense; ˹past (tense) [prétérit] fórm Ⓒ　過去時制〘文法〙the (simple) past (tense), the preterit ★ preterit はやや専門的.　過去帳 death register (of a family) Ⓒ　過去分詞〘文法〙past participle Ⓒ　過去問 (入試[数学]の) question [problem] asked in the past ˹entrance [math] examinations Ⓒ ★ 普通複数形で.

コロケーション

過去を書き換える rewrite the *past* / 過去をぬぐい去る wipe out the *past* / 過去を美化する glorify [romanticize] the *past* / 過去を葬り去る bury the *past* / 過去を理想化する idealize the *past* / 過去を忘れる forget the *past* // うさんくさい過去 a ˹suspicious [dubious] *past* / 輝かしい[栄光ある]過去 a ˹splendid [glorious] *past* / 苦痛に満ちた過去 a painful *past* / 暗い過去 a ˹dark [shadowy] *past* / 近い過去 the recent *past* / 遠い過去 the remote *past* / 謎に包まれた過去 a murky *past* / ぼんやりした過去 a dim *past* / 理想化された過去 an idealized *past*

かこ² 水夫 ☞ せんいん

かご¹ 籠 (編みかご) basket Ⓒ; (鳥かご) cage Ⓒ. ¶ *かごの鳥 a bird in a *cage* / (⇒ かごに入れられた鳥) a *caged* bird《☞ 成句》// *かごの中にりんごが10個入っている There are ten apples in the *basket*. // 彼女は*かごいっぱいのいちごを持ってきた She brought a *basketful* of strawberries.《☞ いっぱい¹》// *かごを編む make a *basket*　籠の鳥 (売春婦) prostitute Ⓒ《☞ 用例》　籠の中の鳥 ¶ その社会では人々は監視され活動を制限されて*かごの中の鳥のように感じた People in that community felt that they were like a *caged bird*, under observation and their activities restricted.　籠枕 pillow made of basketwork Ⓒ.

かご² 駕籠 (2人で肩でかつぐ東洋式・日本式かご) palanquin /pæ̀lənkíːn/ Ⓒ; (2人で腰の高さに棒を持ってかつぐ西洋式かご) sedán (chàir) Ⓒ.　駕籠かき[駕籠屋] palanquin /pæ̀lənkíːn/ bèarer Ⓒ.

かご³ 加護 divine providence. ¶ 神の御*加護で衝突事故で死なずにすんだ I survived the collision through *divine providence*. // あなたに神の御*加護がありますように May *the grace* of God be with you. / May the gods *favor* you. / May the gods *smile* on you. ★ 最初の文はキリスト教徒の使う決まり文句. あとの2つは多神教の場合.

かご⁴ 過誤 ☞ あやまち; まちがい

がご 雅語 elegant [refined] word Ⓒ; (詩的表現) poetic diction Ⓤ.

かこい 囲い (塀) wall Ⓒ; (フェンス) fence Ⓒ; (さく・塀など, 囲うもの) enclosure Ⓒ.《☞ かこみ; へい¹; さく³; かきね》. ¶ 彼らは家の周囲に*囲いを付けた They ˹put up [built] a *fence* around their house. / (⇒ 家を塀で囲んだ) They enclosed their house with a *wall*.　囲い網 enclosing net (attached to a stationary one) Ⓒ　囲い者 mistress Ⓒ《☞ めかけ》.

かこいこみ 囲い込み enclosure Ⓤ.

かこう¹ 下降 ─[動] (下る) gò dówn (自); (高い位置から降下する) descénd (自) ★ 前者より改まった語; (落ちる) fall (自); (下に傾く) decline (自) ★ やや改まった語.　─[名] descént Ⓤ; fall Ⓒ; decline Ⓒ ★ 通例単数形で; (景気などの) dówntùrn Ⓒ.《☞ さがる》. ¶ 最近, 物価は*下降の傾向にある Recently prices *have been* ˹*going down* [*falling*]. // 景気は*下降の途にある Business is ˹*on the decline* [*undergoing a downturn*].　下降気流 descending air current Ⓒ《☞ きりゅう²》　下降線 downward curve Ⓒ. ¶ *下降線をたどる (⇒ 衰退している) be *on the decline* // この製品に対する需要は*下降線をたどっている The demand for these articles *is dropping off*.

かこう² 加工 ─[名] (食品の) prócessing Ⓤ; (広い意味の) mànufácturing Ⓤ.　─[動] process (他); manufacture (他).

加工業 manufacturing Ⓤ, processing industries ★ 複数形で.　加工業者 manufacturer Ⓒ; prócessor Ⓒ　加工工場 processing plant Ⓒ　加工紙 processed paper Ⓤ; (つや出しなどの) coated paper Ⓤ　加工食品 processed food Ⓤ　加工乳 processed milk Ⓤ; (均質化した) homogenized milk Ⓤ; (低温殺菌した) pasteurized milk Ⓤ　加工費 processing expenses ★ 複数形で.　加工品 processed goods ★ 複数形で.　加工貿易 the processing trade　加工輸入 ¶ *加工輸入する import raw materials for the purpose of exporting them after processing

かこう³ 河口 the mouth of a river, river mouth Ⓒ ★ 前者のほうがより改まった言い方.　河口港 estuary harbor Ⓒ　河口堰 estuary /éstʃuèri/ dám Ⓒ.

かこう⁴ 火口 crater Ⓒ.　火口丘 volcanic cone Ⓒ　火口原 crater basin Ⓒ　火口湖 crater lake Ⓒ　火口壁 crater wall Ⓒ.

かこう⁵ 囲う (囲む) enclose (他); (垣根で) fence (in) (他); (縄で囲う) rópe ˹in [óff] (他)　[語法] off を用いると「仕切る」意になる.《☞ かこむ》. ¶ 庭は生け垣で*囲いたい I want to *enclose* the garden with a hedge. // *囲った場所に入らないで下さい Please do not step into the ˹*enclosed* area [*enclosure*]. // 警官は現場近くをロープで*囲った (⇒ 仕切った) The police *roped off* the street near the spot.

かこう⁶ 仮構 ☞ きょこう²

かこう⁷ 佳肴 délicacy Ⓒ; dainty Ⓒ ★ 後者はやや古風な言い方.《☞ ちんみ》. ¶ キャビアは昔から*佳肴と考えられてきた Caviar has been thought of as a *delicacy* since early times.

かこう⁸ 華甲 the sixtieth birthday. ¶ 昨日彼の*華甲の祝いが催された His *sixtieth birthday* was celebrated yesterday.《☞ かんれき》

かごう 化合 ─[名] (chemical) combination Ⓤ.　─[動] combine (with ...) (自). ¶ 水素と酸素が*化合して水になる Hydrogen *combines with* oxygen to form water.　化合物 (chémical) cómpound Ⓒ　化合物半導体 semi-conducting chemical compound Ⓒ.

がこう 画工 painter Ⓒ《☞ えかき》.

がごう 雅号 ☞ ペン (ペンネーム)

かこうがん 花崗岩 granite /grǽnɪt/ Ⓤ.

がこうそう 鵞口瘡〘医〙thrush Ⓤ.

かこく 苛酷, 過酷 ─[形] (容赦なく厳しい) severe; (ひどく残酷な) brutal; (無慈悲な) merciless.　─[副] severely; brutally; mercilessly.《☞ きびしい; ざんこく; むごい》. ¶ *苛酷な気象条件 (⇒ 厳しい気候) にもかかわらず, 移植された木は育っていった The transplanted trees kept growing in (spite of) the *severe* climate. // 捕虜は*苛酷な扱いを受けた The prisoners were treated ˹*brutally* [*mercilessly*].

かこつ 託つ (不平を言う) complain (about ...) (自), grumble (about ...) (自).《☞ ぐち¹; こぼす》. ¶ 不運を*かこつのは止めなさい Stop *brooding over* your misfortunes. // 彼はいつも無りょうを*かこっている He's always *complaining* that he has (got) nothing to do.

かこつける (...を口実とする) use ... as a pretext

《☞ こうじつ[1]; りゆう》. ¶彼は母親の病気に*かこつけて来なかった *Using* his mother's illness *as a pretext*, he failed to ⌜appear [show up]. / (⇒母親の病気を口実にして) He was absent ⌜*on* [*under*] *the pretext of* his mother's illness.

かごぬけ 籠抜け ¶*籠抜け詐欺を働く swindle [defraud] *a person* by promising to come back and escaping through another door

かこみ 囲み (囲い) enclosure Ⓒ; (軍隊による包囲) siege /síːdʒ/ Ⓤ; (囲み記事) box Ⓒ, boxed ⌜account [report; item] Ⓒ. 《☞ かこい》. ¶敵はすぐに*囲みを解いた The enemy soon ⌜abandoned [lifted] the *siege*.

かこむ 囲む **1** 《取りまく》: (さくなどを巡らす) enclose (他); (四方を囲む) surround (他); (丸く囲む) encircle (他). 《☞ かこう[5]; とりかこむ》. ¶町は山々に*囲まれていた The town *was surrounded* by mountains. // 私は多くの友達に*囲まれて幸せだった I was happy ⌜among [because of] the many friends ⌜*around* [*surrounding*; *encircling*] me. // テーブルを *囲んで (⇒周りに) 4 人は座っていた The four of them sat *around* the table. // 正しい答えを丸で*囲みなさい *Enclose* the correct answer in a circle. / *Circle* the correct answer.

2 《軍隊が包囲する》: besiege (他).

かごめかごめ (子供の遊び) "bird-in-the-cage" game Ⓒ.

かこん 禍根 (災いの元) a source of the ⌜trouble [problem]. ¶この事件は将来に*禍根を残すことになる This affair will be *a source of trouble* in the future. // *禍根を絶つ remove [eliminate] the ⌜*source* [*cause*] *of the* ⌜*problem* [*trouble*]

かごん 過言 ¶彼を英雄といっても*過言ではない (⇒と言っても言いすぎはしない) It is ⌜*not too much* [*no exaggeration*] *to say* that he is a hero.

かさ[1] 傘 umbrélla Ⓒ; (日傘) súnshàde Ⓒ, párasòl Ⓒ ★ 前者のほうがより一般的; (折り畳み傘) folding umbrella Ⓒ.

¶私は*傘を畳んだ[広げた] I ⌜closed [opened] my *umbrella*. // *傘をさしなさい Put up [Open] your *umbrella*. // 彼はきれいに巻いてあった*傘をほどいてさした He unfastened his neatly rolled *umbrella* and put it up. // 雨が降りそうだから*傘を持って行きなさい Take an *umbrella* with you. It looks like rain. // *傘に入れて下さいませんか (⇒あなたの傘を共同で使ってよろしいですか) May I share your *umbrella*? // 私の*傘に入りませんか Why don't you ⌜get [come] under my *umbrella*? // *傘が風でおちょこになった The wind turned my *umbrella* inside out. // 彼女は私に*傘をさしてくれた She held the *umbrella* over me. // 他国の核の*傘の下にいて, 果たして安全だろうか Are we really safe under the nuclear *umbrella* of a foreign power?

傘立て umbrella stand Ⓒ **傘の柄[骨]** umbrella ⌜handle [rib] Ⓒ **傘の先** tip of an umbrella Ⓒ **傘張り** ¶*傘張りをする stick oiled paper on the umbrella ribs **傘屋** umbrella ⌜store [shop] Ⓒ.

かさ[2] 嵩 ― [名] (大きな容積) bulk /bʌ́lk/ Ⓤ; (ある物が占める大きさ) volume Ⓤ. ― [形] (かさばる) bulky. 《☞ たいせき[1]; ようせき; みずかさ》. ¶それは*かさはあるが目方は軽いよ It's ⌜*bulky* [*big*] but light in weight. **嵩にかかる** ― [副] (横柄に) arrogantly; (高圧的に) overbearingly. ¶彼は*嵩にかかって彼女を叱りつけた He scolded her ⌜arrogantly [(⇒優勢に乗じて) *making use of his advantage*].

かさ[3] 笠 (電灯のかさ) (lamp)shade Ⓒ; (すげ笠) sedge hat Ⓒ. **笠に着る** ¶あの男は父の威光を*笠に着て勝手放題をしている *Taking advantage of* his father's influence, he always has his own way.

かさ[4] 暈 (太陽や月の) halo Ⓒ 《複 ~(e)s》.

ガザ ― [名] (固) Gaza /gáːzə/ ★ パレスチナの地中海沿岸地区. ¶*ガザ地区 the *Gaza* Strip

かさあげ 嵩上げ ― [動] (量・額を膨張させる) swell (他); (数・量を増す) incréase (他); (高さを引き上げる) raise (他). ¶堤防を*かさ上げする *raise* the ⌜levee [banks (of a river)] // 国防予算を*かさ上げする *increase* the defense budget

かざあし 風脚 ☞ ふうそく; ふうりょく; かぜ[1]

かざあな 風穴 (通風口) (air) vent Ⓒ, ventilation hole Ⓒ; (通気孔) air hole Ⓒ. **風穴をあける** ¶土手っ腹に*風穴をあけてやるぞ I'll *shoot a hole* in your belly. // 新しい経営者は沈滞した会社に*風穴をあけた (⇒新風を吹き込んだ) The new manager *brought a breath of fresh air* into the stagnating company.

かさい[1] 火災 fire Ⓒ 《☞ かじ[1]》. ¶*火災現場 the scene of a *fire*

火災感知器 fire [heat] sensor Ⓒ **火災警報** fire warning Ⓒ **火災報知機** fire alarm Ⓒ. ¶*火災報知器を鳴らす sound the *fire alarm* **火災保険** fire insùrance Ⓤ. ¶私は家に*火災保険をかけた I *insured* my house *against fire*. **火災保険会社** fire insurance company Ⓒ **火災予防週間** Fire Prevention Week.

かさい[2] 家裁 ☞ かてい[1] (家庭裁判所)

かさい[3] 歌才 talent for composing ⌜*waka* [a 31-syllable Japanese poem] Ⓤ.

かざい 家財 (家具類) furniture Ⓤ; (家財道具一切) household ⌜effects [goods] ★ 複数形で. 格式ばった語. 《☞ かぐ[1]》. ¶私は*家財をすっかり火事で焼かれた All my *household effects* ⌜(were) burned up [were destroyed in the fire]. // 彼は*家財道具をまとめて (⇒すべての所有物をもって) 出て行った He moved out with all his *belongings*.

がさい 画才 (一般的に) artistic ⌜talent [genius] Ⓤ. ¶彼女はほんとうに*画才 (⇒絵を描く才能) がある She has a real ⌜*talent* [*genius*] *for painting*.

がざい 画材 painting materials ★ 通例複数形で; (説明的に) materials for drawing and painting.

かさいがん 火砕岩 pýroclàstic róck Ⓒ.

かさいし 笠石 〔建〕 copestone /kóupstòun/ Ⓒ; coping [capping; cap] stone Ⓒ.

かさいりゅう 火砕流 pyroclastic /pàɪrəklǽstɪk/ [volcaniclastic /vɑlkǽnɪklǽstɪk/] flów Ⓒ 《☞ ようがん(溶岩流)》.

かさいれっとう 花綵列島 〔地理〕 arcuate islands.

かざおと 風音 ¶木々の梢を渡る*風音 *the sound of the wind* ⌜sweeping [blowing] through the treetops

かざおれ 風折れ ¶*風折れの枝 a branch *blown* ⌜*off* [*down*] ⌜*in* [*by*] *the wind*

かさかさ ― [形] (乾いた) dry. ― [動] (葉や布などがすれる音を立てる) rustle (自). 《☞ 擬声・擬態語 (囲み)》. ¶私の肌は*かさかさだ My skin is *very dry*. // 木の葉が風で*かさかさと鳴っている The leaves *are rustling* in the wind.

がさがさ ― [形] (荒れている) rough; (乾いた) dry. ― [動] (すれる音を立てる) rustle (自). 《☞ 擬声・擬態語 (囲み)》. ¶私の手は*がさがさしている My hands feel *rough*. // 何か*がさがさという音が聞こえた I heard a *rustling* sound.

かざかみ 風上 ― [名] windward Ⓤ (↔ leeward). ― [形][副] (風上の[に]) windward.

¶私の家は火元の*風上だったので安全だった My house was safe, because it ⌜stood [was] ⌜*to wind-*

ward [*on the windward side*] *of* the fire. // *風上に向かう face the wind　**風上にも置けない**　¶ 彼はプロの*風上にも置けない奴だ (⇒ プロと呼ばれるに値しない) He is *unworthy* of being called a professional.

かざきり　風切り　(風向を示す船上の旗) flag hoisted on a ship to show the direction of the wind Ⓒ; (切妻用の丸瓦) round roof tile (for gables) Ⓒ; (風見) vane Ⓒ.

かさく¹　佳作　fine (piece of) work Ⓒ. ¶ 選外*佳作 an entry receiving (an) honorable mention

かさく²　寡作　¶ あの小説家は*寡作だ (⇒ たくさん書かない) That novelist 「doesn't *write much* [*writes little*].

かさく³　家作　(貸家) house 「for rent [《英》 to let] Ⓒ. ¶ *家作の持ち主 the owner of *rental accommodation(s)*

かざぐすり　風薬　☞ かぜ² (風邪薬)

かさぐも　笠雲　cap cloud Ⓒ.

かざぐるま　風車　(おもちゃの) pinwheel Ⓒ, 《英》 windmill Ⓒ. ¶ *風車を回す spin *pinwheels*

かざけ　風邪気　☞ かぜ² (風邪気)

かさご　笠子　〘魚〙 scórpion fish Ⓒ.

かざごえ　風邪声　— 形 husky (from a cold) ★ 声が主語; hoarse (from a cold) ★ 人が主語.

かささぎ　鵲　〘鳥〙 magpie Ⓒ.

かざしも　風下　— 名 léeward Ⓤ (↔ windward). — 形 副 (風下の[に]) leeward. ¶ 彼の家は火元の*風下にあった His house 「was [stood] *to leeward of* the fire. / His house was on the *leeward side* of the fire.

かざす　翳す　¶ 彼女は手を*かざしてこちらを見た She looked toward(s) us 「*with her hand over her eyes* [*shading her eyes with her hand*]. // 火に手を*かざした (⇒ 火の上で手を暖めた) I *warmed my hands* over the fire. // 彼女は懐中電灯を頭上に高く*かざした She *held* the 「flashlight [《英》 torch] *high up* above her head. // 出納係は紙幣を明かりに*かざした The cashier *held* the bill *up* to the light.

かさだか　嵩高　— 形 (かさばった) bulky 《☞ かさばる》.

がさつ　— 形 (行儀のよくない) ill-behaved Ⓐ; ill [badly] behaved Ⓟ, ill-mannered Ⓐ, ill mannered Ⓟ; (乱暴で不作法な) rude; (粗野な・乱暴な) rough. — 副 (不作法に) rudely; (乱暴に) roughly. 《☞ そざつ》.

¶ 彼は*がさつだが根はよい男だ He is 「*ill behaved* [*badly behaved*; *ill mannered*], but good at heart. // 彼は物の扱い方が*がさつだ (⇒ 彼は何でも乱暴に扱う) He handles everything *roughly*.

がさついた　rowdy /ráudi/. ¶ パーティーは*がさついた雰囲気になってきた The party 「began to get [turned; became] *rowdy*. // *がさついた男 a *rough* man / an *unpolished* man

かざとおし　風通し　☞ かぜとおし

かさなり　重なり　(積み重なったもの) pile Ⓒ; (重複) overlap(ping) Ⓒ. 《☞ かさなる》.

かさなりあう　重なり合う　¶ アパートが狭いので彼らはまるで*重なり合うように暮らしていた The apartment was so small, they were virtually living *on top of each other*. // この 2 つのプロジェクトはある部分で*重なり合う These two projects *overlap* in some areas.

かさなる　重なる　(事故などが同時に起こる) happen [occur] at the same time; (次から次へと起こる) happen [occur] 「one after another [in a row]; (重複する) overlap 自 他. 《☞ ダブる; ちょうふく》.

¶ 去年は飛行機の墜落事故が*重なった (⇒ 一連の飛行機墜落事故が起こった) A *series of* plane crashes 「*happened* [*occurred*] last year. // きのうは 2 つの事故が*重なってダイヤは 1 日中混乱した The train runs were disrupted all day yesterday because of two accidents that 「*happened* [*occurred*] 「*at the same time* [*one after the other*]. // 祝日が日曜日に*重なると (⇒ 祝日が日曜日の場合) 次の月曜日は休みになる When a 「national [public] holiday *falls on* (a) Sunday, the following Monday becomes a holiday. // 練習問題の 2 番と 8 番が*重なっている (⇒ 重複している) Exercises No. 2 and No. 8 *overlap* (each other) // 悪いことは*重なるものだ Misfortunes *never come* 「*single* [*singly*]. 《ことわざ: 不幸は単独では訪れない》

ガザニア　〘植〙 gazania /gəzéɪniə/ Ⓒ, treasure flower Ⓒ.

かざぬき　風抜き　☞ つうき; つうふう²

かさねがさね　重ね重ね　— 形 (繰り返し起こる) repeated.

¶ *重ね重ねありがとうございました Thank you *very, very* much. 語法 (1) 口語では強調のためよく very を重ねて言う. / (⇒ 何とお礼を申し上げてよいかわかりません) I don't know how to 「thank you (enough) [express my thanks to you]. 語法 (2) このような場合, repeatedly や over and over (again) などは使わない. // *重ね重ねの不幸 *a series of* misfortunes // *重ね重ねご面倒をおかけして申し訳ありません I'm sorry I'm *always* putting you to so much trouble. // *重ね重ねの失敗で彼は首になった He was 「fired [dismissed] because of (his) *repeated* 「errors [mistakes].

かさねぎ　重ね着　— 動 wear an extra layer of clothing. ¶ シャツを 2 枚*重ね着する *wear* an *extra* shirt / *wear* one shirt *over* another

かさねことば　重ね詞　(重なった語句) repeated 「word [phrase] Ⓒ; (繰りかえし) repetition of 「expressions [words] Ⓤ. 《☞ じょうご²》.

かさねずり　重ね刷り　overprinting Ⓤ.

かさねもち　重ね餅　two pieces of rice-cake with one on top of the other ★ 説明的な訳. ¶ 二人の力士が*重ね餅になった (⇒ 組み合ったまま倒れた) The two *sumo* wrestlers fell to the ground *with one on top of the other*.

かさねやき　重ね焼き　〘写〙 composite print Ⓒ.

かさねる　重ねる　**1** 《積む》: (積み重ねる) pile (up) 他; (…の上に置く) put … on … 《☞ つみかさねる》.

¶ 本はそこに*重ねないで下さい Don't *pile* (*up*) the books there. // 新聞紙を 2 枚*重ねて包みなさい Wrap it (up) in *two sheets* of newspaper.

2 《繰り返す》: repeat 他 《☞ くりかえす》.

¶ 彼は失敗に失敗を*重ねた (⇒ 繰り返し失敗した) He made 「errors *repeatedly* [*repeated* errors]. // 彼は若い時から苦労を*重ねてきた (⇒ たくさんの苦労を体験した) He has experienced *a great deal of* hardship ever since he was young. // 回を*重ねるに従って (⇒ 反復するごとに) 彼女の演技はよくなった Her performance improved with each *repetition*. // *重ねて (⇒ もう一度) 申し上げますが, これが最後のチャンスです Let me 「tell [remind] you *once again* that this is your last chance.

カサノバ　— 名 固 Giovanni Giacomo Casanova /dʒouvá:ni dʒá:kəmòu kæ̀zənóuvə/, 1725–98. ★ イタリアの文人. 猟色家として知られる.

かざはな　風花　(晴天にちらつく雪) snowflakes [light snow] coming down from the clear sky.

かさばる　嵩張る　— 形 bulky. ¶ これは*かさばっているが軽い This is *bulky* but lightweight.

カザフスタン　— 名 固 Kazakhstan /kæ̀zækstǽn/; (正式名) the Republic of Kazakhstan.

かさぶた scab Ⓒ. ¶傷に*かさぶたができた A *scab* has formed over the cut.

カサブランカ ―名 固 Casablanca /kæ̀səblǽŋkə/ ★ モロッコ北西部大西洋岸の都市.

かさまつ 笠松 pine tree ˹trimmed [shaped] like an umbrella Ⓒ.

かざみ 風見 (矢の形をした) (wéather) vàne Ⓒ. **風見鶏** wéathercòck Ⓒ ★ 日本語と同様に時流などに合わせて意見の変わりやすい人の意味にも用いる.

かざみち 風道 airway Ⓒ.

かさむ 嵩む (増大する・させる) incréase 自 他; (かなりの額になる) amount to a considerable sum. ¶この計画はよいが費用が*かさむ (⇒ 増大させる) This plan is good but it will *increase* ˹expenses [costs]. // 彼はますます借金が*かさんでいった (⇒ 借金の深みにはまった) He ˹*sank* [*got*; *went*] *deeper and deeper* in debt.

かざむき 風向き **1** «風の吹く方向»: the direction of the wind Ⓒ (☞ かぜ¹).
¶「いまの*風向きはわかりますか」「はい, 風はいま南から吹いています」"Can you tell ˹*the direction of the wind* [*which way the wind is blowing*]?" "Yes. It's blowing from the south." // *風向きが北から南に変わり, 暖かくなってきた *The wind has* ˹*changed* from northerly to southerly, and it's getting warmer.
2 «形勢»: the situation Ⓒ (☞ けいせい¹). ¶どうも*風向きがよくない (⇒ 事態は不利だ) *The situation* is unfavorable ˹for [to] us. / *Things* are turning against us.

かざよけ 風除け ☞ かぜよけ

かざり 飾り (装飾) decoration Ⓤ, órnament Ⓤ ★ 前者のほうが派手な感じ. 装飾品の意味では両者とも Ⓒ. (☞ かざる).
¶私は部屋にあまり*飾りを付けるのは好きではない I don't like to put up too many *decorations* in my room. // レースの*飾りのついた服 a dress *trimmed with* lace // これは何か意味がありますか (⇒ 実用的ですか), それとも単なる*飾りですか Is this functional or just *ornamental*? // 彼は*飾りのない言葉で意見を述べた He expressed his opinion in *plain* words. // この本はみんなただの*飾りですよ All these books are to be used for purely *decorative purposes*. // 髪の*飾り a hair *ornament* // 窓の*飾り window *dressing* // クリスマス [新年] の*飾り the ˹Christmas [New Year's] *decorations*
飾り糸 twisted ˹thread [yarn] (for ornamental use) Ⓤ **飾り職(人)** maker of metallic ornaments Ⓒ **飾り棚** (商店の) display shelf Ⓒ; (家庭用で, ガラス戸の付いたケース状の) cabinet Ⓒ **飾りボタン** fáncy [órnamèntal] bútton Ⓒ **飾り窓** display [shop; show] window Ⓒ **飾り物** ¶あいつはただの*飾り物だ He's just a *figurehead*.

かざりけ 飾り気 **飾り気のない** (率直な) frank. ¶彼は*飾り気がなく, 何でもずばずば言う He is *frank* and outspoken.

かざりたてる 飾り立てる decorate lavishly 他; (盛装する) be dressed up. ¶メインホールは花で*飾り立てられていた The main hall *was* ˹*lavishly decorated* [*decked out*] with flowers. // そんなに*飾り立ててどうしたんだ What *are* you so *dressed up* for?

かざりつけ 飾り付け ―名 (ショーウインドーの) window dressing Ⓤ. ―動 dress (a display window). ¶彼らはクリスマスツリーの*飾りつけをしている They're *trimming* the Christmas tree. // 彼らはクリスマスの*飾りつけで忙しい They're busy putting up Christmas *decorations*. // 来週ショーウインドーに春物の*飾りつけをしよう Next week we'll *display* spring clothes in the window.

カサリン ―名 (女性名) Catherine, Catharine, Katharine, Katherine /kǽθərɪn/.

かざる 飾る **1** «美しくする»: (飾り立てる) décoràte 他, órnamènt 他 [語法] 後者は特に付属品・アクセサリーなどを付けるという意味が強調される. (☞ そうしょく¹). ¶何で部屋を*飾ろうか What shall we *decorate* the room *with*? // 通りはちょうちんで*飾られていた The street *was decorated with* lanterns. // その王冠はダイヤモンドで美しく*飾られている The crown *is* finely *ornamented with* diamonds.
2 «陳列する»: display 他 (☞ ちんれつ). ¶ショーウインドーに靴が*飾ってある Shoes *are* ˹*on display* [*displayed*] in the showcase.

カザルス ―名 固 Pablo Casals /kəsɑ́ːlz/, 1876–1973. ★ スペイン生まれのチェリスト.

かさん 加算 ―名 addition Ⓤ (↔ subtraction). ―動 add 他 (↔ subtract). (☞ たす; 数字 (囲み)). ¶特別料金が*加算されます An extra charge [A súrcharge] will *be added*.

かざん 火山 ―名 volcano /vɑlkéɪnoʊ/ Ⓒ (複 ~(e)s). ―形 (火山(性)の) volcanic /vɑlkǽnɪk/. ¶活*火山 an active [a live] *volcano* // 休[死]*火山 a dormant [an extinct] *volcano*
火山ガス volcanic gas Ⓤ **火山活動** volcanic activity Ⓒ **火山活動情報** information about volcanic activities Ⓤ **火山岩** volcanic rock Ⓒ **火山群** volcano group Ⓒ **火山国** country with many volcanoes Ⓒ **火山災害** volcanic disaster Ⓒ **火山災害予測図** volcanic hazard map Ⓒ **火山塵** volcanic dust Ⓤ **火山性地震** volcanic earthquake Ⓒ **火山性微動** volcanic tremor Ⓒ **火山前線** volcanic front Ⓒ **火山測候所** volcanological observatory Ⓒ **火山帯** volcanic zone Ⓒ **火山弾** volcanic bomb Ⓒ **火山泥流** volcanic mud flow Ⓒ **火山島** volcanic island Ⓒ **火山の噴火** volcanic eruption Ⓒ **火山灰** volcanic ˹ash Ⓤ [ashes] **火山爆発** volcanic eruption Ⓒ **火山フロント** ☞ **火山前線** **火山噴火予知連絡会** the Volcanic Eruption Prediction Liaison Council **火山脈** volcanic ˹chain [range] Ⓒ **火山礫** lapilli /ləpílaɪ/ ★ 通常この複数形で, 単数形は lapillus.

がさん 画賛 legend [writing] over a picture Ⓒ ★ 絵に書き添えた文章.

かさんかすいそ 過酸化水素 hydrogen peroxide Ⓤ.

かさんかちっそ 過酸化窒素 〖化〗 nitrogen peroxide /pərɑ́ksaɪd/ Ⓤ.

かさんかナトリウム 過酸化ナトリウム 〖化〗 sodium peroxide Ⓤ.

かさんかぶつ 過酸化物 〖化〗 peroxide Ⓤ.

かさんぜい 加算税 additional tax Ⓒ.

かさん・ふかさんめいし 可算・不可算名詞 〖文法〗 countable and uncountable nouns (☞ 巻末).

かし¹ 菓子 (ケーキ類) cake Ⓒ [日英比較] 英語の cake はまるごと 1 つをいう. 従って日本の洋菓子店で売っているように切ったものは a piece of cake という. (☞ 数の数え方 (囲み)); (あめ・チョコレートなどのキャンデー類) candy Ⓤ ★ 種類をいうときには Ⓒ, 《英》 sweet Ⓒ; (クッキー類) cookie Ⓒ, cooky Ⓒ, 《英》 biscuit Ⓒ; (あめ・チョコレート・ケーキなどすべての総称) confectionery /kənfékʃənèri/ Ⓤ [語法] (1) やや格式ばった語. 「菓子」は英語では以上のように種類によって使い分ける. (☞ ケーキ; キャンデー; ビスケット). ¶お*菓子をどうぞ Have some ˹*cake*

[*candy*], please. // 彼女は*菓子を一箱持ってきた She brought a box of ˹*candy* [*cookies*]. // お*菓子をいかがですか How about ˹a piece of *cake* [some *cookies*; some *candy*]? 語法 (2) このような場合に confectionery は使わない.
菓子折り box of ˹candy [《英》 sweets] Ⓒ **菓子器** cake plate Ⓒ **菓子皿** plate for serving a cake Ⓒ **菓子パン** bun Ⓒ **菓子屋** confectionery (shop) Ⓒ; (たばこ・雑誌なども売るような) 《米》 candy ˹store [shop] Ⓒ, 《英》 sweet shop Ⓒ.

かし² 貸し (貸すこと) loan Ⓤ; (貸し付けた金) loan Ⓒ. 《☞ かす¹; かしや》. ¶ 彼には 3 千円*貸しがある (⇒ 彼は私に 3 千円借りている) He *owes* me three thousand yen. // あの男には*貸しがある (⇒ 彼は私に恩を受けている) He *is in debt to* me.

かし³ 華氏 Fahrenheit /fǽrənhàɪt/ 語法 F. または Fahr. と略す. 《米》 ではピリオドを付けずに F と略すことも多い. 《☞ おんど¹; せっし; 度量衡 (囲み)》. ¶ 気温は*華氏 60 度です It is ˹60° *F*. [sixty degrees *Fahrenheit*.] // 氷点は*華氏では何度ですか What is the freezing point on the *Fahrenheit scale*?
華氏温度計 Fáhrenhèit thermómeter Ⓒ.

かし⁴ 歌詞 the words ★ 複数形で; (ポピュラーソングの) the lyrics ★ the を付けて複数形で. ¶ この歌の曲は*歌詞に合っていない The tune of this song does not quite fit *the* ˹*words* [*lyrics*].

かし⁵ 樫 (木) oak Ⓒ; (材) oak Ⓤ; (樫の実) acorn /éɪkɔːn/ Ⓒ.

かし⁶ 河岸 (魚市) fish market Ⓒ. ¶ *河岸を変える go over to [try] ˹*another place* [*somewhere else*]

かし⁷ 仮死 suspended animation Ⓤ. ¶ *仮死状態に陥る fall into a state of *suspended animation*

かし⁸ 下賜 ― 名 grant Ⓤ. ― 動 (与える) give ㊀; (正式に付与する) grant ㊀ ★ 後者はやや格式ばった言い方; (称号・称賛などの) bestow ㊀. ¶ 御*下賜品 Imperial ˹*grant* [gift] Ⓒ

かし⁹ 下士 ☞ かしかん

かし¹⁰ 瑕疵 (隠れた根本的欠陥) flaw Ⓒ; (構造・機能上の重大な欠陥) defect Ⓒ; (広く不備・欠点) fault Ⓒ. **瑕疵担保(責任)** 〘法〙 warranty (against defects) Ⓒ **瑕疵担保特約** 〘経〙 (bad) loan buy-back ˹clause [provision] Ⓒ.

かじ¹ 火事 fire Ⓒ 《☞ ひ²; かさい¹; ぼや》.
¶ ゆうべ近所に(大)*火事があった There was a (big) *fire* in the neighborhood last night. / (⇒ (大)火事が起こった) A (big) *fire* ˹broke out [occurred] in the neighborhood last night. // *火事だ! *Fire*! *Fire*! // *火事はどこだ Where's the *fire*? // 見ろ, 学校が*火事だ (⇒ 燃えている) Look! The school *is* ˹*burning* [*on fire*]. // 彼は*火事で家を焼かれた He had his house burned down in a *fire*. // *火事は 1 時間ばかりで消し止められた The *fire* was ˹put out [gotten under control; extinguished] in about an hour. ★ *extinguished* は格式ばった語. // *火事は台所から出た The *fire* ˹started [broke out] in the kitchen. 語法 「台所で発生した」という意味なので from は使わない. // ストーブが過熱して*火事になった The heater overheated and started ˹a [the] *fire*. // 原因不明の*火事 *a fire* of unknown origin / a mysterious *fire*
火事現場 the scene of a fire **火事装束** (装備をふくめて) firefighter's ˹outfit [(制服) uniform] Ⓒ
火事場泥棒 looter [thief] at a fire Ⓒ 日英比較 looter は火事場に限らず地震・暴動などに乗じて大量に略奪する者をいう. 従って日本語の「火事場泥棒」にぴったりの英語はなく, 説明的な訳となる. 《☞ りゃくだつ; かじば》 **火事見舞い** visit [call; letter] of condolence after a fire Ⓒ.

かじ² 家事 (洗濯・掃除などの家庭の日常の仕事) housework Ⓤ; (家の雑用) household chore Ⓒ 語法 (1) しばしば複数形で. chores は半端仕事の意で, くだらない仕事というニュアンスが加わる; (家庭の仕事をきりもりすること) housekeeping Ⓤ 語法 (2) 仕事のみでなく, 家庭経済も含めていう言葉. ¶ 私はいま*家事の手伝いをしています (⇒ 母の家事を手伝っている) I help my mother with the ˹*housekeeping* [*housework*] now. // 毎日*家事に追われている I'm busy with (the) ˹*housework* [*household chores*] every day. **家事ロボット** domestic robot Ⓒ; robot that carries out household chores Ⓒ.

かじ³ 舵 (船のかじ・飛行機の方向舵) rudder Ⓒ; (かじの柄・舵輪) helm Ⓒ. 《☞ ふね (挿絵); ヨット (挿絵)》. ¶ とり[おも]*かじ (⇒ 左[右]舷) (に取れ) *Left* [*Right*] *rudder*! // 彼は*かじを取っていた He *was* ˹*steering* [*at the helm*]. **舵取り** steering Ⓤ; (操舵手) helmsman Ⓒ; steersman Ⓒ.

かじ⁴ 加持 incantation Ⓒ. ¶ *加持祈禱 prayers and *incantations*

かじ⁵ 嘉事 auspicious event Ⓒ; matter for congratulation Ⓒ ★ 前者はやや格式ばった言い方.

がし¹ 餓死 ― 名 starvation Ⓤ. ― 動 starve (to death) ㊀, die of ˹hunger [starvation] ㊀ 語法 hunger のほうがより口語的. また starve は本来は「餓死する」の意であるが, 「飢えて苦しむ」という意味でも用いられるので, death または die と共に用いるほうが明確. 《☞ うえ²; うえる²》. ¶ 多くの人が*餓死しかかっている Many people *are* ˹*starving* [*dying of hunger*].

がし² 賀詞 (祝辞) congratulations ★ 複数形で; congratulatory message Ⓒ.

カシア 〘植〙 cassia /kǽʃə/ (fistula /fístʃʊlə/) Ⓒ.

かしいしょう 貸し衣装 clothes for ˹rent [《英》 hire] ★ 複数形で; costume for rent Ⓒ.

ガジェット (小道具) (個々の) gádget Ⓒ; (集合的に) gádgetry Ⓤ. **ガジェットバッグ** (小道具用ショルダーバッグ, 特にカメラバッグ) gadget bag Ⓒ, shoulder bag (for camera accessories) Ⓒ.

かじおと 楫音 the sound of ˹oars [paddles].

カシオペアざ カシオペア座 〘天〙 Cassiopeia /kæ̀siəpíːə/.

かじか¹ 河鹿 (河鹿蛙) river frog Ⓒ.

かじか² 鰍 〘魚〙 miller's thumb Ⓒ.

かしかた 貸方 〘簿〙 the credit side Ⓒ (↔ the debit side); créditor Ⓒ (↔ debtor) ★ Cr., cr. と略す. creditor には「債権者」の意味もある. **貸方勘定** credit account Ⓒ (↔ debit account).

かじかむ 悴む be ˹numb [benumbed] with cold ★ [ ]内は格式語. ¶ 寒くて手が*かじかんでいる My hands *are numb with cold*.

かしかり 貸し借り (貸借勘定) account Ⓒ 《☞ かり²; たいしゃく》. ¶ 彼との間には*貸し借りはない (⇒ 清算すべき貸借勘定はない) I have no *accounts* to settle with him. // これで互いに*貸し借りはなしだ We are *even* now. / This makes us *even*. ★ even は「貸し借りなしの」の意.

かしかん 下士官 〘米・英陸軍〙 nóncommìssioned ófficer Ⓒ 《略 NCO》; 〘米・英海軍〙 petty officer Ⓒ.

かしき 炊き cooking Ⓤ; (飯を炊く) cooking [boiling] rice Ⓤ. 《☞ すいじ》.

かじきまぐろ 梶木鮪, 旗魚鮪 (まかじき) marlin Ⓒ, spearfish Ⓒ; (めかじき) swordfish Ⓒ.

かしきり 貸し切り ― 形 (飛行機・船・バスなどの) chartered; (劇場の席や列車の車両など, 予約がしてある) reserved. 《☞ かりきる》.
¶ *貸し切りバス a *chartered* bus // この車両は*貸し切りです This car is *reserved*.

かしきる 貸し切る ¶部屋はすべて*貸し切られて空きはなかった All the rooms were *rented out* and there was no vacancy.

かしきん 貸し金 loan Ⓒ; (前貸金) advance Ⓒ ★ ふつう単数形で. ¶*貸金を回収する collect [call in] a *loan* **貸金取立代行業者** debt collector Ⓒ.

かしきんこ 貸し金庫 sáfe-depósit bòx Ⓒ.

かしぐ[1] 傾ぐ ☞ かたむく

かしぐ[2] 炊ぐ cook [boil] (rice).

かしげる 傾げる tilt ㊀《☞ かたむける》. ¶彼女は小首を*かしげた She *tilted* her head.

かじける 悴ける (寒さで麻痺する) be ˹numbed [benumbed] (with cold) ★ [ ] 内は格式語; (生気をなくす) be ˹dull [lifeless]; (しぼむ) wither ㊂. 《☞ かじかむ》.

かしこ 賢・畏 (目上の人への手紙の結び) Yours faithfully; (形式ばって丁寧な結び) Yours very truly. ★ 両者とも語順を逆にしてもよい. 日本語は主に女性が結びに使う表現であるが, 英語では性に関係なく用いる.

かしこい 賢い wise; clever; smart.

【類義語】必ずしも頭脳のよしあしとは関係なく, 経験などに基づく判断のよさをいうやや改まった語が **wise**. 頭がよく器用であるのが **clever**. この語は「小才がきく」という意味で軽蔑をこめた悪い意味にも使う. 頭のよさに加えて抜け目がないというニュアンスが加わるのが ***smart***. 《☞ りこう[1]; けんめい[1]》

¶君が彼らに加わらなかったのは*賢かったよ You were *wise* to stay away from them. // 彼は*賢い男で, 何をやっても金をもうける He is very *clever* and makes money out of everything. // それは*賢い答え方だ It's a ˹*wise* [*smart*] answer. [語法] smart を使うと「ずる賢い」というニュアンスが加わる. // *賢そうな *intelligent*-looking

かしこうせん 可視光線 visible ray (of light) Ⓒ.

かしこくも 畏くも ¶戦没者の慰霊祭は*畏くも陛下の御臨席のもとで行われた The memorial service for the war victims was held in the presence of His *Gracious* Majesty the Emperor.

かしこし 貸し越し ― [名] (未払いの負債) outstanding account Ⓒ; (当座預金の) overdraft Ⓒ. ― [動] (金額・勘定などが貸し越しとなっている) remain unpaid; (当座預金が) be overdrawn. ¶あなたの銀行口座は 5 万円の*貸し越しになっています Your bank account *is overdrawn* by 50,000 yen.

かしこどころ 賢所 (宮中の) the Sanctuary in the Imperial Palace.

かしこまる 畏まる (堅くなる) be stiff; (儀式ばる) be cèremónious, stand on ceremony.

¶彼は社長の前で*かしこまっていた He *was stiff* in the presence of the president. // そんなに*かしこまらないで下さい You don't have to stand on ceremony. / (⇒ 儀式ばったことはなしにしましょう) Let's dispense with *ceremony*. / (⇒ 気楽にして下さい) Please *make yourself at home*. // 「この品物を届けてもらえますか」「*かしこまりました (⇒ 承知しました)」 "Will you deliver the goods to our house?" "*Certainly*, ˹*sir* [*ma'am*]." 《☞ 丁寧な表現 (巻末)》

かしざしき 貸し座敷 tatami-room for hire Ⓒ.

かししつ 貸し室 room ˹for rent [《英》 to let] Ⓒ.

かしじてんしゃ 貸し自転車 bicycle for ˹rent [《英》 hire] Ⓒ, rental [《英》 hired] bicycle Ⓒ.

かししぶり 貸し渋り (銀行の引き締め政策) bank's tight money policy Ⓒ ★ 普通所有格を伴なって; (金融逼迫) credit crunch Ⓤ; (貸し出し制限) restricted lending Ⓤ; (貸し出し条件の強化) tightening of ˹credit [lending] standard Ⓤ. ¶わが社は銀行の*貸し渋りのため目下厳しい資金難に陥っている Our company is now in serious financial difficulty because of the *bank's* ˹*tight money policy* [*reluctance to extend credit*].

かししぶる 貸し渋る (銀行などが融資を) tighten ˹lending [loans]; (…を貸したがらない) be ˹unwilling [reluctant] to lend …. ¶彼は新品の車を*貸し渋った He *was quite* ˹*unwilling* [*reluctant*] *to lend* his brand-new car.

かしじむしょ 貸し事務所 office ˹for rent [《英》 to let] Ⓒ.

かじしんぱん 家事審判 adjudgement by the family court Ⓤ.

カシス (果物) cassis /kæsíːs/ Ⓤ, black currant Ⓒ; (酒) cassis Ⓤ.

かしずく 傅く ☞ つかえる[2]

かしせき 貸席 conference [assembly] room for ˹rent [《主に英》 hire] Ⓒ.

かしだおれ 貸し倒れ ¶その金は*貸し倒れになった (⇒ 取り返せなくなった) The debt has become *nonrecoverable*.

かしだおれひきあてきん 貸し倒れ引当金 bad ˹debt [loan] reserve Ⓒ.

かしだし 貸し出し (金銭などを貸すこと) lending Ⓤ; (貸し付け金) loan Ⓒ ★ 金銭を貸し付けすることを意味するときは Ⓤ. 《☞ かす[1]》.

¶図書館の*貸し出し *lending service* of a library/library *lending service* // その本は(館外)*貸し出し中です The book is *out on loan*.

かしだす 貸し出す (本などを無料で) lend [loan] out ㊀; (有料で貸す) rent ㊀. 《☞ かす[1]》. ¶この本は*貸し出しますか Do you *lend out* this book? / (⇒ 持ち出してよいか) May I ˹*take* [*check*] this book *out*?

かじちょうてい 家事調停 grievance /gríːvəns/ mèdiátion by the family court Ⓤ.

かしちん 貸し賃 rent Ⓤ; (貸し本など) loan charge Ⓒ.

かしつ 過失 (誤り・間違い) mistake Ⓒ, error Ⓒ [語法] 入れ替え可能な場合も多いが, 判断の誤りには mistake を用いる; (比較的軽い誤り・落ち度) fault Ⓒ. 《☞ あやまち; まちがい (類義語)》.

過失傷害罪 àccidéntal [ùninténtional] inflíction of ínjury Ⓤ **過失責任主義** 〚法〛 the principle of liability arising from negligence Ⓤ **過失致死罪** (一般に) accidental [unintentional] ˹killing [homicide; manslaughter] Ⓤ ★ [ ] 内のほうが格式ばった語; 〚法〛 invóluntàry mánslàughter Ⓤ. ¶業務上*過失致死 (罪) 《☞ ぎょうむ》 **過失犯** careless offense Ⓒ.

かじつ[1] 果実 fruit Ⓤ ★ 種類を表す時は Ⓒ. 《☞ み[2]; くだもの [語法]; けつじつ》. **果実酒** fruit wine Ⓤ.

かじつ[2] 過日 ☞ せんじつ

かじつ[3] 佳日 (めでたい日) auspicious day Ⓒ; (よい日) good day Ⓒ.

かじつ[4] 夏日 summer day Ⓒ.

がしつ[1] 画室 ☞ アトリエ

がしつ[2] 画質 quality of a picture Ⓤ, picture quality Ⓤ.

かしつき 加湿器 humidifier /hjuːmídəfàɪə/ Ⓒ.

かしつけ 貸し付け, 貸付 ― [名] loan Ⓤ ★「貸し付け金」の意味では Ⓒ. ― [動] loan ㊀. 《☞ かす[1]》. ¶これは一時*貸し付けです This is a temporary *loan*. // 銀行はその金額を*貸し付けてくれるだろうか Will the bank ˹give me a *loan* of [*loan* me] that amount? **貸付金** loan Ⓒ **貸付信託** loan trust Ⓒ **貸付料** rental Ⓒ.

かして 貸し手 ☞ かしぬし

かしてんぽ 貸し店舗 store for rent Ⓒ.

かしぬし 貸し主 lender [C]; (債権者) creditor [C]; (不動産の) lessor [C]; (部屋・家・土地などの) landlord [C], landlady [C] ★ 前者は男性, 後者は女性.

カジノ casino /kəsíːnou/ [C] ((複 ～s)).

かじば 火事場 the scene of the fire ((☞ かじ¹)). **火事場泥棒** ☞ かじ¹ (火事場泥棒) **火事場の馬鹿力** great strength exerted at risk [U].

かしはがし 貸し剝がし bank's peremptory collection of loans [U].

かしひがい 可視被害 visible damage [U].

かしビル 貸しビル office building for rent [C].

かしふとん 貸し布団 bedding for rent [U].

かしべっそう 貸し別荘 villa for rent [C].

かしボート 貸しボート boat for ⌈rent [((英)) hire] [C], rental [((英)) hired] boat [C].

かしほん 貸し本 book for rent [C], rental book [C]. **貸し本屋** rental library [C].

かしま 貸し間 ((米)) room for rent [C], ((英)) room to let [C]. ((☞ アパート)). ¶ ((掲示で)) *貸し間あり ((米)) *Rooms for Rent* / ((英)) *Rooms to Let*

かしましい 囂しい noisy, clámorous ★ 後者は格式語. ¶ 女三人寄れば*かしましい Three women together means a *din*. ★ din は騒々しい音.

かしまだち 鹿島立ち departure on a journey. ¶ *鹿島立ちする start [go] on a ⌈trip [journey]

カシミア (インド産やぎの毛織物) cashmere /kǽʒmɪə, kǽʃ-/ [U].

カシミール ── [名] [固] (インド・パキスタン北部の地方) Kashmir /kǽʃmɪə/.

かしめ (すき間などに充塡材を詰めること) ca(u)lking [U].

かじめ 搗布 (海草) sea trumpet [U].

かしめる (すき間に充塡材を詰める) ca(u)lk (他).

かしもと 貸し元 **1** «ばくちの»: banker [C]. **2** «貸し主» ☞ かしぬし

かしや 貸し家 ((米)) house for rent [C], ((英)) house to let [C]. ¶ ((掲示で)) *貸し家 ((米)) *For Rent* / ((英)) *To Let* // 私は*貸し家を探しています I am looking for a *house* ⌈*for rent* [*to let*]. **貸し家札** "For Rent" ["To Let"] notice [C].

((米))「貸しアパート. 家具付き」という掲示

((英))「貸し事務所」の掲示

かしゃ¹ 貨車 ((米)) freight car [C], ((英)) goods wag(g)on [C]. **貨車渡し** 〖商〗 free on rail ((略 FOR)); (本船渡し) free on board ((略 FOB)).

かしゃ² 華奢 ── [形] (華麗な) gorgeous; (人目を引く) showy; (派手でけばけばしい) gaudy. ¶ *華奢な装いで in *gorgeous* ⌈attire [dress]

かしゃ³ 仮借 ── [名] 〖言〗 (補充法) suppletion [U] ★ 欠けている語形変化を別の語の変化形で補うこと. good の比較級の better など. ── [動] (同音の別の漢字で) substitute a Chinese character which has the same phones for another.

かじや 鍛冶屋 blacksmith's (workshop) [C]; (人) (black)smith [C].

かしゃく¹ 呵責 (良心の) the ⌈sting [pang; prick] of conscience 【語法】 (1) sting, prick は刺すような痛み, pang は一時的な鋭い痛みで, いずれも心の痛みを比喩的にいう. pang はしばしば複数形で. ¶ 良心の*かしゃくを感じないのか Don't you feel *the* ⌈*sting* [*pangs*; *prick*] *of conscience*? / (⇒ 良心があなたを悩まさないのか) Doesn't your *conscience* ⌈*bother* [*prick*] you? 【語法】 (2) bother のほうが prick より口語的.

かしゃく² 仮借 ¶ *かしゃくなく借金を取り立てる *force* repayment of a debt ((☞ ようしゃ¹; きびしい))

かしゅ 歌手 singer [C]; (特にバンド演奏で歌う歌手) vocalist [C]. ¶ 流行*歌手 a popular *singer*

かじゅ¹ 果樹 fruit tree [C] ((☞ くだもの; き²)). **果樹園** orchard [C]; (家庭の) fruit orchard [C] **果樹栽培** fruit ⌈growing [cultivation] [U].

かじゅ² 花樹 flowering tree [C].

がしゅ 雅趣 élegance [U] ((☞ ゆうが; ゆうび)).

カジュアル ── [形] casual. ¶ *カジュアルシューズ *casual* shoes // *カジュアルウェア *casual* ⌈wear [clothes]

かしゅう¹ 歌集 (詩集) collection of poems [C]; (選歌集) anthólogy [C]; (音楽の) songbook [C].

かしゅう² 加州 ☞ カリフォルニア

かじゅう¹ 果汁 fruit juice [U] ((☞ ジュース)).

かじゅう² 荷重 〖電・機〗 load [C]. **荷重検査器** load-weighing machine [C] **荷重試験** load [weight] inspection [C].

かじゅう³ 加重 ── [名] (重荷・重圧) weight [U]; (重みをかけること) weighting [U]. ── [動] (負担・罪などをさらに重くする) ággravàte (他). ¶ 刑を*加重する (⇒ 増す) *increase* the penalty **加重平均** weighted ⌈average [mean] [C].

かじゅう⁴ 過重 ── [名] òverwéight [U]. ── [形] (重量超過した) òverwéight; (重すぎる) too heavy.

がしゅう¹ 画集 book of paintings [C]; (特定の画家などの) collection of paintings [C].

がしゅう² 我執 (利己主義) egoism [U]; egotism [U] ★ どちらも軽蔑的; (自己中心的なこと) self-centeredness [U]. ¶ *我執の人 an *egoistic* [an *egotistic*; a *self-centered*] person

カシュー(のき) カシュー(の木) 〖植〗 cashew [C]. **カシューアップル[ナッツ]** cashew ⌈apple [nut [C]].

かじゅくじ 過熟児 postmature /póustmət(j)ùə/ báby [C].

がじゅまる 〖植〗 banyan /bǽnjən/ (tree) [C].

かしょ¹ 箇所, 個所 (場所) place [C]; (地点) point [C]; (部分) part [C]; (文章の) passage [C]. ((☞ ぶぶん; 数の数え方 (囲み))). ¶ 地震で数*か所から火が出た Fires broke out in several *places* after the earthquake. // この記事から何*か所か引用したい I want to quote several *passages* from this article. // あなたの作文には誤りが 2, 3 *か所 (⇒ 2, 3 の誤りが) あります There are two or three mistakes in your composition. 【日英比較】 このように「か所」を必ずしも英語に訳さなくてもよい場合がある.

かしょ² 家書 (家からの便り) letter from home [C]; (家の蔵書) collection of books in *one's* home [U].

かしょ³ 歌書 (一般的に) book of poems [C]; (和歌集) collection of ⌈*waka* [*tanka*] [C], collection of Japanese traditional poems [C]; (和歌論) essay on *waka* poetry [C].

かじょ¹ 加除 (足し引き) addition and subtraction [U]; (挿入と削除) insertion and deletion [U].

かじょ² 花序 〖植〗 inflorèscence [C]. ¶ 有限[無限]*花序 definite [indefinite] *inflorescence*

かしょう¹ 仮称 téntative [provísional] nàme [C] ★ provisional はやや格式ばった語.

かしょう² 河床 riverbed [C].

かしょう³ 仮象 〖哲〗 semblance [C]; (見かけ) (superficial) appearance [C].

かじょう[1] **過剰** ―形(多すぎる) too many; (人口が) overpopulated; (余分の) súrplus. ―接頭 over- (↔ under-) 語法 これを動詞もしくは動詞から派生した名詞に付けて「過剰に…する」の意を表すことができる.

¶東京は人口*過剰だ There are *too many* people in Tokyo. / Tokyo *is overpopulated.* ★前者のほうが口語的. // 今年は車が生産*過剰ぎみだ (⇒自動車会社で車を過剰生産している) Automobile manufacturers *are overproducing* this year.

過剰在庫 excessive inventory Ⓤ **過剰人員** surplus personnel ★集合的に. **過剰適応** excessive adaptation Ⓤ, overadaptation Ⓤ **過剰投与** overdose Ⓒ. ¶患者に薬を*過剰投与する *overdose* a patient with ⌈(a) medicine [a drug] **過剰反応** overreaction Ⓤ **過剰防衛** excessive self-defense Ⓤ.

かじょう[2] **箇条** (条項) article Ⓒ; (法律・条約などの) clause Ⓒ; (項目) item Ⓒ. (☞ じょうこう[1] 語法).

箇条書き ―動(箇条書きにする) ítemìze ⑩.

かじょう[3] **渦状** ―形(らせん形の) spiral; (煙・液体が渦巻形の) swirly. ―名 spiral Ⓒ; swirl Ⓒ.

渦状銀河 spiral galaxy Ⓒ **渦状星雲** spiral nebula Ⓒ (複 ~s, -lae).

がしょう[1] **画商** art dealer Ⓒ.

がしょう[2] **賀正** (年賀状で) (I wish you a) Happy New Year.

がじょう[1] **賀状** ☞ ねんが (年賀状)

がじょう[2] **牙城** (根拠地) stronghold Ⓒ.

かしょうしんこく **過少申告** false return of *one's* income (giving an underestimated amount) Ⓒ.

かしょうひょうか **過小評価** ―動 ùnderéstimàte ⑩ (↔ overestimate). ¶彼の能力を*過小評価してはならない We must not *underestimate* his abilities.

かしょうりょく **歌唱力** talent for singing Ⓤ.

かしょくしょう **過食症** bulimia /b(j)u:límiə/ Ⓤ, hyperphagia /hàɪpəféɪdʒiə/ Ⓤ ★後者のほうが正式名.

かしょくのてん **華燭の典** wedding celebration Ⓒ.

かしょぶんしょとく **可処分所得** dispósable íncome Ⓤ.

かしら **頭** 1 《頭部》: head Ⓒ (☞ あたま).
2 《長》: (部門の) head Ⓒ; (何人かの人の上に立つ) chief Ⓒ. (☞ ちょう[3]).

頭文字 (名前の) inítial (létter) Ⓒ; (大文字) capital (letter) Ⓒ. (☞ イニシャル).

-かしら 1 《疑問の気持ち》: I wonder (if…; whether…; what…; who…; where…; when…; why…; how…) 語法 wonder はもともと「いぶかる・怪しむ」という意味. 従って次に if あるいは疑問詞がくると「…かどうかいぶかる」のような意味となり, 日本語の「…かしら」に当たることになる.

¶彼は本当に来るの*かしら *I wonder if* he is really coming. // 彼女は顔色が悪いけれど, どうしたの*かしら (⇒彼女に何が起こったのか) She looks pale. *I wonder what* has happened to her. // 彼はどこに行ったの*かしら *I wonder where* he's gone.

2 《願いの気持ち》: I hope. ¶早く雨がやまない*かしら *I hope* it will stop raining soon. 語法 やみそうにない場合には *I wish* it would stop raining. と言う.

3 《相手に対する質問》 ¶これ, あなたの本ではない*かしら Isn't this your book?

かしらぶん **頭分** ☞ おやぶん; しゅりょう[2]

かじりつく 1 《かみつく》: bite ⌈into [at]… (☞ かぶりつく; かみつく).

2 《すがりつく》: cling to… (過去・過分 clung); (人・机などから離れない) stick to…. (☞ すがる; しがみつく).

¶子供は私に*かじりついて, どうしても私を行かせなかった The child *clung to* me and wouldn't let go. // 石に*かじりついても (⇒どんなことがあっても) この仕事はやり遂げる I will complete this job *at any cost.* // 子供たちはテレビに*かじりついていた (⇒見るのをやめようとしなかった) The children *wouldn't stop* watching television. // 彼女は一日中机に*かじりついています She *sticks to* her desk all day. / (⇒勉強以外は何もしない) She *does nothing but* study all day. / (⇒机に座って仕事をする) She *sits at her desk* all day. ★sit at ⌈a [*one's*] desk は読み書きや仕事などを言い, 必ずしも勉強とは限らない.

かしりょう **貸し料** ☞ かしちん

かじる **齧る** 1 《少しずつかむ》: (堅い物を) gnaw /nɔ́:/ ⑩, gnaw at…; (ネズミなどが) nibble ⑩, nibble at…; (りんごなどを) bite ⑩ (過去 bit; 過分 bitten, bit). (☞ かむ[1] (類義語); かじりつく).

¶犬が骨を*かじっている The dog *is gnawing (at)* the bone. // 彼はりんごをひと口*かじった (⇒ひとかじりした) He *took a bite* out of the apple. // 親のすねを*かじる (⇒親に依存している) be still *dependent on one's* parents (☞ すね)

2 《少し知っている》: know a ⌈little [bit] about… (☞ ききかじる; なまかじり). ¶私は大学でフランス語を少し*かじった (⇒学んだ) I *learned a little* French in college.

かしわ[1] ☞ とり[1]

かしわ[2] **柏** 〘植〙 oak (tree) Ⓒ.

かしわで **柏手** ―動 clap *one's* hands.
¶彼は神殿の前で*かしわ手を打った He *clapped his hands* (*in worship*) in front of the (Shinto) shrine.

かしわもち **柏餅** rice cake wrapped in an oak leaf Ⓒ.

かしん[1] **過信** ―名 òvercónfidence Ⓤ. ―形 (自信過剰な) overconfident. ―動 (過信する) òveréstimàte ⑩. ¶自分の能力を*過信するな Don't ⌈*be overconfident of* [*overestimate*] your own abilities.

かしん[2] **家臣** vassal /vǽsl/ Ⓒ (☞ けらい).

かしん[3] **下唇** (人の) the lower lip, the underlip; (ランなどの下唇弁, 昆虫・甲殻類の口器の一部) labium Ⓒ (複 labia).

かしん[4] **歌神** god [goddess] of the poetry Ⓒ; Muse Ⓤ ★ギリシャ神話で学問・詩・音楽を司る9人の女神 the Muses の一人; (芸術家に霊感を与える詩神) the [*one's*] muse.

かじん[1] **歌人** tanka poet Ⓒ (☞ しじん[1]).

かじん[2] **佳人** beauty Ⓒ, beautiful woman Ⓒ.

佳人薄命 Beauties die young. / Those whom the gods love die young. (ことわざ: 神々の愛する者は若死にする).

かじん[3] **家人** (一まとまりとして) *one's* family; (家族の構成員) *one's* family member Ⓒ ★その中の1 [2] 人などを示すときは one [two] of *one's* family members とする.

がしんしょうたん **臥薪嘗胆** ¶多年にわたる*臥薪嘗胆の末 after many years of *perseverance* /pə̀:səví(ə)rəns/ (☞ くろう; くしん)

がしんたれ (能なし) good-for nothing (fellow) Ⓒ; (いくじなし) spiritless fellow Ⓒ.

かす[1] **貸す** 1 《物・金を》: (移動して一時的に使用できるものを無料で貸す) lend ⑩ (過去・過分 lent), (米) loan ⑩; (一般に, 有料で貸す・賃貸しする) (米) rent (out) ⑩, (英) hire out ⑩; (家を賃貸しする) (米) rent ⑩, (英) let ⑩; (アパートや部屋を) (米)

rent (他), 《英》let out (他); (金を) lend (他) [語法] (1) 英米ともに利子を取っても取らなくてもこの語を使う, 《米》loan (他); (土地などの不動産を) lease (他); (使わせる) let (*a person*) use …

「3.5 エーカー　売り地または貸し地」という掲示

「貸します. ビーチパラソルといす」という掲示

[日英比較] 貸し借りについては日本語と違って有料・無料の区別によって言葉が違うことに注意. 無料で貸すのは lend で, 《米》では loan も同じ意味で用いられる. ただし, 《米》でも鉛筆や自転車などの物については lend のほうが普通で, 人によっては物に loan を用いるのを嫌う人もいる. 有料で貸すのは《米》では rent で, rent out ともいう. 有料で借りるのも rent と言うので, 貸し借りの区別をはっきりさせる必要があれば rent out を使う. 不動産を貸すのは lease で, 《米》では rent と入れ替え可能な場合も多い. また金を貸すのは利子を取る取らないにかかわらず英米ともに lend を使うが, 《米》では lend のほかに loan も使われる. 日本語の「貸す」という言葉には, 例えばトイレや家屋など移動不可能なものを, 好意で一時的に使用させるという意味があるが, 英語ではこのような場合には *lend* は用いられない. このような場合には英語では「使わせる」という意味で let (*a person*) use … を用いる. 《☞ かりる [日英比較]; ゆうずう》

	貸す		借りる
	《米》	《英》	
無料で	lend (loan)	lend	borrow
有料で	rent (out) hire out	hire out	rent hire
(部屋・家) (土地など)	rent (out) lease	let lease	rent lease
金銭	lend (loan)	lend (loan)	borrow

¶ 彼は私に自転車を*貸してくれた <S (人) + V (*lend*; *loan*) + O (人) + O (物)> He ｢*lent* [*loaned*] me his bicycle. / <S (人)+V (*lend*; *loan*)+O (物)+*to*+名・代> He ｢*lent* [*loaned*] his bicycle *to* me. // あなたの辞書を*貸してくれませんか Could you *lend* me your dictionary? / (⇒ 借りてもいいですか) May I ｢*borrow* [*use*] your dictionary? [語法] (2) 相手に貸す意志があるかどうかを尋ねるよりもこのほうが丁寧な言い方なので, 遠慮を置く間柄ではこの言い方が好ましい. // トイレを*貸していただけますか (⇒ 使ってもいいですか) May I *use* the bathroom? ★ 持ち運びできないものは use を使う. // 公園の入口で自転車を*貸してくれますよ (⇒ 彼らは…) They ｢*rent* (*out*) [*hire out*] bicycles at the entrance to the park. / (⇒ 有料で借りられる) You can ｢*rent* [*hire*] a bicycle at the entrance to the park. // うち(の会社)では乗用車は*貸しますがトラックは*貸しません We ｢*rent* (*out*) [*hire out*] cars but not trucks. // あの銀行では 8 分の利子で金を*貸す That bank ｢*lends* [*loans*] money at eight percent interest. // この家の持ち主はこの家を外人に*貸したいと言っている The owner of this house says (that) he wants to ｢*rent* [*let*] it to a foreigner. // 土地を*貸す人はいないでしょうか Don't you know anyone who would like to *lease* (a piece of) land?

2 《知恵・力などを与えて助ける》: (助言を与える) give advice (to …); (耳を) lend an ear to …, listen (to …) (自) ★ 後者のほうが口語的; (力を) help (他). ¶ 知恵を*貸して下さいませんか Could you *give* me some *advice*? // 彼は私たちの主張に耳を*貸そうとしない He won't *listen to* us.

かす[2] 滓 (飲み物などの下にたまるおり) the dregs [語法] the を付けて, 複数形で. 比喩的にも用いる; (おり・茶がら・コーヒーかす) grounds ★ 複数形で.

かす[3] 粕 sake lees ★ 複数形で. **粕汁** sake lees soup with fish and vegetables Ⓤ **粕漬け** meat [fish; vegetables] preserved in sake lees Ⓤ.

かす[4] 化す ☞ なる[1]; かわる[1]

かす[5] 科す ☞ かする[2]

かす[6] 課す ☞ かする[1]

かず[1] 数 number Ⓒ; (数字, 数値) figure Ⓒ. 《☞ にんずう; すうりょう; 数の数え方 (囲み); 数字 (囲み)》.
¶ 小さな[大きな]*数 a ｢small [large] *number* // いすの*数を数える count the (*number* of) chairs // *数が増える the *number* increases // 君のクラスは生徒の*数は何人ですか *How many* students ｢are there [do you have] in your class? / What is the *number* of students in your class? ★ 第 1 文のほうが口語的. // その町には学校の*数が多い[少ない] There are ｢*many* [*only a few*] schools in that town. // *数をそろえる make up the *number* (of …) // 彼はよく*数を間違える (⇒ 間違って数える) He often ｢*miscounts* [*counts* wrong]. // *数がわからなくなる lose *count* (of …) // *数に限りがある be limited in *number* // …を*数に入れる *count* … (in) / (⇒ 含む) *include* … // 壊れているのは*数に入れないで 8 個あります There are eight, not ｢*counting* [*including*] the broken ones.
数限りない countless Ⓐ, numerous ★ 後者はやや格式ばった語. 《☞ むすう》 **数ならぬ** (取るに足らない) insignificant; (身分・地位などの低い) humble. ¶ *数ならぬ身ながらお役に立つようつとめます I'll do my best, ｢*humble* [*insignificant*] as I am.

コロケーション
恐ろしいほどの数 an appalling [an alarming; a shocking] *number* / **驚くほどの数** an ｢amazing [astonishing] *number* / **おびただしい数** a vast *number* / **かなりの数** a ｢considerable [significant] *number* / **5 桁の数** a five-digit *number* / **十分な数** a sufficient *number* / **正確な数** the exact *number* / **天文学的な数** an astronomical *number* / **途方もない数** a prodigious *number* / **取るに足りない数** an ｢insignificant [inconsiderable] *number* / **莫大な数** an ｢enormous [immense] *number* / **平均的な数** the average *number*

かず[2] 下図 the figure below Ⓒ 《複 the figures below》 《☞ ず[1]》.

ガス 1 《燃料用ガス》: gas Ⓤ 《☞ きたい[2]》; (プロパンガス) propane gas Ⓤ.
¶ *ガスを出して[止めて]下さい Turn ｢on [off] the *gas*, please. // *ガスの火を弱く[強く]しなさい Turn the *gas* ｢down [up (high)]. // ここには*ガスが来ていますか Do we have *gas* available here? // 天然*ガス natural *gas* // (有)毒*ガス poison(ous) *gas* // *ガスで煮炊きする cook with *gas*
2 《濃霧》: dense [thick; heavy] fog Ⓒ 《☞ きり[1]》.
3 《腸内ガス》: gas (in the digestive tract) Ⓤ 《☞ おなら》.

数の数え方

「紙 2 *枚」,「本 2 *冊」という日本語は，ともに＜名詞＋数詞＋助数詞＞の形をしているが，英語ではその名詞が Ⓤ ならば＜容器·単位·量目などを表す名詞＋*of*＋名詞＞，Ⓒ であれば＜数詞＋名詞の複数形＞となり，それぞれ two *sheets of* paper, two books となる.

原則的には英語の Ⓤ に相当する物についてだけ適当な補助語を用い，その他の日本語の「数を数えるときの語」は特に英語に訳す必要はない.《☞ 可算·不可算名詞 (巻末); 度量衡 (囲み)》

疑問文で「何回·何か所·何機·何枚」などは，＜数詞＋名詞＞で表現できるものは＜*How many*＋名詞の複数形＞で示し，＜数詞＋容器·単位·量目＋*of*＋名詞＞の場合は＜*How many*＋容器·単位·量目の複数形＋*of*＋名詞＞または，＜*How much*＋名詞の単数形＞で表す.

以下に，日本語でよく使われる数の数え方の語を示し (50 音順)，それに対する英語の表現をあげる.

…回	欠席 3 回	three absences
	当選 2 回	two elections
	2 回の公演	two performances
	電話 2 回	two phone calls
…か所	間違い 3 か所	three mistakes
	破損 2 か所	two breaks
…機	飛行機 3 機	three airplanes
	3 機編隊で	in a three-plane formation
…曲	アリア 3 曲	three arias
	バイオリン曲 3 曲	three pieces of violin music
…切れ	ベーコン 2 切れ	two rashers of bacon
	牛肉 3 切れ	three slices of beef
	レモン 2 切れ	two slices of lemon
…組	カップル 3 組	three couples
	トランプ 1 組	a pack of cards
…件	事故 3 件	three accidents
	申し込み 3 件	three applications
	盗難 3 件	three robberies
…軒	農家 3 軒	three farmhouses
	1 軒屋《孤立した》	a solitary house
	1 軒屋《一戸建ての》	a single-family dwelling
…個	オレンジ 3 個	three oranges
	石けん 5 個	five ˹bars [cakes] of soap
…戸	1 万戸《家》	10,000 houses
	〃　《家族》	〃　families
	〃　《世帯》	〃　households
…冊	本 3 冊《別々の》	three books
	〃　《同一の》	*three copies*
	アルバム 2 冊	two albums
…品	5 品の食事	a meal of five dishes
		a five-course dinner
	料理 2 品	two dishes
…隻	タンカー 2 隻	two tankers
…艘	ボート 2 艘	two boats
…足	靴 2 足	two pairs of shoes
	靴下 3 足	three pairs of socks
…台	バス 2 台	two buses
	テレビ 2 台	two TV sets
…題	問題 3 題	three problems
…着	オーバー 2 着	two overcoats
	学生服 2 着	two school uniforms
	ズボン 2 着	two pairs of trousers
…通	手紙 2 通	two letters
	コピー 3 通	three copies
…点	衣類 2 点	two articles of clothing
	水彩画 3 点	three watercolors
	家具 4 点	four ˹pieces [articles] of furniture
	3 点セット	a three-piece suite
…頭	馬 2 頭	two horses
	牛 10 頭	ten head of cattle
		★ この意味の head は単複同形.
…人	老人 3 人	three old people
	警官 3 人	three police officers
	5 人家族	a family of five (people)
	100 人乗り	accommodation for one hundred passengers
…杯	(ごはん) 大盛 2 杯	two large helpings (of rice)
	コーヒー 2 杯	two cups of coffee
		two coffees
		★ 後者は特にレストランなどでの表現.
	牛乳 2 杯	two glasses of milk
	砂糖大さじ 2 杯	two ˹tablespoons [tablespoonfuls] of sugar
…発	弾 2 発	two ˹rounds [shots]
…匹	猫 2 匹	two cats
	魚 3 匹	three fish
		★ 種類の異なる魚の場合は fishes も用いる.
…部	夕刊 2 部	two copies of an evening paper
		two evening papers
	販売数 5 万部《新聞·雑誌の》	a circulation of 50,000
	〃《本などの》	a sale of 50,000 copies
…分	食事 3 人分	three portions of food
	3 人分の食事	food for three

…本	鉛筆2本	two pencils
	ホームラン3本	three home runs
	ビデオ2本	two video tapes
	チョーク2本	two pieces of chalk
	ビール2本	two bottles of beer
	フィルム2本	two rolls of film
…枚	CD 2枚	two CDs
	シャツ2枚	two shirts
	千円札2枚	two 1,000-yen bills
	ガラス3枚	three ⌈panes [sheets] of glass
	食パン2枚	two slices of bread
	紙2枚	two sheets of paper

★ 紙などは sheet, piece, bit のほかに, ページなどでは leaf ともいう.

…名	教師5名	five teachers
	参加者5名	five participants
…人	老人2人	two old people, an old couple
	2人乗り	a two-seater; (自転車) a tandem
…両	客車3両	three passenger cars
	5両編成の列車	a five-car train
…羽	カナリヤ3羽	three canaries

用例

¶「ペットは飼っていますか」「うん, うちには犬が3*匹と猫が2*匹います」「私は小鳥が好きで, おうむとカナリヤを1*羽ずつ飼っています」"Do you have pets?" "Yes, we keep *three dogs* and *two cats.*" "I like little birds, and have *a parrot* and *a canary.*"

父は昨夜ビールを2*本と水割りを3*杯飲んだ My father drank *two bottles of beer* and *three glasses of whisky and water* last night.

文房具店でノート5*冊, 鉛筆3*本, それに消しゴムを1*個買った I bought *five notebooks, three pencils,* and *an eraser* at a stationery store.

「この辺には何*軒くらいコンビニエンスストアがありますか」「2*軒あります」"*How many convenience stores* are there in this neighborhood?" "There are *two.*"

「砂糖は大さじ何*杯入れるのですか」「3*杯です」"*How many* ⌈*tablespoonfuls* [*tablespoons*] *of sugar* should I add?" "*Three.*"

「鈴木さんからあなたに電話が2*回ありました」「手紙は来ていないですか」「ファックスなら3*通届いています」"There were *two phone calls* for you from Mr. Suzuki." "Are there any letters for me?" "There are *three faxed letters.*"

朝食はトースト2*枚とコーヒー1*杯だけだった I had only *two slices of toast* and *a cup of coffee* for breakfast.

「あなたは靴を何*足持っていますか」「3*足持っています」"*How many pairs of shoes* do you have?" "I have *three.*"

10*品の食事を20人*分用意するのはとても大変だ It is really hard work to prepare *a ten-course dinner for twenty* (*people*).

財布には5千円札1*枚と百円玉3*個, それにクレジットカードが2*枚入っていた *One 5,000-yen bill, three 100-yen coins,* and *two credit cards* were in the wallet.

ガスエンジン gás èngine Ⓒ　**ガス遠心分離法** the gas centrifuge ⌈method [process]　**ガス会社** gas company Ⓒ　**ガス釜** (風呂の) gas bath heater Ⓒ　**ガス管** gas pipe Ⓒ　**ガス器具** gas fittings　**ガス警報器** gas alarm Ⓒ　**ガス計量器** ☞ガス (ガスメーター)　**ガス欠** be out of gas　**ガス検針員** gas meter reader Ⓒ　**ガスコークス** gas coke Ⓤ　**ガスこんろ** gas stove Ⓒ　**ガス自殺** suicide by gas inhalation Ⓤ　**ガス銃** (空気銃) air rifle Ⓒ　**ガス状汚染物質** gaseous pollutant Ⓒ　**ガス状星雲** gaseous nebula Ⓒ　**ガスステーション** (ガソリンスタンド)《米》gas station Ⓒ; filling [service] station Ⓒ　**ガスストーブ** gas heater Ⓒ,《英》gas fire Ⓒ　**ガスセンサー** gas ⌈sensor [detector] Ⓒ　**ガス層**〘石油〙gas reservoir Ⓒ　**ガスタービン** gas turbine Ⓒ　**ガス体** gaseous body Ⓒ; (気体) gas Ⓤ　**ガス代** (料金請求書) the gas bill　**ガス台** gas ⌈range [stove] Ⓒ　**ガスタンク** gas tank Ⓒ　**ガス中毒** gas poisoning Ⓤ　**ガス田** (天然ガスの) gas field Ⓒ　**ガス灯** gas light Ⓒ　**ガス抜き** ―[動] draw gas out of …　**ガスバーナー** gas burner Ⓒ　**ガス爆発** gas explosion Ⓒ　**ガス発生炉** gas producer Ⓒ　**ガス風呂** gas-heated bath Ⓒ　**ガス分析** gás ⌈chromatography /kròumətágrəfi/ [anàlysis] Ⓤ《☞ガスクロマトグラフィー(見出し)》　**ガスホース** gas hose Ⓒ　**ガスボンベ** gas cylinder Ⓒ《☞ボンベ》　**ガスマスク** gas mask Ⓒ　**ガスマット** gas burner liner Ⓒ　**ガスメーター** gas meter Ⓒ　**ガス洩れ** gas leak Ⓒ　**ガス湯沸かし器** gas water-heater Ⓒ　**ガス溶接** gas welding Ⓒ　**ガスライター** gas (cigarette) lighter Ⓒ　**ガス冷蔵庫** gas refrigerator Ⓒ　**ガスレンジ** gas ⌈stove [cooker; range] Ⓒ　**ガス炉** gás fùrnace Ⓒ.

かすい¹ 仮睡 ☞かみん; うたたね

かすい² 花穂 〘植〙spike Ⓒ.

かずい 花蕊 〘植〙pistils and stamens《☞めしべ; おしべ》.

かすいたい 下垂体 ☞のう¹ (脳下垂体)

かすいぶんかい 加水分解 ―[名] hydrolysis /haɪdrάləsɪs/ Ⓒ《複 -ses /-sìːz/》. ―[動] hydrolyze (他)(自).　**加水分解酵素**〘生化〙hýdrolàse /háɪdrəlèɪs/ Ⓤ.

かすう¹ 価数 (原子価) valence /véɪləns/ Ⓒ.

かすう² 加数 〘数〙summand Ⓒ, addend Ⓒ.

かすか 微か, 幽か ―[形] (わずかな) slight, (明るさ・音・力などが弱い) faint; (不正確ではっきりしない) vague; (薄暗くぼんやりした) dim; (輪郭がはっきりしない・他のものとはっきり区別できないでぼやけた) indistinct ★ 以上の中で最も格式ばった語. ―[副] slightly; faintly; vaguely; dimly; indistinctly. 《☞ほのか; わずか; ばくぜん; あわい》.

¶*かすかな光が遠くに見えた I saw a ⌈*faint* [*dim*] light in the distance. // ささやき声が*かすかに聞こえた A murmuring sound could ⌈*barely* [*faintly*] be heard. // 私は彼女のことは*かすかに覚えているだけだ I have only ⌈*dim* [*vague*; *indistinct*] memories of her. // *かすかな望みも消えた Even the ⌈*slightest* [*faintest*] hope has gone.

かすがい 鎹 (締金) clamp Ⓒ, cramp Ⓒ ★ ほぼ同意のこともあるが, 前者はボルトなどを使って締め付ける器具, 後者は両端を曲げた止め具を意味することが多い. ¶子は*かすがい (⇒子供は夫婦をしっかりとくっつけておく接着剤になり得る) Children can be the glue that holds a marriage together.

かすかす ―[形] (食物などが) dry and tasteless.

かずかず 数数 ―形（たくさんの）many;（非常にたくさんの）《格式》númerous;（さまざまの）various. 《☞ おおく; たくさん（類義語）》.

かすがづくり 春日造り shrine built in the style of (the) Kasuga Shrine C.

かすがどうろう 春日灯籠 stone lantern at (the) Kasuga Shrine C;（春日神社式の）stone lantern in the style of those at (the) Kasuga Shrine C.

カスク（保安ヘルメット）crash helmet C.

ガスクロマトグラフィー（ガス状試料を分析する化学分析法）gás chromatógraphy U.

カスケード（階段状の滝）cascade /kæskéɪd/ C 《☞ たき[1]》.

カスケードさんみゃく カスケード山脈 ―名 固 the Cascade Range, the Cascades ★ アメリカ合衆国からカナダまでの太平洋岸を南北に走る山脈.

カスケードシャワー〔物理〕cascade shower C.

ガスケット gásket C ★ パイプの継ぎ目などに入れるパッキング.

かずける 被ける ☞ あわせる; てんか[3]; かこつける

かずさぼり 上総掘り the Kazusa style of digging a well.

カスタード custard U ★ 個々に言うときは C. カスタードクリーム custard cream U カスタードプリン custard pudding U.

カスタネット càstanéts ★ 通例複数形で.

カスタマー customer C 《☞ きゃく[1]》. カスタマーエンジニア（コンピューターの保全, 管理のための技術者）customer engineer C カスタマーリレーションズ（企業の顧客に対する広報活動）customer relations.

カスタマイズ ―動（注文によって…を作る）cústomìze 他 《☞ ちゅうもん; あつらえ》.

カスタム（関税・税関・特別仕様）custom C 《☞ ぜいかん; かんぜい; きゃく[1]》. カスタムカー custom car C カスタムカット custom (hair)cut U カスタムソフトウェア custom software U カスタムチップ custom chip C カスタムブローカー（通関手続代行業者）customs broker C カスタムメード ―形 custom-made, custom-built.

カスティリャ ―名 固 Castile /kæstí:l/ ★ スペイン中部から北部にかけての高原地方. スペイン語名は Castilla.

カステラ spónge càke U 《☞ ケーキ 語法》.

ガストアルバイター（主にドイツにおける出稼ぎ外国人労働者）guest worker C ★ ドイツ語 Gastarbeiter から.

カストディアン（管理人）custódian C 《☞ かんり[1]（管理人）》.

カストラート〔楽〕castorato /kæ̀strá:tou/ C 《複 -ti /-ti:/》;（説明的に）castrated singer (of the 17th and 18th centuries in Italy) C.

かすとり 粕取り（粗悪な密造酒）low-grade moonshine U. 粕取り雑誌（低俗雑誌）pulp (magazine) C.

カストロ ―名 固 Fidel Castro /fɪdél kæstrou/, 1927– . ★ キューバの革命家, 首相.

ガストロカメラ ☞ い[1]（胃カメラ）

ガストロノーム（食通）gástronòme C 《☞ グルメ》.

ガストロノミー（美食学）gastrónomy U 《☞ びしょく; ごちそう》.

かずのこ 数の子 herring roe U.

カスバ casbah, kasbah /kǽzbɑ:, kɑ́:z-/ C ★ 北アフリカの都市の原住民居住地域.

ガスパチョ gazpacho /gəzpɑ́:tʃou, gəs-/ C 《複 ～s》★ 野菜を主としたスペインの冷たいスープ.

カスピかい カスピ海 ―名 固 the Caspian Sea.

かすみ 霞（湿気のあるもの）(spring) mist C;（mist より薄く, 煙・ほこりなどによるものも含んで）haze C. 日英比較 いずれも, 日本語の「霧」「もや」「かすみ」のように季節感を伴う語ではないので, 日本語の「春がすみ」の感じを出すには第 1 番目の訳語のように spring を付けるのがよい. 《☞ きり[1] 参考; もや 日英比較》. ¶ 山々には*かすみがかかっていた A *haze* hung over the hills. /（⇒ かすみに包まれていた）The hills were veiled in a *spring mist*.
霞を食う live on *air*. かすみ網 fowling net C.

かすみがうら 霞が浦 ―名 固 Lake Kasumigaura, the second biggest lake in Japan.

かすみがせき 霞が関 ―名 固 Kasumigaseki; （説明的には）a district where many government offices are located;（官庁）government offices.

かすみそう 霞草〔植〕baby's breath C, babies' breath C.

かすみめ 翳目 blurred [dimmed] eyes.

かすむ 霞む 1 《かすみが立ち込める》:（かすんでいる）be hazy 《☞ きり[1]; もや》. ¶ 遠くの山は*かすんでいた The distant mountains *were hazy*.
2 《目がかすむ》: dim 自, be blurred. 《☞ ぼやける》. ¶ 涙で目が*かすんだ My eyes ˹*dimmed* [*were blurred*] with tears.

かすめとる 掠め取る（ひったくる）snatch 他;（こっそり盗む）steal 他 《☞ ぬすむ（類義語）》. ¶ ハイエナがライオンから獲物を*掠め取った Some hyenas *snatched* the prey from the lion. // 店は客を装った泥棒に宝石を*掠め取られた The store had some jewels ˹*stolen* [*taken away*] by a thief who pretended a customer.

かすめる 掠める 1 《盗む》: steal 他 《過去 stole; 過分 stolen》《☞ ぬすむ（類義語）; とる; ちゃくふく》.
2 《触れるか触れないかのところを通る》:（軽く触れて通る）graze 他 自;（水面などをかすめて飛ぶ）skim (over …) 自. 《☞ すれすれ》. ¶ 弾丸が私の腕を*かすめた A bullet *grazed* my arm. // 鳥が水面を*かすめて飛んだ A bird *skimmed over* the water.
3 《目をごまかす》 ¶ 彼は人目を*かすめて（⇒ こっそりと）その小屋に近づいた He approached the cottage *stealthily*. 《☞ こっそり; ひそか》
4 《あらわれてすぐ消える》: flit 自. ¶ その日の思い出が, ふと私の脳裏を*掠めた Memories of the day *flitted* through my mind.

かずもの 数物 1 《量産品》: mass-produced goods ★ 複数扱い. ¶ *数物の靴 *mass-produced* shoes
2 《セットもの》: pieces which make a set. ¶ *数物の皿 *a set of* plates

かずら 葛〔植〕creeper C, vine C.

かずらもの 鬘物 kazuramono C;（説明的には）Noh play with a female leading character C.

かすり 絣 Japanese cloth with splashed patterns U.
¶ *かすりの着物 a *splash-pattern* kimono

かすりきず 掠り傷（すり傷）scratch C;（軽いけが）slight injury C. 《☞ きず（類義語）》.
¶ *かすり傷を負う get a *scratch* // 心配するな. ほんの*かすり傷だ Don't worry. It's only a ˹*slight* [*minor*] *injury*. // たいしたことはありません. ほんの*かすり傷です It's nothing serious /sí(ə)riəs/, just a *scratch*.

かすりふで 掠り筆 the faint and blurry way of (brush) writing U.

かする[1] 課する（税金・義務・仕事などを）impose 他;（税金を）asséss 他, lay 他 ★ 後者のほうが口語的;（仕事・宿題などを）assign 他. ¶ 市は昨年, 彼に 1 千万円の税金を*課した The city *imposed* a tax of ten million yen on him last year. // 私は学生に宿題を*課した I *assigned* ˹some homework to the students [the students some homework].

かする² 科する (処罰などを) inflict ⑱; (刑罰・罰金を) impose ⑱; (罰金を) fine ⑱.
¶ 重い罪を*科する *inflict* [*impose*] a heavy penalty (on …) // 彼は200ドルの罰金を*科された He *was fined* 200 dollars.

かする³ 化する ☞ かわる¹; なる¹

かする⁴ 掠る graze ⑱ (☞ かすめる).

かする⁵ 架する ☞ かける¹ 3

かする⁶ 嫁する ☞ けっこん¹; よめいり

かすれ 掠れ ― 名 (文字・印刷の) blur Ⓒ; (声の) huskiness Ⓤ. ― 形 (文字・印刷の) blurred; (声の) husky. (☞ かすれる).

かすれる 掠[擦]れる (声が) become ˹hoarse [husky] (☞ かれる³); (字などが) be (faint and) blurry; (ペンなどがひっかかる) be scratchy. ¶ 字は*かすれていて殆ど読めなかった The letters *were* so ˹*blurry* [*blurred*] that they were almost illegible.

かせ 枷 (手かせ) handcuffs; (足かせ) fetters; (足かせ・手かせ) irons, shackles ★ 以上の語は通例複数形で. (☞ あしかせ). ¶ その捕虜は*かせをかけられていた The prisoner was *in* ˹*handcuffs* [*irons*; *shackles*].

かぜ¹ 風 (一般的に) wind Ⓤ 語法 種類をいうときは Ⓒ. 単に「風」というときは普通は (the) wind; (快いそよ風) breeze Ⓒ; (強風) gale Ⓒ; (すき間風) draft Ⓒ, (英) draught Ⓒ.
¶ きょうは*風がない There is no ˹*wind* [*breeze*] today. ★ breeze の方が弱い風をいう // *風が出て[静まって]きた *The wind* is ˹rising [falling]. / It is getting ˹*windy* [*calm*]. // *風がやんだ *The wind* died ˹away [down]. // 強い*風が吹いていた *The wind* [*It*] was blowing hard. / There was a strong *wind*. ★ 前者のほうがより口語的. // 弱い*風 a moderate *wind* // 身を切るような*風 a ˹cutting [piercing; biting] *wind* // 凍てつくような*風 a freezing [an icy] *wind* // *風が北から南に変わった *The wind* has ˹shifted [changed] from the north to the south. // 海上にはそよとの*風もなかった There was not a (single) gust of *wind* over the sea. // *風は南から吹いている *The wind* is ˹blowing [coming] in from the south. // 私たちは*風に向かって進んだ We went against *the wind*. // 川からの*風は涼しくて気持ちがよかった *The breeze* (coming) from the river was cool and pleasant. // 冷たい*風が身にしみた The cold *wind* went straight to the bones. / The *wind* chilled (me) to the bone. // 私は帽子を*風に飛ばされた I had my hat blown off by *the wind*. // この部屋はすきま*風が入る There is [I feel] a *draft* in this room. // 世間の*風は冷たい You can't expect much from the world. // そんなに先輩*風を吹かすな (⇒ 庇護者ぶった態度をとるな) Don't ˹put on [assume] such a patronizing *air*. (☞ あにき; おやぶん)
風薫る ¶ *風薫る5月 May with its balmy breeze **風が吹けば桶屋が儲かる** It's an ill wind that blows nobody good. (ことわざ: 誰にも益にならない風は悪い風(どんな風でも誰かには得になる)) **風の便り** ¶ *風の便り (⇒ だれかから聞いたところ) によると彼はもう日本にはいないそうだ *I heard from someone that* he is no longer in Japan. **風の吹き回し** ☞ ふきまわし **風を切る** go flying in the air, whiz through the air **風を食らう** ¶ *風を食らって逃げる take to *one's* heels ★「さっさと逃げる」の意.
風台風 typhoon with violent winds Ⓒ; (暴風) storm Ⓒ, hurricane Ⓒ **風の神** the god of the wind; (ギリシャ神話) Aeolus /iːələs, iːóʊ-/.

―コロケーション―
海風 a sea *wind* / 追い風 a ˹tail [favorable; fair] *wind* / 北風 a ˹north [northerly] *wind* / 涼しい風 a cool *wind* / そよ風 a ˹gentle [soft] *wind* / 強い風 a ˹strong [powerful] *wind* / 激しい風 a ˹heavy [high ; stiff] *wind* / 肌を刺す風 a ˹piercing [bitter] wind / 浜風 an onshore *wind* / 春風 a spring *wind* / 向かい風 [逆風] a head [an adverse] *wind*

かぜ² 風邪 cold Ⓒ; (インフルエンザ) influénza Ⓤ, (略式) flu Ⓤ. ¶ 私は*風邪を引いた I have ˹caught [come down with] (a) *cold*. // ひどい[軽い]*風邪を引いた I have caught a ˹bad [slight] *cold*. 語法 「風邪を引く」catch (a) cold という場合, 不定冠詞 a は付けても付けなくてもよいが,「ひどい風邪」のように形容詞が付いた場合は a を付ける. // 私は*風邪を引いている I have a *cold*. // 彼はきょう*風邪を引いて休んでいます He is ˹off [out; absent] with a *cold* today. // 少し*風邪気味なので気分がよくない I have a ˹slight *cold* [bit of a *cold*] and don't feel well. // *風邪を引き直す catch another *cold* // *風邪をこじらせる make *one's cold* worse / (格式) aggravate *one's cold* // 悪い*風邪がはやっている Everyone ˹is catching [has] a bad *cold*. / A bad *cold* has been going around. // 彼女から*風邪をうつされた (⇒ もらった) I ˹got [caught] my *cold* from her. / She gave me her *cold*. / I caught her *cold*. **風邪薬** cold medicine Ⓤ; (錠剤) cold pill Ⓒ. (☞ くすり) **風邪気(ᵍ)** slight cold Ⓒ, touch of (a) cold Ⓒ **風邪声** voice hoarse from a cold Ⓒ **風邪ひき** catching (a) cold Ⓤ; (かぜをひいている人) person with a cold Ⓒ.

―コロケーション―
悪寒を伴う風邪 a *chill* / 頑固な風邪 a stubborn *cold* / 気管支性の風邪 a bronchial *cold* / 咳の出る風邪 a chest *cold* / 長びく[しつこい]風邪 a lingering *cold* / 夏風邪 a summer *cold* / ひどい風邪 a ˹bad [nasty] *cold* / 普通の風邪 a common *cold* / 香港風邪 Hong Kong *flu* / 慢性的な風邪 chronic *colds*

かぜあたり 風当たり ¶ 丘の上にある彼の家は*風当たりが強い The wind *blows hard* against his house on the hill. // 彼に対する*風当たりが強い (⇒ 厳しく批判されている) He *is being severely criticized*.

かせい¹ 火星 Mars. ¶ *火星には生物はいるだろうか Is there (any) life on *Mars*? // *火星探査計画 the *Mars* exploration project
火星人 Martian /mάɚʃən/ Ⓒ **火星探査機** Mars probe Ⓒ **火星着陸** landing on Mars Ⓤ.

かせい² 加勢 (手伝い) help Ⓤ; (援助) assistance Ⓤ ★ 前者が口語的; (後援・支持) backup Ⓤ. (☞ たすけ; おうえん).

かせい³ 火勢 (火) fire Ⓤ; (炎) flame Ⓒ ★ しばしば複数形で; (火の力) the intensity of the fire. (☞ ひ²; かじ¹). ¶ *火勢は強くなっている (⇒ 火は広がっている) The *fire* is spreading. / (⇒ 炎が荒れ狂っている) The *flames* are raging ˹violently [furiously]. // *火勢はいくらか衰えた *The intensity of the fire* has ˹dropped [decreased] somewhat.

かせい⁴ 仮性 ― 形 (真性でない) false; (疑似の) pseudo- /súːdoʊ/.
仮性近視 false [temporary] nearsightedness Ⓤ, pseudo-myopia Ⓤ **仮性クループ** 〖医〗 (pseudo) croup Ⓤ **仮性小児コレラ** 〖医〗 pseudo cholera infantium Ⓤ **仮性包茎** pseudophimosis /sùːdoʊfaɪmóʊsɪs/ Ⓤ.

かせい⁵ 河清 ☞ ひゃくねん

かせい⁶ 家政 household management Ⓤ; (家

事) housekeeping Ⓤ. 《☞ かせいふ》. ¶ *家政を切り回すのはなまはんかな仕事ではない *Managing the household* is no easy task. // 彼女は*家政が上手[下手]だ She is a ⌈good [bad] *homemaker*. 家政(学)科 the department of ⌈home economics [domestic science] ★ [ ] 内は古風. 家政学 home economics, domestic science ★ 後者は古風.

かぜい¹ 課税 — 名 (税を課すこと) taxation Ⓤ; (税金) tax Ⓤ ★ 具体的な個々の税金は Ⓒ. — 動 impose a tax (on …), tax 他. 《☞ ぜいきん; かする¹; るいしん²(累進課税); ぜいせい¹》.
¶ これは*課税される (⇒ 税の対象となる) This is ⌈subject to [liable for] *taxation*. // *課税品をお持ちですか《税関で》(⇒ 申告すべきものを持っていますか) (Do you have) *anything to declare*? // 累進*課税 progressive *taxation* // 分離*課税 separate *taxation* // 総合*課税 general [consolidated] *taxation* // *課税最低額 a minimum *taxable* level // 非*課税所得 non-*taxable* [*tax*-exempt] income // *課税台帳 a *tax* roll
課税価格 the taxable amount 課税所得 taxable income Ⓒ 課税標準 standard of assessment Ⓒ 課税物件 object of taxation Ⓒ.

かぜい² 苛税 ☞ こくぜい²; じゅうぜい

かせいアルカリ 苛性アルカリ 〘化〙 cáustic álkali /ǽlkəlàɪ/ Ⓤ ★ 種類をいう時は Ⓒ《複 ~(e)s》.

かせいかつどう 火成活動 〘地質〙 igneous /ígniəs/ [pyrogenic; pyrogenetic] activity Ⓒ.

かせいがん 火成岩 igneous /ígniəs/ rock Ⓤ.

かせいこうぶつ 火成鉱物 pyrogenetic mineral Ⓒ.

かせいソーダ 苛性ソーダ sodium hydroxide /sóudiəm haɪdrɑ́ksaɪd/ Ⓤ, caustic soda Ⓤ ★ 前者が正式名.

かせいひりょう 化成肥料 sýnthesized fértilizer Ⓤ.

かせいふ 家政婦 hóusekèeper Ⓒ 参考 この語は主婦を意味する場合もあるので注意; maid Ⓒ.

かせいろん 火成論 〘地質〙 — 名 (岩石がマグマの熱でできたとする説) plútonìsm Ⓤ. — 形 plutónic.

カゼイン (牛乳の蛋白質) casein /kéɪsiːn/ Ⓤ.

かせき 化石 — 名 (動植物が岩石中に残ったもの) fossil /fɑ́sl/ Ⓒ. — 動 (化石化する) fossilize 自, pétrify 自 語法 以上 2 つは 他 としても用い, 受身の形でも用いる. 後者は「(化石になったように) 茫然自失する」という比喩的な意味に用いることが多い.
¶ 動物 [植物] の*化石 *fossilized* ⌈animal [plant] // 貝の*化石 a *fossil* seashell // 生きた*化石 a living *fossil* 化石芸術 fossil art Ⓤ 化石人類 fossil hominid Ⓒ 化石燃料 fóssil fùel Ⓤ ★ 石油・石炭など. 種類をいう時は Ⓒ 化石燃料資源 fossil fuel resources.

かせぎ 稼ぎ (稼ぎ高) earnings ★ 複数形で; (収入) íncome Ⓒ. 《☞ しゅうにゅう》. ¶ 週に 80,000 円の*稼ぎがある *earn* [*make*] 80,000 yen a week // *稼ぎに出る go out to *work* // 時間*稼ぎに to *gain* time 稼ぎ手 (一家の) breadwinner Ⓒ.

がせき 瓦石 (無価値なもの) useless articles; 《略式》 junk Ⓤ. 《☞ がらくた》.

かせぐ 稼ぐ (働いて金を得る) earn 他; (金を手に入れる) make money; (働く) work 自. 《☞ もうける¹; かね¹; しゅうにゅう》.
¶ 私は自分で小遣い銭を [生活費を] *稼がなければならない I have to *earn* ⌈my pocket money [my living] (for) myself. // 1 日に 1 万円*稼ぐのは容易ではない It is not easy to *earn* ten thousand yen a day. // 彼は印税で優に 1,000 万円以上*稼いだ He *has made* well over ten million yen in royalties. // *稼ぐに追いつく貧乏なし A hard worker is a stranger to poverty. 《ことわざ: 一生懸命に働く人は貧乏に縁がない》 // 時間を*稼ぐ *gain* time

かぜたいふう 風台風 ☞ あめたいふう 参考

かせつ¹ 仮説 (理論の出発点になる仮定) hypothesis /haɪpɑ́θəsɪs/ Ⓒ《複 -ses /-sìːz/》; (一応正しいという想定) assumption Ⓒ. 《☞ かてい²》. ¶ *仮説を立ててから実験をして試します We will ⌈make [formulate] a *hypothesis* and test it by experiment. // その*仮説は証明 [実証] された The *hypothesis* was ⌈proved [verified]. // *仮説を取り入れる adopt a *hypothesis* // 単なる*仮説 a mere ⌈*hypothesis* [*assumption*]

> **コロケーション**
> 仮説の誤りを立証する disprove a *hypothesis* / 仮説を検証する examine a *hypothesis* / 仮説を支持する support a *hypothesis* / 仮説を修正する modify a *hypothesis* / 仮説を確かめる confirm a *hypothesis* / 仮説を唱える propose [advance; put forward] a *hypothesis* // 誤った仮説 a mistaken [an erroneous; a fallacious; a false] ⌈*assumption* [*hypothesis*] / 疑わしい仮説 a ⌈doubtful [dubious] ⌈*assumption* [*hypothesis*] / 裏付けのない仮説 an unexamined ⌈*assumption* [*hypothesis*] / 見当違いの仮説 a wild ⌈*assumption* [*hypothesis*] / 根拠のない仮説 a groundless [an unwarranted] ⌈*assumption* [*hypothesis*] / 実にばかげた仮説 a preposterous ⌈*assumption* [*hypothesis*] / 大胆な仮説 a bold ⌈*assumption* [*hypothesis*] / ばかげた仮説 an absurd ⌈*assumption* [*hypothesis*] / 広く受け入れられている仮説 a widely accepted ⌈*assumption* [*hypothesis*] / もっともらしい仮説 a plausible ⌈*assumption* [*hypothesis*]

かせつ² 架設 — 動 (設備などを取り付ける) install 他. — 名 installation /ìnstəléɪʃən/ Ⓤ. 《☞ とりつける; すえつける》. ¶ 家に電話を*架設する *install* a telephone [have a telephone *installed*] in *one's* house

かせつ³ 仮設 ¶ *仮設住宅 a *temporary* dwelling / a *temporary* housing ★ 総称. // *仮設事務所を開く open a *temporary* office

カセット cassétte Ⓒ 《☞ テープレコーダー; ビデオ》.
¶ 私はそのラジオ番組を*カセットに録音した I taped the radio program on a *cassette*.
カセットテープ cassétte (tàpe) Ⓒ. ¶ *カセットテープで英語を習う learn English with a *cassette* // *カセットテープで音楽を聞く listen to music on a *cassette*
カセットテープレコーダー cássette (tàpe) recòrder Ⓒ
カセットデッキ cassétte dèck Ⓒ.

ガゼット (新聞・官報) gazétte Ⓒ 語法 主に新聞名として用いられる ((例) The Evening Gazette). もとはフランス語から.

ガゼットバッグ ☞ ガジェット (ガジェットバッグ)

かぜとおし 風通し (換気) ventilation Ⓤ. ¶ 私の部屋は*風通しがよい My room ⌈is *well ventilated* [has good *ventilation*]. // この部屋は*風通しが悪い (⇒ 息苦しい) This room is *stuffy*.

かぜとともにさりぬ 風と共に去りぬ — 名 固 *Gone with the Wind* ★ Margaret Mitchell の小説 (1936).

がせねた (にせ情報) false information Ⓤ.

かぜよけ 風除け (防風林など) windbreak Ⓒ; (オートバイの風防ガラス) windshield Ⓒ.

かせる 痂せる (かさぶたになる) scab 自.

ガゼル 〘動〙 gazélle Ⓒ.

かせん¹ 下線 — 名 únderline Ⓒ. — 動 (下線を引く) ùnderlíne 他. 《☞ アンダーライン (巻末)》.

¶*下線の部分を日本語に訳しなさい Translate the *underlined* ⌈part [portion] into Japanese.

かせん[2] 河川 river Ⓒ《☞ かわ[1]》. **河川改修工事** river conservation work Ⓤ **河川工学** river engineering Ⓤ **河川敷** (dry) riverbed Ⓒ **河川法** the River Law.

かせん[3] 架線 (電線·電話線など) wires ★ 複数形で用いることが多い; (工事) wiring Ⓤ. 《☞ でんせん[1]》.

かせん[4] 化繊 synthétic [chémical] fíber Ⓤ.

かせん[5] 寡占 (少数独占) oligopoly /àləgɑ́pəli/ Ⓒ. **寡占市場** òligópoly márket Ⓒ.

かせん[6] 加線 〘楽〙(五線譜の) ledger [leger] line Ⓒ, added line Ⓒ.

かせん[7] 歌仙 master [major; great] (*waka*) poet Ⓒ《☞ さんじゅうろっかせん》.

かぜん 果然 (予想通り) as was expected.

がぜん 俄然 ── [副] (急に) suddenly, all of a sudden ★ 後者のほうが口語的. 《☞ とつぜん》.

がせんし 画仙紙 Japanese hand-made paper for paintings and calligraphic works Ⓤ.

かそ 過疎 (人口の減少) dèpòpulátion Ⓤ; (人口不足) ùnderpòpulátion Ⓤ (↔ overpopulation). **過疎化** depopulation Ⓤ **過疎現象** (the phenomenon of) depopulation Ⓤ **過疎自治体** depopulated [underpopulated] municipal corporation Ⓒ **過疎地域** depopulated [underpopulated] area Ⓒ.

がそ 画素 〘コンピューター〙 pixel Ⓒ. ¶420 万*画素のデジタルカメラ a 4.2 mega-*pixel* digital camera

かそう[1] 火葬 ── [名] cremation Ⓤ. ── [動] cremate (他). [日英比較] 欧米では土葬が普通. **火葬許可証** permit for cremation Ⓒ **火葬場** crématòry Ⓒ, crèmatórium Ⓒ.

かそう[2] 仮装 ── [名] (変装) disguise Ⓒ; (余興などの仮装服) costume Ⓒ, fancy dress Ⓤ ★ 後者は古風な表現. ── [動] (仮装する) be dressed as ..., be disguised as ... 《☞ へんそう[1]》.
仮装行列 costume [fancy dress] parade Ⓒ **仮装行為** 〘法〙(第三者を欺くための行為) simulation Ⓤ **仮装売買** símulated sàle Ⓒ **仮装舞踏会** (実在·架空を問わず, 様々な人物に扮して行う舞踏会) costume [fancy dress] ball Ⓒ; (仮面をつけて行う舞踏会) masked ball Ⓒ, màsqueráde Ⓒ.

かそう[3] 家相 the (auspicious or inauspicious) directional aspect of a house.

かそう[4] 下層 lower layer Ⓒ, únderlàyer Ⓒ; substratum /sʌ́bstrèɪtəm/ Ⓒ《複 -ta》 ★ 最後の語は格式語. **下層雲** lower clouds ★ 複数形で. **下層階級** (社会の) the lower class ★ しばしば複数形で. (↔ the upper class(es); the middle class(es)).

かそう[5] 仮葬 (仮の埋葬) témporàry búrial Ⓤ 《☞ かりまいそう》.

かぞう[1] 加増 raise [increase] in *one's* ⌈stipend [allowance] Ⓒ.

かぞう[2] 家蔵 (家蔵の品) household possessions ★ ふつう複数形で. ¶*家蔵の書 calligraphy [calligraphic works] (*kept*) as ⌈*household* [*family*] *possessions*

がぞう 画像 (肖像) portrait Ⓒ; (テレビに映る像) picture Ⓒ. 《☞ がめん》. ¶電波妨害で*画像が乱れた The *picture* got distorted by jamming. **画像解析** image analysis Ⓤ **画像工学** image engineering Ⓤ **画像処理** image processing Ⓤ **画像処理プロセッサー** 〘コンピューター〙 image processor Ⓒ **画像診断** image diagnosis Ⓤ **画像通信** image communication Ⓤ ★ しばしば複数形で. **画像入力** image input Ⓤ **画像入力装置** image input system Ⓒ **画像認識** image recognition Ⓤ **画像読み取り装置** ☞ スキャナー

かそうきおく 仮想記憶 virtual memory Ⓤ.

かそうげんじつ 仮想現実 ☞ バーチャルリアリティー

かそうてきこく 仮想敵国 imáginàry [hýpothètical; poténtial] énemy Ⓒ [語法] imaginary には実在しないというニュアンスがあるが, potential にはいつでも敵になり得るという意味が含まれる.

かぞえ 数え ☞ かぞえどし

かぞえあげる 数え上げる (列挙する) enúmeràte (他); (総計する) cóunt úp (他) ★ 前者のほうが改まった語. 《☞ れっきょ》.
¶彼女はアメリカで訪れた地名を*数え上げた She *enumerated* all the places she had visited in America. // このことに関する本は*数え上げたらきりがない (⇒ 挙げきれないほど多い) There are too many books on this ⌈subject [topic] *to mention*.

かぞえうた 数え歌 cóunting sòng Ⓒ.

かぞえたてる 数え立てる enúmeràte (他) 《☞ かぞえあげる》.

かぞえどし 数え年 (the method of) counting [calculating] *a person's* age according to the calendar year starting from the year of birth as age 1 ★ 説明的な訳.

かぞえる 数える (数を数える) count (他) (自), reckon (他) ★ 前者が普通. 後者はくだけた感じの語. 《☞ けいさん[1]; 数の数え方 (囲み)》. ¶彼は箱の中のボールを*数えた He *counted* the balls in the box. // この子はもう数が*数えられる He [She] can already *count*. // 10 まで*数えたら目を開けていいよ *Count* ((*up*) *to*) ten, and (you can) open your eyes. [語法] 1, 2, 3...と数え上げるのを cóunt úp, 10 ,9, 8...と数を逆に数えるのは cóunt dówn という. // 数を*数え違える *miscount* the number // 明日から*数えてちょうど 10 年前に exactly ten years ago tomorrow // *数え直す *count* again / *recount* // 指を折って (⇒ 指で) *数えてごらん *Count* them on your fingers. [日英比較] 日本人は指を折って数えるが, 英米人は指を人差し指から小指へ向かって順に立てて数える. // 当時熟練した機械工は*数える程しかいなかった There were only *a handful of* expert mechanics at that time. // 子供たちは夏休みを指おり*数えて (⇒ 期待して) 待っている The children *are looking forward to* their summer vacation. // 誤りがあまりにも多くてもう*数え切れなくなった There were so many ⌈mistakes [errors] that I lost *count* of them.

カソード 〘電〙 cathode /kǽθoʊd/ Ⓒ 《☞ いんきょく》.

かそく[1] 加速 ── [名] accèlerátion Ⓤ, spéedùp Ⓤ ★ 後者のほうが口語的. ── [動] accéleràte (自), spéed úp (自) (↔ slow down). ¶列車は次第に*加速した The train gradually *speeded up*. **加速器** accéleràtor Ⓒ **加速車線** acceleration ⌈lane [strip] Ⓒ **加速償却** accélerated depreciátion Ⓤ **加速装置** accéleràtor Ⓒ **加速電圧** accelerátion vòltage Ⓤ ★ 具体的には Ⓒ. **加速度** acceleration Ⓤ. ¶*加速度的に at an *increasing tempo* / with *increasing speed* // *加速度がつく *accelerate* / *increase* speed **加速度計** accelerometer /əksèlərɑ́mətə/ Ⓒ; (地震などの加速度を計る) accélerogràph Ⓒ.

かそく[2] 仮足 ☞ ぎそく[2]

かぞく[1] 家族 family Ⓒ, 《略式》 folks, people [語法] (1)「家族」を表す語は family が最も普通. 口語では folks や people も用いるが, folks のほうが普通で people は最近では使われなくなっている. またどの語も集合名詞として扱う. family はその意味により単数にも複数にも用いられるが, folks, people は複数

か

にしか用いられない.《☞ しょたい¹（類義語）; せたい; 親族関係（囲み）》.
¶ *家族の一員 one [a member] of the *family* // *家族を養う support a *family* // *家族会議を開く hold a *family* council // 私は*家族が多い [少ない] I have a ⌈large [small] *family*. //「ご*家族はお元気ですか」「はい, みな元気です」"How's [How is] your *family*?" "They're all fine, thank you." 語法 (2)《米》では家族の安否を尋ねるときは, このように単数動詞で呼応する. // *家族の者はみな元気です My *family* are all well. 語法 (3) この場合は家族の一人一人について述べる気持ちを表すために複数動詞で呼応する. //「ご*家族は何人ですか」「5 人です」"How many are there in your *family*?" "(There are) five." // この家は 5 人*家族には小さすぎる This house is too small for a *family* of five. // 先月*家族そろって旅行に出かけました I went on a trip with my *family* last month. // それは*家族数によって違う It depends upon the size of the *family*. // この映画は*家族向きだ This is a *family* film. **家族介護指数** family-care index Ⓒ《複 ～es, indices》;（説明的には）the ratio of the aged between 65 and 84 years of age to those who could possibly care for them, the women between 40 and 59 years of age **家族計画** family planning Ⓤ **家族従業者** family worker Ⓒ **家族主義**（家族中心の生活）family-centered way of living Ⓒ;（主義としての）familism Ⓤ **家族制度** the family system **家族手当** family allowance Ⓒ **家族的** ―― 形（わが家にいるような）homelike;（家庭的な）domestic;（家族に関する）familial. ¶ 日本の伝統的な旅館には*家族的雰囲気がある There is a *homelike* atmosphere in a traditional Japanese inn. **家族風呂** bath for family use (at a hot-spring inn) Ⓒ **家族療法** family therapy Ⓤ;（説明的には）psycho-therapy of a family as a whole Ⓤ.

かぞく² 華族 （日本の旧憲法時代の貴族）the nobility;（華族の位）the peerage ★ いずれも the を付けて;（華族の一員, 男）peer Ⓒ;（同じく女）peeress Ⓒ.

かぞくおん 下属音 〔楽〕subdominant Ⓒ.

かそせい 可塑性 plasticity Ⓤ《☞ そせい⁴》. **可塑性物質** plastic (material) Ⓒ.

カソリック ☞ カトリック

ガソリン 《米》gásoline Ⓤ,《英》pétrol Ⓤ,《米略式》gas Ⓤ. ¶ 車の*ガソリンが切れた We have run out of ⌈*gas* [*petrol*]. //（この）車に*ガソリンを入れて下さい Fill it up, please.《☞ まんタン》// *ガソリンを食う車 a *gas*-guzzler **ガソリンエンジン** gásoline èngine Ⓒ **ガソリンスタンド**《米》gas [《英》petrol] station Ⓒ, service [filling] station Ⓒ 参考「ガソリンスタンド」は和製英語. ¶ *ガソリンスタンドの店員 a ⌈*gas* [*service*] *station* attendant **ガソリン税**《米》gásoline tàx,《英》pétrol tàx

かた¹ 肩 shoulder Ⓒ 日英比較 両肩のときは複数形. なお英語の shoulder は日本語の「肩」より範囲が広く, 鎖骨や肩甲骨あたりまで含む.《☞ かたはば; からだ（挿絵）》.
¶ 彼女はなで*肩をしている She has sloping *shoulders*. / She is round *shouldered*. // *肩がいい左翼手 a left fielder with a powerful *throw* // *肩の力を抜きなさい（⇒ 肩の筋肉をゆるめなさい）Relax *your shoulder muscles*. // だれかが私の*肩を（軽く）たたいた Someone tapped me *on the shoulder*. // 彼は*肩をそびやかした He raised his *shoulders*. // 彼は*肩を怒らせて歩く He walks with his *shoulders* squared. // 私は荷物を*肩にかついで運んだ I carried the ⌈baggage [《英》luggage] *on my shoulder*. // 子供たちは*肩からかばんをさげて（⇒ 肩からつるして）通学している The children go to school with their bags hanging from their *shoulders*. // *肩が凝っている I have ⌈stiff *shoulders* [a stiff neck]. 語法 片方だけなら a stiff *shoulder* となる. / I feel stiff *in* ⌈*my* [*the*] *shoulder(s)*. ★ 第 1 文のほうが口語的. //「*肩をたたき（⇒ マッサージし）ましょうか」「お願いします」"Shall I massage your *shoulders*?" "Yes, please." 日英比較 英米では単にたたくだけではないので tap などより massage を使うほうがわかりよい. // *肩の凝らない本（⇒ 軽い読み物）を貸して下さい Please lend me ⌈*a book for light reading* [*something light to read*]. // 息子が大学を卒業して*肩の荷が下りた My son's graduation from college took a load off *my shoulders*. // 彼女は*肩で息をしていた（⇒ はあはあいっていた）She *panted*. /（⇒ やっと息をしていた）She *breathed hard*. /（⇒ 苦しそうな呼吸で肩が上下していた）Her *shoulders heaved with labored breathing*.
肩で風を切る ¶ 彼はいつも*肩で風を切って（⇒ 威張って [気取って]）歩く He always ⌈*swaggers* [*struts*] (along) when he walks. / He always *swaggers* about. / He always walks with a *swagger*. **肩を入れる**（援助する）báck úp (他), pátronìze (他) ★ 前者の方が口語的. **肩を落とす**（がっくりする）be shocked, be disheartened. ¶ *肩を落として with *drooping shoulders* **肩を貸す** ☞ てつだう; えんじょ **肩をすぼめる [すくめる]** shrug *one's* shoulders ★ 困惑・不賛成・あきらめなどのジェスチャー. **肩を並べる** ¶ 彼らは 2 人*肩を並べて走った They ran ⌈*side by side* [*two abreast*]. // 英語の成績では 2 人は*肩を並べている（⇒ 成績は等しい）Their achievement in English is *equal*. // 料理にかけては彼に*肩を並べるものはいない（⇒ 料理がだれよりもうまい）He is *better than anyone else at* cooking. /（⇒ 対等の者はいない）No one *is his equal at* cooking. **肩を持つ** ¶ 私はどっちの*肩も持てない（⇒ 味方はできない）I can *take* neither *side*. /（⇒ 中立でいよう）I'll *remain neutral*.

コロケーション

肩にかかる rest on *one's shoulders* / 肩に掛ける sling ... over *one's shoulder* / 肩を痛める injure *one's shoulder* / 肩を脱臼する dislocate *one's shoulder* / 肩を丸める hunch (up) *one's shoulders* / 肩を回す rotate *one's shoulders* // 角張った肩 angular *shoulders* / たくましい肩 square [powerful] *shoulders* / 肉付きのよい肩 plump *shoulders* / 広い肩 broad *shoulders* / やせた肩 skinny *shoulders*

かた² 型, 形 **1**《原型》:（鋳型）mold（《英》mould）Ⓒ;（型紙）pàttern Ⓒ;（スポーツなどの規範となる形式）form Ⓒ 語法 スポーツの型については単数形で用いることが多い.
¶ ろうそくは*型に入れて固められる Candles are made in a ⌈*mold* [*mould*]. // まず紙で*型をとります First we ⌈cut (out) [make] a *pattern* out of paper. // 彼は空手の*型を私たちに見せてくれた He showed us ⌈*forms* in karate [karate *forms*].
2《様式》:（タイプ）type Ⓒ;（スタイル）style Ⓒ;（パターン）páttern Ⓒ;（自動車などの）model Ⓒ.
【類義語】他の種類と明確に異なる特徴をもつ型は ***type***. ***style*** もほぼ同意で用いられるが, 物に関して用いることが多い. 物事の行われる型は ***pattern***. 自動車の年式などをいうのが ***model***.
¶ 彼はまだ古い [時代遅れの] *型のレコードプレーヤーを使っている He still uses the ⌈old-fashioned [out-of-date] *type* of record player. // どうも私は新しい*型の生活にはなじめない Somehow I can't get used

to the new lifestyle. // 「これは最新[デラックス]*型の車ですか」「いいえ, 1997年[標準]*型の車です」"Is this car the ˹latest [deluxe] *model*?" "No, it's a ˹1997 [standard] *model*."

3 «慣習» —形 (型にはまった) stéreotỳped ★通例悪い意味で; (因習的な) convéntional. «☞ かたやぶり».

¶*型にはまった言い回し a *stereotyped* expression / a *cliché* /kliːʃéɪ/ / a *ready-made* expression which has been used too often // *型にはまらない (⇒新しく斬新な) 考え a ˹*fresh* [*novel*] idea / (⇒伝統に左右されない) *an unconventional* idea // *型を破る break with *tradition*

4 «抵当»: (保証・担保) security Ⓤ; mortgage /mɔ́ɚgɪdʒ/ Ⓒ ★後者のほうが専門的な語. ¶別荘を借金の*形に置いた I ˹used [put up] my second-house as *security* for the loan. // 銀行は彼の土地を借金の*形に取っている The bank holds a *mortgage* on his land. // 彼はダイヤの指輪を*形に私に一万円貸してくれた He lent me 10,000 yen *on* the diamond ring.

型落ち ¶*型落ち品を半額で買った I bought ˹an *old* [an *out-of-date*; a *previous*; an *early*] *model* at ˹half (the) price [a 50 percent discount].

型崩れ —名 garment distortion Ⓤ. —動 (型崩れする) lose shape. ¶このスーツは5年も*型崩れしない (⇒形を保ってきた) This suit *has kept its shape* for five years.

かた³ 方 ¶あの*方はどなたですか Who is that ˹*gentleman* [*lady*] over there? // あなたがコンテストに優勝した*方ですか Are you *the one* who won the contest? 【日英比較】英語では日本語ほど敬語表現が用いられないので, 一般には日本語の「方」のニュアンスは表せないことが多い. 例えば 「この方が…さんです」も This is … でよいし,「どなたか…をご存じの方はいませんか」も Isn't there anyone who knows …? となって「人」と「方」との差を訳出できない. «☞ ひと【日英比較】»

かた⁴ 片 **片がつく, 片をつける** ¶あしたまでに宿題の*片をつけなければ (⇒仕上げなければ) ならない I have to *finish* the assignment by tomorrow. // これで論争に*片がついた (⇒これが論争を終わりに導いた) This *brought* the issue *to an end*. / (⇒これが問題を解決した) This *settled* the issue. «☞ けり¹»

かた⁵ 潟 lagoon Ⓒ.

-かた¹ …方 (in) care of … ★c/o と略す. «☞ きづけ; 手紙の書き方 (囲み)». ¶私の住所は新宿区神楽坂2, 太田一郎様*方です My address is : *c/o* (Mr.) Ichiro Ota, 2 Kagurazaka, Shinjuku-ku. «☞ コロン (巻末)»

-かた² …方 (…のやり方) way Ⓒ, manner Ⓒ ★後者のほうが改まった語. «☞ ほうほう¹; しかた; やりかた; つかいかた».

-かた³ …過多 【語法】複合語としては over-, hyper-; 説明的には excess of …, too much などとする. «☞ かじょう¹». ¶栄養*過多 *excessive* nutrition // 胃酸*過多 *hỳper*acídity / *excess* acid in the stomach // 脂肪*過多 *excess of* fat // 人口*過多 *over*population

-かた⁴ …方 (2つの一方) side Ⓒ. ¶彼は父*方のおじです He is an uncle of mine *on my father's side*. «☞ 親族関係 (囲み)»

-かた⁵, -がた …方 (数量などがだいたいの) about …; (時間などが近くの, …頃) toward …, «英» towards …. ¶ここの物価は5割*方高い Prices are *about* 50 percent higher here. // 朝*方 *toward* morning // 明け*方 *toward* ˹dawn [daybreak]

がた ¶この車は*がたが来ている (⇒壊れかかっている) This car *is falling* apart. / (⇒古くなってがたがただ) This car is *old and rattles*. «☞ がたがた»

ガター —名 (ボーリングの) gutter Ⓒ. —動 (ガターに落とす) gutter ⓗ.

かたあげ 肩揚げ, 肩上げ —名 (着物の肩にとった揚げ) shoulder tuck Ⓒ. —動 (肩のところに揚げをする) make a tuck at the shoulder.

かたあて 肩当て shoulder pad Ⓒ.

カタール —名 ⓖ Qátar, Kátar /kάːtɚ/; (正式名) the State of ˹Qatar [Katar] ★アラビア半島東部の首長国. —形 Qatári, Katári. **カタール人** Qatári Ⓒ, Katári Ⓒ.

かたい¹ 堅い, 固い, 硬い **1** «物について»: (石・鉄などが) hard (↔ soft); (筋肉・雪などが) firm (↔ loose); (岩などが) solid; (肉・野菜などが) tough (↔ tender); (紙・体などが) stiff; (文体・態度が堅苦しい) formal.

【類義語】最も一般的な語で, 砕いたり突き通したりしにくく, 石のように堅いのが **hard**. 変化しやすい状態から, 堅く引き締まった状態になるのが **firm**. **hard** には弾力性はないが, **firm** にはある. 外部からの支えがなくても中が詰まってしっかりしていることを示すのが **solid**. 体の堅いこと, または容易に曲がらない堅さを示すのが **stiff**. 肉や野菜などが堅いのは **tough**. 文体などの硬さには **formal**, **stiff** のいずれも用いられるが, **formal** は格式ばった言葉遣いを表すのに対して **stiff** はぎごちなく, 不自然な文体をいう. «☞ かたく¹; かたさ»

¶このパン [粘土] は石のように*堅い This ˹bread [clay] is (as) *hard* as a stone. // 土地が*堅くて耕せない The ground is too *hard* to plow. // この辺の地盤は*固いから地震の心配はいらない The ground around here is *firm*, so we need not be concerned about earthquakes. // この肉は*堅すぎる This meat is too *tough*. // *堅いいす a *hard* chair // 彼女の毛は*硬い She has ˹*stiff* [(⇒こわい) *bristly*] hair. // 彼の文は*硬い (⇒硬い文体で書く) He writes in a *stiff* style.

2 «まじめな»: (正直な) honest; (良心的な) conscientious /kὰnʃiénʃəs/; (信頼できる) relíable; (きまじめな) serious. «☞ まじめ; けんじつ».

¶彼は*堅い人だから仕事を任せることができる I can entrust the work to him, because he is ˹an *honest* [(⇒良心的な) a *conscientious*; (⇒信頼できる) a *reliable*] person. // *堅い話は (⇒まじめな話は) このくらいにしておこう That's enough of [So much for] such *serious* talk.

3 «頑固な»: (頭が固くて頑固な) óbstinate, stúbborn ★前者はある特定のことに関して, 後者は性格的に頑固なことをいう; (口が堅い) closemouthed, tight-lipped. ¶彼は頭の*固い男だ He is ˹an *obstinate* [a *stubborn*] man. // 彼は口が*堅い He is a ˹*close-mouthed* [*tight-lipped*] person.

4 «不変の・強い»: (信念・主義などが変わらない) firm; (強い) strong. «☞ かたく¹».

¶私の決心は*堅い I have ˹a *firm* [(⇒揺るぎない) an *unshakable*] resolution. // 2人は*堅い友情で結ばれている The two of them are bound together by (a) ˹*firm* [(⇒強い) *strong*] friendship. // 彼らの結束は*堅い They have (a) *strong* sense of solidarity between them. // 一番守りの*固いチームが優勝した The team with the *strongest* defense won the pennant.

5 «確実»: (確かな) sure, certain ★ほぼ同意だが前者は主観的, 後者は客観的な確実さをいう. «☞ かくじつ¹». ¶彼の優勝は*堅い (⇒きっと優勝する) He is *sure* to win the championship. / It is *certain* that he will win the championship. ★第1文がより口語的. 【語法】第2文の構文では sure は用いない.

6 «緊張»: (態度や姿勢などがぎごちない・改まった)

stiff; (緊張した) nervous. 《☞ きんちょう¹; あがる³》. ¶ *堅くならないで楽にしなさい Don't be so *stiff*. Just relax.

かたい² 難い ¶ それは想像に*かたくない (⇒ 容易に想像できる) You can *easily* imagine that.

かたい³ 化体 (形を変えること) transformation Ⓤ; (権利を証券上に表すこと) embodiment of rights in securities Ⓤ.

かだい¹ 課題 (題目) subject Ⓒ; (解決すべき問題) problem Ⓒ. 《☞ しゅくだい; もんだい》. ¶ *課題曲 a *set* piece

かだい² 過大 ━ 形 (過度の) excéssive; (法外な) ùnréasonable. ¶ こんな*過大な要求はとても満たせない We cannot satisfy such an *unreasonable* demand. // 彼の力を*過大評価してはいけない Don't *overestimate* his ability.

かだい³ 仮題 (仮の題目) tentative title Ⓒ; (制作中の映画・小説などの) working title Ⓒ.

かだい⁴ 架台 (高い場所での作業用の足場) scaffold Ⓒ; (総称的に) scaffolding Ⓤ; (橋などを支える構造物) trestle Ⓒ.

かだい⁵ 歌題 given topic for tanka composition Ⓒ.

-がたい …難い ━ 動 (…できない) cannot … ━ 形 (不可能な) impossible (to *do* …); (難しい) hard [difficult] (to *do* …). ¶ それは信じ*がたいことだが本当だ It is *hard* to believe, but it is true.

がだい 画題 (題材) subject ˹of [for] a painting Ⓒ; (表題) title of a painting Ⓒ.

かたいき 片息, 肩息 ━ 名 (肩でする息) heavy [quick] breathing Ⓤ. ━ 動 (はあはあ息をする) gasp for breath, pant ⓐ.

かたいきん 過怠金 negligence fine Ⓒ.

かたいこつ 下腿骨 the bones of the lower leg ★ 脛骨 (tibia) と腓骨 (fibula) の併称.

かたいじ 片意地 ━ 形 (自分の意見・意志を押し通す) óbstinate; (偏屈な) pervérse. 《☞ がんこ (類義語)》.

かたいた 型板 (石・木材などを切る時に用いる) témplate Ⓒ; (捺染の版) (printing) block Ⓒ 型板ガラス figured glass Ⓤ.

かたいっぽう 片一方 ☞ かたほう

かたいと 片糸 untwisted thread Ⓤ.

かたいなか 片田舎 (遠く離れた農村地域) remote rural /rú(ə)rəl/ area Ⓒ 《☞ いなか》.

かたいれ 肩入れ ━ 動 (支援する) support ⓣ, back up ⓣ; (ひいきにする) favor ⓣ, show favor to … 《☞ ひいき; しじ¹》. ¶ 保守党に*肩入れする *support* [*back up*] the conservative party

かたうで 片腕 (片方の腕) one arm; (最も頼りになる助力者) *one's* most reliable helper Ⓒ, *one's* right-hand man Ⓒ ★ 後者は比喩的表現で男女に関係なく用いられる. 《☞ みぎうで》. ¶ 議長の*片腕として働く work as the ˹chairman's [chairperson's] *right-hand man*

かたえ 片方 ☞ かたわら

かたえくぼ 片靨 a dimple (on *one's* cheek) ★「片」の意は単数形で示される. ¶ *片えくぼができる have *a dimple* on *one's* cheek

かたおき 型置き 〔染色〕 stenciling Ⓤ.

がたおち がた落ち ━ 名 (売り上げなどの暴落) *slump* Ⓒ (↔ boom), sharp fall Ⓒ, nósedive Ⓒ. ━ 動 slump ⓐ, drop [fall] sharply ⓐ, nósedìve ⓐ, plunge ⓐ, plúmmet ⓐ. 《☞ おちる》. ¶ 今月は売り上げが*がた落ちだ Sales *have* ˹*slumped* [*dropped sharply*; *nosedived*; *plunged*] this month. // スキャンダルでその歌手の人気は*がた落ちだ (⇒ 急に人気を失った) The singer *has suddenly lost* popularity because of the scandal.

かたおもい 片思い one-sided [unrequited] love Ⓤ ★ [ ] 内は格式語. ¶ 彼の恋は*片思いに終わった (⇒ 報われなかった) His love ˹remained *unrequited* [*was never returned*].

かたおや 片親 one parent 《☞ ぼし¹ (母子家庭); ふしかてい》.
¶ あの子は*片親だ (⇒ 一人しか親がいない) He [She] has only *one parent*. / (⇒ 父親 [母親] のない子だ) He [She] is a ˹*fatherless* [*motherless*] child.

かたがき 肩書き title Ⓒ; (学位) degree Ⓒ. ¶ 彼は*肩書きをたくさん持っている He has a lot of *titles* to his name. // *肩書きのない untitled

かたかけ 肩掛け shawl Ⓒ; (長いもの・あるいは毛皮の) stole Ⓒ.

かたかた ━ 名 (音) clatter Ⓤ, rattle Ⓤ ★ 2 語ともしばしば a を付けて. ━ 動 clatter ⓐ ⓣ, rattle ⓐ ⓣ. 《☞ がたがた; 擬声・擬態語 (囲み)》. ¶ タイプライターの*かたかたいう音 the *clatter* of a typewriter

かたがた 旁 ★ 語義は「… のついでに」(during …; in the course of …) であるが, 文脈に応じて意訳する必要がある. 《☞ ついで¹》. ¶ 私はいつも散歩*かたがた買物をする I usually do my shopping *while* taking a walk. // 今日はごあいさつ*かたがた参りました I ˹am [came] here today *just to* say hello to you.

がたがた **1** 《音》 ━ 動 (戸・馬車などががたがた鳴る) rattle ⓐ ⓣ; (皿・鍋などが) clatter ⓐ ⓣ; (寒さ・恐怖などで体が震える) tremble ⓐ; (車などが) jolt ⓐ. 《☞ 擬声・擬態語 (囲み)》.
¶ 窓は風で*がたがた鳴った The window *rattled* with the wind. / (⇒ 風ががたがたさせた) The wind *rattled* the window. // 寒くて*がたがた震えた I *trembled* with cold. // バスは*がたがたと走って行った The bus ˹*jolted* [*rattled*] away.
2 《不完全である様子》 ━ 形 (不安定でぐらぐらする) shaky; (いまにも壊れそうな) rickety. ¶ 私は*がたがたの階段を上って行った I went up a ˹*shaky* [*rickety*] staircase. // 我々の組織は*がたがただ (⇒ 崩壊寸前だ) Our organization *is about to fall apart*.

かたがため 肩固め (柔道の) shoulder hold Ⓒ.

かたがっしょう 片合掌 ━ 動 (片合掌する) hold one hand vertically with fingers outstretched as if to join both hands in prayer.

かたかな 片仮名 *katakana* Ⓤ ★ 個々には Ⓒ で単複同形. 日本語をそのまま用いるのでイタリック体で表す. 《☞ かな; イタリック体 (巻末)》. 説明的に言う場合には an angular form of Japanese *kana* あるいは one of the two kinds of *kana* script used for Japanese syllabary /sílәbèri/ writing のようにすればよい.

カタカナご カタカナ語 katakana word Ⓒ; (借用語) lóan wòrd Ⓒ.

かたがみ 型紙 (paper) pattern Ⓒ; (婦人服の) dress pattern Ⓒ. 《☞ かた²》. ¶ *型紙どおりに洋服を裁断する cut the dress according to a *paper pattern*

かたがみなっせん 型紙捺染 〔染色〕 paper stenciling Ⓤ.

かたがわ 片側 one side 語法 2 つあるもののうち, どちらか一方の側を one side, 残りの一方を the other side で表す. 《☞ かたほう; がわ; いっぽう¹》.
¶ 番地は道の*片側が偶数, 反対側が奇数です The house numbers are odd on *one side* of the street and even on the other. **片側音** 〔言〕 unilateral consonant Ⓒ **片側通行** single lane traffic Ⓤ.

かたがわり 肩代わり ━ 動 tàke óver ⓣ. ━ 名 tákeòver Ⓒ. ¶ 彼は私の借金の*肩代わりをしてくれた He *took over* my debts.

かたき 敵 **1** 《敵》 ━ 名 énemy Ⓒ. ━ 動 (軽く仕返しをする) pày báck ⓣ; (個人的にかたきを討

つ) take revenge on *a person* for …, revenge *oneself* on *a person* for … ★ いずれも *a person* は かたきを討つ相手; (他人のためにかたきを討つ) avenge ⑭. (☞ しかえし; ふくしゅう²).
¶ いずれこの*かたきはとってやる (⇒ 仕返しをしてやる) I'll *pay* you *back* for this some day. // 昔は主人の*かたきを討つのが家来の義務だった (⇒ 主人を殺した者に復讐するのが) In former days it was a「follower's [retainer's] duty to *avenge* the murder of his master. // 彼は親の*かたきを討った He「*avenged* [*revenged*] his「father [father's murder]. / He *avenged* his father「*on* [*upon*] his murderer. // 私は彼女のひどい仕打ちに対してついに江戸の*かたきを長崎で討ってやった Finally in a roundabout way, I *took revenge* on her for her abusive behavior.
2 «競争相手»: rival Ⓒ (☞ てき (類義語)). ¶ 彼は私を恋*がたきと思っている He regards me as his *rival* in love. // 私の商売*がたきは多い I have many business「*rivals* [*competitors*].
かたき討ち revenge Ⓤ; (報復・仕返し) retàliátion Ⓤ **敵役** (芝居の) villain Ⓒ, bad guy Ⓒ ★ 後者の方が口語的. ¶ *かたき役を演じる play the *villain*

かたぎ¹ 気質 (ものの考え方) way of thinking Ⓒ. ¶ 私の父は昔*かたぎだ (⇒ 古い考え方をしている) My father has an old-fashioned *way of thinking*. // 学者*かたぎの男 an academically [a scholarly] *minded* man // 芸術家*かたぎの人 a person of artistic *temperament* // 彼の祖父はきっすいの職人*かたぎの男だった His grandfather had the pure *spirit* of an artisan.

かたぎ² 堅気 ── 形 respectable ★ この語はあまりよい意味ではなく, 一応まともであることを表す; (正直な) honest. ¶ 彼はやくざから足を洗って*堅気になった He washed his hands of the gang and has been leading「a *respectable* [an *honest*] life.

かたぎ³ 形木 (版木) príntìng blòck Ⓒ.

かたぎぬ 肩衣 (上代庶民の胴着) shoulderpiece Ⓒ; (裃の一部) stiff-shouldered sleeveless robe for a samurai Ⓒ.

かたく¹ 堅く, 固く, 硬く **1** «物について» ── 副 (崩れないようにしっかりと) fast; (すき間なくきっちり) tight(ly); (砕けずに固まって) hard; (こわばって) stiff. ── 動 (かたくなる) harden ⓐ. (☞ かたい¹ (類義語); しっかり).
¶ その箱は縄で*堅く縛ってある The box is bound *fast* with a rope. // 彼は目を*堅く閉じた He shut his eyes *tight*. // 彼女は唇を*堅く結んだ She had her lips *tightly* closed. // 卵が*固くゆだった The eggs were *hard* boiled. // パンは乾くと*堅くなる Bread *hardens* when it dries. 語法 日数がたって堅くなるときには stale を用いる. ((例) Bread goes *stale*.) // 小麦粉とミルクを*固く練りなさい (⇒ かき回して固いペーストにしなさい) Stir the flour and milk「to [into] a *stiff* paste.
2 «心が不変・確実で»: (強固に) strongly; (しっかりと) firmly; (密接に) closely; (絶対に) ábsolùtely; (きっぱりと) flatly. ¶ 彼はその説を*固く信じている He「*strongly* [*firmly*] believes in the theory. / (⇒ 固守している) He holds *fast* to the theory. // 彼女はその仕事をやりぬこうと*固く決意している She is *firmly* committed to finishing the job. // 2人は互いの愛で*固く結ばれている The two are「*firmly* [(⇒ 密接に) *closely*] united by mutual love. // 母親は息子を*固く (⇒ 絶対に) 信じて疑わなかった The mother trusted (in) her son *absolutely*. // お申し出の件は*固く (⇒ きっぱりと) お断りいたします I「*absolutely* [*positively*] refuse your offer. // 彼女は他言はしないと*固く約束した (⇒ まじめな約束をした) She made a「*solemn* [*firm*] promise to keep the secret.
3 «緊張して» ── 形 tense; (神経質になって) nervous. (☞ きんちょう¹). ¶ そう*固くならないでいいよ Don't be so「*tense* [*nervous*]. / (⇒ どうぞ気楽に) Please *relax*. / (⇒ くつろいで下さい) *Make yourself at home*.

かたく² 家宅 house Ⓒ. **家宅侵入罪** housebreaking Ⓤ, trespass(ing) Ⓤ ★ 後者は「土地への不法侵入」の意味も表す. ¶ 男は*家宅侵入罪に問われた The man was charged with「*housebreaking* [*trespass*(*ing*)]. 語法 trespass は「土地への不法侵入」の意味も表す. **家宅捜索** house search Ⓒ. ¶ 警官は*家宅捜索をした The policemen *searched the house*. // 彼は*家宅捜索を受けた He *had his house searched*. **家宅捜索令状** search warrant Ⓒ.

かたく³ 火宅 life full of earthly passions and troubles Ⓒ ★ 説明的な訳.

かたく⁴ 仮託 ── 名 pretext Ⓒ, pretense Ⓒ. ── 動 use as a pretext ⑭. (☞ こうじつ¹; いいわけ; かこつける). ¶ 彼は学会での発表に*仮託してオックスフォードを訪れた He visited Oxford「under [on] the「*pretense* [*pretext*] of reading a paper to a learned society.

かたぐち 肩口 ── 副 (肩のあたりに[で]) around the shoulder. ¶ このシャツは*肩口が窮屈だ I feel that this shirt is tight *around the shoulder*.

かたくちいわし 片口鰯 〖魚〗 ánchovy Ⓒ.

かたくな 頑な ── 形 (性格的に頑固な) stubborn; (自分の意見・意志を押し通す) óbstinate. ── 副 stubbornly; obstinately. (☞ がんこ (類義語)).

かたくり 片栗 〖植〗 dogtooth violet Ⓒ. **片栗粉** starch obtained from potatoes Ⓤ 参考 元は「かたくり」から作った dogtooth violet starch であったが, いまはジャガイモから作る. 《米》 cornstarch, 《英》 cornflour にあたる.

かたくるしい 堅苦しい ── 形 (格式ばった) formal (↔ informal) ★ 表現や態度についていう. ── 名 (堅苦しい儀礼) cérémòny Ⓤ. (☞ きゅうくつ; しかつめらしい). ¶ 私は*堅苦しいことは嫌いだ I don't like being *formal*. // これは*堅苦しい表現です This is a *formal* expression. // *堅苦しいあいさつ (⇒ 儀式) は抜きにしましょう Let's「dispense with [not stand on] *ceremony*. / (⇒ くだけた気分になろう) Let's be *informal*.

かたぐるま 肩車 ¶ 彼はその子を*肩車していた He *was carrying* the child *on his shoulders*.

かたげる 傾げる (椅子・頭などを) tilt ⑭; (桶などを) tip up ⑭. (☞ かたむける; かしげる).

かたごし 肩越し ¶ 後ろの男が私の*肩越しに私の新聞を読もうとしていた The man behind me was trying to read my newspaper *over my shoulder*.

かたこと 片言 ── 名 (子供のおしゃべり) prattle Ⓤ; (たどたどしい言い方) báby tàlk Ⓤ; (生かじりの知識) smattering ★ 普通は a を付けて. ── 動 prattle ⓐ; speak baby talk.
¶ あの子供の*片言がわからない I can't understand that child's「*prattle* [*prattling*]. // 息子は先月から*片言を言い始めた (⇒ 話し始めた) My son started to talk last month. // 父は*片言の英語を話します (⇒ 少し話せる) My father can *speak a little* English. / (⇒ 少しかじっている) My father has *a smattering* of English. **片言まじり** ¶ 息子はまだ*片言まじりだ (⇒ 赤ん坊のような話し方をする) My son is still *talking baby talk*.

かたこり 肩凝り shoulder stiffness Ⓤ, stiff shoulders ★ 複数形で. (☞ こる).

カタコンベ （ローマの初期キリスト教徒の地下墓所） the Catacombs /kǽtəkòum/ ★ 複数形で.
かたさ 堅さ, 固さ, 硬さ （硬度） hardness Ⓤ; （堅固さ） firmness Ⓤ; （硬直した固さ） stiffness Ⓤ. 《☞ かたい¹（類義語）; かたく¹; ほぐす》.
かたさがり 肩下がり ¶ *肩下がりの筆跡 handwriting which *slants to the right*
かたさき 肩先 （肩） shoulder Ⓒ. ¶ 何かが私の*肩先に触れた Something touched ˹my *shoulder* [me on the *shoulder*].
かたしき 型式 （自動車などの型） model Ⓒ.
かたじけない 忝い ¶ 数々のご親切*かたじけなく存じます I *deeply appreciate* your (various) kindnesses. 語法 various を入れると古めかしい表現になる. // *かたじけなくも社長より格別なお褒めの言葉を頂いた I *am honored* that the president gave me a great compliment. 《☞ ありがたい》
かたじん 堅人 （まじめな人） serious person Ⓒ; （律儀な人） sincere person Ⓒ; （品行方正な人） moral person Ⓒ.

かたす 片す ☞ かたづける
かたず 固唾 かたずをのむ ── 動 （注意を集中する） strain *one's* attention. ── 形 （はらはらさせるような） exciting. 《☞ いきづまる²》. ¶ 私は*かたずをのんで（⇒ 息をこらして） 発表を待った I waited for the announcement ˹*breathlessly* [*with bated breath*].
かたすかし 肩透かし ── 名 （身をかわすこと） dodge Ⓒ. ── 動 （身をかわす） dodge ⑩ ⓐ; （まともに答えない） evade ⑩. ¶ 彼は私の質問に*肩透かしをくわせた He *evaded* my question.
カタストロフィー （大災害） catastrophe /kətǽstrəfi/ Ⓒ.
カタストロフィック ── 形 （大変動の・大騒動の） càtastróphic.
かたすみ 片隅 （すみ） corner Ⓒ; （引っ込んだ所） nook Ⓒ. 《☞ すみ¹; いちぐう》.
¶ 彼はページの*片隅を折った He turned down the *corner* of the page. // 彼女は台所の*片隅に消火器を置いている She keeps a fire extinguisher in a *corner* of the kitchen. // そのことがいまも私の心の*片隅に引っ掛かっている（⇒ 心の重荷となっている） It still weighs on my mind.
かたそで 片袖 one sleeve. 片袖机 desk with drawers on one side Ⓒ.
かたぞめ 型染め （型紙を用いた染色） stencil printing Ⓤ; （型染めで染めたもの） stencil print Ⓒ.
かたたたき 肩叩き （辞職勧告） advice concerning resignation Ⓤ. ¶ *肩叩きされる be ˹*advised* [*counseled*] to resign
かたち 形 （ある種類などに共通の形） form Ⓒ; （個個のものの特有な形） shape Ⓒ ★ 以上は入れ替え可能な場合もある. 《☞ かっこう¹; けいしき》.
¶「それはどんな*形をしていますか」「箱のような*形です」 "What *shape* is it?" "It's box *shaped.*" // そのチョコレートはハートの*形をしている The chocolate ˹has [is in] the ˹*shape* [*form*] of a heart. / The chocolate *is* ˹*shaped* like a heart [heart-*shaped*]. // 彼は*形だけの（⇒ 名ばかりの） 重役だ He is a *nominal* member of the executive board. / He is an executive *in name only*. // 彼女は今までの研究を*形にした（⇒ まとめた） She *completed* the research she had been doing. 形ばかり ── 名 （形ばかりのもの） small token Ⓒ. ── 形 （形ばかりの） token. ¶ ほんの*形ばかりのお礼です. お受け取りください Please accept this gift as a *small token* of our gratitude. // 彼女は*形ばかりの給与を受け取った She received a *token* salary.
かたちづくる 形作る （作る） make ⑩; （組織・グループ・概念などを作る） form ⑩; （特定の具体的な形にする） shape ⑩. 《☞ つくる》.
かたつ 下達 ☞ じょういかたつ
かたづく 片付く （整頓されている） be (put) in (good) order; （仕事などが終わる） be finished; （問題や紛争などの結末がつく） be settled. 《☞ おわる》.
¶ 彼の部屋はよく*片付いていた His room *was* (*put*) *in* (*good*) *order*. 語法 put を付けると「片付けられた」という動作を表す. / His room was *neat and tidy*. // 宿題は*片付いたかい *Have* you *finished* your homework? // 事件はやっと*片付いた The matter *has been settled* at last. // この仕事が*片付いたら（⇒ を片付けたら） 1 日休みをとる I'll take a holiday when I *get through* (*with*) this work.
がたつく ¶ *がたつく（⇒ 不安定な） テーブル an *unsteady* [*a shaky*] table 《☞ がたがた》 // この会社は経営が*がたついてきた （⇒ 財政困難に陥りつつある） This company *is falling into financial difficulties.*
かたづける 片付ける （整理・整頓する） put [set] … in order, tidy (up) ⑩; （きれいに掃除する） cléan úp ⑩; （どこかへ持っていく） pùt awáy ⑩, cléar (awáy) ⑩ ★ ほぼ同意だが, clear は「全部片付ける」という気持ちが強い; （問題・紛争などを解決する） settle ⑩; （問題・困難を解決する） solve ⑩; （仕上げる） finish ⑩, get through with …, put an end to … ★ いずれもほぼ同意だが, 第 1 番目は最も一般的で, あとの 2 つは口語的; （殺す） kill ⑩, 《略式》 dò awáy with …, 《俗》 do … in. 《☞ あとかたづけ; しまう; せいとん》.
¶ あなたの部屋を*片付けなさい *Put* your room *in order*. / *Tidy* [*Clean*] *up* your room. // テーブルの上の茶わんを*片付けましょうか Shall I ˹*put* [*clear*] *away* the teacups on the table? // この難問をどう*片付けようか How ˹shall [can] we ˹*settle* [*solve*] this difficult problem? // この仕事は今週末までに*片付け（⇒ 仕上げ） なくてはならない We must ˹*finish* this work [*get through with* this work; *get* this work *done*] by the end of this week.
かたっぱしから 片っ端から （次から次へと） one after ˹another [the other]; （1 つずつ） one by one. 《☞ てあたりしだい》.
かたつむり 蝸牛 〘動〙 snail Ⓒ.
かたて 片手 （片方の手） one hand ★ 残りのもう一方の手は the other hand という. ¶ 彼女は*片手には辞書を, *片手には数冊の本を持っていた She held a dictionary *in one hand*, and several books *in the other*. // 彼は*片手をポケットに突っ込んでやってきた He came with *his hand* in his pocket. // *片手のなべ saucepan Ⓒ
片手落ち ── 形 （公平でない） unfair; （えこひいきをする） partial. ── 名 unfairness Ⓤ; partiality Ⓤ. ¶ 一方の話にしか耳を傾けないのはまさに*片手落ちだ It is really *unfair* of you to hear only one side of the story. // 彼はその*片手落ちの判断に繰り返し抗議した He made repeated protests against the *partial* judgment. 片手業 odd job Ⓒ.
かたてま 片手間 ── 副 （暇な時に） in *one's* ˹spare [leisure] time. ¶ これは*片手間ではできない You can't get this done *in your spare time*.
かたどおり 型通り ── 形 （型にはまった） convéntional; （固定した） stereotyped /stériətàɪpt/; （正式の） formal. ── 副 conventionally; formally. 《☞ かた²; つきなみ; せいしき¹》.
¶ 彼は*型どおりの祝辞を述べた He delivered a *conventional* speech of congratulation. // 彼らは*型どおりの（⇒ 正式な） 契約書を作成した They drew up a *formal* contract. // 私は法律上の*型どおりの手続きを済ませた I went through the legal formalities.

かたとき 片時 （つかの間）a moment.
¶その子から*片時も目が離せなかった　I couldn't take my eyes off the child even for *a moment*. // 彼はそのラジオを*片時も離さなかった（⇒いつも手元に置いた）He *always* kept the radio close by him. // 彼は彼女のことを*片時も忘れられなかった（⇒いつも心にとめていた）He kept her in mind *all the time*. / She was *always* on his mind.

かたどる 象る （型に合わせて作る）módel (他);（表す）rèpresént (他).《☞ にせる》.
¶彼は松島に*かたどって盆栽を仕立てた　He *modeled* his bonsai ˹after [on] Matsushima. // このロゴは東という字を*かたどったものだ（⇒東という漢字を表す）This logo *represents* the Chinese character for "east," *higashi*. // 私は富士山を*かたどった（⇒富士山の形の）文鎮を持っている　I have a paperweight *in the shape* of Mount Fuji.

かたな 刀 sword /sɔ́ɚd/ Ⓒ《☞ けん[4]》.
¶*刀を差す［抜く］carry [draw] a *sword* // *刀折れ矢尽きて彼は辞職した *After trying everything in vain*, he resigned.
刀掛け sword rack Ⓒ　刀かじ swordsmith Ⓒ　刀狩り（豊臣秀吉による）the sword hunt;（説明的には）the program of weapons confiscation ordered in 1588 by Toyotomi Hideyoshi　刀疵，刀傷 sword cut Ⓒ　刀銘 sword signature Ⓒ.

かたながれ 片流れ （片方だけ傾斜した屋根）shéd ròof Ⓒ.

かたなし 形無し ── [動]（台なしになる）be ˹ruined [spoiled]《☞ だいなし》.　¶彼も母親の前では*形なしだ（⇒子供も同然だ）He is *like a little child* in front of his mother.

かたならし 肩ならし ── [名] wárm-ùp Ⓒ ★通例 a を付けて.　── [動] wárm úp (自) (他).

かたに 片荷 （振り分け荷物の一方）one part of a load which has been divided in two;（責任の一半）partial responsibility.　¶娘が結婚したので*片荷が下りた My daughter's marriage has relieved me of *half the responsibility*.

かたぬぎ 肩脱ぎ ── [動] strip off *one's* kimono to the shoulders.

かたぬけ 肩抜け ── [動]（肩の荷がおりる）take a load off *one's* ˹mind [shoulders] ★楽な状態にする「原因」を主語として.《☞ かた[1]》.

かたねり 固練り，固煉り ── [動]（かたく練る）knead ...˹to [into] a stiff paste, give a ˹thick [stiff] consistency by beating.　── [名]（かたく練ったもの）a ˹thick [stiff] paste.　¶*固練り歯みがき *thick* toothpaste // *固練りモルタル mortar of *stiff consistency* // カップ半分の*固練りのクリーム *stiffly beaten* 1/2 cup of cream

かたば 片刃 ── [形] single-edged.

かたはい 片肺 one lung.　片肺飛行 ── [名] flight with only one engine working Ⓒ.　── [動] *fly* with only one engine working (自) (他).

かたはし 片端 （一方の端）one end;（片側）one side.《☞ いっぽう[1]》.　¶このひもの*片端を手に持って下さい Will you hold *one end* of this string in your hand?　片端から ☞ かたっぱしから

かたはだ 片肌 片肌脱ぐ（助力する）give [render] assistance (to ...); lend a helping hand (to ...).
¶いつでも喜んで彼のために*片肌脱ぐつもりだ I am always ready to *give* him *a helping hand*.

かたはば 肩幅 the breadth of *one's* shoulders《☞ かた[1]; はば》.　¶彼は*肩幅が広い［狭い］(⇒広い［狭い］肩を持つ) He has ˹*broad* [*narrow*] *shoulders*. / He is ˹broad-[narrow-]*shouldered*.

かたばみ 酢漿草 〘植〙 wóod sòrrel Ⓒ.

かたはらいたい 片腹痛い ── [形]（ばかばかしく滑稽な）ridículous.　¶彼が医者になりたいだなんて*片腹痛い It is *ridiculous* of him to try to be a doctor. / He hopes to become a doctor? That's *a laugh*!

カタパルト cátapùlt Ⓒ.

かたパン 堅パン ☞ かんパン

かたひざ 片膝 ¶*片膝を突く kneel down on *one knee* // *片膝を立てる sit on the floor with *one knee* ˹up [raised]

かたひじ 肩肘 肩肘張る（威張る）swagger (自);（気取る）put on airs;（堅苦しい）be formal.　¶*肩肘張らない生活 *free and easy* life

がたぴし ── [名]（がたぴしいう音）rattling sound Ⓒ.　── [動]（がたぴしする）rattle (自), make a rattling sound;（組織などが内輪もめしている）be full of discord.《☞ 擬声・擬態語（囲み）》.

かたびら 帷子 （麻のひとえ物）unlined hemp or linen garment for summer wear Ⓒ《☞ きょうかたびら》.

カタピラー ☞ キャタピラ

かたびらき 片開き ¶*片開きのドア a *single* door

カダフィ ── [名] [固] Mu'ammar al-Gadhafi /muá:mɚ ælkədá:fi/, 1942–　. ★リビアの軍人・政治家.

かたぶつ 堅物 （品行方正な人）moral person Ⓒ.

かたぶとり 固太り ── [形]（太って筋肉質の）stout and muscular.

がたべり がた減り ── [動]（激しく減る）reduce drastically (自).　¶予算が*がた減りした（⇒激しく減らされた）Our budget *has been drastically reduced*.

かたへん[1] 方偏 （漢字の）square radical on the left of kanji Ⓒ.

かたへん[2] 片偏 （漢字の）board radical on the left of kanji Ⓒ.

かたほう 片方 （片側）one side ★残りの側は the other side;（対の一方）one (of the pair);（2つのうちのもう一方）the other (one)　[語法] 2つあるもののうち，どちらか1つを one で表し，残りの1つは the other で表す.《☞ いっぽう[1]; かたがわ》.
¶道の*片方には杉の木が1列に植えてある There is a row of cedars on *one side* of the street. // 家が2軒並んでいて，*片方は新しくペンキが塗ってあったが，もう*片方は風雨にさらされたままだった *One* of the two adjacent houses had a new coat of paint on it, but *the other* was weather beaten. // *片一方の話だけでは判断ができない I can't judge if I hear only *one side* of the story. // この靴のもう*片方はどこにあるのだろう Where's *the other* shoe?

かたぼう 片棒 片棒をかつぐ ¶君に*片棒をかついで（⇒仲間になって）もらいたい I'd like you to be my *partner*. // 彼はその陰謀の*片棒をかついだ（⇒加わった）He ˹*took part* [*had a hand*] *in* the plot.《☞ くわわる; かんよ》

かたぼうえき 片貿易 one-way [imbalanced] trade Ⓤ, one-directional trade Ⓤ.

カタマランせん カタマラン船 （双胴船）càtamarán Ⓒ.

かたまり 塊 （比較的小さな塊）lump Ⓒ;（同種の物がたくさん集まってできた大きな塊・集団）mass Ⓒ;（石や木の）block Ⓒ;（肉・チーズなどの）《略式》chunk Ⓒ;（土などの）clod Ⓒ;（人・動物・物などの小集団）group Ⓒ, cluster Ⓒ　[語法] 前者のほうがより一般的な語.
¶彼は数個の石炭の*塊を火に入れた He put *several lumps* of coal on the fire. // 大きな岩の*塊が道をふさいだ A *mass* of rock blocked the road. // 谷間にひと*塊の家が見えた I saw a *cluster* of houses in the valley. // うその*塊 a ˹*tissue* [*pack*] of lies

かたまる 固まる (物が固くなる) harden ㊀; become hard ★ 後者のほうが口語的; (水気がなくなる) become dry; (ゼリー・セメントなどが) set ㊀, be set ★ 後者は固まっている状態. 《☞ かためる》. ¶ のりが*固まってしまった The paste *has* ⌈(*dried and*) *hardened* [*become dry and hard*]. // セメント [ゼリー] は*固まった The ⌈cement [jelly] *has set.* // 私の決意は*固まった My determination *hardened.* // 彼の罪を裏づける証拠が*固まった (⇒ 集まった) The evidence supporting his charge *has been gathered.* // 会社の海外進出の基礎が*固まった The foundation *has been laid* for the company's overseas expansion.

かたみ[1] 形見 (贈り主を思って大切にするもの) keepsake Ⓒ; (思い出になるもの) memento Ⓒ 《複 ～(e)s》 参考 いずれも遺品とは限らないことに注意. 《☞ わすれがたみ》.

¶ この時計は父の*形見 (⇒ 記念) です I keep this watch *in memory of* my late father. // おばは*形見にこの指輪をくれた My aunt gave me this ring as a *keepsake.* // 彼女は息子たちに亡き夫の*形見分けをした She distributed *mementos* of her ⌈deceased [late] husband among her sons.

かたみ[2] 肩身 **肩身が狭い** feel ⌈small [ashamed]. ¶ あんな男をクラスメートに持つと*肩身が狭い (⇒ 恥ずかしく思う) I ⌈*am* [*feel*] *ashamed* ⌈of having [to have] a person like that among my classmates. **肩身が広い** feel proud. ¶ 君の成功でお母さんもきっと*肩身が広いね Your mother must ⌈*feel* [*be*] *proud* of your success.

かたみ[3] 片身 (体の半分) one side of the body; (平たく開いた魚の半身) one fillet cut from one side of a fish; (片身頃) one side of a pair of front or back panels of a kimono.

かたみち 片道 (行きか帰りか一方の道) one way (↔《米》round trip, 《英》return trip); (副詞的に用いて) each way. ¶ 京都まで*片道下さい A *one-way ticket* to Kyoto, please. // 料金は*片道 500 円です The fare is 500 yen ⌈*one* [*each*] *way.* // *片道約 2 時間かかります It is about a two-hour trip *each way.* **片道乗車券** 《米》one-way ticket Ⓒ (↔ round-trip ticket), 《英》single (ticket) Ⓒ (↔ return (ticket)). 《☞ きっぷ》.

かたむき 傾き (主に垂直線に対する傾き) slant ★ 通例単数形で; (主に水平線に対する) slope Ⓒ; (勾配(こう)・傾向) inclination ★ 通例単数形で. 前 2 者より格式ばった語; (一方が持ち上がっての) tilt Ⓒ. 《☞ けいしゃ[1]; こうばい[1]》.

かたむく 傾く 1 《傾斜する》: (垂直なものが斜めになる) lean (to …; toward …) ㊀; (ゆるやかに下方に傾斜する) slope (to …) ㊀ ★ 以上 2 語は一般的で, 以下の動詞の代わりに使われることも多い; (まっすぐであるべきものが) slant ㊀; (一方が持ち上がって傾く) tilt ㊀; (あるものに向かって) incline (to …; toward …) ㊀; (特に船が一方に) list (to …) ㊀; (飛行機などが旋回する時に) bank ㊀. 《☞ けいしゃ[1]》.

¶ このビルは少し*傾いている This building *is leaning* somewhat *to* one side. // イタリック体の文字は右に*傾いている Italic letters *slant to* the right. // この運動場は川のほうへ少し*傾いている This playing field *slopes* slightly (down) *to* the riverbank. // オートバイはカーブを切って大きく*傾いた The motorcycle ⌈*banked* [*tilted*] sharply as it turned.

2 《傾向を帯びる》: lean (toward …) ㊀; (…する気でいる) be inclined to *do* ….

¶ 彼はどちらかというと賛成に*傾いている He *leans* rather *toward* the affirmative side. / He *is* rather *inclined to* approve it.

3 《滅びる・衰える》: decline ㊀ 《☞ おちめ》.

¶ 彼の家運は*傾いていた His family *was going downhill.* ★ go downhill は「没落する」という意味の口語的な慣用句. / (⇒ 家運は落ち目だった) The fortune(s) of his family *were declining.*

4 《日・月が》: (沈む) go down ㊀, sink ㊀, set ㊀ 語法 ほぼ同意だが, この順序に改まった言い方になる. set を使うのは慣用的表現.

¶ 日は西に*傾いている The sun *is* ⌈*going down* [*sinking*; *setting*] in the west.

かたむける 傾ける 1 《かしげる》: (垂直なものを) lean ㊉; (斜めにする・傾斜させる) slant ㊉; (一方の端を持ち上げて) tilt ㊉. ¶ 彼らは板を*傾けて滑り台を作った They *set up* a board *at a slant* to make a slide.

2 《集中する》: (専念する) devote (*oneself*) to … 《☞ せんねん[1]》. ¶ 彼女は全力を*傾けて勉強した She *devoted* ⌈*herself* [all her energies] *to* her studies.

かたむすび 片結び half hitch Ⓒ.

かため[1] 片目 (一方の目) one eye. ¶ *片目をつぶる close [shut] *one eye* // 父は私に*片目をつぶって見せた Father *winked at* me. // 老人は*片目が見えなかった The old man was blind *in one eye.*

かため[2] 固め ¶ *固めの杯を交わす (⇒ 仲間になる印として酒の杯を交わす) exchange cups of *sake* as a *pledge* of partnership **固め技** (柔道・レスリングの) hold Ⓒ.

かためる 固める (固くする) harden ㊉, make … hard; (守りを固める) strengthen (the defense(s)) ㊉, fortify ㊉ ★ 後者のほうが改まった語; (身を) settle down ㊀. 《☞ かたまる》.

¶ 私はその粘土を日に当てて*固めた I *hardened* the clay in the sun. // それはうそで*固めた話だ (⇒ うそのかたまり) The story is a *pack of* lies. // 国境地帯の守りを*固めなければならない We must ⌈*strengthen the defenses* of [*fortify*] the border area. // 彼はついに結婚して身を*固めた He got married and *settled down* at last. // 彼女は彼と結婚しようと決心を*固めた She *made a firm decision* to marry him.

かためん 片面 one side. ¶ テープの*片面 *one side* of the tape

かたもの 型物 ceramics made in a mold ★ 複数形.

かたやき 堅焼き (堅く焼くこと) hard-baking Ⓤ; (堅く焼いたせんべい) hard baked rice cracker Ⓒ.

かたやぶり 型破り ── 形 (普通ではない) unusual ★ 一般的な語; (慣習に合っていない) ùnconvéntional ★ やや格式ばった語; (突飛で空想的な) fàntástic. ¶ それは*型破りの考えだ That is ⌈an *unusual* [a *fantastic*] idea.

かたゆき 堅雪 crusted snow Ⓤ ★ 表面が堅く凍りついた雪.

かたゆで 固茹で ── 形 (卵などが) hard-boiled.

かたより 偏り (偏向・偏見) bias Ⓤ. ¶ 記者は政治的な*偏りを見せてはならない Reporters must not show political *bias.*

かたよる 偏る (不公平である) be partial (to …); (偏見がある) be ⌈préjudiced [bíased] (against …); (新聞記事などが) be slanted; (バランスがとれていない) be imbálanced. 《☞ ふこうへい》.

¶ 彼の考えは*偏っている His views *are* ⌈*partial* [*prejudiced*; *biased*]. // この記事は*偏っている This article *is slanted.* // *偏らない考えを持つべきだ (⇒ 公平でなければならない) We must *be* ⌈*fair* [*impartial*; *unprejudiced*].

カタラーゼ (分解酵素の一つ) catalase /kǽtəlèɪs/ Ⓤ.

かたらい 語らい talk Ⓒ, chat Ⓒ ★ 後者の方が口語的.

かたらう 語らう (親しく語り合う) have a friendly chat (with ...); (説き伏せる) talk *a person* into *doing* ... ¶人を悪事に*語らう *talk* a person *into* doing evil

かたり[1] 語り narration Ⓤ.

かたり[2] 騙り (詐欺) swindle Ⓒ, fraud Ⓤ ★ほぼ同じ意味だが, 前者はだまし取ることに, 後者はだますことに重点がある; (詐欺師) swindler Ⓒ, fraud Ⓒ.

かたりあう 語り合う talk (together) ⓐ, have a ｢talk [chat] (with ...) ⓐ. (☞ かたる[1]; はなす[1]).

かたりあかす 語り明かす (夜を徹して話をする) talk ｢all [through the] night, talk the night away; (夜中話をして起きている) sit [stay] up talking all night (long).

かたりぐさ 語り草 (話題) topic (of conversation) Ⓒ; (町のうわさの種) the talk of the town.

かたりくち 語り口 *one's* way of ｢talking [telling a story].

かたりつぐ 語り継ぐ hand [pass] a story down (from ...) (to ...).

かたりつたえる 語り伝える ☞ かたりつぐ

かたりて 語り手 (劇·放送·小説などの) narrator Ⓒ; (物語などの) storyteller Ⓒ; (物語詩などの) reciter Ⓒ.

かたりべ 語部 (上代, 神話·伝説など語り伝えることを職とした人) ancient professional reciter Ⓒ; (物語などの語り手) storyteller Ⓒ.

かたりもの 語り物 narrative music Ⓤ.

かたる[1] 語る (...の話をする) talk (about ...; over ...) ⓐ [語法] over を用いるのは現在の話題についてのみ. 過去のことには about を用いる; (...について述べる) tell ⓣ; (談笑する) chat ⓐ. (☞ はなす[1]; いう (類義語); しゃべる).

¶私たちは学校時代のことを*語り合った We *talked about* ｢our school days [the old days at school]. // 彼女は真実を*語った She *told* the truth.

語るに落ちる let slip [let it out] (that ...). ¶彼はしゃべり続けてとうとう*語るに落ちてしまった He went on talking and finally *inadvertently revealed his secret*.

かたる[2] 騙る **1** «だまし取る»: swindle ⓣ (☞ だます). **2** «偽る»: (他人の名を) assume another person's name. ¶彼はずうずうしくも私の名を*かたった He shamelessly *assumed* my *name*.

カタル catarrh /kətáːr/ Ⓤ.

ガダルカナル ━ 名 固 Guadalcanal /gwàːdəlkənǽl/ ★太平洋南西部, ソロモン諸島最大の島. 太平洋戦争の激戦地.

カタルシス 〔哲〕(悲劇による精神の浄化) catharsis /kəθáːrsɪs/ Ⓤ.

カタレプシー 〔医〕(強硬症) cátalèpsy Ⓤ ★受動的に与えられた姿勢を保ち続ける症状.

かたろうか 片廊下 side corridor Ⓒ.

カタログ ━ 名 catalòg(ue) Ⓒ. ━ 動 (カタログに載せる) catalog(ue) ⓣ, put [list] in a catalog(ue) ⓣ. ¶商品価格を記載した*カタログ a ｢price [priced; pricing] *catalog(ue)* // *カタログ記載値段 a *list* price カタログストア display store Ⓒ カタログ販売 catalog retailing Ⓤ カタログレゾネ 〔美〕catalogue raisonné /rèɪzənéɪ/ Ⓒ, catalogue with explanatory notes on items listed Ⓒ ★raisonné の ´ は綴り本来のもの. 後者は説明的な訳.

カタロニア ━ 名 固 Catalonia /kæ̀təlóuniə/ ★スペイン北東部の地方. ━ 形 Càtalónian. カタロニア語 Catalonian Ⓤ.

かたわ 片端 ━ 形 (対になっていない) odd; (不完全な) incomplete. ━ 名 (障害のある人) disabled person Ⓒ. (☞ しょうがいしゃ).

かたわく 型枠 (コンクリートを流し込む枠) form board Ⓒ.

かたわら 傍ら ━ 前 (...のそばに) by ... ★必ずしも横とは限らず, 漠然と近くにあることをいう; (...の近くに) near ...; (...の横に) beside ..., by [at] the side of ... ★beside よりも後者のほうが「すぐ横」という意味が強い; (...に加えて) besides .... ━ 副 (近くに) near by, nearby; (わきの方へ) aside; (一方の側へ) to one side. ━ 接 (一方で) while ... (☞ そば[1] (類義語); よこ; わき).

¶母の*傍らで子供は眠っていた The child was sleeping ｢*with* [*beside*] his mother. // 車が来たので私は*傍らに寄った (⇒ 横によけた) When a car approached, I stepped ｢*aside* [*to one side*]. // 彼は学校で教える*傍ら (⇒ 教える一方 [ほかに]) 小説を書いていた *While* [*Besides*] teaching (at) school, he was writing a novel. (☞ 省略 (巻末))

かたわれ 片割れ (共犯者) accomplice /əkámplɪs/ Ⓒ; (...の一人) one of ... ¶強盗の*片割れはまだ逃走中だ *One of* the burglars is still at large.

かたん[1] 荷担 ━ 名 (参加) participation Ⓤ. ━ 動 (加わる) take part (in ...), participate (in ...) ⓐ ★後者のほうが改まった語. (☞ くわわる).

¶彼はその陰謀に*荷担した He *took part in* the conspiracy.

かたん[2] 下端 (最下部) bottom Ⓒ; (下の先端) lower end Ⓒ.

かだん[1] 花壇 flówer bèd Ⓒ; (大きな花壇·花園) flower garden Ⓒ.

かだん[2] 下段 (棚の) lower shelf Ⓒ; (寝台の) lower berth Ⓒ.

かだん[3] 果断 ━ 形 (思い切った) decisive; (断固とした) résolùte; (徹底的な) drastic. ¶彼女は*果断な行動を取った She took *decisive* action.

かだん[4] 歌壇 the tanka world; tanka composers' ｢society [circles].

がたん ━ 副 (突然) suddenly; (ひどく) sharply. ━ 名 (がたんという音) bang Ⓒ. (☞ 擬声·擬態語 (囲み)). ¶先月は生産額が*がたんと落ちた (⇒ 急激に) Output [Production] dropped *suddenly and sharply* last month. // 戸が*がたんと閉まった The door slammed shut.

がだん 画壇 painting circles ★複数形で.

カタンいと カタン糸 (ミシン用の細い木綿糸) cotton thread for a sewing machine Ⓤ [参考] カタンは英語の cotton から.

かたんせい 可鍛性 〔冶〕 forgeability /fɔ̀ərdʒəbíləti/ Ⓤ.

かたんちゅうてつ 可鍛鋳鉄 malleable /mǽliəbl/ cast iron Ⓤ.

かち[1] 価値 ━ 名 worth Ⓤ; value Ⓤ. ━ 形 (価値がある) worth Ⓟ; worthy; valuable; (時間をかけるだけの価値がある) worth *one's* while, worthwhile.

【類義語】金銭に換算できるような「価値」すなわち「値段 (price)」という意味では **value** のほうが普通. ((例) 1平方メートルの土地の*価値 the ｢*value* [*price*] of one square meter of land). しかし, ものの有用性に重点をおいた相対的な価値を意味する場合には *value* も **worth** も同じでいずれを用いてもよい. ((例) 教育の*価値 the ｢*value* [*worth*] of education // 実際的*価値のある発見 a discovery of practical ｢*value* [*worth*]). (☞ ねうち; しんか)

¶この本はたいして*価値がない This book is of little *value*. // 彼の切手のコレクションは100万円の*価値がある His stamp collection is *worth* a million yen. [語法] (1) この worth は[形]. 名詞または動名詞の目的語をとり, 述語的にだけ用いられる. // この本は読む*価値がある This book is *worth* reading. // 彼はたいへん*価値のある発見をした He made a very *valuable* discovery. // 日光は一見の*価値がある It's *worthwhile* visiting Nikko. / It's *worth your while* to visit Nikko. [語法] (2) 第 2 文はやや格式ばった言い方. worthwhile は後に動名詞を伴うが, 所有代名詞が間に入ると to 不定詞を伴うことが多い.

価値観 a sense of values **価値工学** value engineering [U] **価値判断** value judg(e)ment [C]; (見積もり) estimate /éstəmət/ [C]; (見積もること) estimation [U]; (結果に対する評価) evaluation [U].

―コロケーション―
価値を維持する maintain [hold; keep] the *value* (of …) / **価値を失う** lose *value* / **価値を過大に評価する** overrate the *value* (of …) / **価値を加える** add *value* (to …) / **価値を高める** heighten [enhance; increase; raise] the *value* (of …) / **価値を低める** lower [reduce] the *value* (of …) / **価値を評価する** assess the *value* (of …) / **価値を見積もる** estimate the *value* (of …) / **価値を認める** recognize the *value* (of …) / **価値を持つ** possess *value* // **永続的価値** lasting [enduring; permanent] *value* / **大きな価値** great [enormous; immense] *value* / **額面[名目]価値** nominal [face] *value* / **希少価値** rarity *value* / **究極的価値** ultimate *value* / **金銭的[貨幣]価値** monetary *value* / **芸術的価値** artistic *value* / **交換価値** exchange *value* / **再販価値** resale *value* / **市場価値** market *value* / **社会的価値** social *value* / **商業的[経済的]価値** commercial [economic] *value* / **象徴的価値** symbolic [token] *value* / **剰余価値** residual *value* / **戦略的価値** strategic *value* / **相対的価値** relative *value* / **存在価値** existence *value* / **高い[低い]価値** high [low] *value* / **計り知れない価値** incalculable [inestimable] *value* / **美的価値** aesthetic *value* / **付加価値** extra *value* / **本質的[非本質的]価値** intrinsic [extrinsic] *value* / **利用価値** utility *value* / **歴史的価値** historical *value*

かち² 勝ち (勝利) victory [C]; (成功) success [U]. (☞ かつ¹; しょうり (類義語)).

¶ 君の*勝ちだ You *win*! / (試合の後では) You'*ve won*! / (⇒ 勝負は君のものだ) The *game* is yours. // 競技は彼の*勝ちだった (⇒ 彼が競技に勝った) He *has won* the race. / (⇒ 彼の勝利で終わった) The race *ended* ⌈*in* [*with*] *his victory*. // *勝ち負けは問題ではない *Victory* or defeat is a matter of little importance. // わざと*勝ちを譲らないで下さい Don't intentionally *let your opponent win* (the game). // 幸運にも*勝ちを拾った We were lucky enough to ⌈*pick up an unexpected win* [*achieve a surprise victory*]. // *勝ち名乗りを受ける (⇒ 勝者を宣言される) be declared *the winner*

勝ちを制する win [他]. ¶ 野党が選挙で*勝ちを制した The opposition party *won* the election.

かち³ 徒歩 ☞ とほ

-がち (…する傾向がある) tend to *do* … ★ 一般的な表現; (…しがち) be ⌈apt [liable] to *do* … ★ 前者よりはやや堅苦しい表現. なお liable は特によくないことや不利なことに用いられる.

¶ 学生はそのような誤りを犯し*がちだ Students *tend to* make such mistakes. / Students *are* ⌈*apt* [*liable*] *to* make mistakes of that kind. ★ 後者はやや格式ばった言い方. // それはあり*がちなことだ (⇒ 珍しいことではない) It's not unusual. // 彼はほかの人たちから遅れ*がちだった (⇒ しばしば遅れた) He *often* fell behind the others. // 今日は曇り*がちの天気だった It was ⌈*mostly* cloudy [cloudy *most of the day*] today.

かちあう かち合う (予定などが重なる) clash [自], conflíct [自] ★ 前者のほうがより口語的; (日付などが) fall (on …) [自]. (☞ ぶつかる).

¶ その 2 つの会は*かち合ってしまった The two meetings ⌈*clashed* [*conflicted*]. // 祭日が日曜と*かち合うと月曜が休みになる When a ⌈national [public] holiday *falls on* Sunday, we have an extra holiday on Monday.

かちあげ 搗ち上げ ―[名] *kachiage* [U]. ―[動] (説明的に) hit *one's* opponent by delivering a blow to the chest or chin with *one's* shoulder and forearm to make him become upright.

かちいくさ 勝ち戦 (勝利) victory [C]; (大勝利) tríumph [C] ★ 後者のほうがより格式ばった語. (☞ しょうり; かつ¹).

かちうま 勝ち馬 winning horse [C]; (一般に勝者) winner [C].

かちえる 勝ち得る win [他], earn [他] ★ 争いに勝って手に入れる場合は win を使う. ¶ 真摯な態度ゆえ彼はみんなの信頼を*勝ち得た His sincere attitude ⌈*won* [*earned*] him everyone's confidence.

カチオン (陽イオン) cation /kǽtàɪən/ [C].

かちかち 1 «固い様子» ¶ 池は*かちかちに凍っていた The pond was frozen *hard*. (☞ こちこち; 擬声・擬態語 (囲み))

2 «時計などの音» ―[名] tícktàck [C]; (やや低い音で) tícktòck [C]. ―[動] (かちかち音をたてる) tick [自]. (☞ 擬声・擬態語 (囲み)). ¶ 時計は*かちかちと動いていた The clock *was* ⌈*ticking* [*ticking away the time*].

3 «緊張して» ―[動] (神経質になる) be [get] ⌈nervous [tensed up] (☞ こちこち; きんちょう¹).

がちがち ¶ 恐ろしさで歯が*がちがち鳴っていた My teeth were *chattering* in terror. // 湖は*がちがちに凍っていた The lake *was* frozen *hard*. (☞ かちかち; 擬声・擬態語 (囲み))

かちかちやま かちかち山 Kachikachi-yama, an old Japanese folktale; (説明的には) a folktale about a troublesome ⌈*tanuki* [racoon dog] which, finally, is tricked into boarding a boat made of mud, which ends up sinking with the animal in it.

かちき 勝ち気 ―[形] (不屈の) unyielding; (競争心に富む) compétitive. ¶ 彼女はとても*勝ち気だ She is quite *unyielding*. / (⇒ 競争心のある女性だ) She is a very *competitive* woman.

かちく 家畜 (牛・馬・豚など業務用の家畜) livestock /láɪvstɑ̀k/ [U]; (特に牛を指して) cattle [U] ★ 以上は集合名詞; (人に飼われている動物) doméstic(ated) ánimal [C] ★ 愛玩用の動物も含む. ¶ *家畜 20 頭 twenty head of *cattle* (☞ 数の数え方 (囲み)) // *家畜は牧場で草をはんでいた *Cattle* were grazing in the pasture. // 私たちのところでは*家畜を飼っている We raise ⌈*cattle* [*livestock*]. // *家畜の改良 improvement of *livestock* **家畜学** animal husbandry [U] **家畜小屋** shed [C] **家畜病院** veterinary /vétərənèri/ hóspital [C].

かちぐり 搗ち栗, 勝ち栗 dried chestnut [C].

かちこし 勝ち越し winning a majority of ⌈matches [bouts; games] [U] (☞ しあい).

かちこす 勝ち越す ¶ 私たちは 3 ゲーム*勝ち越した (⇒ 3 ゲームリードしている) We *are leading* the opposing team by three ⌈wins [games]. / We *are* three games *ahead of* the opposing team. ★ 第 2 文は第 1 文より口語的. (☞ リード¹; れんせん)

かちすぎる 勝ち過ぎる （性質・傾向が強すぎる） be too predominant, prevail too much; （過重である） be too much for …. ¶昨今効率の良さが*勝ち過ぎている（⇒あまりに重視されている） *Too much is* being *made of* efficiency today. // その仕事は新人には荷が*勝ち過ぎる The job *is too much for* a newcomer.

かちすすむ 勝ち進む ¶トーナメントを［決勝戦まで］*勝ち進む *win one's way* ⌈through the tournament [to the finals]

かちっ ☞かちん; かちり; 擬声・擬態語（囲み）

がちっ ¶鍵は*がちっとかかった The lock closed with a *click*. // ふたは瓶に*がちっとはまる The cap *fits* the bottle *perfectly*. 《☞擬声・擬態語（囲み）》

かちっぱなし 勝ちっ放し ─ 動 win ⌈consecutive [straight] ⌈victories [games], keep on winning.

かちてん 勝ち点 (winning) point Ⓒ, win Ⓒ.

かちとうしゅ 勝ち投手 winning pitcher Ⓒ.

かちどき 勝ち鬨 shout of ⌈victory [triumph] Ⓒ, victory ⌈shout [cheer] Ⓒ. ¶*勝ちどきを上げる raise [give] a *shout of* ⌈*victory* [*triumph*]

かちとる 勝ち取る win ㊀; （手に入れる） obtain ㊀ ★やや格式ばった語. 《☞かくとく》. ¶賃上げを*勝ち取る *win* a wage ⌈raise [hike]

かちなのり 勝ち名乗り （相撲の） announcement of the winner Ⓒ, announcing the winner Ⓒ. ¶*勝ち名乗りを受ける be declared winner (by a sumo referee)

かちにげ 勝ち逃げ ─ 動 quit with *one's* winnings.

かちぬく 勝ち抜く （完全な勝利を得る） attain (a) ⌈complete [total] victory; （戦いながら進む） fight *one's* way. ¶彼らはついに*勝ち抜いた They *have attained* ⌈*complete* [*total*] *victory* at last. // 彼は5回の予選を*勝ち抜いてきた He *has fought his way through* the five preliminary matches. **勝ち抜き戦** tournament /tʊ́ənəmənt/ Ⓒ 《☞トーナメント》.

かちのこる 勝ち残る （生き残る） survive ㊀. ¶準決勝で*勝ち残る *survive* the semifinals // われわれは決勝戦まで*勝ち残った We *won our way to* the final game.

かちはだし 徒跣 ─ 動 go barefoot(ed), walk with bare feet.

かちほこる 勝ち誇る ─ 動 be ⌈triúmphant [exúltant] (over …), tríumph (over …) ㊁. ─ 副 triúmphantly, in tríumph. ¶彼らは*勝ち誇って歓声を上げた They shouted for joy *in triumph*.

かちぼし 勝ち星 （競技の勝利） win Ⓒ; （競技などの点数） point Ⓒ. ¶彼らは多くの*勝ち星をあげた They *have scored* many *points*.

かちまけ 勝ち負け （勝ちか負け） victory or defeat Ⓤ; （結果） issue Ⓒ. 《☞しょうぶ[1]; しょうはい[1]》. ¶*勝ち負けは度外視して全力を尽くしなさい *Win or lose*, do your best.

かちめ 勝ち目 （勝つ見込み） chance of winning Ⓒ; （可能性） odds ★しばしば「勝ち目」の意で用いる. 《☞しょうさん[2]》. ¶今度は*勝ち目がありそうだ（⇒勝てる見込みが十分にある） We *have a* ⌈*good* [*fair*] *chance of winning* this time. // 彼に*勝ち目がある［ない］ The *odds* are ⌈in favor of [against] him. // *勝ち目は5分5分だ The ⌈*chances* [*odds*] are fifty-fifty.

かちゃかちゃ ─ 動 （かちゃかちゃ鳴る・鳴らす） clank ㊁ ㊀; （軽く短い音で） clink ㊁ ㊀. ─ 名 （かちゃかちゃという音） clank Ⓒ; clink Ⓒ. 《☞擬声・擬態語（囲み）》. ¶彼女が歩くと，手に持った鍵の束が*かちゃかちゃ鳴った The keys in her hand *clinked* as she walked.

がちゃがちゃ ─ 動 （皿などが音を立てる） clatter ㊁ ㊀; （戸・ガラス戸・小銭などが） rattle ㊁ ㊀; （重い鎖などが） clank ㊁ ㊀. ─ 名 （がちゃがちゃという音） clatter Ⓤ; rattle Ⓒ; clank Ⓒ. 《☞擬声・擬態語（囲み）》.

がちゃっ ☞がちゃん

かちゃん ¶彼らはグラスを*かちゃんと合わせて花嫁に乾杯をした They *clinked* their glasses and drank a toast to the bride. // 掛け金が*かちゃんと音を立てた The latch *clicked*. 《☞かちん; 擬声・擬態語（囲み）》

がちゃん ─ 動 （金属などががちゃんと音を立てる） clang ㊁ ㊀; （ぶつかって） crash ㊁ ㊀. ─ 名 （がちゃんという音） clang Ⓒ; crash Ⓒ. 《☞擬声・擬態語（囲み）》.
¶スパナが床に落ちて*がちゃんといった The wrench *clanged* when it hit the floor. / The wrench fell to the floor with a *clang*. // ボールが*がちゃんと窓ガラスを割った A ball *crashed* through the windowpane. // そんなに*がちゃんと電話を切るものではない（⇒強く下に置く） You shouldn't *slam* the receiver *down* ⌈that way [like that].

かちゅう[1] 渦中 （周りのものを巻き込んでしまう渦） vórtex Ⓒ ★戦争・論争など比喩的な意味でも用いられる. 《☞うず》. ¶私はその*渦中に巻き込まれた I was drawn into the *vortex*.

かちゅう[2] 火中 ¶*火中に身を投じる throw *oneself* [plunge] *into the* ⌈*fire* [*flames*]
火中の栗を拾う （…のために命を賭ける） risk *one's* life for … 《☞くり[1]》.

かちゅう[3] 家中 ─ 副 （家の中で） in a house. ─ 名 （家の者全員） the whole family, all the family; （家来全体） retainers.

カチューシャ （髪飾り） plastic headband Ⓒ.

かちゅうるい 花虫類 〖動〗 the Anthozoa /ænθəzóuə/. ¶*花虫類の動物 an anthozoan

かちょう[1] 課長 manager /mǽnɪdʒə/ Ⓒ, section ⌈head [chief] Ⓒ, section manager Ⓒ, assistant general manager Ⓒ. 《☞会社の組織と役職名（囲み）》. ¶営業［人事］*課長 the ⌈*chief* [*head*] of the ⌈sales [personnel] ⌈section [department] **課長代理** acting manager Ⓒ **課長補佐** assistant manager Ⓒ.

かちょう[2] 家長 the head of a ⌈family [household].

がちょう[1] 鵞鳥 goose Ⓒ《複 geese》★元来は「雌がちょう」をいうが，がちょうの一般名として使われる; （雄） gander Ⓒ. 《☞めす[1] 語法; 動物の鳴き声（囲み）》. ¶*がちょうの子 a *gosling* // *がちょうはがあがあ鳴く *Geese* ⌈honk [gaggle].

がちょう[2] 画帳 （写生帳） sketchbook Ⓒ.

かちょうおん 可聴音 audible sound Ⓒ. ¶最小*可聴音 the weakest sound

かちょうが 花鳥画 (Chinese and Japanese traditional) bird-and-flower painting Ⓒ.

かちょうきん 課徴金 surcharge /sə́ːtʃɑ̀ədʒ/ Ⓒ. ¶輸入*課徴金 an import *surcharge*

かちょうふうえい 花鳥諷詠 objective description of nature and worldly affairs Ⓒ ★高浜虚子の俳句理念.

かちょうふうげつ 花鳥風月 （自然の美） the ⌈beauty [beauties] of nature. ¶*花鳥風月を描く［歌に詠む］ paint [compose tanka poems on] *beautiful landscapes*

かちり ─ 動 （鍵などがかちりと鳴る・鳴らす） click ㊁ ㊀. ─ 名 click Ⓒ. 《☞擬声・擬態語（囲み）》.

¶錠は*かちりと開いた The lock *clicked* open. / The lock opened *with a click*.

かちわり かち割り (削り割った氷) chipped ice Ⓤ.

かちん ── 動 (ややかん高い音を立てる) clink ⓐ ⓗ 《☞ 擬声・擬態語 (囲み)》. ¶彼らはコップを*かちんと合わせて乾杯した They *clinked* ⌈glasses in a toast [a toast with their glasses]. // 彼の言葉はいつも*かちんとくる (⇒ かんに障る) What he says always ⌈*get on my nerves* [*irritate* me].

がちん ☞ がちゃん

かつ[1] 勝つ **1** 《戦って相手を負かす》: (勝利を得る) win ⓗ 《過去・過分 won》 (↔ lose) ★ 最も一般的; win [gain] a victory ★ やや格式ばった表現; (相手を破る) defeat ⓗ, beat ⓗ ★ 後者が口語的. 《☞ かち[2]; しょうり》.

¶わがチームは7対5で*勝った Our team *won* the game (by a score of) 7 to 5. // 我々は相手チームに*勝たなければならない (⇒ 打ち破らなければならない) We must ⌈*defeat* [*beat*] our rival team. // 口では (⇒ 議論では) 彼女に*勝てない I cannot ⌈*beat* her [*get the better of* her] in an argument. // *勝って兜の緒を締めよ We must not ⌈relax [let down] our guard even after a *victory*. / He conquers who conquers himself in *victory*. 《ことわざ: 自らを抑えることのできる者が勝利をおさめる; ☞ かぶと》

2 《克服する》: òvercóme ⓗ 《過去 overcame; 過分 overcome》 《☞ こくふく》.

3 《中心的な役割をする》 ¶情の*勝った人 an emotional (type of) person // この柄は黄が*勝っている Yellow is the *conspicuous color* in this pattern. // この絵は全体的に見て赤が*勝っている On the whole red ⌈*is predominant* [*predominates*] in this painting.

勝てば官軍, 負ければ賊軍 (勝てば官軍) Might is right. / (負ければ賊軍) Losers are always in the wrong.

かつ[2] 活 **活を入れる** ¶彼は失敗して落ち込んでいるから*活を入れてやろう (⇒ 元気づけてやろう) He is depressed ⌈by [from] failure. Let's ⌈*cheer* [*buck*; *pep*] him *up*. ★ [ ] 内は口語. **活を求める** ¶死中に*活を求める look for a way out of a difficult situation

かつ[3] 且つ (…も) and ★ 通例強勢を伴う; (さらに・その上) besides, moreover ★ 後者はやや改まった語; (同時に) at the same time. 《☞ そのうえ (類義語); また[1]; どうじ[1]》.

かつ[4] 渇 (のどの渇き) thirst Ⓤ. **渇を癒す** quench [slake; satisfy] *one's* thirst ¶私は水を1杯飲んで*渇を癒した I *slaked my thirst* with a glass of water.

カツ fried cutlet Ⓒ 《☞ 料理の用語 (囲み)》.

かつあい 割愛 ── 動 (省く) omít ⓗ; (人手などをほかへ回す) spare ⓗ. 《☞ はぶく; しょうりゃく (類義語)》. ¶紙面の都合上序文を*割愛せざるをえなかった We had to ⌈*omit* [*give up*] the preface for lack of space. // 講師のご紹介は*割愛させていただきます Please allow me to ⌈*omit* [*leave out*] the introduction of the speaker.

かつえる 餓える, 飢える (ひもじくなる) go hungry ⓐ, starve ⓐ; (渇望する) starve (for …) ⓐ, hunger (for …) ⓐ. 《☞ うえる[2]》.

かつお 鰹 bonito /bəníːtou/ Ⓒ 《複 ~(s)》. **鰹のたたき** lightly roasted bonito (served with grated daikon) Ⓤ **鰹節** dried bonito Ⓤ ★ 数えるときは a piece of ~.

かつおどり 鰹鳥 〘鳥〙 booby /búːbi/ Ⓒ.

かっか[1] ── 動 (興奮する) get [be] excited ★ 怒り以外の興奮にも用いる; (ぷりぷりと怒る) fume (at …; over …; about …) ⓐ ★ 日本語の「かっか」にかなり近い; (激怒する) get [be] furious; (かっとなる) get [be] hot (under the collar) ★ くだけた言い方. 《☞ おこる[1]; かっと》. ¶そんなに*かっかするな (⇒ 興奮するな) Don't *get so excited*. / (⇒ 落ち着け) Be calm. / (⇒ のんびり構えよう) Take it easy. // 彼女は遅れに対してすごく*かっかしていた She *was* really *fuming* ⌈*at* [*over*] the delay. // *かっかと燃えている火 a fire burning ⌈*briskly* [*brightly*]

かっか[2] 閣下 (大臣・大使などに) Your [His; Her] Excellency; (裁判官などに) Your [His; Her] Honor 語法 直接に呼びかけて用いるときは Your …, 間接に用いるときは His [Her] … として後に官職名を続ける.

がっか[1] 学科 **1** 《科目》: subject (of study) Ⓒ 《☞ かもく[1]; 学校・教育 (囲み)》. ¶私の好きな*学科は英語です My favorite *subject* is English.

2 《課程》: (大学の専攻学科) department Ⓒ 《☞ がくぶ (類義語)》. ¶物理[英語]*学科 the *Department* of ⌈Physics [English] / the ⌈Physics [English] *Department* ★ of を用いるほうがより格式ばった表現.

学科試験 examination in the subjects of study Ⓒ **学科主任** the ⌈head [chairman; chair; chairperson] of ⌈a [an academic] department.

がっか[2] 学課 lesson Ⓒ. ¶*学課の予習[復習]はもうすみましたか Have you finished ⌈preparing [reviewing] your *lessons* yet?

かっかい[1] 各界 ¶*各界代表 representatives *from all walks of life*

かっかい[2] 角界 ☞ かくかい[2]

がっかい[1] 学会 learned /lə́ːnɪd/ [academic; scholarly; scientific] society Ⓒ; (学会の会議・集まり) meeting Ⓒ. 《☞ かい[1] (類義語)》.

¶数学*学会の会員 a member of the mathematical ⌈*society* [*association*] // 日本医*学会は来年は京都で開かれる The *meeting* of the Japan Medical Society will be held in Kyoto next year. // *学会発表 presentation of the results of *one's* research // *学会発表をする read a paper ⌈to a *learned society* [at an *academic meeting*]

がっかい[2] 学界 learned /lə́ːnɪd/ [academic] circles ★ 複数形で. 《☞ -かい[2]》.

かっかく 赫赫 ── 形 (輝かしい) brilliant; (栄光ある) glorious. ¶*赫々たる武勲 *brilliant* feats of war // *赫々たる勝利 a *glorious* ⌈triumph [victory]

かっかざん 活火山 áctive volcano /vɑlkéɪnou/ Ⓒ 《複 ~(e)s》 《☞ かざん》.

がっかせん 顎下腺 submaxillary gland Ⓒ.

かっかそうよう 隔靴搔痒 ── 形 (必ずしも要領を得ていない) not quite to the point. ── 動 (もの足りない) leave much to be desired.

かつかつ ¶家族を養うのに*かつかつの収入 an income *barely sufficient* to maintain *one's* family // 戦時中は我々は配給の食糧で*かつかつの生活をした (⇒ やっと生きていた) During the war we *subsisted* on our ration of food. // *かつかつで特急に間に合った I *barely* caught the limited express. // 僕は試験を受け*かつかつでパスした I took the test and just *scraped through*. 《☞ 擬声・擬態語 (囲み)》

がつがつ ── 副 (空腹で) hungrily; (貪欲に) greedily. 《☞ 擬声・擬態語 (囲み)》. ¶彼は手あたり次第に*がつがつ食べた He ate up ⌈*greedily* [*hungrily*] anything he could lay (his) hands on. // そんなに*がつがつ (⇒ 豚のように) 食べるな Don't eat *like a pig*.

がっかり ── 動 (…に失望する) be disappóinted (at …; in …; with …); (…でがっかりする) be disheartened (by ...); (落胆する) lose heart; (がっかりして, 悲しく哀れな気持ちになる) be sad 日英比較 sad は口語では日本語の「悲しい」ほど大げさな気持ちでない場合にも使う. ―副 in disappointment. 《☞ しつぼう; しょげる; がっくり; 擬声・擬態語 (囲み)》. ¶彼女はその結果 [その本, 彼] に*がっかりした She *was disappointed* ⌈*at* the result [*with* the book; *in* him]. 《☞ しつぼう 語法》 // あーあ, *がっかりだ Oh, no! What a *disappointment*! // そんなに*がっかりするなよ Don't *be so sad*.

かつがん 活眼 (鋭い眼力) a ⌈sharp [keen] eye; (見抜く力) insight Ⓤ, penetration Ⓤ ★ 後者は直感的に見抜く力. ¶*活眼を開いて問題の原因を解明しなくてはいけない You should inquire into the cause of the problem with a *penetrating eye*.

がっかん 学監 (大学の学生部長) dean Ⓒ.

かっき¹ 活気 ―名 (活力) vigor (《英》 vigour) Ⓤ; (生気) life Ⓤ; (精力) énergy Ⓤ; (元気) spirit Ⓤ; (活発さ) liveliness Ⓤ. ―形 (活動力のある) active; ènergétic; (元気のよい) lively /láɪvli/; spirited; vígorous. ―動 (活気づける) (en)liven ⊕. 《☞ げんき¹》. ¶彼女はいつも*活気に満ちている She is always *full of* ⌈*vigor* [*life*]. / She is always ⌈*energetic* [*lively*]. // 町は買い物客で*活気があった The streets were ⌈*lively* [*alive*] with shoppers. // 彼らはパーティーを*活気づけようとした They tried to *liven up* the party. // スキー場は冬になると*活気づく Ski resorts *come alive* in (the) winter. // この町には*活気がない (⇒ 生気がない) There is little *life* in this town. / This town looks *dull*. ★ 第 2 文は第 1 文より口語的.

かっき² 客気 (若々しい活気) youthful vigor Ⓤ, (血気) hot blood Ⓤ. ¶その扇動者の演説に*客気に逸(はや)る群衆は興奮して暴動を起こした The agitator's speech stirred up the *hot-blooded* crowd to violence.

がっき¹ 学期 (3 学期制の) term Ⓒ; (2 学期制の) seméster Ⓒ. 《☞ しけん¹; 学校・教育 (囲み)》. **学期(末)試験** final exam(ination) Ⓒ, finals ★ 複数形で, term [end-of-term] exam(ination) Ⓒ.

がっき² 楽器 músical ínstrument Ⓒ. ¶「*楽器はどんなものをおやりになりますか」「バイオリンを弾きます」"What *musical instrument* do you play?" "The violin. / I play the violin."

かつぎあげる 担ぎ上げる (肩に持ち上げる) lift up onto *one's* shoulder ⊕; (祭り上げる) be ⌈elevated to a position (to the advantage of *one's* supporters).

かつぎこむ 担ぎ込む ¶負傷者を病院に*担ぎ込む *carry* [*take*] the ⌈injured [wounded] *into* (a) hospital

かつぎだす 担ぎ出す ¶次の選挙の候補に彼を*担ぎ出そう (⇒ 立候補させよう) Let's make him run in the next election.

かっきてき 画期的 ―形 époch-màking /épək-/. ¶*画期的な発見 an *epoch-making* discovery

かつぎや 担ぎ屋 (行商人) peddler Ⓒ, 《主に英》 pedlar Ⓒ; (やみ屋) black ⌈market peddler [marketeer] Ⓒ; (縁起をかつぐ人) superstitious person Ⓒ; (悪ふざけする人) practical joker Ⓒ.

がっきゅう¹ 学級 class Ⓒ 《☞ クラス; くみ; 学校・教育 (囲み)》. ¶特殊*学級 a special *class* (for the handicapped) **学級委員** class ⌈president [representative] Ⓒ **学級担任** 《米》 homeroom teacher Ⓒ, 《英》 form teacher Ⓒ **学級日誌** class diary Ⓒ **学級閉鎖** ¶流感のためその小学校はまる一週間*学級閉鎖された *Classes* at the elementary school *were suspended* for a whole week because of a flu epidemic. **学級崩壊** classroom collapse Ⓤ.

がっきゅう² 学究 ―名 (学者) scholar Ⓒ. ―形 (学者的な・学問好きの) scholarly; (学問の・学問に関する) àcadémic. ¶彼は*学究的な[*学究肌の]人だ He is a *scholarly* person.

かっきょ 割拠 ―動 defend [hold; keep] *one's* own territory 《☞ ぐんゆうかっきょ》.

かつぎょ 活魚 live /láɪv/ fish Ⓒ ★ 単複同形. ただし種類をいうときのみ ~es. ¶*活魚料理 *fresh-fish* cuisine

かっきょう 活況 ―名 (繁栄) prospérity Ⓤ; (活発なこと) activity Ⓤ. ―形 (活況を呈した) active; (活発な) lively /láɪvli/; (勢いのよい) brisk. 《☞ せいきょう¹; こうきょう²》. ¶売買は*活況を呈している The market is ⌈*lively* [*active*; *brisk*].

がっきょく 楽曲 (一つの曲) piece of music Ⓒ.

かっきり ―副 (正確に) just, exactly ★ 後者のほうが意味が強い; (時刻を表す言葉の後に付けて, …かっきり) sharp. 《☞ きっかり》.

かつぐ 担ぐ **1** «になう»: (肩で運ぶ) carry ... on *one's* ⌈shoulder [back] 《☞ せおう》. ¶彼はスキーを肩に*担いでいた He *was carrying* a pair of skis *on his shoulder*. // 彼は大きなザックを*担いで (⇒ 身につけて) 山へ登った He climbed the mountain *with* a big ⌈rucksack [《米》 backpack].

2 «だます»: (いたずらで) play a trick on ...; (笑いものにする) make a fool (out) of ...; (一杯食わす) take in ⊕. ¶*かつぐなよ Don't ⌈*make a fool of* me [*play a trick on* me; *play tricks on* me]. // エープリルフールに*かつがれた I ⌈*was taken in* by [fell for] an April Fool's joke.

3 «押し立てる» ¶私たちは彼女を同好会の会長に*担いだ (⇒ 選んだ) We *chose* her as president of the society.

がっく 学区 school ⌈district [area] Ⓒ. **学区制** (the) school district system.

かっくう 滑空 ―動 glide ⓐ ⊕. ―名 (滑空すること) gliding Ⓤ; (1 回 1 回の滑空) glide Ⓒ. **滑空機** glider Ⓒ.

がっくり ―動 (…にがっくりくる) be shocked (at ...); (…でがっかりする) be disheartened (by ...). 《☞ がっかり; しつぼう; 擬声・擬態語 (囲み)》. ¶その知らせで彼は*がっくりきていた He ⌈*was shocked* [*got a* (*sad*) *shock*] at the news. // 彼女は*がっくりとうなだれた Her head drooped *sadly*. 語法 she を主語にするよりもこのほうが普通. また hang *one's* head を用いると「恥ずかしさで人に顔が合わせられないで顔を垂れる」という意味となる.

かっけ 脚気 bèribéri Ⓤ.

かっけい 活計 living Ⓤ, livelihood Ⓤ ★ 両者とも通例 a, *one's* を付ける. 《☞ せいけい¹》.

がっけい 学兄 (学友の敬称) my fellow student Ⓒ; (学問上の友人の敬称) my fellow scholar Ⓒ.

かつげき 活劇 (アクション映画) action film Ⓒ; (格闘の場面) fighting scene Ⓒ.

かっけつ 喀血 ―名 〘医〙 hemoptysis /hɪmáptəsɪs/ Ⓤ ★ 具体的な事例は Ⓒ 《複 -ses /-siːz/》, spitting blood Ⓤ. ―動 expectorate [spit; cough up] blood ★ expectorate を使うのは《格式》. 《☞ とけつ》.

かっこ¹ 括弧 ―名 (丸かっこ) parenthesis /pərénθəsɪs/ Ⓒ 《複 -ses /-sìːz/》, 《英》 (round) bracket Ⓒ; (中かっこ { }) brace Ⓒ, curly brace Ⓒ; (大かっこ [ ]) (square) bracket Ⓒ; (かぎかっこ 〈 〉) angle bracket Ⓒ; (二重かっこ 《 》) double parenthesis Ⓒ 語法 以上はみな対をなすので, 複数形で用いることが多い. ―動 (かっこで囲む) parenthesize ⊕; bracket ⊕. 《☞ かっこ (巻末)》.

¶*かっこの中は翻訳です The translation is given in *parentheses*. // この項目は*かっこに入れておきます This item will *be* ⌈*parenthesized* [*bracketed*]. // 適当な語を*かっこに記入せよ Put [Enter] ⌈suitable [appropriate] words in the *parentheses*. // *かっこを取り除く delete [remove; take out] the ⌈*parentheses* [*brackets*]

かっこ² 確固, 確乎 ━形 (しっかりした) firm; (はっきり決心した) detérmined. ¶彼女の*確固たる決心をだれが変えられようか Who can change her *firm* determination? 《☞ 修辞疑問 (巻末)》// 彼は政界で*確固不動の (⇒ 揺るがしがたい) 地位を築いた He established an *unshakable* position in politics. // 彼女はいつも*確乎不抜の (⇒ 揺るぎない) 信念を持って行動する She always acts on her *unshakable* belief.

かっこ³ 各個 ━形 (それぞれの) each ★ 単数形の名詞を伴って. ━名 each one. ━副 (個別に) each, individually ★ 後者はやや格式ばった語.

各個撃破 ━動 attack and defeat [(問題などを) solve; ... settle] ... one by one.

かっこ⁴ 格好 ☞ かっこう¹

かっこいい cool, groovy, neat ★ いずれも俗語的. 《☞ かっこう¹》. ¶*かっこいい車 a ⌈*cool* [*groovy; neat*] car

かっこう¹ 格好 **1** 《姿》 ━名 (外見) appearance Ⓤ; (物の特有の形) shape Ⓒ; (ある種類などに共通する形) form Ⓤ; (スタイル) style Ⓤ. ━形 (衣服などが格好のよい) stylish; (流行に合った) fashionable; (形がしゃれている) smart ★ 人に用いると「ずるがしこい」という悪い意味が出る; (物の形がよい) well-shaped. 日英比較 日本語では「格好がよい [悪い]」のように主語・述語の関係で言うが, 英語では一語の形容詞で表すのが普通. 《☞ かたち; ていさい; ぶかっこう》.

¶こんな*格好で失礼します Please excuse my *appearance*. ★ 寝巻姿などで人前に出るときに言う言葉. // この木は*格好がよい This tree ⌈has a good *shape* [is well *shaped*]. // 彼のあのコートは*格好いい That coat of his is ⌈*stylish* [*smart*]. // この車は*格好はいいが (⇒ よく見えるが), 走行性能はよくない This car *looks* good(,) but runs poorly. // 2 度も試験に落ちるとは*格好が悪かった (⇒ 恥ずかしかった) I was really ashamed of myself for having failed the examination twice. 《☞ ばつ²》// 彼は*格好をつけて (⇒ よりよく見せるために) ベレー帽をかぶっていた He wore a beret to make himself look better. // 日本間は床の間がないとどうも*格好がつかない (⇒ それらしく見えない) A Japanese-style room would not *look like one* without an alcove. // 会議は中断された*格好だ (⇒ 事実上中断されている) The meeting is *virtually* suspended. // 40 *格好の (⇒ 40 歳くらいの) 男に会った I met a man who *seemed to be* ⌈*about* forty [forty *something*].

2 《適当な》 ━形 (ふさわしい) suitable; (ぴったり合った) fit. 《☞ うってつけ; あつらえむき》.

かっこう² 滑降 (スキーの) descént Ⓒ. ¶直*滑降 a schuss /ʃύs/ // 斜*滑降 a traverse

滑降競技 〘スキー〙 downhill Ⓒ.

かっこう³ 郭公 〘鳥〙 Japanese cuckoo /kúku:/ Ⓒ 《☞ 動物の鳴き声 (囲み)》. **かっこう時計** cuckoo clock Ⓒ.

かつごう 渇仰 ━名 adoration Ⓤ. ━動 adore ㊥ ★ 進行形にしない. ¶その思いやりのある先生は生徒の*渇仰の的である That caring teacher is the object of *adoration* of his students.

がっこう 学校 school Ⓒ 語法 (1) 学校本来の目的, すなわち「授業」などを表して「学校」というときには冠詞を付けない; (教育機関の総称) educational institution Ⓒ. 《☞ 学校・教育 (囲み)》.

¶「あの建物は何ですか」 「*学校ですよ」 "What's that building?" "It's a *school*." // 《小さい子供に》 君は*学校に行って [上がって] いるの Do you go to *school*? // 私の息子は家の近くの*学校に行っています My son ⌈goes to [attends] the *school* near my house. 語法 (2) この場合は, 教育施設の意味になるので, 冠詞 the が必要. // あなたはどこの*学校に行っているのですか What *school* do you ⌈go to [attend]? / Where do you go to *school*? // *学校は朝 8 時 30 分に始まる *School* ⌈begins [starts] at 8:30 a.m. / (⇒ 1 時間目は) *The first class* ⌈begins [starts] at 8:30. // あしたは*学校は休みだ We have no ⌈*school* [(⇒ 授業が) *classes*] tomorrow. / There will be no ⌈*school* [*classes*] tomorrow. ★ 第 1 文は第 2 文より口語的. // 土曜日は*学校は半日だけです (⇒ 午前のクラスだけある) We have

かっこのいろいろ

	印　刷	数　学	英　　語
〈 〉	ギュメ, 山形		(angle) brackets
[ ]	ブラケット, 角がっこ	大かっこ	(square) brackets, braces
( )	パーレン, (丸)かっこ	小かっこ	parentheses /pərénθəsì:z/
{ }	ブレース	中かっこ	(curly) braces
	※以下は通常英語では用いられない記号なので, 英語は説明的な訳		
「 」	かぎ(かっこ)		Japanese quotes
『 』	二重かぎ(かっこ)		fat Japanese quotes
〔 〕	亀甲		widemouthed square brackets
《 》	二重ギュメ, 二重山形		double (angle) brackets
《 》	二重(丸)かっこ, 二重パーレン		double parentheses
【 】	墨つきパーレン		black parentheses

★ いずれも通例 複数形で示す.

only morning *classes* on Saturdays. // *学校が引けてからテニスをしようか Shall we play tennis after *school*? // 日本の子供は 6 歳で*学校に入る[上がる] Japanese children enter (elementary) *school* at the age of six. // 彼女の一番下の弟はまだ*学校へ行っている (⇒ 在学中である) Her youngest brother is still ˹*in* [*at*] *school*. // 彼女は無断でよく*学校を休む She ˹is often absent from [often stays away from] *school* without permission. // *学校をさぼってはいけない You must not play ˹truant [hooky] (from *school*). [語法] (3) play ˹truant [hooky] は「学校をずる休みする」という慣用句だが, hooky は米口語表現. / You must not skip *school*. // 彼は*学校の成績がとてもよい[あまりよくない] (⇒ 学校でとてもよくやっている [⇒ 学校であまりよくやっていない]) He ˹is [isn't] doing very well at *school*. // 彼が*学校を出たのは(⇒ 卒業したのは)いつですか When did he ˹leave [finish] *school*? / (⇒ 大学を) When did he graduate from *college*? ★ 第 1 文は第 2 文より口語的. // 彼は働きながら*学校を出た (⇒ 大学を) He worked his way through *college*. // 彼は 2 年前に*学校をやめた He ˹left [quit; dropped out of] *school* two years ago. 《☞ ちゅうたい¹》 // *学校間の格差は一向に縮まる気配がない It seems that the disparities among *schools* have not begun to decrease. // 小さかった頃は*学校のある日は憂うつになることがよくあった As a child, I often felt ˹sad [depressed] ˹on *school* days [on days when I had *school*].

学校案内 (school) prospectus Ⓒ; (要覧) 《米》 (school) catalogue Ⓒ, 《米》 (school) calendar Ⓒ **学校医** school doctor Ⓒ **学校五日制** the five-day school week **学校給食** school lunch Ⓒ **学校教育** school education Ⓤ, schooling Ⓤ **学校教育法** the School Education Law **学校群制度** the school grouping system **学校経営** schóol mánagement Ⓤ **学校経営者** administrator [executive] of a school Ⓒ **学校債** school bond Ⓒ **学校時代** *one's* school days **学校新聞** school newspaper Ⓒ **学校生活** *one's* school life; (大学の) *one's* college life **学校伝染病** infectious disease designated by the School Hygiene Law Ⓒ **学校図書館** school library Ⓒ **学校友達** schóolmàte Ⓒ; (同じクラスの) clássmàte Ⓒ **学校文法** (規範文法) prescriptive grammar Ⓤ [語法] school grammar という英語は一般的ではない. **学校法人** educational foundation Ⓒ **学校放送** school broadcast Ⓒ; (学校向け番組) (broadcast) program for schools Ⓒ **学校用品** school things ★ 複数形で. **学校令** school act Ⓒ. ¶ 小*学校令 the Elementary *School Act*

—コロケーション—

学校で教鞭をとる teach (at) *school* / 学校に上がる start *school* / 学校に遅れる be late for *school* / 学校に通う attend *school* / 学校に間に合う be in time for *school* / 学校を中退する drop out of *school* / 学校を休ませる keep … off *school* // 共学の学校 a coeducational *school* / 語学学校 a language *school* / 国立の学校 a national *school* / 地元の学校 a local *school* / 全寮制の学校 a boarding *school* / 大規模[小規模]学校 a ˹large(-scale) [small(-scale)] *school* / 通信教育の学校 a correspondence *school* / 詰め込み主義の学校 a cramming *school* / 特殊学校 a special *school* / 名門の学校 a prestigious [an elite] *school*

がっこうちゅう 顎口虫 gnathostoma /nèɪθəstóumə/ ★ 複数形.

がっこうぼさつ 月光菩薩 the *Gakko* or Moonlight Bodhisattva /bòudɪsʌ́tvə/; (説明的には) the Bodhisattva placed on the right of the Buddha Yakushi figure.

かっこく 各国 ¶ 世界*各国の代表 representatives from all over the world // *各国は 2 名の代表を大会に派遣する *Each country* sends two delegates to the rally. 《☞ かく-; くに》

かっこふばつ 確乎不抜 ☞ かっこ²

かっこむ 搔っ込む (急いで食べる) bolt [gobble] down ㊎; (流し込む) wash down ㊎. ¶ 彼はお茶漬けにして飯を*かっ込んだ He *washed down* boiled rice with hot tea. // 今朝寝坊したのであわてて朝食を*かっ込んできた Because I overslept this morning, I ˹*gobbled down* my breakfast [had a hasty breakfast].

かっこんとう 葛根湯 (漢方薬) arrowroot decoction Ⓤ.

かっさい 喝采 ―[名] (拍手による) applause Ⓤ; (歓声・拍手での) cheer Ⓒ ★ cheers と複数形で用いることが多い. ―[動] applaud ㊀ ㊎; cheer ㊀ ㊎. 《☞ はくしゅ》.

¶ 彼の演説は満場の*かっさいを博した His speech ˹won [received] the *applause* of the whole house. // 拍手*かっさいのうちに幕は下りた The curtain fell amid the *cheers* of the audience. // 観客はその歌手に*かっさいを送った The audience ˹*applauded* [*cheered*] the singer.

がっさく 合作 (共同作業・製作) joint ˹effort [production] Ⓒ, collaboration Ⓒ, co-production Ⓒ. ¶ 日米*合作映画 a movie *produced by a joint* U.S.-Japan team / a U. S.-Japanese *co-production*

カッサツィオーネ 〘楽〙 cassation /kæséɪʃən/ Ⓒ ★ 18 世紀の器楽(合奏)曲の一形式で, イタリア語は cassazione.

かっさつ 活殺 (生死) life ˹and [or] death Ⓤ. **活殺自在** ―[動] (命を握っている) have *a person's* life in *one's* hand. ¶ 独裁者は民衆に対して*活殺自在であった The dictator *had the lives of* the people *in his hand*.

かっさらう 搔っ攫う walk ˹away [off] with …; (割り込んで持ち去る) cut in and take … away. ¶ 我々はだれも彼が一等賞を*かっさらうとは予想しなかった None of us expected him to *walk away with* first prize.

がっさん 合算 ―[動] (合計する) ádd ˹úp [togéther] ㊎, total ㊎ ★ 前者のほうがより口語的. 《☞ ごうけい; そうけい¹》.

かつじ 活字 type Ⓒ ★ 印刷された活字の集合体は Ⓤ. ¶ この論文は間もなく*活字になります (⇒ 印刷になる) This article will soon ˹appear *in print* [*be printed*]. // *活字の大きさ (a) *type* size // 原稿を*活字に組む set a manuscript in *type* / *typeset* a manuscript // *活字を組む set (up) 〔compose〕 *type* // 新しい*活字を作る cut [make] (a) new *type* // 大きい [小さい] *活字で本を印刷する [組む] print [set] a book in ˹large [small] *type*

[参考] 「大きい [小さい] 活字」の部分に次のような語句を入れることができる. 太い [細い] 活字 boldface [lightface] (type), ローマン [イタリック; ゴシック] 体活字 roman [italic; gothic] type, 5 号 [10 ポイント] 活字 No.5 [10 point] type など.

活字印刷 letterpress (printing) Ⓤ, relief printing Ⓤ **活字合金** type metal Ⓤ **活字体** ¶ 住所と姓名は*活字体で書いて下さい *Print* your name and address. ★「(筆記体でなく) 活字体で書く」ことを print という. **活字鋳造機** typecaster Ⓒ **活字本** printed book Ⓒ.

学校・教育

1 学校制度

(1) アメリカの学校制度

州によって異なるが 6-3-3 制, 8-4 制が多く,「公立学校」(public school) と「私立学校」(private school) とがある. 6-3-3 制の場合は elementary [grade] school, junior high school, senior high school であり, 8-4 制の場合は elementary [grade] school からすぐ high school となる.

大学は多数あり,「単科大学」は college,「総合大学」は university, 各州には「州立大学」(state university) がある. 私立のハーバード (Harvard) やイェール (Yale) などは昔から有名. また, 短期大学のレベルで地域に根ざし, 若い人たちの教育とともに成人教育を行っている「地域短大」(community college) もある.

(2) イギリスの学校制度

6 年間の primary school の教育の後, 11 歳になると能力試験を受け, 合格者は大学進学を目標にした「グラマースクール」(grammar school) に入る. ほかの生徒は一般教養をつけるための「モダンスクール」(secondary modern school) や, 技術の習得のための「工業学校」(technical school) へ行く. 以上の区別を廃した 7 年制の中等学校を「総合中等学校」(comprehensive school) という.

私立の「パブリックスクール」(public school) (13 歳から) ではイートン (Eton), ラグビー (Rugby) などが有名. 大学は 3 年制が多く, オックスフォード (Oxford), ケンブリッジ (Cambridge) は歴史が古い.

★ 両国とも「義務教育」(compúlsory èducátion) の始まる前に「幼稚園」(nursery school, preschool) の教育が 2-3 年行われ,《米》では 4 歳-6 歳を対象とする「公教育」(formal education) としての「幼稚園」(kindergarten) がある.

また, 両国ともに大学の上には「大学院」(postgraduate school,《略》graduate school) があり, 学生は「院生」(graduate student) と呼ばれる. これに対して「学部の学生」は ùndergráduate stúdent という.

大学院の「修士課程」は M.A. course という. M.A. は「修士」Master of Arts の略. なお, 理科系は Master of Science で M.S. または M.Sc. と略す.「博士課程」は Doctoral [Ph.D.] course という. 博士は正式には Doctor of Philosophy と呼ばれ, Ph.D. と略す. なお, 大学の学部を卒業すると学士 (bachelor) となり, 文学士は Bachelor of Arts, (理学士は Bachelor of Science) という学位 (degree) を取得する (get; receive; take). それぞれ B.A., A.B., B.S. または B.Sc. と略す.

(3) 日本の学校制度を英語で表す場合

わが国は第 2 次世界大戦後, 主として米国の教育制度, 特に 6-3-3-4 制を取り入れたので, 英語に直す場合は《米》用法が便利である.

すなわち「幼稚園」は kindergarten, nursery school,「小学校」は èleméntary schòol,「中学校」は junior high school,「高等学校」は senior high school,「総合大学」は university,「単科大学」は college (「学部」も college と呼ぶ. ただし,「法学部」,「教育学部」などはそれぞれ school of law あるいは law school, school of education と呼ぶ習慣に従うほうがよい. (☞ がくぶ (類義語))),「短期大学」は junior college,「大学院」は (post)graduate school と呼ぶ. また学位についても, 一般に《米》にならって, B.A., M.A., Ph.D. などとするのがよい.

なお,「予備校」は prepáratòry schòol と訳している場合もあるが,《英》のものとは内容が違うので, 例えば special preparatory school (for college entrance examination(s)), あるいは「詰め込み教育をする学校」の意で cram(ming) school のように訳せばよいであろう. *juku* という名前も英語で使われはじめている.

2 学年の呼び方

(1) 英米の学年別の呼称

学年別の呼称は,《米》では elementary school から junior high school (ときに senior high school) までは原則として通しの学年で言うことが多い.

「学年」には grade を用い, 1st grade, 2nd grade, 3rd grade ... と 12th grade まである.「...年生」は -grader 又は ... grade student と言い,「5 年生」は fifth-grader, fifth grade student. ただし 4 年制の high school では大学と同じように,「1 年生」は freshman,「2 年生」は sóphomòre,「3 年生」は junior,「4 年生」は senior と呼ぶことも多い. 3 年制の senior high school では sophomore を抜かし, 2 年生を junior と言う.

大学では上にも触れたように「1 年生」は freshman,「2 年生」は sophomore,「3 年生」は junior,「4 年生」は senior と呼ぶ.

《英》では小学校では grade が使われるが, public school, grammar school では特に form を用い, 1st form から 6th form まである.

(2) 日本の学年別の呼称を英語に直す場合

学校制度の場合と同様に, 原則としては《米》にならうのが便利である. しかし, 中学校・高等学校では, 7 年生 (seventh grade または 7 年生の生徒なら seventh grader) のような呼び方をせず, 1st year(-class) of ˈjunior [senior] high school, 2nd year(-class) of ˈjunior [senior] high school のように英語に訳しても不都合はない. ただし, 中学・高校ごとに 1st ... というときには grade を使わないことに注意.

3 先生についての英語

小・中・高校の先生は一般に teacher であり, 大学でも, 教える先生という意味では teacher であるが, 正式には「教授」professor,「助教授」assistant professor,《英》では reader, senior lecturer,「講師」instructor または lecturer を用いる.

なお, アメリカでは教授と助教授の間に「準教授」associate professor がいる. 日本の助教授はこの associate professor に当たる場合が多い. (☞ こうし¹ 語法).

教員全部を faculty という.「学長」あるいは「総長」は president,「学部長」は dean, 小・中・高校の「校長」は principal,《主に英》headmaster [headmistress],「教頭」はアメリカでは vice-principal, イギリスでは deputy ˈheadmaster [headmistress] という.

先生に対する呼びかけは, 英米では一般に名前を使い,「ブラウン先生」"Mr. [Ms.] Brown." のようにし, 大学では "Professor Brown.", 博士号を持つ人なら "Doctor Brown." と呼びかける. ただし, 人によって Professor と呼ぶほうがよいか Doctor と呼ぶほうがよいか違う場合があるので, これについては周囲の呼び方などによって承知しておかなくてはならない. もし, 名前がわからないか, 名前を呼ぶ必要がないときは相手が男性なら "Sir!", 女性ならば "Ma'am!", "Miss!" という. 普通は "Teacher!" という呼び方はしない.

日本語を英語に訳す場合は日本語ではあまり人の名を使って呼びかける習慣がないので, 場合によっては日本語にない呼びかけを補わなければならないこともある. 例えば日本語では単に「おはようございます」とあっても, それが先生に向かって言うのであれば, "Hello [Good morning], Mr. [Ms.] Watanabe!" とするほうが自然になる.

4 講座・課目についての英語

特に「…の講座」という場合は a course in … を用いる.「必修課目」は required subject,「選択課目」は elective (subject) という.「文学」literature,「言語学」linguistics,「社会学」sòciólogy,「社会科」social studies,「(外国語としての) 英語」English (as a foreign language),「歴史」history,「地理」geógraphy,「(中学・高校の) 理科」science,「哲学」philósophy,「自然科学」natural science,「化学」chemistry,「生物学」biólogy,「物理学」physics,「家政学, 家庭科」hóme èconómics,「数学」màthemátics,「体育」physical education など.

また例えば home economics → home ec; mathematics → math; physical education → P.E. のように省略した形を用いることがある.「課外活動」は èxtracurrícular actívities という.

なお, 大学における「専攻科目」は《米》では通称 major,「副専攻科目」は minor で,「あなたの専攻は」と聞くには "What's your major?" または "What are you majoring in?" のように聞く. 答えは My major is … または I'm majoring in … のように言う. I specialize in … と言ってもよい.《英》では「専攻する」は read を用いる.

5 授業と試験

学校の「授業」は class というのが普通で,「(私の) 3 時間目の授業」は (my) third period class,「出席をとる」は call [take] the roll,「(授業の間の) 休み時間」は recess (between periods),「3 単位の講座」は a three-credit course,「試験を受ける」は take an examination,「試験」は examination, test, quiz で,「学年末試験」は final exam(ination)s, finals,「(…で) よい成績をとる」は get a good grade (in …),「試験に失敗する」は fail the exam(ination) という. fail の代わりに《米口語》では flunk を用いることも多い.

¶ 先生は学生につづり字の*テストをした The teacher *tested* the students *in* spelling. // 私たちは先週勉強したことを*試験された We *were quizzed on* last week's work.

6 学期

学期は term というが, 2 学期制の場合にはそれぞれを semester, 4 学期制では, それぞれを quarter (fall, winter, spring, summer (session)) と呼ぶ.

7 入学と卒業

「入学願書」は application for admission,「授業料」は tuition,「大学に入学する」は enter ˹university [college],「大学入試」は college [university] entrance exam(ination),「卒業式」は《米》commencement (exercise),《英》graduation (ceremony), その大学の「卒業生」は graduate of the ˹university [college],「大学卒業生」は college [university] graduate という.

かつしかほくさい 葛飾北斎 Katsushika Hokusai, 1760–1849; (説明的には) an outstanding *ukiyoe* artist in the late Edo period. His most famous work is *Fugaku sanjurokkei* (Thirty-Six Views of Mt. Fuji).

かっしき 喝食 (食事の時給仕する禅僧) Zen monk in charge of meal service Ⓒ; (喝食に似せた能面) Kasshiki Noh mask Ⓒ.

かっしゃ 滑車 (車) pulley /púli/ Ⓒ; (滑車・滑車装置) block Ⓒ.

ガッシュ 〘美〙gouache /gwáːʃ/ ★ ガッシュ絵の具やガッシュ画法は Ⓤ, ガッシュ水彩画は Ⓒ.

がっしゅうこく 合衆国 (アメリカ合衆国) the United States (of America)《略 the U.S.A., the U.S.》(☞ アメリカ).

がっしゅく 合宿 ── 图 training camp Ⓒ. ── 動 have [hold] a training camp. ¶ テニス部は大島で 1 週間*合宿をします The tennis club will ˹*have* [*hold*] *a training camp* on Oshima Island for a week. **合宿所** camp for training Ⓒ, training camp Ⓒ **合宿地** site of the training camp Ⓒ.

かっしょう 滑翔 ── 图 (上昇気流を利用して飛翔すること) soaring Ⓤ. ── 動 soar ⓐ.

かつじょう 割譲 ── 動 (領地を譲る) cede ⓗ. ── 图 cession Ⓤ. (☞ ゆずる).

がっしょう[1] 合唱 ── 图 chorus Ⓒ ★「合唱曲」の意味でも用いる; (斉唱) unison /júːnəsn/ Ⓤ. ── 動 chorus ⓐ ⓗ.

¶ 子供たちはその歌を*合唱した The children sang the song in ˹*chorus* [*unison*]. // 私たちはそのメロディーを*合唱した We *chorused* the melody. // この歌は 3 部*合唱のためのものです This song is for a three-part *chorus*. // 男声[女声, 混声]*合唱(曲) a ˹male [female; mixed] *chorus*

合唱曲 chorus Ⓒ **合唱隊[団]** chorus Ⓒ; (教会の聖歌隊) choir /kwáɪə/ Ⓒ.

がっしょう[2] 合掌 **1** 《両手を合わせること》── 動 (手のひらを合わせて拝む) join [put; place] *one's* hands together (in prayer) (☞ おがむ).

2 《建築》: principal rafter Ⓒ. ¶ *合掌造りの家 a house with a (steep) *rafter roof*

がっしょうれんこう 合従連衡 (狡猾な外交) shrewdly constructed foreign policy Ⓒ; (説明的には) the foreign policy of adopting alliance and separation according to circumstances.

かっしょく 褐色 ── 图 (dark) brown Ⓤ. ── 形 (dark) brown. ¶ 彼女は*褐色の髪をしている She has *brown* hair. // *褐色を帯びた黄色 *brownish* yellow **褐色人種** the brown races.

がっしり ── 形 (身体が強くたくましい) strong and firm, sturdy ★ 前者のほうが口語的; (筋骨たくましい) múscular. (☞ つよい (類義語)).

¶ その人は*がっしりした人だった The man's body

was *strong and firm.* / He was a *sturdy* man. ★ 第 1 文は第 2 文より口語的. // 彼の肩は*がっしりしている (⇒ 彼は幅の広い [丈夫な, 筋骨たくましい] 肩をしている) He has 「*broad* [*strong*; *muscular*] shoulders.

かつじんけん 活人剣 (人を悪から守る剣) sword skills which protect people against evil ★ 複数形で.

かっすい[1] 渇水 (水不足) shortage of water Ⓒ, water shortage Ⓒ; (日照り・かんばつ) drought /dráʊt/ Ⓒ. ¶*渇水期 (⇒ 水不足の時期) a period of *water shortage* / (⇒乾期) the *dry* season **渇水位** drought water level Ⓒ.

かっすい[2] 活錘 drop hammer Ⓒ.

かっする 渇する (のどが乾く) feel thirsty ⓐ; (渇望する) be thirsty for .... ¶*渇しても盗泉の水を飲まず (⇒ 不正で得た利益で生きるくらいなら飢え死にした方がましだ) I would rather starve than live on ill-gotten gains.

がっする 合する (一つになる・する) unite ⓐ ⓗ; (合流する) join, meet ⓐ ⓗ; (合計する) sum up ⓗ, add together ⓗ; (一致する) agree [accord] (with ...) ⓐ. ¶3 市を*合してさいたま市にした Three cities *were united* into Saitama City. // この川は約 2 キロ下流で利根川と*合する This river 「*meets* [*joins*] the Tone River about two kilometers below this place.

かっせい 活性 〘化〙 ── 名 activity Ⓤ. ── 形 active. **活性汚泥** activated sludge Ⓤ **活性化** ── 動 áctivàte ⓗ. ── 名 activation Ⓤ. ¶政府は経済の*活性化を図るための断固たる手段をとるべきだ The government should take decisive measures to *revitalize* the economy. **活性化剤** activating agent Ⓒ **活性剤** áctivàtor Ⓒ **活性酸素** áctive oxygen /ɑ́ksɪdʒən/ Ⓤ **活性炭** activated 「charcoal [carbon] Ⓤ.

かっせき 滑石 talc Ⓤ.

かっせん 合戦 (戦闘) battle Ⓒ; (競争) contest Ⓒ. (☞ たたかい; せんそう[1] (類義語)).
¶関が原の*合戦 the *battle* of Sekigahara // 紅白歌*合戦 the singing *contest* between the red and white groups

かつぜん 豁然 ¶汽車がトンネルを抜けるとすばらしい雪景色が*かつ然と眼前に開けた A splendid snowscape 「*opened out* [*spread*] in front of us when our train came out of the tunnel. // 彼は*かつ然と悟りを開いた He *suddenly* attained enlightenment.

かっそう 滑走 ── 名 (滑るように動くこと) glide Ⓒ 〔語法〕 航空機の場合は「滑空」を指す; (離着陸の滑走) run Ⓒ. ── 動 glide ⓐ; (飛行機が誘導路を自力で滑走する) taxi (along ...; down ...) ⓐ. (☞ すべる[1]). ¶飛行機は着陸し, しばらく誘導路を*滑走して止まった The plane touched down, *taxied along* the runway for a while, and then stopped. **滑走路** rúnwày Ⓒ; (ごく簡単な) áirstrìp Ⓒ. (☞ くうこう (挿絵)).

がっそう[1] 合奏 (アンサンブル・合奏の技術・合奏団) ensemble /ɑːnsɑ́ːmbl/ Ⓒ. ¶その*合奏は見事だった The *ensemble* was very beautiful. **合奏協奏曲** 〘楽〙 concerto grosso /kəntʃéətougróusou/ Ⓒ (複 concerti grossi /-tʃéətiːgróusiː/)

がっそう[2] 合葬 ── 動 bury together ⓗ, bury ... in the same grave.

カッター[1] (切る道具) cutter Ⓒ.

カッター[2] (ボート) cutter Ⓒ.

カッターシャツ long-sleeved sport(s) shirt Ⓒ.

カッターシューズ (かかとの低いパンプス) low-heeled pumps ★ 通例複数形で. 1 足をいうときは a pair of ～.「カッターシューズ」は和製英語.

がったい 合体 ── 動 unite ⓗ ⓐ, combine ⓗ ⓐ ★ 前者のほうが意味が強い. ── 名 union Ⓤ, combination Ⓤ.

かったつ 闊達 ── 名 (寛大さ) gènerósity Ⓤ; (度量の大きさ) broad-mindedness Ⓤ. ── 形 generous; broad-minded.

かったるい ── 形 (疲れた) tired, weary; (だるくて動作がのろい) sluggish; (体調が正常でない) do not feel (like) *oneself*. (☞ たいくつ). ¶僕は今朝*かったるい感じだ I feel 「*tired* [*sluggish*] this morning.

かつだんそう 活断層 〘地質〙 active fault Ⓒ.

がっち 合致 ── 動 (一致して矛盾を来たさない) agree with .... ── 名 agreement Ⓤ. (☞ いっち; あう[2]).

かっちゅう 甲冑 armor (《英》 armour) Ⓤ (☞ よろい).

かっちり (しっかり) tight(ly); (正確に) exactly; (完全に) perfectly. (☞ ぴったり; 擬声・擬態語 (囲み)).

がっちり ── 形 (頑丈にできている) strongly built; (抜け目のない) shrewd; (締まり屋の) tightfisted. (☞ がっしり). ¶彼はアルバイトをして*がっちり (⇒ たくさん) 稼いだ He *earned lots of money* working part-time.

ガッツ (根性) 《略式》 guts ★ 複数形で. 〔語法〕 英語では上品な語ではないので, courage などを使うほうが無難. (☞ こんじょう[1]). **ガッツポーズ** ¶その走者は*ガッツポーズをしながらゴールインした The runner reached the finish line *holding up his fist(s) in triumph.*

がっつく (貪欲に食べる) eat greedily; (欲張る) be greedy. (☞ がつがつ).

かつて ── 副 (昔・あるとき) once, at one time, formerly ★ この順に改まった表現となる; (疑問・否定・最上級の形容詞・条件節などで) ever. ── 形 (かつての) former Ⓐ. ── 接頭 ex- 〔語法〕 合成語の第 1 要素としてハイフン付きで用いられる. (☞ いぜん[1]; むかし; もと[2]; いまだかつて).
¶彼は*かつて作家として知られていた He was 「*once* [*formerly*] known as a writer. // 彼女は*かつての教え子です She is one of my *former* students. / She was *once* my student. ★ 第 1 文は第 2 文よりも格式ばった表現. // 彼女には*かつての美人の面影はない She is no longer the beauty she (*once*) *was.* // 私は*かつてこんなことを経験したことがない I have *never* experienced such a thing.

かって 勝手 **1** 《わがままな・自由意志で》 ── 形 (自分本位の) selfish. ── 副 (好きなように) as *one* 「pleases [likes]. ── 動 (思いどおりにする) have [get] *one's* own way. (☞ わがまま; きまま; みがって; すきかって).
¶彼は本当に*勝手な奴だ He is really a *selfish* person. // 彼の*勝手にさせてやりなさい (⇒ 自分のやりたいことをやらせなさい) Let him *have his own way.* // *勝手なまねは許さない (⇒ 私の命令に従わなくてはならない) You must obey my orders. // ここに*勝手に (⇒ 許可なく) 入ってはいけない You should not enter here *without* 「*permission* [*leave*]. ★ 格式ばった表現. // そんなことは*勝手に決めないで下さい (⇒ 相談せずに) Please 「make [take] no decision *without consulting* us. / (⇒ 独断で決める権利はない) You have no right to decide it 「*by yourself* [*on your own*]. // ここにある物はいつでも*勝手に (⇒ 自由に) 使って結構です You *are free to* use these things. / You can make *free* use of the things here. ★ 第 1 文のほうが口語的. // 行こうと行くまいと君の*勝手だ (⇒ 君に任されている) It's *up to* you (whether) to go or not. // それは私の*勝手

にはなりません (⇒ 私は裁量権を持っていない) I do not have *a free hand* in it. / (⇒ 私の裁量権の外にある) That is outside my *discretion.* ★ 第 2 文のほうが格式ばった表現. // *勝手にしろ (⇒ 自分の都合に合うようにしなさい) Suit yourself.
2 《様子》 [日英比較] 日本語ではこの意味の「勝手」は「勝手がわかる」「勝手が違う」など, ほとんどの場合慣用的な表現として使われるので,「勝手」だけを英語に置き換えても意味が通じないことが多い.
¶ この付近はよく*勝手がわからない (⇒ 不案内だ) I'm a *stranger* in this neighborhood. // その町ならよく*勝手を知っている I know *my way* ˹*around* [*round*; *about*] the town quite well. / (⇒ 地理をよく知っている) I know the *geography* of the town very well.
3 《台所》: kitchen Ⓒ 《☞ だいどころ》.
勝手が違う ¶ 左ハンドルはどうも*勝手が違うんだ (⇒ 不慣れだ) I'm *not accustomed* to (driving) a car with a left-hand steering wheel. **勝手口** kitchen door Ⓒ; (裏口) back door Ⓒ **勝手次第** (do things) as *one* pleases. ¶ あの人は*勝手次第だ (⇒ 自分が好きな時だけやる) から当てにならない You can't depend upon him. He *does things only when he pleases.* **勝手向き** (家計) family finance(s) ★ しばしば複数形で. ¶ 彼らは*勝手向きがよくない (⇒ 困窮している) They are *badly off.* **勝手許**(もと) ¶ 彼は*勝手許が苦しい (⇒ 生計を立てるのが苦しい) He has a hard time *making a living.* 《☞ 勝手向き》 **勝手連** ☞ **-れん**

カッティング (洋裁・映画などの) cutting Ⓤ.

カッテージチーズ cottage cheese Ⓤ.

かってっこう 褐鉄鋼 〖鉱〗 limonite Ⓤ.

かってでる 買って出る (進んで引き受ける) volunteer (他) (自); (…の責任を引き受ける) take it upon *oneself* to *do* …. ¶ 私はその子を救出する役を*買って出た I ˹*volunteered* [*took it upon myself*] *to* rescue the child.

ガッデム ―― 感 (ののしりことば) God damn!, goddam(n)!

がってん 合点 ¶ *合点だ O.K. / All right. / Sure. 《☞ がてん》

かっと ―― 動 (かっとなる) get very angry, get furious, fly into a rage ★ 後のものほど格式ばった表現; (かんしゃくを起こす) lose *one's* temper. ―― 形 (かっとなりやすい・短気な) hot-[quick-]tempered. ―― 副 (一時的に激怒 [興奮] して) in a fit of ˹anger [passion; rage]. 《☞ おこる[1]; ぎゃくじょう; かっか》. ¶ 彼は私の言葉を聞いて*かっとなった He ˹*lost his temper* [*got very angry; got furious; flew into a rage*] at what I said. // 彼は*かっとなりやすい (⇒ 短気だ) He is ˹*hot-*[*quick-*]*tempered.* // 私は*かっとなって彼を殴った I hit him *in a fit of anger*. // 私たちの頭上に太陽が*かっと照りつけた The sun *glared* down on us.

カット[1] ―― 動 (切る・切り詰める・削除する) cut (他) 《☞ きる[1]; けずる (類義語); さくじょ》.
¶ 彼女はけさ髪を*カットしてもらった She ˹had [got] her hair *cut* this morning. [語 法] この cut は過去分詞形. // 彼らは賃金を 5% *カットされた Their wages *were cut* by five percent. // 編集者はその記事を*カットすることに決めた The editor decided to *cut* the article. // 彼はそのボールを*カットした He *cut* the ball. // ノー*カットの映画 an un*cut* movie

カット[2] (挿絵) (pictorial) illustration Ⓒ, cut Ⓒ. 《☞ さしえ》.

ガット[1] GATT [参 考] the *G*eneral *A*greement on *T*ariffs and *T*rade (関税と貿易に関する一般協定) の略. WTO (World Trade Organization: 世界貿易機関) と入れ替わる. 《☞ 略語 (巻末)》.

ガット[2] (ラケットや楽器の弦) gut Ⓤ.

カットアウト 〖球〗 ―― 動 (タッチライン [サイドライン] の方向に急に方向を変えて走る) cut to the ˹touchline [sideline]. ―― 名 cut to the ˹touchline [sideline] Ⓒ.

カットアンドペースト ―― 動 (データ編集などで) cut and paste (自) (他). ―― 形 cut-and-paste.

カットイン ―― 名 〖映〗 cút-in Ⓒ; 〖球〗 (タッチライン [サイドライン] と逆の方向に急に向きを変えて走ること) cut away from the ˹touchline [sideline] Ⓒ. ―― 動 cùt ín (他); cut away from the ˹touchline [sideline].

かっとう 葛藤 (ごたごた) trouble Ⓤ; (争い) conflict Ⓒ. 《☞ あらそい》. ¶ 心理的な [感情の] *葛藤に苦しむ suffer ˹(a) mental [(an) emotional] *conflict*

かつどう 活動 ―― 名 (動き回って活動すること) activity Ⓒ; (人の行動) action Ⓤ; (作業) operation Ⓒ. ―― 形 (活動的な) active; (精力的な) ènergétic. ―― 動 (活動している) be active; (働く) work (自). 《☞ うんどう》.
¶ 阿蘇山はいまでも*活動している Mt. Aso *is* still *active.* // 救援*活動は徹夜で続けられた The rescue *operation* continued throughout the night. // 彼は*活動範囲が広い (⇒ 多くの分野で活動している) He is *active* in many areas.
活動家 (積極的な人) active person Ⓒ; (政治運動などでの) áctivist Ⓒ **活動口座** active account Ⓒ (↔ inactive account) 《☞ きゅうみん (休眠口座)》 **活動写真** moving picture Ⓒ 《☞ えいが》.

カットオフ ―― 動 (中断・中止する) cút óff (他).

カットグラス cút gláss Ⓤ.

カットシート 〖コンピューター〗 (A4, B4 などに裁断した紙) cut sheet Ⓒ. **カットシートフィーダー** (cut-) sheet feeder Ⓒ.

カットソー 〖服〗 ―― 形 (裁断して縫った) cút and sewn /sóun/ [日英比較] 日本語ではニット地の服について用いられるが, 英語の cut and sewn は布地の種類に関係なく用いられる.

かっとばす かっ飛ばす (ボールなどを打つ) hit (他); (強打する) swat (他), 《米》 slug (他), 《略式》 wallop (他). 《☞ うつ[1]》.

カットバック ―― 名 〖映・アメフト〗 cutback Ⓒ. ―― 動 cut back (自).

カットプレー ―― 名 〖野〗 cutoff Ⓒ. ―― 動 cut off (他).

カットやさい カット野菜 (a pack of) pre-cut vegetables (ready for the pot).

カットワーク (刺しゅうの) cutwork Ⓤ.

カツどん カツ丼 (説明的に) bowl of rice with a pork cutlet, egg, and vegetables on top Ⓒ 《☞ 料理の用語 (囲み)》.

かっぱ[1] 河童 *kappa* Ⓒ; (説明的には) Japanese mischievous riversprite Ⓒ; (泳ぎの上手な人) excellent swimmer Ⓒ. ¶ 陸(おか)にあがった*河童 ☞ おか[2] **河童の川流れ** (⇒ 泳ぎのとても上手な人でもおぼれることがある) The best swimmer can drown. / (⇒ ホメロスでも居眠りすることはある) Homer sometimes nods. 《ことわざ: 名人も失敗することはある》 **河童の屁** (ちょろいこと) a cinch.

かっぱ[2] 喝破 ―― 動 (堂々と主張する) proclaim (他); (相手の論を退ける) árgue dówn (他). ¶ 彼女は社会主義は死んだと*喝破した She *proclaimed* that socialism was dead.

カッパ 合羽 raincoat Ⓒ, rainproof (coat) Ⓒ, 《英》 waterproof Ⓒ.

かっぱつ 活発 ―― 形 (元気のよい) lively /láɪvli/; (にぎやかで生気のある) ánimàted; (積極的で活動的な) active; (機敏な) brisk. ―― 副 actively;

か

briskly. ¶ そのグループは*活発に活動している The group is now very *active*. // その問題について私たちは*活発な議論をした We had a ˹*lively* [*heated*] discussion ˹on [about] the problem. [語法] heated は非常に活発で, 実際には激論に近い場合.

かっぱまき かっぱ巻き a kind of sushi made of vinegared rice and a stick of cucumber rolled in ˹seaweed [laver] Ⓤ ★ 説明的な訳.

かっぱらう かっ払う ── [動] (一般的に) steal (他); (こそどろをする) pilfer (他), filch (他). ── [名] (行為) stealing Ⓤ ★ 一般的な語; (こそどろ) filching Ⓤ, pilfering Ⓤ; (人) pilferer Ⓒ. (☞ ぬすむ (類義語))

かっぱん 活版 ── [名] (活版印刷) létterprèss Ⓤ. ── [動] (活版で印刷する) print ... (by letterpress). **活版本** printed book Ⓒ.

がっぴ 月日 date Ⓒ (☞ ひづけ; ねんがっぴ).

かっぴつ 渇筆 (かすり筆) (drawing) brush used to give a blurred effect Ⓒ.

がっぴつ 合筆 (土地の) assemblage Ⓤ, rejoining of pieces of land Ⓤ.

がっぴょう 合評 joint review Ⓒ.

かっぷ 割賦 《米》 installment plan Ⓒ, 《英》 hire purchase Ⓒ (☞ げっぷ²; ぶんかつばらい). **割賦販売** installment selling Ⓤ.

カップ (賞盃) cup Ⓒ; (トロフィー) trophy Ⓒ; (茶わん・計量カップ) cup Ⓒ. (☞ コップ). ¶ 彼は優勝*カップを得た He won the ˹*cup* [*trophy*]. // お米*カップ 2 杯 two *cups* of rice **カップ麺** instant noodles in a cup ★ noodle は通例複数形で. 数えるときは a cup [two cups] of instant noodles.

カップイン ── [動] 〔ゴルフ〕 drop into the cup (自). ¶ ボールが*カップインした The ball *dropped into the cup*.

かっぷく[1] 恰幅 ── [形] (体格のよい) stout ★ 中年を過ぎた人に対して fat の婉曲語として用いられることもある; (肉付きのよい) 《略式》 beefy; (がっちりとして太りぎみの) heavyset, thickset; (太っていて威厳のある) portly; (堂々とした) imposing ★ やや格式ばった語. (☞ おしだし; でっぷり). ¶ 彼はなかなか*かっぷくがいい He is ˹*stout* [*beefy*]. / (⇒ たいへん堂々としている) He is quite *imposing*.

かっぷく[2] 割腹 ☞ せっぷく

カップケーキ cupcake Ⓒ.

かつぶし 鰹節 ☞ かつお

かつぶつ 活仏 〔宗〕 (仏の転生者とみなされる僧) Living Buddha Ⓒ ★ 大文字で.

カップボード (食器棚) kitchen cupboard /kʌ́bərd/ Ⓒ. [日英比較] cupboard は食器や食物の他に衣類を収納するものも表す.

がっぷり ¶ 両力士は*がっぷりと四つに組んだ The two sumo wrestlers gripped each other's belts firmly using both hands.

カップリング (組み合わせ・連結器) coupling Ⓒ.

カップル couple Ⓒ (☞ くみ; くみあわせ).
¶ 彼らは似合いの*カップルになるよ They make a good *couple*. // その晩ずっと私は彼女と*カップルを組んで (⇒ 一緒に) 踊った I danced *with* her the whole evening.

がっぺい 合併 ── [名] (幾つかの会社が対等の立場で合併して, まったく新しいものになること) merger Ⓒ, amalgamation Ⓒ ★ 前者がより口語的; (1 つの会社に他の会社が吸収されること) absorption Ⓤ. ── [動] merge (自) (他), amalgamate (他) (自); (併合される) be absorbed (by ...). (☞ しちょうそん (市町村合併)). ¶ その 2 社は最近*合併した The two firms ˹*merged* [*amalgamated*] recently. // その会社は主要なライバル会社に*合併された That company *has been absorbed by* its main rival. // その 2 社の*合併は戦後最大のものだ The *merger* of the two corporations was the biggest corporate *amalgamation* since the end of the war.
合併授業 combined [joint] ˹classwork Ⓤ [classes] **合併症** complications ★ 複数形で.

かつべん 活弁 (活動写真の弁士) interpreter of silent movies Ⓒ.

がつへん 歹偏 *ichita* radical on the left of kanji Ⓒ ★「いちた」は歹を分解したもの.

かっぽ 闊歩 ── [動] (大またで歩く) stride (自); (もったいぶって歩く) strut (自); (威張って歩く) swagger (自).

かつぼう 渇望 ── [名] (強い望み) craving Ⓒ; (遠く得難いものに対する強い望み・切望) longing Ⓒ. ── [動] crave ˹for ... [to *do* ...]; long ˹for ... [to *do* ...]. (☞ ねつぼう; せつぼう).

かっぽう 割烹 (料理) (Japanese) cooking Ⓤ; (料理法) (Japanese) cuisine /kwɪzíːn/ Ⓤ. (☞ りょうり). **割烹着** kitchen apron with sleeves **割烹店** Japanese-style restaurant Ⓒ.

かっぽじる 掻っ穿じる (ほじくる) pick (他), dig up (他). ¶ 耳を*かっぽじってよく聞け (⇒ 注意して聞け) Listen *carefully*!

がっぽり ¶ 彼はその取り引きで*がっぽり稼いだ He made *an enormous sum of money* on the deal. (☞ たんまり)

かっぽれ *kappore* dance Ⓒ; (説明的には) a Japanese traditional comic dance.

がっぽん 合本 ── [名] copies bound together in ˹one volume [book form]. ── [動] bind copies together.

かつもく 刮目 ── [動] watch ... with ˹keen interest [close attention]. ¶ 彼女のコンサートピアニストとしてのデビューは*かつ目に値する Her debut as a concert pianist ˹is worthy of [deserves] *close attention*.

かつやく 活躍 ── [動] (積極的な役割を果たす) take an active part (in ...), pàrticipate áctively (in ...) ★ 前者が口語的. ── [名] (めざましい活動) (remarkable) activity Ⓒ.
¶ 彼のこの事件での*活躍はめざましい (⇒ すばらしい役割を果たした) He *has played* ˹*a conspicuous* [*an active*] *part* in this affair. // その子たちは運動会で大*活躍だった The children *had a very lively time* on sports day.

かつやくきん 括約筋 〔解〕 sphincter Ⓒ.

かつよう 活用 **1** 《生かして使う》 ── [動] (利用する) make use (of ...), utilize (他) ★ 前者のほうが口語的; (最大限に活用する) make the ˹most [best use] (of ...). (☞ つかう; りよう¹; いかす¹). ¶ 我々はもっと余暇を*活用すべきだ We should *make* better *use of* our leisure time. // 知識は最大限に*活用しなさい *Make the most of* your knowledge. // この留学のチャンスをフルに*活用しなさい *Make* ˹full [the best] *use of* this opportunity to study abroad. // このソフトは商売はもちろん, 学術研究にも*活用 (⇒ 応用) できる This software program can *be applied* to scientific research as well as (to) business.
2 《語形変化》 ── [名] 〔文法〕 inflection (《英》 inflexion) Ⓤ ★ 以下のものの総合的な呼び方; (動詞の活用) conjugation Ⓤ; (名詞・代名詞の変化) declension Ⓤ; (形容詞・副詞の比較変化) comparison /kəmpǽrəsn/ Ⓤ. ── [動] inflect (自) (他); cónjugàte (自) (他).
活用形 (総称) inflected form Ⓒ, inflection Ⓒ; (動詞の) conjugated form Ⓒ **活用語** words that conjugate **活用語尾** inflectional ending Ⓒ.

かつようじゅ 闊葉樹 〔植〕 broad leaved

[broadleaf] tree [C] ★ 前者の方が一般的.

かつら¹ 髪 (一般に) wig [C]; (男性用の部分的な) toupee /tuːpéɪ/ [C]; (部分的な, また美容上の) hairpiece [C] ★ 毛のない人に配慮した遠回しな言い方. ¶ *かつらを着けている wear a *wig* **かつら師** wigmaker [C].

かつら² 桂 〘植〙 *katsura* (tree) [C].

かつらく 滑落 ── [動] (表面を滑り落ちる) slip (down …) (自); (ずるずると音を立てて) slither (down) (自); (足を踏み外して) slip (off …) (自).

かつらむき 桂剝き ── [動] (薄片を切り取る) peel [shave] a long thin slice off (vegetables like radishes, carrots, etc.).

かつらりきゅう 桂離宮 ── [名] (固) the *Katsura* Detached Palace.

かつりょう 活量 〘物理・化〙 (活性, 活動量) activity [U].

かつりょく 活力 (生命力) vitálity [U]; (元気) vigor (《英》 vigour) [U]; (精力) énergy [U]. (☞ げんき¹; かっき¹; せいりょく²). ¶ 子供は*活力にあふれている Children are full of ˹*vitality* [*vigor*; *energy*]. / Children are ˹*energetic* [*lively*].

かつれい 割礼 ── [名] (ユダヤ教・イスラム教の) circumcision /sə̀ːkəmsíʒən/ [U]. ── [動] circumcise /sə́ːkəmsàɪz/ (他).

カツレツ cutlet [C] (☞ 料理の用語 (囲み)).

かつろ 活路 (逃げ道) way out (of …) [C]; (逃れる手段) means of escape [C] ★ means は単複同形. ¶ 何とか我々の*活路 (⇒ この困難な状況から脱け出す方法) を見出さなくてはならない We have to find *a* ˹*way out of* [*means of escape from*] this difficult situation.

がつん ── [動] (がつんと打つ) thump (他) (自); (がつんとぶつける・ぶつかる) bang (他) (自). ── [副] with a thump; with a bang. (☞ 擬声・擬態語 (囲み)).

かて 糧 (食物・(心の)糧) food [U]; (パン・命の糧) bread [U]. ¶ 生きるためには体の*糧も心の*糧もいる In order to live, we need *food* for the mind as well as for the body. // 日々の*糧を得る (⇒ 食卓にパンをのせる) には一生懸命働かなければならない We have to work hard to put *bread* on the table.

かてい¹ 家庭 ── [名] home [C]; (家族) family [C]. ── [形] (家庭内の) doméstic; (世帯の) household. (☞ いえ (類義語); しょたい¹ (類義語)).

¶ 新婚夫婦は東京の郊外に*家庭を持った (⇒ 作った) The newly married couple made their *home* in a Tokyo suburb. // 彼は貧しい [裕福な] *家庭に生まれた He was born into a ˹poor [rich; wealthy] *family*. // 彼は*家庭に恵まれなかった His *home* life was anything but happy. // この付近はどこの*家庭にも自動車がある Every *family* in this neighborhood has a car. // 彼女は夫と*家庭の事情で別れた She and her husband divorced because of *family* problems. // 最近は片親の*家庭が増えている Single-parent [One parent] *families* have been increasing these days. (☞ ぼし¹(母子家庭); ふしかてい) // *家庭の平和を乱す disturb *domestic* peace // *家庭の不和を招く bring about *domestic* discord

家庭科 (学科名) domestic science [U], home economics [U], homemaking [U] ★ この順に口語的となる. **家庭環境** home [family] ˹background [environment] [C] **家庭教育** parental ˹training [education] [U] **家庭教師** private teacher [C], tutor [C]. ¶ 彼は*家庭教師について英語を勉強している He is studying English ˹under [with] a *private* ˹*teacher* [*tutor*]. // 彼女は週に 2 回その少年に英語の*家庭教師をしている (⇒ 彼の家で教えている) She *teaches* the boy English ˹*at* [*in*] *his home* twice a week. // *家庭教師 (として大学院生) を雇う hire [engage] (a graduate student as) a *private* ˹*tutor* [*teacher*] **家庭経済** the household economy **家庭劇** domestic situation play [C] **家庭菜園** kitchen garden [C] **家庭裁判所** family court [C], 《米》 domestic relations court [C] (☞ さいばんしょ) **家庭裁判所調査官** family court investigator [C] **家庭争議** domestic [family] trouble [C], fámily dispúte [C] ★ やや格式ばった表現. **家庭的** ── [形] (家庭向きの・家事が好きな) domestic, 《英》 homely ★ 後者は《米》では「器量の悪い」の意味になるので要注意. ¶ 彼は*家庭的な男だ He is a *domestic* man. / (⇒ 家族を大切にする) He is a *family* man. // *家庭的な雰囲気 a (warm) ˹*family* [*homey*] atmosphere **家庭内暴力** violence in the family [U], domestic violence [U] **家庭内離婚** ¶ 彼らは*家庭内離婚の状態だ (⇒ 結婚は事実上破たんしている) Their marriage is virtually broken(, though they still live under the same roof). **家庭排水** domestic liquid waste [U] **家庭婦人** (主婦) housewife [C], 《米》 housekeeper [C] ★ 《英》 では 「家政婦」 の意味になる, 《米》 hómemàker [C] ★ 最近はこの語のほうが性差別を含まないとして好まれる傾向がある. **家庭崩壊** family breakdown [U] **家庭訪問** home visit [C] (☞ ほうもん¹). ¶ *家庭訪問をする *visit the students' homes* **家庭薬** over-the-counter medicine [C] **家庭用品** household ˹articles [commódities] ★ 通例複数形で. **家庭欄** (主婦の欄) homemaker's ˹section [page] [C]; (家庭生活欄) home life section [C] **家庭料理** ── [名] home cooking [U]. ── [形] (家庭で料理した) hómemáde.

> **コロケーション**
>
> **一般家庭** an ˹ordinary [average] *family* / **下層 [上流, 中流]家庭** a lower-class [an upper-class; a middle-class] *family* / **高[低, 中]所得家庭** a ˹high-income [low-income; middle-income] *family* / **サラリーマン家庭** a white-collar worker *family* / **幸せな家庭** a happy ˹*family* [*home*] / **共働きの家庭** a double-income *family* / **貧困家庭** a needy *family* / **崩壊家庭** a broken *family* / **名門の家庭** a ˹noble [distinguished] *family* / **労働者階級の家庭** a working-class *family*

かてい² 仮定 ── [名] (根拠がなくても仮定すること) assumption [C]; (多少根拠があって推定すること) sùpposítion [C]; (仮定(条件)) póstulate [C] ★ 格式ばった語; (仮説) hypothesis /haɪpάθəsɪs/ [C] (複 -ses /-sìːz/). ── [動] assume (他); suppose (他); 《格式》 póstulàte (他). (☞ かせつ¹; そうてい¹).

¶ 彼の*仮定は結局間違いであることがわかった His *assumption* turned out (to be) wrong. // これが事実と*仮定すると, 次はどうなるのだろうか *Granting* [*Assuming*; *Supposing*] that this is true, what will happen next? // あなたが間違っていると*仮定しよう Let us *suppose* [*Suppose*] you are wrong. // AB は CD と等しいと*仮定せよ *Let* AB be equal to CD. ★ 数学の問題などの文章で用いる.

仮定形 〘文法〙 conditional form [C] **仮定条件** hypothetical condition [C]; 〘文法〙 (条件法) the conditional; (条件文) conditional [C] **仮定法** 〘文法〙 subjunctive mood [U].

かてい³ 過程 (物事の自然な進行) process [C]; (経過) course [U]. ¶ 討論の*過程でこの問題の重要性がはっきりした The importance of this problem became clear in the *course* of discussion. / (⇒ 討論しているうちに) *As* we discussed it, we came to realize the importance of this problem. ★ 第

1 文は第 2 文より格式ばった表現. // その帝国は徐々に崩壊の*過程をたどっていった The empire was going through a *process* of gradual disintegration.

かてい⁴ 課程 program Ⓒ, course Ⓒ; (教科課程) curriculum Ⓒ《複 curricula, ～s》. 《☞ かもく¹; 学校・教育 (囲み)》. ¶修士 [博士] *課程に進む go on to the ˹master's [doctoral] *program* ★「修了する」は complete ⑩. **課程博士** doctoral degree Ⓒ《略 Ph. D》★ 英米では普通は課程博士なので, 特別な説明は不要. ¶日本の制度では*課程博士のほか論文博士がある In the Japanese system you can earn a *doctoral degree* only by submitting a dissertation (not attending graduate school).

かてい⁵ 下底 (台形の底辺) the lower base of a trapezoid /trǽpəzɔ̀id/.

カテーテル 〘医〙 catheter /kǽθətə/ Ⓒ.

カテキズム (キリスト教の教義問答集) cátechìsm Ⓒ.

カテゴリー (範疇) cátegòry Ⓒ《☞ はんちゅう》.

かててくわえて かてて加えて ¶*かてて加えてまた雨になった (⇒ その上よくないことに) *To make matters worse*, it started to rain again.

カテドラル (大聖堂) cathedral /kəθíːdrəl/ Ⓒ.

-がてら ―接 (…の間に) while …; (…しているときに) when … ―前 (…と一緒に) (along) with …《☞ ついで》. ¶仕事*がてら, 大阪に A 氏を訪ねた (⇒ 仕事で大阪にいる間に) I called on Mr. A *while* I was in Osaka on business. // 散歩*がてら (⇒ 散歩しながら) 店に寄って 2, 3 買い物をした *While* out for a walk, I dropped in at a store and bought a few things.

かてん 加点 ―動 (点を加える) add points. ―名 (加わった点数) added point Ⓒ.

かでん¹ 家伝 ¶*家伝の (⇒ 代々家に伝わる) 秘薬 a secret medicine formula *handed down in the family*

かでん² 荷電 electrical charge Ⓒ. ¶*荷電粒子 a *charged* particle

かでん³ 瓜田 (うり畑) melon ˹field [patch] Ⓒ. ¶*瓜田に履(くつ)を納(い)れず (⇒ 疑惑を生むような行動は避けよ) Avoid any action which might invite suspicion.

がてん 合点 ―名 (了解) understanding Ⓤ. ―動 understand ⑩, 《略式》 màke óut ⑩. 《☞ なっとく; りかい; しょうち¹》. ¶彼女は*合点のいく (⇒ 説得力のある) 説明をしてくれた She gave us a *convincing* explanation. // 彼女は*合点のいかない (⇒ 困惑した) 様子だった She looked *puzzled*. // それで*合点がいきました That *explains* it.

かでんあつ 過電圧 overvoltage Ⓤ.

がでんいんすい 我田引水 ―名 (身勝手) self-seeking Ⓤ. ―形 (自己中心の) self-centered, self-seeking. 《☞ みがって》. ¶*我田引水はよしなさい Don't be so *self-centered*. // *我田引水 Every miller draws water to his own mill. 《ことわざ: 粉屋はだれでも自分の所へ水を引いてくる》

かでんし 価電子 〘物理〙 valence /véɪləns/ elèctron Ⓒ.

かでんせいひん 家電製品 household (electrical) appliances ★ 通例複数形で.

カデンツ 〘楽〙 (終止形) cadence /kéɪdns/ Ⓒ.

カデンツァ 〘楽〙 cadenza /kədénzə/ Ⓒ ★ イタリア語から.

かでんメーカー 家電メーカー household [domestic; home] (electrical) appliance manufacturer Ⓒ.

かと 蝌蚪 〘動〙 (おたまじゃくし) tadpole Ⓒ. **蝌蚪文字** *kato* character Ⓒ; (説明的には) ancient Chinese seal character Ⓒ.

かど¹ 角 **1** 《とがった部分》: (岩石の鋭い角) sharp corner Ⓒ; (端) edge Ⓒ; (物の角) corner Ⓒ. ¶テーブルの*角で頭を打ってしまった I hit my head on the ˹*edge* [*corner*] of the table.

2 《道路などの》: (角度のついた曲がり角) corner Ⓒ; (湾曲している所) turn Ⓒ; (道の分かれる所) turning Ⓒ. 《☞ まがりかど 日英比較》.

¶*角の店まで行きます I'm going to the store ˹at [on] the *corner*. / I'm going to the *corner* store. // 次の*角を右折しなさい Turn right at the first *corner*. / Take the first ˹*turn* [*turning*] to the right. // 彼の家は*角を曲がって 2 軒目だ His house is the second one around the *corner*.

角が立つ ¶それでは*角が立つだろう That would *create* ˹*hard* feelings [*bitterness*]. / That would *give offense*. **角が取れる** mellow ⓐ. ¶彼も結婚して*角が取れた He has *mellowed* since he (got) married. // 彼も円熟して*角が取れた (⇒ 社交的になった) He has matured and (has) become ˹*sociable* [*relaxed socially*]. **角を立てる** ¶そんなに*角を立てて (⇒ 強く [挑戦的に]) 彼に言い返してはいけない You shouldn't talk back to him so ˹*strongly* [*defiantly*].

コロケーション

危険な曲がり角 a dangerous *corner* / 急な角 a ˹sharp [tight] *corner* / 町角 a street *corner* / 見通しのきかない角 a blind *corner*

かど² 過度 ―名 (ある限度を超えること) excess Ⓤ. ―形 excessive, too much ★ 後者は口語的. またそのままで 副 としても用いられる. ―副 excessively. 《☞ きょくど》. ¶*過度の飲酒で彼は健康を害した (⇒ 飲み過ぎが彼の健康をだめにした) *Too much* [*Excessive*] drinking ruined his health.

かど³ 廉 (罪) charge Ⓒ; (容疑) suspicion Ⓤ. 《☞ ようぎ》. ¶あの男は殺人の*かどで起訴された That man was indicted /ɪndáɪtɪd/ ˹*on* a murder *charge* [*for* murder].

かど⁴ 門 (戸) door Ⓒ; (門) gate Ⓒ; (入口) entrance Ⓒ. ¶笑う*門には福来る (⇒ 明るい家庭には福がほほえむ) Fortune smiles on a merry *home*.

かとう¹ 下等 ―形 (生物が下等の) low, lower Ⓐ ★ 後者は高等 (higher) との比較で; (原始的な) primitive; (質の劣った) inferior. 《☞ おとる》. ¶*下等生物 *primitive* organism **下等動物** lower animal Ⓒ.

かとう² 果糖 〘化〙 fructose /frʌ́ktoʊs/ Ⓤ, fruit sugar Ⓤ.

かとう³ 可撓 ―形 (曲げられる) bendable; (曲げやすい) flexible.

かどう¹ 華道, 花道 (the art of) flower arrangement Ⓤ《☞ いけばな》.

かどう² 稼働 ―動 (人・機械が) work ⓐ; (機械が) óperate ⓐ ★ いずれも ⑩ の用法もある. ―名 work Ⓤ; operation Ⓤ. 《☞ はたらく; うごかす; うごく》. **稼働時間** the number of hours worked; hours of operation **稼働人口** manpower Ⓤ, the work force **稼働日数** the number of days worked; days of operation **稼働率** the working rate; the rate of operation.

かどう³ 可動 ―形 (動かせる) movable; (簡単に移動できる) mobile /móʊb(ə)l/. **可動橋** movable bridge Ⓒ; (開閉橋) drawbridge Ⓒ **可動堰** (水門) sluice Ⓒ; (水門付きのダム) dam with a ˹(sluice) gate [water-control device] Ⓒ.

かどう⁴ 歌道 *kado* Ⓤ; (説明的には) the art of *waka* poetry.

かどう⁵ 火道 (噴火口の) volcanic vent Ⓒ.

かどうきょう 架道橋 óverròad brídge 🄲.

かとうきょうそう 過当競争 excessive [cut-throat] competition 🅄.

かとうせい 寡頭制 oligarchy /ɑ́ləgɑ̀ːki/ 🅄.

かどうりん 渦動輪 (たばこの煙などの渦状の輪) vortex ring 🄲.

ガトー gâteau /gɑːtóu/ 《複 gâteaux /-tóuz/》 ★ フランス語より.

かどかざり 門飾り New Year's gate decoration 🄲 《☞ かどまつ》.

かとき 過渡期 (移り変わる時期) transition ˹period [stage] 🄲, period [age; stage] of transition 🄲 ★ 前者のほうが口語的. ¶ その国は社会主義から自由市場経済への*過渡期にある The country is *in* (*a stage of*) *transition* from socialism to a free-market economy.

かとく 家督 ¶ *家督を相続する succeed to a *house* / inherit an *estate* // 長男に*家督を譲る transfer *the headship of the family* to the eldest son **家督相続** succession to ˹a house [the headship of a family] 🅄 [語法] 以上はいずれも貴族や上流階級についてのみ用いられる, あまり一般的ではない表現. **家督相続人** (男) heir 🄲; (女) heiress 🄲.

かどぐち 門口 (門・出入り口) gate 🄲; (戸口) door 🄲 ★ 通例単数形で; (入口) entrance 🄲; (物事の始め) threshold /θréʃ(h)ould/ 🄲. 《☞ いりぐち》.

かとげんしょう 過渡現象 〔電〕 transient phenomenon 🄲 ★ 電気回路などが定常状態になるまでの現象.

かどだてる 角立てる (一層ひどくする) make ... worse; (強く[挑戦的に]言う) speak ˹strongly [defiantly]. 《☞ かど¹ (角が立つ; 角を立てる)》.

かどち 角地 corner lot 🄲.

かどちがい 門違い ¶ *門違いですよ (⇒ あなたは間違った所に来た) You've come to the *wrong* place. 《☞ おかどちがい》

かどづけ 門付け ― [名] (人) street musician 🄲. ― [動] play music from door to door.

かどで 門出 (出発) start 🄲 《☞ しゅっぱつ》. ¶ これは私たちの新しい人生への*門出だ This is the *start* of our new life. // ...の*門出を祝う wish *a person good luck* (on ...)

かとてき 過渡的 ― [形] transitional.

かどなみ 門並み ― [名] (家の並び) row of houses 🄲. ― [副] (一軒ごとに) from door to door.

かどばる 角張る (やせて骨ばる) be angular; (四角ばる) be square; (厳しくする) be harsh; (堅苦しくする) be stiff. 《☞ かくばった; とげとげしい; かたくるしい》.

かどばん 角番 (相撲で) deciding bout for promotion or demotion in rank 🄲.

かどまつ 門松 New Year's decorative /dék(ə)rətɪv/ pine branches [語法] 複数形で. なおローマ字で *kadomatsu* とするときは複数でも -s は付けない. ¶ 日本では正月に門に*門松を立てる We decorate the gates of our houses with pine branches called *kadomatsu* for the New Year. **門松は冥途の旅の一里塚** The New Year's pine decorations are merely milestones on our way to the land of the dead.

カトマンズ ― [名] (固) Katmandu /kæ̀tmændúː/ ★ ネパールの首都.

カドミウム 〔化〕 cádmium 🅄 《元素記号 Cd》. **カドミウムイエロー** (油絵の具などの黄色) cadmium yellow 🅄 **カドミウム蓄電池** cadmium (storage) battery 🄲.

かどみせ 角店 (曲がり角にある店) the ˹store [shop] ˹at [on] the corner.

カトラリー (食卓用のナイフ・フォークなど) cutlery 🅄.

カドリール (ダンス) quadrille /kwɑdríl/ 🄲.

カトリシズム Cathólicism 🅄.

かとりせんこう 蚊取線香 mosquito coil of incense 🄲, mosquito-repellent incense 🅄. ¶ *蚊取線香をつけましょうか Shall I burn a *mosquito coil*?

カトリック ― [名] (カトリックの教義・信仰) Cathólicism 🅄; (カトリック教徒) Cátholic 🄲. ― [形] (カトリックの) Catholic. ¶ (ローマ)*カトリック教会 the (Roman) *Catholic* Church // 彼は*カトリックですかそれともプロテスタントですか Is he (a) *Catholic* or (a) Protestant?

カトレア 〔植〕 cattleya /kǽtliə/ 🄲.

かどわかす (誘拐する) kidnap (他), abduct (他) ★ 後者のほうが格式ばった語. 《☞ ゆうかい¹》.

かとんぼ 蚊蜻蛉 cráne flỳ 🄲; (俗称) dáddy lónglègs 🄲 ★ 単複同形.

かな 仮名 *kana* 🅄 ★ 個々には 🄲 で, 単複同形; the Japanese syllabary /síləbèri/ ★ 説明的表現. 《☞ ひらがな; かたかな》. ¶ *かなで書いて下さい Please write in *kana*. // 正しい [誤った] *かな遣い the ˹correct [wrong; incorrect] use of *kana* // *かな漢字変換 conversion from *kana* to *kanji* **仮名草子** *kanazoshi*; (説明的には) short stories written in the *kana* script in the early Edo period. **仮名交じり** ― [名] composition written in *kanji* and *kana* 🄲. ― [動] write in a mixture of ˹*kanji* and *kana* [Chinese characters and Japanese syllabary]. **仮名文字** *kana* letters; (説明的には) Japanese syllabic letters.

かなあみ 金網 (囲み) wire fence 🄲 《☞ あみ¹》.

かない 家内 (自分の妻) my wife 《☞ つま¹; 親族関係 (囲み)》. **家内安全** the ˹well-being [safety] of *one's* family ★ well-being は「健康や幸福」, safety は「無事」の意. ¶ 我が家の*家内安全を(神に)祈る pray (to the gods) for *the well-being of my family* **家内工業** cottage [household; home] industry 🄲 **家内労働** domestic labor 🅄.

かなう¹ 敵う ¶ 私はピアノでは彼女に*かなわない (⇒ 彼女は私より上手にピアノを弾く) She plays the piano *better than* I do. / She is a *better* pianist *than* I am. / (⇒ ピアノでは私は彼女に遠く及ばない) I'm *nowhere near as good as* her at the piano. // 私たちの組では英語で彼女に*かなう者はいない (⇒ 彼女が一番英語がうまい) She's *the best* ˹*speaker* of English [English *speaker*] in our class. / (⇒ 英語に関しては彼女はだれにも劣らない) As for English, she is *second to none*. ★ 格式ばった表現. / (⇒ 英語のことになるとだれも彼女を負かせない) When it comes to English, *no one* in our class *can beat her*. ★ 口語的表現. // こう寒くては*かなわない (⇒ 我慢ができない) I *can't* ˹*stand* [*bear*] such cold weather.

かなう² 適う ― [動] (適合する) suit /súːt/ (他); (役に立つ) serve (他); (要求などに合う) meet (他); (希望・目的などに応える) answer (他). ― [形] (理屈に合った) reasonable; (適合した) suitable. 《☞ てきする》. ¶ それは我々の目的に*かなっている (⇒ 適合している [役に立つ]) It ˹*suits* [*serves*; *answers*] our purpose(s). // その番組は視聴者の要求に*かなっています (⇒ こたえている) The program *meets* the demands of the audience. // 彼の言うことは理屈に*かなっている What he says ˹is *reasonable* [*makes sense*]. / (⇒ 彼の言うことには少なからぬ道理がある) There is considerable *reason* in what he says. // それは法に*かなった行為だ That act *conforms to* the law. / That is a ˹*lawful* [*legal*] act. // 時宜に*かなった発言 a ˹*timely* [*well-timed*] remark // 礼儀に*かなったふるまい *courteous* [*proper*] behavior

かなう[3] **叶う** (希望・夢など実現する) come true ★ 口語的表現; (成就する) be ˹réalized [fulfilled]. 《☞ じつげん》. ¶ 長年の望みが*かなった (⇒ 私の夢が実現した) My dream *has come true.* / (⇒ 私が長い間望んでいたことが実現した) My long-cherished wish *has been realized.* ★ 第 2 文のほうが格式ばった表現. // それは願ったり*かなったりだ (⇒ それよりいいことはない) There's nothing better than that. / (⇒ それは正に私が願っていたことです) That is just what I ˹wished for [wanted].

叶わぬ時の神頼み We pray to the gods only when we are in difficulty.

かなえ **鼎** 〔史〕 three legged bronze vessel (in ancient China) Ⓒ. **かなえの軽重を問う** doubt *a person's* ˹ability [competence].

かなえる **叶[適]える** (希望などを満たす) fulfill ⊕ 《☞ かなう[3]》; (願いなどを許す) grant ⊕; (与える) give ⊕.

¶ 神さま, どうか私の願いを*かなえて下さい <S (人など) + V (*grant*) + O (人) + O (希望)> Oh God, please *grant* me my wish. // その少女の望みはついに*かなえられた The girl's desires *were* finally *fulfilled.* // あなたの願いを*かなえることはできません (⇒ 私はあなたの欲しいものを与えることはできない) I'm afraid I can't *give* you what you want.

カナカ ― 图 ⓐ Kanaka /kənǽkə/ Ⓒ ★ 太平洋諸島の住民.

かながしら **金頭** 〔魚〕 gurnard /gə́ːnəd/ Ⓒ.

かながた **金型** metal mold Ⓒ, die Ⓒ.

かなかな **蜩** ☞ ひぐらし

かなきりごえ **金切り声** ― 图 (驚き・苦痛・恐怖などで上げる叫び声) scream Ⓒ; (キャーという甲高い突然の叫び声) shriek Ⓒ; (単に甲高い声) shrill cry Ⓒ. ― 動 scream ⓐ; shriek ⓐ. 《☞ さけぶ (類義語); ひめい[1]》.

¶ その娘は*金切り声で助けを求めた The girl *screamed* for help. / "Help!" the girl ˹*shrieked* [*screamed*]. 《☞ 話法 (巻末)》

カナキン (薄い平織の綿布) muslin Ⓤ; (薄地の白い布) cambric Ⓤ.

かなぐ **金具** (金属の付属品) metal fittings ★ 通例複数形で; (特にスキーなどの締め具) binding Ⓒ. 《☞ かけがね; スキー (挿絵)》.

かなくぎりゅう **金釘流** (なぐり書き) 《略式》 scrawl Ⓒ; (へたな筆跡) poor [clumsy] handwriting Ⓤ. ¶ その手紙は*金釘流で書かれていた The letter was written *in a* ˹*poor* [*clumsy*] *hand.*

かなくさい **金臭い** ― 動 have a metallic ˹smell [taste].

かなぐし **金串** iron skewer Ⓒ, spit Ⓒ.

かなくず **金屑** (くず鉄など) scrap metal Ⓤ; (やすり屑) filings ★ 複数形で.

かなくそ **金屎** (金属を精錬するときの) slag Ⓤ; (溶けた金属の) dross Ⓤ; (鉄さび) rust Ⓤ.

かなぐりすてる **かなぐり捨てる** (衣服を) fling off ⊕, throw off ⊕.

かなけ **金気** metallic taste Ⓒ, taste of iron Ⓒ.

かなざわぶんこ **金沢文庫** *Kanazawabunko*; (説明的には) *a library and center of learning* established in 1275 by Hojo Sanetoki in what is now the city of Yokohama; it holds more than 20,000 Chinese and Japanese texts and is open to the public.

かなしい **悲しい** ― 形 sad, sorrowful ★ 前者が日常的で一般的; (不幸な) unhappy; (嘆き悲しむ) mournful ★ 文語的. 《☞ かなしむ》.

¶ あなたはその*悲しい知らせを聞きましたか Have you heard the *sad* news? // 私は*悲しい気持ちになった I ˹felt [was] *sad.* // *悲しいことに, その話は本当です *Sad to say* [*To our sorrow*; *Sadly*], the story is true. / (⇒ 残念だがその話は本当だ) *It is a pity* that the story is true. // 女の*悲しげな泣き声が聞こえた We heard a woman's *mournful* wailing.

かなしき **金敷, 鉄敷** anvil Ⓒ.

かなしばり **金縛り** ― 動 (手足もろともきつく縛る) bind *a person* firmly hand and foot. ¶ 夜中に*金縛りにあった (⇒ 動けない状態を経験した) I experienced *a state of being unable to move* in the middle of the night.

かなしみ **悲しみ** (失望した気持ち) sadness Ⓤ; (深く長期的な心の痛み) sorrow Ⓤ ★ 人の死など, 特定の原因による悲しみ; (短期的な激しい悲しみ) grief Ⓤ. 《☞ なげき》.

¶ 彼女は*悲しみに暮れた (⇒ 彼女はとても悲しかった) She was very *sad.* / (⇒ 彼女の心は悲しみでいっぱいだった) Her heart was ˹filled with [full of] *sorrow.* ★ 第 2 文は第 1 文より格式ばった表現. // 彼女はその事故に対して深い*悲しみを味わった She ˹suffered [felt] great *sadness* due to the accident. / (⇒ その事故は彼女を深く悲しませた) The accident deeply *saddened* her. // 彼女は我慢強く*悲しみに耐えた She ˹bore [endured] her *sorrow* with fortitude. // 両親は*悲しみに打ちひしがれていた The parents were overcome ˹with [by] *grief.* / (⇒ 悲しみに沈んでいた) The parents were ˹deep in *grief* [*grief-*stricken]. // 彼はよく*悲しみを酒で紛らわしていた He used to drown his *sorrows* in whisky. 語法 「悲しみの種」の意味ではしばしば複数形となる.

> **コロケーション**
> 悲しみをいやす ease *one's sadness* / 悲しみを感じる[覚える] feel *sadness* // 大きな悲しみ a ˹great [tremendous] *sadness* / 説明できない悲しみ inexplicable *sadness* / 堪えがたい悲しみ unbearable *sadness* / 筆舌に尽くし難い悲しみ an ˹ineffable [unutterable] *sadness*; *sadness* beyond words / 深い悲しみ (a) ˹deep [profound] *sadness*

かなしむ **悲しむ** feel [be] sad (about ...) ★ 最も平易で一般的な言い方; (深く悲しむ) grieve (for ...; over ...) ⓐ; (特に人の死を) mourn [lamént] (*a person's*) death ★ lament のほうが格式ばっていて嘆き悲しむ意味が強い. 《☞ なげく (類義語); かなしい》.

¶ 不合格だった (⇒ 試験に失敗した) と告げると両親は*悲しんだ My parents *felt sad* when I told them that I had failed the examination. // 彼女は最愛の夫を失って*悲しんでいる She *is in deep sorrow over* having lost her beloved husband. // 級友は皆, 彼の不慮の死を*悲しんだ All his classmates ˹*grieved over* [*mourned*] his untimely death. / (⇒ 彼の不慮の死が彼の級友に悲しみを引き起こした [もたらした]) His untimely death ˹caused [brought] *sadness* to all his classmates. // そのような暴力行為が起きたのは*悲しむべきことだ *It is a pity* [(⇒ 遺憾だ) *It is a matter of regret*; *It is to be regretted*] that such violence has erupted.

かなた **彼方** ― 副 (遠くに) 《略式》 a long way off; far away, far off, in the distance ★ far away, far off はやや文語的. 最後のはやや改まった言い方. 《☞ とおく; はるか》. ¶ はるか*かなたに富士山が見えた Mount Fuji could be seen ˹*a long way off* [*far away*; *far off*; *in the distance*].

カナダ ― 图 ⓐ Canada /kǽnədə/. ― 形 (カナダの) Canadian /kənéɪdiən/. **カナダ人** Canadian Ⓒ ★ 全体を示すときは (the) Canadians.

かなだらい 金盥 metal basin Ⓒ.

かなづち 金槌 hammer Ⓒ《☞ だいく¹（挿絵）》.
¶ 彼は*かなづちを取り上げてくぎを打ち込んだ He picked up the *hammer* and drove the nails in. // 私はまったくの*かなづちです（⇒ 全然泳げない）I can't swim「a stroke [at all]. /（⇒ 石のように沈む）I sink *like a stone.* 語法 like a hammer とは言わない. また, swim like a rock も普通ではない.《☞ 比喩（巻末）》. 金槌頭（がんこな人）hard-headed [stubborn] person Ⓒ;（融通のきかない石頭）pighead person Ⓒ.

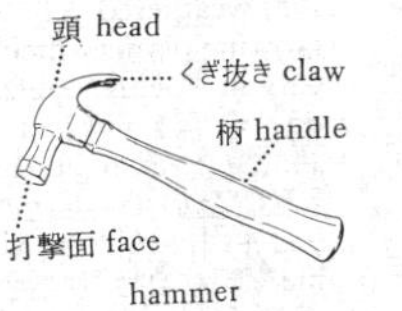

hammer

カナッペ canapé /kǽnəpi/ Ⓒ.

かなつぼまなこ 金壺眼（くぼんだ丸い目）beady sunken eyes.

カナディアン — 名 形 Canadian ★ 名 は Ⓒ. カナディアンカヌー Canadian canoe Ⓒ.

かなてこ 鉄梃 crowbar Ⓒ.

かなでほんちゅうしんぐら 仮名手本忠臣蔵 ☞ ちゅうしんぐら

かなでる 奏でる play 他《☞ えんそう》. ¶ このオルゴールは開けると美しい調べを*かなでる This music box *plays* a beautiful「tune [melody] when you open it.

かなとこ 鉄床 anvil Ⓒ. 鉄床雲〘気象〙incus Ⓒ, anvil (top) Ⓒ;（入道雲）thunderhead Ⓒ.

かなばかり 矩計り（建物の垂直断面図）vertical sectional plan of a building Ⓒ.

かなばさみ 金鋏（板金用のはさみ）tin shears ★ 複数形で;（ブリキ屋用のはさみ）tinman's shears.

かなひばし 金火箸 iron tongs ★ 複数形で.

かなぶつ 金佛（金属製の仏像）bronze statue of Buddha Ⓒ;（冷淡な人）cold-hearted person Ⓒ.

かなぶん 金ぶん〘昆〙drone beetle Ⓒ.

かなぼう 金棒, 鉄棒（鉄 [金属] の）iron [metal] rod Ⓒ《☞ おに》. 金棒引き（おしゃべり）gossip Ⓒ;（夜警）night watchman Ⓒ.

カナマイシン〘薬〙kanamycin /kæ̀nəmáɪsn/ Ⓤ.

かなめ 要（扇の）pívot Ⓒ;（比喩的に, 大切な点）point Ⓒ.《☞ ようてん¹》. ¶ そこが肝心*かなめなところです（⇒ それが大切な点です）That's the *point* of it. かなめ石 keystone Ⓒ ★ 通例単数形で.

かなもの 金物（鉄類の道具を集合的に）írонwàre Ⓤ; hárdwàre Ⓤ 語法 (1) 後者は鉄類とは限らず, 金属ならなんでもよい. ただしほぼ同じ意味でも用いられる;（金属製品）metal goods 語法 (2) 説明的で, やや漠然とした言い方;（個々の物）métal uténsil Ⓒ 金物屋（商人）hardware dealer Ⓒ,《英》ironmonger /áɪənmʌ̀ŋgə/ Ⓒ;（店）hardware store Ⓒ,《英》hardware shop Ⓒ, ironmonger's (shop) Ⓒ.

かならず 必ず 日英比較 日本語で「必ず」とあっても, それを英語の1語の副詞に置き替えるのではなく,「私は…ということを確信している」I'm「sure [certain] (that) … のように, 文全体でその意味を表すほうがよい場合がしばしばあることに注意.
— 副（確実に）certainly, sure; for sure, for certain;（是が非でも）by all means;（いかなる犠牲を払っても）at any price, at all costs;（間違いなく）without fail;（常に）always;（必然的に）nècessárily. — 動（必ず…する）be sure to (*do* …);（いつも…することにしている）make it a「rule [point] to *do* …
【類義語】疑う余地がなく「確実に」という意味で最も普通の語は **surely**, **certainly** で, ほぼ同意だが, *surely* は相手の言葉に対して反論して「しかし, 確かに」とか, あるいは驚きを表して「まさか」などの意ともなるので, 客観的観察に基づいているというニュアンスを表すには *certainly* のほうがよい. また未来について言うときには *certainly* のほうが普通. *certainly* は以下の表現の代わりに使える場合も多い. 意味においては以上の表現とほとんど同意だが, 文中の位置など文法的用法が違うのが **for sure, for certain** で, 後者のほうがやや改まった言い方.（(例) *必ずそうするよ I'll do that *for sure*.）あらゆる方法・手段を使って何かを行うことを意味するのが **by all means**. 会話の返事に独立して用いられることが多い. さらに意味が強いのが **at any price, at all costs**. 前者のほうが普通で, 間違いなくという意味. あることが万事手ぬかりなく行われることを言うのが **without fail** で, やや格式ばった表現. 以上とは少し意味合いが違い, 習慣的にいつも決まって何かが行われることを表すのが **always** で, 平易な日常語. 日本語の「いつも」, あるいは「常に」などにも当たる. 必然的な結果を表す語が **necessarily**. また口語で「必ず…する」という意味で, くだけた会話で用いられるのが **be sure to** (*do* …).《☞ きっと¹（類義語）; かくじつ¹; きまって》
¶ 彼は*必ず試験に受かるでしょう（⇒ 私は確信している）*I am sure* [*I have no doubt*] (*that*) he will pass the exam. / He will *certainly* pass the exam. // *必ずあす10時にまいります I will *certainly* come at ten tomorrow. /（⇒ 約束します）I *promise* to come at ten tomorrow. // 彼女は*必ず戻って来ますよ *I am sure* she will come back. / I know *for*「*sure* [*certain*] (that) she will come back. // 我々は*必ず彼を救い出す We will「save [rescue] him「*at any price* [*at all costs*]. //「*必ずパーティーに来て下さいよ」「ええ, *必ず行きますよ」"*Be sure to* come to the party." "I *sure* will." ★ くだけた会話体で. //「この本を家に持って行っていいですか」「ええ. でも*必ずあした返して下さい」"May I take this book home?" "Yes, you may. But *be sure to* bring it back tomorrow." // 彼はあらゆる会に*必ず出席する He attends every meeting *without fail*. // 私は*必ず（⇒ いつも）食事の前に手を洗う I *always* wash my hands before meals. // 彼は毎朝*必ず散歩する He「takes [goes for] a walk *every* morning.

かならずしも 必ずしも — 副（必然的に…というわけではない）nót necessarily /nèsəsérəli/;（常に…というわけではない）not always ★ 部分否定を表す. ¶ 長生きは*必ずしも幸せではない Living long does *not necessarily*「mean [guarantee] a happy life. // この答えが*必ずしも正しいとは限らない This answer is not *necessarily* correct.

かならずや 必ずや ☞ かならず

かなり — 副 pretty; fairly; rather 語法 これら3語のうち, pretty が最も一般的でくだけた語. 意味の強さの点では rather が最も強く, fairly が最も弱い;（相当に）considerably ★ やや格式ばった語. なお, 以上いずれも「たいへん」「とても」の意味に用いられることがある. — 形（かなりの・十分な）good Ⓐ;（相当な）considerable.《☞ だいぶ; そうとう¹》.
¶ きょうは*かなり暑いですね It's「*pretty* [*rather*] hot today, isn't it? 語法 pretty は多くの場合, たいへん暑いことを意味する. // 君は*かなりよくやった You've done it「*pretty* [*fairly*] well. 参考「うまくできた」「よくできた」などは Well done! // ここから私の家まで歩くと*かなりあります（⇒ 相当な道のりです）It's a「*good* [*long*] walk from here to my house. // *かなりの金額がそれに対して支払われた A *considerable* sum of money was paid for it.

カナリア〘鳥〙canary /kənéə(ə)ri/ Ⓒ.

カナリアしょとう カナリア諸島 —名 固 the Canary /kənέ(ə)ri/ Íslands.

がなりたてる がなり立てる (大声をあげる) shout at ...; (大声で腹を立てて) speak loudly and angrily 自.

がなる ☞ がなりたてる

かなん[1] 華南 (中国南部) South China.

かなん[2] 河南 —名 固 Henan /hʌ̀nά:n/ ★ 中国中東部の省.

かなん[3] 火難 fire C.

カナン —名 固 〘旧約〙 Canaan /kéɪnən/ ★ パレスチナ西部地方の古名.

かに 蟹 crab C. ¶ *かにに挟まれた I was ⌐pinched [nipped] by a *crab*. // *かにの缶詰 a can of *crabmeat* / canned *crab(meat)* // *かにの甲ら the shell of a *crab* / a *carapace* // *かにのはさみ the ⌐claws [pincers] of a *crab* // *かにの横ばい the sideways ⌐movement [scuttle] of a *crab* // かぶと*がに a horseshoe *crab* // 沢*がに a river *crab* // 高脚*がに a giant *crab* // たらば*がに a king *crab*

かにく 果肉 sárcocàrp U ★ 専門用語; flesh [pulp] of fruit U ★ pulp は特に柔らかいものを指す.

かにくいざる 蟹喰猿 〘動〙 crab-eating macaque /məkά:k/ C, croo monkey C.

かにくさ 蟹草 〘植〙 Japanese climbing fern C.

かにこうせん 蟹工船 crab-canning ⌐boat [ship] C.

かにざ 蟹座 〘天〙 Cancer, the Crab. 《☞ せいざ》.

かにせいうん 蟹星雲 〘天〙 the Crab Nebula.

かにたま 蟹玉 (料理) large omelet(te) with crab and vegetables in it C.

カニバリズム (食人習慣) cánnibalism U.

がにまた 蟹股 —形 bandy-legged, bowlegged.

¶ *がにまたで歩く walk ⌐*bowlegged* [*bandy-legged*]

かにみそ 蟹味噌 (かにの甲らの中にある内臓) brown meat of a crab U.

かにめがね 蟹眼鏡 (砲隊鏡) scissors [battery commander's] telescope C.

かにゅう 加入 —動 (メンバーとなる) become a member of ... ★ 一般的表現; (自由意志で加わる) join 他; (組織などへ) get into ..., enter 他 ★ 前者のほうがより口語的; (特権的なものへの加入を認める) admit 他. —名 entry C; admission U. 《☞ かめい[1]; にゅうかい》.

¶ 私は来年テニスクラブに*加入するつもりです I'll *join* the tennis club next year. // そのクラブへの*加入はとても難しい It is very difficult to ⌐*get into* [*enter*; *be admitted into*] the club. // 彼は最近組合に*加入した (⇒ 労働組合の一員になった) Recently he *became a member of* the (labor) union. // 彼女は私に 1 億円の生命保険に*加入してくれと (⇒ 掛けてくれと) 頼んだ She asked me to *take out* a life insurance policy for ¥100,000,000. // 電話に*加入する (⇒ 電話を取り付けてもらう) *have* a (telephone ⌐*put in* [*installed*]

加入者 (会・クラブなどの) member C; (保険の) policyholder C.

カニューレ 〘医〙 cannula /kǽnjʊlə/ C 《複 ~s, *cannulae* /-li:/》 ★ 薬の注入や体液の導出などに使う管.

カヌー canoe /kənú:/ C 《☞ かい[3] (挿絵)》. ¶ *カヌーをこげますか Can you paddle a *canoe*? // *カヌーで川を下る *canoe* down a river / go down a river ⌐by [in a] *canoe* // *カヌー競技 a *canoe* race

カヌーイスト canoeist /kənú:ɪst/ C.

カヌーイング canoeing /kənú:ɪŋ/ U.

カヌーツーリング canóe tòuring U.

カヌート ☞ クヌート

かぬまど 鹿沼土 〘園〙 *Kanuma* soil U; (説明的には) weathered yellowish volcanic soil used for growing plants which is found around Kanuma City in Tochigi Prefecture U.

かね[1] 金 **1** 《金銭》: money U ★ 最も一般的な語; (現金) cash U. 《☞ げんきん[1]》.

¶ 私は*金がない (⇒ 金の持ち合わせがない) I have no ⌐*money* [*cash*] ⌐on [with] me. 語法 on [with] me は現在身につけて持っている意味を表す. / (⇒ 貧乏だ) I am *poor*. // 「君はいくら*金を持っている」「3千円だ」"How much *money* do you have (on you)?" "I have three thousand yen." // *金が足りない I'm short of *money*. / (⇒ 金に困っている) I'm ⌐*strapped for cash* [*hard up*]. ★ 第 2 文は第 1 文より口語的. // 私はアルバイトをして*金を稼がなくてはならない I have to earn *money* ⌐by doing [through] a part-time job. // 彼はたくさん*金をもうけた He made a lot of *money*. 《☞ かねもうけ》 // *金がすっかりなくなった All my *money* is gone. / I'm ⌐*flat* [*dead*] *broke*. ★ flat [dead] broke は《略式》で「無一文」の意. // それは*金になる仕事だ It's a ⌐*money-making* [*profitable*; *lucrative*; *paying*] business. ★「金にならない」は unprofitable. // このごろはなんでも*金がかかる (⇒ 高価だ) Everything is *expensive* these days. // 彼女は着るものに*金をかける She spends a lot of *money* on clothes. // 彼は株に手を出してずいぶんお*金を損した (⇒ 金を失った) He has lost an awful lot of *money* in stock-market speculation. // 彼にとっては*金がすべてだ For him *money* is everything. // 時は*金なり Time is *money*. 《ことわざ》 // 彼は*金の問題で困っている He has *money* troubles. // 彼らのけんかの原因は*金の問題だった The cause of their quarrel was *money*. // 彼は今の地位を*金で買った He *bought* his way into his present position. // ダイヤの指輪を*金に換える (⇒ 売る) *sell* a diamond ring // 有価証券を*金に換える *realize one's* securities ★ 格式ばった表現. // 汚い [不正な] *金 dirty *money* / ill-gotten *gains* ★ 前者のほうが口語的.

2 《通貨》: currency U 《☞ つうか[2]》.

¶ この車はアメリカの*金で少なくとも 4 万ドルはする This car costs at least forty thousand ⌐dollars in U.S. *currency* [U.S. *dollars*].

3 《貨幣》: (紙幣) paper money U; (1 枚の札) 《米》 bill C, 《英》 (bank)note C; (硬貨) coin C. 《☞ しへい[1]; さつ; こうか[3]》.

¶ この洗濯機を使うには, ここ(の穴)にお*金を入れて下さい To operate this washer, insert *coins* here (in the slot). // このお*金 (⇒ お札) をくずしていただけますか Could you change this *bill*?

4 《資金》: fund C 語法 特定の目的のための「資金」の意味では単数形,「財源」「手持ち金」の意味では複数形で. 《☞ しきん》.

¶ 企画のために*金をこしらえる raise the *funds* for a project // その計画は*金がないため実現しなかった The project failed to materialize due to ⌐a [the] lack of *funds*. // その新しい原子力発電所の建設には政府が*金を出す (⇒ 資金を調達する) ことになっている The government is to *finance* the construction of that nuclear power plant. // 彼女は自分の*金で (⇒ 自費で) フランスに留学した She studied in France at her own *expense*.

金がうなる (大金持ちである) be rolling in money; (巨額の金を持っている) have a mint of money. 《☞ うなる》. 金で面を張る slap *a person's* face with money; (金の力で人を支配する) control *a person* with the power of money. 金に飽かす

(金を惜しまない) spare no money　金に糸目をつけない　── 副 with no regard for expense, regardless of cost ★ 後者はやや格式ばった表現.　金の切れ目が縁の切れ目 (金の終わりは愛の終わり) The end of money is the end of love. / (金がなくなると友達はいなくなる) Money gone, friends gone.　金の生(な)る木 (ゆすると金が降るという伝説の) money tree Ⓒ; (金の卵を生むがちょう) the goose that lays golden egg(s).　金は天下のまわりもの Money will come and go.　金を食う (費用がかかる) cost a great deal.

コロケーション

(物などが)金がかかる cost *money* / 金(持ち)と結婚する marry *money* / 金を集める collect *money* / (物が)金を産み出す bring in *money* / 金を横領する pocket …'s *money* / 金を惜しみなく使う lavish *one's money* / 金を返す give [pay] the *money* back; refund [repay] the *money* / 金を貸す lend [loan] *money* / 金を数える count *money* / (…に)金を借りている owe (…) *money* / 金を借りる borrow *money* / 金を偽造する counterfeit *money* / 金を寄付する donate [contribute] *money* to … / 金を銀行からおろす draw (out) [withdraw] *money* from the bank / 金を銀行に預ける bank *money*; deposit *money* in a bank / 金を崇拝する worship *money* / (不法な)金を洗浄する launder *money* / 金を送金する remit *money* / 金を相続する inherit *money* / 金を蓄える save *money* / 金をためる accumulate *money* / 金を着服する embezzle *money* / 金を調達する raise *money* / 金を投資する invest *money*; put up the *money* / 金を取り戻す get back [recover] the *money* / 金を…に残す leave *one's money* to … / 金を払い戻す refund *money* / 金をひどく食う eat (up) *money* / 金を没収する forfeit the *money* / (…で)金を山分けする divide up the *money* (among …) / 金を浪費する waste [squander] *money*; throw *money* away // 遊び金(有効に使われないでいる) idle *money* / 一生懸命働いて得た金 hard-earned *money* / おもちゃの金(ゲーム用の) play *money* / きれいな[正当な]金 clean *money* / 黒い[不正な]金 black *money* / 公金 public [government; taxpayers'] *money* / 大金 big *money*; a large ｢amount [sum] of *money* / 手元にある金 ready [available] *money* / 偽金 fake [queer; counterfeit] *money* / 元手として使う金 seed *money*; capital / 有意義に使われた金 well-spent *money* / 汚れた金 tainted *money* / 余分な金 extra *money* / 楽に手に入った金 easy *money* / 労せずに得た金 unearned *money*

かね[2]　鐘　bell Ⓒ; (一組の) chimes ★ 複数形で. (☞ なる[2]; ベル[1] 日英比較; すず[1]).　¶ *鐘を突く [鳴らす] ring [toll; sound] a *bell*
鐘つき堂 bell tower Ⓒ, belfry /bélfri/ Ⓒ.

かね[3]　鉦　small bell (used in a Buddhist service) Ⓒ; (手で振って鳴らす) handbell Ⓒ.　鉦や太鼓で探す (大騒ぎして…を探す) make a fuss over the search for …; (…をくまなく探す) search high and low for ….

かねあい　兼ね合い　(釣り合い) bálance Ⓤ, 《格式》 equilibrium /ìːkwəlíbriəm/ Ⓤ. (☞ バランス).

かねいれ　金入れ　(金庫) cashbox Ⓒ; (貯金・献金箱) moneybox Ⓒ; (財布) purse Ⓒ, wallet Ⓒ. (☞ さいふ[1] 語法).

かねかし　金貸し　(業者) móneylènder Ⓒ; (金貸し商売) moneylending Ⓤ; (高利貸し業者) 《略式》 (loan) shark Ⓒ, usurer /júːʒʊrə/ Ⓒ; (高利貸し商売) usury /júːʒʊri/ Ⓤ ★ あとの 3 語は特に軽蔑的な感じを含む.　¶ 彼は*金貸しをしている He is ｢a *moneylender* [in the *moneylending* business].

かねがね　(長い間) for a long time; (すでに) already; (何度も) several times.
¶ *かねがねロンドンへ行ってみたいと思っていた I've been wanting to visit London *for a long time.* / (⇒ 何年も考えていた) *For years* I've been looking forward to visiting London. // *かねがねそのことは聞いております (⇒ そのことについて何度も聞かされた) I've been told about it *several times.*

かねくいむし　金喰い虫　(金遣いの荒い人) spendthrift Ⓒ; (経費倒れの仕事) extravagance /ɪkstrǽvəgəns/ Ⓒ.

かねぐら　金蔵　(宝物庫) treasure-house Ⓒ, treasury Ⓒ.

かねぐり　金繰り　¶ 彼はこのところ*金繰りに困っているらしい (⇒ 財政上の困難にあるらしい) He seems to be in *financial* ｢*difficulties* [*trouble*] these days.　語法 財政的な困難の意味では difficulties と複数形. // どうしても*金繰りがつきません (⇒ 私は十分な金を集められない) I can't *raise* enough *money*. (☞ きんさく[1])

かねじゃく　曲尺, 短尺　(道具) carpenter's square Ⓒ; (長さの単位) regular *shaku* Ⓒ ★ 約 30.3 センチ.

かねずく　金尽く　── 副 (金で) with money.
¶ 彼は*金ずくでは動かない (⇒ 金は彼を買えない) *Money* can't [No amount of *money* can] buy him. // 彼らはその問題を*金ずくで解決しようとした They tried to solve the problem ｢*with money* [*by throwing money at* it].

かねそなえる　兼ね備える　(…と…を結合する) combine … with …; (両者を持つ) have both … and …　¶ 彼は勇敢さと注意深さを*兼ね備えている (⇒ 勇敢でありしかも注意深い) He *is* brave *and yet* careful.

かねそなわる　兼ね備わる　have both … and … (☞ かねそなえる).

かねぞめ　鉄漿染め　── 動 (歯を黒く染める) dye the teeth black.

かねたたき　鉦叩　**1**《鉦をたたくこと》: (鉦をたたく人) bell-ringer Ⓒ; (鉦をたたくこと) bell-ringing Ⓤ, ringing a bell Ⓤ.　**2**《昆虫》: fruit cricket Ⓒ.

かねつ[1]　加熱　── 動 héat (úp) ㊀.　── 名 heating Ⓤ. (☞ ねっする).　¶ *加熱装置 a *heating* apparatus　参考 これは暖房装置の意味にもなる.
加熱器 heater Ⓒ　加熱処理 ── 動 (金属などを) heat-treat ㊀; (食品を) precook ㊀.　── 名 heat treatment Ⓤ　加熱炉 (金属加工用の) (heating) furnace Ⓒ.

かねつ[2]　過熱　── 動 òverhéat ㊁ ㊀.　── 名 overheating Ⓤ.　¶ *過熱したエンジン an *overheated* engine // エンジンが*過熱した The engine *overheated*.

かねづかい　金遣い　¶ 彼女は*金遣いが荒い (⇒ 金を惜しげもなく使う) She *spends her money freely.* / (⇒ むだ遣いをする) She ｢*wastes* [*squanders*] *her money*. / She *is too extravagant with her money*. ★ 格式ばった表現.

かねつきどう　鐘撞き堂　☞ かね[2] (鐘つき堂)

かねづまり　金詰まり　(金融市場での引き締め) tight money Ⓤ, money squeeze ★ 通例 a ～ として; (金不足) shortage of money Ⓤ. (☞ きんゆう).
¶ *金詰まりである *Money is tight*.

かねづる　金づる　(財政的援助者) (financial) backer Ⓒ; (後援者) sponsor Ⓒ.　¶ 彼女はすごい*金づるをつかんだ She found a great *financial* ｢*supporter* [*backer*].

かねて (以前に) before; (すでに) already; (あらかじめ) befórehànd; (前もって・以前に) préviously ★ やや格式ばった語.

¶*かねてのお約束どおり，きょうは家族を連れて来ました Today I've brought my family here, as I had promised *previously*. // そのことは*かねてお伺いしております (⇒ 私はそのことをすでに聞いている) I *have* 「*heard* [*been told*] about it. 語法 特別の訳語でなく，現在完了形でその意味を示すことに注意. // 私たちは*かねての計画 (⇒ 前もって作られた計画) に従ってそれを行った We carried it out according to the plan worked out *beforehand*. / (⇒ 以前取り決めたように) We did it as was *previously* arranged. ★ 第 2 文は第 1 文より格式ばった表現.

-かねない (…かもしれない) may (*do* …); (…しても当然だ) may well (*do* …); (大いに…しそうだ) be likely to (*do* …); (…する能力がある) be capable of (*doing* …) ★ 以上はいずれもよい意味にも悪い意味にも使う. 《☞ -かねる》. ¶そんな男は人殺しもし*かねない That kind of man *may* commit murder. // あの男ならばそれをやり*かねない (⇒ あの男がそれをやるのはもっともだ) That man *may well* do it. / (⇒ あの男はそれをやる能力がある) That man *is capable of* doing it. / (⇒ 彼がそれをすることは大いにありうる) He's very *likely to* do it.

かねばなれ 金離れ ― 動 (金離れがいい) be 「generous [free] (with *one's* money); (金離れが悪い) be stingy (with *one's* money) ★ 口語的. 《☞ けち; きまえ》.

かねへん 金偏 (漢字の) metal radical on the left of kanji C.

かねまわり 金回り ¶彼は最近*金回りがいい [悪い] He is 「*well off* [*hard up* (*for money*); *badly off*] these days.

かねめ 金目 ¶*金目のもの (⇒ 高価なもの) をホテルの部屋に置いておくのは危険だ It's unsafe to leave 「*valuable* articles [*valuables*] in your hotel room. 《☞ こうか[5]; たかい[1]》

かねもうけ 金儲け ― 名 moneymaking U. ― 動 (金をもうける) make money. 《☞ もうける[1]; かね[1]》. ¶彼は*金もうけの才がある He has a genius for 「*moneymaking* [*making money*]. // 彼は*金もうけのためなら (⇒ 金のために) 何でもやる He'll do anything for *money*. // その商売はたいして*金もうけにならなかった (⇒ ほとんど利益が出なかった) That business yielded little *profit*.

かねもち 金持ち ― 形 rich (↔ poor); (裕福な) wealthy. ― 名 rich person C; wealthy person C; (集合的に) rich people, the rich ★ 複数扱い (↔ the poor); (金持ち族) 《略式》 the jet set ★ 集合的.

【類義語】最も一般的な語で，普通以上に金・収入・財産のあるのが **rich**. しかし，どのくらいという基準はなく，話者の主観によって用いられる. 永続性のある資産を持ち，生活が豊かで安定しており，社会的にも地位の高いのが **wealthy**. ジェット機に団体で乗り込んで海外の観光旅行をする人々という意味の語が ***jet set***. 《☞ ゆうふく》

¶あの人はたいへんな*金持ちです He is 「very *rich* [fabulously *wealthy*]. // 彼女は生まれながらの*金持ちだった (⇒ 彼女は金持ちに生まれた) She was born 「*rich* [*with a silver spoon in her mouth*]. // *金持ちがいつも幸せとは限らない *The rich* are not 「always [necessarily] happy. // どうしたら*金持ちになれるだろうか How can I 「become [get] *rich*? // 彼女は*金持ちの家庭で育った She was brought up in a 「*wealthy* [*rich*] family.

金持ち金遣(づか)わず A rich man rarely spends. / (⇒ 金持ちほど財布のひもがかたくなる) The richer you are, the tighter the purse. **金持ち喧嘩せず** A rich man never quarrels.

かねる 兼ねる (A でも B でもある) be both A and B; (A と B の両方の役割をする) serve as both A and B; (… の役も務める) double as … 《☞ けんむ; -けん[2]; かけもち》.

¶この部屋は食堂と居間を*兼ねています (⇒ 食堂と居間の両方に使われる [両方の役割をする]) This room 「*is used* [*serves*] *as both* a dining room *and* a living room. / This is a living room 「*plus* a [*-cum-*] dining room. / This dining room *also serves as* a living room. // 観光と市場調査を*兼ねて 1 か月ほどヨーロッパへ行ってきます (⇒ 一部は観光のため，一部は調査のために) I'm going to Europe for about a month, *partly* for sightseeing and *partly* for market research. // 大は小を*兼ねる (⇒ 大きいものは小さいものの役割も果たす) The greater *serves the purpose of* the smaller as well. // 彼女の仕事は趣味と実益を*兼ねている (⇒ 楽しみと利益を同時に与える) Her work gives her pleasure and profit *at the same time*. // しばらくの間，彼はコーチを*兼ねていた (⇒ コーチとして二役を務めた) For some time he *doubled as* coach. ★ ほかの仕事をしてコーチも務めた場合. // 首相と外相を*兼ねる *be* (*both*) the prime minister *and* foreign minister

-かねる (…できない) cannot (*do* …), be unable to (*do* …); (…することを許されていない) be not allowed to (*do* …). 《☞ -かねない》.

¶その仕事はお引き受けし*かねます (⇒ 引き受けることができない) I'm sorry, but I *can't* 「take on [accept] that job. // その点については何とも申し上げ*かねます (⇒ 言うことができない) I'm afraid I 「*can't* say anything [*can* say *nothing*] about it. / (⇒ 言うことが許されていない) I *am not* 「*allowed* [*at liberty*; *free*] *to* (make any) comment on it. ★ 第 2 文は第 1 文より格式ばった表現.

カネロニ (料理) canne(l)loni /kæ̀nəlóuni/ U.

かねん 可燃 ― 形 (可燃性の) inflámmable, flammable 語法 以上 2 語は同意だが，科学・技術用語としては後者のほうが好まれる. 前者は「不燃性」と誤解されるおそれがあるため. (↔ non(in)flammable). ― 名 (可燃性) (in)flàmmabílity U.

可燃物 (in)flammables ★ 複数形で. ¶危険―*可燃物あり《掲示》 DANGER—(IN)FLAMMABLES

かねんど 過年度 (会計上の) the past 「fiscal [financial] year ★ fiscal は《米》, financial は《英》.

過年度収入[支出] revenue [expenditure] belonging to the preceding 「fiscal [financial] year U **過年度生** student staying in school longer than the required years C.

かの 彼 that 《複 those》. ¶*かの男 *that* man // *かの女性たち *those* women

がのいわい 賀の祝い ☞ が[3]

かのう[1] 可能 ― 形 (場合により) possible; (実行が) practicable; (成就しやすい) feasible. ― 名 (可能なこと・可能性) possibility U.

【類義語】最も一般的には **possible** で，「状況次第ではありうる」の意.「事柄」が主語となり，「人」は主語にならない. よく It is *possible* for *a person* to *do* … の形で用いられ，動作主としての人は for で表される.「現実の問題として，実行する可能性がある」の意は **practicable**.「現状況によって最も好ましい」または「成就しやすい」という意味が ***feasible***. 《☞ できる[1]; かのうせい》

¶それは*可能ですか Is it *possible*? / (⇒ それをすることは可能ですか) Is it *possible* to do that? / (⇒ 実行可能か) Is it *practicable*? // そう遠くない将来に東京からロンドンの日帰り旅行も*可能になることで

しょう A one-day round trip to London from Tokyo may ˹be [become] ˹*possible* [*feasible*] in the near future. / (⇒ 間もなく日帰り旅行ができます) It won't be long before we *can* make a one-day round trip to London from Tokyo. ★ 第 2 文は第 1 文より口語的. // *可能な範囲で (⇒ できるだけ) お手伝いします I'll help you *as much as* I *can*. // この地域はまだ大いに開発の*可能な所です (⇒ 開発されるべき可能性がまだ多く残っている) This area still *has a great deal of potential for* development.

可能動詞 potential verb Ⓒ; (可能を表す動詞の語形) the potential form of a verb.

かのう² 化膿 ── 動 (はれ物が膿んで口が開きそうになっている) be ripe, come to a head ★ 後者のほうが意味が強い; (傷口が炎症を起こす) become infected, fester ⓐ; 〖医〗 suppurate /sʌ́pjʊrèɪt/ ⓐ. ── 名〖医〗 suppuration Ⓤ. 《☞ うむ²; うみ²》. ¶ おできが*化膿した That boil *has come to a head*. // その傷口は*化膿しそうだ That cut is likely to *become infected*.

化膿菌 suppurative /sʌ́pjʊrətɪv/ germ Ⓒ.

かのう³ 嘉納 ── 名 (受納) acceptance Ⓤ; (是認) approval Ⓤ. ── 動 (嘉納する) accept (with pleasure) ⓗ; approve ⓗ.

かのうせい 可能性 (状況によっての) possibility Ⓤ; (潜在的な) potentiality /pətènʃiǽləti/ Ⓤ, potential Ⓤ; (能力の) capacity Ⓤ ★ いずれも個別的な事例では Ⓒ として用いる; (見込み) chance Ⓒ; (客観的に見て) likelihood Ⓤ. 《☞ かのう¹; みこみ》.

¶ 彼女がその仕事を引き受ける*可能性は薄い There is little ˹*possibility* [*likelihood*] of her taking the job. 日英比較 日本語とは違って thin possibility とは言わない. / (⇒ 彼女はその仕事を引き受けそうにない) She is *unlikely* to undertake the work. // 中国は大いなる*可能性を秘めた国である China is a nation with great ˹*potentialities* [*potential*]. // 私は自分の*可能性 (⇒ 能力) の限界をしみじみと悟った I've come to realize the limits of my *capacity*.

── コロケーション ──

…の可能性がある have the *possibility* of … / …の可能性を疑う question the *possibility* of … / …の可能性を検討する study the *possibility* of … / …の可能性を考慮する consider the *possibility* of … / …の可能性を考慮に入れる take the *possibility* of … into consideration / …の可能性を探る investigate [explore] the *possibility* of … / …の可能性を示す suggest the *possibility* of … / …の可能性を調べる examine the *possibility* of … / …の可能性を退ける dismiss the *possibility* of … / …の可能性を少なくする reduce the *possibility* of … / …の可能性を取り除く eliminate the *possibility* of … / …の可能性を残しておく preserve the *possibility* of … / …の可能性を排除する rule out the *possibility* of … / …の可能性を増す increase the *possibility* of … / …の可能性を認める admit the *possibility* of … / …の可能性を無視する ignore the *possibility* of … / …の可能性を予想する foresee the *possibility* of … / …の可能性を立証する prove the *possibility* of … // 新たな可能性 a ˹new [fresh] *possibility* / 数多くの可能性 numerous *possibilities* / かすかな可能性 a ˹slim [remote] *possibility* / 現実的可能性 a realistic *possibility* / 十分な可能性 a good *possibility* / 強い可能性 a strong *possibility* / はっきりした可能性 a distinct *possibility* / 非常に大きな可能性 an immense *possibility* / 無限の可能性 an infinite *possibility* / 有望な可能性 a promising *possibility* / 論理的可能性 a ˹logical [theoretical] *possibility*

かのうは 狩野派 (日本画の流派) the Káno schòol (of Japanese painting).

かのえ 庚 (十干の第 7) the seventh of the ˹Ten Celestial Signs [ten calendar signs].

かのこ 鹿の子 ── 形 (鹿の子模様の) dappled, white-spotted. **鹿の子編み** moss stitch Ⓤ **鹿の子絞り** dapple dyed cloth Ⓤ **鹿の子百合** 〖植〗 showy lily Ⓒ.

かのじょ 彼女 ── 代 she 《複 they》 (↔ he) 日英比較 (1) 日本語の「彼女」には指示的な意味があるが, 英語の she には前に話題にのぼった女性についてしか用いず, 指し示す意味がないことに注意. また日本語では「彼女」を省略する場合にも, 英語ではしばしば she を用いることに注意; (彼女の) her 《複 their》; (彼女を・彼女に) her 《複 them》; (彼女のもの) hers 《複 theirs》 日英比較 (2) 日本語では「それは彼女のです」のように,「彼女の」となることが多い; (彼女自身) herself 《複 themselves》. ── 名 (男性から見た恋人) girlfriend Ⓒ; (愛人) love Ⓒ ★ 前者のほうが普通. 《☞ 代名詞 (巻末)》.

¶ *彼女はだれですか (⇒ あそこの女の人はだれですか) Who's *that woman*? // 「えみ子ってだれですか」「(*彼女は) 山田君の*彼女だよ」"Who's Emiko?" "*She*'s Yamada's *girlfriend*." // *彼女はまだ 20 代です *She* is still in her twenties.

かのと 辛 (十干の第 8) the eighth of the ˹Ten Celestial Signs [ten calendar signs].

カノン 〖神学・楽〗 canon Ⓒ.

カノンほう カノン砲 cannon Ⓒ 《複 ~, ~s》.

かば¹ 河馬 〖動〗 hippopotamus /hìpəpɑ́təməs/ Ⓒ 《複 ~es, hippopotami /hìpəpɑ́təmàɪ/》, 《略式》 hippo /hípoʊ/ Ⓒ 《複 ~s》.

かば² 樺 〖植〗 birch Ⓒ. **樺色** (deep) reddish yellow Ⓤ.

カバー 1 《覆い》 ── 名 (何かを保護するために覆うもの) cover Ⓒ; (何かを覆うために用いられるもの) covering Ⓒ; (まくらの) pillowcase Ⓒ, pillow slip Ⓒ; (ベッドの) bedspread Ⓒ; (本に出版社がつける覆い) (book [dust]) jacket Ⓒ; (本に破損しないようにつける覆い) book [dust] cover Ⓒ 日英比較 英米の書店ではサービスにカバーをかけることは普通はしない. また英語では本について cover といえば, 普通は表紙のことになる. ── 動 (カバーをかける) cover ⓗ. 《☞ ひょうし¹ 日英比較; おおい²; ほん (挿絵)》.

¶ (本の)*カバーのイラスト *jacket* illustrations // その本は赤い表紙に黒い*カバーです The book is bound in red and has a black *jacket*. // ソファーに*カバーをかけた I put a *cover* on the sofa. // テーブルに*カバーをかける (⇒ テーブルクロスを置く) put a *cloth* on the table // 寝るときはベッドの*カバーを取って下さい Please take off the (*bed*)*spread* before you go to bed.

2 《埋め合わせる》 ── 動 cover ⓗ, màke úp for …, màke úp ⓗ. 《☞ つぐなう; うめあわせ》. ¶ その損害を彼はどうやって*カバーする (⇒ 埋め合わせる) つもりでしょう I wonder how he could ˹*make up* [*cover*] the loss.

カバーガール cover girl Ⓒ **カバーストーリー** cover story Ⓒ **カバーチャージ** cover charge Ⓒ **カバーレター** covering letter Ⓒ.

かばいだて 庇い立て ☞ かばう

かばいて 庇い手 (相撲で) *kabaite* Ⓤ; (説明的には) (putting down a) protecting hand Ⓤ.

かばう 庇う (危害などから守る) protect ⓗ; (攻撃などから守る) defend ⓗ. 《☞ まもる; ふせぐ; べんご; ようご²》. ¶ 弱い者は*かばってあげなければいけない We should *protect* ⌈the weak [weak people]. // 痛めた左脚を*かばいながら (⇒ さらに悪くしないように) ゆっくり歩いた I walked slowly *so that* I would not make my injured left leg *any worse*. // だれも私を*かばってくれない (⇒ 私を弁護してくれる人がいない) I have [I've got] no one to *speak* (*up*) *for* me. / No one *speaks* ⌈*in my defense* [*on my behalf*]. ★ 第1文は第2文より口語的.

がばがば ―― 形 (だぶだぶの) baggy, loose ★ 前者のほうが口語的; (大きすぎる) too ⌈large [big]. (☞ だぶだぶ; ぶかぶか; 擬声・擬態語 (囲み)).

かはく[1] **仮泊** ―― 動 (be at; lie at) anchor temporarily ★ be と lie は状態を表す. (☞ ていはく).

かはく[2] **下膊** forearm Ⓒ.

かはく[3] **科白** 〖劇〗(演技に対するせりふ) words; (その場の一連のくだり) speeches; (個々の役者のせりふ) *one's* lines. (☞ せりふ). **科白劇** 〖劇〗(舞台・テレビなどの劇) drama Ⓒ ★ 楽劇・歌劇・舞踊劇などに対して. (☞ げき[1]; えんげき).

がはく **画伯** artist Ⓒ, painter Ⓒ.

かばしら **蚊柱** column of swarming mosquito(e)s Ⓒ.

がばっと (突然) suddenly, all of a sudden. (☞ とつぜん; 擬声・擬態語 (囲み)).

カバディー 〖スポ〗 kabad(d)i Ⓤ.

ガバナー (速度・圧力調節装置) governor Ⓒ.

ガバナビリティー (統治能力) power to govern a country Ⓤ; (政府の指導性) leadership of the government Ⓤ; (統治しやすさ) governability Ⓤ. 日英比較 英語の governability は「被統治能力」のことであるが, 日本語では誤って「統治能力」の意味で使うことが多い.

ガバナンス (統治) governance Ⓤ.

かばね[1] **屍** (死体) corpse Ⓒ, dead body Ⓒ ★ 前者はやや格式ばった語.

かばね[2] **姓** 〖史〗(古代の豪族が氏(うじ)に添えた称号) title added to the name of the powerful family in ancient times Ⓒ.

カバブ (料理) kabab, kebab /kəbáb/ Ⓒ.

ガバメント government Ⓒ.

かばやき **蒲焼** (うなぎの) barbecued [broiled] eel Ⓤ.

かばり **蚊鉤** (artificial) fly Ⓒ. **蚊ばり釣り** ―― 名 fly-casting Ⓤ, fly-fishing Ⓤ. ―― 動 fly-cast (他)(自), fly-fish (他)(自). (☞ つり[1]; つる[2]).

カバリエ (ダンスのパートナーの男性) cavalier /kæ̀vəlíə/ Ⓒ.

カバレッジ (サービスエリア) service area Ⓒ; (購読者数・発行部数) circulation Ⓒ ★ a ~ として用いる; (適用範囲) cóverage Ⓤ.

カバレフスキー ―― 名 (固) Dmitry Borisovich Kabalevsky, 1904–1987. ★ ロシアの作曲家.

かはん **河畔** (川辺) riverside Ⓒ; (川沿いの地) the riverbank(s), the bank(s) of a river ★ 後者のほうが改まった言い方. (☞ かわ[1]). ¶ 私がロンドンで泊まったのはテムズ*河畔のホテルでした (⇒ 川沿いにありました) My hotel in London was *on* the Thames.

かばん **鞄** bag Ⓒ 語法 bag は最も一般的な語で, 以下の語の代わりに用いることができる. つまり briefcase や satchel は bag の一種である. 前後関係でどのようなかばんかはっきりしないときは schoolbag のように前に限定の言葉を添える; (旅行用の) traveling bag Ⓒ; (通学用の) satchel Ⓒ ★ 肩掛け式やランドセル式などがある; (書類用の) briefcase Ⓒ; (書類用で折りたたみ式の) portfolio Ⓒ.
¶ *かばんを持って通学する go to school with *one's* ⌈*schoolbag* [*satchel*] // *かばんを開けて [閉めて] 下さい Please ⌈open [close] your *bag*. // 私は電車の網棚に*かばんを忘れた I left my *briefcase* on the luggage rack in the train.

日本語		英語	
書類かばん	かばん	bag	briefcase
通学かばん			satchel
肩かけかばん			shoulder bag
折りたたみかばん			portfolio
旅行かばん			traveling bag
紙袋	袋		paper bag
ビニール袋			plastic bag
大袋(麻袋)			sack

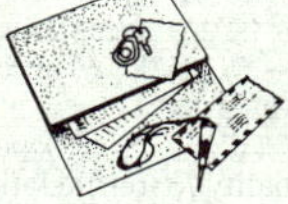
portfolio

briefcase

かばん持ち (いつもそばにつきっきりの制服を着た使用人) flunk(e)y Ⓒ ★ 軽蔑的.

がばん **画板** drawing board Ⓒ.

かはんしん **下半身** the lower (⌈half [part] of the) body (↔ the upper (⌈half [part] of the) body) (☞ はんしん).

かはんすう **過半数** the greater ⌈part [number]; (やや格式ばって) majority Ⓒ ★ 普通は単数形で. (☞ だいたすう). ¶ その党は衆議院で*過半数を占めている The party ⌈holds [has] a *majority* in the House of Representatives. // *過半数の委員は私の案に賛成でした *The majority* of the committee members were in favor of my plan.

かひ[1] **可否** ¶ 私たちはその提案の受け入れの*可否について話し合った (⇒ 受け入れることができるどうか) We discussed whether we could accept the offer. (☞ さんぴ; ぜひ[2])

かひ[2] **歌碑** stone monument inscribed with a tanka (poem) Ⓒ (☞ くひ; ひ[8]).

かひ[3] **果皮** 〖植〗(種子を囲む果実の部分全体) péricàrp Ⓒ; (果実の表面の皮) épicàrp Ⓒ; (一般語) peel Ⓤ, rind Ⓤ, skin Ⓤ. (☞ かわ[2]).

かひ[4] **下婢** maid-servant Ⓒ (☞ じょちゅう).

かび[1] **黴** ―― 名 (パン・チーズなどに生じる青っぽいかび) mold (《英》 mould) Ⓤ; (皮・布・紙などに生じる白っぽいかび) mildew Ⓤ. ―― 形 (かびの生えた・かび臭い) moldy (《英》 mouldy); (比喩的に) musty; (古くさい) stale. ―― 動 (かびる) mold [mildew] forms on ..., mold (自), mildew (自) ★ 最初の表現が一般的; (かび臭くなる) become ⌈musty [moldy]. ¶ このパンは*かびが生えている (⇒ かびで覆われている) This bread is covered with *mold*. // チーズは冷蔵庫の中でも*かびが生える Cheese gets *moldy* even in the refrigerator. / *Mold forms on* cheese even in the refrigerator. // 彼の考えは*かび臭い His ideas are ⌈*moldy* [(⇒ 古臭い) *out of date*].

かび[2] **華美** ―― 形 (色や装飾などが派手な) gaudy; (けばけばしくて人目を引く) showy ★ いずれも軽蔑的. ―― 名 gaudiness Ⓤ; showiness Ⓤ. (☞ はな

やか; かれい¹; はで》.

カピタン (江戸時代の) captain Ⓒ ★ ポルトガル語からのカタカナ語.

かひつ 加筆 ― 動 (改良する) improve ⑯; (原稿などを修正する) revise ⑯. ― 名 improvement Ⓤ; revision Ⓤ ★ いずれも具体的なものをいう場合は Ⓒ. 《☞ なおす; しゅうせい¹》. ¶ この論文は*加筆訂正の必要がある This ˹paper [essay] needs ˹*improvement* [*revision(s) and correction(s)*].

がひつ 画筆 (絵筆) paintbrush Ⓒ.

がびょう 画鋲 《米》 thumbtack /θʌ́mtæ̀k/ Ⓒ, 《英》 drawing pin Ⓒ; (びょう・とめがね) tack Ⓒ. 《☞ びょう²》. ¶ この時間割を掲示板に*画鋲で留めておいて下さい Please *pin up* this ˹schedule [timetable] on the bulletin board.

かびる 黴る mold forms on ..., get [become] moldy. 《☞ かび¹》.

かびん¹ 花瓶 (flower) vase /véɪs/ Ⓒ.

かびん² 過敏 ― 形 (敏感な) sensitive; (神経が) nervous; 〖医〗 hỳpersénsitive. ― 名 sensitivity Ⓤ; (神経が) nervousness Ⓤ; (神経過敏) 〖医〗 hỳpersènsitívity Ⓤ. 《☞ びんかん; しんけい》.
¶ 彼は神経*過敏だ He is too *nervous*. / He *is all nerves*. ★ be all nerves は「非常に神経過敏である」の意味の慣用表現. // その著者は批判に対して*過敏になっていた The author (of the book) was ˹very *sensitive* [*oversensitive*] to criticism.
過敏症 〖医〗 érethìsm Ⓤ, hypersensitiveness Ⓤ **過敏性大腸(症候群)** 〖医〗 irritable ˹bowel [colon] (syndrome) Ⓤ.

かふ¹ 寡婦 widow Ⓒ (↔ widower). **寡婦控除** widow tax deduction Ⓤ.

かふ² 寡夫 widower Ⓒ (↔ widow).

かふ³ 火夫 stoker Ⓒ, fireman Ⓒ.

かふ⁴ 下付 ― 名 grant Ⓒ. ― 動 grant ⑯.

かふ⁵ 家父 (自分の父親) my [our] father 《☞ かふちょうせい》.

かふ⁶ 家譜 (家系図) family tree Ⓒ; (先祖から子孫に至る系譜) genealogy Ⓒ.

かぶ¹ 株 (ある会社の株を集合的に) stock Ⓤ ★ 複数形を用いることもある; (個々の株) share Ⓒ. 《☞ かぶしき》.
¶ 私はこの会社の*株を持っている I ˹own [have; hold] ˹*stock* [*shares*] in this company. // *株価が上がった[下がった] (The) ˹*stock* [*share*] prices went ˹up [down]. / The value of the *shares* went ˹up [down]. 語法 (1) rose あるいは fell でもよい. また価格が「急に上がる」には soar ⓐ, skýròcket ⓐ,「急に下がる」には plunge ⓐ, plummet ⓐ, nóse-dìve ⓐ などが使われる. // その*株は急に上がった [下がった] The *stock* suddenly ˹appreciated [depreciated]. 語法 (2) appreciate [depreciate] は「値が上がる [下がる]」. // その*株でもうけた I've made a profit on those ˹*stocks* [*shares*]. // *株の下落が続いている *Stock* prices are continuing ˹to drop [their downward trend]. // その*株は買ったときの値段よりも 5 円下がった The *stock* declined five yen per *share* below the original ˹price [cost]. // 石油*株は多少下がった Oil *shares* ˹are slightly lower [have fallen slightly]. // *株に手を出す dabble [speculate] in *stocks* / play the market // *株を買い占める corner ˹*stock* [the (*stock*) market] ★「株の買い占め」は corner Ⓒ [cornering Ⓤ] (in stocks). // 友人の間で彼の*株 (⇒ 評判) が上がった [下がった] His *reputation* has ˹risen [fallen] among his friends.
株価 stock price Ⓒ. ¶ *株価を操作する manipulate *stock prices* **株価指数** the stock price index **株価収益率** P/E ratio, price-earnings ratio Ⓒ **株券** stóck [sháre] certificate /sə(ː)tífɪkət/ Ⓒ ★ 単に stock Ⓒ, share Ⓒ でもよい. **株仲間** 〖史〗 trade association in the Edo period Ⓒ **株主** stockholder Ⓒ, 《英》 shareholder Ⓒ **株主総会** general meeting of ˹stockholders [《英》 shareholders] Ⓒ, stockholders' [shareholders'] general meeting Ⓒ **株主代表訴訟** shareholder's derivative ˹lawsuit [suit; action] Ⓒ **株主割当** (株主割当による新株の発行) 〖株〗 rights issue Ⓤ **株屋** stockbroker Ⓒ.

> ―コロケーション―
> 株を現金化する liquidate *stocks* / 株を売買する trade [buy and sell] *stock(s)* / 株を発行する issue *stock(s)* // 一部払込み株 part-paid *stocks*; *stock* bought on margin / 一流株 gilt-edged *stock(s)* / 外国株 foreign *stock(s)* / 権利株 potential *stocks* / 高[低]利回りの株 high-yield [low-yield] *stocks* / 仕手株 speculative *stocks* / 品薄株 rare [scarce] *stocks* / 上場[非上場]株 listed [unlisted; over-the-counter] *stocks* / 成長株 growth *stocks* / 全額払込み株 full-paid [fully-paid] *stocks* / 低位株 lesser grade *stocks* / 店頭取引き株 over-the-counter *stocks* / 投機的低位株 penny *stocks* / 人気株 active [hot] *stocks* / 値がさ株 high-priced [fancy] *stocks* / 非公開株 letter *stocks* / 不人気株 inactive *stocks* / 優先株 preferred [registered] *stocks* / 優良株 ˹blue-chip [gilt-edged] *stocks* / 割増し金付き株 premium *stocks*

かぶ² 下部 ― 名 the lower part (↔ the upper part). ― 形 lower; (従属する) subórdinate. ¶ 組合の*下部組織 a (*subsidiary*) group within the union // ここは文部科学省の*下部機関である (⇒ この機関は文部科学省に従属している) This office is *subordinate* to the Ministry of Education. // 組織の*下部構造 the *infrastructure* of the organization

かぶ³ 蕪 Japanese turnip Ⓒ.

かぶ⁴ 株 (切り株) stump Ⓒ.

がふ 画布 canvas Ⓒ.

かふう 家風 (家のしきたり) family ˹tradition [《英》 custom] Ⓒ; (家のやり方) the way of doing things in a family. ¶ *家風に合う (⇒ 順応する) adapt *oneself* to the *family tradition* / (⇒ 当てはまる) fit in with the *family tradition*

がふう 画風 painting style Ⓒ.

カブール ― 名 固 Kabul /káːbəl/ ★ アフガニスタンの首都.

カフェ (喫茶店) coffeehouse Ⓒ, coffee shop Ⓒ. 《☞ きっさてん; カフェバー》.

カフェイン caffeine /kæfíːn, kǽfiːn/ Ⓤ. ¶ *カフェイン抜きのコーヒー *decaffeinated* /dìkǽfənèɪtɪd/ [*caffeine*-free] coffee

カフェオレ (牛乳入りコーヒー) café au lait /kæféɪouléɪ/ Ⓤ ★ フランス語から. café の ´ は綴り本来のもの.

カフェテラス café /kæféɪ/ Ⓒ ★ フランス語から. café の ´ は綴り本来のもの. 日英比較 カフェテラスは café と terrasse (フランス語で歩道に食卓を並べた所) を組み合わせた和製フランス語. café はそのような作りのヨーロッパ風喫茶店の意味で英語でも用いる.

カフェテリア cafeteria /kæ̀fətí(ə)riə/ Ⓒ.

カフェバー café /kæféɪ/ Ⓒ ★ café の ´ は綴り本来のもの. 日英比較 欧米の café は食事や飲酒ができる場合が多いので, 特に「バー」の部分を訳す必要はない.

カフェラテ caffè latte /kǽfeɪ lǽteɪ/ Ⓤ ★ 泡立てたホットミルクと混ぜたイタリア式コーヒー. caffè の ` は

綴り本来のもの.
カフェロワイヤル coffee royal [U], café royale /rwɑːjáːl/ [U] ★後者はフランス語から. café の ´ は綴り本来のもの.
かぶおんきょく 歌舞音曲 (歌と踊り) singing and dancing [U]; (音楽と踊り) music and dancing [U].
かふか 過負荷 óverlòad [U].
カフカ ―[名] (固) Franz Kafka /frǽnts kǽfkə/, 1883–1924. ★プラハ生まれの作家.
カフカス ―[名] (固) Caucasia /kɔːkéɪʒə/ ★コーカサスに同じ.
がぶがぶ ―[動] (がぶがぶ飲む) guzzle (他), gulp (down) (他); (むさぼるように飲む) drink … greedily. 《☞ 擬声・擬態語 (囲み)》. ¶ 彼はビールを*がぶがぶ飲んだ He *guzzled* beer.
かぶき[1] 歌舞伎 (the) kabuki [U]; kabuki ˹drama [play] [C]; (説明的には) Japanese classical drama [U]. ¶ 今度の日曜日に*歌舞伎にご案内しましょう Let me take you to a *kabuki performance* next Sunday.
歌舞伎音楽 kabuki music [U] **歌舞伎狂言** kabuki ˹play [drama; piece] [C] **歌舞伎座** (東京銀座にある劇場) (固) the Kabuki-za (Theater); (一般に歌舞伎の劇場) kabuki theater [C]; (歌舞伎の一座) kabuki company [C] **歌舞伎十八番** the eighteen best repertoires of kabuki **歌舞伎舞踊** kabuki dance [U] **歌舞伎役者** kabuki actor [C].
かぶき[2] 冠木 (鳥居の横木) crossbar of the *torii* [C]. ¶ *冠木門 a gate with a *crossbar*
かふく 禍福 禍福はあざなえる縄のごとし Good and ill luck are interwoven. / (⇒ 7 時前には雨でも 11 時前には晴れる) Rain before seven, fine before eleven. 《ことわざ》
かふくぶ 下腹部 ábdomen [C], belly [C] ★後者はやや下品とみなされる略式語. 《☞ はら[1]》.
かぶさる 被さる (上に突き出すように覆う) hang over … 《☞ おおう; かぶせる; かぶる》. ¶ 山の頂上に雲が*かぶさっている Clouds *are hanging over* the top of the mountain.
かぶしき 株式 share [C] 《☞ かぶ[1]》.
株式会社 corporation [C], 《米》 incórporàted cómpany [C], 《英》 limited company [C], public limited company [C] [語法] (1) 《米》 の表現は法人組織であることを表す. 《英》 の一番目の表現は株主の債務責任が投資額を越えないという有限責任の法人組織であることを表し, 二番目の表現は株式が公開市場で取り引きされる会社であることを表す. なお, 会社名に付けるときは《米》Smith and Jones ˹*Company* [*Co.*], *Inc.* / Smith and Jones, *Inc.* / 《英》 Smith, Jones & *Co.*, *Ltd.* / Smith and Jones *Ltd.* / Smith and Jones ˹*PLC* [*plc*] のようにする. *Inc.* は Incorporated の, *Ltd.* は Limited の, *PLC*, *plc* は public limited company の略; 《米》 stock company [C], 《英》 jointstock company [C] [語法] (2) これは社名には付けない. 《☞ かいしゃ[1]》. ¶ *株式会社研究社 Kenkyusha *Ltd.* // 日本電信電話*株式会社 Nippon Telegraph and Telephone *Corporation* **株式金融** (株式発行による自己資本調達) equity financing [U] **株式公開** ―[名] public *offering of stocks* [U]. ―[動] offer shares for public subscription **株式公開買付** takeover bid [C] 《略 TOB》; tender offer [C] ★後者は主に《米》. **株式債券ファンド** (株式や債券などに分散投資する信託) balanced fund [C] ★普通複数形で用いる. **株式市況** stock ˹quotations [prices] ★複数形で. **株式市場** the stock ˹market [exchange] **株式資本** share capital [U], capital (stock) [U] **株式取引所** stock exchange [C] **株式仲買人** (stock)broker [C] **株式配当(金)** (stock) dividend [C] **株式分割** stock split [C] ★単に split ともいう. **株式持ち合い** cross-holdings ★複数形で.
カフス cuff [C].
カブスカウト (団体) the Cub Scouts; (隊員) cub scout [C].
カフスボタン cuff links ★複数形で. [日英比較] 「カフスボタン」は和製英語.
かぶせる 被せる **1** «覆う»: (…を…の上に置く) put … ˹on [over] …; (覆う) cover (他). 《☞ かける[2]; おおう》. ¶ 彼女はキーボードにカバーを*かぶせた She *put* a cover ˹*on* [*over*] the keyboard. // 彼女はチューリップの球根に土を*かぶせた She *covered* the tulip bulbs *with* ˹earth [soil; 《米》 dirt].
2 «罪などを負わせる»: put the blame on …; (転嫁する) shift (他). 《☞ なすりつける; てんか[3]》.
カプセル capsule /kǽpsəl/ [C] ★「カプセル入りの薬」の意でも用いる.
カプセルホテル capsule hotel [C].
かふそく 過不足 ¶ それは*過不足なしだ (⇒ それはちょうど足りる) It's *just enough.* / (⇒ それは多過ぎもしないし少な過ぎもしない) It's neither too much nor too little. ★第 1 文は第 2 文よりも口語的.
過不足算 〖数〗 the ˹method [rule] of double false position.
カフタン (アラブ人などが着る長袖の長衣) caftan [C], kaftan [C].
カプチーノ cappuccino /kɑ̀ːputʃíːnou/ [U] ★ホイップクリームをのせてシナモンで味つけしたエスプレッソコーヒー.
かふちょうせい 家父長制 the paterfamilias /pèɪtəfəmíliəs/ system.
かぶと 兜 helmet [C]. ¶ 勝って*かぶとの緒を締めよ Don't ˹shout [whistle] until you are out of the wood(s). 《ことわざ: 森から出るまでは大声で叫ぶな; ☞ かつ[1] 1》
かぶとを脱ぐ ¶ 彼はついに*かぶとを脱いだ (⇒ 敗北を認めた) He *acknowledged his defeat* at last. // 私は彼の根気に*かぶとを脱ぐ (⇒ 脱帽する) I *take off my hat to* him for his patience.
かぶとがに 兜蟹 〖動〗 horseshoe crab [C] 《☞ かに》.
かぶとちょう 兜町 ―[名] (固) (町名として) Kabuto-cho; (東京証券取引所) the Tokyo Stock Exchange.
かぶとに 兜煮 boiled fish head [C].
かぶとむし 甲虫 〖昆〗 *kabutomushi* beetle [C].
かぶとやき 兜焼き roasted fish head [C].
かぶなかま 株仲間 ☞ かぶ[1] (株仲間)
かぶぬし 株主 ☞ かぶ[1] (株主)
がぶのみ がぶ飲み ―[動] (速いペースで貪欲に) guzzle (他) (自) ★軽蔑的; (ごくごくと速いペースで) swig (他) ★以上の語は口語的; (むさぼるように飲む) drink (…) greedily. 《☞ がぶがぶ》.
かぶら 蕪 (Japanese) turnip [C].
カプラー 〖写〗 coupler [C]; (音響カプラー) acoustic coupler [C].
かぶらや 鏑矢 whistling arrow [C].
かぶり[1] 被り (写真の) fogging [U].
かぶり[2] 頭 head [C] 《☞ あたま》. **かぶりを振る** shake *one's* head.
かぶり[3] 過振 〖商〗 (小切手の) overdraft [C].
ガブリエル ―[名] (固) (天使) Gabriel /géɪbriəl/.
カブリオール 〖バレエ〗 cabriole [C] ★一方の足で他方を打つ跳躍.
カブリオレ (折り畳み式幌のついたクーペ型自動車) cabriolet /kæ̀briəléɪ/ [C].
かぶりつき (劇場の 1 階最前列の座席) 《米》 the

orchestra, 《英》 the stalls.

かぶりつく bite ㊥, bite (into …) ㊀. 《☞ かじりつく》. ¶その子供はリンゴに*かぶりついた The boy *bit* (*into*) an apple. // その男はパンに*かぶりついた (⇒むさぼるようにパンを食べ始めた) The man started *eating* (the) bread ｢*hungrily* [*greedily*].

カプリッチョ 〘楽〙(奇想曲) capriccio /kəpríːtʃiòu/ Ⓒ《複 ~s》.

がぶりと ¶犬が彼の脚に*がぶりと (⇒猛烈な勢いで) かみついた The dog bit his leg *violently*. 《☞ 擬声・擬態語 (囲み)》

かぶりもの 被り物 (総称で) headgear Ⓤ 《☞ ぼうし[1]》.

かぶる 被る **1** «頭・顔の上に»: (帽子を) pùt ón ㊥, wear ㊥ 〔語法〕 身に着けている状態が wear で,「身に着ける」という 1 回の動作は put on; (布団などを) pull … over *one's* head. 《☞ かぶさる; かぶせる; きる[2]》. ¶彼は帽子を*かぶった He *pùt* his hát *òn*. / He *pùt ón* his hát. // 彼女は黒い帽子を*かぶっていた She ｢*was wearing* [*wore*] a black hat. / She *had* a black hat *on*. ★ 後者がより口語的. // 彼女は帽子を*かぶったまま部屋に入ってきた She came into the room *with* her hat *on*. // 帽子を*かぶっていない be *bareheaded* / *have* nó hát *òn* // 帽子を*かぶらずに *without* ｢a [*one's*] hát *òn* // 帽子を*かぶりなおす *adjust one's* hat

2 «浴びる»: (水などを) pour … over *oneself*; (波を) take ｢in [on] water (from) over the side, ship water ★ 後者は船の用語; (ほこりなどを) get [be] covered with … 《☞ あびる》. ¶冷たい水をバケツに何杯も*かぶった I *poured* several buckets of cold water *over myself*. // ボートが波を*かぶって沈んだ The boat *shipped water* and sank. // 田舎道を歩いてほこりを*かぶった I ｢*got* [*was*] *covered with* dust while walking along a country road.

3 «引き受ける»: (罪を受け入れる) accept ㊥; (責任をとる) take ㊥. 《☞ ひきうける》. ¶罪はすべて私が*かぶります I'll *accept* whatever guilt there may be. // 責任をすべて*かぶる *take* all the ｢responsibility [blame]

がぶる 〘相撲〙 ¶旭山は北の川を*がぶって寄りたてた Asahiyama drove Kitanokawa *forward* holding Kitanokawa's belt and *rocking* his own *body*.

かぶれる — 動 (毒される) be poisoned; (皮膚病・発疹が出る) have a rash; 〘医〙 have an eruption; (影響を受ける) be ínfluenced. — 名 (皮膚のかぶれ) rash Ⓒ; 〘医〙 eruption Ⓒ; (主義や趣味などに対する熱狂) mania /méiniə/ Ⓒ. 《☞ そまる》.

¶私はうるしに*かぶれた (⇒うるしによる発疹ができた) I've ｢*got* [*had*] *a rash* ｢due to [caused by] lacquer poisoning. // おむつ*かぶれ 《米》 (a) diaper *rash* / 《英》 (a) nappy *rash* // 彼はすっかりアメリカ*かぶれになった (⇒彼は非常にアメリカ的な考え方に影響を受けた) He *has been* ｢greatly [very strongly] *influenced* by ｢the American way [American ways] of thinking. // 彼女はイギリス*かぶれだ (⇒親英派だ) She is an *Anglophile* /ǽŋgləfàil/.

かぶろ 禿 ☞ かむろ

かぶわけ 株分け 〘園〙 — 動 separate the roots [divide the root] of a plant. — 名 division Ⓒ.

かふん 花粉 pollen Ⓤ. **花粉症** hay fever Ⓤ, póllen állergy Ⓒ ★ 前者は伝統的な呼称; 〘医〙 pòllinósis Ⓒ **花粉情報** pollen information Ⓤ, pollen forecast Ⓒ **花粉培養** pollen culture Ⓤ **花粉分析** pollen analysis Ⓒ.

かぶん[1] 寡聞 ¶その種の噂は*寡聞にして知らない I haven't heard any rumor ｢of that sort [like that]. 〔日英比較〕 日本語にはこの種の卑下する言葉, 例えば「不調法で」「浅学で」「不肖ながら」などを付ける表現が多いが, このようなものに対応する英語はないので, 無視するのがよい.

かぶん[2] 過分 — 形 (気前よくたくさんの) generous 《☞ たくさん》. ¶*過分なおほめの言葉ありがとうございます Thank you very much for your *generous* praise. / (⇒ほめすぎではないかと思います) Thank you very much, but I think *I'm being flattered*.

かぶん[3] 可分 — 形 (分割できる) divisible /dɪvízəbl/; (分離できる) séparable.

がぶん 雅文 elegant [classic] style of writing Ⓤ.

かぶんすう 仮分数 〘数〙 improper fraction Ⓒ.

かべ 壁 wall Ⓒ 〔日英比較〕 日本語の「壁」より意味が広く, 家屋・建物の壁だけでなく, 防御などのために陣地・敷地などを囲むものも意味し, 日本語の塀・城壁などに当たることもある. また比喩的に「障害物」の意にもなる; (間仕切り壁) partítion Ⓒ.

¶*壁に絵が掛かっている There is a picture on the *wall*. / A picture is (hanging) on the *wall*. ★ 後者は絵に興味の重点がある場合の言い方. // この部屋をベニヤの*壁で 2 つに仕切りたい I want to divide this room in(to) two with a plywood *partition*. // 警察の犯人の捜査はどうしようもない*壁 (⇒窓のない[れんがの]壁) に突き当たった The police ran up against a ｢blank [brick] *wall* in their search for the culprit. // *壁を破る break the *barrier* ★ 比喩的. // *壁越しに話し声が聞こえる I can hear voices through the *wall*.

壁に耳あり Walls have ears. 《ことわざ》

壁板 wainscot Ⓤ; (材料) wainscotting Ⓤ **壁掛け** (タペストリー) tapestry Ⓒ; (装飾品) wall decoration Ⓒ **壁掛けテレビ** wall TV-set Ⓒ, wall-hanging TV Ⓒ **壁紙** wallpaper Ⓤ **壁構造** box-frame construction Ⓤ **壁新聞** (中国の) wallposter Ⓒ, wall newssheet Ⓒ **壁土** plaster Ⓤ **壁一重** separated only by a wall.

かへい 貨幣 — 名 money Ⓤ ★「金(かね)」に当たる最も一般的な語; (通貨) currency Ⓤ; (紙幣) paper money Ⓤ, 《米》 bill Ⓒ, 《英》 (bank) note Ⓒ ★ paper money は総称; (硬貨) coin Ⓒ. — 形 monetary. 《☞ かね[1]》. ¶*貨幣を鋳造する coin *money* / mint *coins* // *貨幣を発行する issue ｢*coins* [*bills*] // *貨幣を偽造する (⇒硬貨を) forge *coins* / (⇒紙幣を) print [forge] counterfeit *bills*

貨幣価格 monetary /mánətèri/ price Ⓒ **貨幣価値** monetary [currency] value Ⓤ, the value of ｢money [currency] ★ 後者のほうが改まった言い方. ¶この古い株券には*貨幣価値がない These old stock certificates have no *monetary value*. **貨幣経済** monetary economy Ⓤ **貨幣制度** the monetary system **貨幣単位** the ｢monetary [currency] unit, the unit of ｢exchange [currency] ★ 後者のほうが改まった言い方. **貨幣鋳造** coinage Ⓤ, mintage Ⓤ **貨幣法** the Coinage Law Ⓤ.

がべい 画餅 futile /fjúːtl/ dréam Ⓒ. ¶その計画は*画餅に帰した The project turned out to be nothing but a *futile dream*.

カペイカ kope(c)k /kóupek/ Ⓒ ★ ロシアなどの通貨単位の一つ. 100 分の 1 ルーブル.

カペーちょう カペー朝 〘史〙 (中世フランスの王朝) the Capetian /kəpíːʃən/ dynasty.

かへん[1] 可変 — 形 variable /vé(ə)riəbl/. — 名 variability Ⓤ. **可変コンデンサー** variable condenser Ⓒ **可変資本** variable capital Ⓤ **可変抵抗器** rheostat /ríːəstæ̀t/ Ⓒ **可変容量ダイオード** 〘電工〙 varactor /vərǽktə/ Ⓒ **可変翼** variable wings ★ 複数形で.

かへん[2] 花片 (花びら) petal Ⓒ.

かへん[3] カ変 ☞ かぎょうへんかくかつよう

かべん 花弁 petal Ⓒ.
がペン 鵞ペン quill (pen) Ⓒ.
かほう[1] 果報 (good) luck Ⓤ, (good) fortune Ⓤ [語法] 前者はくだけた言葉. 後者はどちらかというと重大なことについての幸運をいうことが多い. 《☞ こううん[1]》. ¶*果報者 (⇒ 運のいい奴) a *lucky* fellow 果報は寝て待て Everything comes [All things come] to him who waits. 《ことわざ: 待つ人には何でも来る》
かほう[2] 家宝 family treasure Ⓒ; (先祖伝来の家具など) heirloom /éəlu:m/ Ⓒ ★ 後者は相続するものという意味が強い. 《☞ たから》.
かほう[3] 下方 ── 名 the lower part. ── 形 (下方への) downward Ⓐ. ── 副 (下の方へ) downward(s); (下に) (down) below. 下方修正 ── 名 downward revision Ⓒ. ── 動 revise ... downward; (はじめの見積もりを切り下げる) cut (down) [reduce] the original estimate. 《☞ しゅうせい[1]》.
かほう[4] 火砲 (銃砲) gun Ⓒ; (大砲) artillery Ⓤ ★ 後者は大口径の砲. 集合的に用いる. 前者は個々の銃器. 小口径のものも大口径のものもいう. ¶*火砲攻撃 gunfire
かほう[5] 加法 〔数〕 addition Ⓤ 《☞ たしざん》.
かほう[6] 加俸 additional [extra] allowance Ⓒ; (付加給付) fringe benefit Ⓒ ★ 後者は有給休暇や保険給付などを含む. ¶年功*加俸 an *allowance* for long service
がほう[1] 画法 (絵の描き方) the art of ⌈drawing [painting] ★ drawing はえんぴつ・木炭などによるもの, painting は絵の具によるもの. ¶水彩[風景, 肖像]*画法 *the art of* ⌈watercolor [landscape; portrait] *painting*
がほう[2] 画報 (絵入りの雑誌 [新聞]) illustrated ⌈magazine [newspaper] Ⓒ.
かほううんどう 下放運動 Xiafang /ʃà:fá:ŋ/ movement; (説明的には) the "down to the countryside" movement ★ 中国において1957年以降上級幹部・学生などを農村へ送った運動.
かほうわ 過飽和 ── 名 supersaturation /sù:pəsætʃuréɪʃən/ Ⓤ. ── 形 supersaturated /sù:pəsætʃurèɪtɪd/.
がぼがぼ ¶*がぼがぼもうける (⇒ 金をかき集める) *rake in* money 《☞ がっぽり; あらかせぎ; 擬声・擬態語 (囲み)》
かほく[1] 華北 (中国北部) North China.
かほく[2] 河北 ── 名 固 Hebei /hλbéɪ/ ★ 中国北部の省.
かぼく 花木 (花と木) trees and blossoms; (花の咲いている木) blossoming tree Ⓒ.
かほご 過保護 òverprotéction Ⓤ. ¶*過保護児童 an *overprotected* [(⇒ 甘やかされた) a *spoiled*; a *spoilt*] child
カポジにくしゅ カポジ肉腫 〔医〕 Kaposi's /kəpóusɪz/ sarcóma Ⓤ.
かぼす *kabosu* lime Ⓒ.
かぼそい か細い (ほっそりした) slender; (きゃしゃな) délicate; (声などが弱々しい) feeble. 《☞ ほそい; よわよわしい》. ¶彼女は*かぼそい腕をしている She has *slender* arms. // 赤ん坊は*かぼそい声で泣いていた The baby was crying *feebly*.
かぼちゃ 南瓜 (丸形の) pumpkin /pʌ́m(p)kɪn/ Ⓒ; (ひょうたん形の) squash Ⓒ.
カポック (植物せんい) kapok, capoc /kéɪpɑk/ Ⓤ.
ガボット gavotte /gəvát/ Ⓒ.
カポネ ── 名 固 Alphonso [Al] Capone /ælfánsou [æl] kəpóun/, 1899-1947. ★ アメリカ禁酒法時代のギャングの首領.
ガボロジー (ごみ学) garbology Ⓤ ★ garbage からの造語.
ガボン ── 名 固 Gabon /gæbɔ̀:ŋ/; (正式名; ガボン共和国) the Gabonese /gæbəní:z/ Repúblic ★ アフリカ西部の国. ── 形 Gabonese. ガボン人 Gabonese Ⓒ.
かま[1] 釜 iron pot Ⓒ. ¶茶の湯の*かま a teakettle / an *iron* ⌈*pot* [*kettle*] for the tea ceremony ★ 後者は説明的な表現. // 同じ*かまの飯を食う (⇒ 同じ屋根の下に住む) live *under the same roof* // なべ*かま *pots* and pans ★ 炊事道具の意味. 語順は常にこの順序. // 電気*がま an electric *rice cooker* 釜据え (茶の湯で) *kamasue*; (説明的には) wooden stand for a teakettle Ⓒ 釜日 (茶の湯で) *kamabi*; (説明的には) the day when pupils gather together under their master to practice a tea ceremony 釜茹(ゆ)で ── 動 boil ... in a ⌈metal pot [caldron] 他. ¶*釜茹での刑 an execution of a criminal *in a boiling caldron*
かま[2] 鎌 (小型の) sickle Ⓒ; (両手用大型の) scythe /sáɪð/ Ⓒ. かまにかかる ¶彼女は彼のかけた*かまにかからなかった (⇒ 彼のひっかけの質問をうまくはぐらかした) She wisely sidestepped his *tricky question*. かまをかける ¶彼に*かまをかけて (⇒ 彼をうまく引っ掛けて) 秘密を聞き出した I *tricked* him into telling me the secret.
かま[3] 窯 (陶器・レンガなどを焼く) kiln /kíln, kíl/ Ⓒ; (パン・炭などを焼く) oven /ʌ́v(ə)n/ Ⓒ; (炉) furnace Ⓒ. ¶*かまでレンガを焼く bake bricks in a *kiln* 窯印 kiln mark Ⓒ かま出し ── 動 (窯から焼物を取り出す) take out pottery from the kiln かま元 (場所) pottery Ⓒ; (人) potter.
かま[4] 罐 boiler Ⓒ. かまたき stoker Ⓒ, fireman Ⓒ.
がま[1] 蝦蟇 toad Ⓒ 《☞ かえる[6]》. がまの脂 *gama no abura*; (説明的には) toad's grease believed to cure wounds Ⓤ.
がま[2] 蒲 〔植〕 cattail Ⓒ, 《米》 cat-o'-nine-tails /kætounáɪntèɪlz/ Ⓒ (複 ～).
ガマ ☞ バスコダガマ
かまあげうどん 釜揚げうどん *kama-age-udon* Ⓤ; (説明的には) wheat noodles served in hot water and eaten with soup ★ 複数形で.
カマーバンド (タキシードの下につける腰帯) cummerbund /kʌ́məbʌ̀nd/ Ⓒ.
かまいたち 鎌鼬 cut in the skin caused by a vacuum formed by a whirlwind ★ 説明的な訳.
かまう 構う **1** 《気にかける》: mind 他; (気にして心配する) care about ...; (注意を払う) pay attention to ...; (わざわざ…する) trouble (*oneself*) to *do* ..., bother to *do* ... [語法] ほぼ同意だが, 前者は骨折りについて言い, 後者は面倒なことについて言うニュアンスがある. [日英比較] 日本語が否定表現だからといって, 必ずしも直訳にとらわれず, 文全体として意訳するほうが自然な英語の表現になることがある. ((例) 入っても*かまいませんか (⇒ 入ってもいいですか) May I come in?). ¶私は何が起ころうと*かまわない I don't *mind* whatever happens. / (⇒ 問題ではない) It doesn't *matter* to me what happens. // 私は彼がいてもいなくても*かまわない (⇒ 何の違いもない) It *doesn't make any difference* whether he is here or not. // 「ここでタバコを吸っても*かまいませんか」「ええ, *かまいません」 "*May* [*Can*] I smoke here?" "Certainly." / (⇒ 私がここでタバコを吸っても気にかけませんか) "Do you *mind* ⌈if I smoke [my smoking] here?" "No, I don't." // 彼女は身なりのことは*かまわない (⇒ 服装のことは気にかけない) She doesn't *care about* her appearance. // 日本語ならばどんな本でも*かまいません (⇒ どんな本でもよい) *Any* book will *do*, ⌈as [so] long as it is in Japanese. // *かまうものか Who *cares*? / I don't *care* at all. // どうぞお*かまいなく (⇒心配しないで下さい) Please don't ˹trouble yourself [bother]. (☞おかまい)

2 《干渉する》 ¶人のことは*かまわないでくれ (⇒私をひとりにしておいてくれ) Leave me alone! / (⇒自分のことに世話をやきなさい) Mind your own business! / (⇒それはあなたの仕事ではない) That's none of your business. ★ いずれも《略式》. 第2文と第3文はかなりきつい言い方. (☞ほうっておく; かんしょう¹)

3 《面倒を見る》 ¶あいつなんかに*かまっていられない (⇒私は彼のことで時間をつぶしたくない) I won't waste my time on him. // 妻は私のことをちっとも*かまってくれない (⇒妻は私をないがしろにする) My wife almost completely *neglects* me. (☞めんどう; せわ)

かまえ¹ 構え (建造物の外観) appearance Ⓒ; (身体の姿勢) posture Ⓒ. (☞がいかん¹; みがまえ).
¶立派な*構えの家 a gorgeous house // 防御の*構えをする take (up) a defensive *posture* // 和戦両様の*構えをする be *prepared* both for war and for peace

かまえ² 構え (漢字の) enclosure radical of kanji Ⓒ.

かまえる 構える ―動 (身構える) take [adopt; assume] a ˹posture [stance] ★ stance は特にスポーツなどの姿勢; (用意をする) make [get] ... ready (for ...), prepare *oneself* (for ...). ―副 (構えの姿勢で) (at the) ready. (☞みがまえる).
¶その警官はピストルを*構えて (⇒ピストルを発射できる状態で手に持って), その部屋に入った The policeman came into the room with his gun (*at the*) *ready*. // 相手は「さあこい」といわんばかりに*構えた (⇒「さあこい」というように戦闘の姿勢をとった) My opponent *took a* fighting *stance*, as if to say, "Come on!" // 銃を*構える *hold* a gun *at the ready* // カメラマンたちはカメラを*構えた Photographers *were poised with* their cameras. // 彼はいつものんきに*構えている He always *takes things easy*. // 紳士然と*構える *pose* as a gentleman / *have* ˹*an* [*the*] *air* of a gentleman

がまがえる 蝦蟇 ☞かえる⁶

かまきり 蟷螂 (praying) mantis /mǽntɪs/ Ⓒ (複 ~es, mantes /mǽnti:z/).

がまぐち がま口 (硬貨用の) (coin) purse Ⓒ (☞さいふ¹).

かまくび 鎌首 ¶へびが*かまくびをもたげた The snake ˹raised [reared; lifted] its *head*. 日英比較 英語には特に日本語の「鎌首」に当たるような慣用的表現はない.

かまくら¹ 鎌倉 ―名 固 Kamakura. ¶いざ*鎌倉というとき (⇒危急の場合) in (a) time of emergency
鎌倉街道 the Kamakura Highways; (説明的には) highways to Kamakura Ⓒ **鎌倉時代** the Kamakura period **鎌倉幕府** the Shogunate (government) at Kamakura **鎌倉仏教** Buddhism of the Kamakura period **鎌倉彫** Kamakura ware Ⓤ; (説明的には) relief lacquer ware ˹of Kamakura-style [originally made in Kamakura] Ⓤ.

かまくら² (igloo-like) snow hut (where children have fun) Ⓒ.

かまける (…に夢中になる) be absorbed in ..., be taken up with ... (☞むちゅう).

-がましい ―動 (…のように見える) look like ...; (…のように聞こえる) sound (like ...). ―前 (…のような) like ... (☞はれがましい; みれん; さしでがましい; いいわけ).
¶彼女はよくあてつけ*がましいことを言う She often makes *insinuating* remarks. // 押しつけ*がましいようですが… (⇒強要するつもりはありませんが) I don't mean to ˹*push* [*force*] you, but ... // 彼は恩着せ*がましくそう言った He said it ˹*condescendingly* [in a *condescending* manner].

かます¹ 魳 〔魚〕 barracuda /bæ̀rəkú:də/ Ⓒ (複 ~(s)).

かます² 叺 (わらで作った袋) straw bag Ⓒ.

かませる 噛ませる (さるぐつわを) gag 他, put a gag in *a person's* mouth. ¶あいつには一発*かませて (⇒どっちがボスなのか教えて [打ちのめして]) やったほうがいい We'd better ˹*show* him *who's boss* [*beat* him *up*].

かまち 框 〔建〕 frame Ⓒ; (戸の) doorframe Ⓒ; (窓の) window frame Ⓒ.

かまど 竈 cooking stove Ⓒ, 《米》 kitchen stove Ⓒ, (kitchen) range Ⓒ.

かまとと ―動 (知らないふりをする) pretend not to know; (上品ぶる) pretend to be graceful.

かまびすしい 囂しい ―形 《格式》 vociferous /vousíf(ə)rəs/ (☞やかましい).

かまぼこ *kamaboko* Ⓤ; (説明的には) boiled fish(-)paste Ⓤ, fish sausage Ⓤ. **かまぼこ兵舎** 《米》 Quonset (hut) Ⓒ, Nissen hut Ⓒ.

かまめし 釜飯 rice boiled with meat and vegetables in a small pot Ⓤ (☞料理の用語 (囲み)).

がまん 我慢 ―動 (我慢する) be patient, pùt úp with ...; (特に痛みや苦しみなどを) bear 他 (過去 bore; 過分 borne); stand 他 (過去・過分 stood); tóleràte 他; endúre 他. ―名 patience Ⓤ; tolerance Ⓤ; endurance Ⓤ; (自制) self-˹control [restraint] Ⓤ.

【類義語】 最も一般的で, 意味も広い言葉が **be patient** およびその名詞の **patience** で, 痛み・苦しみ・怒りなどについて自制心を発揮して我慢することをいう. 口語で「我慢しなさい」という命令の場合にはこれ以外の動詞はあまり使われない. 命令以外で, ほぼ同じ意味に使われるがくだけた感じの表現として, 特に怒りを我慢することによく用いられるのが **put up with** ... 特に痛みや苦しみなどの重圧に耐えるという意味が **bear**. 自制心を働かせて我慢するのが **stand**. ほぼ同意でやや格式ばった語が **tolerate** で, その名詞が **tolerance**. 格式ばった語で, 特に長期にわたる我慢を表すのが **endure** と **endurance**. (☞しんぼう¹; たえる¹)

¶*我慢をしなさい *Be patient*. / (⇒忍耐力を持て) Have *patience*. ★ 前者が一般的. // 私は彼女にはもう*我慢ができない I can't ˹*stand* [*put up with*] her any longer. ★ 最も一般的な表現. / (⇒私は彼女に忍耐力を失った) I've lost (my) *patience* with her. // 彼はとても*我慢強い男だ He's a very *patient* man. // 彼女は*我慢強く待っていた She waited *patiently*. // 痛くて*我慢できない I can't *bear* the pain. 語法 (1) この意味に用いるときは can, could とともに否定・疑問に用いるのが普通. / (⇒痛みは耐えられない) The pain is ˹*intolerable* [*unbearable*]. ★ 改まった表現. // もう*我慢できません I can't ˹*stand* [take] it any ˹longer [more]. ★ 口語的表現. / (⇒私は忍耐力の限界にきた) I've reached the limit(s) of my *patience*. ★ やや格式ばった表現. / (⇒これはひどすぎる) This is *too much* for me. 語法 (2) 口語的だが漠然とした言い方で, 前後関係によってはほかの意味にもとれる. / (⇒これは私の忍耐力を超えている) This is beyond my *endurance*. ★ やや格式ばった表現. // 私は腹が立つのを*我慢できなかった (⇒私は私の怒りを抑えることができなかった) I couldn't ˹*hold back* [*restrain*; *control*; *contain*] my anger. / (⇒平静な心を失った) I lost my temper. // 当分は中古車で*我慢しよう (⇒当分は中古車で間に合わせなければならない) I'll have to *make do with* a used car for a while. 語法 (3) make do with … で「…で間に合わせる」という慣用表現. // たばこを吸うのは 2, 3 日*我慢して下さい (⇒ 慎んで下さい) Please *refrain from* smoking for ˹two or three [a few] days. // アイスクリームを見ると*我慢ができない (⇒ 誘惑に抵抗できない) I can't *resist* ice cream. // ここが*我慢のしどころだ This is ˹just where [the point at which] we have to be *patient*. ★ [ ]内のほうが格式ばった表現. // (やせ)*我慢くらべ [大会] an *endurance* contest

カマンベール (フランス産のチーズ) Camembert /kǽməmbèə/ (cheese) Ⓤ.

かみ[1] 神 ―名 (神道などの多神教の) god Ⓒ ★ the を付けて複数形で用いることも多い; (神性をもっているものの意で) deity /dí:əti/ Ⓒ; (キリスト教などの一神教の) God ★ 冠詞を付けずに常に大文字で始める. 《☞ 冠詞 (巻末); 大文字 (巻末)》; (イスラム教の神) Allah /ǽlə/; (女神) goddess Ⓒ. ―形 (神の) divine; (神のような) godlike.

¶ 全知全能の*神 the Almighty (*God*) // 縁結び [商売] の*神 the *god*(*s*) of ˹marriage [commerce] // ローマ神話の*神々 the Roman ˹*deities* [*gods*] // この神社には何という*神様が祭ってあるのですか What *god* is enshrined here? // 私は*神を信じる I believe in *God*. // *神に祈れ Pray to *God*. // *神様, どうか私をお助け下さい O *God*, please ˹save [help] me. // 彼は*神に祈って助けを求めた He prayed to *God* for help. / He prayed for *God's* help. 《☞ いのる》 // あなただけを愛することを*神にかけて誓います I swear to ˹*Heaven* [*God*] (that) I love you and nobody else. // *神のみぞ知る *God* knows. 語法 「だれが知るか」という捨てぜりふともなるので, 使うときには十分気をつけること. // *神も仏もない No *divine* help can be expected in this evil world. // 正直の頭(こうべ)に*神宿る (⇒ 神は正直者に味方する) *God* smiles upon an honest soul. // 苦しい時の*神頼み (The) danger past, *God* forgotten. 《ことわざ: 危険が去ると神は忘れられる》 / (⇒ 人は困ったときにだけ神に頼る) Man turns to *God* only in trouble. / (⇒ 戦場のたこつぼでは無神論者はいない) There are no atheists in foxholes. // *神を敬う worship *God* // *神を畏れる fear *God* ★ 形 は God-fearing. // *神を称える glorify *God* // *神を冒瀆する blaspheme (against) *God*

神ならぬ身 mere mortal Ⓒ. ¶ *神ならぬ身の知るよしもない (⇒ 神のみぞ知る) Only God knows. **神の子[御子]** 〘キ教〙 (イエス・キリスト) the ˹son [Son] of God; (キリスト教徒) Christian Ⓒ; (キリストを信ずる者) believer in [follower of] Jesus Christ Ⓒ **神の子羊** 〘キ教〙 (キリスト) the Lamb of God.

コロケーション

神に仕える serve *God* / **神を崇める** revere *God* / **神を崇拝する** adore *God* / **神を呪う** curse *God* // **オリンポスの神々** the Olympian *gods* / **家庭の守り神** a household *god* / **川の神** a river *god* / **ギリシャの神々** the Greek *gods* / **古代の神々** the ancient *gods* / **神話の神** a mythical *god* / **太陽神** the sun *god* / **守り神** a guardian *god* / **八百万(やおよろず)の神々** all the *gods* of heaven and earth

かみ[2] 紙 paper Ⓤ 語法 「新聞」,「試験問題用紙」,「論文」などの意味では Ⓒ. また「書類・文書」などの意味では複数形で用いる. 数を数えるときは紙片の場合は piece, 四角い紙は sheet を用いて数える. 《☞ 可算・不可算名詞 (巻末); 数の数え方 (囲み)》. ¶ *紙が少し [たくさん] いる I need ˹some [a great deal of] *paper*. // ざら*紙でいいです Rough [Coarse] *paper* will ˹be all right [do]. // もう少し厚い [薄い] *紙が欲しい I'd like to have *paper* a little ˹thicker [thinner]. // *紙を 2 枚下さい Please give me two *sheets of paper*. // 「小包用の*紙はありますか」「はいあります」 "Do you have any ˹brown *paper* for wrapping parcels [wrapping *paper* for parcels]?" "Yes, I do." ★ brown paper は包装用の褐色紙. // この箱は*紙製です (⇒ この箱は紙で作られている) This box is made of *paper*. / (⇒ これは紙の箱です) This is a *paper* box. // 近ごろ都会の人情は*紙より薄くなっている (⇒ 人々が互いにたいへん冷たい) These days people in big cities are very ˹cold [unfriendly] to each other.

紙糸 paper yarn Ⓤ, paper string Ⓤ **紙おむつ** paper ˹diaper [《英略式》nappy] Ⓒ **紙切り** paper knife Ⓒ **紙切れ** piece [scrap; slip] of paper Ⓒ **紙屑** ☞ 見出し **紙クロース** paper cloth Ⓤ **紙コップ** páper cúp Ⓒ **紙細工** páperwòrk Ⓤ **紙相撲** paper-doll *sumo* Ⓤ **紙製品** páper pròducts ★ 複数形で. **紙タオル** páper tówel Ⓒ **紙包み** paper ˹package [parcel] Ⓒ **紙礫(つぶて)** (かんで丸めた) spitball Ⓒ 《☞ つぶて》 **紙テープ** paper tape Ⓤ ★ 具体的には Ⓒ; (出航の際の見送り用の) (paper) streamer Ⓒ **紙鉄砲** (紙つぶてを発射する) popgun for shooting spitballs Ⓒ; (紙で作った) folded-paper gun Ⓒ **紙ナプキン** paper napkin Ⓒ **紙粘土** papier-mâché /péɪpəməʃéɪ/ Ⓤ **紙箱** carton Ⓒ **紙ばさみ** páper hòlder Ⓒ, páper clìp Ⓒ; (書類を入れる) folder Ⓒ **紙一重** ¶ 1 等と 2 等の差は*紙一重です (⇒ ごくわずかの差しかない) There is only a *slight* difference between the first and the second. 《☞ かんいっぱつ》 **紙雛** paper doll Ⓒ **紙ひも** paper string Ⓤ **紙表紙** páper cóver Ⓒ **紙風船** paper balloon Ⓒ **紙袋** páper bág Ⓒ **紙吹雪** (色紙片) confétti Ⓤ. ¶ *紙吹雪をまく scatter *confetti* **紙屋** (店) páper ˹stòre [《英》shòp] Ⓒ; (文房具店) stationery store Ⓒ, 《英》stationer's Ⓒ; (人) dealer in paper Ⓒ, paper-merchant Ⓒ **紙やすり** sandpaper Ⓤ.

コロケーション

(★ 便宜上紙(シ)と発音するものも入れてある)

紙を折る fold *paper* / **紙を切る** cut *paper* / **紙を作る** make *paper* / **紙を巻く** roll (up) *paper* / **紙を破る** tear *paper* / **紙をリサイクルする** recycle *paper* // **アート紙** art *paper* / **油紙** oiled *paper* / **堅い紙** stiff *paper* / **コート紙** coated *paper* / **吸い取り紙** absorbent *paper* / **手すきの紙** hand-made *paper* / **パーチメント紙** parchment *paper* / **パラフィン紙** wax(ed) *paper* / **筆記用の紙** writing *paper* / **防水紙** tarpaulin *paper* / **ボンド紙** bond *paper* / **ミシン目の入った紙** perforated *paper*

かみ[3] 髪 hair ★ 髪の毛全体を指すときは Ⓤ, 1 本 1 本が問題のときは Ⓒ. 日英比較 英米では, 髪の色は身長・体重などと同じく, 身分証明書などに記入する身体的特徴の 1 つとして扱われる. また, 日本語では「髪」と「毛」は普通分けて用いられるが, 英語では区別しない. 《☞ け》.

¶ 一房の*髪 a lock of *hair* // 彼女は茶色い [黒い] *髪の毛をしている (⇒ 茶色い [黒い] 髪を持っている) She has ˹brown [black] *hair*. // 彼は*髪が柔らかい [硬い] (⇒ 柔らかい [硬い] 髪の毛を持っている) He has ˹soft [bristly] *hair*. // *髪をセットしてもらった I had my *hair* set. // きのう*髪を切[刈]ってもらった I ˹had [got] a *haircut* yesterday. ★ 口語的表現. / I had my *hair* cut yesterday. // 彼は*髪を長く伸ばして [短く刈って] いる He wears his *hair* ˹long [(cut) short]. // 彼女の*髪の毛はいつも編んである She always has her *hair* braided. // スープの中に

*髪の毛が1本［2本］入っていた（⇒ 見つけた）I found ˹a *hair* [two *hairs*] in ˹the [my] soup. // あの長い*髪の男はだれだ Who is that long-*haired* man? // 彼女は*髪をきれいに結い上げた She ˹did up [put up] her *hair* beautifully. // 彼女は*髪を後ろでリボンで結んだ She bound her *hair* with a ribbon at the back. // 彼の*髪はいつもきれいになでつけてある His *hair* is always carefully combed. // 彼はいつも*髪を真中で［七三に］分けている He always parts his *hair* ˹in the middle [in a three-quarter part]. // 私は毎朝*髪を洗う I ˹shampoo [wash] my *hair* every morning. // 彼の*髪に白いものが目立ち始めた His *hair* is beginning to turn gray. // *髪が薄くなってきた My *hair* is ˹thinning [becoming thin]. / I am ˹losing my *hair* [going bald]. // 彼は目の前に下がった*髪をかき上げた He brushed the *hair* back out of his eyes.

髪油 hair oil Ⓤ;（ポマード）pomade Ⓤ **髪洗い** ☞ せんぱつ[2] **髪飾り** hair ornament Ⓒ **髪型** hairstyle Ⓒ, coiffure /kwaːfjʊ́ɚ/ Ⓒ ★ 後者のほうが格式ばった語. **髪かたち**（髪型と容貌）hairstyle and features **髪冠** hair radical on the top of kanji Ⓒ **髪際** *one's* [the] hairline ★ 通常単数形で. **髪結い** hairdresser Ⓒ;（男性の）coiffeur Ⓒ;（女性の）coiffeuse Ⓒ **髪結い床** hairdresser's (shop) [hairdresser] in the Edo period Ⓒ.

コロケーション

髪にウエーブをかける wave *one's hair* / 髪にカールをかける curl *one's hair* / 髪にパーマをかけてもらう have *one's hair* permed / 髪の乱れを直す tidy *one's hair* / 髪を編む plait *one's hair* / 髪を1本抜く pluck [pull] out a *hair* / 髪を後ろで結ぶ tie back *one's hair* / 髪をかきむしる tear *one's hair* / 髪を乾かす dry *one's hair* (with a hair dryer) / 髪をくしでとかす comb *one's hair* / 髪を少し短く揃える trim *one's hair* / 髪を染める dye *one's hair* / 髪を脱色する bleach *one's hair* / 髪を縮らす frizz *one's hair* / 髪を整える arrange [do] *one's hair* / 髪をなでる caress *a person's hair* / 髪を伸ばす grow *one's hair* (long) / 髪をピンで留める pin up *one's hair* / 髪をブラシでとかす brush one's *hair* / 髪をブローする blow-dry *one's hair* / 髪をほどく let [put] down *one's hair* / 髪を短く刈り込む clip [crop] *one's hair* / 髪を三つ編みにする braid *one's hair* / 髪を結ぶ tie up *one's hair* / 髪を結う dress [do; fix] *one's hair* // 赤い髪 red [carroty] *hair* / 亜麻色の髪 flaxen *hair* / いたんだ髪 damaged *hair* / ウエーブのかかった髪 wavy *hair* / 薄い髪 thin [spare; sparse] *hair* / カールした[させた]髪 curly [curled] *hair* / 肩[腰]まで伸びた髪 shoulder-length [waist-length] *hair* / 絹のような髪 silky *hair* / 銀髪 silvery *hair* / 黒髪 black [dark] *hair* / 濃い髪 thick *hair* / 細かく縮れた髪 crimpy *hair* / 白髪まじりの髪 gray *hair* / 赤褐色の髪 auburn *hair* / 縮れた髪 fuzzy *hair* / つやのある髪 lustrous *hair* / 生え際の後退した髪 receding *hair* / ブロンドの髪 blond *hair* / ぼさぼさの髪 disheveled [unkempt] *hair* / 真っ黒な髪 raven-black *hair* / 真っ白な髪 snow-white *hair* / 短い髪 short *hair* / 短く刈った髪 close-cropped *hair* / 短く縮れた髪 kinky *hair* / もつれた髪 matted [tangled] *hair* / 豊かな髪 abundant *hair* / よく手入れした髪 well-groomed *hair*

かみ[4] 上 ― [形]（上の方の）upper（☞ うえ[1]）. **上の句** the first seventeen syllables of a Japanese tanka.

かみ[5] 加味 ― [動]（加える）add (他). ¶ 出席点を*加味する（⇒ 考慮する）*take* attendance (records) *into account*

かみあいクラッチ 咬み合いクラッチ〘機〙claw [dog] clutch Ⓒ.

かみあう 噛み合う（歯車が）mesh (自), engage (自) ★ 後者はやや格式ばった語;（かみ合ってくる）get into gear. ¶ 歯車が*かみ合わない The gears do not *mesh*. / The ˹cogs [gears] will not *engage*. ★ 第2文は第1文よりやや格式ばった表現. // 彼らの議論はまったく*かみ合わなかった（⇒ 彼らは異なった平面の上で議論した）They argued *on different planes*. /（⇒ 彼らはそれぞれ異なった意図をもって話し合った）They talked *at cross-purposes*. // 私の歯はうまく*かみ合わない My teeth do not *occlude* properly. / I have (a) *malocclusion*. /（⇒ 私の歯のかみ具合が悪い）There is something ˹wrong [the matter] with my *bite*.

かみあわせ 噛み合わせ〘歯〙― [名] occlusion Ⓤ. ― [動]（咬合する）occlude (自)(他);（上下の歯がうまくかみ合う）meet well. ¶ 歯の*かみ合わせがよくない My teeth don't *meet* ˹*well* [*properly*].

かみあわせる 噛み合わせる（歯車を）engage (他);（歯を）clench (他).

かみいちだんかつよう 上一段活用〘文法〙*kami ichidan katsuyo* Ⓤ;（説明的には）conjugation of verbs whose ˹stems [bases] end in *i* as in *mi-ru* Ⓤ.

かみいれ 紙入れ（折り畳み式の札入れ）wallet Ⓒ,《米》bíllfòld Ⓒ.（☞ さいふ[1]）.

カミオカンデ ― [名] (固)（岐阜県神岡鉱山地下の宇宙線検出装置）Kamiokande (Neutrino Detector) ★ Kamiokande は *Kamioka Nucleon Decay Experiment* の略語. 現在は後継機「スーパーカミオカンデ」(Super-Kamiokande) に交代している.

かみおろし 神降ろし（降霊術）spiritualism Ⓤ.

かみがかり 神憑り divine possession Ⓤ.

かみがかる 神憑る ¶ 彼の言うことは*神がかっている（⇒ 彼は何かに取り付かれた人のようにしゃべる）He talks like one *possessed*.

かみかくし 神隠し ― [動]（神隠しにあう）be spirited away.

かみかぜ 神風 divine wind Ⓒ. ¶ *神風タクシー a *kamikaze* taxi // *神風運転手 a ˹*reckless* [*kamikaze*] driver // *神風特攻隊（⇒ 部隊）the *kamikaze* corps /（⇒ 隊員）a ˹*kamikaze* [suicide] pilot

かみがた 上方 the Kyoto-Osaka ˹area [district]. **上方歌舞伎** kabuki plays originating in the Kyoto-Osaka area **上方語** Keihan [Kansai] dialect Ⓤ **上方文学** literature originating in the Kyoto-Osaka area Ⓤ.

がみがみ ― [動]（かみつくように言う）snap at ...;（しかる・小言を言う）scold (他). ― [形] snappish.（☞ しかる; こごと; くちやかましい; 擬声・擬態語（囲み））. ¶ *がみがみ言うな（⇒ 私に対してがみがみ言うのをやめろ）Stop *snapping at* me. /（⇒ 私について口やかましくするな）Don't be so *snappish* with me. // あの先生はいつも*がみがみと（⇒ 小言を）言っている The teacher *is* always *scolding* the students.

かみき 上期 the first half year (↔ the last half year).

かみきりむし 髪切り虫〘昆〙long-horned beetle Ⓒ, longhorn (beetle) Ⓒ, longicorn Ⓒ.

かみきる 噛み切る bite ˹óff [awáy] (他);（かじりとる）gnaw through (他).（☞ かむ[1]; かじる）. ¶ 彼の犬はつなを*かみ切って逃げた His dog *bit* ˹*off* [*through*] the leash and ran away.

かみくず 紙屑 wástepàper Ⓤ;（ごみとしての）litter Ⓤ ★ 紙くずだけでなくごみ全体をも指す.《☞ かみ²; くず¹ (類義語); ごみ》. ¶*紙くず入れ《掲示》 Trash // *紙くずを捨てないで下さい《掲示》No Littering // その教室は*紙くずだらけだった The classroom was littered with *bits of paper.* // この論文は*紙くず同然だ This paper is no better than *wastepaper.* / (⇒ まったく価値がない) This paper is of no value. **紙くずかご** wástebàsket Ⓒ,《英》 wàstepáper bàsket Ⓒ.

かみくだく 噛み砕く (平易にする) simplify (他); (平易な言葉で説明する) explain ... in simple terms. ¶先生はその問題を*かみくだいて説明した (⇒ 平易な言葉で説明して明らかにした) The teacher clarified the problem for the students by *explaining it in simple terms.*

かみこなす 噛み熟す **1**《よく嚙む》: chew thoroughly (他). **2**《十分に理解する》: understand ˹thoroughly [fully] (他).

かみころす 噛み殺す (かんで殺す) bite ... to death; (抑える) suppress (他), stifle (他). ¶彼はその講義の間中あくびを*かみ殺していた (⇒ あくびを抑えるのに努力していた) He was trying very hard to ˹*suppress* [*stifle*] a yawn during the lecture.

かみざ 上座 (食卓などでの主人役の座る重要な座) head Ⓒ [日英比較] 一般に日本語の「上座」に当たる言葉は英語にはない. 会議なども円卓式が多いが, 食卓では主人役の座る位置が最も重要な席とされる. ¶*上座に座る《食卓で》 sit at the *head* of the table /《部屋で》 take *the best seat*

かみさびた 神さびた (荘厳な) solemn; (畏敬させる) awesome; (神聖な) holy.《☞ こうごうしい; そうごん》.

かみさま 神様 ☞ かみ¹

かみさん 上さん the missus /mísəz/ ★ おどけた表現で the の代わりに my, your などを伴なう; (自分の妻) my wife, my old woman ★ 後者は口語.《☞ おくさん; おかみ¹》.

かみしばい 紙芝居 picturecard [paper picture] show Ⓒ. ¶*紙芝居をする put on a *picturecard show*

かみしめる 噛みしめる (かむ) bite (他); (よく考える) think (deeply) about ...; (じっくり考える) cóntemplàte (他).《☞ かむ¹》.
¶彼はじっと唇を*かみしめた He *bit* his lip. // 彼の言うことは*かみしめると味がある (⇒ 彼の考えについて考えれば考えるほどおもしろくなる) The more you ˹*think about* [*contemplate*] his ideas, the more interesting they become. // 自由 [生命] の尊さを*かみしめる (⇒ …の価値を理解する) *appreciate* the (great) value of ˹freedom [life]

かみしも 裃 *kamishimo* Ⓒ ★ 単複同形; (説明的には) formal dress worn by a samurai Ⓤ.

かみすき 紙漉き papermaking Ⓤ; (人) papermaker Ⓒ. **紙すき機** paper-making [paper] machine Ⓒ **紙すき場** paper mill Ⓒ **紙すき槽**(ぶね) trough for making (Japanese) paper Ⓒ.

かみそり 剃刀 razor Ⓒ; (安全かみそり) safety razor Ⓒ; (電気かみそり) electric razor Ⓒ, shaver Ⓒ.《☞ そる¹》. ¶ひげは*かみそりでそる We shave our faces with *razors.* // この*かみそりはよく切れる (⇒ うまくそれる) This *razor* shaves ˹well [close]. // *かみそりの刃 *a razor's* edge / *a razor* blade ★ 後者は取り替えできるものを指す.
かみそり負け razor rash Ⓤ.

かみだな 神棚 household ˹altar [shrine] Ⓒ.

かみたばこ 噛み煙草 chewing tobacco Ⓤ; (一かたまりの) plug (of tobacco) Ⓒ.

かみつ¹ 過密 ── [形] (人・物などが詰まり過ぎた) òvercrówded; (人口過剰の) òverpópulàted; (密集した) congésted. ── [名] (人口過多) overpopulation Ⓤ; (密集) congestion Ⓤ.《☞ みつ²; みっしゅう¹》. ¶工業化は*過密都市を生み出す Industrialization brings about *overpopulated* cities. // 東京のような*過密地帯には住みたくない I dislike living in ˹an *overcrowded* [a *congested*] area like Tokyo. // *過密ダイヤ a *tight* train schedule

かみつ² 花蜜 (floral) nectar Ⓤ.

かみつく 噛みつく bite (他)《過去 bit; 過分 bitten, bit》, bite (at ...) (自); (ぱくっと) snap (at ...) (自); (言葉の上で)《略式》 bite *a person's* head off.《☞ かむ¹ (類義語)》. ¶この犬は絶対に*かみつきません This dog never *bites.* // その犬は男の左足に*かみついた The dog *bit* the man on the left leg. / The dog *snapped at* the man's left leg. // 彼は上役に*かみついた He *bit* his superior's *head off.*

かみつぶす 噛み潰す chew up (他).

カミツレ 〘植〙 c(h)amomile /kǽməmàɪl/ Ⓒ ★「カミツレ」はオランダ語から.

かみて 上手 (観客に向かって左方) the left (side of the stage)《略 L》《☞ げきじょう¹ (挿絵)》.

かみなり 雷 ── [名] (雷鳴) thunder Ⓤ; (雷鳴を伴った 1 回の稲妻) thunderbolt Ⓒ; (稲妻) lightning Ⓤ ★ 1 回の稲妻は a flash of lightning. ── [動] (雷が鳴る) thunder (自) ★ it を主語として. ── [形] (雷のような) thunderous.
¶*雷が鳴っている It's *thundering.* // 午後には*雷を伴った雨になるだろう This afternoon will bring rain with *thunder and lightning.* // 遠くで*雷が鳴った The *thunder* ˹rolled [rumbled] in the distance. / We heard *thunder* in the distance. // *雷が私の別荘に落ちた My cottage was ˹struck [hit] by *lightning.* / *Lightning* ˹struck [hit] my cottage. // 彼はゴルフ中, *雷に打たれて亡くなった While playing golf, he was struck dead by *lightning.* [日英比較] 日本語では「雷に打たれる」というが, 英語では「稲妻 (lightning) に打たれる」という. // そんなことするとお父さんの*雷が落ちるよ (⇒ あなたをどなりつける) Your father will ˹*yell* [*thunder*] *at* you if you do it.
雷おこし *kaminari-okoshi*; (説明的には) crisp millet-and-rice cake which was originally sold in front of the gate at Sensoji Temple, kaminarimon Ⓤ **雷おやじ** (かんしゃく持ちの) hot-tempered father Ⓒ; (どなり散らす) snarly old man Ⓒ. ¶彼女のお父さんは*雷おやじだ Her father is a *thunderer.* **雷雲** thundercloud Ⓒ《☞ くも¹》 **雷族** reckless motorcycle riders ★ 集団の意味では複数形で. **雷よけ** (避雷針) lightning rod Ⓒ; (避雷器) lightning arrester Ⓒ ★ 後者は電気器具などを雷の電流から守るための器具.

かみにだんかつよう 上二段活用 〘文法〙 *kami nidan katsuyo* Ⓤ; (説明的には) conjugation of verbs (in literary Japanese) whose ˹stems [bases] end in *i* or *u* as in *otsu* Ⓤ.

かみのけ 髪の毛 ☞ かみ³

かみはんき 上半期 the first half of the year《☞ はんき¹》. ¶2000 年度*上半期 *the first half of* fiscal 2000 ★ fiscal year は「会計年度」.

かみまきたばこ 紙まきたばこ cigaret(te) Ⓒ《☞ たばこ》.

かみやしき 上屋敷 *kamiyashiki* Ⓒ; (説明的には) residence of a daimyo or a high-ranking samurai in the Edo period Ⓒ.

カミュ ── [名] (固) Albert Camus /ælbɛə kɑːmúː/, 1913–1960. ★ フランスの作家.

かみよ 神代 the age of (the) gods; (大昔) time immemorial Ⓤ.

かみわける 嚙み分ける ¶酸いも甘いも*かみ分ける (⇒理解する) *understand* the sweetness and bitterness of life

かみわざ 神業 (人間わざとは思えない離れわざ) súperhùman féat [C]; (見事な離れわざ) spectácular féat [C]. ¶*神わざをやってのける perform a ⌈*superhuman* [*spectacular*] *feat* (☞ わざ)

かみん 仮眠 — [名] (短い睡眠) a short sleep; (うたたね) nap [C]. — [動] take [have] a nap.

かむ¹ 嚙む — [動] (歯で) bite 他 (過去 bit; 過分 bitten, bit), bite (at …) 自; (咀嚼(そしゃく)する) chew 他 自; (音を立てて) crunch 他 自, munch 他 自. — [名] (ひとかみ) a bite.

【類義語】かむの意味で一般的な語は *bite*. 特に前歯でがぶりとかんで食いちぎるときに用いる. ((例) 彼は梨を一口大きく*かんだ He took a big *bite* out of a pear.) at を用いると「ねらいをつけて」という感じが強い. 咀嚼するために何度もよくかむことは *chew*. つまり, 歯のない子供は *chew* できない. 消化の悪いものを食べるときは You should *chew* your food (well). と注意する. 堅い物を食べるとき, 音を立てて「ぼりぼり・ばりばりとかむ」に相当するのは *crunch* または *munch*. (☞ かみつく; かみきる; かじる)

¶私は犬に手を*かまれた I *had* my hand *bitten* by a dog. / (⇒犬が私の手をかんだ) A dog *bit* ⌈me *on* the hand [my hand]. // ご飯をよく*かんで食べなさい (⇒飲みこむ前に食物を十分にかめ) *Chew* your food well before you swallow it. // 彼はピーナッツをぼりぼり*かんでいた He *was* ⌈*crunching* [*munching*] peanuts. // あの子はいつもつめを*かんでいる He *is* always *biting* his finger-nails. // *かんで含める (⇒忍耐強く親切に説明する) explain very patiently and kindly

かむ² 擤む (鼻を) blow 他. ¶彼はちり紙で鼻を*かんだ He *blew* his nose ⌈in(to) [on] a tissue.

カム 〘機〙 cam [C].

ガム (chewing) gum [U] (☞ チューインガム).
¶*ガムを 1 枚ちょうだい Give me a stick of (*chewing*) *gum*. // 授業中に*ガムをかんではいけない Don't chew *gum* in class.

がむしゃら — [副] (気が狂ったように・猛烈に) (略式) like mad, like hell. (☞ めちゃくちゃ; もうれつ).
¶若いころ彼は*がむしゃらに仕事をした He worked ⌈*like mad* [*like hell*] when he was young. // 彼には少し*がむしゃらなところがある (⇒彼は時によると不必要な危険を冒す) He sometimes *takes unnecessary risks*.

ガムシロップ gúm syrup /sə́ːrəp/ [U].

カムチャツカ — [名] 固 Kamchatka /kæmtʃǽtkə/, the Kamchatka Peninsula.

ガムテープ gummed tape [U]; (ばんそうこうなどの粘着テープ) adhesive tape [U].

カムバック cómebàck [C] (☞ かえりざき). ¶彼女は歌手として見事に*カムバックした She made a remarkable *comeback* as singer.

カムフラージュ — [名] camouflage /kǽməflàːʒ/ [U]. — [動] camouflage 他. ¶戦車は若木で*カムフラージュされていた The tank *was camouflaged* with green saplings.

ガムラン (インドネシアの音楽) gamelan /gǽməlæ̀n/ [U].

かむり 冠 ☞ かんむり

カムレット (ラクダ・絹などの平織りの織物) camlet [U].

かむろ 禿 **1** «子供の髪形»: short untied hair (of a boy or girl) [U].
2 «はげた頭»: bald head [C].

かめ¹ 瓶 (一般に土製のつぼ) earthenware pot [C] (☞ つぼ (挿絵); びん¹).

かめ² 亀 (陸がめ) tortoise /tɔ́ːətəs/ [C]; (海がめ) turtle [C]. (☞ かめのこう). **亀は万年** (⇒亀は万年生きると言われている, あなたも同じ位長生きしますように) It is said that a tortoise lives ten thousand years. (May you live as long!) (☞ つる⁴).

かめい¹ 加盟 — [動] (自由意志で加わる) join 他; (公に…に加入している) be affiliàted with …; (…のメンバーになる) become a member of … — [名] joining [U]; affiliation [U]. (☞ かにゅう; さんか¹).
¶我々はその組合に*加盟することにした We decided to *join* the association. // 日本は 1956 年に国連への*加盟を認められた Japan ⌈*was admitted to* [(⇒成員の資格を得た) *gained membership* in; (英) *gained membership* of] the United Nations in 1956.
加盟国 member ⌈nation [state] [C]. ¶1998 年 12 月現在国連の*加盟国は 185 である (⇒国連は 185 の国の成員を持っている) As of December 1998, the United Nations has a *membership* of 185 nations. / The number of *member* ⌈*nations* [*states*] of the U.N. as of December 1998 is 185. // 非*加盟国 a nonmember **加盟者** (参加者) participant [C]; (成員) member [C] (↔ nonmember) **加盟団体** member organization [C] **加盟店** member store [C].

かめい² 仮名 (作家などの) pseudonym /súːdənìm/ [C]; (ペンネーム) pén nàme [C], nom de plume [C] ★後者は英語国で作られたフランス語と言われる; (仮名) false [assumed] name [C]; (架空の名) fictítious náme [C], alias /éɪliəs/ [C]. (☞ ぎめい). ¶…という*仮名で under the ⌈*pseudonym* [*pen name*] of …

かめい³ 下命 — [名] order [C]. — [動] (命じる) order ⌈*a person* to *do* … [that …], place an order with *a person* for … (☞ めいれい; めいじる¹).

かめい⁴ 家名 (姓) family name [C], surname [C]. ¶*家名を汚す disgrace *one's family*

がめい 画名 (芸術家[画家]としての名声) fame as ⌈an artist [a painter] [U].

カメオ (浮彫りを施しためのう・貝殻など) cameo /kǽmiòʊ/ [C].

がめつい (けちな) stingy; (欲張りの) greedy. (☞ けち (類義語); よくばり).

かめのこ 亀の子 young ⌈tortoise [turtle] [C] (☞ かめ²). **亀の子だわし** scrubbing brush [C] **亀の子文字** (ひげ文字) German text [C].

かめのこう 亀の甲 (亀・かになどの甲ら) cárapace [C]; (べっこう) tortoiseshell [U]. ¶*亀の甲より年の功 Experience is the mother of wisdom. (ことわざ: 経験は知恵の母) / (⇒年をとるほど賢くなる) The older, the wiser.

カメハメハ — [名] 固 Kamehameha /kəméɪəméɪhɑː/ (the Great), 1758?–1819. ★ハワイ諸島の統一者. カメハメハ王朝初代の王.

かめむし 椿象 stinkbug [C].

カメラ camera [C] (☞ しゃしん).
¶この*カメラにはカラーフィルムが入っている This *camera* is loaded with color film. // きのうすばらしい夕陽を*カメラに収めた (⇒写真をとった) I took a ⌈picture [photograph] of the glorious sunset yesterday. // すみませんが*カメラのシャッターを押して下さい (⇒このカメラで私の写真をとって下さい) Sorry to trouble you, but will you please take my picture with this *camera*? [語法] 「シャッターを押す」は press [release] the shutter というが, 写真をとることを頼むときは上の表現のように言うほうがよい. // *カメラを向けたら子供たちは逃げてしまった The kids ran away when I aimed my *camera* at them. // 一眼レフ*カメラ a single-lens reflex *camera* / an SLR //

使いきり*カメラ a single-use *camera* // 35 ミリ*カメラ a 35-millimeter *camera* // テレビ*カメラ a ｢TV [television] *camera* // 胃*カメラ a gastrocamera // 彼は*カメラ (⇒ 写真) 狂だ He has a mania for *photography*.
カメラアイ camera-eye Ⓒ **カメラアングル** ¶ 異なった*カメラアングルから撮った 2 枚の写真 two photos taken from different *angles* **カメラ付き携帯** camera phone Ⓒ; (説明的には) cellphone with a built-in camera Ⓒ **カメラフェース** ¶ 彼は*カメラフェースが良い[悪い] (⇒ 写真うつりが良い[悪い]) He is ｢*photogenic* [*not photogenic*]. **カメラマン** (写真家) photógrapher Ⓒ; (新聞・映画・テレビの) cámeramàn Ⓒ **カメラ屋** camera ｢store [shop] Ⓒ **カメラリハーサル** camera rehearsal Ⓒ **カメラワーク** camerawork Ⓤ **カメラ割り** camera positioning Ⓤ.

コロケーション
カメラの焦点を…に合わせる focus *one's camera* on … / **カメラのフィルムを巻く** wind *one's camera* / **カメラの方を向く** face the *camera* / **カメラを…に向けてパチリと写す** snap *one's camera* at … // **インスタントカメラ** an instant *camera* / **映画撮影用カメラ** a movie *camera* / **オートマチックカメラ** an automatic *camera* / **軽量カメラ** a lightweight *camera* / **小型カメラ** a compact *camera* / **水中カメラ** an underwater *camera* / **赤外線カメラ** an infrared *camera* / **誰でも撮れるカメラ** a foolproof *camera* / **使い捨てカメラ** a ｢disposable [throwaway] *camera* / **デジタルカメラ** a digital *camera* / **電子カメラ** an electronic *camera* / **パノラマカメラ** a panoramic *camera* / **フィルム自動巻きカメラ** an auto-wind *camera* / **防犯カメラ** a security *camera*

カメリア 〘植〙 camellia /kəmíːljə/ Ⓒ.
カメルーン ━名 固 (the Republic of) Cameroon /kæ̀mərúːn/. ━形 Cameroonian. **カメルーン人** Cameroonian Ⓒ.
カメレオン 〘動〙 chameleon /kəmíːljən/ Ⓒ.
かめん[1] 仮面 mask Ⓒ (☞ ふくめん).
¶ *仮面を付ける put on a *mask* // *仮面を付けている wear a *mask* // *仮面をかぶる (⇒ 正体を隠す) put on a *mask* // *仮面をとる throw off [drop] *one's mask* // 彼女は友達という*仮面をかぶって私を裏切った She betrayed me under ｢a [the] *mask* of friendship. / (⇒ 友情を装って) She betrayed me ｢*in* [*under*] *the guise of* friendship. // 彼はその偽善者の*仮面をはいだ He *unmasked* the hýpocrite.
仮面うつ病 masked depression Ⓤ **仮面劇** masque Ⓒ.
かめん[2] 下面 the underside.
がめん 画面 (テレビ・映画などで映っている物) picture Ⓒ; (テレビ・映画などのスクリーン) screen Ⓒ. (☞ えいぞう). ¶ *画面のゆがみ *picture* distortion // (テレビの)*画面が暗すぎる [明るすぎる] The *screen* is too ｢dark [bright]. // *画面がぼけている (⇒ 画像は焦点が合っていない) The *picture* is out of focus. // *画面はバルコニーから大広間に変わった The *scene* changed from a balcony to a grand hall. // このテレビの*画面は 19 インチです This TV set has a 19-*inch screen*.
かも 鴨 (wild) duck Ⓒ 《複 ～, ～s》; (特に雄鴨を指すときは) drake Ⓒ; (だまされやすい人) 《略式》 easy mark Ⓒ, sucker Ⓒ; (攻撃しやすい人) fair game Ⓤ. (☞ めす[1] 語法; 動物の鳴き声 (囲み)).
¶ 彼は詐欺師たちのいい*かも (⇒ えじき) になった He fell *easy prey* to the swindler(s). // 彼らは観光客をいい*かもにする (⇒ いい獲物と見なす) They consider the tourists *fair game*. (☞ かもる)
鴨がねぎをしょってくる (⇒ 良いことは重なってくる) Good things come in groups **鴨南蛮** buckwheat noodles in soy soup with duck meat and scallions added ★ noodle は通例複数形.
かもい 鴨居 lintel Ⓒ.
がもう 鵞毛 (がちょうの羽) goose feather Ⓒ; (がちょうの綿毛) goose down Ⓤ.
かもく[1] 科目, 課目 subject (of study) Ⓒ (☞ 学校・教育 (囲み)). ¶ 英語は私の一番得意 [不得意] な*科目です English is my ｢strongest [weakest; poorest] *subject*. // 数学は私の好きな*科目だ Math [Mathematics; 《英》 Maths] is my favorite *subject*. // 彼女は全*科目で優を取った She got A's in all her *subjects*. / (⇒ 彼女は全優をもらった) She received straight As. (☞ ゆう[1]) 語法 文字, 記号の複数形は A's のようにアポストロフィを用いることが多いが, 例えばこの straight As の場合のように前後関係から誤解がないと判断する場合はなくてもよい. // 必修*科目 a ｢《米》 required [《英》 compulsory] *subject* // 選択*科目 an ｢elective [《英》 optional] *subject* // 試験*科目 an examination *subject* // 入試*科目 the *subjects* of the entrance exam(ination) // 専攻*科目 a major *subject* // 退屈な*科目 a dull *subject*
かもく[2] 寡黙 ━形 (性格的に無口な) réticent ★ 格式ばった語; (控え目な) reserved; (物静かな) quiet. (☞ むくち). ¶ *寡黙な人 a man of *few words*
かもじ 髢 switch Ⓒ.
かもしか 羚羊 (日本かもしか) Japanese serow /səróʊ/ Ⓒ; (れいよう) ántelòpe Ⓒ 《複 ～, ～s》.
かもじぐさ 髢草 〘植〙 (稲科の雑草) wheatgrass Ⓒ.
かもしだす 醸し出す ☞ かもす
-かもしれない 日英比較 推量を表す場合は普通, 助動詞 (may, might), 副詞 (perhaps, maybe) などを使ってその意味を表す. しかし, 日本語の「かもしれない」がいつもそのように英語と対応するとは限らないことに注意する必要がある. 例えば「それはそう*かもしれないが」が I agree with you on that point, but … (私はあなたにその点では同意するが) などという場合である. (☞ -だろう; おそらく (類義語)).
¶ あすは雪*かもしれない It *may* snow tomorrow. // それは本当*かもしれない It ｢*may* [*might*] be true. 語法 (1) might のほうがより控えめな言い方. / (⇒ 恐らくそれは本当です) *Perhaps* [*Maybe*] it is true. // それは本当だった*かもしれない It *may have been* true. 語法 (2) <*may have*＋過去分詞> は過去に対する推量を表す. // もしあの列車に乗っていたら会合に間に合った*かもしれない If I had taken the train, I *might have been* in time for the meeting. // 「彼の答えは正しいですよね」「そう*かもしれないね」 "His answer was correct, wasn't it?" "I *hope so*." 語法 (3) 「そうだと思う」という希望的観測. // あしたは雨*かもしれない (⇒ と思う) *I'm afraid* it will rain tomorrow. // 君の言うとおり*かもしれないな I *guess* you're right.
かもす 醸す (作り出す) produce 他; (新しいものを作り出す) create 他. (☞ つくる). ¶ 美しく着飾った女性たちは華やいだ雰囲気を*かもし出した The beautifully dressed women ｢*produced* [*created*] a cheerful atmosphere. // 大いに物議を*かもす *arouse* [*provoke*] (a) heated discussion
かもつ 貨物 freight /fréɪt/ Ⓤ; cargo Ⓤ ★ 具体的な積み荷は Ⓒ 《複 ～(e)s》; 《英》 goods ★ 複数形で.
【類義語】 長距離を大量に運送される貨物が *freight* または *cargo*. 《米》 では鉄道・トラックによる

ものを普通 *freight* と言い, 船によるものを *cargo* と呼んでいる. なお, 現在ではどちらも航空貨物にも用いられる. ⦅英⦆ では *freight* といえば船によるものを指し, 鉄道などの貨物は **goods** と言う. ⦅☞ にもつ; つみに⦆
¶ あの船は*貨物を輸送する That ship carries *freight*. / (⇒ 貨物船だ) That is a *freighter*. // その船は重い*貨物を積んでいた The ship was ⌈carrying [loaded with] (a) heavy *cargo*. // その品物は航空*貨物で送られた The goods were sent (by) air ⌈*cargo* [*freight*].
貨物駅 freight depot /díːpou/ Ⓒ, ⦅英⦆ goods station Ⓒ **貨物置場** freight yard Ⓒ **貨物自動車** ⦅米⦆ truck Ⓒ, ⦅英⦆ lorry Ⓒ **貨物車** (列車に連結されている) ⦅米⦆ freight car Ⓒ, ⦅英⦆ goods van Ⓒ **貨物船** freighter Ⓒ, cargo vessel Ⓒ **貨物輸送** freight transportation Ⓤ **貨物列車** ⦅米⦆ freight train Ⓒ, ⦅英⦆ goods train Ⓒ.

かものはし 鴨嘴 〔動〕 dúckbilled platypus /plǽtɪpəs/ Ⓒ.

カモフラージュ ☞ カムフラージュ

かもめ 鷗 〔鳥〕 (sea) gull Ⓒ ⦅☞ 動物の鳴き声 (囲み)⦆.

かもる 鴨る (人をだます) sucker ⊛, make a sucker of ...; (だまして物などを買わせる) dupe ⊛ ★ しばしば受身で; (信用させて巻き上げる) pigeon ⊛. ⦅☞ かも; だます⦆.

かもん¹ 家紋 family ⌈emblem [crest] Ⓒ; coat of arms Ⓒ 語法 emblem は家・国などの由来を象徴するデザインの紋章, crest は封印などに用いる紋章, coat of arms はかつて陣中着 (tabard) に描いた盾形の紋章.

かもん² 家門 ¶ *家門のほまれ (⇒ 家族の名誉) the pride of *the family*

かや¹ 蚊帳 mosquito net Ⓒ. ¶ *かやを吊って [はずして] 下さい Please ⌈put up [take down] the *mosquito net*.

かや² 茅 〔植〕 (チガヤ) cogón Ⓤ; (屋根ふきの材料) thatch Ⓤ.

がやがや ── 動 (互いに話す) talk ⌈to [with] each other ⓐ, talk together ⓐ ★ 日本語の「がやがや」は特に英訳する必要のないことが多い; (騒々しい) be noisy. ── 副 (声高に) loudly, loud. ⦅☞ ざわざわ; さわがしい; 擬声・擬態語 (囲み)⦆.
¶ 隣の部屋で数人の人が*がやがや話しているのが聞こえた I heard several people *talking* (⌈*to* [*with*] *each other*) in the next room.

かやく 火薬 gúnpòwder Ⓤ ★ 単に powder ともいう. **火薬庫** (powder) magazine Ⓒ **火薬類取締法** the Explosive Control Law.

かやくぐり 萱くぐり 〔鳥〕 Japanese accentor Ⓒ.

かやくめし 加薬飯 ☞ まぜごはん

カヤック (カヌーの一種) kayak /káɪæk/ Ⓒ 参考 元来はイヌイットが用いる皮張りの小舟.

かやつりぐさ 蚊帳釣草 〔植〕 galingale /gǽlɪŋgèɪl/ Ⓒ.

かやねずみ 萱ねずみ 〔動〕 harvest mouse Ⓒ ⦅複 ~ mice⦆.

かやば 茅場, 萱場 (屋根を葺く茅を刈る所) the place where thatch used as roofing material is cut and gathered ★ 説明的な訳; (採草地) meadow Ⓒ; (干し草用の牧草地) grassland for hay Ⓤ.

かやぶき 茅葺き ── 形 thatched ⦅☞ やね; ふく⁵⦆. ¶ *かやぶきの家 (⇒ 小屋) a *thatched* cottage / a cottage with a *thatched* roof ★ 後者は説明的な表現.

かやり 蚊遣り smudge Ⓤ.

かゆ 粥 (オートミールやほかの穀粒を牛乳または水でどろどろに煮たもの) porridge Ⓤ; (病人用などの薄い) gruel Ⓤ; (まずい水っぽい食べ物) slops ★ 通例複数形で. 悪い意味で使うことが多い. 日英比較 日本のかゆと同じものは英米にはないが, 米のかゆで濃いものは rice porridge,「いもがゆ」なら rice and potato porridge,「おもゆ」のように薄いものは rice gruel といえばよい. **粥腹** ¶ *粥腹でこの重いテーブルは動かせないよ I*'ve only had* (*rice*) *gruel*, so I can't move this heavy table.

かゆい 痒い ── 形 itchy. ── 動 (かゆみを覚える) itch ⓐ 語法 本人でなく, 身体の部分を主語とする. ⦅☞ かく²; むずむず⦆.
¶ 背中が*かゆい My back ⌈feels *itchy* [*itches*]. // *かゆい所をつめでかく scratch an ⌈*itchy* spot [*itch*] with *one's* fingernails // そんなことをしても私は痛くも*かゆくもない (⇒ そんなことは私を少しも悩ませない) That doesn't bother me at all. // 彼の説明は*かゆいところに手が届くようだった (⇒ それ以上は望むべくもなかった) His explanation *left* ⌈*nothing* [*little*] *to be desired*.

かゆがる 痒がる ¶ その子はおなかの発疹を*かゆがっている The child *complains of an itchy* rash on ⌈his [her] belly.

かゆみ 痒み itch Ⓒ ★ 普通単数形で用いる. **痒み止め** medicine to relieve itching Ⓤ.

かよい 通い ¶ *通いのお手伝いさん a ⌈*daily* [*live-out*] help ★ ⦅英⦆ では help は省略可 // 毎日, 図書館に*通いです I *go to* the library every day. // 病院*通いをする (⇒ ひんぱん[定期的]に行く) *go to* the hospital ⌈*frequently* [*regularly*]

かよいじ 通い路 path Ⓒ ⦅☞ みち¹⦆.

かよいちょう 通い帳 passbook Ⓒ.

かよいつめる 通い詰める go to [visit] ... very often; ⦅格式⦆ frequént ⊛. ¶ 彼は毎日のようにその書店に*通い詰めている He *goes to* the bookstore almost ⌈every day [daily].

かよいぶね 通い船 (川や港湾の連絡・雑役用はしけ) tender Ⓒ.

かよう¹ 通う **1** ⟪通学・通勤する⟫: go to [attend] (school) ★ 前者が口語的; (電車などで通う) commute to ... ⦅☞ つうがく; つうきん⦆.
¶ 彼の息子は東京の有名私立校に*通っている His son ⌈*goes to* [*attends*] a famous private school in Tokyo. // 私は歩いて学校に*通っている I *walk to* school. // 彼は会社に電車で*通っている He *takes* the train *to and from* his office. / He ⌈*commutes* [*goes*] *to* his office by train.
2 ⟪しばしば行く⟫: visit ... frequently, pay frequent visits to ... ¶ 彼は図書館に*通って古文書を調べている (⇒ 古文書を調べるために図書館をよく訪れる) He *frequently visits* the library to examine old documents. // *通い慣れた (⇒ いつもの) 道を行く take the *usual route*
3 ⟪気持ちが通じる⟫ ── 形 (心暖まる) heartwarming. ¶ 彼女から心の*通った手紙をもらった I received a *heartwarming* letter from her. // その二人の心は*通い合っている (⇒ 二人は愛し合っている) The couple *are in love with* each other.

かよう² 花葉 floral leaf Ⓒ.

かよう³ 可溶 ☞ かようせい

かよう⁴ 歌謡 (歌曲) song Ⓒ; (民間伝承の物語詩) bállad Ⓒ. ¶ *歌謡ショー a *song* show // アイルランドの現代*歌謡 contemporary *songs and ballads* of Ireland

かよう⁵ 仮葉 〔植〕 ── 名 phyllode /fíloud/ Ⓒ. ── 形 phyllodial.

かようきょく 歌謡曲 popular song Ⓒ.

がようし 画用紙 drawing paper Ⓤ.

かようせい 可溶性 ── 名 sòlubílity Ⓤ. ── 形 sóluble.

かようび 火曜日 Tuesday《略 Tue., Tues., Tu.》《☞ 時刻・日付・曜日 (囲み); 略語 (巻末); にちようび》.

かよく 寡欲 ―形 unselfish. ―名 unselfishness U.

がよく 我欲 ―名 egoism U. ―形 self-seeking.

かよわい か弱い (虚弱な) weak; (無力で頼るものがない) helpless. 《☞ よわい¹; きゃしゃ》.
¶ *か弱い子供たちに対する犯罪は許せない Crimes against *helpless* children are unpardonable. // 母は*か弱い女の細腕で (⇒ 少ない収入をもとに人に頼らず) 3人の子供を育てた My mother has brought up three children on *a small income* all by herself.

かよわす 通わす ¶ 彼らは子供を私立学校に*通わせている They *send* their children to a private school.

から¹ 空 ―形 (中に何も入っていない) empty (↔ full). ―動 (空にする) empty 他; (空になる) become empty, be emptied. ―名 emptiness U. 《☞ あける¹》. ¶ その箱の中は*空です The box is *empty*. / (⇒ 何もない) There is *nothing* in the box. // 行ってみたら教室は*空だった I found the classroom *empty*. / (⇒ だれもいなかった) I found no one in the classroom. // 彼女はそのバケツを*空にした She *emptied* the bucket.

から² 殻 (穀物の) husks ★ 通例複数形で; (特に豆などの) hull C; (貝・卵・果物の堅い殻) shell C; (特に卵の) eggshell C; (木の実の) nutshell C. 《☞ さや¹; いね (挿絵)》.
¶ 彼は自分の*殻に閉じこもり (⇒ 引きこもり) がちだ He tends to withdraw into ⌈his *shell* [*himself*]. // 自分の*殻から抜け出す come out of *one's shell* / break out of *one's mold* // 古い*殻を打ち破る (⇒ 慣習的な考えを捨てる) dismiss ⌈*conventional* [*outmoded*] *ideas* // 豆 [ピーナツ, かき] の*殻を取る *shell* ⌈beans [peanuts; oysters] // もみの*殻を取る *hull* rice // くるみの*殻を割る *crack* a walnut

から³ 唐, 漢, 韓 ―名 固 (古く中国を指した) China; (古く朝鮮半島を指した) the Korean Peninsula.

-から 1 《場所の起点を示す》: from …; off …; out of … 語法 (1) 運動などの出発点を表して to に対するのが from. ある場所から離れることを示し, on に対するのが off. 外に向かって離れることを強調するのが out of. 以上のほかに, 日本語の「…から」は at, in, through などで表されることもあり, また, 前置詞を用いずに日本語とは違う発想で表されることもある.
¶ 私たちは東京*から大阪へ行きました We ⌈went [traveled] *from* Tokyo to Osaka. 日英比較 常に from が先で to は後にくる. 日本語には「…へ…から」という語順もあるので注意を要する. / (⇒ 東京をあとにして大阪へ発った) We left Tokyo for Osaka. //「どこ*から来たのですか」「日本*からです」"Where did you come *from*?" "(I came *from*) Japan." 語法 (2) これは直前の出発点をきいているので, 必ずしも出身地だけを意味しない. はっきりと出身地をきくときには次のように言う "Where are you *from*?" "I'm *from* Japan." // 彼は海外*から帰ってきた He has returned *from* abroad. // 彼女は私を上*から見下ろした She looked at me *from* above. 語法 (3) from の後には普通は名詞が用いられるが, 以上2例のように副詞が, また次の例のように前置詞＋名詞 [代名詞] が用いられることもある. // 彼は塀の向こう*から現れた He came out *from* behind the wall. // 私はこの車を彼*から買った I bought this car *from* him. // 太郎ははしご[木]*から落ちた Taro fell ⌈*off* the ladder [*out of* the tree]. // 男は馬[バス]*から降りた The man got *off* the ⌈horse [bus]. 語法 (4) 公共の乗り物・馬などから降りるのは get off …; 乗用車・ボートなどから降りるのは get out of … // 彼は車*から降りた He got *out of* ⌈a [the] car. // 窓*から手を出すな Don't put your hand *out* (*of*) the window. // ここ*から出ていってくれ Get *out of* here! // 牛乳をパック*から飲んではいけません Don't drink milk ⌈*out of* [*from*] ⌈a [the] carton. // 太陽は東*から昇る (⇒ 太陽は東に昇る) The sun rises *in* the east. 語法 (5) in に注意すること. // 駅*からタクシーに乗った (⇒ 私は駅でタクシーに乗った) I caught a taxi *at* the station. // きょうは10ページ*から始めましょう (⇒ 10ページで始める) Let's begin *on* page 10. // 彼女は表通り*から離れた家を買った She bought a house *off* the main road. // 裏門*から入って下さい (⇒ 裏門を使って下さい) Please use the back gate. / Enter ⌈*at* [*through*] the back door. ★ 第2文は第1文より格式ばった表現. // だれ*からそれを聞いたのか (⇒ だれがそれをあなたに言ったのか) Who told you about it? // そのことは彼*から聞いた (⇒ 彼がそのことを私に言った) He told me about it. / (⇒ 私は彼からそれを知った) I learned (about) it *from* him. //「だれ*から先に始めますか」「私が先にやりますが, 何*から始めたらよいですか」"Who begins first?" "I do, but ⌈what shall I begin *with* [(⇒ どのように始めたら) how shall I begin]?"

2 《時間》: from …; since …; after … 語法 (1) 時間や順序の起点を示すのには時制に関係なく from を用いる. 過去の一定の時からの継続を示すには since を現在完了形とともに用いる.「ある特定の時の後」を示すには after.
¶ 私は朝8時*から夜9時まで働いている I work *from* eight in the morning ⌈till [to; until] nine at night. // 私は子供のとき*から彼を知っている I've known him ⌈*from* the time [*since*] he was a child. // 店は月曜日*から土曜日まで毎日開いています Our store is open (*from*) ⌈Monday to Saturday [《米》Monday through Saturday; 《英》Monday (through) to Saturday]. 語法 (2) 場所・時間などで「…から…まで」は from … ⌈to [till] … で表されるが, 特に慣用的に使われる言い方では名詞に冠詞を付けないことがある. ((例) 朝*から夜まで *from* morning till night) // 生まれて*から死ぬまで *from* birth till death ★ ただし「揺りかご*から墓場まで」は *from* the cradle to the grave. // 端*から端まで *from* end to end // 花*から花へ *from* flower to flower // 頭のてっぺん*から足の先まで *from* head to foot // 始め*から終わりまで *from* beginning to end) // 彼が死んで*からもう5年になる (⇒ 彼は5年間死んでいる) He has been dead for five years. / (⇒ 彼が死んでから5年が過ぎた) It is five years [Five years have passed] *since* he died. 語法 (3) 年数を主語にするとやや改まった言い方となる. // 夏休みは7月21日*から始まる The summer vacation begins *on* July 21(st). 語法 (4) begin の後は on, in, at は使えるが, from は使えない. // あした*から新学期だ (⇒ 新学期はあした始まる) The [Our] new term begins tomorrow. // 10月10日*から新料金実施《掲示》New fares (will be in effect) (⌈*starting* [*as*]) *from* October 10. //「今夜はいつ*からお暇ですか」「8時*からあいています」"When will you be free this evening?" "(I'll be free) ⌈*after* [*from*] eight." // あす*から毎朝6時に起きます I'll be getting up at six every morning *starting* tomorrow. //「店は何時*からやっていますか」「朝10時*からです」"When do you open?" "(*At*) ten in the morning." ★ 店の人に尋ねる場合.

3 《原因・理由》 ―接 because …; since …; as

…; for … —前 because of …; for … 語法 (1) 最も一般的で，明確に理由を表す接続詞は because で，口語でも文語でも用いられる．前置詞の because of は内容的には because と同じ．because に次いで強く理由を表す接続詞は since で，文頭に置くのが普通．理由というよりは付帯的な状況を表し，「たまたま…だったので…」という感じの言葉が as．従って明らかに理由を述べる文では as は使わずに because を使うのが普通である．「…というのは」という感じで，前に来る節の内容に付随して，追想的に理由を述べるのが接続詞の for．この語は文語的で口語では使わないほうがよい．for の直前にはコンマを打つ．前置詞の for は口語でも用いられる．(☞ -ので).

¶「なぜ来なかったの」「とても忙しかった*からです」"Why didn't you come?" "(*Because*) I was very busy." // 雨が降った*からピクニックは延期になった The picnic was put off「*because of* the rain [*because* it rained]. // もう遅い*から失礼いたします I must say good-by(e) now. It's getting late. 語法 (2) 口語ではこのように理由を表す接続詞を省くこともある. // だれも私の提案に賛成しない*からやめに[撤回]します *Since* no one agrees with my proposal, I'll「give up on [withdraw] it. ★ give up on … はくだけた表現. // 遅くなった*からタクシーに乗った *As* I was late, I took a taxi. 語法 (3)「タクシーに乗ったのは遅くなったからです」とその理由を明確にしたいときは I took a taxi(,) *because* I was late. とする. // 彼は恐ろしいとは思わなかった．というのは彼は勇気のある男だった*からである He felt no fear, *for* he was a brave man. // その仕事を終えた*から帰ってもいいよ *Now* (*that*) you have finished「the [your] work, you may go. 語法 (4) now that は「…となったいまでは」というように，時に関係のある理由を表す. // そこで辞書がいるかもしれない*から1冊持っていきなさい Take a dictionary with you *in case* you need one there. 語法 (5) in case は「もし…だといけないから」と用心を表す.

4《動機》: out of …, from … ¶私はほんの好奇心*からそれをしたのです I did it just *out of* curiosity. // 彼はそれを義務感*からではなく，自分*からしたのです He did it(,) not *from* a sense of duty(,) but of his own accord. ★ of *one's* own accord は「自発的に」という意味の慣用句.

5《標準・見地・根拠》: from … ¶私の考え*からすると (⇒私の考えでは) それは間違っている *In* my opinion(,) it is wrong. // 科学的観点*からはそれはありえないことである *From*「the [a] scientific point of view, it is impossible. / (⇒科学的にはそれは不可能だ) Scientifically speaking, it is impossible.

6《原料・材料》: of …; from …; out of … 語法 (1) 原則として，of は「材料」を，from は「原料」を表す．従って，作られた物を見て，材料が常識的に明らかにわかる場合，例えば「絹で作られたドレス」とか，「ガラスで作られた容器」とかいう場合には of を用い，米やぶどうから作られた「酒やぶどう酒」には from を用いる．この相違は of と from の元来の意味の違いからきている．すなわち，of は「材料」や「内容物」を示す前置詞であるのに対して，from は「出発点」や「原点」を示す前置詞なのである．しかしながら，酒・ぶどう酒など技術的加工の末，原料が完全に姿を変えている場合は別として，「木やれんがでできている家」など，どっちつかずの場合は of, from のいずれでもよいことが多い．特にこの傾向はアメリカ英語に強い．しかもその傾向がさらに拡大されており，上にあげた「絹のドレス」や「ガラスの容器」でも，from を用いてもおかしくない．out of は of の強められた形であるが，特に形が明らかに変わる場合，例えば粘土かられんがを作るとか，紙で飛行機を作るとかいう場合に用いられる． その反対は into であって，「我々は粘土かられんがを作る」We make bricks *out of* clay. は Clay is made *into* bricks. と内容的には同じである.

¶酒は米*から作る Sake is made *from* rice. / They make sake *from* rice. // それは何*からできていますか What is it made *of*? 語法 (2) 質問では of と from の区別はせずに，一般的にこの形をとる. // 我々は石油*からいろいろな物を作る We make a great many things *out of* petroleum.

7《離脱の起点》: off …, from …. ¶あの男*から目を離すな Don't take your eyes *off* that man. // 彼は仕事の重圧*から逃避した He has「run away *from* [escaped (*from*)] the heavy pressure of work. ★［ ］内のほうがやや格式ばった表現.

がら¹ 柄 **1**《模様》: (装飾の型) páttern Ⓒ; (小さい幾何学的な柄) figure Ⓒ; (形・色を含めた全体的な) design Ⓒ. (☞ もよう 語法).

¶この服の*柄はおもしろい The「*figures* [*designs*] on this dress are interesting. // この壁紙は少し*柄が派手です I think the *design* of this wallpaper is a little overstated. // ほかの*柄を見せて下さい Please show me other *patterns*. // 縞*柄 a striped *pattern* // 入り組んだ*柄 an intricate *pattern* // 小さな*柄のネッカチーフ a neckerchief with small *figures* // 大*柄 a large *pattern*

2《体格》: build Ⓤ (☞ こがら¹; おおがら). ¶彼は大*柄な人です (⇒彼は大きな作りの人です) He is a man of large *build*. // 小*柄な女性 a *small* woman

3《身分・性質・品格》 ¶私はこんな仕事は*柄ではない (⇒私はその仕事に適当な人間ではない) *I'm not the right person* for the job. // 彼は*柄が悪い (⇒彼は低級である) He is「*vulgar* [《英》*common*]. / (⇒粗野で下品である) He is「*rough* [*churlish*]. / (⇒彼は行儀の点で粗野である) *He has coarse manners*. // ここは土地*柄が悪い People in this district are *coarse*. // 彼は*柄にもなく赤くなった (⇒赤くなったのは彼らしくなかった) It was *not like him* to blush.

がら² 殻 (スープ用鳥がら) chicken bones for soup.

ガラ (お祭り) gala /géɪlə/ Ⓒ. **ガラ公演** gala performance Ⓒ **ガラコンサート** gála cóncert Ⓒ.

-がら …柄 ★ 英語には特定の訳語はない．文脈から意訳する必要がある. ¶彼は刑事という職業*柄目つきが鋭い *Being* a detective, he has a sharp eye. // 場所*柄もわきまえず (⇒…に関係なく) 大声で話す talk in a loud voice *regardless of* the occasion

カラー¹ (色) color (《英》colour) Ⓒ ★ 絵の具のときは colors (《英》colours) と複数形にする. (☞ いろ).

¶「その映画は*カラーですか」「そうです」"Is that movie in *color*? / Is that a *color* movie?" "Yes, it is." // 私達のスクール*カラーは黒と赤です Our school *colors* are black and red. // ローカル*カラー local *color*

カラーアナリスト color analyst Ⓒ **カラーアレンジメント** color arrangement Ⓤ **カラーコーディネーション** color coordination /kouɔ̀ədənéɪʃən/ Ⓤ **カラーコーディネーター** color coordinator /kouɔ̀ədənèɪtə/ Ⓒ **カラーコーン** (路上に置く円錐形の道路標識) traffic cone Ⓒ **カラーコンディショニング** color conditioning Ⓤ **カラーサークル** color circle Ⓒ **カラージーンズ** colored jeans ★ 複数形で. **カラー写真** color「photo [picture] Ⓒ **カラー柔道着** colored judo uniform Ⓒ **カラースキャナー** color scanner Ⓒ **カラーストッキング** colored stockings ★ 通例複数形で．数えるときは a pair of …, two pairs of … **カラースプレー** spray paint Ⓤ **カラースライド** (color) slide Ⓒ **カラーセラピー** color therapy Ⓒ **カラーチャート** color chart Ⓒ **カラーディス**

プレイ color display Ⓒ カラーテレビ color ⌈television [TV] Ⓤ ★受像機のときは Ⓒ. カラー(テレビ)放送 color broadcast Ⓒ カラーフィルム color film Ⓒ カラープリンター cólor prínter Ⓒ カラーボール colored ball Ⓒ カラーポジティブフィルム color positive film Ⓒ カラーマネジメント cólor mànagement Ⓤ カラーリバーサルフィルム color-reversal film Ⓒ カラーリンス(毛染め) rinse Ⓤ, hair dye Ⓤ.

カラー² (衣類のえり) collar Ⓒ (☞ えり (挿絵)). カラーボタン collar button Ⓒ.

カラー³ 〖植〗 calla /kǽlə/ Ⓒ.

がらあき がら空き ── 形 almost empty (☞ すく¹). ¶ その列車は*がらあきだった (⇒ ほとんどからだった) I found the train *almost empty.* / (⇒ 列車に乗っている客はごく少なかった) There were *very few* passengers aboard the train.

からあげ 空揚げ (じゃがいものからあげ) French-fried potatoes, (French) fries, 《英》 chips ★複数形で; (とりのからあげ) fried chicken Ⓤ. (☞ フライ¹; 料理の用語 (囲み)).

カラード ── 形 (有色人種の) colored.

からあや 唐綾 Chinese brocade Ⓤ.

カラーリング coloring Ⓤ.

からい 辛い (口の中がひりひりするように) hot; (舌を刺すように) pungent, spicy ★前者のほうが格式ばった語; (塩辛い) salty; (比喩的に厳しい) severe, strict. ¶ メキシコ料理は一般に*辛い Mexican food is usually ⌈*hot* [*spicy*]. // きょうのスープは*辛すぎる (⇒ 塩辛すぎる) Today's soup is too *salty.* // 田中先生は点が*辛い (⇒ 点を付ける上で厳しい) Mr. Tanaka is ⌈*severe* [*strict*] in ⌈marking [evaluating his students].

からいけ 空生け (生け花の) *kara-ike* Ⓤ; (説明的には) flówer arràngement without using water Ⓤ.

からいと 唐糸 (中国伝来の糸) Chinese yarn Ⓤ; (唐糸で織った織物) Chinese yarn goods ★複数形で.

からいばり 空威張り ── 名 (弱いのに強がること) bravádo Ⓤ; (声高に脅かすこと) bluster Ⓤ; (はったり) bluff Ⓤ. ── 動 bluster ㊀; bluff ㊀. (☞ いばる).

からいも 唐芋 ☞ さつまいも

からいり 乾煎り ── 動 dry-roast (in a pan) ㊉. ── 形 dry-roasted. (☞ 料理の用語 (囲み)).

からうた 唐歌 ☞ かんし³

からうり 空売り 〖株〗 short sale Ⓒ.

からえ 唐絵 Chinese-style painting Ⓤ (☞ やまと (大和絵)).

からおくり 空送り ¶ フィルムを*空送りする *wind* /wáɪnd/ (the) film (to get the first frame ⌈in [into] position)

カラオケ (歌うこと) karaoke /kæ̀rióʊki/ Ⓤ, singalong Ⓤ; (装置) karaoke [singalong] machine Ⓒ. カラオケ著作権 copyright to a karaoke song Ⓒ カラオケボックス kàraóke bòx Ⓒ.

からおり 唐織り Chinese brocade Ⓤ; (説明的には) heavy brocade for garments, originally from China Ⓤ.

からがい 空買い 〖株〗 fictítious púrchase Ⓒ.

からかう (わざとうそを言ったり, いやがらせを言ったりして) tease ㊉, 《略式》 kid ㊉, 《略式》 pull *a person's* leg; (いたずらをする) play a ⌈trick [practical joke] on ...; (笑いものにして) make fun of ... (☞ ひやかす). ¶ 彼は*からかっているんだよ He'*s* ⌈*teasing* [*kidding*] you. / He'*s pulling your leg.* // 私たちは彼を*からかった We *played a* ⌈*trick* [*practical joke*] *on* him. // 彼らは私を*からかった (⇒ 笑いものにした) They *made fun of* me.

からかさ 傘 oiled-paper umbrella Ⓒ.

カラカス ── 名 固 Caracas /kərǽkəs/ ★ベネズエラの首都.

からかぜ 空風 ☞ からっかぜ

からかぶ 空株 〖株〗 fictitious stock Ⓒ.

からかみ 唐紙 Japanese sliding ⌈screen [door] Ⓒ (☞ ふすま¹).

からから ── 形 (のどが渇いた) thirsty; (乾いて水気がない) dry. ── 動 (干上がっている) be dried up, (干上がる) run dry. (☞ 擬声・擬態語 (囲み)). ¶ 私はのどが*からからだ (⇒ 私はたいへんのどが渇いている) I'm very *thirsty.* // 田んぼは水がなくて*からからです (⇒ 田んぼは完全に干上がっている) The rice fields ⌈*are* [*have*] *entirely dried up.* // 昨年の夏は貯水池が*からからになった (⇒ 貯水池は干上がった) The reservoir *ran dry* last summer.

カラカラ ── 名 固 Caracalla /kæ̀rəkǽlə/, 188–217. ★ローマ皇帝. カラカラ浴場 the Baths of Caracalla.

がらがら ── 形 (がらあき) almost empty. ── 名 (おもちゃ) rattle Ⓒ; (音) rattle Ⓒ; (皿などがぶつかり合う音) clatter Ⓤ. ── 動 rattle ㊀, clatter ㊀. (☞ がらあき; 擬声・擬態語 (囲み)).

がらがらへび がらがら蛇 〖動〗 rattlesnake Ⓒ, rattler Ⓒ.

からきかん 空期間 the ⌈(payment-)exempt period [period of non payment of premiums] included in the calculation of an annuity ★年金計算上年金制度に加入していなかった期間でも受給資格期間に算入される期間.

からきし (まったく…でない) not ... at all; (まったく) quite. (☞ ぜんぜん; まったく; すこしも 語法). ¶ 私はスキーは*からきしだめだ (⇒ ぜんぜんできない) I ca*n't* ski *at all.* // 英語は*からきしだめです (⇒ 私は英語はまったく弱い) I'm *very* ⌈poor [bad] ⌈in [at] English.

からくさもよう 唐草模様 àrabésque ⌈páttern [desígn] Ⓒ.

からくじ 空くじ blank (ticket) Ⓒ (☞ くじ). ¶ 私のは*空くじだった I've got a *blank ticket* in the lottery. / (⇒ 空くじを引いた) I drew a *blank* in the lottery. // *空くじなし no *blanks*

がらくた (どうにもならないくず) 《略式》 junk Ⓤ ★役立たないものの比喩にも用いられる; (使い古した道具) worn-out ⌈furniture Ⓤ [articles]; (半端なもの) odds and ends. (☞ くず¹; はいひん).

からくち 辛口 ── 形 (食べ物が) hot; (酒・ぶどう酒などが) dry. (☞ からい). ¶ *辛口のぶどう酒 *dry* wine // *辛口の (⇒ 辛辣な) 書評を目にし, その本の著書はかっとなった When the author read the *acerbic* /əsə́ːbɪk/ criticism of his book, he exploded in rage.

ガラクトース 〖化〗 galactose /gəlǽktoʊs/ Ⓤ.

からくも 辛くも (やっと) narrowly; (かろうじて) barely. (☞ やっと; かろうじて).

からくり (機械の仕組み) (the) works, méchanìsm Ⓒ ★後者はやや改まった語; (工夫された道具) device Ⓒ; (計略・ごまかしの) trick Ⓒ. (☞ しくみ; しかけ). ¶ 私はこの古い時計の*からくりを知っている I know *the* ⌈*works* [*mechanism*] of this old watch. // 裏に何か*からくりがあるに違いない There must be some *trick* behind the scenes. からくり仕掛け mechanism Ⓒ からくり人形 mechanical doll Ⓒ.

からぐるま 空車 ☞ くうしゃ¹

からくれない 唐紅, 韓紅 crimson Ⓤ.

からげいき 空景気 false prosperity Ⓤ (☞ けいき¹).

からげる (荷物などをひもで) tíe úp ㊉; (2 つのものを

結びつけて) bind (他); (衣服のすそを) túck úp (他). (☞ しばる; まくる).

からげんき 空元気 (見せかけの勇気) show of courage [C]; (虚勢) bravádo [U].

からごころ 漢心, 唐心 the Chinese spirit ★ 大和心[魂]に対する言葉.

カラコルム ── [名] (固) (カシミール地方北部の山脈) Karakorum, Karakoram /kɑ̀ːrəkɔ́ːrəm/.

ガラコンサート ☞ ガラ

カラザ (卵帯) chalaza /kəléɪzə/ [C].

からざお 殻竿 flail [C].

からさわぎ 空騒ぎ much ado about nothing [U]; (茶碗の嵐) tempest in a ˹teapot [teacup] [C]. ¶ *空騒ぎするな Don't *make* ˹*a fuss* [*much ado*] *about nothing*.

からし 芥子, 辛子 mustard [U]. ¶ れんこんの*からし和(あ)え lotus root with a dressing of soy sauce and *mustard* // きゅうりの*からし漬け cucumber pickled in *mustard* **芥子油** mustard oil [U].

からじし 唐獅子 (ライオン) lion [C]; (装飾的な) artistic rendering of a lion [C].

からしな 芥子菜 〘植〙 mustard [C].

からしめんたいこ 辛子明太子 cod roe pickled in Japanese red pepper [U].

からしゅっちょう 空出張 fictítious búsiness trìp [C].

からしれんこん 芥子蓮根 fried lotus root with mustard [U].

からす[1] 烏 〘鳥〙 crow [C]; (大がらす) raven /réɪv(ə)n/ [C]. (☞ 動物の鳴き声 (囲み)).
烏天狗 ☞ 見出し **烏の足跡** (目尻にできるしわ) crow's-foot [C] (複 -feet) ★ 通例複数形で. **烏の行水** ── [動] take [have] a quick dip in the bath **烏の濡れ羽色** ¶ 彼女の髪は*烏の濡れ羽色をしている Her hair is *glossy and black*. / She has ˹*raven* [*jet-black*] hair. (☞ からすばいろ; ぬればいろ)

からす[2] 枯らす kill (他); (水分の不足でしぼませる) wither (他) ★ 前者が一般的. 後者はやや改まった語で, 必ずしも完全に枯らしてしまうことは意味しない. (☞ かれる[1]). 日英比較 日本語では, 人・動物を「殺す」, 植物を「枯らす」というが, 英語では両方に kill を用いる. 従って, 日英の意味の重なり方は下図のようになる.

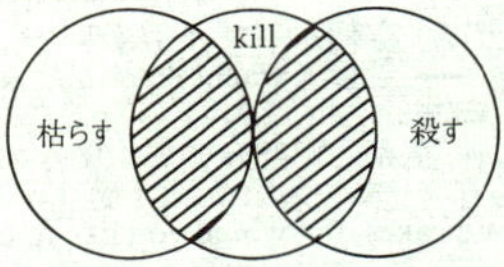

¶ 害虫は大木さえ*枯らすことがある Vermin may *kill* even big trees. // 花に水をやるのを忘れて*枯らしてしまった (⇒ 花は枯れた) The flowers *have withered*(,) because I ˹forgot [have forgotten] to water them.

からす[3] 嗄らす (しゃがれ声になる) get [become; be] hoarse ★ be を用いると状態. (☞ かれる[3]). ¶ 彼は声を*嗄らした (⇒ 彼の声は嗄れた) His voice *became hoarse*. // 私は声を*嗄らして (⇒ しゃがれ声になるまで) 叫んだ I shouted myself *hoarse*.

からす[4] 涸らす (水をなくす) drý úp (他); (使い果たす) exhaust (他). (☞ かれる[2]). ¶ 彼らはその井戸を*涸らしてしまった (⇒ 水を使い果たした) They *have exhausted* the well. // その問題をとことんまで話し合ったので話題を*涸らしてしまった Since we had exhausted the subject, we *had nothing more to talk about*.

カラス ── [名] (固) Maria Callas, 1923–1977. ★ 米国生まれのソプラノ歌手.

ガラス glass [U] (☞ 数の数え方 (囲み)); (窓ガラス) wíndowpàne [C]. ¶ *ガラスは割れやすい *Glass* breaks easily. // *ガラスの破片 a piece of broken *glass* // 父は私が割った窓*ガラスを直した My father fixed the *windowpane* that I had broken. // 窓に*ガラスを入れる put *glass* in a window // *ガラス戸付きの本箱 a *glass*-fronted bookcase
ガラス板 glass plate [C] **ガラスウール** gláss wóol [U] **ガラス器** glassware [U] **ガラス切り** glass cutter [C] **ガラス工場** glassworks ★ 複数または単数扱い. **ガラス細工** glasswork [U] **ガラス質** ── [形] vitreous /vítriəs/ [A] **ガラス職人** glassmaker [C], glassworker [C]; (ガラス吹きの) glassblower [C] **ガラス製品** glassware [U] **ガラス繊維** glass fiber [U] **ガラス玉** (ビーズ) glass bead [C]; (ビー玉) marble [C] **ガラス戸** glazed door [C] **ガラス張り** ── [動] (ガラスを入れる) glass in (他), glaze (他). ¶ 我々の取り引きはすべて*ガラス張りだ (⇒ 隠し立てはない) All our dealings are *open and aboveboard*. **ガラス瓶** glass bottle [C] **ガラスブロック** 〘建〙 gláss blòck [C] **ガラス屋** (人) glazier /gléɪʒə/ [C]; (店) glass store [C].

コロケーション
厚ガラス heavy [thick] *glass* / 網入り板ガラス wire [wired] *glass* / 安全ガラス safety *glass* / 片面ガラス (内側からしか見えないガラス) one-way *glass* / 曇りガラス frosted *glass* / 硬化ガラス hardened *glass* / 着色ガラス tinted *glass* / 透明ガラス transparent *glass* / 不透明ガラス opaque *glass* / 防弾ガラス bulletproof *glass*

からすあげは 烏揚羽 〘昆〙 black swallowtail (butterfly) [C].

からすうり 烏瓜 snake ˹gourd [cucumber] [C].

からすがい 烏貝 fréshwater mússel [C].

からすぐち 烏口 drawing pen [C].

からすてんぐ 烏天狗 Japanese crow-billed goblin [C] (☞ てんぐ).

からすばいろ 烏羽色 ── [名] jet black [U]. ── [形] jet black, raven [A]. ¶ 彼の髪は*烏羽色だ His hair is *jet black*. // 彼女はいつも*烏羽色の髪を三つあみにしている She always wears her *raven* hair in braids.

からすばと 烏鳩 〘鳥〙 Japanese (black) wood pigeon [C].

ガラスばり ガラス張り ☞ ガラス (ガラス張り)

からすへび 烏蛇 Japanese black rat snake [C].

からすみ 鱲子 (食品) botargo /bətɑ́ːgoʊ/ [C] (複 ~es, ~s), dried mullet roe [U].

からすむぎ 烏麦 〘植〙 oats ★ 通例複数形.

からせき 空咳 dry cough [C]. ¶ *からせきがでる have a *dry cough*

からせじ 空世辞 flattery [U] (☞ おせじ).

がらぞめ 柄染め (模様の染め出し) pattern dyeing [U]; (模様を染め出した織物) pattern-dyed ˹fabric [cloth] [U] ★ fabric は [C] にもなる.

からだ 体 **1** 《身体》: body [C] 語法 (1) 最も一般的な語で, 広い意味では身体全部, 狭い意味では胴体の部分をいう名称. 体格・骨格などは意味しない; (体の造り) build [U] ★ 具体的な事例は [C]; (特に男性の骨格・筋肉などについての体格) physique /fɪzíːk/ [C]; (体型) figure [C]; (頑丈・虚弱などの体質) constitution [C] ★ やや格式ばった語; (骨格) frame [C]. (☞ こっかく; たいかく[1]; しんたい[1]).
¶ 彼は*体も心も健康だ He is healthy in mind and *body*. ★ 英語ではこの語順になる. // *体に栄養をつける nourish *one's body* // 見事な*体 a magnificent *body* // 若々しい*体 a young *body* // 私は*体があまり強くない I am ˹not very strong [rather weak].

語法 (2) これらの表現のほうが My *body* is not very strong. あるいは I have a weak *body*. より普通. ‖ *体中が痛い I have aches and pains *all over*. ‖ 彼は*体ががっしり [すらり] としている He has a ˹sturdy [slender] *build*. ‖ 彼はすばらしい*体をしている He has a wonderful *physique*. ‖ 少し*体を動かさなくては (⇒ 運動をしなくては) だめだ You must ˹get [take] some *physical* exercise. ‖ 湯船に入る前に*体をよく洗いなさい Wash (*yourself*) well before getting into the tub. 語法「体を洗う」という日本語にひかれて wash *one's* body とはしないこと. wash *oneself* で「体を洗う」に当たる. ‖ 私も年だ. *体が言うことを聞かない (⇒ 無理がきかない) I'm too old to *push myself*.

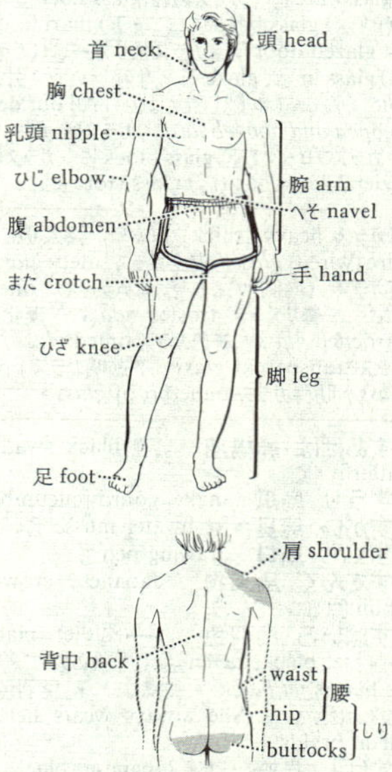

2 《健康》: health Ⓤ; (状態) 《略式》 shape Ⓤ. (☞ ぐあい).

¶ 私は*体の具合がよい [悪い] I'm in ˹good [bad; poor] *health*. ‖ 私は*体の調子がよい [悪い] I'm in ˹good [bad] *shape*. ★ 口語的. ‖ どうぞお*体を大切に Please take (good) care of *yourself*. 語法 普通は病人に対する見舞いの言葉として言われる. ‖ 喫煙は*体によくない Smoking is ˹not good [bad] for the *health*. ‖ 過労で*体をこわした (⇒ 過労で健康が損なわれた) My *health* broke down from overwork. ‖ 私は*体の丈夫なのだけが取り柄だ Good *health* is my only asset.

体で覚える ¶ *体で覚えるまで (⇒ 機械的にできるまで) 練習しなさい Practice until you can do it *automatically*. **体を売る** ¶ 彼女は生きるために*体を売らなければならなかった She had to *sell herself* to live. **体を張る** ¶ 彼は*体を張って (⇒ 健康を犠牲にして) 一家を支えた. He supported his family *at the* ˹*sacrifice* [*expense*] *of his health*. **体を許す** ¶ その女性は若い芸術家に*体を許した The woman *gave herself to* a young artist.

—コロケーション—
体の調子を整える condition *one's body* / **体を動かす** (体操をして) exercise *one's body* / **体を鍛え上げる** build up [strengthen] *one's body* / **体を健康な状態に保つ** keep *one's body* in good condition / **体を楽にする** relax *one's body* ‖ **堅く締まった体** a firm *body* / **きゃしゃな体** a fragile *figure* / **強健な体** a ˹powerful [strong] *body* / **均整のとれた体** a well-shaped ˹*body* [*figure*] / **筋肉質の体** a muscular *body* / **健康な体** a ˹healthy [fit] *body* / **しなやかな体** a ˹supple [lithe] *body* / **すらっとした体** a ˹slim [slender] *body* / **ずんぐりした体** a tubby [stubby; rotund] *body* / **ひきしまった体** a trim ˹*body* [*figure*] / **痩せた体** a ˹lean [slim] *body*

からだき 空焚き ¶ やかんを*空だきする (⇒ 空のやかんを熱する) *heat* an *empty* kettle

からたけわり 幹竹割り — 動 cut [chop] ... straight down ⑩.

からたち 枳殻 〔植〕 trifoliate /traɪfóuliət/ orange Ⓒ.

からたちばな 唐橘 〔植〕 *Kara-tachibana* Ⓒ; (説明的には) a myrsinaceous /mɑ̀ːsənéɪʃəs/ évergrèen shrúb with coral-red berries, often grown as a garden plant.

からだつき 体付き (骨格) build Ⓤ ★ 具体的な事例は Ⓒ; (格好・姿) figure Ⓒ. ¶ 筋肉質の*体つき(の人) (a person of) muscular *build* ‖ 痩せた[とても痩せた]*体つき(の人) (a person of) ˹thin [skinny] *build* ‖ がっしりした*体つきの男 a man of strong *build* ‖ 私たちは同じような*体つきをしている We are (of) the same *build*. ‖ 彼女は*体つきを魅力的に保とうとあらゆる努力をしている She tries very hard to keep her *figure* attractive.

—コロケーション—
あなたくらいの体つき(の人) (a person of) your *build* / **恰幅の良い体つき(の人)** (a person of) large *build* / **頑丈な体つき(の人)** (a person of) ˹robust [sturdy] *build* / **スポーツマンらしい体つき(の人)** (a person of) athletic *build* / **ずんぐりした体つき(の人)** (a person of) stocky *build* / **中背の体つき(の人)** (a person of) medium *build* / **どっしりした体つき(の人)** (a person of) heavy *build* / **平均的な体つき(の人)** (a person of) average *build* / **ほっそりした体つき(の人)** (a person of) ˹slender [slight] *build*

からだのみ 空頼み ☞ そらだのみ

カラチ — 名 固 Karachi /kərɑ́ːtʃi/. ★ パキスタン南部の都市.

からちゃ 空茶 ¶ *空茶ですがどうぞ (⇒ お菓子がなくてすみませんが, お茶をいかがですか) I'm sorry we have no cakes, but would you like to have some tea?

からっかぜ 空っ風 dry wind Ⓒ (☞ かぜ¹).

からっきし ☞ からきし

からっけつ 空っけつ — 形 penniless, 《略式》 broke. ¶ 彼は賭けに負けて*空っけつになった He lost a bet and then was completely *broke*.

からっと ¶ 空は*からっと晴れた (⇒ 完全に晴れ上がった) The sky *has* completely *cleared* (*up*). ‖ 彼は*からっとした (⇒ 率直な) 性格の若者です He is ˹a *frank* [an *openhearted*] young fellow. (☞ 擬声・擬態語 (囲み))

カラット (宝石の衡量単位) cárat Ⓒ; (金の純度の単位) karat Ⓒ, 《英》 carat Ⓒ. ¶ 14*カラットの金 14-*karat* gold

がらっぱち — 形 (がさつな) boorish /bʊ́(ə)rɪʃ/. — 名 boorishness Ⓤ; (がさつな人) boor Ⓒ ★ 以上いずれもけなした言い方. (☞ がさつ; そや).

からっぽ 空っぽ — 形 empty, vacant. (☞ がらんと 語法; から¹). ¶ 頭が*からっぽである have *no*

[*lack*] brains

からつやき 唐津焼 Karatsu /kərɑ́ːtsu/ wàre Ⓤ.

からつゆ 空梅雨 dry rainy season Ⓒ.

から て¹ 空手 karate /kərɑ́ːti/ Ⓤ. ¶彼は*空手を毎日練習する He practices *karate* every day.

からて² 空手 ―图 (手に何も持っていないこと) empty hand Ⓒ. ―形 empty-handed. 《☞てぶら》. ¶恩師の所へは*空手では行けない (⇒手土産を持って行かなければならない) I must take some present when I visit my former teacher.

からてがた 空手形 fictítious bíll Ⓒ; (空約束) empty promise Ⓒ.

からてんじく 唐天竺 (中国とインド) China and India.

からとう 辛党 drinker Ⓒ; lover of 「drink [sake] Ⓒ. 《☞さけ¹ (酒飲み)》. ¶彼は*辛党だ (⇒甘い物より酒のほうが好きだ) He *prefers* 「*wine* [*sake*] to sweets. 日英比較 英米では「甘党 (=甘いもの好き)」と「辛党 (=酒好き)」が対極にあるという考え方はしない.

からとりひき 空取引 (現物の受け渡しなしで差益を目的とする取引) margin account Ⓒ 《☞しんよう (信用取引)》.

からな 辛菜 sharp-tasting greens ★通例複数形で.

からねんぶつ 空念仏 (心のこもらない祈り) impious /ímpiəs/ invocátion Ⓤ. ¶彼の選挙公約は*空念仏 (⇒偽りの約束) に終わった His campaign pledge 「ended in [proved to be] a *false promise*.

からのすしょうこうぐん 空の巣症候群 empty nest syndrome Ⓤ.

ガラパゴスしょとう ガラパゴス諸島 ―图 固 the Galápagos Íslands ★南米エクアドル西方, 東太平洋上の島.

からはし 唐橋 Chinese-style bridge Ⓒ.

からはふ 唐破風 〔建〕Karahafu gable Ⓒ; (説明的には) bow-shaped [Chinese-style] eaves of a gabled roof ★複数形で. 《☞はふ》.

カラハリさばく カラハリ砂漠 ―图 固 the Kàlahári (Désert) ★アフリカ南部の砂漠.

カラビナ (岩登り用具) karabiner, carabiner /kærəbíːnə/ Ⓒ. 《☞やまのぼり》

からびる 乾びる, 枯らびる ―動 (水分がなくなる) dry up 自; (草木がしおれる) shrivel 自 他; (枯淡の味わいがある) have an air of refined simplicity; (声がしわがれる) get [become] hoarse. ―形 (乾燥した) dry; (からからに乾燥させた) desiccated; (植物が枯れた) withered; (乾燥して縮んだ) shriveled; (枯淡な) simple and refined.

からふう 唐風 ☞からよう

からふかし 空吹かし ―動 (エンジンの回転数を上げる) rev up the engine while idling.

からぶき 乾拭き ―動 wipe ... with a dry dustcloth.

からふと 樺太 ―图 固 Sakhalin /sǽkəliːn/. 樺太犬 Sakhalin dog Ⓒ 樺太鱒(ます) pínk salmon /sǽmən/ Ⓒ《複 ～(s)》.

からぶり 空振り ―動 (見当違いに振る) swing wide 自; (打ち損なう) miss a ball. ¶その選手は*空振りの三振をした The player *swung* 「*wide* [*and missed*] and struck out.

カラフル ―形 colorful.

からへた 空下手 ―動 be no good (at ...); (まるで無器用である) be completely inept (at ...).

からぼり 空堀, 空濠 (城などの周りの) dry moat Ⓒ.

カラマーゾフのきょうだい カラマーゾフの兄弟 ―图 固 *The Brothers Karamazov* /kærəmǽzɑf/ ★ドストエフスキーの小説 (1879–80).

からませる 絡ませる (網などに) entangle 他; (巻き付かせる) make ... 「twine [wind; twist]. 《☞からまる》.

からまつ 唐松, 落葉松 〔植〕larch (tree) Ⓒ.

からまつそう 唐松草 〔植〕meadow rue Ⓒ.

からまる 絡まる (巻き付く) get twisted round ...; (もつれる) get [be] entangled; (引っ掛かる) catch 他. 《☞からみつく; からむ》. ¶ロープがマストに*絡まった The rope *got twisted round* the mast. // 何かが私の足に*絡まった Something *caught* my foot. // 僕の凧(たこ)は木の枝に*絡まった My kite *got entangled* in the branches.

からまわり 空回り ―動 (機械などが) idle 自; (議論などが) go (a)round in circles. 《☞どうどうめぐり》. ¶モーターが*空回りしている The motor *is idling*.

からみ¹ 辛味 (ひりひりした味) hot [sharp] taste Ⓒ; (塩味) salty taste Ⓒ. 《☞からい》.

からみ² 絡み (関係) relation Ⓒ; (つながり) connection Ⓒ; (巻き込まれること) involvement Ⓤ. 《☞かかりあい; からむ》. ¶彼女の失踪はこの事件と*絡みがある Her disappearance has *some* 「*relation* [*connection*] with the affair.

-がらみ (…かそのくらい) ... or so; (約…) about ..., around ...; (…前後) ...-ish ★非常に口語的な表現. 《☞-くらい; ぜんご》.
¶50*がらみの男 a man *around* fifty / a fifty*ish* gentleman // 現在の政局は総選挙*がらみで動いている (⇒政局には総選挙が関連している [一役買っている]) The general election 「*is related* to [*plays a role* in] the present political situation.

からみあう 絡み合う intertwine (with ...) 自; (相互関係がある) interrelate (with ...) 自; (関連する) be connected with .... ¶何本か糸が*絡み合って解けない Several threads *are intertwined* and can't be undone.

からみだし 空見出し (辞書などの) dummy entry Ⓒ.

からみつく 絡み付く twine around ...; (まとわりつく) cling to ... 《☞からまる》. ¶つるは壁に*絡みついていた The vine *clung to* the wall.

からみもち 辛味餅 rice cake with grated Japanese radish and soy sauce Ⓒ ★説明的な訳.

からむ 絡む **1** 《絡まる》: (植物などが) twine 自; (糸などが) get entangled. 《☞からまる》.
2 《言いがかりをつける》: (酔っ払いなどが) annoy 他; (けんかをしかける) pick a quarrel. ¶彼は酔うと人に*絡む He *annoys* others when he gets drunk.
3 《含む・伴う》: involve 他; (人が) have a hand in .... ¶この問題に金銭は*絡んでいない No money *is involved* in this problem. // この件には彼が*絡んでいるんじゃないか I suspect he 「*has* [*has had*] *a hand in* this matter.

ガラムマサラ (香辛料) garam masala /gɑ́ːrəmmɑːsɑ́ːlə/ Ⓤ.

からめ 辛め ―形 (味がひりひりする) hot; (薬味などがきいて) spicy; (塩辛い) salty; (態度が厳しい) severe 語法 やや, あるいはかなり辛いという意味は, 「やや」「少し」「かなり」などの意を表わす副詞を付けて a little hot, a bit spicy, rather spicy などとするか, on the ... side (=どちらかといえば…の方の) という慣用句を用いる. 《☞からい; やや; -め》 ¶このみそ汁はやや*辛めだ This miso soup tastes *a little salty*. // 私はどちらかといえばかなり*辛めのカレーが好きだ I like curry (and rice) rather *on the spicy side*.

からめて 搦め手 (裏門) back gate Ⓒ, postern Ⓒ ★後者のほうが格式ばった語. 《☞うしろ》.
¶*からめてから攻める《比喩的に》approach ... in a

roundabout way / use *backdoor* tactics

からめとる 搦め捕る (投げ縄で) lasso ⑯. ¶ カウボーイたちは暴れ牛を器用に*からめ捕った The cowboys dexterously *caught* an unruly ox *with lassos.* ★ lasso は主に米で使われる牛馬用の投げ縄.

からめる 絡める (もつれさせる) entángle ⑯, entwíne ⑯; (軽く混ぜる) toss ⑯. (☞ からむ; まぶす). ¶ 揚げたさつまいもに蜂蜜を*絡める *toss* fried sweet potatoes in honey

カラメル cáramel Ⓤ. **カラメルソース** caramel sauce Ⓤ (☞ 料理の用語 (囲み)).

がらもの 柄物 ―形 patterned. ¶ *柄物の布地一巻 a roll of *patterned* cloth // 今年は無地より*柄物ブラウスの方がよく売れる *Patterned* blouses sell better than plain blouses this year.

からもん 唐門 Chinese-style gate Ⓒ.

からやくそく 空約束 empty [hollow] promise Ⓒ. ¶ *空約束をする make an ⌈*empty* [*hollow*] *promise*

カラヤン ―名 ⓖ Herbert von Karajan /káːrəjàːn/, 1908–89. ★ オーストリアの指揮者.

からゆき 唐行き (昔の日本の) *karayuki* Ⓒ, migrant woman worker Ⓒ; (説明的には) Japanese woman who worked as prostitutes in China, Manchuria, Southeast Asia and Siberia, from the Meiji era to the beginning of the Showa era Ⓒ.

からよう 唐様 Chinese ⌈style [design] Ⓒ. ¶ その寺は*唐様の造りだった The temple was built in *Chinese style.*

カラライズ ―動 (モノクロ作品をカラー化する) cólorìze ⑯. ―名 còlorizátion Ⓤ.

カラリスト (色彩研究家) cólorist (《英》 colourist) Ⓒ.

からりと ―形 (晴れた) clear; (天気がとてもよい) beautiful. (☞ からっと; 擬声・擬態語 (囲み)).

がらりと ¶ 彼は*がらりと戸を開けた (⇒ ぐいと開けた) He *jerked open* the door. // 彼女は結婚して*がらりと (⇒ まったく) 人が変わった She has *completely* changed since she got married. // 彼は*がらりと (⇒ 突然) 態度を変えた He *suddenly* changed his attitude toward(s) me. (☞ 擬声・擬態語 (囲み))

かられる 駆られる (ある状態にされる) be driven to …; (不安や恐怖などに襲われる・取りつかれる) be seized by …; (衝動を感じる) have [feel] an impulse (to *do* …). (☞ かりたてる; かんじる). ¶ 彼女は友人の成功を見て嫉妬に*かられた She *was driven to* jealousy by her friend's success. // 好奇心に*かられて out of curiosity

カラン (蛇口) 《米》 faucet Ⓒ, 《英》 tap Ⓒ ★「カラン」はオランダ語 kraan による. (☞ じゃぐち).

がらん 伽藍 (キリスト教の) cathedral Ⓒ; (仏教の) (Buddhist) temple Ⓒ.

カランコエ 〘植〙 kalanchoe /kæ̀lənkóʊi/ Ⓒ.

がらんと ―形 (人のいない) empty, vacant 語法 この 2 語は共に埋めるべきものが欠けていることを表す. 普通 vacant は empty より, その期間が長かったり状態が定着していることを意味する. (☞ ひとけ; かんさん²). ¶ 私は一人*がらんとした教室に残っていた I remained in an *empty* classroom alone.

がらんどう ―形 (中空の) hollow (☞ から¹; あな (類義語)). ¶ このブロンズ像は中は*がらんどうになっている This bronze statue is *hollow.*

かり¹ 仮 ―形 (臨時の) témporàry; (暫定的な) provísional ★ やや格式ばった語; (当座の・試験的な) tentative; (一時しのぎの) makeshift ★ 名 Ⓒ としても用いる. (☞ かりに; とうざ; いちじ¹). ¶ ここは*仮の住まいです This is our *temporary* home. / (⇒ 一時的に住んでいるだけだ) We are only living here *temporarily.* // この設計図は*仮のものです This is a ⌈*tentative* [*provisional*] plan. // *仮の名前 an *assumed* [a *fictitious*] name

かり² 借り (借金) debt /dét/ Ⓒ (☞ かりる; しゃっきん; おいめ).

¶ 彼には大きな*借りがあります I *am* ⌈greatly [deep] *in debt* to him. 語法 deep は普通は「借金」の場合だけに, greatly はその他「無形の借り」の場合にも用いる. // 今月末までに*借りは支払います I will pay the ⌈*debt* [*bill*] before the end of this month. // 君にいくら*借りがあったっけ How much do I *owe* you? // 金の貸し*借りはしないほうがよい You had better neither *borrow* nor lend money. // 今度こそ奴に*借りを返してやる (⇒ おあいこにしてやる) つもりだ I'll be sure to *get even with* that fellow this time. // これで君に*借りを作ってしまった This has put me ⌈*under an obligation* to you [*in* your *debt*].

かり³ 狩り hunt Ⓒ; (狩猟) hunting Ⓤ, shooting Ⓤ 語法 《英》 では鉄砲を持って獣や鳥を撃ちに行くのを go shooting といい, 犬を使い, 馬に乗って獣を狩りに行くのを go hunting という. 《米》 ではいずれの場合にも go hunting を用いる. (☞ りょう²; しゅりょう¹).

¶ 我々は鹿*狩りに行った We went on a deer *hunt.* // 紅葉(もみじ) *狩りに行く go maple *viewing* / *go to see* (the) autumn leaves // きのこ*狩りに行く go mushroom *gathering*

かり⁴ 雁 wild goose Ⓒ (複 wild geese).

カリ 〘化〙 potássium Ⓤ (☞ カリウム). **カリ塩** 〘化〙 potassic salt Ⓤ **カリ石鹸** 〘化〙 potash soap Ⓤ **カリ肥料** potash [potassic] fertilizer Ⓤ.

がり¹ (すしの添え物のしょうが) pickled ginger Ⓤ; (説明的には) sliced ginger pickled in sweetened vinegar Ⓤ.

がり² ☞ がりばん

がり³ 我利 (私利) self-interest Ⓤ; (利己主義) selfishness Ⓤ. ¶ 私は彼女の提案はただ*我利私欲によるものだと思います I think that her proposal is motivated solely by ⌈*self-interest* [*selfishness*].

ガリア ―名 ⓖ 〘史〙 Gaul /gɔ́ːl/ ★ 現在のフランス地方. ―形 Gallic /gǽlɪk/. **ガリア人** Gaul Ⓒ **ガリア戦記** *Commentaries on the Gallic War* ★ シーザーの遠征記録.

ガリアーノ (イタリア産リキュール) 《商標》 Galliano /gæ̀liáːnoʊ/ Ⓤ.

かりあげ¹ 借り上げ ―名 (家屋などの賃貸) lease Ⓒ. ―動 (賃借する) lease ⑯. (☞ かりあげる²; かりる). ¶ *借り上げ社宅 *leased* company housing

かりあげ² 刈り上げ hair ⌈cut [cropped] short in back and on the sides Ⓤ (☞ かりあげる¹).

かりあげる¹ 刈り上げる (短く刈る) cut (*a person's*) hair short in back and on the sides; (動物の毛を刈る) clip ⑯; (刈って整える) trim ⑯. (☞ かる¹; きる¹). ¶ 僕は髪を*刈り上げてもらった (⇒ 短く刈ってもらった) I *had* my hair ⌈*cut* [*cropped*] *close in back and on the sides.*

かりあげる² 借り上げる (家屋・土地などを) lease ⑯ (☞ かりあげ¹; かりる). ¶ 政府は農地を地元農民から*借り上げた The government *leased* the farmland from the local farmers. // 10 年契約でアパートを丸ごと*借り上げる take out a ten-year *lease* on a whole apartment building

かりあつめる 駆り集める (散らばっているものを 1 か所に集める) gather … together; (家畜などを一まとめに) róund úp ⑯; (人員を募集する) recruit /rɪkrúːt/. (☞ よせあつめる; あつめる (類義語); かり

だす')). ¶彼は牛を*駆り集めた He *rounded up* the cattle. // 農場では人手を*駆り集めている The farm *is* now *recruiting* (farm)hands.

ガリー[1] (男性名) Gary /gé(ə)ri/.

ガリー[2] (岩溝) gúlly Ⓒ.

かりいえ 借り家 ☞しゃくや

かりいおのまつり 仮庵の祭り 〘宗〙 the Feast of Tabernacles /tǽbənæ̀klz/ ★ユダヤ教三大巡礼祭の一つで, 秋の収穫を祝う祭り.

かりいれ[1] **刈り入れ** ━動(取り入れる) harvest ㊀; (刈る) cut ㊀. ━名(収穫) harvest Ⓒ; (刈り入れること) harvesting Ⓤ; (刈り入れ時) harvest time Ⓤ. 《☞とりいれ; しゅうかく[1]; かりとる》. ¶農夫は米の*刈り入れに忙しい Farmers are busy「*harvesting* [*cutting*] (the) rice. // 小麦の*刈り入れは終わった The wheat *harvest* is over.

かりいれ[2] **借り入れ** ━動(借りる) borrow ㊀. ¶わが社は銀行から 1 億円の*借り入れをした Our company *borrowed* 100 million yen from the bank. **借り入れ金** borrowed money Ⓤ; (借金) debt /dét/ Ⓒ. 《☞しゃっきん》.

かりうける 借り受ける (無料で) borrow ㊀, 《米口語》 loan ㊀; (有料で) rent ㊀; (土地などを有料で) lease. 《☞かりる》.

カリウム 〘化〙 potássium Ⓤ 《元素記号 K》.

ガリウム 〘化〙 gállium Ⓤ 《元素記号 Ga》. **ガリウム砒素** 〘化〙 gallium arsenide Ⓤ 《略 GaAs》.

カリエス (骨瘍) caries /kéː(ə)riz/ Ⓤ; (虫歯) tooth decay Ⓤ; (虫歯の穴) cavity Ⓒ.

ガリオア GARIOA /gæ̀rióʊə/ ★*G*overnment *a*nd *R*elief *i*n *O*ccupied *A*reas の略.

カリオペ ━名 固 〘ギ神〙 Calliope /kəláɪəpi/ ★雄弁と叙事詩の女神.

かりおや 仮親 (養い親) foster [adoptive] parents 《☞ようふぼ》. ¶結婚式で新婦の*仮親を務める (⇒ 親の役をする) *act as the bride's parents* at her wedding

かりかえ 借り換え (金融の) convérsion Ⓒ 《☞かりかえる》.

かりかえる 借り換える ¶借金を*借り換える *renew* a debt // ローンを*借り換える *convert* one type of loan *into* another // 図書館で本を*借り換える (⇒ 本を返して別の本を借りる) *return* books *and borrow* other books from the library

かりかた 借り方 〘簿〙 debit Ⓒ (↔ credit). ¶…を*借り方に記入する put … on the *debit* side

カリカチュア caricature /kǽrikətʃʊ̀ə/ Ⓒ ★人物の特徴を誇張して描く風刺漫画. 時事漫画は cartoon Ⓒ という.

カリカチュアライズ ━動(風刺的に描写する) cáricatùre ㊀ 日英比較「カリカチュアライズ」は和製英語. 英語では 動 も 名 も caricature.

かりがね 雁が音, 雁金 (雁) wild goose Ⓒ 《複 wild geese》; (雁の鳴き声) the honking of a wild goose Ⓒ.

かりがねそう 雁金草 〘植〙 *kariganeso* Ⓒ, snow fairy Ⓒ.

かりかり ━形(食べ物が) crisp; (気持ちがいらいらした) írritàted. 《☞いらいら; 擬声・擬態語 (囲み)》.

がりがり ¶*がりがりにやせた子供 a *skinny* child // 彼は*がりがりにやせている He is just *a skeleton.* // 猫が壁を*がりがり引っかいた The cat *scratched* the wall. // 入試のために*がりがり勉強する *grind* (*away*) for an entrance exam 《☞擬声・擬態語 (囲み)》

がりがりもうじゃ 我利我利亡者 (利己的な人) selfish person Ⓒ; (欲ばり) greedy person Ⓒ.

かりかんじょう 仮勘定 (簿記で) suspense account Ⓒ.

かりぎ 借り着 (友人などから無料で借りる) borrowed「clothes [dress Ⓒ]; (有料で借りる) rented「clothes [dress Ⓒ]. 《☞いふく'》.

かりぎぬ 狩衣 (狩猟服) hunting suit Ⓒ; (公家などの衣服) light, comfortable everyday wear of the nobility during the Heian period, it was worn as formal dress by both nobles and samurai from the Kamakura through the Edo period ★説明的な訳.

カリキュラム (全課程の) currículum Ⓒ 《複 curricula, ~s》; (1 科目の) course of study Ⓒ. 《☞学校・教育 (囲み)》.

かりきる 借り切る (乗り物・施設などを) hire ㊀; (特にバス・船・飛行機などを) charter ㊀. 《☞かしきり》. ¶私たちはバスを*借り切って旅行をした (⇒ 借り切ったバスで旅行した) We took a trip by「*hired* [*chartered*] bus.

カリグラフィー (書道) calligraphy /kəlígrəfi/ Ⓤ.

かりけいやく 仮契約 provisional「contract [agreement] Ⓒ ★前者は文書にした正式のもの.

かりけんちく 仮建築 temporary building Ⓒ.

かりこし 借り越し ━名(銀行口座からの残高以上の引き出し) overdraft Ⓒ; (借り越すこと) overdrawing Ⓤ. 《☞かりこす》. ¶*借り越しがある have an *overdraft* // *借り越しを返済する pay off an *overdraft*.

かりごしらえ 仮拵え ━動(急場の間に合わせに作る) improvise ㊀. ¶私たちは木の柱と竹材で*仮ごしらえの舞台を用意した We *improvised* a stage using wooden poles and bamboo.

かりこす 借り越す overdraw ㊀. ¶私は 100 万円を*借り越した I *have overdrawn* my account by one million yen. / (⇒ 私の口座は 100 万円の借り越しになっている) My account stands *overdrawn* by one million yen.

かりこみ 狩り込み ━名 róundùp Ⓒ. ━動 róund úp ㊀. ¶麻薬密売人の*狩り込み a *roundup* of drug dealers

かりこむ 刈り込む (切って整える) trim ㊀; (剪定(せんてい)する) prune ㊀; (切る) cut ㊀ ★最も一般的な語; (動物の毛を) clip ㊀; (羊などの毛を) shear ㊀. 《☞かる[1]; せんてい[2]》. ¶生け垣は*刈り込まなければいけない (⇒ 刈り込みを必要としている) The hedge needs *trimming*. // 農家の人たちはせっせとリンゴの木を*刈り込んでいた The farmers *were* busily *pruning* the apple trees.

かりさいよう 仮採用 ━名 trial [probationary] employment Ⓤ. ━動(試行的に雇用する) hire on a trial basis.

かりさしおさえ 仮差し押さえ provisional seizure /síːʒə/ Ⓤ, 〘法〙 provisional attachment Ⓤ. 《☞さしおさえ》.

かりしっこう 仮執行 provisional execution Ⓤ.

かりしゃくほう 仮釈放 ━名 release on parole Ⓤ, parole Ⓤ. ━動 release *a person* on parole, parole ㊀. 《☞しゃくほう; しゅっしょ》.

かりしゅうげん 仮祝言 private wedding Ⓒ. ¶*仮祝言をあげる hold a *private wedding*

かりしゅつごく 仮出獄 ☞かりしゅっしょ

かりしゅっしょ 仮出所 (release on) parole Ⓤ, conditional release Ⓤ.

かりじゅよう 仮需要 imaginary demand Ⓤ.

かりじょうやく 仮条約 provisional treaty Ⓒ.

かりしょぶん 仮処分 provisional disposition Ⓒ 《☞かり'》. ¶裁判所はその件に関する*仮処分を下した The court made a *provisional disposition*「of [in] the matter.

カリスマ charisma /kərízmə/ Ⓤ. ¶*カリスマ性の

ある指導者 a *charismatic* /kærɪzmǽtɪk/ léader // 彼には*カリスマ性がある He has (got) *charisma.* // *カリスマ美容師[ブティック]店員] a *charismatic* ⌈hairdresser [boutique clerk] ★ charismatic の後に具体的な職名を入れる.

かりずまい 仮住居 — [名] temporary /témpərèri/ home Ⓒ. — [動] live temporarily /tèmpərérəli/. (☞ かり¹).

かりせいほん ☞ かりとじ

かりそめ 仮初め ¶ *かりそめの (⇒ 束の間の) 恋 *transient* love // *かりそめにもそんな事は考えたことはありません I have ⌈never given [given not] a (*moment's*) thought to such a thing. (☞ けっして)

かりたおす 借り倒す fail to pay *one's* debt(s); (貸し主をだます) bilk (他). (☞ ふみたおす).

カリタス (キリスト者の愛) caritas /kǽrətæ̀s/ Ⓤ ★ ラテン語から.

かりだす¹ 駆り出す (人を集める) gather (他) (☞ かりあつめる; あつめる (類義語)). ¶ 私たちのクラスの男子は全員野球の応援に*駆り出された All the boys in our class *were gathered* together to cheer at the baseball game.

かりだす² 狩り出す hunt out (他). ¶ 獲物を*狩り出す *hunt out* game

かりだす³ 借り出す borrow (他); (記帳して借り出す) check … out of …. ¶ 私はこの本を図書館から*借り出した I *checked* this book *out of* the library.

かりたてる 駆り立てる (何かの力が人をある状態にする) drive (他); (せきたてる) urge on (他). ¶ 恐怖が私を狂乱状態に*駆り立てた <S (抽象名詞) + V (*drive*) + O (人) + (C) (形)> Fear *drove* me mad. // 何が少年たちを非行に*駆り立てるのでしょうか What is it that *drives* boys ⌈to [into] juvenile delinquency? // 騎手は必死に馬を*駆り立てた The jockey *urged* his horse *on* wildly.

かりち 借り地 ☞ しゃくち

かりちょういん 仮調印 initial signing Ⓤ.

かりちん 借り賃 (定期的に支払う) rent Ⓒ (☞ かりる; りょうきん (類義語); やちん). ¶「このボートの*借り賃はいくらですか (⇒ 借りるのにいくら払えばよいのか)」「1時間 600 円です」"How much ⌈do I have to *pay* [does it *cost*] to *rent* this boat?" "Six hundred yen ⌈per [an] hour."

がりっ ¶ *がりっという大きな音 a loud *crunch* // 車を石の壁に*がりっとこすってしまった I *scratched* my car against a stone wall. (☞ 擬声・擬態語 (囲み))

かりっぱなし 借りっ放し ¶ 私は図書館の本を*借りっぱなしだ (⇒ 借りた本をまだ返却していない) I *haven't* ⌈*returned* [*given back*] the book I borrowed from the library yet. // お金を*借りっぱなしにしていて (⇒ お金をまだ返していなくて) すみません I'm sorry that I *have not paid* you *back* yet.

かりて 借り手 (金銭・物品などの) borrower Ⓒ; (土地・家屋などの) ténant Ⓒ; (法律用語) lessee /lesíː/ Ⓒ. (☞ かりる). ¶ 銀行は*借り手を慎重に選ぶ Banks choose *borrowers* very carefully. // このアパートは*借り手がつかない (⇒ あいている) This apartment (house) ⌈is [remains] *vacant.*

かりとうき 仮登記 temporary [provisional] registration Ⓒ.

かりとじ 仮綴じ temporary binding Ⓤ. ¶ *仮とじ本 a book *in* (*a*) *temporary binding*

かりとり 刈り取り (収穫の) harvest Ⓒ; (穀物など刈り取ること) harvesting Ⓤ, reaping Ⓤ; (芝, 草などを刈り取ること) mowing Ⓤ. (☞ かりとる).

刈り取り機 (穀物を刈り取る) hárvester Ⓒ, réaping machìne Ⓒ; (草を刈る) mówing machìne Ⓒ.

かりとる 刈り取る (取り入れる) harvest (他); (実った穀物などを刈って集める) reap (他); (生えている芝生などを) mow (他); (草を刈る) cut (他). (☞ かる¹; かりいれ¹). ¶ 農夫は初夏に大麦を*刈り取る Farmers ⌈*harvest* [*reap*] barley in (the) early summer. // 彼は芝刈り機で草を*刈り取った He ⌈*mowed* [*cut*] the grass with a lawn mower.

かりに 仮に **1** «もしも»: if …, supposing … ★ 前者のほうが一般的; (たとえ…だとしても) even if …, granting (that) …, granted (that) … ★ 後の 2 語は格式ばった語. (☞ もし¹; たとえ¹).

¶ *仮にそんなことが起こったとしたらどうしますか *If* [*Supposing*] such a thing happened, what would you do? // *仮に彼の言うことが正しいとしても, その問題の解決にはつながらない *Even if* [(*Even*) *granting*] what he says is true, it will not lead to the solution of the problem.

2 «間に合わせに・暫定的に»: (さしあたってしばらくの間) for the time being, for the present, tèmporárily 〔語法〕 以上 3 つはほぼ同意だが, 前の 2 つは過去のことをいう時には使えない; (試しに・試験的に) téntatively. (☞ かり¹; とうざ).

¶ この装置は*仮に使用されているだけです This device is being used only ⌈*for the time being* [*for the present*; *temporarily*]. // この項目を*仮に A と呼んでおこう Let us *tentatively* call this item A.

カリニはいえん カリニ肺炎 〔医〕 Pneumocystis carinii pneumonia /n(j)ùːməsístəs kərάɪniὰɪ n(j)uːmóʊniə/ Ⓤ.

かりにも 仮にも (どんなことがあっても … ない) on no account; (決して … しない) never. ¶ そのような お金は*仮にも受け取ってはならない *On no account* must you accept such money. // やると決心した以上は*仮にも (⇒ 決して) 実行をしりごみしてはならない Once you have made up your mind, *never* hesitate to carry out your plan(s). // *仮にも警察官ともあろうものが (⇒ よりによって警察官が) こんな犯罪を犯すなんて A policeman, *of all people*, shouldn't commit such a crime!

かりぬい 仮縫い (仮の縫い目) tack Ⓒ; (寸法合わせ) fitting Ⓒ. (☞ さいほう¹ (挿絵); しつけ²). ¶ 彼は*仮縫いをしてもらいに洋服屋へ行った He went to the ⌈tailor [tailor's] to *be fitted.*

かりぬし 借り主 (土地・家屋などの) tenant Ⓒ; (債務者) debtor Ⓒ; (一般的に借り手) borrower Ⓒ.

かりね 仮寝 — [名] (昼寝) nap Ⓒ; (うたた寝) doze Ⓒ. — [動] nap (自), take [have] a nap; doze (自), have a doze; (旅先で) spend ⌈the [a] night away from home. (☞ うたたね).

かりのやど 仮の宿 (一時的な住まい) temporary residence Ⓒ.

かりのよ 仮の世 the ⌈transient [《格式》 ephémeral] world (☞ むじょう³).

ガリバーがたかせん ガリバー型寡占 〔経〕 Gúlliver monópoly Ⓒ.

ガリバーりょこうき ガリバー旅行記 — [名] (固) *Gúlliver's Trávels* ★ 英国の作家スウィフト (Swift) の風刺小説 (1726).

カリパス ☞ キャリパス; ノギス

かりばら 借り腹 (代理母) surrogate mother Ⓒ. ¶ *借り腹で子供をもうける have a child by a *surrogate mother*

かりばらい 仮払い provisional payment Ⓒ (☞ しはらい).

がりばん がり版 — [名] mimeograph Ⓒ. — [動] mimeograph (他). ¶ *がり版刷り (のプリント) a *mimeographed* ⌈copy [sheet]

カリフ (イスラム教の統治者) cáliph Ⓒ.

カリブー （北米産のとなかい）caribou /kǽrəbùː/ Ⓒ.

カリフォルニア — 名 固（米国の州）Càlifórnia《☞ アメリカ（表）》. **カリフォルニア半島** the Càlifórnia Península **カリフォルニアロール**（カリフォルニア風のり巻き）Cálifòrnia róll Ⓒ.

カリフォルニウム 〘化〙 càlifórnium Ⓤ《元素記号 Cf》.

カリブ **カリブ海** the Caribbean /kæ̀rəbíːən/ Séa **カリブ共同体** CARICOM /kǽrikàm/ ★ *Car*ibbean *Com*munity または *Car*ibbean *Com*mon Market から. **カリブ諸国連合** the Association of Caribbean States.

カリプソ 〘楽〙 calýpso Ⓒ.

カリフラワー cauliflower /kɔ́ːlɪflàʊə/ Ⓤ ★ 具体的には Ⓒ.

がりべん がり勉 — 動《米略式》grind away (for ...; at ...) 自,《英略式》swot 自, swot up 他. — 名（がり勉する人）《米略式》grind Ⓒ,《英略式》swot Ⓒ. ¶ 彼女は数学の*がり勉をしている She *is* ˹*grinding away at* [《英》*swotting up*] her ˹math [《英》maths].

かりぼしきりうた 刈り干し切り唄 Reapers' Song of Kyushu;（説明的には）a traditional reapers' work song of Kyushu.

かりまいそう 仮埋葬 temporary ˹burial [interment] Ⓤ ★ [ ] 内は格式語.

カリマンタンとう カリマンタン島 — 名 固 Kalimantan /kæ̀ləmǽntæn/ (Island) ★ ボルネオ島のインドネシア語名.

かりめん(きょ) 仮免(許) temporary [provisional] license Ⓒ.

かりめんじょう 仮免状 （証明書）provisional certificate Ⓒ;（許可書）provisional ˹license [《英》licence] Ⓒ.

かりもの 借り物 borrowed thing Ⓒ《☞ かりる》. ¶ このピアノは*借り物です This is a *borrowed* piano. // この意見は君の独創ではなく, 本からの*借り物だ（⇒ 借りた物だ）This is not ˹original with you [an original opinion of yours]; you(*'ve*) *borrowed* it from some book.

かりや[1] 借り家 ☞ しゃくや

かりや[2] 仮屋 temporary house Ⓒ. ¶ *仮屋住まいをする live in a *temporary house*.

かりゅう[1] 下流 — 名（川の）the lower ˹course [part; reaches] (of a river). — 副 downstream, down (the) river ★ 後者がより口語的. — 前 below ...《☞ じょうりゅう[1]》.
¶ 私たちは*下流に向かってボートをこいだ We rowed our boat ˹*down the river* [*downstream*]. // この川の*下流には多くの工場があります There are many factories along *the lower reaches of this river*. // その橋はここから約 1 キロ*下流にあります The bridge is about one kilometer *below* this place.

かりゅう[2] 顆粒 — 名 gránule Ⓒ. — 形（顆粒状の）gránular;（顆粒にした）gránulàted. — 動（顆粒にする）gránulate 他. ¶ *顆粒状の砂糖（⇒ グラニュー糖）*granulated* sugar **顆粒剤** 〘薬〙 granules ★ 通例複数形で. **顆粒白血球** 〘解〙 granulocyte /grǽnjʊlousàɪt/ Ⓒ.

かりゅう[3] 加硫 〘化〙 — 名 vulcanization Ⓤ. — 動 vulcanize 他. **加硫装置** vulcanizer Ⓒ.

かりゅう[4] 河流 (the current of a) stream Ⓒ.

がりゅう 我流 — 形（独学の）self-taught. — 動（独学する）teach *oneself* 自;（自己流にやる）do ... (in) *one's* own way 他.《☞ じこ[2]》.
¶ 私の英語は*我流です（⇒ 独学です）My English is *self-taught*. // 彼は何でも*我流でやりたがる He likes to do everything (*in*) *his own way*.

かりゅうかい 花柳界 the ˹society [world] of geisha.

かりゅうど 狩人 hunter Ⓒ《☞ かり[3]》.

かりゅうびょう 花柳病 〘医〙 venereal disease Ⓒ《略 VD》《☞ せい[3]（性病）》.

カリュプソー 〘ギ神〙 Calypso /kəlípsou/ ★ Odysseus を 7 年間島に引き止めた海の精.

かりょう[1] 科料 （罰金）fine Ⓒ《☞ ばっきん》.
¶ スピード違反で 2 万円の*科料になった I *was fined* 20,000 yen for speeding.

かりょう[2] 過料 (correctional) fine Ⓒ《☞ ばっきん》. ¶ 1 万円の*過料を課す[支払う] impose [pay] a 10,000-yen (*correctional*) *fine*

かりょう[3] 加療 medical treatment Ⓤ《☞ ちりょう》. ¶ 彼は*加療中だ He is under *medical treatment*. // 医者は私に一週間の*加療を受けるように言った The doctor told me to receive ˹one week's *medical treatment* [*medical treatment* for one week].

がりょう[1] 雅量 — 形（心の広い）broad-minded;（寛大な）generous;（寛容な）tolerant. — 名 broad-mindedness Ⓤ; generosity Ⓤ; tolerance Ⓤ.《☞ かんだい[1]》.

がりょう[2] 臥竜 （横たわる竜）sleeping dragon Ⓒ;（世に知られていない大物）great man who lives in obscurity Ⓒ.

がりょうてんせい 画竜点睛 ¶ *画竜点睛を欠く lack the *finishing touch*

かりょく 火力 （熱）heat Ⓤ;（熱する力）heating power Ⓤ. ¶ このガスバーナーは*火力が強い This gas burner has strong *heating power*. **火力発電** thermal power generation Ⓤ **火力発電所** thermal power plant Ⓒ.

カリヨン 〘楽器〙 carillon /kǽrəlàn/ Ⓒ.

ガリラヤ — 名 固 Galilee /gǽləlìː/ ★ イスラエル北部地方. — 形 Galilean, Galilaean /gæ̀ləlíːən/. **ガリラヤ湖** The Sea of Galilee **ガリラヤ人** Galilean Ⓒ.

かりる 借りる **1**《借用する》:（無料で借りる）borrow 他（↔ lend）;（使用する）use 他;（有料で借りる）rent 他, hire 他;（土地などを）lease 他.
日英比較 (1) 日本語と違って英語では有料・無料をはっきり区別する. 無料で人から物を借りることを表す最も一般的な語が borrow で, 有料で借りるのが rent. 比較的短期間有料で借りるのが hire. borrow には普通, 借りた物の位置が移動する意味が含まれるので, 借りてその場で使うような場合は use を用いる. 土地・家屋など比較的大きなものを賃借りするのを lease という.《☞ かす[1] 日英比較》
¶ お金をお*借りしたいのですが May I *borrow* some money from you? /（⇒ お金を貸していただけませんか）Will you please *lend* me some money? 語法 (1) 以上 2 文のうち, 前者のほうが丁寧な言い方. lend を使うと相手に貸すか貸さないかの責任を負わすニュアンスが出てしまう. // この図書館は誰でも本を*借りることができます Everybody can *borrow* books from this library. // トイレをお*借りしてよいですか May I *use* the bathroom? 語法 (2) トイレは移動できないので, borrow は普通は使わない. // 銀行でお金を*借りた I *borrowed* some money from the bank. 語法 (3) 利息がついても, それはいわゆる借り賃ではないので borrow でよい. / I *got a loan* from the bank. ★ 後者のほうがより一般的. // 彼にコーヒー代の 500 円を*借りている I *owe* him 500 yen for the coffee. // 実は君に金を*借りに来た To be frank with you, I came for a *loan*. // 車をお*借りしたいのですが《レンタカーの会社で》I'd like to *rent* a car. /《友人など個人に向かって》May I *borrow* your car? 日英比較 (2) 有料・無料の区別で英語では動詞が異なることに注意. // 私たちはホールを*借りるのに 200 ドル払った We paid two hundred dollars *for* the hall. // 私たちは山荘を 1 日 8000 円で*借りた We *rented* the lodge for 8,000 yen a day. // 5 年契約で家を*借りる *take* a house *on a* five-year *lease* // ボートを時間決めで*借りる *rent* [*hire*] a boat by the hour // シェークスピアの言葉を*借りる (⇒ 引用する) *quote from* Shakespeare

2 《援助など頼む》 ¶ あなたの力をお*借りしたい Will you *help* me? / May I *ask* (*for*) your help? / (⇒ 援助が必要だ) I *need* your help. ★ 第 1 文が最も普通. 第 2 文はやや丁寧な表現. 第 3 文は多少強引な表現. // 彼女はあなたのお知恵をお*借りしたいそうです (⇒ 助言を望んでいる) She *wants* your advice.

借りてきた猫のよう ¶ 今日の君は*借りてきた猫のよう (⇒ 子羊のように) におとなしいね You are *as* ˹*meek* [*gentle*] *as a lamb* today.

ガリレイ ━━ 名 固 Galileo Galilei /gæ̀ləléɪou-gæ̀ləléɪiː/, 1564–1642. ★ イタリアの天文学者. **ガリレイ衛星** (木星の 4 大衛星) 〔天〕 the Galilean /gæ̀ləlìːən/ sátellites **ガリレイ式望遠鏡** Gálilèan télescòpe Ⓒ **ガリレイ変換** 〔物理〕 Gálilèan trànsformátion Ⓤ.

かりわたし 仮渡し provisional payment Ⓒ.

かりん[1] 榠樝, 花梨 Chinese quince Ⓒ.

かりん[2] 花梨, 花櫚 〔植〕 amboyna [amboina] wood Ⓤ, Burmese rosewood Ⓒ ★ マメ科の高木で細工物・建具などに使われる. インド紫檀のこと.

がりん 芽鱗 〔植〕 bud scale Ⓒ.

かりんさん 過燐酸 superphosphate /sùːpəfɑ́sfeɪt/ Ⓤ ★ 過燐酸塩, 過燐酸肥料など. **過燐酸石灰** sùperphósphate of líme Ⓤ.

かりんとう 花林糖 Japanese fried-dough cookie Ⓒ.

かる[1] 刈る (髪を) cut 他 ★ 最も一般的な語; (特に短く) crop 他; (草を) mow 他; (動物の毛を) clip 他; (刈って整える) trim 他; (羊などの毛を) shear 他. 《☞ かりいれ[1]; かりとる》.

¶ 僕は月に 1 度は頭 (⇒ 髪) を*刈ってもらう I ˹*have* [*get*] *a haircut* at least once a month. / <S (人) + V (*have*) + O (名) + C (過分)> I *have* my hair *cut* at least once a month. ★ 前者のほうが口語的. // 少年は庭の芝生を*刈るように言われた The boy was told to *mow* the lawn in the garden. // 彼女は犬の毛を月に 1 回*刈る She ˹*clips* [*trims*] her ˹dog [dog's hair] once a month. // 彼らは春に羊の毛を*刈る They *shear* the sheep in spring.

かる[2] 狩る (鳥獣を) hunt 他; (果実・きのこを) gather 他. 《☞ かり[3]》.

かる[3] 駆る 1 《移動》: (走らせる) drive 他; (急がせる) urge 他. ¶ 彼は車を*駆って彼女に会いに駅まで行った He *drove* the car to the station to see her.

2 《心・感情》: (ある状態にさせる・駆り立てる) drive 他 《☞ かりたてる; かられる》.

ガル (重力加速度の単位) gal Ⓒ.

-がる (…したいと思う) want 他; desire 他; (…しやすい) be apt to do …; (ふりをする) pretend 他.

【類義語】 欲しがることを表す最も普通の言い方で, またぶっきらぼうな表現が want. 同じような意味を表すが格式ばった言い方が desire. この語は性的な欲望をいうことがあるので注意.

¶ 彼は医者になりた*がっている He *wants* to be a doctor. // 兄は仕事をやめた*がっています My brother *wants* to quit his job. // やせた人は一般に寒*がり屋だ (⇒ 寒いとこぼしがちである) Skinny [Thin] people *are apt to* complain of the cold. // 息子は私について来た*がった (⇒ しきりに望んだ) My son *was eager to* come with me. // 強*がっていたが, 本当は彼は怖かった He *pretended* not to be ˹scared [frightened], but in fact he was.

かるい 軽い 1 《重量》: light (↔ heavy). ¶ この荷物は*軽いから私にも持てる This baggage is *light* enough for me to carry.

2 《程度》: (ちょっとした) slight; (優しい) gentle; (重要ではない) minor; (何気ない) casual; (穏やかな) mild; (静かな) soft.

¶ 私は先週*軽い風邪を引いた I had a *slight* cold last week. // *軽い食事をしましょうか Shall we have a *light* meal? // 私は腰を*軽くもんでもらった I had my waist massaged ˹*gently* [*lightly*]. // *軽い罪 a *minor* ˹crime [offense] / a *misdemeanor* // 私はそのとき*軽い失望を味わった I felt *mild* disappointment then. // ドアは*軽く (⇒ 静かに) ノックして下さい Knock *softly* on the door. // 一見易しそうな問題が出ても*軽く見ては (⇒ 自信過剰になっては) いけない Don't be overconfident when faced with ˹ostensibly [apparently] simple problems. // *軽い気持ちで (⇒ 何気なく) 契約にサインしてしまった I signed the contract *casually*. // 彼は口が*軽い (⇒ おしゃべりだ) He is *talkative*.

3 《楽な》: easy; (軽快な) light. 《☞ らく》. ¶ 姉のお産は*軽かった (⇒ 楽な分娩(ぶんべん)だった) My sister had an *easy* delivery. // 我々は*軽く (⇒ 楽々と) 相手チームに勝った We ˹beat [defeated] our opponents *with ease*. // *軽い足取りで with *light* steps // 何か*軽い読みものがほしい I want something that's *easy* reading.

かるいし 軽石 pumice /pʌ́mɪs/ (stone) Ⓤ ★ 数えるときは a piece of pumice (stone). ¶ *軽石でかかとをこする rub *one's* heel with *pumice*

カルーソー ━━ 名 固 Enrico Caruso /kərúːsou/, 1873–1921. ★ イタリア生まれのテノール歌手.

カルカッタ ☞ コルカタ

かるがも 軽鴨 spot-billed duck Ⓒ.

かるかや 苅萱 〔植〕 broomsedge Ⓒ; (説明的には) a kind of gramineous /grəmíniəs/ plant. 《☞ かや[2]》.

カルガリー ━━ 名 固 Calgary /kǽlgəri/ ★ カナダ南西部の都市.

かるがる 軽軽 ━━ 副 (簡単に) easily; (軽快に) lightly. ━━ 形 easy; light. 《☞ らく》. ¶ その男は大きな石を*軽々と持ち上げた The man lifted the big ˹stone [rock] quite *easily*.

かるがるしい 軽軽しい (思慮に欠ける) thoughtless; (言動が不注意な) careless; (慎重な判断を欠く) imprúdent ★ やや格式ばった語. 《☞ けいそつ; かるはずみ》. ¶ *軽々しい行動を取らないようにしなさい Don't act ˹*hastily* [*rashly*]. // *軽々しい口のきき方をする talk in a *frivolous* ˹way [manner]

かるかん 軽羹 steamed (sweet) bun made from mountain-potato-and-rice flour Ⓒ ★ 説明的な訳.

カルキ (塩素) chlorine /klɔ́ːriːn/ Ⓤ; (さらし粉) chloride of lime Ⓤ, bleaching powder Ⓤ ★ 後者のほうが一般的. 参考 「カルキ」はオランダ語から.

カルキュレーター (小型計算器) cálculàtor Ⓒ.

かるくち 軽口 (冗談) joke Ⓒ. ¶ 彼は*軽口ばかりたたいている He's always cracking *jokes*.

カルザイ ━━ 名 固 Hamid Karzai /hɑ́ːmɪd kɑ́əzaɪ/, 1957– ★ アフガニスタン大統領 (2002–). **カルザイ政権** the Karzai Administration Ⓤ.

カルシウム 〔化学〕 cálcium Ⓤ 《元素記号 Ca》. **カルシウム石鹸** calcium soap Ⓤ 《☞ せっけん[1]》.

カルジオスコープ (心臓鏡) cárdioscòpe Ⓒ.

カルスト 〔地質〕 (石灰岩質の地形) Karst /kɑ́əst/

[U] ★ドイツ語.
カルゼ 〔織〕kersey /kɚ́:zi/ [U].
かるた cards (☞ トランプ). ¶ 正月には子供たちはいろは*がるたをします Children play a game with Japanese syllabary *cards* during the New Year season.
カルタゴ ―[名] (固) 〔史〕Carthage /káɚθɪdʒ/ ★ アフリカ北岸の古代都市国家.
カルダモン (香辛料) cardamon /káɚdəmən/ [U].
カルチェラタン ―[名] (固) (地名) the Látin Quàrter ★ パリのセーヌ川左岸にある学生や芸術家が多く住む地区.
カルチベーター (中耕機) cúltivàtor [C].
カルチャー (文化・教養) culture [U] (☞ ぶんか¹). カルチャーウォーズ culture wars [C] ★ 複数形で. カルチャーショック culture shock [C] カルチャースクール open school for adult education [C] ★ 説明的訳. カルチャーセンター private institution that offers academic and vocational courses for adults [C] ★ 説明的訳. カルチャービジネス culture business [U].
カルツーム ☞ ハルツーム
カルテ (medical) chart [C]. カルテ開示 disclosure of a patient's (medical) records [U].
カルテット (四重奏曲・四重奏団) quartét [C], quartétte [C] ★前者のほうが普通.
カルデラ caldera /kældé(ə)rə/ [C]. ¶ *カルデラ湖 a *crater* lake
カルテル cartel /kaɚtél/ [C]. ¶ *カルテルを形成する form a *cartel*
カルト (熱狂的な崇拝) cult [C]. ¶ 宗教的*カルト集団 a religious *cult* カルトムービー cult movie [C].
カルトン (厚紙・ボール紙) cardboard [U].
ガルニ (料理の) garnish [C] (☞ つけあわせ).
かるはずみ 軽はずみ ―[形] (不注意な) careless; (思慮に欠けた) thoughtless; (無分別な) rash. (☞ けいそつ). ¶ そんな事をするとは君も*軽はずみだ It was ⌈*careless* [*thoughtless*] of you to do such a thing. // 自分の将来について*軽はずみな (⇒ 無分別な) 決定をしてはいけない Don't make *rash* decisions about your future. // *軽はずみなまねはよせ (⇒ もっと分別あるように) Be more *sensible*.
カルパチアさんみゃく カルパチア山脈 ―[名] (固) the Carpathians /kaɚpéɪθiənz/, the Carpáthian Móuntains ★ ヨーロッパ中東部の山脈.
カルパッチョ (生の牛肉や魚の薄切りにソースをかけた料理) carpaccio /kaɚpá:tʃiòʊ/ [C] (複 ～s).
カルバドス (ブランデーの一種) càlvadós [U].
ガルバノメーター (検流計) gàlvanómeter [C].
カルバン ―[名] (固) John Calvin, 1509-64. ★ スイスの宗教改革者. カルバン主義 Calvinism [U].
カルビ (ばら肉) rib [C]. ¶ *カルビ焼 broiling *ribs* with Korean sauce (☞ ほねつき)
カルビニズム ☞ カルバン (カルバン主義)
カルビン ☞ カルバン
ガルフ (湾) gulf [C].
ガルボ ―[名] (固) Greta Garbo /grétə gáɚboʊ/, 1905-1990. ★ 米国の映画女優.
カルボナード 〔鉱物〕carbonado /kàɚbənéɪdoʊ/ [C] (複 ～s, ～es).
カルボナーラ 〔料理〕carbonara /kàɚbəná:rə/ [U]. ¶ スパゲッティ*カルボナーラ spaghetti alla *carbonara*
カルマ 〔仏教・ヒンズー教〕(業) karma /káɚmə/ [U].
かるみ 軽み lightness [U].
カルミア 〔植〕kálmia [C].
かるめ 軽め ―[形] light. ―[副] lightly. (☞ かるい; -め [日英比較]). ¶ *軽めの食事 a *light* meal // *軽めに運動するほうが健康によい It is better for health to exercise *lightly*. // 「御飯のお代わりはいかが」「はい, *軽めにお願いします」"Won't you have some more rice?" "Yes, I'd like a *small* helping."
カルメラ caramel candy [U]; (より詳しくは) caramelized sugar candy [U]; nutless brittle [U] ★ 通例 brittle とはピーナツなどのナッツが入っている.
カルメン ―[名] (固) Carmen /káɚmən/ ★ メリメの小説の女主人公.
かるやか 軽やか ☞ かろやか
かるやきせんべい 軽焼き煎餅 Japanese soft rice cracker [C]; (説明的には) cracker made from a mixture of rice-flour dough and sugar that is steamed, dried, and then toasted [C].
カルロス (男性名) Carlos /káɚləs/.
かるわざ 軽業 àcrobátic perfòrmance [C], acrobatics ★ 複数形だが, 時に単数扱い. (☞ アクロバット; きょくげい). 軽業師 ácrobàt [C].
かれ 彼 ―[代] he (複 they) (↔ she) [日英比較] 日本語の「彼」には指示的な意味があるが, 英語の he にはその意味はなく, 前に話題にのぼった人についてしか使わないことに注意. また日本語では「彼」を使わない場合でも英語では he が用いられることに注意; (彼の) his (複 their); (彼に・彼を) him (複 them); (彼のもの) his (複 theirs); (彼自身) himself (複 themselves). ―[名] (女性から見た恋人) boyfriend [C]; (特に女性から見た愛人) lover [C] ★ 性関係を暗示する語なので注意. (☞ かれら; 代名詞 (巻末)).
¶ *彼はだれですか (⇒ あそこにいる人はだれですか) Who is *that man*? // 「田中さんてだれですか」「(*彼は) 僕の友人です」"Who's Tanaka?" "*He's* a friend of mine." // 鈴木さんには*彼 (⇒ 恋人) がいる I know Miss Suzuki has a *boyfriend*.
彼も人なり予(われ)も人なり (彼も私も同じ人間である) He is no better a man than I.
がれ ☞ がれば
かれい¹ 華麗 ―[形] (輝くようにすばらしい) splendid; (きらびやかで豪華な) gorgeous; (豪華で華やかな) magnificent; (文体などが美文調の) flowery. ―[名] splendor (《英》 splendour) [U]; gorgeousness [U]; magnificence [U]. (☞ りゅうれい; けんらん). ¶ 我々はその劇場の*華麗さに目を見張った We were amazed at the *splendor* of the theater. // 彼の演奏は*華麗だ He plays *magnificently*.
かれい² 鰈 flatfish [C] (複 ～, ～es).
かれい³ 加齢 aging [U]. 加齢臭 aging ⌈odor [《英》 odour] [U], odor of aging [U] 加齢現象 ☞ ろうか² (老化現象)
かれいけ 涸れ池, 枯れ池 **1** 《水の干上った池》: dry [dried-up] pond [C]. **2** 《庭園の枯山水の》: (説明的に) drypond made of ⌈stone [《主に米》 rocks] and sand in a dry landscape garden [C].
カレイドスコープ kaleidoscope /kəláɪdəskòʊp/ [C].
カレー¹ curry /kɚ́:ri/ [U]; (カレーライス) curry and rice [U]. カレー粉 curry powder [U] カレー料理 curry [C], curried food [U].
カレー² ―[名] (固) Calais /kæléɪ/ ★ フランス北部の都市.
ガレージ garage /gərá:ʒ/ [C]. ガレージセール garáge sàle [C]. ¶ *ガレージセールをする have [hold] a *garage sale* // *ガレージセールで古着を売る sell used clothes at *a garage sale*
ガレーせん ガレー船 〔史〕gálley [C].
かれえだ 枯れ枝 dead ⌈branch [twig] [C] (☞ えだ).
かれおばな 枯れ尾花 withered spike of Japanese pampas grass [C] ★ 説明的な訳.

ガレオンせん ガレオン船 〘史〙 galleon /gǽliən/ [C] ★ 15–18 世紀のスペインの大帆船.

かれき 枯れ木 dead tree [C] (☞ やま 1 用例).

がれき 瓦礫 (破壊されて壊れたものや岩石など) debris /dəbríː/ [U]; (石・れんがなどの破片) rubble [U]. ¶ 地震でその町は*がれきの山となった The town turned *a heap of rubble* by the earthquake.

かれくさ 枯れ草 (枯れて乾燥した草) dry grass [U]; (家畜の飼料となる干し草) hay [U].

かれこれ (およそ) about; (ほとんど) almost, nearly. (☞ やく[3] (類義語)). ¶ 彼がアメリカに行ってから, *かれこれ (⇒ 約) 10 年になります It is *about* ten years since he went to America. / *About* [*Some*] ten years have passed since he went to America. [語法] 第 2 文は第 1 文より格式ばった表現.

かれさんすい 枯山水 dry landscape garden [C] (☞ さんすい[1]).

かれし 彼氏 (恋人) boyfriend [C] (☞ かれ).

かれすすき 枯れ薄 dead Japanese silver grass [U].

かれたき 涸れ滝, 枯れ滝 **1** «水がなくなった滝»: dry [dried-up] waterfall [C]. **2** «枯山水の滝»: waterfall made of ⌈stone [(主に米) rocks] and sand arranged to simulate a real one in a dry landscape garden [C].

かれつ 苛烈 ── [形] (戦いなどが) fierce; (競争などが) sevére. ── [副] fiercely; sevérely. ¶ *苛烈な戦い a ⌈*fierce* [*hard-fought*] battle

カレッジ (大学) college [C] (☞ だいがく[1]). カレッジリング college (class) ring [C].

カレドニア ── [名] [固] (地名) Càledónia ★ スコットランドの古い名称.

カレドニアン (舞踊の) the Caledonian set [U].

かれの 枯れ野 (草の枯れた) withered field [C]; (荒れ果てた) désolate [dreary] field [C]; (冬の) wintry field [C].

かれは 枯れ葉 dry [dead] leaf [C] (複 leaves). 枯れ葉剤 defoliant [C].

がれば scree (slope) [C], talus /téɪləs/ [C].

かれら 彼等 ── [代] they [日英比較] (1) 日本語の「彼ら」には指示的な意味があるが, 英語の they にはその意味はないことに注意. (2) 参照; (彼らの) their; (彼らに[を]) them; (彼らのもの) theirs; (彼ら自身) themselves. (☞ かれ; 代名詞 (巻末)). ¶ *彼らはだれですか (⇒ あそこにいる人たちはだれですか) Who are *those people*? [日英比較] (2) 英語では前に話題にのぼった人々についてしか they は使えない.

ガレリア ☞ アーケード

かれる[1] 枯れる **1** «植物が» ── [動] (枯死する) die [自]; (水分を失ってしおれる) wither [自] ★ 完全に枯れてしまう意味を含まない場合が多い. ── [形] dead; (乾いた) dry. [日英比較] 日本語では人・動物は「死ぬ」, 植物は「枯れる」というが, 英語では両方に die を用いる. 従って, 日英の意味の重なり方は下図のようになる. なお,「死ぬ」は be killed など,「枯れる」は wither などとも重なるので, die とは完全には重ならない. (☞ からす[2]).

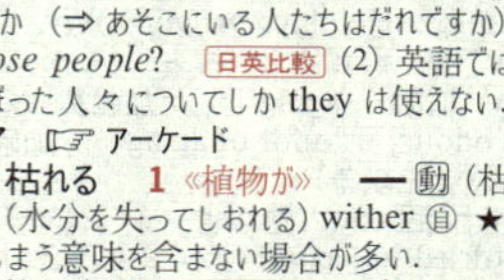

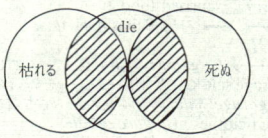

¶ 花瓶に生けたばらはすぐに*枯れる Roses in a vase soon (*wither and*) *die*. // この炎天で畑のもの (⇒ 植物) が*枯れ始めた The plants in the fields have begun to *wither* in this hot weather. // 庭の松の木が虫にやられて*枯れた (⇒ 虫が松の木を殺した) Beetles *have* ⌈*killed* [*blighted*] the pine tree in the garden.

2 «人間が» ── [動] (老いる) age [自]; (円熟する) mellow [自]. ── [形] mellow. ¶ その役者は年を取って演技が*枯れた The actor's performance *mellowed* as he got older.

3 «物がけばけばしくない» ── [形] (簡素な) austere. ── [名] austerity [U]. ¶ その古寺は*枯れた風情がある The old temple has an air of *austerity*.

かれる[2] 涸れる (水が) go dry; (完全に干上がる) drý úp [自]; (資金・資源が) be ⌈exhausted [drained]. ¶ この井戸は水が*涸れることはない This well never *goes dry*.

かれる[3] 嗄れる (声・人がしゃがれ声になる) get ⌈hoarse [husky] (☞ からす[3]). ¶ あまり大声を出して声が*嗄れてしまった I shouted myself *hoarse*.

カレワラ the kalevala /kàːləváːlə/ ★ フィンランドの民族叙事詩.

かれん 可憐 ── [形] pretty, lovely. (☞ かわいい).

カレン (女性名) Karen, Karin /kǽrən/.

カレンシー (通貨・貨幣) currency /kə́ːrənsi/ [U].

カレンダー cálendar [C]. ¶ 壁掛け [卓上] *カレンダー a ⌈wall [desk] *calendar* // *カレンダーをめくる turn (over) a ⌈page [leaf] of a *calendar* カレンダーアート cálendar àrt [U].

かれんちゅうきゅう 苛斂誅求 ¶ 領主の領民からの税の取り立ては*苛斂誅求をきわめた The lord ⌈*exacted heavy taxes from* [*imposed crushing taxes on*] his people.

カレンツ 〘植〙 currant [C] (☞ ほしぶどう).

カレント ── [形] (現在行われている) current /kə́ːrənt/. カレントイングリッシュ current English [U] カレントトピックス current topics [C] ★ 複数形で. カレントニュース current news [U].

かろう[1] 過労 òverwórk [U]. ¶ 父は*過労から病気になった My father got sick from *overwork*. // *過労死する die from *overwork*

かろう[2] 家老 councillor (of a daimyo) [C]; (説明的に) the highest-ranking official in the government of a ⌈feudal lord [daimyo] [C].

がろう 画廊 (art [picture]) gallery [C].

かろうじて 辛うじて barely; (やっと) narrowly; (苦労して) with difficulty; (やっとのことで・命からがら) (略式) by the skin of *one's* teeth.

【類義語】ぎりぎりで余裕がないことを表すのが **barely**. 事の成否の間に差がほとんどないことを表すのが **narrowly** だが, 形容詞の **narrow** ＋ 名詞で用いられることも多い. ((例) 我々は*辛うじて勝利を得た We gained a *narrow* victory.) 苦労・困難を伴うことを表すのが **with difficulty**. (☞ やっと; あやうく; かんいっぱつ) ¶ 彼は*辛うじて列車に間に合った He was *barely* ⌈on [in] time for the train. / (⇒ ほとんど乗り遅れるところだった) He *nearly* missed the train. / (⇒ ぎりぎりで間に合った) He was *just* in time for the train. // 私は*辛うじて難を免れた I escaped (the) disaster *by the skin of my teeth*. / I *had a narrow escape* from (the) disaster. // その道はきわめて狭く, 小さい車が*辛うじて通れる程度だった The road was quite narrow, and even small cars passed (*only*) *with difficulty*.

かろうと 屍櫃 (墓の石室) stone chamber of a tomb [C] (☞ はか[1]).

かろく 家禄 (日本の封建時代の) hereditary stipend [C]; (説明的には) the hereditary stipend a samurai received from his lord.

カロチノイド 〘生化〙 carotenoid [U] ★ carotinoid とも書く.

カロチン 〘生化〙 carotene /kǽrətiːn/ [U].

かろとうせん 夏炉冬扇 （季節外れで役に立たないもの）untimely and useless thing Ⓒ.

かろやか 軽やか ━ 形（軽快な）light. ━ 副 lightly. ¶*軽やかに歩く walk with *light* steps

カロリー ━ 名 calorie Ⓒ, calory Ⓒ ★ 前者が一般的. ━ 形 caloric.
¶アメリカ人は平均して1日に約3300*カロリーとっている（⇒平均的アメリカ人は）The average American ˹takes in [consumes] about 3,300 *calories* a day. // きゅうりは*カロリーが少ない Cucumbers are low in *calories*. // 高[低]*カロリー食 (a) ˹high-*calorie* [low-*calorie*] food // *カロリー含有量 *caloric* content // *カロリー摂取量を制限する control *one's caloric* intake カロリーメーター calorimeter /kæ̀lərímətə/ Ⓒ.

> **コロケーション**
> カロリー計算をする count *calories* / カロリーの摂取を減らす cut down on the *calories* / カロリーを消費する use [burn] (up) *calories* / 高[低]カロリーを摂取する take in ˹high [low] *calories* / 余分なカロリーを燃やす burn (up) excess *calories*

カロリングちょう カロリング朝 ━ 名 固〘史〙 the ˹Carlovingian /kɑ̀ələvíndʒ(i)ən/ [Carolingian /kæ̀rəlíndʒ(i)ən/] dynasty ★ フランク王国第二の王朝;（同王家の人々）the Carolingians.

カロリンしょとう カロリン諸島 ━ 名 固 the Caroline /kǽrəlàın/ Íslands ★ 西太平洋ミクロネシアの島々.

かろん 歌論 essay on ˹*waka* [*tanka*] Ⓒ.

がろん 画論 essay on painting(s) Ⓒ.

ガロン gallon Ⓒ《☞ 度量衡（囲み）》.

かろんじる 軽んじる （軽視する）make ˹little [light] of ..., think little of ...;（おろそかにする）slight ⑱ ★ やや格式ばった語;（無視する）negléct ⑱;（実際よりも軽くみる）ùnderéstimàte ⑱;（見下す）lóok dówn ˹on [upon] ... 《☞ けいし[1]; ないがしろ; みくびる》. ¶どんなことがあっても人命を*軽んじるようなことがあってはならない We should never ˹*make light* [*think little*] *of* human life in any circumstances. // 規則を*軽んじては（⇒無視しては）いけない We should not *neglect* the rules. // 彼の意見はいつも*軽んじられる His opinion *is* always ˹*made little of* [*slighted*].

ガロンヌ ━ 名 固 the Garonne /gərán/ ★ フランス南部を流れる川.

かわ[1] 川，河 （最も一般的に）river Ⓒ;（流れ）stream Ⓒ;（小川）brook Ⓒ. ¶長良*川《米》the Nagara (*River*) /《英》the (*River*) Nagara 語法 川の名前には必ず the を付ける点に注意.《☞ 冠詞（巻末）; 大文字（巻末）》// *川をさかのぼる[下る] go ˹up [down] a *river* // 水かさの増した*川はとうとう両岸から氾濫した The swollen *river* finally overflowed (its banks). // *川を渡る cross a *river*

> **コロケーション**
> 川が海へ流れる a *river* ˹flows [runs] into the sea / 川が蛇行して海へ流れる a *river* ˹winds [meanders] toward the sea / 川が氾濫する a *river* floods / 川が広く[狭く]なる a *river* ˹widens [narrows] / 川の水位が上がる[下がる] a *river* ˹rises [recedes] // 大きな川 a ˹large [great] *river* / 水量の多い川 an affluent *river* / 狭い川 a narrow *river* / 長い川 a long *river* / 流れの速い川 a ˹fast [rapid; swift] *river* / 濁った川 a muddy *river* / 広い川 a ˹wide [broad] *river* / 深い[浅い]川 a ˹deep [shallow] *river* / 曲がりくねった[蛇行した]川 a ˹winding [meandering; serpentine] *river* / 緩やかな川 a sluggish *river*

かわ[2] 皮 ━ 名（皮膚）skin Ⓤ ★ 最も一般的な語で, 以下の語の代わりに使うことができる;（獣皮）hide Ⓒ;（羊・ミンクなどの生皮・毛皮）pelt Ⓒ;（果物や野菜の薄い皮）peel Ⓒ;（果物の厚くて堅い皮）rind Ⓤ;（樹皮）bark Ⓒ;（牛乳などの表面の薄皮）film Ⓒ. ━ 動（皮をむく）skin ⑱, peel ⑱, pare ⑱;（皮がむける）peel ⓐ.《☞ き[2]（挿絵）; りんご（挿絵）》. ¶私は日に焼けて鼻の*皮がむけた I got sunburned and ˹my nose *peeled* [all the *skin* peeled off my nose]. // バナナの*皮を踏んで転んでしまった I slipped on a banana ˹*skin* [*peel*]. // 子やぎの*皮は靴や手袋を作るのによく使われます *Kid* [*Kidskin*] is often used to make shoes and gloves. 語法 kid Ⓤ で「子やぎの皮」. // この靴は子牛の*皮で作られています These shoes are made of calf *skin*. // じゃがいもの*皮をむいて下さい Will you *peel* the potatoes? // 彼女はりんごを*皮ごと食べた She ate the apple *skin* and all. // 彼はオレンジの*皮をむいてくれた He *peeled* me an orange. // 厚[薄]*皮 a ˹thick [thin] *skin* // とうもろこしの*皮 the *husks* of an ear of a corn / corn *husks* // 竹の子の*皮 the *sheaths* of a bamboo shoot // *皮ごと煮た[焼いた]じゃがいも *jacket* potatoes // 果物用*皮むきナイフ a *paring* knife // ハンターは射止めた鹿の*皮をはいだ The hunter ˹*skinned* [*flayed*] the deer he shot. // 木の*皮をはぐ take [strip] the *bark* off a tree // 欲の*皮の張った人 a *greedy* person

> **コロケーション**
> オレンジ[レモン; メロン]の皮 an orange [a lemon; a melon] ˹*rind* [*peel*] / 魚の皮 fish *skin* / 桜[柳]の木の皮 cherry [willow] *bark* / ジャガイモの皮 a potato *skin* / 水牛[牛; ワニ]の皮 buffalo [cow; alligator] *hide* / ソーセージの皮 a sausage *skin* / 玉ねぎの皮 an onion *skin* / 動物の皮 animal *hide* / 鶏肉の皮 chicken *skin*

かわ[3] 革 leather Ⓤ《☞ かわ[2]》. ¶*革の手袋 a pair of *leather* gloves **革帯** léather bèlt Ⓒ, léather bànd Ⓒ **革靴** leather shoes **革細工** leathercraft Ⓒ **革製品** leather Ⓒ, leather goods ★ 後者は常に複数形で. **革ひも** thong Ⓒ, (léather) stràp Ⓒ;（犬などをつなぐひも）leash Ⓒ;（むちの先の革ひも）lash Ⓒ **革袋** léather bàg Ⓒ;（小袋）léather pòuch Ⓒ.

> **革のいろいろ**
> エナメル革 patent [enameled] leather, 雌鹿皮 doeskin, キッド革 kidskin, 牛革 cowhide, 銀面革 grain leather, クロム革 chrome leather, 子牛革 calfskin, 子羊革 lambskin, サドル革 saddle leather, 鹿革 buckskin, deerskin, セーム革 chamois /ʃǽmi/ (skìn), 羊革 sheepskin, 豚革 pigskin, 蛇革 snakeskin, ベルト革 belt leather, 模造革 imitation leather, モロッコ革 morocco leather, 山羊革 goatskin, わに革 crocodile [alligator] skin

がわ 側 side Ⓒ《☞ よこ; かたがわ》.
¶私たちは通りの日の当たる*側を歩いた We walked along the sunny *side* of the street. // その道の両*側には木が植わっています There are trees on ˹either *side* [both *sides*] of the street. 語法 either の場合は単数, both は複数形が続くことに注意. // ビルは僕の右*側に, 良子はテーブルの向かい*側に座った Bill sat on my right(-hand) *side*, and Yoshiko sat ˹at [on] the opposite *side* of the table. // その箱の内[外]*側は青く塗られていた The ˹*inside* [*outside*] of the box was painted blue. // あなたは私と彼のどちら*側の味方をするんですか Whose [Which] *side* are you on, his or mine? //

日本海［太平洋］*側（⇒沿岸）the ⌈Japan Sea [Pacific] *coast*

かわあかり　川明かり　the gleam on the river at dusk ★ 説明的な訳.

かわあそび　川遊び　¶*川遊びに行く go *swimming in and boating on a river*

かわいい　可愛い　**1**《愛らしい》:（きれいな）pretty;（子供・動物などが）《米略式》cute.

¶何て*かわいい女の子だろう What a ⌈*cute* [*pretty*] girl (she is)! / How *cute* (she is)! // 彼女は*かわいい子猫を飼っている She has a *cute* kitten. // 彼女はとても*かわいい顔をしている She looks very *pretty*. // かわいい子には*旅をさせよ Spare the rod and spoil the child.《ことわざ: むちを惜しんで子供を損なう》

2《小さい》: little;（とても小さい）tiny /táɪni/.《☞ ちいさい（類義語）》.

かわいがる　可愛がる　（愛する）love (他) ★ 最も一般的な語;（手を触れたり抱いたりして）caréss (他);（抱き締めるようにして）cuddle (他);（愛玩する）pet (他), make a pet of ….《☞ あいする》.

¶彼女はその犬をとても*かわいがっている She *loves* the dog very much. /（⇒よく世話をしている）She *takes* ⌈*good* [*loving*] *care* of the dog. // 彼女はだれからも*かわいがられる She *is loved* by everyone. // 彼は先生に*かわいがられている He's the teacher's *pet*. ★ pet は「お気にいり」の意. // 赤ちゃんはできるだけ*かわいがってあげなさい（⇒抱き締めてあげなさい）*Hug* your baby as often as you can.

かわいげ　可愛い気　（ナイーブなところ）naïveté /nɑːìːv(ə)téɪ/ [U] ★ naïveté の¨と´は綴り本来のもの, naivety /nɑːíːvəti/ [U];（愛らしさ）amiability [U]. ¶彼女は*かわい気がない（⇒世慣れすぎている）She *is oversophisticated*.

かわいこちゃん　可愛い子ちゃん　cute [pretty] girl [C].

かわいさ　可愛さ　¶*可愛さ余って憎さ百倍 The greatest hate springs from the greatest *love*.《ことわざ: 最大の憎しみは最高の愛情から生まれる》

かわいそう　可哀相　— [形]（気の毒な）poor [A];（哀れな）pitiful;（悲しさを誘う）sad;（残酷な）cruel;（みじめな）míserable.

【類義語】人などが不運で気の毒なのは **poor**. 人の様子・立場などが哀れで同情を誘うのは **pitiful**. 事柄などが他人の悲しみを誘うのは **sad**. 行為などが残酷でかわいそうなのは **cruel**. 特に惨めなのは **miserable**.《☞ きのどく》

¶*かわいそうに What a *pity*! // 少年は*かわいそうに（⇒そのかわいそうな少年は）お金をなくしてしまった The *poor* boy has lost his money. // その2人の子供は*かわいそうな境遇におかれた The two children were put in a *pitiful* situation. // 彼が若くして両親を亡くしたのは*かわいそうなことです It's a *pity* that he has lost his parents so young. // 私たちは彼の*かわいそうな（⇒悲しい）話を聞いて泣いた We wept when we heard his *sad* story.

かわいらしい　可愛らしい　pretty《☞ かわいい》.

かわう　川鵜　〖鳥〗common cormorant [C]《☞ う[1]》.

かわうお　川魚　川魚料理 freshwater fish cuisine /kwɪzíːn/ [U].

かわうそ　獺　otter [C].

かわえび　川蝦　river shrimp [C].

かわおと　川音　（さらさら流れる音）murmur [murmuring] of a ⌈stream [brook] ★ 単数形で.《☞ さらさら[1]; せせらぎ》. ¶激しい*川音で私は目がさめた I was awakened by *the sound of the* rushing *stream*.

かわかす　乾かす　dry (他)《☞ ほす; かわく[1]》.

¶彼女はぬれた衣服を日なたで［火で］*乾かした She *dried* the wet clothes ⌈in the sun [by the fire].

かわかぜ　川風　river ⌈breeze [wind] [C] ★ wind は一般的な風. breeze は快いそよ風.

かわかみ　川上　— [名] the upper ⌈part [reaches] of a river.　— [副]（流れに逆らう方向に）upstream;（水源の方向に）upriver.《☞ じょうりゅう[1]; かりゅう[1]》.

かわがらす　川烏　〖鳥〗brown dipper [C].

かわき[1]　乾き　¶*乾きが早い（⇒早く乾く）*dry* quickly // *乾きの早いペンキ quick-*drying* paint

かわき[2]　渇き　（のどの渇き）thirst [U]. ¶*渇きをいやす quench *one's thirst* ★ 文語的表現. // 彼女はのどの*渇きを覚えた She felt *thirsty*.

かわぎし　川岸　riverside [C];（川岸の堤）riverbank [C] ★ bank だけでもよい. 以上2語とも通例 the を付けて. ¶そのホテルは*川岸にある The hotel stands ⌈by [on] *the riverside*.

かわきり　皮切り　（始め）beginning [C];（開始）start [C].《☞ てはじめに; さいしょ[1]》. ¶それを*皮切りに彼は大成功を収めた（⇒それが大成功の始めだった）It was the *beginning* of his great success. // 私が*皮切りに彼に質問した（⇒私が彼に質問した最初の人だった）I was *the first* to ask him a question.

かわぎり　川霧　river ⌈mist [fog] [C] ★ mist は薄い霧. fog は濃い霧.《☞ きり[1]》.

かわく[1]　乾く　— [動] dry (自).　— [形] dry.《☞ かわかす; かんそう[1]》. ¶梅雨時は洗濯物が*乾かない The washing won't *dry* in the rainy season. // シャツはまだ*乾いていません Your shirt is not *dry* yet.

かわく[2]　渇く　— [動]（のどが）be [feel] ⌈thirsty [dry] ★ 人が主語.　— [名]（のどの渇き）thirst [U].《☞ からから》. ¶暑いね. のどが*渇いた It's hot! I'*m* very *thirsty*.

かわくだり　川下り　— [動] go down a river in a boat.

かわぐち　川口　☞ かこう[3]

かわざかな　川魚　river [freshwater] fish [C] ★ 種類を表す以外は単複同形.

かわさきびょう　川崎病　Kawasaki disease [C] ★ 通例単数形で. 正式には mucocutaneous lymph node /mjúkoukjuːtèiniəs límf nòud/ sỳndrome（皮膚粘膜リンパ節症候群）で, MCLS が略称.

かわざらえ　川浚え　— [動]（網などで）drag (他);（機械などで大がかりに）dredge (他).《☞ さらう[1]; しゅんせつ》. ¶警察は彼の死体捜査で*川浚えをしている The police *are dragging the river* for his body.

かわざんよう　皮算用　¶とらぬたぬきの*皮算用をするな Don't count your chickens before they are hatched.《ことわざ: たまごが孵(かえ)らないうちにひなを数えるな》

かわしも　川下　— [名] the lower ⌈part [reaches] of a river.　— [副] downstream, down (the) river ★ 後者がより口語的.《☞ かりゅう[1]》.

かわす[1]　交わす　（交換する）exchange (他)《☞ とりかわす》. ¶私たちは毎朝あいさつを*交わします We *exchange* greetings every morning. // 私は彼と言葉を*交わした（⇒話した）ことがない I *have* never *talked* ⌈*to* [*with*] him. // 握手を*交わす shake hands (*with each other*)

かわす[2]　躱す　（横に移動してよける）step aside (自);（さっと体をかわす）dodge (他) (自);（避ける）avoid (他).《☞ よける; さける[1]》. ¶私はとっさに身を*かわして難を逃れた I ⌈*stepped aside* [*dodged*] quickly and escaped injury. // 彼はいつでも議論の肝心な点を*かわしてしまう He always *avoids* the ⌈crucial [central] issue of an argument.

かわす[3]　川洲　sandbar in a river [C];（三角洲）

delta Ⓒ.

かわず　蛙　☞ かえる[6]; い[5] (井の中の蛙)

かわすじ　川筋　―名 (流れる道筋) course of a river Ⓒ.　―形 副 (川筋の[に]) along the river. 《☞ かわぞい》.

かわせ　為替　(郵便為替) 《米》 móney òrder 《略 MO》 Ⓒ, 《英》 postal order 《略 PO》 Ⓒ; (外国為替) exchange Ⓤ.

¶ 3 千円の(郵便)*為替を組みたいのですが I want to ⌜send [remit] a *postal money order* for ¥3,000. // 電信*為替で 1 万円送った I sent ¥10,000 by telegraphic *money order*. // *為替を換金する cash a *money order* // 外国*為替市場 the foreign *exchange* market // 銀行*為替 a bank *money order*
為替受取人 《格式》 payée Ⓒ　**為替カバー** exchange risk cover Ⓒ　**為替換算表** exchange conversion table Ⓒ　**為替管理** exchange control Ⓤ　**為替管理法** the Exchange Control Law　**為替裁定** exchange arbitrage /áəbətrà:ʒ/ Ⓤ　**為替差益[差損]** cúrrency exchànge ⌜prófit [lóss] Ⓒ　**為替尻** balance of exchange Ⓒ　**為替清算協定** exchange clearing agreement Ⓒ　**為替相場** ☞ 為替レート　**為替ダンピング** exchange dumping Ⓤ　**為替手形** bill of exchange Ⓒ 《☞ てがた》.　¶ 外国*為替手形 a foreign *bill of exchange*　**為替投機** foreign exchange speculation Ⓤ　**為替取引** exchange dealings ★ 複数形で; exchange transaction Ⓒ　**為替仲買人** exchange broker Ⓒ　**為替振出人** drawer Ⓒ　**為替平衡勘定** exchange equalization account Ⓤ　**為替平衡資金** exchange equalization fund Ⓒ　**為替マリー** marrying long and short foreign exchange positions Ⓤ　**為替持ち高** foreign exchange position Ⓒ　**為替予約** exchange (forward) contract Ⓒ　**為替リスク** exchange (rate) risk Ⓒ　**為替レート[相場]** the rate of exchange, exchange rate Ⓒ.　¶ *為替レート [相場] は毎日変動する The *exchange rates* fluctuate every day. // きょうの*為替レートは 1 ドル 95 円です The *exchange rate* for today is ninety-five yen to the dollar.

かわせみ　翡翠　〖鳥〗 kingfisher Ⓒ.

かわぞい　川沿い　―形 (川沿いの) riverside Ⓐ, along a river Ⓟ.　―副 (川に沿って・川づたいに) along a river.　¶ *川沿いの町 a *riverside* town // この*川沿いの小道はよく利用されている This ⌜*riverside* path [path *along the river*] is ⌜much [frequently] used. // 大きな工場が*川沿いに立ち並んでいる Big factories are lined (up) *along the river*.

かわそう　革装　―形 leatherbound.　¶ *革装版の辞書 a *leather-bound* dictionary / a dictionary *bound in leather*

かわぞこ　川底　riverbed Ⓒ, bed Ⓒ.

かわたれどき　彼は誰時　―名 early dawn Ⓤ.　―副 before ⌜dawn [daybreak; daylight]. 《☞ みめい》.

かわたれぼし　彼は誰星　☞ あけのみょうじょう

かわちどり　川千鳥　riverside plover Ⓒ

かわった　変わった　(奇妙な) strange; (風変わりな) eccéntric; (一種独特の) pecúliar; (おかしな) funny; (異常な) unusual. 《☞ へん[1] (類義語); きみょう; おかしい》.

¶ *変わった動物だ, 何だろう What a *strange* animal! What is it? // 彼女はとても*変わった (⇒ 独特の [おかしな]) 表現をします She has a ⌜*peculiar* [*funny*] way of expressing herself. // 彼は*変わった人だ He is ⌜a *strange* [an *eccentric*] man. // 何か*変わったことはありませんか (⇒ すべて申し分ありませんか) Is everything all right? / (⇒ 何かニュースはないか) Is there any news?

かわづたい　川伝い　¶ *川づたいに歩く walk *along the* ⌜*river* [*riverbank*]

かわづつみ　川堤　(土手) ríverbànk Ⓒ; (人工的な築堤) river embankment Ⓒ. 《☞ ていぼう; どて》.

かわづら　川面　☞ かわも[1]

かわづり　川釣り　river fishing Ⓤ 《☞ つり[1]》.

かわと　革砥　―名 strop Ⓒ.　―名 (革砥で研ぐ) strop ㊀.　¶ *革砥でかみそりを研ぐ *strop* a razor

かわどこ　川床　☞ かわぞこ

かわどめ　川止め　ban on crossing a river Ⓒ ★ 説明的な訳.

かわなかじまのかっせん　川中島の合戦　Battles of Kawanakajima ★ 1553 年以降武田信玄と上杉謙信が数度戦った.

かわながれ　川流れ　(川で水死した人) person drowned in a river Ⓒ 《☞ すいし》.　¶ 河童の*川流れ　(⇒ どんな上手な泳ぎ手でもおぼれることがある) Even the best swimmer can *drown*. / Even Homer sometimes nods. 《ことわざ: ホメロスのような大詩人でもへまをすることがある》.

かわにな　川蜷　〖貝〗 melanian /məléɪniən/ snail Ⓒ, marsh snail Ⓒ.

かわはぎ　皮剝ぎ　〖魚〗 léatherjàcket Ⓒ.

かわばた　川端　―名 (川岸) ríverbànk, ríversìde Ⓒ ★ 後者は通例 the 〜 として.　―形 (川のほとりの) ríversìde Ⓐ. 《☞ かわぞい》.　¶ *川端のホテル a *riverside* hotel

かわはば　川幅　the width of a river 《☞ はば》.　¶ *川幅 100 メートルの川 a *river* 100 meters *wide* / a hundred-meter-*wide river*

かわばり　革張り　¶ *革張りのハンドル a *leather-covered* steering wheel

かわびらき　川開き　river festival Ⓒ.

かわぶち　川縁　edge of a river Ⓒ 《☞ かわぎし》.　¶ *川縁に[で] at the *edge of the river*.

かわぶね　川舟　riverboat Ⓒ.

かわべ　☞ かわぎし

かわべり　川縁　☞ かわぶち; かわぎし

かわへん　革偏　(漢字の) leather radical on the left of kanji Ⓒ.

かわます　河鱒　bróok tròut Ⓒ 《複 〜(s)》.

かわむかい　川向かい　☞ かわむこう

かわむき　皮剝き　―名 (果物・野菜などの皮むき器) peeler Ⓒ; (皮むきナイフ) paring knife Ⓒ 《複 〜 knives》.　―動 (果物・野菜などの皮をむく) peel ㊀; (刃物で) pare ㊀; (豆のさや・固い殻などを) shell ㊀; (木の皮を) bark ㊀; (動物の皮を剝ぐ) skin ㊀. 《☞ かわ[2]; むく[2]》.　¶ 野菜[じゃがいも]*皮むき a ⌜vegetable [potato] *peeler*

かわむこう　川向こう　―形 副 (川の対岸の [で, に]) on the ⌜other [opposite] side of the river, across the river, over the river.　¶ *川向こうの家 a house *on the opposite side of the river* // 青々とした草地が*川向こう一帯に広がっていた *Across the river* there extended broad grasslands. 《☞ たいがん[1]》

かわも[1]　川面　the surface of a river.

かわも[2]　川藻　riverweed Ⓤ; (川辺で育つ藻類) algae /ǽldʒi:/ that grow in and at the edge of the river ★ 複数形. 《☞ も[2]》.

かわや　厠　water closet Ⓒ ★ 古風な言い方. WC と略す. 《☞ トイレ》.

かわやなぎ　川柳　〖植〗 purple willow Ⓒ.

かわら[1]　瓦　tile Ⓒ　日英比較　tile は日本語で言う「タイル」と同時に屋根の瓦も指す.　¶ *瓦屋根の家 a *tile*-roofed house // *瓦屋根 a *tile(d)* roof // 屋根*瓦が何枚か風で飛んだ Some of the roof *tiles* were blown off.　**瓦ぶき** (瓦でふくこと) roof tiling

Ⓤ 瓦塀 roof-tile and mortar fence Ⓒ 瓦屋 tiler Ⓒ.

かわら² 河原, 川原 river bank Ⓒ.

かわらけ 土器 (集合的に) éarthenwàre Ⓤ; (杯) earthen cup Ⓒ; (器) earthen vessel Ⓒ. (☞ どき¹; すやき).

かわらせんべい 瓦煎餅 (roof) tile-shaped semi-sweet cracker Ⓒ.

かわらばん 瓦版 *kawaraban* Ⓒ; (説明的には) a single-page block-printed newspaper during the Edo period.

かわらもの 河原者 (中世の最下級の芸人や労働者) actor [laborer] of the lowest social rank in medieval Japan Ⓒ; (江戸時代の歌舞伎役者) kabuki actor in the Edo period Ⓒ.

かわり¹ 代わり, 替わり **1** 《代理・代用》 ―名 (代わりの人・物) súbstitùte Ⓒ, replacement Ⓒ; (代わりの手段) alternative /ɔːltə́ːnətɪv/ Ⓒ; (食事の一杯) helping Ⓒ. ―前 (…の代わりに) instead of …, in place of …; (…を代表して) for … 語法 以上はほぼ同意だが, for が最も口語的. なお, for は意味が広いので, 前後関係に注意して使う必要がある. ―副 instead. ―動 (代わりをする) súbstitùte ㊀ ㊁. (☞ だいり¹; かわる²).

¶ *代わりの提案をする propose an *alternative* // 君の*代わりに僕が行きます I will go ⌜*instead* [*in place*] *of* you. / I will go ⌜*for* you [*in* your *place*]. // もしあなたが忙しくておいでになれなければ, *代わりに妹さんを連れていきましょう If you are too busy to go with me, I will take your sister *instead.* // 石炭の*代わりに石油が燃料となった (⇒ とって代わった) Oil *has replaced* coal as fuel. // スミス先生が休みで, *代わりの先生が授業をした Mr. Smith was absent and a *substitute* taught us. / Another teacher *substituted for* Mr. Smith who was absent. ★ 第 2 文のほうが格式ばった表現. // これらの部品は*代わりがきかない There are no *replacements* for these parts. // どんな機械でも人間の*代わりにはなれない No machine can ⌜*substitute* [(⇒ 代用品である) be a *substitute*] *for* a human (being). (☞ だいよう 語法)

2 《代償》 ―前 (…の代償として) for …; (…の返礼として) in return (for …). ―副 in return.

¶ 私は彼に英語を教えてもらう*代わりに (⇒ お返しに) 彼に日本語を教えた He taught me English and I taught him Japanese *in return.* // 彼は私のペンをなくしてしまったので, *代わりに (⇒ 代償として) 新しいペンを買ってくれた He bought me a new pen ⌜*in compensation for* [to *replace*] the one he (borrowed from me and) lost.

3 《対照》 ―接 (しかし) but; (…だけれども) though, although. (☞ -が; しかし; けれども 語法).

¶ このカメラは安い*かわりに良くない This camera is cheap *but* not good in quality.

かわり² 変わり (変化) change Ⓒ; (相違) difference Ⓒ. (☞ へんか¹; かわる¹).

¶ この 10 年間, この町の人口はまったく*変わりがない There has been no *change* in the population of this town for the past ten years. // 私たち 2 人の意見にはほとんど*変わりはありません There is little *difference* of opinion between the two of us. // 私の留守中, 何の*変わりもなかった (⇒ すべてうまくいった [何事も悪くいかなかった]) *Everything went well* [*Nothing went wrong*] while I was away. // 彼女に何か*変わりがあったらすぐに私に電話しなさい Call me at once if *anything happens* to her. ★ 遠回しに死ぬことを表す場合によく用いられる. // 彼はいつもと*変わりなく早起きをした He got up early *as usual.* // 「近ごろお*変わりありませんか (⇒ どうやっていますか)」「おかげさまで別に*変わりはありません」 "How *are* you *getting along* these days?" "Quite well, thank you."

かわりだね 変わり種 (例外) exception Ⓒ.

¶ 一家の*変わり種 an *exception* [the *odd man out*] in *one's* family

かわりばえ 代わり映え ¶ 政府の新しい経済政策は一向に*代わり映えがしない (⇒ 以前のものを改善した点が見られない) The new economic policy of the government ⌜*shows little improvement over* [(⇒ ほとんど変わらない) *is not very different from*] the old one.

かわりはてる 変わり果てる change ⌜completely [entirely] (☞ かわる¹). ¶ 都市開発の波で故郷の自然は*変わり果ててしまった The (natural) environment of my hometown *has changed completely* because of the spread of urban development. // その兵士は*変わり果てた姿で (⇒ 死んで) 祖国に帰ってきた The soldier was brought home *dead.*

かわりばんこ 代わりばんこ ―副 (交替に) by turns, alternately /ɔ́ːltənətli/ ★ 後者は前者より改まった語; (順々に・次々に) in turn(s). (☞ かわるがわる; こうご¹). ¶ *代わりばんこに運転しましょう Let's take *turns* (*with* the) driving.

かわりびな 変わり雛 trendy (*hina*) doll Ⓒ; (説明的には) (*hina*) dolls modeled after persons in the current news reflecting the trends in the society.

かわりみ 変わり身 ¶ *変わり身が早い (⇒ 変化に適応するのが早い) be quick to *adapt oneself to* change(s) / be highly *adaptable to* change(s)

かわりめ 変わり目 (ある状態からほかの状態へ移ること) change Ⓒ; (変動) turn Ⓒ; (終わり) end Ⓒ. (☞ てんき²).

¶ 私は季節の*変わり目によく風邪を引く I often catch (a) cold with the *change* of seasons. // その戦争は世紀の*変わり目に起こった The war broke out at the *turn* of the century. // 学年の変わり目 (⇒ 終わり)に at the *end* of the school year // 人生の*変わり目 *the turning point* ⌜of [in] *one's* life // *変わり目の時期 a *transition* period

かわりもの 変わり者 eccéntric (person) Ⓒ; (不思議な行動をする人) strange person Ⓒ; (おかしな男) 《略式》 funny guy Ⓒ. (☞ へんじん).

かわりゆく 変わり行く ―動 change ㊁. ―形 changing; (つかの間の・無常の) transient. (☞ かわる¹).

かわる¹ 変わる (変化させる・する) change ㊀ ㊁; (…になる) turn to …. (☞ かえる²; へんか¹).

¶ 彼女はよく気が*変わる (⇒ 気持ちを変える) She often *changes* her mind. (☞ き¹ 語法) // 彼は怒りで顔色が*変わった (⇒ 彼の顔は怒りで赤くなった) His face *turned* red with rage. // 魔法使いが手を触れると同時にすべての物は金に*変わった Everything ⌜*changed* [*turned*] *to* gold as soon as the magician touched it. // 4 月にテレビ番組の一部が*変わります Some TV programs will ⌜*be changed* [*change*] in April. // 彼は結婚前とは (⇒ 結婚して以来) 人が*変わった He *has changed* since he got married. // 引っ越しで住所が次のように*変わりました (⇒ 次の住所に移った) I *have moved to* the following address. // 秋の天気はとても*変わりやすい Autumn weather is very *changeable.*

かわる² 代わる, 替わる (…にとって代わる) replace ㊀; (…の代わりになる) take the place of …; (人のために … を交代する) do … for *a person*; (勤務を交代させる) relieve ㊀; (取り代える) change [trade] … with … (☞ かわり¹; とってかわる; こうたい¹; いれか

わる》.
¶ CD が LP レコードにとって*代わった CDs *have replaced* LP records. // 彼女に*代わって (⇒ 彼女の代わりに) 私が説明します I will explain it ⌈*instead of* [*in place of*] her. // 新しい先生に*代わってから (⇒ 新しい先生を持って以来) 生徒たちはよく勉強するようになった The students have been studying harder ⌈since they have had a new teacher [with the new teacher]. // 運転を*代わりましょう Let me *do* the driving *for you* now. // ピッチャーが*代わった The pitcher *was relieved*. // 席を*代わってもらえませんか Can you ⌈*change* [*trade*] seats *with* me? // 《電話で》 少々お待ち下さい. いま父と*代わります (⇒ 父を電話に出します) Hold the line, please. I'll put my father on (the phone) in a minute.

かわるがわる 代わる代わる (交互に) by [in] turns, alternately /ɔ́ːltənətli/ ★ 後者はやや改まった語; (順々に・次々に) in turn. 《☞ かわりばんこ; こうご¹; こうたい¹》. ¶ 3 人の少年は*代わる代わるボートをこいだ The three boys took ⌈the oars *in turns* [*turns* (*at*) rowing]. 語法 at を省略するのは口語. // 委員会のメンバー全員が*代わる代わる立って話をした All the members of the committee got up and spoke *in turn*.

かん¹ 感 (感じ) a feeling ★ a を付けて; sense Ⓤ; sensation Ⓒ; (強い感情) emotion Ⓤ.
【類義語】 主観的な感情を表す最も一般的で意味の広い語が ***feeling***. 精神的な意識に重点があるのが ***sense***. 肉体的な感覚を表すのが ***sensation***. 喜び・悲しみなどの情緒的な強い感情が ***emotion***. 《☞ かんかく² (類義語); かんじ¹》 ¶ 彼女は幸福*感に満たされた She was filled with *a feeling* of happiness. / She *felt* great happiness. // 彼女は突如恐怖*感に襲われた (⇒ 恐怖感が襲うのを感じた) She felt the *sensation* of fear suddenly grip her.
感きわまる (いたく感動する) be deeply ⌈moved [touched]; (感情に圧倒される) be overwhelmed with emotion. ¶ 私たちは彼女の悲しい話を聞いて*感きわまった (⇒ ひどく感動した) We *were deeply* ⌈*moved* [*touched*] by her sad story. // 私は*感きわまって言葉が出なかった I *was* so *filled with emotion* (that) I couldn't speak. **感に堪えない** (深い感銘を受ける) be deeply impressed; (強い感動の徴候を示す) show signs of ⌈strong [deep] emotion.

かん² 勘 (感じ) a feeling ★ a を付けて; (直観) intuítion Ⓤ; (知覚力) perception Ⓤ; (第六感) a sixth sense, 《略式》 a hunch ★ 以上 2 つはいずれも a を付けて. 《☞ ちょっかん²; だいろっかん》.
¶ 私は*勘でわかった (⇒ 感づいた[直観で知った]) I ⌈*sensed* it [knew it by *intuition*]. ★ [ ] 内はやや格式ばった表現. / I had *a feeling* that it was so. // 彼は*勘がいい (⇒ 直観力のとてもすぐれた人だ) He is a very *intuitive* person. // *勘を働かせろ (⇒ 頭を使え) You *use your head*.

かん³ 巻 volume Ⓒ; book Ⓒ ★ book は「内容」, volume は「外形」を言う.
¶ その辞典は 20*巻から成る The dictionary ⌈is made up of [consists of; comprises] twenty *volumes*. ★ is made up of から [ ] の中へ, この順に格式ばった言い方となる. // 第 1*巻は 1990 年に出版された The first *volume* [*Vol.* 1] was published in 1990. // 第 1*巻 *Book* I 語法 必ずしも 1 冊でなく, 2 冊 (two volumes) のこともあり得る.
巻をおくあたわず ¶ その本はまさに*巻をおくあたわずだった (⇒ 本をおけない程興味深かった) The book was so absorbing I *couldn't put it down*.

かん⁴ 観 (見方) view Ⓒ; (外観) appearance Ⓒ.
¶ 彼はユニークな女性*観の持ち主です He has a unique *view* of women. // 議論は泥試合の*観を呈した The debate ⌈had [bore] all the *appearances* of a mudslinging contest.

かん⁵ 癇 **癇にさわる** ── 形 provóking; (人をいらいらさせるような) írritàting. ¶ 彼女は何か*癇にさわることを言った (⇒ 人を怒らせること) She said something quite *provoking*.

かん⁶ 寒 (最も寒い季節) the coldest season; (真冬) midwinter Ⓤ. ¶ 大*寒 ☞ 見出し // *寒の戻り a return of the *cold wave* **寒げいこ** ☞ 見出し **寒の入り[明け]** the ⌈beginning [end] of the coldest season (of the year).

かん⁷ 缶 《米》 can Ⓒ, 《英》 tin Ⓒ. 《☞ かんづめ》.

かん⁸ 棺 coffin Ⓒ, 《米》 casket Ⓒ.

かん⁹ 閑 (暇な時間) leisure /líːʒə, léʒə/ Ⓤ; (余分な時間) (spare) time Ⓤ. 《☞ ひま》. ¶ 忙中*閑あり We can find some *leisure* in our busy lives.

かん¹⁰ 漢 (漢・漢民族) Han /háːn/. ¶ *漢王朝 the *Han* dynasty // 前*漢 the Former *Han* // 後*漢 the Later *Han*

かん¹¹ 燗 ── 動 (酒のかんをする) heat sake. ¶ 人肌に*かんをする *heat* [*warm*] *sake* to body temperature **燗冷まし** ☞ 見出し

かん¹² 間 **間髪(はつ)を容れず** ¶ その少女は*間髪を容れず質問に答えた The girl *immediately* answered the question. 《☞ ただちに; そくざ》

かん¹³ 肝 ☞ かんぞう¹; きも

かん¹⁴ 官 (政府) government Ⓒ; (官職) government post Ⓒ. ¶ *官につく take a *government post* // *官を辞す resign from a *government post*

かん¹⁵ 貫 (重さの単位) kan Ⓒ 《複 ～》. ¶ 一*貫は 3.75 kg です One *kan* equals 3.75 kílogràms.

かん¹⁶ 管 (くだ) pipe Ⓒ, tube Ⓒ; (管楽器) wind instrument Ⓒ. 《☞ くだ; かんがっき》.

かん¹⁷ 緘 ── 動 (手紙の封をする) seal 他; (口をつぐむ) shut [close] *one's* mouth. 《☞ ふう²; ふういん》. ¶ 彼はその事件について口を*緘して決して語らなかった He ⌈*shut his mouth* and kept silent [*kept his mouth shut*] about the affair.

かん¹⁸ 環 ── 名 (輪・環状のもの) ring Ⓒ, loop Ⓒ; (周囲) rim Ⓒ. ── 接頭 circum- 《☞ わ¹》. ¶ 土星の*環 Saturn's *rings* ★ 複数形で // *環太平洋造山帯 the círcum-Pacific orogenic /ɔːrədʒénɪk/ zòne 《☞ かんたいへいよう》

かん¹⁹ 款 (条項) article Ⓒ, item Ⓒ ★ 後者はややくだけた語. 《☞ こう³; じょうこう¹》. **款を通じる** ¶ 敵に*款を通じる *communicate* (*secretly*) *with* the enemy ★ secretly を入れると「内通する」の意.

かん²⁰ 簡 **簡にして要を得る** ¶ 彼の話は*簡にして要を得ていた His speech was *brief and to the point*. 《☞ かんけつ²》

かん²¹ 韓 ☞ かんこく²

かん²² 歓 (喜び) pleasure Ⓤ; (大喜び) delight Ⓤ; (狂喜) rapture Ⓤ. 《☞ よろこぶ; たのしみ》. **歓をつくす** (心ゆくまで…を楽しむ) take pleasure in … to the full; (とても楽しく過ごす) have a wonderful time; (狂喜している) be ecstatic; be in raptures ★ 格式ばった表現.

かん²³ 冠 ☞ かんむり¹; かんたる

かん²⁴ 疳 ☞ かんのむし

かん²⁵ 艦 (軍艦) warship Ⓒ 《☞ ぐんかん》. ¶ *艦上で aboard the *warship* **艦上機** carrier-based aircraft Ⓒ ★ 単複同形. 《☞ かんさいき》.

-かん¹ …間 ── 前 (2 者の) between …; (3 者以上の) among … 語法 (1) 3 者以上の間でも, 個々の間の関係をいうときは between を用いる; (ある期間内で) in …; (ある期間ずっと) during …; (…の間) for … 語法 (2) for は「時間・距離」両方に用いる. また during が特定の期間中ずっと続くことを意味するのに対し，for は不特定・特定いずれにも用いられる．《☞ あいだ (類義語); このかん》．
¶東京名古屋*間にいくつ駅がありますか How many stations are there *between* Tokyo and Nagoya? // 私は 2 日*間でこの本を読んだ I read through this book *in* two days. // 彼とはここ 10 日*間会っていません I haven't seen him *for* ten days.

-かん² … **漢** ¶悪*漢 a bad [an evil] *man* 《☞ あっかん²》 // 熱血*漢 a hot-blooded *person* ★ 短気な人の意味にも用いる．《☞ ねっけつかん》 // 大食*漢 a big eater / a glutton ★ 軽べつ的．《☞ たいしょく²》

がん¹ **癌** ━名 cancer Ⓤ ★ 個々については Ⓒ; (婉曲的に) tumor Ⓤ ★ 日本語の「悪性のはれもの」という感じに似た言い方; (比喩的に, 害) cancer Ⓒ; (害をなす人) a [the] bad apple. 《☞ 婉曲語法 (巻末)》. ━形 cancerous.
¶彼は胃*がんだ He's got ˹*cancer* of the stomach [stomach *cancer*]. // その老人は*肺がんで亡くなった The old man died of lung *cancer*. // *がんは早期発見, 早期治療すれば治る *Cancers* are curable if they are ˹found [detected] and treated at an early stage. // 進行した*がんは転移しがちだ *Cancers* at an advanced stage tend to metástasìze. 《☞ てんい¹》 // 薬物使用の増加は社会の*がんである The increasing use of drugs is the *cancer* of society. // あいつは会社の*癌だ He's ˹*a* [*the*] *bad apple* in our company. // 原発性*肝がん primary *cancer* of the liver // *がん検診を受ける undergo an examination for *cancer* // 彼女は乳*がんと診断された She was diagnosed with breast *cancer*. // 患者に*がんを告知する inform a patient of ˹his [her] *cancer* // 発*がん物質 càrcinogénic agents / carcinogen // 抗*がん剤 anti-*cancer* drugs
がん遺伝子 càrcinogénic gene Ⓒ **がんウイルス** cancer virus Ⓒ **がん患者** cancer patient Ⓒ **がん細胞** cancer cell Ⓒ **癌腫** carcinoma Ⓒ《複 ～s, -mata》 **がんセンター** cancer center Ⓒ ★ 固有名としては the Cancer Center **がん年齢** the cancer-prone age **がん保険** insurance against cancer Ⓤ, cancer insurance Ⓤ **がん抑制遺伝子** túmor supprèssor [tumor-suppressing] géne Ⓒ.

コロケーション

癌と診断する diagnose *cancer* / 癌になる develop [contract] *cancer* / 癌の原因になる cause *cancer* / 癌を抑える control *cancer* / 癌を除去する remove *cancer* / 癌を治療する treat *cancer* / 癌を患う suffer from *cancer* // 癌が再発する *cancer* reappears / 癌が発生する *cancer* occurs / 癌が広がる *cancer* spreads / 癌が…まで進行する *cancer* advances to … // 手術可能な[不可能な]癌 operable [inoperable] *cancer* / 初期癌 early *cancer* / 進行癌 advanced *cancer* / 不治の癌 incurable *cancer* / 末期癌 terminal *cancer*

がん² **雁** 〘鳥〙 wild goose Ⓒ《複 wild geese》.

がん³ **願** **願をかける** make a vow to ˹a god [God].

がん⁴ **眼** **眼を付ける** (にらむ) stare *a person* in the eyes; (眼を合わせる) make eye contact with *a person*.

がん⁵ **龕** (仏像を納める厨子(ずし)) cabinet-sized shrine for a Buddhist icon Ⓒ; (棺) coffin Ⓒ.

ガン (一般的に銃) gun Ⓒ; (ライフル銃) rifle Ⓒ; (ピストル) pistol Ⓒ. 《☞ じゅう²; けんじゅう (挿絵)》.
¶*ガンさばきがうまい handle *one's gun* skillfully
ガンコントロール (銃砲規制) gun control Ⓤ **ガンショップ** gun shop Ⓒ **ガンマニア** gun freak Ⓒ.

かんあおい **寒葵** 〘植〙 wild ginger Ⓒ.

がんあつ **眼圧** 〘医〙 intraòcular préssure Ⓤ. **眼圧計** ophthalmotonometer /ɑfθæ̀lmoutounɑ́mətə/ Ⓒ, tonómeter Ⓒ ★ ophthalmo- は「眼」の意の接頭語. **眼圧検査** ophthalmotonometry Ⓤ.

かんあつし **感圧紙** préssure-sènsitive páper Ⓤ ★ 語法に関しては ☞ かみ².

かんあみ **観阿弥** ━名 固 Kan'ami, 1333–84. ★ 説明としては a pioneering Noh playwright and performer; father of Zeami.

かんあん **勘案** ━動 (考慮する) take … into consideration 《☞ こうりょ》. ¶諸般の事情を*勘案して *taking* everything *into consideration*

かんい¹ **簡易** **簡易書留** simplified registered ˹mail [《英》 post] Ⓤ 《☞ かきとめ》 **簡易言語** 〘コンピューター〙 simplified language Ⓒ **簡易裁判所** summary court Ⓒ 《☞ さいばんしょ》 **簡易住宅** simple frame house Ⓒ **簡易宿泊所** (日雇い労働者の) day-laborer's ˹lodgings [quarters] **簡易食堂** (立食式の) buffet Ⓒ; (セルフサービス式の) cafeteria Ⓒ; (軽食堂) snack bar Ⓒ **簡易水道** provisional water supply system Ⓒ 《☞ すいどう》 **簡易保険** postal life insurance Ⓤ **簡易郵便局** commissioned post office.

かんい² **官位** (官職と位階) government [official] post and rank Ⓒ; (官等) official rank Ⓒ.

かんい³ **冠位** rank of a nobleman at the ancient Japanese imperial court Ⓒ. **冠位十二階** twelve ranks of the ˹noblemen [peers] at the ancient Japanese imperial court (indicated by the twelve colors of their caps).

がんい¹ **含意** (暗に示す意味) implication Ⓒ; (言外の意味) connotation Ⓒ ★ 後者は格式語.

がんい² **願意** (望み) wish Ⓒ; (祈り) prayer Ⓒ. 《☞ ねがい》.

かんいしゅくしょう **肝萎縮症** 〘医〙 atrophy /ǽtrəfi/ of the liver Ⓤ.

かんいしょく **肝移植** liver tránsplànt Ⓒ ★ 動詞の transplánt とのアクセントの違いに注意.
¶*肝移植の手術を受ける have a *liver transplant*

かんいっぱつ **間一髪** ━副 narrowly, by a ˹hair's breadth [hairbreadth] 《☞ かろうじて》. ¶私は*間一髪のところで事故をまぬがれた I *narrowly* escaped the accident. / I escaped the accident *by a* ˹*hairbreadth* [*hair's breadth*]. / I had a *hair's breadth* escape.

かんいん¹ **館員** (職員) the staff ★ 職員全体をいう. 一人一人は staff member Ⓒ. 《☞ しょくいん¹》.
¶図書*館員 a librarian // 外国大使*館員 a *staff member* of a foreign embassy

かんいん² **姦淫** adúltery Ⓤ 《☞ かんつう²》. ¶なんじ*姦淫するなかれ Thou shalt not commit *adultery*. ★ 聖書のことば (出エジプト記 20 章 14).

かんいん³ **官印** (官庁・官吏が用いる印) official [government] seal Ⓒ.

かんう¹ **甘雨** (恵みの雨) blessed [sweet] rain Ⓒ; (好ましい雨) welcome rain Ⓒ. 《☞ あめ¹》.

かんう² **寒雨** (冬の冷たい雨) cold winter rain Ⓒ 《☞ あめ¹》.

かんえい **官営** ━形 government(al) Ⓐ, government-operated, government-controlled ★ 後の 2 つは説明的な言い方. ━動 (国営にする) nationalize (↔ privatize); (政府によって経営される) be run by the government; (政府管理下におく) place [put] … under the government control. 《☞ こくえい》. ¶*官営事業 a *government* enterprise

かんえつ **観閲** **観閲式** military review Ⓒ.

かんえん 肝炎 hepatitis /hèpətáɪtɪs/ Ⓤ 《☞ かんぞう¹》. ¶劇症*肝炎 fulminant /fúlmənənt/ *hepatitis* // A [B, C, D, E] 型*肝炎 *hepatitis* ˹A [B; C; D; E] 肝炎ウィルス hépatìtis virus /váɪ(ə)-rəs/ Ⓒ.

がんえん 岩塩 rock salt Ⓤ, 〖鉱〗 halite Ⓤ.

かんおう 観桜 (花見) cherry blossom viewing Ⓤ 《☞ はなみ¹》. **観桜会** cherry blossom viewing party Ⓒ.

かんおけ 棺桶 coffin Ⓒ, 《米》 casket Ⓒ. **棺桶に片足を突っ込む** have one foot in the grave.

かんおん 漢音 Han /háːn/ pronunciation of Chinese characters Ⓤ ★ 個々の具体的な発音を言う場合は Ⓒ.

かんか¹ 感化 ━名 ínfluence Ⓤ. ━動 (影響を与える) ínfluence ㊀. 《☞ えいきょう》. ¶少年は悪い友達に*感化された The boy *was influenced* by his bad friend. // 彼は若い人によい*感化を与えた He had a good *influence* ˹over [on] the young people.

かんか² 看過 ━動 (間違いなどを見逃がす) overlook ㊀ 《☞ みのがす》.

かんか³ 換価 ━動 (金銭評価する) value ㊀, appraise ㊀; (現金化する) liquidate ㊀, 《格式》 realize ㊀, change [convert] ... into money. ━形 (お金に換えられる) 《格式》 realizable. ¶*換価可能資産 *realizable* assets // 彼らはその家を 5000 万円と*換価した They ˹*valued* [*appraised*] the house at fifty million yen. // 彼は全財産を*換価したが借金の返済には十分でなかった He *liquidated* all his property, but it was not enough to pay off his debt(s).

かんか⁴ 干戈 (武器) arms ★ 複数形で; (戦争) war Ⓤ ★ 日本語の原意は「盾」と「ほこ」(shield and pike). **干戈を交える** (交戦する) go to war ˹against [with] ..., open hostílities ★ 後者は格式ばった表現, 複数形で. 《☞ こうせん²》.

かんか⁵ 乾果 〖植〗 dry fruit Ⓒ.

かんが 閑雅 ━形 (しとやかな) graceful; (優雅な) elegant; (静かで洗練された) quiet and refined. 《☞ ゆうが; しとやか》.

がんか¹ 眼下 ━前 副 below (*one's* eyes). ¶断崖の上からは*眼下に青い海が見えた From the top of the cliff we could see the blue sea just *below* (˹*our eyes* [us]).

がんか² 眼科 ophthalmology /àfθælmálədʒi/ Ⓤ. **眼科医** eye ˹doctor [specialist] Ⓒ, óculist Ⓒ, òphthalmólogist Ⓒ ★ 最初が最も口語的. 《☞ いしゃ》.

がんか³ 眼窩 éye sòcket Ⓒ, éyehòle Ⓒ ★ 後者の方が略式の言い方.

かんかい¹ 官界 the official world, officialdom Ⓤ ★ 後者は集合的に用い軽蔑的意味がある.

かんかい² 感懐 (印象) impression Ⓒ 《☞ かんそう²》.

かんかい³ 寛解 〖医〗 (症状の一時的な改善) remission Ⓤ.

かんがい¹ 感慨 deep emotion Ⓤ. ¶家へ帰ってきたときは*感慨無量でした (⇒ 言葉では表せないほどの気持ちだった) *My heart was too full for words* when I got back home again. // その老人は*感慨深げに写真を見た The old man looked at the photo *with deep emotion*.

かんがい² 灌漑 ━動 írrigàte ㊀. ━名 ìrrigátion Ⓤ. 《☞ すいり²》. ¶*灌漑の不十分な土地は収穫が悪い Poorly-*irrigated* land ˹produces [yields] a poor harvest. **灌漑計画** irrigation project Ⓒ **灌漑池** irrigation reservoir Ⓒ **灌漑用水** irrigation water Ⓤ **灌漑用水路** irrigation ˹ditch [canal] Ⓒ.

かんがい³ 干害 (損害) drought damage Ⓤ; (災害) drought disaster Ⓒ.

かんがい⁴ 管外 ━形 副 (管轄権外) óutside the jùrisdíction (of ...), outside the control (of ...). 《☞ かんかつ》. ¶海上保安庁の*管外で *outside the jurisdiction* of Japan Coast Guard

がんかい 眼界 (視野) field [range] of vision Ⓒ; (視界) sight Ⓤ. 《☞ しや》.

かんがえ 考え **1** 《思考》: thought Ⓤ ★「意見」という意味では通例複数形. 《☞ かんがえる; おもい²》. ¶彼はじっと*考えにふけった He was lost in (deep) *thought*. // *考えをまとめるには時間がいる I need time to collect my *thoughts*. // 陰うつな*考え a gloomy *thought* // 革命的な*考え (a) revolutionary *thought* // 散漫な*考え scattered *thoughts*

2 《思いつき》: idéa Ⓒ 《☞ おもいつき; アイディア》. ¶それはよい*考えだ That's a good *idea*. // よい*考えが浮かんだ I've ˹hit upon [thought of; come up with] a good *idea*. // 借りものの*考え a borrowed *idea*

3 《意見》: opinion Ⓒ; (見解) view Ⓒ; (考え方) idea Ⓒ. 《☞ いけん¹ (類義語); かんがえかた》. ¶これについてあなたの*考えはどうですか What's your *opinion* ˹on [of] this? // 私の*考えではあなた(の計画)はあきらめたほうがよいと思う In my ˹*opinion* [*view*], you should give up (your plan). // その問題については私達は彼らと*考えが違う (⇒ 同意しない) We don't *agree with* them on that issue. // 因襲的な*考え a conventional *idea* // 厳しい*考え a strict *idea* // 長く受け入れられている*考え a long-accepted *idea*

4 《意図》: intention Ⓤ 《☞ いと²; -つもり》. ¶それによって金をもうけようという*考えはない I have no *intention* of making money out of it. // どういう*考えで (⇒ なぜ) そんなことをしたのですか Why did you do such a thing?

5 《予期》: expectation Ⓤ. ¶事は*考え通りになった Things went as we (had) *expected*. // 君は*考えが甘い (⇒ 楽観的過ぎる) You are too *optimistic*.

コロケーション

考えを…からそらす avert *one's thought* from ... / 考えを心に抱く entertain [harbor] an *idea* / 考えを実行に移す put an *idea* into practice / 考えを捨てる drop [dismiss] an *idea* / 考えを取り入れる adopt an *idea* / 考えを…に伝える communicate *one's thought(s)* to ... / 考えを表現する express *one's thought(s)* / 考えをまとめる arrange [collect] *one's ideas*; organize [shape] *one's thoughts* / 考えを要約する sum up *one's thoughts* / (人に)自分の考えを押し付ける force *one's idea* on (*a person*) / 自分の考えを語る speak *one's thought* / 自分の考えを口に出す utter *one's thoughts* / 少し…のことを考えてみる give a *thought* to ... / …という考えに至る arrive at an *idea* of ... / …に考えを向ける direct *one's thoughts* to ... / …に考えを巡らす devote *one's thought* to ... / …に自分の考えを打ち明ける unfold *one's thoughts* to ... / …に自分の考えを告げる tell *one's thoughts* to ... / 人の考えに反対する oppose *a person's idea* / 人の考えを受け入れる accept *a person's idea* / 人の考えを借りる borrow *a person's idea* / 人の考えを退ける reject *a person's idea* // 新しい考え a ˹new [fresh] *idea* / 誤った考え an erroneous [a mistaken; a false] *idea* / うまい考え a happy *thought* / 恐ろしい考え a ˹hideous [horrifying] *thought* / 変わった考え a strange *idea* / 気の利いた考え a clever [a smart; an ingenious] *idea* / 基本的な考え a 「basic [fundamental] *idea* / 具体的な考え concrete *thought* / 口に出さない考え unvoiced *thoughts* / 気高い考え a noble *thought* / 現実的な考え a realistic *idea* / 健全な考え a 「sound [healthy] *idea* / 硬直した考え a rigid *idea* / こじつけた考え a farfetched *idea* / こっけいな考え a ludicrous *thought* / 混乱した考え confused [muddled] *thoughts* / 斬新な考え an innovative *idea* / 実行可能な考え a workable *idea* / 邪悪な考え an evil *thought* / 柔軟な考え a flexible *idea* / 素人考え an amateurish *idea* / 進歩的な考え a progressive *idea* / 筋の通らない考え an illogical *idea* / 進んだ考え an advanced *idea* / 素晴らしい考え a 「bright [brilliant] *idea* / 大胆な考え a daring *idea* / 妥当な考え a sensible *idea* / 断片的な考え fragmentary *thought* (*s*) / 陳腐な考え a hackneyed *idea* / つかみ所のない考え an elusive *thought* / つきまとって離れない考え an obsessive *idea* / 独創的な考え an original *thought* / とっさの考え a sudden *idea* / とっぴな考え a wild 「*idea* [*thought*] / 途方もない考え a fantastic *idea* / ばかげた考え an absurd [a foolish; a ridiculous; a silly] *idea* / 早まった考え a rash *idea* / 皮相な考え (a) superficial *thought* / ひねくれた考え a perverse *idea* / 病的な考え a morbid *idea* / 卑劣な考え an unworthy *thought* / 広く行き渡った考え a prevailing *idea* / 深い考え a deep *thought* / 不健全な考え a sick *thought* / 不純な考え impure *thought(s)* / ふとした考え a passing *thought* / ふらちな考え a wicked *idea* / 古めかしい考え an old-fashioned *idea* / 平凡な考え (an) uninspired *thought* / 未熟な考え a half-baked *idea* / みだらな考え lewd [lustful] *thought(s)* / 矛盾する考え conflicting *ideas* / 愉快な考え a pleasant *thought* / 立派な考え an admirable *idea*

かんがえかた 考え方 (考え方の習慣) *one's* way of thinking Ⓤ. ¶日本人の*考え方 the [a] Japanese *way of thinking* ★ the ～ は日本人の考え方全体を意味し, a ～ とすると「考え方の一つ」の意. // そういう*考え方もあるねえ (⇒ それはよい考えかもしれない) That may be an *idea*. // 進歩的な*考え方 a progressive *way of thinking*

かんがえごと 考え事 ¶*考え事がありますので一人にしておいて下さい Please leave me alone. I have *something to think over*. // *考え事をしていて一駅乗り越した I *was lost in thought* and went one station past mine.

かんがえこむ 考え込む (一生懸命に考える) think hard; (じっと深くあれこれと) brood 「over [on; upon] …. 《☞ おもいつめる》. ¶何をそんなに*考え込んでいるの What are you *thinking* so *hard* about? / What *are* you *brooding over* now? 〔語法〕 brood over は楽しくないことを考える場合が普通. // 彼女はしばらく*考え込んでいた She *was lost in thought* for some time.

かんがえだす 考え出す (よく考えて案出する) thínk 「óut [úp] (他); (考案する) invént (他) ★ やや改まった語. 《☞ つくりだす; こうあん¹》. ¶彼女はかぼちゃの新しい料理法を*考え出した She *thought up* a new way of cooking pumpkin. // これは彼が*考え出したものです (⇒ 彼の発明品です) This is his *invention*.

かんがえちがい 考え違い (間違い) mistake Ⓒ; (誤解) mìsùnderstánding Ⓒ. 《☞ おもいちがい; かんちがい; ごかい¹》.
¶それは君の*考え違いです (⇒ 間違っている) I'm afraid you're *wrong*. // 彼はそれが*考え違いだったということをどうしても認めようとしない He won't admit that it was a *mistaken* idea. // 私の*考え違いでなければ (⇒ 正しく記憶していれば) その言葉はシェイクスピアの作品にあります If I remember 「correctly [right(ly); aright], you can find these words in Shakespeare. // 私の言葉をそう受け取ったのならあなたの*考え違いです (⇒ 誤って解釈した) You *misinterpreted* me if you took my words that way.

かんがえつく 考え付く thínk of …; (方法などを) thínk úp (他); (ふと思いつく) hit 「on [upon] …. 《☞ おもいつく》. ¶「その子犬を何と呼ぼうか」「いい名前が*考え付かない」 "What shall we call the puppy?" "I can't *think of* any good name." // いつそんな奇妙なことを*考え付いたんだ (⇒ 奇妙な考えを抱くようになったのか) When did you *get* that strange *idea*?

かんがえなおす 考え直す (考え直して決心を変える) rèconsíder (他); (もう一度考える) think … over again, rèthínk (他) (自) ★ 前者のほうが口語的. 《☞ おもいとどまる; おもいなおす; さいこう²》.
¶もう一度*考え直してごらん I suggest you *think* it *over again*. // 先生は退学するのを*考え直すように私に忠告した Our teacher advised me to *reconsider* (my) quitting school. // 初めはお断りしようと思いましたが, *考え直して彼の申し出を受けることにしました I intended to decline his offer, but *on second* 「*thought* [《英》 *thoughts*] I decided to accept it. ★ on second thought(s) は「考え直して」の意の成句.

かんがえなし 考え無し ☞ うっかり

かんがえぬく 考え抜く thínk óut (他). ¶彼は*考え抜いた末, 仕事をやめた He finally quit his job after *thinking* 「it all [everything] *out*.

かんがえぶかい 考え深い (思慮深い) thoughtful; (用心深い) prudent. 《☞ しんちょう²》.

かんがえもの 考え物 (一考を要する問題) problem Ⓒ. ¶あわてて彼の申し出に飛び付くのは*考え物だった (⇒ あなたは飛び付く前によく考えるべきだった) You should *have thought twice* before jumping at his offer. / (⇒ 慎重であるべきだった) You should *have been very careful* about accepting his offer. // そりゃ*考え物だ (⇒ 議論の余地がある) That's 「*debatable* [*open to argument*].

かんがえよう 考え様 ¶物は*考え様だ (⇒ 物事はすべてそれをいかに見るかにかかっている) Everything depends on *how you look at* it.

かんがえられない 考えられない ― 〔形〕 (思いもよらない) unthinkable; (信じられない) unbelievable; (途方もない; びっくりするような) incredible. 《☞ ありえない》. ¶*考えられない事故が起こった An *unthinkable* accident 「happened [occurred]. // そんなことは*考えられない That's 「*unbelievable* [*impossible*].

かんがえる 考える **1** 《思考する・思う》: think (of …; about …) (自) 《過去・過分 thought》, think (他) ★ 後に名詞節を従える; (熟慮する) thínk óver (他), consider (他) ★ 前者のほうが口語的; (懸念する) fear (他), be afraid of … ★ 後者がより口語的. 《☞ おもう (類義語); こうりょ; かんがえ》.
¶私もそう*考える I *think* so, too. // 私はそうは*考えません I don't *think* so. // あなたはそれについてどう*考えますか What do you *think* 「*of* [*about*] that? // 私はそれについて何度も*考えた I *thought about* it over and over again. // それについてよく*考えて下さい Please *think* it *over*. // *考えておきましょう I'll *think about* it. ★ 文脈によっては婉曲な断りになる. // 私は大学院に進学することを*考えています I'*m considering* going to graduate school. // いろいろと*考えた

末，私は医者になることを決心した After「much [careful] *consideration*, I decided to be a doctor. // みな彼が少しおかしい (⇒ 気が狂った) のではないかと*考えた Everyone「*thought* [*feared*; *was afraid*] he was out of his mind. ★ [ ] 内の語を用いたほうが危惧の念が明確に表される.

2《想像して考える》: suppose ㊎, imagine ㊎ 〔語法〕前者は「仮定する」の意味であるのに対し，後者は「心に思い描く」という気持ちが強い.

¶私は彼の言ったことは正しいと*考えます I *suppose* what he said was right. // ちょっと*考えてもごらんなさい Just *imagine* it! // これが*考えられる限りの最良の方法だ This is the best way *imaginable*. // その映画の結末は私たちが*考えていたものとは違っていた The ending of the movie was different from what we *had imagined*.

3《予期する》: expect ㊎ 〔語法〕よいことにも悪いことにも用いる; (希望的に考える) hope (for …).

¶こんな結果になるとは*考えなかった I never *expected* an outcome like this. // 彼は*考えられる最善を尽くした He did the best he could *hope for*. (☞ かんがえられない)

4《…とみなす》: (…を…と考える) regard … as …; (間違って…を…と理解する) take … for …; (…を…と思いこむ) believe [think] … to be … (☞ みなす). ¶私はあなたを最良の友人と*考えています I *regard* you *as* my best friend. // 私たちは誤って彼をアメリカ人と*考えてしまった We (*mis*)*took* him *for* an American. / We mistakenly「*believed* [*thought*] him *to be* an American.

かんかく[1] **間隔** (2つの出来事・動作の) interval Ⓒ; (物と物との空き) space Ⓤ. (☞ あいだ; -おき).

¶次の列車まで 30 分の*間隔がある (⇒ 次の列車まで 30 分待たなくてはならない) We have to wait thirty minutes「before [till] the next train comes. // バスは 10 分*間隔で来ます Buses come「at ten-minute *intervals* [at *intervals* of ten minutes; (⇒ 毎 10 分ごとに) *every* ten minutes]. // 一定*間隔で at regular *intervals* // *間隔を詰める narrow the *space* // もっと*間隔を詰めて (⇒ もっとくっついて) お座り下さい Please sit a little closer together. // この手紙をダブルスペースの*間隔でタイプして下さい Please type this letter double-*spaced*.

かんかく[2] **感覚** ━名 sense Ⓒ; sènsibílity Ⓤ ★ 具体的な事例は Ⓒ. ━形 (感覚に訴える) sensuous; (感じやすい) sensitive.

【類義語】元来，視覚・触覚などのいわゆる五感の感覚が *sense* で，さらに「勘」をも指す. ((例) 距離*感覚 a *sense* of distance). 感覚を感じとる能力，すなわち「感受性・感度」という意味での感覚は *sensibility*. (☞ かん[1] (類義語))

¶よい[悪い]*感覚 a「good [bad] *sense* // 彼は方向*感覚が鋭い He has a keen *sense* of direction. // 犬は匂いに対して鋭い*感覚をもっている Dogs have a keen *sense* of smell. // 彼は人情劇に対する繊細な*感覚 (⇒ 意識) を持っている He has a sensitive *awareness* of human drama. // 畳に座っていたら足の*感覚がだんだんなくなった (⇒ しびれた) My legs gradually got *numb*「while [as] I sat on the tatami. // この手の音楽は*感覚的に受け入れられない I have an *instinctive* dislike for this kind of music. // 彼女は美的*感覚にすぐれている She has a highly developed *sense* of beauty. // 道徳的*感覚 a moral *sense* / a *sense* of morality

感覚器(官) sense [sensory] organ Ⓒ **感覚細胞** sensory cell Ⓒ **感覚神経** sensory nerve Ⓒ **感覚中枢** the「sensory [sense] center, the sensorium /sensɔ́:riəm/ (複 ~s, -ria /-riə/) **感覚描写** sensual description Ⓤ.

―コロケーション―

鋭い感覚 an acute [a keen; a sharp] *sense* / 繊細な感覚 a「fine [delicate] *sense* / 美的感覚 an aesthetic *sense* / ファッション感覚 a fashion *sense* / 文学的な感覚 a literary *sense* // バランス感覚 a *sense* of「balance [proportion] / ユーモアの感覚 a *sense* of humor / 歴史感覚 a *sense* of history

かんがく[1] **漢学** the study of the Chinese classics (☞ ちゅうごく (中国学)). **漢学者** scholar of the Chinese classics Ⓒ, Chinese classicist Ⓒ.

かんがく[2] **官学** (国立大学) national [state]「university [college] Ⓒ.

がんかけ **願掛け** ━動 pray to the gods [offer prayers (to the gods)] for the fulfillment of *one's* wish(es).

かんかつ **管轄** (法的に，ある権限を持って管理・決定をなすこと) jùrisdíction Ⓤ; (支配・監督) contról Ⓤ. (☞ とうかつ[1]).

¶その島はわが国が*管轄権を持っている Our country「has [exercises] *jurisdiction* over the island. // 入国管理局は法務省の*管轄です The Immigration Bureau is under the「*jurisdiction* [*control*] of the Ministry of Justice. // その殺人事件は警視庁の*管轄です (⇒ 警視庁で取り扱われている) That murder case *is being handled* by the Metropolitan Police (Department). // … の*管轄内[外]で within [outside] …'s *jurisdiction* // 2 つの*管轄官庁がそのプロジェクトをめぐって*管轄争いをしている The two *relevant* authorities are in a *jurisdictional* dispute over the project.

管轄区域 territorial jurisdiction Ⓤ **管轄裁判所** competent court Ⓒ.

かんがっき **管楽器** wínd ìnstrument Ⓒ; (オーケストラの管楽器部門) the wind. ¶金*管楽器 a brass *instrument*

かんがみる **鑑みる** ━前 (…に照らして) in (the) light of …; (…を考慮して) in view of …, (格式) in consideration of …. ¶過去の経験[失敗]に*鑑みて計画を再検討する必要がある We need to review the plan *in* (*the*) *light of* our past「experiences [failures].

かんがらす **寒烏** (冬のからす) crow in winter Ⓒ.

カンガルー 〔動〕 kàngaróo Ⓒ (複 ~(s)).

かんかん[1] ¶父は*かんかんになって (⇒ ひどく) 怒った My father was「*furious* [*very angry*; *in a rage*]. (☞ れっか; げきど; 擬声・擬態語 (囲み))

かんかん[2] **肝管** 〔解〕 hepatic duct Ⓒ.

かんがん[1] **汗顔** ¶*汗顔の至り *be deeply ashamed of oneself*

かんがん[2] **宦官** eunuch /jú:nək/ Ⓒ.

かんがん[3] **肝癌** ☞ かんぞう[1] (肝臓癌)

がんがん ━副 (大きな音を伴って) with a loud clanging sound; (勢いよく) vigorously; (力強く) forcefully. ━名 (大きな音) loud clanging sound Ⓒ, (文) clangor ((英) clangour) Ⓤ; (鐘の音) dingdong Ⓤ. (☞ 擬声・擬態語 (囲み)). ¶鐘が*がんがんと鳴った The bell *dingdonged*. // ステレオの音を小さくしなさい. *がんがんしているよ (⇒ 大きすぎる) Turn down your stereo. It's *too loud*. // 鹿島アントラーズのフォワードは東京ヴェルディのディフェンス陣を*がんがん攻撃して 3 ゴールを得た The Kashima Antlers' forwards attacked the Tokyo Verdy's defense「*vigorously* [*forcefully*] and scored three goals. // 頭が*がんがんする (⇒ 割れるような頭痛をもつ) I have a *splitting* headache.

カンカン(おどり) **カンカン(踊り)** cancan /kǽnkæn/ Ⓒ ★ 普通は the を付ける. ¶*カンカンを

踊る dance the *cancan*

かんかんがくがく　侃侃諤諤　―形 heated. ¶その問題については*かんかんがくがくの議論があった We had a *heated* ⌈discussion [debate] ⌈about [on] the matter. 《☞ ぎろん》

かんかんしき　観艦式　naval review [C].

かんかんせったい　官官接待　wining and dining of central government officers by local governments (at public expense).

かんかんでり　かんかん照り　―動 (太陽がぎらぎらと) glare down (自); (燃えるように) blaze (自); (たたきつけるように) beat down (自). 《☞ てりつける; てる》. ¶きょうは*かんかん照りの天気だ The sun *is beating down* today.

カンカンぼう　カンカン帽　boater [C], stiff [hard] straw hat [C].

かんき¹　換気　―名 vèntilátion [U].　―動 véntilàte (他) ★普通は受身で. ¶この部屋は*換気がよい [悪い] The room *is* ⌈well [poorly] *ventilated.* // 彼は*換気のために (⇒新鮮な空気を入れるために) 窓を開けた He opened the windows to *let some fresh air in.*
換気口 vent [C]　**換気扇** ventilation [ventilating] fan [C]　**換気装置** véntilàtor [C].

かんき²　喚起　―動 (呼び起こす) arouse (他), stir (up) (他) ★後者がより口語的; (注意などを求める) call (他). 《☞ よびおこす》. ¶我々はその問題に対して彼の注意を*喚起した We *called* his attention *to* the matter.

かんき³　寒気　the cold 《☞ さむさ》.　**寒気団** cold air mass [C].

かんき⁴　歓喜　(喜びで我を忘れるような) rapture [U] ★格式ばった語. しばしば複数形で; (恍惚(こう)状態) écstasies [C] ★通例複数形で; (喜び) joy [U]. 《☞ よろこび》.

かんき⁵　乾季　the dry season.

かんき⁶　官紀　(官吏の行動規範) code of conduct for public servants [C].

がんぎ　雁木　(ジグザグ模様) zigzag pattern [C]; (雪国の) extended eaves to keep the sidewalk below free of snow for pedestrians; (船着き場の階段) steps up to a pier; (川の土手の木の階段) wooden stairs up the bank of a river ★以上3つは複数形で.

がんぎえい　雁木鱏　〘魚〙 skate [C], thornback [C].

かんぎく¹　寒菊　winter chrysanthemum /krɪsǽnθəməm/ [C] 《☞ きく³》.

かんぎく²　観菊　chrysanthemum /krɪsǽnθəməm/ viewing [U].　**観菊会** chrysanthemum viewing party [C].

がんぎぐるま　雁木車　〘機〙 escape wheel [C].

かんきつるい　柑橘類　citrus /sítrəs/ fruits.

かんきのう　肝機能　liver function [C].　**肝機能検査** liver function test [C].

かんきゃく¹　観客　(特にスポーツなどの) spéctator [C]; (聴衆・観衆) audience [C] ★集合的に. スポーツの観客にも使う. 《☞ かんしゅう²》. ¶*観客はかなり多かった[少なかった] There was a ⌈fairly large [rather small] *audience.* / The *audience* was ⌈fairly large [rather small].　**観客席** seat [C]; (スタンド) *stands* ★普通複数形で. 《☞ スタンド》.

かんきゃく²　閑却　―動 (放っておく) leave … ⌈alone [unattended to] 《☞ なおざり》. ¶それは*閑却を許さない問題である (⇒その問題はあまりにも重大でそのまま放ってはおけない That problem is too serious to *be left* ⌈*alone* [*unattended to*].

かんきゅう¹　緩急　(遅速) fast and slow motion [U]. ¶彼はその人形を*緩急自在に (⇒意のままに) 操ることができた He was able to manipulate the puppet *at will.* // 問題の扱い方が*緩急よろしきを得ている be tactful in dealing with the matter // いったん*緩急あるときは (⇒緊急の場合は) in case of *emergency*

かんきゅう²　感泣　―動 (感激して泣く) be moved to tears 《☞ なく¹; なみだ》.

かんきゅう³　官給　government ⌈issue [supply] [U]. ¶*官給品 supplies *issued by the government* / *government-issued* goods / 《米》 *government issue*

がんきゅう　眼球　eyeball [C] 《☞ めだま》.　**眼球銀行** eye bank [C].

かんぎゅうじゅうとう　汗牛充棟　(大量の書籍) innumerable books; (膨大な蔵書) a large library.

かんきゅうちゅう　肝吸虫　Chinese liver fluke [C].

かんきょ¹　閑居　¶小人*閑居して不善をなす《ことわざ》☞ しょうじん¹

かんきょ²　官許　government permission [U]. ¶当時海外貿易は*官許を得ていなければならなかった Back in those days you needed *government authorization to* trade overseas.

かんきょう¹　環境　―名 (周囲の環境) environment /ɪnváɪ(ə)rənmənt/ [C]; (周りの状況) surroundings ★複数形で.　―形 (環境の) envìronméntal. 《☞ きょうぐう; じょうきょう¹》.
¶我々の学校は静かなよい*環境にある (⇒環境を持つ) Our school has a nice quiet *environment.* // その発電所の建設で*環境が損なわれた The construction of the power plant ⌈harmed [damaged] our *environment.* // 不快な*環境ではよい仕事はできない Good work cannot be done in uncomfortable *surroundings.* // 彼女は新しい*環境にすぐ慣れる She can adapt herself readily to new ⌈*surroundings* [*environments*]. // 恵まれた [恵まれない]*環境 a favorable [an unfavorable] *environment* // 理想的な*環境 an ideal *environment* // 国際*環境 the international *environment* // *環境にやさしい洗剤 *environmentally*-friendly [*eco*-friendly] detergent
環境アセスメント environmental assessment [U]　**環境衛生** envìronméntal hygienics /haɪdʒíːnɪks/ [U]　**環境エヌジーオー[エヌピーオー]** environmental ⌈NGO [NPO] [C]　**環境汚染** environmental pollution [U]　**環境音楽** environmental music [U], ámbient músic [U]　**環境監査** environmental ⌈audit [C] [auditing [U]]　**環境管理** environmental management [U], ècománagement [U]　**環境基準** environmental standard [C]　**環境基本法** the Basic Environment Law　**環境教育** environmental education [U]　**環境芸術** environmental art [U]　**環境権** the right to environmental safety [C]　**環境工学** environmental engineering [U]　**環境産業** the environmental ⌈industry [business] [U]　**環境週間** Environment(al) Week　**環境省** the Ministry of the Environment; 《英》 the Department of the Environment　**環境スワップ** debt-for-nature swap [C] 《略 DNS》　**環境税** environmental tax [C], eco-tax [C]　**環境責任** environmental responsibility [U]　**環境大臣** the Minister of the Environment　**環境デザイナー** environmental designer [C]　**環境破壊** environmental degradation [U]　**環境白書** white paper on the environment [C]　**環境ビジネス** ecology business [U], ecobusiness /ékoʊbɪznɪs/ [U]　**環境変異** 〘生〙 environmental variation [U]　**環境保護** environmental protection [U]　**環境保護局** 《米》

the Environméntal Protéction Àgency《略 EPA》 環境保護主義者 environmentalist Ⓒ 環境保全 environmental preservation Ⓤ 環境保全運動 ecoactivity Ⓒ 環境ホルモン environmental hormone Ⓒ;(内分泌かく乱物質) endocrine ⌈disruptor [disrupter] Ⓒ 環境問題 environmental problem Ⓒ 環境要因 environmental factor Ⓒ 環境倫理 environmental ethics Ⓤ.

コロケーション

環境を浄化する clean up the *environment* / 環境を美化する beautify the *environment* / 環境を保全する conserve [preserve] the *environment* / 環境を守る protect the *environment* // 生きるのに適さない環境 an inhospitable *environment* / 快適な環境 a pleasant *environment* / 家庭環境 a ⌈domestic [home] *environment* / 経済環境 an economic *environment* / 健全な環境 a healthy *environment* / 社会環境 the social *environment* / 周囲の環境 the surrounding *environment* / 労働環境 *one's* working *environment*; a working *condition*

かんきょう² 感興 (興味) interest Ⓤ; (面白さ) fun Ⓤ; (霊感) inspiration Ⓤ. 《☞ きょうみ; おもしろみ》. ¶この小説は大いに私の*感興をそそった This novel greatly ⌈aroused [excited] my *interest*. // 私は*感興の赴くままに即興詩を作った I *was inspired* to ⌈write [make up] an impromptu poem.

かんきょう³ 艦橋 bridge (of a warship) Ⓒ.

かんぎょう¹ 勧業 勧業債券 hypothec debenture Ⓒ.

かんぎょう² 寒行 (寒中の修業) self-discipline in the cold season Ⓤ; (寒中の苦行) ascetic practice in the cold season Ⓒ. 《☞ ぎょう²; しゅぎょう》.

かんぎょう³ 官業 government enterprise Ⓒ. 官業収入 government enterprise receipts.

がんきょう¹ 頑強 ── 形 (粘り強い) tenácious; (頑固な) stubborn; (頑強に抵抗する) die-hard. ── 副 tenaciously; stubbornly. ¶敵は*頑強に抵抗した The enemy resisted ⌈*stubbornly* [*tenaciously*]. / The enemy ⌈made [put up] (a) *stubborn* resistance.

がんきょう² 眼鏡 ☞ めがね

かんきょく 寒極 〘気象〙 the cold pole.

かんきり 缶切り can [《英》 tin] opener Ⓒ.

かんきん¹ 監禁 ── 動 confine ⑯, imprison ⑯. ── 名 confinement Ⓤ; (牢獄での) imprisonment Ⓤ. 《☞ なんきん¹》. ¶彼は1か月間*監禁されていた He *was* ⌈*imprisoned* [*confined*] for a month. 監禁罪 the crime of false imprisonment 《☞ たいほ¹ (逮捕監禁罪)》.

かんきん² 換金 ── 動 (…を金に換える) change [convert] … into ⌈cash [money] ★ convert のほうが格式ばった語. 《☞ かえる³》. ¶株を*換金する *change* [*convert*] *one's* stocks *into cash*

かんきん³ 桿菌 〘医〙 bacíllus Ⓒ 《複 bacilli /bəsílaɪ/》.

がんきん¹ 元金 príncipal Ⓒ ★ 普通は単数形で. 元金据え置き ── 動 (元金の支払いを延期する) defer [put off] payment of the principal; (元金を償還しないままにしておく) leave the principal unredeemed. ── 名 (据え置かれた元金) unredeemed principal Ⓒ.

がんきん² 眼筋 〘解〙 eye [ocular] muscle Ⓒ ★ 〘 〙内は専門語.

かんく¹ 管区 district (under jurisdiction) Ⓒ 《☞ かんかつ》. 管区気象台 district meteorological /mìːtiərəlάʤɪk(ə)l/ obsérvàtory Ⓒ.

かんく² 艱苦 (つらくて苦しいこと) hardships; (難儀) sufferings ★ いずれも複数形で. 《☞ かんなん; しんく¹》. ¶君もよく*艱苦を忍ぶ (⇒ 辛抱強く耐える) ことが必要である You must endure *hardships* stoically.

がんぐ 玩具 (おもちゃ) toy Ⓒ; (遊び道具) plaything Ⓒ. 《☞ おもちゃ》.

がんくつ 岩窟 cave Ⓒ; (大きな) cávern Ⓒ. 岩窟王 *The Count of Monte-Cristo* /mάntikrístou/ ★ デュマ (Alexandre Dumas) の小説.

がんくび 雁首 (キセルの頭) the bowl (of a pipe); (人の首) head Ⓒ. ¶*雁首そろえて (⇒ 全員そろって) all together

かんぐり 勘繰り (疑い) suspicion Ⓤ 《☞ かんぐる》. ¶下衆(げす)の*勘繰り (⇒ つまらない疑い) petty *suspicion* / (⇒ 見当違いの) a groundless [unwarranted] *suspicion*

ガングリオン 〘医〙 ganglion Ⓒ 《複 ~s, ganglia》.

かんぐる 勘ぐる (…だろうと疑う) suspéct ⑯ 《☞ うたがう》. ¶彼がうそをついているのではないかと*勘ぐった I *suspected* that he was lying. // 彼女は私が言ったことを*勘繰っているようだ She appears to ⌈*have a suspicion* [*be suspicious*] about what I said.

がんぐろ 顔黒 ¶彼女は*がんぐろだ (⇒ 徹底的に日焼けした顔をしている) She has *a thoroughly suntanned face*. / (⇒ 暗褐色に化粧した) She has made up her *face* (*dark*) *brown*.

かんぐん 官軍 (朝廷方の軍) the Imperial /ɪmpí(ə)riəl/ army; (政府軍) the government forces. ¶勝てば*官軍 Might ⌈is [makes] right. 《ことわざ: 力は正義なり》

かんけ 菅家 (菅原の姓を名のる一族) the Sugawara ⌈clan [family]; (特に菅原道真のこと) Sugawara no Michizane. 《☞ すがわらのみちざね》.

かんけい¹ 関係 **1** 《関連・関与》 ── 名 relation Ⓤ ★ しばしば複数形で; connection Ⓤ ★ 具体的には Ⓒ; relationship Ⓒ; concérn Ⓒ. ── 動 (物事が…に関係がある; …を…と関係させる) relate ⑯, connect ⑯ 語法 (1) 人・物を主語にして be related, be connected の形で用いられることが多い; (物事が…に利害・関心の点でかかわる) concern ⑯ 語法 (2) 人が主語のときは concern *oneself*, be concerned の形で用いられる; (人がかかわり合いをもつ) take part in …; (人・物が何らかのかかわりがある) have something to do with …

【類義語】 血縁・親友・因果関係など緊密な相互関係・交渉などを言うのが **relation** で, 国際関係などをいうときは複数形. ビジネスやその他の偶然のつながりや言葉の論理的なつながりなど, 一般的なかかわり合いを言うのが **connection**. ただし, 両者はほぼ同意で, 入れ替え可能のことが多い. やや格式ばった語は ***relationship*** で, *relation* と同意に用いられることもある. 利害や関心などの点でのかかわり合いをいうのが ***concern***. 《☞ かんれん; つながり; あいだがら; かんする¹》

¶それは私には*関係がない I have no *connection with* the matter. / I *have nothing to do with* it. ★ 第2文のほうが口語的. / It does not *concern* me. / I *am* not *concerned* with it. // 「それとこれとはどんな関係があるのかね」「ないね. 全然」 "What ⌈*has* that *got* [*does* that *have*] *to do with* this?" "Nothing. Nothing at all." ★ nothing の部分に a great deal; much; something; anything; very little などを用いて程度を表す. // 健さんと由美子さんはどんな*関係ですか What *relation* is Ken to Yumiko? 語法 (3) 2人がどのような親戚関係かをきく意味となる. / What is the *relationship* between Ken and Yumiko? ★ やや格式ばった表現. // 彼女は私の家とは何の*関係もない She has no *relation* to my family at all. / She *is* not *connected with* my family. // 彼の仕事と私のやっていることはまったく*関係 (⇒ 共通なところ) がない His work and mine *have nothing in common.* // その 2 つの出来事は密接な*関係があった The two incidents *were* closely ⌈*connected* [*related*]. // 日本はその国との外交*関係を断絶した Japan broke off diplomatic *relations* with the country. // 2 国の間には友好*関係が確立された Friendly *relations* have been established between the two countries. // …と*関係を改善する improve ⌈*relations* [a *relationship*] with … // …と*関係を増進する develop ⌈*relations* [a *relationship*] with … // …と*関係を促進する encourage ⌈*relations* [the *relationship*] with … // その陰謀にたくさんの人間が*関係した A lot of people ⌈*were involved* [*took part*] *in* the plot. // 彼はどうも友人の奥さんと親密な*関係になっているらしい He seems to have been *on* intimate *terms with* his friend's wife. ★ この文は性的な関係を暗示する.

2 «問題になる» ── 動 (重大な問題である) matter 自 語法 通常は it を主語として否定文・疑問文に用いられる. ¶ 彼女が外で何をしようと私には何の*関係もありません *It* doesn't *matter* to me what she does while she's out. // 仕事の*関係で (⇒ 仕事で) 10 日ほど中国へ行ってきた I've been in China for ten days *on* business. // あなたのご提案はこの問題とは*関係がない (⇒ 不適切である) Your proposal is *irrelevant* to the problem.

関係官庁 the ⌈authorities [government office] concerned ★ [ ] 内の場合は C. **関係詞** 〘文法〙 relative C **関係式** 〘数〙 relation C; 〘コンピューター〙 relational expression C **関係者** (個人) person concerned C; (関係者全体) party concerned C **関係省庁** ☞ **関係官庁** **関係諸国** the countries concerned **関係書類** the relevant ⌈documents [papers] 《☞ しょるい》 **関係代名詞** relative pronoun C **関係当局** the authorities concerned **関係副詞** relative adverb C **関係妄想** (迫害妄想) delusion of persecution C.

コロケーション

…と関係を維持する maintain ⌈*relations* [a *relationship*] with … / …と関係を終わらせる terminate ⌈*relations* [the *relationship*] with … / …と関係を回復する restore ⌈*relations* [a *relationship*] with … / …と関係を強固にする strengthen [cement] ⌈*relations* [the *relationship*] with … / …と関係を緊張させる strain ⌈*relations* [the *relationship*] with … / …と関係を修復する mend [repair] *relations* [the *relationship*] with … / …と関係を正常化する normalize *relations* with … / …と関係を損なう damage [impair] *relations* [the *relationship*] with … / …と関係を作り出す create ⌈*relations* [a *relationship*] with … / …と関係を深める deepen [cultivate] *relations* [the *relationship*] with … // **協力関係** cooperative *relations* / **緊張関係** strained *relations* / **私的な関係** private *relations* / **親密な関係** close *relations* / **正常な関係** normal *relations* / **性的関係** sexual *relations* / **賃金と物価の関係** wage-price *relations* / **通商関係** trade *relations* / **適正な関係** proper [right] *relations* / **東西関係** *East-West relations* / **夫婦関係** conjugal [marital] *relations* / **複雑な関係** complicated *relations* / **労使関係** labor-management *relations*

かんけい² 奸計 (悪賢い計画) crafty [cunning] plan C; (陰謀) plot C; (企み) trick. 《☞ わるだくみ》.

かんげい 歓迎 ── 名 (好意をもって迎えること) wélcome C ★ 最も一般的な語だが共に用いる形容詞により意味合いがかわる 《☞ コロケーション》; (迎え入れること) reception U 語法 必ずしも温かく迎えることは意味しない. 従って冷たく迎えること (a cold *reception*) もある. ── 動 welcome 他 《過去・過分 welcomed》; give (*a person*) a welcome, 《格式》 bid (*a person*) welcome. 《☞ むかえる; かんたい¹》. ¶ 私たちは彼を*歓迎した We *welcomed* him. / We *gave* him *a welcome.* // 私は大いに*歓迎された I *was* heartily *welcomed.* / I met with a ⌈cordial [friendly] *reception.* ★ 第 2 文はかなり格式ばった表現. // 一言*歓迎のごあいさつを申し上げます Let me say a few words of *welcome* to you all. // 私は*歓迎されざる客だった I was an *unwelcome* guest.

歓迎会 welcoming [welcome] party C; (やや改まった会) reception C.

コロケーション

温かい歓迎 a ⌈warm [genial] *welcome* / **大歓迎** a big *welcome* / **手荒い歓迎** a rough *welcome* / **熱烈な歓迎** an enthusiastic [a rousing] *welcome* / **冷ややかな歓迎** a chilly [cool; frosty; icy] *welcome* / **友好的な歓迎** a friendly *welcome*

がんけい 眼形 〘囲碁〙 eye shape C.

かんげいこ 寒稽古 (mid)winter ⌈exercises [training U] 《☞ けいこ》.

かんけいづける 関係付ける (結びつける) connect … with …; (関連づける) relate … to …. ¶ その男を殺人事件と*関係づける *connect* the man *with* the murder // 交通事故の増加と携帯電話の増加を*関係づける人もいる Some people *relate* the increase in traffic accidents *to* the growing number of cellular phones.

かんけいどうぶつ 環形動物 〘動〙 annelid C.

かんげき¹ 感激 ── 動 (感動させる) move 他, touch 他; (強い印象を与える) impréss 他. ── 名 (deep) emotion U; (興奮) excitement U. 《☞ かんどう¹; かんめい¹》. ¶ 私は*感激して涙があふれた I *was moved* to tears. // 彼の心からの歓迎に私たちはたいへん*感激した We *were* very ⌈*moved* [*touched*] by his hearty welcome. / (⇒ 彼の大歓迎が私たちを感激させた) His hearty welcome ⌈*moved* [*touched*] us very much.

かんげき² 観劇 theater-going U 《☞ しばい》. ¶ *観劇に行く go to *see a play* **観劇会** theater party C.

かんげき³ 間隙 **1** «すき間»: (裂け目) gap C; (開いている口) opening C. 《☞ すきま》. ¶ *間げきを埋める stop [fill up] a *gap* // 彼は人ごみの*間げきを縫って進んだ He made his way *through* the crowd of people.

2 «すき»: (油断しているとき) unguarded moment C 《☞ すき²》.

かんげざい 緩下剤 (mild) láxative C 《☞ げざい》.

かんけつ¹ 完結 ── 名 (完了) completion U; (結末) conclusion U; (終わり) end C. ── 動 (仕事などを仕上げる) finish 他; (結末をつけて終わりにする) conclude 他. 《☞ かんりょう¹ (類義語); かんせい¹》. ¶ 次号*完結 To *be concluded.* **完結編** concluding ⌈part [program] of a drama C.

かんけつ² 簡潔 ── 形 brief and to the point, concise ★ 後者はやや改まった語. ── 副 briefly, concisely. ── 名 conciseness U. 《☞ かんりゃく; てみじか》. ¶ 彼はその問題を*簡潔に説明した He explained the issue ⌈*briefly and to the point* [*con-*

cisely]. / He gave a *concise* account of the issue. ★ 第 2 文のほうが格式ばった表現.

かんけつ³ 間欠 ─形 intermittent. ─名 intermittence U. **間欠撮影** interval photography U; (低速度撮影) time-lapse photography U **間欠泉** geyser /gáɪzə/ C **間欠熱** intermìttent féver U ★ 個々の事例を指す場合は C. **間欠ワイパー** intermìttent (ʳwíndshield [《英》wíndscreen]) wíper C.

かんげつ¹ 寒月 a winter moon (☞ つき¹ 語法).

かんげつ² 観月 moon-viewing (☞ つきみ). **観月会** moon-viewing party C.

かんけん¹ 官憲 (当局) the (government) authorities; (警察) the police (authorities).

かんけん² 管見 (狭い見解) narrow view C; (私的な見解) *one's* ʳview [opinion] C. (☞ しけん²). ¶ *管見によれば (⇒ 私の個人的意見では) in *my* ʳ*view* [*opinion*]

かんけん³ 寒暄 **寒暄を叙す** (時候の挨拶をする) greet *a person* with remarks appropriate to the season.

かんげん¹ 還元 ─動〖化〗reduce ⑩; (酸化物を) deoxidize /dìːɑ́ksədàɪz/ ⑩; (元へ返す) return ⑩. ─名〖化〗reduction U; deoxidation U. ¶ オゾンは*還元しやすい Ozone *is* readily *reduced*. // 利益は出資者に*還元すべきだ The profit(s) should *be returned* to the investors. // すべてを白紙*還元する (⇒ 最初からやり直す) ことに決めた We decided to *start afresh*. **還元牛乳** recombined milk U **還元剤** redúcing àgent C, redúcer C; (酸化物の) deóxidizer C **還元主義** redúctionìsm U **還元漂白剤** reducing bleach C **還元分裂**〖生〗reduction division C; (減数分裂) meiosis /maɪóʊsɪs/ C (複 meioses /-siːz/).

かんげん² 換言 **換言すれば** in other words; (すなわち) that is (to say), namely ★ 後者は後に名詞を挙げる場合の言い方. (☞ いいかえる; いいなおす; つまり; すなわち).

かんげん³ 甘言 (甘い言葉) honeyed words ★ 複数形で; (お世辞) flattery U; (おべっか) 《米》 sweet talk ★ くだけた表現. ¶ *甘言にだまされる be deceived by *a person's honeyed words*

かんげん⁴ 諫言 ─動 (助言する) advise ⑩; (いさめる) remonstrate ⑩. ─名 advice U; remonstration U ★ 個々の事例を指す場合は C. かん言は下の人が上の人にするものであるから, 上の者が下の者にする admonish は使えない.
¶ 私は課長にその問題を考え直すよう*かん言した I *advised* the section chief to reconsider the problem. // 彼は私の*かん言に耳を貸さなかった He didn't listen to my *remonstrations*.

がんけん¹ 頑健 ─形 very strong. ─動 (健康状態がよい) be in good health. (☞ じょうぶ¹; げんき¹; けんこう¹).

がんけん² 眼瞼 ☞ まぶた

かんげんがく 管弦楽 orchéstral músic U (☞ オーケストラ). **管弦楽団** órchestra C.

かんこ¹ 歓呼 ─名 cheer C. ─動 (歓呼する・歓呼して迎える) cheer ⓐ ⑩. (☞ かんせい²).

かんこ² 喚呼 ─動 (声高に言う) announce … loudly.

かんご¹ 看護 ─動 (看護する) attend ⑩, attend to …; (世話をする) look after …. ─名 nursing (care) U. (☞ かんびょう; つきそい).
¶ 完全*看護 complete *nursing care* // 彼女は病院で手厚い*看護を受けた She *was* well *looked after* in the hospital. **看護学** the science of nursing **看護学校** school of nursing C **看護師[婦]** ☞ 見出し **看護士** (male) nurse C **看護人** (付き添い・世話人) (hospital) orderly C, hospital attendant C **看護兵** army nurse C ★ nurse は男女の区別はない; 《米》(衛生兵) corpsman /kɔ́ə(z)-mən/ C (複 -men); 《米》 medic C ★ 医療関係者全般についていう.

かんご² 漢語 (中国語の単語) Chinese word C; (中国から渡ってきて日本語となった語) Japanese word of Chinese origin C.

かんご³ 監護 custody U, guardianship U. (☞ こうけん²; ほご¹). **監護義務** custodial duties ★ 通例複数形で.

かんご⁴ 閑語 (無駄話) idle talk U.

がんこ 頑固 ─形 stúbborn; óbstinate. ─名 stubbornness U; obstinacy U.
【類義語】交換可能な場合も多いが, 生まれつき性格的に頑固であるのが ***stubborn***. ある目的や自分の意志にあくまでも固執するのが ***obstinate***. (☞ ごうじょう) ¶ なんと*頑固な老人だろう What ʳa *stubborn* [an *obstinate*] old man! // そんなに*頑固なことを言うな Don't be so *obstinate*. // 彼はいつも自分のやり方を*頑固に通そうとする (⇒ やり方に固執する) He always *persists* in his way of doing things. // 彼は*頑固な水虫に悩んでいる He is afflicted by an *obstinate* case of athlete's foot.

かんこう¹ 観光 (名所などを見物して歩くこと) sightsèeing U; (社会現象として, または事業としての) tourism U. (☞ けんぶつ).
¶ 今度の旅行はただの*観光です I am traveling just for ʳ*pleasure* [*sightseeing*]. // *観光がこの町の最大の収入源だ The ʳ*tourist industry* [*tourism*] is this town's main source of ʳrevenue [income]. **観光案内** (パンフレット) travel brochure /broʊʃʊ́ə/ C; (案内所) (tourist) information C **観光ガイド** sightseeing guide C **観光客** (旅行者) tourist /tʊ́(ə)rɪst/ C; (見物客) sightseer C **観光業** tourist industry U, tourism U **観光業者** travel agent C **観光シーズン** the tourist season **観光資源** resources for tourism ★ 複数形で. **観光施設** tourist facilities ★ 複数形で. **観光団** tourist [sightseeing] party C **観光地** tourist spot C; (海・山などの) tourist resort C; (名所などの) place of interest C; (見所) the sights ★ 通例複数形で the を付けて; (景勝地) scenic spot C **観光バス** sightseeing bus C **観光ホテル** tourist hotel C **観光旅行** sightseeing tour C; (行楽の旅) pleasure trip C. ¶ 我々は京都へ*観光旅行に行った We went *sightseeing* in Kyoto. / We went on a *sightseeing trip* to Kyoto. **観光旅行会社** tourist agency C **観光旅行者** tourist C. (☞ りょこう (類義語)).

かんこう² 刊行 ─動 publish ⑩, issue ⑩; (本などが刊行される) come out ⓐ. ─名 publication U. (☞ しゅっぱん¹; はっこう¹). **刊行物** publication C.

かんこう³ 慣行 custom C, practice C 語法 よくない慣行には practice のほうをよく用いる. (☞ かんしゅう¹ (類義語); かんれい¹).

かんこう⁴ 敢行 ¶ 雨でも (⇒ 晴雨に関係なく[天気にかかわらず]) 試合は*敢行します Rain or shine [Regardless of the weather], the games will *be played as scheduled*. // ストを*敢行する (⇒ 実行する) *carry out* a strike

かんこう⁵ 感光 ─動 (感光させる) expose … (to light). ─名 exposure (to light). ¶ うっかりフィルムを*感光させてしまった I inadvertently *exposed* the film *to light*. **感光材料** photosensitive materials **感光紙** photosensitive paper U **感光度[性]** phòtosènsitívity U **感光膜** sensitive film C.

かんこう[6] 漢口 ―[名](固) Hankou, Hankow /háːŋkou/ ★ 中国湖北省武漢市の一地区.

かんこう[7] 緩行 ―[動] go slowly. ¶*緩行列車 a「slow [(⇒ 各駅停車の) local] train《☞ どんこう; かくえきていしゃ》

かんこう[8] 完工 ―[名] completion [U]. ―[動] be completed.《☞ しゅんこう》. ¶この橋は*完工間近い This bridge is near *completion.*

かんこう[9] 寛厚 ―[形] (寛大で温厚な) generous and gentle.

かんこう[10] 勘考 consideration [U].

かんこう[11] 勘校 ―[動] (校訂する) edit (他); (校合する) collate (他). ―[名] editing [U]; collation [U].

かんごう 勘合 (割符) tally [C]. 勘合貿易 (日本と明朝の) the tally trade (between Japan and the Ming dynasty).

がんこう[1] 眼光 (目の輝き) the gleam in *a person's* eyes. ¶*眼光の鋭い人 a person with *sharp eyes* / a *sharp-eyed* person 眼光紙背に徹する (行間を読む) read between the lines; (鋭い洞察力を持って読む) read with penetrating insight.

がんこう[2] 雁行 ―[動] (鳥などが一列に並んで飛ぶ) fly in a row; (飛行機が編隊で飛ぶ) fly in formation.

がんこう[3] 眼孔 (眼窩) éye sòcket [C], éyehòle [C]; (見識の範囲) *one's* field of vision. ¶あいつの*眼孔の小ささにはあきれた I was amazed at the limited *range of* his *understanding.*

かんごうしゅうらく 環濠集落 habitation surrounded with a moat [C] ★ 説明的な訳.

がんこうしゅてい 眼高手低 ¶*眼高手低の人 (⇒ うまい批評はするが創作力は乏しい人) an astute critic who lacks creative originality

かんこうしょ 官公署 ☞ かんこうちょう

かんこうちょう 官公庁 government and municipal offices. 官公庁労働組合 the Government and Public Workers' Union.

かんこうば 勧工場 shopping complex during the Meiji and Taisho eras [C].

かんこうばい 寒紅梅 winter *ume* with pink blossoms [C] ★ 説明的な訳.《☞ うめ; こうばい[4]》.

かんこうへん 肝硬変 cirrhosis /sɪróusɪs/ [U].

かんこうり 官公吏 national and municipal /mjuːnísəp(ə)l/ government「emplòyée [official] [C]; (公務員) public-sector worker [C].《☞ やくにん》.

かんこうれい 箝口令 ―[動] (箝口令をしく) order *a person* to「keep silent [maintain silence] (about …; over …). ―[名] (口止めの命令) gag order [C].《☞ くちどめ》.

かんこうろう 官公労 ☞ かんこうちょう (官公庁労働組合)

かんごえ 寒肥え ―[動] (春の成育に備えて冬に肥料を与える) fertilize [manure] … during the winter《☞ ひりょう》. ¶畑に*寒肥えをやる *fertilize* the fields *with manure* [*use manure* to *fertilize* the fields] *during the winter*

かんこく[1] 勧告 ―[名] (…してはどうかと勧めること) rècommendátion [U] ★ 個々の事例は [C]; (個人的な忠告) advice [U]; (公的で重要な問題についての) counsel [U]. ―[動] advise (他); counsel (他); *rècommend* (他).《☞ ちゅうこく (類義語)》.
¶私は辞職の*勧告を受けた (⇒ 辞職するように勧められた) I *was advised* to resign.《☞ かたたたき》// 彼は医者の*勧告に従った He「followed [took] his doctor's *advice.* // 人事院*勧告 *recommendations* by the National Personnel Authority
勧告案 rècommendátion [C] 勧告者 adviser [C].

かんこく[2] 韓国 ―[名](固) South Korea; (正式名; 大韓民国) the Republic of Korea《略 ROK》. ―[形] (韓国の) (South) Korean. 韓国語 Korean [U], the Korean language ★ 後者のほうが改まった言い方. 韓国人 (South) Korean [C] 韓国併合 the annexation of Korea by Japan.

かんごく 監獄 prison [C], jail [C] ★ 後者のほうが口語的.《英》では jail を gaol とつづることもある.《☞ けいむしょ (類義語)》. 監獄部屋 (たこ部屋) work-camp barracks ★ barracks は単複同形.

かんごし[ふ] 看護師[婦] nurse [C] ★《米》では正看護師[婦]を registered nurse《略 RN》, 準看護師[婦]を licensed practical nurse《略 LPN》, licensed vocational nurse《略 LVN》, 医療助手を assistant nurse, nurse's aide, 実地看護師[婦] (簡単な医療の仕事をする資格を持つ) を nurse-practitioner という. また, 日本看護協会認定の専門看護師[婦] (特定分野の深い知識と技術を持つ) は clinical nurse specialist《略 CNS》という.
¶*看護師[婦]が不足している We are short of *nurses.* 看護師[婦]会 nurses' agency [C] 看護師[婦]長 (病棟の各ユニットの主任) head nurse [C]; (総看護師長) súpervisor [C], clinical director [C]
[語法] 最近は後者の言い方が好まれる. 看護部門の長は the director of nursing という. 看護師[婦]養成所 nurses' training school [C].

かんこつだったい 換骨奪胎 ―[動] (翻案する) adapt (他); (古いものを焼き直す) rehásh (他) ★ 後者は普通は悪い意味で. ―[名] (作品) adaptation [C]; rehásh [C].《☞ やきなおす》.

かんこどり 閑古鳥 閑古鳥が鳴く ¶その行楽地は冬場は*閑古鳥が鳴いている (⇒ とても寂れている) That resort is quite *deserted* in winter. / (⇒ 観光客はほとんどその行楽地を訪れない) *Very few tourists visit* that resort during the winter.

かんごにん 看護人 ☞ かんご[1] (看護人)

かんごふ 看護婦 ☞ かんごし

かんごり 寒垢離 *kangori* ablutions; (説明的には) cold-water ablutions at the coldest time of the year.

かんこんそうさい 冠婚葬祭 ceremonial occasion [C].

かんさ 監査 ―[名] (検査) inspection [U]; (会計検査) audit [C]. ―[動] inspect (他); audit (他).《☞ けんさ; しらべる》. ¶工場を*監査する *inspect* a factory // 会計を*監査する *audit* accounts
監査委員 (会計の) member of the auditing committee [C], member of the Board of Audit [C] 監査機関 auditing agency [C] 監査部 the internal áuditing「divìsion [depàrtment]《☞ 会社の組織と役職名 (囲み)》 監査報告 audit report [C] 監査役 auditor [C]《☞ 会社の組織と役職名 (囲み)》.

かんさい[1] 関西 the Kansai「district [region; area]. 関西国際空港 the Kansai International Airport 関西弁 the Kansai dialect; (なまり) Kansai accent [C].《☞ -べん》.

かんさい[2] 完済 ―[動] (すっかり返す) pay off (他); (負債を清算する) liquidate (他) ★ 後者は法律用語. ―[名] (全額支払い) full payment [U]; liquidation [U] ―[形] (全額支払い済みの[で]) paid in full《☞ かんのう[2]; はらう》.

かんざい[1] 管財 (財産の管理) administrátion of an estate [U]. 管財人 ☞ 見出し

かんざい[2] 寒剤 freezing mixture [C].

がんさい 岩滓 〘地〙 scoria /skɔ́ːriə/ [C]《複 -riae /-riìː/》.

かんさいき 艦載機 (空母から発進する飛行機) carrier-based plane [C]; (空母搭載の航空機) carrier-borne aircraft [C] ★ 単複同形.

かんざいにん 管財人 〘法〙 (破産の) receiver [C].

かんざいぶ 管財部 the properties administrátion ⌈division [department] 《☞ 会社の組織と役職名 (囲み)》.

かんさいぼう 幹細胞 stem cell Ⓒ.

かんさく 間作 ―[名] cátch crópping Ⓤ; intercrópping ★ 前者は収穫期の異なる作物を次の植付けまでの間を利用して栽培すること, 後者は異なる種類の作物を同時に互いのうねとうねとの間に植えること; (作物) cátch cròp Ⓒ; íntercròp Ⓒ. ―[動] ìntercróp (自) (他).

がんさく 贋作 (本物でない物) fake Ⓒ; (偽造品) counterfeit Ⓒ.

かんざくら 寒桜 (木) cherry (tree) blossoming in winter Ⓒ; (花) winter cherry ⌈blossoms [flowers] ★ 複数形で. 《☞ さくら¹》.

かんざけ 燗酒 warmed [heated] sake Ⓤ.

かんざし 簪 òrnaméntal háirpìn Ⓒ.

カンザス ―[名] (固) (米国の州) Kansas 《☞ アメリカ (表)》.

かんさつ¹ 観察 ―[名] observation Ⓤ. ―[動] (科学的に) observe (他); (動物・人の行動など動きのあるものを) watch (他); (静止しているものを) look (at …) (自) [語法] 最初の語は研究する態度で観察する意味で, やや改まった語. 後の 2 つは一般的な語. 《☞ みる¹ (類義語); かんそく¹》.

¶ 鳥の生態を*観察する *observe* the behavior of birds // 息子は毎晩星を*観察している My son ⌈*observes* [*watches*] the stars every night. // 私は彼のしていることを*観察した I *watched* what he was doing. // 野鳥の*観察が私の趣味です Bird *watching* is my hobby. // 彼女の*観察は鋭い (⇒ 鋭い観察眼を持っている) She has a sharp and ⌈*watchful* [*observant*] eye. **観察眼** observing eye Ⓒ **観察力** *one's* powers of observation.

かんさつ² 鑑札 (許可証) license (《英》 licence) Ⓒ; (犬の首輪などにぶら下げる) tag Ⓒ. 《☞ きょか¹》.

¶ *鑑札を受ける take (out) [get; receive] a *license* // *鑑札を更新する renew a *license* // 無*鑑札の店 an *unlicensed* store

かんさつ³ 監察 ―[動] (正しく機能しているか詳しく調べる) inspect (他); (管理監督する) supervise (他). ―[名] inspection Ⓤ; supervision Ⓤ. **監察医** 《米》 médical exáminer Ⓒ **監察官** inspector Ⓒ; supervisor Ⓒ.

がんさつ 贋札 ☞ にせさつ

かんさびる 神さびる ☞ かみさびた

かんざまし 燗冷まし warmed sake left over Ⓤ.

かんざらし 寒晒し ―[動] expose … to cold weather. ¶ 日本の北の地方では人々は餅や豆腐を保存するために*寒ざらしにしたものです In some northern regions of Japan people used to *expose* rice cakes and tofu ⌈*to the cold* [*in cold weather*] in order to preserve them.

寒ざらし粉 (白玉粉) rice flour Ⓤ.

かんさん¹ 換算 ―[動] (換算する) convért (他). ―[名] conversion Ⓤ; (計算) calculation Ⓤ.

¶ それは円に*換算するといくらになりますか How much is it in ⌈yen [Japanese money; Japanese currency]? // ドルを円に*換算する *convert* dollars into yen // この古銭の価値は今の金に*換算して 100 万円になる The value of these old coins comes to a million yen *in terms of* present-day currency. // 距離は 2 キロ, マイルに*換算して 1.2 マイルあります The distance is 2 kilometers *or* 1.2 miles. // 彼の仕事は金に*換算できない (⇒ 金という名目で計算することはできない) His work cannot *be calculated in* (*terms of*) money. // 私の犬は 16 歳で, 人間の年に換算する (⇒ 同等とみなす) と 80 歳くらいだろう My dog is sixteen years old, (and) so he may *be compared to* an eighty-year-old man.

換算表 conversion table Ⓒ **換算率** the exchange rate Ⓒ.

かんさん² 閑散 ―[形] (静かな) quiet; (人けのない) desérted; (市場の活気がない) inactive; (商売などが不景気な) slack. 《☞ ひとけ; がらんと》.

¶ 通りは*閑散としていた (⇒ 人があまりいなかった) *There were* ⌈*not many* [*few*] *people* on the street. / (⇒ 交通があまりなかった) *There was* ⌈*not much* [*little*] *traffic* on the street. // 市場は*閑散としている The market is ⌈*inactive* [*slow*].

かんさん³ 甘酸 (楽しいことと辛いこと) the pleasures and pains (of …); (よい時と悪い時) the good times and the bad.

かんし¹ 監視 ―[名] (不都合がないように行動などを見守ること) watch Ⓤ ★ a を付けることがある; (観察) observation Ⓤ; (警戒) lóokòut Ⓤ; (防衛のための) guard Ⓤ; (人) guard Ⓒ. ―[動] watch (他); (目を離さないでいる) keep ⌈an [*one's*] eye ⌈on [upon] … ★ いずれも口語的表現. 《☞ みはり》.

¶ 我々は囚人たちを厳しく*監視した We kept *watch on* the prisoners very carefully. / (⇒ 囚人たちを厳しい監視の下に置いた) We kept the prisoners under strict ⌈*observation* [*surveillance*]. ★ 第 2 文は第 1 文より格式ばった表現. // 大気汚染に対しては厳しい*監視が必要だ We must maintain (a) close *watch* on air pollution. / We must *keep an eye on* air pollution.

監視員 watchman 《複 -men》 Ⓒ; (プールなどの) lifeguard Ⓒ **監視所** lóokòut Ⓒ **監視船** patrol boat Ⓒ **監視塔** wátchtòwer Ⓒ **監視網** surveillance network Ⓒ.

かんし² 冠詞 〔文法〕 article Ⓒ 《☞ 巻末》.

かんし³ 漢詩 (個々の作品) Chinese poem Ⓒ; (文学の一形態としての) Chinese poetry Ⓤ. 《☞ し³》.

かんし⁴ 鉗子 forceps ★ 複数形で. 数えるときは a pair [two pairs] of … 《☞ 数の数え方 (囲み)》.

鉗子分娩 forceps delivery Ⓒ.

かんし⁵ 看視 ―[名] (注意して見る) watch Ⓤ. ―[動] watch (他); (気をつける) look after …. 《☞ かんし¹; みまもる》.

かんし⁶ 官私 ¶ *官私 (⇒ 国立と私立) の大学 *national and private* universities

かんし⁷ 環視 ☞ しゅうじんかんし

かんし⁸ 諫死 ―[動] kill *oneself* [take *one's* own life] in order to remonstrate with *one's* lord.

かんし⁹ 諫止 ―[動] (いさめて思いとどまらせる, 止めさせる) 《格式》 dissuáde (他) ★ いさめるだけでなく「思いとどまらせる」という結果を含む. ―[名] 《格式》 dissuásion Ⓤ. ¶ 政府への蜂起を*諫止する *dissuade a person* from rebelling against the government

かんし¹⁰ 干支 (十干と十二支を組み合わせたもの) the sexagenary cycle of the Chinese zodiac 《☞ えと》.

かんじ¹ 感じ **1** «印象»: (印象) impression Ⓒ; (心持ち) feeling Ⓒ. 《☞ いんしょう¹》.

¶ 彼は*感じのいい [悪い] 男だ He is ⌈a *pleasant* [an *unpleasant*] person. // 今度の先生は*感じがよかった [悪かった] (⇒ よい [悪い] 印象を与えた) The new teacher gave us a ⌈favorable [bad] *impression*. / The new teacher made a ⌈favorable [bad] *impression* on us. // 彼はどんな*感じの男でしたか (⇒ あなたにどんな印象を与えましたか) What *impression* did he ⌈give [make on] you? / What was he *like*? ★ 第 2 文がより口語的な表現. // あの男は刑事みたいな*感じだ (⇒ のように見える) He *looks like* a detective. // 私の*感じでは彼は私と一緒に仕事をしたいようだ (⇒ 私は…という気がする) I have *a feeling* [My *impression* is] that he is willing to work with me. // 彼ってかわいいって*感じ I kinda think he's cute. ★ kinda は kind of のくだけた口語で「何だか…」「ちょっと…」の意.

2 《感覚》: (感触) feel Ⓤ; (手触り) touch Ⓤ 語法 以上の 2 語は通例 the を付ける. また 形 が付き, of… などの限定がなければ a～となる. 《☞ かんしょく¹; てざわり; かんかく²》.

¶ 寒さで指先の*感じがなくなった (⇒ 指が感覚を失った) My fingers were *numb* ⌜with [from the] cold. // 手触りが絹のような*感じだ (⇒ 絹のような感触がする) It *feels* like silk. / It has a silklike *feel*. ★ 第 1 文のほうが口語的. // ビロードの滑らかな*感じが好きだ I like the smooth ⌜*feel* [*touch*] of velvet.

かんじ² 漢字 kanji Ⓤ ★ 個々には Ⓒ で, 単複同形; (説明的には) Chinese character Ⓒ. 《☞ じ¹; もじ》. ¶ 名前を*漢字で書く write *one's* name in *kanji* // 常用*漢字 *Chinese characters* designated for daily use // *漢字かなまじり文 sentences written in both *kanji* and *kana*

漢字音 pronunciation of Chinese characters Ⓤ ★ 個々の漢字の具体的な発音をいう場合は Ⓒ. **漢字コード** kanji code Ⓒ **漢字制限** restriction on the use of Chinese characters Ⓤ **漢字プリンター** kanji printer Ⓒ.

かんじ³ 幹事 (会や団体の事務処理をする人) secretary Ⓒ; (世話係) manager Ⓒ; (催し物などの) stéward Ⓒ. ¶ クラス*幹事 the class *secretary* // 同窓会の*幹事 the *manager* of a class reunion // 忘年会の*幹事はだれですか (⇒ だれが手配をするのか) Who will *arrange* the year-end party?

幹事長 chief secretary Ⓒ, secretary-general Ⓒ.

かんじ⁴ 監事 (監査役) inspector Ⓒ; (会計検査官) auditor Ⓒ.

かんじ⁵ 莞爾 ¶ 彼女は*莞爾として (⇒ やさしく[愛らしく]) 笑った She *smiled* ⌜*genially* [*sweetly*]. 《☞ にっこり》

ガンジー ― 名 固 (マハトマ～) Mohandas Karamchand [Mahatma] Gandhi /mòuhəndɑ́ːs kʌ̀rəmtʃʌ́nd [məhɑ́ːtmə] gɑ́ːndi/, 1869–1948 ★ [ ] 内は敬称, インド独立の父; (インディラ～) Indira /ɪndí(ə)rə/ Gandhi, 1917–84 ★ インドの政治家・首相. **ガンジー主義** Gandhism, Gandhiism /gɑ́ːndɪzm/; (無抵抗主義) the principles of nonviolence advocated by Gandhi.

かんじいる 感じ入る (感銘を受ける) be deeply impressed (by …). ¶ お言葉に*感じ入りました (⇒ あなたのお言葉はたいへん感銘を与えるものでした) What you said ⌜is [was] very *impressive*.

がんじがらめ ― 動 (手足を縛る) bind [tie] … hand and foot ★ 比喩的にも用いる; (比喩的に, 行動などを) hedge ⌜in [round; around] 他. 《☞ しばる》. ¶ 制約で*がんじがらめになっています We *are hedged* ⌜*in* [*round; around*] with restrictions.

かんしき¹ 鑑識 (判断・評価) judgment Ⓤ; (犯罪捜査で指紋・筆跡などの確認) identification Ⓤ; (物の識別) discernment Ⓤ. 《☞ かんてい¹; ひょうか¹》. ¶ 彼は美術品について*鑑識眼がある (⇒ 目のきく人だ) He is a good *judge* of (works of) art.

鑑識課 (警察の) the *identification section*.

かんしき² 乾式 **乾式オフセット** dry offset Ⓒ **乾式工法** the dry construction method **乾式反応** dry reaction Ⓒ.

かんじき 樏 snowshoes ★ 通例複数形で. 数えるときは a pair [two pairs] of snowshoes.

がんしき 眼識 (見分ける力・眼力) eye Ⓒ ★ 単数形で用いる; (識別できる力) discernment Ⓤ ★ 格式ばった語. ¶ 私の叔父は絵画に関しては*眼識を持っている My uncle has *a discerning eye* for paintings. / (⇒ 専門家の眼を持っている) My uncle has *an expert eye* for paintings.

かんじく 巻軸 (巻物) scroll Ⓒ; (巻の末尾) the close of a scroll; (巻中のすぐれた句や詩歌) excellent haiku or *tanka* poems (in a volume).

かんじざい 観自在 〘仏教〙 (観世音) Avalokitesvara; (大慈大悲の菩薩) Bodhisattva of great compassion. ★ 両者とも専門用語. 一般的表現は ☞ かんのん.

ガンジス ― 名 固 the Ganges /gǽndʒiːz/ (River) ★ インド北部を南東へ流れ, ベンガル湾に注ぐ川.

かんジストマびょう 肝ジストマ病 〘医〙 clonorchiasis /klòunɔːkáɪəsəs/ Ⓤ.

カンジダしょう カンジダ症 〘医〙 candidiasis /kæ̀ndədáɪəsɪs/ Ⓒ 《複 -ses》.

かんじつ 閑日 (平穏で閑静な時) quiet time Ⓤ; (余暇) leisure Ⓤ; (余分な時間) spare time Ⓤ; (自由な時間) free time Ⓤ.

がんじつ 元日 New Year's Day 《☞ がんたん》. ¶ *元日は休みです (⇒ 法律で定められた祝日) *New Year's Day* is a legal holiday.

かんしつきゅうしつどけい 乾湿球湿度計 psychrometer /saɪkrɑ́mətə/ Ⓒ; (一般に) wet-and-dry bulb ⌜hygrometer [thermometer] Ⓒ.

かんじとる 感じ取る (ひと目で見て取る) take in 他; (察知する) perceive 他. 《☞ さっする》. ¶ 私は即座にその場の状況を*感じ取った I immediately *took in* the situation. // 彼は彼女のわずかな態度の変化を*感じ取った He *perceived* a slight change in her attitude.

かんしゃ¹ 感謝 ― 名 thanks ★ 複数形で; gratitude Ⓤ ★ 後者のほうが格式ばった語. ― 動 thank 他, be ⌜thankful [grateful], appreciate 他 自 ★ 後のものほど格式ばった表現となる. 《☞ れい²》. ¶ あなたの助言に心から*感謝します *Thank* you very much for your advice. / I *am* very ⌜*thankful* [*grateful*] (to you) for your advice. ★ 第 2 文のほうが格式ばった表現. 語法 thank は必ず人を直接目的語とし, 感謝の対象は for で示す. // ご協力を心から*感謝します I very much *appreciate* your cooperation. ★ 会話では格式ばった表現. 書き言葉では丁寧表現. // *感謝の言葉もありません (⇒ どのようにして感謝すればよいかわからない) I don't know how to *thank* you. // *感謝の印に粗品をお送り致しました I have sent you a small gift ⌜in token of [as a token of] my *gratitude*. **感謝祭** (米国の) Thanksgiving (Day) **感謝状** (改まった書状) tèstimónial Ⓒ; (手紙) letter of thanks Ⓒ; (くだけた感じの礼状) thank-you note Ⓒ.

かんしゃ² 官舎 (官邸) official residence Ⓒ; (公務員用のアパート) apartment [《英》 flat] for government officials Ⓒ. 《☞ こうむいん》.

かんじゃ¹ 患者 (治療を受けている人) patient Ⓒ ★ 最も一般的な語; (精神科医・産科医などのところに相談に来る人) client /kláɪənt/ Ⓒ; (症例をいう場合) case Ⓒ 語法 patient と違って, 人よりも症状に重きをおく; (医師の患者全体) practice Ⓒ. 《☞ びょうにん》. ¶ *患者を診察する see [examine] a *patient* ★ 前者が口語的. // インフルエンザの*患者 a flu *victim* // 入院*患者 an *inpatient* // 外来*患者 an *outpatient* // 斉藤医院は*患者が多い Dr. Saito has a large *practice*. // エイズの*患者は増えている *Cases* of AIDS are increasing.

患者名簿 sick list Ⓒ.

― コロケーション ―

患者を退院させる discharge a *patient* ★ 通例

受動態で. / 患者を入院させる hospitalize a *patient* ★ 通例受動態で. // 危篤状態の患者 a critically ill *patient* / 心臓病[癌, 糖尿病]患者 a「cardiac [cancer; diabetic] *patient* / 長期療養患者 a long-term *patient* / 末期患者 a terminal *patient* / 予約なしの患者 a walk-in *patient*

かんじゃ² 間者 （一般にスパイ）spy Ⓒ;（政府機関などの諜報員）secret agent Ⓒ.《☞ スパイ》.

かんしゃく 癇癪 ―[動]（腹を立てる）lose *one's* temper;（急に怒り出す）fly into a「rage [temper] ★ rage のほうが怒り方が激しい.《☞ かっと; おこる¹; げきど》.
¶彼はときたま*かんしゃくを起こす He sometimes *loses his temper*. // *かんしゃくを起こして in a *fit of anger* // 彼は息子の態度に*かんしゃくを起こした He *was enraged* by his son's behavior.
かんしゃく玉（爆竹）firecracker Ⓒ. ¶*かんしゃく玉を破裂させる（⇒ 激怒する）*fly into a rage* **かんしゃく持ち** hot-tempered [quick-tempered] person Ⓒ《☞ たんき¹》.

かんじやすい 感じ易い （敏感な）sensitive ★ 人にも物にも使われる;（感受性の強い）impressionable;（情に動かされやすい）sentimental;（多感な）susceptible /səséptəbl/ ★ 格式ばった語;（神経質な）nervous.《☞ びんかん; デリケート》.
¶彼女は*感じやすい年ごろだ She is at an *impressionable* age. // 子どもは大人よりも*感じやすい Children are more *susceptible* than adults.

かんしゅ¹ 看守 （見張り）guard Ⓒ;（刑務所の）jailer Ⓒ.

かんしゅ² 看取 ―[動]（把握する）grasp (他);（見抜く）see through ...《☞ みぬく》. ¶彼は試合中相手の動きを素早く*看取した He quickly *grasped* how his opponent acted in the game. / He quickly *saw through* the actions of his opponent in the game.

かんしゅ³ 巻首 （書物の初めの部分）the first part of a book;（最初のページ）the opening page of a book.

かんしゅ⁴ 緩手 （碁・将棋の迫力のない手）nonthreatening move Ⓒ;（急所をはずした手）nonstrategic move Ⓒ;（効果のない手）ineffective move Ⓒ.

かんじゅ¹ 甘受 ―[動] submit (to ...) (自), submit *oneself* to ... ★ 後者は格式ばった表現.《☞ うけいれる》. ¶彼は相手の提案を*甘受した He *submitted* to the proposals of his opponent.

かんじゅ² 官需 official [governmental] demand Ⓒ.

かんじゅ³ 感受 ―[動]（無電など）pick up (他), receive (他). ¶受信機が遭難信号らしきかすかな音を*感受した My receiver *picked up* something faint like a distress signal. **感受性** ☞ 見出し

かんじゅ⁴ 貫主, 貫首 （仏教の）the chief abbot (of a Buddhist temple).

かんしゅう¹ 慣習 custom Ⓒ, convention Ⓤ ★ 具体的には Ⓒ; practice Ⓒ.
【類義語】ある社会で一般に認められる伝統的な行動様式は **custom** または **convention**. 後者のほうがやや改まった語. 意識的に行われている習慣, つまり慣行ないし慣例は **practice**.《☞ しゅうかん¹》
¶長い間続いている*慣習はなかなか廃止できない A *custom* of long standing [(An) old *custom*] cannot be done away with easily. / Old *customs* die hard. ★ die hard（なかなかなくならない）は成句. // その村にはまだ古い*慣習がずいぶん残っている Many old *customs* are still kept alive in that village.
慣習法（成文法と区別した判例法）common law Ⓤ;（昔からの慣習の）customary law Ⓤ.

かんしゅう² 観衆 （聴衆・観客）audience Ⓒ ★ 集合的に;（参観者）attendance ★ 単数形で;（特にスポーツなどの観客）spéctators ★ 複数形で;（通りすがりに集まった見物人）ónlòokers, lóokers-ón ★ 前者のほうが一般的. 複数形で.《☞ かんきゃく¹; ちょうしゅう¹》.
¶その試合は*観衆がまばら（⇒ 少し）だった There was a very small *attendance* at the match. // 突然*観衆はいっせいに総立ちとなった The whole *audience* [All the *spectators*] suddenly stood up.

かんしゅう³ 監修 (èditórial) sùpervísion Ⓤ. ¶その辞書は A 氏の*監修で編さんされた The dictionary was compiled *under the supervision* of Mr. A. **監修者** (éditòrial) súpervìsor Ⓒ.

がんしゅう 含羞 ☞ はにかむ

かんじゅく¹ 完熟 ¶*完熟トマト a *fully*「*ripe* [*ripened*] tomato

かんじゅく² 慣熟 ―[形] ripe with experience. ¶彼は見かけは若いが*慣熟している He looks young but he *is mature in experience*.

かんじゅせい 感受性 ―[形]（感じやすい）sensitive;（繊細な）delicate. ―[名] sensibilities ★ 複数形で; sensitivity Ⓤ ★ 前者のほうが一般的. 後者は感度を表すときに使う.《☞ かんかく²（類義語）》. ¶彼女はとても*感受性が強い She is very *sensitive*. // 彼は豊かな*感受性の持ち主でした He was a man of *feeling*.

かんしょ¹ 甘蔗 sugarcane Ⓤ《☞ さとう¹（砂糖きび）》.

かんしょ² 甘藷 sweet potato Ⓒ《複 ~es》《☞ さつまいも》.

かんじょ¹ 寛恕 （寛大さ・度量の大きいこと）generosity Ⓤ;（親切・温情）geniality Ⓤ;（寛大さ・容赦）forgiveness Ⓤ.

かんじょ² 緩徐 **緩徐楽章**〔楽〕slow movement Ⓒ **緩徐曲[調]**〔楽〕adagio /ədáːdʒou/《複 ~s》Ⓒ.

かんじょ³ 官女 （女官）lady-in-waiting Ⓒ《複 ladies-in-waiting》;（未婚の女官）maid-in-waiting Ⓒ《複 maids-in-waiting》, maid of honor Ⓒ.

がんしょ 願書 application (form) Ⓒ《☞ もうしこみ; しゅつがん》. ¶*願書に記入する fill「out [《英》 in] an *application form* // *願書はもう出しましたか Have you sent in your *application* yet? // *願書の受付は 1 月 20 日からです *Applications* will be accepted from the twentieth of January. // 入学*願書 an *application* for admission

かんしょう¹ 干渉 ―[動]（干渉して邪魔する）interfére with ...;（おせっかいを焼く・口出しする）meddle [interfere] in ...;（余計なせんさくをする）《略式》put [poke] *one's* nose「in [into] .... ―[名] interference /ìntəfí(ə)rəns/ Ⓤ.《☞ かいにゅう; くちだし》. ¶だれにも内輪のことに*干渉してもらいたくない I don't want anybody to「*meddle* [*interfere*] *in* our family disputes. // 人のことに*干渉するな Don't「*put* [*poke*] *your nose into* other people's affairs. ★ 口語的表現.
干渉計 interferometer /ìntəfərámətə/ Ⓒ;（干渉分光計）interference spectrometer Ⓒ;（干渉屈折計）interference refractometer Ⓒ **干渉模様**〔物理〕interference pattern Ⓒ.

かんしょう² 鑑賞 ―[名] appreciation Ⓤ. ―[動]（楽しむ）enjoy (他);（内容などをよく理解して味わう）appréciate (他). ¶英語がよくできないのでこの詩を*鑑賞することができない My English is so poor that I can't「*enjoy* reading [*appreciate*]

this poem. // 私の趣味はクラシック音楽の*鑑賞です My hobby is *listening to* classical music.
鑑賞眼 an eye ★ 単数形で. ¶ 彼女は絵に対する*鑑賞眼を持っている She has ⌈*an* [*a good*] *eye* for paintings. ★ 鑑賞力がある (have an appreciation) という意味で見て鑑賞するものには have an eye, 聴いて鑑賞するものには have an ear という表現もある. **鑑賞批評** appréciative críticism Ⓒ.

かんしょう³ 感傷 ―名 sentiment Ⓤ. ―形 sèntiméntal. (☞ センチメンタル). ¶ *感傷的な小説[詩] a *sentimental* ⌈novel [poem] **感傷主義** sèntiméntalìsm Ⓤ **感傷旅行** emotional trip Ⓒ, sentimental journey Ⓒ.

かんしょう⁴ 完勝 ―名 complete victory Ⓤ ★ 具体的な例を指すときは Ⓒ. ―動 win [gain] (a) complete victory. (☞ あっしょう; シャットアウト; かんぱい¹).

かんしょう⁵ 勧奨 ―動 (積極的にすすめる) encourage ㊥; (それとなく言う) suggest ㊥; (助言する) advise ㊥. ―名 encouragement Ⓤ; suggestion Ⓒ; advice Ⓤ. (☞ しょうれい¹). ¶ 彼は退職の*勧奨に応じなかった He didn't follow our *advice* to resign.

かんしょう⁶ 管掌 ―動 (司る) take charge (of ...); (管理する) manage ㊥. ―名 charge Ⓤ; management Ⓤ. ¶ 叙勲は内閣府が*管掌している The Cabinet Office *takes charge of* the conferring of decorations.

かんしょう⁷ 観賞 ―動 (感心して眺める) admire ㊥; (見て楽しむ) enjoy ㊥. ―名 admiration Ⓤ; enjoyment Ⓤ. ¶ 水族館で熱帯魚を*観賞する *admire* [*enjoy*] tropical fish at an aquarium **観賞魚** aquarium fish Ⓒ **観賞式庭園** small Japanese landscape garden to be seen and appreciated from the building Ⓒ **観賞植物** ornamental plant Ⓒ.

かんしょう⁸ 環礁 atoll Ⓒ. ¶ ビキニ*環礁 the Bikini *atoll*

かんしょう⁹ 冠省 ☞ ぜんりゃく

かんしょう¹⁰ 緩衝 ―動 (衝撃などをゆるめる) buffer ㊥. **緩衝液** buffer solution Ⓤ **緩衝器[装置]** buffer Ⓒ; (車のバンパー) bumper Ⓒ **緩衝国** buffer state Ⓒ **緩衝作用** buffer action Ⓒ **緩衝地帯** buffer zone Ⓒ **緩衝緑地** green belt as a buffer against pollution Ⓒ.

かんしょう¹¹ 観照 ―動 (客観的に観察する) observe ... objectively. ―名 observation Ⓤ. (☞ かんさつ¹).

かんじょう¹ 感情 ―名 feelings ★ 最も一般的な語. 複数形で; (強い感情) emotion Ⓒ; (理性的な思考を伴う感情) sentiment Ⓤ ★ 前の 2 語よりやや格式ばった語. ―形 emotional. (☞ きもち). ¶ よい*感情 good *feelings* // 私は*感情を表すまいと努めた I tried to ⌈hide [conceal] my *feelings*. ★ conceal は格式ばった語. // 彼女はすぐ*感情を表に出す She easily ⌈shows [betrays] her ⌈*feelings* [*emotions*]. // その知らせを聞いた時彼女の*感情は高ぶった When she heard the news, her *feelings* ran high. // *感情の激しい (⇒ 感情を抑えることができない) 人はこの部署には向かない A person who cannot control ⌈her [his] *emotions* is unsuitable for the post. // あの人の*感情を害してしまったらしい I'm afraid I have hurt ⌈her [his] *feelings*. / I'm afraid I *have offended* ⌈her [him]. ★ 第 1 文のほうが口語的. // 彼は私に対して*感情的になっている (⇒ 感情的な偏見を持っている) He has an *emotional bias* toward me. // 彼女はすぐ*感情的になる (⇒ 感情に負ける) She soon gives way to her *feelings*. // 理性と*感情 reason and *emotion* // 講師は*感情を込めて話した The lecturer spoke with *emotion*. // 一時の*感情に駆られて彼女は勤めをやめた She quit her job *on the spur of the moment*. // 彼は*感情が高ぶって (⇒ 興奮して) 手が震えていた His hands were trembling ⌈*in* [*with*] *excitement*. // 地域*感情 local *feelings* **感情移入** 〘心〙 émpathy Ⓤ **感情転移** 〘心〙 displacement Ⓤ **感情論** emotionally charged argument Ⓒ.

コロケーション

感情を抑える control [repress; suppress; swallow] *one's feelings* / **感情をさらけ出す** expose *one's feelings* / **感情をぶちまける** vent *one's feelings* // **愛国[非愛国]的感情** patriotic [unpatriotic] *feelings* / **相反する感情** conflicting [mixed] *feelings* / **悪感情** hostile *feelings* / **うっ積した感情** pent-up *feelings* / **国民感情** national *feelings* / **個人的感情** personal *feelings* / **繊細な感情** delicate *feelings* / **特別な感情** particular *feelings* / **激しい感情** intense *feelings* / **反米感情** anti-American *feelings* / **ロマンチックな感情** romantic *feelings*

かんじょう² 勘定 1 《計算》 ―名 (計算すること) calculation Ⓤ; (数を数えること・1 回ごとの計算) count Ⓒ. ―動 calculate ㊥; count ㊥; (総計する) súm úp ㊥. (☞ けいさん¹; かぞえる). ¶ 私は時々*勘定を間違う (⇒ 勘定で間違いをする) I sometimes ⌈make mistakes in *calculation* [*miscalculate*]. // 子供も*勘定に入れれば全部で 20 人になる There will be twenty if we *count* (*in*) the children. // 彼は*勘定高い (⇒ 打算的だ [報酬目当てだ]) He is ⌈*calculating* [*mercenary*]. // その少年は指を折って 1 から 10 まで*勘定した The boy *counted* from one to ten on his fingers. // 彼は*勘定が上手 [下手] だ He is ⌈good [bad] at *figures*. // 3 回数えたが*勘定が合わなかった I calculated three times, but I *couldn't get the correct answer*.

2 《支払い・会計》: (勘定(書)・取り引きの口座) accóunt Ⓒ; (請求書) bill Ⓒ; (レストランの勘定書) 《米》 check Ⓒ. (☞ しはらい; かいけい). ¶ 《レストランなどで》*勘定をお願いします (The) ⌈*check* [*bill*], please. // *勘定は済ませましたか (⇒ 払いましたか) Did you pay the ⌈*bill* [*check*]? // *勘定はいくらですか How much is my *bill*? / How much do I owe you? ★ 第 1 文のほうが平易な表現. // *勘定はめいめいでしましょう Let's split the ⌈*bill* [*check*]. / (⇒ 割り勘でいこう) Let's *go Dutch*. ★ go Dutch は口語的慣用表現. // 《店の人に》めいめいの*勘定にして下さい Please make out separate ⌈*checks* [*bills*]. // この*勘定は私がもちます (⇒ 私のおごりだ) This is my *treat*. / This is *on* me. (☞ おごり) // クリーニング屋の*勘定がたくさんたまってしまった I've run up a huge laundry *bill*. // *勘定は私につけておいてください Charge it to my *account*.

3 《考慮》: (評価・考慮) account Ⓤ; (考慮・熟考) consideration Ⓤ. (☞ こうりょ). ¶ その可能性は*勘定に (⇒ 考慮に)入れてある I *have taken* that possibility *into* ⌈*account* [*consideration*].
勘定科目 〘簿〙 account title Ⓒ **勘定口座** 〘簿〙 account Ⓒ ★ a/c と略す. **勘定高い** (打算的な) cálculàting; (欲得ずくの) mercenary /mə́ːsənèri/. (☞ ださんてき) **勘定日** (給料日) payday Ⓒ; (4 期支払い勘定日) quarter day Ⓒ; (精算日) settlement day Ⓒ **勘定奉行** commissioner of finance Ⓒ; (説明的には) the chief financial official of the Tokugawa shogunate.

かんじょう³ 環状 (環・環状のもの) ring Ⓒ; (ベルト状のもの) belt Ⓒ. (☞ わ¹).
環状筋 〘生〙 circular muscle Ⓒ **環状星雲** the

Ríng Nébula　環状線（道路）《米》belt highway Ⓒ,《英》ring road Ⓒ;（鉄道）belt ˹line [railroad] Ⓒ　環状列石 stone circle Ⓒ;（巨石時代の）megalithic circle.

かんじょう[4] 冠状　━形（冠状の）córonàry. **冠状循環** coronary circulation Ⓤ　**冠状動脈[静脈]** coronary ˹artery /ɑ́ətəri/ [vein] Ⓒ　**冠状動脈血栓症** córonàry thrombósis Ⓤ.

かんじょう[5] 管状　━形 tubular Ⓐ.　**管状花**〘植〙tubular [tubulous] flower Ⓒ　**管状組織** tubular structure Ⓤ.

かんじょう[6] 艦上　☞かん[25]

かんじょう[7] 勧請　━動（神仏の来臨を請う）pray for the descent of a deity from the heavens.

がんしょう[1] 岩床　sheet Ⓒ.

がんしょう[2] 岩礁　reef Ⓒ.

がんじょう 頑丈　━形（強い）strong ★ 最も一般的な語;（堅固で壊れにくい）firm;（身体などがたくましい）sturdy;（機械が）heavy-duty.　━副 strongly; firmly; sturdily.《☞ つよい（類義語）; じょうぶ》.

¶*頑丈ないす a ˹*strongly* [*sturdily*] *built* chair // この本箱はずいぶん*頑丈にできている This bookcase is very *solidly* built. // 私の車は古いが*頑丈だ My car is old but *sturdy*. // 彼は*頑丈な体の持ち主だ He has a *strong* body. / He is a *sturdy* man. // *頑丈な機械 a *heavy-duty* machine

かんしょく[1] 感触　**1**《五感の》:（外界の刺激に触れて起こる感じ）feel Ⓤ;（手で触った感じ）touch Ⓤ　語法 以上2語は通例 the を付けて.《☞ かんじ[1]; てざわり》.　¶この布は*感触がとても柔らかい This cloth is very soft to the *touch*. /（⇒ 柔らかい感じがする）The cloth *feels* very soft.

2《印象》: feeling ★ a を付けて.　¶私は彼がその計画に好意的だという*感触を得た I had *a feeling* that he was in favor of the plan.

かんしょく[2] 間食　━動（間食する）eat between meals, snack ⓐ.　━名（食事と食事の間にとる軽食）snack Ⓒ.《☞ おやつ》.

かんしょく[3] 官職　（政府・公職での地位）government [official] post Ⓒ.

かんしょく[4] 閑職　（ひまなポスト）leisurely post Ⓒ;（安楽な仕事）easy ˹job Ⓒ [work Ⓤ];（高給をもらうが実務のない名誉職）sínecùre Ⓒ.　¶彼は*閑職（⇒ 重要でないポスト）に回された He was transferred to *an unimportant* ˹*post* [*job*].

かんしょく[5] 寒色　cool ˹color [《英》colour] Ⓒ.

がんしょく 顔色　complexion Ⓒ《☞ かおいろ》.

¶*顔色を失う（⇒ 青くなる）turn *pale*

顔色なし　¶彼の作品は君の作品に比べると*顔色なしだ（⇒ 色あせる）His work *pales* in comparison with yours.

かんしょとう 甘蔗糖　cane sugar Ⓤ.

かんじる 感じる　feel ⓐ ⓗ《過去・過分 felt》★ 最も一般的な語;（感づく）sense ⓗ;（ものをあるがままに感じる）be aware（of …）;（意識的に感じる）be conscious（of …）;（感動する）be impressed（by …; with …）;（心を動かされる）be moved（by …）.

¶私は空腹［疲労］を*感じた（⇒ 空腹である［疲れている］と感じた）I *felt* ˹hungry [tired]. // 全然寒さ［痛み］を*感じなかった I did not *feel* ˹the cold [any pain] at all. // 私は急に危険を*感じた（⇒ 感づいた）I suddenly *sensed* danger. // だれかが私を見張っているのを*感じた I *felt* somebody (was) watching me. /（⇒ 気づいていた）I *was aware of* somebody watching me. // 彼の振舞いは奇異に*感じられた <S（行為）+V（*strike*）+O（人）+*as*+形> His behavior *struck* us *as* odd. // あなたはその小説を読んでどう*感じましたか（⇒ その小説はあなたにどんな印象を与えましたか）How did the novel ˹*impress* [*strike*] you? // 車がなくても不便は全然*感じていない（⇒ 不便と思っていない）I don't have a car, but I don't *find* ˹it [that] inconvenient at all. // 彼の言うことには誠意が*感じられなかった（⇒ 誠実な感じを認めることができなかった）I could *detect* no sense of sincerity in what he said. ★ 格式ばった表現.

かんじロム 漢字ロム　kanji ROM Ⓤ《☞ コンピューター（囲み）》.

かんしん[1] 感心　━動（感嘆・称賛する）admire ⓗ;（感銘を受ける）be impressed（by …; with …）.　━名 àdmirátion Ⓤ.　━形（よい）good;（称賛すべき）ádmirable;（称賛に値する）práisewòrthy. ★ 後の語ほど格式ばった語となる.《☞ しゅしょう[3]; けなげ》.　¶何て*感心な子なのだろう What a *good* ˹boy [girl]! // みんな彼の腕に*感心した Everybody *admired* his skill. // 彼女の努力にはまったく*感心する（⇒ 彼女の努力はほめるにふさわしい）Her efforts are really *praiseworthy*. /（⇒ 彼女の努力に感銘を受けた）I *was* very (much) *impressed* ˹*by* [*with*] her efforts. // 彼の考えは余り*感心しない（⇒ 余り気に入らない）I don't ˹*like* his idea very much [*care* much for his idea]. /（⇒ あまりぴんとこない）His idea doesn't *appeal* to me very much. // テレビをそんなに長い時間見続けるのは*感心できない（⇒ よくない）It isn't *good* for you to keep watching TV for such a long time.

かんしん[2] 関心　━名（興味）interest Ⓤ ★ しばしば an interest として;（気遣い）concérn Ⓤ.　━動（関心がある）be interested（in …）, be concerned（with …）;（関心を持つ）take [have]（an）interest（in …）.《☞ きょうみ; むかんしん》.

¶私は歴史に*関心がある I *am interested in* history. // 彼女は*関心がなさそうな様子だった（⇒ 興味があるように見えなかった）She didn't seem *interested*. /（⇒ 無関心のように見えた）She seemed *uninterested*. // 推理小説にはまったく*関心がありません I ˹don't have [haven't got] the least *interest in* detective stories. // 彼は音楽に全然*関心を示さなかった He showed no *interest in* music. // 息子は昨年から数学に*関心を持ち始めた My son began to *take an interest in* mathematics last year. // 彼女に対する*関心がなくなった I have lost *interest in* her. // その裁判の判決が世間の*関心（⇒ 注目）の的となった The decision of the court became the center of public *attention*.

関心事 matter of concern Ⓒ.

かんしん[3] 歓心　favor Ⓤ《☞ こうい[2]; ひいき》.

¶彼は上司の*歓心を買うことばかり考えている He is always trying to win his superiors' /supí(ə)riəz/ *favor*.

かんしん[4] 寒心　━形（恐くてぞっとするような）horrific;（恐れおののく）fearful;（嘆かわしい）deplorable, regrettable.　¶彼がそんなことをしたとは*寒心に堪えない It is ˹*deplorable* [*a matter for regret*; *a matter of regret*] that he should have done a thing like that.

かんしん[5] 奸臣　tréacherous vassal Ⓒ.

かんしん[6] 韓信　**韓信の股くぐり**（屈辱をしのんで目的を達する）stoop to conquer.

かんじん[1] 肝心　━形（重要な）important;（不可欠の）essential;（重大な）critical.《☞ たいせつ[1]; だいじ[1]; じゅうよう[1]》.

¶語学の授業ではちゃんと出席することが*肝心だ Regular attendance is ˹*most important* [*essential*] in a foreign language class. // 十分睡眠をとることが*肝心です It is *essential* that you have a good sleep. // 彼は*肝心なときに三振した He struck out at ˹the [a] ˹*critical* [*crucial*] moment. // *肝心なことはたくさん練習をすることです What is *important* is a lot of practice. **肝心要**(かなめ) (点) key point Ⓒ; (人) key person Ⓒ. ¶ 彼は私の話の*肝心かなめのところを理解していない He doesn't understand the *key points* of my speech.

かんじん[2] 閑人 leisured person Ⓒ; (時間をもてあましている人) person with too much time to kill Ⓒ; (怠け者) idler Ⓒ. (☞ ひま).

かんじん[3] 勧進 —動 solicit contributions to the ˹construction [restoration] of a temple. **勧進相撲** sumo event held to contribute to the ˹construction [restoration] of a temple Ⓒ **勧進帳** fund-raising prospectus for a temple or shrine Ⓒ; (歌舞伎で) *Kanjincho* **勧進元** promoter Ⓒ.

かんじん[4] 漢人 (漢民族) Han /hɑ́ːn/; (中国人) Chinese Ⓒ ★ 単複同形.

がんじん 鑑真 —名 固 Jianzhen, 688–763; (説明的には) a Chinese priest who founded Toshodaiji Temple in Nara to study and practice Buddhist precepts.

かんしんせい 完新世 〔地質〕 the Holocene Epoch, the Recent Epoch.

かんすい[1] 完遂 completion Ⓤ (☞ やりとげる).

かんすい[2] 冠水 —動 (水浸しになる) be flooded; (水中に没する) be submerged. —名 submersion Ⓤ. ¶ 畑が一面に*冠水した (⇒ 水で覆われた) The field *was covered* all over *with water*. **冠水地帯** flooded area Ⓒ.

かんすい[3] 灌水 —動 (水を注ぐ) water 他; (散水する) sprinkle 他.

かんすい[4] 梘水 (中華そばで使われる) *kansui* Ⓤ; (説明的には) an alkaline water added to the dough when making Chinese noodles.

かんすい[5] 淦水 (船底の汚水) bilge (water).

かんすい[6] 鹹水 (塩水) salt water Ⓤ; (海水) seawater Ⓤ; (塩漬用の濃い塩水) brine Ⓤ. **鹹水湖** salt lake Ⓒ.

がんすい 含水 —形 (含水の) hýdrated. ¶ *含水化合物 a *hydrated* compound **含水炭素** (炭水化物) càrbohýdrate Ⓒ.

かんすう[1] 関数 〔数〕 function Ⓒ. ¶ 三角*関数 a trígonomètric(al) *fúnction* **関数解析** functional analysis Ⓤ **関数表** function table Ⓒ **関数方程式** functional equation Ⓒ **関数論** function theory Ⓒ.

かんすう[2] 巻数 (書物の) the number of volumes; (映画フィルムの) the number of reels.

かんすうじ 漢数字 Chínese numeral /n(j)úːm(ə)rəl/ Ⓒ.

かんすずめ 寒雀 (冬のすずめ) sparrow in winter Ⓒ.

かんする[1] 関する —前 (…に関する) about …; on …; concerning …; regarding …; pertaining to …; relative [relating] to …; as to …; as for …; as regards …; with ˹respect [regard] to …

【類義語】 最も一般的な語は **about**. 話題やテーマなどの場合「…について」は **on**. 以上の 2 語は以下の語の代わりに用いることのできる場合が多い. 「…の点では」「…に関しては」と, ある点・ある面での関連について述べるのが ***concerning***, ***regarding***, ***as to***, ***as for***, ***with ˹respect [regard] to***, ***as regards*** で, 意味はほぼ同じであるが, これらの中では *concerning* が最も一般的. ほかはいずれもやや改まった感じの語. *with ˹respect [regard] to* はある点を特定するニュアンスが強い. *as to* は後に名詞あるいは疑問詞で始まる従属節がくる. *as for* はすでに話題になったこととの対比で用いられることが多い. また人について用いると軽蔑的な含みを持つことがある. 当面の問題などとの関係があることを強調して, 「…に関係がある」というのが ***relative to***, ***relating to***, および ***pertaining to*** で, いずれも格式ばった語. (☞ ついて; かかわる)

¶ 物理学に*関する本 books *on* physics // この件に*関する一切の情報 all the information ˹*on* [*concerning; relative to; relating to; pertaining to*] this case ★ 後のものほど格式ばった表現となる. // 彼に*関して知っていることはすべてお話しましょう I'll tell you all I know *about* him. // 君はその点に*関しては正しい You are right *on* that point. // 家事に*関しては小川夫人は満点だ (⇒ 最もよい) *As regards* housekeeping, Mrs. Ogawa is the best. // 彼の現在の病状に*関して彼女に手紙を書いた I wrote to her *with ˹respect* [*regard*] *to* his present condition. // 彼は車に*関することなら何でも興味がある He is interested in anything that ˹*has* [*is*] *to do with* cars. 語法 have [be] to do with … は「…と関係がある・かかわりがある」という口語的表現. // 私に*関して言えば (⇒ 関する限り) 別に不満はありません *As* [*So*] *far as I am concerned*, I have nothing particular to complain about. // これは私の名誉に*関する問題だ (⇒ 影響を与える問題) This is a question *affecting* my honor. // だれが勝つか私の*関するところではない It does not *matter* to me who wins.

かんする[2] 冠する —動 (前に付ける) prefix /priːfíks/ 他; (名称などを) name 他. ¶ 創立者の名前を*冠した学校 a school *named* after the founder

かんする[3] 姦する (女性をおかす) rape 他; (姦通する) commit adultery.

かんする[4] 緘する (手紙などを封印する) seal (an envelope); (固く閉じる) close [shut] ˹firmly [tightly] 他. (☞ とじる[1]).

かんずる 感ずる ☞ かんじる

かんせい[1] 完成 —動 (完全なものにする) complete 他; (終える) finish 他 語法 前者は完全なものとして仕上げることをいい, 後者はあることを終わらせることをいう. 前後関係では入れ替え可能な場合もある. 前者のほうが格式ばった語; (任務などを成し遂げる) accómplish 他. —名 completion Ⓤ, perféction Ⓤ ★ 後者のほうが完璧なものにするニュアンスが強い. (☞ かんりょう[1] (類義語); しあげる).

¶ 新しい校舎が*完成した The new school building *has been completed*. // 新家屋は*完成直後に火事で焼けた The new house was burned down just after ˹its *completion* [it *was completed*]. **完成教育** completion education Ⓤ **完成品** the finished product, finished goods **完成予想図** (建物の) conceptional drawing of a building at its completion Ⓒ.

かんせい[2] 歓声 (かっさい・歓呼) cheer Ⓒ; (喜びの叫び声) shout of joy Ⓒ. (☞ かっさい). ¶ 子供たちは*歓声を上げた The children ˹*shouted for* [gave *shouts of*] *joy*. // 観客は彼が舞台に登場すると*歓声を上げた The audience *cheered* as he appeared on (the) stage.

かんせい[3] 管制 contról Ⓤ. ¶ 灯火*管制 a blackout **管制官** (air traffic) controller Ⓒ **管制圏** 〔空〕 control zone Ⓒ **管制センター** control center Ⓒ **管制塔** contról tòwer Ⓒ (☞ くうこう (挿絵)).

かんせい[4] 閑静 —形 nice and quiet; (静かな) quiet. (☞ しずか). ¶ どこか*閑静な所に引っ越したい I want to move to some place *nice and quiet*.

かんせい[5] 慣性 〔物理〕 inertia /ɪnə́ːʃə/ Ⓤ. ¶ *慣性の法則 the law of *inertia* **慣性系** 〔物理〕 inertial ⌈system [frame] [C] 慣性航法 inertial navigation [U] 慣性モーメント moment of inertia [C] 慣性誘導装置 inertial guidance equipment [U] 慣性力〘物理〙inertial force [U].

かんせい[6] 乾性 ―形 (乾性の) dry. ―名 dryness [U]. 乾性塗料 dry paints 乾性油 drying oil [U] 乾性肋膜炎 dry pleurisy /plʊ́(ə)rəsi/ [U].

かんせい[7] 喚声 excited cry [C]. ¶*喚声をあげる give an *excited cry* / *cry out excitedly*

かんせい[8] 喊声 war cry [C].

かんせい[9] 感性 (繊細な感受性) sensibility [U] (☞ かんじゅせい).

かんせい[10] 官制 regulations for governmental organizations.

かんせい[11] 陥穽 (一般にわな) trap [C]; (落とし穴) pitfall [C]; (仕掛けられたわな) snare [C]. (☞ わな).
¶*陥穽にはまる fall into a ⌈*trap* [*snare*] / get caught in a ⌈*trap* [*snare*] // *陥穽を仕掛ける lay [set] a ⌈*trap* [*snare*] (for ...)

かんぜい 関税 (出入国のときに税関でかけられる税) customs (duties) ★ 複数形で; (輸入および輸出品にかけられる税) tárìff [C]. (☞ ぜいきん).
¶この品物には*関税はかかりません This article is *duty-free.* // 外国商品に対する*関税が1割引き上げられた *Customs duties* on foreign goods have been raised by ten percent. // 輸入 [輸出] *関税 import [export] *duties* 関税化 tariffication [U] 関税交渉 tariff negotiations ★ 複数形で. 関税自主権 tariff autonomy [U] 関税自治区 district of tariff autonomy [C] 関税障壁 tariff barrier [C] 関税同盟 customs union [C] 関税法 tariff law [U] 関税率 tariff rate [C].

かんせいしょくぶつ 乾生植物 xerophyte /zí(ə)rəfàɪt/ [C].

かんせいどうぶつ 乾生動物 xerophilous /zɪ(ə)rάfələs/ ánimal [C].

かんせいのかいかく 寛政の改革 (江戸中期の幕政改革) the Kansei Reform.

かんせいはがき 官製葉書 (一般にはがき) postcard [C]; (切手に当たるものがすでに印刷されているはがき) 《米》postal card [C] [参考] 《英》には官製はがきはない. 《米》には官製はがきがあるが, 私製も官製も区別せずに postcard というのが普通.

がんせいひろう 眼精疲労 asthenopia /æ̀sθənóʊpiə/ [U], eyestrain [U] ★ 後者は日常語.

かんぜおん 観世音 ☞ かんのん

かんせき 漢籍 Chinese book [C], book in Chinese [C].

がんせき 岩石 rock [C] (☞ いわ; いし[1]). 岩石学 lithology [U], petrology [U] 岩石学者 lithologist [C], petrologist [C] 岩石繊維 rock [mineral] wool [U].

かんせつ[1] 間接 ―形 (副次的・2次的) indirect (↔ direct); (また聞きの) sécondhánd. ―副 indirectly; secondhand.
¶そのことは*間接的に聞きました I heard about it *indirectly.* / I got the information ⌈*secondhand* [*at second hand*]. // それはわが国の経済に*間接的な影響を及ぼすだろう It will have an *indirect* influence on our economy.
間接喫煙 passive smoking [U] 間接金融 indirect financing [U] 間接撮影 (レントゲン透視検査) fluoroscopy /flʊ(ə)rάskəpi/ [U] 間接照明 indirect lighting [U] 間接侵略 indirect invasion [C] 間接税 indirect tax [C] 間接選挙 indirect election [U] 間接選挙制度 indirect election system [C] 間接測定 indirect measurement [U]; (水準測量) indirect leveling [U] 間接伝染 infection [U] 間接投資 (外部への) external investment [U]; (海外への) overseas investment [U] 間接費 overhead expenses 間接肥料 indirect fertilizer [U] 間接分析〘化〙indirect analysis [U] ★ 具体的には [C] 間接民主主義 indirect democracy [C] 間接目的語〘文法〙indirect object [C] 間接話法〘文法〙indirect ⌈narration [speech] [U], reported speech [U] (☞ 話法 (巻末)).

かんせつ[2] 関節 joint [C] [語法] 指の関節は knuckle [C], またひざの関節については, 英語の knee はひざの関節の部分をいうので, 単に knee でよい. 肩, 腰の関節はそれぞれ shoulder joint, hip joint と言ってよい. (☞ ふし[1]).
¶肩の*関節がはずれた I dislocated my shoulder. / My shoulder went out of *joint.* // 彼はひざの*関節をくじいた He sprained his *knee.* 関節炎 arthritis /ɑəθráɪtɪs/ [U] 関節リューマチ (articular [joint]) rhéumatìsm [U] 関節技 (説明的に) judo techniques attacking the elbow joint(s).

かんせつ[3] 冠雪 snow (laid) on the top of a mountain [U].

がんせつ 岩屑 〘地質〙debris /dəbríː/ [U]; (一般的に岩くず) rock fragment [C]. 岩屑なだれ debris avalanche /ǽvəlæ̀ntʃ/ [C] 岩屑流 debris flow [C].

がんぜない 頑是無い innocent.

かんぜりゅう 観世流 the Kanze ⌈school [style] of Noh.

かんせん[1] 感染 ―動 be infected (with ...); (うつる) catch ㊀ ★ いずれも「人」が主語. 後者のほうが口語的. ―名 (空気・水などの媒介により間接的にうつる) infection [U]; (接触によりうつる) contágion [U]. ―形 infectious; contágious; (うつりやすい) catching ★ 口語的. (☞ うつる[1]; でんせん[2]). ¶コレラの二次*感染 secondary *infection* of cholera // その病気は*感染する The disease is ⌈*infectious* [*contagious*; *catching*].
感染経路 infection route [C] 感染源 the source of infection 感染者 (感染した人) infected person [C]; (保菌者) carrier [C] 感染症 (接触による) contagious disease [C]; (空気・水による) infectious disease [C] 感染例 case of infection [C], infection case [C].

かんせん[2] 幹線 (鉄道・道路・電話などの) trunk [main] line [C]. ¶東海道新*幹線 the New Tokaido *Line* / the Tokaido *Shinkansen* ★ 新幹線の列車は the bullet train と呼ばれている. (☞ しんかんせん) 幹線道路 trunk [main] road [C] (☞ みち[1]).

かんせん[3] 汗腺 〘解〙swéat glànd [C].

かんせん[4] 観戦 ―動 watch (a ⌈game [match]) (☞ みる[1]).

かんせん[5] 官選 ―形 appointed by the government [P], government-appointed [A].

かんせん[6] 艦船 warships and other vessels.

かんせん[7] 乾癬 〘医〙psoriasis /səráɪəsɪs/ [U], scaly tetter [U].

かんぜん[1] 完全 ―形 (十分な) full; (欠けたところがない) complete; (申し分のない) pérfect. ―副 (すっかり) quite; fully; completely; perfectly. ―名 completeness [U]; perféction [U]. (☞ かんぺき; まったく).
¶私の仕事はまだ*完全には終わっていない My work is not ⌈*quite* [*completely*] finished yet. // その寺はいまも*完全な姿で保存されている The temple (building) is ⌈preserved [kept] ⌈*completely* [*exactly*; *just*] as it used to be. ★ この順に口語的な表現となる. // 彼女の書庫はそのまま*完全に (⇒ そっくりそのまま手をつけずに) 残されている Her library ⌈has been [is] left ⌈*intact* [*untouched*].

完全音程〘楽〙perfect ⌈interval [consonance] Ⓒ 完全看護 full and comprehensive care Ⓤ 完全雇用 full employment Ⓒ 完全試合 perfect game Ⓒ 完全失業者 completely unemployed person Ⓒ 完全失業率 complete-unemployment rate Ⓒ 完全主義 perféctionìsm Ⓤ 完全主義者 perféctionist Ⓒ 完全数〘数〙perfect number Ⓒ 完全装備 ―形 fully equipped 完全燃焼 full [complete] combustion Ⓤ 完全犯罪 perfect crime Ⓒ 完全肥料 all-purpose fertilizer Ⓤ 完全変態〘動〙(complete) metamorphosis /mètəmɔ́ːəfəsɪs/ Ⓒ《複 -phoses /-sìːz/》 完全無欠 ―形 (すべて備わった) complete; (完全ですぐれている) perfect.

かんぜん² 敢然 ―副 (大胆に) daringly; (勇敢に) bravely; (恐れずに) fearlessly; (断固として) résolùtely. 《☞ ゆうかん¹》. ¶ 彼は*敢然と難局に当たった He faced the difficult situation *bravely*. // 彼らは*敢然として暴力団に立ち向かった They stood *resolute* against the gangsters.

かんぜんちょうあく 勧善懲悪 the punishing of wrong and rewarding of right ★ 説明的訳; (詩的正義, 詩や小説にあらわれる当然の報い) poetic justice Ⓤ. 勧善懲悪劇 morality play Ⓒ 勧善懲悪小説 didactic novel Ⓒ.

がんぜん 眼前 ☞ もくぜん

かんそ 簡素 ―形 (単純で素朴な) simple; (飾り気のない) plain. ―副 simply; plainly. ―名 simplícity Ⓤ; plainness Ⓤ. 《☞ しっそ; じみ¹ (類義語)》. ¶ 生活様式を*簡素化する *simplify one's* way of life

がんそ 元祖 (創始者) oríginàtor Ⓒ, father Ⓒ; (発明者) inventor Ⓒ 〔語法〕 以上いずれもしばしば the を付けて. ¶ エドガー・アラン・ポーは推理小説の*元祖だ Edgar Allan Poe is *the father* of the mystery story.

かんそう¹ 乾燥 ―形 (乾いた) dry. ―動 (乾く・乾かす) dry ⓐ ⓗ; (特に食物などを保存するために乾燥させる)《格式》désiccàte ⓗ. ―名 (乾いた状態) dryness Ⓤ; (乾かすこと) drying Ⓤ. 《☞ かわく¹; かわかす》. ¶ 空気が非常に*乾燥している The air is extremely *dry*. // この木材は*乾燥が早い This wood *dries* quickly. // 異常*乾燥注意報が出た A *dry*-air warning has been issued.
乾燥器[装置] drier Ⓒ, dryer Ⓒ; (回転式の洗濯物乾燥器) tumble drier Ⓒ 乾燥気候 arid climate Ⓒ 乾燥酵母 dry yeast Ⓤ 乾燥剤 desiccant /désɪkənt/ Ⓒ, desiccating agent Ⓒ 乾燥室 drying room Ⓒ 乾燥野菜 dehýdrated végetable Ⓒ 乾燥炉 drying furnace Ⓒ.

かんそう² 感想 (印象) impression Ⓒ; (意見) opinion Ⓒ; (批評) cómment Ⓒ. 《☞ いけん¹ (類義語); いんしょう¹》. ¶ 私は彼の最新作について*感想を述べた I gave him my *impressions* of his latest work. // この件についてのあなたのご*感想は (⇒ どのように考えますか) What do you *think* of this? // この問題について彼の*感想 (⇒ 意見) をきいてみよう Let's ask him (for) his *opinion* on this issue.
感想文 description of *one's* impressions Ⓒ.

かんそう³ 完走 ¶ 彼は5000メートルを*完走した He *ran the whole distance* of 5,000 meters.

かんそう⁴ 間奏 (演奏) performance between the sections of music Ⓒ; (間奏曲) interlude Ⓒ.

かんそう⁵ 観相 (人相学) physiognomy /fɪziá(g)nəmi/ Ⓤ.

かんそう⁶ 乾草 ☞ ほしくさ

かんぞう¹ 肝臓 liver Ⓒ《☞ ないぞう¹ (挿絵)》. ¶ *肝臓の病気 *liver* ⌈complaint [disorder; trouble] 肝臓移植 liver transplant Ⓒ 肝臓炎 hèpatítis Ⓤ《☞ かんえん》 肝臓癌 liver cancer Ⓤ 肝臓病[疾患] liver disease Ⓒ.

かんぞう² 甘草 (植物) licorice /líkərɪʃ, -rɪs/ (《英》 liquorice) Ⓤ; (漢方薬として粉末にしたもの) licorice powder Ⓤ. 甘草エキス licorice extract Ⓒ.

かんぞう³ 萱草 〘植〙daylily Ⓒ.

がんそう 含嗽 ☞ うがい

がんぞう 贋造 ―動 (文書などを) forge ⓗ; (貨幣などを) counterfeit /káuntəfɪt/ ⓗ. ―名 forgery Ⓤ ★ 具体的な物を指すときは Ⓒ; counterfeiting Ⓤ. 《☞ ぎぞう; がんさく》. 贋造紙幣[貨幣] forged [counterfeit] note [coin] Ⓒ.

かんそうかい 歓送会 farewell [send-off] party Ⓒ ★ [ ] 内のほうが口語的.

かんそうきょく 間奏曲 〘楽〙interlùde Ⓒ; intermezzo /ìntəmétsou/ Ⓒ ★ 後者は音楽用語で, 独立した小楽曲にも用いられる.

かんそうげいかい 歓送迎会 farewell-and-welcoming party Ⓒ.

がんぞうひらめ 雁造鮃 〘魚〙cinnamon flounder Ⓒ.

かんそく¹ 観測 ―動 (観察する) observe ⓗ. ―名 observation Ⓒ. 《☞ かんさつ¹; すいそく》. ¶ 星を*観測する *observe* the stars // 私の趣味は星の*観測です My hobby is star*gazing*. // ここでは気象*観測を行っています We make meteorological /mìːtiərəládʒɪk(ə)l/ *observations* here. // 銚子で震度2を*観測した (⇒ 記録した) In Choshi, the earthquake *registered* two on the Japanese seismic scale. // それは希望的*観測 (⇒ 考え) に過ぎない That's mere wishful *thinking*. // 定点*観測 fixed-point *observation* // 南極*観測隊 an Antarctic expedition (team) // 気象*観測船 a weather ship
観測気球 observation balloon Ⓒ; (比喩的) trial balloon Ⓒ 観測所 obsérvatòry Ⓒ.

かんそく² 管足 (ウニなどの) tube foot Ⓒ, ambulacral /æmbjulèɪkrəl/ fóot Ⓒ.

かんそん 寒村 (人里離れた村) remote village Ⓒ; (人気の少ないさびれた村) deserted /dɪzə́ːtɪd/ víllage Ⓒ; (貧しい村) poor village Ⓒ.

かんそんみんぴ 官尊民卑 (公務員を民衆の上におく) putting public officials over the people.

カンター 〘馬術〙 ―名 (普通駆け足) canter ★ 通例 a 〜 として. ―動 canter ⓐ ⓗ.

カンタータ 〘楽〙(交声曲) cantáta Ⓒ.

カンタービレ 〘楽〙 ―副 (歌うように美しく) cantabile /kɑːntáːbɪlèɪ/. ―名 (カンタービレの曲) cantabile Ⓒ.

ガンダーラ ―名 固 Gandhara /gʌndáːrə/ ★ パキスタン北東部の旧称. ガンダーラ美術 Gandhara art Ⓤ.

かんたい¹ 歓待 ―動 (歓迎する) welcome ⓗ; (温かくもてなす) entertain ... warmly. ―名 welcome Ⓒ; (親切にもてなすこと) hòspitálity Ⓤ. 《☞ かんげい; もてなす》.

かんたい² 艦隊 fleet Ⓒ. 艦隊司令官 the commander of the fleet.

かんたい³ 寒帯 the frigid zone《☞ ちきゅう¹ (挿絵); あかんたい》. 寒帯気候 polar climate Ⓒ 寒帯気団 polar air mass Ⓒ 寒帯植物[動物] polar ⌈plant [animal] Ⓒ 寒帯前線 polar front Ⓒ.

かんだい¹ 寛大 ―形 (度量の大きい) generous (with ...; to ...); (心の広い) broad-minded; (罰則などが厳しくない) lenient /líːniənt/ (with ...; toward ...); (他人の意見や行動などに寛容な) tólerant (of ...). ―副 generously; leniently; tolerantly. ―名 gènerósity Ⓤ; broad-mindedness Ⓤ; leniency Ⓤ; tolerance Ⓤ. 《☞ かんよう¹》.

¶ 彼らは私の過ちに*寛大でした They were very *tolerant of* my errors. // 彼を*寛大に取り扱って下さい Please deal with him *leniently*. // 我々は彼の*寛大さに深い感銘を受けた We were deeply impressed by his ⌈*generosity* [(⇒ 心の広さ) *broad-mindedness*].

かんだい² 寒鯛 〘魚〙(こぶだい) bulgyhead wrasse /bʌ́ldʒìhèd rǽs/ Ⓒ.

がんたい 眼帯 patch Ⓒ. ¶ 彼女は右目に*眼帯をしていた She was wearing a *patch* over her right eye.

かんたいじ 簡体字 (中国文字の) simplified Chinese character Ⓒ.

かんたいへいよう 環太平洋 the Pacific Rim (☞ かん¹⁸). **環太平洋火山帯** the Pacific Rim volcanic belt **環太平洋合同演習** RIMPAC /rímpæk/ ★ Rim of the Pacific Exercise の略. **環太平洋地震帯** the Pacific Rim earthquake belt **環太平洋諸国** the Pacific Rim countries.

かんだかい 甲高い ―形 (金切り声の) shrill; (鋭い) sharp; (調子の高い) high-pitched. ―副 (甲高く) shrilly. (☞ かなきりごえ). ¶ 彼女の声は*甲高い She has a *high-pitched* voice.

かんたく 干拓 ―名 land reclamation by drainage Ⓤ. ―動 (干拓する) reclaim ... by drainage. (☞ うめたて). ¶ 東京湾を*干拓する *reclaim* land from the Bay of Tokyo **干拓工事** reclamation work Ⓤ ★ しばしば複数形で. **干拓地** reclaimed land Ⓤ.

がんだて 願立て ☞ がんかけ

カンタベリー ―名 固 Canterbury /kǽntəbèri/ ★ 英国ケント州の都市. **カンタベリー物語** *The Canterbury Tales* ★ チョーサー (Geoffrey Chaucer) 作の長詩.

かんたる 冠たる ¶ 世界に*冠たる高度な科学技術 (⇒ 世界でもっとも進んだ) *the most* advanced technology in the world

がんだれ 雁垂 (漢字の) cliff radical at the top-left of kanji Ⓒ.

かんたん¹ 簡単 ―形 (易しい) easy; (単純な) simple; (短い) brief. ―副 easily; simply; briefly. (☞ やさしい²; たんじゅん; らく).
¶「どうしたらできるだろうか」「そんなのは*簡単だよ (⇒ 易しいよ)」"How can I do it?" "It's very *easy*." // 彼をだますのは*簡単だ (⇒ 易しい) It's *easy* to take him in. // 仕事は*簡単だった The job was ⌈*easy* [*simple*]. // そんな*簡単な問題はすぐ解ける I can answer such ⌈a *simple* [an *easy*] question right away. // 昼食は*簡単に済ませた (⇒ 軽い昼食を取った) We had a *light* lunch. // 彼は事情を*簡単に (⇒ 手短に) 説明した He explained the situation *briefly*. // 君が思うほど事は*簡単に (⇒ 順調に) 運ぶまい Things won't go as *smoothly* as you expect. // この本は*簡単に読める This book is *easy* to read. // この本は*簡単に (⇒ だれでも) 手に入ります This book is *available to* ⌈*everyone* [*anyone*].

かんたん² 感嘆 ―動 (賛美する) admire ⑩; (驚嘆する) marvel (at ...) ⓐ. ―名 àdmirátion Ⓤ. (☞ かんしん¹; きょうたん). ¶ それは*感嘆すべき (⇒ 驚くべき [すばらしい]) 発見だ That's a ⌈*marvelous* [*wonderful*] discovery.
感嘆詞 〘文法〙 interjection Ⓒ **感嘆符(号)** 〘文法〙 (米) exclamation point Ⓒ, (英) exclamation mark Ⓒ (☞ 巻末) **感嘆文** 〘文法〙 exclámatòry séntence Ⓒ.

かんたん³ 肝胆 ¶ 彼とは*肝胆あい照らす仲 (⇒ 親友) だ He is a *very close friend* of mine. / We're *best friends*. // *肝胆を寒からしめる *horrify* ... (☞ こころ; ぞっと)

かんたん⁴ 邯鄲 **邯鄲の夢** (はかない出世の夢) ephemeral /ɪfém(ə)rəl/ dream of success in life Ⓒ.

かんたん⁵ 邯鄲 〘昆虫〙 tree cricket Ⓒ.

かんだん¹ 歓談 pleasant ⌈talk [chat] Ⓒ ★ [ ] 内のほうが打ち解けた雑談のニュアンスが強い. ¶ 我我はその学生たちと*歓談した We had a *pleasant* ⌈*talk* [*chat*] with the students.

かんだん² 寒暖 ¶ 砂漠では日中と夜間の*寒暖の差が大きい There is a great difference between the *hot* days and the *cold* nights in a desert. / (⇒ 大きな気温の差がある) There is a great difference of temperature between the daytime and the nighttime in a desert.

かんだん³ 閑談 ―動 have ⌈a relaxed [an idle] talk.

がんたん 元旦 New Year's Day (☞ がんじつ; しゅくじつ (表); 大文字 (巻末)).

かんだんけい 寒暖計 thermómeter Ⓒ (☞ おんどけい). ¶ *寒暖計が 3 度上がった [下がった] The *thermometer* has ⌈risen [fallen] by three degrees. // *寒暖計は摂氏 15 度を示している The *thermometer* ⌈reads [says] 15° C. // 摂氏*寒暖計 a ⌈Celsius [Centigrade] *thermometer* ★ 前者が正式名称. // 華氏*寒暖計 a Fahrenheit /fǽrənhàɪt/ *thermometer* // 最高最低*寒暖計 a maximum-minimum *thermometer*

かんだんなく 間断なく (休むことなく) without a pause; (継続的に) contínuously; (絶え間なく) incéssantly ★ この順に格式ばった語となる. (☞ たえず (類義語); ひっきりなし).

かんち¹ 関知 ¶ それは当社の*関知するところではありません (⇒ かかわりあっていない) It is no *concern* of ours. / (⇒ 関係がない) We *have nothing to do with* it. ★ 第 2 文のほうが口語的.

かんち² 感知 ―動 sense ⑩ (☞ かんづく; さっち). ¶ 危険を*感知する *sense* danger **感知器** sensor Ⓒ.

かんち³ 完治 complete [full] recovery Ⓒ. (☞ ぜんかい³). ¶ 彼の病気は*完治した He made *a complete recovery* from the illness. / He *has fully recovered from* his illness.

カンチェンジュンガ ―名 固 Kangchenjunga /kæ̀ntʃəndʒʌ́ŋgə/ ★ ヒマラヤの高峰.

かんちがい 勘違い ―名 (誤り) mistake Ⓒ; (誤った推測) wrong guess Ⓒ; (誤解) misunderstanding Ⓤ. ―動 mistake ⑩; guess wrong, make a wrong guess ★ guess wrong のほうがより口語的. (☞ おもいちがい; かんがえちがい; ごかい¹).
¶ すみません, 私の*勘違いでした I'm sorry but it was my *mistake*. // それは君の*勘違いだ (⇒ 誤った推測をした) You'*ve guessed wrong*. / You *are mistaken* about it. ★ 第 2 文のほうがやや格式ばった表現. // この間弟さんを君と*勘違いしたよ The other day I ⌈*mistook* [*took*] your brother *for* you.

かんちく 寒竹 〘植〙 marbled bamboo Ⓤ.

がんちく 含蓄 ―名 (言外の意味・含み) implication Ⓒ; (特に単語・人の言葉の言外の意味) connotation Ⓒ; 〘言〙 (内包的意味) connotative meaning Ⓒ ★「外延的意味」は denotative meaning Ⓒ または denotation Ⓒ; (ニュアンス) nuance /n(j)úːɑːns/ Ⓒ ★ より間接的な微妙な意味の差. ―形 connotative; (隠された) hidden; (含みのある) pregnant ★ 格式ばった語. (☞ ふくみ; いみ¹ (類義語); ニュアンス). ¶ 彼の著作には*含蓄のある言葉が多い His writings have many *pregnant* words.

かんちゅう 寒中 (真冬) mídwínter Ⓤ; (最も寒い季節) the coldest season. **寒中水泳** swimming (in cold water) during the coldest season Ⓤ　寒中見舞い letter of winter greetings Ⓒ.

がんちゅう　眼中　¶彼は他人の意見など*眼中に置かなかった［入れなかった］(⇒ 考慮に入れなかった) He *took no account* of other people's opinions. // 彼女には私の存在などまるで*眼中になかった (⇒ まったく無視した) She utterly *ignored* my presence. // 彼は私など*眼中にないようだった (⇒ 明らかに注意を払っていなかった) He apparently *took no notice* of me. // 彼の*眼中には金のことしかない (⇒ 金だけを考えている) He *thinks of nothing but* money.
眼中人なし　¶あいつの*眼中人なしといった (⇒ 思いやりのない) 態度は目にあまる (⇒ 許されない) His *inconsiderate* attitude will not be tolerated.

かんちょう[1]　干潮　low tide Ⓤ (↔ high tide) (☞ ひきしお; しお[2]).　¶*干潮時に at *low tide*

かんちょう[2]　官庁　góvernment òffice Ⓒ.　¶行政*官庁 an administrative *office* // 当該*官庁 the *authorities* concerned
官庁街 (首都などの) government office(s) district Ⓒ　**官庁公示事項** the items in the government notice　**官庁用語** officialese Ⓤ.

かんちょう[3]　館長　director Ⓒ; (図書館の) chief librárian Ⓒ.

かんちょう[4]　浣腸　enema /énəmə/ Ⓒ.　¶患者に*浣腸する give a patient an *enema* / administer [give] an *enema* to a patient　**浣腸器** enema syringe Ⓒ.

かんちょう[5]　艦長　the ˹captain [commander] (of a warship)　★［ ］内は「指揮をとる者」というニュアンスが強い.　¶旗艦の*艦長 the flag *captain*
艦長室 the captain's cabin.

かんちょう[6]　完調　perfect condition Ⓤ.　¶私は*完調からはほど遠い I am in far-from-*perfect condition.*

かんちょう[7]　管長　the chief priest.

かんちょう[8]　観潮　── 動 watch the tide.

かんちょう[9]　間諜　(政府機関の諜報部員) secret agent Ⓒ; (一般にスパイ) spy Ⓒ.

カンチレバー　〘建〙(片持梁) cántilèver Ⓒ.

かんつう[1]　貫通　── 動 (貫く) pénetràte (他); (通り抜ける) go through ...　★ 前者のほうが格式ばった語.　── 名 penetration Ⓤ. (☞ つらぬく; うちぬく).　¶弾丸は壁を*貫通した The bullet ˹*penetrated* [*went through*] the wall. // 弾は彼の心臓を*貫通した (⇒ 彼は胸を撃ち抜かれた) He *was shot through* the heart.
貫通銃創 piercing bullet wound Ⓒ.

かんつう[2]　姦通　── 名 adúltery Ⓤ.　── 動 commit adultery (with ...).　¶彼の妻は私の友人と*姦通した His wife *committed adultery with* a friend of mine.　**姦通罪** adultery Ⓒ.

カンツォーネ　〘楽〙 canzone /kænzóuni/ Ⓒ (複 canzoni /-niː/)　★ イタリア語から.

カンツォネッタ　〘楽〙 canzonet /kænzənét/ Ⓒ, canzonetta /kænzənétə/ Ⓒ.

かんづく　感づく　(感覚でわかる) sense (他); (気づく) be aware of ...; (怪しいと思う) suspéct (他); (...をかぎつける) 《略式》 get wind of ...; (うさんくさいと気づく) 《略式》 smell a rat. (☞ きづく; あやしむ).
¶彼は危険だと*感づいた He *sensed* the danger. // *彼は彼女の秘密に*感づいていないようだ* He does not seem to *be aware of* her secret. // 敵は我々の計画に*感づいたらしい The enemy seems to *have gotten wind of* our plan. // 私は何か変だと*感づいた I ˹*smelled* [《英》 *smelt*] *a rat.* // 刑事は彼女に*感づかれないように (⇒ 彼女の疑念を起こさないように) 慎重に尾行した The detective trailed her carefully so as not to arouse her *suspicions.* // 私は彼女がうそをついていることをうすうす*感づいていた I *had a hunch* that she was lying.

かんづくり　寒造り　── 形 (寒中に造られた) made in (the) winter.　¶*寒造りの酒 sake *made in* (*the*) *winter*

かんつばき　寒椿　winter camellia /kəmíːljə/ Ⓒ, (説明的には) camellia blooming in the middle of winter Ⓒ.

かんづめ　缶詰　── 名 (缶詰食品) canned ˹food Ⓒ [goods]　★ 主に《米》.《英》では tinned ˹food Ⓒ [goods]; (1つ1つの缶詰) can Ⓒ　★ 主に《米》.《英》では tin Ⓒ のほうが普通.　── 動 (缶詰にする) can (他), 《英》 tin (他); (人を閉じ込める) lock [coop] up *a person.*　── 形 (缶詰にした・缶詰の) canned, 《英》 tinned　¶鮭(さけ)の*缶詰 a ˹*can* [*tin*] of salmon / (⇒ 缶詰の鮭) *canned* [*tinned*] salmon // 万一に備えて彼らは*缶詰を貯蔵した They stocked up ˹with [on]˹*canned* [*tinned*] *goods* just in case. // 彼はホテルに*缶詰になって (⇒ 閉じこもって) 原稿を書いた He wrote the manuscript after *locking himself in* a hotel room.　**缶詰業者** packer Ⓒ, canner Ⓒ
缶詰工場 cannery Ⓒ.

かんてい[1]　鑑定　── 名 (判断・評価) judg(e)ment Ⓤ; (宝石などの値踏み) appraisal Ⓤ　★ 改まった語.　── 動 (判断する) judge (他); (値踏みする) appraise (他)　★ 改まった語; (確認する) idéntifỳ (他).
¶その筆跡の*鑑定を専門家に依頼した We asked an expert to *identify* the handwriting. // 彼は刀剣の*鑑定にすぐれている (⇒ すぐれた鑑定をする人だ) He is an excellent ˹*judge* [*appraiser*] of swords.
鑑定家 (美術品などの) connoisseur /kànəsə́ː/ Ⓒ
鑑定書 written statement of an expert Ⓒ　**鑑定証人** 〘法〙 expert witness Ⓒ　**鑑定料** (美術品の) fee for an expert opinion Ⓒ; (不動産などの) surveying [surveyor's] fee Ⓒ.

かんてい[2]　官邸　official residence Ⓒ.　¶首相*官邸 the Prime Minister's *official residence*

かんてい[3]　艦艇　naval vessels　★ 複数形で.

がんてい　眼底　eyeground Ⓒ.　**眼底検査** examination of the eyegrounds Ⓤ　**眼底出血** hemorrhage in the eyeground Ⓤ.

かんていりゅう　勘亭流　(書体) Kantei style Ⓤ; (説明的には) calligraphy used in kabuki posters and in bills showing the ranking of sumo wrestlers Ⓤ.

カンディンスキー　── 名 固 Wassily Kandinsky /kændínski/, 1866–1944.　★ ロシア生まれの画家.

かんてつ　貫徹　── 動 (成し遂げる) cárry ˹out [thróugh] (他), pùt thróugh (他)　語法 前者のほうが積極的に「実行する」というニュアンスが強い. through は out より「最後までやりぬく」という意味が強い. (☞ やりとげる; つらぬく).
¶私はなんとしても初志を*貫徹するつもりだ I'll *carry out* my first plan no matter what. // 組合は要求*貫徹まで (⇒ 要求が満たされるまで) ストを続けると言っている The union members say that they will continue to strike until their demands *are met.*

かんでふくめる　噛んで含める　¶*かんで含めるように (⇒ 理解しやすい言葉で) 説明する explain ... *in easily understandable terms* // *かんで含めるような言い方 an *elaboration*

カンテラ　pórtable kerosene /kérəsìːn/ làmp Ⓒ　★「カンテラ」はオランダ語からきたもの.

カンデラ　(光度単位) candela /kændíːlə/ Ⓤ (略 cd).

かんてん[1]　観点　(見地) point of view Ⓒ, viewpoint Ⓒ; (立場) standpoint Ⓒ; (物を見る角度) angle Ⓒ. (☞ たちば; みかた[2]).

¶ 実用的*観点からいえば彼の案のほうがあなたのよりよい From a practical ˹*point of view* [*viewpoint*], his plan is better than yours. // 彼の意見は科学的*観点からいえばたわごとだ His opinion is nonsense from a scientific ˹*viewpoint* [*standpoint*]. // 別の*観点からこの件を論じてみよう (⇒ 別の角度から) Let's look at the matter from a different *angle*.

かんてん² 寒天 vegetable gelatin /dʒéləṭn/ Ⓤ, agar /áːgə/ Ⓤ, agar-agar Ⓤ. ★ 最初のは説明的な訳.

かんてん³ 干天 spell of dry weather Ⓒ. **干天の慈雨** a good rain during dry weather; (救いの神) lifesaver Ⓒ.

かんてん⁴ 官展 government-sponsored art exhibition Ⓒ.

かんでん¹ 感電 electric shock Ⓒ. ¶ 彼は*感電死した He was killed by an *electric shock*. // 電線に触るな. *感電するぞ Don't touch the wire. You'll get a *shock*.

かんでん² 乾田 dry rice field Ⓒ.

がんてん 眼点 〘動・植〙 eyespot Ⓒ, stigma Ⓒ《複 stigmata》.

かんてんきち 歓天喜地 ― [名] (強烈な喜び) great joy Ⓤ; (最高の喜び) rapture Ⓤ; (成功の喜び) jubilation Ⓤ. ― [形] joyful; rapturous; jubilant.

かんでんち 乾電池 dry ˹battery [cell] Ⓒ ★ ほぼ同意だが, 前者のほうが一般的. (☞ でんち¹).

かんてんぼうき 観天望気 (雲や風を観察して天気を予想すること) predicting the weather from the wind direction or the shape of clouds Ⓤ ★ 説明的な訳.

かんと 官途 (官吏としての仕事・地位) career as a government official Ⓒ. ¶ *官途につく start (out on) *one's career as a government official*

カント ― [名] (固) Immanuel Kant, 1724–1804. ★ ドイツの哲学者.

かんど 感度 ― [名] (フィルムなどの) sènsitívity Ⓤ; (受信・受像の) reception Ⓤ; (音・震度などの強さ) intensity Ⓤ. ― [形] (感度の強い) sensitive. ¶ このマイクはとても*感度がいい This microphone is ˹highly [very] *sensitive*. // 高*感度フィルム a *fast* film // 地震の*感度 the *intensity* of an earthquake

かんとう¹ 敢闘 ― [名] good fight Ⓒ. ― [動] (勇敢に戦う) fight ˹bravely [courágeously] ★ 前者は行動に, 後者は精神面に強調が置かれる; (善戦する) put up a good fight. (☞ けんとう³; ぜんせん¹). **敢闘賞** fighting-spirit award Ⓒ **敢闘精神** fight Ⓤ, fighting spirit Ⓤ.

かんとう² 巻頭 the ˹beginning [opening page] of a book (↔ the end of a book). **巻頭言** fóreword Ⓒ, preface /préfəs/ Ⓒ. [語法] 前者のほうは著者やその作品を知っている第三者が書く短いものを指すことが多い. 後者は著者による説明的な前置き. (☞ じょぶん). **巻頭論文** the ˹opening [first] article (of a magazine).

かんとう³ 関東 the Kanto ˹district [region; area]. **関東山地** the Kanto mountains **関東大震災** the Great Kanto Earthquake, the Tokyo Earthquake of 1923 **関東炊き** ☞ おでん **関東地方** the Kanto ˹region [district; area] **関東平野** the Kanto plains **関東ローム層** (the) Kanto loam Ⓤ.

かんとう⁴ 完投 ― [動] (一試合全部を投げる) pitch a complete game; (最後までやり抜く) go the distance ★ 前者は野球のみ, 後者は他の競技にも使う. **完投投手** pitcher who pitched a complete game Ⓒ.

かんとう⁵ 竿灯 bámboo póle hung with paper lanterns Ⓒ.

かんどう¹ 感動 ― [動] (心を動かす) move (他); (強い印象を与える) impress (他); (感傷的な気持ちを起こさせる) touch (他). ― [形] (感動的な) moving; (心に強い印象を与える) impressive; (涙をそそる) touching. ― [名] (深い感激) (deep) emotion Ⓤ; (強い感銘) strong [deep] impression Ⓒ. (☞ かんげき¹; かんめい¹).
¶ 私たちは彼の勇気に*感動した We *were impressed* ˹by [with] his courage. / (⇒ 彼の勇気が私たちの心を動かした [に感銘を与えた]) His courage ˹*moved* [*impressed*] us. // その話に*感動して, 私は涙を流してしまった (⇒ その話は私を感動させて涙を流させた) The story *moved* me to tears. // その映画の最後のシーンはとても*感動的だった The last scene of the film was very *impressive*.
感動詞 ☞ かんたん² (感嘆詞) **感動助詞** 〘文法〙 (日本語の) exclamatory particle Ⓒ.

かんどう² 勘当 ― [動] (勘当する) disown (他).

かんどう³ 間道 (本道でない) byroad Ⓒ; (わき道) bypath Ⓒ.

かんとうぐん 関東軍 〘史〙 the ˹Kwantung /kwὰːntúŋ/ [Guandong /gwὰːndúŋ/] Army; (説明的には) a unit of the Imperial /ɪmpí(ə)riəl/ Japanese Army stationed in southern Manchuria /mæntʃú(ə)riə/ ˹before and during [up to the end of] World War II.

かんとうし 間投詞 〘文法〙 interjection Ⓒ ★ この辞書では「感嘆詞」と呼び [感] の印で表す.

かんとうしゅう 関東州 〘史〙 (中国にあった日本の租借地) the Kwantung /kwὰːntúŋ/ Leased Territory.

かんどうみゃく 冠動脈 ☞ かんじょう⁴

かんとく¹ 監督 ― [名] (仕事・組織・労働者などを指図・管理すること) sùpervísion Ⓤ, sùperinténdence Ⓤ [語法] 後者はより改まった語. この2つは under the ˹supervision [superintendence] of … の形で用いられることが多い; (統制) control Ⓤ; (指揮・指導) direction Ⓤ; (人) súpervìsor Ⓒ; (管理者・所長) sùperinténdent Ⓒ; (労働者の取締人) óversèer Ⓒ; (映画などの) director Ⓒ; (スポーツの) (head) coach Ⓒ; (プロ・実業団野球などの) mánager Ⓒ. ― [動] súpervise (他), sùperinténd (他), òversée (他); contról (他); direct (他); manage (他).
¶ あんな人の*監督の下で働くのはいやだ I don't want to work under the ˹*direction* [*supervision*] of such a person. // 彼はそのチームの*監督を 2 シーズン務めた He *managed* the team for two seasons. // これらの企業は政府の*監督下にある These enterprises are under government *control*. // 君の*監督不行届きだ (⇒ もっと厳重に監督すべきだった) You ought to *have supervised* them more strictly. // 彼らはよく*監督 (⇒ 監視) していないとすぐさぼる If we don't *keep an eye on* them, they are sure to neglect their work. // 私は入試の*監督をした I ˹*proctored* [《英》 *invigilated*] an entrance exam. // この映画の*監督はだれですか (⇒ だれが監督したか) Who *directed* this film? // サッカーの*監督 a soccer team *coach* // 現場*監督 a *foreman*
監督官 inspector Ⓒ; (管理者) superintendent Ⓒ **監督官庁** the competent authorities **監督教会** the Epíscopal Chúrch ★ 聖公会ともいう. **監督責任** managerial [management; oversight] responsibility Ⓤ. ¶ 彼は*監督責任を問われて解雇された He was fired for his failure to *properly supervise* the workers.

かんとく² 感得 ― [動] (優れた価値などを認識する) appreciate (他); (悟る) realize (他); (霊感を受ける)

be inspired.

かんどくり 燗徳利 sake bottle (to ʻheat [warm] sake in) Ⓒ.

かんどころ 勘所 (要点) point Ⓒ ((☞ かなめ)). ¶ 彼は*勘所をちゃんと押さえている He ʻgrasps [(⇒知っている) knows] the *point*.

がんとして 頑として (頑固に) stubbornly; (断固として) firmly ★ 後者は決心の固さを強調する. ((☞ がんこ; だんこ)). ¶ 彼女は*頑として彼の計画に反対している She is *firmly* opposed to his plan. // 彼は*頑として自説を曲げなかった (⇒ 自説に固執した) He *stuck to* his own opinion. // 彼は息子の願いを*頑として聞き入れなかった (⇒ 耳を貸さなかった) He *turned a deaf ear to* his son's request.

かんドック 乾ドック 〔海〕 ── [名] dry dock Ⓒ, graving dock Ⓒ. ── [動] (乾ドックに入れる) dry-dock (他).

ガントリー (ロケットの移動式発射台) gantry Ⓒ.

カントリーウォーク cross-country walk Ⓒ.

カントリークラブ cóuntry clùb Ⓒ.

カントリー(ミュージック) country [country-and-western] music Ⓤ ((☞ ヒルビリー)).

かんとん[1] 広東 ── [名] (固) (中国南東部の省) Guangdong /gwà:ndύŋ/; (広東省の省都・広州) Guangzhou /gwà:nʤóu/, Canton /kǽntn/ ★ 英語では一般に後者が用いられてきた. **広東語** Cantonese Ⓤ **広東料理** Canton cuisine Ⓤ.

かんとん[2] 嵌頓 ☞ ヘルニア

かんな 鉋 ── [名] plane Ⓒ. ── [動] (かんなをかける) plane (自) (他). ((☞ だいく[1] (挿絵))). ¶ 板に*かんなをかけてなめらかにした I *planed* the board smooth. かんなくず shavings ★ 複数形で.

カンナ 〔植〕 canna Ⓒ.

かんない[1] 管内 ¶ この警察の*管内に *within the jurisdiction of* this police station

かんない[2] 館内 ── [副] inside the building ((☞ しつない; おくない)).

かんなぎ 巫覡 (female) servant of Shinto deities who performs *kagura* entertainments and also acts as a spiritual medium to convey divine will Ⓒ ((☞ しんかん[5]; しんしょく[3])).

かんなづき 神無月 (旧暦の十月) the tenth month of the lunar calendar; (現在の十月) October.

かんなめさい 神嘗祭 the Kannamesai, Festival of Oblation; (説明的には) a ritual of the offering of the new rice crop made to Amaterasu Omikami at Ise Shrine around October 15.

かんなん 艱難 (つらくて苦しいこと) hardships; (困難) difficulties ★ いずれも複数形で. ¶ *かん難にあう [耐える] go through [endure] *hardships* // *かん難に打ち勝つ overcome *difficulties*
かん難汝を玉にす Adversity makes a man wise. ((ことわざ: 逆境は人を賢明にする))

かんにゅう 嵌入 ── [名] 〔音声〕 (ない音の挿入) intrusion Ⓤ. ── [動] (はめ込む) put [set] ... into ...; (合わせて入れる) fit ... in; (そう入する) insert (他); (宝石などを) inlay (他). **嵌入骨折** 〔医〕 impacted fracture Ⓒ.

かんにん 堪忍 (忍耐) patience Ⓤ; (寛容) tolerance Ⓤ. ((☞ かんべん[1]; がまん; ゆるす)).
¶ あの男には*堪忍袋の緒が切れた (⇒ 忍耐が尽きた) I'*ve run out of patience* with him. // 彼はもうこれ以上*堪忍できない I cannot *put up with* him any longer. // ならぬ*堪忍するが*堪忍 True *patience* lies in bearing what is unbearable. ((ことわざ: 真の忍耐は耐えがたいことを耐えることにある))

カンニング ── [動] (カンニングをする) cheat (自), ((略式)) crib (自). ── [名] cheating (ʻin [on] an examination) Ⓤ; (カンニングペーパーを使うこと) ((略式)) cribbing Ⓤ. 【日英比較】 英語の cunning は「ずるい」「ずる賢さ」の意で, いわゆるカンニングの意味にはならない. ¶ 彼は英語の試験で*カンニングをした He ʻ*cheated* [*cribbed*] ʻin [on] the English exam. // ジョンは*カンニングを見つかった John was caught ʻ*cheating* [*cribbing*] (ʻ*in* [*on*] *the examination*).
カンニングペーパー ((略式)) cheat sheet Ⓒ, crib Ⓒ.

カンヌ ── [名] (固) Cannes /kǽn/ ★ 南フランスの小都市. **カンヌ国際映画祭** the Cannes International Film Festival.

かんぬき 閂 ── [名] (さし錠) bolt Ⓒ; (戸・窓などに付ける横棒) bar Ⓒ. ── [動] (かんぬきを掛ける) bar (他) (↔ unbar); bolt (他) (↔ unbolt).

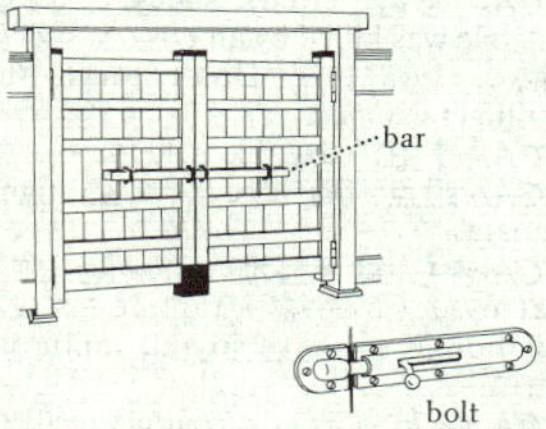

かんぬし 神主 Shinto priest Ⓒ.

かんねつし 感熱紙 thermal paper Ⓤ.

かんねん 観念 **1** «考え»: idéa Ⓒ; cóncept Ⓒ; concéption Ⓤ; notion Ⓒ.
【類義語】 最も一般的で意味の広い語は ***idea*** で, 以下の語の代わりに使われる場合もある. ある事物に対する一般化された考えは ***concept*** で, この語は日本語の「概念」に近い. より個人的な考え・認識は ***conception***. ((例) 子供の宇宙についての*観念 [とらえ方] a child's *conception* of the universe). 根拠のない漠然とした観念は ***notion***. ((☞ かんがえ; がいねん (類義語))) ¶ 彼女はエコロジーということについて誤った*観念をもっている She has ʻthe wrong *idea* [a mistaken *notion*] of ecology. // 彼の言うことはまったく*観念的だ (⇒ 夢想的だ) What he says is simply *idealistic*.
2 «意識»: sense Ⓤ ((☞ いしき; センス)).
¶ 彼女はまるで経済*観念がない She has no *sense* of economy. // 彼には道徳*観念が欠けている He has no *sense* of morality.
3 «あきらめ・覚悟» ── [名] (あきらめ) resignation Ⓤ; (覚悟) resolution Ⓤ ★ 格式ばった語. ── [動] (あきらめる) give (*oneself*) up; (あきらめて…に従う) resign (*oneself* to ...); (覚悟する) be prepared (for ...). ((☞ あきらめる; かくご)).
¶ 泥棒は*観念して (⇒ 運命に身を任せて) 警官について行った The thief *resigned himself to* his fate and went along with the policeman. // 命はないものと*観念している (⇒ 死を覚悟している) I *am prepared for* death. // *観念しろ. もう逃げられないぞ *Give* (*yourself*) *up*! You can't escape.
観念小説 ideological novel Ⓒ **観念連合** 〔心〕 association of ideas Ⓒ **観念論** idéalism Ⓤ **観念論者** idéalist Ⓒ.

がんねん 元年 the first year (of an era).
¶ 平成*元年 *the first year of* Heisei

かんのう[1] 官能 ── [形] (官能的な) sénsual, volúptuous ★ いずれも格式ばった語; (性的に魅力のある) sexy. ── [名] (官能にふけること) sènsuálity Ⓤ. ¶ *官能的なダンス a ʻ*sexy* [*sensual*] dance
官能主義 sensualism Ⓤ.

かんのう[2] 完納 —名 (全額を払うこと) full payment Ⓤ. —動 páy úp 他 自, pay … in full ★ 前者のほうが口語的. 《☞ はらう》.
¶ 彼は税金 [授業料] を*完納した He *paid up* his ˹taxes [tuition]. / He *paid* his ˹taxes [tuition] *in full*. ★ 第 1 文のほうが口語的.

かんのう[3] 感応 感応コイル induction coil Ⓒ 感応式信号機 traffic light with a traffic sensor Ⓒ 感応精神病 〚医〛 induced [communicated] insanity Ⓤ.

かんのう[4] 間脳 〚医〛 diencephalon /dàıınséfəlàn/ Ⓒ.

かんのむし 疳の虫 (子供の神経性のもの) nervousness Ⓤ; (ひきつけ) convulsions ★ 通例複数形で; (怒りやすい性質) short-temperedness Ⓤ.

かんのん 観音 Kannon /káːnɑn/, the Goddess of Mercy. 観音経 the Kannon Sutra /súːtrə/ 観音菩薩 the Kannon Bodhisattva /bòudısʌ́tvə/.

かんのんちく 観音竹 large lady palm Ⓒ, dwarf ground rattan Ⓒ.

かんのんびらき 観音開き (中央で開く 2 枚の扉) double doors ★ 複数形で; (仏壇の扉のような) folding double doors ★ 複数形で.

かんば 悍馬 unruly (unmanageable) horse Ⓒ 《☞ あばれうま; あらうま; じゃじゃうま》.

かんぱ[1] 寒波 cold wave Ⓒ. ¶ 関東地方は時ならぬ*寒波に襲われた The Kanto district was hit by an unseasonable *cold wave*.

かんぱ[2] 看破 —動 (見通す) see through …; (真相・人の心などを見抜く) pénetràte 他. 《☞ みぬく; みやぶる》.

カンパ —名 (資金カンパ) fund-raising ˹campaign [drive] Ⓒ ★ campaign のほうが規模が大きい; (寄付金) contribution Ⓒ. —動 (寄付する) contríbute 他 自. 《☞ ぼきん; きふ[1]》. ¶ 彼女は私たちの募金に千円*カンパしてくれた She *contributed* 1,000 yen to our collection.

かんばい[1] 完売 —動 sell out 他 自 《☞ うりきれる》. ¶ 切符は*完売しました The tickets *are* (*all*) *sold out*. / We*'re* (*completely*) *sold out* of tickets. // 在庫は*完売です We *are* (*completely*) *out* of stock.

かんばい[2] 寒梅 early *ume* blossom Ⓒ.

かんばい[3] 観梅 *ume* blossom viewing Ⓤ 《☞ はなみ[1]》.

かんぱい[1] 完敗 total [crushing] defeat Ⓒ 《☞ まける》. ¶ 我々は*完敗を喫した We suffered a ˹*total* [*crushing*] *defeat*.

かんぱい[2] 乾杯 —名 toast Ⓒ. —動 (乾杯する) drink to …, toast 他 自. 《☞ しゅくはい》.
¶*乾杯! *Cheers*! // さあ, 彼の健康 [成功] のために*乾杯しよう Let's *drink to* his ˹health [success]. // パーティーで彼が*乾杯の音頭を取った He proposed a *toast* at the party.

かんぱく 関白 the chief adviser to the Emperor 《☞ ていしゅ》.

かんばしい 芳しい (においが) fragrant; (快い) sweet; (よい) good. 《☞ こうばしい; このましい》.
¶ あの子の学校の成績は*かんばしくない (⇒ あまりよくない) His transcript is ˹*not very good* [(⇒ どちらかというと悪い) *rather poor*]. // 彼の評判はあまり*かんばしくない His reputation is (rather) *unsatisfactory*.

かんばしる 甲走る —形 (金切り声の) shrill.
¶*甲走った声 *shrill* voice

カンバス canvas Ⓒ.

かんばせ 顔 ☞ かお; かおつき

カンバセーション conversation Ⓒ.

かんぱち 間八 (アジ科の魚) amberjack Ⓒ.

かんばつ[1] 旱魃 (長期にわたる異常な日照り) drought /dráut/ Ⓤ; (雨の降らない天気) long period of dry weather Ⓒ.

かんばつ[2] 間伐 —動 thin (out) 他. —名 thinning Ⓤ.

かんぱつ 煥発 ☞ さいき[2]

かんはっしゅう 関八州 the Eight Provinces of ˹Kanto [the Kanto area] (during the Edo period).

かんはつをいれず 間髪を容れず ☞ かん[12]

カンパニー (会社) company Ⓒ ★ Co. と略す. 《☞ かいしゃ[1]》.

カンパリ (イタリアの食前酒) 《商標》 Campari /kɑːmpáːri/.

がんばり 頑張り (根気) perseverance /pə̀ːsəví(ə)rəns/ Ⓤ; (忍耐) endurance Ⓤ; (不屈) tenacity Ⓤ ★ 最後は格式ばった語. 《☞ がんばる》.
¶ 彼は*頑張りがきく (⇒ 忍耐強い) He is *persevering*. / He has *perseverance*. // 彼女は*頑張りがきかない (⇒ すぐにへこたれる) She *gives in* easily.
頑張りズム ¶ 彼女は*頑張りズムの (⇒ 弱音をはかない) 人だ She's the never-say-die type. **頑張り屋** (よく働く人) hardworking person Ⓒ; (粘り強い人) sticker Ⓒ.

がんばる 頑張る (もちこたえる) hòld ˹ón [óut] 自; (言い張る) insist (on …; upon …) 自; (一生懸命やる) try hard 自; (最善を尽くす) do *one's* best. 《☞ けんとう[3]; いっしょうけんめい》.
¶*頑張れ Come on! ★ 競技中の選手などに対して. // *頑張ってね (⇒ ご成功を祈る) Good luck (to you)! 日英比較 試験・試合など, 何か難しいことをしようとする人に向かって言う言葉で, 英語では日本語式に Try hard. のような言い方はしない. // 一生懸命*頑張るつもりです I'll *try* ˹*my best* [*to do a good job*]. / I'll *do as well as I can*. // *頑張ったがだめだった (⇒ 最善を尽くしたが失敗した) I *did my best* but failed. // もうこれ以上は*頑張れない I can't *hold* ˹*on* [*out*] any longer. // 彼は無実だといって*頑張った He *insisted on* his innocence.

かんばん 看板 sign Ⓒ; (看板板) signboard Ⓒ; (特色) feature Ⓒ; (呼びもの) draw Ⓒ.
¶ あの店はどうしてそこに*看板を出さないんだろう I wonder why they don't ˹put [set] up a ˹*sign* [*signboard*] there. // 彼女がこの一座の (一枚) *看板だ She's the only ˹*star* [big *draw*] of this troupe. // 福祉増進が現内閣の政策の一枚*看板だ The promotion of social welfare is the only outstanding *feature* of present government policy. // もう*看板です (⇒ 閉店時刻です) It is *closing time*. // この広告は*看板に偽りありだ (⇒ 偽って伝えている) This advertisement misrepresents the product. // あんな政治家が党首では党の*看板が泣く (⇒ 党の恥だ) It is a *shame* to the party to have a politician like him as a leader. // この*看板は年に一度塗り変えます We repaint this *signboard* once a year. // 政府は経済政策の*看板を塗り変えた (⇒ 変更した) The Government *changed* its economic policy. // 彼は結局店の*看板を下ろした (⇒ 閉店した) He ended up *closing* his shop.
看板教授 star professor Ⓒ **看板倒れ** ¶ 彼の最近作は*看板倒れだ (⇒ われわれの期待にとどかない) His latest work ˹*falls short of* [*does not come up to*] our expectations. **看板娘** stunning girl who attracts attention (of customers) Ⓒ **看板屋** sign(board) ˹maker [painter] Ⓒ ★ 後者は看板を描く人.

かんぱん[1] 甲板 deck Ⓒ 《☞ ふね (挿絵)》.
¶*甲板に出る go [come] on *deck* // 上 [下] *甲板

the upper [lower] *deck*

かんぱん[2] 乾板 (写真の) dry plate Ⓒ.

かんパン 乾パン hardtack Ⓤ ★もとは水夫や兵士用; ship biscuit Ⓒ ★長い航海の食糧とされたから.《英》では captain's biscuit ともいう.

がんばん 岩盤 bedrock Ⓤ.

かんばんほうしき かんばん方式 〘経営〙just-in-time system Ⓒ《略 JIT》.

かんび[1] 完備 ── 【形】(設備の整った) well-equipped; (アパートなどがカーペット・家具の完備した) fully furnished.《☞ せつび》.

¶施設の*完備した大学がよい大学であるとは限らない A *well-equipped* university is not always a good university. // どの部屋も冷暖房*完備です (⇒ 空気調節付きです) All the rooms are *air-conditioned.* // 彼の新しい家はまだ調度品が*完備していない His new house *is not fully furnished* yet. // この辺りはどこの家も上下水道が*完備している In this area, all the houses *have both* running water and sewerage.

か

かんび[2] 甘美 ── 【形】(快い・美しい) sweet ★一般的な語; (おいしい) delicious.

かんぴ 官費 (国の経費) government expenses ★通例複数形で.《☞ こくひ; こうひ[1]》.

ガンビア ── 【名】(固) (the Republic of The) Gambia /gǽmbiə/ ★アフリカ西部の共和国. ── 【形】(ガンビアの) Gambian. **ガンビア人** Gambian Ⓒ.

かんビール 缶ビール canned beer Ⓤ. ¶*缶ビール1本 a *can of beer*

かんぴし 韓非子 ── 【名】(固) Han Fei Tzu /hɑ́:nfèidzú:/, ?-233 B.C. ★中国の思想家.

がんぴし 雁皮紙 *gampi* paper Ⓤ; (説明的には) stout smooth paper made from the back of daphnes Ⓒ; Japanese vellum Ⓤ.

かんびょう 看病 ── 【動】(看護する) nurse (他); (世話する) lòok áfter ..., tend (他) ★後者のほうが口語的; (付き添う) attend (他); (夜も寝ずに) sit úp with .... ── 【名】nursing Ⓤ; attendance Ⓤ.《☞ かんご[1]; せわ (類義語); つきそい》.

¶娘たちは手厚く父親の*看病をした The daughters tenderly ⌈*nursed* [*looked after*; *attended*; *tended*] their sick father. // 母親は寝ずに息子の*看病をした The mother *sat up with* her sick son. // 彼には手厚い*看病が必要だ He needs careful *nursing*. **看病疲れ** the fatigue after nursing (a sick person)

かんぴょう 干瓢 dried gourd /gɔ́ɚd/ shavings.

がんびょう 眼病 eye ⌈disease Ⓒ [trouble Ⓤ] ★後者は遠回しの言い方. ¶*眼病を患う suffer from an *eye disease* / have *eye trouble*

かんぴょうき 間氷期 〘地質〙interglacial /ìntɚgléɪʃəl/ Ⓒ.

かんぶ[1] 幹部 (指導的な [主たる] メンバー) leading [principal] member Ⓒ; (会社・組合などの1人の幹部) exécutive Ⓒ; (会社・組合などの執行の任に当たる幹部全体) the executives, (the) mánagement; (指導者全体) the leaders.《☞ しゅのう》.

¶中堅*幹部 middle-grade *executives* / (⇒ 中間管理職) middle *management* Ⓤ // 労働組合*幹部 union *leaders* // 最高*幹部 top *executives* // 党の*幹部 the *leaders* of a party

幹部会 executive board Ⓒ **幹部会議** executive council Ⓒ **幹部候補生** (軍隊などの) cadet Ⓒ; (一般に) candidate for an ⌈executive position [《英》administrative post] Ⓒ.

かんぶ[2] 患部 the ⌈diseased [affected] part.

かんぷ[1] 還付 ── 【動】(返す) return (他); (税金などを払い戻す) refund (他). ── 【名】return Ⓤ; refund Ⓤ. ¶あなたの場合は税金の一部が*還付されます In your case, part of your tax *will be refunded*. **還付金** refund Ⓒ **還付申告** application for tax refund Ⓒ.

かんぷ[2] 完膚 **完膚なきまでに** ¶チャンピオンは挑戦者を*完膚なきまでにたたきのめした (⇒ 決定的に負かした) The champion defeated the contender *decisively*.

かんぷ[3] 関釜 **関釜フェリー** the Kampu Ferry ★下関と釜山を結ぶ.

カンファレンス ☞ コンファレンス

カンフー (中国拳法) kung fu /kʌ̀ŋfú:/ Ⓤ.

かんぷう[1] 完封 〘野〙 ── 【動】(相手を無得点に抑える) shút óut (他). ── 【名】shútòut Ⓒ.

かんぷう[2] 寒風 (冷たい [氷のような] 風) cold [icy] wind Ⓒ. ¶身を切る [肌を刺す] ような*寒風 a ⌈*cutting* [*biting*] *wind* // 北から*寒風が吹いている There is an *icy wind* blowing from the north.

かんぷく[1] 感服 ── 【動】(感心する) admire (他)《☞ けいふく[1]; かんしん[1]》.

かんぷく[2] 官服 official uniform Ⓒ.

がんぷく 眼福 (まれな美しさを見る喜び) the enjoyment of seeing a thing of rare beauty Ⓤ; (目の保養) feast for the eyes Ⓒ.

かんぶくろ 紙袋 ☞ かみ[2] (紙袋)

かんふぜん 肝不全 hepatic insufficiency Ⓤ.

かんぶつ[1] 乾物 dried goods ★複数形で. **乾物屋** (店) grocery Ⓒ; (人) grocer Ⓒ.

かんぶつ[2] 奸物 (悪知恵の働く人) cunning person Ⓒ; (策略を弄する人) crafty person Ⓒ; (悪人)《略式》crook Ⓒ.

かんぶつえ 灌仏会 (釈迦の誕生日4月8日の法会) the Buddha's birthday festival.

かんぶな 寒鮒 winter crucian (carp) Ⓒ.

かんぷまさつ 乾布摩擦 rubdown with a dry towel Ⓒ. ¶*乾布摩擦をする have a *rubdown with a dry towel*

かんぶり 寒鰤 winter yellowtail Ⓒ.

カンブリアき カンブリア紀 〘地質〙the Cambrian /kǽmbriən/.

カンフル camphor /kǽmfɚ/ Ⓤ. **カンフル注射** ¶停滞した景気に*カンフル注射を打つ (⇒ 景気を盛り上げる) *boost* the sluggish economy

かんぶん 漢文 (古典中国語の文章) classical Chinese (writing) Ⓤ; (科目名) Chinese classics ★複数形で. **漢文訓読** reading classical Chinese language in the Japanese way Ⓤ.

かんぶんがく 漢文学 (古代中国の文学) the Chinese classics ★複数形で; Chinese classical literature Ⓤ.

カンペ 〘テレビ〙(番組中に出演者に指示するカードの類) ídiot ⌈càrd [shèet, bòard] Ⓒ ★「カンニングペーパー」の短縮形.

かんぺいしき 観兵式 military review Ⓒ.

かんぺき 完璧 ── 【形】(申し分のない) perfect; (欠けた所のない) complete ★前者のほうが完全性の意味が強い; (きずのない) flawless. ── 【副】perfectly; completely; thoroughly /θɚ́:rouli/. ── 【名】perfection Ⓤ; completeness Ⓤ.《☞ かんぜん[1]》.

¶彼のアリバイは*完璧だ His alibi is ⌈*perfect* [*flawless*]. // 彼女はフランス語を*完璧に使いこなせる She has a *perfect* command of French. / (⇒ 彼女のフランス語は申し分ない) Her French is *perfect*.

がんぺき 岸壁 (船着場・船が横づけになる石または木の構造物) wharf Ⓒ《複 ~s, wharves》★最も一般的な語; (コンクリート・石などの岸壁で, 荷物の積み下ろしのできるもの) quay /kí:/ Ⓒ.《☞ ふとう[2]》.

かんべつ 鑑別 ── 【動】(見分ける) discríminate (他)《☞ しきべつ; みわける》. ¶少年*鑑別所 the Juvenile *Classification* Home

かんべん[1] **勘弁** —【動】(許す) forgive (他); (大目に見る) pardon (他) ★ forgive より格式ばった語; (見逃す) òverlóok (他). —【名】(容赦) pardon Ⓤ; (寛容) tolerance Ⓤ; (忍耐) patience Ⓤ. 《☞ ゆるす》. ¶もう二度としませんから今度だけは*勘弁して下さい Please ˹_forgive_ [_pardon_] me for this once; I'll never do it again. // 今度はあなたの不始末を*勘弁する (⇒ 見過ごす) わけにはいかない I won't _overlook_ your misconduct this time. // もういいかげんに*勘弁して下さいよ (⇒ もう解放して下さい) Please _let_ me _go_ now.

かんべん[2] **簡便** —【形】(簡単な) simple; (易しい・楽な) easy; (便利な) convenient; (手ごろな) handy. 《☞ かんたん[1]; べんり; てごろ》.

かんぼう[1] **官房** the secretariat Ⓒ. **官房長** Chief Secretary Ⓒ **官房長官** ☞ 見出し

かんぼう[2] **感冒** ☞ かぜ[2]

かんぼう[3] **監房** (prison) cell Ⓒ.

かんぽう[1] **漢方** Chinese [herbal] medicine Ⓤ ★ herb は薬草の意. **漢方医** herbal doctor Ⓒ **漢方薬** herbal medicine Ⓤ 《☞ くすり》.

かんぽう[2] **官報** the official gazette /gəzét/, 《英》 gazette Ⓒ.

がんぼう **願望** wish Ⓒ; (努力などの目標) goal Ⓒ. 《☞ のぞみ; ねがい; ねんがん》. ¶私の*願望はすべてかなった (⇒ 目標にしたものはすべて得た) I have attained all my _goals_. / (⇒ 本当になった) All my ˹_wishes_ [_dreams_] came true.

かんぽうしゃげき **艦砲射撃** naval bombardment Ⓤ.

かんぼうちょうかん **官房長官** (内閣官房長官) the Chief Cabinet Secretary.

かんぼく **灌木** shrub Ⓒ.

カンボジア —【名】(固) Cambodia; (正式名; カンボジア王国) the Kingdom of Cambodia. —【形】(カンボジアの) Cambodian. **カンボジア語** (クメール語) Khmer Ⓤ; Cambodian Ⓤ **カンボジア人** Cambodian Ⓒ.

かんぼたん **寒牡丹** 〔植〕 winter peony /píːəni/ Ⓒ.

かんぼつ **陥没** —【動】(沈下する) sink (in) (自) ★ 一般的な語; (一部に穴があいてへこむ) cave (in) (自). —【名】 sinking Ⓤ; cáve-ìn Ⓒ. —【形】 sunken. 《☞ ちんか[2]; へこむ》. **陥没湖** 〔地学〕 tectonic (depression) lake Ⓒ.

かんぽん **完本** (全集) complete set (of works) Ⓒ.

がんぽん **元本** (利子の元となる元金) principal Ⓤ ★ 具体的には Ⓒ; (事業などの元手) capital Ⓤ.

カンマ ☞ コンマ

ガンマ(ー) (ギリシャ語アルファベットの第 3 字) gámma Ⓒ ★ ギリシャ文字は Γ, γ.

ガンマグロブリン 〔生化〕 gámma glóbulin Ⓤ.

ガンマせん **ガンマ線** gamma rays ★ 通例複数形で.

かんまつ **巻末** the end of a book.

かんまん[1] **緩慢** —【形】(動作などが遅い) slow; (物ぐさで) sluggish; (動作が鈍い) dull. —【副】 slowly. 《☞ ゆっくり; のろい[1]》. ¶潮の流れは*緩慢だった The tide was coming in _slowly_. // 彼は動作が*緩慢だ He is _slow_ in his movements.

かんまん[2] **干満** (引き潮と満ち潮) the ebb and flow; (潮) tide Ⓤ. ¶ここは*干満の差が大きい The _tidal range_ is great here.

ガンマン gunman Ⓒ.

かんみりょう **甘味料** sweetening agents ★ 複数形で, sweetening Ⓒ, sweetener Ⓒ. ¶人工*甘味料 an artificial _sweetener_

かんみん **官民** ¶*官民一体となって世界からの核廃絶のために (⇒ 核のない世界を作るために) 活動しなければならない _The government and the people_ must unite to achieve a nuclear-free world.

かんみんぞく **漢民族** the Han race Ⓤ.

かんむり[1] **冠** (王冠) crown Ⓒ 《☞ おかんむり》. ¶王は*冠をかぶった The king put on his _crown_. **冠コンサート[大会, 講座]** concert [sports event; course] with the sponsor's name as part of its title Ⓒ.

かんむり[2] **冠** (漢字の) top radical of kanji Ⓒ. ¶草*かんむり a plant _radical at the top of kanji_

かんむりょう **感無量** ☞ かんがい[1]

かんめい[1] **感銘** —【名】 impression Ⓒ. —【動】(強い印象を与える) impress (他); (感動させる) move (他); (感情的な気持ちを起こさせる) touch (他). 《☞ かんどう[1]; かんげき[1]》. ¶私たちは彼女の話に大いに*感銘を受けた (⇒ 彼女の話は私たちの心を大いに動かした) Her story deeply ˹_moved_ [_touched_] us.

かんめい[2] **官命** (政府からの命令) government order Ⓒ.

かんめい[3] **簡明** —【副】(簡単明瞭に) simply and clearly.

がんめい **頑迷** —【形】(わからず屋で頑固な) búllhéaded, píghèaded ★ 両語とも軽蔑的なニュアンスがある; (生まれつき頑固な) stúbborn. —【名】 stúbbornness Ⓤ. 《☞ がんこ; ごうじょう》.

ガンメタル (銅とすずの合金, 砲金) gunmetal Ⓤ. **ガンメタルグレー** —【名】【形】 gunmetal (gray) ★【名】では Ⓤ.

かんめん **乾麺** dried noodles ★ 通例複数形で.

がんめん **顔面** face Ⓒ 《☞ かお》. ¶*顔面蒼白になる turn pale **顔面神経** the facial nerves **顔面神経痛** 〔医〕 facial neurálgia Ⓤ.

がんもく **眼目** (要点) the (main) point; (主目的) the main object. 《☞ ようてん[1]; もくてき》.

かんもち **寒餅** rice cake made in winter Ⓤ, winter rice-cake Ⓤ.

がんもどき fried ˹bean curd [tofu] mixed with pieces of vegetables and seaweed Ⓤ ★ 説明的な訳.

かんもん[1] **喚問** —【名】 summons Ⓒ 《複 ~es》. —【動】(呼び出す) 《格式》 summon (他). 《☞ しょうかん[1]; よびだし》. ¶*喚問に応じる answer [obey] a _summons_ // 地方裁判所から*喚問状を受け取った I have received a _summons_ from the District Court. // 彼はその委員会に*喚問された He _was summoned_ by the committee.

かんもん[2] **関門** (障壁) bárrier Ⓒ 《☞ しょうへき》. ¶筆記試験という第一の*関門を突破した I ˹got over [passed] the first _barrier_, which was a written examination. ★ get over のほうが口語的.

かんもん[3] **関門** **関門海峡** the Kanmon Strait, the Shimonoseki Strait **関門橋** the Kanmon Bridge **関門トンネル** the Kanmon Tunnel.

かんやく[1] **完訳** —【名】 complete translation Ⓒ. —【動】 make a complete translation.

かんやく[2] **監訳** —【動】 supervise a translation.

かんやく[3] **簡約** —【動】(語数を削って要約する) abridge (他); (内容を簡潔に短縮する) condense (他). —【名】 abridgment Ⓤ; condensation Ⓤ. 《☞ ようやく[2]》.

かんやく[4] **漢訳** —【名】 translation into classical Chinese Ⓒ. —【動】 translate [put] … into classical Chinese. ★ put の方が平易な表現.

がんやく **丸薬** pill Ⓒ 《☞ くすり》.

かんゆ[1] **肝油** cod-liver oil Ⓤ.

かんゆ[2] **換喩** (ある物をその属性で表す比喩) metónymy Ⓤ.

かんゆう[1] **勧誘** —【動】(…してくれと頼む) ask (他);

(誘う) invite (他); (懇請する) solícit (他) ★ この順に格式ばった語になる. ── [名] invitation [C]. (☞ さそう; すすめる[2]). ¶ 私は入会するようしつこく*勧誘された I *was asked* repeatedly to be a member of the society. // 保険*勧誘員 an insurance 「*salesman* [*saleswoman*]

かんゆう[2] 官有 ── [形] state [government](-owned) (☞ こくゆう).

がんゆう 含有 ── [動] (含む) contain (他); (保有する) have (他) ★ 意味の広い一般的な語. (☞ ふくむ[1]). **含有成分** compónent [C] **含有率** percentage of a content [C] **含有量** cóntent [C]. ¶ 彼はその鉱石の銅の*含有量を調べた He checked the copper *content* of the ore.

かんよ 関与 ── [動] (…とかかわりがある) have something to do with … ★ 最も口語的な表現. 打ち消しは have nothing to do with …; (参加する) partícipate (in …) (自), take part (in …) ★ 後者がより口語的; (関係がある) be concérned (with …; in …). ── [名] (参加) participation [U]; (役割・参加) share [U], part ★ part は a ～ または [U]; (掛かり合い) concern. (☞ かかりあい).
¶ 私はその件には*関与しておりません I *have nothing to do with* the affair. ★ 最も口語的な言い方. / I have 「no *share in* [no *part in*; no *concern with*] the affair. / I *am* not 「*concerned* [*involved*] *in* the affair. // その件には*関与しないほうがいい You should not 「*participate* [*take part*] *in* the affair. ★ [ ] 内のほうが口語的.

かんよう[1] 寛容 ── [形] (規律・罰などに対してゆるやかな) lenient /líːniənt/ (with …); (ほかの人の意見などに対して寛容な) tolerant (of …); (度量の大きい) generous (with …; to …). ── [名] leniency [U]; tolerance [U]. (☞ かんだい[1]; あまい). ¶ ほかの人の考えに対しては*寛容であるべきだ We should be *tolerant of* the views of others. // 彼には*寛容の精神が欠けている He has no *tolerance*. / He is *intolerant*.

かんよう[2] 慣用 ── [名] (慣例・慣用法) usage [U]. ── [形] (しきたりの) cústomàry; (語句が慣用的な) ìdiomátic. ¶ それは英語の*慣用に反する (⇒ それは英語らしい英語ではない) It is not *idiomatic* English. **慣用音** customary, but anomalous, Japanese reading of a kanji [C] **慣用句** idiom [C], idiomatic phrase [C] **慣用語** (決まり文句) set phrase [C]; (専門用語) terminology [U]; (術語) term [C] **慣用語法** idiom [C], idiomatic 「phrase [expression] [C] ★ 後者は長めの表現を指す.

かんよう[3] 肝要 ── [形] (欠くことのできない) essential; (重要な) important; (主要な) main [A]. (☞ かんじん[1]; じゅうよう[1]; だいじ[1]). ¶ そこが*肝要なところだ (⇒ 要点だ) That's *the point*.

かんよう[4] 涵養 ── [動] (品性・徳性などを養う) cultivate (他). ── [名] (養成) cultivation [U].

かんよう[5] 官窯 kiln of the Chinese Court [C].

かんようしょくぶつ 観葉植物 leafy plant [C], plant with attractive foliage /fóʊliɪdʒ/ [C].

かんらい 寒雷 thunder in winter [U], winter thunder [U]. (☞ かみなり).

がんらい 元来 ── [副] (本来) oríginally; (本質的に) essentially; (生来) by nature. (☞ もともと; ほんらい; うまれつき). ¶ 彼は*元来おとなしいたちだ He is docile *by nature*. // その土地は*元来私のものだった (⇒ 最初から私のものだった) The estate was mine *from the first*. // 科学は*元来, 道徳とは無関係だ Science is *essentially* amoral.

がんらいこう 雁来紅 ☞ はげいとう

かんらく 陥落 ── [動] (城などが陥落する) fall (自); (特に戦いで) surrénder (自); (降伏する・屈する) yield (自) ★ この順に格式ばった語となる. ── [名] fall [C]; (降伏) surrender [U]. (☞ こうふく[2]). ¶ 城は*陥落して敵の手に渡った The castle *fell* to the enemy.

かんらくがい 歓楽街 (劇場などのある地区) entertainment district [C]; (飲食店・劇場などのある地区) amusement center [C].

かんらん[1] 観覧 (見ること・視察) view [U].
¶ その花の品評会は*観覧自由です (⇒ 一般に公開されている) The flower show is *open to the public*. **観覧券** admission ticket [C] **観覧車** (遊園地の) Ferris wheel [C] **観覧者** (観客) spéctator [C]; (見物人) viewer [C]; (訪問者・客) visitor [C]; (観客全体) audience [C] **観覧自由** 《掲示》 Admission Free **観覧席** seat [C]; (野球などの) stands ★ 通例複数形で. **観覧料** admission fee [C], admission [U].

かんらん[2] 寒蘭 〘植〙 cold [winter] orchid [C].

かんらん[3] 橄欖 〘植〙 white Chinese olive [C]. ★ オリーブ (olive) の訳語として「橄欖」を用いることがあるが, 全くの別種.

かんらん[4] 甘藍 ☞ キャベツ

かんらんがん 橄欖岩 〘岩石〙 peridotite [U].

かんり[1] 管理 ── [名] (運営・経営) mánagement [U] ★ 最も一般的な語; admìnistrátion [U] ★ 政府・行政レベルの管理をいうことが多い; (統制・取り締まり) contról [U]; (監督・管理) sùpervísion [U]. ── [動] (管理運営する) manage /mǽnɪdʒ/ (他); admínister (他); (取り締まる) control (他); (監督する) súpervìse (他). (☞ けいえい; うんえい).
¶ 労務*管理の不手際がその会社の倒産の最大原因だ Poor personnel *management* is the principal reason for the company's bankruptcy. // 彼女の財産はおじが*管理している Her property *is administered* by her uncle. // この事務所は私が*管理しています This office is *under my supervision*. // 彼はその土地を*管理している He *is in charge of* the land. // 私はそのビルの*管理を委託された I was entrusted with the *care* of that building. // このアパートは*管理がいい (⇒ よく気が配られている) This apartment house *is* well *looked after*. // 業務*管理 business *administration* // 生産*管理 production *management* // 品質*管理 quality *control* ★ QC と略される. **管理医療** 〘医〙 managed care [U] **管理価格** administered price [C] **管理権** right of management [C] **管理行為** 〘法〙 act of administration [C] **管理者** mánager [C], admínistràtor [C] **管理社会** regulated society [C] **管理職** (地位) managerial /mæ̀nədʒí(ə)riəl/ posítion [C]; (人) managing members [C]; (集合的) (the) management **管理通貨制度** managed-currency system [C], planned monetary system [C] **管理人** (アパート・ビルなどの) janitor [C] ★ 主に《米》; (遺産などの) executor [C]; (公共建造物の) custodian [C]. ¶ 別荘の*管理人 the *caretaker* of a cottage **管理貿易** regulated trade [U].

かんり[2] 官吏 (政府の役人・国家公務員) government official [C]; (政府の職員) góvernment emplòyée [C]; (公僕としての公務員) public servant [C]; (文官としての) civil servant [C]. (☞ こうむいん).

がんり 元利 **元利合計** (元金と利息) the principal and interest; (利息を含めた総額) the total amount inclusive of interest.

がんりき 眼力 (洞察力) insight [U]; (観察力) power of observation [U]. ¶ 人を見抜く鋭い*眼力 an acute *insight* into human character

がんりき 願力 (超人的な) súperhùman pówer [U]; (真剣な祈りによる力) the power of prayer.

かんりつ 官立 ☞ こくりつ

かんりゃく 簡略 ── [形] (簡単な) simple; (簡潔

な) concise; (手短な) brief. ―[名] simplicity [U]; conciseness [U]; brevity [U] ★ いずれもやや格式ばった語.《☞ かんたん¹; かんけつ²; てみじか》. ¶結婚式はできるだけ*簡略にしよう Let's make our wedding as *simple* as possible.
【参考語】 ―[動] (簡略化する) símplify (他); (辞書などを) abridge (他). ―[名] (簡略化) simplification [U].

かんりゅう¹ 寒流 cold current [C] (↔ warm current).

かんりゅう² 貫流 ¶利根川は関東平野を*貫流して太平洋に注ぐ The Tone River ⌈*flows* [*runs*] *through* the Kanto plain into the Pacific Ocean.

かんりゅう³ 還流 ―[動] (流れて戻る) flow back (自); (元の所に帰る) return (自). ―[名] backflow ★ a を付けて; return current [C]. ¶心臓を出た血液は静脈を通って心臓に*還流する The blood pumped from the heart *flows back* through the veins to the heart.

かんりゅう⁴ 乾留 ―[名] (固体の加熱分解) drý [destrúctive] distillátion [U]. ―[動] drý-distíll (他).《☞ じょうりゅう¹》.

かんりょう¹ 完了 ―[動] (完了する) complete (他); finish (他); end (他) (自). ―[名] completion [U].
【類義語】「始めたことを終わらせる」の意味は **finish**. 課せられた仕事を完全に仕上げたことを示すのは **complete** で, 後者のほうが格式ばった語. また, 単に終わることを表す一般的な語が **end**.《☞ かんせい¹; しゅうりょう²; おわる (類義語)》 ¶建設工事は予定どおり*完了した The construction work *has been completed* on time. // 準備は*完了しました Our preparations are ⌈*complete* [*all set*]. ★ 後者のほうが口語的. / (⇒ 用意はすっかりできています) We are all ready now. ★ 第 2 文は第 1 文より口語的. **完了形**〚文法〛perfect form [C] ¶現在[過去] *完了形 *the* ⌈present [past] *perfect form*

かんりょう² 官僚 ―[名] bureaucrat /bjʊ́(ə)rəkræ̀t/ [C]; (全体) bureaucracy /bjʊrákrəsi/ [U]. ―[形] (官僚的な) bureaucratic /bjʊ̀(ə)rəkrǽtɪk/ [語法] [名] も含めた以上の語は普通あまり良くない意味で用いられる. ¶彼にはどうも*官僚的なところがある He has something of the *bureaucrat* about him. // 高級*官僚 a high-ranking *official*
官僚主義 bureaucratism /bjʊ́(ə)rəkræ̀tɪzm/ [U], red tape [U] [参考] もと公文書を赤ひもで結んだことから出た言い方で, 口語的. [形] としても用いる. **官僚主義者** bureaucrat [C] **官僚制** buréaucracy [U] **官僚政治** bureaucracy [U].

がんりょう¹ 顔料 pigment [U] ★ 種類をいう時は [C]; (絵の具) paint [C]; (染料) colors (《英》colours) ★ 複数形で.

がんりょう² 含量 ☞ がんゆう (含有量)

かんりんまる 咸臨丸 *the Kanrin Maru*; (説明的には) the first Japanese steamship to cross the Pacific under the command of a Japanese captain from the Tokugawa shogunate in 1860.

かんるい 感涙 (ありがた涙) tears of gratitude ★ 複数形で.《☞ なみだ》. ¶私は彼の温かい励ましを受けて*感涙にむせんだ I was moved to *tears* at his warm encouragement.

かんれい¹ 慣例 ―[名] (社会的習慣) custom [C], convention [U] ★ 後者のほうがやや格式ばった語; (繰り返し行われること・習慣) practice [C]; (前例) 《格式》precedent /présədənt/ [C]; (通例) rule [C]. ―[形] (慣例の) 《格式》cústomary; conventional. 《☞ かんしゅう¹ (類義語)》. ¶それは*慣例に反す That is against our *custom*. / That is not in accordance with the *precedents*. ★ 第 2 文は第 1 文より格式ばった表現. // *慣例に従う[を破る] follow [violate] a *custom* // 新入社員のために歓迎会を開くのが我々の*慣例だ It is our *custom* to welcome the new members by giving a reception. // *慣例に従って彼らは地鎮祭を行った As is the *custom*, they held the ground-breaking ceremony. // それが悪い*慣例にならなければよいのだが I hope it doesn't set a bad *precedent*.

かんれい² 寒冷 ―[形] cold; (不快に冷たい) chilly. **寒冷前線** cóld frónt [C].

かんれい³ 管領 *kanrei*; (説明的には) deputy to the shogun in the Muromachi period [C].

かんれいしゃ 寒冷紗 (目の粗い薄地の綿布) cheesecloth [U]; (製本用の) crash [U].

かんれいぜんせん 寒冷前線 ☞ かんれい² (寒冷前線)

かんれいちてあて 寒冷地手当 cold-district allowance [C].

かんれき 還暦 *one's* 60th birthday. ¶*還暦を迎える reach *the age of sixty* **還暦記念論文集** commemorative volume [festschrift] published on *a person's* sixtieth birthday [C] ★ 同僚・教え子などの寄稿によるもの.

かんれん 関連 (血縁・親友などの, 具体的な相互関係) relation [U]; (一般的なかかわり合い) connection [U]; (当面の問題との関連) rélevance [U]; (結びつくもの) link [C].《☞ かんけい¹ (類義語); つながり》. ¶それに*関連して一言申し上げたい I would like to say a few words in that *connection*. // その事件に*関連して数人の男が拘留された A few men have been detained *in connection with* the affair. // 君の言ったことは当面の問題と何の*関連もない What you said has no ⌈*relation* [*relevance*] to the present problem. // 2 つの殺人事件は初め何の*関連もないように思えた At first, there seemed to be no *link* between the two murder cases.
関連会社 affiliated company [C]《☞ こがいしゃ》 **関連記事** related article [C] **関連産業** associated industries ★ 複数形で. **関連事項** related matters ★ 複数形で. **関連質問** (議会での) intèrpellátion on related matters [C].

かんろ¹ 甘露 (甘くて美味な飲み物) nectar [U]. **甘露煮** ¶魚の*甘露煮 *caramelized* fish

かんろ² 寒露 (冷たいつゆ) cold dew [U]; (二十四節気の一つ) one of the twenty-four points in the old solar calendar (around October 9).《☞ にじゅうしせっき》.

がんろう 玩弄 ―[動] play [toy] with ...《☞ もてあそぶ》. **玩弄物** (おもちゃ) toy [C]; (慰みもの) plaything [C].《☞ なぐさみ (慰みもの)》.

かんろく 貫禄 (堂々とした態度) presence [U] ★ 形容詞を伴うことが多い; (威厳) dignity [U].《☞ どうどう¹; かっぷく¹》.
¶彼は*貫禄がある He has great *presence*. / He is a man of great *presence*. ★ 第 2 文は第 1 文よりやや格式ばった表現. // *貫禄がつく gain *presence* // 彼は横綱としての*貫禄を見せた He carried himself with the *dignity* of a grand champion. // 彼はベテランの*貫禄 (⇒ 熟練者ができること) を示してその問題を適切に処理した He showed *what an expert can do* and settled the problem properly. // 私は彼に*貫禄負けしてしまった I was overwhelmed by his *imposing appearance*.

かんわ¹ 緩和 ―[動] (束縛などをゆるめる) ease (他) ★ 最も一般的だが, 格式ばった語; (苦痛・心配などを和らげる) relieve (他); (緊張などをゆるめる) relax (他). ―[名] (軽くすること) relief [U] ★ しばしば a を付けて; (ゆるめること) relaxation [U]; (国際間の緊張緩和) détente /deɪtáːnt/ [U].《☞ やわらげる; けいげん; ゆるめる》. ¶交通渋滞を*緩和する *ease* a traffic jam // 彼の穏やかな微笑が彼女の緊張を*緩和させた

His gentle smile ⌈*relieved* [*relaxed*] her tension. // 規制*緩和 *relaxation* of restrictions
緩和医療 palliative medicine Ⓤ.

かんわ² 官話 (中国の公用語) the official language of China; (標準中国語) standard Chinese Ⓤ; (北京語) Mandarin (Chinese) Ⓤ ★ 北京方言, またそれに基づく標準中国語.「官話」は清代の呼称で現在は用いられない.

かんわきゅうだい 閑話休題 ¶ *閑話休題 (⇒余談はそこまでにし), 本題に戻ります *So much for digressions*, now I return to the subject.

かんわじてん 漢和辞典 dictionary of classical Chinese explained in Japanese Ⓒ.

き，キ

き¹ 気　**1**《心》:（頭の働き・知力・心）mind Ⓤ [語法] (1) mind は, 感情的な心という意味の heart に対して, 理性的な心を表す. 時には「精神」「頭」という日本語にも当たる;（感覚・意識）senses ★ 複数形で, consciousness Ⓤ [語法] (2) 前者は主として五官による感覚, 後者は自分の回りについてのより漠然とした感覚;（一時的な気分）mood Ⓒ;（感情）feelings ★ 複数形で.《☞ こころ（類義語）》.

¶ 私は*気が変わった　I've changed my *mind*. [語法] (3)「彼の*気が変わった」という場合にも He changed his *mind*. と言い, His *mind* changed. とは言わない.《☞ かわる¹》// *気を静めなさい　Calm down. // 彼は*気が狂っている He is ˹*mad* [*crazy*]. / He ˹is [has gone] out of his *mind*. // 彼女は*気は確かで（⇒ 正気で）すか Is she in her right ˹*mind* [*senses*]? // 5 分後に彼は*気がついた（⇒ 意識を取り戻した）He came to his *senses* after five minutes. // それは*気のせいですよ（⇒ あなたの神経だ）It's only *your nerves*. ★ 口語的表現.

2《性格》:（天性）nature Ⓤ;（性癖）disposition Ⓒ;（気質）temper Ⓒ.《☞ きしょう¹》. ¶ 彼女はとても*気が強い（⇒ 他からの圧力に屈しない）She is quite *unyielding*. /（⇒ 意志が強い女性だ）She is a *strong-willed* woman.《☞ かちき》// 彼は*気が弱い[小さい] He is ˹*weak-willed* [(⇒ 臆病だ) *timid*].《☞ よわき》// 彼は*気が短い He ˹is *quick-tempered* [has *a quick temper*].《☞ たんき¹》// 彼女は*気がいい She is ˹*good-natured* [*kind by nature*]. ★ [　] 内のほうが格式ばった表現. // 私たちは*気が合う We *get on well* (with each other).

3《意向・意図》 ── [動]（…する意図がある）intend (to *do* …);（…するつもり）mean (to *do* …);（…したい気持ちがする）feel like *doing*. ── [名] intention Ⓤ ★ 具体的な事例は Ⓒ. ¶ どうする*気だ What *are* you *going to* do?《☞ -つもり》// 彼女（の気持ち）を傷つける*気はなかった I never *meant to* hurt her. // あの人と結婚する*気にはなれません I can't *bring myself* to marry ˹him [her]. // 彼の*気が知れない（⇒ 彼を理解できない）I don't quite understand him. // *気が向いたら行きます I'll go if I *feel like it*. // 彼はそれをやる*気がない He doesn't have a *mind* to do that. /（⇒ 喜ばない）He *is* not *willing* to do that. // 私は彼女が来ないような*気がする（⇒ 来るとは思わない）I don't *think* she will come.《☞ おもう》// 彼女は*気のない返事をした She gave a *halfhearted* answer.

4《注意・気遣い》 ── [動]（心配する）worry /wə́ːri/ (自);（…を心に留める）take notice of … ★ しばしば否定文で;（気にかける）care (about) … (自) (他) ★ しばしば否定文・疑問文で.《☞ 気をつける; ちゅうい¹; しんぱい¹》. ¶ 彼は私の言ったことなど*気にもかけない He doesn't *take* any *notice of* what I told him. // 彼女が言うことなんか私は*気にしない I don't *care* what she says. // 何の*気なしに（⇒ 何となく）without *meaning* anything /（⇒ 何気なく）casually

気がある（関心がある）be interested in …;（人・物事に夢中で）be keen on …;（好きになり始める）take a fancy to …　**気が多い** ¶ 彼女は*気が多い人（⇒ 移り気な人）です She is ˹a *capricious* [an *impulsive*] person. // 彼は女性に対して*気が多い（⇒ 浮気である）He is a ˹*flirt* [*playboy*].　**気が大きい** ── [形]（大望のある）ambitious;（寛大な・気前のいい）generous;（度量の大きい）broad-minded　**気がおけない** ── [動]（人と）feel at ease with *a person*　**気が重い**（重い心で）with a heavy heart《☞ おもい¹》. ¶ 私は*気が重い My *heart is heavy*. // きょうは*気が重い I'*m feeling down* today. ★ 口語的表現.　**気が利く** ── [形]（よく気がつく）perceptive;（察しのよい）considerate;（気転がきく）tactful;（頭が回る）smart. ¶ あの男は*気がきく[きかない] He is ˹*tactful* [*tactless*]. // 彼女はとても*気がきく She's really ˹very *quick to catch on* [*on the ball*]. ★ 後者は口語的表現.　**気が気でない** ¶ 彼のことについて私は*気が気ではない（⇒ 心配で[何となく不安で, 思い悩んで]いる）I *am very* ˹*anxious* [*uneasy*; *worried*] about him.　**気が進まない** ¶ それを彼に言うのは*気が進まない I do*n't feel like* telling him about it.《☞ きおくれ》　**気が済む**（満足する）be satisfied;（気分がよくなる）feel better. ¶ こういう結果で*気がすみましたか *Are* you *satisfied* with an outcome like this? // 泣くだけ泣いたら*気がすんだ I cried my eyes out and then I *felt better*.　**気が立つ** ¶ 子供が言うことをきかないので彼女は*気が立っている（⇒ いらいらしている）She'*s on edge* because her child won't obey her.　**気が散る**（…に心を奪われる）be distracted (by …)《☞ ちる》.　**気が遠くなる** ¶ これは*気が遠くなるような（⇒ 実に遠大な）計画だ This is a very *far-reaching* project. // 暑さで*気が遠くなって（⇒ 気を失って）倒れた生徒もあった Some students *fainted* from the heat.　**気がとがめる**（やましい気がする）feel guilty;（良心のかしゃくを感じる）feel a ˹pang [twinge] of conscience, have a guilty conscience.《☞ とがめる; りょうしん²》.　**気が抜ける** ¶ ビールはすっかり*気が抜けている The beer has ˹*become* [*gone*] *flat*. // 私は*気が抜けてしまった My *tension is gone*.《☞ きぬけ》　**気が張る** ¶ *気が張っているときには（⇒ 緊張して何かをしようと決意しているときには）眠くならない When I am *tensed up and determined* to do something, I don't feel sleepy.《☞ きんちょう¹》　**気が引ける** ☞ 気が進まない　**気がふれる** ¶ 彼は*気がふれた（⇒ 気が狂った）He *went mad*.　**気が回る** ── [形]（頭が回る）smart;（察しのいい）considerate (of …);（気転がきく）tactful.　**気に入る** ☞ 見出し　**気に掛かる** be concerned (about …; for …);（心配である）be ˹anxious [worried] (about …);（主語が事柄の場合）worry (他), weigh [be] on *one's* mind.《☞ きがかり》. ¶ 子供たちの安否が*気にかかる I'm ˹*worried* [*anxious*] *about* the safety of my children. // 何が*気にかかっているのですか What's *on your mind*?　**気にくわない** ¶ 彼らのやっていることは*気にくわない（⇒ 好まない）I *don't like* what they are doing.　**気にさわる** ── [形]（不快な）offensive, disagreeable. ── [動]（相手の気に障ることをする）hurt *a person's* feelings.　**気に留める** mind (他);（注目する）pay attention to…　**気になる** ¶ 彼女の言ったことがどうも*気になる（⇒ 私を悩ます）What she said somehow *bothers* me.　**気に病む** ¶ 彼女はそれを*気に病んで（⇒ 心配して）いるようだ She seems to *be* ˹*worrying* [*worried*] *about* it.　**気の長い** ¶ それは*気の長い話だ（⇒ のろのろした[長々し

い]経過だ) It's a ⌈*slow* [*lengthy*] *process*.　**気の早い**（せっかちな） hasty, rash; (気短な) impatient. ((☞ せっかち)).　**気は心**（感謝のしるしとして） as a small token of *one's* gratitude; (感謝を示すために) just to show *one's* gratitude.　**気もそぞろ** ── 形（注意をそらされて） distrácted; (気が転倒して) upset. ((☞ そぞろ)).　¶彼女の*気もそぞろな様子から, 何か心配ごとがあるのは確かだ I can see from her *distracted* look that she is worried about something.　**気を入れる**（気を引きしめる） brace (up) 自, rouse *oneself* (to action); (勉強などに身を入れる) be attentive (to ...).　¶もっと*気を入れて勉強しなさい You must ⌈*be* more *attentive* [*pay* more *attention*] *to* your studies.　**気を失う**（卒倒する） faint 自; (意識を失う) lose consciousness; (特に酔いつぶれて) pass out ★くだけた表現.　¶彼女はそこで*気を失った She ⌈*fainted* [*lost consciousness*] there. ★ faint には「めまいがして一時的に気が遠くなる」というニュアンスがある.　**気を奪われる** ☞ **気を取られる**　**気を落とす** ── 形（がっかりして） discouraged; (失望して) disappointed. ((☞ がっかり)).　¶そんなに*気を落とすな Don't be so ⌈*disappointed* [*sad*].　**気を利かせる**　¶彼女は*気を利かせて (⇒ それと感づいて) 部屋から出ていった She *took the hint* and left the room.　**気を配る** take care of ... ((☞ くばる)).　**気を遣う**（気を配る） take good care of ... ((☞ くばる)).　¶そんなに*気を遣わないで (⇒ 特別なことはしないで) ください Please don't *do anything special* for me.　**気をつける**（用心する） be careful (of ..., about ...), take care (of ...) ★後者には「世話をする, 面倒を見る」の意もある; (注意を払う) pay attention (to ...); (警戒する) look [watch] out (for ...); (見張る) watch 他.　¶これからはもっと*気をつけなさい *Be* more *careful* from now on. / *Pay* more *attention* in the future. ★第2文のほうは格式ばった表現. // 健康に*気をつける *be careful* ⌈*of* [*about*] *one's* health / *take care of* ⌈*one's* health [*oneself*] // 音をたてないように*気をつけなさい *Be careful* not to make any noise. / *Be careful* (that) you don't make any noise. // 通りを横断するときには*気をつけなさい *Be careful* crossing the street. // *気をつけて! *Look* [*Watch*] *out!* // 車に*気をつけなさい *Look* [*Watch*] *out for* cars. // 足下に*気をつけて! *Watch* your step! // 湯が吹きこぼれないように*気をつけて (⇒ 見張って) いてください *Watch that* the water doesn't boil over.　**気を取られる** ── 形（...に夢中になって） be preoccupied with ...; (注意をそらされる) distracted.　**気を取り直す**（勇気を出す） take courage; (元気を取りもどす) pull *oneself* together ★略式語; (心を静める) collect *oneself*.　**気を抜く**（気をゆるめる） take *one's* mind off ..., relax *one's* attention; (くつろぐ) unbend 自; (警戒心をゆるめる) relax [put down] *one's* guard.　**気を吐く** ¶彼はいつも会議では*気を吐いている (⇒ 大きなことを言っている) He always *talks big* in the meetings. ★ talk big はくだけた表現.　**気を張る** be tense.　¶彼女は*気を張りすぎる She *is* too much *tense*.　**気を引く** attract 他; (注目を) attract *a person's* attention.　**気を紛らわす**（...をして） find relief in ...; (気になることから) take *one's* mind off .... ((☞ まぎらす)).　**気を回す**（...に疑いを持つ） be suspicious about ....　¶あなたは*気を回しすぎではないでしょうか Aren't you *being* a little too *suspicious*?　**気を持たせる** ── 形（思わせぶりな） suggestive of ... ((☞ おもわせぶり)).　¶さんざん*気を持たせたんだから断るなよ Don't say "no" after having ⌈*kept us waiting so long* [*raised our hopes so high*].　**気をもむ** worry 自, be worried, worry *oneself* ★1番目が一般的.　¶そう*気をもむな Don't ⌈*worry* so much [*be so worried*]. // そんな事で*気をもむのはやめなさい Stop *worrying yourself* about such a thing.　**気を許す**（気をゆるめる） relax *one's* guard; (気持ちがくつろぐ) relax 自. ((☞ ゆるめる)).　¶あの人には*気を許すな Don't *be off* (*your*) *guard* with that ⌈man [woman]. / You can't *relax* with that ⌈man [woman].　**気を緩める** wind down 自, unwind 自, ease up (on ...) 自, let up (on ...) 自.　**気をよくする**（いい気分である） be in a good mood.　**気を悪くする**（不機嫌になる） be displeased; (不快に思う) feel hurt; (怒る) get [be] angry.

き[2] 木, 樹 1 «樹木»: tree Ⓒ; (灌木(かんぼく)) shrub Ⓒ. ((☞ えだ)).

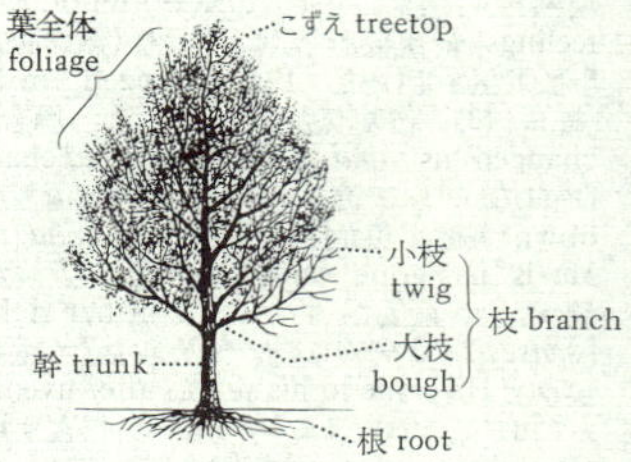

¶このあたりは*木が多い There are a lot of *trees* around here. // *木の茂った[*木のない]山 a ⌈*tree-covered* [*bald*; *bare*] mountain

2 «木材» ── 名 wood Ⓤ ★最も一般的な語; (加工したもの) ((米)) lumber Ⓤ, ((英)) timber Ⓤ; (丸太) log Ⓒ. ── 形 wood(en), (made) of wood. ((☞ ざいもく（類義語）)).

¶*木の箱 a *wood*(*en*) box / a box (*made*) *of wood* // *木はいろいろな方面に使われている *Wood* ⌈is used in many ways [has many uses].

木から落ちた猿（陸へ上った魚） a fish out of water.　**木で鼻をくくる**　¶彼は*木で鼻をくくったような返事をした He answered ⌈*coldly* [*bluntly*]. / He gave a *blunt* answer. ((☞ ぶあいそう))　**木に竹をつぐ**　¶彼の話はまったく*木に竹をついだようだった (⇒ つじつまが合わなかった) What he said was quite *incoherent* /ìnkouhí(ə)rənt/. / (⇒ 一貫性を欠いていた) His story *lacked consistency*.　**木によって魚を求める** try to get a fish from a tree; ask for the impossible.　**木を見て森を見ない**　¶君は*木を見て森を見ていない You *cannot see the* ⌈*forest* [*wood*] *for the trees*. 語法 斜字体の部分は英語でも成句になっており, forest を用いるのは((米))で, wood は((英)).

コロケーション

木に登る climb (up) a *tree* / 木を移植する transplant a *tree* / 木[苗木]を植える plant a ⌈*tree* [*seedling*] / 木を切り倒す cut down [fell] a *tree*; (斧で) axe a *tree* / 木を剪定する prune [trim] a *tree* / 木を育てる[栽培する] grow [cultivate] a *tree* / 木を鉢に植える pot a *tree* // 大きな木 a ⌈big [large; giant] *tree* / 枯れ木 a dead *tree* / 朽ち木 a ⌈decayed [rotten] *tree* / 材木用の木 a timber *tree* / 倒れた木 a fallen *tree* / 高い木 a tall *tree* / 葉の茂った木 a leafy *tree* / 葉のない木 a ⌈bare [leafless; naked] *tree* / 日よけになる木 a shade *tree* / 密集した木々 dense *trees* / 実のなる木 a fruit-bearing *tree* / 矮性の木 a dwarf *tree* / 若木 a young *tree*

き[3] 機　(機会) òpportúnity Ⓒ; (偶然の好機) chance Ⓒ ★後者のほうが口語的. ((☞ きかい[3]（類義語）; こうき[1]; チャンス 語法)).　¶この*機を逃してはな

らない We shouldn't miss this「*chance* [*opportunity*]. // この*機に乗じて (⇒ この時機を利用して) 彼女を説得しよう Let's persuade her, taking advantage of this *occasion*. // 彼は*機を見るのが早い He is quick in seizing an *opportunity*. // *機 (⇒ 時) は熟している The *time* is ripe.

き⁴ 生 ―― 形 (水で割らない) neat, straight, undiluted ★ 3 番目は格式語; (混じり気のない) pure. ¶ ウイスキーを*生で飲む drink whisky「*neat* [*straight*] // *生醤油 ☞ 見出し

き⁵ 奇 (独特なこと) uniqueness Ⓤ; (変わっていること) strangeness Ⓤ; (風変わり·常軌を逸すること) eccentricity Ⓤ ★ 具体的な言動は Ⓒ. ¶ 事実は小説より*奇なり Truth [Fact] is *stranger* than fiction.

奇をてらう make a display of *one's*「uniqueness [originality]. ¶ 彼女は*奇をてらって赤い靴をはいた She wore red shoes *just to be different*.

(-)き⁶ 基 〘化〙 group Ⓒ, radical Ⓒ. ¶ 灯籠一*基 one「stone [garden] lantern ★「基」は灯籠·墓石などを据え置く物を数える語で, 訳には表現しない.

き⁷ 軌 (車輪の跡) rut Ⓒ (☞ てつ²). 軌を一(いつ)にする ¶ その件については, われわれは*軌を一にしている (⇒ 同じ意見である) We *are of the same opinion* on that matter.

き⁸ 黄 ☞ きいろ

-き¹ …期 (期間) period /pí(ə)riəd/ Ⓒ; (契約などの一定の期間) term Ⓒ; (段階) stage Ⓒ; (会期) session Ⓒ. (☞ きかん¹). ¶ 彼は議長を 2 *期務めた He served two *terms* as chairman. // 今*期の国会はあす終わる The present *session* of the Diet will adjourn /ədʒə́ːn/ tomorrow.

(-)き² …忌 anniversary of *a person's* death (☞ かいき³). ¶ 祖父の 3 回*忌 the second *anniversary of one's* grandfather's *death* // 昨日父の*忌が明けた Yesterday「(*the period of*) *mourning* for my father ended [was the end of *mourning* for my father]. 忌明け the end of (the period of) mourning.

-き³ …紀 〘地質〙 period /pí(ə)riəd/ Ⓒ. ¶ 氷河*紀 the glacial *period*

ぎ¹ 儀 (儀式) ceremony /sérəmòuni/ Ⓒ. ¶ 婚礼の*儀 a marriage *ceremony* / a wedding // 私*儀, この度, 社長拝命という光栄に浴しました I had the honor of being appointed president of the company. ★「私儀」に当たる部分は特に訳さないが, 全体的に格式ばった表現とする.

ぎ² 議 (国会·大会などの審議) deliberations ★ 通例複数形で. ¶ 長時間にわたる総会の*議を経て合意に達した Agreement was reached through lengthy *deliberations* at the general meeting.

ぎ³ 偽 (真でないこと) falseness Ⓤ; (虚偽) falsehood Ⓤ.

ぎ⁴ 義 (正義) justice Ⓤ, righteousness /ráɪtʃəsnəs/ Ⓤ; (道義) morality; (名誉) honor Ⓤ; (語義) sense Ⓒ. ¶ 彼らは*義のために戦った They fought「for [《格式》 in] the cause of *justice*. // 彼は何よりも*義を重んじる He values *honor* above everything else. 義を見てせざるは勇なきなり To see what is right yet fail to do it shows a lack of courage.

ぎ⁵ 魏 (中国史の) Wei.

ギア gear Ⓒ (☞ ギアシフト). ¶ *ギアを入れなさい Put it in *gear*. // *ギアをローに入れなさい Put it into [Change (down) to]「low [《英》 bottom] (*gear*). // *ギアをローからセカンドに入れた (⇒ 変えた) I「changed [shifted] the *gears* from「low [first]「into [to] second. 語法 shift を使うのは主として《米》. またこのような場合, first, second などの冠詞は省略する.

きあい 気合い (気迫) spirit Ⓤ; (掛け声) yell Ⓒ 日英比較「気合い」には日本語独特の意味合いがあり, ぴったりした訳語はない. (☞ きはく¹).

¶ それは*気合いのこもった討論だった It was a *spirited* discussion. // 彼女は*気合いが入っている (⇒ かあっと燃えている) She *is all fired up*. // 相手に*気合い負けした (⇒ 相手の気迫に圧倒された) I was「overwhelmed [overcome] by my opponent's *fighting spirit*.

気合いを入れる ¶ 彼に*気合いを入れてやれ (⇒ かあっとなるようにたきつけろ [元気づけろ]) *Fire* [*Pep*] him *up*. ★ pep のほうがくだけた言い方.

ぎあく 偽悪 ¶ 彼は*偽悪者だ I can see he *is*「*pretending* [*feigning*] *to be a*「*bad boy* [*scoundrel*].

きあけ 忌明け ☞ (-)き² (忌明け)

きあげは 黄揚羽 〘昆〙 swallowtail Ⓒ.

ギアシフト ―― 名 (ギアの切りかえ) changing [《米》 shifting] gears Ⓤ; (特に自動車の変速レバー) gearshift Ⓒ, 《英》 gear「lever [stick] Ⓒ. ―― 動 change (the) gears. (☞ ギア).

ギアチェンジ ☞ ギアシフト

きあつ 気圧 (大気の圧力) (àtmosphèric) préssure Ⓤ; (空気圧) air pressure Ⓤ.

¶ 上に行くほど*気圧は下がる As we go higher, the (*air*) *pressure*「lessens [decreases]. // *気圧配置は西高東低だ (⇒ 高気圧区域が西にあり, 低気圧区域が東にある) The high-*pressure* area lies to the west, and the「low-*pressure* area [*depression*] to the east. ★ depression は低気圧圏のこと. // いまの*気圧は 995 ヘクトパスカルだ The present *atmospheric pressure* is 995 hectopascals /héktəpæskæ̀lz/. // 機内の*気圧が急に下がった The cabin *pressure* suddenly fell. 気圧計 barometer /bərάmətə/ Ⓒ 気圧の谷 (low pressure) trough /trɔ́ːf/ Ⓒ. ¶ ここはいま*気圧の谷に入っている We are now in a (*low pressure*) *trough* here. (☞ たに) 気圧配置 pressure pattern Ⓒ.

ギアナ ―― 名 固 Guiana /giǽnə/. ―― 形 Guianese /gìːəníːz/. ギアナ人 Guianese Ⓒ ★ 単複同形.

きあわせる 来合わせる (たまたま居合わせる) happen to be at …; (たまたま出会う) happen to meet (…).

ぎあん 議案 (法案) bill Ⓒ (☞ ほうあん; ぎだい).

きあんこう 輝安鉱 〘鉱〙 stibnite /stíbnaɪt/ Ⓤ, antimony /ǽntəmòuni/ glance Ⓤ.

キアンティー ☞ キャンティ

きい 奇異 ―― 形 strange; (奇妙な) odd; (異常な) queer. (☞ きみょう³).

¶*奇異な行動 *strange* [*odd; queer*] behavior

キー (鍵·鍵盤の 1 つ) key Ⓒ; (重要な·基調となる) key ★ 形容詞的に. (☞ かぎ¹; きちょう³). ¶ 彼女はでたらめにコンピューター [ピアノ] の*キーをたたいた She pounded the *keys* of the「computer [piano] at random. // マスター*キー a master *key* キーインダストリー (基幹産業) key industry Ⓒ キーカレンシー (基軸通貨) key currency Ⓒ; (国際通貨) international currency Ⓒ キーステーション (親局) key station Ⓒ キーストーン 〘建〙 (要石(かなめいし)) keystone Ⓒ キータッチ touch Ⓤ ★ 形容詞を伴うときは a … touch として. ¶ このキーボードは*キータッチが軽い [重い] This keyboard has *a*「light [heavy] *touch*. キーノート (基調·主音) keynote Ⓒ キーパーソン ☞ 見出し キーパッド (数字入力用キーボード) keypad Ⓒ キーパンチャー ☞ 見出し キーポイント ☞ 見出し キーホルダー key ring Ⓒ キーワード ☞ 見出し

きいきい ―名 (戸などのきしむ音) creak Ⓒ; (子供・豚などの出す長めの音) squeal Ⓒ; (ねずみなどの出すやや短めの音) squeak Ⓒ; (金切り声) shriek Ⓒ. ―動 creak ⓐ; squeal ⓐ; squeak ⓐ; shriek ⓐ. (☞ 擬声・擬態語 (囲み); 動物の鳴き声 (囲み)). ¶ この戸は*きいきい鳴る This door *creaks*.

ぎいぎい ―名 (やすりでこするような音) rasp Ⓒ. ―動 (耳障りな音を立てる) rasp ⓐ, grate ⓐ 語法 rasp のほうがより耳障りで不快の度合いが強い; (きいきいきしむ) creak ⓐ. (☞ ぎしぎし; 擬声・擬態語 (囲み)). ¶ 木の塀が風で*ぎいぎいいっている The wooden fence is making ⌈*rasping* [*grating*; *creaking*] sounds in the wind.

キース (男性名) Keith /kíːθ/.

きいたふう 利いた風 ¶ *利いた風な (⇒ 心得顔に) 口をきく speak ⌈*knowingly* [*in a knowing way*] (☞ しったかぶり)

きいちご 木苺 raspberry /rǽzbèri/ Ⓒ.

きいちほう 帰一法 〖数〗 reduction to unity Ⓤ.

きいつ 帰一 ―動 (ひとつに統合される) be united into one; (ひとつになる) be reduced to one; (ひとつの原因に帰せられる) be traced to a single cause.

キーツ ―名 ㊀ John Keats, 1795–1821. ★ 英国の詩人.

きー(っ) ¶ その車は*きーっという音とともに私の前で止まった The car *screeched* to a ⌈stop [halt; standstill] just before me. / The car came *screeching* to a stop in front of me.

きいっぽん 生一本 ―形 (本物の) génuine; (性格が真っすぐな) stráightfórward; (正直な) honest.

きいと 生糸 raw silk Ⓤ.

キーパー 〖スポ〗 (サッカー・アイスホッケーなどの) goalkeeper Ⓒ, keeper Ⓒ ★ 前者のほうがより正式な言い方.

キーパーソン (重要人物) key person Ⓒ.

キーパンチャー keypuncher Ⓒ.

きいはんとう 紀伊半島 ―名 ㊀ the Kii Península.

キープ ―動 (とっておく) put aside ⓗ, keep ⓗ; 〖テニス〗 keep service. (☞ とっておく). ¶ この本を明日まで*キープしてくれますか Can you ⌈*put* this book *aside* [*keep* this book] for me till tomorrow? ∥ ボールを*キープする *keep* [*hold*] the ball ∥ (ウイスキーの)ボトルをバーで*キープする *have one's* bottle of whisky at a bar

キーポイント (問題などを解く手がかり) key (point) Ⓒ; (最も大切な部分) the most important part, the heart 語法 いずれも the を付けて. 後者のほうがくだけた言い方. 日英比較 日本語では「核心」の意味でも「キーポイント」を用いるが, 英語の key (point) は解決の手がかりの意. ¶ 問題の*キーポイント (⇒ 解く手がかり) the *key* to (solving) the problem / (⇒ 問題の核心) *the* ⌈*most important part* [*heart*] of the problem

キーボード (楽器・コンピューターなどの) keyboard Ⓒ; (楽器) keyboards ★ 通例複数形で.

キール[1] (船の竜骨) keel Ⓒ.

キール[2] (カシスリキュールと白ワインの混合酒) kir /kíə/ Ⓤ.

キールン 基隆 ―名 ㊀ *Chilung* /tʃíːlúŋ/ ★ 台湾北部の海港, Keelung /kìːlúŋ/ ともいう.

きいろ 黄色 ―名 yellow Ⓤ, 《英》 amber Ⓤ ★ いずれも種類をいうときは Ⓒ. 参考 交通信号の「黄色」は《米》では yellow, 《英》では amber. ―形 yellow, amber; (声などが甲高い) shrill. ¶ *黄色の絵の具[ペンキ] *yellow* paint / a *yellow* color ∥ 彼はドアを*黄色く塗った He painted the door *yellow*. ∥ 信号が*黄色に変わった The traffic light ⌈turned *yellow* [changed to *amber*]. ∥ *黄色い声で in a *shrill* voice
黄色っぽい (黄色がかった) yellowish.

キーワード (問題解決の鍵となる語) keyword Ⓒ ★ key word ともつづる. 日英比較 英語では発音やつづりを示すために, 例としてあげる最も典型的な語を keyword と呼ぶが, この意味は日本語の「キーワード」にはない.

きいん 起因 ―動 (原因が…である) be caused by …; (…のためである) be due to …. (☞ げんいん[1]). ¶ 騒乱の*起因は判決に対する村民の不満だった The riot *was caused* by the villagers who were not satisfied with the verdict. / The riot *was due to* the verdict which the villagers considered unfair.

きーん ¶ あの*きーんという音はなんだ What's that *screech*? ∥ 何機かのジェット機が*きーんという音をたてて飛び去った Some jet planes flew away *screeching*. ∥ そのとき耳が*きーんとした My ears *rang* at that moment.

ぎいん[1] 議員 (衆議院議員) member of Parliament /pɑ́ːələmənt/ Ⓒ, M.P. /émpíː/ Ⓒ, member of the House of Representatives Ⓒ 語法 (1) member of Parliament は《英》の言い方にならったもの. M.P. はその略. なお M.P. の不定冠詞は an, 定冠詞は the /ðɪ/ となる. 3 番目は最も正式な言い方. その略式が Representative で, Rep. と略し, Rep. Yamada のように人名に冠しても用いる; (参議院議員) member of the House of Council(l)ors Ⓒ, Council(l)or Ⓒ 語法 (2) 前者が正式な言い方で, 後者はその略. Rep. と同じく人名に冠して用いられる; (日本の国会議員) Diet member Ⓒ, (男性の) Dietman Ⓒ 《複 -men》, (女性の) Dietwoman Ⓒ 《複 -women》; (立法府の議員) lawmaker Ⓒ, législàtor Ⓒ 語法 (3) Dietman [Dietwoman] は日本のみ. lawmaker はくだけた言い方で, legislator のほうが格式ばった語; (地方議会などの議員) member of an assembly Ⓒ, assembly member Ⓒ, assemblyman Ⓒ, assemblywoman Ⓒ 参考 《米》では普通下院議員を (男性) Congressman, (女性) Congresswoman, または男女共通に member of Congress (略 M.C.), そして正式には member of the House of Representatives, または単に Representative という. Congress は連邦議会のことであるが, Congressman, Congresswoman は常に下院議員を指し, 上院議員は Senator (略 Sen.) と言わなくてはならない. 《英》では, 下院議員は member of Parliament (略 M.P.) という. Parliament は国会のことであるが, member of Parliament は下院議員をいう. 上院議員は正式には member of the House of Lords, 通例は (男性) peer, (女性) peeress という. (☞ だいぎし; しゅうぎいん; さんぎいん).
¶ 彼は国会*議員になった He became a ⌈*Diet member* [*Dietman*; *member of Parliament*]. / (⇒ 彼は国会議員に選ばれた) He was elected a *Diet member*. ∥ 彼は島根県選出の*議員です He is the *Diet member* for Shimane. ∥ 彼女は衆議院[参議院]*議員だ She is a *member* of the House of ⌈Representatives [Council(l)ors]. ∥ 彼は参議院*議員に立候補するだろう He will run in the House of Council(l)ors election. ∥ 都[県, 市]議会*議員 a *member* of the ⌈Tokyo Metropolitan [prefectural; municipal] assembly ∥ *議員定数 the legally fixed number of ⌈*Diet* [*assembly*] *members*
議員会館 the Members' Office Building; the Members' Hall **議員歳費** ☞ さいひ[1] **議員特権** the Diet member's privilege ★ 総称的に用いる.

議員立法 legislation introduced by Diet members Ⓒ.

ぎいん² 議院 (日本などの) the Diet; (英米などの) the 「House [Chamber] Ⓒ. 《☞ さんぎいん; しゅうぎいん; こっかい¹; ぎかい; りょういん》. **議院運営委員会** the House Steering Committee **議院規則** parliamentary law Ⓤ **議院証言法** the Diet Testimony Law **議院内閣制** parliamentary cabinet system Ⓒ.

きう 気宇 ¶*気宇壮大な人 a *magnanimous* person ★ 格式ばった表現.

キウイ (果物) kiwi /kíːwiː/ (fruit) Ⓒ; (鳥) kiwi Ⓒ.

きうつり 気移り ―(動)(心や注意をそらす) distract (他); (気が変わる) change *one's* mind. ―(形)(気移りしやすい) fickle. ¶テレビがついていると*気移りして勉強ができない Television [TV] programs *distract* me from my studies. // 彼は*気移りしやすい He is a very *fickle* person. / He often *changes his mind*.

きうん¹ 気運 (傾向) tendency; (ある方向への動き) trend Ⓒ. 《☞ けいこう¹; うごき》.

きうん² 機運 the time. ¶改革の*機運が熟した *The time* is ripe for reformation.

きえ 帰依 ―(動)(信者になる) become a believer (in …); (改宗する) convért to ….

きえい 気鋭 ―(形)(活気に満ちた) ènergétic, spirited. 《☞ しんしん³》.

きえいる 消え入る ¶彼は*消え入るような (⇒ 非常にかすかな) 声で答えた He replied in a *very faint* voice. 《☞ かすか; よわよわしい》

きえうせる 消え失せる ☞ きえる; なくなる¹

きえさる 消え去る ☞ きえる; なくなる¹

キエフ ―(名)(固) Kiev /kíːef/ ★ ウクライナの首都.

きえる 消える **1** 《見えなくなる》: go out of sight, disappear (自), vanish (自) ★ 後のものほど格式ばった語となる; (だんだん薄くなって消える) fade away (自). ¶朝からの霧がやっと*消えた The morning fog *has* 「*disappeared* [*faded away*] at last. // 船は水平線のかなたに*消えた The ship 「*went out of sight* [*disappeared*] over the horizon.

2 《火・明かりなどが》: (火が) gò óut (自), díe óut (自) 〔語法〕 前者のほうが一般的. 後者には「徐々に消える」というニュアンスがある; (消火される) be pùt óut ★ 口語的; (明かりが) go out (自); (スイッチをひねって) be tùrned óff. 《☞ ひ²; あかり》.
¶たき火が*消えたかどうか確かめなさい Make sure that the fire 「*has been put out* [*has gone out*]. // ライトが*消えた The lights *went out*.

3 《雪・うわさ・文字などが》: (溶けてなくなる) melt away (自); (消えてなくなる) disappear (自); (うわさなどがやむ) blów óver (自), díe óut (自) ★ 後者は「徐々にやむ」ことを表す; (跡が) be lost; (ぬぐい去るように) be wíped óut; (すり減る) be worn away; (泡が) burst (自). 《☞ なくなる¹; しょうめつ¹》.
¶春になって雪が*消えた Spring has come and the snow *has* 「*gone* [*melted away*; *disappeared*]. // 財布が*消えた My purse *is lost*. // この薬を飲めば痛みはすぐ*消えます (⇒ この薬はあなたの痛みをすぐ治すでしょう) This medicine will *cure* your pain immediately.

きえん¹ 奇縁 (不思議な巡り合わせ) cúrious coíncidence Ⓒ.

きえん² 気炎 ¶彼はいつも*気炎を上げている (⇒ 大きなことばかり言っている) He's always *talking big*.

きえん³ 機縁 (機会) chance Ⓒ, opportunity Ⓒ. 《☞ えん¹; きかい³; きっかけ》.

ぎえんきん 義援金, 義捐金 donation Ⓒ 《☞ きふ¹》.

きえんさん 希塩酸 〖化〗 dilúte /daɪlúːt/ hýdrochlòric /háɪdrəklɔ̀ːrɪk/ ácid Ⓤ.

きおいたつ 気負い立つ get excited, rouse *oneself to* …. ¶我々は試合を前にみな*気負い立った We all *got excited* for the game.

きおう¹ 気負う ―(動)(意気込む) rouse *oneself*, brace *oneself*, bráce úp (他)(自) ★ 3 番目は口語的. ―(形)(一生懸命の) keen, anxious Ⓟ 〔語法〕 後者のほうが口語的で, 多少の不安を感じながらも気持ちを高ぶらせていることを表す. 《☞ いきごむ; はりきる》.
¶うまくやってやろうなんてあまり*気負うな Don't be so 「*keen* [*anxious*] to succeed.

きおう² 期央 (期間の中間) midterm Ⓤ; (年(度)の中間) midyear Ⓤ.

きおうしょう 既往症 (前にかかった病気) previous illness Ⓒ; (病歴) medical [case] history Ⓒ; 〖医〗 anamnesis /ænæmníːsɪs/ Ⓒ 《複 anamneses /-siːz/》. 《☞ びょうれき》. ¶何か*既往症がありますか (⇒ 重大な病気にかかったか) Have you suffered from any *serious diseases*?

きおく 記憶 ―(名)(記憶すること) memory Ⓤ; (思い出すこと) remembrance Ⓤ ★ いずれも個々の記憶は Ⓒ; (忘れていたものを思い出すこと・回想) recollection Ⓒ. ―(動)(覚えている・思い出す・忘れずに覚えておく) remember (他)(自); (暗記する) learn … by heart; (記憶する) memorize (他) 〔語法〕 (1) remember と違い, 覚える意志をもって積極的に記憶すること. memorize のほうがやや格式ばった語; (心に留めておく) keep [bear] … in mind ★ keep のほうが口語的. 《☞ おぼえ; おぼえる; おもいだす; おもいで》. ¶彼女は*記憶(力)がよい[悪い] She has a 「good [poor; bad; short] *memory*. // 私の*記憶に誤りがなければ, そのとき雨が降っていた It was raining then, if I *remember* 「right [correctly]. // このことは*記憶しておいてもらいたい I want you to *keep* this *in mind*. // そんなにたくさんのことは一度に*記憶できない I cannot 「*memorize* [*remember*] so many things at a time. 〔語法〕 (2) memorize を用いると記憶する努力をしてもだめだという意味になり, remember を用いると努力とは関係なく (つまり努力するかしないかは問題とせず) 記憶には残らないことをいう. // あの人には前に何回か会った*記憶がある <S (人)+V (*remember*)+O (動名)> I *remember* seeing that person several times before. // その事件は私の*記憶にまだ新しい The incident is still 「fresh [(⇒ はっきりしている) clear] in my *memory*. / (⇒ その事件のはっきりした記憶をもっている) I still have a clear *memory* of the incident. // *記憶すべき事件 a *memorable* 「event [incident] // 金をもらったことはまったく*記憶にない (⇒ 思い出せない) I can't *recall* receiving the money. ★ recall は remember よりやや格式ばった語.

記憶回路 〖コンピューター〗 storage [memory] circuit Ⓒ **記憶術** mnemonics /niːmánɪks/ Ⓤ; art of memorizing Ⓤ **記憶障害** loss [defect] of memory ★ loss は Ⓤ, defect は Ⓒ. **記憶喪失症** 〖医〗 amnesia /æmníːʒə/ Ⓤ **記憶装置** 〖コンピューター〗 (一般に) storage (device) Ⓒ, 《英》 store Ⓒ; (メモリー) memory Ⓒ **記憶素子** 〖コンピューター〗 storage cell Ⓒ **記憶媒体** storage [memory] medium Ⓒ **記憶容量** 〖コンピューター〗 storage capacity Ⓒ **記憶力** memory Ⓤ. ¶*記憶力がいい [悪い] have a 「good [poor; bad; short] *memory* // 近ごろ*記憶力が減退した My *memory* often fails me these days. / Somehow I have become *forgetful* recently.

―コロケーション―
(…を)記憶から拭い去る erase the *memory* (of …) / 記憶から抜ける slip [escape] *one's mem-*

ory / 記憶に残る remain in *one's memories* / 記憶力がすごく悪い have a *memory* like a sieve / 記憶力をよくする develop [improve] *one's memory* / 記憶を呼び起こす jog [refresh] *one's memory* / 記憶を失う lose *one's memory* / 記憶を消し去る black out *memory* / 記憶を助ける help [aid; assist] *memory* / 記憶を保つ keep [preserve] *one's memory* / 記憶を呼び起こす awaken [bring back; call up; evoke] *memories* // 驚くべき記憶(力) a prodigious [an astonishing; a marvelous] *memory* / 混乱した記憶 a confused *memory* / 素晴しい記憶(力) a ｢remarkable [wonderful] *memory* / 正確な記憶 an exact *memory* / 不確かな[当てにならない]記憶 an ｢uncertain [unreliable] *memory* / ぼんやりした記憶 a vague [a dim; a hazy; a misty; an indistinct] *memory* / もやもやした記憶 a cloudy *memory*

きおくれ 気後れ ― 形 (自信がなくて引っ込み思案の) diffident; (人前ではにかむ) shy; (臆病な) timid. ― 名 diffidence Ⓤ, shyness Ⓤ; timídity Ⓤ. ¶ 彼女は*気後れがして, 口がきけなかった She felt so *shy* that she couldn't speak.

キオスク kiosk /kíːɑsk/ Ⓒ ★ もとトルコ語より.

きおち 気落ち ― 名 (勇気をなくさせること・なくすこと) discouragement /dɪskə́ːrɪdʒmənt/ Ⓤ; (失望させること・すること) disappointment Ⓤ. ― 動 be discouraged, lose courage; be disappointed. (☞ がっかり; しつぼう).

きおりもの 生織物 fabric woven of raw silk Ⓒ (☞ おりもの[1]).

きおん[1] 気温 temperature /témp(ə)rətʃùə/ Ⓤ (☞ おんど[1]; 度量衡 (囲み)). ¶ *気温は摂氏 20 度に上がった[下がった] The *temperature* went ｢up [down] to 20°C. ★ twenty degrees ｢centigrade [Celsius] と読む. // *気温はいまどれくらいですか What's the *temperature* now? // *気温の変化はほとんどないでしょう There will be little change ｢in [of] *temperature*. // 最高 [最低]*気温 the ｢maximum [minimum] *temperature* / today's ｢high [low] 語法 天気予報などで the ｢highest [lowest] temperature の略として today's ｢high [low] のように用いる.

きおん[2] 気音 〘音声〙 aspirate /ǽsp(ə)rət/ Ⓒ ★ /h/ に似た音が加わった音.

きおん[3] 基音 〘楽〙 fúndamèntal ｢nóte [tóne] Ⓒ.

ぎおん 擬音 imitative sound Ⓒ; (放送・劇などの音響効果) sound effects ★ 複数形で. (☞ 擬声・擬態語 (囲み)). **擬音語** onomatopoeia /ɑ̀nəmæ̀təpíːə/ Ⓒ (☞ ぎせいご).

ぎおんまつり 祇園祭り the Gion Festival (in Kyoto), famous for its parade of magnificently decorated floats.

きか[1] 帰化 ― 動 (帰化させる) naturalize ⊕; (帰化する) be naturalized. ― 名 naturalization Ⓤ. ¶ 彼女は日本に*帰化した She *was naturalized* ｢in Japan [as a Japanese citizen]. **帰化植物** naturalized plant Ⓒ **帰化人** naturalized citizen Ⓒ **帰化動物** naturalized animal Ⓒ.

きか[2] 幾何 ― 名 geometry /dʒiάmətri/ Ⓤ. ― 形 geometric /dʒìːəmétrɪk/, gèométrical. ¶ 広場はきれいな*幾何学模様で舗装されている The plaza is paved in a pretty *geometric* ｢pattern [design]. 語法 pattern は形式的な模様を表すのに対し, design は全体の図柄を表す. **幾何学** geometry Ⓤ **幾何(学的)模様** geometrical pattern Ⓒ **幾何画法** geometric drawing technique Ⓒ **幾何級数** ― 名 〘数〙 (等比級数) geométric progréssion Ⓒ; (記述されているもの) géomètric séries Ⓒ ★ 単複同形. ― 形 (幾何[等比]級数的な) geometric(al). **幾何光学** geometrical optics Ⓤ **幾何平均** geometric mean Ⓒ.

きか[3] 気化 ― 動 (気化させる・する) váporìze ⊕ ⊜; (蒸発する・させる) eváporàte ⊜ ⊕. (☞ じょうはつ). **気化器** vaporizer Ⓒ; (キャブレター) carburetor /kάːəbərèɪtə/ Ⓒ **気化熱** the heat of vaporization.

きか[4] 机下 (説明として) one of the Japanese honorary terms added after the name of the addressee, literally meaning "(to be presented) at your desk" ★ 英語の手紙では脇付を用いることはない.敬意を表すには結びの言葉を Your obedient servant などとすることもできるが,古風な言い方である. (☞ 手紙の書き方(囲み)).

きか[5] 麾下 (…の指揮下にある) under the command of …

きか[6] 奇貨 (珍しい品物) rare article Ⓒ (☞ ちんぴん). **奇貨おくべし** (⇒ 好機を逸するな) Strike while the iron is hot. (ことわざ: 鉄は熱いうちに打て) / (⇒ 機会は前髪を捕まえよ[好機を逸するな]) Take opportunity by the forelock. / (⇒ その日を捕まえよ) Seize the day.

きが[1] 飢餓 (餓死) starvation Ⓤ; (飢え) hunger Ⓤ. (☞ うえ[2]; うえる[2]). ¶ 多くの人が*飢餓に瀕している Many people *are starving*. **飢餓療法** hunger [fasting] cure Ⓤ.

きが[2] 起臥 daily life Ⓤ. ¶ *起臥を共にする *live* together

ぎが 戯画 caricature /kǽrɪkətʃùə/ Ⓒ. **戯画化** ― 動 do a caricature of …, caricature ⊕; (文芸・美術作品の) travesty ⊕.

ギガ 〘単位〙 giga- /dʒígə, gígə/ ★ 10 億(倍), 10^9, G と略す. コンピューター技術関係では 2^{30}. **ギガバイト** 〘コンピューター〙 gigabyte Ⓒ ★ 記号は GB. **ギガビット** gigabit Ⓒ.

きかい[1] 機械 ― 名 machine Ⓒ; (総称的に, 機械類全体) machinery Ⓤ; (部分的に) méchanism Ⓤ; (ちょっとした小さな装置・道具) (略式) gadget /gǽdʒɪt/ Ⓒ. ― 形 (機械的な) mechánical. ― 副 mechanically. ¶ これは穴を開ける*機械です This is a *machine* for drilling holes. // この*機械は調子よく動く This *machine* runs very well. // 今度この工場に新しい*機械が入った (⇒ 取り付けられた) A new *machine* has recently been installed in this factory. // これは便利な*機械だ This is a convenient *gadget*. // この*機械は調子が悪い (⇒ どこか具合が悪い) There is something wrong with this *machine*. / (⇒ 円滑に動かない) This *machine* isn't running smoothly. // この工場の*機械は新式だ The *machinery* in this factory is up-to-date. // この*機械の組み立てには 3 日かかります It will take three days to ｢assemble [put together] this *machine*. ★ [ ] 内のほうが口語的. // 彼はなかなか*機械に強い He's quite a *mechanic*. ★ mechánic は「機械工」. // この*機械の操作ができますか Do you know how to ｢work [use; operate] this *machine*? ★ 最後のものは格式ばった表現. // *機械仕掛けの人形 a *mechanical* doll // このごろの道具は手製よりも*機械製の物が多い Utensils these days are more often *machine-made* than hand-made. // *機械的にやってはだめだ Don't do it *mechanically*. // 工作*機械 a *machine* tool // 精密*機械 a precision /prɪsíʒən/ *machine* // *機械読み取り式の (⇒ 機械で読み取り可能な) *machine*-readable // *機械的[力学的]エネルギー *mechánical* énergy // *機械的性質 *mechanical* property

機械油 machine oil Ⓤ **機械編み** ― 形

machine-⌈knit [woven] 機械化 ── 名 mechanization Ⓤ. ── 動 mechanize ⊕ ★ 名 動 とも格式語. ¶その仕事はいまでは全部*機械化されている Now all the work *is automated.* 機械学 mechanics Ⓤ 機械技術 machine [mechanical] technology Ⓤ 機械語 〘コンピューター〙 machine language Ⓤ ★個々の言語をいうときは Ⓒ. 機械工 mechánic Ⓒ, mechánical èngineér Ⓒ 機械工学 mechanical engineering Ⓤ 機械工業 the ⌈machinery [machine] industry ¶日本における*機械工業 *the machinery industry* of Japan 機械効率 mechanical efficiency Ⓤ 《☞ こうりつ[2]》 機械的唯物論 mechanistic materialism Ⓤ 機械文明 industrial civilization Ⓤ 機械翻訳 (コンピューターによる) machine translation Ⓤ 機械論 〘哲・生〙 mechanism Ⓤ.

コロケーション

機械のスイッチを入れる[切る] switch [turn] ⌈on [off] a *machine* / 機械を始動させる[止める] start [stop] a *machine* // 旧式な機械 an obsolete *machine* / 原始的な機械 a primitive *machine* / 工業用機械 an industrial *machine* / 高能率な機械 a highly efficient *machine* / 最先端の機械 a ⌈state-of-the-art [cutting-edge] *machine* / 手動[自動]の機械 a hand-operated [an automatic] *machine* / 精巧な機械 a sophisticated *machine* / 複雑な機械 a complicated *machine*

きかい[2] 器械 (道具) ínstrument Ⓒ; (一組の) apparatus /æ̀pərǽtəs/ Ⓒ (複 〜, 〜es). 《☞ きぐ[1]》. ¶彼は医療*器械の商売をしている He deals in medical *instruments.* 器械音声学 instrumental phonetics Ⓤ 器械体操 apparátus gymnástics Ⓤ 器械療法 mechanotherapy /mèkənoʊθérəpi/ Ⓤ.

きかい[3] 機会 opportunity /ɑ̀pət(j)úːnəti/ Ⓒ; occasion Ⓒ; chance Ⓒ; time Ⓤ.

【類義語】「機会」の意味で最も一般的なのは *opportunity*.「…をする特定の時・場合」は *occasion*.「偶然に与えられた好機」が *chance* で, *opportunity* より口語的.「…をするのによい機会」は *time*. 《☞ チャンス 語法; こうき[1]; き[3]》

¶彼らはお互いに会う*機会がなかった They had no ⌈*chance* [*opportunity*] to see each other. // もうこんなよい*機会は 2 度とないだろう No better ⌈*chance* [*opportunity*] will ever come along. // 素晴らしい*機会 a ⌈splendid [wonderful] *opportunity* // とてもよい*機会 a great ⌈*opportunity* [*chance*] // この*機会を逃すな Don't miss this *chance.* // この*機会に私は彼に会います I'll see him on this *occasion.* // いまが絶好の*機会だ Now's the *time.* // 彼は金もうけの*機会を失った He ⌈missed the *chance* [lost the *opportunity*] to make money. 機会均等 equal opportunity Ⓤ, equality of opportunity Ⓤ.

コロケーション

機会に乗ずる capitalize (on) [take advantage of] an *opportunity* / 機会を与えてくれる present an *opportunity* ★物が主語で. / (…する)機会を…に与える[提供する] give [offer; provide] …⌈an *opportunity* [a *chance*] (to *do* …) / 機会を活かす exploit [utilize] an *opportunity* / 機会を得る get ⌈an *opportunity* [a *chance*] / 機会を均等にする equalize *opportunities* / 機会を捕らえる catch [grab; embrace; seize; take] ⌈an *opportunity* [a *chance*] / 機会をねらう watch for ⌈an *opportunity* [a *chance*] / 機会を待つ wait for [await] ⌈an *opportunity* [a *chance*] / 機会を見出す find [see] *one's* ⌈*opportunity* [*chance*] / 機会を見過ごす overlook ⌈an *opportunity* [a *chance*] / 機会を無駄にする waste ⌈an *opportunity* [a *chance*] // (…する)あらゆる機会 every ⌈*opportunity* [*chance*] (to *do* …) / 思いがけない機会 an unexpected ⌈*opportunity* [*chance*] / 貴重な機会 a ⌈precious [valuable] *opportunity* / 最高の機会 the best [a superb] ⌈*opportunity* [*chance*] / 出世の機会 advancement [promotion] *opportunity* / 絶好の機会 a golden ⌈*opportunity* [*chance*] / 逃した機会 a lost ⌈*opportunity* [*chance*] / またとない機会 a once-in-a-lifetime ⌈*opportunity* [*chance*] / まれにみる機会 a singular *opportunity* / めったにない機会 a rare ⌈*opportunity* [*chance*]

きかい[4] 奇怪 ── 形 (いままでに見聞きしたことのないような奇妙な) strange; (不可解な) mysterious /mɪstí(ə)riəs/. 《☞ きみょう; ふしぎ》. ¶彼の行動は*奇怪だ His behavior is *strange.* // それはまったく*奇怪な事件だ It is quite a *mysterious* incident.

きかい[5] 棋界 the world of ⌈*shogi* [go], *shogi* [go] circles.

きがい[1] 危害 harm Ⓤ; (けが・害) ínjury Ⓒ. 《☞ がい》. ¶この(雄の)虎は脅かさない限り人に*危害は加えない This tiger ⌈is *harmless* [(⇒ 攻撃しない) does not *attack* people] unless he is frightened.

きがい[2] 気概 (気骨) backbone Ⓤ; (強い意志) strong will Ⓤ; (勇気) 《略式》 grit Ⓤ; (根性) 《略式》 guts ★複数形で; (不屈の精神) 《格式》 fortitude Ⓤ. 《☞ きこつ》. ¶彼の*気概に打たれた I was impressed by his ⌈*strong will* [*fortitude*]. // 彼女は困難に打ち勝つ*気概のある人だ She has ⌈enough *backbone* [*grit*; *guts*] to overcome difficulties.

ぎかい 議会 (一般に) assembly Ⓒ; (国会) the Diet, 《米》 Congress, 《英》 Parliament 参考 日本の国会は《英》にならって Parliament を用いるか, あるいは the Diet と訳すのが普通; (米の州議会) legislature /lédʒɪslèɪtʃə/ Ⓒ. 《☞ ぎいん[1]》. ¶きのう県[市]*議会が開かれた The ⌈prefectural [municipal] *assembly* ⌈met [was called into session] yesterday. ★[ ] 内は会期最初の会合が開かれたことを意味する. // *議会はきのうから 1 か月の会期で開かれている The *assembly* (was) convened yesterday and will be in session for a month. // 市*議会が解散した The municipal *assembly* was dissolved. 語法 単にその日の会合が終了して散会するのであれば be adjourned という.
議会主義 pàrliaméntarìsm Ⓤ, pàrliamentárianism Ⓤ 議会政治 rèpreséntative demócracy Ⓤ, pàrliaméntary góvernment Ⓤ 議会制度 pàrliaméntary ⌈sýstem [institútion] Ⓒ 語法 [ ] 内はより意味が広く, 議会制度が社会のしきたりになっているというニュアンスがある. 議会制民主主義 parliamentary democracy Ⓤ.

きがえ 着替え (着替えること・着替えの一そろい) change of clothes Ⓒ. ¶*着替えは持って行きなさい Take ⌈*a change of clothes* [(⇒ 余分の衣類を) *some extra clothes*] with you. // *着替えは急ぎなさい *Change* ((your) *clothes*) quickly.
着替え室 dressing room Ⓒ.

きがえる 着替える change ⓐ; (…に) change into …; change (*one's* clothes). ¶夕食のために*着替える *change* for dinner // 新しいドレスに*着替えた I ⌈*changed into* [(⇒ 着た) *put on*] a new dress. // *着替える時間があるでしょうか Do I have time to *change* (*my clothes*)?

きかがく 幾何学 ☞ きか[2]

きがかり 気掛かり (気苦労) worry /wə́ːri/ Ⓤ; (不安で心配なこと) anxiety /æŋzáɪəti/ Ⓤ ★以上

の2語は具体的なことをいう場合は [C]; (自分が関心のあることに対する心配) concern [U]. 《☞ しんぱい¹ (類義語)》.
¶近ごろ*気掛かりなことが多すぎる Recently, I have had too many *worries*. // 彼の将来がたいへん*気掛かりだ I'*m* very *worried about* his future. // 来年の入試のことがすごく*気掛かりだ Next year's entrance exam is a big *worry* for me.

きかく[1] 企画 ― [名] (大規模で具体的な) project /prádʒekt/ [C]; (会合などの手配) arrangements ★複数形で; (企画すること) planning [U]; (計画) plan [C] ★平易な日常語で, 企画の大小によらず使える; (案) idéa [C]. ― [動] (企画する) plan (他); (会などを) arrange (他). 《☞ けいかく (類義語); あん¹》.
¶私の*企画はどうですか What do you think of my ⌐*plan* [*idea*]? // これはまったく新しい*企画です This is an entirely new *project*. // 親睦会を*企画しました We'*ve* ⌐*arranged* [*made arrangements for*] a get-together. ★[ ] 内のほうがより格式ばった言い方. // 彼には*企画力 (⇒計画を立てる能力) がある He has the *ability to plan effectively*.
企画室 the corporate planning office 《☞ 会社の組織と役職名 (囲み)》 **企画部** the planning ⌐division [department] 《☞ 会社の組織と役職名 (囲み)》.

きかく[2] 規格 (基準) stándard [C] ★しばしば複数形で; (要求されている点・水準など) requirements ★複数形で.
¶この品は*規格に達していない This article ⌐doesn't meet [(⇒以下である) is below; (⇒及ばない) is not up to] our ⌐*standards* [*requirements*]. ★ be up to ... は口語的な言い方. // *規格に合わせる make ... ⌐meet [come up to] ⌐*standard requirements* [*standards*] // *規格外の nonstandardized / (⇒規格に達しない) substandard / below the *standard* // 日本工業*規格 Japanese Industrial *Standards* 《略 JIS》 **規格化** ― [動] stándardìze (他) **規格品** standardized article [C], standardized goods ★後者は複数形で.

きがく 器楽 ínstrumèntal músic [U].

きかげき 喜歌劇 comic opera [C]; (オペレッタ) operetta [C]; (ミュージカル) musical [C].

きかざる 着飾る (盛装する) dress (*oneself*) up; (着飾っている) be dressed up; (一番いい服を着ている) be (dressed) in *one's* best. ¶少女たちは皆*着飾っていた The girls *were* all *dressed in their best*.

きかす[1] 聞かす ☞ きかせる¹

きかす[2] 利かす ☞ きかせる²

きガスるい 希ガス類 rare [noble; inért] gases ★複数形で.

きかせる[1] 聞かせる ¶ヨーロッパ旅行の話を*聞かせて下さい (⇒話して下さい) *Tell* us [*Let* us *hear*] about your trip to Europe. // これは彼に*聞かせない (⇒話さない) ほうがよい It's better not to *tell* him about this. // 彼女の歌はなかなか*聞かせる (⇒彼女は歌がなかなか上手だ) She *is* pretty *good* at singing.

きかせる[2] 利かせる ¶スープはもう少し塩を*利かせなさい (⇒塩を入れなさい) *Put* a little more salt in the soup. // 彼らはすごみを*利かせて (⇒怖がらせて) 人々を追い払った They *frightened* the people *away*.

きがた 木型 wooden ⌐form [model] [C]; (靴を作るための) (shoemaker's) last [C]; (帽子の) (hat) block [C].

きがね 気兼ね ― [動] (気にする) worry (自); (内気である) be shy; (ためらう) hésitàte (自). 《☞ えんりょ; きゅうくつ》.
¶だれにも*気兼ねする必要はありません You don't have to *worry about* anyone. / (⇒気楽にしなさい) Make yourself at home. // どうか*気兼ねなく (⇒遠慮なく自由に) お暇の時はいつでも遊びにおいで下さい Please *feel free to* drop in whenever you have (the) time. // あの人と一緒だとどうも*気兼ねしてしまう (⇒窮屈だ[落ち着かない]) I somehow *feel* ⌐*uneasy* [*ill at ease*] in ⌐his [her] company.

きがまえ 気構え ― [名] (何かをしようとする意志) will [U]. ― [動] (いつでも何かをしようとする心の準備ができている) be ready to (*do* ...). 《☞ こころがまえ; かくご》. ¶彼女は目的を達成する*気構え (⇒強い意志) を示した She showed a strong *will* to accomplish her aims. // いかなる困難をも乗り越える*気構えを持つ *be ready* to overcome any difficulty

きからすうり 黄烏瓜 〔植〕 a variant of the snake gourd; an important medicinal plant, which bears a fruit with a distinctive yellow rind ★いずれも説明的な訳. 《☞ からすうり》.

きがる 気軽 ¶彼女はいつも*気軽に (⇒喜んで, 気持ちよく) 手助けしてくれる She is always ⌐*ready* [*willing*] to help. ★ willing を使うほうがやや控え目な言い方. // いつでもお*気軽に (⇒遠慮なく自由に) お立ち寄り下さい Please *feel free to* drop in anytime. 《☞ きやすく; きらく》

きかん[1] 期間 (ある期間) period /pí(ə)riəd/ [C]; (契約などの期間) term [C]; (長さ) length [U]. 《☞ きげん²》. ¶*期間が…に渡る cover a *period* of … // 「どのくらいの*期間, ロンドンにいらっしゃる予定ですか」「約2か月です」"*How long* are you going to stay in London?" "About two months." [語法] 「どのくらい長く…」と期間を聞く場合には How long …? を用いるのが最も一般的な質問の形である. // 彼は長*期間日本を留守にしていた He was away from Japan *for a long time*. // この仕事は一定の (⇒前もって決められた [ある程度の; 明確に限定された]) *期間内に終えなくてはならない I must finish this work within a ⌐given [certain; definite] ⌐*period of time* [*length of time*; *time frame*]. // *期間を超える exceed the *period* // その本は貸し出し*期間を過ぎている The book is *overdue*. // 貸し出し*期間を延長する extend the loan *period* // 契約*期間は何年ですか How *long* is the contract for? // 活動*期間 a working *period* // 試用*期間 the trial *period* // 全*期間 the ⌐entire [whole] *period*

きかん[2] 機関 **1** 《エンジン》: engine [C]. ¶蒸気*機関 a steam *engine* // 内燃*機関 an internal-combustion *engine* / a *motor*
2 《組織・手段》 ¶教育*機関 an educational *institution* // 報道*機関 (the) media /mí:diə/ // 交通*機関 *means* of transportation
機関区 engineer's ward [C] ★このような区分は英米にはない. **機関士** (船・鉄道の) ènginéer [C] **機関誌[紙]** ☞ 見出し **機関室** (船などの) engine room [C] **機関車** ☞ 見出し **機関銃** ☞ 見出し **機関長** chief engineer [C] **機関投資家** ☞ 見出し **機関砲** heavy-caliber machine gun [C].

きかん[3] 気管 windpipe [C]; 〔医〕 trachea /tréɪkiə/ [C] 《複 tracheae /tréɪkiì:, -kiài/, ~s》.

きかん[4] 器官 organ [C]. ¶消化*器官 digestive *organs* // 発音*器官 *organs* of speech / speech *organs* **器官系** organic system [C].

きかん[5] 季刊 ― [名] quarterly publication [U]. ― [形] (季刊の) quarterly. 《☞ げっかん¹》. **季刊誌** quarterly (magazine) [C].

きかん[6] 帰還 ― [動] return (自). ― [名] return [U]. 《☞ かえり; かえる¹》. ¶宇宙船は地球に無事*帰還した The spaceship *returned* safely to the earth. **帰還者** returnee [C].

きかん[7] 既刊 ━ 形 (すでに出版された) already [previously] published. ¶ *既刊の号 a *back* ⌈number [issue] // *既刊書のリスト a list of *published* books

きかん[8] 奇観 (すばらしい眺め) spectácular ⌈víew [síght] C, wonderful sight C; (自然界の不思議な眺め) wonder C.

きかん[9] 旗艦 flagship C.

きかん[10] 汽缶 boiler C.

きかん[11] 軌間 (鉄道の) gauge /géɪdʒ/ C.

きかん[12] 亀鑑 (手本・模範) model C 《☞ てほん; もはん》.

きかん[13] 貴翰, 貴簡 your letter C. ¶ *貴翰拝受いたしました Thank you very much for *your letter*.

きがん[1] 祈願 ━ 名 prayer U ★ 具体的な祈りの言葉などの場合は C. ━ 動 (祈る) pray 自. 《☞ いのる; ねがう》.

きがん[2] 奇岩 strangely shaped [weird-looking] rock C.

ぎかん 技官 technical ⌈official [officer] C.

ぎがん 義眼 ártificial [gláss] éye C.

きかんき 利かん気 ━ 形 (勝ち気な) ùnyíelding; (意地っ張りの) stubborn. 《☞ かちき; いじっぱり》.

きかんさんぎょう 基幹産業 key industries ★ 複数形で.

きかんし[1] 機関誌[紙] (公報・会報) bulletin /bʊ́lətn/ C; (政党などの) organ C.

きかんし[2] 気管支 ━ 名〘解〙 bronchi /bráŋkaɪ/ ★ 左右 2 本あるので通例複数形で. 《単 bronchus》. ━ 形 bronchial.

気管支炎 bronchitis /braŋkáɪtɪs/ U 気管支拡張症 bronchiectasis /bràŋkiéktəsɪs/ U 気管支カタル bronchial catarrh /kətáə/ U 気管支鏡 bronchoscope C 気管支喘息 bronchial asthma /ǽzmə/ U 気管支肺炎 bronchial pneumonia U, bronchopneumonia U.

きかんし[3] 機関士 ☞ きかん[2] (機関士)

きかんしゃ 機関車 railroad [《英》 railway] engine C, lòcomótive C ★ 後者は格式ばった語. ¶ *機関車の運転士 a *locomotive* engineer / an *engineer* / 《英》 an *engine* driver // 電気 [蒸気]*機関車 an electric [a steam] *locomotive*

きかんじゅう 機関銃 machíne gùn C.

きかんとうしか 機関投資家 institútional invéstor C.

きかんぼう 利かん坊 naughty ⌈boy [girl; child] C 《☞ わんぱく; いたずら》.

きき[1] 危機 ━ 名 crisis /kráɪsɪs/ C 《複 crises /-siːz/》; (緊急の事態) emérgency U; (ピンチ) 《略式》 pinch C. ━ 形 (成否がかかっている) critical; (重大な) crucial /krúːʃəl/. 《☞ ピンチ; きゅうち[1]》.

¶ 我々は (財政的)*危機に直面している We are now ⌈facing [confronting] a (financial) *crisis*. ★ confronting を使うとやや格式ばった言い方になる. // 我々はその問題について*危機感を抱いている We ⌈have [feel] a sense of *crisis* concerning the problem. // 国民の間に*危機感が高まっている There is a growing sense of *crisis* among the people. // *危機を乗り切る get ⌈through [over] a *crisis* // *危機に陥る fall into *danger* / (⇒ 窮地に) be in a *fix*

危機一髪 ¶ *危機一髪(のところ)で by the skin of *one's* teeth ★「危ういところで」の意の慣用句. / by a hair 危機管理 crísis mànagement U 危機管理センター crisis management center C.

きき[2] 鬼気 鬼気迫る ━ 形 (ぞっとするほど恐ろしい) ghastly A, spectral A ★ 後者は格式語; (この世のものとは思われない) unearthly; (血も凍るような) blóodcùrdling.

きき[3] 喜喜 喜々として ━ 副 joyfully, happily; (元気よく) cheerfully. ¶ 子供たちは*喜々としてプールに飛び込んだ. The children jumped ⌈*joyfully* [*cheerfully*] into the pool.

きき[4] 機器 (機械類全体) machinery U; (備品) equipment U. ¶ 視聴覚*機器 audio-visual *equipment* 機器分析 instrumental analysis C.

きき[5] 効き ☞ ききめ

きき[6] 利き ☞ きのう[2]; はたらき

きき[7] 記紀 *Kojiki* and *Nihonshoki*, the two earliest chronicles of Japan.

きき[8] 忌諱 ━ 動 (嫌う) abhor 他. ¶ 人の*忌諱に触れる (⇒ 人の怒りを買う) incur [arouse] *a person's displeasure*

ぎぎ 疑義 doubt U ★ しばしば複数形で. 《☞ ぎもん; うたがい》.

¶ *疑義を抱く have *doubts* about …

ききあきる 聞き飽きる be ⌈tired [sick] of hearing 語法 sick を使うほうが「うんざりした」という気持ちが強い. 《☞ あきる》.

ききあし 利き足 *one's* dominant leg.

ききいる 聞き入る (注意深く聞く) listen to … attentively; (熱中している) be absorbed in …; (ぼんやり気をとられている) be lost in …. 《☞ きく[1]》.

¶ 彼女は音楽に*聞き入っていた She *was* ⌈*absorbed* [*lost*] *in* the music. // 彼は私の話に*聞き入っていた He *was listening to* me *attentively*.

ききいれる 聞き入れる (願い・要求などを認める) grant 他, hear of … 語法 後者は常に否定形で. 前者のほうが格式ばった語; (忠告を) take 他, follow 他 ★ ほぼ同意だが, take のほうがより口語的; (申し出を) accept 他. 《☞ きく[1]; うけいれる》.

¶ 彼は私たちの願いを即座に*聞き入れた He *granted* our request on the spot. // あの先生はそんなことは*聞き入れてくれない The teacher would not *hear of* such a thing. // 彼女はだれが何といっても*聞き入れない (⇒ 耳を傾けることを拒否する) She refuses *to listen to* anybody. ★ 口語的な言い方.

ききうで 利き腕 *one's* dominant hand.

ききおく 聞き置く ¶ 彼は私の助言を*聞き置く程度だった He just *listened to* my advice (*without making any comment* ⌈about [on] it).

ききおさめ 聞き納め the last chance to hear.

ききおとす 聞き落とす miss 他, fail to ⌈hear [catch] … 《☞ ききもらす》. ¶ 私はその大事な部分を*聞き落とした I ⌈*missed* [*didn't catch*] the important part.

ききおぼえ 聞き覚え ¶ その名前は*聞き覚えがある (⇒ 聞いたことを覚えている) I *remember hearing* that name. // *聞き覚えのある[ない] familiar [unfamiliar; strange]

ききおぼえる 聞き覚える learn by ear 他; (外国語などを) pick up 他.

ききおよぶ 聞き及ぶ hear ⌈about [of] …; (知っている) know about …. ¶ お*聞き及びでしょうが, 私共はあす九州へ引っ越します You may already *have heard about* this, but we're moving to Kyushu tomorrow.

ききかいかい 奇奇怪怪 ━ 形 bizarre /bɪzáə/, very strange and unusual. ¶ 二つの*奇々怪々な事件が昨年発生した Two *bizarre* incidents happened last year.

ききかえす 聞き返す ¶ 私は*聞き返した (⇒ 同じ質問を再びした) が, 彼女の答えは同じだった I *asked* her *the same question again*, but she repeated the same answer.

ききがき 聞き書き ━ 動 write down what ⌈is

き

said [*one* hears]; (メモをとる) take [make] notes (「of [on] ...). ── [名] (メモ) memo Ⓒ, note Ⓒ.

ききかじり 聞きかじり ¶ コンピューターについては*聞きかじりの (⇒ 表面的な) 知識しかありません I have only a *superficial* knowledge of computers. // ギリシャ語の*聞きかじりの (⇒ わずかな量の) 知識を受け売りする pass on a *smattering* of Greek 《☞ ききかじる》.

ききかじる 聞きかじる have a 「smáttering [superficial /sú:pəfíʃəl/ knówledge] of ... [語法] 前者は知識の量が少ないことを表し, 後者は知識が薄っぺらなことを表す. 《☞ かじる》. ¶ 天文学については*聞きかじっただけです I 「*know only a little about* [*know only a bit of*; *have picked up only a smattering of*] astronomy.

ききかた 聞き方 way of asking Ⓒ, how to ask ... ¶ いい返事が欲しければ*聞き方が大切だ If you want a good answer, you should *ask* 「*in the proper way* [*properly*].

ききぐるしい 聞き苦しい unpleasant [disagreeable] to hear, offensive to the ear ★ 後のものほど意味が強くなる; (音声が耳に不快に響く) harsh to the ear. ¶ 風邪を引いたので, *聞き苦しくてごめんなさい (⇒ 私の声をかんべんして下さい) Please excuse my voice. I've caught a cold.

ききごたえ 聞き応え ── [形] worth listening to. ¶ *聞き応えのある講演 a lecture *worth listening to*

ききこみ 聞き込み (情報) information Ⓤ; (聞き込み捜査) 《略式》 legwork Ⓤ. ¶ 何か*聞き込みがあったか Did you get any *information*? // 警察は*聞き込みを続けることにした The police decided to keep up the *legwork*.

ききざけ 利き酒 ── [動] taste 「sake /sá:ki/ [wine]. ── [名] sake [wine] tasting Ⓤ.

ききじょうず 聞き上手 (人) good listener Ⓒ 《☞ ききて[1]》.

ききすごす 聞き過ごす ☞ ききながす

ききずて 聞き捨て ── [動] (聞きながら無視する) ignore (他); (何の注意も払わない) pay no attention (to ...); (大目に見る) pass over (他). ¶ あなたの言葉は*聞き捨てならない I can't 「*pass over* [*ignore*] your words. / (⇒ 許せない) Your remarks *are* 「*inexcusable* [*unpardonable*]. ★ 第 2 文は第 1 文より格式ばった表現.

ききそこなう 聞き損なう miss (他), fail to hear ...; (聞き違える) mishear (他) (自). 《☞ ききもらす; ききおとす; ききちがえる》.

ききだす 聞き出す (手に入れる) get (他); (事実や真実などを見出す) find óut (他); (かまをかけて) 《略式》 pump ... (out of ...) ★ くだけた言い方. ¶ 彼女から何も*聞き出せなかった I couldn't 「*get* [*find out*] anything from her. // 彼から少しでも情報は*聞き出せたか Did you *pump* any information *out of* him?

ききただす 聞きただす (直接尋ねる) ask ... directly; (確かめる) make sure of ....

ききちがい 聞き違い mishearing Ⓤ 《☞ ききちがえる》. ¶ あわてていたので*聞き違いをしました I *misheard* because I was 「confused [upset].

ききちがえる 聞き違える mishear (他), hear ... 「wrongly [mistakenly]. ¶ 日本人はよく /l/ と /r/ を*聞き違える The Japanese often *mishear* /l/ as /r/. / (⇒ 混同する) The Japanese often *confuse* /l/ with /r/. ★ この文は「言い間違える」の意味にもなる.

ききつける 聞き付ける (聞いて知る) learn ... (from ...); (自然に耳に入る) hear (他); (ふと耳にする) overhear (他), happen to hear .... 《☞ きく[1]》. ¶ 物音を*聞き付けて人々はその場にかけつけた When they *heard* the noise, people 「rushed [ran] to the scene.

ききづたえ 聞き伝え hearsay Ⓤ; (うわさ) rumor Ⓒ. 《☞ うわさ》.

ききつたえる 聞き伝える ☞ つたえきく

ききづらい 聞き辛い ☞ ききにくい

ききて[1] 聞き手 (対話などの相手) hearer Ⓒ; (ラジオ番組などの聴衆の 1 人) listener Ⓒ; (聴衆) audience Ⓒ ★ 集合的に; (対談などの) ínterviewer Ⓒ. 《☞ ちょうしゅう[1]》. ¶ 私たちは上手な話し手だけでなく, 上手な*聞き手にもなる必要がある We must be good *listeners* as well as good speakers.

ききて[2] 利き手 *one's* dominant hand.

ききとがめる 聞き咎める (途中で話をさえぎる) stop (他), interrúpt (他) ★ 前者のほうがより口語的. ¶ 彼女は私の言葉を*聞きとがめて真意を問うた She 「*stopped* [*interrupted*] me and asked what I really meant.

ききどころ 聞き所 (要点) the point; (重要な所) the most important part; (音楽などの) fine [beautiful] passage Ⓒ ★ fine のほうがやや意味が弱い.

ききとどける 聞き届ける (願いを) grant (他); (希望などをかなえる) fulfill (他); (祈りを) answer (他). 《☞ かなえる》.

ききとり 聞き取り (語学などの) listening comprehension Ⓤ 《☞ ヒアリング》. **聞き取り調査** fact-finding on the spot Ⓤ **聞き取りテスト** listening comprehension test Ⓒ.

ききとる 聞き取る (聞こえる) hear (他); (音を捕らえる) catch (他). 《☞ きこえる》. ¶ 彼の話はよく*聞き取れなかった I could hardly 「*hear* [*catch*] what he said.

ききなおす 聞き直す ask ... again 《☞ ききかえす》.

ききながす 聞き流す (注意を払わない) pay no attention to ...; (心に留めない) take no notice of ...; (見逃す) let ... pass; (無視する) neglect (他), ignore (他) [語法] 前者はうっかり怠って結果的に無視することになるのに対して, 後者は意識的に無視することを表す. 《☞ むし[2]; うけながす》. ¶ 彼女は私の忠告を*聞き流した She 「*paid no attention to* [*took no notice of*; *neglected*] my advice. // 夫は妻の言うことを*聞き流すだけだった The husband simply *ignored* what his wife said.

ききなれる 聞き慣れる ── [動] be 「used [accustomed] to (hearing) ... [語法] be used to, be accustomed to の後には動名詞または名詞形が続く. 後者のほうがやや格式ばった言い方. ── [形] (なじみの) familiar (with ...). ¶ 彼の不平は*聞き慣れている I *am* 「*used* [*accustomed*] *to* (*hearing*) his complaints.

ききにくい 聞き難い (よく聞こえない) hard [difficult] to hear...; (聞くと失礼になる) it would be rude to ask ...; (聞くのを躊躇する) *one* would hesitate to ask ... ¶ 雑音でテープの講演は*聞きにくかった The talk on the tape was *hard to* 「*hear* [*understand*] because of all the noise. // それは*聞きにくい (⇒ 聞くのがばつの悪い) 質問だ That's an *embarrassing* question to *ask*.

ききのがす 聞き逃す ☞ ききおとす; ききもらす

ききふるした 聞き古した (使い古された) hackneyed; (悪い意味で決まり文句になった) clichéd /kli:ʃéɪd/ ★ clichéd の ´ はつづり本来のもの.

ききほれる 聞き惚れる (うっとりする) be 「charmed [enraptured] 「with [by] ... [語法] enraptured は格式ばった語で, charmed より「うっとりした」意味合いが強い. 《☞ うっとり》. ¶ 私は彼女の歌に*聞きほれた I *was enraptured by* her singing.

ききみみ 聞き耳 ¶*聞き耳を立てたが(⇒注意して聞いたが), 何もわからなかった I ˹*listened attentively* [*pricked up my ears*], but couldn't understand anything. 《☞ きく¹ (類義語)》

ききめ 効き目, 利き目 effect Ⓤ ★ 具体的な例を指すときは Ⓒ. 《☞ こうか¹; こうりょく¹; きく²》.
¶薬の*効き目はすぐあらわれた The medicine soon took *effect*. / (⇒直ちに作用した) The medicine *worked* instantly. / (⇒すみやかな効果をもたらした) The medicine had an immediate *effect*. ★ 最後の文は前の 2 文と比べてやや格式ばった表現. // 彼には何を言っても*効き目がない (⇒私の忠告は彼には効果がない) My advice ˹has no *effect on* him [doesn't *do* him *any good*]. ★ [ ] 内は口語的.

ききもの 聞き物 something worth ˹hearing [listening to]; (番組などでの) feature Ⓒ, highlight Ⓒ. 《☞ よびもの; みもの¹》. ¶演奏会での*聞き物 the *highlights* of the concert (program) ★ the を付けて.

ききもらす 聞き漏らす miss ⑱, fail to ˹hear [catch] ... 《☞ ききおとす》. ¶彼は指示を*聞き漏らした He ˹*didn't* [*failed to*] *hear* the instructions. // 彼女の住所を*聞き漏らした (⇒聞くのを忘れた) I *forgot to ask* her address. // 彼は一言も*聞き漏らすまいと身を乗り出した He leaned forward, trying not to *miss* a single word.

ききやく 聞き役 the listener.

ききゃく 棄却 〘法〙 **—動** (却下する) dismiss ⑱; (要求などを退ける) reject ⑱ 〔語法〕 前者のほうが格式ばった語で, 却下するに際し, これ以上申し立てを取り上げないことを表す. **—名** dismissal Ⓤ, rejection Ⓤ. 《☞ きゃっか》. ¶控訴は*棄却された The suit *was dismissed*. / The appeal *was rejected*.

ききゅう¹ 気球 ballóon Ⓒ. ¶熱*気球 a hot air *balloon* // *気球を上げる fly a *balloon* **気球観測** balloon observation Ⓒ.

ききゅう² 危急 (危機) crisis Ⓒ; (非常事態) emergency Ⓤ. 《☞ きんきゅう》. ¶*危急の場合は in case of *emergency* // 人の*危急を救う *rescue a person* / go [come] to the *rescue* of *a person* **危急存亡の秋**(とき) ¶今こそ*危急存亡の秋だ This is *a moment of crisis*.

ききゅう³ 帰休 **—名** (兵士の) temporary release from *one's* service Ⓒ; (勤労者の) layoff Ⓒ. **—動** return home, being released temporarily from *one's* ˹service [duty]. 《☞ ききょう¹; きせい⁴; きゅうか》. ¶一時*帰休 temporary *release from one's* ˹*duty* [*service*] **帰休制度** layoff system Ⓒ **帰休兵** soldier returned home on leave Ⓒ.

ききょ 起居 ¶私たちは数年間, *起居を共にした (⇒一緒に暮らした) We *lived together* for several years. / (⇒同一の屋根の下で暮らした) We *lived under the same roof* for several years.

ききょう¹ 帰郷 **—動** go [come] home ★ go, come の使い分けは前後関係による. 《☞ かえる¹ (類義語)》. **—名** hómecòming Ⓤ. 《☞ きせい⁴》.

ききょう² 桔梗 〘植〙 Chinese bellflower Ⓒ.

ききょう³ 帰京 **—動** return to Tokyo.

ききょう⁴ 気胸 〘医〙 pnèumothórax Ⓤ.

ききょう⁵ 奇矯 **—名** èccentrícity Ⓤ. **—形** eccéntric. 《☞ きみょう; きかい⁴》. ¶*奇矯な行動 *eccentric* behavior

ききょう⁶ 棄教 **—動** (信仰などを捨てる) 《格式》 renounce (*one's* religion) ⑱. **—名** renunciation (of *one's* religion) Ⓤ.

きぎょう¹ 企業 **—名** énterprise Ⓒ, business Ⓒ ★ 前者のほうが格式ばった語; (会社) corporation Ⓒ, company Ⓒ ★ 前者のほうが格式ばった語. **—形** corporate. 《☞ かいしゃ¹; じぎょう (類義語)》. ¶日本の海外*企業 Japan's overseas *enterprises* // 多国籍*企業 a multinational *corporation* // 外資系*企業 a foreign-˹affiliated [owned] *corporation* **企業イメージ** corporate /kɔ́əpərət/ image Ⓒ **企業家** entrepreneur Ⓒ /ɑ̀ːntrəprənə́ː/ ★ 格式語; industrialist Ⓒ **企業化** industrialization Ⓤ **企業会計** business [corporate] accounting Ⓤ **企業間格差** inter-enterprise differential Ⓒ **企業協定** inter-enterprise convention Ⓒ **企業組合** (中小企業などが共同で事業を行う組織) sýndicate Ⓒ **企業系列** the ˹systematization [hierarchical /hàɪərάəkɪk(ə)l/ órdering] of enterprises **企業献金** corporate contribution to political parties Ⓤ **企業広告** corporate advertising Ⓤ **企業合同** trust Ⓒ; 《米略式》 combine Ⓒ **企業集団** industrial affiliation Ⓒ **企業整備** industrial readjustment Ⓤ; business reorganization Ⓤ **企業責任** corporate liability Ⓤ **企業戦士** córporate warrior /wɔ́ːriə/ Ⓒ **企業統制** (government) control ˹over [of] corporations Ⓤ **企業統治** corporate governance Ⓤ **企業内組合** company [in-house] union Ⓒ **企業内訓練** in-house training Ⓤ **企業内失業** in-house unemployment Ⓤ **企業内ベンチャー** in-house venture Ⓒ **企業年金** company pension Ⓒ **企業買収** acquisition of a ˹company [firm] Ⓤ; (合併・買収) mergers and acquisitions) 《略 M & A》. **企業秘密** industrial [company] secret Ⓒ **企業分割** **—名** corporate breakup Ⓒ. **—動** break up a ˹corporation [company] **企業別組合** company [enterprise] union Ⓒ **企業用財産** administrative funds allocated to a government business ★ 複数形で. **企業倫理** corporate ethics ★ 複数形で. **企業連合** (カルテル) cartél Ⓒ.

> 企業のいろいろ
>
> 大企業 a giant corporation, big business ★ 後者のほうが口語的. 中小企業 a small and medium(-sized) enterprise, 零細企業 a tiny enterprise, 民間企業 (a) private enterprise, 公共企業 (a) public enterprise

きぎょう² 起業 (新しく事業を始めること) venturing on a new business Ⓤ; starting [launching; floating] *one's* own company Ⓤ. **起業家** entrepreneur /ɑ̀ːntrəprənə́ː/ Ⓒ **起業家精神** entrepreneurial /ɑ̀ːntrəprənə́ːriəl/ spirit Ⓒ; èntreprenéurship Ⓤ.

きぎょう³ 機業 (織物を作る事業) weaving [textile] industry Ⓒ. **機業地** (中心地) center of the weaving industry Ⓒ.

ぎきょうしん 義侠心 **—名** (騎士道精神) chivalry /ʃív(ə)lri/ Ⓤ, chivalrous spirit Ⓒ; (英雄的精神) héroism Ⓤ. **—形** chivalrous; heróic. ¶彼は*義侠心のある男だ He has a *chivalrous spirit*.

ぎきょうだい 義兄弟 bróther-in-làw Ⓒ 《複 brothers-in-law》 《☞ ぎり; 親族関係 (囲み)》.

ぎきょく 戯曲 **—名** drama Ⓒ, play Ⓒ ★ 後者のほうが口語的. **—動** (戯曲化する) drámatìze ⑱. 《☞ げき¹》. **戯曲化** dramatization Ⓤ.

きぎれ 木切れ piece [chip; splinter] of wood Ⓒ; (不規則な形の) chunk of wood Ⓒ.

ききわける 聞き分ける **1** «聞いて区別する»: tell ... (by hearing); (聞いてわかる) récognìze ⑱. 《☞ くべつ》. ¶あなたと弟さんの声は*聞き分けられない I can't *tell* your voice *from* your brother's. // 私はあなたの声をすぐ*聞き分けた (⇒わかった) I *recog-*

nized your voice at once.
2《納得する》 ━動 understand ⑩. ━形(分別を持った) reasonable. ¶彼女は*聞き分けのない人だ(⇒道理を聞き入れない) She won't *listen to reason.*

ききわすれる 聞き忘れる (聞くことを忘れる) forget to ask ... ¶彼女の住所を*聞き忘れた I *forgot to ask* her address.

ききん¹ 基金 fund Ⓒ; foundation Ⓒ 【語法】いずれも固有名詞を冠して「…基金」として使う. 特に後者は財団などを設けて寄付された資金をいう.
¶*基金を設ける establish [start] a *fund* // *基金を贈る donate a *fund* to ... // 国際児童*基金 United Nations Children's *Fund* 《略 UNICEF》 // 国際交流*基金 the Japan *Foundation*

ききん² 飢饉 famine /fǽmɪn/ Ⓤ. ¶多くの人が*飢饉で苦しんだ Many people suffered from the *famine.* // 水*飢饉 (⇒水不足) a water *shortage*/ (⇒旱魃) a *drought* /dráut/

ききん³ 寄金 (慈善事業などの) donation Ⓤ; (政治的な) contribution Ⓒ. 《☞きふ¹》. ¶政治*寄金 political *contributions*

ききんぞく 貴金属 precious metal Ⓒ 《☞ほうせき》. **貴金属商** jeweler (《英》jeweller) /dʒúːələr/ Ⓒ **貴金属店** jeweler's (《英》jeweller's) Ⓒ; (説明的に) jewelry store Ⓒ, 《英》jewellery shop Ⓒ.

きく¹ 聞く, 聴く 1《直接耳で》: (耳を傾けて) listen to ...; (耳に入る) hear ⑩ 《過去・過分 heard》.
【類義語】意識的に物音・内容などを聞き取ろうとするのは **listen to**. 本来, 自然に物音が聞こえてくることを表すのは **hear**. ただし「講演を聞く」のように *listen to* と類似の用法もある. 《☞きこえる》
¶音楽を*聞いていると心が静まる *Listening to* music ⌜calms me down [makes me feel calm]. // 鳥の声を*聞いてごらん *Listen to* the birds singing. // さあよく注意して(私の)話を*聞きなさい Now *listen* (*to* me) carefully. // 静かにして私の言うことを*聞きなさい Please be quiet and ⌜*listen to* me [*hear* what I'm going to say]. 【語法】前者は「注意して聞く」, 後者は「耳に入れる」というようなニュアンスの違いがあるが, 結果的には同じ. // 言い訳なんか*聞きたくない I won't *listen to* excuses /ɪkskjúːsɪz/. // 私はいつも9時のニュースを*聞きます I always *listen* (*in*) *to* the news at 9 o'clock. / (⇒ニュースを聞くために9時にダイヤルを合わせる) I always tune in at 9 o'clock to *hear* the news. // 彼女はいつもラジオを*聞きながら (⇒かけたままで) 台所仕事をする She usually cooks with the radio ⌜playing [on]. // その話は*聞くも涙, 語るも涙だ The story is very sad to tell, and very sad to *listen to.*
2《間接的にうわさなどを》: (耳にする) hear about ...; (聞いて知る) learn ⑩, learn about ...; (人から聞く) be told (that ...; about ...).
¶「そんなことは僕は*聞いたことがないけれど, 君はだれから*聞いたの (⇒だれが教えたのか)」「彼女から*聞いたよ」"I *haven't heard about* it. Who *told* you?" "She *told* me. / I *learned about* it from her." // 彼が結婚したことを*聞いたかい *Have* you *heard* ⌜(*that*) he got married [*about* his getting married]? // *聞くところによると来月アメリカへ行くそうだね *I hear* [*I'm told*; *They say*] *that* you're going to the U.S. next month. // *聞いてあきれる (⇒何という話だ) What a story! // *聞きしに勝る景色 an *unimaginably* beautiful sight / a sight *beyond description* // *聞いて極楽見て地獄 ☞みる¹ (見て地獄)
3《尋ねる》: ask ⑩ ★最も一般的な語; (情報などについて質問する) inquire ⑩; (尋問する) question ⑩; (…について調べる) make inquiries (about ...). 《☞たずねる¹》.
¶*聞くは一時の恥 To *ask* is but a moment's shame. // 彼女の電話番号を*聞いたが, 教えてくれなかった I *asked* her (for her) phone number, but she wouldn't tell me. // 来るかどうか彼に*聞いてごらん *Ask* him if he will come. // そんなことを*聞いているのではない That's not what I'*m asking* you.
4《言うことをきく・聞き入れる》: (…に耳を傾ける) listen to *a person*; (人またはその命令などに従う) obey ⑩; (助言・勧めなどを受け入れる) take (*a person's* advice); (言うとおりにする) follow ⑩ 【語法】以上はほぼ同意で用いられることが多いが, 中でも listen to, take が口語的. 《☞ききいれる; したがう》.
¶彼は私の言うことをちっとも*聞かない He won't *listen to* me. / (⇒注意を払わない) He *pays no attention to* what I say. 《☞聞く耳を持たぬ》 // 私の言うことを*聞きなさい *Take my advice.* // 君の頼み事なら何でも*聞くよ (⇒君が私にして欲しいことは何でもしてあげよう) I'll *do* whatever you want me to.
聞く耳を持たぬ turn a deaf ear to .... ¶彼は私の言うことには*聞く耳を持たない He *turns a deaf ear to* what I say to him.

きく² 効く, 利く 1《薬などの効能がある》 ━動(効果がある) have an effect (on ...); (作用する) work ⓐ, óperàte ⓐ ★前者のほうが口語的. ━形(効能のある) effective. 《☞ききめ; こうか¹; こうりょく¹》. ¶この薬はよく*効く This medicine *works* well. / This medicine is quite *effective.* // その注射はすぐに*効いた The shot *worked* quickly. // この療法は腰痛によく*効く (⇒…によい) This treatment *is good for* back trouble.
2《有効に働く・働かせる》 【日英比較】日本語のこの意味の「きく」は英語ではいろいろに意訳しなくてはならない. 「気が利く」「口をきく」など慣用的な表現はそれぞれの名詞の個所を見ること.
¶この車はブレーキが*きかない The brakes on this car don't *work.* 《☞ブレーキ》 // 私は右手がよく*きかないのです I can't *use* my right hand well. // この部屋は冷房が*きいている (⇒快適な涼しさだ) This room is pleasantly cool. / (⇒クーラーが順調に作動している) The air conditioning *is working properly* in this room. 《☞れいぼう》 // このスープは塩が*ききすぎている (⇒塩からすぎる) This soup is too *salty.* // このすしはわさびが*ききすぎている This sushi has *too much* horseradish.
3《…に耐える; …が可能》 ¶彼は年で無理が*きかない (⇒自分を駆り立てて何かをするには年を取りすぎている) He is too old to *push* himself. // このセーターは洗濯が*きく This sweater is *washable.* // この時計はもう修理が*きかない (⇒修理可能な限度を超えている) This watch is *beyond repair.* // もう変更は*ききません You *can* no longer make any changes. // まだ訂正は*ききます You *can* still make corrections.

きく³ 菊 〔植〕 chrysanthemum /krɪsǽnθəməm/ Ⓒ, 《略式》 mum ★chrysanthemum の短縮形. **菊酒** sake in which chrysanthemum blossoms are steeped Ⓤ **菊作り** (菊の栽培) chrysanthemum ⌜growing [culture] Ⓤ; (菊の栽培人) chrysanthemum grower Ⓒ **菊人形** chrysanthemum figure Ⓒ **菊の御紋** the Imperial crest of an open chrysanthemum **菊の節句** the Chrysanthemum Festival **菊日和** fine autumn weather Ⓤ **菊見** chrysanthemum viewing Ⓤ.

きぐ¹ 器具 (家庭用などの) appliance Ⓒ; (特に一組の) apparatus /æ̀pərǽtəs/ Ⓒ 《複 ~, ~es》. 《☞そうち¹》. ¶その台所には最新式の電気*器具が付いていた The kitchen was furnished with the latest electric *appliances*. // 暖房*器具 (a) heating *apparatus*

きぐ² 危惧 (恐れ) fear [U]; (心配・不安) anxiety /æŋzáɪəti/ [U]; (将来に関する気がかり) apprehension [U], misgiving [U] [語法] 以上2語は fear や anxiety より格式ばった語で, しばしば複数形で用いる. misgiving のほうが悪い結果を予想するニュアンスが強い. ((☞ しんぱい¹ (類義語); ふあん)). ¶*危惧の念を抱く have ˹*misgivings* [*apprehensions*]

きくいむし 木食い虫 wood borer [C].

きぐう¹ 奇遇 (偶然の出会い) chance [unexpected] ˹meeting [encounter] [C]; (偶然の一致) coíncidence [C]. ((☞ ぐうぜん)). ¶あなたは田中君の妹さんだって. これは*奇遇だ Are you Mr. Tanaka's sister? What a *coincidence*!

きぐう² 寄寓 temporary ˹residence [abode] [C] ★ abode はやや古めかしく, 居住が一時的との意味も強い. ((☞ かりずまい)). ¶友人宅に*寄寓した I *stayed* with a friend of mine ˹*for a while* [*temporarily*].

きくか 菊花 chrysánthemum [C] ((☞ きく³)). **菊花大綬章** the Grand Cordon of the Chrysanthemum.

きくぎ 木釘 wooden peg [C].

きくごぼう 菊牛蒡 〔植〕 viper's grass [C].

ぎくしゃく ── [形] (動作・表現などが) awkward, clumsy ★ 後者は軽蔑的; (不自然な・わざとらしい) unnatural. ── [副] awkwardly; unnaturally; (滑らかでなく) jerkily. ((☞ ぎこちない; ふしぜん; 擬声・擬態語 (囲み))). ¶彼の話し方は*ぎくしゃくしていた His way of talking was ˹*unnatural* [*awkward*]. / He spoke *jerkily*.

きくじゅんじょう 規矩準縄 (規準) standards, criteria ★『孟子』より. いずれも複数形で.

きくず 木屑 (かんなくず) (wood) shavings ★ 複数形で.

きぐすり 生薬 galénical [U]; (漢方などの) Chínese herb /(h)ə́ːb/ mèdicine [U]. ((☞ しょうやく²)).

きくする 掬する (手ですくい上げる) scoop (up) with *one's* hands; (心情を汲み取る) penetrate [enter into] *a person's* feelings; (称賛に値する) be praiseworthy. ¶*掬すべき言葉 words [a phrase] pregnant with meaning / a remark to ponder over

きくずれ 着崩れ ── [動] (衣服がゆるくなる) come loose.

きぐち 木口 (用材の質) the quality of ˹wood [timber].

きぐつ 木靴 clog [C]; sabot /sǽboʊ/ [C] ★ いずれも複数形で用いるのが普通. 後者は主としてフランス, オランダ, ベルギーなどの農民が用いる; (一般的には) wooden shoes ★ 通例複数形で.

きくづき 菊月 (陰暦の九月) the ninth month of the lunar calendar.

きくな 菊菜 ☞ しゅんぎく

きくばり 気配り ── [名] (注意) attention [U]; (思いやり) consideration [U]. ── [形] (気を配る) attentive; (思いやりの深い) thoughtful, considerate ★ 前者のほうが口語的. ((☞ き¹)). ¶彼女はだれに対しても*気配りが行き届いている She is very ˹*attentive* [*thoughtful*] to everyone.

きくばん 菊判 medium octavo [U] ★ octavo は八折判のこと. ¶*菊判400頁の上製本 a 400-page (*medium*) *octavo* hardcover book

きぐみ¹ 木組 ── [名] (木造家屋の) wooden [timber] frame [C]. ── [動] (木組みする) put a ˹wooden [timber] framework together, assemble a ˹wooden [timber] framework.

きぐみ² 気組み (心構え) mental attitude [C]; (意気込み) intention [U]; (心の準備) readiness [U], preparedness [U]. ¶我々はもう契約にサインする*気組みだ We *are* now ˹*ready* [*prepared*] to sign the agreement.

きくめいし 菊目石 〔動〕(サンゴ) moon coral [U].

きぐらい 気位 ── [名] (誇り) pride [U]. ── [形] (気位の高い) proud; (うぬぼれた) vain. ((☞ ほこり²)).

きくらげ 木耳 〔植〕(食用キノコ) Jew's-ear [C], Judas's ear [C].

ぎくり ── [動] (ぎくりとなる) be startled (at ...); (はっとさせる) startle (他), give ... a start. ((☞ びっくり; 擬声・擬態語 (囲み))). ¶その知らせは私たちを*ぎくりとさせた The news ˹*startled* us [*gave* us *a start*].

きぐるみ 着ぐるみ (役者などが中に入って動かす動物などの衣装) animal costume [C] ¶道化役者は雪だるまの*着ぐるみを着て舞台に登場した The clown appeared on the stage in a snowman's *costume*.

きぐろう 気苦労 (特定の事についての心配) worry [U]; (世話のやけること・手のかかること・責任の重いことなどによる心配) care [U] ★「心配事」の意味ではいずれも [C]. ((☞ しんぱい¹ (類義語))). ¶彼はいつも*気苦労が絶えない He always has *something to worry about*. // 彼女は*気苦労などないように見える (⇒ まったく苦労を免れているように見える) She looks ˹so *carefree* [quite free of *care*]. [語法] carefree には「のんびりとした」という良い意味と,「むとんちゃくな」という悪い意味の両方がある.

きくん 貴君 ── [代] you ((☞ きみ¹; あなた)).

きけい¹ 奇形, 奇型 ── [名] (奇形であること) deformation [U]; (奇形のもの) deformity [C]. ── [形] (奇形の) deformed. **奇形児** deformed [malformed] child [C].

きけい² 奇計 (普通ではない計画) unusual plan [C]; (奇抜な計画) fantastic plan [C]. ((☞ けいかく; けいりゃく)). ¶*奇計を案ずる devise a *fantastic plan*

きけい³ 貴兄 ── [代] you ((☞ きみ¹ [日英比較]; 代名詞 (巻末))).

きけい⁴ 詭計 (ずるい策略) ruse [C], artifice [C]. ¶彼女は*詭計を用いて彼から金をまきあげた She got money from him by a *ruse*.

ぎけい 義兄 bróther-in-làw [C] ((複 brothers-in-law)) [日英比較] 日本語と違って英語では義兄も義弟も区別なく, この語を用いる. ((☞ ぎり; 親族関係 (囲み))).

ぎげい 技芸 arts and crafts ★ 通例複数形で.

きげき 喜劇 ── [名] comedy [C]. ── [形] (喜劇の・喜劇的な) comic. **喜劇映画** comedy (˹film [picture]) [C] **喜劇作者** comic ˹dramatist [writer] [C] **喜劇女優** comedienne /kəmìːdién/ [C] ★ 古風な語. **喜劇俳優** comic ˹actor [actress] [C], comedian /kəmíːdiən/ [C], ((略式)) comic [C] ★ 後の2つは男女両性に用いる.

きけつ¹ 帰結 (結論) conclusion [C]; (最終的な結末) result [C]; (成り行きによる結果) cónsequènce [C] ★ 最初の2語より格式ばった語. ((☞ けっか; けつまつ; けつろん)).

きけつ² 既決 ── [形] (決定されている) decided; (処理済みの) settled. ¶*既決事項 a matter already ˹*settled* [*decided*]

ぎけつ 議決 ── [名] (決定) decísion [U]. ── [動] (議決する) decide (他) (自); (議会などで可決する) pass (他) (自). ((☞ さいけつ¹; けつぎ; かけつ)). ¶その問題は出席者の過半数によって*議決された The issue *was decided* by a majority of those present. **議決機**

関 legislative organ Ⓒ　議決権 (投票権) the right to vote　議決事項 (既決の) matters already ˹settled [decided]; (議決すべき事柄) matters for decision.

キケロ　── 图 ⓘ Marcus Tullius Cicero /mάəkəs tʌ́liəs sísəròu/, 106–43 B.C. ★ ローマの政治家·雄弁家·著述家.

きけわだつみのこえ　── 图 ⓘ *Listen to the Voices from the Sea: Writings of the Fallen Japanese Students* ★ 第二次大戦における戦没学徒兵たちの遺稿集.

きけん[1] 危険　── 图 (一般的に) danger Ⓤ; (差し迫った) peril Ⓤ; (自分で背負い込む) risk Ⓒ; (思いがけない) házard Ⓒ.　── 形 dangerous; périlous; risky; házardous; (安全でない) unsafe.

【類義語】大小を問わず「危険」を表す最も一般的な語は **danger**. これは注意すれば避けられる可能性がある. 差し迫ったより大きな危険を表す格式ばった語は **peril** で, これは起こる可能性が大きく, 避け難いものを指す. 自分の責任でのるかそるかやってみる危険は **risk**. あることに固有の危険, または人の力では避けられない, 思いがけない危険は **hazard** で, やや格式ばった語. ((☞ あぶない (類義語); ぼうけん[1]; おそれ[1]))

¶ それは*危険な仕事だ That's a *dangerous* job. // *危険! ((掲示)) *Danger*! / (⇒ 注意!) *Caution*! // 登山にはかなりの*危険が伴う There is considerable *danger* in mountain climbing. // 私たちは*危険を脱した We are now out of *danger*. // 私は首になる*危険がある I am in *danger* of being fired. // そんな*危険を冒す必要はない We don't need to ˹run [take] such a *risk*. // 彼は自分の*危険を顧みず (⇒ 命をかけて) 私を救ってくれた He saved me at the *risk* of his life. // その川で泳ぐのは*危険だ It is *dangerous* to swim in the river. / The river is *dangerous* to swim in. // そこへ 1 人で行くのは*危険だ It's ˹*unsafe* [*risky*] for you to go there alone. // 彼の命は*危険にさらされている His life is in ˹*danger* [*peril*]. // *危険に陥る get into [be in] *danger* // ある人を*危険に陥れる *endanger a person* / put *a person* in *danger* // 身を*危険にさらす *risk* ˹*oneself* [*one's* life]

「危険」の掲示

危険思想 dangerous ˹thoughts [ideas]　危険状態 critical [dangerous] ˹situation [condition] Ⓒ　危険信号 danger signal Ⓒ　危険人物 dangerous ˹character [person] Ⓒ　危険責任 responsibility for danger Ⓤ　危険手当 (賃金に加算される) danger money Ⓤ　危険物 dangerous ˹object [substance] Ⓒ; (爆発物) explosive Ⓒ　危険分子 (危険な人) dangerous person Ⓒ.

コロケーション

危険な目にあう encounter *danger* / 危険に気づく notice *danger* / 危険に立ち向かう face [confront] ˹*danger* [*risk*] / 危険を感じる feel [smell; sense] *danger* / 危険を軽視する underestimate ˹*danger* [*risk*] / 危険を避ける avoid ˹*danger* [*risk*] / 危険を巧みに避ける dodge *danger* / 危険をできるだけ少なくする minimize ˹*danger* [*risk*] / 危険を伴う involve [entail] ˹*danger* [*risk*] / 危険を取り除く eliminate *danger* / 危険を認識する recognize *danger* / 危険を逃れる escape *danger* / 危険を引き起こす cause [pose] *danger* / 危険を防ぐ prevent [ward off] *danger* / 危険を招く incur ˹*danger* [*risk*] / 危険を未然に防ぐ obviate *danger* / 危険をもたらす bring *danger* / 危険を予見する foresee *danger* // 大きな危険 great *danger*; a great *risk* / 起りうる危険 possible *danger*; a possible *risk* / 思いがけない危険 unexpected *danger* / 思いもよらない危険 unsuspected *danger* / 避け難い危険 unavoidable *danger* / 差し迫った危険 immediate [imminent] *danger* / 重大な危険 grave [serious] *danger*; a ˹grave [serious] *risk* / 知られざる危険 unknown *danger* / 迫り来る危険 approaching *danger*

きけん[2] 棄権　── 图 (投票の) abstention (from voting) Ⓤ; (競技の) default Ⓤ ★ 法律などにも使われる格式ばった語.　── 動 abstain (from voting) ⓐ; (競技に参加しない) withdraw *one's* entry; (欠席する) be absent.　¶ 私は投票を*棄権するつもりはない I won't *abstain from voting*. // 相手の*棄権で私たちのチームが勝った We won the game because our opponents ˹*withdrew* [(⇒ 競技を拒否したので) *refused to play*].

棄権者 one who ˹abstains from voting [doesn't vote] Ⓒ　棄権防止運動 voting campaign Ⓒ　棄権率 the abstention rate.

きげん[1] 機嫌　(一時的な気分) mood Ⓒ, temper Ⓒ, humor ((英)) humour) Ⓤ　語法 temper には「強い感情」, humor には「気まぐれ」というニュアンスがある; (感情) feelings ★ 通例複数形で. ((☞ ごきげん; じょうきげん; ふきげん)).

¶「ご*機嫌いかがですか」「ありがとう, 元気です. あなたのほうは」"*Hòw áre you*?" "Fine, thank you. Hòw are yóu?" // 彼女はきょうは*機嫌がよい[悪い] She's in a ˹good [bad] ˹*humor* [*mood*] today. // 山本氏はたいへん*機嫌がとりにくい (⇒ 喜ばせるのは難しい) Mr. Yamamoto is *very hard to please*. // 斉藤はご*機嫌とりだ Saito is *eager to please*. // 彼女の*機嫌 (⇒ 感情) をそこねたようだ I'm afraid I've hurt her *feelings*. // 彼はすぐに*機嫌を直した He soon got back into a good ˹*mood* [*temper*]. / He soon recovered his good ˹*humor* [*mood*; *temper*].　機嫌伺い ── 動 (表敬訪問する) pay a courtesy call on ....

きげん[2] 期限　(日限·時限) tíme lìmit Ⓒ; (締め切り日時) déadlìne Ⓒ; (契約などの期間) term Ⓒ; (一般的に期間) period /pí(ə)riəd/ Ⓒ. ((☞ きかん[1]; きじつ; しめきり[1])).

¶ この仕事の*期限は今月いっぱいです The ˹*time limit* on [*deadline* for] this job is the end of the month. // この定期券の有効*期限は 3 か月です This ˹commutation ticket [commuter pass] *is good for* three months. // 一定の*期限内で仕事をするのはつらい It is difficult to complete the job within a specific *period of time*. // この仕事には*期限がない There is no ˹*deadline* [*time limit*] for this job. // このクーポンは*期限が切れている This coupon is ˹*not* [*no longer*] ˹*valid* [*good*]. // 支払い*期限が切れた The *deadline* for payment has passed. // この請求書の支払い*期限が明日来る This bill *is due* (for payment) tomorrow. // *期限を定める set [fix] a ˹*time limit* [*deadline*] // *期限付きの with a ˹*time limit* [*deadline*]

期限延長 (支払いの) extension (of a term of payment) Ⓤ　期限切れ expiration Ⓤ ★ 格式語.　期限満了 (権利などの) expiration Ⓤ ★ 格式語.

きげん[3] 起源, 起原　(発生した根本原因) órigin Ⓒ; (出発点) beginning Ⓒ; (発展の元) source Ⓒ. ((☞ おこり[1]; はじまり; もと[1])).

¶ この文明の*起源を尋ねたい (⇒ 文明を起源までたどりたい) I would like to trace this civilization to its「origin [source]. / (⇒ いつどこで発生したかを知りたい) I want to know *when and where* this civilization「*originated* [*had its birth*].

きげん⁴ 紀元 ¶ アウグストゥスは*紀元前63年から*紀元後14年まで生存した Augustus /ɔːgʌ́stəs/ lived from 63 B.C. to「A.D. 14 [《略式》14 A.D.].

語法 紀元前と紀元後を区別して言うときは B.C., A.D. を年号に付ける. B.C. は before (the birth of) Christ の略で, A.D. はラテン語の Anno Domini /ǽnoʊ dámәni/ (=in the year of the Lord) の略. また A.D. は数字の前に置くのが正式とされるが,《略式》では後に置かれることも多い.《☞ 数字 (囲み)》

紀元節 the former National Foundation Day.

きげんそ 希元素 rare element Ⓒ.

きこ 騎虎 (虎に乗る) ── 動 ride on a tiger. **騎虎の勢いで** ── 形 (無鉄砲な勢いを抑えられないで) unable to「control [maintain] *one's* reckless action (as if riding on a tiger). ── 動 (ただ決勝点に向かって走るだけ) only have to make a dash for the finish.

きご 季語 (俳句などの) season word Ⓒ.

きこう¹ 気候 (一定地域の長時間にわたる平均的な天候) climate Ⓒ; (時・場所の限られた特定の地域の天候) weather Ⓤ.

¶ この地は*気候が温暖である The *climate* here is「mild [moderate; temperate]. ★ mild のほうが一般的. / We have a mild *climate* here. // 3月なのに寒くて, *気候が不順だ We are having unseasonably cold *weather* now in March. // *気候 (⇒ 季節) の変わり目には病気になりやすい When the *seasons* change, we are apt to fall ill. // 大陸[海洋; 島嶼(とうしょ)]性*気候 a cóntinèntal [an óceànic; an ínsular] *clímate*

気候学 climatology Ⓤ **気候帯** climátic zóne Ⓒ **気候変動枠組条約** the (United Nations) Framework Convention on Climate Change《略 (UN) FCCC》 **気候療法** climate therapy Ⓤ, climatotherapy /klàɪmәtoʊθérәpi/ Ⓤ.

きこう² 機構 (仕組み) méchanìsm Ⓒ; (構造) structure Ⓤ; (組織) organization Ⓤ.《☞ こうぞう; そしき; しくみ》.

¶ 社会*機構 the *mechanism* of society // 国際*機構 an international *organization* // 北大西洋条約*機構 the North Atlantic Treaty *Organization*《略 NATO /néɪtoʊ/》// 行政*機構 an administrative [a governmental] *organization* // 社会*機構 social *structure* / the *fabric* of society ★ 格式語. // 流通*機構 a distribution *system* / distribution *fabric* ★ 格式語.

機構改革 reorganization Ⓤ; structural reform Ⓤ **機構学** mechanism analysis Ⓤ.

きこう³ 寄稿 ── 動 contríbute (to …) ㊂; write (for …) ㊂ ★ 後者のほうが口語的. ── 名 contribution Ⓒ.《☞ とうこう²; とうしょ¹》.

¶ 彼女はオーロラ誌に時たま*寄稿した She「sent a *contribution* [*contributed*] to *the Aurora* from time to time.《☞ イタリック体 (巻末)》/ She sometimes *wrote for the Aurora*.

寄稿家 contributor /kәntríbjutә/ Ⓒ.

きこう⁴ 寄港 ── 動 call at …; (補給・避難などのために立ち寄る) put in (to …; at …) ㊂. ¶ この船は神戸に*寄港する This ship *calls at* Kobe. **寄港地** port-of-call Ⓒ《複 ports-~》. ¶ 次の*寄港地は横浜です The next *port of call* is Yokohama.

きこう⁵ 帰港 ── 動 (港に帰る) return [put back] to port ★ [ ] 内のほうが口語的.

きこう⁶ 奇行 eccéntric behávior Ⓤ.

きこう⁷ 起工 ── 動 (工事を始める) start [begin] construction; (敷地整備から) break ground (for …); (仕事を始める) start [begin] work. ¶ 建物の*起工は明日の予定です The *construction* of the building is scheduled to「*start* [*begin*] tomorrow. **起工式** ground-breaking ceremony Ⓒ.

きこう⁸ 紀行 (紀行文) account of *one's*「trip [journey]. **紀行文学** travel literature Ⓤ.

きこう⁹ 気孔 (皮膚の) pore Ⓒ; (植物の) stoma /stóʊmә/《複 stomata, ~s》.

きこう¹⁰ 帰航 (船の) homeward voyage Ⓒ; (飛行機の) homeward flight Ⓒ.

きこう¹¹ 起稿 ── 動 (…を書き始める) start writing ….

きこう¹² 気功 qigong /tʃìːgɔ́ːŋ/ Ⓤ; (説明的には) the art of making use of *one's* inner「strength [energy] through proper breathing. ¶ *気功をする do [practice] *qigong* **気功師** qigong「master [instructor, teacher, practitioner] Ⓒ.

きこう¹³ 貴公 you ★ 芝居や時代小説での武士の言葉.《☞ きみ¹; あなた》.

きごう¹ 記号 sign Ⓒ; symbol Ⓒ; mark Ⓒ; 〖楽〗(音部記号) clef Ⓒ.

【類義語】記号を表す最も包括的な語で, 以下の語の代わりに使われる場合もあるのが **sign**.「はとは平和を表す」というように何か内容を象徴するような記号が **symbol**. ただし sign とほぼ同じ意味で使うこともある. 標識や "? !" あるいは "○ ×" などのように特定の意味を持たせて使う記号は **mark**.《☞ しるし¹; ふごう¹; マーク¹》 ¶ ＋の*記号は加算を示す The *sign* ＋「represents [stands for] addition. // 発音*記号 phonetic *symbols* // 正解には ○ の*記号をつけなさい *Mark* the correct answer with a circle. / *Circle* the correct answer.

記号化 ── 名 symbolization Ⓤ. ── 動 symbolize ㊀ **記号処理** symbol manipulation Ⓤ **記号論** semiotics /sèmiátɪks/ Ⓤ **記号論理学** symbolic [mathematical] logic Ⓤ.

きごう² 揮毫 ── 動 (書く) write ㊀; (画を) paint ㊀; (単色画を) draw ㊀. ── 名 (書, 書いたもの) piece of「calligraphy [writing] Ⓒ; (画) painting Ⓒ.

ぎこう¹ 技巧 ── 名 (技・こつ) art Ⓒ; (熟練による) skill Ⓤ; (専門的な) technique /tekníːk/ Ⓒ; (職人の技能) craftsmanship Ⓤ, workmanship Ⓤ

語法 後者のほうが一般的. 前者は名工といわれるような職人の技巧を表す. ── 形 (技巧をろうする) artful ★ 悪い意味で用いられる; (巧みな) skillful (《英》skilful); (精巧に仕上げた) eláborate.《☞ ぎじゅつ (類義語); わざ》. ¶ その模型は*技巧を凝らしたものだった (⇒ 非常に精巧にできていた) The model *was very elaborately made*. **技巧家[派]** technician Ⓒ. ¶ *技巧派投手 (⇒ 技術の練達ぶりを見せる) a pitcher who *displays technical mastery* / a *skilled* pitcher

ぎこう² 技工 (職人・工芸家) craftsman Ⓒ; (女性の) craftswoman Ⓒ; 《格式》artisan Ⓒ.

きこうか 機甲化 ── 動 〖軍〗 mechanize the「forces [troops].

きこうし 貴公子 ── 名 (若い貴族) (yóung) arístocràt Ⓒ. ── 形 (貴族的な) aristocrátic. ¶ *貴公子然たる princely

きこうぶたい 機甲部隊 armored「troops [forces] ★ 複数形で.

きこうぼん 希覯本 rare book Ⓒ.

きこえ 聞こえ ¶ その案は*聞こえはよいが (⇒ よく聞こえるが) 実行できそうにない The plan will not work, though it *sounds* good. // そんなことをしたら世間の*聞こえが悪いよ (⇒ 評判が悪くなる) You'll get a bad *reputation* if you do that.

きこえよがし 聞こえよがし ¶ 彼は*聞こえよがしに

(⇒ 私に聞こえることを望んでいるかのように) 私の失敗を話していた He was talking about my failure *as if he wanted to be overheard* (*by me*).

きこえる 聞こえる 1 «耳に入る»: (自然に耳に入る) hear (他) (自) ((過去・過分 heard)); (聞き取れる) be audible; (音が耳に達する) reach *a person's* ear; (響く) sound (自). ((☞ きく¹)). ¶ 小川のせせらぎの音が*聞こえる I can *hear* the murmur of a stream. // だれかが悲鳴を上げるのが*聞こえた I *heard* somebody scream. // 彼女は耳がよく*聞こえない She ˹doesn't [can't] *hear* well. // 飛行機の音が*聞こえてきた The sound of airplanes *reached my ears*. // 彼女の足音はすぐ*聞こえなくなった (⇒ 消えていった) Her footsteps soon *died away*. // 彼らは*聞こえる [*聞こえない] 所で話していた They were talking ˹within [out of] *earshot*. // 彼の言い訳はもっともらしく*聞こえる His excuse *sounds* plausible. // 受付が呼べば*聞こえる所にいなさい Stay *within* ˹*earshot* [*call*] of the reception desk.

2 «有名である» ── [形] famous, well-known. ((☞ ゆうめい¹)). ¶ そのバイオリニストの名は世界に*聞こえている The violinist *is* ˹*famous* [*well-known*] all over the world. / The violinist is world-*famous*.

きこく¹ 帰国 ── [動] (自分の国へ帰る) return [come back; go back] to *one's* country, go [come; return] home [語法] 以上いずれの場合も return を使うほうがやや格式ばった言い方. また go, come の区別は前後関係による. ((☞ かえる¹ (類義語))). ¶ 彼はあす*帰国する He ˹*comes* [*goes*] *home* tomorrow. // 一行は*帰国の途についた (⇒ 故国へ向かって出発した) The party *left for home*.

帰国子女 (帰国した学生) returnee /rɪtə̀ːníː/ student Ⓒ; (外国で教育を受けた[外国に住んでいた]学生) student returning after ˹being educated [living] overseas Ⓒ **帰国ラッシュ** the home-coming rush; peak of vacationers' return(ing) from abroad Ⓒ. ((☞ しゅっこく (出国ラッシュ))).

きこく² 貴国 your country Ⓒ.

ぎごく 疑獄 (汚職事件) bribery [((米)) graft] case Ⓒ; (贈収賄事件) pay-off scandal Ⓒ.

きごこち 着心地 ¶ このコートは*着心地がよい[悪い] This coat is ˹*comfortable* [*uncomfortable*] (*to wear*). // 「ユニフォームの*着心地はいかがですか」「いいですよ」"How do you ˹*like* [*feel in*] that uniform?" "Fine." ★ like を使うほうが一般的.

きごころ 気心 ¶ 私たちは*気心の知れた仲だ (⇒ 近しい仲だ) We *are close friends*. / (⇒ お互いによく理解し合っている仲だ) We ˹*know* [*understand*] *each other very well*.

きこしめす 聞こし召す ¶ *聞こし召している (⇒ 酔っ払っている) be ˹drunk [tipsy] ★ [ ]内はくだけた表現.

ぎこしゅぎ 擬古主義 archaism Ⓤ.

ぎこちない ── [形] (動作・表現などがぎくしゃくした) awkward, clumsy ★ 後者は軽蔑的; (堅苦しい) stiff. ── [副] awkwardly, clumsily; stiffly. ((☞ ぎくしゃく; ぶきよう; ふしぜん)).

きこつ 気骨 ── [名] (しっかりした性格) báckbòne Ⓤ; (危険・不利にもめげない勇気) pluck Ⓤ, ((略式)) grit Ⓤ; (度胸) nerve Ⓤ, ((略式)) guts ★ 複数形で. ── [形] *plucky, gritty,* ((略式)) gutsy. ((☞ きがい²; いじ¹; こんじょう¹)). ¶ 彼は*気骨のある人だ He has *backbone*. / He is ˹*plucky* [*gritty*]. // 彼は*気骨を示した He showed his *nerve*.

きこなし 着こなし manner of ˹wearing *one's* clothes [dressing (*oneself*)] Ⓒ. ¶ 彼女は和服の*着こなしがうまい (⇒ 上品に着る) She ˹*wears* her kimono [*dresses herself* in kimono] elegantly.

きこなす 着こなす (上手に着る) dress (*oneself*) well; (粋に着る) be dressed ˹stylishly [elegantly] [語法] 前者は流行の服を, 後者は上品に服を着こなすことを表す. ((☞ きる²)). ¶ 彼女は何でもよく*着こなす (⇒ 何を着てもよく見える) She *looks good*, no matter what she's wearing. / She looks *well-dressed* in anything.

ぎこぶん 擬古文 (文体) (pseudo)classical style Ⓒ; (文章・作品) writings modeled on older literature ★ 複数形で.

きこむ 着込む (暖かい衣服を着る) put on warm clothes, dress *oneself* warmly. ((☞ きる²)).

きこり 樵 wóodcùtter Ⓒ.

きこん¹ 既婚 ── [形] married (↔ unmarried, single) ((☞ けっこん¹)). ¶ *既婚女性 *married* women **既婚者** married person Ⓒ; (総称的に) the married, married people.

きこん² 気根 〖植〗 aerial root Ⓒ.

きざ 気障 ── [形] (気取った) affected; (うぬぼれた) conceited; (学者気取りで物知り顔の) pedantic; (紳士気取りの) snobbish. ((☞ きどる)). ¶ 私は彼の*きざな態度が嫌いだ I don't like his *affected* manner. // 彼は*きざな男だ He is a ˹*conceited* [*snobbish*] person.

きさい¹ 記載 ── [動] (言及する) mention (他); (文章ではっきり述べる) state (他); (帳簿などへ) enter (他); (記録する) recórd (他). ── [名] mention Ⓤ; (帳簿などへの記入および記載事項) entry Ⓒ. ((☞ きにゅう)). ¶ この件の*記載はどこにもない No *mention* is made of this case. // すべての細目をこの帳簿に*記載しなさい *Enter* [*Make an entry for*] every item in this ledger.

記載事項 item ˹entered [recorded] Ⓒ **記載すみ** (表示として) Entered **記載文学** written literature Ⓤ (↔ oral literature) **記載漏れ** omission Ⓒ; (その事項) item ˹left out [omitted] Ⓒ.

きさい² 奇才 (天才(人)) genius Ⓒ; (才能) exceptional talent Ⓤ.

きさい³ 起債 issue of bonds Ⓒ, bond issue Ⓒ. ¶ 700 万ポンドの*起債 a £7 million *bond issue*

起債市場 bond market Ⓒ.

きさい⁴ 鬼才 (人) rare genius Ⓒ, man [woman] of rare talent Ⓒ; (才能) remarkable talent Ⓤ. ((☞ てんさい)).

きざい¹ 器材 (材料と器具) tools and materials ★ 複数形で.

きざい² 機材 (機械と材料) machinery and materials. **機材部** the machinery & materials ˹division [department] ((☞ 会社の組織と役職名 (囲み))).

きさき 后 (女王) queen Ⓒ; (皇后) émpress Ⓒ.

ぎざぎざ ── [名] (刻み目) notches ★ 複数形で; (へりなどの) indentation Ⓒ. ── [形] notched; (貨幣の) milled; (のこぎりの歯のような) jagged /dʒǽgɪd/. ((☞ 擬声・擬態語 (囲み))). ¶ 100 円硬貨はまわりに*ぎざぎざがある 100-yen coins are *milled* around the edges.

きさく¹ 気さく ── [形] (遠慮のない) frank ★ 最も一般的な語; (誠実でごまかしのない) candid; (人なつっこい) friendly; (隠し立てしない) ópenhéarted; (社交的な) sociable; (こだわらずに進んで…する) ready; (快く…する) willing. ── [副] frankly; candidly; openheartedly. ((☞ そっちょく)).

¶ 彼はまったく*気さくな人だ He is very ˹*frank* [*candid; friendly; openhearted*]. // 彼女は*気さくに私たちの頼みを聞いてくれた She *was* ˹*ready* [*willing*] *to* comply with our request.

きさく² 奇策 ☞ きけい²

ぎさく 偽作 (だます目的で作った偽物) counterfeit /káuntəfit/ Ⓒ;（本物に似せて作った物）fake Ⓒ;（特に文書・署名の）forgery Ⓒ.《☞ にせ（類義語）》.

きざけ 生酒 pure [unadulterated] sake Ⓤ.

きさご 細螺 〘貝〙button top Ⓒ.

きささげ 木豇豆 〘植〙Japanese catalpa Ⓒ.

きざし 兆し （前ぶれ）sign Ⓒ;（はっきりした徴候）indication Ⓤ;（宗教・迷信などに関係した超自然的前兆）ómen Ⓤ;（病気の）symptom Ⓒ.《☞ ちょうこう[3]; ぜんちょう[1]》. ¶春の*兆しが感じられる There are *signs* of spring in the air.

きざす 兆す （前兆を示す）show ˹signs [symptoms] (of…) ★ symptoms は特に病気などの時に用いる;（芽生える）spríng úp ㊀;（生じる）arise ㊀.《☞ めばえる》.

きざはし 階 （階段）(wooden) staircase Ⓒ.

きさま 貴様 ━ 代 you《☞ きみ[1] 日英比較; 代名詞（巻末）》.

(-)きざみ (…)刻み **1**《刻み目》¶彼は切断箇所を示すため丸太に 50 センチごとに*刻みを入れた He *notched* the log at intervals of 50 centimeters to mark where it should be cut. // 候補者は分*刻みの日程で国内を遊説している The candidate is barnstorming the country on a schedule *arranged to* the minute. // ラッシュ時には 5 分*刻みで(⇒ 間隔で) 電車が発着します During rush hours, the trains come and go *at* ˹*intervals of* five minutes [five-minute *intervals*].

2《煙草》☞ きざみたばこ

きざみこむ 刻み込む ¶壁に文字を*刻み込む *inscribe* some characters on [*cut* some characters into] the wall // 母の思い出を胸に*刻み込む *engrave* [*register*] the memory of *one's* mother in *one's* ˹mind [memory] // あなたの言葉は私の心に*刻み込まれている Your words *are engraved* ˹in my mind [on my heart].《☞ きざみつける; ほりつける》

きざみたばこ 刻み煙草 （日本の）shred(ded) tobacco Ⓤ;（外国の）cut [pipe] tobacco Ⓤ.

きざみつける 刻み付ける carve ㊉; engrave ㊉; cut … into ….《☞ ほる[2]》. ¶指輪に名前を*刻み付ける *engrave one's* name on a ring // 模様を木の板に*刻み付ける *carve* a pattern on [*cut* a pattern *into*] a wooden board // 彼の言葉は私の心に深く*刻み付けられた His remarks ˹*were* [*are*] deeply *engraved* in my ˹mind [memory].

きざみめ 刻み目 （V 形の）notch Ⓒ;（表面に刻まれた浅いもの）nick Ⓒ;（ぎざぎざ・くぼみ）indentation Ⓒ.《☞ (-)きざみ; ぎざぎざ》.

きざむ 刻む （肉などを細かく）mince ㊉;（切り刻む）chop (up) ㊉ ★ mince よりやや粗め;（薄く細かく切る）cut (fine) ㊉;（彫る）carve ㊉;（金属・石など固いものに）engrave ㊉ ★ 比喩的に「心・記憶などに刻む」の意味でも用いられる;（碑文などを）inscribe ㊉, carve ㊉.《☞ ほる[2]》. ¶彼は玉ねぎを*刻んだ He *chopped up* the onion.《☞ 料理の用語（囲み）》

きさらぎ 如月 （旧暦の二月）the second month of the lunar calendar;（現在の二月）February.

きざわり 気障り ━ 形（不愉快な）disagreeable;（人をいらいらさせる）irritating.《☞ めざわり; ふゆかい》.

きさん[1] 起算 ━ 動（…から計算する）count [reckon] … from …. ¶収支は当月の 1 日から*起算する (⇒ …から計算される) The balance is to be ˹*counted* [*reckoned*] from the 1st of the month.

きさん[2] 帰参 ━ 名（復職）reinstatement Ⓤ. ━ 動 return [be reinstated; be restored] to *one's* former position ㊀;（武士が主家に）return to *one's* lord's service ㊀. ¶彼は無罪と分かるとすぐに*帰参がかなった He *was reinstated* immediately after he was exonerated.

ぎさん 蟻酸 〘化〙formic acid Ⓤ.

きさんご 木珊瑚 〘動〙（枝状の珊瑚）branching coral Ⓒ;（石珊瑚目の一種）a species of stony coral with branch-like orange polyps ★ 説明的な訳.

きさんじ 気散じ ☞ きばらし

きし[1] 岸 （川岸）bank Ⓒ;（海・大河・湖の）shore Ⓒ;（海岸）coast Ⓒ 語法 (sea)shore は海から見た海岸, (sea)coast は陸から見たときの海岸(線)に用いられることが多い;（浜辺）beach Ⓒ.《☞ かいがん[1]（類義語）; はまべ》. ¶彼は*岸を目指して一生懸命に泳いでいた He was swimming hard, trying to reach the *shore*. // 波が*岸に打ち寄せている Waves are washing the *shore*. // ボートを*岸に引き上げよう Let's haul the boat *ashore*. ★ ashore は「岸へ」という 副.

きし[2] 騎士 （ヨーロッパ中世の）knight Ⓒ.

騎士道 ☞ 見出し

きし[3] 棋士 （将棋の）*shogi* player Ⓒ;（碁の）go player Ⓒ.

きし[4] 旗幟 ¶*旗幟を鮮明にする (⇒ 態度をはっきりする) make *one's* ˹*attitude* [*position*] clear / (⇒ はっきりした立場をとる) take a clear *stand*

きじ[1] 記事 （ニュース）news Ⓤ ★ 数えるときは a piece [two pieces] of news のように言う;（1 つの記事）(news) item Ⓒ;（報道記事）news story Ⓒ;（新聞・雑誌の記事・論説）article Ⓒ.

¶この*記事は夕刊に載るはずだ This ˹*news* [*article*] will appear in the evening paper. // これはおもしろい*記事になる This will make an interesting ˹(*news*) *item* [*news article*]. // 彼は中国について*記事を書いた He wrote an *article* on China. // この*記事をとったのはだれだ Who got (hold of) this *news*? // *記事は差し止められた The *article* was banned (from publication).

記事広告 editorial advertising Ⓒ, advertorial Ⓒ

記事差し止め press ban Ⓒ.

きじ[2] 生地 （布地）cloth Ⓤ;（服地）material /mətí(ə)riəl/ Ⓤ;（生地）fabric Ⓤ;（織物地）texture Ⓤ ★ texture は生地の織り具合, 手触りなどもいう.《☞ ふくじ》. ¶*生地は 2 メートルいる We need two meters of *cloth*. //「この服の*生地は何ですか」「ウールです」"What *material* is this dress?" "It's wool /wúl/." // この*生地は手触りが滑らかだ This *fabric* feels smooth. 語法 この場合 fabric の代わりに texture を用いることはできない. // スーツ [ワイシャツ] 用の*生地 suit [shirt] *material*

きじ[3] 雉 pheasant /féznt/ Ⓒ. **雉も鳴かずば撃たれまい** There is safety in silence.

きじ[4] 木地 （木目）the grain (of wood);（塗らないままの木地）plain [unpainted] wood Ⓤ.

ぎし[1] 技師 èngineér Ⓒ 参考 アメリカでは engineer は非常に広い意味で用いられる. 例えば清掃係は sanitation engineer, 窓修理工は casement window engineer のように呼ばれる. ¶機械[土木]*技師 a ˹mechanical [civil] *engineer*

ぎし[2] 義肢 ártificial límb Ⓒ.

ぎし[3] 義歯 fálse [ártificial] tóoth Ⓒ ★ 前者のほうが口語的; dentures ★ 複数形で.《☞ いれば》.

ぎし[4] 義姉 sister-in-law Ⓒ《複 sisters-in-law》 日英比較 日本語と違って英語では義姉も義妹も区別なく, この語を用いる.《☞ ぎり; 親族関係（囲み）》.

ぎし[5] 義士 （忠義の臣）loyalist Ⓒ.

ぎし[6] 義子 （養子）*one's* adopted child Ⓒ; child by adoption Ⓒ;（娘の夫・女婿）son-in-law Ⓒ;（息子の妻）daughter-in-law Ⓒ.《☞ ようし[4]》.

ぎじ[1] 議事 proceedings ★ 複数形で;（会議事

項) agenda ★ 単数または複数扱い. ((☞ ぎだい)).
¶ 議長は*議事を速やかに進行させた The 「chair [chairman; chairwoman] expedited the *proceedings*.
議事進行 progress of proceedings Ⓤ. ¶ 議長! *議事進行について提案があります Mr. Chairman [Madam Chair]! I have a motion concerning the *progress of the proceedings*. **議事進行係** (司会者) master of ceremonies Ⓒ ((略 M.C.)); (議会などの議事運営委員会) steering committee Ⓒ **議事日程** agenda Ⓒ **議事妨害** obstruction of proceedings Ⓤ; (長い演説などによる) ((米)) filibùstering Ⓤ **議事録** minutes, proceedings 語法 いずれも複数形で. 後者は規模の大きい会議などの報告書で, 出版されることもあるもの.

ぎじ² 疑似 ―形 (にせの) false. **疑似コレラ** pàracholéra Ⓤ, false cholera Ⓤ.

ぎじ³ 擬餌 ártificial báit Ⓒ; (ルアー) lure Ⓒ. **擬餌針** (毛針) (artificial) fly Ⓒ.

きしかいせい 起死回生 ―動 pull ... out of the fire ★ この言い方は「…を火中から引き出す; …を滅亡などから救い出す」の意の慣用的表現.
¶ 彼は*起死回生のホームランを放った He hit a homer to *pull* [His homer *pulled*] the game *out of the fire*.

きしかたゆくすえ 来し方行く末 ☞ こしかた

きしかん 既視感 〘心〙 déjà vu /dèɪʒɑ:v(j)ú:/ Ⓤ ★ déjà の é の ´ および à の ` はいずれもつづり本来のもの.

ぎしき 儀式 ―名 (式典) céremòny Ⓒ; (祝典) function Ⓒ; (型が決まっている宗教上の式) rite Ⓒ ★ しばしば複数形で; (個々の宗教儀式の集合体) ritual Ⓒ ★ rite より格式ばった語. ―形 (儀式ばった) cèremónial; (格式ばった) formal. ((☞ しき²)). ¶ その*儀式はあす執り行われる The *ceremony* will be 「held [carried out] tomorrow. ★ [ ] 内のほうが口語的. // 私はその*儀式に参列した I attended the *ceremony*. // その牧師が結婚の*儀式を行った The clergyman 「performed [conducted] the wedding *ceremony*. // たいへん*儀式ばった行事 a very 「*formal* [*ceremonial*] occasion // *儀式ばるのはやめましょう (⇒ やめて下さい) Please don't *stand on ceremony*. 語法 stand on ceremony は否定文で用いられ, 「他人行儀にする, 形式ばる」の意の成句. / (⇒ くだけた方法でいこう) Let's be *informal*.

ぎしぎし ―動 (きしむ音を立てる) creak ㊀; (耳障りな音を立てる) jar ㊉ ㊀. ((☞ ぎいぎい; 擬声・擬態語 (囲み))). ¶ 強い風で戸が*ぎしぎし鳴った The door *creaked* in the strong wind. / (⇒ 強い風が戸をきしませた) The strong wind *jarred* the door.

きじく¹ 基軸 (物事の中心) center Ⓒ; (判断の規準) criterion /kraɪtí(ə)riən/ Ⓒ ((複 critéria)). **基軸通貨** key currency /kə́:rənsi/ Ⓒ.

きじく² 機軸 (車軸・機関の軸) shaft Ⓒ; (計画・方法・工夫) method Ⓒ, scheme Ⓒ. ((☞ しんきじく)).

きしつ¹ 気質 témperament Ⓒ ((☞ きしょう¹; せいしつ¹; たち¹)).

きしつ² 器質 〘医〙 organic mechanism Ⓒ. ¶ 脳の*器質に異常はない The brain's *organic mechanism* is normal. **器質化** ―名 absorption into 「the [an] organ Ⓤ. ―動 be absorbed into 「the [an] organ **器質性疾患** organic disease Ⓒ.

きしつ³ 基質 〘化〙 substrate /sʌ́bstreɪt/ Ⓒ; 〘医〙 stróma Ⓒ ((複 stromata)); 〘生・岩石〙 matrix /méɪtrɪks/ ((複 matrices /méɪtrəsi:z/)). **基質特異性** 〘化〙 súbstrate specificity Ⓤ.

きじつ 期日 (定められた日) (fixed) date Ⓒ; (約束した日) (appointed) day Ⓒ; (締め切り日時) déadlìne Ⓒ; (支払いなどの) term Ⓒ; (日限) time lìmit Ⓒ. ((☞ きげん²; にちじ; ひどり)).
¶ 我々は出発の*期日を決めた We 「fixed [set] the *date* for our departure. // *期日までにこの仕事を終えなくてはならない I have to finish this work by the 「*deadline* [*appointed day*]. // 彼はいつも*期日 (⇒ 締め切り時間) を守る He always meets 「the [his] *deadline*.
期日指定預金 maturity-designated deposit Ⓒ.

きしどう 騎士道 chivalry /ʃívəlri/ Ⓤ ((☞ きし²)).
¶ *騎士道にかなう行為 *chivalrous* /ʃívəlrəs/ behavior // *騎士道華やかなりし頃 the (golden) age of *chivalry* **騎士道精神** the spirit of chivalry **騎士道物語** (medieval) chivalresque /ʃivəlrésk/ romance Ⓒ.

ぎじどう 議事堂 (国会の) the Diet (Building); (米国の州会議事堂) capitol Ⓒ 参考 米国国会議事堂の場合は the Capitol; (英国の) the Houses of Parliament; (地方議会などの) assembly hall Ⓒ. ((☞ ぎかい)).

きしな 来しな (…の途中で) on 「the [*one's*] way (to ...) ((☞ とちゅう)).

きじばと 雉鳩 rufous /rú:fəs/ túrtledove Ⓒ.

ぎじばり 擬餌針 ☞ ぎじ³ (擬餌針)

きしべ 岸辺 (川岸) bank Ⓒ ((☞ きし¹)).

きしみ 軋み (長く甲高い音) creak Ⓒ; (短く甲高い音) squeak Ⓒ. ¶ 戸の*軋みを直す fix a 「*squeaky* [*creaking*] door

きしむ 軋む (ねずみなどが鳴くようにきいきいいう) squeak ㊀; (戸などがきいきいいう) creak ㊀; (粗い表面をこすったような耳障りな音を立てる) grate ㊀; (ぎいぎい・がたがたいう) jar ㊀ ㊉. ((☞ ぎしぎし; きしる)).
¶ この戸は開けるたびに*きしむ This door 「*creaks* [*squeaks*] whenever it's opened.

きじむしろ 雉蓆 〘植〙 Japanese five finger Ⓒ; (キジムシロ科の草木) cinquefoil Ⓒ.

きしめん *kishimen* Ⓒ ★ 単複同形; flat (wheat) noodles ★ 複数形で. ((☞ うどん)). ¶ *きしめんは1センチ巾くらいの平たいうどんで, 名古屋の特産です *Kishimen* are flat noodles about one centimeter wide and are specialties of Nagoya.

きしもじん 鬼子母神 the old Buddhist goddess for women's easy delivery and child-rearing.

きしゃ¹ 記者 (新聞記者) (newspaper) reporter Ⓒ; (新聞人) néwspàpermàn Ⓒ, newspaperwoman Ⓒ ★ 記者だけでなく新聞社で働く人も指す; (報道記者) newsman Ⓒ, newswoman Ⓒ 語法 newsman, reporter という場合には新聞のみでなく, ラジオ・テレビ・雑誌などの記者も含む; (通信員・特派員) còrrespóndent Ⓒ; (報道関係者一般を指して) journalist Ⓒ. ((☞ しんぶん)).
¶ スポーツ*記者 a *sportswriter* // 彼女は K 誌の*記者だ She's a *reporter for* K magazine. // 彼は*記者として10年の経験を持っている He has 10 years' experience as a 「*journalist* [*newspaperman*; *newsman*; *reporter*]. // 女性*記者 a woman *reporter* // 従軍*記者 a war *correspondent* // 新米*記者 a 「cub [junior] *reporter*
記者会見 press [news] conference Ⓒ. ¶ 午前10時から大統領の*記者会見が行われた The President held a *press conference* at 10:00 a.m. **記者クラブ** press club Ⓒ **記者席** (競技場などの) press box Ⓒ; (議場などの) press gallery Ⓒ **記者団** press corps /préskɔ̀ə/ Ⓒ ((複 ~ /-kɔ̀əz/)).

きしゃ² 汽車 (列車) train Ⓒ ((☞ れっしゃ; でんしゃ¹; てつどう)). ¶ 私は*汽車旅行が大好きです I love traveling by *train*.

汽車賃 railroad [《英》railway] fare Ⓒ　汽車ぽっぽ choo-choo (train) Ⓒ ★ 幼児語.

きしゃ[3] 喜捨　(寺社に対する) religious offerings ★ しばしば複数形で; (慈善的な寄付) donation Ⓒ. 《☞ ほどこし》.　¶ 貧しい人々に*喜捨する *donate* [*give alms*] *to* poor people ★ poor の代わりに婉曲的に (the) underprivileged も用いられることが多い.

きしゃく 希釈　―― 動 (薄める) dilute (他).　―― 名 dilution Ⓤ. 《☞ うすめる》.　希釈剤 diluent Ⓒ　希尺度 〖化〗 dilution Ⓒ　希釈熱 the heat of dilution　希釈率 dilution ratio Ⓤ.

きしゅ[1] 機首　the nose (of an airplane) 《☞ ひこうき (挿絵)》.　¶ 飛行機は*機首を上げた[下げた] The plane *nosed*「*up* [*down*]. ★ nose「up [down] は 動. 《☞ すいへい[1]》 // 飛行機は*機首をいま東に向けている (⇒ 東に向かっている) The plane *is heading* east.

きしゅ[2] 騎手　(競馬の) jockey Ⓒ; (乗馬者) rider Ⓒ ★ 専門の騎手だけではなく, 馬に乗る人一般をいう; (特に馬に乗るのがうまい人) horseman Ⓒ, (女性の) horsewoman Ⓒ.

きしゅ[3] 旗手　standard-bearer Ⓒ.

きしゅ[4] 気腫　〖医〗 emphysema /èmfəzí:mə/ Ⓤ.

きしゅ[5] 機種　model Ⓒ.　¶ このパソコンは最新*機種ですか Is this PC the latest *model*?

きしゅ[6] 奇手　(異常な手段) extraordinary measures ★ 複数形で. 《☞ きさく[2]》.

きしゅ[7] 期首　the beginning of a「period [term].

キシュ　☞ キッシュ

きじゅ 喜寿　*one's* 77th birthday.

ぎしゅ[1] 義手　ártificial「árm [hánd] Ⓒ ★ arm は腕, hand は手の部分.

ぎしゅ[2] 技手　(技師補) assistant engineer Ⓒ.

きしゅう[1] 奇襲　―― 名 (不意打ち) surprise Ⓤ; (奇襲攻撃) surprise attack Ⓒ.　―― 動 make a surprise attack (on ...).　¶ 我々は敵に*奇襲攻撃をかけた We *made a surprise attack on* the enemy. / (⇒ 不意打ちを食わせた) We *took* the enemy *by surprise*.

きしゅう[2] 既習　¶ *既習単語 words *one has already learned*

きしゅう[3] 奇習　strange custom Ⓒ.

きじゅう[1] 機銃　(銃) gun Ⓒ; (機関銃) machine gun Ⓒ.　機銃掃射　―― 名 machine-gunning Ⓤ.　―― 動 machine-gun (自) (他); (飛行機から機銃攻撃する) strafe (他).

きじゅう[2] 奇獣　(稀な動物) rare「animal [beast] Ⓒ; (国内にはない色や形で珍しい) exotic animal Ⓒ.

ぎしゅう 蟻集　―― 動 (人が群がる) crowd (「around [in] ...) (自); (人や虫などが…に押し寄せる) swarm (around ...) (自); (大勢で詰めかける) throng (around ...) (自). 《☞ おしよせる》.

きじゅうき 起重機　(クレーン) crane Ⓒ; (基部から斜めに腕木の出たもの) derrick Ⓒ.　起重機船 floating crane Ⓒ.

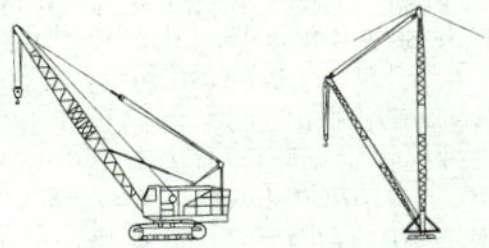

きしゅく 寄宿　―― 動 (…の家に) stay at ..., lodge in ...; (…と) stay [lodge] with ... ★《略式》では stay が普通; (食事付きで) board with ....　¶ 彼はおじさんのところに*寄宿した He「*boarded* [*stayed; lodged*] *with* his uncle's family.　寄宿舎 《米》 dórmitòry Ⓒ, 《略式》 dorm Ⓒ; 《英》 hall (of residence) Ⓒ. 《☞ りょう[4]》　寄宿生 boarding [dormitory] student Ⓒ; boarder Ⓒ　寄宿料 dormitory fee Ⓒ.

きじゅつ[1] 記述　―― 名 (叙述・描写) description Ⓒ; (説明・話) account Ⓒ.　―― 動 (叙述する) describe (他); (説明を与える) give an account of ....　―― 形 (記述的な) descriptive. 《☞ せつめい》.　¶ この*記述は正確でない This「*description* [*account*] is inaccurate.　記述科学 descriptive science Ⓤ　記述言語学 descriptive linguistics Ⓤ　記述式問題 essay question Ⓒ　記述統計学 descriptive statistics ★ 単数扱い.　記述文法 descriptive grammar Ⓤ.

きじゅつ[2] 奇術　―― 名 magic Ⓤ.　―― 動 (奇術をする) cónjure (自). 《☞ てじな》.　奇術師 magícian Ⓒ, conjurer Ⓒ.

きじゅつ[3] 既述　―― 形 (既述の) above-mentioned.　¶ *既述のとおり as *previously*「*mentioned* [*noted; stated*]

ぎじゅつ 技術　―― 名 (専門的な) technique /tekní:k/ Ⓒ; (特殊な技能) skill Ⓤ ★ 具体的な意味では Ⓒ; (技芸) art Ⓒ; (職業的な) craft Ⓒ; (科学技術) technólogy Ⓤ.　―― 形 (技術上の・技術的な) téchnical; (科学技術の) tèchnológical.

【類義語】機械・芸術・科学などの仕事で広く一般に用いる方法としての専門的な技術は **technique**. 練習によって得られる, 特に巧妙な特殊技能は **skill**. 職業的な, 特に手で物を作る技術は **craft** を用いる.「こつ」のようなものをいうには **art** がよい. 科学知識を実用化する技術は **technology** である. 《☞ ぎのう》

¶ 彼は心臓手術の新しい*技術を開発した He developed a new *technique* for heart surgery. // 建築*技術 the *art* of building // 手仕事で陶器を作るのはたいへんな*技術を要する Making pottery by hand requires great *skill*. // 近年, 科学*技術はめざましい進歩を遂げた In recent years *technology* has made remarkable progress. // *技術上の[技術的な]問題のため, そのテレビ中継は中止された Due to「*technical* difficulties [a *technical* hitch] the live telecast was called off. // 新*技術の導入 the introduction of new「*techniques* [(⇒ 工業技術の) *technological* know-how]

技術移転 (先進国から発展途上国への移転) technólogy trànsfer Ⓤ　技術援助 technical assistance Ⓤ　技術革新 technological「innovation [revolution] Ⓒ　技術家庭 (科目名) Industrial Arts and Homemaking Ⓤ　技術教育 technical education Ⓤ　技術顧問 technical adviser Ⓒ　技術士 consulting engineer Ⓒ　技術試験衛星 engineering technology satellite Ⓒ 《略 ETS》　技術者 technícian Ⓒ; (技術専門家) téchnical éxpert Ⓒ; (技師) engineer Ⓒ 《☞ ぎし[1]》　技術提携 technical cooperation Ⓤ　技術部 the engineering「division [department], the technical development「division [department] 《☞ 会社の組織と役職名 (囲み)》　技術屋 technician Ⓒ; (技術専門家) technical expert Ⓒ　技術輸出 export of technology Ⓤ　技術立国 the establishment of a state on the basis of technology Ⓤ.

コロケーション

技術を応用する apply「*technology* [a *technique*] / 技術を向上させる improve a *technique* / 技術を習得する[教える] learn [teach] a *technique* / 技術を取り入れる adopt「*technology* [a *technique*] / 技術を身につける acquire a *technique* / 技術を用いる use [employ]「*technology* [a *technique*] // 基本技術 a「basic [fundamental] *technique*; basic [fundamental] *technology* / 高度の技術 an advanced *technique*; advanced *technology* / 最先端技術 state-of-the-art [cutting-edge] *technology* / 製造技術 manufacturing *technology* / 特殊技術 a special *technique*

きじゅん[1] 基準, 規準 (標準) standard Ⓒ ★しばしば複数形で; (判断の) criterion /kraɪtí(ə)riən/ Ⓒ《複 criteria /-riə/》; (道徳上・仕事上の) norm Ⓒ; (基礎・論拠) basis Ⓒ《複 bases /béɪsiːz/》. 《☞ しゃくど》. ¶何を*基準にして選んでいるのですか (⇒あなたの選択は何を基礎にしているのか) What *is* your choice *based on*? // この車は国家で決められた安全*規準に合っていない This car does not meet the government's safety *standards*. // 基準を定める set up [establish] a *standard* // どれを選ぶかを決める*基準を設定する establish *criteria* for choosing // 労働*基準法 the Labor *Standards* Act // 道徳の*基準 a ˹moral [ethical] *standard* // *基準を定める set [establish] a *standard* // 答案採点の*基準 the *criteria* by which to ˹mark [grade] the exam papers **基準外賃金** extra wages ★通例複数形で; (付加給付) fringe benefits ★通例複数形で. 《☞ ちんぎん》 **基準価格** standard price Ⓒ **基準為替相場** (円対ドルなどの) basic exchange rate Ⓒ, basic rate of exchange Ⓒ **基準看護** the standard level of nursing **基準周波数** reference frequency Ⓒ **基準地価** standard land price Ⓒ **基準賃金** standard wages ★複数形で. **基準点[線]** datum [base] ˹point [line] Ⓒ **基準内賃金** (基本給) base wages ★通例複数形で. 《☞ ちんぎん》.

コロケーション

基準に達する reach a *standard* / 基準を上げる[下げる] raise [lower] the *standard* / 基準を採用する adopt a *standard* / 基準を下回る fall short of a *standard* / 基準を導入する introduce a *standard* / 基準を満たす meet [satisfy] a *standard* // 客観的基準 an objective *standard* / 厳密な基準 a ˹strict [stringent] *standard* [*criterion*] / 国際基準 international *standards* / 最低基準 minimum *standards* / 製品基準 product *standards* / 法的基準 legal *standards* / 明確な基準 a clear-cut *criterion* / 要求基準 required *standards*

きじゅん[2] 帰順 ―名 (服従) submission Ⓤ; (忠誠) allegiance Ⓤ. ―動 (服従する) surrender ⓐ; (離反者が) return to *one's* former allegiance. ¶反乱軍は国家への*帰順を誓約した The rebel forces renewed their *allegiance* to the state.

きしょ[1] 奇書 unusual book Ⓒ.

きしょ[2] 希書, 稀書 rare book Ⓒ.

きじょ 鬼女 (民話の) ogress Ⓒ; (残忍な女) cruel woman Ⓒ; (悪魔のような女) she-devil Ⓒ.

ぎしょ 偽書 (偽作, 偽造文章) forged piece of writing Ⓒ; (偽の文書) forgery Ⓒ; (偽筆) forged handwriting Ⓤ.

きしょう[1] 気性 (生まれながらの性質) temperament Ⓒ, nature Ⓤ; (性向) dispositíon Ⓒ ★以上3語はほぼ同じ意味で, 交換して用いられるが, 最後の語はやや格式ばった語; (怒りっぽい気性) temper Ⓒ; (精神) spirit Ⓤ. 《☞ たち[1]; せいしつ[1] (類義語); しょうぶん》. ¶疑い深い*気性 a suspicious ˹*temperament* [*nature*; *disposition*] // 穏やかな*気性 a ˹placid [peaceful] ˹*temperament* [*nature*; *disposition*] // かっとなりやすい*気性 an explosive ˹*temperament* [*nature*; *disposition*] // 気まぐれな*気性 (a) ˹changeable [capricious] ˹*temperament* [*nature*; *disposition*] // 弟の*気性はよくわかっている I know my brother's ˹*disposition* [*nature*; *temperament*] well. // 彼は怒りっぽい*気性だ He has a ˹hot [fiery] *temper*. ★[ ] 内のほうが激しい. // *気性の激しい人 a person with a violent *temper* // 彼女は負けず嫌いの*気性だ She has an unyielding ˹*spirit* [*nature*].

きしょう[2] 気象 (天候) weather Ⓤ ★普通は無冠詞だが, 特定の地方の気象には the を付ける. 《☞ てんき[1]》. ¶*気象の観測 observations on *weather conditions* // 異常*気象 unusual [abnormal] *weather* // *気象の変化に注意しなさい Be careful with any change in the *weather*.
気象医学 meteorotropic /mìːtiərəʊtrὰpɪk/ médicine Ⓤ **気象衛星** meteorological /mìːtiərəlὰdʒɪkəl/ [wéather] sátellite Ⓒ **気象学** meteorology /mìːtiərάlədʒi/ Ⓤ **気象学者** mèteorólogist Ⓒ **気象観測** weather [meteorological] observation Ⓒ **気象観測機[船, ロケット]** weather ˹plane [ship; rocket] Ⓒ **(日本)気象協会** the (Japan) Weather Association **気象警報** weather warning Ⓒ **気象情報** weather information Ⓤ **気象図** weather ˹map [chart] Ⓒ **気象台** weather station Ⓒ, meteorological ˹obsérvatòry [station] Ⓒ ★後者が正式名称. 前者は日常的な一般語. **気象大学校** the Meteorological College **気象注意報** weather advisory Ⓒ **気象庁(長官)** (the Director General of) the Meteorological Agency **気象通報** weather report Ⓒ **気象予報士** (certified) weather forecaster Ⓒ; (一般的には) wéatherman [weather woman] Ⓒ **気象レーダー** weather radar Ⓤ.

きしょう[3] 起床 ―動 (床から起きる) gèt úp ⓐ, 《格式》 rise ⓐ. 《☞ おきる》.

きしょう[4] 記章, 徽章 (バッジ) badge Ⓒ; (メダル) medal Ⓒ. 《☞ メダル 日英比較; バッジ》.

きしょう[5] 起請 ―名 (誓約) 《格式》 pledge Ⓒ. ―動 (誓いをたてる) vow ⓗ; (公に…すると約束する) pledge ⓗ. **起請文** written vows ★複数形で.

きしょう[6] 奇勝 (景色の美しさ) scenic beauty Ⓤ; (景勝地) beauty spot Ⓒ. 《☞ けいしょう[4]》.

きしょう[7] 毀傷 ―名 (身体や心の損傷) injury Ⓤ; (価値や機能に対する損害) damage Ⓤ. ―動 injure ⓗ; damage ⓗ. 《☞ きず; そんしょう[1]; そんがい》.

きじょう[1] 机上 ―形 (卓上用の) desk Ⓐ.
机上の空論 armchair theory Ⓒ.
机上版 (辞書) desk dictionary Ⓒ.

きじょう[2] 気丈 ―形 (しっかりした) firm, strong. ¶*気丈な女性 a woman of ˹*firm* [*strong*] character

きじょう[3] 機上 (機上で) on board a plane.
¶*機上の人となる *board* [*get on*] *an airplane*

ぎしょう[1] 偽証 〖法〗(偽証行為) perjury Ⓤ; (偽りの証言) false witness Ⓤ, fálse ˹téstimòny [évidence] Ⓤ **語法** (1) testimony は法律用語. evidence は事実関係の証拠. **偽証罪** perjury Ⓤ ¶彼は*偽証し, *偽証罪に問われた He gave *false* ˹*evidence* [*testimony*] and was ˹accused of [charged with] *perjury*. **語法** (2) charged with のほうが正式に告訴されたというニュアンスが強い. // *偽証罪を犯す commit *perjury*

ぎしょう[2] 偽称 ―名 (詐称) misrepresentation Ⓤ. ―動 (名前[地位]を偽る) misrepresent ˹*oneself* [*one's* position].

ぎじょう 議場 (集会用ホール) assembly hall Ⓒ;

(会議所) chamber Ⓒ; (議員席) the floor. 《☞ ぎかい; ぎじどう》.

きしょうかち 希少価値 scarcity /skéəsəti/ [rarity /ré(ə)rəti/] value Ⓤ. 語法 通例物について用い, 前者は不足しているため価値があり, 後者は珍しいので価値があること. ¶この骨董品の椅子はたいへんな*希少価値がある This antique chair has great ˹*scarcity* [*rarity*] *value*.

きしょうさん 希硝酸 〘化〙 dilute nitric acid Ⓤ.

きしょうてんけつ 起承転結 (文章の論理的な構成) logical structure Ⓤ; (物事の適切な順序) proper order Ⓤ.

ぎじょうへい 儀仗兵 guard of honor Ⓒ, honor guard Ⓒ.

きじょうゆ 生醤油 (生(なま)の) raw soy sauce Ⓤ; (水で割っていない) undiluted soy sauce; (混ぜもののない) pure soy sauce Ⓤ.

きしょく[1] 気色 ¶あいつに会うと*気色が悪くなる (⇒胸がむかつく) I *feel* ˹*sick* [*disgusted*] when I see him. 語法 disgusted のほうが意味が強い.

きしょく[2] 喜色 ¶彼は*喜色満面だった He *was all smiles*. / He [His face] *was beaming*.

きしょく[3] 寄食 ¶友人の家に*寄食する *live off one's* friend(s) 《☞ いそうろう》.

きしょく[4] 旗色 (個人の立場) *one's* ˹attitude [position]; (政党の綱領) platform Ⓒ ★通例単数形で. ¶党の*旗色を鮮明にする make the party's *position* manifestly clear 《☞ きし[4]》.

きじらみ 木虱 〘昆〙 jumping plant louse Ⓒ; (昆虫学用語) psyllid /sílɪd/ Ⓒ.

きしる 軋る (戸などが) creak (自); (きいきい音を立てる) squeak (自); (耳障りに響く) grate (自); (不快なきしむ音, がたがたいう音を立てる) jar (自). 《☞ ぎしぎし; ぎいぎい; きしむ》.

きしん[1] 帰心 homesickness Ⓤ. ¶*帰心にかられる be [feel] homesick **帰心矢の如し** ¶私は*帰心矢のごとしだ I'*m* ˹*really homesick* [*longing for home*].

きしん[2] 寄進 ── 名 (宗教・慈善事業などへの寄付) donation Ⓤ. ── 動 dónate (他)(自) ★アクセントは donáte もある. 《☞ きふ[1]》. ¶寺の本堂建設のため*寄進をする *donate to* the fund to build the main building of the temple
寄進者 dónor Ⓒ.

きじん 奇人 eccentric (person) Ⓒ.

ぎしんあんき 疑心暗鬼 ¶我々は*疑心暗鬼だった (⇒我々は嫌疑の念 [疑い; 将来に対する気がかり] と不安でいっぱいだった) We *were full of* ˹*suspicion* [*doubt*; *apprehension*] *and fear*.

ぎじんか 擬人化 〘文法〙 persònificátion Ⓤ 《☞ 擬人化(巻末)》.

きしんしゃ 起震車 earthquake simulation truck Ⓒ.

ぎじんほう 擬人法 〘文法・修辞〙 personification Ⓤ 《☞ 擬人化 (巻末)》.

ぎじんめい 擬人名 personification Ⓒ; (擬人化) personification Ⓤ. ¶アンクルサムは米国の*擬人名である Uncle Sam is a *personification* of the U.S.

きす[1] 鱚 〘魚〙 (キス科の魚) sillaginoid /sɪlǽdʒənɔ̀ɪd/ Ⓒ.

きす[2] 帰す ☞ きする[2]

キス ── 名 kiss Ⓒ. ── 動 (キスする) kiss (他). ¶彼は彼女に(別れの)*キスをした He *kissed* her (good(-)bye). // おばあさんは孫のほおに*キスした The old woman *kissed* her grandchild on the cheek. // …に投げ*キスをする throw *a person* a *kiss* **キスマーク** (キスでできる充血) hickey Ⓒ, love bite Ⓒ; (口紅のあと) lipstick Ⓤ. ¶シャツに*キスマークがついている have *lipstick* on *one's* shirt

きず 傷, 疵 **1** 《負傷》 ── 名 (凶器による) wound Ⓒ; (事故による) ínjury Ⓒ, hurt Ⓒ ★しばしば複数形で; cut Ⓒ; slash Ⓒ; gash Ⓒ; bruise /brúːz/ Ⓒ; scratch Ⓒ; scrape Ⓒ; (傷跡) scar Ⓒ; trauma Ⓒ. ── 動 (武器・刃物などで傷つける) wound (他); (けがをさせる) ínjure (他). 日英比較 日本語と異なり, 鉄砲の弾や鋭い刃物など武器に類するもので意識的に加えられた傷は wound, 事故などの偶然により受ける傷・けがは injury, とはっきり区別する. ただし, いずれか不明のとき, あるいは傷の総称として injury を使うことがある. 《☞ けが 日英比較》.

【類義語】 *injury* のくだけた語が *hurt* で, いずれも以下の語の代わりにも使える. 皮膚に受ける切り傷は *cut*. ナイフなどですーっと長く切ってできる傷は *slash*. 特に深く長い傷は *gash* という. 打撲傷は *bruise*. 先のとがったもので引っかいてできる傷は *scratch*. こすってできるすり傷は *scrape*. 傷跡という意味の語が *scar*. 外傷という意味で使う専門用語は *trauma*. この語は心の傷という意味でも使われる. 《☞ けが; ふしょう[1]; きずつける》 ¶戦争の時の*傷がまだ痛むことがある My war *wounds* still hurt me sometimes. // *傷がうずいて一晩中寝られなかった My *wound* kept me awake all night. // 彼は額に切り*傷がある He has a *cut* on his forehead. // 看護師が*傷の手当てをしてくれた The nurse took care of my ˹*injury* [*wound*]. // 右足にひどい*傷を負った I suffered a bad *injury* to my right leg. // 転んだとき彼は足に*傷ができた When he fell, he *gashed* his leg. // 彼女は全身*傷だらけだった She *was wounded* all over. / (⇒青あざだらけだった) She was *black and blue* all over. 語法 (1) black and blue はこの順序で 形 P として決まった表現. // 体の*傷は早く治るが心の*傷はなかなか治らない Bodily *injury* soon heals, but emotional *injury* takes (much) longer. 語法 (2) injury は「損傷」という意味では Ⓤ.

2 《品物のきず》 ── 名 (製品についているきず) flaw Ⓒ; (陶器などのひび) crack Ⓒ; (果物の) bruise Ⓒ. ── 動 (きずをつける) flaw (他); (ひびを入らせる) crack (他); (果物がいたむ) bruise (自). 《☞ いたみ; ひび[1]; われめ》. ¶この茶わんには*きずがある There is a ˹*flaw* [*crack*] in this cup. // 彼は気が短いのが玉に*きずだ (⇒彼の唯一の欠点は気が短いことだ) The only *bad thing* about him is his hot temper. 《☞ たま[1]》 // 桃はすぐに*きずがつく Peaches *bruise* easily.

コロケーション
傷に包帯をする bandage [bind (up)] ˹a *wound* [an *injury*] / 傷の手当てをする treat [dress] ˹a *wound* [an *injury*] / 傷を負わせる give [inflict] ˹a *wound* [an *injury*] / 傷を検査する examine ˹a *wound* [an *injury*] / 傷を消毒する disinfect [sterilize] ˹a *wound* [an *injury*] / 傷を洗浄する clean up [cleanse] ˹a *wound* [an *injury*] / 傷を治す heal ˹a *wound* [an *injury*] / 傷を縫う sew up [stitch] ˹a *wound* [an *injury*] / 傷を残す leave ˹a *wound* [an *injury*] // 浅い傷 a superficial ˹*wound* [*injury*] / (ぱっくり)口の開いた傷 an open [a gaping] *wound* / 心の傷 a severe emotional shock; a (psychological) *trauma* / 銃弾による傷 a ˹bullet [gunshot] *wound* / ナイフの傷 a knife *wound* / 深い傷 a deep *wound*

きずあと 傷跡 scar Ⓒ 《☞ きず》. ¶*傷跡を残す leave a *scar* // 消えない*傷跡 a permanent *scar* // 顔の深い*傷跡 a deep *scar* on the face // 皮膚の*傷跡 a *scar* in the skin // …の*傷跡がある bear [carry; wear] a *scar* of … // 戦争の*傷跡 the *scars* of war

きすいこ 汽水湖 bràckish wáter làke Ⓒ.

きずいせん 黄水仙 〘植〙 jonquil /ʤáŋkwəl/ Ⓒ; (ラッパずいせん) daffodil Ⓒ.

きすう[1] 奇数 odd [uneven] number Ⓒ (↔ even number) 《☞ 数字 (囲み)》. ¶ *奇数日 *odd-numbered* days

きすう[2] 基数 cardinal (ʳnumber [numeral]) Ⓒ (↔ ordinal number) 《☞ 数字 (囲み)》. **基数詞** cardinal numeral Ⓒ (↔ ordinal numeral).

きすう[3] 帰趨 (行きつく所・結果) outcome Ⓒ ★ 通例単数形で. 《☞ きけつ[1]; けっか》. ¶ 勝敗の*帰趨 the *outcome* of the ʳfight [battle]

きすうほう 記数法 〘数〙 (the scale of) notation Ⓤ.

きずきあげる 築き上げる búild úp ⑩. ¶ 財産を*築き上げる *build up* a large fortune

ぎすぎす ¶ けんかのあと 2 人の間は*ぎすぎすしていた (⇒ お互いに冷たかった) After the quarrel they ʳ*treated* each other *coldly* [*behaved coldly* to each other]. // *ぎすぎすした (⇒ 冷たくて人情のない) 世の中がいやになった I am disgusted by this *cold and heartless* world. 《☞ 擬声・擬態語 (囲み)》

きずく 築く (建てる) build ⑩ ★ 最も一般的; (規模の大きいものを計画的に) construct ⑩, erect ⑩ ★ 以上 2 語は build より格式ばった語; (名声などを) establish ⑩. 《☞ たてる[1] (類義語)》. ¶ 城を*築く *build* [*construct*; *erect*] a castle // 財産を*築く *make* a fortune

きずぐすり 傷薬 ointment Ⓤ 《☞ くすり》.

きずぐち 傷口 wound /wúːnd/ Ⓒ. ¶ *傷口がふさがった The *wound* has healed (over).

きずつく 傷つく be [get] ʳinjured [wounded; hurt] 〔語法〕 injured, hurt は事故で. wounded は武器などで故意に. be [get] hurt は be [get] injured よりくだけた言い方. また, 感情が傷つけられるという意味では hurt が最も一般的. 《☞ きず 〔日英比較〕 (類義語)》. ¶ 彼女の心は彼らの非難で*傷ついた She *was* ʳ*hurt* [*wounded; stung*] by their criticism. ★ sting は「刺すように傷つける」. // 彼女は*傷つきやすい年頃だ She is at a ʳ*vulnerable* [*sensitive*] age. ★ [ ] 内のほうがより口語的.

きずつける 傷つける (鉄砲・刃物など武器に類するもので傷つける) wound ⑩; (事故などで人・動物などを負傷させる) injure ⑩ ★ 名誉・健康などを傷つけるという意味でも用いる; hurt ⑩ (過去・過分 hurt) 〔語法〕 injure よりくだけた語. 「気持ちを傷つける」 (hurt *a person's* feelings) という場合は最も一般的; (ひっかき傷をつける) scratch ⑩; (だめにする) dámage ⑩; (台なしにする) spoil ⑩. 《☞ きず (類義語); けが; いためる[1]》.
¶ 彼の言葉は私の自尊心を*傷つけた His words ʳ*hurt* [*injured*] my pride. // 滑らかな表面を*傷つけないよう注意しなさい Be careful not to ʳ*scratch* [*damage*] the smooth surface. // 彼は家の名誉を*傷つけた (⇒ 辱めた) He *disgraced* his family.

きずな 絆 (強い結びつき) bond Ⓒ ★ しばしば複数形で; (つながり) ties ★ 複数形で.
¶ 愛情の*きずなはたやすく断つことができない You can't easily sever emotional ʳ*bonds* [*ties*].

きずもの 傷物, 疵物 (きず・割れ目・欠陥のある物) damaged [flawed; defective] article Ⓒ; (不良品) reject Ⓒ. 《☞ きず》.

キスリング[1] (登山用リュックサック) traditional canvas rucksack Ⓒ ★ 説明的な訳. 「キスリング」は考案したスイス人の名より. 英米では同型のものは現在使われていない.

キスリング[2] ― 名 固 Moïse Kisling /mouíːz kísliŋ/, 1891–1953. ★ ポーランド生まれのフランスの画家.

きする[1] 期する **1** «前もって決心する・予期する»: (決心している) be ʳdetermined [resolved] (to *do* …) ★ [ ] 内のほうが最後までやり抜くというニュアンスが強い. ¶ レースでの必勝を*期している (⇒ 勝つことを決意している) I *am* ʳ*determined* [*resolved*] *to* win the race. // *期せずして (⇒思いがけなく) unexpectedly / (⇒偶然に) by chance / accidentally 《☞ ぐうぜん》
2 «定めた日時から» ¶ 今夕 8 時を*期して (⇒ 今夜 8 時に) 行動を開始する We'll go into action *at* 8 o'clock this evening.

きする[2] 帰する (行き着く) come to …; (到着する) arrive at …; (…という結果になる) result [end] in … ; (…のせいにする) attríbute … (to …). 《☞ おわる; せい[2]》. ¶ 我々の努力は水泡に*帰した (⇒ 失敗に終わった) Our efforts ʳ*ended* [*resulted*] *in* failure.

きする[3] 記する (記録する) recórd ⑩; (書き留める) write dówn ⑩; (記述する) describe ⑩. 《☞ かく[1]; しるす》.

ぎする[1] 擬する (似せる) imitate ⑩; (見立てる) liken ⑩. ¶ 山水(さんすい)を*擬した庭園 a garden designed to *imitate* a natural landscape // 自己を天才に*擬する *liken oneself* to a genius // 彼はあの暴露本の著者に*擬せられた He *was mentioned as* the author of that scandalous book.

ぎする[2] 議する (議論する) discuss ⑩; talk over ⑩; (相談する) confer (with …) ⓐ ★ やや格式ばった語.

きせい[1] 既成 ― 形 (現存する) existing; (確立した) established Ⓐ; (完成した) completed.
¶ *既成の政党 the ʳ*existing* [*established*] political parties // *既成事実 an *established* fact / a *fait accompli* 〔参考〕 fait accompli /féɪtəkɑmplíː/ (複 faits accomplis /féɪtəkɑmplíː(z)/) は法律用語. フランス語より来ている. // 君は*既成概念 (⇒ 出来合いの考え) にとらわれすぎている You ʳstick [adhere] too much to ʳ*ready-made* ideas [(⇒ 型にはまったもの) (your) *stereotypes*].

きせい[2] 既製 ― 形 ready-made (↔ made-to-order) ★ 一般的; (洋服について) ready-to-wear Ⓐ. **既製品** ready-made article Ⓒ **既製服** ready-made [《米》 off-the-rack; 《英》 off-the-peg] clothes.

きせい[3] 気勢 **気勢があがる** ¶ 成功の知らせを聞いて大いに*気勢があがった (⇒ 成功のニュースが我々を元気づけた) The news of success *put* us *in high spirits*. / (⇒ 意気が上がった) Our *spirits* ʳ*lifted* [*rose*] at the news of our success.
気勢をそぐ ¶ 彼女の話で私たちは*気勢をそがれた (⇒ がっかりさせられた) We *were* ʳ*discouraged* [*disheartened*] by what she said. 《☞ いき[4]》

きせい[4] 帰省 ― 動 go [come; return] home 〔語法〕 return を使うほうがやや格式ばった言い方. go と come の区別は前後関係による. 《☞ かえる[1] (類義語)》. ― 名 (帰郷) coming [going] home Ⓤ, hómecòming Ⓤ ★「帰国」の意味もある.
¶ 今年の夏は*帰省しますか *Are* you ʳ*going* [*coming*] *home* this summer? // 彼は休暇で*帰省中だ He *is* (*back*) *home* for the holidays. // 列車は*帰省する学生で混んでいた The train was crowded with students *going home*.

きせい[5] 規制 ― 動 (規則に従って取り締まる) régulàte ⑩; (制限する) restrict ⑩; (権限によって取り締まる) control ⑩; (行為を抑える) restrain ⑩. ― 名 regulation Ⓤ; control Ⓤ. 《☞ とりしまり》. ¶ このあたりは交通*規制が (⇒ 交通規制することが) 必要だ We need to ʳ*control* [*regulate*] traffic here. / Traffic *control* is needed here. // 日本は輸出を自主*規制すべきである Japan should

⌈*restrict* [*control*] exports voluntarily.
規制改革 regulatory reform Ⓤ, reform of the regulations Ⓤ **規制改革特区** special deregulatory zone Ⓒ **規制緩和** (輸入・外国企業の国内進出などについて) deregulation Ⓤ **規制銘柄** 〘株〙 regulated brand Ⓒ, brand under Ⓒ.

きせい⁶ 寄生 ── [動] be ⌈parasitic /pæ̀rəsítɪk/ [a parasite /pǽrəsàɪt/] on .... ── [形] parasitic. ── [名] (寄生体) parasite Ⓒ; (寄生生活) párasitism Ⓤ. ¶ サナダムシは動物に*寄生する Tapeworms *are parasites* which live on certain animals. **寄生火山** párasite còne Ⓒ **寄生根** 〘生〙 parasitic root Ⓒ **寄生植物[動物]** parasitic ⌈plant [animal] Ⓒ **寄生虫** parasite Ⓒ **寄生虫学** pàrasitólogy Ⓤ.

きせい⁷ 奇声 strange [odd; peculiar] voice Ⓒ. ¶ *奇声を発する give [raise] a ⌈*strange* [*odd; peculiar*] *voice*

きせい⁸ 棋聖 go [*shogi*] master Ⓒ.

きせい⁹ 期成 (…を履行しようとする決意) resolution to ⌈achieve [carry out] … Ⓒ. ¶ 男女同権促進*期成同盟 association for the promotion and *achievement* of equal rights of the sexes

ぎせい 犠牲 ── [名] (目的達成のために失われる命や大切なもの) sácrifice Ⓒ; (災害などの) victim Ⓒ. ── [動] (犠牲にする) sacrifice (他); victimize (他). 《☞ だいしょう¹; いけにえ》.
¶ 多くの若い生命が戦争の*犠牲となった Many young lives *were sacrificed* in the war. // 多くの人がその伝染病の*犠牲となった Many people *fell victim to* the epidemic. [語法] fall victim to … は「…の犠牲になる」の意の成句. 第 1 文は美化し, 第 2 文は被害を受けた意味が強い. // 飛行機墜落事故の*犠牲者 *victims* of a plane crash // 彼は健康を*犠牲にして仕事をやり遂げた He completed the work *at the sacrifice of* his health. // どんな*犠牲を(⇒ 代価を)払ってもこれだけは仕上げる I will finish this *at* ⌈*any cost* [*all costs; any price*]. // 彼は*犠牲的精神に富んでいる He is *self-sacrificing*.
犠牲バント[フライ] 〘野〙 sacrifice ⌈bunt [fly] Ⓒ.

ぎせいご 擬声語 onomatopoeia /ɑ̀nəmæ̀təpíːə/ Ⓒ, ònomàtopóe(t)ic word Ⓒ, echóic word Ⓒ. 《☞ 擬声・擬態語 (囲み)》.

ぎせいどうふ 擬製豆腐 tofu mélange Ⓤ ★ é のアクセント記号はつづり本来のもの; (説明的には) a maigre dish made of tofu mixed with scrambled egg(s), chopped mushrooms, carrots, etc. 《☞ とうふ》.

きせかえにんぎょう 着せ替え人形 dress-up doll Ⓒ; (バービー人形) 《商標》 Barbie (Doll) Ⓒ ★ アメリカの代表的な人形.

きせき¹ 奇跡, 奇蹟 ── [名] (科学的には説明のつかない不思議な現象) miracle Ⓒ. ── [形] (奇跡的な) miráculous. ¶ 私たちが無事に帰れたのは*奇跡だ It was a *miracle* that we got back safely. // 彼は*奇跡的に助かった (⇒ 奇跡によって) He escaped death only by a *miracle*. // キリストは多くの*奇跡を行ったと信じられている Christ is believed to have ⌈worked [performed] many *miracles*. // 彼らに*奇跡が起こった *A miracle* happened to them. **奇跡劇** miracle play Ⓒ.

きせき² 軌跡 〘幾〙 locus Ⓒ 《複 loci /lóusaɪ, -kaɪ/》. ¶ この点の運動の*軌跡を求めなさい Derive the *locus* of the movement of this point.

きせき³ 鬼籍 ¶ *鬼籍に入る (⇒ 死ぬ) pass away

ぎせき 議席 (議員としての席) seat (in the ⌈House [Diet]) Ⓒ; (議事堂の議員席) the floor ★ the を付けて. ¶ その新党は選挙で 10 *議席を得た The new party won ten *seats* in the election. // 彼は*議席を失った[得た] He ⌈lost his [won a; got a] *seat*.

きせきれい 黄鶺鴒 〘鳥〙 gray wagtail Ⓒ.

きせずして 期せずして ── [副] unexpectedly; (偶然に) by ⌈chance [accident]. 《☞ きする¹》. ¶ 我々は*期せずして意見の一致をみた We reached an agreement *unexpectedly*.

きせつ¹ 季節 (四季の 1 つ, または何かの盛りの時期) season Ⓒ; (1 年のうちのある時期) time (of the year) Ⓤ. 《☞ シーズン; じき¹》.
¶「あなたは 1 年のうちでどの*季節が一番好きですか」「春です」"Which [What] *season* do you like best?" "I like (the) spring best." // 桜の*季節となった It's the cherry blossom *season*. / The cherry blossom *season* ⌈has come [is here]. // 毎年この*季節には長雨が降る We have a long rainy spell at this *time* ⌈*of the year* [*every year*]. // 昨夜*季節はずれの雪が降った We had an *unseasonable* snowfall last night. // 私は*季節の変わり目に風邪を引きやすい I'm liable to catch cold at the change of *seasons*.
季節遅れ ¶ *季節遅れの魚 a fish caught *late in the season* **季節回遊** seasonal migration Ⓤ **季節型** (生物の) seasonal form Ⓒ **季節型労働** seasonal ⌈work [labor] Ⓤ **季節感** sense of the season(s) Ⓒ **季節商品** seasonal goods ★ 複数形で. **季節病** seasonal disease Ⓒ **季節風** séasonal [périòdic] wínd Ⓒ; (インド洋の) monsóon Ⓒ **季節風気候** (モンスーン気候) monsoon climate Ⓒ **季節予報** seasonal weather forecast Ⓒ **季節料理** seasonal dishes ★ 複数形で. **季節労働者** seasonal ⌈worker [laborer] Ⓒ.

きせつ² 既設 ── [形] (既存の) existing; (現在の) current, present. ¶ *既設の施設を使用することにした We decided to use ⌈*existing* [*current; present*] facilities.

きぜつ 気絶 ── [動] (めまいがして一時的に気を失う) faint (自); (意識を失う) lose consciousness; 《文》 fall ⌈senseless [unconscious]. ── [名] (気絶する行為) faint Ⓒ ★ 通例 a を付けて; (気絶すること) fainting Ⓤ. 《☞ しっしん¹; そっとう》. ¶ 彼はその場で*気絶した He *fainted* on the spot.

ぎぜつ 義絶 ── [名] (親子・兄弟姉妹の縁を切ること) disownment Ⓤ. ── [動] disown (他).

キセノン 〘化〙 xenon /zíːnɑn/ Ⓤ 《元素記号 Xe》.

きせる 着せる (衣服を) dress (他); 《古風》 clothe (他); (罪などを負わせる) lay [put] the blame on .... 《☞ きる²》. ¶ 彼女は子供に晴れ着を*着せた She *dressed* her child in ⌈his [her] best clothes. // 彼女は娘を手伝って着物を*着せてやった <S (人)+V (*help*)+O (人)+*on*+*with*+名 (衣服)> She *helped* her daughter *on with* her kimono. / She *helped* her daughter *to put on* her kimono. // この服を娘に*着せたい (⇒ 娘のために手に入れたい) I want to *get* this dress *for* my daughter. // 彼は友人に罪を*着せようとした He tried to ⌈*lay* [*put*] *the blame on* his friend.

キセル 煙管 (tobacco) pipe Ⓒ. **キセル乗車** ── [動] steal a ride (on a train) without paying for the middle part of the trip ★ 説明的な訳; (運賃をごまかす) cheat on the fare.

きぜわしい 気ぜわしい (落ち着かない) restless; (どたばたと忙しい) bustling; (つまらないことを騒ぎ立てる) fussy. 《☞ いそがしい》.

きせん¹ 汽船 (帆船に対して汽船一般) steamer Ⓒ; (観光用の) cruise ship Ⓒ; (大洋航路の客船) (ocean) liner Ⓒ ★ 単に ship ということもある. 《☞ きゃくせん; ふね》.

きせん² 機先 **機先を制する** ¶ 彼らの*機先を制することが必要だ (⇒ 彼らを出し抜くことが必要だ) We

擬声・擬態語

1 擬声・擬態語とは何か

人の発声や鳥・けものなどの鳴き声や物音などを，例えば「コケコッコー」「ガチャン」などのようにまねて表した語を擬声語（または擬音語）といい，実際に音は出ないが，動作や状態を，例えば「はらはら」「たじたじ」などのように象徴的に表したものを擬態語（または擬容語）という．しかし，なかには両方を兼ねていたり，あるいはどちらに属するか決めがたいものもあるので，以上の区別は厳密なものではない．

擬声語は，例えば日本語の「コケコッコー」に対する英語が cock-a-doodle-doo /kákədù:dldú:/ であるというように，たとえ物理的には同じ音を表すものでも日本語と英語の間にはかなりの食い違いがあるのが普通である．これはそれぞれの言語の発音の仕方に合わせて擬声語が作られるからである．

擬態語は日本語にはたいへんたくさんある．「のこのこ」「はらはら」「ひりひり」など思いつくままあげてもかなりの数をあげることができるが，国語辞典を開いて当たってみるとその数が非常に多いことに驚く．それに対して，英語にも「ジグザグ」zigzag，「てんやわんや」hurly-burly などの擬態語があるが，日本語に比べるとはるかに少ない．

2 なぜ日本語には擬声・擬態語が多いか

英語は他のヨーロッパの言語と比べると擬声・擬態語が多いと言われる言葉であるが，それでもなぜ日本語との間に大きな差があるのだろうか．英語では，その構造上，擬声・擬態語を名詞や動詞として文中に入れる傾向がある．もちろん，後で述べるようにくだけた会話や子供の言葉，あるいは漫画などではそうでないことも多いが，英語全体の傾向としてそういうことが言える．

ところが，文中に入れられたそのような動詞や名詞は時制・格・数などの語形変化をするという事情もあって，長い間には母音が変わったり，子音が付け加わったりして次第にその擬音的性格を失ってしまうことが多い．例えば，crack（動 名 割れる（音）），crash（動 名 衝突（する）），dash（動 名 突進（する）），flash（動 名 ぱっと光る（光）），scratch（動 名 ひっかく（こと），ひっかき傷），scream（動 名 金切り声（を上げる））などは元来擬声語または擬態語であるが，現在は普通の動詞や名詞としての性格が強い．また，文中で文法上重要な働きをする動詞や名詞として用いるとなると，自由に擬声・擬態語を挿入したり，あるいは新しく作ったりすることがかなり難しくなる．

それに対して，日本語ではどうであろうか．日本語の擬声・擬態語は，「ふと」「ぱっと」「ぽんと」「ごうごうと」「のほほんと」などのように多くは「と」という助詞を付けるだけで（★ なかには「どんどん」「ちらほら」のように「と」がなくてもよいもの，「かんかんに」のように「に」が付くものもあるが），文中の動詞の前に自由に挿入できる．また擬態語のなかには「それはあべこべだ」，「ぼくはふらふらだ[している]」のように「…は…だ［している］」という文の述部の部分に自由に入れられるものが多い（★ ただし，擬声語の場合にはこれが不可能なものが多い．例えば「雨がざあざあだ」とか「音がごうごうだ」とは言えない）．

このように日本語では擬声・擬態語が，「と」などの助詞を付けるだけで，その擬音的性格を失うこともなく自由に文中に挿入できることが，日本語に擬声・擬態語が非常に多い第 1 の理由である．

さらに第 2 の理由として，「どんどん」とか「はらはら」のような音の反復を日本語が好むということがあげられる．英語では weewee（おしっこ）とか，choo choo（汽車の音）とかいう同じ音の反復は幼児語の特徴と考えられているが，日本語では必ずしもそうではない．

もちろん日本語の幼児語でも「わんわん」「にゃんにゃん」「ぽんぽん（腹）」などのような反復が多いのは確かであるが，成人語の場合にはそれが磨かれ洗練されて，ある場合には口語的なくだけた感じを，またある場合には文学的な強調や味わいを表すのに用いられる．これは必ずしも擬声・擬態語だけではなく，日本語全般に見られる傾向で，「少々」「たかだか」「やまやま」「ひろびろ」「子供子供している」「立場立場で違う」などの表現を考えてみてもわかることで，日本語は同じ音の反復による豊かな造語力を備えているといってよい．

3 英語の擬声・擬態語の種類

(1) 擬音的・描写的な性格が強いもの

動物の鳴き声とか物音などをできるだけ忠実に模倣しようとして用いられるもので，英語ではこれらは主として子供の言葉や非常にくだけた会話，または漫画などで用いられることが多く，やや改まった表現や書き言葉では後に述べるような別の動詞や名詞を用いるのが普通である．

この種の擬声・擬態語は文中で動詞や名詞として用いられることは少なく，単独あるいは文と遊離した形で使われたり，または副詞的に用いられたりすることが多い．次にその音声の構造別に例をあげてみよう．《☞ 動物の鳴き声（囲み）》

（i）音をそのまま反復するもの：この種のものは幼児語的と考えられており，幼児向けの話や漫画などに多く用いられる．

くわっくわっ（がちょうの鳴き声）quack quack **ごくごく**（飲む音）gluck gluck; glug glug ★ 酒などを大きな瓶から注ぐ音にもなる．**こっこっ**（めんどりの鳴き声）buck buck; cluck cluck **しゅっしゅっ**（汽車の音）choo choo **ちー**（おしっこ）weewee **ばんばん**（打ったりたたいたりする音）wham wham **ぴよぴよ**（ひよこの鳴き声）peep peep **ぶうぶう**（豚の鳴き声）oink oink **ぶーぶー**（自動車のクラクションの音）honk honk **ぶくぶく**（水の泡立つ音）bubble bubble **ほーほー**（ふくろうの鳴き声）hoo hoo **ぽーぽー**（はとの鳴き声）coo coo **わんわん**（犬の鳴き声）arf arf ★ bowwow もあるが，漫画などではこのほうが多い．

（ii）母音を変えて反復するもの：

がーんがーん（教会などの鐘の音）dingdong **かちかち**（時計の音）ticktack **こちっこちっ**（大きな時計の振り子の音）hickory, dickory, dock ★ マザーグースの歌にある．**ジグザグ** zigzag **ぱちゃぱちゃ**（雨の音）pitter-patter **ひひーん**（ろばの鳴き声）hee-haw

（iii）子音を変えて反復するもの：

いんちき（手品やごまかしなど）hanky-panky **奇術**（まじないの言葉）hocus-pocus **ちりんちりん**（小さな鐘の音）ting-a-ling **てんやわんや** hurly-burly **むしゃむしゃ［ぽりぽり］**（食べる音）munch crunch **わーん**（人の泣き声）boohoo

（iv）音を連続して用いるもの：

うー（犬のうなり声）grrrr ★ growl（うなる）からきている．この r はいくつ連続させてもよく，数は決まっていない．以下も同様．**きゃーっ**（叫び声）eeek **ぐーぐー**（いびきの音）zzzz **しゅー**（蒸気の音・へびが怒るときの音）hissss

（v）反復なしで用いることが多いもの（★ ただし

反復される場合もある):

ごつん [**がつん**] (重い物がぶつかる音) thump **さっ** (速い動き) swish **どかーん** (爆発の音) boom ★ これは「どんどん」という太鼓の音にも用いる. **どさっ** [**どすん**] (重いものが落ちる音) thud **ばーん** [**ばたん**] (ピストルの音・ドアの閉まる音) bang **はくしょん** (くしゃみの音) 《米》a(h)choo, atchoo /ətʃúː/, 《英》atishoo /ətíʃuː/ **びゅーん** (鉄砲の弾などが風を切る音) whiz **ぴゅー** (矢の音) zing **ぶーん** (弓の弦など張ったものが鳴る音) twang **ブロロロ…** (レーシングカーの音) vroom **ぽん** (栓の抜ける音) pop

(vi) 普通の動詞や名詞を擬声・擬態語に転用する場合:

普通の動詞や名詞といっても, 元来擬声語や擬態語だったものが多いのだが, この場合は後の (2) で述べる場合と違って, それらの動詞や名詞を文の中に入れずに単独で用いたり, あるいは反復することによって擬音的効果を高めるような用い方をする場合を指す. これらは特に漫画などに多く見られる.

きーっ (ブレーキの音) screech **くるくる** (回るさま) spin spin **ごろごろ** (転がるさま) roll roll **しゃなりしゃなり** (もったいぶって歩く様子) strut strut **ちゅっ** (キスの音) smack **ばたーん** (ドアの閉まる音) slam **びりびり** (引き裂く音) rip

なお英語では慣用的に形の決まった擬声語のない場合も多く, 会話の際などに実際の音に似せて物まね・口まねをすることにより, 擬音効果を出す演技をする習慣があることにも注意する必要がある.

(2) 文中で動詞や名詞として用いられる擬声・擬態語

先に述べたとおり, やや改まった文や書き言葉では, (1) であげたようなものを用いずに, 古くから擬声・擬態語として存在し, すでに半ば擬音的効果を失ったような動詞や名詞を用いたり, あるいはまったく擬声・擬態語は用いずに, ほかの語を使って説明的に表現することが多い.

動詞あるいは名詞として用いられる擬声・擬態語の例を次にあげる.

犬が**うーっ**とうなる growl 《☞ (1) (iv) grrrr》 時計が**かちかち**いう tick 《☞ (1) (ii) ticktack》 **きゃーっ**と叫ぶ scream 《☞ (1) (iv) eek》 (少女が) **くすくす**笑う giggle **どしん**と落ちる plump **とぼとぼ**歩く plod **どん**と打つ thump 《☞ (1) (v) thump》 ドアが**ばたん**と閉まる slam 《☞ (1) (vi) slam; (1) (v) bang》 **ぷつり**と切れる snap ★ この語は「ぽきん」Snap! などとして擬音的に用いることもある. ふくろうが**ほーほー**と鳴く hoot 《☞ (1) (i) hoo hoo》 軽く**ぽん**とはたく [はじく] flip 犬が**わんわん**ほえる bark 《☞ (1) (i) arf; bowwow》

4 日本語と英語の擬声・擬態語の対応の仕方

前述したように英語の擬声・擬態語は日本語と比べるとはるかに少ないので, 日本語の擬声・擬態語を英語に直すときにはどのように言い替えるかについていろいろの工夫がいる. 次にそれについて概略を述べる.

(1) 日本語の擬声・擬態語を英語の擬声・擬態語に訳せる場合

(i) 英語の擬声・擬態語が副詞として用いられる場合:

この場合は日本語と英語がそのまま対応する形となるので, その点では英訳上の困難は少ないが, 英語の語順に注意がいる.

¶ コルクの栓が*ぽんと抜けた *Pop went* the cork.

[語法] 副詞として用いられる擬声・擬態語は動詞の前に置かれることが多い. その場合は語順は上のようになる. なお「鳴る・音がする」という意味の動詞には go を用いる. / The cork *went pop.* ★ このように擬声・擬態語を動詞の後に置くほうが口語的.

*ずどんと銃声がとどろいた *Bang went* the gun.

半鐘が*がんがんと鳴った A fire bell *went clang, clang.*

(ii) 英語では擬声・擬態語が動詞または名詞として表される場合:

この場合は, 例えば日本語が「ちりんちりんと鳴る」とある場合, これ全体で英語の tinkle という1語の動詞に相当するという点をはっきり認識しておく必要がある.

¶ 風鈴がそよ風に吹かれて*ちりんちりんと鳴っていた The wind bell *was tinkling* in the breeze.

彼は*どかっといすに腰をおろした He *plumped* into a chair.

彼はこぶしでテーブルを*どんとたたいた He *thumped* the table with his fist.

老人が通りを*とぼとぼと歩いていった An old ˹man [woman] *plodded* down the street.

その少女は何を見ても*くすくす笑う That girl *giggles* at everything.

時計の*かちかちいう音以外, 何も聞こえなかった There was no sound save the *ticking* of the clock.

ドアを*こんこんとノックする音がした There was a *tap* ˹at [on] the door.

私ははえの*ぶんぶんいう音に悩まされた I was annoyed by the *buzz* of flies.

なお日本語のいろいろな擬声・擬態語が英語の同じ1つの擬声・擬態語を使って訳せる場合がある.

¶ ロープが*ぷつりと切れた The rope *snapped.*

枝が*ぽきん [*ぽきっ] と折れた The branch *snapped.*

旗が風に吹かれて*ぱたぱた音を立てた The flag *snapped* in the wind.

彼は指を*ぱちんと鳴らした He *snapped* his fingers.

その犬は彼の足に*ぱくりとかみついた The dog *snapped* at his leg.

となりのテーブルからナイフとフォークの*がちゃがちゃいう音が聞こえた The *clatter* of knives and forks came from the next table.

シャッターが風で*がたがた鳴った The shutters *clattered* in the wind.

その犬は私を見て*くんくん鳴いた The dog *whined* when ˹he [she] saw me.

遠くでパトカーの*ピーポーピーポーという音が聞こえた I heard the distant *whine* of a police siren.

(iii) 日本語の擬声・擬態語が英語では「with + 擬声・擬態語」で表される場合:

例えば日本語で「ばたんと閉める」という場合,「ばたんと」に当たる部分を with …を使ってそのまま英語に訳出できるので, 日本人にとっては比較的易しい構文である.

¶ 彼はドアを*ばたんと閉めた He slammed the door *with a bang.*

皿が*がちゃんと床に落ちた The plate hit the floor *with a terrible crack.*

重い書類の束が*どさっと床に落ちた A heavy sheaf of papers fell to the floor *with a thud.*

彼は*ぶつぶつ言わずに父親に従った He obeyed his father *without a murmur.*

(2) 日本語の擬声・擬態語を英語では擬声・擬態語以外の副詞・動詞などを使って訳す場合

(i) 英語の副詞を用いる場合:

この場合は我々日本人にとって英訳はそれほど困

難ではない. 例えば「雨がざあざあ降っていた」という日本語を英語に直す場合,「雨が降っていた」は It was raining. であり,「ざあざあ」に当たる英語の擬声語はなくても very hard という副詞がそれに代わるものだということを見出すのはそれほど難しくはない. つまり日本語の擬声語の部分だけを英語に置き換えられる構文である.

¶ 彼女は*かんかんに (⇒ とても) 怒っていた She was *very* angry.

その男は*すたこら (⇒ 急いで) 逃げていった The man ran away *hurriedly*.

太陽が*さんさんと (⇒ 明るく) 輝いていた The sun was shining *brightly*.

彼は*ぽっくり (⇒ 突然) 死んでしまった He died *suddenly*.

(ii) 日本語の擬声・擬態語を英語では with ...という句を使って表す場合:

この場合は (1) (iii) と同様で英訳はそれほど困難ではない.

¶ 彼女は私に*にこにこしてあいさつした She greeted me *with a smile*.

彼は*ほっと安どのため息をついた He sighed *with relief*.

少女はその問題を*すらすらと解いた The girl solved the problem *without (any) difficulty*.

(iii) 日本語の擬声・擬態語を英語の普通の動詞を使って訳す場合:

この場合は (1) (ii) と類似しているといえる. ただし, 対応する英語の動詞が擬声・擬態語ではないために, 訳語を探す場合の選択の範囲が広く, 日本人にはなかなか難しいケースである. 例えば「私はその本でふと美しい詩を見つけた」という日本語を英訳する場合,「ふと見つける」が come across であるということになかなか気がつかない場合が多い.

¶ 彼は通りを*ぶらぶら歩いた He *strolled* along the street.

彼女はそのことではいつも*ぶつぶつ不平を言っている She *is* always *complaining* about it.

彼女は私に*にっこり笑った She *smiled* at me.

彼はその騒音に*いらいらしていた He *was irritated* by the noise. ★ この場合は受身形.

(3) 意訳しなくてはならない場合

この場合は日本語の擬声・擬態語の部分だけに当たる英語の表現を探すのではなく, 文全体の発想をどうするかという問題から考えなくてはならないので, 英訳に伴う困難度が最も大きい.

¶ 彼は大声で叫んで声が*がらがらになってしまった He *shouted himself hoarse*.

彼女は英語が*ぺらぺらだ She is *a very good speaker* of English. / She *has a perfect command* of English.

歯が1本*ぐらぐらしている (⇒ 私はゆるんだ歯を1本持っている) I'*ve got a loose tooth*.

*ぐずぐずしてはいられない (⇒ むだにする時間はない) *There is* [We *have*] *no time to lose*.

彼は日曜日には家で*ごろごろして過ごすのが普通だ He usually *idles his time away* at home on Sundays.

電線に触ったら*びりっときた (⇒ ショックを感じた) I *felt a shock* when I touched the electric wire.

need to *forestall* them. ★ 格式ばった言い方. / (⇒ 彼らより先に出ることが必要だ) We need to *get ahead of* them. 《☞ さきんずる; せんせいこうげき》

きせん³ 貴賤 ¶ *貴賤を問わず regardless [irrespective] of difference in *social standing* // 職業に*貴賤はない (⇒ どの職業も尊敬されるべきだ) Every occupation deserves respect.

きせん⁴ 基線 the ⌈base [ground] line.

きぜん 毅然 ── 形 (きっぱりした) firm; (断固とした) 《格式》 resolute /rézəlùːt/; (不屈の) 《格式》 dauntless. ── 副 firmly; resolutely. 《☞ きっぱり》. ¶ 彼女の*毅然たる態度は私たちの心を強く動かした Her ⌈*firm* [*resolute*; *dauntless*] attitude impressed us ⌈greatly [very much].

ぎぜん 偽善 ── 名 hypocrisy /hɪpάkrəsi/ Ｕ ★「偽善行為」は Ｃ. ── 形 hypocritic /hìpəkrítɪk/. ¶ 彼は*偽善者だ He is a *hypocrite* /hípəkrìt/. / (⇒ 羊の皮を着た狼だ) He is a *wolf in sheep's clothing*. // *偽善を行ってはいけない Don't play *the hypocrite*. / Don't be *hypocritical*.

きそ¹ 基礎 ── 名 base Ｃ; basis Ｃ 《複 bases /béɪsiːz/》; the basics; foundation Ｕ; groundwork Ｕ. ── 形 basic; fundamental; (初歩の) elementary, rudimentary.

【類義語】具体的で物質的な基礎を表すのが *base* で, 考え・理論・意見など抽象的な事柄の基礎は *basis*. 学問・教育などの基礎となる部分は *the basics*, 安定して, しっかりした永続的な基礎・建物の土台などは *foundation*. 発言・思想など抽象的なものの根拠は *groundwork* で, *foundation*, *basis* と交換しても用いられる. 《☞ こんぽん; きほん (類義語)》

¶ 国民生活の*基礎 the *base* of national life // 会社の*基礎を固める consolidate [solidify] the ⌈firm's [company's] *foundation* // 建造物の*基礎は堅固でなくてはならない The *foundation(s)* of a building should be firm. // 何事も*基礎 (⇒ 基本の知識) が大切だ A ⌈*fundamental* [*basic*; *rudimentary*] knowledge is important in doing anything. // 英文法を*基礎から (⇒ 英文法の基礎を) 学びたい I want to learn ⌈*the basics* of English grammar [(⇒ 全く初めから) English grammar from *the very beginning*]. // お互いの尊敬が私たちの友情の*基礎だった Mutual respect was the *basis* of our friendship. // 大学4年間では専門知識の*基礎を得るのも難しい Four years of college is hardly enough to ⌈lay the *groundwork* [acquire a *basis*] for one's professional career. // その小説は歴史的事実に*基礎を置いている The novel is *based* on historical evidence. // *基礎英語講座 *élemèntary* Énglish cóurse

基礎医学 the basic medical sciences **基礎科学** fundamental science Ｕ **基礎学科** primary subjects of study **基礎研究** fúndamèntal stúdy Ｕ, basic [pure] research Ｕ **基礎語彙** basic vocabulary Ｕ **基礎工作** spadework Ｕ; groundwork Ｕ **基礎工事** the foundation work ★ the を付けて. **基礎控除** *one's* basic (tax) deduction Ｃ **基礎体温** 〘生理〙 the basal body temperature 《略 BBT》 **基礎代謝** 〘生理〙 basal metabolism Ｕ **基礎代謝率** 〘生理〙 basal metabolic rate Ｃ 《略 BMR》 **基礎年金** basic pension Ｃ.

きそ² 起訴 ── 名 〘法〙 pròsecútion Ｕ, indictment /ɪndáɪtmənt/ Ｕ 【語法】前者は検察が, 後者は主に《米》で, 陪審が告発して起訴する場合に用いることが多い. ── 動 (検事が) prósecùte ... for ...; (陪審が) indict ... for .... 《☞ こくそ; うったえる; そしょう》. ¶ 彼は収賄で*起訴された He *was* ⌈*prosecuted* [*indicted*] ⌈*for* [*on charges of*] bribery. // その事件は*起訴にならなかった The case *was dropped*. // 略式*起訴する *file* an information

起訴状 〘法〙 indictment Ｃ **起訴猶予** ¶ 彼は*起訴猶予になった They *decided not to prosecute*

him. / *The charges against* him *were dropped.* ★後者は口語的.

きそう¹ 競う (競争相手に打ち勝とうとして争う) compete (with ...) (自); (相手を倒すために奮闘する) contend (with ...) (自); (賞などを得ようとして争う) contést (with ...) (自) ★2, 3 番目は最初の語より格式ばっている; (張り合う) rival (他). 《☞ あらそう; はりあう》. ¶5 人の学生がコンテストで技を*競った There were five students *competing* in the contest.

きそう² 起草 ―[動] (草案を書く) draft (他); (契約書などを) dràw úp (他). ―[名] drafting [U]. 《☞ そうあん¹; したがき》. **起草委員会** drafting committee [C].

きそう³ 帰巣 ―[形] (帰巣性を有する) homing. **帰巣性** (能力) homing ability [U] **帰巣本能** homing instinct [U].

きそう⁴ 奇想 (とっぴな考え) fantastic idea [C] 《☞ きそうてんがい; きばつ; とっぴ》.

きぞう 寄贈 ―[動] (与える) give (他); (相当価値のあるものを正式に) presént (他) ★give より格式ばった語; (慈善事業として) donate (他). ―[名] presentation [U]; donation [U] ★以上は寄贈品の場合は [C]. 《☞ おくる²; きふ¹; そうてい¹》.
¶彼はその本を全部市の図書館に*寄贈した He ˹*gave* [*donated*] all the books to the city library. // 卒業生たちはビデオテープレコーダーを学校に*寄贈した The graduating students *presented* ˹a video(tape) recorder to the school [the school with a video(tape) recorder].
寄贈者 donor [C] **寄贈書** presentation [complimentary] copy [C] **寄贈品** gift [C]; present [C].

ぎそう¹ 偽装, 擬装 ―[名] (所在を隠すための) camouflage /kǽməflὰːʒ/ [U]; (変装) disguise /dɪsgáɪz/ [U]. ―[動] camouflage (他); disguise (他).

ぎそう² 艤装 ―[動] rig (a ˹ship [boat]) 《☞ ふね (類義語)》.

ぎぞう 偽造 ―[動] (署名などを) forge (他); (貨幣などを) counterfeit /káuntəfɪt/ (他). ―[名] forgery [U] ★「偽造品」の意味では [C]; (偽物) counterfeit [C]. 《☞ にせ; へんぞう》. ¶彼らは貨幣を*偽造した They ˹*counterfeited* [*made counterfeit*] coins. // 彼は*偽造品がすぐ分かる He can ˹tell [spot] a *counterfeit* at once.
偽造罪 〘法〙 forgery [U] **偽造紙幣** counterfeit [fake] ˹note [(《米》) bill] [C] **偽造文書** forged document [C], forgery [C].

きそうきょく 奇想曲 〘楽〙 capriccio /kəpríːtʃiòu/ [C] 《複 capriccios, capricci /kəpríːtʃiː/》.

きそうてんがい 奇想天外 ―[形] (途方もない) fantastic; (予想外な) completely unexpected.
¶彼は時々*奇想天外なことを考えつく He sometimes hits upon a ˹*fantastic* [*completely unexpected*] idea.

きそく 規則 (個々の行為に関する) rule [C]; (公の) regulation [C] [語法] これら 2 語は交換して用いられることが多いが, regulation は特にある権威により与えられ, 実行を強いられるものを表すことがある. 例えば traffic *rules* は個人が常識として守るべき「交通規則」であり, traffic *regulations* は「交通法規」である. 《☞ きてい¹》. ¶*規則に従う follow [observe; obey] the *rules* ★この順で服従のニュアンスが強くなる. // すべては*規則どおりに行われた Everything was carried out according to the ˹*rules* [*regulations*]. // *規則に違反する者は罰せられる Those who ˹violate [break; go against] the ˹*rules* [*regulations*] will be punished. ★violate 以下はこの順に口語的になる. // どんな*規則にも例外はある There is an exception to every *rule*. / (⇒ 例外のない規則はない) There is no *rule* that doesn't have exceptions. // 彼は*規則正しい生活を送っている He leads ˹a *well-ordered* [an *orderly*] life. // 我々の学校は何事も*規則ずくめだ In our school there are *rules* for everything. / (⇒ 我々は何事も規則どおりにやらねばならないことになっている) In our school we are supposed to do everything according to the *regulations*. // 彼女の脈はあまり*規則的ではない Her pulse is not very *regular*. // この*規則は 2 年前に定められた This *rule* was ˹made [established; passed] two years ago. // 新しい*規則はまもなく実施されるだろう The new *rule* will soon be ˹put [brought] into effect. // この*規則は改正が必要である It is necessary to ˹amend [rewrite; remodel] this *rule*. // 彼らはその*規則を廃止した They abolished the *rule*. // この学校は生徒の喫煙に対する*規則が厳しい (⇒ 厳しく禁じている) This school ˹has a strict *ban* on [strictly *prohibits*] smoking among students. // 文法*規則 a grammatical *rule*
規則書 (案内書) prospéctus [C]; (会則) the regulations **規則動詞** 〘文法〙 regular verb [C].

コロケーション

規則を緩和する relax a *rule* / **規則を厳しくする** tighten a *rule* / **規則を軽視する** disregard a *rule* / **規則を施行する** enforce a *rule* / **規則を制定する** formulate [prescribe; set up] a *rule* / **規則を尊重する** respect a *rule* / **規則を適用する** apply a *rule* / **規則を変更する** change a *rule* / **規則を曲げる** bend a *rule* / **規則を無視する** ignore a *rule* // **大まかな規則** a ˹broad [rough] *rule* / **厳しい規則** a severe [a rigid; a stringent; an ironclad] *rule* / **基本的な規則** the ˹basic [fundamental] *rules* / **現行規則** standing *rules*

きぞく¹ 帰属 ―[動] (所属する) belong to ... ―[名] (所管) 《格式》 jurisdiction [U]. 《☞ ぞくする; しょぞく》. ¶その島はアメリカへ正式に*帰属した The island formally came *under the jurisdiction of* the U.S. // 彼らは母国への*帰属意識が強い (⇒ 国民としての主体性を強く感じている) They feel a strong sense of national *identity*.

きぞく² 貴族 ―[名] (男性の) nobleman [C]; (女性の) noblewoman [C]; aristocrat /ərístəkræ̀t/ [C] ★3 番目はやや格式ばった語; peer [C] [参考] peer は男女いずれにも用いられ, 男爵 (baron [baroness]), 子爵 (viscount /váɪkàunt/ [viscountess]), 伯爵 (earl [countess]), 侯爵 (marquess, marquis /máəkwɪs/ [marchioness /máəʃ(ə)nɪs/]), 公爵 (duke [duchess]) のいずれかの称号を有する人を指す. [ ] 内は女性; (総称) the nobility, the aristocracy /æ̀rɪstάkrəsi/, the peerage; (貴族の血統[出]) blue blood [U]. ―[形] (貴族の) noble; (貴族的な) arìstocrátic; (貴族出の) blue-blooded.
¶彼女は*貴族の出だ She is a *noblewoman*. / She is of ˹*nóble* [*arístocràtic*] bírth. ★第 2 文は第 1 文より格式ばった表現. **貴族院** (旧憲法下の) the House of Peers; (英国の上院) the House of Lords. ¶*貴族院議員 a member of *the House of* ˹*Peers* [*Lords*] **貴族制** aristocracy [U] **貴族政治** aristocracy [U] **貴族的** aristocratic.

ぎそく¹ 義足 ártificial lég [C].

ぎそく² 偽足 〘動〙 pseudopodium /sùːdəpóudiəm/ [C] 《複 -dia》.

ぎぞく 義賊 chivalrous /ʃívəlrəs/ róbber [C].

きそくえんえん 気息奄奄 ¶病人は*気息奄々としている (⇒ 死にかかっている) The patient *is* ˹*dying* [*on his deathbed*]. // 急激な円高で多くの会社が*気息奄々という状態にある (⇒ 今にも倒産しそうだ) Many companies are *on the verge of bank-*

ruptcy because of the sharp appreciation of the yen.

きそつ 既卒 ¶*既卒者 an old graduate

きそば 生蕎麦 (pure) buckwheat noodle Ⓤ.

きそん[1] 既存 — [形] existing Ⓐ.

きそん[2] 毀損 ¶その記事は彼女にとってはたいへんな名誉*毀損だった (⇒ 彼女の名誉をひどく傷つけた) That article did a lot of *damage* to her reputation. // 名誉*毀損 *libel* // 名誉*毀損の裁判 a *libel* suit

きた 北 — [名] the north. — [形] (北の・北方の) north, northern [語法] 境界がはっきりしていて「北部 (地方) の」という意味の場合は north を, 漠然と「北方の」という意味のときは northern を使う; (北寄りの) northerly, northward. — [副] (北へ) north, northward(s) ★ 後者は方向を示す意味が強い. 《☞ ほくぶ》. ¶*北はどっちの方角ですか Which direction is *north*? // 福岡は九州の*北(部)にある Fukuoka is in ⌈*the north* of [*Northern*] Kyushu. // この部屋は*北に面している This room faces *north*. // 私たちはいま*北に向かって進んでいます We are traveling *northward*. // *北回りで (⇒ 北極経由で) パリに行った I flew to Paris ⌈via [by way of] the *North* Pole.

北アイルランド Northern Ireland **北アメリカ** North America **北アルプス** the Northern Japanese Alps **北風** ☞ 見出し **北朝鮮** North Korea 《☞ ちょうせん[2]》 **北半球** the Northern Hemisphere.

ぎだ 犠打 〘野〙 sacrifice ⌈hit [fly] Ⓒ.

ギター guitar /gɪtάə/ Ⓒ; (電気ギター) electric guitar Ⓒ. **ギター奏者** guitárist Ⓒ.

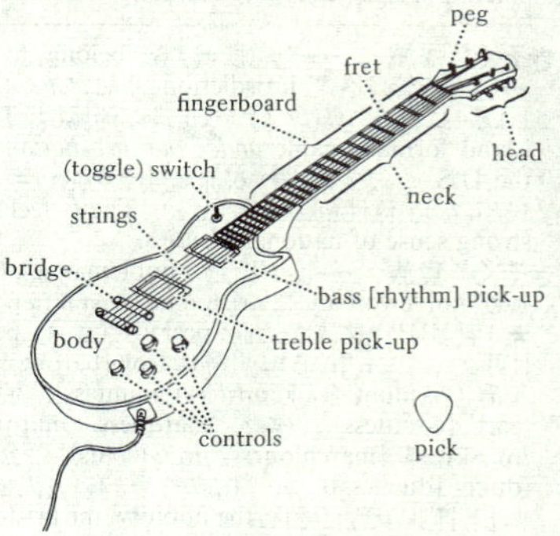

きたい[1] 期待 — [動] expect (他); antícipàte (他); hope (他). — [名] expectation Ⓤ; anticipation Ⓤ; hope Ⓤ ★ 具体的なことを念頭においた場合はいずれも Ⓒ.

【類義語】ある事態をかなりの確信を持って予期するのが **expect** で, よいこと, 悪いことの両方に用いる. あることを予測して心構えをするのが **anticipate**. ある事が起こるであろうと望み, 可能性を信じるのは **hope**.

¶彼女には大いに*期待している We *expect* much ⌈from [of] her. // 彼は*期待どおりよくやった He has done *as well as we (had) expected*. // 彼らは私たちの*期待に添わなかった They ⌈didn't meet [fell short of] our *expectation(s)*. // 彼は必ずやご*期待に添うでしょう He will certainly meet your *expectation(s)*. // 結果は私たちにとって*期待はずれだった (⇒ 期待した水準に達しなかった) The result was not up to our *expectations*. / (⇒ がっかりさせるものだった) The result was ⌈really *disappointing* to us [a real *letdown* (for us)]. ★ letdown は口語で「期待はずれ」の意. // 新政府には何を*期待しますか What do you *want* the new Government to do? // *期待に反して彼女はその試験に受からなかった She didn't pass the exam, ⌈contrary to [against] (all) *expectation(s)*.

期待値 expected value Ⓒ; expectation Ⓒ.

きたい[2] 気体 gas Ⓤ ★ 種類をいうときは Ⓒ; (蒸気) vapor (《英》 vapour) Ⓤ (↔ liquid (液体), solid (固体)). **気体温度計** gas thermometer Ⓒ **気体化** — [動] vaporize /véɪpəràɪz/ (他). — [名] vaporization Ⓤ. 《☞ きか[3]》 **気体電極** 〘電〙 gaseous electrode Ⓒ **気体電池** 〘物理〙 gas cell Ⓒ **気体燃料** gaseous fuel Ⓤ.

きたい[3] 機体 (主要部分) body (of an airplane) Ⓒ; (飛行機の胴体) fuselage /fjúːsəlὰːʒ/ Ⓒ. 《☞ ひこうき (挿絵)》.

きたい[4] 奇態 queerness Ⓤ 《☞ きみょう》. ¶*奇態なこともあるものだ How *strange*! // *奇態に思われるかもしれないが It may sound ⌈*queer* [*strange*], but ...

きたい[5] 危殆 (危険) danger Ⓤ; (差し迫った) peril Ⓤ. 《☞ きけん[1]》. ¶*危殆に瀕する be in ⌈*danger* [*peril*]

きだい[1] 希代 — [形] (世にも稀な) rare; (考えられない程の) uncommon; (比類のない) peerless. ¶*希代の英雄 a *peerless* hero // *希代の (⇒ 悪名高い) 大泥棒 a *notorious* robber

きだい[2] 季題 seasonal theme in haiku poetry Ⓒ.

きだい[3] 黄鯛 〘魚〙 yellowback seabream Ⓒ.

ぎたい 擬態 〘生〙 — [名] mimicry Ⓤ. — [動] mimic (他). — [形] mimetic Ⓐ, mimic Ⓐ. **擬態色** mimetic color Ⓒ.

ぎだい 議題 (話題) topic Ⓒ; (討論などのテーマ) subject Ⓒ; (問題) issue Ⓒ; (会議事項のリスト) agénda Ⓒ. 《☞ ぎじ[1]; テーマ; ぎあん》.

¶その会議ではさまざまな*議題が討議された Various ⌈*topics* [*issues*] were dealt with at the conference. // それは*議題に含まれていない It's not on the *agenda*. // その問題は先だっての会議で*議題にのぼった The problem ⌈*came up* [*was brought up*] at the last meeting. [語法] come up [be brought up] は「話題・議題にのぼる[のせる]」の意味.

ぎたいご 擬態語 symbolic word Ⓒ ★ 擬声語 (onomatopoeia /ὰnəmæ̀təpíːə/) と同じものとして扱われることもある. 《☞ ぎせいご; 擬声・擬態語 (囲み)》.

きたえあげる 鍛え上げる ¶*鍛え上げた腕前 *highly trained* skills // 彼は弟子を一流の選手に*鍛え上げた (⇒ 撤底的に訓練して一流の選手にした) He *trained* his pupils *thoroughly* and made them first-rate players.

きたえる 鍛える — [動] (体を鍛え上げる) búild úp (他); (訓練する) train (他); (繰り返し厳しく教え込む) drill (他); (しつける) díscipline (他); (強くする) strengthen (他); (刀剣などを) forge (他). — [名] training Ⓤ; drill Ⓤ; discipline Ⓤ. 《☞ たんれん; くんれん》. ¶君は体を*鍛える必要がある You must ⌈*train* your body [*get* yourself *in shape*]. // この夏は君の英語を*鍛えてやろう I'm going to *drill* you in English this summer.

きだおれ 着倒れ (衣服を買いすぎて破産する) bankrupt *oneself* buying clothes.

きたかいきせん 北回帰線 the Tropic of Cancer (↔ the Tropic of Capricorn /kǽprɪkɔ̀ən/) 《☞ ちきゅう[1] (挿絵)》.

きたかぜ 北風 north(erly) wind Ⓒ, wind from the north Ⓒ. 《☞ かぜ[1]》 ¶*北風が身を切るように

冷たい The *north wind* cuts like a blade.

きたがわうたまろ 喜多川歌麿 ―[名] (固) Kitagawa Utamaro, ?1753–1806; (説明的には) an ukiyoe artist noted for his depictions of women.

きたがわしゃせん 北側斜線 the north side height limit (of a building).

きたきつね 北狐 〘動〙 Japanese northern fox Ⓒ.

きたきりすずめ 着た切り雀 ¶ 私は*着た切り雀だ (⇒ 着替えの衣類を持っていない) I *have no spare clothes* to wear.

きたく[1] 帰宅 ―[動] go [come; return] home [語法] 話者が自宅外にいるときは go, 自宅にいるときは come. ただし, 電話などで自宅の人と話すときは, 外部にいても come を用いる. 《☞ ゆく[1]》; (帰り着く) get home; (帰宅している) be home. 《☞ かえる[1] (類義語)》. ¶ お父様はご*帰宅ですか (⇒ 家にいますか) *Is* your father *home*? / (⇒ 帰りましたか) *Has* your father ⌜*come* [*returned*] *home*? ★ returned のほうがやや格式ばった言い方. // *帰宅の途中, 私は彼に出会った I met him *on my way home*.

きたく[2] 寄託 ―[名] 〘法〙 bailment Ⓤ. ―[動] (安全な場所に預ける) deposit (他); (信頼できる人に委ねる) entrust (他); (品物を委託する) bail (他). ¶ 蔵書を市立図書館に*寄託する *deposit one's* books ⌜*in* [*with*] the City Library // …を友人に*寄託する *entrust … to* a friend **寄託金** trust money Ⓤ, money consigned Ⓤ **寄託者** trustor Ⓒ; depositor Ⓒ; 〘法〙 bailor Ⓒ **寄託図書** deposited book Ⓒ **寄託物** thing entrusted to *a person* Ⓒ; 〘商〙 deposited ⌜articles [goods].

きたぐに 北国 (北の方にある国) northern country Ⓒ; (国内の北部) the North ★ the を付けて; (日本の) the northern part of Japan ★ the を付けて.

きたけ 着丈 the full length of *one's* dress.

きたじゅうじせい 北十字星 〘天〙 the Northern Cross.

きたす 来す ¶ 冷夏は凶作を*来した (⇒ 引き起こした) The cold summer ⌜*caused* [*brought about*] a ⌜bad [poor] crop. // 我が社の新製品開発に支障を*来す (⇒ 遅らせる, 邪魔をする) *hold up* [*hinder*] the development of a new product of our company

きたたいせいようじょうやくきこう 北大西洋条約機構 the North Atlantic Treaty Organization 《略 NATO /néɪtoʊ/》.

きたて 来たて ¶ 彼女は人材銀行から*来たての秘書です She is a secretary *fresh from* the job bank.

きだて 気立て (性向) disposition Ⓤ; (性質) nature Ⓒ; (気質) temperament Ⓤ. 《☞ せいしつ[1] (類義語)》. ¶ 彼女は*気立てのやさしい娘だ She is a ⌜*kind* [*kindhearted; thoughtful*] girl. / She has a very kind *nature*.

きたない 汚い **1** 《不潔な》: dirty; filthy; foul; (汚れた) soiled; (みすぼらしい) shabby; (取り散らかした) untidy, messy ★ 後者のほうが口語的.
【類義語】「汚い」に対する最も一般的な語は **dirty** である. とても汚いのは **filthy** で, いやなにおいを伴うのは **foul**. 特に表面が汚れているのは **soiled**. 《☞ ふけつ》
¶ *汚い手をしているね Your hands are *dirty*. // テーブルクロスが*汚くなった The tablecloth is *soiled*. // なんて*汚い子なんでしょう What a *messy* child you are! // ここの空気は*汚いので少しの間窓を開けてください The air in here is *foul*. Please open the window for a while.
2 《卑猥な》: (よくない) bad; (慎みのない) indécent; (みだらな) filthy; (いかがわしい) nasty; (下品な) dirty. ¶ そんな*汚い言葉を使わないで下さい Don't use such ⌜*bad* [*indecent*; *filthy*] language.
3 《卑劣な》: (不正な) dirty; (下劣な・卑しい) mean [語法] 《米》では「意地の悪い」という意味で口語的によく使われる; (低級な) low; (人や行為が) 《文》 base. 《☞ ひれつ》. ¶ 彼は金銭問題には*汚い He is ⌜*mean* [*tight*] with money. // 彼女は*汚い手を使ってその地位を得た She got the position by means of a ⌜*mean* [*dirty*] trick.

きたならしい 汚らしい dirty(-looking); (不潔な) filthy. 《☞ きたない》.

きたのかた 北の方 〘史〙 (貴人の正妻) the lawful wife of a high aristocrat or the lord of a domain.

きたはらはくしゅう 北原白秋 ―[名] (固) Kitahara Hakushu, 1885–1942; (説明的には) a poet whose poems are popular as children's songs.

きたまえぶね 北前船 〘史〙 a type of Japanese cargo ship that plied the Sea of Japan between the northern provinces and the population centers in southwestern Honshu during the Edo period ★ 説明的な訳.

きたまくら 北枕 ¶ *北枕で (⇒ 頭を北に向けて) 寝る lie *with one's head* ⌜*northward* [*toward the north*] // 死者を*北枕にする lay the dead person's body *with the head toward the north*

きたまちぶぎょう 北町奉行 〘史〙 Kitamachi Commissioner; (説明的には) one of two commissioners of Edo (now Tokyo), his office was located in the northern part of the city. **北町奉行所** 〘史〙 the Kitamachi Commissioner's Office.

ぎだゆう 義太夫 *gidayu* Ⓒ; (説明的には) (a form of Japanese) ballad drama. 《☞ じょうるり》.

キタラ 〘楽器〙 cithara /síθərə/ Ⓒ, kithara /kíθərə/ Ⓒ ★ 古代ギリシアの琴.

ギタリスト guitarist Ⓒ.

きたる 来る ―[形] (次の) next, coming Ⓐ; (今度の) forthcoming ★ 格式語; (間もなくやってくる) upcoming. ―[動] come (自). 《☞ 時刻・日付・曜日 (囲み)》. ¶ *来る月曜に会を開きます We have a meeting ⌜*next* Monday [(on) Monday *next*]. ★ next Monday のほうが口語的. // *来る 4 月 30 日を期限といたします The deadline is the 30th of this *coming* April. // *来るべき選挙 the *forthcoming* election(s) // 春*来る Spring *is come*. ★ 文語的表現. 《☞ くる[1]》

きだん[1] 気団 〘気象〙 air mass Ⓒ. ¶ 寒*気団 a cold *air mass*

きだん[2] 奇談 (珍しい話) strange story Ⓒ.

きだん[3] 綺談 (飾りたてておもしろくした話) embéllished ⌜story [tale] Ⓒ; (誇張した話) exággeràted account Ⓒ.

きたんのない 忌憚のない (率直な) frank 《☞ そっちょく》.

きち[1] 基地 base Ⓒ. ¶ 軍事*基地 a military *base* // 陸軍*基地 an army *base* // 海軍*基地 a ⌜navy [naval] *base* // 空軍*基地 an air(force) *base*

きち[2] 機知 ―[名] wit Ⓤ. ―[形] (機知に富んだ) witty. 《☞ きてん[1] (類義語)》. ¶ 彼は*機知に富んでいる He is very *witty*.

きち[3] 危地 dangerous [perilous] ⌜position [situation] Ⓒ 《☞ きけん[1]》. ¶ *危地に陥る[を脱する] get ⌜into [out of] *danger*

きち[4] 吉 (幸運) good ⌜luck [fortune] Ⓤ.

きち[5] 既知 ¶ *既知情報 *given* [old] information

★ 反対は new information.

きちきち 1 《ぎっしり》 ¶ 彼女はその箱にカセットテープを*きちきちに詰め込んだ She packed the box ⌐*closely* [*tight*] with cassette tapes. // このスーツケースは*きちきちに衣類が詰まっている This suitcase is packed *full of* clothing.

2 《ぎりぎり》 ¶ 彼女は時間*きちきちに間に合った She was ⌐*barely* [*only just*] in time. // この靴は私には*きちきちです These shoes are too *tight* for me. 《☞ ぎりぎり》

きちく 鬼畜 ―[形] (獣のような) brutal. ―[名] (獣のような人) brute Ⓒ.

きちじ[1] 吉事 auspicious event Ⓒ.

きちじ[2] 喜知次 〖魚〗(カサゴ目の海水魚) broad-banded thornyhead Ⓒ.

きちじつ[にち] 吉日 lucky [auspicious] day Ⓒ ★ [ ] 内は格式ばった語.

きちじょうそう 吉祥草 〖植〗(ユリ科の多年草) reineckea Ⓒ.

きちすう 既知数 known ⌐quantity [number] Ⓒ 《☞ みちすう》.

きぢぬ 黄茅渟 〖魚〗(スズキ目の海水魚) Japanese silver bream Ⓒ.

きちゃく 帰着 ―[動] (議論などがある結論に到達する) come to the conclusion (that ...); (...に終わる) end in ... ★ 後者のほうが口語的. 《☞ けつろん; おちつく》.

きちゅう 忌中 ―[名] (喪) mourning Ⓤ. ―[動] (忌中である) be in mourning. 《☞ もちゅう》.

きちょう[1] 貴重 ―[形] precious, valuable [語法] この2語は交換可能なことも多いが, 前者は金銭で買えないような貴重さ, 後者は金銭的価値, または有用性などが非常に高いというニュアンスがある. 《☞ たいせつ[1]; えがたい》. ¶ これは*貴重な品です. なくさないように This is very *valuable*. Don't lose it. // その経験は非常に*貴重なものだった The experience was ⌐very *valuable* [*of great value*] to me. ★ [ ]内はやや格式ばった表現.

貴重品 valuables ★ 複数形で.

きちょう[2] 記帳 ―[動] (帳簿に記入する) book (他), make an entry (in ...), enter (他) ★ この順に一般的な語となる; (宿帳などに登録する) régister (自)(他); (署名する) sign [enter] *one's* name ★ [ ] 内は書き入れるという一般的な語. 《☞ きにゅう》. ¶ どうかフロントで*記帳をお願いします Will you please ⌐*register* [*sign the register*] at the (front) desk?

きちょう[3] 基調 (根底にある考え方) keynote Ⓒ.

基調演説 keynote ⌐speech [address] Ⓒ.

きちょう[4] 機長 captain Ⓒ.

きちょう[5] 帰朝 ―[動] (日本に帰国する) return to Japan (from abroad). ¶ *帰朝報告 a report after *one's return to Japan from overseas*

きちょう[6] 黄蝶 〖昆〗(common) grass yellow Ⓒ; (黄色い蝶) yellow butterfly Ⓒ.

きちょう[7] 几帳 (仕切り) screen Ⓒ; (カーテン) curtain Ⓒ.

ぎちょう 議長 chair Ⓒ, chairperson Ⓒ, chairman Ⓒ [語法] (1) 以上3語とも男女両性に用いられるが, 先の2語は特に「男性」を表す -man を避けるための語. 2つの中では chair のほうが一般的; (特に女性の) chairwoman Ⓒ; 《米》 president Ⓒ; (米英議会の下院議長) the Speaker; (同上院の) the President. 《☞ いいんちょう》.

¶ 彼は*議長に選ばれた He was elected ⌐*chairman* [*chair*; *chairperson*]. // A氏が*議長となり, 会が始まった The meeting opened with Mr. A ⌐*presiding* [*as chair*]. ★ 前者のほうがやや格式ばった言い方. // *議長, 緊急動議があります Mr. *Chairman*, I have an urgent motion to propose. [語法] (2) 議長が女性の場合には Madam Chair(man) と呼びかける. // 参議院*議長 the *President* of the House of Councilors // 衆議院*議長 the Speaker of the House (of Rèpreséntatives)

議長職権 (*one's*) authority as chairman **議長代理** the deputy speaker.

きちょうめん 几帳面 ―[形] (厳密で誤りのない) exact; (細部にわたって正確な) precise; (細心な) metículous; (組織的な) systematic; (整然とした) methódical; (時間に正確な) punctual. 《☞ ちみつ》. ¶ 彼女は何をするにも*きちょうめんだ She is ⌐*precise* [*exact*; *methodical*] in everything she does. / She does everything ⌐*precisely* [*methodically*].

きちれい 吉例 festive custom Ⓒ. ¶ *吉例により according to *good custom*

キチンしつ キチン質 〖生〗 chitin /káɪtn/ Ⓤ.

きちんと (正確に) áccurately; (厳密に) exactly; (滞りなく) regularly; (服装など乱れなく) neatly; (時刻どおりに) punctually; (整然と) in good order; (しつけ・作法上から見て) properly; (立派に) finely. 《☞ ちゃんと; せいかく[1]; ただしい; 擬声・擬態語 (囲み)》. ¶ 机の上を*きちんと整理しなさい *Tidy* the things on your desk. // 部屋は*きちんとしていた The room was ⌐*in good order* [*neat and tidy*]. // 彼は*きちんと会合に出席している He attends our meetings *regularly*. // 彼女は*きちんとした服装だった She was *neatly* dressed. // 彼女は毎朝8時に*きちんと来る She comes *punctually* at 8 every morning. // 子供は*きちんとおじぎをした The child bowed to me *properly*.

きちんやど 木賃宿 cheap hotel Ⓒ.

きつい 1 《程度のはなはだしい・厳しい》 ―[形] (仕事などがつらい) hard; (厳しい) stern, severe [語法] 2語はほぼ同意だが, 前者は情け容赦のない厳しさを表し, 後者は規律などを厳格に守らせるというニュアンスがある. ―[副] (ひどく) very; (厳しく) sternly, severely. 《☞ きびしい (類義語); はげしい; つらい》. ¶ その仕事は私には*きつすぎる The work is too ⌐*much* [*hard*] for me. // 彼は*きつい目で私を見た He looked *sternly* at me. / He gave me a ⌐*stern* [(⇒するどい) *sharp*] look. // 先生はその生徒を*きつくしかった The teacher scolded the pupil *severely*.

2 《強い・しっかりした》 ―[形] (勝ち気な) strong-minded. ¶ 彼女は*きつい女だ She is a *strong-minded* woman.

3 《窮屈な》: (ぴったりした) tight; (目の詰まった) close. 《☞ きゅうくつ》. ¶ このコートは*きつすぎる. もう少し大きいのはありますか This coat is too *tight*. Do you have a bigger one?

きつえん 喫煙 ―[動] (たばこを吸う) smoke (自); (一服する) have a smoke. ―[名] smoking Ⓤ. 《☞ たばこ》. ¶ *喫煙は健康によくない *Smoking* is bad for your health. // 受動*喫煙 passive *smoking* **喫煙室** smoking room Ⓒ **喫煙車** smoking ⌐car [《英》 carriage] Ⓒ, smoker Ⓒ ★ 口語的. **喫煙者** smoker Ⓒ.

きつおん 吃音 (習慣的な) a stammer, a stutter ★ 通例 a をつけて; (興奮などによる一時的な) stammering Ⓤ, stuttering Ⓤ. ¶ *吃音を治す cure *a person* of *stammering*

キッカー 〖スポ〗 kicker Ⓒ.

きっかい 奇怪 ☞ きかい[4]; きみょう

きづかい 気遣い ―[名] (恐れ) fear; (心遣い・思いやり) thoughtfulness Ⓤ. ―[動] (骨折って苦労する) trouble *oneself* about ...; (心配する) worry (about ...) (自). 《☞ しんぱい[1]》. ¶ どうかお*気遣いな

く (⇒ 私のことはご心配なく) Please don't *worry about* me.

きづかう 気遣う (心配である) be「anxious [concerned] (about ...) 語法 前者は将来への不安・心配を表し, 後者は関心をもっているものに対する心配を表す; (あれこれ思い悩む) worry (about ...) ⓐ. (☞ しんぱい¹ (類義語)). ¶ 彼は息子の安全を*気遣っていた He *was*「*anxious* [*concerned*; *worried*] *about* the safety of his son.

きっかけ 切っ掛け (手始め) start Ⓒ; (手がかり) clue Ⓒ; (機会) chance Ⓒ; (芝居のせりふ・練習などの始めの合図) cue Ⓒ. (☞ いとぐち). ¶ *きっかけをつかんだら彼にその計画を話してみよう If I get the *chance*, I'll talk to him about the plan.

きっかり (ちょうど) just, right ★ いずれも口語的; (時刻の後に付けて) sharp, 《略式》on the dot. (☞ ちょうど¹; きっちり; 擬声・擬態語 (囲み)). ¶ 飛行機は*きっかり時間どおりに到着した The plane arrived「*just* [*right*] on time. // 列車は 10 時*きっかりに出た The train left at ten o'clock「*sharp* [*on the dot*].

きづかれ 気疲れ ―名 (精神的疲労) mental「fatigue /fətíːg/ [exhaustion] Ⓤ ★ やや格式ばった言い方; (緊張) mental strain Ⓤ. ―動 (精神的に疲労する) be「tired [fatigued; exhausted] mentally ★ 最初の表現が一番口語的. (☞ つかれる¹). ¶ 彼と話すと*気疲れする I *get*「*tired* [*exhausted*] *mentally* talking with him. / Talking to him is a *strain*. / It's a real *strain* talking to him.

きづかわしい 気遣わしい anxious (☞ きづかう; しんぱい¹). ¶ 彼女は*気遣わし気に (⇒ 心配そうに) 私の顔をのぞき込んだ She looked into my face *anxiously*. // 友の安否が*気遣わしい I *am*「*worried* [*concerned*; *anxious*] *about* the safety of my friend.

きっきょう 吉凶 (好運と不運) good「and [or] bad luck ★ 二者択一の場合は or; (運命) fortune Ⓤ. ¶ *吉凶を (⇒ 運命を) 占う tell (*a person's*) *fortune*

キック ―名 kick Ⓒ. ―動 kick ⓗ.

きづく 気付く (知る・わかる) become aware (of ...; that ...); (気がつく) notice ⓗ; (...とわかる) find ⓗ; (感づく) suspéct ⓗ; (考えつく) think of .... (☞ き¹; かんづく).
¶ 君がそこにいたのに*気付かなかった I「*was*n't *aware* [didn't *notice*] that you were there. // 私たちが抜け出したことにだれも*気付かなかった Nobody *noticed* us「leave [leaving]. // 彼らは我々の計画に*気付いているようだ They seem to *be aware of* our plan. // 何か*お気付きのことがあったら (⇒ もしも何か間違ったことがわかったら) 教えて下さい Please tell me if you「*find* [*notice*] anything wrong.

キックオフ ―名 kíck-òff Ⓒ. ―動 kíck óff ⓐ.

キックターン 〘スキー〙kick turn Ⓒ.

キックバック (不正なリベート) kíckbàck Ⓤ ★ 具体的にはⒸ. (☞ リベート).

キックボクシング 〘スポ〙kick boxing Ⓤ.

きづくり 木造り ―形 wooden (☞ もくぞう¹).
¶ *木造りの家 a *wooden* house / a house *made of wood* / (⇒ 木造板張りの) a *frame* house

ぎっくりごし ぎっくり腰 (痛めた腰) strained back Ⓒ; (椎間板ヘルニア) hernia /hə́ːniə/ of an intervertebral /ìntəvə́ːtəbrəl/ disk Ⓒ, slipped disk Ⓒ. ¶ 彼は*ぎっくり腰になった He's got a *strained back*.

きつけ¹ 着付け ―名 dressing (up) Ⓤ. ―動 dress ⓗ. ¶ だれかに*着付けをしてもらわないと (⇒ だれかの助けなしでは) 着物は着られない I can't *put on a kimono* without someone's help.

きつけ² 気付け (気付け薬) restórative Ⓒ; (興奮剤・刺激性の飲料) stimulant Ⓒ.

きづけ 気付 care of ... ★ c/o と略す. (☞ -あて; -かた¹; 手紙の書き方 (囲み)). ¶ 外国人学生アドバイザー*気付, 田中和子様 《宛名》 Miss Kazuko Tanaka, *c/o* The Foreign Students' Advisor

きつご 吃語 (どもること) stuttering Ⓤ (☞ どもる).

きっこう¹ 拮抗 ―名 (競い合うこと) rivalry Ⓤ; 〘生・薬〙効果を打ち消し合う作用 antagonism Ⓤ. ―動 rival ⓗ; (張り合う) compete [cope] with .... ¶ 両軍の力は互いに*拮抗している (⇒ 同じ力の好敵手だ) They are *good rivals* (*of equal strength*). **拮抗作用** 〘生・薬〙antagonism Ⓤ **拮抗薬** 〘薬〙antagonist Ⓒ.

きっこう² 亀甲 (亀の甲羅) tortoiseshell Ⓒ, turtleshell Ⓒ; (六角形の模様) hexagonal pattern Ⓒ; (はちの巣状のもの) honeycomb Ⓒ. **亀甲形** (六角形) hexagon Ⓒ **亀甲石** septarium Ⓒ 《複 -ia》, beetle stone Ⓒ.

きっさ 喫茶 (茶を飲むこと) tea drinking Ⓤ.

きっさき 切っ先 ¶ 刀の*切っ先をかわす parry [turn aside] *the point* of a sword

きっさてん 喫茶店 《米》coffee shop Ⓒ, 《英》coffee bar Ⓒ.

ぎっしゃ 牛車 *gissha* Ⓒ; (説明的には) two-wheeled one-ox carriage used by nobles in the Heian period Ⓒ.

キッシュ (パイの一種) quiche /kíːʃ/ Ⓤ. **キッシュロレーヌ** quiche lorraine /ləréɪn/ Ⓤ.

ぎっしり ―副 (すきまなく) closely, tightly 語法 (1) 前者は細かく密集している様子, 後者はしっかり締めつけられている様子; (最大限に) to the full. ―形 (いっぱいの) full; (満員の) crowded; (予定などが) tight; (定員いっぱいの) capácity Ⓐ. (☞ いっぱい¹; まんいん; つまる; 擬声・擬態語 (囲み)). ¶ 箱には写真が*ぎっしり詰まっている The box is *tightly*「packed [filled] with photos. // 劇場は観客で*ぎっしり満員だった The theater was「full [crowded] with a *capacity* audience. // 今週はスケジュールが*ぎっしりだ My schedule is quite *tight* this week. / I have a *tight* schedule this week. 日英比較 日本語の「ハードなスケジュール」と同じ a *hard* schedule という英語も可能だが,「ぎっしり」よりも「きつい」「骨の折れる」という意味になる. // 彼女は衣類をかばんに*ぎっしり詰め込んだ She *crammed* her bag *with* her clothes. // 駐車場は車で*ぎっしりだった The parking lot *was jammed with* cars. 語法 (2) jam 動 ⓗ はいっぱいで動きがとれなくすること.

キッシンジャー ―名 ㊍ Henry Alfred Kíssinger, 1923– . ★ 米国の政治学者.

キッス ☞ キス

きっすい¹ 生っ粋 ―形 (純血の) pure; (生まれながらの) trueborn. (☞ じゅんすい; ちゃきちゃき).
¶ *生っ粋の江戸っ子 a *trueborn* Tokyoite /tóʊkioʊàɪt/

きっすい² 喫水, 吃水 (特に積み荷をしたときの) draft (《英》draught) Ⓤ ★ この意味では《米》でも draught とつづることがある. ¶ *喫水の深い [浅い] 船 a ship of「deep [shallow] *draft* **喫水線** waterline Ⓒ (☞ ふね (挿絵)).

キッズファッション (子供用のファッション) kids' fashion Ⓒ.

きっする 喫する (こうむる) suffer ⓗ; (敗北を喫する) be defeated. ¶ 私たちは 3 連敗を*喫している We *have suffered* three「successive [consecutive] defeats.

きつぜん 屹然 ¶ 山が*屹然と (⇒ 高く) そびえ立っ

ている The mountain *soars high.* // *屹然と相対す (⇒断固として相手と向き合う) face *one's* opponent ｢*resolutely* [*unfalteringly*]

きっそう 吉相 (よい人相) good [lucky] physiognomy Ⓤ; (よい兆候) good omen Ⓒ.

きぢた 木蔦 〘植〙 ivy Ⓤ.

きったん 契丹 ━名 ⓖ 〘史〙 Qidan, K(h)itan /kíːtáːn/. ★5 世紀以降, 内モンゴルに現れた遊牧狩猟民族. **契丹文字** Qidan [Khitan, Kitan] character Ⓒ.

きづち 木槌 (wooden) mallet Ⓒ, wooden hammer Ⓒ.

キッチュ ━名 (低俗性) kitsch Ⓤ. ━形 kitschy.

きっちょう 吉兆 good omen Ⓒ 《☞きょうちょう³》.

きっちり (ちょうど) just, sharp ★後者は時刻を示す語の後に置く; (時間きっかりに) 《略式語》 on the dot; (決められた時間どおり) punctually; (完全に) perfectly; (正確に) exactly, precisely; (しっかりと) tight(ly). 《☞きっかり; ちょうど¹; ぴったり; 擬声・擬態語 (囲み)》.

¶彼は*きっちり 8 時に帰ってきた He came back at *exactly* eight (o'clock). / He came back at eight o'clock ｢*sharp* [*precisely*]. / He came back at eight (o'clock) *on the dot.* // 彼は瓶に*きっちり (⇒しっかりと) 栓をした He corked the bottle *tight*(*ly*).

キッチン (台所) kitchen Ⓒ; (アパートなどの簡易台所) kìtchenétte Ⓒ. **キッチンウェア** (台所用品) kitchenware Ⓤ **キッチンキャビネット** (台所戸棚) kitchen cabinet Ⓒ **キッチンドリンカー** (アルコール依存症の主婦) kitchen drinker Ⓒ **キッチンユニット** (台所用家具の一揃い) kitchen unit Ⓒ.

きつつき 啄木鳥 〘鳥〙 wóodpècker Ⓒ.

きって 切手 (postage) stamp Ⓒ.

¶郵便局で 80 円の*切手を 5 枚買った I bought five 80-yen *stamps* at the post office. // この手紙はいくらの*切手をはるのですか (⇒この手紙の郵送料はいくらか) What is the *postage* ｢for [on] this letter? // この手紙には 130 円*切手をはらなければならない You have to ｢put [stick] a 130-yen *stamp* on this ｢letter [(⇒封筒) envelope]. // 彼の趣味は*切手の収集です His hobby is collecting *stamps.*

切手アルバム stamp album Ⓒ **切手収集** stamp collection Ⓤ, philately /fɪlǽtəli/ Ⓤ ★後者は格式語. **切手収集家** stamp collector Ⓒ, philátelist Ⓒ ★後者は格式語.

コロケーション

切手に消印をする cancel a *stamp* / 切手をなめる lick a *stamp* / 切手を発行する issue a *stamp* // 記念切手 a ｢memorial [commemorative] *stamp* / 消印のある切手 a canceled *stamp* / 使用済み切手 a used *stamp* // …を記念する切手 a *stamp* in honor of …

-きっての …切っての ¶彼はクラス*きっての秀才だ (⇒クラスの中で最も頭がよい) He is *the brightest* boy in his class. 《☞いちばん》

きっと¹ (確かに) surely, certainly; (疑いなく) undoubtedly, without doubt; (恐らく) no doubt, doubtless; (間違いなく) without fail.

【類義語】まったく疑いがなく, 確信の根拠となる裏付けのある場合は **certainly**. 完全に疑いがないとは言いきれず, やや確信に欠ける場合に **surely** を用いる. **certainly** は客観的. **surely** は主観的で, より口語的である. **undoubtedly** と **without doubt** は **certainly** とほぼ同じ意味で使われるが, **no doubt** と **doubtless** はもっと意味が弱まって probably の意味でしばしば用いられる. 《☞かならず (類義語); たしか (類義語)》 ¶彼は*きっと成功するだろう He will ｢*surely* [*certainly*] succeed. / He is ｢*sure* [*certain*] to succeed. / I am ｢*sure* [*certain*] (that) he will succeed. / It is *certain* that he will succeed. 語法 (1) 最後の例文では sure は使えない. また, この文は他の文より格式ばった言い方. (2) He *is sure of* success. ＝He *is sure* that he will succeed. と He *is sure to* succeed. ＝I *am sure* that he will succeed. の違いに注意. 前者は主語が確信をもっている場合で, 後者ではこの文の話者が確信をもっている場合. // 彼は*きっと東京にいるでしょう He will *undoubtedly* be in Tokyo. // *きっと知らせて下さい *Be sure* ｢*to* [*and*] let me know. / (⇒知らせることを忘るな) *Do not fail to* inform me. ★第 1 文のほうがより口語的. // あす*きっとお訪ねします (⇒間違いなく) I will call on you tomorrow *without fail.* / (⇒あらゆる手段を使っても) I'll come to see you tomorrow *by all means.* // もし彼女が 7 時に出たのなら, いまごろは*きっとあちらに着いているはずだ If she left at seven, she *ought to* be there by now.

きっと² ━副 形 (きつく・きつい) hard. ¶彼女は*きっと私をにらんだ She gave me a ｢*hard* [*stern*] stare. ★stern には「情け容赦なく」というニュアンスがある. 《☞きゅっと》

キット¹ kit Ⓒ. ¶模型ヘリコプター組立*キット a *kit* to build a model helicopter / a model helicopter *kit*

キット² (男性名) Kit ★Christopher の愛称.

キッド (子山羊のなめし皮) kid Ⓤ. ¶*キッドの靴 *kid* shoes

きつね 狐 〘動〙 fox Ⓒ; (めす) vixen Ⓒ; (子) cub Ⓒ. 《☞めす¹ 語法; 動物の鳴き声 (囲み)》.

¶彼は*きつねにつままれたような顔をしてうなずいた (⇒とまどった顔つきをして) He nodded with *a baffled look.* // その知らせを聞いてまったく*きつねにつままれたような気持ちだった The news *baffled* me completely. / I *was* completely *baffled* by the news. // *きつねの (毛皮の) えりまき a *fox-fur* muffler 参考 きつねの毛皮は単に fox Ⓤ ともいう.

きつね色 light brown Ⓤ, yellowish-brown Ⓤ 参考 英語では本物のきつねの毛の色は red あるいは reddish-brown とされている. 《☞こんがり; 料理の用語 (囲み)》. **狐うどん** *kitsune-udon* Ⓤ; (説明的には) *udon* noodles in soy soup with thin pieces of deep-fried bean curd **狐狩り** foxhunt Ⓒ **狐猿** 〘動〙 lemur /líːmə/ Ⓒ; (クロキツネザル) macaco /məkáːkou/ Ⓒ ★後者は雄が黒で雌が茶色. **狐そば** *kitsune-soba* Ⓤ; (説明的には) buckwheat noodles in soy soup with thin pieces of deep-fried bean curd **狐つき** person possessed by a fox Ⓒ **狐と狸の化かし合い** ━動 (互いに相手の裏をかく) outfox each other; (悪知恵を働かせて相手を負かす) defeat each other with cunning **狐の嫁入り** (天気雨) sunshine shower Ⓒ **狐火** (鬼火) will-o'-the-wisp Ⓒ; (発光菌類によるもの) foxfire Ⓒ.

きつねのえふで 狐の絵筆 (きのこ) *kitsune-no-efude* Ⓒ; (説明的には) a bad-smelling mushroom of the stinkhorn family, called 'fox's paintbrush' in Japanese for its tapering red-tipped body.

きつねのかみそり 狐の剃刀 〘植〙 orange lycoris Ⓒ.

きつねのてぶくろ 狐の手袋 ☞ジギタリス

きつねのぼたん 狐の牡丹 ☞きんぽうげ

きつねのまご 狐の孫 〘植〙 *kitsune-no-mago* Ⓒ; (説明的には) a species of water willow of the acanthus family, called 'fox's grandchild' in Japanese.

きっぱり ━副 (そっけなく・はっきりと) flatly; (はっ

きり) définitely; (率直に) frankly; (断固として) decísively; (決然として) résolùtely. 《☞ きぜん; だんこ; 擬声・擬態語 (囲み)》.

¶ 彼女は私の申し出を*きっぱりと断った She *flatly* refused my offer. // 私たちはその論争に*きっぱり (⇒これを最後に) 決着をつけた We have settled the argument *once and for all*.

きっぷ[1] 切符 ticket Ⓒ ★ 最も一般的; (切り取り・とじ込み式の) coupon Ⓒ.

¶ 入口で*切符を見せて下さい Show [Present] your *ticket* at the「gate [entrance]. ★ present は格式ばった語. // 仙台までの片道*切符を 1 枚下さい Please give me a「one-way [《英》 single] *ticket* to Sendai. 参考「往復切符」は round-trip [《英》 return] ticket. return ticket は《米》では帰りの切符.「通し切符」は through ticket. // この*切符は発行日とも 3 日間有効です This *ticket* is「good [valid] for three days inclusive of the day of issue. ★ good のほうが口語的. // 途中下車をするとその*切符は無効になる If you break your journey, the *ticket* will cease to be valid. // *切符を拝見します *Tickets*, please! 《☞ 省略 (巻末)》 // *切符を切ってもらった I had my *ticket* punched. // スピード違反の反則*切符 a speeding *ticket* // 駐車違反*切符 a parking *ticket*

切符売り場 (駅・劇場の) ticket office Ⓒ 《☞ えき[1] (挿絵)》; (窓口) ticket window Ⓒ; (台になっている所) ticket counter Ⓒ; (劇場の) box office Ⓒ.

コロケーション

一等切符 a first-class *ticket* / **エコノミー切符** an economy *ticket* / **団体切符** a party *ticket* / **普通切符** an ordinary *ticket* / **割引切符** a cut-rate *ticket*

きっぷ[2] 気っ風 気っ風がいい ― 形 (率直な) frank, straightforward.

きっぽう 吉報 (喜ばしい知らせ) good [glad] news Ⓤ 語法 news は単数扱い. glad のほうがその時の喜びのニュアンスが強い.

きづまり 気詰まり ¶ 彼は知らない人と同席して*気詰まりだった (⇒落ち着かなかった) He *felt ill at ease* with strangers. 《☞ きゅうくつ; きがね; とうわく》

きつもん 詰問 ― 動 (厳しく問う) question ...「closely [severely] 語法 前者は詳しく尋ねたことを表し, 後者は質問そのものが厳しかったことを表す. 《☞ しつもん》.

きづよい 気強い ☞ こころづよい

きつりつ 屹立 ― 動 (山などが) tower [soar] awesomely high ⓐ 《☞ そびえる》.

きて 来手 ¶ 彼には嫁の*来てがない (⇒だれも彼と結婚したがらない) Nobody wants to marry him.

きてい[1] 規定 ― 名 (規則) rule Ⓒ; (公的な規則) regulation Ⓒ; (法律などの条項) provision Ⓒ; (契約などの条項) 《格式》 stipulation Ⓒ. ― 動 (規定する) provide ⓐ; (法律が) 《格式》 prescribe ⓐ; (契約などで) 《格式》 stipulate ⓐ. 《☞ きそく; きやく[2]; さだめる》.

¶ 第 1 条の*規定により, 彼は 3 千円の罰金を課せられた In accordance with the *provisions* of Article I, he was fined three thousand yen. // *規定の書式に記入しなさい Complete the *prescribed* form. // *規定を作る make [lay down; establish] a *rule* // *規定に従う[反する] obey [violate] the *rules* // 彼は*規定の手続きをふんでいない He hasn't followed the *prescribed* procedure.

規定液 〔化〕 normal solution Ⓒ **規定演技** compulsory performance Ⓒ **規定種目** (競技の) compulsory event Ⓒ **規定打数** (パー打数) regulation「figure [number] Ⓒ **規定(濃)度** normality Ⓤ 《記号 N》 **規定料金** the「regulation [standard] charge.

きてい[2] 既定 ― 形 (すでに確立した) established Ⓐ; (予定された) prearranged. 《☞ きせい[1]》. ¶ *既定の事実 an *established* fact // *既定の方針 a *prearranged*「plan [program]

きてい[3] 規程 (官公庁の執務上の規則) official regulation Ⓒ. ¶ 公文書処理*規程 *regulations* for dealing with official documents

きてい[4] 基底 ― 名 (物の基部・底) base Ⓒ; (物事の基礎になる事柄) basis Ⓒ 《複 bases /béɪsiːz/》 ★ この意味では base も用いられる; 〔解〕 (空洞の器官の) fundus /fʌ́ndəs/ Ⓒ 《複 -di /-daɪ/》. ― 形 basal.

基底構造 base structure Ⓤ **基底状態** 〔量子力学〕 ground state Ⓒ **基底膜** 〔動〕 basement membrane Ⓒ **基底礫岩** 〔地質〕 basal conglomerate Ⓒ.

キティ (女性名) Kitty ★ Catharine, Catherine, Katharine, Katherine の愛称. いずれも発音は /kǽθ(ə)rɪn/.

ぎてい[1] 義弟 bróther-in-làw Ⓒ 《複 brothers-in-law》 《☞ ぎけい; ぎり; 親族関係 (囲み)》.

ぎてい[2] 議定 **議定書** protocol /próʊtəkɔ̀ːl/ Ⓒ.

きているい 奇蹄類 (類の全体) Perìssodáctyla; (奇蹄類の動物) perìssodáctyl Ⓒ.

きてき 汽笛 (steam) whistle Ⓒ; (船の) siren Ⓒ. 《☞ けいてき》. ¶ *汽笛を鳴らす blow [sound] a *whistle* // *汽笛が鳴った The *whistle* blew.

きてる ― 形 (頭がおかしい) crazy; (逆上している) out of *one's* mind. 《☞ くるう》. ¶ そんなことをするなんて彼女は*きてる She must be「*crazy* [*out of her mind*] to do something like that.

きてれつ 奇天烈 ☞ きみょう

きてん[1] 機転, 気転 (機知) quick wit Ⓤ; (如才なさ) tact Ⓤ.

【類義語】適切な言葉または行為によって, 気まずい場面を巧みに切り抜けるそつのなさが ***tact***. 当意即妙な機知は ***wit***. *wit* は他人を傷つけることもあるが *tact* は傷つけない. 《☞ きち[2]; じょさいない》

¶ 彼は*機転がきく[きかない] He is「*quick witted* [*slow witted*]. // 彼女の*機転で私はばつの悪い思いをしないですんだ (⇒ 彼女の機転が私をばつの悪さから救った) Her *tact* saved me from embarrassment. // *機転をきかせなさい (⇒頭を使いなさい) Use your「*brains* [*head*].

きてん[2] 起点 starting point Ⓒ. ¶ この角を*起点にして距離を測って下さい Please measure the distance using this corner as the *starting point*.

きてん[3] 基点 (基準点) datum point Ⓒ; (基地点) 〔商〕 basing point Ⓒ. **基点価格制** basing point pricing system Ⓒ.

きでん 貴殿 (手紙で目上や同輩の男性に用いる) you. ¶ この件につきまして*貴殿のご意見をいただければありがたく思います *Your* opinion on this matter would be much appreciated.

ぎてん[1] 疑点 (疑問がある箇所) doubtful point Ⓒ; (疑い) doubt Ⓒ. ¶ *疑点を晴らす clear up *one's doubts*

ぎてん[2] 儀典 (儀式についての規則) protocol Ⓤ. **儀典長** the chief of protocol.

きでんき 起電機 electrostatic /ɪlèktroustǽtɪk/ génerator Ⓒ.

きでんりょく 起電力 eléctromòtive fórce Ⓤ.

きと[1] 帰途 ― 名 (帰りの旅行) return (trip) Ⓒ. ― 副 (...からの帰り道) on *one's* way (back) from .... 《☞ かえり; きたく[1]; きこく[1]》.

¶ *帰途につくやいなや雨が降りだした As soon as we started「*on our way home* [*for home*], it began to rain. // 彼女はサンフランシスコからの*帰途, ちょっとホノルルに寄った She stopped over at Honolulu *on her way back from* San Francisco. // 彼は旅行の*帰途, その事故にあった He met with the accident ⌈*during his return (trip)* [*on his return trip*].

きと² 企図 (計画) plan Ⓒ; (企て) attempt Ⓒ. ((☞ くわだてる; もくろむ)).

キト ── 名 固 Quito /kíːtoʊ/ ★ エクアドルの首都.

きど¹ 木戸 (大きな門の脇の入口) wicket Ⓒ; (劇場などの入口) entrance Ⓒ. ¶ 庭*木戸 a garden *gate* **木戸口** (入口) entrance Ⓒ; (木戸のついた出入口) gateway Ⓒ **木戸御免** (無料入場の特典) privilege of free ⌈admission [entrance] Ⓒ; (入場無料) Admission Free ★ 掲示などで. **木戸銭** admission [entrance] fee Ⓒ.

きど² 輝度 〔物理〕 lúminance Ⓤ; (一般に明るさ) brightness Ⓤ. **輝度計** lúminance mèter Ⓒ **輝度分布** luminance distribution Ⓒ.

きどあいらく 喜怒哀楽 (感情) feelings; (強い感情) emotions ★ 両語とも通例複数形で. ¶ 彼は決して*喜怒哀楽を表に現さない (⇒ 感情を示さない) He never ⌈shows [betrays] his ⌈*feelings* [*emotions*]. ★ betray は格式ばった語.

きとう¹ 祈禱 (神への) prayer /préə/ Ⓤ ★ 具体的な祈りの言葉は Ⓒ; (食前食後の短い祈禱) grace Ⓤ. ((☞ いのる; いのり)). **祈禱師** (悪魔払いの) exorcist Ⓒ; (信仰治療師) faith healer Ⓒ; (悪霊などを呼び出す人) conjurer Ⓒ **祈禱書** prayer book Ⓒ.

きとう² 気筒 cylinder Ⓒ. ¶ 6*気筒の車 (⇒ 6 気筒のエンジンのついた車) a car with a six-*cylinder* engine

きとう³ 亀頭 〔解〕 glans /glǽnz/ Ⓒ ((複 glandes /glǽndiːz/)); (男性の) glans penis /píːnɪs/; (女性の陰核亀頭) glans clitoridis /klɪtɔ́ːrədɪs/. **亀頭包皮炎** 〔医〕 balanoposthitis Ⓤ.

きとう⁴ 帰投 ── 動 (艦船・航空機などが基地に帰る) return (to the base) 自. ── 名 return Ⓤ. ((☞ きかん⁶; かえる¹)).

きどう¹ 軌道 (天体・人工衛星・電子などの) orbit Ⓒ ((☞ せんろ)).
¶ 彼らは最初の人工衛星を*軌道に乗せることに成功した They succeeded in ⌈putting [launching] the first (artificial) satellite into *orbit*. ★ put ... into orbit として口語的な慣用句. // 人工衛星は*軌道に乗った The satellite has gone into *orbit*. // *軌道を外れる go out of *orbit* // 静止*軌道 a ⌈geostationary [geosynchronous] *orbit* // 地球周回*軌道 (an) *orbit* around the earth // 彼の仕事は*軌道に乗った (⇒ うまく進行している) His work *is well under way*. / His work *is running smoothly*.
軌道衛星 orbiter Ⓒ **軌道修正** course [orbit] correction Ⓤ ((☞ しゅうせい¹)) **軌道要素** 〔天〕 orbital element Ⓒ **軌道ランデブー** órbital rendezvous /rɑ́ːndivùː/ Ⓒ **軌道論** 〔天〕 theory of orbit Ⓤ.

きどう² 機動 ── 形 (機動的) mobile /móʊb(ə)l/. **機動演習** maneuvers ((英)) manoeuvres /mən(j)úːvəz/) ★ 通例複数形で. **機動作戦** mobile operations ★ 通例複数形で. **機動性** (軍隊の) mobility Ⓤ, manèuverability Ⓤ **機動隊** (警察の) the riot police ★ the を付けて. 複数扱い; *(一分隊) (anti)riot squad* Ⓒ **機動部隊** (軍隊の) task force Ⓒ **機動力** mobile power Ⓤ, mobility Ⓤ.

きどう³ 気道 〔解〕 airway Ⓒ.

きどう⁴ 起動 ── 名 starting. ── 動 start 他; (コンピューターを) boot up 他. ¶ エンジンを*起動する *start* the engine // コンピューターを*起動する *boot (up)* a computer // ((コンピューターの)) 再*起動 reboot Ⓒ ★ 動詞としても用いる ((☞ さいきどう)). **起動力** motive power Ⓤ.

きどうしゃ 気動車 (ディーゼルエンジンを持ち, 乗客を乗せることのできる鉄道車両) diesel railcar Ⓒ.

きどうらく 着道楽 (強い好み) a love of fine clothes; (人) person who is enthusiastic about fine clothes Ⓒ.

きどえんるい 希土塩類 〔化〕 rare earth salt Ⓒ.

ぎとぎと ── 形 (ねばねばして鈍く光る) glutinous [viscous] and dimly gleaming; (食物などが脂ぎった) greasy.

きとく¹ 危篤 ── 形 (重態の) critical, serious ★ 前者のほうがより深刻で「危篤」に近い. ((☞ じゅうたい¹)). ¶ 彼の父親は*危篤だ His father is *in critical condition*. // 彼は夜中に*危篤に陥った His condition became *critical* in the middle of the night.

きとく² 奇特 ── 形 (称賛に値する) praiseworthy, laudable, comméndable ★ 最後の 2 つは格式ばった語. ((☞ しゅしょう³)).

きとくけん 既得権 vested ⌈rights [interests] ★ 複数形で. ((☞ けんり)). ¶ 彼女は*既得権を守るために戦った She fought to protect her *vested rights*.

キドニー 〔解〕 (腎臓) kidney Ⓒ. **キドニーパイ** (牛・羊などの腎臓を入れたパイ) kidney pie Ⓒ.

きどり 気取り (気取った態度をとること, 身構えること) posing Ⓤ, posturing Ⓤ; (見せかけ・きざな態度) affectation Ⓤ; (うぬぼれ) conceit Ⓤ; (おしゃれ) foppery Ⓤ; (男のおしゃれ) dandyism Ⓤ. ¶ 彼は学者*気取りでいる (⇒ 学者のように振舞う) He *poses* as a scholar. // 彼らは夫婦*気取りで暮らしている (⇒ 夫婦のように) They live together *like* husband and wife.
気取り屋 affected person Ⓒ ((☞ きざ)).

きどる 気取る (実際よりよく見せようとする) put on airs, give *oneself* airs ((☞ きざ; もったいぶる)). ¶ そう*気取るな Don't ⌈*put on airs* [*give yourself airs*]. // 彼女は*気取った口のきき方をする (⇒ 気取った態度で話す) She speaks ⌈*affectedly* [in an *affected* way]. // 私は彼の*気取らない態度が好きだ I like his ⌈*unassuming* [*unaffected*] manner.

きどるいげんそ 希土類元素 〔化〕 rare earth element Ⓒ.

きない¹ 機内 ── 副 (機内で) on [in; aboard] a plane. **機内サービス** ín-flìght sérvice Ⓤ **機内食** in-flight meal Ⓒ, meal on the plane Ⓒ **機内暴力** violent behavior ⌈in [on] the plane Ⓤ, air rage Ⓤ **機内持ち込み手荷物** hand-carry [carry-on; cabin] ⌈baggage [luggage] Ⓤ.

きない² 畿内 ── 名 固 Kinai District; (説明的には) the five capital provinces surrounding the ancient capitals of Nara and Kyoto.

きなが 気長 ── 副 (辛抱強く) patiently; (急がずに) without ⌈hurry [((格式)) haste]; (のんびりと) at leisure; (ゆっくりと) slowly. ((☞ のんびり; ゆっくり)). ¶ 私は彼を*気長に待った I waited for him ⌈*patiently* [*with patience*]. // この仕事は*気長に (⇒ 時間をかけて [ゆっくりと]) やったほうがよい It is better to ⌈*take your time* [work *slowly*] at this job.

きながし 着流し ¶ *着流しで (⇒ 普段着で) in *casual clothes*

きながす 着流す wear kimono without *hakama*; (くだけた服装をする) be dressed casually. ((☞ きながし)).

きなくさい きな臭い ¶ 何か*きな臭い (⇒ 何かが焦げるにおいがする) There's a smell of (something) *burning*. // *きな臭い (⇒ 戦争の恐れがある) 状況 a situation that *threatens war* ((☞ こげくさい; くさい))

きなこ きな粉　soybean flour Ⓤ. ¶*きな粉もち rice cake powdered with *soybean flour*

きなん 危難　danger Ⓤ《☞ きけん¹》.

ギニア　── 名 固 Guinea /gíni/; (正式名; ギニア共和国) the Republic of Guinea. ── 形 Guinean /gíniən/. ギニア人 Guinean Ⓒ.

ギニアビサウ　── 名 固 Guinea-Bissau /gínibısáu/; (正式名; ギニアビサウ共和国) the Republic of Guinea-Bissau.

ギニー (かつて英国で用いられた金貨) guinea /gíni/ Ⓒ ★1 guinea は 21 shillings.

キニーネ (マラリアの特効薬) quinine /kwáınaın/ Ⓤ.

ギニーピッグ 〔動〕 guínea pìg Ⓒ《☞ モルモット》.

きにいり 気に入り ☞ おきにいり

きにいる 気に入る ¶みんなの*気に入るようにすることは難しい (⇒ すべての人を満足させることはできない) We cannot「*please* [*satisfy*] everybody. // 彼女は新しいドレスが*気に入った She *liked* her new dress. // 彼らはその踊り子が*気に入った They *took a fancy to* the dancer. ★ くだけた言い方. // 彼はその絵が*気に入った (⇒ その絵が彼の好みにあった) That picture「*caught* [*took*] his *fancy*. //「新車は*気に入りましたか」「ええ, とても*気に入りました」"How do you *like* your new car?" "I *like* it very much." ★ like が現在形であることに注意.《☞ おきにいり; すき¹; まんぞく》

きにち 忌日 ☞ めいにち

きにゅう 記入 ── 動 (書き込む) wríte dówn 他; (帳簿にのせる) enter 他 ★ やや格式ばった語; (アンケート・書類などに必要事項を) fill in 他; (必要事項を書き入れて書類などを完成する) fill「in [óut] 他, complete 他 ★ 後者はやや格式ばった語. ── 名 entry Ⓒ.《☞ かきいれる; きさい³》.

¶これらの番号をノートに*記入しなさい *Write down* all these numbers in your notebook. // あなたの住所氏名をここに*記入して下さい Please *fill in* your name and address here.《☞ ところ 2 日英比較》// 申込書には必要事項を*記入しましたか *Have* you *filled*「*out* [*in*] the application?

記入済《表示》Entered **記入もれ** omission Ⓒ.

ギニョール (指人形) guignol /gınjɔ́ːl/ Ⓒ.

きにん 帰任 ── 動 (元のポストへ戻る) go [come] back to *one's* former post; (仕事を再開する) resume *one's* work.

きぬ¹ 絹 ── 名 silk Ⓤ. ── 形 silk; silky; silken. 語法 絹でできているものには silk, 比喩的な意味では silky, silken はいずれにも用いる. ¶*絹のような髪 *silky* hair // *絹張りの屏風 a portable folding screen with a *silk* finish 絹を裂くような (かん高い) shrill; (鋭い) piercing. ¶*絹を裂くような声 a *shrill*「cry [scream] / a *piercing* shriek

絹糸 silk thread Ⓤ《☞ いと¹》 **絹織物** silk fabrics ★ 複数形で. **絹製品** silk goods, silks ★ いずれも複数形で. **絹の道** ☞ シルクロード

きぬ² 衣 ☞ きもの; いふく¹ **衣擦れの音** the「rustle [swishing] of a dress.

きぬがさそう 衣笠草 〔植〕 *kinugasaso* Ⓒ; (説明的には) a perennial of the lily family.

きぬがさたけ 絹傘茸 (すっぽんたけ科のきのこ) stinkhorn mushroom Ⓒ.

きぬかつぎ 衣被 unskinned and boiled taro Ⓒ.

きぬぎぬ 衣衣, 後朝 parting of lovers on the morning of the following day after the meeting Ⓤ.

きぬけ 気抜け ¶私は彼女が不在なので*気抜けしてしまった (⇒ 失望した) I *was disappointed* because she was not at home.《☞ がっかり; しつぼう》

きぬごしとうふ 絹漉し豆腐 silken tofu Ⓤ.

きぬざる 絹猿 〔動〕 marmoset Ⓒ.

きぬた 砧 wooden [stone] block for beating cloth Ⓒ. ¶*砧の音 the sound of beating cloth (on a「wooden [stone] block with a mallet)

きね 杵 mallet Ⓒ; (つく道具) pounder Ⓒ; (すりこぎ状の) pestle Ⓒ.

ギネスブック (世界一の記録集) the Guinness /gínıs/ Book of (《米》) World) Records.

きねづか 杵柄 ¶それは昔とった*杵柄だ (⇒ 豊富な経験を積んだから今もできる) I've had plenty of *experience* to do that.

キネティックアート (動く美術) kinetic /kınét-ık/ árt Ⓤ. ¶*キネティックアーティスト a kinetic artist

キネマ ☞ シネマ

きねん¹ 記念 ── 名 commèmorátion Ⓤ; (思い出) memory Ⓒ, remembrance Ⓤ 語法「記念になるもの」の意味では Ⓒ. 前者には個人的なニュアンスがあるのに対し, 後者はやや格式ばった一般的な語. ── 動 (記念する) commémoràte 他; (祝典などで祝う) célebràte 他.《☞ おもいで》.

¶私たちは学校の創立を*記念して木を植えた We planted some trees「*in commemoration of* [to *commemorate*] the founding of our school. ★[ ]内のほうが口語的. // 彼らは創立者を*記念して彫像を建てた They erected a statue *in memory of* the founder. // きょうは私にとって*記念すべき (⇒ 特別な) 日です This is a「*special* [*memorable*] day for me. // 彼らは恩師の還暦を*記念して (⇒ 祝して) 論文集を出版した They published a collection of essays「*in celebration of* [to *celebrate*] their teacher's 60th birthday. ★[ ]内のほうが口語的. // 彼女は自分の写真を*記念にくれた (⇒ 記念品として) She gave me her picture as a「*remembrance* [*keepsake*].

記念切手[乗車券] commémorative「stámp [tícket] Ⓒ **記念行事** ànnivérsary evént Ⓒ **記念号** (雑誌などの) commemorative「number [issue] Ⓒ **記念祭** memorial festival Ⓒ; (儀式) commemoration Ⓒ **記念式典** commemorative ceremony Ⓒ **記念写真** souvenir /súːvənìə/「picture [photograph] Ⓒ ★ 前者のほうが一般的. **記念出版** commemorative publication Ⓒ **記念スタンプ** commemorative stamp Ⓒ **記念碑** monument Ⓒ ★ 記念となる建物・塔などをも示す. **記念日** memorial day Ⓒ; (年1度の) ànnivérsary Ⓒ. ¶きょうは私たちの 10 回目の結婚*記念日だ This is our tenth wedding *anniversary*. // 創立*記念日 (the) foundation *day* **記念品** remembrance Ⓒ; memento Ⓒ; souvenir Ⓒ; keepsake Ⓒ 語法 いずれも, ある事・人・所などを思い起こさせるものの意味であるが, remembrance はかなり抽象的であり, 特定のものについては memento を用いることが多い. また souvenir は例えば旅行先などで買うもののこと. keepsake は個人の思い出の品. **記念物** (史跡, 遺跡など) monument Ⓒ; (記念となる物) memorial Ⓒ.《☞ てんねん (天然記念物)》.

きねん² 祈念 ── 名 prayer /préə/ Ⓒ. ── 動 pray 自. ¶彼は神に家族の安全を*祈念した He *prayed* to God for the safety of his family.

きねん³ 紀年 era Ⓒ《☞ きげん⁴》. ¶西暦*紀年 10 年に in the tenth year A.D. / in A.D. 10

ぎねん 疑念 doubt Ⓤ; (疑惑) suspicion Ⓤ; (不信) distrúst Ⓤ ★ しばしば a を付けて.《☞ ぎわく; うたがい》.

きのいわい 喜の祝い ☞ きじゅ

きのう¹ 昨日 yesterday 語法 (1) 副詞と名詞の用法があるが, 名詞の場合も常に無冠詞.《☞ 時

刻·日付·曜日 (囲み)》. ¶*きのうは土曜だった *Yesterday* was Saturday. / It was Saturday *yesterday*. ★ 第 1 文のほうがより口語的. // 彼は*きのうの朝[午後, 晩]に出発した He left *yesterday* ˹morning [afternoon; evening]. [語法] (2)「きのうの朝·午後·晩·夜」などでは yesterday, または last を用いるが, その組み合わせ方は次のとおり.

yesterday	last	
○	×	morning
○	×	afternoon
○	○	evening
×	○	night

// それはつい*きのうのことのように覚えている I remember it as if it were (only) *yesterday*. // *きのうの新聞はどこにありますか Where is *yesterday's* newspaper? // *きのうの今日 (⇒ …からあまり時間が経過していない) Not much time has passed since … / (⇒ それはつい数時間前に起こった) It happened *only a few hours ago*. **昨日は人の身, 今日は我が身** What happened to someone else yesterday may be my ˹fate [lot; turn] today.

きのう² 機能 ―名 function Ⓒ. ―形 (機能的) functional. ―動 (機能する) function ⓐ, work ⓐ ★ 後者のほうが口語的. 《☞ やくめ; はたらき》. ¶心臓はどんな*機能をもっていますか What is the ˹heart's *function* [*function* of the heart]? // ブレーキは正常に*機能しなかった The brake failed to ˹*function* [*work*] properly.
機能語〘文法〙function word Ⓒ **機能集団** functional group Ⓒ **機能主義** functionalism Ⓤ ★ 社会学, 心理学の用語としても用いられる. **機能障害** functional disorder Ⓒ, dysfunction Ⓤ **機能性食品** functional food Ⓤ《略 FF》 **機能的** ―形 functional **機能美** functional beauty Ⓤ; (美と実用性を備えていること) beautility Ⓤ.

きのう³ 帰納 〘論〙 ―名 induction Ⓤ (↔ deduction) ★「帰納された結論」の意味では Ⓒ. ―形 (帰納的な) inductive. ―動 (帰納する) induce ⓗ.
帰納的推理 inductive ˹reasoning [inference] Ⓤ **帰納法** induction Ⓤ, inductive method Ⓒ.

きのう⁴ 気嚢 (動植物の) air sac Ⓒ; (魚の) air bladder Ⓒ.

きのう⁵ 帰農 (農業に復帰する) return to farming. **帰農運動** back-to-the-land movement Ⓒ.

ぎのう 技能 ―名 skill Ⓤ ★ 具体的な意味では Ⓒ. ―形 (熟練した) skilled. 《☞ わざ; ぎじゅつ (類義語)》. ¶私たちは英語の 4* 技能を習得しなければならない We have to master the four *skills* of English. [参考] 4 技能とは「話す」speaking,「聞く」listening,「読む」reading,「書く」writing. // 彼は*技能のすぐれた大工だ He is a highly *skilled* carpenter.
技能オリンピック the International Vocational Training Competition **技能士** certified skilled worker Ⓒ **技能賞** technical ˹prize [award] Ⓒ ★ *award* には「公の機関が審査をした上で授与する」というニュアンスがある; (相撲の) *gino-sho* Ⓒ, technique prize Ⓒ **技能労働者** technical expert Ⓒ; (熟練工) skilled labor Ⓤ ★ 集合的に.

きのえ 甲 (十干の第 1) the first of the ˹Ten Celestial Signs [ten calendar signs].

きのくにやぶんざえもん 紀伊国屋文左衛門 ―名 ⓖ Kinokuniya Bunzaemon, ?–1734; (説明的には) a wealthy lumber merchant in the Edo period.

きのこ 茸 mushroom Ⓒ; (有毒の) toadstool Ⓒ; (欧州産マツタケ科の食用きのこ) champignon Ⓒ ★ 一般に食用きのこの総称; (菌類) fungus /fʌ́ŋgəs/ Ⓒ《複 fungi /fʌ́ndʒaɪ, -gaɪ/, ~es》 ★ fungus は「きのこ」を含んだ菌類の総称で,「かび」mold, mildew なども含む. ¶*きのこ狩りに行く go to gather *mushrooms* / go ˹*mushrooming* [*mushroom*-gathering] [語法] 前者は「きのこを集めに行く」, 後者は「娯楽や趣味できのこ狩りに行く」こと.
きのこ雲 mushroom cloud Ⓒ.

きのつらゆき 紀貫之 ―名 ⓖ Kino Tsurayuki, 868?–945; (説明的には) a *waka* poet in the early Heian period. He is one of the compilers of the *Kokin Wakashu*, Japan's first imperial anthology of poetry. 《☞ とさにっき》

きのと 乙 (十干の第 2) the second of the ˹Ten Celestial Signs [ten calendar signs].

きのどく 気の毒 ¶お*気の毒です I am (very) *sorry*. [語法] I ˹am [feel] *sorry* for you. のように for you を付けると,「お気の毒さま」という皮肉の意味が含まれ, 相手に冷たい感じを与えるから, 軽く同情を示すには付けないほうがよい. // それはお*気の毒に (⇒ それを聞いて気の毒に思う) I am *sorry* to hear that. // 彼は*気の毒な人だ (⇒ 同情に値する) He deserves *pity*. / (⇒ 不運だった) He's been *unlucky*. ★ 口語的. / (⇒ 哀れな状態にある) He is in a ˹*pitiable* [*pitiful*] condition. // ご病気でお*気の毒です (⇒ あなたが病気であることを気の毒に思っている) We are *sorry* (that) you are sick. // 彼女はひとりぼっちで*気の毒だ It's *a pity* that she lives a lonely life. // 彼女はその孤児たちをたいへん*気の毒に思った She ˹felt [was filled with] deep *pity* for the orphans. // 私は彼を*気の毒に思って (⇒ 同情の念から) いくらか金を貸してやった I lent him some money out of ˹*pity* [*sympathy*; *compassion*]. 《☞ どうじょう¹ (類義語)》 // 彼女の息子は*気の毒にも交通事故で死にました (⇒ 彼女のかわいそうな息子は交通事故で死んだ) Her *poor* son was killed in a traffic accident. // 彼が試験に失敗したのは*気の毒なことだ (⇒ 私を悲しませる) It makes me *sad* to hear that he failed the exam.

きのぼり 木登り ―動 climb (up) a tree. ¶この子は*木登りが上手だ This boy is good at *climbing trees*.

きのぼりうお 木登魚 〘魚〙climbing perch Ⓒ; (総称) ánabas Ⓒ; (一般に) walking fish Ⓒ.

きのぼりとかげ 木登蜥蜴 〘動〙tree lizard Ⓒ.

キノホルム 〘薬〙chinoform /kínəfɔ̀əm/ Ⓤ.

きのみ 木の実 ☞ このみ²

きのみきのまま 着のみ着のまま ¶彼らは*着のみ着のままで逃げた (⇒ 着ている服以外何も持たずに逃げた) They escaped *with* ˹*nothing but* [*only*] *the clothes they had on.*

きのめ 木の芽 (木の新芽) (leaf) bud Ⓒ; (山椒の芽) leaf bud of Japanese pepper Ⓒ. ¶*木の芽時 the *budding* season

きのめあえ 木の芽和え *kinome-ae* Ⓤ; (説明的には) fish or vegetables dressed with miso sauce mixed with Japanese-pepper buds ★ 複数形で.

きのめでんがく 木の芽田楽 tofu baked and spread with miso sauce mixed with Japanese-pepper buds Ⓤ ★ 説明的な訳.

きのやまい 気の病 (神経衰弱) nervous breakdown Ⓤ; (神経症) neurosis Ⓤ ★ 単なる「不安」の意では Ⓒ《複 -ses》. ¶彼女は*気の病から自殺を図った Her ˹*neurosis* [*nervous breakdown*] caused her to attempt suicide.

きのり 気乗り ¶きょうは映画へ行くのは*気乗りがしない(⇒行きたいような気がしない) I don't *feel like going* to the movies today. ⦅☞ のりき⦆ **気乗り薄** ¶彼は*気乗り薄な返事をした He made a *half-hearted* reply. / He replied *half-heartedly*.

きば[1] 牙 (象・いのししなどの) tusk Ⓒ ★「象牙(材質)」は ivory Ⓤ; (おおかみ・犬・へびなどの) fang Ⓒ. **牙を研ぐ** wait for an opportunity to ⌈attack [harm] *a person* **牙を剝く** bare [show] *one's* fangs; (歯をむき出してうなる) snarl (at ...) ⓐ; (敵意をあらわにする) show ⌈hostile feelings [hostility] (against ...). ¶犬はその見慣れない人に向かって*きばをむいた(⇒うなった) The dog ⌈*snarled* [*growled*] at the stranger.

きば[2] 木場 lumberyard Ⓒ; ⦅英⦆ timberyard Ⓒ.

きば[3] 騎馬 **騎馬巡査** mounted policeman Ⓒ **騎馬戦** mock cavalry battle Ⓒ **騎馬民族** equestrian [nomadic] people Ⓒ.

きはい 跪拝 ━動 kneel down to worship. ━名 worshiping on *one's* knees Ⓤ.

きばえ 着映え ¶この毛皮のコートはきっと*着映えがしますよ This fur coat will surely *look finer* on you.

きはく[1] 気迫 ━名 (活気) spirit Ⓤ; (欲求心) drive Ⓤ; (元気) vigor Ⓤ; (勇気) courage /kə́ːrɪdʒ/ Ⓤ, ⦅略式⦆ guts ★ 後者は複数形で. 口語的. ━形 high-spirited. ⦅☞ いきごみ⦆. ¶彼は*気迫に満ちて[欠けて]いる He is ⌈full of [lacking in] *spirit*. // あいつには*気迫がない The fellow lacks *drive*.

きはく[2] 希薄 ━形 (液体・気体など) thin (↔ thick); (空気など) rare; (人口など) sparse (↔ dense). ⦅☞ うすい[1]⦆.

きばく 起爆 ¶その事件が戦争の*起爆剤となった(⇒その事件が戦争の引き金を引いた) The event ⌈*triggered* [*led to*] (the) war. **起爆装置** triggering device Ⓒ.

きばこ 木箱 wooden box Ⓒ.

きばさみ 木鋏 pruning shears, clippers ★ 複数形で. ¶*木鋏み一丁 a pair of ⌈*pruning shears* [*clippers*]

きはずかしい 気恥ずかしい ━動 feel embarrassed.

きはだ 木肌 the bark (of a tree).

きはだまぐろ 黄肌鮪 〘魚〙 yellowfin (tuna) Ⓒ.

きばたらき 気働き ¶*気働きのある人(⇒有能な人) a *competent* person

きばち 樹蜂 〘昆〙 horntail Ⓒ.

ぎばち 義蜂 〘魚〙 *gibachi* Ⓒ; (説明的には) a freshwater fish of the catfish family.

きはちじょう 黄八丈 checkered or vertically striped yellow silk cloth Ⓤ; (説明的には) a type of yellow silk textile made on Hachijo island.

きはつ 揮発 ━形 (揮発性の) volatile /válətl/. **揮発性** volatility Ⓤ **揮発物** volatile matter Ⓤ **揮発油** (ベンジン) benzine /bénziːn/ Ⓤ ★ 同じ発音の「ベンゼン」benzene と混同しないこと; (ガソリン) ⦅米⦆ gásoline Ⓤ, ⦅英⦆ pétrol Ⓤ.

きばつ 奇抜 ━形 (新奇で人を驚かすような) novel; (常軌を逸した) eccéntric; (奇異で空想をかきたてる) fantastic. ⦅☞ ふうがわり; ざんしん; きみょう; とっぴ⦆. ¶*奇抜な思いつき a *novel* idea

きばなしゃくなげ 黄花石南花 〘植〙 golden rhododendron Ⓒ ⦅☞ しゃくなげ⦆.

きばのろ 牙麞 〘動〙 Chinese water deer Ⓒ.

きばむ 黄ばむ ━動 yellow ⓐ, become yellow(ish). ━形 (黄色がかった) yellow(ish). ⦅☞ きいろ⦆. ¶紙は年がたつと*黄ばんでくる Paper *yellows* with age.

きばやい 気早い (軽率で早まった) hasty; (気短かでいらいらした) impatient; (衝動的で性急な) impétuous ★ 後のものほど格式ばった語となる. ¶*気早い人 a *hothead* / a person of *impetuous* disposition ★ 後者のほうが格式ばった言い方.

きばらし 気晴らし ━名 (暇つぶし) pastime Ⓒ; (気分転換) ⦅格式⦆ diversion Ⓤ; (労働の後などの健全な娯楽や休養) recreation Ⓤ ★ 以上いずれも具体的なものを指すときは Ⓒ. ━動 (気晴らしをする) amuse *oneself*. ⦅☞ ごらく (類義語); うさばらし⦆. ¶彼は*気晴らしによく狩りに行く He often goes hunting for ⌈*recreation* [*diversion*]. / He often goes hunting as a ⌈*pastime* [*diversion*].

きばる 気張る **1** ⦅がんばる⦆: exert *oneself*; strain *oneself* ★ 後者は頑張りすぎて体を壊す事. ⦅☞ がんばる⦆. **2** ⦅気前よく支払う⦆: pay generously.

きはん[1] 規範 ━名 (外部から与えられた) standard Ⓒ ★ しばしば複数形で; (行動などの) norm Ⓒ. ━形 (規範的な) prescriptive. ⦅☞ ひょうじゅん; きじゅん[1]⦆. **規範文法** prescriptive [normative] grammar Ⓤ.

きはん[2] 帰帆 ━動 (帆走して帰る) sail back ⓐ. ━名 (港に帰る船) returning sailboat Ⓒ.

きばん[1] 基盤 (特に抽象的な) basis Ⓒ ⦅複 bases /béɪsiːz/⦆; (強固で永続性のある) foundation Ⓒ; (都市や国家の基幹施設) infrastructure Ⓒ. ⦅☞ きそ[1] (類義語); どだい[1]⦆. ¶民主主義の*基盤は自由を守ろうという国民の意志である The *foundation* of democracy is the will of the people to preserve liberty. // その映画は歴史的事件を*基盤としている The film *is based on* a historical event. **基盤産業** basic industry Ⓤ **基盤整備** (保全) maintenance of ínfrastrùcture Ⓤ; (改良) improvement of infrastructure Ⓤ.

きばん[2] 基板 (電気回路が組み込まれている板) circuit board Ⓒ; (コンピューターの主回路基板) motherboard Ⓒ.

きはんせん 機帆船 motorized sailboat Ⓒ.

きひ 忌避 ━動 (義務などを) evade ⓗ; 〘法〙 (判事・陪審員などを) chállenge ⓗ. ━名 evasion Ⓤ; challenge Ⓒ. ⦅☞ かいひ[1]; きょひ[1]⦆. ¶彼は兵役を*忌避した He *evaded* military service. // 良心的兵役*忌避者 a conscientious *objector*

きび[1] 機微 ¶人情の*機微に通じる know the *subtlety* /sʌ́tlti/ of human nature

きび[2] 黍 millet Ⓤ. **黍団子[吉備団子]** millet dumpling Ⓒ.

きび[3] 驥尾 (駿馬の尾) the tail of a ⌈fast [excellent] horse. **驥尾に付す** (すぐれた人に従えば立派なことを成しえる) If you follow a great person, you will also produce a great achievement.

きびがらざいく 黍稈細工 millet-straw work Ⓤ.

きびき 忌引き absence from ⌈work [school] due to mourning Ⓒ.

きびきび ━形 (動作が敏捷な) quick; (活発な) brisk; (活動的な) active; (有能な) efficient; (言葉の歯切れがよい) crisp. ⦅☞ てきぱき; きびん; 擬声・擬態語 (囲み)⦆. ¶彼は動作が非常に*きびきびしている He is very *quick* in his movements. // 彼女は*きびきびと仕事をする(⇒仕事ぶりが有能だ) She is *efficient* when she works. / She is an *efficient* worker. // 彼の話しぶりは*きびきびしている(⇒歯切れのよい話し方をする) He has a *crisp* manner of speaking.

きびしい 厳しい ━形 (厳格な) severe /sɪvíə/; stern; strict; rígorous; (冷厳な) austére; (手厳しい) harsh; (程度が強烈な) intense; (訓練・天候などが) hard. ━副 severely; sternly; strictly; intensely; hard. ― [名] severity [U]; sternness [U]; strictness [U]; rigor (《英》 rigour) [U]; intensity [U]. 【類義語】柔軟性や甘さがまったくなく，厳格で妥協を許さないのが **severe**. 情け容赦せず断固としているのが **stern**. 規律や規準などを厳正忠実に守るのが **strict**. 困難や苦痛を感じさせるほど一分のすきもなく厳しいのが **rigorous**. 感情を表に出さず冷たく厳しいのが **austere**. とげとげしくて手厳しいのが **harsh**. 優しくなく，同情心を示さないのが **hard**. 《☞ げんかく¹; げんじゅう; きつい; つらい》 ¶私たちの先生は*厳しすぎる Our teacher is too ˹*strict* with us [*severe* with us; *severe* on us]. ∥ 彼は*厳しい顔つきをしている He looks *stern.* ∥ 彼の父親は*厳しい人だった His father was an *austere* man. ∥ 政府は規定を*厳しくした (⇒ 引き締めた) The Government *has tightened up* (*on*) the regulations. ∥ 裁判官は被告に*厳しい判決を下した The judge imposed a *severe* sentence on the culprit. ∥ 彼女はそのいたずらっ子を*厳しくしかった She scolded the naughty boy *severely.* ∥ 私たちは人生の*厳しい現実に立ち向かわねばならない We have to face up to the ˹*stern* [*harsh*] realities of life. ∥ 夏の*厳しい暑さ the *intense* heat of summer ∥ 日本では 8 月が一番暑さが*厳しい (⇒ 最も暑い) August is the *hottest* month in Japan. ∥ この冬は寒さが*厳しかった (⇒ とても寒い[厳しい]冬をもった) We had a ˹*very cold* [*severe*] winter this year. / It was *severely* cold this winter. ∥ 私たちはそれを*厳しく (⇒ とても綿密に) 検査した We examined it *very closely.* ∥ 私は彼に支払いを*厳しく催促した I pressed him *hard* for payment. ∥ 彼は私に非常に*厳しいことを言った He said some very *hard* things to me.

きびす 踵 heel [C]. ¶*きびすを返す[巡らす] (⇒ 引き返す) turn [go] back

踵を接する (物事が次々と続いて起こる) Things happen one after another.

きびたき 黄鶲 〖鳥〗 narcíssus flỳcatcher [C].

ぎひつ 偽筆 ― [名] (偽造した手書き) forged handwriting [U]; (偽造した絵画) forged picture [C]; (偽筆署名) false signature [C]. ― [形] (偽筆の) forged, cóunterfeit. ¶彼は小切手に私の署名の*偽筆をした He *forged* my signature on the check.

きびなご 黍魚子 〖魚〗 blue sprat [C].

きびゅうほう 帰謬法 〖数・論〗 reduction to absurdity [U].

きひょう 起票 ― [動] write out [issue] a (new) slip.

きびょう 奇病 strange [rare] disease [C] 《☞ なんびょう》.

ぎひょう 戯評 (風刺) satire /sǽtaɪə/[C]; (風刺文) lampoon [C]; (戯画) cáricatùre [C]; (時事漫画) satiric cartoon [C].

きびょうし 黄表紙 illustrated (story)book in yellow covers that was popular in the Edo period [C] ★ 説明的な訳.

きひん 気品 ¶彼女の物腰 (⇒ 態度) にはどことなく*気品がある (⇒ 優美な[高貴な]ところがある) There is something ˹*graceful* [*noble*] about her manner. 《☞ ひん; じょうひん (類義語)》

きびん 機敏 ― [形] (すばやい) quick, prompt [語法] *以上いずれも反応の速いことを意味する*が， prompt は要求・必要などに迅速に応じること. ― [副] quickly, promptly. 《☞ びんしょう¹; すばやい》. ¶彼は*機敏だ He is *quick.* ∥ *機敏に行動する take *prompt* action / act *promptly*

きひんしつ 貴賓室 (ホテルなどの) royal suite /swíːt/ [C].

きひんせき 貴賓席 (劇場などの) royal box [C].

きふ¹ 寄付 ― [名] (公共の目的などの) còntribútion [U] ★ 一般的な語; (慈善事業・宗教的・社会的目的の) donation [U] ★ 以上の語は寄付金の意味では [C]. ― [動] contríbute (他) (自); donate (他) (自). 《☞ きぞう; けんきん》. ¶彼はいろいろな慈善事業に 200 万円*寄付した He ˹*contributed* [*donated*] ¥2 million to various charities. / He made a ˹*contribution* [*donation*] of ¥2 million to various charities. ∥ 私は毎年共同募金に*寄付する I ˹*contribute* [*donate*] to the community chest every year. ∥ *寄付を募る raise *funds* **寄付金** contribution [C], donation [C] **寄付行為** act of endowment [C]; (法人の規則) statute of a ˹legal person [corporation] [C] **寄付者** contríbutor [C], donor [C].

きふ² 棋譜 record of a game of ˹go [*shogi*] [C].

きぶ 基部 (建物の土台) foundations ★ 通例複数形で; (支える物の最下部) base [C]. 《☞ きそ¹》.

ぎふ 義父 father-in-law [C] 《複 fathers-in-law》; (養父) foster [adoptive] father [C]; (継父) stepfather [C]. 《☞ ぎり; 親族関係 (囲み); ようふ¹》.

ギブアウェイ (販売促進用の景品) gíveawày [C].

ギブアップ ― [動] give úp. ¶もう*ギブアップだ I *give up.* [日英比較] give up は英語では [動] である.

ギブアンドテイク give-and-take [U].

きふう¹ 気風 (雰囲気) tone [C]; (精神) spirit [U]. 《☞ ふんいき》. ¶私はその学校の開放的な (⇒ 自由な)*気風が好きだ I like the liberal *tone* of the school. ∥ その会社は創造的な*気風で知られている That firm is known for its creative *spirit.*

きふう² 棋風 *one's* way of playing ˹go [*shogi*].

きふく¹ 起伏 ― [名] (上がり下がり) ups and downs ★ 複数形で. ― [動] (上下する) rise and fall (自). ― [形] (起伏のある) rolling [A]. 《☞ でこぼこ; おうとつ》. ¶その道路は*起伏が多い The road is full of *ups and downs.* ∥ 丘陵はゆるやかに*起伏している The hills *rise and fall* in gentle arcs. ∥ 彼の人生は*起伏に富んでいた His life was full of *ups and downs.* ∥ 感情の*起伏がはげしい (⇒ むら気だ) be *moody* / (⇒ 感情が不安定) be emotionally *unstable*

きふく² 帰服 ― [動] (…に服従する) surrender [yield] (to …), submit (*oneself*) to …. ¶彼らは新しい支配者に*帰服することを拒んだ They refused to *submit* (*themselves*) *to* the new ruler.

きぶくれ 着膨れ ― [動] (厚着をする) be warmly dressed; (余分な服を着る) wear extra clothes. **着ぶくれラッシュ** (ラッシュアワーに列車の乗客の厚着のために起こる混雑) the train feeling more crowded during rush hour because of the passengers' thick clothing [日英比較] 英語にはこれに当たる言葉がないので説明的に訳す以外にはない.

きふさぎ 気塞ぎ ― [名] (心のゆううつ) gloom [U]; (精神的な落ち込み) mental depression [U]. ― [動] be ˹gloomy [depressed]; (元気がない) be in low spirits. ¶子供の死後彼女は深い*気塞ぎに落ち込んだ After the child's death she fell into a *deep* ˹*gloom* [*depression*].

きふじん 貴婦人 lady [C] 《☞ ふじん¹》.

ギプス (plaster) cast [C] [参考] cast は石こうなどで骨折部分を固めるもの. 添え木は splint [C] という. 《☞ いりょう¹ (挿絵)》. ¶彼は*腕にギプスをしていた His arm was in a *plaster cast.*

きぶつ¹ 器物 (容器) vessel [C], container [C] ★ vessel のほうがより改まった語; (器具) utensil [C]; (家具) furniture [U]; (個人の資産) property [U]. ¶*器物損壊罪 a charge of damage to *property* ∥ 彼女は*器物破損で訴えられた She was accused of ˹*property* damage [damage *to property*].

きぶつ[2] **木仏** wooden Buddhist image Ⓒ; (情を解しない人) unfeeling [callous] person Ⓒ.

キブツ (イスラエルの共同農場) kibbutz /kɪbúts/ Ⓒ《複 -butzim /kɪbutsíːm/》.

ギフト (やや改まった贈り物) gift Ⓒ; (日常的な贈り物) present Ⓒ. 《☞ おくりもの (類義語)》. **ギフトカード** gift certificate Ⓒ **ギフトクーポン** gift「coupon [certificate] Ⓒ **ギフト券** ☞ ギフトカード **ギフトショップ** gift shop Ⓒ.

きぶとり 着太り ¶彼女は着物を着ると*着太りする (⇒ 実際より太って見える) She *looks fleshier* in kimono *than she*「*really* [*actually*] *is*.

きふほう 記譜法 〘楽〙 musical notation Ⓤ.

きふるす 着古す ━動 wéar óut ㊀. ━形 wórn-óut. ¶*着古した服 *worn-out* clothes 《☞ ふるぎ》

キプロス ━名 ㊀ Cyprus /sáɪprəs/. ━形 Cyprian /sípriən/. **キプロス人** Cypriot /sípriət/ Ⓒ.

きふワイン 貴腐ワイン noble-rot wine Ⓤ; (説明的には) wine made from grapes affected with noble rot Ⓤ ★ 完熟期に貴腐菌 (noble rot) によって糖分の高まったぶどうを原料にした高級白ワイン.

きぶん[1] **気分** (何かをしようという気分) mood Ⓒ; (気持ち) feeling Ⓒ; (雰囲気) átmosphère Ⓒ. 《☞ きもち》. ¶「きょうは*気分はいかがですか」「だいぶよくなりました」"How do you *feel* today?" "I feel much better now. Thank you." ★ この質問は病人に対して用いる. // きょうはどうも*気分がすぐれない I'*m* not *feeling* well today. // *気分爽快だ I *feel* fine. // 田舎道を歩くのは*気分がいい It's「*pleasant* [*refreshing*] walking along a country road. // 酔って*気分が悪くなった I drank myself *sick*. // 歌を歌いたい*気分だ I'm in a singing *mood*. // 泣きたいような*気分だ I *feel like* crying. // トランプをやる*気分じゃない I'm in no *mood* for playing cards. // 彼がいると*気分が壊れる (⇒ 彼の存在は雰囲気を壊す) His presence destroys the *atmosphere*. // 人の*気分を害する hurt *a person's feelings* // 村はお祭り*気分がみなぎっていた The whole village was in a festive *mood*. // *気分転換に旅行に出かけた I went on a trip *for a change of pace*. // **気分屋** (気分の変わりやすい人) man [woman] of moods Ⓒ, moody person Ⓒ.

> コロケーション
> **一時的な気分** a transient *mood* / **陰うつな気分** a somber *mood* / **浮き浮きした気分** a buoyant *mood* / **快活な気分** a cheery *mood* / **悲しい気分** a sad *mood* / **くつろいだ気分** a relaxed *mood* / **幸福な気分** a happy *mood* / **沈んだ気分** a pensive *mood* / **深刻な気分** a serious *mood* / **楽しい気分** a joyful *mood* / **悲観的な気分** a pessimistic *mood* / **憂うつな気分** a「melancholy [depressed] *mood*

きぶん[2] **奇聞** (珍しい話) strange [funny] story Ⓒ.

ぎふん 義憤 (righteous) indignation Ⓤ 《☞ いかり[1]; いきどおり》. ¶私はその残虐行為に強い*義憤を感じた I felt strong *indignation*「over [about] the cruelties. 語法 人に対するときの前置詞は against または with. / (⇒ その残虐行為が私を憤らせた) The cruelties made me *indignant*.

ぎぶん 戯文 humorous writing Ⓤ. **戯文作家** humorist Ⓒ.

きへい 騎兵 (一人) cavalryman 《複 -men》 Ⓒ; (全体) the cavalry ★ 単数または複数扱い.

ぎへい 義兵 ¶革命家たちは*義兵を挙げた The revolutionaries raised *an army in the cause of justice*.

きへき 奇癖 (不可解な癖) strange habit Ⓒ; (独特の癖) peculiar habit Ⓒ.

キペラ 〘植〙 cypella Ⓒ.

きへん 木偏 (漢字の) tree radical on the left of kanji Ⓒ.

きべん 詭弁 sóphistry Ⓤ; (個々の議論) sophism Ⓒ; (こじつけ) quibble Ⓒ. 《☞ へりくつ; こじつけ》. ¶彼は*詭弁をろうして要点をはぐらかした He *quibbled*「about [over] the point. **詭弁家** sophist Ⓒ **詭弁学派** (古代ギリシャの) the Sophists ★ 学派のメンバーは Sophist Ⓒ.

きぼ 規模 (他のものと計って比べた場合の) scale Ⓒ; (大きさ) size Ⓤ; (地震の) mágnitùde Ⓤ. 《☞ だいきぼ; スケール》. ¶その会社はどの程度の*規模ですか (⇒ どのくらいの大きさか) How *big* is that company? // この 2 つはまったく*規模が違う The two are quite different in「*scale* [*size*]. // 彼らはその運動を全国的 [国際的] な*規模で計画している They are planning the campaign on「a nationwide [an international] *scale*. // 大[小]*規模に[の] on a「large [small] *scale* // 世界的*規模で on a「world [global] *scale*

ぎぼ 義母 mother-in-law Ⓒ《複 mothers-in-law》; (養母) foster [adoptive] mother Ⓒ; (継母) stepmother Ⓒ. 《☞ ぎり; 親族関係 (囲み); ようぼ 語法》.

きほう[1] **気泡** (air) bubble Ⓒ. **気泡ガラス [コンクリート]** aerated「glass [concrete] Ⓤ **気泡水準器** bubble level Ⓒ.

きほう[2] **既報** ¶*既報のとおり as *previously*「*announced* [*reported*]

きほう[3] **機鋒** (ほこ先) the「point [tip] of a spear. ¶*機鋒をかわす (⇒ 攻撃から自らを守る) protect [defend] *oneself* against *attack*

きぼう[1] **希望** ━名 (そうあってほしいという望み) hope Ⓤ ★ ときに Ⓒ として用いる; (実現が難しい望み) wish Ⓒ; (頼み) request Ⓒ; (見込み・期待) expectation Ⓤ ★ しばしば複数形で; (実現したい夢) dream Ⓒ. ━動 hope ㊀, hope for … 語法 (1) 前者はしばしば to 不定詞・節を目的語としてとる; wish ㊀, wish for …; (不足しているもの・必要なものが欲しい; …したいと思う) want ㊀ 語法 (2) 率直な表現なので, 遠慮を置く間柄では失礼になる場合がある. 《☞ のぞみ; のぞむ[1]; -たい》.
¶貴社に入社することが私の*希望です I *wish* to work for your company. // 彼の*希望は医者になることだ He *wants* to be a doctor. // 治るだろうという*希望はまだ捨てずにいる I still cling to the *hope* that I will recover. // あなたの将来の*希望は何ですか (⇒ 何をしたい [何になりたい] か) What are you going to「do [be] in the future? // 君たちにはそれぞれ夢と*希望がある You have your own dreams and *expectations*. // 彼女は*希望をすべて失った She has lost all her *hope*(*s*). // 私は彼女の*希望がかなうように祈っています I hope she can have her *wishes* fulfilled. // 私は*希望に燃えてアメリカへ渡った I went to America full of *hope*. // すべては私の*希望どおりになった Everything went as I (*had*) *wished*. // ご*希望があればそう致します We will do that「at your [on] *request*. // 彼は両親の*希望の星だった He was his parents' shining *hope*. // 第 1 [第 2]*希望 the「first [second] *choice* 《☞ 次頁コロケーション (囲み)》 **希望小売価格** suggested retail price Ⓒ **希望者** (志願者) applicant Ⓒ, candidate Ⓒ. ¶入会*希望者 an *applicant* for membership **希望退職** voluntary resignation Ⓤ **希望的観測** wishful thinking Ⓤ; (楽観的な意見) optimistic opinion Ⓒ.

コロケーション

希望を打ち砕く dash [destroy] *one's hope* / 希望をかなえる fulfill *one's* ˹*hope* [*wishes*] / 希望を捨てる give up [abandon] *one's hope* / …に希望をかける lay *one's hope* on … / …の希望を抱く entertain [cherish] a *hope* of … // かすかな希望 a faint *hope* / 空虚な希望 an illusory *hope* / 切なる希望 a fervent *hope* / 強い希望 an eager *hope* / 長年の希望 *one's* ˹long-cherished [long-held] ˹*hope* [*dream*] / 漠然とした希望 a vague *hope* / むなしい希望 a vain *hope*

きぼう² 奇謀 (奇抜な計略[計画]) novel ˹trick [plan] Ⓒ.

きぼう³ 鬼謀 (すぐれた計略[計画]) clever ˹trick [plan] Ⓒ.

ぎほう 技法 technique Ⓒ (☞ ぎじゅつ).

きぼうほう 喜望峰 ── 名 固 (the) Cape of Good Hope.

ぎぼし 擬宝珠 (欄干の) ornamental railing top Ⓒ.

きぼね 気骨 気骨が折れる ── 形 (やっかいな) troublesome. ¶ それは*気骨の折れる問題だ That's a *troublesome* problem.

きぼり 木彫り wood carving Ⓤ. ¶ *木彫りの人形 a *wooden* doll / a doll *carved out of wood*

きほん 基本 ── 名 (基礎) basis Ⓒ (複 bases /béisiːz/); (基礎的な事項) elements, basics, fundamentals ★ いずれも複数形で; (初歩・入門) ABC Ⓒ. ── 形 (基本の・基本的な) fundamental; basic.

【類義語】何かを積み重ねたり発展させたりするときに必要な, 基本になることを示すやや格式ばった語が **fundamental**. それがなければ全体が崩れてしまうような土台を意味するのが **basic**. (☞ きそ¹ (類義語); こんぽん; げんそく¹; いろは)

¶ 農業は国の*基本である Agriculture ˹forms the *basis* of [is *basic* to] a nation. // 言論の自由は民主主義にとって*基本的なものである Freedom of speech is *fundamental* to democracy. // 読み・書き・算数は学校で習う最も*基本的なことです Reading, writing, and arithmetic are the (most) *fundamental* skills that you learn at school. 参考 これを the three R's という. // 彼は数学の*基本を父親から学んだ He learned the ˹*elements* [*ABC*(*'s*); *basics*; *fundamentals*] of mathematics from his father. // *基本を身につける master [acquire] the *basics* // *基本に帰る get back to *basics*

基本概念 basic concept Ⓒ 基本給 base pay Ⓤ (☞ きゅうりょう¹ (類義語)) 基本形 basic form Ⓒ 基本語彙 básic vocabulary /voukǽbjulèri/ Ⓒ 基本設計 basic design Ⓒ 基本ソフト operating system Ⓒ (略 OS) 基本単位 básic [stándard; fúndamèntal] únit Ⓒ 基本的人権 fundamental human rights ★ 複数形で. (☞ けんり) 基本法 fundamental law Ⓒ 基本方針 basic policy Ⓒ 基本粒子 〖物理〗 fundamental particle Ⓒ 基本料金 (タクシーの) minimum fare Ⓒ (☞ りょうきん (類義語)).

ぎまい 義妹 sístér-in-làw Ⓒ (複 sisters-in-law) (☞ ぎり; 親族関係 (囲み)).

きまえ 気前 気前のよい ── 形 generous; liberal; lavish. ── 副 generously; liberally.

【類義語】人に物などを与える場合, 温かい気持ちで快くやるのが **generous** で, 受け取る人の期待以上のものをあげるという感じが含まれる. 物惜しみなく, たくさん与える場合は **liberal**. さらに多くの量を暗示し, ときには度を過ごしているという意味を含むのは **lavish**.

¶ 彼女は*気前よく金を使う She is ˹*generous* [*lavish*; *liberal*] with her money. // 彼は*気前よく贈り物をする (⇒ 彼は気前よく人に与える人だ) He is ˹a *liberal* [an *openhanded*] giver.

きまぐれ 気まぐれ ── 名 caprice /kəpríːs/ Ⓒ; whim Ⓒ. ── 形 fickle, capricious /kəpríʃəs/; whimsical /(h)wímzık(ə)l/ ★ fickle と capricious はほぼ同意. 後のものほど格式ばった語となる.

【類義語】はっきりした動機もなく突然考えや行動を変えるのが **caprice** で, 故意にやる意味を含む. 突然の移り気, ときに奇妙で風変わりな行動は **whim**. (☞ うつりぎ)

¶ 彼はほんの一時の*気まぐれでそれをやったのだ He did it out of a momentary *caprice*. // *気まぐれで, 彼は沖縄行きの船に乗った On a *whim*, he ˹went aboard [boarded] the ship bound for Okinawa. // 彼は*気まぐれだ (⇒ 彼はしばしば気が変わる) He often *changes his mind*. // *気まぐれな人 a ˹*fickle* [*capricious*; *whimsical*] person // *気まぐれな (⇒ 変わりやすい) 天気 *changeable* [*fickle*; *capricious*] weather

きまじめ 生真面目 ── 形 (深刻で真剣な感じの) serious (☞ まじめ). ¶ *生まじめな人は付き合いにくい A ˹*serious* person [(⇒ ユーモアのセンスのない人) person *lacking a sense of humor*] is hard to get on with.

きまずい 気まずい (ばつが悪い) awkward; (どぎまぎして困った状態の) embárrassed. (☞ ばつ²).

¶ 彼は現在彼女と*気まずい関係にある (⇒ うまくいっていない) He *is not getting on well* with her at present. // 彼がまず口を開いてその*気まずい沈黙を破った (⇒ 彼がその気まずい沈黙を破った最初の人だった) He was the first to break the *awkward* silence. // 私は彼女に断られて*気まずい思いをした I ˹*was* [*felt*] *embarrassed* ˹at [by] her refusal.

きまつ 期末 the end of (a) term (☞ 学校・教育 (囲み)). 期末試験 finals ★ 通例複数形で; (各学期末の) term-end ˹exam [examination] Ⓒ. (☞ しけん¹) 期末手当 seasonal bonus Ⓒ 期末割り戻し year-end rebate Ⓒ.

きまって 決まって ── 副 (常に) always; (定期的に) regularly; (変わることなく) invariably; (習慣的に) habitually. ── 動 (決まって…する) always *do* …; (いつも…することにしている) make it a rule to *do* …; (…する習慣だ) be in the habit of *doing* …

¶ 彼は休暇には*決まって山に行く He *always* goes to the mountains for his vacation. // 彼らは日曜日には*決まって (⇒ いつも) 教会へ行く They ˹*always* [*never fail to*] go to church on Sunday(s). // 私は毎朝*決まって6時に起きることにしている I *make it a rule to* get up at six every morning.

きまま 気まま ¶ 彼女は息子を*気ままにさせておいた (⇒ 好きなようにさせていた) She let her son ˹*do whatever he liked* [*have his own way*]. // 私は彼の*気ままな行動を許せない (⇒ 彼が好き勝手な行動をすることを許せない) I cannot allow him to *act as he* ˹*pleases* [*likes*]. // 彼は*気ままな生活を送っている He lives a *carefree* life. (☞ わがまま; かって)

きまよい 気迷い ── 名 (決心がつかないためらい) wavering Ⓤ; (遠慮などによるちゅうちょ) hesitation Ⓤ. ── 動 waver ⓐ; hesitate ⓐ. ¶ 彼女は即決できずにいつも*気迷いをしている She always *wavers* instead of making a decision immediately. // *気迷い気味の (⇒ 安定しない) 市況 an *unsettled* [a *fluctuating*] market ★ fluctuate /flʌ́ktʃuèit/ は「動揺する」.

きまり 決まり **1** «規定»: (一般的な広い意味での) rule Ⓒ; (公の) regulation Ⓒ. (☞ きそく; きてい¹). ¶ 彼らは自分たちだけの*決まりを作った They made *rules* of their own.

2 «決着»: (問題などの解決) settlement Ⓒ; (結論)

conclusion Ⓒ; (協定) agreement Ⓒ; (終わり) end Ⓒ. ((☞ けっちゃく; けり¹)).
¶ 彼らの話し合いはやっと*決まりがついた (⇒ 彼らは解決に至った) They 「came to [reached] 「a *settlement* [an *agreement*] at last. // それは間もなく*決まりがつくでしょう (⇒ 終わりになる) It will be brought to 「an *end* [a *conclusion*] before long. // 私はこの件にできるだけ早く*決まりをつけたい (⇒ 片をつけたい) I want to *settle* this matter as soon as possible. // 仕事は*決まりがつきましたか (⇒ 終えましたか) *Have* you *finished* your work?
3 «習慣»: (個人的な) habit Ⓒ; (社会的な) custom Ⓒ. ((☞ いつも; しゅうかん¹)). ¶ 朝5時起きを*決まりにしています I *make* 「*a practice of* getting up [*it a rule to* get up] at five in the morning.
決まり手 winning technique Ⓒ **決まり文句** (慣用的な語句) set phrase Ⓒ; (言い古された陳腐な決まり文句) hackneyed expression Ⓒ, stock phrase Ⓒ, cliché /kli:ʃéɪ/ Ⓒ ★ 以上3つはいずれも悪い意味で用いる. 3番目はやや格式ばった語. cliché の ´ はつづり本来のもの.

きまり(が)わるい きまり(が)悪い ¶ 私はそんな幼稚な間違いをして*きまり悪かった I *felt* 「*embarrassed at* [*awkward for*] making such an elementary mistake. ((☞ はずかしい; きまずい))

きまりきった 決まりきった ¶ それは*決まりきったことだ (⇒ きわめて明白だ) It's *as clear as day*. / (⇒ 自明のことだ) It's *self-evident*. ((☞ じめい))

きまる 決まる **1** «決定する»: (決定される) be decided; (手はずが整って決まる) be arranged; (日取りなどが) be fixed. ((☞ きめる; けってい)).
¶ 結婚式は3月10日に*決まった (⇒ 取り決められた) The wedding *was* 「*fixed* [*arranged*] for March 10. // 彼女は一度*決まった (⇒ 決定された) ことは最後までやり通す Once something 「*is* [*has been*] *decided*, she (always) carries it out. // 条件はすぐに*決まった (⇒ 合意された) The terms *were* readily *agreed on*. // 物価は需要と供給によって*決まる (⇒ 確定される) Prices *are determined* by supply and demand.
2 «確実・当然である»: (…することは確実だ) be 「sure [certain] to *do* ★ sure のほうがより口語的で主観的; (私は…と信じる) I'm sure (that …); (必ず…となる) be bound to *do*. ((☞ きっと¹ (類義語); かならず (類義語); とうぜん¹; きまって)).
¶ 生物はすべて死ぬと*決まっている All living things *are* 「*certain to* die [mortal]. // 彼は努力家だから試験に受かるに*決まっている He *is* 「*sure* [*certain*] *to* pass the exam because he is a hard worker. / He studies very hard, so *I'm sure* (*that*) he will pass the exam. // 金持ちが幸福だとは*決まっていない (⇒ 金持ちは必ずしも幸福ではない) The rich are not *always* happy. // 彼は外出すると*決まって傘をなくす *Whenever* he goes out, he loses his umbrella. / (⇒ 彼は傘をなくさずには外出しない) He *never* goes out *without* losing his umbrella. // そんな計画は失敗するに*決まっている Such a plan *is* 「*bound* [*sure*] *to* fail. / (⇒ 言うまでもない) *It goes without saying that* such a plan will fail. / (⇒ 当然である) *It is natural that* such a plan should fail.
3 «一定の・定まっている» —形 (いつもと変わらない) regular; (固定した) fixed. ((☞ いってい)). ¶ 彼はいまのところ*決まった収入はない He has no 「*fixed* [*regular*] income now.

ぎまん 欺瞞 deception Ⓤ ((☞ だます; あざむく)).

きみ¹ 君 —代 you 日英比較 (1) 英語では2人称の代名詞は単数・複数とも you しかない. 従って日本語における「君」「あなた」「おまえ」などの区別はない. (2) 日本語では「おい, 君」のような呼びかけは年下や目下に対するものだが, これに当たる英語の "Hey, *you*!" はぞんざいで失礼なので, 普通は "Excuse me." または "Sir." ((男性に対して)), "Ma'am." ((女性に対して)) を用いるのがよい; (君(たち)の) your; (君(たち)に・君(たち)を) you; (君(たち)のもの) yours; (君自身) yourself ((複 yourselves)); (一国の君主) sovereign /sáv(ə)rən/ Ⓒ; (主君) *one's* lord Ⓒ. ((☞ 代名詞 (巻末))).

きみ² 気味 ¶ いい*気味だ (⇒ 当然の報いだ) It *serves* you *right*! / ((略式)) *Serve*(*s*) you *right*! 語法 以上は話し相手に対して言う場合. 第3者のことを言うときには you の代わりに him, her, them などを使う. // 私は*気味の悪い物音に目を覚ました I was awakened by 「a *weird* sound [an *uncanny* noise]. // その空き家は*気味の悪い外観をしていた The empty house had a *creepy* look. ((☞ ぶきみ))

きみ³ 黄身 yolk /jóuk/ Ⓤ, yellow Ⓤ (↔ white) ★ 前者のほうが格式ばった語. ((☞ たまご)). **黄身和え** Japanese-style salad mixed with cooked egg yolk.

きみ⁴ 黄み —形 (黄みがかった) yellowish. ¶ 古文書の*黄みがかった頁 the 「*yellowish* [*yellowing*] pages of ancient manuscripts

-ぎみ …気味 —形 (軽い) slight. —副 (少し) a bit, a little. ((☞ わずか; すこし; やや; -がち)). ¶ 私は風邪*気味だ (⇒ 軽い風邪を引いている) I have a *slight* cold. // 彼女は疲れ*気味の顔をしていた (⇒ 少し疲れた顔つきをしていた) She looked 「*a little* [*rather*] tired. // 彼女はこのところ太り*気味だ (⇒ 太ってきている) She has been putting on weight these days. / She is getting (to be) *on the plump side* these days. 語法 前者は直接的な表現で, 後者は婉曲的またはややこっけいな表現. // 物価は上昇*気味である (⇒ 上昇の傾向を示している) Prices are showing an upward *tendency*.

きみがよ 君が代 "*Kimigayo*" (His Majesty's Reign); (日本の国歌) the Japanese national anthem.

きみじか 気短 —形 (短気な) short- [quick-; hot-]tempered ((☞ たんき¹; せっかち)).

きみたち 君達 (あなた方全員) all of you, you all; ((略式)) you guys. ((☞ みなさん; きみ¹)).

きみつ¹ 機密 (秘密) secret Ⓒ; (秘密扱いの情報) secret [cònfidéntial; clássified] informátion Ⓤ ★ [ ] 内のほうがより格式ばった語. ((☞ ひみつ)).
¶ *機密を守る keep a *secret* / maintain *secrecy* // *機密を漏らす let out [leak] the *secret* // 軍事*機密 a military *secret* **機密資金** discretionary fund Ⓒ **機密費** secret expenses ★ 通例複数形で. **機密文書** secret [cònfidéntial] dócument Ⓒ **機密漏洩** leak [leakage] of secrets Ⓒ.

きみつ² 気密 **気密室** airtight 「chamber [room] Ⓒ; (航空機の) sealed [pressure] cabin Ⓒ; (潜水艦の) pressure hull Ⓒ **気密性** airtightness Ⓤ.

ギミック (手品の仕掛け・テレビなどのトリック) gímmick Ⓒ.

きみどり 黄緑 —名 yellowish green Ⓤ. —形 yellow-green.

きみゃく 気脈 ¶ 彼は相手側と*気脈を通じている (⇒ 秘密の了解を持っている) He has a *secret understanding* with the enemy. / (⇒ ひそかに通じている) He *secretly communicates* with the enemy.

きみょう 奇妙 —形 (不思議な) strange ★ 最も一般的な語; (常識・基準に反した) odd; (異常な) queer; (一種独特な) peculiar; (好奇心をそそる) curious; (おかしな) funny; (風変わりな) eccéntric. ((☞ みょう; へん¹ (類義語); ふうがわり; かわった)).
¶ その*奇妙な風習はいまでもこの地方で行われている (⇒ 保存されている) That 「*strange* [*odd*] custom is

still maintained in this district. // 彼女がその計画を知っているのは*奇妙だ It is ｢*strange* [*funny*] that she should know (about) the plan. 語法 should は「驚き･意外な気持ち」を表す. / (⇒ 奇妙なことに彼女はその計画を知っている) *Strange to say*, she knows (about) the plan. // 彼女の*奇妙な振舞いにみんながうんざりした They were all disgusted ｢at [with] her ｢*strange* [*eccentric*; *odd*; *peculiar*] behavior. // 彼は*奇妙な話し方をする He has a ｢*queer* [*funny*] way of speaking. / (⇒ 彼の話しぶりは奇妙だ) His way of speaking is ｢*queer* [*funny*]. // 彼は健康法についていろいろ*奇妙な考えを持っている He has many ｢*curious* [*queer*] ideas about how to stay healthy.

きみょうきてれつ 奇妙奇天烈 ━形 very ｢strange [funny; queer] (☞ きみょう).

きみょうちょうらい 帰命頂礼 the most formal form of a Buddhist prayer.

きみわるい 気味悪い (異様で気味悪い) weird /wíəd/; (恐ろしくて気味悪い) grim ★ 限定用法がふつう; (ぞくぞくする) creepy; (怪奇な･異様な) grotésque; (超自然的な) unearthly. (☞ ぶきみ). ¶*気味悪い話 a *grim* story // 霧の中で*気味悪い物音を聞いた We heard *weird* noises in the mist.

きみわるがる 気味悪がる (こわがる) be scared (of …). ¶ 彼女は*気味悪がって部屋に入れなかった She *was* too *scared* to enter the room. // *気味悪がって (⇒ 悪霊ででもあるかのように) 誰もそれにさわろうとしなかった Nobody dared touch it, *as if it were an evil spirit*.

きみん 棄民 rèfugée Ⓒ (☞ なんみん).

ぎみん 義民 self-sacrificing ｢person [hero; heroine] Ⓒ.

キム (女性名) Kim.

ぎむ 義務 ━名 duty Ⓤ ★「職務」「任務」という意味では Ⓒ で, 通例複数形で用いられる; obligation Ⓒ. ━形 (法律･道徳上義務の) oblígatòry; (強制的義務の) compúlsory.

【類義語】良心･正義感･道徳心･職務などに基づく義務で, 自分または他人に対して当然しなければならないと考えられるものが *duty*. 特定の約束･契約･慣習, または法律などに縛られた個人的な義務が ***obligation***. この語は他人に対するもので, 自分に対するものは含まれない. なお *duty* は長期にわたる義務であるが, *obligation* は1回限りのもの. (☞ せきにん (類義語); つとめ²) ¶ 権利を主張する前に*義務を果たさねばならない You must ｢do [perform; fulfill] your *duties* before you assert your rights. ★ do が最も口語的. // 人に*義務を課す impose a *duty* on *a person* // *義務を逃れる escape *one's duty* // *義務を引き受ける take on [undertake] a *duty* // *義務を忘れる forget *one's duty* // 国家への*義務を怠るな Do not neglect your *duty* to your country. // 病人の世話をするのは私たちの*義務だ (⇒ 世話をすべきである [しなくてはならない]) We ｢*ought to* [*must*] care for the sick. 日英比較 このように日本語で「…の義務だ」とあっても, 英語では duty などの語を用いないで言うこともある点に注意. // 私たちは税金を払う*義務がある We ｢are under an *obligation* [have an *obligation*] to pay our taxes. / Paying taxes is *obligatory*. // 子供を学校に入れることは法律的に*義務づけられている (⇒ 子供を学校に入れる法律上の義務がある) We have ｢the [a] legal *obligation* to send our children to school. // 私には彼の忠告に従う*義務はない I am ｢not *obliged* [under no *obligation*] to follow his advice. // 彼には少しも*義務感がない He has no sense of *duty*. / (⇒ 義務感に欠けている) He is lacking in a sense of *duty*. // 彼は*義務的にその仕事をした (⇒ 単なる義務感から) He did the work out of a mere sense of *duty*. (☞ とおりいっぺん) **義務教育** compulsory education Ⓤ (☞ 学校･教育 (囲み)). ¶*義務教育年限 the duration of *compulsory education*

キムイルソン ━名 固 Kim Il Sung /kím ìl sʌ́ŋ/, 1912–1994. ★ 金日成, 北朝鮮(朝鮮民主主義人民共和国)の初代国家主席.

キムジョンイル ━名 固 Kim Jong Il /kím ʤɔ́(:)ŋ íl/, 1942– . ★ 金正日, キムイルソンの息子で北朝鮮(朝鮮民主主義人民共和国)の総書記.

きむずかしい 気難しい (機嫌を取りにくい) hard to please; (扱いにくい) difficult; (老人などが) peevish; (ねばってなかなかうんと言わない) (略式) sticky. (☞ むずかしい; やかましい). ¶ あの男は*気難しい (⇒ 機嫌を取りにくい) He is *hard to please*. / (⇒ 扱いにくい人だ) He is ｢a *difficult* person [*difficult*]. // 先生は山田君が遅れて入ってきたとき*気難しい (⇒ 不機嫌な) 顔をした The teacher ｢*frowned* [*made a sour face*] when Yamada came in late.

きむずかしや 気難し屋 ━名 (気分屋) person of moods Ⓒ; (扱いにくい人) person hard to please Ⓒ. ━形 (つまらぬことにうるさい) fussy, fastídious. ¶*気難し屋の老婦人 a ｢*fussy* [*fastidious*] old lady

きむすめ 生娘 (処女) virgin Ⓒ.

キムチ kimchi [kimchee] /kímʧi/ Ⓤ.

キムデジュン ━名 固 Kim Dae Jung /kím dèı dzúːŋ/, 1925– . ★ 金大中, 韓国の元大統領.

ギムナジウム (ドイツの中等学校) gymnasium /gımnáːziəm/ Ⓒ (複 ～s, gymnasia /-ziə/).

ギムレット (カクテル) gimlet Ⓤ.

きめ¹ 木目, 肌理 (材質中心に考えた) grain Ⓤ; (感触･外観を重点にした) texture Ⓤ. (☞ もくめ). ¶ 私は本棚に*きめの細かい [粗い] 木を使った I used wood with a ｢fine [coarse] *grain* for my bookshelves. **きめ(の)細かい** (精密な) minute /maın(j)úːt/; (入念な) eláborate; (注意深い) careful. (☞ めんみつ; ねんいり). ¶*きめの細かい検査をやる make a *minute* examination // *きめの細かい計画を練る work out an *elaborate* plan // *きめの細かい注意を払う pay ｢*careful* [*close*] attention

きめ² 決め (決まり) rule Ⓒ; (取り決め) agreement Ⓒ. (☞ きまり; とりきめ).

きめい 記名 ━動 (署名する) sign *one's* name; (登録する) register. ━名 (署名) sígnature Ⓒ. ¶ この書類に*記名捺印して下さい Please *sign* and seal this document. **記名株券** registered ｢stock [share] Ⓒ **記名債券** registered bond Ⓒ **記名証券** registered security Ⓒ **記名投票** ☞ 見出し

ぎめい 偽名 (作家などのペンネーム) pseudonym /súːdənìm/ Ⓒ; (仮名) assumed [fictitious] name Ⓒ; (またの名) alias /éıliəs/ Ⓒ. ¶ 彼は田中という*偽名を使ってホテルに泊まった He stayed at the hotel under the ｢*pseudonym* [*alias*] of Tanaka.

きめいとうひょう 記名投票 open [signed] ｢vote [ballot] Ⓒ (↔ secret vote), wríte-in (vote) Ⓒ (☞ とうひょう¹).

きめこみにんぎょう 木目込み人形 wooden doll dressed in kimono Ⓒ.

きめこむ 決め込む (…を当然と考える) take … for granted, take (it) for granted that … 語法 前者は「…」の所に 名 代 が入り, 後者は it が that 節を受ける形式上の目的語の場合. it は省略可能; (当然…と思う) assume ⑩. (☞ おもいこむ).
¶ 私たちは彼が来るものと*決め込んでいた We ｢*took (it) for granted* [*assumed*] *that* he would come. / (⇒ 現れることを疑わなかった) We *didn't doubt that* he would show up.

きめたおし 極め倒し (相撲の) *kimetaoshi* Ⓤ;

(説明的には) arm barring force down Ⓤ.

きめだし 極め出し (相撲の) *kimedashi* Ⓤ; (説明的には) arm barring force out Ⓤ.

きめだま 決め球 (a pitcher's) best pitch Ⓒ.

きめつける 決めつける ¶ 彼をうそつきだと*決めつけるのは早い (⇒ 即座に結論を出せない) You cannot so *readily conclude* that he is a liar. / You cannot *jump to the conclusion* that he is a liar. 《☞ だんてい》

きめて 決め手 (決定的な証拠) conclusive [decisive] evidence Ⓤ; (確かな証拠) définite évidence Ⓤ. 《☞ しょうこ; かくしょう》. ¶ 彼が有罪だという*決め手はない There is no ˹*conclusive* [*decisive*; *definite*] *evidence* of his guilt.

きめどころ 決め所 (決定的な点) crucial point Ⓒ; (最適の機会) (the) best chance. ¶ 今が君にとってこの問題の*決め所なのだ Now is *the best chance* for you to solve this problem.

キメラ ─名 固 〚ギ神〛 Chimera /kaɪmí(ə)rə/ Ⓒ ★ 頭はライオン, 胴体はやぎ, 尾は竜で火を吐く怪物. キメラ商品 (多機能をもつ複合商品) multi-function product.

きめる 決める **1** «決定する»: decide ⓗ ⓐ, detérmine ⓗ ⓐ ★ 後者のほうが決意が固い; (最終的に決める) settle ⓗ; (はっきりと決める) fix ⓗ; (選択して決める) choose ⓗ. 《☞ けってい》.
¶ 私はどの大学に願書を出すかまだ*決めていない <S(人)+V (*decide*)+(*on*+)名(事)> I *have* not yet *decided* (*on*) which universities I will apply to. // 私たちはその問題に対する態度を*決めなければならない We must *determine* our attitude toward the question. // 彼らはその値段を 2 千円と*決めた <S(人)+V (*fix*)+O (値段)+*at*+名(金額)> They *fixed* the price *at* 2,000 yen. // どちらに*決めましたか (⇒ どちらを選んだか) Which one did you *choose*? // その件はいまのところ*決めずにおいたほうがよい (⇒ 未決定 [未解決] のままにしておくほうがよい) It is better to *leave* the matter ˹*undecided* [*unsettled*] for the present.

2 «決心する»: make up *one's* mind, decide ⓗ ⓐ, resolve ⓗ ⓐ, determine ⓗ ★ 後のものほど格式ばった言い方となる. decide はやや意味が弱い; (決心している) be determined ★ 状態をいう. 《☞ けっしん¹》. ¶ 彼は仕事をやめることに*決めた He *made up his mind* to quit his job. // 彼は酒をやめることに*決めた He ˹*decided* [*resolved*; *determined*] *to* ˹quit [give up] drinking. / He ˹*decided* [*resolved*] *that* he would ˹quit [give up] drinking. // 彼女は医者になることに*決めている She *is determined* to ˹become [be] a doctor.

3 «取り決める»: (日取りなどを決める) fix ⓗ, settle ⓗ ★ 前者のほうが一般的; (打ち合わせなどをして) arrange ⓗ; (特に日時を定める) appoint ⓗ. 《☞ とりきめる》. ¶ 私たちは会合の時と場所を*決めた We ˹*fixed* [*settled*] the time and place for the meeting. // 私は彼女と駅で会うことに*決めた <S(人)+V (*arrange*)+O (*to* 不定詞)> I *arranged to* meet her at the station. // あなたとお会いする日時を*決めておきたいと思います (⇒ 会う約束をしておきたい) I would like to *make an appointment* with you. // 彼は*決められた時間に現れなかった (⇒ 彼は約束した時間に来なかった) He did not come at the *appointed* hour.

4 «必ず…する» ¶ 彼は毎日, 英字新聞を読むことに*決めている (⇒ 読むことを習慣としている) He *makes it a* ˹*practice* [*rule*] *to* read an English-language newspaper every day. / He ˹*makes a point of* reading [*makes it a point to* read] an English-language newspaper every day. // 彼はコーヒーは 1 日 5 杯までと*決めている (⇒ 制限している) He *limits himself to* five cups of coffee a day.

5 «思い込む»: (当然と思う) take (it) for granted that ...; (当然のこととしている) assume ⓗ. 《☞ きめこむ; おもいこむ》. ¶ 私たちは彼が帰って来るものと*決めていた We ˹*took* (*it*) *for granted* [*assumed*] *that* he would come back.

きめん 鬼面 **鬼面人を驚かす** give *a person* empty threats.

きも 肝 (肝臓) liver Ⓒ; (度胸) courage Ⓤ. 《☞ きもったま; どきょう¹; かんぞう¹》. ¶ 彼は*肝の太い[小さい]男だ (⇒ 彼は勇気のある[臆病な]男だ) He is a ˹*brave* [*timid*] man. **肝が据わる** ¶ 彼は*肝が据わっている (⇒ 鉄の神経を持っている) He *has* ˹*iron nerves* [*nerves of steel*]. **肝に銘じる** ¶ 私たちはこの教訓を*肝に銘じておかなければならない We must *take* this lesson *to heart*. **肝を据える** ¶ *肝を据えて (⇒ 決心して) *with determination* **肝をつぶす** ¶ 私は彼の計画を聞いて*肝をつぶした (⇒ びっくり仰天した) I *was* ˹*flabbergasted* /flǽbəgæ̀stɪd/ [*astounded*] ˹at [by] his plan. ★ be flabbergasted は大げさな口語表現. 《☞ おどろく (類義語)》 **肝を冷やす** be ˹frightened [scared] to death. **肝吸い** eel liver soup Ⓤ **肝試し** test of *a person's* courage Ⓒ.

きもいり 肝煎り ¶ 彼は上司の*肝いり (⇒ 世話) で結婚した He got married *through the* ˹*good* [*kind*] *offices of* his superior. // その展示会は市の*肝いり (⇒ 主催) で開かれた The exhibition was held *under the auspices of* the municipal government. 《☞ せわ; しゅさい¹》

きもち 気持ち ─名 (感情) feeling Ⓒ; (思い) thought Ⓤ; (…したい気分) mood Ⓒ. ─動 (…したい気がする) feel like *doing*. ─副 (ほんの少し) a bit, a little, slightly ★ 前の語ほど口語的. 《☞ きぶん¹; き¹; かんじょう¹ (コロケーション); やや; すこし; いくぶん》. ¶ あなたの*気持ちはよくわかる (⇒ 言うことはわかる) I see what you *mean*. / (⇒ どう感じているかわかる) I know how you *feel*. // あの人の*気持ちがわからない (⇒ 何を考えているのかわからない) I can't understand what ˹he [she] *is thinking about*. // 彼女の*気持ちを損ねたらしい It seems I hurt her *feelings*. // 感謝の*気持ちでいっぱいです I am filled with *gratitude*. // いままで起こったことはすべて夢のような*気持ちがする I *feel* as if everything that has happened were just a dream. // 泣きたいような*気持ちだった I *felt like* crying. // もうじき死にそうな*気持ちがしてならない (⇒ …という気持ちから逃がれることができない) I can't escape (the) *feeling* that I am going to die soon. // 外に出たら*気持ちがよくなった I *felt better* when I got outside. // ああ, いい*気持ちだ I *feel* ˹*great* [*wonderful*]! // あの人と会う*気持ちになれない I am in no *mood* to see ˹him [her]. // どうしてもそれを信じる*気持ちになれなかった I couldn't *bring myself to* believe it. // *気持ち一歩後ろにさがってください Please step back *a* ˹*bit* [*little*].

気持ちが悪い ─形 (健康でなく) unwell Ⓟ; (吐き気がして) sick Ⓟ, 《英》 ill Ⓟ, nauseated /nɔ́ːzièɪtɪd/, 《略式》 nauseous ★ nauseated は格式ばった語; (人・物が不快な気持ちにさせる) disagreeable, unpleasant. ─動 (気分がすぐれない) feel unwell; (吐き気がする) feel ˹sick [nauseated], have nausea /nɔ́ːziə/ ★ feel sick が最も平易な言い方. ¶ *気持ちが悪い I *don't feel well*. / I *feel unwell*. / (⇒ 吐き気がする) I *feel* ˹*sick* [《英》 *ill*]. / I *feel like* ˹throwing up [vomiting]. ★ throw up のほうが口語的. / I *have nausea*. // 蛇は*気持ちが悪い (⇒ 蛇は私に嫌悪感を与える) Snakes *give* me *the creeps*.

気持ち(の)よい — [形] (快適な) pleasant; (居心地のよい) cómfortable; (人当たりのよい) agreeable, ámiable; (一般的に, 好ましい) good; (進んで…する) willing, ready. — [副] (楽しく) happily; (快く) willingly, readily. ¶ *気持ちのよい朝だった It was a *pleasant* morning. // *気持ちのよい日ですね It's a ｢*nice* [*beautiful*] day, isn't it? // とても*気持ちのよい部屋だ This is a very *comfortable* room. // 彼は*気持ちのよい男だ He is an ｢*agreeable* [*amiable*] person. // *気持ちよく (⇒ よい関係のままで) 別れようじゃないか Let's part *on good terms*. // 彼女は*気持ちよく私の申し出を受け入れた She was quite *ready* to accept my offer. / She ｢*willingly* [*readily*] accepted my offer.

きもったま 肝っ玉 (根性) guts ★ 口語的. 複数形で. ((☞ きも; こんじょう[1])).
¶ あいつは*肝っ玉が据わっている (⇒ 勇気があって断固としている) He is *plucky*. / (⇒ 根性がある) He has (got) *guts*. // 彼は*肝っ玉が小さい (⇒ 意気地なしだ) He is ｢*a chicken* [*chicken-hearted*; *chicken-livered*].

きもの 着物 (衣服) clothes ★ 複数形で; (集合的に) clothing Ⓤ; (和服) kimono /kəmóunə/ Ⓒ ((複 ~s)). ((☞ ふく[2])).

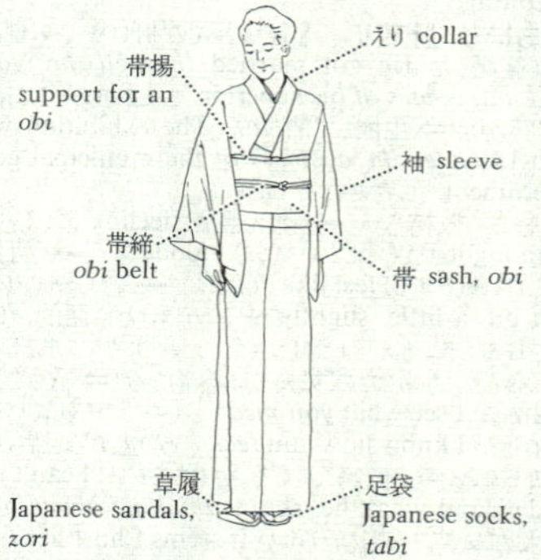

¶ *着物のたたみ方[着方] how to ｢fold [put on] a *kimono* // 彼女は*着物がよく似合う She looks nice in a *kimono*. **着物スリーブ** kimono sleeve Ⓒ ★ 袖型の一つ. ¶ *着物スリーブのシャツ a *kimono sleeve* ｢shirt [top]

きもん[1] 鬼門 (方角) unlucky direction Ⓒ; (苦手・弱点) weak point Ⓒ.

きもん[2] 奇問 tricky [unexpected] question Ⓒ.
¶ 難問*奇問 hard and *bizarre questions* ★ 複数形で.

きもん[3] 気門 〔動〕 (昆虫などの呼吸孔) stigma Ⓒ ((複 -mata, ~s)).

きもん[4] 旗門 (スキーの) slalom gate Ⓒ.

ぎもん 疑問 — [名] question Ⓤ; (疑い) doubt Ⓤ
[語法] (1) 以上はほぼ同意で入れ替えて用いられることも多い. いずれも具体的な事例を指すときは Ⓒ で, doubt は複数形で用いられることが多い.「質問」という意味での question は Ⓒ. ((☞ しつもん)). — [動] (疑う) doubt (他); (疑問に思う) question (他). — [形] (疑問の余地がある) questionable; (疑わしい) doubtful; (確かでない) uncertain. ((☞ うたがわしい; ふしん[1])). ¶ 彼が正直であることについては*疑問の余地はない There is no ｢*question* [*doubt*] ｢about his honesty [of his honesty; that he is honest]. / (⇒ 彼の正直さを私は疑わない) I don't ｢*doubt* [*question*] ｢his honesty [that he is honest]. // その絵が本物かどうかについて*疑問が生じた A ｢*question* [*doubt*] arose as to the genuineness of the painting. [語法] (2) doubt のほうが疑いの念が強い. // *疑問 (⇒ 質問) があればどうぞ遠慮なくお尋ね下さい (⇒ 尋ねるのをためらわないで下さい) Please don't hesitate to ask me if you have any *questions*. [語法] (3) この場合 doubt は使えない. 答えることのできる疑問が question. // 私はこの点に関して*疑問 (⇒ 疑い) をもっている I have (my) *doubts* ｢about [on] this point. [語法] (4) この例では question は用いられない. // 彼が成功するかどうかは*疑問だ It is ｢*questionable* [*doubtful*] ｢if [whether] he will succeed. / (⇒ 彼が成功するかどうか私は疑問に思う) I *doubt* ｢if [whether] he will succeed. [語法] (5) doubt に続く節を導く接続詞は肯定文のときは if, whether で, 否定文または疑問文では that を用いる. / I am *doubtful* of his success. [語法] (6) この場合は questionable は使えない. // 彼女の明快な説明で私のすべての*疑問は解消した Her lucid explanation ｢drove away [dispelled] all my *doubts*. **疑問詞** interrógative Ⓒ **疑問代名詞** interrogative pronoun Ⓒ **疑問点** doubtful point Ⓒ **疑問符(号)** question [interrogation] mark Ⓒ ((☞ 疑問符(号) (巻末))) **疑問副詞** interrogative adverb Ⓒ **疑問文** interrogative sentence Ⓒ.

ギヤ gear Ⓒ ((☞ ギア)).

きゃあ, ぎゃあ — [感] (喜んで叫ぶ声) yippee /jípi/. — [名] (金切り声) shriek Ⓒ, screech Ⓒ; (痛み, 興奮の声) scream Ⓒ. — [動] (きゃあ[ぎゃあ]と叫ぶ) shriek (自), screech (自); scream (自). ((☞ きゃあきゃあ; ぎゃあぎゃあ; さけぶ (類義語))). ¶ 女の子たちはアイドル歌手が現れると*きゃあと叫んだ The girls *shrieked* when the pop idol appeared. // 男がナイフを引き抜くと彼女は*きゃあと悲鳴をあげた She gave a shrill *scream* when the man pulled out a knife. // 鳥が*ぎゃあと鳴く *squawk*

きゃあきゃあ — [動] (きゃあきゃあ笑う) cackle (自). — [名] (笑い声) cackle Ⓒ. ((☞ 擬声・擬態語 (囲み))). ¶ 子供たちはおもしろがって*きゃあきゃあ笑った The children *cackled* with amusement. // 会場は女の子たちの*きゃあきゃあいう声で騒然としていた (⇒ 会場は女の子たちの熱狂的な叫び声でいっぱいだった) The hall was filled with the girls' *wild shouts*. // *きゃあきゃあ笑い騒ぐ *shriek* with laughter

ぎゃあぎゃあ — [動] (幼児が) squall (自). — [名] (ぎゃあぎゃあいう声) squall Ⓒ. ((☞ 擬声・擬態語 (囲み))). ¶ 彼女の赤ん坊は*ぎゃあぎゃあ泣いてばかりいる Her baby *is* always *squalling*. // その子は痛くて*ぎゃあぎゃあ泣いていた The child was *screaming* with pain. // 人々はその不当な決定に対して*ぎゃあぎゃあと反対した The people *cried out* against the unjust decision.

きやく[1] 規約 (規則) rule Ⓒ ★ 規約全体をいうときは複数形で; (細かい規定も含めて) rules and regulations ★ 常にこの順序で用いられる. ((☞ かいそく[2])). ¶ *規約の改正 the revision of the *rules and regulations*

きやく[2] 既約 **既約分数** 〔数〕 simple [irreducible] fraction Ⓒ ★ simple を用いるほうが一般的.

きゃく[1] 客 **1** ((来客)): (訪問客) visitor Ⓒ; (招待客) guest Ⓒ; caller Ⓒ.
【類義語】 社交・商用・観光などで訪れる訪問客が **visitor** で, ある期間滞在する人も含む. 招待されて接待を受ける客が **guest** で, ホテルなどの客にもいう. ちょっと顔を出したりする短時間の訪問客が **caller**. ((☞ らいきゃく))
¶ きのうは*客が 3 人あった I had three *visitors* yesterday. //「お*客様です」「では応接間にお通しして下さい」 " There's *someone to see you*. " " Show

「him [her]「into [to] the drawing room. ” // ジョーンズさんは*客のもてなしが上手だ (⇒ よい主人役だ) Mr. Jones is a very good host. / (⇒ よい女主人役だ) Mrs. Jones is a very good hostess. // *客をうまい食事でもてなす entertain *one's guest* with a good meal // 彼は不意の*客には会わない He doesn't「receive [see] unexpected「*callers* [*visitors*]. / (⇒ 予約のない人には会わない) He does not meet anyone without an appointment. // 2 人は結婚式に 30 人の*客を招待した The couple invited thirty *guests* to their wedding.

2 《商売の》: (商店などの) customer Ⓒ; (旅館などの) guest Ⓒ; (ある土地を訪れる観光客) visitor Ⓒ; (弁護士など専門職の) client Ⓒ.
¶ その店はいつもお*客でいっぱいだ The store is always「full of [crowded with] *customers*. // このホテルは夏は宿泊*客が多い This hotel has a lot of「*guests* [*visitors*] in summer. // 日本を訪れる外国人観光*客の多くは京都見物を希望している Many foreign *visitors* to Japan want to see the sights of Kyoto. // その弁護士は有名人をたくさん*客に持っている The lawyer has many「well-known *clients* [*clients* who are well-known]. // お*客様は神様です (⇒ 常に正しい) The *customer* is always right. // あの店は*客の扱い (⇒ サービス) がよい[悪い] That store gives「good [poor] *service*.

3 《観客》: (聴衆・観客) audience Ⓒ ★ 集合的に; (観衆・見物人) spéctator Ⓒ. (☞ かんきゃく[1]; ちょうしゅう[1]).

4 《乗客》: (列車・バス・飛行機・船などの) pássenger Ⓒ (☞ じょうきゃく[1]).

> **コロケーション**
> 客を歓迎する welcome a *guest* / 客を出迎える greet a *guest* / 客を泊める put up a *guest* // 感じのよい客 an agreeable *guest* / 長期[短期]滞在客 a「resident [transient] *guest*

きゃく[2] 脚 leg Ⓒ ★ 椅子などの脚もいう. ¶ 椅子 30 *脚 thirty chairs (☞ 数の数え方 (囲み))

ぎやく 偽薬 placebo /pləsíːbou/ Ⓒ ★ 新薬テスト時の対照剤などとして使われる有効成分のない物質.

ぎゃく 逆 ―形 (逆の) reverse; (反対の) contrary (to ...); (正反対の) ópposite; (順序・考えなどが) convérse. ―名 reverse Ⓤ; contrary Ⓤ; opposite Ⓒ; cónverse Ⓤ 語法 以上の名詞は通例 the を付けて用いられる. ―動 (逆にする) reverse 他; (上下をひっくり返す) invert 他, turn upside down ★ 後者のほうが口語的; (裏表を) turn inside out; (方向を) turn the other way. ―副 (逆に) convérsely.

【類義語】位置・方向・順序・表裏などの逆を表す最も一般的な語は **reverse** である. 位置・方向などが対称的で正反対の関係にあるのが **opposite**. さらに対立関係のような反対の関係にある場合が **contrary**. 数学や論理学の命題などにおける逆は **converse** を用いる. ただし **converse** も **reverse** と同じ意味で用いられる場合がある. (☞ はんたい; あべこべ; うらがえす)

¶ *逆もまた真である The「*reverse* [*converse*] is also true. // 私の考えはあなたの考えとは*逆だ My opinion is *contrary to* yours. // 残念ながら結果は予想とは*逆だった Unfortunately the results were *contrary to* our expectation(s). //「熱い」は「冷たい」の*逆である “Hot” is the *opposite* of “cold.” / “Hot” is *opposite* to “cold.” // 彼は*逆の方向へ行った He took the *opposite* direction. // 夢は実際とは*逆のことが多い Dreams often run *counter to* reality. // 数字の順序を*逆にしなさい *Reverse* the order of the numbers. // 君のセーターは裏表*逆になっている (⇒ 君のセーターの内側は外側を向いている) Your sweater is *inside out*. // 彼はドアの取っ手を*逆に (⇒ 間違った向きに) 回した He turned the「door handle [doorknob] *the wrong way*. // 彼はアルファベットを*逆に言える (⇒ 暗誦できる) He can recite the alphabet「*backward* [*in reverse*(*d*) *order*]. // 父にほめられると思っていたら*逆にうんとしかられた I thought my father would praise me, but, *on the contrary*, I got a good scolding.

ギャグ 《略式》gag Ⓒ; (冗談) joke Ⓒ. ¶ *ギャグをとばす toss off a *gag* / crack a *joke*

きゃくあし 客足 ¶ 店の改装をしたら*客足 (⇒ 客の数) が増えた The number of *customers* has increased after the remodeling of the store. // あの店は最近*客足が遠のいている [落ちた] They are losing *customers* at that store these days. / They have lost *customers* at that store recently.

きゃくあしらい 客あしらい ☞ きゃくあつかい

きゃくあつかい 客扱い (親切なもてなし) hospitality Ⓤ; (旅館などの) service Ⓤ. ¶ *客扱いのよい *hospitable* // *客扱いがたいへんよい (⇒ 手厚くもてなす) show great *hospitality* // *客扱いの悪い *inhospitable* // あの店は*客扱いをよく心得ている They know well *how to*「*please customers* [*entertain guests*] at that store. // あのホテルは*客扱いがよい[悪い] That hotel *gives*「good [poor] *service*. // 《鉄道などで》*客扱い *passenger service*

きゃくいん[1] 客員 associate /əsóuʃiət/ [honorary /ánərèri/] member Ⓒ. **客員教授** visiting professor Ⓒ.

きゃくいん[2] 脚韻 ―名 rhyme Ⓤ. ―動 (脚韻を踏む・踏ませる) rhyme 自 他. (☞ いん[2]). **脚韻詩** rhymed verse Ⓤ.

きゃくうけ 客受け ¶ *客受けのよい *popular* / well-*received* // *客受けの悪い *unpopular* / ill-*received* // *客受けを狙った姿勢 a *popularist* stand

ぎゃくうん 逆運 (不運) misfortune Ⓤ, bad luck Ⓤ (☞ ふうん).

きゃくえん 客演 ―動 make a guest appearance.

ぎゃくえん 逆縁 (悪事が仏道に入る縁になること) reverse fate Ⓤ; (年長者の若い死者に対する供養) memorial services by older persons for the soul of a younger person; (偶然の縁による無縁の死者の回向(えこう)) memorial services by a person unrelated to the deceased.

ぎゃくオークション 逆オークション reverse auction Ⓒ ★ 買い手が商品条件や希望条件を出す競売.

ぎゃくかいてん 逆回転 (テニスなどでボールの) backspin Ⓒ. ¶ 歯車は突然*逆回転した The wheel suddenly *went into reverse*.

ぎゃくかんすう 逆関数 〔数〕inverse function Ⓒ.

ぎゃくきでんりょく 逆起電力 counter electromotive force Ⓤ.

ぎゃくギレ 逆ギレ (反撃) counterblast Ⓒ. ¶ 先生に遅刻するなと注意をされて彼女は*逆ギレした (⇒ 激怒した) When she was told not to be late by the teacher, she「*got furious* [*got really mad; lost her temper*]. (☞ げきど; ぎゃくじょう; きれる)

きゃくご 客語 〔文法〕object Ⓒ (☞ もくてき (目的語)).

ぎゃくこうか 逆効果 contrary [reverse; opposite] effect Ⓤ, adverse result Ⓤ. ¶ それは*逆効果だ (⇒ さらに悪くする) That'll *make the matter worse*.

ぎゃくこうせん 逆光線 ¶ *逆光線で (⇒ 太陽[光]に向かって) 写真を撮る take a picture [shoot]

against the ˹sun [light] (☞ ぎゃっこう²).

ぎゃくコース 逆コース reverse course Ⓒ.

きゃくざ 客座 guest seat Ⓒ.

ぎゃくさつ 虐殺 ― [名] slaughter Ⓤ; massacre /mǽsəkə/ Ⓒ; genocide Ⓤ. ― [動] slaughter (他); massacre (他).

【類義語】残忍な殺し方が ***slaughter*** で, 戦争のように大勢の人の場合のほか, 1 人のときにも用いられる. 無防備または無抵抗の人たちを無差別に大量虐殺するのが ***massacre***. 人種・民族などを抹殺(まっ)するために, 計画的に行う集団虐殺が ***genocide***.

¶その日約 500 人の囚人が*虐殺された About 500 prisoners *were slaughtered* on that day. // その町の生存者はすべて敵兵によって*虐殺された All the survivors in the town *were massacred* by the enemy soldiers. **虐殺者** slaughterer Ⓒ.

ぎゃくさべつ 逆差別 reverse discrimination Ⓤ.

ぎゃくざや 逆鞘 back [negative; adverse] spread Ⓒ ★ 原価と売値などの価格差が通常と逆, すなわち売値のほうが安くなったりすること; 〔証券〕 backwardation Ⓤ.

ぎゃくさよう 逆作用 reaction Ⓤ.

ぎゃくさん 逆算 ― [動] (逆に数える[計算する]) count [calculate] backward(s) (自) [語法] 単に数を数えるのには count, 複雑な数式を用いてする計算には calculate を用いる. ― [名] reverse [inverse] operation Ⓒ.

¶納期から*逆算して彼はその品物を月末までに出荷することに決めた He *counted backward(s)* from the delivery date and decided to ship the goods by the end of the month.

ぎゃくさんかくかんすう 逆三角関数 inverse trigonometric function Ⓒ.

ぎゃくさんかっけい 逆三角形 inverted triangle Ⓒ.

きゃくしつ 客室 (ホテル・旅館・公共施設の) room Ⓒ; (個人の家の来客用) spare [guest] room Ⓒ; (船・飛行機の) cabin Ⓒ; (列車の仕切り客室) compartment Ⓒ. **客室係** room clerk Ⓒ **客室乗務員** (船・飛行機の) cabin attendant Ⓒ; (飛行機の) flight attendant Ⓒ; (全体) cabin crew Ⓒ ★ 集合的に用いる.

きゃくしゃ 客車 《米》 (passenger [railroad]) car Ⓒ, 《英》 (passenger [railway]) carriage Ⓒ; coach Ⓒ [語法] 《英》 では客車には car を使わず, 必ず carriage を使うが, 展望車・食堂車・寝台車などにはそれぞれ observation car, dining car, sleeping car のように car も用いる. coach は 《英》 では客車の公式名. 《米》 では寝台車などと区別して普通客車の意味で用いる. 仕切りのあるものが多く, 《米》 では day coach ともいう. (☞ れっしゃ).

¶1 等の*客車は前の方です The first-class ˹*cars* [*carriages*] are in front.

ぎゃくしゃぞう 逆写像 〔数〕 inverse mapping Ⓤ.

ぎゃくしゅう 逆襲 ― [動] cóunterattàck (他). ― [名] cóunterattàck Ⓒ. (☞ はんげき). ¶彼らの不当な非難に対して彼はすぐに*逆襲した He was quick to *make a counterattack* against their false accusation(s).

ぎゃくじゅん 逆順 (*道理に反することと従うこと*) being inconsistent and consistent with reason; (逆の順序) reverse order Ⓤ. ¶受賞者はまもなく*逆順で発表されます The winners will soon be announced in *reverse order*.

ぎゃくじょう 逆上 ― [動] (かっとなって怒る) fly into a rage ★ やや格式ばった言い方; (激怒する) get furious /fjú(ə)riəs/; (我を忘れる) be beside oneself; (理性を失う) lose *one's* head; (たいへん怒る) get really mad ★ 口語的. (☞ おこる¹; かっと).

¶彼女は侮辱されて*逆上した She ˹*got furious* [*flew into a rage*; *got really mad*] at the insult.

きゃくしょうばい 客商売 (接客業) the service industry.

きゃくしょく 脚色 ― [動] (小説などを劇化する) drámatìze (他); (上演形式に合うように改作する) adapt (他). ― [名] dramatization Ⓤ; adaptation Ⓤ. ¶その物語は映画[劇場]向きに*脚色された The story *was adapted* for the ˹film [theater]. **脚色者** dramatizer Ⓒ; adapter Ⓒ, adaptor Ⓒ.

ぎゃくしん¹ 逆心 traitorous [treacherous] mind Ⓤ. ¶彼は国王に*逆心を抱いていた (⇒ 反逆の計画をしていた) He had a ˹*traitorous* [*treacherous*] *plan* against the king.

ぎゃくしん² 逆臣 traitor Ⓒ.

ぎゃくシングル 逆シングル 〔野〕 ― [形] backhanded. ― [副] backhanded, with a backhand.

ぎゃくじんしゅさべつ 逆人種差別 reverse racism Ⓤ.

ぎゃくしんぜい 逆進税 regressive tax Ⓤ.

ぎゃく(すい)しんロケット 逆(推)進ロケット rétro-ròcket Ⓒ.

ぎゃくすう 逆数 〔数〕 reciprocal number Ⓒ.

きゃくすじ 客筋 (客全体) the clientele /klàɪəntél/. ¶上流階級が*客筋のレストラン a restaurant with an upper-class *clientele* // この洋品店は*客筋がいい (⇒ 裕福な客がくる) This ˹clothes store [boutique] *has* ˹*rich* [*well-to-do*] *customers*. / This ˹clothes store [boutique] *is patronized by wealthy people*.

ぎゃくせい¹ 虐政 tyranny Ⓤ; (独裁) déspotism Ⓤ.

ぎゃくせい² 逆成 〔言〕 back-formation Ⓤ. **逆成語** back-formation Ⓒ.

ぎゃくせいせっけん 逆性石鹸 invert soap Ⓤ, cationic detergent /kætaɪánɪk dɪtə́ːdʒənt/ Ⓤ ★ 殺菌・消毒用として用いられる.

きゃくせき 客席 seat Ⓒ (☞ せき¹). ¶*客席は満員だ All the *seats* are occupied.

ぎゃくせつ¹ 逆説 páradòx Ⓒ. ¶「急がば回れ」というのは*逆説である "(The) more haste, (the) less speed" is a *paradox*. ★ ( ) 内の the を省略する場合には両者同時に. // *逆説的ではあるが, 両親は子供を愛するからこそ罰するのだ *Paradoxically* (*enough*), parents punish a child because they love ˹him [her].

ぎゃくせつ² 逆接 〔論・言〕 (逆態接続) adversative conjunction Ⓤ.

きゃくせん 客船 passenger ˹boat [ship] Ⓒ [語法] (1) 厳密にいえば boat はかいや帆などで動かす小さな船であるが, 口語では大型の汽船や客船の意味でも使われる; (汽船) steamer Ⓒ; (大洋航海用定期船) (ocean) liner Ⓒ. (☞ ふね).

¶太平洋丸は豪華な*客船である The Taiyo-maru is a luxury /lʌ́kʃ(ə)ri/ ˹*cruise ship* [*ocean liner*]. [語法] (2) 船名には定冠詞を付ける. また「汽船」の意味で船名に SS (steamship の略字) を付けることがある. (☞ 冠詞 (巻末))

きゃくぜん 客膳 (食事をのせる台) small dining table (for a guest) Ⓒ; (客用の食事) meal for a guest set on a small individual table Ⓒ.

ぎゃくせんでん 逆宣伝 (相手の宣伝に対抗して行う宣伝) cóunterpropagánda Ⓤ; (期待とは逆の効果になる宣伝) advertisement that ˹brings about a contrary effect [backfires] Ⓒ; (期待はずれ) báckfire Ⓒ. ¶*逆宣伝をする carry ˹on [out]

counterpropaganda
きゃくせんび 脚線美 ¶彼女は*脚線美(⇒ 脚の美しさ)が自慢だ She is proud of the *shapeliness of her legs*. // あの子は*脚線美だ(⇒ 美しい脚をもっている) She has *shapely legs*.
きゃくそう 客層 ☞ きゃくすじ; きゃくだね
ぎゃくそう 逆送 ― 動 send back ⊕, return ⊕.《☞ おくりかえす》.
ぎゃくぞく 逆賊 (反逆者) rebel Ⓒ; (裏切り者) traitor Ⓒ. ¶*逆賊の汚名 the stigma of being a *traitor*
きゃくたい 客体 〔哲〕object Ⓒ (↔ subject).
ぎゃくたい 虐待 ― 動 treat … cruelly, íll-tréat ⊕; (子供などを酷使したりいじめたりする) abuse /əbjúːz/ ⊕. ― 名 ill-treatment Ⓤ; (残酷) cruelty Ⓤ; abuse /əbjúːs/ Ⓤ.《☞ こくし¹; いじめる》.
¶動物を*虐待してはならない (⇒ 動物に残酷であってはならない) Don't ⌈*be cruel to* [*abuse*] animals. / (⇒ 動物を残酷に扱ってはいけない) Don't *treat* animals *cruelly*. // 私は彼らに*虐待された I *was ill-treated* by them. / (⇒ 彼らは私につらく当たった) They were *hard on* me. // 児童*虐待 child *abuse*
きゃくだね 客種 quality [type] of customers Ⓤ. ¶*客種がいい [悪い] have the *customers* from the ⌈upper [lower] classes
ぎゃくだんそう 逆断層 〔地〕reverse fault Ⓒ 《☞ だんそう¹; かつだんそう》.
ぎゃくたんち 逆探知 ¶警察は電話を*逆探知した (⇒ 通話をたどった) The police *traced* the phone call.
きゃくちゅう 脚注 footnote Ⓒ《☞ ちゅう¹》.
¶本に*脚注を付ける provide a book with *footnotes* / put *footnotes* in a book
ぎゃくちょう¹ 逆潮 (風と反対の潮流) wéather tìde Ⓤ; (船の進行と反対の潮流) adverse current Ⓒ.
ぎゃくちょう² 逆調 unfavorable condition Ⓤ.
¶日本の国際収支は*逆調に転じた Japan's (international) balance of payments has taken an *unfavorable* turn.
ぎゃくて 逆手 〔柔道〕reverse armlock Ⓒ; (握り方) underhand grip Ⓒ. ¶彼は法律を*逆手にとった (⇒ 法律の抜け穴を悪用した) He exploited a loophole in the law.
ぎゃくてがた 逆手形 (戻手形) redraft Ⓒ《☞ てがた》.
ぎゃくてん 逆転 ― 動 (逆にする) reverse ⊕; (形勢を一変させる) turn the ⌈tide [tables]. ― 形 (スポーツで) come-from-behind.《☞ ぎゃく》.
¶彼らの立場はいまや*逆転した (⇒ 入れ替わった) Their positions ⌈*have* now *been* [*are* now] *reversed*. // 形勢が*逆転して我々が勝った *The tables were turned* (in our favor) and we won. // 彼のヒットが試合*逆転のきっかけとなった (⇒ 試合の流れを変えた) His hit *turned the tide* in the game. // *逆転勝ち[ホームラン] a *come-from-behind* ⌈victory [homer]
逆転判決 reversed ⌈ruling [decision] Ⓤ.
ぎゃくてんしゃ 逆転写 〔生〕reverse transcription Ⓤ ★ 遺伝情報の RNA から DNA への伝達.
ぎゃくと 逆徒 (反逆者) rébel Ⓒ.
きゃくど 客土 ((畑の改善のため) 他所から持ってきて加える土) added soil (for the enrichment of a field) Ⓤ.
ぎゃくどう 逆胴 (剣道の) *Gyaku-do* Ⓤ; (説明的には) stroke to the left (side of the) body Ⓒ.
きゃくどめ 客止め ¶劇場は*客止めの盛況だった (⇒ 全収容能力までいっぱいだった) The theater *was filled to capacity*. / (⇒ 盛況のため切符売り場を閉ざした) Ticket sales were so brisk that the theater had to *close the box office*.
ぎゃくはんのう 逆反応 reverse [opposite] reaction Ⓤ.
きゃくひき 客引き ― 名 (見世物小屋などの入口で大声を出す呼び込み) barker Ⓒ; (ホテルなどの) tout /táʊt/ Ⓒ; (売春の) pimp Ⓒ. ― 動 (うるさく勧誘する) tout ⓐ. ¶ホテルの*客引きをする *tout* for a hotel // *客引きがお客を呼び込んでいた A *barker* was urging people to go in.
ぎゃくひれい 逆比例 inverse ⌈proportion [ratio] Ⓤ《☞ はんぴれい》. ¶番組の質と視聴率は*逆比例する The quality of a program *is* ⌈*inversely proportional* [*in inverse proportion*] *to* the size of the audience.
きゃくぶ 脚部 leg Ⓒ《☞ あし¹》.
ぎゃくふう 逆風 unfavorable [adverse] wind Ⓒ. ¶風は*逆風だ The wind is ⌈*unfavorable* [*against us*]. // ヨットは*逆風をついて (⇒ 風に逆らって) 走った The yacht sailed *against the wind*.
きゃくぶん 客分 guest Ⓒ.
ぎゃくふんしゃ 逆噴射 ― 動 (エンジンを) reverse (the engine) ⊕; (ロケットを) rétrofìre ⓐ ⊕. ― 名 reverse thrust Ⓤ; retrofiring Ⓤ.
きやくぶんすう 既約分数 ☞ きやく² (既約分数)
きゃくほん 脚本 (演劇の) play Ⓒ, drama Ⓒ ★ play のほうが口語的; (映画の) screenplay Ⓒ, script Ⓒ, scenario /sɪné(ə)riòʊ/ Ⓒ《複 ~s》 ★ 最近では前の 2 つを用いることが多い. ¶*脚本山田洋一 *Screenplay* by Yoichi Yamada 脚本家 (劇作家) playwright Ⓒ, dramatist Ⓒ; (映画の) screenwriter Ⓒ, scriptwriter Ⓒ, scenárist Ⓒ.
きゃくま 客間 (客を接待する応接室) dráwing ròom Ⓒ; (客を泊める部屋) guést ròom Ⓒ.
きゃくまち 客待ち ― 動 wait for hire《☞ くうしゃ¹》.
ぎゃくモーション 逆モーション reverse motion Ⓤ ★ フィルムの逆転走行.
ぎゃくもどり 逆戻り ― 動 (逆の方向に戻す) tùrn báck ⊕; (元の方向に戻る) go [turn] back ⓐ, return ⓐ ★ 前者がより口語的; (元の悪い状態に戻る)《格式》relapse ⓐ.《☞ あともどり; ひきかえす》. ¶彼は時計を*逆戻りさせた He *turned back* the clock. // 列車は事故のため*逆戻りしなければならなかった The train had to *run in reverse* because of an accident. // 我々は出発点までもと来た道を*逆戻りした We ⌈*went* [*turned*] *back* to where we started. // 金が切れると彼はまたみじめな生活に*逆戻りした Once out of money, he ⌈*returned to* [*relapsed into*] a wretched life.
ぎゃくゆしゅつ 逆輸出 ― 名 reéxport Ⓤ. ― 動 rèexpórt ⊕.
ぎゃくゆにゅう 逆輸入 ― 名 reímport Ⓤ. ― 動 rèimpórt ⊕.
きゃくよう 客用 ¶*客用の駐車場 a parking place *for visitors* // *客用トイレ a toilet (room) *for guests*
ぎゃくよう 逆用 ― 動 (つけいる) take advantage (of …)《☞ あくよう; つけこむ¹; りよう¹ 語法》.
¶彼は他人の善意を*逆用して詐欺を働いた He *took advantage of* other people's goodwill to swindle them.
きゃくよせ 客寄せ ¶その広告は*客寄せに (⇒ 多くの客を引きつけるのに) 効果があった The advertisement was effective in ⌈*drawing* [*attracting*] *many customers*.《☞ ひとよせ》 客寄せパンダ crowd puller Ⓒ, person [thing; animal] to at-

tract customers Ⓒ ★ 後者は説明的な訳.

ぎゃくりゅう 逆流 ―動 (逆の方向に流れる) flow 「backwards [in reverse] (☞ ぎゃく). ¶ 彼は*逆流に棹(さお)さして (⇒ 流れに逆らって) いるようなものだ He is, as it were, rowing *against the* 「*stream* [*current*].

きゃくりょく 脚力 strength of *one's* legs Ⓤ.

ギャザー gathers ★ 通例複数形で. (☞ ひだ). ¶ *ギャザースカート a *gathered* skirt

キャサリン (女性名) Catharine, Catherine /kǽθ(ə)rɪn/ ★ 愛称はともに Cathy, Kate, Kitty; Katharine, Katherine /kǽθ(ə)rɪn/ ★ 愛称はともに Kate, Kathy /kǽθi/, Katie, Kay, Kitty.

キャシー (女性名) Cathy ★ Catharine, Catherine の愛称; Kathy ★ Katharine, Katherine の愛称.

きゃしゃ 華奢 ―形 (ほっそりした) slight; (ひ弱な) délicate, frail; (物が壊れやすい) frágile. (☞ ひよわ). ¶ 彼は*きゃしゃな体をしている He is 「of *slight* build [*slight* of build]. // その子は*きゃしゃだからそんな活発な運動は無理だ (⇒ その子はそんな活発な運動をするにはあまりにもひ弱すぎる) The child is too 「*delicate* [*frail*] to take part in such active sports. // この水差しの取っ手は*きゃしゃにできている The handle of this pitcher is *fragile*.

きやすい 気安い ―形 (くつろいだ) relaxed; (親しい) friendly. ―副 (くつろいで) with ease; (打ちとけて) familiarly. (☞ きやすく). ¶ *気安い間柄である be on *friendly* terms with *a person*

きやすく 気安く (率直に) frankly; (気楽に) at (*one's*) ease. (☞ きがる; きらく; きやすい). ¶ 私と彼は*気安く行き来する仲だ I am *on* 「*friendly* [*visiting*] *terms with* him. // 私は彼女には*気安く話せる I can speak to her *at ease*. // 彼には誰もが*気安く話しかけることができる Anyone can talk to him 「*with ease* [*familiarly*].

キャスター **1** 《ニュース解説者》: néwscàster Ⓒ, 《英》 newsreader Ⓒ; (特に他のキャスターと一緒になって放送し, まとめ役としてニュースを読む人) anchor Ⓒ, (男性) anchorman Ⓒ, (女性) anchorwoman Ⓒ. 日英比較 解説者を単に「キャスター」というのは和製英語. (☞ ニュース (ニュースキャスター)).
2 《脚輪》: caster Ⓒ. **キャスターバッグ** bag with casters on its bottom Ⓒ ★「キャスターバッグ」は和製英語.

キャスティングボート (投票で可否同数の際の議長の決定票) casting vote Ⓒ. ¶ 公明党が*キャスティングボートを握っている (⇒ 公明党の出方次第だ) It *all depends on* the New Komeito.

キャスティングリール (ベイトキャスティングリール) (bait) casting reel Ⓒ.

キャスト (出演俳優) the cast ★ 配役全員をいう; (役) role Ⓒ 日英比較 日本語ではこの意味でも「キャスト」を使うので注意. (☞ はいやく).
¶ オールスター*キャストの映画 a movie with an all-star *cast* // 彼はその映画のメイン*キャストに選ばれた He was given a leading *role* in the movie. // *キャストは全員女性だった *The cast* was composed entirely of women.

きやすめ 気休め (ただの慰め) mere consolation Ⓤ (☞ なぐさめ). ¶ 彼女は私に*気休めを言っただけだ (⇒ 彼女の言ったことはただの慰めだった) What she said was *mere consolation*.

きやせ 着痩せ ¶ その格好だと*着痩せして見えますね You *look thinner than you really* are when (you are) dressed like that.

キャセロール (厚手鍋) casserole /kǽsəròʊl/ Ⓒ.

きゃたつ 脚立 stepladder Ⓒ (☞ はしご (挿絵)).

キャタピラ (戦車・ブルドーザーなどの無限軌道) cáterpillar tréad Ⓒ, endless (metal) 「belt [track] Ⓒ; (商標名として) Caterpillar.

きゃっ ―動 (甲高い声できゃっと叫ぶ) shriek ⓐ; (金切り声を上げる) scream ⓐ ★ 前者は後者より鋭く激しい感じ. ―感 eek /íːk/ ★ 擬声語で, 実際の叫び声. ―名 (きゃっという叫び声) shriek Ⓒ; scream Ⓒ. (☞ さけぶ (類義語); 擬声・擬態語 (囲み)). ¶ 彼女はねずみを見て*きゃっと叫んだ She 「*screamed* [*shrieked*] when she saw the mouse. // 彼女は*きゃっと叫んで逃げた She ran away with a 「*scream* [*shriek*].

ぎゃっ ―動 (ぎゃっと言う) yell ⓐ. ―感 eek /íːk/ ★ 擬声語で, 実際の叫び声. ―名 (ぎゃっという悲鳴) yell Ⓒ. (☞ さけぶ (類義語); 擬声・擬態語 (囲み)). ¶ 蛇が木にいるのを見て彼は*ぎゃっと叫んだ He *yelled* when he saw a snake in the tree.

きゃっか 却下 ―動 〖法〗 (却下する) dismíss ⓣ; (願書・提案などを退ける) tùrn dówn ⓣ, reject ⓣ ★ 前者がより口語的; (高圧的に拒否する) òverrúle ⓣ. ―名 〖法〗 dismissal Ⓤ; rejection Ⓤ ★ 以上は具体的には Ⓒ. (☞ ききゃく; きょひ¹; きょぜつ). ¶ その異議は*却下された The objection *was overruled*.

きゃっかん 客観 ―名 (客観性) òbjectívity Ⓤ (↔ sùbjectívity). ―形 (客観的な) objéctive (↔ subjéctive). ―副 (客観的に) objectively (↔ subjectively). ¶ その問題は*客観的に見る必要がある We should view the problem *objectively*. / We should take an *objective* view of the problem. // *客観情勢はまだはっきりしない The circumstances are still obscure. 語法 単に「情勢」と訳せばよい. // *客観的に言って彼の裁定は公平を欠く *Objectively* (speaking), his decision is unfair. **客観主義** objéctivìsm Ⓤ **客観的知識** objective knowledge Ⓤ **客観的批評** objective criticism Ⓤ **客観テスト** objective test Ⓒ **客観描写** objective description Ⓤ.

きゃっきゃっ ―動 (猿などがきゃっきゃっと叫ぶ) chatter ⓐ; (きゃっきゃっと笑う) cackle ⓐ. ―名 (きゃっきゃっという声) chatter Ⓒ; cackle Ⓒ. (☞ 擬声・擬態語 (囲み)). ¶ 彼女は*きゃっきゃっと笑った She gave a *cackle* (of laughter). // 猿が木の上で*きゃっきゃっと鳴いた The monkeys *chattered* in the trees. (☞ 動物の鳴き声 (囲み))

ぎゃっきょう 逆境 (不幸・困難な状態) adversity Ⓤ; (不幸な境遇) adverse 「circumstances [situation Ⓒ] ★ 経済的に困った暮らしの意味では circumstances を用いる. (☞ くきょう; ふこう¹; ふぐう; きょうぐう).
¶ 彼は一生*逆境と戦った All his life he struggled 「against [with] *adversity*. 語法 against は立ち向かう, with は取り組むという感じ. // 彼は*逆境にあっても全力を尽くした He has done his best 「under [in] *adversity*. // 彼女は*逆境に陥った She fell into *adversity*. // 彼女はついにその*逆境から脱け出した Finally, she managed to escape 「*adversity* [*adverse circumstances*].

きゃっこう 脚光 ¶ 彼はベストセラー作家として*脚光を浴びている (⇒ 世間の注目を集めている) As a best-selling author, he *is in the* 「*limelight* [*spotlight*]. 参考 limelight (石灰光) は昔の舞台照明用. spotlight は舞台上の一人物・一点に集中する光. (☞ スポットライト)

ぎゃっこう¹ 逆行 ¶ その政府案は時代に*逆行するものだ The government('s) plan 「*goes against* [*is contrary to*] the (currents of the) times. (☞ ぎゃく (類義語); さからう)

ぎゃっこう² 逆光 ―名 bácklight Ⓤ. ―副 (逆光で) against the 「sun [light]. ¶ 彼は*逆光を

利用しておもしろい写真を撮った Using (the) *backlight* effectively, he took an interesting picture. // そっちから撮ると*逆光になるよ The face will *be in the* ⌈*shadows* [*shade*] if you shoot (the picture) from that angle.

ぎゃっこうか 逆効果 ☞ ぎゃくこうか

ぎゃっこうせん 逆光線 ☞ ぎゃくこうせん

キャッシャー (レジ係) cashier /kæʃíə/ Ⓒ; (金銭登録機) cásh règister Ⓒ. (☞ レジ¹).

キャッシュ (現金) cash Ⓤ (☞ げんきん¹).
¶「クレジットカードで支払ってもいいですか」「*キャッシュでお願いしたいのですが」"Can I pay by credit card?" "Sorry, we only accept *cash*."
キャッシュオンデリバリ (代金引き換え払い) cash on delivery (略 COD) キャッシュカード cash card Ⓒ キャッシュディスペンサー (銀行などの現金自動支払い機) cash dispenser Ⓒ キャッシュバック ― 動 (払い戻す) refund ⊕, páy báck ⊕. ― 名 refund Ⓤ ★ 時に a を付けて.「キャッシュバック」は和製英語. キャッシュフロー 〘商〙 (現金流出入) cásh flòw Ⓤ ★ 時に a を付けて. キャッシュレジスター (金銭登録機) cash register Ⓒ.

キャッシュメモリー 〘コンピューター〙 cache /kǽʃ/ mèmory Ⓒ.

キャッシュレス ¶*キャッシュレスの (⇒ 現金不要の) 社会 a *cashless* society

キャッシング (個人向け小口融資) small-loan lending to individuals Ⓤ. キャッシングサービス (消費者金融などの) money-lending service Ⓒ.

キャッチ ― 動 (無線を) receive ⊕; (情報を) obtain ⊕ 日英比較 日本語の「キャッチ」は普通 catch とは訳されないことに注意. ¶その船からの無線を*キャッチした We *received* a radio message from the ship. // そのことについてはまだ何の情報も*キャッチしていない We *haven't* yet *obtained* any information about it.

キャッチアップ (追い上げ) catch-up Ⓤ.

キャッチアンドリリース ― 名 (釣った魚を再放流すること) catch and release Ⓤ. ― 形 catch-and-release. ¶*キャッチアンドリリースの釣りは日本でも人気が出始めている *Catch-and-release* fishing is gaining in popularity in Japan as well.

キャッチセールス (街路での押し売り) high-pressure street sale Ⓒ; (人) high-pressure street vendor Ⓒ, hustler on the street Ⓒ. 日英比較 「キャッチセールス」は和製英語.

キャッチフレーズ (人の心をとらえるような印象の強い文句) catchphrase Ⓒ (☞ ひょうご¹).

キャッチボール ¶*キャッチボールをしよう Let's *play catch*. 日英比較 「キャッチボール」は和製英語.

キャッチホン (割り込み機能付き電話) telephone with call waiting Ⓒ; (割り込み電話サービス) call waiting Ⓤ 日英比較 「キャッチホン」は和製英語.

キャッチャー 〘野〙 catcher Ⓒ.

キャッチャーボート catcher (boat) Ⓒ.

キャッチワード (標語・宣伝文句) catchword Ⓒ, catchphrase Ⓒ.

キャッツアイ (猫目石・ヘッドライトを反射する道路用埋めこみ鋲) cat's-eye Ⓒ.

キャットウォーク cátwàlk Ⓒ ★ テレビスタジオなどの梁・橋状の狭い通路.

キャットフード cat food Ⓤ.

キャップ (帽子・ふた) cap Ⓒ; (鉛筆の) point protector Ⓒ; (責任者) chief Ⓒ, head Ⓒ. (☞ ぼうし¹ 日英比較; ふた). キャップランプ (鉱内帽のランプ) cap lamp Ⓒ.

ギャップ (差) gap Ⓒ; (相違) difference Ⓒ. (☞ さ¹; へだたり; みぞ). ¶彼らの意見の間にはまだ大きな*ギャップがある There is still a large ⌈*gap* [*difference*] between their opinions. // 我が家にはジェネレーション*ギャップなどない There is no generation *gap* in my family.

キャディー (ゴルフの) caddie Ⓒ, caddy Ⓒ.

キャデラック (米国製の高級車) 《商標》 Cadillac Ⓒ.

キャド 〘コンピューター〙 CAD ★ *c*omputer-*a*ided *d*esign の略.

キャニスター (紅茶・コーヒー・砂糖などを入れる容器) canister Ⓒ.

キャノピー (天蓋形のひさし) canopy Ⓒ.

キャパシティー (収容[生産]能力・容量) capacity Ⓤ ★ しばしば a を付けて.

ギャバジン (布地) gabardine /gǽbədìːn/ Ⓤ.

キャバレー cabaret /kæ̀bəréɪ/ Ⓒ.

きゃはん 脚絆 (ゲートル) gaiters ★ 通例複数形で; (すねあて) leggings ★ 以上いずれも数えるときは a pair of ..., two pairs of ... とする.

キャビア (ちょうざめの卵の塩漬け) caviar(e) /kǽviɑ̀ə/ Ⓤ.

キャピタリズム (資本主義) capitalism Ⓤ.

キャピタル (首都) capital Ⓒ; (大文字) capital (letter) Ⓒ; (資本) capital Ⓤ.

キャピタルゲイン (資産などの売却利益) capital gain Ⓒ (↔ capital loss).

キャピタルフライト 〘経〙 (資本逃避) capital flight Ⓤ.

キャピタルレター (大文字) capital letter Ⓒ (↔ small letter).

キャピタルロス (資産などの売却損) capital loss Ⓒ (↔ capital gain).

キャピトル (議事堂) capitol Ⓒ ★ the Capitol で米国の連邦議会議事堂.

キャビネ (写真の大きさ) cabinet size Ⓒ; (写真) cabinet photograph Ⓒ 参考 日本語にはフランス語から入ったためにキャビネとなった.

キャビネット (飾り棚・食器棚) cabinet Ⓒ.

キャビン (小屋・船や航空機の客室) cabin Ⓒ. キャビンアテンダント cabin [flight] attendant Ⓒ ★ flight は航空機の場合にのみ用いる.

ギャビン (男性名) Gavin /gǽvɪn/.

キャブ (タクシー) cab Ⓒ.

キャフェテリア ☞ カフェテリア

キャブオーバー cabover Ⓒ ★ 運転台がエンジンの上にあるトラクターなどの車, またはボディーが運転台の上に張り出しているキャンピングカー. キャブオーバートラック cabover truck Ⓒ キャブオーバーベッド (運転席頭上のベッド) cabover bed Ⓒ.

キャプション (挿絵などのタイトル・映画などの字幕) caption Ⓒ.

キャプスタン 〘機〙 capstan Ⓒ.

キャプテン (スポーツチームの主将) captain Ⓒ. ¶私の兄はこの野球チームの*キャプテンだ My brother is *captain* of this baseball team. 語法 補語として用いられるときは冠詞が省略される. (☞ 冠詞 (巻末))

キャブレター (エンジンの気化器) carburetor /kɑ́əbərèɪtə/ (《英》 carburettor /kɑ̀ːbjʊrétə/) Ⓒ.

ぎゃふん ¶彼女の一言が彼を*ぎゃふんとまいらせた (⇒ 沈黙させた) Her remark *reduced* him *to silence*. ★ reduce は「ある状態に至らせる」の意. // 私は彼に*ぎゃふんと言わせた (⇒ 徹底的にやっつけた) I *beat* him *to a pulp*. ★ くだけた表現. beat ... to a pulp はパルプのようにどろどろにすることから「叩きのめす」意となった. / (⇒ まいったと言わせた) I made him *say uncle*. (☞ やりこめる; いいまかす)

キャベツ cabbage Ⓒ ★ 食卓に出る「キャベツの葉」は Ⓤ.

きやみ 気病み depression Ⓤ;《略式》the blues ★複数扱い.
キャミソール 〚服〛cámisòle Ⓒ.
キャム 〚コンピューター〛CAM ★ *c*omputer-*a*ided *m*anufacturing の略.
キャメル (ラクダ) camel Ⓒ; (ラクダ色) camel Ⓤ; (ラクダの毛のカシミヤ織) cashmere from camel hair Ⓤ.
きゃら 伽羅 〚植〛aloeswood /ǽlouzwùd/ Ⓤ, agalloch /əgǽlək/ Ⓤ ★香木. 沈香(じんこう)の上物.
キャラ ☞ キャラクター
ギャラ (出演料) performance fee Ⓒ.
ギャラクシー (銀河) gálaxy ★ the Galaxy で銀河系 (the Milky Way) の意味.
キャラクター (小説・映画・漫画などに出てくる人物・動物) character Ⓒ. **キャラクター商品[グッズ]** goods featuring popular characters ★複数扱い.
キャラコ (綿布・さらさ) cálicò Ⓤ.
ギャラップ (世論調査) Gállup pòll Ⓒ.
キャラバン (隊商) cáravàn Ⓒ. **キャラバンシューズ** (軽登山靴) Caravan shoes ★元はキャラバン社の商品名.
きゃらぶき 伽羅蕗 (ふきの煮物) stalks of butterbur boiled in soy sauce.
キャラメル (飴) cáramel Ⓒ《☞ あめ²》.
ギャラリー (画廊) gallery Ⓒ 日英比較 英語の gallery には「屋根のある散歩道」「廊下」「(劇場の)天井さじき」「天井さじきの見物人」「ゴルフ・テニスの見物人」(見物人の意では the gallery) などいろいろの意味があるが, 日本語ではその中の一部のみを借用して使っている. **ギャラリーレストラン** gallery restaurant Ⓒ.
ギャランティー (保証(金)) guarantee /gæ̀rəntíː/ Ⓒ《☞ ギャラ》.
きやり 木遣り lumber-carriers' ⌈chant [song] Ⓒ.
キャリア¹ ¶彼は新聞記者としての*キャリアが長い(⇒長い間新聞記者をしている) He has been a newspaper reporter for a long time. 日英比較 「キャリア」に相当する英語は career /kəríə/ Ⓒ だが, 一生の職業, かなりめざましい業績という意味で用いられ, 「経験」という意味の日本語の「キャリア」とは意味がずれるので注意. また career は 形 としても用いられ, career teacher (一生の仕事として教師をする人) のように用いる.《☞ けいれき; -れき》 **キャリアアップ** (より高い専門知識・能力を身に付けること) career ⌈development [enhancement] Ⓤ; (好条件を求めての転職) career ⌈transition [change] for more favorable conditions Ⓒ 日英比較 「キャリアアップ」は和製英語. **キャリアウーマン** caréer wòman Ⓒ ★社会で職業人として活躍し, 高い地位を目指す女性をいう. **キャリア組** career ⌈bureaucrats [officials]《☞ ノンキャリア》.
キャリア² (保菌者・感染者) carrier Ⓒ. ¶B 型肝炎ウイルスの*キャリア a Hepatitis B virus [an HBV] *carrier*
キャリー¹ 〚ゴルフ〛 ― 名 carry Ⓤ. ― 動 carry ⓣ. ¶彼のドライバーショットは*キャリーでバンカーを越しましたか Did his drive *carry* the bunker?
キャリー² (女性名) Carrie ★ Caroline /kǽrəlɪn, -làɪn/ の愛称.
ギャリー ☞ ゲーリー
キャリオカ 〚楽〛(ブラジルの舞曲) carioca Ⓤ ★ C- でリオデジャネイロ生まれの人の意.
キャリパス (測定用器具) calipers (《英》callipers) ★通例複数形で. ¶*キャリパス一丁 a pair of *calipers*
キャリングボール 〚球〛carrying ball Ⓤ ★ running with the ball ともいう.

ギャル (若い女性)《略式》gal Ⓒ.
ギャルソン (ホテルなどの給仕) garçon /gɑːsɔ́ːŋ/ Ⓒ ★もとはフランス語; waiter Ⓒ.
ギャレー (船・飛行機の調理室) galley Ⓒ.
ギャレス (男性名) Gareth /gǽrəθ/.
キャレット (脱字記号) caret Ⓒ ★ ∧ の印.
ギャロップ (馬の競走駆け足・襲歩) gallop Ⓒ. ¶*ギャロップで駆け出す break into a *gallop*
キャロライン (女性名) Caroline /kǽrəlɪn, -làɪn/ ★愛称は Carrie, Lynn.
キャロリン (女性名) Carolyn /kǽrəlɪn/ ★愛称は Lynn.
キャロル¹ (祝歌) carol Ⓒ.
キャロル² (女性名) Carol, Carole /kǽrəl/; (男性名) Carroll /kǽrəl/, Carrol.
きゃんきゃん ― 動 (きゃんきゃんと鳴く) yelp ⓐ, yap ⓐ. ― 名 (きゃんきゃんと鳴く声) yelp Ⓒ, yap Ⓒ.《☞ 動物の鳴き声 (囲み); 擬声・擬態語 (囲み)》. ¶その犬は*きゃんきゃんと鳴いた The dog ⌈*yelped* [*yapped*]. / The dog gave a ⌈*yelp* [*yap*].
ギャング (悪者の一味・強盗団) gang Ⓒ 日英比較 英語ではほかに労働者などの一団もいうが, 軽蔑的な響きがあるので, この意味では一般には group を用いる; (一味の 1 人) gangster Ⓒ; (特にピストル強盗)《略式》holdúp màn Ⓒ. ¶その店は*ギャングの一団に襲われた The store was robbed by a group of *gangsters*. // 彼らは銀行*ギャングを計画した (⇒彼らは銀行を襲うことを計画した) They plotted to *rob* a bank. **ギャング映画** gangster film Ⓒ.
キャンサー (癌(がん)) cancer Ⓤ.
キャンセル ― 動 (取り消す) cáncel ⓣ《☞ とりけす》. ¶予約を*キャンセルしたいのですが I'd like to *cancel* my reservation. **キャンセル待ち** ¶私は*キャンセル待ちだ (⇒ウェイティングリストに載っている) I'm *on the waiting list*. **キャンセル料** cancellation ⌈charge [fee] Ⓒ.
キャンティ (イタリア産赤ワイン) Chianti /kiάːnti/ Ⓤ ★イタリア語から.
キャンディス (女性名) Candice /kǽndɪs/, Candace.
キャンデー 《米》candy Ⓤ ★種類をいうときは Ⓒ; 《英》sweet Ⓒ; (棒付き) lóllipòp Ⓒ.《☞ あめ²; かし¹》.
キャンドル (ろうそく) candle Ⓒ. **キャンドルサービス** candlelight service Ⓒ.
キャンパー (キャンプする人) camper Ⓒ ★英語ではキャンピングカーの意味でもこの語を用いる.
キャンバス (絵の) canvas Ⓒ.
キャンパス (大学などの構内) campus Ⓒ《☞ こうない²》. ¶*キャンパスで on (the) *campus*
キャンピングカー camper Ⓒ ★トラックの荷台などに積み込めるように作られたキャンプ用のユニット, またはそれを積んでキャンプ用に仕立てた車をいう; (乗用車の後ろにつけて牽引するキャンプ用車両) trailer Ⓒ, 《英》caravan Ⓒ. 日英比較 「キャンピングカー」は和製英語.
キャンピングトレーラー (トレーラー式のキャンピングカー) tráiler (hòuse) Ⓒ, 《英》cáravàn Ⓒ. 日英比較 「キャンピングトレーラー」は和製英語.
キャンプ ― 動 camp ⓐ. ¶「昨夜はどこで*キャンプをしましたか」「湖のそばです」"Where did you *camp* last night?" "We *camped* by the lake." // 今度の夏は山に*キャンプに行きます We'll go *camping* in the mountains next summer. 語法 「山でキャンプをする」の意味なので to the mountains とはいわない.
キャンプイン ¶ジャイアンツは今日冬の*キャンプインをした (⇒冬のキャンプが始まった) The Giants winter *camp opened* today. / The Giants turned up for

winter *camp* today. 日英比較「キャンプイン」は和製英語. キャンプ施設 camping facilities ★ 複数形で. キャンプ場 cámpsìte Ⓒ, 《米》 cámpgròund Ⓒ キャンプファイアー cámpfire Ⓒ. ¶*キャンプファイアーをしよう Let's make a *campfire*. キャンプ村 camping area Ⓒ, campsite Ⓒ キャンプ用品 camping outfit Ⓒ; (装備全体を指して) camping equipment Ⓤ 《☞ 挿絵》.

キャンプシュワブ —名 固 (沖縄の米軍基地) Cámp Schwab /ʃwɑ́ːb/.

キャンプデービッド —名 固 (米国メリーランド州の大統領山荘) Camp David. ¶*キャンプデービッド合意 *Camp David* ⌈Accords [Agreement]

ギャンブラー (賭博師) gambler Ⓒ.

ギャンブル (賭博) gambling Ⓤ 《☞ かけ¹》.

キャンペーン (組織的な運動) campaign /kæmpéɪn/ Ⓒ 《☞ うんどう》. ¶彼らは禁煙*キャンペーンを始めた They started a *campaign* against smoking. キャンペーンガール girl for a sales campaign Ⓒ 日英比較「キャンペーンガール」は和製英語.

キャンベラ —名 固 Canberra /kǽnb(ə)rə/ ★ オーストラリアの首都.

キャンベル(アーリー) 〔植〕 (ぶどうの一品種) Campbell('s) Early Ⓤ.

きゆう 杞憂 (根拠のない心配) groundless [unfounded] fear Ⓒ 《☞ しんぱい¹ (類義語)》.

きゅう¹ 急 **1** 《急ぎ》 —形 (緊急な) urgent; (切迫した) pressing ★ 後者は心理的な圧迫感を伴う; (即時の) immédiate. —副 (直ちに) quickly, promptly, immediately ★ 最後は切迫感の度合いが強い語. —名 (緊急) urgency Ⓤ. 《☞ すぐ (類義語); いそぎ; しきゅう²; きんきゅう》.

¶これは*急を要します This is *urgent*. / (⇒ これは直ちに考慮することが必要だ) This ⌈requires [needs] *immediate* attention. // 父は*急な用事で出かけています My father is away on *urgent* business. 《☞ きゅうよう²》

2 《突然》 —副 suddenly, all of a sudden ★ 後者のほうが強意的; (思いがけなく) unexpectedly. —形 sudden; unexpected; (不意の) abrupt ★ 不愉快な結果を暗示する. 《☞ とつぜん》. ¶電車が*急に止まった The train stopped *suddenly*. / The train came to a *sudden* stop. // 天気が*急に変わった The weather changed *all of a sudden*. / There was ⌈a *sudden* [an *abrupt*] change in the weather. 《☞ きゅうへん》

3 《急角度の》 —形 (坂などが) steep; (曲がり角が) sharp.

¶その階段は*急だ The stairs are very *steep*. // 前の方は*急な登り坂になっていた We found the road rising *steeply* in front of us. / There was a *steep* slope in front of us. // 前方に*急なカーブがある There's a *sharp* ⌈turn [bend] ahead.

4 《非常の場合》: (非常事態) emergency Ⓤ ★ 具体的な事例を指す場合は Ⓒ; (危機) crisis /kráɪsɪs/ Ⓒ 《複 crises /-siːz/》; (危険) danger Ⓤ. ¶*急な場合に備えて食料を用意しておくべきだ We should provide food for an *emergency*. // 友人の*急を聞いて (⇒ 友人の病状が危険だとの知らせで) 私は病院に駆けつけた I hurried to the hospital at the news that my friend was ⌈*seriously* [*critically*] ill.

5 《流れなどが速い》 —形 rapid 《☞ はやい¹》.

¶ここは流れが*急だ (⇒ この川はここでは速い) The river ⌈is *rapid* [runs *rapidly*] here.

6 《最後の楽章》: finale Ⓒ 《☞ じょはきゅう》.

きゅう² 級 **1** 《学校の》: (学級・学年) class Ⓒ; (特に小中高の学年) 《米》 grade Ⓒ. 《☞ 学校・教育 (囲み); くみ; クラス》.

¶私は彼女と同*級でした I was in the same *grade* ⌈with [as] her. // あの人は私の 1 *級下 [上] だった He was one *grade* ⌈junior [senior] to me. / He was one *grade* ⌈below [above] me.

2 《階級》: (一般的に) class Ⓒ; (等級・程度) grade Ⓒ; (順位・地位) rank Ⓒ.

¶10 万トン*級のタンカー a tanker ⌈in [of] the 100,000-ton *class* // これはロンドンの第一*級のホテルです This is one of the ⌈*best* [*top*] hotels in London. // 彼は大臣*級の (⇒ 大臣のような地位の) 人物です He is a person of ministerial *rank*. // 彼らは大使*級 (⇒ 大使のレベルでの) 会談を開いた They had an ⌈ambassador-*level* [ambassadorial-*level*] conference. // この寺は国宝*級のものです (⇒ この寺はほとんど国宝として格付けされる) This temple *is ranked almost as* a national treasure. // 重[軽]量*級 the ⌈heavyweight [lightweight] *division* 参考 個々の選手は a ⌈heavyweight [lightweight].

きゅう³ 旧 —形 (元の) former Ⓐ, onetime Ⓐ ★ 前者のほうがより一般的; (古い) old. —接頭 ex- ★ 人を表す名詞と共に用いる. 《☞ 接頭辞 (巻末)》. ¶*旧正月 (⇒ 古い暦[太陰暦]による正月) New Year's Day *according to the* ⌈*old* [*lunar*] *calendar* 《☞ きゅうれき》 // *旧軍人 an *ex*-⌈soldier [serviceman] / a *former* soldier / 《米》 a *veteran*

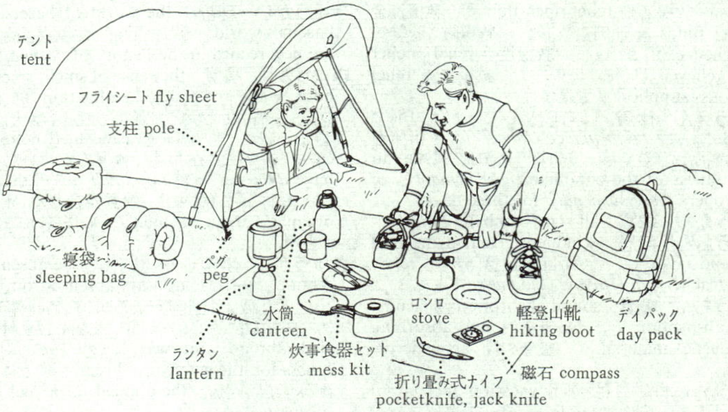

キャンプ用品 camping equipment

// 破損がひどくて*旧に復せない (⇒ その破損は元の状態に回復させるにはあまりにもひどい) The damage is too serious for it to be restored ˹to its *former state* [to the way *it was before*].

きゅう⁴ 球 sphere Ⓒ; (地球儀などの) globe Ⓒ; (野球の) ball Ⓒ; (電球など) bulb Ⓒ. 《☞ りったい (挿絵)》. ¶ピッチャー, 第1*球投げました The pitcher throws the first *pitch*.

きゅう⁵ 九, 9 ― 名 形 nine 語法 「第9(番目)の」, あるいは「第9(番目)のもの」の場合は the ninth. 《☞ 数字 (囲み)》.

きゅう⁶ 灸 moxibustion /mὰksəbʌ́stʃən/ Ⓤ. 灸をすえる (もぐさで焼く) cauterize ... with moxa; (罰する) punish ⑩. 《☞ しかる》.

キュー¹ (玉突きの) cue Ⓒ; (合図) cue Ⓒ. ¶ディレクターは俳優に*キューを出した The director gave the actor ˹his [her] *cue*.

キュー² (アルファベットの第17字) Q Ⓒ, q Ⓒ.

ぎゆう 義勇 ― 形 (志願の) volunteer. **義勇軍** volunteer ˹army [corps] Ⓒ **義勇兵** volunteer Ⓒ.

ぎゅう 牛 (牛肉) beef Ⓤ 《☞ ぎゅうにく》.

きゅうあい 求愛 ― 動 (異性の愛を得ようとする) try to win *a person's* love; (異性を追いかける) chase *a person* ★ 口語的. ― 名 (動物などの求愛行動) courtship behavior Ⓤ.

きゅうあく 旧悪 past crime Ⓒ 《☞ あくじ》. ¶彼の*旧悪が明るみに出た His *past crimes* came to light.

キューアンドエー (質疑応答) Q and A Ⓒ ★ question and answer の意.

きゅうい 球威 ¶あのピッチャーは*球威がある (⇒ 力の強い球を投げる) That pitcher throws a ˹*hard* [*powerful*] *ball*.

きゅういん 吸引 ― 動 suck (in; up) ⑩. ¶この小さな掃除機は結構*吸引力が強い(⇒ 力強い) This small vacuum cleaner is fairly *powerful*.

ぎゅういんばしょく 牛飲馬食 ― 動 drink like a fish and eat like a horse.

きゅうえん¹ 救援 ― 名 (遭難など緊急事態の人の) rescue Ⓤ ★ 具体的な行為は Ⓒ; (高齢・貧困などで困っている人の) relief Ⓤ. ― 動 rescue ⑩; (援助する) aid ⑩, help ⑩ ★ 後者のほうが口語的; (野球で投手を) relieve ⑩. 《☞ きゅうじょ; すくう¹ (類義語); きゅうさい¹; たすけ; たすける》.
¶警察官が彼らの*救援に向かった The police set out to *rescue* them. // 赤十字は洪水被害者の*救援にあたった The Red Cross *aided* the flood victims. **救援活動** relief operation Ⓒ **救援資金** relief funds ★ 通例複数形で. **救援隊** (遭難の) rescue [relief] party Ⓒ **救援投手** relief pitcher Ⓒ, reliever Ⓒ. 《☞ リリーフ》 **救援物資** relief ˹goods [supplies] ★ 複数形で.

きゅうえん² 休演 ¶本日*休演《掲示》(⇒ 上演が中止になって) *Performance Cancel(l)ed* // 指揮者の急病のためそのオペラは3日間*休演した Due to the illness of the conductor, *performances* of the opera *were suspended* for three days.

きゅうえん³ 球宴 all star (baseball) game Ⓒ.

きゅうおん¹ 旧恩 kindness given in the past Ⓒ, old favor Ⓒ. ¶わが師の*旧恩に報いる repay *my teacher's old* ˹*favors* [*kindnesses*]

きゅうおん² 吸音 sound absorption Ⓤ, acoustic absorption Ⓤ. **吸音材** sound-absorbing [acoustic] material Ⓤ **吸音タイル** acoustic tile Ⓒ.

きゅうか¹ 休暇 (長期の) vacation /veɪkéɪʃən/ Ⓒ; (1日または連続の) holiday Ⓒ 語法 (1) 《米》では vacation のほうがよく用いられる. 《英》でも大学の休暇は vacation. その他の場合は holiday(s) が普通. 《☞ やすみ》.
¶「*休暇はどこで過ごしましたか」「軽井沢で過ごしました」"Where did you spend your ˹*vacation* [*holidays*]?" "In Karuizawa." / "Where did you go for your ˹*vacation* [*holidays*]?" "I went to Karuizawa." // *休暇を楽しむ enjoy *one's vacation* // 来週は*休暇を取ろうと思う I think I will take a *vacation* next week. 語法 (2) take a vacation の代わりに take a holiday と言うと「1日の休暇を取る」(take a day off) の意味にもなってあいまいである. // あすは*休暇です (⇒ あすは休暇を取る) I'll take tomorrow *off*. / I'll be *off* tomorrow. // 今年の夏は1か月ばかり*休暇を取るつもりだ I intend to take a month's ˹*vacation* [*holiday*] this summer. // 2週間の*休暇をもらう get two weeks' *vacation* // 彼は*休暇で今週中は休み [留守] です He is (away) *on* ˹*vacation* [《英》 *holiday*] this week. 語法 (3) on ˹vacation [holiday] で「休暇中で」「休暇を取って遊びに行っている」という成句. // あすから学校は (夏期)*休暇になる School ˹*will be out* [《英》 *breaks up*] (for the summer) tomorrow. // 有給*休暇 a paid ˹*vacation* [*holiday*] **休暇願い** request for a vacation Ⓒ.

> **コロケーション**
> **休暇を延長する** extend the *vacation* / **休暇を取りやめる** cancel the *vacation* // **海外での休暇** an overseas [a foreign] *vacation* / **家族そろっての休暇** a family *vacation* / **短期休暇** a ˹short [brief] *vacation* / **長期休暇** a long *vacation*

きゅうか² 旧家 old family Ⓒ.

きゅうカーブ 急カーブ (道の) sharp bend Ⓒ. ¶運転手は*急カーブを切った The driver made a *sharp turn*. // 坂を降りると道は左へ*急カーブしていた At the bottom of the slope the road *bent sharply* to the left.

きゅうかい¹ 休会 (会期中の一時的な) adjournment /ədʒə́ːnmənt/ Ⓤ; (休憩や閉会しての) recess /ríːses, rɪsés/ Ⓤ ★ 個々には Ⓒ. 《☞ やすみ; きゅうけい¹》. ¶国会は6月から*休会になる The Diet will go into *recess* in June. // その委員会は来週の金曜日まで*休会になった The committee meeting *was adjourned* until next Friday. // 議長は*休会を宣した The ˹chair [chairperson] ˹declared an *adjournment* [*adjourned* the meeting]. // この法案は*休会明けの国会で審議される The bill will be dealt with in the Diet after the *recess*.

きゅうかい² 球界 the world of baseball, the baseball world. ¶*球界始まって以来の最高記録 the best record in the history of *baseball*

きゅうかく 嗅覚 the sense of smell, smell Ⓤ, a nose ★ a を付けて; 〘生理〙 olfaction Ⓤ. 《☞ はな²》. ¶猫より犬のほうが*嗅覚が鋭い (⇒ 犬は猫よりよくかぐことができる) Dogs can *smell* better than cats. / (⇒ 犬は猫より鋭い嗅覚をもっている) Dogs have *a* keener ˹*sense of smell* [*nose*] than cats. 《☞ 総称用法 (巻末)》 **嗅覚器官** 〘解〙 olfáctory órgan Ⓒ, organ of smell Ⓒ ★ 後者のほうがくだけた表現.

きゅうがく 休学 ― 動 (休む) be absent from school. ― 名 temporary absence from school Ⓤ. ¶彼は外国へ行ったために1年間*休学をした (⇒ 彼は海外へ行き, 1年間学校を休んだ) He traveled abroad and was ˹*away* [*absent*] *from school* for ˹the whole [one] year. // 彼女は一年間の*休学を願い出た She applied for a year's leave of *absence*.

きゅうかくど 急角度 sharp angle Ⓒ. ¶飛行

機は*急角度で上昇[下降]した The plane ⸢climbed [dived] *sharply*.

きゅうかざん 休火山 dormant volcano /vɑlkéɪnoʊ/ Ⓒ (☞ かざん).

きゅうがた 旧型 old ⸢model [type] Ⓒ.

きゅうかつ 久闊 long silence Ⓤ. **久闊を叙する** (無沙汰を詫びる) excuse *one's* long silence; (久しぶりに旧交を温める) renew a friendship with *a person* after a long silence.

きゅうかなづかい 旧仮名遣い old *kana* orthography Ⓤ.

ぎゅうがわ 牛革 leather Ⓤ ★leather といえば通常牛革を指す. (☞ かわ³). ¶*牛革のベルト a *leather* belt

きゅうかん¹ 休刊 ―動 suspend [stop; discontinue] publication. ―名 suspension Ⓤ. ¶当分の間*休刊いたします *Publication* will be *suspended* until further notice. // その雑誌は*休刊になった (⇒ 発行を一時停止した) They *stopped publishing* the magazine temporarily. **休刊日** newspaper holiday Ⓒ.

きゅうかん² 急患 emergency ⸢patient [case] Ⓒ (☞ かんじゃ¹; きゅうびょう¹). ¶*急患を受けつける accept *emergency* ⸢*patients* [*cases*]

きゅうかん³ 休館 ―動 close 自 他. ¶本日*休館《掲示》*Closed* // この美術館の*休館日は月曜だ This art museum *is closed* (on) Mondays.

きゅうかんち 休閑地 fallow field Ⓒ, land left fallow Ⓤ.

きゅうかんちょう 九官鳥 myna(h) /máɪnə/ Ⓒ.

きゅうき 吸気 (吸気孔) intake Ⓒ; (息を吸い込むこと) inhalation Ⓤ (↔ exhalation). ¶こっちのパイプが*吸気であっちが排気です This pipe is the *intake* and that is the exhaust. **吸気音** inhaling sound Ⓤ **吸気弁** intake valve Ⓒ.

きゅうぎ¹ 球技 ball game Ⓒ ★《米》では特に野球. ¶サッカーはイギリスでは最も人気のある*球技の一つだ Soccer is one of the most popular *ball games* in the United Kingdom.

きゅうぎ² 球戯 ball game Ⓒ.

きゅうきゅう¹ 救急 emérgency Ⓒ (☞ きんきゅう; ひじょう¹). **救急医療** emergency care Ⓤ **救急医療体制** emergency care system Ⓒ **救急救命士** pàramédic Ⓒ **救急救命ヘリコプター** helicopter ambulance Ⓒ, EMS helicopter Ⓒ ★EMSは *e*mergency *m*edical *s*ervice の略. **救急車** ámbulance Ⓒ **救急箱** first-àid [emérgency] kit Ⓒ **救急病院** emergency hospital Ⓒ **救急病棟** emergency ward Ⓒ.

きゅうきゅう² 汲汲 ¶彼は金もうけに*きゅうきゅうとしている (⇒ 彼は金もうけのことしか考えない) He *thinks only of* making money.

きゅうきゅう³ ―動 (きゅうきゅう鳴る) creak 自, squeak 自; (甲高いきしり音を出す) squeal 自. (☞ 擬声・擬態語 (囲み)). ¶開けるとドアは*きゅうきゅう音をたてた The door ⸢*creaked* [*squeaked*; *squealed*; *made a squeaking sound*] when I opened it.

ぎゅうぎゅう ¶私はスーツケースに衣類を*ぎゅうぎゅうに詰め込んだ I *squeezed* my clothes *into* my suitcase. (☞ 擬声・擬態語 (囲み); つめこむ) **ぎゅうぎゅう詰め** ―形 jam-packed, packed like sardines. (☞ ぎゅうづめ; すしずめ). ¶電車は*ぎゅうぎゅう詰めだった The train *was full*. / The train *was tightly packed*.

きゅうぎゅうのいちもう 九牛の一毛 a dróp in the ⸢búcket [ócean] ★「大海の一滴」,「取るに足らないもの」の意の慣用句; (説明的には) (negligibly) small quantity Ⓒ.

きゅうきょ¹ 急遽 (急いで) in a hurry, hurriedly. (☞ ただちに).

きゅうきょ² 旧居 *one's* old house Ⓒ.

きゅうきょう¹ 窮境 ☞ きゅうち¹

きゅうきょう² 旧教 Róman Cathólicism Ⓤ. **旧教徒** Róman Cátholic Ⓒ (↔ Protestant).

きゅうぎょう 休業 ―動 (店などを閉める) close 他 自. ¶本日*休業《掲示》*Closed* // 午後は*休業いたします《掲示》Early *Closing* // 改築のため当分の間臨時*休業します《掲示》Temporarily *closed* for renovation(s). // パリでは多くの店は7月, 8月は*休業します Most shops and stores in Paris *are closed* in July and August. **休業手当** layoff allowance Ⓒ **休業補償** loss of income compensation Ⓤ.

きゅうきょく 喜遊曲 〔楽〕 divertimento /dɪvɜ̀ːtəméntoʊ/ Ⓒ (複 ~s, -ti /-tiː/).

きゅうきょく 究極 ―形 (最終的な) última te Ⓐ. ―副 (究極的に) ultimately. ¶あなたの人生の*究極の目的は何ですか What is your *ultimate* ⸢object(ive) [goal] in life?

きゅうきん¹ 給金 wages ★複数形で; pay Ⓤ. (☞ きゅうりょう¹). ¶その力士は千秋楽で*給金をなおした (⇒ 勝ち越した) On the final day the wrestler *had scored more wins than losses* (*and got a raise in his pay*). **給金相撲** bout on which a sumo wrestler's pay raise depends Ⓒ.

きゅうきん² 球菌 coccus /kɑ́kəs/ Ⓒ (複 cocci /kɑ́k(s)aɪ/). ¶微[小]*球菌 a micrococcus /màɪkroʊkɑ́kəs/ ★複数形は -cocci /-kɑ́k(s)aɪ/. // ブドウ*球菌 a staphylococcus /stæ̀fəloʊkɑ́kəs/ ★複数形は -cocci.

きゅうくつ 窮屈 1《余裕がない》 ―形 (小さい) small; (衣服などがぴったりとした) tight. (☞ きつい). ¶この家は4人家族 (が住むの) には少々*窮屈です This house is a little too *small* for a family of four (to live in). // この靴は*窮屈で足が痛い These shoes ⸢are so *tight* that they hurt [(⇒ 私を締めつけて痛くする) *pinch* (me)].

2《堅苦しい》 ―形 (格式ばった) formal (↔ informal); (儀式ばった) cèremónious; (規則などが厳しい) rigid. ―名 (格式ばったこと) formálity Ⓤ ★具体的な行為は Ⓒ; (堅苦しい儀礼) céremòny Ⓤ. (☞ かたくるしい). ¶私は*窮屈なのは嫌いだ I don't like *formality*. // 公務員は*窮屈な規則に縛られている Civil servants are bound by ⸢*rigid* (rules and) regulations [*hard and fast* rules].

3《心地よくない》 ―形 (気詰まりな) ùncómfortable; (落ち着かない) ill at ease. (☞ きづまり). ¶知らない人と一緒では*窮屈だ I ⸢feel *uncomfortable* [*don't feel at ease*] in the company of strangers.

きゅうけい¹ 休憩 ―名 (お茶などのための) break Ⓒ; (休息のための) rest Ⓒ; (劇場などの) 《米》 intermíssion Ⓒ, 《英》 ínterval Ⓒ. ―動 take [have] a break ★口語的; rest 自, take a rest. (☞ やすみ; きゅうそく²). ¶さあ*休憩にしよう Let's *take a* ⸢*break* [*rest*]. // *休憩してお茶でも飲みませんか Why not *take a* ⸢*break* for tea [tea *break*]? / How about having a coffee *break*? 語法 (1) coffee break はコーヒーを飲んで休憩すること. なお, 第1文は相手に勧める言い方, 第2文は相手に勧める場合にも, 一緒に休憩をすることを提案する場合にも使う. // 5分間*休憩した We had a five-minute ⸢*rest* [*break*]. 語法 (2) 形容詞的に用いられた名詞は複数形にならないことに注意. / We *took a rest* for five minutes. // 次の*休憩は何分ですか (⇒ 次の休憩はどのくらい長いか) How long is the next ⸢*in-*

termission [*interval*]? // *休憩なしで5時間働いた I worked for five hours without a *break*. **休憩時間** (仕事中の) break Ⓒ; (午前と午後のお茶の時間) coffee [tea] break Ⓒ; (学校・仕事・会議などの) recess /ríːses, rɪsés/ Ⓒ ★ break より格式ばった語; (芝居などの幕あい) 《米》 intermission Ⓒ, 《英》 interval Ⓒ **休憩室** (ホテルなどの) lounge Ⓒ, lobby Ⓒ [参考] lobby は入口から各部屋へ通じるホールで, 部屋ではない. なお rest room Ⓒ と言うとトイレを指すので注意.

きゅうけい² 求刑 ── [動] demand (他) 《☞ けい¹》. ¶ 検事は被告に対し 3 年の禁固を*求刑した The prosecutor *demanded* three years' imprisonment for the accused.

きゅうけい³ 球形 ── [形] globular /glάbjʊlə/, spherical /sfí(ə)rɪk(ə)l/. ── [名] globular [spherical] shape Ⓒ. **球形スピーカー** spherical speaker Ⓒ.

きゅうけい⁴ 弓形 arch Ⓒ, bow shape Ⓒ; 〔数〕 segment Ⓒ. ¶ 教会の*弓形の窓 *arched* windows inside the church

きゅうけい⁵ 球茎 (クロッカス・グラジオラスなどの) corm Ⓒ; (たまねぎ・ユリなどの) bulb Ⓒ. ¶ 花壇にクロッカスの*球茎を植えた We planted crocus *corms* in our flowerbeds.

きゅうけいしゃ 急傾斜 steep slope Ⓒ. ¶ *急傾斜の山路 a *steep* mountain road // その家の屋根は*急傾斜している The roof of the house *pitches sharply*.

きゅうげき¹ 急激 ── [形] (突然の) sudden; (急速な) rapid; (不意の) abrupt; (過激な) radical; (思い切った) drastic; (大きい) great. ── [副] suddenly; abruptly; drastically. 《☞ きゅう¹; きゅうそく¹; とつぜん》. ¶ 午後から*急激に気温が上昇した The temperature *suddenly* went up in the afternoon. // 20世紀になって科学技術は*急激な進歩を遂げた (⇒ 20世紀は科学技術の急激な進歩を経験した) The 20th century saw ˹a *rapid* advance [*rapid* progress] in technology. // 彼は病状が*急激に悪化した (⇒ 彼の病気は急に悪いほうに向かった) His illness took a *sudden* turn for the worse.

きゅうげき² 旧劇 (日本の新劇・新派などに対して伝統的な劇) traditional play Ⓒ; (特に歌舞伎) the kabuki, kabuki ˹drama [play] Ⓒ.

きゅうけつき 吸血鬼 vámpire Ⓒ, bloodsucker Ⓒ ★ どちらも比喩的にも用いる. 《☞ 比喩 (巻末)》.

きゅうけつどうぶつ 吸血動物 bloodsucker Ⓒ. ¶ 蛭は*吸血動物だ The leech is a *bloodsucker*.

きゅうげん 急減 ── [名] rapid decrease Ⓒ. ── [動] decrease [diminish] rapidly. ¶ 昨年売り上げが*急減した The sales *decreased rapidly* last year. // 石油の供給が*急減した The supply of oil *has rapidly* ˹*diminished* [*decreased*].

きゆうげんそ 稀有元素 〔化〕 rare earth element Ⓒ.

きゅうけんぽう 旧憲法 (大日本帝国憲法) (The) Constitution of the Empire of Japan; (明治憲法) the Meiji Constitution. 《☞ めいじ²; だいにっぽんていこく》.

きゅうご 救護 ── [名] (遭難者などの救援) rescue Ⓤ ★ 具体的な行為は Ⓒ; (一般的に救助) help Ⓤ; (応急の手当) first aid Ⓤ. ── [動] aid (他); help (他); rescue (他). 《☞ きゅうじょ; きゅうえん¹》.
救護活動 relief activities ★ 複数形で. **救護所** First Aid 《掲示》; first-aid station Ⓒ **救護班** relief ˹party [squad] Ⓒ.

ぎゅうご 牛後 ☞ けいこう⁵

きゅうこう¹ 急行 (列車) express (train) Ⓒ 《☞ かいそく¹ [日英比較]; じゅんきゅう》. ¶ 私は東京から*急行に乗った I took an *express* (*train*) from Tokyo. // 10 時発大阪行*急行. 途中停車駅名古屋, 京都 《掲示》 (The) 10:00 Osaka *Express*, Stopping at Nagoya and Kyoto / (⇒ この大阪行きの急行は午前 10 時発で, 名古屋, 京都に停車する) This *express train* for Osaka leaves at ten a.m. and stops at Nagoya and Kyoto. // 「*急行はこの駅に止まりますか」「はい止まります」 "Does the *express* ˹stop [call] at this station?" "Yes, it does." // 大阪・京都間には 10 分間隔で*急行があります (⇒ 10 分ごとに急行電車を走らせている) They run an *express train* every ten minutes between Osaka and Kyoto. // 特別*急行列車 a ˹limited [special] *express* (*train*) **急行券** express ticket Ⓒ **急行便** express Ⓤ. ¶ *急行便で by *express* **急行料金** express charge Ⓒ.

きゅうこう² 休校 ¶ 来週の火曜日は*休校になります There will be *no school* next Tuesday. / *School* will *be closed* next Tuesday.

きゅうこう³ 休講 ── [動] (講義を中止する) cancel a ˹class [lecture] 《☞ こうぎ²; じゅぎょう; やすみ》. ¶ 中山先生本日*休講 《掲示》 Prof. Nakayama: *Lecture Cancel(l)ed* / *No Class*—Prof. Nakayama // 彼は 3 週間続けて*休講した He *cancel(l)ed* his *lectures* for three consecutive weeks.

きゅうこう⁴ 旧交 **旧交を温める** ¶ 私たちのクラスは 3 年ごとにクラス会をして, *旧交を温めることにしている To *renew our old friendships*, our class holds a reunion every three years.

きゅうこう⁵ 休耕 ── [形] (休耕中の) fallow. ¶ この畑は 2 年間*休耕になっている This field has been left *fallow* for two years. **休耕田** fallow ˹land [field] ★ land は Ⓤ, field は Ⓒ; field lying fallow Ⓒ.

きゅうこう⁶ 休航 ── [動] cancel a ˹flight [sailing] 《☞ けっこう⁴》. ¶ 先週その島へのすべての便が*休航だった All the ˹*flights* [*sailings*] to the island *were canceled* last week.

きゅうごう 糾合 ── [動] cáll togéther (他). ¶ 同志を*糾合する *call together* like-minded people

きゅうこうか 急降下 ── [名] (飛行術の 1 つとして) nose diving Ⓤ; (1 回ごとの) (nose) dive Ⓒ. ── [動] (急降下をする) (nose-)dive (自) 《過去・過分 (nose-)dived》. **急降下爆撃** dive-bombing Ⓤ.

きゅうこうさくもつ 救荒作物 hardy crops.

きゅうこうしょくぶつ 救荒植物 hardy wild plants (which serve as food in a famine).

きゅうこうばい 急勾配 ── [形] (傾斜が急な) steep. ¶ *急勾配の階段 a *steep* staircase

きゅうこく¹ 急告 urgent notice Ⓒ 《☞ きゅう¹; つうち》. ¶ *急告 《掲示》 *Urgent*

きゅうこく² 救国 ── [動] save *one's* country. ¶ *救国の志士 a patriot who *saved his country*

きゅうごしらえ 急ごしらえ ── [形] (間に合わせの) temporary 《☞ きゅうば; まにあわせ》. ¶ 火事の後, *急ごしらえの家がたくさん建った (⇒ 雑に建てられた) Many *temporary* houses *were rigged up* after the fire.

きゅうこせいだい 旧古生代 〔地質〕 the Éarly Paleozoic /pèɪlioʊzóʊɪk/ éra (extending from Cámbrian to Silurian /sɪlʊ́(ə)riən/ périod).

きゅうこん¹ 求婚 ── [動] (結婚を申し込む) propose (marriage) to *a person*. ── [名] proposal [offer] of marriage Ⓒ [日英比較] 日本語の「プロポーズ」と違って英語の propose は動詞であることに注意. 《☞ けっこん¹; きゅうあい》. ¶ 彼は彼女に*求婚した (⇒ 結婚してくれと言った) He *asked* her *to marry* him. / He *proposed* (*marriage*) *to* her. //

彼女は私の*求婚を承諾した［断った］She「accepted [declined; refused] my *proposal* (*of marriage*). ★ declined のほうが穏やかな表現.
求婚者 suitor Ⓒ.

きゅうこん[2] **球根** bulb Ⓒ. ¶ チューリップの*球根 tulip *bulbs*

きゅうさい[1] **救済** ━ 動 (困っている人を救う) relieve (他); (救援物資などを与える) give relief to …; (手を貸して助ける) help (他) ★ 最も一般的で意味の広い語; (公的な意味で積極的に助力する) aid (他); (救う) save (他). ━ 名 relief Ⓤ; help Ⓤ; aid Ⓤ; (魂の) salvation Ⓤ. 《☞ たすける (類義語); すくう[1] (類義語); えんじょ》.
¶ 私たちは貧しい家庭を*救済するために資金を集めた We raised funds to *relieve* the poverty-stricken families. // 国連は難民の*救済に乗り出した (⇒ 救援計画を開始した) The United Nations launched *aid* programs for the refugees.
救済策[措置] relief measure Ⓒ; (改善策) remedy Ⓒ. ¶ 失業者に対して何か*救済策が講じられなければならない Something should be done for the *relief* of the unemployed. / *Relief measures* should be taken for the unemployed. ★ 後者のほうが格式ばった表現. **救済事業** relief work Ⓤ **救済資金** relief funds ★ 通例複数形で. **救済命令** relief order Ⓒ.

きゅうさい[2] **休載** ━ 動 do not appear (in …) ★ 休載になるものを主語として. ¶ 作者病気のため S 氏の本紙連載小説は当分の間*休載とします The serialized novel by S *will not appear in* this paper for a while due to the author's illness.

きゅうさく **旧作** *one's*「old [earlier] work. ¶ 彼は*旧作を書き改め始めた He began to rewrite *his old work*.

きゅうし[1] **休止** ━ 名 (休み・停止) rest Ⓒ. ━ 動 (中断する) pause (自); (停止する) stop (自). 《☞ ちゅうだん[1]; しょうきゅうし[1]》. ¶ 冬の間はバスの運行を*休止します《掲示》No bus service during winter. / We do not「run [operate] buses during the winter months. **休止符** 〔楽〕 rest Ⓒ 参考 全音 [二分, 四分, 八分] 休止符はそれぞれ, whole [half; quarter; eighth] rest Ⓒ.

きゅうし[2] **急死** (突然の死) sudden death Ⓒ. ¶ 彼は先月*急死した He *died suddenly* last month. / (⇒ 彼の死は青天のへきれきだった) His *death* last month *came like a bolt from the blue*.

きゅうし[3] **臼歯** (俗に) grinder Ⓒ; (専門的に大臼歯) molar (tooth) Ⓒ; (小臼歯) premolar Ⓒ. 《☞ は[1] (挿絵); おくば》.

きゅうし[4] **九死** **九死に一生** ¶ 彼は*九死に一生を得た (⇒ 彼は辛うじて死を免れた) He *narrowly escaped death*. / He had a「*narrow* [*hair-breadth*] *escape from death*. / He *escaped death by a hair's breadth*. 《☞ あやうく; かろうじて》

きゅうし[5] **急使** express courier /kʊ́riə/ Ⓒ.

きゅうし[6] **旧師** *one's*「old [former] teacher Ⓒ.

きゅうし[7] **球史** baseball history Ⓤ.

きゅうじ[1] **給仕** **1**《食事の給仕》 ━ 動 wait on *a person*; (食事を出す) serve (他). 《☞ サービス》. **2**《人》: (ウエーター) waiter Ⓒ; (ウエートレス) waitress Ⓒ.

きゅうじ[2] **球児** (高校野球の選手) high-school baseball player Ⓒ.

きゅうじ[3] **給餌** feeding Ⓤ.

ぎゅうし **牛脂** béef「suet /sú:ɪt/ [tallow] Ⓤ ★ tallow は石けんやろうそくに使われる.

ぎゅうじ **牛耳** **牛耳を執る** (指導的な立場に立つ) take the lead (in …); (支配する) control (他); (威圧する) dominate (他). 《☞ ぎゅうじる》.

キューシー (品質管理) QC ★ *q*uality *c*ontrol の略.

きゅうしき **旧式** ━ 形 (時代遅れの) out-of-date Ⓐ 語法 out of date とつづれば Ⓟ, old-fashioned; (流行に遅れた) outmoded; (古風な・時代がかった) ántiquàted ★ 軽蔑的; (伝統的な) tradítional. 《☞ ふるい[1]; ふるめかしい; ふるくさい》.
¶ 彼の考えはすごく*旧式だ His ideas are quite「*old-fashioned* [*out of date*]. // 彼は*旧式な教え方をしている (⇒ 旧式な方法を使って伝統的な方法で教えている) He teaches in a *traditional* way using an *old-fashioned* method.

きゅうじたい **旧字体** the「old [traditional] form of a (Chinese) character.

きゅうしつ[1] **吸湿** ━ 形 (吸湿性の) absorbent. ¶ この布地は*吸湿性が高い This cloth is highly *absorbent*.

きゅうしつ[2] **球質** 〔野〕 ¶ ピッチャーの*球質 (*the kinds of*) *balls* the pitcher can throw

きゅうじつ **休日** hóliday Ⓒ; (非番の日) day off Ⓒ. 《☞ やすみ; きゅうか[1]; しゅくじつ; こくみん (国民の休日)》. ¶ きょうは*休日です Today is a *holiday*. / It's a *holiday* today. / (⇒ 私はきょうは休みを取っている) I'm on *holiday* today. / (⇒ 勤めがない) I am *off duty* today. / This is my *day off*. // *休日はたいてい釣りに出かけます I usually go fishing on *holidays*.

きゅうしふ **休止符** ☞ きゅうし[1] (休止符)

きゅうしゃ[1] **厩舎** stable Ⓒ.

きゅうしゃ[2] **鳩舎** dóvecòt(e) Ⓒ.

ぎゅうしゃ[1] **牛舎** cowshed Ⓒ.

ぎゅうしゃ[2] **牛車** óxcàrt Ⓒ 《☞ ぎっしゃ》.

きゅうしゃめん **急斜面** steep slope Ⓒ.

きゅうしゅ **鳩首** ¶ *鳩首密議をこらす go into a huddle ★ 口語的な表現. huddle は「寄り集まり」「作戦会議」などの意. / hold a secret conference // …について*鳩首協議する come together and consult on …

きゅうしゅう[1] **吸収** ━ 動 (吸い取る) absorb (他); (吸い込む) suck「in [up] (他); (中に取り入れる) take「in [up] (他) ★ 以上の 3 つはどれも一般的に吸い込むことに用いる. 後の 2 つはやや口語的; (同化する) 《格式》 assímilàte (他). ━ 名 absorption Ⓤ; (吸い上げ) suction Ⓤ; (同化) 《格式》 assìmilátion Ⓤ. 《☞ すいとる; すいこむ》.
¶ スポンジは水を*吸収する A sponge「*sucks up* [*absorbs*; *takes up*] water. // 若いころは (⇒ 若い人たちは) 新しい思想をたやすく*吸収できる Young people can easily「*absorb* [*take*; *assimilate*] new ideas.
吸収合併 ━ 名 (合併) merger Ⓒ; (乗っ取り) takeover Ⓒ. ━ 動 merge (他), merge (with …) (自); take over (他). ¶ その会社はライバル会社に*吸収合併された That company has *merged with* a former competitor. / That company was *taken over* by one of their competitors. **吸収剤** absorbent Ⓒ **吸収スペクトル** absorption spectrum Ⓒ **吸収線量** (放射線吸収線量) absorbed dose Ⓒ ★ 単位は gray または rad.

きゅうしゅう[2] **急襲** (突然[不意をついて]襲うこと) sudden [surprise] attack Ⓒ; (特に軍事上の) raid Ⓒ; (特に空軍による奇襲) blitz Ⓒ; (敵陣などへの) storm Ⓒ. 《☞ きしゅう[1]; おそう》. ¶ 彼らは敵軍を*急襲した They made a「*sudden* [*surprise*] *attack* on the enemy. / They made a *raid* on the enemy position. / They *stormed* the enemy fort.

きゅうしゅう[3] **九州** ━ 名 (固) Kyushu (District). **九州自動車道** Kyushu Expressway. **九州探題** the Kyushu branch office of the Muromachi shogunate (government).

き

きゅうしゅう[4] 旧習 old custom Ⓒ; (因習) conventionality Ⓒ. (☞ いんしゅう; かんしゅう[1]). ¶*旧習にとらわれるな Do not stick to *old customs*. // *旧習を墨守する人 a conventionalist

きゅうじゅう 九十, 90 ── [名] [形] ninety [語法] 「第 90 (番目)の」, あるいは「第 90 (番目) のもの」の場合は the ninetieth. (☞ 数字 (囲み)).

きゅうしゅつ 救出 ── [名] (切迫した危険からの) rescue Ⓤ ★ 具体的な行為は Ⓒ; (救助) saving Ⓤ. ── [動] (救出する) rescue 他; save 他. (☞ きゅうじょ; すくう[1] (類義語)). ¶消防士は燃えている家からその少年を*救出した The firefighter ˹*rescued* [*saved*] the boy from the burning house. // 夜を徹して*救出活動が続けられた The *rescue* operation (was) continued throughout the night.

きゅうじゅつ 弓術 archery Ⓤ.

きゅうしゅん 急峻 ── [形] (勾配が急な) steep (☞ きゅう[5]; けわしい).

きゅうしょ 急所 (身体の) vital organ Ⓒ; (非常に重要な点) vital point Ⓒ; (要点) key point Ⓒ. ¶幸いなことに弾丸は*急所をはずれていた Luckily, the bullet missed his *vital organs*. // この問題の*急所はどこですか What is the *key point* of this matter? // 彼は私の*急所を握っている (⇒ 私の弱点を知っている) He knows my *weak point(s)*. // 彼の質問は*急所をついていた His question was *to the point*.

きゅうじょ 救助 ── [動] (救う) save 他 ★ 一般的; (遭難しかけている人などを) rescue 他; (助ける) help 他 [語法] 意味の広い言葉なので,「救助」に当たるときは目的語の後に out of danger のような語句が付くことが多い. ── [名] saving Ⓤ; rescue Ⓤ ★ 具体的行為は Ⓒ; help Ⓤ. (☞ すくう[1] (類義語); きゅうえん[1]; きゅうしゅつ). ¶彼はおぼれかけている少年を*救助した <S (人)+V (*save*)+O (人)+*from*+名・動名> He *saved* a boy *from* drowning. / He *rescued* a boy who was drowning. // 彼は貨物船に*救助された (⇒ 拾い上げられた) He *was picked up* by a freighter. // 彼はその火事で多くの人命を*救助した He *saved* many lives in the fire. / He *helped* many persons out of the fire. // 最上階で数人の人が*救助を求めている Several people are ˹crying [calling] for *help* from the top floor of the building. // 消防士は彼らの*救助に向かった The firefighters went to their *rescue*. **救助犬** rescue dog Ⓒ **救助作業** rescue operation Ⓒ **救助信号** SOS /ésòués/ Ⓒ; ((船舶・航空機の) 国際無線電話救助信号) Mayday Ⓒ; (遭難信号) distréss ˹signal [càll] Ⓒ **救助隊** rescue ˹team [party] Ⓒ; (隊員) rescue worker Ⓒ **救助艇** (救助に来る船) salvage boat Ⓒ; (救命艇) lifeboat Ⓒ **救助梯子** emergency ladder Ⓒ; (はしご車の) aerial [extension] ladder Ⓒ.

きゅうしょう 旧称 old [former] name Ⓒ (☞ なまえ).

きゅうじょう[1] 窮状 (悲惨な状態) distréss Ⓤ; (一般的に, 困っている状態) trouble Ⓒ; (打開が非常に難しい) hardships; (困難な状況) difficulties ★ 以上 2 つは通例複数形で; (哀れな状態) plight Ⓒ [語法] しばしば terrible, sorry, hopeless, miserable などの形容詞とともに用いる. (☞ きゅうち[1]). ¶彼らはさんたんたる*窮状にあった They were in ˹deep *distress* [a terrible *plight*]. // 彼らは何とか*窮状を打開した They managed to get over the *difficulties*. // 私は彼に*窮状を訴えた (⇒ 困っていることを話した) I told him my *troubles*.

きゅうじょう[2] 休場 ¶北の山は春場所を*休場することにした Kitanoyama decided to *sit out* the spring tournament. [語法] sit out はダンスなどに加わらず座って見ていること.

きゅうじょう[3] 球場 baseball ˹diamond [field] Ⓒ, (米) ballpark Ⓒ. ¶神宮*球場 the Jingu *Stadium*

きゅうじょう[4] 弓状 ── [形] (弓状の) arched, bow-shaped ★ 前者のほうが一般的. ¶*弓状紋 (指紋の) an *arch*

きゅうじょう[5] 宮城 (the) Imperial /ɪmpí(ə)riəl/ Pálace (☞ こうきょ[1]).

きゅうじょう[6] 球状 the shape of a globe, globular [spherical] shape Ⓒ; (球状であること) globularity Ⓤ. **球状図法** globular projection Ⓤ **球状星団** globular cluster Ⓒ.

きゅうじょうかざん 臼状火山 pyroclastic cone Ⓒ, cinder cone volcano Ⓒ.

きゅうしょうがつ 旧正月 the lunar New Year (☞ きゅう[3]; きゅうれき).

きゅうしょうのう 旧小脳 〘医〙 paleocerebellum Ⓒ (複 ~s, -bella).

きゅうしょく[1] 求職 ── [動] hunt for [seek] a job ★ 前者は口語的. (☞ しょく[1]). ¶2, 3*求職の申し込みがあります (⇒ 2, 3 の人が雇用を求めてきた) A few people came *asking for* ˹*employment* [*a position*]. / There are a few *applications for the* ˹*job* [*position*]. // 新聞に*求職広告を 5 日間続けて出した I put a *want* ad in a newspaper for five consecutive days. // *求職 (掲示) *Situation(s) Wanted* **求職者** one who seeks employment Ⓒ, job-hunter Ⓒ; (志願者) jób àpplicant Ⓒ.

きゅうしょく[2] 休職 leave of absence Ⓤ. ¶彼は病気のために 1 年間*休職した Because of his illness, he ˹was given [had] one year's *leave of absence*.

きゅうしょく[3] 給食 ── [名] (学校の) school ˹meal [lunch] Ⓒ; (制度として) school-˹lunch [meal] program Ⓒ. ── [動] provide ˹lunch [meals] for schoolchildren. **給食センター** local-governmental facilities to prepare school lunches.

ぎゅうじる 牛耳る (支配する) control 他; (指導する) lead 他. (☞ じっけん[2]; にぎる). ¶その政党を*牛耳っている (⇒ 支配している) のはだれですか Who ˹*controls* [*is in control of*] the party? / (⇒ 率いている) Who *is* ˹*leading* [*the leader of*] the party? // 私は彼にすっかり*牛耳られている (⇒ 彼の支配下にいる) I am completely *under his control*.

きゅうしん[1] 急進 ── [形] (過激な) radical; (極端な) extreme. (☞ かげき[1]; きょくたん). **急進思想** radical idea Ⓒ **急進主義** radicalism Ⓤ **急進主義者** radical Ⓒ **急進的** ── [形] radical **急進派** radicals ★ 複数形で.

きゅうしん[2] 休診 ¶本日*休診 (掲示) *Office Closed* / *No consultations* today **休診日** ¶あのお医者さんは日曜だけでなく水曜も*休診日だ (⇒ 水曜も医院があいていない) That doctor's ˹office [(英) surgery] *is closed* not only on Sundays but also on Wednesdays.

きゅうしん[3] 球審 (野球の) home plate [chief] umpire Ⓒ (☞ しんぱん[1]; アンパイア).

きゅうしん[4] 急伸 ── [動] rise ˹rapidly [suddenly]; (株価などが) soar 自, skyrocket 自 ★ 後者のほうがより口語的. (☞ あがる[1]; のびる[1]).

きゅうしん[5] 求心 ── [形] (求心的な) centrípetal (↔ centrifugal). **求心力** centripetal force Ⓤ.

きゅうしん[6] 急信 urgent message Ⓒ, dispatch Ⓒ. ¶*急信を送る send ˹an *urgent message* [a *dispatch*]

きゅうしん[7] 丘疹 〘医〙 papule Ⓒ.

きゅうしん[8] 急診 emergency examination Ⓒ.

きゅうじん[1] **求人** ¶*求人《掲示》*Help Wanted* // 来年は*求人難になる (⇒求職者の不足がある) でしょう There will be a serious shortage of job applicants next year.

求人係 recruiting clerk Ⓒ **求人広告**《米》help-wanted ad Ⓒ, 《英》situations wanted ad Ⓒ.

きゅうじん[2] **旧人** pal(a)eoanthropic /pèɪliouænθrὰpɪk/ mán Ⓒ; (ネアンデルタール人) Neanderthal /niǽndətɔ̀:l/ man Ⓒ.

きゅうじん[3] **九仞** **九仞の功を一簣**(いっき)**に虧**(か)**く** (最後の障害で失敗する) fail at the last hurdle; (非常な努力にもかかわらず最後の段階で失敗に終わる) end in failure at the last stage in spite of *one's* extreme exertions.

きゅうじん[4] **吸塵** dust collecting Ⓤ, dust catching Ⓤ. **吸塵力** (力) dust collecting power Ⓤ; (効率) dust collecting efficiency Ⓤ.

きゅうす[1] **急須** (small) teapot Ⓒ.

きゅうす[2] **休す** ¶万事*休す All *is* ⌈*up* [*over*] (with us). / The game *is up*. / Nothing can be done now. 《☞ ばんじ》

きゅうすい[1] **給水** ── [動] supply water. ── [名] water supply Ⓤ. ¶昔, この川が町へ*給水していた In the old days, this river used to *supply* ⌈*water* to the town [the town with *water*]. // この夏は水不足で*給水制限が行われた The water supply decreased this summer, so the government implemented a *rationing program*. 《☞ だんすい》 // 東京では 8 月 1 日から 25% の*給水制限が始まる (⇒給水を 25% 削減する) As of August 1, Tokyo will reduce by 25 percent the amount of *water supplied* to homes. // 時間*給水 *rationed water* / *water rationed* on an hourly basis

給水管 water pipe Ⓒ, service pipe Ⓒ **給水施設** water(-supply) system Ⓒ **給水車** water wagon Ⓒ **給水栓**《米》faucet Ⓒ, 《英》water tap Ⓒ; (消火用の道路脇にあるもの) hydrant Ⓒ **給水装置** (装置) water supply system Ⓒ; (設備) water supply equipment Ⓤ, feed water equipment Ⓤ; (取りつけた設備) water service installation Ⓒ. 《☞ せつび; そうち[1]》 **給水タンク** feed tank Ⓒ **給水塔** water tower Ⓒ.

きゅうすい[2] **吸水** the suction of water Ⓤ 《☞ きゅうしゅう[1]》. ¶*吸水性の紙タオル an *absorbent* paper towel **吸水管** siphon Ⓒ, suction pipe Ⓒ **吸水ポンプ** suction pump Ⓒ.

きゅうすう **級数** 〖数〗(概念としての) progression Ⓤ; (具体的な数) series Ⓒ ★ 単複同形.
¶等差 [等比]*級数 aríthmetic [gèométric] *progréssion* / an arithmetic [a geometric] *series*

きゅうする[1] **窮する** **1** «当惑する»: (途方に暮れる) be at a loss, be at *one's* wits' end, be puzzled, 《略式》be in a fix. 《☞ こまる》. ¶私はそう言われて答えに*窮した (⇒それに対して私は答えるのに途方に暮れた) I *was* completely *at a loss* for an answer to that. / (⇒それに対して何と答えてよいかわからなかった) I did*n't know* ⌈what to answer [what answer to give] to that.
2 «窮乏している»: (貧しい) be poor; (困窮している) be in ⌈want [need]; (窮地に陥る) be in a tight squeeze. 《☞ びんぼう; こまる》.
窮すれば通ず (常に出口[打開策]はあるものだ) There's always a way (out). / Necessity is the mother of invention. 《ことわざ: 必要は発明の母》

きゅうする[2] **給する** ☞ しきゅう[1]

きゅうする[3] **休する** **1** «休む»: rest (自), take [have] a rest. 《☞ やすむ》.
2 «終わる»: end (自), be over. 《☞ おわる》.
万事休する ☞ ばんじ; きゅうす[2]

きゅうせい[1] **旧姓** former name Ⓒ; (女性の) maiden name Ⓒ. ¶福田夫人, *旧姓三木 Mrs. Fukuda, *née* /néɪ/ Miki ★ née の ´ はつづり本来のもの. // 伊藤太郎, *旧姓森 Taro Ito, *formerly*, Mori

きゅうせい[2] **急性** ── [形] acute (↔ chronic). ¶*急性の病気 an *acute* disease **急性肝炎** acute hepatitis Ⓤ 《☞ かんえん》 **急性心[腎]不全** acute ⌈cardiac [renal] insufficiency Ⓤ **急性膵炎** acute pancreatitis Ⓤ 《☞ すいえん[2]》 **急性ストレス障害** acute stress disorder Ⓒ **急性中毒** acute poisoning Ⓤ **急性伝染病** acute infectious disease Ⓒ.

きゅうせい[3] **旧制** ☞ きゅうせいど **旧制高校** high school under the prewar education system Ⓒ **旧制中学** junior high school under the prewar education system Ⓒ.

きゅうせい[4] **急逝** ☞ きゅうし[2]

きゅうせいぐん **救世軍** (団体名) the Salvation Army; (個人) Salvationist Ⓒ.

きゅうせいしゅ **救世主** (キリスト教の) the Saviour [語法] 定冠詞を付けて, 大文字で始まる. なお《米》には savior のスペリングもあるが, 「救世主」の意味ではしばしば the Saviour となる. 《☞ 冠詞 (巻末); 大文字 (巻末)》. ¶*救世主イエスキリスト Jesus Christ, our *Saviour* / *the Saviour* 《☞ キリスト》

きゅうせいど **旧制度** the ⌈old [former] system; (西洋史の) the ancien régime /ɑ:nsjǽn reɪʒí:m/ ★ 元フランス語. régime の ´ はつづり本来のもの.

きゅうせかい **旧世界** the Old World (↔ the New World) ★ アジア・アフリカ・ヨーロッパのことだが, 特にアメリカと比べた場合のヨーロッパ大陸も指す.

きゅうせき **旧跡** historic ⌈spot [site] Ⓒ; (遺跡) ruins ★ 複数形で. 《☞ めいしょ》.

きゅうせつ **急設** ── [動] install [build] ... ⌈quickly [speedily; immediately] 《☞ せっち》.
¶われわれは先日新しいエアコンを*急設した We *hurriedly installed* a new air conditioner the other day. // 教室をいくつか*急設する必要がある We need to *build* several classrooms *speedily*.

きゅうせっきじだい **旧石器時代** the Old Stone Age; (専門語では) the Paleolithic /pèɪliəlíθɪk/ (⌈age [era /í(ə)rə/]).

きゅうせっきじん **旧石器人** Paleolithic man Ⓒ《複 men》《☞ きゅうせっきじだい》.

きゅうせん **休戦** ── [名] (協議するための一時的な) céase-fire Ⓒ, ármistice Ⓒ; (長期の停戦) truce Ⓒ. ── [動] stop fighting. 《☞ ていせん[1]》. ¶*休戦協定が調印された The *armistice* was signed. // 国連は両国に*休戦を呼びかけた The United Nations asked the two countries to agree to a *cease-fire*.
休戦条約 céase-fire agréement Ⓒ, peace treaty Ⓒ **休戦ライン** cease-fire line Ⓒ.

きゅうせんぽう **急先鋒** (先頭に立つ人) leader Ⓒ; (先駆者) forerunner Ⓒ; (主義のために戦う戦士) champion Ⓒ.
¶彼は反政府運動の*急先鋒である (⇒反政府運動を指導している) He ⌈*heads* [*leads*] the antigovernment movement. / (⇒指導者の一人である) He is ⌈*one of the leaders* [(⇒先頭にいる) *at the forefront*] of the antigovernment movement.

きゅうそ **窮鼠** **窮鼠(かえって)猫を噛む** The worm will turn. 《ことわざ: 虫でも (踏みつけたりすれば) 向

かってくるものだ》

きゅうそう 急送 ―動 send ... by express; (手紙・物などを) dispatch ㊀. ―名 dispatch Ⓤ. ¶小包を*急送する *send* a package *by express* // 彼の手紙は運営委員会に*急送された His letter *was dispatched* to the steering committee. 急送品 goods by express delivery ★ 複数形で.

きゅうぞう¹ 急増 ―名 (突然の[急速な]増加) súdden [rápid] íncrease Ⓒ; (急な上昇・増大) sharp rise Ⓒ; (特に物価などの急上昇) jump Ⓒ; (爆発的な増大) explosion Ⓒ. ―動 (急に増える) incréase ˹rápidly [súddenly] ㊐; jump ㊐. 《☞ ふえる; げきぞう》. ¶この2, 3か月に売上げが*急増した (⇒ 売り上げにおいて急増加[急上昇]があった) There has been a ˹*sudden increase* [*sharp rise*] in sales over the last few months. // 人口*急増 population *explosion* // 事故が*急増した Accidents *have* ˹*suddenly* [*rapidly*] *increased* in number.

きゅうぞう² 急造 ―動 throw up ㊀, build ... hurriedly ★ 前者のほうが口語的. ¶難民は3日間で*急造した小屋へ収容された The refugees were housed in a hut (which was) *thrown up* in three days.

きゅうそく¹ 急速 ―形 (スピードが速い) fast ★ 一般的な語で, 以下の語の代わりに使える場合が多い; (運動や動作が速い) rapid; (仕事などが) speedy; (対応がすばやい) quick; (対応の動作が) prompt ★ やや格式ばった語. ―副 fast; rapidly, with rapidity; quickly; promptly; 〖楽〗 presto, allegro ★ 前者がより急速な調子. ―名 rapidity Ⓤ; prómptitùde Ⓤ, promptness Ⓤ. 《☞ きゅうげき¹; はやい¹ (類義語)》. ¶日本の自動車産業は1960年代に*急速な発展を遂げた The automobile industry of Japan made ˹*rapid* [*fast*] progress in the 1960's. // 近年になって海外旅行者の数は*急速に増えてきた The number of tourists going ˹overseas [abroad] has increased *rapidly* in recent years. / Recently there has been a *rapid* increase in the number of people going abroad. 急速解凍 ☞ かいとう⁴ 急速冷凍 quick-freezing Ⓤ.

きゅうそく² 休息 ―名 (一般的に) rest Ⓤ ★ 1回の休息は Ⓒ; (心地よい休息) 《格式》 repose Ⓤ; (くつろぎ) relaxation Ⓤ. ―動 (休息する) rest ㊐, rest *oneself*; (一休みする) take a rest; relax ㊐ ㊀. 《☞ きゅうけい¹; やすみ; きゅうよう¹》.
¶十分に*休息をとって下さい *Take a* good *rest*. / (⇒ 元気を取り戻すまであなた自身を休ませなさい) *Rest* (*yourself*) until you are really refreshed. 休息所 resting place Ⓒ.

きゅうそく³ 球速 the speed of a pitched ball.

きゅうそつ 旧卒 óld graduate /grǽdʒuət/ Ⓒ 《☞ しんそつ; そつぎょう》.

きゅうたい 球体 ―名 (一般に) sphere Ⓒ; (特に地球(儀), 天球(儀)などの) globe Ⓒ. ―形 sphérical; glóbular. 《☞ たま²; きゅう⁴》.

きゅうだい¹ 及第 ―動 (試験に合格する) pass [be successful in] an examination, 《略式》 make the grade. 《☞ ごうかく; 学校・教育 (囲み)》. ¶その試験で*及第点を取るのは難しい It's hard to *pass the examination*. / It's difficult to get a *passing mark* on the exam. / It's hard to ˹get a *pass* [make the *passing mark*] in the examination. // 彼女は教師として*及第です (⇒ 適格である) She *is qualified* to be a schoolteacher.

きゅうだい² 休題 ☞ かんわきゅうだい

きゅうたいいぜん 旧態依然 ¶工場は近代化されたが人事管理は*旧態依然としている (⇒ 変わらない) The factories were modernized but personnel management *remains unchanged*.

きゅうたいせい 旧体制 old system Ⓒ.

きゅうたいりく 旧大陸 (アジア・ヨーロッパ・アフリカ大陸) the Old Continent (↔ the New Continent) ★ the Old World と内容的には同じ. the を付けて. 《☞ きゅうせかい》.

きゅうだん¹ 球団 professional baseball team Ⓒ.

きゅうだん² 糾弾 ―動 (非行官吏などを弾劾する) 《格式》 impéach ㊀; (非難する) 《格式》 censure ㊀; (法により告発する) charge ㊀; (罪状をあげて本人を直接的に責める) accuse ㊀. ―名 《格式》 impeachment Ⓤ; 《格式》 censure Ⓤ; charge Ⓒ. 《☞ こくはつ; ひなん¹》. ¶我々は彼を収賄のかどで*糾弾するつもりである We are going to *impeach* him for taking bribes.

きゅうち¹ 窮地 (難しい立場) difficult situation Ⓒ; (まずい立場) awkward position Ⓒ; (望ましくないことの板ばさみ) dilemma Ⓒ; (困った立場) 《略式》 a fix ★ 常に a を付けて; (隅っこ) corner Ⓒ ★ in a tight corner, drive ... into a corner などの成句で比喩的に. 《☞ くきょう; きゅうじょう¹》.
¶私は*窮地に立った I found myself in ˹*a fix* [an *awkward position*; a *dilemma*]. / I *was* ˹*in a tight corner* [*driven into a corner*]. // 彼女はかろうじて*窮地を脱した She narrowly got out of ˹*difficulty* [*trouble*].

きゅうち² 旧知 ¶彼とは*旧知の間柄だ (⇒ 彼は私の旧友だ) He is an *old* ˹*friend* [*acquaintance*] of mine.

きゅうちゃく 吸着 ―動 (吸い付ける) 〖化〗 adsorb ㊀; (くっつく) stick (fast) to ... ―名 〖化〗 adsorption Ⓤ. ―形 (吸着性の) 〖化〗 adsorbent. 吸着剤 adsorbent Ⓒ.

きゅうちゅう 宮中 (日本の皇室) the Imperial Court ★ the を付けて. ¶*宮中に仕える serve at *Court*

きゅうちょう¹ 窮鳥 (困難にあっている鳥) bird in distress Ⓒ; (わなにかかった鳥) cornered bird Ⓒ; (追い詰められた人) person driven into a corner Ⓒ. 窮鳥懐に入れば猟師も殺さず Even a hunter will not kill a bird that appeals for help. ★ 文字通りの訳 / (⇒ 我々は避難場所を求める人を助けるべきだ) We should help those who ask for asylum.

きゅうちょう² 級長 class president Ⓒ 《☞ がっきゅう¹ (学級委員)》.

きゅうつい 急追 ―動 (...を激しく追う) be in hot pursuit of ... 《☞ おう¹; ついせき》.

ぎゅうづめ ぎゅう詰め ―動 be ˹tightly packed [jam-packed; jammed; packed like sardines] ★ sardine は魚のいわし. 「かんづめのいわしのようにぎっしりと」が原意. 《☞ ぎっしり; ぎゅうぎゅう》.

きゅうてい¹ 休廷 ―動 (裁判を開かない) hold no court; (閉廷する) adjourn /ədʒə́ːn/ ㊀. 《☞ へいてい¹》.

きゅうてい² 宮廷 the Court ★ the を付けて. 宮廷画家 court painter Ⓒ 宮廷文学 court literature Ⓤ.

キューティクル 〖解〗 (表皮) cuticle /kjúːtɪkl/ Ⓒ.

きゅうていしゃ 急停車 ―名 sudden [quick] ˹stop [halt] Ⓒ ★ halt のほうが格式ばった語. ―動 (突然[急に]止まる) stop ˹suddenly [short] ㊐, come to [make] a sudden stop; (急停車させる) bring ... to a sudden stop. 《☞ きゅう¹; ていしゃ》.
¶電車は*急停車すること (⇒ しなくてはならないこと)

があるThe train may have to *stop suddenly*. // 車はキキーといって*急停車した The car ˹*made* [*came to*] *a sudden stop* with a screech. / The car *screeched to a stop*. // しっかりおつかまり下さい. やむをえず*急停車することがあります《バスなどの掲示》Please hold on (tight). *Sudden stops* are sometimes necessary. // 彼は*急停車して車から飛び降りた He *brought* his car *to a sudden stop* and jumped out (of it).

きゅうていだい 旧帝大 imperial university Ⓒ; (説明的には) national university under the prewar education system Ⓒ. 《☞ ていこく² (帝国大学)》.

きゅうてき 仇敵 mortal [sworn] enemy Ⓒ.

きゅうてきこくじょうこう 旧敵国条項 ex-enemy clause Ⓒ, ex-enemy provision Ⓒ. 《☞ じょうこう¹》.

きゅうてん 急転 ━名 (急激な変化) sudden ˹change [turn] Ⓒ. ━動 (突然変わる) change suddenly, take a sudden turn. 《☞ きゅうへん; いっぺん²》. ¶事態は*急転した Things *changed suddenly*. / Things *took a sudden turn*. **急転直下** ¶彼のおかげで問題は*急転直下解決した (⇒ 問題は速やかな解決に達した) Thanks to him, the matter came to a *quick* settlement. / (⇒ 速やかに解決した) Thanks to him, the matter was ˹*quickly* [*immediately*] settled.

きゅうでん¹ 宮殿 palace Ⓒ 語法「王室の」(royal),「皇帝の」(imperial) を冠して用いることがある. ¶バッキンガム*宮殿 Buckingham /bʌ́kɪŋəm/ *Pálace*

きゅうでん² 給電 ━名 electricity supply Ⓤ, electric power supply Ⓤ. ━動 supply electricity. **給電線** electric supply line Ⓒ.

きゅうテンポ 急テンポ ━名 quick [fast] tempo Ⓒ. ━副 (急テンポで) at a ˹quick [fast] tempo. 《☞ テンポ》.

きゅうと 旧都 ancient [old] capital Ⓒ; (前首都) former capital Ⓒ.

キュート ━形 (小さくかわいい) cute 《☞ かわいい》.

きゅうとう¹ 急騰 ━動 (急に高くなる) jump ⓘ, rise suddenly ⓘ, soar ⓘ, 《略式》 skýròcket ⓘ. ━名 jump Ⓒ, sudden [sharp] rise Ⓒ. 《☞ ねあがり; こうとう⁴; ぼうとう²》. ¶そのニュースで石油製品が*急騰した The prices of petroleum products ˹*jumped* [*rose suddenly*; *soared*; *skyrocketed*] at the news. // 昨年末以来, 諸物価の*急騰は著しい The *sharp rise* in prices has been remarkable since the end of last year.

きゅうとう² 給湯 (給湯される湯) hot running water Ⓤ; (湯の供給) hot-water supply Ⓤ. **給湯設備** ¶このビルには*給湯設備がありますか (⇒ 湯が出るか) Does this building have *hot running water*? / (⇒ 給湯の設備があるか) Is there a *hot-water-supply* system in this building? 語法 前者のほうがくだけた言い方.

きゅうとう³ 急登 climbing up steep mountain sides Ⓤ; (急な登り道) steep climb ascent Ⓒ.

きゅうどう¹ 弓道 Jápanèse árchery Ⓤ.

きゅうどう² 旧道 old road Ⓒ.

きゅうどう³ 球道 the course of a ball pitched by the pitcher Ⓒ.

ぎゅうとう¹ 牛刀 ¶にわとりをさくに*牛刀をもってする (⇒ くるみを割るのに大つちを使う) use a *sledgehammer* to crack a nut

ぎゅうとう² 牛痘 〘医〙 cowpox Ⓤ.

きゅうどうしゃ 求道者 truth seeker Ⓒ.

ぎゅうどん 牛丼 beef bowl Ⓒ; (説明的には) bowl of rice with sukiyaki on top of it Ⓒ.

ぎゅうなべ 牛鍋 ☞ すきやき

きゅうなん¹ 救難 (救出) rescue Ⓤ ★ 具体的な行為は Ⓒ; (船の) salvage Ⓤ. 《☞ きゅうじょ》. **救難活動** rescue [salvage] ˹work Ⓤ [operation Ⓒ] 《☞ きゅうじょ》. **救難訓練** rescue drill Ⓒ **救難信号** SOS Ⓒ 《☞ きゅうじょ (救助信号)》 **救難浮標** ☞ きゅうめい² (救命ブイ)

きゅうなん² 急難 (急に起きた [予測できない] 災難) sudden [unforeseeable; unforeseen] disaster Ⓒ; (差し迫った危険) impending [present] danger Ⓒ. 《☞ さいなん》 ¶*急難を逃れる (narrowly) escape the *sudden danger*

ぎゅうにく 牛肉 beef Ⓤ; (食用子牛肉) veal Ⓤ. 《☞ にく》. ¶*牛肉を厚く切ったのを2切れ下さい Can I have two thick ˹cuts [slices] of *beef*? 《☞ 数の数え方 (囲み)》

きゅうにゅう 吸入 ━名 inhalátion Ⓤ. ━動 (吸入する) breathe in ⓘ, inhale ⓘ ★ 後者は格式ばった語. 《☞ すいこむ》.
吸入器 (医療用) inhaler Ⓒ **吸入弁** 〘機〙 sucking [suction] valve Ⓒ **吸入薬** inhalant Ⓒ.

ぎゅうにゅう 牛乳 (cow's) milk Ⓤ 《☞ ちち²》. ¶*牛乳を1杯下さい A glass of *milk*, please. 日英比較 牛乳は英米では普通は温めて飲むことはない. 《☞ 数の数え方 (囲み)》 **牛乳パック** milk ˹carton [container] Ⓒ **牛乳びん** milk bottle Ⓒ **牛乳屋** (配達人) milkman Ⓒ; (店) dairy Ⓒ.

キューねつ キュー熱 Q fever Ⓤ ★ Query fever (リケッチア性の熱伝染病)から.

きゅうねん 旧年 (昨年) last year 《☞ きょねん》. ¶*旧年中はいろいろお世話になりました Thank you very much for the many kindnesses that you showed me *last year*.

きゅうは¹ 急派 ━動 dispatch ... (to ...) immediately, send ... quickly (to ...). 《☞ はけん¹》. ¶被災地に自衛隊が*急派された The Self-Defense Force *was immediately dispatched to* the stricken area.

きゅうは² 旧派 (歌舞伎・旧劇) the kabuki (↔ *shinpa* drama) ★ the を付けて; (古くからの流派) the ˹old [traditional] school ★ the を付けて.

きゅうば¹ 急場 (緊急の事態) emergency Ⓒ; (危機) crisis /kráɪsɪs/ Ⓒ 《複 crises /-siːz/》; (重大時機) critical [crucial] moment Ⓒ; (危険な状態) danger Ⓤ. 《☞ きき¹; ピンチ》. ¶彼は私の*急場を救ってくれた (⇒ 危機から私を救い出した) He helped me out of a *crisis*. / He helped me at the most *crucial* ˹*time* [*moment*]. // 彼女はその金でなんとか*急場をしのいだ (⇒ 切り抜けた) With that money she managed to get through the *crisis*. / The money *tided* her *over* the *crisis*. // これは*急場の間に合わせです (⇒ これはほんの一時しのぎです) This is a mere ˹*stopgap* [*makeshift*] *measure*. **急場しのぎ** makeshift Ⓒ, stopgap Ⓒ.

きゅうば² 弓馬 (弓術と馬術) archery and horsemanship Ⓤ; (武術) martial arts ★ 複数形で; (戦い) warfare Ⓤ.

キューバ ━名 固 (国・島) Cuba; (正式国名; キューバ共和国) the Republic of Cuba. ━形 Cuban. **キューバ革命** the Cuban Revolution **キューバ危機** the Cuban (missile) crisis **キューバ人** Cuban Ⓒ.

ぎゅうば 牛馬 ¶彼は人を*牛馬のごとく (⇒ 荷物運搬用の動物のように) こき使う He works us like *beasts of burden*.

きゅうはい 九拝 ━動 (何度もおじぎをする・卑屈にぺこぺこする) kowtow /kàʊtáʊ/ ⓘ. ━名 kowtow Ⓒ. 《☞ さんぱいきゅうはい》.

きゅうはく[1] 急迫 ── [形] (急を要する) urgent, pressing; (緊迫した) tense. 《☞ せっぱく; きんぱく[1]》. ¶ 事態は*急迫した The situation is very *tense*. // 我々は*急迫した問題をかかえている We have ⌈a *pressing* [an *urgent*] problem.

きゅうはく[2] 窮迫 ── [形] (衣食住に困っている) needy 《☞ こんきゅう》. ¶ *窮迫した人々を助けるのは我々の義務だ It is our duty to help *needy* people. // あの会社は財政が*窮迫している (⇒ 財政的困難にある) That firm is having financial *difficulties*.

きゅうはん[1] 急坂 steep slope [C] 《☞ さか[1]》.

きゅうはん[2] 旧版 old [earlier] edition [C].

きゅうばん 吸盤 (たこ・ひるなどの) sucker [C]; (ゴムなどでできた) suction cup [C].

きゅうひ[1] 給費 ── [動] (奨学金を出す) offer a scholarship; (費用を支給する) give an allowance to *a person*, provide an allowance ⌈for [to] *a person*, provide *a person* with an allowance ★ provide を使うほうが格式ばった言い方. ¶ 本校には*給費制度がある (⇒ 奨学金を出す) We *offer scholarships*. // 見習い期間中は*給費制 (⇒ 生活費が支給される) Living *allowances are* ⌈*given* [*provided*] during the probationary period. **給費生** student on a scholarship [C].

きゅうひ[2] 厩肥 (牛の糞) cattle manure [U]; (馬小屋・家畜小屋の廃物) refuse /réfju:s/ of stables and barns [U]; (家畜の排泄物) livestock excreta ★ 複数形. 《☞ ひりょう》.

ぎゅうひ[1] 求肥 Turkish ⌈delight [paste] [U] [日英比較] 日本の「ぎゅうひ」と同じ菓子は英米にはない. 上にあげたものは果汁をゼラチンで固め, さいの目に切って砂糖をまぶしたもので, これにある程度似ていると説明すればよい.

ぎゅうひ[2] 牛皮 (雄牛の) oxhide [U]; (雌牛の) cowhide [U]. 《☞ かわ[2]》.

キューピー Kewpie (doll) [C] ★ 商標名.

きゅうひしつ 旧皮質 〔解〕 paleocortex /pèɪlioʊkɔ́ɚteks/ [C].

キュービズム 〔芸〕 Cubism [U].

きゅうひつ 休筆 ── [動] stop writing ⌈temporarily [for a while; for some time].

キュービック ── [形] (正六面体の・三次の・立方の・三乗の) cubic 《☞ キューブ》.

きゅうピッチ 急ピッチ ── [副] (速いスピードで) at a ⌈fast [quick] pace 《☞ ペース; ピッチ》. ¶ 工事は*急ピッチで進行した The construction progressed *at a* ⌈*fast* [*quick*] *pace*.

キューピッド 〔ロ神〕 Cupid ★ 恋愛の神.

きゅうびょう 急病 (急な発病) onset of an illness [C], sudden illness [C]; (急性の病気) acute disease [C] (↔ chronic disease). 《☞ びょうき》. **急病人** emergency case [C].

きゅうひん 救貧 relief of the poor [U]. **救貧院** (昔の) poorhouse [C], 《英》 workhouse [C].

きゅうびん 急便 (至急運送便) express [U]; (至急便・至急報) 《格式》 dispatch [C].

きゅうふ[1] 給付 ── [名] (補助金・奨学金など, 要請に対する下付) grant [U]; (交付) delivery [C]; (保険の) bénefit [C]; (支払い) payment [U]. ── [動] grant [他]; deliver [他]; pay [他]. 《☞ こうふ[1]; しきゅう》. *¶ 医療*給付* a medical *benefit*

きゅうふ[2] 休符 〔楽〕 rest [C] 《☞ きゅうし[1] (休止符)》.

きゅうぶ 休部 ── [動] (クラブ活動を一時停止する) stop [suspend] club activities ⌈temporarily [for some time]; (部員が部活動に出ない) do not ⌈do [attend; take part in] the club activities.

キューブ cube [C]. ¶ ルービック*キューブ Rubik('s) /rú:bɪk(s)/ *Cube* ★ ルービックの考案になる 6 面体の色合せパズル 《商標》.

きゅうブレーキ 急ブレーキ ¶ *急ブレーキをかける *slam on the brakes* | *slam the brakes on* // 車は*急ブレーキをかけて止まった The car *was braked hard* to a halt.

きゅうぶん 旧聞 old ⌈news [U] [story [C]].

ぎゅうふん 牛糞 cow manure [U]; (牛の排泄物) excreta of cows ★ 複数形.

きゅうへい 旧弊 ¶ *旧弊を改める reform *the* ⌈*old-fashioned* [*outdated*] (*social*) *system*

ぎゆうへい 義勇兵 ☞ ぎゆう (義勇兵)

きゅうへん 急変 ── [動] (突然変わる) change suddenly [自]; (病気が急に悪くなる) take a sudden turn for the worse. ── [名] (突然の[思わぬ]変化) sudden [unexpected] change [C]. 《☞ うってかわる; いっぺん[2]; げきへん; きゅうてん》. ¶ 彼の態度は*急変した His attitude *changed suddenly*. | (⇒ 態度を急に変えた) He *changed* his attitude *suddenly*. // 彼の病状は昨夜のうちに*急変した His condition *took a sudden turn for the worse* last night. // 天候の*急変 *sudden* [*unexpected*] *changes* in the weather

ぎゅうほ 牛歩 **牛歩戦術** (日本の国会においてゆっくり投票して議事を妨害する戦術) tactics to delay or prevent action in the Japanese Parliament by moving forward to vote on legislation at a snail's pace; a kind of filibuster ★ 前者は説明的な訳. filibuster は 《米》 議会での長い演説による議事妨害.

きゅうぼ 急募 hurried recruiting [U].

きゅうほう[1] 急報 ── [動] (急ぎの知らせを送る) send an urgent message (to ...); (急いで報告する) report ... promptly. ¶ 彼はそのことを国もとの両親へ*急報した (⇒ ただちに手紙を書いた) He *immediately wrote* about it to his parents at home. | He *sent an urgent message* on the matter *to* his parents at home. ★ 後者のほうが格式ばった表現.

きゅうほう[2] 旧法 (昔の法律) old [former] law [C]; (廃止された法律) repealed [abrogated] law [C] ★ 格式ばった表現. 《☞ ほう[2]; ほうりつ》.

きゅうほう[3] 臼砲 mortar [C].

きゅうぼう 窮乏 (貧乏) poverty [U]; 《格式》 destitution [U]. 《☞ びんぼう; きゅうする[1]》.

きゅうぼうちょう 急膨張 rapid expansion [U].

キューポラ 〔冶〕 (溶鉄炉) cúpola [C].

きゅうぼん 旧盆 the ⌈Bon Festival [Buddhist All Souls' Day] by the lunar calendar 《☞ ぼん[1]》.

きゅうみん 休眠 ── [形] (活動していない) dormant. ¶ たいていの種子は冬は*休眠している Most seeds lie *dormant* in the winter. **休眠芽** dormant bud [C] **休眠口座** dormant (bank) account [C] **休眠特許** unused patent [C], patent not in use [C].

きゅうむ 急務 (緊急の必要性) urgent necessity [U]; (緊急の仕事) urgent business [U]. 《☞ きんきゅう; きゅうよう[2]》. ¶ この問題の解決は現在の*急務である (⇒ この問題は即刻配慮を要する) This problem requires *immediate attention*. | (⇒ この問題を解決することは緊急の必要性がある) It is *urgently necessary* to solve this problem.

きゅうむいん 厩務員 stabler [C], stableman [C], stableboy [C], 《英》 stable lad [C].

きゅうめい[1] 究明 ── [動] (警察などが真相を) invéstigàte [他]; (詳しく検討して) study [他]; (照会したりして) inquire into ... ── [名] investigation [C]; study [C]; inquiry [C]. 《☞ かいめい[1]; ちょうさ[1]; そうさ[1]》. ¶ 警察はその事故の原因*究明に乗り出した

The police 「started to *investigate* [launched an *investigation* into] the cause of the accident. // その件は徹底的に*究明しなければならない We must 「*inquire* [*look*] *into* the matter thoroughly. ★ [ ] 内のほうが口語的.

きゅうめい² 救命 lifesaving Ⓤ. **救命いかだ** life raft Ⓒ **救命具** (胴衣式のもの) life jacket Ⓒ, life vest Ⓒ, life preserver Ⓒ ★ 最後は救命胴着のほか浮き袋なども指す; (ベルト) life belt Ⓒ; (総称して) lifesaving equipment Ⓤ **救命索** lifeline Ⓒ **救命艇** lifeboat Ⓒ **救命胴衣** lífe jàcket Ⓒ, life vest Ⓒ **救命ブイ** (浮輪) lífe bùoy /bùːi/ Ⓒ **救命袋** escape chute Ⓒ.

きゅうめい³ 糾明 ―動 (真相などを突き止める) probe ㊀; (探る) probe into … ―名 (探査) examination Ⓤ; (調査) investigation Ⓤ. (☞ ちょうさ; つきとめる).

きゅうめい⁴ 旧名 (古い名前) old name Ⓒ; (以前の名前) former [original] name Ⓒ.

ぎゅうめし 牛飯 ☞ ぎゅうどん

きゅうめん 球面 spherical surface Ⓒ. ¶君は*球面の面積 (⇒ 球の表面面積) の出し方を知っているかい Do you know how to calculate the *surface area of a sphere*? **球面幾何学** spherical geometry Ⓤ **球面鏡** spherical mirror Ⓒ **球面収差** 〖光〗 spherical aberration Ⓒ.

きゅうもん 糾問 ―名 (尋問) questioning Ⓤ. ―動 (尋問する) question ㊀; (罪状などを調べる) probe ㊀, probe into … (☞ じんもん¹). ¶警察はその容疑者を厳しく*糾問した The police *questioned* the suspect 「closely [severely].

きゅうやくせいしょ 旧約聖書 the Old Testament (略 O.T., OT) (☞ せいしょ¹).

きゅうゆ 給油 ―名 (燃料の補給) refueling (《英》 refuelling) /rìːfjúːəlɪŋ/ Ⓤ. ―動 refuel ㊀ ㊂. (☞ ねんりょう; ほきゅう¹). ¶その飛行機は*給油のためにアンカレッジに立ち寄った The airplane stopped over at Anchorage for *refueling*. **給油所** filling station Ⓒ, 《英》 petrol station Ⓒ, 《米》 gas station Ⓒ **給油船** [機] tanker Ⓒ **給油タンク** oil tank Ⓒ.

きゅうゆう¹ 旧友 (古い [長年の] 友達) old [longtime] friend Ⓒ (☞ ともだち). ¶彼女は私の*旧友です She is 「an *old* [a *longtime*] *friend* of mine.

きゅうゆう² 級友 classmate Ⓒ.

きゅうよ¹ 給与 pay Ⓤ ★ 一般的な語. 以下の語の代わりに使えることが多い; (定期的に定額支給される俸給) sálary Ⓒ; (賃金) wages ★ 複数形で. (☞ きゅうりょう¹ (類義語); サラリー; ちんぎん 参考).
¶あの会社は*給与がいい (⇒ あの会社では彼らは十分に支払われている) They *are* well *paid* at that company. / (⇒ あの会社は従業員に対して高いサラリーを支払う) That company pays high *salaries* to its employees. // 4月には*給与の改訂があると思う We are expecting a *pay* increase this April. **給与所得** earned income Ⓤ **給与所得控除** exemption on income from *one's* salary Ⓒ **給与所得者** salaried employee Ⓒ **給与水準** wage [pay] level Ⓒ **給与体系** wage [pay] structure Ⓒ.

きゅうよ² 窮余 **窮余の一策** ¶彼は*窮余の一策を案じた (⇒ 最後の手段として1つの案を考えた) He thought out *a plan as* a *last resort*. (☞ くにく¹; くるしまぎれ)

きゅうよう¹ 休養 ―名 (一般的に) rest Ⓤ; (くつろぎ) relaxation Ⓤ; (病後の) 《格式》 recùperátion Ⓤ. ―動 rest ㊂, rest *oneself*, take a rest; (くつろぐ) relax ㊂. (☞ やすむ; きゅうそく²; ほよう).
¶あなたは*休養しなければいけない You must 「*rest* [*take a good rest*]. // きょうは家でゆっくり*休養しましょう (⇒ 家にいて静かな日をもちましょう) Let's stay at home and *have a quiet day* today.
休養施設 recreation facilities ★ 複数形で. **休養室** lounge Ⓒ.

きゅうよう² 急用 urgent [pressing] business Ⓤ (☞ きゅう¹; ようじ¹). ¶父はいま*急用で出かけています My father is away on *urgent business*. // *急用のため会議に出られなかった (⇒ 急用が会議の出席から私を妨げた) *Urgent* [*Pressing*] *business* prevented me from attending the meeting.

きゅうらい 旧来 ―形 (古くからの) old; (因習的な) conventional. ¶*旧来の慣習を破る do away with [get rid of] the *conventionalities*

きゅうらく¹ 及落 (成功か失敗) success or failure Ⓤ; (試験の結果) the result of an 「exam [examination]. (☞ ごうひ).

きゅうらく² 急落 ―名 sudden [sharp] fall Ⓒ; (暴落) nosedive Ⓒ; (価格・需要などの) slump Ⓒ. ―動 fall 「suddenly [sharply] ㊂, plummet ㊂; (暴落する) nosedive ㊂. (☞ ぼうらく). ¶株価が*急落した Stock prices 「*fell suddenly* [*plummeted*]. // このことが物価の*急落を招いた This caused a 「*sharp fall* [*nosedive*] in prices.

きゅうり 胡瓜 cúcumber Ⓒ. **胡瓜もみ** thinly-sliced vinegared cucumber Ⓤ.

きゅうりゅう¹ 急流 (一般に, 速い流れ) rapid 「stream [current] Ⓒ; (より急な奔流) torrent Ⓒ; (川底が狭くなっているような場所の早瀬) rapids ★ 複数形で. (☞ げきりゅう). ¶*急流を下る shoot the *rapids*

きゅうりゅう² 九竜 ―名 ㊫ (香港の商業都市) Kowloon /kàulúːn/.

きゅうりょう¹ 給料 pay Ⓤ; wages ★「賃上げ」(a wage increase) のような複合語の場合を除き, 主として複数形で用いる; sálary Ⓒ.

【類義語】一般に「給料」の意味では **pay**. この語は以下の語の代わりに使える場合が多い. 元来, 肉体労働者などの日給・週給を指すのが **wages** であるが, 労働用語としては労働者の賃金すべてについて用いられる. やや格式ばった語で, 定期的に定額を支給される俸給を指すのが **salary** で, 通常銀行振り込みなどの月給. (☞ げっきゅう; きゅうよ¹; サラリー)

¶私の*給料は月額20万円だ My 「*pay* [*salary*] is ¥200,000 a month. / I *am paid* ¥200,000 a month. // 彼はよい*給料を取っている (⇒ 十分に支払いを受けている) He *is* well *paid*. // *給料だけでは暮らしてゆけない I can't 「live [get by] on my 「*salary* [*wages*] alone. // 女性の*給料は一般に男性より低い (⇒ 女性は男性より少なく支払われている) Women *are* generally *paid* less than men. // *給料が2割上がった [下がった] I had 「a 20 percent *pay* increase [my *pay* cut down by 20 percent]. // 君の*給料を上げる [下げる] ことにした I'll 「raise [cut (down)] your *pay*. // 彼女は2つの会社から*給料をもらっている (⇒ 給料支払い簿にのっている) She is *on the payroll* of two companies. // 高い*給料で必死になって働くのと低い*給料で余裕があるのとではどっちがいいか Which do you prefer, to work like mad on a 「high [good] *salary* or to have more free time on a 「low [bad] *salary*?

給料生活者 salaried person Ⓒ **給料天引き** payroll deduction Ⓒ **給料泥棒** (怠けて働かない人) shirker Ⓒ **給料日** páydày Ⓒ **給料袋** páy 「ènvelope [pàcket] Ⓒ **給料明細** pay slip Ⓒ.

―コロケーション―
給料を受け取る receive *one's* 「*salary* [*pay*] / 給料を稼ぐ earn [get] *one's* 「*salary* [*pay*] / 給料を支払う pay [give] *salaries* / 給料を凍結する

freeze *salaries* // 1ヵ月の給料 one [a] month's ｢*salary* [*pay*] / 高額[低額]給料 a ｢large [small] *salary* / ささやかな給料 a modest *salary* / すごい給料 a big *salary* / 相応の給料 a fair *salary* / 月々の給料 *one's* monthly *pay* / 手取り給料 take-home *pay* / ひどい[かなりよい]給料 a ｢miserable [comfortable; fat] *salary* / まずまずの給料 a decent *salary* // 給料の値上げを要求する demand [ask for] a *pay* raise

きゅうりょう² 丘陵 hill Ⓒ (☞ おか¹; やま). **丘陵地帯** the hills ★ 固有名詞として *the* Chiltern *Hills* などの形で用いる; (一般的に) hilly regions.

きゅうりょう³ 旧領 old [former] ｢territory [colony] Ⓒ.

きゅうりょう⁴ 休漁 ━動 suspend fishing. **休漁期間** closed fishing ｢season [period] Ⓒ.

きゅうりょうく 休猟区 temporary game preserve Ⓒ (☞ きんりょう).

きゅうれい 急冷 ━名 rapid cooling Ⓤ. ━動 cool ... rapidly .

きゅうれき 旧暦 the old calendar; (太陰暦) the lunar calendar ★ いずれも同じ意味で the を付けて用いる. ¶ *旧暦のお正月 New Year's Day according to *the old calendar* / the *lunar* New Year

きゅうろう 旧臘 (前年の 12 月) last December.

きゅっと ¶ 彼女は口を*きゅっと結んで部屋に入ってきた (⇒ 唇を固く締めて) She entered the room with her lips *tightly* drawn. (☞ きっと²; 擬声・擬態語 (囲み))

ぎゅっと ¶ 彼は私の手を*ぎゅっと握った He *squeezed* my hand. / (⇒ 私の手に強い握手をくれた) He gave my hand a *squeeze*. // 私は取っ手を*ぎゅっと左へ回した (⇒ 力を入れて) *With force* [(⇒ 急にぐっと) *With a jerk*], I turned the knob counterclockwise. / I ｢*forced* [*jerked*] the knob counterclockwise. // そこを*ぎゅっと (⇒ きつく) 縛って下さい Please ｢bind [tie] it *fast* there. // 母はその子供を*ぎゅっと抱きしめた The mother gave her child a *hug*. (☞ 擬声・擬態語 (囲み); しっかり)

キュビスム ☞ キュービズム

キュラソー (リキュールの一種) curaçao /kjú(ə)rəsòu/ Ⓤ ★ 種類をいうときは Ⓒ.

キュリー¹ 〖物理〗(放射能の強さの単位) curie Ⓒ (記号 Ci, C).

キュリー² ━名 固 (マリー ～) Marie Curie /məríː kjuríː/, 1867–1934 ★ ポーランド生まれの物理学者; (ピエール ～) Pierre /pjéə/ Curie, 1859–1906 ★ マリーの夫でフランスの物理学者.

キュリウム 〖化〗curium /kjú(ə)riəm/ Ⓤ (元素記号 Cm).

キュレーター curator /kjú(ə)rèɪtə/ Ⓒ ★ 博物館・美術館などの館長や展示・収集の責任者, 学芸員.

キュロット(スカート) culottes /kjúːlɑts/ ★ 複数形で. 数える場合は a pair of culottes, two pairs of culottes のようになる.

きゅんと ¶ その光景で胸が*きゅんとなった (⇒ 心を動かされた) I was *moved* at the sight. (☞ じいんと)

きよ¹ 寄与 ━名 (貢献) còntribútion Ⓤ ★ 具体的な事例は Ⓒ; (尽力・奉仕) services ★ 普通は複数形で. ━動 contríbute (to ...) 自. (☞ こうけん¹). ¶ 彼は物理学の発展に*寄与するところ大であった His *contributions* to the progress of physics were remarkable. // 国連は世界の平和に大きく*寄与してきている (⇒ 多くのことをしてきている) The United Nations *has been doing a great deal* for world peace. / (⇒ 重要な役割を果たしている) The U. N. *is playing an important part* in maintaining world peace.

きよ² 毀誉 ☞ きよほうへん

きょ¹ 虚 **虚に乗じる** ¶ 彼らの*虚に乗じてやすやすと勝った (⇒ 不用意を利用して) *Taking advantage of their unpreparedness*, we won an easy victory. **虚を突く** ¶ 私の質問は彼の*虚を突いた (⇒ 無防備のところをとらえた) My question *caught* him ｢*off guard* [*unawares*]. // 我が軍の攻撃は敵の*虚を突いた Our attack *took* the enemy *by surprise*.

きょ² 居 residence Ⓒ (☞ じゅうきょ).

きょ³ 挙 (行動) act Ⓒ; (企て) attempt Ⓒ; (事業) enterprise Ⓒ. ¶ 無謀な*挙に出る *act* [*behave*] recklessly

ぎょ ☞ ぎょっと

きょあく 巨悪 great [vast] evil Ⓒ. ¶ 彼は*巨悪に立ち向かっていた He was fighting against the ｢*great* [*vast*] *evil*.

きよい 清い (汚れがなく清潔な) clean; (澄みきった) clear; (人・心などが純潔な) pure; (けがれがない) ínnocent. (☞ きよらか). ¶ 彼女は*清い心の持ち主でした She was a *pure-hearted* woman. / She was a woman ｢of *pure* heart [*pure* in heart]. // 心の*清い者は幸いである Blessed are the *pure* in heart. ★ 聖書の言葉 (マタイ伝 5. 8.) 語法 形容詞に the が付くと, その性質をもつ人たち全体を表し, 複数扱いとなる. // 水*清ければ魚住まず (⇒ きれいな水は魚を育てない) *Clear* water breeds no fish. // 私は彼に*清き一票を投じた (⇒ 偽りのない投票をした) I cast an *honest* vote for him.

ぎょい 御意 (一般人に対して) your ｢will [pleasure; wishes] ★ 前の2つは Ⓤ; (王などに対して) Your [His; Her] Majesty's ｢will [order] Ⓤ. (☞ おおせ). ¶ *御意 (⇒ 仰せのとおりです) Your Majesty is right.

きよう¹ 器用 ━形 (頭の働きがよく) clever; (熟練して) 《米》skillful, 《英》skilful; (身近で簡単なことに) handy; (特に手先が) deft. ━副 《米》skillfully, 《英》skilfully; handily; cleverly. ━名 《米》skillfulness Ⓤ, 《英》skilfulness Ⓤ; cleverness Ⓤ. (☞ たさい²; ぶきよう).

¶ 彼は*器用な人です (⇒ 利口である) He is a *clever* man. / (⇒ 何でも屋です) He's a *jack-of-all-trades*. // 彼女は手先が*器用だ She is ｢*skillful* [*good*] with her hands. / (⇒ 彼女は器用な [すばやい] 指を持っている) She has ｢*deft* [*nimble*] fingers. // あの子はなかなか*器用に歌う (⇒ 歌がうまい) She is quite ｢*skillful* [*good*] at singing.

器用貧乏 (⇒ 何でも屋はどれについても大家ではない) Jack-of-all-trades and master of none.

きよう² 起用 ━動 (任命する) appoint 他; (昇任させる) promote 他. ━名 (ある地位に) appointment Ⓤ; (雇用) employment Ⓤ; (昇任させて) promotion Ⓤ. (☞ にんめい; とうよう²; ばってき). ¶ 山田氏が財務大臣に*起用された Mr. Yamada *was appointed* finance minister.

きよう³ 紀要 (大学・学会などの報告誌) bulletin /búlətn/ Ⓒ; (学会の議事, 研究経過報告誌・論文集) memoirs /mémwɑəz/, procéedings, transáctions 語法 いずれも複数形で, 論文集の意味になるが, bulletin は元来「会報」「お知らせ」の意で, 大学紀要はこのほうが普通. university bulletin ともいう. 他の 3 語は元来「経過報告」の意で, memoirs は学会の論文集, 後の 2 語は学会の研究発表大会の記録の意で用いられることが多い.

きょう¹ 今日 today 語法 (1) 副詞と名詞の用法があるが, 名詞の場合も常に無冠詞; this day ★ 下の 語法 (3) 参照. (☞ 時刻・日付・曜日 (囲み)).

¶「*きょうは何曜日ですか」「木曜日です」"What day (of the week) is (it) *today*?" "It's Thursday. / *Today's* Thursday." 語法 (2) of the week なしでも, 普通は曜日をきくことになる. //「*きょうは何日ですか」「11月3日です」"What's *today's* date? / What ⌈day of the month [date] is it *today*?" "It's [*Today*'s] ⌈Nov. 3 [the third of November]." ★ Nov. 3は November (the) third と読む. // *きょうはいい天気ですね It's a ⌈beautiful [lovely] day, isn't it? // 彼女は先週の*きょうホノルルに着きました She arrived in Honolulu a week ago *today*. 語法 (3) 普通は, last Thursday, Thursday last, (on) Thursday ⌈next [last] week, のように曜日で言うことが多い. 1週間前の場合は a week ago today, 1週間後の場合は a week from today のように言う. // 彼は1か月前の*きょう仕事からの帰路に立ち寄った He dropped by on his way home from work a month ago *today*. // *きょうの午後お客がある We have guests *this* afternoon. // *きょうから1週間留守にします I'll be away for a week from *today*. // *きょうの新聞を読みましたか Have you read *today's* paper? // *きょうはこれまで So much for *today*. // *きょうという*きょうは決着をつけてやる I'm going to settle this matter once and for all.

きょう² 興 **興が乗る** ¶ 彼はだんだんそのアイディアに*興が乗ってきた He gradually *warmed* (*up*) to the idea. **興をさます** ☞ きょうざめ **興を添える** ¶ 彼女の踊りはその会に一層の*興を添えた (⇒ その会をより楽しいものにした) Her dancing *made* the party more *enjoyable*. **興をそぐ** ¶ 彼の言葉で一同はすっかり*興をそがれてしまった (⇒ 彼の言葉は私たちの意気込みに冷水をあびせた) His words *threw cold water* on our enthusiasm. (☞ きょうざめ)

きょう³ 経 (個々の) sutra /sú:trə/ Ⓒ; (集合的に) Buddhist scriptures. ¶ *経を読む chant [recite; intone] a *sutra*

きょう⁴ 卿 Lord; Sir 参考 Lord は侯爵 (marquis), 伯爵 (earl), 子爵 (viscount), および男爵 (baron) に付け, Sir は准男爵 (baronet), ナイト爵 (knight) に付ける. ¶ ネルソン*卿 *Lord* Nelson // ウィンストン チャーチル*卿 *Sir* Winston (Churchill) 語法 Sir は日常の呼びかけではクリスチャンネーム (Christian name) だけに付ける. 姓 (surname) だけに付けることはない.

きょう⁵ 凶 (不運) ill [bad] luck Ⓤ; (災難) misfortune Ⓤ. ¶ おみくじを引いたら*凶 [大*凶] と出た I drew a sacred lot, and it indicated ⌈*misfortune* [great *misfortune*].

きょう⁶ 京 (みやこ・首都) capital Ⓒ; (京都) 固 Kyoto. ¶ 藤原*京 the Fujiwara *Capital* // *京へ上る go (up) to ⌈*Kyoto* [the *capital*] **京の着だおれ** (⇒ 京都の人々は着物にぜいたくをする) Kyoto people [Kyotoites; Residents of Kyoto] are extravagant concerning clothes.

きょう⁷ 境 (心の状態) state of mind Ⓒ; (境界) boundary Ⓒ; (場所) place Ⓒ. (☞ きょうち).
¶ 無人の*境を行く go through an uninhabited *area* // (⇒ 破竹の勢いで進む) carry ⌈everything [all] before *one* ★ 慣用句.

-きょう¹ …狂 (何かに憑かれている人) maniac /méɪniæk/ Ⓒ; (スポーツなどの観客として) fan Ⓒ, enthúsiàst Ⓒ. (☞ マニア). ¶ 野球*狂 a baseball *fan* // カメラ*狂 a camera *enthusiast*

-きょう² …強 (…余り) -odd ★ ハイフンを付けて用いる; (少し…より多い) a little ⌈more than [over] … ¶ これは60キロ*強です This is sixty-*odd* kilograms in weight. // 2割*強 *a little over* twenty percent

-きょう³ …郷 (場所) place Ⓒ; (地・国) land Ⓒ. ¶ 温泉*郷 a hot spring spa // 桃源*郷 paradise on earth / Shangri-la / Shangri-La ★ ジェームズ ヒルトンの小説『失われた地平線』(*Lost Horizon*) 中の架空の理想郷から. // 理想*郷 a ⌈utópia [Utópia]

ぎょう¹ 行 (文字の) line Ⓒ ★ l. と略し, 複数形は ll. /láɪnz/; (特に詩の) verse Ⓒ. ¶ 1*行おきに書くこと Write on every other *line*. // ここで*行を改めたほうがよい (⇒ 新しい行を始める) You should begin a new *line* here. / (⇒ 新しいパラグラフにしなさい) Start [Indent] a new paragraph here. // 5ページの上 [下] から6*行目から始めましょう Let's begin with ⌈*line* six [the sixth *line*] from the ⌈top [bottom] of ⌈page five [the fifth page]. // 234ページ11*行目から25*行目までを参照せよ Cf. p. 234 *ll.* 11-25. 語法 この読み方は cf. /sí:éf/ (=compare), page two thirty-four, ⌈from line eleven to line twenty-five [lines 11 to 25]. (☞ 数字 (囲み))

ぎょう² 行 (宗教上の厳しい修行) relígious austérities, ascetic practices ★ 以上は通例複数形で, asceticism Ⓤ. (☞ しゅぎょう). ¶ 彼はその寺で10年間僧としての*行をつんだ He practiced *religious austerities* at the temple for ten years.

ぎょう³ 業 (知的な職業) profession Ⓒ, (手につけた仕事) trade Ⓒ (☞ しょくぎょう (類義語)); (学業) studies ★ 複数形で. ¶ 彼女は文筆を*業としている She *is engaged* as a writer. // *業をおえる (⇒ 学校を終える) finish *school*

きょうあい 狭隘 — 形 (面積が狭い) small; (幅や心が狭い) narrow. (☞ せまい). ¶ *狭隘な道 a *narrow* street // *狭隘な土地 a *small piece of* land // *狭隘な心 a *narrow* mind

きょうあく 凶悪 — 形 (極悪・残虐な) atrócious Ⓐ; (憎しみ・怖れを引き起こすほどの) heinous Ⓐ ★ いずれも格式ばった語で, 後者はより文語的. (☞ ごくあく). **凶悪犯罪** heinous crime Ⓒ **凶悪犯人** heinous criminal Ⓒ.

きょうあす 今日明日 — 名 (今日か明日) today or tomorrow. — 副 (すぐに) immediately /ɪmí:diətli/.

きょうあつ 強圧 — 名 (大きな圧力) great pressure Ⓒ; (圧迫感・重苦しい感じ) oppression Ⓤ. — 形 (強圧的な) high-handed, high-pressure. (☞ あつりょく; あっぱく).

きょうあん 教案 teaching plan Ⓒ.

きょうい¹ 驚異 — 名 (称賛の気持ちを込めた驚き) wonder Ⓤ ★ 具体的な例は Ⓒ; (不思議さ・異常さなどに対する驚き) marvel Ⓒ. — 形 (驚異的な) wonderful; marvelous (《英》 marvellous); (驚くべき) surprising; (世間をあっと驚かすような) sensational. (☞ おどろき; きせき¹; きょうたん).
¶ コンピューターは現代科学の*驚異の1つである The computer is one of the ⌈*wonders* [*marvels*] of modern science. // 世界の*驚異の的 one of the *wonders* of the world // 彼はそのレースで*驚異的な記録を出した He set ⌈a *sensational* [a *surprising*; an *unbelievable*] record in the race. // 彼の仕事には世界中が*驚異の目を見張った (⇒ 全世界は驚嘆した) The whole world *was amazed* at his achievements.

きょうい² 脅威 — 名 (言動・徴候などによる) threat Ⓒ; (特に敵意のこもった) menace /ménəs/ Ⓒ ★ threat より格式ばった語; (危険な人・物) danger Ⓒ. — 動 (脅威を与える) threaten 他; menace 他; (危険に陥らせる) endanger 他 ★ 後の2つは格式ばった語. — 形 (脅威となる) threatening; menacing; dangerous. (☞ おびやかす).
¶ 私たちはいつも戦争の*脅威にさらされている We are always ⌈exposed to the *menace* of war [under

(a) *threat* of war]. // 世界平和に対する重大な*脅威 a grave ʳ*menace* [*threat*] to world peace

きょうい³ 胸囲 chest ʳsize [measurement] Ⓒ; (女性の場合) bust ʳsize [measurement] Ⓒ. 《☞ むね¹; バスト》. ¶「君の*胸囲はどれくらいですか」「92 センチです」" What is your *chest size*? " " 92 centimeters. "

きょうい⁴ 強意 émphasis Ⓤ ★ 具体的な事例は Ⓒ《複 emphases /-siːz/》. **強意語** ☞ 見出し

きょういき 境域 (境界) boundary Ⓒ; (場所) precinct Ⓒ; (領域) ground Ⓒ.

きょういく 教育 ―名 èducátion Ⓤ; (学校教育) schooling Ⓤ; (教授) teaching Ⓤ; instruction Ⓤ; (訓練) training Ⓤ; (教養) culture Ⓤ; (養育) upbringing Ⓤ; (しつけ) discipline Ⓤ. ―動 (教育する) éducàte ⊕; (教える・教授する) teach ⊕; instruct ⊕; train ⊕; bring up ⊕. ―形 (教育の・教育に関する) educational; (教育的な・ためになる) instructive.

【類義語】一般的に「教育」という意味では ***educate***, ***education***. 特に「学校教育」という意味では ***schooling*** が用いられる. 教育の手段として教えるという意味での一般的な語は ***teach(ing)***. 特殊な知識の系統的な教授という意味での格式ばった語は ***instruct(ion)***. 特殊な能力の訓練には ***train(ing)***, しつけをも含めた養育という意味では ***bring up*** 動, ***upbringing*** 名 が用いられる. 《☞ 学校・教育 (囲み); おしえる》 ¶その国は*教育程度が高い The country has a high standard of *education*. // 14 歳まで*教育は無償で義務づけられている Up to the age of fourteen, *education* is free and compulsory. // 私は自分の息子[娘]によい*教育を受けさせたい I want my ʳson [daughter] to ʳget [receive] a good *education*. // この学校はこの地方で唯一の高等*教育機関です This school is the only institution of higher ʳ*education* [*learning*] in this district. // 日本における英語*教育 the ʳ*teaching* of English [English *teaching*] in Japan // 私たちは 6 週間の英語の発音の特別*教育を受けた We took a six-week special (*training*) *course* in English pronunciation. ★ take a six-week special training in … という言い方はしない. // 彼は大学*教育を受けていない He ʳhas (had) no [lacks a] college *education*. // 彼女はフランスで*教育を受けた She *was educated* in France. // 彼は旧家に生まれ厳しい*教育を受けた (⇒ 厳しく育てられた) Born into an old family, he *was* ʳ*brought up* [*raised*] strictly. // この本はおもしろくてしかも*教育的である This book is ʳ*instructive* as well as interesting [both interesting and *informative*]. // このようなテレビ番組は*教育上子供たちにふさわしくない Such a ʳTV [television] program is inappropriate for children from an *educational* point of view. // *教育のある人と*教育のない人とでは発音がかなり違う There is a marked difference in pronunciation between *educated* people and *uneducated* people. // *教育の機会均等[自由]を保持することが肝要だ It is essential to maintain ʳequality of opportunity in *education* [freedom of *education*]. // *教育の中立性 neutrality in *education* // *教育の普及 spread(ing) [dissemination] of *education*

> **教育のいろいろ**
> 初等教育 elementary [primary] education, 中等 [高等] 教育 secondary [higher] education, 義務教育 compulsory education, 英語教育 English teaching, 家庭教育 home ʳtraining [discipline], 語学教育 language training, 職業教育 vocational training, 専門教育 professional [specialized] training, 性教育 sex education, 大学教育 college education, 通信教育 education by correspondence, correspondence courses

教育委員 member of the Board of Education Ⓒ **教育委員会** the Board of Education Ⓒ **教育映画** educational ʳfilm [picture] Ⓒ **教育界** educational ʳworld [circles; community Ⓒ] ★ world は単数形, circles は複数形で. **教育改革** (全般の) educational reform Ⓒ; (教育制度の) reform of the educational system Ⓒ **教育学** pédagògy Ⓤ **教育学者** pédagògist Ⓒ **教育学部** the School of Education 《☞ がくぶ (類義語)》 **教育課程** currículum Ⓒ《複 ~s, curricula》 **教育課程審議会** the Curriculum Council **教育漢字** the Educational Chinese Characters; (説明的には) the 1006 Chinese characters to be learned during the period of compulsory education **教育機関** educational facilities ★ 通例複数形で. **教育機器** educational equipment Ⓤ **教育基本法** the Fundamental Law of Education **教育行政** educational administration Ⓤ **教育権** the right to education **教育原理** educational principles **教育工学** education technology Ⓤ **教育公務員** (全体) public education personnel and staff; (個人) educational civil servant Ⓒ **教育公務員特例法** the Law concerning Special Regulations for Educational Public Service Personnel **教育産業** education-related industries **教育指数** educational quotient Ⓒ **教育実習** practice [student] teaching Ⓤ **教育実習生** student teacher Ⓒ **教育者** éducàtor Ⓒ; (教師) teacher Ⓒ **教育職員免許法** the Educational Personnel Certification Law **教育心理学** educational psychology Ⓤ **教育制度** educational [school] system Ⓒ **教育大学** teachers college Ⓒ **教育庁** the Office of Local Education **教育長** superintendent of schools Ⓒ **教育勅語** the Imperial Rescript on Education **教育的指導** 〖柔道〗 instructional warning (given in domestic Japanese judo) Ⓒ **教育哲学** educational philosophy Ⓤ **教育テレビ** educational ʳTV [television] Ⓤ **教育番組** educational program Ⓒ **教育費** educational [school] expenses ★ 複数形で. **教育評価** educational evaluation Ⓤ **教育ママ** (教育に熱心な) education-conscious [education-minded] mother Ⓒ; (子供に勉強を強いる母親) mother who pushes her children to study Ⓒ. ★ 前者は良い意味. **教育リーグ** 〖野〗 the Instructive League **教育令** the Education Order of 1879.

きょういご 強意語 〖文法〗 inténsifier Ⓒ.

きょういん 教員 (教師) teacher Ⓒ; (一校全体の) (the) teaching staff Ⓒ ★ 集合的に; (特にある科目を専門に教える) instructor Ⓒ ★ 格式ばった語. 《☞ せんせい¹ (類義語); 学校・教育 (囲み)》. ¶あの学校は*教員がそろっている (⇒ 優秀な教育陣を持っている) That school has an excellent *teaching staff*. // 彼女は*教員の資格をとるために一生懸命勉強している She's working hard to get a ʳ*teaching* certificate [*teacher's* license].

教員組合 teachers' union Ⓒ **教員検定** certification of teachers Ⓒ **教員検定試験** examination for a teaching certificate Ⓒ **教員室** teachers' ʳroom [office] Ⓒ **教員免許状** téaching certificate /sə(ː)tífɪkət/ Ⓒ **教員免許制度** licensing system for teachers Ⓒ **教員養成** teacher training Ⓤ **教員養成大学** teachers college Ⓒ, teacher-training school Ⓒ.

きょううん 強運 good luck Ⓤ《☞ うんせい》.

きょうえい¹ 競泳 ―名 (水泳競争) swim [swimming] ⌈race [competition] C; (競泳大会) swimming meet C. ―動 (競泳する) swim (in) a race.

きょうえい² 共栄 mutual prosperity U 《☞ だいとうあきょうえいけん; きょうそん》.

きょうえい³ 鏡映 mirror image C, reflection U. **鏡映文字** mirror writing U.

きょうえきひ 共益費 management ⌈fee [charge] (in an apartment building) C.

きょうえつ 恐悦 (喜び) delight C, joy C, pleasure C. ¶お目にかかれて*恐悦至極に存じます It's a great *pleasure* to ⌈see [meet] you. 《☞ 丁寧な表現 (巻末)》

きょうえん¹ 共演 ―動 (主役として共演する) costar (with …) 自; (…と共に演じる) play (with …) 自; (…の相手役を演じる) play (opposite …) 自. **共演者** fellow actor C; (主役としての) costar C.

きょうえん² 競演 ―名 (競演会) contest C. ―動 (競い合う) vie with each other.

きょうえん³ 饗宴 banquet C, feast C. 《☞ えんかい¹》. ¶*饗宴を催す hold [give] a *banquet*

きょうえんき 強塩基 〘化〙 strong base C.

きょうおう 供応, 饗応 ―動 (もてなす) entertain 他; (おごる) treat 他. ―名 entertainment U; treat C ★ treat のほうがややくだけた表現. 《☞ せったい; もてなし》.

きょうか¹ 強化 ―動 (強める) strengthen 他 ★一般的な語; (不足を補って) 《格式》 rèinfórce 他; (栄養価などを) enrich 他; (特に軍事力などを) buíld úp 他. ―名 strengthening U; reinforcement U; enrichment U; buíldùp C. 《☞ ぞうきょう; ほきょう; つよめる》. ¶その国は国防の*強化を計っている The country intends to ⌈*strengthen* [*build up*] its national defenses. / The country is planning a defense *buildup*. // 市当局は警察に対して取り締りの*強化を要請した (⇒ 規則を厳しく施行すること を) The city authorities asked the police to *enforce* the regulations *rigidly*. // ビタミン*強化食品 vitamin-*enriched* food **強化合宿** training camp C **強化ガラス** tempered glass U **強化食品** fortified [enriched] food C **強化繊維** reinforced ⌈fiber [《英》 fibre] U **強化プラスチック** reinforced plastics **強化米** enriched rice U.

きょうか² 教科 (科目) subject C 《☞ 学校・教育 (囲み); かもく¹》. **教科課程** course of study C, currículum C 《複 ~s, curricula》 **教科担任** teacher in charge of a specific subject C. ¶田中先生が私たちの音楽の*教科担任です Ms. Tanaka is our music *teacher*. / Ms. Tanaka *teaches* us music.

きょうか³ 狂歌 comic tanka poem C.

きょうか⁴ 教化 ―動 (啓発する) enlighten 他; (正しい状態にさせる) set … right, straighten out 他.

きょうか⁵ 供花 flower offering C 《☞ けんか²》. ¶墓前[仏壇, 事故現場]に*供花する *offer flowers* at the ⌈grave [family altar; accident site]

きょうが 恭賀 ¶*恭賀新年 (I *wish* you) a Happy New Year.

ぎょうが 仰臥 ―動 lie on *one's* back, lie face up. 《☞ あおむけ》.

きょうかい¹ 教会 (キリスト教の) church C ★最も一般的. なお組織としての教会をいうときは U; (公共施設に付属する礼拝所) chapel C. ¶毎週日曜日は10時に*教会へ (礼拝に) 行きます I go to *church* at ten (o'clock) every Sunday. 語法 礼拝という教会本来の目的で行くときは U として冠詞を付けずに用いる. 《☞ 冠詞 (巻末)》 / I attend *church* services at ten every Sunday. // 彼らは*教会で結婚式を挙げた They held their wedding ⌈in (a) *church* [in a *chapel*]. / They had a *church* wedding. // 遠くで*教会の鐘が鳴っている A *church* bell is ringing in the distance. **教会音楽** church music U **教会旋法** 〘楽〙 chúrch [Gregórian] móde C **教会堂** church C, (礼拝堂) chapel C **教会法** the canon law **教会暦** church [ecclesiastical] calendar C.

きょうかい² 境界 (領土などはっきりした区切りをもつ) boundary C; (山・川などの地理的条件による境界) border C. 《☞ さかい¹; こっきょう¹》. ¶彼らは土地の*境界にさくをした They built a fence along the *boundaries* of their land. // 多摩川は東京と神奈川の*境界になっています The Tama River forms the *boundary* between Tokyo and Kanagawa. // アメリカはカナダと*境界を接している The United States *borders* ⌈on [upon] Canada. // 両国の*境界が定められた A *boundary* was ⌈fixed [drawn] between the two countries. **境界争い** boundary [border] dispute C **境界性人格障害** 〘医〙 borderline personality disorder U **境界線** borderline C; (人為的な) line of demarcation C, demarcation line C; (時代区分などの) dividing line C **境界層** 〘物理〙 boundary layer C.

きょうかい³ 協会 assòciátion C, society C ★いずれも「…協会」と固有名詞として用いられることが多い. 《☞ かい¹ (類義語)》. ¶動物愛護*協会 the *Society* for the Prevention of Cruelty to Animals ★ S.P.C.A. と略す.

きょうがい 境涯 (境遇) circumstances ★複数形で; (めぐり合わせ) *one's* lot. 《☞ きょうぐう》.

ぎょうかい 業界 (ある特定の業界) the índustry C; (製造業者たち) mànufácturers ★複数形で; (実業界) the business ⌈world [community], business circles ★複数形で. ¶それは日本の石油*業界 [テレビ製造*業界] にとって大きな打撃だった It was a terrible shock to ⌈*the* Japanese oil *industry* [Japanese TV *manufacturers*]. // 彼は*業界の大物です He is a VIP /víːàɪpíː/ in *the business world*. // *業界の再編成が必要である It is necessary to reorganize *the industry*. **業界再編** reorganization [realignment] of an industry U **業界紙[誌]** trade ⌈paper [magazine] C **業界用語** professional jargon U.

ぎょうかいがん 凝灰岩 〘鉱物〙 tuff U.

きょうかいし 教戒師 prison chaplain C.

きょうかく¹ 胸郭 thorax C ★医学用語; (胸) chest C. **胸郭成形術** 〘医〙 thoracoplasty /θɔ́ːrəkoʊplæ̀sti/ U.

きょうかく² 侠客 (ばくち打ち) gambler C 《☞ ばくち; やくざ》.

きょうかく³ 夾角 〘幾〙 included [contained] angle C.

きょうがく¹ 共学 ―名 (男女の) 《米》 coeducation U, 《英》 mixed education U. ―形 coeducational. ¶男女*共学の学校 《米》 *coeducational* schools / 《英》 *mixed* schools // 「君の行っている学校は*共学ですか」「いいえ男子校です」 "Is your school *coeducational*?" "No. It's a boys' school."

きょうがく² 驚愕 ―名 (大変な驚き) astonishment U, amazement U. ―動 be astonished ⌈at … [by …], be very surprised ⌈at … [by …]. 《☞ おどろく; おどろき¹》. ¶私はその知らせに*驚愕した I *was astonished* ⌈*at* [*by*] the news.

ぎょうかく¹ 仰角 angle of elevation C.

ぎょうかく² 行革 ☞ ぎょうせい (行政改革)

きょうかくるい 鋏角類 〔動〕 Chelicerata /kəlìsərá:tə/ ★ 複数形だが時に単数扱い. くも・さそり・かぶとがに・だになど個々の鋏角類動物は chelícerà̀te Ⓒ.

きょうかしょ 教科書 (school) textbook Ⓒ, schoolbook Ⓒ ★ 普通は前者を用いることが多い; (パソコン操作など, 技能習得用の) manual Ⓒ.
¶これは英語 [国語, 数学, 理科] の*教科書です This is my ˹English [Japanese; math [《英》 maths]; science] *textbook*. // *教科書の 20 ページを開きなさい Open your (*text*)*book*(*s*) ˹to [at] page 20. // *教科書には何と書いてありますか What does the *textbook* say about it? // 英作文の*教科書 an English composition *textbook* / a *textbook* ˹of [on] English composition // 検定*教科書 an authorized *textbook*
教科書会社 textbook publisher Ⓒ **教科書検定** textbook ˹screening [authorization] Ⓤ **教科書検定制度** textbook ˹screening [authorization] system Ⓒ **教科書体** (説明的には) type [typeface] used in Japanese-school textbooks Ⓒ.

きょうかたびら 経帷子 shroud Ⓒ, winding-sheet Ⓒ.

きょうかつ 恐喝 —[名] (ゆすり) bláckmàil Ⓤ, extortion Ⓤ ★ 前者のほうが口語的. —[動] bláckmàil (他) (自), extórt (他). 《☞ きょうはく[1] (類義語); おどす; ゆする[2]》. **恐喝罪** charge of ˹blackmail [extortion] Ⓒ. ¶その男は*恐喝罪でつかまった The man was arrested on ˹a *charge* [《米》 *charges*] *of* ˹*blackmail*(*ing*) [*extortion*].

きょうかん[1] 共感 —[名] (同じ考え・同情) sympathy Ⓤ; (反響・反応) response Ⓤ. —[動] (同感する) sympathize (with …) (自). 《☞ どうかん[1]; さんせい[1]; どうじょう[1] (類義語)》. ¶彼の意見には深い*共感を覚える (⇒ 私は彼にまったく賛成です) I entirely *agree with* him. // 彼の訴えは広く世間の*共感を呼んだ His appeal aroused a public *response* everywhere. // そんなつまらない内容では読者の*共感を得ることは難しい The contents are too poor to arouse the *sympathy* of ˹the reader [readers].

きょうかん[2] 教官 teacher [instructor] (at a national ˹university [institution]) Ⓒ.

きょうかん[3] 凶漢 (悪者) villain Ⓒ; (暴力で襲う人) thug Ⓒ. 《☞ わるもの; ぼうかん[2]》.

きょうかん[4] 叫喚 ☞ あびきょうかん **叫喚地獄** inferno (that murderers, thieves, etc. are believed to go to after they die) Ⓒ.

ぎょうかん 行間 space between the lines Ⓤ 《☞ ぎょう[1]; かんかく[1]》. ¶*行間を十分にあけ(て書き)なさい Please leave plenty of *space between the lines* (when you write). // *行間を読み取ることが大切である It is important to read *between the lines*.

きょうかんかく 共感覚 〔心〕 synesthesia /sìnesθí:ʒ(i)ə/ Ⓤ.

きょうき[1] 凶器 weapon Ⓒ 《☞ ぶき》. ¶*凶器を持った強盗がその建物に押し入った A robber (armed) with a *weapon* broke into the house. / (⇒ 武装をした) An *armed* robber broke into the building. // 走る*凶器 a *deadly weapon* on wheels ★「車」の比喩的な表現. **凶器準備集合罪** charge of unlawful armed assembly Ⓒ.

きょうき[2] 狂気 —[形] mad, crazy ★ crazy は軽蔑の気持ちを含む. —[名] madness Ⓤ, craziness Ⓤ. 《☞ くるう》. ¶そんなことをするとは*狂気のさただ (⇒ 君がそんなことをするとは気が狂っている) It'd be *crazy* of you [You would be *mad*] to do such a thing. / (⇒ 狂気であろう) It would be *madness* to do such a thing.

きょうき[3] 狂喜 —[名] (喜び) joy Ⓤ; (有頂天) rapture Ⓤ ★ 後者のほうが格式ばった語. —[動] (喜びで我を忘れる) be beside *oneself* with joy. 《☞ よろこび; うちょうてん》. ¶彼女はその知らせを聞いて*狂喜した She *was beside herself with joy* at the news. // …に*狂喜する go into *raptures* ˹at … [about …; over …] [語法] この句では raptures は複数形で.

きょうき[4] 狭軌 〔鉄〕 —[名] narrow gauge /géɪdʒ/ Ⓒ (↔ broad gauge). —[形] narrow-gauge, narrow-gauged. ¶*狭軌の鉄道 a *narrow-gauge*(*d*) ˹railroad [《英》 railway]

きょうき[5] 共起 —[名] co-occurrence /kòuəkə́:rəns/ Ⓤ. —[動] cò-occúr (自).

きょうき[6] 侠気 (義侠の精神) chivalrous /ʃívəlrəs/ spírit Ⓒ, chivalry /ʃívəlri/ Ⓤ. 《☞ ぎきょうしん》.

きょうき[7] 強記 good [retentive] memory ★ 通例 a ～ の形で. 《☞ はくらんきょうき》.

きょうぎ[1] 協議 —[動] (さまざまな考えを出し合って) discuss (他), talk with … over … ★ 口語的には後者を用いる; (対等に意見を交換する) confér with … —[名] discussion Ⓤ, talks ★ 後者のほうが口語的. 通例複数形で; conference Ⓒ. 《☞ はなしあい; そうだん; かいぎ[1]; しんぎ[1]》.
¶この件についてあすの会合で*協議を行います This problem is to *be* ˹*discussed* [*talked about; talked over*] at the meeting tomorrow. // 彼は*協議の結果, 妻と離婚した He ˹divorced [obtained a divorce from] his wife by mutual *agreement*.
協議会 (会議) conference Ⓒ; (助言を与えるための会議) council Ⓒ **協議事項** (集合的に, 議題) the agenda; (個別には) item on the agenda Ⓒ; (討論の主題) subject [topic] of discussion Ⓒ **協議離婚[離縁]** divorce by mutual ˹agreement [consent] Ⓒ, mutually uncontested divorce Ⓒ.

きょうぎ[2] 競技 (一般に, 勝敗・優劣を競うこと) contest Ⓒ, còmpetítion Ⓒ ★ 後者のほうがやや格式ばった語; (野球・バスケットボール・フットボールなどの) match Ⓒ, game Ⓒ; (総合的に, 競技会) meet Ⓒ; (トーナメント) tournament /tʊ́ənəmənt/ Ⓒ; (スピードを競う) race Ⓒ; (競技種目) (sporting) event Ⓒ. 《☞ しあい》. ¶そろばんの*競技があった We ˹held an abacus *competition* [*competed* in the use of the abacus]. // 来週テニス*競技大会が開かれる A tennis *tournament* will be held next week. // 彼は陸上*競技が得意だ He is good at track and field (*events*). **競技場** stadium /stéɪdiəm/ Ⓒ **競技人口** population of players Ⓒ. ¶ラグビーの*競技人口 a Rugby *playing population*

きょうぎ[3] 教義 (宗教上の) 《格式》 dogma Ⓒ, creed Ⓒ [語法] 教会が真理として権威をもって教えるものが dogma. 信者の側から見たものが creed; (宗教以外のものも含めて) 《格式》 dóctrine Ⓒ; (一般的に教えという意味で) teachings ★ 通例複数形で. 《☞ おしえ[1]》. ¶キリスト教の*教義 Christian *doctrine*(*s*)

きょうぎ[4] 狭義 narrow sense Ⓒ 《☞ こうぎ[5]》. ¶その言葉を*狭義にとれば… If you take it in the *narrow sense* of the word, …

きょうぎ[5] 経木 paper-thin slice of wood Ⓒ.

ぎょうぎ 行儀 —[名] (作法) manners ★ 複数形で; (行い) behavior (《英》 behaviour) Ⓤ. —[形] (行儀のよい) well-˹mannered [behaved]; (行儀の悪い) ill-mannered, badly-behaved [語法] いずれも叙述用法ではハイフンを付けないこともある. 《☞ さほう (類義語); れいぎ》.
¶彼女は*行儀がよい She has good *manners*. / She is *well mannered*. // 彼は*行儀が悪い (⇒ 作法を

もっていない) He has no *manners*. // そんな*行儀の悪いことをしてはいけません (⇒あなたの作法はどこにあるのか) Where're your *manners*? ★ 子供に向かって使う慣用表現. // *行儀よくしなさい *Behave yourself.* / (⇒よい子でいなさい) *Be a good* ⌈*boy* [*girl*]. // 他人*行儀 (⇒形式ばること) はやめて下さい Please don't *stand on ceremony*. **行儀作法** (good) manners ★ 通例複数形で用いる; etiquette Ⓤ.

きょうきゃく 橋脚 (bridge) pier Ⓒ.

きょうきゅう 供給 ―㊔ supply Ⓤ. ―㊜ (必要・不足を補って) supply ㊎; (備蓄のために) provide ㊎. 《☞ ていきょう》.
¶ 石油が*供給不足だ Oil is in short *supply*. // 電気料金を払わないと電気の*供給を止められますよ The electricity *supply* will be cut off if you don't pay your bill. // 需要に*供給が追いつかない (The) *supply* cannot meet (the) demand. // 彼らは私たちに食糧を*供給してくれた <S (人) + V (*supply*; *provide*) + O (人) + *with* + 名(物)> They ⌈*supplied* [*provided*] us *with* food. [語 法] 《米》では with を省略してよい. / <S (人) + V (*provide*) + O (物) + *for* + 名・代(人)> They *provided* food *for* us. / <S (人) + V (*supply*) + O (物) + *to* + 名・代(人)> They *supplied* food *to* us.
供給過多 oversupply Ⓒ **供給曲線** 〖経〗 supply curve Ⓒ **供給源** source of supply Ⓒ **供給不足** undersupply Ⓒ.

きょうぎゅうびょう 狂牛病 (通称) mád cow disèase Ⓒ; (正式名; 牛海綿状脳症) bovine spongiform encephalopathy /bóuvaɪn spʌ́nʤəfɔ̀əm ensèfəlápəθi/ Ⓤ.

きょうきょう 恐恐 ―㊀ (こわごわと) timidly, in fear; (びくびくして) nervously. 《☞ せんせんきょうきょう》.

ぎょうぎょうしい 仰仰しい ―㊒ (言葉などが大げさで) exaggerated /ɪgzǽʤərèɪtɪd/ Ⓐ; (もったいぶった) pompous; (堅苦しい) stilted; (派手な) showy. ―㊀ exaggeratedly; pompously. 《☞ おおげさ; もったいぶる》. ¶ 彼の言い方はいつも*仰々しい (⇒彼は物事を誇張してしゃべる) He has an *exaggerated* way of speaking. / (⇒彼はいつも誇張して言う) He always *exaggerates*. / (⇒もったいぶった[堅苦しい]言葉を使う) He always ⌈speaks [talks] in a ⌈*pompous* [*stilted*] manner. // 彼女は*仰々しい格好で (⇒人目につく衣服で) やってきた She arrived in a *showy* dress. // つまらないことで*仰々しく騒がないで下さい Don't *make a fuss* ⌈about [over] ⌈small things [trifles].

きょうきん¹ 胸襟 ¶ 彼と*胸襟を開いて語り合った (⇒率直な話し合いを持った) I ⌈had a *frank* talk [spoke *frankly*] with him.

きょうきん² 胸筋 〖医〗 pectoral muscle Ⓒ.

きょうく¹ 教区 parish Ⓒ 《☞ ぼくし》.

きょうく² 狂句 comic haiku poem Ⓒ 《☞ はいく》.

きょうく³ 恐懼 ―㊜ (畏敬の念に打たれる) be struck with awe. ¶ 彼は王の仁慈深い言葉に*恐懼感激した (⇒大変感激した) He was ⌈*deeply moved* [*struck*] ⌈*by* [*with*] the King's gracious words.

きょうぐ 教具 (補助教材) teaching aid Ⓒ 《☞ きょうざい》.

きょうぐう 境遇 (周りの状況) surroundings ★ 複数形で; (環境) envíronment Ⓒ; (暮らし向き) círcumstànces ★ 複数形で; (身の上) lot Ⓒ.
【類義語】 周囲を取り巻く環境の意味では *surroundings*, *environment* が用いられるが, 特に人の感情・思考などに与える影響という点から考えた場合は *environment* が用いられる. 経済的な意味での境遇は *circumstances*. 運命・巡り合わせの意味のやや文語的な語は *lot*. 《☞ かんきょう¹; みのうえ》
¶ 彼は恵まれた[恵まれない]*境遇に育った He was brought up in ⌈favorable [unfavorable] *surroundings*. // 彼女の*境遇にはだれもが同情する Everyone sympathizes with her *lot*. // どんな*境遇にあっても, (常に) 最善を尽くすべきだ We should (always) do our best ⌈under [in] any *circumstances*.

きょうくん 教訓 ―㊔ (戒め) lesson Ⓒ; (物語などの) moral Ⓒ. ―㊒ (教訓的な) instructive. 《☞ いましめ¹; おしえ¹ (類義語)》. ¶ この話には幾つかの*教訓が含まれている This story has ⌈several *lessons* [more than one *moral*] in it. // この失敗によって私たちは*教訓を得た We learned a *lesson* from this failure.

きょうげき¹ 京劇 classical Chinese opera Ⓒ.

きょうげき² 挟撃 attack on both flanks Ⓒ 《☞ はさみうち》. **挟撃作戦** pincers movement Ⓒ.

ぎょうけつ¹ 凝結 ―㊜ (気体が) condense ㊀ ㊎; (液体が冷えて) congéal ㊀ ㊎; (液状のものが固まる) coagulate /kouǽgjulèɪt/ ㊀ ㊎. ―㊔ condensation Ⓤ; congealment Ⓤ. 《☞ ぎょうこ》.
¶ 水蒸気は冷えると*凝結して水となる Steam *condenses* into water when it cools.

ぎょうけつ² 凝血 ―㊔ (血が固まること) coàgulátion of blood Ⓤ; (固まった血) blood clot Ⓒ. ―㊜ (凝血する) coágulàte ㊀. ¶ 傷口の*凝血 a *blood clot* in the cut // 傷のまわりの血が*凝血した The blood around the wound *coagulated*.

きょうけん¹ 強健 ―㊒ (体力がある) strong, stout ★ 前者が一般的. stout は strong よりも意味が強く, がっしりした体格を暗示する; (心身ともに頑丈な) sturdy; (たくましい) robust. 《☞ じょうぶ¹; がんじょう》. ¶ 彼は身体*強健である He has a ⌈*strong* [*robust*] constitution.

きょうけん² 狂犬 mad [rabid] dog Ⓒ.
狂犬病 rabies /réɪbiz/ Ⓤ; 〖病理〗 hỳdrophóbia Ⓤ **狂犬病予防注射** vaccination against rabies Ⓒ, rabies ⌈vaccination [shot] Ⓒ ★ [ ]内のほうが口語的.

きょうけん³ 強権 ¶ *強権を発動する (⇒法の力に訴える) invoke *the power of the law* (against ...) **強権政治** (権力政治) power [coercive] politics Ⓤ; (独裁政権) dictatorial government Ⓒ; (武力政治) machtpolitik /mɑ́:ktpoulɪtì:k/ Ⓤ ★ドイツ語から. **強権体制** coercive system Ⓒ.

きょうけん⁴ 強肩 (野球の) strong arm Ⓒ.
¶ *強肩の外野手 an outfielder with a *powerful throw*

きょうけん⁵ 強堅 ―㊒ (強い) strong; (たくましい) sturdy; (しっかりした) firm. 《☞ きょうこ》.

きょうげん 狂言 **1** 《能狂言》: (Noh) farce Ⓒ. **2** 《作りごと》: (見せかけ・ごまかし) sham Ⓒ; (作り話) máke-belíeve Ⓤ. 《☞ みせかけ》. ¶ 彼の自殺未遂は*狂言だった His attempted suicide was found to be a *sham*. **狂言強盗** fake robbery Ⓒ **狂言師** Noh comedian Ⓒ **狂言自殺** sham suicide Ⓒ **狂言まわし** (演劇の) major supporting role Ⓒ; (黒幕・陰で知恵をつける人) mástermind Ⓒ; (裏で操る人) stringpùller Ⓒ.

きょうけんしゅうかい 教研集会 the national convention for ⌈the study of education [education research activity] (arranged and held annually by a teachers' union).

きょうこ 強固 ―㊒ (強い) strong (↔ weak); (しっかりした) firm (↔ loose); hard (↔ soft); (がっしりした) solid.

【類義語】最も普通の意味で強いことを表すのは *strong* で, 以下の語の代わりに用いられることも多い. 後の3語は, どれも外力に対抗する強さを表すが, *firm* は容易に変化しない強さを, *hard* は堅さを, *solid* は固体としての結合力の強さを強調する. 目的や信念に関しては *firm* が用いられる. (☞ かたい¹(類義語))
¶ *強固な基礎 a ⌈*solid* [*firm*] foundation // 彼は*強固な意志の持ち主だ He has ⌈a *strong* [an *iron*] will. / He is a man of *strong* will.

ぎょうこ 凝固 ── 動 (固まらせる) solidify 他; (冷えて固まる) congeal 自; (血液などが) coagulate /kouǽgjulèɪt/ 自 ★ 後の2つは他としても用いる. (☞ かたまる). **凝固剤** coagulant Ⓒ **凝固点** 〘物理〙 freezing point Ⓒ **凝固熱** 〘物理〙 heat of solidification Ⓤ.

きょうごいん 教護院 refórmatòry Ⓒ, (米) reform school Ⓒ 参考 「教護院」は1998年度より「児童自立支援施設」と改称された. ¶ *教護院送りとされる be sentenced to be sent to the *reformatory*

きょうこう¹ 強硬 ── 形 (強い) strong; (びくともしない) firm; (頑固な) stubborn; (譲らない) unyielding; (不屈な) unbending; (妥協しない) ùncómpromising Ⓐ ★ 最後の3語は最初の3語より格式ばった語. ── 副 strongly; firmly; stubbornly; unyieldingly; uncompromisingly; unbendingly. (☞ だんこ; がんきょう).
¶ 彼女の反対は*強硬だ Her opposition is ⌈*strong* [*firm*]. // 彼は私の計画に*強硬に反対した He opposed my plan *strongly*. / He *took a hard line against* my plan. // 彼の主張は*強硬だ (⇒ 彼は強硬に主張する) He insists on his opinion ⌈*uncompromisingly* [*unyieldingly*]. // *強硬な手段を取るべきだ We should take *strong* measures. // 彼はなかなかの*強硬派だ He is a *hard-liner*. // *強硬路線を取る take a *hard* line

きょうこう² 強行 ── 動 (…を無理やりにする) force 他; (実施に移す) (格式) enforce 他.
¶ 我々の反対にもかかわらず, 彼らはその政策を*強行した They *enforced* the policy in spite of our opposition. // 彼らはピケを*強行突破した They *forced* their way through the picket line. // 彼らは委員会で採決を*強行した They *forced* a vote in the committee.

きょうこう³ 恐慌 panic Ⓤ ★ 具体的な事実を指すときはしばしば a を伴う. (☞ ふきょう¹). ¶ 金融*恐慌 a financial *panic*

きょうこう⁴ 凶行 (暴力(行為)) violence Ⓤ; (殺人) murder Ⓤ; (犯罪) crime Ⓤ. (☞ はんこう¹).
¶ *凶行に及ぶ (⇒ 人に傷害を加える) *inflict* (*an*) *injury on a person* / (⇒ 殺害する) *commit murder* // *凶行の現場を(⇒ 殺人を)目撃してしまった I happened to witness the *murder*.

きょうこう⁵ 教皇 (ローマ・カトリックの) pope Ⓒ ★ しばしば the Pope として. **教皇庁** the Vatican.

きょうこう⁶ 胸腔 〘解〙 thorax Ⓒ.

きょうこう⁷ 凶荒 (凶作) bad [poor] ⌈crop [harvest] Ⓒ; (飢饉) famine Ⓤ. (☞ ききん²; きょうさく¹).

きょうこう⁸ 峡江 (フィヨルド) fjord, fiord /fiɔ́əd/ Ⓒ.

きょうこう⁹ 強攻 ── 名 (強引な攻撃) strong [powerful, violent] attack Ⓒ. ── 動 make a strong [powerful, violent] attack (on …) ¶ *強攻策 (⇒ 思い切った対策) a *drastic* measure

きょうごう¹ 競合 ── 動 (競争する) compete (with …) 自; (争う・衝突する) conflict (with …) 自. ── 名 còmpetítion Ⓤ; cónflict Ⓤ. (☞ きょうそう¹; しょうとつ). ¶ 彼らの利益は*競合した (⇒ ぶつかり合った) Their interests ⌈*conflicted* [*were in conflict*] *with* each other. **競合脱線** derailment caused by ⌈several [various] factors Ⓒ.

きょうごう² 強豪 (ずば抜けた選手) outstanding player Ⓒ; (優秀な選手) excellent player Ⓒ. (☞ きょうてき).

きょうごう³ 校合 ── 名 (格式) collation Ⓤ. ── 動 colláte … with … **校合者** collator Ⓒ.

ぎょうこう¹ 僥倖 (幸運) (good) luck Ⓤ.

ぎょうこう² 行幸 (天皇の訪問 [出席]) the Emperor's ⌈visit [attendance]. ¶ 天皇陛下は北海道に*行幸された His Majesty the Emperor *visited* Hokkaido.

きょうこうぐん 強行軍 forced march Ⓒ. ¶ *強行軍をすれば (⇒ できる限り速く歩けば), 2時間で行けるだろう If we *walk as fast as we can*, we may be able to cover the distance in two hours.

きょうこく¹ 峡谷 gorge Ⓒ; (深く大きな峡谷) canyon /kǽnjən/ Ⓒ. (☞ たに).

きょうこく² 強国 (強大な国家) strong [powerful] ⌈nation [country] Ⓒ; (強い国力を持った国) great power Ⓒ ★ power に「強国」の意味が含まれる. ((例) 経済大国 an economic *power*). (☞ たいこく; れっきょう). ¶ 世界の*強国 the *great powers* in the world

きょうこつ¹ 胸骨 breastbone Ⓒ, sternum Ⓒ ★ 後者は医学用語.

きょうこつ² 頬骨 ☞ ほおぼね

きょうことば 京言葉 the Kyoto dialect (☞ ほうげん¹).

きょうこのごろ 今日此頃 (この頃) these days; (毎年の今頃) about this time of the year.

きょうさ 教唆 ── 動 ínstigàte 他. ── 名 ìnstigátion Ⓤ. (☞ そそのかす; せんどう¹). **教唆犯** ínstigàtor Ⓒ, abettor Ⓒ.

ぎょうざ 餃子 Chinese meat-and-vegetable fried dumpling Ⓒ ★ 説明的表現.

きょうさい 共催 ── 名 joint auspices /ɔ́:spɪsɪz/ ★ 複数形で. ── 動 cosponsor 他. (☞ こうえん³). ¶ その展示会は外務省と新聞社の*共催で開かれた The exhibition was ⌈held under the (*joint*) *auspices of* [*cosponsored by*] the Ministry of Foreign Affairs and a newspaper company.

きょうざい 教材 (教える材料) teaching materials ★ 通例複数形で; (補助教具) teaching aids ★ 複数形で.

きょうさいか 恐妻家 henpecked husband Ⓒ.

きょうさいくみあい 共済組合 mutual-aid ⌈association [society] Ⓒ, mutual benefit ⌈association [society] Ⓒ, (英) Friendly Society Ⓒ.

きょうさいねんきん 共済年金 mutual-aid association pension Ⓒ.

きょうさかんせつ 胸鎖関節 〘解〙 sternoclavicular /stə̀:nouklə̀víkjulə/ joint Ⓒ.

きょうさく¹ 凶作 bad [poor] ⌈crop [harvest] Ⓒ (☞ ふさく). ¶ じゃがいもは今年, *凶作だった We have had a *poor crop* of potatoes this year. / (⇒ 失敗だった) The potato crop was a *failure* this year.

きょうさく² 狭窄 〘医〙 stricture Ⓒ; (締めつけること) constriction Ⓒ. ¶ 幽門*狭窄 *a stricture* of the pylorus /paɪlɔ́:rəs/

きょうさく³ 競作 ¶ 新市庁舎の設計の*競作 a *competition* for designing a new city hall // 賞を目指して*競作する *compete* [*vie*] ⌈*for* [*to win*] a prize ★ vie のほうが格式ばった語.

きょうさつ 挟殺 〘野〙 ── 名 rúndòwn Ⓒ. ── 動 rùn dówn 他. **挟殺プレー** 〘野〙 rundown (play) [C].

きょうざつぶつ 夾雑物 (不純物) impurities ★ 普通は複数形で; (混ぜ物) admixture [C] ★ 格式ばった語. ¶ 水から*夾雑物を取り除く remove *impurities* from water

きょうざまし 興醒まし ☞ きょうざめ

きょうざめ 興醒め (興をそぐ人) wet blanket [C] ★ ぬれた毛布をかけて火を消すことから; (興ざめになるもの) skeleton at the feast [C]. 《☞ しらける》. ¶ 彼のためにパーティーは*興ざめだった He was a *wet blanket* at the party. // 彼の下手な冗談で私たちは*興ざめしてしまった His bad joke *spoiled our fun.*

きょうさん[1] 協賛 ― [名] (賛成) approval [U]; (支持) support [U]; (協力) cooperation [U]. ― [動] approve (他); support (他); cooperate (with …) (自). 《☞ きょうりょく[1]》. ¶ 慈善バザーは町内の*協賛を得て開かれた A charity bazaar was held with the *cooperation* of the people of the neighborhood.

きょうさん[2] 強酸 strong acid [U].

ぎょうさん 仰山 ― [形] (数量が多い) a lot of, lots of, plenty of; (大げさな) exaggerated; (仰々しい) ostentatious ★ やや軽蔑的. ¶ *仰山なもてなしを受ける get an *ostentatious* reception 《☞ たくさん; おおげさ; ぎょうぎょうしい》

きょうさんしゅぎ 共産主義 ― [名] commúnìsm [U] ★ 特にマルクス・レーニン主義を指すときは大文字で始める. ― [形] còmmunístic, 《略式》 red ★ しばしば大文字で始める. ¶ *共産主義の崩壊 the collapse of *communism* // *共産主義社会 a *communistic* society **共産主義者** communist [C].

きょうさんとう 共産党 the Communist Party. ¶ *共産党の解体 the dissolution of *the Communist Party* // 日本*共産党 *the* Japanese *Communist Party* 《略 JCP》 **共産党員** Communist [C], member of the Communist Party [C] **共産党宣言** (書名) *The Cómmunist Manifesto* /mæ̀nəféstou/ ★ マルクスとエンゲルスにより起草され, 1848 年に発表された.

きょうし[1] 教師 (先生) teacher [C]; (専門分野の) instructor [C]. 《☞ せんせい[1] (類義語); 学校・教育 (囲み)》. **教師用指導書** teacher's manual [C].

きょうし[2] 教士 (剣道の) *kyoshi* [C]; (説明的には) Japanese-fencing master of the middle rank [C].

きょうし[3] 狂死 ― [動] die ˹mad [from madness].

きょうじ[1] 教示 ― [動] (教える) teach (他), instruct (他) ★ 後者のほうが格式ばった語. ― [名] teaching [C] ★ しばしば複数形で; instruction [U]. 《☞ おしえる》.

きょうじ[2] 凶事 (不幸) misfortune [C]; (災害・惨事) disaster [C]. 《☞ わざわい; ふこう[1]》.

きょうじ[3] 驕児 (わがままな子供) spoilt [wayward] child [C]; (利己的な人) selfish person [C].

ぎょうし[1] 凝視 ― [動] (目を大きく開けてじっと見つめる) stare (at …; into …) (自); (驚き・感嘆の目で) gaze (at …) (自). ― [名] stare [C]; gaze [C] ★ 普通は単数形で. 《☞ みつめる; みる[1] (類義語)》. ¶ 彼は物思いにふけって空間を*凝視していた He *was staring* thoughtfully *into* space.

ぎょうし[2] 仰視 ― [動] (上を見る) lóok úp (at …) (自); (視線を上げて見る) lift [raise] *one's* eyes ˹to [toward] …; (目を丸くして見上げる) gaze up at …. 《☞ みあげる》.

ぎょうじ[1] 行事 (催し物) event [C]; (特別な行事) occasion [C] ★ 普通修飾語を伴って; (式典) function [C] ★ 格式ばった語.
¶ ひな祭りは昔からの主要な年中*行事のひとつです The ˹Girls' [Dolls'] Festival is ˹one of the chief traditional *events* of the year [a traditional annual *event*]. // 次の学校*行事は 10 月の運動会だ The next *event* on our school calendar is ˹the [an] athletics meet in October. // 彼女は来週のすべての公式*行事への出席を取りやめた She canceled all her commitments to attend (the) official *functions* next week.

ぎょうじ[2] 行司 súmo ˹rèferée [úmpire] [C]. **行司溜まり** the place for sumo referees.

きょうしきこきゅう 胸式呼吸 chest [costal, thoracic] respiration [U].

きょうしきょく 狂詩曲 rhapsody [C].

きょうじげんごがく 共時言語学 synchronic linguistics [U] 《☞ つうじげんごがく》.

きょうじせい 強磁性 〘物理〙 ― [名] fèrromágnetìsm [U]. ― [形] fèrromagnétic. **強磁性体** férromagnètic (bódy) [C], fèrromágnet [C].

きょうしつ 教室 classroom [C], schoolroom [C] ★ 後者は建物全体に視点がある場合に使う.
¶ *教室では静かにしなさい Keep quiet in the *classroom.* // 「この学校には普通*教室は幾つありますか」「15 です」 " How many ordinary *classrooms* ˹does this school have [are there in this school]? " " Fifteen. " // 公民館で毎週料理*教室を開いています A cooking *class* is ˹held [given] in the public hall every week. // 音楽*教室 a music *room* // 理科*教室 a science *room* // 階段*教室 a theater

きょうじつ 凶日 unlucky day [C].

きょうじてき 共時的 ― [形] 〘言〙 sỳnchrónic.

きょうしゃ[1] 強者 (総称) the strong. ¶ *強者と弱者 *the strong* and the weak

きょうしゃ[2] 香車 ☞ きょうす

きょうしゃ[3] 驕奢 (ぜいたく) luxury /lʌ́kʃ(ə)ri/ [U]; (度を超えたぜいたく) extrávagance [U].

きょうじや 経師屋 (壁紙をはる人) paperhanger [C] [日英比較] 日本式建具が独特なものであるから当然ぴったりの訳語はない. 説明的には a person whose job is making and repairing Japanese sliding and folding paper screens.

ぎょうしゃ 業者 (取り引きをする人) dealer (concerned) [C] ★ concerned を付けると「関係の」という意味になる; (商人・貿易業者) trader (concerned) [C]; (実業家) businessman (concerned) [C]; (製造業者) manufacturer (concerned) [C]; (個人として, 同業者) fellow ˹dealer [trader; businessman] [C]; (総称して, 同業者) people in the same ˹trade [business]. ¶ 彼は我々*業者仲間の一人です He is one of our *fellow* ˹*dealers* [*businessmen*; *traders*; *manufacturers*].

ぎょうじゃ 行者 (苦行をする人) ascétic [C].

きょうじゃく 強弱 (強さと弱さ) strength and weakness [U]; (強さ) strength [U]; (力) power [U]; (音の強勢) stress [C]; (音のリズム) rhythm [C]. **強弱アクセント** stress [U] 《☞ きょうせい[3]; こうてい[5] (高低アクセント)》. **強弱記号** 〘楽〙 mark [abbreviation] of dynamics [C].

きょうしゅ[1] 教主 (仏教の開祖) the Buddha; (宗派の創始者) the founder (of a religious sect).

きょうしゅ[2] 凶手 (暗殺者) assássin [C]. **凶手にかかる[倒れる]** be assássinàted.

きょうしゅ[3] 興趣 ☞ おもしろみ; おもむき

きょうじゅ[1] 教授 **1** 《大学の》: professor [C]
[語法] 略字は prof. 肩書きとして姓名の前に付ける場合は Prof. を用いるが, 姓だけを書く場合には Professor を用いるのが正式. ((例) Prof. Reginald Smith / Professor Smith). 《☞ 学校・教育 (囲み); 略語 (巻末)》. ¶ 彼は大学*教授だ He is a ˹university [college] *professor.* // 彼女は東西大学英文学

*教授です She is a *professor* of English literature at Tozai University.

2 《教えること》 ―[名] (一般的な意味で) teaching Ⓤ; (特定分野の系統的な) instruction Ⓤ; (授業) lessons ★ 通例複数形で, 続けて受けるけいこなどを表す. ―[動] teach 他 自; instruct 他; give lessons. 《☞ おしえる (類義語)》. ¶ 彼女は自宅でピアノ*教授をしている She *gives* ˹piano *lessons* [*lessons* in piano] at home. // 彼女はダンスの個人*教授を受けた She took private *lessons* in ˹dancing [dance]. // ピアノ*教授 《掲示》 Piano *lessons given* // 英語[生け花]*教授 《掲示》 *Instruction* given in ˹English [flower arrangement] **教授会** faculty ˹meeting [council] Ⓒ **教授陣** the ˹faculty [professoriat] **教授法** teaching method Ⓒ, method of teaching Ⓒ; (学問分野としての) 《格式》 pédagògy Ⓤ.

きょうじゅ² 享受 ―[動] (恩恵を受ける) enjoy 他; (持つ) have 他; (与えられる) be given.

ぎょうしゅ 業種 type of ˹industry [business] Ⓒ. ¶ 求人広告は*業種別になっている The want ads are classified by the *type of business*.

きょうしゅう¹ 郷愁 ―[名] (故郷に帰りたいと思う気持ち) hómesìckness Ⓤ; (過去の想い出に対する懐かしみの気持ち) nostalgia /nastǽldʒə/ Ⓤ [語法] 後者はやや格式ばった語で, 故郷を思う気持ちには前者を用いるのが普通. ―[形] (郷愁を感じている) homesick; nostalgic. 《☞ さとごころ》. ¶ *郷愁を感じる feel *homesick* // その古い映画を見て若き日の*郷愁をおぼえた I was filled with *nostalgia* ˹on seeing [when I saw] the old film.

きょうしゅう² 強襲 attack ... violently ★ 一般的な言い方; (あらしのように襲う) storm 他; (突然襲う) assault 他 [語法] この語は女性に暴行を加えるという意味で用いられることがあることに注意. 《☞ おそう》. ¶ 三塁*強襲のヒットを打つ slug a hit *too hard* for the third baseman *to handle*

きょうしゅう³ 嬌羞 feminine bashfulness Ⓤ.

きょうしゅう⁴ 教習 instruction Ⓤ; (授業) teaching Ⓤ. **教習所** (自動車の) driving school Ⓒ; (ダンスの) dancing school Ⓒ, school of dance Ⓒ.

ぎょうしゅう 凝集 ―[動] cohere /kouhíə/ 自. ―[名] cohesion /kouhí:ʒən/ Ⓤ. 《☞ けっそく》. **凝集剤** 〘化〙 flócculant Ⓒ **凝集力** cohésive force Ⓤ.

ぎょうじゅうざが 行住坐臥 ―[副] (常時) always, constantly; (四六時中) all day long, a whole day.

きょうしゅく 恐縮 [日英比較] 日本語の「恐縮」は自己を卑下する独特のニュアンスがあり, ぴったりの訳語はない. 前後関係によっていろいろに意訳する必要がある. 《☞ おそれいる》.

¶ あなたのご親切には*恐縮 (⇒ 感謝) しております I ˹*am* [*feel*] ˹*much obliged* [*grateful*; *thankful*] *to* you *for* your kindness. / I *deeply appreciate* your kindness. [語法] (1) どちらも格式ばった表現. くだけた口語では Thank you very much. または Thanks a lot. だけでよい. 《☞ くだけた英語と堅苦しい英語 (巻末)》 // 「*恐縮ですが (⇒ すみませんが) 窓を開けて下さいませんか」「承知しました」 "*I am sorry to trouble you*, but would you mind opening the window?" "Certainly (not). / Not at all. / Of course (not)." [語法] (2) <would you mind＋動名詞> は依頼を表す丁寧な表現. mind は本来「迷惑に思う」の意であるから, 承諾の答えは本来は否定形となる. // あなたにご迷惑をかけたことを*恐縮しております (⇒ 申し訳なく思います) I *am very sorry* to have troubled you so much.

ぎょうしゅく 凝縮 ―[動] (凝縮させる・する) condense 他 自. ―[名] 《格式》 condensation Ⓤ. ¶ 気体は*凝縮して液体となる Gas *condenses into* liquid. **凝縮熱** heat of condensation Ⓤ.

きょうしゅつ 供出 ―[動] (引き渡す) delíver 他; (割り当てを出す) give [deliver] the allotment of ... (to the government). ―[名] delívery Ⓤ.

きょうじゅつ 供述 ―[名] (陳述) statement Ⓒ; (法廷での証言) téstimòny Ⓤ. ―[動] state 他; testify 他 自. 《☞ ちんじゅつ》. ¶ 何人も自分に不利な*供述は強要されない No person shall be compelled to *testify* against himself. [語法] この shall は法令などに用いられ, 「…すべし」の意味. **供述書** written declaration Ⓒ, autographed statement Ⓒ; (宣誓供述書) affidavit Ⓒ ★ 法律用語. **供述調書** ☞ **供述録取書** **供述録取書** deposition Ⓒ.

きょうじゅん 恭順 (君主・国家などに対する忠誠) allegiance Ⓤ; (服従) submission Ⓤ. 《☞ ちゅうせい³》. ¶ 国王に*恭順を誓う pledge *allegiance* to the king // 支配者に*恭順の意を表する tender *one's submission* to ˹the [a] ruler

きょうしょ 教書 méssage Ⓒ. ¶ 年頭[一般]*教書 《米国大統領の》 ☞ いっぱん¹ (一般教書演説)

きょうじょ 共助 (助け合い) mutual aid [help] Ⓤ; reciprocity Ⓤ ★ 格式語; (協力) cooperation Ⓤ.

ぎょうしょ 行書 the semicursive /sémɪkə̀:sɪv/ stýle (of Chinese handwriting) 《☞ そうしょ²》.

きょうしょう¹ 狭小 ―[形] (幅が狭い) narrow; (面積が小さい) small; (限られた) limited. 《☞ せまい; ちいさい》.

きょうしょう² 強将 (勇将) brave general Ⓒ; (強い指導者) strong leader Ⓒ. **強将の下**(もと)**に弱卒なし** Like master, like men. 《ことわざ》

きょうじょう¹ 教条 (権威によって定められた) dogma Ⓒ ★ しばしば悪い意味で用いられる; (教会・政党などの教義) doctrine Ⓒ. **教条主義** dogmatism Ⓤ.

きょうじょう² 教場 classroom Ⓒ 《☞ きょうしつ》.

きょうじょう³ 凶状, 兇状 (犯罪) crime Ⓒ; (犯罪行為) criminal ˹offense [《英》 offence] Ⓒ; (犯罪の事実) guilt Ⓤ. **凶状持ち** (凶悪犯) vicious criminal Ⓒ; (逃亡犯) fugitive from justice Ⓒ.

ぎょうしょう 行商 ―[名] (行商人) peddler Ⓒ, pedlar Ⓒ. ―[動] peddle 他 自.

ぎょうじょう 行状 (行い) behavior (《英》 behaviour) Ⓤ; (道徳的観点から見た行為) cónduct Ⓤ. 《☞ おこない; ふるまい》.

きょうしょく 教職 the teaching profession ★ the を付けて. 《☞ きょうだん¹》. ¶ 彼女は*教職につく準備をしている She is preparing for *the teaching profession*. // 彼はこの春, *教職につく (⇒ 教師になる) He will ˹*become a teacher* [*enter the teaching profession*] this spring. ★ [ ] 内のほうが格式ばった言い方. // 彼女は 20 年の*教職経験がある (⇒ 20 年間教員をしている) She *has been a teacher* for twenty years. / She has twenty years' *teaching experience*. **教職課程** teaching course Ⓒ, teacher-training course Ⓒ, course (of study) for the teaching profession Ⓒ **教職科目** subject of the course for the teaching profession Ⓒ, subject of a teacher-training course Ⓒ ★ 後者のほうが口語的.

きょうしょくいん 教職員 (1 つの学校の教職員全体) the staff (of a school); (教員全体) the teaching staff. 《☞ 学校・教育 (囲み)》. ¶ 彼はわが校の*教職員の一員です He is ˹on [a member of]

the staff of our school. 教職員組合 teachers' union [C].

きょうじる 興じる (遊びなどをして楽しむ) amuse *oneself*; (おもしろく遊ぶ) have fun. ★ 後者のほうが口語的. (☞ たのしむ; おもしろい). ¶ 子どもたちはトランプ [テレビゲーム] に*興じていた The children *were amusing themselves* ⌈(by) playing cards [with video games].

きょうしん¹ 狂信 ── [形] fanátic(al). ── [名] fanáticìsm [U] ★ 狂信的行為は [C]. (☞ もうしん¹). ¶ 彼の信仰は*狂信に近い His religious belief ⌈is almost *fanatical* [is close to *fanaticism*; approaches *fanaticism*]. 狂信者 fanatic [C].

きょうしん² 強震 severe [violent] earthquake [C] (☞ じしん²).

きょうしん³ 共振 (一般に) resonance [U]; (音叉などの) sympathetic vibration [C]. 共振器 〔通〕 resonator [C].

きょうじん¹ 強靭 ── [形] (ねばり強い) tenacious /tənéɪʃəs/; (強い) strong; (不屈の) tough. (☞ ねばりづよい; つよい (類義語)).

きょうじん² 凶刃 assássin's dágger [C]. 凶刃に倒れる be assássinàted.

きょうしんか 共進化 ── [名] 〔生〕 coevolution. ── [動] coevolve (自).

きょうしんけい 強震計 strong-motion ⌈seismograph [accelerometer] [C].

きょうしんざい 強心剤 heart stimulant [C].

きょうしんしょう 狭心症 〔医〕 angina (pectoris) /ændʒáɪnə (péktərɪs)/ [U].

ぎょうしんせい 暁新世 〔地質〕 the Paleocene /pǽliəsìːn/.

きょうす 香子 (将棋の) lance [C].

きょうすい 胸水 serous fluid in the pleural cavity [U]. 胸水症 hydrothorax /hàɪdrouθɔ́ːræks/ [U].

ぎょうずい 行水 shower [C]. ¶ *行水を使う take [have] a *shower*

きょうすいびょう 恐水病 hydrophobia /hàɪdrəfóubiə/ [U] (☞ きょうけん²).

きょうする¹ 供する (飲食物を出す) serve (他); (書類・資料などを提出する) submit (他); (提供する) offer (他). (☞ だす; ていきょう).

きょうする² 饗する (食事とお酒で人をもてなす) wine and dine (他); (食事と余興でもてなす) entertain (他); (食事などをおごる) treat (他). (☞ もてなす).

きょうずる 興ずる ☞ きょうじる

きょうせい¹ 強制 ── [動] force (他); compel (他); 《格式》 coerce /kouə́ːs/ (他). ── [形] (義務的な) 《格式》 oblígatòry. ── [名] 《格式》 compulsion [U]; 《格式》 coercion /kouə́ːʃən/ [U].

【類義語】 無理やり何かをさせるという意味の一般的な語が **force**. **force** よりやや弱い意味の語が **compel**. 権力や脅迫などを用いて従わせるという意味の語は **coerce**. ¶ 彼らは私たちにその切符を買えと*強制した <S (人)+V (*force*)+O (人)+C (*to* 不定詞)> They *forced* us *to* buy the tickets. [語法] 実際に切符を買わされたという意味を含む. // その会への出席は*強制的ですか Is attendance at the meeting *obligatory*? // 私は*強制的にここに連れてこられた I was brought here ⌈*by force* [*forcibly*]. 強制隔離 quarantine [U] 強制罪 crime of compulsion [C] 強制執行 compulsory [forcible] execution [U] 強制執行令状 writ of compulsory execution [C] 強制収容 detention by legal force [U] 強制収容所 concentration camp [C] 強制処分 forcible disposition [U] 強制送還 ── [名] 《格式》 enforced repatriation /rìːpèɪtriéɪʃən/ [U]; (国外追放) deportation [U]. ── [動] 《格式》 repatriate ... under compulsion. 強制捜査 compulsory investigation [C] 強制仲裁 compulsory arbitration [U] 強制調停 compulsory ⌈arbitration [mediation] [U] 強制徴収 forcible collection [U], levy [C] 強制保険 compulsory insurance [U] 強制力 compelling ⌈power [force] [U]; (法律上の) legal force [U] 強制労働 forced [compulsory] ⌈labor [《英》 labour] [U] 強制労働者 forced ⌈laborer [《英》 labourer] [C] 強制わいせつ罪 indecent assault [U].

きょうせい² 矯正 ── [動] (誤りを) correct (他); (罪人・悪癖などを) reform (他); (欠点・悪を) remedy (他) ★ 他の語よりやや格式ばった語; (病気・障害などを) cure *oneself* (of ...). ── [名] correction [U]; reform [U]; remedy [U]. (☞ なおす). ¶ 私は発音を*矯正してもらった I *had* my pronunciation *corrected*. // 歯列*矯正 *straightening* of irregular teeth / 〔医〕 orthodontics / orthodontia 矯正視力 corrected eyesight [U].

きょうせい³ 強勢 〔音声〕 stress [U] (☞ アクセント). ¶ pattern という語では, *強勢は最初のシラブルにくる In the word *pattern* the *stress* ⌈falls [is] on the first syllable.

きょうせい⁴ 教生 student teacher [C].

きょうせい⁵ 共生 (生物の) symbiosis [U]. ¶ ありとありまきは*共生している Ants live in *symbiosis* with aphids.

きょうせい⁶ 嬌声 ── [名] coquettish [erotic; seductive] voice [C]. ── [動] (嬌声をあげる) talk [shout; laugh] coquettishly ★ talk は話し声, shout は叫び声, laugh は笑い声をあげること.

ぎようせい 擬陽性 pseudopositive /sùːdoupázətɪv/ reáction [U].

ぎょうせい 行政 ── [名] administration [U]. ── [形] administrative /ədmínəstrèɪtɪv/, executive /ɪgzékjutɪv/. ¶ *行政, 立法, 司法の 3 権は分立 (⇒ 互いに独立) するものである The three powers — *administrative* [*executive*], legislative, and judicial — are (mutually) independent of each other. 行政委員会 administrative committee [C] 行政改革 administrative reform [C] 行政解剖 administrative autopsy [C] (☞ しほう² (司法解剖)) 行政学 public administration [U] 行政官 administrator [C], administrative official [C] 行政監察 administrative inspection [C] 行政監視 oversight [supervision] of the administration [U] 行政管理庁 the Administrative Management Agency ★ 1984 年総務庁(現総務省)となった 行政機関 administrative organ [C] 行政機構 administrative machinery [U] 行政規則 administrative ⌈rule [regulation] [C] 行政協定 administrative agreement [C] 行政区 administrative district in ordinance-designated cities 行政区画 administrative ⌈district [division] [C] 行政権 administrative [executive] ⌈power [authority] [U] 行政行為 administrative [executive] act [C] 行政裁判 administrative proceedings 行政裁量 administrative [executive] discretion [U] 行政指導 administrative advice [U] 行政書士 scrivener [C], notary public [C] 行政処分 administrative ⌈measure [disposition] [C] 行政責任 administrative responsibility [U] 行政組織 administrative ⌈organization [structure] [U] 行政訴訟 administrative litigation [U] 行政庁 the Administrative ⌈Agency [Department] 行政調査 administrative ⌈survey [investigation] [C] 行政手続き administrative procedure [C], government(al) formalities 行政罰 administrative penalty [C] 行政評価 administrative evaluation

Ⓤ 行政不服審査法〘法〙the Administrative Complaint Investigation Law 行政法 administrative law Ⓤ 行政命令 administrative order Ⓒ 行政立法 (法の立案や審議) administrative legislation Ⓤ; (政治での立法) process of administrative legislation Ⓒ.

ぎょうせき[1] 業績 (著作物・製作品) work Ⓒ; (成し遂げたこと) achievement Ⓒ; (結果・成績) result Ⓒ. (☞ じっせき; こうせき[1]). ¶ 彼女はこの分野で多くの*業績を上げている (⇒ 多くの仕事をした) She has ⌈accomplished a great deal of *work* [made many *contributions*] in this field. // わが社の今期の*業績は比較的よかった Our *business* (for) this quarter has been comparatively good. / We have had comparatively good *business results* this quarter. 業績主義 (業績を重んずる社風) achievement culture Ⓒ; (説明的には) principle of giving the top priority to ⌈achievements [results] Ⓒ.

ぎょうせき[2] 行跡 ☞ そこう[1]; ぎょうじょう

ぎょうぜん 凝然 ― 形 still (☞ じっと). ¶ 彼は*凝然と立ちつくしていた He was standing *still*.

きょうせんかつどう 教宣活動 informative publicity activities ★ 普通複数形で.

きょうそ 教祖 the founder of a ⌈religion [religious sect] Ⓒ.

きょうそう[1] 競争 ― 動 (競い合う) compete /kəmpíːt/ (with ...) 自; (奮闘して戦う) struggle against ...; (戦う) fight (against ...) 自. ― 形 competitive /kəmpétətɪv/. ― 名 competition /kɑ̀mpətíʃən/ Ⓤ; (実力の競い合い) contest Ⓒ; struggle Ⓒ; fight Ⓒ. (☞ せりあう). ¶ あの兄弟は*競争して勉強する Those brothers *compete with* each other in their studies. // 激しい*競争 a ⌈severe [keen] *competition* ★ [ ] 内は格式ばった語. // *競争社会 (a) *competitive* society // 生存*競争 a hard *struggle* for existence // 勉強ではとても彼と*競争できない I can't *compete with* him academically. 競争相手 rival Ⓒ 競争意識 sense of rivalry Ⓒ 競争価格 competitive price Ⓒ 競争契約 contract by ⌈bid [tender] Ⓒ 競争試験 competitive [screening] examination Ⓒ 競争心 competitive spirit Ⓤ, sense of rivalry Ⓒ 競争入札 (公開入札) public tender Ⓤ; (多数の中から入札者を選ぶこと) competitive bidding Ⓤ. ¶ 彼らはその工事を*競争入札にかけた They put the work out for ⌈*public tender* [*competitive bidding*]. 競争率 success rate Ⓒ.

きょうそう[2] 競走 race Ⓒ, run Ⓒ 語法 race は馬やボートなどにも用いられる. run は a mile run (1 マイル競走) のように「距離」を表す語をつけて用いられる; (短距離の) dash Ⓒ. (☞ レース[1]). ¶「さあ, あの丘まで*競走しよう」「よしきた」"Let's *race* (each other) to the top of that hill over there." "OK." // 彼は 100 メートル*競走に出場した He ⌈ran in [entered; took part in] the 100-meter *dash*. // 彼はその*競走に勝った[負けた] He ⌈won [lost] the *race*. // 自動車[オートバイ]*競走 an automobile [a motorcycle] *race*
競走車 racing car Ⓒ 競走場 racetrack Ⓒ 競走馬 racehorse Ⓒ 競走路 (race)course Ⓒ.

きょうそう[3] 強壮 ― 形 (強い) strong; (たくましくて丈夫な) robust. (☞ じょうぶ[1]; きょうけん[1]). 強壮剤 tonic Ⓒ.

きょうそう[4] 凶相 (表情) evil countenance Ⓒ; (悪い前兆) ill omen Ⓒ. ¶ 彼は*凶相の人物だった He had an *evil countenance*.

きょうそう[5] 狂騒, 凶躁 ― 名 wild excitement Ⓤ. ― 形 frenzied.

きょうそう[6] 競漕 boat race Ⓒ. ¶ 小舟が川で*競漕している Small boats *are racing* on the river.

きょうぞう[1] 胸像 bust Ⓒ.

きょうぞう[2] 鏡像 mirror image Ⓒ.

ぎょうそう 形相 (顔つき・表情) look Ⓒ; (特別な表情) expression Ⓒ. (☞ かおつき). ¶ 彼はすさまじい (⇒ 恐ろしい)*形相をしていた He *looked* furious. // 彼女の怒りの*形相はすさまじかった Her *expression* of rage was extraordinary.

きょうそうきょく[1] 協奏曲 concerto /kəntʃéətoʊ/ Ⓒ (複 concerti /-tiː/, ~s). ¶ ピアノ [バイオリン]*協奏曲 a ⌈piano [violin] *concerto*

きょうそうきょく[2] 狂想曲 〘楽〙 caprice /kəpríːs/ Ⓒ, capriccio /kəpríːtʃiòʊ/ Ⓒ.

きょうそく 脇息 armrest Ⓒ, elbow rest Ⓒ. ¶ *脇息にもたれる lean on an ⌈*armrest* [*elbow rest*]

きょうそくぼん 教則本 instruction book Ⓒ.

きょうそん 共存 ― 名 còexístence Ⓤ. ― 動 coexist 自, live together 自 ★ 後者のほうが口語的. ¶ 平和*共存 peaceful *coexistence* 共存共栄 coexistence and coprosperity Ⓤ.

きょうだ[1] 強打 ― 名 (相手を強く殴ること) (heavy) blow Ⓒ; (野球) hard [heavy] hit Ⓒ; (ゴルフ・テニス) drive Ⓒ; (ボクシングの) haymaker Ⓒ. ― 動 (野球) hit hard; (相手を強く殴る) deal [strike] ... a heavy blow. (☞ うつ[1]).
¶ 私は胸を*強打された I ⌈*took* [*received*] *a* (*heavy*) *blow* to the chest. // 2 番打者はセンターへ*強打を放った The second batter *hit hard* to center field. 強打者〘野〙hard hitter Ⓒ, 《米略式》slugger Ⓒ.

きょうだ[2] 怯懦 ☞ おくびょう

きょうたい[1] 狂態 ― 名 (恥ずべき行為) shameful conduct Ⓤ; (不面目な行動) disgraceful ⌈behavior [《英》 behaviour] Ⓤ. ― 動 (狂態を演じる) behave shamefully 自.

きょうたい[2] 嬌態 coquettish ⌈conduct Ⓤ [attitude Ⓒ] (☞ こび). ¶ *嬌態を示す play the *coquette* /koʊkét/

きょうだい[1] 兄弟 (男の) brother Ⓒ; (女の) sister Ⓒ; (男女を問わずに) 《格式》 sibling Ⓒ 日英比較 日本語ではごく普通に兄弟・姉妹を含めて「きょうだい」ということがあるが, 英語の場合には兄弟と姉妹の区別をするのが普通である. 性別を問わない sibling という語もあるが, 格式ばっており, 日常使われる一般的な語ではない. (☞ あに 語法; 親族関係 (囲み)).
¶「ご*兄弟は何人ですか」「姉が 1 人と弟が 2 人です」"How many *brothers and sisters* do you have?" "I have ⌈a [an older] *sister* and two (younger) *brothers*." 語法 (1) older, younger は年上・年下を強調するとき以外は普通省略される. // 私は 3 人*兄弟です (⇒ 私は 2 人の兄弟をもっている) I have two *brothers*. // 彼らは双子の*兄弟だ They are twin *brothers*. // 私は弟とよく*兄弟げんかをした My *brother* and I quarreled very often. 語法 (2) つかみ合いのけんかなら quarreled の代わりに fought を用いる.
兄弟愛 brotherly love Ⓤ 兄弟弟子 fellow disciple Ⓒ 兄弟分 sworn brother Ⓒ.

きょうだい[2] 強大 ― 形 (力強い) mighty ★ 文語的; (強力な) powerful; (強い) strong. (☞ つよい (類義語); きょうりょく[2]).

きょうだい[3] 鏡台 dressing table Ⓒ, 《米》 dresser Ⓒ. (☞ しんしつ[1] (挿絵); たんす (挿絵)).

ぎょうたい 業態 (状態) business conditions ★ 通例複数形で; (信用) business status Ⓤ. ¶ 銀行はその会社の*業態調査を行った The bank made an inquiry into the *business status* of the company.

きょうたく[1] 供託 ―名 deposition Ⓒ. ―動 deposit ㊀. **供託金** deposit Ⓒ **供託所** depository Ⓒ, deposit office Ⓒ.

きょうたく[2] 教卓 teacher's desk Ⓒ.

きょうたん 驚嘆 ―名 (感嘆) admiration Ⓤ. ―動 admire ㊀, marvel (at ...) ㊁ ★ 後者のほうが格式ばった語. ―形 (びっくりするような) amazing; (驚くべき) marvelous (《英》 marvellous) ★ 前者のほうが口語的. (《☞ きょうい[1]; かんたん[2]》). ¶ 彼のすごい記憶力には*驚嘆のほかない His powerful memory is just *amazing*.

きょうだん[1] 教壇 platform Ⓒ (《☞ きょうしょく》). ¶ 私は*教壇に立つことを希望している (⇒ 先生になりたい) I want to ˹*be* [*become*] *a teacher*. // *教壇に立ったことはありません (⇒ 教えた経験がない) I have no ˹*teaching* experience [experience (of) *teaching school*]. ★ 《米》では of は用いられないことが多い.

きょうだん[2] 凶弾 ¶ 彼は*凶弾に倒れた (⇒ 暗殺者に射殺された) He *was shot* ˹and killed [dead] by an assassin.

きょうだん[3] 教団 (religious) order Ⓒ. ¶ 日本基督*教団 the *United Church* of Christ in Japan

きょうち 境地 (時期・段階) stage Ⓒ; (状態) state ★ 単数形で; (分野) ground Ⓤ; (進路) path Ⓒ. (《☞ しんきょう[1]》). ¶ 私はあきらめの*境地に達している I have ˹reached [come to] the *stage* of resignation. // 彼は無我の*境地にあった He was in a *state* of perfect selflessness. // 彼女は新*境地を開いた She ˹broke new *ground* [blazed a new *trail*].

きょうちくとう 夾竹桃 〘植〙 óleànder Ⓒ.

ぎょうちゃく 凝着 ―名 (接着) adhesion Ⓤ; (凝集) cohesion Ⓤ. ―動 adhere (to ...) ㊁, stick (to ...) ㊁ ★ 前者のほうが格式ばった語.

きょうちゅう 胸中 ―副 (心の底では) at heart; (心の中では) in *one's* mind; (内面では) inside. (《☞ しんちゅう[1]》). ¶ 彼は落ち着いて見えたが, *胸中思い悩んでいた He looked calm, but was worried *inside*. // *胸中お察しします I *sympathize* with you. / I *feel for* you.

ぎょうちゅう 蟯虫 〘動〙 pinworm Ⓒ; threadworm Ⓒ ★ 前者のほうが一般的. 後者は広く線虫を指す.

きょうちょ 共著 (共同の著作) joint work Ⓒ; (共に執筆すること) collaboration Ⓤ ★「著作」の意味では Ⓒ. 前者のほうが口語的. ¶ この本は A 氏と B 氏の*共著です This book is the ˹*joint work* of [*product of collaboration* between] A and B. // 私は鈴木さんと*共著で 2 冊の本を書いた I wrote two books *in collaboration with* Mr. Suzuki. **共著者** còáuthor Ⓒ; (協力者) collábòràtor Ⓒ.

きょうちょう[1] 協調 ―名 (調和・一致) harmony Ⓤ; (協力) cooperation /kòuàpəréɪʃən/ Ⓤ. ―動 coóperàte (with ...) ㊁. ―形 (協調的な) cooperative /kouáp(ə)rətɪv/. ―副 (協力して) in concert, harmoniously. (《☞ きょうりょく[1]》). ¶ 私たちは互いに*協調して仕事をした We worked ˹*in cooperation* [*harmoniously*] with each other. ★ [ ] 内はやや文語的. // 彼はグループの*協調を乱した He disturbed the *harmony* of the group. // 彼女は*協調的な人だ She is *cooperative*. **協調介入** 〘経〙 coordinated [concerted] intervention Ⓒ.

きょうちょう[2] 強調 ―動 (重要性を説く) émphasize ㊀; (重点を置く) stress ㊀. ―名 emphasis /émfəsɪs/ Ⓤ ★ 具体的な事例は Ⓒ (《複 emphases /-sìːz/》); stress Ⓤ. (《☞ じゅうてん[1]; りきせつ》). ¶ 先生は予習の重要さを*強調した The teacher ˹*emphasized* [*stressed*] the importance of preparing for class (in advance). // この本の価値はいくら*強調してもしすぎることはない You can't ˹*overemphasize* [*place too much stress on*] the value of this book.

きょうちょう[3] 凶兆 ill [evil] omen Ⓒ. ¶ …の*凶兆である *bode ill* for ... ★ bode ˹ill [well] for ... で「…にとって悪い[よい]前兆である」の意.

きょうちょく 強直 (硬直・硬くなること) rigidity Ⓤ, stiffness Ⓤ; (関節の) 〘解・医〙 ankylosis Ⓤ.

きょうつい 胸椎 thoracic vertebra /θəræ̀sɪk vɚ́ːtəbrə/ Ⓒ; (総称) the thoracic vertebrae /-breɪ/ ★ 複数形.

きょうつう[1] 共通 ―形 common, in common; (お互いの) mutual Ⓐ. ―副 in common. ―名 (思想・利害などの共通性) commúnity Ⓤ. (《☞ きょうどう[1]》). ¶ *共通の利害 *common* interests // 私たち 2 人は*共通するところが多い We two have many things *in common*. // この 2 つの考え方の間には*共通性[点]がない There is nothing *in common* between these two ways of thinking. / These two ways of thinking have nothing *in common*. // 青木さんは私たちの*共通の友人です Mr. Aoki is our *mutual* friend. // この切符は 3 つの劇場に*共通です (⇒ 3 つの劇場のどれでも使える) This ticket can *be used at any of* the three theaters. **共通一次試験** the preliminary standard college entrance examination ★ 現在はセンター試験 (《☞ センター》) **共通因数** 〘数〙 common factor Ⓒ **共通感覚** (一般常識) common sense Ⓤ **共通語** common language Ⓒ **共通項** 〘数〙 common denominator Ⓒ; (最小公倍数) the least common multiple; (共通点) point in common Ⓒ, common ˹feature [trait] Ⓒ (《☞ 上記用例》).

きょうつう[2] 胸痛 pain in *one's* chest Ⓒ. ¶ *胸痛があります My *chest aches*.

きょうづか 経塚 sutra mound Ⓒ.

きょうてい[1] 協定 (合意した事柄) agreement Ⓒ; (取り決め) arrangement Ⓒ; (協議して決めたこと) pact Ⓒ; (国際間・企業間などの) accord Ⓒ. (《☞ とりきめ》). ¶ 彼らは*協定を結んだ They concluded an *agreement*. // 2 者間に*協定が成立した The two parties ˹arrived at [came to; entered into] an *agreement*. / An ˹*agreement* [*accord*] was ˹arrived at [reached] between the two parties. // その通商*協定はまだ調印が済んでいない The trade ˹*pact* [*agreement*] has not been signed yet. // *協定を破る break [violate] an *agreement* // 漁業*協定 a fisheries ˹*agreement* [*pact*] // 航空*協定 a civil aviation ˹*agreement* [*pact*] // 紳士*協定 a gentleman's *agreement*
協定価格 agreed price Ⓒ; (決まった値) fixed price Ⓒ **協定休刊日** agreed newspaper holiday Ⓒ **協定税率** conventional tariff Ⓒ **協定世界時** Coordinated Universal Time Ⓤ (《略 UTC》) **協定貿易** trade by agreement Ⓒ.

きょうてい[2] 教程 (課程) course of study Ⓒ; (カリキュラム) curriculum Ⓒ (《複 -la, ~s》); (教習所などの) lesson Ⓒ; (教本) textbook Ⓒ. ¶ ラテン語の初級の*教程 the introductory *course* in Latin // 自動車の練習は 10 *教程までゆきました I have taken ten driving *lessons* for obtaining my (driver's) license.

きょうてい[3] 競艇 (モーターボートの) motorboat [speedboat] race Ⓒ; (ボートレース) boat race Ⓒ.

きょうてい[4] 胸底 the bottom of *one's* heart (《☞ しんてい[2]; しんそこ》). ¶ 彼女は彼に*胸底を打ちあけた (⇒ 信用して秘密を打ちあけた) She *confided in* him. / (⇒ 心にひっかかっていることを) She told him *what was on her mind.*

きょうてき 強敵 (強い敵) powerful [formidable] enemy [C] ★[ ] 内の語のほうが格式ばった表現で意味も強い; (強いライバル) powerful [strong] rival [C]. 《☞ てき (類義語)》.

きょうてん[1] 経典, 教典 (仏教の) sutra /súːtrə/ [C]; (キリスト教の) the (Holy) ˹Bible [Scripture(s)]; (キリスト教以外の) scripture [C]; (イスラム教の) the Korán.

きょうてん[2] 教典 **1**《宗教の基本的な教えの本》☞ きょうてん[1]
2《行動・思考上の規範》:《格式》canon [C].

きょうでん 強電 electric power for industrial use [U].

ぎょうてん[1] 仰天 ━[動] (非常にびっくりする) be ˹astónished [flábbergàsted] ★[ ] 内の語は大げさな口語表現. 《☞ おどろく (類義語); びっくり》.
¶ 私はそれを見て*仰天した I *was ˹astonished [flabbergasted]* to see it.

ぎょうてん[2] 暁天 (夜明けの空) dawn [C]. ¶ *暁天の星のごとくまれ be as few as the stars in the *dawn sky*

きょうでんかいしつ 強電解質 〘化〙 strong electrolyte [C].

きょうてんどうち 驚天動地 ━[形] (世間をあっと言わせるような) sensational; (世界を揺るがすような) earthshaking; (胆をつぶすような) astounding. 《☞ びっくり; ぎょうてん[1]》.

きょうと[1] 教徒 (信者) believer (in …) [C]; (支持者) adhérent (to …) [C]; (信奉者) follower (of …) [C]. ¶ 仏*教徒 a *Buddhist* // キリスト*教徒 a *Christian*

きょうと[2] 凶徒 (暴徒) rioter [C]; (集合的に) mob [C].

きょうと[3] 京都 ━[名] (固) Kyoto. **京都議定書** the Kyoto Protocol ★1997 年 12 月に開かれた地球温暖化防止京都会議で採択された温暖化防止議定書. **京都五山** the five key Rinzai-sect Zen temples in Kyoto **京都御所** the Kyoto Imperial Palace **京都守護職** military commissioner for the Kyoto area [C] **京都所司代** Kyoto police deputy [C] **京都人** Kyotoite [C] **京都大学** Kyoto University **京都盆地** the Kyoto Basin.

きょうど[1] 強度 ━[名] (光・熱などの) intensity [U]; (物体の) strength [U]. ━[形] (頑丈な) strong; (強烈な) intense; (強力な) powerful. 《☞ つよい (類義語)》.
¶ 光の*強度はルクスで示す (⇒ルクスで計られる) The *intensity* of light is measured in lux(es). // 彼は*強度の (⇒ひどい) 近視で*強度の (⇒度の強い) 眼鏡をかけなくてはならない He is *very* nearsighted and has to wear ˹*powerful* [*strong*] glasses.

きょうど[2] 郷土 **1**《故郷》: (郷里) *one's* home [C]; (故郷の市・町・村) hómetówn [C]; (出生地) *one's* birthplace [C]; (生まれ育った土地) *one's* native place [C] ★この表現はあまり用いられない. 《☞ こきょう; きょうり[1]; くに》. ¶ 彼はわが*郷土の誇りである He is the pride (and joy) of our *town.*
2《ある地方》 ━[形] (民衆の) folk; (ある地方の) local. **郷土愛** love ˹for [of] *one's* hometown [U] **郷土玩具** (一般的に) folk toy [C]; (地方色が強いもの) *local toy* [C] **郷土芸能** *local* performing arts ★複数形で. **郷土史** local history [U] **郷土紙** (その土地の) local newspaper [C]; (地方の) provincial newspaper [C] ★provincial の方が「田舎」の語感が強い. **郷土色** local color [U]. ¶ *郷土色豊かな祭り a festival full of *local color* **郷土料理** local dishes (peculiar to a region).

きょうど[3] 匈奴 the Huns.

きょうとう[1] 共闘 (共同戦線) united front [C]; (共に闘争すること) common [joint] struggle [C]. ¶ *共闘を約する agree to ˹*form a united front* [*join forces*]

きょうとう[2] 教頭 (副校長) vice-principal [C] 《☞ 学校・教育 (囲み)》.

きょうどう[1] 共同 ━[形] (共通の) common; (一致協力した) united [A]. ━[名] (連合) combination [U]; (協力) collaboration [U]; (共通・共有) commúnity [U]. ━[動] (共同で使う) share (他); (結合させる) combine (他); (団結する・させる) unite (自) (他). 《☞ きょうつう[1]; きょうよう[2]; ごうどう》.
¶ この部屋は私たち 2 人が*共同で使っている (⇒共用している) The two of us *share* this room. // 彼らは*共同して問題解決に努力した (⇒努力を結集した) They ˹*combined their efforts* [*made a combined effort*] to solve the problem. **共同運航便** (飛行機の) code-share flight [C] **共同管理** joint control [U] **共同企業体** ☞ ジョイント (ジョイントベンチャー) **共同漁業権** common fishing rights **共同研究** joint research [U] **共同溝** utility tunnel [C] **共同購入** ━[名] joint purchase [U]; (生協などのグループ買い) cooperative buying [U]. ━[動] buy things together as a group, make a communal purchase **共同コミュニケ** joint communiqué /kəmjúːnɪkèɪ/ [C] ★communiqué の ´ はつづり本来のもの. **共同作業** group work [U] **共同事業** joint enterprise [C] **共同社会** community [C], society [C] **共同住宅** apartment house [C]; 《英》block of flats [C]. 《☞ マンション》 **共同取材** pool(ed) coverage [U] **共同出資** joint investment [U] **共同所有** co-ownership [U]; 〘法〙 (相続財産の) coparcenary [U] **共同生活** community life [U] **共同正犯** coprincipal [C] **共同声明** joint statement [C] **共同宣言** joint declaration [C] **共同戦線** united [common] front [C]. ¶ *共同戦線を張る form [make] a *common front* **共同センター** joint center [C] **共同訴訟** joint action [U] **共同体** community [C] **共同謀議** conspíracy [U] **共同募金** 《米》community chest [U]; (行為) charity fund raising [U] **共同保険** coinsurance [U] **共同保証** joint surety [U], cosurety [U] **共同墓地** cemetery [C] **共同持ち株会社** joint holding company [C] **共同浴場** public bath [C].

きょうどう[2] 協同 ━[動] (協力する) cooperate /kouápərèɪt/ (with …) (自); (力を合わせる) join ˹forces [hands] (with …). ━[名] (協力) coòperátion [U]; (共同・協力) collaboration [U]; (提携) partnership [U]. 《☞ きょうりょく[1]》.
¶ *協同の精神 a *cooperative* /kouáp(ə)rətɪv/ spirit / a spirit of *cooperation* // 彼は*協同経営から手を引いた He left the *partnership.* **協同組合** cooperative society [C] ★単に cooperative または口語で co-op [coop] /kóuàp/ と言う **協同組合店** coóperative stóre [C].

きょうどう[3] 教導 ☞ おしえる; みちびく

きょうどう[4] 経堂 library of Buddhist sutras [C].

きょうどう[5] 鏡胴 (カメラなどの) lens barrel [C].

きょうどう[6] 響胴 sound body [C] ★弦楽器の板などを振動させて音を大きくするもの.

ぎょうとう 行頭 beginning of a line [C].

きょうどうかん 嚮導艦 guide (ship) [C].

きょうとうしょう 狭頭症 〘医〙 craniostenosis [U].

きょうとうほ 橋頭堡 (橋・川の) bridgehead [C]; (海岸の) beachhead [C].

きょうな 京菜 ☞ みずな

きょうにんぎょう 京人形 Kyoto doll [C]; (説

明的には) a doll of a girl with bobbed hair.

きょうにんどうふ 杏仁豆腐 ☞ あんにんどうふ

ぎょうにんべん 行人偏 (漢字の) locomotion [road] radical on the left of kanji Ⓒ.

きょうねつ 強熱 intense heat Ⓤ.

きょうねん[1] 享年 *one's* age at death Ⓤ. ¶ 彼は*享年 80 歳だった (⇒ 80 歳で死んだ) He *died at* (*the age of*) eighty.

きょうねん[2] 凶年 (運が悪い年) bad year Ⓒ; (不作の年) lean year Ⓒ; (飢饉の年) famine year Ⓒ. 《☞ ふさく》.

ぎょうねん 行年 ☞ きょうねん[1]

きょうは 教派 ☞ しゅうは[1]

きょうばい 競売 ── 名 auction Ⓒ ★ at [by] auction などでは無冠詞. ── 動 (競売にかける) auction (他). ¶ これらの物品は*競売に付される These articles will be「sold [put up] at *auction*. // 彼はその家具を*競売にかけた He *auctioned* (*off*) the furniture. **競売価格** bid Ⓒ **競売住宅** (競り落とされた住宅) auctioned「house [home] Ⓒ; (競売にかけられる住宅) house [home] to be auctioned Ⓒ **競売場** auction room Ⓒ **競売人** auctioneer /ɔ̀ːkʃəníə/ Ⓒ **競売買** buying and selling「at [《英》 by] auction Ⓤ.

きょうはく[1] 脅迫 ── 名 (脅し) threat /θrét/ Ⓒ; (おびやかすこと) 《格式》 intimidation Ⓤ; (ゆすり) blackmail Ⓤ, extortion Ⓤ; (脅威) ménace Ⓤ. ── 動 threaten /θrétn/ (他); 《格式》 intímidàte (他); blackmail (他), extort (他); ménace (他).

【類義語】相手に対してある行為をするぞと言葉に出して脅すのが **threaten** で, 最も一般的な語. 脅かして思うとおりにさせるのが **intimidate**. 金などゆするのが **blackmail** または **extort** で, 後者のほうが格式ばった語. 相手が恐怖心を起こすような手段を用いて脅し, 脅威を与えるのが **menace** で, やや文語的. 《☞ おどす; きょうかつ》 ¶ その男は私を*脅迫した The man *threatened* me. // 私は*脅迫に屈してしまった I have「surrendered [yielded] to *intimidation*.

脅迫罪 intimidation Ⓤ, charge of intimidation Ⓒ **脅迫事件** extortion case Ⓒ **脅迫状** threatening [blackmail] letter Ⓒ [語法] blackmail は特に「(相手の不利なことを公表するなどと言って) 脅すこと」. -mail がついているが手紙の意ではない. **脅迫電話** threatening (telephone) call Ⓒ.

きょうはく[2] 強迫 **強迫観念** obsession Ⓒ. ¶ 彼はいつもだれかが見ているのではないかという*強迫観念につきまとわれている He *is obsessed*「*with* [*by*] *the idea* that someone is always watching him. **強迫神経症** 〘医〙 obséssive-compúlsive neurosis /n(j)uróusɪs/ Ⓤ **強迫性障害** 〘医〙 obsessive-compulsive disorder Ⓒ **強迫性人格障害** 〘医〙 obsessive-compulsive personality disorder Ⓒ.

きょうはく[3] 強拍 〘楽〙 downbeat Ⓒ.

きょうはん 共犯 (共犯者) accomplice /əkámplɪs/ Ⓒ; (行為) 《格式》 complícity Ⓤ.

きょうばん 響板 (共鳴板) sound(ing) board Ⓒ.

きょうびえんるい 狭鼻猿類 〘動〙 Catarrhine /kǽtəràɪn/ monkey Ⓒ.

きょうひしょう 強皮症 〘医〙 scleroderma /sklì(ə)roudə́ːmə/ Ⓤ.

きょうふ[1] 恐怖 (突然ぎょっとするような) fright Ⓤ; (体がすくむような強度の) terror Ⓤ; (身の毛もよだつ) horror Ⓤ. 《☞ おそれ[1] (類義語); おどろき》. ¶ 彼は*恐怖に襲われた He was「seized [struck] with「*terror* [*horror*]. // それを見ると*恐怖心が起こる I *am terrified* by the sight of it. **恐怖症** phobia Ⓒ. ¶ 高所*恐怖症 àcrophóbia **恐怖小説** horror「novel [story] Ⓒ **恐怖政治** térrorìsm Ⓤ.

きょうふ[2] 教父 (初期キリスト教の) Church Father Ⓒ; (洗礼の名親) godfather Ⓒ.

きょうぶ 胸部 (胸の前面) breast Ⓒ; (肋骨に囲まれた) chest Ⓒ. 《☞ むね[1] (類義語)》. **胸部疾患** chest disease Ⓒ **胸部大動脈** thoracic aorta /θəræ̀sɪk eɪɔ́ətə/ Ⓒ **胸部レントゲン検査** chest X-ray examination Ⓒ.

きょうふう[1] 強風 (強い風) strong [high] wind Ⓒ; 〘気象〙 gale Ⓒ ★ 歩行困難で時によっては危険な程度の風. 《☞ かぜ[1]》. **強風注意報** gale warning Ⓒ.

きょうふう[2] 京風 (京都風) the Kyoto style.

きょうふつ 共沸 〘物理・化〙 azeotropy /èɪziátrəpi/ Ⓤ.

きょうへい 強兵 powerful army Ⓒ 《☞ ふこく[2]》.

きょうへき 胸壁 chest wall Ⓒ.

きょうへん 共編 ── 名 còéditorshìp Ⓤ. ── 動 còédit (他). 《☞ -へん[1]; きょうちょ》. **共編者** còéditor Ⓒ.

きょうべん[1] 教鞭 **教べんをとる** (先生をしている) be a teacher; (学校で教える) teach at (a) school, 《米》 teach school. 《☞ きょうだん[1]》.

きょうべん[2] 強弁 ── 動 (言い張る) insist「on [upon] ... obstinately, insist obstinately that ... ── 名 (筋の通らない主張) unreasonable argument Ⓒ. ¶ 彼は自分は正しいと*強弁した He *obstinately insisted that* he was right.

きょうへんか 強変化 (動詞の) strong conjugation Ⓤ. ¶ *強変化動詞 a *strong* verb

きょうほ 競歩 competitive walking Ⓤ; (一つ一つのレース) walking race Ⓒ. ¶ *競歩の選手 a walker

きょうほう 凶報 (悪い知らせ) bad [sad] news Ⓤ; (死亡の) death notice Ⓒ, announcement of *a person's* death Ⓒ. 《☞ しらせ》.

きょうぼう[1] 共謀 ── 動 (ひそかに共同でたくらむ) conspire (自) (他); (共に悪い計画を立てる) plot ... together. ── 名 conspiracy Ⓤ. 《☞ いんぼう; たくらみ; ぐる》. ¶ ...と*共謀して in *conspiracy* with ... **共謀共同正犯** ¶ *共謀共同正犯として起訴される be charged as *joint principals in a conspiracy*

きょうぼう[2] 凶暴 ── 形 (野獣などが獰猛(どうもう)な) ferócious; (残虐な) atrócious Ⓐ; (残忍な) brutal. ── 名 《格式》 ferócity Ⓤ; atrócity Ⓤ; brutálity Ⓤ. 《☞ どうもう; ざんぎゃく》. ¶ 怒ると彼はとても*凶暴になる When he's angry, he gets quite *brutal*.

きょうぼう[3] 狂暴 ── 形 (逆上した) frenzied Ⓐ; (暴力的な) violent; (荒れ狂った) wild. ── 名 frenzy Ⓤ. 《☞ ぼうりょく; ぎゃくじょう》.

きょうぼく 喬木 tall tree Ⓒ.

きょうほん[1] 狂奔 ── 動 (狂ったように走り回る) run madly about; (多忙である) be very busy (*doing* ...); (...に夢中になる) be absorbed (in ...). 《☞ ほんそう[1]》. ¶ 彼は金もうけに*狂奔している He *is*「*absorbed in* [*very busy*] making money.

きょうほん[2] 教本 (テキスト) textbook Ⓒ; (教則本) manual Ⓒ. 《☞ きょうそくほん》.

きょうま 京間 *kyoma* Ⓤ; (説明的には) the traditional system of measurement for architecture used in western Japan.

きょうまく[1] 胸膜 〘解〙 pleura /plú(ə)rə/ Ⓒ 《複 pleurae /-riː/, ~s》. **胸膜炎** pleurisy Ⓤ.

きょうまく[2] 強膜 〘解〙 (眼球の) sclera Ⓒ 《複 ~s, sclerae》, sclerotic Ⓒ.

ぎょうまつ 行末 end of a line Ⓒ; 〘コンピューター〙 end of line Ⓒ 《略 EOL》.

きょうまん 驕慢 ── 名 (横柄でごうまんなこと)

árrogance Ⓤ, haughtiness Ⓤ ★ともに軽蔑的. ── 形 arrogant, haughty. 《☞ おごり; ごうまん》.

きょうみ 興味 ── 名 (興味・関心) ínterest Ⓤ; (人の心に興味を起こさせるもの・魅力) appeal Ⓤ. ── 形 (物・事が興味深い) ínteresting; (人の胸に訴える) appealing; (魅力的な) attractive. ── 動 (人が…に興味を持っている) be interested in …《☞ かんしん[2]; おもしろい》. ¶ 彼は歴史に非常に*興味を持っている He has a great *interest in* history. / He *is* ⌜very [greatly; keenly; deeply] *interested in* history. ★ 第 2 文のほうが平易な表現. / History has a great ⌜*appeal* [*attraction*] to him. // それは*興味深い話だ That is an *interesting* story. // 彼女は*興味のなさそうな顔をしていた She looked *uninterested.* // 私は金もうけには*興味がない I ⌜*am* not *interested* [have no *interest*] *in* making money. // 彼女は心理学に*興味を持つようになった She has gotten *interested in* psychology. // 彼は宗教に*興味を失った He (has) lost *interest in* religion. // 科学的[文学的; 医学的]*興味 a ⌜scientific [literary; medical] *interest* **興味津津** ── 形 very interesting, full of interest. 《☞ しんしん[4]》. **興味本位** ¶ *興味本位の新聞記事 a *sensational* news story // *興味本位にラテン語を勉強する study Latin *just for* ⌜*fun* [*the fun of it*]

> **コロケーション**
>
> **興味がうすれる** *one's interest* wanes // **興味を起こさせる** arouse an *interest* / **興味を感じる** feel *interest* / **興味を示す** show an *interest* / **興味をそぐ** dampen *interest* / **興味を捉える** catch *one's interest* / **興味を引く** draw *a person's interest* / **興味を深める** deepen the *interest* / **…に興味を持つ** take an *interest* in … // **一時的な興味** a passing *interest* / **主な興味** *one's* ⌜main [chief] *interest* / **学問的な興味** an academic *interest* / **共通の興味** the mutual *interest* / **現在の興味** *one's* current *interest* / **個人的興味** *one's* personal *interest* / **知的興味** an intellectual *interest* / **強い興味** a ⌜keen [acute; strong] *interest* / **特別な興味** a special *interest* / **深い興味** a ⌜deep [profound] *interest*

きょうむ[1] 教務 school affairs ★ 複数形で. **教務課** (大学で成績・登録などの記録を扱う部門) régistràr's óffice Ⓒ **教務係** registrar Ⓒ **教務主任** (中学校・高等学校などの) educational affairs coordinator Ⓒ **教務手帳** teacher's ⌜grade [《英》mark] book Ⓒ **教務部[課]長** (大学の) the head of the registrar's office.

きょうむ[2] 凶夢 (不吉な夢) óminous [unlúcky] dréam Ⓒ ★ ominous のほうが格式ばった語; (暗い夢) gloomy dream Ⓒ. 《☞ ゆめ[1]》.

ぎょうむ 業務 (仕事) business Ⓤ; (公共事業などの業務) service Ⓤ. 《☞ しごと (類義語); じむ; えいぎょう》. ¶ ストライキで*業務はすべて停止している All *business* has been stopped by the strike. // *業務用の車 a car for *business* use
業務監査 business [operational] audit Ⓒ **業務管理** business control Ⓤ **業務災害** accident while on duty Ⓒ **業務上横領** embezzlement of corporate funds Ⓤ **業務上過失致死** man*slaughter through professional* negligence Ⓤ **業務粗利益** 〖経〗 gross operating profit Ⓒ **業務提携** business tie-up Ⓒ **業務発明** invention developed as a result of *one's* ⌜job [work] Ⓒ **業務部** the sales administration department 《☞ 会社の組織と役職名 (囲み)》 **業務妨害** obstruction of *a person's* business Ⓤ **業務命令** order (concerning business operations) Ⓒ, the management's order Ⓒ.

きょうむらさき 京紫 reddish purple Ⓤ.

きょうめい 共鳴 **1** 《共感》 ── 動 (共感する) sympathize (with …) (自) 《☞ きょうかん[1]; どうじょう[1] (類義語)》. ¶ 多くの人が彼の主張に*共鳴した Many people *sympathized with* his opinion. **2** 《物理上の現象》 ── 名 résonance Ⓤ. ── 動 be resonant (with …). **共鳴器** résonàtor Ⓒ **共鳴腔** 〖解〗 resonance chamber Ⓒ.

きょうめん 鏡面 specular surface Ⓒ. **鏡面反射** specular reflection Ⓤ.

きょうもん 経文 (経典) sutra /súːtrə/ Ⓒ 《☞ きょうてん[1]》.

きょうやき 京焼 (陶器) Kyoto pottery Ⓤ; (陶磁器全体) Kyoto ceramics ★ 複数扱い.

きょうやく[1] 協約 (互いに合意した約束) agreement Ⓒ; (申し合わせ) understanding Ⓒ. 《☞ きょうてい[1]》.

きょうやく[2] 共訳 joint translation Ⓤ ★ 訳された作品は Ⓒ. 《☞ ほんやく》. ¶ この本は A さんと B さんの*共訳です This book *was translated* (*jointly*) *by* Mr. A and Ms. B. **共訳者** joint translators.

きょうやく[3] 共役 〖数〗 conjugate /kándʒʊgət/ Ⓤ.

きょうゆ 教諭 teacher Ⓒ 【日英比較】 日本語における「田中二郎教諭」のように肩書あるいは敬称としては用いない. 英語では Mr. Jiro Tanaka, a *teacher* of English at a high school のように言う. 《☞ せんせい[1]; 学校・教育 (囲み)》.

きょうゆう[1] 共有 ── 名 (共同の所有) joint ownership Ⓤ. ── 動 (共同で所有する) own … jointly; (共通に持つ) hold … in common; (共同で使用する) share (他). 《☞ きょうどう[1]; きょうよう[2]》. ¶ 私たち 2 人はこの別荘を*共有している The two of us *own* this cottage *jointly*. **共有結合** 〖化〗 covalent bond Ⓒ **共有財産[物]** common property Ⓤ **共有者** joint owner Ⓒ **共有地** common Ⓒ **共有林** jointly owned forest Ⓒ.

きょうゆう[2] 享有 ── 動 (生まれながらに持つ) possess … from *one's* birth.

きょうゆうてん 共融点 〖化〗 the eutectic point.

きょうよ 供与 ── 動 (与える) give (他) ★ 平易な日常語. 以下の語の代わりに用いることができる場合が多い; (許可などを与える) grant (他); (供給する) provide … with … 《☞ ていきょう; きょうきゅう; あたえる》.

きょうよう[1] 教養 ── 名 (洗練された思考・態度) culture Ⓤ; (教育による教養) education Ⓤ; (洗練) refinement Ⓤ. ── 形 cultured ★ 普通 Ⓐ; éducàted; refined. 《☞ がく[3]; そよう》. ¶ 彼は*教養のある人だ He is a ⌜person of *culture* [*cultured* person; *well-educated* person]. // *教養を高めるには古典を読みなさい If you want to become ⌜*cultivated* [*cultured*], read the classics.
教養学部 the ⌜college [school; faculty] of liberal arts, liberal arts college Ⓒ **教養学科** department of liberal arts Ⓒ 【語法】 英米では大学によっては department を「学部」に当たるものに使う場合がある. 《☞ がくぶ (類義語)》 **教養課程** liberal arts ⌜course [section] Ⓒ **教養科目** the liberal arts ★ 複数形で; subject belonging to general education Ⓒ **教養小説** education novel Ⓒ **教養番組** éducàtional prógram Ⓒ.

きょうよう[2] 共用 ── 動 (一緒に使用する) share (他); (共同で使う) use … in common. ── 形 (共通の) common. 《☞ きょうどう[1]; きょうゆう[1]》. ¶ 私たちは一人一人部屋を持っているが, 台所は*共用している We each have a room, but *share* the kitchen. 共用品 common use goods 共用部分 (マンションなどの) cómmon area /é(ə)riə/ Ⓒ.

きょうよう³ 強要 ―動 (無理にさせる) force ㊕, compél ㊕ ★ 前者のほうが意味が強い; (脅して強制する) 《格式》 coerce /kouə́ːs/ ㊕; (脅して約束・自白などを) extort ㊕. ―名 coercion /kouə́ːʃən/ Ⓤ. 《☞ きょうせい¹ (類義語); おしつける》. ¶ 私は辞職を*強要された I *was* ⌈*forced* [*compelled*] to resign. // 自白は*強要されてはならない Confessions must not *be* ⌈*forced* [*coerced*]. 強要罪 coercion Ⓤ; duress Ⓤ.

きょうよう⁴ 供用 ―動 (多くの人が使えるようにする) make … available to the public.

きょうらく 享楽 ―名 (楽しむこと) enjoyment Ⓤ; (快楽) pleasure Ⓤ ★ 以上 2 語とも享楽の対象の意では Ⓒ. ―形 (快楽的な) epicurean /èpɪkjʊríːən/ 《☞ たのしみ; かいらく》. 享楽主義 〘哲〙 hedonism Ⓤ 《☞ かいらく (快楽主義)》 享楽主義者 hedonist Ⓒ.

きょうらん¹ 狂乱 ―形 (逆上した) frantic; (気も狂わんばかりの) mad; (狂気じみた) wild. ―動 be frantic; (正気を失う) go [be driven] mad; (我を忘れる) be beside *oneself*. ―名 (狂気) madness Ⓤ; wildness Ⓤ. 《☞ ぎゃくじょう; さくらん》. ¶ 彼女は知らせを聞いて半*狂乱になった She *was beside herself* at the news. // *狂乱物価 (⇒ 急騰する物価) *soaring* prices

きょうらん² 供覧 ―動 (見せる) display ㊕, show ㊕ ★ 前者はやや格式ばった語.

きょうらん³ 狂瀾 (怒濤) heavy wave Ⓒ; (動乱の世情) disturbance Ⓤ; (乱世) troubled times ★ 複数形で. 《☞ どうらん¹》.

きょうり¹ 郷里 (故郷の市・町・村) *one's* ⌈hometown [home] Ⓒ 語法 (1) 行政区画上は村や市であっても, homevillage とか homecity とは言わず hometown でよい. home でもよいが,「故国」との混同が起こる場合がある; (出生地) *one's* birthplace Ⓒ; (故郷の県) home prefecture /príːfektʃɚ/ Ⓒ. 《☞ こきょう; ふるさと; くに》.
¶「ご*郷里はどちらですか (⇒ どこの出身ですか)」「大阪です」"Where *are* you *from*?" "I'm from Osaka." 《☞ しゅっしん》 // *郷里は仙台です I ⌈*come* [*am*] *from* Sendai. 語法 (2)「出身」の意味のときは came from という過去時制にはしない. / My *hometown* is Sendai. // *郷里にはよく帰ります I often go back ⌈*home* [to *my hometown*].

きょうり² 胸裡 *one's* heart Ⓒ 《☞ むね¹》. ¶ その出来事を*胸裡に埋める keep the incident to ⌈*oneself* [*one's heart*]

きょうり³ 教理 ☞ きょうぎ³

きょうりきこ 強力粉 hard wheat flour Ⓤ.

きょうりつ 共立 (共同で設立すること) united establishment Ⓤ.

きょうりゅう 恐竜 dinosaur /dáɪnəsɔ̀ɚ/ Ⓒ.

きょうりょう¹ 狭量 ―形 (心の狭い) narrow-minded; (偏狭な) intolerant. ―名 narrow-mindedness Ⓤ; intolerance Ⓤ. 《☞ せまい》.
¶ *狭量な男 a *narrow-minded* man

きょうりょう² 橋梁 bridge Ⓒ 《☞ はし¹》. 橋梁工事 bridge building Ⓤ.

きょうりょく¹ 協力 ―名 coòperátion Ⓤ; (共同) collàborátion Ⓤ; (共に働くこと) working together Ⓤ ★ 最後の表現が一番平易な言い方. collaboration はこの中では格式ばった語. ―動 coóperàte (with …) ㊍; collábоràte (with …) ㊍; work together ㊍; (共同で行う) téam úp (with …) ㊍. 《☞ きょうどう²; えんじょ》.
¶ あなたの*協力をぜひお願いしたい I would like to ask for your ⌈*cooperation* [(⇒ 援助を) *help*; *assistance*]. // 私はいつでも*協力を惜しみません I am ready to give you my *cooperation*. // あなたのご*協力を感謝します I appreciate your *cooperation*. // 私たちは彼らと*協力してこの仕事を完成した We completed this project *in cooperation with* them. // 彼女は*協力者としては貴重な存在だ She is valuable to us as a *collaborator*.

きょうりょく² 強力 ―形 (強い) strong; (力のある) powerful; (強大な) mighty ★ 文語的; (エンジンなどの) high-powered Ⓐ. 《☞ つよい (類義語)》.
¶ その運動は大衆の*強力な支持を得た The movement obtained ⌈*strong* [*powerful*] support from the public. // ボートには*強力なエンジンが付いている The boat is equipped with a *high-powered* engine. 強力永久磁石 powerful [strong] permanent magnet Ⓒ 強力磁界 intense [strong] magnetic field Ⓒ.

きょうれつ 強烈 ―形 (強い) strong; (強力な) powerful; (光・寒暑・感情など) intense. 《☞ つよい (類義語)》. ¶ この液体は*強烈なにおいがある This liquid has a *strong* smell. // 私は*強烈な光に目がくらんだ (⇒ 強烈な光が私の目をくらませた) An *intense* light dazzled me. // 彼は相手に*強烈な一撃を加えた He gave his opponent a ⌈*crushing* [*powerful*; *strong*] blow.

ぎょうれつ 行列 ―名 (縦に並んだ列) line Ⓒ (↔ row) ★ 最も一般的; (順番を待つ列) 《米》 line Ⓒ, 《英》 queue /kjúː/ Ⓒ; (行進) paráde Ⓒ; (行進をする列) procession Ⓒ; 〘数〙 matrix /méɪtrɪks/ Ⓒ 《複 ~es, -trices /~trəsìːz/》. ―動 (整列する) líne úp ㊍; (列を作る) 《英》 queue ㊍; (行進する) parade ㊍, march in procession ㊍. 《☞ れつ; ならぶ》. ¶ 私たちは*行列して何時間も待った We waited *in line* for hours. ★ in line は成句的に用いられる. // 劇場の前には待っている人々の長い*行列ができていた There was a long *line* of people waiting in front of the theater. / (⇒ 長い列を作っていた) People were forming a long ⌈*line* [*queue*] in front of the theater. // *行列から離れないで下さい Please don't get out of the ⌈*line* [*procession*]. 行列式 〘数〙 determinant Ⓒ.

きょうれん 教練 (学校での軍事訓練) military ⌈exercise [training] (at school) Ⓤ; (大学での) 《米》 the Reserve Officers' Training Corps ★ ROTC と略す. reserve officer (=予備士官) の軍事訓練の意.

きょうわ 協和 ―名 (調和) harmony Ⓤ; (一致) concord Ⓤ. ―動 harmonize (with …) ㊍ ★ ㊕ の用法もある. 《☞ きょうちょう¹》.

きょうわい 供賄 bribery Ⓤ 《☞ ぞうわい》.

きょうわおん 協和音 〘楽〙 consonance Ⓒ (↔ dissonance).

きょうわこく 共和国 republic Ⓒ. ¶ 中華人民*共和国 the People's *Republic* of China

きょうわせい 共和制 republican system Ⓒ.

きょうわせいじ 共和政治 republican government Ⓤ.

きょうわとう 共和党 (米国の) the Republican Party. 共和党員 Republican Ⓒ.

きょうわん 峡湾 ☞ フィヨルド

きょえい 虚栄 ―名 (虚栄心) vanity Ⓤ. ―形 vain. 《☞ みえ》. ¶ それは彼女の*虚栄心を傷つけた It hurt her *vanity*. // 彼はとても*虚栄心が強い He is really *vain*.

ぎょえい¹ 魚影 ¶ 水中に*魚影濃し *Groups of fish* are seen in the water.

ぎょえい² 御詠 tanka (poem) composed by a member of the Japanese Imperial family Ⓒ.

きょえき 巨益 huge profit Ⓒ.

ぎょえん 御苑 imperial garden Ⓒ. ¶新宿*御苑 the Shinjuku *Imperial Gardens*

ギヨー (平頂海山) guyot /gíːjoʊ/ Ⓒ, tablemount Ⓒ.

きょおく 巨億 billions; 《略式》 jillions ★ いずれも複数形で. ¶*巨億の金がそのダム建設に使われた *Billions* of yen were spent to build the dam.

ギョーザ 餃子 ☞ ぎょうざ

きょか[1] 許可 **1** 《許すこと》 ― 名 permission Ⓤ, leave Ⓤ 日英比較 日本語で「許可」という語が用いられていても, 以上の訳語を用いずに may, can で言い表すほうが口語的. ― 動 (許容する) permít ㊀; (是認する) allow ㊀; (許す) let ㊀.

【類義語】人に何かをしてもよいとはっきり積極的に許可を与えるのが *permit* で, やや格式ばった語. 名詞形は *permission* であるが, *leave* は *permission* とほぼ同意の格式ばった語. 特に外出・休日などの許可には *leave* が使われる. 人が何かをするのを禁止しないという消極的な許可を表すのは *allow*. 人が何かするのを止めないで好きなようにさせるという意味のくだけた日常語は *let*. 《☞ ゆるし; ゆるす; みとめる》

¶「今晩, 外出の*許可を頂けますか (⇒外出してもいいですか)」「いいとも」"*Can* I go out this evening?" "Sure." / "May I have your *permission* to go out this evening?" "Certainly." ★後者の対話のほうが格式ばった表現. 《☞ くだけた英語と堅苦しい英語 (巻末)》 // 私は外出の*許可をもらった I got *permission* to go out. // 彼女の両親は彼女が一人で外国へ行くことを*許可した Her parents ⌈*allowed* her to [*let* her] go abroad alone. // 私は子供たちにプールで泳ぐことを*許可した I *permitted* the children to swim in the pool. // 私はそんなことは*許可していない (⇒そのような許可は与えていない) I've never ⌈granted [given] any such *permission*. ★[ ] 内のほうがくだけた言い方.

2 《免許・承認》 ― 名 (公認) authorization Ⓤ; (免許) license (《英》 licence) Ⓤ ★「許可証」の意味では Ⓒ; (承認) approval Ⓤ; (権力者などの認可) sanction Ⓤ ★ approval がより格式ばった語; (入学などの) admission Ⓤ ★具体的には Ⓒ. ― 動 authorize ㊀; license ㊀; approve ㊀; sanction ㊀; admit ㊀. 《☞ にんか; しょうにん[1]》. ¶我々は独自の決定をすることを*許可されている (⇒権限を与えられている) We *are authorized* to make our own decisions. // このレストランは酒類を出すことを*許可されている This restaurant *is licensed* to sell liquor. // 東西大学の入学*許可を得た I have won *admission* to Tozai University. / I *have been* ⌈*admitted* to [*matriculated* in] Tozai University. **許可営業** licensed business Ⓤ **許可外使用薬** unauthorized medicine Ⓒ **許可漁業** licensed ⌈fishery [fishing] Ⓤ **許可証** (公式の) pérmit Ⓒ; (法律に基づく) license (《英》 licence) Ⓒ.

―コロケーション―

許可を得ている have *permission* / 許可を求める ask (for) [request] *permission* (of ...; to *do* ...) / 許可を要求する demand *permission* // 暗黙の許可 tacit [silent; unspoken] *permission* / 親の許可 parental *permission* / 事前の許可 prior *permission* / 正式な許可 official *permission* / 当局の許可 *permission* of the authorities / 特別許可 special *permission* / 文書による許可 written *permission* / 法的な許可 legal *permission*

きょか[2] 炬火 (たいまつ) torch Ⓒ; (かがり火) bonfire Ⓒ.

ぎょか 漁火 ☞ いさりび

きょかい 巨魁, 渠魁 (悪者のかしら) ringleader Ⓒ; (集団の長) chief Ⓒ.

きょかいきゅう 巨蟹宮 〖天〗 the Crab, Cancer. 《☞ かにざ》.

ぎょかいるい 魚介類 (魚類と貝類) fish(es) and shells; (海産物) maríne próducts ★以上2つは通例複数形で; (海産食品) séafòod Ⓤ.

きよがき ☞ せいしょ[2]; じょうしょ[2]

きょがく 巨額 ― 名 huge [enormous] ⌈sum [amount] (of ...) Ⓒ. ― 形 huge, enormous. 《☞ たがく; ばくだい》.

ぎょかく 漁獲 (魚を捕らえること) fishing Ⓒ; (漁獲高) haul [catch] (of fish) Ⓒ. 《☞ みずあげ》. **漁獲総量規制** the fisheries management by TAC (=total allowable catch) system **漁獲割当** fishing quota Ⓒ.

きょかん[1] 巨漢 giant Ⓒ, very ⌈big [large; tall] man Ⓒ.

きょかん[2] 巨艦 giant warship Ⓒ.

きょがん 巨岩 huge rock Ⓒ.

ぎょがんレンズ 魚眼レンズ fisheye lens Ⓒ.

きょぎ 虚偽 ― 名 falsehood Ⓤ ★やや格式ばった語; (うそ) lie Ⓒ (↔ truth). ― 形 (偽りの) false; (真実でない) untrue 語法 untrue は真実でないことを客観的に言うが, false は「偽の」「人造の」などのニュアンスがある; (実在しない) unreal; (架空の) fictítious. 《☞ うそ[1] (類義語)》. ¶証人は*虚偽の申し立てをした The witness ⌈made a *false* statement [gave *false* evidence; *perjured himself*; committed *perjury*]. **虚偽表示** 〖法〗 false representation Ⓤ **虚偽文書** (報告書) false report Ⓒ; (声明書) false statement Ⓒ.

ぎょき 漁期 fishing season Ⓒ 《☞ りょうき[3]》.

きょぎょう 虚業 (うさんくさい事業) shady business Ⓒ; (投機的な事業) speculative ⌈business [enterprise] Ⓒ.

ぎょきょう[1] 漁協 fishermen's cooperative (association) Ⓒ.

ぎょきょう[2] 漁況 (漁場の状況についての情報) information ⌈on [about] the conditions of fisheries Ⓤ.

ぎょぎょう 漁業 fishery Ⓤ ★しばしば複数形で. **漁業協定** fisheries agreement Ⓒ. ¶*漁業協定を締結する conclude a *fisheries agreement* **漁業(協同)組合** fishermen's (cooperative) association Ⓒ **漁業権** fishing rights ★複数形で. **漁業(専管)水域** (exclusive) fishery zone Ⓒ **漁業法** the Fisheries Law **漁業免許** fishing license Ⓒ.

きょきょじつじつ 虚虚実実 ¶*虚々実々の (⇒抜け目のない) 駆け引き a *shrewd* strategy // 主導権をめぐり彼らは*虚々実々の (⇒しのぎを削る) 争いを演じた It was a case of *diamond cut diamond* when they struggled for the leadership.

きょきん 拠金, 醵金 ― 名 (寄付) contribution Ⓤ ★「寄付金」の意味では Ⓒ; (寄付金) subscription Ⓒ. ― 動 (金を寄付する) contríbute [dónate] móney (to ...) ★ donate は特に恵まれない人々への奉仕などの寄付をいう. なお, 強勢は《英》では donáte. 《☞ けんきん; きふ[1]》.

きょく[1] 曲 (音楽) music Ⓤ 語法 特に「1曲」というときは a piece of music とする; (単純な短い旋律) tune Ⓒ; (歌) song Ⓒ; (メロディー) melody Ⓒ; (小品) piece Ⓒ; (楽曲) (músical) còmposítion Ⓒ. 《☞ きょくもく》. ¶彼はその*曲をピアノで弾いた He played the ⌈*tune* [*melody*; *piece*] on the piano. // 彼はその詩に*曲をつけた He set the poem to *music*. // この*曲はベートーベンの晩年に書かれた This ⌈*music* [*piece*; *musical composition*] was written by Beethoven in his later years.

きょく² 局 **1** «官庁の»: bureau /bjʊ́(ə)roʊ/ Ⓒ 《複 ~s, bureaux /~z/》. ¶外務省アジア大洋州*局 the Asian and Oceanian Affairs *Bureau* // 日本の省は*局と課から成る A Japanese ministry is made up of ⌈*bureaus* [*bureaux*] and sections. **2** «放送局など» ¶放送*局 a broadcasting *station* (☞ ほうそう¹) // 郵便*局 a post *office* // 電話*局 a telephone *office* / 《交換局》 a telephone *exchange* // 電信*局 a telegraph *office* **3** «将棋・囲碁の»: game Ⓒ. ¶私は彼と碁を一*局打った I had a *game* of go with him. **局外** ── 形 副 òutside **局外者** ☞ 見出し **局留め** general delivery Ⓤ, 《英》 poste restante /póustrestɑ́ːnt/ Ⓤ. ¶この手紙は*局留めで送る I'll send this letter ⌈*to general delivery* [《英》 *poste restante*]. **局内** ── 形 副 inside, within the same bureau **局番** ☞ 見出し.

きょく³ 極 **1** «地球・磁石の»: pole Ⓒ (☞ ほっきょく; なんきょく¹). ¶磁*極 a magnetic *pole* // 陽[陰]*極 the ⌈positive [negative] *pole* **2** «きわみ» ¶…のとき, 観衆の興奮はその*極に達した The spectators' excitement reached its *height* when …. // 彼らは疲労の*極に達していた They were ⌈*extremely* [*completely*; *utterly*] exhausted. / Their exhaustion reached *the limit*. (☞ きわみ) **極冠** ☞ きょっかん **極軌道** polar orbit Ⓒ **極(偏東)風** the polar easterlies.

きょく⁴ 巨躯 ☞ きょたい

ぎょく¹ 漁区 (漁場) fishing ⌈ground [area] Ⓒ.

ぎょく² 玉 **1** «宝石»: gem Ⓒ; (ひすい) jade Ⓤ. **2** «株»: stock Ⓒ (☞ かぶ¹). **3** «鶏卵»: egg Ⓒ. **4** «将棋の王将»: the king.

ぎょぐ 漁具 fishing implements ★複数形で; (釣り道具一式) (fishing) ⌈tackle [equipment; gear] Ⓤ. (☞ つり¹).

きょくいん 局員 (局の一員) staff member Ⓒ; (郵便局の) post-office clerk Ⓒ. ¶編集*局員 a *member* of the editorial *staff*

きょくう 極右 ── 名 (極右主義者) extreme rightist Ⓒ, ultrarightist /ʌ̀ltrəráɪtɪst/ Ⓒ; (総称) the extreme right, the ultraright, the far right. ── 形 far-right, extreme(ly) right, ultraright. (☞ うよく).

きょくうち 曲打ち acrobatic drumming Ⓤ.

ぎょくおん 玉音 ¶*玉音放送 the *Emperor's speech* on the radio

きょくがいしゃ 局外者 òutsider Ⓒ; (第三者) third party Ⓒ. (☞ ぶがいしゃ).

きょくがくあせい 曲学阿世 ¶彼は*曲学阿世の人だ (⇒真理をまげた学説を唱えて世論におもねている) *In propounding* his *false theory*, he *is pandering to public opinion*.

きょくぎ 曲技 ☞ きょくげい. **曲技団** acrobatic troupe Ⓒ **曲技飛行** ☞ きょくげい (曲芸飛行)

きょくきだん 極気団 ☞ かんき³ (寒気団)

きょくげい 曲芸 (軽わざ) (acrobatic) feat Ⓒ; (離れわざ) stunt Ⓒ; (早わざ) trick Ⓒ. (☞ アクロバット; かるわざ). **曲芸師** ácrobàt Ⓒ **曲芸飛行** (曲乗り飛行) stunt flying Ⓤ; (演技) àerobátics ★複数扱い.

きょくげん¹ 極限 (限度) the utmost limit(s) ★ the を付けて; (境界) bounds ★通例複数形で; (限界) boundary Ⓒ. (☞ げんかい¹). ¶*極限まで自分の能力を伸ばしたい I want to develop my faculties *to the utmost limit(s)*. **極限状況** extreme situation Ⓒ. ¶*極限状況にある be in an *extreme situation*

きょくげん² 極言 ── 動 go so far as to say …. ── 副 (遠慮なく言えば) to put it bluntly. (☞ きょくろん¹). ¶そこまで*極言する必要はない We need not *go so far as to say* that much.

きょくこう 極光 ☞ きょっこう¹

きょくごま 曲独楽 top-spinning trick Ⓒ.

きょくさ 極左 (極左主義者) extreme leftist Ⓒ, ultraleftist Ⓒ; (総称) the extreme left, the ultraleft. (☞ さよく).

ぎょくざ 玉座 the Emperor's seat, the Emperor's throne. ★いずれも the を付けて.

ぎょくさい 玉砕 ── 名 (全員が犠牲になること) total sacrifice Ⓤ. ── 動 (最後の一人まで戦う) fight to the last man. ¶兵士たちはこの島で*玉砕した The soldiers *fought to the last man* on this island. **玉砕攻撃** suicidal [kamikaze] attack Ⓒ.

きょくざひょう 極座標 〚数〛 polar coordinates ★複数形で.

ぎょくざん 玉山 ── 名 ㊞ Yu Shan ★台湾の最高峰.

きょくし 曲師 samisen accompanist Ⓒ.

きょくじつ 旭日 (昇りかけている太陽) the rising sun (☞ あさひ). **旭日旗** the Rising Sun flag **旭日昇天の勢い** ¶彼の会社は*旭日昇天の勢いだ (⇒その業界で非常な速度で成長している) His company *is growing very rapidly* in its field. **旭日章** the Order of the Rising Sun.

きょくしゃほう 曲射砲 trench mortar Ⓒ.

きょくしょ 局所 (体の限られた部分) (limited) part (of the body) Ⓒ. **局所作用** local action Ⓤ **局所麻酔** ☞ きょくぶ (局部麻酔)

きょくしょう 極小 ── 名 mínimum Ⓒ 《複 ~s, minima /mínəmə/》. ── 形 (最小の) minimum Ⓐ; (極微の) microscópic. **極小値** the minimum value.

ぎょくじょう 玉条 ☞ きんかぎょくじょう

きょくすいのえん 曲水の宴 (平安時代の) poetry feast at the edge of a stream in the palace garden Ⓒ ★説明的な訳.

きょくせい 極性 polarity Ⓤ.

ぎょくせきこんこう 玉石混交 ¶彼らは*玉石混交だ (⇒あるものはよく, あるものは悪い) Some of them are *good and* some are *bad*.

きょくせつ 曲折 (曲がりくねっていること) winding /wáɪndɪŋ/ Ⓤ; (変化) ups and downs; (変動や急変) twists and turns; (複雑) complications ★以上3つは通例複数形で. (☞ うよきょくせつ; まがりくねる).

きょくせん 曲線 curve Ⓒ, curved line Ⓒ. **曲線美** ¶*曲線美の女性 a *curvaceous* /kəːvéɪʃəs/ woman

きょくそう¹ 曲想 musical motif Ⓒ. ¶*曲想を練る work out *one's musical motif*

きょくそう² 極相 〚生態〛 (植物群落の安定した状態) climax Ⓒ.

きょくだい 極大 ── 名 maximum Ⓒ 《複 ~s, maxima /mǽksəmə/》. ── 形 (最大の) maximum Ⓐ. **極大値** the maximum value.

きょくたん 極端 ── 形 (極度の) extreme Ⓐ; (過度の) ultra ★接頭辞にもなる. ── 副 extremely; (過度に) excéssively, to excéss; (極度に) to an [in the] extreme. ── 名 extreme Ⓤ ★「極端な行為」などでは通例複数形で. (☞ きょくど). ¶彼は*極端に潔癖だ He is ⌈*extremely* [*excessively*] fastidious. // *極端に走るな Don't go to ⌈*extremes* [*excess*]. / (⇒行き過ぎるな) Don't go *too far*. // *極端な国家主義者 an *ultranationalist* // *極端な例 an *extreme* case // 我々は暑さと寒さの両*極端を経験した We experienced *extremes* of heat and cold.

きょくち[1] **極地** ―― 图 (極) the pole Ⓒ; (極地方) the polar regions. ―― 形 polar Ⓐ. 《☞ ほっきょく; なんきょく[1]》. **極地温暖化** (earth) warming in the polar regions Ⓤ **極地植物** polar plant Ⓒ **極地法** (登山や探検の) polar method Ⓒ.

きょくち[2] **極致** ¶ 彼は美の*極致 (⇒ 申し分のない [完璧な]美) を求め続けた He kept on looking for ˹*ideal* [*perfect*] beauty. 《☞ ぜっちょう; ちょうてん》

きょくち[3] **局地** ―― 图 (地域) region Ⓒ; (特定の地域) locality Ⓒ. ―― 形 (局地の) regional Ⓐ. 《☞ ちいき》. ¶ *局地的な差異 *regional* differences // *局地的な大雨 a *regional* downpour **局地気候** local climate Ⓒ **局地気象** local weather Ⓤ **局地戦争** local war Ⓒ **局地風** local wind Ⓒ.

きょくち[4] **極値** 〘数〙 extremum Ⓒ 《複 extrema, ~s》.

きょくちょう[1] **局長** (官庁の) director [chief; head] of the bureau Ⓒ, bureau ˹chief [head] Ⓒ; (郵便局長) postmaster Ⓒ; (会社の) director Ⓒ, general manager Ⓒ. 《☞ 会社の組織と役職名 (囲み)》.

きょくちょう[2] **曲調** ☞ ふし[2]

きょくちょうおんそく **極超音速** hypersonic speed Ⓤ 《☞ おんそく》.

きょくちょうたんぱ **極超短波** microwave Ⓒ.

きょくていおん **極低温** very low temperature Ⓒ.

きょくてん **極点** ☞ きょく[3]

きょくど **極度** ―― 形 (極端な) extreme Ⓐ; (過度の) excéssive; (最高の) útmost Ⓐ; (最大の) maximum Ⓐ. ―― 副 extremely; excessively. 《☞ きょくたん》. ¶ *極度の疲労で彼は倒れた He collapsed from ˹*extreme* [*excessive*] fatigue. // 彼らは*極度に興奮[緊張]していた They were *extremely* ˹excited [strained].

きょくとう **極東** ―― 图 ⓟ the Far East. ―― 形 Far Eastern. **極東国際軍事裁判** ―― 图 ⓟ the International Military Tribunal for the Far East; (東京裁判 (通称); ☞ とうきょう) the Tokyo Trial (1946–48).

きょくどめ **局留** ☞ きょく[2] (局留め)

きょくのり **曲乗り** (曲馬) circus riding Ⓤ; (自転車の) trick riding Ⓤ; (飛行機の) stunt flying Ⓤ, àerobátics ★ 複数形扱い; (離れわざ) stunt Ⓒ; (軽わざ) acrobatics ★ 複数形だが, 時に単数扱い.

ぎょくはい **玉杯** (ひすいの杯) jade cup Ⓒ; (名誉ある杯) honorable cup Ⓒ.

きょくばだん **曲馬団** ☞ サーカス

きょくばん **局番** (telephone) exchange number Ⓒ; (市外局番) 《米・カナダ》 area code Ⓒ, 《英》 STD code Ⓒ ★ STD は subscriber trunk dialling の略. ¶ ロンドンの中心地区の*局番は 0171 です The *STD code* for central areas of London is 0171.

きょくび **極微** ―― 形 microscopic.

きょくひどうぶつ **棘皮動物** 〘動〙 echinoderm /ɪkáɪnədə̀ːm/ Ⓒ.

きょくふ **曲譜** (一枚刷りの楽譜) sheet music Ⓤ; (総楽譜) score Ⓒ; (書いてある内容) music Ⓤ. 《☞ がくふ[1]》.

きょくぶ **局部** ―― 图 (体の一部) part (of the body) Ⓒ; (患部) the affected part. ―― 形 (局部の・局部的) local. **局部銀河群** 〘天〙 the Local Group **局部麻酔** lócal anesthesia /æ̀nəsθíːʒə/ Ⓤ 《☞ ますい》.

きょくほく **極北** ―― 图 (最北端) the northern end; (北極に近い地方) region near the North Pole Ⓒ. ―― 形 northernmost Ⓐ.

きょくめん[1] **局面** (一般的な情勢) situation Ⓒ; (ある状況下における様相) áspect Ⓒ; (変化の段階) stage Ⓒ, phase Ⓒ ★ 後者のほうが格式ばった語; (碁などの盤面の形勢) the position. 《☞ けいせい[1]; じょうせい[1]》. ¶ *局面を打開するために (⇒ 行き詰まりを打開するために) 首脳会談が行われた Summit talks were held to break the *deadlock*. // *局面を収拾する save the *situation* // 戦争はいまや新しい*局面に入った The war has now entered a new ˹*stage* [*phase*]. // *局面はいまや一変した (⇒ 形勢は変わった) The *tide* has turned.

きょくめん[2] **曲面** curved surface Ⓒ.

きょくもく **曲目** (出し物の 1 つとしての) number Ⓒ; (プログラム) program Ⓒ; (演奏曲目, 特に自分が演奏できるものの範囲) répertòry Ⓒ. 《☞ きょく[1]》. ¶ *曲目には (⇒ プログラムには) シューベルトの歌が幾つかあります There are several songs by Schubert on the *program*.

きょくよう[1] **極洋** the Polar Seas ★ 複数形で. ¶ *極洋漁業 *polar-sea* fishery

きょくよう[2] **曲用** 〘言〙 declension Ⓤ ★ 名詞・代名詞・形容詞などの語形変化.

きょくりょう **極量** (薬の) maximum dose Ⓒ.

きょくりょく **極力** ―― 副 (できる限り) to the útmost; (能力の及ぶ限り) to the best of *one's* ability; (できるだけ…) as ... as possible; (あらゆる方法で) in every way. 《☞ なるべく》.
¶ *極力, 問題の解決に努力します (⇒ 最善を尽くします [力の及ぶ限り努力します]) I'll *try* ˹*my best* [*to the best of my ability*] to solve the problem. // 彼らを*極力説得しようとしたが, 失敗に終わった I tried to persuade them ˹*in every way I could* [*as well as I could*; *as best I could*] but I failed.

ぎょくろ **玉露** *gyokuro* Ⓤ; (説明的には) áromàtic gréen téa of the best quality Ⓤ. 《☞ ちゃ》.

きょくろん[1] **極論** ―― 图 logic [argument] carried to extremes Ⓤ. ―― 動 (極端な議論をする) go too far in *one's* argument. 《☞ きょくげん[2]; きょくたん》. ¶ *極論すれば (⇒ 遠慮なく言えば) これは自殺行為だ *To put it bluntly*, this is suicidal. // それは*極論ですよ (⇒ 議論の行き過ぎだ) That's *carrying your argument too far*. // 君の言うことは少し*極論 (⇒ 大げさ) ではないかな I'm afraid you *are exaggerating*.

きょくろん[2] **曲論** ―― 動 distort ⓗ; insist that something is correct even when it is ˹incorrect [wrong] ★ 説明的な訳. ―― 图 (歪曲) distortion Ⓤ; (ゆがめられた見解) distorted ˹view [opinion] Ⓒ. 《☞ わいきょく》.

ぎょぐん **魚群** school [shoal] of fish Ⓒ ★ [ ] 内は特に大群を指す. **魚群探知機** fishfinder Ⓒ.

きょけつ **虚血** 〘病理〙 ischemia /ɪskíːmiə/ Ⓤ. **虚血性心疾患[心臓病]** ischemic heart disease Ⓒ **虚血性脳血管障害** ischemic cerebrovascular /sərìːbrouvǽskjulə/ ˹disorder [accident] Ⓒ.

きょげん **虚言** lie Ⓒ 《☞ うそ[1]》.

きょこう[1] **挙行** ―― 動 (会・式などを開く) hold ⓗ; (実行する) cárry óut ⓗ; (行う) perfórm ⓗ ★ carry out より格式ばった語; (祝う) célebràte ⓗ. 《☞ おこなう; もよおす》.
¶ 学校の 50 周年記念式典は来月 1 日に*挙行の予定です The fiftieth anniversary of our school will *be celebrated* on the first of next month. // その行事はいつ*挙行されますか (⇒ ありますか) When will the event *take place*?

きょこう[2] **虚構** ―― 图 (作りごと) fiction Ⓒ; (でっち上げ) fabrication Ⓒ. ―― 形 (偽りの) false; (架空の) fictítious; (でっち上げた) made-up, in-

vented. (☞ つくりごと).
ぎょこう 漁港 fishing port Ⓒ.
きょこくいっち 挙国一致 national unity Ⓤ. ¶ 全国民が祖国防衛のため*挙国一致戦った The *whole nation united* to defend their own country. **挙国一致内閣** government of national unity Ⓒ, cabinet supported by the whole nation Ⓒ.
きょこつ 距骨 〔解〕 anklebone Ⓒ, talus Ⓒ; (動物の距骨) 〔解·動〕 astragalus Ⓒ.
きょこん 虚根 〔数〕 imaginary root Ⓒ.
きょざい 巨財 enormous [vast] fortune Ⓒ (☞ ざいさん; きょまん).
きょさつ 巨刹 (大きな寺) grand (Buddhist) temple Ⓒ.
きょし 挙止 (振舞い) behavior ((英)) behaviour) Ⓤ (☞ きょどう; ふるまい).
きょじ 虚字 (文の組み立てを助ける字) grammatical kanji Ⓤ; (実在の事物を表さない字) abstract kanji Ⓤ, kanji with abstract meanings Ⓤ.
ぎょじ 御璽 the Emperor's official seal.
きょしき 挙式 ── [名] (結婚式) wedding ceremony Ⓒ. ── [動] (式を挙げて祝う) celebrate a wedding. (☞ しき[2]). ¶*挙式の日 (⇒ 結婚式の日) が決まりました We have fixed the *wedding* date.
きよしこのよる 聖しこの夜 ── [名] (固) (クリスマスの賛美歌) *Silent Night.*
きょしちょうざ 巨嘴鳥座 〔天〕 the Toucan /túːkæn/, Tucana /tuːkǽnə/.
きょしつ 居室 (居間) living room Ⓒ; (自分用の部屋) *one's* room Ⓒ.
きょじつ 虚実 **1** 《うそとまこと》 ¶*虚実を織りまぜて話す (⇒ 真実と作り事を) weave [intertwine] *truth and* ˹*fiction* [(⇒ うそ) *falsehood*] into *one's* story
2 《あらゆる策略》 ¶*虚実を尽くす try *every trick* (in the book) / resort to *every possible stratagem* (☞ きょきょじつじつ)
きょしてき 巨視的 màcroscópic; (包括的な) còmprehénsive. ¶*巨視的な世界 a *mácroscòpic* wórld // 事態を*巨視的にとらえる *take a broad view* of the situation **巨視的分析** màcroanálysis Ⓒ (複 -analyses).
ぎょしゃ 御者 (一般に) driver Ⓒ; (大型 4 輪馬車の) coachman Ⓒ. **御者座** the Chàriotéer, the Wágoner, Auriga /ɔːráɪgə/ **御者台** coach box Ⓒ.
きょじゃく 虚弱 ── [形] (弱い) weak ★ 最も一般的な語; (人が本質的に病弱な) weakly; (体格などがかよわい) délicate; (生来弱い·抵抗力のない) frail; (老齢のため体力の衰えた) (格式) infirm; (病身の) sickly. (☞ よわい[1]; びょうじゃく). **虚弱児** (physically) weak child Ⓒ **虚弱体質** ¶ 彼は*虚弱体質だ He is in *delicate health.* / (⇒ 彼はかよわい体質を持っている) He has a ˹*delicate* [*weak*] *constitution.*
ぎょしやすい 御し易い manageable (↔ unmanageable); (扱い易い) easy to deal with. (☞ ぎょする).
きょしゅ 挙手 ── [動] (手を上げる) raise *one's* hand. ── [名] raising of *one's* hand Ⓤ; (採決の) show of hands Ⓒ; (挙手の礼) salúte Ⓒ.
¶*挙手で採決することにしましょう Let's decide by a *show of hands.* // 質問があれば*挙手して下さい If you have any questions, please *raise your hand.*
[語法] 複数の人の場合でも hands とはしないのが普通. // *挙手の礼をする give a (military) *salute*
きょじゅ 巨樹 big [huge; giant] tree Ⓒ.
きょしゅう 去就 (取るべき道) *one's* course of action; (態度) *one's* attitude. (☞ しんたい[2]; たいど).
きょじゅう 居住 residence Ⓤ, dwelling Ⓤ ★ 後者の方がより格式ばった語. **居住跡** (遺跡) remains; (廃墟) ruins ★ 以上は通例複数形で. (☞ あと[2]; いせき[1]) **居住権** the right of residence ★ the を付けて. **居住者** (半永久的な居住者) inhabitant Ⓒ; (一定期間の在住者) resident Ⓒ; (アパートなどの住人) tenant Ⓒ. (☞ じゅうにん[1]; じゅうみん) **居住性** **1** 《住み心地》 ¶*居住性のよい[悪い]マンション a condominium ˹comfortable [uncomfortable] *to live in* **2** 《住むのに適していること》: habitability Ⓤ **居住地** (住んでいる場所) *one's* place of residence, the place where *one* lives; (住所) address Ⓒ.
きょしゅつ 拠出 ── [動] (寄付する) donate ... (to ...). ── [名] donation Ⓤ.
きょしょ 居所 (住居) *one's* residence Ⓒ; (長期滞在時の住居) *one's* place of abode Ⓒ. (☞ じゅうきょ).
きょしょう[1] 巨匠 (great) master Ⓒ; (特に音楽界の) maestro /máɪstroʊ/ Ⓒ (複 ~s, maestri /máɪstriː/). (☞ たいか[1]). ¶ 彼は今世紀の楽壇の最大の*巨匠だ (⇒ 最大の[最も著名な]音楽家だ) He is *the* ˹*greatest* [*most distinguished*] *musician* of this century.
きょしょう[2] 挙証 ── [動] prove (他) (☞ りっしょう; しょうこ). **挙証責任** 〔法〕 the burden of proof.
きょじょう 居城 *one's* castle Ⓒ (☞ しろ[2]).
ぎょしょう[1] 魚礁 fishing banks ★ 複数形で.
ぎょしょう[2] 魚醤 sauce made from salted fish Ⓤ.
ぎょじょう 漁場 fishery Ⓒ.
きょしょうてん 虚焦点 virtual focus Ⓒ.
きょしょく 虚飾 (見え) show Ⓤ; (虚栄心) vanity Ⓤ. (☞ みえ; きょえい; ていさい). ¶*虚飾のない人柄 an *unaffected* personality
ぎょしょく 漁色 ── [動] (女遊びをする) have casual sexual relationships with women, philander (自) ★ 後者は文語; (次々と女に言い寄る) make ˹approaches [advances] to one woman after another. **漁色家** philanderer Ⓒ.
きょしょくしょう 拒食症 (無食欲症) anorexia /ænəréksiə/ Ⓤ.
きょじん 巨人 (並はずれて大きい人) giant Ⓒ; (有力者) leading figure Ⓒ; (大立者) mágnate Ⓒ. (☞ おおおとこ; おおもの). **巨人機** ☞ ジャンボ **巨人症** 〔医〕 gigantism /dʒaɪgǽntɪzm/ Ⓤ.
きょしんたんかい 虚心坦懐 ── [副] (率直に) frankly; (ありのままに) candidly; (遠慮なく) without reserve. (☞ そっちょく).
きょすう 虚数 〔数〕 imáginàry númber Ⓒ.
キヨスク ☞ キオスク
きょずり 清刷り 〔印〕 repro(duction) proof Ⓒ ★ 単に repro Ⓒ ともいう.
ぎょする 御する (うまくあしらう) mánage (他); (制御する) control (他); (操る) handle (他); (巧みに操る) manípulàte (他). (☞ あやつる; あしらう). ¶ あの人たちはきわめて*御しやすい[にくい] They are very ˹easy [difficult] to ˹*handle* [*manage*]. (☞ ぎょしやすい)
きょせい[1] 虚勢 ── [名] (弱いのに強がること) bravado /brəváːdoʊ/ Ⓤ; (見せかけの勇気) show of courage Ⓒ; (はったり) bluff Ⓤ ★ 具体的には Ⓒ; (こけ脅し) bluster Ⓤ. ── [動] (はったりをかける) bluff (自); (才能などを見せびらかす) shów óff (自) ★ 軽蔑的. (☞ からいばり). ¶ 弱虫ほど*虚勢を張るものだ The weaker the man, the stronger the *bluster.*

きょせい[2] 去勢 ―名 (動物の雄または人の男性の生殖器を取り去ること) castrátion Ⓤ; (不妊にすること) sterilization /stèrəlɪzéɪʃən/ Ⓤ. ―動 cástrate ⑱; sterilize /stérəlàɪz/ ⑱; (動物を) neuter ⑱ ★ 婉曲語. 通例受身形で.

きょせい[3] 巨星 (大きな星) giant star Ⓒ; (偉大な人) great ˹man [woman] Ⓒ. ¶ *巨星墜つ (⇒ 偉人が他界した) A *great ˹man* [*woman*] is gone.

きょせき 巨石 mégalith Ⓒ. ¶ *巨石記念物 a *mégalìthic* mónument **巨石文化** mégalìthic cúlture Ⓒ.

きょせつ 虚説 groundless [unfounded; false] rumor Ⓒ.

きょぜつ 拒絶 ―動 (きっぱり断る) refuse ⑱; (提案・申し込みなどをはねつける) reject ⑱; (拒否する) deny ⑱; (そっけなく断る) rebuff ⑱; (断る) tùrn dówn ⑱. ―名 refusal Ⓤ; rejection Ⓤ; denial Ⓤ; rebuff Ⓒ. 《☞ きょひ; ことわる (類義語); いっしゅう[2]》. ¶ 私たちの要求は政府により*拒絶された Our claim *was ˹refused* [*rejected*; *turned down*; *rebuffed*] by the government. // 彼は私の頼みなど一も二もなく*拒絶するだろう He will probably *give* me a flat *refusal*. / (⇒ 私の要求に耳を貸さないだろう) He will *turn a deaf ear to* my request. // 私は入場を*拒絶された I *was denied* admission. **拒絶反応** rejection (symptom) Ⓒ.

きょせん 巨船 huge ship Ⓒ.

ぎょせん 漁船 fishing boat Ⓒ 《☞ ふね》.

きょぞう 虚像 〘光〙 virtual image Ⓒ (↔ real image); (真実でない姿) únrèal ímage Ⓒ. 《☞ きょめい》.

ぎょぞく 魚族 《文》 the finny tribe; fish(es). 《☞ ぎょるい》.

ぎょそん 漁村 fishing village Ⓒ.

きょたい 巨体 (大きな姿) gigantic figure Ⓒ; (大きな身体) big [huge] body Ⓒ; (巨人) giant Ⓒ.

きょだい 巨大 ―形 huge; vast; immense; enormous; gigantic, colossal, mammoth Ⓐ.

【類義語】形・容量などが非常に大きいことを表す最も一般的な語が **huge**. 広がり・程度・範囲などが非常に大きいのは **vast** で, この語は具体的な物にはあまり用いない. 「普通の基準では測定できないほど大きい」というのが元の意味で, 大きさ・量・程度などに用いられるのが **immense**. この語は特に高さよりも広がりの大きいときに用いられる. 異常に並外れて大きいのは **enormous** で, この語も大きさ・量・程度に用いられ, **huge** よりも格式ばった語. 誇張的・比喩的に用いられるのは **gigantic**, **colossal**, **mammoth**. 《☞ おおきい (類義語); ばくだい》

¶ 水平線上には*巨大な黒雲の塊があった There was ˹a *huge* [an *enormous*] black mass of cloud on the horizon. // 日本には幾つかの*巨大な企業がある There are several ˹*mammoth* [*gigantic*] corporations in Japan. **巨大科学** big science Ⓤ **巨大地震** violent earthquake Ⓒ, megaseism /mégəsàɪzm/ Ⓒ ★ 後者のほうが格式ばった語. **巨大素粒子加速器** macroparticle accelerator Ⓒ **巨大都市** mègalópolis Ⓒ **巨大分子** ☞ こうぶんし **巨大惑星** giant planet Ⓒ.

きょだく 許諾 ―動 approve ⑱; (承諾する) consent (to …) ⓐ; (許可する) permit ⑱. 《☞ しょうだく; きょか》.

ぎょたく 魚拓 fish ˹print [rubbing] Ⓒ.

きょたくかいごしえん 居宅介護支援 nursing-care support at (…'s) home.

きょだつ 虚脱 (衰弱・元気の喪失) collápse Ⓒ; (疲労困ぱい) 《格式》 prostration Ⓤ. ¶ 私は彼が*虚脱状態にあるのを見て驚いた I was shocked to find him ˹*prostrated* [in a state of *collapse*].

ぎょたん 魚探 ☞ ぎょぐん (魚群探知機)

きょたんやく 去痰薬 expectorant Ⓒ.

きょっかい 曲解 ―動 (意味を曲げて解釈する) 《格式》 pervért ⑱; (事実などをゆがめる) distort ⑱; (意味などを無理にこじつける) strain ⑱ ★ 以上 2 語はやや格式ばった語; (意味・言葉をひねって解釈する) twist ⑱. ―名 perversion Ⓤ; distortion Ⓤ; (無理な解釈) forced [strained] interpretation Ⓤ. 《☞ まげる; わいきょく; きょくろん[2]》.

¶ 彼女の言葉を*曲解してはいけない You shouldn't ˹*pervert* [*distort*; *strain*; *twist*] what she meant.

きょっかん 極冠 polar cap Ⓒ.

きょっけい 極刑 (死刑) capital punishment Ⓤ, the death penalty ★ 前者はやや文語的. 《☞ しけい[1]》.

きょっけん 極圏 the polar circle. ¶ 北*極圏 the *Arctic Circle*

きょっこう[1] 極光 (オーロラ) aurora /əró:rə/ Ⓒ; (北極光) the aurora borealis /bɔ̀:riǽlɪs/, the northern lights; (南極光) the aurora australis /ɔ:stréɪlɪs/, the southern lights.

きょっこう[2] 旭光 the rays of the ˹morning [rising] sun.

ぎょっこう 玉稿 your manuscript Ⓒ. 日英比較 この様な場合英語では特に相手に尊敬を示す語を付ける必要はない. ¶ *玉稿をたまわり誠にありがとうございます Thank you very much for *your manuscript*.

ぎょっと ―動 (衝撃を受ける) be shocked (by …; at …); (不意をつかれて驚く) be taken by surprise (by …; at …); (飛び上がるほどびっくりする) be startled (by …; at …); (怖くて) be frightened (by …; at …). 《☞ おどろく (類義語); はっと[1]; 擬声・擬態語 (囲み)》. ¶ ノックの音で*ぎょっとした I *was startled by* the sound of the knock.

きょてん 拠点 (根拠地) base Ⓒ; (とりで) stronghold Ⓒ; 〘軍〙 ((防衛)拠点) strongpoint Ⓒ; (軍事拠点) strategic /strətí:dʒɪk/ point Ⓒ. **拠点病院** main hospital (in an area) Ⓒ.

きょとう[1] 巨頭 (指導的な [卓越した] 人) leading [prominent] figure Ⓒ; (リーダー) leader Ⓒ; (経済界の有力者) mágnate Ⓒ. 《☞ しゅのう》. **巨頭会談** summit conference Ⓒ.

きょとう[2] 挙党 ¶ *挙党一致の決定 the unanimous decision of the *party* // *挙党態勢で難局に当たった *The party made a united effort* to deal with the difficult situation.

きょどう 挙動 (振舞い) behavior (《英》 behaviour) Ⓤ; (行い) cónduct Ⓤ; (行動) action Ⓒ ★ 複数形は「振舞い」の意味を表す; 《略式》 doings ★ 複数形で. 《☞ こうどう[1]; ふるまい; こうい[1] (類義語); たいど (類義語)》. ¶ 彼の*挙動 (⇒ 振舞い) はまったく予測し難い His ˹*actions* [*doings*] are ˹quite unpredictable [hard to predict]. **挙動犯** offense of trespass and other unlawful behavior Ⓒ **挙動不審** strange [suspicious] ˹behavior [conduct] Ⓤ.

ぎょどう 魚道 (ダムなどの階段状の) fish ladder Ⓒ.

きょときょと ―動 (落ち着きがない) be restless; (きょろきょろする) look around restlessly. 《☞ きょろきょろ; 擬声・擬態語 (囲み)》. ¶ 子供は*きょときょとして落ち着かなかった The child was *looking around restlessly*.

きょとんと ―動 (ぼうっとする) be ˹stupefied [dazed]. ―形 (放心した) vacant; (ぼんやりした) blank. 《☞ 擬声・擬態語 (囲み)》. ¶ 彼女は*きょとんとした (⇒ ぼうっとした) 顔をしていた She looked ˹*stupefied* [*dazed*]. // 彼は*きょとんとして (⇒ 放心し

た顔つきをして）一言も言わなかった He remained speechless, *with a* ʻ*vacant* [*dazed*] *look*.

ぎょにく 魚肉 fish Ⓤ. ¶*魚肉ソーセージ a *fish* sausage // *魚肉だんご a *fish* cake

きょにんか 許認可 the (local) government's permission《☞ きょか¹; にんか》. **許認可行政** administrative activities concerning ʻgiving [granting] permissions **許認可権** the (local) government's right to permit ....

きょねん 去年 last year [語法] (1) しばしば前置詞を伴わずに副詞句を作る.《☞ ことし; らいねん》. ¶*去年は雨が多かった We had a great deal of rain *last year*. // *去年の4月にここへ来ました I came here ʻin April (of) *last year* [*last April*]. [語法] (2) last April は, 4月より前にいう場合に限られる. 以後は今年の4月のこととなる. // *去年の今日, 私は彼に初めて会った I first met him *a year ago* today. / Today is exactly one year since I first met him.

ぎょば 魚場 ☞ ぎょじょう

ぎょばん 魚板 (禅寺などの) fish-shaped wooden gong Ⓒ.

きょひ¹ 拒否 —[動] (申し出などを断る) refuse (他); (要請などを却下する) reject (他); (要求されたものを断る) deny (他); (断る) tùrn dówn (他); (提案・議案などを) véto (他). —[名] refusal Ⓤ; rejection Ⓤ ★[形]が付いたり, 具体例の場合は Ⓒ; denial Ⓒ.《☞ きょぜつ; ことわる》. ¶彼らは提案を*拒否した They ʻ*refused to accept* [*vetoed*; *turned down*] the proposal. **拒否権** veto (power) Ⓤ ★具体的な場合は Ⓒ《複 vetoes》. ¶米国は*拒否権を行使しないだろう The U.S. won't exercise its *veto*. **拒否反応** rejection (symptom) Ⓒ.

きょひ² 巨費 ¶*巨費を投じる pay [spend] ʻ*an enormous* [*a huge*] *sum of money* for ...

きょひ³ 許否 ¶その企画について彼女の*許否をたずねた (⇒ 彼女が許すかどうかを) I asked her *whether she would approve* the project (*or not*).

ぎょひ 魚肥 fish ʻmanure [fertilizer] Ⓤ.

きよひめ 清姫 ☞ あんちんきよひめ

ぎょふ 漁夫 fisherman Ⓒ. **漁夫の利** ¶*漁夫の利を占める fish in troubled waters《ことわざ: 濁った水の中で魚をとる＝どさくさに紛れてうまいことをする》/ Two dogs fight for a bone and the third runs away with it.《ことわざ: 二匹の犬が骨を争って, 第三の犬がその骨をくわえて逃げ去る》

ぎょぶつ 御物 Imperial /ɪmpí(ə)riəl/ Tréasure Ⓒ. ¶正倉院*御物 the *treasures* of the Shosoin

きよぶん 寄与分 (相続のときの) (additional) share of inheritance settled on one of the heirs for his/her contribution to the deceased Ⓒ.

きょぶん 虚聞 (根拠のない噂) groundless rumor Ⓒ《☞ うわさ; デマ》; (偽りの名声) false reputation Ⓒ《☞ きょめい》.

ぎょふん 魚粉 fish meal Ⓤ.

きょへい 挙兵 —[動] (兵を挙げる) raise an army; (武器をとる) take up arms. ¶不平を持つ武士たちが*挙兵した Discontented [Malcontent] warriors *took up arms*.

きょへん 巨編, 巨篇 (偉大な作品) great work Ⓒ; (大部の作品) voluminous work Ⓒ.《☞ たいさく²; ちょうへん》.

きょほ 巨歩 (歩み) giant ʻstride [step] Ⓒ ★前者は大またの歩み; (功績) remarkable [great] achievement Ⓒ. ¶*巨歩を進める make *giant strides* // *巨歩を示す represent a *remarkable achievement*

きょほう¹ 巨砲 huge gun Ⓒ; (野球の強打者) hard hitter Ⓒ,《米略式》slugger Ⓒ.

きょほう² 虚報 false news Ⓤ《☞ ニュース》.

きょほう³ 巨峰 (ぶどう) *kyoho* grape Ⓒ; (説明的には) large purple-black grape Ⓒ.

ぎょほう 漁法 fishing method Ⓒ.

きよほうへん 毀誉褒貶 (称賛と非難) praise ʻand [or] blame.

きょぼく 巨木 huge [giant] tree Ⓒ.

きょまん 巨万 —[形] (数十万の) hundreds of thousands of ... ¶*巨万の富を積む amass a *vast* fortune / (⇒ 百万長者になる) become a millionaire

きよみず 清水 —[名] (固) *Kiyomizu*; (説明的には) the area around Kiyomizu Temple in Kyoto City. **清水の舞台から飛び降りる** ¶*清水の舞台から飛び降りるようだ (⇒ 後に引けない重大な決意をする) It is like *crossing the Rubicon*. / (⇒ 向こうみずな行動に出る) It is like *taking a leap in the dark*.《☞ おもいきった; おもいきって》 **清水焼** *Kiyomizu* ware Ⓤ; (説明的には) Kyoto ceramics produced in the area around Kiyomizu Temple ★ceramics は複数扱い.

ぎょみん 漁民 fishermen.

きょむ 虚無 —[形] (虚無主義の) nihilistic /nàɪ(h)əlístɪk/. ¶*虚無思想 *nihilistic* ʻthoughts [ideas] **虚無主義** nihilism /náɪ(h)əlìzm/ Ⓤ **虚無主義者** nihilist Ⓒ.

きよめ 清め purification Ⓤ《☞ きよめる》. **清めの塩** salt which is sprinkled to purify things, persons or areas Ⓤ ★説明的な訳.

きょめい 虚名 (偽りの名声) false reputation Ⓒ; (実質の伴わない肩書き) empty title Ⓒ; (単なる売名) mere publicity Ⓤ.

きよめる 清める (心・身を清める) purify (他); (心・罪などを)《格式》purge (他); (清浄・清潔にする) cleanse /klénz/ (他) ★clean より格式ばった語; (清掃する) clean (他), make ... clean.《☞ じょうか¹》. ¶神が私の罪を*清めて下さった God *has cleansed* me of sin. // 神社では心身を*清める象徴として, まず手を洗う When visiting a shrine, we first of all wash our hands as an act of *purification*.

きょもう 虚妄 —[名] (偽ること) falsehood Ⓤ; (真実でないこと) untruth Ⓤ.《☞ いつわり; うそ¹》. —[形] false; untrue.

ぎょもう 漁網 fishnet Ⓒ, fishing net Ⓒ.

きよもと 清元 *kiyomoto* Ⓒ; (説明的には) school of *joruri*, traditional singing style of ballad dramas Ⓒ.

ぎょゆ 魚油 fish oil Ⓤ.

きょゆう 虚勇 (偽りの勇気) false courage Ⓤ; (見せかけの勇気) show of courage Ⓒ.《☞ きょせい¹》.

きょよう 許容 —[動] (自由にさせる) allow (他); (許可する) permít (他) [語法] 前者は「自由に…させる」の意味であるのに対し, 後者は意志をもってはっきりと許すこと; (是認する) approve (他); (認める) admit (他); (大目に見る) tóleràte (他).《☞ もくにん; ようにん¹; ゆるす》. ¶その誤差は*許容範囲だ (⇒ 許される誤差だ) It is ʻan *allowable* [a *permissible*] error. **許容応力** allowable stress Ⓤ **許容上限摂取量** maximum acceptable intake Ⓒ《☞ 許容量》 **許容線量** (一回分の放射線投量) (maximum) permissible dose Ⓒ, (maximum) safe dosage Ⓒ **許容濃度** (放射性物質などの) permissible concentration Ⓤ **許容量** (薬品などの) permissible [tolerance] level Ⓒ; (一日の摂取許容量) acceptable daily intake Ⓒ《略 ADI》; (制限・限度) acceptable [permitted] limits, permissible [tolerable] amount Ⓒ. ¶薬の最大*許容量 the maximum *permissible* dose

きょらい 去来 ―[動] come and go (自). ―[名] come-and-go [U]. ¶子供時代の思い出が胸中に*去来した Memories of my childhood *came and went* in my mind.

ぎょらい 魚雷 torpédo [C]《複 ～es》. **魚雷艇** torpedo boat [C].

きよらか 清らか ―[形]（心などに汚れのない）pure;（清潔な）clean;（澄みきった）clear;（高潔な）noble;（天真らんまんな）ínnocent.《☞ きよい; じゅんけつ》. ¶彼女は*清らかな（⇒ 汚れのない）生涯を送った She led a *pure* life. // 彼女は赤ん坊のような*清らかな眼をしている Her eyes are as *clear* as a baby's. // 流れの水は*清らかだった（⇒ 水晶のように澄みきっていた）The water of the stream was *crystal-clear*. // 彼は*清らかな（⇒ 気高い）心の持ち主だ He is *high-minded*.

きょり¹ 距離 （隔たり）distance [U];（場所の間隔）ínterval [C] [日英比較]「距離」という日本語は必ずしも以上の訳語に置き換えられるわけではなく, far などを用いたほかの表現を用いるほうがよい場合がある.《☞ とおい（類義語）》. ¶「ここから駅までの*距離はどのくらいですか」「約 200 メートルです」"How *far* is it [What's the *distance*] from here to the station?" "It's about two hundred meters." // 地球と太陽の*距離は約 1 億 5 千万キロです The *distance* ⌈from the earth to the sun [between the earth and the sun] is about one hundred (and) fifty million kilometers /kɪlάmətəz/. // 駅は歩くには少し*距離がある（⇒ 遠すぎる）The station is a little too *far* (⌈*away* [*off*]) to walk (to). // 私たちは 3 メートルの*距離をおいて木を植えた We planted trees at ⌈*intervals* of three meters [three-meter *intervals*]. **距離感** sense of distance [C] **距離競技**（スキーの）cross-country (race) [C] **距離空間**〖数〗metric space [U].

> **コロケーション**
>
> ある距離を歩く[走る, 移動する] walk [run; travel] a *distance* / 距離を一定に保つ keep [maintain] *one's distance* / 距離を短縮する diminish the *distance* / 距離を詰める[広げる] close [increase] the *distance* / 距離を踏破する cover a *distance* / 距離を測る measure [judge] a *distance* // 歩いて[走って, 車で]行ける距離 (within) walking [running; driving] *distance* / 5 分で行ける距離(に) (within) five minutes' *distance* / 自転車で行ける距離(に) (within) bicycle *distance* / 大変な[かなりの]距離 a ⌈great [considerable] *distance* / 長[短]距離 a long [short] *distance* / 手の届く距離 (within) reaching *distance* / 非常な遠距離 an enormous *distance* / 呼べば聞こえる[声が聞こえる]距離 (within) calling [hearing] *distance* / 楽に行ける距離 an easy *distance*

きょり² 巨利 húge [gigantic /dʒaɪgǽntɪk/] prófit [C].

きょりゅう 居留 ―[動]（住む）live (自);（居住する）reside (自) ★ 後者は格式ばった語. ―[名] residence [U]. **居留地** settlement [C] **居留民** resident [C].

ぎょりょう 漁猟 （漁業と狩猟）fishing and *hunting* [U];（漁業）fishery [U] ★ しばしば複数形で.

ぎょりん 魚鱗 scale (of a fish) [C]. **魚鱗癬**〖医〗fish-skin disease [U], ichthyosis /ìkθióʊsɪs/ [U].

ぎょるい 魚類 ˜ fish(es)《☞ さかな》.

きょれい¹ 虚礼 empty [mere] formality [C]. ¶*虚礼を廃止する abolish [do away with] *empty formalities*

きょれい² 挙例 ¶*挙例は主張を裏付けるのに有効な手段である To ⌈*give* [*take*] *examples* is an effective way to support an argument.《☞ じつれい; れい¹》

ぎょろうちょう 漁労長 chief fisherman [C].

きょろきょろ ¶彼は*きょろきょろ（⇒ 落ち着きなく）あたりを見回した He *looked around restlessly*. // 男の子は母親の姿を求めて*きょろきょろしていた The boy *was looking around for* his mother.《☞ みまわす; きょときょと; 擬声・擬態語（囲み）》

ぎょろぎょろ ¶彼の目は*ぎょろぎょろしている He ⌈is *goggle-eyed* [has *goggle eyes*].《☞ ぎょろつく; ぎょろめ; 擬声・擬態語（囲み）》

きょろつく ☞ きょろきょろ

ぎょろつく goggle (自). ¶目を*ぎょろつかせて私を見ないで Don't *goggle* at me. / Don't *roll your eyes* at me.

ぎょろめ ぎょろ目 ―[名]（ぎょろ目の人）goggle-eyed person [C]. ―[形] goggle, goggle-eyed.

きょろり ¶彼は*きょろりとした目で（⇒ 目を丸くして）私を見た He looked at me *with his eyes wide open*.《☞ けろりと》

ぎょろりと ¶老人は私を*ぎょろりと見た The old man *stared at* me.《☞ じろりと; 擬声・擬態語（囲み）》

【参考語】―[動]（怒ってじろりとにらむ）glare (at ...) (自);（不審の目でじろじろ見つめる）stare (at ...) (自). ―[名]（にらみ）a glare ★ a を付けて.

きよわ 気弱 ―[形]（おずおずした）timid;（内気で恥ずかしがりの）shy;（意気地なしの）chicken-hearted ★ 軽蔑的な語.

キラー killer [C]. ¶マダム*キラー a lady-*killer* **キラー衛星** killer [hunter-killer] satellite [C], satellite killer [C] **キラー酵母** killer yeast [U], yeast-killer [C] **キラー T 細胞**〖医〗killer T cell [C] **キラーパス** killer pass [C].

きらい¹ 嫌い **1**《嫌うこと》―[名]（好まないこと）dislike (for ...; of ...) [C];（嫌悪）distáste (for ...) [U];（憎悪）hatred (for ...; toward ...) [U] [語法] (1) 以上の 3 つはいずれも have a ～ for ... の形で用いられる;（ひどく嫌うこと）aversion [U];（毛嫌い）antípathy [U] [語法] (2) 以上 2 語は格式ばった語で, have an ～ to ... の形で用いられる. ―[形]（いやな）disagréeable;（胸が悪くなるような）disgusting, offensive;（大嫌いな）detestable;（憎むべき）hateful. ―[動]（好まない）dislike (他) ★ 最も一般的;（憎む）hate (他);（ひどく嫌う）detest (他).《☞ きらう（類義語）; けんお》. ¶彼は好き*嫌いが激しい（⇒ 多い）He is full of likes and *dislikes*. // 食べ物で*嫌いなものはありません（⇒ 食べ物にはやかましくない）I am not *particular* about food. /（⇒ 出された物は何でも食べる）I will eat anything put on my plate. // あの病気の後, 彼はスポーツが*嫌いになった（⇒ 興味を失った）After his illness, he *lost interest in* sports.

2《傾き》:（傾向）tendency [C];（趨勢(すうせい)）trend [C];（気味）touch [C];（...じみたところ）tinge [C];（恐れ）fear [C].《☞ けいこう¹》. ¶あなたは心配しすぎる*きらいがある You have a *tendency* to worry too much.

きらい² 機雷 (underwater) mine [C]. ¶*機雷を敷設する lay [place] *mines* // *機雷に触れる hit [strike] a *mine* // 浮遊*機雷 a floating *mine* **機雷原** minefield [C] **機雷敷設艦** minelayer [C].

きらう 嫌う （好きではない）do not like (他);（ひどく嫌う）hate (他); detest (他);（好まない）dislike (他), have a dislike (for ...; of ...);（ぞっとするほど嫌う）《格式》abhor (他).

【類義語】「嫌う」という意味の最も平易で口語的なのは *do not like*. それより意味が強く, 敵意・悪意を

もって嫌うのは *hate*. やや格式ばった語で，嫌悪に軽蔑の意味が加わるのが *detest*. 好まないという意味のやや格式ばった語は *dislike* で，人・物・行為など，幅広く用いられる. ぞっとするほど嫌うのは *abhor*. この語の対象は主に抽象的なものに限られる.《☞ きらい¹; けんお》

¶ 私はうわさ話は*嫌いです I *don't like* gossip. //「あなたはてんぷらは好きですか」「いいえ，*嫌いです」"Do you like tempura?" "No, I *don't* (*like* it)." // 私は賭事は*嫌いだ I *don't like* gambling. // だれでも動物に対する虐待は*嫌う Everybody *abhors* cruelty to animals. // 彼女はあなたを*嫌っている She ⌈*dislikes* [*hates*] you. // 私は人に*嫌われたくない I don't want to ⌈*be* [*become*] *disliked*. // あの子たちは近所で*嫌われている (⇒ 近所中のやっかい者だ) Those children are *a nuisance to* the whole neighborhood. // 彼らは所*きらわず (⇒ そこらじゅうに) ごみを捨てた They ⌈dropped [scattered] trash *all around them*.

キラウエア ── 名 固 (山) Mount [Mt.] Kilauea /kìːlauéɪə/ ★ ハワイ島の火山. ¶ *キラウエア型カルデラ a caldera of the *Kilauean* type

きらきら ── 動 (輝く) shine 自; (きらきら輝く) glitter 自; (ぬれた感じできらきらする) glisten /glísn/ 自; (星などがぴかぴか光る) twinkle 自. ── 副 (ちかちかと) glitteringly; (きらびやかに) brilliantly; (目をくらませるように) dazzlingly.《☞ きらめく; かがやく; ひかる; 擬声・擬態語 (囲み)》. ¶ 空には星が*きらきら輝いていた There were stars *shining* in the sky. / Stars *were twinkling* in the sky.

ぎらぎら ── 動 (まばゆく輝く) glare 自; (目をくらます) dazzle 他. ── 形 glaring; dazzling. ── 副 glaringly; dazzlingly.《☞ 擬声・擬態語 (囲み)》. ¶ 外では太陽が*ぎらぎら照りつけていた The sun *was glaring* outside.

きらく 気楽 ── 形 (くつろいだ) at home; (心配のない) cárefrèe; (気が楽な) easy; (ゆったりとした気分の) cómfortable. ── 副 at ease; comfortably, in comfort. ── 名 (のんびりしていること) ease U; (安楽) comfort U.《☞ くつろぐ; あんらく; のんき》. ¶ どうぞ*気楽にして下さい (⇒ おくつろぎ下さい) Please *make* yourself *at home*. / Please *relax*. // *気楽にやりなさい Take it *easy*. 語法 この表現は多少困難な状況にある人に向かって言う慣用表現である. かなりくだけた口語表現なので，親しい間柄の人にのみ用いる. // 彼女とは*気楽に話せる She is very *easy* to talk to.

きらす 切らす (…がない) be out of …; (使い果たす) run out of …; (売り切れる) be sold out.《☞ きれる; しなぎれ》. ¶ その品は*切らしています (⇒ 品切れ [売り切れ] です) The article *is* ⌈*out of stock* [*sold out*]. // 砂糖を*切らしてしまった We'*ve run out of* sugar. // 彼らは息を*切らして家に走ってきた They ran up to the house *out of breath*.

きらつく (星などがきらきら光る) twinkle 自; (強くぴかぴか光る) glitter 自; (光が反射して光る) glint 自; (ぬれた物などが) glisten 自.《☞ きらきら; ひかる》.

ぎらつく (まばゆく輝く) glare 自; (目をくらますように) dazzle 自 他.《☞ ぎらぎら; ひかる》.

きらっと ☞ きらり(と)

きらびやか ── 形 (目をくらますような) dazzling; (けばけばしい) gaudy; (わざと人目を引くようにけばけばしい) showy; (豪華な) gorgeous.《☞ はで; ごうか¹; はなやか》.

きらぼし 綺羅星 ¶ 式典には*きら星 (⇒ 銀河) のように有名人が参列した *A galaxy of* well-known people attended the ceremony.

きらめき (きらきらした光) twinkle, twinkling ★ ともに単数形で; (強いぴかぴかした光) glitter ★ 単数形で.《☞ きらめく》. ¶ 星の*きらめき the ⌈*twinkle* [*twinkling*] of the stars

きらめく (強い光でぴかぴか光る) glitter 自; (しっとりと輝く) glisten 自; (火花が出るように光る) sparkle 自; (きらきら光る) twinkle 自; (ぱっと光る) flash 自.《☞ きらきら; かがやく; ひかる》. ¶ 星がダイヤモンドのように空に*きらめいていた Stars *were twinkling* like diamonds in the sky. // 光が一瞬*きらめいて，あたりは再びやみとなった After a *flash* of light, there was again darkness all around us. // 山頂の雪は太陽を反射して*きらめいていた The snow on the mountaintop ⌈*glistened* [*glittered*] in the sunshine.

きらら 雲母 mica /máɪkə/ U《☞ うんも》.

きらり(と) ¶ 彼女の指のダイヤモンドが*きらりと光った The diamond on her finger *sparkled*. // 彼の目が涙で*きらりと光った I saw his eyes *glisten* with tears.

ぎらり ¶ 彼の目が殺意に満ちて*ぎらりと光った His eyes *flashed* with murderous intent.

きられやく 斬られ役, 切られ役 actor playing a role to be killed with a sword C ★ 説明的な訳.

ギランバレーしょうこうぐん ギランバレー症候群 Guillain-Barré /giːlǽŋbaːréɪ/ sỳndrome U ★ 多発性神経炎の特徴的な病気症状で G. Guillain と J. A. Barré の二人のフランスの神経学者の名前から. Barré の ´ はつづり本来のもの.

きり¹ 霧 ── 名 (湿気を含んだ薄い霧) mist U; (視界のきかないほど濃い霧) fog U; (湿りけの少ないもや) haze U 参考 強さの順で言えば薄いものから haze, mist, fog となる; (スモッグ) smog U. ── 形 (霧のかかった) misty; (もやのかかった) hazy; (霧が深い) foggy.《☞ かすみ 日英比較; もや》. ¶ けさは*霧が深い It's ⌈*foggy* [*misty*] this morning. // *霧はだんだん濃く[薄く]なっていく The *fog* is gradually ⌈getting thicker [clearing]. // *霧は晴れ上がった The ⌈*fog* [*mist*] has cleared (up). // 湖の上に*霧が立ちこめていた The *mist* was hovering over the lake. // アイロンする前に，その布に*霧を吹いて下さい *Sprinkle water* on the cloth before you iron it. / *Sprinkle* the cloth with *water* before you iron it.

きり² 切り (限度) limit C; (境界) bound C ★ 複数形で用いることが多い; (終わり) end C. ¶ ここらできょうの仕事に*切りをつけよう (⇒ きょうの仕事をやめよう) Let's *stop* working now. / Let's call it a day. // 彼らの要求は*切りがない (⇒ 際限がない) Their demands know no *bounds*.《☞ さいげん²》// これはちょうど*切りのよい所だ (⇒ やめるのによい所だ) This is a good place *to* ⌈*leave off* [*break off; stop*].

きり³ 錐 (T 字形の取っ手のある) gimlet C; (千枚通し) awl /ɔ́ːl/ C; (ドリル) drill C; (らせん形の木工ぎり) auger C ★ gimlet より大きい.《☞ だいく¹ (挿絵)》.

きり⁴ 桐 〘植〙 (木) paulownia /pɔːlóuniə/ C; (材) paulownia (wood) U.

キリ ☞ ピン (ピンからキリ)

-きり **1** «…以来» ¶ あれっ*きり，彼女には会ってない I haven't ⌈met [seen] her *since* then. / (⇒ あれが彼女に会った最後だ) That was the last time I saw her.《☞ それっきり; あれっきり》
2 «…だけ» ── 形 (最後の) last; (唯一の) only.《☞ -だけ》. ¶ あげられるお金はこれっ*きりですよ This is *the last* (of the) money I can give you. // このあたりに住む外国人は私一人*きりです I am the *only* foreigner living around here.

ぎり 義理 **1** «交際上の礼儀として他人に対して行うべきこと» 日英比較 この意味での義理という日本語にぴったりの英語の語句はない. ただし，他人に対して当然果たすべき義務という意味での duty Ⓤ (具体的には Ⓒ), あるいは返すべき恩義という意味での obligation Ⓒ という言葉があり, owe a favor (親切の借りがある), meet an obligation (恩義を返す) という表現もあって, まったく重なりがないわけではない. しかし, 上司と部下, 親分・子分などのタテ関係, または親戚関係などによって, 具体的な恩義もないのに内心はいやいやでも, 表面上は喜んで犠牲を払うのが人の道だという考え方は英米にはないので, ぴったりした訳語がない. 《☞ にんじょう》. ¶ 彼は*義理がたい[*義理を知らない] (⇒ 義務感が強い[義務感がない]) He has ˹a strong [no] sense of *duty*. / (⇒ いつも恩義のお返しをする[決してしない]) He ˹always [never] meets his *obligations*. // 彼には*義理がある (⇒ 恩義を受けている) I *owe* ˹a *favor* to him [him a *favor*]. // 彼は*義理と人情を重んじる He places a high value on *moral obligations* and personal relationships. ★ 上の 日英比較 にあるように, この英訳は日本語と少し意味がずれる. // 彼は*義理を欠いている He is failing in his social ˹*duties* [*obligations*]. ★ 格式ばった言い方. / He has no sense of social ˹*obligation* [*duty*]. // 彼女は養父母に*義理を立てる (⇒ 当然の敬意を払う) She pays *due respect* to her foster parents. // *義理と人情の板挟みだ I am torn between love and *duty*.
2 《姻戚の》: in-law Ⓒ 語法 (1) in-law は father-in-law のように家族関係・親族関係を表す語の後にハイフンで結んで用いる. 複数形は fathers-in-law のように名詞の部分を複数形にする. また in-law は姻戚関係の親族という名詞として in-laws と複数形で用いることも多い. 《☞ 親族関係 (囲み); ハイフン (巻末)》. ¶ 彼は私の*義理の弟です He is my brother-*in-law*. 語法 (2) 兄か弟かは普通英語では表さないが, もし必要なら younger sister's husband などとする.
義理にも ¶ 彼は*義理にも料理がうまいとは言えない (⇒ 上手な料理人どころではない) He is *anything but* a good cook. / (⇒ ほど遠い) He is *far from* being a good cook. **義理立て** ¶ 彼女は上司に*義理立てして (⇒ 上司に対する義理から) その会に出席した She attended the party *out of obligation to* her boss. **義理チョコ** chocolate presented as a matter of obligation Ⓒ ★ 説明的な訳. **義理付き合い** association out of a sense of duty Ⓤ 《☞ つきあい; つきあう》.

きりあい 切[斬]り合い sword fight Ⓒ 《☞ きりあう》.

きりあう 切[斬]り合う (刀で戦う) fight with swords, be in a sword fight.

きりあげ 切り上げ (通貨の) revaluation Ⓤ; (端数の) rounding up Ⓤ. 《☞ きりあげる》.

きりあげる 切り上げる (やめる) léave óff ㊀; (仕事などを中止する) 《略式》 knóck óff ㊀; (平価を) revalue (upward) ㊀; (端数を) round up ㊀.
¶ このへんで仕事を*切り上げよう Let's ˹*leave* [*knock*] *off* work now. / (⇒ きょうはこのへんにしておこう) Let's call it a day. ★ 後者が普通の表現. // 円を 17% *切り上げる *revalue* the yen (*upward*) by 17% // 小数点以下は*切り上げなさい *Round up* fractions *to the nearest whole number*. // 0.5 以上の端数は*切り上げなさい (⇒ 0.5 以上の端数を 1 として数えなさい) *Count* fractions of one-half and greater *as one*. 《☞ ししゃごにゅう; 数字 (囲み)》

きりうり 切り売り ── 動 sell ... ˹by the piece [piece by piece]. ¶ 知識の*切り売りで暮らすとは情けない It's a pity one has to ˹*sell* [*peddle*] one's knowledge for a living.

きりえ 切り絵 *kirie* Ⓤ, cutout Ⓒ. 《☞ きりがみ》.

キリエ (ミサの) kyrie (eleison) Ⓤ.

きりおとし 切り落とし (きれはし) scrap Ⓒ; (一片) piece Ⓒ. 《☞ きれはし》. ¶ 肉の*切り落とし *scraps* of meat / meat *scraps*

きりおとす 切り落とす cút ˹óff [dówn] ㊀ ★ 最も一般的で, 以下の語の代わりに用いられることもある; (切断する) sever /sévə/ ㊀ ★ やや格式ばった語; (小枝などを刈り込む) prune ㊀. 《☞ きる¹》.

きりおろす 切[斬]り下ろす ¶ 相手を一刀のもとに*切り下ろして倒す (⇒ 相手を一太刀で切り殺す) *kill* the opponent *with a single stroke of a sword*

きりかえ 切り替え (変更) change Ⓤ; (更新) renewal Ⓤ. 《☞ きりかえる》.

きりかえし 切り返し **1** 《反撃すること》: striking back Ⓤ, counterattack Ⓒ. **2** 《相撲の》: *kirikaeshi*, outer leg sweep Ⓒ. **3** 《剣道の》: *kirikaeshi* Ⓤ; (説明的には) parrying an opponent and hitting back, one of the basic exercises Ⓤ. **4** 《映画の》: cutback Ⓒ. **5** 《鉄道の》: switchback Ⓒ.

きりかえす 切り返す (反撃する) strike back ㊁, counterattack ㊁ ★ 前者のほうが口語的. 《☞ きる¹》. ¶ 自動車のハンドルを*切り返す (⇒ ハンドルを反対方向に回転させる) *turn* the wheel *in the opposite direction*

きりかえる 切り換える, 切り替える (改める) change ㊀; (更新する) renew ㊀; (転じる) switch ㊀ ㊁. 《☞ てんかん¹》.
¶ 今月, 運転免許を*切り替え (⇒ 更新し) なくてはならない I must *renew* my driver's license this month. // あなたも頭を*切り替えたら (⇒ 考え方を改めたら) どうですか Don't you think you should *change* your way of thinking? // 彼が入って来たので私たちは急いで話題を*切り替えた Seeing him enter the room, we quickly *changed* the subject.

きりかかる 切り掛かる (相手を目がけて切りつける) slash [cut] at *a person*; (刀で攻める) attack *a person* with a sword. 《☞ きる¹》.

きりかた 切り方 how to cut, the way to cut. 《☞ きる¹》. ¶ 野菜の*切り方を教えてあげよう I'll show you *how to cut* the vegetables.

きりかね 切り金 (金[銀]を薄くのばした板) sheet of thin ˹gold [silver] leaf Ⓒ; (仏画・仏像などを覆う技法) thin ˹gold [silver]-leaf coating technique used on Buddhist paintings and sculptures Ⓒ.

きりかぶ 切り株 (木の) stump Ⓒ, stub Ⓒ; (稲などの刈り株) stubble Ⓒ.

きりがみ 切り紙 *kirigami* Ⓤ; (説明的には) the art of cutting paper in various shapes.

きりかわる 切り替わる (変更になる) change ㊁; (取り替えられる) be replaced by ...; (新しくなる) be renewed by ...; (転じる) switch (to ...) ㊁. 《☞ きりかえる》. ¶ 9 月 1 日から新しい時間割りに*切り替わる Our class schedule will *change* on September 1.

きりきざむ 切り刻む chóp [cút] úp ㊀; (細片に切る) cut ... into small pieces; (肉などを細かく) mince ㊀. 《☞ きる¹; きざむ; 料理の用語 (囲み)》.

きりきず 切り傷 (刃物による傷) cut Ⓒ; (武器・凶器による傷) wound /wúːnd/ Ⓒ; (深い傷) gash Ⓒ; (傷あと) scar Ⓒ. 《☞ きず (類義語); けが 日英比較》.

きりきり ── 形 (割れるような) splitting; (激しい) sharp. 《☞ 擬声・擬態語 (囲み)》. ¶ 頭が*きりきり痛んだ I had a *splitting* headache. // 背中が*きりきり痛む I have a *sharp* pain in my back.

ぎりぎり (ぎりぎりの限界) the (very) limit; (ぎりぎりの時間) the last moment. 《☞ げんかい¹; どたんば; 擬声・擬態語 (囲み)》. ¶ 時間*ぎりぎりでどうにか列車に間に合った I jumped on the train at *the last moment*. // これが譲れる*ぎりぎりの線です This is *the* (*very*) *limit* of our flexibility. // 私たちは彼らに*ぎりぎりの (⇒最低の) 値段の見積りを出した We quoted them our *lowest possible* price.

きりぎりす grasshopper Ⓒ《☞ こんちゅう (挿絵); 動物の鳴き声 (囲み)》.

きりきりまい きりきり舞い ¶ 仕事が忙しくて*きりきり舞いした (⇒仕事が私をぴょんぴょん飛び回らせた) The work *kept* me *hopping*. 《☞ てんてこまい》

きりくぎ 切り釘 (両端がとがった釘) double-pointed nail Ⓒ ★ 説明的な訳.

きりくず 切り屑 (木の) chips of wood, wood chips; (木材以外の) scraps ★ いずれも通例複数形で.

きりくずし 切り崩し ¶ 彼らは反対派の*切り崩しを大々的に行った (⇒団結を打ち壊した) They *broke the solidarity* of the opposition party on a large scale. 《☞ きりくずす》

きりくずす 切り崩す (山などを平らにする) lével (óff) ⑯; (団結を崩す) break (up) ⑯.

きりくだく 切り砕く cut and break … into pieces 《☞ くだく》.

きりくち 切り口 (木口) cut end Ⓒ; (傷口) opening Ⓒ; (断面) (cross) section Ⓒ; (観点) perspective Ⓒ.

きりぐも 霧雲 fog cloud Ⓒ.

きりこ 切り子 facet Ⓒ ★ 特に切った面をいう. 切り子ガラス cut glass Ⓤ.

きりこうじょう 切り口上 (堅苦しい言葉づかい) formal language Ⓤ. ¶ *切り口上で物を言う speak *in* ⌜*a stiff manner* [*formal language*]

きりごたつ 切り火燵, 切り炬燵 sunken *kotatsu* Ⓒ《☞ こたつ》.

きりこみ 切[斬]り込み **1** 《V型の刻み目》: notch Ⓒ. **2** 《襲撃》: attack Ⓒ; (不意の攻撃) raid Ⓒ. 《☞ きりこむ》. 斬り込み隊長 (突撃隊隊長) leader of shock troops; (突撃隊指揮官) commander of shock troops Ⓒ ★ troop は複数形で. 《☞ ぐんたい¹》.

きりこむ 切り込む **1** 《深く切る》: cut ⌜deep [deeply] (into …) ⓐ《☞ きる¹》.
2 《襲撃する》: (敵陣へ深く攻め込む) cut [fight] *one's* way (into …); (急所を突く) hit home ⓐ; (議論などで鋭く攻撃する) press *a person* hard. ¶ 彼女は彼らの議論に鋭く*切り込んでいった She ⌜argued hard with them [*pressed* them *hard* in the argument].

きりころす 切[斬]り殺す kill … with a sword 《☞ きる³; ころす》.

きりさいなむ 切り苛む torture ⑯. ¶ 嫉妬心に*切り苛まれる *be tortured* by *one's* jealousy

きりさく 切り裂く (ナイフで) slash … with a knife 《☞ さく²; ひきさく》. ¶ 彼女は怒ってそのドレスをナイフで*切り裂いた She angrily *slashed* the dress *with a knife*.

きりさげ 切り下げ (通貨の) devaluation Ⓤ《☞ きりさげる》.

きりさげる 切り下げる (値段などを) cut ⑯; (値引きする) reduce ⑯ ★ 前者のほうが口語的; (平価を) devalue ⑯. 《☞ さげる; ねさげ》. ¶ 全製品の値段を 10% *切り下げました We ⌜*reduced* [*cut*] the list prices on all our products by 10 percent. // その国の通貨は 50% *切り下げられた The currency of the country *was devalued* by 50 percent. 《☞ デノミネーション》

きりさばく 切り捌く ¶ 魚や肉を*切り捌く (⇒骨から肉を離して切り身にする) *cut* fish or meat *into fillets* / *fillet* fish or meat

きりさめ 霧雨 — 名 (霧のように細かい雨) a fine misty rain ★ a を付けて; drizzle Ⓤ. — 動 (霧雨が降る) drizzle ⓐ ★ it を主語として. 《☞ あめ¹; きり¹》. ¶ *霧雨が降っている It *is drizzling*.

キリシタン 切支丹 ((日本の初期の) キリスト教) (early) Christianity /krìstʃiǽnəti/ (in Japan) Ⓤ; (キリシタンの人) (early) Christian (in Japan) Ⓒ. キリシタン大名 Christian daimyo Ⓒ ★ 単複同形; Christian feudal lord Ⓒ キリシタンバテレン (神父) Father Ⓒ; (説明的には) Christian missionary in the Muromachi, Sengoku and Edo periods Ⓒ.

きりじに 切[斬]り死に — 動 die in a sword fight.

ギリシャ — 名 ⓐ Greece; (正式名; ギリシャ共和国) the Hellenic Republic. — 形 Greek; Grecian /gríːʃən/ 語法 Grecian は建築や顔つきなどに慣用的に用いられるほかはあまり使われない; (古代ギリシャ (人) の) Hellénic.
ギリシャ建築 Greek architecture Ⓤ《☞ けんちく》 ギリシャ語 Greek Ⓤ ギリシャ人 Greek Ⓒ ギリシャ神話 (1 つの) Greek myth Ⓒ; (全体) Greek mythology Ⓤ ギリシャ正教 the ⌜Greek [Eastern] Orthodox Church ギリシャ文字 Greek letter Ⓒ; (全部を指して) the Greek alphabet. 《☞ もじ》.

きりすて 切り捨て (端数の) rounding down Ⓤ《☞ きりすてる》. ¶ 小数点以下の*切り捨て *rounding* to zero

きりすてごめん 切[斬]り捨て御免 No blame was laid on the samurai class for killing the common people (under provocation, to retrieve their honor) ★ 説明的な訳. ¶ その頃*切り捨て御免は当たり前のことだった (⇒平民の命は侍の意のままだった) Common people's lives were at the mercy of the samurai in those days.

きりすてる 切り捨てる **1** 《切って捨てる》: cút ⌜awáy [óff] ⑯《☞ きる¹; すてる》.
2 《端数を無視する》: (省く) omit ⑯; (捨てる) discard ⑯; (切り離す) cút óff ⑯; (…の端数を切り捨てる) round down ⑯. 《☞ ししゃごにゅう》. ¶ 端数は*切り捨ててよい You can ⌜*omit* [*discard*; *ignore*] fractions.

キリスト Christ /kráɪst/; Jesus (Christ); (救世主) the Messiah /məsáɪə/, the Savior [《英》 Saviour]. 《☞ きゅうせいしゅ》.
キリスト紀元 ☞ せいれき キリスト教 Christianity /krìstʃiǽnəti/ Ⓤ キリスト教会 (Christian) church Ⓒ ★ 組織としての教会をいうときは Ⓤ. キリスト教式結婚式 Christian-style wedding (ceremony) Ⓒ キリスト教社会主義 Christian socialism Ⓤ キリスト教女子青年会 the Young Women's Christian Association (略 Y.W.C.A., YWCA) ★《口語》では the Y ともいう. キリスト教青年会 the Young Men's Christian Association (略 Y.M.C.A., YMCA) ★《口語》では the Y ともいう. キリスト教徒 Christian /krístʃən/ Ⓒ キリスト教民主同盟 (ドイツの) the Chrístian Démocràtic Únion ★ CDU と略す. キリスト降誕祭 ☞ クリスマス キリスト者 ☞ キリスト教徒

きりずみ 切り炭 cut charcoal Ⓤ.

きりそろえる 切り揃える (刈り込む) trim ⑯, (同じ大きさに) cut … (to [in]) the same size, (同じ長さに) cut … (to) the same length. ¶ 長ネギを*切り揃える *cut* green onions (*to*) *the same length*

きりたおす 切り倒す cút dówn ⑯; (木を) fell ⑯ ★ 前者のほうが口語的; (なたなどで) chóp dówn ⑯. 《☞ たおす¹》.

きりだし 切り出し **1** 《小刀》: pointed knife Ⓒ《☞ ナイフ》. **2** 《切り出すこと》: (木材の) logging Ⓤ; (切ること) cutting Ⓤ.

きりだす 切り出す **1** 《話を始める》: begin to talk; (話の皮切りをする) break the ice. **2** 《切って

き

運び出す»: (木を切り倒す) cút dówn (他); (丸太にして) log (他); (石を) quarry (他). 《☞ きる[1]》.

きりたつ 切り立つ ── [形] (急勾配の) steep; (垂直の) sheer, precipitous ★ 後のものほど格式ばった語. 《☞ けわしい; がけ》. ¶ *切り立った崖 a ⌈*sheer* [*precipitous*] cliff / a *bluff* ★ 海岸や谷間の絶壁.

きりたんぽ 切りたんぽ *kiritanpo* [C]; (説明的には) piece of rice paste on a stick [C]; (なべ料理) *kiritanpo* hotpot [U].

きりつ[1] 規律, 紀律 (規則) rule [C]; (公の規則) regulation [C]; (秩序) order [U]; (集団の規律) díscipline [U]. 《☞ きそく; ちつじょ; しつけ[1]》. ¶ *規律は守らなければならない You should observe the ⌈*rules* [*regulations*]. // *規律を乱す者は罰せられる If anyone ⌈breaks a *rule* [fails to follow the *rules*], he will be punished. // 少年たちは*規律正しい生活をしている The boys are living an *orderly* life.

きりつ[2] 起立 ── [動] (立ち上がる) stànd úp (自), gèt úp (自) ★ 後者は「起き上がる」の意味にも用いる; rise (自) ★ 文語的. 《☞ たつ[1]; たちあがる》. ¶ *起立《号令》 *Stand up*! / *Rise*! 日英比較 日本の学校でしばしば行われている「起立, 礼」のような習慣は欧米にはない. **起立採決** rising [standing] vote [C].

きりつぎ 切り接ぎ grafting [U].

きりつける 切り付ける slash [cut] at ....

きりっと ── [形] (きちんとした) neat; (いきな) 《英》 smart; (こざっぱりとした) spruce. ── [副] neatly; smartly; sprucely. 《☞ 擬声・擬態語 (囲み)》. ¶ 彼女はいつも*きりっと装っている She is always dressed ⌈*neatly* [*smartly*]. // *きりっとした (⇒ 均整のとれた) 顔立ちの男 a man with *regular* features

きりづま 切り妻 gable [C]. ¶ *切り妻造りの家 a *gabled* house / (⇒ 切り妻屋根をもつ) a house with a *gabled roof* **切り妻破風** 〘建〙 gable [C] **切り妻屋根** 〘建〙 gable(d) roof [C] 《☞ 上記用例》.

きりつめる 切り詰める (切って短くする) cut ... short; (短縮する) shorten (他); (節減する) cút (dówn) (他); (減らす) reduce (他) ★ 最初の 3 つよりは格式ばった語. 《☞ せつげん[1]》. ¶ 経費を*切り詰めなくてはならない We have to ⌈*cut down* [*reduce*] (our) expenses. // *切り詰めた生活をする lead a *frugal* life

きりど 切り戸 (能舞台の奥の出入口) side entrance [C]; (くぐり戸) wicket (door; gate) [C].

きりどおし 切り通し (切り開いた道) cut [C], excavation [C].

きりとりせん 切り取り線 **1** «線»: (ミシン目が入った) pérforàted líne [C]; (点線が入った) dótted líne [C]. 《☞ せん[1]》. **2** «表示»: (引きはがすこと) Tear off here; (切り取ること) Cut here.

きりとる 切り取る cút ⌈óff [awáy; óut] (他); (不要な部分を) trim (他); (はさみで切る) clip (他). 《☞ きる[1]》. ¶ しおれた葉は*切り取りなさい *Trim* the withered leaves ⌈*away* [*off*]. // その記事を新聞から*切り取った I ⌈*cut* [*clipped*] that article *out* of the newspaper.

きりぬき 切り抜き (新聞・雑誌などの) clipping [C], 《英》 cutting [C]. **切り抜き帳** scrapbook [C].

きりぬく 切り抜く clip (out) (他), 《英》 cut out (他).

きりぬける 切り抜ける (困難から脱出する) gèt óut of ...; (脱出の道を見つける) find *one's* way out of ...; (困難などに打ち勝つ) gèt óver ..., òvercóme (他), surmóunt (他) ★ この順に格式ばった語となる. 《☞ こくふく; のりこえる; だかい》. ¶ 彼は立派に苦境を*切り抜けた (⇒ 困難から脱け出すことに成功した) He succeeded in ⌈*getting* [*finding his way*] *out of* (the) trouble. // 難局を*切り抜ける *get over* [*overcome*; *surmount*] the difficulty

きりのれん 切り暖簾 sign curtain [C]; (説明的には) a split curtain with the shop's sign on it.

きりは 切り羽 (一般に鉱山の) (working) face [C].

きりはし 切端 ☞ きれはし

キリバス ── [名] (固) (国名) Kiribati /kìrɪbá:ti/; (正式名; キリバス共和国) the Republic of Kiribati ★ 太平洋中西部の共和国.

きりばな 切り花 cut flowers ★ 通例複数形で. 《☞ はな[1]》.

きりはなす 切り離す, 切り放す cut ... ⌈off [apart] (他); (結合していたものを) séparàte (他); (力ずくで切断する) sever (他) ★ やや格式ばった語; (宇宙船を) undock (他). 《☞ きりとる; はなす[2]》. ¶ この部分を*切り離しましょう Let's *cut* this section *off*. // この車両は前の 4 両から次の駅で*切り離します This car will *be separated* from the first four cars at the next station. // 権利と義務は*切り離せない (⇒ 相伴うものだ) Rights and duties *go hand in hand*.

きりはらう 切り払う (切ってのける) cut away (他); (剪定する) prune (他); (敵などを) drive away ... in a sword fight.

きりばり 切り張り ── [動] (切り抜いて張る) clip (out) and paste (他), 《英》 cut out and paste (他). 《☞ きる[1]; はる[2]》.

きりひらく 切り開く (道などを) cut (他); (開く) open (他); (障害物などを取り除いて) clear (他); (切り開いて進む) cut *one's* way (through ...); (ナイフなどで細長く) slit open (他). 《☞ ひらく; きりぬける; かいたく》. ¶ この丘を*切り開いて道を作ります We will ⌈*cut* [*open*] a way through this hill. // 彼らは荒地を*切り開いて豊かな畑とした (⇒ 荒地を豊かな畑に転じた) They *turned* the wasteland into a rich field.

きりふき 霧吹き átomìzer [C]; (噴霧器・スプレー) spray(er) [C].

きりふだ 切り札 (トランプの) trump (card) [C] 《☞ おくのて; エース》. ¶ 監督は彼を*切り札にとっておいた The manager saved him as a *trump card*. // 彼らは最後の*切り札 (⇒ 手段) としてストライキを行った They went on strike as a *last resort*.

きりぼし 切り干し ¶ *切り干し大根 *dried strips of* daikon

きりほどく 切り解く (自由にする) cut loose (他); (もつれたものを解く) untangle (他).

きりまくる 切り捲る slash about (他).

きりまわし 切り回し management [U] 《☞ きりまわす》. ¶ 彼女は家の*切り回しがうまい (⇒ 家のよい管理者だ) She is a good household *manager*. / (⇒ よく運営している) She *is running* the household very well.

きりまわす 切り回す (仕事をうまく処理する) manage ... ⌈skillfully [with skill]; (家・家庭を) run (他). 《☞ やりくり》. ¶ 彼女は新家庭をよく*切り回している She *is* ⌈*managing* [*running*] her new home quite well. // 彼女はこの会社を一人で*切り回している (⇒ 管理の全責任を持っている) She *has sole responsibility for the management of* this company.

キリマンジャロ ── [名] (固) Mount [Mt.] Kilimanjaro /kìləmənʤá:roʊ/ ★ 東アフリカの山.

きりみ 切り身 (薄い切り身) slice [C]; (切り取った肉の) cut [C]; (魚や肉の骨のない切り身) fillet [C]; (肉・魚の厚い切り身) steak [C]. ¶ 魚は*切り身にして下さい *Cut* the fish *into slices*.

きりむすぶ 切り結ぶ cross swords with ...

きりめ 切り目 (切った跡) cut [C]; (V 字形の刻み

目) notch Ⓒ; (切断面) section Ⓒ. (☞ きりくち; きざみめ). ¶ 金属板に*切り目をつける cut [make; put] a *notch* in a plate

きりもち 切り餅 cut rice cake Ⓤ.

きりもみ 錐揉み 〘空〙(きりもみ降下) tailspin Ⓒ.

きりもり 切り盛り ― 動 (巧みに処理する) mánage ⑩; (管理する) admínister ⑩; (やりくりする) handle ⑩. ― 名 mánagement Ⓤ; adminìstrátion Ⓤ. (☞ やりくり; きりまわす).

ギリヤーク ― 名 ⓒ (民族名) Gilyak /gɪljǽk/. ギリヤーク語 Gilyak Ⓤ.

きりゃく 機略 (機転) quick-wittedness Ⓤ; (臨機応変の才能) resourcefulness Ⓤ. ¶ *機略に富む政治家 a 「*nimble*(*-footed*) [*quick-witted*] politician / a politician with 「*resourcefulness* [*quick-wittedness*]

きりゅう¹ 寄留 ― 動 (一時的に住む) live [reside] temporarily ⓐ. ― 名 (仮の住まい・寄留先) temporary residence Ⓤ, 《格式》 temporary domicile /dáməsàɪl/ Ⓒ. (☞ とうりゅう; たいざい). **寄留地** *one's* temporary (place of) residence.

きりゅう² 気流 air current Ⓒ. ¶ 上昇 [下降] *気流 an ascending [a descending] *air current* // 乱*気流 (*air*) turbulence / turbulent *air*

きりゅうさん 希硫酸 〘化〙 dilute 「sulfuric [《英》 sulphuric] acid Ⓤ.

きりょう 器量 (顔立ち) features ★ 複数形で; (容貌) looks ★ 普通は複数形で. (☞ かおだち). ¶ 彼女は*器量がよくない (⇒ 十人なみだ) She is 「*plain* [*plain-looking*; 《米》 *homely*]. **器量好み** love of good looks. ¶ *器量好みの人 a man who *cares for a good-looking woman* **器量自慢** ¶ あの娘は*器量自慢だ She is *proud of her good looks*. **器量人** talented [capable] 「man [woman] Ⓒ **器量負け** ¶ 彼女は*器量負けしてかえって縁遠かった (⇒ 実は, 彼女の美しい顔立ちが妨げた) *Her good looks actually hampered* her efforts to find a husband. **器量良し** ― 形 good-looking, pretty. ― 名 good-looking woman Ⓒ.

ぎりょう 技量 (技能) skill Ⓒ; (芸術的な才能) talent Ⓤ; (積極的に成し遂げる能力) ability Ⓤ; (潜在的な能力) capacity Ⓤ ★ いずれの語もしばしば複数形で. (☞ うでまえ; のうりょく (類義語)).

きりょく¹ 気力 (意志の力) will Ⓤ; (精神力) willpower Ⓤ; (元気) énergy Ⓤ; (活力) vigor (《英》 vigour) Ⓤ; (活気) vitality Ⓤ; (元気) 《口語》 pep Ⓤ. (☞ とうし²). ¶ 彼らは*気力旺盛だ They are full of 「*energy* [*vigor*; *vitality*]. // 彼は*気力だけで歩いていた (⇒ 意志の力が彼を歩き続けさせた) Only his *strong will* (*power*) kept him walking onward(s). // 私にはその仕事をやり遂げる*気力がない I don't have the *energy* to carry out the task. // 彼女には*気力がない She is out of 「*energy* [*gas*]. // 最近彼は*気力が衰えてきた Recently he has lost his 「*energy* [*vigor*].

きりょく² 棋力 degree of proficiency in 「*shogi* [go] Ⓤ, the playing strength Ⓤ. ¶ 将棋の*棋力をはかる measure *the playing strength* of *shogi* players

きりりと ― 形 (きちんとした) trim; (しゃれた) smart; (こぎれいな) spruce. (☞ きりっと; 擬声・擬態語 (囲み)).

キリルもじ キリル文字 the Cyrillic /sərílɪk/ álphabet (☞ もじ).

きりわける 切り分ける cut ... into pieces; (食卓で肉を切る) carve (up) ⑩. (☞ きる¹; わける). ¶ 彼女はケーキをみんなに平等に*切り分けた She *cut* the cake *into* equal *pieces* for (each of) them.

きりわり 切り割り ☞ きりどおし

きりん 麒麟 giráffe Ⓒ. **きりん座** 〘天〙 the Giraffe **麒麟児** (infant [child]) prodigy Ⓒ.

きりんそう 麒麟草 〘植〙 stonecrop with yellow flowers Ⓒ ★ 万年草(まんねんぐさ)属(の一種). (☞ あわだちそう).

きる¹ 切る **1** 《刃物などで》: cut ⑩ 《過去・過分 cut》 ★ 最も一般的で, 以下の語の代わりに用いられる場合も多い; (大まかに切る) chop ⑩; (みじんに切る) mince ⑩; (薄く切る) slice ⑩; (のこぎりでひく) saw ⑩; (はさみで) shear ⑩; (無理に全体の一部を切断する) sever ⑩ ★ やや格式ばった語; (樹木を切り倒す) cút dówn ⑩, fell ⑩ ★ 前者のほうが口語的. (☞ きれる). ¶ そのケーキを2つに*切って下さい Please *cut* the cake 「in two [into two halves]. // 彼はナイフで指を*切った He *cut* his finger with a knife. 〔語法〕 切り傷を負ったということで, 切り落としたことを言うには普通 cut off と off を付ける. // 私にパンを一切れ*切ってくれませんか Will you *slice* that bread for me? // にんじんは乱切りにし (⇒ 大まかに*切り), たまねぎはみじんに*切ります *Chop* carrots and *mince* onions. (☞ 料理の用語 (囲み)) // その大木を*切るのに5時間かかった It took me five hours to 「*cut down* [*fell*] the big tree.

2 《関係を切断する》: (電話を) háng úp ⑩; (手を切る・断交する) sever relations with ...; (電気やラジオ・テレビなどのスイッチを) cút [swítch] óff ⑩, tùrn óff ⑩ (↔ tùrn ón). (☞ きれる).

¶ 電話を*切らないで下さい (⇒ 受話器をそのままにしておいて下さい) Please *hold on*. // 電話が何かの間違いで*切れた The line *was* 「*disconnected* [*cut off*] by accident. // 彼はついにあの女と手を*切った He finally *severed relations with* that woman. // 浴室の電気は*切りましたか Did you *turn off* the light in the bathroom? // テレビのスイッチを*切り忘れた I forgot to 「*switch* [*turn*] *off* the TV.

3 《トランプ・切符などを》: (トランプを混ぜる) shuffle ⑩; (トランプをカットする) cut ⑩ ★ カードの山を2つに分けること; (切符にはさみを入れる) punch ⑩.

4 《水気などを除く》: drain (off) ⑩. ¶ ほうれん草はよく水を*切って下さい *Drain* the spinach well.

5 《基準より少ない》: (不足する) be short of ... (☞ きらす; きれる). ¶ 募金総額は100万円をわずかに*切った The total contributions *fell* a little *short of* 「a [one] million yen. // 彼女の記録は10秒を*切った (⇒ 彼女は10秒の壁を破った) She *broke through* the ten-second barrier. / She *broke* the ten-second record.

6 《始める・開ける》 ¶ 封を*切る unseal / *open* an envelope (☞ ふう²) // 手形を*きる *pay* by draft (☞ てんぴょう) // 彼はよいスタートを*切った He *made* a good start. (☞ くちび; せき⁴; ひぶた) // 彼は上司に向かってたんかを*切った He *hurled* defiant words at his boss.

7 《…し終える》 ☞ いいきる; つかいきる; おもいきる; よみきる; だしきる; みきる; にげきる

切った張った ¶ 彼らは*切った張ったの取っ組み合いになった They got into *hand-to-hand* fighting.

きる² 着る (身に着ける) pùt ón ⑩ 《過去・過分 put on》 (↔ tàke óff), gèt into ... ★ 前者が一般的. 以上2つは「動作」を表す; (着ている) have ... on, wear ⑩ 《過去 wore; 過分 worn》, be dressed [dress] in ... ★ 以上3つは「状態」を表す; (身仕度のために服を着る) get dressed. (☞ きせる; きがえる). ¶ 彼は上着を*着た He *put* his 「jacket [coat] *on*. / He *put on* his coat. // 彼はパジャマを*着た He *got into* his pajamas. // 彼女はきれいな着物を*着ていた She 「*was wearing* [*wore*] a beautiful kimono /kəmóʊnə/. / She *had* a béautiful kimóno *òn*. //

オーバーを*着たままでいいですよ You can *keep* your overcoat *on.* ∥「この服を*着てみていいかしら」「ええ, どうぞ」"May I *try* this dress *on*?" "Certainly." ∥日本の葬式では皆黒い服を*着る In Japan, everybody *dresses in* black at a funeral. 日英比較 日本の葬式では黒服が普通だが, 米国ではそうではない. ∥あの白い服を*着た少女は天使みたいだ That girl *in white* looks like an angel. ∥結婚式には何を*着て行こうかしら What shall I *wear* to the wedding? ∥子供が大きくなってもうこの服は*着られない The child has outgrown these clothes.

きる[3] **斬る** kill [slay] ... with a sword ★ slay はやや文語的.

キルギス(タン) ── 名 固 (国名) Kyrgyzstan /kìəgɪstǽn/ ; (正式名; キルギス共和国) the Kyrgyz Republic ★ 中央アジア西部の共和国.

キルク ☞ コルク

キルケゴール ── 名 固 Sören Kierkegaard /sɑ́ːrən kíəkəgɑə(d)/, 1813–55. ★ デンマークの哲学者. ── 形 Kierkegáardian.

キルシュ kirsch(wasser) /kíəʃ(vɑ̀ːsə)/ Ⓤ ★ サクランボから作る蒸留酒.

ギルダー (オランダの旧通貨単位; ☞ ユーロ) guilder /gíldə/ Ⓒ 《略 G》.

キルティング ── 名 quilting Ⓤ ★「材料」と「すること」の両方を表す. ── 形 quilted. ── 動 quilt 他 自.

キルト **1** 《スコットランドの》: kilt Ⓒ.
2 《キルティングの掛けぶとん》: quilt Ⓒ.

ギルド 〖史〗 guild Ⓒ.

ギルトトップ ── 名 (製本で上縁に金箔を塗った本) gilttop Ⓒ. ── 形 gilttopped.

ギルバート (男性名) Gílbert ★ 愛称は Gil, Bert.

ギルバートしょとう ギルバート諸島 ── 名 固 (地名) the Gilbert Islands ★ 太平洋西部の群島.

きれ[1] **切れ** (一般的な意味で, 布) cloth Ⓤ; (ぼろの) rag Ⓒ. 《☞ きじ[2]》.

きれ[2] **切れ** ¶ このタオルは水の*きれがよい (⇒ 早く乾く) This towel *dries quickly.* ∥ このフライドチキンは油の*きれが悪い (⇒ 脂っこい) This fried chicken is ⌜*greasy* [*oily*]. ∥ 彼女は頭の*きれがよい (⇒ 頭脳がある) She *has brains.* / (⇒ 鋭い) She is *sharp.* ∥ *きれのよいカーブを投げる throw a *sharp* curve 《☞ きれあじ》

-きれ ...**切れ** (一般的に, 小片) piece Ⓒ; (小さい) bit Ⓒ; (パンなどの平らで薄い) slice Ⓒ; (細い) slip Ⓒ; (長くて細い) strip Ⓒ; (ハム・ベーコンの薄切れ) rasher Ⓒ 語法 以上いずれも主として物質名詞の分量を示す単位語として用いる. 《☞ きれはし; 数の数え方 (囲み)》. ¶ 彼女は私にケーキを一*切れくれた She gave me a *piece* of cake. ∥ 彼は木*ぎれで火を燃やした He made a fire with a few ⌜*bits* [*scraps*] of wood. ∥ 私は肉を 4 *切れ買った I bought four ⌜*slices* [*pieces*] of meat. ∥ 私は朝食はパン 2 *切れとベーコン 3 *切れです I eat two *slices* of bread and three ⌜*rashers* [*pieces*] of bacon for breakfast. ∥ 彼は細長い紙*切れでこよりを作った He twisted a *strip* of paper into a string.

-ぎれ **-切れ** ☞ きれる **5** ¶ 残念ながら時間*切れです I'm afraid time *has run out.* 《☞ じかん[1] (時間切れ)》 ∥ 期限*切れの免許証 an *expired* driver's license 《☞ きげん[2] (期限切れ)》

きれあがる **切れ上がる** ¶ (スキー・スノーボードなどで) *切れ上がるターンをする make a *short* turn *uphill* 《☞ こまた》

きれあじ **切れ味** ¶ このナイフは*切れ味がよい [悪い] (⇒ よく切れる [切れない]) This knife ⌜*cuts well* [*won't cut*]. / (⇒ これは鋭い [なまくらな] ナイフだ) This is a ⌜*sharp* [*dull*] knife. ∥ 彼はその刀の*切れ味を試した He tested the *sharpness* of the sword. 《☞ きる[1]; きれる》

きれい **綺麗** **1** 《美しい》 ── 形 beautiful; (かわいらしい) pretty; (愛らしい) lovely. 《☞ うつくしい (類義語); あざやか; みりょく》.
¶ なんて*きれいな花でしょう What a ⌜*beautiful* [*pretty*; *lovely*] flower (this is)! ∥「あの*きれいな方はだれですか」「私の姉です」"Who is that *beautiful* woman?" "She's my sister."
2 《清潔な》 ── 形 (清潔で汚れのない) clean; (純粋で清らかな) pure; (澄みきった) clear; (よく整理・整頓した) tidy; (きちんとした) neat. ── 副 cleanly; purely; tidily; neatly. 《☞ せいけつ; こぎれい; せいとん》.
¶ いつも手を*きれいにしておきなさい Always keep your hands *clean.* ∥ この湖の水はとても*きれいだ The water in this lake is very ⌜*clear* [*pure*]. ∥ 家の中は何もかも*きれいできちんとしていた Everything in the house was *neat* and *tidy.* ∥ 彼女は髪を*きれいに整えてから部屋を出ていった She arranged her hair *neatly* before leaving the room. ∥ 彼はいつも字を*きれいに書く He always writes *neatly.* / His handwriting is always *clear.* 《☞ ひっせき》
3 《完全に》 ── 副 (きれいさっぱり) clean; (完全に) completely; (すっかり) wholly; (まったく) entirely; (すべて) all. 《☞ すっかり》. ¶ それを*きれいに忘れてしまった I've *clean* forgotten it. / (⇒ 記憶から完全に去ってしまっている) It has slipped (from) my ⌜memory [mind] *completely.* ∥ 借金を*きれいに払う *pay* [*clear*] *up one's* debts
4 《公明正大な》: (公正な) fair; (清い) clean. 《☞ こうめいせいだい》. ¶ *きれいな選挙運動を行う conduct [hold] a ⌜*clean* [*fair*] election campaign
綺麗好き ── 形 neat and tidy. ¶ 彼は*きれい好きだ He is a *tidy man.* / (⇒ 清潔さについてうるさい) He is particular about *cleanliness* /klénlinɪs/. / He *likes to keep things* ⌜*neat* [*tidy*].

ぎれい **儀礼** (礼儀正しい行動) courtesy /kə́ːtəsi/ Ⓤ; (社交上の決まり) étiquètte Ⓤ; (外交上の) prótocòl Ⓤ. ¶ *儀礼的な訪問 a *courtesy* call ∥ 席は外交上の*儀礼に基づいて決められた The seats were assigned according to *protocol.*

きれいごと **綺麗事** (体裁) appearance Ⓒ; (うわべのごまかし) whitewash Ⓒ ★「うわべをごまかす」と 動 としても用いる. ¶ *きれいごとを言っている場合ではない This is no time for trying to keep up *appearances.* ∥ そのスキャンダルは*きれいごとではすまない (⇒ うわべのごまかしがきかない) You can't *whitewash* the scandal.

きれいさっぱり **綺麗さっぱり** (完全に) completely; (まったく) entirely; (すべて) all. ¶ 彼女とは*きれいさっぱり別れる I'll make a *clean* break from her. / I'll break with her *completely.* ∥ そのことは*きれいさっぱり忘れなさい Forget *all* about it.

きれいどころ **綺麗所** (芸者) geisha (girl) Ⓒ.

きれぎれ **切れ切れ** ── 名 (半端物) odds and ends ★ 複数形で; (音楽・会話などの断片) snatch Ⓒ. ── 形 (寄せ集めの) patchy; (断片的な) frágmentàry. ── 動 (切れ切れに破る) tear ... ⌜in [to; into] pieces. 《☞ ばらばら; だんぺん[1]》.
¶ 彼らの会話をほんの*切れ切れに小耳にはさんだだけです (⇒ 断片を立ち聞きしただけだ) I overheard only *snatches* of their conversation. ∥ *切れ切れの (⇒ 寄せ集めの [断片的な]) 知識 *patchy* [*fragmentary*] knowledge

きれくち **切れ口** ☞ きりくち

きれこみ **切れ込み** (切り口) cut Ⓒ; (V 形の刻み目) notch Ⓒ; (細長い切り口) slit Ⓒ; (十文字)

cross Ⓒ.

きれこむ 切れ込む ¶《サッカーなどで》相手陣内に*切れ込む *dribble through* the defense

きれじ[1] 切れ地 (布地) cloth Ⓤ, fabric Ⓤ; (半端な切れはし) odd piece of cloth Ⓒ.

きれじ[2] 切れ痔 bleeding ˹hémorrhòids [piles] ★[ ]内のほうが口語的. いずれも複数形で.

きれつ 亀裂 (固くもろい物に生じる) crack Ⓒ; (岩や地面の深い割れ目) fissure Ⓒ; (細いすきま) chink Ⓒ; (縦に入る細長い割れ目) split Ⓒ ★ 比喩的にも用いる. 《☞ われめ; すきま; ひび》. ¶その建物の壁には幾つかの*亀裂がある There are several *cracks* in the walls of the building. 語法 ほんの表面だけのものなら in の代わりに on も可. // 地震で地面に*亀裂が生じた The ground ˹*was fissured* [*opened in fissures*] from the earthquake.

きれっと 切れっ戸 (V 字形の山稜) V-shaped ˹gap [valley] Ⓒ.

-きれない ¶食べ*きれないほど食糧がある (⇒ 食べられる以上の食べ物がある) We have *more* food *than* we *can possibly* eat. // この教室に 60 人の学生は入り*きれない (⇒ 60 人の学生にはあまりに小さすぎる) This classroom is ˹*too* small [(⇒ 十分大きくない) *not* big *enough*] *for* 60 students.

きれなが 切れ長 ¶*切れ長の目 *slit* eyes / eyes with *long slits* at the corners ★ 説明的.

きれはし 切れ端 (1 片) piece Ⓒ; (小片) bit Ⓒ; (不用になった破片) scrap Ⓒ; (半端物) odds and ends ★ 複数形で. ¶彼は紙の*切れ端にメモを残した He left a note on a *scrap* of paper. // パンの*切れ端 a *piece* of bread

きれま 切れ間 ☞ きれめ

きれめ 切れ目 (空間的な透き間) gap Ⓒ; (途中での) break Ⓒ; (特に雲などの) rift Ⓒ; (終わる点) end Ⓒ; (休止) pause Ⓒ. 《☞ くぎり》. ¶雲の*切れ目から日が差している The sun is shining through a *gap* in the clouds. // 仕事の*切れ目 a *pause* in *one's* work // 彼の話には*切れ目がない (⇒ とぎれることなく話す) He talks (on) *endlessly*. // いまちょうど*切れ目のよい所だ This is a good time for a *break*.

きれもの 切れ者 (有能な人) able [competent] person Ⓒ ★[ ]内は特定分野での能力を表すことが多い; (頭の切れる人) sharp person Ⓒ.

きれる 切れる **1** «鋭くて切れ味がよい» — 形 (刃物などが) sharp (↔ blunt, dull), keen. 語法 keen をこの意味で使うのは文語的. — 動 (よく切れる) cut well ⓐ. 《☞ きる[1]; きれあじ》.
¶このナイフはよく*切れる This knife ˹is *sharp* [*cuts well*]. // このナイフは*切れない This knife is ˹*blunt* [*dull*]. // 彼はとても*切れる (⇒ 有能な) 男だ He is a very ˹*able* [*competent*] person. / (⇒ ナイフのように鋭い) He is (as) *sharp* as a knife.
2 «途中で切れる»: (なわ・ひもなどが) break ⓐ, be broken; (糸などがぷつんと) snap ⓐ; (電話などが) be cut off, be disconnected ★ 後者はやや格式ばった語. 《☞ きる[1]》. ¶雪の重みでケーブルが*切れた The cable *was* ˹*broken* [*severed*] by the weight of the snow. // このひもは弱くて (⇒ この弱いひもは) ちょっと引っぱったら*切れた This frail string *broke* with only a gentle pull. // 大きな魚がかかったが糸が*切れて逃げられた I hooked a big fish, but the line *snapped* and it got away. // 話しの途中で電話が*切れた I *lost my connection*. / We *were* ˹*cut off* [*disconnected*]. ★ 第 1 文のほうが普通.
3 «土手などが»: collapse ⓐ, give way ⓐ ★ 後者が口語的; (ダムが) burst ⓐ, brèak dówn ⓐ ★ 後者が口語的. 《☞ けっかい[1]》.
¶ダムが*切れたぞ. すぐ避難しろ Run for it! The dam *has burst*! // 土手が*切れて水があふれた The embankment ˹*gave way* [*collapsed*] and ˹it flooded [there was a flood].
4 «品物が(使え)なくなる»: run out (of ...) ⓐ; (在庫がなくなる) be out of stock. 《☞ きらす; しなぎれ; うりきれる; でんち[1]; でんきゅう》.
¶「コーヒーはありますか」「あいにくただいま*切れています」" Do you have any coffee? " " I'm sorry, but ˹we'*ve* just *run out* [we'*re out of stock*]. " // 砂糖が*切れているから買って来て下さい We'*ve run out of* sugar. Please go (and) get some.
5 «期限が»: run out ⓐ, expire ⓐ ★ 前者が口語的. ¶契約期限が*切れた The contract *has expired*. // 定期(券)が*切れた My commutation ticket *has* ˹*run out* [*expired*]. 《☞ -ぎれ》
6 «息が»: be out of breath 《☞ きらす》.
7 «我慢できなくなる» ¶彼はそこで*切れた (⇒ もうそれ以上耐えられなかった) Then he *couldn't stand* it *any longer*. / (⇒ 忍耐の限界に来た) Then he *reached the limit(s) of* his *patience*. / (⇒ もうそれ以上怒りを抑えられなかった) He *couldn't* ˹*hold back* [*control*; *restrain*] *his anger*.
8 «関係が»: break up ⓐ, fail ⓐ. ¶われわれの縁が*切れた Our relationship has ˹*broken up* [*failed*].
9 «方向がそれる»: (カーブする) curve ⓐ; (ゴルフでボールがそれる) slice ⓐ 《☞ きれ[2]》. ¶彼のゴルフボールは右に*切れた His golf ball *curved* to the right.

きろ[1] 岐路 (十字路) crossroads ★ 複数形で, 単数扱い; (二またになった所) fork in the road Ⓒ. 《☞ まがりかど; わかれめ》.
¶私はいま(人生の)*岐路に立っている (⇒ 十字路に立っている) I (now) find myself standing at the *crossroads* (of life). / (⇒ 人生の曲がり道に来た) I have (now) reached a *turning point* (in my life).

きろ[2] 帰路 ¶男たちは*帰路についた (⇒ 家に向かって出発した) The men ˹*started* [*left*] *for home*. // 彼は*帰路を急いでいた (⇒ 急いで家に向かっていた) He was hurrying *home*. 《☞ きと[1]; かえり》

キロ (キロメートル) 《米》 kilometer /kɪlámətə/ Ⓒ, 《英》 kilometre Ⓒ, 《略式》 kilo /kíːlou/ Ⓒ, 《略号》 km; (キログラム) kilogram /kíləgræ̀m/ Ⓒ, 《略式》 kilo Ⓒ, 《略号》 kg; (キロワット) kilowatt Ⓒ, 《略式》 kw, kW. 語法 その他「サイクル」(cycle),「ヘルツ」(hertz),「トン」(ton),「ワット時」(watt-hour),「カロリー」(calorie) などの単位名に付けて用いられる. 《☞ 度量衡 (囲み)》.
¶じゃがいも 1 *キロ 500 円 Potatoes: ¥500 ˹per [a] *kilo* // 東京・大阪間は約 550 *キロです From Tokyo to Osaka is about five hundred and fifty *kilometers*. // 私は 60 *キロあります I weigh 60 ˹*kilograms* [*kilos*].

キロカロリー kílocàlorie Ⓒ 《略 kcal》.

きろく 記録 **1** «競技の» — 名 récord Ⓒ. — 動 (記録する) recórd ⓣ. 《☞ しんきろく》.
¶彼はその競技会で自己の持つ*記録を破った He broke his own (earlier) *record* at the ˹track [《英》 athletics] meet. // 彼は 100 メートルの自由型で日本新*記録を出した He ˹set [established] a new Japanese *record* in the 100-meter freestyle. // 彼はマラソンの世界*記録を持っている He holds the world *record* for the marathon. // 私は 100 メートル走で 15 秒の*記録でした My *record* was 15 seconds in the 100-meter event. // 彼女は 200 メートルに世界タイ*記録で優勝した She won the 200-meter race ˹with [in] a time equaling the world *record*.
2 «文書に残した» — 名 récord Ⓒ; (文書) document Ⓒ; (議事録) minutes; (会議録) pro-

ceedings ★ 以上2つは複数形で．後者は格式ばった語． ── [動] recórd (他), keep a récord of …; (書き留める) write dówn (他); (記録に残す) put … on record. ¶その事件の*記録は何も残っていない No *record* exists of the affair. / No *documents* remain concerning the event. // 彼はその会議の*記録をとった He kept the *minutes* of the meeting.

3《出来事》 ── [動] (記録する) recórd (他). ── [形] (記録的な) récord [A] ★ 名詞の形容詞用法. 《☞ 記録破り》.

¶最も災害の大きかった所では，24時間で200ミリの雨が*記録された In the hardest-hit area, two hundred millimeters of rainfall *were recorded* in twenty-four hours. // 日本では今年は*記録的な米の豊作でした There was a *record* rice crop in Japan this year. // 昨年は*記録的な干ばつがあった We had a *record-breaking* drought last year. // このところ*記録的な暑さが続いている We are having a long spell of *record* heat. 《☞ くうぜん》

記録映画 dòcuméntary [C], dócumèntary ⌈film [mótion pícture] [C] **記録係** recorder [C]; (競技の) scorer [C] **記録計** recorder [C] **記録文学** documentary literature [U] **記録保持者** record holder [C]. ¶100メートル競走の日本*記録保持者 the Japanese *record holder* for the 100-meter dash **記録密度**〘コンピューター〙 density [U] **記録破り** ¶*記録破りの売り上げ *record-breaking* sale.

コロケーション
記録から漏れる escape *record* / 記録する make a *record* (of …) / 記録に留めておく retain *records* (of …) / 記録を上回る exceed the *record* / 記録を改ざんする falsify a *record* / 記録を更新する break [beat; better] the *record* / 記録を調べる examine [check] the *record* (of …) / タイ記録を出す equal [tie] the *record* // オリンピック記録 the Olympic *record* / 簡潔な[詳しい]記録 a ⌈brief [detailed] *record* / 空前の記録 an all-time *record* / 公式記録 an official *record* / 校内最高記録 a school *record* / コース記録 a course *record* / 国内最高記録 a national *record* / 最速記録 a speed *record* / 自己最高記録 a personal *record* / 支出記録 an expenditure *record* / 成長記録 *one's* growth *record* / 統計上の記録 statistical *records*

キログラム ☞ キロ **キログラム原器** (パリにある) the international prototype of the kilogram; (その複製) kilogram prototype [C] **キログラム重** kilogram-weight [U], kilogram-force [U].

キロサイクル kílocỳcle [C] 《略 kc》《☞ キロヘルツ》.

ギロチン (断頭台) guillotine /gílətìːn/ [C].

キロトン kílotòn /-tʌ́n/ [C].

キロバイト 〘コンピューター〙(情報量の単位) kílobỳte /-bàɪt/ [C].

キロヘルツ kílohèrtz /-hə̀ːts/ [C] 《略 kHz》.

キロメートル ☞ キロ

キロリットル kíloliter /-lìːtə/ (《英》 kilolitre [C]) 《略 kl》.

キロワット ☞ キロ **キロワット時** kilowatt-hour [C] 《略 kwh》.

きろん 奇論 unique theory [C].

ぎろん 議論 ── [名] argument [U] ★ 具体的な事実を指すときは [C]; discussion [C]; dispute [C]; debate [U]; cóntrovèrsy [C]. ── [動] argue (他) (自); discuss (他); dispute (他) (自) ★ 前2者よりは格式ばった語; debate (他); (話し合いをする) talk (about …) (自). ── [形] (議論の余地のある) disputable; debatable; còntrovérsial.

【類義語】事実や論理に基づき，自分の意見を主張したり，相手を説得しようとする議論が **argument**. 問題解決のために意見を出し合い，格式ばらずに行う討論が **discussion** で，必ずしも賛否両論に分かれるとは限らない． 相手の主張を覆すために感情的になって行うやりとりは **dispute**. 一定のルールのもとに行われる公開の場での討論は **debate**. 重要問題について，団体の間で行われる長期の論争，または論議は **controversy**. 《☞ とうろん [日英比較]; ろんぎ; とうぎ¹; ろんそう¹》 ¶私は政治的な*議論は (⇒ 政治を論じるのは) 嫌いだ I don't like to *argue* (about) politics. // *議論のための*議論はよそう Let's not (just) *argue* for the sake of ⌈*arguing* [*argument*]. // 私は彼女と軍縮問題について*議論した I *argued* with her about disarmament. // 私はその問題について彼と*議論をした I ⌈*discussed* [*talked about*] the problem with him. / I had a *discussion* with him about the matter. // 3時間も激しい*議論をしてこの決定をした After three hours of heated *discussion*, we ⌈made [(《英》) took] this decision. // それは目下*議論されている問題です It is one of the *controversial* problems of the day. // それは*議論の余地がない It is beyond *dispute*. // まだ*議論の余地がある It calls for further *discussion*. / It is still ⌈*debatable* [*in dispute*]. // その提案に対しては*議論が百出した (⇒ 多くの議論があった) There was a great deal of *argument* over the proposal. // 彼は*議論好きだ He likes ⌈*to argue* [*arguing*; an *argument*]. // *議論好きな人 an *argumentative* person **議論倒れ** fruitless argument [U] ★ 具体的な事実を指すときは [C]. ¶我々は*議論倒れに終った We ended up with a *fruitless argument*.

コロケーション
議論に勝つ[負ける] win [lose] an *argument* / 議論に決着をつける settle ⌈a *discussion* [an *argument*] / 議論に反論する oppose [refute] an *argument* / 議論を推し進める push an *argument* / 議論を終わらせる terminate an *argument* / 議論を組み立てる construct [build up] an *argument* / 議論を避ける avoid ⌈a *discussion* [an *argument*] / 議論を支持する support an *argument* / 議論を棚上げする shelve [put aside] an *argument* / 議論を中断する break off ⌈a *discussion* [an *argument*] / 議論を続ける carry on [continue; pursue] ⌈a *discussion* [an *argument*] / 議論を提示する present [put forward] an *argument* / 議論を展開する develop [bring forward] an *argument* / 議論を始める begin [start; open] ⌈a *discussion* [an *argument*] / 議論を巻き起こす stir up ⌈a *discussion* [an *argument*] // 議論に巻き込まれる get involved in ⌈an *argument* [a *discussion*] / …に議論をふっかける drag … into an *argument* // 一貫性のない議論 an inconsistent *argument* / 意味のある[ない]議論 a ⌈meaningful [meaningless] ⌈*discussion* [*argument*] / 勝ち目のない議論 a losing *argument* / 活発な議論 a lively *argument* / 感情的な議論 an emotional *argument* / 公式な[非公式な]議論 an ⌈official [unofficial] ⌈*discussion* [*argument*] / 混乱した議論 a confused ⌈*discussion* [*argument*] / 十分な議論 a full ⌈*discussion* [*argument*] / 真剣な議論 an earnest [a serious] ⌈*discussion* [*argument*] / 説得力のある議論 a persuasive *argument* / 説得力のない議論 a ⌈weak [feeble; poor] *argument* / 浅薄な議論 a ⌈shallow [flimsy] *argument* / 長ったらしい議論 a lengthy ⌈*discussion* [*argument*] / 納得のいく議論 a convincing *argument* / 熱心な議論 an

「enthusiastic [in-depth] 「*discussion* [*argument*] / ばかげた議論 a ridiculous *argument* / 果てしない議論 an 「endless [unending] 「*discussion* [*argument*] / 不毛な議論 a 「futile [fruitless; vain] 「*discussion* [*argument*] / 回りくどい議論 a devious *argument* / 実りある議論 a fruitful 「*discussion* [*argument*] / 冷静な議論 a calm 「*discussion* [*argument*]

きわ　際　¶ 父がいまわの*際に残した言葉 (⇒ 最後の言葉) my father's *last* words / (⇒ 死の床で言ったこと) what my father said *on his deathbed*

-ぎわ　…際　¶ 窓*ぎわ (⇒ 窓のそば) の席に座った I took a seat 「*by* [*near*] the window. / I took a window seat.　[語法] 乗り物などで「通路ぎわ」(aisle side) に対して言う. // 別れ*ぎわに (⇒ 別れるときに) 彼はこれをくれました *When* we parted [*On* parting], he handed this to me.

ぎわく　疑惑　— [名] (嫌疑) suspicion Ⓤ; (確信が持てない疑い) doubt Ⓒ.　— [形] suspicious; doubtful.　— [副] (疑惑をもって) suspiciously; doubtfully. (☞ うたがい; けんぎ¹; ふしん¹).
¶ 彼女の行動は世間の*疑惑を招くだろう Her behavior will 「arouse [excite] public *suspicion*. // 私は彼の説明にいささか*疑惑を抱いている I am *suspicious of* his explanation. / (⇒ 疑いを持っている) I have *doubts* about his explanation. // 近所の人々は私を*疑惑の目で見た (⇒ 疑わしそうに) The neighbors looked at me *suspiciously*. // 身の*疑惑を晴らす remove *oneself* from (「the [a]) *suspicion*

きわだつ　際立つ　— [動] (目立つ) stànd óut ⓐ.　— [形] outstanding; (人目につく) conspícuous; (傑出して顕著な) prominent; (特に著しい) marked, remarkable. (☞ めだつ¹; けんちょ; いちじるしい).　¶ 彼女は選手として*際立っている She 「*stands out* [*is outstanding*] as a player. // 彼はその組では*際立った存在です (⇒ ほかの者とはまったく違う) He is *quite different from* the other students in his class. // *際立った例を幾つかあげます Let me show you a few 「*remarkable* [*conspicuous*] examples. // その 2 人の兄弟には*際立った違い (⇒ 対照的なところ) がある There is a *contrast* between the two brothers.

きわだてる　際立てる　(目立たせる) highlight ⓗ; (強調する) emphasize ⓗ, accentuate ⓗ. (☞ ひきたてる).

きわどい　際どい　¶ *きわどいところで助かった (⇒ かろうじて危険から逃れた) I 「*narrowly* [*barely*] escaped (from) danger. / I had a *narrow* escape from danger. // 勝ったが*きわどい勝負だった (⇒ 互角だった) We won 「, but the game was very *close* [*by a whisker*]. // 彼はよく*きわどい (⇒ 卑猥な[セックスを暗示する]) 冗談を言う He often makes 「*off-color* [*suggestive*] jokes. ★ off-color は「わいせつな」の意. (☞ すれすれ; どうにか)

きわまりない　極まり無い　☞ きわまる

きわまる　窮まる, 極まる　¶ それは危険*きわまりない (⇒ 極端に危険である) It is 「*extremely* [*very*] dangerous. / (⇒ それより危険なことはない) *Nothing is more* dangerous than that. // *きわまりなく難しい問題 an *extremely* difficult problem // 彼女は進退*きわまった (⇒ 窮地に追い込まれた) She *was* 「*put in* [*on the horns of*] *a dilemma*. // 聴衆は感*きわまって (⇒ 感動して) 涙を流した The audience *was moved* to tears.

きわみ　極み　¶ 彼の行為は愚かの*きわみである (⇒ 彼があんな行動をするとは愚の骨頂である) It was the *height* of folly for him to do such a thing. ★ 格式ばった言い方. // このような事件は我々にとって遺憾の*きわみである (⇒ このような事件が起こったのはたいへんに悲しむべきことである) It is *most* regrettable that that sort of thing happened.

きわめつき　極め付き　¶ 彼の*極め付きの (⇒ 最もよい) 作品 his 「*best* [(⇒ 特別に優れた) *exceptional*] work // *極め付きの (⇒ 保証された) 骨董品 a 「*certified* [*documented*] antique

きわめつくす　極め尽くす　¶ その件を*極めつくす (⇒ 徹底的に調べる) *inquire into* the matter *thoroughly* (☞ きわめる)

きわめて　極めて　(とても・非常に) very ★ 日常的な平易な語で, 以下の語の代わりにも使える場合が多い; (極度に) extremely; (普通の程度を越えて) exceedingly ★ 以上の 2 語は very より強意的. (☞ ひじょうに; とても).　¶ それは*きわめて深刻な問題だ It is 「an *extremely* [a *very*] serious problem. // 私の時計は*きわめて正確だ (⇒ 完全に時間が合っている) My watch keeps *perfect* time.

きわめる　窮める, 極める, 究める　¶ 我々はついに山頂を*きわめた (⇒ 到達した) We 「*reached* [*attained; gained*] the summit (of the mountain) at last. // この事件の真相を*きわめる (⇒ 真相に達する [真相を見つけ出す]) ことは不可能です It is impossible to *find* (*out*) the truth of the affair. // 柔道の奥義を*きわめるには最低 10 年はかかる (⇒ 柔道に精通するには) It takes at least ten years to *attain* a mastery of judo. // その事故現場は悲惨を*きわめた (⇒ 非常に悲惨な光景を呈した) The scene of the accident presented a *very miserable sight*. // 彼らの態度は丁重を*きわめたものでした (⇒ 極度に丁重だった) They were *extremely* polite to us.

きわもの　際物　(季節の商品) seasonal item Ⓒ; (一時的な興味の品) item of 「passing [temporary; short-lived] interest Ⓒ.　¶ *際物小説 a novel of 「*passing* [*temporary*] *interest*

きをつけ　気を付け　¶ *気を付け! 《号令》 *Attention*! // 彼は*気を付けの姿勢をとった He stood at *attention*.

きん¹　金　— [名] (鉱物としての金) gold Ⓤ 《元素記号 Au》.　— [形] (金でできた) gold; (金のような・金色の) golden　[語法] gold は「本物の金から成っている」の意であり, golden は比喩的に用いられる.
¶ *金の指輪 a *gold* ring // この鎖は*金でできている This chain is made of *gold*. // 光るものが必ずしも*金ではない All is not *gold* that glitters. 《ことわざ》 // 18*金 18-karat *gold*　**金の卵** ¶ 21 世紀を担う*金の卵たち (⇒ 21 世紀の運命を担う将来性のある若者) *promising young people* who will bear the fate of the 21st century
金位 gold fineness Ⓤ　**金色** — [名] gold Ⓤ. — [形] golden.　**金印** gold seal Ⓒ　**金塊** ☞ 見出し　**金紙** gold-colored paper Ⓤ　**金山** ☞ 見出し　**金市場** the gold market　**金準備高** gold reserves　**金将** (将棋の) gold general Ⓒ　**金相場** ☞ 見出し　**金時計** gold watch Ⓒ　**金びょうぶ** gilded folding screen Ⓒ　**金ペン** gold pen Ⓒ; (ペン先) gold nib Ⓒ　**金ボタン** (真鍮のボタン) brass button Ⓒ　**金本位制** the gold standard ★ the を付けて.　**金メダル** gold medal Ⓒ.　¶ 彼は東京オリンピックで*金メダルをとった He won a *gold medal* 「at [in] the Tokyo Olympics.　**金めっき** — [名] gilding Ⓤ, gold plating Ⓤ.　— [形] (金めっきの) gilt, gilded, gold-plated.　— [動] (金めっきをする) gild ⓗ, plate ... with gold. (☞ めっき)　**金モール** ☞ 見出し　**金文字** gold [gilt] letter Ⓒ.

きん²　菌　(病原菌) germ Ⓒ ★ 日常的な一般語で, 医学用語としては用いない. 正確には以下の語を用いる; (細菌) microbe Ⓒ; (ウイルス) virus /vái(ə)rəs/

Ⓒ; (バクテリア) bacteria /bæktí(ə)riə/ ★ bacterium /-riəm/ の複数形; (棒状菌) bacillus /bəsíləs/ Ⓒ《複 bacilli /-laɪ/》; (きのこなどの菌類) fungus /fʌ́ŋgəs/ Ⓒ《複 fungi /fʌ́ndʒaɪ/》. 《☞ さいきん²; ばいきん; バクテリア》. **菌核病**〔植〕sclerotium ⌈rot [disease].

きん³ 斤 *kin* Ⓒ [参考] 1 斤は約 600g. ¶ 食パン 1*斤 a *loaf* of bread

きん⁴ 筋 ☞ すじ; きんいしゅくしょう; きんジストロフィー

ぎん 銀 ― 名 silver Ⓤ《元素記号 Ag》. ― 形 (銀(製)の) silver; (銀のような) silvery. **銀色** ― 名 silver Ⓤ. ― 形 silver. **銀塊** silver ingot Ⓒ **銀灰色** silver gray Ⓤ **銀紙** ☞ 見出し **銀細工** silverwork Ⓤ **銀山** ☞ 見出し **銀将** (将棋の) silver general Ⓒ **銀製品** (総称) silverware Ⓤ ★ 主としてナイフ・フォークなどの食器類. **銀時計** silver watch Ⓒ **銀メダル** silver medal Ⓒ **銀めっき** ― 名 silver plating Ⓤ. ― 形 (銀めっきの) silver-plated. ― 動 (銀めっきをする) plate ... with silver. 《☞ めっき》 **銀文字** silver letter Ⓒ.

きんあつ 禁圧 (抑圧) suppression Ⓤ; (禁止) prohibition Ⓤ.

きんいぎょくしょく 錦衣玉食 a life of luxury.

きんいしゅくしょう 筋萎縮症 múscular átrophy Ⓤ.

きんいしゅくせいそくさくこうかしょう 筋萎縮性側索硬化症 〔医〕ámyotrophic /èɪmaɪətrɑ̀fɪk/ láteral sclerósis /sklərόusɪs/ Ⓤ《略 ALS》.

きんいつ 均一 ― 名 (むらがなく同一のこと) uniformity Ⓤ; (均等) equality Ⓤ. ― 形 uniform; equal; (値段などが均一の) flat; (同じ) same. 《☞ いちりつ¹; おなじ》.
¶《乗り物などの》*均一料金 a *flat* rate //《商品などの》千円*均一 (⇒ 1 つにつき千円) 1,000 yen a piece // このバスは*均一 200 円の料金です (⇒ 一律 200 円の料金が課せられる) A ⌈*uniform* [*flat*] fare of 200 yen is charged for a ride on this bus line. // 彼女はケーキを*均一に分けた She divided the cake into ⌈*equal* parts [pieces of *equal* size].

きんいっぷう 金一封 ¶ 私は会社から永年勤続で*金一封(⇒ 特別のボーナス)をもらった I was given ⌈*a special* [*an extra*] (*cash*) *bonus* for my long (years of) service at the office.

きんいん 近因 immediate [proximate] cause Ⓒ ★ [ ] 内のほうが格式ばった語. 《☞ げんいん¹》.

きんうん 金運 ¶ 彼女は*金運がよかった[悪かった] She had ⌈good [bad] *luck with money*.

きんえい 近影 (最近の写真) recent ⌈photograph [pictures; photo] Ⓒ ★ 後のものほどくだけた語; (一番新しい写真) the most recent ⌈photograph [picture; photo].

ぎんえい 吟詠 (朗唱する) recite ⑩; (詩歌を作る) compose ⑩.

きんえん¹ 禁煙 ― 名 (喫煙の禁止) pròhibítion of smóking Ⓤ, no smoking Ⓤ. ― 動 (喫煙をやめる) quit [stop] smoking.
¶ *禁煙《掲示》*No Smoking* / *Smoking is prohibited* here. / Please *refrain from smoking*. / Thank you for *not smoking*. // 医者は*禁煙するようにと言った (⇒ 喫煙をやめるように忠告した) My doctor advised me to ⌈*quit* [*stop*] *smoking*. **禁煙車** no-smoking ⌈car [《英》carriage] Ⓒ, non-smoker Ⓒ **禁煙席** non-smoking [no-smoking] seat Ⓒ **禁煙パイプ** cigarette substitute to help ⌈quit smoking [kick the habit] Ⓒ ★ 説明的な訳.

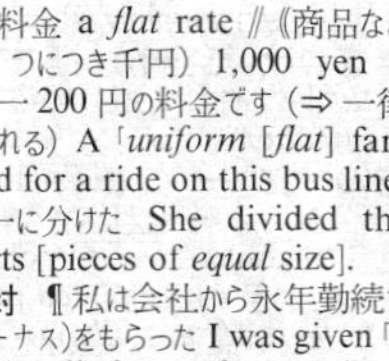

「禁煙. エンジン止めろ」というガソリンスタンドの掲示

きんえん² 近縁 ― 形 closely related. ― 名 (近縁の者) close relative Ⓒ. 《☞ しんせき¹; 親族関係 (囲み)》.

きんえん³ 筋炎 〔医〕myositis /màɪəsáɪtɪs/ Ⓤ.

きんか¹ 金貨 gold ⌈coin [piece] Ⓒ; (総称として) gold currency Ⓤ. ¶ *金貨 5 枚 five *pieces of gold* // 千ポンドを*金貨で支払った I paid 1,000 pounds in *gold*.

きんか² 近火 (近所の火事) fire in *one's* ⌈neighborhood [《英》neighbourhood] Ⓒ. ¶ *近火見舞いの手紙を出す send a letter expressing *one's* sympathy to ... after *the fire in* ⌈*his* [*her*] *neighborhood*

ぎんか 銀貨 silver coin Ⓒ. ¶ 私は*銀貨で 500 ドル持っている I have 500 dollars in *silver*.

ぎんが 銀河 (地球が含まれる銀河系) the Milky Way, the Gálaxy; (我々の銀河系以外の銀河) galaxy Ⓒ. **銀河系** the Milky Way ⌈galaxy [system] **銀河系外星雲** extragalactic /ékstrəgəlǽktɪk/ nébula Ⓒ **銀河系内星雲** galáctic nébula Ⓒ **銀河座標** galáctic coórdinates ★ 複数形で. **銀河団** cluster of galaxies Ⓒ.

きんかい¹ 近海 the nearby seas, the ⌈neighboring [home] waters ★ いずれも通例複数形で. **近海漁業** ínshòre fishery Ⓤ **近海区域** (greater) coastal zone Ⓒ **近海航路** coastal ⌈service [line] Ⓒ **近海物[魚]** inshore fish Ⓒ《☞ さかな 語法》.

きんかい² 金塊 lump of gold Ⓒ; (貿易・鋳造用の) gold bullion Ⓤ; (鋳塊) gold ingot Ⓒ; (棒状のもの) gold bar Ⓒ; (天然の) nugget Ⓒ.

きんかい³ 欣快 ¶ 受賞はまことに*欣快の至りです (⇒ 最大の喜び) Having been awarded the prize is my *greatest joy*.

きんかぎょくじょう 金科玉条 (一番大切なきまり) golden rule Ⓒ. ¶ 彼は勤勉を*金科玉条としている One of his *golden rules* is diligence. / (⇒ 勤勉さを尊重している) He *values* diligence.

きんかく 金閣 (鹿苑寺舎利殿) Kinkaku, the Golden Pavilion. **金閣寺** Kinkakuji (Temple), the Temple of the Golden Pavilion.

きんがく 金額 amount of money Ⓒ《☞ かね¹; がく¹》. ¶ 私は毎月わずかの*金額を月給から貯金しています I have been saving a small *amount* out of my pay every month. // 被害*金額は 100 万円に達する The damage *amounts* to a million yen. // その年の旅費は相当の*金額に達した (⇒ その年は旅行に多額の金を使った) We spent *a great deal* (*of money*) ⌈on travel [traveling] that year.

ぎんかく 銀閣 (慈照寺観音殿) Ginkaku, the Silver Pavilion. **銀閣寺** Ginkakuji (Temple), the Temple of the Silver Pavilion.

きんがしんねん 謹賀新年 (I wish you a) Happy New Year. 《☞ しんねん²》.

ぎんがみ 銀紙 (アルミホイル) alúminum fóil Ⓤ; (錫 (スズ) ホイル) tin foil Ⓤ.

ギンガム (布) gingham /gíŋəm/ Ⓤ.

きんがわ 金側 ― 形 gold, gold-cased. ¶ *金側の時計 a *gold* watch / a watch with a *gold case*

ぎんがわ 銀側 ― 形 silver, silver-cased. ¶ *銀側の時計 a *silver* watch / a watch with a *silver case*

きんかん¹ 近刊 (最近出版された本) recent ⌈publication [issue] Ⓒ; (近く予定されている) forthcoming 「book [title] Ⓒ. (☞ しんかん[1]). ¶ *近刊予定 *Forthcoming* ★ 本の題名の後に入れる.

きんかん[2] 金柑 〚植〛 kumquat Ⓒ, cumquat Ⓒ ★ 発音はともに /kʌ́mkwɑt/.

きんかん[3] 金冠 gold crown Ⓒ. ¶ *金冠を歯にかぶせる put a *gold crown* on the tooth

きんがん 近眼 ― [名] (近視) nearsightedness Ⓤ, (英) shortsightedness Ⓤ; 〚医〛 myopia /maɪóʊpiə/ Ⓤ. ― [形] nearsighted, (英) shortsighted; myópic. (☞ きんし[2]; しりょく[1]).
¶ 彼は*近眼だ He is 「*nearsighted* [*shortsighted*; *myopic*]. // 私は軽い[ひどい]*近眼です I am 「a trifle [dreadfully; very] *nearsighted*.
近眼鏡 glasses for a nearsighted person.

きんかんがっき 金管楽器 bráss ínstrument Ⓒ; (オーケストラの金管楽器部門) the brass ★ the を付けて.

きんかんしょく 金環食 annular eclipse of the sun Ⓒ.

きんかんばん 金看板 (ひときわ目立つもの) feature Ⓒ; (トップスター) No.1 [top] star Ⓒ. ¶ 彼女はその劇団の*金看板だ She is the 「*No.1* [*top*] *star* in that acting company.

きんき[1] 禁忌 (タブー) taboo Ⓒ; (治療法・薬の使用法の) 〚医〛 contraindication Ⓤ.
禁忌語 taboo 「word [phrase] Ⓒ ★ [ ] 内は句. (☞ タブー).

きんき[2] 近畿 the Kinki 「district [region].

きんき[3] ☞ きちじ[2]

ぎんき 銀器 silverware Ⓤ.

きんきげつらい 金帰月来 (行動) weekending Ⓤ; (人) weekender Ⓒ; weekending with *one's* constituency Ⓒ, (説明的には) the practice of Diet members traveling to their constituency on Friday and back to Tokyo on Monday; weekending with *one's* family Ⓒ, (説明的には) the practice of workers traveling home to their family on Friday and back to their place of employment on Monday.

きんきじゃくやく 欣喜雀躍 ― [動] (躍りあがって喜ぶ) jump [leap] for joy.

ぎんぎつね 銀狐 silver fox Ⓒ.

きんきゅう 緊急 ― [形] (重大で急を要する) urgent; (差し迫った) pressing; (即刻の) immediate. ― [名] (非常事態) emergency Ⓤ ★ 具体的な出来事をいうときは Ⓒ; urgency Ⓤ. (☞ ひじょう[1]; きゅうむ; おうきゅう[1]). ¶ それは目下*緊急の問題です It is an *urgent* matter. / It is a matter of great *urgency*. // *緊急の場合は 110 番を回して下さい In case of *emergency*(,) dial 110. // *緊急の場合に限ります (掲示) (For) *Emergency* Use Only / *Emergency* Cases [*Emergencies*] Only ★ 病院などの急患に対する掲示. // 父は*緊急の用事で大急ぎで家を出ました My father left home quickly on *pressing* business.
緊急会議 urgent [emergency] meeting Ⓒ **緊急閣議** urgent [emergency] meeting of the Cabinet Ⓒ **緊急課題** urgent [emergency] job Ⓒ, pressing matter Ⓒ, burning 「issue [question] Ⓒ **緊急行為** 〚法〛 urgent action Ⓒ **緊急質問** (国会などの) urgent interpellation Ⓒ **緊急事態** emergency Ⓒ. ¶ *緊急事態が発生した An *emergency* has occurred. // 市長は*緊急事態を宣言した The mayor declared *a state of emergency*. **緊急自動車** emergency vehicle Ⓒ **緊急措置** urgent [emergency] measures ★ 複数形で. ¶ 市当局はそれに対して*緊急措置をとった The city authorities took 「*emergency measures* [*immediate action*] against it. **緊急逮捕** ― [名] emergency [urgent] arrest without a warrant Ⓒ. ― [動] arrest without a warrant in case of emergency [他], make an emergency arrest **緊急着陸** emergency landing Ⓒ. ¶ パイロットは名古屋に*緊急着陸した The pilot made an *emergency landing* at Nagoya Airport. **緊急電話** emergency call Ⓒ; (番号) emergency number Ⓒ **緊急動議** urgent motion Ⓒ. ¶ *緊急動議が出された An *urgent motion* was made. **緊急発進** ― [名] (軍用機の) scramble Ⓒ. ― [動] scramble [自] **緊急避難** emergency evacuation Ⓒ **緊急命令** urgent [emergency] order Ⓒ **緊急連絡先** (非常時の連絡用電話番号) alternate number for emergencies Ⓒ **緊急炉心冷却装置** emergency core cooling system Ⓒ (略 ECCS).

きんぎょ 金魚 〚魚〛 góldfish Ⓒ ★ 単複同形. ただし種類を表すときは ～es となる. **金魚すくい** goldfish scooping Ⓤ **金魚の糞** ¶ その子は*金魚の糞のように先生につきまとっている The child always 「*follows* [*hangs*] *about* 「his [her] teacher. **金魚鉢** fishbowl Ⓒ **金魚屋** goldfish 「vendor [seller] Ⓒ.

きんきょう[1] 近況 ¶ 手紙で両親に*近況を知らせた (⇒ 両親に手紙を書いて, 最近どのように暮らしているかを知らせた) I wrote to my parents and told them *how I have been* (*getting along*) *recently*. // *近況を (⇒ どのように過ごしているか) お知らせ下さい Please let me know *how* you *are* (*getting on*) *these days*. **近況報告** ¶ その件についての*近況報告を申し上げます I'll tell you some *recent* developments about it.

きんきょう[2] 近境 the [*one's*] neighborhood Ⓒ.

きんぎょそう 金魚草 〚植〛 snapdragon Ⓒ.

きんきょり 近距離 (短い距離) short distance Ⓒ (☞ ちかい[1]; たんきょり). ¶ 野球場は家から*近距離にある The baseball stadium is a *short distance* from my house. **近距離輸送** short-distance transportation Ⓤ **近距離列車** local train Ⓒ.

きんきらきん ― [形] (きらきら輝いて色とりどりの) brilliantly 「colored [(英) coloured]; (安っぽくてけばけばしい) flashy, gaudy; (ぎらぎら光る) garish. ¶ *きんきらきんの装飾品 *garish* [*gaudy*] ornaments

きんきん 近近 ― [副] (すぐに) soon, shortly ★ 後者はかなり時間が短い感じで, ふつう未来のことについて使う. (☞ ちかく[1]).

きんぎん 金銀 (金と銀) gold and silver Ⓤ; (金銭) money Ⓤ; (金貨と銀貨) gold and silver coins.

ぎんぎん ¶ *ぎんぎんに冷やした白ワイン *excessively* chilled white wine // *ぎんぎんに盛り上がる get *really* 「wild [excited] / get a big kick / have a whale of a time

きんきんごえ きんきん声 ¶ 彼女は*きんきん声だ (⇒ 彼女は甲高い声をもっている) She has a 「*shrill* [*high-pitched*] voice.

きんきんちょうせいジストロフィー 筋緊張性ジストロフィー 〚医〛 myotonic dystrophy /màɪətɑ̀nɪk dístrəfi/ Ⓤ.

きんく 禁句 ― [名] tabóo 「wòrd [phràse] Ⓒ. ― [形] (禁句の) tabóo. (☞ きんもつ). ¶ そのような言葉はここでは*禁句だ (⇒ タブーとなっている) Such words are *taboo* here.

キング[1] (王・トランプの) king Ⓒ.

キング[2] ― [名] [固] Mártin Luther /lúːθɚ/ Kíng, Jr., 1929–68. ★ 米国の黒人運動の指導者. ¶ *キング牧師の日 *Martin Luther King* Day ★ 1月の第3月曜日で, 米国の多くの州の法定休日.

キングコブラ 〚動〛 king cobra Ⓒ (☞ へび (挿絵)).

キングコング ― [名] [固] Kìng Kóng ★ 1933年の

アメリカ映画に登場する巨大ゴリラ.
キングサーモン 〘魚〙 king salmon /sǽmən/ Ⓒ《複～(s)》.
キングサイズ ― 形 (特大の·たばこが普通より長い) king-size(d) Ⓐ 日英比較 日本語の「キングサイズ」は 名 として用いられるが, 英語では 形 である.
キングズイングリッシュ (純正英語) (the) King's English Ⓤ《☞ えいご》.
キングダム (王国) kingdom Ⓒ.
キングペンギン ☞ おうさまペンギン
キングメーカー (要職の人事を左右できる政界の実力者) kingmaker Ⓒ《☞ くろまく》.
きんけい[1] **近景** 1《写真·絵画の》: the foreground (↔ the background). ¶*近景の松の木 the pine trees in *the foreground*
2《近い距離の景色》: close-range view Ⓒ. ¶*近景の山並み a ⌈*nearby* [*close-by*] mountain range
きんけい[2] **謹啓** Dear ...《☞ はいけい[2]; 手紙の書き方 (囲み)》.
ぎんけい **銀鶏** 〘鳥〙 Lady Amherst's pheasant Ⓒ.
きんけつびょう **金欠病** ― 動 (金が不足している) be short of money; (破産している)《略式》be broke.
きんけん[1] **近県** (近隣の) neighboring [《英》neighbouring] prefectures; (境を接している) bordering prefectures; (すぐ近くの) nearby prefectures ★ いずれも複数形で.
きんけん[2] **金券** (金貨兌換紙幣) gold note Ⓒ; (代用紙幣) note Ⓒ; (引換券) money voucher Ⓒ. **金券ショップ** voucher exchange shop Ⓒ, coupon shop Ⓒ.
きんげん[1] **謹厳** ― 形 (まじめな) serious; (自分に対して厳しい) àustére; (いかめしく厳格な) stern. ― 名 seriousness Ⓤ; austérity Ⓤ.《☞ まじめ; きびしい (類義語)》. ¶私の祖父は*謹厳な人だった (⇒ 厳しい品行の人) My grandfather was a man of *strict morals*. / (⇒ 非常にまじめな[厳格な]人) My grandfather was a *very* ⌈*serious* [*stern*] man. ∥ 私たちの先生は*謹厳な方です Our teacher is an *austere* man. **謹厳実直** ¶それ以来彼は*謹厳実直だ He has remained *sober and steadfast* since then.
きんげん[2] **金言** (世間でよく言われるもの) saying Ⓒ; (具体的な言葉で比喩などを織りこんだもの) proverb Ⓒ; (処世訓) maxim Ⓒ.《☞ かくげん》.
きんけんせいじ **金権政治** money (power) pólitics Ⓤ.
きんけんちょちく **勤倹貯蓄** thrift and saving Ⓤ. ¶*勤倹貯蓄に励む work hard for *thrift and saving*
きんこ[1] **金庫** safe Ⓒ; (銀行などの地下にある) vault Ⓒ. ¶貸し*金庫 a safe(ty)-deposit box **金庫株** 〘経〙 treasury stock Ⓤ **金庫破り** (人) safecracker Ⓒ, 《英》safebreaker Ⓒ.
きんこ[2] **禁固** imprísonment Ⓤ, confinement Ⓤ ★ 前者のほうが一般的. ¶彼は 1 か月の*禁固刑を受けた He was sentenced to one month's *imprisonment*.
きんこ[3] **近古** (鎌倉·室町時代) the Middle Ages; the Kamakura-Muromachi period.
きんこう[1] **均衡** (釣り合い) balance Ⓤ; (平衡状態) equilibrium /ìːkwəlíbriəm/ Ⓤ ★ 後者は格式ばった語.《☞ バランス; つりあい; へいこう[4]》. ¶国際平和のためには力の*均衡が必要です The [A] *balance* of power is essential for world peace. ∥ 今年の予算は*均衡がとれている [いない] The budget for this year is ⌈*balanced* [out of *balance*]. 語法 「よく均衡がとれている」という意味では well-balanced も用いられる. ∥ *均衡を失う [保つ] lose [keep] *one's balance* **均衡予算** balanced budget Ⓒ.
きんこう[2] **近郊** (都市周辺の居住地域) the suburbs; (町はずれ) the outskirts; (都市を取り巻く地域) environs 語法 the suburbs が最も普通. いずれも通例複数形だが, the suburbs は近郊のうちのある地区の場合は a suburb と単数形も使う; (付近)《格式》vicínity Ⓤ ★ 格式ばった語.《☞ こうがい[1]; しゅうへん》. ¶私は東京*近郊に住みたい I'd like to live in ⌈*the suburbs* [*a suburb*] of Tokyo. / I want to live on *the outskirts* of Tokyo. ∥ 京都やその*近郊は竹で有名です Kyoto and its ⌈*environs* [*vicinity*] are famous for their bamboo. **近郊住宅地** suburban residential area Ⓒ **近郊農業** agriculture in suburban areas Ⓤ.
きんこう[3] **金鉱** (鉱石) gold ore Ⓤ; (鉱山) gold mine Ⓒ.《☞ こうざん[1]》.
きんこう[4] **金工** (人) goldsmith Ⓒ; (工芸品) gold work Ⓤ.
きんこう[5] **欣幸** **欣幸の至り** ¶この重要な年次大会に参加できることは*欣幸の至り (⇒ 大きな喜び) でございます It gives me *great pleasure* to participate in this important annual conference.
きんごう **近郷** neighboring districts; (近くの村[町]) the ⌈nearby [neighboring] ⌈villages [towns] ★ 以上は複数形で.
ぎんこう[1] **銀行** bank Ⓒ《☞ こうざ[1]》. ¶私はあの*銀行に預金がある (⇒ 口座を持っている) I have an account ⌈with [at] that *bank*. ∥ その金はその*銀行から借りた I borrowed the money from the *bank*. ∥ 私は金を全部その*銀行に預けた I've ⌈put [deposited] all my money in the *bank*. ∥ 金を全部*銀行から引き出した I've withdrawn all my money from the *bank*. ∥ 都市*銀行 a city *bank* ∥ 信託*銀行 a trust *company* ∥ チェースマンハッタン*銀行 *the* Chase Manhattan *Bank*《☞ 冠詞 (巻末)》
銀行員 bánk emplòyée Ⓒ **銀行家[業者]** banker Ⓒ **銀行為替** bank draft Ⓒ **銀行恐慌** bank crisis Ⓒ, banking crash Ⓒ, financial ⌈panic [crisis] Ⓒ **銀行券** bank note Ⓒ **銀行検査** bank inspection by the Ministry of Finance Ⓤ **銀行考査** bank examination by the Bank of Japan Ⓤ **銀行強盗** (行為) bank robbery Ⓒ; (人) bank robber Ⓒ **銀行小切手** bank check Ⓒ **銀行準備金** bank reserves **銀行手形** banker's bill Ⓒ **銀行振り込み** bank transfer Ⓤ **銀行法** the Banking Law **銀行割引** bank discount Ⓒ.
ぎんこう[2] **吟行** ― 動 write poetry while traveling; (俳句[和歌]を作るために名所に出かける) go to places of scenic beauty to compose ⌈haiku [*waka*].
ぎんこう[3] **銀鉱** (鉱石) silver ore Ⓤ; (銀山) silver mine Ⓒ.
きんこく **謹告** ¶*謹告, 当店は来月末をもって閉店致します We *respectfully inform* you that our store is to be closed at the end of next month.
きんこつ **筋骨** ― 形 (筋骨たくましい) muscular; (腕などが) sinewy; (強い) sturdy.《☞ たくましい》.
きんこんいちばん **緊褌一番** ¶*緊褌一番がんばろう (⇒ その仕事に精神を集中させよう) Let's *concentrate our attention on* the task. / (⇒ 奮起しよう) Let's *brace ourselves for* the task.
きんこんしき **金婚式** golden wedding anniversary Ⓒ.
ぎんこんしき **銀婚式** silver wedding anniversary Ⓒ.
きんさ **僅差** narrow margin Ⓒ. ¶*僅差で勝つ[負ける] win [lose] by *a narrow margin*

きんざ 金座 〘史〙 mint where gold coins used to be made in the Edo period Ⓒ ★ 説明的な訳.

ぎんざ 銀座 ―名 (固) the Ginza; (説明的には) a business and shopping center in Tokyo.

きんざい 近在 ☞ きんごう

きんさいぼう 筋細胞 muscle cell Ⓒ, 〘医〙 myocyte Ⓒ.

きんさく[1] 金策 ―動 (金を借りる) borrow money; (貸付金を借りる) get [take out] a loan; (資金を集める) raise funds. (☞ かねぐり).

¶ 彼は土地の*金策に忙しい He is busy ⌈*getting* [*negotiating*] *a loan* (in order) to buy land. ★ [ ] 内は交渉して借りることを意味する. // なんとか*金策はできた (⇒ 金 [資金] を調達することができた) I managed to *raise the* ⌈*money* [*funds*] for it.

きんさく[2] 近作 (*one's*) recent work Ⓒ.

ぎんざけ 銀鮭 〘魚〙 silver salmon Ⓒ (複 ~(s)).

ぎんざめ 銀鮫 〘魚〙 silver chimaera Ⓒ.

きんざん 金山 gold mine Ⓒ.

ぎんざん 銀山 silver mine Ⓒ.

きんざんじみそ 金山寺味噌 *kinzanjimiso* Ⓤ; (説明的には) sweet soybean paste with vegetables Ⓤ.

きんし[1] 禁止 ―動 (公に禁止する) prohíbit (他) ★ 格式ばった語だが, 最も一般的な訳語; (社会的・倫理的な理由で) ban (他); (上からの権威で禁じる) forbíd (他) (過去 forbade, forbad; 過分 forbidden). ―名 pròhibítion Ⓤ; ban Ⓒ; (輸出入禁止令) embárgo Ⓒ (複 ~es). (☞ きんじる).

「ここで魚釣り禁止」「遊泳禁止」掲示

¶ 駐車[停車]*禁止 (掲示) *No* ⌈Parking [Standing] // 立入*禁止 (掲示) (⇒ 近づくな) Keep Off / (⇒ 区域外) Off Limits / Private ★ 施設等が公開されていないことを示す. // 遊泳*禁止 (掲示) *No* Bathing / Bathing (Strictly) *Prohibited* / *No* Bathing *Allowed* // 彼女は外出を*禁止された She *was forbidden* to go out. // すべての核兵器は*禁止されるべきだ All nuclear weapons must *be banned*. **禁止規定** prohibitive ⌈rule [regulation] Ⓒ **禁止的関税** prohibitive tariff Ⓒ.

きんし[2] 近視 ―名 néarsightedness Ⓤ, (英) shórtsíghtedness Ⓤ; 〘医〙 myopia /maɪóupiə/ Ⓤ. ―形 nearsighted, (英) shortsighted; myópic. (☞ きんがん). ¶ 仮性*近視 false *nearsightedness* / *pseudomyopia* /sù:doumaɪóupiə/ // *近視眼的考え a *shortsighted* view

きんし[3] 菌糸 (きのこ類の) hypha /háɪfə/ Ⓒ (複 hyphae /-fi:/).

きんし[4] 金糸 gold(en) thread Ⓤ (☞ いと[1]).

きんじ 近似 ―名 approximation Ⓤ. ―形 appróximate; (ごく近い) close ★ 前者のほうが格式ばった語. **近似計算** 〘数〙 approximation Ⓤ **近似式** 〘数〙 approximate equation Ⓒ **近似値** ☞ 見出し.

ぎんし 銀糸 silver thread Ⓒ.

きんしがいせん 近紫外線 〘物理〙 near-ultraviolet rays ★ 複数形で用いる.

きんしかんやく 筋弛緩薬 〘薬〙 muscle relaxant Ⓒ.

きんしくんしょう 金鵄勲章 the Order of the Golden Kite ★ 旧日本軍人に授与された勲章.

きんしこう 金糸猴 〘動〙 golden monkey Ⓒ.

きんじさん 禁治産 ☞ きんちさん

きんジストロフィー 筋ジストロフィー 〘医〙 muscular dystrophy /dístrəfi/ Ⓤ.

きんしたまご 錦糸玉子 thinly shredded egg omelet Ⓤ.

きんじち 近似値 approximate value Ⓒ; 〘数〙 approximation Ⓒ.

きんしつ[1] 均質 ―名 homogeneity /hòumədʒəní:əti/ Ⓤ. ―形 (均質の) homogeneous /hòumədʒí:niəs/. ―動 (均質にする) homogenize /houmádʒənàɪz/ (他). (☞ どうしつ[2]).

きんしつ[2] 琴瑟 **琴瑟相和す** ¶ 彼らは*琴瑟相和している (⇒ 幸せな結婚をしている) They *are very happily married.* / (⇒ 仲がよい) They *get on very well together.*

きんじつ 近日 ―副 (間もなく) soon; (数日中に) in a few days; (近いうちいつか) one of these days; (2, 3 日中に) in a couple of days; (やがて) before long ★ やや格式ばった表現. (☞ まもなく; そのうち). ¶ *近日中にお目にかかりたいと思います I'd like to see you *one of these days*. // それは*近日中に (⇒ やがて) 届くはずです It will be sent to you *before long*. // *近日開店 Opening *Soon*!

きんじつてん 近日点 〘天〙 perihelion /pèrəhí:ljən/ Ⓒ (複 -helia /-ljə/) (↔ aphelion).

きんじて 禁じ手 (相撲の) foul Ⓒ; (将棋などの) prohibited move Ⓒ.

きんじとう 金字塔 (記念として残る業績) monumental ⌈work [achievement] Ⓒ ★ [ ] 内のほうがより格式ばった言い方. ¶ 彼女の著書は日本美術研究における*金字塔である Her book on Japanese art proved to be a *monumental achievement*.

キンシャサ ―名 (固) Kinshasa /kɪnʃá:sə/ ★ コンゴ(旧ザイール)民主共和国の首都.

ぎんしゃり 銀舎利 cooked white rice Ⓤ.

きんしゅ[1] 禁酒 ―名 (酒を避けること) ábstinence Ⓤ, temperance Ⓤ ★ 後者は「節酒」を指すこともある; (絶対禁酒主義) téetòtalìsm Ⓤ. ―動 (酒をやめる) give up [stop; quit] drinking, (略式) go on the wagon; (酒を飲まない) abstain from drinking, (略式) be on the wagon ★ 前者はやや格式ばった言い方.

¶ 医者は 1 年間*禁酒するようにと私に言った (⇒ 酒を飲むなと忠告した) The doctor advised me *not to drink* for one year. // 病気のために彼は*禁酒した Because of illness, he *gave up drinking*. // *禁酒の誓いを立てる take ⌈an oath [a vow] of *temperance* / (略式) take the pledge

禁酒運動 temperance movement Ⓒ, teetotalers' movement Ⓒ **禁酒法** (アメリカの) Prohibition.

きんしゅ[2] 筋腫 〘医〙 myoma /maɪóumə/ Ⓒ (複 ~s, ~ta /-tə/). ¶ 子宮*筋腫 a *myoma* of the uterus /jú:t(ə)rəs/ / a *hysteromyoma* /hìstəroumaɪóumə/

きんじゅう 禽獣 birds and beasts.

きんしゅく 緊縮 (費用の節約) retrenchment Ⓤ; (無駄を省いて窮乏に耐えること) austérity Ⓤ. (☞ せつやく; さくげん). ¶ 新政権は*緊縮政策を (⇒ 経費節約の政策を) とっている The new government is following a policy of (economic) *retrenchment*. / (⇒ 金融の引き締め政策を) The new government has adopted a *tight-money* policy. // *緊縮予算を組む formulate an *austerity* budget **緊縮財政** tight-financing policy Ⓒ.

きんしょ 禁書 banned [prohibited] book Ⓒ.

きんじょ 近所 ―图 (特定の場所から近くの地域)《米》neighborhood Ⓒ,《英》neighbourhood Ⓒ; (近所の人)《米》neighbor Ⓒ,《英》neighbour Ⓒ; (近隣一帯)《格式》vicínity Ⓤ 語法 vicinity のほうが, neighborhood より範囲が広い. ―形 (近くの) nearby Ⓐ; (近所の)《米》neighborhood Ⓐ,《英》neighbourhood Ⓐ. ―副 (近くに) near [around] here. ―前 (…のすぐ近くに) close to …; (…の近くの[に]) near … (☞ ふきん¹; ちかく¹; へん²; このへん; あたり¹). ¶「この*近所に銀行はありますか」「この通りの次の角にあります」"Is there a bank ˹near here [around here]?" "Yes, there's one at the next corner." // 隣*近所にはあいさつをしておくべきだ You should greet your next-door *neighbors*. // *近所の子供たちをパーティーに呼んだ We invited the children (from) *next door* to the party. // 彼女はうちの*近所の人です She is our *neighbor*. / (⇒うちの近くに住んでいる) She lives *near* my home. // 彼はほとんど*近所づきあいがない (⇒近所に友人がいない) He has very few friends in his *neighborhood*. // 彼の奥さんは*近所づきあいがよい His wife gets on well with her *neighbors*. // あのピアノは*近所迷惑だ The noise of the piano is ˹a constant nuisance to [always bothering] the *neighbors*. // この*近所は初めてです I'm a complete stranger ˹in [to] this *neighborhood*. // 子供たちは*近所の池へ釣りに行った The kids went fishing on the ˹*nearby* pond [pond *near here*].

きんしょう¹ 僅少 ―形 (わずかの) a few, a little 語法 前者は数を示し, 後者は量を示す; (かろうじて) narrow. (☞ わずか; すこし). ¶ 与党は*僅少差で勝った (⇒僅かの差で) The ruling party won by a *narrow* margin.

きんしょう² 金賞 gold medal Ⓒ.

きんしょう³ 近称 〖文法〗demonstrative pronoun denoting something close to the speaker Ⓒ.

ぎんしょう¹ 銀賞 silver medal Ⓒ.

ぎんしょう² 吟唱[誦] ―图 recitation. ―動 recite ⑩.

ぎんじょう 吟醸 ―形 (質が最上の) of the ˹highest [best] quality; (吟味した醸造の) of careful brewing. **吟醸酒** deluxe-class sake brewed carefully from the choicest rice grain(s) Ⓤ, sake of a rare vintage Ⓤ.

きんじょうてっぺき 金城鉄壁 (堅固な城壁) ímprègnable cástle wàlls ★ 複数形で; (堅固な防備) imprégnable ˹defénse [《英》defénce] Ⓒ.

きんじょうとうち 金城湯池 (難攻不落の城) ímprègnable cástle Ⓒ. ¶ この地域は一族の*金城湯池だ The clan is in an *imprégnable* position in this part of Japan.

きんじる 禁じる **1**《禁止する》: (しないように命じる) tell … not to *do* … ★ 口語的; (公に禁止する) prohíbit ⑩ ★ 格式ばった語; (権威のある人が) forbíd ⑩ (過去 forbade, forbad; 過分 forbidden); (社会的・倫理的に) ban ⑩. (☞ きんし¹). ¶ この川での水泳は*禁じられています Swimming in this river *is prohibited*. / (⇒許されていない) Swimming *is not allowed* in this river. ★ 第2文のほうが口語的. // 車の乗り入れを*禁ずる《掲示》*No* ˹Vehicles [Cars or Trucks] / *Closed to* Traffic // 母は私に夜の外出を*禁じた (⇒外出しないよう命令した) Mother *told* me *not to* go out after dark. / Mother *forbade* me to go out after dark. ★ 第2文は格式ばった表現. // 私は医者にコーヒーを*禁じられている (⇒医者は私にコーヒーを飲むなと忠告した) The doctor *advised* me *not to* drink coffee. / I *am forbidden* by my doctor to drink coffee. // 賭博は法律によって*禁じられている Gambling *is prohibited* by law. / Gambling *is* ˹*banned* [*against* the law].

2《抑える》 ¶ それを聞いて笑いを*禁じえなかった (⇒それに接して笑わないではいられなかった) I could not *help* laughing at that. // 私は涙を*禁じえなかった (⇒涙を抑えることができなかった) I could not *hold back* my tears. (☞ こらえる)

ぎんじる 吟じる (節をつけて歌う) recite ⑩; (詩歌を作る) compose ⑩; (詠唱する) intone ⑩.

きんしん¹ 近親 (近い親類) close [near] relative Ⓒ; (近親の者を集合的に) kin Ⓤ; (近親の関係) close relationship Ⓤ. (☞ しんるい¹; けつえん; 親族関係 (囲み)). **近親結婚** consanguineous /kɑ̀nsæŋgwíniəs/ márriage Ⓒ; (俗に) ìntermárriage Ⓒ **近親相姦** ―图 íncest Ⓤ. ―形 incéstuous.

きんしん² 謹慎 ¶ 私は目下*謹慎中です (⇒罰として家に閉じ込められている) Now I'*m* ˹*confined to the house* [《米略式》*grounded*] as punishment. // 彼は学校から*謹慎を命じられた He *was punished by* ˹*being suspended* [*suspension*] from school.

きんす 金子 money Ⓤ (☞ かね¹).

ぎんすだれ 銀簾 *gin-sudare* Ⓒ; (説明的には) screen of glass sticks, spread on a plate, on which sashimi is served in summer Ⓒ.

きんずる 禁ずる ☞ きんじる

きんせい¹ 均整 ―形 (栄養・人の性格などが釣り合いのとれた) well-balanced; (左右相称の) symmétrical; (姿・形が釣り合いのとれた) well-proportioned. ―图 sýmmetry Ⓤ; balance Ⓤ; proportion Ⓤ; (調和) harmony Ⓤ. (☞ つりあい; ちょうわ). ¶ 彼女は*均整のとれた体をしている She has a *well-proportioned* figure. // この絵は*均整のとれた美しさで有名です This picture is noted for the beauty of its ˹*proportions* [*symmetry*].

きんせい² 近世 ―图 early modern ˹times [ages]. ―形 (近世の) early modern. (☞ きんだい). **近世文学** early modern literature Ⓤ.

きんせい³ 金星 Venus (☞ みょうじょう).

きんせい⁴ 禁制 ¶ 江戸時代にはキリスト教は*禁制であった (⇒禁じられていた) In the Edo period Christianity *was* ˹*prohibited* [*proscribed*]. 語法 proscribe は格式語で,「(危険なものとして法律で) 禁止する」の意味. // この山は昔女人*禁制だった (⇒女性には閉ざされていた) This mountain used to *be* ˹*closed* [《米》*off limits*] *to* women in the past. (☞ きんし¹; きんじる) **禁制品** prohibited goods ★ 複数形で; (密輸の) contraband Ⓤ, contraband ˹item Ⓒ [goods].

ぎんせかい 銀世界 ¶ 外は一面の*銀世界だ (⇒すべての場所は雪に覆われている) The whole place *is covered with snow*.

きんせきがいせん 近赤外線 〖物理〗near infrared rays ★ 複数形で用いる.

きんせつ 近接 ―形 (近くの) near; (接近した) close; (隣の) neighboring. ―動 (近づく) approach ⑩; (近くにくる) draw near … ―图 (近いこと) proximity Ⓤ. (☞ ちかく¹; せっきん; となり).

きんせん¹ 金銭 money Ⓤ; (現金) cash Ⓤ. (☞ かね¹). ¶ 彼らは*金銭上の問題で大げんかをした They had a big quarrel about (the) *money*. // 彼は*金銭に汚い (⇒卑しい) He is stingy with his *money*. / He plays dirty in *money* matters. // 彼は父親に*金銭上の援助を仰いだ He turned to his father for *financial* ˹help [support].

金銭感覚 ¶ 彼女は*金銭感覚がない She lacks *good sense in managing money*. / She does not understand (*matters of*) *money*. // 山田さんは*金

銭感覚が麻痺している (⇒ 大ざっぱだ) Mr. Yamada is「loose about *money matters* [(⇒ 金の価値に鈍感だ) insensitive to the (actual) *value of money*]. **金銭信託** money trust [C] **金銭出納係** (窓口で現金を扱う人) cashier /kæʃíə/ [C]; (団体・官庁などの出納課員) treasurer [C]; (銀行の) (bank) teller [C] **金銭出納簿** (会計の) account book [C]; (現金の) cashbook [C] **金銭登録機** cash register [C] 《☞ レジ¹》.

きんせん² 琴線 ¶そのシーンは私の心の*琴線に触れた (⇒ それは感動的なシーンだった) It was a「*touching* [*moving*] scene. / The scene「*touched* [*moved*] *my heart*. // そのせりふは聴衆の心の*琴線に触れた The lines *struck a chord in the hearts of* the audience. ★ 格式ばった言い方.

きんぜん 欣然 ¶彼は*欣然として (⇒ 喜んで) その忠告に従った He *was delighted to* take the advice.

きんせんい 筋繊維 〘解〙 muscle「fiber [《英》 fibre] [U].

きんせんか 金盞花 〘植〙 pot [common] marigold [C].

きんせんずく 金銭ずく ¶*金銭ずくで by *the*「*power of money* [*money power*] 《☞ かねずく》

きんそうば 金相場 the gold market; (金の市価) the market price of gold; (金の交換比率) the「exchange rate [price] of gold.

きんそく¹ 禁足 ¶罰として一週間の*禁足をくらった I *was told to stay in* for a week as punishment. 《☞ あしどめ》

きんそく² 禁則 prohibition [U]. **禁則処理** (ワープロなどの) automatic wraparound in Japanese [U] [参考] 欧文ワープロでは wordwrap (＝単語の自動次行送り) がほぼこれに相当する.

きんぞく¹ 金属 ── 名 metal [U]; (貴金属) precious metal [U] ★ 以上 2 語はいずれも種類をいうときは [C]. ── 形 (金属の) metal; (金属性の) metállic. ¶*金属製の棒 a *metal* bar // この箱は*金属でできている This box is made of *metal*. // それは*金属性の音を立てた It gave a *metallic* ring. **金属イオン** metal ion [C] **金属音** metallic sound [C] **金属元素** metallic element [C] **金属工業** metal [metalworking] industry [U] **金属製品** (金属類) hardware [U]; (金属でできた物品) metalware [U] **金属探知機** metal detector [C] **金属バット** metal (baseball) bat [C] **金属疲労** metal fatigue [U].

きんぞく² 勤続 ¶M 先生はこの学校で*勤続 30 年です (⇒ この学校で 30 年間教えている) Mrs. M has been teaching at this school for thirty years. 《☞ えいねん (永年勤続)》
勤続手当 length-of-service allowance [C].

きんそしき 筋組織 muscular tissue [U].

キンダーガーテン (幼稚園) kindergarten [C].

きんだい 近代 ── 名 the módern áge ★ the を付けて. ── 形 (近代の) modern. ── 動 (近代化する) modernize ⑩. 《☞ げんだい¹》. ¶*近代産業 *modern*「industry [industries] // 生活様式を*近代化するには金がかかる It takes a great deal of money to *modernize* a whole way of life. **近代音楽** modern music [U] **近代科学** modern science [U] **近代経済学** modern economics [U] **近代劇** (総称) modern drama [U] **近代建築** modern architecture [U] **近代語** modern language [C] **近代五種競技** the modern pentathlon **近代国家** modern state [C] **近代詩** (総称) modern (-style) poetry [U]; (一篇の詩) modern(-style) poem [C] **近代社会** modern society [C] **近代人** (現代風の人) modernist [C]; (近代社会の人々) modern people ★ 集合的に. **近代都市** modern city [C] **近代文学** modern literature [U].

きんたいしゅつ 禁帯出 ¶館内閲覧図書は*禁帯出だ (⇒ 持ち出すことが禁止されている) It is *forbidden to take out* reference books. // *禁帯出 (⇒ 図書館内での参照のみ) Reference Only ★ ラベルなど.

きんだち 公達 young court noble [C].

きんたま 金玉 《卑》 the balls 《☞ こうがん³》.

ぎんだら 銀鱈 〘魚〙 silver [coho(e)] cod [C] 《複 ~(s)》.

きんたろう 金太郎 ── 名 ⑬ *Kintaro*; (説明的には) *Golden Boy*, legendary strong boy; (ひし形の腹掛け) (Kintaro's) lozenge apron [C]. **金太郎飴** Kintaro candy [U] ★ 説明的には以下のように言えばよい. It's a stick of hard candy that has a picture of the face of *Kintaro, 'Golden Boy,'* a legendary figure in Japanese folklore, in the middle of it. The candy is made in such a way that the face will appear at any point where it is cut. ¶*金太郎飴のような (⇒ 画一的な) 施策 a *uniform*「measure [policy]

きんだん 禁断 ¶*禁断の木の実 (the) *forbidden* fruit **禁断症状** withdrawal symptoms ★ 通例複数形で. 《☞ しょうじょう¹》.

きんちさん 禁治産 ── 名 〘法〙 incómpetence [U], incómpetency [U]. ── 形 (無能力の) incómpetent. ¶彼は*禁治産の宣告を受けた He was declared *incompetent*. **禁治産者** 〘法〙 person adjudged incompetent [C] ★ 現在の正式名称は「成年被後見人」. ¶彼女は*禁治産者だ She is *legally incompetent*. / (⇒ 法律上の資格がない) She *is not legally qualified*.

きんちてん 近地点 〘天〙 the perigee /pérədʒìː/ (point) (↔ the apogee (point)).

きんちゃ 金茶 (金色がかった茶色) brown tinged with gold [U].

きんちゃく¹ 巾着 ((金を入れる) 小袋) (money) pouch [C]; (ひものついた袋) drawstring bag [C]. **巾着切り** pickpocket [C].

きんちゃく² 近着 ¶*近着の小包 a *newly arrived* parcel // *近着 《掲示》 Just Arrived

きんちゅう 禁中 the「Court [Imperial Palace]. **禁中並公家諸法度** 〘史〙 Laws (enacted by the Tokugawa shogunate) Governing the Imperial Court and Nobility.

きんちょ 近著 *one's* recent work [C].

きんちょう¹ 緊張 ── 名 (精神的・政治的な) tension [U]; (張り詰めること) strain [C]. ── 動 (緊張する) become tense; (神経質になる) get [feel] nervous; (緊張している) be「stressed [(all) keyed up] [語法] (1) [ ] 内は口語的で, all がつくと意味がいっそう強くなる; (緊張させる) tense ⑩, strain ⑩. ── 形 tense, strained; nervous. 《☞ きんぱく¹; かたく¹; はりつめる》. ¶彼の前ではすごく*緊張します I feel extremely「*tense* [*stressed*] when he is with me. // 初めて飛行機に乗ったときは*緊張する (⇒ 神経質になる) You「get [feel] *nervous* when you「fly [take an airplane] for the first time. // 私は面接の間とても*緊張していた I was awfully「*nervous* [*tense*] while I was being interviewed. // 新入生の*緊張をほぐす必要がある (⇒ くつろいだ気分にさせることが必要だ) It is necessary to *make* (the) newcomers *feel at home*. // 彼女は非常に*緊張した面持ちで部屋に入ってきた She entered the room「with great *nervousness* [very *tense*]. // 南北の*緊張が高まった (⇒ 関係が緊張した) The relationship between the North and (the) South *has become*「*tense* [*strained*]. // EU はヨーロッパの政治的*緊張の緩和に役立つ The EU is contributing to the easing of political *tensions* in Europe. 語法 (2) tension は対人関係・国家間などの緊張を指すときはしばしば複数形で用いられる. **緊張緩和** (国際間の) détente /deɪtá:nt/ Ⓤ ★ détente の ´ はつづり本来のもの.

コロケーション
緊張が高まる *tension* mounts // 緊張を生む create [produce; generate] *tension* / 緊張を緩和する ease [alleviate; lessen; relax; relieve] the *tension* / 緊張を高める heighten the *tension* / 緊張を減らす reduce the *tension* / 緊張をほぐす break the *tension* / 緊張を増す increase the *tension* // 極度の緊張 extreme *tension* / 筋肉の緊張 muscle *tension* / 社会的緊張 social *tension* / 神経の緊張 nervous *tension* / 心理的な緊張 psychological *tension* / 精神的な緊張 mental *tension*

きんちょう[2] **謹聴** ── 動 listen attentively ㊀. ¶*謹聴, 謹聴! *Attention,* please. / (⇒お静かに) Be quiet, please.

きんちょく 謹直 ── 形 (正直でまじめな) honest and sincere; (慎み深い) modest.

きんつば 金鍔 *kintsuba* Ⓒ; (説明的には) pancake stuffed with sweet(ened) bean paste Ⓒ.

きんてい[1] **謹呈** ¶*謹呈《著者が贈呈本に書く言葉》(⇒著者のあいさつをそえて) With the compliments of the author. (☞ぞうてい[1])

きんてい[2] **欽定** **欽定憲法** (君主により制定された憲法) constitution granted by a monarch Ⓒ; (日本の) the Imperial Constitution ★ the を付けて. **欽定訳聖書** the ˹Authorized [King James] Version (of the Bible) (☞せいしょ[1]).

きんてき 金的 (的の中心) the bull's-eye ★ the を付けて. ¶彼は*金的を射とめた (⇒すばらしい成功を成し遂げた) He has achieved (a) *brilliant success.*

きんでんぎょくろう 金殿玉楼 (御殿) palace Ⓒ; (豪華な邸宅) magnificent residence Ⓒ.

きんでんけい 筋電計 〘医〙 electromyograph Ⓒ.

きんてんげつ 近点月 〘天〙 anómalistic mónth Ⓒ.

きんてんさい 禁転載 (書籍などの断り書き) May not be ˹reprinted [reproduced] without permission. (☞てんさい[3]).

きんでんず 筋電図 〘医〙 electromyogram Ⓒ.

きんてんねん 近点年 〘天〙 anómalìstic yéar Ⓒ.

きんとう[1] **均等** ── 形 (等しい) equal; (むらのない) únifòrm; (平等な) even. ── 副 equally; uniformly; evenly. ── 名 equality Ⓤ; ùnifórmity Ⓤ; evenness Ⓤ. (☞びょうどう).
¶日本では教育の機会は*均等である (⇒等しい機会を持っている) In Japan we have *equal* opportunity ˹in [for] education. // 私たちはその金を*均等に分けた We divided the money ˹*equally* [into *equal* parts]. / (⇒平等の分け前を持った) We got ˹*equal* [*even*] shares of the money.
均等割り ¶*均等割りで on a *per capita basis* // これを5人で*均等割りにしましょう Let's *divide* this *into* five *equal parts.* **均等割付** ── 名 full *justification* Ⓤ. ── 動 *justify* ㊀.

きんとう[2] **近東** ── 名 固 the Near East; (近東諸国) (the) Near Eastern countries ★ 複数形で. 参考 現在では中近東は中東 (Middle East) に含まれる. (☞ちゅうきんとう).

きんときまめ 金時豆 reddish kidney bean Ⓒ; (甘く煮たもの) reddish kidney beans cooked with sugar.

きんとん 金団 *kinton* Ⓤ; (説明的には) mashed sweet potatoes with sweetened chestnuts.

ぎんなん 銀杏 ginkgo nut Ⓒ.

きんにく 筋肉 ── 名 (組織としての) muscle /mʌ́sl/ Ⓤ ★ 体の各部の筋肉を具体的に指すときは Ⓒ; (腕・脚などのたくましい筋肉) brawn Ⓤ. ── 形 (筋肉の) muscular; (筋肉のたくましい) brawny.
¶彼は*筋肉が隆々としている (⇒彼は多くの筋肉をもっている) He has (got) plenty of *muscle.* / (⇒彼は筋肉のたくましい腕や脚をもっている) He has *brawny* arms and legs. // 私は腕に*筋肉をつけるために腕立て伏せをしている I do push-ups to develop my arm *muscles.* // 彼は*筋肉質です He is a *muscular* man. **筋肉運動** muscular movement Ⓤ **筋肉繊維** ☞きんせんい **筋肉増強剤** (アナボリックステロイド) anabolic steroid Ⓤ, 《略式》 muscle pill Ⓒ **筋肉組織** muscular tissue Ⓤ **筋肉注射** intramúscular injéction Ⓒ **筋肉痛** muscle [muscular] ache Ⓒ **筋肉労働** physical labor Ⓤ **筋肉労働者** manual ˹worker [laborer] Ⓒ.

きんにっせい 金日成 ☞キムイルソン

ぎんねず 銀鼠 ── 形 silver-gray.

きんねん 近年 in recent years; (最近) lately, of late ★ 後者のほうが格式ばった語. (☞さいきん[1] 語法; このごろ).

きんのう 勤王, 勤皇 loyalty to the Emperor Ⓤ; (主義) loyalism Ⓤ. **勤王の志士** loyalist Ⓒ.

きんば 金歯 (金冠をかぶせた歯) gold-capped tooth Ⓒ.

ぎんば 銀歯 silver-capped tooth Ⓒ.

きんぱい 金杯 gold cup Ⓒ.

ぎんぱい 銀杯 silver cup Ⓒ.

きんばえ 金蠅 〘昆〙 greenbottle (fly) Ⓒ.

きんぱぎんぱ 金波銀波 sparkling waves ★ 複数形で.

きんぱく[1] **緊迫** ── 形 (張りつめた) tense, strained. ── 動 (緊迫する) become tense, grow strained. ── 名 tension Ⓤ, strain Ⓤ. (☞きんちょう[1]; せっぱく). ¶*緊迫した国際情勢 a ˹*tense* [*strained*] international situation // 両国の関係は領土問題をめぐって*緊迫してきた Relations between the two nations *have become very* ˹*troubled* [*tense*] because of territorial ˹problems [disputes].

きんぱく[2] **金箔** (やや厚めの) gold foil Ⓤ; (ごく薄い) gold leaf Ⓤ; (金箔または金めっき) gilt Ⓤ. (☞はく[4]; きん[1]).

ぎんぱく 銀箔 (やや厚めの) silver foil Ⓤ; (ごく薄い) silver leaf Ⓤ. (☞はく[4]; ぎん).

ぎんはくしょく 銀白色 silver(y) white Ⓤ.

きんぱつ 金髪 ── 名 blond [golden] hair Ⓤ; (金髪の女性) blonde Ⓒ; (男性) blond Ⓒ 語法 《米》では最近男女の別なく blond を使う傾向がある. ── 形 (色白で金髪の) blond. ¶*金髪の女の子 a girl with *blond hair* / a *blond* girl / a *blonde*

ぎんぱつ 銀髪 silver [silvery] hair Ⓤ (☞しらが). ¶*銀髪の婦人 a lady with *silver hair*

キンバリー (女性名) Kimberly /kímbəli/.

ぎんばん 銀盤 (アイススケート場) skating rink Ⓒ; (室内の) ice rink Ⓒ. ¶*銀盤の女王 (the) queen of the *ice*

ぎんばんしゃしん 銀板写真 daguerreotype /dəgéroutàɪp/ Ⓒ ★ 昔の写真でフランス人 Daguerre にちなんだ語.

きんぴか 金ぴか ¶建物の内部は*金ぴかに飾ってあった (⇒建物の内部は派手な飾りでしつらえてあった) The interior of the building was furnished with ˹*garish* [*gaudy*] ornaments and decorations. (☞けばけばしい)

きんびょうぶ 金屏風 gilded folding screen Ⓒ.
ぎんびょうぶ 銀屏風 silver-leaf-covered folding screen Ⓒ.
きんぴらごぼう 金平牛蒡 *kinpira gobo* Ⓤ; (説明的には) matchstick-size strips of burdock roots and carrots stir-fried and cooked in sugar and soy sauce.
きんぴん 金品 (金と品物) money and goods ★ goods は複数形で; (金と贈り物) money and gifts ★ gifts は複数形で. ¶ 彼はその役人にわいろとして*金品を贈った He gave the official *money and gifts* as bribes.
きんぶち 金縁 ―图 gold rim Ⓒ. ―形 gold-rimmed; (本などが) gilt-edged. ¶ *金縁の眼鏡 *gold-rimmed* glasses **金縁証券** gilt-edged security Ⓒ ★ 優良証券のこと.
ぎんぶち 銀縁 ―图 silver rim Ⓒ. ―形 silver-rimmed. ¶ *銀縁の眼鏡 *silver-rimmed* glasses
ぎんぶら 銀ぶら ―動 saunter [stroll] along the Ginza ★ 前者のほうが楽しみながら歩くニュアンスが強い. ―图 saunter [stroll] on the Ginza Ⓒ.
きんぷん 金粉 gold dust Ⓤ.
ぎんぷん 銀粉 silver dust Ⓤ.
きんぶんそうぞく 均分相続 〘法〙 equalized inheritance Ⓤ.
きんべん 勤勉 ―形 (よく働く・勉強する) hardworking ★ 最も口語的で一般的な語. 以下の語の代わりに使える場合も多い; (自分の関心のあることに熱心な) diligent. ★ やや格式ばった語; (性格的・習性的に仕事に熱心な)《格式》industrious. ―图 diligence Ⓤ;《格式》industry Ⓤ. (☞ じっちょく; まじめ). ¶ アメリカ人は*勤勉な国民です The Americans are ⌜a *hardworking* [an *industrious*] people. // *勤勉は幸運の母 *Diligence* is the mother of good ⌜luck [fortune]. 《ことわざ》 **勤勉家** hard worker Ⓒ.
きんぺん 近辺 neighborhood Ⓒ (☞ きんじょ; ちかく[1]; ふきん[1]).
きんぽうげ 金鳳花 〘植〙 buttercup Ⓒ.
きんぼうすい 筋紡錘 〘解〙 muscle spindle Ⓒ.
きんぼし 金星 1 《相撲》 ¶ *金星をあげる score an *outstanding win over a yokozuna*
2 《大きな手柄》: (目ざましい働き) distinguished service Ⓒ ★ しばしば複数形で. (☞ てがら; しゅくん[1]).
きんボタン 金ボタン brass button Ⓒ. ¶ *金ボタンの学生服 a student uniform with *brass buttons*
きんまく 筋膜 〘解〙 fascia /féɪʃ(i)ə/ Ⓒ (複 fasciae /-ʃiː/).
ぎんまく 銀幕 (映画)《米》the movies,《英》the cinema; (映画界) the ⌜movie [film; cinema] world ★ いずれも the を付けて; (映画を写す幕) the (silver) screen. (☞ えいが[1]). ¶ *銀幕の女王 (⇒ 映画スター)《米》a *movie* star /《英》a *film* star
きんまんか 金満家 (大金持ち) very ⌜rich [wealthy] person Ⓒ; (百万長者) millionáire Ⓒ; (億万長者) billionáire Ⓒ. (☞ かねもち).
ぎんみ 吟味 ―動 (調べる) exámine ⑩; (点検する) check ⑩. ―图 exàminátion Ⓤ; check Ⓒ. (☞ けんとう[2]; しらべる). ¶ よく*吟味して選びなさい (⇒ 選ぶのに十分時間をかけなさい) *Take time* making your choice. // 自分の答えをもう一度*吟味して (⇒ 照合して [調べて]) ごらんなさい *Check* [*Look over*] your answer(s) once again. // これはよく*吟味した (⇒ えりすぐった) 材料を使ってあります This is made ⌜from [of] *choice* material(s).
吟味役 (罪を調べただす人) investigator Ⓒ.

きんみつ 緊密 ―形 (密接な) close /klóʊs/ (☞ みっせつ). ¶ その件に関しては私どもと*緊密な連絡をとって下さい Please keep in *close* contact with us ⌜in [concerning] that matter. // 私たちは*緊密に協力してそれを成し遂げた We accomplished it in *close* cooperation with each other.
きんみゃく 金脈 (鉱山の) vein of gold Ⓒ; (財政上のつながり) financial connections ★ 複数形で; (出資者) financial supporter Ⓒ.
ぎんみゃく 銀脈 (鉱山の) vein of silver Ⓒ.
きんみらい 近未来 ―图 the near future. ―副 in the near future. (☞ みらい; しょうらい[1]).
きんむ 勤務 ―图 (仕事) work Ⓤ ★ 一般的な語; (仕事・会社などのために働くこと) service Ⓤ; (任務) duty Ⓒ. ―動 (働く) work ⓐ ★ 一般的な語; be on duty 語法 看護師・警官・消防士など, 特殊な任務についている場合; serve ⑩. (☞ しつむ; しごと (類義語); つとめる[2]). ¶ 彼は*勤務(時間)中[外]です He ⌜*is* [*isn't*] *working*. / He is ⌜*on* [*off*] *duty*. // 彼女は石油会社に*勤務している She *works* for an oil company. // 彼は夜間*勤務です He ⌜*works* (*on*) [*is on*] the night shift. // 彼は*勤務を怠っている He is neglecting his *duties*. // 彼は*勤務成績がよい He has shown good *work* performance. / He's performed well at *work*. // 今度の仕事は*勤務条件がよい My new job ⌜has [provides] good *working* conditions. //「彼女の*勤務状況はどう?」「まじめに*勤務してる」"How is her *service* record?" "She is a ⌜diligent [reliable] *worker*." **勤務先** (働く場所) *one's* place of ⌜work [employment] Ⓒ ★ [ ] 内のほうが格式ばった言い方; (事務所) *one's* office Ⓒ; (会社) *one's* company Ⓒ. (☞ しょくば). ¶ *勤務先はどちらですか Where do you *work*? / Where's your *office*? **勤務時間** office [business; working] hours ★ 複数形で. **勤務年限** the length of *one's* service; (契約による) *one's* term of ⌜office [service] Ⓒ **勤務評定** the [an] efficiency ráting (☞ ひょうてい).
きんむく 金無垢 solid [pure] gold Ⓤ.
きんむりょくしょう 筋無力症 〘医〙 myasthenia Ⓤ.
きんめだい 金目鯛 〘魚〙 red snapper Ⓒ.
きんモール 金モール gold ⌜lace [braid] Ⓤ ★ [ ]内は太めの組み紐.
ぎんモール 銀モール silver ⌜lace [braid] Ⓤ ★ [ ]内は太めの組み紐.
きんもくせい 金木犀 〘植〙 fragrant (orange-colored) olive Ⓒ.
ぎんもくせい 銀木犀 〘植〙 fragrant white-colored olive Ⓒ.
きんもつ 禁物 (禁じられているもの) prohíbited [forbídden] thíng Ⓒ; (言ってはならないこと) tabóo Ⓒ. (☞ きんく). ¶ その話題はここでは*禁物です That topic is *taboo* here. ★ この taboo は 形. / (⇒ それは口に出して言うべきではない) You should not mention that here. // 油断*禁物 ☞ ゆだん
きんもんかいきょう 金門海峡 ―图 固 the Golden Gate ★ アメリカのサンフランシスコにある海峡. the Golden Gate Bridge がかかっている.
きんもんとう 金門島 ―图 固 Quemoy /k(w)ɪmɔ́ɪ/ Island ★ 中国名 Chinmen /ʤɪnmén/. 台湾海峡の島.
ぎんやんま 銀蜻蜓 〘昆〙 *gin-yanma* dragonfly Ⓒ, burnished dragonfly Ⓒ.
きんゆ 禁輸 (輸出入禁止令) embárgo Ⓒ. ¶ アメリカはその国の製品すべてを*禁輸にした The United States ⌜put [laid; imposed] an *embargo on the import* of all the products in that country. // …が*禁輸になっている … are now under an

embargo // 政府は農産物の*禁輸をといた The government ˹lifted [raised] the *embargo on the* ˹(⇒輸出の) *export* [(⇒輸入の) *import*] of agricultural products. 禁輸品 goods under an embargo ★ 複数形で.

きんゆう 金融 (資金の需給関係) finance /fɪnǽns, fáɪnæns/ Ⓤ; (金) money Ⓤ.
金融界 financial circles 金融会社 finance company Ⓒ 金融監督庁 the Financial Supervisory Agency ★ 現在は ☞ 金融庁; (米国の通貨監督庁) Office of the Comptroller of the Currency ★ OCC と略す 金融関連法〘法〙Finance Related Legislation Ⓤ 金融緩和 monetary ˹ease [relaxation] Ⓤ 金融機関 banking agency Ⓒ, fináncial institution Ⓒ 金融業 financial [banking] business Ⓒ 金融恐慌 financial crisis Ⓒ 金融業者 moneylender Ⓒ 金融検査〘経〙financial inspection Ⓒ 金融公庫 loan ˹corporation [company] Ⓒ, finance ˹company [corporation] Ⓒ. ¶住宅*金融公庫 the Housing /háuzɪŋ/ *Loan Corporation* 金融債〘経〙bank debenture Ⓒ 金融先物取引〘経〙financial futures transaction Ⓒ 金融資産 financial assets 金融市場 financial market Ⓒ 金融資本 financial capital Ⓤ 金融自由化 financial ˹deregulation [liberalization] Ⓤ 金融情勢 the financial situation 金融政策 financial policy Ⓒ 金融相場 financial [money] market Ⓒ 金融庁 the Financial Services Agency 金融取引 financial transaction Ⓒ 金融派生商品 derivative Ⓒ 金融引き締め〘経〙monetary restraint Ⓤ. ¶*金融引き締め政策 a *tight-money* policy // *金融引き締めで企業の経営が苦しくなった The *money squeeze* [*Tight money*] has put strong pressure on business managers. 金融逼迫 tight money situation Ⓒ 金融持株会社 financial holding company Ⓒ.

ぎんゆうしじん 吟遊詩人 wandering minstrel Ⓒ.

きんよう 緊要 ━形 (非常に重要な) very important, of vital importance ★ 後者は格式ばった言い方; (差し迫った) very urgent, of great urgency ★ 後者は格式ばった言い方. 《☞ じゅうよう¹; きんきゅう》. ¶*緊要な事柄 a matter *of* ˹*vital importance* [*great urgency*]

きんようび 金曜日 Friday 《略 Fri.》 《☞ 時刻・日付・曜日 (囲み); 略語 (巻末); にちよう (び)》.

きんよく 禁欲 ━名 (禁酒) ábstinence Ⓤ; (独身を守ること) célibacy Ⓤ; (宗教的な訓練としての) asceticism /əsétəsìzm/ Ⓤ. ━形 (禁欲的な) abstinent; celibate; ascétic. 《☞ せっせい¹》. ¶私はその 1 年間はまったくの*禁欲生活を送った I led a life of total *celibacy* (for) that year. 禁欲主義 asceticism Ⓤ; stoicism /stóuɪsìzm/ Ⓤ 禁欲主義者 ascétic Ⓒ; stoic Ⓒ.

ぎんよく 銀翼 silver wings; (飛行機) airplane Ⓒ.

きんらい 近来 ━副 (近ごろ) these days; (最近) recently, lately 〔語 法〕以上 2 語は過去形または現在完了形とともに用いる. ━形 (近来の) late, recent. 《☞ さいきん¹ 語法; ちかごろ; このごろ》.
¶米は今年は*近来まれな大豊作だった It was the *richest rice* ˹*harvest* [*crop*] that we have had *in recent years*.

きんらん 金襴 góld brocáde Ⓤ. 金襴緞子(どんす) ¶*金襴どんすの帯 a *gold-brocate*(*d*) sash

きんり¹ 金利 (利子) ínterest Ⓤ; (利率) ínterest ràte Ⓒ, rate of interest Ⓒ ★ 後者のほうが格式ばった言い方. 《☞ りりつ; りし》. ¶いま*金利は年 3 分です The annual *rate of interest* is 3 percent. // 8 月には*金利が引き上げ [引き下げ] られるでしょう The *interest rate*(*s*) will be ˹raised [lowered] in August. 金利水準 the level(s) of interest rates, interest levels 金利スワップ interest rate swap Ⓒ 金利生活者 person who lives off investments Ⓒ ★ 説明的な訳; (金利・地代を含む不労所得生活者) rentier Ⓒ; (投資生活者) investor Ⓒ 金利政策 bank-rate policy Ⓒ 金利体系 the structure of interest rates.

きんり² 禁裏 (皇居) the Imperial Court.

きんりょう¹ 禁猟 prohibition of hunting Ⓤ. 禁猟期 the closed season for hunting. ¶いまは*禁猟期です It is (*the*) ˹*closed* [《英》*close*] *season* now. / (⇒ 猟はここでは 1 年のいまの時期には禁止である) *Hunting is prohibited* here (at) this time of (the) year. 禁猟区 ¶ここは*禁猟区です This area is a *game preserve*. / This is a *no-hunting* area.

きんりょう² 禁漁 pròhibítion of fishing Ⓤ. 禁漁期 the closed season for fishing 禁漁区 marine preserve Ⓒ.

きんりょく¹ 金力 (金の影響力) the ˹influence [power] of money; (財力) financial ˹power [ability] Ⓤ. ¶彼は*金力にものを言わせてそれを成し遂げた (⇒ 自分の財政的な力を使って) He accomplished it by using his *financial power*. / (⇒ 金の影響力によって) Through *the influence of* his *money*, he was able to do it.

きんりょく² 筋力 (体力) muscular strength Ⓤ; (物を動かす能力) muscle power Ⓒ. 筋力トレーニング muscle [weight] training Ⓤ.

きんりん 近隣 ━形 neighboring Ⓐ 《☞ きんじょ; ちかく¹; となり》. ¶*近隣諸国 *neighboring* countries 近隣騒音 neighborhood noise Ⓒ; (説明的には) noises disturbing the surrounding neighborhood.

ぎんりん¹ 銀輪 (自転車) bicycle Ⓒ; (自転車の車輪) wheel Ⓒ; (銀の輪) silver ring Ⓒ.

ぎんりん² 銀鱗 (銀のうろこ) silvery scale Ⓒ; (魚) fish Ⓒ. 《☞ さかな 〔語 法〕》.

きんるい 菌類 fungi /fʌ́ndʒai/ ★ fungus /-gəs/ の複数形. 《☞ きん²》.

きんれい 禁令 pròhibítion Ⓒ, ban Ⓒ ★ 前者は格式ばった語. 《☞ きんし¹; めいれい》.

ぎんれい 銀嶺 mountain covered with silver snow Ⓒ, snow-covered mountain Ⓒ.

きんれんか 金蓮花 〘植〙 nasturtium /nəstə́ːʃəm/ Ⓒ.

きんろう 勤労 (働くこと) work Ⓤ; (肉体的労働) labor (《英》labour) Ⓤ; (勤め) service Ⓤ. 《☞ ろうどう; はたらく (類義語); しごと (類義語)》. ¶その出来事は彼らの*勤労 (⇒ 働こうとする) 意欲を高めた The event heightened their will to *work*. // *勤労意欲がわく [なくなる] feel [lose] the ˹will [desire] to *work* 勤労感謝の日 Labor (Thanksgiving) Day 《☞ しゅくじつ (表)》 勤労者 working ˹man [woman] Ⓒ, worker Ⓒ; (特に肉体労働者) laborer (《英》labourer) Ⓒ 勤労(者)階級 the working class Ⓒ ★ 時に単数形で複数扱い. 勤労者世帯〘経〙working class household Ⓒ 勤労所得 earned income Ⓒ 勤労奉仕 labor service Ⓤ.

く，ク

く¹ 苦 ―名（苦痛）pain Ⓤ ★「苦労」の意味では複数形で;（心配）worry Ⓤ, care Ⓤ 語法 (1) worry が一般的. care は心にのしかかる心配.「心配事」の意味ではいずれも通例複数形で;（困難）difficulty Ⓤ;（困苦）hardship Ⓒ. ―動（苦にする）worry (about …; over …) ⓐ;（悩ます・悩む）bother ⓗ ⓐ.《☞ しんぱい（類義語）; くろう》.

¶ 楽あれば*苦あり After pleasure comes *pain.*《ことわざ: 楽しみの後には苦痛がくる》// 彼女は生活*苦に耐えられなかった She could not bear the *hardships* of life. **苦にする** ¶ 彼女はいつもつまらないことを*苦にしている（⇒ くよくよしている）She *is* always *worrying* ⌈*about* [*over*] ⌈little things [minor problems]. 語法 (2) over のほうが関心度が強い. // 彼は借金を*苦にして病気になった He *worried himself* sick *over* his debts. // 彼は物事を*苦にしない人だ（⇒ のんきな人だ）He is ⌈an *easygoing* [a *laid-back*] person. **苦にならない** ¶ 私は早起きは*苦にならない（⇒ 何とも思わない）I *think nothing of* getting up early. // その騒音は少しも*苦にならない（⇒ 迷惑でない）The noise doesn't *bother* me at all. **苦は楽の種** No pain(s), no gain(s).《ことわざ: 苦労がなければ利益もない》 **苦もなく** ¶ 彼はその問題を*苦もなく解いた（⇒ やすやすと解いた）He solved the problem ⌈*easily* [*with ease*].

く² 区（都市の行政上の）ward Ⓒ;（他の地域と明確に区別された地区）zone Ⓒ;（選挙区）constituency Ⓒ 参考 外国宛の手紙に書く日本の住所などでは，例えば Chiyoda-ku のようにローマ字で (-ku) を付けるのがよい.《☞ ちく; くいき; ちいき（類義語）; 手紙の書き方（囲み）》.

¶ 私たちの会社は新宿*区にある Our company is located in Shinjuku *Ward.* ★ city を ward と同じ意味で用いることもある. // 彼は東京第 1 *区から立候補した He ran as a candidate in the 1st ⌈*constituency* [*electoral district*] of Tokyo. // 郵便*区 a mail *zone* // 気候*区 a climatic ⌈*zone* [*province*] ★ province は zone をさらに細分化したもの. // 自治*区 a self-governing *district* // 行政*区 an administrative *district*

区営 ¶ *区営の公民館 a *ward* community center **区議会** ward assembly Ⓒ **区議会議員** member of the ward assembly Ⓒ **区政** ☞ 見出し **区長** ☞ 見出し **区民** ☞ 見出し **区役所** ward office Ⓒ.

く³ 句（語句）phrase Ⓒ;（俳句）haiku Ⓒ ★ 単複同形. ¶ 副詞*句 an adverbial *phrase*

く⁴ 九，9 ―名 形 nine 語法「第 9（番目）の」，あるいは「第 9（番目）のもの」の場合は the ninth.《☞ 数字（囲み）》.

ぐ¹ 愚 ―形（愚かな）foolish, silly, stupid ★ 後のものほど意味が強い;（不合理な）absúrd. ―名 folly Ⓤ, silliness Ⓤ, stupídity Ⓤ; absúrdity Ⓤ;（ばかばかしいこと）nonsense Ⓤ.《☞ ばか（類義語）; ばかげた》. **愚にもつかない** ¶ *愚にもつかないことを言うな（⇒ ばかなことを言うな）Don't talk ⌈*garbage* [《英》*rubbish*]! **愚の骨頂** ¶ それは*愚の骨頂だ（⇒ それよりもばかげたものは何もない）Nothing could be more *absurd* than that. // あんな男と結婚するなんて*愚の骨頂だ（⇒ 愚かなことの極致だ）It is *the height of* ⌈*folly* [*absurdity*] to marry a man like that.

ぐ² 具 1《道具》: tool Ⓒ;（手段）means Ⓒ ★ 単複同形. ¶ …を政争の*具にする（⇒ 政治的手段に使う）use … as a political *means*

2《料理の材料》: ingredients /ɪngríːdiənts/ ★ 複数形で. ¶ この料理には*具がいっぱい入っている There are a variety of *ingredients* in this dish. // 雑煮の*具 the *ingredients* of the New Year's special ⌈hot pot [hotchpotch]

ぐあい 具合 1《状態・調子》 日英比較「具合」という日本語をそのまま英語に直さずに，「具合よい」「具合が悪い」などのまとまりとしてとらえて英訳しなくてはならない. 2 以下についても同様.《☞ じょうたい¹; ちょうし¹》. ¶ 機械は 1 日中*具合よく（⇒ 好調に）動いた The machine *worked well* all day. / (⇒ 機械は一日中よい状態にあった) The machine *was in good condition* all day. // 実験は*具合よくいった The experiment *went well.* // テレビがどこか*具合が悪い（⇒ 何かがおかしい）*Something's wrong* [*There's something wrong*] *with* the television. // 「商売の*具合はいかがですか（⇒ どのように進行していますか)」「まあまあです」"How *are things* (*going*) *with* your business?" "So-so." // 万事*具合よくいっています Things *are* ⌈*pretty good* [*going pretty smoothly*]. / Things *are all right.* 語法 第 1 文は動作，第 2 文は状態に重きを置くニュアンスがある.

2《健康状態》 ¶「*具合はいかがですか」「おかげさまでだいぶいいようです」"How *are* you *feeling* today?" "(I'm feeling) much better, thank you." ★ 病人との対話. // 彼女は体の*具合がよさそうだ She seems to *be in good shape.* / (⇒ 健康そうに見える) She *looks healthy.* // 私はいまは体の*具合がよくない I *don't feel well.* / I'm in *bad shape.* ★ 第 2 文のほうが口語的. // 私は腹*具合が悪い（⇒ おなかが痛い［下痢をしている］）I'*ve got* ⌈*a stomachache* [*an upset stomach*].《☞ くだす》

3《都合》 ¶ 彼が参加できないとは*具合が悪い（⇒ 困ったことだ）It's *awkward* that he can't join us. // 彼女は*具合の（⇒ 都合の）悪いときにやって来た She came at an *inconvenient* time.

4《方法》 ¶ それはこんな*具合にやったらよい（⇒ あなたはそれをこんなふうにすべきだ）You should do it ⌈(*in*) *this way* [*like this*]. 語法 way の前に this や that があるときは in は省略されることが多い.

クアイエットゾーン（騒音防止地区）quiet zone Ⓒ.

グアダラハラ ―名 固 Guadalajara /gwɑ̀ːdələhɑ́ːrə/ ★ メキシコ中西部の都市.

グアテマラ ―名 固 Guatemala /gwɑ̀ːtəmɑ́ːlə/;（正式名; グアテマラ共和国）The Republic of Guatemala. ―形 Guatemalan /-lən/. グアテマラ人 Guatemalan Ⓒ.

グアナコ〔動〕guanaco Ⓒ《複 ～s, ～》.

グアニジン〔化〕guanidine Ⓤ.

グアニルさん グアニル酸〔化〕guanylic acid Ⓤ.

グアニン〔化〕guanine Ⓤ.

グアノシン〔化〕guanosine Ⓤ.

グアバ〔植〕guava /gwɑ́ːvə/ Ⓒ.

クアハウス hot-spring (health) resort Ⓒ ★「クアハウス」はドイツ語の Kurhaus から.

グアム — 名 (固) Guam /gwá:m/ ★ 太平洋西部の米国領の島.

クアラルンプール — 名 (固) Kuala Lumpur /kwá:ləlúmpuə/ ★ マレーシアの首都.

ぐあん 愚案 (おろかな考え) foolish [silly; absurd] idea Ⓒ; (自分の考え) my opinion.
¶ *愚案では in *my opinion* ★ 謙遜を示す「愚」の部分は英語では示さない. 《☞ ぐこう²》

くい¹ 杭 (目印・支えとなる) stake Ⓒ; (真っすぐに立てる支柱) post Ⓒ; (土台として地下に打ち込む) pile Ⓒ. 《☞ ぼう¹; はしら》. ¶ 彼は地面に*くいを打ち込んだ He drove a *stake* into the ground. // *くいを抜く pull out a *stake* // 出る*くいは打たれる A tall tree catches much wind. 《ことわざ: 高い木は風当たりも強い》 / (⇒ でしゃばりは災いを招く) Forwardness causes trouble.

くい² 悔い — 名 (後悔) regret Ⓤ; (自分の悪い行為などに対する) 《格式》 repentance Ⓤ; (強く後悔すること) remorse Ⓤ. — 動 (残念に思う) be sorry for ..., regret (他) ★ 前者のほうが口語的; 《格式》 repent (他) (自). 《☞ くいる; こうかい¹; くやむ》.
¶ 私はできるだけのことをしたから*悔いはない As I did everything I could, I have nothing to *regret*. // *悔いを残さないように (⇒ 後で後悔しないように) ベストを尽くしなさい Do your best so that you won't have *regrets* later. // 彼女は自分の罪を*悔いている She feels *remorse* for her crime.

くい³ 食い 〔釣〕 — 名 (魚の) bite Ⓒ. — 動 bite (自) 《過去 bit; 過分 bitten》. ¶ 今日は魚の*食いがいい The fish are *biting* today.

くい⁴ 句意 (句の意味) the meaning of a phrase; (俳句の意味) the meaning of a haiku poem.

くいあう 食い合う ¶ その政党の二人の候補は固定票を*食い合って共倒れになった (⇒ 互いにより多くの固定票を得ようと争って落選した) Both candidates of the party lost the election, *each having struggled with the other to win* more of the solid votes.

くいあきる 食い飽きる (満腹する) have had *one's* fill; (…にうんざりする) get tired of .... 《☞ たべあきる》.

くいあげ 食い上げ ¶ 飯の*食い上げ (⇒ 飢え死にする) *starve* / *be starved* / (⇒ 生活ができない) be *unable to make a living* 《☞ めし》

くいあます 食い余す ☞ たべのこす

くいあらす 食い荒らす ¶ 白ありはその柱を*食い荒らして穴をあけていた Termites *have eaten* (*their way*) *through* the post. // 対立候補の地盤を*食い荒らす *become a powerful vote-getter* in the constituency of the rival candidate

くいあらためる 悔い改める — 動 (悪行・罪などを悔やむ) regret (他), 《格式》 repent (他) (自) ★ 後者は宗教的ニュアンスを含むことがある. — 名 (悔恨) regret Ⓤ, 《格式》 repentance Ⓤ. 《☞ こうかい¹; はんせい¹》. ¶ 彼は自分の行いを*悔い改めた He ˹*regretted* [*felt very sorry for*; *repented for*] what he did.

くいあわせ 食い合わせ ¶ 祖母はいつもうなぎと梅干しは*食い合わせが悪い (⇒ いっしょに食べると害がある)と言っていた My grandmother used to say eel and salted plums *have a harmful effect when eaten together*.

くいいじ 食い意地 — 形 (意地汚い) greedy; (飽くことを知らず大量に食べる) gluttonous ★ 以上 2 語とも軽蔑的. 《☞ くいしんぼう》. ¶ 彼は*食い意地が張っている He is ˹*greedy* [*gluttonous*]. / (⇒ 彼は食いしんぼうだ) He is a *greedy pig*.

くいいる 食い入る ¶ 彼は私の顔を*食い入るように (⇒ じっと) 見つめた He *stared* me *in the face*. / He *stared hard at* me. // 彼はその実験を*食い入るように (⇒ 熱心に) 見つめた He *gazed intently at* the experiment. 《☞ みつめる》

クイーン¹ (女王) queen Ⓒ ★「トランプ・チェス」のクイーンも同じ. 《☞ じょおう》. ¶ ハートの*クイーン the *queen* of hearts

クイーン² — 名 (固) Ellery Queen ★ アメリカの推理小説家, Frederic Dannay, 1905–82 と Manfred Lee, 1905–71 両名の共同の筆名およびその作品に登場する探偵.

クイーンサイズ — 形 queen-size(d) 〔日英比較〕 日本語の「クイーンサイズ」は 名 であるが, 英語では 形 である. また日本語では女性服の特大サイズの意味があるが, 英語では king-size に次ぐ大きさを表し女性用の意味はない. ¶ *クイーンサイズのベッドは幅が 150 cm で長さが 200 cm である A *queen-sized* bed is 150 centimeters wide by 200 centimeters long.

クイーンズイングリッシュ (純正イギリス英語) (the) Queen's English Ⓤ 《☞ えいご; キングズイングリッシュ》.

クイーンズランド — 名 (固) Queensland ★ オーストラリア北東部の州.

くいうち 杭打ち stake driving Ⓤ; (建築用の) pile driving Ⓤ. 《☞ くい¹; うちこむ》.
杭打ち機 pile ˹driver [engine; hammer] Ⓒ.

くいかかる 食い掛かる (食べ始める) start eating 《☞ くってかかる》.

くいかけ 食いかけ ☞ たべかけ

くいき 区域 (地区) district Ⓒ 〔語 法〕 ある特徴を持った地域を指す場合にも, また司法・行政上の区域を指す場合にも用いられる; (特色別に区別される地域) zone Ⓒ; (ある種の特徴をもとにして漠然と区分した地域) area /é(ə)riə/ Ⓒ; (都市の住居区域) quarter Ⓒ; (警官などの巡回区域) beat Ⓒ. 《☞ ちいき (類義語); ちく》. ¶ 住宅*区域には工場を建てられない We cannot build factories in a residential ˹*zone* [*area*; *district*]. // 危険*区域 a danger ˹*zone* [*area*] // 商業*区域 a business ˹*zone* [*area*; *district*] // 立入り禁止*区域 an off-limits ˹*zone* [*area*] / a restricted *area*
区域区分 demarcation of zones Ⓤ.

くいきる 食い切る (かみ切る) bíte ˹óff [awáy] (他); (食べつくす) eat up (他). 《☞ かみきる; つくす》.

ぐいぐい ¶ 私はそのロープを*ぐいぐい (⇒ 力いっぱい) 引っ張った I pulled the rope ˹*hard* [*with all my strength*]. // 彼はジョッキのビールを*ぐいぐい飲んだ He *gulped down* a mug of beer. // 私は満員電車の中に*ぐいぐい (⇒ 無理やり) 入り込んだ I *squeezed into* the crowded train. 《☞ ぐいと; 擬声・擬態語 (囲み)》

くいけ 食い気 áppetite Ⓤ 《☞ しょくよく》. ¶ 私は色気より*食い気だ (⇒ 女性 [男性] よりもおいしい食べ物のほうが好きだ) I like *good food* better than I like ˹women [men].

くいこむ 食い込む **1** 《食い入る》: cut into ...
¶ ロープが肌に*食い込んだ The rope *cut into* my flesh.
2 《はいり込む》 ¶ 化学の授業は休み時間に少し*食い込んだ (The) chemistry class *ran* a little *over into* the recess. // 国際市場に*食い込む *make inroads into* the ˹world [foreign] market // 原資に*食い込む *eat* [*dip*] *into* the ˹capital [funds]

くいごろ 食い頃 ☞ たべごろ

くいころす 食い殺す bite...to death 《☞ かみころす》.

くいさがる 食い下がる (質問などで苦しめる) harass (他). ¶ 私たちは質問して彼に*食い下がった (⇒ しつこく質問した) We asked him questions *persistently*. / (⇒ 絶え間のない質問で彼を悩ませた) We *pestered* him *with* endless questions. // 相手力士

に*食い下がる *take a firm grip on* the rival wrestler's *front part of the belt with one's center of balance low*

くいしばる 食いしばる (歯を) clench [grit] *one's* teeth (☞ は¹). ¶彼は歯を*食いしばって我慢した He *clenched his teeth* and endured it. / He endured it *with clenched teeth.*

くいしろ 食い代 food expenses ★複数形で. (☞ しょくひ¹).

くいしんぼう 食いしん坊 — 名 (大食の人) glutton Ⓒ ★軽蔑的; (美食家) gourmet /gúərmeɪ/ Ⓒ. — 形 (食い意地の張った) gluttonous. (☞ くいどうらく). ¶彼は*食いしん坊だ (⇒彼は大食家だ) He is a *big eater.* / (⇒食い意地がはっている) He's really *greedy.*

クイズ quiz Ⓒ 日英比較 英語の quiz は学校での「小テスト」が元の意味. (☞ しけん¹ (類義語)). ¶*クイズ番組 a *quiz* ⌈show [program] // *クイズ番組の司会者 a *quizmaster* // *クイズ番組の解答者 (⇒賞を目指して競う人) a ⌈compétitor [(⇒問題を解く人) solver] on a *quiz* show / (⇒聴衆の前で解答する人) a ⌈panelist [(英) panellist] // *クイズゲーム a *quiz* ⌈game [show] ★[ ] 内は聴衆の前でやるクイズ番組.

くいすぎる 食い過ぎる ☞ たべすぎ

くいぞめ 食い初め the weaning ceremony; (説明的には) the custom of having a ⌈100- [120-] day-old infant hold chopsticks and eat its first solid food.

くいたおす 食い倒す (勘定を払わずに立ち去る) walk out without paying ⌈the [*one's*] bill; (すべての…を使い尽くす) spend all …, eat up (他) ★後者のほうが口語的で比喩的な語. (☞ くいにげ; むせん²; くいつくす; くいつぶす).

くいだおれ 食い倒れ — 動 (食い倒れする) spend too much money on food and go bankrupt, be ruined by extravagant food. — 名 extravagance over food Ⓤ. ¶京の着倒れ, 大阪の*食い倒れ Kyoto people *spend too much money* on dress, and Osaka people *on food.* / Kyoto people *are ruined* by their extravagance over clothes, and Osaka people *by their extravagance over food.*

くいだめ 食い溜め — 動 (長もちするように十分食べる) eat enough to keep *oneself* going for a long time.

くいたりない 食い足りない ¶現在の仕事は私には*食い足りない (⇒不満だ) I *am not satisfied with* my present job. / (⇒簡単すぎる) My present job is *too easy* for me. / (⇒やりがいがない) My present job is*n't challenging enough.* (☞ ふまん; ものたりない; あきたりない)

くいちがい 食い違い (相違) difference Ⓤ; (矛盾) contradiction Ⓤ; (考え方などの不一致) disagreement Ⓤ. ★以上いずれも具体的な事例を指す場合は Ⓒ. (☞ ちがい¹; むじゅん).

くいちがう 食い違う (相違する) differ [be different] from …; (矛盾する) còntradíct (他). (☞ ちがう¹; むじゅん).
¶彼と彼女は意見が*食い違っている (⇒彼の意見は彼女のと違っている) His opinion ⌈*differs* [*is different*] *from* hers. / (⇒彼と彼女の間には意見の相違がある) There is a *difference* of opinion between him and her. // 事実はその新聞記事と*食い違っている (⇒矛盾している) The facts *contradict* the newspaper accounts. // 彼は言うこととやることが*食い違っている He says one thing and does another. // この着物の柄は縫い目のところで*食い違っている The patterns of this kimono *do not match well* at the seams.

くいちぎる 食いちぎる bíte ⌈óff [awáy] (他) (☞ かみきる).

くいちらす 食い散らす **1** 《食べる》 ¶子供たちはおやつを*食い散らした (⇒食べながら汚した) The children *made a mess when they ate* their snacks.
2 《色々やってみる》 ¶あれこれ*食い散らしたが (⇒たくさん試したが) どの趣味ももものにならなかった I *tried a number of* hobbies, but I wasn't good at any of them.

くいつく 食いつく (えさ・うまい話などに) bite (他) (過去 bit; 過分 bitten, bit), bite (at …) (自); (職や好機に喜んで応ずる) jump [leap] at … (☞ かみつく; かむ¹). ¶魚がえさに*食いついた A fish *bit.* / I got a *bite.* // 彼は金にさえなればどんな仕事にでもすぐに*食いつく He readily ⌈*jumps* [*leaps*] *at* any job if there is money in it. // そのペテン師は彼に*食いついて離れなかった (⇒手放さなかった) The swindler *held on to* him.

クイック¹ — 名 (ダンスの) quíckstèp Ⓒ (☞ クイックターン).

クイック² 〖コンピューター〗 KWIC ★*k*ey *w*ord *i*n *c*ontext の略.

クイックサンド (流砂(現象)) quicksand Ⓤ ★複数形で用いられることもある.

くいつくす 食い尽くす (全部平らげる) éat úp (他); (財産を食べつくす) eat *one* out of house and home, eat everything (*one* has); 《格式》 consume (他) ★「飲み尽くす」の意にもなる.

クイックステップ ☞ クイック¹

クイックターン 〖泳〗 flíp tùrn Ⓒ, somersault /sʌ́mərsɔ̀ːlt/ tùrn Ⓒ.

クイックフリーズ — 動 (急速冷凍する) quick-freeze (他).

クイックプリント — 形 (印刷物が短時間仕上げの) quick printed. ¶*クイックプリントの小冊子 a *quick printed* brochure

クイックモーション 〖野〗 quick motion Ⓒ. ¶彼は*クイックモーションで投げた He pitched ⌈with a *quick motion* [(⇒ワインドアップなしで) *without a wind-up*].

クイックレスポンスシステム 〖コンピューター〗 quick response system Ⓒ.

くいつなぐ 食いつなぐ (かろうじて生計を立てる) eke out a living; (収入の範囲内でやっていく) make ends meet. ¶彼は仕事を失ってもなんとか*食いつなぐことができた (⇒細々と生計を立てることができた) He was barely able to *eke out a living* after losing his job. // 彼女は古着を売ってなんとか*食いつないだ (⇒かろうじて生計を立てた) She *barely managed to make a living* by selling used clothing.

くいっぱぐれ 食いっ逸れ ☞ くいはぐれ

くいつぶす 食い潰す (すべての…を使ってしまう) spend all …, run through … ★後者のほうがより口語的. (☞ つぶす). ¶彼は財産を*食いつぶしてしまった He *has* ⌈*spent all* [*blown*] his fortune.

くいつめる 食い詰める (文無しになる) 《略式》 be [go] broke; (金がなくなる) be penniless; (落ちぶれている) be down and out. (☞ きゅうする¹). ¶彼は*食い詰めて彼女に無心をした He ⌈*was penniless* [*was down and out*] and asked her for money.

くいで 食い出 — 形 (料理などが量の多い) substantial. ¶この食事は実に*食い出がある This meal is really *substantial.*

ぐいと — 副 (瞬間的に強く引っ張って) with a jerk; (飲み物を一飲みに) at a gulp. — 動 (急にぐいと動く) jerk (自). (☞ ぐっと; ぐいぐい; 擬声・擬態語 (囲み)). ¶彼はその綱を*ぐいと引いた He *jerked*

the rope. / He *gave* the rope *a jerk*. // 私は釣り糸が突然*ぐいと引くのを感じた I felt my line suddenly *jerk*. // ウイスキーを*ぐいと (⇒ 一息で) 飲む drink whisky *in one gulp*

くいどうらく 食い道楽 ―[名] epicurism /épɪkjʊ̀(ə)rɪzm/ Ⓤ; (美食家) epicure /épɪkjʊ̀ə/ Ⓒ; (食通の人) gourmet /gʊ́əmeɪ/ Ⓒ. ―[形] epicurean /èpɪkjʊríːən/. 《☞ くいしんぼう》.

くいとめる 食い止める (阻止・抑止する) check (他); (防止する) prevent (他) ★ 後者のほうが格式ばった語. 《☞ ふせぐ; はばむ; そし[1]》. ¶ 彼らは火が広がるのをなんとか*食い止めた They managed to *check* the spread of the fire. / They managed to *prevent* the fire from spreading.

くいな 〖鳥〗 water rail Ⓒ.

くいにげ 食い逃げ ―[動] (支払いをせずに逃げる [急いで立ち去る]) run away [skip out] without paying. ¶ 彼はそのレストランで*食い逃げした (⇒ 勘定を払わずに逃げた) He *ran out of* the restaurant *without paying his bill*.

くいのこし 食い残し ☞ たべのこし

くいのこす 食い残す ☞ たべのこす

くいのばす 食い延ばす ¶ 彼らは 2 日分の食糧を 5 日間に*食い延ばした (⇒ 2 日分の食糧が 5 日間もつようにした) They *made* two days' provisions *last* (for) five days. 《☞ くいつなぐ》

ぐいのみ ぐい飲み ―[名] (大きな杯) large sake cup Ⓒ. ―[動] (一気に飲む) gulp down (他). 《☞ ぐいぐい; ぐいと》.

くいはぐれ 食い逸れ ¶ この技術を身につけておけば*食いはぐれはない (⇒ この技術はあなたを飢えから救う) This skill will *save you from starvation*. / (⇒ この技術があれば空腹にならない) With this skill, you'll *not go hungry*. 《☞ くいはぐれる》

くいはぐれる 食い逸れる ¶ 彼は急いでいたので朝食を*食いはぐれた He was in such a hurry that he *missed* breakfast. // この会社にいる限り*食いはぐれることはない (⇒ 生活が保証されている) You *are assured of* ˹*a living* [*bread and butter*] as long as you work ˹for [at] this company. 《☞ くいはぐれ》

くいぶち 食い扶持 ¶ *食いぶちを稼ぐ earn *one's keep* // *食いぶちを入れる pay for *one's board* 《☞ しょくひ[1]》

くいほうだい 食い放題 ☞ たべほうだい

くいもの 食い物 1 《食べ物》: (食べ物) food Ⓤ ★ 種類を言うときは Ⓒ; (貯蔵した) provisions ★ 前者より格式ばった語. 複数形で. 《☞ しょくりょう[1, 2]; たべもの》. ¶ 彼らは*食い物がなくなった They ran out of ˹*food* [*provisions*].

2 《犠牲》: (えじき) prey Ⓤ; (犠牲) victim Ⓒ. 《☞ えじき》. ¶ 彼女はそのサラ金業者の*食い物になった She fell ˹*prey* [*victim*] to the loan shark. / She became the ˹*prey* [*victim*] of the loan shark. // 私は彼に*食い物にされている (⇒ 不当に利用されている) ようだ I *feel exploited* by him.

くいやぶる 食い破る (虫などが食って穴をあける) eat a hole in ...; (ねずみなどがかじって穴をあける) gnaw a hole ˹in [through] ... 《☞ くう[1]; むしくい》.

くいる 悔いる (悪い行いを) 《格式》 repent (他) (自); (済んだことを悔やむ) regret (他). 《☞ こうかい[1]; くやむ; くい[2]》. ¶ 彼は自分のしたことを*悔いている He *regrets what he did*.

グイロ (楽器) guiro /gwí(ə)roʊ/ Ⓒ ★ 単複同形.

クインズランド ☞ クイーンズランド

クインテット 〖楽〗 quintét(te) Ⓒ.

くう[1] 食う 1 《食べ物を》: eat (他) 《過去 ate; 過分 eaten》 《☞ たべる》.

2 《生活する》: live (自); (生計を立てる) earn [make] ˹a [*one's*] ˹living [livelihood].

¶ 彼は年金で*食っている He *lives on* his pension. // 彼女はファッションモデルをして*食っていた She ˹*earned* [*made*] ˹*a* [*her*] *living* as a (fashion) model. // 現在の月給では*食っていけない We cannot *live on* our present pay. // 彼は*食うために (⇒ パンのために) 働く He works for his ˹*bread and butter* [(⇒ 食べ物) *food*]. // ようやく*食っている eke out a living // 僕は*食うに困らない I *have enough to live on*. / (⇒ 富裕だ) I *am well off*.

3 《虫の類が》: (食い荒らす) eat (他); (刺す) bite (他). 《☞ むし[1]》. ¶ この毛布は虫に*食われた Moths *have eaten* holes in this blanket. // このりんごは虫が*食っている (⇒ このりんごには虫がいる) *There's* a worm in this apple. // 私は蚊 [のみ] に*食われた I ˹was [got] *bitten* by a ˹mosquito [flea].

4 《消費する》: consume (他); (むだに使う) waste (他); (金などが…に使われる) go on ... ¶ この車はたくさんガソリンを*食う (⇒ 消費する) This car ˹*uses* [*consumes*] a lot of gasoline. / (⇒ 燃費が悪い) This car gets *poor mileage*. // 彼の収入の大半は本代に*食われる (⇒ 使われる) Most of his income *goes on* books. // 私はその本を探すのに時間を*食ってしまった (⇒ 時間をむだにしてしまった) I *wasted* time finding the book.

5 《だまされる》: be ˹taken in [fooled; deceived] ★ 最初の 2 つが口語的. 《☞ だます》. ¶ 私は彼の話に完全にいっぱい*食わされた I *was* completely *taken in* by his story. 《☞ いっぱい[1]》 // その手は*食わないぞ (⇒ そのたくらみは私には通用しない) That trick doesn't *work with* me. / (⇒ 君は私をだますことはできない) You can't *fool* me.

6 《侵す》 ¶ 相手候補の地盤を*食う *encroach* ˹*on* [*upon*] the rival candidate's constituency

7 《負かす》: beat (他), defeat (他) ★ 前者のほうが口語的. 《☞ まかす; やぶる》. ¶ 小兵力士が横綱を*食った The small sumo wrestler ˹*beat* [*defeated*] the *yokozuna*.

食うか食われるか ¶ 彼はその*食うか食われるかの (⇒ 生死を賭けた) 戦いに生き残った He survived the *life*-˹*and* [*or*]-*death* struggle.

食うや食わず ―[動] (飢餓寸前の状態である) be on the edge of starvation. ¶ 彼は*食うや食わずの生活だ (⇒ 非常に貧しい) He *is on the breadline*. / (⇒ 最低生活だ) He *lives on the bare minimum*. / (⇒ 半ば飢えている) He *is half-starved*.

くう[2] 空 (空中) the air; (空間) space Ⓤ; (空虚) emptiness Ⓤ; (むなしさ) 《格式》 vanity Ⓤ. ¶ *空を打つ[つかむ] beat [grasp at] *the air* // *空をにらむ[見つめる] stare [look out] into *space* // 私のあらゆる努力は*空に帰した All my efforts were *in vain*. / I made every effort (, but) *in vain*. **空対空[地]ミサイル** air-to-˹air [surface] missile Ⓒ ★ それぞれ AAM, ASM と略される.

ぐう (じゃんけんの) rock Ⓒ 《☞ じゃんけん》.

ぐー ¶ お腹が*ぐーっと鳴っている My stomach *is* ˹*rumbling* [*grumbling*]. ★ 後者には何度か鳴っているニュアンスがある. 《☞ 擬声・擬態語 (囲み); ぐうぐう》

グー ―[形] (よい) good; (すばらしい) great. 《☞ よい[1]》. ¶ 気分は*グーだ I feel *great*.

くうい[1] 空位 ―[名] vacancy Ⓤ; (地位の) vacant position Ⓒ; (王位の) vacant throne Ⓒ. ―[形] vacant.

くうい[2] 空尉 (一等空尉) captain Ⓒ; (二等空尉) first lieutenant Ⓒ; (三等空尉) second lieutenant Ⓒ; (空准尉) warrant officer Ⓒ.

ぐうい 寓意 ―[名] (教訓) móral Ⓒ; (教訓的な含意) àllegórical implicátion Ⓒ ★ 格式ばった表現; (隠された意味) hidden meaning Ⓒ. ―[形]

allegorical; moral. 《☞ たとえ²》. 寓意小説[物語] allegorical story Ⓒ, állegory Ⓒ; (動物を擬人化した寓話) fable Ⓒ; (宗教的な) párable Ⓒ.

くういき 空域 airspace Ⓤ《☞ りょうくう》.

ぐういん 偶因 〘哲〙 occasional cause Ⓒ. **偶因論** occasionalism Ⓤ.

くううん 空運 air ⌜transportation [transport] Ⓤ; (緊急用の) airlift Ⓒ. 《☞ くうゆ》.

クウェート ━名 固 Kuwait /kʊwéɪt/; (正式名) the State of Kuwait. ━形 Kuwaiti /-ti/. **クウェート人** Kuwaiti Ⓒ.

くうかい 空海 ━名 固 Kukai, 774–835; (説明的には) a Buddhist priest, also known as Kobo Daishi, who in 806 transmitted from China the teachings of the Shingon, or esoteric, sect of Buddhism.

くうかん 空間 (宇宙空間, または一定の範囲の) space Ⓤ; (空間・場所などの余裕) room Ⓤ. 《☞ スペース; よち¹》. ¶ 生活*空間 living *space* // n 次元*空間 an n-dimensional *space* **空間曲線** 〘数〙 space [twisted] curve Ⓒ **空間芸術** (絵画・彫刻・映画などの造形芸術) plastic [formative] arts **空間図形** solid figure Ⓒ **空間知覚** space perception Ⓤ.

くうかんち 空閑地 vacant [unoccupied] ⌜land [ground] Ⓤ《☞ あきち》.

くうき 空気 air Ⓤ [語法] 物質としての「空気」は無冠詞だが,「大気」「特定の場所の空気」では the を付ける; (雰囲気) atmosphere Ⓒ. 《☞ たいき¹》. ¶ この部屋の*空気は悪い *The air* is stale in this room. // 彼女は窓を開けて部屋の*空気を入れ替えた She opened the windows to let in (some) fresh *air*. // 上へ行くにしたがって*空気はだんだん冷たくなった *The air* ⌜grew [became; got] colder as we went up. // 彼はポンプでタイヤに*空気を入れた He *pumped up* the tire. // 彼女はタイヤの*空気を抜いた She let the *air* out of the tire. // 私はこのレストランの*空気 (⇒ 雰囲気) が好きだ I like the *atmosphere* of this restaurant. // 圧縮[圧搾]*空気 compressed *air* **空気圧縮機** air compressor Ⓒ **空気入れ** (空気ポンプ) air pump Ⓒ; (自転車の) bicycle pump Ⓒ **空気感染** airborne infection Ⓤ **空気機械** pneumatic machine Ⓒ; (総称) pneumatic /n(j)uːmǽtɪk/ machínery Ⓤ **空気銃** air gun Ⓒ **空気浄化機[清浄器]** áir purifier /pjʊ́(ə)rəfàɪə/ Ⓒ, air cleaner Ⓒ **空気制動機** air [pneumatic] brake Ⓒ **空気タービン** air turbine Ⓒ **空気抵抗** air resistance Ⓤ **空気伝染** ☞ 空気感染 **空気伝送管** pneumatic tube Ⓒ **空気ドリル** pneumatic drill Ⓒ **空気抜き** (装置) véntilàtor Ⓒ **空気ハンマー** air [pneumatic] hammer Ⓒ **空気弁** air valve Ⓒ **空気枕** air cushion Ⓒ **空気浴** air bath Ⓒ **空気予熱器** air preheater Ⓒ **空気力学** aerodynamics /è(ə)rədaɪnǽmɪks/ Ⓤ **空気冷却** air cooling Ⓤ.

コロケーション

空気を汚染する pollute the *air* / 空気を浄化する purify the *air* / 空気を吸う breathe (in) [inhale] *air* / 空気を吐く breathe out [exhale] *air* // 空気を汚す foul the *air* // 息苦しい空気 stifling [stuffy] *air* / 汚染された空気 polluted *air* / 穏やかな空気 soft *air* / 乾いた空気 dry *air* / 希薄な空気 thin *air* / さわやかな空気 crisp *air* / 湿っぽい空気 humid [damp; moist] *air* / 新鮮な空気 fresh *air* / すがすがしい空気 bracing [refreshing] *air* / ひんやりした空気 cool *air* / 身を切るような空気 sharp *air* / 汚れた空気 dirty [foul] *air* / よどんだ空気 stale [stagnant] *air*

くうきちょうせつ 空気調節 air conditioning Ⓤ. **空気調節装置** air conditioner Ⓒ《☞ くうちょう¹; クーラー [日英比較]》.

くうきょ 空虚 ━形 (むなしい) empty; (単調な) blank; (何もない) void. ━名 emptiness Ⓤ. 《☞ うつろ; むなしい》.

ぐうきょ 寓居 (仮の住まい) temporary ⌜home [abode] Ⓒ ★ abode を用いるのは文語的で, 日本語の「寓居」に近くなる; (自分の住居) my ⌜house [home] 《☞ かりずまい; かり¹》.

ぐうぐう ¶ 彼は*ぐうぐう (⇒ 大きな) いびきをかいて寝ていた He was snoring *loud(ly)*. // *ぐうぐう zzz / ZZZ ★ 漫画などでのいびきの音. // 腹が*ぐうぐう鳴っている (⇒ 飢死するほど空腹だ) I'*m starving*. 《☞ 擬声・擬態語 (囲み)》

クークラックスクラン ━名 固 (米国の秘密結社) the Ku Klux Klan /k(j)uːklʌ̀ksklǽn/ ★ 単数または複数扱い.

くうぐん 空軍 (the) air force. ¶ 米国*空軍 the United States *Air Force* 《略 USAF》 // 英国*空軍 the Royal *Air Force* 《略 RAF》 **空軍基地** air base Ⓒ **空軍力** air power Ⓤ.

くうげき 空隙 ☞ すきま

くうけん 空拳 (素手) bare ⌜hand [fist] Ⓒ《☞ すで; としゅくうけん》.

くうげん 空言 (うそ) lie Ⓒ; (たわごと) nonsense Ⓤ. 《☞ うそ¹; でたらめ》.

ぐうげん 寓言 ☞ たとえ² (たとえ話)

くうこう 空港 airport Ⓒ《☞ 次ページ挿絵》. ¶ *空港で会いましょう Let's meet at the *airport*. // ロンドンのヒースロー*空港はヨーロッパで一番忙しい*空港の 1 つである London's Heathrow *Airport* is one of the busiest *airports* in Europe. // 成田国際*空港 Narita International *Airport* **空港ビル** terminal building Ⓒ.

くうさ 空佐 (一等空佐) colonel /kə́ːnl/ Ⓒ; (二等空佐) lieutenant colonel Ⓒ; (三等空佐) major Ⓒ.

くうさつ 空撮 aerial /é(ə)riəl/ photógraphy Ⓤ, aerophotography Ⓤ. ¶ *空撮写真 an *aerial* photograph // *空撮シーン a scene *shot* ⌜*aerially* [*from the air*]

くうし 空士 (空士長) airman first class Ⓒ; (一等空士) airman second class Ⓒ; (二等空士) airman third class Ⓒ; (三等空士) airman basic Ⓒ.

ぐうじ 宮司 the chief priest of a Shinto shrine.

くうしつ 空室 (からっぽの部屋) empty room Ⓒ; (ホテル・アパートなどの) vacancy Ⓒ, vacant room Ⓒ. 《☞ あき³》. ¶ *空室あり 《掲示》 Room to Let / Rooms Vacant

くうしゃ¹ 空車 ¶ 《タクシーの運転手に向かって》 これ*空車ですか Are you *free*? // いまの時間はタクシーの*空車はありません There are no *empty taxis* at this time of (the) day. // *空車 《タクシーの表示》 *Vacant* / *For Hire*

くうしゃ² 空射 firing blanks Ⓤ.

くうしゅう 空襲 ━名 air ⌜raid [attack; blitz] Ⓒ. ━動 make an air ⌜raid [attack; blitz] (on ...) [語法] blitz は特に「奇襲攻撃」. 《☞ しゅうげき》. **空襲警報** air-raid ⌜alarm [warning] Ⓒ, alert Ⓒ. 《☞ けいほう¹》.

くうしゅうごう 空集合 〘数・論〙 empty [null] set Ⓒ.

くうしょ 空所 blank Ⓒ《☞ くうらん》.

くうしょう¹ 空将 lieutenant /luːténənt/ géneral Ⓒ. **空将補** major general Ⓒ.

くうしょう² 空床 empty hospital bed Ⓒ.

クーズー 〘動〙 kudu Ⓒ, koodoo /kúːduː/ Ⓒ《複 ~, ~s》 ★ アフリカに生息する大型レイヨウ.

ぐうすう 偶数 even number [C] (↔ odd [uneven] number) 《☞ 数字 (囲み)》.

ぐうすか ¶ 私が朝 10 時に会いに行ったとき, 彼はまだ*ぐうすか眠っていた He was still ˹*fast* [*sound*] asleep when I went to meet him at 10 a.m. 《☞ ぐっすり》

グーズベリー 〘植〙(実) gooseberry /gúːsbèri/ [C]; (木) gooseberry bush [C].

ぐうする 遇する (もてなす) entertain [他]; (丁重に取り扱う) treat *a person* ˹courteously [politely]. 《☞ もてなす; あつかう》.

くうせき 空席 vacant [unoccupied] seat [C]; (地位などの) vacancy [C]; (余地) room [U]. 《☞ あく²; せき¹》. ¶「ここは*空席ですか」「はい, 空いています [いいえ, 空いていません]」" *Is* this *seat free*? " " Yes, it's free [No, I'm sorry, but it's ˹taken [occupied]]. " [語法] この場合 empty とは言わない. また「だれかに占められているか」という意味で, " Is this seat ˹taken [occupied]? " と聞くこともよくある. その場合, 答えの Yes, No は以上のものと逆になる. ∥ *空席はありません (⇒ すべての席はふさがっている) All the *seats are* ˹*full* [*occupied*; *taken*]. ∥ 支店長のいすは*空席になっている The position of branch manager is ˹*vacant* [*open*; *available*]. ∥ 教授が 2 人退職したので*空席が 2 つできた (⇒ 教授の退職が 2 つの空席を作った) The retirement of two professors made two *vacancies*.
空席待ち客 passenger on the waiting list [C]; (キャンセル待ちの) standby [C].

くうせつ 空説 (根拠のない理論) únfòunded théory [C]; (根も葉もないうわさ) groundless rumor [C]. 《☞ くうりくうろん》.

くうぜん 空前 ── [形] (例のない) unprecedented /ʌnprésədèntɪd/; (画期的な) epoch-making; (記録的な) récord; (記録破りの) récord-brèaking. 《☞ きろく》. ¶ その宇宙飛行は*空前の (⇒ 先例のない[画期的な]) 出来事だった The space flight was an ˹*unprecedented* [*epoch-making*] event. ∥ その劇は*空前の (⇒ 記録破りの) 大当たりをとった The play was a *record-breaking* hit. / (⇒ 大当たりの記録を破った) The play *broke all box-office records*. ∥ 売り上げは*空前の高額に達した Sales have reached an *all-time high*. [語法] 口語的な表現. all-time は [形] [A], high は [名].
空前絶後 ¶ このようなベストセラーは*空前絶後といってよい (⇒ これまでになくまたこれからもないだろう) We *have never had and never again will have* such a best seller.

ぐうぜん 偶然 ── [名] (運・不運に左右されること) chance [U]; (偶発的な出来事) áccident [C]; (偶然性) contingency [U]. ── [形] àccidéntal; (行き当たりばったりの) casual. ── [副] by ˹chance [accident], accidentally. ── [動] (偶然…する) happen to *do* ... 《☞ たまたま》.
¶ 私は彼に*偶然東京駅で会った I *ran into* him at Tokyo Station. ★ run into ... は「(人に) 思いがけなく会う」という口語的表現. この文は以下の文より口語的. / I met him at Tokyo Station *by chance*. / I *happened to* meet him at Tokyo Station. ∥ 彼が成功したのは決して*偶然ではない (⇒ 彼の成功は偶然ではなかった) His success was ˹not *accidental* [no *accident*]. ∥ 私は欲しいと思っていたその本を*偶然見つけた *By accident* I found the very book I wanted.
偶然性音楽 chance music [U] **偶然の一致** coincidence [U] ★ 具体的な事を指すときは [C]. ¶ 何という*偶然の一致だろう What a *coincidence*! **偶然論** cásualism [U]; (偶発説) àccidéntalism [U].

くうそ 空疎 ── [形] (中身が空の) empty; (実質のない) insubstantial; (内容が乏しい) poor in ˹content [substance]. ── [名] emptiness [U]; insubstantiality [U]. ¶ *空疎な議論 an *insubstantial* argument

くうそう¹ 空想 ── [名] (現実離れした楽しい) daydream [C]; (とりとめのない) fancy [C]; (創造的な) imagination [U]. ── [形] fanciful; (現実性のない) visionary ★ 格式ばった語; (想像上の) imáginàry. ── [動] daydream [自]; fancy [他]; imagine [他]. 《☞ そうぞう¹; かくう; げんそう¹》.
¶ その話はまったく*空想の産物だ The story is pure *imagination*. ∥ 竜は*空想の動物である The dragon is an *imaginary* animal. ∥ 彼は*空想家だ He is a *dreamer*. ∥ 彼女はよく女優になる*空想にふけっていたものだ She used to *daydream* about being an actress.
空想科学小説 science fiction [U] 《略 SF》, 《略式》 sci-fi /sáɪ-fáɪ/ [U] **空想的社会主義** utópian sócialìsm [U] **空想力** imagination [U]. ¶ *空想

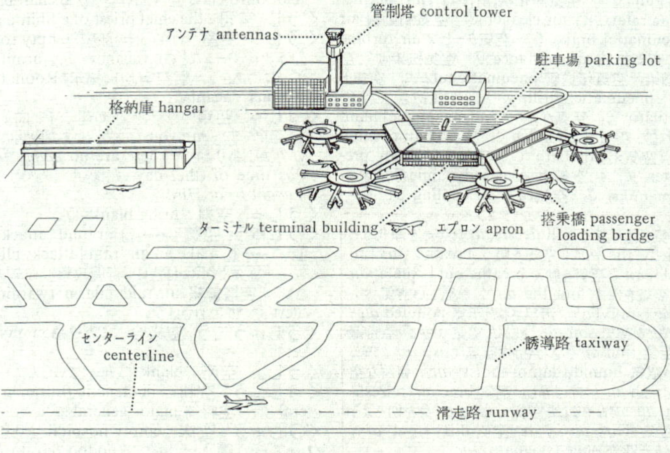

空港 airport

力を働かせなさい Use your *imagination*. / Give ⸢full play [free rein] to your *imagination*. ★ 第 2 文は格式ばった言い方.

くうそう² 空曹 (空曹長) senior master sergeant Ⓒ; (一等空曹) master sergeant Ⓒ; (二等空曹) technical sergeant Ⓒ; (三等空曹) staff sergeant Ⓒ.

ぐうぞう 偶像 idol Ⓒ《☞ アイドル》. **偶像化[視]** ── 名 idolization Ⓤ. ── 動 ídolize ㊎ **偶像崇拝** idol worship Ⓤ, idolatry /aɪdɑ́lətri/ Ⓤ **偶像崇拝者** idol ⸢worshiper [《英》 worshipper] Ⓒ, idolater /aɪdɑ́lətɚ/ Ⓒ **偶像破壊** iconoclasm /aɪkɑ́nəklæ̀zm/ Ⓤ.

くうそくぜしき 空即是色 All is emptiness.

ぐうたら ── 形 (ごくつぶしの) góod-for-nòthing Ⓐ; (怠け者の) lazy. ── 名 (怠け者) lazybones ★ 複数形だが, 通例単数扱い; good-for-nothing Ⓒ.

くうだん 空弾 blank (cartridge) Ⓒ《☞ くうほう》.

くうち 空地 ☞ あきち; くうかんち

くうちゅう 空中 ── 形 in the air, midair. ── 副 in the air. ¶ちりは*空中を浮遊する Dust floats *in the air*. // 彼はボールを*空中高く投げた He threw the ball high up *into the air*.
空中滑走 gliding (in the air) Ⓤ **空中給油** midair ⸢refueling [《英》 refuelling] Ⓤ **空中給油機** refueling aircraft Ⓒ, air tanker Ⓒ **空中権** air rights ★ 複数形で. **空中査察** aerial inspection Ⓒ; (敵の偵察) aerial reconnaissance Ⓒ **空中撮影** aerial photography Ⓤ **空中写真** aerial photograph Ⓒ **空中衝突** midair collision Ⓒ **空中衝突防止装置** the Traffic Alert and Collision Avoidance System《略 TCAS》 **空中戦** air ⸢fight [battle] Ⓒ [語法] fight は個別の戦い, battle は集団間の戦い; (特に戦闘機同士の)《略式》 dogfight Ⓒ.《☞ せんとう²》 **空中早期警戒(機)** airborne early warning Ⓒ, AEW Ⓒ **空中発射巡航ミサイル** air-launched cruise missile Ⓒ **空中ブランコ** (サーカスの) (flying) trapeze /træpíːz/ Ⓒ **空中分解** midair explosion Ⓤ. ¶ロケットは打ち上げるとすぐ*空中分解した The rocket *exploded in* ⸢*the air* [*midair*] soon after it was launched. **空中楼閣** castle in the sky Ⓒ.

くうちょう¹ 空調 air conditioning Ⓤ. ¶*空調の行き届いた部屋 a nicely *air-conditioned* room
空調設備 air-conditioning ⸢unit Ⓒ [equipment Ⓤ]; (空調装置) air conditioner Ⓒ.

くうちょう² 空腸 〔解〕 jejunum /dʒɪdʒúːnəm/ Ⓒ《複 jejúna》.

くうていさくせん 空挺作戦 airborne operation Ⓒ.

くうていぶたい 空挺部隊 (グライダー・ヘリコプター・飛行機の) airborne troops; (パラシュートの) paratroops ★ いずれも複数形で.

ぐうているい 偶蹄類 even-toed ungulates ★ 複数形で.

クーデター coup (d'état) /kúː(deɪtɑ́ː)/ Ⓒ《複 coups d'état /kúːdeɪtɑ́ː(z)/, coups /kúːz/》 ★ d'état を省略した coup(s) は《略式》. [参考] coup d'état はフランス語で, ´ は綴り本来のもの. 文字どおりの意味は stroke of state (国家への一撃).《☞ せいへん¹; かくめい; てんぷく》.
¶彼らは 2 月 26 日に*クーデターを実行した They staged a *coup* (*d'état*) on February 26. // 彼らの計画した*クーデターは結局失敗に終わった The [Their] attempted *coup* ended in failure.

くうてん 空転 ── 動 (車輪やエンジンなどが) idle ㊀; (議論などが) go (a)round in circles.《☞ からまわり》. ¶議論が*空転した The discussion *went round in circles*.

くうでん 空電 〔電〕 static /stǽtɪk/ Ⓤ, 〔物理〕 atmospherics /æ̀tməsfí(ə)rɪks/ ★ 複数形で.

グーテンベルク ── 名 ㊀ Johannes Gutenberg /joʊhɑ́ːnəs gúːtnbə̀ːg/, 1400?–68. ★ ドイツの活版印刷発明者.

くうどう 空洞 ── 名 cavity Ⓒ ★ 解剖学の用語としても用いられる. ── 形 hollow.《☞ あな (類義語)》. ¶その内部は*空洞です It is *hollow* inside. // *空洞化した制度 (⇒ 名目だけの制度) a system *in name only* **空洞化** ── 動 (中空になる) become hollow; (比喩的に, …の能力を失わせる) cause … to lose capability of … ¶産業の*空洞化 (⇒ 産業力を低下させること) deindustrialization

クーニャン (中国の少女) Chinese girl Ⓒ.

ぐうのね ぐうの音 ¶彼の筋の通った議論に一同は*ぐうの音も出なかった (⇒ 彼の論理的な論法は皆を黙らせた) His ⸢logic [logical argument] ⸢*left* everyone *speechless* [*silenced* everyone]. // 私たちはその試合で*ぐうの音も出ないほどやられた (⇒ その試合は完敗だった) The game was a *complete rout*.

クーパー ── 名 ㊀ James Fenimore /fénəmɔ̀ɚ/ Cooper, 1789–1851 ★ 米国の小説家; Gary /gé(ə)ri/ Cooper, 1901–61 ★ 米国の俳優.

くうはく 空白 ── 名 (何もない白紙の状態) blank Ⓒ; (あるべきものがなくてできた空白) vacuum /vǽkjuəm/ Ⓒ. ── 形 blank.《☞ くうらん》.
¶私は*空白をそのままにしておいた (⇒ 記入しなかった) I didn't fill in the ⸢*blanks* [*blank spaces*]. // 内閣の総辞職は政治的*空白を生んだ The ⸢mass [collective] resignation of the cabinet ⸢caused [created] a political *vacuum*.
空白域 (地震の) seismic gap Ⓒ.

くうばく¹ 空爆 ── 名 (爆撃) aerial bombing /é(ə)riəl bɑ́mɪŋ/ Ⓤ; (空襲) air raid Ⓒ. ── 動 bomb ㊎.《☞ ばくげき; くうしゅう》.

くうばく² 空漠 ── 形 (不明瞭な) vague; (わかりにくい) obscure; (広々とした) vast; (果てしない) boundless.《☞ ばくぜん; ひろびろ; はてしない》.

ぐうはつ 偶発 ¶事故が次々に*偶発した (⇒ 予期しない事故が連続して起こった) A series of *accidents occurred*. // それはまったく*偶発的な出来事だった It was simply an *accident*.《☞ ぐうぜん》
偶発誤差 accidental error Ⓒ **偶発債務** contingent liabilities **偶発戦争** accidental war Ⓤ ★ 具体的な事例は Ⓒ. **偶発犯** occasional crime Ⓒ.

くうひ 空費 ── 動 (むだに使う) waste ㊎; (ぶらぶら過ごす) idle *one's* time away. ── 名 waste Ⓤ ★ a を付けて用いることが多い.《☞ ろうひ》. ¶つまらぬことに時間を*空費する *waste* time on worthless things

くうふく 空腹 ── 名 hunger Ⓤ. ── 形 hungry.《☞ うえ²》. ¶彼は*空腹を感じたが食べる物が何もなかった He *felt hungry*, but he had nothing to eat. // 彼らは*空腹をしのぐためにクッキーを食べた They ate cookies to ⸢stave off [satisfy] their *hunger*. // *空腹にまずいものなし *Hunger* is the best sauce.《ことわざ: 空腹は最上のソースである》 **空腹感** feeling of hunger Ⓤ.

クープラン ── 名 ㊀ François Couperin /frɑːnswɑ́ː kùːpəræ̃ŋ/, 1668–1733. ★ フランスの宮廷音楽家・作曲家.

くうぶん 空文 (法律などの) dead letter Ⓒ. ¶その法律は*空文化している That law has become a *dead letter*. / That law *is no longer enforced*.

クーペ (2 人乗りの 2 ドア乗用車) coupé, coupe /kuːpeɪ́/ Ⓒ ★ é の ´ はつづり本来のもの.

クーベルタン —名 固 Pierre de Coubertin /pjéə dkù:beətǽŋ/, 1863–1937. ★ フランスの教育者, 国際オリンピックの発案者.

くうぼ 空母 (aircraft) carrier C.

くうほう 空砲 blank (shot) C; (弾丸の入っていない弾薬筒) blank cartridge C. ¶ 彼は*空砲を 3 発放った He fired three ⌈*blanks* [*blank shots*].

クーポン coupon /kú:pɑn/ C. **クーポン券** cóupon (tìcket) C **クーポンレート** coupon rate C.

くうゆ 空輸 —動 send [transpórt] ... by air; (緊急の場合の) airlift 他. —名 áir trànsport U; airlift U. 《☞ ゆそう¹》. ¶ 彼らは雪で途絶された町へ救援物資を*空輸した They *airlifted* relief supplies to the town cut off by snow.

ぐうゆ 寓喩 allegory C.

クーラー (冷房装置) air-conditioning system C; (冷房機) air conditioner C; (冷却器) cooler C 日英比較 ルームクーラーは a room cooler と言えるが, 単に cooler と言えば, 普通は飲み物などを冷やす冷却器または冷却用の容器を指す. air conditioning は冷房だけでなく, 空気の浄化・暖房・除湿なども含む. ¶ *クーラーを入れる家がだんだん増えてきている (⇒ ますます多くの家に冷暖房装置が設置されるようになってきている) More and more homes *are being air-conditioned*. // 彼は車に*クーラーを付けた (⇒ 付けてもらった) He had an *air conditioner* installed in his car.

グーラッシュ 〘料理〙 goulash U ★ パプリカで風味をつけたハンガリーのシチュー.

グーラミ 〘魚〙 gourami /gu:rá:mi/ C 《複 ~, ~s, ~es》. ★ 東南アジア産の淡水食用魚.

くうらん 空欄 blank C, blank ⌈column [space] C. 《☞ くうはく》.
¶ *空欄を適当な語で埋めなさい Fill in the *blanks* with suitable words. // 答えは*空欄に書き込みなさい Write your answers in the *blanks*. // 申し込み用紙の*空欄に名前と住所を書きなさい Fill in your name and address on the application form.

クーラント¹ (冷却剤) coolant U.

クーラント² (16–17 世紀の舞曲) courante C.

クーリー (中国・インドなどの肉体労働者) coolie C, cooly C.

クーリエ **1** 《急使・特使》: courier /kʊ́riə/ C.
2 《国際宅配便》 ☞ クーリエサービス

クーリエサービス international ⌈courier [home-delivery] service U. 《☞ たくはい》.

くうりき 空力 ☞ くうき (空気力学)

くうりくうろん 空理空論 (非実用的な理論) impractical theory C; (実践の伴わない理論) armchair theory C. 《☞ くうろん》.

ぐうりょく 偶力 〘物理〙 couple C.

クーリングオフ ¶ *クーリングオフ期間 a *cóoling-óff* period /pì(ə)riəd/ // *クーリングオフ制度 a *cooling-off* system

クーリングタワー (冷却塔) cóoling tòwer C.

クール¹ —形 (暖かみのない) cool; (非友好的な) unfriendly 日英比較 日本語の「クール」は「クールな人」のように使い, 暖かみがない, 親しみがないというどちらかというと悪い意味である. 英語の cool はこの意味でも用いられる (ただし普通は特定の相手を toward ... として明らかにする). しかし keep *cool* in a crisis (危機に臨んで冷静である) のようによい意味でも使う.

クール² 〘医〙 (治療単位) course C ★「クール」はフランス語から.

クールダウン cooldown C.

クールブイヨン 〘料理〙 court bouillon /kʊ́ə-bú:(l)jɑn/ U ★ 野菜のだし汁.

クールベ —名 固 Gustave Courbet /gustá:v kuəbéɪ/, 1819–77. ★ フランスの画家.

くうれい 空冷 —名 air cooling U. —形 (空冷式の) air-cooled. **空冷エンジン** air-cooled engine C.

くうろ 空路 ¶ 彼女は*空路帰国した (⇒ 飛行機で帰った) She returned home *by* (*air*)*plane*. / She *flew* home. // 彼はロンドンから*空路パリへ飛んだ He *flew* from London to Paris. 《☞ ひこうき》

くうろん 空論 ¶ 机上の*空論 an *armchair theory*

クーロン —名 固 Charles-Augustin de Coulomb /kú:lɑm/, 1736–1806. ★ フランスの物理学者. —名 (電気量の単位) 〘電〙 coulomb C 《略 C》. **クーロンの法則** Coulomb's law.

ぐうわ 寓話 (動物を擬人化した) fable C; (教訓的たとえ話) állegòry C. 《☞ どうわ¹; ものがたり; たとえ²》.

くえ 九絵 〘魚〙 grouper C 《複 ~, ~s》.

クエーカー —名 (クエーカー教徒) Quaker C, member of the Society of Friends C ★ 前者は通称. —形 Quaker.

クエーサー (準星) quasar /kwéɪzɑə/ C.

くえき 苦役 (つらい労働) hard work U; (懲役) penal servitude U. 《☞ じゅうろうどう; ちょうえき》.

クエスチョン question C 《☞ しつもん》. ¶ *クエスチョン アンド アンサー *questions* and answers **クエスチョンマーク** (疑問符) question mark C ★ 記号は "?". 《☞ 疑問符(号)(巻末)》.

くえない 食えない (抜け目のない・鋭い) shrewd; (ずるい) cunning. 《☞ ずるい》.

くえる 食える (食用に適する) edible; (食べられる, おいしい) eatable P. 《☞ たべる》. ¶ この料理はけっこう*食える (⇒ おいしい料理だ) This is pretty *good* cooking. // これはとても*食えない This is ⌈hardly *edible* [inedible]. // そのころは*食えるか食えないかの暮らしだった (⇒ 次の食事がどうなるか分からない暮らし) Back in those days we lived not knowing where our next meal would come from.

クエンさん クエン酸 〘化〙 citric acid U. **クエン酸回路** 〘生化〙 the citric acid cycle.

クエンティン (男性名) Quentin /kwéntn/, Quintin /kwíntn/.

クォーク 〘物理〙 quark /kwɔ́ək/ C.

クオータ (割り当て数・量) quota C 《☞ わりあて》. **クオータ制(度)** the quota system.

クォーター quarter C 参考 日本語としては 1 年の 4 半期, スポーツの試合時間の 4 分の 1 の意で用いるのが普通.

クォーターバック 〘アメフト〙 quarterback C.

クォーターファイナル —名 (準々決勝) quàrterfinal C. —形 quarterfinal. 《☞ じゅんじゅんけっしょう》.

クォータリー (季刊誌) quarterly (magazine) C 《☞ きかん⁵》.

クォーツ (石英または水晶) quartz U. **クォーツ時計** quartz ⌈watch [clock] C 《☞ とけい》.

クォーテーション quotation C, quote C ★ 後者のほうが口語的. 《☞ いんよう¹; 引用符(号) (巻末)》. **クォーテーションマーク** quotation marks, quotes ★ いずれも通例複数形で.

クォート (4 分の 1 ガロン) quart C; (四つ折り判) quarto C 《複 ~s》.

クオリティー (質) quality U 《☞ しつ²; ひんしつ》. **クオリティーオブライフ** quality of life U **クオリティーコントロール** quality control U **クオリティーペーパー** quality paper C.

クオリファイ (資格を得る) qualify 自; (資格がある) be qualified. 《☞ しかく¹》.

くおん 久遠 —名 (永遠) eternity U. —形 eternal. 《☞ えいえん》. ¶ *久遠の理想 an *eternal*

ideal
クオンティティー (量) quantity Ⓤ《☞ りょう¹》.
くかい 句会 haiku gathering Ⓒ.
くがい 苦界 (つらい世の中) the bitter world; (悲惨な人生) miserable life Ⓒ; (遊女としての生活) life of a prostitute Ⓒ.
くかいぎいん 区会議員 ☞ く²(区議会議員)
くかいせき 苦灰石 〔鉱〕dolomite Ⓤ.
くがいそう 九蓋草 〔植〕Culver's ⌈root [physic] Ⓒ.
くかく 区画 ―名 (仕切り) compartment Ⓒ; (区分) division Ⓒ; (地理的・行政的区画) district Ⓒ; (部分) part Ⓒ; (地所・敷地) lot Ⓒ. ―動 (仕切る) compart (他); (境界線を画定する) demarcate (他).《☞ くいき; ちいき (類義語)》. ¶その2つの庭の*区画ははっきりしていない The ⌈*division* [*boundary*] between the two yards is unclear. // グラウンドは白線で4つの*区画に分けられていた The field was divided into four *parts* by means of white lines.
区画漁業 demarcated fishery Ⓤ **区画整理** land readjustment Ⓤ; rezoning Ⓤ **区画分譲地** subdivision Ⓒ.
くがく 苦学 ―動 (働いて大学を出る) work *one's* way through college; (財政的困難のもとで勉強する) study under difficulties; (自分の学費を稼ぐ[払う]) earn [pay] *one's* own school fees.《☞ くろう》. **苦学生** (勤労学生) working student Ⓒ; (自活する学生) self-supporting student Ⓒ.
くがつ 九月 September《略 Sep., Sept.》★ 語頭は必ず大文字.《☞ いちがつ 語法; 時刻・日付・曜日 (囲み); 略語 (巻末)》.
くかん¹ 区間 (部分) section Ⓒ; (ひと続きの部分) stretch Ⓒ.《☞ ぶぶん (類義語)》. ¶東海道線のその*区間は不通になっている Service is suspended on that ⌈*section* [*stretch*] of the Tokaido Line.
くかん² 躯幹 (体) body Ⓒ; (頭・首・四肢を除いた胴体) trunk Ⓒ, torso Ⓒ.《☞ どうたい¹》. **躯幹骨** trunk bones ★ 複数形で.
ぐがん 具眼 (善悪などの識別眼) discerning eye Ⓒ; (正しい判断力) sound judgment Ⓤ.《☞ けんしき; りょうしき》. **具眼の士** man of discernment Ⓒ.
くき 茎 (草花の) stem Ⓒ ★ 一般的な語; (葉柄・花梗などの細いもの) stalk Ⓒ.《☞ くさ¹ (挿絵)》.
茎茶 tea stalk Ⓒ **茎わかめ** *wakame* [seaweed] stalk Ⓒ.
くぎ¹ 釘 ―名 nail Ⓒ; (掛けくぎ) peg Ⓒ. ―動 (くぎで打ち付ける) nail (他).《☞ うちつける》.

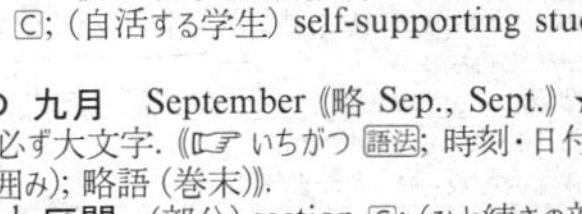

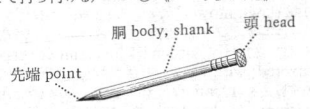

¶私は上着を*くぎに引っ掛けた I caught my jacket on a *nail*. / (⇒ くぎが私の上着に引っ掛かった) A *nail* caught my jacket. / (⇒ 上着がくぎに引っ掛かった) My jacket caught on a *nail*. // 帽子はこの*くぎに掛けなさい Hang your hat on this *peg*. // 彼はハンマーで*くぎを打ち込んだ He drove in (the) *nails* with a hammer. // 彼はそのふたを*くぎで箱に打ち付けた He *nailed* the lid ⌈on (to) [onto] the box. // 柱からその*くぎを抜くのは難しい It is hard to ⌈pull [draw] out the *nail* from the post. // この*くぎはよく効かない (⇒ 効果がない) This *nail* is no good. // 出る*釘は打たれる ☞ くい¹
くぎを刺す ¶彼にその金をむだ遣いしないよう*くぎを刺しておいた (⇒ 警告した) I *warned* him not to waste the money. // 会合を忘れないように彼に*くぎを刺して (⇒ 思い出すよう注意して) おいたほうがよい We'd better *remind* him about the meeting.
くぎ裂き tear Ⓒ; (特に大きな) rent Ⓒ **くぎ師** pin adjuster of pachinko machines Ⓒ **くぎ抜き** (一般に) nail puller Ⓒ; (やっとこ) pincers, nippers ★ 複数形で. 数えるときは a pair of ⌈pincers [nippers]; (金てこ) crowbar Ⓒ.《☞ だいく (挿絵); かなづち (挿絵)》.
くぎ² 区議 ☞ く²(区議会議員)
くぎかい 区議会 ☞ く²(区議会)
くぎづけ 釘付け ¶恐怖のあまり彼はその場に*くぎづけになった He *froze* with fear. // 私の目はテレビに*くぎづけになった My eyes *were* ⌈*glued to* [*riveted to*; *fixed on*] the television. // 走者は塁に*くぎづけになった The runner *was held on* the base. // ピッチャーはランナーを一塁に*くぎづけにした The pitcher *held* the runner *on* first base.
ぐきょ 愚挙 (ばかげた企て) foolish attempt Ⓒ; (愚かな行為) silly act Ⓒ.
くきょう 苦境 (困った立場) difficult situation Ⓒ; (逆境) advérsity Ⓤ ★ 前者より格式ばった語; (板ばさみ) dilemma Ⓒ.《☞ こんなん; きゅうち¹; ぎゃっきょう》. ¶彼は*苦境にある[陥った] He ⌈is in [got into] a *difficult situation*. // *苦境を脱する get [find a way] out of the *difficulties* // 彼女は妥協するか職を失うかの*苦境に直面した She faced the *dilemma* of either making a compromise or losing her job.
くぎょう¹ 苦行 ―名 (宗教上の自己鍛錬) asceticism Ⓤ; (悔い改めの行為) penance Ⓤ. ―動 live an ascetic /əsétɪk/ life; do penance.《☞ なんぎょう》. **苦行僧** ascetic (Buddhist) monk Ⓒ, (Buddhist) monk practicing asceticism Ⓒ.
くぎょう² 公卿 ☞ くげ
くぎり 区切り, 句切り ¶ここは*区切りがよい[悪い] (⇒ やめるのによい[悪い]場所だ) This is a ⌈good [bad] place to stop. // この辺で仕事に*区切りをつけて (⇒ 小休止して) お茶にしよう Let's *take a break* (from work) and have some tea. // 私はその件にできるだけ早く*区切りをつけたいと思っている (⇒ 早く終わらせたいと願っている) I want to ⌈*settle* [*put an end to*] the matter as soon as possible.《☞ きれめ》
区切り符号 punctuation mark Ⓒ《☞ くとうてん》.
くぎる 区切る, 句切る (分割する) divide (他); (仕切りをつけて区切る) partítion (他); (一定の間隔をあける) space (他); (句読点をつける) púnctuàte (他).《☞ しきる》. ¶彼女は部屋をカーテンで*区切った (⇒ 仕切った) She *partitioned* the room with a curtain. // 彼らは土地を3つに*区切った They ⌈*divided* [*separated*] the land into three (parts). // 彼は一語一語*句切りながらはっきり発音した He spoke clearly, ⌈*separating* [*spacing*] his words. // 2つの句の間をコンマで*句切りなさい (⇒ 2つの句の間にコンマを置きなさい[使いなさい]) Put ⌈Use⌉ a comma between the two phrases.《☞ 句読点 (巻末); コンマ (巻末)》
くく¹ 九九 (表) mùltiplicátion tàble Ⓒ,《略式》(times) table Ⓒ.
★ 英語では次のように読む: Two times four ⌈is [makes; equals; are; make] eight (2×4=8), Seven times five ⌈is [makes; equals; are; make] thirty-five (7×5=35), Twelve times eleven ⌈is [makes; equals; are; make] ⌈one [a] hundred (and) thirty-two (12×11=132).
参考 英語では12の段 (12 times) まである.《☞ 次ページ表; かける¹; 数字 (囲み)》.
¶私の息子は*九九を5の段まで覚えた (⇒ 知っている) My son knows up to his 5 times *table*.

multiplication table

1	2	3	4	5	6	7	8	9	10	11	12
2	4	6	8	10	12	14	16	18	20	22	24
3	6	9	12	15	18	21	24	27	30	33	36
4	8	12	16	20	24	28	32	36	40	44	48
5	10	15	20	25	30	35	40	45	50	55	60
6	12	18	24	30	36	42	48	54	60	66	72
7	14	21	28	35	42	49	56	63	70	77	84
8	16	24	32	40	48	56	64	72	80	88	96
9	18	27	36	45	54	63	72	81	90	99	108
10	20	30	40	50	60	70	80	90	100	110	120
11	22	33	44	55	66	77	88	99	110	121	132
12	24	36	48	60	72	84	96	108	120	132	144

く

くく² 区区 ── 形 (様々な) various /vé(ə)riəs/; (小さい) small; (取るに足らない) trivial. 《☞ まちまち; ささい》.

くぐもる (口を開かないで小声でつぶやく) mumble 自. ¶彼は*くぐもった声で話した He spoke in a *muffled* voice.

くぐらせる 潜らせる (ちょっと浸す) dip 他; (湯がく) blanch 他. ¶油揚げは熱湯に*くぐらせます Briefly *blanch* the deep-fried bean curd.

くくりあご 括り顎 ☞ にじゅう (二重あご)

くくりつける 括り付ける tie 他 《☞ むすびつける; しばる》.

くぐりど くぐり戸 wicket (gate) C.

くぐりぬける 潜り抜ける ¶彼はこれまで多くの困難を*くぐり抜けてきた He *has* ˹*had* [(⇒経験した) *experienced* /ɪkspí(ə)riənst/] many difficulties (in his life). 《☞ くぐる; とおりぬける》

くくりまくら 括り枕 pillow slip stuffed with dried tea or buckwheat chaff and tied off at both ends C ★ 説明的な訳.

くくる 括る (縛って1つにする) bínd (úp) 他 《過去・過分 bound》; (結びつける) tíe (úp) 他; (首を) hang *oneself*. 《☞ しばる (類義語); たばねる》. ¶彼女は手紙の束をひもで*くくった (⇒縛った) She ˹*bound* [*tied*] (*up*) the packet of letters with (a piece of) string. // 裏切り者は自ら首を*くくった The traitor *hanged himself*. 語法 物を「掛ける」という意味での過去形は hung. // その語をかっこで*くくりなさい (⇒その語をかっこの中に入れなさい) *Put* [*Enclose*] that word in parentheses /pərénθəsìːz/.

くぐる 潜る (…の間を通り抜ける) pass [go] through …; (…の下を通る) pass [go] under … 《☞ とおりぬける 語法》. ¶列車はトンネルを*くぐった The train *went through* a tunnel. // 私たちの船は橋を幾つか*くぐった (⇒幾つかの橋の下を通った) Our boat *passed under* several bridges. // 猫はその穴を*くぐって (⇒通って) 逃げて行った The cat ˹ran away [escaped] *through* the hole. // 法の目を*くぐる *get around* [*evade*] the law / *exploit* [*slip through*] *a* legal *loophole*

くげ 公家 court noble C; (朝廷に仕える人) courtier C. 《☞ きぞく²》.

くけい 矩形 ── 名 réctàngle C. ── 形 rectángular. 《☞ しかく² (挿絵)》.

ぐけい¹ 愚計 foolish plan C 日英比較 日本語では自分の計画をへりくだって「愚計」ということもあるが, その場合は英語では単に my plan などとすればよい.

ぐけい² 愚兄 my ˹older [elder] brother C ★ 謙遜を示す「愚」の部分は英語では示さない. 《☞ ぐてい》.

くけだい 絎台 stand for securing cloth to prevent sag when blindstitching C.

くけぬい 絎縫い blind stitch U.

くけばり 絎針 blind-stitch needle C.

くける 絎ける blindstitch 他.

くげん 苦言 (率直な忠告) frank advice U; (率直な意見) frank [candid; honest] opinion C. 《☞ ちゅうこく》. ¶*苦言を呈する give *a person frank advice*

ぐけん 愚見 my (humble) ˹opinion [view] C 《☞ ぐこう² 日英比較》. ¶*愚見を述べさせていただきたい Allow me to express *my view*(, *please*).

ぐげん 具現 ── 動 (具体的に表す) 《格式》 embody 他; (実現する) realize 他. ── 名 《格式》 embodiment U; realization U ★ 以上は具体的には C. 《☞ じつげん》. ¶この本は彼の考え方を*具現している This book *embodies* his philosophy.

くこ 枸杞 〘植〙 matrimony /mǽtrəmòuni/ vine C, boxthorn C.

くこ茶 boxthorn [matrimony-vine] tea U.

ぐこう¹ 愚行 folly C, act of folly C.

ぐこう² 愚考 (自分の考え) *one's* thought C; (自分の意見) *one's* opinion C 日英比較 英語には普通自分の考えをへりくだっていう言い方はないので, 訳語のような言い方をするほかない. 《☞ かんがえ; いけん¹》.

くごころ 句心 (詩情) poetic sentiment U. ¶*句心がわく *feel inspired to* ˹*compose* [*write*] *haiku poems* // 彼には*句心が全くない He has no *poetic sense*.

くさ¹ 草 grass U 語法 (1) 草の葉を数えるときは a blade of grass のようにいう. 種類をいうときは C. 日英比較 庭にある grass といえば普通は芝を指す. いね科の植物, 例えば麦・あし・とうもろこし・竹なども grass というから, 日本語の「草」と必ずしも一致しないことに注意; (雑草) weed C. 《☞ ざっそう》.

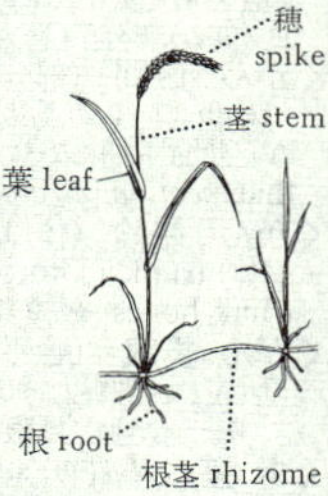

¶これはありふれた[珍しい]*草だ This is ˹a common [a strange; an unusual] *grass*. // 彼は*草の上に横になった He lay ˹on [in] *the grass*. 語法 (2) 草の生えている場所を指すときは定冠詞を付ける. // 彼は納屋の周りの*草をかまで刈った He cut the *grass* around the barn with a sickle. 語法 (3) 芝刈り機 (lawn mower) などで刈るときは mow 他. 《☞ くさかり》 // 彼の庭は*草ぼうぼうだ (⇒一面雑草がはびこっている) His garden is ˹overrun [overgrown; covered] with *weeds*. // 牛が牧場で*草を食べているのが見える I can see the cows *grazing* in the pasture. // 彼女は毎週庭の*草を取る She *weeds* the garden every week. 《☞ くさとり》

くさ² 瘡 〘医〙 (湿疹) eczema /éksəmə/ U.

くさい 臭い 1 《悪臭を放つ》 ── 動 smell (of …) 自 語法 「におうもの」が主語のときは 自. ただし「においを感じる人」が主語のときは 他 になる; stink (of …) 自 《過去 stank, stunk; 過分 stunk》; reek (of …) 自 ★ 後の2語は普通「におうもの」が主語. ── 形 foul-smelling; smelly ★ 後者は口語的.

【類義語】 最も一般的な語は *smell*. よいにおいにも悪いにおいにも使われるが, 単に *smell* といえば「悪臭がする」という意味. この語は以下の語の代わりに用いられる場合も多い. むかつくような悪臭がするのは *stink* で, 上品な語ではない. 強い, 不快なにおいがするのは *reek*. 《☞ におい (類義語); あくしゅう¹》

¶この魚は*臭くなり始めた (⇒悪臭がし始めた) This

fish has started to *smell*. // ああ*臭い! What a *smell*! / Wow, that *stinks*! // 何だか焦げ*臭いぞ (⇒何かが焦げているにおいがする) I *smell* something burning. // ここはガス*臭くないですか Don't [Can't] you *smell* gas here? // その男はひどく酒*臭かった The man ˹*smelled* strongly [*stank*] *of* liquor. // 彼の服は汗*臭い His clothes *reek of* sweat. // 彼は息が*臭い (⇒彼は臭い息を持っている) He has ˹*bad* breath [*halitosis*]. / (⇒彼の息は臭い) His breath ˹is *foul* [*smells*; *stinks*].

2 《怪しい》 ―形 (疑いを起こさせる) suspícious; (眉つばの)《略式》fishy.《☞ あやしい》.

¶店員の1人が*臭い One of the clerks looks *suspicious*. / (⇒怪しいと思う) I *am suspicious of* one of the clerks. // 彼がその部屋から出て行くのを見て, 私は*臭いなと思った When I saw him going out of the room, I *smelled a rat*. ★ smell a rat は「変だなと感づく・怪しく思う」の意味. // 彼の話はいんちき*臭い His story *is fishy*. // 彼の行為には少し偽善者*臭いところがある (⇒気味がある) His conduct *smacks* of hypocrisy.《☞ -じみる》

3 《わざとらしい》: (不自然な) unnatural; (気取った) affected; (大げさな) exaggerated, hammy ★後者はくだけた語.《☞ わざと; ふしぜん》. ¶*臭い演技 a ˹deliberately *exaggerated* [*hammy*] performance ★[ ] 内のほうがくだけた表現.

臭い仲 fishy [questionable] relationship Ⓒ. ¶彼らは*臭い仲だ There's a *fishy relationship* between them. **臭い飯を食う** (刑務所に入れられる) be sent to prison, be put in jail; do (one's) porridge ★《英》俗語. porridge は《英・俗》刑期.《☞ けいむしょ》. **臭い物にはふた** ¶彼らは*臭い物にはふた式にその汚職を隠そうとした (⇒汚職を包み隠そうとした [汚職にふたをかぶせようとした]) They tried to ˹*cover up* [*put a lid on*] the scandal.

ぐさい 愚妻 my wife ★謙遜を示す「愚」の部分は英語では示さない.

くさいきれ 草いきれ strong smell of grass Ⓒ.

くさいちご 草苺 〘植〙bramble Ⓒ, raspberry /rǽzbèri/ Ⓒ.

くさいろ 草色 (bright) green Ⓤ 参考 英語でも緑色 (green) のことを the color of grass, grass-green という.《☞ みどり》.

くさうお 草魚 〘魚〙sea snail Ⓒ, snailfish Ⓒ.

くさかげろう 草蜻蛉 〘昆〙lácewing Ⓒ, lace-wing(ed) fly Ⓒ.

くさがめ 草亀 〘動〙Chinese ˹swamp [pond] turtle Ⓒ.

くさかり 草刈り mowing Ⓤ; (草を刈る人) mower Ⓒ.《☞ くさ; かる[1]》. **草刈りがま** sickle Ⓒ; (長柄の) scythe /sáɪð/ Ⓒ **草刈り機** (雑草などの) weed cutter Ⓒ, weed cutting machine Ⓒ; (芝刈り機) (lawn) mower Ⓒ, mowing machine Ⓒ.

くさかんむり 草冠 (漢字の) plant radical at the top of kanji Ⓒ.

くさき 草木 (植物) plant Ⓒ; (集合的に) vegetation Ⓤ.《☞ しょくぶつ》. ¶*草木の緑 the green of *grass and trees* **草木もなびく** ¶当時の彼は*草木もなびく勢いだった (⇒圧倒的な影響力のある人だった) He was an *overwhelming* influence at that time. **草木も眠る** ¶*草木も眠るうしみつ時に (⇒真夜中に[真夜中を過ぎて]) 奇妙な殺人事件が起こった A mysterious murder occurred *in* ˹*the dead of night* [*the small hours of the morning*]. **草木染め** herb dyeing Ⓤ.

くさぎ 臭木 〘植〙harlequin glorybower Ⓒ.

くさく 句作 haiku composition Ⓤ《☞ はいく》. ¶彼は*句作にこっている He is engrossed in ˹*composing* [*writing*] *haiku* (*poems*).

ぐさく[1] 愚作 (ひどい作品) poor work Ⓒ; (価値のない作品) valueless work Ⓒ. 日英比較 日本語では自分の作品をへりくだって「愚作」ということがあるが, 英語にはそのような発想はない.《☞ せっちょ》.

ぐさく[2] 愚策 (ばかげた方針) stupid policy Ⓒ; (愚かな対策) silly measures ★通例複数形で; (ばかげた計画) stupid plan Ⓒ. 日英比較 自分の方策をへりくだって「愚策」というような発想は英語にはない.

くさくさ ―形 (暗い気分で) gloomy; (気が重い) depressed; (気持ちが沈んで) down; (ふさぎ込んだ) low.《☞ めいる; ゆううつ; 擬声・擬態語 (囲み)》. ¶私は1日中*くさくさしていた I *felt* ˹*gloomy* [*depressed*; *low*; *down*] all day (long). / I was *in low spirits* all day.

くさぐさ 種種 ☞ しゅじゅ

くさけいば 草競馬 local horse race Ⓒ《☞ けいば》.

くさごえ 草肥 gréen manúre Ⓤ.

くさしぎ 草鷸 〘鳥〙green sandpiper Ⓒ.

くさす 腐す (悪く言う) run down ㊀; (批判する) criticize ㊀.《☞ けなす》.

くさずもう 草相撲 amateur sumo /ǽmətə̀ː súːmoʊ/ (wrèstling) Ⓤ.

くさぞうし 草双紙 *kusazoshi* Ⓒ; (説明的には) picture book with narrative and dialogue published in the Edo period Ⓒ.

くさたけ 草丈 plant height Ⓤ.

くさだんご 草団子 (rice-flour) dumpling mixed with boiled ˹*yomogi* [mugwort] shoots Ⓒ ★説明的な訳.

くさち 草地 grassland Ⓤ ★複数形で「大草原」の意味でも使われる.

ぐさつ 愚察 my ˹guess [《格式》surmise]《☞ ぐこう[2] 日英比較; すいさつ》. ¶*愚察いたしますに, 少々お具合が悪いのではありませんか You are not (feeling) quite well, *I surmise*.

くさっぱら 草っ原 ☞ くさはら

くさつみ 草摘み ―名 wild plant [herb] picking Ⓤ. ―動 pick ˹wild plants [herbs].《☞ つむ[2]》.

くさとり 草取り ―名 weeding Ⓤ. ―動 weed ㊀ ㊁.《☞ くさ》. ¶今度の日曜は庭の*草取りをしなければならない I have to ˹*weed* [*pull weeds* in] the garden next Sunday.

くさのおう 草の王, 草の黄 〘植〙greater celandine Ⓒ, swallowwort Ⓒ.

くさのね 草の根 ¶警察は*草の根を分けても殺人犯を探すと約束した (⇒殺人犯を探すために石を1つ残らずひっくり返すと約束した) The police promised to *leave no stone unturned* in their search for the murderer. / (⇒警察は殺人犯を探すためにあらゆることをすると言った) The police said they would do what they could to find the murderer. **草の根運動** grass roots movement Ⓒ **草の根民主主義** grass roots democracy Ⓤ.

くさば 草葉 **草葉の陰で** (墓の中で) in *one's* grave; (死後) after *one's* death; (天国で) in Heaven.

くさばな 草花 (花の咲く植物) flowering plant Ⓒ, flower Ⓒ 語法 後者は「花」も意味するので, 植物全体を言うことを明らかにするときは前者を用いる.《☞ はな[1] (類義語); くさ; しょくぶつ》.

くさはら 草原 grass Ⓤ; (牧草地) meadow Ⓒ; (野原) field Ⓒ.《☞ そうげん》.

くさび 楔 ―名 wedge Ⓒ. ―動 (くさびを入れる) wedge ㊀. ¶彼はドアを開けておくために下に*くさびを入れた He put a *wedge* under the door to keep it open. / (⇒くさびでドアを止めて, 開けておいた) He *wedged* the door open. ★後者のほうが普

通. // 私は丸太に*くさびを打ち込んだ I drove a *wedge* into the log. // 敵陣に*くさびを打ち込む drive a *wedge* ⌈between the enemy lines [into the enemy's defenses] **くさび石** keystone Ⓒ **くさび形** ── 形 wedge-shaped **くさび形文字** cuneiform /kjuːníːəfɔ̀ːm/ Ⓤ, cuneiform character Ⓒ.

くさひばり 草雲雀 〘昆〙 winged bush cricket Ⓒ.

くさぶえ 草笛 (あし笛) reed pipe Ⓒ. ¶ *草笛を吹く (⇒ あし笛を) play ⌈a *reed* [a *reed pipe*] / (⇒ 草の葉を鳴らす) blow notes on a blade of grass (☞ ふえ)

くさぶかい 草深い ── 形 (草の多い) grassy; (人里離れた) out-of-the-way. ── 名 (草深いいなか) (米略式) the boondocks, (略式) the sticks.

くさぶき 草葺 ── 形 thatched. ¶ *草ぶきの屋根 a *thatched* roof

くさぼうき 草箒 broom made of the summer cypress Ⓒ (☞ ほうき[4]).

くさぼけ 草木瓜 〘植〙 Japanese dwarf quince Ⓒ.

くさぼたん 草牡丹 〘植〙 *kusabotan* Ⓒ; (説明的には) a deciduous shrub of the clematis family.

くさまくら 草枕 (旅館[ホテル]での宿泊) stay at ⌈an inn [a hotel] Ⓒ; (旅) trip Ⓒ; (長旅) journey Ⓒ. (☞ たび[1]).

くさみ 臭み (におい) smell Ⓒ; (特に強いにおい) odor ((英) odour) Ⓒ; (悪臭) bad smell Ⓒ, foul odor Ⓒ. (☞ くさい; におい (類義語)). ¶ マトンには独特の*臭みがある Mutton has a distinctive ⌈*smell* [*odor*]. // この油は*臭みがない This oil is *odorless*. // これが*臭みを抜く (⇒ 除く) 最良の方法です This is the best way to ⌈get rid of [remove] the *smell*.

くさむしり 草毟り ☞ くさとり

くさむす 草生す ── 動 (生える) grow 自; (芽を出す) spring up 自 ★ 以上いずれも「草」(grass) や「雑草」(weed) などが主語となる; (雑草などで覆われる) be overgrown with weeds ★ 場所を表す語が主語となる. ── 形 grassy. (☞ くさ; はえる[1]).

くさむら 草むら tuft [clump] of grass Ⓒ, tussock Ⓒ. ¶ こおろぎが*草むらで鳴いている A cricket is ⌈chirping [chirruping; chirring; singing] in a *clump of grass*.

くさもち 草餅 mugwort-flavor sticky rice cake Ⓒ ★ 説明的な訳. mugwort はよもぎ.

くさや *kusaya* Ⓒ; (説明的には) fish dried after being soaked in salt water mixed with its guts Ⓤ.

くさやきゅう 草野球 (素人野球) sandlot baseball Ⓤ 〔参考〕 (1) sandlot は都会などの空き地; (下手なプロ野球選手) bush leaguer Ⓒ 〔参考〕 (2) bush league は minor league の俗称. プロの選手などをけなすときに使われる.

くさやぶ 草藪 weedy ground Ⓤ, ground with a thick growth of weeds Ⓤ. (☞ くさむら).

くさらせる 腐らせる **1** «果物・野菜・肉を»: let …⌈go bad [rot] ★[ ] 内のほうが意味が強い. (☞ くさる). ¶ 冷蔵庫の中で野菜を*腐らせてしまった I *let* the vegetables *go bad* in the refrigerator.
2 «気分を»: (落胆する) be depressed; (気力を失う) be discouraged; (しょんぼりする) be in low spirits. (☞ らくたん). ¶ 試験に失敗して彼女は気を*腐らせていた She *was* ⌈*depressed* [*in low spirits*] because she failed the exam. // つまらぬことで気を*腐らせてはいけない Don't let little things *get you down*.

くさり[1] 鎖 ── 名 chain Ⓒ; (犬をつなぐ) leash Ⓒ, (英) lead Ⓒ. ── 動 (鎖でつなぐ) chain 他. ¶ 私は*鎖で犬を木につないだ I *chained* the dog to a tree. // 彼は犬を*鎖につないでおいた He kept the dog ⌈*on a chain* [*on a leash*; *leashed*; *chained*]. // 私は犬を*鎖から放した I ⌈*unchained* [*unleashed*] the dog. **鎖編み** chain stitch Ⓤ **鎖かたびら** chain ⌈mail [armor] Ⓤ **鎖がま** sickle and chain Ⓒ **鎖樋** rainwater chain Ⓒ **鎖場** *kusariba* Ⓒ; (説明的には) part of a mountain trail where there are chains to aid climbers Ⓒ **鎖歯車** (自転車などの) sprocket wheel Ⓒ.

くさり[2] 腐り rot Ⓤ (☞ ふはい[1]; くさる). ¶ *腐りがつく *rot* sets in

ぐさりと ── 副 (深く) home (☞ ぶすりと; つきさす; 擬声・擬態語 (囲み)). ¶ 彼は彼女の脇腹をナイフで*ぐさりと刺した He thrust a knife (*right*) into her side.

くさりへび 鎖蛇 〘動〙 viper Ⓒ.

くさる 腐る **1** «腐敗する» ── 動 (食べ物が悪くなる) go ⌈bad [off]; rot 自 他; decay 自 他; spoil 自 他. ── 形 (腐った) bad; rotten; decayed; spoiled; off.

【類義語】最も口語的な表現として, 食べ物が腐るのは ***go bad*** という. それよりさらに意味が強いのが ***rot*** で, 主として植物性に用いられるが, 動物性のものにも使われる. やや格式ばった語で, 徐々に自然に腐ってゆくのが ***decay***. 動物にも植物にも用いられ, 例えば虫歯などで歯が腐るのは *decay*. 台所などで食べ物が腐るのは ***spoil***. (☞ ふはい[1]; いたむ[1])

¶ 夏は食べ物がすぐに*腐る Food ⌈*goes bad* [*goes off*; *spoils*] quickly in summer. // この肉は*腐っている This meat is ⌈*bad* [*spoiled*; *off*]. // この床は*腐っている This floor is ⌈*rotten* [*decayed*]. // 卵は*腐りやすい Eggs easily ⌈*go bad* [*go off*; *addle*]. // 牛乳が*腐ってしまった (⇒ 酸っぱくなった) The milk *has* ⌈*turned* [*gone*] *sour*. // 彼は根性が*腐っている He *is* totally *corrupt*. / (⇒ 芯まで腐っている) He *is rotten* to the core.

2 «落胆する» ¶ *くさるな (⇒ 元気を出せ) Cheer up! // 降り続く雨でみんな*くさっている (⇒ ふさぎこんでいる) Everybody *is depressed* by this long spell of rain. / This long spell of rain *is getting* everyone *down*.

腐っても鯛 ☞ たい[3] **腐るほど** ¶ 叔母には金が*腐るほどある (⇒ 使い切れないほど持っている) My aunt has *more* money *than she can possibly spend*.

くされえん 腐れ縁 (断ちがたい関係) inseparable relation Ⓤ (☞ つきあい; えん[1]). ¶ 政治家と財界との*腐れ縁 the *inseparable relation* between politicians and the financial world

くされがね 腐れ金 (はした金) small sum (of money) Ⓒ; (不正に得た金) dirty money Ⓤ, ill-gotten gains ★ 後者は複数形で. 前者のほうがくだけた語. (☞ あぶく (あぶく銭)).

くさわけ 草分け ── 名 (先駆者) pìonéer Ⓒ; (創始者) orìginàtor Ⓒ. ── 動 (草分けとなる) pioneer (in …) 自 他; (始まる) originate (in …) 自. (☞ さきがけ).

¶ フランクリンは電気研究の*草分けだ Franklin was a *pioneer in* the study of electricity. // 大量生産の考えの*草分けはアメリカである (⇒ 始まった) The idea of mass production *originated in* America.

クサンティッペ ── 名 固 Xanthippe /zænθípi/ ★ ソクラテスの妻, 悪妻の代表.

くし[1] 串 (鳥の丸焼きなどに使う大きな串) spit Ⓒ; (焼き鳥などの小さな串) skewer Ⓒ. ¶ 私たちは肉を*串に刺して火の上で焼いた We roasted (the) meat on a *spit* (over a fire). // 料理人は玉ねぎと肉を交互に*串に刺した The cook threaded onions and meat alternately on a *skewer*.

串揚げ deep-fried kebab Ⓒ　串カツ pork cutlet fried on a skewer Ⓒ　串焼き spit-roasting Ⓤ; (説明的に) roasting [broiling] on a ⌈spit [skewer] Ⓤ.

くし² 櫛 ― 名 comb /kóum/ Ⓒ. ― 動 (くしでとかす) comb ⑪. (☞ かみ³; とかす²). ¶ 彼女は出かける前に髪に*くしを入れた She *combed* her hair before going out. // この*くしは歯が何本か欠けている Several teeth are missing from this *comb*.

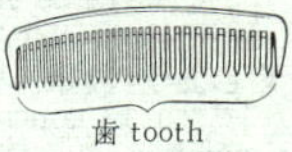

櫛の歯が欠けたよう ¶ 彼がパーティーから帰ってしまうと，まるで*櫛の歯が欠けたように (⇒ 自分たちだけ取り残されたかのように) 寂しくなってしまった After he left the party, we felt lonely, *as if we had been left all alone*. **櫛の歯をひく** ¶ 凶悪犯罪が*櫛の歯をひくように (⇒ 次から次へと[連続して]) 起こった Heinous crimes occurred ⌈*one after another* [*in succession*]. **櫛形** ― 形 comb-⌈like [shaped]; (半月形の) half-moon-shaped **櫛目** ¶ 彼の髪はいつもよく*櫛目が通っている His hair *is* always *well combed*.

くし³ 駆使 ― 動 (最大限に利用する) make full use of ... (☞ あやつる; つかいこなす).
¶ 彼らは光の速度を計算するのに新しいコンピューターを*駆使した They *made full use of* the new computer to calculate the speed of light.

くじ 籤 lot Ⓒ; lottery Ⓒ 語法 何かを決めるために引くくじが lot で，「抽選」という意味では Ⓤ. 宝くじや福引きのように当たった人に賞金や賞品の出るのが lottery. (☞ くじびき; ふくびき; ちゅうせん¹).
¶ 議長は*くじで選ばれた The chairperson was chosen by *lot*. // 私たちはだれが最初に行くかを決めるために*くじを引いた We drew *lots* to decide who would go first. // 私は*くじに当たった I won the *lottery*. / (⇒ そのくじは私に当たった) The *lot* fell to me. / (⇒ 私は当たりくじを引いた) I drew a winning *number*. // 彼は空*くじを引いた[くじにはずれた] He drew a blank. // 彼女は*くじでテレビを当てた She won a television (set) in a *lottery*.
くじ運 ¶ 彼女は*くじ運がいい She's always lucky in *lotteries*. ★「くじ運が悪い」の場合は lucky の代わりに unlucky を用いる.

クシー (ギリシャ語アルファベットの第 14 字) xi /záɪ/ Ⓒ ★ ギリシャ文字は Ξ, ξ.

くしき 奇しき strange, weird. ¶ *奇しき因縁で by some ⌈*strange* fate [*weird* karmic connection]

くじく 挫く 1 «手足を»: (手足の関節を) sprain ⑪; (激しくねじって) wrench ⑪, twist ⑪. ¶ 彼はスケートをしていて足首を*くじいた He ⌈*sprained* [*twisted*] his ankle while skating.
2 «勢いを弱める・挫折させる»: (計画を挫折させる・希望をくじく・がっかりさせる) frustrate ⑪; (妨害する) balk ⑪; (まごつかせる) baffle ⑪; (落胆させる) discourage ⑪; (打ち砕く) crush ⑪.
¶ 彼の希望はすべて思わぬ出来事で*くじかれた All his hopes *were frustrated* by the accident. // 弱きを助け強きを*くじくのが私の主義だ I make it a principle to ⌈help [side with] the weak and *crush* the strong. / It is a principle of mine to support the weak against the strong. // 私たちは出鼻を*くじかれた (⇒ 初めにだめになった) We *were* ⌈*baffled* [*frustrated*] at the start. (☞ ではな¹)

ぐじぐじ ¶ 彼女は*ぐじぐじ (⇒ いつもあれやこれやについて) 文句ばかり言っている She is *always* ⌈complaining [whining] *about something or another*. // いつまでも*ぐじぐじする (⇒ 問題をくよくよ考える) *dwell* [*brood*] *on one's* problems (☞ 擬声・擬態語 (囲み))

くしくも 奇しくも (不思議なことに) strangely; (奇跡的に) by a kind of miracle. (☞ きみょう).
¶ 彼らは*奇しくも同じ飛行機に乗り合わせた *Strangely* [*Oddly*] *enough*, they happened to board the same plane. // 私は*奇しくも命拾いした I escaped (from) death *by a miracle*.

くしけずる 梳る (髪を) comb /kóum/ *one's* hair (☞ とかす²).

くじける 挫ける (勇気が) be discouraged, lose courage; (...でがっかりする) be disheartened (by ...; over ...), lose heart (at ...; over ...). (☞ がっかり; しつぼう). ¶ その不評に彼は*くじけてしまった He ⌈*was discouraged* by [*lost heart* at] the unfavorable review. // 1 回ぐらいの失敗で*くじけるな Don't let one failure *get* you *down*.

くしざし 串刺し ― 動 (串に刺す) skewer ⑪; (刺し殺す) stab ... to death. (☞ くし¹).

ぐしぬい ぐし縫い running stitch Ⓤ.

くじびき 籤引き ― 動 (くじびきをする) draw [cast] lots (☞ くじ; ちゅうせん¹).
¶ *くじびきをしよう Let's *draw lots*. // だれが最初に行くか*くじびきで決めましょう Let's decide who goes first by *drawing lots*.

くしまき 櫛巻き hair styled by winding it around a comb at the back of the head Ⓤ.

ぐしゃ 愚者 (ばかな人) fool Ⓒ, foolish [stupid] person Ⓒ; (のろまな人) dunce Ⓒ. (☞ ばか; のろま; まぬけ). **愚者のあと知恵** Fools are wise after the event. (ことわざ)

くじゃく 孔雀 〖鳥〗(雄) peacock Ⓒ; (雌) peahen Ⓒ; (雌雄共) peafowl Ⓒ 語法 一般に「くじゃく」というときは peacock で代表させる. (☞ めす¹ 語法). ¶ その*くじゃくは長い尾をすばらしい扇のように広げた The *peacock* spread out his long tail (feathers) ⌈into [like] a gorgeous fan.
孔雀サボテン epiphyllum /èpəfíləm/ Ⓒ, orchid cactus Ⓒ　孔雀石 malachite Ⓤ　孔雀草 (マンジュギク) French marigold Ⓒ; (クジャクシダ) maidenhair (fern) Ⓒ　孔雀蝶 peacock butterfly Ⓒ.

くしゃくしゃ 1 «紙・服などが» ― 動 (つぶしてしわくちゃにする・なる) crumple (up) ⑪ ⓐ; (しわくちゃにする) rumple ⑪ ★ 後者は前者よりも軽い意味で用いられる; (もつれさせる・もつれる) tangle ⑪ ⓐ. (☞ しわくちゃ; 擬声・擬態語 (囲み)).
¶ 彼女はその手紙を*くしゃくしゃに丸めると紙くずかごへ投げ込んだ She *crumpled* the letter (*up*) into a ball and threw it into the wastebasket. // 彼女の髪は*くしゃくしゃだった Her hair *was* ⌈*rumpled* [*unkempt*]. // 服がスーツケースの中で*くしゃくしゃになった The dress (got) ⌈*crumpled* [*wrinkled*] in the suitcase. // 涙で*くしゃくしゃになった顔 a face with tears flowing down the cheeks
2 «気持ちが» ¶ 雨降りで気持ちが*くしゃくしゃする I *feel* ⌈*depressed* [*low*] about the rainy weather. (☞ くさくさ)

ぐしゃぐしゃ ¶ 雨で道は*ぐしゃぐしゃだった The road was *muddy* because of the rain. // タオルは*ぐしゃぐしゃで，水がたれていた (⇒ ぬれて水がぽたぽた落ちて[にじみ出て]いた) The towel was so *wet it was dripping*. // *ぐしゃぐしゃにつぶれた卵 a *crushed* egg (☞ ぐちゃぐちゃ; 擬声・擬態語 (囲み))

ぐしゃっと ¶ 彼はその箱を足で踏んで*ぐしゃっとつぶした He *crushed* the box ⌈with [under] his foot. (☞ つぶす; 擬声・擬態語 (囲み))

クシャトリア (インドのカーストの第 2 階級; 貴族と武士) Kshatriya /kʃǽtriə/ Ⓤ.

くしゃみ ― 名 sneeze Ⓒ. ― 動 (くしゃみをする) sneeze ⓐ. (☞ はくしょん). ¶ 彼は大きな*くしゃみをした He gave a loud *sneeze*. / He *sneezed* ⌈violently [loudly]. 参考 英米には人が sneeze をするとそばにいる者は (God) bless you!, 《米》 Gesundheit! /gəzʊ́nthaɪt/ と呼びかける習慣がある.

クシャンちょう クシャン朝 ―名 (固) the Kushan dynasty ★ 中央アジアの古代王朝.

くしゅう 句集 collection of haiku Ⓒ.

くじゅう¹ 苦汁 苦汁をなめる ¶ 彼はその仕事で*苦汁をなめた He *had great difficulties* in carrying out that task. / (⇒ まさに苦闘だった) It was *a real struggle* for him to carry out that task. // 彼女は若いときに人生の*苦汁をなめた She ˹*tasted the bitterness* of life [had a *very difficult* life] when she was young. ★ 前者は文語的で格式ばった言い方. (☞ くはい)

くじゅう² 苦渋 ¶ 彼女は*苦渋に満ちた表情を浮かべた She ˹looked *deeply troubled* [had a *deeply troubled* expression on her face]. ★ [ ] 内のほうが格式ばった言い方.

くじょ 駆除 ―名 (根絶) extèrminátion Ⓤ. ―動 (やっかい払いをする) get rid of … ★ 口語的; extérminàte (他) ★ 格式ばった語. (☞ たいじ¹).
¶ 彼は毒薬でねずみを*駆除した He ˹*exterminated* [*got rid of*] the rats with poison.

くしょう 苦笑 ―動 (無理に笑う) force a smile; (苦笑いする) smile ˹grimly [wryly; bitterly] (自) 語法 grimly は笑い方の感じが不気味なことを, wryly は顔の形がゆがんだ無理な笑いを, bitterly は苦々しい気持ちをいう. ―名 (苦笑い) bitter [grim; wry; forced] smile Ⓒ. (☞ にがわらい; わらう). ¶ 彼は照れ隠しに*苦笑した (⇒ ろうばいを隠すために無理に笑った) He *forced a smile* to hide his embarrassment. 日英比較 日本人は照れ隠しに笑うが, その習慣をもたない英米人はこの表現を聞くと, 多少奇異に感じる.

くじょう 苦情 ―名 complaint Ⓒ; grievance Ⓒ; grumble Ⓒ; (反対) objection Ⓒ. ―動 (苦情を言う) complain (about …) (自); grumble (about …; at …; over …) (自).
【類義語】 ある状態・状況などに対する不満から生じる不平・苦情が **complaint**. それよりも少し格式ばって, 不当・不正などに起因する怒り・不平が **grievance**. 心の不満でぶつぶつ苦情を言うのは **grumble**. (☞ ふへい (類義語); もんく)
¶ 彼はその店のサービスが悪いと*苦情を言った He made a *complaint* about the poor service ˹in [at] the store. // 労働者たちは彼らの労働条件について経営者に*苦情を申し立てた The workers expressed their *grievances* over their working conditions to the manager. // 私たちは隣人の騒音 (⇒ 騒々しい隣人) に対して警察に*苦情を持ち込んだ We ˹*complained* to the police about our noisy neighbors [took our *complaints* about our noisy neighbors to the police]. // 彼は給料が安いといつも*苦情を言っている (⇒ 低い給料に対してこぼしてばかりいる) He *is* always ˹*grumbling* [*complaining*] *about* his low salary. // その製品に対して消費者から何件か*苦情が出ている Some *complaints* about the product have been filed with us by consumers. / Some consumers *have complained* about the product.
苦情処理 ―名 complaint [grievance] procedure Ⓒ. ―動 handle ˹complaints [grievances] **苦情処理委員会** grievance committee Ⓒ **苦情処理係** person in charge of handling ˹complaints [grievances] Ⓒ; (紛争解決者) troubleshooter Ⓒ; (調停者) mediator Ⓒ.

―コロケーション―
苦情がある have a *complaint* (about …; against *a person*) / 苦情に対応する respond to a *complaint* / 苦情に対処する deal with [handle; redress] a *complaint* / 苦情を受け付けない reject a *complaint* / 苦情を受ける receive a *complaint* / 苦情を持ち込む bring a *complaint* / 苦情を漏らす voice a *complaint*

ぐしょう 具象 ―名 concréteness Ⓤ. ―形 (具体的な) concréte. **具象画** rèpresentàtional páinting Ⓒ **具象主義** rèpresentátionalism Ⓤ **具象名詞** concrete noun Ⓒ.

ぐしょぐしょ ☞ びしょびしょ

ぐしょぬれ ぐしょ濡れ ☞ びしょぬれ

くじら 鯨 〘動〙 whale Ⓒ. ¶ 雄*鯨 a ˹male [bull] *whale* // 雌*鯨 a ˹female [cow] *whale* // *鯨が潮を吹いている A *whale* is ˹blowing [spouting].
鯨座 the Whale, Cetus /síːtəs/ **鯨尺** cloth measure (used in Japanese dressmaking) Ⓒ **鯨ひげ** baleen Ⓒ, whalebone Ⓒ **鯨幕** (凶事用の黒白幕) black and white striped ˹curtain Ⓒ [bunting Ⓤ] **鯨漁** whaling Ⓤ.

鯨のいろいろ

ヒゲクジラ類 baleen whales
- ナガスクジラ fin whale
- シロナガスクジラ blue whale
- ニタリクジラ Bryde's /bráɪdz/ whale
- ザトウクジラ humpback whale
- コククジラ gray whale
- ホッキョククジラ polar [Greenland right] whale
- セミクジラ right whale
- イワシクジラ sei whale
- ミンククジラ (コイワシクジラ) minke /míŋkə/ whale

ハクジラ類 toothed whales
- マッコウクジラ sperm whale
- マゴンドウ pilot whale, blackfish
- シャチ killer whale, orca
- シロイルカ white whale, beluga
- イッカク narwhal(e) /náəwal/
- スナメリ black [finless] porpoise, black finless porpoise
- トックリクジラ bottle-nose whale

くしん 苦心 ―名 (骨折り) pains ★ この意味では常に複数形; (努力) effort Ⓒ; (奮闘) struggle Ⓒ. ―動 (苦心する) take pains; (頑張る) work hard (自). (☞ どりょく (類義語); くろう; ほねおり).
¶ 彼女の*苦心はやっと実った[報われた] Her ˹*struggles* [*efforts*] ˹bore fruit [were rewarded] at last. // 彼のすべての*苦心は水の泡になった (⇒ 失敗に終わった) All his ˹*struggles* [*efforts*] ended in failure. // 彼女は非常に*苦心してその事実を調べた She ˹*took* [*went to*] *great pains* to check the facts. // その小説は彼の*苦心の作だ (⇒ 彼は非常に苦心してその小説を書いた) He wrote the novel *with great effort*. // この作文には彼女の*苦心の跡が見られる (⇒ 多くの努力を注いだのは明らかだ) It was clear that she put a lot of *effort* into this composition. // 彼の*苦心談は聞き飽きた I've heard enough ˹about [of] his *hard life*. / (⇒ 哀れっぽい話を) I've heard enough ˹about [of] his *sob story*. ★ 皮肉っぽい言い方.
苦心惨憺 ¶ 報告書を書くのに*苦心惨憺しています (⇒ たいへん苦しんでいる) I've been *agonizing* over the report I'm writing.

ぐしん 具申 ―動 (意見などを述べる) state (他), express (他) ★ 前者のほうが格式ばった語. ¶ 彼女は上司に自分の意見を*具申した (⇒ 詳しく述べた)

She ˹*stated* [*expressed*] her opinion *in detail* to her superior.

ぐじん 愚人 fool [C]; idiot [C], dope [C] ★ fool に対して idiot と dope はどちらもくだけた語.

くず¹ 屑 《米》 trash [U], 《英》 rubbish [U]; litter [U]; waste [U]; (台所の生ごみ) 《米》 garbage [U], 《英》 rubbish [U].

【類義語】 紙・ぼろ・木片など, 比較的小さな可燃性のくずは 《米》 ***trash***, 《英》 ***rubbish***. ただし, 瓶やガラス・金属など, 燃えないものも含まれるときがある. 道路や部屋などに散らかす紙くずなどは ***litter***. 残りくずや廃品のようなくずは ***waste***. これは使おうと思えば再利用も可能なところがほかのくずと異なる. 生ごみは ***garbage***, 《英》 ***rubbish***. (☞ ごみ; はいひん) ¶ ここに*くずを投げ捨ててはいけません Don't throw ˹*trash* [*rubbish*] here. // 自分の捨てた*くずを拾いなさい Pick up your *litter*. // 残り*くずはみんなこの袋の中に入れなさい Put all the *waste* in this bag. // 子供たちは紙*くずを集めてかごの中に入れた The children gathered up the ˹*litter* [*waste paper*; *scraps of paper*] and put ˹it [them] into the basket. // おが*くず sawdust // かんな*くず shavings ★ 複数形で. // 人間の*くず the *dregs* of society ★ 全体を指して. **くず糸** waste thread [U] **くず入れ, くずかご** (特に室内用の紙くずかご) 《米》 wástebàsket [C], 《英》 wástepàper bàsket [C]; (路上などのくず缶) 《米》 trash can [C], 《英》 dustbin [C]; (駅・公園などの) 《米》 trash basket [C], 《英》 litter basket [C] **くず紙** wastepaper [U] **くず鉄** scrap (iron) [U] **くず拾い** ragpicking [U]; (人) ragpicker [C], ragman [C] **くず米** (粉々になった米) crushed rice [U]; (虫の食った米) worm-eaten rice [U] **くず物** (廃物) waste [U] ★ しばしば複数形で; (がらくた) 《略式》 junk [U]; (特に台所などの) 《格式》 refuse [U].

くず² 葛 〔植〕 kudzu [C]. **くずあん** kudzu-starch sauce [U] **くず掛け** dish dressed with kudzu-starch sauce [U] **くず切り** jellied kudzu starch [U] **くず粉** kudzu starch [U] **くず桜** kudzu-starch bun (stuffed with bean jam and) wrapped in a cherry leaf [C] **くず団子** kudzu-starch dumpling [C] **くず練り** confection made with sweetened kudzu-starch dough [C] **くずまんじゅう** kudzu-starch bun stuffed with bean jam [C] **くず餅** kudzu-starch cake [C] **くず湯** kudzu-starch gruel [U] ★ gruel はオートミールなどの薄いかゆ. **くずようかん** jellylike sweet made with kudzu starch and red adzuki bean paste [C].

ぐず 愚図 ── 形 (動作がのろい) slow; (頭が鈍い) dull ★ 人を主語として. 「退屈な」 の意味にもなる; (決断力のない) indecisive, irrésolùte ★ 後者のほうが格式ばった語. ── 名 slow person [C]; (怠け者) dawdler [C] ★ くだけた語; indecisive person [C]. (☞ のろい¹; のろま).

くずおれる 崩折れる (倒れる) collapse 自 (☞ たおれる¹). ¶ その悲報を聞いて彼女は*くずおれた She *collapsed* when she heard the sad news.

くすくす ── 動 (特に女性や子供がくすくす笑う) giggle 自; (女性が照れ隠しや軽蔑して笑う) titter 自; (静かに笑う・思い出し笑いをする) chuckle 自. (☞ わらう; 擬声・擬態語 (囲み)).

¶ 私は女の子たちに*くすくす笑うのはやめろと言った I told the girls to stop ˹*giggling* [*tittering*]. // 彼は漫画本を読んで*くすくす笑った He *chuckled* over a comic book.

クスクス¹ (北アフリカの料理) couscous /kúːskuːs/ [U].

クスクス² 〔動〕 (有袋目の哺乳類) cuscus /kʌ́skəs/ [C].

ぐすぐす ── 動 (鼻を) sniff 自, sniffle 自. ¶ 鼻を*ぐすぐすさせるのはやめなさい Stop *sniffling*.

ぐずぐず ¶ *ぐずぐずするな (⇒ 早くしなさい) Hurry up! // *ぐずぐずしていると学校に遅れるぞ (⇒ 急がないと学校に遅刻するぞ) Hurry up, or you'll be late for school. // *ぐずぐずしてはいられない (⇒ むだにする時間はない) There's [We've (got)] no time to lose. // 何を*ぐずぐずしているんだ What's taking you so long? // 彼はいつも手紙の返事を*ぐずぐずしている (⇒ 返事するのが遅い) He is always ˹*slow* [*late*] (*in*) answering letters. / (⇒ 長いことかかる) He takes ages to answer letters. ★ 口語的な表現. // 彼らは食事が済んでも*ぐずぐずしていた (⇒ なかなか立ち去らなかった) They *lingered* at the table after the meal. // 決定したことを*ぐずぐず言っても (⇒ 文句を言っても) 意味がない There's no point (in) ˹*complaining* [*grumbling*] *about* what has been decided. (☞ 擬声・擬態語 (囲み))

【参考語】 ── 形 (のろい) slow, tardy; (決断力のない) indecisive; (ちゅうちょする) hesitant; (怠惰な) lazy. ── 動 (遅れる・遅らせる) delay 自 他; (ぶらぶら時を過ごす) dawdle 自; (道草を食ったりしてぶらぶらする) hang around 自; (なかなか立ち去らない) linger 自; (ためらう) hesitate 自; (ぶつぶつ言う) grumble (about ...) 自; (不平を言う) complain (about ...; of ...) 自. ── 副 slowly; lazily; hesitatingly.

くすぐったい ── 動 (むずむずする) tickle 自 語法 身体の部分を主語とする. ── 形 (くすぐったがる) ticklish. (☞ むずむず). ¶ 鼻[背中]が*くすぐったい My ˹nose [back] *tickles*. // 私は彼にほめられて*くすぐったかった (⇒ お世辞を言われたと感じた [まごついた]) I *felt* ˹*flattered* [*embarrassed*] by his compliments.

くすぐり ── 名 (くすぐること) tickling [U]; (ギャグ) gag [C]; (ジョーク) joke [C]. ── 動 (くすぐりを入れる) tickle 他; joke 自, crack a joke. (☞ くすぐる; じょうだん¹; ギャグ).

くすぐる tickle 他. ¶ 彼女は赤ん坊の脇の下 [横腹] を*くすぐった She *tickled* the baby ˹under the arm(s) [in the ribs]. // 彼らは彼女の息子の成功をほめて彼女の虚栄心を*くすぐった They *tickled* her vanity by praising her son's success(es).

クスコ ── 名 固 Cuzco /kúːskoʊ/ ★ ペルー南部の都市.

くすさん 樟蚕 〔昆〕 Japanese giant ˹silkworm [silk moth] [C], camphor silk moth [C].

くずし 崩し (簡略化) simplification [U]; (くずした書き方) cursive (hand)writing [U]. (☞ くずす).

くずす 崩す **1** «壊す»: (整ったものを壊す) destroy 他 (☞ くずれる; こわす (類義語)). ¶ 波が砂の山を*くずした The waves *destroyed* the sand castle. // 彼らは彼のアリバイを*くずした They *destroyed* his alibi.

2 «両替する»: change 他 (☞ こまかい). ¶ 切符を買うのに千円札を百円玉に*くずした I *changed* a thousand-yen ˹《米》 bill [《英》 note] *into* hundred-yen coins to get a ticket. // この 1 万円札を*くずしてもらえますか Could you ˹*break* [*change*] this ten-thousand-yen ˹bill [note]?

3 «字を»: (簡略にする) simplify 他. ¶ *くずした (⇒ 続け字の) 文字は読みにくい *Cursive* (hand-) writing is hard to read. // 彼は自己流に漢字を*くずして書く (⇒ 自分のやり方で簡単にしてしまう) He *simplifies* Chinese characters in his own way.

くすだま くす玉 décorative báll [C] ★ 説明的には次のようにも言える a hanging ball made of paper or cloth in the shape of flowers with long five-colored tails.

ぐずつく ── 形 (不安定な) unsettled; (変わりやすい) changeable, variable. (☞ さだまる). ¶ 天気は

ここ 2, 3 日*ぐずつきそうだ The weather will *remain* ˹*unsettled* [*variable*] for a few days. / We will have *changeable* weather for the next few days.

クストー — 名 固 Jacques-Yves Cousteau /ʒáːkìːv kuːstóʊ/, 1910–97. ★ フランスの海洋学者.

くすねる (たいして価値のない物をこっそり盗む) pilfer 他, filch 他 ★ いずれもくだけた語. 《☞ ぬすむ (類義語); ちゃくふく》.

くすのき 楠, 樟 〘植〙 camphor tree Ⓒ.

くすのきまさしげ 楠木正成 — 名 固 Kusunoki Masashige, 1294–1336; (説明的には) a warrior leader based in Kawachi Province who supported the Kenmu Restoration (1333–36) of Emperor Go-Daigo.

くすぶる 燻る **1** «煙»: (煙を出す) smoke 自; (炎を出さずにぶすぶすと燃える) smolder (《英》 smoulder) 自 ★ 比喩的な意味でも使われる. 《☞ けむる》. ¶ ストーブがひどく*くすぶっている The stove *is smoking* badly. // 従業員の間には不満が*くすぶっていた The workers *were smoldering* with discontent.

2 «状態»: (何もしないで家に閉じこもっている) sit around at home; (地位などが上がらない) remain in obscurity. ¶ 私はいまだに平社員で*くすぶっています I'm still a mere clerk. // 彼は友人と出かけないで一日中家で*くすぶっていた He *sat around at home* all day instead of going out with his friends.

くすむ — 動 (色がはっきりしない) be dull; (黒ずんでいる) be somber; (暗い) be dark. — 形 dull; somber; dark. 《☞ ぼんやり》.

くすり 薬 **1** «薬剤»: (総称) medicine Ⓤ ★ 種類をいうときは Ⓒ. 語法 (1) pill または tablet が総称として使われることもある; medication Ⓤ; (内服薬, 特に水薬) medicine Ⓤ, liquid Ⓤ ★ いずれも種類をいうときには Ⓒ; (粉薬) powder Ⓒ; (丸薬) pill Ⓒ; (錠剤) tablet Ⓒ; (カプセル) capsule Ⓒ; (外用薬) application Ⓒ; (軟膏) ointment Ⓤ ★ 種類をいうときは Ⓒ; (湿布薬) poultice /póʊltɪs/ Ⓒ; (座薬) suppósitòry Ⓒ; (薬物) drug Ⓒ; (治療薬) remedy Ⓒ; (殺虫剤) insecticide Ⓤ ★ 種類をいうときは Ⓒ; (農薬) ágricùltural chémicals ★ 通例複数形で.

【類義語】 医療に用いる薬は, 総称としては *medicine*, 専門的には *medication* であるが, 日常的には *pill*, *tablet* なども総称となる. また, 薬の材料の薬物が *drug* である. *drug* は毒の場合もあり, 「麻薬」の意味もある. ある特定の病気の治療薬を *remedy* と呼ぶことがあり, その場合は a headache *remedy* (頭痛薬) のように普通, 病名と共に用いられる. しかし *remedy* は「改善法・救済法」というような比喩的な意味で用いられることが多い.

日本語			英語		
薬	水薬		liquid medicine		medicine [medication]
	粉薬		powder		
	丸薬		pill		
	錠剤		tablet		
	カプセル		capsule		
	外用薬	軟膏	ointment	application	
		湿布薬	poultice		
		座薬	suppository	medication	

¶「これは何の*薬ですか (⇒ 何に効くのですか)」「胃腸の*薬です (⇒ 消化を助けます)」 "What is this (*medicine*) for?" "It helps [It's good for] (the) digestion." // この*薬を 6 時間おき[食後 30 分]に飲みなさい Take this ˹*medicine* [*medication*] ˹every six hours [thirty minutes after meals]. 語法 (2) 水薬 (liquid) の場合なら drink も使える. // 私は 5 日分の*薬をもらった I received ˹*medicine* [*medication*] for five days. // あの眠り*薬はたいへんよく効いた That sleeping *pill* worked ˹well [wonderfully]. // この瓶には 5 回分の*薬が入っている This bottle contains five *doses* (*of* ˹*medicine* [*liquid*; *medication*]). // 医者は私のために新しい*薬を処方してくれた The doctor prescribed a new ˹*medicine* [*medication*] for me. // 薬剤師はその*薬を慎重に調合した The ˹druggist [《英》 chemist] dispensed the ˹*medicine* [*medication*] with the greatest care. // 彼女は赤ん坊の蚊に食われたところに*薬 (⇒ 軟膏) を塗った She applied (˹an [some]) *ointment* to the baby's mosquito bites. // この*薬を飲めば風邪は治りますよ (⇒ この薬はあなたの風邪を治すでしょう) This *medicine* will cure your cold. // この*薬はどのくらいで効き目が現れますか How soon ˹does [will] this *medicine* take effect? // この*薬はすぐに効きます This *drug* ˹acts [works] quickly. // 稲に*薬をまく dust [spray] the rice plants with *insecticide* 《☞ さんぷ》

2 «上薬»: (焼き物につやを与えるための) glaze Ⓒ; (金属・陶器の装飾・保護のための) enamel Ⓤ.

3 «役立つもの» ¶ その経験は彼にとってよい*薬 (⇒ 教訓) になった That experience taught him a *lesson*. ★ lesson に「よい」という意味が含まれるので good はつける必要がない. / That experience may have been a *lesson* ˹to [for] him. 《☞ きょうくん》 // 彼は毒にも*薬にもならない男だ (⇒ 特によくも悪くもない) He is neither very *good* nor very bad.

4 «わいろ»: bribe Ⓒ 《☞ わいろ; はなぐすり》.

薬が効き過ぎる ¶ どうも彼には*薬が効き過ぎたようでした It seems that for him the *medicine* was *too strong*. ★ この英語で比喩的な意味に用いることが多い. **薬にしたく(て)もない** ¶ 彼には優しさなど*薬にしたく(て)もない He *doesn't have* ˹*a trace* [*an ounce*] *of* tenderness. 《☞ かけら》

薬アレルギー drug allergy /ǽlədʒi/ Ⓒ **薬売り** (行商の) medicine peddler Ⓒ **薬代** charge for medicine Ⓒ, pharmacist's [《英》 chemist's] bill Ⓒ **薬漬け** ¶ 彼女はその病院で*薬漬けになっている At the hospital they're *over-prescribing* her *with drugs*. **薬箱** medicine ˹chest [cabinet] Ⓒ; (救急薬品の) first-aid kit Ⓒ **薬びん** medicine bottle Ⓒ **薬屋** (店) phármacy Ⓒ; 《米》 drugstore Ⓒ ★ 後者はたばこ・文房具・本なども売っていて, 簡単な食事もできる; 《英》 chemist's (shop) Ⓒ; (病院などに付属している薬局) dispénsary Ⓒ; (人) 《格式》 phármacist Ⓒ ★ 有資格の薬剤師; 《米》 druggist Ⓒ, 《英》 chemist Ⓒ. 《☞ やっきょく》 **薬湯** medicated bath Ⓒ.

コロケーション

薬を開発する develop a *medicine* / 薬を投与する administer ˹*medicine* [a *drug*] to ... / 薬を飲み込む swallow *medicine* / 薬を服用している be on *medication* // 痛み止めの薬 a pain-killing ˹*medicine* [*drug*]; a painkiller / いんちき薬 a quack *medicine* / 驚くほどよく効く薬 a wonder ˹*medicine* [*drug*] / 催眠性の薬 a narcotic *drug* / 作用の強い[弱い]薬 a ˹strong [weak] ˹*medicine* [*drug*] / 習慣性の薬 an addictive *drug* / 処方された薬 (a) prescription ˹*medicine* [*drug*] / 心臓の薬 a heart ˹*medicine* [*drug*] / 咳止めの薬

(a) cough *medicine* / 苦い薬 bitter *medicine* / まずい薬 an unpalatable *medicine* / よく効く薬 an effective ⌈*medicine* [*drug*]

クズリ 〘動〙(イタチ科の哺乳類) glutton Ⓒ; (特に北米産の) wolverine Ⓒ.

くすりゆび 薬指 the third [ring] finger Ⓒ 語法 ring finger は特に左の薬指に使われる. (☞ ゆび; て (挿絵)).

ぐずる (むずかる) get fretful; (不機嫌になる) get ⌈cranky [irritable]; (泣いてねだる) cry for …. (☞ むずかる; だだ). ¶ 赤ん坊は暑いと*ぐずる Babies *get* ⌈*fretful* [*irritable*] in hot weather. // その子はおもちゃを買ってくれと*ぐずった (⇒ 泣いてねだった) The child *cried for* the toy.

くずれ 崩れ (倒壊) collapse Ⓤ. ¶ 作家*崩れ (⇒ 盛りを過ぎた作家) a *has-been* novelist // 役者*崩れ (⇒ 惨めな状況に陥った元役者) an *ex*-actor who *has slipped down to a pathetic condition*

くずれおちる 崩れ落ちる collapse 自; (ぼろぼろに砕け落ちる) crumble (down) 自; (屋根が落ち込む) fall in 自; (陥没する) cave in 自. (☞ くずれる).

くずれかかる 崩れかかる ¶ 塀が*崩れかかっていた (⇒ 崩れ始めていた) The wall *was beginning to collapse*. / (⇒ 今にも崩れ落ちようとしていた) The wall *was about to crumble*. (☞ くずれる)

くずれる 崩れる 1 《崩壊する》: (崩れ落ちる) collapse 自; (破壊される) be destroyed; (壊れる) break (up) 自; (音を立てて) crash 自; (力に屈して崩れる) give way 自; (屋根・天井・壁などが崩れ落ちる) fáll [cáve] ín 自. (☞ くずす; こわれる; たおれる[1]).

¶ 洪水で土手が崩れた (⇒ 洪水が土手を崩壊させた) The flood *destroyed* the embankment(s). // 石垣が*崩れそうな気配だ The stone wall shows signs of ⌈*falling in* [*collapsing*]. // 足場が突然*崩れた The scaffolding ⌈*gave way* [*collapsed*] suddenly.

2 《形が》: (形を失う) lose *one's* shape. ¶ 雪だるまの形が*崩れだした The snowman began to *lose* ⌈*its* [*his*] *shape*. // この背広は 5 年も着たのにまだ形が*崩れない (⇒ 形を保っている) I have worn this suit for five years, but it *has kept its shape*. // 列が*崩れてしまった The line ⌈*broke up* [*was thrown into disorder*]. // 彼はいくら酒を飲んでも*崩れない (⇒ 自制心を失わない) He never *loses his self-control*, however much he drinks.

3 《天気が》: (変わる) change 自. ¶ 天気が*崩れないうちに出発しよう Let's start before the weather ⌈*turns bad* [*changes*]. // 天気が*崩れなければいいんだが (⇒ 天気がこのままもつことを望む) I hope this (good) weather *lasts*.

くすん ¶ その子はかぜで鼻を*くすんくすんさせていた The child had the *sniffles*.

くすんだ ― 形 (色がはっきりしない) dull; (黒ずんだ) darkish.

くせ 癖 1 《習癖》: (無意識的な習慣) habit Ⓒ; (独特の癖) pecùliárity Ⓒ; (行動の仕方) way Ⓒ. (☞ しゅうかん[1]). ¶ 彼はつめをかむ*癖がある He has a *habit* of biting his nails. // 彼女には夜更かしの*癖がある (⇒ 夜遅くまで起きている習慣がある) She is *in the habit of* keeping late hours. // 悪い*癖はつきやすいものだ We [You] are apt to ⌈develop [fall into] bad *habits*. // 子供に早起きの*癖をつけさせなさい Make your children ⌈form [develop] the *habit* of getting up early. / Get your children into the *habit* of getting up early. // *癖を直すのはむずかしい It's hard to break a *habit*. // その*癖を直すのに 1 か月かかった It took me about a month to break the *habit*. ★ 自分の癖を自分で直す場合. // 彼女はその子の親指をしゃぶる*癖を直した She cured the child of (the *habit* of) sucking his thumb. ★ ほかの人の癖を直してやる場合. // 一度ついた*癖は直らない Once you get into a *habit*, it ⌈will stay with you [is difficult to shake off]. // 彼は晩酌の*癖がついた He *took to* drinking at dinner every night. // 気にするな. それが彼の*癖だ Never mind. ⌈It's just his *way* [It's a *way* he has; That's just the *way* he is]. // 無くて七*癖 Everyone has their own peculiar *habits*.

2 《特色》 ¶ 彼は*癖のある (⇒ 特異な) しゃべり方をする He has a *peculiar* way of speaking. // 彼は*癖のない英語を話す (⇒ なまりなしで) He speaks English *without* ⌈*an* [*any*] *accent*.

癖になる develop [fall into] the habit of …. ¶ 爪をあまり噛むと*癖になるよ If you bite your nails too much it will *become a habit*. // 彼が金の無心をするたびに貸してやると*癖になる (⇒ あなたの優しさにつけ込むようになる) He will *tend to take advantage of your kindness* if you lend him money every time he asks you to.

コロケーション
いやな癖 a nasty *habit* / 喫煙の癖 the ⌈tobacco [smoking] *habit* / どうしても抜けない癖 a ⌈fixed [confirmed] *habit* / 変な癖 an ⌈odd [unusual] *habit* / 浪費癖 spendthrift *habits*

くせい 区政 ward ⌈administration [government] Ⓤ.

くせげ 癖毛 (ウェーブのかかっている[巻いた]髪の毛) wavy [curly] hair Ⓤ; (ちぢれた[よじれた]髪の毛) frizzy [kinky] hair Ⓤ.

くせつ 苦節 ¶ *苦節 10 年, 彼女はやっと歌手として頭角を現してきた (⇒ 10 年もの長い間たゆまぬ努力をした後で) She finally began to stand out as a professional singer *after struggling constantly*, for as long as ten years.

くぜつ 口舌 quarrel (between intimates) Ⓒ, lover's quarrel Ⓒ.

ぐせつ 愚説 (一般的に馬鹿げた考え) ridiculous opinion Ⓒ; (自分の意見を謙遜して) my (humble) opinion Ⓒ. (☞ ぐこう[2] 日英比較).

-くせに 日英比較 この日本語にぴったり対応する英語はないのでいろいろに意訳する必要がある.

¶ 彼は 3 年もアメリカにいる*くせに英語がうまく話せない *Though* he's lived in the U.S. for three years, he doesn't speak English well. // 何も知らない*くせに大きな口をきくな Don't talk big *when* you don't know anything. // 知っている*くせに知らないふりをするなんて Don't ⌈pretend [act as if] you don't know. / Don't feign ignorance. ★ 後者のほうが格式ばった言い方. 語法 pretend や feign には「知っているくせに」の意味がふくまれている. //「今度の彼女のお相手はだれだい」「知ってる*くせに」 "Who's her new boyfriend?" "*As if* you didn't know." // 子供の*くせに生意気だ (⇒ なんて生意気な子供だ) What ⌈a cheeky [an impudent] child!

くせもの 曲者 (怪しい人物) suspicious character Ⓒ; (油断のならない人) cunning person Ⓒ; (泥棒) thief Ⓒ; (押し込み強盗) burglar Ⓒ. ¶ 彼は*くせ者だから注意したほうがいい He *is cunning*, so you should be careful dealing with him. // 恋は*くせ者 (⇒ 予言できない) Love is *utterly unpredictable*.

クセルクセス ― 名 固 Xerxes /zə́ːksiːz/, 519?–465 B.C. ★ アケメネス朝ペルシアの王.

くせん 苦戦 (厳しい戦い) hard fight Ⓒ; (死に物狂いの戦い) désperate ⌈báttle [fight] Ⓒ; (接戦) close contest Ⓒ, tight [tough; close] game Ⓒ. ¶ 私たちは*苦戦した (⇒ 厳しい戦いを持った) We had a ⌈*hard* [*severe*] *fight*. / (⇒ 小差の勝利を得た) We ⌈won [had] a *narrow victory*. // 今度の選挙では彼は*苦戦するだろう (⇒ 接戦に直面するだろう) He will face a ⌈*close contest* [*tough fight*] in the coming election.

くそ 糞 ── [名] 《卑》 shit Ⓤ [語法] 改まった場所では使ってはならない. ── [動] (大便をする) relieve *oneself*, defecate (自) ★ 前者は婉曲的な言い方. 後者のほうが格式ばった語; 《卑》 shit (自). (☞ べん²; ふん³; だいべん²). ¶ えい, *くそ Damn [Fuck] (it)! // あの映画は*くそおもしろくもなかった That movie was ⌈*simply* disgusting [not interesting *at all*].

くそくらえ Go to hell! / Screw it! / Damn!

くそも味噌も一緒 ¶ この雑誌の記事は*くそも味噌も一緒に載っている *Both good and bad* articles are included in this magazine. **くそ力** (すごい力) enormous strength Ⓤ; (野獣のような力) brute power Ⓤ **くそったれ** ¶ やつはとんでもない*くそったれだ He's a complete *shit*. // この*くそったれめ! You *filthy pig*! / You *son of a bitch*! **くそ度胸** ── [形] (向こう見ずの) foolhardy; (命知らずの) daredevil; (大胆不敵な) daring. ── [名] daring courage Ⓤ; (虚勢, からいばり) bravado /brəvɑ́ːdoʊ/ Ⓤ **くそまじめ** ── [形] too serious.

ぐそく¹ 具足 ── [名] (全部そろっていること) completeness Ⓤ; (よろい) armor (《英》 armour) Ⓤ. ── [動] be complete with …; (設備などがよく整っている) be well equipped. (☞ かんび¹; よろい).

ぐそく² 愚息 my son Ⓒ ★ 謙遜を示す「愚」の部分は英語では示さない.

くそみそ 糞みそ ── [動] (けなす) 《略式》 rùn dówn (他); (ひどく批判する) criticize … severely ★ 前者より格式ばった表現; (悪態をつく) call *a person* names. (☞ けなす; こくひょう). ¶ 彼は相手のやり方のことを*くそみそに言った (⇒ 相手のやり方を痛烈にこきおろした) He ⌈*ran down* [*slammed*] his opponent's policy. / (⇒ ひどく批判した) He *criticized* his opponent's policy *severely*.

くそむし 糞虫 ☞ こがねむし

くだ 管 (比較的太くて長い管) pipe Ⓒ; (比較的細くて短い管) tube Ⓒ ★ 一方が閉じられていてもよい. (☞ チューブ; つつ). **くだを巻く** (酔って) cry into *one's* beer; (いつまでもくだらないことを繰り返し言う) babble on (自), blather /blǽðɚ/ on (自) [語法] babble は元来幼児の「片言のしゃべり」の意. blather は「ばかばかしいことを言う」こと. いずれもしらふの人にも用いる. **管継ぎ手** pipe joint Ⓒ.

くたい 躯体 (身体) body Ⓒ; (建物などの骨組み) framework Ⓒ. (☞ からだ; しんたい¹; ほねぐみ). **躯体工事** framing (work) Ⓤ, framework setting Ⓤ.

くだい 句題 subject [theme] of a haiku (poem) Ⓒ (☞ だい¹; はいく).

ぐたいあん 具体案 (具体的な [明確な] 案) concrete [definite] plan Ⓒ.

ぐたいか 具体化 ¶ その計画は*具体化された (⇒ その計画は実現した) The plan ⌈*materialized* [*was realized*]. / (⇒ その計画は具体的な形をとった) The plan *took* (*concrete*) *shape*. (☞ じつげん)

ぐたいせい 具体性 concreteness Ⓤ, tangibility Ⓤ, palpability Ⓤ. (☞ ぐたいてき).

ぐたいてき 具体的 ── [形] (具体的な) còncréte (↔ abstract) ★ やや格式ばっているが, 訳語としては最も一般的な語; (明確な) définite (↔ indéfinite); (細かく具体的な) specific. ── [副] concretely; definitely. ¶ 私は彼が有罪であるという*具体的な証拠を持っている I have *concrete* proof of his guilt. // 君の説明は抽象的すぎる. もっと*具体的にしなさい Your explanation is too abstract. Be more *specific*. // その会議では*具体的な (⇒ はっきりした) ことは何一つ決められなかった Nothing *definite* was decided at the meeting.

くだく 砕く (壊す) break (他) 《過去 broke; 過分 broken》 ★ 最も口語的で一般的な語. to pieces (粉々に) などを補って以下の語の代わりに使うこともできる; (壊れやすいものを粉々に砕く) shatter (他); (投げつけたりして粉々に砕く) smash (他); (押しつぶしたり, 細かく砕く) crush (他). (☞ こなごな; こわす (類義語)). ¶ 私はアイスピックで氷を細かく*砕いた I *broke* the ice into pieces with an ice pick. // 砕氷船は氷を*砕いて進んだ The icebreaker *broke through* the ice. // この機械は木材を*砕いてパルプにする This machine *crushes* (wooden) logs into pulp. // 彼女の希望は打ち*砕かれた Her hopes *were* ⌈*shattered* [*crushed*; *dashed*]. // 彼は息子の将来について心を*砕いている (⇒ 一生懸命考えている) He *is thinking hard* about his son's future. // あなたの考えをもっと*砕いて (⇒ 簡単な言葉で[単純に]) 説明して下さい Please explain your idea ⌈*in simpler terms* [more *simply*].

くたくた ── [形] (疲れきって) dead tired Ⓟ, worn out Ⓟ, exhausted Ⓟ. ★ 後のものほど格式ばった語となる. (☞ へとへと; つかれる¹; くたびれる; 擬声・擬態語 (囲み)).
¶ 私は*くたくただった (⇒ まったく疲れた) I was *dead tired*. / (⇒ 消耗しきった) I was *exhausted*. // 彼は何時間も歩いたので*くたくただった (⇒ 長時間の歩行ですっかり疲れていた) He was ⌈*utterly* [*completely*; *totally*] *exhausted* from walking for hours. // 彼女はテニスをやって*くたくたに疲れた She ⌈*exhausted herself* [*tired herself out*] playing tennis. [語法] -ing 形がくることに注意.

くだくだ ☞ くどくど

くだくだしい ☞ くどい

くだけた 砕けた (親しみやすい) famíliar; (平易な) easy; (わかりやすい) simple; (格式ばっていない) informal (↔ formal); (口語的な) collóquial. (☞ りゃくしき; ☞ くだけた英語と堅苦しい英語 (巻末)).
¶ 彼はなかなか*くだけた (⇒ 話しやすい) 人のようだ He seems to be *easy* to talk to. // 手紙は*くだけた文体で書きなさい Write your letter in ⌈an *informal* [a *familiar*] style. // あの外国人は非常に*くだけた日本語を話す That foreigner speaks very *colloquial* Japanese.

くだける 砕ける (壊れる) break (自) (他) 《過去 broke; 過分 broken》 [語法] 最も一般的な語. 「粉々に」の意のときは break into pieces のように修飾語を付けて用いることが多い; (ぶつかって瞬間的に) smash (自) (他); (壊れやすいものが, 破片が飛び散って砕ける) shatter (自) (他); (ばらばらになる) go to pieces. (☞ くだく; こわれる).
¶ 波が岩に当たって*砕けた The waves *broke* ⌈against [on] the rocks. // コップが落ちて*砕けた (⇒ ばらばらに壊れた) The glass fell and *broke into pieces*. / (⇒ コップが床の上でがしゃんと砕けた) The glass *smashed* ⌈on [to] the floor. / (⇒ コップが床に当たったとき粉々に砕けた) The glass *shattered* when it hit the floor. // 厳しい批判で彼はすっかり腰が*砕けてしまった (⇒ 批判が彼の意気をそいだ) The severe criticism completely ⌈*broke* his spirit [*damped* (*down*) his enthusiasm]. (☞ こしくだけ)

ください 下さい **1** 《…して下さい》: please [語法] (1) この語は元来「もしもお気に召すなら」(if you please) が縮まった形で, 動詞の前に付けて, 丁寧な依頼・要請を表す最も一般的な語である. please は例えば「どうぞお入り下さい」 *Please* come in. のように動詞の原形の前に用いても, Come in, *please*. のように文尾に付けてもよい. さらに, Will you *please*

come in? のように Will you ...? の文の文中に入れても, Will you come in, *please*? のように文尾に置いてもよい. 文尾に please が置かれると通常上がり調子になる. また please は「水を1杯いただけますか」May I have a glass of water, *please*? のように May を用いた丁寧な要請の文の文尾に付けても用いられる. さらに「お名前をどうぞ」(Your) name, *please*. のように please を名詞の後に付けて要請を表すこともできる. 以上のように「...して下さい」という日本語に最も近い英語は please であると言えるが, そのほかにも「...して下さい」という日本語に近い丁寧な表現を表す言い方は幾つかある. [日英比較] 日本語の「どうぞ」や「下さい」と英語の please は必ずしもすべての場合において一致するわけではない. 相手に対して利益になることを勧める場合, 例えば電車で老人に席を譲って「おかけ下さい」という場合とか,「どうぞお帰り下さい」(もう帰ってもよいという意味で), あるいは「行ってらっしゃい」Have a nice trip. などに please を使うと半ば強制的な意味となって失礼で奇妙なニュアンスとなる. このような場合はその文脈に応じて単純な命令文, あるいは You can ... などの別の表現を用いる. 《☞ どうぞ; 丁寧な表現 (巻末)》.
¶どうぞおかけ*下さい *Please* ⌜sit down [take a seat]. // 静かにして*下さい *Please* be quiet. / Be quiet, *please*. // 窓を閉めて*下さいませんか Will you *please* close the window? / *Please* close the window. / *Would you mind* closing the window? [語法] (2) 最後の表現が一番丁寧とされる. // お名前を教えて*下さい May I have your name, *please*? // ちょっと見せて*下さいませんか *May I* have a look at it? // 駅へ行く道を教えて*下さい *Could you please* tell me the way to the station? [語法] (3) このように過去の助動詞と please を用いると丁寧な表現となる.
2 《...を下さい》 ★ 相手に物品などの贈与, 引き渡し, 提供などを求める場合の丁寧な表現. 《☞ いただく¹; くれる¹》. ¶申し込み用紙を1枚*下さい *Please* give me an application form. / *May* [*Could*] I *have* an application form, *please*? // 《店で》ハンカチを1枚*下さい I'*d like* a handkerchief.

くださる 下さる (与える) give (他); (位・称号などを授ける)《格式》bestow (他); (上位者が下位者に授与する)《格式》confer (他). [日英比較]「下さる」は「与える」「くれる」の尊敬語の用法と敬意を丁寧に表す用法とがあるが, 英語にはこれらに相当するぴたりの訳語はないので, 文脈に応じた丁寧な表現に訳出する必要がある. 《☞ ください; あたえる; くれる¹; じゅよ》.
¶この本を私に*下さるのですか (⇒ この本は私への贈り物ですか) Is this book (*a gift*) *for* me? // あなたの*下さったお手紙を本日拝読しました Today I read the letter you *sent* me. // いっしょに来て*下さるとたいへんありがたいのですが I would be greatly obliged if you *would kindly* come with me. ★ 格式ばった表現.

くだされもの 下され物 present [C], gift [C] ★ 前者のほうが口語的.

くだしぐすり 下し薬 ☞ げざい

くだす 下す, 降す **1** 《命令を》: give (他) ★ 最も平易な語; (命令する) order (他), command (他) ★ 後者はやや格式ばった語. 《☞ めいれい》. ¶彼は私たちにすぐ出発するよう命令を*下した He *gave* us orders to start at once. [語法]「命令」の意味で order はしばしば複数形にする. / (⇒ すぐ出発するようにと命じた) He *ordered* us to start at once.
2 《判決を》: pass (他) 《☞ はんけつ; せんこく¹》. ¶裁判官はその犯人に判決を*下した The judge *passed* ⌜judgment [sentence] on the criminal.
3 《結論を》: (決定する) conclude (他) (自); (到達する) reach (他), come to ... 《☞ けつろん》. ¶この問題についてどういう結論を*下しましたか What conclusions did you *come to* on this problem?
4 《腹を》: (下痢をしている) have ⌜diarrhea [diarrhoea] /dàɪəríːə/ 《☞ げり》. ¶私は腹を*下している (⇒ 下痢をしている) I *have* [I'*ve got*] *diarrhea*. [語法] 上品な席では My stomach is upset. や I've got an upset stomach. のように婉曲な言い方にする.
5 《負かす》: beat (他), defeat (他) ★ 前者が口語的. 《☞ まかす; かつ¹》.

くだたま 管玉 small pipe-shaped greenish gemstone (used in ancient Japan to make a necklace by stringing a number of them) [C] ★ 説明的な訳.

くだつぎて 管継ぎ手 ☞ くだ

ぐたっと ☞ ぐったり

グダニスク ── [名] (固) Gdańsk /gdáːnsk/ ★ ポーランド北部の海港. ń の ´ は綴り本来のもの.

くたにやき 九谷焼 Kutani ware [U]; (九谷焼の製品) Kutani porcelain [C]. ¶*九谷焼の皿 a *Kutani* plate

くたばる (死ぬ)《米・俗》kick the bucket, croak (自); (くたくたになる)《米・俗》be zonked out. 《☞ しぬ (類義語); へこたれる》. ¶*くたばってしまえ *Go to hell*! **くたばりぞこない** ¶この*くたばりぞこないめ You *bastard*! / (老人に対して) You *old fart*!

くたびれもうけ ☞ ほねおり (骨折り損)

くたびれる ── [動] (疲れている) be tired; (疲れる) get [become] tired; (くたくたに消耗する) be [become; get] exhausted ★ 前者より格式ばった言い方. ── [形] (くたびれた) tired; (うんざりして) weary; (心身がくたくたに) exhausted; (使い古した) worn out. 《☞ つかれる¹; くたくた》.
¶私は水泳ですっかり*くたびれた I *got* very *tired* (from) swimming. // 私は彼女を待ち*くたびれた I *got* ⌜*tired of* [*fed up* (*of*)] waiting for her. // 彼のレインコートはすっかり*くたびれていた (⇒ すり切れていた) His raincoat was completely *worn out*.

くだもの 果物 fruit [U] [語法] 果物一般を指すときは冠詞を付けず複数形にもならないが, 種類を指すときは [C]. 《☞ 可算・不可算名詞 (巻末); かじつ¹》.
¶「あなたは*果物が好きですか」「はい, 好きです」"Do you like *fruit*?" "Yes, I do." // 我々はもっと*果物を食べるべきだ We should eat more *fruit*. // あの店ではいろいろな*果物を売っている They sell ⌜various kinds of *fruit* [various *fruits*] at that store.
果物ナイフ paring knife [C] **果物屋** (店) fruit ⌜《米》store [《英》shop] [C]; (人) fruit dealer [C].

――コロケーション――
熟れた果物 ripe *fruit* / 熟れていない果物 unripe [young] *fruit* / 乾燥果物 dried *fruit* / 缶詰の果物 canned [《英》tinned] *fruit* / 腐った果物 rotten *fruit* / 種無しの果物 seedless *fruit* / 熱帯産の果物 tropical *fruit*

くだら 百済 ── [名] (固) Paekche /pæktʃéɪ/ ★ 朝鮮半島の古代の国.

くだらかんのん 百済観音 Kudara Kannon; (説明的には) the seventh-century wooden statue of Avalokiteshvara (Kanzeon Bosatsu) in the temple Horyuji in Nara.

くだらない 下らない **1** 《取るに足らない》 ── [形] trivial, trifling; (小さくてつまらない) petty. 《☞ つまらない》. ¶私は彼と*くだらないことでけんかをした I had a quarrel with him over a ⌜*trivial* [*trifling*] matter. // *くだらないことにくよくよするな (⇒ つまらないことについて心配するな) Don't worry about ⌜*petty* [*little*; *trivial*] things.
2 《無価値な》 ── [形] (価値のない) worthless; (くず同様の) trashy; (役に立たない) useless. ── [名]

(物・人などで取り柄のないもの) trash Ⓤ. (☞ つまらない). ¶ 彼女は*くだらないものに金を使う She wastes money on *worthless* things. // あんな*くだらないやつとつきあうな Don't ⌈hang around [get involved] with such a ⌈*good-for-nothing* [*useless*] person.

3 《馬鹿らしい》 ── 形 absurd. ── 名 (馬鹿げたこと) nonsense Ⓤ ★ しばしば a ～ として; (たわごと) 《俗》 rot Ⓤ. (☞ ばかばかしい). ¶ *くだらないことを言うな Don't talk *nonsense*! // *くだらない *Nonsense*! / 《米》 *Garbage*! / 《英》 *Rubbish*!

くだり[1] **下り** ── 名 (下ること) descént Ⓒ; (列車の) down train Ⓒ; (下りの坂道) downhill Ⓒ. ── 形 down Ⓐ (↔ up). (☞ のぼり[1] 日英比較). ¶ *下りホームはあちらです The *down* platform is over there. // 彼は*下り列車に乗った He took a *down* train. // *下り最終列車 the last *down* train // 北陸線の*下り a *down* train on the Hokuriku line // 道はここから*下りになる The path ⌈*goes* [*slopes*] *down* from here. // *下り (道) は楽だ (⇒ 簡単だ) It is easier to *go down the* ⌈*hill* [*slope*]. // *下りのエスカレーターはどこですか Where's the ⌈*down* escalator [escalator *going down*]?

くだり[2] **件, 条** (法律などの条項) article Ⓒ; (条約・法律の箇条) clause Ⓒ; (文章中の節) passage Ⓒ; (段落) paragraph Ⓒ. (☞ せつ[2]; じょうこう[1]; かしょ[1]; ぶぶん).

くだりざか 下り坂 (坂道の) downhill Ⓒ ★ 最も一般的な語; (説明的には) downward ⌈slope [path] Ⓒ (↔ upward ⌈slope [path]), downhill road Ⓒ (↔ uphill road). ¶ その土地は海の方へ*下り坂になっている The land ⌈*slopes* [*goes*] *down* to the sea. // 彼の評判[人気]は*下り坂だ (⇒ 落ち目だ) His ⌈reputation [popularity] is *on the wane*. (☞ おちめ) // 天気は*下り坂だ (⇒ 悪いほうに変わった) The weather *has changed for the worse*.

くだりばら 下り腹 ☞ げり

くだる 下る **1** 《おりる》 ── 動 gò [còme; gèt] dówn ⓐ, descénd ⓐ (↔ ascénd) ★ 後者のほうが格式ばった語. (☞ おりる). ¶ この坂を*下って左へ曲がりなさい *Go down* this slope and turn (to the) left. // 彼らはその川をボートで*下った They *went down* the river ⌈by boat [in a boat]. // 滝は橋から約 1 キロ*下ったところ (⇒ 通り越した所) にある The waterfall is about one kilometer *past* the bridge.

2 《命令などが》: (命令が出される) be ⌈given [issued]; (人が命令される) be ordered; (判決が下る) be passed; (人が判決を下される) be sentenced. (☞ くだす). ¶ 前進命令が*下った Orders *were* ⌈*given* [*issued*] to advance. // 彼には重い判決が*下った A heavy sentence *was passed* on him.

3 《下回る》: (…より少ない) be less than …; (…より低い) be lower than … (☞ いか[1]; したまわる). ¶ 彼女の年収は 1 千万を*下らない (⇒ 1 千万以上だ) Her annual income *is more than* ten million yen.

4 《下痢をする》 ── 動 have ⌈diarrhea [diarrhoea] /dàɪəríːə/ (☞ くだす; げり). ¶ 私は腹が*下っている I *have* [*I've got*] *diarrhea*.

くだんの 件の (問題の) in question; (前述の) the said ★ 契約書などに用いられる; (上述の) the above-mentioned ★ 格式ばった語. (☞ れい[1]). ¶ *くだんの件 the matter *in question*

くち 口 **1** 《器官》 ── 名 mouth Ⓒ (複 ～s /máʊðz/); (唇) lips ★ 話す器官としては複数形で用いる. (☞ 次々頁コロケーション (囲み); くちびる; かお (挿絵)). ── 形 (口の) oral. (☞ こうとう[1]). ¶ 大きく*口を開けなさい Open your *mouth* wide. // *口を閉じなさい Shut your *mouth*. // *口をゆすぐ rinse (out) *one's mouth* // *口をいっぱいにしたままでしゃべってはいけない Don't talk with your *mouth* full. // その子は*口をぽかんと開けて私を見つめた The child stared at me ⌈with his *mouth* (wide) open [*openmouthed*]. // 彼は*口に手を当ててあくびをした He yawned, covering his *mouth* with his hand. // 彼はいつも*口にパイプをくわえている He always has a pipe in his *mouth*. // あなた自身の*口から話せば彼もその話を信じるだろう He'll believe the story if ⌈you *tell* it [it comes from you]. // 不満は一度も彼女の*口から出なかった No complaints have ever passed her *lips*. // そのうわさは*口から*口へと伝わっていった The rumor passed from *mouth* to *mouth*. // 彼は*口が臭い (⇒ 臭い息を持っている) He has ⌈bad [foul] *breath*. / He has *halitosis* /hæ̀lətóʊsɪs/. ★ halitosis は「口臭」の意.

2 《しゃべること・言葉》 ── 動 (口をきく) talk ⓐ, speak ⓐ ★ 前者が口語的. ── 名 (話す力) speech Ⓤ; (比喩的に) tongue Ⓤ. ¶ その赤ん坊もじきに*口をきける (⇒ しゃべる) ようになるだろう The baby will *talk* soon. // 彼は大きな*口をきく (⇒ ほらを吹く) He *talks* big. (☞ おおぐち) // 容疑者はけっきょく*口を割らなかった (⇒ 白状することを拒否した) The suspect refused to confess after all. (☞ 口を割る) // 彼女は君の名前をよく*口にした Your name was often on her *lips*. / (⇒ 名前を引き合いに出した) She often ⌈referred to [mentioned] your name. (☞ 口にする) // 彼女は驚いて*口がきけなかった (⇒ 言葉を失った) She was speechless with surprise. / (⇒ 物も言えないほどびっくりした) She was *dumbfounded*. // 人の*口に戸は立てられない (⇒ 人はしゃべるもの) People will *talk*. (ことわざ: 人は口うるさいもの)

3 《しゃべり方》 ¶ 彼は*口の達者なセールスマンだ He is a *glib* salesman. ★ glib は軽蔑的. // 彼は*口も八丁手も八丁だ (⇒ 口が達者であると同時に有能だ) He is quick to *speak* (up) and very efficient as well. (☞ くちはっちょう)

4 《食べること・味覚》 ☞ **口が肥える; 口に合う; 口にする**

5 《器物の》: (口の形をしたもの) mouth Ⓒ; (口のあたるところ) mouthpiece Ⓒ; (栓) stopper Ⓒ; (やかんなどの飲み口) spout Ⓒ. (☞ やかん[2] (挿絵)). ¶ つぼ [瓶] の*口 the *mouth* of a ⌈jar [bottle]

6 《就職口》: (勤め口) job Ⓒ, position Ⓒ ★ 前者が一般的で口語的. 後者は中立的な語; (仕事) work Ⓤ; (職業) employment Ⓤ; (空き・欠員) opening Ⓒ; (空席) vacancy Ⓒ. (☞ しょく[1]). ¶ 彼は勤め*口を探しているそうだ I hear he's looking for ⌈a *job* [*work*; *employment*]. // 私は外国の商社に*口を探している I am looking for an *opening* in a foreign trading company.

7 《初め・入口》 ¶ まだ宵の*口だ The night is *young*. / It's still *early*. ★ 前者はきまり文句. // 駅の東*口で待っています I'll wait for you at the east ⌈*gate* [*exit*] (of the station). (☞ いりぐち; でぐち; とぐち)

8 《出し分》: share Ⓒ. ¶ 一*口 5 千円の寄付を募る raise a subscription of 5,000 yen per *share* // 私もその基金に*一口のりましょう I'd like to take a *share* in the fund.

口がうまい ¶ 彼は*口がうまい (⇒ なめらかな舌をもっている) He *has a smooth tongue*. / (⇒ 口先のうまい話し手だ) He's *a* ⌈*smooth* [*fast*] *talker*. **口がおごる** ¶ 彼女は*口がおごっている (⇒ 食べ物に関する好みがうるさい) She *is fastidious about food*. / (⇒ グルメだ) She *is a gourmet*. **口が重い** ── 形 (だまりがちな) reticent. ¶ 彼は*口が重い (⇒ ゆっくりしゃべ

る) He *speaks slowly.* / (⇒ 口数が少ない) He'*s a man of few words.* **口が掛かる** ¶ 彼に管理人の*口が掛かった (⇒ 管理人の地位の提供があった) He *was offered* the position of manager. **口が堅い** ¶ 彼女は*口が堅い (⇒ 用心深くて口数が少ない) She's *closemouthed.* / (⇒ 話す時に慎重だ) She is *discreet* in conversation. / (⇒ 秘密が守れる) She can *keep a secret.* / (⇒ 決して秘密を漏らさない) She *never leaks a secret.* **口が軽い** have a loose tongue. ¶ 彼女は*口が軽い (⇒ おしゃべりだ) She is *talkative.* / (⇒ 秘密を守れない) She *can't keep a secret.* **口が腐っても[裂けても]** ¶ そのことは*口が腐っても[裂けても] (⇒ どんなことがあっても) 言いません *Come what may*, I'll never tell anyone about that. **口が肥える** ¶ 彼は*口が肥えている (⇒ 繊細な[違いのわかる]味覚を持っている) He has a ˹*sensitive* [*discriminating*] *palate.* **口が過ぎる** ¶ 彼を馬鹿呼ばわりするのはちょっと*口が過ぎる (⇒ 言い過ぎる) You'*re going too far* in calling him a fool. / Calling him a fool is *going a bit far.* **口が酸っぱくなる** ¶ そのことについては彼に*口が酸っぱくなるほど言った (⇒ 繰り返し繰り返し) I told him about it *over and over again.* **口が滑る** ¶ つい*口が滑ってしまった It just *slipped out.* / I *mentioned* it *inadvertently.* **口が塞がらない** ¶ 彼がずうずうしいのには開いた*口がふさがらなかった (⇒ 啞然とした [口がきけないほどだった]) I *was* ˹*dumbfounded* by [*speechless* at] his impudence. **口が減らない** ¶ あいつは*口が減らないやつだ (⇒ 万事に対して答えを持っている) He *has an answer for everything.* **口が曲がる** ¶ 恩人の悪口を言うと*口が曲がるよ (⇒ 報いを受ける) You'll *pay for* speaking critically of the person to whom you owe a great deal. / (⇒ 天があなたを罰する) *Heaven will punish you* if you criticize your benefactor. **口から先に生まれる** ¶ 彼は*口から先に生まれたような男だ (⇒ 生まれつきおしゃべりだ) He *was born with a big mouth.* **口から[まで]出かかる** ¶ 彼の名が*口から出かかっているのだが出ない (⇒ 彼の名が舌の先にある) His name *is on the tip of my tongue.* **口が悪い** ¶ 彼は*口が悪い (⇒ 鋭い舌をもつ) He *has a sharp tongue.* **口と腹は違う** ¶ 彼の*口と腹は違う (⇒ 言うことと実際に考えていることは別物だ) What he says and what he really thinks are two different things. / (⇒ あることを言っても意味していることは別だ) He says one thing and means another. **口に合う** ¶ このりんごがお*口に合えばいいのですが I hope you *like* these apples. // 羊の肉は私の*口に合わない (⇒ 羊の肉は好まない) I don't *like* mutton. / (⇒ 好みに合わない) Mutton *is* not *to my* ˹*liking* [*taste*]. **口にする** ¶ その話は*口にするのもはばかられる (⇒ それは口に出せない話だ) That's an *unmentionable* matter. / (⇒ それについて話すのはちゅうちょする) I hesitate to *talk* about it. 《☞ くち 2 用例》// 今までこんなにうまいものを*口にしたことがない (⇒ 食べたことがない) I've never before ˹*had* [*eaten*] anything so delicious. **口に出す** ¶ 考えたことをなんでも*口に出してはいけない You shouldn't *mention* every little thing that crosses your mind. // *口に出してみると考えがはっきりする Thoughts take shape when you *put* them *into words.* **口にのぼる** ¶ 彼のことは人々の*口にのぼった (⇒ 人が話し始めた) People started *talking* about him. **口に任せる** (考えなしに喋る) talk without thinking; (頭に浮かんだことをそのまま口にする) say the first thing that comes into *one's* head. **口は重宝だ** ☞ ちょうほう¹ **口は災いのもと** Out of the mouth comes evil. 《ことわざ: 悪いことは口から来る》 **口ほどにもない** ¶ あいつは*口ほどにもない男だ (⇒ 口ばかりで行動を伴わない) He's *all talk and no action.* **口を合わせる** ¶ あの二人は*口を合わせているに違いない (⇒ 互いの話が矛盾しないように前もって打ち合わせたに違いない) Those two must *have agreed in advance not to contradict each other.* 《☞ くちうら》 **口を入れる** ☞ **口を挟む** **口を利く** ¶ おじが*口を利いて (⇒ 影響力を使って) くれて私はこの仕事に就いた My uncle *used his influence* to get me this job. 《☞ くちきき》 **口を切る** ¶ 長い沈黙のあと, 彼が*口を切って話し始めた (⇒ 話しを始めることで長い沈黙を破った) He *broke* the long silence by beginning a story. [日英比較] 日本語では「口を切って [長い沈黙を破って] 話し始める」というので, 英語で break the long silence and begin talking とすると非論理的となる.「口を切る」ことは「話し始める」ことだからである. したがって break the long silence by beginning a story などとしなくてはならない. 《☞ くちび》 **口を極めて** ¶ 彼は彼女の絵を*口を極めてほめた He *was loud in his praise* of her picture. **口を滑らせる** ¶ 彼女は*口を滑らせた She *made a slip of the tongue.* // 彼女はつい*口を滑らせてその秘密をもらした She ˹*let slip* [*blurted out*] the secret. **口を添える** ☞ くちぞえ **口を揃える** ¶ 子供たちは*口をそろえて「おはようございます」と言った The children said *in* ˹*chorus* [*unison*], " Good morning, ˹sir [ma'am]. " // みんなは*口をそろえて (⇒ いっせいに) 彼女の勇敢さをほめた They *unanimously* praised her for her courage. 《☞ くちぐちに》 **口を出す** ¶ 人のことに*口を出さないでくれ (⇒ おせっかい[干渉]をするな) Don't *meddle* [Stop *interfering*] in my affairs. / (⇒ 自分のことに気をつかえ) Mind your own business! // 彼があまり話すものだから私は*口を出せなかった He talked so much that I couldn't *get a word in* (*edgeways*). // 私は他人のことには*口を出したくない (⇒ 干渉したくない) I don't like to ˹*meddle* [*interfere*] in other people's ˹affairs [business]. 《☞ くちだし》 **口をたたく** ¶ 彼はよく大きな*口をたたく (⇒ 偉そうなことを言う) He often *talks* big. / (⇒ 大げさに言う) He often *exaggerates.* 《☞ おおぐち》 **口をついて出る** ¶ お世辞が彼の*口をついて出た A flattering remark *rose to his lips.* **口を噤(つぐ)む** ¶ 彼は*口をつぐんだ He ˹*stopped talking* [*fell silent*]. // 生いたちのことを聞いたら彼は*口をつぐんでしまった He *clammed up* when I asked him about his background. 《☞ つぐむ》 **口を慎む** ¶ *口を慎みなさい (⇒ 言葉づかいに気をつけなさい) *Watch your tongue!* **口を尖らせる** ¶ 彼女は*口をとがらせた She *pouted.* **口を閉ざす** ¶ 彼は自分の家族のことについては*口を閉ざして語らなかった He was *tightlipped* about his family. **口を濁す** (言葉をあいまいにする) speak ambiguously; (返事をあいまいにする) give a vague answer. 《☞ にごす》. **口をぬぐう** ¶ 彼女はその事件のことには*口をぬぐっていた (⇒ 知らない[無関係の]ふりをした) She *pretended not to* ˹*know about* [*have had anything to do with*] the incident. **口を糊(のり)する** (何とか生活する) manage to live; (その日暮らしをする) live hand-to-mouth. **口を挟む** ¶ 人が話している時横から*口をはさむのは失礼だ It's impolite to ˹*interrupt* [*break in*] when someone is talking. **口を開く** ¶ 彼女はどうしても*口を開こうとしなかった She would not *open her* ˹*mouth* [(⇒ 唇) *lips*]. **口を封じる** (黙らせる) silence (他). ¶ 秘密が漏れないように彼の*口を封じておく必要がある (⇒ 秘密を守るように彼に圧力をかける) We must *pressure* him ˹to keep [into keeping] the secret. 《☞ くちふうじ》 **口を割る** ¶ 刑事は容疑者に*口を割らせようとしたがむだだった The detective tried in vain to *make* the suspect ˹*confess* [*make a clean breast of it*]. 《☞ くち 2 用例》

コロケーション
口をぎゅっと閉める clamp *one's mouth* shut / 口をすぼめる purse *one's* ˹*mouth* [*lips*] / 口をつぐんでいる keep *one's mouth* ˹shut [closed] / 口を拭く wipe *one's mouth*

ぐち[1] **愚痴** ━ 名 complaint U; grumble U 語法 (1) 何かに不満があって言うのが complaint. 「不平の種」という意味では C. 気分的におもしろくなくてぶつぶつ言うのが grumble. ━ 動 complain 自; grumble 自. ━ 形 (愚痴っぽい)《格式》querulous. (☞ もんく; ふへい).
¶*愚痴をこぼすのはやめなさい Stop *grumbling*. // あの男はいつもぶつぶつ*愚痴をこぼしている He is always *complaining*. // 彼女の*愚痴は聞き飽きた I got tired of her ˹*complaints* [*grumbles*]. // 彼女は部屋が狭いと*愚痴をこぼしている She *complains* of the room being too small. / She *complains* that her room is too small. 語法 (2) that 節の前に前置詞が省略されたと考えられている. // 彼はその仕事を*愚痴ひとつこぼさずにやった He accomplished the task without *complaining*. // 年を取ると*愚痴っぽくなる We get *querulous* with age.

ぐち[2] 〖魚〗drum(fish) C, croaker C.

くちあけ 口開け (瓶や樽などの) broaching; (物事の始め) the beginning; (店などの) the opening. (☞ はじめ).

くちあたり 口当たり ¶このワインは*口当たりがよい (⇒ よい味がする) This wine ˹*tastes good* [《略式》*hits the spot*]. // それはとても*口当たりがよい (⇒ 味がおいしい) It is ˹very *pleasing* [*delightful*] *to the taste*.

くちあらそい 口争い ☞ こうろん[1]

くちいれ 口入れ ━ 動 (…に勤め口を見つけてやる) find a job for …; (仕事の斡旋を業とする) act as an employment agent. **口入れ屋** (職業) employment agency C; (人) employment agent C.

くちうつし[1] **口移し** ¶彼女は赤ん坊に水薬を*口移しで飲ませた (⇒ 自分の口から) She *gave* her baby the liquid *from her own mouth*. **口移し人工呼吸** mouth-to-mouth resuscitation U.

くちうつし[2] **口写し** ━ 名 (他人の言葉をおうむ返しにすること) parroting U; (ふざけて行う物まね) mimicry U; (人の言葉などをまねること) imitation U. ━ 動 parrot 他; mimic 他; imitate 他.

くちうら 口裏 **口裏を合わせる** ¶彼らはその事故について*口裏を合わせた (⇒ 互いに共謀して同じことを述べた) They *colluded* (*with each other*) and gave the same account of the accident. // 彼らが*口裏を合わせたのは明らかだ (⇒ 互いに食い違いのないようにあらかじめ打ち合わせをした[話をでっち上げた]のは明白だ) It is obvious that they ˹*rehearsed* [*concocted*] the story so as not to contradict each other.

くちうるさい 口うるさい ☞ くちやかましい

くちえ 口絵 fróntispìece C.

くちおしい 口惜しい (残念な) sorry P; (遺憾な) regrettable. (☞ くやしい; ざんねん).

くちおも 口重 ━ 形 (黙りがちな) réticent; (物静かな) quiet. ━ 動 be reticent; be quiet; (あまり話さない) do not talk much. (☞ むくち; かもく[2]).

くちがき 口書き (序文) preface C; (特に著者以外の人が書いた序文) foreword C; (供述書) written statement C; (口に筆をくわえてかくこと) writing [drawing] with a brush in *one's* mouth U. (☞ じょぶん; きょうじゅつ (供述書)).

くちがしこい 口賢い (弁舌さわやかな) éloquent; (すらすら話す) smooth /smúːð/ ★ しばしば軽蔑的に用いられる; (口の達者な) glib ★ 軽蔑的. (☞ くち; たっしゃ).

くちかず 口数 ¶彼は*口数が少ない (⇒ 言葉の少ない人だ) He is a man *of few words*. / (⇒ あまりしゃべらない) He *doesn't speak much*. / (⇒ 静かな男だ) He is a *quiet* man. // 彼は*口数が多い (⇒ おしゃべりだ) He is very *talkative*. / (⇒ 大いにしゃべる) He *talks a great deal*. (☞ むくち; おしゃべり)

くちがたい 口堅い (口を堅く閉じた) tight-lipped; (秘密を守るために口数が少ない) close-mouthed. (☞ かたい[1]).

くちがね 口金 (かばん・ベルトの) clasp C; (瓶の) (bottle [metal]) cap C; (瓶の王冠) crown (bottle) cap C.

くちがる 口軽 ━ 形 (おしゃべりな) talkative; (多弁な)《格式》voluble ★ 軽蔑的に用いられることもある. ━ 名 talkativeness U; 《格式》volubility U. (☞ くち; かるい; おしゃべり).

くちき 朽ち木 (立ち木) decayed tree C; (木材) decayed wood U.

くちきき 口利き ¶彼女は先生の*口利きで (⇒ 先生が口添えをしてくれたから) その銀行に就職した She got the position in the bank because her teacher *had put in a good word for* her. // 彼は田中氏の*口利きで (⇒ 影響力のおかげで) 現在の地位を得た He obtained his present ˹position [job] *through* Mr. Tanaka's *influence*. // 私は彼に従業員と経営者間の*口利き (⇒ 和解調停) を頼んだ I asked him to *mediate* a settlement between workers and management. (☞ くちぞえ; せわ)
【参考語】(尽力) offices ★ 複数形で; (影響力) influence U; (調停者) médiàtor C; (仲裁人) gó-betwèen C.
口利き疑惑 suspicion of influence peddling U
口利きビジネス mediation business U.

くちぎたない 口汚い ━ 形 (口汚くののしる) abusive; (下品な) foul. ━ 動 abuse 他; (タブーとされているような言葉を使って毒づく) swear at …; (悪態をつく) call *a person* names. ━ 副 abusively. (☞ ののしる; ばとう). ¶彼は時々自分の妻に*口汚い言葉を使う He sometimes ˹uses *abusive* language to [*swears at*] his wife. // 彼は私のことを*口汚くののしった He *called* me *names*.

くちきり 口切り (封を開けること) opening U; (物事の始まり) the beginning.

くちぎれい 口綺麗 ¶彼女は*口ぎれいだ (⇒ 食い意地は張っていない) She is *not* ˹*greedy* [*gluttonous*]. // 彼は*口ぎれいだが行動が伴わない (⇒ 何でも聞こえのよいことは言うが自分では何もしない) He *says everything high-sounding* and does nothing himself. / (⇒ リップサービスをするだけだ) He only *pays a lot of lip service*.

くちく 駆逐 ━ 動 (追い払う) drive awáy 他, expel … from … ★ 後者はやや改まった言い方; (除く・やっかい払いをする) get rid of … ★ 口語的. (☞ おいはらう). ¶悪貨は良貨を*駆逐する Bad money will *drive* good money *out of* circulation. **駆逐艦** destroyer C.

くちぐせ 口癖 (言葉遣い) way [habit] of saying C; (よく口にする言葉) pet [favorite] ˹phrase [saying] C.
¶「最善を尽くせ」というのが彼の*口癖の 1 つだ "Do your best" is one of his ˹*favorite* [*pet*] *phrases*. // 彼は*口癖のように*「金が足りない」と言う (⇒ いつも金がないと言い続ける) He ˹*always goes on* [*goes on and on*] about having no money. / (⇒ 彼はいつも金が不足していると言う) He *always says* that he is short of money. / (⇒ 金が足りないと言うことなしに口を開かない) He *never opens* his *mouth without saying* that he is short of money.

くちぐちに 口口に ━ 副 (全員一致した意見で)

unanimously; (声をそろえて) in chorus, in unison; (同時に) at the same time. 《☞ いっせい¹》.
¶ 彼らは*口々にそのスローガンを繰り返した They repeated the slogan *in*「*chorus* [*unison*]. // みんなはその件について*口々に (⇒ めいめい) 自分の意見を述べた *Everybody* gave「their [his] *own* opinion on the matter.

クチクラ 〘解〙(角皮) cuticle /kjúːtɪkl/ Ⓒ.

くちぐるま 口車 ¶ 人を*口車に乗せて同意させる *cajole* [*wheedle*] *a person* into consenting
口車に乗る ¶ 彼の*口車に乗るな (⇒ 彼の甘い言葉に気をつけろ) Be careful of his *sweet words.* / (⇒ 彼の甘い言葉にだまされるな) Don't *fall for* his *sugar-coated words.* 語法 fall for は話などに「だまされる」という意味の口語. / (⇒ なめらかな舌にだまされるな) Don't *be taken in* by his smooth tongue.
【参考語】(甘い言葉) sweet [sugarcoated] words; (なめらかな舌) smooth tongue Ⓒ; (人を誘惑するえさ) bait Ⓤ; (人を甘言でだます) cajole ㊀, wheedle ㊀.

くちげんか 口喧嘩 ── 名 (一般的にけんか) quarrel Ⓒ; (自説の正しさを主張して論じ合うけんか) argument Ⓒ; (騒々しい大げんか) brawl Ⓒ; (意見の衝突) cónflict Ⓒ. ── 動 quarrel ㊁, have a quarrel with ..., have words with ...; argue with ... 《☞ けんか¹ (類義語); こうろん¹》. ¶ 私は彼女とつまらないことで*口げんかをした I「*quarreled* [*had a quarrel*] *with* her「*about* [*over*] nothing.

くちごと 口小言 ── 名 (不平) complaint Ⓒ. ── 動 complain ㊁. ¶ 母はいつも*口小言を言う My mother *is* always *complaining.*

くちごたえ 口答え ── 名 (生意気な) back talk Ⓤ, 《英》 backchat Ⓤ; (鋭い言い返し) retort Ⓒ ★ 前の 2 語より格式ばった語. ── 動 tálk báck ㊁, ánswer báck ㊁ ㊀; retort ㊀ ㊁. 《☞ いいかえす; はんろん¹》. ¶ *口答えするな None of your *back talk*! // 先生はその子が*口答えをしたのでしかった The teacher scolded the boy for「*talking* [*answering*] *back.* // 両親には*口答えをするものじゃない You should not「*talk back to* your parents [*answer* your parents *back*].

くちコミ 口コミ ── 副 (口コミで) by word of mouth; (口から口へと) from mouth to mouth; 《略式》 on [through] the grapevine. ★ 秘密の情報がひそかに口から口へ伝わること. 《☞ くちづたえ; マスコミ 日英比較》. ¶ 私はその新しいレストランのことを*口コミで知った I learned about the new restaurant *by word of mouth.* // その知らせは*口コミで知れ渡った The news spread「*by word of mouth* [*from mouth to mouth*].

くちごもる 口ごもる (もぐもぐ言う) mumble ㊀ ㊁; (どもる) stammer ㊀ ㊁; (つかえつかえ言う) falter ㊀ ㊁ 語法 以上は ㊀ として用いるときは out を伴うことがある; (ちゅうちょする) hesitate ㊁. 《☞ しどろもどろ; ぶつぶつ¹》.
¶ 彼女は*口ごもって何か言ったが, 私には聞きとれなかった She *mumbled* something, but I couldn't catch it. // 彼は*口ごもりながら言い訳をした He *stammered* (*out*) an excuse. // その子は*口ごもりながら私に礼を言った The boy thanked me *falteringly.* / The boy「*faltered* [*stammered*] (*out*) his thanks. // 私は問いつめられて*口ごもってしまった (⇒ 答えるのにちゅうちょした) Questioned closely, I *hesitated in answering.*

くちさがない 口さがない ── 形 (うわさ好きの) góssipy; (人の悪口を言う) sláнderous. ── 名 (おしゃべりな人) gossip Ⓒ; (悪口を言い触らす人) scandalmonger /skǽndlmʌ̀ŋɡɚ/ Ⓒ.

くちさき 口先 ¶ 彼は*口先だけだ (⇒ 本気で言っているのではない) He never *means* what he says. // *口先だけの親切 *lip* service // *口先だけの約束 an *empty* promise // *口先のうまい男 (⇒ 真実でないことをもっともらしく言う男) a *plausible* man / (⇒ ぺらぺらとあることないことをうまくしゃべる人) a「*glib* [*smooth*] talker

くちさびしい 口寂しい ¶ 寝る前になるといつも*口寂しい (⇒ 何か食べたくなる) I always *feel like eating something* before going to bed. // たばこをやめたので*口寂しい (⇒ 口に何か入れたい) Since I gave up smoking, I *feel the need for something to put in my mouth.*

くちざわり 口触り ¶ この豆腐は*口ざわりがよい This tofu is soft on *the palate.* / This tofu *tastes* good.

くちしのぎ 口しのぎ ¶ 当時私はアルバイトをして*口しのぎしていた (⇒ 何とか生活していた) I *managed to make a living* by working part time.

くちじゃみせん 口三味線 humming a samisen tune Ⓤ. ¶ やつの*口三味線には乗るな (⇒ なめらかな舌にだまされるな) Don't fall for his *smooth tongue.*

くちじょうず 口上手 ── 形 (口先だけの) glib; (口のうまい) smooth-tongued, smooth-spoken ★ 以上いずれも軽蔑的に用いられるのが普通.

くちずさむ 口ずさむ (小声で歌う) croon ㊀ ㊁; (ハミングをする) hum ㊀ ㊁. 《☞ はなうた》. ¶ 子守歌を*口ずさむ *croon* a lullaby

くちぞえ 口添え ── 名 (推薦) rècommendátion Ⓤ; (尽力・斡旋(あっせん)・好意) good offices ★ 複数形で. ── 動 (...のために口添えする) pùt ín a góod wórd for ...; rècomménd ㊀. 《☞ くちきき; せわ; すいせん¹》.
¶ 私は山田先生の*口添えでいまの職につくことができました (⇒ 推薦で) Thanks to [Through] Mr. Yamada's *recommendation*, I got my present position. / I got my present job because Mr. Yamada *put in a good word for* me.

くちだし 口出し ── 動 (おせっかいを焼く) meddle [ìnterfére] in ... 語法 (1) interfere は with を伴うと「邪魔する」の意味になる; (好奇心から他人のことに介入する) 《略式》 poke [stick] *one's* nose into ...; (人の話に割り込む) cut in (on ...) ㊁, ìnterrúpt ㊀ 語法 (2) 前者は「割り込む」ことに, 後者は「さえぎる」ことに重点がある. ── 名 interference Ⓤ; interruption Ⓤ ★ 具体的には Ⓒ. 《☞ おせっかい; かんしょう¹; かいにゅう》.
¶ 彼女はいつも他人のことに*口出しする She'*s* always「*meddling* [*interfering*] *in* other people's affairs. // 彼のことには*口出ししないようにしなさい Don't「*poke* [*stick*] *your nose into* his business. // 彼女はしばしば人の話に*口出しする She often「*cuts in on* [*breaks in on*; *interrupts*] other people. // 余計な*口出しをしないでくれ (⇒ 放っておいてくれ) Leave me alone. / (⇒ 自分の職分を守れ) Mind your own business.

くちだっしゃ 口達者 ── 形 (おしゃべりな) talkative; (弁舌さわやかな) 《格式》 voluble; (口先のうまい) smooth-tongued /smúːðtʌ́ŋd/, smooth-spoken ★ 通例軽蔑的. ── 名 talkativeness Ⓤ; 《格式》 volubility Ⓤ; smooth tongue Ⓒ. 《☞ くち; たっしゃ》.

くちつき 口付き (口の形) shape of the mouth Ⓤ; (話し方) manner of speaking Ⓒ. 《☞ くちぶり》.

くちつきたばこ 口付きたばこ cigarétte with a móuthpìece Ⓒ.

くちづけ 口づけ kiss Ⓒ 《☞ キス》.

くちづたえ 口伝え ── 副 (口伝えで) by word of mouth; (口から口へと) from mouth to mouth.

《☞くちコミ》.

くちづて 口伝て ☞くちづたえ

くちどめ 口止め ―動(人にしゃべらないようにさせる) make *a person* ⌈keep quiet [maintain *a person's* silence] (about ...) ★ 説明的だが平易な口語表現; (口外を禁じる) muzzle ㊕, gag ㊕ 語法 muzzle は犬などの鼻づらのことから口輪の意となり, gag はさるぐつわのことで, 共に比喩的に口止めする意となる; (もみ消すために口止めする) húsh úp ㊕ ★ もみ消すことのほうに重点がある. 《☞ひみつ》.
¶ 私は彼女にそのことを言わないように*口止めした (⇒黙っているように約束させた) I *made her promise to keep* ⌈*quiet* [*silent*] *about* the matter. // 私たちはそこへ行ったことを*口止めされている (⇒口に出すことを禁じられている) We *have been* ⌈*forbidden* [*told not*] *to mention* having gone there. // 社長はその件について社員全員に厳重に*口止めした The president *has* strictly ⌈*gagged* [*muzzled*] all the employees about the affair. / The president issued a strict *gag* order concerning that affair to all the employees. **口止め料** hush money Ⓤ.

くちとり 口取り side dish (in a Japanese dinner) Ⓒ.

くちなおし 口直し (デザート) dessert Ⓒ. ¶*口直しをする (⇒あと味を取り除く) take away [kill] the aftertaste

くちなぐさみ 口慰み ¶*口慰みに (⇒退屈を紛らすために) 友達と電話で話をした I talked with my friend over the telephone in order to *relieve the tedium*.

くちなし 梔子 〔植〕(木・花) gardenia /ɡɑə-díːnjə/ Ⓒ, Cape jasmine Ⓒ.

くちならし 口慣らし (口を使っての練習) oral practice Ⓤ 《☞ならす[2]》.

くちぬの 口布 〔洋裁〕binding Ⓤ.

くちのは 口の端 (人のうわさ話) gossip Ⓤ; (世間の評判) rumor (《英》rumour) Ⓒ; (話の種) the talk. 《☞うわさ; ひょうばん》. ¶*口の端に上る (⇒うわさをされる) *be talked about* / be *the talk* of the town

くちば 朽ち葉 decayed [rotten] leaves ★ 複数形で. **朽ち葉色** grayish brown Ⓤ.

くちぱく 口ぱく ―名 lip sýnc Ⓤ. ―動 lip-sync ㊐ ㊕.

くちばし 嘴 (鳩・すずめなどの) bill Ⓒ; (肉食鳥の鋭くかぎ形の) beak Ⓒ. 《☞とり[1] (挿絵)》. ¶ 1羽のこまどりが赤い木の実を*くちばしでつついていた I saw a robin *pecking* (*at*) some red berries.
くちばしが黄色い ¶ 彼らはまだ*くちばしの黄色い若造だ They are still *wet behind the ears*. 語法 生まれたばかりの赤ん坊は耳の後ろがぬれているとされていることから, 未経験や新米という意味で使われる口語表現. **くちばしを入れる** ¶ 他人のことに*くちばしを入れるな (⇒おせっかいをするな) Don't *meddle in* other people's affairs. / (⇒干渉するな) Don't ⌈*stick* [*poke*] *your nose* into other people's business.

くちばしる 口走る (わけのわからないことを言う) babble ㊐ ㊕; (もらす) let [blurt] out ㊕. 《☞もらす》. ¶ 彼女は興奮してわけのわからぬことを*口走った She *babbled away* in her excitement. // 彼は思わずその秘密を*口走った He *let* the secret *out* in spite of himself.

くちはっちょう 口八丁 ―形(雄弁な) éloquent; (口の達者な) glib ★ 通例軽蔑的. 《☞くち; たっしゃ》. ¶ 彼は*口八丁手八丁だ (⇒雄弁家であるだけでなく有能な実行者でもある) He is an efficient doer as well as an *eloquent speaker*.

くちはてる 朽ち果てる (朽ちる) rot away ㊐; (完全に腐る) decay completely ㊐; (世に知られずに死ぬ) die in obscurity ㊐. ¶ こんないなかで*朽ち果てたくはない I don't want to *die in obscurity* in the country like this.

くちはばったい 口幅ったい ―形(目上の人に対して生意気な) impértinent, ímpudent, cheeky; (自信過剰で) presumptuous. 《☞なまいき》.
¶*口幅ったいことを言うようですが (⇒私の言うことは生意気のようですが) あなたは間違っていると思います What I say may sound *presumptuous*, but I think you're wrong.

くちばや 口早, 口速 ―副 fast, quickly.
¶ 彼は*口早に話した He ⌈talked [spoke] ⌈*fast* [*quickly*]. 《☞はやくち》

くちび 口火 (ガス湯沸かしなどの) pilot ⌈light [burner] Ⓒ.
口火を切る ¶ 彼女が彼への質問の*口火を切った (⇒質問を始めた最初だった) She was *the first* to fire questions at him. / She *got the ball rolling* by asking him a question. ★ 後者の方が口語的.

くちひげ 口髭 mustache /mʌ́stæʃ/ Ⓒ, moustache /məstáːʃ/ Ⓒ ★ しばしば複数形で. 《☞ひげ[1] (挿絵); はやす[1]》. ¶ 彼は*口ひげを生やしている[生やした] He ⌈has [grew] a *mustache*. // あの*口ひげの紳士を知っていますか Do you know that gentleman with the *mustache*(*s*)?

くちびょうし 口拍子 ―動(声で拍子をとる) count off the beats ㊐.

くちびる 唇 lip Ⓒ 語法 最近は単数形で使うことが多いが, 上下の唇を指すときは複数形. 《☞くち; かお (挿絵)》. ¶ 彼は上[下]*唇をなめた He licked his ⌈upper [lower] *lip*. // 口笛を吹くときは*唇をすぼめる When we whistle, we ⌈pucker [purse] (up) our *lips*. // 彼の*唇はきゅっと結ばれていた His *lips* were drawn tightly. // 厚い[薄い]*唇をしている have ⌈thick [thin] *lips*
唇を噛む ¶ 彼は悔しくてじっと*唇をかんだ He bit his *lip* in (his) mortification.
唇を尖らす ¶ 彼女は*唇をとがらした She pouted.

くちふうじ 口封じ ¶ その件については*口封じされています (⇒話すことを禁じられている) We *are forbidden to tell* you about the matter. // 何とか彼の*口封じをしなければ (⇒彼にしゃべらないようにさせなければ) ならない We have to *make* him *keep quiet* by some means or other. 《☞くちどめ》

くちぶえ 口笛 ―名 whistle Ⓒ. ―動 whistle ㊐ ㊕ 参考 歯の間から音を出すのも whistle.
¶ 楽しい曲を*口笛で吹く *whistle* a happy tune // *口笛を吹いて犬を呼ぶ *whistle* for *one's* dog

くちふさぎ 口塞ぎ ☞くちどめ; くちよごし

くちぶり 口振り ¶ 彼はそのことをすべて知っているような*口ぶりだった (⇒知っているかのように話した) He *talked as if* he knew all about it. // 彼の*口ぶりから (⇒言っていることから) 判断すると, 彼は自分で商売をしているようだ Judging from *what he says*, he seems to be in business for himself. // 彼は近いうちに退職するような*口ぶりだった (⇒退職をほのめかした) He *hinted* at his retirement in the near future. 《☞くちょう[1]; ごちょう[1]》

くちべた 口下手 (人) poor speaker Ⓒ 《☞とつべん》. ¶ 彼は*口べただ (⇒言葉でうまく言い表せない) He is *not good with words*. / (⇒演説が下手だ) He is a *poor speaker*. / (⇒自分を表現するのが下手だ) He is ⌈*poor* [*not very good*] *at expressing himself*.

くちべに 口紅 lipstick Ⓤ ★ 化粧道具としては Ⓒ 《☞けしょう (挿絵)》. ¶ 彼女は*口紅を塗った She put on some *lipstick*. // あなたに*口紅は早すぎる You are too young to ⌈wear [use] *lipstick*. //

*口紅のついた茶腕 a *lipstick*-stained cup

くちべらし 口減らし ―動(扶養する家族数を減らす) reduce the number of mouths *one* has to feed.

くちへん 口偏 (漢字の) mouth radical on the left of kanji Ⓒ.

くちへんとう 口返答 ☞ くちごたえ

くちぼそ 口細 〘魚〙dace Ⓒ.

くちまかせ 口任せ ☞ でまかせ

くちまね 口真似 ―名(言ったことをそのまま繰り返すこと) mímicry Ⓤ; (意味もわからずに繰り返すこと) párroting Ⓤ; (まね) imitation Ⓤ. ―動 mimic ⓗ; ímitàte ⓗ; parrot ⓗ. (☞ まね).
¶ おうむは人間の*口まねをすることができる Parrots can *mimic* human speech. // 彼が先生の*口まねをしたときみんなが笑った Everyone laughed when he ⌈*mimicked* [*imitated*] his teacher's way of speaking. // 彼女は*口まねがうまい She is a good *mimic*.

くちまめ 口忠実 ―形(おしゃべりな) talkative; (多弁な) 《格式》 loquácious ★ しばしば軽蔑的. ―名 talkativeness Ⓤ; loquaciousness Ⓤ, loquacity Ⓤ. (☞ おしゃべり; くちかず; たべん).

くちもと 口元 (口) mouth Ⓒ; (唇) lips 日英比較 日本語の「唇」より少し範囲が広い. 複数形で. (☞ くち; くちびる). ¶ 彼女は*口元がかわいらしい (⇒ かわいらしい口を持っている) She has a ⌈lovely [sweet] *mouth*. // 彼女は*口元に笑みを浮かべて「こんにちは」とあいさつした She said "Hello" with a smile on her *lips*.

くちやかましい 口喧しい ―形(うるさく小言を言う) nagging; (人をしかる) scolding; (細かい) particular; (あら捜しをする) faultfinding. ―動 nag ⓐ ⓗ; scold ⓗ; find fault with … (☞ うるさい; やかましい). ¶*口やかましい妻 a *nagging* wife // 彼の上司はいつも彼に*口やかましく小言を言う His boss *is* always *nagging* (*at*) him.

くちやくそく 口約束 ―名(一般的に) promise Ⓒ; (口頭の取り決め) verbal [oral] agreement Ⓒ; (口先だけの約束) empty promise Ⓒ. ―動(口約束をする) make [give] a promise; (かなり重要な) give *one's* word. (☞ くちさき; やくそく).

くちゃくちゃ ¶*くちゃくちゃになった新聞 a *crumpled* newspaper // *くちゃくちゃとガムをかむ (⇒ うるさい音を立てて) chew gum ⌈*noisily* [*audibly*] (☞ 擬声・擬態語 (囲み))

ぐちゃぐちゃ (水たまりで) sloppy; (泥んこで) muddy; (ぬかるんで) slushy. (☞ びしょびしょ; ぬかる¹; 擬声・擬態語 (囲み)). ¶ 豪雨で道が*ぐちゃぐちゃになった (⇒ 豪雨が道をぬかるみにした) A heavy rain made the road ⌈*sloppy* [*muddy*]. // ご飯が*ぐちゃぐちゃになってしまったようね (⇒ やわらかく炊きすぎた) We seem to have cooked the rice *too soft*. // つまらないことで*ぐちゃぐちゃ文句を言うな Stop *complaining bitterly about* little things.

ぐちゃり ―動(柔らかいものを踏みつぶす) tread (on …) ⓐ ⓗ, squash ⓗ; (平らにする) flatten ⓗ. (☞ ぺちゃんこ; つぶす; おしつぶす; 擬声・擬態語 (囲み)). ¶ 彼はトマトを*ぐちゃりと踏みつぶした He *squashed* the tomato underfoot.

くちゅう 苦衷 (苦悩) anguish Ⓤ; (心痛) pain Ⓤ; (苦境) predícament Ⓒ. (☞ くのう; しんつう).

くちゅうざい 駆虫剤 (殺虫剤) inséctìcìde Ⓤ ★ 種類をいうときは Ⓒ; (スプレー式の) ínsect spráy Ⓒ.

くちょう¹ 口調 (語調) tone Ⓒ; (話す調子) accents ★「口調」の意味では通例複数形で. (☞ くちぶり; ごちょう¹). ¶ 彼は怒った[興奮した, 熱心な]*口調でしゃべった He spoke in an ⌈angry [excited; fervent] *tone*. // 彼女は気取った*口調で話す She talks in affected *accents*.

コロケーション

甘ったるい口調で in a honeyed *tone* / 安心した口調で in a relieved *tone* / 威嚇的な口調で in a threatening *tone* / いぶかしそうな口調で in a questioning *tone* / 横柄な口調で in an arrogant *tone* / 厳かな口調で in a solemn *tone* / おどけた口調で in a jocular *tone* / おびえた口調で in a frightened *tone* / 恩着せがましい口調で in a condescending *tone* / きっぱりした口調で in a firm *tone* / 事務的な口調で in a businesslike *tone* / 真剣な口調で in a serious *tone* / 尋問口調で in an interrogatory *tone* / 鋭い口調で in a sharp *tone* / 断固とした口調で in a decisive *tone* / 冷たい口調で in ⌈a cold [an icy] *tone* / 丁寧な口調で in a respectful *tone* / とげとげしい口調で in a harsh *tone* / ドライな口調で in a matter-of-fact *tone* / なだめるような口調で in a conciliatory *tone* / 非難するような口調で in an accusing *tone* / 皮肉な口調で in an ironic *tone* / 見下したような口調で in a patronizing *tone* / 無作法な口調で in a rude *tone*

くちょう² 区長 the ⌈head [chief (administrator)] of a ward Ⓒ (☞ ちょう³).

ぐちょく 愚直 ―形(ばか正直な) simple and honest; (極端に正直な) honest to a fault ★ 格式ばった表現. ―名 simple honesty Ⓤ.
¶*愚直な男 a *simple and honest* man

くちよごし 口汚し ¶ お*口汚しに (⇒ ちょっとばかり) ケーキでもいかがですか (⇒ ケーキを食べませんか) Won't you try just a bit of cake?

くちる 朽ちる (自然の成り行きとして) decay ⓐ ⓗ; (朽ちてなくなる) rót awáy ⓐ. (☞ くさる (類義語)).

ぐちる 愚痴る (不平・不満を述べる) complain ⓐ; (おもしろくなくてぶつぶつ言う) grumble ⓐ. (☞ ぐち¹; もんく).

くちわ 口輪 (犬などの) muzzle Ⓒ. ¶ その犬に*口輪を付けておきなさい Keep the dog *muzzled*.

くちわる 口悪 ―動(悪口を言う) speak ill of …; (にくまれぐちをたたく) say nasty things. (☞ わるくち; あしざま; にくまれぐち). ¶ 彼女は*口悪な人だ (⇒ 他人の悪口をいう) She ⌈*speaks ill of* [*says bad things about*] others.

クチン 〘植〙(角皮素) cutin /kjúːtn/ Ⓤ.

ぐちん 具陳 ―動(詳しく述べる) elaborate (on …) ⓐ; (詳細に説明する) expound ⓗ.

くつ 靴 (短靴) shoe Ⓒ; (ブーツ) boot Ⓒ; (運動用の) sneaker Ⓒ 語法 以上は特に片方を指すとき以外は複数形で用いる. 数えるときは a pair of ⌈shoes [boots], two pairs of ⌈shoes [boots]; (商業用語で, 履き物一般を指して) fóotwèar Ⓤ. (☞ 数の数え方 (囲み)).
¶*靴をはいた I put on my *shoes*. / I put my *shoes* on. // *靴を脱いだ I took off my *shoes*. / I took my *shoes* off. // 彼女は赤い*靴をはいていた She was wearing red *shoes*. / She had red *shoes* on. // あの*靴はいくらですか How much is that *pair of shoes*? / How much are those *shoes*? // *靴が痛い My *shoes* ⌈hurt [pinch] me. // この*靴は寸法がぴったりだ These *shoes* are exactly the right size. // その*靴は少し小さすぎた The *shoes* were a little too ⌈small [tight]. 日英比較 英米では靴のサイズは縦は 3 分の 1 インチ刻みで, 男性用は 7 から 13 くらい, 女性用は 5 から 11 くらいが普通. 英語に直す場合は適宜換算して言うほかない. また横幅は狭いほうから広いほうへ順に AAA, AA, A, B, C, D, E, EE, EEE に

分かれる. 従って eight B とか nine C のように言う. なお, 英米の間には一般に約 0.5 の違いがあるといわれ, 《英》の 8 は《米》の $8^1/_2$ に当たる.

靴音 footsteps ★ 通例複数形で. また「足音」の意にもなる. **靴型** (靴屋が用いる) last Ⓒ; (靴の形を保つための) shoe tree Ⓒ **靴敷き** insole Ⓒ **靴ずみ**[クリーム] shoe polish Ⓤ **靴底** sole Ⓒ **靴直し** shoe repair Ⓤ; (人) shoemaker Ⓒ **靴拭い** doormat Ⓒ ★ 単に mat とも言う. **靴ひも** shoelace Ⓒ, 《米》 shoestring Ⓒ **靴ブラシ** shoe brush Ⓒ; (ブーツの) boot brush Ⓒ **靴べら** shoehorn Ⓒ **靴磨き** shoeshine Ⓒ; (人) shoe-shiner Ⓒ **靴屋** shoe 「《米》 store [《英》 shop] Ⓒ; (製造・修繕する人) shoemaker Ⓒ; (製造・修繕する店) shoemaker's Ⓒ.

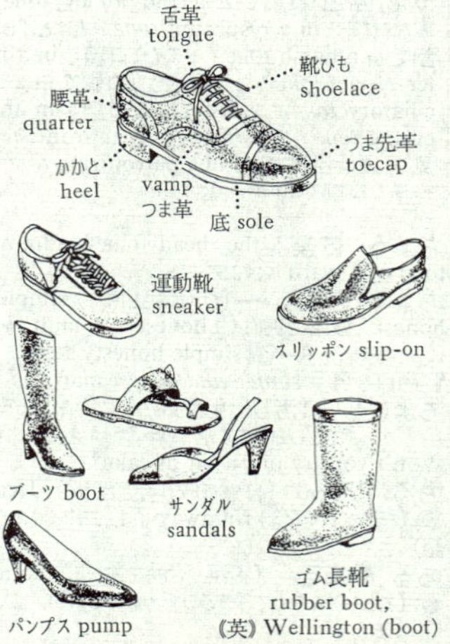

コロケーション

靴のひもを締める lace (up) [tie] *one's shoes* / 靴のひもを解く unlace [undo] *one's shoes* / 靴を修理する fix [repair] *one's shoes* / 靴を履き潰す wear out *one's shoes* / 靴を履き慣らす break in *one's* new *shoes* / 靴を磨く shine [polish] *one's shoes* // 厚底の靴 platform *shoes* / かかとの高い靴 high-heeled *shoes* / かかとの低い靴 flat (-heeled) *shoes* / ゴム底の靴 rubber-soled *shoes* / 作業用の靴 work *shoes* / よそ行きの靴 *one's* Sunday *shoes* / 礼装用の靴 dress *shoes*

くつう 苦痛 ― [名] (一般的な痛み) pain Ⓤ ★ 最も一般的な語で以下の語の代わりとなり得る場合が多い; (一時的な激痛) pang Ⓒ ★ 文語的; (精神的・肉体的な苦しみ) suffering Ⓤ; (もがくほどの苦しみ) ágony Ⓤ; (精神的・肉体的で持続的な苦しみ) torture Ⓤ, torment Ⓤ [語 法] 以上の語は具体的なことを指すときはいずれも Ⓒ となる; (激しい精神的な苦しみ) anguish Ⓤ ★ 格式ばった語. ― [形] (つらい) painful; (苦悩に満ちた) anguished Ⓐ. (☞ いたみ (類義語); くるしみ).

¶ 精神的*苦痛 mental 「*pain* [*anguish*] // 1 時間もじっと立っているのは*苦痛です I find it *painful* (to keep) standing still for one hour. // その病人はしきりに*苦痛を訴えている The patient is complaining of *pain*. // 私はもうなんの*苦痛も感じません I'm no longer in any *pain*. / I don't feel *pain* anymore. / (⇒ 痛みが私を去った) The *pain* has left me now. // 妻の急死の話をするのは彼には*苦痛だった It was *painful* for him to talk about his wife's sudden death. // フランス語の勉強は私には*苦痛だ Studying French is a *pain* (for me).

コロケーション

苦痛に耐える bear [stand; endure] 「*pain* [*suffering*] ★ bear, stand は否定文・疑問文・条件文で, また endure も主に否定文で用いることが多い. / 苦痛を抑える kill *pain* / 苦痛を経験する experience 「*pain* [*suffering*] / 苦痛を引き起こす cause *pain* / 苦痛を除く remove *pain* / 苦痛を和らげる ease [allay; alleviate; reduce; lessen; relieve] 「*pain* [*suffering*]

クッカー (調理用の加熱器具) cooker Ⓒ.

くつがえす 覆す (上級機関などが決定を) òverrúle (他); (反対の決定をする) reverse (他); (既成のものを) overthrow (他). (☞ ひるがえす). ¶ 裁判所はその判決を*覆した The court 「*overruled* the decision [*reversed* the judgment]. // その新発見によって定説が*覆された The new discovery *overthrew* the established theory.

くつがえる 覆る (反対の決定をされる) be reversed; (却下される) be òverrúled; (既成のものが倒れる) fall (自), be overthrown.

くっき 屈起 ― [動] (他者より抜きんでる) stand out from the crowd; (そびえる) rise (自), tower (自); (山などがそびえ立つ) dominate (他). ― [形] (そびえ立って) dominant.

クッキー[1] 《米》 cookie Ⓒ, cooky Ⓒ, 《英》 sweet biscuit Ⓒ. (☞ ビスケット [日英比較]).

クッキー[2] 〚コンピューター〛 (ネット上のユーザー情報ファイル) cookie Ⓒ.

くっきょう 屈強 ― [形] (たくましい) sturdy; (筋骨たくましい) muscular; (強い) strong; (丈夫な) robúst. (☞ つよい (類義語); たくましい).

くっきょく 屈曲 ― [動] (折れ曲がる) bend (自); (丸く曲がる) curve (自); (曲がりくねる) wind /wáınd/ (自). ― [形] (ジグザグの) zígzàg; (曲がりくねった) winding. ― [名] bend Ⓒ; curve Ⓒ; (曲がり角) turn Ⓒ. (☞ まがる). ¶ *屈曲した道 a *winding* road // この川はあちこち*屈曲して流れている This river flows with many *turns*.

くっきりと ― [副] (明瞭に) clearly, sharply; (他と区別してはっきりと) distinctly. (☞ はっきり (類義語); あざやか; 擬声・擬態語 (囲み)). ¶ 夕空に富士山が*くっきりと見える (⇒ 夕空を背景にしてはっきりと見える) Mt. Fuji can be seen *clearly* against the evening sky. / (⇒ 夕空にはっきりと輪郭が描かれている) Mt. Fuji is *sharply* outlined against the evening sky.

くっきん 屈筋 〚医〛 flexor (muscle) Ⓒ.

クッキング (料理) cooking Ⓤ ★ 書名などには《英》では cookery を用いることが多い. [日英比較] 日本語では「クッキングが上手だ」などというが, 英語ではこのような場合 " ... is a good cook " のような言い方をする (☞ じょうず). また「中国式クッキング」などともいうが, これは Chinese cuisine (★ cuisine /kwızí:n/ は「料理法」の意) というほうが普通.

クッキングカード recipe card Ⓒ **クッキングスクール** cooking [cookery] school Ⓒ **クッキングホイル** tinfoil Ⓤ ★ cooking foil は商標名.

クック[1] ― [動] (火を使って料理する) cook (他) (自). ― [名] (コック) cook Ⓒ. (☞ りょうり).

クック[2] ― [名] (固) James Cook, 1728–79. ★ 英国の航海者. オーストラリア・ニュージーランドなどを探検した.

クックしょとう クック諸島 ― [名] (固) (地名) the Cook Islands ★ 複数形で the を付けて.

くっこうせい 屈光性 ― [名] 〚生〛 photótropìsm Ⓤ. ― 形 phòtotrópic.

くっくっ ¶彼女は*くっくっと笑った She *chuckled* (to herself). / (⇒くすくす笑いを抑えることができなかった) She *was unable to suppress a giggle.* ⟪☞こみあげる; 擬声・擬態語 (囲み)⟫

ぐつぐつ ¶なべにふたをして約1時間*ぐつぐつと牛肉を煮て下さい Cover the pot and *simmer* the beef for about an hour. ⟪☞擬声・擬態語 (囲み)⟫

くっさく 掘削 ― 動 (掘る) dig ⑭; (機械を使って) bore ⑭; (掘って穴をあける) éxcavàte ⑭ ★ 格式ばった語. ― 名 digging Ⓤ; boring Ⓤ; excavation Ⓤ. ¶山を*掘削してトンネルを造る *dig* [*bore*] a tunnel through a mountain **掘削機** excavator Ⓒ.

くっし 屈指 ― 形 (一流の) leading; (他を引き離している) òutstánding; (名高い) distínguished; (最もよいものの1つ) one of the best 語法「最も大きいもの」「最も強いもの」など, 形容詞は意味によって変わる. 次に来る名詞は複数形にする. ¶それは日本*屈指の博物館です It is *one of the best* museums in Japan. // 世界で*屈指の大都市 (⇒最も大きい都市の1つ) *one of* the largest cities in the world

くつした 靴下 (短い靴下) sock Ⓒ; (長い靴下) stocking Ⓒ 語法 両者とも特に片方を指すとき以外は複数形で用いる. 数えるときは a pair of socks, three pairs of stockings. ⟪☞数の数え方 (囲み)⟫. ¶*靴下をはく[脱ぐ] put on [take off] *one's* ⌈*socks* [*stockings*] // *靴下をはいたまま寝床に入った I went to bed with my ⌈*stockings* [*socks*] on. **靴下どめ** garter Ⓒ ★ 通例複数形で.

くつじゅう 屈従 ― 動 (一時的に屈する) yield (to ...) ⓐ; (服従する) submit (to ...) ⓐ ★ 前者のほうが口語的; (屈服する) succumb (to ...) ⓐ. ― 名 submission Ⓤ. ⟪☞くっぷく; ふくじゅう⟫.

くつじょく 屈辱 ― 名 (屈服させられて恥じること) humiliation /hju:mìliéɪʃən/ Ⓤ; (不名誉) disgráce Ⓤ ★ いずれも具体的な事例は Ⓒ. ― 形 (屈辱的な) humíliàting; (不面目な) disgraceful. ⟪☞はじ[1]; ふめいよ⟫. ¶*屈辱感 a sense of *humiliation* // *屈辱に耐える stand the *humiliation* / bear up under *humiliation* / eat dirt ★ くだけた表現. // *屈辱的な敗北を喫する suffer a *humiliating* defeat

ぐっしょり ¶雨で*ぐっしょりになった (⇒私は肌までびしょびしょになった) I *was* ⌈*soaked to the skin* [*drenched*] by the downpour. ★ downpour は「どしゃ降り」. / (⇒しずくがたれるほどに) I got *dripping wet.* ⟪☞びっしょり; 擬声・擬態語 (囲み)⟫

クッション cushion Ⓒ ⟪☞ざぶとん (挿絵)⟫. **クッションバッグ** cushion bag Ⓒ.

クッションボール (野球の) ball rebounding from the outfield fence Ⓒ; (ビリヤードの) ball touching, or rebounding from, the cushion Ⓒ.

くっしん[1] 屈伸 ¶スキーをはく前にはひざの*屈伸をしなさい Do good *bending exercises* for your knees before you put on skis. **屈伸運動** ¶*屈伸運動をする do *bending and stretching exercises* **屈伸自在** ― 形 (弾力性のある) elastic; (曲げやすい) flexible; (しなやかな) supple **屈伸性** (弾力性) elasticity Ⓤ; (柔軟性) flexibility Ⓤ; (しなやかさ) suppleness Ⓤ.

くっしん[2] 掘進 ― 動 (掘り進む) dig *one's* way ⓐ; (掘り抜く) dig through ⑭; (掘る) dig ⑭.

グッズ (商品) goods ★ 複数形で.

くっすいせい 屈水性 〔植〕 hydrotropism /haidrátrəpìzm/ Ⓤ.

ぐっすり ― 副 ((眠り方が) よく) well; ((眠り方が) 深く) fast, sound, soundly 語法 fast, sound は be ⌈fast [sound] asleep の形で用いることが多い. ― 形 (十分な) good. ⟪☞じゅくすい; あんみん; 擬声・擬態語 (囲み)⟫. ¶昨夜は*ぐっすり眠れましたか Did you sleep *well* last night? // 今夜は*ぐっすりおやすみなさい Have [Get] a *good* night's sleep tonight. // 弟は*ぐっすり眠っている My brother *is* ⌈*fast* [*sound*] *asleep.*

くっする 屈する (力などに) yield (to ...) ⓐ, submít (to ...) ⓐ ★ 前者のほうが口語的; (議論などに) give in (to ...) ⓐ; (権威などの前に) bow (down) (to ...) ⓐ; (譲歩して) give way (to ...) ⓐ. ⟪☞くっぷく; こうふく[3]⟫. ¶そんな誘惑に*屈してはいけない Don't *yield to* such temptation. // 彼はついにその要求に*屈した He *gave way to* the demand in the end.

くつずれ 靴擦れ (まめ) blister Ⓒ. ¶*靴擦れができた My feet have *blisters.* / My shoes have given me *blisters.* / I've got a *blister.*

くっせつ 屈折 ― 名 (光・音の) refraction Ⓤ. ― 動 (屈折させる) refract ⑭; (曲げる) bend ⑭. ¶光は水に入るときに*屈折する Light *is refracted* as it enters water. / (⇒水は光を屈折させる) Water *refracts* light. // *屈折した (⇒ひねくれた) 性格 a ⌈*warped* [*twisted*] ⌈character [disposition] // *屈折した考え方 a ⌈*warped* [(⇒不自然で有害な) *perverted*] ⌈view [idea] // *屈折した心 a ⌈*warped* [*twisted*] mind **屈折語** inflectional language Ⓒ **屈折望遠鏡** refracting telescope Ⓒ **屈折率** refractive index Ⓒ.

くったく 屈託 ¶彼は*屈託のない人だ (⇒のんきだ) He is *happy go lucky.* ★ Ⓐ のときは happy-go-lucky. / (⇒何の心配もないように見える) He looks quite ⌈*carefree* [*free from care*]. / He seems to *have nothing to worry about.*

くつたび 靴足袋 ankle-high *tabi* Ⓒ.

グッタペルカ (樹液を乾燥させた可塑性の物質) gutta-percha /gʌ́təpə́:tʃə/ Ⓤ.

ぐったり ¶その少年は疲れて*ぐったりとしていた (⇒まったく疲れていた) The boy *was dead tired.* / The boy *was* ⌈*tired out* [*exhausted*]. ★ [ ] 内のほうが格式ばった言い方. / (⇒疲労困ぱいしているように見えた) The boy looked *completely exhausted.* // 生徒はこの暑さでみんな*ぐったりとしている (⇒弱って疲れた感じを持っている) All the students are feeling *weak and weary* in the heat. / (⇒元気がなく意気消沈している) All the students *are wilting* in the hot weather. ⟪☞擬声・擬態語 (囲み)⟫

くっつく ― 動 (粘着する) stick (to ...) ⓐ ⟪過去・過分 stuck⟫; (まつわりつく) cling (to ...) ⓐ ⟪過去・過分 clung⟫; (のりでつける) paste ... together. ⟪☞つく[1]; こびりつく⟫. ¶靴の底にチューインガムが*くっついた Some chewing gum (got) *stuck to* the sole of my shoe. // この種のプラスチックは接着剤では*くっつかない This sort of plastic can't *be glued together.* // ぬれたブラウスが彼女の肌にぴったり*くっついた The wet blouse *clung to* her skin. // その子はいつも母親に*くっついている (⇒まつわりついている) That child always *clings to* his mother. // もっと*くっついて座って下さい Please sit *closer.*

くっつける (2つ以上のものを結合する) join ⑭; (一緒に合わせる) put ... together; (ぺたりとはり付ける) stick ⑭; (のりではり付ける) paste ⑭, glue ⑭; (小さな物を大きな物へ) attach ⑭. ⟪☞つける[1]; はる[3]⟫. ¶これらのブロックはセメントで*くっつけてある These blocks *are joined* by cement. // この机を壁に*くっつけなさい (⇒壁のそばに置きなさい) *Put* [*Place*] this desk ⌈*close to* [*against*] the wall. // この2つのベッドを*くっつけましょう Let's *put* these two beds *close* together. // 紙を*くっつけるのにのりを使う Paste is used to *stick* paper *together*.

グッディー (うまいもの・いいもの)《略式》goodies ★ 通例複数形で.

くってかかる 食ってかかる (敵意をもって反抗する) turn「upon [on] ...; (激しく非難する) lash out at ...; (公然と反抗する) defy (他). (☞ はんこう²; かみつく). ¶ 彼は私に*食ってかかった He「*turned on* [*defied*] me. // 彼らはその判定に抗議して審判に*食ってかかった They *lashed out at* the umpire,「protesting [《米》 protesting against] his decision.

ぐっと (強く) firmly, tightly; (力いっぱい) with all *one's* might; (瞬間的に強く引っ張って) with a jerk; (一飲みに) at one「gulp [swallow]; (十分に) well; (じっと一心に) hard. (☞ ぐいと; 擬声・擬態語 (囲み)). ¶ 彼はバットを*ぐっと握った He gripped the bat *firmly*. / He took a *firm* grip on the bat. // 彼女はそのひもを*ぐっと引っ張った She pulled (on) the rope「*with a jerk* [(⇒ 力いっぱい) *with all her might*]. / (⇒ 激しい引っ張りを与えた) She gave a *hard* pull on the rope. // 彼は水をコップに一杯*ぐっと飲んだ (⇒ 一飲みでコップ一杯の水を空けた) He「drank [emptied] the glass of water *at one gulp*. / He *gulped down* the glass of water. // *ぐっと体を後ろへそらせて下さい Lean *well* back. // 先生は私を*ぐっとにらみつけた (⇒ 私に厳しい視線を向けた) The teacher gave me a *hard* stare. / The teacher stared *hard* at me. // 彼女は*ぐっと (⇒ なおいっそう[目立って]) きれいになった She became「*even more* [*strikingly*] beautiful.

グッド (よい) good (☞ よい¹). **グッドアイディア** good idea [C] (☞ アイディア; かんがえ) **グッドデザイン** good design [C] **グッドデザインマーク** good-design mark [C].

グッドウィル goodwill [U] (☞ しんぜん¹; こうい²).

グッドタイミング perfect timing [U], good timing [U]. ¶ *グッドタイミングだね. 電話をしようと思っていたところなんだ You have *perfect timing*. I was just about to call you.

グッドナイト Good night! (☞ おやすみ).

グッドバイ Good-by(e)! (☞ さようなら).

グッドマン ― [名] (固) Benny Goodman, 1909–1986. ★ 米国のクラリネット奏者.

グッドモーニング Good morning! (☞ おはよう).

グッドラック good luck [U] ★ 相手を励ますときや, 成功を祈るときなどに, 間投詞として用いられる.

くつぬぎいし 沓脱ぎ石 stepping stone [C]; (説明的には) stone step in the entranceway on which *one* removes *one's* footwear before entering a traditional Japanese house [C].

クッパ Korean dish of rice in beef soup [C].

グッピー 〘魚〙(熱帯魚) guppy /gʌ́pi/ [C].

くっぷく 屈服, 屈伏 ― [動] (相手の力に服従する) yield (to ...) (自), submít (to ...) (自) ★ 前者のほうが口語的; (戦争などで抵抗をやめて降参する) surrénder (to ...) (自); (権威などの前に) bow (down) (to ...) (自). ― [名] submission [U]; surrénder [U]. (☞ くっする; こうふく²). ¶ 彼は既成の権威に*屈服するような人ではない He is not a man to「*submit* [*bow* (*down*)] *to* established authority.

くつろぐ 寛ぐ ― [動] (のびのびとする) make *oneself*「comfortable [at home]; (気楽にする) feel [be] at ease; (気楽に振舞う) relax (他) (自). ― [形] (くつろいで) at ease. ― [名] (くつろぎ) relaxation [U], ease [U]. (☞ のびのび; のんびり; きらく). ¶ どうぞお*くつろぎ下さい Please *feel at home*. / Please *make yourself*「*at home* [*comfortable*]. // 私は*くつろいだ気分だ I'm feeling quite *relaxed* now. // 畳の部屋だと*くつろげる A tatami room makes me *feel*「*comfortable* [*at ease*]. // 日曜日は本でも読んで*くつろぐのがいい I like to *relax* reading books on Sundays.

くつわ 轡 bit [C]. ¶ 馬に*くつわをはめる put a *bit* in a horse's mouth // 全員*くつわを並べて落選した (⇒ 全員そろって) They were defeated *all together* in the election.

くつわがた 轡形 sign of a cross in a circle [C].

くつわむし 轡虫 〘昆〙 giant katydid [C].

ぐてい 愚弟 (自分の弟) my younger brother [C] ★ 謙遜を示す「愚」の部分は英語では示さない.

くてん 句点 (ピリオド) period [C], full stop [C] ★《米》では前者が普通; (日本語のマル) *maru* [C]; (説明的には) Japanese period [C]. (☞ ピリオド).

くでん 口伝 (口伝えで教えること) oral instruction [U]; (秘伝などを口頭で伝えること) oral transmission (of the secrets) [U]. (☞ くちづたえ).

ぐでんぐでん ¶ 彼は*ぐでんぐでんに酔っ払った He was「*dead* [*blind*] drunk. (☞ よっぱらう; 擬声・擬態語 (囲み))

くてんコード 区点コード 〘コンピューター〙(コード全体) the *kuten* code; (個々の数字) *kuten* code [C].

くどい (味が脂っこい) greasy; (表現などが長くて) lengthy; (言葉を使いすぎて) wordy, 《格式》verbóse. (☞ しつこい).
¶ 味の*くどい (⇒ 脂っこい[しつこい]) 食べ物はきらいだ I don't like「*greasy* [*heavy*; *rich*] food. // 彼の話は*くどい (⇒ 同じことを何度も言う) He *says the same thing*「*again and again* [*over and over*]. // この文章は少し*くどすぎる This passage is a little too「*lengthy* [*wordy*]. // *くどいようですが (⇒ もう一度あなたに注意しておきたいのですが) あすは必ずおいで下さい May I remind you *once again* that you are supposed to be here tomorrow? [語法] 形は疑問文だが, 実際は要請を表し, I remind you *once again* that ... というよりも丁寧な表現.

くとう 苦闘 ― [名] (苦しい[困難な]戦い) bitter [hard] struggle [C]. ― [動] struggle hard (自). (☞ くせん). ¶ 彼は苛酷な運命と悪戦*苦闘した He made a *bitter struggle* with cruel fortune.

くどう 駆動 ― [名] drive [U]. ― [動] drive (他). ¶ 四輪*駆動の自動車 a four-wheel-*drive* car // 前輪 *駆動の車 a car with front-wheel *drive*
駆動軸 drive shaft [C] **駆動装置** rúnning gèar [U] **駆動力** driving power [U].

ぐとう 愚答 foolish [silly; stupid] answer [C] (☞ ばか (類義語)).

ぐどう 求道 (真理の探究) pursuit of truth [U] (☞ きゅうどうしゃ).

くとうてん 句読点 ― [名] pùnctuátion màrk [C]; (全体) punctuation [U]. ― [動] (句読点を付ける) púnctuate (他). (☞ 句読点 (巻末)). ¶ 次の文に適当な*句読点を付けよ Put the appropriate *punctuation* (*marks*) in the following sentences. / *Punctuate* the following as required.

くとうほう 句読法 punctuation [U].

くどき 口説き (説得) persuasion [U]; (異性に対する言いより) approach [C], advances ★ advances は複数形で. approach のほうがより口語的. (☞ くどく¹; いいよる; せっとく).

くどきおとす 口説き落とす (説得する) persuade (他); (...の愛情を得る) win *a person's* heart; (異性を) win over (他). ¶ 彼は彼女を*口説き落とした (⇒ 彼女の心をつかんだ) He *won her heart*.

くどく¹ 口説く **1** 《言い寄る》: (女性などに言い寄

る) make「approaches [advances] to ... (☞ いいよる).
2 «説得する»: (説き伏せる) persuáde ⊕; (その気にならせる) induce ⊕. (☞ せっとく). ¶ 彼を*口説いてその仕事を頼んだ I *persuaded* him to undertake the job.

くどく[2] **功徳** (慈善) charity Ⓤ; (人徳・効力など) virtue Ⓤ; (善行) good works. ¶ *功徳を施す do an act of *charity*

ぐとく 具徳 ¶ *具徳の人 a「man [woman] *of virtue* / a *virtuous*「man [woman] (☞ とく[4])

くどくど (長たらしく) at「full [great] length; (退屈なほど) tediously. ¶ 先生はそのことについて*くどくどと説明した The teacher explained it *tediously*. (☞ くどい; 擬声・擬態語 (囲み))

くどせっかい 苦土石灰 (石灰肥料) magnesia fertilizer Ⓤ.

ぐどん 愚鈍 ── [形] (頭の働きの鈍い) dull; (愚かな) silly; (能力・理解力の低い) stupid. ── [名] dullness Ⓤ; silliness Ⓤ; stupidity Ⓤ. (☞ ばか; にぶい).

くない 区内 ── [副] (区内に[で]) in [within] the ward (☞ く[2]).

くないちょう 宮内庁 the Imperial Household Agency. **宮内庁長官** the Director General of the Imperial Household Agency.

くなん 苦難 hardship Ⓤ ★ 具体的には Ⓒ; (苦労) sufferings ★ この意味では通例複数形で. (☞ こんなん; くるしみ; くろう). ¶ 私はどんな*苦難にも耐えるつもりです I intend to bear any *hardship*.

くに 国 1 «国家»: (国・地方) country Ⓒ; (国民・国家) nation Ⓒ; (国家・政府) state Ⓒ ★ しばしば State と大文字で書き始める.「政府」の意では Ⓤ.
【類義語】国を表す最も一般的な語が ***country***. 国民に重点を置く場合に用いるのが ***nation***. やや格式ばった語で, 政治的統一体としての国家を表すのが ***state***. (☞ こっか[1])
¶ アメリカ合衆国は大きな*国だ The U.S. is a big *country*. // ロシアは多くの民族からなる*国だ Russia is a *nation* of many different races. // アジアの*国々は協力して平和を確立すべきだ The *nations* of Asia should cooperate and establish peace. // 私たちは自転車で*国中を旅行するつもりです We are going to travel all over the *country* by bicycle. // この銀行は*国が監督している This bank is under *state* control. // 彼女に対しては*国を挙げての歓迎ぶりであった There was a *nationwide* welcome for her. // *国を治める govern [rule] a *country* // *国を売る sell out [(⇒ 裏切る) betray] *one's* own *country* // *国破れて山河あり Our *country* lies in ruins; however, we still have our mountains and rivers as they were. / The *nation* has suffered defeat, but the mountains and the rivers endure.
2 «故郷»: (故郷) home Ⓒ ★ 最も一般的. [副] としても用いる; (故郷の市・町・村) hometown Ⓒ; (故郷の府県) home [native] prefecture Ⓒ. (☞ きょうり[1] [語法]; こきょう; ふるさと).
¶「あなたの*国はどこですか (⇒ あなたはどこの出身ですか)」「北海道です」"Where are you from?" "I'm from Hokkaido." / "Where do you come from?" "I come from Hokkaido." ★ 前者のほうが普通. // お正月には*国に帰るつもりです I'm going *home*「during [for] the winter vacation. // 静岡は私の*国です Shizuoka is my *home prefecture*. // 彼の*国は神戸だ His *hometown* is Kobe. // 彼らが集まるといつもお*国自慢だ Whenever they get together, they brag about their *hometowns*.
3 «地域・地方»: (昔の日本の) province Ⓒ; (ある共通の特徴のある) region Ⓒ; (行政上の) district Ⓒ. ¶ 越後の*国 Echigo *Province* / the *Province* of Echigo // 北*国 (⇒ 日本の北部) では冬は雪が多い We have a lot of snow in the northern *part* of Japan.

コロケーション
国を荒廃させる ruin a *country* / 国を侵略する invade a「*country* [*nation*] / 国を救う save a「*country* [*nation*] / 国を代表する represent *one's country* / 国を統一する unify the *country* / 国を離れる leave a *country* / 国を分割する divide a「*country* [*nation*] / 国を守る defend *one's country*

くにいり 国入り ── [動] (政治家が自分の選挙区に行く) visit *one's* constituency; (大名が自分の領地に行く) return to *one's* fief.

くにおもて 国表 ☞ くにもと

くにがえ 国替 ── [動] (…を別の領地に移す) transfer ... from one fief to another ★ 日本の封建時代に.

くにがまえ 国構え (漢字の) country [square] radical enclosing kanji Ⓒ.

くにがら 国柄 (国の性格) national character Ⓒ; (国の特色) nátional chàracterístics ★ 複数形で. ¶ フランスとイギリスはまったく*国柄が違う (⇒ 歴史的背景がまったく異なる) France and Britain differ greatly in their *historical backgrounds*.

くにがろう 国家老 *kunigaro* Ⓒ; (説明的には) one of the highest ranking vassals of a daimyo during the Edo period, staying in his lord's domain all the time and in charge of his lord's administration. (☞ えど (江戸家老)).

くにく[1] **苦肉** **苦肉の策** ¶ これは彼の*苦肉の策です (⇒ 最後の手段) He will do it *as a last resort*. (☞ きゅうよ[2]; くるしまぎれ)

くにく[2] **狗肉** ☞ ようとうくにく

くにことば 国言葉 ☞ くになまり

くにざかい 国境 border Ⓒ (☞ こっきょう[1]).

くにづくし 国尽し (説明的に) list of names of the Japanese provinces Ⓒ.

くにつづき 国続き ¶ 武蔵と甲斐は*国続きだ (⇒ たがいに隣り合っている) Musashi Province and Kai Province「are [lie] adjacent to each other.

くにとり 国取り (他の国を領有すること) taking possession of another province Ⓤ (☞ りょうゆう[2]).

くになまり 国訛り (方言) dialect Ⓒ; (地方なまり) patois /pǽtwɑː/ Ⓒ ★ しばしば軽蔑的; (特に発音の) local accent Ⓒ. (☞ なまり[1]; ほうげん[1]).

くにもと 国元, 国許 (自分の故郷) *one's* home (province) Ⓒ.

くにゃくにゃ ── [形] (曲がりくねった) twisting; (柔らかくて簡単に曲がる) soft and flexible; (しなやかな) sinuous. ── [副] flexibly; sinuously. (☞ 擬声・擬態語 (囲み)) ¶ 木立の間を*くにゃくにゃと曲がる道 the「*twisting* [*sinuous*] path through the woods

ぐにゃぐにゃ ── [形] (柔らかでしなやかな) soft and limp; (つぶれやすい) squashy; (筋肉・精神などがたるんだ) flabby. (☞ 擬声・擬態語 (囲み)).

クヌート ── [名] [固] Canute /kən(j)úːt/, 994?–1035. ★ イングランド・デンマーク・ノルウェー王. 通称は Canute the Great で Cnut, Knut ともつづる.

くぬぎ 櫟 〔植〕 Japanese oak Ⓒ.

くねくね ── [動] (川・道などが屈曲する) wind /wáɪnd/ ⓐ (過去・過分 wound /wáʊnd/); (川などが曲がりくねってゆったり流れる) meander /miǽndə/

(自) ★ 前者より格式ばった語; (身体をくねくねさせる) wriggle (自); (身をよじる) twist (自). ((☞ うねうね; まがりくねる; 擬声・擬態語 (囲み)). ¶ その道は山の間を*くねくねと曲がっている The path *winds* through the mountains.

くねらす (体をよじらせる) wriggle (他); (体をねじらせる) twist (他). ¶ 彼女は身を*くねらせて踊った She danced *undulating* her body.

くねる ━(動) (曲がりくねる) wind (自); (何度も折れ曲がる) twist (自); (へびのように動く) snake (自). ((☞ まがりくねる; くねくね)). ¶ *くねった山道 a ⌈*winding* [*twisting*] mountain road

くのいち くの一 female ninja [C] ((☞ にんじゃ)).

くのう 苦悩 (激しい心身の苦痛) agony [U]; (長く続く心身の苦痛) affliction [U]; (悩み) distréss [U]; (心の苦しみ) anguish /ǽŋgwɪʃ/ [U] ★ 格式語. ((☞ くるしみ; くつう; なやみ)). ¶ 彼の顔には*苦悩の色が見られた I saw a look of *anguish* on his face. / (⇒ 心配そうな顔をしていた) He had a *worried* look.

グノー ━(名) (固) Charles François Gounod /frɑːnswáː gúːnoʊ/, 1818–93. ★ フランスの作曲家.

クノッソス ━(名) (固) (クレタ島の古代都市遺跡) Knossos /(k)nɑ́səs/.

くはい 苦杯 ¶ 我々は*苦杯をなめた (⇒ 苦い杯を飲まされた) We were compelled to *drink a bitter cup*. / (⇒ 敗北をこうむった) We suffered (a) *defeat*. ((☞ はいぼく))

くばり 配り (配分) distribution [U]; (配置) arrangement [U]. ((☞ くばる)).

くばりもの 配り物 présent [gift] handed out in return for some favor [C] ((☞ おくりもの)).

くばる 配る **1** «物品を»: (多くの対象物へ) distríbute (他); (配達して) delíver (他); (食事など盛り分けて) serve (他); (手渡して) hánd óut (他); (配布する) gìve óut (他); (案内状など送って) sènd óut (他); (トランプの札などを) déal (óut) (他). ((☞ わける)).
¶ 彼は校門の所でビラを*配っていた He *was* ⌈*distributing* [*handing out*] ⌈leaflets [handbills] at the school gate. // 先生は試験の問題用紙を*配った The teacher *gave out* the examination papers. // 郵便配達は 1 日 1 回手紙を*配る The ⌈((米)) mailman [((英)) postman] *delivers* letters once a day. // 彼女はサラダを*配った She *served* the salad. // 彼はブリッジをするのに札を*配った He *has dealt* the cards for a hand of bridge.
2 «心などを»: (気を付ける) take care of …, be careful about …; (注意を払う) pay attention to …. ((☞ ちゅうい[1])).

ぐはんしょうねん 虞犯少年 minor [juvenile] with a criminal inclination [C].

くひ 句碑 (stone) monument ⌈engraved with a haiku [with a haiku engraved on it] [C] ((☞ かひ[2]; ひ[8])).

くび 首 **1** «身体の部分»: (首の部分) neck [C]; (頭) head [C] 日英比較 日本語の「首」は頭部全体をいうことがあるので英語の head に当たることがある. ((☞ かお (挿絵); あたま)).

日本語	英語
首	neck
	head

¶ 窓から*首 (⇒ 頭) を出してはいけない Don't put your *head* out (of) the window. // 彼は*首が太い[細い] He has a ⌈thick [thin] *neck*. // あなたのシャツの*首回りは幾つですか What is your *neck* size? // 彼は子猫の*首をつかまえた He seized a kitten by the *neck*. ((☞ つかまえる)) // この扇風機は*首を振る This electric fan has ⌈a swivel [a rotating; an oscillating] *head*. // この扇風機は*首を振りません This fan does not ⌈*rotate* [*swivel*; *oscillate*]. // 反乱軍の指導者は*首をはねられた The leader of the rebellious troops ⌈had his *head* cut off [*was beheaded*]. // 君が百点を取ったら*首をやる (⇒ 帽子を食べる) *I'll eat my hat* if you get a hundred percent. // *首 (⇒ のど) を締める squeeze [grip] *a person's throat*
2 «解雇» ━(動) (解任する) dismíss (他), ((略式)) fire (他), sack (他), give the sack. ((☞ かいにん[1] (類義語)). ¶ 3 人の怠慢な労働者が*首になった Three lazy workers *were* ⌈*dismissed* [*fired*; *sacked*]. // 君は*首だ You *are* ⌈*fired* [*sacked*]!
3 «首の形をしたもの» ¶ 瓶の*くび the *neck* of a bottle ((☞ びん[1] (挿絵))

首があぶない ¶ 彼の*首があぶない (⇒ 彼が首になる) ようだ It looks like he's *going to* ⌈*be fired* [*get the sack*]. **首がつながる** ¶ *首がつながって (⇒ 解雇されないで) ほんとうによかった I feel so relieved to know that I *didn't get fired*. **首が飛ぶ** ¶ 企画の失敗で課長の*首が飛んだ (⇒ 課長は解雇された) The (section) manager *was* ⌈*discharged* [*fired*] because his project failed. ★ fired は略式. **首が回らない** ¶ 彼は借金で*首が回らない (⇒ 耳[首]まで借金につかっている) He *is in debt up to his* ⌈*ears* [*neck*]. ★ ears がより一般的. **首に縄を付ける** ¶ *首に縄を付けてでもあいつを引っ張って来い (⇒ どんな手段を使っても) Bring him here *by any means necessary*.

首をかしげる ¶ 彼女は彼の言ったことに*首をかしげた (彼の言ったことが本当かどうか疑った) She *doubted* ⌈whether [if] what he said was true. ((☞ こくび))

首をくくる hang *oneself* ((☞ くくる; つる[3])). ¶ その政治家は汚職が露見し, *首をくくって死んだ The politician's corruption was exposed and he *hanged himself*. **首をすくめる** duck (down) (自), duck *one's* head ((☞ すくめる)). ¶「困った, どうしよう」と言わんばかりに, 彼女は*首をすくめた She *shrugged her shoulders* as if to ask, "What am I to do?" // 人々はジェット機の爆音に*首をすくめた People *ducked* at the jet plane's roar. **首をすげ替える** ¶ 首相の*首をすげ替えただけでは事態は好転しないだろう Simply *replacing the present* prime minister ⌈*with* [*by*] *a new one* would not make things change for the better. ((☞ すげかえる)) **首を突っ込む** ¶ 彼は何にでも*首を突っ込む (⇒ おせっかいにも干渉する) He ⌈*sticks* [*pokes*] *his nose* into every thing. / (⇒ かかわり合う傾向がある) He tends to ⌈*be* [*get*] *involved in* everything. **首を長くして待つ** ¶ あなたにお目にかかるのを*首を長くして (⇒ 楽しみにして) 待っています I'*m looking forward to* seeing you. **首をひねる** ¶ 私は彼がどうしてそんなことを言ったのか*首をひねった (⇒ 不思議に思った) I *wondered* why he said that. // 私は彼女のわけのわからない説明に*首をひねった I *was* ⌈*mystified* [*puzzled*] by her incomprehensible explanation. // 私は難問に*首をひねった (⇒ 懸命に考えた) I *thought hard* ⌈*over* [*at*] the difficult question. / I *racked my brain(s)* ⌈*over* [*at*] the difficult question. ★ rack *one's* brain(s) は「知恵を絞る」. **首を横[縦]に振る** ¶ 彼に帰ってもよいかと聞かれて*首を横[縦]に振った I ⌈*shook my head* [*nodded* (*my assent*)] when he asked me if he could leave. ((☞ ふる[2] 1; たて[1]; よこ 2))

首飾り necklace [C] ((☞ ネックレス)) **首かせ** (さらし台) pillory [C]; (重荷) burden [C]; (足手まといとなるもの) ((格式)) encumbrance [C] **首切り** (解雇) dismíssal [U]. ¶ 私たちは当局の不当な*首切りに反対だ We are against (the) unreasonable *dismissal* by the authorities. **首筋** the ⌈nape [scruff] of the neck ★ nape のほうが一般的. ((☞ えりくび 語法; くび)). ¶ *首筋を違える crick *one's* *neck* 首塚 (処刑者の墓) grave of the executed (during the feudal times in Japan) Ⓒ 首綱 neck ˹leash [tether] Ⓒ 首根っ子 ¶ 彼は息子の*首根っ子をつかまえた He ˹grabbed [seized] his son by *the scruff of the neck.* // *首根っ子を押さえる (⇒ 弱点を知っている) know *a person's weak point(s)* / have something on *a person* 《☞ よわみ》 首輪 (犬などの) collar Ⓒ 《☞ いぬ¹ (挿絵)》. ¶ *首輪をつけた犬 a dog with a *collar*

コロケーション
首の骨を折る break *one's neck* / 首を賭ける risk *one's neck* / 首をかしげる put *one's head* ˹on [to] one side / …に首を突っ込む poke *one's head* into … / 首を伸ばす stretch *one's neck* / 首を曲げる bend *one's neck* / 首を回す twist *one's neck* ((a)round) // しわの寄った首 a wrinkled *neck*

ぐび 具備 ― 動 (持っている) have ㊀, possess ㊀ ★ 後者は格式ばった語; (備えている) be furnished (with …). 《☞ そなえる¹; もつ¹》.

くびかざり 首飾り ☞ くび (首飾り)

くびかり 首狩り headhunting Ⓤ. 首狩り族 headhunters ★ 複数形で.

くびき 軛 yoke Ⓒ. ¶ 牛に*くびきをつける put a *yoke* on oxen

くびきり 首切り ☞ くび (首切り)

ぐびぐび ¶ 彼はうまそうに茶碗酒を*ぐびぐびと飲んだ With evident relish he took *slurp after slurp* of sake from his tea bowl.

くびじっけん 首実検 (人物の確認) identification Ⓤ. ¶ 警察は犯人の*首実検をするために容疑者を一列に並べた The police arranged the suspects in a row to *identify* the criminal.

ぐびじんそう 虞美人草 〖植〗 corn [field] poppy Ⓒ 《☞ ひなげし》.

くびす 踵 ☞ きびす

くびすじ 首筋 ☞ くび (首筋)

くびったけ 首ったけ ¶ トムはジェーンに*首ったけだ (⇒ 深く愛している) Tom *is* ˹*head over heels in love with* [*crazy about*] Jane. 《☞ ぞっこん》

くびったま 首っ玉 ☞ くび (首筋)

くびっぴき 首っ引き ¶ 彼は辞書と*首っ引きで (⇒ 絶えず辞書を引いて[辞書の助けを借りて]) なんとかその翻訳をやった He managed to translate it ˹*by constantly referring to* [*with the help of*] a dictionary. / (⇒ 辞書をそばにして) He managed to translate it *with* a dictionary *at his side.*

くびつり 首吊り ― 動 hang *oneself.* ¶ *首吊り自殺する commit suicide by *hanging oneself*

くびながりゅう 首長竜 (恐竜の一種) plesiosaurus /plìːsiəsɔ́ːrəs/ Ⓒ, plesiosaur /plíːsiəsɔ̀ə/ Ⓒ.

くびなげ 首投げ (相撲の) *kubinage* Ⓤ, neck throw Ⓒ.

くびにんぎょう 首人形 painted clay doll's head on a bamboo stick for dressing in paper or cloth kimono Ⓒ ★ 説明的な訳.

くびぼね 首骨 ☞ けいつい

クビライ ☞ フビライハン

くびれ 括れ (両端より細い部分) narrow part Ⓒ; (圧縮された部分) constriction Ⓒ. ¶ 父には腰の*くびれがない Father is spreading around the waist. 《☞ こし¹》 // 瓢箪の*くびれ *the narrow part* of a bottle gourd

くびれる ¶ その瓶は真ん中が*くびれている (⇒ 細くなっている) The bottle *narrows* in the middle.

くびわ 首輪 ☞ くび (首輪)

クフ ― 名 固 Khufu /kúːfuː/, Cheops /kíːɑps/ ★ 後者はギリシャ語名. 紀元前 26 世紀頃の古代エジプト第 4 王朝の王.

くぶ 区部 wards 《☞ く²》. ¶ 東京都*区部 the portion of Tokyo Prefecture occupied by the twenty-three metropolitan *wards*

くふう 工夫 ― 動 (一生懸命考える) think hard 自 ★ 口語的; (考え出す) think óut ㊀; (どうにかしてうまく…する) contrive to *do* … ★ やや格式ばった語. ― 名 (考え) idea Ⓒ ★ 最も一般的な語; (工夫・発明の才) contrívance Ⓤ.
¶ なんとか*工夫をこらせば (⇒ 一生懸命考えれば) よい考えが思いつくものだ If you *think* really *hard*, you will hit ˹on [upon] a good idea. // それはよい*工夫だ (⇒ 考えだ) That's a good *idea.* // 何とかその問題を解決する*工夫をしなければならない (⇒ 解決する方法を考え出さねばならない) We have to come up with a method ˹to solve [of solving] the problem. // 何とか支出を減らす*工夫をしなくてはならない We must *contrive to* reduce our expenditure(s). // これはうまい*工夫だ (⇒ 装置だ) This is an ingenious *contrivance.* // 君は少し*工夫が足りない (⇒ もう少し工夫すべきだ) You should exercise a little more *ingenuity.*

ぐふう 颶風 (嵐) storm Ⓒ; (台風) typhoon Ⓒ. 《☞ ぼうふう; あらし; たいふう》.

くぶくりん 九分九厘 ― 副 (ほとんど常に) in nine cases out of ten; (きっと) ten to one, in all probability. 《☞ くぶどおり; じっちゅうはっく》.
¶ *九分九厘彼は大丈夫です *Ten to one*, he will succeed. / *In all probability* he will make a success of it.

ぐぶつ 愚物 foolish [stupid] person Ⓒ 《☞ おろか; ばか》.

くぶどおり 九分どおり ¶ *九分どおり大丈夫です (⇒ 私はそのことにほぼ確信をもっている) I'm *quite* sure of it. // その本は*九分どおり出来上がっています The book is ˹*almost* [*nearly; 90 percent*] finished. // 試合は*九分どおり (⇒ 10 中の 9 まで) 彼の勝ちだろう He's *90 percent sure* to win the game. // その計画は*九分どおりだめだ That (sort of) plan will fail *nine times out of ten.* 《☞ くぶくりん; じっちゅうはっく》

くぶん 区分 ― 名 (分割) division Ⓤ ★ 分けられたものは Ⓒ; (区画) section Ⓒ; (分類) classification Ⓤ. ― 動 (幾つかの部分に分ける) divide ㊀; (区画する) section ㊀; (分類する) classify ㊀. 《☞ わける; ぶんるい》. ¶ それは 5 つに*区分されている (⇒ 分けられている) It *is divided into* five (parts). / (⇒ 5 つに分類されている) It *is classified into* five groups. 区分求積法 〖数〗 mensuration by division Ⓤ 区分肢 〖論〗 members of division 区分所有(権) ownership of a unit (in a multiunit structure) Ⓤ.

くべつ 区別 ― 動 (…と…とを見分ける) tell … from …; (識別する) distínguish ㊀ 自; discrímináte ㊀ 自; (区別を立てる) differéntiàte ㊀ 自 〔語法〕 以上 3 語は <V+O+*from*+名> または <V+*between*+名+*and*+名> のいずれの文型にも用いられる. ― 名 distinction Ⓤ; discrimination Ⓤ; (区別すること) differentiation Ⓤ; (区別・違い) difference Ⓒ.
【類義語】 2 つの物を区別する最も口語的な言い方が *tell … from …* 物の特色・特性から違いを見分ける一般的な語が *distinguish.* 微妙な違いを見分けたり評価することを表すのが *discriminate.* 同一種類の物を細かく比較して区別を立てることを表すのが *differentiate.* 《☞ ちがい¹ (類義語); みわける》
¶ うちの子はまだ猫と犬の*区別がつきません Our baby can't *tell* a cat *from* a dog yet. // 私には彼と

彼の兄の*区別がつきません I can't *tell* him ｢*from* his brother [*and* his brother *apart*]. / I can't *distinguish between* him *and* his brother. // そのゲームは老若男女の*区別なく, だれにでも楽しめる Everyone can enjoy the game ｢without *distinction* [*regardless*] of sex or age. // 彼女は本物の真珠と人造の真珠の*区別ができると言っている She says she can *tell the difference between* real *and* imitation pearls. / She says she can *discriminate* ｢real pearls *from* imitations [*between* real *and* imitation pearls]. // あひるとがちょうは何で*区別できるのですか (⇒ 違いは何か) What is the *difference between* a duck *and* a goose? // 公私の*区別 the *distinction between* public *and* private ｢affairs [matters] // 善悪の*区別 the *distinction between* right *and* wrong

コロケーション
区別する draw [make] a *distinction* (between … and…) // **大雑把な区別** a crude *distinction* / **細かい区別** a fine *distinction* / **正確な区別** an exact *distinction* / **微妙な区別** a subtle *distinction* / **明確な区別** a ｢clear(-cut) [sharp] *distinction*

くべる (燃料などを入れる) put … ｢in [into] …; (投げ入れる) throw … ｢in [into] …. ¶暖炉に石炭を*くべて下さい (⇒もっと入れて下さい) Please *put* some more coal *on* the fire. / How about *stoking* (*up*) the fire? // 彼女はストーブにまきを*くべた (⇒ 投げ入れた) She *threw* some (pieces of) wood ｢*in* [*into*] the stove.

くぼち 窪地 (低い[押し下げられた]土地) low [depressed] ground Ⓤ; (小さい谷間に似た) hollow Ⓒ.

くぼみ 窪み (空洞になっている) hollow Ⓒ; (地面などの表面の) depression Ⓒ.

くぼむ 窪む (押されて) become [get] depressed; (平らであるべき所が落ち込んで) become sunken; (陥没する) fáll in ⓐ, cáve ín ⓐ; (下にさがる) sink ⓐ. ((☞ へこむ; おちこむ)). ¶目が*くぼんだ人 a man with ｢*sunken* [*deep-set*] eyes ★ sunken は疲労などで, deep-set は生まれつき.

くま[1] 熊 bear Ⓒ. ¶*熊の皮 bearskin ★ 製品の場合は Ⓒ. // *熊の子 a *bear* cub // *熊の胆 dried *bear*'s gallbladder (used as a medicine)

くま[2] 隈 (目のまわりなどの) dark circle Ⓒ. ¶彼女は目のまわりに*隈ができた She has *dark* ｢*circles* [*rings*] under her eyes.

くまい 供米 offering of rice (to a Shinto or Buddhist deity) Ⓒ.

ぐまい[1] 愚妹 my younger sister Ⓒ ((☞ ぐてい)).

ぐまい[2] 愚昧 ―名 stupidity Ⓤ, asininity /æsənínəti/ Ⓤ ★ 後者は格式語. ―形 stupid, asinine /ǽsənàɪn/.

くまがいそう 熊谷草 〔植〕 Japanese lady('s)-slipper Ⓒ.

くまげら 熊啄木鳥 〔鳥〕 black woodpecker Ⓒ.

くまざさ 隈笹 〔植〕 mountain bamboo grass Ⓤ.

くまぜみ 熊蟬 〔昆〕 blackish cicada Ⓒ.

くまそ 熊襲 the Kumaso; (説明的には) a *prototo-historic tribe in* southern Kyushu that was hostile to the Yamato Court.

くまたか 熊鷹 〔鳥〕 goshawk /gáshɔ̀ːk/ Ⓒ.

くまで 熊手 ―名 (下からすくい上げる) fork Ⓒ; (掃除などに使う) rake Ⓒ. ―動 (くまでで掃除する) rake ⓗ ⓐ.

くまどり 隈取り (絵画の) shading Ⓤ; (歌舞伎の) *Kumadori* Ⓤ; (説明的には) kabuki-style makeup shading the bones and muscles in the face Ⓤ.

くまどる 隈取る (絵に濃淡をつける) shade ⓗ; (役者が顔を) make up (*one's* face) ⓗ ⓐ.

くまなく 隈なく (至るところ) everywhere; (すみからすみまで) in every nook and cranny. ((☞ すみずみ; まんべんなく)). ¶我々は教室を*くまなく捜したが, その本は見つからなかった We looked *in every nook and cranny* of the classroom for the book, but we could not find it.

くまねずみ 熊鼠 〔動〕 roof [house; black; ship] rat Ⓒ.

くまのい 熊の胆 ☞ くま[1]

くまのみ 熊の実 〔魚〕 yellow-tailed anemone fish Ⓒ.

くままつり 熊祭り (アイヌの) *iomante*; (説明的には) Ainu bear festival Ⓒ ★ さらに説明を加えるなら, It is believed that the sacrificed bear at the festival can carry human messages to *Kamuy*, the Ainu god. ((☞ イヨマンテ)).

くまんばち 熊ん蜂 〔昆〕 (大型のすずめばち) hornet Ⓒ; (くまばち) carpenter bee Ⓒ. ((☞ はち[1])).

くみ 組 **1** «学校などの»: (ホームルーム) homeroom Ⓒ ((☞ クラス; きゅう[2]; 学校·教育 (囲み))). ¶私は3年 A*組です (⇒ 私は3年 A 組に属している) I ｢belong to [am in] third-year *homeroom* A. // 中学校のときは私たちは同じ*組だった As junior-high-school students, we were in the same *homeroom*. 語法 class は the class of 1995 (1995 年卒業クラス), the graduating class (卒業年度の生徒たち) のように学年全体を指すことが多いので, homeroom を用いるほうがよい. 次の文でも同様. // 「あなたの*組にはどのくらい生徒がいますか」「40 人います」“How many students are there in your *homeroom*?” “There are forty.”

2 «仲間»: (集団) group Ⓒ; (同一行動をとるグループ) party Ⓒ; (競技などの人数の一定した組) team Ⓒ; (2 人の 1 組) pair Ⓒ; (2 人で対になった) couple Ⓒ 語法 pair のほうが couple よりも結合感が強く, couple は two の意味が強い.
¶各学年は赤, 白, 青の 3 つの*組に分けられた Each grade was divided into three ｢*groups* [*teams*]: the reds, the whites, and the blues. // みんなで 5 人の*組を 4 つ作りなさい Form (yourselves) into four ｢*groups* [*teams*] of five each. // この飛行機には新婚さんが 20 *組乗っている Twenty newly married *couples* are on board now.

3 «一揃い»: (そろいになったもの) set Ⓒ; (トランプなどの) pack Ⓒ; (一対) pair Ⓒ. ((☞ そろい; いっしき; 数の数え方 (囲み))). ¶ゴルフクラブ 1 *組 a *set* of golf clubs // スキー 2 *組 two *pairs* of ski(s)

ぐみ 〔植〕 (日本·中国産の) goumi Ⓒ; (北米産の) silverberry Ⓒ; (西アジア·南欧原産の) Russian olive Ⓒ, oleaster /òʊliǽstɚ/ Ⓒ.

くみあい 組合 (労働組合) union Ⓒ ★ 正式には ((米)) では labor union, ((英)) では trade union; (協同組合) coóperative Ⓒ.

組合のいろいろ
共済組合 mutual aid ｢association [society], 職業別組合 trade union, 産業別労働組合 industrial union, 生活協同組合 cooperative society ((略 co(-)op)), 消費組合 consumers' cooperative, 農業協同組合 àgricúltural coóperative (assòciátion)

¶*組合を組織する organize a (*labor*) *union* // 消費*組合に加入する become a member of [join] a *consumers' cooperative* **組合員** (労働組合の) (labor) union member Ⓒ, unionist Ⓒ **組合運動**

union movement Ⓒ　**組合管掌(健康)保険, 組合健康保険** cooperative-managed health insurance Ⓤ《☞ せいふ (政府管掌健康保険); しゃかい (社会保険); こくみん (国民健康保険)》.　**組合幹部** union leader Ⓒ　**組合教会** (組織として) the Congregational Church　**組合専従者** paid union official Ⓒ　**組合組織** union organization Ⓤ　**組合費** union dues ★ 複数形で.

くみあう　組み合う　(取っ組み合う) grapple ㊐; (いっしょになる) join up ㊐; (腕を組む) link arms. ¶ レスラーはむんずと*組み合った The wrestlers *grappled* together. // 彼らは*組み合って商売を始めた They *joined up* and started a business. // 腕を*組み合って歩く walk *arm in arm*

くみあげる[1]　汲み上げる　(くみ出す) draw ㊙; (ポンプで) púmp (úp) ㊙; (運び上げる) cárry úp ㊙. 《☞ くむ[2]》. ¶ 彼はバケツで水を*くみ上げた He *drew* water (*up*) in a bucket.

くみあげる[2]　組み上げる　(組み合わせて積み上げる) erect ㊙, set up ㊙; (組み終える) finish setting up. ¶ 二人の職人が二時間足らずで足場を*組み上げてしまった The two workmen *finished* ⌈*setting up* [*raising*] the scaffold in less than two hours.

くみあわせ　組み合わせ　(配合) combination Ⓒ; (競技などの) matching Ⓤ; (一対) pair Ⓒ. 《☞ とりあわせ[1]; はいごう[1]》.
¶ 黄色と青の*組み合わせ *combination* of yellow and blue // A と B ではあまりいい*組み合わせではない (⇒ A 対 B ではあまり面白いゲームにならない) A ⌈versus [vs.] B will not make a very interesting game. ★ vs. は versus の略で, 発音も同じ. / (⇒ A と B はよい一対をなさない) I'm afraid A and B ⌈won't make a good *pair* [are *mismatched*]. 語法 第一文は敵対する組み合わせ, 第二文は味方としての組み合わせ. // その 2 人はなかなかよい*組み合わせだ (⇒ 彼らは似合いの夫婦になるだろう) They will make a good ⌈*couple* [*pair*]. // 順列*組み合わせ〘数〙 permutations and *combinations*
組み合わせ数学　combinatorial ⌈mathematics [analysis] Ⓤ, combinatórics Ⓤ.

くみあわせる　組み合わせる　(くっつける) put ... together ★ 最も口語的だが, 意味の広い言葉; (結合して 1 つのものにする) combine ㊙; (単に一まとめにする) group ... together; (一対にする) pair ㊙; (競技で対抗させる) match ㊙. ¶ このシンボルはアルファベットの 3 つの文字を*組み合わせて作ったものです This symbol ⌈is made up [consists] of three letters of the alphabet. // 第 1 日目は A と B とを*組み合わせよう (⇒ A と B を取り組ませよう) We will *match* A ⌈against [with] B on the first day. // A と B とを*組み合わせて文章を作りなさい Make a sentence *combining* A ⌈with [and] B. // どんな色を*組み合わせたらいいかしら (⇒ どの色がよい組み合わせを作るか) Which colors do you think will ⌈make a good *combination* [*match*]?

くみいれる　組み入れる　(取り入れる) incórporàte ㊙ ★ 格式ばった語; (全体の中に含める) include ㊙. ¶ 彼の提案は本年度の計画に*組み入れられている His idea *has been incorporated* into the plan for this year. // 彼はそれを予定に*組み入れた He *included* it in his schedule.

くみいん　組員　(暴力団員) gang member Ⓒ; gangster Ⓒ.

くみうち　組み打ち　(取っ組み合い) scrimmage Ⓒ; (つかみ合い) grapple Ⓒ. 《☞ とっくみあい; かくとう[1]》.

くみおき　汲み置き　¶ 緊急の場合に備えていつも*汲み置きの水を用意している We always ⌈*keep* water [*have* water *set aside*] in case of emergency.

くみかえ　組み替え　(再整理) rearrangement Ⓤ; (修正) revision Ⓤ; (組み合わせを変えること) recombination Ⓤ. ¶ 科学者は遺伝子の*組み替えには慎重でなくてはならない Scientists must be careful (in) ⌈*recombining* [*splicing*] genes. / Scientists must be careful in gene ⌈*recombination* [*splicing*].　**組み替えディーエヌエー**〘生〙 recombinant /rìːkʌ́mbənənt/ DNA Ⓤ.

くみかえる　組み替える　(修正する) revise ㊙; (整理し直す) rèarránge ㊙.
¶ 政府は予算案を*組み替えた (⇒ 修正した) The government *revised* the budget bill. // 新学期から時間割が*組み替えられます (⇒ 新しい時間割が導入される) A new class ⌈schedule [timetable] ⌈will [is to] *be introduced* (for) this coming term.

くみがき　組垣　wooden [bamboo] fence Ⓒ《☞ かきね》.

くみがしら　組頭　head (of a group) Ⓒ.

くみかわす　酌み交わす　¶ 酒を*酌み交わしながら (⇒ 酒を飲みながら) しばし歓談した We had a pleasant chat *over a glass of wine*.

くみきょく　組曲　〘楽〙 suite /swíːt/ Ⓒ. ¶ バレエ*組曲 a ballet *suite*

くみこむ　組み込む　(含める) include ㊙; (差し込む) insert ㊙; (組織・計画などに組み入れる) incórporàte ㊙ ★ 後者は格式ばった語; (プログラムとして) program ㊙. ¶ 予算に交通費を*組み込む *include* traffic expenses in the budget // コンピューターに増設ボードを*組み込む *insert* an extension board in (to) the computer // 彼女の提案を今度の企画に*組み込むことにした We decided to *incorporate* her suggestions into our new project.

くみしく　組み敷く　☞ くみふせる

くみしやすい　与し易い　(扱いやすい) easy to deal with (↔ hard to deal with).

くみする　与する　(論争などで味方する) side with ..., take sides with ...; (支持する) support ㊙. 《☞ みかた[1]; しじ[1]》.

くみたいそう　組み体操　coordinated group gymnastics /dʒɪmnǽstɪks/ Ⓤ.

くみだす　汲み出す　(手・ひしゃくなどで) dip out ㊙; (船の水を) bail out ㊙; (ポンプで) pump out ㊙; (井戸などから) draw ㊙. ¶ ボートから水を*汲み出す *bail* water *out* of a boat // ポンプで地下室から水を*汲み出す *pump* water *out* of the cellar

くみたて　組み立て　(文・語句の) construction Ⓒ; (構造) structure Ⓤ; (機械などの) assembling Ⓤ. 《☞ くむ[1]; こうぞう[1]》. ¶ *組み立て式の (⇒ 分解できる) 家具 *knockdown* furniture // やっと建築足場の*組み立てが終わった (⇒ 足場を築き終えた) We have just finished *building* a scaffold.
組み立て工 assembler Ⓒ　**組み立て工場** assembly ⌈shop [plant; factory] Ⓒ　**組み立て住宅** knocked-down [knockdown] house Ⓒ; (プレハブ式の) prefabricated house Ⓒ, prefab Ⓒ ★ 後者のほうが口語的.　**組み立て単位**〘化〙 derived unit Ⓒ.

くみたてる　組み立てる　(ばらばらの物を 1 つに) put [join] ... together; (部分品などを) assemble ㊙; (がっちりと) construct ㊙; (体系的に) structure ㊙; (言葉・詩文を) compose ㊙. 《☞ くむ[1]》. ¶ 息子はプラモデルを*組み立てるのが好きだ My son likes *assembling* plastic models. // 文章をうまく*組み立てるのは難しい It's difficult to ⌈*build* (*up*) [*compose*] good sentences. // この工場では自動車を*組み立てている Automobiles [Cars] *are assembled* in this factory.

くみちがい[1]　組み違い　¶ 私は活字の*組み違いを発見した I found ⌈a typesetting *error* [a type *wrongly set*].

くみちがい[2] **組違い** ¶*組違い賞を当てた I won a prize for a lottery ticket with the right serial number in *a different group*.

くみちょう 組長 (頭) head Ⓒ; (指導者) leader Ⓒ; (暴力団の) gang leader Ⓒ.

くみつく 組み付く (取っ組み合う) grapple (with ...) (自); (しがみつく) cling (to ...) (自). (☞ しがみつく; とっくみあい).

くみて 組み手 (相撲の) *kumite* Ⓒ; (説明的には) position of the hands and arms Ⓒ; (空手などの) sparring Ⓒ.

くみとり 汲み取り collecting night soil Ⓤ.
汲み取り口 night soil (removal) hatch Ⓒ **汲み取り便所** (屋外の) privy Ⓒ; (野営地などの) latrine Ⓒ.

くみとる 汲み取る **1** «液状のものを»: (くみ出す) draw (他); (すくって) scóop (úp) (他). (☞ くむ[2]; すくう[2]).
2 «事情などを»: (考慮に入れる) take ... into ˹consideration [account], make allowance(s) for .... (☞ こうりょ; しんしゃく).
¶この間の事情を*くみ取っていただきたい (⇒ 考慮に入れてほしい) I hope you will *take* the circumstances *into consideration*. / (⇒ 私たちの立場を理解していただければありがたい) I would be very happy if you would kindly (try to) *understand* our situation.

くみはん 組み版 (活字を組むこと) typesetting Ⓤ, composition Ⓤ; (組んだ活字をまとめたもの) form Ⓒ. ¶原稿を*組み版する *put* a manuscript *in type*

くみひも 組み紐 braid Ⓤ.

くみふせる 組み伏せる (下へ押さえつける) hold ... down; (倒す) bring [get] ... down; (つかまえて倒す) grapple ... down. ¶警官はその男をとらえて*組み伏せた The policeman *brought* the man (*down*) to the ˹ground [earth] (with a tackle).

くみほす 汲み干す (水を抜き取る) drain (out) (他); (ポンプで) pump out (他). (☞ くみだす). ¶井戸の水を*汲み干す *drain* a well (*out*)

くみみほん 組み見本 (印刷で) specimen page Ⓒ.

くみやく 苦味薬 bitter medicine to stimulate the digestive juices Ⓤ.

くみやしき 組屋敷 living quarters for lower-ranking samurai and their families in the Edo period ★ 複数形. 説明的な訳.

くみわけ 組み分け ── 〔動〕 (一定の集団に分ける) separate ... into groups; (クラスに分ける) divide ... into classes; (種類などによって分類する) classify ... into grades; (能力・適性などによって分ける) place ... into groups; (えり分ける) sórt óut (他).
── 〔名〕 separation into groups Ⓤ; division into classes Ⓤ; placement into groups Ⓤ. (☞ くぶん; わける; ぶんるい).
¶成績にしたがって生徒を 3 つに*組み分けした (⇒ 能力別に 3 つのグループにした) We ˹*made* three *groups* of pupils [*placed* the students *into* three *groups*] according to their ability. // 能力別の*組み分け a ˹*placement* [*grouping-by-ability*] system

くみん 区民 ward ˹residents [inhabitants], the inhabitants of a ward. **区民税** ward tax Ⓒ.

ぐみん 愚民 the ˹masses [people; populace].
愚民政策 keep-the-people-ignorant policy Ⓒ
愚民政治 mob rule Ⓤ, ochlócracy Ⓤ ★ 後者は格式ばった語.

くむ[1] **組む** **1** «身体の一部を交差させる»: (交差させる) cross (他); (腕などを) fold (他).
¶彼は腕を*組んだ He *folded* his arms. // 公園では若い人たちがたくさん腕を*組んで (⇒ 腕を取り合って) 歩いていた In the park I saw many young couples walking *arm in arm*. // 彼女は脚を*組んでいすに座った She sat on the chair with her legs *crossed*. // がっぷりと四つに*組む 《相撲で》 *grip* each other's belts firmly with both hands
2 «協力する»: (仕事などで) coóperàte with ...; (競技などで組を作る) partner (他), partner with ....
¶彼と*組んで (⇒ 彼と協力して) 商売を始めます I'm going to start a business *in cooperation with* him. // テニスではいつも彼女と*組む I usually *partner* her for tennis. / (⇒ 彼女は私のテニスの相棒だ) She is my tennis *partner*.
3 «組み立てる»: (ばらばらのものを) put ... together; (部品などを) assemble (他); (しっかりと作る) construct (他); (上方へ) erect (他); (活字を) compose (他), set type ★ 前者のほうが格式ばった表現; (列などを) form (他). (☞ くみたて; つくる; へんせい[1]; たいれつ).
¶いま建築の足場を*組んでいます They *are* now ˹*putting up* [*erecting*] a scaffold /skǽfəld/ for the construction. // スクラムを*組め (☞ スクラム[1]) *Form* a scrum(mage)! // 予算を*組む *make* [*draw up; work out*] a budget

くむ[2] **汲む** **1** «液状のものを»: (引き出す) draw (他); (ひしゃくで) ladle (他); (すくって) scóop úp (他); (ポンプで) pump (他). ¶池からバケツに 1 杯水を*くんできて下さい (⇒ 持ってきて下さい) Will you *fetch* a bucket of water from the pond? // 昔, 井戸で水を*くむときはつるべを使った Formerly a bucket was used to ˹*draw* [*take*] water *from* a well.
2 «事情などを»: (考慮する) consider (他), take ... into consideration; (同情を示す) sympathize with .... (☞ くみとる). ¶フロイトの流れを*くむ心理学者 a psychologist ˹who *belongs* [*belonging*] *to* the Freudian school
くめども尽きぬ ¶この詩には*くめども尽きぬ深い味わいがある (⇒ この詩には尽きることのない魅力がある) This poem ˹has [holds] an *inexhaustible* fascination for the reader.

クメール ── 〔名〕 (固) (カンボジアの主要民族) the Khmer(s). **クメール文字** Khmerian character Ⓒ.

くめん 工面 ¶私は金の*工面で忙しい (⇒ 金を用意するのに[資金を集めるのに]忙しい) I'm very busy ˹*getting* the money *ready* [*raising* funds]. (☞ さんだん[1]; つごう)

くも[1] **雲** cloud Ⓒ (☞ くもり; くもる).

> **雲のいろいろ**
> 雨雲 rain cloud, 入道雲 thunderhead, 雷雲 thundercloud, きのこ雲 mushroom cloud, 飛行機雲 vapor trail; 『気象学』 巻雲 cirrus, 巻積雲 cirrocúmulus, 巻層雲 cirrostrátus, 高積雲 àltocúmulus, 積乱雲 cùmulonímbus, 高層雲 àltostrátus, 乱層雲 nìmbostrátus, 積雲 cúmulus, 層積雲 stràtocúmulus, 層雲 stratus

¶薄い[厚い]*雲 thin [dense; thick; heavy] *clouds* (☞ あつい[3] 〔語法〕) // *雲のない空 a *cloudless* sky // *雲におおわれた空 a sky *clouded over* // *雲におおわれる be covered with *clouds* // *雲が出てきた (⇒ 曇ってきている) It is getting *cloudy*. / The sky is getting *overcast*. ★ 後者のほうが普通. // 空には*雲ひとつなかった The sky was ˹*clear* [*cloudless*; *without a speck of cloud*]. // *雲が切れてきた The *clouds* are breaking. // *雲が低くたれこめて, 暗かった It was dark with low-hanging *clouds*. // *雲の切れ目から空港が見えてきた Through a break in the *clouds*, the airport came into ˹sight [view].
雲つくような ¶彼は*雲つくような大男だった He

was a *towering* giant. **雲の上**（宮中）(the) (imperial) court **雲の上人**（皇族）member of the imperial family Ⓒ **雲の峰**（入道雲）thunderhead Ⓒ;（積乱雲）〖気象〗cumulonimbus Ⓒ《複 -nimbi, ~es》. **雲をかすみと** ¶扇動者は*雲をかすみと逃げた The agitator *took to his heels.* **雲をつかむような** ¶彼の話は*雲をつかむようだ（⇒ あいまいだ）His story is *quite vague.*

雲脚 movement of the clouds Ⓤ. ¶*雲脚が速くなってきている *The clouds* have begun to *move* fast. **雲学** nephology Ⓤ **雲形定規** French curve Ⓒ, curve Ⓒ **雲間**（雲の切れ目）break in the clouds Ⓒ.

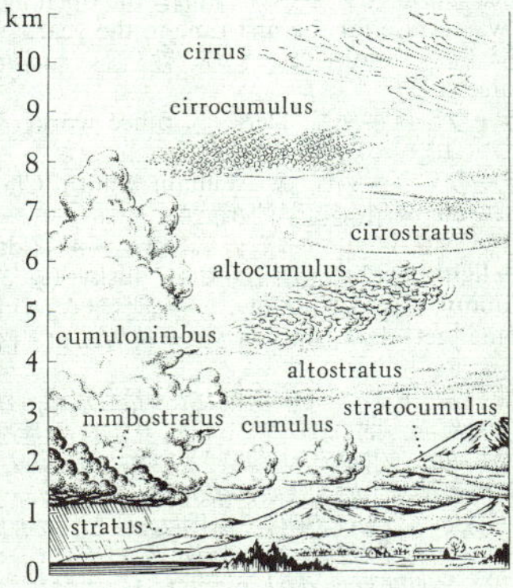

clouds

コロケーション

雲が漂う *clouds* float / 雲が(低く)たれこめる *clouds* hang (low) / 雲が流れる *clouds* drift / 雲が発生する *clouds* form / 雲が晴れる *clouds* clear / 雲が群がる *clouds* gather / 雲がもくもく沸き上がる *clouds* build up // 今にも降り出しそうな雲 a ⌈menacing [threatening] *cloud* / 高い[低い]雲 a ⌈high [low] *cloud* / 不吉な雲 an ominous *cloud*

くも² 蜘蛛 spider Ⓒ. ¶*くもの糸 a *spider's* thread // *くもが巣を作っている A *spider* is spinning a web. **蜘蛛の子を散らすように**（あらゆる方向に）in all directions. ¶彼らは*くもの子を散らすように逃げた They fled *in all directions.* **蜘蛛の巣** spider's web Ⓒ, cobweb Ⓒ.

くもがくれ 雲隠れ ―動（姿を消す）disappear (自), drop out of sight (自);（隠れる）hide *oneself.* 《☞ くらます; かくれる》.

くもきりそう 雲切草 〖植〗*kumokiri-so* Ⓤ;（説明的には）an indigenous species of twayblade orchid with small yellow-green or dull purple flowers.

くもざる 蜘蛛猿 〖動〗spíder mònkey Ⓒ.

くもすけ 雲助 （昔の悪質な駕籠かき）rascally palanquin bearer Ⓒ;（乱暴者）ruffian Ⓒ, roughneck Ⓒ ★ 後者のほうが口語的. 《☞ あらくれおとこ》. **雲助運転手**（悪質な）bad taxi driver Ⓒ;（法外な値段を請求する）taxi driver who ⌈overcharges [demands an unreasonable fare] Ⓒ.

くもつ 供物 offering Ⓒ.

くもひとで 蜘蛛海星 〖動〗brittle stár Ⓒ.

くもまく 蜘蛛膜 〖解〗arachnoid Ⓤ. **蜘蛛膜下出血** súbaràchnoid hémorrhage Ⓤ.

くもゆき 雲行き ¶*雲行きが怪しい（⇒ 雨になりそうだ）It *looks like rain.* // 中東情勢の*雲行きがまた怪しくなった（⇒ 危険になってきた）The *situation* in the Middle East is getting dangerous again.

くもらす 曇らす cloud (他) ★ 物・表情の両方に使われる;（湯気などが）fog (up) (他);（隠して見えなくする）obscure (他);（眉をひそめる）frown (自). ¶湯気が風呂場の鏡を*曇らせた The steam ⌈*clouded* [*fogged*] (*up*) the bathroom mirror. // 彼はその知らせに顔を*曇らせた His face *clouded* over [He *frowned*] at the news.

くもり 曇り 1《天候》 ―形（曇天の）cloudy;（一面雲に覆われた）òvercást. ―名（曇りの状態）cloudiness Ⓤ;（曇りの天気）cloudy weather Ⓤ. 《☞ くもる》. ¶*曇りのち晴れ *Cloudy,* ⌈turning (to) fair [clearing later]. // *曇りの日 a *cloudy* day // *曇りがちの天気 the weather *cloudy* for most of the day // あすは*曇りでしょう It will be *cloudy* tomorrow. / The outlook for tomorrow is (for) *cloudy* (skies). ★ 天気予報などで.

2《物の表面の》:（鏡などの）blur Ⓒ;（汚れ）smudge Ⓒ;（影）shadow Ⓒ;（宝石などの）cloud Ⓒ;（水蒸気などによる）fog Ⓤ ★ しばしば a fog として. ¶レンズの表面に*曇りができた The surface of the lens *is foggy.* // 眼鏡の*曇りをよくふきなさい（⇒ よごれやほこりをとってきれいにしなさい）Clean the *smudges and dust* ⌈off [from] your glasses.

曇り空 cloudy sky Ⓒ.

くもりガラス 曇りガラス （つや消しガラス）frosted glass Ⓤ;（すりガラス）ground glass Ⓤ. 《☞ ガラス》.

くもりごえ 曇り声 （口ごもった声）faltering /fɔ́ːltərɪŋ/ vóice Ⓒ;（涙声）tearful voice Ⓒ.

くもる 曇る 1《空が》:（曇り空になる）become cloudy;（一面に曇る）cloud over (自), become overcast. 《☞ くも¹; くもり》. ¶午後から*曇ってきた It *became cloudy* [The sky *clouded over*] in the afternoon.

2《ぼんやりする》:（霧がかかったように）fog up (自) (他);（ガラスなどが）cloud up (自) (他);（表面に水蒸気などがついて）collect moisture;（顔などが心配で）cloud (自). ¶夜になると窓が*曇る The windows ⌈*cloud* [*fog*] *up* at night. // 外から部屋に入ったら眼鏡が*曇った My glasses *fogged* (*up*) when I entered the room from outside. // 息で鏡が*曇った（⇒ 息が鏡を曇らせた）My breath ⌈*clouded* [*fogged*] the mirror (*up*). // その知らせを聞いて彼女の顔は*曇った Her face ⌈*clouded over* [*was clouded*] when she heard the news.

くもん¹ 苦悶 （肉体および精神上の）ágony Ⓤ;（主として精神面の）anguish /ǽŋgwɪʃ/ Ⓤ. 《☞ くるしみ》. ¶彼女の顔には*苦悶の表情が浮かんでいた There was an expression of ⌈*agony* [*anguish*] on her face.

くもん² 公文 （律令制下の公文書）official document Ⓒ ★ 日本語の説明として a term used under the Ritsuryo system of government を加えるとよい.

ぐもん 愚問 foolish [silly; stupid] question Ⓒ 《☞ ばか（類義語）》. ¶*愚問愚答の応酬 an exchange of *silly questions* and answers /（⇒ ばかげた対話）a *nonsensical* [an *absurd*] *dialogue*

くやくしょ 区役所 ☞ く²（区役所）

くやしい 悔しい ―形（屈辱的な）mortifying;（残念な）regrettable;（がっかりさせる）disappointing. ―動（自分の失敗などを悔しがる）be chagrined /ʃəgríːnd/ ★ 格式ばった語;（後悔する）regret (他). 《☞ ざんねん; くやむ》.

¶ああ*悔しい（⇒ 何という不名誉なことか）What a *shame*! /（⇒ 何たる期待はずれ）How *disappointing*! // 彼は失敗を*悔しがった He *was chagrined* at his failure. // そんなことで*悔しがることはない (⇒ それによって悔しい思いをする必要はない) You don't have to *feel mortified* because of that. / (⇒ それを悔む理由はない) You have no cause for *regret*. // *悔しいことにまた失敗した To my *disappointment*, I failed (once) again. // *悔しかったらこの問題を解いてみろ (⇒ この問題を君が解くようにと私はいどむ) I ˹*defy* [*dare*] you to answer this question.

くやしさ 悔しさ (思いどおりにならない無念さ) chagrin /ʃəgrín/ Ⓤ; (いらいらするような失望) frustration Ⓤ; (むしゃくしゃするようないらだち) vexation Ⓤ; (屈辱) mortification Ⓤ.

¶ 彼は*悔しさを表に出さなかった (⇒ 隠した) He concealed his *chagrin*. // 彼女は*悔しさで泣き出さんばかりだった She was nearly in tears in her *frustration*. // この*悔しさは忘れない I'll never forget the *mortification* I felt.

くやしなき 悔し泣き ¶ 彼女は負けて*悔し泣きした (⇒ 悔しさで涙を流した) She *shed tears in* (*her*) *chagrin* over the defeat.

くやしなみだ 悔し涙 tears of ˹regret [mortification] ★ 複数形で. ¶ 彼は*悔し涙にくれた He was left to shed (*bitter*) *tears of anguish*.

くやしまぎれ 悔し紛れ ¶ 彼は*悔し紛れに私に悪態をついた He *took it out* ˹on me [by swearing at me]. ★ take it out on …は「…に八つ当たりする」の意. ((☞ はらいせ))

くやみ 悔やみ ☞ おくやみ

悔やみ状 letter of ˹condolence [sympathy] Ⓒ.

くやみごと 悔やみ言 (後悔のことば) word of regret Ⓒ; (弔辞) (wórd of) condólence Ⓒ ★ いずれもしばしば複数形で. ((☞ おくやみ; こうかい¹))

くやむ 悔やむ (悪いことをしたと思う) feel [be] sorry (for …) ★ 口語的; (後悔する) regret ㊀; (特に, 自分の罪などを悔いる) ((格式)) repent ㊀ ㊁. ((☞ こうかい¹)) ¶ 済んだことを*悔やんでも仕方がない What's done cannot be undone. ((ことわざ: なされたことは元へ戻せない)) / It is no use *crying over* spilt milk. ((ことわざ: こぼれた牛乳を嘆いても仕方がない)) // 後になって*悔やむぞ You will *be sorry* someday. // いまになってあんなことをしなければよかったと*悔やんでいる Now I'*m* very *sorry for* what I have done. / Now I *regret* ˹that I did [having done] ˹that [such a thing].

ぐゆう 具有 ── 動 (持っている) have ㊀; (性質・能力などを) ((格式)) possess ㊀; (生まれつき授かっている) be endowed with …. ((☞ もつ¹ (類義語)))

くゆらす (たばこを吸う) smoke ㊀ ㊁; (ぷかぷかと) puff at …. ((☞ ぷかぷか))

くよう 供養 ── 名 (追悼の儀式) memórial service (for …) Ⓒ. ── 動 (供養する) hold a memorial service. ¶ 父の*供養の (⇒ 魂を慰める) ために石塔を建てた We built a stone monument to *console* our father's soul. // 彼の本を出すことが彼への何よりの*供養だ The best *consolation* for his soul would be to publish his book.

供養塔 tower for the consolation of the dead person's soul Ⓒ.

くよくよ ── 動 (思いわずらう) worry (*oneself*) ˹about [over] …; (じっと思いにふける) brood over …. ((☞ おもいつめる; くやむ; 擬声・擬態語 (囲み)))

¶ そう*くよくよするな (⇒ 元気を出せ) Cheer up! / (⇒ 心配するな) Don't worry! / (⇒ 気軽に考えなさい) Take it easy! / (⇒ 深刻に考えるな) Don't take it too seriously. // 何を*くよくよしているんだ (⇒ 何が君をそんなに悲しませているのか) What makes you so *sad*? / (⇒ 何を心配しているのか) What *are* you ˹*worrying* [*worried*] *about*? // 彼はなくした時計のことを*くよくよ考えた He *brooded over* the lost watch.

くら¹ 倉, 蔵 (貯蔵庫) storehouse Ⓒ; (商品倉庫) warehouse Ⓒ; (穀物用の) granary /gréɪnəri/ Ⓒ. ((☞ そうこ)) **蔵入れ** ── 名 warehousing Ⓤ. ── 動 (倉庫に保管する) warehouse ㊀, store … in a warehouse **蔵出し** ── 名 delivery (of goods) from a warehouse Ⓤ. ── 動 deliver … from a warehouse **蔵造り** *Kura*-style architecture Ⓤ; (説明的には) style of Japanese architecture similar to the method of warehouse building in which dirt walls and thick mortar are used Ⓒ **蔵主** owner [proprietor] of a warehouse Ⓒ **蔵払い** (整理のための売り出し) clearance sale Ⓒ ((☞ セール¹)) **蔵開き** the opening of a warehouse for the first time in the year.

くら² 鞍 saddle Ⓒ. ¶ 馬に*鞍を置く *saddle* a horse

クラーク¹ (事務員) clerk Ⓒ, office worker Ⓒ. ((☞ じむ))

クラーク² ── 名 ㊄ William Smith Clark, 1826–86. ★ 札幌農学校の教頭.

くらい¹ 暗い **1** ((明暗・表情など)) ── 形 dark (↔ light, bright); (薄暗い) dim, dusky; (陰気な) gloomy; (陰の多い) shady. ── 動 (暗くなる) become [get] dark, darken ㊁ ★ 後者のほうが格式ばった言い方.

【類義語】暗いことを一般的に表す最も基本的な語が **dark**. 光が弱く, ぼんやりしてよく見えない状態を表すのが **dim**. 夕闇のような薄暗さを表すのが **dusky**. 気持ちや表情が沈んで暗いのが **gloomy**. 「日陰の」という意味で, 行為などが明るみに出せないようないかがわしいものであることを表すのが **shady**. ((☞ まっくら; くらやみ)) ¶ *暗い夜 a *dark* night // ほら穴はとても*暗かった The cave was very *dark*. // 外は*暗くなってきた It is *getting dark* outside. // 父はまだ*暗いうちに起きます My father gets up ˹while it is still *dark* [(⇒ 夜明け前に) *before daybreak*]. // *暗い明かりの下では本が読めない I can't read a book ˹under a *dim* light [in *dim* lighting]. // 玄関は照明が*暗かった The hall was *dimly* ˹lighted [lit]. // 私の少年時代には戦争の*暗い (⇒ つらい) 思い出しかない Because of the war, I have only *bitter* memories of my childhood. // 彼は将来のことを考えると*暗い気持ちになった He felt ˹*gloomy* [*pessimistic*] about his future. // *暗い過去のある女性 a woman with a *shady* past

2 ((無知)) ── 動 ((…を) 知らない) be ígnorant (of …); (土地に不案内の) be a stranger. ((☞ むち¹; ふあんない)) ¶ 私は町のこの辺りの地理には*暗い I'*m a stranger* in this part of town. // 彼女は世間に*暗い (⇒ 世の中をほとんど知らない) She *knows very little of* the world.

くらい² 位 ── 名 (官職の) rank Ⓒ; (格付け) ranking Ⓤ; (等級に分けられたものの一つ一つの区分) grade Ⓒ; (数の) position Ⓒ; (小数点以下の) place Ⓒ. ── 動 (位する) rank ㊁. ── 形 (居合わせた中で位が最上級の; 上級の) ranking. ((☞ ちい; かいきゅう¹))

¶ 一佐は三佐より*位が上だ Colonel ˹is above major in *rank* [*ranks* above major]. 語法「位が下」は below を用いる. // 彼は*位の高い役人だ He is a high-*ranking* official. // 一[十, 百]の*位 unit(')s [ten(')s; hundred(')s] *position* // 一[十, 百]の*位の数 a unit(')s [ten(')s; hundred(')s] *position* ˹digit [figure; number]

位人臣を極める attain the highest ˹rank [position] (that a subject can assume).

位取り ¶ *位取りを間違える (⇒ 間違った場所に小数点を付ける) put a decimal point in the wrong place 位負け ━ 動 (自分の地位に対して) cannot live up to (the standard(s) of) *one's* position; (相手に対して) be outranked by ….

-くらい 1 《およそ》: (約) about, 《略式》 around; (ほぼ) appróximately ★ やや格式ばった語. [日英比較] 日本語では, 表現を和らげるためにあまり意味のない「…くらい」を使うことが多い. 例えば,「どのくらい」「幾つぐらい」「3つぐらい」などである. このような場合には英語に訳出するとかえって日本語の原意と違ってしまったり, 英語としておかしな言い方になったりする点に注意; (…かそのくらい) … or so ★ 数・量の後に付ける. (☞ やく[3] (類義語); -ほど).
¶「ここから駅までどの*くらいありますか」「2キロ*ぐらいです (⇒ 約2キロ)」“How far is it from here to the station?” “It's *about* two kilometers.” (☞ どのくらい) //「いくら*ぐらいしましたか」「1万円*ぐらいでした」“How much was it?” “It was ˹*about* [*approximately*] ten thousand yen.” //「はがきは何枚*ぐらいご入用ですか」「3枚*ぐらいいただけますか」“How many postcards would you like?” “Three, please?” //「彼は幾つ*ぐらいでしょうか」「40代の半ば*ぐらいでしょう」“How old do you think he is?” “I'd say he's in his mid-forties.” // 彼は君*ぐらいの年でしょう He appears to be *about* your age.
2 《程度の比較》: (同程度) as … as (☞ -ほど; これくらい; それくらい). ¶ 私の部屋もこの*くらい広い (⇒ これと同じだけ広い) といいな I wish my room were *as* large *as* this one. // 彼*ぐらい健康であればいいが I wish I were *as* strong *as* he is. / (⇒ 私は彼の健康をうらやましく思う) I envy his health. // 彼女は英語を日本語と同じ*ぐらい上手に話す Her English is *as* good *as* her Japanese. / She speaks English *as* fluently *as* (she speaks) Japanese. // スポーツの中で水泳*ぐらい好きなものはない (⇒ 水泳が一番好きだ) I like swimming the best of all sports. / (⇒ ほかのどのスポーツよりも) I like swimming better than any other sport. // これだけあれば余る*くらいです (⇒ 十分より多い) This is *more than enough* for us. // 泣きたい*ぐらいだった (⇒ 泣きたい気がした) I felt like crying. / (⇒ ほとんど泣かんばかりだった) I *almost* cried.
3 《少なくとも》: (せめて) at least; (…しても悪くない) might as well … ¶ 月に1度*ぐらいは (⇒ 少なくとも1度は) 電話を下さい Please call me *at least* once a month. // 彼は返事*ぐらいしてもよさそうなものだ (⇒ …しても悪くない) He *might as well* answer me.
4 《むしろ》: (どちらかといえば) rather; (…したほうがよい) may [might] as well … ¶ 車を買う*ぐらいならば海外旅行をする (⇒ よりもむしろ) I'd ˹*rather* [*sooner*] travel abroad *than* buy a car. // 途中でやめる*ぐらいならば始めなければよい You ˹*may* [*might*] *as well* not start at all as leave it unfinished.

クライアント (弁護士の依頼人・福祉事業の世話を受ける人・広告業界の客・カウンセリングを受ける人など) client Ⓒ. **クライアントサーバーシステム** 〘コンピューター〙 client server system Ⓒ.

くらいこむ 食らい込む (刑務所に入れられる) be sent to prison; (やっかいなことを背負いこむ) be burdened with …. ¶ 彼は5年ほど*食らい込んだ He *was* ˹*sent to* [*in*] *prison* for five years. // 私は彼女の借金まで*食らい込んでしまった I *was saddled with* her debts as well.

クライシス (危機) crisis /kráɪsɪs/ Ⓒ (複 crises /-siːz/). **クライシスマネージメント** ☞ きき[1] (危機管理)

クライスラー ━ 名 (固) (人名) Fritz Kreisler /fríts kráɪslə/, 1875–1962 ★ 米国のバイオリン奏者; (米国の自動車会社) Chrysler ★ 1998年, 合併によって正式名は DaimlerChrysler となった. クライスラー社製の自動車の意味では Ⓒ.

くらいする 位する (位置する) lie (自); be located (at [in] …). (☞ くらい[2]). ¶ わが家は東京のほぼ中心に*位する Our house *is* (*located*) almost *in* the center of Tokyo.

グライダー glider Ⓒ.

くらいだおれ 位倒れ ☞ くらい[2] (位負け)

くらいつく 食らい付く ☞ くいつく

クライテリア (基準) criterion /kraɪtí(ə)riən/ Ⓒ (複 criteria /-riə/).

クライド (男性名) Clyde.

クライブ (男性名) Clive.

クライマー (登山家) climber Ⓒ.

クライマックス clímax Ⓒ (☞ かきょう[1]; ちょうてん). ¶ その祭りは*クライマックスに達した The festival ˹came to [reached] ˹the [its] *climax*.

クライミング (登山) climbing Ⓤ. ¶ ロック*クライミング rock *climbing* **クライミングウォール** (クライミング練習用の壁) clímbing wàll Ⓒ.

クライム (犯罪) crime Ⓒ (☞ はんざい). **クライムストーリー** crime story Ⓒ; (推理小説) detective ˹story [novel] Ⓒ.

クライン ━ 名 (固) Felix Klein /fíːlɪks kláɪn/, 1849–1925. ★ ドイツの数学者.

グラインダー (研削盤) grinder Ⓒ.

くらう 食らう ¶ 私はパンチを*食らった I *took* a punch. // 我々は不意打ちを*食らった We *were taken* by surprise. (☞ くう[1])

クラウジウス ━ 名 (固) Rudolf Julius Clausius, 1822–88. ★ ドイツの物理学者・数学者.

クラウチングスタート 〘スポ〙 cróuch stàrt Ⓒ.

グラウト grout Ⓤ. **グラウト工法** grouting Ⓤ.

クラウン[1] (王冠・イギリスの硬貨) crown Ⓒ.

クラウン[2] (道化師) clown Ⓒ; (おどけ者) buffoon Ⓒ. (☞ どうけ[1]; ピエロ).

グラウンダー 〘野〙 (ゴロ) grounder Ⓒ, ground ball Ⓒ.

グラウンド (競技場) ground Ⓒ, field Ⓒ [語法] 用途によって baseball, football, sports などを付けて用いる; (学校などの) pláygròund Ⓒ; (野球・フットボールなどの施設全体) stadium Ⓒ; (野球の) 《米》 ballpark Ⓒ. (☞ こうてい[3]). ¶ (野球などの) ホーム*グラウンド a home *ground* // 彼のホーム*グラウンドで on his own *ground* **グラウンドキーパー** ground(s) keeper Ⓒ **グラウンドコンディション** ground condition Ⓤ ★ しばしば複数形で, the condition of the ground. ¶ 今日は*グラウンドコンディションがよくない The *field* is not in great *shape* today. **グラウンドストローク** 〘テニス〙 ground stroke Ⓒ **グラウンドボーイ** 〘野〙 batboy Ⓒ **グラウンドマナー** behavior in a game Ⓤ; (よいマナー) fair play Ⓤ, sportsmanship Ⓤ **グラウンドルール** ground rule Ⓒ.

グラウンドシート (テントなどで地面に敷くシート) 《米》 ground cloth Ⓒ, 《英》 ground sheet Ⓒ.

グラウンドゼロ (爆心地) gróund zéro Ⓒ.

グラウンドフロア (建物の1階) 《米》 first floor Ⓒ, 《英》 ground floor Ⓒ. (☞ いっかい[1]).

グラウンドホステス (空港の女性接客係) female ground staff (at an airport) Ⓒ.

グラウンドレスリング 〘レス〙 (寝技) ground work Ⓤ.

グラウンドワーク (環境保護・整備運動) groundwork Ⓒ.

クラウンプリンス (皇太子) crown prince Ⓒ (☞ こうたいし).

クラウンプリンセス (皇太子妃) crown princess

Ⓒ《☞ こうたいし》.

くらがえ 鞍替え ―動 (…から…へ移る) switch [shift] from … to … 《☞ きりかえる》.

くらがり 暗がり (やみ) dark Ⓤ, darkness Ⓤ. 《☞ くらやみ; うすくらがり》. ¶ *暗がりで in (the) *dark(ness)*

くらく 苦楽 (喜びと悲しみ) joys and sorrows; (人生の楽しみと苦しみ) the bittersweetness of life. 《☞ くろう; よろこび》. ¶ 彼らは*苦楽を共にした仲だ They shared their *joys and sorrows.* // 私は彼と*苦楽を共にしてきた (⇒ 彼の喜びもつらいことも分かちあった) I have shared his *troubles* as well as his *joys.*

クラクション ―名 horn Ⓒ 参考 英語の klaxon /klǽksən/ は商標名で, 一般名称としては用いられない. ―動 (クラクションを鳴らす) blow [use] a horn, honk ⓐ ⓗ ★ 前者が一般的. 《☞ けいてき》.

クラクフ ―名 ⓖ Kraków /krá:kù:f/, Cracow /krá:kàʊ/ ★ ポーランド南部の都市. Kraków の ´ は綴り本来のもの.

くらくら ―名 (目まいがする) feel ˹dizzy [giddy]; (頭などふらふらする) swim ⓐ ★「頭」や「周りの物」が主語; (くるくる回る) reel ⓐ, spin ⓐ ★「頭」などが主語. 《☞ 擬声・擬態語 (囲み); めまい》.
¶ あそこへ登ったときは*くらくらした (⇒ 目まいを感じた) I *felt* ˹*dizzy* [*giddy*] (when I was) up there. // ジェットコースターに乗ったら頭が*くらくらした (⇒ ジェットコースターは私の頭をくらくらさせた) The roller coaster made my head ˹*spin* [*reel*]. // 暑さで頭が*くらくらした My head *swam* with the heat. // 部屋の中で目の前が*くらくらとした (⇒ 目の前で部屋がぐるぐる回った) The room *swam* before my eyes.

ぐらぐら ¶ なべが*ぐらぐら煮えている (⇒ なべが沸騰している) The pot *is boiling.* // 歯が 1 本*ぐらぐらしている (⇒ 私はゆるい歯を持っている) I've got a *loose* tooth. // ねじが*ぐらぐらしてきた The bolt is coming *loose.* // けさの地震で家がかなり*ぐらぐら揺れた My house *shook violently* in the earthquake this morning. // 頭が*ぐらぐらする My head *is swimming.* / I ˹am feeling [feel] *dizzy.* 《☞ 擬声・擬態語 (囲み); ゆれる; ぐらつく》

くらげ 水母 〘動〙 jéllyfish Ⓒ (複 ~, ~es).
¶ *くらげのかさ the ˹umbrella [bell] of a *jellyfish*

くらさ 暗さ (暗黒の) darkness Ⓤ; (性格・気持ちの) gloom Ⓤ. 《☞ くらやみ; あんこく》.

くらし 暮らし (生き方・暮らし方) life Ⓒ; (生計) living Ⓤ, livelihood /láɪvlihùd/ ★ 通常 a, *one's* を付けて. 《☞ せいかつ¹; せいけい¹》.
¶ 彼女は英語を教えて*暮らしを立てている She ˹earns [makes] her *living* (by) teaching English. / She *lives* by teaching English. // その給料では*暮らしが立たない I can't *live* on those wages. / (⇒ その給料では家族を養えない) I can't *support* my family ˹on [with] that salary. / (⇒ それは生活賃金ではない) That is not a *living* wage. // 東京の*暮らしは楽ではない (⇒ 東京に住むのは金がかかる) It's very expensive to *live* in Tokyo. / (⇒ 東京は高くつく所です) Tokyo is an expensive city to *live* in. // 彼女は*暮らしに困っている She is ˹*badly off* [*hard up*] (*for money*). // 派手な*暮らしをする *live* in style / *live* in a luxurious and elegant ˹style [manner; way] // *暮らしを切り詰める (⇒ 生活費を) cut down (on) *one's living expenses* / (⇒ 質素な生活をする) lead a frugal *life*
暮らし向き ¶ *暮らし向きがよい[悪い] be ˹*well* [*badly*] *off* // *暮らし向きが(前より)よく[悪く]なっている be ˹*better* [*worse*] *off*

―コロケーション―
その日暮らしをする *live* from hand to mouth / 分不[分]相応の暮らしをする *live* ˹beyond [within] *one's* ˹income [means] / ホテル暮らしをする *live* at a hotel // おだやかな暮らし a quiet family *life* / 平凡な暮らし an ordinary *life* / まともな暮らし a decent *life*

グラジオラス 〘植〙 gladiolus /glæ̀dióʊləs/ Ⓒ (複 gladioli /-laɪ/, ~es).

クラシカル ―形 classical.

くらしき(りょう) 倉敷(料) storage Ⓤ, storage [warehouse] charge Ⓒ.

クラシシズム (古典主義) clássicìsm Ⓤ.

クラシック (音楽) classical music Ⓤ ★ ジャズやポップミュージックと区別していう. 《☞ こてん¹》.
クラシックカー (1916 年以前に製造のもの) veteran car Ⓒ; (1917–30 年に製造のもの) vintage car Ⓒ; 《米》(1925–42 年に製造のもの) classic car Ⓒ クラシックギター classical guitar Ⓒ クラシックバレエ classical [classic] ballet Ⓤ クラシックレース 〘競馬〙 the classic races ★ 複数形で.

クラシファイド ―形 (秘密扱いの) clássified 《☞ ひみつ; きみつ¹》.

クラシフィケーション (分類・格付け) classification Ⓤ 《☞ ぶんるい; かくづけ》.

グラシンし グラシン紙 (半透明の薄紙) glassine /glæsí:n/ Ⓤ.

くらす 暮らす (生活する) live ⓐ ★ 最も一般的な語; (やって行く) gèt alóng ⓐ ★ 口語的; (生計を立てる) make a living; (滞在する) stay ⓐ. 《☞ せいかつ¹》. ¶ だれでも楽しく*暮らしたいと願っている Everyone wishes to ˹*live* [*lead*] *a happy life.* 語法 live [lead] a happy life で live happily と同じ. happy の代わりにほかの形容詞を入れて用いることができる. // 彼らはその後ずっと幸せに*暮らしました (童話などの結びの言葉) They *lived* happily ever after. // 彼はわずかな年金で*暮らしている He *lives on* a small pension. // いかがお*暮らしですか How *are* you *doing*? // その男は大工の仕事をして*暮らした The man *made his living* as a carpenter. // 彼女は 2 か月間パリのホテルで*暮らした She *stayed* ˹*at* [*in*] a hotel in Paris for two months.

―コロケーション―
快適に暮らす *live* comfortably / 簡素に暮らす *live* simply / 静かに暮らす *live* quietly / 質素に暮らす *live* ˹modestly [plainly; frugally] / ぜいたくに暮らす *live* ˹luxuriously [extravagantly; lavishly; in affluence] / つましく暮らす *live* in a modest way / 妻の稼ぎで暮らす *live* off *one's* wife / どうにかまともに暮らす *live* decently / のんきに暮らす *live* in an easy-going way / 独りで暮らす *live* ˹alone [by *oneself*] / 豊かに暮らす *live* in plenty

クラス (学級・等級) class Ⓒ; (ホームルーム) hómeròom Ⓒ. 《☞ くみ 語法; 学校・教育 (囲み); きゅう²》. ¶ 彼と私は同じ*クラス (⇒ ホームルーム) です He and I are in ˹the same *homeroom* [*homeroom* together]. // 田中先生は 2B の*クラスの担任です Mr. Tanaka is in charge of *homeroom* 2B. // 2000 cc *クラスの自動車が欲しい I want a car ˹in [of] the 2,000 cc *class.* // A *クラスのホテル a *first-rate* hotel
日英比較 英語の class は「授業」の他に,「同学年の人全部」の意味で使われる. 日本語で言う「学級」の意での A 組[A クラス], B 組[B クラス]の「クラス」に当たるのは homeroom という. 英語で We were in the same class ˹at [in] high school, と言えば「私たちは高校の同期生だった」の意となる.
クラス委員 class「committee [council] member Ⓒ **クラス会** homeroom meeting Ⓒ; (卒業後の) homeroom reunion Ⓒ **クラス討論** class discussion Ⓒ **クラスメート** classmate Ⓒ **クラスルーム** (教室) classroom Ⓒ.

グラス[1] (コップ) glass Ⓒ《☞ コップ》. ¶*グラスを合わせる touch *glasses* // 彼らは*グラスをかちんと合わせた They clinked their *glasses* together.

グラス[2] (芝) grass Ⓤ《☞ しば¹》.
クラスアクション (集団訴訟) class「action [suit] Ⓒ.
グラスウール glass wool Ⓤ.
グラスゴー —名 固 Glasgow /glǽskoʊ, 《英》 glɑ́ːzgoʊ/ ★ スコットランドの港湾都市.
グラスコート (芝生のテニスコート) grass court Ⓒ.
グラスシーリング glass ceiling Ⓒ ★ 普通は単数形で.
グラススキー grass skiing Ⓤ, skiing on (the) grass Ⓤ.
クラスター (集団・塊) cluster Ⓒ; (集合体) ággregate Ⓒ. **クラスター爆弾** cluster bomb Ⓒ.
クラスト (固く凍った雪面) crust Ⓤ.
グラスバンカー (ゴルフの) grass bunker Ⓒ《☞ ゴルフ》.
グラスファイバー fiberglass Ⓤ, glass fiber Ⓤ.
グラス(ボトム)ボート (ガラス底の遊覧船) glass-bottom [bottom-glazed] (pleasure) boat Ⓒ.
クラスマガジン (特定層対象の専門雑誌) class magazine Ⓒ《☞ ざっし》.
クラスメディア (特定層対象の情報媒体) cláss media /míːdiə/ ★ 複数形. 単数扱いの場合もあるが通例は複数扱い.《☞ マスコミ; メディア》.
グラスロッド glass [fiberglass fishing] rod Ⓒ.
グラタン gratin /grɑ́ːtn/ Ⓤ ★ 普通「…グラタン」として料理の名称で用いる. ¶ マカロニ*グラタン màcaróni *au gratin* /oʊgrɑ́ːtn/
クラッカー *cracker* Ⓒ 〔語法〕 食べ物のクラッカーも破裂して音が出るクラッカーも同じ. ただし後者は《米》 firecracker ともいう.
クラック (コカインから作る麻薬) crack Ⓤ; (割れ目・裂け目) crack Ⓒ.《☞ まやく; われめ; さけめ》.
ぐらつく —動 (人や物が倒れそうになって) totter 自; (ゆらゆらする) wobble 自; (足もとがおぼつかなくて) stagger 自 ★ 比喩的にも用いる; (決心・態度などが) waver 自. —形 (がたつく) shaky; (不安定な) wobbly; (特に継ぎ目などにがたがきて) rickety. 《☞ ぐらぐら; ふらつく》. ¶ 花瓶が*ぐらついて倒れた The vase *tottered* and fell. // その知らせを聞いて彼の決心は*ぐらついた (⇒ その知らせは彼の決心を揺さぶった) The news「*shook* [*upset*] his resolution. / (⇒ その知らせが彼に思い直させた) The news made him *think twice*. // ねじが*ぐらついてきた (⇒ ゆるんできた) The nut *is getting loose*.
クラックダウン (警察の取り締まり・手入れ) cráckdòwn Ⓒ《☞ とりしまり》.
クラッシャー (岩石などの粉砕機) crusher Ⓒ.
クラッシュ (車の衝突・飛行機の墜落・コンピューターシステムの故障) crash Ⓒ《☞ しょうとつ; ついらく; こしょう²》.
グラッセ —形 (砂糖の衣をかけた) glacé/glæséɪ/ Ⓐ. —動 (砂糖の衣をかける) glacé 他. ★ glacé の ´ は綴り本来のもの. ¶ マロン*グラッセ a marron /mærɔ́ːŋ/ *glacé*
クラッチ (自動車の) clutch Ⓒ. ¶*クラッチがつないである[切ってある] The *clutch* is「in [out]. // *クラッチを切れ Let the *clutch* out. // ノー*クラッチの自動車 a car with automatic「transmission [drive] **クラッチペダル** clutch (pedal) Ⓒ.
クラッチバッグ (かかえて用いる小型ハンドバッグ) clútch bàg Ⓒ, clútch pùrse Ⓒ.
クラッチヒッター (ピンチに強い打者) clútch hìtter Ⓒ.
グラッドストン —名 固 William Ewart /júːət/ Gladstone /glǽdstən/, 1809–98. ★ イギリスの政治家.
グラディス (女性名) Gladys /glǽdɪs/.
グラデーション (写真・絵画のぼかし) gradation Ⓤ《☞ ぼかし》. **グラデーションカット** (少しずつ段差をつけた髪の切り方) gradation (hair)cut Ⓒ.
グラナダ —名 固 Granada /grənɑ́ːdə/ ★ スペイン南部の観光都市.
グラナドス —名 固 Enrique Granados /enríːkeɪ grənɑ́ːdoʊs/, 1867–1916. ★ スペインの作曲家.
グラニューとう グラニュー糖 gránulàted súgar Ⓤ.
グラバーてい グラバー邸 —名 固 the Glover /glʌ́və/ rèsidence ★ 幕末から明治にかけて長崎に在住したイギリス商人グラバー (Glover) の旧居.
グラバーハンド 〘コンピューター〙 (作業画面を自由にずらす機能) grabber hand Ⓒ.
グラハム ☞ グレアム
グラビア photogravure /fòʊtəgrəvjúə/ Ⓤ, gravure /grəvjúə/ Ⓤ.
クラビーア (鍵盤楽器) clavier /kləvíə/ Ⓒ.
クラビコード 〘楽器〙 (ピアノの前身) clavichord /klǽvɪkɔ̀əd/ Ⓒ.
クラブ **1** 《同好会》: club Ⓒ; (格式ばった語では) society Ⓒ, association Ⓒ; (建物) clubhouse Ⓒ. 《☞ かい¹ (類義語); どうこうかい》. ¶ テニス*クラブへ入る join a tennis *club* // 彼女は私たちの読書*クラブの一員です She is a member of our「book [reading] *club*. //「何の*クラブに入っていますか」「英語の*クラブに入っています」 "What *club(s)* do you belong to?" "I belong to the English *Club*."
2 《トランプの》: (クラブの札) club Ⓒ ★ clubs として用いるのが普通. ¶*クラブの 8 the eight of *clubs*
3 《ゴルフの》: (golf) club Ⓒ《☞ ゴルフ (挿絵)》.
クラブ活動 club activity Ⓒ; (課外活動全体) èxtracurrícular actívities ★ 格式ばった言い方. 複数形で. **クラブハウス** clubhouse Ⓒ.
グラフ —名 (図表) graph Ⓒ; (図表・絵も含めての) díagràm Ⓒ. 《☞ ず¹; ずひょう》. —動 graph 他. ¶ 棒 [円; 折れ線] *グラフ a「bar [circle; line] *graph* // 私は温度の変化を*グラフにした I made a *graph* of the temperature change(s). / I *graphed* the temperature change(s). **グラフ用紙** graph paper Ⓤ, 《英》 section paper Ⓤ **グラフ理論** 〘数〙 graph theory Ⓤ.
グラブ glove Ⓒ《☞ てぶくろ》.

グラファイト (黒鉛) graphite /grǽfaɪt/ Ⓤ.

グラフィック ―形 (図表や図解を多く用いた) graphic. **グラフィックアート** graphic arts ★ 複数形で. **グラフィックイコライザー** (音質調整用の増幅器) graphic equalizer Ⓒ **グラフィックディスプレー** (図形表示(装置)) graphic display Ⓒ **グラフィックデザイナー** graphic designer Ⓒ **グラフィックデザイン** graphic design Ⓤ.

グラフィックス (製図法・図解法) graphics Ⓤ. **グラフィックスソフト(ウェア)** graphics software Ⓤ **グラフィックスワークステーション** graphics workstation Ⓒ.

グラフィティー (落書き) graffiti /grəfíːtiː/ ★ graffito の複数形.

クラブサン 〔楽器〕(ハープシコード) hárpsichòrd Ⓒ, cembalo /tʃémbəlòu/ Ⓒ《複 -li》, clavecin /klǽvəsn/ Ⓒ ★ 以上 3 つはいずれも 17 世紀はじめから使われた鍵盤楽器を指すが, 最初の 2 つはイタリア語系, 3 番目はフランス語系.

クラブサンドイッチ (三枚重ねの大型サンド) club sandwich Ⓒ.

クラフト (手工芸) (handi)craft Ⓒ; (手工芸品) handicraft Ⓒ. **クラフトデザイン** craft design Ⓒ **クラフトマン** (男性の) craftsman Ⓒ; (女性の) craftswoman Ⓒ.

クラフトし クラフト紙 kraft (paper) Ⓤ.

クラフトテープ kraft-reinforced gummed tape Ⓤ ★ 具体的なものを指す場合は a roll of ～ のように言う. 《☞ ガムテープ; ねんちゃく (粘着テープ)》.

クラフトパルプ kraft pulp Ⓤ.

-くらべ …比べ ¶ 力[腕]*くらべ a *contest* of ⌈physical strength [skill] // 知恵*くらべ (⇒ 知恵の戦い) a ⌈*duel* [*contest*] of wits

くらべもの 比べ物 ¶ 広さでは日本とアメリカは*比べものに (⇒ 比較に) ならない In terms of (total) land area, there is *no comparison* between Japan and America. / (⇒ 日本はアメリカにかなわない) Japan is *no match* for America when it comes to land area. / (⇒ 日本はアメリカと比較できない) Japan cannot ⌈*be compared* [*compare*] *with* America in territorial size. 語法 この場合の compare は通常否定文・疑問文で用いる.

くらべる 比べる (一般的には) compare … ⌈and [with] …; (特に相違を際立たせるための比較対照は) contrást … ⌈and [with] …; (標準を決めて) measure … ⌈with [against] …. 《☞ ひかく¹》.
¶ この 2 つのカメラを*比べてみましょう Let's *compare* these two cameras. // A と B とを*比べよ *Compare* A ⌈*and* [*with*] B. // 彼は仏教とキリスト教とを*比べながら宗教について論じた He talked about religion(s), *contrasting* Buddhism *with* Christianity. // パリも東京と*比べると小さいものです Paris is rather small ⌈*in comparison* [*compared*] *with* Tokyo. // 私は彼とジャンプ力を*比べた I *measured* my jumping ability *against* his.

グラマー¹ ―名 curvaceous /kəːvéɪʃəs/ ⌈girl [woman] Ⓒ. ―形《俗》stacked Ⓟ. 日英比較 日本語でいう「グラマー」は肉体美が強調されるが, 英語の glamour girl は魅力と着こなしのうまさに重点がある.

グラマー² (文法) grammar Ⓤ《☞ ぶんぽう¹》.

グラマースクール (英国の中等学校, 大学進学を目指す人のためのもの) grámmar schòol Ⓒ.

くらます ¶ 彼女は突然姿を*くらました (⇒ 姿を消した) She suddenly *disappeared*. // 彼は警察の目を*くらますことに (⇒ 警察に手がかりを失わせることに) 成功した He succeeded in *putting* the police *off* the ⌈*scent* [*trail*]. / (⇒ 警察の追跡からなんとか身を隠した) He managed to *hide* (*himself*) from the police. 《☞ かくれる; ゆくえ》

グラミーしょう グラミー賞 Grammy (Award) Ⓒ.

クラミジア 〔医〕chlamydia /kləmídiə/ Ⓤ.

くらむ 眩む ―動 (光などがまぶしくて) be dazzled; (まぶしくて, または金や欲などで) be blinded. ―形 (目の回るような) giddy, dizzy. 《☞ めまい; くらくら; め¹》. ¶ 目も*くらむばかりの高さ a ⌈*giddy* [*dizzy*] height // 目も*くらむばかりの輝き *dazzling* brightness // 目も*くらむばかりのライト (⇒ 目を見えなくさせる光) (a) *blinding* light / (⇒ ぎらぎらする光) (a) *glaring* light // 太陽の光で一瞬目が*くらんだ (⇒ 明るい太陽が一瞬私の目を見えなくさせた) The bright sun *blinded* me for a moment. / I *was dazzled* by the glaring sun for a moment. // 彼は欲 (⇒ 金) に目が*くらんでいる He *is blinded* by (the) love of money.

グラム¹ gram Ⓒ《略 g, gm, gr》《☞ 度量衡 (囲み)》.

グラム² 〔楽〕(1970 年代のイギリスのロック) glam-rock Ⓤ.

グラムじゅう グラム重 gram-force Ⓤ.

クラムチャウダー 〔料理〕clam chowder Ⓤ.

くらもと 蔵元 (酒の醸造所) sake brewery /sάːki brùːəri/ Ⓒ; (酒の醸造者) sake brewer Ⓒ.

くらやみ 暗闇 darkness Ⓤ, dark Ⓤ; (暗い場所) dark place Ⓒ. 《☞ くらい¹; まっくら》. ¶ 彼女は*暗闇を怖がった She was afraid of the *dark*. // *暗闇 (の中) で in the *dark* // *暗闇にまぎれて彼は逃亡した He escaped under (the) cover of ⌈*darkness* [*night*]. // *暗闇に包まれている be in complete *darkness*

クララ (女性名) Clara /klé(ə)rə/.

ぐらり ¶ 地震で家がぐらりと揺れた The house shook *violently* in the earthquake. // 彼は彼女を見て心が*ぐらりと揺れた (⇒ 心臓が止まりそうになった) His heart *skipped a beat* when he saw her. 《☞ 擬声・擬態語 (囲み); ぐらぐら; ぐらつく》

クラリオン 〔楽器〕(細管のらっぱ) clarion Ⓒ.

クラリネット 〔楽器〕clàrinét Ⓒ. ¶ 彼は*クラリネットを吹く He plays the *clarinet*. // 彼は*クラリネットがうまい He is a good *clarinetist*.

クラレット (ボルドー産の赤ワイン) claret Ⓤ《☞ ワイン》.

クラレンス (男性名) Clárence.

くらわす 食らわす ¶ 私は彼の鼻面に一発*くらわせた (⇒ 鼻をなぐった) I ⌈*punched* [*hit*] him on the nose.

くらわたし 倉渡し (貨物の引き渡しを倉庫で行うこと) ex warehouse Ⓤ.

クラン (一族) clan Ⓒ.

クランク (機械の) crank Ⓒ. ¶ *クランクを回す *crank* (an engine) / turn a *crank* **クランクアップ** ―動 (映画の撮影を完了する) finish shooting a ⌈film [movie] **クランクイン** ―動 (映画の撮影を開始する) start shooting a ⌈film [movie] **クランクシャフト** 〔機械〕(クランク軸) crankshaft Ⓒ.

クランチ (ぱりぱりしたチョコレート菓子) crunchy ⌈chocolate [candy] bar Ⓒ ★「クランチ」は和製英語.

グラント¹ (奨学金) grant Ⓒ. ¶ 旅費*グラント a travel *grant*

グラント² ―名 固 Ulysses Simpson Grant, 1822–85. ★ 南北戦争で北軍の総司令官, 後に第 18 代大統領.

グランド ground Ⓒ《☞ グラウンド》.

グランドオペラ grand opera Ⓒ《☞ オペラ》.

グランドキャニオン ―名 固 the Grand Canyon ★ 米国アリゾナ州の大峡谷.

グランドスタンド (メインスタンド) grandstand Ⓒ.
グランドスラム 〘スポ〙grand slam Ⓒ.
グランドツーリングカー grand ˹touring car [tourer] Ⓒ.
グランドデザイン (全体構想) grand design Ⓒ.
グランドピアノ 〘楽器〙grand piano Ⓒ 《☞ ピアノ (挿絵)》.
グランドファーザークロック grandfather clock Ⓒ.
グランドフィナーレ (オペラなどの) grand finale Ⓒ.
クランプ (締め金) clamp Ⓒ.
グランプリ grand prix /grάːnpríː/ Ⓒ《複 grands prix /grάːnpríː/》 語法 フランス語で英語の grand prize にあたる. 固有名詞的に使われる場合は大文字で始める; (一等賞) (the) first prize. ¶ 彼は 1995 年度の*グランプリを取った He won the *Grand Prix* ˹for [in] 1995.
クランベリー 〘植〙cranberry Ⓒ.
くり¹ 栗 〘植〙(Japanese) chestnut Ⓒ ★ 木と実の両方の意味で用いられる. ¶ 彼は彼女のために自ら火中の*栗を拾った (⇒ 自分の首を危険にさらした) He *risked his neck* for her sake. 《☞ かちゅう³》 **栗あん** sweetened chestnut paste Ⓤ **栗色** chestnut brown Ⓤ **栗鹿の子** confection of strained bean paste formed into balls and coated with candied chestnuts Ⓒ **栗かぼちゃ** winter squash Ⓒ **栗きんとん** sweet potato paste containing sweetened chestnuts Ⓤ **栗拾い** ¶ *栗拾いに行きましょう Let's go and *gather chestnuts.* **栗饅頭** brown bun with bean paste and chestnut in it Ⓒ **栗飯** rice cooked with chestnuts Ⓤ **栗羊羹** Japanese bean jelly with chestnuts in it Ⓤ.
くり² 庫裏 (the) living quarters ˹of [in] a temple ★ quarter はこの意味では複数形で.
クリアー ― 動 (棒高飛びなどでバーに触れないで飛び越える) clear ㊀ 日英比較 日本語では「問題点をクリアーする」「目標をクリアーする」のように使う. 英語の clear にも似た用法はあるが, 元来障害物を「取り除く」意なので, 日本語の用法と少しずれることがしばしばある. 例えば,「問題点をクリアーする」は *clear away* the difficulties でもよいが, この場合は remove (除去する) の意.「克服する」意なら get over ..., overcome ㊀ のほうが普通. また「目標を達成する」意では clear は使わず achieve *one's* purpose, attain *one's* goal などが普通.
クリアーラッカー clear lacquer Ⓤ.
クリアカット ― 形 (輪郭のはっきりした・明白な) clear-cut 《☞ はっきり; めいはく》.
くりあがる 繰り上がる ¶ 補欠の選手の一人が*繰り上がった One of the substitute players (*was*) *moved* (*up*) to a regular position. // 4 時間目の音楽が 3 時間目に*繰り上がった The fourth-period music lesson *was* ˹*put forward* [*advanced*; *moved up*] to third period. 《☞ くりあげる》
くりあげ 繰り上げ ¶ 社債の*繰り上げ償還 (an) *early* redemption of bonds / a ˹*call* on [*calling in* of] bonds // *繰り上げ投票 *advance* voting **繰り上げ当選** ¶ *繰り上げ当選になる be declared elected in place of (a disqualified winning candidate)
くりあげる 繰り上げる (決まった日時などを) pùt fórward ㊀, advance ㊀ (↔ pùt óff, postpóne), móve úp ㊀ (↔ móve dówn) ★ この中では advance が一番格式ばった表現. 《☞ はやめる》. ¶ 彼らは締め切りを*繰り上げた They *moved up* the deadline. // 出発の日を 3 日*繰り上げます (⇒ 3 日早く出発する) I'll *leave* three days *earlier*. / (⇒ 出発は 3 日早められる) Our departure will *be* ˹*put forward* [*advanced*] by three days.
グリアさいぼう グリア細胞 〘解〙glial cell Ⓒ.
クリアビジョン Clear Vision Ⓤ ★ 高画質テレビに対する通称. 正確には enhanced-definition television 《略 EDTV》という.
クリアランス (在庫一掃) clearance Ⓒ. **クリアランスセール** clearance sale Ⓒ.
くりあわせる 繰り合わせる (都合をつける) manage to *do* ...; (時間を) make time; (仕事などを) arrange matters. 《☞ やりくり》. ¶ ぜひ*繰り合わせて来て下さい (⇒ 何とか都合をつけて我々と一緒にいることを願う) I hope you can *manage to* join us. // 先約がありますがなんとか*繰り合わせて出かけましょう I have a previous engagement, but I think I can ˹*make* [*find*] *time* to visit you.
クリーク¹ (ゴルフの) cleek Ⓒ.
クリーク² (灌漑・交通用の水路) creek Ⓒ.
グリーグ ― 名 固 Edvard (Hagerup) Grieg, 1843–1907. ★ ノルウェーの作曲家.
グリークラブ (男性合唱団) glée clùb Ⓒ.
グリース grease Ⓤ. ¶ 軸受に*グリースを塗る *grease* a bearing
グリーティングカード gréeting càrd Ⓒ 《☞ あいさつ》.
クリーナー (電気掃除機) vacuum /vǽkjuəm/ clèaner Ⓒ; (エアクリーナー) air cleaner Ⓒ.
クリーニング ― 名 (水洗いしてアイロンをかけること) laundering Ⓤ; (ドライクリーニング) (dry) cleaning Ⓤ. 日英比較 (1) 英語の cleaning は「きれいにする」という広い意味なので, その点で日本語の「クリーニング」とずれがある. また, 洗濯に関しては, 英語では laundering が水洗い, (dry) cleaning がドライクリーニングと区別されるが, 日本語の「クリーニング」は両方を意味することに注意. ― 動 launder ㊀; clean ㊀, dry-clean ㊀. 《☞ せんたく³》.
¶ 私はオーバーを*クリーニングに (⇒ 洗濯屋に) 出した I have sent my overcoat to the (*dry*) *cleaner's*. // 私はシャツを*クリーニングしてもらった I *had* my shirt ˹*laundered* [*washed*].
クリーニング屋 (人) laundryman Ⓒ; cleaner Ⓒ, dry cleaner Ⓒ; (店) laundry Ⓒ; cleaner's, dry cleaner's. 日英比較 (2) 日本語の「クリーニング屋」は水洗いとドライクリーニングの両方を扱う店を意味するが, 英語では (1) に述べたように, 水洗いとドライクリーニングが区別されるので, たとえ両方を兼業する場合でも, 洗濯する物によって使い分ける. 例えば, 上の用例第 1 文では cleaner's の代わりに laundry を使うことはできない; (コインランドリー) 《米》laundromat Ⓒ, 《英》launderette Ⓒ.
クリーピング (オートマチック車の) creeping Ⓤ.
クリーブランド ― 名 固 (都市) Cleveland /klíːvlənd/ ★ 米国オハイオ州の工業都市.
クリーミー ― 形 creamy.
クリーム (一般にクリーム状の物) cream Ⓤ; (アイスクリーム) ice cream Ⓤ; (化粧用の) facial [face] cream Ⓤ 《☞ けしょう (挿絵)》. ¶ 彼女は手に*クリームを塗った She applied *cream* to her hands. // 生*クリーム ☞ 見出し // *クリーム状の *creamy* // コールド [クレンジング, バニシング] *クリーム cold [cleansing; vanishing] *cream* // このシェービング*クリームを顔に塗りなさい Put [Rub] this shaving *cream* on your face. // 靴*クリーム shoe *polish*
クリーム色 cream (color) Ⓤ. ¶ *クリーム色の *creamy* / *cream-colored* // 柔らかい*クリーム色の肌 soft and *creamy* skin **クリームサンデー** sundae Ⓒ **クリームソース** cream sauce Ⓤ **クリームソーダ** (ice-cream) soda Ⓒ **クリームチーズ** cream cheese Ⓤ **クリーム煮** food cooked with white sauce Ⓤ **ク**

リームパン custard bun Ⓒ.

くりいれきん 繰り入れ金 money transferred Ⓤ.

くりいれる 繰り入れる (繰り越す) cárry óver ⑭, transfér ⑭ ★ 前者のほうが口語的; (…に加える) add … to …. (☞ くりこす). ¶ 残高は翌年度の予算に*繰り入れられた The balance *was* 「*carried over* [*transferred*] *to* the next year's budget. // 利子は元金に*繰り入れられた (⇒ 加えられた) The interest *was added to* the principal.

クリーン (きれいな・清潔な) clean (☞ きれい).

グリーン ― 名 (緑色) green Ⓤ; (ゴルフ) (putting /pʌ́tɪŋ/) green Ⓒ. ― 形 green. (☞ みどり; ゴルフ (挿絵)). **グリーン車** (特別の座席指定車) special reserved-seat (rail) coach Ⓒ; (特別料金を要する車両) surcharge (rail) car Ⓒ 語 法 以上は説明的な訳. 日本の事情を知ってる人が相手の場合には green car と言ってもよい. **グリーンティー** green tea Ⓤ **グリーンベルト** (緑地帯) green belt Ⓒ **グリーンベレー** (米国陸軍の特殊部隊) the Green Berets; (隊員) Green Beret Ⓒ.

クリーンアップトリオ (3, 4, 5 番打者) the third, fourth, and fifth batters (in a team's lineup); (強打者のトリオ) a trio of sluggers. ★「クリーンアップトリオ」は和製英語. なお cleanup 「hitter [batter; man] は 4 番打者のこと.

クリーンインダストリー (環境保護意識の強い) eco-conscious industry Ⓒ; (環境にやさしい) eco-friendly industry Ⓒ.

クリーンエネルギー cléan énergy Ⓤ.

クリーンエンジン (環境にやさしいエンジン) eco-friendly engine Ⓒ.

グリーンサラダ green salad Ⓒ (☞ サラダ).

グリーンハウス (温室) greenhouse Ⓒ (☞ おんしつ¹).

クリーンハンド ― 名 (清廉潔白) clean 「hands [fingers] ★ いずれも複数形で. ― 形 clean-handed, clean-fingered.

グリーンピース¹ (豆) (green) peas ★ 複数形で.

グリーンピース² (反核・環境保護団体) Greenpeace.

クリーンヒーター space heater with a ventilator Ⓒ (☞ ヒーター).

クリーンヒット (野球) clean hit Ⓒ; (比喩的に, 大当たり) (big) hit Ⓒ.

グリーンフィー (ゴルフの) green fee Ⓒ.

クリーンフュエル (排ガスの少ない燃料) clean fuel Ⓤ; (環境にやさしい燃料) eco-friendly fuel Ⓤ.

クリーンフロート 〔経〕 (市場実勢にゆだねる相場) clean float Ⓒ (☞ ダーティーフロート).

グリーンランド ― 名 固 (地名) Greenland ★ 北米の北東の世界最大の島.

クリーンルーム (無塵室・無菌室) clean room Ⓒ.

クリエイティブ ― 形 creátive.

クリエーター (創作家・創造主) creátor Ⓒ ★ キリスト教などの「造物主」の意味では通例 the C— として.

クリオ(せいざい) クリオ(製剤) 〔化〕 cryoprecipitate Ⓒ.

くりかえ 繰替 ― 動 (交換する) exchange ⑭; (流用する) appropriate ⑭. **繰替払い** appropriation Ⓤ.

くりかえし 繰り返し rèpetítion Ⓤ ★ 具体的なものを指すときは Ⓒ; (歌などの) refrain Ⓒ. (☞ なんかい¹). ¶ 彼の話は*繰り返しが多い His speech is full of *repetition(s)*. // 人生は*繰り返しがきかない (⇒ 2 度人生を生きられない) You cannot live (your life) *twice*. **繰り返し記号** 〔楽〕 repeat Ⓒ.

くりかえす 繰り返す (同じことを言ったりしたりする) repeat ⑭ ★ 最も一般的. 以下の語の代わりに使える場合も多い; (命令・要求などをしつこく) (格式) reíteràte ⑭; (…をもう一度行う) do … over again ★ 口語的; (おうむ返しに) párrot ⑭; (望ましくないことなどが) recúr ⓐ ★ やや格式ばった語. (☞ はんぷく¹).

¶ 歴史は*繰り返す History *repeats* itself. (ことわざ) // よく聞いて*繰り返してごらんなさい (教室での指示) Please listen and *repeat*. // 先生はその単語を何度も*繰り返して発音した The teacher *repeated* the word 「over and over [several times]. / The teacher pronounced the word 「*repeatedly* [*over and over again*; *many times*]. // 同じ間違いを 2 度と*繰り返してはいけない (⇒ 同じ間違いをするな) Don't make the *same* mistake (again). / (⇒ その間違いを繰り返すな) Don't *repeat* that mistake. 語 法 repeat は「同じことを繰り返し行う」の意であるから, mistake に same を付ける必要はない. // *繰り返して言って下さい Please *say* that *again*.

くりくり ¶ *くりくりした目 (⇒ 大きい丸い目) *big round* eyes (☞ 擬声・擬態語 (囲み)) **くりくり坊主** ¶ *くりくり坊主にされた (⇒ 髪を短くされた) I had my hair 「*cut short* [*closely cropped*].

ぐりぐり (しこり) hard lump Ⓒ. ¶ *ぐりぐりができる have a *hard lump*

くりげ 栗毛 (馬) bay (horse) Ⓒ, chestnut (horse) Ⓒ.

クリケット 〔球〕 cricket Ⓤ.

グリコーゲン 〔生化〕 ― 名 glycogen /gláɪkəʤən/ Ⓤ. ― 形 glỳcogénic.

グリコール 〔化〕 glycol /gláɪkɔːl/ Ⓤ.

くりこし 繰り越し (移すこと) tránsfer Ⓒ ★ 格式ばった語だが, 以下の言い方の代わりにも使える; (前からの) bringing forward Ⓤ; (次のものへの) carrying forward Ⓤ 参 考 簿記では前ページからの繰り越しを b/f (brought forward), 次ページへの繰り越しを c/f (carried forward) という; (繰り越しの残高) the 「balance [amount of money] 「brought [carried] forward. ¶ 前期からの*繰り越しが 3 万円ある We have a balance of thirty thousand yen *brought forward* from the previous statement. **繰越金** (前期からの) the 「balance [amount of money] brought forward (from the previous account); (次期への) the 「balance [amount of money] carried forward (to the next account).

くりこす 繰り越す (移す) transfér … (from … to …) ★ 格式ばった語だが, 以下の言い方の代わりにも使える; (前から) brìng fórward ⑭; (次のものへ) cárry fórward ⑭. (☞ くりいれる). ¶ 彼らはその金を次期 (⇒ 次の四半期) へ*繰り越すことに決めた They decided to 「*carry forward* [*transfer*] the money to the next quarter.

くりごと 繰り言 ― 名 (不平) complaint Ⓒ. ― 動 grumble ⓐ ⑭, complain ⓐ ⑭. (☞ ふへい; ふまん; ぐち¹).

くりこむ 繰り込む ¶ デモ隊が公園に*繰り込んできた (⇒ 行進して[ぞろぞろ]入ってきた) The demonstrators 「*marched* [*trooped*] *into* the park.

くりさがる 繰り下がる (順送りにあとになる) be 「moved [put] back; (予定が順延になる) be postponed, be put off. ¶ 会合は来週まで*繰り下がった The meeting *has been postponed* until next week.

くりさげる 繰り下げる (決まった目的などをずらす) móve [shíft] (óver) ⑭; (延期する) pùt óff ⑭, postpone ⑭ ★ 前者のほうが口語的. (☞ えんき¹; のばす; おくらせる; ずらす). ¶ 2 時間目の英語の時間を午後に*繰り下げて下さい Will you *move* the second-period English class to the afternoon?

クリサンセマム 〘植〙 chrysanthemum [C] (☞ きく[3]).

クリシェ (決まり文句) cliché /kliːʃéɪ/ [C] ★ cliché の ´ は綴り本来のもの.

クリシュナー ― [名] (固) Krishna ★ ヒンズー教の神.

グリシン 〘化〙 glycine [U].

クリス (男性名) Chris ★ Chrístopher の愛称; (女性名) Chris ★ Christina /krɪstíːnə/, Christine /krɪstíːn/ の愛称.

クリスタル[1] crystal [U] ★ 製品の場合は [C]. **クリスタルグラス** crystal (glass) [U] **クリスタルフルーツ** candied [crystallized] fruit [C] **クリスタルマイクロフォン** crystal microphone [C].

クリスタル[2] (女性名) Crystal.

クリスチャニア (スキーの) christie /krísti/ [C], christiania /krìstiǽniə/ [C].

クリスチャン Christian [C]. **クリスチャンネーム** Christian name [C].

クリスティーナ (女性名) Christina /krɪstíːnə/ ★ 愛称は Tina /tíːnə/, Chris.

クリスティン (女性名) Christine /krɪstíːn/ ★ 愛称は Chris, Chríssie; Krísten, Krístin.

クリストファー (男性名) Chrístopher ★ 愛称は Chris, Kit.

クリスマス Christmas [U] [語法] Xmas と略すことがあるが, この形はポスターなど以外は避けたほうがよい. なお X'mas は誤り. また, 英語の Christmas はクリスマス期間 (Christmastime と言う. かつては Christmastide として 12 月 24 日から元日までを指した) をいうことがあるので, はっきり当日をいうには Christmas Day という. (☞ 大文字 (巻末); 冠詞 (巻末)). ¶ 間もなく*クリスマスだ *Christmas* is coming soon. // 英米では*クリスマス (の日) に贈り物を開ける In Britain and America, (the) people open their presents on *Christmas Day*. // *クリスマスおめでとう I wish you a merry *Christmas*. / (A) merry *Christmas* (to you)! [参考] 返事は (And the) same to you. // 彼らは部屋に*クリスマスの飾り付けをした They decorated the room for *Christmas*. **クリスマスイブ** Christmas Eve **クリスマスカード** Christmas card [C] **クリスマスキャロル** Christmas carol [C] **クリスマス ケーキ** Christmas cake [C] **クリスマスツリー** Christmas tree [C] **クリスマスプディング** Christmas pudding [U] **クリスマスプレゼント** Christmas present [C] **クリスマスリース** Christmas wreath [C].

クリスマスローズ 〘植〙 Christmas rose [C].

グリズリー(ベア) (灰色熊) grizzly (bear) [C].

グリセード 〘登山〙 ― [名] glissáde [C]. ― [動] glissade (自), perform a glissade.

グリセリン 〘化〙 ― [名] glýcerin(e) [U], glýceròl [U]. ― [形] glycéric. ¶ ニトロ*グリセリン nitro-*glycerin(e)*

くりたけ 栗茸 〘植〙 brick top (mushroom) [C].

くりだす 繰り出す (軍隊などを) sènd óut (他); (出かける) gò óut (自). ¶ 敵は新手を*繰り出してきた The enemy *sent out* fresh troops. // 彼らは花見に*繰り出した They *went* (*out*) to see the cherry blossoms.

くりつ 区立 ― [形] established by a ward. ¶ *区立の公民館 the *ward* community center (☞ く[2]) **区立図書館** the ward library.

クリック[1] ― [動] click (自) (他) (☞ コンピューター (囲み)). ¶ フロッピーのアイコンを*クリックする *click on* the floppy icon // アイコンをダブル*クリックする double-*click on* the icon

クリック[2] ― [名] (固) Francis Harry Compton Crick, 1916–2004. ★ 英国の生化学者. 1962 年 Nobel 賞受賞.

グリッサンド 〘楽〙 glissando [C].

クリッシー (女性名) Chríssie ★ Christine の愛称.

グリッド 〘電〙 grid [C]; (カーレースの) (starting) grid [C].

グリッドロック (地域全体に及ぶひどい交通渋滞) gridlock [C].

クリッパー (はさみ・木ばさみ) clippers; (バリカン) hair clippers ★ 以上 2 つはいずれも複数形で; (快速客船・旅客機) clipper [C].

クリッピングサービス (記事などの切り抜き提供) clipping service [C]; (切り抜き提供会社) clipping bureau [C].

クリップ clip [C]; (髪用の) hair clip [C]; (ヘアピン) hairpin [C]. ¶ 書類を*クリップでとめる fasten papers with a *clip* / *clip* papers together **クリップボード** 〘コンピューター〙 clipboard [C].

グリップ grip [C]; (柄状の) handle [C]. ¶ 金属製*グリップのハンマー a hammer with a *metal* ⌈*handle* [*grip*] (☞ にぎり)

クリティカル ― [形] (危機的な・重大な・臨界の) critical (☞ きき[1]).

クリティシズム (批評) críticìsm [U] ★ 書かれた文・書物の意では [C]. (☞ ひひょう).

くりど 繰り戸 sliding door [C].

クリトリス 〘解〙 clítoris [C].

クリニック (診療所) clinic [C]. ¶ スピーチ*クリニック a speech *clinic*

グリニッジ Greenwich /grínɪdʒ/. **グリニッジ標準時** Greenwich (mean) time ★ GMT と略す.

グリニッジビレッジ ― [名] (固) Greenwich /grénɪtʃ/ Víllage ★ マンハッタンの一地域.

くりぬく 刳り貫く (えぐるように) hóllow óut (他); (穴をあける) bore [make; cut] a hole. ¶ 彼は丸太を*くりぬいて丸木舟を作った He *hollowed out* a log to make a canoe.

くりのべ 繰り延べ (支払いなどの) 《格式》 deferment [U]; (会合などの) postponement [U]. **繰り延べ勘定** deferred account [C] **繰り延べ資産** deferred assets ★ 普通複数形で用いる.

くりのべる 繰り延べる (延期する) pùt óff (他), postpone (他) ★ 前者のほうが口語的. (☞ くりさげる; のばす; えんき[1]).

クリノメーター (測斜計) clinómeter [C].

ぐりはま ¶ 彼女のいうことはいつも*ぐりはまだ (⇒ 不適切だ) The things she says are always ⌈*out of place* [*inappropriate*].

くりひろげる 繰り広げる ¶ あすから 10 日間甲子園球場では熱戦が*繰り広げられる (⇒ 試合がなされる [見られる]) For ten days starting tomorrow exciting games will *be* ⌈*played* [*watched*] at Koshien Stadium.

クリフ (男性名) Cliff ★ Clífford の愛称.

クリフォード (男性名) Clifford ★ 愛称は Cliff.

クリプトン 〘化〙 krypton [U] 《元素記号 Kr》.

クリミア ― [名] (固) Crimea /kraɪmíːə/. ― [形] Crimean. **クリミア戦争** the Crimean War **クリミア半島** the Crimean Peninsula.

クリミナル ― [形] (犯罪の) criminal [A]. ― [名] (犯罪者) criminal [C]. (☞ はんざい).

グリム ― [名] (固) (ヤーコプ〜) Jakob Grimm, 1785–1863 ★ ドイツの言語・文献学者兄弟の兄; (ヴィルヘルム〜) Wilhelm Grimm, 1786–1859 ★ ヤーコプの弟. **グリム兄弟** the Grimm Brothers **グリム童話** the ⌈Grimm's [Grimm Brothers'] fairy tales **グリムの法則** 〘言〙 Grimm's Law; (正式には)

the First Consonant Shift, Germanic Sound Shift.

クリモグラフ (気候図) climograph Ⓒ.

くりや 厨 (台所) kitchen Ⓒ (☞ だいどころ).

グリュイエールチーズ Gruyère /gru:jéə/ (cheese) Ⓤ ★ Gruyère の ` は綴り本来のもの.

くりょ 苦慮 ―動 (気をもむ) worry (*oneself*) ˹over [about] … (☞ なやむ; しんぱい (類義語)).

くりよせる 繰り寄せる haul [draw, pull] in 他.

グリル[1] (レストランの意味で, 特にホテルなどにあるもの) grill Ⓒ, grillroom Ⓒ; (焼き網) grill Ⓒ. (☞ 料理の用語 (囲み)).

グリル[2] (自動車の) grille Ⓒ.

くりん 九輪 column of nine rings in the roof ornament of a pagoda Ⓒ (☞ そうりん[2]).

くりんそう 九輪草 〔植〕 Japanese primrose Ⓒ.

クリンチ 〔ボク〕 ―名 clinch Ⓒ. ―動 clinch 自.

クリント (男性名) Clint.

クリントン ―名 固 Bill Clinton, 1946– . ★ 正式には William Jefferson Clinton. 米国の政治家, 第 42 代大統領.

グリンピース ☞ グリーンピース[1]

くる[1] 来る **1** «やって来る»: (話し手の方へ) come 自 (過去 came; 過分 come) (↔ go) 日英比較 come は話し手の方にやって来ることを表す最も基本的な語. この意味では日本語とほぼ同じだが, そのほかに, 英語では話し相手を尊重する意味から相手を中心に考えて「相手の方に行く」と言う意味にも用いられる. (☞ ゆく[1] (類義語)); (人が現れる) shów úp 自 ★ 口語的; (「人」を訪れる) visit 他 語法 (1) 「場所」を目的語にすることもできる; (期日が来る) be due 語法 (2) 「負債・手形」などが主語になる. (☞ やってくる). ¶ ここに*来なさい *Come* here! // 郵便配達の人は毎日*来ます The mailman *comes* ˹round [around] every day. // 冬が去って春が*来た Winter is gone and spring *has come*. 語法 (3) be gone は去ってしまった状態を, have come は「いま来たところだ」という完了を表す. // 今夜は大勢客が*来る Many visitors *are coming* this evening. / We have (a great) many visitors *coming* this evening. // ここには以前*来たことがあります I'*ve been* here before. // 彼は間もなく*来るでしょう He will ˹*arrive* [*come*; *show up*] before long. // あなたに手紙が*来ていますよ Here's a letter for you. ★ 手紙を差し出しながら. // おじはよく日曜日に私たちの所に*来たものでした Our uncle used to *visit* us on Sunday(s). // ぜひ私どもの工場を見学に*来て下さい You're welcome to *visit* our factory. // スミスさんとかいう人が*来ましたよ A Mr. Smith wants to see you. ★ 玄関に訪れた人を取り次いで. (☞ 冠詞 (巻末)) // 今月の 20 日に借金の返済期日が*来る The debt *is due* on the twentieth of this month. // *来る日も*来る日も雨だった It kept raining *day after day*. (☞ くるひ) // もうすぐひと雨*くるかもしれない We might *have* ˹a shower [rain] soon.

2 «なる»: (ある状態になる) get 自, become 自 語法 この 2 語は補語を伴ってほぼ同じ意味に用いられるが, 前者のほうが口語的; (…するようになる) come to *do* … (☞ なる[1]). ¶ 彼は年を取って*きた He *is* ˹*getting* [*becoming*] old. // 物語はおもしろくなって*きた The story *is getting* exciting. // 彼女には事故の原因がわかって*きた She *came to* understand the cause of the accident.

3 «起因する・由来する»: (…がもとだ; …からきている) come from …; (…が原因だ) be caused by … (☞ もと[1]). ¶ 熱はのどの炎症から*きている The fever ˹*comes from* [*is caused by*] a sore throat. // 「チーズ」という言葉はラテン語から*きている The word "cheese" ˹*comes* [*derives*] *from* Latin. / "Cheese" is a word of Latin *origin*.

くる[2] 繰る **1** «糸などを»: (巻き取る) reel 他. ¶ 釣り糸を*繰る *reel in* the line // テープを*繰りだす *reel* ˹*off* [*out*] the tape

2 «紙などをめくる»: turn over (leaves); (辞書などを) leaf through (a dictionary).

くる[3] 刳る (丸のみで彫る) gouge (out) 他; (丸太などをくり抜く) hollow out 他; (穴などをあける) bore 他 自. (☞ くりぬく; えぐる).

ぐる ¶ 彼らはみんなで*ぐるになってそれをやった They were *all in it together*. (☞ けったく)

グル (導師) guru /gú(ə)ru:/ Ⓒ.

くるい 狂い ¶ 君の計算に*狂いがある (⇒ 何か間違いがある) There's *something wrong* with your calculations. / (⇒ 計算で何か間違えた) You've made some *mistake(s)* in your calculations. // この時計は 1 秒の*狂いもない (⇒ 完全に合っている) This watch keeps perfect time. // 私の目に*狂いはなかった (⇒ 私の予想はまったく正しかった) My guess was ˹*correct* [*right*]. // このエンジンは*狂いがきている This engine *is malfunctioning*. ★ màlfúnction 自 は「機械が不調である」の意. (☞ ごさ; くるう)

-ぐるい …狂い (病的なほどの熱狂者) maniac Ⓒ; (熱狂的な愛好者) enthusiast Ⓒ; (ファン) fan Ⓒ. (☞ -きょう[1]; ファン[1]; おっかけ; ねっきょう).

くるいざき 狂い咲き ―名 (時期はずれの開花) untimely [unseasonable] flowering Ⓤ. ―動 (狂い咲きする) bloom out of season 自, come out unseasonably 自 ★ 前者は特に観賞植物の場合. 後者は一般的に用いる. (☞ さく[1]).

くるいじに 狂い死に ―動 die mad.

くるう 狂う **1** «人の気が»: (発狂する) go [run] mad; (気が変になる) go crazy 語法 (1) 以上は口語的で, 実際に精神に異常をきたしたのではない場合でも用いる; (正常でなくなる) go [become] insane 語法 (2) やや格式ばった言い方で, 実際の精神病というニュアンスが強い. ただし以上はすべて軽蔑的なので実際の精神病について言うときは mentally ill, emotionally disturbed が用いられる; (逆上して我を忘れる) go out of *one's* mind, lose *one's* ˹head [wits; mind]. (☞ はっきょう).

¶ 彼女は気が*狂っている She's ˹*mad* [*crazy*; *out of her mind*]. ★ 病気ではない場合. / She is ˹*mentally ill* [*emotionally disturbed*]. ★ 病気の場合. // 彼は絶望のあまり気が*狂った (⇒ 絶望は彼を狂わせた) Despair *drove* him *mad*. / (⇒ 絶望によって狂気に追いやられた) He *was driven mad* ˹by [with] despair. // 彼は*狂ったようにわめいている He is shouting ˹like *mad* [*frantically*].

2 «物事が»: (機械装置などが) be [go] out of order 自; (エンジンが) màlfúnction 自 ★ エンジンには out of order は使わない; (物事などが) go wrong 自; (計画などが) be ùpsét, be frustrated ★ 後者のほうが格式ばった表現; (音などの調子が) go out of tune; (ねらいなどが) miss ˹the mark [*one's* aim] ★「人」を主語にする. (☞ くるい).

¶ 私の時計は*狂っています My watch *is wrong*. // 彼の言うことはいつもピントが*狂っている (⇒ 要点をはずれてしゃべる) He always gets *off* the ˹point [subject]. // 台風のために旅行の計画が*狂った (⇒ 台風が計画を混乱させた) The typhoon ˹*upset* [*frustrated*] our plans for a trip. // 順番が*狂った (⇒ 乱された) The order *was changed*. / (⇒ 順番が間違っていた) The order *was wrong*. // この暑さで体の調子が*狂った (⇒ 健康状態が悪い) I feel *out of* ˹*condition* [*shape*] in this hot weather. ★ [ ] 内は口語的.

クルー (乗組員) crew Ⓒ. **クルーカット** crew cut Ⓒ

クルーネック crew neck [C].

グルー (にかわ) glue [U].

グルーオン 〖物理〗gluon [C].

クルーザー (行楽用の大型モーターボート) (cabin) cruiser [C].

クルージング ―[名] (巡航) cruise [C]. ―[動] cruise [自]. ¶*クルージングに出かける go on a *cruise*

クルーズ cruise [C].

クルーナー 〖楽〗crooner [C].

グルーピー (少女の追っかけ) groupie [C].

グルーピング (グループ分け) grouping [C]; (分類) classification [U]. 《☞ グループ; ぶんるい》.

グループ group [C] 《☞ だんたい[1]; だん[2]; くみ》. ¶私たちは小*グループで旅行をした We traveled in a small *group*. // 先生は生徒を 3 つの*グループに分けた The teacher divided the students into three *groups*. // その 5 人が*グループを作った The five of them ⌈formed a *group* [*grouped* together]. グループインタビュー group interview [C] グループウェア 〖コンピューター〗groupware [U] グループ学習 group study [U] グループサウンズ rock ⌈band [group] [C] グループディスカッション group discussion [C] グループホーム (障害者がグループで生活する施設) group home [C] グループワーク group work [U].

グルーミー ―[形] gloomy 《☞ ゆううつ》.

グルーミング (毛[身]づくろい) grooming [U].

クルエルティー (残酷さ) cruelty [U] 《☞ ざんこく》.

くるおしい 狂おしい (気が狂ったような) mad, crazy ★ 前者のほうが意味が強い.

グルカへい グルカ兵 Gurkha [C].

くるくる ¶車が*くるくる回った The wheel turned *(a)round and (a)round*. // *くるくる回っているこま a *spinning* top // 針金を*くるくると棒に巻き付ける *coil* [*wind*] wire *around* a pole // 考えが*くるくる変わる人 an *inconsistent* person // 彼女は*くるくると気が変わる She *often* changes her mind. 《☞ 擬声・擬態語 (囲み)》

ぐるぐる ¶腕を*ぐるぐる回しなさい (⇒ 円をえがいて[回転して]) Swing your arms ⌈*in circles* [*(a)round and (a)round*]. // 友人を連れて学校中を*ぐるぐると案内して回った I took my friend *around* the campus. // 彼は手首に包帯を*ぐるぐる巻いていた (⇒ たっぷりと包帯をしていた) He had his wrist ⌈*fully* bandaged [*all* bandaged up]. / His wrist was *heavily* bandaged. 《☞ 擬声・擬態語 (囲み)》

グルコース 〖化〗glucose /glúːkous/ [U] 《☞ ぶどう糖》.

クルザード (ブラジルの通貨単位) crusado [C], cruzado [C].

グルジア ―[名] [固] Georgia /dʒɔ́ədʒə/; (正式名) the Republic of Georgia ★ 黒海とカスピ海の間の共和国. ―[形] Georgian. グルジア語 Georgian [U] グルジア人 Georgian [C].

くるしい 苦しい (つらい) painful; (困難な) hard, difficult ★ 前者のほうが口語的; (やっかいな・立場上困る) awkward; (困窮した) needy. 《☞ くるしむ; つらい; くつう》.

¶それは*苦しい旅だった It was a *painful* trip. // 私は*苦しい立場に陥った I found myself in ⌈an *awkward* [a *painful*] position. // 胸が*苦しい (⇒ 圧迫を感じる) I *feel pressure* in my chest. / (⇒ 痛い) I have chest *pain(s)*. // 食べ過ぎて*苦しい (⇒ 気持ちが悪い) I've ⌈eaten too much [overeaten] and (I) *feel sick*. // 彼は*苦しい (⇒ 下手な[不完全な]) 言い訳をした He made a ⌈*poor* [*lame*] excuse. // あの会社は経営が*苦しいようだ That company seems to *be in* financial *difficulties*. // 我が家の財政は*苦しい We *are hard up for* money. ★ be hard up for ...は「...がなくて困る」. 《☞ こまる》 // 息が*苦しい have *difficulty* (in) breathing / breathe *with difficulty* // *苦しい息の下で…と言った (⇒ 死にかけている人が…とあえぎながら言った) *The dying man gasped out* that ....

苦しいときの神頼み The danger past, God forgotten. 《ことわざ: 危険が去ると神は忘れられる》.

くるしまぎれ 苦し紛れ ¶彼女は*苦しまぎれにうそをついた (⇒ 止むをえず) She was compelled to tell a lie *under the pressure of necessity*. 《☞ くるしい; くにく[1]; きゅうよ[2]》

くるしみ 苦しみ (痛み・苦痛) pain [U]; (苦難) hardship [U]; (精神的・肉体的な) suffering [U] ★ やや格式ばった語; (困ったこと・悩みの種) trouble [U]; (ひどい苦しみ・苦悶) ágony [U] [語法] 以上の語は具体的なものを指すときはいずれも [C] となる. 《☞ くつう; くのう》. ¶私はこの*苦しみに耐えられない I cannot ⌈bear [endure] this ⌈*pain* [*suffering*]. ★ [ ] 内のほうがいずれも格式ばった語. // この*苦しみを耐え抜かねばならない We have to go through ⌈this *hardship* [these *hardships*]. // 彼女の*苦しみを和らげてやりたい I wish to ease her *pain*. // 彼女は大した*苦しみもなく死んだ She died without much ⌈*suffering* [*pain*]. // 人生は*苦しみに満ちている Life is full of *trouble(s)*.

くるしむ 苦しむ **1** «苦痛を受ける»: (病気などで) suffer from ...; (激痛で) feel pain; (精神的な苦痛で) be in pain; (精神および肉体上の痛みで) be ⌈afflicted [tortured; tormented] ★ 激しい苦痛の場合. いずれも受身形で; (堪えがたいほどに) be in agony.

¶彼女は長い間病気で*苦しんでいた For a long time she *had been suffering* (*from*) a painful illness. // 昨夜は頭痛がひどくて一晩中*苦しんだ I *suffered from* a severe headache all last night. // 彼女はひどく*苦しんでいるようだ She seems to *be in* great *pain*. // 彼らは飢えと渇きで*苦しんだ They *were tormented* ⌈with [by] hunger and thirst.

2 «困る»: be ⌈troubled [distressed; harassed] ★ 後のものほど強い意味で, また格式ばった表現; (途方に暮れる) be at a loss; (わからなくて) be puzzled. 《☞ こまる》. ¶私はその借金で*苦しんだ I *was* ⌈*troubled* [*distressed*] by the debt. / (⇒ その借金から抜け出すのがたいへん困難であった) It was very *hard* for me to get out of (that) debt. // 彼女は返答に*苦しんだ (⇒ 当惑した) She *was at a loss* ⌈for an answer [what to answer; how to answer]. // 彼の行動は理解に*苦しむ (⇒ 理解することが難しい) It is *hard* to understand his conduct. / (⇒ 私を困惑させる) His strange behavior ⌈*baffles* [*puzzles*; *mystifies*] me.

くるしめる 苦しめる (精神的・肉体的な苦痛を与える) distress [他]; (いらいらさせる) annoy [他]; (重荷で) burden [他]; (激しく) torture [他], tormént [他]. 《☞ なやます》.

¶あまり親を*苦しめないでくれ Don't *annoy* your parents anymore. // 彼女は若いころは貧乏に*苦しめられた She *was burdened with* poverty when she was young. // 長いことその借金に*苦しめられた I *have* long *been burdened* with that debt.

クルセーダー (社会改革運動家) crusader [C] ★ 本来「十字軍戦士」の意.

グルタミン 〖化〗glutamine /glúːtəmìːn/ [U]. グルタミン酸 glutámic ácid [U] グルタミン酸ソーダ [ナトリウム] monosodium glutamate /mɑ́nəsòudiəmglúːtəmèɪt/ [U] 《略 MSG》.

グルック Christoph Willibald Gluck /krístɔːf vílɪbɑ̀ːld glúk/, 1714–87. ★ ドイツの作曲家.

くるっと ☞くるりと

ぐるっと ☞ぐるりと

グルテン 〘化〙(小麦粉の蛋白質) gluten Ⓤ.

クルド クルド ━名 固 (クルド族) the Kurds /kə́ːdz/ ★集合的. ━形 Kurdish. クルド語 Kurdish Ⓤ クルド人 Kurd Ⓒ.

くるとし 来る年 ☞らいねん

クルトン 〘料理〙crouton Ⓒ.

グルニエ (屋根裏部屋) attic Ⓒ; (特にむさくるしい) garret Ⓒ. (☞やね). ★「グルニエ」はフランス語から.

グルノーブル ━名 固 Grenoble /grənóubl/ ★フランス南東部の古都・工業都市.

くるひ 来る日 (明日) tomorrow Ⓤ; (将来) the future. (☞あす). ¶*来る日も*来る日も day after day / day in, day out

くるびょう 佝僂病 rickets ★《米》では単数扱い, 《英》では単数または複数扱い.

くるぶし ankle Ⓒ (☞あし¹ (挿絵)).

くるま 車 **1** «自動車»: (乗用車) car Ⓒ; (タクシー) taxi Ⓒ. (☞じどうしゃ (類義語)).
¶*車で行こう Let's go by *car*. / (⇒タクシーで) Let's take a *taxi*. // *車が混んでいて (⇒交通渋滞から脱け出すのに) 時間がかかった It took me a long time to get through the *traffic jam*. // 6時に*車で迎えに行きますよ I'll come and *pick* you *up* at six o'clock. 語法 pick up は「車に乗せる」という意味. // 彼が*車で家まで送ってくれた He *drove* me home. / He took me home in his *car*. // そこは*車を止める所がない There is no parking ⌜place [space] there. / There is nowhere to park there. (☞ちゅうしゃ²) // ここから甲府まで*車で20分です It's a twenty-minute *drive* from here to Kofu. / It takes twenty minutes to *drive* to Kofu from here. // 彼女は彼の*車に乗り込んだ She got in his *car*. // 「さあ, 乗って」と彼は*車のドアを開けて私に言った "Just ⌜get [hop] in," he said, holding the (*car*) door open. // あなたの*車に乗せてもらえますか Will you give me a ⌜ride [lift] (in your *car*)? // 通りを横断するときは走っている*車に注意しなければなりません When crossing the street, you must ⌜look [watch] out for speeding *cars*. // 彼は門の前で*車を止めた He ⌜stopped [pulled up] (his *car*) in front of the gate. // 私の*車は故障した My *car* broke down. // この*車は5人が楽に乗れる This *car* ⌜holds [seats] five people comfortably. // この*車はたいへん乗り心地がよいですね This *car* is very comfortable (to ride in), isn't it? // きょうは*車ですか (⇒あなたはきょうは運転しているのですか) *Are* you *driving* today? / (⇒ここへは運転して来たのですか) Did you *drive* here? 日英比較 前後関係にもよるが, この日本語の意味は普通, 運転しているかどうかを聞く場合が多い. もし, Did you come in your car? とすると, 自分の車か他人の車かの区別を聞く質問となる.

2 «車輪»: (自動車などの) wheel Ⓒ; (家具などの足車・キャスター) caster Ⓒ, castor Ⓒ. ¶このいすには*車が付いている This chair is on *casters*.

車の両輪 ¶2人は*車の両輪のように (⇒完全に協調して) 働いた The two worked in perfect harmony. **車返し** (山の険しい斜面や神社の境内などでそれより先は車両通行止めになっている点) point (⌜on *a steep mountain* path [in the precincts of a shrine]) beyond which is closed to all vehicles Ⓒ; (掲示としては) Closed to All Vehicles **車社会** car-oriented society Ⓒ **車代** (講師などへの謝礼) honorarium /ɑ̀nəré(ə)riəm/ Ⓒ; (運賃) (car)fare Ⓒ; (運送料) carriage Ⓤ **車止め** (車輪の下に置く) chock Ⓒ **車酔い** carsickness Ⓤ **車寄せ** porte-cochere /pɔ̀ət-ko(u)ʃéə/ Ⓒ.

> **コロケーション**
> 車がスリップする a *car* skids / 車が…をひく[にぶつかる] a *car* ⌜hits [runs into] … // 車のエンジンをかける start up a *car* / 車のスピードを上げる[落とす] accelerate [slow] *one's car* / 車を運転する drive a *car* / 車を牽引する tow a *car* / 車を差し向ける send a *car* (to pick *a person* up) / 車を修理する fix [repair] a *car* / 車を所有する have [own] a *car* / 車を整備する tune up [service] a *car* / 車を駐車する park a *car* / 車を慣らし運転する break in *one's car* / 車をバックさせる back (up) [reverse] a *car* / 車を発進させる start a *car* // 車にひかれる get hit by a *car* // 環境にやさしい車 an ⌜environmentally [eco]-friendly *car* / 経済的な車 an economy *car* / 高級な車 a ⌜luxury [deluxe] *car* / 国産[外国産]の車 a ⌜domestic [foreign] *car* / 5人乗りの車 a five-⌜seater [passenger] *car* / 燃費のよい車 a ⌜fuel-efficient [high-mileage] *car* / 燃費の悪い車 a ⌜low-mileage [gas-guzzling] *car*

くるまいす 車椅子 whéelchàir Ⓒ.

くるまいど 車井戸 (くみあげ井戸) dráw wèll Ⓒ; (説明的には) well from which water is taken by using a bucket and a pulley Ⓒ.

くるまえび 車えび 〘動〙prawn Ⓒ (☞えび).

くるまざ 車座 ¶*車座に座る sit *in a circle*

くるまだい 車代 ☞くるま (車代)

くるまにんぎょう 車人形 *Kuruma Ningyo* Ⓤ; (説明的には) performing art in which puppeteers, seated on boxes fitted with casters, each manipulate a puppet using both their feet and hands.

くるまへん 車偏 (漢字の) vehicle radical on the left of kanji Ⓒ.

くるまや 車屋 (車夫) rickshaw man Ⓒ; (車大工) cartwright Ⓒ.

くるまよい 車酔い ☞くるま (車酔い)

くるまよせ 車寄せ ☞くるま (車寄せ)

くるまる (包まれる) be wrapped up; (くるみ込む) wrap *oneself* up; (巻くように包む) roll *oneself*. (☞くるむ; つつむ).

くるみ 胡桃 〘植〙(実・木) walnut Ⓒ. くるみ割り nutcracker Ⓒ, 《英》(a pair of) nutcrackers.

-ぐるみ ¶彼は家族*ぐるみで海外へ出かけた (⇒家族と一緒に) He went abroad *with* his family. // 私は身*ぐるみはがれてしまった (⇒私の持っているものすべて) I was robbed of ⌜*all I had* [*all (of) my belongings*]. // 町*ぐるみの大騒動を起こす cause a disturbance throughout *the whole* city // 会社*ぐるみの犯罪 an organized crime *involving both labor and management of* a company

くるむ (包む) wrap (up) ⊕; (寝具などで) tuck (up) ⊕. (☞つつむ; くるまる). ¶彼女は毛布でその子を*くるんだ She *tucked* a blanket around the child.

グルメ (食通の人) gourmet /gúəmeɪ/ Ⓒ; (食道楽の人) épicùre Ⓒ.

くるめる (一括する) put … together; (合計する) total ⊕; (まとめる) súm úp ⊕; (含める) include ⊕. ¶全部*くるめて all (*put*) *together* / in all / in total // 全部*くるめておいくらになりますか How much is it ⌜*all told* [*altogether*]?

くるりと ¶彼女は*くるりと向こうを向いた She *turned* ⌜*around* [*round*]. (☞ふりむく; 擬声・擬態語 (囲み))

ぐるりと ¶彼は居並ぶ聴衆を*ぐるりと見渡した He *glanced quickly over* the audience. / (⇒彼の視線がさっと聴衆を眺め回した) His gaze *swept* the audience. // その町は山に*ぐるりと (⇒ 完全に) 取り巻かれている The town *is completely surrounded* by mountains. / (⇒ 周り全部が山だ) The town has mountains *all around it*. 《☞ みわたす; 擬声・擬態語 (囲み)》

くるわ 廓 (遊郭) red-light district Ⓒ.

くるわしい 狂わしい ☞ くるおしい

くるわせる 狂わせる **1** 《気を》 ¶その失敗が彼の気を*狂わせた The failure *drove* him *mad*.
2 《物事を》 ¶敵の計画を*狂わす *frustrate* the enemy / *obstruct* the enemy's plan(s) // 天候の急変が計画を*狂わせた Our plans *were upset* by ⌈the [a] sudden change in the weather. // 機械を*狂わせる *put* [*throw*] a machine *out of order*

くれ 暮れ (年末) the ⌈end [close] of the year 《☞ さいまつ; ねんまつ》. ¶*暮れが近づいてきた *The end of the year* is drawing near. / (⇒ 年が終わりに近づいてきている) The year is drawing to ⌈a [its] *close*. // *暮れのうちにその仕事を済ませておきたい I want to finish the work ⌈*before the year is out* [*within the year*; *before New Year's*]. // *暮れには皆忙しい Everybody is very busy ⌈at [(⇒ 近くには) toward] *year-end*. // 秋の*暮れのもの静かな夕暮れに one quiet evening ⌈*late* in (the) autumn [in *late* autumn]

クレア (女性名) Clair, Clare.

クレアチニン 〘化〙 creatinine /kriǽtənìːn/ Ⓤ.

クレアチン 〘化〙 creatine Ⓤ.

グレアム (男性名) Graham /gréɪəm/, Grahame /gréɪəm/, Graeme /gréɪəm/.

クレイグ (男性名) Craig.

グレイシー ☞ グレーシー

グレイス ☞ グレース

クレー (クレー射撃の的) clay pigeon Ⓒ. **クレー射撃** trapshooting Ⓤ.

グレー ── 名 形 gray, 《英》 grey ★ 名 のときは Ⓤ. 《☞ はいいろ》.

グレーカラー ── 形 (ホワイトカラーとブルーカラーの中間の) gray-collar. ── 名 (グレーカラーの労働者) gray-collar worker Ⓒ.

クレーコート 〘テニス〙 clay court Ⓒ.

クレージー ── 形 (気が狂ったような) crazy.

グレーシー (女性名) Gracie ★ Grace の愛称.

グレース (女性名) Grace ★ 愛称は Gracie.

グレーゾーン (あいまいな中間領域) gray ⌈area [zone] Ⓒ.

クレーター (噴火口状の地形) crater Ⓒ.

グレード (等級) grade Ⓒ. **グレードアップ** (昇格させる) upgrade ⑯; (人を昇進させる) promote ⑯ ★「グレードアップ」は和製英語.

グレートデーン (大型犬) Great Dane Ⓒ.

グレートバリアリーフ ── 名 ⑥ the Great Barrier Reef ★ オーストラリアにある珊瑚礁.

グレートブリテン (イギリスの主要な島) Great Britain ★ この語は非公式にはイギリスの意にもなる.

グレートプレーンズ ── 名 ⑥ the Great Plains ★ ロッキー山脈からミシシッピ川に至る米国, カナダにわたる大草原地帯.

グレーハウンド (足の速い猟犬) greyhound Ⓒ; (米国の長距離バス) Greyhound.

グレービー (肉汁で作るソース) gravy Ⓤ.

クレープ **1** 《ちりめん》: crepe Ⓤ, crêpe /kréɪp/ Ⓤ. **2** 《薄焼きのパンケーキ》: crepe Ⓒ, crêpe Ⓒ.

グレープ 〘植〙 grape Ⓒ 《☞ ぶどう¹》. **グレープジュース** grape juice Ⓤ 《☞ ジュース¹》.

クレープデシン (フランスちりめん) crêpe de chine Ⓤ, China crepe Ⓤ.

グレープフルーツ 〘植〙 grápefrùit Ⓒ.

クレーム (不平・文句) compláint Ⓒ 語法 英語の claim は損害などに対する賠償の支払いの要求という意味. 不満を述べるという意味では claim は使えないことに注意. 《☞ くじょう; もんく》. ¶サービスに関してそのお客から*クレームがついた The client *has* ⌈*complained* [made *complaints*] about our service. **クレーム隠し** ── 動 (クレームを握りつぶす) burke [stifle; smother] a complaint.

クレール ── 名 ⑥ René Clair /rənéɪ kléə/, 1898–1981. ★ フランスの映画監督. René の ´ は綴り本来のもの.

クレーン crane Ⓒ; (船の積荷などに使う) dérrick Ⓒ. 《☞ きじゅうき (挿絵)》. ¶*クレーンで丸太を吊り上げる lift [hoist] a log with a *crane* // *クレーンを動かす operate a *crane* **クレーン車** (起重機車) crane truck Ⓒ, 《英》 breakdown lorry Ⓒ.

グレーン (質量・重さの単位) grain Ⓒ ★ gr. と略され, 約 0.06 グラムに相当する.

グレーンウイスキー grain whiskey Ⓤ.

クレオール (混交言語) creole /kríːoul/ Ⓤ ★ 個々の言語は Ⓒ; (中南米出身のスペイン系白人) Creole Ⓒ.

クレオソート 〘化〙 creosote /kríːəsòut/ Ⓤ. ¶*クレオソート丸 a *creosote* pill

クレオパトラ ── 名 ⑥ Cleopatra /klìːəpǽtrə/, 69–30 B.C. ★ 古代エジプトの女王.

くれぐれも 日英比較 例えば「この件についてはくれぐれもよろしくお願いします」 などと言う場合, 英語では普通「くれぐれもよろしく」に当たるような表現がない. 具体的な依頼をした後では何も言わないか, Thank you. と礼を述べる程度が普通. 《☞ よろしく》.
¶*くれぐれも注意をするように (⇒ よく注意をしなさい) Be *very* careful. // *くれぐれも奥さんによろしく Please give my ⌈*kind* [*best*] *regards* to your wife. / Please *remember me* to your wife.

グレコ ── 名 ⑥ El Greco, 1541?–1614. ★ ギリシャ生まれのスペインの画家.

グレゴリー (男性名) Gregory ★ 愛称は Greg.

グレゴリオせいか グレゴリオ聖歌 Gregorian /grɪgɔ́ːriən/ chánt Ⓒ.

グレゴリオれき グレゴリオ暦 the Gregorian calendar.

グレコローマンスタイル 〘レス〙 Greco-Roman /grékouròumən/ stýle Ⓤ.

クレジット credit Ⓤ 《☞ げっぷ²; つけ》. ¶この店は*クレジットがききますか Do you sell goods *on credit*? **クレジットカード** credit card Ⓒ **クレジットクランチ** (貸し渋り) credit crunch Ⓒ 《☞ かししぶり》 **クレジットタイトル** (映画などでスタッフや出演者の名前を示す) credit titles, credits ★ いずれも複数形で. **クレジットライン** (貸出限度額) credit line Ⓒ.

グレシャムのほうそく グレシャムの法則 Gresham's law Ⓤ ★ 悪貨は良貨を駆逐するという原則.

クレゾール 〘化〙 cresol /kríːsɔːl/ Ⓤ. **クレゾール石けん液** saponated cresol solution Ⓒ.

クレソン 〘植〙 (オランダがらし) watercress Ⓒ ★「クレソン」はフランス語 cresson から.

クレタとう クレタ島 ── 名 ⑥ Crete /kríːt/ ★ エーゲ海南部の島.

クレチンびょう クレチン病 〘医〙 cretinism /kríːtənìzm/ Ⓤ. **クレチン病患者** cretin Ⓒ.

ぐれつ 愚劣 ── 形 stupid, silly, senseless. ── 名 stupidity Ⓤ; (愚かさ・愚行) folly Ⓤ. ¶*愚劣きわまる行為 an act of the greatest *folly* // *愚劣な男 a *senseless* man

グレッグ (男性名) Greg ★ Gregory の愛称.

クレッシェンド ── 副 形 名 〘楽〙 (次第に強く[い]) crescendo /krəʃéndou/ ★ 名 (次第に強くなる音) は Ⓒ.

クレッチマー —名 固 Ernst Kretschmer, 1888–1964. ★ドイツの精神医学者.

クレド 〖キ教〗(使徒信条) the Credo /kríːdoʊ/, the Creed; (カトリックのミサの) the Credo. ★いずれも通例大文字で. (☞ しんこう[2] (信仰告白)).

くれない 紅 —名形 deep red, crimson ★どちらも 名 では U. 後者はやや格式ばった語. (☞ あか[1]).

くれなずむ 暮れ泥む ¶*暮れなずむ町のたたずまい the atmosphere of the ⌈streets [town] *with the evening glow lingering in the sky*

グレナダ —名 固 Grenada /grənéɪdə/; (正式名) the State of Grenada ★西インド諸島東部の国.

くれのこる 暮れ残る ¶*暮れ残る日 the *afterglow* of the sun

クレバス (氷河・雪渓の割れ目) crevásse C (☞ やま (挿絵)).

クレパス pastél C ★クレパスは日本の商標名.

くれはてる 暮れ果てる (すっかり暗くなる) get completely dark (☞ くれる[2]).

クレバネット (防水加工した布地) cràvenétte U.

クレフ 〖楽〗(音部記号) clef C.

クレペリンけんさ クレペリン検査 Kraepelin /kréɪpəlɪn/ tèst C.

クレマチス 〖植〗clématis U.

クレムリン —名 固 the Kremlin ★ロシアの「クレムリン宮殿」. 帝政時代には皇帝の宮殿.

クレメント (男性名) Clément.

くれゆく 暮れ行く —形 (日が暗くなってゆく) darkening; (出てゆく・去ってゆく) outgoing; (素早く過ぎてゆく) fleeting.

クレヨン crayon C.

くれる[1] 呉れる **1** «与える»: give 他 (過去 gave; 過分 given) (☞ もらう). ¶父が私に時計を*くれた My father *gave* me a watch. / My father *gave* a watch to me. 語法 2番目の文のほうが「私に」という意味が強調される. // 彼はこじきに一番よい上着を*くれてやった He *has given away* his best coat to a beggar. // 知らない人が私に金を*くれと言ってきた A stranger *asked* me *for* money.

2 «…してくれる»: 日英比較 日本語の「…してくれる; …してくれた」などは「…する; …した」という意味の英語に訳してよい場合が多い; (労を惜しまず…する) take the trouble (to *do* …); (親切にも…してくれる) be kind enough to *do* …, be so kind as to *do* …; (…してくれればよいと思う) hope 他, wish 他 語法 後者は実現の可能性が薄いときに使われることが多い. (☞ もらう). ¶私は母に5時に起こして*くれるよう頼んだ (⇒ 起こすことを頼んだ) I *asked* my mother to wake me (up) at five o'clock. // 父が私にカメラを買って*くれた <S (人) + V (*buy*) + O (人) + O (物)> My father *bought* me a camera. / <S (人) + V (*buy*) + O (物) + *for* + 人> My father *bought* a camera *for* me. // 警官が私に郵便局へ行く道を教えて*くれた (⇒ 教えた) A policeman *showed* me the way to the post office. // 船長がわざわざ私たちを船室に案内して*くれた (⇒ 案内した) The captain *took the trouble to* guide us to our cabin. // 彼は親切にも荷物を運んで*くれました He *was kind enough to* carry my baggage. // あしたは晴れて*くれるといいが I *hope* it will be ⌈sunny [nice] tomorrow. // 彼女がここにいて*くれればいいのに I *wish* she ⌈were [was] here.

3 «…してくれませんか»: Will you …?; Would you …? 語法 相手に対して依頼する場合 Will you …? より Would you …? のほうが丁寧な言い方. ほぼ同じ意味で Could you …? も用いられる. (☞ ください). ¶窓を開けて*くれませんか *Will you* open ⌈the [a] window? // すみませんがたばこは部屋の外で吸って*くれませんか *Would* [*Could*] *you* smoke outside the room, please?

くれる[2] 暮れる **1** «日や年が»: (暗くなる) get [grow] dark; (終わりに近づく) come [draw] to an end. (☞ くれ).

¶日が*暮れた (⇒ 夜が来た) Night *came*. / (⇒ 日が沈んだ) The sun *went down*. // 冬には5時ごろ日が*暮れます (⇒ 暗くなる) *It* ⌈*gets* [*grows*] *dark* around five in winter. // 日が*暮れないうちに (⇒ 暗くなる前に) そこへ着くでしょう You can get there before *dark*. 日英比較 日本語では「暮れないうちに」と否定表現であるが, 英語ではそうではない点に注意. // 日が*暮れてから外出してはいけません Don't go out *after dark*. // 年が*暮れた The year *has* ⌈*come* [*drawn*] *to an end*. // 年が*暮れて新年になった The old year *has gone* out, and the new year has come (in). // あと2, 3日で今年も*暮れる (⇒ 年が終わるまでにあと数日しかない) Only a few days are left ⌈*before the year is out* [in this year].

2 «思案・悲嘆に» ¶彼はどうしたらよいか思案に*くれた (⇒ 彼はどうしてよいかわからなかった) He ⌈*didn't know* [*had no idea*] what to do. // 父に死なれて彼女は悲嘆に*くれた (⇒ 悲しみに打ちひしがれた) She *was overcome with* ⌈sorrow [grief] at her father's death.

ぐれる ¶彼は中学生時代に*ぐれた He ⌈*went wrong* [*turned bad*; (⇒ 不良になった) *became a delinquent*] in his junior high school days. (☞ ふりょう[1]; ひこう[2]).

ぐれん 紅蓮 (真っ赤な色) (bright) red U; (赤いはすの花) red lotus flower C. ¶*紅蓮の炎 (⇒ 激しい炎) a *blaze*

グレン (男性名) Glen.

クレンザー cleanser C; (洗剤) detérgent C.

クレンジングクリーム cleansing cream U.

グレンダ (女性名) Glenda.

ぐれんたい 愚連隊 gáng of ⌈hóoligans [hóodlums] C.

グレンチェック (デザインの) glen ⌈plaid /plǽd/ [check] C.

くろ 黒 **1** «色» —名 black U. —形 (黒の) black; (皮膚・髪などが) dark (↔ fair). (☞ まっくろ). ¶彼女は*黒い服を着ていた She wore a *black* ⌈suit [dress]. / (⇒ 喪服を着ていた) She was (dressed) in *black*. // 彼女は*黒い眼, *黒い髪をしている She has *dark* eyes and ⌈*dark* [*black*] hair. 参考 a black eye は「目の周りの青あざ」の意味なので, dark を用いるほうがよい. // 彼は色が*黒い He has *dark* skin. / He is *dark* skinned. / He has a *dark* complexion. 語法 complexion は特に顔の色をいう.

2 «潔白でないこと» —形 (有罪の) guilty. ¶彼はやはり*黒だった (⇒ 結局有罪だった) He was *guilty* after all. / (⇒ 有罪とわかった) He turned out to be *guilty*.

グロ ☞ グロテスク

くろあげは 黒揚羽 〖昆〗black swallowtail (butterfly) C.

くろあざ 黒痣 mole C.

クロアチア —名 固 Croatia /kroʊéɪʃiə/; (正式名) the Republic of Croatia ★バルカン半島の国. —形 Croátian, Croat /króʊæt/. クロアチア語 ☞ セルビア クロアチア人 Croat C, Croatian C.

くろあり 黒蟻 〖昆〗black ant C.

クロイスター cloister C ★中庭を囲む回廊.

クロイツフェルトヤコブびょう クロイツフェルトヤコブ病 〖医〗Creutzfeldt-Jakob /krɔ́ɪtsfelt-jáːkɑp/ disèase U (☞ やくがい).

くろう 苦労 —名 (面倒なこと) trouble U ★最

も一般的; (困難) difficulty Ⓤ; (苦難) hardship Ⓤ; (心配・気苦労) care Ⓤ; (努力) effort Ⓤ [語法] 以上の語は具体的なことを指すときは Ⓒ で, しばしば複数形で用いられる. 《☞ 可算・不可算名詞 (巻末)》. —[動] (苦労する) have 「trouble [difficulty], be in trouble; (苦しい目にあう) have a hard time; (耐えがたい苦しみを受ける) suffer [go through] hardship(s) ★ [ ] 内のほうが口語的; (努力する) make efforts; (骨折る) take pains. 《☞ ほねおり; どりょく (類義語)》.
¶ *苦労のかいがあった (⇒ 私の努力はむだにされなかった) My *efforts* were not 「wasted [in vain]. ★ 後者は格式ばった言い方. // これが*苦労の種です This is a cause of *trouble*. // 「ご*苦労さま」「どういたしまして」 " Thank you very much (for your *trouble*)." " You're welcome." // どうもご*苦労をおかけしました (⇒ あなたに手数をかけてすまなかった) I'm sorry to *have troubled* you. // 生徒の名前を覚えるのに*苦労します (⇒ いつも難しいと感じる) I always *find it very hard to* memorize the names of my students. // 私は英語を学ぶのにたいへん*苦労した I *had a hard time* learning English. // 戦後日本はたいへんな*苦労をした Japan 「*suffered* [*went through*] 「many *hardships* [great *hardship*] after the war. ★ went through のほうが平易で口語的. // これは私が*苦労してもうけた金です This is my *hard*-earned money. 《☞ ハイフン (巻末)》 // 君はまだ*苦労が足りない (⇒ もっと努力をすべきだ) You should *make* much more *effort*. // 子供のころは親にずいぶん*苦労をかけた (⇒ 頭痛の種だった) As a child I 「gave [caused] my parents many *headaches*. / (⇒ 親は私を育てるのに苦労した) My parents *had a hard time* 「bringing me up [raising me].
苦労性 (心配性の人) 《主に米略式》 worrywart Ⓒ. ¶ 彼は*苦労性だ (⇒ いつも気をもんでいる) He is *always worried* about something. **苦労人** (世事に通じた人) man [woman] of the world Ⓒ. ¶ 彼は*苦労人だ (⇒ 世情に通じている) He 「*knows* [*has seen*] *the world*. / (⇒ 人情の機微がわかっている) He *knows the subtleties of human nature*.

ぐろう 愚弄 —[動] (あざ笑う) rídicùle ㊀; (あざける) scoff (at ...) ㊁; (笑い者にする) make a fool of ...; (からかう) make fun of ... 《☞ ぶじょく》.

くろうと 玄人 (本職の人) professional Ⓒ (↔ layman); (熟練者) éxpert Ⓒ; (特殊な分野の) specialist Ⓒ; (美術品・酒などに目がきく) connoisseur /kɑ̀nəsə́ː/ Ⓒ. ¶ *くろうとの写真家 a *professional* photographer // 彼のピアノは*くろうとです (⇒ 彼は専門家のレベルでピアノを弾く) He plays the piano 「on [at] a *professional* level. / He is like a *professional* pianist. // *くろうと並みである be as 「good [skillful] as a *professional* / be on the level with a *professional*. **玄人筋** the experts, expert 「sources [circles] ★ 複数形で用いる. **玄人相場** volatile market favoring expert speculators Ⓒ ★ 通例単数形で. **玄人はだし** ¶ 彼の作品は*くろうとはだしだ (⇒ 大家も顔負けする) His work *puts the masters to shame*.

グロー ☞ グローランプ

くろおおあり 黒大蟻 〖昆〗 black carpenter ant Ⓒ.

グローカル —[形] (グローバルかつローカルな) glocal ★ global と local の混成語.

クローク (携帯品一時預り所) cloakroom Ⓒ, 《米》 checkroom Ⓒ.

グローサリー (食料雑貨店) 《米》 grocery Ⓒ, 《英》 grocer's (shop) Ⓒ.

クロージング (閉じること・終わること) closing Ⓤ.

クロース (布) cloth Ⓤ. ¶ *クロース製の本 a *cloth-bound* book / a book with a *cloth* binding

クローズ 〖文法〗 (節) clause Ⓒ.

クローズアップ —[名] (大写し) close-up /clóʊsʌ̀p/ Ⓒ ★ 発音注意. —[動] (近い距離から写真をとる) take a 「picture at close range [close-up].

クローズド —[形] closed. **クローズドエンド** —[形] (投資信託が閉鎖型の) closed-end **クローズドキャプション** (聴力障害者用のテレビの字幕) closed caption Ⓒ **クローズドサーキット** 〖電〗 (閉回路) closed circuit Ⓒ **クローズドシステム** 〖物理・化〗 closed system Ⓒ **クローズドショップ** 〖労働組合〗 closed shop Ⓒ **クローズドショップ制** closed shop policy Ⓒ **クローズドスタンス** 〖野・ゴルフ〗 closed stance Ⓒ **クローズドユニオン** closed union Ⓒ.

クローディア (女性名) Claudia /klɔ́ːdiə/.

クロード (男性名) Claud, Claude.

クローナ (スウェーデン・アイスランドの通貨単位) krona /króʊnə/ Ⓒ.

クローニング (クローンを作ること) cloning Ⓤ 《☞ クローン》.

クローネ (デンマーク・ノルウェーの通貨単位) krone /króʊnə/ Ⓒ.

クローバー 〖植〗 clover Ⓒ. ¶ 四つ葉の*クローバー a four-leaf *clover* **クローバーリーフ** (立体交差路) cloverleaf Ⓒ.

グローバリズム (汎地球主義) glóbalism Ⓤ.

グローバリゼーション (世界化) globalization Ⓤ.

グローバル —[形] (全世界を含む・包括的な・全体的な) global. ¶ *グローバルな視野 a *global* point of view **グローバルウォー** (世界戦争) global war Ⓒ **グローバルウォーミング** (地球温暖化) global warming Ⓤ **グローバル化** globalization Ⓤ **グローバルスタンダード** global standard Ⓒ **グローバル戦略** global strategy Ⓒ **グローバルソーシング** global sourcing Ⓤ **グローバルネットワーク** global network Ⓒ **グローバルパートナーシップ** global partnership Ⓤ **グローバルビレッジ** global village Ⓒ **グローバルマーケティング** (世界的視野に立ったマーケティング) global marketing Ⓤ.

くろおび 黒帯 (柔道の) *Kuro-obi* Ⓒ, black belt Ⓒ. 《☞ おび》.

クローブ (香辛料の) clove Ⓒ.

グローブ (野球などの) glove /glʌ́v/ Ⓒ ★ 発音注意.

グローブボックス (放射性物質などを扱うための密閉透明容器) glove /glʌ́v/ box Ⓒ; (自動車の計器板についている小物入れ) glóve compàrtment Ⓒ.

グローランプ (蛍光灯の点灯管) glow 「switch [starter] Ⓒ.

クロール[1] 〖泳〗 crawl Ⓤ ★ しばしば the を付けて. 《☞ およぐ》. ¶ 彼は*クロールで川の向こう岸まで泳いだ He 「did [swam] *the crawl* to the other side of the river.

クロール[2] 〖化〗 (塩素) chlorine /klɔ́ːriːn/ Ⓤ 《元素記号 Cl》 ★ 「クロール」はドイツ語の Chlor から.

クローン —[名] 〖生化〗 (無性生殖によってできた個体) clone Ⓒ; (クローンを作ること) cloning Ⓤ; (生き写しの人・そっくりの複製品) clone Ⓒ ★ くだけた語. —[動] (クローンを作る・クローンとして発生させる) clone ㊀; (クローンとして発生する) clone ㊁. 《☞ そっくり》. ¶ *クローン羊 a *cloned* sheep // 技術的には人間の*クローンは可能である Technologically, 「it is possible to *clone* humans [human *cloning* is possible]. // IBM のパソコンの*クローン a *clone* of IBM-PC / an IBM-PC *clone* **クローン動物** cloned animal Ⓒ **クローン人間** cloned human being Ⓒ **クローン胚** cloned embryo Ⓒ **クローン**

培養 clone cultivation Ⓤ.
クローンびょう クローン病 Crohn's /króunz/ disèase Ⓤ, régional enteritis /èntəráitis/ Ⓤ.
くろがし 黒樫 〔植〕black oak Ⓒ.
くろかび 黒黴 black「mold [《英》mould] Ⓤ.
くろがね 鉄 iron Ⓤ《☞ てつ》.
くろかみ 黒髪 black [dark] hair Ⓤ. ¶ 緑の*黒髪 (⇒ からすのぬれ羽色の) *raven-black* hair
くろがも 黒鴨 〔鳥〕black scoter Ⓒ.
グロキシニア 〔植〕gloxinia Ⓒ.
くろくも 黒雲 black cloud Ⓒ《☞ くも[1]》.
グログラン (絹・レーヨンのうね織り生地) grosgrain /gróugrein/ Ⓤ.
くろぐろ 黒黒 ―形 (濃い黒色の) deep black; (とても黒い) coal-black; (とても黒くてつやのある) jet-black. ¶ *黒々とした髪 *jet-black* hair // *黒々とした目 *coal-black* eyes
くろこ 黒子 (歌舞伎の) man dressed in black, who assists kabuki actors onstage Ⓒ, prompter Ⓒ ★ 前者は説明的な訳.
くろこげ 黒焦げ ¶ *黒焦げになる be「*charred* [*burned*]「*black* [*to a cinder*] // *黒焦げの死体 a *charred* body
くろこしょう 黒胡椒 black pepper Ⓤ《☞ こしょう[2]》.
クロコダイル 〔動〕(わに) crócodile Ⓒ ★「わに革」の意では Ⓤ.《☞ わに》.
くろさい 黒犀 〔動〕black rhinoceros Ⓒ.
くろさぎ 黒鷺 〔鳥〕reef heron Ⓒ.
くろざとう 黒砂糖 brown [raw] sugar Ⓤ; (精製されていない砂糖) unrefined sugar Ⓤ, mùscovádo Ⓤ, mùscavádo Ⓤ ★ 最後の 2 語は " unrefined " の意味のスペイン語から.
くろさんご 黒珊瑚 black coral Ⓤ.
くろじ[1] 黒字 ―名 (貿易などの剰余金) súrplus Ⓒ (↔ déficit). ―副 (黒字で) in the black ★ やや口語的.《☞ りえき; あかじ》. ¶ 10 億ドルの貿易の*黒字 (⇒ 貿易の剰余金) a one-billion-dollar trade *surplus* / a trade *surplus* of one billion dollars ★ 前者のほうが口語的. // うちの会社はいまは*黒字だ Our company is operating *in the black*. // 何とか*黒字でやっています We manage to keep our balance *in the black*. // 今月は 10 万円の*黒字です (⇒ 貸し方勘定を持っている) I *have a (credit) balance* of a hundred thousand yen this month. **黒字倒産** bankruptcy caused by an inability to collect loans Ⓒ.
くろじ[2] 黒地 black「ground [background] Ⓒ《☞ じ[2]》.
くろしお 黒潮 the「Black [Japan] Current.
くろしょうぞく 黒装束 black clothes Ⓤ, black costume Ⓒ. ¶ *黒装束で *dressed in black*
くろしろ 黒白 ☞ こくびゃく
クロス ―名 (十字架) cross Ⓒ. ―動 (横切る・交差する) cross ㊀ ㊁; (順繰りに位置をかえる) rotate ㊀.《☞ こうさ[1]; よこぎる》.
グロス (12 ダース) gross Ⓒ; (総額・全体) the gross. **グロスインカム** (総収入) gross income Ⓤ.
クロスオーバー 〔楽〕crossover Ⓤ.
クロスカウンター (ボクシングの) cross (counter) Ⓒ.
クロスカントリー(レース) cross-country (race) Ⓒ. **クロスカントリースキー** cross-country skiing Ⓤ **クロスカントリーラリー** cross-country rally Ⓒ.
クロスゲーム (接戦) close game Ⓒ《☞ せっせん》.
クロスステッチ (刺繍の) cross-stitch Ⓤ.
クロストーク (電話などの) cross talk Ⓤ.
クロストレーニング (複数の種類の運動を混合したトレーニング) cross training Ⓤ《☞ トレーニング》.
クロスバー 〔スポ〕crossbar Ⓒ.
クロスファイア 〔野〕cross fire Ⓤ ★「十字砲火」の意から.
クロスプレー (野球などで判定の難しいプレー) close play Ⓒ.
クロスベルト (胸のところで交差させるベルト) crossbelt Ⓒ.
クロスボー (おおゆみ) (modern) crossbow Ⓒ.
くろずむ 黒ずむ ―動 (黒くなる) turn black, blacken; (黒味を帯びる) become blackish; (色彩などが) grow dark.《☞ くろ》.
クロスレート 〔経〕cross rate Ⓒ.
クロスレファレンス (同一書中の他所参照) cróss-réference Ⓒ.
クロスワードパズル crossword puzzle Ⓒ ★ 単に crossword とも言う.
クロゼット (押入れ・衣類収納戸棚) closet Ⓒ《☞ おしいれ》.
くろそこひ 黒底翳 〔医〕amaurosis /æmɔːróusəs/ Ⓤ.
くろだい 黒鯛 〔魚〕black porgy Ⓒ.
くろダイヤ 黒ダイヤ 〔鉱〕càrbonádo Ⓒ, bláck díamond Ⓒ; (石炭) coal Ⓤ, black diamonds ★ 後者は複数形で.
クロッカス 〔植〕crocus /króukəs/ Ⓒ.
クロッキー 〔画〕croquis /kroukíː/ Ⓒ.
グロッキー ―形 (すっかり疲れた) tired out, exhausted ★ 後者のほうが格式ばった語で意味も強い; (殴打・病後などで足がふらつく) groggy Ⓟ 日英比較 日本語の「グロッキー」は英語の groggy より意味が広い.《☞ ふらふら》.
クロック (置・掛時計) clock Ⓒ; 〔コンピューター〕clock Ⓒ. **クロック周波数** clock frequency Ⓤ.
くろつぐみ 黒鶫 〔鳥〕gray thrush Ⓒ.
クロックムッシュー toasted ham-and-cheese sandwich Ⓒ ★「クロックムッシュー」はフランス語から.
くろづくり 黒作り 〔料理〕salted cuttlefish mixed with its ink Ⓤ.
クロックワイズ ―形 (時計回りの) clockwise ★ 副詞としても用いる.
クロッケー 〔球〕croquet /kroukéi/ Ⓤ.
グロッサリー (用語集) glossary Ⓒ. ¶ 医学用語の*グロッサリー a *glossary* of medical terms
グロッシー ―形 (光沢のある) glossy. ―名 (光沢印画紙) glossy (photographic) paper Ⓤ.
くろつち 黒土 (黒い土) black soil Ⓤ; (肥沃な黒色土壌) black earth Ⓤ, chernozem /tʃèənəzɔ́ːm/ Ⓤ.
くろっぽい 黒っぽい blackish; (黒い) black; (髪・肌・目などが) dark. ¶ *黒っぽい鳥 a *blackish* bird // *黒っぽい目 *dark* eyes // *黒っぽいセーター a *black* sweater
グロテスク ―形 (気味の悪い) weird /wíəd/; (奇妙な格好の) odd [strange] looking; (お化けのような)《米略式》spooky; grotésque 日英比較 最後のものは日本語のもとになっている英語であるが, やや格式ばった語で, 口語では使わないほうがよい.
くろてん 黒貂 〔動〕sable Ⓒ.
くろとう 黒糖 ☞ くろざとう
クロトン 〔植〕croton Ⓒ.
クロニクル (年代記・記録) chronicle Ⓒ.
くろぬり 黒塗り ¶ *黒塗りの (⇒ 黒い) セダン a *black* sedan
クロノグラフ (時間記録装置・ストップウォッチ付き腕時計) chrónogràph Ⓒ.
クロノス ―名 ㊐ 〔ギ神〕Cronos, Cronus.

クロノメーター　(航海・天文観測用の携帯時計) chronómeter Ⓒ.
クロノロジー　(年代学) chronólogy Ⓤ.
くろばえ　黒蝿　〔昆〕blowfly Ⓒ.
くろパン　黒パン　(ライ麦製の) brown [rye] bread Ⓤ (☞ パン¹).
くろビール　黒ビール　dark beer Ⓤ, stout Ⓤ; porter Ⓤ ★ 古風な語. (☞ ビール).
くろびかり　黒光り　¶*黒光りがする *shine black*
くろひょう　黒豹　〔動〕black leopard Ⓒ, (black) panther Ⓒ.
くろぶさ　黒房　(相撲の) *kurobusa* Ⓒ; (説明的には) the black tassel hanging from the northwest corner of the roof over the professional sumo ring.
くろぶた　黒豚　〔畜〕Berkshire pig Ⓒ.
くろふね　黒船　the black ships; (説明的には) the foreign steamships which came to Japan toward the end of the Edo period.
グロブリン　〔生化〕glóbulin Ⓤ.
くろぼし　黒星　(負け) defeat Ⓒ; (負けた印) black mark Ⓒ; (失敗) failure Ⓤ ★ 具体例を指すときは Ⓒ.　¶それは現政権にとって大きな*黒星 (⇒ 失敗 [不面目]) だった It turned out to be a great ⌜*failure* for [*discredit* to] the present government. // 彼はこのところ*黒星が続いている (⇒ たて続けに負けている) Recently he *has been losing every game*.
くろほびょう　黒穂病　smut Ⓤ; (特に小麦の) bunt Ⓤ.
クロマキー　(テレビの画面合成技術) chrómakèy Ⓤ.
くろまく　黒幕　(背後で操る人) stringpuller Ⓒ. ¶彼はその事件の*黒幕だった (⇒ 事件の背後 [底] にいた) He was ⌜*behind* [*at the bottom of*] the scandal. / (⇒ ひもを引っ張っていた) He *pulled the strings* in the affair.
くろまぐろ　黒鮪　〔魚〕bluefin (tuna) Ⓒ.
くろまつ　黒松　〔植〕Jápanese bláck píne Ⓒ.
クロマトグラフィー　〔化〕(色層分析) chròmatógraphy Ⓤ.
クロマニョンじん　クロマニョン人　〔考古〕Cro-Magnon /kroumǽgnən/ ⌜mán [húman] Ⓒ.
くろまめ　黒豆　black soybean Ⓒ.
くろまる　黒丸　black dot Ⓒ.
くろみ¹　黒味　black ⌜tint [tinge] Ⓒ.　¶*黒味を帯びた tinged with *black* // *黒味がかった *blackish* / *dark* / *darkish*
くろみ²　黒身　(魚の) dark meat (of a fish) Ⓤ.
くろみずひき　黒水引　black [dark blue] and white paper strings (☞ みずひき).
くろみつ　黒蜜　(黒砂糖のシロップ) muscovado syrup Ⓤ; (やや薄目の) brown sugar syrup Ⓤ.
クロム　〔化〕chromium /króumiəm/ Ⓤ (元素記号 Cr). **クロム鋼** chrome [chromium] steel Ⓤ　**クロム酸** *chromic acid* Ⓤ　**クロム鉄鉱** 〔鉱〕chrome iron Ⓤ, chromite Ⓤ　**クロムめっき** ── [名] chromium plating Ⓤ.　── [形] chromium-plated, chromeplated.
クロムイエロー　(黄色 (顔料)) chrome yellow Ⓤ.
クロムウェル　── [名] (固) Oliver Cromwell /krámwel/, 1599–1658. ★ 英国の政治家.
クロムグリーン　(緑色顔料) chrome green Ⓤ.
くろめ　黒目　the iris (and pupil) of the eye (☞ ひとみ; め¹ (挿絵)).
くろめがね　黒眼鏡　dark glasses ★ 複数形で. (☞ めがね).
くろもじ　黒文字　〔植〕spicebush Ⓒ, spicewood Ⓒ; (つまようじ) toothpick Ⓒ.

くろやき　黒焼き　── [動] (黒焼きにする) char (他).　── [形] (黒焼きにした) charred.
くろやま　黒山　¶校門の所は*黒山のような人だかりだった (⇒ 大勢の人が群がっていた) There was *a* ⌜*large crowd* [*mass*] *of people* at the school gate. (☞ ひとだかり; ひとごみ)
くろゆり　黒百合　〔植〕black lily Ⓒ.
クロラミン　〔化〕chloramine /klɔ́:rəmi:n/ Ⓤ.
グロリア　(女性名) Glória.
クロル　☞ クロール²
クロルカルキ　(さらし粉) bleaching powder Ⓤ, chloride of lime Ⓤ, chlórinàted líme Ⓤ.
クロルせっかい　クロル石灰　☞ クロルカルキ
クロルプロマジン　〔薬〕chlorpromazine /klɔəprámәzì:n/ Ⓤ ★ 向精神薬.
クロレラ　〔植〕(緑藻) chlorélla Ⓒ.
クロロフィル　〔植〕(葉緑素) chlórophỳll Ⓤ.
クロロフルオロカーボン　〔化〕chlòrofluòrocárbon Ⓒ ★ フロン(ガス)のこと. (☞ フロン(ガス)).
クロロベンゼン　〔化〕chlòrobénzene Ⓤ.
クロロホルム　〔化〕chlórofòrm Ⓤ.　¶*クロロホルムで麻酔をかける *chloroform a person*
くろわく　黒枠　(死亡告示) obítuàry Ⓒ.
クロワッサン　croissant /krwɑ:sá:ŋ/ Ⓒ ★ フランス語から.
ぐろん　愚論　(愚かな議論[意見]) foolish [silly] ⌜argument [opinion; view] Ⓒ.
くわ¹　桑　〔植〕(木・実) mulberry Ⓒ.
くわ²　鍬　(長柄の) hoe Ⓒ.　**鍬入れ式** groundbreaking ceremony Ⓒ.
くわい　慈姑　〔植〕arrowhead Ⓒ; (くわいの球根) arrowhead bulb Ⓒ.
クワイア　(教会の聖歌隊) choir Ⓒ.
くわえこむ　くわえ込む　(しっかりとくわえる) hold [have] … firmly ⌜in *one's* mouth [between *one's* teeth]; (異性を釣る・引っかける) hook (他); (異性をベッドに連れ込む) get … into bed. (☞ くわえる²; ひっかける).
くわえざん　加え算　☞ たしざん
くわえたばこ　くわえ煙草　¶*くわえたばこはやめなさい (⇒ たばこを口にして仕事をするな[歩くな]) Don't ⌜work [walk] *with a cigarette in your mouth.*
くわえて　加えて　(…に加えて) in addition to …; (…を含めて) including. (☞ くわえる¹ 1). ¶会合には正会員に*加えて, 数名の客が出席した The meeting was attended by several guests *in addition to* the regular members. // グループは子供たちも*加えて 100 名ほどだった The party consisted of 100 people, children *included.*
くわえる¹　加える　**1** «合わせる»: (付け足す) add (他) ★ 最も一般的な語; (合計する) ádd úp (他), súm úp (他); (あるものの中に含める) include (他); (参加させる) join (他). (☞ たす; ごうけい; 数字 (囲み)).
¶10 に 1 を*加えなさい *Add* one *to* ten. // 10 に 1 を*加えると 11 です (⇒ 10 と 1 では 11 になる) Ten *and* one ⌜makes [is] eleven. / (⇒ 10 プラス 1 は 11 に等しい) Ten *plus* one equals eleven. // なべに水を少々*加えて下さい Please *add* some water *to* the pot. // 私もその旅行に*加えて下さい Can I *join* you on the trip? // あなたを*加えて全部で 5 人です We are five in all, ⌜*including* [*counting*] you. (☞ くわえて)
2 «増す»: incréase (他) (自); (特に速度などを) gather (他), pick úp (他). (☞ ます¹).
¶列車は次第にスピードを*加えていった The train began to ⌜*speed up* [*increase* its speed]. / (⇒ 速度を増した) The train ⌜*gathered* [*picked up*] speed. // 経済不況は一段と深刻さを*加えてきた (⇒ より深刻になった) The economic depression has

been getting *more and more* serious.

3 «与える»: give ⑩ ★ 一般的な語; (圧力などを) put ⑩; (打撃などを) deal ⑩.

¶ 彼らは賠償を求めて会社に圧力を*加えた They *put* pressure *on* the company by demanding damages. // 敵軍が突然攻撃を*加えてきた The enemy began to ˹*attack* (us) [*fire at* us; *fire on* us] all of a sudden. // 彼はその男の頭に一撃を*加えた <S (人)＋V (*give*; *deal*)＋O (人)＋O (一撃)＋*on* [*to*]＋名 (箇所)> He ˹*gave* [*dealt*] the man a blow ˹*on* [*to*] the head. ★ deal を用いるのは格式ばった表現.

くわえる[2] ¶ パイプを*くわえている人 (⇒ 口にパイプをもった) a man *with* a pipe *in his mouth* / (⇒ パイプを吸っている) a man *smoking* a pipe // 犬がパンを一切れ*くわえて逃げた The dog went away *with* a slice of bread *in its mouth.* // 他人の幸運を指を*くわえて見ている *look enviously* (up)on other people's good fortune

くわがた(むし) 鍬形(虫) 〔昆〕stag beetle Ⓒ.

くわけ 区分け ━ 图 (分類すること) sorting Ⓤ, classification Ⓤ ★ 後者はやや格式ばった語.
━ 動 (区分けする) sort ⑩, classify ⑩. ((☞ ぶんるい; くみわけ; くぶん)).

くわしい 詳しい **1** «詳細な» ━ 形 (十分な・完全な) full ★ 口語的; (記述などが) detailed; (調査などが細かすぎるほどに) minute /maɪn(j)úːt/.
━ 图 (詳細) details ★ 複数形で. ━ 副 (詳しく) in detail; minutely; in full, fully; (長々と) at (full) length. ((☞ しょうさい[1]; しさい[1]; こまかい)).

¶ この本は税金のことに*詳しい This book *has a* ˹*great deal* [*lot*] *of* information ˹on [about] taxes. / This book gives (us) *full* information ˹about [on] taxes. ★ 前者のほうが口語的. // *詳しく言うと (⇒ 詳細は) 次のとおりです The *details* are as follows. / (⇒ 正確には) To be *more* ˹*precise* [*exact*], it is as follows. // *詳しいことは旅行センターにお問い合わせ下さい (⇒ それ以上の詳細について) For *further* ˹*information* [*details*] please ˹ask [make inquiries at] the Travel Center. // 後で*詳しいことを申し上げます I'll give you ˹the *full details* of it [*all the details*] later.

2 «熟知している»: (よく知っている) know ... (very) well ★ 最も口語的で一般的. 以下のものの代わりに使える場合が多い; have a good knowledge of ... ★ know ... (very) well とほぼ同じだが, 少し改まった言い方; (なじんでいてよく知っている) be familiar with ..., be at home ˹in [with] ...; (内容によく通じている) be well acquainted with ..., be well informed ˹about [on] ... ((☞ じゅくち; せいつう)).

¶ 彼は野球のルールに*詳しい He *knows* the rules of baseball *very well.* / He *is familiar with* the rules of baseball. // 彼はロンドンは*詳しい (⇒ よく知っている) He *knows* London *very well.* / He *knows a lot* about London. // 彼女は英文学に*詳しい She *is well* ˹*acquainted with* [(⇒ 広く読んでいる) *read in*] English literature. / (⇒ 英文学の専門家だ) She is an *expert* on English literature.

くわずぎらい 食わず嫌い ¶ 新しい考え方に対して*食わず嫌いではだめです (⇒ 偏見を持ってはいけない) Don't *be prejudiced against* the new theory.

くわせもの 食わせ物 (偽物) fake Ⓒ ★ くだけた表現では人もさす; (ぺてん師) humbug Ⓒ; (いかさま師) charlatan Ⓒ. ((☞ いんちき; ぺてん)).

くわせる 食わせる (赤ん坊・病人・家族・動物などに食事や餌を与える) feed ⑩; (扶養する) support ⑩. ¶ 彼は家族を*食わせるだけの稼ぎさえない He doesn't even earn enough to *feed* his family. // 彼女は 3 人の育ち盛りの子供を*食わせねばならなかった She had to *support* three growing children. / She had three growing children to *provide for.* // 一杯*食わせる ☞ いっぱい[1]

くわだて 企て (企画・事業) énterprise Ⓒ; (計画) plan Ⓒ; (試み) attempt Ⓒ, try Ⓒ 語法 前者は成功しなかったことを暗示する. また後者のほうがくだけた語. ((☞ こころみ; けいかく)). ¶ *企てをする make a *plan* (for ...) // 我々の*企てはすべて失敗に終わった All our *attempts* ˹failed [ended in failure]. / We failed in all our *attempts.*

くわだてる 企てる (試みる) attempt ⑩, try ⑩ 語法 後者のほうが口語的. なお前者は結果的に失敗だったことを暗示する; (計画する) plan ⑩; (陰謀などを) plot ⑪ ⑩. ((☞ けいかく; こころみる; たくらむ)).

¶ 彼女は自殺を*企てた She *tried* to kill herself. ★ 結果は不明. / She *attempted* ˹to kill herself [suicide]. ★ 結果的には不成功. // 彼は北極探険を*企てている He *is planning* to go on an Arctic expedition. // 彼らは政府に対する陰謀を*企てた They *plotted* against the government.

くわばら 桑原 ¶ *くわばら, *くわばら! (⇒ 神よ助けたまえ) God help me!

くわり 区割り ━ 動 (いくつかの部分に分割する) divide ⑩; (区画する) section ⑩; (区切る・分ける) separate ⑩; (区分する) partítion ⑩. ━ 图 division Ⓤ; section Ⓒ; separation Ⓤ; partition Ⓤ ★ 以上の Ⓤ の語は「区割りされたもの」の意では Ⓒ. ((☞ くぶん; くかく; くぎる)).

クワルテット ☞ カルテット

くわわる 加わる **1** «参加する»: (同等の立場で) join ⑩ ⑪; (役割を受け持って共に活動する) take part (in ...), partícipàte (in ...) ⑪ ★ 前者のほうが口語的. ((☞ さんか[1])).

¶ 私は彼らのゲームに*加わった I *joined* (*with*) them *in* the game. // 「話し合いに*加わってもいいですか」「どうぞ」"May I *join* (*in*) the discussion?" "Certainly." // 彼はそのデモに*加わらなかった He didn't *take part in* the demonstration.

2 «増加する» ¶ 日に日に寒さが*加わっていく (⇒ だんだん寒くなる) It is ˹getting [becoming] colder ˹every day [day by day]. ((☞ ます[1]))

くん 訓 **1** «教訓»: instruction Ⓤ. ¶ 人生*訓 *instruction* in the right way of living // 養生*訓 *instruction* in health (and hygiene)

2 «訓読み» ☞ くんよみ

くん- 勲... ¶ *勲一等 (⇒ 功績の第一位の勲章) the First *Order of Merit* // *勲一等旭日大綬章 [瑞宝章] the First-Class Order of the ˹Rising Sun [Sacred Treasure] ((☞ くんしょう))

-くん ...君 日英比較 英語では友人・親しい知人の間では姓を用いずに first [given] name をそのまま, あるいは愛称を用いるのが普通で, 日本語の「...君」に当たる言葉はない. ((☞ -さん)).

¶ やあ, 田中*君 Hi, *Tanaka.* 語法 (1) 英語の習慣では田中一郎なら, Hi, Ichiro. のほうが普通. // 山田*君, その文を読みなさい *Yamada,* read the sentence aloud. 語法 (2) 日本では教師が教室で生徒を呼ぶときは姓を用いるのが普通. ただし, 名を呼ぶ場合もある.

ぐん[1] **軍** ━ 图 (軍隊) (armed) forces ★ 兵員・武器などを総合した軍隊. 複数形で; (兵員に焦点を当てたとき) troops ★ 複数形で; army Ⓒ ★ この語は本来は陸軍の意だが, 軍隊全部を表すこともある. ━ 形 military (↔ civil). ((☞ ぐんたい; ぐんじ)).

¶ 中東に国連*軍が派遣された U.N. ˹*troops* [*forces*] were sent to the Middle East.

ぐん[2] **郡** ((米)) county Ⓒ, ((英)) district Ⓒ 参考 county は ((米)) では州 (state) の中で最も大きな行政区画. ((英)) では「州」に当たる. ¶ 新潟県中頸城

(くびき)*郡清里村 Kiyosato Village, Nakakubiki *County*, Niigata Prefecture 語法 ただし, 外国宛の手紙に差出人の住所を書くときは Kiyosato-mura, Nakakubiki-*gun*, Niigata-ken のように, 固有名詞扱いにして日本語どおりローマ字書きするほうがよい. ((☞ 手紙の書き方 (囲み)) // *郡部 rural districts

ぐん[3] **群** (一団) group Ⓒ ((☞ むれ)); 〖数〗group Ⓒ. ¶ はとの一*群 a *flock* of pigeons **群を抜く** ¶ 彼は読書力ではみんなの中で断然*群を抜いている (⇒ 彼はみんなを超えている) He ˹*excels* [*surpasses*] *all of us in* his reading ability. ((☞ ばつぐん))

くんい 勲位 ((位階と) 勲等) (court rank and) the order of merit Ⓤ; (名誉勲章) the medal of honor.

ぐんい 軍医 army [naval; navy] surgeon Ⓒ; (軍隊内では) medical officer Ⓒ.

くんいく[1] **訓育** (訓練) discipline Ⓤ; (教育) education Ⓤ.

くんいく[2] **薫育** ── 動 (徳の影響によって教える [育てる]) instruct [bring up] *a person* through moral influence.

ぐんえい 軍営 military camp Ⓒ, (military) encampment Ⓒ ★ 後者のほうがやや堅苦しい語.

ぐんえき 軍役 (military) service Ⓤ ((☞ へいえき)).

ぐんか[1] **軍歌** military [martial] ˹song [tune] Ⓒ.

ぐんか[2] **軍靴** (軍隊用の短靴) military shoes; (長靴) combat [military] boots ★ いずれも複数形で. ((☞ くつ)).

くんかい 訓戒 ── 名 (さとすこと) àdmonítion Ⓒ. ── 動 ((格式)) admónish ㊀. ((☞ さとす)).

ぐんかく 軍拡 the expansion of armaments ((☞ ぐんび)). **軍拡競争** arms race Ⓒ.

ぐんがくたい 軍楽隊 (陸軍) military band Ⓒ; (海軍) naval [navy] band Ⓒ. ¶ *軍楽隊長 a *band* master

ぐんかん 軍艦 warship Ⓒ. ¶ * 軍艦旗 a *naval* ensign **軍艦マーチ** (曲名) the "Battleship March" **軍艦巻き** "battleship" sushi Ⓤ; (説明的には) bite-sized lump of sushi rice wrapped in laver and filled with sea-urchin or salmon roe Ⓒ.

ぐんかんどり 軍艦鳥 〖鳥〗 frigate [hurricane] bird Ⓒ, man-o'-war ˹bird [hawk] Ⓒ.

ぐんき[1] **軍紀, 軍規** mílitàry díscipline Ⓤ.

ぐんき[2] **軍旗** standard Ⓒ, the colors ★ 後者は the を付けて複数形で.

ぐんきものがたり 軍記物語 tale of war Ⓒ; war ˹story [chronicle] Ⓒ ★ [ ]内は格式ばった語.

ぐんきょ 群居 ── 名 (動植物の) gregarious /grɪgé(ə)riəs/ [sócial] life Ⓤ. ── 動 (動物が) live gregariously; (植物が) grow gregariously. ── 形 (群居性の) gregarious, social. ((☞ ぐんせい[1]; ぐんせい[4])).

くんくん ¶ 犬が戸口の所で*くんくんと鳴いている The dog *is whining* at the door. ((☞ 動物の鳴き声 (囲み)) // その犬は塀の所を*くんくんとかいでいた The dog *was sniffing* (*at*) the fence. ((☞ 擬声・擬態語 (囲み))

ぐんぐん ── 副 (急速に) quickly, fast, rapidly ★ 第 3 番目はやや格式ばった語. ((☞ はやい[1] (類義語); どんどん[1]; めきめき; 擬声・擬態語 (囲み)). ¶ 彼女は*ぐんぐんと英語が上達した (⇒ 急速な進歩をした) She made ˹*quick* [*fast*; *rapid*] progress in English. // 気温は*ぐんぐん上がっている The temperature is ˹*quickly* [*rapidly*] rising. / (⇒ 水銀柱は) The mercury is ˹rising [going up] *fast*.

くんこう[1] **勲功** (手柄) merit Ⓒ; (功績) distinguished service Ⓤ. ¶ 彼は国家への*勲功により勲章が与えられた He was decorated in recognition of his *distinguished service* to the country.

くんこう[2] **薫香** (香) íncense Ⓤ; (芳香) fragrance Ⓤ; (快い強い香り) aróma Ⓒ. ((☞ こう[5]; かおり)).

ぐんこう[1] **軍港** naval ˹base [port] Ⓒ.

ぐんこう[2] **軍功** (戦場での際立った手柄) outstanding action on the battlefield Ⓒ, feat of arms Ⓒ ★ 後者は古風な言い方. ((☞ ぶくん)).

くんこがく 訓詁学 (古典解釈学, 特に聖典の) exegetics /èksədʒétɪks/ Ⓤ; (解釈, 釈義) exegesis /èksədʒí:sɪs/ Ⓒ ((複 -ses /-si:z/)); (より一般的な注釈(書)) cómmentary Ⓒ, exposition Ⓒ.

くんこく 訓告 warning Ⓒ, admonition Ⓒ ★ 後者は格式語. ¶ 先生は生徒たちに怠けてはいけないと*訓告した The teacher *admonished* his pupils not to be idle. // 彼の両親は監督不行き届きのかどで*訓告された His parents were given an *admonition* for careless supervision.

ぐんこくしゅぎ 軍国主義 mílitarìsm Ⓤ. **軍国主義者** mílitarist Ⓒ.

ぐんさんふくごうたい 軍産複合体 (特にアメリカで軍部とある種の産業との結びつき) mílitàry-indústrial còmplex Ⓒ.

くんし 君子 (有徳の人) person of virtue Ⓒ; virtuous person Ⓒ; (賢い人) wise ˹man [woman] Ⓒ. **君子危うきに近寄らず** Discretion is the better part of valor. ((ことわざ: 慎重さは勇気の大部分を占める)) / It is better to be on the safe side. ((ことわざ: 安全な側にいるほうがよい)) **君子の交わりは淡きこと水の如し** (さっぱりして一生変らない) Friendship between the wise is ˹simple [frank] and ˹lifelong [unchanging]. **君子は豹変す** (⇒ 行ないを改めるのが早い) A wise man is quick to mend his ways. ★ 易経の言葉.

くんじ[1] **訓示** (具体的な指示) instructions ★ 複数形で.

くんじ[2] **訓辞** ── 名 admonitory speech Ⓒ, instructional address Ⓒ. ── 動 (訓辞する) give [deliver] an instructional address (to ...).

ぐんし[1] **軍使** military envoy Ⓒ.

ぐんし[2] **軍師** (戦略家) strategist Ⓒ; (戦術家) tactician Ⓒ; (策士) schemer Ⓒ.

ぐんじ 軍事 **軍事衛星** military satellite Ⓒ; (スパイ衛星) reconnaissance satellite Ⓒ **軍事演習** military exercise Ⓒ, military ˹maneuvers [((英)) manoeuvres] ★ 複数形で. **軍事援助** military aid Ⓤ **軍事基地** military base Ⓒ **軍事機密** military secret Ⓒ **軍事境界線** military border Ⓒ **軍事教練** military ˹drill [training] Ⓤ **軍事行動** military activities ★ 複数形で. **軍事顧問** military adviser Ⓒ **軍事顧問団** military advisory group Ⓒ **軍事裁判** military trial Ⓒ; (軍法会議) court-martial Ⓒ **軍事情勢** the military situation **軍事政権** military regime Ⓒ; (革命の後の暫定軍事政権) junta /hʊ́ntə/ Ⓒ **軍事大国** military power Ⓒ **軍事同盟** military alliance Ⓒ **軍事費** war [military] expenditure Ⓤ **軍事評論家** military ˹analyst [commentator] Ⓒ **軍事封鎖** military blockade Ⓒ **軍事予算** arms budget Ⓒ **軍事力** military strength Ⓤ.

ぐんしきん 軍資金 war chest Ⓒ 語法 選挙, その他の運動資金にも比喩的に用いる.

くんしゃく 訓釈 ── 名 (解釈) interpretation Ⓤ; (注解) exposition Ⓤ; (聖典の釈義) exegesis /èksədʒí:sɪs/ Ⓤ ★ 後の 2 語は格式ばった語. ── 動 intérpret ㊀; expóund ㊀.

くんしゅ 君主 (最高の支配者) sóvereign Ⓒ; (特に王・女王・皇帝などの位を持っているもの) mónarch Ⓒ; (封建制度の) liege (lord) Ⓒ. ¶ 専制*君主 an absolute *monarch* **君主国** monarchy Ⓒ **君主政体** monarchy Ⓤ.

ぐんじゅ 軍需 **軍需景気** war [wartime; (⇒ 軍需品(の)) munition(s)] boom Ⓒ ★ munition は 形. munitions《複》は 名. **軍需工場** munitions factory Ⓒ **軍需産業** war [munitions] industry Ⓤ, armaments industry Ⓤ **軍需品** munitions, military supplies ★ いずれも複数形で.

ぐんしゅう 群衆, 群集 (無秩序に集まった) crowd Ⓒ; (ひしめきあう) throng Ⓒ; (暴徒化する可能性のある) mob Ⓒ 語法 以上どの語も《英》では群衆を一まとめに考えるときは単数扱いにし, 個人個人を考えるときは複数扱いにすることが多いが,《米》では単数扱いが普通. ¶ 事故の現場に*群衆が集まった A *throng* gathered at the site of the accident. // 駅には大*群衆が彼の到着を待ちうけていた There was a large *crowd* of people waiting for ˹his arrival [him to arrive] at the station.
群集心理 mob [mass] psychology Ⓤ.

ぐんしゅく 軍縮 disarmament Ⓤ, armament(s) reduction Ⓒ, cut in armaments Ⓒ ★ 後のものほどくだけた表現.《☞ しゅくしょう》. **軍縮会議** disarmament conference Ⓒ.

ぐんじゅつ 軍術 ☞ せんじゅつ¹

ぐんしょ 軍書 (軍学書) book on ˹military science [tactics; strategy] Ⓒ; (戦記) tale of war Ⓒ, war story Ⓒ.《☞ せんき¹; ぐんきものがたり》.

くんしょう 勲章 (勲位を示す) order Ⓒ; (コイン形のもの) medal Ⓒ; (一般的な胸飾り・飾りひもをも含めて) decoration Ⓒ 参考 記章などは insignia Ⓒ, 飾りひも形は ribbon Ⓒ とも言う.《☞ くん-; メダル》.
¶ 彼は*勲章を3つ付けていた He wore three *decorations.* // *勲章を授ける confer a *decoration* on *a person* / award a *decoration* to *a person* / *decorate a person* // 彼は大統領から*勲章をもらった He *was decorated* by the president. 語法 その場で勲章をつけてもらうニュアンスがある. // 彼は1987年に文化*勲章をもらった He was awarded an *Order* of Cultural Merit in 1987. / The cultural *medal* was awarded (to) him in 1987.

くんじょう 燻蒸 ── 名 fumigation Ⓤ. ── 動 smoke ⑩, fumigate ⑩ ★ 後者のほうが格式ばった語. **燻蒸剤** fumigant Ⓒ **燻蒸消毒** fumigation Ⓤ.

ぐんしょう 群小 ── 形 (重要でない) minor; (より劣った) lesser Ⓐ. ¶ *群小作家たち *lesser* writers

ぐんじょう 群青 ultramarine /àltrəmərí:n/ Ⓤ. ¶ *群青の海 a *deep blue* sea

くんしらん 君子蘭 〔植〕Kaffir /kǽfə/ lily Ⓒ.

ぐんしれいかん 軍司令官 (最高司令官) commander in chief Ⓒ《複 commanders in chief》.

ぐんしれいぶ 軍司令部 the military headquarters.

くんしん 君臣 (主君とその臣下) lord and his vassals Ⓒ; (君主とその臣民) the sovereign and ˹his [her] subjects; (支配者と被支配者) rulers and subjects.

ぐんしん 軍神 (功績をあげ尊敬される軍人の英雄) military hero Ⓒ; (戦争の神) god of war Ⓒ; (ギリシャ神話の) Ares /é(ə)ri:z/; (ローマ神話の) Mars.

ぐんじん 軍人 (陸軍の) soldier Ⓒ ★ この語は以下の語の代わりに用いられることもある; (海軍の) sailor Ⓒ; (空軍の) airman Ⓒ 語法 soldier は広い意味では位の上下を問わず軍人の意味であるが, 狭い意味では sailor, airman とともに下士官以下の兵士を指す; (将校) officer Ⓒ; (客観的な言い方) serviceman Ⓒ《複 -men》; (全体) sérvice pèrsonnél ★ 集合的. ¶ 職業*軍人 a professional *soldier* / a career *military man* / (⇒ 将校) a career *officer* **軍人恩給** military pension Ⓒ **軍人勅諭** the Imperial Rescript on the Military Spirit ★ réscrìpt は「詔勅, 勅語」.

ぐんすい 軍帥 ☞ そうしれいかん

くんずほぐれつ 組んず解れつ ¶ *組んずほぐれつの乱闘になる *wrestle* [*grapple*] *wildly* / *scuffle fiercely together* // 激しい口論のあげく彼は兄と*組んずほぐれつの取っ組み合いをした After a violent quarrel, he had a *hard tussle* with his brother.

くんせい 燻製 ── 形 (燻製の) smoked Ⓐ. ¶ *燻製のさけ *smoked* salmon /sǽmən/

ぐんせい¹ 群生 ── 形 (植物が群生する) gregarious /grɪgé(ə)riəs/《☞ ぐんきょ》. **群生植物** gregarious plant Ⓒ.

ぐんせい² 群棲 ── 形〔生〕(動物が群棲している) gregarious《☞ ぐんきょ》. **群棲動物** gregarious animal Ⓒ.

ぐんせい³ 軍政 military ˹administration [government] Ⓤ.

ぐんせい⁴ 軍制 military ˹system Ⓒ [organization Ⓤ].

ぐんぜい 軍勢 (軍隊) army Ⓒ, military forces, troops ★ 後の2つは複数形で.

くんせき 勲績 ☞ くんこう¹

ぐんせき 軍籍 (軍隊の総員名簿) muster roll Ⓒ. ¶ *軍籍に入る enter [join; go into] *the armed forces* // *軍籍に入っている be [serve] in *the* ˹*army* [*navy; air force*] / be enrolled *as a soldier*

ぐんせん¹ 軍扇 commander's fan (used to give battlefield orders) Ⓒ.

ぐんせん² 軍船 military ship Ⓒ.

ぐんそう¹ 軍曹 sergeant /sáədʒənt/ Ⓒ.

ぐんそう² 軍装 (軍服) military uniform Ⓒ; (戦闘服) battle dress Ⓒ; (兵士の装備) soldier's ˹equipment [kit] Ⓤ; (武装) military equipment Ⓤ.

ぐんぞう 群像 (彫刻) group Ⓒ.

ぐんそく 軍足 military socks ★ 複数形で用いる.

ぐんぞく 軍属 (陸軍[海軍]の文官) civilian employee of the ˹army [navy] Ⓒ.

ぐんたい¹ 軍隊 ── 名 (陸・海・空軍を一括して) armed forces ★ 複数形で; army Ⓒ 語法 army は狭い意味では陸軍を意味するが, 広い意味では軍隊全部の意味でも用いられる; (兵員に重点を置く場合) troops ★ 複数形で. ── 形 military, army Ⓐ.《☞ ぐん¹》. ¶ 暴動を鎮めるために*軍隊が派遣された *Armed forces* [*Troops*] were sent to control the riot. // 彼は18歳で*軍隊に入った He ˹*enlisted* [*joined the army*] when he was eighteen. // *軍隊にいる be in *military service* // 10万の*軍隊 an *army* a hundred thousand strong
軍隊生活 army [military] life Ⓒ.

ぐんたい² 群体 〔生〕colony Ⓒ.

-くんだり ¶ 彼らは食うためにアラスカ*くんだりまでも出かけた (⇒ アラスカほどの遠くまで行かなければならなかった) They had to go *as far as* Alaska to earn a living.

ぐんだん 軍団 (army) corps Ⓒ.

くんち ☞ おくんち

くんづけ 君付け ¶ *君付けで (⇒ 親しさを表す敬称を付けて) 呼ぶ address *a person using the familiar title kun*《☞ -くん; -さん¹; さんづけ》

ぐんて 軍手 (cotton) work gloves /glʌ́vz/ ★ 通例左右一対なので複数形で.

くんてん 訓点 auxiliary mark for putting classical Chinese into Japanese Ⓒ.

くんでん 訓電 telegraphic instructions ★ 複数形で. ¶*訓電を打つ[受け取る] send [receive] *telegraphic instructions*

ぐんと (きつく) hard; (急に) suddenly; (思いもかけず不意に) abruptly; (ぐいと急に動く動作を伴って) with a jerk. 《☞ ぐっと; 擬声・擬態語 (囲み)》.

くんとう¹ 薫陶 ¶私は子供のころ, 音楽で青木先生の*薫陶を受けた (⇒ 指導の下に教育を受けた) As a child I received music(al) *instruction from* Mr. Aoki.

くんとう² 勲等 the order of merit.

ぐんとう¹ 群島 group of islands Ⓒ, archipelago Ⓒ. 《☞ れっとう²》.

ぐんとう² 軍刀 military sword Ⓒ; (サーベル) saber Ⓒ.

ぐんとう³ 群盗 group [gang] of robbers Ⓒ; (シラーの戯曲) *The Robbers*.

くんどく 訓読 ☞ くんよみ

ぐんなり ¶彼らは一日中歩き続けて*ぐんなりとしている (⇒ 疲れ果てている) They are *worn out* after walking all day.

ぐんにゃり ― 形 (柔らかくなりすぎた) too soft; (しなやかでぐにゃぐにゃの) soft and limp; (比喩的にたるんだ) flabby. ― 動 (うなだれる・しなだれる) droop ㊀. ¶この暑さで庭の花がみな*ぐんにゃりとなってしまった (⇒ しおれた) All the flowers in the garden *drooped* in the heat.

ぐんば 軍馬 (戦闘用の) warhorse Ⓒ, charger Ⓒ ★ 後者は「突撃用の馬」の意; (軍隊用の) military horse Ⓒ.

ぐんばい 軍配 ¶接戦でどちらに*軍配が上がるか (⇒ どちらが勝つか) わからない The game is so close that I cannot tell ⌈who will be *the winner* [which side will *win*]. // 行司の*軍配は吉野山に上がった (⇒ 審判官の判定は吉野山に有利とした) The umpire *decided* in favor of Yoshinoyama. / (⇒ 吉野山が勝ったと合図をした) The referee *signaled* that Yoshinoyama ⌈had won [was the winner]. 《☞ はんてい》 (…に)**軍配を上げる** declare [judge] … the winner ㊉.

ぐんばつ 軍閥 military [army] clique Ⓒ. **軍閥政治** (軍による独裁政治) military dictatorship Ⓤ.

ぐんぱつじしん 群発地震 series of cóncentràted earthquakes Ⓒ 《☞ じしん²》.

ぐんび 軍備 armaments ★ 複数形で. **軍備拡張** expansion of armaments Ⓤ, arms buildup Ⓒ **軍備削減[縮小]** reduction of armaments Ⓤ, arms reduction Ⓤ **軍備増強** military [arms] buildup Ⓒ.

ぐんぴ 軍費 war ⌈cost [expenditure] Ⓒ ★ cost を用いるほうがくだけた言い方.

ぐんぴょう 軍票 military currency Ⓤ, (military) scrip Ⓒ.

ぐんぶ¹ 軍部 (総称) the military; (軍当局) (the) military authorities ★ 複数形で.

ぐんぶ² 群舞 (集団で踊ること) group dancing Ⓤ; (鳥が群れになって舞うこと) wheeling [circling] of a flock of birds Ⓤ.

ぐんぶ³ 郡部 ☞ ぐん²

くんぷう 薫風 balmy early summer breeze Ⓒ.

ぐんぷく 軍服 military uniform Ⓒ; (海軍の) naval uniform Ⓒ.

ぐんぽう 群峰 group of rugged peaks Ⓒ.

ぐんぽうかいぎ 軍法会議 court-martial Ⓒ 《複 courts-, ～s》 ¶*軍法会議を招集する call a *court-martial* // *軍法会議にかけられる be ⌈tried by *court-martial* [*court-martialed*]

ぐんむ 軍務 military service Ⓤ. ¶*軍務に服する be in the (*military*) *service* / serve in the ⌈army [navy; air force]

くんめい 君命 order [command] of *one's* lord Ⓒ ★ order はしばしば複数形で.

ぐんもうぞうをなでる 群盲象を撫でる Blind persons, touching different parts of an elephant, give different ⌈descriptions [pictures].

ぐんもん 軍門 **軍門に降る** ¶彼らはついに敵の*軍門に降った (⇒ 降伏した) They finally *surrendered* (*themselves*) to the enemy.

くんゆ 訓諭 ☞ くんかい

ぐんゆうかっきょ 群雄割拠 ¶出版界は*群雄割拠の観がある (⇒ 出版社はお互いに相手を出し抜こうと競い合っている) The publishers are in competition to outsell one another.

ぐんよう 軍用 ¶*軍用の *military* / for *military use* **軍用機** warplane Ⓒ **軍用金** war funds ★ 複数形で. **軍用犬** army dog Ⓒ **軍用品** military ⌈stores [supplies] ★ 複数形で. **軍用列車** troop train Ⓒ.

くんよみ 訓読み ¶この漢字を*訓読みにして下さい Will you *read* this *Chinese character in the Japanese pronunciation*?

ぐんらく 群落 〖生〗 stock Ⓒ; (植物などの) community Ⓒ, colony Ⓒ.

ぐんりつ¹ 軍律 (軍法) martial law Ⓤ; (軍隊の規律) military discipline Ⓤ.

ぐんりつ² 群立 ― 動 rise [tower] in great numbers ㊀. ¶その地区には高層ビルが*群立している High-rise buildings *are clustered* in that district.

ぐんりゃく 軍略 (大局的な戦略) strátegy Ⓤ; (実戦における具体的戦術) tactics ★ 複数扱い; (敵を欺いて裏をかく策略) strátagem Ⓒ ★ 格式ばった語. 《☞ さくせん; せんりゃく; せんじゅつ¹》.

くんりん 君臨 ― 動 (皇帝・王の座にある) reign /réɪn/ ㊀; (優勢な力で支配する) dóminàte ㊉ ㊀. ― 名 reign Ⓤ. 《☞ しはい¹ (類義語); とうち²》. ¶彼は政界に*君臨している He ⌈*is dominating* [*dominates*] the political world.

くんれい 訓令 (指令) instructions; (強い命令) orders ★ この意味ではともに複数形で用いるのが普通. 《☞ めいれい; しれい¹》. **訓令式ローマ字(つづり)** the *Kunrei* romanization system; (説明的には) the *Kunrei* system of romanization of Japanese 《☞ ヘボン; ローマ字表 (巻頭)》.

ぐんれい 軍令 (軍隊内の命令) military command Ⓒ; (軍事法規) military law Ⓤ. **軍令部** (旧日本海軍統率機関) the Naval General Staff.

くんれん 訓練 ― 動 train ㊉ ★ 最も一般的な語; (繰り返し集団的に行う) drill ㊉ ㊀. ― 名 training Ⓤ; drill Ⓤ. 《☞ きたえる; たんれん; トレーニング; とっくん》. ¶彼は犬を狩猟用に (⇒ 獲物をとるように) *訓練している He *is training* his dogs to hunt for game. // その少女は看護師としての*訓練を受けた The girl *was trained* as a nurse. // 新兵たちは厳しく*訓練された The new soldiers (*were*) *drilled* very hard. // 火災*訓練 a fire *drill* // よく*訓練されている be highly *disciplined* / be well *trained* // 職業*訓練 professional [job] *training* // 猛*訓練 hard [intensive] *training* **訓練所** training school Ⓒ **訓練生** trainee /treɪníː/ Ⓒ.

くんわ 訓話 (訓戒の講話) 《格式》 admónitòry lécture Ⓒ.

け, ケ

け[1] 毛 hair Ⓤ ★毛の1本1本を指すときはⒸ; (動物などの柔らかい毛) fur Ⓤ; (鳥の) feather Ⓒ; (豚・ブラシなどの硬い毛) bristle Ⓒ. (☞ かみ[3]).
¶彼は柔らかい[硬い]*毛をしている He has ˹soft [stiff] *hair*. // 彼女は髪の*毛が長い She has long *hair*. // 巻き*毛 curly *hair* // ちぢれ*毛 kinky [frizzy] *hair* // スープに*毛が1本入っていた There was [I found] a *hair* in my soup. // *毛が薄くなってきた My *hair* is getting thin. / (⇒毛を失いつつある) I am losing my *hair*. // うまい具合にまた*毛が生えてきた Fortunately, my *hair* is beginning to grow again. // *毛を染める dye *one's hair* // その鳥は*毛が抜け替わっている The bird is ˹molting [(英) moulting]. // 七面鳥の*毛をむしる *pluck* a turkey // このブラシは豚の*毛でできている This brush is made of boar *bristles*.
毛の生えた ¶その番組に出ていた歌手は素人に*毛の生えた程度だった (⇒素人も同然だった) The singers on the program were *little better than* amateurs. **毛ほどの** ¶これらのうわさは*毛ほどの (⇒ほんのわずかの) 真実もない There's not a *grain* of truth in these rumors.

け[2] 卦 (占いのしるし) divinatòry sign Ⓒ. ¶よい*卦が出た A favorable *sign* appeared.

-け[1] …気 (少量・軽い症状) touch Ⓒ; (病気などのきざし) symptom Ⓒ. (☞ いやけ; くいけ; さむけ; ちのけ; ねむけ; ひとけ; ひのけ; やまけ). ¶これはちょっと塩*気が足りない This needs a *touch* of salt. // 女っ*気のない家 a house without a ˹woman [woman's *touch*]

-け[2] …家 ¶三井*家 *the* Mitsui ˹*family* [*clan*] / *the* Mitsuis 語法 複数形の固有名詞の前に the を付けて「…一家; …一族; …夫妻」などを表す. // 彼はカーネギー*家の一員です He is ˹a member of *the* Carnegie *family* [one of *the* Carnegies]. (☞ いっか[1]; いちぞく)

げ 下 1 《価値・順位・程度》 —形 (劣った) inferior; (卑しい) mean. ¶*下の*下 *the worst of all* // 中の*下の階級 the *lower* middle class
2 《本の巻》: (上・下の場合) the second volume; (上・中・下の場合) the third volume.

-げ …気 ¶彼女はいつも寂し*げな顔をしている She always *looks sad*. // おとな*げない発言 a *childish* remark // あの子はかわい*げがない (⇒生意気な) 子だ He [She] is a *cheeky* child. // 親し*げに話す talk *in a friendly way* // 怪し*げな行動 a *suspicious* action

ケア care Ⓤ. ¶在宅*ケア hóme càre // デイ*ケア day *care* // 特別*ケア special *care* // 介護*ケア nursing *care* **ケア付き住宅** house [housing complex] with attendant care for ˹disabled [elderly] persons Ⓒ ★housing complex は団地. disabled は身体障害者向けの, elderly は高齢者向けの.

けあがり 蹴上がり —名 (gymnastic) kick Ⓒ.
—動 kick (*oneself*) up.

けあげ 蹴上げ (階段の一段の高さ) riser Ⓒ.

けあげる 蹴上げる kick up ⑯ (☞ ける).

けあし 毛足, 毛脚 1 《織物などの長い毛》 ¶*毛足の長いモヘアのセーター a mohair sweater with *long* silky *wool* // *毛足の長いじゅうたん a ˹(⇒長い毛がもじゃもじゃの) *shaggy* [(⇒けばの厚い) *thick-piled*] carpet
2 《毛ずね》 ☞ けずね
3 《毛の伸び具合》 ¶私の髪は*毛足が早い My hair *grows* fast.

けあな 毛穴 pore Ⓒ.

ケアハウス nursing home Ⓒ, old people's home Ⓒ ★「ケアハウス」は和製英語.

ケアマネージメント nursing care management Ⓤ ★「ケアマネージメント」だけでは和製英語.

ケアマネージャー (介護保険の) nursing care manager Ⓒ.

ケアレスミス careless mistake Ⓒ (☞ ミス[1] 日英比較). ¶*ケアレスミスをする make a *careless mistake*

ケアワーカー care provider Ⓒ, caregiver Ⓒ. ★care worker という英語は health, day などの修飾語なしでは一般的ではない.

けい[1] 刑 (懲罰) punishment Ⓤ; (罰金など, 具体的な刑罰) pénalty Ⓒ; (刑の宣告) sentence Ⓒ; (禁固刑) imprísonment Ⓤ. (☞ けいばつ; ちょうえき).
¶彼は重い*刑に処せられた He *was* severely *punished*. / (⇒重い刑が彼に科せられた) Severe *punishment* [A heavy *penalty*] was imposed on him. ★後者は格式ばった表現. // 彼は禁固2年の*刑に処せられた He was sentenced to two years' *imprisonment*. // 彼は10年の*刑で服役中である He is in jail on a ten-year *sentence*.
刑の時効 criminal statute of limitations Ⓒ.

けい[2] 計 1 《計画》: plan Ⓒ (☞ けいかく (類義語)). ¶一年の*計は元旦にあり New Year's Day is the day to make your *plans* for the year.
2 《総計》: (多くのものを合わせた結果の数量) total Ⓒ; (数字を足したもの) sum Ⓒ. (☞ そうけい[1]; ごうけい).

けい[3] 罫 —名 (印刷の) (ruled) line Ⓒ. —動 (罫線を引く) rule ⑯. ¶紙に*罫を引く *rule lines* on paper // *罫のない紙 plain [unruled] paper (☞ けいせん[2])

けい[4] 兄 1 《あに》 ☞ あに 2 《年上の男性への敬語》 ¶斉藤*兄 *Mr.* Saito (☞ せんぱい)
兄たり難く弟たり難し (⇒優劣つけ難い) They are much of a muchness.

けい[5] 桂 1 《植物》: cassia /kǽʃə/ Ⓤ.
2 《将棋》: (桂馬) knight Ⓒ.

けい[6] 景 scene Ⓒ. ¶第2幕第3*景 Act II, *Scene* iii (☞ ば)

けい[7] 京 〔数〕 —名 形 (10^{16}) ten quadrillion /kwɑdríljən/, (英) ten thousand billion.

けい[8] 径 ☞ ちょっけい[1]

けい[9] 軽 ☞ けいじどうしゃ

-けい …系 1 《系統》 ¶ラテン*系の言語 (⇒ラテン起源の) a language of Latin *origin* / a Romance language // イタリア*系の市民 (⇒イタリア人の先祖の) citizens of Italian *ancestry* // 彼は保守*系無所属です He is ˹a conservative independent [an independent conservative]. // 革新*系の候補者 (⇒革新派に賛成をしている) a (*pro-*)reform candidate // 山岸組*系暴力団 (⇒加入している) a gang *affiliated with* Yamagishi-gumi (☞ けいとう[1]; けいれつ; きげん[3]; かんけい[1])
2 《血統》: (家系) family line Ⓒ; (血統) lineage

/líniɪdʒ/ Ⓤ ★ 格式ばった語; (子孫) descént Ⓤ.
¶男[女]*系 the ⌈male [female] *line* // 日*系米人 a Japanese-American / a ⌈nisei [sansei] ★ 米国で育った日本人移民者の子[孫]. 一世 (issei) とは区別される. / an American of Japanese *descent* ★ 格式ばった言い方.
3 «体系»: system Ⓒ. ¶太陽[銀河]*系 the ⌈solar [galactic] *system*
4 «学問の分類» ¶文*系 (学問) the humanities // 理 (科) *系 (学問) the natural sciences ★ 以上いずれも the を付けて.

げい 芸 **1** «技芸»: art Ⓤ 《☞ ぎじゅつ》. ¶君はもっと*芸を磨く必要がある You should polish your *skills*.
2 «独自の技術» ¶あの男は何の*芸もない (⇒ おもしろ味のない人) He is a *dull* person.
3 «演技・演芸»: performance Ⓒ; (犬の) trick Ⓒ. 《☞ えんぎ²》. ¶僕は犬に*芸を仕込んでいる I am teaching my dog *tricks*.
芸が細かい ¶あの人のやることは*芸が細かい (⇒ 細かいことに気を使う) He is *meticulous*. ★ meticulous はしばしば「こせこせした」「気にしすぎる」などの悪い意味になる. / (⇒ すべてに気を配る) He is *very attentive* to detail(s). **芸が[の]ない** ¶それじゃあんまり*芸がない (⇒ 上手な[賢明な]処理法ではない) That's not a ⌈*skillful* [*wise*] way to handle the problem. **芸は身を助ける** Talents help their owners. // Learning is better than (a) house and land. 《ことわざ: 学問は家や土地にまさる》
芸域 range of skills Ⓒ **芸達者** versatile entertainer Ⓒ.

ゲイ ── 形 (同性愛の) gay, homosexual ★ どちらも男女両方について用いる. 後者のほうが格式ばった語. ── 名 (同性愛者) gay (person) Ⓒ, homosexual (person) Ⓒ. **ゲイバー** gay bar Ⓒ **ゲイボーイ** homosexual host in a gay bar Ⓒ.

けいあい 敬愛 ── 名 (尊敬) respect Ⓤ. ── 動 (尊敬する) respect ⓗ. 《☞ そんけい》.

けいい¹ 敬意 (尊敬) respect Ⓤ; (一目置くこと) regard Ⓤ ★ 前者より格式ばった語; (支配者などに対する) homage Ⓤ. 《☞ そんけい; そんちょう¹》.
¶我々は先輩には*敬意を払うべきだ We should ⌈have *respect* for [pay *respect* to] our elders. // 私は彼の才能には大いに*敬意を払っている I have a high *regard* for his ability. // 戦死者に*敬意を表して *in honor of* those who were killed in the war // 我々は偉大な指導者に*敬意を表した We paid *homage* to our great leader.

けいい² 経緯 (詳細) details; (細かい具体的な内容) the particulars ★ the を付けて複数形で; (周囲の事情・状況) círcumstànces ★ 通例複数形で. 《☞ じじょう¹; しょうさい¹; いきさつ》. ¶私はその事件のいっさいの*経緯が知りたい I want to know ⌈all the *details* [*the* full *particulars*] of the case.

けいい³ 軽易 ── 形 simple and easy.

けいい⁴ 敬畏 ── 名 awe /ɔ́ː/ Ⓤ. ── 動 awe ⓗ.

けいいぎ 経緯儀 〔天〕 altazimuth /æltǽzəməθ/ Ⓒ; 〔測量〕 theodolite /θiɑ́dəlàɪt/ Ⓒ.

げいいき 芸域 ☞ げい (芸域)

けいいん 契印 ☞ わりいん

げいいんばしょく 鯨飲馬食 ── 動 drink like a fish and eat like a horse ⓐ.

けいう 恵雨 blessed rain Ⓤ.

けいえい 経営 ── 名 mánagement Ⓤ; (管理) admìnistrátion Ⓤ ★ 後者のほうがより格式ばった語. ── 動 (経営する) mánage ⓗ; (運営する) óperàte ⓗ; (店などを) run ⓗ ★ くだけた日常語. 《☞ かんり¹; うんえい》.
¶彼は店の*経営が下手だ (⇒ 下手な経営者だ) He is a bad store *manager*. // 彼は*経営の才がある He is gifted with ⌈*administrative* [*managerial*] ability. // 彼女はコーヒー店を*経営している She *runs* a coffee shop. // 彼は*経営に失敗して倒産した He went bankrupt because he *had managed* his business badly. // この病院は*経営が苦しい (⇒ 財政上困難な状態にある) This hospital is in *financial* difficulties. // 新しい*経営陣[者]の下で会社はもち直すだろう Under the new *management* the firm will come (a)round.
経営学 business ⌈administration [management] Ⓤ **経営学部** college of business ⌈administration [management] Ⓒ **経営管理** business management Ⓤ **経営権** management rights ★ 通例複数形で, the right(s) of management Ⓒ **経営工学** management [industrial] engineering Ⓤ **経営合理化** rationalization of management Ⓤ **経営コンサルタント** mánagement consùltant Ⓒ **経営最高責任者** chief executive officer Ⓒ 《略 CEO》《☞ 会社の組織と役職名 (囲み)》 **経営参加** labor participation in (the) management Ⓤ **経営者** mánager Ⓒ; (全体) (the) management; (店やホテルなどの) proprietor Ⓒ, (女性) proprietress Ⓒ 〔日英比較〕 日本では店の経営者を「マスター」ということがあるが, 英語では master は使わない. owner は「持ち主, 所有者」という意味で使われる. **経営戦略** management [corporate] strategy Ⓤ **経営分析** business analysis Ⓒ, analysis for management Ⓒ **経営方針** management policy Ⓒ **経営理念** management concept Ⓒ, concept of management Ⓒ **経営倫理** business ethics ★ 複数扱い.

けいえん 敬遠 ¶ピッチャーは彼を*敬遠した (⇒ 意図的に歩かせた) The pitcher ⌈*gave* him *an intentional walk* [*walked* him *intentionally*]. // 生徒は皆その先生を*敬遠している (⇒ 避けたがっている) All the students want to *avoid* the teacher. // あの男は*敬遠した (⇒ 近寄らない) ほうがいいよ You had better ⌈*keep* [*stay*] *away from* him. 《☞ とおざける; けむたい》

けいえんげき 軽演劇 light comedy Ⓒ.

けいおんがく 軽音楽 light [popular] music Ⓤ.

けいか 経過 **1** «事の»: (進行) prógress Ⓤ; (進展) devélopment Ⓒ; (物事の成り行き) course Ⓤ. 《☞ けいい²; なりゆき》.
¶*経過は常に連絡いたします I'll keep you informed of the ⌈*progress* [*developments*]. // 私たちは事の*経過を注意深く見守った We keenly watched the *course* of events. // その後の*経過が (⇒ その後何が起こったか) 知りたい I want to know *what has happened* since. // 彼は手術後の*経過は良好だ He is making good *progress* after the operation.
2 «時日の» ── 名 (時間の合間) lapse Ⓒ; (時間が過ぎてゆくこと) passage Ⓤ. ── 動 pass (away) ⓐ. 《☞ たつ²》. ¶5, 6 分間*経過して, やっと彼女は物を言った There was a *lapse* of several minutes before she spoke.
経過音 〔楽〕 passing note Ⓒ, transient ⌈chord [note] Ⓒ **経過規定** 〔法〕 transitional ⌈provision [rule; regulation] Ⓒ ★ 通例複数形で. **経過措置** interim measure Ⓒ **経過利子** 〔経〕 accrúed ínterest Ⓤ.

けいが 慶賀 ¶ご長男の誕生[試験の合格]を心から*慶賀申し上げます I heartily *congratulate* you on ⌈the birth of your first child [your passing the exam]. 《☞ いわう; おめでとう》

げいか 猊下 Your [His] Éminence 〔語法〕 直接に呼びかけて用いるときは Your, 間接に用いるときは His.

けいかい[1] **警戒** ―名（用心）caution U;（予防措置）precaution U ★具体的なものを指示するときはC;（見張り）watch U, lóokòut U ★後者がより口語的;（警備）guard U. ―動（用心深くする）be cautious of…;（注意する）lóok [wátch] óut (for…) 自;（警備する）keep guard [guard] (against…) 自.（☞ちゅうい[1]; ようじん[1]）.

¶万一に備えて*警戒するように言われている We were told to *take* every *precaution* against emergencies. // 山登りの時，なだれを*警戒しなさい *Watch out for* avalanches /ǽvəlæ̀ntʃɪz/ ⌈during your climb up the mountain [when you climb a mountain]. // 警官が空港周辺を厳重に*警戒している The police *are keeping* strict ⌈*guard* [*watch*] around the airport. // *警戒をゆるめてはいけない Don't let down your *guard*! / Don't be caught off *guard*! // 全空軍基地は*警戒態勢に入っている All the air force bases are on *alert*. // 川は*警戒水位に達した The river has risen to the *danger* level. **警戒警報** warning siren C, precautionary warning C **警戒色** warning coloration U **警戒心** sense of precaution U, wariness U **警戒線** ☞ひじょうせん **警戒宣言** warning C **警戒網** police cordon C.

けいかい[2] **軽快** ―形（軽やかな）light;（すばしこい）nimble;（リズムに合わせた）rhythmic(al). ―副 lightly; nimbly. ¶りすは動きが*軽快だ Squirrels are *nimble*. // 彼女は*軽快な足取りで演壇に上った She came up to the platform with *light* steps. // *軽快なメロディー a *rhythmical* melody

けいがい **謦咳** **謦咳に接する**（お目にかかる）see 他, meet 他.（☞せきばらい; あう[1]; 丁寧な表現(巻末)）.

けいがいか **形骸化** ¶民主主義の*形骸化 *a* [*the*] *mere shell* of democracy ★shellは「骨組み・外形」の意. // その規則は*形骸化してしまった（⇒空文となった）The rule has become *a dead letter*.

けいかき **軽火器** firearm C ★通例複数形で.

けいかく **計画** ―名 plan C ★最も一般的で口語的;（用意周到な）design C;（大規模で具体的な）prójeet C;（漠然とした）scheme C;（予定）program（《英》programme）C;（日程など）schedule C. ―動 plan 他; projéct 他; scheme 他; schedule 他.

【類義語】「計画」に対して，最も広く一般に用いられるのは **plan**. ある種の意図の下に綿密周到に考案された計画は **design**. 大規模で野心的・実験的な計画は **project**. やや漠然とした計画で，時に空想的であったり，また陰謀的・利己的な意味でよく用いられるのは **scheme**. 予定行事や番組などの実施計画は **program**. 時間的に割り当てた計画やその一覧表が **schedule**.（☞きかく[1]; あん[1]）

¶その*計画は進行中だ The *plan* is under way. // 5か年*計画 a five-year *plan* // その*計画はうまく行った[行かなかった] The *plan* ⌈worked well [did not work]. // 万事*計画どおりに進んでいる Everything is going according to *plan*. //「休暇の*計画はもう立てましたか」「いいえ，まだです」"Have you made any *plans* for your vacation yet?" "No, not yet." // 僕は世界一周の*計画を立てている I *am planning* to ⌈make [take] a world tour. // 彼は政府転覆を*計画した He ⌈*schemed* [*plotted*; *conspired*] to overthrow the Government. // それは現在*計画中です The *project* is under consideration. // 彼は将来の*計画について話してくれた He told me about his *program* for the future. // その建物の完成は*計画より遅れた[早かった] The building was completed ⌈behind [ahead of] *schedule*. // 都市*計画 city *planning* // 長期*計画 a long-⌈range [term] *plan* // 財政*計画 a financial *program*

計画経済 planned economy C **計画者** planner C **計画性** ¶彼は*計画性がない（⇒組織的ではない）He is not *systematic*. **計画倒れ** ¶*計画倒れに終わった（⇒挫折した[実行されなかった]）The *plan was* ⌈*frustrated* [*not carried out*]. **計画的**（意図的）intentional;（あらかじめ計画された）〘法〙premeditated. ¶*計画的犯行 a *premeditated* crime // 彼はそれを*計画的に（⇒故意に）やった He did it *deliberately*.

> **コロケーション**
>
> 計画を打ち切る abort a *plan* / 計画を考え出す think out a *plan* / 計画を狂わせる upset a *plan* / 計画を実現する realize a *plan* / 計画を実行する carry out [execute] a *plan* / 計画を実行に移す put a *plan* into practice; implement a *plan* / 計画を推進する further a *plan* / 計画を進める pursue a *plan* / 計画を立てる make [design; form; work out] a *plan* / 計画を中止する cancel [call off] a *plan* / 計画を提案する propose a *plan* / 計画を練る elaborate a *plan* / 計画を始める start a *plan* / 計画を発表する unfold [publicize] a *plan* / 計画を変更する change [revise] a *plan* / 計画を妨害する sabotage a *plan* // 暫定的な計画 a tentative *plan* / 実行可能な計画 a ⌈feasible [viable] *plan* / 壮大な計画 a grandiose *plan* / 大胆な計画 a bold *plan* / 非現実的な計画 an impractical *plan* / 綿密な計画 a meticulous *plan*

けいかげき **軽歌劇** operetta C, light opera C.

けいかしつ **軽過失** 〘法〙slight negligence U.

けいかん[1] **警官**（男）policeman C《複 -men》,（女）policewoman C《複 -women》, police officer C ★3番目はやや改まった表現で，男女両方に用いる;《英》cónstable C ★policeman, policewoman に対するイギリスの公式話;（法執行官）law-enforcement officer C ★格式ばった語;（巡回の）《米》patrolman C《複 -men》;《略式》cop C, copper C **語法** (1) cop, copper は以前は警官に面と向かって使ってはならないとされていたが，現在では親しみのこもった語と考えられるようになりつつあり，アメリカの警官は自ら "I'm a *cop*." と言うこともある. その場合は policeman, policewoman とほぼ同意;《英略式》bobby C **語法** (2) cop と似ているが，警官に対する一般人の親しみの気持ちが感じられる語. なお《英》《米》とも，正式に警官に呼びかけるときは "Officer!" を使う.（☞けいさつ）.

¶女性*警官 a *policewoman*（☞じょせい[1]）

警官隊 police ⌈force [squad] C.

けいかん[2] **景観**（目の前の景色）scene C;（光景）sight C;（眺め）view C.（☞けしき）. **景観工学** landscape engineering U **景観照明** landscape lighting U **景観条例**（景観保護の条例）scenic sites preservation ordinance C.

けいかん[3] **径間** span C.

けいかん[4] **荊冠**（キリストのいばらの冠）the crown of thorns;（キリストの受難）the Passion.

けいかん[5] **鶏冠** (cock's) comb C, cockscomb C.

けいかん[6] **渓間**（小峡谷）gorge C, ravine C.

けいがん **慧眼** ―形 keen-[sharp-]eyed. ―名 keen ⌈insight [perception] U; a ⌈sharp [keen] eye ★通例単数形で.

けいかんしじん **桂冠詩人** poet laureate /lɔ́ːriət/ C.

けいき[1] **景気**（商況）business (conditions) U;

(生活一般) things ★ 複数形で. 口語的.
¶「*景気はどうですか」「おかげさまでまあまあです」"How's ⌈business [everything]?" "Just so-so, thanks." / "How goes it with you?" "Not bad, thank you." 語法 not bad は景気がむしろいいのを控え目に言う表現. // *景気がよい[悪い] *Business* is ⌈brisk [slow; bad]. // 秋には*景気はよくなるでしょう *Business* will recover in the fall. // *景気抑制 (⇒ 経済の抑制) が緩和された The restrictions on the *economy* have been eased. // 政府は*景気刺激策を検討している The Government is studying plans to stimulate *business*. // *景気の停滞 *business* [*economic*] stagnation // *景気の冷え込み a *business* setback // 不*景気 a *recession* 《☞ ふけいき》 // にわか*景気 an ephemeral ⌈*economic* [*business*] upturn // 今年の*景気の見通しは暗い The *economic* prospects for this year [The prospects for this year's *economy*] are ⌈bleak [grim]. // *景気のかげり *economic* [*business*] downturn // *景気の悪い顔をしてどうした (⇒ 何が君をそんなに陰気にしているのか) What makes you so *gloomy*? // 忘年会で*景気よく騒ぎましょう Let's *live it up* at our year-end party. // 彼らは銀座で*景気よくお金を使った They *lived it up extravagantly* on the Ginza. // *景気のいいことを言う talk *big* // 一杯飲んで*景気をつけた (⇒ 元気をつけた) We had a drink to *cheer* ourselves *up*.
景気付く ☞ 見出し **景気付け** ☞ 見出し
景気ウォッチャー business (trend) watcher Ⓒ **景気回復** economic recovery Ⓤ **景気後退** recession Ⓒ. ¶ *景気後退が最近深刻になってきた The (⌈*economic* [*business*]) *recession* has deepened recently. **景気指標** business barometer Ⓒ **景気循環** trade [《英》 business] cycle Ⓒ **景気循環説** the cycle theory; the theory of ⌈trade [《英》 business] cycles **景気対策** stimulative measures, measures to stimulate the economy ★ ともに複数形で. ¶ *景気対策を講じる (⇒ 経済に刺激を与える) provide an *economic stimulus* **景気動向指数** diffusion index Ⓒ **景気の谷** trough (in the ⌈economic [business, trade] cycle) Ⓒ **景気の山** peak (in the ⌈economic [business, trade] cycle) Ⓒ **景気浮揚策** pump priming Ⓤ **景気変動** business fluctuations **景気予測** business forecast Ⓤ.

> **コロケーション**
> **景気が上向く** *business* ⌈looks [picks] up; *business* improves / **景気が落ち込む** *business* ⌈slows down [declines] / **景気が停滞する** *business* ⌈lags [slacks off; stagnates] / **景気がよい[悪い]** *business* goes ⌈well [badly]

けいき² 刑期 (禁固[懲役]の期間) term of imprisonment Ⓒ; (刑務所に入っている期間) prison term Ⓒ. 《☞ けい¹》. ¶ 彼は 3 年の*刑期 (⇒ 刑) を勤め上げた He ⌈completed [served out] his *sentence* of three years. // 彼は*刑期を 10 月で終える (⇒ 彼の刑期は 10 月で満期となる) His *prison term* is ⌈up [over] in October.
けいき³ 計器 (使用量を計るもの) meter Ⓒ; (計量のための) gauge /géɪdʒ/ Ⓒ; (器械) instrument Ⓒ.
計器着陸(装置) instrument landing (system) Ⓒ **計器盤** instrument ⌈board [panel] Ⓒ; (航空機・自動車の) dashboard Ⓒ **計器飛行** instrument [blind] flying Ⓤ.
けいき⁴ 契機 (偶然の好機) chance Ⓒ; (機会) òpportúnity Ⓒ; (転機) turning point Ⓒ. 《☞ きっかけ; きかい³ (類義語); げんいん¹; チャンス 語法》. ¶ それが*契機で (⇒ その機会をつかんで) 彼は立ち直った *Taking the opportunity*, he made a comeback.
けいき⁵ 継起 ━名 succession Ⓤ. ━動 occur successively 自.
げいぎ 芸妓 ☞ げいしゃ¹
けいきかんじゅう 軽機関銃 light machine gun Ⓒ.
けいききゅう 軽気球 balloon Ⓒ.
けいきづく 景気付く (陽気になる) líven /láɪv(ə)n/ úp 自 《☞ かっき¹; かっきょう》. ¶ 市場が*景気付く business *picks up*
けいきづけ 景気付け ¶ *景気付けに (⇒ 元気をつけるために) 一杯やろう Let's have a drink to ⌈*cheer ourselves up* [*give ourselves a lift*].
けいきへい 軽騎兵 (1 人) light cavalryman Ⓒ 《複 -men》; (全体) the light cavalry ★ the ~ として単数または複数扱い.
けいきゅうしんごう 警急信号 alarm signal Ⓒ.
けいきょ 軽挙 rash [hasty] action Ⓒ. **軽挙妄動** rash and reckless action Ⓒ. ¶ *軽挙妄動を慎む (⇒ 行動に慎重である) be prudent in *one's* actions
けいきょう¹ 景教 ━名 固 (ネストリウス派のキリスト教) Nestorianism Ⓤ; the Nestorian Sect (of Christianity); (教義) the Nestorian teaching. **景教徒** Nestorian Ⓒ.
けいきょう² 景況 (事態) state of ⌈things [affairs] Ⓤ; (一般的な状況) situation Ⓒ.
けいきょう³ 敬恭 respectfulness Ⓤ; reverence Ⓤ ★ 後者は格式語.
けいきん 頸筋 〔解〕 the cervical muscles.
けいきんぞく 軽金属 light metal Ⓒ.
けいく 警句 (機知に富んだ言葉) witty remark Ⓒ; (深みのある言葉) áphorism Ⓒ; (諧謔味のある格言または短詩) epigram Ⓒ. ¶ *警句を吐く make a *witty remark*
けいぐ¹ 敬具 Yours truly, Yours sincerely, Truly (yours), Sincerely (yours), Cordially (yours) 語法 いずれもやや改まった手紙の結びの言葉. yours とともに truly, sincerely などを用いるのは事務的で格式ばった表現. しかしビジネスレターでも yours は省くことがよくある. 《☞ 手紙の書き方 (囲み)》.
けいぐ² 刑具 implement of punishment Ⓒ.
けいくうぼ 軽空母 light aircraft carrier Ⓒ.
けいけい¹ 軽々 ☞ かるがるしい
けいけい² 炯々 ¶ 眼光*けいけいとして人を射る (⇒ 鋭い目つきで) give *a person* a *piercing* look
げいげき 迎撃 ━動 intercept 他. ━名 interception Ⓤ. ¶ ミサイルを*迎撃する *intercept* missiles **迎撃戦闘機** interceptor Ⓒ **迎撃ミサイル** ìnterceptor missile /mísəl/ Ⓒ.
けいけん¹ 経験 ━名 (経験で得た知識・能力) experience /ɪkspí(ə)riəns/ Ⓤ ★「体験したこと」の意味では Ⓒ. ━動 experience 他; (危険・困難などを) go through ..., ùndergó 他 《過去 underwent; 過分 undergone》 ★ 後者のほうが格式ばった表現. 《☞ キャリア¹》.
¶ アメリカではたいへん楽しい[苦い]*経験をしました I had a very ⌈pleasant [unpleasant] *experience* in America. // 悲しい*経験 a sad *experience* // よい*経験 a good *experience* // コンピューターの*経験がない[浅い]人 a computer virgin ★ ややこっけいに. 《☞ みけいけん》 // 彼女には教職の*経験がない She has no teaching *experience*. // 彼は*経験が浅い[豊富だ] He has ⌈little [a lot of] *experience*. // こんな寒さは*経験したことがない I *have* never *experienced* such cold weather. / This is the coldest

weather (that) I *have* ever *experienced*. [語法] experienced の代わりに had は使えない. 一般に天候に have が使えるのは, 不特定の人々の意味の we が主語のときのみ. // 彼は戦争中多くの危険を*経験した He *faced* many dangers during the war. // 初期のアメリカの移民たちは多くの困難を*経験しなくてはならなかった The early settlers of America had to *undergo* many hardships. // 彼はコックとしての*経験を生かしてレストランを始めた To make good use of his *experience* as a cook, he started a restaurant. // 海外旅行で*経験を広めたい I want to broaden my *experience* by traveling abroad. // *経験で学べ Learn by *experience*. // 彼は人生*経験に富んでいる He has had broad life *experience*. // *経験を積んだ教師 an *experienced* teacher // いまから君たちに私の*経験談を聞かせましょう Let me tell you ⌈something interesting from my own *experience* [some of my *experiences*]. // *経験がものをいう *Experience* will tell. // よい*経験になる (⇒ 教訓になる) be a good *lesson* (for …) // 直接の*経験 direct [firsthand; personal] *experience*

経験科学 empirical science [U] **経験学習** empirical learning [U] **経験者** experienced person [C], person with experience [C] **経験主義** empíricism [U] **経験則** empirical rule [C], rule of thumb [C] ★ 前者は格式ばった表現. **経験哲学** empirical philosophy [U] **経験年数** years of experience **経験論** empíricism [U] **経験論者** empíricist [C].

> **コロケーション**
> **経験不足である** lack *experience* / **経験を積む** get [acquire; accumulate; gather] *experience* / **経験を必要とする** need [require] *experience* / **経験を踏む** undergo an *experience* / **経験を身につける** gain *experience* // **貴重な経験** (a) valuable *experience* / **業務経験** business *experience* / **実地経験** practical [hands-on] *experience* / **辛い経験** a ⌈hard [painful] *experience* / **長い経験** long ⌈*experience* [*career*] / **苦い経験** (a) bitter *experience* / **不幸な経験** an unfortunate *experience* / **忘れられない経験** an unforgettable [a memorable] *experience*

けいけん² 敬虔 ── [形] (信心深い) devóut; (宗教上の義務に忠実な) pious /páɪəs/ ★ 前者のほうが意味が強い. ── [名] piety [U]. ¶ 彼女は*敬虔な祈りを捧げた She offered a prayer full of *piety*. // 彼は*敬虔なクリスチャンだ He is a *devout* Christian.

けいげん 軽減 ── [動] (少なくする) reduce (他) ★ 最も一般的; (減少する) decrease (他) (自); (痛み・悩み・刑罰などを) mítigàte (他) ★ 以上の中で一番改まった語. ── [名] reduction [U]; decrease [U]; mitigation [U] ★ 以上の中で一番改まった語. (☞ へらす; かんわ¹). ¶ 判事は彼の 5 年の刑の判決を 3 年に*軽減した The judge *reduced* his sentence from five years to three. // この錠剤は痛みを*軽減する This pill ⌈*mitigates* [*eases*] pain.

けいげんそ 軽元素 light element [C].

けいこ 稽古 ── [名] (技能習得のために繰り返し行う練習) practice [U]; (体を動かす組織的な練習) exercise [U]; (運動・技術などの) training [U]; (先生についての) lesson [C]; (演劇などの) rehearsal [U] ★ 具体的なものを指すときは [C]. ── [動] practice, (英) practise (他) (自); exercise (自); take lessons. (☞ れんしゅう [語法]). ¶ 彼女は毎日ピアノの*稽古をする She *practices* the piano every day. / (⇒ 先生について) She *takes* piano *lessons* every day. // 俳優たちは開演前に何度も*稽古をした The actors had many *rehearsals* before the play opened. // 先輩たちがぼくたちに*稽古をつけてくれました Our seniors ⌈*coached* [*trained*] us. // よく*稽古をつんだ演技 a well-*rehearsed* performance // 柔道の*稽古 *training* in judo

稽古着 practice suit [C] **稽古事** accomplishments ★ 複数形で. **稽古総見** ☞ そうけん⁵ **稽古台** ¶ 彼は毎日私を*稽古台にしました (⇒ 彼は練習で私を相手にした) He *played against* me *at practices* every day. **稽古場** (柔道, 空手などの) practice hall [C], dojo [C]; (体育館) gym [C], gymnasium [C] **稽古始め** (新年の第一回目の稽古) the first ⌈lesson [practice; training] of a new year; (稽古の開始) beginning [commencement] of the lessons [U]. ¶ ピアノ[水泳, 剣道]の*稽古始め the *commencement of* ⌈piano [swimming; fencing] *lessons* **稽古日** lesson day [C].

けいご¹ 警護 ── [名] guard [U] ★ 人の意味では [C]. ── [動] guard (他). (☞ ごえい; けいび¹). ¶ 彼は警官の厳重な*警護のもとで式に参列した He attended the ceremony under heavy police *guard*.

けいご² 敬語 honorific /ɑ̀nərífɪk/ [C]; (説明的には) honorific ⌈expression [word] [C]. (☞ 丁寧な表現 (巻末)). ¶ *敬語を使って話す use ⌈*polite expressions* [*honorifics*]

敬語法 honorific system [C].

げいこ 芸子 ☞ げいしゃ¹

けいこう¹ 傾向 ── [名] (ある方向への) tendency (to …; toward …) [C]; (趨勢(すうせい)) trend [C] [語法] 前者はそれが本来持つ性質によるもの. 後者はある分野における一般的風潮. ── [動] (傾向がある) tend to *do* …; (…がちだ) be apt to *do* … (☞ すうせい; ふうちょう¹; -がち).

¶ 毎年物価は上昇の*傾向にある Prices *tend to* rise every year. // 祖母は物忘れをする*傾向があります My grandmother ⌈has a *tendency* [*tends*] to forget things. / My grandmother *is inclined to* be forgetful. // 彼らは極右の過激主義の*傾向がある They *tend* toward ultraright radicalism. // 音楽界の現代の*傾向 contemporary *trends* in music

けいこう² 経口 ── [形] oral.

経口栄養 oral feeding [U] **経口感染** oral infection [U] **経口避妊薬** óral còntracéptive [C], birth control pill [C], (略式) the pill ★ the を付けて単数形で. **経口薬** oral medicine [U].

けいこう³ 蛍光 ── [形] fluorescent /flʊ(ə)résnt/. ── [名] fluoréscence [U].

蛍光顔料 fluorescent pigment [U] ★ 種類をいう時は [C]. **蛍光顕微鏡** fluorescence microscope [C] **蛍光色** fluorescent color [C] **蛍光染料** fluorescent dye [U] ★ 種類をいう時は [C]. **蛍光増白剤** fluorescent brightener [C] **蛍光体** fluorescent substance [C] **蛍光灯** ☞ 見出し **蛍光塗料** fluorescent paint [U] **蛍光板** fluorescent screen [C] **蛍光ペン** highlighter [C].

けいこう⁴ 携行 ☞ けいたい¹

けいこう⁵ 鶏口 **鶏口となるも牛後となるなかれ** Better be the head of a dog than the tail of a lion. (ことわざ: ライオンの尻尾であるよりは犬の頭であるほうがましだ)

げいごう 迎合 ¶ 彼はいつも上役に*迎合している (⇒ 機嫌をとっている) He's always *playing up to* the boss. / (⇒ 好意を得ようとしている) He is always trying to *win* his boss's *favor*. // 彼はすぐに他人の意見に*迎合する (⇒ 同意する) He easily *agrees with* other people.

けいこうぎょう 軽工業 light industries ★ 通例複数形で.

けいごうきん 軽合金 light alloy [U].

けいこうせい 傾光性 〔植〕 photonasty [U].

けいこうとう 蛍光灯 (固定された) fluorescent /flʊ(ə)résnt/ light Ⓒ; (スタンドなど) fluorescent lamp Ⓒ.

けいこく¹ 警告 ―― 名 warning Ⓤ; (注意) caution Ⓤ ★以上は具体的な警告の言葉を指すときは Ⓒ. (☞ 可算・不可算名詞 (巻末)). ―― 動 warn 他; caution 他; give a ˹warning [(police) caution] to … (☞ ちゅうい¹; ちゅうこく).
¶ 彼らは私の*警告を無視した They disregarded my *warning*. // 巡視艇は漁船に対して, そこへ行かないように*警告を発した The patrol boat ˹*gave a warning to* [*warned*] the fishing boats not to go there.

けいこく² 渓谷 (両岸が絶壁の) gorge Ⓒ; (狭く奥まった) glen Ⓒ; (特に深く大きな) canyon Ⓒ. (☞ たに).

けいこく³ 傾国 (類い稀な美女) woman of ˹matchless [peerless] beauty Ⓒ; (遊女) courtesan Ⓒ.

けいこくさいみん 経国済民 (民生安定の政治) government for the benefit of the people Ⓤ.

けいこつ¹ 脛骨 tibia /tíbiə/ Ⓒ (複 tibiae /tíbiì:/, ~s).

けいこつ² 頸骨 ☞ けいつい

げいごと 芸事 accomplishments ★通例複数形で. (☞ げい).

けいさい¹ 掲載 ―― 動 (新聞・雑誌が記事を載せる) carry 他; (掲載される) be carried; (誌[紙]面に出る) appear 自; (誌[紙]面に印刷する) print 他. (☞ のる²; のせる²; れんさい).
¶ すべての新聞がそのニュースを*掲載した All the papers *carried* the news. // 彼の記事がタイムズ紙に*掲載された His article *appeared* in *The Times*.

けいさい² 茎菜 stem vegetable Ⓒ.

けいざい 経済 **1** 《経済・財政》 ―― 名 (国・社会・家庭などの経済) ecónomy Ⓤ. ―― 形 èconómic.
¶ *経済は高度成長から安定成長へ切り替わった The *economy* (was) shifted from fast growth to sustainable expansion. // 安い石油が日本*経済の高度成長を可能にしていた Cheap oil made possible the Japanese *economy's* high growth rate. // 政府の*経済政策は破たんした The government's *economic* policy has failed. // *経済援助が打ち切られた (The) *economic* ˹aid [assistance] has been discontinued. // *経済を回復軌道に乗せる get the *economy* back on track // 自由*経済 a free *economy* // 計画*経済 ☞ けいかく

2 《節約》 ―― 名 (倹約) economy Ⓤ; (節約) saving Ⓤ. ―― 形 (経済的な・徳用の) èconómical
語法 「財政上の」「経済学的に見た」という意味での「経済的」は èconómic. (☞ せつやく; けんやく).
¶ この道具を使えばずいぶん労力の*経済になる (⇒ 面倒を省ける) This tool *saves* you a lot of trouble. // 暖房には灯油が一番*経済的だ Kerosene is the ˹most *economical* [*cheapest*] way of heating homes.

経済家 ☞ けんやくか **経済界** the èconòmic wórld; financial circles ★複数形で. **経済外交** economic diplomacy Ⓤ **経済開発** economic development Ⓤ **経済開発区** (中国の) economic development zone Ⓒ **経済学** èconómics Ⓤ **経済学者** ecónomist Ⓒ **経済学博士** doctor of economics Ⓒ; (学位) Doctor of Economics **経済学部** the ˹college [school; faculty] of economics ★英米で学部に当たるものを department と呼ぶ大学もある. (☞ がくぶ (類義語)) **経済活動** economic activity Ⓒ **経済観念** sense of ˹economy [saving] Ⓤ ¶ 彼女には*経済観念がからきしない She hasn't got any *sense of economy*. **経済危機** èconòmic crísis Ⓒ **経済規模** economic size Ⓤ, the size of the economy, economic scale Ⓒ **経済恐慌** financial panic Ⓤ **経済協力** economic ˹assistance [cooperation] Ⓤ **経済協力開発機構** the Organization for Economic Cooperation and Development (略 OECD) **経済圏** economic bloc Ⓒ **経済原論** the principles of economics **経済産業省[大臣]** the ˹Ministry [Minister] of Economy, Trade and Industry **経済史** economic history Ⓤ **経済社会理事会** the (UN) Economic and Social Council (略 ECOSOC) **経済状態** economic [financial] conditions ★複数形で. **経済人類学** económic anthropólogy Ⓤ **経済水域** economic (sea) zone Ⓒ **経済制裁** èconòmic sánctions ★複数形で. **経済政策** èconòmic pólicy Ⓒ **経済成長(率)** èconòmic grówth (ràte) Ⓤ **経済戦略会議** the Economic Strategy Council **経済速度** (車の走行で) fuel-efficient speed Ⓒ **経済大国** májor èconòmic pówer Ⓒ **経済地理学** económic geógraphy Ⓤ **経済統制** economic control Ⓤ ★具体的なことを表す場合は Ⓒ. **経済同友会** the Japan Association of Corporate Executives **経済特(別)区** special economic zone Ⓒ **経済難民** económic refugées ★複数形で. **経済白書** white paper on economics Ⓒ **経済封鎖** economic blockade Ⓒ **経済ブロック** ☞ 経済圏 **経済法** economic law Ⓤ; (より広い意味では) economic regulation Ⓤ **経済摩擦** èconòmic fríction Ⓤ **経済問題** èconòmic próblem Ⓒ **経済予測** economic forecast Ⓒ **経済欄[面]** the financial ˹column [page] **経済力** economic power Ⓤ.

> **コロケーション**
> 安定している経済 a stable *economy* / 急成長を遂げている経済 a fast-growing *economy* / 競争力のある経済 a competitive *economy* / 国内経済 the domestic *economy* / 市場経済 market *economy* / 消費者経済 a consumer *economy* / 世界経済 the global *economy* / 地域経済 a local *economy* / 強い[弱い]経済 a ˹strong [weak] *economy* / 停滞している経済 a ˹stagnant [sluggish] *economy* / 閉鎖的な経済 a closed *economy* / 平時[戦時]経済 a ˹peacetime [wartime] *economy* / 病んでいる経済 an ailing *economy* / 浪費型の経済 a wasteful *economy*

けいさく 繋索 (係船索) fast Ⓒ; (締め綱) lasher Ⓒ.

けいさつ 警察 police 語法 ある特定の地域の警察を指す場合は通例 the を伴って複数扱い. ただし警察一般を指すときは無冠詞.
¶ すぐに*警察を呼べ Call *the police* ˹right away [immediately]. // すぐ*警察に届けなさい Report to *the police* immediately. // 彼らはその男を*警察へ引き渡した They handed over the man to *the police*. // 彼は家の前に放置されている自転車のことで*警察に訴えた He complained to *the police* about the bicycles left in front of his house. // 彼らは*警察に留置された They were taken into *police* custody. // このことは*警察ざたにしたくない (⇒ 警察に手を出してもらいたくない) I don't want *the police* to touch this problem. // 彼女は*警察の保護を受けた She ˹got [received] *police* protection. // *警察では目下犯人を追跡中である *The police* are now after the criminal. // 国際*警察 ☞ インターポール // 秘密*警察 secret *police* // *警察の犬 ☞ いぬ¹

警察医 police medical officer Ⓒ, (外科医) police surgeon Ⓒ　警察学校 police academy Ⓒ　警察官 (男) policeman Ⓒ; (女) policewoman Ⓒ; (男女とも) police officer Ⓒ. (☞ けいかん[1])　警察機動隊 ☞ きどう[2] (機動隊)　警察犬 police dog Ⓒ　警察権 police ⌈power [authority] Ⓤ　警察国家 police state Ⓒ　警察署 police station Ⓒ　警察職員 police personnel ★ 集合的に.　警察署長 the ⌈head [chief] of a police station　警察制度 police system Ⓒ　警察庁 the National Police Agency　警察庁長官 the Director General of the National Police Agency　警察手帳 police credentials ★ 複数形で; police ID Ⓒ　警察法 the Police Law　警察本部長 《米》 the chief of police, the police chief　警察予備隊 〚史〛 National Police Reserve　警察力 police force Ⓤ.

けいさん[1] 計算 — [名] càlculátion Ⓤ [語法] 最も一般的で, 計算の結果など具体的には Ⓒ; (加減乗除の) sums, figures ★ いずれも複数形で; (算数) aríthmetic Ⓤ; (特に金銭の計算) account(s); (規模の大きい計算) computation Ⓒ. — [動] cálculàte (他) (自); (数える) count (他) (自); compute (他); (合計を出す) figure óut (他) ★ 口語的. (☞ ごうけい; かんじょう[2]; かぞえる).

¶「燃料費は*計算に入っていますか」「いいえ, それは*計算に入れませんでした」"Have you taken fuel expenses into *account*?" "No, I left them out." // この*計算は間違っている This ⌈*calculation* [*account*; *computation*] is wrong. / These ⌈*figures* [*sums*] are wrong. // 私たち2人の*計算が合っていない Your *figures* and mine don't agree. // 彼は*計算が早い He is quick at ⌈*figures* [*sums*]. // このごろ給料*計算はコンピューターがするようになった The computer does the salary *computations* these days. // 費用がどのくらいかかるか*計算しておきなさい *Figure out* how much the cost will come to. // とんだ*計算違いだった That was an absurd *miscalculation*.

計算ずく ¶ そんなに*計算ずくでやるな Don't be so *calculating*.　計算高い ¶ 彼は*計算高い男だ He is a *calculating* man. ★ calculating [形] は, 軽蔑を込めて,「打算的な」という意味. / (⇒ 利益について目が早い) He has a *quick eye for a profit*.

計算係 accountant Ⓒ　計算器 (単純な計算用の小型の) calculator Ⓒ　計算機 (電子計算機) computer Ⓒ　計算機科学 computer science Ⓤ　計算誤差 computational error Ⓒ　計算尺 slide rule Ⓒ　計算書 statement (of accounts) Ⓒ　計算図表 nomogram Ⓒ.

けいさん[2] 珪酸 silícic ácid Ⓤ.　珪酸塩 sílicàte Ⓤ　珪酸ナトリウム sódium sílicàte Ⓤ.

けいさんぷ 経産婦 〚医〛 (出産1回のみの人) primipara /praɪmípərə/ 《複 ~s, -rae /-rìː/》 ★ 初産婦の意にもなる; (2回以上の経験の人) multipara /mʌltípərə/ 《複 ~s, -rae /-riː/》.

けいし[1] 軽視 — [動] (おろそかにする) slight (他) ★ やや格式ばった語; (軽く見る) play down (他); (軽く扱う) treat ... lightly; (取るに足らないものと考える) make ⌈little [light] of ..., think ⌈little [lightly] of ...　— [名] (侮ること) contémpt Ⓤ; (無視・怠慢) neglect Ⓤ. (☞ かろんじる; みくびる; ないがしろ).

¶ 仕事を*軽視してはいけない Don't *slight* your work. // 生命を*軽視すべきではない You should not *make light of* your life. // 彼らはその計画での彼の役割を*軽視した They *played down* his part in the scheme.

けいし[2] 警視 《米》 députy inspéctor Ⓒ, 《英》 (police) sùperinténdent Ⓒ.

警視監 superintendent supervisor Ⓒ　警視正 senior superintendent Ⓒ　警視総監 the Superintendent-General (of the Metropolitan Police)　警視長 chief superintendent Ⓒ　警視庁 the Metropolitan Police Department.

けいし[3] 罫紙 ruled [lined] paper Ⓤ.

けいし[4] 刑死 — [動] (処刑される) be ⌈éxecùted [pùt to déath].

けいし[5] 継嗣 ☞ あととり

けいし[6] 継子 ☞ ままこ

けいじ[1] 掲示 — [名] (告示・はり札) notice Ⓒ; (公のことに関する通知) bulletin Ⓒ; (標識) sign Ⓒ. — [動] (掲示を出す) put up a notice. (☞ こくじ[1]; はりがみ).

¶ *掲示には「休講」とある The *notice* says, "No Class." // 壁には「禁煙」の*掲示があった There was a *sign* saying "No Smoking" on the wall. // 彼はドアに「本日休業」の*掲示を出した He put up a "No business today" *notice* on the door.

掲示板 bulletin [《英》 notice] board Ⓒ; (インターネットの) message board Ⓒ. ¶ *掲示板に…と掲示が出ている There is a notice (up) on the ⌈*bulletin* [《英》 *notice*] *board* saying that ....

けいじ[2] 刑事 (刑事巡査) (police) detective Ⓒ. ¶ 部長*刑事 a *detective* sergeant /sáːdʒənt/ // 私服*刑事 a plainclothesman /pléɪnklóʊ(ð)zmən/

けいじ[3] 刑事 — [形] (犯罪に関する) criminal Ⓐ; (罰則に関係のある) penal Ⓐ ★ 後者は専門的な語.

刑事警察 criminal police Ⓤ　刑事裁判 criminal trial Ⓒ　刑事事件 criminal case Ⓒ　刑事処分 criminal punishment Ⓤ　刑事責任 criminal liability Ⓤ　刑事責任年齢 criminal liability age Ⓤ　刑事訴訟 criminal action Ⓒ　刑事訴訟法 the Criminal Procedure Act　刑事手続き criminal procedure Ⓒ　刑事罰 criminal punishment Ⓒ　刑事犯 criminal [penal] offense Ⓒ　刑事被告人 the accused in a criminal case ★ 単数または複数扱い.　刑事部 the Criminal Affairs Division　刑事法 criminal law Ⓤ　刑事補償 criminal indemnity Ⓤ　刑事補償法 the Criminal Indemnity Act　刑事免責 immunity from prosecution Ⓤ.

けいじ[4] 啓示 revelation Ⓤ.

けいじ[5] 慶事 happy event Ⓒ.

けいじ[6] 繋辞 〚文法〛 copula /kápjʊlə/ Ⓒ 《複 -lae /-liː/, ~s》, linking verb Ⓒ.

けいじ[7] 計時 — [動] keep time, time (*a person*; *a race*) (他).　計時係 timekeeper Ⓒ.

けいじか 形而下 — [形] physical.　形而下学 (自然科学全般) physical sciences ★ 複数形で.

けいしき[1] 形式 — [名] (形) form Ⓒ; (形式にこだわること・儀礼的な行い) formality Ⓤ [語法] 具体的なことをいう場合は Ⓒ. しばしば複数形で何かを行うための正式の手続きをいう場合もある. ((例) 帰化の手続き *formalities* for naturalization).　— [形] (形[格]式ばった) formal; (おざなりの) perfunctory /pəfʌ́ŋ(k)təri/ ★ 格式ばった語.　— [副] (形式的に(は)) formally. (☞ かたち).

¶ 彼らは*形式にこだわりすぎる They stick too much to ⌈*form* [*formalities*]. // ソナタ*形式の音楽が好きです I like music in sonata *form*. // そういう*形式ばったことは無視しよう Let's disregard those *formalities*. (☞ かたくるしい) // *形式ばるのはやめよう Let's not *stand on ceremony*. [語法] stand on ceremony は通例否定文で用いる. // それは単なる*形式的なものです It is a mere *formality*.

形式言語 formal language Ⓤ　形式主義 formalism Ⓤ　形式主義者 formalist Ⓒ　形式主語[目的語] the formal ⌈subject [object] (of a sentence)

形式犯〘法〙violation of adjective law Ⓒ 形式美 formal beauty Ⓤ, beauty in forms Ⓤ 形式論 formal theory Ⓒ 形式論理学 formal logic Ⓤ.

けいしき[2] **型式** model Ⓒ《☞かた[2]》. ¶僕の車は*型式が古い My car is an old *model.*

けいじじょう 形而上 ―形 mètaphýsical. 形而上学 metaphysics Ⓤ.

けいしつ[1] **形質** 〘遺〙character Ⓒ. ¶優性[劣性]*形質 a ⌜dominant [recessive] (*character*) 形質細胞 plasma cell Ⓒ 形質転換 transformation Ⓤ 形質導入 transduction Ⓤ 形質発現 expression Ⓤ.

けいしつ[2] **継室** ☞ごさい[1]

けいしつ[3] **憩室** 〘解〙diverticulum /dàɪvətíkjʊləm/ Ⓒ《複 diverticula /-lə/》.

けいしつゆ 軽質油 light crude (oil) Ⓤ.

けいじどうしゃ 軽自動車 light car Ⓒ; (超小型車) sùbcómpact càr Ⓒ, mínicàr Ⓒ.

けいしゃ[1] **傾斜** ―名 (一般的に水平でないことを示して) slant ★ 通例単数形で; (坂などの) slope Ⓒ; (船などの) list Ⓒ; (傾斜・傾向) inclination ★ 改まった語. 通例単数形で. ―動 (一方に傾く) incline ㊀; slant ㊀; slope ㊀; (下る) descend ㊀. ―形 (傾いた) inclined; sloping; slant. 《☞かたむき; さか[1]; こうばい[1]》. ¶屋根はゆるく*傾斜している The roof has a slight *slant.* // 土手はこの地点で急*傾斜している The riverbank has a steep *slope* at this point. // 野原は湖畔に向かってなだらかに*傾斜している The field *descends* slowly toward the shore of the lake. // 塔は少し左に*傾斜している The tower *inclines* slightly to the left. // その建物はゆるやかに*傾斜した土地にある The building stands on gently *sloping* ground.

傾斜角 angle of inclination Ⓒ. ¶*傾斜角 15 度 an *angle* of 15 degrees 傾斜計 tíltmèter Ⓒ 傾斜度 gradient Ⓒ 傾斜面 slope Ⓒ 傾斜家賃 (漸増家賃) progressively increasing rent Ⓒ.

けいしゃ[2] **珪砂** (石英砂) quartz /kwɔ́ːəts/ sànd Ⓤ.

けいしゃ[3] **鶏舎** henhouse Ⓒ.

げいしゃ[1] **芸者** geisha (girl) Ⓒ.

げいしゃ[2] **迎車** (電話で呼ばれたタクシー) taxi called by telephone Ⓒ; (雇われたタクシー) hired taxi Ⓒ; (車の掲示) Hired.

けいしゃりょう 軽車両 light vehicle Ⓒ.

ケイジャン ―形 Cajun /kéɪdʒən/. ―名 (ケイジャン音楽) Cajun music Ⓤ; (ケイジャン料理) Cajun food Ⓤ.

けいしゅ 警手 (警備員) guard Ⓒ《☞けいび[1]》.

けいしゅう 閨秀 ¶*閨秀作家 a ⌜*female* [*woman*] writer ★ 複数形は female [women] writers.

けいじゅう 軽重 ☞けいちょう[2]

けいしゅく 慶祝 ―名 celebration Ⓒ. ―動 celebrate. 《☞いわい; いわう; しゅくが; きねん[2]》.

けいしゅつ 掲出 ―動 put up a notice 《☞けいじ[1]》.

げいじゅつ 芸術 ―名 art Ⓤ ★「美術」は特に the fine arts ともいう. ―形 (芸術的) artistic. 《☞びじゅつ》. ¶彼は*芸術を解さない He has no sense of *art.* / He doesn't appreciate *art.*

芸術愛好家 art lover Ⓒ (日本)芸術院 the (Japan) Art Academy 芸術院賞 Art Academy ⌜prize [award] Ⓒ 芸術家 artist Ⓒ 芸術学 science of art Ⓤ 芸術活動 art activities ★ 複数形で. 芸術祭 art festival Ⓒ 芸術(作)品 work of art Ⓒ 芸術至上主義 art for art's sake 芸術写真 artistic photograph Ⓒ 芸術大学 university of fine arts Ⓒ ★ 音楽学部ももっていれば university of fine arts and music となる. 芸術点 (フィギュアスケートなどで) artistic impression Ⓤ.

げいしゅん 迎春 (年賀状の) (I wish you a) Happy New Year.

けいじゅんようかん 軽巡洋艦 light cruiser Ⓒ.

けいしょう[1] **継承** ―動 (地位・称号・財産などを受け継ぐ) succeed to ...; (財産などを相続する) inherit ㊉; (引き継ぐ) tàke óver ㊉ ★ 前 2 者より口語的で, いずれの代わりにも使える. ―名 succession Ⓤ; inheritance Ⓤ. 《☞そうぞく; ひきつぐ》. ¶王位*継承(権) *succession* to the throne // 父が亡くなりエリザベス 2 世が王位を*継承した Upon her father's death, Elizabeth II *succeeded to* the throne. 継承者 successor Ⓒ.

けいしょう[2] **軽傷** (軽いけが) slight injury Ⓒ; (武器などによる) slight wound Ⓒ. 《☞きず; けが 日英比較》. ¶彼は*軽傷を負った He suffered a *slight* ⌜*injury* [*wound*]. / He *was slightly* ⌜*injured* [*wounded*].

けいしょう[3] **敬称** term of respect Ⓒ, hònorífic Ⓒ; (肩書き) title (of honor) Ⓒ.

けいしょう[4] **景勝** ―名 (絵のように美しい景色) pìcturésque scenery Ⓤ. ―形 (風景が美しい) scenic; (美しい) beautiful; picturesque. 《☞けしき》. ¶*景勝の地 a *scenic* ⌜spot [area] / a place of ⌜*scenic* [*natural*] *beauty* // この地方は*景勝の地として知られる (⇒ 景色の美しさで有名だ) This district is ⌜known [famous; noted; famed] for its *scenic beauty.*

けいしょう[5] **軽症** (軽い病気[発病]) slight ⌜illness [attack] Ⓒ.

けいしょう[6] **警鐘** (危険を知らせる合図の鐘) alarm bell Ⓒ; (警告) warning Ⓒ. ¶*警鐘を鳴らす ring [sound] an *alarm bell* // その事故は若者への*警鐘となった The accident gave a *warning* to young people.

けいしょう[7] **形象** (共通の形) form Ⓒ; (特有の形) shape Ⓒ; (心の中の像) image Ⓒ. 《☞かたち; けいたい[2]》.

けいしょう[8] **軽少** ―形 (数が少ない) few; (量が少ない) little; (ささやかな) small. 《☞わずか; すこし; すくない; さしょう[3]; ほんの; ささやか》. ¶これは*軽少ですがお礼のしるしです This is a *small* token of my gratitude.

けいしょう[9] **軽捷** ☞びんしょう[1]

けいじょう[1] **計上** ―動 (予算上割り当てる) aprópriàte ㊉. ¶政府は高速道路網建設工事のため巨額の金を*計上した The government *appropriated* a huge amount of money for the construction of the superhighway system.

けいじょう[2] **形状** (一般的な形) form Ⓒ; (特有な形) shape Ⓒ. 《☞かたち》.

形状記憶合金 shape-memory alloy Ⓒ 形状記憶シャツ shape-memory shirt Ⓒ 形状記憶樹脂 shape-memory resin Ⓤ.

けいじょう[3] **刑場** execution ground Ⓒ《☞しょけい[1]; しけい[1]》.

けいじょう[4] **敬譲** 敬譲語 hònorífic Ⓒ 敬譲表現 honorific expression Ⓒ《☞けいご; 丁寧な表現(巻末)》.

けいじょう[5] **啓上** ☞いっぴつ[1] (一筆啓上)

けいじょうくろじ 経常黒字 ☞けいじょうりえき

けいじょうししゅつ 経常支出 recurrent expenditure Ⓤ.

けいじょうしゅうし 経常収支 current balance Ⓤ《☞しゅうし[1]; ぼうえき[1]》.

けいじょうしゅうにゅう 経常収入 recurrent

revenue [U].

けいじょうそんえき 経常損益 ordinary profit and loss [U] 《☞ そんえき》.

けいじょうそんしつ 経常損失 ordinary loss [U] ★ 具体的には [C].

けいじょうひ 経常費 working [running; operating] expenses ★ 複数形で.

けいじょうみゃく 頸静脈 jugular vein ★ 通例単数形で. 《☞ じょうみゃく; けっかん[2]; どうみゃく》.

けいじょうりえき 経常利益 ordinary profit [U] ★ 具体的には [C].

けいしょく 軽食 (軽い食事) light meal [C], lunch [C] ★ 後者はこの意味では食べる時刻に関係ない; (間食として食べる) snack [C]. **軽食堂** lunch counter [C], lunchroom [C]; (セルフサービスの) cafeteria /kæ̀fətí(ə)riə/ [C], 《米》 snack ˹bar [counter] [C].

けいしん[1] 軽震 slight [small] ˹earthquake [tremor] [C] 《☞ じしん[2]》.

けいしん[2] 軽信 ── [動] believe too ˹readily [easily] [他].

けいず 系図 (家系図) fámily trée [C], ancestry [C] ★ 一般的な語; genealogy /dʒìːniάlədʒi/ [C] ★ 格式ばった語.

けいすい 軽水 light water [U].

けいすいろ 軽水炉 light water reactor [C] 《略 LWR》.

けいすう[1] 係数 〔数〕 còefficient [C].

けいすう[2] 計数 ── [名] (数えること) counting [U]. ── [動] count [自] [他].

計数型計算機 digital computer [C] **計数管** counter [C], counter tube [C] **計数管理** (計数による経営管理) control [management] through figures [U] **計数器** counter [C].

けいせい[1] 形勢 (置かれた状況・情勢) the situation ★ 周囲との関係を強調する; (物事の状態) the ˹state [condition] of ˹affairs [things]; (事態・成り行き) things ★ 複数形で. 《☞ じょうきょう[1]; じょうせい[1]; すうせい》. ¶ 天下の*形勢 *the* general *state of affairs* // 現在の*形勢を見ることが大切です It is important to watch *the* present *state of affairs*. // 目下の*形勢では as *things* stand / (⇒ 現在の事情では) under the (present) *circumstances* // *形勢がよい[悪い] *The situation* is ˹favorable [unfavorable]. / *Things* ˹look [are looking] ˹hopeful [bad]. ★ 後者がより口語的.

けいせい[2] 形成 ── [動] (作り上げる) form [他]. ── [名] formation [U]. ── [形] (形成する) formative. 《☞ つくる (類義語)》. ¶ それは彼の人間*形成に役立つだろう That will help to *form* his character. // 子供の人格*形成期 a child's *formative* years **形成外科** plastic surgery [U] **形成外科医** plastic surgeon [C] **形成手術** plastic operation [C] **形成層** cambium [C] 《複 ～s, -bia》.

けいせい[3] 傾性 〔植〕 nastic quality [U]. **傾性運動** nastic movement [C].

けいせい[4] 警世 ¶ *警世の書 a book *warning society* **警世家** critic warning society [C].

けいせいさいみん 経世済民 ── [動] (世を治め人民を救う) administer [rule] a country to promote the ˹welfare [well-being] of its people.

けいせいたい 形成体 〔生〕 organizer [C].

けいせき[1] 形跡 (痕跡) trace [C]; (気配) sign [C] [語法] 主として否定語とともに用いる; (印となる跡) mark [C]; (証拠) evidence [U]. 《☞ あと[2]》. ¶ 森には狼のいた*形跡はなかった We saw no ˹*signs* [*traces*] of wolves in the wood(s). // このナイフは使った*形跡がある This knife bears the *marks* of use. // この島には人の住んだ*形跡がない This island ˹gives [shows] no *evidence* of having been ˹lived on [inhabited].

けいせき[2] 珪石 〔鉱〕 silica ˹stone [rock] [U] ★ 個々の場合は [C].

けいせつ 蛍雪 ¶ *蛍雪の功成る (⇒ 実を結ぶ) *one's hard work* has ˹become fruitful [borne fruit]

けいせん[1] 経線 〔地理〕 line of longitude /lάndʒət(j)ùːd/ [C], longitude line [C]; (子午線) merídian [C]. 《☞ けいど[1]》. **経線儀** chronómeter [C].

けいせん[2] 罫線 (ruled) line [C] 《☞ けい[3]》.

けいせん[3] 係船 ── [名] (船を係留すること) mooring [U]. ── [動] moor [他]. **係船ドック** mooring [wet] dock [C] **係船浮標** móoring buoy /búːi/ [C] 《☞ ふひょう[4]》.

けいそ 珪素 〔化〕 sílicòn [U] 《元素記号 Si》. **珪素鋼** sílicon stéel [U] **珪素樹脂** sílicone résin [U]

けいそう[1] 軽装 (気軽な衣服) light ˹dress [clothes]; (ふだん着) casual dress [U], street clothes ★ 複数形で; (形式ばらない服装) informal dress [U]. ¶ 彼女は*軽装で出かけた She went out in ˹*light clothes* [*casual dress*; *street clothes*].

けいそう[2] 係争 (感情的論争) dispute [C]; (法律上の争点) issue [C]. 《☞ あらそい; あらそう; ろんそう[1]》. ¶ *係争中の問題 a question ˹*at issue* [*in dispute*] **係争物** the subject of dispute.

けいそう[3] 珪藻 diatom /dάɪətὰm/ [C]. **珪藻土** diatomite /daɪǽtəmàɪt/ [U] **珪藻類** diatom [U].

けいそう[4] 継走 relay (race) [C] 《☞ リレー》.

けいそう[5] 形相 〔哲〕 form [U].

けいそう[6] 軽躁 ── [形] rash.

けいぞう 恵贈 ¶ ご*恵贈の品 (⇒ あなたからの贈り物) your gift 《☞ おくる[2]; 丁寧な表現 (巻末)》

けいそく 計測 ── [動] measure [他]. ── [名] measurement [U]. 《☞ はかる[1]; そくてい》.

けいぞく[1] 継続 ── [名] (続けること; 続くこと) continuátion [U]; (契約などの更新) renewal [U]. ── [動] (続行する) go on with ... ★ 口語的な表現; (中断の後で続ける・続く) contínue [他] [自]. ── [形] (切れ目のない) contínuous. 《☞ つづける; ぞっこう》. ¶ *継続的な仕事 *continuous* work // いまやっていることをずっと*継続していきたいと思います I'd like to *go on with* what I am doing. // その新聞の購読を*継続 (⇒ 更新) します I'll *renew* my subscription to the newspaper. **継続音** 〔音声〕 continuant [C] **継続雇用** continued employment [U] **継続事業** continued project [C] **継続審議[審査]** deliberation to be continued [C]. ¶ 法案を*継続審議する (⇒ 次の会期での考慮のために繰り越す) *carry* a bill *over* for consideration at the next session **継続犯** continuing crime [C].

けいぞく[2] 係属 (因果関係や仕事上の関係) connection [U]; (血縁や親友などの関係) relation [U]; (提携) affiliation [U]. 《☞ つながり》. ¶ W 大学*係属高校 a high school *affiliated* ˹to [with] W University

けいそつ 軽率 ── [形] (注意に欠ける) careless; (思慮のない) thoughtless; (早まった) hasty. ── [副] carelessly; thoughtlessly; hastily. 《☞ うかつ; ふちゅうい; かるはずみ》. ¶ 何て君は*軽率なんだ How ˹*careless* [*thoughtless*] you are! // そんなことを信じるなんて君も*軽率だね It's ˹*careless* [*thoughtless*] of you to believe such a thing. // *軽率なことをするな Don't act *hastily*.

けいぞん 恵存 ¶ 青木一郎様, 恵存 To Mr. Ichiro Aoki, with the compliments of ... ★ 自分の著書を贈呈するときの言葉で, …のところに名前を書く.

けいたい[1] 携帯 —動(持ち歩く) carry (他); (身につけて持っている) have ... (with ...; about ...); (持って行く) take ... with ...; (持って来る) bring ... with ... —形(携帯できる・携帯用の) portable. 《☞ もっていく; もちはこび》.
¶ 必ず何か身分証明になるものを*携帯しなさい Don't forget to ⌈*carry* [*have*] some (form of) identification (⌈with [on] you). // このエムディープレーヤーは*携帯に便利だ This MD (player) is easy to *carry*. // *携帯用テレビ a *portable* TV // *携帯用辞書 a *pocket* dictionary
携帯情報端末 pérsonal dígital assístant Ⓒ, PDA Ⓒ **携帯生命維持装置** portable life support system Ⓒ **携帯手荷物** hand ⌈baggage [《英》 luggage] Ⓤ ★ 数えるときは a piece of ...を用いる. **携帯(電話)** céll [cellular /séljʊlə/] phóne Ⓒ, móbile phóne Ⓒ. ¶ *携帯(電話)の番号 a [*one's*] *cell phone* number // *携帯ストラップ a *cell phone* strap **携帯燃料** canned fuel Ⓤ, 《英》 portable fuel Ⓤ **携帯品** (持ち物類) *one's* things ★ 複数形で. 最も口語的な言い方; (身の回りの品) personal effects ★ 複数形で. 改まった言い方. 必ずしも持ち歩いているとは限らない; *one's* belongings ★ 複数形で. **携帯品預かり所** cloakroom Ⓒ, 《米》 checkroom Ⓒ **携帯ラジオ** portable radio Ⓒ.

けいたい[2] 形態, 形体 form Ⓒ; (外観) shape Ⓒ. 《☞ かたち》. **形態安定シャツ** crease-free [no(n)-iron] shirt Ⓒ **形態学** 〘生〙 morphólogy Ⓤ **形態形成** 〘生〙 mòrphogénesis Ⓤ **形態素** 〘言〙 mórpheme Ⓒ **形態模写** —名 mimicry Ⓤ. —動 mimic (by gestures) (他). **形態論** 〘言〙 morphólogy Ⓤ.

けいだい 境内 précincts ★ 複数形で. ¶ 神社の*境内で in the *precincts* [on the *grounds*] of a shrine

げいだっしゃ 芸達者 ☞ げい (芸達者)

げいだん 芸談 artist's talk on ⌈his [her] art Ⓒ.

けいちつ 啓蟄 (虫の冬眠が終わる日) the day on which an insect's hibernation ends (around March 6) ★ 説明的な訳. 《☞ だいかん[1] 日英比較》.

けいちゅう 傾注 —動(...に一身をささげる) devote *oneself* to ...; (...に集中する) concentrate on ... 《☞ ささげる; しゅうちゅう; せんねん[1]》.

けいちょう[1] 傾聴 —動 listen ⌈intently [attentively; eagerly] to ...; (一心に聞く) be all ears ★ 後者のほうがくだけた表現. 《☞ きく[1]》. ¶ *傾聴に値する意見 an opinion worth *listening to*

けいちょう[2] 軽重 (重要さ) importance Ⓤ
日英比較 importance は important と違って中立的な語なので, 日本語の「軽重」を importance and unimportance のようには言えない. ¶ 事の*軽重 *importance* of ⌈a thing [an incident]

けいちょう[3] 慶弔 happy and unhappy events. **慶弔費** the expenditure of money on gifts for happy and unhappy events.

けいちょう[4] 茎頂 〘植〙 shoot apex Ⓒ, grow point Ⓒ. **茎頂培養** shoot tip [stem-tip] culture Ⓤ.

けいちょうえいようほう 経腸栄養法 〘医〙 enteral nutrition Ⓤ.

けいちょうふはく 軽佻浮薄 —形(うわついた) frivolous; (不真面目な) flippant; (浅はかな) shallow. 《☞ けいはく[1]; うわつく; ふまじめ; あさはか》.

けいつい 頸椎 the cervical vertebrae /vɚ́:təbrèɪ/ ★ vertebrae は複数形. 個々の椎骨は vertebra /-rə/ と言う.

けいてき 警笛 (自動車などの) horn Ⓒ 参考 「クラクション」(klaxon) は商品名で, 「警笛」の意味では普通使われない. 《☞ クラクション》. ¶ *警笛を鳴らせ Sound [Blow] *Horn* ★ 掲示. // 市街地では自動車の*警笛を鳴らしてはいけません You shouldn't use your *horn* in built-up areas.

けいでんき[1] 継電器 relay Ⓒ.

けいでんき[2] 軽電機 household [domestic] electrical appliance Ⓒ 《☞ かでんせいひん》.

けいと 毛糸 —名(編み物用の) (knitting) wool /wʊ́l/ Ⓤ. —形 wool(l)en /wʊ́lən/. ¶ *毛糸の靴下 *wool(l)en* socks // 彼女は*毛糸で手袋を編んでいる She is *knitting* gloves. 語法 knit 動 は「毛糸で編む」の意.

けいど[1] 経度 longitude /lɑ́ndʒət(j)ù:d/ Ⓤ 《略 long.》 《☞ ど; せいけい[2]; いど[2]》. ¶ *経度は東経 28 度 30 分だ It is situated at 28° 30′ east *longitude*. ★ twenty-eight degrees thirty minutes と読む.

けいど[2] 軽度 —形(程度がちょっとした) slight; (容易に耐えられる) light. 《☞ かるい》.

けいど[3] 珪土 ☞ けいそう[3] (珪藻土)

けいど[4] 傾度 gradient Ⓒ.

けいど[5] 軽土 light soil Ⓤ.

けいとう[1] 系統 —名(組織) system Ⓒ. —形(系統的な) sỳstemátic. —副(系統的に) systematically; (秩序正しく) methódically. 《☞ そしき; けいれつ》. ¶ 神経[筋肉, 消化器]*系統 the ⌈nervous [muscular; digestive] *system* // 本は*系統立てて読むべきだ You should read books in a *systematic* way. // あの協会には命令*系統が 2 つある There are two ⌈*chains* [*lines*] of command in that organization. // バスの運行*系統に入っている be on a bus *route*
系統学習 systematic learning Ⓤ **系統樹** (言語の) genealogical [family] tree Ⓒ **系統分類学** (phylogenetic) systematics Ⓤ.

けいとう[2] 傾倒 —動(崇拝する) admire (他) 《☞ しんすい[2]》. ¶ 彼女はシェークスピアに*傾倒している (⇒ シェークスピアの熱心な賛美者だ) She is an *ardent admirer* of Shakespeare. / (⇒ 熱心な読者である) She is a *devoted reader* of Shakespeare.

けいとう[3] 鶏頭 〘植〙 cockscomb /kɑ́kskòʊm/ Ⓒ.

けいとう[4] 継投 ¶田中が鈴木を*継投した Tanaka *relieved* Suzuki. 《☞ かわる[2]》

げいとう 芸当 (人の早わざ・動物の芸当) trick Ⓒ; (曲芸・離れわざ) feat Ⓒ; (危険を伴う妙技) stunt Ⓒ. 《☞ はなれわざ》.
¶ 彼はいるかに驚くべき*芸当を仕込んだ He taught a dolphin (to do) some amazing *tricks*. // 綱渡りは難しい*芸当だ Walking (on) a tightrope [Tightrope-walking] is a difficult *feat*. // 僕ならそんな危ない*芸当 (⇒ 危険な試み) はしないよ If I were you, I wouldn't do anything so *risky*.

げいどう 芸道 (芸術) art Ⓤ; (自己修業としての芸術) art as self-discipline Ⓤ. 《☞ げいじゅつ》.

けいどうみゃく 頸動脈 carótid (ártery) Ⓒ 《☞ どうみゃく》.

けいとくちん 景徳鎮 —名 固 Jingdezhen /dʒíŋdʌ́dʒʌ́n/, Ching te chen /tʃíŋtéitʃén/ ★ 中国江西省の都市. 中国第一の陶磁器生産地.

けいトラック 軽トラック light pickup (truck) Ⓒ 《☞ トラック[1]》.

げいなし 芸無し —形(たしなみのない) unaccomplished; (おもしろ味のない) dull; (不器用な) clumsy.

けいにく 鶏肉 chicken Ⓤ.

げいにく 鯨肉 whale meat Ⓤ.

げいにん 芸人 entertainer Ⓒ; (寄席芸人) 《米》 vaudevillian /vɔ:dvíljən/ Ⓒ.

けいねん 経年 (時の経過) passage of time Ⓤ; (加齢) aging Ⓤ. **経年(航空)機** aging [aged] ⌈airplane [aircraft] Ⓒ.

げいのう 芸能 (演芸) entertainment Ⓤ; (公演芸術) performing arts. ¶ 郷土*芸能 local *performing arts* // 伝統*芸能 traditional *performing arts* **芸能界** the entertainment world, (the world of) show business Ⓤ, 《略式》 show biz Ⓤ. ¶ 彼女は 16 歳のとき*芸能界に入った She entered *show business* at the age of sixteen. **芸能記者** entertainment reporter Ⓒ, gossip columnist Ⓒ **芸能人** entertainer Ⓒ ★ 通常, 具体的に singer, actor, dancer などという; (芸能界の人) person in show business Ⓒ.

けいば 競馬 horse racing Ⓤ, the races. ¶ 彼は*競馬でもうけた[損した] He ˹made [lost] money ˹*at the races* [*on the horses*]. // *競馬に (⇒ 馬に) 金をかける bet money on *a horse* // *競馬を見に行く go to *the races* // 草*競馬 a local *horse race* **競馬馬** racehorse Ⓒ **競馬騎手** jockey Ⓒ **競馬場** racetrack Ⓒ, racecourse Ⓒ, the turf **競馬新聞** racing form Ⓒ, scratch sheet Ⓒ.

ケイパー 〘食品〙 capers ★ 複数形で.

けいはい 軽輩 (身分の低い人) person of low standing Ⓒ; (下役) underling Ⓒ.

けいはい(しょう) 珪肺(症) silicósis Ⓤ.

けいばい(ばい) 競売(買) ☞ きょうばい

けいはく[1] 軽薄 ― [形] (うわついた) frívolous; (不まじめな) flippant; (浅薄な) shallow. ¶ 彼女は*軽薄で頭がからっぽの娘だ She is a *frivolous*, empty-headed girl.

けいはく[2] 敬白 ☞ けいぐ[1]

けいばくげきき 軽爆撃機 light bomber Ⓒ.

けいはくたんしょう 軽薄短小 ― [名] (小型化) miniaturization Ⓤ, downsizing Ⓤ; (軽便さ) compactness Ⓤ. ― [形] compact; (小さくて軽い) small and light.

けいはつ 啓発 ― [動] (教えることによって, 偏見・無知などを正す) enlighten (他). ― [名] enlightenment Ⓤ. 《☞ けいもう; きょういく》. ¶ 彼には*啓発された (⇒ 多くを学んだ) I'*ve learned a lot* from him. // 私はその解説で大いに*啓発された I *was* greatly *enlightened* by the commentary.

けいばつ[1] 刑罰 ― [名] (処罰) punishment Ⓤ; (判決) sentence Ⓒ. ― [動] (罰する) punish (他). 《☞ けい[1]; ばつ[1]; しょばつ》.

けいばつ[2] 閨閥 influential ˹group of people [clique] related by marriage Ⓒ 《☞ ばつ[4]》. **閨閥政治** nepotism in politics Ⓤ.

けいはんざい 軽犯罪 (一般的には) minor [lesser; petty] ˹offense [《英》 offence] Ⓒ; (法律用語で) misdemeanor /mìsdimíːnə/ (《英》 misdemeanour) Ⓒ. 《☞ はんざい》. ¶ 彼には*軽犯罪の前歴がある He has a record of ˹*minor offenses* [*misdemeanors*]. **軽犯罪法** the Minor Offense Law.

けいはんしん 京阪神 the Keihanshin ˹district [region].

けいひ[1] 経費 (費用) expense Ⓤ [語法] 実際の支払い費用の場合は複数形で, 修飾語を伴うことが多い; (未払いの費用) cost Ⓒ ★ しばしば複数形で; (維持費) úpkèep Ⓤ; (出費) óutlày Ⓒ, expenditure Ⓤ ★ 後者は格式ばった語. 《☞ ひよう; ししゅつ; しゅっぴ》. ¶ それはたいへん*経費がかかる[かさむ] It *costs* a great deal of money. // それに要した*経費はお支払いいたします I'll ˹pay [cover] the *expenses* involved in it. // 車の*経費は思いのほかかかる The *upkeep* on the car is higher than you would expect. // 必要*経費 necessary *expenses* // *経費を 10 パーセント節減した We ˹cut down [curtailed] *expenses* (by) 10%. // *経費の都合で for *financial* reasons **経費削減** (出費の切り詰め) curtailment of expenses Ⓤ.

けいひ[2] 桂皮 cassia /kǽʃə/ Ⓤ, cinnamon Ⓤ.

けいび[1] 警備 ― [名] (警戒) guard Ⓤ; (防備) defense (《英》 defence) Ⓤ. ― [動] guard (他); defend (他); (見張る) keep watch ˹over [on] … 《☞ けいかい[1]; ごえい; まもる》.
¶ 首相官邸は警官によって厳重に*警備されていた The premier's official residence *was* closely *guarded* by policemen. // 彼らは空港周辺の*警備を強化した They tightened the *security guard* around the airport. // この辺は*警備が手薄だ The *defenses* are weak around here.
警備員 guard Ⓒ **警備艦[艇]** patrol boat Ⓒ **警備業** security service Ⓤ **警備隊** garrison Ⓒ **警備(保障)会社** security company Ⓒ.

けいび[2] 軽微 ― [形] (ささいな) slight; (取るに足らぬ) trifling; (わずかな) little; (無視し得る) négligible. 《☞ かるい》. ¶ *軽微な損害 *slight* damage

けいひかんせん 経皮感染 percutáneous /pə̀ːkjutéɪniəs/ inféction Ⓤ.

けいひこうき 軽飛行機 lightplane Ⓒ, light airplane Ⓒ.

けいひん[1] 景品 gíveawày Ⓒ, free gift Ⓒ, 《略式》 freebie Ⓒ. 《☞ おまけ》.

けいひん[2] 京浜 the Keihin area. **京浜工業地帯** the Keihin Industrial Zone.

げいひんかん 迎賓館 (state) guesthouse Ⓒ.

けいふ[1] 系譜 genealogy /dʒìːniálədʒi/ Ⓒ, ancestry Ⓒ, lineage /línidʒ/ Ⓒ. 《☞ けいず》.

けいふ[2] 継父 stepfather Ⓒ 《☞ ぎふ》.

けいふ[3] 軽浮 (軽薄さ) frivolity Ⓤ; (性急さ) hastiness Ⓤ; (思慮のなさ) thoughtlessness Ⓤ. 《☞ かるはずみ; けいそつ》.

けいぶ[1] 警部 《米》 captain Ⓒ, 《英》 chief inspector Ⓒ; (一般的に) (police) inspector Ⓒ. **警部補** 《米》 lieutenant /luːténənt/ Ⓒ, 《英》 inspector Ⓒ.

けいぶ[2] 頸部 ― [名] cervix /sə́ːvɪks/ Ⓒ (複 ~es, cervices /sə́ːvəsìːz/), neck Ⓒ ★ 前者は専門用語. 一般的には子宮頸部 (cervix uteri) を意味する. 後者は一般的な語. ― [形] cervical. 《☞ くび》. **頸部腫瘤** cervical mass Ⓤ **頸部脊椎症** cervical spondylosis /spɑ̀ndəlóusɪs/ Ⓤ **頸部リンパ節結核** scrofula /skrɑ́ːfjulə/ Ⓤ.

けいぶ[3] 軽侮 (軽視) 《格式》 slight Ⓒ; (軽蔑) contempt Ⓤ. 《☞ けいし[1]; けいべつ》.

けいふう 軽風 light [slight] breeze Ⓒ.

げいふう 芸風 *one's* ˹distinctive [trademark] style of ˹performance [acting]. ¶ 彼女の*芸風は母親をほうふつさせる Her ˹*performance* [*style*] reminds us of her mother's. [語法] この用例のように前後関係で 「芸風」 の意が明らかなら performance または style のみでよい.

けいふく[1] 敬服 ― [動] (感心する) admíre (他); (感動する) be deeply impressed by …. ― [形] (敬服すべき) ádmirable. ― [名] àdmirátion Ⓤ. 《☞ かんしん[1]; そんけい》. ¶ 私は彼の良識に*敬服している I *admire* his good sense. // 私は彼の腕前に*敬服している I *am deeply impressed* ˹by [with] his skill.

けいふく[2] 敬復 ☞ はいふく

けいぶつ 景物 **1** 《四季折々の風物》: natural beauties of the season ★ 複数形で.
2 《景品》 ☞ けいひん[1]

けいふぼ 継父母 stepparents ★ 複数形で.

けいふん 鶏糞 chicken droppings ★ 通例複数形で.

けいぶんがく 軽文学 light literature Ⓤ.

けいべつ 軽蔑 ― [動] lóok dówn ˹on [upon] …; despise (他); scorn (他); slight (他); have [feel] ˹contempt [scorn] for …; hold … in contempt.

―― 名（侮蔑）contempt Ⓤ;（さげすむこと）scorn Ⓤ;（軽視）slight Ⓒ. ―― 形 contemptible; contemptuous; scornful;（相手をいやしめるような）derógatòry, pejorative /pɪdʒɔ́:rətɪv/ ★ いずれも格式語で言葉などについて用いられる.
【類義語】最も口語的な表現は *look down* ⌈*on* [*upon*] … 感情的に心底から軽蔑するのは *despise*. この語はやや文語的. 特に激しい嫌悪を露骨に示して軽蔑するのは *scorn*. 相手を軽んじ, 無視するのは *slight*. 名 で強い非難の意味を含んだ軽蔑は *contempt*. 形 で「軽蔑に値する」という意味の語が *contemptible* で, 軽蔑の態度を示すことを意味するのが *contemptuous*.《☞ かろんじる; みくだす》
¶ 貧しい人たちを*軽蔑してはいけない Don't ⌈*look down* (*up*)*on* [*despise*] poor people. // 彼女は動物を残酷に扱う人たちを*軽蔑している She ⌈*has* [*feels*] *contempt for* people who are cruel to animals. // 私は試験でカンニングをする人を*軽蔑する I *scorn* those who cheat ⌈in [on] examinations. // 彼女はパーティーに招待されなかったので*軽蔑されたと思った She felt she *had been slighted* when she was not invited to the party. // 彼女は*軽蔑的な顔つきで私を見た She looked at me ⌈*contemptuously* [*scornfully*]. // この語は*軽蔑的に用いられる This word is used in a *pejorative* sense. // 彼は実に*軽蔑すべき奴だ He is a most *contemptible* fellow. **軽蔑語** derógatory [pejórative] ⌈wórd [expréssion] Ⓒ.

けいべん 軽便 ―― 形（手ごろな）handy;（便利な）convenient.《☞ てがる; てごろ; べんり》. **軽便鉄道**《米》railway Ⓒ,《英》light railway Ⓒ.

けいぼ¹ 継母 stepmother Ⓒ《☞ ぎぼ》.

けいぼ² 敬慕 ―― 動（敬い慕う）love and respect ㊕;（あこがれる）adore ㊕.《☞ うやまう; したう》.

けいほう¹ 警報（警告の）warning Ⓒ;（非常の）alarm Ⓒ;（危険などについての）alert Ⓒ.
¶ 暴風雨[津波]*警報が出された A ⌈storm [tidal wave; tsunami] *warning* has been issued. // *警報装置がうまく働かなかった The *alarm* system did not work well. // *警報は解除された The *warning* was canceled. // スモッグ*警報 a smog *alert* **警報機** alarm Ⓒ;（鉄道の）railroad-crossing alarm Ⓒ.

けいほう² 刑法 ―― 名 the ⌈criminal [penal] ⌈law [code]. ―― 形（刑法(上)の）criminal, penal. **刑法学者** crìminólogist Ⓒ.

けいぼう¹ 警棒《米》níghtstick Ⓒ,《英》truncheon Ⓒ.

けいぼう² 閨房 **1**《寝室》: bedroom Ⓒ, (bed) chamber Ⓒ ★ 後者は古めかしい言い方.
2《女性の部屋》: woman's room Ⓒ.

けいぼうだん 警防団 civil defense unit Ⓒ.

ゲイボーイ ☞ ゲイ（ゲイボーイ）

けいほき 計歩器 pedómeter Ⓒ.

けいま 桂馬（将棋の）knight Ⓒ. **桂馬の高あがり** ―― 動（身分不相応の地位について失敗する）cause [lead to] failure by holding a position beyond *one's* social standing ★ 説明的な訳.

けいまい 兄妹（兄とその妹）boy [man] and his younger sister《☞ あに 語法; きょうだい¹ 語法》.

けいまふり〘鳥〙spectacled [sooty] guillemot Ⓒ.

けいみょう 軽妙 ―― 形（器用な）clever;（巧妙な）smart;（才気のある）witty.

けいみん 傾眠 somnolency Ⓤ, somnolence Ⓤ.

けいむ 警務 police affairs ★ 複数形で.

けいむかん 刑務官（矯正官）correctional officer Ⓒ;（看守）jailer Ⓒ.

けいむしょ 刑務所 prison Ⓒ, jail Ⓒ ★ 成句では無冠詞.《英》では gaol ともつづる;《米》penitentiary /pènəténʃ(ə)ri/ Ⓒ;《略式》lóckùp Ⓒ.
【類義語】国家で管理する大がかりな刑務所を意味する一般的な語が *prison*. よりくだけた語で, 未決囚や軽い罪の者を収容する場所というニュアンスのある語が *jail*.《米》では州または連邦刑務所を *penitentiary* という. 刑務所を意味する口語的な語が *lockup*.《☞ りゅうち; とうごく¹; ろう²》
¶ その泥棒たちは*刑務所に入れられた The thieves were ⌈sent to *prison* [put in *jail*]. // 彼は*刑務所に入っている He is in *prison*. // その男は最近*刑務所を出たばかりだ The man has just been released from *prison*. **刑務所長**《米》warden Ⓒ,《英》prison governor Ⓒ.

けいめい¹ 鶏鳴 **1**《おんどりの鳴き声》: the crow;（鳴くこと）the crowing of a rooster.《☞ 動物の鳴き声（囲み）》. **2**《夜明け》☞ よあけ

けいめい² 刑名 designation of punishment Ⓒ.

けいめい³ 啓明 ☞ あけのみょうじょう

げいめい 芸名（職業上の）professional name Ⓒ;（映画俳優の）screen name Ⓒ;（舞台俳優の）stage name Ⓒ.

けいもう 啓蒙 ―― 動 enlighten ㊕. ―― 名（啓発）enlightenment Ⓤ. ―― 形（啓蒙的な）enlightening.《☞ けいはつ》.
啓蒙運動 campaign for enlightenment Ⓒ **啓蒙思想**（18 世紀の）the philosophy of the Enlightenment **啓蒙思想家** Enlightenment thinker Ⓒ.

けいやく 契約 ―― 名（正式な文書などにより, 法的な効果を持つもの）cóntract Ⓒ;（相互の同意による約束）agreement Ⓒ;（借地・借家の）lease Ⓒ. ―― 動 cóntract ㊕ ㊐ 語法 「…する契約をする」という意味の場合, ㊕ では to 不定詞を伴い contract to *do* … となり, ㊐ では contract for *doing* … という言い方になる.《☞ きょうてい¹》.
¶ 私はその会社と販売*契約を結んだ I ⌈made [signed] a sales *contract* with the company. // 彼は*契約を履行しなかった He failed to ⌈carry out [fulfill; execute] the *contract*. / (⇒ 契約を破った) He broke the *contract*. // それは*契約違反です It is a breach of our *agreement*. // この*契約はもう無効です This *contract* is no longer ⌈valid [binding]. / This *contract* no longer stands. / (⇒ 期限が切れた) This *agreement* has already expired. // 私たちはそのアパートを 2 年借りる*契約をした We are to take the apartment on a two-year *lease*. // 彼はその仕事を 1 千万円で請け負う*契約をした He *contracted* to undertake the work for ten million yen. // *契約は破棄された The *agreement* was cancel(l)ed.
契約関係 contract relations ★ 複数形で. **契約期間** term of contract Ⓒ **契約者** contractor Ⓒ;（一方の当事者）contracting party Ⓒ;（双方の）the parties to a contract **契約社員** contract(ed) employee Ⓒ, contract worker Ⓒ;（臨時社員）temporary ⌈worker [employee] Ⓒ **契約書** contract Ⓒ **契約理論**〘経〙contract theory Ⓤ.

―コロケーション―
契約を延長する extend a *contract* / 契約を更新する renew a *contract* / 契約を終結させる terminate a *contract* / 契約を取り消す cancel a *contract* / 契約を守る observe [keep] a *contract* / 契約を結ぶ make [conclude; hold; place; work out] a *contract* // 建築契約 a ⌈building [construction] *contract* / 10 年契約 a ten-year *contract* / 正式な契約 a formal *contract* / 長期[短期]契約 a ⌈long-term [short-term] *contract* / 有償契約 a *contract* of value / 無償契約 a gratuitous *contract*

けいゆ¹ 経由 ―― [前] (…経由で) by way of…, via /váɪə/ …. 《☞ -まわり; へる²》. ¶ 彼はシベリア*経由でロンドンへ行った He went to London ˹*by way of* [*via*] Siberia. // 《飛行機などで》どこ*経由ですか (⇒ 途中降機地はどこですか) Where's the *stopover*?

けいゆ² 軽油 light oil [U], diesel oil [U]. **軽油引取税** light oil delivery tax [U].

げいゆ 鯨油 whale oil [U]; (まっこう鯨の油) sperm oil [U].

けいよ 刑余 ☞ ぜんか¹

けいよう¹ 形容 ―― [動] (言い表す) express (他); (詳しく描写する) describe (他). 《☞ いいあらわす》. ¶ その美しさは*形容できないほどだった It was *indescribably* beautiful. / Its beauty ˹was beyond [defied] *description*. / (⇒ 描写できないほど美しかった) It was too beautiful to *describe*.
形容詞 〔文法〕 adjective [C] 《☞ 形容詞の 2 用法 (巻末)》. **形容詞句** adjective phrase [C] **形容詞節** adjective clause [C] **形容詞(的)用法** adjectival use [U] **形容動詞** 〔文法〕 (日本語文法の) adjectival verb [C] **形容矛盾** contradiction in terms [C]; (撞着語法) oxymoron [C].

けいよう² 掲揚 ―― [動] (旗を) hoist (他); (空中に掲げる・翻す) fly (他) ★ 旗以外にも使う意味の広い語. 《☞ かかげる》. ¶ 我々は校旗を*掲揚した We *hoisted* the school flag.

けいよう³ 京葉 the Keiyo area. **京葉工業地帯** the Keiyo Industrial Zone.

けいようしょくぶつ 茎葉植物 〔植〕 cormophyte /kɔ́ːməfàɪt/ [C].

けいら 警邏 (巡回すること) patról [U]; (巡回中の警察官) police officer on patrol [C] ★ on patrol の代わりに担当区域を表わして on ˹his [her] beat ともいう; 《米》 patrol officer [C].

けいらく 経絡 (筋道) logic [U]; (脈絡) logical connection [U]; (漢方の) meridian [C].

けいらん 鶏卵 (hen's) egg [C] 《☞ たまご》.

けいり¹ 経理 (会計) accounting [U] 《☞ かいけい¹》. ¶ あの会社の*経理は乱脈です That company is very loose when it comes to *accounting* for its money. **経理課** the accounting section **経理係[担当]** the accounting subsection [C]; (人) accountant [C] 《☞ 会社の組織と役職名 (囲み)》 **経理部** the accounting ˹division [department], the general accounting ˹division [department], the budget accounting ˹division [department]. 《☞ 会社の組織と役職名 (囲み)》.

けいり² 刑吏 (死刑執行人) èxecútioner [C].

けいりし 計理士 ☞ こうにん¹ (公認会計士).

けいりゃく 計略 (わな) trap [C]; (たくらみ) trick [C]; (戦略) strategy [U]; (計画) plan [C] ★ 口語的な日常語; (悪賢い計画) scheme [C]. 《☞ わな; さくりゃく》. ¶ それは敵の*計略だろう That will be the enemy's ˹*trap* [*strategy*]. // 我々の*計略はうまく行った Our *trick* worked. / (⇒ 彼らは我々のわなにはまった) They fell into our *trap*. // *計略をめぐらす work [think] out a *scheme*

けいりゅう¹ 係留 ―― [動] (船などを) moor … (at …; to …) 《☞ つなぐ》.
係留気球 captive balloon [C], sausage (balloon) [C] **係留索** mooring cable [C] **係留場** moorings **係留ドック** wet dock [C].

けいりゅう² 渓流 mountain stream [C].

けいりゅうし 軽粒子 〔物理〕 lepton [C].

けいりょう¹ 計量 ―― [動] (一般に, 物を計る) measure (他); (重量を) weigh (他). 《☞ はかる¹》. **計量カップ** measuring cup [C] **計量器** (ガス・水道などの) meter [C]; (計器) gauge /géɪdʒ/ [C], 《米》 gage [C] **計量経済学** econometrics [U] **計量士** certified measurer [C] **計量スプーン** measuring spoon [C] **計量法** the Measurement Law.

けいりょう² 軽量 ―― [名] light weight [U]. ―― [形] light. 《☞ かるい》. **軽量コンクリート** lightweight concrete [U] **軽量鉄骨** light-gauge steel frame [C].

けいりん¹ 競輪 keirin [U]; (個々のレース) keirin race [C]; (説明的には) bicycle (track) race [C] ★ 競輪は海外でも自転車競技の一種として広まっている. 公営ギャンブルとしての競輪は professional keirin (race) のように言えばよい.
競輪場 keirin racetrack [C] **競輪選手** professional keirin racer [C].

けいりん² 桂林 ―― [名] (固) (中国の都市) Guilin /gwìːlín/, Kweilin /gwèɪlín/.

けいるい 係累 (扶養家族) dependent [C], dependant [C]; (親戚) relative [C]. 《☞ かぞく¹; しんせき¹》. ¶ 彼は*係累がない He has no *dependents*. // 彼は*係累が多い He has a large *family*.

けいれい 敬礼 ―― [名] (軍隊で, 挙手による) salute [C]. ―― [動] salute (他). ¶ *敬礼! *Salute*!

けいれき 経歴 (職業的な経歴) caréer [C] [語法] 社会的にかなり重要性を持つ職業というニュアンスがあるので, bad などとは結び付かない; (記録として持っている) récord [C]; (履歴) *one's* personal history ★ 職業的なものとは限らない; (教育・職歴など広い意味での背景) *one's* background. 《☞ キャリア¹; りれき》. ¶ 彼は外交官としてすばらしい*経歴を持っている He has had a brilliant ˹*career* [*record*] as a diplomat. // 彼の*経歴はかんばしくない He has a bad *record*. // 彼はどんな*経歴の人ですか What is his ˹*career history* [*background*]? // (選挙)候補者の*経歴放送 a broadcast of *background information* about the candidates

けいれつ 系列 (系統) system [C]; (団体の提携関係) affiliation [C]. 《☞ けいとう¹》. ¶ 企業の*系列化 the consortium of corporations / (⇒ 乗っとり) corporate *takeovers* / the *taking over* of corporations **系列会社[企業]** affiliated [associated] company [C], affiliate [C] **系列店** affiliated store [C]; (系列販売店) outlet [C] **系列取引** (系列グループ内の取引) (keiretsu) intragroup ˹transaction [C] [dealings]; (企業系列化による取引) transaction through business affiliation [C] **系列融資** loan [financing] to affiliated ˹companies [enterprises] [U].

けいれん 痙攣 ―― [名] (痛みのある筋肉の) cramp ★ 《英》では [U], 《米》では [C]; (突然筋肉が収縮すること) spasm [C]. ―― [動] (体の一部が) cramp (自). 《☞ つる³》. ¶ 彼は泳いでいて足に*痙攣を起こした He got (a) *cramp* in his leg while swimming. // 胃*痙攣 stomach *cramps*

けいろ¹ 経路 (進路) course [C]; (ある場所からある場所へ至る決まった道筋) route [C]; (情報・手続きなどの) channel [C]; (過程) process [C]. 《☞ ルート¹》. ¶ 彼らは逆の*経路をとった They followed the opposite *course*. // 感染*経路はまだ判明していない The *route* of (the) infection is not yet known. // 彼はその情報の入手*経路を明かすことを拒んだ (⇒ どのようにして情報を得たか) He refused to show ˹*how* [*through what channel*] he got that information.

けいろ² 毛色 (毛の色) hair color [U]; (動物の毛の色) fur color [U]. ¶ *毛色の変わったやつ (⇒ 型にはまらない) an unconventional fellow / (⇒ 奇妙な) an ˹odd [eccentric] fellow 《☞ タイプ²; しゅるい》

けいろう 敬老 respect for the ˹aged [elderly] [U]. **敬老会** respect-for-the-aged meeting [C] **敬**

老の日 Respect-for-the-⌈Aged [Elderly] Day 《☞ しゅくじつ(表)》.
けいろうどう 軽労働 light work Ⓤ.
ゲイン (電子工学・フットボールなど) gain Ⓒ.
ケインズ —名 固 John Maynard Keynes /kéɪnz/, 1883–1946. ★ 英国の経済学者. —形 (ケインズ(主義・学派)の) Keynesian /kéɪnziən/. **ケインズ経済学** Keynesian economics Ⓤ.
けう 希有 —形 (珍しい) rare; (一般的でない) uncommon; (例外的な) unusual, exceptional. 《☞ まれ; めずらしい; めったに; れいがい¹》.
ケー K K Ⓒ ★ 野球で「三振」(strikeout) の意; (アルファベットの第 11 字) K Ⓒ, k Ⓒ.
ケーエスこう ケーエス鋼 KS steel Ⓤ.
ケーオー —名 (ノックアウト) KO Ⓒ, K.O. Ⓒ, k.o. Ⓒ. —動 KO 《三単現 KO's; 過去・過分 KO'd; 現分 KO'ing》. ¶彼は第一ラウンドで *KO 負けした He *was KO'd* in the first round.
ケーキ cake Ⓤ [語法] 丸ごと 1 つのものをいうときは Ⓒ. 切ったケーキは Ⓤ で, a piece of cake のようにいう. 《☞ かし¹; デコレーション; 可算・不可算名詞 (巻末)》. ¶誕生日の*ケーキ a birthday *cake*
ケーケー ☞ かぶしき(株式会社)
げーげー ¶彼は夕食に食べたものを*げーげー吐いた He *threw up* his dinner. 《☞ 擬声・擬態語 (囲み)》
ケーケーケー ☞ クークラックスクラン
ケージ (檻状のもの) cage Ⓒ; (鳥かご) birdcage Ⓒ.
ゲージ (計器・標準寸法・規格など) gauge /géɪʤ/ Ⓒ, 《米》 gage Ⓒ. **ゲージガラス** 〘工〙 gauge glass Ⓒ **ゲージ粒子** 〘物理〙 gauge particle Ⓒ **ゲージ理論** 〘物理〙 gauge theory Ⓒ.
ケース (入れ物) case Ⓒ; (個々の事例) case Ⓒ. 《☞ はこ; れい¹》. **ケーススタディー** case study Ⓤ **ケースバイケース** ¶それは*ケースバイケースで (⇒ それぞれのケースに応じて一つ一つ) 検討しよう Let's discuss it on a *case(-)by(-)case* basis. // それは*ケースバイケース (⇒ 場合によりけり) です It [That] depends. **ケースワーカー** cáseworker Ⓒ **ケースワーク** casework Ⓤ.
ゲーセン ☞ ゲーム (ゲームセンター)
ケーソン (潜函) caisson Ⓒ. **ケーソン病** caisson /kéɪsɑn/ disèase Ⓒ, 《略式》 the bends.
ケータリング catering Ⓤ 《☞ しだし》. **ケータリング業者** caterer Ⓒ **ケータリングサービス** catering service Ⓤ.
ゲーテ —名 固 Johann Wolfgang von Goethe /jouhá:n wúlfgæŋ fɑn gə́:tə/, 1749–1832. ★ ドイツの詩人・作家.
ケーてん ケー点 the K-point.
ゲート (門・搭乗口) gate Ⓒ; (有料道路の料金徴収所) tóllgàte Ⓒ. **ゲートキーパー** gatekeeper Ⓒ.
ゲートアレイ 〘コンピューター〙 gate array Ⓒ.
ゲートウェイ 〘コンピューター〙 gateway Ⓒ.
ゲートボール gateball Ⓤ ★ 日本で作られた競技で, 英米ではあまり知られていない. 英国の croquet に似たゲームで, 説明的には a game played between two teams of five players, who try to hit the ball through wickets.
ゲートル gaiters ★ 複数形で; (細い布を巻いたもの) puttees ★ 複数形で.
ケーナ 〘楽器〙 quena Ⓒ, cuena /kéɪnə/ Ⓒ.
ケービング caving Ⓤ. ¶*ケービングをする go *caving* / go on an *expedition into the cave*
ケープ (肩から掛ける短い袖なしのコート) cape Ⓒ.
ケープカナベラル —名 固 Cápe Canáveral ★ 米国フロリダ州の岬と, そこにある町. ケネディ宇宙センターがある.
ケープタウン —名 固 Cápe Tòwn ★ 南アフリカ共和国の首都の 1 つ. 立法府の所在地.
ケーブル (太い綱・海底電線) cable Ⓒ. ¶地下に*ケーブルを敷設する lay ⌈a *cable* underground [an underground *cable*] **ケーブルテレビ** cable television Ⓤ, cable TV Ⓤ, CATV Ⓤ **ケーブル敷設船** cable ⌈layer [ship] Ⓒ **ケーブルモデム** cable modem Ⓤ.
ケーブルカー cable car Ⓒ.
ケーブルレリーズ 〘写〙 cáble relèase /-rɪlì:s/ Ⓤ.
ゲーマー gamer Ⓒ; (熱狂的にゲームをする人) hard-core gamer Ⓒ; (軽めにゲームを楽しむ人) casual gamer Ⓒ.
ゲーム —名 game Ⓒ. —動 (ゲームをする) play [have] a game. 《☞ しあい; あそび (類義語)》. ¶卓球を 1 *ゲームしよう Let's have a *game* of table tennis. // 彼は*ゲームがうまい He plays a good *game*.
ゲームオーバー ☞ ゲームセット **ゲーム音楽** (video) game music Ⓤ **ゲーム差** 〘スポ〙 games behind … ¶ジャイアンツはベイスターズと 3.5 *ゲーム差だ The Giants are 3.5 *games behind* the Baystars. // いま阪神は巨人に 2 *ゲーム差をつけている The Tigers have a ⌈two-*game* lead [lead of two *games*] over the Giants. **ゲームセット** Game! ★ 審判員などのかけ声 / The game's over. / That's the game. [日英比較] 「試合の終了」の意味では the end of the game などが普通で, game set とは言わない. テニスでは試合終了時に Game, set and match to Hill. (ヒル選手の勝利で終了です)のように宣言するがこの game と set は試合 (match) の構成単位のこと. **ゲームセンター** amusement [game] arcade Ⓒ, game center Ⓒ [参考] ゲームセンターで行われるゲームを arcade game という. **ゲームソフト** (video-) game software Ⓤ, (video)game program Ⓒ **ゲームチャンネル** (video)game channel Ⓒ **ゲームデザイナー** (video)game designer Ⓒ **ゲームフリーク** game freak Ⓒ **ゲームポイント** 〘球〙 game point Ⓒ **ゲームミュージック** ☞ ゲーム音楽 **ゲームメーカー** (コンピューターゲームの製作者) game maker Ⓒ; 〘球〙 playmaker Ⓒ **ゲーム理論** the theory of games Ⓤ, games theory Ⓤ.
ゲーリー (男性名) Gary /gé(ə)ri/.
ケール 〘植〙 kale Ⓒ ★ 食材としては Ⓤ.
ゲールご ゲール語 〘言〙 Gaelic Ⓤ.
けおされる 気圧される be overwhelmed (by …)
けおとす 蹴落とす (失脚させる) bring *a person* down, bring about *a person's* downfall; (蹴って下に落とす) kick … down. ¶彼は同僚を*蹴落として (⇒ 同僚を犠牲にして) 今日の地位を得た He got his present position *at the expense of* his colleagues.
けおりもの 毛織物 wool Ⓤ, woolen ⌈goods [cloth; fabrics; textiles] ★ cloth は Ⓤ. それ以外は複数形で. **毛織物業** the woolen textile industry.
けが 怪我 —名 (事故などによる) injury Ⓒ; (事故などによる軽いけが) hurt Ⓒ; (武器による意図的な) wound Ⓒ. —動 (けがをさせる) injure ⑱; hurt ⑱; wound ⑱. [日英比較] 日本語では「けが」およびその類義語の「傷」「負傷」などは偶然の事故によるものか, あるいは他人による意図的な攻撃によるものかの区別が明確ではないが, 英語では一般にこれを明確に分けている. 図示すれば次ページのようになる. これは 動 の場合も同様である. 英語では injury が「けが」一般に対して用いられる場合もあるが, それは客観的な見方をする特別な場合で, 図では ( ) 付きで示した. 普通は事故などによるけがを injury, 武器による意図的な攻撃によるけがを wound として区別する. 《☞ きず

けが
(injury)

(事故などによるけが) injury | (武器による意図的なけが) wound

(類義語); ふしょう[1]》.
¶ 彼はその事故で大*けが[軽い*けが]をした He *was* ⌈seriously [slightly] *injured* in the accident. / He suffered a ⌈serious [slight] *injury* in the accident. ★ 最初の表現のほうが普通. // 彼はそのけんかで*けがをした He *was wounded* in the fight. // 手を*けがしちゃった I'*ve hurt* my hand. //「*けがはありませんでしたか」「大丈夫です」"Did you *hurt* yourself?" "No, I'm all right. Thank you." // 生兵法は大*けがのもと ☞ なまびょうほう

怪我の功名 (偶然の大成功) chance hit Ⓒ; (幸運を呼びこんだ過失) lucky mistake Ⓒ. ¶ *怪我の功名ってやつだな (⇒ 時には失敗が功を奏することもあるものだ) Sometimes a slip does the trick.
けが人 injured [wounded] person Ⓒ; (総称的に) the ⌈injured [wounded]. ¶ *けが人は病院へ運ばれた *The* ⌈*injured* [*wounded*] were ⌈taken to the hospital [hospitalized].

—コロケーション—
けがから回復する recover from an *injury* / けがに悩まされる be nagged by an *injury* // けがを悪化させる aggravate an *injury* / けがを治す cure an *injury* // 足[腕]のけが a leg [an arm] *injury* / 重いけが a ⌈bad [heavy; serious; severe] *injury* / 軽いけが a ⌈light [minor; slight] *injury* / 野球[ゴルフ]でのけが a ⌈baseball [golf] *injury* / 労働災害によるけが an industrial *injury*

げか 外科 —[名] surgery Ⓤ; (病院の) the department of surgery. —[形] (外科的な・外科の) surgical. 《☞ しゅじゅつ》. ¶ 脳*外科 brain *surgery* // 脳*外科医 a brain *surgeon* // *外科的療法 *surgical* treatment // 整形*外科 cosmetic *surgery* // 形成*外科 plastic *surgery*
外科医 surgeon Ⓒ 《☞ いしゃ》 **外科医院** surgical ⌈clinic [hospital] Ⓒ **外科手術** surgery Ⓤ, surgical operation Ⓒ.
げかい 下界 (現世) the lower world, this world. ¶ 我々は山頂から*下界を眺めた We looked down upon the *lowlands* from the mountaintop.
けかえし 蹴返し (相撲の技) *kekaeshi* Ⓤ; (説明的には) inner foot sweep Ⓤ.
けかえす 蹴返す (元の方向へ蹴り返す) kick back (他).
けがす 汚す (辱める) disgrace (他), dishonor (他); (神聖を) profane (他). 《☞ はずかしめる》. ¶ 彼は家名を*汚した He ⌈*disgraced* [*brought disgrace on*] his family. // 彼はわいろを受け取って会社の名誉を*汚した He *dishonored* his company by taking a bribe.
けがに 毛蟹 〘動〙 hairy crab Ⓒ 《☞ かに》.
けがらわしい 汚らわしい (きたない) dirty; (ひどくきたない) filthy; (胸がむかつくような) disgusting. 《☞ きたない; わいせつ》. ¶ それは見るも*汚らわしい It is *disgusting* to look at. // 彼は*汚らわしい言葉で私をののしった He jeered at me ⌈in [with] *filthy* words. // そんな*汚らわしい金は受け取れない I cannot accept such *dirty* money.
けがれ 汚れ ¶ 彼女は*汚れを知らぬ (⇒ 無邪気な) 少女だ She is an *innocent* girl.
けがれる 汚れる (よごれる) become dirty (自); (不道徳になる) become corrupt(ed). 《☞ よごれる》. ¶ *汚れた政治家 a *corrupt* politician // *汚れた金 *ill-gotten* money
けがわ 毛皮 fur Ⓤ. ¶ *毛皮のコート a *fur* coat
毛皮商 furrier /fə́ːriə/ Ⓒ.
げかん 下巻 (上下 2 巻の場合) the second volume, vol. 2, the second of the two volumes; (上中下巻などの場合) the last volume.
げき[1] 劇 (芝居) play Ⓒ; (戯曲) drama Ⓒ ★ 前者より格式ばった語. 《☞ えんげき; しばい》. ¶「その*劇はどこで上演されてますか」「東都劇場です」"Where's that *play* on now?" "It's at the Toto Theater." // 物語を*劇にする *dramatize* a story 《☞ げきか[2]》.
げき[2] 檄 —[名] (群衆に向かっての熱弁) harangue /hərǽŋ/ Ⓒ; (文書によるアピール) written appeal Ⓒ. —[動] (檄を飛ばす) harangue (自); issue a written appeal.
げきえいが 劇映画 dramatic film Ⓒ.
げきえつ 激越 —[形] vehement /víːəmənt/.
げきか[1] 激化 —[動] (より重大になる [激しくなる]) become ⌈more serious [intensified]; (悪いことがひどくなる) worsen (自). 《☞ はげしい》. ¶ 両者の対立は*激化した The confrontation between the two of them *has become more serious*.
げきか[2] 劇化 —[動] drámatìze (他). —[名] dràmatizátion Ⓤ. 《☞ きゃくしょく; ドラマ》.
げきが 劇画 story [narrative] comic Ⓒ 《☞ まんが》.
げきから 激辛 —[形] fiery hot.
げきげん 激減 —[動] (急激に減る) decréase ⌈sharply [rapidly; dramatically; remarkably] (自). —[名] marked [rapid] décrease Ⓒ. 《☞ へる[1]; げんしょう[1]》. ¶ 先月のわが国の対米輸出は*激減した Our exports to the United States ⌈*decreased sharply* [*showed a marked decrease*] last month.
げきこう 激昂 ☞ げきど
げきさく 劇作 —[動] write a play.
げきさっか 劇作家 (脚本家) playwright Ⓒ, dramatist Ⓒ. 《☞ きゃくほん》.
げきし 劇詩 (一編の) dramatic poem Ⓒ; (総称として) dramatic poetry Ⓤ. 《☞ し[3]》.
げきしゅう 激臭, 劇臭 acrid smell Ⓒ 《☞ あくしゅう[1]》.
げきしょ 激暑, 劇暑 severe [intense] heat Ⓤ 《☞ こくしょ[1]》.
げきしょう[1] 激賞 —[動] (大いにほめる) praise ... highly. —[名] high praise Ⓤ. 《☞ ほめる》.
げきしょう[2] 劇症 —[形] (急性で重症の) acute and serious. **劇症肝炎** fulminant hepatitis /fúlmənənt hèpətáɪtɪs/ Ⓤ **劇症溶連菌感染症** 〘医〙 toxic shock-like syndrome Ⓤ.
げきじょう[1] 劇場 theater Ⓒ, 《英》 theatre Ⓒ [参考] アメリカでも劇場の固有名詞などでは Theatre とつづることがある; (特に固有名詞の一部として) playhouse Ⓒ. 《☞ 次ページ挿絵》. **劇場街** theater district Ⓒ **劇場中継** relay broadcast from a theater Ⓒ
げきじょう[2] 激情 (激しい[強い]感情) violent [strong] emotion Ⓒ; (熱情) passion Ⓤ. ¶ 彼は*激情を抑えられなかった He could not hold back his ⌈*strong emotion* [*passion*]. // *激情に駆られて in a fit of *passion*
げきしょく 激職 very busy job Ⓒ 《☞ いそがしい; はげしい》.

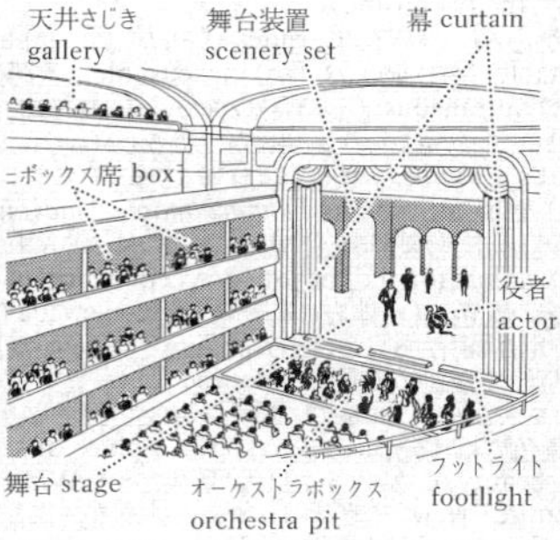

劇場 theater

げきしん 激震 severe ˹shock [earthquake] Ⓒ 《☞ じしん²》. ¶ そのニュースで金融界に*激震が走った The news caused a financial *earthquake*.

げきじん 激甚 ― [形] (重大な) serious /sí(ə)riəs/; (ひどい) terrible; (悲惨な) disastrous. 《☞ はなはだしい; じゅうだい¹; ひどい; ひさん¹》. **激甚災害地** disaster zone Ⓒ.

げきする 激する (興奮する) get excited; (激しく怒る) get furious. 《☞ こうふん¹; おこる¹》.

げきせん 激戦 (激しい戦い) fierce battle Ⓒ; (激しい競争) close [hot] contest Ⓒ. ¶ この前の選挙は*激戦だった The last election was a *close contest*. **激戦地** hard-fought field Ⓒ **激戦区** hotly [closely] contested district Ⓒ.

げきぞう 激増 ― [動] (著しく増す) incréase ˹markedly [remarkably; dramatically; sharply] (自). ― [名] (急激な増加) sudden [rapid] íncrease Ⓒ; (著しい増加) marked [remarkable; sharp] íncrease Ⓒ. 《☞ ふえる; きゅうぞう¹》.
¶ 住宅の需要が*激増した The demand for houses has shown a ˹*marked* [*remarkable*] *increase*. // 2 輪車の事故が*激増している The number of motorcycle accidents *is rapidly increasing*.

げきたい 撃退 ― [動] (追い返す) dríve ˹báck [awáy] (他).

げきだん¹ 劇団 (演劇の一団) theatrical [dramatic] company Ⓒ; (俳優の一座) (acting) troupe /trúːp/ Ⓒ ★ 特に旅回りの一座を指す.
¶ 地方回りの*劇団 a provincial touring ˹*company* [*troupe*] **劇団員** member of a theatrical company Ⓒ.

げきだん² 劇壇 (劇界) the theatrical world, theatrical circles ★ 後者は複数形で.

げきちゅうげき 劇中劇 play within a play Ⓒ.

げきちん 撃沈 ― [動] attack and sink (他) 《☞ しずむ; ちんぼつ》.

げきつい 撃墜 ― [動] shóot [brìng] dówn (他), down (他). 《☞ うちおとす》.

げきつう 激痛 sharp [acute] pain Ⓒ 《☞ いたみ (類義語)》.

げきてき 劇的 ― [形] (あっと驚くような) dramatic; (徹底的な) drastic ★ dramatic のほうが意味が強い. ― [副] dramatically; drastically. 《☞ ドラマチック》. ¶ *劇的な回復 a *dramatic* recovery // *劇的な変化 a *drastic* change

げきてつ 撃鉄 hammer Ⓒ 《☞ けんじゅう (挿絵)》.

げきど 激怒 ― [動] (激しく怒る) become [get] very angry, fly into a ˹rage [fury] ★ 前者が口語的. ― [名] violent [great] anger Ⓤ, rage Ⓒ, fury Ⓒ ★ 最初が口語的. fury は rage より意味が強い. ― [形] (激怒した) furious. 《☞ おこる¹》. ¶ 彼女は彼に侮辱されて*激怒した She was *furious at* his insult. // 彼は*激怒してその手紙を引き裂いた He tore up the letter in *great anger*.

げきとう 激闘 fierce ˹battle [fight] Ⓒ 《☞ たたかい》.

げきどう 激動 (動乱) convulsion Ⓒ. ¶ *激動の時代 an age of *convulsions*

げきどく 劇毒 deadly poison Ⓒ 《☞ どく¹》.

げきとつ 激突 ― [動] (激しくぶつかる) crash (into ...) (自). ― [名] crash Ⓒ. 《☞ しょうとつ》.
¶ その車はガードレールに*激突した The car *crashed into* the guardrail.

げきは 撃破 ― [動] attack and defeat (他) 《☞ やぶる; まかす》.

げきはつ 激発 ― [名] violent outburst Ⓒ. ― [動] burst (自); explode (自).

げきひょう 劇評 drama [theater] ˹criticism [reviewing] Ⓤ 《☞ ひひょう (類義語)》. **劇評家** drama [theater] ˹critic [reviewer] Ⓒ.

げきぶつ 劇物 toxic ˹substance [material] Ⓒ.

げきふん 激憤 ☞ ふんがい

げきぶん 檄文 written appeal Ⓒ 《☞ げき²》.

げきへん 激変, 劇変 ― [名] (急変) sudden change Ⓒ; (急速な変化) rapid change Ⓒ; (徹底的な変化) drastic change Ⓒ; (社会などの大変動) ùphéaval Ⓒ. ― [動] (急激に変わる) change suddenly (自); (激しい変化を受ける) undergo a drastic change. 《☞ きゅうへん》. ¶ 気象の*激変に注意しなさい Be careful of *sudden changes* in the weather. // その戦争は社会的*激変の原因となった The war caused ˹a *rapid change* in society [social *upheavals*].

げきむ 激務, 劇務 hard work Ⓤ.

げきめつ 撃滅 ― [動] (全滅させる) wípe óut (他), destroy ... totally, extérminàte (他) ★ この順に格式ばった表現となる. 《☞ かいめつ》.

げきやく 劇薬 (強力な薬) powerful drug Ⓒ; (毒薬) poison Ⓒ.

けぎらい 毛嫌い ¶ 彼は警官を*毛嫌いする (⇒ 本能的に嫌いだ) He has an *instinctive dislike* of policemen. / (⇒ 警官アレルギーだ) He is *allergic to* policemen. 《☞ きらう (類義語); けんお》

げきりゅう 激流 (激しい流れ) violent stream Ⓒ; (ほとばしる流れ) torrent Ⓒ. 《☞ きゅうりゅう¹》.
¶ ボートは*激流にのまれた The boat was caught in the *torrent*.

げきりん 逆鱗 **逆鱗に触れる** (怒らせる) offend (他), make *a person* furious. 《☞ いかり¹; げきど》.

げきれい 激励 ― [動] (励ます) encourage /ɪnkə́ːrɪdʒ/ (他); (元気づける) chéer úp (他). ― [名] encouragement Ⓤ. 《☞ はげます [語法]; せいえん¹》.
¶ 先生はベストを尽くすように彼を*激励した The teacher *encouraged* him to do his best. // *激励の手紙 a letter of *encouragement*

げきれつ 激烈 ― [形] (激しい) violent; (競争などが厳しい) keen, severe. ― [副] violently; keenly, severely. 《☞ はげしい; もうれつ》. ¶ 現代は*激烈な競争の時代だ This is an age of *keen* competition.

げきろう 激浪 (激しい波) raging [angry; wild; violent] waves ★ 複数形で. 《☞ あらい¹; なみ¹》.

げきろん 激論 (激しい討論 [議論]) heated ˹discussion [argument] Ⓒ; (はっきり 2 派に分かれた, 激しい論争) active [fierce] debate Ⓒ. 《☞ ぎろん; ろんそう¹》. ¶ 我々は*激論を戦わせた We had a *heated* ˹*discussion* [*argument*]. // 彼もその*激論に加わった He, too, took part in the *active debate*.

けぎわ 毛際 hairline Ⓒ《☞ はえぎわ》.

げけつ 下血 ―名 bloody bowel discharge Ⓒ. ―動 discharge blood.

けげん 怪訝 ―形(とまどった) puzzled; (半信半疑の) dubious. ¶彼は*怪訝な顔をして私のほうを振り向いた He turned to me with a ⌈*dubious* [*puzzled*] look.

げこ 下戸 ¶私は*下戸です (⇒ 酒は飲まない) I *don't drink*.

【参考語】 ―名(酒を飲まない人) nondrinker Ⓒ.

げこう 下校 ―動(学校を出る) leave school ★「学校を卒業[退学]する」という意味もある.《☞ きたく[1]; かえる[1]》.

げこくじょう 下克上 (下のものが上のものを負かすこと) the social upheaval in which those below overcome those above; (社会[政治]的激動) social [political] upheaval Ⓒ.

けこみ 蹴込み ☞ けあげ

けこむ 蹴込む **1**《蹴り入れる》 ¶ボールをゴールに*け込む *kick* the ball *into* the goal / (⇒ゴールを決める) *score* [*kick*] a goal **2**《損失になる》 ¶資本金に*け込む *cut* [*eat*] *into* the capital

けころばす 蹴転ばす ☞ けたおす

けさ[1] 今朝 this morning《☞ あさ[1]》. **今朝方**

日英比較 日本語では語調を和らげるために「～方」を用いることがあるが, そのような場合英訳では無視してよい.《☞ 日本語の消極的表現(巻末)》.

けさ[2] 袈裟 ornamental piece of cloth worn over the shoulder of a Buddhist priest's robe Ⓒ; (僧侶の衣服) Buddhist priest's robe Ⓒ.

げざ 下座 (囃子方) musicians' box on the left side of the stage Ⓒ.

げざい 下剤 láxative Ⓒ. ¶便秘が長い間続くなら, *下剤を飲みなさい If you are constipated for a long time, take a *laxative*.

けさがけ 袈裟懸け **1**《けさをかけるように身に付ける》 ―動 wear … like a Buddhist priest's ornamental cloth.

2《刀で斬る》 ¶*けさがけを浴びせる(⇒一方の肩から他方のわきの下へ斜めに斬りさげる) slash [cut] *a person* diagonally through the shoulder.

けさがため 袈裟固め 〔柔道〕 *kesagatame* Ⓒ, scarf hold Ⓒ.

げさく[1] 戯作 (徳川時代の) light literature in the Tokugawa period Ⓤ. **戯作者** writer of popular stories Ⓒ.

げさく[2] 下作 poor work Ⓒ.

げさく[3] 下策 poor policy Ⓒ.

げざん 下山 ―動 descend [come down] a mountain.

けし 罌粟 〔植〕 poppy Ⓒ. **けし粒** poppy seed Ⓒ. ¶*けし粒ほどの (⇒ 針の頭ほどの小さい) as small as a pinhead

げし 夏至 the súmmer sólstice.

けしいん 消印 ―名(日付・発信地の印を含む) postmark Ⓒ. ―動(消印を押す) postmark (他). 《☞ スタンプ》. ¶その絵葉書には8月10日付のマイアミの*消印があった The postcard bore a Miami *postmark* dated August 10. / The postcard *was postmarked* Miami August 10. // 7月15日の*消印まで有効 (⇒ 遅くとも7月15日の消印を有すること) Must *be postmarked* no later than July 15. / (⇒7月15日を期限とする) Closing date: July 15 (*mailing date*).

けしかける (犬などを) set on …; (人をそそのかす) egg on (to *do* …).《☞ たきつける; そそのかす; しむける》. ¶老人は不法侵入者に*猟犬を*けしかけた The old man *set* the hounds *on* a trespasser. // 私は彼を*けしかけてその商売をやらせた I *egged* him *on to* start ⌈the [a] business.

けしからん (無礼な) rude; (許しがたい) unpardonable; (言い訳の立たない) inexcúsable; (言語道断な) òutrágeous; (不面目な) scandalous.《☞ しつれい; なまいき》. ¶それは*けしからん (⇒ ひどい) That's a *shame*. // 彼の態度は*けしからん (⇒ 許しがたい) His attitude is ⌈*unpardonable* [*inexcusable*]. // 市長が賄賂を受け取るなんて*けしからん It is *scandalous* for the mayor to accept a bribe.

けしき 景色 (一地方の風景全体) scenery Ⓤ; (ある特定の場所から見える限られた景色) scene Ⓒ; (広く見渡せる陸地の風景) landscape Ⓒ; (一定の場所で目に入る眺め) view Ⓒ.《☞ ふうけい; ながめ[1]》. ¶*景色のよい場所 a *scenic* spot / a place of *scenic* beauty // なんてすばらしい*景色だろう What a beautiful *view*! // 私たちはその美しい*景色を堪能した We enjoyed the ⌈beautiful *scenery* [picturesque *scene*]. // 彼女は列車の窓から通り過ぎる*景色を眺めていた She was watching the passing ⌈*scenes* [*landscape*] from the train window. // 雪*景色 a snow *scene*

けしきばむ 気色ばむ (怒りを表す) show anger; (怒る) bristle (up) (自); (むかっとする) be miffed. 《☞ いかり[1]; むかつく》.

げじげじ house centipede Ⓒ ¶*げじげじ (⇒ へび) のように嫌われる be hated like a *viper*

げじげじ眉 thick [bushy] eyebrows《☞ まゆ[1]》.

けしゴム 消しゴム 《米》 eraser Ⓒ, 《英》 rubber Ⓒ ★ 前者が普通. ¶鉛筆の印を*消しゴムで消した I erased some pencil marks with an *eraser*.

けしさる 消し去る (文字などを消す) erase (他); (ふいて) wípe óut (他); (取り去る) remove (他), tàke awáy (他).《☞ けす; とりさる》. ¶悲しい思い出を記憶から*消し去る *erase* [*wipe out*] the sad memory

けしずみ 消し炭 (半ば燃やした薪) half-burned (fire)wood Ⓤ《☞ すみ[4]》. **消し炭色** charcoal ⌈gray [《英》 grey] Ⓤ, charcoal Ⓤ.

けしつぼ 消し壺 (charcoal) extínguisher Ⓒ.

けして 決して ☞ けっして

けしとぶ 消し飛ぶ ¶私の心配は*消し飛んだ (⇒ 心配は消えた) My worries *disappeared*. / (⇒ それが私の心配に終止符を打った) That *put an end to* my worries. // 我々の希望は*消し飛んでしまった (⇒ だめになった) All our hopes *were* ⌈*dashed* [*frustrated*].《☞ ふきとばす》

けしとめる 消し止める (火を) pùt óut (他), extinguish (他) ★ 前者のほうが口語的.《☞ けす》. ¶消防隊が火を*消し止めた The firefighters ⌈*put out* [*extinguished*] the fire.

けじめ (区別) distinction Ⓤ ★ 具体的な相違点をいうときは Ⓒ.《☞ くべつ》. ¶彼は仕事と遊びの*けじめがつかない (⇒ 仕事をすべき時を心得ていない) He doesn't seem to know when he should be working. / (⇒ 仕事と遊びの区別ができない) He cannot *make a clear distinction between* work and play. // 公私の*けじめは(はっきり)つけるべきだ (⇒(はっきりと)一線を画すべきだ) We must *draw a* (*clear*) *line between* public and private matters. // 辞職して*けじめをつける (⇒ 引責辞任する) take responsibility and resign

げしゃ 下車 ―動(乗り物から降りる) gèt óff (…) (自) (↔ gèt ón); (車から) gèt óut (of a car) (↔ gèt ín).《☞ おりる》. ¶*下車前途無効《切符などの注意書き》 No *stopover* on this ticket.

げしゅく 下宿 ―名 (まかない付きの下宿屋) boardinghouse Ⓒ; (部屋のみ貸す下宿屋)《米》 rooming house Ⓒ; (労働者用の木賃宿) lodging house Ⓒ; (下宿の部屋) room Ⓒ; (まかない付きの下宿) room and board ★ 広告文などの用語.

── 動 (下宿する) room 自, 《英》lodge 自; (まかない付きで) board 自. (☞ まがり¹; まかない).

¶ 私は大学の近くに*下宿している (⇒ 下宿屋に住んでいる) I 「*live in a rooming house* [*am rooming*] near the campus. // 彼女は学生相手の*下宿をやっている (⇒ 彼女は学生を下宿させて生計を立てている) She makes a living by 「*taking in* student *lodgers* [*running a rooming house* for students]. // 「*下宿は見つかりましたか」「はい, 見つかりました」 "Have you found (yourself) a *room*?" "Yes, I have." // 「*下宿代にいくら払うのですか」「月 6 万円です」 "How much 「is [do you pay for] your *room and board*?" "I pay sixty thousand yen a month." // 彼はパーカーさんの家に*下宿している He *is* 「*rooming* [*lodging*; *boarding*] at Mrs. Parker's (house). // *下宿を替える change *one's lodgings*

下宿人 (まかない付きの) boarder Ⓒ; (部屋を借りるだけの) lodger Ⓒ.

けじゅす 毛繻子 (wool and cotton) satéen Ⓤ.

ゲシュタポ the Gestapo /gəstáːpoʊ/ ★ ドイツ語で *Ge*heime *Sta*ats*po*lizei (秘密国家警察) の略.

ゲシュタルト 〘心〙 gestalt /gəʃtáːlt/ Ⓒ 《複 -stalts, -stalten》. **ゲシュタルト心理学** Gestalt psychology Ⓤ.

げしゅにん 下手人 (殺人者) murderer Ⓒ; (悪事の首謀者) ringleader Ⓒ.

げじゅん 下旬 (月末の 10 日間) the last ten days of the month 日英比較 英語では週を用いるのが普通で, 日本語のように 10 日区切りで月を分けて言う習慣はないので説明的な訳. (☞ しょじゅん; ちゅうじゅん).

¶ 今月*下旬に (⇒ 月末近くに) near [toward] *the end of this month*

げじょ 下女 maidservant Ⓒ ★ 古風な表現; (女中) maid Ⓒ, female servant Ⓒ.

けしょう 化粧 ── 名 (顔の化粧) mákeùp Ⓤ.

── 動 put on *one's* makeup, màke (*oneself*) úp ★ 前者のほうが一般的. (☞ メーキャップ).

¶ 彼女はあまり*化粧をしていない She doesn't wear much *makeup*. // 彼女はいつも厚[薄]*化粧だ She always wears 「heavy [light] *makeup*. // 彼女はお*化粧中です She *is putting on* her *makeup*. // お*化粧を直したいのですが I'd like to 「adjust [fix] my *makeup*. // *化粧を落とす remove *one's makeup* // *化粧崩れする (⇒ 化粧がはげ落ちる) *one's makeup* comes off

化粧板 (鉋で削りあげた板) planed board Ⓒ; (表面をきれいに仕上げた板) fancy board Ⓒ **化粧鏡** toilet mirror Ⓒ **化粧紙** (力士が体をぬぐう) purifying paper used by a sumo wrestler to wipe over his body Ⓤ; (化粧の際使う) cleansing paper Ⓤ, facial tissues **化粧合板** decorative [fancy] plywood Ⓤ **化粧塩** ── 動 sprinkle plenty of salt on the fins when grilling fish ★ 飾り塩とも言う. **化粧室** dressing room Ⓒ 語法 「手洗い」の意味では, 個人の家では bathroom Ⓒ, 公共の建物では《米》rest room Ⓒ, 《英略式》loo Ⓒ といい, 掲示では (男子用) Gentlemen; (女子用) Ladies などとする. **化粧水** lotion Ⓤ **化粧せっけん** beauty [toilet] soap Ⓤ **化粧台** dressing table Ⓒ, 《米》vanity Ⓒ **化粧箪笥** dresser Ⓒ, bureau Ⓒ. (☞ たんす) **化粧直し** ── 動 (顔の) adjust [fix] *one's* makeup; (建物の) remodel 他 **化粧箱** (贈答品を入れるための) fancy box Ⓒ **化粧品** cosmetics ★ 個別に言うときには Ⓒ. **化粧品店** cosmetic(s) shop Ⓒ **化粧回し** (相撲の) ornamental apron Ⓒ **化粧療法** cosmetic therapy Ⓤ ★ 化粧を用いた心理療法. **化粧レンガ** ornamental tile Ⓒ.

けじらみ 毛虱 〘昆〙 crab louse Ⓒ 《複 crab lice》.

① パフ powder puff ② おしろい powder ③ 下地クリーム base, foundation (cream) ④ 化粧水 lotion ⑤ クリーム cream ⑥ マスカラ mascara ⑦ ほお紅 rouge ⑧ ブラシ brush ⑨ アイシャドウ eyeshadow ⑩ 口紅 lipstick ⑪ マニキュア 《米》nail polish, 《英》nail varnish ⑫ アイライナー eyeliner ⑬ 紅筆 lip brush ⑭ ビューラー eyelash curler

化粧品 cosmetics

けしん 化身 ── 名 (普通はあまり好ましくない考えや性質などが人の姿をして現れたもの) incarnation Ⓒ; (ある思想などが具体的な形をとったもの) embodiment Ⓒ. ── 形 (人の姿をした) incárnate ★ 名詞の後に付けて. ¶ 彼は悪魔の*化身だ He is the devil *incarnate*.

けす 消す **1** 《消火する》: pùt óut 他, extinguish 他 ★ 前者のほうが口語的; (息で) blów óut 他; (踏みつけて) stámp óut 他; (毛布などをかけて火を) smother 他. ¶ キャンプの後は (⇒ キャンプ地では帰る前に) 火をすっかり*消さなければならない You must completely 「*put out* [*extinguish*] the fire at the campsite before you leave.

2 《電灯・テレビ・ラジオ・ガスなどを消す》: tùrn óff 他 (↔ tùrn ón), swìtch óff 他 (↔ swìtch ón). ¶ テレビを*消しなさい *Turn* [*Switch*] *off* the TV.

「使用しないときは電気を消して下さい」という掲示

3 《書いたものを消す》: erase 他; (こすって) rúb óff 他, rúb óut 他; (ふいて) wípe óff 他; (線を引いて文や語を) cróss óut 他, cáncel 他.

¶ 黒板を*消して下さい Please 「*erase* [《英》*clean*] the blackboard. // 塀のいたずら書きを*消した I 「*rubbed off* [*wiped off*] the writing on the wall. // 彼の名前は*消すな Don't *cross out* his name.

4 《取り除く》: (においを) remove 他; (音を) deaden 他; (音を吸収する) absorb 他; (録音などを) erase 他. ¶ この薬品でトイレのにおいを*消せるでしょう This chemical will *remove* all smells from your toilet. // この建材は音を*消します This building material 「*deadens* [*absorbs*] noise.

5 《姿を》: (見えなくなる) disappear 自; (突然原因不明のまま) vanish 自 ★ やや文語的. ¶ 彼は姿を*消した He *has* 「*disappeared* [*vanished*]. / (⇒ それ以後消息がわからない) He has never been heard of since.

げす 下種 vulgar person Ⓒ. **げす根性** (下劣な根性) a nasty mind; (卑しい考え) mean feelings げ

すの後知恵 (a fool's) hindsight Ⓤ　げすのかんぐり petty-minded suspicion Ⓒ

げすい 下水　(下水設備) drainage Ⓤ, sewerage /súːərɪdʒ/ Ⓤ　[語法] 前者は排水の方法やシステムに重点を置いた語で，後者は排水のためのパイプ・溝などの敷設状況に重きを置いた語．同意に用いられることもある；(排水溝[管]) drain Ⓒ；(地下にあるもの) sewer /súːɚ/ Ⓒ；(排出される水など) sewage /súːɪdʒ/ Ⓤ, waste water Ⓤ ★ 前者のほうが格式ばった語．《☞はいすい¹》．

¶*下水が詰まった The *drain* is ⌈stopped up [blocked]. // この市は*下水設備が完備している The city has a very adequate *sewerage system.* **下水管** sewer (pipe) Ⓒ　**下水工事** drainage [sewer] work Ⓤ　**下水処理** sewage disposal Ⓤ, sewerage Ⓤ　**下水処理場** sewage disposal plant Ⓒ　**下水道** sewage Ⓤ, sewerage Ⓤ.

けすじ 毛筋　(毛) hair Ⓤ ★ 毛の1本1本を指すときは Ⓒ；(櫛でとかした後の筋目) comb tracks；(ほんのわずかなこと) a bit.　¶ 彼はその知らせに対して*毛筋ほどの (⇒ 少しの) 動揺も見せなかった He was not upset by the news ⌈*at all* [*a bit*].

ゲスト　(ゲスト出演者) guest ⌈performer [star] Ⓒ, guest Ⓒ　[語法] 英語の guest は「客」という一般的な語なので，明白にする必要があるときは前者を用いる．¶ 彼はテレビ番組に*ゲストとして出演した He appeared on a TV program as a *guest* (*star*). / He made a *guest* appearance on a TV program. ★ 前者のほうが普通．　**ゲストハウス** guesthouse Ⓒ　**ゲストルーム** guest room Ⓒ.

けずね 毛ずね　hairy legs ★ 複数形で．《☞すね》．

けずりくず 削り屑　shavings ★ 複数形で．

けずりとる 削り取る　(薄くそぎ取る) shave off ㊀；(こすり取る) scrape (off) ㊀．《☞けずる》．

けずりぶし 削り節　shavings of dried bonito ★ 複数形で．《☞けずる；かつお》．

けずる 削る　**1** 《刃物でそぎ取る》: (薄く削る) shave ㊀；(かんなで平らにする) plane ㊀；(鉛筆を削る) sharpen ㊀．¶ 大工がかんなで板を*削っている A carpenter *is planing* a plank. // かつおぶしを*削る *chip off* dried bonito *into* small pieces // 鉛筆は全部*削ってあります The pencils *are* all *sharpened.*

2 《削除する・減らす》: cut ㊀; delete /dɪlíːt/ ㊀; cróss óut ㊀, cróss óff ㊀; reduce ㊀; 《格式》 curtáil ㊀.

【類義語】ある部分を削除するという意味の最も平易な語は **cut** で，これは以下の語の代わりに使える場合も多い．特に文や文章の一部などを削除することは **delete**．鉛筆やペンで塗りつぶして文字や記号を消すのは **cross** ⌈**out** [**off**]．また金額や量を減らすのは **reduce** で，特に切り詰めるというニュアンスが加わる場合は **curtail** という．《☞さくじょ；さくげん；カット¹》

¶ 第2節目を*削りましょう Let's ⌈*cut* [*delete*] the second paragraph. // 私の名前がリストから*削られた My name *was crossed out*. ★ the list は付けない / My name *was* ⌈*removed from* [*crossed off*] the list. // ストライキで彼らの給料は*削られた Their salaries *were cut* because of the strike. // 旅費を*削らなくてはならない We have to ⌈*cut* [*curtail*] our traveling expenses. // 予算が*削られたので案を作り直さなくてはならない Since the budget *has been* ⌈*reduced* [*cut*], we have to revise our plan.

げせない 解せない　¶ 彼のしていることは私には*解せない (⇒ 彼が何のためにそれをしているのか理解できない) I *cannot* ⌈*understand* [*make out*] what he is ⌈doing it for [aiming at].

ケセラセラ　que sera sera ★ スペイン語より；(なるようになる) Whatever will be, will be.

げせわ 下世話　¶*下世話に言うと as is *commonly* said / to use a *common* expression 《☞ぞく¹》

げせん¹ 下船　── ㊁ get off [leave] a ship, disembark ㊀ ★ 後者は格式ばった表現．

げせん² 下賤　── ㊎ (品性が) vulgar, coarse；(身分が) low, humble. 《☞ひんせい；みぶん》．

げそ　squid('s) tentacles ★ 複数形で．

けそう 懸想　── ㊔ love Ⓒ.　── ㊁ fall in love (with ...).　**懸想文**(ぶみ) love letter Ⓒ.

げそく 下足　footgear Ⓤ, footwear Ⓤ. 《☞はきもの》．**下足番** person at the entrance in charge of footwear Ⓒ.

けぞめ 毛染め　(頭髪を染めること) hair dyeing Ⓤ；(薬品) hair dye Ⓤ. 《☞そめる》．

けた 桁　(数字の) figure Ⓒ　[語法] 0から9までの数字を figure といい，数字を並べて表される数が figures である；(建物の) beam Ⓒ；(橋の) girder Ⓒ. 《☞数字 (囲み)》．

¶ 2 [3, 4] *桁の数 double [three; four] *figures* // 君，計算が1*桁違っているよ (⇒ ゼロの数を間違った) You've made a mistake in the number of zeros. / (⇒ 小数点の場所を間違えた) You've made a mistake in the position of the *decimal point*. // きょうは5*桁の計算練習をしましょう Let's practice calculating ⌈sums of five *figures* [five-*figure* sums]. // 昭和一*桁生まれの人たち the One-*Digit* Showa people.

桁違い　¶ 私と彼では*桁違いだ (⇒ 比較にならない) There is *no comparison* between him and me. // あの家の財産は*桁が違うよ (⇒ 比較にならない [程度が違う]) The wealth of that family is ⌈*beyond comparison* [*on a different level* (*altogether*)].

桁はずれ　¶ 彼のやることはいちいち*桁はずれだ (⇒ 並の尺度では計れない) Whatever he does, he does it *on an extraordinary scale*. 《☞なみはずれた》

桁受け templet Ⓒ, template Ⓒ, beam seat Ⓒ.

げた 下駄　*geta* Ⓒ ★ 単複同形；(説明的には) Japanese (wooden) clogs ★ 左右の組から成るので普通は複数形．　¶ 1足の*げた a pair of *clogs* // *げたをはく[脱ぐ] put on [take off] *clogs* // *げたばき ☞ 見出し　**げたを預ける** ¶ 君にすべて*げたを預けよう (⇒ 君にすべてを任せよう) I will *leave everything to* you.　**げたをはかせる** jack up (the scores) ★ 得点などをジャッキでもち上げるように上げるの意．**げたをはくまでわからない**　¶ 勝負事は*げたをはくまで (⇒ 結果は最後の最後まで) 分からない We *cannot know the result* of a game *to the very end.*　**げた箱** shoe cupboard Ⓒ　**げた屋** *geta* store Ⓒ.

げだい 外題　title Ⓒ 《☞だい¹；しゅだい》．

けたおす 蹴倒す　(人を) kick down ㊀；(物を) kick over ㊀. 《☞ける；たおす¹》．

けだかい 気高い　(高潔で崇高な) noble 《☞こうけつ¹》．　¶*気高い心 a *noble* mind

けたぐり 蹴手繰り　(相撲の技) *ketaguri* Ⓤ；(説明的には) pulling inside ankle sweep Ⓤ.

けたけた　¶*けたけた笑う *cackle* / give a *cackle* 《☞わらう；擬声・擬態語 (囲み)》

げたげた　¶*げたげた笑う guffaw (at ...) 《☞ばか-》

けだし 蓋し　☞ まさしく；もしかしたら

けたたましい　(甲高い) shrill；(つんざくような) piercing /píɚsɪŋ/；(音の大きな) loud.　¶*けたたましい叫び声 a *shrill* cry // 私は女の*けたたましい悲鳴を聞いた I heard a woman's *piercing* shriek. // 火災警報のベルが*けたたましく鳴っていた The fire-alarm bell was ringing ⌈*loudly* [*noisily*].

げだつ 解脱　(悟り) awakening Ⓤ；(真理を教えられること) enlightenment Ⓤ；(涅槃(ねはん)を得ること)

attainment of nirvana /nɪəvɑ́:nə/ Ⓤ. 《☞ さとり; さとる》.

けたてる 蹴立てる ¶船は波を*蹴立てて進んだ The ship *sailed through* the waves.

げたばき 下駄履き ¶彼は*げたばきでやってきた He came *in clogs*. **下駄履き住宅[マンション]** apartment house with shops and offices on the ˹first [《英》 ground] floor Ⓒ.

けだま 毛玉 ―名 pill Ⓒ. ―動 (毛玉になる) pill ⓐ.

けだもの 獣 ―名 (大きな四足獣) beast Ⓒ; (野獣) brute Ⓒ. ―形 beastly; brutal.
【類義語】日本語の「けだもの」と同じようによく比喩的に軽蔑語として用いられるのが **beast** と **brute** で, 前者は「嫌悪・下品さ」など, 後者は特に男に用い, 「残忍さ・どうもうさ・欲望のとりこ」などを意味し, 後者のほうが意味が強い.
¶あいつは*けだものだ He is a ˹*brute* [*beast*].

けだるい 気だるい ―動 feel listless, feel languid ★ 後者の方が格式ばった言い方. 《☞ だるい》.

げだん 下段 (寝台車などの) lower berth Ⓒ.
¶《剣道で》*下段に構える *hold one's* sword *low*

けち ―形 stingy (↔ generous); miserly; 《格式》 pàrsimónious; close-fisted; (心の狭い) narrow-minded. ―名 (けちであること) stinginess Ⓤ; pársimòny Ⓤ; close-fistedness Ⓤ; (けちな人) stingy person Ⓒ; miser Ⓒ; niggard Ⓒ.
【類義語】一般に金銭を出ししぶる状態は **stingy** といい, 口語的な語. また金をためこむことを目的として出し惜しむのは **miserly**, そういう人を **miser** という. 非常識なほど出すべきものを出さないのは **parsimonious** で, やや改まった語. くだけた表現で, いったん手にした金はなかなか出さないのを **close-fisted** という.
¶あいつは*けちなやつだ He is ˹*stingy* [*miserly*; *close-fisted*]. / (⇒ 心が狭い) He is *narrow-minded*. // *けちな (⇒ 汚い) 手は使うなよ Don't play *dirty* tricks. // ど*けち ☞ ど-
けちがつく ¶最初から*けちがつく (⇒ 出だしがよくない) *get off to a bad start* **けちをつける** (妥当な根拠や価値がないと言ってけなす) throw cold water (on ...); (あら探しをする) find fault with ...; (批判する) criticize ⑩. 《☞ なんくせ》.

けちえん 結縁 making a ˹connection [bond] with Buddhism Ⓤ.

けちがん 結願 (日数を定めた法会の終了) expiration of the term of a Buddhist service Ⓤ; (満願) fulfillment of a vow Ⓤ.

けちくさい (けちな) stingy; (了見の狭い) narrow-minded; (みすぼらしい) shabby. 《☞ けち》.

けちけち ¶*けちけちするな Don't *be* so *stingy*. 《☞ けち》

ケチャップ 《米》 ketchup Ⓤ, 《米》 catsup /kétʃəp, kǽtsəp/ Ⓤ, 《英》 tomato ketchup Ⓤ.

けちょんけちょん ―副 (ひどく) badly; (厳しく) severely; (徹底的に) thoroughly. 《☞ てってい》.

けちらかす 蹴散らかす (蹴ってばらばらに散らす) kick ˹about [around] ⑩; (追い散らす) scatter ⑩, disperse ⑩ ★ 後者は格式ばった語; (敵を敗走させる) rout ⑩. 《☞ おいはらう; ける; ちらす》.

けちる (お金を出し渋る) be stingy; (いやいや与える) grudge. 《☞ おしむ; けち; しぶしぶ; しぶる》.

けちんぼう けちん坊 cheapskate Ⓒ, skinflint Ⓒ ★ いずれもくだけた表現. 《☞ けち (類義語)》.

けつ[1] 決 **決を採る** ¶その問題について*決を採ることにしましょう (⇒ 票決に付しましょう) Let's *put* the question *to a vote*. / Let's *vote on* the question. / Let's *take a vote on* the question. 《☞ ひょうけつ[1]; さいけつ[1]》

けつ[2] 欠 **1** 《不足》: shortage Ⓒ; (欠乏) lack Ⓤ. 《☞ ふそく[1]》. ¶*欠を補うのは難しい It is hard to ˹overcome the *shortage* [make up for the *lack*].
2 《欠席》: ☞ けっせき[1]

けつ[3] 尻 **けつの穴が小さい** ―形 (けちな) stingy, parsimonious ★ 後者は格式語; (度量が狭い) narrow [small]-minded; (小心である) cowardly, chicken(hearted) ★ 後者のほうが口語的. 《☞ しり[1]》.

けつあつ 血圧 blood pressure Ⓤ 《☞こうけつあつ; ていけつあつ》. ¶*血圧は薬で下げることができる *Blood pressure* can be ˹lowered [reduced] with medicine. // 私は*血圧が高い[低い] I have ˹high [low] *blood pressure*. // *血圧を計ってもらいたい I'd like to have my *blood pressure* ˹checked [taken]. // 私の*血圧は上が 120, 下が 80 です My *blood pressure* is 120 over 80. **血圧計** blood pressure machine Ⓒ, sphỳgmomanómeter Ⓒ **血圧降下剤** hỳpoténsive Ⓒ, hypotensor Ⓒ **血圧測定** 〘医〙 sphỳgmomanómetry Ⓤ.

けつい 決意 (意志を固めること) determination Ⓤ; (決心) resolution Ⓤ ★ 両者とも具体的な場合は Ⓒ, resolve Ⓒ. 《☞ けっしん[1]; かくご》.
¶...する*決意を新たにする make a fresh ˹*resolution* [*resolve*] to *do* ...

けついん 欠員 vacancy Ⓒ. ¶*欠員を補充する fill a *vacancy* (with ...)

けつえき 血液 blood /blʌ́d/ Ⓤ 《☞ち[1]》. ¶*血液を提供する donate [give] *blood* **血液型** blood type Ⓒ. ¶私の*血液型は A だ I have *type* A *blood*. **血液型不適合** blood ˹type [group] incompatibility Ⓤ **血液凝固** blood coagulation Ⓤ **血液銀行** blood bank Ⓒ **血液検査** blood test Ⓒ **血液循環** the circulation of the blood **血液製剤** blood product Ⓒ **血液センター** blood center Ⓒ.

けつえん 血縁 (人) blood ˹relation [relative] Ⓒ; (関係) blood relationship Ⓤ. 《☞しんぞく; 親族関係 (囲み)》.

けっか 結果 result Ⓒ; effect Ⓒ (↔ cause); cónsequènce Ⓒ; óutcòme Ⓒ ★ 通例単数形で.
【類義語】最も一般的に, ある行為・事件の結果をいう言葉は **result** である. ある原因に対する直接の結果は **effect** という. 原因に対する直接の結果としてではなく, 前の出来事と関連して出てくる結果を表し, *result* より改まった語は **consequence**. 問題点を含んだ出来事などの結果は **outcome** という.
¶原因と*結果 cause and *effect* // 試験の*結果はあした発表される The *results* of the exam will be announced tomorrow. // 「試験の*結果はどうでしたか」「ひどいものでしたよ[かなりよかったです]」"How did the ˹test [exam] *turn out*?" "Awful [Pretty good]." // 好*結果を収める ☞ こうけっか; せいか[1] // その教授法では望ましい*結果は出なかった The teaching method did not ˹bring about [produce] the desired *effect*. // 職務怠慢の*結果, 彼は首になった As a *consequence* of his negligence, he was fired. // 選挙の*結果は予測できない No one can ˹foresee [foretell; forecast; predict] the ˹*outcome* [*results*] of the election. // 直接[間接]の*結果 a direct [an indirect] *result*
結果責任 〘法〙 (無過失責任) strict [no-fault; absolute] liability Ⓤ; (行為の不結果・失敗に対する責任) responsibility, accountability. 日英比較 日本語の「アカウンタビリティー」は単に「(結果の)説明責任」のみを指すことが多い. ¶大統領は失政の*結果責任を取らなければならない The president must be held ˹*responsible* [*accountable*] for his bad government. **結果的** ☞ けっきょく ¶私のやり方は*結果的には成功だった My way turned

out to be successful *in the end*. 結果論 (結果が出てから批判すること) second-guessing Ⓤ.

コロケーション
結果を出す produce a *result*; get *results* // 驚くべき結果 a surprising *result* / 思いがけない結果 an unexpected *result* / 困った結果 an annoying [a disturbing] *result* / 望みどおりの結果 the desired *result* / 悲惨な結果 a ˹disastrous [tragic] *result* / 必然の結果 the inevitable *result* / 満足な結果 a ˹pleasing [satisfactory] *result*

げっか 激化 ☞げきか

けっかい¹ 決壊 ―動 (急に崩れ落ちる) collapse ⓐ; (支えきれなくて崩れる) gìve wáy ⓐ. 《☞きれる》. ¶川の堤防が*決壊した The embankment ˹*collapsed* [*gave way*].

けっかい² 血塊 blood clot Ⓒ.

けっかく¹ 結核 tuberculosis /t(j)ʊbə̀ːkjʊlóʊsɪs/ Ⓤ ★ 正式な名称. TB, tb などと略す. 《☞はいけっかく》. ¶彼は*結核だ He has *tuberculosis*. **結核患者** tuberculous /t(j)ʊbə́ːkjʊləs/ [tubercular; TB] patient Ⓒ, tubercular Ⓒ **結核菌** túbercle bacillus Ⓒ 《複 bacilli》 **結核予防法** the Tuberculosis Prevention Law **結核療養所** sanatorium /sæ̀nətɔ́ːriəm/ Ⓒ, 《米》 sanitarium /sæ̀nəté(ə)riəm/ Ⓒ.

けっかく² 欠格 ―名 dìsquàlificátion Ⓤ. ―形 unqualified. 《☞しかく¹》.
欠格条項 disqualification (clause) Ⓒ.

げつがく 月額 ¶家賃は*月額 7 万円です (⇒家賃は 1 月につき 7 万円です) The rent for the house is 70,000 yen *per month*. // 彼の給料は*月額 20 万円だ He gets a *monthly* ˹pay [salary] of 200,000 yen. / His *monthly* ˹pay [salary] is 200,000 yen. 参考 欧米では週単位の支払いが多い. 《☞げっきゅう; つきづき》

けっかし 結果枝 〔植〕 (fruit-)bearing branch Ⓒ.

げっかびじん 月下美人 〔植〕 queen-of-the-night Ⓒ.

げっかひょうじん 月下氷人 ☞なこうど

けっかん¹ 欠陥 (ささいな欠点) flaw Ⓒ; (そのものが損なわれるような欠点) fault Ⓒ; (本質的な欠点) defect Ⓒ. 《☞けってん (類義語); たんしょ¹》.
¶我々の計画には*欠陥がある There is a *flaw* in our plan. // この機械は*欠陥が多すぎる There are too many ˹*faults* [*defects*] in this machine. // 彼は性格上大きな*欠陥がある He has a serious ˹*defect* in his character [character *defect*]. // これがある程度*欠陥を補ってくれるだろう This will make up for the *defect* to some extent.
欠陥車 defective [faulty] car Ⓒ **欠陥商品** defective ˹product Ⓒ [merchandise Ⓤ] ★ くだけた表現では欠陥品のことを lemon Ⓒ と言う.

けっかん² 血管 (blood) vessel Ⓒ; (静脈) vein Ⓒ ★ 俗には血管の意味でよく用いられる; (動脈) ártery Ⓒ. ¶静脈は血液を心臓へ戻す*血管です Veins are *blood vessels* that carry the blood back to the heart. **血管拡張薬** vasodilator /vèɪzoʊdaɪléɪtə, væ̀z-/ Ⓒ **血管造影** angiography /æ̀nʤiɑ́grəfi/ Ⓤ.

けつがん 頁岩 shale Ⓤ.

げっかん¹ 月刊 ―形 (毎月 1 回発行される) monthly. **月刊誌** (雑誌) monthly (magazine) Ⓒ; (月刊発行物一般に) monthly publication Ⓒ. 《☞にっかん¹; しゅうかん²; きかん⁵; ねんかん²》. ¶「それは*月刊誌ですか, それとも週刊誌ですか」「(年 4 回の) 季刊です」 "Is it a *monthly* (*magazine*) or a weekly (magazine)?" "It's a quarterly (magazine)."

げっかん² 月間 ―形 副 (月間の[に, で]) monthly. ¶*月間目標 a *monthly* object(ive)

けっき¹ 決起 ―動 (立ち上がる) rise (to action) ⓐ. ¶人民は専制主義に反抗して*決起した The people *rose against* despotism. // 要求貫徹国民総*決起大会 a nationwide *rally* to win their demands

けっき² 血気 ¶彼は*血気盛んである He is full of *youthful* ˹*vigor* [*high spirits*]. / (⇒若くて熱しやすい) He is *young and hotblooded*.
血気に逸(はや)る ¶私は*血気にはやる若い人たちをなだめた I calmed down the ˹*hasty* [*impetuous*] young people. 語法 impetuous /ɪmpétʃuəs/ は「性急な·衝動的な」の意で, hasty より改まった語.
血気盛り ☞ちのけ

けつぎ 決議 ―名 resolution Ⓒ. ―動 resolve ⓣ ⓐ, pass [adopt; carry] a resolution. 《☞けってい; ぎけつ》. ¶国会の*決議 a *resolution* of the Diet // 国連総会で次のような*決議がなされた The United Nations General Assembly ˹*adopted* [*passed*] the following *resolution*. // その申し出を拒否することが*決議された It *was resolved* that we refuse the offer. **決議案** resolution Ⓒ **決議機関** decision-making ˹body [organ] Ⓒ **決議権** the right to vote **決議事項** resolution Ⓒ **決議文** written resolution Ⓒ.

けっきゅう¹ 血球 (blóod) còrpuscle Ⓒ 《☞せっけっきゅう; はっけっきゅう》.

けっきゅう² 結球 (キャベツなどの) head Ⓒ.

げっきゅう 月給 monthly ˹pay Ⓤ [salary Ⓒ] ★ pay のほうが口語的. 日英比較 欧米では元来週給が多く, 月給制度は比較的新しい傾向. 《☞サラリー; きゅうりょう¹ (類義語)》. ¶彼の*月給はいくらですか *How much* does he get *a month*? / What is his *monthly* ˹*pay* [*salary*]? // 彼の*月給は安い He gets a ˹low [small] (*monthly*) *salary*. ★「高い」は high [large]. // *月給を上げてもらいたい I want a raise (in my *monthly pay*). / I want to have my *salary* raised. // あしたは*月給日だ Tomorrow is *payday*. **月給とり** salaried employee Ⓒ 《☞サラリーマン》 **月給泥棒** person who does not deserve ˹his [her] salary Ⓒ ★ 説明的な訳.

げっきゅうぎ 月球儀 globe of the moon Ⓒ.

けっきょ 穴居 cave-dwelling Ⓤ. **穴居時代** the cave period **穴居人** caveman Ⓒ.

けっきょく 結局 ―副 (いろいろあったが事の成り行きとして) after all 日英比較 日本語の「結局」は意味が広いが, どちらかというと after all に近く,「とうとう」が in the end などに近い; (いろいろやってみたがとうとう最後に) in the end, finally, at last; (長い目で見れば) in the long run. ―動 (…として終わる) end (in …) ⓐ; (結果が…となる) result (in …) ⓐ; (結局…となる) turn out ⓐ, prove ⓐ. 《☞しょせん¹; どうせ》. ¶*結局彼らの計画は失敗した Their plan failed ˹*after all* [*in the end*]. / (⇒失敗に終わった) Their plan ˹*resulted* [*ended*] *in* failure. // 彼は*結局来なかった He didn't show up *after all*. // *結局は (⇒長い目で見れば) 正直者が勝つと思う I believe that the honest will win *in the long run*. // そのうわさは*結局本当だった The rumor ˹*turned out* [*proved*] (to be) true.

けっきん 欠勤 ―動 (休む) be ábsent (from …), 《格式》 absént *oneself* (from …); (行かない) stay away (from …) ⓐ. ―名 absence Ⓤ ★ 個々の場合は Ⓒ. 《☞やすむ; けっせき¹》.
¶私はきのう会社を*欠勤した I ˹*was absent* [*stayed away*] *from* the office yesterday. // きょうは熱があ

るので*欠勤します 《電話などで会社に言う場合》 I *cannot come to work* today because I feel feverish. // 彼女は無届けで*欠勤した She *absented herself from* the office without notice. // きのうは2名の*欠勤者があった Two people *were absent* yesterday. / There were two *absentees* yesterday. ★ 後者は前者より格式ばった言い方. // 長期*欠勤 a ⌈long [long-term] *absence* 欠勤者 àbsentée Ⓒ 欠勤届 report of absence Ⓒ.

けっく 結句 (詩歌の結びの句) concluding part Ⓒ.

けづくろい 毛繕い ―動 (動物が) groom itself. ―名 grooming Ⓤ.

げっけい 月経 (menstrual) period /pí(ə)riəd/ Ⓒ ★ 婉曲的. しばしば複数形で; menses /ménsiːz/ ★ 複数形で; menstruation Ⓤ ★ 最初の語が一般的. ¶ 彼女は*月経中です She is ⌈having her *period* [*menstruating*]. 月経過多 profuse [excessive] menstruation Ⓤ 月経困難症 〖医〗dysmenorrhea /dɪsmènərí:ə/ Ⓤ 月経時 the menstrual period 月経周期 menstrual cycle Ⓒ 月経痛 menstrual pain Ⓤ 月経不順 irregular menstruation Ⓤ 月経閉止期 ménopàuse Ⓤ.

げっけいかん 月桂冠 laurel crown Ⓒ.

げっけいじゅ 月桂樹 〖植〗laurel Ⓒ.

けつご 結語 conclusion Ⓒ.

けっこう[1] 結構 **1** 《よい・立派な》 ―形 (よい) good; (すてきな) nice; (とても上等の) excellent; (すてきで申し分のない) splendid; (美味の) delicious. 《☞よい[1]》. ¶ これは*結構なお茶ですね (⇒ この茶はおいしい) This tea tastes ⌈very *good* [*splendid*; *delicious*]. // *結構なお部屋ですね (⇒ あなたはすてきな部屋を持っている) You have a *nice* room. // *結構な品物をありがとうございました Thank you very much for the ⌈*nice* [*lovely*] present. ★ [ ] 内は女性がよく用いる.

2 《拒絶》 ¶「たばこはいかがですか」「*結構です. 私はたばこは吸いませんので」 "How about a cigarette?" "*No, thank you.* I don't smoke." //「コーヒーをもう1杯いかがですか」「もう*結構です. 十分いただきました」 "How about another cup of coffee?" "*No, thank you.* I've had enough."

3 《是認》 ¶「これでよろしいでしょうか」「非常に*結構です」 "Is this all right?" "Yes, that's *perfectly all right.*" //「ペンは持っておりません」「鉛筆で*結構です」 "I don't have a pen." "A pencil *will do.*" // 私はこの給料で*結構です (⇒ 満足です) I'*m satisfied with* this salary. //「いつお返ししましょうか」「いつでも*結構です」 "When shall I return it to you?" "Any time *will do.*" / "When shall I give it back to you?" "You can keep it *as long as you* ⌈*like* [*wish*]." ★ wish はやや格式ばった表現.

4 《かなり・おおむね》 ¶ フランス人にしては彼女の日本語は*結構うまい For a Frenchwoman, she speaks Japanese *fairly* well. // この小説は*結構おもしろい This novel is *pretty* interesting. // *結構たくさんの人が演奏会に来ました *Quite* a lot of people came to the concert.

結構ずくめ ¶ すべてが*結構ずくめでした Everything went ⌈*smoothly* [*perfectly well*].

けっこう[2] 決行 ―動 (予定どおり行う) cárry óut [hóld] ... as schéduled 《☞じっこう[1]; すいこう[1]》. ¶ 組合はストを*決行した (⇒ 予定どおり行った) The union ⌈*staged* [*carried out*] the ⌈strike [walkout] *as scheduled.* / The union *went on* strike. 《☞ストライキ》 // あすの運動会は小雨なら*決行します Tomorrow's athletics meet will *be held as scheduled* (even) in the event of light rain.

けっこう[3] 血行 circulation (of the blood) Ⓤ 《☞じゅんかん[1]》. ¶ この薬は*血行をよくします (⇒ 血の循環を促進する) This medicine stimulates (*blood*) *circulation.* 血行障害 interruption in the circulation (of the blood) Ⓒ.

けっこう[4] 欠航 ―動 (取りやめる) cancel ⑱; (一時休止する) suspend ⑱. ―名 cancellation Ⓤ. 《☞うんきゅう[1]》. ¶ 705便は*欠航の予定です 《飛行機》 Flight 705 will *be canceled.*

けっこう[5] 欠講 ―動 cancel a ⌈lecture [class] 《☞きゅうこう[3]》. ¶ 彼は昨日*欠講した He *canceled his lecture* yesterday.

けつごう[1] 結合 ―動 join ⑱; unite ⓐ ⑱; combine ⓐ ⑱. ―名 union Ⓤ; combination Ⓤ.

【類義語】2つ以上のものを結んで1つのものにしたり, 片方が他方の一部になったりすることを表すには ***join***. 2つのものを合体して完全に1つのものにすることを ***unite*** (名 ***union***) といい, 2つのものを合わせるが, 必ずしも完全に1つのものにならず, それぞれの特性を残したままで合体することを ***combine*** (名 ***combination***) という. 《☞つなぐ》

¶ 彼は金属部品をはんだで*結合した He *joined* the metal parts together with solder. // 炭素は酸素と*結合して炭酸ガスを作る Carbon *combines with* oxygen to form carbon dioxide. // 2つの政党が*結合して新しい政党が生まれた Two parties *united* and a new party was born.

結合組織 connective tissue Ⓤ 結合体 combination Ⓒ.

けつごう[2] 欠号 missing issue Ⓒ.

げっこう[1] 激高, 激昂 ―動 (激しく怒る) get ⌈very angry [furious] ★ 後者のほうが怒り狂う意味が強い; get mad ★ get angry の口語的表現; be ⌈enráged [infúriàted] (at ...) ★ 多少文語的表現. ―名 (激しい怒り) rage Ⓤ; (憤激) fury Ⓤ. 《☞げきど》. ¶ 彼はその言葉を聞いて*激昂した He *got* ⌈*very angry* [*mad*; *furious*] at what was said.

げっこう[2] 月光 moonlight Ⓤ, moonshine Ⓤ ★ 前者のほうが普通. 《☞つきあかり》.

¶ 2人は*月光の中を歩いた The ⌈two people [couple] walked *in the moonlight.*

けっこん[1] 結婚 ―動 (結婚する) marry ⑱ ⓐ, get married (to ...) ★ 後者はより口語的; (結婚式をする) wed ⓐ ★ 主に新聞用語. ―名 marriage Ⓤ ★ 具体的な事例を指す場合には Ⓒ. ―形 (結婚した) married.

¶ 2人は去年の秋*結婚した They ⌈*married* [*got married*] last fall. // メアリーはジョンと*結婚した Mary ⌈*married* [*got married to*] John. 語法 marry with ... とはしないこと. // 彼は生涯*結婚しなかった He remained ⌈*single* [*unmarried*] all his life. // 僕と*結婚してくれませんか Will you *marry* me? / Will you be my wife? // *結婚とは賭(か)けである *Marriage* is a lottery. //「あなたは*結婚していますか」「いいえ, 独身です」 "Are you *married*?" "No, I'm single." // 彼女は*結婚を申し込まれた She has had ⌈an offer of *marriage* [a *proposal*]. / (⇒ 彼女は求婚された) She *was proposed to.* // 一郎と恵美子の*結婚が決まった A *marriage* has been arranged between Ichiro and Emiko. // 彼女は幸福な[不幸な]*結婚をした She made ⌈a happy [an unhappy] *marriage.* // 私は*結婚してから5年になります I *have been married* (for) five years. //「あなたは見合い*結婚ですか, それとも恋愛*結婚ですか」「見合いです」 "Is your *marriage* an arranged one or a love match?" "It is an arranged *marriage.*" 《☞みあい》 // *結婚おめでとう Congratulations! 参考 このあいさつは普通新郎に対してのみ

使い, 新婦に対しては I hope you'll be very happy. または I wish you every happiness. と言うべきだといわれている. これは, 男が女に求婚する形式を伝統的にとってきているからである. しかし, 最近はこの習慣もくずれかけているようで, 花嫁に対しても Congratulations! というあいさつがされることが多くなってきた. // 彼は息子を医者の娘と*結婚させた He *married* his son *to* a doctor's daughter. // *結婚を解消する break up / dissolve *one's marriage*
結婚相手 marriage partner Ⓒ **結婚衣装** (花嫁の) wedding dress Ⓒ **結婚祝い** wedding ˹present [gift] Ⓒ《☞ おくりもの》 **結婚願望** desire to get married Ⓒ, yearning for marriage Ⓒ. ¶ 彼女は*結婚願望が強い She has a ˹strong *desire to get married* [deep *yearning for marriage*]. **結婚記念日** (wédding) annivèrsary Ⓒ《☞きねん¹》 **結婚行進曲** wedding march Ⓒ **結婚詐欺** marriage fraud Ⓒ **結婚式** wedding Ⓒ, wedding ceremony Ⓒ. ¶ *結婚式を挙げる hold [celebrate] a *wedding* ★ 後者は文語的. //「*結婚式はいつですか」「今年の秋です」"When will the *wedding* be?" "This fall." **結婚資金** money saved up for marriage Ⓤ, marriage fund Ⓒ **結婚証明書** márriage certíficate Ⓒ **結婚生活** married life Ⓒ **結婚線** (手相の) the line of marriage, the marriage line **結婚相談所** matrimonial /mæ̀trəmóʊniəl/ agency Ⓒ **結婚適齢期** márriageable áge Ⓤ《☞てきれいき》 **結婚届** registration of *one's* marriage Ⓤ. ¶ *結婚届を出す have *one's marriage registered* **結婚年齢** (法律上婚姻を結ぶことのできる年齢) the legal age for marriage **結婚費用** wedding expenses **結婚披露宴** wedding reception Ⓒ **結婚指輪** wedding ˹ring [band] Ⓒ **結婚歴** marital history Ⓒ.

コロケーション
愛のない結婚 a loveless *marriage* / 金目当ての結婚 a *marriage* for money / 期待外れの結婚 a disappointing *marriage* / 事実上の結婚 a ˹de facto [common-law] *marriage* / できちゃった結婚 a shotgun ˹*marriage* [*wedding*] / 破綻した結婚 a ˹failed [shattered] *marriage* / 悲惨な結婚 a ˹disastrous [miserable] *marriage*

けっこん² 血痕 bloodstain Ⓒ. ¶ *血痕のあるシャツ a *bloodstained* shirt

けっさい¹ 決済 ── 動 (勘定を済ませる) settle ⑩; (手形を支払う) honor ⑩. ── 名 settlement (of accounts) Ⓤ.《☞しはらい》. ¶ その*決済は済んでいる (⇒ その勘定は払った) I'*ve settled* the bill. // その負債はまだ*決済が済んでいない (⇒ 未払いのままである) The debts are still *outstanding*. // 手形の*決済を迫られている I've been urged to *honor* the draft.
決済通貨 settlement currency Ⓒ **決済日** settlement day Ⓒ.

けっさい² 決裁 ── 名 (上役の決定・承認) approval Ⓤ; (決定) decision Ⓤ. ── 動 approve ⑩; decide ⑩.《☞しょうにん¹》.
¶ この案は上司の*決裁を得ています This plan *has* already *been approved* by our chief. // 彼はその問題の*決裁を社長に仰いだ He submitted the matter for the president's *approval*.

けっさい³ 潔斎 purification Ⓤ. ¶ *潔斎する *purify oneself*

けっさく 傑作 (芸術作品などの) másterpièce Ⓒ; great work of art Ⓒ 語法 前者は文学・絵画・音楽など, すべての分野について用いる. 後者は説明的で, 絵画・彫刻などの分野.《☞ めいさく》. ¶ この版画は北斎の*傑作だ This print is a *masterpiece* by Hokusai. // 彼がそんなことを言うとは*傑作だ (⇒ おもしろいではないか) Isn't it *funny* that he said something like that?

けっさつ 結紮 ── 名〘医〙(血管などの) ligation Ⓤ, ligature /lígətʃə/ Ⓒ. ── 動 ligate /láɪgeɪt/ ⑩.

けっさん 決算 (最終的な勘定) closing accounts ★ 一定期間の純利益と財産状態を決定すること. 複数形で; (元帳の締め切り) closing Ⓤ; (財務の結果) fináncial resúlts ★ 複数形で. ¶ その会社の*決算は来月発表になる The ˹*accounts* [*financial results*] of the company will be published next month. **決算期** ¶ 3 月は会社の*決算期です March is the *time for closing accounts* in our firm. **決算日** settling day Ⓒ **決算報告** ¶ 会の会計係が今年度の*決算報告をした The treasurer of the association made a *report on the closing accounts* of this fiscal year.

げっさん 月産 (毎月の生産量) monthly ˹production [output] Ⓤ ★ output のほうが一定期間内の一単位当たりの生産量を示す意味が強い.《☞せいさん¹》. ¶ 日本の自動車*月産台数は先月これまでで最高の 150 万台に達した The *monthly output* of the Japanese automobile industry reached a record 1,500,000 units last month.

けっし 決死 ── 形 (死にもの狂いの) désperate. ── 副 (命をかけて) at the risk of *one's* life.
¶ 囚人たちは*決死の脱獄を企てた The prisoners made a *desperate* attempt to escape from the prison. // 彼は*決死の覚悟で (⇒ 命をかけて) その子を火から救った He saved the child from the fire *at the risk of his* (*own*) *life*.
決死隊 storming party Ⓒ,〘軍〙súicide córps /kɔ́ə/ Ⓒ《複 ~ /kɔ́əz/》.

けつじ¹ 欠字 (ぬけている文字[単語]) omitted ˹letter [word] Ⓒ; (脱落) omission Ⓤ.

けつじ² 訣辞 farewell (address) Ⓒ.

けっしきそ 血色素 hemoglobin /híːməglòʊbɪn/ Ⓤ.

けつじつ 結実 ── 動 (成功する・よい結果が出る) be fruitful (↔ fruitless). ── 名 (植物の結実・目的などの達成) fruition /fruːíʃən/ Ⓤ; (努力などの成果) fruit Ⓤ ★ しばしば複数形で.《☞ み²; みのる; せいか¹; けっしょう²》.

けっして 決して (いかなるときも…しない) never
語法 最も一般的. not at any time の意味だから, 単に not の強調として使ってはならない; (どんなことがあっても…しない) by no means; (少しも…でない) not at all; (どんな理由があろうと) on no account, not ... on any account.
¶ *決してうそはつきません I will *never* tell a lie. // *決して絶望してはならない *Never* lose hope. / (⇒ 希望を捨ててはならない) You should *not* give up hope *on any account*. // この仕事は*決して易しくはない This task is ˹*not at all* [*by no means*] easy. // 彼女は*決して友人を裏切るような人ではない (⇒ 友人を裏切る最後の人だ) She *is the last person to* betray a friend.

げつじほうこく 月次報告 monthly report Ⓒ.

けっしゃ 結社 association Ⓒ. ¶ *結社の自由は憲法により保障されている Freedom of *association* is guaranteed by the Constitution.

げっしゃ 月謝 monthly fee Ⓒ《☞ しゃれい》. ¶ 高い*月謝を払う pay a high *monthly fee* // その料理教室の*月謝は 1 万円です The cooking class charges a *fee* of 10,000 yen *a month*.

けっしゅ 血腫 〘医〙 hematoma /hìːmətóʊmə/ Ⓒ《複 ~s, -mata /-tə/》.

けっしゅう 結集 ── 動 (集中する) cóncentràte ⑩, focus ⑩; (合わせて 1 つにする) unite ⑩; (合わせ

る·合流する) join ⑩ ⓐ. ―名 còncentrátion Ⓤ. (☞ しゅうけつ²).

¶ 彼らは総力を*結集してその仕事に当たった They ˹concentrated [focused] their efforts on the task. / They *united* their efforts for the project. // すべての労働者がその大会に*結集した All the workers *joined* in the meeting.

げっしゅう 月収 (毎月の収入) monthly income Ⓒ; (毎月の給料) monthly ˹pay Ⓤ [salary Ⓒ]. (☞ げっきゅう; しゅうにゅう).

¶ 彼は*月収が30万円だ He has a *monthly income* of three hundred thousand yen. / (⇒ 彼は月に30万円稼ぐ) He *earns* three hundred thousand yen *a month*.

けっしゅつ 傑出 ―形 (優秀な) excellent; (卓越した) prominent; (顕著な) òutstánding. ―動 (他に抜きん出ている) stànd óut (from ...; among ...) ⓐ; (卓越している) excél (in ...; at ...) ⓐ ★ 格式ばった語. (☞ ずばぬける; ばつぐん).

けっしょ 血書 ―動 (血で書く) write ... in blood. ¶ *血書の誓い an oath *written in blood*

けつじょ 欠如 ―名 (必要なものが欠けていること) lack Ⓤ, want Ⓤ 語法 (1) いずれもしばしば a を付けて. なお後者は絶対に必要なものが欠けているというニュアンスで用いられることもあるが, lack のほうが一般的; (存在しないこと) absence Ⓤ. ―動 (欠ける) lack ⑩, (《英》) want ⑩. ―形 (欠けている) lacking [wanting] (in ...) Ⓟ; absent. (☞ ふそく¹; けつぼう (類義語)).

¶ それは常識が*欠如している証拠だ It shows a ˹*lack* [*want*] of common sense. // あの男には知性が*欠如している That man ˹*lacks* [*wants*] intelligence. 語法 (2) 受身には用いられない. / That man is ˹*lacking* [*wanting*] *in* intelligence. // 理性の*欠如 the *absence* of reason

けっしょう¹ 決勝 (競技などの) final ˹round [game] Ⓒ; (決勝戦) finals ★ 複数形で.

¶ きょうは高校野球の*決勝が行われる The ˹*final game* [*finals*] of the High School Baseball Tournament /tʊ́ənəmənt/ will be held today. // 彼は準決勝に勝って*決勝に進出することになった He won the sèmifinals and will go into the *finals*. // 同点*決勝となった They had to have a *playoff* for the championship. ★ playoff は「同点決勝試合」の意. **決勝線** finish (line) Ⓒ (☞ ゴール 日英比較) **決勝戦進出者** finalist Ⓒ **決勝点** (レースなどの) ☞ 決勝線; (得点) winning score Ⓒ.

けっしょう² 結晶 ―名 (鉱物などの) crystal Ⓒ; (結晶化) crystallization Ⓤ; (努力の結果など) fruit Ⓤ ★ しばしば複数形で. ―動 crystallize ⓐ.

¶ 私は拡大鏡で雪の*結晶を見た I saw the snow *crystal* through a mágnifying glàss. // この本は彼の長年の研究の*結晶である This book is the *fruit* of his long years of study. // 愛の*結晶 the *fruit* of love **結晶化学** crystal chemistry Ⓤ **結晶学** crỳstallógraphy Ⓤ **結晶光学** crystal optics Ⓤ **結晶格子** crystal lattice Ⓒ **結晶構造** crystal structure Ⓒ.

けっしょう³ 血漿 (blood) plasma Ⓤ.

けつじょう¹ 欠場 ―動 (欠席する) be ábsent (from ...), absént *oneself* (from ...) ★ 後者のほうが文語的. (☞ けっせき¹; きけん²).

けつじょう² 楔状 ☞ くさび (くさび形) **楔状文字** ☞ くさび (くさび形文字)

げっしょう 月商 monthly turnover Ⓒ.

けっしょうばん 血小板 blood platelet Ⓒ.

けっしょく¹ 血色 (顔の色つや) complexion Ⓒ; (顔色) color (《英》 colour) Ⓤ ★ color は顔の色つやだけでなく, 顔色すべてを指す. (☞ かおいろ).

¶ 彼は*血色がよい (⇒ 元気に見える) He *looks well*. / (⇒ 健康そうな顔色をしている) He has a healthy *complexion*. ★ 前者のほうがくだけた言い方. // 彼女は*血色が悪い (⇒ 顔色がよくない) She *looks pale*. / (⇒ 病人のような顔色をしている) She has a sickly *complexion*.

けっしょく² 欠食 ―動 (食事をとらないで過ごす) go without a meal. **欠食児童** (栄養不良の[十分な食事を与えられていない]子供) undernourished [poorly-fed] child Ⓒ.

げっしょく 月食, 月蝕 eclipse of the moon Ⓒ, lunar eclipse Ⓒ ★ 後者が正式な用語. (☞ にっしょく).

げっしるい 齧歯類 〔動〕 ródents ★ 複数形で.

けっしん¹ 決心 ―動 (心を決める) make up *one's* mind ★ 口語的で一般的; (考えた末に決める) decide ⑩ ⓐ; (最後までやり抜く腹を決める) resolve ⑩ ⓐ ★ やや格式ばった語; (...する決心である) be determined to ... ★ 状態を言う. ―名 decision Ⓤ; resolution Ⓤ; determination Ⓤ ★ 以上の語は具体的に決心したことの意味では Ⓒ. (☞ きめる; かくご).

¶ 彼は医学の研究に一生を捧げようと*決心した He ˹*made up his mind* [*decided*; *resolved*] to devote his (whole) life to the study of medicine. // 彼女は三郎と結婚する*決心をした She *decided* to marry Saburo. // 私は今年はもっと一生懸命勉強しようと*決心しています I *am* ˹*determined* [*resolved*] *to* study harder this year. // その知らせで彼の*決心はぐらついた (⇒ 知らせが彼の決心を弱くした) The news weakened his *resolution*. // 彼の*決心は固い His ˹*determination* [*resolution*] is unshakable. // 何をしたらいいか彼はまだ*決心がつかないでいる He *is* still *undecided* about what to do.

けっしん² 結審 the conclusion of a trial.

¶ その裁判は*結審した The trial *was concluded*.

けつじん 傑人 man of excellence Ⓒ (☞ けつぶつ).

けっする 決する (決める) decide ⑩, determine ⑩. (☞ きめる; きまる; けってい).

けっせい¹ 結成 ―動 (作る) make ⑩ ★ 一般的な語で, 以下の語の代わりに用いてもよい; (組織体を) form ⑩, organize ⑩ ★ 後者はやや格式ばった語; (特に規模の大きなものを) establish ⑩. (☞ つくる). ¶ 新しい組合が先週*結成された A new labor union *was* ˹*organized* [*formed*; *created*] last week. // 贈収賄調査委員会が*結成された A corruption probe committee *was* ˹*organized* [*formed*].

けっせい² 血清 serum /sí(ə)rəm/ Ⓒ (複 ~s, sera /sí(ə)rə/). **血清肝炎** sérum hèpatítis Ⓤ **血清注射** serum injection Ⓒ **血清療法** serum ˹treatment [therapy] Ⓤ (☞ ちりょう).

けつぜい 血税 ¶ 国民の*血税 (⇒ 納税者が額に汗して得た金) のむだ遣いは許せない It is unpardonable to waste *the money earned by taxpayers with the sweat of their brow(s)*. / (⇒ 納税者が苦労して得た金) It is unpardonable to waste *the hard-earned money of the taxpayers*. (☞ ぜいきん)

げっせかい 月世界 the lunar world; (月そのもの) the moon.

けっせき¹ 欠席 ―動 (欠席する) stay away (from ...), absént *oneself* (from ...) ★ 後者はやや格式ばった言い方; (欠席している) be ábsent (from ...) ★ 状態. ―名 absence Ⓤ ★ 個々の場合は Ⓒ. (☞ やすむ; サボる; けっきん).

¶ 彼は学校を*欠席しています He *is absent from* school. // 腹痛できのうは学校を*欠席してしまった As

I had a stomachache, I *stayed away from* school yesterday. / I *absented myself from* school because of a stomachache yesterday. // 風邪でクラスの半分が*欠席した Half the class「*was* [*were*] *absent* with colds. // 彼は*欠席がちである (⇒出席率が悪い) He *has a poor attendance record.* // 長期*欠席 a long *absence* // 病気*欠席 (an) *absence*「on account of [due to] illness // 無断*欠席 (an) *absence* without notice / an unexcused *absence*

欠席裁判 trial in absentia /æbsénʃ(i)ə/ Ⓒ. ¶ 彼は*欠席裁判に付された He *was tried*「*in his absence* [*in absentia*]. ★ in absentia はもとラテン語で「不在中に」の意. **欠席者** àbsentée Ⓒ **欠席届** notice [report] of absence Ⓒ.

けっせき² 結石 〘医〙(腎臓・膀胱(ぼうこう)などの) calculus /kǽlkjʊləs/ Ⓒ《複 calculi /-làɪ/》; (通称) stone Ⓒ.

けっせつ 結節 ―名〘医〙(結核結節) túbercle Ⓒ; (人体や植物などの) node Ⓒ. ―形 (結節状の) tubércular, nodular.

ゲッセマネ ―名 固 〘聖〙 Gethsemane /geθséməni/ ★ イエスが最後の祈りを捧げた場所.

けっせん¹ 決戦 (決着をつける戦争) decisive battle Ⓒ; (競技の決勝戦) finals ★ 複数形で; final game Ⓒ; (事件などの最後の対決)《略式》shówdòwn Ⓒ.《☞ けっしょう¹》. ¶ 今度の総選挙は両党の*決戦となるであろう The two parties will have a *showdown* in the coming general election(s).

けっせん² 血栓 〘医〙(病名) thrombosis /θrɑmbóʊsɪs/ Ⓤ; (凝血) (blood) clot Ⓒ.

けっせん³ 血戦 bloody battle Ⓒ. ¶ *血戦の地 a scene of *bloody fighting*

けつぜん 決然 ―形 (決然とした) decisive, determined, résolùte. ―副 decisively, determinedly, resolutely.《☞ きぜん; きっぱり; だんこ》.

けっせんとうひょう 決選投票 (最終的投票) final ballot Ⓒ; (決戦選挙) rúnòff (eléction) Ⓒ. ¶ 投票結果は同数で, *決選投票をすることになった The result of the vote was a tie, so a *runoff* (*election*) will be held.

けっそう 血相 **血相を変える** ¶ 彼はその言葉を聞いて*血相を変えた (⇒青くなった) He *turned pale* at the words. / (⇒たいへん怒った) He *flew into a rage* at the words. / (⇒顔色が変わった) He *changed color* at the words. 〔語法〕 この場合は怒り, 驚きのいずれの意味にもなる.《☞ かおいろ》

けっそく 結束 ―名 (完全に 1 つにまとまること) unity Ⓤ; (団結) union Ⓤ. ―動 (1 つになる) unite 他 自; (…に対して結束する) unite (*oneself*) (against ...) 自 他, band together 自 ★ 後者のほうが口語的.《☞ だんけつ》. ¶ 我々の*結束は固い Our *unity* is tight. / (⇒緊密に一体となっている) We *are* closely *united*. // すべての労働者が*結束して経営者に当たった All the workers *united against* the management. // *結束を固める strengthen *unity* // 最近我々の組合の*結束がだんだんゆるんできている The *unity* of our (labor) union is now getting less and less strong.

けつぞく 血族 (人) blood「relation [relative] Ⓒ; (関係) blood relationship Ⓤ.《☞ しんぞく; けつえん; 親族関係 (囲み)》. **血族結婚** consanguineous /kɑ̀nsæŋgwíniəs/ marriage Ⓒ, intermarriage Ⓤ ★ 後者は異なる人種・民族間の結婚にも用いられる.

げっそり ¶ 彼は*げっそりと (⇒非常に) やせた He has become *very thin*. / (⇒ずいぶんと体重が減った) He *has lost a lot of weight*. // 私はその結果を見て*げっそりしてしまった (⇒急にがっかりした) When I saw the result(s), I *suddenly felt downcast*.《☞ 擬声・擬態語 (囲み)》

けっそん 欠損 (赤字・不足額) deficit /défəsɪt/ Ⓒ (↔ surplus); (損失額) loss Ⓒ (↔ gain).《☞ あかじ》. ¶ その会社は 3 千万円の*欠損であった The company had a *deficit* of 30,000,000 yen. // この*欠損をいかに埋めるかが問題だ The problem is how to「make up [cover] the「*deficit* [*loss*].

けったい¹ 結滞 ―名〘医〙(脈の一時的停止) pause [intermission] in the pulse Ⓒ; (不整脈) arrhythmia /əríðmiə/ Ⓒ. ―形 arrhýthmical. ¶ 時々脈が*結滞する (⇒心臓が不規則に鼓動する) ことがあります Sometimes my heart *beats irregularly*.

けったい² ☞ きみょう

けったく 結託 ―動 (共同して悪事を企てる) conspíre 自; (共謀している) be in collusion with ..., collude (with ...) 自. ―名 (陰謀) conspíracy Ⓤ; (共謀) collusion Ⓤ.《☞ ぐる》. ¶ 銀行は地主と*結託していた The banker *was in collusion with* the landowner. / The banker and the landowner *were in collusion*. / The banker and the landowner *colluded* (*with* each other). / The banker *colluded with* the landowner.

けったくそ 卦体糞 ¶ なんて*けったくその悪い奴だ What「an *exasperating* [a *disgusting*] guy he is!

けったん 血痰 bloody phlegm /flém/ Ⓤ.

けつだん 決断 ―名 (決定) decision Ⓒ ★「決断力」という意味では Ⓤ; (具体的な計画を伴った) determination Ⓤ; (固い決意) resolution Ⓤ. ―動 decide 他 自; determine 他 自; resolve 他 自.《☞ けってい; きめる; さいけつ²》. ¶ 我々はいま*決断しなくてはならない We must *decide* (on) it now. / We must make a *decision* now. // 彼は計画を実行に移すことを*決断した He「*decided* [*determined*; *resolved*] *to* carry out the plan. // あの人は*決断が早い[遅い] That man is「quick [slow] to make *decisions*. // 彼は非常に*決断力に富む人だ He is a man of great「*determination* [*resolution*]. // 彼女は*決断力がない She is an「*indecisive* [*irresolute*] person. // 重要[重大]な*決断 an important [a crucial] *decision* // *決断を迫られる be pressed for a *decision* // *決断の時 the moment of *decision*

> **コロケーション**
> **賢い決断** a wise *decision* / **苦渋の決断** a「difficult [tough] *decision* / **すばやい決断** a「quick [swift; prompt] *decision* / **性急な決断** a「rash [hasty] *decision* / **政治的決断** a political *decision* / **土壇場の決断** a last-moment *decision*

けつだんしき 結団式 inaugural meeting Ⓒ. ¶ 彼らは新しい党の*結団式を挙げた They held an *inaugural meeting* to celebrate the formation of their new party.

けっちゃく 決着 ―名 (終わり) end Ⓒ; (結末・結論) conclusion Ⓒ. ―動 (問題・紛争などを解決する) settle 他; (議論などにけりをつける) have it out.《☞ かいけつ¹; けり¹》. ¶ その事件は*決着がついた The affair came to「an *end* [a *conclusion*]. / (⇒論争は解決された) The dispute *was settled*. // その問題はまだ*決着がつかない The problem still *remains unsettled*. // いずれ彼とは*決着をつけるつもりだ Anyway, I'll *have it out* with him.

けっちゃくざい 結着剤 binding agent Ⓒ.

けっちゅうアルコールのうど 血中アルコール濃度 blood-alcohol「level [content; concentration] Ⓤ ★具体的な数値を言うときは Ⓒ. [ ] 内の語を用いる場合はしばしば BAC と略す.

けっちょう 結腸 colon /kóulən/ Ⓒ. **結腸癌** 〖医〗colon cancer Ⓤ.

げっちょうせき 月長石 〖鉱〗moonstone Ⓤ.

けっちん 血沈 the ⌈sedimentation [precipitation] of (*one's*) blood. **血沈検査** blood sedimentation test Ⓒ.

ゲッツー 〖野〗double play Ⓒ《☞ へいさつ》.

けってい 決定 ―名 (いろいろ考慮した上での) decision Ⓤ; (実行を決意した) determination Ⓤ ★以上 2 語は具体的な決定の事実や事項を意味するときは Ⓒ; (結論・断定) conclusion Ⓒ; (論争などの解決) settlement Ⓤ. ―動 decide 他 自; determine 他 自; (結論を出す) conclude 他; (決める) settle 他 自; (日取りなどを) fix 他.《☞ きめる; けつだん; ほんぎまり》. ¶そのことはまだ*決定していない The matter ⌈*is* not [*has* not *been*] *decided* yet. / (⇒そのことについては何も決まっていない) Nothing ⌈*is* [*has been*] *decided* about this matter yet. / (⇒我々はまだ決定に達していない) We have not ⌈reached [made; 《英》taken] ⌈a [any] *decision* yet. // どういうふうに*決定しましたか (⇒あなたの決定は何ですか) What is your *decision*? / (⇒結論はどうなりましたか) What is the *conclusion*?

決定権 (決定する力[権限]) the ⌈power [authority] to decide; the say ★後者はくだけた言い方. ¶この問題では私には*決定権はない I have no *say* in this matter. **決定打** 〖野〗winning hit Ⓒ **決定版** (最終的な版) definitive edition Ⓒ. ¶スポーツカーの*決定版 (⇒究極のスポーツカー) the *ultimate* sports car **決定論** 〖哲〗determinism Ⓤ.

けっていそしき 結締組織 〖解〗connective tissue Ⓤ.

けっていてき 決定的 ―形 (決め手となる) decisive; (明確な) définite; (疑いのない・確実な) beyond [without] question, unquestionable ★後者のほうが改まった語. ―副 decisively; definitely; beyond [without] question, unquestionably.《☞ かくじつ¹; たしか (類義語)》.
¶*決定的な証拠 *decisive* evidence // 彼の優勝は*決定的だ He will *definitely* win the championship. / His winning the championship is ⌈*definite* [*beyond question*; *unquestionable*]. // *決定的 (⇒重大な) 瞬間 the *crucial* moment

けってん 欠点 bad point Ⓒ; weak point Ⓒ (↔ strong point); shortcomings ★複数形で; fault Ⓒ; flaw Ⓒ; defect Ⓒ; disadvantage Ⓒ, drawback Ⓒ; (短所) demerit Ⓒ.

【類義語】最も平易で口語的な表現が **bad point**. それと交換可能な場合も多いが, 本質的な弱点という意味での日常的で平易な表現が **weak point**. 中立的な感じの語で, 比較的軽い欠点・短所が **shortcomings**. 欠けているものという意味での欠点を意味する一般的な語は **fault**. 完璧さを損なうちょっとした欠点という意味で使われるのが **flaw**. どこかに狂いがあってうまく機能しないような欠陥は **defect**. 不利な点という意味の欠点が **disadvantage** または **drawback**.《☞ けっかん¹; たんしょ¹》

¶それがいまの教育の*欠点だ That's a *bad point* ⌈about [in] education today. // 私は自分の*欠点を直したいと思っています I am trying to ⌈correct [cure; remedy] my ⌈*bad points* [*weak points*; *shortcomings*]. // この論文には*欠点が一つもなかった I could not find a (single) *flaw* in this paper. // あの男には*欠点がない He is free ⌈from [of] *faults*. / He is *faultless*. // 彼は人格的に大きな*欠点がある He has a serious ⌈*defect* in his character [character *defect*]. // 彼はいつも人の*欠点ばかり探している He is always finding *fault* with others. // 機械はそれぞれ長所と*欠点を持っている Each kind of machine has its good points and (its) *drawbacks*. 【語法】disadvantage は advantage と対で用いられることが多いので, この文では drawback のほうが普通.

> **コロケーション**
> 大きな[小さな]欠点 a ⌈major [minor] *fault* / 重大な欠点 a ⌈grave [grievous; gross; serious] *fault* / ひどい欠点 a terrible *fault* / よくある欠点 a common *fault*

ゲット ―動 (手に入れる) get 他 ★最も意味が広くて一般的な語; (買う) buy 他; (努力して入手する) obtain 他; (知識・財産などを時間をかけて取得する) acquire 他; (物が手に入る) come into *a person's* possession 自. 【日英比較】日本語の「ゲット」は英語の get からの借用であるが, 日本語ではくだけた表現としてしか用いられないので, 通例は英語の get か buy (英語の get は buy の意でも用いられる) が相当する. しかし文脈によっては上掲のようなその他の語句を用いなくてはならない場合もある.

けっとう¹ 血統 blood Ⓤ; (家柄) lineage /líniɪdʒ/ Ⓤ ★格式ばった語; (一族) family Ⓒ; (家系) (family) line Ⓒ; (系図) pédigrèe Ⓒ ★「人」以外のものも指す.《☞ ちすじ; かけい³》. ¶この馬は*血統がよい This horse has a good ⌈*line of descent* [*bloodline*]. **血統書** pedigree Ⓒ; (牛・豚などの) herdbook Ⓒ. ¶*血統書付きの犬 a *pedigree* dog

けっとう² 血糖 blood sugar Ⓤ. **血糖降下剤** 〖薬〗hypoglycemic /hàɪpouglaɪsí:mɪk/ agent Ⓒ **血糖値** blood sugar level Ⓒ, the level of sugar in the blood. ¶緑茶は*血糖値を下げることもある Green tea can lower *the blood sugar level*.

けっとう³ 決闘 ―名 duel Ⓒ. ―動 fight a duel (with ...), duel 自. ¶彼はその男に*決闘を申し込んだ He challenged the man to a *duel*.

けっとう⁴ 結党 ―動 (党を創設[結成, 組織]する) found [form; organize] a party. ―名 the ⌈founding [formation] of a party.《☞ とう³》.

ゲットー ghetto Ⓒ.

けつにく 血肉 (肉親) *one's* flesh and blood; (血族) blood ⌈relation [relative] Ⓒ.《☞ こつにく》. ¶*血肉の情 affection of *blood relatives* // *血肉の争い conflict among *blood relatives*

けつにょう 血尿 (尿) bloody urine /jʊ́(ə)rɪn/ Ⓤ; (症状) hematuria /hì:mət(j)ʊ́(ə)riə/ Ⓤ.

ケッパー ☞ ケイパー

けっぱい 欠配 (給料の) nonpayment of wages Ⓤ; (配給品の) nondelivery of rations Ⓤ.
¶給料が 2 か月*欠配している (⇒我々は 2 か月給料をもらっていない) We have gotten *no pay* for two months.

けっぱく 潔白 ―形 (道徳・法律上, 罪のない) ínnocent; (罪を犯していない) guiltless (↔ guilty) 【語法】前者には他に害を与えないこと, 悪や不正に染まっていない清潔さなどの意味が含まれるのに対し, 後者はその罪に該当しないということだけを意味する. ―名 innocence Ⓤ; guiltlessness Ⓤ.《☞ むじつ; むざい》. ¶彼は*潔白だと信じています I am confident that he is *innocent*. // 私は身の*潔白を証明することができる I can prove my *innocence*.

けつばん 欠番 missing number Ⓒ《☞ えいきゅう (永久欠番)》.

けっぱん 血判 seal of blood Ⓒ. ¶私はその盟約に*血判を押した I *sealed* the compact *with my blood*.

け

けつび 結尾 (物語などの末尾) ending Ⓒ; (スピーチなどの終わり) closing Ⓒ; (結び・結末) conclusion Ⓒ. ¶陳述の*結尾で at the *conclusion* of the statement

けっぴょう 結氷 ―[名] freezing Ⓤ. ―[動] freeze (自). (☞ こおる). ¶湖が一面に*結氷した The lake *has frozen* over.

げっぴょう 月評 monthly review Ⓒ. ¶*月評欄 the *monthly review* section

けつびん 欠便 (飛行機の) canceled flight Ⓒ (☞ けっこう[4]).

げっぷ[1] 月賦 (割賦) 《米》 installment plan Ⓒ, easy payment plan Ⓒ ★ 前者が正式な呼び方. installment は 1 回分の払込金を指す; 《英》 hire purchase (system) Ⓒ. (☞ ぶんかつばらい; つきばらい; ねんぷ[2]). ¶冷蔵庫を*月賦で買った I bought a refrigerator 「*on a monthly installment plan* [*in monthly installments*]. // 私は毎月 1 万円の 12 か月*月賦でテレビを買った I bought a TV set in twelve *monthly* 「*installments* [*payments*] of ten thousand yen each. / (⇒ テレビのために月賦で 1 万円ずつ 12 か月払わなければならない) I have to pay for a TV set in *monthly installments* of 10,000 yen over a period of 12 months.
月賦払い payment 「by [in] monthly installments Ⓤ **月賦販売** installment [《英》 instalment] selling Ⓤ.

げっぷ[2] ―[名] belch Ⓒ, burp Ⓒ ★ 後者のほうがくだけた語. ―[動] belch (自), burp (自) ★ 後者のほうがくだけた語. [参考] 欧米では「げっぷ」は日本よりはるかに失礼なことと考えられていて, 人前でげっぷをしたときは必ず Excuse me. と謝る.

けつぶつ 傑物 (偉大な人物) great 「man [woman] Ⓒ; (傑出した人) giant Ⓒ.

げっぺい 月餅 (中国の菓子) moon cake Ⓤ ★ 数える時には a piece [two pieces] of を付ける.

けっぺき 潔癖 ―[形] (きれい好きの) clean (☞ せいれんけっぱく). ¶彼はとても*潔癖だ He is a very 「*clean* [(⇒ 良心的な) *conscientious*] person. **潔癖家** fastidious person Ⓒ **潔癖症** mysophobia /màɪsəfóʊbiə/ Ⓤ.

けつべつ 訣別 ―[名] (別離) parting Ⓤ; (離れ離れになること) sèparátion Ⓤ. ―[動] (別れる) part (from ...) (自); (離れ離れになる) be séparàted. (☞ わかれ[1]; わかれる[1]).

ケッヘルばんごう ケッヘル番号 (モーツァルトの作品番号) Köchel /kə́ːʃəl/ number Ⓒ.

けつべん 血便 bloody 「stool Ⓒ [feces /fíːsiːz/] ★ [ ]内は格式ばった語. (☞ だいべん[2]).

けつぼう 欠乏 ―[名] lack Ⓤ, want Ⓤ; shortage Ⓤ; scarcity /skéəsəti/ Ⓤ; deficiency Ⓤ ★ 以上いずれも具体的な状態をいうときは Ⓒ. ―[動] lack (他), lack for ..., want (他).
【類義語】「足りない」という意味で最も一般的な語は *lack*, *want* で, この 2 語はほぼ同意に用いられることが多いが, *lack* のほうが一般的. ただし, *want* は必需品, 特に生活に必要なものが欠けているというニュアンスで用いられる場合があり, 「欠乏[貧困]の生活をする」という場合には live in *want* であって, *lack* は使えない. 普通の基準とされている量に満たない欠乏・不足は **shortage**. 需要を満たすにははるかに足りない欠乏は **scarcity**. ビタミンなどの欠乏は **deficiency**. (☞ ふそく[1]; けつじょ; かける[2])
¶ビタミンの*欠乏 a vitamin *deficiency* // 資金*欠乏のためその企画は中止した We gave up the project for 「*lack* [*want*] of funds. / The project was dropped because they *lacked* (*for*) funds. // 人々は水の*欠乏に悩まされた People suffered (from) a *shortage* of water. **欠乏症** deficiency Ⓤ.

げっぽう[1] 月報 monthly 「bulletin [report] Ⓒ.

げっぽう[2] 月俸 (☞ げっきゅう)

けっぽん 欠本 (欠けた巻・号) missing 「volume [number] Ⓒ; (全集などで欠けた巻[号]のあるセット) incomplete set Ⓒ. ¶この全集は第 7 巻が*欠本です The seventh volume is *missing* from this set.

けつまく 結膜 〘解〙 conjunctiva /kɑ̀ndʒʌŋ(k)táɪvə/ Ⓒ (複 ~s, conjunctivae /-viː/). **結膜炎** 〘医〙 conjunctivitis /kəndʒʌ̀ŋ(k)tɪváɪtɪs/ Ⓤ.

けつまずく 蹴躓く trip (自) (☞ つまずく). ¶老人は暗闇で石に*けつまずいた The old man *tripped* over a stone in the dark.

けつまつ 結末 ―[名] (終わり) end Ⓒ (↔ beginning); (ある期間開かれていたもの) close /klóʊz/ Ⓒ (↔ opening); (物語・映画などの締めくくり) ending Ⓒ; (結論) conclusion Ⓒ; (結果) result Ⓒ. ―[動] (結末がつく・結末をつける) end (自) (他); close (自) (他); conclude (他) ★ 前 2 者よりやや改まった語; (終わりにする) bring ... to an end. (☞ おわり (類義語); けり[1]; けっか).
¶それがその話の*結末です That is the *end* of the story. / (⇒ 締めくくりはこうです) That is how the story *ends*. // とにかくこれでこの事件の*結末がついた Anyhow, this affair came to an *end*. // もうこの事件にも*結末をつけなくてはならない Now we have to *bring* the matter *to* 「*an end* [*a conclusion*].

げつまつ 月末 the end of the month (☞ げじゅん). ¶*月末に[までに] at [by] *the end of the month* **月末払い** month-end 「payment [settlement] Ⓤ.

けつみゃく 血脈 (血管) blood vessel Ⓒ; (血統) family line Ⓒ. (☞ けっとう[1]).

けづめ 蹴爪 (鶏などの) spur Ⓒ.

げつめん 月面 the surface of the moon (☞ つき[1]). ¶ロケットは*月面に (⇒ 月に) 着陸した The rocket landed on *the moon*. **月面車** moon buggy Ⓒ, lunar rover Ⓒ **月面図** moonscape Ⓒ **月面宙返り** 〘スポ〙 double somersault with double twist Ⓒ.

けつゆうびょう 血友病 〘医〙 hemophilia /hìːməfíliə/ Ⓤ. **血友病患者** hèmophíliac Ⓒ.

げつようび 月曜日 Monday (略 Mon.) (☞ 時刻・日付・曜日(囲み); 略語(巻末); にちよう(び)).

げつようびょう 月曜病 Monday morning blues.

けつらく 欠落 ―[動] (欠く) lack (他). ―[名] lack Ⓤ. ―[形] lacking. (☞ かける[2]). ¶彼は罪の意識が*欠落している (⇒ 持っていない) He *has no* sense of guilt.

げつり 月利 monthly interest Ⓤ; (月利の利率) monthly interest rate Ⓒ. ¶*月利 3% で金を借りる borrow money at 「a *monthly interest rate* of 3 percent [3 percent *interest* 「*a* [*per*] *month*]

けつりゅう 血流 (体内の) bloodstream Ⓤ.

げつりん 月輪 the moon.

けつるい 血涙 bitter tears. ¶*血涙をしぼる shed *bitter tears*

けつれい 欠礼 ―[動] (挨拶状を出すのを怠る) fail to send greetings to ...; (挨拶を遠慮する) refrain from extending greetings to ...

げつれい[1] 月例 ―[形] monthly. ¶*月例会 a *monthly* meeting **月例報告** monthly report Ⓒ.

げつれい[2] 月齢 (月の位相) phase of the moon Ⓒ (☞ つき[1] (挿絵)).

けつれつ 決裂 ―[動] (交渉などが失敗に終わる) brèak dówn (自); (行き詰まる) come to an impasse /ímpæs/. ―[名] bréakdòwn Ⓒ; rupture Ⓒ. (☞ ものわかれ; ふちょう[1]). ¶交渉は*決裂した The negotiations 「*broke down* [*came to an impasse*].

// その会談は*決裂した (⇒不成功であった) The conference was ⌈a *failure* [*unsuccessful*].

けつろ[1] **結露** condensation Ⓤ.

けつろ[2] **血路** ¶困難打開のための*血路を求める find a *way* out of the difficulties // 彼らはうまく敵中に*血路を開くことができた They were able to cut their *way* through the enemy line successfully. 《☞ かつろ》

けつろん 結論 ―名 (最終的な考え) conclusion Ⓒ. ―動 (結論に達する) come to [reach] a conclusion; (結論を下す) conclude ⑩. 《☞ けってい》. ¶会議はどういう*結論に達しましたか What *conclusion* did you *come to* at the meeting? // 直ちに作業を開始すべきであるという*結論に到達した We *reached the conclusion* that we should start the operation at once. // *結論として私は次のことを言いたい *In conclusion*, I'd like to say the following things. // *結論は急がないほうがいい (⇒結論に飛びつくな) Don't ⌈jump [leap; rush] to *conclusions*. // 悲しい*結論 a sad *conclusion* // 正しい*結論 a correct *conclusion*

―コロケーション―
…から結論を引き出す derive [draw] a *conclusion* (from …) / 結論を出す form a *conclusion* // 誤った結論 a wrong [an erroneous] *conclusion* / 性急な結論 a hasty *conclusion* / 全員一致の結論 a unanimous *conclusion* / 妥当な結論 a ⌈sound [reasonable] *conclusion* / 必然的な結論 an ⌈inevitable [inescapable; unavoidable] *conclusion*

ゲティスバーグ ―名 固 Gettysburg /gétizbə̀ːg/ ★米国ペンシルベニア州南部の町; 南北戦争の激戦地. ¶*ゲティスバーグの演説 the *Gettysburg* Address ★リンカーンの演説;「人民の, 人民による, 人民のための政治」は有名.

げてもの 下手物 (変なもの) odd thing Ⓒ; (風変わりな食べ物) bizarre /bɪzɑ́ə/ food Ⓒ.

けど ☞ けれど(も)

げどう 外道 (異教) héresy Ⓤ; (異教徒) heretic Ⓒ; (相手を罵倒して言う言葉) Damn you!; Go to hell!

げどく 解毒 ―名 detòxi(fi)cátion Ⓤ. ―動 (毒を除去する) detoxify ⑩; (毒を中和する) cóunteráct [néutralìze] the póison. **解毒剤** ántidòte Ⓒ.

けとばす 蹴飛ばす (足で) kick ⑩ ★最も一般的; (けって飛ばす) kick away ⑩; (…を蹴ろうとする) kick (at …) ⓐ; (はねつける) reject flatly ⑩. 《☞ ける》. ¶少年はボールを*けとばした The boy *kicked* the ball *away*. // その馬は後脚で彼を*けとばした The horse *kicked* him with its hind legs. // 彼は私の横腹を*けとばした He *kicked* me *in* the side. // 我々の要求は*けとばされた Our demand *was flatly rejected*.

ケトル (湯沸かし) kettle Ⓒ 《☞ やかん[2] (挿絵)》.

ケトン 〔化〕 ketone /kíːtoun/ Ⓤ.

けどる 気取る (嗅ぎつける) suspéct ⑩; (感づく) sense ⑩. ¶彼は我々の陰謀を*気取り始めた He began to *suspect* us of ⌈plotting something [a plot].

ケトルドラム kettledrum Ⓒ.

けながねずみ 毛長鼠 〔動〕(説明的に) a rare rat native to the Ryukyu Islands, with a white-tipped tail and long sparse hairs on the back.

けなげ 健気 ―形 (あっぱれな) admirable /ǽdmərəbl/; (称賛に値する) praiseworthy. 《☞ かんしん》. ¶我々はその女性の*けなげな働きに心を打たれた We were deeply ⌈moved [impressed] by the woman's ⌈*admirable* [*praiseworthy*] deed.

けなす 貶す (悪口を言う) speak ⌈badly [ill] of *a person* (↔ speak well of *a person*); (あらを探す) find fault with …; (こきおろす) 《略式》 rùn dówn ⑩; (批判する) criticize ⑩. 《☞ ひなん[1]; わるくち; こきおろす》. ¶彼はいつも他人を*けなす He ⌈always *speaks* [*is* always *speaking*] *ill of* others. / (⇒あら探しをする) He *is* always *finding fault with* others. // 彼はいつも課長を*けなしてばかりいる He *is* constantly *running down* his boss.

ケナフ 〔植〕 kenaf /kənǽf/ Ⓤ.

けなみ 毛並 **毛並がよい** ¶あの犬は*毛並がよい That dog *has a fine coat of hair*. // 彼女は*毛並がよい (⇒名家の出である) She is a girl *of good* ⌈*family* [*stock*]. / She comes ⌈*from* [*of*] a *good family*. 《☞ いえがら》

げなん 下男 manservant Ⓒ 《複 menservants》.

げに ☞ じつに

ケニア ―名 固 Kenya /kénjə/; (正式名; ケニア共和国) the Republic of Kenya ★アフリカ東部, 赤道直下の共和国. ―形 (ケニアの) Kenyan. **ケニア人** Kenyan Ⓒ.

けぬき 毛抜き (hair) tweezers ★複数形で用いる. 数えるときは a pair of tweezers.

ケネス (男性の名) Kenneth /kénɪθ/ ★愛称形は Ken, Kenny, Kennie.

げねつ 解熱 ―動 (解熱する) remove *a person's* fever. **解熱剤** medicine for fever Ⓒ; 〔薬〕 antipyretic /æ̀ntɪpaɪrétɪk/ Ⓒ **解熱鎮痛剤** 〔薬〕 antipyretic-analgesic Ⓒ.

ケネディ ―名 固 (ジョン F. ～) John Fitzgerald Kennedy, 1917–63. ★米国第35代大統領. 愛称は Jack, 略称は JFK; (ロバート ～) Robert Francis Kennedy, 1925–68. ★米国の政治家, John F. の弟. 愛称は Bobby; (エドワード ～) Edward Moore Kennedy, 1932– . ★米国の政治家, John F., Robert の弟. 愛称は Ted.

ケネディうちゅうセンター ケネディ宇宙センター ―名 固 Kennedy Space Center.

ケネディこくさいくうこう ケネディ国際空港 ☞ ジョンエフケネディこくさいくうこう

ゲネプロ (総稽古) dress rehearsal Ⓒ ★「ゲネプロ」はドイツ語 Generalprobe から.

けねん 懸念 ―名 (不安・恐れ) fear Ⓤ; (将来に対する強い不安・心配) anxiety /æŋzáɪəti/ Ⓤ ★やや格式ばった語. 具体的なものを指すときには Ⓒ. ―動 fear ⑩; be anxious /ǽŋ(k)ʃəs/ (about …; for …); (心配する・悩む) worry (about …) ⓐ. 《☞ しんぱい (類義語); ふあん》.

ゲノム 〔生〕 genome /dʒíːnoum/ Ⓒ ★1個の細胞核を形成する最小限の遺伝子群を含む染色体の一組. **ゲノム科学** genome science Ⓤ **(ヒト)ゲノム計画** the (Human) Genome Project **ゲノム産業** the genome industry **ゲノム分析** 〔生〕 genome analysis Ⓤ.

けば 毛羽 (毛布・じゅうたんなどの短い毛) pile Ⓤ; (毛布などの柔らかい毛) fluff Ⓤ; (ラシャなどの) nap ★単数形で. ¶布を*けば立てる raise a *nap* on cloth // *けば立った布 cloth with a *nap*

げば 下馬 ―動 (下馬する) get off a horse.

ゲバ (実力行使) use of ⌈force [violence] Ⓤ ★ドイツ語 Gewalt から. 《☞ ゲバルト》. ¶内*ゲバ sectional *strife* among radical students **ゲバ学生** student ⌈radical [extremist] Ⓒ; radical [extremist] student Ⓒ **ゲバ棒** wooden club [metal pipe, etc.] (used as a weapon by violent demonstrators) Ⓒ.

けはい 気配 (徴候・形跡) sign Ⓒ 〔語法〕 主として否定語とともに用いる; (かなりはっきりした証拠のあ

る徴候) indication Ⓒ.
¶ 廊下に人の*気配がした (⇒ 私はだれかが廊下沿いに近づいてくると感じた) I ⌈*felt* [*sensed*] someone approaching along the hallway. // その家には人の*気配はなかった There were no *signs* of life in the house. 《☞ ひとけ》 // 天気は一向によくなる*気配はなかった The weather ⌈showed [gave] no ⌈*signs* [*indications*] of improving.

けばい (衣服などがはでではでしい) loud; (けばけばしくてセンスのない) gaudy. 《☞ けばけばしい; はで》.
¶ 彼は*けばいアロハシャツを買った He bought a ⌈*loud* [*gaudy*] aloha shirt. // 彼女は化粧が厚く*けばい She wears thick and *gaudy* make-up.

けはえぐすり 毛生え薬 hair restorer Ⓒ.

けばけばしい (俗っぽく派手である) gaudy; (見栄を張るような) showy; (安っぽく派手な) tawdry; (派手な色で安ぴかの) flashy. 《☞ はで》.
¶ 彼女はいつも*けばけばしい服を着ている She always wears *gaudy* clothes. // 部屋には*けばけばしい飾りがしてあった The room had *showy* decorations. // そのテーブルクロスには*けばけばしい刺しゅうがしてあった The tablecloth had *tawdry* embroidery.

けばだつ 毛羽立つ become fluffy. ¶ *毛羽立たせる make ... *fluffy* // *毛羽立った布きれ (a piece of) cloth covered with *fuzz*

げばひょう 下馬評 (うわさ) rumor Ⓒ; (個人的な事柄についてのうわさ) gossip Ⓒ. 《☞ うわさ》.

ゲバラ ── 名 固 Ernesto ("Che") Guevara /geɪváːrə/, 1928–67. ★ (　) 内は愛称. キューバ革命で活躍したアルゼンチン生まれの革命家.

けばり 毛鉤 (ártificial) flý Ⓒ.

ゲバルト (実力行使) use of ⌈force [violence] Ⓤ ★ドイツ語 Gewalt より.

げはん 下版 ── 動〘印〙(下版する) hand over forms to a plate maker.

けびいし 検非違使 〘史〙(京都の警護に当たった平安時代の官) imperial /ɪmpí(ə)riəl/ police (in ancient Japan) Ⓤ. ¶ *検非違使の別当 a chief (officer) of the *imperial police*

けびき 罫引き marking gauge /géɪdʒ/ Ⓒ.

げびた 下卑た (下品な) vulgar ; (低俗な) low; (みだらな) indecent. 《☞ げひん》.

けびょう 仮病 feigned [pretended] illness Ⓤ, sham sickness Ⓤ. 《☞ びょうき》. ¶ 彼は*仮病を使った (⇒ 病気のように見せかけた) He *pretended to be* ⌈*sick* [*ill*]. / He ⌈*feigned* [*shammed*] ⌈*sickness* [*illness*]. // 彼の病気は単なる*仮病だ His illness is a mere *sham*.

ケビン (男性の名) Kevin /kévɪn/ ★愛称は Kev.

げひん 下品 ── 形 (野卑な) vulgar; (粗野な) coarse; (みだらな) indécent. ── 名 vulgarity /vʌlgǽrəti/ Ⓤ; coarseness Ⓤ. 《☞ ていぞく; みだら な; げれつ》. ¶ 彼はよく*下品なしゃれをとばした He often cracked *vulgar* jokes. // *下品な言葉を使わないように気をつけなさい Be careful never to use ⌈*vulgar* [*coarse*; *bad*] language.

ケフェウスざ ケフェウス座 〘天〙 Cepheus /síːfiəs/ 《略 Cep》.

けぶかい 毛深い (人の体や体の部分に毛が多い) hairy, hirsute /hə́ːsuːt/ ★前者のほうが一般的な語; (犬が長い毛がもじゃもじゃ生えて) shaggy. 《☞ け》.
¶ 彼はとても*毛深い He is very *hairy*. // *毛深い犬 a *shaggy* dog

ケプラー ── 名 固 Johann(es) Kepler, 1571–1630. ★ドイツの天文学者. **ケプラー式望遠鏡** Keplerian /keplí(ə)riən/ telescope Ⓒ **ケプラーの法則** Kepler's laws ★通例複数形で.

けぶり 気振り ☞ けはい; そぶり

けぶる 煙る ☞ けむる

ケベック ── 名 固 Quebec /kwɪbék/ ★カナダ南東部の州およびその州都.

けぼうし 毛帽子 (毛を植えつけたもの) feather(ed) hat Ⓒ; (毛皮の) fur hat Ⓒ.

げぼく 下僕 manservant Ⓒ 《複 menservants》.

ゲマインシャフト (共同社会) community Ⓒ ★ドイツ語の Gemeinschaft から.

けまり 蹴鞠 *kemari* Ⓤ; (球蹴り) kick-ball Ⓤ; (説明的には) an ancient Japanese imperial court game in which players kick a ball in turns with the ⌈object [goal] of keeping it ⌈in the air [from touching the ground].

ケマルアタチュルク ── 名 固 Kemal Atatürk /kəmǽlǽtətə̀ːk/, 1881–1938. ★トルコ共和国初代大統領.

けまんそう 華鬘草 〘植〙 bleeding heart Ⓒ.

ケミカル ── 名 形 chemical ★ 名 はしばしば複数形で. **ケミカルアセスメント** chemical assessment Ⓤ **ケミカルシューズ** composition [imitation] leather shoes ★通例複数形で. 数えるときは a pair [two pairs] of 〜という. 《☞ くつ》. **ケミカルパルプ** 〘化〙 chemical pulp Ⓤ.

ケミストリー (化学) chemistry Ⓤ.

けむ 煙 けむに巻く mystify 他; (まごつかせる) bewilder 他. ¶ 彼にはすっかり*けむに巻かれた I found myself utterly *mystified* by his speech.

けむい 煙い ☞ けむたい

けむくじゃら 毛むくじゃら ── 形 (毛が多い) hairy; (犬が) shaggy. 《☞ けぶかい》. ¶ 彼は*毛むくじゃらの足をしている He has *hairy* legs.

けむし 毛虫 (háiry) cáterpillar Ⓒ 《☞ ちょう¹ (挿絵)》.

けむたい 煙たい **1** 《煙で息苦しい》: smoky 《☞ けむり; けむる》. **2** 《窮屈だ・近づきにくい》 ¶ 私は山田先生が*煙たい (⇒ 親しく話しかけにくい) I find Mr. Yamada ⌈*hard to talk to* [(⇒ 近づきがたい) *unapproachable*].

けむたがる 煙たがる (人に近づかない) keep *one's* distance from *a person*; (人を敬遠する) keep away from *a person*. 《☞ きがね》. ¶ 生徒たちは新任の先生を*煙たがった The students *kept away from* the new teacher. // 今度の課長は課員から*煙たがられている (⇒ 課員はいつも避けている) The staff ⌈*is* [*keeps*] *avoiding* the new ⌈section chief [head of the section].

けむり 煙 (物が燃えてできる) smoke Ⓤ; (においの強い) fumes ★通例複数形で.
¶ 一条の[もうもうたる]*煙 a wisp [clouds] of *smoke* // *煙を上げる[吐く] send up [emit] *smoke* // *煙に包まれる be enveloped in *smoke* // 部屋はたばこの*煙でいっぱいだった The room was ⌈full of [thick with] ⌈cigarette [tobacco] *smoke*. // 彼の葉巻の*煙は迷惑だった The *fumes* from his cigar annoyed us. // その煙突からは黒い*煙がもくもくと出ている The chimney is ⌈giving out [sending out; belching] thick black *smoke*. // 子どもたちはたき火の*煙にむせた The children were almost choked by the *smoke* of a bonfire. // 3人が*煙にまかれて死んだ Three people were suffocated to death by *smoke*. // 火のないところに*煙は立たない Where there's *smoke*, there's fire. 《ことわざ: 煙のあるところには火がある》
煙感知器 smoke ⌈detector [alarm] Ⓒ.

コロケーション
煙が漂う *smoke* ⌈floats [hovers] / 煙が立ち込める *smoke* hangs (over ...) / 煙がたなびく *smoke* drifts / 煙が昇る *smoke* ⌈goes up [rises; ascends] / 煙がもくもく立ち昇る *smoke* ⌈climbs

[rolls up] // 煙を吸う inhale *smoke* // 濃い煙 dense [thick] *smoke* / パイプ[たばこ]の煙 pipe [cigarette; tobacco] *smoke*

けむりだし 煙出し funnel /fʌ́nl/ Ⓒ《☞ えんとつ》.

けむる 煙る smoke ⓐ; (くすぶる) smolder (《英》 smoulder) ⓐ; (かすむ) look dim. 《☞ くすぶる》. ¶このストーブはひどく*煙る This stove *smokes* badly. // この石炭は*煙るだけで燃えない This coal only *smolders* and does not burn. // 山は春雨に*煙っていた The mountains ⌈*were* [*looked*] ⌈*dim* [*veiled*] in the spring rain.

げめん 外面 the outside. **外面如菩薩内面如夜叉** An angel ⌈without [on the outside], a devil ⌈within [on the inside].

けもの 獣 (比較的大きな四つ足獣) beast Ⓒ; (野獣) brute Ⓒ 〔語法〕 いずれも比喩的に用いられる場合が多い. その場合, brute のほうが意味が強い. 《☞ けだもの; やじゅう》. **けもの偏** (漢字の) animal radical on the left of kanji Ⓒ **けもの道** animal trail Ⓒ.

げや 下野 ━動 (官職をやめて民間人になる) retire from public life, resign one's ⌈office [position]; (公職を離れる) go out of [leave; resign] office; (野党になる) go out of [fall from] power. ¶メージャー首相は 1997 年に*下野した Prime Minister Major *resigned* from the government in 1997.

けやき 欅 〘植〙 zelkova /zélkəvə/ (tree) Ⓒ.

けやぶる 蹴破る break ... open by kicking; (けって開ける) kick ... open 〔語法〕 け破るを文字どおり表したのが前者で, 後者は単にけって開ける意味にもとれる. 《☞ ける》. ¶警官はドアを*け破った The police ⌈*broke* [*kicked*] the door *open*.

けら 螻蛄 〘昆〙 mole cricket Ⓒ.

ゲラ galley Ⓒ. **ゲラ刷り** galley proof Ⓒ.

けらい 家来 (雇われて仕える者) retainer Ⓒ ★ 昔使われた語; (ある人を信奉して従う者) follower Ⓒ; (手下) *one's* men ★ 通例複数形で.

げらく 下落 ━動 (値段などが) fall ⓐ, gò [còme] dówn ⓐ (↔ rise; gò [còme] úp); (急に下がる) drop ⓐ; (急降下する) plunge ⓐ, plummet. ━名 fall Ⓒ; drop Ⓒ. 《☞ ねさがり》. ¶外国為替市場でポンドが急に*下落した The pound (sterling) *fell* sharply [There was a sharp *fall* in the pound] on the foreign exchange market.

けらけら ¶*けらけら笑う cackle 《☞ わらう; 擬声・擬態語 (囲み)》

げらげら ¶彼は*げらげら笑った (⇒ 大きな声で笑った) He laughed *loudly*. / He *guffawed*. / (⇒ 大笑いした) He *had a good laugh*. // それを聞いてみんなが*げらげら笑った (⇒ それはみんなをどっと笑わせた) That provoked *a roar of laughter*. / That gave everybody *a good laugh*. 《☞ わらう; どっと; 擬声・擬態語 (囲み)》

ケラチン 〘生化〙 keratin /kérət(ə)n/ Ⓤ.

けり¹ ¶仕事に*けりがついた (⇒ 私は仕事を仕上げた) I *have finished* my work. // これでこの事件にも*けりがついた (⇒ これで終わりになった) This *brought* the matter *to* ⌈*an end* [*a close*]. / (⇒ 解決した) This *settled* the matter. // その議論にはなかなか*けりがつかなかった (⇒ どこまでも続いた) The argument *went on and on*. 《☞ けっちゃく; けつまつ; かいけつ¹》

けり² 蹴り kick Ⓒ 《☞ けとばす; ける》. ¶彼女は彼のひざに思い切り*蹴りを入れた She gave him a good *kick* on the knee. // 彼は腹に*蹴りを入れられた He ⌈received [got] a *kick* in the stomach.

けり³ 鳧 〘鳥〙 gray-headed lapwing Ⓒ.

げり 下痢 ━名 《米》 diarrhea /dàɪəríːə/ Ⓤ, 《英》 diarrhoea ★ 発音は同じ. ━動 suffer from diarrhea. 《☞ くだる》. **下痢止め** antidiarrheal medicine Ⓒ.

けりあげる 蹴り上げる kick ⓣ ⓐ 《☞ ける》. ¶彼は空中高くボールを*蹴り上げた He *kicked* the ball high in the air.

ケリー (女性・男性の名) Kelly.

ゲリマンダー ━名 (選挙区の自党に有利な改変) gerrymander /dʒérimæ̀ndə/ Ⓒ. ━動 gerrymander ⓣ.

ゲリラ guer(r)illa /gərílə/ Ⓒ ★ guerrilla は「ゲリラ部隊」(guerrilla band) の一員を指す. ¶4人の*ゲリラがジェット旅客機を乗っ取った Four *guerrillas* hijacked a jetliner. **ゲリラ戦** guerrilla warfare Ⓤ.

ける 蹴る kick ⓣ, give a kick. 《☞ けとばす; きょひ》. ¶彼はボールを*けった He *kicked* the ball. / He *gave* the ball *a kick*. // その国の代表は席を*けって会場を出た (⇒ 怒って突然出て行った) Representatives of that country *abruptly left* the auditorium *in anger*. // 会社側は我々の申し入れを*けった (⇒ 拒否した) The management *turned down* our proposal.

ゲル 〘化〙 gel /dʒél/ Ⓤ 《☞ ゾル》. **ゲルインク** gel ink Ⓤ.

ケルト ━名 (人) Celt /kélt/ Ⓒ; (民族) the Celts. ━形 Celtic. **ケルト語** Celtic Ⓤ.

ゲルニカ ━名 固 Guernica /gwéənɪkə/ ★ スペイン北部の町, スペイン内戦中, ドイツ空軍の爆撃で破壊された (1937); ピカソによる同名の絵.

ケルビム 〘聖〙 (天使) cherub /tʃérəb/ Ⓒ 《複 cherubim /tʃérəbìm/》.

ケルビン 〘理〙 kelvin Ⓒ 《記号 K》 ★ 絶対温度の単位.

ゲルマニア ━名 固 〘史〙 Germania /dʒə(ː)méɪniə/ ★ 古代ヨーロッパの地名.

ゲルマニウム 〘化〙 germanium /dʒə(ː)méɪniəm/ Ⓤ 《元素記号 Ge》.

ゲルマン ━形 Germanic /dʒə(ː)mǽnɪk/. **ゲルマン語(派)** Germanic Ⓤ. ¶東[西, 北]*ゲルマン語 (派) East [West; North] *Germanic* **ゲルマン民族** the Germanic peoples.

ケルン¹ (石塚) cairn /kéən/ Ⓒ ★ 登山用語.

ケルン² ━名 固 Cologne /kəlóʊn/ ★ ドイツ西部ライン川に臨む都市, ドイツ語名 Köln.

げれつ 下劣 ━形 (狭量で卑劣な) vile; (ずるくて低俗な) low; (利己的で低劣な) 《文》 base (↔ noble). 《☞ げひん; ていぞく; ひれつ》.

けれど(も) (しかし) but ... ★ 最も日常的で一般的; (しかしながら) however, ... 〔語法〕 (1) but よりやや改まった語. 文頭にも置かれるが, 文中に差しはさむことも多い; (それにもかかわらず) yet; (…だけれども) although ..., though ... 〔語法〕 (2) although は通例文頭に置かれ, やや改まった語. 《☞ しかし (類義語); だが; -が》. ¶彼はよく勉強した*けれども, 効果は上がらなかった He studied hard, *but* could not obtain good results. / *Though* [*Although*] he worked hard, he couldn't get satisfactory results. 〔語法〕 (3) but は前後の文を対等に結びつけ, その間に強調の差はないが, though, although に導かれる節は, 後に続く節に従属し, 後の文が強調されている. // 彼は最大の注意を払った*けれども, それでも間違えた He took the utmost care, *yet* (he) made a mistake.

けれん 外連 (人気取りの演技をすること) playing to the gallery; (見せびらかし) show-off Ⓒ; (ごまかし) trick Ⓒ. 《☞ はったり》. ¶彼は*けれん味のない (⇒ 気取り[きざなところ]のない) 男だ He is a man of

「unpretentious [unaffected] nature.
ゲレンデ (スキー場) slope Ⓒ 参考 日本語の「ゲレンデ」はドイツ語 Gelände から.
げろ ―動 puke ㊐, thrów úp ㊐, vómit ㊐ ★ 前のものほど口語的. 《☞ はく¹》. ¶*げろを吐きそうだ I *feel sick*.
ケロイド 〖医〗 ―名 keloid /kíːlɔɪd/ Ⓤ. ―形 (ケロイド状の) keloid.
けろけろ ¶かえるが*けろけろ鳴いている A frog *is croaking*. 《☞ 擬声・擬態語 (囲み)》
ケロシン (灯油) 《米》 kerosene /kérəsìːn/ Ⓤ 参考 《英》では paraffin (oil) Ⓤ. 《☞ とうゆ》. ケロシンランプ kérosene làmp Ⓒ.
けろりと ¶それは彼にとってショックだったに違いないが, 彼は*けろりとした顔をしていた (⇒ 彼はまるで何事も起こらなかったかのように(冷静に)見えた) It must have been a shock to him, but he *looked* (*calm*), *as if nothing had happened.* // だれかが彼に悪態をついたが, 彼は*けろりとした顔をしていた (⇒ それを気にかけていないように見えた) Somebody called him names, but he seemed *not to* 「*be bothered* [*mind*]. // 彼女の病気は*けろりと治った (⇒ すぐに治った) She 「got over [recovered from] her 「sickness [illness] *very quickly*. 《☞ へいき¹; 擬声・擬態語 (囲み)》
けわしい 険しい (坂・崖などが) steep, precípitous ★ 後者は格式ばった語; (厳しい) severe; (顔つきなどがいかめしくて) grim. ¶彼は*けわしい崖を登っていった He climbed (up) the *steep* cliff. // 彼女は*けわしい顔をして (⇒ 怒って) 私を見た She looked at me *angrily*.
けん¹ 件 (ことがら) matter Ⓒ; (事件) affair Ⓒ; (問題) problem Ⓒ; (題目) subject Ⓒ; (議題) item on the agenda Ⓒ. 《☞ こと¹ (類義語); もんだい (類義語)》.
¶私はその*件について彼に忠告した I gave him advice on the *matter*. // その*件はあなたにお任せします (⇒ その問題はあなたの決定に任せる) I'd like to leave the *problem* 「to you [for you to solve].
けん² 県 ―名 prefecture /príːfektʃə/ Ⓒ 語法 日本やフランスの県を英訳するときにのみ用い, 《英》《米》などの行政区画には用いない. ―形 prefectural /prɪféktʃərəl/. 《☞ けんりつ; とどうふけん》.
¶石川*県の県庁所在地はどこですか What is the capital city of Ishikawa *Prefecture*? 《☞ けんちょう¹》 // *県立高等学校 a *prefectural* high school 《☞ けんりつ》 **県営** ☞ 見出し **県下** in [throughout] the prefecture. ¶*県下の小学校 elementary schools *in the prefecture* // *県下全域にわたって暴風雨警報が出ている The whole area of *the prefecture* is under a storm warning. **県花** the prefectural flower **県外** (県外の[で]) outside the prefecture. ¶多くの人々が*県外からこの施設の視察に訪れる A lot of people come to see this facility from *outside the prefecture*. **県(議)会(議員)** ☞ けんぎかい (県議会議員) **県警** ☞ 見出し **県境** prefectural boundary Ⓒ. ¶埼玉県と千葉県の*県境 *the boundary between* Saitama and Chiba *Prefectures* **県史** prefectural history Ⓒ **県人** native of a prefecture Ⓒ. ¶彼は千葉*県人だ He *comes from* Chiba *Prefecture*. **県人会** *association of people from* ... Prefecture Ⓒ **県政** prefectural 「government [administration] Ⓒ. ¶*県政の刷新が必要だ We need to reform the *prefectural government*. **県勢** the state of the prefecture. ¶*県勢を調査する take a *prefectural census* **県税** prefectural 「tax [rates] ★ tax は Ⓒ. rates は複数形で用いる. **県大会** (スポーツの) prefectural 「meet [tournament] Ⓒ; (集会・会議の) prefectural 「conference [meeting] Ⓒ **県知事** ☞ 見出し **県庁** ☞ けんちょう¹ **県鳥** prefectural bird Ⓒ **県道** prefectural highway Ⓒ **県内** in [within] the prefecture. ¶*県内の病院 hospitals 「*in* [*within*] *the prefecture* **県民** ☞ 見出し **県有地** prefectural land Ⓤ **県有林** prefectural forest Ⓒ; prefectural wood Ⓒ ★ wood はしばしば複数形で用い, 特に《米》では複数形でも単数扱いとなる. **県立** ☞ 見出し
けん³ 圏 ¶共産*圏の国 a country in the Communist *bloc* // その国はいまだにイギリスの勢力*圏内にある (⇒ いまだにイギリスの影響を受けている) That country is still *under the influence of* Britain. 《☞ けんない¹; けんがい¹》 // 首都*圏 the metropolitan *area* // 南極*圏 the Antarctic *Circle*
けん⁴ 剣 (刀) sword /sɔ́əd/ Ⓒ; (サーベル) saber Ⓒ. ¶彼は*剣を抜いた He drew his *sword*.
けん⁵ 券 (切符) ticket Ⓒ; (切り取り式の切符) coupon Ⓒ. 《☞ きっぷ》.
けん⁶ 鍵 (ピアノ・タイプライターなどの) key Ⓒ 《☞ キー; けんばん》. ¶ピアノの*鍵をたたく (⇒ ピアノを弾く) *play* the piano // 88 *鍵のピアノ a piano with 88 *keys*
けん⁷ 険 ―名 (困難な[危険な]山道) difficult [dangerous; perilous] pass Ⓒ. ―形 (顔つきなどが険のある) stern; (言葉などが険のある) stinging. 《☞ けわしい》. ¶箱根の山は天下の*険と言われた Hakone was reputed to be the most *dangerous pass*. // *険のある言葉 *stinging* words
けん⁸ 腱 tendon Ⓒ. ¶アキレス*腱 Achilles' /əkíliːz/ *tendon*
けん⁹ 間 (長さの単位) *ken* ★ 単複同形; (説明的には) a traditional Japanese unit of length equivalent to 1.818 meters. ¶*間数 the 「length [breadth] in *ken* // 1 *間は 6 尺で約 6 フィートである A *ken* is equal to six *shaku*, or about six feet.
-けん¹ …軒 ¶この通りに新築の家が 5 *軒ある There are five new *houses* 「on [《英》 in] this street. 日英比較 日本語では, この「…軒」のほかに「…人」「…冊」「…個」のような個数詞を用いるが, 英語では物質・抽象名詞の場合を除いてはそれらに該当するものがないのが普通である. 《☞ 数の数え方 (囲み)》 // 彼は角を曲がって [角から] 3 *軒目に住んでいる He lives in the third *house* 「round [from] the corner. // 彼は私の 3 *軒先に住んでいる He lives three *doors* from 「me [my house]. // セールスマンは 1 *軒ずつ (⇒ ドアからドアへ) 歩き回った The salesman walked (「around [round]) *from door to door*.
-けん² …兼 ―前 (…付) cum /kʌ́m/ … ★ with の意. ¶首相*兼外相 the prime minister *and* foreign minister // 彼は画家*兼詩人だ He is both painter *and* poet. // 彼は社長*兼 (⇒ 社長と同時に) 雑用係だ He is the president of the company *and at the same time* a janitor. // 寝室*兼居間 (⇒ 居間付寝室) a bed-*cum*-sitting room / 《英》 a bed-sitting room 《☞ けんよう; かねる》
-けん³ …権 ¶所有*権 (the *right* of) ownership / proprietary [property] *rights* // 公民*権 civil *rights*
げん¹ 言 ¶彼の*言によればそんなことはありえない According to him [If he is right], it is unlikely to happen.
言を左右にする ¶彼は*言を左右にして (⇒ 何かと理由をつけて) 本当のことを言おうとしない He is avoiding (telling) the truth *on some pretext or other*.
言をまたない ¶政府がテロに屈してはならないことは*言をまたない (⇒ いうまでもない) *Needless to say*, [*It goes without saying* that] the government

must not give in to terrorism.

げん² 弦 (1本1本の) string Ⓒ; (弦楽器) the strings ★ the を付けて複数形で用いる; 〘数〙 chord Ⓒ. 《☞ ギター (挿絵); バイオリン (挿絵); えん³ (挿絵)》.

げん³ 元 **1** 《中国の》: (中国の貨幣単位) yuan /júːən/ Ⓒ; (蒙古王朝) the Yüan /júːən/ dynasty. **2** 《数学の》: (未知数) unknown Ⓒ; (集合の) element Ⓒ.

げん⁴ 舷 (船の側面) the side of a ship; (舷縁) gunwale /gʌ́n(ə)l/ Ⓒ.

げん⁵ 験 **1** 《効き目》 ☞ ききめ **2** 《縁起》 ¶*験をかつぐ (⇒ …が幸運をもたらすと信じる) believe … will bring good luck // *験直しをする (⇒ 悪運を幸運に変える私的儀式を行う) hold a private ceremony to *turn bad luck into good* (*luck*) 《☞ げんなおし》 // これは*験がいい (⇒ 幸運の前兆だ) This is a *sign* of good luck. / (⇒ 幸先がいい) This is a *lucky* start. 《☞ えんぎ²》

げん⁶ 厳 ― 形 (厳とした) stern; strict; severe. 《☞ きびしい (類義語); げんとして》. ¶彼女には*厳とした態度をとるべきだ You should take a *stern* attitude toward(s) her.

げん- 現… (現在の) present Ⓐ; (現職の) incúmbent Ⓐ, currently in office ★ 後者は説明的. (↔ former; ex-). 《☞ げんしょく¹》.
¶*現内閣 the *present* cabinet // *現総理の任期 the term of office of the *incumbent* Prime Minister

-げん …減 ¶収入が2割*減となった (⇒ 20%減った) My income *has* ˹*dropped* [*fallen*] (by) twenty percent. // 交通事故は昨年と比べて3割*減であった (⇒ 30%減少した) Traffic accidents *have decreased* (by) thirty percent this year (as) compared with last year. / There have been thirty percent *fewer* traffic accidents this year than last year. 《☞ げんしょう¹; へる¹》

けんあく 険悪 ― 形 (天気が崩れそうな) threatening; (荒れ模様の) stormy; (深刻な) serious; (緊張した) tense, strained. 《☞ あっか¹; きんぱく¹》.
¶空模様が*険悪になってきた The sky looks *threatening*. / The weather is getting *stormy*. // 両国の関係は*険悪になるばかりだ The relations between the two countries are ˹getting [becoming] ˹*tenser and tenser* [more and more *tense*; more and more *strained*]. // 2人の仲は*険悪になった (⇒ 2人の友情[関係]は崩壊の危険にさらされている) Their ˹friendship [relationship] is *in danger of falling apart*.

げんあつ 減圧 ― 名 decompression Ⓤ. ― 動 decompress ⑩. **減圧室** decompression chamber Ⓒ **減圧弁** reducing valve Ⓒ.

けんあつき 検圧器 pressure gauge Ⓒ; (気体の) manómeter Ⓒ.

けんあん¹ 懸案 pending ˹problem [question] Ⓒ. ¶それは長い間の*懸案だ It's a *lóng-stànding próblem*. // その問題はここ2, 3年*懸案となっている (⇒ この2, 3年未解決のままだ) The problem *has remained unresolved* for the past few years.

けんあん² 検案 〘法〙 (死体の) áutopsy Ⓒ 《☞ けんし¹》. **検案書** certificate of a postmortem examination Ⓒ.

げんあん 原案 (もとの計画) original plan Ⓒ; (提案) proposal Ⓒ. 《☞ あん¹》.
¶私は*原案に賛成します I support the *original plan*. // *原案どおり (⇒ 何の修正もなく) 可決された The *proposal* was approved ˹*without any revisions* [*unchanged*].

けんい 権威 (ある分野での権威のある人・物) authority Ⓒ; (専門家) éxpert Ⓒ. 《☞ いげん; たいか¹》. ¶親は子供に対してもはや昔のような*権威はない Parents no longer have the same *authority* over their children as in the past. // A博士は斯界の[電子工学の]*権威だ Dr. A is an *authority* ˹in this field [on electronics].
権威者 authority (on…) Ⓒ **権威主義** authòritárianìsm Ⓤ **権威筋** authoritative sources.

げんい 原意 original meaning Ⓒ.

けんいき 圏域 (影響力などが及ぶ範囲) sphere Ⓒ; (政治・経済的な) bloc Ⓒ. ¶私達の地域は大阪の経済*圏域にある Our area ˹is within [belongs to] the economic *bloc* of Osaka.

けんいざい 健胃剤 (消化または食欲増進などの) digestive [stomachic] medicine Ⓤ.

けんいん¹ 牽引 ― 動 (ロープや鎖などで車両を引っ張る) tow /tóʊ/ ⑩. ¶私は彼の車に*牽引してもらった I *was towed* by his car. **牽引車** 《米》 tow truck Ⓒ, 《米》 wrecker Ⓒ, 《英》 breakdown lorry Ⓒ. 《☞ レッカーしゃ》. **牽引療法** 〘医〙 traction therapy Ⓤ **牽引力** (車両を引く力) traction Ⓤ ★ 複合語で用いられることが多い; pulling ˹power [force] Ⓤ; (人を知的に引き付ける力) magnetism Ⓤ 《☞ しどう¹ (指導力); すいしん¹ (推進力)》.

けんいん² 検印 seal [stamp] (of approval) Ⓒ; (著者の) the seal of the author. 《☞ いん¹》. ¶書類に*検印を押す set [affix] a *seal* (*of approval*) to a document / put a *stamp* (*of approval*) to a document // 著者の*検印のある本 a book which bears the *seal* of the author

げんいん¹ 原因 (ある結果を生み出す) cause Ⓒ; (起源) órigin Ⓒ; (起こり) beginning Ⓒ 語法 (1) 以上2語は事故・事件とは限らず広い意味での起源をいう; (根源) root Ⓒ 語法 (2) 規模の大きい, 根の深い問題などについていう. 《☞ おこり¹》.
¶「事故の*原因は何ですか」「運転手の不注意らしいです」 "What was the *cause* of the accident?" "They say it was the careless driving." / (⇒「何が事故を起こしたか」「運転手が不注意な運転をしていたらしい」) "What *caused* the accident?" "The driver seems to have been driving carelessly." // 「火事の*原因は何ですか (⇒ 何が火事を起こしたか)」「たばこの火の不始末ですよ (⇒ たばこの吸いさしだ)」 "What *started* the fire?" "A cigarette butt." // その火事は*原因不明だ The *cause* of the fire is unknown. // けんかの*原因は何ですか (⇒ 彼らは何について口論しているのか) What are they quarreling about? / (⇒ どういう訳でけんかは始まったか) Why did they ˹*start* quarreling [*begin* to quarrel]? // 彼らの不満の*原因 (⇒ 理由) は給料が安いことだ The *reason* for their discontent is (their) low ˹pay [wages; salary]. // 問題の*原因は単純な誤解にある The *root* of the problem lies in a simple misunderstanding. / The problem ˹comes [arises; stems] from a simple misunderstanding.
原因療法 causal ˹treatment [therapy] Ⓤ.

― コロケーション ―
原因を明らかにする establish the *cause* / 原因を調査する investigate [look into] the *cause* of … / 原因をつきとめる identify the *cause* / 原因を…に帰す attribute [assign] the *cause* to … / 原因を見つける find [discover] the *cause* of … // 主な原因 a ˹chief [major] *cause* / 間接の原因 an indirect *cause* / 究明されていない原因 an unknown *cause* / 根底にある原因 an underlying *cause* / 根本的な原因 the ˹basic [fundamental] *cause* / 説明のつかない原因 an unaccountable *cause* / それらしい原因 a possible *cause* / 第一

次的な原因 the primary *cause* / 第二次的な原因 a secondary *cause* / 直接の原因 a direct [an immediate] *cause* / 根深い原因 a ⌈deep-rooted [deep-seated] *cause*

げんいん² 減員 —動 reduce [cut] ⌈the staff [personnel /pə̀ːsənél/], make staff cuts. 《☞ へらす》. ¶ 当局は職員を 1 割*減員することに決めた The authorities decided to *cut personnel* by 10 percent.

げんいん³ 現員 (現在の人数) the ⌈present [current] number of persons; (現在の職員) the present staff, the current personnel ★ 後者の方が事務的な表現.

けんうん 巻雲, 絹雲 〔気象〕cirrus /sírəs/ Ⓒ《複 cirri /-raɪ/》《☞ くも¹ (挿絵)》.

けんえい 県営 —形 (県の) prefèctural; (県が経営する) prefecture-run; (県が所有する) prefecture-owned. 《☞ けん²; けんりつ》. ¶ *県営グランド a ground *under prefectural management* // *県営の施設 *prefectural* [*prefecture-run*] facilities **県営競技場** prefectural (sports) arena Ⓒ **県営住宅** prefectural housing Ⓤ ★ 集合的に用いる. 個々の家は prefectural house Ⓒ, 団地は prefectural housing complex Ⓒ **県営(野)球場** prefectural ⌈baseball stadium [ballpark] Ⓒ.

げんえい 幻影 (幻) vision Ⓒ; (錯覚) illusion Ⓒ. 《☞ げんかく²; げんそう¹; もうそう¹》.

けんえき¹ 検疫 quarantine /kwɔ́ːrəntìːn/ Ⓤ. ¶ *検疫を受ける be put in *quarantine* **検疫官** quarantine officer **検疫港** quarantine port Ⓒ **検疫所** quarantine station Ⓒ **検疫船** quarantine ship Ⓒ **検疫伝染病** quarantinable infectious disease Ⓤ.

けんえき² 権益 (rights and) interests ★ 複数形で. ¶ 国家の*権益を守る protect the nation's *interests*

げんえき¹ 現役 ¶ 彼は*現役だ (⇒ 在職中である) He is *on active service*. // 彼は*現役の陸軍大佐だ He is a colonel *on* ⌈*active duty* [*the active list*]. // 彼はあと 2 年で*現役から退く (⇒ 退職する) He will retire (from ⌈*work* [*active service*]) in two years. // 「君は*現役で大学に入りましたか」「いいえ 2 年浪人しました」(⇒「君は高校卒業後すぐに大学に入ったか」「いいえ, 2 年後に入りました」) "Did you enter college *directly* ⌈*from* [*after* (*finishing*)] *high school*?" "No, two years after I graduated from high school."

げんえき² 原液 undiluted /ʌ̀ndaɪlúːtɪd/ solution Ⓤ.

げんえき³ 減益 decrease in profits Ⓒ.

けんえつ 検閲 —名 (手紙・出版物などの) censorship Ⓤ. —動 censor ⑩.
¶ *検閲を通る go through *censorship* // この雑誌は*検閲を受けた[受けなかった] This magazine *was* ⌈*censored* [*uncensored*]. // その本は*検閲に引っ掛かった (⇒ 検閲官により禁止された) The book *was banned by the censors*. // 手紙の*検閲は間もなく廃止された *Censorship* of letters was soon ⌈ended [lifted]. // 新聞の*検閲 press *censorship* // *検閲済みのフィルム *censored* film
検閲官[係] censor Ⓒ.

けんえん¹ 犬猿 ¶ 彼らは*犬猿の (⇒ 猫と犬の) 間柄だ They have a *cat-and-dog* relationship. / (⇒ 彼らはたいへん仲が悪い) They are *on very bad terms*.

けんえん² 嫌厭 —名 (いやがること) dislike Ⓤ; (強い嫌悪) disgust Ⓤ. —動 dislike ⑩; (ひどく嫌悪する) detest ⑩. 《☞ けんお; きらう》.

けんえん³ 倦厭 (倦怠) weariness Ⓤ; (退屈) boredom Ⓤ; (退屈して不満なこと) ennui /ɑːnwíː/ Ⓤ.

げんえん 減塩 —動 reduce the amount of salt. **減塩醤油** low-salt soy sauce Ⓤ **減塩食** low-salt diet Ⓒ.

けんえんけん 嫌煙権 the right to a smoke-free environment, the right to be free from others' smoke, the right to protection from (exposure to) tobacco smoke ★ いずれも説明的な訳.

けんお 嫌悪 —名 (憎み嫌うこと) hatred Ⓤ ★ しばしば a を付けて; (いやに思うこと) dislike Ⓒ ★ 前者のほうが意味が強い; (むかむかするような気持ち) disgust Ⓤ; (ぞっとするほどの)《格式》abhórrence Ⓤ. —動 dislike ⑩; hate ⑩; (ひどく嫌う) loathe ⑩ ★ この順に意味が強くなる; (軽蔑の意味をこめて) detest ⑩; disgust ⑩. 《☞ きらう (類義語)》.
¶ 彼はそれに強い*嫌悪の念を抱いている He *hates* it. ★ 口語的. 〔語 法〕 hate は「強い嫌悪」を意味するから普通「強い」に当たる副詞は付けない. / He has a *hatred for* it. / He has a ⌈strong [great] *dislike* ⌈*for* [*of*] it. // その話は私に*嫌悪感を抱かせる (⇒ その話は私をむかむかさせる) The story *makes* me *sick*. / The story *disgusts* me. // 自己*嫌悪 self-*hatred*

けんおん 検温 —動 take *a person's* temperature. **検温器** (clinical) thermómeter Ⓒ.

げんおん 原音 (元の音) the original sound; (原語の発音) the original pronunciation. ¶ テープレコーダーは*原音を忠実に再現した The tape recorder faithfully reproduced *the original sound*. // 君の発音は*原音と少し違う Your pronunciation is slightly different from *the original* (*one*).

けんか¹ 喧嘩 —名 (口げんか) quarrel Ⓒ; (口論) argument Ⓒ; (殴り合い・とっくみ合いのけんか) fight Ⓒ; (大騒ぎのけんか) brawl Ⓒ, 《略式》row /ráʊ/ Ⓒ. —動 quarrel (with ...) ⓐ; argue (with ...) ⓐ; fight (with ...) ⓐ; have a fight; have a quarrel 〔語 法〕 このほか 「けんか」 に当たる上の名詞はすべて have a ... の形で用いることができる.
【類義語】 口げんかで実力行使を伴わないものは **quarrel**. 言い争いは **argument**. 実力行使を伴う殴り合い, とっくみ合いは **fight** であるが, 実際に実力行使を伴わなくても, 激しいけんかは **fight** という. 酒場などでの騒々しい大げんかは **brawl**. 同じく騒々しいけんかだが, 夫婦げんかなどは **row** という. 《☞ こうろん¹; とっくみあい》 ¶ 私はきのう山田と*けんかをした I *had* ⌈*an argument* [*a fight*] *with* Yamada yesterday. / I ⌈*argued* [*fought*] *with* Yamada yesterday. // 彼は*けんかが強い[弱い] He usually gets the ⌈best [worst] of a *fight*. // 私は妹とお菓子を取り合って*けんかした I *quarreled with* my sister over a piece of cake. // 彼らはその金をどう分けるかで互いに*けんかした They ⌈*quarreled* [*fought*] *with* each other ⌈about [over] how to divide the money. // 彼らは何で*けんかをしているのですか (⇒ なぜ) Why *are* they ⌈*quarreling* [*fighting*]? / (⇒ 原因は何だったのか) What was the cause of the ⌈*quarrel* [*fight*]? / (⇒ 何についてけんかしているのか) What *are* they ⌈*quarreling* [*fighting*] ⌈about [over]? // あの家では夫婦*げんかが絶えない (⇒ あの夫婦はいつもけんかしている) That couple *are* always *having rows*. 〔語 法〕 文法的には is が正しいとされるが, 口語ではしばしば are が用いられる. // その口論は大*げんかに発展した The quarrel developed into a noisy *brawl*. // *けんかはやめなさい Stop *fighting*! / Break it up! // 私は*けんかの仲裁に入った I tried to ⌈stop [settle] the *quarrel*. // *けんか両成敗だ In *quarrels* both ⌈sides [parties] are equally to blame. / (⇒ どちらにも責

任がある) It takes two to tango. 《ことわざ: タンゴを踊るには 2 人必要》 // *けんか好きな人 a *quarrelsome* [an *argumentative*] person

喧嘩を売る start [pick] a ˹fight [quarrel] 《☞ うる[1] 4》. ¶ 彼が*けんかを売ってきたので買ってやった He tried to *pick* a *fight* with me, so I took him on.

喧嘩を買う take up a ˹fight [quarrel].

喧嘩腰 (反抗的·挑戦的な) defiant; (好戦的な) belligerent; (けんか好きの) quarrelsome. ¶ 彼は*けんか腰になった (⇒ 挑戦的な態度をとった) He took a *defiant attitude*. **喧嘩早い** ¶ 彼は*けんか早い (⇒ けんかを始めるのが早い) He is *quick to start a quarrel*. **喧嘩四つ** *kenka yotsu* Ⓤ; (説明的には) a bout between two sumo wrestlers, both of whom struggle to seize an underarm belt grip on the same side. **喧嘩別れ** ¶ 二人は*けんか別れした (⇒ 腹を立てて別れた) The couple *parted in anger*.

コロケーション

けんかの相手になる take up a ˹*quarrel* [*fight*] / けんかをさらに激化させる aggravate a ˹*quarrel* [*fight*] / けんかを…のせいにする blame a *quarrel* on … / けんかを始める start a ˹*quarrel* [*fight*] / けんかを引き起こす cause [stir up; provoke] a ˹*quarrel* [*fight*] / けんかを止めて仲直りする end a ˹*quarrel* [*fight*]; patch up a *quarrel*; make up // 大げんか a furious ˹*quarrel* [*fight*] / 子供の[大人げない]けんか a children's *quarrel* / 取っ組み合いのけんか a hand-to-hand *fight* / 殴り合いのけんか a *fistfight* / 激しいけんか a ˹violent [fierce] ˹*quarrel* [*fight*] / 夫婦げんか domestic ˹*quarrel* [*fight*]

けんか[2] 献花 — 名 floral tribute Ⓒ. — 動 (死者の霊に花をささげる) offer flowers to the spirit of the deceased; (…の墓に花輪[花]を置く) lay ˹a wreath [flowers] on the tomb of …

けんか[3] 県花 ☞ けん[2] (県花)

けんか[4] 堅果 nut Ⓒ.

けんか[5] 鹸化 — 名 〘化〙 sapònificátion Ⓤ. — 動 (鹸化する) sapónifỳ ⑯.

げんか[1] 原価 cost (price) Ⓒ. ¶ *原価で売る sell at *cost* // *原価を割って売る sell below *cost* **原価管理** cost management Ⓤ **原価計画** cost planning Ⓤ **原価計算** cost accounting Ⓤ **原価主義** the cost principle Ⓤ.

げんか[2] 言下 ¶ *言下に (⇒ 即座に) 答える[断わる] answer [reject] *promptly* // *言下に (⇒ きっぱり) 否定する deny *flatly*

げんか[3] 現価 (現在の価格) current price Ⓒ; (売価) selling price Ⓒ.

げんか[4] 減価 (価値をへらすこと) depreciation Ⓤ; (値引き) discounting Ⓤ. **減価償却** 〘経〙 depreciation Ⓤ **減価償却準備金** depreciation reserves **減価償却費** depreciation ˹expense [cost] Ⓒ.

げんが 原画 (複製でないもとの絵) original (picture) Ⓒ (↔ réplica, copy).

けんかい[1] 見解 (意見) opinion Ⓒ; (物の見方) view Ⓒ. 《☞ いけん[1] (類義語)》.

¶ それは*見解の相違だ (⇒ それは単に意見の違いに過ぎない) That's a mere difference of *opinion*. // 彼と私とでは*見解を異にする He and I have different ˹*opinions* [*views*]. // A 氏と B 氏はその点では*見解が一致している Mr. A and Mr. B hold the same ˹*opinion* [*view*] on that point. // この問題については皆の*見解はまちまちである (People's) *opinions* are divided on this matter.

けんかい[2] 県会 ☞ けんぎかい

けんがい[1] 圏外 ¶ その地方はローマ帝国の勢力*圏外にあった The district was *beyond the sphere of* influence of the Roman Empire. / The district was *outside the* Roman Empire's *sphere* of influence. // 彼は(選挙で)当選*圏外です (⇒ いまや彼が当選する見込みがない) Now there's *no chance* ˹for him to be [of his being] elected. // この地域は携帯電話の*圏外です This area is *outside* cellphone *service range*. 《☞ けんない[1]》

けんがい[2] 懸崖 overhanging cliff Ⓒ.

¶ *懸崖作りの菊 a *cascáde* chrysánthemum

けんがい[3] 県外 ☞ けん[2] (県外)

げんかい[1] 限界 (それ以上超えられない限度) limit Ⓒ ★ しばしば複数形で; (能力などの) limitations ★ 通例複数形で; (境界線を持っている限界) bounds ★ 通例複数形で. 《☞ げんど; かぎり》.

¶ *限界を置く[設ける] set *limits* (to …) // 私は自分の力の*限界は知っています I know my *limitations*. / I know the *limit(s)* of my ˹power [strength]. // それは私の能力の*限界を超えている It's *beyond* me. 語法 次の例文より口語的. やや軽く「私にはとてもできない」というような感じ. / It's *beyond* my ability. // それは人間の知識の*限界を超えている It exceeds the *bounds* of human knowledge. // もう体力の*限界です (⇒ すっかり疲れた) I am ˹*utterly* [*absolutely*; *completely*] exhausted.

限界応力 〘物理〙 ultimate stress Ⓤ **限界ゲージ** 〘機〙 limit ˹gauge [《米》 gage] Ⓒ **限界効用** marginal utility Ⓤ **限界状況** critical situation Ⓒ.

げんかい[2] 厳戒 ¶ *厳戒態勢をとる keep [be on] *strict guard* (against …)

げんがい 言外 ¶ 彼は辞意を*言外にほのめかした He *hinted at* his resignation. / He *hinted that* he would resign. // *言外の意味を読み取らなければならない (⇒ 行間を読む) You have to *read between the lines*. 《☞ ふくみ; ほのめかす》

けんかいぎいん 県会議員 ☞ けんぎかい (県議会議員)

けんかく 剣客 swordsman Ⓒ 《複 -men》.

けんがく[1] 見学 (校外見学) field trip Ⓒ.

¶ 我々のクラスはきのう工場の*見学に行ってきた Our class went on a *field trip* to a factory yesterday. / Our class made a *study visit* to a factory yesterday. // 「校内を*見学させていただいてよいでしょうか (⇒ 見て回ってもよいか)」「ええ, どうぞ」"May I *look around* the campus?" "Certainly." // *見学の方はここへ名前をお書き下さい Will [Would] *visitors* please register their names here? ★ 後者は丁寧な言い方. // 足をけがしたので体育の授業を*見学した (⇒ 体操を免除された) I injured my leg, so I *was excused from* the exercises in the ˹gym [physical education] class.

見学者 visitor Ⓒ **見学旅行** trip of inspection Ⓒ; (学生の) study trip Ⓒ.

けんがく[2] 建学 the founding of a school.

¶ *建学の精神 the *founding* spirit *of a school*

げんかく[1] 厳格 — 形 (規則に忠実で妥協を許さない) strict; (非常に厳しくて柔かさが感じられない) severe; (威圧感があって怖いような) stern; (精確無比ではりつめた感じの) rígorous. 《☞ きびしい (類義語)》.

¶ 田中先生はとても*厳格な先生だ Mr. Tanaka is a very ˹*strict* [*severe*; *stern*; *rigorous*] teacher. 語法 a *strict* teacher が最も普通の言い方で, a *severe* teacher は多少冷酷な感じの先生, a *stern* teacher は性格的に怖い先生, a *rigorous* teacher は勉強に非常にうるさい先生という含みを感じさせる. // この学校の規則はとても*厳格だ The rules of this school are very *strict*. // 彼は*厳格な父親のもとで

厳しくしつけられた He was ⌈severely [harshly] disciplined by a *stern* father.

げんかく² 幻覚 hallucination /həlùːsənéɪʃən/ Ⓒ. ¶ 彼は*幻覚に襲われた He had a *hallucination.* **幻覚剤** hallucinogenic /həlúːsənoudʒènɪk/ drúg Ⓒ, hallucinogen /həlúːsənədʒən/ Ⓒ **幻覚症状** hallucinosis /həlùːsənóusɪs/ Ⓤ.

げんがく¹ 弦楽 string music Ⓤ (☞ げんがっき). ¶ *弦楽合奏 a *string* ensemble **弦楽四[五]重奏** string ⌈quartet [quintet] Ⓒ. 語法 「楽団」,「演奏の形式」,「作品」のいずれの意味にも用いられる.

げんがく² 減額 ―動 (減らす) reduce ⑩; (費用などの一部を削る) cut (down) ⑩, cut down on … ―名 reduction Ⓒ; cut Ⓒ. (☞ さくげん; けずる).

げんがく³ 衒学 ―名 pedantry Ⓤ. ―形 (衒学的な) pedantic. **衒学者** pedant Ⓒ.

げんかくせいぶつ 原核生物 〘生〙 prokaryote, procaryote /proukǽriòut/ Ⓒ.

けんかごし 喧嘩腰 ☞ けんか¹ (喧嘩腰)

げんがっき 弦楽器 stringed instrument Ⓒ; (オーケストラの弦楽器部門) the strings.

けんがみね 剣が峰 (絶壁などの端) brink Ⓒ ★ 比喩的に瀬戸際の意味でも用いられる; (土俵の) the rim of the ring . ¶ 彼らは今*剣が峰に立たされている (⇒ 最悪の状況にある) They are now in a *desperate situation.*

けんがん¹ 検眼 eye [sight] test Ⓒ; eye examination Ⓒ. ¶ その眼科医院で*検眼してもらった I *had my eyes* ⌈*examined* [*tested*] at the eye doctor's. (☞ しりょく¹ 日英比較) **検眼鏡** ophthalmoscope /ɑfθǽlməskòup/ Ⓒ.

けんがん² 献眼 eye donation Ⓤ.

げんかん¹ 玄関 (正面の出入口) (front) door Ⓒ; (家の入口から外に突き出た屋根のある所) (英) porch Ⓒ; (入口から入ってすぐの所) hall Ⓒ; (入口) entrance Ⓒ. 日英比較 伝統的な日本家屋では玄関には土間があり, 一つの間のようになっているが, 英米の家屋では戸 (普通内側に開く) を開けるとすぐ廊下, あるいは居間というような構造になっている. (☞ いりぐち; とぐち; あがりぐち). ¶ *玄関のところにだれかがいる There's someone at the (*front*) *door.* // *玄関から出入りして下さい Please use the *front door* only. // 帽子とコートは*玄関に置いて下さい Please leave your hat and overcoat in the *hall.* // 成田空港は日本の*玄関だ Narita Airport is the *gateway to* Japan. **玄関先** ¶ *玄関先まで来客を送る see the guest off ⌈*at the entrance* [*outside the front door*] **玄関払い** ¶ 私は彼の家へ行ったが*玄関払いを食った (⇒ 戸口で追い帰された[面前でドアを閉められた]) I went to his house but ⌈*was turned away at the door* [*the door was shut in my face*]. **玄関番** doorkeeper Ⓒ.

げんかん² 厳寒 intense [severe] cold Ⓤ.

げんかんさりょうほう 減感作療法 〘医〙 hyposensitization [desensitization] therapy Ⓤ.

けんき 嫌忌 ☞ けんお

けんぎ¹ 嫌疑 ―名 suspicion Ⓤ ★ 具体的に「怪しい点」を指すときは Ⓒ. ―動 (嫌疑をかける) suspéct ⑩. (☞ うたがい; ようぎ; ぎわく). ¶ いったん受けた*嫌疑を晴らすのはたいへんだ Once you come under *suspicion*, it's not easy to clear yourself. // 証拠もないのに人に*嫌疑をかけてはいけない (⇒ 証拠があるのでなければ人を疑ってはいけない) Don't *suspect* a person unless you have evidence.

けんぎ² 建議 ―動 (積極的に) propose ⑩; (やや控えめに) suggest ⑩. ―名 proposal Ⓒ; suggestion Ⓒ. (☞ ていあん). **建議書** recommendation Ⓒ.

けんぎ³ 県議 ☞ けんぎかい (県議会議員)

げんき¹ 元気 ―形 (達者で変わりのない) fine Ⓟ, well Ⓟ, all right Ⓟ, OK Ⓟ 語法 (1) 以上はいずれも口語的であり, ほぼ同意だが, OK が最もくだけた表現. OK は O.K. とも okay とも書く. また well は (米) では Ⓐ として用いることもある. (☞ 形容詞の2用法 (巻末)); (健康な) healthy; (機嫌がよく明るい感じの) cheerful; (活発で軽やかであり陽気な) lively /láɪvli/; (威勢のよい・上機嫌の) high-spirited (↔ low-spirited), in high spirits (↔ in low spirits) 語法 (2) 後者では常に複数形で用いる; (元気旺盛ではつらつとした) vígorous, full of vigor Ⓟ; (精力的な) ènergétic; (活動的で元気な) active; (老人などがかくしゃくとした) hale and hearty ★ 古風な表現. ―動 (病気が治る) get well ⓐ; (前の状態よりよくなる) get better ⓐ; (疲れなどをとって元気にする) refresh ⑩; (回復する) recover (from …) ⓐ; (しおれていたり, 活気のなかったものが生き返る) revive ⓐ ★ やや改まった語; (元気を出す・陽気になる) chéer úp ⓐ ★ ⑩ として「元気を出させる」という意味にも用いる; (元気づける・励ます) encourage ⑩. ―名 (気力) spirits ★ 複数形で; (活力) vigor ((英) vigour) Ⓤ; (精力) énergy Ⓤ. (☞ じょうぶ¹; けんこう¹; けんざい¹).

¶「お*元気ですか」「ええ, *元気です. あなたは」"How are you?" "*Fine* [*Pretty good*; *Not bad*; *All right*; *OK*]. How are you?" 語法 (3) 最初の How are you? は How áre you? でも How are yóu? でもよいが, 相手に聞き返すときは「あなたは」という意味をこめて必ず How are yóu? となる. 答えでは Fine. が最も普通で, All right. や OK. はくだけた言い方. また, 格式ばって丁寧に言うときは Thank you. を添える. なお, 少々健康がすぐれなくても, 普通は「元気です」と答えるのが礼儀になっている. //「ご家族はお*元気ですか」「ええ, おかげさまでみな*元気です」"How's your family?" "They're all ⌈*fine* [*well*], thank you." //「彼は病気ですか」「いいえ, *元気ですよ (⇒ 健康だ)」"Is he ⌈sick [ill]?" "No, he's ⌈quite *healthy* [in *good health*]." //「おかげんはいかがですか」「きょうは少し*元気になりました」"How do you feel?" "I feel a bit *better* today." ★ 病人に病状を尋ねるときのやりとり. // 彼はすっかり*元気になりました (⇒ 病気から回復した) He *has* completely *recovered from his illness.* // 病人はすぐ*元気になりますよ The patient will soon *get well.* // 彼は年の割になかなか*元気だ He is *hale and hearty* for his age. // 彼は*元気がいい He's ⌈*in high spirits* [*high-spirited*]. ★ 前者は一時的な状態を, 後者は性格を表す. / (⇒ 精力的な人だ) He's an *energetic* man. // 彼女は*元気がない She's ⌈*feeling low* [*in low spirits*]. / (⇒ 落胆している) She is *depressed.* // *元気を出せ (⇒ もっと陽気になれ) *Cheer up!* // 水をやったらその植物は*元気を取り戻した (⇒ 生き返った) I watered the plant, and it *revived.* // ひと風呂浴びたら*元気になりました (⇒ 入浴が私を元気にした) A bath *refreshed* me. / I *refreshed myself* with a bath. // 私は彼女の言葉に大いに*元気づけられました Her words were a great *encouragement* to me. / (⇒ 彼女の言葉は私を元気づけた) Her words *gave* me *a boost.*

げんき² 原器 (度量衡の) standard Ⓒ. ¶ メートル*原器 a *standard* meter *measure*

げんき³ 原基 〘生〙 (未分化の細胞群) rudiment Ⓒ; (特に胎芽の) anlage /áːnlɑːgə/ Ⓒ (複 anlagen /-gən/).

げんぎ 原義 the original meaning.

けんぎかい 県議会 prefectural assembly Ⓒ. **県議会議員** member of ⌈the [a] prefectural assembly Ⓒ **県議会議長** the chair(person) of ⌈the [a] prefectural assembly.

けんきせいさいきん 嫌気性細菌 〘生〙anaerobic bacteria /ænəróubɪk bæktí(ə)riə/ ★ 複数形. 単数形は bacterium だが, ふつう複数形で用いる.

けんきゃく[1] 健脚 ¶ 彼は*健脚だ (⇒ 彼はよく歩く人だ) He is *a good walker*. / (⇒ 歩くのが達者だ) He is *strong in walking*. // *健脚を競う vie [compete] with one another in「*leg strength* [*strength of the legs*] // *健脚を誇る be proud of the「*leg strength* [*strength of the legs*]

けんきゃく[2] 剣客 (刀の) swordsman《複 -men》Ⓒ; (フェンシングの) fencer Ⓒ.

げんきゃく 減却 ☞ げんしょう[1]

けんきゅう 研究 ── 動 study ⑯ ★ 一般的な語で, 以下の語の代わりにも使える場合が多い; (学術的な研究をする) research (into …) ⓐ, do [carry out; conduct] (some) research; (調査に基づく研究) invéstigàte ⑯. ── 名 study Ⓒ; research Ⓤ; invèstigátion Ⓤ.

¶ 僕は医学の*研究をするつもりです I intend to *study* medicine. // 蝶に関する彼の*研究は有名だ His *studies* on butterflies are well-known. // その問題はいま*研究中です The problem is now under *investigation*. // それをどうやって実行に移すか*研究してみよう Let's「*look into* [*investigate*] how to put that into practice. // 彼はいま原子力の*研究に取り組んでいる He *is* at present「*doing research work* on [*researching* into] atomic energy. // 最近の*研究 a recent *study* // 的確な*研究 a precise *study* // 綿密な*研究 a close *study*

研究員 researcher Ⓒ; research fellow Ⓒ **研究科** graduate [《英》postgraduate] course Ⓒ **研究会** society for the「study [research] (of …) Ⓒ; (定例の) study group Ⓒ **研究開発** research and development《略 R&D》 **研究課題** research task Ⓒ **研究活動** research activities **研究室** study room Ⓒ; (大学の) office Ⓒ; (理工学の) láboratòry Ⓒ **研究者** researcher Ⓒ, scholar Ⓒ, student Ⓒ ★ この意味では古風な言い方. **研究集会** workshop Ⓒ **研究授業** demonstration [example; model] lesson Ⓒ **研究所** research「institute [laboratory; center] Ⓒ **研究職** scholarly profession Ⓒ **研究助成金** research grant Ⓒ **研究資料** research「materials [data] ★ 複数形で. **研究心** the spirit of「study [inquiry]; inquiring mind Ⓒ. ¶ 彼は*研究心に富む (⇒ 研究に熱心だ) He is keen on his *studies*. **研究生** research「student [worker] Ⓒ **研究成果** result [outcome] of「study [research] Ⓒ ★ しばしば複数形で. **研究団体** research「organization [body] Ⓒ **研究発表** ── 動 (学会などで) present a paper; (…について説明する) give a presentation on … ── 名 presentation (of the results of *one's*「study [research]) Ⓒ 〔語法〕( ) 内を付けるときは the が付く. **研究発表会** meeting for reading research papers Ⓒ **研究費** (資金) research funds; (費用) research expenses **研究報告** report of (*one's*) research Ⓒ; (報告書) research paper Ⓒ **研究(用原子)炉** research reactor Ⓒ **研究領域** research area Ⓒ **研究論文** (一般に) (research) paper Ⓒ; (学術論文) treatise Ⓒ. 《☞ ろんぶん》.

コロケーション

一層突っ込んだ研究 a further *study* / 科学的な研究 a scientific *study* / 詳しい研究 a detailed *study* / 高度な研究 an advanced *study* / 実験 [予備] 的な研究 an experimental [a pilot] *study* / 充分な研究 a full *study* / 精緻な研究 an accurate *study* / 徹底的な研究 an「exhaustive [in-depth; thorough] *study* / 深い研究 a「deep [profound] *study* / 包括的な研究 a comprehensive *study*

げんきゅう[1] 言及 ── 名 (引き合いに出すこと) reference Ⓤ; (偶然話題に出すこと) mention Ⓤ ★ いずれも具体的な例の場合は Ⓒ. ── 動 refer to …; mention ⑯; make reference to … 《☞ ふれる[1]》.

¶ この本はギリシャ思想について多少*言及している This book makes a few *references* to Greek thought. // 講師はたまたま私の友人の名前に*言及した The speaker incidentally *mentioned* the name of my friend. // 上に*言及した用語について説明しましょう I will explain the above-*mentioned* term.

げんきゅう[2] 原級 (元の同じクラス) the same class; 〘文法〙 the positive degree. ¶ *原級に留まる stay in *the same class* / (⇒ 1 年遅れる) stay behind a year

げんきゅう[3] 減給 salary [wage] reduction Ⓒ, pay cut Ⓒ ★ 後者のほうがくだけた言い方. **減給処分** penalty salary「reduction [cut] Ⓒ, penalty pay cut Ⓒ.

けんぎゅう(せい) 牽牛(星) 〘天〙 Altair /æltáɪə/ 《☞ せいざ[1] (表)》.

けんきょ[1] 謙虚 ── 形 (謙遜(けんそん)で慎み深く, 威張らない) módest; (自分を卑下して控えめな) humble. ── 名 modesty Ⓤ; humbleness; (謙遜) humility Ⓤ. 《☞ けんそん; ひかえめ; つつしみ》.

¶ 彼は自分の業績に対していつも*謙虚です He is always *modest* about his achievements. // 彼はだれに対しても*謙虚だ He is *humble* in his dealings with everyone.

けんきょ[2] 検挙 ── 動 (逮捕する) arrest ⑯; (いっせいに検挙する) róund úp ⑯. ── 名 arrest Ⓒ; róundùp Ⓒ. 《☞ たいほ[1]》. ¶ 麻薬常用者が大量に*検挙された A large number of drug addicts *were arrested*. / The police *rounded up* a large number of drug addicts.

けんきょう[1] 堅強 ── 形 tough and strong.

けんきょう[2] 県境 ☞ けん[2] (県境)

けんぎょう 兼業 ¶ 彼の家はレストランと食料品店を*兼業している (⇒ 彼は両方を経営している) He *runs both* a restaurant *and* a grocery store. 《☞ かけもち》.

兼業農家 (第一種兼業農家) farmer with a side job Ⓒ; (第二種兼業農家) person doing farming on the side Ⓒ. ¶ 私の家は*兼業農家です (⇒ 副業として農業をしている) We *do farming*「*as a side job* [*on the side*]. / (⇒ 農業の他に別の仕事をしている) We *do another job on the side besides* farming.

げんきょう[1] 元凶 (諸悪の根源) the root of all evil; (主な原因) the main cause.

げんきょう[2] 現況 the present「condition [situation]《☞ げんじょう[1]》.

げんぎょう 現業 (事務でない仕事) nonclerical /nánklèrɪk(ə)l/ work Ⓤ. **現業員** nonclerical worker Ⓒ **現業(官)庁** government agency engaged in「manufacture [manufacturing] Ⓒ.

けんきょうふかい 牽強付会 ── 形 (解釈などがこじつけの) strained; (無理やりの) forced; (不自然な) labored. ¶ 君の論はいささか*牽強付会の気味があるな Your argument sounds rather *strained*.

げんきょく 原曲 (元の作品) the original piece (of music). ¶ この歌の*原曲はスコットランド民謡です (⇒ この歌はスコットランド民謡から改作された) This song was adapted from a Scottish folk song.

けんきん 献金 ── 名 (公共の目的などの) contribution Ⓒ ★ 一般的な語; (慈善事業・宗教的, 社会的目的の) donation Ⓒ; (教会などでの) collection Ⓒ ★ 集める立場から見たとき; offering Ⓒ ★ 出す立場から見たとき. ── 動 give (money) to …; contríbute (to …) ⓐ; donate (to …) ⓐ ★ 以上 2 語は ⓗ の用法もある. 《☞ きふ¹》.
¶ 政治*献金 political *contribution*
献金箱 contribution [collection] box Ⓒ.

げんきん¹ 現金 **1** «そのままで通用する金»: (硬貨・紙幣) cash Ⓤ ★ カード・小切手などに対して hard cash ともいう; (即座に払える金) ready ⌈money [cash] Ⓤ. 《☞ かね¹》. ¶ *現金でお願いします (⇒ 現金で払って下さい) Please pay *in cash.* // *現金の持ち合わせがない I don't have any ⌈*cash* [*money*] on me. / I'm out of *cash.* // このテレビは*現金で買いました I paid *cash* for this TV (set). // *現金で 1 万円払ってあとは分割払いにした I put down ten-thousand yen in *cash* and arranged to pay the balance in installments. 語法 put down は頭金を払うこと. // この小切手を*現金にしたいのですが I'd like to *cash* this ⌈check [《英》 cheque]. // *現金贈与の汚職 a *cash*-for-favors scandal
2 «利害に敏感な» ── 形 (損得を計算する) cálculàting; (利己的な) selfish. 《☞ ドライ》. ¶ 彼は*現金だ He is a *calculating* man.
現金書留 registered mail for sending cash Ⓤ 参考 英米では普通の書留に現金も入れられるので特にこのように呼ばれる制度はない. 現金勘定 cash account Ⓒ 現金決済 〔商〕 cash settlement Ⓤ 現金残高 〔商〕 cash balance ★ 単数形で. 現金資産 〔商〕 cash assets ★ 複数形で. 現金自動支払機 cash dispenser Ⓒ 現金自動入出金機 ATM Ⓒ ★ *a*utomated *t*eller *m*achine の略. 現金支払 〔商〕 cash payment Ⓤ 現金収支 〔商〕 cash flow Ⓤ 現金収入 cash income Ⓒ 現金出納帳 cashbook Ⓒ 現金正価 cash price Ⓒ 現金通貨 currency in circulation Ⓤ 現金手持ち額 〔商〕 cash ⌈on [《英》 in] hand Ⓤ 現金取引 cash transaction Ⓒ 現金取引市場 〔商〕 cash market Ⓒ 現金問屋 cash-and-carry (wholesaler) Ⓒ 現金配当 〔商〕 cash dividend Ⓒ 現金引き換え 〔商〕 cash on delivery 《略 C.O.D.》 《☞ ひきかえ》 現金輸送車 armored cash carrier Ⓒ, cash-transport vehicle Ⓒ ★ 前者は装甲車型のもの. 現金割引 cash discount Ⓤ.

げんきん² 厳禁 ── 名 strict pròhibítion Ⓤ. ── 動 prohíbit … stríctly. 《☞ きんじる》. ¶ この寮内での飲酒は*厳禁されている Drinking in this dormitory *is strictly prohibited.* // 《掲示で》 火気*厳禁 (⇒ 注意: 可燃物) Caution: Flammable(s) / No open flame(s)

げんく 原句 original phrase Ⓒ; (もとの俳句) original haiku poem Ⓒ.

けんくん 賢君 wise ⌈ruler [monarch] Ⓒ.

げんくん 元勲 elder [veteran] statesman Ⓒ. ¶ 明治の*元勲 an *elder statesman* of the Meiji era

げんげ 紫雲英 〔植〕 Chinese milk vetch Ⓒ ★ レンゲ草の植物分類学上の呼び名.

けんけい 県警 prefectural /prɪféktʃərəl/ políce Ⓤ. 県警本部 the prefectural police headquar*ters* 県警本部長 the chief prefectural police officer.

げんけい¹ 減刑 ── 動 (刑を少なくする) reduce a sentence to … ★ 一般的な言い方; (刑をより軽いものに変える) commute a sentence to … ★ やや格式ばった言い方. ── 名 〔法〕 commutation Ⓒ.
¶ 私たちは彼の*減刑を嘆願した We petitioned for a *reduction in* his *sentence.* // その者は死刑を終身刑に*減刑された The person's death *sentence was commuted to* life imprisonment.

げんけい² 原形 the original form. ¶ 地震で私の家は*原形をとどめないほどにやられた (⇒ がれきとなった) My house was reduced to rubble by the earthquake. 原形不定詞 bare infinitive Ⓒ.

げんけい³ 原型 (後から作られる物のもとになる型) prótotỳpe Ⓒ; (彫刻などのもとになるもの) model Ⓒ. 原型炉 prototype (nuclear) reactor Ⓒ.

げんけい⁴ 厳刑 (苛酷な刑罰) harsh ⌈penalty [sentence] Ⓒ ★ sentence (判決) のほうが penalty (罰) よりも重い感じ; (重い刑罰) severe [heavy] punishment Ⓒ. 《☞ げんばつ》.

げんけいしつ 原形質 〔生〕 protoplasm /próʊtəplæ̀zm/ Ⓤ. 原形質運動 prótoplàsmic móvement Ⓤ.

けんげき 剣劇 play with ⌈swordfights [sword-fighting] Ⓒ. ¶ *剣劇映画 a film *with* ⌈*sword-fighting* [*swordfights*]

けんけつ 献血 ── 名 blood donation Ⓤ. ── 動 donate [give] blood.

げんげつ 弦月 crescent (moon) Ⓒ.

けんけん ── 名 (片足跳び) hopping Ⓤ. ── 動 hop ⓐ.

けんげん¹ 権限 ── 名 (一般的に権力) power Ⓤ; (立場上与えられている権利・職権) authority Ⓤ; (職権 [権力] の限界・範囲) the limit(s) of ⌈authority [power]. ── 動 (権限を与える) authorize ⓗ, empower ⓗ. 《☞ けんりょく; しょっけん¹》. ¶ あなたには命令する*権限はない You don't have the ⌈*authority* [*power*] to give orders. // 彼はそれをする*権限を与えられている He *is* ⌈*authorized* [*empowered*] *to* do that. // それは私の*権限を超えたことです That is beyond ⌈my *power* [*the limit(s) of the authority* given (to) me]. / (⇒ 私の権限ではない) That is not within my *power(s).*

けんげん² 顕現 ── 名 (姿を現すこと) manifestation Ⓤ. ── 動 mánifest itsèlf.

けんげん³ 献言 ── 動 offer *one's* opinion to *one's* superior.

げんけん 原研 ☞ げんしりょく (原子力研究所)

けんけんがくがく 喧喧諤諤 ¶ その問題をめぐって*喧喧諤諤の議論があった There were *many angry and noisy arguments* over the issue. 《☞ けんけんごうごう》

けんけんごうごう 喧喧囂囂 ── 形 (騒々しい) noisy; (要求・不満などで騒ぎたてる) clamorous /klǽm(ə)rəs/. ¶ 国民は政府に対して*けんけんごうごうたる (⇒ 強い) 抗議の声を上げた People voiced *strong* protest against the Government.

けんご 堅固 ── 形 (丈夫な) strong; (しっかりした) firm. 《☞ じょうぶ¹; つよい (類義語); がんじょう》. ¶ 彼は意志*堅固だ He has a *strong* will. / He is *strong*-willed.

げんこ 拳固 ☞ げんこつ

げんご¹ 言語 (言葉) language Ⓤ ★ ある特定の国の言葉を指すときは Ⓒ. 《☞ 可算・不可算名詞 (巻末)》; (話し言葉) speech Ⓤ. 《☞ ことば; こくご》. ¶ *言語は人間の思想の伝達手段である *Language* is the vehicle for human thought. / *Language* is a means of communication. ★ 第 1 文はやや格式ばった言い方だが, 慣用的な表現. // 英語はいまや英米人の*言語であるばかりでなく, 国際語である English is not only the native *language* of Britain and America but (also) an international *language.* // 世界には約 8 千の*言語があると言われている It is said that there are about eight thousand *languages* in the world. // 英語はフィリピンでは第 2 *言語である English is the second *lan-*

guage in the Philippines. 語法「第2言語としての英語」は English as a second *language* 《略 ESL》. **言語に絶する** beyond ˹words [description]. ¶その景色は*言語に絶する (⇒言語で表現できない) 美しさだった The scene was beautiful *beyond* ˹*words* [*description*].

言語運用〔言〕(linguistic) performance Ⓤ **言語学** linguistics Ⓤ **言語学者** linguist Ⓒ **言語獲得**[習得]〔言〕language acquisition Ⓤ **言語活動** linguistic performance Ⓒ **言語起源論** (theory of) the origin of language Ⓤ **言語教育** language education Ⓤ **言語共同体** speech community Ⓒ **言語芸術** literature Ⓤ **言語行為**〔哲・言〕speech act Ⓒ **言語行動**〔言〕language behavior Ⓤ **言語差別** language discrimination Ⓤ **言語社会学** sociolinguistics Ⓤ **言語習慣** linguistic habits **言語障害** speech defect Ⓒ **言語心理学** psycholinguistics Ⓤ ★心理言語学というほうが普通. **言語政策** language policy Ⓒ **言語地図** linguistic atlas Ⓒ **言語中枢** ☞ 言語野 **言語聴覚士** spéech thèrapist Ⓒ **言語地理学** linguistic geography Ⓤ **言語哲学** linguistic philosophy Ⓤ **言語年代学** glòttochronólogy Ⓤ **言語能力**〔言〕(linguistic) competence Ⓤ **言語分析** linguistic analysis Ⓤ **言語野** the speech ˹center [《英》 centre] ★言語中枢とも言う;〔解〕the language area of the brain. **言語遊戯** ☞ ことばあそび **言語理解** language understanding Ⓤ **言語療法** speech therapy Ⓤ **言語療法士** ☞ 言語聴覚士 **言語理論** linguistic theory Ⓤ.

> **コロケーション**
> **機械言語** machine *language* / **起点言語** a source *language* / **形式言語** a formal *language* / **少数言語** a minority *language* / **人工言語** artificial *language* / **目標言語** a target *language*

げんご² 原語 (最初に書かれた言語) the original language; (翻訳される前の文) original text Ⓒ. ¶プラトンを*原語で読む read Plato in *the original*

けんこう¹ 健康 ―名 health Ⓤ (↔(不健康) ill health; (病気) illness). ―形 healthy; fit; well Ⓟ; fine Ⓟ; (健康によい) wholesome, healthful; (特に精神が健全な) sound.

【類義語】ある一定の期間にわたって健康であることを表す最も一般的な語は **healthy**. 特に身体が丈夫で健康なのが **fit**. 前後の状況には関係なく, ある時点で健康なのを **well** という. well は普通は Ⓟ だが,《米》では Ⓐ の用法もある. (☞ 形容詞の2用法 (巻末)). 達者で元気なことを表す口語的な語が **fine**. 健康を増進し, 衛生的にもよいのが **wholesome, healthful** で, 前者のほうが口語的な語. 身体, その一部, 精神, 考えなどが健康的であるのが **sound**. (☞ じょうぶ; げんき¹) ¶毎日軽い運動をすることは*健康を保つのに役立つ Light exercises every day will help keep you ˹*healthy* [*fit*; *in good shape*]. // 私は毎朝*健康のためジョギングをしている I jog every morning to ˹stay *in shape* [keep *fit*]. // *健康に恵まれる be blessed with *good health* // 彼はとても*健康だ He is *fine*. / He is ˹very [quite] *well*. / He is in good *health*. ★前のものほど口語的. // 彼女は*健康そうだった She looked *healthy*. // *健康は富に勝る *Health* is better than wealth. 《ことわざ》 // 彼は*健康がすぐれない He is in ˹poor [bad] *health*. / He is out of *sorts*. ★口語的成句. // 早起きは*健康によい Getting up early is good for your *health*. // 彼は働き過ぎて*健康を損なった (⇒過労が健康をだめにした) The overwork ˹ruined [damaged] his *health*. // 大病になって初めて*健康に気を付けるようになる人が多い Many people become *health*-conscious only after they get very ill. // ここの気候はとても*健康によい The climate here is very ˹*healthful* [*good for* your *health*]. // 私はいつも*健康によい物を食べている I always eat *healthy* food. // 彼は*健康を回復した He (has) *recovered*. / (⇒彼は病気を克服した) He got over his sickness. // お父さんの*健康状態はいかがですか How's your father? // 彼の*健康はだんだん衰えた His *health* gradually ˹declined [went downhill]. / (⇒悪化した) His *health* deteriorated. // *健康に注意しなさい Take care of your *body*. // ご*健康を祈ります《乾杯で》(To) your health. // 彼女の心臓は具合が悪いが肺は*健康だ Her heart is in poor condition but the lungs are *sound*.

健康管理 health care Ⓤ **健康産業** health care industry Ⓒ **健康食品** health food Ⓤ ★種類をいうときは Ⓒ. **健康診断** physical (examination) Ⓒ, chéckùp Ⓒ. ¶*健康診断を受ける have a *physical examination* **健康増進法** health-promoting method Ⓒ, method to promote *one's* health Ⓒ **健康相談** health consultation Ⓒ **健康美** beauty from physical healthiness Ⓤ, the beauty of a healthy body **健康法** how to stay healthy **健康保険** héalth insùrance Ⓤ **健康保険医** héalth insùrance dòctor Ⓒ **健康保険組合** héalth insùrance socíety Ⓒ **健康保険証** héalth insùrance càrd Ⓒ **健康保険料** health insùrance fèe(s) **健康優良児** very healthy child Ⓒ **健康余命** disability-free life expectancy Ⓤ 《略 DFLE》.

> **コロケーション**
> **健康を危うくする** risk *one's health* / **健康を脅かす** threaten *one's health* / **健康を改善する** improve *one's health* / **健康を回復する** regain *one's fitness* level / **健康を顧みない** neglect *one's health* / **健康を享受する** enjoy good *health* / **健康を損なう** lose [ruin] *one's health* / **健康を保つ** keep [maintain; preserve] *one's* good *health*; stay in *shape*; keep *fit* / **健康を蝕む** sap *one's health*

けんこう² 軒昂 ☞ いき⁴ (意気軒昂)

けんごう 剣豪 great swordsman Ⓒ; (フェンシングの) master fencer Ⓒ.

げんこう¹ 現行 ―形 (現在の・目下の) present Ⓐ; (現在行われている) existing Ⓐ, current; (いま用いられている) now [currently] in use; (法律などが施行されている) in force.

【類義語】時間的な面に意味の重点を置いて, 現時点の状況などを問題にするときは **present** を用い, 制度や状況などの存在を問題の中心にして, それがいま行われているかどうかを言うときには **existing, current** を用いる. 存在しているかどうかに重点を置くときには *existing* を, 状況や動作などが進行中であることを強調するときには *current* を用いる. ある制度などが採用されている意味には **now in use** を, 法律・規則などには **in force** を用いる.

¶*現行制度の欠点は何か What are the defects of the ˹*present* [*existing*; *current*] system? // *現行の教科書 the textbooks *now in use* // *現行の規定はそれについて何も言っていない The regulations (now) *in force* [The *present* regulations] do not say anything about it. // この点は規則改正後も*現行どおりです (⇒この点については規則の改正後でも変化はないでしょう) As for [On] this point there will be no change even after the rules are revised.

現行犯 ―副 (現行犯で) in the (very) act of committing an offense; (in) flagrante delicto

/flәgrǽnti dɪlíktoʊ/ ★ 後者はラテン語から. 現在ではたとえば「濡れ場を見つかる」などのややこっけい味のある表現として使われる. ¶こそ泥を*現行犯でつかまえる catch a sneak thief *in the* (*very*) *act of stealing* // その男は盗みの*現行犯で (⇒ 盗んでいる最中に) 捕らえられた The man was ˹arrested (*in the act of*) [caught (*redhanded*)] stealing. **現行法** the existing law, the law in force ★ いずれも具体的な法律をいうときは Ⓒ.

げんこう[2] 原稿 (手書きまたはタイプによる) mánuscrìpt Ⓒ《略 MS., ms.; 複数略 MSS., mss.》; (草稿・下書き) draft Ⓒ. ¶私はいまその記事の*原稿を書いている I'm writing the article. [語法] manuscript は書き上がったものをいうので write a manuscript とはいえない. / (⇒ 下書きを書いている) I'm making a *draft* of the article. // パソコンで打った*原稿 a *manuscript* written ˹on [with] a computer // もう*原稿は渡しました I have already ˹turned in [submitted] ˹what I've *written* [my *manuscript* (*paper*)].
原稿用紙 manuscript paper Ⓤ **原稿料** payment for a manuscript Ⓤ.

げんこう[3] 言行 words and deeds; what *one* says and does. **言行一致** ¶彼は*言行一致の人だ What he does is consistent with what he says. / He is as good as his word. / (⇒ 彼は約束を守る人だ) He is *a man of his word*. ★ 第 1 文は直訳的. **言行不一致** ¶彼は*言行不一致だ (⇒ 彼はしばしば約束を破る) He often *breaks his* ˹*word* [*promise*]. / (⇒ 言うこととすることが違う) He *says one thing and does another*.

げんこう[4] 元寇 the Mongol invasions (by the naval expeditions sent twice by Khubilai Khan, the first Mongol emperor of China. In both 1274 and 1281 they landed in Kyushu, but each time they were forced to withdraw because of a fierce storm and the stubborn resistance of the Japanese defenders.)

げんごう[1] 元号 the (official) name of an era.

げんごう[2] 減号 (マイナス記号) minus sign Ⓒ (↔ plus sign).

けんこうこつ 肩甲骨 〔解〕 scapula /skǽpjulә/ Ⓒ《複 scapulae /-lìː/, ～s》, shoulder blade Ⓒ ★ 後者が日常的な言い方.

げんこうろく 言行録 memoir /mémwɑɚ/ Ⓒ, book about *a person's* life and words Ⓒ.

けんこく[1] 建国 the founding of a ˹state [nation]. **建国記念日** National Foundation Day; (独立記念日) Independence Day. 《☞ しゅくじつ (表)》.

けんこく[2] 圏谷 cirque Ⓒ ★ 氷河の浸食作用でできた窪地.

げんこく 原告 〔法〕 plaintiff Ⓒ (↔ defendant); (告発者) accuser Ⓒ.

げんこつ 拳骨 (clenched) fist Ⓒ. ¶彼は私を*げんこつで殴った He ˹struck [hit] me with his *fist*. / He *punched* me. // 私は*げんこつを握りしめた I clenched my *fist*. 《☞ こぶし[1]》

げんごろう 源五郎 〔昆〕 diving beetle Ⓒ.

げんごろうぶな 源五郎鮒 〔魚〕 *gengoro-crucian* /krúːʃәn/ Ⓒ; (説明的には) a species of *crucian* common to Japan.

げんこん 現今 ― 名 (現代) the present day; (今) now; (今日) today. ― 形 (現在の) present; (現行の) current. ― 副 (このごろ) nowadays. 《☞ こんにち》. ¶*現今の世相 *present* social conditions

けんこんいってき 乾坤一擲 ¶彼はその企画に*乾坤一擲の勝負をかけた (⇒ すべてを賭けた) He *staked everything he had* on the project.

けんさ 検査 ― 名 inspection Ⓒ; examination Ⓒ; test Ⓒ. ― 動 inspect ㊐; exámine ㊐; test ㊐.
【類義語】公の機関などがある基準に照らして欠点や誤りがないかと調べることが *inspect*. ((例) 衛生*検査 a sanitary *inspection*). また内容や質・状態・特徴などを知るために検査するのは *examine*. ((例) 身体*検査 a physical *examination*). ある基準に照らしてそれに合致するかどうかを検査するのは *test*.
¶その店は保健所の立ち入り*検査を受けた The store underwent an on-the-spot *inspection* by the (public) health inspectors. / (⇒ 検査の目的で保健所の係員の突然の訪問を受けた) The store was suddenly visited by the public health officials for an *inspection*. ★ 第 2 文のほうが口語的. // 旅行者は入国のためには税関*検査を受けなくてはならない Travelers must undergo customs *inspections* when entering a country. // この井戸の水は水質*検査をしなくてはならない The water in this well must *be* ˹*examined* [*tested*]. // 私は血液の*検査をした I had a blood *test*. // (健康診断の) *検査の結果を教えてください Let me know the results of the medical *examination*. // この機械は*検査に合格するだろうか Does this machine ˹stand up to [pass] the *test*? **検査官** inspector Ⓒ **検査入院** ¶*検査入院する check into a hospital for a medical ˹*examination* [*checkup*] **検査役** (相撲の) adviser to a sumo referee Ⓒ.

―コロケーション―
検査を行う carry out [make; conduct] an *inspection* // 安全検査 (a) safety *inspection* / いつも通りの[通常の]検査 a routine *inspection* / 厳しい検査 a ˹rigorous [stringent] *inspection* / 定期検査 a ˹regular [periodic] *inspection* / 徹底した検査 a thorough *inspection* / 入念な検査 a ˹careful [close] *inspection* / 抜き打ち検査 a surprise *inspection*

けんさい 賢妻 (聡明な妻) intelligent wife Ⓒ; (分別に富んだ主婦) wise [prudent] housewife Ⓒ.

けんざい[1] 健在 ― 形 (存命で) living; (達者な) well Ⓟ; (健康である) in good health Ⓟ; (悪いところがない) all right Ⓟ. 《☞ けんこう[1]; げんき[1]》.
¶「ご両親はご*健在ですか」「父は亡くなりましたが母は*健在です」"Are your parents *living*?" "Well, my father died, but my mother *is* still *alive*." // 祖父は 98 才でなお*健在です My grandfather is ninety-eight years old and is still *in good health*.

けんざい[2] 建材 building materials /mәtí(ә)riәlz/ ★ 複数形で. ¶新*建材 (⇒ 化学合成物質による建材) synthetic *building materials*

けんざい[3] 顕在 ― 名 actual existence Ⓤ. ― 動 actually exist ㊀. ¶不況の兆候は*顕在している *There are actual signs* of depression. // *顕在失業 *actual* unemployment

げんさい 減債 partial payment of a debt Ⓤ. **減債基金** sinking fund Ⓒ.

げんざい[1] 現在 ― 副 (いま) now, at present ★ now のほうが口語的; (いまちょうど) right now ★ now より強調的; (いまのところ) currently ★ 状態がいま継続中という意味が強い; (今日) today. ― 形 (現在の) present Ⓐ; (現在行われている) current Ⓐ. ― 前 (…現在で) as of … [語法] 実際には過去のことを表すので動詞は過去形を用いる 《☞ いま[1]; げんこう[1]》.
¶これが私の*現在の住所です This is my *present* address. / (⇒ 私はいまここに住んでいる) I live here ˹*now* [*at present*]. // *現在の状況のもとではそれは困

難でしょう It will be difficult under the *present* circumstances.《☞ げんじょう¹》// *現在までに何人が申し込みましたか How many people have applied「*so far* [*up to now*]? // 志願者数は2月10日*現在で1500人です *As of* Feb. 10, the number of applicants was 1,500. // その件は*現在開会中の国会で審議されることになっている The matter will be「discussed [debated] during the「*current* [*present*] session of the Diet. // それは*現在使われていない It's not used *today*. / It's out of use *now*. **現在完了形**〘文法〙the present perfect form **現在形**〘文法〙the present form Ⓒ **現在時制**〘文法〙the present tense **現在進行形**〘文法〙the present progressive form **現在高** the amount on hand **現在地** the place where *one* is **現在分詞**〘文法〙the present participle.

げんざい² 原罪 〘キ教〙original sin Ⓤ, Original Sin Ⓤ.

げんさいばん 原裁判 (最初の判決) original「decision [judgment] Ⓤ《☞ げんはんけつ》.

げんざいりょう 原材料 ráw material(s) /mətí(ə)riəl(z)/.

けんざかい 県境 ☞ けん²(県境)

けんさく 検索 ―图(記事などの) reference Ⓤ; (コンピューターなどでの) search Ⓒ, retrieval Ⓤ ★後者は情報の取得も含む. ―動(記事などを) refer to ...; (辞書などを) look up (a word); (コンピューターなどで情報を) search; (ハードディスク・データベースなどから捜し出す) retrieve ⑩.
¶索引を*検索してその出典がわかった I *referred to* the index and found the source. // 辞書でその単語のいろいろな意味を*検索すべきです You must *look up* the various meanings of the word in your dictionary. // 私はその情報を求めてこのウェブサイト[ネット]を*検索した I *searched*「the website [the Web] *for* the information.《☞ ネット³》 **検索エンジン** search engine Ⓒ **検索サービス** search service Ⓒ **検索ロボット** search robot Ⓒ.

げんさく¹ 原作 the original (work). ¶この映画の*原作はトルストイの小説です This movie is based on a novel by Tolstoy. 日英比較 このように日本語に「原作」とあっても the original (work) を用いないこともあることに注意. // この翻訳は*原作に忠実だ This translation is faithful to *the original*. **原作者** the (original)「author [writer]《☞ さくしゃ》.

げんさく² 減作 (不作) bad [poor]「crop [harvest] Ⓒ; (計画的な) reduction of「crop [harvest] Ⓤ. ¶*減作のため米が値上がりした The price of rice has gone up because of *the bad harvest*.

げんさくどうぶつ 原索動物 〘動〙protochordate /pròutoukɔ́ːdət/ Ⓒ.

けんさつ¹ 検察 (検察当局) the prosecution. ¶私は*検察側の証人として呼ばれた I was summoned as a witness for the *prosecution*. **検察官** *públic prósecùtor* Ⓒ《☞ けんじ¹》 **検察審査会** the Committee for Inquest(s) into the Prosecution **検察審査法** the Law for Inquest(s) into the Prosecution **検察庁** public prosecutor's office Ⓒ. ¶最高*検察庁 the Supreme *Public Prosecutor's Office* // 高等 [地方] *検察庁 a「high [district] *public prosecutor's office* **検察当局** the prósecùtory authórities; (検察側) the prosecution ★集合名詞.

けんさつ² 検札 ―图 inspection of tickets Ⓒ, ticket inspection Ⓒ. ―動 inspect tickets. **検札係**《米》conductor Ⓒ,《英》ticket inspector Ⓒ.

けんさつ³ 賢察 ―图 presumption Ⓒ. ―動《格式》presume ⑩; guess ⑩.《☞ すいさつ》. ¶すべてはご*賢察のとおりです Everything is as you *have guessed*. // 私どもの立場もご*賢察ください (⇒理解していただければありがたい) We would appreciate your *understanding* our position.

けんさん 研鑽 ―動(研鑽する) study ⑩; (研鑽を積む) pursue *one's* studies. ¶大学卒業後, 彼女は外国で*研鑽を積んだ After graduating from college, she continued her *studies* abroad.

けんざん¹ 検算 ―動 go over (accounts) ★口語的; check ⑩.

けんざん² 剣山 needlepoint holder Ⓒ.

げんさん¹ 減産 ―動(生産を減らす) cut [reduce; curtail] production ★cut が最も口語的. ―图(生産が自然に減ること) decrease in production Ⓒ; (人為的に減らすこと) reduction of production Ⓤ ★具体的には Ⓒ.《☞ へる¹; へらす; -げん》. ¶今月は5%の*減産となった (⇒生産が減った) *Production decreased* (by) five percent this month. **減産体制** program of reduced production Ⓒ.

げんさん² 原産 ―形(原産の) native; (動植物がその土地に固有な) endemic. ¶南アフリカ*原産の動物 an animal「*native to* [*originating in*; *endemic*「*in* [*to*]] South Africa // この駝鳥はアフリカ*原産だ This ostrich *originally came from* Africa. **原産国** country of origin Ⓒ **原産国表示** indication of the country of origin Ⓒ **原産地** place of origin Ⓒ, home Ⓒ ★後者のほうがくだけた言い方; (発生地) birthplace Ⓒ.《☞ さんち¹; ほんば》. ¶スコットランドはウイスキーの*原産地です Scotland is the「*birthplace* [*home*] of whisky. **原産地証明(書)** certificate of origin Ⓒ **原産地表示** indication of the place of origin Ⓒ. ¶食品の*原産地表示をする mark the food product with *its origin*

げんざん 減算 subtraction Ⓤ (↔addition)《☞ ひきざん》.

けんし¹ 検視, 検死 (検視官が変死者の死因を調べること) inquest Ⓒ《☞ かいぼう》. ¶*検視を行う hold an *inquest* **検視官** córoner Ⓒ.

けんし² 犬歯 canine /kéɪnaɪn/ (tooth) Ⓒ; (上あごの) eyetooth Ⓒ.《☞ は¹(挿絵)》.

けんし³ 絹糸 (絹) silk Ⓤ《☞ きぬ¹(絹糸)》. ¶1本の*絹糸 a *silk*「thread [strand] / a thread of *silk* // 人造*絹糸 rayon **絹糸取引所** silk exchange Ⓒ.

けんし⁴ 剣士 swordsman Ⓒ《複 -men》; (フェンシングの達人) fencer Ⓒ.

けんし⁵ 献詞 (本・写真に手書きした献呈の言葉) inscription Ⓒ; (「この本を妻に捧げる」などの著書の言葉) dedication Ⓒ.《☞ けんじ⁴》.

けんし⁶ 県史 ☞ けん²(県史)

けんじ¹ 検事 (públic) prósecùtor Ⓒ《☞ けんさつ¹》. ¶*検事は被告に終身刑を求刑した The (*public*) *prosecutor* demanded life imprisonment for the accused. **検事控訴** public prosecutor's appeal (to ...) Ⓒ **検事正** chief public prosecutor Ⓒ **検事総長** the (Public) Prosecutor-General **検事長** superintending prosecutor Ⓒ.

けんじ² 堅持 ―動(ある状態・主張などを続ける) hold fast to ...; (ある態度に固執する) stick to ...《☞ こしつ²》. ¶彼は死ぬまでその信念を*堅持した He *held fast to* his beliefs until the day he died.

けんじ³ 健児 vigorous boy Ⓒ.

けんじ⁴ 献辞 dedication Ⓒ. ¶巻頭に*献辞をおく place [inscribe] a *dedication* on the first page

けんじ⁵ 顕示 (啓示) revelation Ⓤ; (明示) manifestation Ⓒ. ¶彼は自分を*顕示したがる (⇒目立ちたがる) He is eager to「*push* himself *forward* [*make other people notice him*]. / He wants to *be seen and heard.*

げんし¹ 原子 ―[名] atom [C]; (原子核) nucleus /n(j)ú:kliəs/ [C] 《複 nuclei /-liàɪ/, ～es》. ―[形] (原子力の・核の) nuclear /n(j)ú:kliə/. 《☞ かく⁴; げんしりょく》.

原子エネルギー atomic [nuclear] energy [U] **原子価** valence [C], 《英》 valency [C] **原子核** atomic nucleus [C] **原子核物理(学)** nuclear [atomic] physics [U] ★ 単数扱い. **原子核分裂** ☞ かく⁴ (核分裂) **原子核崩壊** atomic disintegration [U]; 〘物理〙(自然崩壊による) nuclear decay [U] **原子核融合** nuclear [atomic] fusion [U] **原子記号** symbol for a chemical element [C] **原子雲** atomic [nuclear] cloud [C]; (きのこ雲) mushroom cloud [C] **原子構造** atomic structure [U] **原子時** atomic time [U] ★ 原子時計による時刻. **原子質量単位** atomic mass unit [C] ★ AMU と略す. **原子時計** atomic clock [C] **原子熱** atomic heat [U] **原子爆弾** atom(ic) bomb [C] 《☞ げんばく》 **原子番号** atomic number [C] **原子病** radiation sickness [U] **原子物理学** nuclear physics [U] **原子物理学者** nuclear physicist [C] **原子模型** atomic model [C], model of atomic structure [C] **原子量** atomic weight [U] **原子力** ☞ 見出し **原子炉** ☞ 見出し **原子論** atomism [U]; (the) atomic theory [U] ★ 物理・化学などの場合には後者のほうが普通.

げんし² 原始 ―[形] (原始の・未開の・原始的な) primitive (↔ civilized) ★ 最も一般的な言葉; (太古の) primeval /praɪmí:v(ə)l/; 〘生〙(原生の) primordial; (非文明的な) uncivilized. ¶ *原始的な方法 a *primitive* method

原始関数 〘数〙 primitive function [C] **原始共産制** primitive communism [U] **原始共同体** primitive community [C] **原始キリスト教会** the primitive church **原始産業** primitive industry [C] **原始時代** primeval ages ★ 通例複数形で. **原始社会** primitive society [C] **原始宗教** primitive religion [C] **原始取得** 〘法〙 original acquisition [U] **原始人** primitive man [C] **原始スープ** primordial soup [U] ★ 地球生命の根源となった有機物の混合液. **原始星** 〘天〙 protostar [C] **原始太陽** the protosun **原始仏教** Primitive Buddhism [U] **原始林** virgin [primeval] forest [C] **原始惑星** 〘天〙 protoplanet [C].

げんし³ 原紙 (謄写版の) stencil paper [U].

げんし⁴ 幻視 (visual) hallucination [C].

げんし⁵ 原資 government ˹funding [funds] for investments and loans ★ funding は [U].

げんし⁶ 減資 reduction of capital [U].

げんし⁷ 原詩 original poem [C].

げんじ¹ 言辞 ¶ 不謹慎な*言辞を弄する use improper *language* 《☞ ことば》

げんじ² 源氏 (源(みなもと)の姓をもつ氏族) the ˹Genji [Minamoto] clan.

けんしき 見識 (判断力・見解) judgment [U]; (個人的な考えや見方) view [C]. ¶ 彼は*見識のある人だ (⇒ 判断力のある人だ) He is a man of *good judgment.* // そんなことを言うなんてあの人の*見識を疑う (⇒ 彼は知性がないに違いない) He must be lacking in *intelligence* if he says such a thing. // *見識ばる *be full of* ˹pride [self-importance]

けんじつ 堅実 ―[形] (信頼できる) reliable; (信用して任せられる) trústwòrthy; (思想・考えなどが健全な) sound; (しっかりした) steady. 《☞ ちゃくじつ; てがたい; かたい¹》. ¶ あの人は*堅実な人だ He is a ˹*reliable* [*trustworthy*] person. // 人生に対する*堅実な考え a *sound* philosophy of life

げんじつ 現実 ―[名] (理論や可能性に対する) actuality [U] ★「現状」の意味では複数形で; (理想像・空想に対する) reality [U] ★ 具体的な事実の場合は [C]. [語法] 以上 2 語はほぼ同意で入れ替え可能なことも多いが, 後者は目に映っているものが真の姿と一致することを強調する; (事実) fact [C]. ―[形] actual [A]; real; (現実的な) realistic. 《☞ じじつ¹》. ¶ *現実を直視する face (up) to *reality* // それが人生の*現実だ That's the *reality* of life. / Those are the ˹stern [harsh] *realities* of life. // それは*現実には不可能だ It's impossible in ˹*actuality* [*reality*; *the real world*]. // 残念ながらそれが*現実だ It's a pity that it's a *fact.* // この計画は*現実的ではない (⇒ 実現できそうもない) This plan is not ˹*realistic* [*practicable*]. 《☞ じつげん》 // 夢が*現実となった My dream *has come true.* // *現実は厳しいよ (⇒ それが厳しい現実だ) That's a hard *fact* of life. // 我々は*現実から逃避できない We are unable to escape from *realities.* // (コンピューター空間上の) 仮想*現実 virtual *reality*

現実主義 realism [U] **現実主義者** realist [C] **現実性** reality [U], actuality [U]. ¶ 君の考えは素敵だが*現実性に欠ける Your idea is fantastic, but not *practical.* **現実逃避主義** escapism [U] **現実逃避主義者** escapist [C] **現実離れ** ¶ 君の案は*現実離れしている Your plan is *unrealistic.*

げんじてん 現時点 ―[副] (現時点で(は)) at this moment; (今の段階で) at this stage. ¶ *現時点に至るまでこの件についてはなんの情報もない *To date* [*At present*] we have no information on that matter. // *現時点ではなにも申し上げられません We cannot say anything ˹*at* [*for*] *the moment.*

げんじな 源氏名 professional name [C].

げんじぼたる 源氏蛍 〘昆〙 *Genji* firefly [C].

げんじものがたり 源氏物語 ―[名] [固] *The Tale of Genji.*

げんじものがたりえまき 源氏物語絵巻 ―[名] [固] *The* ˹*Illustrated* [*Picture*] *Scroll of The Tale of Genji.*

けんしゃ¹ 検車 automobile [car] inspection [C]. **検車係** automobile [car] inspector [C].

けんしゃ² 犬舎 ☞ いぬ¹ (犬小屋)

けんじゃ 賢者 ☞ けんじん¹

げんしゃく 現尺 ☞ げんすん(だい)

けんしゅ 堅守 ―[名] (強固な守備) staunch defense [U]; (野球などの) airtight fielding [U]. ―[動] (信念・規則などを) observe strictly [他]; (持ち場などを) defend ˹staunchly [stoutly] [他].

げんしゅ¹ 厳守 ―[動] (規則などに従う) observe [keep] … strictly; (決められたことなどを守る) abide by …; (時間や期日をきちんと守る) be púnctual. ―[名] strict observance [U]; pùnctuálity [U]. 《☞ まもる; じゅんしゅ》. ¶ 交通法規は*厳守しなくてはならない We must *strictly observe* (the) traffic laws. // 時間は*厳守して下さい Please be *punctual.* // 原稿の締め切りは*厳守のこと (⇒ 原稿は締め切りまでに間違いなく着かなければならない) The manuscripts must reach us before the deadline *without fail.*

げんしゅ² 元首 《格式》 sovereign /sáv(ə)rən/ [C] ★ 皇帝, (女)王を指す; (一国の代表者) head of state [C] ★ 複数形は heads of state. ¶ 一国の*元首 the *head* of a nation

げんしゅ³ 原酒 (日本酒) unprocessed sake [U]; (ウイスキー) green whisk(e)y [U], white dog [U].

げんしゅ⁴ 原種 (もとになった野生種) original [pure] ˹stock [species] [C]; (種子をとるための種子) seed stock [C].

けんしゅう 研修 ―[名] (研究) study [U]; (訓練) training [U]; (現職のままでの訓練) in-service training [U]; (新入社員などの) introductory course [C].

── 動 (研究する) study (他). 《☞ けんきゅう; くんれん》. ¶ この夏はアメリカに英語*研修に行きます (⇒ アメリカで英語を勉強するつもりです) I'm going to *study* English in the United States this summer. **研修医** intern(e) Ⓒ 《☞ インターン》 **研修期間** (見習期間) apprenticeship Ⓒ; (訓練期間) training period Ⓒ **研修所** training institute Ⓒ **研修生** trainee /treɪníː/ Ⓒ.

けんじゅう 拳銃 pistol Ⓒ, handgun Ⓒ; (銃) gun Ⓒ 〔語法〕 gun は銃の総称として用いられるが, くだけた表現では「拳銃」を指すことが多い; (回転連発式の) revolver Ⓒ; (半自動式の) semiautomatic (pistol) Ⓒ. 《☞ ピストル; じゅう[2]》.

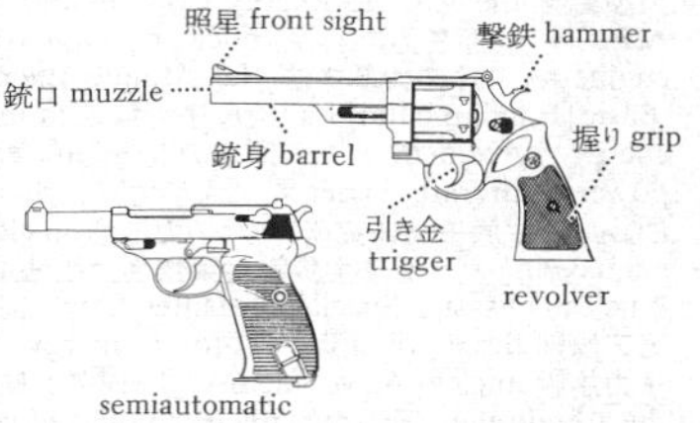

¶ 彼は私に*拳銃を向けた[私を*拳銃で撃った] He ⌈pointed [fired] a *gun* at me. // その飛行機は*拳銃を持った男に乗っ取られた The plane was hijacked by a man armed with a *gun*. // 私は*拳銃を突きつけられて (⇒ 銃身を下目に見ながら) 身動きできなかった I was frozen, looking down the barrel of a *pistol*. // *拳銃の撃ち合い an exchange of *gunfire*

げんしゅう 減収 (収入の減少) decrease in income Ⓒ; (収穫の減少) decrease in production Ⓒ. 《☞ へる[1]; げんぼう[1]》. ¶ 今年は大幅な*減収になった We (have) had a substantial *decrease in* (*our*) *income* this year. / Our income (has) drastically *decreased* this year.

げんじゅう 厳重 ── 形 (きちんとした) strict; (厳しく, 何の妥協も許さないような) severe; (強い態度の) strong. ── 副 (厳しく・きちんと) strictly; severely; strongly. ── 名 strictness Ⓤ; severity Ⓤ. 《☞ きびしい(類義語); げんかく[1]; げんに[2]》.
¶ スピード違反に対して警察はもっと*厳重に取り締まってもらいたい We want the police to adopt *stricter* measures against speeding. // 最近税関の検査が*厳重になった Customs inspections have become more *strict* recently. // わが国 (⇒ 日本政府) はその国の政府に対して*厳重に抗議した The Japanese Government *strongly* protested to the government of the country. // テロに対しては*厳重な警戒をしなくてはならない We must *carefully* protect ourselves ⌈against [for] terrorism. / We must be *strictly* on the lookout for terrorism.

げんじゅうしょ 現住所 *one's* present address 《☞ げんざい[1]; じゅうしょ》.

げんじゅうみん 原住民 (外国人に対する) native Ⓒ 〔語法〕 (1) 差別的なニュアンスのある語で, 注意が必要; (土着の人々) indigenous /ɪndídʒənəs/ péople ★ 最も中立的な言い方. 集合的. 民族の意では Ⓒ; (特に植民者に対して) the aborigines /æbərídʒəniːz/, aboriginals ★ 集合的. 複数形で. 〔語法〕 (2) aborigines, aboriginals は人種差別的な響きがあるので indígenous péople が中立的な表現として使われることが多い.

げんしゅく 厳粛 ── 形 (儀式などが) solemn /sáləm/; (重大で重々しい) grave; (顔つきなどがまじめで真剣な) serious. ── 名 solémnity Ⓤ; gravity Ⓤ; seriousness Ⓤ. 《☞ そうちょう[3]》.
¶ 私は*厳粛なミサに参列した I attended a *solemn* Mass. // 我々は*厳粛な面持ちでそのニュースを聞いた We listened to the news with ⌈*grave* [*serious*] expressions. // それは*厳粛な事実です (⇒ 厳しく, 無情な事実) It's a (*hard*) fact. / (⇒ 厳然たる現実) It's a *harsh* reality.

けんしゅつ 検出 ── 動 (見つける) find (他); (隠れている物を検査して見つける) detect (他). ── 名 detection Ⓤ. ¶ その食べ物からコレラ菌が*検出された Cholera germs *were found* in the food. // その水から少量の青酸カリが*検出された A small amount of potassium cyanide *was detected* in the water.

けんじゅつ 剣術 fencing Ⓤ.

げんしゅつ 現出 ── 動 (現出する) appear (自).

げんじゅつ 幻術 (魔術) magic Ⓒ; (悪霊などを操る黒魔術) sorcery Ⓤ. 《☞ まほう》. **幻術使い** magician Ⓒ; sorcerer Ⓒ; (女性) sorceress Ⓒ.

けんしゅん 険峻 ☞ けんそ[1]

けんじょ 賢女 wise woman Ⓒ.

げんしょ[1] 原書 the original (⌈work [text]) 《☞ げんさく[1]》. **原書講読** reading of ⌈original texts [primary sources] Ⓤ.

げんしょ[2] 原初 the beginning Ⓒ, the origin Ⓒ. 《☞ はじまり》.

げんしょ[3] 厳暑 (きびしい暑さ) severe [intense] heat Ⓤ 《☞ あつい[2]》.

けんしょう[1] 懸賞 (競争などにかける賞) prize Ⓒ; (尋ねごとなどへの謝礼) reward Ⓒ. 《☞ しょうきん[1]》.
¶ これには*懸賞がかかっています (⇒ これは賞金の出る競争です) This is a *prize* competition. // 私はその*懸賞に応募した I entered the *prize* competition. // 彼はめでたく*懸賞に当選した He succeeded in winning the *prize*. // その男の首には*懸賞がかけられた A *price* was put on the man's head. ★ price は懸賞金の意味. この場合 prize は使わない.
懸賞金 (賞としての金銭) prize (money) Ⓤ; (人の首にかかった懸賞金) price Ⓒ; (罪人の発見などへの謝礼) reward Ⓒ **懸賞広告** advertisement offering prizes Ⓒ **懸賞小説** prize-winning novel Ⓒ **懸賞当選者** prizewinner Ⓒ **懸賞問題** question [problem] for a prize competition Ⓒ **懸賞論文** prize essay Ⓒ.

けんしょう[2] 検証 ── 名 (調査) inspection Ⓤ; (実証) verification Ⓤ ★ 両者とも具体的な事例を言うときは Ⓒ. ── 動 (調査する) inspect (他); (実証する) verify (他). 《☞ ちょうさ[1]; けんさ (類義語)》. ¶ 事故現場で現場*検証が行われた An on-the-spot *inspection* was ⌈held [made] at the scene of the accident. 《☞ げんば (現場検証)》

けんしょう[3] 憲章 (ある団体の目的・規則・約束などをまとめたもの) charter Ⓒ. ¶ 国際連合*憲章 the United Nations *Charter* // 児童*憲章 the Children's *Charter*

けんしょう[4] 肩章 shoulder strap Ⓒ; (ふさのついた) epaulet Ⓒ.

けんしょう[5] 健勝 good health Ⓤ 《☞ そうけん[2]》.
¶ ご家族のみなさんそろってご*健勝のことと思います I trust your family are all in *good health*. // ご*健勝を祈ります I wish you *good health*.

けんしょう[6] 顕彰 ── 動 (名誉を与える) honor (他); (功績などをみとめて表彰する) recognize (他). ── 名 recognition Ⓤ. 《☞ ひょうしょう[1]》.
¶ 彼の隠れた努力が*顕彰された His unheralded efforts *were recognized*.

けんじょう[1] 献上 ── 動 (贈呈する) present /prɪzént/ (他) 《☞ ぞうてい》.

けんじょう[2] 謙譲 (慎み深く控えめなこと) modesty Ⓤ; (謙虚) humility Ⓤ. ¶ *謙譲の美徳 the virtue of *modesty* **謙譲語** modest [self-effacing; self-depreciating] term [C] **謙譲表現** modest expression [C] (☞ 丁寧な表現 (巻末)).

けんじょう[3] 堅城 strong castle [C].

げんしょう[1] 減少 ── [動] (少しずつ次第に減る) decrease (自) (↔ increase); (量や大きさが外的なことが原因で減る) diminish (自) ★ やや格式ばった語; (特に量が減る) lessen (自); (人為的に減らされる) be reduced. ── [名] decrease [U] ★ 具体的な事例や少量を指すときは [C]; diminution [U]. (☞ へる[1]).
¶ アメリカ向けの輸出は*減少している Exports to the U.S. *are decreasing*.

げんしょう[2] 現象 phenomenon [C] (複 phenomena). ¶ それは自然*現象だ It's a natural *phenomenon*. **現象学** phenòmenólogy [U] **現象学的社会学** phenomenological sociology [U] **現象空間** phenomenal space [U] **現象主義** 〔哲〕 phenomenalism [U].

げんじょう[1] 現状 (現在の状況) the present condition(s); (そのままの状態) the status quo /stéɪtəs kwóʊ/ ★ ラテン語からの借用語. 格式ばった表現. (☞ じつじょう; じょうたい[1]; げんじつ).
¶ 彼らは日本の経済の*現状を知らない They are ignorant of *the present* economic *condition* of Japan. // 我々は*現状 (⇒ 現在あるがままの状態) に満足していない We are not content with *things as they are*. // *現状ではどうしようもない Under [(英) In] *the present* ⌈*circumstances* [*situation*], we can't help it. **現状維持** maintenance of the status quo [C]. ¶ 多くの有権者は*現状維持を望んでいる Most voters wish to ⌈*maintain* [*keep*; *preserve*] *the status quo*. **現状打破** abandonment of the status quo [U]. ¶ *現状を打破しなければならない We have to ⌈*disrupt* [*upset*; *change*] *the status quo*.

げんじょう[2] 原状 (元の状態) original [former] ⌈state [condition] [C] ★ state と condition はほぼ同意. (☞ じょうたい[1]).
原状回復 ¶ 借家人は家の*原状回復を命じられた The tenant was ordered to *restore* the house *to its original* ⌈*state* [*condition*].

げんじょう[3] 現場 scene of (a crime [an accident]) [C] (☞ げんば). ¶ 警察は*現場付近を捜査した The police made an investigation at the *scene of the* ⌈*crime* [*accident*]. **現場不在証明** alibi /ǽləbàɪ/ [C].

げんじょう[4] 玄奘 ── [名] (固) Hsüan-tsang, Xuanzang /ʃwà:ntsá:ŋ/ (☞ さんぞうほうし).

けんしょうえん 腱鞘炎 inflammation of a tendon and its sheath [U].

けんじょうしゃ 健常者 ordinary person [C]; (障害のない人) nonhandicapped person [C].

けんしょく 兼職 concurrent position [C] (☞ けんにん[1]; けんむ). ¶ 彼は3つの職を*兼職している He holds three *concurrent positions*. // *兼職 (⇒ 他の職を持つこと) を禁じる prohibit *a person* from *holding other jobs*

げんしょく[1] 現職 ── [名] (現在の職) the present position. ── [形] (現在在職している) incúmbent [A], currently in office ★ 後者は説明的. (☞ げん-; げんえき[1]).
¶ *現職の警官による犯罪 crimes by police officers (*in active service*) // *現職の知事が選挙で当選した The *incumbent* governor won the election. // すべての*現職の理事は来年3月で辞めます All the trustees *currently in office* will resign next March. // 彼は*現職にとどまることを希望している He wants to stay in his *present post*. // K さんは*現職で亡くなった Mr. K. died ⌈*at his post* [*on duty*].
現職教育 in-service [on-the-job] training [U] **現職者** incumbent [C].

げんしょく[2] 原色 primary color [C] (☞ いろ).
¶ 赤, 黄, 青は色の3*原色である Red, yellow, and blue are the three *primary colors*. **原色版** four-color halftone [U] ★ 印刷物のときは [C].

げんしょく[3] 減食 ── [名] (食餌療法) diet [C]; (減食すること) dieting [U]. ── [動] (減食する) be [go] on a diet ★ be は状態, go は動作を表す; (減食させる) put *a person* on a diet; (食べる量を減らす) eat less (food). (☞ せっしょく[2]; しょくじりょうほう). ¶ スリムな体になりたければ*減食しなければならない If you want to slim (down), you must *eat less*.

げんしりょく 原子力 atómic énergy [U]. **原子力委員会** the Atomic Energy Commission (略 A.E.C.) **原子力エンジン** nuclear /n(j)ú:kliə/ éngine [C] **原子力基本法** the Atomic Energy ⌈Basic [Fundamental] Law **原子力協定** atomic energy agreement [C] **原子力空母** núclear-pòwered áircraft càrrier [C] **原子力研究所** ☞ にほん (日本原子力研究所) **原子力工学** nuclear engineering [U] **原子力災害対策特別措置法** the Nuclear Disaster Special Measures Law **原子力三原則** three principles of atomic energy **原子力施設** nuclear power facility [C] **原子力時代** the atomic age **原子力船** nuclear-powered vessel [C] **原子力潜水艦** nuclear(-powered) submarine [C] **原子力電池** nuclear battery [C] **原子力発電** nuclear power generation [U] **原子力発電所** nuclear power plant [C] **原子力平和利用** peaceful uses of nuclear energy.

けんじる 献じる (贈り物として) presént (他); (ささげる) offer (他); (献呈・献納する) dedicate (他). ¶ この碑は戦争犠牲者に*献じられたものだ This monument *was dedicated* to ⌈(the) war victims [the victims of (the) war.

げんじる 減じる ☞ げんずる

げんしろ 原子炉 nuclear reactor [C]. **原子炉格納容器** reactor vessel [C], (nuclear reactor) containment vessel [C] (略 CV) **原子炉緊急停止** scram [C].

けんしん[1] 検診 medical [physical; health] examination [C]; (特に全般にわたる定期的な) (médical) chéckùp [C]. (☞ しんさつ; けんさ).
¶ 私は医者の*検診を受けなくてはならない I have to see the doctor for a *checkup*. // 毎年1回社員は集団*検診を受ける Once a year the employees of our company ⌈undergo [have] a group ⌈*physical* [*medical*] *examination*.

けんしん[2] 献身 ── [動] (身をささげる) devote *oneself* to ... ── [形] (献身的な) devoted; (自分を犠牲にする) sélf-sácrificing. ── [名] devotion [U]. (☞ つくす; ほうし[1]). ¶ 彼は社会福祉に*献身的に尽くした He *devoted himself to* social service.

けんしん[3] 検針 ── [動] (ガス・電気などのメーターの針を見る) read a meter. ── [名] the inspection of a meter. ¶ ガスの*検針係 a gas *meter reader*

けんしん[4] 健診 ☞ けんこう[1] (健康診断)

けんじん[1] 賢人 wise man [C] (複 ~ men), sage [C] ★ 後者は文語的. **賢人会議** conference of wise men [C], wise-men's conference [C].

けんじん[2] 堅陣 (堅固な陣地) strong position [C] ★ 通例複数形で.

けんじん[3] 県人 ☞ けん[2] (県人)

げんしん 原審 ☞ げんさいばん

げんじん 原人 primitive man [C] (複 ~ men).

けんじんかい 県人会 ☞ けん[2] (県人会)

けんしんれい 堅信礼 confirmation [U] ★ 具体的には [C].

げんず 原図 original [master] drawing [C].

けんすい 懸垂 ── 名 (運動) chín-ùp Ⓒ, púll-ùp Ⓒ. ── 動 chin *oneself*, do a「chin-up [pull-up]. ¶「君は*懸垂を何回できるの」「20回くらいだね」"How many times can you *chin yourself*?" "About twenty (times)." **懸垂運動** chinning exercises **懸垂下降**〔登山〕── 名 rappél Ⓤ, abseil /ǽbseɪl/ Ⓤ. ── 動 rappel ⓐ **懸垂式モノレール** suspended monorail Ⓒ **懸垂分詞** dangling participle Ⓒ ★ 文の主語と文法的に結合されないまま用いられている分詞. (☞ ぶんし²) **懸垂幕** ☞ たれまく

げんすい¹ 元帥 (陸軍)《米》general of the army Ⓒ,《英》(field) marshal Ⓒ; (海軍)《米》fleet admiral Ⓒ,《英》admiral of the fleet Ⓒ.

げんすい² 減水 ── 動 (水位が下がる) fall (off) ⓐ (☞ へる¹; げんしょう¹).

げんすい³ 減衰 ── 名 (減少) decrease Ⓒ ★ Ⓤ としての用法もある; (電気の) attenuation Ⓤ. ── 動 attenuate ⓣ. **減衰器** attenuator Ⓒ **減衰振動** damped oscillation Ⓤ.

げんすい⁴ 原水 raw water Ⓤ.

げんすいきょう 原水協 (原水爆禁止日本協議会) the Japan Council against Atomic and Hydrogen Bombs.

げんすいきん 原水禁 (原水爆禁止日本国民会議) the Japan Congress against A- and H-Bombs.

けんずいし 遣隋使 (日本の古代の隋の宮廷への使節) Japanese envoy to Sui Court in China Ⓒ.

げんすいばく 原水爆 (原爆と水爆) atomic and hydrogen bombs, A- and H-bombs; (核爆弾) nuclear /n(j)úːkliə/ bómb Ⓒ; (核兵器) nuclear weapon Ⓒ. ¶*原水爆禁止世界大会 the World Conference against *Atomic and Hydrogen Bombs* **原水爆禁止運動** nuclear disarmament movement Ⓒ.

けんすう¹ 件数 (事件・ことがらの数) the number of cases. ¶交通事故の*件数 the *number* of traffic accidents

けんすう² 軒数 the number of houses.

げんすうぶんれつ 減数分裂 〔生〕 meiosis /maɪóʊsɪs/ Ⓒ《複 meioses /-siːz/》.

げんずる 減ずる (少しずつ少なくなる[する]) decréase ⓐ ⓣ (↔ increase); (人為的に少なくする) reduce ⓣ; (外的な力で少なくなる[する]) diminish ⓐ ⓣ; (過程的に少なくなる) lessen ⓐ; (引き算をする) subtract (from ...; out of ...) (☞ へらす).
¶多くの専門家は子供の数が年々*減ずると予測している Many experts predict that the number of children will *decrease* year by year. // 速度を少し*減ずる *reduce* the speed slightly // このきずはこの茶わんの価値を*減ずる This「flaw [crack] *diminishes* the value of this teacup.

げんすん(だい) 原寸(大) ── 名 actual size Ⓤ. ── 形 (実物大の) life-size(d); (同一の大きさの) full-scale. ¶*原寸大の写真 a *life-size* photograph **原寸図** full-scale drawing Ⓒ.

げんせ 現世 ── 名 this world ★ あの世 (the other world), またはキリスト教での天国 (Heaven) に対していう. ── 形 (世俗的な・浮世の) worldly Ⓐ. (☞ このよ). **現世主義** secularism Ⓤ **現世利益** (仏教で) divine favor in this world Ⓒ.

けんせい¹ 牽制 ── 動 (相手の行動を抑制する) check ⓣ; 〔野〕(牽制球を投げる) peg ⓣ. ── 名 (相手の注意をそらすためにかける見せかけの攻撃や動き) feint Ⓒ; 〔野〕(牽制のための投球) pickoff throw Ⓒ. ¶彼は脅かして私の計画を*牽制しようとした (⇒私の計画を阻止しようとした) He tried to *check* my plan by threatening me. **牽制球** peg Ⓒ. ¶ピッチャーは1塁に*牽制球を投げた The pitcher「threw a *peg* [*pegged the ball*] to first base. // *牽制球で…をアウトにする pick ... off (☞ さす² 用例).

けんせい² 憲政 (憲法によって行う政治) constitutional government Ⓤ; (憲法にのっとった政治組織) cònstitútionalìsm Ⓤ ★「憲法擁護(主義)」の意にもなる. (☞ けんぽう¹).

けんせい³ 権勢 (権力) power Ⓤ; (影響力) influence Ⓤ. (☞ けんりょく). ¶*権勢を握る[ふるう] have [wield] *power* **権勢欲** lust for power Ⓒ.

けんせい⁴ 県政 ☞ けん² (県政)

けんせい⁵ 県勢 ☞ けん² (県勢)

けんぜい 県税 ☞ けん² (県税)

げんせい¹ 厳正 ── 形 (公正な) fair; (えこひいきをせず公平な) impartial ★ 入れ替え可能のこともあるが, 後者はやや改まった語; (厳しい・規則に忠実な) strict. (☞ きびしい (類義語); こうへい¹ (類義語)).
¶我々は*厳正なる裁判を期待する We expect a「*strict and fair* [*firm but fair*] ruling from the court. // *厳正な判断 a *fair and impartial* judgment **厳正中立** ¶*厳正中立を守る observe *strict neutrality*

げんせい² 現生 ── 形 modern. **現生人類** modern「human beings [humans]; (ホモサピエンス) Homo sapiens /hóʊmouséɪpiənz/ Ⓤ.

げんせい³ 現世 ☞ げんせ; 〔地〕 the Recent.

げんぜい 減税 ── 名 tax reduction Ⓒ. ── 動 reduce [cut] taxes.

げんせいだい 原生代 〔地〕 the Proterozoic /pràtərəzóʊɪk/ (era).

げんせいどうぶつ 原生動物 protozoan /pròutəzóʊən/ Ⓒ ★ protozoon ともつづる. 複数形は protozoa または protozoans.

げんせいりん 原生林 (処女林) virgin forest Ⓒ; (太古からの森林) primeval forest Ⓒ.

けんせき 譴責 ── 名 (懲戒) réprimànd Ⓒ. ── 動 réprimànd ⓣ. (☞ ちょうかい¹). ¶彼は*譴責処分を受けた He *was*「officially [formally] *reprimanded*.

げんせき 原石 (raw) ore Ⓤ.

けんせきうん 巻積雲 〔気象〕 cirrocumulus /sìroukjúːmjuləs/ Ⓒ《複 -cumuli /-làɪ/》(☞ くも¹ (挿絵)).

けんせつ 建設 ── 動 (一般的に) build ⓣ《過去・過分 built》★ 以下の語の代わりに使える; (規模の大きなものを) constrúct ⓣ; (高い建物などを建てる) erect ⓣ ★ 以上2語は build より格式ばった語. ── 名 construction Ⓤ; erection Ⓤ. ── 形 (建設的な) constructive. (☞ たてる¹ (類義語)).
¶いま市の中心に60階のビルが*建設されつつある A sixty-story high-rise building *is* now「*being built* [*under construction*] in the center of the city. // 我々は平和な社会を*建設しなければならない We must「*build* [*establish*] a peaceful society. // もっと*建設的な意見をいただけませんか Can't you「offer [produce; have] more *constructive*「ideas [opinions]?
建設会社 construction company Ⓒ **建設機械** construction machine Ⓒ **建設業** (全体) the construction industry **建設業者** contractor Ⓒ, builder Ⓒ **建設現場** construction [building] site Ⓒ **建設公債** government bond for construction purposes Ⓒ **建設工事** construction work Ⓤ. ¶*建設工事に従事する労働者 a *construction* worker **建設国債** (national) construction bond Ⓒ **建設省** ☞ こくど (国土交通省) **建設費** construction [building] costs **建設部** (会社の) the development & construction「division [department] (☞ 会社の組織と役職名

〈囲み〉》 **建設用地** building ˹lot [site] Ⓒ.

げんせつ　言説 （陳述）statement Ⓒ; （見解表明）remark Ⓒ; （見解）opinion Ⓒ.

げんぜん　健全 ── [形]（すこやかな）healthy; （心身に好影響をもたらす） wholesome; （堅実で健全な）sound. 《☞ けんこう¹》.
¶ 彼は非常に*健全な生活を送っている He leads a very *healthy* life. // それは*健全な考えだ That's a *wholesome* idea. // 彼は*健全な商売をしている He has a *sound* business. // *健全な身体に*健全な精神 A *sound* mind in a *sound* body. 《ことわざ》
健全経営 sound management Ⓤ **健全娯楽** wholesome recreation Ⓤ **健全財政** sound finances ★ 普通複数形で財政状態を表す.

げんせん¹　厳選 ── [名]（慎重に選ぶこと）careful selection Ⓤ. ── [動]（慎重に選ぶ）select ... carefully. 《☞ えらぶ》.

げんせん²　源泉 （水などのわき出るところ）source Ⓒ, fountainhead Ⓒ ★ 後者は文語で単数形で使用する. ¶ この温泉は*源泉では 60 度の湯が噴き出ている Water at a temperature of sixty degrees gushes out at the *source* of this hot spring. **源泉課税** taxation at source Ⓤ, 《英》pay-as-you-earn Ⓤ ★ P.A.Y.E. と略す. **源泉所得税** withholding tax Ⓒ **源泉徴収** ── [動] withhold taxes at source **源泉徴収制度** withholding-tax system Ⓒ **源泉徴収票** withholding slip Ⓒ, 《米》W-2 form Ⓒ **源泉分離課税** separate-withholding taxation Ⓤ.

げんせん³　原潜 ☞ げんしりょく（原子力潜水艦）

げんぜん¹　厳然 ── [形]（事実などが確固として厳しい）stern; （しっかりしていて動かしがたい）solid; （厳格な）strict. 《☞ きびしい》. ¶ それは*厳然たる事実だ（⇒ 動かしがたい事実だ）It's a (*solid*) fact. // 我々は*厳然たる態度で（⇒ 厳しい厳密なやり方で）この事件を調査する We are going to investigate this case in a *strict and rigorous* way.

げんぜん²　現前 ── [形]（今ある）present; （目の前にある） existing [standing; appearing] before *one's* eyes.

けんそ¹　険阻 ── [名] steepness Ⓤ. ── [形] steep. ¶ *険阻な山岳地帯 *steep* mountain(ous) regions

けんそ²　倹素 ── [形]（質素で飾り気がない）frugal and modest.

げんそ　元素 element Ⓒ. **元素記号** the chemical symbol ˹of [for] an element **元素鉱物** elemental mineral Ⓒ **元素周期律** the periodic law **元素分析** últimate [élemental] analysis Ⓒ《複 ~ analyses》.

けんそう¹　喧噪 （騒音）noise Ⓤ; （ひっきりなしのやかましい音）din Ⓒ; （騒ぎ）uproar Ⓤ; （せわしない動き）bustle Ⓒ. 《☞ さわぎ》. ¶ 都会の*喧噪を逃れる get away from the *hustle and bustle* of the city

けんそう²　険相 ── [形] （顔がけわしく恐ろしい） grim-faced; （恐ろしく近づきがたい） forbidding. ── [名]（恐ろしい顔付き）grim [fierce] look Ⓒ.

けんぞう　建造 ── [動]（組み立てて造る）build (他) ★ 最も一般的な語; （かなり大きなものを作る） constrúct (他) ★ 前者より改まった語. ── [名] building Ⓤ; construction Ⓤ. 《☞ けんせつ; たてる¹（類義語）; つくる（類義語）》. ¶ この造船所ではいまタンカーを*建造中です We *are* ˹*building* [*constructing*] a tanker in this shipyard. **建造物** building Ⓒ.

げんそう¹　幻想 ── [名]（夢うつつで見る理想的な幻想）vision Ⓒ; （正しそうに見えて実は誤っている考え・錯覚） illusion Ⓒ; （実現したいと考えている夢）dream Ⓒ; （気まぐれな空想）fancy Ⓤ; （夢のような途方もない空想）fantasy Ⓤ ★ 以上 2 つは具体的なものの場合は Ⓒ. ── [形] dreamy; fantastic. 《☞ もうそう; くうそう¹》. ¶ それは若い人の理想主義的な*幻想に過ぎない It's only the idealistic *vision* of a young ˹man [woman]. // 彼は社会主義について*幻想を抱いている He is under an *illusion* about socialism. // 彼女はその*幻想的な（⇒ 夢のような）場面にうっとりした She was enchanted by the *dreamy* scene. **幻想曲** fantasy Ⓒ.

げんそう²　舷窓 porthole Ⓒ.

げんぞう¹　現像 ── [動] devélop (他). ── [名]（現像すること）devélopment Ⓤ. ¶ このフィルムを*現像して下さい I'd like to *have* this film *developed*. **現像液** developing solution Ⓒ, developer Ⓤ **現像所** processing laboratory Ⓒ.

げんぞう²　幻像 （幻）vision Ⓒ; （錯覚）illusion Ⓒ; （妄想; 幽霊）phantom Ⓒ ★ 文語.

けんそううん　巻層雲 〘気象〙cirrostratus /sìroustréɪtəs/ Ⓒ《複 -strati /-taɪ/》《☞ くも¹（挿絵）》.

けんそく　検束 ── [名] detention Ⓤ. ── [動]（検束する）detain (他).

けんぞく　眷属 （一族）relatives ★ 複数形で; （血族）kinfolk ★ 複数扱い; （一家）family Ⓒ; （家来）follower Ⓒ. 《☞ いちぞく; しんぞく; 親族関係（囲み）》.

げんそく¹　原則 （基本的でもとになる規則）principle Ⓒ; （一般的な規則）general rule Ⓒ. 《☞ げんり》. ¶ それが教育の大*原則だ That's the ˹fundamental [essential] *principle* of education. // *原則として学期末試験は年に 3 回ある *As a general rule* three term-end exams are given a year. // 私は*原則として人に本を貸さないことにしている I *make it a* ˹*rule* [*practice*] not to lend books. // *原則的にはあなたに賛成だ *In principle*, I agree with you. // 平和五*原則 Five *Principles* ˹of [for] Peace // *原則を守って下さい Please keep to the ˹*basic* [*general*] *rules*. // そのやり方は*原則に反しています That method ˹is [goes] against the ˹*basic rules* [(*fundamental*) *principle*]. **原則論**（厳格な規則に基づく硬直した議論）inflexible argument based on rigid principles Ⓒ; （基本になる規則に従った議論[理論]）argument [theory] that follows very strictly (the) basic principles Ⓒ.

げんそく²　減速 ── [名] slówdòwn Ⓒ. ── [動] slów ˹dówn [úp] (自) (他) (↔ spéed úp), reduce (the) speed (↔ increase (the) speed) ★ 前者のほうが口語的. 《☞ スピード; そくど¹》. **減速材**（原子炉の）moderator Ⓒ.

げんそく³　舷側 the (ship's) side. ¶ *舷側に横着けになる come *alongside* (*of*) *a ship*

げんぞく　還俗 ¶ *還俗する return to secular life

けんそん　謙遜 ── [形]（控えめで威張らない）modest ★ 最も一般的; （自分を卑下して控えめな）humble ★ modest よりやや意味が強い. ── [名] modesty Ⓤ; humbleness Ⓤ, humility Ⓤ. 《☞ けんきょ¹; へりくだる》. ¶ 彼は*謙遜な人だ He is a ˹*modest* [*humble*] person. // 彼は*謙遜してそう言ったのですよ（⇒ 謙遜からそう言った）He said that out of *modesty*. // そんなことをおっしゃって, ご*謙遜でしょう It's *modest* of you to say that.

げんそん¹　現存 ── [形]（いまも生きている）living; （物などがいまも存在している）existing Ⓐ; （文書・絵画などがまだ存在している）extant. ¶ これは*現存の作家の作品ではありません This is not the work by a *living* writer. // それはいまでも*現存している It is still *in existence*. // その記録の一部がいまも*現存している Some of the records are (still) *extant*.

げんそん²　玄孫 great-great-grandchild Ⓒ.

げんそんかいけい　減損会計 〘経〙(asset-)impairment accounting Ⓤ.

けんたい¹　倦怠 （退屈）weariness Ⓤ; （おもしろくな

かったり, やることがなくていやになること) ennui /ɑ:nwí:/ Ⓤ. 倦怠期 period of marital boredom Ⓒ. ¶結婚をして 10 年もすると*倦怠期になる(⇒興がさめる) Married life tends to become *less exciting* after ten years.

けんたい[2] 献体 ―動 donate /dóuneɪt/ *one's* body (after death) (to ...) for medical research 語法 献体する機関によって…の部分を変える.

けんたい[3] 検体 object to be examined Ⓒ.

けんだい[1] 見台 bookrest Ⓒ.

けんだい[2] 兼題 prepared ⌈subject [theme] for ⌈tanka [haiku] party Ⓒ.

げんたい 減退 ―動 (衰える) decline ⓐ; (次第に減る) decrease ⓐ; (失う) lose ⓗ; (力・健康などが) fail ⓐ. ―名 decline Ⓒ; (失うこと) loss Ⓤ. (☞ おとろえる; へる[1]). ¶私は夏には食欲が*減退する I *lose* my appetite in (the) summer. // 視力[記憶力]が*減退してきた My ⌈eyesight [memory] *is failing*.

げんだい[1] 現代 ―名 (いまの時代) the present ⌈age [day]; (今日(こんにち)) today ★ 無冠詞で用いる. ―形 (現代の) present-day Ⓐ; (よい意味で現代的な) modern. (☞ こんにち; きんだい; いま[1]).

¶*現代は原子力の時代である *This* is the nuclear /n(j)ú:kliə/ age. // 彼の家はなかなか*現代的だ His house is very *modern.*

現代英語 contemporary [present-day] English Ⓤ 現代音楽 modern music Ⓤ 現代化 modernization Ⓤ 現代仮名遣い the ⌈present-day [modern] use of *kana* (syllables) 現代劇 modern play Ⓒ; (戯曲) contemporary drama Ⓤ 現代語 modern languages ★ 複数形で. 現代作家 (文学の) contemporary writer Ⓒ 現代人 people (of) today, present-day [contemporary] people ★ いずれも集合的に. 現代主義 ☞ モダニズム 現代性 modernity Ⓤ 現代生活 present-day life Ⓤ 現代っ子 child of today Ⓒ; (抜け目のない子) shrewd child Ⓒ 現代版 modern version (of ...) Ⓒ 現代文 contémporàry wrítings 現代文学 contemporary literature Ⓤ.

げんだい[2] 原題 original title Ⓒ.

けんたいかい 県大会 ☞ けん[2] (県大会)

げんたいけん 原体験 (もとになる体験) fundamental [primary] experience Ⓒ; (幼児期の体験) childhood [infancy] experience Ⓒ.

ケンタウルスざ ケンタウルス座 〔天〕 Centaurus /sentɔ́:rəs/, the Centaur /séntɔə/. (☞ せいざ[1] (表)).

ケンタッキー ―名 ⓖ (米国の州) Kentúcky (☞ アメリカ (表)).

けんだま 剣玉 ¶*剣玉をやる play a *cup and ball*

けんたん 健啖 健啖家 ¶彼は*健啖家だ(⇒大へんな食欲がある) He *has a* ⌈*big* [*healthy*] *appetite.* / (⇒大食漢だ) He is *a big eater.*

げんたん 減反 ―動 ((米の)作付面積を少なくする) cut back [reduce] (rice) acreage. ―名 (米の) reduction of rice acreage Ⓤ. 減反政策 the policy of reducing rice-field acreage Ⓤ.

げんだんかい 現段階 the present [this] ⌈stage [point] (☞ いまのところ). ¶*現段階では事故の原因はわかっていません We don't know the cause of the accident at ⌈*present* [*this point*].

けんち[1] 見地 (観察や判断の立場) standpoint Ⓒ; (観点) viewpoint Ⓒ, point of view Ⓒ. (☞ たちば; かんてん[1]; みかた[2]).

けんち[2] 検地 cadastral survey Ⓒ.

けんち[3] 検知 ―名 detection Ⓤ. ―動 (器具を使って調べる) detect ⓗ. 検知機 detector Ⓒ.

げんち[1] 現地 (ある事柄の起こった地点) spot Ⓒ; (ある特定の場所) the place; (特に事故などの起こった場所) scene Ⓒ. (☞ げんば). ¶我々は午前 8 時に*現地に到着した (⇒目的地[場所]に着いた) We arrived at the ⌈*destination* [*place*] at 8 a.m. // *現地からの報告によると混乱はようやくおさまったとのことです According to an *on-the-spot* report, order was finally restored. // *現地の災害の模様を (⇒災害現場から) お伝えします (⇒しています) We are reporting from the *scene* of the disaster. // 我々は*現地の人たちの応援を求めた We asked for the *local* people's help. // *現地採用の事務員 a clerk employed by the *local* office

現地語 (原住民のことば) native ⌈tongue [language] Ⓒ; (方言) dialect Ⓒ 現地査察 on-site inspection Ⓒ 現地時間 local time Ⓤ 現地生産 local production Ⓒ 現地調査 field survey Ⓒ 現地調達 procurement in the field Ⓤ, local procurement Ⓤ 現地法人 overseas ⌈affiliated [subsidiary] company Ⓒ, overseas affiliate Ⓒ.

げんち[2] 言質 ―名 (約束) promise Ⓒ; (保証としての誓い) pledge Ⓒ; (深入りして逃れられない立場に置くこと) commitment Ⓒ. ―動 (約束する) promise ⓗ; pledge ⓗ; (言質を与える) commit *oneself* to ...

¶彼はそれを直ちに行うという*言質を与えてしまった (⇒約束をした) He ⌈made a *promise* [*promised*] to do it at once. / He gave *his* ⌈*pledge* [*word*] that he'd do it at once. / He *committed himself to* doing it immediately. ★ 第 1 文が最も口語的. // *言質をとられないよう気をつけなさい Be careful not to *commit yourself*.

けんちく 建築 ―名 (建物) building Ⓒ; (建設) construction Ⓤ; (構築物) structure Ⓒ; (建築術[学]) árchitècture Ⓤ ★「建築物」の意味では集合的に歴史的, 文化的なものをいう. ―動 build ⓗ (過去・過分 built) ★ 最も一般的; pùt úp ⓗ ★ 口語的; (規模の大きいものを計画的に) construct ⓗ. (☞ けんせつ; たてる[1] (類義語)).

¶彼の専門は*建築だ His field is *architecture.* // これは日本最古の木造*建築だ This is the oldest wooden ⌈*building* [*structure*] in Japan. // 大学は新しい図書館を*建築中だ The college *is* now *building* a new library.

建築請負人[業者] building contractor Ⓒ 建築家 árchitèct Ⓒ 建築学 árchitècture Ⓤ 建築確認 confirmation of (building) construction Ⓤ 建築技師 àrchitéctural ènginéer Ⓒ, árchitèct Ⓒ 建築基準法 the Building Standards Act 建築業 the building industry 建築業者 builder Ⓒ 建築協定 building agreement Ⓒ 建築許可 building [construction] permit Ⓒ 建築現場 construction site Ⓒ 建築工事 construction work 建築材料 búilding materials /mətí(ə)riəlz/ ★ 普通は複数形で. 建築士 registered architect Ⓒ 建築費 (建てるためにかかる費用) building expenses ★ 普通は複数形で; (かなり大きな建物を建てるための代価) construction cost Ⓒ 建築物 building Ⓒ 建築面積 building area Ⓤ 建築様式 style of architecture Ⓒ 建築用地 building ⌈lot [site] Ⓒ (☞ ようち[2]).

けんちじ 県知事 prefectural /prɪ:féktʃ(ə)rəl/ governor Ⓒ. ¶埼玉*県知事 the *Governor* of Saitama *Prefecture* 県知事候補 gubernatorial candidate Ⓒ 県知事選挙 gubernatorial election Ⓒ.

げんチャリ 原チャリ ☞ げんどうき (原動機付自転車)

げんちゅう 原注 original notes ★ 複数形で.

けんちょ 顕著 ―形 (人目を引くような) nóticeable; (注目に値するような) remarkable ★ noticeable より意味が強い; (だれの目にもはっきりそれとわかる) marked ★ remarkable よりくだけた語; (とび抜けて・群を抜いている) outstanding. 《☞ いちじるしい; きわだつ》. ¶その2つの間には*顕著な違いがある There is a ｢*noticeable* [*marked*; *remarkable*] difference between the two.

げんちょ 原著 the original (work) 《☞ げんさく[1]》.

けんちょう[1] 県庁 (自治体の行政府) prefectural /prɪ:féktʃərəl/ government Ⓤ; (事務所) prefectural office Ⓒ. 《☞ けん[2]》. **県庁舎** prefectural office building Ⓒ **県庁所在地** the seat of the prefectural government 《☞ けん[2] 用例》.

けんちょう[2] 県鳥 ☞ けん[2] (県鳥)

けんちょう[3] 堅調 (相場の) firm tone Ⓤ.

げんちょう 幻聴 auditory hallucination Ⓒ.

けんちょうぎ 検潮儀 tide gauge Ⓒ.

けんちんじる けんちん汁 *kenchin*-style soup Ⓤ, soup cooked with fried tofu and shredded vegetables Ⓤ ★ 後者は説明的訳.

げんつき 原付 ☞ げんどうき (原動機付自転車) **原付免許** (driver's) license for a moped Ⓒ.

けんつく 剣突く ¶*剣突くを食らわせる give *a person* a good *scolding* (for ...)

けんてい[1] 検定 ━動 (権限のあるものが認定する) authorize ⑩; (公式に認可する) officially approve ⑩ ★ 前者のほうが意味が強い. ━名 authorization Ⓤ; official approval Ⓤ ★ いずれも具体的な事例を指すときは Ⓒ.

¶すべての学校教科書は文部科学省の*検定を受けなくてはならない All school textbooks must *be authorized* by the Ministry of Education, Science, Sports and Culture. // *検定に合格する be given ｢*official* [an *official stamp of*] *approval* / be *officially approved*

検定教科書 authorized textbook Ⓒ 《☞ きょうかしょ》 **検定試験** licensing examination Ⓒ **検定料** fee for official examination Ⓒ.

けんてい[2] 献呈 ━動 presént (to ...) ⑩ 《☞ ぞうてい[1]; けんぽん》. **献呈本** prèsentátion [còmpliméntary] cópy Ⓒ.

けんてい[3] 賢弟 wise younger brother Ⓒ.

げんてい 限定 ━動 (限界内に制限する) limit ⑩; (制限・条件を付けて限る) restrict ⑩. ━名 limitation Ⓤ; restriction Ⓤ. ━形 (限定的な) limited; restricted; partial; 〖文法〗 attributive. 《☞ せいげん[1]; かぎる》. **限定解除** (制限・条件などの緩和・撤廃) cancellation [removal; lifting; withdrawal] of a ｢limitation [restriction] Ⓤ **限定詞** 〖文法〗 determiner Ⓒ **限定承認[相続]** qualified acceptance of (*one's*) inheritance Ⓤ **限定戦争** limited war Ⓒ **限定版** limited edition Ⓒ **限定販売** limited sale Ⓒ. ¶上得意様のみの*限定販売 a *limited sale* exclusively for special customers **限定販売品** limited sale item Ⓒ; (製品) limited product Ⓒ.

けんてき 涓滴 (一粒のしずく) drop Ⓒ; (小さなしずく) drip Ⓒ; (ぽたぽた落ちる) trickle Ⓒ. 《☞ てんてき[1]》.

けんでん 喧伝 ¶二人の離婚は時間の問題だと*喧伝されている (⇒ いいふらされている) *It is being noised around* that their divorce is just a matter of time. 《☞ いいふらす》

げんてん[1] 原点 (出発点) starting point Ⓒ; (最初) the (very) beginning; (振り出し) square one. 《☞ さいしょ[1]; はじめ》. ¶私たちはもう一度*原点に立ち戻ってみなくてはならない We have to go back to ｢the *starting point* [the *drawing board*; *square one*] again. ★ drawing board は「製図板」, square one はチェスのます目の最初.

げんてん[2] 減点 ━動 (点を引く) subtráct ⑩ (↔ add), tàke ｢óff [awáy] ⑩ 〔語法〕 以上2つは「引く」という意味では同意として用いられるが, 数学的な用語としては普通前者を用いる.

¶1つの誤りにつき5点*減点される Five points *are subtracted* for each error. // 英語のテストで冠詞の間違いで2点*減点された On [In] the English test I ｢*had* two points *subtracted* [*lost* two points] because of an error in article usage.

減点法 the minus points system.

げんてん[3] 原典 the original (text) 《☞ げんさく[1]; しゅってん[1]》. ¶*原典にあたってみなさい Consult *the original text*. **原典批判** textual criticism Ⓤ.

けんでんき 検電器 eléctroscòpe Ⓒ.

ケント ━名 ㊎ (英国イングランド南東部の州) Kent.

げんど 限度 (限界) limit Ⓒ ★ しばしば複数形で; (最大限) maximum Ⓒ; (最小限) minimum Ⓒ; (能力などの限界) limitations ★ 複数形で. 《☞ げんかい[1]》. ¶これが*限度だ (⇒ これが最高の限界だ) This is the ｢*maximum* [upper *limit*; highest *limit*]. / (⇒ これが私のできる最高のことだ) This is *the best I can* do. // それは*限度を超えている That's ｢beyond [above] the *limit*(*s*). // それは*限度内にある That's within the *limit*(*s*).

けんとう[1] 見当 ¶私にはまったく*見当がつきません (⇒ 私には想像もできない) I *can't* even *guess*. / I don't have the slightest *idea*. / I don't have a *clue*. // だれがそれをやったのか*見当がつかない (⇒ だれも知らない) *Nobody knows* who did it. // それについては*見当がついている (⇒ 思い当たることがある) I *have an idea* about it. // 彼が何をしようとしているのか*見当もつかない I *can't make out* what he's ｢going to do [aiming at]. ★ make out は「わかる」(understand) の意. // まあそんな*見当でいいでしょう (⇒ それがだいたいにおいて正しい) That's *just about right*. // 一人あたり5千円*見当 (⇒ 約5千円) の予算を考えております We are ｢planning [preparing] a budget of ｢*about* [*roughly*] 5,000 yen per person. **見当違い** ¶それは*見当違いです (⇒ あなたは間違っています) You'*re wrong* about it. / (⇒ 的がずれている) You're *off the point*.

けんとう[2] 検討 ━名 (よく調べてみること) examination Ⓤ; (綿密に調べること) study Ⓤ ★ 以上は具体的な事例については Ⓒ; (探りを入れて調べること) probe Ⓒ. ━動 examine ⑩; study ⑩; probe into .... 《☞ ぎんみ; しらべる; さいけんとう》.

¶この問題はもっと*検討してみなくてはならない We must carry out a further *examination* of this problem. / We have to *examine* this problem further. // その計画はもっとよく*検討すべきだ We should *study* the plan more carefully. // 委員会はいまその対策を*検討している The committee *is* now ｢*studying* [*reviewing*] what measures should be taken. // 彼の提案は目下*検討中です His proposal is now under ｢*review* [*consideration*; *discussion*]. / We are now ｢doing [making; conducting] a *study* ｢of [into] his proposal.

検討会 (investigative) commission Ⓒ.

けんとう[3] 健闘 ━動 (善戦する) put up a good fight; (努力する) make ｢a great effort [strenuous /strénjuəs/ efforts]. 《☞ かんとう[1]; ぜんせん[1]; がんばる》. ¶私たちのチームは*健闘 (⇒ 善戦) したがついに敗れた Our team *put up a good fight* but finally lost the game. // 彼は*健闘むなしく (⇒ 精力的な努力にもかかわらず) ついに失敗した He finally failed in spite of *his* ｢*great effort* [*strenuous efforts*]. // ご

*健闘を祈ります Good luck (to you)! 語法 試合とか試験などに向かう人に言う言葉.
けんとう⁴ 拳闘 boxing Ⓤ《☞ ボクシング》.
けんどう¹ 剣道 kendo Ⓤ 参考 まったく剣道を知らない人には kendo or Japanese 「swordsmanship /sɔ́ədzmənʃɪp/ [fencing] と説明するとよい. ¶彼は毎朝*剣道の稽古をする He practices *kendo* every morning. // 彼は*剣道 6 段だ He is a 6th *dan* in *kendo*.
けんどう² 県道 ☞ けん²(県道)
げんとう¹ 幻灯 (スライド映写機) slide projector Ⓒ《☞ スライド》.
げんとう² 舷灯 sidelight Ⓒ.
げんとう³ 厳冬 severe [harsh] winter Ⓤ ★ しばしば不定冠詞を付けて.
げんどう 言動 ¶今後は*言動を慎みます I'll be more careful about 「*what I say and do* [*my words and deeds*] in (the) future. ★ 定冠詞を使うのは主に《米》. // 少し*言動に気をつけなさい (⇒ もう少し思慮分別があってもよいはずだ) You should be *more sensible*. / You should *know better*. ★ 第 2 文のほうが口語的. // 彼の*言動 (⇒ ふるまい) は許し難い His *behavior* is unpardonable.
げんどうき 原動機 motor Ⓒ. 原動機付自転車 motorbike Ⓒ; (スクーター) (motor)scooter Ⓒ; (ペダル付きの) moped /móuped/ Ⓒ.《☞ げんつき(原付免許)》.
けんとうし 遣唐使 Japanese envoy to the Tang Court in China Ⓒ.
けんとうしき 見当識 〖心〗orientation Ⓤ. 見当識障害〖心〗(失見当識) disorientation Ⓤ.
けんどうしき 献堂式 〖キ教〗dedication Ⓒ.
げんどうりょく 原動力 (ある行動をとる動機となる力) motive power Ⓤ; (何かへ人を駆り立てる力) driving force Ⓤ. ¶愛国心がその運動の*原動力だった Patriotism was the *motive power* 「of [behind] the movement. // 神への愛が彼らの行為の*原動力であった Love of God was the *driving force* 「of [behind] their action(s).
ケントし ケント紙 drafting paper Ⓤ; Kent paper Ⓤ ★ イギリスの Kent が原産地ということで.
げんとして 厳として ¶それは*厳として存在する事実である (⇒ 確固とした事実である) It is a 「*brute* [*hard*; *stark*] fact.《☞ げん⁶; げんぜん¹》
けんどじゅうらい 捲土重来 ¶あなたの*捲土重来を期します (⇒ 努力を倍加して新しくやりなおすことを期待します) I hope you will *make a new start with redoubled efforts*.
けんない¹ 圏内 ¶彼は当選*圏内にいる (⇒ 彼が選挙に勝つ強い可能性がある) There is *a strong possibility of* his winning the election. // その船はいま台風*圏内にいる The ship is now *in the* typhoon *area*. // その国は英国の勢力*圏内にあった The country was *within the* British *sphere* of influence.《☞ けんがい¹》
けんない² 県内 ☞ けん²(県内)
げんなおし 験直し ── 图 improvement in *one's* luck Ⓤ. ── 動 improve *one's* luck.《☞ げん⁵》.
げんなま 現生 cash Ⓤ《☞ げんきん¹》.
げんなり ¶この長雨には*げんなりだ (⇒ 飽き飽きした) I *am fed up with* this long spell of wet weather. // 彼の長い開会の挨拶はみんなを*げんなりさせた (⇒ 飽きさせた) His long opening remarks *bored* everyone *to death*. // 彼女の不平には*げんなりだ (⇒ もうたくさんだ) I *have had enough* of her complaints.《☞ うんざり》
げんに¹ 現に ── 副 (本当に・実際に) really, actually; (自分の目[耳]で) with *one's* own 「eyes [ears]; (いま) now, at this moment. ¶私は*現にそれを見た (⇒ 本当にそれを見た) I *really* saw it. / (⇒ 自分の目で見た) I saw it *with my own eyes*. // *現にその事実を知っている人はたくさんいます A lot of people know that fact. 日英比較 この例のように,「現に」に当たる部分が必ずしも英語に訳出されず, 話し言葉ではイントネーション, あるいは know に強い強勢を置くことなどによって強調を表すことも多い. // 彼の予言したことが*現にいま起こっている What he 「foretold [predicted] is *actually* happening now.
げんに² 厳に ¶彼らの動きは*厳に警戒を要する We must keep a constant (and) *strict* watch on their activities. // そのような行為は*厳に慎んでもらいたい (⇒ そのようなことは決してしてはならない) *Never* do 「such a thing [anything like that].《☞ げんじゅう》
げんにゅう 原乳 milk fresh from 「a [the] cow Ⓤ.
けんにょう 検尿 urinalysis /jù(ə)rənǽləsɪs/ Ⓤ.
けんにん¹ 兼任 ── 動 (同時に…の職を持つ) concurrently /kənkə́ːrəntli/ hold the 「position(s) [post(s)] of ...《☞ けんむ; かねる; かけもち》.
けんにん² 堅忍 ── 图 (困難などに負けない) perseverance /pə̀ːsəví(ə)rəns/ Ⓤ; (我慢強さ) fórtitùde Ⓤ; (忍耐) endúrance Ⓤ. ── 形 (へこたれない) persevering /pə̀ːsəví(ə)rɪŋ/; (不屈の) indomitable.《☞ ふくつ》. 堅忍持久 untiring patience Ⓤ 堅忍不抜 indomitable perseverance Ⓤ. ¶*堅忍不抜の精神 *indómitable* spírit
ケンネル (犬小屋)《英》kennel Ⓒ,《米》doghouse Ⓒ ★《米》で kennel といえば何頭もの犬を飼育する大型の犬舎を指す.
げんねんど 現年度 the current 「《米》fiscal [《英》financial] year.
けんのう¹ 献納 ── 動 (寄付する) contribute ㊉, donate /dóuneɪt/ ㊉ ★ 前者が一般的. ── 图 contribution Ⓤ, donation Ⓤ.《☞ きふ¹》. 献納品 offering Ⓒ.
けんのう² 権能 (法的な能力) power Ⓤ ★ 時に複数形で; (立場上与えられている) authority Ⓤ《☞ けんげん¹》. ¶天皇は, この憲法の定める国事に関する行為のみを行い, 国政に関する*権能を有しない The Emperor shall perform only such acts in matters of state as are provided for in this Constitution and he shall not have *powers* related to government. ★ 日本国憲法第四条.
げんのうやく 減農薬《☞ のうやく》 減農薬栽培 ¶これらの野菜は*減農薬栽培で育てられている These vegetables are grown *with reduced amounts of agricultural chemicals*.
げんのしょうこ 現の証拠 〖植〗cranesbill /kréɪnzbìl/ Ⓒ ★ crane's-bill ともつづる.
けんのん 剣呑 ── 形 (危ない) dangerous; (危険な) risky ★ 後者のほうが危険の程度が大きい; (安全でない) unsafe.《☞ あぶない; きけん¹》.
けんば 犬馬 犬馬の労をとる (人に対してできるだけのことをする) do *one's* best for *a person*, render what service is within *one's* power ★ 後者は格式ばった言い方.
げんば 現場 (事故・事件の) scene Ⓒ; (犯行などの) spot Ⓒ; (建築などの) site Ⓒ. ¶警察が*現場に駆けつけた The police rushed to the *scene*. // これが犯行の*現場です This is the *spot* where the crime was committed. // その男は盗みの*現場を押さえられて (⇒ 盗みをしている最中に) 捕まった The man was 「caught [arrested] *in the act of* stealing. // *現場の教師 (⇒ 教えることに従事している教師) school teachers engaged in teaching // 彼は教育の*現場 (⇒ 実際の先生の仕事) を知らない

He doesn't understand the *actual work* of teachers. **現場監督** field overseer Ⓒ **現場検証** on-the-spot 「investigation [inspection] Ⓒ (☞ けんしょう²) **現場取材** on-the-spot [remote] coverage Ⓤ **現場中継** on-the-spot [remote] broadcast Ⓤ **現場取引** spot trading Ⓤ.

けんぱい 献杯, 献盃 ―動 offer *a person* a cup of 「wine [sake].

げんぱい 減配 reduction in dividends Ⓒ. ¶配当が 10% から 7% に*減配された The dividends *were reduced* from 10 percent to 7 percent.

けんばいき 券売機 ticket vending machine Ⓒ.

けんぱき 検波器 (wave) detector Ⓒ.

げんばく 原爆 atom(ic) bomb Ⓒ, A-bomb /éɪbàm/ Ⓒ. (☞ げんし¹; かく⁴; ひばく). ¶広島と長崎は世界で*原爆を投下されたただ 2 つの都市である Hiroshima and Nagasaki are the only two cities in the world 「where [on which] *atomic bombs* were dropped.

原爆犠牲者 A-bomb victim Ⓒ **原爆記念館** the Atom Bomb Museum /mjuːzíːəm/ **原爆記念日** Atomic Bomb Memorial Day **原爆実験** atomic(-bomb) test Ⓒ; (核実験) nuclear weapons test Ⓒ ★現在はこの言い方が普通. **原爆症** Atomic-bomb illness Ⓒ, radiation sickness Ⓒ **原爆ドーム** (the) Atomic Bomb Memorial Dome.

けんぱくしょ 建白書 (written) petition Ⓒ.

げんばつ 厳罰 severe [heavy] punishment Ⓤ (☞ ばつ¹; ばっする). ¶そのような人は*厳罰に処すべきです (⇒厳しく罰せられるべきだ) Such a person must *be punished severely*. // *厳罰主義 a policy of *severe punishment*

げんぱつ 原発 nuclear power 「station [plant] Ⓒ. **原発事故** nuclear power plant 「accident [disaster] Ⓒ ★[ ] 内は人的被害を伴う大事故.

げんぱつせい 原発性 ―形 (がんなどが) originated (↔ transferred), primary. **原発性免疫不全症候群** primary immune-deficiency syndrome Ⓤ.

けんばん 鍵盤 (全体) keyboard Ⓒ; (1 本 1 本の鍵(けん)) key Ⓒ. (☞ キー; ピアノ (挿絵)).

鍵盤楽器 keyboard instrument Ⓒ.

げんばん¹ 原板 (ネガ) negative (plate) Ⓒ.

げんばん² 原盤 master disc Ⓒ.

げんぱん 原版 (印刷板) original 「form [plate] Ⓒ; (原作・原文・原図など) original edition Ⓒ (☞ はん³).

げんはんけつ 原判決 original decision Ⓤ. ¶*原判決を破棄する reverse the *original decision*

けんび 兼備 ―動 (兼備する) have ... and ... at the same time (☞ かねる). ¶才色*兼備である *be gifted with both* beauty *and* intelligence / (⇒美人で頭がいい) be beautiful *and* intelligent

げんぴ 厳秘 ―形 (最高機密の) top secret; highly classified ★両者とも国家機密などに用いる; (内密の) confidential ★封書の「親展」の意, highly, strictly などを付けて厳秘の意に用いる. ¶その件を*厳秘に付す keep the matter *strictly secret*

けんびかいぼう 顕微解剖 microdissection Ⓤ (☞ かいぼう¹).

けんびきょう 顕微鏡 ―名 mícroscòpe Ⓒ. ―形 (顕微鏡的な) mìcroscópic. ¶その細胞を*顕微鏡で調べてみた I examined the cell 「*under* [*through*; *with*] *a microscope*. [語法] 顕微鏡でのぞきこむ意味を強調する場合には under, 単に顕微鏡を手段として用いたことを言う場合には through または with. // 倍率 100 倍の*顕微鏡 a *microscope* that can magnify things 100 times / a one-hundred-power *microscope* // 高倍率の*顕微鏡 a powerful *microscope*

顕微鏡検査 microscopic examination Ⓒ **顕微鏡写真** micrograph Ⓒ.

けんびきょうざ 顕微鏡座 〘天〙 the Microscope, Microscopium (略 Mic).

けんびしゅじゅつ 顕微手術 microsurgery Ⓤ.

けんびじゅせい 顕微授精 microfertilization Ⓤ ★説明的には microscope-assisted artificial insemination.

けんびそうさ 顕微操作 micromanipulation Ⓤ, micrurgy /máɪkrəʤi/ Ⓤ.

けんぴつ 健筆 ¶*健筆を振るう (⇒たくさん寄稿する) *contribute a lot of articles* (to ...) **健筆家** prolific writer Ⓒ.

げんぴょう 原票 original slip Ⓒ.

けんぴん 検品 ―名 inspection of goods Ⓤ. ―動 (照合・点検する) check ⓗ; (不備・欠陥がないかどうか調べる) inspect ⓗ. ¶入ってきた商品を*検品する *check* [*inspect*] incoming merchandise

げんびん 減便 ¶国際線の*減便 a *reduction of the number of* the international *flights* (☞ びん²)

げんぴん 現品 ¶*現品限り半額 (⇒展示品は半額で売る) *Display items* (sold at) half price. / (⇒展示品はすべて 50% 割引き) 50% Off on 「All the *Articles* [*Everything on Display*]!

けんぶ 剣舞 sword /sɔ́ːd/ dance Ⓒ. ¶*剣舞を舞う perform a *sword dance*

けんぷ 絹布 silk (cloth) Ⓤ.

げんぷ 厳父 (厳しい父親) strict [stern] father Ⓒ; (他人の父親に対する尊敬語) *a person's* father.

げんぷう 厳封 tight seal Ⓒ. ¶書類を*厳封する *seal* a document *tightly*

げんぶがん 玄武岩 basalt /bəsɔ́ːlt/ Ⓤ. **玄武岩台地** basaltic plateau /bəsɔ́ːltɪk plætóʊ/ Ⓒ.

げんぷく 元服 ―名 ritual to mark *one's* attainment of manhood Ⓒ. ―動 (元服する) celebrate *one's* coming of age.

けんぷじん 賢夫人 wise wife Ⓒ.

けんぶつ 見物 ―動 (都市・名所などを) see [do] the sights of ..., see ⓗ [語法] 「見物」の意味をはっきりと出すときは前者を用いる; (観光に出かける) go sightseeing; (パレード・ゲームなど動きのあるものを) watch ⓗ. ―名 (観光) sightseeing Ⓤ; (訪問) visit Ⓒ. (☞ かんこう¹; けんがく¹). ¶私は今度の休みに京都*見物に行くつもりです I'm going to 「*see* [*do*] *the sights of* Kyoto during the next vacation. / I'*m going sightseeing in* Kyoto next vacation. // 通りはその行列の*見物客でごったがえしていた The street was crowded with people *watching* the parade.

見物席 (座席) seat Ⓒ; (観覧席) the stands ★単数扱い; (屋外競技場の屋根のない) bleachers **見物人** (観光客) sightseer Ⓒ; (観客) spéctator Ⓒ; (傍観者) onlooker Ⓒ.

げんぶつ 現物 (実際の品物) the (actual) article (☞ じつぶつ; ほんもの). ¶*現物は倉庫にあります *The article* is in the warehouse. // *現物は見本より少し大きめです *The actual article* is a little larger than the sample. // 支払いは*現物でなされた The payment [Payment] was made *in kind*. [語法] 「金ではなく, 物で」という意味の句が in kind. **現物価格** 〘商〙 spot price Ⓒ **現物給付** benefit in kind Ⓤ **現物給与** wages paid in kind **現物支給** payment in 「kind [(引換券による) product vouchers] Ⓒ **現物出資** investment in kind Ⓤ　現物取引[売買] spot transaction Ⓒ ★ 通例複数形で.

ケンブリッジ　―名 ⓖ Cambridge ★ 英国イングランドの都市(Cambridge 大学がある), および米国マサチューセッツ州の都市 (Harvard 大学などがある).
ケンブリッジ学派 the Cambridge school of economics　**ケンブリッジ大学** Cambridge University.

けんぶん[1] 見聞　(学習・観察などによる知識) knowledge Ⓤ; (情報) information Ⓤ; (経験) experience Ⓤ ★ 具体的な事実をいうときには Ⓒ. 《☞ けいけん[1]》.
¶ あの人は*見聞が広い (⇒ 広い知識を持っている) He has ˹extensive [(a) great breadth of] *knowledge*. / (⇒ 情報によく通じている) He is *well(-)informed*. / (⇒ 人生経験を積んでいる) He has seen much of life. // 彼は*見聞を広めるために (⇒ もっと世の中を見るために) 旅に出た He went on a trip to *see more of the world*.
見聞録 record of personal experiences Ⓒ.

けんぶん[2] 検分　―動 (間違いがないかどうか調べる) inspect ⓗ; (詳しく検査する) examine ⓗ. ―名 inspection Ⓤ; examination Ⓤ. 《☞ けんさ》.

げんぶん 原文　(元の本文) the original (text) 《☞ げんさく[1]》. ¶ *原文のまま sic ★ 誤りや疑問のある文をそのまま引用するときに付記する. / stet ★ 校正で消した箇所をもとのままに戻すときの指示. // その小説は*原文で読みました I read the novel in *the original*. // 彼は*原文に忠実に訳した He made his translation faithful to *the original*.

げんぶんいっち 言文一致　the unification of the spoken and written language.

けんぺい 憲兵　(集合的に陸軍の憲兵隊) the military police ★ 複数扱い; (1 人について) military policeman Ⓒ 《複 -men》 ★ MP と略す; (集合的に海軍の) the shore patrol; (1 人について) shore patrolman Ⓒ 《複 -men》 ★ SP と略す.

げんぺい 源平　(源氏と平氏) the ˹Genji [Minamoto] and ˹Heike [Taira] clans. ¶ *源平の戦 the battle between the *Minamoto and Taira clans*

けんぺいずく 権柄ずく　―形 (横柄な) òverbéaring; (傲慢な) dòminéering.

けんぺいりつ 建蔽率　building coverage ratio Ⓒ. ¶ ここの*建蔽率は 70 パーセントです *The maximum building coverage ratio* here is 70 percent.

けんべん 検便　stool examination Ⓒ.

けんぽ 健保　☞ けんこう[1] (健康保険)

げんぼ 原簿　ledger Ⓒ 《☞ だいちょう[2]》.

けんぽう[1] 憲法　―名 constitution Ⓒ. ―形 (憲法(上)の・合憲の) constitutional.
¶ *憲法を制定[擁護]する establish [defend] the *constitution* // 日本の現在の*憲法は昭和 22 年に施行された The present *Constitution* of Japan came into force in ˹the 22nd year of Showa [1947]. 語法 自国の憲法は大文字にして, 固有名詞的に扱う. // それは*憲法で保障された権利である That's a *constitutional* right. // 日本の*憲法第 9 条はすべての戦争を放棄することを述べている Article Nine of the *Constitution* of Japan ˹declares [states] (that) the nation will not engage in any kind of war. / Article Nine of the Japanese *Constitution* renounces all forms of war. ★ 第 2 文のほうが格式ばった表現. // *憲法の改正は国民投票によらなくてはならない A *constitutional* amendment [An amendment to the *Constitution*] must be ˹approved [decided] by a ˹plebiscite [nationwide referendum]. // わが家の*憲法 our family('s) *principles*　**憲法違反** constitutional offense Ⓒ, violation of the constitution Ⓒ. 《☞ いけん[2]; いはん[1]; 下のコロケーション》 ¶ その処置は*憲法違反ではない [違反である] (⇒ 合憲である [違憲だ]) The procedure is ˹*constitutional* [*unconstitutional*].　**憲法学者** constitutional scholar Ⓒ　**憲法記念日** Constitution Day 《☞ しゅくじつ (表)》　**憲法調査会** (衆参両院の) the Research Commission on the Constitution Ⓒ.

―コロケーション―
憲法に違反する violate a *constitution* / 憲法を改正する revise a *constitution* / 憲法を起草する draft [draw up; frame; write] a *constitution* / 憲法を遵守する adhere to a *constitution* / 憲法を修正する amend a *constitution*; make *constitutional* changes / 憲法を発布する promulgate a *constitution* / 憲法を守る preserve [protect] a *constitution* // 暫定憲法 an interim [a provisional] *constitution* / 成文憲法 a written *constitution* / 不文憲法 an unwritten [a customary] *constitution* / 民主憲法 a democratic *constitution*

けんぽう[2] 拳法　kung fu /kʌ́ŋfúː/ Ⓤ.

げんぽう[1] 減俸　―名 salary cut Ⓒ, cut in salary Ⓒ ★ 前者のほうが口語的. ―動 cut [reduce] *a person's* ˹pay [salary] ★ cut のほうが口語的. ¶ 彼は 5 パーセント[1 万円]*減俸された He ˹had [suffered; experienced] a *salary cut* of ˹five percent [¥10,000]. / He *had his pay* ˹*cut* [*reduced*] ˹(by) five percent [by ¥10,000].

げんぽう[2] 減法　subtraction Ⓤ 《☞ ひきざん》.

けんぼうじゅっすう 権謀術数　(策略を用いて人を欺くこと) trickery Ⓤ; (たくらみ) trick Ⓒ; (汚ないやり方) dirty trick Ⓒ. 《☞ さくりゃく; けいりゃく》.

けんぼうしょう 健忘症　forgetfulness Ⓤ; 〘医〙 (記憶喪失) amnésia Ⓤ. ¶ 私はこのごろ*健忘症にかかっている I've ˹been [become] *forgetful* recently. // 父は*健忘症だ (⇒ 記憶力が弱い) My father *has a poor memory*.

げんぼく 原木　timber Ⓤ; (パルプの) pulpwood Ⓤ.

けんぽん 献本　―名 (親しい人に寄贈する著書) presentation [complimentary] copy Ⓒ 参考 贈る本には With ˹the compliments of ... [...'s compliments] などと書く. ...のところには the author (著者) と書いたり, 自分の名を入れたりする; (無料で配布する出版物) free copy Ⓒ; (書評用) review copy Ⓒ; (教科書などの採用のための) sample copy Ⓒ. ―動 present a ˹complimentary [free; review] copy to ... 語法 場合に応じて適切な形容詞を用いる. 《☞ ぞうてい[1]; きんてい[1]》.

げんぽん 原本　the original (work).

けんま 研磨　―動 (こすって光沢をだす) polish ⓗ; (堅いもので磨く) grind ⓗ. ―名 polishing Ⓤ; grinding Ⓤ. 《☞ みがく》.
研磨機 polisher Ⓒ; grinder Ⓒ　**研磨材** abrasive materials, abrasives. ★ 複数形で.

げんまい 玄米　(精白していない米) unpolished rice Ⓤ, brown rice Ⓤ.　**玄米食** diet of ˹brown [unpolished] rice Ⓒ　**玄米茶** coarse tea mixed with roasted brown rice Ⓤ, brown rice tea Ⓤ　**玄米パン** whole-rice bread Ⓤ.

けんまく 剣幕　¶ 彼はすごい*剣幕で (⇒ 激しく) どなった He shouted *fiercely*. // 彼は恐ろしい*剣幕で (⇒ すごい顔つきで) 私をにらんだ He *looked daggers at* me. ★ look daggers at ... は「...をにらみつける」の意. / He stared at me ˹*with a fierce look* [*fiercely*]. 《☞ ぎょうそう》

げんまん 拳万　☞ ゆびきり

げんみつ 厳密 ―形(厳格な) strict; (注意深い) careful; (規則などが柔軟性がなく厳しい) rigid. ―副 strictly; carefully; rigidly. (☞ めんみつ; きびしい (類義語)).
¶*厳密な意味ではその国に民主主義など存在したことはない In the *strict(est)* sense of the word, democracy has never existed in that country. // もっと*厳密に (⇒注意深く) 調べてみるべきだった We should have examined it more *carefully*. // この規則は*厳密すぎる This rule is too *rigid*.

けんみん 県民 the ⌈residents [inhabitants] of a prefecture (☞ けん[2]). **県民感情** the ⌈public [popular] sentiment in a prefecture. ¶その件に関しては沖縄の*県民感情を無視すること (⇒沖縄の人たちの感情に目をつむること) はできません As for that matter, we cannot shut our eyes to *the feelings of the people* in Okinawa. **県民性** the character of the people of a prefecture **県民税** ☞ けん[2] (県税)

けんむ 兼務 ―動(同時に…の職を持つ) concurrently hold the ⌈position(s) [post(s)] of… (☞ -けん[2]; けんにん[1]; かけもち; かねる).
¶首相は外相を*兼務している (⇒同時に外相の職にもついている) The prime minister *concurrently holds the post of* foreign minister. / (⇒首相は外相でもある) The prime minister is *also* (the) foreign minister.

けんむのちゅうこう 建武の中興 the Kenmu Restoration; (説明的には) the political innovations introduced by Emperor Go-Daigo. (☞ ごだいごてんのう).

けんめい[1] 賢明 ―形(賢い) wise; (思慮分別のある) judícious ★ 前者より格式ばった語; (よい判断をする) sensible. ―名 wisdom Ⓤ; (分別) sense Ⓤ. (☞ かしこい (類義語); りこう[1]).
¶君が彼の申し入れを受け入れたのは*賢明だった It was *wise* of you to accept his offer.

けんめい[2] 懸命 ―形(熱心な) earnest; (全力を挙げての) all-out; (精力的な) strenuous. ―副 (一生懸命に) very hard; (熱心に) earnestly; (精力的に) strenuously; (命がけで) for ⌈*one's* [dear] life. ―名 earnestness Ⓤ. (☞ いっしょうけんめい; ひっし[1]). ¶彼はその宿題を終わらせるために*懸命の努力をした He made an *all-out* effort to finish the assignment. // *懸命の救助作業が一昼夜続いた A *strenuous* rescue operation ⌈continued [went on] ⌈round [around] the clock.

けんめい[3] 件名 subject (matter) Ⓒ. ¶*件名でデータベースを調べるにはどうすればいいですか How can I search the database by *subject(s)*?
件名索引 subject index Ⓒ **件名目録** subject catalog Ⓒ.

げんめい[1] 言明 ―動(公に宣言する) declare ㊀; (明確に述べる) state …⌈clearly [definitely] 日英比較 日本語の「言明する」が単に「述べる」という意味で用いられる場合には clearly, definitely は不要. ―名 declaration Ⓤ; (definite) statement Ⓤ. (☞ だんげん; せいめい[2]; せんげん).
¶彼はその案に反対であると*言明した He *declared* ⌈that he was against [his opposition to] the plan. // 大統領はそのことをはっきりと演説の中で*言明した (⇒明確に述べた) The president *stated* it ⌈*clearly* [*definitely*] in his speech. // 彼はそのことについての*言明を避けた (⇒何の評論もしなかった) He *made* no *comment on* it. / (⇒はっきり述べることを避けた) He avoided *making* any *definite statement* about it. ★ 第1文が第2文より口語的.

げんめい[2] 厳命 strict order Ⓒ (☞ めいれい).

げんめい[3] 原名 the original name.

げんめつ 幻滅 ―名 disillusionment Ⓤ. ―動(幻滅を感じさせる) disillusion ㊀; (がっかりさせる) disappoint ㊀. (☞ がっかり; しつぼう).
¶私は尊敬していた指導者たちに*幻滅を感じている I *am disillusioned with* the leaders I respected. // 私は真実を知って*幻滅を感じた I *was disappointed* when I learned the truth. // *幻滅の悲哀を感じる suffer a sad *disillusionment*

げんめん 減免 (税の軽減と免除) reduction and exemption Ⓤ; (刑罰の) mitigation and remission Ⓤ.

けんもほろろ 剣もほろろ ―形(拒絶などがきっぱりした) flat; (ぶっきら棒な) blunt; (素っ気ない) curt. ―副 flatly; bluntly; curtly. (☞ そっけない; すげない). ¶彼は我々の頼みを*けんもほろろに断った (⇒すげなく拒絶した) He ⌈*flatly* [*bluntly*; *curtly*] refused our request. / He gave a *flat* refusal to our request.

けんもん[1] 検問 ―動 check ㊀. ―名 check Ⓒ. ¶交差点のすぐ手前で*検問に引っ掛かった Just before the crossing, we were ordered to stop for a *check*. **検問所** checkpoint Ⓒ.

けんもん[2] 見聞 ☞ けんぶん[1]

げんもん 舷門 gangway Ⓒ.

げんや 原野 (荒野) wilderness Ⓤ; (人の手が入っていない未開地) the wilds ★ 複数形で.

けんやく 倹約 ―動(省いて節約する) save ㊀, save on …; (経済的に使う) ecónomize on … ―名 (金銭のむだを省き, 蓄えを作ること) thrift Ⓤ 語法 よい意味で用い「けち」という悪い意味はない. ―形 thrifty (↔ extrávagant); (食事や金銭の使い方がつましい) frugal. (☞ せつやく; つましい; けち (類義語)).
¶*倹約は美徳だ *Thrift* is a virtue. // 彼は*倹約して100万円貯金した He has been *thrifty* and saved a million yen. // 彼はバス代を*倹約するために歩いて帰った He walked home to *save* ⌈the bus fare [*on* bus fare].

けんやくか 倹約家 thrifty [frugal] person Ⓒ.

げんゆ 原油 crude (oil) Ⓤ (☞ せきゆ).

げんゆう 現有 ¶党の*現有の議席 the seats the party *holds at present* **現有勢力** existing strength Ⓤ (☞ げんざい[1]; しょゆう).

けんゆうち 県有地 ☞ けん[2] (県有地)

けんゆうりん 県有林 ☞ けん[2] (県有林)

けんよう 兼用 ¶この部屋は書斎と寝室の*兼用です (⇒書斎と寝室として使われている) This room *is used as both* a study *and* bedroom. // この机は食卓*兼用です This desk *also serves as* a table. (☞ -けん[2]; かねる)

けんらん 絢爛 ―形(豪華な) gorgeous; (きらきらと輝いた色とりどりの) brilliantly colored; (壮大な) magníficent. (☞ ごうか; かれい[1]).

けんり 権利 (道徳上または法律的に認められている資格) right Ⓒ; (請求権) claim Ⓒ. (☞ けんげん[1]).
¶*権利を行使[乱用]する exercise [abuse] *one's rights* // *権利は義務を伴う *Rights* ⌈carry [entail] duties. // 私には発言する*権利がある I have the *right* to speak. // だれもその財産の*権利を主張しなかった Nobody made a *claim* ⌈to [on] the property. // あなたは憲法によって保障されている*権利を行使すべきだ You should exercise ⌈your [the] *rights* (that are) guaranteed by the Constitution. // あなたは何の*権利があってそのようなことを言うのか (⇒何があなたに権利を与えるのか) What gives you the *right* to say such a thing? // 他人の*権利を侵害してはいけない Don't infringe ⌈on [upon] other people's *rights*. // 我々はお互いの*権利を尊重しなければならない We must respect each other's *rights*.

権利落ち〘証券〙ex rights ★ 複数形で. **権利株** potential ⌈stock [share] [C] ★ 通例複数形で. **権利金** premium /príːmiəm/ [C] **権利者** rightful person [C] **権利書** certificate of title [C] **権利証** title deed [C] **権利章典** (英国史の) the Bill of Rights (1689) **権利請願** (英国史の) the Petition of Right (1628) **権利宣言** (英国史の) the Declaration of Rights (1689) **権利付き** with rights (on ...) **権利乱用** abuse /əbjúːs/ of a right [U].

コロケーション

権利がある have [reserve] a *right* (to ...; to *do* ...) / 権利を与える give a *right* (to ...; to *do* ...) / 権利を失う lose [forfeit] the *right* (to ...; to *do* ...) / 権利を奪う deprive *a person* of his/her *right* / (人の)権利を侵す violate *a person's right*; infringe ⌈on [upon] *a person's right* / 権利を回復する restore *one's right* / 権利を享受する enjoy the *right* (to ...; to *do* ...) / (...へ)権利を譲渡する hand over a *right* (to ...) / 権利を制限する curtail the *right* / 権利を手に入れる gain [acquire] the *right* (to ...; to *do* ...) / 権利を付与する grant a *right* / 権利を放棄する abandon [give up; renounce; relinquish; waive] *one's right* (to ...; to *do* ...) / 権利を保護する protect [safeguard] *a person's right* (against ...) / 権利を保障する guarantee the *right* (to ...; to *do* ...) / 権利を守る defend the *right* / 権利を要求する claim *one's right* (to ...; to *do* ...) / 権利を留保する reserve the *right* (to ...; to *do* ...) // 女性の権利 a woman's *right*; women's *rights* / 生得の権利 an inherent [a natural] *right* / 平等な権利 an equal *right* / 法的権利 a legal *right* // 幸福追求の権利 the *right* to pursue one's happiness / 集会の権利 the *right* of assembly / 自由な言論の権利 the *right* of free speech / 消費者の権利 the *right* of consumers / 投票の権利 the *right* to vote / プライバシーの権利 the *right* of privacy / 黙秘の権利 the *right* to remain silent

げんり 原理 (根本の原則) principle [C]; (学問や行動など, 全体にかかわるような哲理) philósophy [C]; (応用のもとになる理論) theory [C]. (☞ げんそく[1]; りろん). ¶ アルキメデスの*原理 Archimedes' /àəkəmíːdiːz/ principle // それは科学の*原理に反する It violates scientific *principles*. // 多数決は民主主義の最も重要な*原理の 1 つだ Decision by ⌈the [a] majority is one of the most important *principles* of democracy. // それに対してこの*原理を応用できる We can apply this *theory* to it. // *原理的にはすばらしい考えのようだが, 実際にはうまくいかないだろう In ⌈*theory* [*principle*] it sounds like a great idea, but it won't work in reality.
原理主義 fundamentalism [U] **原理主義者** fundamental*ist* [C].

けんりつ 県立 ― [形] prefectural /prɪːféktʃərəl/ [語法] 府立, 道立も prefectural でよい. (☞ けん[2]; けんえい). ¶ 山梨*県立美術館 Yamanashi *Prefectural* Museum // 富山*県立大学 Toyama *Prefectural* University **県立高校** prefectural high school [C] (☞ 学校・教育 (囲み)). ¶ 三重*県立津高等学校 Mie *Prefectural* Tsu *High School* **県立図書館** prefectural library [C] **県立病院** prefectural hospital [C].

げんりゅう 源流 ☞ みなもと

けんりゅうけい 検流計 gàlvanómeter [C].

けんりょう 見料 fee [C]. ¶ 易者の*見料 a fortune-teller's *fee*

げんりょう[1] 原料 (未加工の) raw materials (↔ manufactured goods); (鉱産物などが天然のままの) crude materials ★ いずれも普通は複数形で. (☞ ざいりょう). ¶ わが国は*原料を輸入して製品を輸出する We import *raw materials* and export manufactured goods. // ナイロンの*原料は何ですか (⇒ 何から作られるか) What is nylon made ⌈of [from]?

げんりょう[2] 減量 ― [動] lose (some) weight (↔ put on weight). ― [名] loss ⌈in [of] weight [U]. (☞ へらす; たいじゅう). ¶ 私は 5 キロほど*減量しなくてはならない I have to *lose* five kilograms.
減量経営 slimming [U].

けんりょく 権力 ― [名] (ことをなす力・支配力) power [U] ★ 一般的な広い意味の語; (立場によって法的に認められた権力) authority [U]; (影響力) influence [U]. ― [形] (力のある) powerful (↔ powerless); (影響力のある) ìnfluéntial (↔ uninfluential). (☞ ちから; けんげん[1]).
¶ 彼は*権力の座につきたがっている He wants to ⌈gain [get into a position of] *power*. // 彼は*権力の座を追われた He was driven from *power*. // 彼は*権力を乱用して秘書を雇った He abused his *authority* by hiring a secretary. // 彼はほしいままに*権力をふるった He ⌈exercised [wielded] his *authority* at will. // あの人は*権力者だ That is a person of ⌈considerable [great] ⌈*power* [*influence*]. / That is ⌈an *influential* [a *powerful*] man.
権力外交 power diplomacy [U] **権力主義** authoritarianism /ɔːθɑ̀rətéː(ə)riənìzm/ [U] **権力政治** pówer pólitìcs **権力闘争** struggle for power [C], power struggle [C] **権力分立** the separation of powers **権力欲** desire for power [U].

コロケーション

権力争いをする compete for *power* / 権力の座につく attain [come to] *power* / 権力の座にとどまる stay in *power* / 権力の座に登る ascend [rise] to *power* / 権力を悪用する misuse *one's power* / 権力を失う fall from *power* / 権力を行使する exercise [exert; wield] *power* / 権力を握る take [assume; grab; seize] *power* / 権力を引き継ぐ inherit *power* / 権力をほしいままにする arrogate *power* to *oneself* / 権力を用いる use *one's power* / 権力を譲る hand over *one's power* to ... / 権力を乱用する abuse (*one's*) *power* // 大きな権力 great [enormous] *power* / 最高権力 supreme *power* / 首相[議会]の権力 the *power(s)* of the ⌈prime minister [legislature] / 政府権力 government *power* / 絶対権力 absolute *power* / 独裁的権力 dictatorial [authoritarian] *power*

けんろ 険路 steep path [C].

けんろう 堅牢 ― [形] (丈夫な) strong; (堅くがっしりとした感じの) solid; (長持ちする) durable. (☞ けんご; じょうぶ; がんじょう).

げんろう 元老 (政界の) elder statesman [C]; (一般に長老) senior [C]. **元老院** (古代ローマの) the senate; (古代イタリア各都市の) curia /kjʊ́(ə)riə/ [C] (複 curiae /kjʊ́(ə)rìː/).

げんろくそで 元禄袖 short kimono sleeve [C].

げんろん[1] 言論 (話すこと) speech [U]; (書くこと) writing [U]. **言論界** the press **言論機関** organ of public opinion [C] **言論戦** verbal battle [C] **言論統制** regulation of speech [U]; (言論の自由の抑圧) suppression of freedom of speech [U] **言論の自由** freedom of speech [U]. ¶ *言論の自由は憲法で保障されている *Freedom of speech* is guaranteed by the Constitution.

げんろん[2] 原論 principle [C]. ¶ 社会学*原論

the *principles* of sociology

げんわく 眩惑 ━動 (目をくらませる) dazzle ㊀, bedazzle ㊀; (魅了する) fáscinàte ㊀. ━名 bedazzlement Ⓤ; fascination Ⓤ. 《☞ みわく; まよわす》. ¶ 男たちは彼女の美しさに*眩惑された The men *were* 「*dazzled* [*bedazzled*; *fascinated*] by her beauty.

こ，コ

こ[1] 子 (子供) child Ⓒ《複 children》,《略式》kid Ⓒ; (息子) son Ⓒ; (男の子) boy Ⓒ; (娘) daughter Ⓒ; (女の子) girl Ⓒ.《☞ こども (類義語); 親族関係 (囲み); むすこ; むすめ》. ¶お*子さんは何人ですか (⇒ 何人お持ちですか) How many *children* do you have? // あの*子はだれですか Who is that *child*? // 野球が好きなのは女の*子よりも男の*子に多い More *boys* than *girls* like (to play) baseball. // *子は三界の首かせ (⇒ 子どもは永遠の重荷だ) *Children* are an eternal burden on us. // *子を見ること親に如かず (⇒ 両親は子どもの最良の判断者だ) The parents are the best judges of their *children*. // *子を持って知る親の恩 Only after we come to have *children* we know our debt to our parents. // 犬の*子 a *puppy* // うちの猫は二匹*子を産んだ Our cat had two *kittens*. // いじめっ*子 a *bully*
子はかすがい ☞ かすがい

コロケーション

子を生む have a *baby*; give birth to a ⌈*baby* [*child*]; 《格式》bear a *child*; (男が子をもうける) 《文》beget a *child* / **子を育てる** bring up [raise] a *child* // **いたずらっ子** a ⌈naughty [mischievous /místʃɪvəs/] *child* / **落ち着きのない子** a restless *child* / **おとなしい子** a ⌈quiet [docile] *child* / **なまいきな子** a cheeky *child* / **問題のある子** a problem *child* / **よい子** a good ⌈*boy* [*girl*] / **わがままな子** a spoiled *child*; a wayward *child* / **悪い子** a bad *child*

こ[2] 弧 arc Ⓒ《☞ えん[3] (挿絵)》. ¶*弧を描いて飛ぶ fly in an *arc*

こ[3] 粉 (粉末) powder Ⓤ《☞ こな》. ¶身を*粉にして働く keep *one's* nose to the grindstone (to *do* ...) ★ くだけた決まり文句. **粉を吹く** (干し柿などが) have a bloom.

こ[4] 個 individual Ⓒ. ¶*個と全体 an *individual* and the whole

こ-[1] 故… ¶*故田中氏 the *late* Mr. Tanaka 《☞ なき-; こじん[2]》

こ-[2] 小… ¶*小声 a *low* voice // *小雨 a *light* rain // *小 1 時間 *almost* an hour // *小ぎれいな家 a *nice-looking* house // *小耳にはさむ ☞ こみみ

-こ[1] …個 piece Ⓒ 〔日英比較〕 不可算名詞に付けて用いる. このほかせっけん (soap) には bar Ⓒ, cake Ⓒ, 家具 (furniture) には article Ⓒ, item Ⓒ なども用いられる. 可算名詞の場合は日本語で「…個」となっていても英語では単に「数詞＋名詞 (の複数形)」でよい場合が多い.《☞ 数の数え方 (囲み); 可算・不可算名詞 (巻末)》.
¶テーブルにケーキが 3 *個ある There are three *pieces* of cake on the table. // せっけん 5 *個 five ⌈*bars* [*cakes*] of soap // 「オレンジは何*個いりますか」「5 *個下さい」"How many oranges do you want?" "Five, please." // このリンゴは 1 *個 50 円です These apples are fifty yen ⌈*each* [*apiece*].

-こ[2] …戸 (家) house Ⓒ; (世帯) family Ⓒ.《☞ -けん[1]; こすう[1]; しょたい[1]》.

-こ[3] …湖 (固有名詞として) Lake ..., ... Lake 〔語 法〕 後者は湖の形状を表す語が固有名詞化した場合に多い. ¶ミシガン*湖 *Lake* Michigan // 十和田*湖 *Lake* Towada // クレーター*湖 Crater *Lake*

ご[1] 語 (単語) word Ⓒ; (用語) term Ⓒ; (言語) language Ⓒ.《☞ たんご; ことば; こくご》.
¶この*語の意味は何ですか What does this *word* mean? / What is the meaning of this *word*? ★ 第 1 文がより口語的. // 彼は何*語をしゃべるのですか What *language* does he speak? / (⇒ 彼の母語は何か) What is his native *language*? // 専門*語 a technical *term* // 外国*語 a foreign *language*

ご[2] 碁 go Ⓤ. ¶*碁が打てますか Can you play *go*? / Do you know how to play *go*? // その国では最近*碁がはやっている The game of *go* is popular these days in that country. // 彼女は*碁が強い She is a good *go* player. **碁石** go ⌈stone [piece] Ⓒ **碁会所** go ⌈parlor [club] Ⓒ **碁敵**(ごがたき) rival in go Ⓒ **碁盤** go board Ⓒ.

ご[3] 五, 5 ―名形 five 〔語 法〕「第 5 (番目) の」, あるいは「第 5 (番目) のもの」の場合は the fifth.《☞ 数字 (囲み)》.

ご[4] 呉 (中国の王朝) Wu.

ご[5] 誤 ☞ あやまり

ご- 御… ☞ お-

-ご …後 ―副 (そのとき以来) since ★完了時制とともに用いる; (後になって) later,《米》afterward(s),《英》afterwards 〔語 法〕 (1) later は「3 時間後」three hours *later* のように期間を示す語を付けて用いられることもある. その場合, 普通は過去の意味に用いられる. ―前 (…以来) since ... ★ 完了時制とともに用いる; (…の後) after ...; (…の時間がたったら) in ... ―接 after ...《☞ あと[1]; そのご》.
¶「その*後いかがですか」「元気ですよ」"How have you been?" "(I've been) ⌈fine [all right]." ★ 完了形で「その後」という気持ちが示されている. // その*後彼女に会っていない I have not seen her ⌈*since* [*since* that time; *since* then]. ★ [ ] 内の表現はより具体性を示す. // その*後彼女から手紙がきた I received a letter from her ⌈*later* [*afterward(s)*]. // それから 5 年*後に彼は死んだ He died five years *later*. // 卒業*後間もなく彼女は結婚した She got married soon *after* she graduated. // 到着*後直ちに父に電話をした I called my father *as soon as* I arrived. // 10 分*後に出発します We're leaving *in* ten minutes. / (⇒ いまから 10 分後に) We'll leave ten minutes from now. 〔語 法〕 (2) ten minutes from now は副詞句. 第 1, 2 文とも ten minutes later とは言わない.

コア (物の芯) core Ⓒ.

コアカリキュラム 〔教育〕core curriculum Ⓤ.

こあきない 小商い small(-scale) business Ⓒ.

こあきんど 小商人 small-business owner Ⓒ, owner of a small ⌈shop [business] Ⓒ.

こあざ 小字 ☞ あざ[2]

こあじ 小味 ―形 (微妙でこまやかな) delicate, subtle /sʌ́tl/. ★ 後者のほうが格式ばった語. ¶*小味のきいた料理 a *subtly* flavored dish / a dish that has a *delicate* taste

こあじさし 小鰺刺 〔鳥〕little tern Ⓒ.

コアシステム 〔建〕core system Ⓒ.

コアタイム (フレックスタイム制で就労時間に含まれていなくてはならない時間帯) core time Ⓒ.

ゴアテックス (防水性と通気性を兼ね備えた布地) 〔商標〕Gore-Tex /gɔ́ətèks/.

こあほうどり 小信天翁 〘鳥〙 Laysan albatross Ⓒ.

コアラ 〘動〙 koala /kouáːlə/ Ⓒ.

こい[1] 濃い 1 «色が»: (色が鮮やかで濃い) deep; (暗さが強くて濃い) dark (↔ light).
¶*濃いブルー[茶色] *dark* ˹blue [brown] // *濃い赤 *deep* red / *crimson*
2 «味・密度などが»: (スープ・霧・毛髪などが) thick; (茶・コーヒーなどが) strong (↔ weak); (気体の密度が) dense; (化粧が) heavy. 《☞ のうこう[1]; つよい》.
¶「お茶は*濃いのがいいですか, それとも薄いのがいいですか」「薄いのがいいです」"Would you like your tea *strong* or weak?" "Weak, please." // イングランド中部では冬には*濃い霧が出る In England, the Midlands have ˹*thick* [*dense*] fog(s) in (the) winter. // 君は髪の毛が*濃い You have *thick* hair. // あなたのお化粧は少し*濃すぎます Your makeup is a little too *heavy*. // 血は水よりも*濃い Blood is *thicker* than water. 《ことわざ》

こい[2] 恋 ―名 love Ⓤ ★最も一般的; (慕情) tender ˹feeling(s) [sentiment(s); passion Ⓤ] ★やや文学的. ―動 (愛する) love ⓗ; (恋をしている) be in love (with ...); (恋に落ちる) fall in love (with ...). 《☞ れんあい》.
¶あなたは*恋をしたことがありますか *Have* you (ever) *been in love*? / *Have* you ever *loved* (anyone)? // *恋を打ち明ける confess *one's love* to ... // 太郎は花子に*恋をした Taro *fell in love with* Hanako. // 私は彼に初めて*恋を感じた For the first time I felt *tenderness* ˹for [toward] him.
恋に上下の差別[隔て]なし Love knows no distinction of birth or station. / (⇒ 恋はすべての人を平等にする) Love levels all. **恋は思案の外** (恋と理性は伴わない) Love and reason do not go together. **恋は盲目** Love is blind. 《ことわざ》
恋歌 love ˹song [poem] Ⓒ, song [poem] ˹of [about] love Ⓒ **恋占い** ―名 *one's* fortune in love ―動 (恋について占う) tell [read] *a person's* fortune in love **恋仲** ¶彼らはもう２年前から*恋仲だ They *have been in love with* ˹*each other* [*one another*] for two years.

コロケーション
片思いの恋 unrequited [unreturned] *love* / はかない恋 fleeting *love* / 初恋(の人) *one's* first *love* / 秘めた恋 secret *love* / 道ならぬ恋 illicit *love*

こい[3] 故意 ―副 (意図的に) intentionally, on purpose ★後者のほうが口語的; (慎重に考えた上でわざと) 《格式》 deliberately. 《☞ わざと》. ¶彼はそれを*故意にやったのです He did it ˹*intentionally* [*on purpose*; *deliberately*]. // 私は*故意にやったのではありません(⇒ やるつもりだったのではない). 偶然なのです I didn't *mean* to do it—it was just ˹an [by] accident. 《☞ ダッシュ (巻末)》

こい[4] 鯉 carp Ⓒ ★複数形は普通 carp を用いる. 日英比較 《米》では日本のように「きれいな魚」のイメージはない. **鯉の滝登り** ¶彼の出世は*鯉の滝登りだった (⇒ 昇進が早かった) He *was quick in promotion*. **鯉こく** carp soup Ⓤ; (説明的には) carp cooked in thick *miso* soup Ⓤ.

-こい 日英比較 「程度・状態の類似・過剰など」を表す接尾辞だが, 英語では特に訳出する必要がない場合が多い. ¶丸っ*こい round // 油[脂]っ*こい fatty / greasy

ごい[1] 語彙 vocábulàry Ⓤ 語法 集合的にある言語, またはある種類の語全体を指す. 語彙の一つ一つは a vocabulary item というが, いろいろな種類の語彙をいうときには Ⓒ となる. 《☞ ご[1]; たんご》.
¶彼は*語彙が豊富[貧弱]だ He is ˹rich [limited] in *vocabulary*. / He has a ˹large [limited] *vocabulary*. // *語彙を増やす increase [enrich; expand] *one's vocabulary*
語彙項目 〘言〙 lexical item Ⓒ **語彙目録** 〘言〙 lexicon Ⓒ **語彙論** lexicology Ⓤ.

ごい[2] 語意 meaning of a word Ⓒ, word meaning Ⓒ ★後者のほうがくだけた言い方.

こいがたき 恋敵 rival in love Ⓒ, rival ˹lover [suitor] Ⓒ.

こいき 小粋 ☞ いき[2]

こいくち 濃い口 ¶*濃い口の (⇒ 味[色]の濃い) しょうゆ *strong* [*dark*] soy sauce

こいぐち 鯉口 scabbard mouth Ⓒ. ¶刀の*鯉口を切る loosen *one's* sword in the scabbard (so that it can be swiftly drawn)

こいこがれる 恋い焦がれる ¶彼女は彼に*恋い焦がれている (⇒ 彼女は彼にのぼせている) She *is infatuated with* him. ★長続きしないという意味で軽蔑的. / (⇒ 彼女は彼に夢中だ) She *is* ˹*mad* [*crazy*] *about* him. / (⇒ 首ったけだ) She *is head over heels in love with* him.

こいごころ 恋心 *one's* love (for ...) Ⓤ.
¶彼女も*恋心を抱くようになった (⇒ 恋を知るようになった) She has come to know *love*. // *恋心に目覚める awaken to *love*

ごいさぎ 五位鷺 〘鳥〙 night heron Ⓒ.

こいし 小石 (small) stone Ⓒ, 《米》 rock Ⓒ; (海岸や川岸の) pebble Ⓒ.

こいじ 恋路 (恋) love Ⓤ; (情事) romance Ⓒ, love affair Ⓒ. ¶人の*恋路の邪魔をする interfere ˹in [with] *a person's love* (*affair*)

こいしい 恋しい ―動 (なくて[いなくて]寂しい) miss ⓗ; (...にあこがれる) long for ... ―形 (家・故郷が) homesick. 《☞ なつかしい》. ¶母が*恋しい I *miss* my mother very much. // 家が*恋しい I feel *homesick*. // 夏になると海が*恋しい I *long for* the sea in (the) summer.

こいしがる 恋しがる (思い焦がれる) long (for ...) ⓐ; (なつかしい気持で強く思う) yearn (for ...) ⓐ.
¶彼女は君を*恋しがっているよ (⇒会いたがっている) She *is longing to* see you. // 故郷を*恋しがる *yearn* to return home

こいしたう 恋い慕う ☞ こいしがる

こいずみやくも 小泉八雲 ―名 固 Koizumi Yakumo, 1850–1904; (説明的には) Greek-born British writer with Lafcadio Hearn /læfkáːdiòu hə́ːn/ as his real name who came to Japan in 1890 and was naturalized later as a Japanese citizen.

こいち 〘魚〙 yellow drum Ⓒ.

こいちゃ 濃茶 premium powdered green tea Ⓤ. **濃茶手前** very formal tea ceremony (in which powdered green tea is used) Ⓒ ★説明的な訳.

こいつ (これ) this; (この男[女]) this ˹man [woman] Ⓒ; (この男) this guy Ⓒ.
¶*こいつはすごい *This* is great. // 私は*こいつにだまされた I was taken in by *this person*. // *こいつめ (⇒ このいたずらっ子め) You little *rascal*!

こいにょうぼう 恋女房 *one's* ˹darling [beloved] wife Ⓒ.

こいぬ 子犬 (犬の子) pup(py) Ⓒ 《☞ いぬ[1]; おす[3] (表)》.

こいぬざ 小犬座 〘天〙 the ˹Lesser [Little] Dog, Canis Minor.

こいねがう 希う (嘆願する) implore ⓗ; (希望する) hope ⓗ; (強く望む) strongly desire ⓗ; (心から願う) earnestly wish ⓗ. ¶ご成功を*こいねがっております I *earnestly wish* you success.

こいのぼり 鯉のぼり carp ⌈pennant [streamer] Ⓒ, carp-shaped streamers traditionally flown on Boy's Day ★後者は説明的.

こいびと 恋人 (女から見た男の) boyfriend Ⓒ; (男から見た女の) girlfriend Ⓒ; (通例女から見た男の) lover Ⓒ ★肉体関係を暗示することがあるので注意; (通例男から見た女の) love Ⓒ; (男女ともに) sweetheart Ⓒ ★やや古風な語で, あまり使われなくなってきている. 《☞ かれ; かのじょ》. ¶ 彼はよし子の*恋人だ He's Yoshiko's *boyfriend*. / He's Yoshiko's *lover*. / Yoshiko *is in love with* him. // 彼らは*恋人同士だ They *love* each other. / They *are in love* (*with* each other).

こいぶみ 恋文 love letter Ⓒ.

こいも 子芋 (里芋) taro Ⓒ; (芋の子) daughter ⌈tuber [corm] of a taro Ⓒ.

コイル coil Ⓒ [日英比較] 日本語では電線についてのみ使うが, 英語では 動 で「ぐるぐる巻く」「(蛇が) とぐろを巻く」, 名 で「輪 (になったもの)」など意味が広い.

こいわしくじら 小鰯鯨 ☞ ミンククジラ

こいわずらい 恋患い, 恋煩い ― 名 lovesickness Ⓤ. ― 形 lovesick.

コイン (硬貨) coin Ⓒ. **コイン投入[返却]口** (自動販売機などの) coin ⌈slot [drop; return] Ⓒ.

コインシャワー (硬貨を入れると作動するシャワー) coin-operated shower Ⓒ.

コインせんしゃ コイン洗車 coin-operated carwash Ⓒ.

コインパーキング metered ⌈parking lot [《英》 car park] Ⓒ.

コインランドリー (硬貨を入れて使う洗濯機や乾燥機の店) 《米》 coin laundry store Ⓒ, laundromat /lɔ́ːn-drəmæ̀t/ Ⓒ, 《英》 laund(e)rette /lɔːn-drét/ Ⓒ, coin-op Ⓒ; (その洗濯機) coin(-operated) washer Ⓒ. 《☞ せんたく[1]》.

コインランドリーの看板

コインロッカー (硬貨を入れて使うロッカー) coin(-operated) locker Ⓒ [参考] 普通は単に locker と呼ぶ. 《☞ ロッカー》.

こう[1] 功 (成功) success Ⓤ; (尽力・功労) services ★通例複数形で; (手柄) credit Ⓤ. 《☞ こうせき[1]; てがら》. ¶ 彼らの作戦は*功を奏した (⇒ 計画はかなり成功した[うまくいった]) Their plan ⌈*was* quite *successful* [*worked well*]. // 彼はその戦で*功を立てた (⇒ 目立った働きをした) He rendered *distinguished services* in the war. // 年の*功 (⇒ 老人の知恵) the *wisdom* of age // 亀の甲より年の*功 (⇒ 経験が重要だ) *Experience* counts. / (⇒ 年月は知恵をもたらす) Years bring *wisdom*. ★いずれも決まり文句として使われる. **功成り名遂ぐ** win success and fame. ¶ 彼は*功成り名遂げて引退した He retired after *winning success and fame*. / (⇒ 輝かしい経歴を残して) With a *brilliant career* behind him, he ⌈withdrew [retired] from public life. **功を焦る** be too eager ⌈for [to achieve] success.

こう[2] 効 (薬などの効き目) effect Ⓤ ★ 具体的な事例は Ⓒ. 《☞ ききめ; こうりょく[1]; やくせき 用例》.

こう[3] 項 (法律文などの条項) clause Ⓒ [語法] 上位の「条項」が section Ⓒ と呼ばれる場合には subsection Ⓒ ともいう; (予算表などの項目) item Ⓒ; 〖数〗 term Ⓒ; 〖論〗 argument Ⓒ. 《☞ こうもく; じょうこう[1]》. ¶ 協定書第 3 *項 the third *clause* ⌈in [of] the agreement / *clause* 3 of the agreement

こう[4] 甲 (手の甲) the back (of the hand) Ⓒ (↔ palm); (足の甲) ínstèp Ⓒ; (亀の) tortoiseshell Ⓤ; (複数の人・物事のうち一人・一つを指して) the one; (前者) the former. 《☞ て (挿絵); あし[1] (挿絵)》. ¶ *甲の薬は乙の毒 *One* man's meat is another man's poison. 《ことわざ: ある人の食物は別の人の毒》

甲乙つけがたい ¶ その 2 つは*甲乙つけがたい (⇒ ほとんど違いがない) There is little difference between the two. / (⇒ どちらがよいか言えない) You can't say which of the two is better. 《☞ ゆうれつ》

こう[5] 香 íncense Ⓤ. ¶ *香をたく burn *incense* // *香を聞く smell *incense*

こう[6] 斯う (こんなに) this 《☞ このよう》. ¶ *こう待たされてはかなわない I don't like to have to wait *this* long. // *こう言って彼は部屋から出て行った With *this*, he left the room. // *こう言ってはなんだが (⇒ これを言うのをちゅうちょするが) I hesitate to say *this*, but …. // *こうなることは予想していました I expected that it would turn out ⌈*this way* [*like this*]. // *こうすればうまくいきます It will go well if you do it *this way*.

こう[7] 候 (季節) season Ⓒ; (天候) weather Ⓤ. ¶ 新緑の*候 the *season* of fresh green leaves

こう[8] 坑 (鉱坑) mine Ⓒ; (坑道) pit (of a mine) Ⓒ. ¶ 縦*坑 a *shaft* // 横*坑 a *level* // 斜*坑 a *chute*

こう[9] 幸 good luck Ⓤ. **幸か不幸か** ¶ *幸か不幸か私はその場にいなかった *Luckily or unluckily*, I didn't happen to be there.

こう[10] 稿 (草稿) draft Ⓒ; (原稿) manúscript Ⓒ. 《☞ げんこう[2]》. ¶ *稿を起こす begin *writing*

こう[11] 講 (宗教団体) fraternity Ⓒ; (無尽) mutual financing association Ⓒ.

こう[12] 校 proof Ⓒ 《☞ こうせい[6]》. ¶ 初*校 the first *proof* // 再*校 the second *proof*

こう[13] 請う (許しなどを願う) beg (for …) 自 他; (頼む) ask (for …) 自 他; (依頼する) request 他. 《☞ たのむ; いらい》. ¶ 人の許しを*請う *beg a person's* pardon // 慈悲を*請う *beg for* mercy // 彼女に援助を*請いたくはない I don't like to *ask for* her help. // 私は*請われるままに彼にいくらか金を貸した I lent him some money as *requested*.

こう[14] 行 (行動) action Ⓤ. ¶ 私は彼と*行を共にする (⇒ 彼といっしょに行く[彼に従う]) ことに決めた I've decided to *accompany* [*follow*] him.

こう[15] 孝 ¶ 彼は*孝を尽くした He *was dutiful* to his parents. 《☞ こうこう[2]》

こう[16] 綱 〖生〗 class Ⓒ.

こう[17] 劫 (囲碁の) *ko*; (説明的には) alternate-capture situation Ⓒ.

こう[18] 腔 〖解〗 cavity Ⓒ.

こう[19] 溝 (10 の 32 乗) the thirty-second power of ten.

こう[20] 鉱 ☞ こうぶつ[2]

こう[21] 恋う (大切に思う) love 他; (大好きである) be fond of …; (いなくなった人などを) miss 他; (なつかしむ) long [yearn] for …. ¶ 母を*恋う歌 a song of *love* for *one's* mother

こう-[1] 好… (良い) good ★ 最も一般的な語; (天気などが) fine; (人物などが) nice; (都合などが) favorable. ¶ *好機 a *good* ⌈chance [opportunity] // *好天気 *fine* weather // *好人物 a *nice* person // *好条件 *favorable* terms and conditions

こう-[2] 抗… ― 接頭 anti-. ¶ *抗ガン剤 *anti*cancer drugs // *抗ヒスタミン剤 *anti*histamine /æ̀ntɪhístəmìːn/

こう-[3] 高… high. ¶ *高カロリー食 a *high*-calorie diet // *高エネルギー *high* energy // *高学歴の人 a *highly* educated ⌈man [woman]

-こう[1] …港 port Ⓒ 《☞ みなと》. ¶ 横浜*港 the

port of Yokohama
-こう² …公 （英国の公爵）duke Ⓒ;（英国以外の公爵）prince Ⓒ;（公国の君主）Prince Ⓒ;（大名などの）lord Ⓒ. 《☞ こうしゃく¹》. ¶エジンバラ*公 the *Duke* of Edinburgh /édnbə̀ːrə | -b(ə)rə/ // 伊藤*公 *Prince* Ito // 紀州*公 the *Lord* of Kishu
-こう³ …考 study Ⓒ ★書名・論文名などで.
ごう¹ 号 （番号）number Ⓒ;（刊行物の号）issue Ⓒ, number Ⓒ;（服・絵画などの大きさ）size Ⓒ;（雅号）pen name Ⓒ, pseudonym /súːdənɪ̀m/ Ⓒ ★後者のほうが格式ばった語. 《☞ ごうすう》.
¶「何*号室ですか」「私は107*号室です」"What's your room *number*?" "It's 107." 《☞ 数字（囲み）》 // 『エル』9月*号 the September *issue* of *Elle* // 以下次*号（⇒ 続く）To be continued. // 次*号完結（⇒ 完結される）To be concluded. // 「これは何*号活字ですか」「8*号です」"What *size* is this type?" "*No.* 8." // 100*号の大作絵画 a large painting, *size* 100

ごう² 合 1 《山の》: stage Ⓒ. ¶富士山の8*合目 the eighth *stage* of Mt. Fuji 2 《体積の単位》: *go* Ⓒ ★単複同形;（説明的には）an old Japanese unit of capacity equal to about 0.18 liters. ¶米3*合 three ˹*go* [*cups*] of rice
ごう³ 業 （仏教の）karma Ⓤ. ¶彼のしたことは*業が深い（⇒ 罪深い）What he did *was very sinful*.
業を煮やす ¶彼ののろまには*業を煮やした（⇒ いらいらした）I became quite ˹*impatient* with [*irritated* by] his slowness.
ごう⁴ 郷 ¶*郷に入っては*郷に従え When in Rome, do as the Romans do. 《ことわざ: ローマにいるときはローマ人がするようにせよ》
ごう⁵ 壕 trench Ⓒ. ¶*壕を掘る dig a *trench*
ごう⁶ 剛 ―形（強い）strong. ―名 strength Ⓤ. 剛の者 ☞ 見出し
こうあつ¹ 高圧 （電気の）high voltage Ⓤ;（蒸気などの）high pressure Ⓤ.
高圧ガス high-pressure gas Ⓤ 高圧線 high-voltage ˹line [cable] Ⓒ 高圧(的) ―形（強硬な）strong;（力ずくの）strong-arm Ⓐ, high-handed ★前者のほうが口語的;（抑圧的な）oppressive. ¶*高圧手段 *high-handed* measures 《☞ きょうこう¹; こうしせい》 高圧帯〘気象〙high-pressure zone Ⓒ 高圧電流 high-voltage current Ⓤ.
こうあつ² 降圧 ¶*降圧変圧器 a *step-down* transformer 降圧剤 antihypertensive drug Ⓒ.
こうあん¹ 考案 ―動（装置などを工夫する）devise ⑩;（計画・方法を案出する）wórk óut ⑩, oríginàte ⑩ 〔語法〕前者は「苦労して」, 後者は「独創的に」という気持ちが含まれる. ―名（思いつき）idea Ⓒ;（工夫されたもの・仕掛け）device Ⓒ. 《☞ かんがえだす; つくりだす; くふう》. ¶彼女は新しい方法を*考案した She *worked out* a new method.
考案者 designer Ⓒ;（創案者）originator Ⓒ;（発明者）inventor Ⓒ.
こうあん² 公安 public ˹peace [safety] Ⓤ, public (peace and) order Ⓤ, law and order Ⓤ. 《☞ ちあん》. 公安委員 public safety commissioner Ⓒ 公安委員会 public safety commission Ⓒ 公安条例 public safety regulation Ⓒ ★しばしば複数形で. 公安調査庁 the Public Security /sɪkjʊ́(ə)rəti/ Invèstigátion Àgency.
こうあん³ 公案 （禅の）koan Ⓒ《複 ～(s)》;（説明的には）paradoxical /pæ̀rədɑ́ksɪk(ə)l/ quéstion asked of a Zen student to attain enlightenment Ⓒ.
こうあんのえき 弘安の役 the Koan War (in 1281) 《☞ げんこう⁴》.
こうい¹ 行為 （行動）action Ⓒ; act Ⓒ; deed Ⓒ; behavior (《英》 behaviour) Ⓤ; conduct Ⓤ.
【類義語】連続する行動の過程全体が ***action***. 短い1回の行動は ***act***. 例えば海難救助は a heroic *action* で, そのために海へ飛び込んで泳ぐのは a brave *act*. ただし両者同じ意味で用いられることもある. 行為の結果で特に立派な行いなどの含みがあるのが ***deed*** で, やや文語的な語. 人の行状・振舞いという意味では ***behavior***. 道徳的な観点から見る行いを指すやや格式ばった語が ***conduct***. 《☞ ふるまい; こうどう¹》
¶子供っぽい*行為 childish *behavior* // 親切な*行為 an *act* of kindness / a kind ˹*act* [*action*] // 見下げ果てた*行為 a contemptible *act* // 言葉でなく*行為で示して下さい (Give me) *deeds*, not words. / Don't talk, (but) show me. ★口語的. // 彼の*行為は許せない His *conduct* is ˹unpardonable [inexcusable]. 行為規範 code of behavior Ⓒ 行為者 doer Ⓒ;（実行者）performer Ⓒ ★前者のほうが口語的. 行為税 service [act] tax Ⓒ 行為能力（能力）capacity Ⓤ;（適性）competence Ⓤ.

コロケーション

あるまじき行為 a reprehensible *act*; atrocious ˹*behavior* [*action*] / 異常な行為 abnormal *behavior* / 英雄的な行為 a heroic ˹*act* [*action*; *deed*] / 横暴な行為 overbearing [outrageous] *behavior* / 愚かな行為 a foolish *act*; foolish *conduct* / 奇妙な行為 strange *behavior* / 軽率な行為 a thoughtless *act* / 賢明な行為 a wise *act* / 合法的な行為 a legal *act* / 残忍な行為 a cruel ˹*act* [*action*] / 衝動的な行為 an impulsive *act* / 思慮のない行為 an inconsiderate *act*; inconsiderate *behavior* / 人道的な行為 a humane *act*; humanitarian *action* / 正常な行為 normal *behavior* / 憎むべき行為 a detestable *act* / 恥ずべき行為 a shameful *act*; degrading [scandalous] *conduct* / 卑劣な行為 a ˹mean [cowardly; despicable] ˹*act* [*action*] / 不謹慎な行為 unscrupulous *behavior* / 不適切な行為 improper [inappropriate] ˹*conduct* [*behavior*] / 無礼な行為 rude [impertinent] *behavior* / みだらな行為 an obscene *act*; obscene *conduct* / 無分別な行為 an indiscreet *act* / 無謀な行為 reckless *behavior* / 野蛮な行為 a barbaric *act* / 利己的な行為 a selfish *act* / 立派な行為 a noble *act* // 愚かな行為 an *act* of folly / 自衛行為 an *act* of self-defense / 信念に基づく行為 an *act* of faith / 侵略行為 an *act* of aggression // 絶望的な行為 desperate *action*; an *act* of despair / 破壊行為 destructive *behavior*; an *act* of ˹destruction [vandalism] / 報復行為 retaliatory *action*; an *act* of ˹retaliation [revenge] / 暴力行為 a violent *act*; an *act* of violence / 勇敢な行為 a ˹brave [courageous] ˹*act* [*action*]; an *act* of bravery

こうい² 好意 ―名（親切）kindness Ⓤ;（積極的に援助しようとする態度）goodwill Ⓤ;（親愛の気持ち）friendliness Ⓤ. ―形（好意的な）favorable (《英》 favourable);（親切な）kind;（友好的な）friendly. ―副（好意的に）favorably (《英》 favourably). 《☞ ぜんい; しんせつ¹（類義語）; こうかん²》. ¶彼らは我々にたいへんな*好意を示した They have shown (a) great *kindness* to us. // 人の*好意に甘えては(⇒ つけ込んでは)いけない Don't take advantage of other people's *goodwill*. // 彼女は私に*好意を持っている（⇒ 私が好きだ）She *likes* me. / (⇒ 友好的だ) She is *friendly to* me. // せっかくのご*好意を無にして(⇒ 親切な申し出を受けられずに)申し訳ない I'm sorry, but I cannot accept your *kind offer*. // みんなは彼の言葉を*好意的に解釈した They all interpreted his words *favorably*.

こうい[3] 厚意 (親切) kindness Ⓤ《☞ しんせつ[1] (類義語)》. ¶ご*厚意深く感謝いたします (⇒ あなたの親切に) Thank you very much [I'm very grateful] for your *kindness*. / (⇒ そうして下さるのはたいへん思いやりのあることでした) It was very *considerate of you* to do that. // 私は彼の*厚意で就職できた I got a job through his *kindness*.

こうい[4] 校医 school doctor Ⓒ.

こうい[5] 皇位 the (Imperial /ɪmpí(ə)riəl/) Throne. ¶*皇位に就く[を継ぐ] accede [succeed] to *the Imperial Throne* **皇位継承(権)** (the right of) succession to the Imperial Throne Ⓤ.

こうい[6] 高位 high rank Ⓒ. ¶*高位に上る rise to a *high rank* // *高位高官の人 a *high-ranking* officer **高位株** high-priced ⌈stock [share] Ⓒ.

ごうい 合意 ― 名 agreement Ⓤ ★具体的な「協定」の意味では Ⓒ; (同意) consent Ⓤ. ― 動 agree ⓐ.《☞ どうい[1]; とりきめ》. ¶両者は*合意に達した The two sides ⌈came to [arrived at; reached] an *agreement*. / An *agreement* was reached between the two sides. // それは双方[一同]*合意の上でしたことです It was done by ⌈*mutual* [*common*] ⌈*agreement* [*consent*].

合意書 (document of) agreement Ⓒ. ¶*合意書にサインする sign an *agreement*

こういう (このような) such; (こんな風な) like this.《☞ こんな; そういう》. ¶*こういう風にやってごらんなさい Try it (in) *this way*. // *こういう男は信用できない We can't trust *this type* of (a) man. // *こういうことは彼にやらせよう Let him do *this sort* of thing.

こういか 甲烏賊 cuttlefish Ⓒ《☞ いか[2]》.

こういき 広域 wide area Ⓒ. **広域行政** integrated /íntəgrèɪtɪd/ administration on a broader unit area Ⓤ **広域経済** bloc economy Ⓤ **広域捜査** search conducted over a wide area Ⓒ **広域暴力団** crime syndicate influential over a wide area Ⓒ.

こういしつ 更衣室 (体育館・プールなどの) locker room Ⓒ; (舞台・テレビスタジオなどに付属の) dressing room Ⓒ.

こういしょう 後遺症 áftereffèct Ⓒ; 〘医〙 sequela /sɪkwélə/ Ⓒ《複 sequelae /-liː/》. ¶交通事故の*後遺症に悩まされる suffer from the *aftereffects* of a traffic accident

こういつ 後逸 ¶ショートがゴロを*後逸した (⇒ ゴロを捕るのに失敗した) The shortstop *failed to catch* the grounder.

こういっつい 好一対 ¶この 2 人ならば*好一対の夫婦になる The two will make a ⌈very *good couple* [*well-matched pair*].

こういってん 紅一点 ¶このグループではあなたが*紅一点です (⇒ ただ 1 人の女性です) You are the *only woman* in our group.

こういど 高緯度 high latitude Ⓒ《☞ いど[2]》.

こういん[1] 工員 factory worker Ⓒ; (一般的な産業労働者) industrial worker Ⓒ; (肉体労働者) blue-collar worker Ⓒ.

こういん[2] 光陰 **光陰矢の如し** Time flies.

こういん[3] 行員 bank clerk Ⓒ.

こういん[4] 拘引 ― 動 (拘留する) take … into custody. ― 名 custody Ⓤ. ¶彼は*拘引中である He is in *custody*. **拘引状** bench warrant Ⓒ.

こういん[5] 公印 official seal Ⓒ. **公印偽造** forgery of an official seal Ⓤ.

ごういん[1] 強引 ― 動 (力ずくでする) force ⓗ; (押し込む) ram ⓗ. ― 形 (力ずくの) forcible Ⓐ; (高飛車な) high-handed. ― 副 forcibly, by force; high-handedly.《☞ ちからずく; きょうせい[1]; こうあつ[1] (高圧的)》.

¶彼は*強引に中に入ってきた He *forced* his way in. / He made a *forcible* ⌈entrance [entry]. ★第 2 文のほうが格式ばった言い方. // 君のやり方は少し*強引だ You're a little too *high-handed* in this matter. // 彼らはその法案を*強引に衆議院を通過させた They ⌈*forced* [*rammed*] the bill through the Lower House.

ごういん[2] 豪飲 ― 動 drink a heroic quantity (of alcohol).

こうう 降雨 rainfall Ⓒ, rain Ⓤ.《☞ あめ[1]》. **降雨量** (the amount of) rainfall Ⓤ; (専門語として) precipitátion Ⓤ.《☞ うりょう》.

ごうう 豪雨 (大雨) heavy rain Ⓒ ★しばしば複数形で; (どしゃ降り) downpour Ⓒ; (一時的にどっと降る) torrential rain Ⓒ ★しばしば複数形で.《☞ おおあめ》. ¶伊豆地方は集中*豪雨に見舞われた *Torrential rain(s)* hit the Izu Peninsula. / The *heavy rain* was concentrated in the Izu area.

こうウイルスざい 抗ウイルス剤 antiviral ⌈drug [agent] Ⓒ.

こううつやく 抗鬱薬 antidepressant Ⓒ.

こううん[1] 幸運 ― 名 (good) luck Ⓤ, good fortune Ⓤ. ― 形 lucky, fortunate. ★共に後者がやや格式ばった表現.《☞ うん[1] (類義語); ついている》.

¶君は何と*幸運なんだろう How ⌈*lucky* [*fortunate*] you are! / What a ⌈*lucky* [*fortunate*] person you are! // その事故にあわなかったのは*幸運だった I was ⌈*lucky* [*fortunate*] to have escaped the accident. // *幸運を祈ります I wish you *good luck*. / *Good luck* (to you)! 〔語法〕 何か勝負の決まることとか, 多少の困難を伴う仕事などに出かける人に向かって言う言葉. // *幸運にも彼は一等を取った He was ⌈*lucky* [*fortunate*] enough to win (the) first prize. // 彼女は生涯お金の苦労をしなくてすむという*幸運に恵まれた She had the *good fortune* to be free from financial worries all her life.

幸運児 lucky ⌈person [man; woman] Ⓒ.

こううん[2] 光暈 (太陽や月などの周りに現れる光の輪) halo Ⓒ《複 ~(e)s》; (写真の) halation Ⓤ.《☞ かさ[4]》.

こううんき 耕耘機 cúltivàtor Ⓒ.

こううんりゅうすい 行雲流水 living life in a natural manner Ⓤ.

こうえい[1] 光栄 (名誉) honor (《英》 honour) Ⓤ ★「名誉となるもの」の意では a を付けて; (特別の恩恵・特典) privilege Ⓒ.《☞ めいよ》.

¶きょう皆さまにお話できるのはまことに*光栄です It is a great ⌈*honor* [*privilege*] for me to (be able to) speak to you today. ★演説の始めなどに言う文句. // 女王に拝謁の*光栄に浴した (⇒ 会う名誉を持った) I had the *honor* ⌈of meeting [to meet] Her Majesty. // *光栄に思います I feel *honored*. // 身に余る*光栄です It is an *honor* greater than I deserve.

こうえい[2] 公営 ― 形 public《☞ こくえい》. **公営企業** (国営の企業) government enterprise Ⓒ; (地方自治体の) munícipal énterprìse Ⓒ; (総称) public enterprise Ⓒ **公営住宅** (総称) public [municipal] housing Ⓤ; (個々の) unit of public housing Ⓒ, 《英》 council ⌈house [flat] Ⓒ **公営賭博** municipally operated gambling Ⓤ.

こうえい[3] 後裔 descendant Ⓒ《☞ しそん》.

こうえい[4] 後衛 (軟式テニスの) the back player; (フットボールなどの) back Ⓒ; (フルバック) fullback Ⓒ.

こうえいへい 紅衛兵 (中国の毛沢東時代の) Red Guard Ⓒ.

こうえき[1] 公益 (公共のためになること) the public good; (公共の利益) the public ˹benefit [interest(s)]. (☞ こうきょう[1]). ¶ *公益を図る promote *the public ˹good [interest]* **公益委員** committee member representing the public interest [C]; (労働委員会の) public [neutral] member [C] **公益事業** public utility [C] **公益質屋** public pawnshop [C] **公益法人** public corporation [C].

こうえき[2] 交易 (取り引き) trade [U]; (通商) commerce [U]. (☞ ぼうえき[1]).

こうえつ 校閲 ―[動] (読んで修正する) revise (他). ―[名] revision [U]. **校閲者** consultant [C].

こうエネルギー 高エネルギー high energy [U]. **高エネルギー加速器** high-energy accelerator [C] **高エネルギー物理学** high-energy physics [U].

こうえん[1] 公園 park [C] (☞ こくていこうえん). ¶ *公園へ散歩に行きましょう Let's go for a walk in the *park*. [語法] (1)「公園の中を散歩する」という意味では in を用いる. // 日比谷*公園へはどう行ったらよいのですか Can you tell me the way to Hibiya *Park*? [語法] (2) 公園の名前には普通 the を付けない. // 日光国立*公園 Nikko National *Park* (☞ 冠詞 (巻末))

こうえん[2] 講演 ―[名] (格式ばった講義) lecture [C]; (演説) speech [C]; (格式ばらない談話の) talk [C]. ―[動] lecture (自), give a lecture; make a speech, speak (自); talk (自). (☞ えんぜつ; こうぎ[2]). ¶ 彼女はアメリカの歴史について*講演することになっている She is going to ˹*give* [*deliver*] *a lecture* on American history. ★give のほうが口語的. // ブラウン博士は昼食会で*講演した Dr. Brown *made a speech* at the luncheon. // 彼は歴史学会で*講演した He *talked* ˹before [to] the ˹Historical [History] Society. [語法] 聴衆を示す場合は before または to. **講演会** meeting to hear a lecture [C]; (大学・研究所などの) seminar [C] **講演者** lecturer [C] **講演料** hònorárium (for a lecture) [C] **講演旅行** lecture tour [C].

こうえん[3] 後援 ―[名] (発起人などとしての) sponsorship [U]; (政府などの指導的立場での) áuspices [語法] 複数形で. 普通 under the auspices of ..., under ...'s auspices の形で; (一般的な意味での支援・援助) support [U], backing [U] ★ 後者のほうがくだけた語. ―[動] sponsor (他); support (他), báck (úp) (他). (☞ うしろだて; あとおし). ¶ そのオペラは Y 新聞社*後援で上演された The opera was performed *under the* ˹*sponsorship* [*auspices*] *of* the Y Newspaper. **後援会** (スターなどの) fán clùb [C]. ¶ 山下氏の*後援会が(⇒ 支援するために会が)作られた A *society* was formed ˹*to support* [*for the support of*] Mr. Yamashita. **後援者** sponsor [C]; (支援者) supporter [C] **後援団体** supporters' organization [C].

こうえん[4] 公演 públic perfórmance [C] (☞ じょうえん; こうぎょう[2]). ¶ 定期*公演 a regularly scheduled *performance*

こうえん[5] 好演 ―[名] (演技) good acting [U]; (演技・演奏など) good performance [C]. ―[動] give an excellent performance.

こうえん[6] 高遠 ―[形] (気高い) noble; (崇高な) lofty. ¶ *高遠な理想 *noble* [*lofty*] ideals

こうえん[7] 口演 ―[名] spoken performance [C]; (物語ること) narration [U]; (朗読会) recital [C]. ―[動] perform oral, comic storytelling, such as Japanese *rakugo*; narrate (他); recite (他).

こうえんきん 好塩菌 halobacteria ★ 複数形で. 単数形は halobacterium.

こうお 好悪 (好き嫌い) likes and dislikes; (えこひいき) partiality [U]. (☞ すききらい).

こうおつ 甲乙 ☞ こう[4]

こうおん[1] 高音 (声・音の高い調子) high tone [C] (↔ low tone); (ピッチの高い音) high-pitched sound [C] (↔ low-pitched sound).

こうおん[2] 高温 high temperature [C] (↔ low temperature) (☞ おんど[1]). ¶ *高温多湿の気候 a climate with *high temperatures* and high humidity **高温計** pyrometer /paɪrάmətə/ [C] **高温超伝導** high-temperature superconductivity [U].

こうおん[3] 恒温 fixed temperature [C]. **恒温動物** homóiothèrm [C].

ごうおん[1] 轟音 (とどろくような音) roar [C], roaring sound [C]; (耳をつんざくような音) deafening roar [C]. (☞ ばくおん; とどろき). ¶ 火山が*轟音を上げて噴火した The volcano erupted with a *roar*.

ごうおん[2] 号音 (競技で) the signal sound of the (starting) pistol.

こうおんぶ 高音部 〘楽〙 treble [C]. **高音部記号** (ト音記号) treble [G] clef [C].

こうか[1] 効果 ―[名] effect [U] ★ 具体的な例を指すときは [C]; (薬などの効能) efficacy /éfɪkəsi/ [U] ★ 前者が一般的な語. ―[形] (効果的な) effective; (成果のある) successful; (実りのある) fruitful. ―[副] (効果的に) effectively, with effect; successfully. (☞ こうりょく; ききめ; きく[2]). ¶ この薬は*効果てきめんです (⇒ 即時的な効果を持つ) The medicine has an immediate *effect*. / (⇒ すぐに効く) The medicine *works* quickly. // 「アスピリンは腹痛に*効果がありますか」「いいえ, おなかの病気には*効果はありません」"Is aspirin *effective* for stomachache(s)?" "No, it has no *effect* on stomach disorders." // 宣伝はすばらしい*効果を上げた[さっぱり*効果がなかった (⇒ 失敗だった)] The advertisement proved to be ˹quite *successful* [a total failure]. // 音響*効果 sound *effects* // 最も*効果的な英語の勉強はどうしたらいいですか How can I learn English most *effectively*?

こうか[2] 降下 ―[動] (飛行機などが) descénd (自) (↔ ascend), còme dówn (自) ★ 後者のほうが口語的; (温度が) fall (自) (↔ rise), drop (自) ★ 後者は「急激に」というニュアンスがある. ―[名] descent [U] (↔ ascent); fall [C] (↔ rise), drop [C]. (☞ きゅうこうか; おりる; かこう[1]). **降下火山灰** ash fall [U] **降下媒塵** dustfall [U] **降下部隊** (落下傘部隊) paratroops ★ 複数形で.

こうか[3] 硬貨 coin [C].

こうか[4] 硬化 ―[動] (こわばらせる) stiffen (他). ―[名] stiffening [U]; (樹脂・金属材料などの) hardening [U]. ¶ 彼は態度を*硬化させた He *stiffened* his attitude. ★ やや格式ばった表現. / (⇒ 友好的でなくなった) He became *unfriendly* to us. **硬化ゴム** hard rubber [U], ébonite [U] **硬化症** 〘医〙 sclerosis /sklɪróusɪs/ [U] ★ 具体的には [C] (複 scleroses /-siːz/) **硬化油** hardened oil [U].

こうか[5] 高価 ―[形] (値段が高い) expensive, high-priced; (ものがよくて値の張る, 費用がかかる) costly. (☞ たかい[1]).

こうか[6] 校歌 school [college] song [C].

こうか[7] 高架 ―[形] (高くした) elevated; (頭上の) overhead. **高架橋** elevated bridge [C]; (鉄道や自動車専用道の) viaduct [C] **高架線** overhead ˹lines [wires] **高架鉄道** elevated ˹railroad [(英) railway] **高架道路** elevated road [C]; (立体交差の上の道路) overpass [C], (英) flyover [C].

こうか[8] 工科 engineering department [C]. **工科大学** institute of technology [C].

こうか[9] 考課 (人の) merit [efficiency] rating [C];

(会社の) business report Ⓒ. **考課表** (人の) personnel record Ⓒ; (会社の) business record Ⓒ.

こうか[10] 公課 public charges ★ 複数形で; (税金) tax Ⓒ.

こうか[11] 膠化 ―[名] gelatinization Ⓤ. ―[動] gelatinize (他) (自).

こうか[12] 黄禍 the yellow peril.

こうか[13] 降嫁 marriage of princess out of the royal family Ⓤ.

こうが[1] 黄河 ―[名] (固) the Yellow River, the Huang He /hwàːŋhə́ː/, the Hwang Ho /hwàːŋhóʊ/. **黄河文明** the cradle of Chinese civilization.

こうが[2] 高雅 ―[形] (高貴な) noble; (優美な) graceful, elegant. 《☞ こうけつ[1]; ゆうが》.

ごうか[1] 豪華 ―[形] (衣装などがきらびやかな) gorgeous; (邸宅などが壮大な) magníficent; (生活などがぜいたくな) luxúrious; (高価な, ぜいたくな) 《格式》 sumptuous. ―[名] magnificence Ⓤ; luxury /lʌ́kʃ(ə)ri/ Ⓤ; (すばらしさ) splendor (《英》 splendour) Ⓤ. 《☞ デラックス; けんらん》.

¶ *豪華な家 a *magnificent* house // *豪華な食事 a *sumptuous* meal // *豪華な(ホテルの)部屋 a *luxurious* (hotel) room // 彼は*豪華な暮らしをしている (⇒ ぜいたくに暮らしている) He lives in *luxury*. // 彼はその*豪華さに目を奪われた (⇒ 目をくらませるほどのすばらしさに圧倒された) He was overwhelmed with the dazzling *splendor*.

豪華客船 luxury ⌜cruise ship [(ocean) liner] Ⓒ **豪華版** (本) deluxe edition Ⓒ.

ごうか[2] 業火 〖仏教〗(地獄の火) hellfire Ⓤ.

こうカード 好カード (よい対戦) good ⌜game [match] Ⓒ.

こうかい[1] 後悔 ―[動] (残念に思う) be [feel] sorry ⌜for [about] ..., regret (他) ★ 前者のほうが口語的; (悪い行いを悔いる) repent (他) (自) [語法] 格式ばった語で, 宗教用語に使われることが多い. ―[名] regret Ⓤ; repentance Ⓤ. 《☞ くい[2]; くやむ; ざんねん》.

¶ 後になって*後悔しますよ You'll *be sorry for* it. // 彼女は自分のしたことを*後悔していない She doesn't *feel sorry* ⌜*for* [*about*] what she has done. // 若いころ英語を勉強しておかなかったことを*後悔しています I *regret* that I didn't learn English when I was young. / I *regret* not having learned English in my youth. ★ 第 2 文のほうが格式ばった表現.

後悔先に立たず Repentance comes too late.

こうかい[2] 航海 ―[名] (長い船旅) voyage Ⓒ; (観光などのため各地に寄港する) cruise Ⓒ; (航行) navigation Ⓤ ★ やや格式ばった語; (本来は帆による) sailing Ⓤ. ―[動] (船で行く) go by sea (自); sail (自); cruise (自). 《☞ こうこう[3]》.

¶ 地中海を*航海してみたい I'd like to go on a Mediterranean *cruise*. // 我々は大西洋を*航海した (⇒ 船で渡った) We ⌜*crossed* [*traveled across*] the Atlantic *by ship*. // 彼はいま*航海中です He *is* now ⌜*out at sea* [*on a voyage*]. ★ 前者は漁師など仕事で海を航行中. 後者は船旅をしている, の意. // 遠洋*航海に出る commence *ocean navigation* // 処女*航海 ...'s maiden *voyage* // 大*航海時代 the Age of Great *Voyages*

航海権 navigation rights **航海士** mate Ⓒ. ¶ 一等[二等]*航海士 the ⌜first [second] *mate* **航海術** (the art of) navigation Ⓤ **航海条例** 〖英史〗 the Navigation Acts **航海図** sailing chart Ⓒ **航海天文学** nautical [navigational] astronomy Ⓤ **航海日誌** log(book) Ⓒ.

こうかい[3] 公開 ―[形] (公衆に対して開かれている) open to the public; (私有に対して公共の) public. ―[動] (公衆に対して開く) open ... to the public; (展示してある) be on exhibit; (展示する) exhíbit (他); (映画などを) release (他) ★ 最後の 2 語は受身で用いられることが多い. ¶ その図書館は一般に*公開されていない The library is ⌜not *open* [closed] *to the general public*. 《☞ ひこうかい》 // これらの国宝は国立博物館で一般に*公開されている These national treasures *are* ⌜*on exhibit* [*being exhibited*] at the National Museum. // これはアメリカで最近*公開された映画です This film *was* recently *released* in America. // *公開の席でそんなことを言ってはいけない You should not mention a thing like that *in public*. // 株式の*公開 a *public sale* of shares // 情報を*公開する *release* information / *make public* information

公開鍵 〖コンピューター〗 public key Ⓒ **公開鍵暗号方式** public key cryptosystem Ⓒ **公開株** publicly offered stock Ⓒ **公開期間** open period Ⓒ **公開講座** (大学の) extension course Ⓒ; (受講資格制限のないもの) open class Ⓒ **公開市場** open market Ⓒ **公開市場操作** open market operation Ⓤ **公開質問状** open letter of inquiry Ⓒ **公開スパー(リング)** 〖ボク〗 sparring match Ⓒ **公開捜査** open criminal investigation Ⓒ **公開討論会** (public) forum Ⓒ **公開入札** open ⌜bid [tender] Ⓒ **公開ヒアリング** open [public] hearing Ⓒ **公開録音[録画]** public recording Ⓒ.

こうかい[4] 公海 the high seas ★ 複数形で.

こうかい[5] 降灰 (火山爆発などの) ash fall Ⓤ; (降下してくる灰) falling ash Ⓤ; (地上に降下して積もった灰) settled ash Ⓤ.

こうかい[6] 黄海 ―[名] (固) the Yellow Sea.

こうかい[7] 紅海 ―[名] (固) the Red Sea.

こうかい[8] 更改 ―[名] renewal Ⓤ ★ 具体的には Ⓒ. ―[動] renew (他). 《☞ こうしん[2]》. ¶ 契約を*更改する *renew* a contract

こうかい[9] 狡猾 ☞ こうかつ[1]

こうがい[1] 郊外 ―[名] (都市周辺の住宅地) 《米》 súburb Ⓒ ★ 郊外全体を指すときは the suburbs とする; (suburb のさらに外側の住宅地域) 《米》 exurb Ⓒ; (都市周辺) the óutskìrts ★ 通例複数形で. ―[形] subúrban Ⓐ. 《☞ きんこう[2]; しがい[1]》.

¶ 私は東京の*郊外に住んでいる I live ⌜in a *suburb* [on *the outskirts*] of Tokyo. // 都市で働いて*郊外に住んでいるという人が多い Many people work in the city and live in *the suburbs*. // *郊外居住者 a *suburban* resident / a *suburbanite*

郊外生活 suburban life Ⓤ **郊外電車** commuter [suburban] train Ⓒ; (交通機関全体としては) commuter [suburban] train service Ⓤ ★ commuter は (郊外) 通勤者の意.

こうがい[2] 公害 (環境汚染) (environmental /ɪnvàɪ(ə)rənméntl/) pollútion Ⓤ; (大気[水質] 汚染) air [water] pollution Ⓤ; (騒音・悪臭など近所迷惑になるようなこと) a public nuisance ★ a を付けて. 《☞ おせん》. ¶ *公害をなくす get rid of *pollution* // 大都市では*公害に悩む人が多い Many people suffer from *pollution* in (the) big cities. // 私たちは*公害を防ぐ努力をすべきだ We should make efforts to prevent *pollution*. // その工場は*公害を引き起こす (⇒ 地域にとって害となる) おそれがある The factory may *cause harm to the community*. // *公害反対運動 an *antipollution* movement // *公害反対運動の活動家 an *antipollution* activist // 産業*公害 industrial *pollution* // 騒音*公害 noise *pollution* // 無*公害車 a *pollution*-free car // 低*公害車 a low-*pollution* car

公害企業 polluting industry Ⓒ **公害健康被害** pollution-related health damage Ⓤ **公害訴訟**

pollution suit Ⓒ **公害対策** antipollution measures ★ 複数形で. 《☞ たいさく¹》 **公害対策基本法** the Basic Law for Environmental Pollution Control **公害病** pollution-caused disease Ⓒ **公害病患者** pollution disease patient Ⓒ **公害病認定患者** officially certified patient suffering from a pollution disease Ⓒ **公害紛争処理法** the Environmental Pollution Disputes Settlement Law **公害防止条例** antipollution ordinance Ⓒ **公害問題** pollution problem Ⓒ ★ 単数形では the を付けて. **公害輸出** the export of pollution.

こうがい³ 梗概 (あらまし) outline Ⓒ; (内容を要約したもの) synopsis /sɪnάpsɪs/ Ⓒ 《複 synopses /-siːz/》 [語法] outline のほうが少し意味が広く, 箇条書きのようなまとめ方をしたものからかなり長いものまでを含む. 《☞ がいりゃく; ようやく²; たいい¹; ようし¹》. ¶ 論文の*梗概を示す give an *outline* of an essay

こうがい⁴ 口外 ── [動] (言う) tell (他); (秘密などをもらす) leak (他), let ... out; (秘密などを公表する) disclose (他). 《☞ もらす; ひみつ》.

こうがい⁵ 校外 (学校の外で) outside the school; (高校・大学の校外で) 《米》 off campus. **校外活動** off-campus activity Ⓒ **校外指導** off-campus guidance Ⓤ.

こうがい⁶ 口蓋 ── [名] palate /pǽlət/ Ⓒ. ── [形] (口蓋の) palatal. ¶ 硬[軟]*口蓋 the ⌈hard [soft] *palate* **口蓋音** 〘音声〙 palatal Ⓒ **口蓋化** 〘音声〙 palatalization Ⓤ **口蓋垂** (のどひこ) uvula /júːvjʊlə/ Ⓒ **口蓋裂** 〘医〙 cleft palate Ⓒ.

こうがい⁷ 坑外 (地表) the surface. ¶ 鉱石を*坑外へ出す bring (the) ore to *the surface* **坑外作業** surface work Ⓤ **坑外作業員** surface worker Ⓒ.

こうがい⁸ 港外 outside the ⌈harbor [port] 《☞ みなと》. ¶ *港外に出る leave [get *out of*] *the* ⌈*harbor* [*port*] ‖ その船は*港外に停泊している The ship lies at anchor *outside the harbor*.

こうがい⁹ 鉱害 (鉱業活動による汚染) mining pollution Ⓤ; (鉱毒による被害) damages due to mining pollution ★ 複数形で. **鉱害賠償** compensation for mining pollution Ⓤ.

こうがい¹⁰ 構外 (建物・敷地の外) outside the premises; (特定の敷地の外) outside the grounds. 《☞ こうない¹》.

こうがい¹¹ 光害 (都市照明により天体観測に与える障害) light pollution Ⓤ.

こうがい¹² 後害 (将来のごたごた) future trouble Ⓤ; (後日現れる悪影響) later repercussions ★ 複数形で. ¶ *後害を恐れて泣き寝入りをすべきではありません You shouldn't suffer in silence out of fear of *later repercussions*.

こうがい¹³ 慷慨 (社会的不正などに対する憤り) indignation Ⓤ, outrage Ⓤ. 《☞ ひふんこうがい》.

こうがい¹⁴ 笄 (整髪用の) ornamental hairpin Ⓒ; (刀の鞘の) spatulate grooming implement (attached to a Japanese sword sheath) Ⓒ; (錨の) stock (of an anchor) Ⓒ.

ごうかい 豪快 ¶ 彼は*豪快に笑った He gave a *big* laugh. ‖ 彼はライトスタンドに*豪快なホームランを打ち込んだ (⇒ すごく大きな) He hit a ⌈*towering home run* [(⇒ 目を見張らせるような) *spectacular* homer] into the right-field stands.

ごうがい 号外 extra Ⓒ; (説明的には) special edition of a newspaper Ⓒ. ¶ *号外を発行する issue an *extra*

こうかいぎ 公会議 (カトリック教会の) ecumenical council Ⓒ.

こうかいぞうど 高解像度 high resolution Ⓤ. **高解像度顕微鏡** high-resolution microscope Ⓒ **高解像度テレビ** high-definition television Ⓒ.

こうかいどう 公会堂 public hall Ⓒ, community center Ⓒ [語法] 市庁舎と同じ建物に入っている場合には town hall Ⓒ と呼ばれることもある.

こうかがく 光化学 phòtochémistry Ⓤ. **光化学オキシダント** phótochèmical óxidant Ⓒ **光化学スモッグ** phòtochémical smòg Ⓤ. ¶ *光化学スモッグ警報が発令された A *photochemical smog* warning has been issued. **光化学反応** photochemical reaction Ⓒ.

こうかく¹ 口角 corner of ⌈the [*one's*] mouth Ⓒ. **口角泡を飛ばす** froth at the mouth. ¶ 彼らは*口角泡を飛ばして議論した (⇒ 激しい議論をした) They *had a heated discussion*. **口角炎** 〘医〙 angular cheilitis /kaɪláɪtɪs/ Ⓤ.

こうかく² 降格 ── [動] (階級・地位を下げる) demote (他); (格下げする) downgrade (他). ── [名] demotion Ⓤ. 《☞ かくさげ》. ¶ 彼女は不行跡のため*降格された She *was demoted* for misconduct. ‖ 彼は支配人から副支配人に*降格された He *was downgraded* from manager to assistant manager. **降格処分** punishment by demotion Ⓤ.

こうかく³ 交角 〘数〙 angle of intersection Ⓒ; 〘電〙 crossing angle Ⓒ.

こうがく¹ 工学 èngineéring Ⓤ. ¶ 化学[機械, 精密, 電気, 土木]*工学 chemical [mechanical; precision; electrical; civil] *engineering* **工学士** bachelor of engineering Ⓒ **工学修士** master of engineering Ⓒ **工学博士** doctor of engineering Ⓒ **工学部** (大学などの) the ⌈college [school; faculty; department] of engineering 《☞ がくぶ (類義語)》.

こうがく² 光学 ── [名] optics Ⓤ ★ 単数扱い. ── [形] optical Ⓐ. **光学異性** 〘化〙 optical isomerism Ⓤ **光学ガラス** optical glass Ⓤ **光学器械** optical instrument Ⓒ **光学系** optical system Ⓒ **光学顕微鏡** optical microscope Ⓒ **光学式文字読み取り装置** 〘コンピューター〙 optical character reader Ⓒ ★ OCR と略す. **光学繊維** optical ⌈fiber [《英》 fibre] Ⓒ **光学デバイス** optical device Ⓒ **光学兵器** optical weapon Ⓒ **光学録音** optical recording Ⓤ.

こうがく³ 後学 ¶ *後学のためにちょっと見せて下さい (⇒ 好奇心があります [おもしろい]. 見せていただけますか) I'*m curious* [It'*s interesting*]. May I have a look at it? 《☞ さんこう¹》

こうがく⁴ 高額 (大きな金額) a large ⌈sum [amount] of money 《☞ たいきん¹; たがく》. **高額紙幣** large denomination ⌈bill [《英》 banknote] Ⓒ **高額所得** high [large] income Ⓒ **高額所得者** person in a high income bracket Ⓒ ★ 税金関係の用語. **高額納税者** high income taxpayer Ⓒ **高額療養費** subsidized medical-care expenses ★ 通例複数形で.

こうがく⁵ 好学 love of learning Ⓤ. ¶ 彼は*好学の士として知られている He is known as a *lover of learning*.

ごうかく 合格 ── [動] (学校などの試験に合格する) pass (他) [語法] pass は「人・製品を合格させる」という意味でも用いられる; be successful in ... (↔ fail (in) ...). ── [名] success Ⓤ (↔ failure); passing Ⓤ. 《☞ しけん¹; きゅうだい¹; 学校・教育 (囲み)》. ¶ 彼は東西大学の入学試験に*合格した He ⌈*passed* [*was successful in*; (⇒ 通った) *got through*] the entrance examination for Tozai University. ‖ 試験*合格おめでとう Congratulations on your *success* ⌈on [with] the exam. **合格者** successful candidate Ⓒ **合格点** the passing ˹mark [grade] Ⓒ ★ the を付けて. 合格率 the ratio of successful applicants.

こうがくしん 向学心 (学問を愛する心) love of learning Ⓤ; (学習を望む気持) desire to learn Ⓤ. ¶ 彼女は*向学心に燃えて大学に入った (⇒ 勉強をしたくて) She entered college *eager to study*.

こうがくねん 高学年 the upper grades (of elementary school) ★ the を付けて複数形で. 《☞ 学校・教育 (囲み); がくねん》.

こうかくほう 高角砲 high-angle gun Ⓒ 《☞ こうしゃほう》.

こうかくるい 甲殻類 the Crustacea /krʌstéɪʃiə/. ¶ *甲殻類の動物 a *crustacean*

こうかくレンズ 広角レンズ wide-angle lens Ⓒ. ¶ *広角レンズで写す take a picture with a *wide-angle lens*

こうがしつテレビ 高画質テレビ extended definition television Ⓤ 《略 EDTV》. 《☞ テレビ》.

こうかつ[1] 狡猾 ── [形] (悪知恵が働く) cunning; (抜け目のない) shrewd; (卑劣な) sly. 《☞ ずるい; わるがしこい》. ¶ *狡猾な手段を使う use a *shrewd* trick

こうかつ[2] 広闊 ── [形] (広い) extensive, expansive, broad-reaching; (遠くまで見渡せる) sweeping; (広々とした) spacious, vast. ── [名] extensiveness Ⓤ, expansiveness Ⓤ, broad reaches ★ 複数形で; vastness Ⓤ. 《☞ ひろい; ひろびろ》. ¶ *広闊な草原 a *vast* plain

こうかほうぎん 高歌放吟 ☞ ほうか[6]

こうかん[1] 交換 ── [動] (プレゼント・名刺・座席など, 特に同種のものを) exchange (他); (異種のものを) trade (他), switch (他), swap (他) ★ exchange もこの意味で用いられるが, その場合は trade, switch, swap より格式ばった語; (商業的な物々交換) barter (他); (新しい物に替える) renew (他). ── [名] exchange Ⓤ; trade Ⓤ; barter Ⓤ. 《☞ とりかえる; かえる[3]; とりかわす; ぶつぶつこうかん》.

¶ 私たちはクリスマスプレゼントを*交換した We *exchanged* Christmas presents. [語法] 同種のものを交換するときには目的語は複数形をとる. // 私と席を*交換してくれませんか Will you ˹*exchange* [*change*] seats *with* me? / Can you ˹*switch* [*swap*] places *with* me? ★ 第 2 文のほうがより口語的. // トムは切手帳と万年筆を*交換した Tom ˹*exchanged* [*traded*] his stamp album *for* a fountain pen. / (⇒ 切手帳の見返りとして万年筆をもらった) Tom *got* a fountain pen *in return for* his stamp album. // 私たちは彼らと意見を*交換した We *exchanged* opinions *with* them. // 互いに情報を*交換する必要がある We have to have a mutual *exchange* of information. // タイヤを*交換したほうがいいね (⇒ 新しいタイヤをつけたほうがいい) You'd better get a new tire. // 手形を*交換する *clear* a ˹draft [bill] 《☞ てがた》 // *交換用部品 *replacement (units and) parts*

交換学生[教授] exchange ˹student [professor] Ⓒ 交換価値 exchangeable value Ⓒ 交換公文 exchange of notes Ⓤ 交換手 (telephone [switchboard]) operator Ⓒ 交換所 (手形の) clearinghouse Ⓒ 交換条件 bargaining point Ⓒ 交換台 switchboard Ⓒ 交換反応 〖物理〗 exchange reaction Ⓒ 交換法則 〖数〗 the commútative láw 交換方程式 〖経〗 the equation of exchange 交換輸血 〖医〗 (total-)˹exchange [replacement] transfusion Ⓒ 交換レンズ (カメラの) interchangeable lens Ⓒ.

こうかん[2] 好感 (好印象) favorable impression Ⓒ. ¶ 彼女の話しぶりには私たちだれもが*好感を抱いた (⇒ 彼女の話しぶりは私たちみんなに好印象を与えた) Her way of speaking gave a *favorable impression* to us all. // 彼は試験官に*好感を与えた He made a *favorable impression* on the examiner. // 彼は*好感のもてる人柄だ (⇒ 気持ちのよい性格をもっている) He has a ˹*pleasing* [*pleasant*] personality. // 明るい人柄の人はだれからも*好感をもたれる (⇒ 好かれる) People with lively personalities *are liked* by everybody.

こうかん[3] 高官 high(-ranking) official Ⓒ. ¶ 政府*高官 a *high official* of the government

こうかん[4] 鋼管 steel ˹pipe [tube] Ⓒ.

こうかん[5] 公館 government establishments 《☞ たいし(大使館); こうし[5](公使館); りょうじ[1](領事館)》. ¶ 在外*公館 diplomatic *establishments* abroad

こうかん[6] 交歓 ¶ 日米の学生が*交歓の (⇒ お互いの友好を深める) ために集まった Japanese and American students got together to *promote mutual friendship*. 交歓会 (親睦会) get-together Ⓒ; (レセプション) reception Ⓒ 交歓試合 friendly ˹game [match] Ⓒ.

こうかん[7] 巷間 ¶ *巷間のうわさ the rumor going *around town* // *巷間に伝わる (⇒ 人々が話している) ところによれば彼らは結婚するらしい *People say* that they'll get married.

こうかん[8] 光冠 ☞ コロナ

こうかん[9] 向寒 ¶ *向寒の折 (⇒ 次第に寒くなるので) ご自愛ください As [Since] *it is getting colder*, please take good care of yourself.

こうかん[10] 公刊 ☞ かんこう[2]; しゅっぱん[1]

こうかん[11] 好漢 good [fine; nice] fellow Ⓒ; regular guy Ⓒ ★ 後者は米口語. ¶ 彼はなかなかの*好漢で友人も多い He is quite a ˹*good fellow* [*nice guy*] and has a lot of friends.

こうがん[1] 厚顔 ── [名] (ずうずうしさ) ímpudence Ⓤ; (恥を知らないこと) shamelessness Ⓤ. ── [形] ímpudent; shameless; (恥知らずでずうずうしい) brazen(-faced). 《☞ あつかましい; ずうずうしい》. ¶ 彼の*厚顔無恥なのにはあきれた I'm disgusted with his *shamelessness*. / (⇒ なんと厚かましいことか) He's really *impudent*!

こうがん[2] 紅顔 ¶ *紅顔の美少年 (⇒ ばら色のほおをした) a *rosy-cheeked* handsome youth

こうがん[3] 睾丸 (the) testicles ★ 通例複数形で.

ごうかん[1] 強姦 ── [名] rape Ⓤ; assault Ⓒ ★ 後者は「強姦」を例えば「暴行」のように遠回しに言う婉曲的表現. 前者は具体的事例を指す場合は Ⓒ. ── [動] rape (他); assault (他), violate (他) ★ 後の 2 つは婉曲的表現. 《☞ ぼうこう[1]; 婉曲語法 (巻末)》. 強姦罪 criminal assault Ⓤ.

ごうかん[2] 合歓 ── [動] (共に喜ぶ) share in each other's joy; (同衾(どうきん)する) sleep together (自), sleep with *a person*.

ごうがん 傲岸 ── [名] arrogance Ⓤ, haughtiness Ⓤ. ── [形] arrogant, haughty. 《☞ おうへい (類義語); ごうまん》. ¶ *傲岸な態度 a *haughty* [an *arrogant*] attitude / an *insolent* air

こうがんざい 抗癌剤 anticancer ˹drug [agent] Ⓒ ★ [ ] 内のほうが意味が広い.

こうかんしんけい 交感神経 sympathetic nerve Ⓒ.

こうかんてきげんごしよう 交感的言語使用 ☞ ファティックコミュニオン

こうかんど[1] 高感度 ── [名] supersensitivity Ⓤ. ── [形] supersensitive. 高感度フィルム fast [high-speed] film Ⓒ.

こうかんど[2] 好感度 (魅力) charm Ⓤ ★ 男女の別なく用いられる; (人が好まれること) likableness Ⓤ; (点数などで評価された) affinity rating Ⓤ. ¶ *好感

度抜群の青年 an extremely ⌈*charming* [*likable*] young man

こうき¹ 好機 good [golden] opportunity Ⓒ, good [favorable] chance Ⓒ, good time Ⓒ ★ 後のものほど平易で口語的な表現. 《☞ きかい³ (類義語); チャンス》. ¶*好機逸すべからず Strike while the iron is hot. 《ことわざ: 鉄は熱いうちに打て》

こうき² 後期 — 名 (2 つに分けた後のほうの半分) the second half; (2 学期制の) 《米》 the second semester ★ いずれも the を付けて. — 形 (後期の) late. 《☞ こうはん¹》. ¶ 平安朝*後期 the *late* Heian period **後期印象主義** Postimpressionism Ⓤ **後期高齢者** the old-old ★ 総称; (説明的には) person in later old age (75 or older) Ⓒ **後期高齢人口** the old-old population **後期試験** the second semester examination **後期資本主義** late capitalism Ⓤ, post-capitalism Ⓤ **後期中等教育** the ⌈upper [higher] secondary education **後期ルネッサンス** the late Renaissance.

こうき³ 高貴 — 形 (身分などが) aristocrátic. ¶ 彼の奥さんは*高貴の生まれだ His wife comes from an *aristocratic* family.

こうき⁴ 綱紀 (規律) (official) discipline Ⓤ; (道徳) the morals (of officials) ★ the を付けて複数形で. 《☞ ちつじょ; きりつ¹》. ¶*綱紀の乱れ[退廃] the ⌈deterioration /dɪtì(ə)riəréɪʃən/ [decline] of *discipline* (*among officials*)
綱紀粛正 enforcement of ⌈public [official] discipline Ⓤ. ¶*綱紀粛正を行うべきだ *Discipline* (*among officials*) should *be enforced*.

こうき⁵ 校旗 school ⌈flag [banner] Ⓒ.

こうき⁶ 広軌 〔鉄道〕 broad gauge /géɪdʒ/ Ⓒ (↔ narrow gauge).

こうき⁷ 工期 term [period] of construction Ⓒ, construction period Ⓒ. 《☞ きかん¹》.

こうき⁸ 公器 (公共機関) public institution Ⓒ; (新聞・ラジオなど) public organ Ⓒ.
¶ 新聞は重要な社会の*公器である A newspaper is an important *public organ* of society.

こうき⁹ 後記 postscript Ⓒ ★ P.S. と略す. ¶ 編集*後記 the editor's *postscript*

こうき¹⁰ 香気 — 名 (甘い香り) sweet smell Ⓒ; (花などの芳香) fragrance Ⓒ; (香水などの強い香り) pérfume Ⓒ; (コーヒーなどの香り) aróma Ⓤ. — 形 (香気のある) fragrant; aromatic. 《☞ におい (類義語)》. ¶ ばらの*香気がただよっている The *sweet smell* of roses is in the air.

こうき¹¹ 好奇 (好奇心) curiosity Ⓤ 《☞ こうきしん》. ¶ 彼は*好奇の目で私を見た He looked at me ⌈*with curiosity* [*inquisitively*]. ★ [ ]内はやや軽べつ的な感じを含む.

こうき¹² 校規 school regulations ★ 複数形で. 《☞ こうそく³》. ¶*校規違反 a violation of *school regulations*

こうき¹³ 皇紀 the imperial era (of Japan). ¶*皇紀 2600 年 the year 2600 of *the imperial era*

こうき¹⁴ 好期 the season (for ...), good [suitable] time (for ...) Ⓒ.

こうき¹⁵ 光輝 — 名 (輝き) brilliance Ⓤ, brilliancy Ⓤ; (栄光) glory Ⓤ. — 形 (光輝ある) brilliant; glorious. ¶ 彼女は歌手として*光輝に満ちた人生を送ってきた She has had a *brilliant* career as a singer.

こうぎ¹ 抗議 — 動 protést (against ...) 自 ★《米》では 他 の用法もある; (苦情を言う) complain (about ...) 自. — 名 prótest Ⓒ; complaint Ⓤ. 《☞ いぎ²; はんたい; くじょう》.
¶ その投手は審判の判定に*抗議をした The pitcher *protested* (*against*) the umpire's decision. ∥ 彼らは不当な措置に関し政府に*抗議を申し入れた They ⌈*filed* [*lodged*] *a protest with* the government *against* the unfair measure. ∥ 市民は核実験に*抗議してデモを行った The citizens ⌈demonstrated [marched (*in protest*)] *against* nuclear testing. ∥ *抗議を聞き入れない reject a *protest* ∥ ごうごうたる*抗議 a clamorous *protest*
抗議集会 protest ⌈meeting [rally] Ⓒ **抗議スト[デモ]** protest ⌈strike [demonstration] Ⓒ **抗議声明** statement of protest Ⓒ **抗議文** written protest Ⓒ, note of protest Ⓒ.

> **コロケーション**
> **怒りの抗議** an angry *protest* / **穏やかな抗議** a mild *protest* / **強硬な抗議** a ⌈strong [vigorous] *protest* / **声高な抗議** a ⌈loud [vociferous] *protest* / **執拗な抗議** a persistent *protest* / **正式な抗議** a formal [an official] *protest* / **断固たる抗議** a ⌈stern [categorical] *protest* / **激しい抗議** a violent *protest* / **無言の抗議** a silent *protest*

こうぎ² 講義 — 名 lecture Ⓒ. — 動 lecture (on ...) 自, give a lecture (on ...). 《☞ じゅぎょう; 学校・教育 (囲み)》. ¶*講義の準備をする prepare *one's lecture* ∥ *講義に出る attend a *lecture* ∥ 彼は大学で哲学を*講義しています He ⌈*lectures* [*gives lectures*] *on* philosophy at the university. ∥ 英語学の集中*講義 an intensive *course* in English linguistics **講義録** transcript of lectures Ⓒ.

こうぎ³ 広義 broad [wide] sense Ⓒ (↔ narrow sense) 《☞ いみ¹》. ¶ 言葉を*広義に解釈する take [understand] the word in ⌈a [the] *broad sense*

こうぎ⁴ 交誼 (親交) friendship Ⓒ; (友好関係) 《格式》 amity Ⓤ. 《☞ しんこう⁵; ゆうじょう》.
¶*交誼を結ぶ form a *friendship* (with ...)

こうぎ⁵ 厚[高]誼 (親切) kindness Ⓤ ★「行為」の意味では Ⓒ; (好意) favor Ⓤ, 《英》 favour Ⓤ. ¶ ご*高誼に感謝いたします Thank you for your *favor*. / I deeply appreciate your *favor*. ★ 第 2 文は格式ばった言い方.

ごうき 剛毅 — 名 (強い意志) strong will Ⓒ; (不屈の精神) 《格式》 fortitude Ⓤ. — 形 (意志が強い) strong-willed; (断固とした) resolute. ¶*剛毅な人 a person with a *strong will* / a person possessing great *fortitude*

ごうぎ 合議 — 名 (相談) consultation Ⓤ; (会議) conference Ⓤ ★ 以上ともに具体的な意味では Ⓒ. — 動 (相談する) consúlt with ...; (話し合う) confér (with ...) 自. ¶ 重要事項は全員の*合議の上で決定されます Important matters are decided after *consultation* with all the members.
合議機関 consultative [advisory] body Ⓒ **合議裁判所** collegiate court Ⓒ **合議制** council system Ⓒ.

こうきあつ 高気圧 hígh (átmosphèric) préssure Ⓤ (↔ low (atmospheric) pressure) 《☞ きあつ》. ¶ 関東地方は*高気圧に覆われている The Kanto region is ⌈covered by [enveloped in] *high* (*atmospheric*) *pressure* system.

こうきぎょう 公企業 public enterprise Ⓒ.

こうきしん 好奇心 — 名 curiosity /kjʊ̀(ə)riɑ́səti/ Ⓤ. — 形 (好奇心のある) curious; (根ほり葉ほりものを尋ねる) inquisitive ★ 軽蔑的な意味で使われる. 《☞ きょうみ; かんしん²》.
¶ 彼女は*好奇心が強い She is very ⌈*curious* [*inquisitive*]. / She is full of *curiosity*. ∥ 私は*好奇心からその箱を開けた I opened the box ⌈out of [from] *curiosity*. ∥ その本の挿絵が読者の*好奇心をそそった The illustrations in the book aroused the readers' *curiosity*.

こうきせいさいきん 好気性細菌 aerobic /e(ə)róubɪk/ bacteria ★ 複数形で. 単数形は ~ bacterium. 《☞ けんきせいさいきん》.

こうきみつじゅうたく 高気密住宅 airtight house Ⓒ.

こうきゃくるい 口脚類 〘動〙 stomatopod /stoumǽtəpàd/ Ⓒ.

こうきゅう[1] 高級 ━形 (物の品質が) high-class, high-grade; (店など, 一般の人が利用するには高すぎる) exclusive; (話などが深遠な) deep. ¶そのレストランは*高級だ The restaurant is very *exclusive.* // 彼の話は*高級すぎて (⇒深遠すぎて) わからない What he says is too *deep* for me. // *高級品 articles of ⌈*the highest* [*superior*] *quality*

高級アルコール 〘化〙 higher alcohol Ⓒ **高級官僚** high(-ranking) official Ⓒ **高級言語** 〘コンピューター〙 high-level language Ⓤ **高級雑誌** quality magazine Ⓒ **高級車** luxury [expensive] car Ⓒ **高級住宅街** upscale residential area Ⓒ **高級船員** officer Ⓒ **高級ブランド** luxury [top; leading] brand Ⓒ. ¶*高級ブランドのバッグ a *luxury-brand* handbag **高級ホテル** exclusive [high-class] hotel Ⓒ.

こうきゅう[2] 高給 good [high] pay Ⓤ, high [large; good] salary Ⓒ ★ salary を使った表現はやや格式ばったもの. 《☞ きゅうりょう[1] (類義語)》. ¶彼女は*高給取りだ She gets ⌈*good pay* [a *high salary*]. / (⇒給与をたくさん支払われている) She *is very well paid.* // 彼は私より*高給を取っている He *is better paid* than I (am). / His *salary is bigger* than mine.

こうきゅう[3] 恒久 ━形 (永遠に続く) permanent; (長く続く) lasting. 《☞ えいきゅう; えいえん》. ¶*恒久平和 (a) *permanent* peace **恒久法** 〘法〙 permanent law Ⓒ.

こうきゅう[4] 硬球 (野球の) hard ball Ⓒ; (公式のボール) regulation ball Ⓒ. 《☞ こうしき[3]》.

こうきゅう[5] 好球 (野球で) good pitch Ⓒ. ¶*好球を打つ [見逃す] hit [miss] a *good pitch*

こうきゅう[6] 後宮 (イスラム教国の王の妻妾部屋) harem /hǽrəm/ Ⓒ, seraglio /sərǽljou/ Ⓒ.

こうきゅう[7] 考究 ━名 (考察) examination Ⓒ; (熟考) reflection Ⓤ. ━動 examine ⊕; reflect (on ...) ⊜.

こうきゅう[8] 光球 〘天〙 photosphere Ⓒ.

こうきゅう[9] 降級 ☞こうかく[2]; かくさげ

こうきゅう[10] 降給 ━動 lower [reduce] *a person's* salary.

こうきゅう[11] 購求 ☞こうにゅう

ごうきゅう[1] 剛球 (野球で) fastball Ⓒ, fireball Ⓒ ★ 後者のほうがくだけた語. ¶*剛球でストライクをとる *fire* a strike past the batter **剛球投手** fast baller Ⓒ, fireballer Ⓒ.

ごうきゅう[2] 号泣 ━動 (激しく泣く) weep [cry] bitterly, wail ⊜. ━名 (声を上げて泣くこと) wailing Ⓤ; (大声を上げて嘆くこと) loud lamentation Ⓤ ★ 格式ばった表現.

こうきゅう(び) 公休(日) (仕事の休みの日) day off Ⓒ; (休日) holiday Ⓒ; (ある期間の休み) leave Ⓒ; (法定の) legal [national] holiday Ⓒ, 《英》 bank holiday Ⓒ. 《☞ きゅうじつ; ていきゅうび》. ¶(1日の) *公休をとる get [take] a *day off*

こうきゅうりょうしゅうしょう 公給領収証 official receipt Ⓒ.

こうきょ[1] 皇居 the Imperial /ɪmpí(ə)riəl/ Palace. ¶*皇居前広場 the *Palace* ⌈Square [Park; Forecourt] **皇居宮殿** the official residence of the Imperial /ɪmpí(ə)riəl/ fámily.

こうきょ[2] 溝渠 (みぞ) ditch Ⓒ; (下水道) sewer Ⓒ; (水路) canal Ⓒ.

こうきょ[3] 薨去 ━名 《格式》 demise Ⓤ. ━動 decease ⊜; (婉曲的に) pass away ⊜.

こうきょ[4] 公許 ━名 official ⌈permission [authorization] Ⓤ. ━動 (公に許可する) permit ... officially; (公に認める) authorize ⊕. ━形 (認められた) authorized. 《☞ こうにん[1]》.

こうきょう[1] 公共 ━形 (公の) public.

公共機関 public institution Ⓒ **公共企業体** public corporation Ⓒ **公共企業体等労働委員会** the Public Corporation and National Enterprise Labor Relations Commission **公共組合** public corporation Ⓒ **公共建築** public building Ⓒ **公共広告** public (service) ⌈advertisement [announcement; message] Ⓒ **公共サービス** public services ★ 通例複数形で. **公共財** public goods ★ 複数形で. **公共事業** públic énterprise Ⓒ **公共施設** public facilities ★ 通例複数形で. **公共職業安定所** Public Employment Security Office Ⓒ **公共心** ━名 public [community] spirit Ⓤ. ━形 public-[community-]spirited **公共訴訟** public (law)suit Ⓒ, lawsuit for a ⌈public [social] cause Ⓒ **公共団体** public ⌈body [organization] Ⓒ **公共投資** public investment Ⓤ **公共(の)福祉** public welfare Ⓤ 《☞ ふくし[1]》 **公共法人** public-service corporation Ⓒ **公共放送** public broadcasting Ⓤ **公共料金** public utility charges ★ 通例複数形で. **公共緑地** publicly owned ⌈square [park] Ⓒ.

こうきょう[2] 好況 ¶来週も*好況が続くでしょう (⇒取り引きは活気があるでしょう) Trading will continue to be *brisk* next week. // 電子メーカーは*好況である Electronics manufactures *are* ⌈*thriving* [*flourishing*]. ★ [ ] 内のほうが格式ばった語. // 景気は*好況に向かって (⇒好転して) いる Business *has taken a turn for the better.* // *好況時代 *prosperous* ⌈days [times] 《☞ けいき[1]; かっきょう》

こうきょう[3] 口供 (陳述) statement Ⓒ; (法廷での証言) testimony Ⓤ. 《☞ きょうじゅつ》.

こうきょう[4] 荒凶 famine /fǽmɪn/ Ⓤ 《☞ ききん[2]; ふさく》.

こうぎょう[1] 工業 ━名 industry Ⓤ 〔語法〕 (1) 工業や産業のいろいろな部門について用いる場合には複数形でも用いる. (2) 「製紙業」 the paper *industry*, 「織物工業」 the textile *industry* のように「...業」という形で, 工業や産業の部門を表す場合には the ... industry の形を用いる. ━形 indústrial. 《☞ さんぎょう》.

¶*工業を促進する promote *industries* // その都市は重[軽]*工業で有名である That city is known for its ⌈heavy [light] *industries.* // 主要*工業 key *industries* // 先進*工業国 an advanced *industrial* nation // *工業用ロボット an *industrial* robot

工業化 ━名 industrialization Ⓤ. ━動 industrialize ⊕ ⊜ **工業化学** 〘化〙 industrial chemistry Ⓤ **工業規格** industrial standards ★ 通例複数形で. ¶日本*工業規格 Japanese *Industrial Standards* 《略 JIS /ʤèɪàɪés/》 **工業技術** (industrial) technology Ⓤ **工業高等学校** technical high school Ⓒ **工業高等専門学校** technical college Ⓒ **工業所有権** industrial property (rights) ★ property は Ⓤ. **工業大学** institute of technology Ⓒ 〔語法〕 固有名詞の場合は the を付けることがある. 《☞ 冠詞 (巻末)》 **工業団地** industrial park Ⓒ **工場地域** industrial ⌈area [district] Ⓒ **工業地帯** industrial zone Ⓒ **工業デザイナー** industrial designer Ⓒ **工業デザイン** industrial design Ⓤ **工業都市** industrial city Ⓒ **工業廃水** industrial waste water Ⓤ **工業分析**

technical analysis Ⓤ 工業簿記 industrial bookkeeping Ⓤ 工業用水 industrial water Ⓤ 工業立地 industrial location Ⓒ.

こうぎょう² 興行 (1回の公演・上演) performance Ⓒ, show Ⓒ ★ 後者のほうが口語的.
¶ 地方*興行 a road *show* // 終夜*興行 an all-night *show* / 《掲示で》Open all night // 昼*興行 a matinee // 長期*興行 a long run // 慈善*興行 a benefit *performance* / a charity ｢*performance* [*show*] // 今度の*興行は大成功だった The last ｢*show* [*performance*] turned out to be a great success. 興行権 performance [production] rights 興行師 showman Ⓒ 興行主 promoter Ⓒ 興行収益 box-office profit Ⓒ. ¶ その映画は封切り後1週間で1000万ドルの*興行収益をあげた The movie grossed ten million dollars in the week after release.

こうぎょう³ 鉱業 mining Ⓤ, the mining industry ★ the を付けて. 鉱業権 mining right Ⓒ.

こうぎょう⁴ 功業 (成し遂げたこと) achievement Ⓒ 《☞ こうせき¹》.

こうきょういく 公教育 public education Ⓤ.

こうきょうがく 交響楽 symphony Ⓒ. 交響楽団 symphony orchestra Ⓒ.

こうきょうきょく 交響曲 symphony Ⓒ.
¶ ベートーベンの*交響曲第9番 Beethoven's /béɪtoʊv(ə)nz/ Ninth (*Symphony*) / Beethoven's *Symphony* ｢no. [No.] 9 / the ninth *symphony* of Beethoven ★ 前のものほど簡略な表現.

こうぎょうこざい 抗凝固剤 〘薬〙 anticoagulant /æ̀ntɪkoʊǽgjʊlənt/ Ⓒ.

こうきょうし 交響詩 symphonic poem Ⓒ.

こうぎょく 紅玉 (ルビー) ruby Ⓒ; (りんごの一種) Jonathan (apple) Ⓒ.

こうきん¹ 拘禁 ── 動 (取り調べのために拘留する) detain ⑩; (投獄する) imprison ⑩; (…の身柄を拘束する) take *a person* into custody. ── 名 detention Ⓤ ★ 具体的には Ⓒ; imprisonment Ⓤ; custody Ⓤ. 《☞ こうりゅう²; たいほ¹》. ¶ 彼は警察署に身柄を*拘禁された He *was* ｢*detained* [*taken into custody*] at the police station.

こうきん² 公金 public money Ⓤ, public funds ★ 前者が口語的. 後者は複数形で; (政府の資金) government funds ★ 複数形で. 公金横領 ¶ 会計係は*公金横領の罪に問われた The cashier was charged with *the embezzlement of public funds*.

こうきん³ 抗菌 ── 形 àntibactérial. 抗菌グッズ antibacterial products 抗菌ソックス[ボールペン] (無菌の) germ-free ｢socks [ballpoint pen Ⓒ]; (説明的に) socks [ballpoint pen Ⓒ] treated with antibacterial coatings.

ごうきん 合金 alloy Ⓒ. ¶ ジュラルミンはアルミニウムと銅などとの*合金である Duralumin /d(j)ʊrǽljʊmɪn/ is an ｢aluminum *alloy* [*alloy* of aluminum] with copper and other metals. 合金鉄 ferroalloy /fèroʊǽlɔɪ/ Ⓒ.

こうきんせい 抗菌性 ── 形 (抗菌性の) antibacterial /æ̀ntɪbæktí(ə)riəl/.

こうきんり 高金利 high(er) interest rate Ⓒ 《☞ きんり¹》. 高金利政策 high interest rate policy Ⓒ.

こうく¹ 鉱区 (地域) mining area Ⓒ; (場所) mine site Ⓒ.

こうく² 工区 construction area Ⓒ.

こうぐ¹ 工具 (職人が使う) tool Ⓒ; (特に農業用の)《格式》implement Ⓒ. 《☞ どうぐ (類義語)》.
¶ *工具一式 a set of *tools* // *工具箱 a *tool* box 《☞ だいく (挿絵)》

こうぐ² 校具 school equipment Ⓤ.

こうぐ³ 耕具 farm ｢implements [tools], farming equipment Ⓤ ★ いずれも集合的に用いる.

ごうく 業苦 suffering due to bad karma accrued in former lives Ⓤ.

こうくう¹ 航空 (航空術) aviation Ⓤ.
航空医学 aviation medicine Ⓤ 航空宇宙医学 aerospace /é(ə)rəspèɪs/ medicine Ⓤ 航空宇宙工学 aerospace engineering Ⓤ 航空宇宙産業 the aerospace industry 航空会社 airline (company) Ⓒ 語法 社名としては … Airlines, または … Airways として用いることが多い. 航空貨物 air cargo Ⓤ 航空管制官 air-traffic controller Ⓒ 航空管制センター air-control center Ⓒ 航空管制塔 control tower Ⓒ 《☞ くうこう (挿絵)》 航空機 (ヘリコプターなども含めて)《格式》aircraft Ⓒ 《複 ～》; (飛行機) airplane Ⓒ, 《英》aeroplane Ⓒ, plane Ⓒ ★ 3番目の略式の言い方が最も普通. 《☞ ひこうき (挿絵)》 航空機関士 flight engineer Ⓒ 航空基地 air base Ⓒ 航空協定 civil aviation agreement Ⓒ 航空券 air(line) ticket Ⓒ, plane ticket Ⓒ 航空検疫 airport quarantine inspection Ⓒ 航空工学 àeronáutical èngineéring Ⓤ 航空交通管制 air-traffic control Ⓤ 《略 ATC》, flight control Ⓤ 航空士 aerial navigator Ⓒ 航空自衛隊 the Air Self-Defense Force 《略 ASDF》 航空写真 áerial phótogràph Ⓒ 航空障害灯 (aeronautical [aviation]) obstruction light Ⓒ 航空書簡 aerogram /é(ə)rəgræ̀m/ Ⓒ, 《英》air letter Ⓒ 航空測量 aerial survey Ⓤ 航空地図 aeronautical chart Ⓒ 航空灯台 aerial lighthouse Ⓒ; (電波発信の) aeronautical [aviation] beacon Ⓒ 航空燃料 aircraft fuel Ⓤ 航空病 airsickness Ⓤ 航空標識 radio [aerial; air] beacon Ⓒ 航空便 airmail Ⓤ (↔ surface mail); (手紙の表に書く場合) Airmail, Air Mail, Par Avion /pὰːrævjɔ́ːŋ/ ★ フランス語; Via Airmail 語法 前のものほど一般的. 《☞ くうゆ》. ¶ 手紙を*航空便で出す send a letter by *airmail* 航空保安施設 (安全のための設備の総称) air navigation facilities 航空法 〘法〙 the Civil Aeronautics Law 航空母艦 (aircraft) carrier Ⓒ 航空保険 aviation [flight] insurance Ⓤ 航空輸送 air transportation Ⓤ 航空料金 airfare Ⓒ 航空路 (航空機の通過するコース) flight path Ⓒ; (定期航空路) air route Ⓒ.

こうくう² 高空 high altitude Ⓤ 《☞ こうど¹》.
¶ ロケットは*高空で爆発した The rocket exploded *high up in the sky*. 高空飛行 high-altitude flight Ⓒ.

こうくう³ 口腔 ☞ こうこう⁴

こうぐう¹ 厚遇 ¶ 彼はその会社で*厚遇されている (⇒ 給料がいい) He *is well paid* ｢at [by] the company. 《☞ ゆうぐう; たいぐう¹》

こうぐう² 皇宮 the Imperial /ɪmpí(ə)riəl/ Palace. 皇宮警察 the Imperial Guards ★ 複数形で. 皇宮護衛官 Imperial guard Ⓒ.

こうぐち 坑口 pithead Ⓒ.

こうくつ 後屈 〘医〙 retroflexion Ⓤ. ¶ 子宮*後屈 the *retroflexion* of the uterus /júːtərəs/

こうくり 高句麗 (朝鮮半島の昔の王国) Koguryo, Koguryu.

こうくん 校訓 school precepts; (説明的には) motto for school discipline Ⓒ.

こうぐん 行軍 ── 名 march Ⓒ. ── 動 march ⓐ. ¶ 雪中*行軍 a *march* in the snow

こうけ 高家 〘史〙 (hereditary) master of ceremonial etiquette (under the Tokugawa shogunate) Ⓒ.

こうげ 高下 (身分の) rank Ⓒ; (品質の) quality

Ⓤ; (相場の) fluctuation Ⓤ ★ 具体的には Ⓒ. 《☞ じょうげ》. ¶ 物価の*高下 *the rise and fall* of prices

こうけい¹ 光景 (景色・情景) scene Ⓒ ★ 特に美しい景色や人とその動きを含む情景に用いることが多い; (目に入るもの) sight Ⓒ; (眺め) view Ⓒ. 《☞ シーン; ながめ¹; けしき》. ¶ その*光景に私たちは皆あぜんとした We were all stunned by the *sight*. // ここから見る日の出の*光景はすばらしい (⇒ ここではすばらしい日の出の眺めを楽しむことができる) Here you can enjoy a spectacular *view* of the sunrise.

コロケーション

息をのむような光景 a breathtaking ⌈*scene* [*sight*] / 痛ましい光景 a sad *sight* / 印象的な光景 a striking *scene*; an impressive *sight* / 美しい光景 a ⌈beautiful [lovely] ⌈*scene* [*sight*] / 絵のような光景 a picturesque *sight* / 恐ろしい光景 a ⌈horrible [frightful] ⌈*scene* [*sight*] / 穏やかな光景 a peaceful *scene* / ぞっとする光景 a ⌈gruesome [sickening] ⌈*scene* [*sight*] / みじめな光景 a pitiful *sight* / 見慣れた光景 a familiar *scene* / 目を疑う光景 an incredible *sight* / 忘れられない光景 an unforgettable ⌈*scene* [*sight*]

こうけい² 口径 (鉄砲などの) caliber (《英》 calibre) /kǽləbɚ/ Ⓒ; (レンズの) aperture /ǽpɚtʃʊ̀ɚ/ Ⓒ. ¶ 38 *口径のピストル a 38(*-caliber* pistol) 《☞ けんじゅう (挿絵)》 **口径食** 〔写〕 vignetting /vɪnjétɪŋ/ Ⓤ.

こうけい³ 後継 succession Ⓤ 《☞ こうけいしゃ》. **後継人事** personnel affairs about successors ★ 複数形で. **後継内閣** the ⌈incoming [succeeding] Cabinet.

こうけい⁴ 後景 the background, the setting.

こうけい⁵ 黄経 〔天〕 celestial longitude Ⓤ.

こうげい 工芸 industrial arts ★ 複数形で; (手先を使う) craft Ⓒ. 《☞ しゅげい》. ¶ 美術*工芸 arts and *crafts* **工芸家** (手先を使う熟練工など) craftsman Ⓒ; (女性の) craftswoman Ⓒ; (工業的に美術品を作る人) industrial artist Ⓒ **工芸作物** industrial crop Ⓒ **工芸美術** applied fine arts **工芸品** craftwork Ⓒ, craft item Ⓒ **工芸品店** crafts shop Ⓒ.

ごうけい 合計 ― [名] sum Ⓒ; total Ⓒ; (the) sum total Ⓒ. ― [形] total.

【類義語】 単純に加算した総計という気持ちでは *sum*. 合計した結果が全体として大きな数量になるような場合には *total*. そのやや格式ばった表現としては *the sum total* が用いられる. 《☞ けい²; そうけい¹; そうがく¹》 ¶ 3 と 8 と 7 の*合計は 18 です The *sum* of three, eight, and seven is eighteen. / Three, eight, and seven make(s) eighteen. ★ 第 1 文より第 2 文のほうが口語的. // 経費は*合計で 100 万円に達した The expenses ⌈*amounted to* [reached a *total* of] a million yen. // 家と土地で*合計 4 千万円かかります The *total* cost of the house and land will be forty million yen. // 「*合計 (⇒ 全部で) いくらですか」「40 ドルです」 "How much is it *altogether*?" "Forty dollars." // 2 つの数の*合計を出しなさい *Add* the two figures *together*.

こうけいき 好景気 (繁栄) prosperity Ⓤ; (よい景気) good times; (一時的な景気) boom Ⓒ. 《☞ けいき¹; こうきょう²》. ¶ 旅行会社は*好景気だ (⇒ 好景気を享受している) Travel agents are enjoying a *boom*. // その会社は*好景気の波に乗って市場を拡大した The company extended its market on the wave of *prosperity*. // 1980 年代は*好景気だった *The times were good* in the 1980s.

こうけいしゃ 後継者 succéssor Ⓒ 《☞ あととり (類義語); こうにん²》. ¶ あなたの*後継者にはだれを推薦しますか Who are you going to recommend as your *successor*? / (⇒ だれに後を継いでもらいたいか) Who do you want to ⌈*take over* [*succeed* you in] your position?

こうゲーム 好ゲーム good game Ⓒ; (接戦) close game Ⓒ. 《☞ せっせん¹》.

こうげき 攻撃 **1** 《攻める》 ― [動] (軍事力などを使って) attack (他) ★ 最も一般的; (急に襲う) raid (他). ― [名] attack Ⓤ ★ 個々の事例は Ⓒ; raid Ⓒ; (特に, 攻め方や陣地を強調して) offense (《英》 offence) Ⓤ. 《☞ おそう (類義語); せめる²》.

¶ 我々は敵を*攻撃した We *attacked* the enemy. // 我々はいま敵の激しい*攻撃を受けている We are under severe *attack* by the enemy. // *攻撃は最良の防御だ The best defense is a good *offense*. ★ good を付けて. // *攻撃用兵器 *offensive* ⌈weapons [arms]

2 《非難する》 ― [動] (非難する) criticize (他) ★ 最も一般的; (公然と非難する) denounce (他) ★ やや格式ばった語; (徹底的に非難する) condémn (他). ― [名] criticism Ⓤ; denunciation Ⓤ; condemnation Ⓤ ★ いずれも具体的な事実をいうときは Ⓒ. 《☞ ひなん¹》. ¶ 彼の発言は特に進歩派の人々から激しく*攻撃された His remark *was* strongly *criticized* especially by progressives.

3 《競技》: offense (《英》 offence) Ⓤ.

攻撃側 (競技の攻撃側のチームおよびそのメンバー) offense Ⓒ; (野球の) the team at bat **攻撃力** offensive strength Ⓤ.

こうけつ¹ 高潔 ― [形] (気高い) noble, high; (高貴な心をもった) high-[noble-]minded; (正しい) úprìght. ― [名] nobility Ⓤ, nobleness Ⓤ; high-[noble-]mindedness Ⓤ. ¶ *高潔な人柄 a person of ⌈*noble* [*high*; *upright*] character

こうけつ² 公欠 ☞ こうにん¹ (公認欠席)

ごうけつ 豪傑 (大胆な人) bold person Ⓒ; (偉人) great person Ⓒ; (並はずれた人) extraordinary person Ⓒ. ¶ あんなことをするとは彼はなかなか*豪傑だ (⇒ 大胆にもあんなことをした) He was *bold* enough to do ⌈such a [that kind of; that sort of] thing. / (⇒ たいしたものだ) Having done ⌈such a [that kind of; that sort of] thing shows how *great* he is. // *豪傑笑いをする laugh *loudly*

豪傑肌 ¶ 彼は*豪傑肌の男だ (⇒ 英雄的なところがある) There is *something heroic* about him.

こうけつあつ 高血圧 high blood pressure Ⓤ (↔ low blood pressure); 〔医〕 hypertension Ⓤ. 《☞ けつあつ》. ¶ 彼は*高血圧だ He has ⌈*high blood pressure* [*hypertension*].

こうけっか 好結果 good result Ⓒ; (うまくいった[満足できる]結果) successful [satisfactory] result Ⓒ. 《☞ けっか; せいか》. ¶ 彼の努力は*好結果を生んだ[もたらした] His efforts ⌈produced [brought about] *satisfactory results*. // *好結果を収める get [obtain; gain] a ⌈*good* [*successful*] *result* / get results

こうけっとう 高血糖 〔医〕 hyperglycemia /hàɪpɚglaɪsíːmiə/ Ⓤ.

こうけん¹ 貢献 ― [名] còntribútion Ⓤ; (尽力・奉仕) services ★ 普通は複数形で. ― [動] contríbute (to ...) (自). 《☞ きよ¹; こうせき¹》. ¶ 彼女は医学の発展に大いに*貢献した She *contributed* greatly *to* the progress of medical science. // 彼は新政権に対して大いに*貢献した He performed great *services* for the new administration.

こうけん² 後見 guardianship Ⓤ; (歌舞伎・能などの) assistant Ⓒ, prompter Ⓒ. 《☞ ほご¹》. **後見人[役]** guardian Ⓒ. ¶ おじが私の*後見人になってい

ます My uncle acts as my *guardian.* / (⇒ 私はおじの後見の下にある) I am under the *guardianship* of my uncle. ★ 第 2 文のほうが格式ばった表現.
【参考語】(被後見人)〘法〙ward Ⓒ.

こうけん[3] 効験 (効果) effect Ⓤ; (効能)《格式》efficacy Ⓤ. (☞ ききめ; こうのう[1]). ¶ その医者の新療法は*効験あらたかだった The doctor's new remedy *was* remarkably *efficacious.*

こうけん[4] 公権 (憲法による) civil rights ★ 複数形で; (市民権) citizenship Ⓤ. (☞ こうみんけん). ¶ 彼は*公権を剝奪された He was deprived of his *civil rights.*

こうけん[5] 高見 your opinion Ⓤ (☞ いけん[1]; かんがえ). ¶ この問題について御*高見をおきかせ下さい Please let me know *your opinion* about this problem.

こうげん[1] 高原 (山岳地帯) highlands ★ 主に複数形で; (高地・高台) heights ★ 複数形で; (山の台地状の場所) plateau Ⓒ. (☞ やま (挿絵)). ¶ 天城*高原 Amagi *Heights* **高原地帯** highlands **高原野菜** highland vegetables, vegetables grown in highlands ★ いずれも通例複数形で. **高原療養所** álpine sànatórium Ⓒ.

こうげん[2] 公言 ―[名] (公に宣言すること) declaration Ⓤ; (信念・考えなどを)《格式》profession Ⓒ. ―[動] declare (他); 《格式》proféss (他). (☞ げんめい[1]; せんげん).

こうげん[3] 光源 light source Ⓒ; (発光するもの) illuminant Ⓒ.

こうげん[4] 広[高]言 (大ぶろしき) tall talk Ⓤ; (大言壮語) big words; (自慢) boast Ⓒ. (☞ ごうご). ¶ *広言を吐くな Don't *talk* ⌈*tall* [*big*]. // 彼は必ず賞をとると*広言した He *boasted* that he would win the prize for certain.

こうげん[5] 抗原 〘生理〙antigen /ǽntɪdʒən/ Ⓒ. **抗原抗体反応** ántigen-ántibòdy reáction Ⓒ《略 AAR》.

こうげん[6] 巧言 (お世辞) flattery Ⓤ; (口先だけの甘言) fair [fine] words; (媚びるような言葉)《文語》honeyed words ★ 後の 2 つは複数形で用いる. (☞ おせじ). ¶ *巧言を弄(ろう)する *flatter* / use *flattery* / say ⌈*fair* [*fine*] *words*
巧言令色 fair words and ⌈insinuating [servile] look. ¶ *巧言令色鮮矣(すくな)し仁 《★『論語』より》He who gives *fair words* feeds you with an empty spoon. 《ことわざ: 巧みな言葉を用いる者は空のスプーンで食わせる者だ》.

ごうけん[1] 合憲 ―[形] constitutional (☞ けんぽう[1]; ごうほう[1]). ¶ 自衛隊は*合憲か Are the Self-Defense Forces *constitutional*?

ごうけん[2] 剛健 ―[形] (男性的で力強い)《格式》virile ; (たくましい) sturdy. ―[名] (不屈の精神) fortitude Ⓤ; virility Ⓤ; sturdiness Ⓤ. ¶ *剛健な精神 a *virile* spirit

こうげんがく 考現学 the study of modern life and manners ★ 説明的な訳. 日本で生まれた学問で, 英米ではあまり知られていない. 考古学に対する造語. 和製英語では modernology という.

こうげんさい 公現祭 〘キ教〙the Epíphany.

こうげんしつ 膠原質 ☞ コラーゲン

こうげんびょう 膠原病 collagen /kálədʒən/ *disèase* Ⓤ.

こうけんりょく 公権力 public [governmental] authority Ⓤ. ¶ *公権力の行使 the exercise of *public authority*

こうこ[1] 公庫 government finance corporation Ⓒ. ¶ 国民生活金融*公庫 the National Life *Finance Corporation* // *公庫から借りる get [obtain; receive] a loan from a *government finance corporation*

こうこ[2] 後顧 ¶ 彼は子供たちが*後顧の憂いがないように (⇒ 将来の不安がないように) できるだけのことはしてやった He has done everything in his power to free his children from *anxiety about their future.*

こうこ[3] 好古 love of antiquities Ⓤ. **好古趣味** antiquarianism /æ̀ntəkwé(ə)riənizm/ Ⓤ.

こうこ[4] 江湖 (世間) the (general) public, the world; (川と湖) rivers and lakes.

こうご[1] 交互 ―[動] (交互に入れ替わる) take turns, alternate /ɔ́:ltənèɪt/ (自) ★ 前者がより口語的. ―[副] (交替に) alternately /ɔ́:ltənətli/; (2 つのものが交互に) one after the other; (相互に) mutually. (☞ こうたい[1]; かわるがわる).
¶ 喜びと悲しみが*交互にやってきた Joy *alternated with* sorrow. // *交互にやりましょう Let's *take turns* (with it). // 右と左と*交互に手を上げなさい (⇒ 一度に 1 つずつ) Raise your hands, right and left, *one at a time*, please.

こうご[2] 口語 (話し言葉) (the) spoken language Ⓤ (↔ (the) written language); colloquial language Ⓤ [語法] 前者と同じ意味にも使うが, 特に堅苦しい表現形式に対してややくだけたスタイルの意味で用いられることが多い; (個々の口語的表現形式) collóquialìsm Ⓒ. (☞ くだけた英語と堅苦しい英語 (巻末)).
口語自由詩 (文学形式) free verse in (a) colloquial style Ⓤ; (一編の詩) poem without rhyme in a colloquial style Ⓒ **口語体** colloquial [spoken] style Ⓤ. ¶ *口語体の例文を暗記するように努めなさい Try to memorize example sentences written in ⌈*colloquial style* [*the spoken language*]. **口語文** colloquial writing Ⓤ **口語文法** the grammar of (a) spoken language.

こうご[3] 向後 ―[副] after this, from ⌈now on [this time (on)], 《文》henceforth. (☞ いご[1]; こんご).

ごうご 豪語 ―[動] (自慢する) boast (他) (自); (大言壮語をする) brag (自); (ほらをふく) talk big. ―[名] (自慢) boast Ⓒ. (☞ じまん; ほら[2]). ¶ 彼は絶対に負けることはないと*豪語していた (⇒ 自慢していた) He (*had*) ⌈*boasted* [*said boastfully*] that he could never be defeated.

こうこう[1] 高校 (senior) high school Ⓒ (☞ こうとうがっこう; 学校・教育 (囲み)).
¶ 彼は*高校へ通っています He goes to (*senior*) *high school.* [語法] この場合, 普通は冠詞を付けないで用いる. (☞ ちゅうがっこう [語法])
高校生 (senior) high school student Ⓒ **高校総体** ☞ インターハイ **高校卒業生** (senior) high school graduate Ⓒ **高校中退者** (senior) high school dropout Ⓒ **高校デビュー** ¶ 彼は*高校デビューした (⇒ 高校入学後イメージチェンジした) He changed his image after ⌈entering [he entered] high school. / (⇒ 不良ぶった) He pretended to be a delinquent after ⌈entering [he entered] high school. / (⇒ 遊び回り始めた) He began to play around after ⌈entering [he entered] high school. **高校野球** (senior) high school baseball Ⓤ. ¶ (第 85 回) 全国*高校野球大会 the (85th) ⌈National [All-Japan] *Senior High School Baseball* ⌈Tournament /tʊ́ənəmənt/ [Championship]

こうこう[2] 孝行 [日英比較] 日本語の「孝」の概念が英語にはない. 親の世話をするという考えはあるにしてもそれは「孝」とはかなりずれている. 従って「優しくする」(be ⌈good [kind] to ...), 「思いやりのある」(be considerate of ...), 「面倒を見る」(take good care of ...) などの言い方で言い換えるほかない. (☞ ふこう[2]; こうし[10]). ¶親*孝行をしなさい *Be* ⌜*good* [*kind*] *to* your parent(s). / *Be considerate of* [*Take good care of*] your parent(s). // 彼は*孝行息子だ (⇒よい息子だ) He is a *good* son.

こうこう[3] 航行 ── [名] sailing [U], navigation [U] ★ 後者はやや格式ばった語. ── [動] sail (自), navigate (自). (☞ こうかい[2]). ¶その船は銚子沖を*航行中だ The ship *is sailing* off Choshi.

航行衛星 navigation(al) satellite [C] **航行期間** navigation ⌜period [term] [C] **航行区域** navigation area [C].

こうこう[4] 口腔 the mouth; (専門用語) the oral cavity ★ いずれも the を付けて.

口腔衛生 oral [dental] hygiene /háɪdʒiːn/ [U] **口腔外科** dental surgery [U].

こうこう[5] 煌煌 ¶そのビルは*煌々と明かりがついていた (⇒ビルは明るい電灯でまばゆいものだった) The building was a *dazzle* of bright lights.

こうこう[6] 斯う斯う ── [副] so and so. ── [形] such and such. ¶両親は私に*こうこうしろとは絶対に言わなかった My parents never told me to do *so and so*. // *こうこうこう言う理由でパーティーには出席できません I am unable to attend the party for *such and such* reasons.

こうこう[7] 膏肓 ¶彼の読書[音楽]好きは病*膏肓だ (⇒中毒になっている) He'*s addicted to* ⌜reading [music]. (☞ ねっちゅう; やみつき; やまい)

こうこう[8] 後攻 ☞ あとぜめ

こうこう[9] 皓皓 ── [形] (白々と光り輝いた) bright white; (清らかな) pure; (広大な) vast. ¶その古城は月光の下*皓々としてそびえていた The ancient castle rose *bright white* in the moonlight.

こうこう[10] 浩浩 ── [形] (広大な) vast; (水のみなぎった) full of water. ¶畏怖の念を抱きながら*浩々たる黄河の流れを眺めていた I looked with awe at the broad expanse of the *brimful* Yellow River.

こうごう[1] 皇后 émpress [C] (☞ へいか[1]).

¶*皇后陛下 Her Majesty the *Empress*

こうごう[2] 咬合 (歯の) occlusion (of the teeth) [U]. ¶不正*咬合 improper *occlusion* / mal*occlusion*

こうごう[3] 交合 (séxual) íntercòurse [U] (☞ せいこう[4]).

ごうごう[1] 轟轟 ¶列車が*ごうごうと音を立てて (⇒鳴り響くような音で) 通った The train passed (by) with a *roar*. / The train ⌜*roared* [*thundered*] past. (☞ 擬声・擬態語 (囲み))

ごうごう[2] 囂囂 ── [形] (やかましい) loud; (激しい) violent; (猛烈な) fierce. ¶その計画は非難*ごうごうだった (⇒激しく[猛烈に]非難された) The plan was ⌜*violently* [*fiercely*] criticized.

こうこうがい 硬口蓋 hard palate [C].

こうこうぎょう 鉱工業 the mining and manufacturing industries. **鉱工業生産指数** industrial production *index* [C] (略 IPI), index of industrial production [C].

こうこうけつあつざい 抗高血圧剤 antihypertensive (⌜agent [drug]) [C].

こうこうさ 光行差 〘天〙 aberration [C].

こうごうしい 神神しい (神聖な) holy; (荘厳な) solemn /sɑ́ləm/. (☞ そうごん).

こうこうせい 向光性 ☞ こうじつせい

こうごうせい 光合成 〘生〙 phòtosýnthesis [U].

ごうこうぞう 剛構造 〘建〙 rigid structure [U] ★ 具体的には [C].

こうこうど 高高度 high altitude [U].

高高度飛行 high-altitude flight [C].

こうこうや 好好爺 good-natured old man [C].

こうこがく 考古学 ── [名] arch(a)eology /ɑ̀ːkiɑ́lədʒi/ [U]. ── [形] arch(a)eological /ɑ̀ːkiəlɑ́dʒɪk(ə)l/. **考古学者** àrch(a)eólogist [C].

こうごき 小動き (相場の) small [minor] fluctuations.

こうこく[1] 広告 ── [名] (営業上の) advertisement /æ̀dvətáɪzmənt/ [U] ★ 具体的な意味では [C]; (略式) ad [C]. ── [動] (広告する) ádvertìse (他) (自). (☞ せんでん; コマーシャル; ピーアール).

¶彼らはテレビで新製品の*広告をした They *advertised* the new product on television. // 自動車を売るために彼らは地元の新聞に*広告を出した They put an *advertisement* in the local newspaper to sell their cars. // 英語教師募集の新聞*広告を出した We *advertised* in the newspaper *for* an English teacher. // 案内[三行]*広告 a classified *ad* ★ 項目別に分類されているので「分類された広告」と言う. / (米) a want *ad* ★ くだけた表現. 求職・求人・貸し家などの広告が主なのでこう呼ばれている.

広告会社 advertising [ad] ⌜agency [firm] [C] **広告業** the advertising business ★ the を付けて. **広告収入** advertising revenue [U] **広告代理業[店]** advertising agency [C] **広告(代理)業者** advertising agent [C] **広告塔** (柱状のもの) ad pillar [C]; (塔状のもの) advertising tower [C]; (街路の) poster column [C]; (比喩的に, 団体などのイメージキャラクター) poster child [C]; (組織の顔となる有名人) front [C] **広告主** advertiser [C]; (スポンサー) sponsor [C] **広告媒体** advertising medium [C] (複 ～ media). **広告板** (屋外にある大きなもの) (米) billboard [C], (英) hoarding [C] **広告費** outlay for advertising [C] **広告放送** commercial [C] **広告欄** advertisement [ad] column [C] **広告料** advertising rates ★ 複数形で.

> ── コロケーション ──
>
> **(新聞などが)広告を載せる** carry *advertisements* // **折り込み広告** an insert / **奇抜な広告** a fantastic *advertisement* / **求人広告** a job *advertisement* / **個人広告** a personal *advertisement* / **誇大広告** an exaggerated *advertisement* / **新聞1ページの広告** a full-page newspaper *advertisement* / **ダイレクトメールによる広告** a direct-mail *advertisement* / **たばこの広告** a tobacco *advertisement*; an *advertisement* for tobacco / **人の気を引く広告** an enticing *advertisement* / **人を欺くような広告** a deceptive *advertisement*

こうこく[2] 公告 ── [名] (公[正式]の) public [official] announcement [C]. ── [動] announce … publicly. ¶競売の*公告が新聞でなされた A *public announcement* of the auction was made in the newspapers. // 職員の募集が*公告された The recruitment of new staff members *was publicly announced*.

こうこく[3] 公国 (duke が元首の) dukedom [C], duchy [C]; (prince が元首の) principality [C].

¶ルクセンブルク大*公国 the Grand *Duchy* of Luxembourg /lʌ́ksəmbə̀ːg/ // モナコ*公国 the *Principality* of Monaco

こうこく[4] 抗告 ── [名] complaint [C]; (異議申し立て) prótest [C]; (上告) appeal [C]. ── [動] complain (自); protést (自); appeal (自). (☞ じょうこく).

抗告訴訟 protest suit [C].

こうこく[5] 皇国 the Empire. **皇国史観** the view of history based on the reigns of the emperors.

こうこく[6] 興国 (勢いの盛んな国) powerful nation [C]; (建国) the founding of a ⌜state [nation].

こうこく[7] 鴻鵠 (大きな鳥) large bird [C]; (大人物) great person [C]. **鴻鵠の志** great ambition

Ⓤ.

ごうこく 号哭 **―動** cry ｢bitterly [loudly], wail ㊐. **―名** wailing Ⓤ. (☞ ごうきゅう²).

こうこつ¹ 恍惚 (喜び･楽しさなどで夢中になる状態) rapture Ⓤ ★ 格式ばった語. しばしば複数形で; (うっとりして我を忘れる状態) écstasy Ⓤ; (夢心地でぼうっとした状態) trance Ⓒ. (☞ うっとり; ほれぼれ). ¶ 彼は*恍惚としていた He was in ｢a *trance* [*rapture*]. // 私は*恍惚として彼女の美声に聞きほれた (⇒ 彼女の美しい声によって我を忘れた) I *was carried away* by her beautiful voice. // *恍惚の人 (⇒ 老人ぼけの人) a *senile* person 〔語 法〕 He [She] is *senile.* あるいは He [She] is suffering from *senility.* の形で言うことが多い. (☞ もうろく)

こうこつ² 硬骨 (気骨) backbone Ⓤ. **硬骨漢** man of firm character Ⓒ.

こうこつもじ 甲骨文字 ancient Chinese inscriptions on bone and tortoiseshell.

こうこのうれい 後顧の憂い ☞ こうこ²

こうコレステロール 高コレステロール high cholesterol Ⓤ. **高コレステロール血症** 〘医〙 hypercholesterolemia /hàɪpəkəlèstərouli:miə/ Ⓤ, high levels of cholesterol in the blood ★ 後者は説明的な訳.

ごうコン 合コン (大学生などの) student get-together Ⓒ; (男女の出会いの場) mixer Ⓒ. (☞ コンパ).

こうさ¹ 交差 **―動** (交わる) cross ㊐ ㊗, intersect ㊐ ㊗; (会う) meet ㊐ ㊗. **―名** (交差点) crossing Ⓒ, intersection Ⓒ ★ 後者がやや格式ばった語. (☞ まじわる; こうさてん). ¶ 平行線は*交差しない Parallel lines never ｢*cross* [*meet*]. // この通りはここから 3 丁先で銀座通りと*交差しています This street *crosses* Ginza Boulevard three blocks (away) from here. // 立体*交差 a bi-level *crossing* // 平面*交差 a ｢grade [(英) level] *crossing*

こうさ² 黄砂 yellow sand Ⓤ.

こうさ³ 考査 ☞ しけん¹

こうさ⁴ 公差 (貨幣･度量衡･機械の許容誤差範囲) tolerance Ⓤ, allowance Ⓤ; 〘数〙 common difference Ⓒ.

こうざ¹ 口座 (銀行の) account Ⓒ (☞ ぎんこう¹). ¶ 東洋銀行に*口座を持っています[設けた] I ｢have [opened] an *account* with the Toyo Bank. // 私の*口座へ 100 万円を振り込んで下さい Please *pay* one million yen to my *account*. **口座(維持)手数料** account fee Ⓒ, account maintenance charge Ⓒ **口座番号** *one's* bank account number Ⓒ **口座振替** direct debit Ⓤ, account transfer payment Ⓤ.

コロケーション

口座引き落としにする charge ... to *one's account* / **口座を解約する** close a bank *account* / **口座(の残高)を確かめる** check (the balance in) *one's* (bank) *account* / **口座を開く** open a bank *account* // **銀行口座** a bank(ing) *account* / **クレジットカード口座** a credit-card *account* / **当座預金口座** a ｢checking [(英) current] *account* / **普通預金口座** a savings *account* / **郵便貯金口座** a post-office *account*

こうざ² 講座 (数回にわたる講習･講義などの) course Ⓒ; (講義) lecture Ⓒ; (日本の大学の制度上の) basic teaching or research unit of a Japanese university department (staffed by a professor, associate professors, and assistants) Ⓒ. (☞ じゅぎょう; こうぎ²; こうしゅう¹). ¶ この 1 年間ラジオの英語*講座を聞いている I have been listening to a radio English *course* for one year. // この大学には日本文学の*講座はありません They [We] don't have any ｢*lectures* [*courses*] on Japanese literature at this college. 〔語 法〕 大学の人が言う場合は We. **講座制** organization of the teaching and research staff of a Japanese university department (based on a unit comprising a professor, associate professors, and assistants) Ⓤ.

こうざ³ 高座 (寄席などの) the stage; (高い席) platform Ⓒ. ¶ *高座に出る perform on *the stage*

こうさい¹ 交際 **―名** (個人間の比較的親しい) company Ⓤ; (仲間としての) association Ⓤ; (友人としての関係) friendship Ⓤ; (知り合い程度の関係) acquaintance(ship) Ⓤ. **―動** (親しくする) be friends with ...; (知り合いである) be acquainted with ... (☞ つきあい; こうゆう¹). ¶ このごろは彼とは*交際をしていません (⇒ しばらく彼と会っていない) I *haven't seen* him for some time. / (⇒ 彼との関係を断っている) I have broken off *relations* with him. // 彼女は学校の先生たちと*交際が広い (⇒ 多くの教師の友人をもっている) She has many *friends* who are teachers. / (⇒ 多くの先生と知り合っている) She *is acquainted with* a lot of schoolteachers. 〔語 法〕 この場合 be associated with を使うと職業上または商売上の関係を指すことになる. // 私たちはこの 3 年間*交際をしています We *have been close* (*friends*) for the past three years. // 彼とは家族ぐるみで親しく*交際をしています (⇒ 家族はみんな彼のところと親しい関係にある) All my family (members) *have friendly relations* with his. / My family has enjoyed a close *association* with his. ★ 第 1 文のほうがやや口語的. **交際家** sociable person Ⓒ **交際費** (会社が支給する) expense account Ⓒ; (一般の) entertainment expenses ★ 通例複数形で.

こうさい² 公債 public ｢loan [debt] Ⓒ; (証書) public [government] bond Ⓒ. (☞ こくさい²). ¶ 20 億円の*公債を起債する float a *loan* of 2 billion yen **公債依存度** the rate of dependence on public bonds.

こうさい³ 光彩 (きらきらする輝き) brilliance Ⓤ; (ぴかぴかする輝き) luster ((英) lustre) Ⓤ ★ 比喩的にも用いられる. (☞ かがやき). ¶ ひときわ*光彩を放つ (⇒ 目立つ) *stand out* conspicuously

こうさい⁴ 虹彩 iris Ⓒ. **虹彩炎** iritis /aɪ(ə)ráɪtəs/ Ⓤ.

こうさい⁵ 鉱滓 slag Ⓤ.

こうさい⁶ 高裁 (高等裁判所) high court Ⓒ ★ (英) High Court は最高裁判所. (☞ さいばんしょ; こうとう²).

こうざい¹ 功罪 (長所と欠点) mérits and ｢demerits /dí:mèrɪts/ [faults]; (利益と害) advántages and dísadvàntages; (プラスとマイナス) pluses and minuses; (賛成と反対) pros and cons 〔語 法〕 demerits と disadvantages はそれぞれ merits と advantages と対照させているから, de- と dis- のところにアクセントを置く. 以上いずれも複数形で. ¶ 官僚制度の*功罪は相半ばするものがある (⇒ 長所と欠点とは互いに釣り合っている) The *merits and demerits* of bureaucracy balance out. / (⇒ 互いに相殺する) The *merits and demerits* of bureaucracy offset each other.

こうざい² 鋼材 steel Ⓤ.

ごうざい 合剤 (medical) mixture Ⓒ, compound Ⓒ ★ 水剤や混和した薬物.

こうさいたい 紅菜苔 (中国野菜) purple-stem mustard Ⓤ.

こうざいりょう 好材料 (好都合な材料) good

material [U]; (好都合な資料) good data ★ 複数扱いすることもあるが通常は [U]; (株式の) favorable [good] news [U], bullish factor [C]. ¶ 今回の金利引き下げは株式市場にとって*好材料だ The lowering of interest rates is *good news* for the stock market.

こうさいるい　後鰓類　Opisthobranchia /əpìsθəbrǽŋkiə/; (後鰓類の動物) opisthobranch /əpísθəbræ̀ŋk/ [C].

こうさく[1]　工作　── [名] (物を作ること) making [U] ★ 意味の広い口語的な語; (手工芸) handicrafts ★ 通例複数形で; (計画的な働きかけ) maneuvering (《英》 manoeuvring) [U]; (特定の目的のための一連の手立て・動き) move [C].　── [動] make (他); maneuver (《英》 manoeuvre) (自). (☞ ずこう; かくさく). ¶ 私は*工作の時間に本立てを作った I made a pair of bookends during the *handicrafts* 「hour [period]. // 日本は和平*工作に失敗した Japan failed in making a *move* toward peace. // 彼らは交渉のための準備*工作をした (⇒ 道を開いた) They *paved the way for* the negotiations. // 彼は裏面*工作をしている He *is maneuvering* behind the scenes. // 政治*工作 political *maneuvering* // 宣伝*工作 propaganda *maneuvers*
工作員 agent provocateur /prouvɑ̀kətə́ː/ [C] (複 agents provocateurs /～/)　**工作機械** machine tool [C]　**工作ゲージ** 〖機〗 shop [working] gauge [C]　**工作室** workshop [C]　**工作船** (船舶修理用) repair ship [C]; (海産物加工用) factory ship [C]; (スパイ活動をする) spy ship [C]　**工作物** (機械による製作品) (finished) machine product [C]; (建造物) structure [C].

こうさく[2]　耕作　── [名] (田畑を耕すこと) cultivation [U]; (農作業) farm work [U].　── [動] (土地を農耕地として) cultivate (他); (すきで耕す) plow [(《英》 plough] (他). (☞ たがやす). ¶ その土地の大半は*耕作されている Most of the land *is* 「*under cultivation* [*cultivated*].　**耕作機械** cultivator [C]　**耕作地** cultivated land [U]　**耕作面積** the area under cultivation.

こうさく[3]　交錯　── [動] (入り交じる) mingle (with …) (自) (☞ さくそう).

こうさく[4]　鋼索　wire rope [C], cable [C].　**鋼索鉄道** ☞ ケーブルカー

こうさつ[1]　考察　── [名] (よく考えること) consideration [U]; (内容を検討すること) examination [U]; (研究) study [C].　── [動] consider (他); examine (他); study (他). (☞ けんとう[2]; かんがえる). ¶ その件については一層の*考察が必要である The problem calls for further *consideration.*

こうさつ[2]　絞殺　── [動] (締め殺す) strangle (他), choke … to death　[語法] 後者のほうがより口語的だが, 一般には前者を使う.　── [名] strangulation [U]. (☞ しめころす). ¶ 彼は*絞殺された He *was* 「*strangled* [*choked*] *to death.*　**絞殺死体** strangled body [C].

こうさつ[3]　高札　notice board housed in a roofed structure on which ordinances, admonishments, or prohibitions were posted during the Edo period [C].

こうさつ[4]　高察　¶ ご*高察のとおり (⇒ あなたが考えたように) as you *have* (*no doubt*) *perceived* (☞ けんさつ[3]; すいそく (類義語); すいさつ)

こうざつ　交雑　〖生〗 (二個体間の異種交配) hybridization [U]; (異種交配の動植物) cross (between …) [C], crossbreed [C]. (☞ こうはい[3]).　**交雑育種** hybridization breeding [U], crossbreeding [U].

こうさてん　交差点　crossing [C], crossroads ★ 普通は複数形で; íntersèction [C] ★ 第 3 番目は少し格式ばった言い方. (☞ じゅうじろ; よつかど; こうさ[1]). ¶ *交差点に入ろうとしたら信号が変わった The light changed when I was about to enter the *intersection.*

こうさん[1]　公算　(見込み) probability [U]; (可能性) chance [C]. (☞ みこみ; かのうせい). ¶ 彼女が助かる*公算はほとんどない There is 「little *probability* [only a small *chance*] that she will be rescued. // うまくいく*公算は非常に大きい There is 「every *probability* [a good *chance*] that we will succeed.

こうさん[2]　降参　── [動] (白旗を掲げる) show the white flag; (戦争などで降伏する) surrénder (to …) (自); (屈伏する) submit (to …) (自); (相手の意見・希望などに折れる) give ín (自); (あきらめる) give úp (他) (自) ★ 後の 2 つは口語的.　── [名] surrénder [U]; submission [U]. (☞ こうふく[2]; くっぷく; まいる). ¶ 彼らは敵に*降参した They *surrendered to* the enemy. // この問題はわからない. もう*降参だ (⇒ あきらめる) I can't solve this problem. I *give up.*

こうさん[3]　恒産　(一定の財産) fixed property [U]; (一定の職業) fixed occupation [C].
恒産なければ恒心なし A man 「without a [with no] fixed occupation can have no peace of mind.

こうざん[1]　鉱山　mine [C] (☞ たんこう[1]). ¶ *鉱山を開発[採掘]する develop [work] a *mine* // 彼は*鉱山で働いている He works in a *mine.* / (⇒ 鉱山労働者だ) He is a *miner.* // その銅の*鉱山は 1970 年に閉山になった That copper *mine* was closed in 1970.　**鉱山学** mining (science) [U]　**鉱山技師** mining engineer [C]　**鉱山労働者** miner [C].

こうざん[2]　高山　── [名] (high) mountain [C].　── [形] alpine. (☞ やま; さんがく[1]).　**高山植物** alpine plant [C]; (集合的に) the alpine flora　**高山帯** alpine belt [C]　**高山蝶** alpine butterfly [C]　**高山動物** alpine animal [C]; (集合的に) the alpine fauna　**高山病** (acute) mountain sickness [U], altitude sickness [U].

こうさんかざい　抗酸化剤　antioxidant [C].

こうさんかせいビタミン　抗酸化性ビタミン　antioxidant vitamin [C].

こうさんかぶっしつ　抗酸化物質　antioxidant [C].

こうさんきん　抗酸菌　acid-fast bacterium [C] (複 -ria).

こうし[1]　講師　(話す人) speaker [C]; (講演者) lecturer [C] ★ ほぼ同意に用いられるが, 前者のほうが意味が広い; (大学の専任講師) 《米》 instructor [C] ★ 《米》 assistant professor の下; 《英》 lecturer [C]
[語法] (1) イギリスの大学では lecturer, senior lecturer と professor の間の位を reader と呼び, 「講師」と訳す場合もあるが, 実際には助教授に当たる. また 《米》 では昇進の系列にない講師を instructor と区別して, lecturer と呼ぶことがある; (非常勤講師) part-time 「instructor [lecturer; teacher] [C]
[語法] (2) teacher は中・高・大学を問わず使える; (地位) lectureship [C]. (☞ こうえん[2]; 学校・教育 (囲み)).
¶ きょうの*講師はどなたですか (⇒ だれが話すか) Who is going to *speak* today? // 私は慶応大学で英語の非常勤*講師をしています I *teach* English part-time at Keio University. / I am a part-time 「*lecturer* in [*instructor* in; *teacher* of] English at Keio University.　[語法] (3) 第 1 文では part-time を副詞として, 第 2 文では形容詞として用いる.

こうし[2]　行使　── [動] (武力・実力などを使う) use /júːz/ (他), employ (他) ★ 前者がより口語的; (権利などを) exercise (他).　── [名] use /júːs/ [U]; exercise

こ

Ⓤ. ¶警官隊は群衆に対して実力*行使に踏み切った The police began to ⌈use [*employ*] force against the crowd.

こうし[3] **公私** ¶在任中は*公私ともにたいへんお世話になりました (⇒私のためにしてくれたことすべてに感謝します) Thank you very much for everything you did for me while I was ⌈in that position [on that job]. 〔語法〕「公私」に必ずしもこだわらないほうがよい. **公私混同** ¶*公私混同をしてはならない (⇒公と私的な事柄を混同するな) Don't *mix* (*up*) *public and private* ⌈matters [affairs].

こうし[4] **格子** (窓・戸などのガラスがはまっている) lattice Ⓒ; (防御のための) grille Ⓒ; (鉄の棒などの) bar Ⓒ; 〘電工〙(電子管の電極) grid Ⓒ. **格子縞** checkered pattern Ⓒ; (格子縞(の布)) plaid Ⓒ《☞ チェック[2]》 **格子戸** lattice door Ⓒ **格子窓** lattice window Ⓒ.

lattice window

こうし[5] **公使** minister Ⓒ. ¶日本駐在のイタリア*公使 the Italian *minister* to Japan **公使館** legation Ⓒ **公使館員** (全員) the legation staff; (個人) member of the legation staff Ⓒ.

こうし[6] **孔子** Confucius /kənfjúːʃəs/. **孔子廟** Confucius's Mausoleum /mɔ̀ːsəlíːəm/ Ⓒ.

こうし[7] **嚆矢** (物事の始め) the beginning; (最初) the first; (先駆者) the pioneer. ¶この分野の研究は彼を*嚆矢とする (⇒彼が最初だった) He was *the first* to take up the study of this field.

こうし[8] **子牛** calf /kǽf/ Ⓒ《複 calves /kǽvz/》; (食肉としての) veal Ⓤ. 《☞ おす[3] (表)》.

こうし[9] **光子** 〘物理〙photon Ⓒ.

こうし[10] **孝子** (心の優しい子供) good child Ⓒ; (孝行息子[娘]) dutiful ⌈son [daughter] Ⓒ. 《☞ こうこう[2]》.

こうし[11] **後肢** 〘動・昆〙hind /háɪnd/ ⌈lég [límb] Ⓒ.

こうし[12] **後翅** 〘昆〙hínd wíng Ⓒ.

こうし[13] **後嗣** ☞ あととり

こうし[14] **鉱滓** slag Ⓤ.

こうし[15] **厚志** (親切心) kindness Ⓤ ★しばしば複数形で; (思いやり) warmheartedness Ⓤ. 《☞ こうい[2]; こうい[3]; おもいやり》.

こうじ[1] **工事** (建設工事) construction (work) Ⓤ《☞ けんせつ》. ¶来年の4月から*工事が始まる (The) *construction* (*work*) will start next April. // 近所の道路が*工事中だ A road is under *construction* in my neighborhood. // 電気*工事 (⇒配線と器具の設置) はまだすんでいません The *installation* of electrical wiring and equipment has not been completed yet. // *工事中《掲示》(⇒建設作業中) Under *Construction* / (⇒作業中) Men *Working* / Men at *Work*

こうじ[2] **公示** ―名 (公に発表すること) official ⌈annóuncement [nótice] Ⓒ. ―動 (公式に発表する) announce ... officially. 《☞ こくじ[1]; はっぴょう》. ¶衆議員選挙が*公示された The election for the House of Representatives *was announced publicly*. **公示価格** posted price Ⓒ, declared value Ⓒ **公示地価** (publicly) ⌈*assessed* [*appraised*] *value of land* Ⓒ.

こうじ[3] **麹** *koji* Ⓤ; malt /mɔ́ːlt/ Ⓤ 〔参考〕後者はビール・ウイスキーなどの製造に用いる麦芽. 英米ではこうじは使わない. **麹黴**(かび) aspergillus /æ̀spərʤíləs/ Ⓒ《複 aspergilli /-ʤílaɪ/》 **麹漬け** food preserved in malted rice and salt Ⓤ.

こうじ[4] **小路** (建物にはさまれた) alley Ⓒ; (狭い道) narrow street Ⓒ. 《☞ みち[1] (類義語)》. ¶袋*小路 a blind *alley*

こうじ[5] **好事** (めでたいこと) happy event Ⓒ. **好事魔多し** Clouds always follow the sunshine. 《ことわざ: 晴れれば次はいつも曇り》.

こうじ[6] **好餌** (えさ) bait Ⓤ ★比喩的に「人をおびき寄せる物」という意味でも用いられる; (えじき) prey Ⓤ. 《☞ えじき; かも》.
¶*好餌に誘われる (⇒餌に飛び付く) swallow the *bait* // ...の*好餌となる fall (an) easy *prey* to ...

こうじ[7] **後事** (将来の事) *one's* future affairs; (死後の事) *one's* affairs after *one's* death.
¶人に*後事を託す ask *a person* to look after *one's affairs* (*after* ...)

こうじ[8] **高次** ―形 high-level Ⓐ. **高次方程式** equation of a higher degree Ⓒ, higher equation Ⓒ.

こうじ[9] **公事** (公の用務) public business Ⓤ; (官公庁や会社の用事) official business Ⓤ. 《☞ こうむ[1]; こうよう[1]》.

ごうし[1] **合祀** (説明的に) enshrinement of two or more gods or human spirits at a single shrine Ⓤ. ¶戦死者を靖国神社に*合祀する *enshrine* the war dead *collectively* at Yasukuni Shrine

ごうし[2] **郷士** country samurai Ⓒ; (説明的には) man of samurai rank who in peacetime lived the life of rural commoner Ⓒ.

ごうじ **合字** 〘印〙ligature Ⓒ.

ごうしがいしゃ **合資会社** 〘法〙límited [spécial] pártnership Ⓒ.

こうしき[1] **公式** ―形 (正式の) formal (↔ informal); (公の・公務上の) official (↔ unofficial). ―副 formally; officially. 《☞ せいしき[1]; せいき[3]; おおやけ》. ¶彼女は*公式の場にふさわしい服装をしていた She was properly dressed for the *formal* occasion. // 彼は数年前に日本を*公式訪問した He came to Japan on ⌈a *state* [an *official*] visit several years ago. 〔語法〕国賓としての公式訪問は a state visit (to ...) を用いる.
公式記録 official record Ⓒ **公式参拝** official visit to a ⌈shrine [temple] Ⓒ **公式主義** formalism Ⓤ **公式スポンサー** official sponsor Ⓒ **公式戦** regular ⌈game [match] Ⓒ.

こうしき[2] **公式** (数学などの) formula Ⓒ《複 ~s, formulae /-lìː/》. ¶その問題を解くにはどの (数学の) *公式を用いるのですか Which (mathematical) *formulas* ⌈can [must] we ⌈apply [use] to solve that problem? // 長方形の面積を出す*公式は横掛ける縦だ The *formula* for finding the area of a rectangle is ⌈w×l [width times length].

こうしき[3] **硬式** **硬式テニス** tennis Ⓤ **硬式野球** baseball Ⓤ. ¶中学校では*硬式野球はやりません (⇒硬いボールの野球はしない) We don't play *hardball* (baseball) in junior high school. 〔参考〕軟式野球は説明的に rubber-ball baseball とする. テニス・野球は硬式が正規のもの. 軟式は日本のみ.

こうじく **光軸** 〘光〙óptical áxis Ⓒ《複 axes》.

こうしけつしょう **高脂血症** 〘医〙hyperlipemia /hàɪpəlaɪpíːmiə/ Ⓤ.

こうじげん **高次元** ―形 (高い水準の) high-[higher-; advanced-]level. ¶彼は我々に*高次元の話をした He gave us a *high-level* talk. / He spoke to us on an *elevated level*.

こうしせい **高姿勢** ―名 (攻撃的な態度) aggressive attitude Ⓒ; (横柄な態度) overbearing ⌈manner [attitude] Ⓒ; (高圧的な態度) high-handed attitude Ⓒ. ―副 aggressively; high-handedly. 《☞ こうあつ[1]; たかびしゃ; きょうこう[1]》.
¶彼は私たちに対して*高姿勢だった He took ⌈an *aggressive* [an *overbearing*; a *high-handed*] *atti-*

tude toward us.

こうしつ[1] **皇室** the ˹imperial [royal] household; (皇族) the ˹imperial [royal] family 日英比較 日本の天皇は普通 emperor と訳されるので，それと関係のある imperial を用いることが多いが，英国などの皇室の場合は「王の」という意味の royal を用いる．日本の皇室にこれを用いることもよくある．《☞ おうしつ》． **皇室会議** the Imperial /ɪmpí(ə)riəl/ Hóusehold Cóuncil **皇室費** the ímperial hóusehold expénses ★ 複数形で．

こうしつ[2] **硬質** ━形 (硬い) hard《☞ かたい[1] (類義語)》． **硬質ウレタン** hard (poly)urethane /(pɑ̀lɪ)jʊ́(ə)rəθèɪn/ (foam) Ⓤ **硬質ガラス** hard glass Ⓤ **硬質ゴム** hard rubber Ⓤ **硬質磁器** hard porcelain Ⓤ **硬質繊維板** hard fiberboard Ⓒ, hardboard Ⓒ **硬質陶器** semiporcelain Ⓤ; hard ceramics ★ 後者は磁器も含めた言い方で複数扱い．

こうしつ[3] **膠質** ━名 colloid Ⓤ． ━形 (膠質の) colloidal; (にかわ質の) gluey.

こうじつ[1] **口実** (言い訳) excuse /ɪkskjúːs/ Ⓒ; (偽りの理由)《格式》prétext Ⓒ．《☞ いいわけ; べんかい; りゆう; かこつける》．
¶ 彼女は病気を*口実にして学校を休んだ She used illness as ˹an *excuse* [a *pretext*] ˹for staying [to stay] away from school. / (⇒ 病気が口実だった) Sickness was her *excuse* for being absent from school. // そんなことは*口実にならない (⇒ あなたの行いを正当化しない) That doesn't *justify* your behavior. // 彼はいつももっともらしい*口実を言う He always makes plausible *excuses*.

こうじつ[2] **好日** good day Ⓒ. ¶ 日々これ*好日なり Every day is a *good day*.

こうじつせい **向日性** heliotropism /hìːliɑ́trəpɪ̀zm/ Ⓤ. ¶ *向日性の植物 a *heliotropic* /hìːliətrɑ̀ʊpɪk/ plánt

こうして (このように) (in) this way, like this; (そういうわけで) so, therefore, thus.《☞ このよう; そういう》． ¶ *こうしてやると，うまくいく If you do it ˹(*in*) *this way* [*like this*], it will go well. // *こうして彼は社長になった *Thus*, he became president.

こうしゃ[1] **校舎** (学校の建物) school building Ⓒ; (特に小学校の) schoolhouse Ⓒ.

こうしゃ[2] **後者** the second (↔ the first), the latter (↔ the former) ★ いずれも the を付けて．前者が口語的．《☞ ぜんしゃ[1] 語法》．
¶ その本の初版と改訂版を持っていますが，私は*後者が気に入っています I have a copy of both the first and the revised edition of the book, but I prefer *the* ˹*second* [*latter*].

こうしゃ[3] **公社** public corporation Ⓒ《☞ こうだん[1]》．

こうしゃ[4] **巧者** ━形 (器用な) clever; (熟達した) skillful; (如才ない) tactful.《☞ うまい; じょうず》． ¶ 彼は金もうけ*巧者だ He is *clever* at making money. // 試合*巧者 a *tricky* player

こうしゃ[5] **降車** ━動 gèt óff 自, gèt óut of ...《☞ げしゃ》． **降車口** exit Ⓒ **降車ホーム** (arrival) platform Ⓒ.

こうしゃ[6] **公舎** ☞ こうむいん (公務員住宅)

こうしゃ[7] **向斜** 〘地質〙 syncline Ⓒ.

こうしゃ[8] **後車** the car(s) driving behind.

ごうしゃ **豪奢** ━形 (豪華な) luxurious /lʌgʒʊ́(ə)riəs/; (ぜいたくな) extrávagant; (盛大な) grand. ━名 luxury /lʌ́kʃ(ə)ri/ Ⓤ; extrávagance Ⓤ; grandness Ⓤ. ¶ *豪奢な生活 a *luxurious* ˹life [lifestyle]

こうしゃく[1] **公爵** (英国の) duke Ⓒ; (英国以外の) prince Ⓒ 参考 英国では王子[孫]を prince と呼ぶため，公爵を duke と言う．《☞ きぞく[2] 参考》． **公爵夫人** (英国の) duchess /dʌ́tʃɪs/ Ⓒ; (英国以外の) princess Ⓒ.

こうしゃく[2] **侯爵** marquis [marquess] /mɑ́ːkwɪs/ Ⓒ《☞ きぞく[2] 参考》． **侯爵夫人** marchioness /mɑ́ːʃ(ə)nɪs/ Ⓒ ★ 女侯爵を指すこともある．

こうしゃく[3] **講釈** ━名 (説教) lecture Ⓒ; (講談) storytelling Ⓤ. ━動 lecture 自． ¶ *講釈を聞く listen to a *lecture* // *講釈を始める begin *one's lecturing* **講釈師** (professional) storyteller Ⓒ.

こうしゃさい **公社債** public and corporation bonds《☞ さいけん[2]》． **公社債投資信託** bond investment trust Ⓒ.

こうしゃほう **高射砲** antiaircraft gun Ⓒ.

こうしゅ[1] **攻守** 攻守所を替える ¶ *攻守所を替えた The tables ˹have been [are] turned. ★ turn the tables で「形勢を逆転する」という意味の成句．

こうしゅ[2] **好手** (囲碁・将棋・チェスなどで) good [brilliant] move Ⓒ.

こうしゅ[3] **甲種** (分類中の第 1 級) grade A Ⓤ; (最上の級) top grade Ⓤ.

こうしゅ[4] **巧手** (巧みな手腕の持ち主) expert Ⓒ; (囲碁や将棋などのよい手) good [brilliant] move Ⓒ.

こうしゅ[5] **好守** 〘野〙 (美技) fine play Ⓒ; (うまい守備) good fielding Ⓤ．《☞ しゅび[1]》． ¶ 右翼手の*好守でその回のピンチを切り抜けた A *fine play* by the right fielder got ˹them [us] out of a pinch in that inning. // *好守好打の選手 an *outstanding* player both at bat and *in the field*

こうじゅ **口授** ━動 teach [《格式》instruct] ... orally. ━名 oral ˹teaching [instruction] Ⓤ.
¶ その秘伝は代々*口授された (⇒ 口頭で伝えられた) The secret *was transmitted* ˹*by word of mouth* [*orally*] from generation to generation.

こうしゅう[1] **講習** (何回か続いて行われる) (training) course Ⓒ; (授業) class Ⓒ．《☞ けんしゅう; こうざ[2]》． ¶ 英語の夏期*講習を受ける take a summer *course* in English **講習会** course Ⓒ; (授業) class Ⓒ; (特に専門的な内容の) ínstitùte Ⓒ; (研究集会) workshop Ⓒ. ¶ フランス料理の*講習会 a French cooking *class*

こうしゅう[2] **公衆** ━名 the (general) public. ━形 public Ⓐ．《☞ たいしゅう[1]》． ¶ *公衆の面前でそんなことをしてはいけない You shouldn't do such a thing *in public*. // ホール建設は*公衆の利益になる It serves the *public* interest to build a hall. **公衆衛生** public ˹health [hygiene] Ⓤ **公衆電話** public telephone Ⓒ, pay (tele)phone Ⓒ; (ボックス) (tele)phone booth Ⓒ, 《英》call box Ⓒ **公衆道徳** public morality Ⓤ《☞ ふうき[1]》 **公衆便所** public rest room Ⓒ, public toilet Ⓒ, 《英》(public) convenience Ⓒ **公衆浴場** public bath Ⓒ ★ しばしば複数形で単数扱い．

こうしゅう[3] **口臭** bad breath Ⓤ, 〘医〙 halitosis /hæ̀lətóʊsɪs/ Ⓤ．《☞ いき[1]; くさい》． ¶ 彼は*口臭がある (⇒ 彼の息はにおう) His *breath smells* (*bad*).

こうしゅう[4] **広州** ━名 固 Guangzhou /gwɑ̀ːŋdʒóʊ/ ★ 中国広東省の省都．

こうしゅう[5] **抗州** ━名 固 Hangzhou /hɑ̀ːŋdʒóʊ/ ★ 中国浙江省の省都．

ごうしゅう **豪州** ☞ オーストラリア

こうしゅうは **高周波** 〘電〙 high frequency Ⓒ《☞ しゅうは[2]》． **高周波加熱** 〘電〙 high-frequency [radio(-frequency)] heating Ⓤ **高周波ミシン** high-frequency sealer Ⓒ **高周波誘導(電気)炉** high-frequency induction furnace Ⓒ.

こうしゅく 拘縮 〖医〗contracture.

こうしゅけい 絞首刑 (death by) hanging Ⓤ. ¶彼は*絞首刑に処せられた[を宣告された] He was ⌐put [sentenced] to *death by hanging*.

こうしゅだい 絞首台 gallows Ⓒ《複 ~, ~es》.

こうしゅつ 後出 ¶*後出の (⇒後に続く) 章 the chapter(s) *to follow* / (⇒次の) the *following* chapter // *後出の (⇒以下で論じられる) 問題 the issue *to be discussed below* 《☞ こうじゅつ²》

こうじゅつ¹ 口述 ―動 (口で言って書き取らせる) dictate ⑩. ―形 (口頭による) oral. 《☞ かきとる; こうとう¹》. ¶社長は秘書に手紙を*口述した The president *dictated* a letter to ⌐his [her] secretary. **口述試験** oral (examination) Ⓒ **口述筆記** ―動 write down what *a person* says; (ノートをとる) make [take] notes.

こうじゅつ² 後述 ―動 (後で扱う) treat ... ⌐later [below]; (後で詳しく述べる) give the details later; (後でもっと十分に扱う) treat ... more fully later; (後で触れる) touch upon ... later 〔語法〕 以上はしばしば受身形にして ... will be treated more fully ⌐later [below] のようにも使われる.
¶それについては*後述の予定です (⇒後で触れる) It will *be touched upon later*. / (⇒後で扱われる) The matter will *be treated later*.

こうじゅつにん 公述人 (公聴会の発言者 [証人]) speaker [witness] at a public hearing Ⓒ; (国会の) witness before a Diet committee Ⓒ.

こうじゅほうしょう 紅綬褒章 Red Ribbon Medal Ⓒ.

こうしゅん 高峻 ―形 (高くけわしい) high and steep. ¶*高峻な山 a *high and* ⌐*steep* [*precipitous*] mountain / a *sharp-peaked* mountain

こうじゅん¹ 降順 〖コンピューター〗descending order Ⓤ. ¶単語を*降順にソートする sort words in *descending order*

こうじゅん² 公準 〖幾〗postulate Ⓒ《☞ こうり³》.

こうしょ¹ 高所 (高い所) height Ⓒ. ¶事態を大所*高所 (⇒幅広い見地) から見る必要がある We have to take a *broad view* of the situation. **高所恐怖症** ☞ 見出し **高所順応** ―名 altitude acclimatization Ⓤ. ―動 be [become] acclimatized to high altitudes. **高所トレーニング** ☞ こうち² (高地トレーニング)

こうしょ² 向暑 the approach of the hot season. ¶*向暑の候お体を大切に *The hottest season is approaching*, so do take good care of yourself.

こうしょ³ 講書 (文献の講義) lecture on a text Ⓒ; (文献の解釈) interpretation [exegesis] of a text Ⓒ.

こうじょ¹ 控除 ―動 (差し引く) deduct ⑩; (減じる) subtract ⑩. ―名 (控除額) deduction Ⓒ; (減額すること) subtraction Ⓤ; (税金の) exemption Ⓒ. 《☞ めんぜい》. ¶その金額は課税対象の収入から*控除できる That amount of money can *be deducted* from your taxable income. // 基礎*控除 a basic *deduction* // 扶養*控除 a *deduction* for dependents / dependents' *tax credit* **控除額** amount deducted Ⓒ, deduction Ⓒ.

こうじょ² 皇女 imperial /ɪmpí(ə)riəl/ princess Ⓒ.

こうじょ³ 高女 girls' high school Ⓒ.

こうじょ⁴ 公序 (公共の秩序) public order Ⓤ; 〖法〗(公序(良俗)) public policy Ⓤ. ¶*公序に反する行為 an act contravening *public policy* **公序良俗** ☞ 見出し

こうじょ⁵ 孝女 dutiful [devoted] daughter Ⓒ.

こうしょう¹ 交渉 **1**《話し合い》―名 negotiation Ⓒ ★しばしば複数形で; (協議・会議) talks ★通例複数形で. ―動 negotiate (with ...) ⓐ ★⑩としても用いられる; talk (with ...) ⓐ. 《☞ かけあう (類義語); せっしょう¹》.
¶*交渉に入る[を始める] enter into [open; start] *negotiations* // *交渉の場に就く sit at the *negotiating* table // 私たちはその問題について市当局と*交渉した We *negotiated* (on) the problem *with* the city authorities. / We carried on *negotiations* with the city authorities over the matter. // その問題は目下政府と*交渉中である We *are negotiating with* the government on the problem. / The matter is now under *negotiation* with the government. ★第2文がより格式ばった言い方. // 和平*交渉がまとまった The peace ⌐*negotiations* [*talks*] were concluded. // 値段についてはもう少し*交渉の余地があります The price remains *negotiable*. // 私たちは彼らとの*交渉を打ち切った We broke off *negotiations* with them. // *交渉は決裂した The *negotiations* broke down. // (労使間の) 団体*交渉 collective *bargaining* // 予備*交渉 preliminary ⌐*negotiations* [*discussion(s)*]
2《付き合い》: (関係) relation Ⓤ 〔語法〕 具体的なことを示す場合は通例複数形で. 人の場合は性的関係の含みがあるから注意; (つながり) connection Ⓤ. 《☞ こうさい¹; つきあい》. ¶あれ以来彼女とはまったく*交渉がない (⇒接触していない) I have been out of *touch* with her ⌐(ever) since [since then].
交渉団体 negotiating body made up of a quorum of Diet members necessary to moot a bill Ⓒ.

こうしょう² 高尚 ―形 (高貴な) noble; (学問のレベルなどの程度が高い) advanced; (上品な) elegant; (洗練された) refined. 《☞ こうきゅう¹》. ¶*高尚な趣味をもっている have *refined* taste(s) / (⇒上等の[ぜいたくな]趣味) have ⌐a *choice* [an *expensive*] hobby

こうしょう³ 考証 (時代考証) historical investigation Ⓒ.

こうしょう⁴ 口承 oral tradition Ⓒ《☞ でんしょう¹》. ¶*口承 (⇒口伝え) によって伝えられた昔話 folklore handed down *by word of mouth* **口承文学** oral literature Ⓤ.

こうしょう⁵ 公称 ―名 (正式の名称) official name Ⓒ. ―形 (名目上の) nominal; (公式の) official. ¶*公称と実際の数字が違う The figures *officially announced* differ from the actual ones. **公称価格** official price Ⓒ.

こうしょう⁶ 公傷 (職業上のけが) occupational injury Ⓒ《☞ けが》.

こうしょう⁷ 哄笑 loud laughter Ⓤ《☞ わらい; わらう》.

こうしょう⁸ 校章 school pin Ⓒ.

こうしょう⁹ 鉱床 (mineral) deposit Ⓒ.

こうしょう¹⁰ 公娼 licensed prostitute Ⓒ.

こうしょう¹¹ 高笑 ☞ たかわらい

こうしょう¹² 口誦 ―動 (声を出して読む) read ... aloud ★ⓐとしても用いる. ―名 (朗読) recitation Ⓤ.

こうしょう¹³ 好尚 (好み) taste Ⓤ; (流行) fashion Ⓤ. 《☞ しこう²; はやり》.

こうしょう¹⁴ 高唱 ―動 (大声で歌う) sing ... loudly ★ⓐとしても用いる; (大声で唱える) chant ... loudly ★ⓐとしても用いる. ¶詩を*高唱する *recite* a poem *in a loud voice*

こうじょう¹ 工場 (製造・加工する場所) factory Ⓒ ★最も一般的; (特に修理などの) (work)shop Ⓒ; (大規模な) plant Ⓒ; (特に製粉・製紙・製鉄・紡績関係の) mill Ⓒ; (ガス工場など, ある種の工程による作業場) works Ⓒ ★単複同形. しばしば合成語で. [語法] 以上の語は何を作り，どのような作業を行う工場かということで，つまり前に置かれる語によって使い分けられることが多い.

> 工場のいろいろ
>
> 自動車工場 automobile assembly plant, 自動車修理工場 auto (repair) shop, 石油化学工場 petrochemical plant, アイスクリーム工場 ice(-)cream plant, 化学薬品工場 chemical plant, 製造工場 factory, 製鋼工場 steel mill, 製紙工場 paper mill, 製糸工場 cotton [silk] mill, 製粉工場 flour mill, ガス工場 gasworks, ガラス工場 glassworks, 機械工場 machine shop, 兵器[軍需]工場 munitions [defense] plant, 町工場 small-scale factory, リサイクル工場 recycling plant, レンガ工場 brickyard, ビール工場 brewery

¶彼は*工場で働いている He works in a *factory*. / (⇒彼は工場労働者です) He is a *factory* worker. // 彼は自動車修理*工場を経営している He runs an auto (repair) *shop*.

工場経営 factory management Ⓤ **工場長** plant manager Ⓒ《☞ 会社の組織と役職名(囲み)》 **工場主** factory owner Ⓒ **工場廃水** industrial ⌈waste water [effluent] Ⓤ **工場閉鎖** (労働争議における) lockout Ⓒ **工場渡し** ex-factory, ex-works. ¶*工場渡し価格 an ⌈*ex-factory* [*ex-works*] price / (a) *manufacturer's* cost

こうじょう[2] 向上 ━[名](地位などが上に上がること) rise Ⓤ; (改善) improvement Ⓤ; (進歩) prógress Ⓤ. ━[動](向上させる) raise ㊀; improve ㊀ ㊁; progréss ㊁. 《☞ しんぽ; かいぜん》. ¶君の2学期の成績はだいぶ*向上した Your grades *have* [Your school record *has*] *improved* considerably in the second term. / (⇒2学期は以前より非常によくやった) You'*ve done much better* in the second term. ★第1文より第2文が口語的. // 戦後の民主主義は労働者の社会的地位を*向上させた Democracy helped (to) *raise* the social ⌈status [position] of the working class after the war. // 若い人たちの体位の*向上はめざましい The *improvement* in the physique of young people has been remarkable. **向上心** desire to improve *oneself* Ⓒ; (大望)《格式》aspiration Ⓤ; (野心) ambition Ⓤ. ¶*向上心のある生徒はよく勉強する *Ambitious* students work hard.

こうじょう[3] 恒常 ━[名] constancy Ⓤ. ━[形](恒常の) constant; (不朽の) everlasting. **恒常現象**〘心〙perceptual constancy Ⓤ **恒常所得** permanent income Ⓒ **恒常性**〘生理〙homeostasis /hòʊmioʊstéɪsɪs/ Ⓤ.

こうじょう[4] 口上 (陳述) statement Ⓒ; (伝言) (verbal) message Ⓒ; (芝居の) prologue Ⓒ; (紹介) introduction Ⓒ. ¶*口上を述べる deliver a ⌈*message* [*prologue*] // お祝いの*口上(⇒言葉)を述べる offer *words* of congratulation **口上書** verbal note Ⓒ.

こうじょう[5] 厚情 kindness Ⓤ《☞ おもいやり; なさけ》. ¶ご*厚情感謝申し上げます I do appreciate your *kindness*.

こうじょう[6] 交情 (友情) friendship Ⓤ; (親交) fellowship Ⓤ; (男女の情交) intimacy Ⓤ. ¶私は彼との*交情を深めた I strengthened my *ties of friendship* with him. // 彼らの*交情に亀裂が生じたようだ A rift appears to have developed in their *friendship*.

ごうしょう 豪商 prosperous merchant Ⓒ, commercial magnate Ⓒ, merchant prince Ⓒ.

ごうじょう 強情 ━[形](人の意見に耳を貸さず，我を張る) óbstinate; (生まれつき性格的に頑固な) stubborn. ━[名] óbstinacy Ⓤ; stubbornness Ⓤ. 《☞ がんこ(類義語); いじ'》. **強情っ張り** pig-headed person Ⓒ. ¶彼女は顔に似合わず*強情っ張りだ She is much more *obstinate* than she appears to be.

こうしょうがい 高障害 〘スポ〙the high hurdles ★単数または複数扱い.

こうじょうせん 甲状腺 thyroid /θáɪrɔɪd/ glànd Ⓒ. **甲状腺炎**〘医〙thyroiditis /θàɪrɔɪdáɪtɪs/ Ⓤ **甲状腺癌**〘医〙thyroid ⌈cancer Ⓤ [carcinoma Ⓒ《複 ～s, ～ta》] **甲状腺機能亢進症**〘医〙hyperthyroidism /hàɪpəθáɪrɔɪdìzm/ **甲状腺腫**〘医〙goiter (《英》goitre) Ⓤ, struma Ⓒ《複 strumae》 **甲状腺ホルモン** thýroid hórmone Ⓤ.

こうしょうにん 公証人 notary public Ⓒ《複 notaries public》, notary Ⓒ. **公証人役場** notary office Ⓒ.

こうしょきょうふしょう 高所恐怖症 〘医〙acrophobia /ækrəfóʊbiə/ Ⓤ, fear of heights Ⓤ.

こうしょく[1] 公職 (公の職務) public ⌈office [position] Ⓒ; (公務員の) civil service Ⓤ. **公職選挙法** the Public Offices Election Law **公職追放** purge of *a person* from public office Ⓒ.

こうしょく[2] 好色 ━[形](多情な) ámorous; (色欲的な) ámatòry [語法] 前者は「色欲におぼれた」, 後者は「色欲を起こさせるような」の意. **好色文学** pórnogràphic líterature Ⓤ, pornógraphy Ⓤ.

こうしょく[3] 交織 mixed [combined] weave Ⓒ. ¶綿毛*交織の織物 wool-cotton fabrics

こうしょくじんしゅ 黄色人種 ☞ おうしょくじんしゅ

こうじょりょうぞく 公序良俗 public order and decent behavior; 〘法〙public policy Ⓤ. ¶*公序良俗に反する行い a breach of *public policy* / conduct counter to *public policy*

こうじる[1] 高じる (悪化する) grow worse, worsen ㊁; (悪いほうに向かう) change for the worse. 《☞ あっか'; エスカレート》. ¶彼の病気はだんだん*高じてきた (⇒彼の病状は一層悪くなってきた) His condition *has* ⌈*grown worse and worse* [gradually *worsened*].

こうじる[2] 講じる (講義する) lecture ㊁; (案出する) think out ㊀; (手段をとる) take ㊀. ¶英文学を*講じる *lecture* on English literature // 緊急[抜本的な]措置を*講じる *take* ⌈emergency [drastic] measures // 交通事故を防ぐために何か手段を*講じなければならない We must *take* steps to prevent traffic accidents. // 彼らは紛争解決のために策を*講じている They are trying to *think out* a way to settle the dispute.

こうしん[1] 行進 ━[名](軍隊などの整然とした) march Ⓒ; (集まった人に見せるための) paráde Ⓒ. ━[動] march ㊁; parade ㊁. 《☞ パレード》. ¶デモ隊はいま銀座を*行進している The demonstrators *are* now ⌈*walking* [*marching*] through the Ginza. **行進曲** march Ⓒ. ¶軍隊[結婚]*行進曲 a ⌈military [wedding] *march*

こうしん[2] 更新 ━[動](書類・手続きなどを) renew ㊀; (記録などを破る) break ㊀. ━[名] renewal Ⓤ. ━[形](更新できる) renewable. 《☞ かきかえる; ぬりかえる》. ¶借地権をもう1年*更新したい I want to *renew* my lease for another year. // 来週運転免許証の*更新を申請する予定です I'm going to apply for the *renewal* of my ⌈driver's license [《英》driving licence] next week. // 彼は100メートル平泳ぎで日本記録を*更新した (⇒よりよくした[破った]) He ⌈*bettered* [*broke*] the Japanese national record for the hundred-meter breaststroke. **更新剪定**〘農〙rejuvenation [renovation] pruning Ⓤ.

こうしん[3] **後進** (自分よりも若い人) younger ˹person [man; woman] Ⓒ; (後輩) junior Ⓒ (↔ senior); (総称として) the younger generation. 《☞ こうはい[1]》. ¶60歳で彼は*後進に道を譲った (⇒引退した) At the age of sixty, he retired. 参考 文字どおり「後進に道を譲る」ということを示したければ to make room for a younger person と付け加えればよい. 《☞ いんたい[1]》

こうしん[4] **交信** ── 動 (通信する) communicate (with …) ⓐ; (連絡をとる) contact ⓗ; (文通する) correspond (with …) ⓐ. ── 名 communication Ⓤ; contact Ⓤ; correspondence Ⓤ. ¶海外の会社とは電子メールで*交信している We *communicate with* overseas companies by e-mail. // 遭難船との*交信が途絶えた We lost *contact with* the wrecked ship.

こうしん[5] **亢進, 高進** (加速) acceleration Ⓤ; (物価などの) rise Ⓒ; (インフレなどの) aggravation Ⓤ. 《☞ かそく[1]; じょうしょう[1]》.

こうしん[6] **口唇** lip Ⓒ 《☞ くちびる》. **口唇裂** (上口唇裂) cleft lip Ⓒ.

こうしん[7] **恒心** (穏やかな心) tranquil [serene] mind Ⓒ; (強い心) strong mind Ⓒ; (不動の心) unshakable mind Ⓒ. 《☞ こうさん[3]》.

こうじん[1] **公人** (公の人) public person Ⓒ; (公職にある人) public official Ⓒ, officeholder Ⓒ ★ 後者は主に《米》. ¶*公人としての生活 *one's public* life

こうじん[2] **幸甚** ¶この件につきましてご援助いただければ*幸甚です (⇒非常に喜ばしい[ありがたい]) We *should be* ˹*very happy* [*greatly obliged*] if we could have your assistance regarding this matter.

こうじん[3] **後塵** **後塵を拝する** (先を越される) be outdone (by *a person*); (下につく)《略式》play second fiddle (to *a person*). 《☞ おくれ》.

こうじん[4] **黄塵** (yellow) dust Ⓤ. **黄塵万丈** cloud of dust Ⓒ. ¶*黄塵万丈の (⇒黄塵に包まれた) 都市 a city enveloped in *a pall of* (*yellow*) *dust*

こうしんじょ **興信所** (人) private ˹detective [investigator] Ⓒ; (会社) private detective agency Ⓒ; (商業上の信用調査をする会社) credit(-rating) bureau /bjʊ́(ə)roʊ/ Ⓒ.

こうしんせい **更新世** the Pleistocene Epoch.

こうしんづか **庚申塚** *koshinzuka*; (説明的には) a mound with a stone tablet with three monkeys engraved placed on a village roadside.

こうじんぶつ **好人物** (気だてのよい) good-natured person Ⓒ; (だまされやすい) easy mark Ⓒ.

こうしんりょう **香辛料** spice Ⓤ ★ 種類を指すときは Ⓒ.

こうしんりょく **向心力** 〘物理〙 centripetal force Ⓤ.

こうず[1] **構図** (絵の) composition Ⓤ; (小説などの) plot Ⓒ. 《☞ こうせい[2]》.
¶*構図がよい[悪い] (⇒うまく[つたなく]構成されている) *be* ˹well [poorly] *composed*

こうず[2] **公図** (地籍図) cadastral map Ⓒ.

こうすい[1] **香水** pérfume Ⓤ, scent Ⓤ; (総称的に香水類) perfúmery Ⓤ. ¶あなたは*香水をつけるにはまだ早い You're too young to use *perfume.* // 彼女に*香水をプレゼントした I gave her ˹a bottle of [some] *perfume* for a present.

こうすい[2] **硬水** hard water Ⓤ (↔ soft water).

こうすい[3] **降水** precipitation Ⓤ; (降雨) rainfall Ⓤ ★ 前者は雨のほか雪・雹なども含む気象用語. 《☞ こうう》. **降水確率** precipitation percentage Ⓤ; rainfall probability Ⓒ **降水短時間予報** six-hour [short-range] forecast of precipitation Ⓒ **降水量** precìpitátion Ⓤ, the amount of rainfall. ¶この地域の年間*降水量は500ミリです Annual *precipitation* in this region is 500 mm.

こうずい **洪水** ── 名 (水が氾濫(はんらん)すること) flood Ⓒ ★ 一般的; (豪雨による大洪水)《格式》déluge Ⓒ. ── 動 (洪水になる・洪水にする) flood ⓐ ⓗ. 《☞ はんらん[2]》. ¶1週間降り続いた雨は*洪水を引き起こした The rain, which continued for a week, caused a *flood.* // 多くの家が*洪水にあった Many houses *were flooded.* // 私の家は*洪水で流された My house was ˹washed [carried] away by a *flood.* // その通りは車の*洪水 (⇒渋滞) だった There was bumper-to-bumper traffic on that road.

こうすいじゅんげんご **高水準言語** 〘コンピューター〙high-level language Ⓒ 《☞ こうきゅう[1] (高級言語)》.

こうすう **恒数** constant Ⓒ.

ごうすう **号数** (服・絵画などの大きさ) size Ⓒ; (雑誌などの) issue Ⓒ, number Ⓒ.

こうずか **好事家** dilettante /dílətɑ̀ːnt/ Ⓒ 《複 ~s, dilettanti /dìlətɑ́ːnti/》.

こうする **抗する** (抵抗する) resist ⓗ; (自分より強い相手に) stand up to …; (反対する) oppose ⓗ. 《☞ ていこう[1]; はんこう[2]》.

こうずる[1] **高ずる** ☞ こうじる[1]

こうずる[2] **講ずる** ☞ こうじる[2]

こうせい[1] **公正** ── 形 (合法的で正しい) just; (私情に左右されない) fair; (一方に片寄らない) impartial. ── 名 justice Ⓤ; fairness Ⓤ; ìmpàrtiálity Ⓤ ★ 最後はやや格式ばった語. 《☞ こうへい[1] (類義語); げんせい[1]》.
¶彼は*公正な裁判官だ He is ˹a *fair* [an *impartial*] judge. // 彼女は*公正な判断を下した She ˹passed [gave] a *fair* judgment. // 私たちは*公正な裁判を要求する We demand ˹a *fair* [an *impartial*] trial. **公正価格** fair price Ⓒ **公正証書** notarial deed Ⓒ **公正取引委員会** the Fair Trade Commission **公正貿易** fair trade Ⓤ.

こうせい[2] **構成** ── 名 (組織化) organization Ⓤ; (部分を組み立てて作ること) composition Ⓤ; (構造) structure Ⓤ. ── 動 organize ⓗ; (会などを) form ⓗ 語法 (1) 以上2つは「人」が主語; (作り上げる) màke úp ⓗ ★ 口語的; compose ⓗ; (部分が全体を構成する) cónstitùte ⓗ 語法 (2) make up 以下の3つは「構成要素」が主語; (…から構成されている) be made up of … ★ 口語的; consist of …, be composed of …; (含む・構成要素として持つ) comprise ⓗ 語法 (3) be made up of … 以下はすべて構成の「対象物」が主語. 《☞ そしき; こうぞう; なりたつ》.
¶会計課は人員の*構成がまずい There is something wrong with the personnel *organization* in the accounting section. / (⇒うまく組織されていない) The staff of the accounting section *is* not well *organized.* // 国会は参議院と衆議院とで*構成されている (⇒…で成り立っている) The Diet ˹*consists of* [*is made up of*] the House of Council(l)ors and the House of Representatives. // その委員会は6人で*構成されていた The committee ˹*comprised* [*consisted of*; *was composed of*] six members. **構成員** (constítuent) mémber Ⓒ **構成要件**〘法〙structural elements ★ 複数形で. **構成要素** constítuent Ⓒ.

こうせい[3] **更生** ── 名 (犯罪者・病人などの社会

復帰) rehabilitation /rì:(h)əbìlətéɪʃən/ [U]. ── [動] (正常に返る) return [come back] to normal; (社会に復帰させる) rehabilitate /rì:(h)əbílətèɪt/ (他); (改心させる・する) reform (他) (自). 《☞ たちなおる; かいしん[2]》. ¶その少年はすっかり*更正して立派な社会人になった The boy completely *reformed* (*himself*) and became a respected citizen. 更生会社 reorganized corporation [C] 更生管財人 trustee for corporate reorganization [C] 更生計画 (会社などの) reorganization ˹scheme [plan] [C] 更生施設 rehabilitation facilities.

こうせい[4] 厚生 ¶教員のための*厚生施設 *recreational* facilities for teachers
厚生課 (会社などの) staff office [C] 厚生事業 [施設] welfare ˹work [facilities] ★ work は [U]. 厚生年金 social security pension [C] 厚生年金基金 the Social Security Pension Fund 厚生労働省 the Ministry of Health, Labour and Welfare 厚生労働大臣 the Minister ˹of [for] Health, Labour and Welfare.

こうせい[5] 後世 ¶名指揮者として彼の名は永く*後世に残るであろう (⇒ 私たちの心に永久に生きるだろう) As a great conductor he will *live forever* in our memory.

こうせい[6] 校正 ── [名] próofrèading [U]. ── [動] proofread (他) (自). ¶*校正ミス a *proofreading* error 校正係 proofreader [C] 校正刷り (printer's) proof [C].

こうせい[7] 攻勢 the offensive (↔ the defensive). ¶*攻勢に出る take *the offensive* // 平和*攻勢 a peace *offensive*

こうせい[8] 恒星 fixed star [C] (↔ planet), star [C] ★ 後者は広義で星一般も指す. 恒星天文学 stellar astronomy [U] 恒星年 sidereal year [C].

こうせい[9] 更正 (変更) change [C]; (訂正) correction [C]; (修正) revision [C]. 《☞ しゅうせい[1]》. 更正申告 (税の) rectified ˹return [report] [C] 更正登記 revised registration [C].

こうせい[10] 後生 (後進の者) *one's* junior [C]; (若い人) younger person [C]; (若い学習者) younger student [C]. 後生畏るべし (若い人は尊重すべきである. 大きな未来があるかもしれないから) Young persons should be treated with respect for they may have a great future ahead of them. / (⇒ 未来は若者のものだ) The future belongs to the young.

こうせい[11] 硬性 hardness [U]. 硬性癌 scirrhus /s(k)írəs/ [C] 《複 scirrhi /-raɪ/, ～》.

こうぜい 公税 ☞ そぜい

ごうせい[1] 合成 ── [名] 〖化〗 synthesis [U] (↔ analysis); (合成物) còmposítion [C]. ── [動] 〖化〗 synthesize (他). ¶たんぱく質を*合成する *synthesize* (a) protein // 化学的*合成品 a (synthetic) chemical *compound* // たんぱく*合成装置 a protein *synthesizer* 合成音 synthetic sound [C] 合成ガス 〖化〗 synthesis gas [U] 合成語 compound (word) [C] 合成ゴム synthetic rubber [U] 合成紙 synthetic paper [U] 合成写真 (photo)montage /(fòʊtə)mɑntá:ʒ/ [C] 合成酒 synthetic sake [U] 合成樹脂 synthetic resin [C], plastic(s) ★ 単数扱い. 合成酢 synthetic vinegar [U] 合成石油 synthetic oil [U]; synthetic crude (oil) [U], syncrude [U] 合成繊維 synthetic ˹fiber [《英》 fibre] [C] 合成洗剤 (synthetic) detergent [C] 合成染料 synthetic dyes ★ 複数形で. 合成皮革 synthetic [artificial] leather [U] 合成肥料 compound fertilizer [C] 合成物 〖法〗 composite thing [C] 合成物質 synthetic substance [C] 合成保存料 artificial preservative [C].

ごうせい[2] 豪勢 ── [形] (壮大な) grand; (大きくて立派な) magníficent; (ぜいたくをきわめた) luxurious /lʌgʒʊ́(ə)riəs/; (見た目が派手な) gorgeous. 《☞ ごうか[1]; ぜいたく》. ¶彼は*豪勢な暮らしをしている (⇒ ぜいたくに暮らしている) He lives in *luxury* /lʌ́kʃ(ə)ri/.

ごうせい[3] 剛性 〖物理〗 rigidity [U]; (しなやかでないこと) stiffness [U].

こうせいしんびょうざい 抗精神病剤 〖薬〗 antipsychotic /æ̀ntɪsaɪkɑ̀tɪk/ ˹drúg [ágent] [C].

こうせいしんやく 向精神薬 ── [名] [形] 〖薬〗 psychotropic ★ [名] は [U].

こうせいせき 好成績 (よい成績) good school record [C]; (優れた) high [excellent] grade [C]; (抜群の) outstanding grade [C]. 《☞ せいせき[1]》.

こうせいのう 高性能 ── [形] (性能の高い) híghly efficient; (力が強い) high-power(ed). ── [名] high ˹effectiveness [efficiency] [U]; (機械の) high performance [U]. 《☞ せいのう》. ¶*高性能の機械 a machine with *good performance* / a ˹*high-performance* [*highly efficient*] machine // *高性能爆薬 a *high* explosive

こうせいぶっしつ 抗生物質 〖医〗 antibiotic /æ̀ntɪbaɪɑ́tɪk/ (substance) [C].

こうせき[1] 功績 (顕著な尽力) distinguished [remarkable] service [C] ★ しばしば複数形で; (貢献) contribution [U]; (達成された仕事) achievement [C]. 《☞ てがら; こうけん[1]; ぎょうせき[1]》. ¶彼女は医学に大きな*功績を残した She rendered *remarkable service(s)* to medical science.

こうせき[2] 鉱石 ore [U]. ¶鉄*鉱石 iron *ore*

こうせき[3] 航跡 wake [C].

こうせき[4] 光跡 afterimage of a moving source of light [C].

こうせき[5] 口跡 (話し方) delivery [U]; (せりふまわし) (theatrical) elocution [U]. ¶あの俳優は*口跡がよい[よくない] That actor ˹*delivers* [*speaks*] *his lines* ˹well [badly].

こうせき[6] 皇籍 membership in the Imperial Family [U]. ¶*皇籍を離脱する leave the Imperial Family

こうせきうん 高積雲 〖気象〗 altocumulus /æ̀ltoʊkjú:mjʊləs/ [C] 《複 -cumuli /-làɪ/》 《☞ くも[1] (挿絵)》.

こうせきせい 洪積世 ☞ こうしんせい

こうせきそう 洪積層 〖地質〗 dilúvium [C] 《複 diluvia, ～s》, diluvial formation [C].

こうせきだいち 洪積台地 〖地質〗 diluvial upland [C].

こうせつ[1] 降雪 snowfall [C], snow [U]. 《☞ ゆき[1]; せきせつ》. 降雪量 (the amount of) snowfall [U].

こうせつ[2] 公設 ── [形] (公の) public; (市営の) municipal. ¶*公設の老人ホーム a nursing home *supported by public funds* 公設市場 public [municipal] market [C] 公設機関 public institution [C] 公設秘書 Diet member's secretary whose salary is paid by the government [C].

こうせつ[3] 巧拙 (技能) skill [C]; (できばえ) workmanship [U]. 《☞ でき (出来不出来)》. ¶作品には*巧拙があった (⇒ あるものはうまく, あるものは下手だった) Some works were *good*, and some were *poor*. // 絵は*巧拙に関係なく (⇒ 画家の腕に関係なく)展示された Pictures were exhibited irrespective of the painters' *skills*.

こうせつ[4] 巷説 (うわさ) rumor (《英》 rumour) [C]; (風聞) hearsay [U]; (ちまたのうわさ) the talk of the town. 《☞ うわさ》. ¶*巷説によれば彼は辞職するらしい There is a *rumor* [*Rumor* has it] that he is going to resign.

こうせつ[5] 高説 your ˹opinion [view]. ¶ ご*高説はうけたまわりました I understand *your view*.

ごうせつ 豪雪 heavy (fall of) snow Ⓒ; (特にひどい積雪量) heavy snowfall Ⓤ. (☞ おおゆき). ¶ 秋田県地方は昨夜 10 年ぶりの*豪雪に見舞われた The Akita area had its *heaviest snowfall* in ten years last night. **豪雪地帯** heavy snowfall ˹area [district] Ⓒ.

こうせん[1] 光線 (明かり) light Ⓤ; (光の筋) ray Ⓒ ★ 説明的には a ˹beam [ray] of light などと言う. (☞ ひかり (類義語)). ¶ 太陽*光線 the *rays* of the sun // レーザー*光線 a laser *beam*

こうせん[2] 交戦 ―［名］(国家間の大規模な戦争) war Ⓤ ★ 個々の戦争を指すときは Ⓒ; (特定地域での戦闘) battle Ⓒ. ―［動］(戦争を行う) wage war. (☞ たたかう; せんそう[1] (類義語)). ¶ 当時日米は*交戦中であった At the time Japan and America *were ˹at war* (with each other) [*fighting* (against each other)]. **交戦区域** war zone Ⓒ **交戦権** the right of belligerency, the right to declare war ★ 前者は格式ばった表現. **交戦国** warring ˹state [nation] Ⓒ, belligerent Ⓒ **交戦状態** state of war Ⓒ.

こうせん[3] 公選 public [popular] election Ⓤ; (説明的に) election by popular vote Ⓤ. (☞ せんきょ[1]). ¶ 知事は 4 年ごとに*公選される The governor *is elected* every four years *by popular vote*. // *公選知事 a *publicly elected* governor

こうせん[4] 高専 ☞ こうとう[2] (高等専門学校)

こうせん[5] 抗戦 ―［名］resistance Ⓤ. ―［動］offer resistance, resist (他).

こうせん[6] 鉱泉 mineral spring Ⓒ; (水) mineral water Ⓤ.

こうせん[7] 口銭 ☞ てすうりょう

こうせん[8] 黄泉 ☞ めいど[1]; あのよ

こうせん[9] 工船 factory ship Ⓒ; (かんづめを作る) floating cannery Ⓒ.

こうぜん[1] 公然 ―［形］(あからさまの) open; (世間に公開された) public; (公式の) official; (明白な) òvért. ―［副］openly; publicly; officially; overtly. (☞ おおっぴら; おおやけ).
¶ そうすることは*公然とは (⇒ 公式には) 許されていない It is not *officially* permitted to do so. // その雑誌はどんな書店でも*公然と売られている The magazine is ˹*openly* sold [(⇒ たやすく手に入る) *easily* available] ˹at [in] any bookstore.
公然の秘密 open secret Ⓒ. ¶ その件は私たちの間では*公然の秘密です The matter is an *open secret* among us. **公然猥褻罪** indecent exposure Ⓤ, public indecency Ⓤ.

こうぜん[2] 昂然 ―［副］(得意になって) elatedly; (勝ち誇って) triúmphantly; (意気盛んで) in high spirits.

こうぜん[3] 浩然 ―［形］(心の広い) broad-minded; (のんびりした) easy-going.
浩然の気 ¶ *浩然の気を養う (⇒ 世間の事柄から解放されてのんびりとする) feel carefree, released from worldly affairs

ごうぜん 傲然 ―［形］(尊大な) árrogant; (横柄な) haughty. ―［副］arrogantly; haughtily. (☞ おうへい (類義語); こうまん). ¶ 彼は私たちを*傲然と見下ろした (⇒ 尊大で軽蔑的な態度で) He looked down on all of us ˹*in* [*with*] *arrogant contempt*.

こうせんてき 好戦的 ―［形］(戦争好きな) warlike; (やたらと銃を撃ちたがる・すぐ荒っぽい手段に訴える) trigger-happy.

こうそ[1] 控訴 ―［名］〔法〕appeal Ⓒ. ―［動］appeal (自) (他), file an appeal (against ...).
¶ 私はその判決に対して*控訴をするつもりだ I will ˹*appeal* [*file an appeal*] *against* the decision. // 彼はその件を上級裁判所へ*控訴した He *appealed* the case *to* a higher court. // *控訴は棄却された The *appeal* was dismissed. // *控訴を取り下げる withdraw *one's appeal* **控訴期間** the period allowed for filing an appeal **控訴棄却** dismissal of an appeal Ⓤ **控訴権** the right of appeal **控訴状** petition appeal Ⓒ **控訴審** (控訴裁判所) appellate court Ⓒ; (裁判所での審理) appeal hearing Ⓒ **控訴人** appellant Ⓒ.

こうそ[2] 酵素 ferment /fə́ːment/ Ⓒ; 〖化〗 enzyme /énzaɪm/ Ⓒ.

こうそ[3] 公租 tax Ⓒ (☞ ぜいきん).

こうそ[4] 公訴 ―［名］(検察による起訴) prosecution Ⓤ. ―［動］prosecute (他). ¶ *公訴を棄却する dismiss the *prosecution* **公訴棄却** dismissal of prosecution Ⓤ **公訴権** authority to indict /ɪndáɪt/ Ⓤ **公訴時効** 〔法〕limitation Ⓒ **公訴事実** charge Ⓒ.

こうそ[5] 皇祖 the founder of the imperial /ɪmpí(ə)riəl/ family of Japan.

こうそ[6] 高祖 (先祖) ancestor Ⓒ, 《文》 *one's* forefathers ★ 通例複数形で. (☞ せんぞ; こうそふ; こうそぼ).

こうぞ 楮 〖植〗 paper mulberry Ⓒ.

こうそう[1] 構想 (一般的な計画) plan Ⓒ; (考え・思いつき) idea Ⓒ; (望み・もくろみ) vision Ⓒ; (小説などの筋) plot Ⓒ. (☞ けいかく; かんがえ).
¶ この件について今後はどのような*構想をお持ちですか What is your (future) *plan* concerning this matter? // 彼女は独自の*構想を実行に移した She put her original *idea* into practice. // 執筆前に彼は十分にその小説の*構想 (⇒ テーマと詳細な筋) を練り上げた He fully worked out the *theme and detailed plot* of his novel before sitting down to write.
構想力 conception Ⓤ; (豊かな想像力) imaginativeness Ⓤ.

こうそう[2] 広壮 ―［形］(形が大きく壮大な) grand (↔ petty, small); (雄大で立派な) magníficent; (堂々とした) stately. (☞ ゆうだい; ごうそう). ¶ *広壮な宮殿 a ˹*grand* [*magnificent*] palace

こうそう[3] 高僧 high priest Ⓒ (☞ そう[3]).

こうそう[4] 抗争 (張り合い) rivalry Ⓒ; (争い) strife Ⓤ; (闘争) struggle Ⓒ; (論争) dispute Ⓒ. (☞ あらそい; とうそう[2]). ¶ 彼らの間の*抗争が表面化した Their *rivalry* has come into the open. // 内部での*抗争が絶えない There is no end to the internal *strife*. // 権力*抗争 a *struggle* for power

こうそう[5] 後送 ―［動］(後から送る) send ... later (on); (前線から後方へ送る) send ... to the rear. ¶ 残りの原稿は*後送します I'll *send* the rest of the manuscript *later on*. // 負傷兵は*後送された The wounded soldiers *were sent to the rear*.

こうそう[6] 好走 〖野〗 ―［名］good base running Ⓤ. ―［動］be a good base runner, run the bases well.

こうぞう 構造 ―［名］(各部の配列や相互関係に注目した全体の成り立ち方) structure Ⓤ; (各部を組み立ててできたもの) construction Ⓤ; (組織) organization Ⓤ; (構成) constitution Ⓤ. ―［形］structural; constructional; organizational. (☞ こうせい[2]; そしき).
¶ 人体の*構造 the *structure* of the human body // 文の*構造 the *structure* of a sentence / sentence *structure* ★ 前者のほうが格式ばった言い方. // 社会の*構造 the ˹*structure* [(⇒ 組織) *organization*] of society // *構造上欠陥のある家 a *structurally* defective house // この建物は*構造が複雑[単

純]である This building is ⌈complicated [simple] in ⌈*construction* [*structure*].
構造汚職 structural corruption Ⓤ **構造改革** structural reform Ⓤ **構造言語学** structural linguistics Ⓤ **構造式** 〖化〗 structural formula /fɔ́ːmjʊlə/ Ⓒ《複 ~s, formulae /-lìː/》 **構造主義** structuralism Ⓤ **構造主義者** structuralist Ⓒ **構造設計** structural design Ⓤ **構造線** 〖地質〗 tectonic line Ⓒ **構造地質学** tectonic [structural] geology Ⓤ **構造的失業** structural unemployment Ⓤ **構造的暴力** structural violence Ⓤ **構造不況** structural recession Ⓒ **構造力学** structural mechanics Ⓤ.

ごうそう 豪壮 ―形 (立派で見事な) splendid; (雄大で立派な) magnificent; (壮麗ですばらしい) grand; (豪華な) gorgeous. (☞ ごうか; ごうせい²).

こうそううん 高層雲 〖気象〗 altostratus /æ̀ltoʊstréɪtəs/ Ⓒ《複 -strati /-taɪ/》(☞ くも¹ (挿絵)).

こうそうきしょうかんそく 高層気象観測 upper-air [aerological] observation Ⓤ.

こうそうけんちく 高層建築 high rise Ⓒ; (高層ビル) múltistòry [《英》 multistorey] building Ⓒ; (摩天楼)《米》 skyscraper Ⓒ 〔語法〕 high rise が最も一般的. skyscraper はやや古くなりつつある語. なお前者は high-rise apartments のようにハイフンでつないで 形 としても用いる.

こうそうしつげん 高層湿原 high moor Ⓒ.

こうそうてんきず 高層天気図 upper-level weather ⌈chart [map] Ⓒ.

こうそく¹ 拘束 ―動 (束縛する) bind ⑩ 《過去・過分 bound》 〔語法〕 しばしば be bound (拘束されている) という受身の形でも用いられ; (身柄を) take *a person* into custody. ―形 binding. (☞ そくばく; しばる (類義語); こうりゅう²).
¶ その規則はすべての公務員を*拘束する The rule *binds* all civil servants. / All civil servants *are bound* by the rule. // その男は警察に身柄を*拘束された (⇒ 拘留された) The man *was taken into custody* by the police. // 私は週 5 日, 毎日 5 時まで*拘束されている (⇒ 自由ではない) I'm *not free* until five (from) Monday through Friday.
拘束衣 straitjacket Ⓒ **拘束時間** (労働の) actual working hours **拘束時間給** portal-to-portal pay Ⓤ **拘束名簿式比例代表制度** (説明的に) the system of proportional representation [a proportional representation system] in which seats are allotted to parties on the basis of their share of the vote **拘束力** binding force Ⓤ.

こうそく² 高速 ―名 high speed Ⓒ. ―副 (高速で) at (a) high speed.
¶ 私は*高速運転には慣れていない I'm not used to ⌈*high-speed* driving [driving *at* (*a*) *high speed*].
高速インターフェース 〖コンピューター〗 high-speed interface Ⓒ **高速エレベーター** fast [high-speed] elevator Ⓒ **高速演算** high-speed operation Ⓒ **高速演算処理装置** 〖コンピューター〗 high-speed processor Ⓒ **高速気流** 〖物理〗 high-speed flow Ⓤ **高速計算機** high-speed computer Ⓒ **高速増殖炉** fast-breeder reactor Ⓒ ★ FBR と略す. **高速大容量ブロードバンド** high-speed, high-capacity broadband Ⓤ **高速艇** high-speed ⌈craft [vessel] Ⓒ ★ craft は単複同形. **高速データ通信** high-speed data communication Ⓤ **高速道路** expressway Ⓒ, 《英》 motorway Ⓒ **高速(度)撮影** (映画のスローモーション撮影) slow-motion photography Ⓤ **高速(度)写真** (高速シャッターによるスチール写真撮影法) high-speed photography Ⓤ; (個々の写真) high-speed photograph Ⓒ.

こうそく³ 校則 school ⌈regulations [rules] ★ rules のほうが口語的. いずれも通例複数形で. (☞ がくそく; きそく). ¶ *校則を守る[破る]生徒が多い Many students ⌈observe [violate] the *school* ⌈*regulations* [*rules*]. // 君のしたことはこの学校の*校則に反している What you did ⌈is against [violates] ⌈our [the] *school regulations*.

こうそく⁴ 梗塞 (ふさぐこと) blocking Ⓤ; 〖医〗 (梗塞箇所) infarct Ⓒ; (梗塞症) infarction Ⓤ. ¶ 心筋*梗塞 myocardial *infarction*

こうそく⁵ 光束 lúminous flúx Ⓤ.

こうそく⁶ 光速 the ⌈speed [velocity] of light ★[ ] 内は格式ばった語.

こうぞく¹ 後続 ―形 (次に続く) following Ⓐ; (続いて起こる) succeeding. ¶ *後続のバッターも三振に倒れた The ⌈*next* [*following*] batter (was) also struck out. // その交差点で*後続車の長い列 (⇒ 私たちの後に長い車の列) ができた There was a long line of cars *behind us* at the crossing.
後続部隊 〖軍〗 (後衛) rear guard Ⓒ (↔ vanguard); (増援隊) reinforcements ★ 複数形で.

こうぞく² 皇族 the ⌈imperial [royal] family Ⓒ; (集合的に王族全体) royalty Ⓤ; (個人) imperial [royal] ⌈prince [princess] Ⓒ; (説明的には) member of the ⌈imperial [royal] family Ⓒ. (☞ こうしつ¹ 〔日英比較〕).

ごうぞく 豪族 powerful ⌈family [clan] Ⓒ.

こうぞくきょり 航続距離 (maximum) range Ⓒ.

こうぞくじかん 航続時間 maximum flying time Ⓒ.

こうそくど 高速度 high speed Ⓒ (☞ こうそく²).

こうそつ 高卒 high-school graduate Ⓒ.

こうそふ 高祖父 great-great-grandfather Ⓒ.

こうそぼ 高祖母 great-great-grandmother Ⓒ.

こうそもうそう 好訴妄想 〖医〗 litigious paranoia Ⓤ.

こうぞりな 髪剃菜 〖植〗 hawkweed (oxtongue) Ⓒ.

こうた 小唄 *ko-uta* Ⓒ, traditional Japanese short popular song with samisen accompaniment Ⓒ.

こうだ 好打 ―動 make a ⌈good [nice] hit.
好打者 good [skillful] batter Ⓒ.

こうたい¹ 交代, 交替 ―動 (代わる代わるやる) take turns (at) *doing* ... 〔語法〕 口語では at はしばしば省略される; take it in turns to *do* ..., *do* ... by turns, alternate /ɔ́ːltənèɪt/ ⓐ ⑩ ★ 3 番目は前の 2 つより格式ばった語; (肩代わりをする) relieve ⑩; (人が場所や位置を) take *a person's* place; (代理をする) take the place of ... ―副 (交代で) by turns; (交互に) alternately /ɔ́ːltənətli/. ―名 (交代勤務) shift Ⓒ; (交代の人) relief Ⓒ. (☞ かわる²; こうご¹). ¶ *交代で (⇒ 代わる代わる) 運転しましょう Let's *take it in turns to* drive. / Let's ⌈*take turns* [*alternate*] *at* the wheel. / Let's *take turns* (*at*) driving. // 鈴木が先発ピッチャーと*交代した Suzuki *relieved* the starting pitcher. // お疲れのようですね. 私が*交代しましょう (⇒ あなたの代わりにそれをやらせて下さい) You look tired. Let me do it *for* you. // 看護師は 8 時間ずつ 3 *交代で働いている The nurses are working ⌈(in) three *shifts* of eight hours [(in) three eight-hour *shifts*]. **交替員** (グループの) shift Ⓒ, relay Ⓒ; (1 人) member of a shift Ⓒ, relief Ⓒ. ¶ 彼は夜間の*交替員だ He is on the night *shift*. **交替時間** (時刻) changeover [relief] time Ⓤ; (長さ) shift Ⓒ **交替制** shift system Ⓒ. ¶ 3 *交替制 a three-*shift system*

こうたい² 後退 ―動 (軍隊などが退却する) pull

back (自), retreat (from ...) (自) ★ 前者のほうが口語的; (ある場所などから引き下がる) withdraw (from ...) (自) ★ (他) の用法もある; (後に退く) 《略式》 fall [go; move] back (自) (↔ advance); (徐々に) recede (自) (↔ proceed); (自動車をバックさせる) báck úp (他) (自); (船が後退する) go astern. — [名] retreat [U] ★ 具体的な事例は [C]; withdrawal [U]; (景気の一時的不況) recession [C]. 《☞ てったい; たいきゃく; バック[1]》. ¶ 敵は国境から 15 マイル*後退した The enemy ⌐*pulled back* [*retreated*; *made a retreat*] fifteen miles *from* the border. ∥ 景気の*後退で多数の失業者が出た The *recession* caused a great deal of unemployment.

後退色 〔美〕 receding [retreating] ⌐color [《英》 colour] [C] 後退翼 swept-back wing [C].

こうたい[3] 抗体 〔生理〕 ántibòdy [C]. ¶ 生物体は抗原に対する*抗体を作り出す Organisms produce *antibodies* to counteract antigens.

こうだい[1] 広大 — [形] (広い) extensive; (果てしなく広い) vast. 《☞ ひろびろ》.

こうだい[2] 後代 ☞ こうせい[5]

こうたいいきアイエスディーエヌ 広帯域アイエスディーエヌ 〔通〕 broadband ISDN [U], B-ISDN [U].

こうたいいきじしんけい 広帯域地震計 broadband seismometer /saɪzmάmətə/ [C].

こうたいごう 皇太后 (天皇・皇帝に対して) the empress dowager /dάʊədʒə/; (王・女王に対して) the Queen Mother.

こうたいし 皇太子 the Crown Prince.

¶ *皇太子殿下 His ⌐Royal [Imperial] Highness *the Crown Prince* ∥ 英国*皇太子 *the Prince of Wales* 皇太子妃 the Crown Princess; (英国の) the Princess of Wales.

こうだか 甲高 ¶ *甲高の靴 shoes for *high insteps* ∥ 私は*甲高だ I have a *high instep*.

こうたく 光沢 — [名] (反射された光の輝き) luster (《英》 lustre) [U]; (表面だけの) gloss [U]; (磨き出された) polish [U]. — [形] glossy; polished. 《☞ つや[1]》. ¶ この石は真珠のような*光沢だ This stone has a pearly *luster*. 光沢機 calender [C] 光沢紙 glossy paper [U].

こうたくみん 江沢民 — [名] (固) Jiang Zemin /dʒiάːŋzʌ̀mín/, 1926– . ★ 中国の政治家.

こうたけ 香茸 *kotake* (mushroom) [C]; (説明的には) fragrant edible Japanese mushroom [C].

こうだしゃ 好打者 ☞ こうだ (好打者)

ごうだつ 強奪 — [動] (力ずくで奪う) rob (他) ★「人」または「場所」が目的語; (集団で略奪する) plunder (他) ★ 前者より格式ばった語; (公共の乗り物などを) hijack (他). — [名] robbery [U]; plunder [U]; hijacking [U]. 《☞ りゃくだつ; のっとる[1]》.

¶ その男は銀行から 1 千万円*強奪した <S (人)＋V (*rob*)＋O (場所)＋*of*＋名 (物)> The man *robbed* the bank *of* ¥10 million. ∥ 私は 10 万円を*強奪された I *was robbed of* ¥100,000.

こうたん 降誕 (キリストの) the Nativity 《☞ たんじょう》. 降誕祭 the Nativity, Christmas [U].

こうだん[1] 公団 public corporation [C] 《☞ こうしゃ[3]; だんち》. 公団住宅 Housing Corporation apartment [C].

こうだん[2] 講談 (物語をすること) storytelling [U]; (話そのもの) story [C]. 講談師 storyteller [C] ★ 日本独特のものなので, さらに説明が必要.

こうだん[3] 後段 ¶ この問題は*後段で (⇒ 後で) 論ずることにする This problem will be discussed *later*.

こうだん[4] 降壇 — [動] (壇を降りる) leave the platform; (野次って降壇させる) hoot down (他).

ごうたん 豪胆 — [形] (大胆な) stout-hearted; (不屈の精神の) dauntless. 《☞ だいたん; ふくつ》.

こうだんし 好男子 (美男子) good-looking [handsome] man [C]; (好人物) good man [C], nice person [C].

こうだんしゃ 高段者 holder of a high ⌐*dan* [grade] [C].

こうだんせい[1] 光弾性 〔物理・化〕 photoelasticity /fòʊtoʊɪlæstísəti/ [U].

こうだんせい[2] 高弾性 high elasticity [U].

こうたんぱく 高蛋白 high level of protein [U]. ¶ *高蛋白の食物 *high-protein* food

こうち[1] 耕地 (耕作された) cultivated ⌐land [U] [field [C]]; (耕作可能な) arable /ǽrəbl/ land [U]. 《☞ こうさく[2]; たがやす》. 耕地整理 arable land improvement [U] 耕地面積 cultivated [planted; farm] acreage [U] ★ acreage はエーカー数で計った面積.

こうち[2] 高地 (高地地方) the highlands; (高台) the heights ★ 両者とも通例複数形で. 高地トレーニング 〔スポ〕 high-altitude training [U], training at high altitudes [U].

こうち[3] 拘置 — [名] detention [U]. — [動] detain (他). 《☞ りゅうち; こうりゅう[2]》. 拘置所 (刑務所) prison [C]; (留置場) jail /dʒéɪl/ [C] ★ 《英》では gaol とも綴る. 《☞ けいむしょ (類義語)》.

こうち[4] 荒地 (荒れ果てた土地) wasteland [C]; (未開の地) wilderness [C] ★ 普通単数形で.

こうち[5] 狡智 — [名] (悪賢さ) craftiness [U]. — [形] crafty. 《☞ ずるい; わるぢえ》.

こうち[6] 公知 (共通の知識) common knowledge [U]; (一般知識) public knowledge [U]. 《☞ しゅうち[1]》.

こうち[7] 巧知 (機敏な抜け目なさ) astuteness [U]; (巧妙さ) cleverness [U].

こうち[8] 公地 public land [U].

こうち[9] 校地 the ⌐site [grounds] of a school.

こうち[10] 後置 後置詞 〔言〕 postposition [C].

ごうち 碁打ち go player [C] 《☞ ご[2]》.

こうちがり 小内刈 (柔道の技) minor inner ⌐reap [reaping throw] [C].

こうちく 構築 — [動] (建てる) build (他); (組織的に作り上げる) construct (他). — [名] construction [U].

こうちせい 向地性 〔植〕 positive geotropism /dʒiάtrəpìzm/ [U].

こうちゃ 紅茶 (black) tea [U] [参考] 英米では単に tea と言えば black tea を指す. 《☞ ちゃ》.

¶ *紅茶を入れる [出す] make [serve] ⌐*tea* [a pot of *tea*] ∥ *紅茶を飲む have [drink] *tea* ∥ 「*紅茶はどういうふうに入れましょうか」「濃い [薄い] ほうがいいです」 "How would you like your *tea*?" "I'd like my *tea* rather ⌐strong [weak]." ∥ *紅茶を 2 つ下さい 《喫茶店で》 Two *teas*, please. 《☞ ちゃ [語法]》

こうちゃく 膠着 ¶ *膠着状態になる come to ⌐a *deadlock* [an *impasse*]

膠着語 agglútinàtive lánguage [C].

こうちゃくそうち 降着装置 〔空〕 landing gear [U].

こうちゅう[1] 甲虫 beetle [C].

こうちゅう[2] 校注 revision and annotation [U].

こうちょ 好著 good [fine] book [C]; (推せん図書) recommended book [C].

こうちょう[1] 好調 — [形] (体調がよくて) in good ⌐shape [condition] ★ shape のほうが口語的. — [副] (都合よく) all right, well; (困難や中断がなく) smoothly. 《☞ ちょうし[1]; じゅんちょう》. ¶ 彼のコンディションは*好調です He is *in good* ⌐*shape* [*condition*]. ∥ 万事*好調だ Everything is going 「all right [well].

こうちょう² 校長 principal Ⓒ, headmaster Ⓒ, (女性の) headmistress Ⓒ ★ あとの 2 語は《米》では私立学校の校長を指す;《英》headteacher Ⓒ.《☞ 学校・教育 (囲み)》. **校長会** association of principals Ⓒ **校長室** the「principal's, [《英》headteacher's] office.

こうちょう³ 紅潮 ―動 (顔がぱっと赤らむ) flush 自 他. ―名 flush Ⓒ.《☞ あか¹; あからめる; せきめん¹》. ¶ 彼は喜びで顔を*紅潮させた He *flushed* with joy. // 彼の顔は熱で*紅潮していた (⇒ 熱が彼のほおを赤くした) The fever *flushed* his cheeks.

こうちょうかい 公聴会 public [open] hearing Ⓒ.

こうちょうぜつ 広長舌 ☞ ちょうこうぜつ

こうちょうせん 高潮線 landwash Ⓤ.

こうちょうどうぶつ 腔腸動物 coelenterate /sɪléntərèɪt/ Ⓒ.

こうちょく 硬直 ―動 get [become] stiff, stiffen 自, get [become] rigid ★ rigid のほうが硬直の度合いが強い. ¶ 緊張のあまり体が*硬直した I *stiffened* with tension. // 死後*硬直〘医〙*rigor* mortis // *硬直した (⇒ 型にはまった) 考え方 a *stereotyped* way of thinking

ごうちょく 剛直 ―形 strong-minded.

こうちん 工賃 (料金) charge Ⓒ; (賃金) wages ★複数形で; (費用) labor「cost(s) [expense(s)] ★ しばしば複数形で.《☞ ちんぎん》.

ごうちん 轟沈 ―動 sink「instantly [within a few minutes] 自 他.

こうつう 交通 (人・車の往来) traffic Ⓤ; (輸送機関) transport Ⓤ, transportation Ⓤ.

¶ この付近は*交通が激しい The *traffic* is heavy in this neighborhood. // この通りは*交通があまりない There is not much *traffic* on this street. // この道路は*交通量が多い This road「is always *crowded* [always has heavy *traffic*]. // 少ない*交通量 light *traffic* // ひどい*交通混雑のため 1 時間遅れた I was an hour late because of a terrible *traffic* jam. // 新しいバイパスで*交通混雑が緩和されるだろう The new bypass will help relieve (the) *traffic* congestion. // いまは*交通の流れがよい (The) *traffic* is moving smoothly now. // 台風のため*交通が途絶している (The) *traffic* has been held up by the typhoon. // *交通事情は早急に改善しなければならない *Traffic* conditions must be improved without delay. // 今度の家は*交通の便がよい (⇒ 家に来るのが易しい) My new house is easy to「reach [get to]. / (⇒ 公共の乗り物に近いです) My new house is very close to *public transport*. / (⇒ 都合のよい場所にある) My new house *is conveniently located*. // そのストで東京の*交通は一日中麻痺した The strike paralyzed the public *transport* system in Tokyo all day (long).

交通安全 traffic [road] safety Ⓤ **交通安全運動** traffic [road] safety campaign Ⓒ **交通安全週間** Traffic [Road] Safety Week **交通遺児** traffic accident orphan Ⓒ **交通違反** violation of the traffic「regulations [law(s); rules] Ⓤ ★ law は道路交通法の意. rules は口語的.《☞ いはん¹》. ¶ 彼は*交通違反で罰金をとられた He was fined for *violating the traffic*「*regulations* [*laws*]. // それは*交通違反になる It is *against the traffic regulations*. **交通機関** transport(ation) Ⓤ; means of transport Ⓒ **交通規則** traffic「regulations [rules] ★ rules のほうが口語的. 複数形で; (交通法規) traffic laws ★ 複数形で. ¶ すべての人が*交通規則を守るべきだ Everybody must「obey [observe] the *traffic*「*regulations* [*rules*]. **交通切符** traffic ticket Ⓒ ★ speeding [parking] ticket 等. **交通公社** ☞ にほん(日本交通公社) **交通事故** traffic [road] accident Ⓒ. ¶ 毎年百万人以上が*交通事故で死傷する Every year, over a million people are killed or injured in *traffic accidents*.《☞ じこ¹》 **交通地獄** traffic hell Ⓤ, hellish traffic congestion Ⓤ **交通弱者** the disadvantaged in an automobile-dominated society **交通渋滞** traffic congestion Ⓤ, traffic jam Ⓒ ★ 後者のほうが口語的. **交通巡査** traffic「police officer [policeman; policewoman] Ⓒ; (駐車などを取り締まる)《英》traffic warden Ⓒ **交通信号** (灯) traffic light Ⓒ; (信号灯以外のものも含めて) traffic signal Ⓒ.《☞ しんごう》. ¶ *交通信号が赤になったので私は車を止めた As the *traffic*「*light*(*s*) [*signal*] turned red, I stopped (the car). **交通整理** ―動 direct traffic, be on traffic duty. ―名 traffic control Ⓤ. ¶ あそこの交差点で巡査が*交通整理にあたっていた A「police officer [policeman] *directed traffic* at the intersection. **交通道徳** driver [road] etiquette Ⓤ **交通止め** ―動 (通行止めにする) close (off) a road.《☞ つうこう (通行止め)》 **交通博物館** the Transportation Museum **交通反則金** fine for a traffic violation Ⓒ **交通費** travel expenses ★ 複数形で; (料金) fare Ⓒ **交通標識** traffic sign Ⓒ; (道路の) road sign Ⓒ **交通妨害** ―動 block traffic. ¶ *交通妨害になるからここに車を止めてはいけない Don't park here because you'll *block traffic*.《☞ ぼうがい¹》 **交通麻痺** traffic paralysis Ⓤ, traffic jam Ⓒ,《英》snarl-up Ⓒ **交通網** public「transport [transportation] system Ⓒ.

ごうつくばり 業突く張り (強情なつむじ曲がりの) pigheaded person Ⓒ; (けちん坊) stingy person Ⓒ.《☞ がんこ; けち》.

こうつごう 好都合 ―形 (必要や目的に便利で) convénient; (事情が) favorable. ―副 (よい具合に) well, all right; favorably; (すらすらと) smoothly.《☞ つごう; べんり; さいわい》.

¶ もしそうなら, 私たちには*好都合だ If that is the case, it would be *convenient* for us. // 万事我々に*好都合に運んだ Everything went「*well* [*all right*; *smoothly*] for us.

こうてい¹ 行程 (旅行の) journey Ⓒ 語法 かなりの長さの陸の旅行にいう. また必ずしも帰路の意味を含まない; (全行程の中の一区切りの) leg Ⓒ; (距離) distance Ⓒ; (車での) drive Ⓒ; (飛行機での) flight Ⓒ; (行進や行軍の) march Ⓒ; (旅行日程)《格式》itinerary /aɪtínərèri/ Ⓒ.《☞ みちのり; にってい 語法》.

¶ その町まではここからだいたい 4 時間の*行程です The town is about「four hours' [a four-hour] *journey* from here. / (⇒ 車で) It is about a four-hour *drive* from here to (the) town. // 旅行の 1 日目の*行程ではホンコンまで行った The first *leg* of the trip took us to Hong Kong. // 100km の*行程を 2 時間で行った We covered a *distance* of a hundred kilometers in two hours.

こうてい² 肯定 ―名 (そうだとはっきり言うこと) affirmation Ⓤ (↔ negation). ―動 affirm 他. ―形 (肯定の・肯定的な) affirmative (↔ negative).

¶ *肯定文 an *affirmative* sentence // 彼女は私の質問に対して*肯定も否定もしなかった (⇒ イエスともノーとも言わなかった) She answered neither *yes* nor no to my question. / She answered my question neither *affirmatively* nor negatively. 語法 第 2 文のほうが格式ばった言い方.

こうてい³ 校庭 (小・中学校の運動場) playground [C]; (学校の構内・敷地) school grounds ★ 複数形で; (主として大学の構内) campus [C]. (☞ こうない2). ¶ 放課後はいつも*校庭で遊びます We usually play in the *playground* after school.

こうてい4 公定 ── [形] (公の) official. **公定価格** official ⌈price [rate] [C] **公定歩合** the official discount rate. ¶ 日本銀行は*公定歩合を0.75%下げることに決めた The Bank of Japan decided to ⌈cut [reduce] ⌈its [the] *official discount rate* by 0.75 percent. [参考] 0.75 は (zero) point seven five と読む. (☞ 数字 (囲み))

こうてい5 高低 (うねうねとした起伏) undulation /ʌ̀ndʒuléiʃən/ [C]; (上がり下がり) ups and downs ★ 複数形で; (声や音の上がり下がり) pitch [C]; (上昇と下降) rise and fall [U]. (☞ でこぼこ; きふく1). **高低アクセント** pitch accent [U].

こうてい6 皇帝 (帝国の元首) emperor [C]; (ドイツなどの) kaiser [C]. **皇帝ペンギン** emperor penguin [C].

こうてい7 工程 (製造の手順) process [C]; (進行の) prógress [U]. (☞ かてい3; てじゅん). **工程管理** process [flow; schedule] ⌈control [management] [U] **工程図** flowchart [C] **工程表** progress [work] schedule [C].

こうてい8 公邸 official residence [C].

こうてい9 校訂 ── [名] (原作のテキストを検討しながら改めること) recension [C]. ── [動] amend (他).

こうてい10 高弟 leading disciple [C], one of the ⌈best [most distinguished] students.

こうてい11 航程 (船・航空機の行く距離) the distance. ¶ 全*航程 *the* entire *distance*

こうでい 拘泥 ── [動] (固執する) stick (to ...; with ...) (自), 《格式》 adhere (to ...) (自). (☞ こしつ2; こだわる). ¶ そんなつまらない問題に*拘泥するな Don't *stick with* such insignificant problems.

ごうてい 豪邸 luxurious /lʌɡʒú(ə)riəs/ mansion [C] (☞ ていたく).

こうていえき 口蹄疫 〘獣医〙 foot-and-mouth [hoof-and-mouth] disease [U].

こうてき1 好適 ── [形] (理想的な) ideal; (ぴったり合った) fit, fitted [P], fitting; (その場に適切な) suitable. (☞ うってつけ; あつらえむき).

こうてき2 公的 ── [形] (公共のための) public (↔ private); (公務上の) official. (☞ おおやけ; こうしき1; せいしき1). ¶ *公的な資格で in an *official* capacity **公的医療機関** public medical ⌈institution [facility] [C] **公的介護保険** public nursing-care insurance [U] **公的資金** public funds ★ 複数形で; (税金) taxpayers' money [U] **公的生活** public life [U] **公的年金制度** public pension ⌈system [plan; scheme] [C] **公的扶助** public assistance [U].

こうてきしゅ 好敵手 (ライバル) rival [C] ★ 最も一般的; (力が伯仲する競争相手) match [C]. (☞ てき (類義語)).

こうてつ1 鋼鉄 steel [U] (☞ てつ1; スチール1).

こうてつ2 更迭 ── [動] (組織・人事などを入れ替える) reshuffle (他); (職をやめさせる) dismiss (他). ── [名] reshuffle /rìːʃʌ́fl/ [C]; dismissal [U]. (☞ いどう2; かいにん1). ¶ 近い将来人事の*更迭があるだろう *There will be a* ⌈*reshuffle* of the staff [staff *reshuffle*] in the near future. // その大臣は*更迭された (⇒ 免職になった) The minister *was dismissed*.

こうてん1 好転 ── [動] (もっとよくなる) become [get] better; (よいほうに転じる) (take a) turn for the better ★ 多少格式ばった言い方; (事情などが好都合になる) take a favorable turn; (事態などが改善される) improve (自). ¶ 情勢は*好転している The situation *is* ⌈*improving* [*getting better*]. // 今年は景気が*好転するだろう Business will *take a turn for the better* this year.

こうてん2 公転 ── [名] 〘天〙 revolution [U] (↔ rotation) ★ 1 回の公転の意では [C]. ── [動] revolve (自); (太陽の回りを回る) move ⌈around [round] the sun. (☞ かいてん1 (類義語)). **公転周期** period of revolution [C], orbital period [C] **公転速度** orbital speed [C].

こうてん3 荒天 (暴風(雨)を伴う) stormy [rough] weather [U] (☞ あれる).

こうてん4 交点 point of intersection [C].

こうてん5 好天 good weather [U]. ¶ ピクニックは*好天に恵まれた We had *good weather* for the picnic.

こうてん6 高点 high ⌈score [mark] [C].

こうてん7 後転 〘スポ〙 backward roll [C].

こうでん1 香典 monetary /mánətèri/ offering to a ⌈deceased person [departed spirit] [C] [日英比較] 欧米では遺族に対して香典を贈る習慣はなく, 教会に献金するなどが普通なので, 説明的な表現しかできない. **香典返し** gift in return for a funeral monetary /mánətèri/ offering [C].

こうでん2 公電 official telegram [C].

こうでんかん 光電管 〘電工〙 phototube [C], photoelectric cell [C].

こうでんし 光電子 photoelectron [C].

ごうてんじょう 格天井 coffered ceiling [C].

こうてんせい 後天性 ── [形] 〘医〙 acquired. **後天性免疫** acquired immunity [U] **後天性免疫不全症候群** acquired ⌈immunodeficiency [immune deficiency] syndrome [U] (☞ エイズ).

こうでんち 光電池 〘物理〙 photovoltaic cell [C], photoelectric cell [C], photocell [C].

こうてんてき 後天的 ── [副] (経験によって) through experience; 〘哲〙 a posteriori /áːpoustì(ə)rióːri/ (↔ a priori). ── [形] acquired (↔ innáte). ¶ 人格は*後天的に形成される (⇒ 主に経験を通じて得られる) Character is largely acquired *through experience*.

こうでんどう 光伝導 〘物理〙 photoconduction [U].

こうでんりゅう 光電流 〘物理〙 photocurrent [C], photoelectric current [C].

こうど1 高度 **1** 《高さ》: (物の高さ) height [U] ★ ht., hgt. と略す; (海抜・仰角など計測による) altitude [U] ★ 格式ばった語. 以上は具体的な高さをいう場合には [C]. (☞ たかさ).

¶ 飛行機は*高度を下げた[上げた] The plane ⌈lowered [raised] its *altitude*. // 「どれくらいの*高度を飛んでいますか」「*高度 1 万メートルで飛んでいます」 "How *high* are we flying?" "At (⌈an *altitude* [a *height*] of) ten thousand meters."

2 《程度》 ── [形] (程度の進んだ) advanced; (レベルの高い) high-level [A]; (一般的に高い) high; (非常に発展した) highly developed. ── [副] (高度に) highly; (高い程度にまで) to a high degree. (☞ こうきゅう1; たかい1).

¶ 彼は印刷についての*高度な技術を修得した He has acquired ⌈a *high-level* [an *advanced*] technique in printing. // 中国は*高度な文化を持っている China has a *highly developed* culture. // 第二次大戦後の日本では*高度経済成長が長い間続いた A *high* economic growth rate continued for a long time in post-WWII Japan.

高度計 altimeter /æltímətə/ [C] **高度(経済)成長** ☞ こうどせいちょう **高度差** difference in elevation [C] **高度情報通信システム** INS ★ *I*nformation *N*etwork *S*ystem の略. **高度先進医療** hi-tech /háitèk/ medicine Ⓤ, highly advanced medical care Ⓤ　**高度地区** building height restriction ⌈district [area] Ⓒ.

こうど[2]　光度　(明るさ) brightness Ⓤ; 〖天〗(等級に分けられた星の光度) magnitude Ⓤ. (☞ あかるさ).
光度計 photómeter Ⓒ.

こうど[3]　硬度　(物体・鉱物などの) hardness Ⓤ (☞ かたさ).

こうど[4]　紅土　〖地質〗 laterite Ⓤ.

こうとう[1]　口頭　── [形] (書かれたものに対して, 口による) oral (↔ written).　── [副] orally.　¶ 彼女にその件は*口頭で伝えました (⇒ 直接言った) I *told* it to her *directly*. / I *passed* the message on to her *orally*.　**口頭試問** oral ⌈test [examination] Ⓒ, viva voce Ⓒ /vaɪvəvóusi/. (☞ めんせつ)　**口頭伝承** oral transmission Ⓤ (☞ でんしょう[1])　**口頭弁論** oral ⌈proceedings [pleadings] ★ [　] 内のほうが申し立てて抗弁するニュアンスが強い. 2 つとも複数形で.

こうとう[2]　高等　── [形] (高い) high ★ 最も一般的な語; (上級の) higher; (程度の進んだ) advanced. (☞ こうきゅう[1]; こうど[1]).
高等科 advanced course Ⓒ　**高等学校** ☞ 見出し　**高等官** higher official Ⓒ　**高等教育** (専門学校・大学・大学院における教育) higher education Ⓤ　**高等教育機関** institution of higher education Ⓒ　**高等検察庁** high public prosecutor's office Ⓒ (☞ けんさつ[1])　**高等裁判所** high court Ⓒ (☞ さいばんしょ).　¶ 東京*高等裁判所 the Tokyo *High Court*　**高等師範学校** higher normal school Ⓒ　**高等数学** higher [advanced] mathematics Ⓤ　**高等専門学校** technical college Ⓒ　**高等動物** higher animal Ⓒ　**高等普通教育** higher [high-school level] general education Ⓤ　**高等弁務官** high commissioner Ⓒ.

こうとう[3]　好投　── [動] (よく投げる) pitch well (自); (試合でよく投げる) pitch a good game.　── [名] good pitching Ⓤ, good delivery Ⓒ　[語法] いずれも good の代わりに fine や nice を使ってもほぼ同じ.

こうとう[4]　高騰　── [名] (物価などの急激な [突然の] 値上がり) sharp [sudden] rise Ⓒ; (はね上がること) jump Ⓒ.　── [動] rise sharply (自); (急上昇する) soar (自), 〖略式〗 skýròcket (自). (☞ ねあがり).
¶ 人件費の*高騰 a ⌈*jump* [*sudden rise*] in labor costs / 物価はべらぼうな*高騰を続けている Prices *are skyrocketing*.

こうとう[5]　喉頭　── [名] the larynx /lǽrɪŋks/ Ⓒ (複 ~es, larynges /lərínʤiːz/).　── [形] laryngeal /lərínʤəl/.　**喉頭炎** laryngitis /lærɪnʤáɪtɪs/ Ⓤ　**喉頭音** 〖音声〗 laryngeal sound Ⓒ, guttural Ⓒ　**喉頭蓋** 〖解〗 epiglottis Ⓒ　**喉頭癌** laryngeal cancer Ⓤ　**喉頭結核** laryngeal tuberculosis Ⓤ.

こうとう[6]　公党　(legitimate) political party Ⓒ.

こうどう[1]　行動　── [名] (1 回の動き) act Ⓒ; (一連の行為) action Ⓤ ★「日常の行動」の意味では複数形で; (振舞い) behavior (〖英〗 behaviour) Ⓤ; (道徳的に見た人の品行) conduct Ⓤ; (軍事行動) operations ★ 複数形で.　── [動] (行動する) act (自); (振舞う) behave (自).　── [形] (活動的な) active. (☞ こうい[1] (類義語); ふるまい; おこない).
¶ 彼は*行動の人であった He was a man of *action*. / 彼の*行動は理解に苦しむ (⇒ 彼の行動を説明するのは難しい) It's hard to explain his ⌈*actions* [*behavior*; *conduct*]. / 君はもっと慎重な*行動をとらなければならない You should ⌈*act* more cautiously [be more careful in your *actions*]. / ナマズは地震の前に異常な*行動をとると信じられている It is believed catfish *behave* in an abnormal way prior to earthquakes. / 京都では団体*行動で (⇒ 一グループで動き回る), 夕方 5 時から 7 時までは自由*行動とします (⇒ 自由である) In Kyoto we will go around (all together) in a group, but you will be free from five to seven in the evening. / 軍事*行動を起こす launch military *operations* / 自由な*行動 independent *action* / 団体*行動 group *act* / 適切な*行動 an appropriate *act* / 反射的*行動 a reflex *action*
行動科学 behavioral science Ⓤ　**行動主義** 〖心理〗 behaviorism Ⓤ　**行動生態学** behavioral ecology Ⓤ　**行動体力** capacity for physical activity Ⓤ　**行動派** (活動的な人々) active people ★ 複数扱い.　**行動範囲** (活動などの範囲) the [a] range of operations　**行動半径** (1 回の給油で可能な) the [a] radius of action; (巡航速度で往復できる半径) cruising radius Ⓒ.　¶ 彼はたいへん*行動半径が広い (⇒ 多方面にわたる[順応性のある])人だ He is a very ⌈*versatile* [*adaptable*] man.　**行動様式** behavioral pattern Ⓒ　**行動力** (精力・やる気) drive Ⓤ; (行動できる能力) ability to act Ⓤ.　¶ 彼女は頭はいいが*行動力に欠けている She is clever but lacks *drive*. / 私は彼らの*行動力と好奇心にびっくりした I was surprised at their *ability to act* and their curiosity.

こうどう[2]　講堂　auditorium /ɔ̀ːdətɔ́ːriəm/ Ⓒ, assembly hall Ⓒ; (大階段教室) theater (〖英〗 theatre) Ⓒ.

こうどう[3]　公道　(public) highway Ⓒ; (車道) (public) road Ⓒ (↔ private road); (街路) (public) street Ⓒ. (☞ みち[1] (類義語); どうろ).

こうどう[4]　坑道　(横坑) gallery Ⓒ; (縦坑) shaft Ⓒ; (地下道) tunnel Ⓒ.

こうどう[5]　黄道　〖天〗 eclíptic Ⓒ.　**黄道帯** the zodiac /zóudiæk/.

ごうとう　強盗　── [名] (夜盗) burglar Ⓒ; (強奪者) robber Ⓒ; (行為) burglary Ⓤ; robbery Ⓤ ★ 以上 2 つはいずれも具体的な事件の場合には Ⓒ; (家などへの強盗) bréak-in Ⓒ.　── [動] (強盗をする) rob (他) ★「人」「場所」が目的語; (夜盗を働く) 〖米略式〗 burglarize (他); (家などに押し入る) break ⌈in [into ...] (自).
【類義語】 家に押し入る強盗, 特に夜の強盗は ***burglar***. 被害者からその場で, 暴力や脅しにより強奪するのが ***robber***. この 2 つは区別なしに, 同じように使われることもある. (☞ どろぼう; ぬすむ (類義語); おしいる)
¶ きのう*強盗がその銀行を襲った A ⌈*burglar* [*robber*] robbed the bank yesterday. / (⇒ 銀行が強盗に入られた) The bank *was robbed* yesterday. / 彼は銀行*強盗をした He ⌈*burglarized* [*robbed*] the bank. / 昨夜, 隣のビルで*強盗があった A *robbery* took place last night in the building next door. / There was a *break-in* ⌈at [in] the building next door last night. ★ 第 1 文のほうがやや格式ばった表現. / 銀行*強盗はつかまった The bank *robbers* were captured.
強盗罪 〖法〗 robbery Ⓤ　**強盗致死傷罪** 〖法〗 robbery resulting in death or bodily injury Ⓤ.

ごうどう　合同　── [名] (組み合わせ) combination Ⓤ; (事業などの) incorporation Ⓤ ★ 以上は具体的な事実を指す場合は Ⓒ; 〖数〗 (図形の) cóngruence Ⓤ.　── [形] (2 つ以上のものをつないだ) joint Ⓐ; combined; incorporated; 〖数〗 cóngruent.　── [動] combine (他) (自); join (他) (自). (☞ けつごう (類義語)).　¶ 2 クラスが*合同して彼の講演を聞いた The two classes (*were*) *combined* for his lecture. / 私は彼らと*合同でその難しい仕事をした I *joined* with them in that ⌈difficult [hard] ⌈work [task]. / 日本とドイツの*合同委員会が設立された A *joint*

Japanese-German committee was established. **合同演奏** joint ⌈recital [performance] Ⓒ **合同会議** joint ⌈session [convention] Ⓒ.

こうとうがっこう 高等学校 《米》(senior) high school Ⓒ, upper secondary school Ⓒ ★ 後者は日本の高等学校を指す格式ばった呼称. (☞ 学校・教育 (囲み); こうこう[1]).

¶ 弟は*高等学校に通っている My brother ⌈goes to [attends] (a) (*senior*) *high school*. // 定時制*高等学校 a night course *high school* ★ 説明的訳. 英語で最も一般的な表現は night school である. ただしこれは高校だけに限られない. また定時制高等学校に対する全日制高等学校は単に high school でよい. // 女子*高等学校 a girls' *high school* // 滋賀県立大津*高等学校 Shiga Prefectural /prɪːféktʃərəl/ Otsu *High School*

こうとうてき 高踏的 ── 形 (高踏的な・知識人ぶった) highbrow.

こうとうぶ 後頭部 the back of the head.

こうとうむけい 荒唐無稽 ── 形 (ひどく空想的な) fàntástic(al); (ばかげていて理性に反する) absurd; (無意味でばかげている) nonsensical. ── 名 fántasy Ⓤ; absurdity Ⓤ; nonsense Ⓤ.

こうとうよう 後頭葉 〘解〙 occipital lobe Ⓒ.

こうどく[1] 購読 ── 動 (予約してとる) subscribe to ...; (定期的に買う) take ⑯ ★ 以上はほぼ同意だが, 後者のほうが口語的. ── 名 (定期刊行物の予約購読) subscription Ⓤ. (☞ とる).

¶ 私の家では新聞を 2 種類, 雑誌を 3 種類*購読している We ⌈*take* [*subscribe to*] two newspapers and three magazines. // 私はその新聞の*購読契約を更新したいと思います I'd like to renew my *subscription* to the newspaper. **購読者** (新聞や雑誌の) subscriber Ⓒ; (読者) reader Ⓒ. (☞ どくしゃ) **購読料** subscription rate Ⓒ.

こうどく[2] 講読 ── 名 (読むこと) reading Ⓤ. ── 動 read ⑯. (☞ よむ[1]). ¶ 大学ではシェークスピアの原典*講読がある We *read* (the works of) Shakespeare in the original at the university.

こうどく[3] 鉱毒 mining pollution Ⓤ.

こうとくしん 公徳心 (社会道徳的な) sense of public morality Ⓤ, public spirit Ⓤ, community spirit Ⓤ. (☞ どうとく). ¶ あの人は*公徳心がある [ない] He ⌈is a man of [is lacking in] *public spirit*.

こうどくそ 抗毒素 antitoxin Ⓒ.

こうどせいちょう 高度成長 rapid economic growth ★ Ⓤ または a ～ として.

こうとりくみ 好取り組み good bout Ⓒ, exciting match Ⓒ.

こうない[1] 構内 (建物を含めた敷地) prémises ★ 複数形で; (教会・寺院などの) précincts ★ 複数形で; (囲いをした) cómpound Ⓒ; (公共の建物に隣接した) yard Ⓒ ★ 複合語の第 2 要素として用いられることが多い; (主として大学の) campus Ⓒ; (小学校・中学・高校の) school grounds ★ 複数形で. (☞ こうない[2]; こうてい[3]). ¶ 駅*構内 the railroad *yard* // 大使館の*構内 the embassy *compound* // *構内立入禁止《掲示》Keep off the *premises* // 学長は大学の*構内に住んでいる The president lives on (the) *campus*. // (大学) *構内では静かにして下さい Please keep quiet on (the) *campus*.

構内タクシー (railroad-[train-])station-based taxicab Ⓒ **構内放送** (駅の) the (railroad [train]) station PA system ★ PA は *p*ublic *a*ddress の略.

こうない[2] 校内 ── 名 (学校の校内) school grounds ★ 複数形で; (大学などの) campus Ⓒ. ── 形 (校内の・校内で行われる) intramúral Ⓐ; (クラス間の) interclass Ⓐ. (☞ こうない[1]).

¶ *校内を案内します I'll show you around (the) ⌈*school grounds* [*campus*]. // *校内では静かにしなさい Be quiet on the *school grounds*. // *校内対抗運動会 *the intramural* athletics meet

校内放送 the school PA system ★ PA は *p*ublic *a*ddress の略. **校内暴力** school violence Ⓤ; (大学などの) campus violence Ⓤ; (クラス内の) classroom violence Ⓤ.

こうない[3] 港内 ── 副 (港(の中)に) in [within] the harbor (☞ みなと). **港内水先案内人** (dock) pilot Ⓒ.

こうない[4] 坑内 (坑) pit Ⓒ; (縦坑) shaft Ⓒ. **坑内火災** pit [underground] fire Ⓒ **坑内軌道** pit line Ⓒ **坑内事故** accident in the pit Ⓒ **坑内労働者** miner Ⓒ.

こうないえん 口内炎 inflammation of the mouth Ⓤ (☞ えんしょう[2]).

こうなご 小女子 〘魚〙 sand ⌈lance [launce; eel] Ⓒ.

こうなん 後難 (後になってふりかかる災難) future trouble Ⓒ (☞ あとくされ). ¶ 彼は*後難を恐れて黙っていた He ⌈remained silent [kept quiet] for fear of *future trouble*(*s*).

こうなんりょうよう 硬軟両様 ── 形 hard and soft. ¶ *硬軟両様の方法 the carrot and (the) stick approach (☞ あめ[2] (あめとむち))

こうにち 抗日 ── 形 anti-Japanese (☞ はんにち[2]). **抗日運動** ánti-Japanèse móvement Ⓒ.

こうにゅう 購入 ── 動 (物を買う) buy ⑯ (↔ sell); (手に入れる) get ⑯ ★ 以上は一般的な日常語; (かなりの値段または量のものを買う) purchase /pɚ́ːtʃəs/ ⑯ ★ 最初の 2 語より格式ばった語で日本語の「購入」にニュアンスが近い. ── 名 purchase Ⓤ. (☞ かう[1]). ¶ 教科書を生協で一括*購入する (⇒ クラス分注文する) order textbooks for *one's* class from the co-op **購入価格** the purchase price **購入者** buyer Ⓒ; purchaser Ⓒ **購入図書** books purchased; (最近入手したもの) new acquisition Ⓒ ★ 図書に限らない.

こうにょうさんけっしょう 高尿酸血症 〘医〙 hyperuricemia /hàɪpəjʊ(ə)rɪsíːmiə/ Ⓤ.

こうにん[1] 公認 ── 動 (公式なものとして認める) recognize ... officially; (公式に是認する) approve ... officially; (正式に公の機関が認める) authorize ⑯. ── 形 (公式の) official (↔ unofficial); (是認された) approved; authorized. ── 名 official ⌈recognition [approval] Ⓤ; authorization Ⓤ. (☞ しょうにん[1]; にんてい).

公認会計士 《米》 certified public accountant Ⓒ 《略 CPA [C.P.A.]》, 《英》 chartered accountant Ⓒ **公認記録** official record Ⓒ **公認欠席, 公欠** excused [authorized] absence Ⓒ. ¶ 彼は試合で*公認欠席です He *is* ⌈*excused* [*authorized to be absent*] *from classes* because of a sports activity. **公認候補(者)** nominated candidate Ⓒ.

こうにん[2] 後任 (後継者) succéssor Ⓒ (↔ prédecèssor) (☞ こうけいしゃ; あととり (類義語)).

¶ 彼は高橋氏の*後任として新社長に就任した He became the new president as (the) *successor to* Mr. Takahashi. / He *has succeeded* Mr. Takahashi as (the) head of the company. 語法 前者は「新社長就任」, 後者は「高橋氏の後任」をそれぞれ強調した表現. // 彼女の*後任はまだ決まっていない Her *successor* has not been ⌈appointed [named] yet. **後任人事** appointment of ⌈a [*one's*] successor Ⓤ; (過程) screening process for ⌈a [*one's*] successor Ⓤ.

こうにん[3] 降任 ── 動 《格式》 demote ⑯. ── 名 demotion Ⓤ. (☞ かくさげ).

こうねつ 高熱 (病気による) high fever Ⓒ (☞ ね

つ》. ¶ひどい風邪で*高熱が出た I had a *high* ⌈*fever* [*temperature*] with a bad cold.

こうねつひ 光熱費 lighting and heating expenses ★ 複数形で.

こうねつびょう 黄熱病 yellow ⌈fever [jack] Ⓤ.

こうねん[1] 後年 ── 副(のちに) later, afterward; (何年か後に) in ⌈later [after] years. 《☞ ばんねん; そのご》. **後年度負担** liability on the treasury in a later budget year Ⓒ.

こうねん[2] 光年 〖天〗light-year Ⓒ.

こうねん[3] 高年 **高年層** (65 歳以上の人々) people in the over-65 age group ★ 集合的に. 《☞ こうれい[2] (高齢者)》.

こうねんき 更年期 the change (of life); (女性の) (the) menopause /ménəpɔ̀:z/ Ⓤ. **更年期障害** (女性の) menopausal /mènəpɔ́:zl/ disórder Ⓒ; (男女両方の) climacteric /klaımǽkt(ə)rık/ distress Ⓤ.

こうねんれい 高年齢 ── 名 advanced age Ⓒ. ── 形 elderly. 《☞ こうれい[2]》. **高年齢出産** the first childbirth at the age of 35 or older.

こうのう[1] 効能 ── 名 (効果) effect Ⓤ ★ 具体的な例を指すときは Ⓒ; (薬などの効力) (a medicine's) virtue Ⓒ, 《格式》 efficacy /éfıkəsi/ Ⓤ. ── 形 (効能がある) effective (↔ ineffective). 《☞ ききめ; きく[2]; こうか[1]》. ¶この温泉は胃腸病に*効能がある This hot spring is *good* for stomach problems. // その薬は速やかな*効能があった The medicine quickly took *effect*. **効能書き** statement of (a medicine's) virtues Ⓒ.

こうのう[2] 後納 ☞ あとばらい

ごうのう 豪農 wealthy farmer Ⓒ.

こうのうしゅくウラン 高濃縮ウラン highly enriched uranium Ⓤ.

こうのとり 〖鳥〗stork Ⓒ [参考] 屋根に巣をかけることがあり, 西洋では, 昔は赤ん坊を運んでくると言われた.

こうのもの 香の物 pickles, pickled vegetables ★ どちらも普通複数形で.

ごうのもの 剛の者 (頑強な人) stout person Ⓒ; (勇敢な人) brave person Ⓒ; (大胆な人) stouthearted person Ⓒ.

こうは[1] 光波 light wave Ⓒ.

こうは[2] 硬派 (強硬路線の人) hard-liner Ⓒ; (けんか好きな若者) young rowdy Ⓒ.

こうば 工場 factory Ⓒ 《☞ こうじょう[1]》.

こうはい[1] 後輩 ── 名 (後進) *one's* junior Ⓒ; (自分より若い人) younger person Ⓒ; (学校での) lowerclassman Ⓒ, lowerclasswoman Ⓒ, younger student Ⓒ. ── 形 junior (to ...) (↔ senior); younger (↔ older). 《☞ こうしん[3]; としした》. ¶彼は私の高校の*後輩だ He ⌈is [was] *my junior* in high school. [語法] 高校在学中ならば is, 卒業後なら was となる. // この会社ではあなたの 2 年*後輩です I am *your junior* by two years in this company.

こうはい[2] 荒廃 ── 名 (国土などの, 広い範囲にわたる) 《格式》 devastation Ⓤ. ── 動 (荒廃させる) 《格式》 dévastàte ㊐; (荒廃する) go to ruin ㊎. ── 形 《格式》 devastated; (土地が荒れ果てた) waste. 《☞ あれる》. ¶戦争でわが国土は*荒廃した (⇒ 戦争は我々の土地を荒廃させた) The war *devastated* our land. // 教育の*荒廃 (⇒ 混乱) the ⌈*disorder* [*confusion*] of education

こうはい[3] 交配 ── 動 (異種の動物・植物をかけあわせる) cross ㊐, crossbreed ㊐; (異種の植物をかけあわせる) cross-fertilize ㊐. ── 名 crossbreeding Ⓤ; cross-fertilization Ⓤ. **交配種** cross Ⓒ, crossbreed Ⓒ.

こうはい[4] 光背 (キリストや聖者などの) aureole /ɔ́:riòul/ Ⓒ; (光輪) halo Ⓒ.

こうはい[5] 降灰 ☞ こうかい[5]

こうはい[6] 向背 (人の心構え) *one's* attitude Ⓒ; (情勢) situation Ⓒ.

こうはい[7] 高配 (思いやり) thoughtfulness Ⓤ; (親切) kindness Ⓤ. [日英比較] 日本語の「ご高配」の内容は相手の心くばりのことで漠然としたものであるが, 英語の手紙などではその内容をある程度具体的に表したほうがよいとされる. ¶ご*高配 (⇒ あなたが私に示した親切な関心) を賜り感謝申し上げます I am grateful for the *kind concern* you showed for me.

こうばい[1] 勾配 ── 名 (主に水平線に対する) slope Ⓒ; (主に垂直線に対する) slant Ⓒ ★ 両者は同じように使われることもある; (傾き) incline Ⓒ, inclination Ⓤ; (道路・鉄道などの数字で表せる傾斜度) 《米》 grade Ⓒ, 《英》 gradient /gréıdiənt/ Ⓒ; (屋根や階段などの) pitch Ⓤ. ── 動 (勾配をつける・勾配がつく) slope ㊐ ㊎. 《☞ けいしゃ[1]; しゃめん[1]; さか[1]; かたむき》.

¶道路はここで上り[下り]*勾配になる The road *slopes* ⌈upward(s) [downward(s)] here. // この山道は*勾配が急だ This mountain path has a ⌈sharp [steep] *slope*. / This mountain path is very *steep*. ★ 第 2 文がより平易な表現. // この屋根の*勾配は急[緩やか]だ This roof has a ⌈steep [gentle] *pitch*. // 道路の*勾配は 1000 分の 20 だった There was a ⌈*grade* [*gradient*] of ⌈twenty in a thousand [two percent] in the road.

勾配標 〖鉄〗gradient [grade] post Ⓒ.

こうばい[2] 購買 ── 動 (計画的で大量に) purchase ㊐; (買う) buy ㊐ ★ 前者より口語的. 日本語の「購買」のニュアンスは前者が近い. 《☞ かう[1]》. **購買組合** consumer's cooperative Ⓒ **購買部** the purchasing ⌈division [department] 《☞ 会社の組織と役職名 (囲み)》 **購買力** purchasing [buying] power Ⓤ. ¶消費者の*購買力が落ちている Consumer ⌈*purchasing* [*buying*] *power* is getting lower.

こうばい[3] 公売 auction Ⓤ. ¶それらの絵画は*公売に付せられた The pictures were ⌈sold at *auction* [put up for *auction*].

こうばい[4] 紅梅 〖植〗Jápanèse apricot /ǽprəkɑ̀t/ with red blossoms Ⓒ.

こうはいきん 広背筋 〖解〗musculus latissimus dorsi Ⓒ 《複 ~ latissimi ~》.

こうばいすう 公倍数 common multiple Ⓒ (↔ common divisor). ¶最小*公倍数 the least *common multiple* ★ 略語は LCM または l.c.m.

こうはいち 後背地 the hinterland.

こうはく 紅白 (赤と白) red and white Ⓤ [日英比較] 英語では赤と白について, 日本語の「紅白」のような意味がないので, 前後関係に応じて意訳したり説明を加えたりする必要がある.

¶彼らは*紅白の幕を張った They stretched out a curtain in *red and white* stripes. // *紅白の餅 *red and white* rice cakes // NHK *紅白歌合戦 an NHK music program broadcast on New Year's Eve in which a male team of popular singers competes with a female team **紅白試合[戦]** game between two (opposing) teams Ⓒ.

こうばく[1] 広漠 ── 形 (広漠とした) vast. ¶*広漠たる荒れ地 a *vast* expanse of badlands

こうばく[2] 荒漠 ── 形 (荒廃した) ruined; (荒れはてさびしい) desolate /désələt/.

こうばしい 香ばしい ── 形 (香りのよい) nice-[sweet-]smelling; (芳香のある) aromatic. ── 動 (よい香りがする) smell ⌈sweet [nice]. 《☞ におい (類

義語); かおり》. ¶私はひきたてのコーヒーの*香ばしい香り(⇒ 芳香)が好きだ I like the *aroma* of freshly ground coffee.

こうはつ1 後発 ¶我々は*後発隊だった(⇒ 遅い出発をした) We *made a late start.* // あのメーカーは*後発ではあるが(⇒ 市場に参加したのは遅かったが)なかなかよくやっている That manufacturer is doing fairly well although it *entered the market rather late.* **後発開発途上国** least developed country Ⓒ《略 LLDC》★ 略語が LDC でないのは, less developed country (＝開発途上国)の略語としてすでに使われているため.

こうはつ2 好発 ━動 occur most frequently ㊀.

ごうばつ 劫罰 eternal punishment Ⓒ.

ごうはら 業腹 ¶みんなが私を臆病者だと思っているのは*業腹だ(⇒ 怒りを覚えさせる) It *riles* me that everybody looks upon me as a coward.

こうはん1 後半 the second half (↔ the first half), the latter half 語法 前者のほうが口語的. しかし時間的な意味が含まれるときは後者が用いられる. いずれも the を付けて. ¶その本の*後半は読む必要がない You don't have to read *the second half* of the book. // 彼は 40 代の*後半だ He is in his *late* forties. // 19 世紀の*後半 *the latter half* of the nineteenth century **後半期** the second half of the year **後半生** the latter half of *one's* life **後半戦** the second half of the game.

こうはん2 広範, 広汎 ━形 (範囲が広い) extensive; (包括的な) comprehensive; (広い) vast; (比喩的な意味で, 幅の広い) wide, broad. 《☞ ひろい; こうはんい》.

こうはん3 公判 〔法〕trial Ⓒ《☞ さいばん》. ¶この事件の*公判はあす開かれる This case will come to *trial* tomorrow. / (⇒ 審理される) This case is to be *tried* tomorrow. // 現在*公判中の事件 a case on *trial* // *公判に付す bring (a case) to *trial* **公判期日** the date (fixed) for a trial, trial ⌈date [day] Ⓒ **公判調書** protocol of trial Ⓒ.

こうはん4 甲板 deck Ⓒ. **甲板員** deckhand Ⓒ **甲板長** boatswain /bóusn/ Ⓒ ★ bosun, bos'n, bo's'n とも綴る.

こうはん5 紅斑 〔医〕erythema /èrəθíːmə/. **紅斑性狼瘡** (エリテマトーデス) lupus erythematosus Ⓤ.

こうはん6 攪拌 ☞ かくはん

こうばん1 交番 police box Ⓒ 日英比較 英米にはわが国の交番に当たるものは普通はない. しかし, 写真のような警察への直通電話などを設置した box のある所もある.

こうばん2 降板 ━動〔野〕leave the mound; (辞任する) step down ㊀; (身を引く) withdraw from ...; (降ろされる) be dropped.

こうばん3 鋼板 (薄い) steel sheet Ⓒ; (厚い) steel plate Ⓒ.

ごうばん 合板 plywood Ⓤ. ¶プリント*合板 printed *plywood*

こうはんい 広範囲 ━名 (広い地域) large area Ⓒ; (広い範囲) large extent Ⓒ. ━形 (広範囲にわたる) extensive; (広大な) vast. 《☞ はんい1; ひろい》. ¶洪水による被害は*広範囲にわたっている(⇒ 広範囲の土地が洪水によってひどい損害を受けた) A *large area* of the land has been badly damaged by the flood.

こうはんいんさつ 孔版印刷 ☞ とうしゃばん

こうひ1 公費 (公の経費) public expense Ⓤ ★ しばしば複数形で. 《☞ こうきん2; こくひ》.
¶老人には*公費で無料の医療が施される Free medical care is given to old people at *public expense.* // 一部の役所では*公費(⇒ 公金)のむだ使いがある Some government offices squander *public money.*

こうひ2 工費 the cost(s) of construction, construction cost(s) ★ 前者のほうが格式ばった表現. 《☞ ひよう》.

こうひ3 校費 (学校の資金) school funds ★ 複数形で; (学校の経費) school running expenses, 《格式》school disbursements ★ いずれも通例複数形で. ¶それは*校費で支払われる This comes out of *school* ⌈*funds* [*running expenses*; *disbursements*]. 語法 予算上の出所をはっきり言う場合が多く, わかっていれば学校経営費 (school maintenance fund), 学校広報費 (school PR account) などとする.

こうび1 交尾 ━動 (動物が) copulate ㊀; (鳥や動物が) mate ㊀. ━名 copulation Ⓤ; mating Ⓤ. **交尾期** the mating season.

こうび2 後尾 (末尾) end Ⓒ; (最後部) rear Ⓒ. ¶彼は列の*後尾にいた I found him at the *end* of the ⌈line [queue].

ごうひ 合否 (試験の結果) the result of an ⌈exam [examination] 《☞ きゅうらく1》. ¶入試の*合否は 1 週間後に発表されます *The results of the entrance examination* will be ⌈given [announced] in a week.

こうびえんるい 広鼻猿類 〔動〕platyrrhine Ⓒ.

こうひしょう 紅皮症 〔医〕erythroderma Ⓤ.

こうヒスタミンざい 抗ヒスタミン剤 〔薬〕antihistamine /æ̀ntihístəmìːn/ Ⓒ.

こうひつ 硬筆 pen Ⓒ. **硬筆習字** penmanship Ⓤ.

こうひょう1 公表 ━動 (公式に発表する) announce ... (officially); (印刷物などで) publish ㊉; (手段に関係なく公表する) make ... public; (隠されていたことを) disclose ㊉; (情報などを公開する) release ㊉. ━名 (official) announcement Ⓒ; publication Ⓤ; disclosure Ⓤ. 《☞ はっぴょう; おおやけ; ばくろ》. ¶成績の詳しいことは*公表しない The detailed results are not to *be* ⌈*published* [*made public*]. // 彼らはその真相を*公表した They *made* the truth *public.* // 新聞は容疑者の氏名の*公表を断った The newspapers refused to ⌈*disclose* [*release*] the name of the suspect.

こうひょう2 好評 ━名 (人気) popularity Ⓤ; (好意的な批評) favorable (《英》 favourable) comment Ⓒ. ━形 (人気のある) popular. 《☞ にんき1; ひょうばん》. ¶その本は学生に*好評だ The book is *popular* ⌈among [with] students. // その映画は*好評を博した(⇒ ヒットした) The movie was a *hit.*

こうひょう3 講評 ━動 (...について意見を述べる) comment ⌈on [upon] .... ━名 comment Ⓤ ★ 具体的な例は Ⓒ. 《☞ ひひょう (類義語)》.

こうひょう4 降雹 ━名 hailstorm Ⓒ. ━動 (雹が降る) hail ㊀ ★ it を主語として.

こうひょうき 後氷期 the postglacial ⌈age [epoch].

こうひん 公賓 guest of the government Ⓒ, government guest Ⓒ.

こうびん1 後便 ¶もっと恐ろしい知らせが*後便で続いて届いた More horrifying news followed in the *later letters.*

こうびん2 幸便 (よい機会) good [favorable] opportunity Ⓒ.

こうひんいテレビ 高品位テレビ hígh-definìtion télevìsion Ⓒ《略 HDTV》.

こうふ[1] 交付 ── 動 (所定の手続きを経て交付する) grant ⑯; (書類などを手渡す) deliver ⑯; (証明書などを発行する) issue ⑯. ── 名 grant Ⓤ; delivery Ⓤ; issue Ⓤ ★ いずれも具体的な行為を指す場合は Ⓒ. ¶ 政府は私立学校にもっと助成金を*交付すべきだ The government should *grant* private schools more subsidies.

交付金 (一定の条件を備えた特定の目的のためのもの) grant Ⓒ; (中央政府が地方の政府や研究機関を助成するためのもの) grant-in-aid Ⓒ; (公共の利益を目的としたもの) subsidy /sʌ́bsədi/ Ⓒ.

こうふ[2] 公布 ── 動 (法律など拘束力のあるものを) prómulgàte ⑯; (戦争・即位など重大事件を) proclaim ⑯. ── 名 promulgation Ⓤ; proclamation Ⓤ ★ 以上は 動 名 ともに格式ばった語. ¶ (米国の)独立宣言は 1776 年 7 月 4 日に*公布された The Declaration of Independence *was proclaimed* on July 4, 1776. // その法律の*公布は延期された The *promulgation* of the law was put off.

こうふ[3] 坑夫, 鉱夫 miner Ⓒ《☞ こうざん[1]》.

こうふ[4] 工夫 construction worker Ⓒ.

こうぶ 後部 the rear, the back part. ¶ 車の*後部車輪 the *rear* wheels of a car **後部座席** back [rear] seat Ⓒ. ¶ *後部座席にすわる take a ˹*back* [*rear*] *seat*

こうふう 校風 (歴史的に確立した) school tradition Ⓤ ★ 具体的な事例を指すときは Ⓒ.

こうぶがったい 公武合体 (朝廷と幕府の) the union of the Imperial Court and the Shogunate.

こうふきょう 好不況 good times and bad ★ 複数形で.

こうふく[1] 幸福 ── 形 (幸せな) happy (↔ unhappy); (幸運な) fortunate (↔ unfortunate). ── 名 happiness Ⓤ (↔ sadness, unhappiness); (good) fortune Ⓤ; (暮らし全体の) welfare Ⓤ. ── 副 happily.

【類義語】幸福を表す最も一般的な形容詞は *happy*.「幸運」という意味での幸福には *fortunate* を用いる. 健康・快適な生活を含めた幸福な状態を表す名詞は *welfare*.《☞ しあわせ; さいわい》

¶ 金持ちが必ずしも*幸福とは限らない The rich [Rich people] are not ˹always [necessarily] *happy*. // 二人は*幸福な家庭を築くことを誓いあった The couple promised to make a *happy* home. // あなたがたのご繁栄とご*幸福をお祈りします I wish you prosperity and every *happiness*. // 人はだれでも*幸福を求める権利がある Everybody ˹has a right [is entitled] to the pursuit of *happiness*. // 王子様とお姫様はその後*幸福に暮らしました The prince and princess lived *happily* ever after. 参考 物語などに使われる決まった結びの文.

こうふく[2] 降伏 ── 動 (降参して相手の支配下に入る) surrénder (to ...) ⓐ ★ surrender *oneself* の形をとることもある; (屈伏する) yield (to ...) ⓐ, give in (to ...) ⓐ ★ 最初のものよりあとの 2 つのほうが口語的. ── 名 surrénder Ⓤ ★ 具体的な例を指す場合は Ⓒ.《☞ とうこう[3]; こうさん[2]》

¶ 日本は 1945 年連合国に無条件*降伏した Japan *surrendered* unconditionally *to* the Allied Powers in 1945. // 乗っ取り犯人はついに警察に*降伏した The hijacker *surrendered* (*himself*) *to* the police at last. **降伏条件** the terms of surrender **降伏文書** the instrument of surrender.

こうふちょう 好不調 good condition and bad Ⓤ.

こうぶつ[1] 好物 (好きな料理) favorite [《英》 favourite] dish Ⓒ; (好きな食べ物) favorite [《英》 favourite] food Ⓒ ★ いずれも普通は所有格を付ける. ¶ トンカツは私の*好物 (⇒ 好物の一つ) です Pork cutlet is one of my *favorite dishes*. // 彼女は甘いものが大*好物だ She *is fond of* sweets. / She *has a weakness for* sweets. / She *has a sweet tooth*. ★ 慣用的な口語表現.

こうぶつ[2] 鉱物 ── 名 mineral Ⓒ ★ 塩・石油・水・天然ガスも含む. ── 形 mineral. ¶ *鉱物の標本箱 a *mineralogical* /mìnərəlɑ́dʒɪk(ə)l/ display cabinet **鉱物界** the mineral kingdom **鉱物学** mìnerálogy Ⓤ **鉱物学者** mìnerálogist Ⓒ **鉱物資源** mineral resources **鉱物質** mineral matter Ⓤ **鉱物油** mineral oil Ⓤ.

こうぶつ[3] 公物 (公用物) public property for government use (such as state office buildings) Ⓤ; (公共用物) public property for general use (such as roads or harbors).

こうふん[1] 興奮 ── 動 (興奮する) be [get] excited ★ be excited は「興奮している」という状態も表すことができる; (興奮させる) excite ⑯; (喜び・驚きなどで興奮させる) thrill ⑯; (神経や器官を興奮させる) stímulàte ⑯. ── 名 (感情の) excitement Ⓤ; (神経や器官の) stimulation Ⓤ; thrill Ⓒ.

¶ 彼は*興奮して眠れなかった He could not sleep because he *was* too *excited*. / He *was* too *excited* to sleep. / He *was* so *excited* that he could not sleep. // 病人を*興奮させてはいけない You shouldn't *excite* a sick person. // *興奮するな Don't *get excited*. / (⇒ 落ち着け) Calm down. / (⇒ のんきに構えよ) Take it easy. ★ 慣用的な口語表現. // 彼女はすぐ*興奮する She *is* easily *excited*. // *興奮して胸がわくわくした I *was* ˹*filled with excitement* [*thrilled*]. // 子供たちは*興奮して飛び回った The children were jumping about ˹*with* [*in*; *from*] *excitement*. **興奮剤** stimulant Ⓒ ★ アルコール飲料・茶・コーヒー・タバコなども指す.

こうふん[2] 口吻 ── 動 (ほのめかす) hint (at ...). ── 名 (ほのめかし) hint Ⓒ.

¶ 彼は辞職するような*口吻をもらした He ˹*hinted* to us [gave a *hint* to us] that he would resign.

こうふん[3] 公憤 (正義感から生ずる怒り) righteous anger Ⓤ ★ 文語的. ¶ 多くの人々が首相の言動に*公憤を覚えた Many people were deeply offended by the prime minister's behavior.

こうぶん 構文 construction [structure] (of a sentence) Ⓒ. **構文論** 〘文法〙 syntax Ⓤ.

こうぶんかい 光分解 photolysis /foutɑ́ləsɪs/ Ⓤ.

こうぶんし 高分子 〘化〙 macromolecule /mæ̀kroumɑ́lɪkjù:l/ Ⓒ; (高分子物質) polymer /pɑ́ləmə/ Ⓒ. **高分子化学** macromolecular [polymer] chemistry Ⓤ **高分子化合物** hígh molécular cómpound Ⓒ.

こうぶんしょ 公文書 (記録・資料・証拠となる) official document Ⓒ《☞ ぶんしょ》.

公文書偽造 forgery of [forging] an official document Ⓤ.

こうぶんぼ 公分母 common denominator Ⓒ. ¶ 最小*公分母 the lowest *common denominator* 《略 L.C.D., l.c.d.》

こうべ 頭 ☞ あたま

こうへい[1] 公平 ── 形 fair (↔ unfair); just (↔ unjust); impartial, unbiased. ── 副 fairly; justly; impartially. ── 名 fairness Ⓤ; justice Ⓤ; impartiality Ⓤ.

【類義語】個人的な感情や利益にとらわれず, 公平無私という意味では *fair* が一般的. 法律・正義・倫理の規範からはずれない公平は *just*. 偏見・えこひいきがないという意味では *impartial* と *unbiased* が用いられるが, 後者のほうが意味はずっと強い. この 2 つはやや格式ばった語. 《☞ ふこうへい; こうせい[1]; びょうどう (類義語)》 ¶我々は両方に*公平であるべきだ We must be *fair* to both sides. // すべては*公平な手段でなされたか Was everything done ⌜by *fair* means [*fairly*]? // それは不*公平だ It's ⌜not *fair* [*unfair*]. // 教師は学生すべてに*公平でなければならない A teacher should be ⌜*fair* [*impartial*; *unbiased*] *to* all ⌜his [her] students.

公平無私 ―[形] (fair and) disinterested. ―[名] disinterestedness Ⓤ.

こうへい[2] 工兵 (military) engineer Ⓒ. **工兵大隊** engineering battalion Ⓒ.

こうへん 後編 (前編に対して) the second half (↔ the first half), the latter part (↔ the former part) ★ 後者のほうが格式ばった言い方. いずれも the を付けて. 《☞ ぜんぺん[1]》.

こうべん 抗弁 ―[名]〘法〙plea Ⓒ ★ 通例単数形で; (抗議) protest /próutest/ Ⓤ. ―[動] plead (against ...); protest /prətést/ (against ...). **抗弁権** right of defense Ⓒ.

ごうべん 合弁 ―[名] (共同経営) jóint mánagement Ⓤ. ―[形] joint Ⓐ. 《☞ ごうどう》. ¶*合弁事業 a *joint* ⌜venture [undertaking] **合弁会社** joint corporation Ⓒ. ¶日米*合弁会社 a Japan-U.S. *joint corporation*

こうほ[1] 候補 **1** 《選挙の候補》: (候補者) candidate Ⓒ; (指名を受けた者) nominee /nàmɪníː/ Ⓒ. 《☞ りっこうほ》. ¶彼は市長選挙の*候補者です He is a *candidate for* mayor. / (⇒ 市長に立候補している) He *is running for* mayor. // 民主党の大統領*候補 the Dèmocrátic *nominée* for ⌜the président [président]

2 《あるもの, または状態になる可能性》 ¶その映画は 2005 年度アカデミー賞*候補に選ばれた The film *was nominated* for a 2005 Academy Award. // 今年のプロ野球の優勝*候補はどのチームですか Which team is *the favorite* for the ⌜pro [professional] baseball championship this year? // 2014 年冬季オリンピックの*候補地 the site *proposed* for the 2014 Winter Olympic Games

候補者名簿 list of candidates Ⓒ **候補生**〘軍〙(士官の) cadét Ⓒ 《☞ かんぶ[1] (幹部候補生)》.

> **コロケーション**
>
> 候補(者)を選ぶ choose a *candidate* / 候補(者)を支援する support a *candidate* / 候補(者)を指名する nominate a *candidate* / 候補(者)を選挙に立てる run [field] a *candidate* (in an election) / 候補(者)を立てる put up a *candidate* / 候補(者)を募る recruit a *candidate* // 右派[左派]の候補(者) a ⌜right-wing [left-wing] *candidate* / 勝ちそうな候補(者) an odds-on [a likely] *candidate* / 公認候補(者) a nominated [an endorsed] *candidate* / 対立候補(者) a rival *candidate* / 当選した候補(者) a ⌜successful [victorious; winning] *candidate* / 無所属の候補(者) an independent *candidate* / 野党の候補(者) an opposition *candidate* / 有力候補(者) a ⌜strong [major] *candidate* / 落選した候補(者) a defeated [an unsuccessful; a losing] *candidate*

こうほ[2] 好捕〘野〙―[名] nice [good] catch Ⓒ. ―[動] make a ⌜nice [good] catch.

こうぼ[1] 公募 ―[動] (論文や小説を) invite (the) public contribution of ...; (要員を募る) solicit applications for ...; (従業員などを広告で) ádvertise for ... 《☞ ぼしゅう》.

¶その雑誌は環境問題に関する論文を*公募している The magazine *is inviting the public to contribute* papers on environmental problems. // 彼は新聞で秘書を*公募した He *advertised* in the newspaper *for* a secretary. // 教員*公募 *àdvertisement* for a teaching position

こうぼ[2] 酵母 (イースト) yeast Ⓤ; (パン種) leaven /lévən/ Ⓤ. **酵母菌** yeast Ⓤ.

こうぼ[3] 公簿 public record (kept by a government office) Ⓒ.

こうほう[1] 後方 ―[名] the rear. ―[副] (後方に) backward. ―[前] (...の後ろに) behind ..., at the back of ..., 《米》in back of ... 《☞ あと[1]; うしろ; はいご[1]》. ¶車を運転する時は前方だけでなく*後方にも注意しなさい When driving a car, observe the movement of traffic not only ahead of you but (also) *behind* you. **後方一致検索**〘コンピューター〙suffix search Ⓒ **後方支援**〘軍〙behind-the-lines logistic support Ⓤ. ¶アメリカ軍の*後方支援をする provide *behind-the-lines logistic support* to the U.S. military **後方装備** behind-the-lines logistic equipment Ⓤ.

こうほう[2] 広報 (広報活動) public relations ★ 単数扱い. P.R., PR と略される. 《☞ ピーアール; せんでん; 略語 (巻末)》.

¶わが社は*広報活動が上手[下手]だ Our company has ⌜good [poor] *public relations*. **広報誌** public relations magazine Ⓒ **広報部** the public relations ⌜division [department], the publicity ⌜division [department] ★ 課なら section を用いる. 《☞ 会社の組織と役職名 (囲み)》.

こうほう[3] 公報 (簡潔にまとめた公の掲示) official bulletin Ⓒ; (少し詳しい報告) official report Ⓒ.

こうほう[4] 公法 public law Ⓤ.

こうほう[5] 航法 navigation Ⓤ. ¶天文*航法 celestial *navigation* / *astronavigation* // 計器*航法 instrumental *navigation* **航法装置** navigation equipment Ⓤ.

こうほう[6] 高峰 high peak Ⓒ.

こうほう[7] 工法 method of construction Ⓒ.

こうぼう[1] 興亡 (興隆と没落) rise and fall Ⓤ.

こうぼう[2] 工房 studio Ⓒ; 〘美〙atelier /ætəljéɪ/.

こうぼう[3] 光芒 (一筋の光) beam of light Ⓒ.

こうぼう[4] 弘法 ☞ くうかい **弘法筆を択(え)ばず** (⇒ 下手な職人は道具に難癖をつける) A bad workman blames his tools. / (⇒ 真の芸術家はどんな筆でも描ける) A true artist can paint with any brush. **弘法も筆の誤り** Even Homer sometimes nods. 《ことわざ: ホメロスのような大詩人でもへまをすることがある》

こうぼう[5] 攻防 offense [attack] and defense Ⓤ. **攻防戦** battle (of ⌜offense [attack] and defense) Ⓒ.

ごうほう[1] 合法 ―[形] (法に違反していない・法律で許された) lawful (↔ unlawful); (法にかなった) legal (↔ illegal) [語法] 以上 2 語は交換可能な場合もあるが, legal は法に関係があること, あるいは「法で定められた」という意味になることもあり, lawful は道徳的・宗教的に正当であることも表す; (資格・権利などが法的に正当な) legitimate (↔ illegítimate). ―[副] (合法的に) lawfully; legally; legitimately. ―[名] ☞ 合法性. 《☞ せいとう[1]; ほうてき[1]; ほうりつ》.

¶そのストライキは*合法的だ The strike is ⌜*lawful* [*legal*]. // 私はその金を盗んだのではありません. *合法的に手に入れたのです I did not steal the money; I got it quite *legally*. 《☞ セミコロン (巻末)》

合法化 ―[名] legalization Ⓤ. ―[動] (合法化する) legalize (他) **合法性** (法的な正当性) legitimacy Ⓤ; (法的承認がある状態) legality Ⓤ; (法に従っている状態) lawfulness Ⓤ. ¶ 彼はその手続きの*合法性を問題にした He questioned the *legitimacy* of the proceedings. **合法ドラッグ** legal drug Ⓒ.

ごうほう² 号砲 (signal) gun Ⓒ.

ごうほう³ 豪放 ── 形 (心の広い) broad-minded (☞ どりょう). **豪放磊落** ── 形 (心が広くて物事に動じない) manly, broad-minded and never shaken by anything. (☞ らいらく).

ごうほう⁴ 号俸 classified salary (of a public servant) Ⓒ. ¶ 4 *号俸 a fourth-*class salary*

ごうほう⁵ 業報 〔仏教〕(因果応報) karma Ⓤ; (行いの結果) the consequences of (*one's*) actions; (行いとその報い) deeds and their consequences.

こうぼうしば 弘法芝 〔植〕dwarf sedge Ⓤ.

こうぼうむぎ 弘法麦 〔植〕Japanese sedge Ⓤ.

こうぼきん 酵母菌 ☞ こうぼ²

こうぼく¹ 公僕 public servant Ⓒ (☞ かんり²; こうむいん; やくにん).

こうぼく² 坑木 pitprop Ⓒ.

こうぼく³ 香木 aromatic tree Ⓒ.

こうぼく⁴ 高木 (丈の高い木) tall tree Ⓒ; (低木に対する) tree Ⓒ. (☞ ていぼく).

こうほん¹ 校本 (合注本) variorum edition (containing variant readings of a text) Ⓒ.

こうほん² 稿本 (下書き) draft Ⓒ; (手書きの本) manuscript Ⓒ, text written by hand Ⓒ.

こうま 小馬, 子馬 (小型の馬) pony Ⓒ; (雄の子馬) colt Ⓒ; (雌の子馬) filly Ⓒ. (☞ うま¹). **小馬座** the Little Horse, Equuleus.

こうまい 高邁 ¶ *高邁な理想 *lofty* ideals // 彼女は*高邁な精神の持ち主だ She is a *high-minded* person.

こうまく 硬膜 〔解〕dura mater /dʊ́(ə)rəméɪtə/ Ⓤ. **硬膜下出血** subdural hemorrhage Ⓤ.

こうまん 高慢 ── 形 (思い上がった・尊大な) proud ★ この語は「誇り高い」というよい意味でも用いられる; (尊大で威張った態度の) árrogant ★ 以上 2 語は交換可能な場合もある; (うぬぼれが強い) conceited. ── 名 pride Ⓤ; árrogance Ⓤ; conceit Ⓤ. (☞ おうへい (類義語); ごうまん; うぬぼれ).

¶ *高慢な女は嫌いだ I don't like a *proud* woman. // 我々は彼の*高慢な態度を苦々しく思っている We are all disgusted with his 「*arrogant* [*proud*] manner. // あいつの*高慢の鼻を折ってやった I took him down a peg or two.

ごうまん 傲慢 ── 形 (目下の者が目上の者に対して無礼な) ínsolent; (尊大で威張った態度の) árrogant; (人を見下して横柄な) haughty; (目下の者にいばりちらす) òverbéaring. ── 名 ínsolence Ⓤ; árrogance Ⓤ; haughtiness Ⓤ. (☞ おうへい (類義語); こうまん; いばる (類義語)). ¶ 彼の*傲慢無礼な態度に社長は腹を立てた The president got angry at his *insolent* attitude.

こうみ 香味 (味と香りを含めた風味) flavor Ⓒ; (芳香) aróma Ⓒ. **香味野菜** potherb Ⓒ.

こうみつど 高密度 ── 形 high-density. **高密度エネルギー電池** high-density energy 「battery [storage cell] Ⓒ **高密度集積回路** (大規模集積回路) large-scale integrated circuit Ⓒ **高密度フロッピーディスク** high-density floppy disk Ⓒ.

こうみゃく 鉱脈 vein (of ore) Ⓒ.

こうみょう¹ 巧妙 ── 形 (小才が利いて抜け目のない) clever ★ この語は「頭のよい」というよい意味でも用いられる; (抜け目のない) smart ★ clever と交換可能なこともある; (巧みな) skillful. ── 副 cleverly; smartly; skillfully. ── 名 cleverness Ⓤ; smartness Ⓤ. (☞ たくみ¹). ¶ 彼女は*巧妙な手段を用いて私をだました She deceived me by using a *clever* trick. // 彼は*巧妙なうそをついた He told a *smart* lie. // 彼は*巧妙にしかけられたわなに引っかかった He was caught in a *well-devised* trap.

こうみょう² 光明 (希望の光) hope Ⓤ.

¶ 私は暗やみの中に一筋の*光明を見る思いがした I felt as if I had seen *a gleam of hope* before me in the dark(ness).

こうみょう³ 功名 ¶ 彼はいつも*功名を立てることを狙っている He's always trying to *distinguish himself.* **功名争い** ¶ *功名争いをする (⇒ 名声を求めて争う) *compete* with each other *for fame* **功名心** (善悪いずれの意味にも) ambition Ⓤ; (良い意味にだけ) aspiration Ⓤ ★ いずれも具体的なものを指す場合は Ⓒ. (☞ やしん).

こうみりょう 香味料 spice Ⓤ ★ 種類をいうときは Ⓒ. (☞ やくみ). ¶ スープに*香味料を加える add (some) *spice* to the soup

こうみん 公民 (市民) citizen Ⓒ; (学科としての) civics Ⓤ. **公民教育** civic [citizenship] education Ⓤ.

こうみんかん 公民館 public hall Ⓒ, community center Ⓒ. (☞ こうかいどう).

こうみんけん 公民権 (憲法の規定による) civil rights ★ 通例複数形で. **公民権運動** civil rights movement Ⓒ **公民権法** (アメリカの) the Civil Rights Act.

こうむ¹ 公務 (公用) official business Ⓤ; (公務員の職務) official duty Ⓤ ★ 具体的な内容を表す場合は Ⓒ. (☞ こうよう¹).

¶ 父は*公務で大阪に出かけました My father went to Osaka *on official business.* // 市長はきょうは*公務多忙です The mayor is busy with 「his [her] *official duties* today. **公務執行妨害** interference /ìntəfí(ə)rəns/ with a government official in the execution of his duties Ⓤ.

こうむ² 校務 (職務としての) school duties; (業務としての) school affairs ★ いずれも複数形で.

こうむ³ 工務 civil engineering work Ⓤ. **工務店** construction company Ⓒ.

こうむいん 公務員 (国家公務員) government 「official [worker; employee] Ⓒ; (公社・公団なども含めた) public-sector worker Ⓒ; (特に軍人と区別して文官の) civil servant Ⓒ; (公僕としての公務員) public servant Ⓒ; (地方公務員) local government 「official [worker; employee] Ⓒ. **公務員試験** examination for prospective government employees Ⓒ **公務員住宅** (アパート形式の場合) apartment [(英) flat] for government workers Ⓒ ★ 一家族分をいう. 建物全体なら apartment house [(英) block of flats] for government workers Ⓒ.

こうむる 被る (被害や損害などを受ける) suffer 他; (恩恵を) be indebted to (*a person*). (☞ うける¹). ¶ その町は台風のため大被害を*被った The town *suffered* heavy damage from the typhoon. / (⇒ ひどく壊された) The town *was* 「heavily [severely] *damaged* by the typhoon. // 彼に多大の恩恵を*被っています I *am* greatly *indebted to* him.

こうめ 小梅 〔植〕(小さい梅) small *ume* Ⓒ; (庭梅) flowering almond Ⓒ. (☞ うめ).

こうめい¹ 高名 ── 形 (有名な) famous. ── 名 fame Ⓤ. (☞ ゆうめい¹ (類義語); ちょめい).

こうめい² 校名 school name Ⓒ.

こうめい³ 孔明 ── 名 固 Kong Ming ★ 諸葛亮のあざな. (☞ しょかつりょう).

ごうめいがいしゃ 合名会社 unlimited partnership Ⓒ.

こうめい(せいだい) 公明(正大) ── 形 (公平

な) fair; (いんちきのない) fair and square ★ 後者はややくだけた言い方. 常にこの語順で用いられる. ―副 fair; fair and square. 《☞ こうせい[1]》. ¶ お互いに*公明正大にやりましょう Let's play *fair*. // 彼は何事につけても*公明正大だ He is *fair* (*and square*) in all his dealings. **公明選挙** clean election Ⓒ.

こうめいとう 公明党 ―名 固 (政党) New Komeito.

こうめん 後面 ☞ こうぶ

ごうも 毫も ☞ すこしも

こうもう[1] 紅毛 (赤い髪の毛) red hair Ⓤ. **紅毛人** (江戸時代の) (red-haired) Westerner Ⓒ.

こうもう[2] 膏肓 ☞ こうこう[7]

こうもう[3] 鴻毛 (鳳凰の羽毛) phoenix down Ⓤ. ¶ 身を*鴻毛の軽きに致す (⇒ 自分の命を羽毛の如く軽いと考える) regard *one's* life to be as weighty as a fluff of down / (⇒ いつでも進んで自らの命を捧げる) be ready in an instant to lay down one's life

ごうもう[1] 剛毛 bristle Ⓒ.

ごうもう[2] 毫毛 (細い毛) fine hair Ⓒ. ¶ 良心の*毫毛もない (⇒ かけらもない) 人とはいっしょにやっていけない I can't keep company with a person who doesn't have an *ounce of* conscience. 《☞ かけら; みじん》

こうもく 項目 (表や目録の) item Ⓒ; (主要な内容をまとめた題目) heading Ⓒ. 《☞ こう[3]》. ¶ その表には重要な*項目が抜けていた There was an important *item* missing from the list. // 私たちはその問題を 3 *項目に分けた We divided the problem under three *headings*. // 労働者側は経営者側に 3 *項目の要求を行った Labor made a three-*point* demand ⌜on [upon] management.

ごうもくてきてき 合目的的 ―形 (適切な) appropriate. ¶ *合目的的な行動を取る take *appropriate* action

こうもくてん 広目天 Komokuten, one of the Four Heavenly Kings; protector of the Buddhist faith and guardian of the west.

こうもと 講元 organizer [《英》 organiser] of a mutual financing association Ⓒ.

こうもり 蝙蝠 〔動〕 bat Ⓒ. **こうもり傘** umbrella Ⓒ 《☞ かさ[1]》.

こうもりが 蝙蝠蛾 〔昆〕 swift (moth) Ⓒ, ghost moth Ⓒ.

こうもん[1] 肛門 〔解〕 anus /éɪnəs/ Ⓒ. **肛門科** proctólogy Ⓤ **肛門科医** proctólogist Ⓒ **肛門括約筋** anal sphincter Ⓒ.

こうもん[2] 校門 school gate Ⓒ.

こうもん[3] 後門 back [rear] gate Ⓒ.

こうもん[4] 黄門 ―名 固 (水戸黄門) Mito Komon; (徳川光圀) Tokugawa Mitsukuni, 1628–1700; (説明的には) the ex-lord of the Mito Clan.

こうもん[5] 閘門 lock(-gate) Ⓒ. **閘門式運河** lock canal Ⓒ.

ごうもん 拷問 ―名 torture Ⓤ. ―動 (拷問にかける) torture ⊕, put *a person* through torture. ¶ 彼は*拷問にかけられた He *was ⌜subjected to torture* [*tortured*].

こうや[1] 荒野 wilderness Ⓒ ★ 通例単数形で用いる; (荒地) wasteland Ⓤ; 《英》 moor Ⓒ ★ heath の生えた荒野.

こうや[2] 広野 wide plain Ⓒ.

こうや[3] 紺屋 **紺屋のあさって** One of these days is none of these days. 《ことわざ: 近日中にということはあてにならない日》 **紺屋の白ばかま** Dentists always have the worst teeth. 《ことわざ: 歯医者に一番虫歯が多い》 / The tailor's wife is worst clad. 《ことわざ: 仕立屋の女房は一番身なりが悪い》

こうやく[1] 公約 ―名 pledge Ⓒ; (特に選挙での) campaign pledge Ⓒ; (言質) commitment Ⓒ. ―動 pledge *oneself*. 《☞ せいやく[2]》. ¶ 市長は*公約を実行した The mayor carried out his *campaign pledge*. // 首相は減税を*公約した The prime minister ⌜made a *pledge* [*pledged himself*] to reduce taxes. **公約違反** breach of *one's* pledge Ⓒ.

こうやく[2] 膏薬 (貼り薬) plaster Ⓒ. ¶ 背中に*膏薬をはる apply a *plaster* to *one's* back

こうやく[3] 口約 ―動 give *one's* word. ―名 verbal promise Ⓒ. ¶ 大臣は翌日会うと彼らに*口約した The minister *gave ⌜his word* [*a verbal promise*] he would see them the next day.

こうやくすう 公約数 common divisor Ⓒ (↔ common multiple) 《☞ さいだいこうやくすう》.

こうやさい 後夜祭 closing party Ⓒ.

こうやどうふ 高野豆腐 frozen and dried ⌜tofu [bean curd] Ⓤ 《☞ こおりどうふ》.

こうやまき 高野槙 〔植〕 (Japanese) umbrella pine Ⓒ, parasol pine Ⓒ.

こうゆ[1] 香油 balm Ⓤ.

こうゆ[2] 鉱油 mineral oil Ⓤ ★ 種類を表すときは Ⓒ. ¶ 精製していない*鉱油 crude *mineral oil*

こうゆう[1] 交友 ¶ 彼は*交友範囲が広い[狭い] He has a ⌜large [small] circle of ⌜*friends* [*acquaintances*]. / (⇒ たくさん友人を持っている [ほとんど持っていない]) He has ⌜plenty of [few] *friends*. ★ 第 1 文は第 2 文よりやや格式ばった表現で, 日本語のニュアンスに近い. // 警察は彼女の*交友関係 (⇒ 付き合い仲間) を調べた The police checked up on her *associates*. 《☞ ともだち; ゆうじん[1]; こうさい[1]》

こうゆう[2] 校友 (男の同窓生) 《米》 alumnus /əlʌ́mnəs/ Ⓒ 《複 alumni /-naɪ/》, (女の) 《米》 alumna /əlʌ́mnə/ 《複 alumnae /-niː/》. 《☞ どうそう》. **校友会** alumni [alumnae] association Ⓒ 《☞ どうそう (同窓会)》.

こうゆう[3] 公有 ―形 (公有の) public. **公有財産** public property Ⓤ **公有水面** publicly-owned water surface (such as a river, sea, lake, or marsh) Ⓒ **公有地** public land Ⓤ **公有林** public [publicly-owned] forest Ⓒ.

こうゆう[4] 交遊 ―動 (交際する) associate (with ...), run around (with ...) ★ 後者のほうが口語的; (親しく付き合う) mix (with ...). ¶ 彼女は*交遊が広い (⇒ 多くの知人を持っている) She has a lot of acquaintances.

ごうゆう[1] 豪遊 (ぜいたくな遊興) extravagant pleasure Ⓒ; (ばか騒ぎ) spree Ⓒ. ¶ 彼は競馬でもうけて*豪遊した He won money at the races and went on a *spree*.

ごうゆう[2] 剛勇, 豪勇 ―名 (勇敢な行動力) bravery Ⓤ; (大胆で勇猛) intrepídity Ⓤ; (戦闘での) valor (《英》 valour) /vǽlər/ Ⓤ ★ 後の 2 つは格式ばった語. ―形 brave; intrepid; valiant. 《☞ ゆうき[1] (類義語)》. ¶ 彼は*剛勇無比だ He is unmatched in *bravery*.

こうよう[1] 公用 (官公庁・会社などの用事) official business Ⓤ; (公の事柄に関する用務) public business Ⓤ. 《☞ こうむ[1]》. ¶ 彼は*公用で大阪に出かけた He went to Osaka on *official business*. **公用語** official language Ⓒ **公用財産** national property used for government offices, enterprises, or civil servant living quarters Ⓒ **公用車** (会社の車) company car Ⓒ; (役所・事務所の車) official car Ⓒ **公用収用** expropriation Ⓤ **公用物** public facilities ★ 複数形で.

こうよう[2] **紅葉, 黄葉** (紅葉した葉) red leaves; (黄葉した葉) yellow [golden] leaves; (紅葉・黄葉した風景) the autumn ⌈colors [tints] 語法 優美で微妙な色あいという気持ちでは tints を用いる. また, 以上はいずれも複数形で. ⟪☞ いろ⟫.

¶ *紅葉を求めてたくさんの人が山に出かけた Many people ⌈went to [went up] the mountain(s) to enjoy *the autumn colors*. // もみじ [ポプラ] は秋になると*紅葉 [*黄葉] します Maples [Poplars] *turn* ⌈*red* [*yellow*] in fall.

こうよう[3] **高揚** ―動 (波のように湧き上がる) súrge úp ㊀; (感情を高める) exalt /ɪgzɔ́:lt/ ㊉. ―名 úpsùrge Ⓤ; exaltation Ⓤ. ⟪☞ たかぶる; たかまる⟫. ¶ 民族主義の*高揚がその国の独立につながった The [An] *upsurge* of nationalism led to the independence of the country. // 国民の愛国心を*高揚するのは困難だった It was difficult to *arouse* patriotism among the people.

こうよう[4] **効用** ―名 (効能) effect Ⓤ ★ 具体的な例を指すときは Ⓒ. ―形 (効き目がある) good, effective ★ 前者がより口語的. ⟪☞ ききめ; こうか[1]; こうりょく[1]⟫.

こうよう[5] **孝養** filial duties ★ 複数形で. ⟪☞ こうこう[2]⟫. ¶ 彼女は親に*孝養を尽くした She fulfilled her *duties* to her parents. / (⇒ 孝行だった) She *was dutiful* to her parents.

こうよう[6] **綱要** (主要点) essentials ★ 複数形で; (学問の原理・初歩) elements ★ 複数形で; (概要) outline Ⓒ. ¶「経済学[心理学]*綱要」(書名) *The Elements of* ⌈*Economics* [*Psychology*]

こうようざん 広葉杉 〔植〕 Chinese [China] fir Ⓒ.

こうようじゅ[1] **広葉樹** 〔植〕 broad-leaved [broadleaf] tree Ⓒ. **広葉樹林** broad-leaved forest Ⓒ.

こうようじゅ[2] **硬葉樹** 〔植〕 sclerophyllous tree Ⓒ.

ごうよく 強欲 ―形 (欲張りの) greedy; (けちでどん欲な) ⟪格式⟫ àvarícious. ⟪☞ どんよく (類義語); よくばり⟫.

こうら 甲羅 (亀やかにの) shell Ⓒ.
甲羅を経る (長生きして経験を積む) grow wise, as the years pass, in the ways of the world.
甲羅干し ―名 (日光浴) sunbathing Ⓤ. ―動 sunbathe ㊀; (背中を焼く) tan *one's* back. ⟪☞ やく[1]⟫. ¶ 海岸で*甲羅干しをする *sunbathe* on the beach / *bask in the sun* on the beach

こうらい 高麗 ―名 固 (朝鮮半島の昔の国) Koryo, Goryeo. **高麗鶯** 〔鳥〕 (black-naped) oriole Ⓒ **高麗雉** 〔鳥〕 ring-necked [Mongolian] pheasant Ⓒ **高麗芝** 〔植〕 mascarene grass Ⓤ.

こうらく 行楽 (野外で食事を楽しむ遠足) picnic Ⓒ; (楽しみ・観光などのための旅行) pleasure trip Ⓒ; (グループで出かける旅行) excursion Ⓒ; (戸外の散歩や簡単な遠足) outing Ⓒ. ⟪☞ りょこう (類義語)⟫.
¶ *行楽に出かける計画を立てましょう Let's make a plan to go on a ⌈*picnic* [(*pleasure*) *trip*]. // 5月には観光地はどこも*行楽の人出でにぎわう Every tourist resort is crowded with ⌈*vacationers* [*holidaymakers*] in May. // 春は絶好の*行楽シーズンです Spring is the best time for an *outing*.
行楽客 ⟪米⟫ vacationer Ⓒ, vacationist Ⓒ, ⟪英⟫ holidaymaker Ⓒ **行楽地** (holiday) resort Ⓒ.
¶ 海や山の*行楽地 mountain and seaside *resorts*

こうらん 高覧 ¶ 小生のレポートをご*高覧 (⇒ レポートに目を通して) いただければありがたく思います I should be grateful if you would *look* ⌈*through* [*over*] my report. // 小生の論文をご*高覧に供したいと思います (⇒ 点検[熟読]のためにさし出します) I'd like to submit my essay for your ⌈*inspection* [*perusal*]. 日英比較 英語には日本語のような敬譲語はないので「高覧」は単に「見る」「読む」「目を通す」と考えればよい.

こうり[1] **小売り** ―名 rétail Ⓤ (↔ wholesale) ★ 形容詞的にも用いられる. ―動 rétail ㊉ ㊀ (↔ wholesale). ¶ このシャツは*小売りで 5000 円です This shirt *retails* ⌈for [at] 5,000 yen. // 父は衣類の*小売りをやっています My father is a clothing *retailer*. **小売価格** retail price Ⓒ **小売業** (商売) rétail tràde Ⓤ; (業者) retailer Ⓒ **小売市場** retail market Ⓒ **小売商人** retailer Ⓒ **小売店** retail store Ⓒ, retail shop Ⓒ.

こうり[2] **高利** high interest Ⓤ; (法外な利子) usury /jú:ʒʊri/ Ⓤ. ⟪☞ りし⟫. ¶ 彼は金を低利で借りて*高利で貸している He borrows money at low interest and lends it *at high interest*. **高利貸し** (人) usurer /jú:ʒʊrə/ Ⓒ, ⟪略式⟫ loan shark Ⓒ; (行為) usury Ⓤ ★ いずれも軽蔑的で, 日本語のニュアンスに近い.

こうり[3] **公理** 〔数〕 axiom Ⓒ ⟪☞ げんり⟫.

こうり[4] **功利** ―名 utility Ⓤ. ―形 (功利的な) utilitárian. ⟪☞ ださんてき; じつよう⟫. ¶ 彼はいつも物事を*功利的に考える He always takes a *utilitarian* view of things. **功利主義** utilitarianism /ju:tìlətέ(ə)riənìzm/ Ⓤ **功利主義者** utilitarian Ⓒ.

こうり[5] **行李** wicker basket Ⓒ.

ごうり 合理 ―形 (理性・理論に合った) rational (↔ irrational); (理屈に合った) reasonable (↔ unreasonable). ―副 rationally (↔ irrationally); reasonably (↔ unreasonably).
¶ それは*合理的な考えだ It's a ⌈*rational* [*reasonable*] idea. // あなたの言うことはたいへん*合理的だ (⇒ 根拠がある) There's a great deal of ⌈*reason* [*sense*] in what you say. / What you say sounds very *reasonable*. // 科学者はそのなぞを*合理的に説明しようとした Scientists tried to give a *rational* explanation of the mystery. **合理化** ―動 rationalize (⟪英⟫ -ise) ㊉ ㊀. ―名 rationalization Ⓤ. ¶ 彼は*合理化のため解雇された He was ⌈dismissed [fired] as (part of) a *rationalization* exercise. **合理主義** rationalism Ⓤ **合理主義者** rationalist Ⓒ **合理性** rationality Ⓤ.

ごうりき[1] **剛力, 強力** great strength Ⓤ.
¶ *剛力の男 a man of *great strength*

ごうりき[2] **強力, 剛力** mountain guide Ⓒ.

ごうりきはん 強力犯 violent crime Ⓒ.

こうりつ[1] **公立** ―形 (公の) public (↔ private); (市・町・村・区立の) municipal; (道・府・県立の) prefectural; (都立の) mètropólitan. ⟪☞ こうえい[2]; こくりつ⟫. **公立学校** ⟪米⟫ public school Ⓒ, ⟪英⟫ state [maintained] school Ⓒ. ⟪☞ 学校・教育 (囲み)⟫.

こうりつ[2] **効率** efficiency Ⓤ ⟪☞ のうりつ; せいのう⟫. ¶ 機械の*効率を高めなければならない We must increase the *efficiency* of the machine. // この機械は*効率がよい[悪い] This machine is ⌈*efficient* [*inefficient*].

こうりつ[3] **高率** high rate Ⓒ.
¶ 彼は*高率の (⇒ 高い) 利息で金を貸しているそうだ I hear he lends money at *high* interest.

こうりゃく[1] **攻略** ―名 capture Ⓤ. ―動 (手中におさめる) capture ㊉; (征服する) conquer ㊉. ¶ 敵陣を*攻略する *capture* the enemy's position **攻略本** ¶ このコンピューターゲームの*攻略本 the *playing guide* for this computer game

こうりゃく[2] **後略** ―名 the omission of the rest. ―動 omit the ⌈rest [last part]. ⟪☞ しょう

りゃく》. ¶*後略とする All the rest is「omitted [left out].

コウリャン 高粱 ☞ コーリャン

こうりゅう[1] 交流 **1**《交換》: (互いにやりとりすること) interchánge Ⓤ; (交換すること) exchánge Ⓤ ★ いずれも具体的には Ⓒ. 語法 ほぼ同意だが,「相互間」に「やりとりが繰り返し行われる」という気持ちが強い場合には interchange を用いる.
¶東西文化の*交流を促進しなければならない We must promote cultural「*interchange(s)* [*exchange(s)*] between (the) East and (the) West. // 部局間の活発な人事*交流を計ることに決定した It was decided to promote an active *interchange* of personnel between sections. // 対校試合は学校同士の*交流 (⇒ 友好) を深めるよい機会だ An interschool match is a good chance to promote *friendship* among schools.
2《電気》: álternàting cúrrent Ⓤ《略 AC, A.C., a.c.》(↔ direct current).
交流試合〖野〗interleague「game [play] **交流発電機** alternating current [AC]「generator [dynamo] Ⓒ, alternator Ⓒ.

こうりゅう[2] 拘留, 勾留 ―動 (拘留する) take *a person* into custody; (勾留する) detain ⓗ. ―名 custody Ⓤ; detention Ⓤ 参考 刑罰として短期間留置所に入れるのが「拘留」. 未決の被告人や被疑者の身柄を拘禁するのが「勾留」.《☞ りゅうち; こうきん[1]》. ¶彼は*拘留[*勾留]されています He is *in*「*custody* [*detention*]. // 容疑者を*拘留[*勾留]する take the suspect *into custody* / *detain* the suspect. // 容疑者は*拘留を解かれた The suspect was released from *custody*.
勾留状 detention warrant Ⓒ.

こうりゅう[3] 興隆 ―名 (勢力の高まり) rise Ⓤ (↔ fall); (繁栄) prosperity Ⓤ; (前進・発達) advancement Ⓤ. ―動 (繁栄する) prosper ⓐ. 《☞ さかえる》. ¶ローマ帝国の*興隆 the *rise* of the Roman Empire // 産業の*興隆 industrial *prosperity*

ごうりゅう 合流 ―動 (一緒になる) join ⓗ; (出会う) meet ⓗ. ¶犀川は川中島付近で千曲川と*合流する The Sai River *joins* the Chikuma River near Kawanakajima. // 我々は途中で仲間の一行に*合流した We *joined* the party on the way. // *合流注意 *Merging* Traffic ★ 交通標識.
合流点 (川などの) meeting Ⓒ, junction Ⓒ, cónfluence Ⓒ ★ この順に格式ばった語となる.

こうりょ 考慮 ―動 (理解や決定のためにあれこれ考える) thínk óver ⓗ, consider ⓗ ★ 前者が口語的; (事情や状況を考慮に入れる) take ... into「consideration [account]; (弱点や困難な点を考慮に入れる・斟酌(しんしゃく)する) make allowance(s) for ... ★ 後の 2 つを用いるとやや格式ばった言い方になる. ―名 consideration Ⓤ. 《☞ かんがえる; はいりょ; しんしゃく》.
¶この点を*考慮して下さい Please *think*「*over* this point [this point *over*]. 語法 目的語が代名詞のときは <*think*+目的語+*over*> の語順. ((例) Please *think* it *over*.) / Please *consider* this point. / Please *take* this point *into*「*consideration* [*account*]. // この点を*考慮する give *consideration* to this point // その件は十分*考慮いたします We will *give* the matter due *consideration*. ★ 格式ばった言い方. // これは慎重な*考慮を要する問題だ This is a problem that「requires [demands] careful *consideration*. // その問題は*考慮に入れない leave the problem out of *consideration* // 彼は他人の気持ちを*考慮に入れなかった (⇒ 無視した) He *disregarded* other people's feelings. // あなたの提案は目下*考慮中です Your proposal is *under consideration* now. / We have your proposal *under consideration* now. // その計画はまだ*考慮の余地がある The plan still leaves some room for *consideration*. // 彼女の年齢を*考慮に入れる take *consideration* of her age / take her age into *consideration* // 彼の年を*考慮してやる必要がある We should *make allowance(s) for* his age. // (特別な)*考慮に値する deserve [merit] (special) *consideration* // 真剣な*考慮 serious *consideration* // 適切な*考慮 proper *consideration*

こうりょう[1] 荒涼 ―形 (土地などが元来不毛で荒れ果てた) barren; (住む人がなく見捨てられ荒れ果てた) désolate; (人手が入らず荒れた) wild; (わびしく暗い感じの) dreary /drí(ə)ri/; (寒々とした) bleak. ―名 desolation Ⓤ; dreariness Ⓤ; bleakness Ⓤ. 《☞ あれる; さむざむ》. ¶私たちの行く手には*荒涼とした原野が広がっていた There was a「*barren* [*desolate*] plain ahead of us. // 寒い冬の日の*荒涼とした光景が窓から見えた I saw a *bleak* view of a cold winter's day through the window.

こうりょう[2] 綱領 (公に発表された政党の政綱) platform Ⓒ; (政党の政策方針) the party line; (基本方針) general principles ★ 通例複数形で.

こうりょう[3] 香料 (食物の) spice Ⓤ ★ 種類を示すときは Ⓒ.

こうりょう[4] 校了 ―名 final proofreading Ⓤ. ―動 (校了にする) finish proofreading, OK [okay] the proofs. ★ 校了の符号は OK. 《☞ こう[12]》. ¶やっと*校了になった Finally *the proofs were OK'd*. / (⇒ 校正を終えた) Finally I *finished proofreading*. **校了紙** the final proof **校了刷り** OK'd proof Ⓒ.

こうりょう[5] 稿料 pay for the writing Ⓤ.

こうりょう[6] 光量 the intensity of radiation. **光量計** àctinómeter Ⓒ.

こうりょく[1] 効力 ―名 (薬や法律などの) effect Ⓤ ★ 具体的な例を指すときは Ⓒ; (手続きや期限などについての有効性) validity Ⓤ; (法律・協定などの拘束力) force Ⓤ. ―形 effective; (期限・手続きに関して有効な) good, valid ★ 前者のほうが口語的; (契約などが拘束力がある) binding. 《☞ ききめ; こうか[1]; ゆうこう[1]》.
¶この薬はすぐに*効力が現れます This medicine has an immediate *effect*. / This medicine *works* immediately. ★ 第 2 文がより口語的. // その規則はまだ*効力がある The rule is still *in*「*effect* [*force*]. // 条約は批准されたのち*効力を生じる A treaty takes *effect*「after it is ratified [on ratification]. // 本契約は 5 年間*効力を有する This contract「*holds good* [is *valid*] for five years. // この契約はもう*効力を失っている (⇒ 期限が切れた) This contract *has* already *expired*. / (⇒ 拘束力がなくなった) This contract has already ceased to be *binding*. ★ 格式ばった言い方.

こうりょく[2] 抗力 〖空〗drag Ⓤ.

ごうりょく 合力 〖物理〗resultant (force) Ⓒ.

こうりん[1] 後輪 rear [back] wheel Ⓒ. **後輪駆動** rear-wheel drive Ⓤ.

こうりん[2] 降臨 (キリストの) Advent; (一般に神などが天から現れること) descent Ⓤ.
降臨節〖キ教〗Advent.

こうりん[3] 光輪 (頭の回りの) halo /héɪlou/ Ⓒ; (芸術作品などの) glory Ⓒ. 《☞ ごこう》.

こうるい 紅涙 ¶*紅涙を絞る (⇒ 涙を流す) shed *tears* 《☞ なく[1]》

こうるさい 小煩い fussy; (気難しい) hard to please. ¶あれは*小煩い男だ He's rather *fussy*.

こうれい[1] 恒例 ―名 (年中行事) annual event

Ⓒ; (確立した習慣) established custom Ⓒ ★ 集合的には Ⓤ. ― 形 (毎年行われる) annual; (慣習的な) customary; (通例の) usual; (伝統的な) traditional. 《☞ かんれい¹》.
¶ 体育の日の運動会はわが校の毎年の*恒例行事です The athletics meet on Health-Sports Day is an *annual event* in our school. // 優勝チームの*恒例のパレードがもうじき始まります The *customary* parade of the championship team is going to start soon. // 試合の後*恒例により選手全員に花束が贈られた After the game a bouquet /boʊkéɪ/ was presented to each player ˹*according to* [*in accordance with*] *custom*.

こうれい² 高齢 advanced age Ⓒ. ¶ 彼は90の*高齢で亡くなった He died *at the age of* ninety. 語法 このように具体的な数字が示されているときには, 英語では at the advanced age of ... という言い方はしないのが普通. **高齢化現象** (高齢社会化の) the phenomenon of an aging population **高齢化社会** aging population Ⓒ 《☞ ちょうこうれいしゃかい》 **高齢者** (個人) person of advanced age Ⓒ; (一般) old people; (丁寧な言いかた) elderly people ★ 以上 2 つはいずれも複数扱い; senior citizens 語法 この語は婉曲表現としてよく使われる; (集合的に) the aged /éɪdʒɪd/ ★ 複数扱い. 《☞ 冠詞 (巻末)》 **高齢者医療制度** system of medical care for the elderly Ⓒ **高齢者雇用安定法** the Law Concerning Stabilization of Employment of Older Persons **高齢者世帯** family of elderly people Ⓒ **高齢人口** the elderly (segment of the) population.

こうれい³ 交霊 communication with (the spirits of) the dead Ⓤ. **交霊術** spiritualism Ⓤ.

こうれい⁴ 好例 (よい例) good example Ⓒ; (適切な実例) apt illustration Ⓒ. 《☞ てきれい》. ¶ これは*好例だ This is a *good example*.

ごうれい 号令 (権力者が発する命令) (word of) command Ⓒ; (指図) order Ⓒ.
¶「進め!」と隊長は*号令をかけた The captain *ordered* the men to march. / "March!" ˹*shouted* [*commanded*] the captain. // 兵隊は「全隊止まれ」の*号令で全員立ち止まった All the soldiers stopped *at the* (*words of*) *command* "Parade, halt!" // 先生の*号令で生徒は起立した The students stood up ˹at [on] the teacher's *order*.

こうれいち 高冷地 high and cold district Ⓒ; (高地) highland Ⓒ. **高冷地農業** highland agriculture Ⓤ.

こうれつ 後列 the back row.
¶ 彼女は*後列左から 3 番目です She is the third person from the left in *the back row*.

こうレベル 高レベル ― 形 high-level. **高レベル放射性廃棄物** high-level radioactive waste Ⓤ.

こうろ¹ 航路 (いつも往復する決まった道筋) route Ⓒ; (進路) course Ⓒ; (船の定期航路) line Ⓒ. 《☞ コース; しんろ²》. ¶ それがインドへの最短の*航路だった That was the shortest *route to* India. // 台風のため船は予定の*航路をはずれた Because of the typhoon the ship deviated from its scheduled *course*. // 東京―小笠原*航路 the Tokyo—Ogasawara *line* **航路標識** (発光式の) beacon Ⓒ.

こうろ² 行路 course Ⓒ. ¶ 彼は人生*行路で何度もつまずいた He has stumbled a number of times in the *course* of his life. **行路病者** (身元不明の病人) unidentified sick person on the roadside Ⓒ.

こうろ³ 香炉 incense burner Ⓒ.

こうろ⁴ 高炉 blast furnace Ⓒ.

こうろう¹ 功労 (他人や社会のために尽くす行為) services ★ 通例複数形で; (尊敬や称賛に値する功績) merits ★ 通例複数形で; mèritórious déed Ⓒ ★ 後者は説明的表現. 《☞ こうせき¹》. ¶ 文化*功労者が表彰された Medals were given to those who performed *meritorious* cultural *services*.

こうろう² 高楼 (高い建物) tall building Ⓒ; (塔) tower Ⓒ.

こうろうきょう 公労協 (公共企業体等労働組合協議会) the Council of the Public Corporations and Government Workers Unions.

こうろん¹ 口論 ― 名 (一般的に) quarrel Ⓒ, fight Ⓒ; (騒々しい) row /ráʊ/ Ⓒ. ― 動 quarrel (over ...; about ...) ⓐ, fight (over ...; about ...) ⓐ; have a row. 《☞ くちげんか; けんか¹ (類義語)》.
¶ 彼らはつまらないことで*口論した They had a ˹*quarrel* [*fight*] ˹*over* [*about*] a (mere) trifle. / They ˹*quarreled* [*fought*] ˹*over* [*about*] a trifling matter. // 彼らはささいなことから*口論になった A trivial accident ˹caused [led to] a *quarrel* between them. // 私はけさ夫と*口論した I *had a row with* my husband this morning.

こうろん² 公論 (世間一般の意見) public opinion Ⓤ 《☞ よろん》. ¶ それは*公論で決まった It was decided by *public opinion*.

こうろん³ 高論 (高遠な考え) lofty views ★ 複数形で; (相手の意見) your opinion. 日英比較 英語には日本語のような敬譲語はない. ¶ その問題についてご*高論をお聞かせください I'd like to hear *your opinion* on the question.

こうろんおつばく 甲論乙駁 ― 動 (ある事に対する賛否両様の議論をする) argue the pros and cons (of ...) ★ pros and cons はある事柄に対して賛成または反対すべき理由.

こうわ¹ 講和 peace Ⓤ 《☞ わへい》. ¶ 単独*講和 a separate *peace* // 全面*講和 an overall *peace* **講和会議** peace conference Ⓒ **講和条約** peace treaty Ⓒ.

こうわ² 講話 ― 名 lecture Ⓒ. ― 動 (講話をする) give a lecture (on ...).

こうわん 港湾 harbor (《英》 harbour) Ⓒ. **港湾施設** harbor [port] facilities ★ 複数形で. **港湾都市** port city Ⓒ **港湾労働者** dock worker Ⓒ, docker Ⓒ, stevedore Ⓒ.

ごうわん 豪腕, 剛腕 ― 形 (腕が強い) strong-armed; (ぴかいちの) crackerjack. **豪腕投手** strong-armed pitcher Ⓒ.

こえ¹ 声 (人間の) voice Ⓒ; (鳥や獣の) cry Ⓒ, call Ⓒ; (小鳥や虫のちいっちいっという) chirp Ⓒ; (歌声) note Ⓒ; (鳥のさえずり) song Ⓒ. 《☞ おおごえ》.
¶ 私の*声が聞こえますか Can you hear ˹my *voice* [me (*speaking*)]? // 彼女はよい[優しい]*声をしている (⇒ よい[優しい]声を持つ) She has a ˹sweet [soft] *voice*. // 甲高い[低い]*声で in a ˹high-pitched [low-pitched] *voice* // 太い[細い]*声 a ˹deep [faint] *voice* // その会話を*声を出して読みなさい Please read the dialogue *aloud*. // 彼は次第に*声を荒らげた (⇒ だんだん怒った調子で話し始めた) He gradually shifted to an angry tone of *voice*. // 教室では大きいはっきりした*声で話しなさい Speak in a loud, clear *voice* in the classroom. // 朝はいつも鳥の*声で目が覚める I usually wake in the morning ˹at [to] the *twittering* and *chirping* of birds. 《☞ 動物の鳴き声 (囲み)》 // 「失礼します」という*声がした A *voice* said, "Excuse me." // 風邪を引いて*声が出ない I've caught (a) cold and lost my *voice*. // 彼女の*声はよく通る Her *voice* carries very ˹well [far]. // 君の*声は大きすぎる. もう少し静かに話しなさい You *talk* too loud(ly). Please talk more qui-

etly. // 庶民の*声が政治に反映されるべきだ The ｢voice(s) [opinion(s)] of the (common) people should be reflected in politics. // あまりびっくりしたので*声も出なかった I was *speechless* with shock. / I was shocked *speechless*.

声が掛かる ¶ 客席から*声がかかった (⇒ 客席から俳優の名前が呼ばれた) The actor's name *rang out* from the audience. // 上役から*声がかかる (⇒ 上役から推薦される) *be recommended* (to …; for …; as …) by a superior **声掛かり** ¶ 彼は市長のお*声がかりで (⇒ 推薦で) 就職が決まった He got the job on the mayor's *recommendation*. **声なき声** ¶ 政治家は*声なき声 (⇒ 声なき大衆) に耳を傾けなければならない Politicians must try to listen to *the silent majority*. **声を合わせる** ── 副 (声を合わせて) in unison /júːnəs(ə)n/, in chorus, with one voice ★ 最後のものはやや格式ばった表現. ¶ 子供たちは*声を合わせて先生に「おはようございます」と言った The children said, "Good morning, sir," *in unison*. **声を限りに** ¶ 彼女は*声を限りに助けを求めた She ｢cried out [shouted; screamed] for help *at the top of her* ｢*voice* [*lungs*]. **声を掛ける** talk (to *a person*), say (something to *a person*); (人に話しかける) address ⑩; (大声で呼ぶ) call out ⑩. ¶ 私は路上で外国人観光客に声をかけられた A tourist from overseas *addressed* me on the street. **声をからす** (声がかれるまでしゃべる) talk *oneself* hoarse. **声を殺す** lower *one's* voice to a whisper, muffle *one's* voice; (殺した声でしゃべる) talk in hushed tones. **声を絞る** (無理に出す) strain *one's* voice (to be heard). **声をそろえる** ☞ 声を合わせる **声を立てる** (話す) speak ⓐ, talk ⓐ. ¶ *声を立てるな (⇒ 静かにしていろ) Keep *silent*! **声を呑む** (びっくりして) words fail *one*; (話すことができない) cannot speak. **声を励ます** (声を高くして言う) speak ｢in a loud voice [loudly]. **声を弾ませる** (生き生きとした調子で話す) speak in a lively tone of voice. **声を張り上げる** raise *one's* voice; (声を限りに言う) call out at the top of *one's* voice. **声を潜める** drop [lower] *one's* voice.

──コロケーション──

声を落とす drop *one's voice* / 声を低くする lower *one's voice* / 人の声を真似る imitate a person's *voice* // 荒っぽい声 a rough *voice* / 美しい声 a beautiful *voice* / 怒った声 an angry *voice* / 穏やかな声 a soft *voice* / かすれた声 a ｢husky [harsh] *voice* / 感じのよい声 an agreeable [a pleasant] *voice* / キーキー声 a ｢strident [squeaky] *voice* / 興奮した声 an excited *voice* / 静かな声 a quiet *voice* / しゃがれた声 a hoarse *voice* / 女性の声 a ｢female [woman's] *voice* / 鋭い声 a piercing *voice* / セクシーな声 a sexy *voice* / 男性の声 a ｢male [man's] *voice* / 単調な声 a monotonous *voice* / 小さな声 a small *voice* / 鼻にかかった声 a nasal *voice* / 冷ややかな声 a cold *voice* / 不機嫌そうな声 a cross *voice* / 不明瞭な声 an indistinct *voice* / 震える声 a ｢shaking [trembling] *voice* / 朗らかな声 a cheerful *voice* / 耳障りな声 a coarse *voice* / やさしい声 a gentle *voice* / よく響く声 a resonant *voice* / 弱々しい声 a ｢feeble [weak] *voice*

こえ² 肥 (肥料) manure /mən(j)ʊ́ə/ Ⓤ; (人糞) soil Ⓤ; (牛・馬糞) dung Ⓤ. **肥桶** night-soil bucket Ⓒ **肥切れ** 〖農〗 manurial deficiency Ⓤ **肥溜め** cesspit Ⓒ, cesspool Ⓒ **肥壺** night-soil pot Ⓒ.

-ごえ …越え ¶ 峠*越えの道 a road *over* the (mountain) pass // 鵯(ひよどり)*越えのさか落し the headlong descent down from Hiyodori pass

こえい 孤影 lonely figure Ⓒ. ¶ 彼は*孤影悄然としていた (⇒ 悲しくて寂しそうに見えた) He looked *sad and lonely*.

ごえい 護衛 ── 名 guard Ⓤ; (警備) security guard Ⓤ; (同行して守ること) éscort Ⓤ ★ 以上は人の意味では Ⓒ. ── 動 guard ⑩; escórt ⑩. (☞ まもる; けいび¹; ボディーガード). ¶ 彼は首相の*護衛の1人だ He is one of the premier's *guards*. // 政界の要人には常時*護衛が付いている A politically important person is under *security guard* at all times. **護衛艦** escort ｢ship [vessel] Ⓒ **護衛兵** guard Ⓒ, (military) escort Ⓒ.

ごえいか 御詠歌 pilgrim's [Buddhist] hymn Ⓒ.

こえがわり 声変わり the ｢change [breaking] of *one's voice*. ¶ 一郎はいま*声変わりの時期だ Ichiro's voice *is* ｢*changing* [*breaking*].

こえだ 小枝 (小さい枝) twig Ⓒ; (葉や花の付いた) sprig Ⓒ ★ sprig のほうが twig よりも小さい; (花や葉・果実が付いた美しい) spray Ⓒ. (☞ えだ).

ごえつどうしゅう 呉越同舟 ¶ そりゃまさに*呉越同舟だね (⇒ 犬と猫を同じ部屋に入れたようなものだ) It's like *putting dogs and cats in the same room*. (☞ どうしゅう)

こえび 小海老 〔魚〕 shrimp Ⓒ.

ごえもんぶろ 五右衛門風呂 *goemon* bathtub Ⓒ; (説明的には) iron bathtub heated from beneath (with a floating wooden board which the bather pushes under his/her feet) Ⓒ.

こえる¹ 越える, 超える **1** «越える»: (越えて進んで行く) go [get] beyond …, go over …; (通り過ぎる) pass ⑩; (横切る) go across …, cross ⑩. (☞ こす¹; すぎる). ¶ 彼は野山を*越えて旅をした He traveled *over* the mountains and fields. // 国境を*越える *cross* the border

2 «超過する»: (…より多い) be more than …, exceed ⑩ ★ 後者のほうがより格式ばった語; (よりすぐれている) be above …, excel ⑩ ★ 後者のほうがより格式ばった語; (…を抜く) surpass ⑩; (…の力が及ばない) be far beyond … (☞ こす¹; うわまわる).

¶ 台風の被害は 100 億円をはるかに*超えた The damage from the typhoon *was far in excess of* ten billion yen. // 彼の数学の学力は級友たちを*超えている He *excels* all his classmates in mathematics. // その不思議な出来事は人間の理解をはるかに*超えていた The mystery *was far beyond* human understanding.

こえる² 肥える ── 動 (人や動物が) grow [get] fat; (体重が増す) put on weight; (土地が) grow ｢fertile [rich]. ── 形 (人や動物が) fat; (筋肉が多い) fleshy; (婉曲に) stout; (丸々と太っている) plump; (土地が) rich, fertile. (☞ ふとる (類義語); ひよく¹). ¶ *肥えた土地 (⇒ 土壌) *rich* [*fertile*] soil // 彼女は耳[目]が*肥えている (⇒ …に対する耳[目]を持っている) She has an ｢*ear for* music [*eye for* painting(s)].

コエンドロ 〖植〗 coriander /kɔ́ːriæ̀ndə/ Ⓒ ★ 香料, 消化剤となる.

こおう 呼応 **1** «示し合わせる» ── 動 (協力して行動する) act in ｢concert [unison]. ¶ 彼らは相*呼応して立ち上がり, 敵を倒した They rose *in* ｢*concert* [*unison*] and beat the enemy.

2 «文法の用語として»: (数・格・人称・性の一致) cóncord Ⓤ, agreement Ⓤ.

ごおう 牛黄 (漢方薬の一つ) bezoar /bíːzɔə/ Ⓒ.

ゴーカート (レース用の小型自動車) kart Ⓒ, gó-kàrt Ⓒ.

コーカサス the ˈCaucasus /kɔ́ːkəsəs/ [Caucasia /kɔːkéɪʒə/]. ★ 黒海とカスピ海に挟まれた地域. カフカスともいう. **コーカサス山脈** the Caucasus (Mountains) **コーカサス人** Caucasian Ⓒ.

コーカソイド 〘人類〙 ── 名 (白色人種) Caucasoid Ⓒ. ── 形 (白色人種の) Caucasoid.

ゴーガン ☞ ゴーギャン

ゴーギャン ── 名 固 Paul Gauguin /goʊgǽŋ/, 1848–1903. ★ フランスの後期印象派の画家.

コーキング (窓枠の周囲などに詰める) caulking Ⓤ.

コークス (石炭から作る燃料炭) coke Ⓤ.

ゴーグル (大型眼鏡) goggles ★ 複数形で. (☞ スキー (挿絵)).

ゴーゴー (ダンス) go-go Ⓒ, go-go dance Ⓒ.

ゴーゴリ ── 名 固 Nikolay Vasilyevich Gogol /nìːkəláɪ vɑːsíːljəvɪtʃ góʊgɑl/, 1809–1852. ★ ロシアの小説家.

ゴーサイン (許可の指示) the green light, the gó-ahèad. (☞ きょか¹). ¶ 私たちは*ゴーサインをもらうのに 1 か月待った We waited a month to get *the* ˈ*green light* [*go-ahead*]. // 市はその計画に*ゴーサインを与えた The city gave *the green light* to the plan.

ゴージャス ── 形 (豪華な) gorgeous; (ぜいたくな) luxurious /lʌgʒʊ́(ə)riəs/.

コース **1** «道筋»: course Ⓒ; (競走・競泳の) lane Ⓒ; (森の中などの道) trail Ⓒ 日英比較 日本語の「コース」が常に英語の course に対応するわけではない点に注意. (☞ しんろ²).
¶ このハイキング*コースには危険な所が幾つかある There are several dangerous places along this hiking *trail*. // このゴルフ*コースはとても広い This golf *course* is very large. // 彼は会社でエリート*コースに乗っている (⇒ 有望な人の 1 人だ) He's one of the most promising in this company.
2 «課程»: course Ⓒ (☞ しんろ¹; かてい⁴).
¶ 大学進学*コースをとる take the college preparatory *course* // 英会話速成*コース an intensive *course* in English conversation
3 «食事»: course Ⓒ ★ course は dinner で出る前菜・スープ・メインディッシュ・デザートなど個々の料理を指す. (☞ ていしょく¹; フルコース). ¶ 5 品の*コース料理 a five-*course* ˈdinner [meal]
コースアウト 〘スポ〙 ── 形 out of bounds. ── 動 go out of bounds **コースライン** láne lìne Ⓒ **コースレコード** cóurse rècord Ⓒ **コースロープ** (水泳のコースを示すロープ) lane ˈline [rope] Ⓒ.

コースウェア (教育用ソフトウェア) cóursewàre Ⓤ.

コースター (コップの下敷き・ジェット コースター) coaster Ⓒ ★ ジェットコースターは 《米》 roller coaster Ⓒ, 《英》 switchback Ⓒ. 「ジェットコースター」は和製英語.

ゴーステディー ── 動 (いつも決まった相手とデートする) go steady 自. ¶ 彼は彼女と*ゴーステディーになりたいと思っている He wants to *go steady* with her.

ゴースト (テレビの) ghost Ⓒ. **ゴーストタウン** (無人の町) ghost town Ⓒ **ゴーストライター** (代作者) ghostwriter Ⓒ.

ゴーストップ traffic ˈlights [signals] ★ 通例複数形で.

コーダ 〘楽〙 coda Ⓒ.

ゴーダチーズ Gouda (cheese) Ⓤ ★ オランダのゴーダ地方原産.

ゴータマ Gautama ★ 釈迦の姓. (☞ しゃか).

コーチ ── 名 (人) coach Ⓒ. ── 動 (個人的に指導する) coach 他. ¶ 彼は私たちの野球チームの*コーチをしている He *coaches* our baseball team.

コーチゾン 〘薬〙 cortisone /kɔ́ətəsòʊn/ Ⓤ.

コーチャー (コーチする人・コーチ) coach Ⓒ.

コーチン (ニワトリの品種) cóchin Ⓒ.

コーディネーション (色や材質の調和) coordination Ⓤ. ¶ 部屋のカラー*コーディネーション the color *coordination* of a room

コーディネーター (調整者) coórdinàtor Ⓒ (☞ コーディネート).

コーディネート ── 動 (家具・室内装飾・衣服などを調和させる; 調整する) coórdinàte 他 ★「調和する」という 自 ともなる. ── 名 (調和のとれた組み合わせ家具・衣服) coórdinates /-nəts/ ★ 複数形で. 日英比較 coordinate は「同等・同格 (のもの)」というのが基本的な意味だが, 日本語ではインテリア・服飾関係の用語で「色・素材・デザインなどの調和のとれた組み合わせにする」という意味で使われることが多い.

コーティング (上塗り・被膜) coating Ⓤ.

コーディング (記号化) coding Ⓤ.

コーテーションマーク ☞ クォーテーション (クォーテーションマーク)

コーデュロイ (コール天の布地) corduroy Ⓤ.

コート¹ (上着・オーバー・レインコート) coat Ⓒ 参考 英語ではスーツの上着も含む. また, 発音は /kóʊt/ で次の見出し コート² の /kɔ́ət/ とは違うことに注意; (オーバー) overcoat Ⓒ; (レインコート) raincoat Ⓒ.

コート² (テニス・バレーボール・バスケットボールなどの) court Ⓒ (☞ コート¹ 参考; テニス (挿絵); バレーボール; バスケットボール (挿絵)). **コートチェンジ** 〘球〙 ¶ 彼らは*コートチェンジした (テニスなどで) They *changed* ˈ*over* [*ends*; *sides*]. ★「コートチェンジ」は和製英語.

コード¹ (電気の) (electric) cord Ⓒ, 《英》 flex Ⓒ.

コード² (和音) chord Ⓒ. **コードネーム** (和音の記号) chord name Ⓒ.

コード³ (電信などの符号・記号) code Ⓒ. **コード入力** coding Ⓤ **コードネーム** (暗号化した名前) code name Ⓒ **コードブック** code book Ⓒ.

コード⁴ (規定) code Ⓒ (☞ きてい¹; きやく¹).

ゴート ── 名 固 (ゲルマン民族のゴート人) Goth Ⓒ; (ゴート族) the Goths. **ゴート語** Gothic Ⓤ.

こおとこ 小男 little [short; small] man Ⓒ (☞ ちいさい).

コートし コート紙 (つや出しを塗った紙) coated paper Ⓤ.

コートジボアール ── 名 固 (the Repúblic of) Côte d'Ivoire /kòʊtdiːvwɑ́ə/ ★ アフリカ西部の共和国.

コートダジュール ── 名 固 (フランス南東部の保養地) Côte d'Azur /kòʊtdɑːʒúə/.

コードバン (なめし革) córdovan Ⓤ.

こおどり 小躍り ── 動 (喜んで跳び回る) dance ˈfor [with] joy 自 (☞ よろこぶ). ¶ 彼はその知らせを聞いて*小躍りして喜んだ He *danced* ˈ*for* [*with*] *joy* ˈto hear [at] the news.

コードレス (コードのない) cordless. **コードレスアイロン** cordless iron Ⓒ **コードレス(テレ)ホン** cordless telephone Ⓒ.

コーナー **1** «曲がり角»: (角度のついた曲がり角) corner Ⓒ; (湾曲してカーブになっている所) curve Ⓒ, bend Ⓒ, turn Ⓒ. (☞ まがりかど 日英比較; かど¹). ¶ 先頭の走者はすでに第 4*コーナーを回った (⇒ 通過した) The first runner has already passed the fourth ˈ*curve* [*bend*]. 語法 トラックでの競技の場合. マラソンなどで町角を曲がる場合は turn a corner という.
2 «一角»: (店の売り場) department Ⓒ, section Ⓒ 日英比較 英語ではこの意味で corner は使わないことに注意. ¶「紳士服の*コーナーはどこですか」「2階です」"Where is the men's wear ⌈*department* [*section*]?" "It's on the ⌈second [《英》 first] floor." 《☞ -かい³ (挿絵)》

コーナーキック (サッカーの) corner kick Ⓒ コーナースロー (ハンドボール・水球などの) corner throw Ⓒ コーナーワーク (野球の) pitcher's technique of throwing a ball aiming at the edge of the strike zone Ⓒ ★ 説明的な訳; (スケートの) cornering skill Ⓤ.

コーナリング (コーナーを回ること) cornering Ⓤ. ¶この車は*コーナリングがよい This car *corners* well.

コーパス (記録した言語資料の集成) corpus Ⓒ 《複 corpuses, corpora》. ¶言葉を*コーパスで検索する look up a word in a *corpus*

コーヒー coffee Ⓤ ★ 種類をいうときは Ⓒ. 《☞ 冠詞 (巻末); 可算・不可算名詞 (巻末); 数の数え方 (囲み)》. ¶*コーヒーを飲む drink [have] *coffee* / (⇒ 少しずつ飲む) sip *coffee* // ひきたての*コーヒー freshly ground *coffee* // 濃い[薄い]*コーヒー strong [weak] *coffee* //「何になさいますか」「*コーヒーを1杯下さい」"What would you like (to have), sir?" "A cup of *coffee*, please." //「*コーヒーにはクリームを入れましょうか」「ブラックでいただきます」"Do you take cream in your *coffee*?" "No, thank you. I take it black." / 《英》 "Black or white?" "Black, please." // *コーヒーを3つお願いします Three *coffees*, please. 語法 レストランなどでは three cups of coffee の代わりに three coffees と複数形を用いる. // *コーヒーをいれる make [brew] *coffee* // (…に)*コーヒーを注ぐ pour (… a cup of) *coffee* // *コーヒーの香り the aroma of *coffee*

コーヒーかす coffee grounds ★ 複数形で. コーヒーカップ coffee ⌈cup [mug] Ⓒ; (小型の) démitàsse Ⓒ コーヒー牛乳 coffee⌈-flavored [《英》 -flavoured] milk Ⓤ コーヒーショップ[店] coffee shop Ⓒ, coffeehouse Ⓒ, coffee bar Ⓒ. 《☞ きっさてん》 コーヒーシロップ coffee(-flavored) syrup Ⓤ コーヒーゼリー coffee jelly Ⓤ コーヒーの木 coffee (tree) Ⓒ コーヒーフィルター (paper) coffee filter Ⓒ コーヒーブレイク 《米》 coffee break Ⓒ, 《英》 tea break Ⓒ コーヒーフロート coffee float Ⓒ コーヒーポット coffeepot Ⓒ コーヒー豆 coffee bean Ⓒ コーヒーミル coffee ⌈grinder [mill] Ⓒ コーヒーメーカー coffee maker Ⓒ 《☞ パーコレーター》 コーヒー沸かし coffee maker Ⓒ; (パーコレーター) pércolàtor Ⓒ.

コロケーション

入れたてのコーヒー fresh *coffee* / インスタントコーヒー instant *coffee* / 香りのよいコーヒー aromatic *coffee* / カフェイン抜きのコーヒー decaffeinated *coffee* / 食後のコーヒー (an) after-dinner *coffee* / 苦いコーヒー bitter *coffee*

コープ (消費生活協同組合) co-op /kóʊàp/ Ⓒ 《☞ せいきょう²》.

ゴーフル (洋菓子) gaufre /góʊfr(ə)/ Ⓒ ★ フランス語; (説明的には) sandwich of wafers and cream Ⓒ. 参考 フランスの gaufre はパリパリしたワッフル状のもので, クリームを間にはさんだ「ゴーフル」は日本独自のもの.

コーポ(ラス) (マンション・アパートなど) 《米》 *còndomínium* Ⓒ, apartment house Ⓒ; 《英》 block of flats Ⓒ ★「コーポラス」は和製英語. 《☞ マンション; アパート》.

コーポレーション (会社・法人) corporation Ⓒ 《☞ かいしゃ¹; ほうじん¹》.

コーポレートアイデンティティー (企業識別・会社の特徴などを明示すること[もの]) corporate identity Ⓤ 《略 CI》.

コーポレートガバナンス (企業統治) corporate governance Ⓤ.

コーポレートカラー (企業イメージを象徴する色) corporate color Ⓤ.

ゴーヤ ☞ にがうり

コーラ (コカコーラ) 《商標》 Coca-Cola Ⓤ, 《商標》 Coke Ⓤ ★ 口語では後者が一般的; (一般に Coke に類する飲料) cola Ⓤ 語法 一般に Coke が普及しているので, cola よりも Coke のほうがよく用いられる. 《☞ コカコーラ》.

コーラス (合唱) chorus Ⓤ 《☞ がっしょう¹》.

コーラスガール (ミュージカルなどで歌ったり踊ったりする女性) chorus girl Ⓒ; 《米略式》 chorine Ⓒ.

コーラル ☞ さんご²

コーラン (イスラム教の聖典) the Koran /kərǽn/ ★ the を付けて.

こおり 氷 ― 名 ice Ⓤ. ― 形 (氷のような) icy; (氷のように冷たい) ice-cold.

¶池に*氷が張っている The pond is covered with *ice*. / *Ice* has formed on the pond. // 道を歩いていて*氷で滑った On the way I slipped on the *ice*. // ビールは*氷で冷やしてあります The beer has been ⌈cooled with *ice* [*iced*]. // 探検隊は2か月間も*氷に閉ざされてしまった The exploration party was *icebound* for two months. // 魚は*氷詰めにされた The fish were packed in *ice*. // (冷蔵庫の)角*氷 an *ice* cube // かき*氷 shaved *ice* with syrup

氷あずき shaved ice with sweet (adzuki) bean paste Ⓤ 氷いちご shaved ice with strawberry syrup Ⓤ 氷砂糖 《米》 rock candy Ⓤ, sugar candy Ⓤ 氷豆腐 dried bean curd Ⓤ 氷の刃(やいば)[剣(つるぎ)] gleaming [shining] blade Ⓒ 氷枕 ice pillow Ⓒ; ice bag Ⓒ ★ 氷嚢(ひょうのう)も含めた広い意味の語. 氷水 ice water Ⓤ 氷屋 (店) ice shop Ⓒ; (人) ice vendor Ⓒ.

こおりがも 氷鴨 〖鳥〗 old-squaw Ⓒ, long-tailed duck Ⓒ.

ゴーリキー ― 名 固 Maksim [Maxim] Gorky /gɔ́ːəki/, 1868–1936. ★ ロシアの作家. 本名 Aleksey Maximovich Peshkov.

こおりつく 凍り付く freeze 自 《☞ こおる》.

¶*凍り付いた道路で車は横すべりした The car skidded on the *frozen* road. // 今夜は*凍り付くように寒い It's *freezing* cold tonight.

こおりづめ 氷詰め ¶サケを*氷詰めにする *pack* salmon *in ice*

コーリャン 高粱 〖植〗 kaoliang /kàʊliáːŋ/ Ⓤ.

こおる 凍る (液体・物が凍る[を凍らす]) freeze 自 他 《過去 froze; 過分 frozen》; (凍っている) be frozen. ¶水は摂氏 0° で*凍る Water *freezes* at 0° C. ★ zero degrees centigrade と読む. // 水道管が*凍ってしまった The water pipes *have frozen*. // 湖が一面に*凍った The lake *has frozen over*.

コール¹ (電話・呼び出し・呼ぶ声) call Ⓒ.

コール² ― 名 固 Helmut Michael Kohl /kóʊl/, 1930– . ★ ドイツの政治家.

ゴール (球技の到達点) goal Ⓒ; (レースなどの決勝点) finish (line) Ⓒ 日英比較 この意味では goal とは言わない. 《☞ もくてき (類義語); とくてん¹》. ¶アンカーは*ゴールを目指して走った The anchor ran for the *finish line*. // スター選手が再びボールを*ゴールに入れた The star player ⌈got [kicked; scored] another *goal*. ゴールイン 日英比較 goal-in という英語はない. 《☞ ゴール》. ¶その2人の走者はほとんど同時に*ゴールインした (⇒ ゴールに達した) The two runners *reached the finish line* at almost the same time. // 彼らは6月に(結婚に)*ゴールインした (⇒ 結婚した) They got married in June. ゴールエ

リア goal area [C]　ゴールキーパー goalkeeper [C]　ゴールキック goal kick [C]　ゴールゲッター goal scorer [C]　ゴールポスト goalpost [C]　ゴールライン (サッカーなどの) goal line [C].

コールガール　(電話で呼び出す売春婦) call girl [C].

コールサイン　(無電局・放送局の呼び出し符号) call sign [C].

コールしきん　コール資金　☞ コールマネー

コールしじょう　コール市場　〘経〙call (money) market [C].

コールスロー　(サラダの一種) coleslaw [U] ★ 単に slaw ともいう.

コールタール　coal tar [U].

コールテン　corduroy /kɔ́ːədərɔ̀ɪ/ [U] ★ [形] にも用いる.

ゴールデンウィーク　★ この語にぴったり当たる英語はない. 従って「いわゆる」という意味で引用符をつけ, 必要ならその後に説明を加えて, "Golden Week," a succession of holidays from the end of April to the beginning of May のようにする.

ゴールデンエージ　(黄金時代) the golden age ★ 定冠詞を付けて.

ゴールデングローブしょう　ゴールデングローブ賞　(映画・テレビの優秀作品に与えられる賞) Golden Globe Award [C].

ゴールデンゲート　— [名] [固] (金門海峡) the Golden Gate ★ 定冠詞を付けて.

ゴールデンゴール　〘サッカー〙golden goal [C] ★ 日本では V ゴールと言うこともある.

ゴールデンタイム　(テレビなどの) prime [peak] (television) time [U].

ゴールデントライアングル　(黄金の三角地帯) (the) Golden Triangle ★ ミャンマー・タイ・ラオスの国境地帯で, 世界最大のケシ栽培地. 英語では他に, カナダのオンタリオ州の半島地区などの高度集約生産地帯の意味もある.

ゴールデンレトリーバー　(犬) golden retriever [C].

コールド　(冷たい・寒い) cold.

ゴールド　(金) gold [U] [語法] 英語の gold は a *gold* watch (金時計) のように形容詞的にも用いられる. ただし「金色の」は golden.

コールドウォー　☞ れいせん[1]

コールドクリーム　(化粧用) cold cream [U].

コールドゲーム　〘野〙called game [C].

コールドチェーン　(低温流通体系) cold chain [C].

コールドパーマ　cold wave [C], 《英略式》cold perm [C].

ゴールドプラン21　(厚労省の) the policy to promote the health and welfare of the aged ★ 説明的な訳.

ゴールドメダリスト　(金メダル獲得者) gold medalist [C].

ゴールドめんきょ　ゴールド免許　gold license; (説明的には) driver's license [《英》driving licence], valid for three years for those over seventy years of age and for five years for those under seventy, issued to drivers with no violations in the previous three or five years [C].

ゴールドラッシュ　(新金鉱による採掘ブーム) gold rush [C] ★ 1848 年のカリフォルニアでのブームが有名.

コールナンバー　(図書の請求番号) call number [C].

コールマネー　〘経〙call money [U].

コールマンひげ　コールマン髭　Rónald Cólman mústache [C].

コールラビ　〘植〙kohlrabi [C].

コールレート　(コールローンの利率) call rate [C].

コールローン　〘経〙call loan [C].

こおろぎ　〘昆〙cricket [C]. ¶*こおろぎが鳴いている The *crickets* are chirping. 《☞ 動物の鳴き声 (囲み)》

コーン[1]　〘植〙(とうもろこし) 《米》corn [U], 《英》maize [U].　コーンオイル corn oil [U]　コーンサラダ corn salad [C]　コーンスープ corn soup [U].

コーン[2]　(円錐・アイスクリーム) cone [C].

ごおん　呉音　Wu /wúː/ pronùnciátion of Chínese cháracters [U].

コーンウォール　— [名] [固] (英国南西端の州) Cornwall.

コーンスターチ　(とうもろこしの澱粉) cornstarch [U], 《英》corn flour [U].

コーンビーフ　☞ コンビーフ

コーンフレーク　(ひき割りとうもろこしの薄片) córnflàkes [日英比較] 英語は常に複数形.

コーンベルト　(米国のとうもろこし栽培地帯) the Córn Bèlt.

コーンミール　(とうもろこしのひき割り) cornmeal [U].

こか[1]　古歌　old tanka (poem) [C].

こか[2]　糊化　(澱粉の) gelatinization [U].

コカ　〘植〙(コカノキ) coca /kóʊkə/ [C] ★ 葉はコカインの原料. 葉の意味では [U].

こがい[1]　戸外　— [名] the outdoors, the open air ★ いずれも the を付けて.　— [形] óutdóor [A]; open-air [A].　— [副] òutdóors. 《☞ おくがい; そと》. ¶*戸外で子供たちが遊んでいる The children are playing ⌈in *the open* (*air*) [*outdoors*]. // *戸外運動 *outdoor* exercise

こがい[2]　子飼い　¶*子飼いの選手 a player *one has trained from the beginning*

ごかい[1]　誤解　— [名] (誤って理解すること) misunderstanding [C]; (思い違い) misapprehension [C] ★ 以上の 2 語は交換可能なことも多いが, 後者のほうが格式ばった語.　— [動] misunderstand [他] 《過去・過分 misunderstood》; (見誤る) mistake 《過去 mistook, 過分 mistaken》 [他]; misapprehend [他] ★ 格式ばった語.　— [形] (誤解させるような) misleading. 《☞ おもいちがい; かんちがい; かんがえちがい》.

¶私は彼を*誤解していた I *misunderstood* him. // 彼らの間の*誤解は簡単に解けた The *misunderstanding* between them was quickly cleared up. // その不注意な発言が彼の人柄について*誤解を招いた The careless remark caused a *misunderstanding* about his personality. // 何も言わないと興味がないものと*誤解され失礼にあたります Saying nothing indicates ⌈lack of interest [(that) you are uninterested] and is rude. // 彼女の説明は*誤解を招くものだった Her explanation was *misleading*.

> **コロケーション**
> 誤解を生む breed [produce] (a) *misunderstanding* / 誤解を避ける avoid (a) *misunderstanding* / 誤解を正す correct a *misunderstanding* / 誤解を解く clear up [resolve; dissipate] (a) *misunderstanding* / 誤解を取り除く get rid of [remove] a *misunderstanding* / 誤解を残さない leave no *misunderstanding* // 些細な誤解 a slight *misunderstanding* / 単純な誤解 a simple *misunderstanding* / ひどい誤解 a gross *misunderstanding* / 広まっている誤解 a widespread *misunderstanding*

ごかい[2]　沙蚕　〘動〙lugworm [C].

ごかい[3]　碁会　go meeting [C].　碁会所 go ⌈parlor [《英》parlour] [C], go club [C].

ごかい[4] 五戒 the Five Admonitions; (説明的には) a warning to adherents of Buddhism against taking life (殺生), stealing (偸盗), lusting (邪淫), lying (妄語), or drinking (飲酒).

こがいしゃ 子会社 subsidiary /səbsídièri/ (company) [C].

コカイン (麻薬の一種) cocaine /koukéɪn/ [U], 《俗》 coke [U], 《俗》 snow [U].

こがお 小顔 small face [C].

こかく 呼格 〔文法〕 vócative (case) [C].

ごかく 互角 ── [形] (等しい) equal; (同等な·均等な) even. ── [名] (等しいこと) equality [U]; (均等) evenness [U]. (☞ たいとう[1]; どうとう[2]; ごぶ). ¶ 彼らは*互角の力量だ They are of *equal* strength. / (⇒ よい組み合わせだ) They are well *matched*. // 彼らは*互角の勝負をした They played a ⌈*close* [*well-matched*] game.

ごがく 語学 ── [名] (言語の学習) language learning [U]; (言語学) linguistics [U]. ── [形] (ことばに関する) linguistic. ¶ *語学の授業 a *language* lesson // *語学の先生 a *language* teacher // 彼は*語学ができる[できない] (⇒ 外国語が達者な[下手な]人だ) He is a ⌈good [poor; bad] *language* learner. // 私は*語学が大の苦手だ *Languages* are my weakest subjects. // 彼女は*語学の才能がある She has ⌈(a) *linguistic* talent [a talent for *language(s)*]. // この仕事には*語学力が必要だ This work requires ⌈*linguistic* knowledge [a knowledge of *language(s)*].
語学教育 language teaching [U] **語学者** linguist [C].

ごかくけい 五角形 ── [名] péntagòn [C]. ── [形] (五角形の) pentágonal; (角が5つある) five-cornered.

ごがくもんじょ 御学問所 (かつての天皇または皇太子がご進講を受けた場所) *Gogakumonjo*, the house where the emperor and the crown prince were given lectures.

こがくれ 木隠れ ¶ その家は*木隠れになって見えない The house *is hidden from view by trees*. // *木隠れの湖 a lake *behind the trees*

こかげ[1] 木陰 the shade of a tree ★ the を付けて. (☞ ひかげ[1]; かげ[2]). ¶ あそこの*木陰でお弁当を食べましょう Let's have lunch *under that tree* over there. // *木陰で横になって休んだ I lay down *in the shade of a leafy tree* to rest.

こかげ[2] 小陰 ☞ ものかげ

コカコーラ 《商標》 Còca-Cóla [U] ★ 個々についていうときには [C], 《略式》《商標》 Coke [U] ★ 個々にいうときには [C]. (☞ コーラ).

こかじ 小鍛冶 ── [名] (固) (人名) Sanjo Kokaji Munechika; Munechika, Swordsmith of Sanjo (Street); (説明的には) a swordsmith in the late Heian period; (小鍛冶の刀) sword made by (Kokaji) Munechika [C]; (能楽) a Noh play based on the story of Kokaji Munechika.

-ごかし ¶ あの人は親切*ごかしにそんなことを言っているんだよ He says such things *under the pretence of* kindness. / He'*s only pretending* to be kind.

ごかじょうのごせいもん 五箇条の御誓文 the Charter Oath; (説明的には) the Meiji Doc*trine (of Five Articles)*. ¶ *五箇条の御誓文は1868年に明治天皇により公布された *The Charter Oath* was issued by (the) Emperor Meiji in 1868.

こがしら 小頭 assistant foreman [C].

こがす 焦がす (焼き焦がす) burn (他); (表面や端を) singe (他); (じりじりと変色するほどに) scorch (他); (黒く) char (他). (☞ こげる). ¶ 彼女は肉を*焦がしてしまった She *has burned* the meat. // 私はたばこを落としてじゅうたんを*焦がしてしまった I dropped my cigarette and *burned* the carpet. // 私は火に近づきすぎてコートを*焦がしてしまった I got too near the fire and *singed* my coat. // 私は今朝アイロンをかけたときにシャツを*焦がしてしまった I *scorched* my shirt when I ironed it this morning. // (…に対して) 恋に身を*焦がす be madly in love (with …)

こがた 小型, 小形 ── [形] (小さい) small, small-sized ★ 前者が最も一般的な語 ; (非常に小さい) mini(-sized); (携帯用の) portable; (ポケットに入る大きさの) pocket(-size(d)) [A]; (自動車が) compact. (☞ ちいさい[な] (類義語)).
¶ *小型辞書 a *pocket(-size(d))* dictionary // *小型バス a *mini*bus // *小型飛行機 a *light* plane // *小型のラジカセを買った I bought a *portable* radio-cassette recorder.
小型化 ── [動] miniaturize /míniətʃəràɪz/. ── [名] miniaturization [U]. ¶ 超*小型化 micro-miniaturization **小型(自動)車** small ⌈car [automobile /ɔ́:təmoubì:l/] [C], compact (car) [C] 語法 日本の小型車は米では subcompact (car), minicar (超小型車) に相当する.

こがたな 小刀 knife [C]; (2つに折れる) pocketknife [C], penknife [C] ★ 後者のほうが小さい. (☞ ナイフ).

こかつ 枯渇 ── [動] (井戸などが枯れる) run dry (自), dry up (自) (他); (枯渇させる) exhaust (他). (☞ かれる[2]). ¶ 長い日照りで井戸が*枯渇した The well ⌈*ran dry* [*dried up*] owing to the long drought. // 相次ぐ内乱で国の資源は*枯渇した (⇒ 内乱が枯渇させた) Successive civil wars *have exhausted* the country's resources.

ごがつ 五月 May ★ 語頭は必ず大文字. (☞ いちがつ 語法; 時刻·日付·曜日 (囲み); 略語 (巻末)).
五月革命 (フランス語) les événements de mai (= the events of May) ★ 1968年5月パリで起こった反政府運動. **五月人形** doll for the Boys' Festival [C] **五月病** the ⌈feeling of anticlimax [depression] that some freshmen and new employees experience in May.

こがっき 古楽器 〔楽器〕 period instrument [C]. ¶ その曲は*古楽器で演奏された The music was played on *period instruments*.

こがね[1] 黄金 gold [U] (☞ きん[1]; おうごん). **黄金色** ── [名] gold [U]; the color of gold. ── [形] golden.

こがね[2] 小金 ¶ 彼は*小金 (⇒ ある程度の金) を貯めているそうだ I hear he has saved *a tidy sum of money*.

こがねばな 黄金花 〔植〕 *koganebana*, Baikal skullcap [U]; (説明的には) a perennial plant of the lamiaceous family, with a medicinal root.

こがねむし 黄金虫 〔昆〕 goldbeetle [C], goldbug [C], scarab (beetle) [C].

こかぶ[1] 子株 **1** 《植物》: (株分けによる新しい株) new plant made by separating the roots [C]; (新しい球茎) new bulb [C].
2 《株式》: newly-issued ⌈stock [《英》 share] [C]. (☞ しんかぶ).

こかぶ[2] 小蕪 〔植〕 small turnip [C].

ごかぼう 五家宝 *gokabo* [U]; (説明的には) sweet food made of parched rice, which is kneaded with starch syrup and coated with soybean flour [U].

こがも 小鴨 〔鳥〕 teal [C] (複 ~(s)).

こがら[1] 小柄 ── [形] (背が低い) short (in ⌈height [stature]) ★ これが最も一般的. 以下は格式ばった表

現; of small stature; (小さな体つきの) of small build. ¶ 彼女は*小柄だ She is rather *short in* ⌈*height* [*stature*].

こがら² 小雀 〘鳥〙(アメリカコガラ) willow tit Ⓒ, black-capped chickadee Ⓒ.

こがらし 木枯らし (冷たい冬の風) cold winter wind Ⓒ (☞ かぜ¹).

こがれじに 焦がれ死に ── [名] death from love Ⓤ. ── [動] die of love (for ...). ¶ 私は彼女に会いたくて*焦がれ死にしそうだ I *am dying to* see her.

こがれる 焦がれる (切に思い望む) long for ..., yearn for ... ★ 後者のほうが意味が強い; (どうしても欲しい) 《略式》 be dying for ...; (恋慕う) be in love with ... (☞ あこがれる; まちこがれる). ¶ 彼女は外国の友人からの手紙を待ち*焦がれている (⇒ 切に望んでいる) She *is longing for* a letter from her friend (who is) ⌈overseas [abroad].

こがわせ 小為替 (postal) money order Ⓒ. ¶ *小為替で送金する send money by (*postal*) *money order*

こかん 股間 (股) crotch Ⓒ (☞ また²; からだ (挿絵)). ¶ ボールは彼の*股間 (⇒ 両足の間) を抜けた The ball went right *between* his *legs*.

こがん 湖岸 the shore of a lake.

ごかん¹ 五感 the five senses ★ the を付けて. (☞ かんかく²). ¶ *五感とは視覚, 聴覚, 嗅覚, 味覚, 触覚である *The five senses* are sight, hearing, smell, taste, and touch.

ごかん² 語感 **1** 《言葉に対する感覚》: a feel(ing) for ⌈the [a] language ★ a を付けて.
¶ 私はネイティブスピーカーではないから英語の*語感がない Since I'm not a native speaker of English, I don't have *a feel(ing) for it*.
2 《語の持つ感じ》: (語の含んでいる意味·含蓄) implication Ⓤ, connotation Ⓤ [語法] 交換可能なことが多いが, 後者は主として悪い含蓄の場合に用いる; (意味の微妙な違い) nuance Ⓒ. (☞ いみ¹ (類義語)).

ごかん³ 語幹 〘文法〙 stem Ⓒ.

ごかん⁴ 互換 〘数〙 transposition Ⓤ. **互換機** 〘コンピューター〙 compatible (⌈PC [machine]) Ⓒ **互換性** ¶ このコンピューターは我が社のと*互換性があります This computer is *compatible* with ours.

ごかん⁵ 五官 the five sensory organs ★ the を付けて. (☞ ごかん¹).

ごかん⁶ 後漢 Eastern [Later] Han /hɑ́:n/, 25–220.

ごがんこうじ 護岸工事 shoreline [(川岸の) flood control] (protection) work(s) ★ 複数形で.

こかんせつ 股関節 hip joint Ⓒ.

こき¹ 古希 ¶ *古希の祝い *one's seventieth birthday* celebration

こき² 呼気 (息を吐き出すこと) exhalation Ⓤ (↔ inhalation) (☞ こきゅう¹). **呼気音** expiration Ⓤ.

こき³ 子機 extension (phone) Ⓒ.

ごき¹ 語気 (声の調子) tone (of voice) Ⓒ; (声) voice Ⓒ. (☞ くちょう¹). ¶ 彼は*語気鋭く反ばくした He refuted it in a sharp *tone*. // 彼女は急に*語気を和らげた Suddenly she ⌈softened [*toned down*] her *voice*.

ごき² 誤記 (書き間違い) clerical error Ⓒ; (誤植) misprint Ⓒ.

ごき³ 語基 〘言〙(派生接辞添加の作用を受ける要素) base Ⓒ.

ごぎ 語義 the meaning of a word ★ the を付けて; (辞書などの) sense Ⓒ. (☞ いみ¹).

コキール 〘料理〙 coquille Ⓒ ★ フランス語より.

こきおろす こき下ろす (厳しく批判する) severely [sharply] criticize (他); (くそみそに言う) 《略式》 rùn dówn (他). (☞ こくひょう; けなす).

こぎく 小菊 〘植〙 small chrysanthemum Ⓒ.

ごきげん 御機嫌 ¶ *ご機嫌よう (⇒ さようなら) *Good-by(e)*! // 彼は上役のところへ*ご機嫌伺いに行った He *paid a* ⌈*social* [*courtesy*] *call* on his superiors. / (⇒ 儀礼として訪問した) He *visited* his superiors as a *courtesy*. // 彼女はいつも上司の*ご機嫌をとっている She *is* always *playing up to* her boss. // たまには彼の*ご機嫌を伺いに行ったらどうだ (⇒ あいさつに行ったら) Why don't you go and ⌈*pay* your *respects to* [*see*] him sometimes? // 彼は*ご機嫌斜めだ (⇒ 怒っている) He's *angry*. // あいつはきょうは*ご機嫌だ He's *in a* ⌈*nice* [*good*] *mood* today. // 彼女はたくさん贈り物をもらって*ご機嫌だ (⇒ 本当にうれしそうな顔をしている) She *looks really happy* with all those presents. (☞ きげん¹; ふきげん)

こきざみ 小刻み ── [副] (徐々に) gradually; (少しずつ) little by little ★ 前者のほうが格式ばった語. ── [形] gradual; (ゆっくりした) slow. (☞ じょじょに). ¶ 物価が*小刻みに (⇒ 徐々に [ゆっくり]) 上昇している Prices are ⌈*gradually* [*slowly*] rising.

こぎたない 小汚い (汚い) dirty; (使い古された) shabby ★ いずれも比喩的に「卑劣な」という意味でも用いられる. (☞ きたない). ¶ 彼は*小汚い服を着ていた He was in ⌈*dirty* [*shabby*] clothes. // 彼は私に対して*小汚い手を使った He played a ⌈*dirty* [*nasty*] trick on me.

こきつかう こき使う (あれやこれやといろいろ用を言いつける) order ⌈around [about] (他); (ひどく働かせる) work [drive] ... hard, 《略式》 push *a person* around. (☞ こくし¹). ¶ 彼は部下を*こき使う He ⌈*works* [*drives*] his subordinates *very hard*. // *こき使われるのはごめんだ I don't like to *be* ⌈*ordered* [*pushed*] *around*.

こぎつける 漕ぎ着ける (どうにかうまく…する) manage (to *do* ...); (…に達する) reach (他). ¶ やっと開店に*こぎつけた We finally *managed to* open our store. // 我々が合意に*こぎつけるまでには時間がかかるだろう It will take (some) time before we ⌈*reach* [*come to*] (an) agreement.

こぎって 小切手 check Ⓒ, 《英》 cheque Ⓒ. (☞ てがた). ¶ 旅行者用*小切手 a traveler's *check* // 個人(使用の)*小切手 a personal(ized) *check* // 彼は 10 万円の*小切手を振り出した He ⌈wrote [《英》 drew] a *check* for 100,000 yen. // *小切手で払う pay by *check* // この*小切手を現金にして下さい I'd like to ⌈get this *check* cashed [cash this *check*]. // 彼の*小切手は不渡りだった His *check* ⌈bounced [was not honored]. **小切手帳** checkbook Ⓒ.

こぎつね 小狐 〘動〙 young [little] fox Ⓒ; (狐の子) (fox) cub Ⓒ. **小狐座** 〘天〙 the Little Fox, Vulpecula.

ごきぶり 〘昆〙 cóckròach Ⓒ, roach Ⓒ.

こきまぜる 扱き混ぜる mix together (他); mix up (他). (☞ まぜる). ¶ 彼はうそと本当を*扱き混ぜて話した He *compounded* the truth *with* lies.

こきみよい 小気味よい (才気のある) clever; (気のきいた) witty. ¶ 彼は*小気味よい返答をしてのけた He gave a ⌈*clever* [*witty*] answer. // 課長の失敗を*小気味よく思っている (⇒ ひそかに喜んでいる) 人たちが多い Many people *secretly rejoiced* over the section chief's failure.

こきゃく 顧客 customer Ⓒ (☞ きゃく). **顧客志向** customer orientation Ⓤ **顧客ニーズ** customer needs ★ 通例複数形で.

コギャル (流行を追いかける女子中学[高校]生) trendy ⌈junior high [high school] girl Ⓒ.

こきゅう[1] **呼吸** **1**《息》 —[名] (息) breath /bréθ/ [C]; (呼吸すること) breathing [U], respiration [U] ★ 後者は格式ばった語. —[動] breathe /brí:ð/ [自] [他]. (☞ いき[1]).

¶ 陸上の動物は空気を*呼吸する Animals on land *breathe* air. // 深*呼吸しなさい Take (in) a deep *breath*. / (⇒ 深く吸い込みなさい) *Inhale* deeply. // 彼は*呼吸が荒かった He *was breathing* hard. // 病人の*呼吸が止まった The patient stopped *breathing*. / (⇒ 最後の息をした) The patient *breathed* his last. ★ 第 2 文は慣用的表現. // 鼻で*呼吸する *breathe* through *one's* nose // *呼吸数を測る count [measure] *one's breathing* rate // 魚はえらで*呼吸する Fish use gills for *respiration*. // 彼はそこでひと*呼吸おいてから話を続けた He *took a breath*, and went on talking.

2《調子》 —[形] (調和のとれた) harmónious. ¶ 2 人の*呼吸はぴたりと合っていた (⇒ 互いにうまくいっていた) The two of them *were getting along quite well* with each other. // 彼らは*呼吸の合った (⇒ 調和のとれた) 演技を見せた They performed (together) in (perfect) *harmony*.

呼吸運動 breathing movement [C] **呼吸音** respiratory /réspərətɔ̀:ri/ sound [C] **呼吸器** respiratory organ [C] **呼吸器系統** the respiratory system **呼吸機能** the respiratory function **呼吸器病** respiratory disease [C] **呼吸筋** respiratory muscle [U] **呼吸酵素** 〘生化〙 respiratory enzyme /énzaɪm/ [C] **呼吸困難** difficult [labored] breathing [U]; 〘医〙 dyspnea /dɪspní:ə/ [U]. ¶ *呼吸困難に陥る have [encounter] *difficulty in breathing* **呼吸中枢** the respiratory center.

こきゅう[2] **鼓弓** 〘楽器〙 Chinese violin [C].

こきゅう[3] **孤笈** studying at a place far away from *one's* home [U] (☞ りゅうがく).

こきょう **故郷** (出身地) (*one's*) home [C]; (故国) homeland [C] [語法] home のほうが一般的. またいずれも「故国」を指すこともある. また home は「故郷へ」という副詞としても用いられる; (出身の都市や町・村) hometown [C]; (出生地) *one's* birthplace [C]. (☞ きょうり[1]; くに; ふるさと [語法]; いなか).

¶「君の*故郷はどこですか (⇒ どこの出身か)」「北海道です」"Where are you from?" "I'm from Hokkaido." / "Where do you come from?" "(I come from) Hokkaido." (☞ しゅっしん) // 「あなたの*故郷の町[市]はどこですか」「四国の高知です」"Where is your *hometown*?" "My *hometown* is Kochi in Shikoku." // 私は京都を第 2 の*故郷と思っている I regard Kyoto as my second *home*. // *故郷が懐かしい I am homesick. // 学生の多くは夏休みで*故郷 (の町) へ帰った Many of the students went (back) ⌈*home* [to their *hometown(s)*] for the summer vacation.

故郷へ錦を飾る ¶ 彼は*故郷へ錦を飾った (⇒ 成功者として故郷へ帰った) He *returned home* (*as*) *a successful man*. **故郷忘(ぼう)じ難し** You can never forget ⌈the place where you were born and brought up [your hometown].

こぎよう **小器用** —[形] (器用な) handy; (巧みな) clever. (☞ きよう[1]). ¶ *小器用に立ち回る play *one's* cards ⌈*right* [*well*] ★ トランプでカードの使い方がうまい意味から.

ごきょう **五経** the Five Classics of Confucianism.

ごぎょう **御形** 〘植〙 cudweed [C]; (広く母子草) cottonweed [C].

こぎれ **小切れ** small piece of cloth [C]. ¶ パッチワークはいろいろな色の*小切れを縫い合わせて作る A patchwork is made by sewing together *small pieces of cloth* of different colors.

こぎれい **小綺麗** —[形] (清潔できちんとした) neat; (整理・整頓された) tidy; (手入れの行き届いた) trim; (こぢんまりした) snug. (☞ きれい; こざっぱり). ¶ 彼女はいつも*小ぎれいな身なりをしている She always dresses *neatly*. // 彼の部屋は*小ぎれいだ His room is *tidy*. / (⇒ 彼は部屋を小ぎれいにしておく) He keeps his room *tidy*.

こきんとう **胡錦濤** —[名] [固] Hu Jintao, 1942– ★ 中国の国家主席 (2003–).

こきんわかしゅう **古今和歌集** *Kokin Wakashu*; (説明的には) Imperial anthologies of Japanese poetry collected from ancient times to the early Heian period.

こく[1] —[名] (酒などの) body [U]. —[形] (こくのある) full-bodied; (こってりした) rich. ¶ この酒は*こくがある This sake has *body*. // 私は*こくのある赤ぶどう酒が好きだ I like (a) *full-bodied* red wine. // *こくのある文章 *elaborate* /ɪlǽbərət/ writing

こく[2] **酷** —[形] (むごい) cruel; (思いやりがない) thoughtless, inconsiderate ★ 前者のほうが口語的. —[名] cruelty [U]; thoughtlessness [U]. (☞ むじょう[2]; ひどい; むごい). ¶ そんなことを言うとは*酷だ It ⌈is [was] ⌈*cruel* [*thoughtless*; *inconsiderate*] of you to say such a thing. / You ⌈are [were] ⌈*cruel* [*thoughtless*; *inconsiderate*] to say such a thing.

こく[3] **刻** **1**《十二支に配した昔の時間》: *koku* [C]; (時・時間) hour [C]. ¶ 1 *刻は 2 時間に当たる One *koku* equals two hours. // 午(うま)の*刻 the *hour* of the Horse / (⇒ 正午) noon // 子(ね)の*刻 the *hour* of the Rat / (⇒ 真夜中) midnight

2《彫ること》: carving [U] (☞ きざむ). ¶ 名人の*刻になる彫像 a statue *carved* by a master

こく[4] **石** (容量単位) *koku* ★ 単複同形. 180 リットルに相当. ¶ 5 万*石の大名 a daimyo with a fifty thousand *koku* stipend (☞ こくだか)

こく[5] **扱く** (稲などを) hackle [他]; (たたいたり・脱穀機で) thresh [他]. ¶ 稲を*こく *hackle* rice

こく[6] **古句** old ⌈haiku [poem] [C].

こく[7] **放く** ¶ うそを*こく *tell* a lie // ばか*こくな Don't *say* such ⌈*silly* [*stupid*] *things*! // いい年*こいてつまらないことはするな You are *old enough* to know better (than to do that). // 屁を*こく *let* [*lay*, *crack*] a fart

こぐ **漕ぐ** **1**《舟などを》: (オールで) row [他] [自]; (カヌーなどを) paddle [他]. (☞ かい[3] (挿絵)).

¶「君はボートを*こげるかい」「うん, *こげるよ. *こぐのはうまいんだ」"Can you *row* a boat?" "Yes, I can. I'm ⌈good at *rowing* [a good *rower*]." // 彼らは海へ*こぎ出た They *rowed out* into the ⌈ocean [sea]. // 私はぐいとかいを*こいだ I *pulled the oar* with a jerk. / I *jerked* (at) the oar. // ボートを*こぎに行こう Let's *go boating*. // 岸辺に舟を*漕ぎ寄せた I *rowed* the boat *to* the shore.

2《ぶらんこなどをこぐ》: swing [自] [他], go [get] on a swing; (自転車など, ペダルをこぐ) pedal [自] [他]. (☞ ぶらんこ; ペダル).

ごく[1] **極く** (たいへん) very [語法] 最も一般的な語. 以下の語の代わりにも使える. 口語では意味を強めるため very, very … のように重複して用いることがよくある; (限度を越えて) exceedingly; (極端に) extremely ★ 以上 2 語は very よりも意味が強い. (☞ ひじょうに; きわめて; とても).

ごく[2] **語句** words ⌈and [or] phrases.

ごく[3] **獄** prison [C] (☞ ろうごく).

ごくあく **極悪** —[形] (たいへん悪い) very bad ★ 最も口語的で, 意味が広い; (とても邪悪な) most wicked /wíkɪd/; (悪人のような) villainous /vílənəs/; (不法・乱暴な) òutrágeous; (残虐な)

atrócious. ¶彼らの*極悪非道な行いは許せない We cannot tolerate their 「*outrageous* [*atrocious*] actions. 極悪人 (大悪人) consummate villain Ⓒ; (全くの悪党) absolute [real] scoundrel Ⓒ; (悪魔のような人) devil Ⓒ. (☞ あくにん).

こくい[1] 国威 the nation's 「prestige [honor] Ⓤ. ¶*国威を高める [傷つける] enhance [damage] *the nation's prestige*

こくい[2] 黒衣 black clothes Ⓤ; black dress Ⓒ. ¶*黒衣の女性 a woman *in black*

ごくい 極意 (秘訣) secret Ⓒ; (秘密の原理) secret principle Ⓒ. (☞ ひけつ[1]; こつ[1]).

こくいっこく 刻一刻 (絶え間なく) every 「moment [second], moment by moment. (☞ こっこく; じょじょに).

こくいん 刻印 (彫刻した印) carved seal Ⓒ (☞ ごくいん).

ごくいん 極印 ¶臆病者と*極印を押される be *branded* (as) a coward

こくう[1] 虚空 (無) emptiness Ⓤ; (無限の空間) the void ★ the を付けて. ¶*虚空に消える disappear into *the void*

こくう[2] 穀雨 (二十四節気の一つ) one of the twenty-four points in the old solar calendar (around April 20) (☞ にじゅうしせっき).

こくうん[1] 国運 (国の宿命) the 「destiny [fate] of 「a [the] nation (☞ うんめい).

こくうん[2] 黒雲 dark [black] clouds ★ 複数形で. ¶*黒雲が空を覆った *Dark clouds* filled the sky.

こくえい 国営 ── 形 (国有の) state, state-[government-]owned ★ 後者は説明的表現; (国有・国立の) national; (政府で運営している) government(al), government-[state-]operated ★ 後者は説明的表現. ── 動 (国営にする) nationalize ㊀. ── 名 nationalization Ⓤ. (☞ こくゆう; こくりつ; こうえい[2]).
¶その国ではすべての銀行が*国営になった All the banks *were nationalized* in that country.
国営企業 government [government-owned; state-owned] enterprise Ⓒ 国営公園 national government park Ⓒ 国営事業 national [state] project Ⓒ 国営農場 state [state-run] farm Ⓒ.

こくえき 国益 the national interest Ⓤ. ¶彼の行為は*国益に反したものである What he did was against *the national interest*.

こくえん[1] 黒煙 black smoke Ⓤ. ¶*黒煙を吐く produce [emit; belch] *black smoke*

こくえん[2] 黒鉛 〔鉱〕 graphite /grǽfaɪt/ Ⓤ.

こくおう 国王 (王国の) king Ⓒ; (世襲の君主で, 男女に関係なく) monarch /mɑ́nərk/ Ⓒ. ¶イギリス*国王 the *King* of England

こくが 穀蛾 〔昆〕 European grain moth Ⓒ.

こくがい 国外 ── 副 (国外へ) abroad (↔ at home); (海外へ) overseas ★ 以上2つは交換可能; (自国の外で) outside *one's* country ★ 説明的表現. (☞ がいこく; かいがい). ¶私はまだ*国外に旅行したことがない I have never traveled 「*abroad* [*overseas*]. / (⇒ 私はまだ外国に行ったことがない) I have never been 「*abroad* [*to a foreign country*]. // 彼は国内でも*国外でも有名だ He is 「famous [well-known] (both) at home and *abroad*.
国外追放 (外国人の) deportation Ⓤ; (政治的理由による) exile Ⓤ. ¶その好ましくない外国人は*国外に追放された The undesirable alien *was deported*. 国外犯 crime committed outside the offender's 「native [home] country Ⓒ.

こくがく 国学 the study of Japanese classical literature Ⓒ. 国学者 scholar (in the field) of classical Japanese (studies) Ⓒ.

こくがん 黒雁 〔鳥〕 brant [(英) brent] (goose) Ⓒ.

ごくかん 極寒 ☞ ごっかん

こくぎ 国技 the national 「game [sport] Ⓒ. 国技館 the Kokugikan Arena.

こくくじら 克鯨 〔動〕 gray whale Ⓒ.

こくぐん 国軍 (国家の軍隊) a nation's armed forces, government forces ★ いずれも複数形で.

ごくげつ 極月 ☞ じゅうにがつ; しわす

こくげん 刻限 (指定された[約束の]時間) the 「fixed [appointed] time (☞ じごく[1]; じかん[1]). ¶*刻限に遅れる be late for *the appointed time*

こくご 国語 **1** «日本語»: Japanese Ⓤ. ¶*国語(の授業) は1週間に5時間ある We have five classes 「of [in] *Japanese* 「a [per] week.
2 «数詞をつけて»: (言語) language Ⓒ. ¶彼女は3か*国語が話せる She speaks three *languages*. / She is *trilingual*. 参考 2か国語話せる[話す], または2か国語を用いたという 形 は bilingual, 3か国語の場合は trilingual だが, 3か国語以上にわたる場合をまとめて multilingual ともいう. またたくさんの国語を話す人という 名 は pólyglòt Ⓒ.
国語科 (日本語学科) the Japanese language course 国語学 Japanese philology Ⓤ 国語教育 (日本語教育) Japanese language teaching Ⓤ 国語研究所 ☞ こくりつ (国立国語研究所) 国語国字問題 issues associated with the Japanese language and characters 国語史 the history of the Japanese language 国語辞典 Japanese dictionary Ⓒ 国語審議会 the Japanese Language Council 国語問題 the language problem.

ごくごく[1] ── 動 (一気にぐいと飲む) gulp (down) ㊀ (☞ 擬声・擬態語 (囲み)). ¶私はコップの水を*ごくごく飲んだ I *gulped* (*down*) a glass of water.

ごくごく[2] 極極 ── 副 (極端に) extremely; (非常に) highly. (☞ ごく[1]).

こくさい[1] 国際 ── 形 (国際的・国際上の) international; (世界の) world; (全世界に属する) cosmopolitan /kɑ̀zməpɑ́lətn/.
¶私たちは*国際上の問題について討議した We discussed 「*international* [*world*] problems. // 彼は*国際親善のために尽くした (⇒ 国際親善を築くために大いに努力した) He made great efforts to build (up) *international* goodwill. // 彼は*国際的に有名な学者である He is a *world*-famous scholar. // *国際感覚を備えた政治家 a politician with a *cosmopolitan* point of view
国際アムネスティ Ámnesty Internátional 国際宇宙ステーション the International Space Station (略 ISS) 国際運河 international canal Ⓒ 国際運転免許証 international driving 「permit [license] Ⓒ (★ 略 IDP) 国際オリンピック委員会 the International Olympic Committee (略 IOC) 国際音声字母 the International Phonetic Alphabet 国際化 ── 動 internátionalize ㊀. ── 名 internàtionalizátion Ⓤ 国際会議 international 「conference [congress] Ⓒ (☞ かいぎ[1]) 国際海峡 international strait Ⓒ 国際開発協会 the International Development Association 国際価格 world market price Ⓒ 国際科学用語 International Scientific Vocabulary Ⓤ (略 ISV) 国際学生スポーツ大会 ☞ ユニバーシアード 国際河川 international river Ⓒ 国際カルテル international cartel Ⓒ 国際為替 ☞ がいこくかわせ 国際関係(論) international relations ★ 複数形で. 国際慣行 international practice Ⓒ 国際慣習法 customary international law Ⓒ 国際関税協定 ☞ ガット[1] 国際競技 international sporting

event Ⓒ; international ⌈game [match] Ⓒ　国際協力 international cooperation Ⓤ　国際協力銀行 Japan Bank for International Cooperation 国際協力事業団 the Japan International Cooperation Agency《略 JICA》　国際空港 international airport Ⓒ　国際軍事裁判 the International Military Tribunal《略 IMT》　国際刑事警察機構（通称）Ínterpòl;（正式名）the International Criminal Police Organization《略 ICPO》 国際結婚 international marriage Ⓒ　国際原子時 International Atomic Time Ⓤ《略 IAT》　国際原子力機関 the International Atomic Energy Agency《略 IAEA》　国際語 international [world ; universal] language Ⓒ　国際貢献 international contribution Ⓤ　国際公務員 international civil servant Ⓒ;（国連職員）United Nations staff member Ⓒ　国際交流基金 the Japan Foundation　国際サッカー連盟 FIFA /fíːfə/ ★（フランス語）*F*édération *I*nternationale de *F*ootball *A*ssociation（＝the International Federation of Association Football）の略.　国際識字年 the International Literary Year《略 ILY》　国際自然保護連合 the World Conservation Union 国際私法 private international law Ⓤ; the conflict of laws ★英米では後者のように呼ぶことが多い.　国際司法裁判所 the International Court of Justice　国際社会 international society Ⓤ.　¶ *国際社会の一員 a member of the *international* ⌈*society* [*community*]　国際収支（international）balance of payments Ⓒ.　¶日本の*国際収支は20億ドルの赤字[黒字]だった Japan's (*international*) *balance of payments* showed a ⌈deficit [surplus] of $2 billion.　国際主義 internationalism Ⓤ　国際商業会議所 the International Chamber of Commerce《略 ICC》　国際情勢 international situation Ⓒ　国際商品 international ⌈commodity Ⓒ [merchandise Ⓤ]　国際条約 international treaty Ⓒ　国際色 ¶ *国際色豊かな行事 an event very *international* in character 国際人 cosmopolitan Ⓒ　国際人権規約 the International Covenants on Human Rights　国際赤十字社 the International Red Cross《略 IRC》 国際石油資本 international oil major Ⓒ;（大手石油会社）major oil company Ⓒ;（メジャー）the Majors　国際線（航空機の）international airline Ⓒ　国際組織 international organization Ⓒ　国際単位 international unit Ⓒ《略 IU》, SI unit Ⓒ 国際単位系〘物理〙the International System of Units《略 SI》　国際地球観測年 the International Geophysical Year《略 IGY》　国際調停 international arbitration Ⓤ　国際通貨 international ⌈currency Ⓒ [money Ⓤ]　国際通貨基金 the International Monetary Fund《略 IMF》　国際電気通信衛星機構 the International Telecommunications Satellite Organization《略 INTELSAT; Intelsat》　国際電気通信連合 the International Telecommunications Union《略 ITU》　国際伝染病 international ⌈infectious [epidemic] disease Ⓒ　国際電話 international call Ⓒ　国際都市 cosmopolitan city Ⓒ　国際農業開発基金 the International Fund for Agricul*tural Development*《略 IFAD》　国際犯罪 international crime Ⓤ　国際日付変更線 the international date line《略 IDL》　国際標準化機構 the International Organization for Standardization, the International Standards Organization《略 ISO》　国際標準図書番号 the International Standard Book Number《略 ISBN》　国際婦人[女性]デー International Women's Day ★3月8日.　国際復興開発銀行 the International Bank for Reconstruction and Development《略 IBRD》　国際分業 the international division of labor　国際紛争 international dispute Ⓒ　国際ペンクラブ the International Association of Poets, Playwrights, Editors, Essayists and Novelists, PEN（☞ ペンクラブ）　国際法 international law Ⓤ　国際貿易 international [world] trade Ⓤ 国際放送 international broadcasting Ⓤ　国際捕鯨委員会 the International Whaling Commission《略 IWC》　国際捕鯨条約 the International Convention for the Regulation of Whaling　国際保護鳥 internationally protected bird Ⓒ　国際保護動物 animal designated by the IUCN Ⓒ 国際摩擦 international friction Ⓤ　国際見本市 international trade fair Ⓒ　国際民間航空機関 the International Civil Aviation Organization《略 ICAO》　国際問題 international problem Ⓒ;（外交問題）diplomatic issue Ⓒ　国際郵便 international mail Ⓤ　国際郵便為替 international postal money order Ⓒ　国際流動性〘経〙international liquidity Ⓤ　国際連合 the United Nations《略 UN, U.N.》（☞ こくれん）　国際連合軍 the ⌈United Nations [UN] forces　国際連盟 the League of Nations　国際労働機関 the International ⌈Labor [《英》Labour] Organization《略 ILO》.（☞ 略語（巻末））.

こくさい[2] **国債**　（証券）government bond Ⓒ. ¶ *国債を発行する issue *government bonds*　**国債依存度** the proportion of the total revenue supplied by bonds, the percentage of bonds sale in the total revenue　**国債証券** government bond certificate Ⓒ.

ごくさいしき 極彩色　━形（多彩で派手な）colorful;（色彩豊かな）richly colored.

こくさく 国策　national [state] policy Ⓒ. ¶ *国策を遂行する carry out [implement] the *national policy* // *国策の線に沿って in line with the *national policy*　**国策会社**（半官半民の会社）semigovernmental corporation Ⓒ.

こくさん 国産　━形（自国で作った）Japanese-made（↔foreign-made）, domestic, domestically produced.（☞ -せい[1]; -さん[2]）. ¶きょう*国産のワインを買った I bought a bottle of ⌈*domestic* [*Japanese*] wine today. // このウイスキーは*国産(品)です This whiskey *was made in Japan.* / This whiskey is ⌈*domestically produced* [*domestic; Japanese-made*]. //「これは外車ですか」「いいえ, *国産車です」"Is this ⌈a foreign(-made) [an imported] car?" "No, it's ⌈*Japanese* [a *Japanese* car]." // アメリカでは*国産品の奨励運動が盛んだ The Buy-*American* Movement is strong in the U.S.

こくし[1] **酷使**　━動（人や牛馬などを）work [drive] ... hard;（働かせすぎる）òverwórk ㊀.（☞ こきつかう; はたらかせる）.　¶40歳を過ぎて体を*酷使するのは危険だ It's dangerous to *overwork* (yourself) when you are over forty.

こくし[2] **国司**　〘史〙(provincial) officer in the Nara period Ⓒ.

こくし[3] **国史**　（国の歴史）the history of a nation;（日本の歴史）Japanese history Ⓤ.

こくし[4] **国士**　（愛国者）patriot Ⓒ;（すぐれた人物）distinguished citizen Ⓒ.

こくじ[1] **告示**　（文書など, 特にはり出したもの）notice Ⓒ;（特に初めての発表・知らせ）announcement Ⓒ;（官庁などの掲示）búlletin Ⓒ;（正式な通知など）notification Ⓤ ★通知書とか公告文などの意味のときは Ⓒ.（☞ こうじ[2]; けいじ[1]; つうち）.

こくじ[2] 酷似 ━動 (非常に似ている) resemble ... ⌈closely [strikingly]. ━名 a ⌈close [striking] resemblance ★「類似点」の意味では通例 a ~ として. 《☞ にる[1]; るいじ; いきうつし; そっくり》.
¶この絵はあの絵に*酷似している This picture bears *a close resemblance* to that one.

こくじ[3] 国事 national [state] affairs ★ 複数形で. 国事行為 the emperor's acts in matters of state 国事犯 ☞ せいじ(政治犯)

こくじ[4] 国璽 the Seal of State, the Great Seal.

こくじ[5] 刻字 ━動 carve letters. ━名 (文字) carved letter Ⓒ.

こくじ[6] 国字 (国の正式な文字) native [national] script Ⓤ; (日本の文字) the Japanese script, Japanese writing; (日本で作った文字) ideogram created in Japan Ⓒ. 国字問題 issue related to the Japanese script Ⓒ.

ごくし 獄死 ━動 die in prison ㊀.

こくしつ 国漆 (黒うるし) black lacquer Ⓤ.

こくしびょう 黒死病 the Black Death ★ 14世紀にヨーロッパとアジアで大流行したペストの呼び名; (ペスト) (the) plague. 《☞ ペスト》.

ごくしゃ 獄舎 ☞ かんごく; けいむしょ

こくしゅ[1] 国守 〘史〙 (国司の長官) provincial governor in the Nara period Ⓒ 《☞ こくしゅだいみょう》.

こくしゅ[2] 国主 sovereign Ⓒ 《☞ こくしゅだいみょう》.

ごくしゅう 獄囚 (囚人) prisoner Ⓒ; (刑務所の被収容者) inmate Ⓒ.

こくしゅだいみょう 国主大名 〘史〙 landed daimyo Ⓒ.

こくしょ[1] 酷暑 (猛烈な暑さ) intense [severe] heat Ⓤ 《☞ あつい[2]》.

こくしょ[2] 国書 (国主の信書) sovereign's message Ⓒ; (和書) Japanese book Ⓒ.

こくじょう 国情, 国状 (国の事情) conditions in a ⌈country [nation; state] ★ 通例複数形で; (国内の情勢) state of affairs in a ⌈country [nation] Ⓒ. ¶彼は中国の*国情に明るい[暗い] He is ⌈well informed about [ignorant of] Chinese *affairs*.

ごくじょう 極上 ━形 (最上の) best (↔ worst) ★ 最も一般的な語; (一級の) first-rate; (質が最上の) of the ⌈highest [best] quality; (すばらしい) superb ★ 文語的表現; (えりすぐった) choice Ⓐ. 《☞ じょうとう》.
¶*極上のクッキー *choice* cookies // この品物は*極上だ (⇒ この品物は最高の品質だ) This article is *of the* ⌈*highest* [*finest*; *best*] quality.

こくしょく 黒色 ━名 black Ⓤ, black color Ⓒ. ━形 black. 《☞ くろ》. 黒色火薬 black powder Ⓤ 黒色細胞 〘生〙 (黒色(こく/しき)素胞) melanophore Ⓒ 黒色腫 〘医〙 melanoma Ⓒ 《複 ~s, -mata》 黒色人種 the Negroid race 黒色土 black earth Ⓤ.

こくじょく 国辱 (国家の体面を傷つけること) national disgrace Ⓤ.

こくじん 黒人 ━名 black Ⓒ ★ しばしば大文字で, Negro Ⓒ 《複 ~es》 語法 Negro よりも black のほうが誇りを持った言い方として好まれる; (集合的に) black people ★ 複数扱い. ━形 (黒人の) black, Negro. ¶アメリカ合衆国には*黒人はどのくらいいますか (⇒ アメリカ合衆国の人口の何パーセントが黒人ですか) What percentage of the U.S. population is ⌈*black* [African American]?
黒人霊歌 (Negro) spiritual Ⓒ.

こくすいしゅぎ 国粋主義 ùltranátionalism Ⓤ; (盲目的な愛国主義) chauvinism /ʃóuvənìzm/ Ⓤ. 国粋主義者 ùltranátionalist Ⓒ.

こくする 刻する ☞ きざむ

こくぜ 国是 national policy Ⓒ. ¶*国是に従う follow a *national policy*

こくせい 国政 (国の行政) (national) administration Ⓤ; (治めること) government Ⓤ. 《☞ せいじ[1]; ぎょうせい》. 国政調査権 the right of the Diet Houses to investigate governmental affairs.

こくぜい[1] 国税 national tax Ⓒ (↔ local tax) 《☞ ぜい[1]; ぜいきん》. 国税調査権 the right to conduct a national tax survey 国税徴収法 the National Tax Collection Law 国税庁(長官) (the Commissioner of) the National Tax Agency.

こくぜい[2] 酷税 heavy tax Ⓒ 《☞ じゅうぜい》.

こくせいちょうさ 国勢調査 census Ⓒ.
¶*国勢調査を行う take [carry out] a *census*

こくせき 国籍 nationality Ⓤ; (市民権・公民[国民]としての身分) citizenship Ⓤ.
¶「彼の*国籍はどこですか」「アメリカです (⇒ アメリカ人です)」"What is his *nationality*?" "He's (an) American." // 彼女はイギリス*国籍です She has British *nationality*. / She is a British ⌈*subject* [*citizen*]. ★ subject は「臣民」. // 彼は10年前に日本*国籍を取得した He acquired his Japanese ⌈*nationality* [*citizenship*] ten years ago. / (⇒ 日本に帰化した) He ⌈*was* [*became*] *naturalized in* Japan ten years ago. / He became a *naturalized* Japanese ten years ago. // *国籍不明の飛行機が1機近づいている A plane of unknown ⌈*nationality* [*flag*] is approaching. // 二重*国籍者 a person of ⌈dual [double] *nationality* // 無*国籍者 a *stateless* person // *国籍を偽る disguise [misrepresent] *one's nationality* // *国籍を失う lose *one's nationality* // *国籍を剥奪する *denationalize a person* 国籍条項 (公務員採用の) the nationality clause 国籍法 the Nationality Law 国籍離脱 〘法〙 expatriation Ⓤ. ¶*国籍離脱する *divest oneself of one's nationality*

こくせんべんごにん 国選弁護人 public defender Ⓒ.

こくせんやかっせん 国性爺合戦 (近松門左衛門作の人形浄瑠璃) *The Battles of Coxinga*; (説明的には) a historical drama written for the *joruri* puppet theater by Chikamatsu Monzaemon.

こくそ 告訴 ━動 (刑事・民事両方について, 公式に訴える) accuse ㊉; (主として刑事事件について) charge ㊉; (裁判の手続きをとる) sue ㊉ ㊀, file (a) suit (against ...); (民事について) complain (to ... about ...) ㊀. ━名 accusation Ⓤ; charge Ⓒ; (裁判所への訴え) suit Ⓒ; complaint Ⓒ. 《☞ うったえる; きそ[2]; そしょう》. ¶彼は窃盗罪で*告訴された <S (人)+V (*accuse*)+O (人)+*of*+名(行為)の受身> He *was accused of* theft. / <S (人)+V (*charge*)+O (人)+*with*+名(行為)の受身> He *was charged with* theft. // 山田氏は損害賠償を求めて鈴木氏を*告訴した <S (人)+V (*sue*)+O (人)+*for*+名(被害)> Mr. Yamada ⌈*sued* [*filed* (*a*) *suit against*] Mr. Suzuki *for* damages. // 私は損害賠償を求めて会社を*告訴したが負けてしまった I brought a *suit for* damages *against* the company, but I lost (it).
告訴状 letter of complaint Ⓒ 告訴人 accuser Ⓒ (↔ the accused); (民事の原告) complainant Ⓒ.

こくそう 国葬 state [national] funeral Ⓒ 《☞ そうぎ[1]》.

こくそうちたい 穀倉地帯 granary /gréinəri/ Ⓒ.

こくぞうむし 穀象虫 〘昆〙 rice weevil Ⓒ.
こくぞく 国賊 traitor (to the country) Ⓒ.
こくたい 国体 **1** «国家の形態»: the national polity. **2** ☞ こくみん (国民体育大会)
こくだか 石高 **1** «米の収穫高»: the rice crop. **2** «知行»: stipend Ⓒ. ¶五千石の*石高 a *stipend* of 5,000 *koku* in rice
こくたん 黒檀 〘植〙 ébony Ⓤ.
こくち 告知 ── [名] (通知) notice Ⓒ; (公表) announcement Ⓒ. ── [動] (知らせる) inform (他), 《格式》 notify (他); (広く一般に) announce (他). (☞ つうち; つうこく¹). ¶医者は彼に病名を*告知した (⇒知らせた) The doctor *informed* him of the name of the disease. **告知義務** duty of disclosure Ⓒ.
こぐち¹ 小口 (金銭の少額) small ˹sum [amount] (of money) Ⓒ; (切り口) cut end Ⓒ. ¶金額は大口でも*小口でもお受けします Any amount, large or *small*, will be appreciated. **小口注文** petty order Ⓒ **小口取り引き** business transaction(s) in small amounts.
こぐち² 木口 the cut end (of a piece of wood).
こくちばん 告知板 bulletin [《英》notice] board Ⓒ (☞ けいじ¹).
ごくちゅう 獄中 ── [動] (獄中にある) be in ˹prison [jail]; 《略式》 be behind bars. (☞ けいむしょ; ろう²). **獄中記** prison diary Ⓒ, diary written in prison Ⓒ.
こくちょう¹ 国鳥 national bird Ⓒ.
こくちょう² 黒鳥 〘鳥〙 black swan Ⓒ.
ごくちょうおんそく 極超音速 hypersonic speed Ⓤ.
ごくちょうたんぱ 極超短波 microwave Ⓒ.
ごくっと ¶水を*ごくっと (⇒一気に) 飲む drink the water *in one gulp* (☞ ごくごく¹; ごくり)
ごくつぶし 穀潰し good-for-nothing Ⓒ.
こくていきょうかしょ 国定教科書 (昔の文部省編纂の教科書) textbook compiled by the Ministry of Education Ⓒ (☞ きょうかしょ).
こくていこうえん 国定公園 quasi-national /kwèɪzaɪnǽʃ(ə)nəl/ park Ⓒ ★「国立公園」(national park) に準じる公園. (☞ こうえん¹).
こくてつ 国鉄 (国有鉄道) national [state] railway Ⓒ; (日本国有鉄道) the Japan National Railways Corporation ★1987 年に分割・民営化されて JR (Japan Railways) となった.
こくてん 黒点 (太陽の) sunspot Ⓒ.
こくど 国土 (国) country Ⓒ; (領土) territory Ⓒ; (土地) land Ⓤ. **国土開発** national land development Ⓤ **国土計画** national land planning Ⓤ **国土交通省** the Ministry of Land, Infrastructure and Transport (略 MLIT) **国土交通大臣** the Minister of Land, Infrastructure and Transport **国土地理院** the Geographical Survey Institute **国土利用計画法** the National Land Use Planning Law.
こくとう 黒糖 ☞ くろざとう
こくどう 国道 national highway Ⓒ (☞ みち¹ (類義語)). ¶*国道 18 号線 *National Highway* 18 / (特に地図や道路標識などで) *Route* 18
ごくどう 極道 (悪人) scoundrel Ⓒ; (やくざ) gangster Ⓒ, *yakuza* Ⓒ ★単複同形. ¶*極道 (⇒放蕩) 息子 *a profligate* son
コクトー ── [名] (固) Jean Cocteau /ʒɑ́ːŋ kɑktóʊ/, 1889–1963. ★フランスの詩人・小説家.
こくない 国内 ── [形] (外国に対して) domestic (↔ foreign). ── [副] (国の中で) in [inside; within] the country. ¶*国内ニュース *domestic* news // *国内産業 *domestic* industries **国内関税** inland customs in feudal time ★複数形で; (説明的には) a tax for the right to transport goods within a nation **国内航空** domestic air service Ⓤ **国内市場** the domestic market **国内事情** domestic [internal] affairs **国内線** (飛行機の) domestic airline Ⓒ **国内総生産** the gross domestic product (略 GDP) ★国民総生産 (GNP) から国外投資による分を引いたもの. **国内便** domestic flight Ⓒ **国内不況** the stagnant domestic economy **国内法** municipal law Ⓒ **国内放送** domestic broadcasting Ⓤ **国内旅行** domestic trip Ⓒ.
こくないしょう 黒内障 〘医〙 amaurosis /æ̀mərόʊsɪs/ Ⓤ.
こくなん 国難 (国家の危機) national crisis Ⓒ (☞ きき¹).
ごくねつ 極熱 intense heat Ⓤ (☞ こくしょ¹; もうしょ). **極熱地獄** (地獄の火) hellfire Ⓤ; (焦熱地獄) Gehenna /gɪhénə/ Ⓒ.
こくねつびょう 黒熱病 〘医〙 kala-azar /kὰːləəzάːə/ Ⓤ, black fever Ⓤ.
こくはく¹ 告白 ── [動] confess (他) (自). ── [名] confession Ⓒ. (☞ じはく; うちあける).
こくはく² 酷薄 ── [名] (思いやりがないこと) inhumanity Ⓤ; (残酷) cruelty Ⓤ. ── [形] cruel; (冷酷な) unfeeling. (☞ れいこく).
こくはつ 告発 ── [動] accuse (他), charge (他) ★後者は主として刑事事件について. ── [名] accusation Ⓤ, charge Ⓒ. (☞ こくそ).
¶内部*告発 *exposure* from ˹within [the inside] **告発者** accuser Ⓒ; (起訴者) prosecutor Ⓒ **告発状** bill of indictment /ɪndáɪtmənt/ Ⓒ.
こくばん 黒板 blackboard Ⓒ, 《米》 chalkboard Ⓒ; (緑色の) greenboard Ⓒ, green blackboard Ⓒ. ¶その文を*黒板に書きなさい Write the sentence on the *blackboard*. // *黒板をふく erase the *blackboard* **黒板ふき** (blackboard) eraser Ⓒ.
こくはんびょう 黒斑病 (植物の) black spot Ⓒ.
こくひ 国費 (国家予算) (national) budget Ⓒ; (出費) national expenditure(s); (資金・蓄え) national reserves ★「財源」の意味では通例複数形で. (☞ こうひ¹). **国費留学生** (外国の) government-financed ˹foreign [overseas] student Ⓒ; (一般に) student studying abroad on a government scholarship Ⓒ.
こくび 小首 ¶*小首をかしげる (⇒疑問を持つ) have *doubts* about ... / (⇒疑問に思う) *doubt* ˹if [whether] ... (☞ ぎもん)
ごくひ 極秘 ── [形] top-secret, strictly secret ★前者のほうが口語的. ── [名] closely guarded secret Ⓒ; (極秘の状態) strict secrecy Ⓤ. (☞ ひみつ). ¶彼らは*極秘に準備を進めた They made arrangements in *strict secrecy*.
ごくび 極微 ── [形] (数・量などが微小の) infinitesimal ★格式ばった語; (顕微鏡でしか見えないような) microscopic. ── [名] minuteness /maɪn(j)úːtnəs/ Ⓤ.
こくひしょう 黒皮症 〘医〙 melasma Ⓤ.
こくびゃく 黒白 ¶この問題は*黒白つけがたい (⇒明確な解決を拒む) This problem defies a *clear-cut* solution. / (⇒どちらが正しいかわからない) As for this problem, it's hard for us to tell which side is *right or wrong*. ★第 2 文が平易な表現. // *黒白を明らかにする (⇒どちらが正しいか調べる) see *which is right* / (⇒問題を解決する) *decide* [*settle*] the matter (☞ しろくろ)
黒白を争う argue [dispute] about which is right. ¶法廷で*黒白を争う (⇒法廷に持ち込む) bring the matter to court (for trial)
こくひょう 酷評 ── [動] (厳しく批評する) criti-

cize … 「severely [sharply]; (けなす) 《略式》 rùn dówn ⊛. ―名 severe [sharp] criticism ★「批評すること」の意味では Ⓤ,「批評文」の意味のときは Ⓒ. 《☞ けなす; こきおろす; ひはん》. ¶ その美術評論家は彼の絵を*酷評した The art critic 「*criticized* his painting *severely* [*ran down* his painting].

こくひん 国賓 national [state] guest Ⓒ, (official) guest of the 「nation [state] Ⓒ. ¶ *国賓として訪問する pay a *state* visit (to …)

ごくひん 極貧 extreme poverty Ⓤ 《☞ びんぼう》. ¶ *極貧にあえぐ suffer from *extreme poverty*

こくふ[1] 国府 provincial capital of the Nara period Ⓒ; the seat of a local government of the Nara period.

こくふ[2] 国父 the father of 「the [*one's*] country. ¶ ジョージ ワシントンはアメリカの*国父といわれている George Washington is said to be *the father of his country*.

こくふく 克服 ―動 (大いに努力して打ち勝つ) cónquer ⊛; (忍耐・勇気などで打ち勝つ) òvercóme ⊛ ★ 以上 2 語は入れ替え可能な場合も多い. ―名 conquest Ⓤ. 《☞ うちかつ; のりこえる》. ¶ 彼女は多くの困難を*克服した She 「*conquered* [*overcame*] many difficulties. // 彼は病気を*克服した (⇒ 病気から回復した) He *recovered* from his 「sickness [illness].

ごくぶと 極太 ―形 very thick. ¶ *極太のペン a *very thick* pen // *極太の糸 a *heavy* thread

こくぶんがく 国文学 (日本の文学) Japanese literature Ⓤ 《☞ ぶんがく》. **国文学科** department of Japanese (literature) Ⓒ.

こくぶんじ 国分寺 〖史〗 provincial temple Ⓒ; (説明的には) Buddhist temples ordered in 741 by Emperor Shomu to be built in each province of Japan.

こくぶんぽう 国文法 (日本語の文法) Japanese grammar Ⓤ 《☞ ぶんぽう[1]》.

こくべつ 告別 ―名 (別れ) parting Ⓤ; (いとまごい) leave-taking Ⓤ. ―動 say good-by(e) (to …), bid farewell (to …) ★ 後者は格式ばった言い方. ¶ *告別の辞 (⇒ 言葉) *parting* words / (⇒ 演説) a *farewell* address **告別式** (葬儀) funeral (「service [ceremony]) Ⓒ 《☞ そうぎ[1]》.

こくへん 黒変 ―動 (黒くする・黒くなる) blacken ⊛ ⊜; (黒く変じる) become [go; turn] black.

こくほ 国保 ☞ こくみん (国民健康保険)

こくほう[1] 国宝 national treasure Ⓒ. ¶ この絵は*国宝級のものです This picture ranks with the *national treasures*.

こくほう[2] 国法 the 「national [state] law, the law of the land ¶ *国法に従う obey [follow] *the national law* // *国法を犯す break [violate] *the law of the land*

こくぼう 国防 national 「defense [《英》 defence] Ⓤ. ¶ *国防予算 the *defense* budget **国防会議** the National Defense Council **国防色** (カーキ色) khaki /kǽki/ Ⓤ **国防総省** 《米》 the Department of Defense, 《米》 the Pentagon ★ 後者は五角形をしたその庁舎の名から. **国防長官** 《米》 the Secretary of Defense.

ごくぼそ 極細 ¶ *極細のボールペン [毛糸] an *extra-fine* 「ballpoint pen [woolen yarn]

こぐま 小熊, 子熊 〖動〗 (小さい熊) little bear Ⓒ; (熊の子) bear cub Ⓒ. **小熊座** 〖天〗 the Little Bear, Ursa /ə:sə/ Minor.

こくみん 国民 ―名 nation Ⓒ 語法 the nation として, 1 国の国民全体を表す.「私は日本国民だ」のように個人については I'm a Japanese (「citizen [national]). のように言う; (特に社会主義国の国民・人民) the people ★ the を付けて全体を表し, 複数扱い. ―形 (国民の) national.

¶ 日本*国民 (全体) *the* Japanese *nation* // *国民の声 the voice of *the nation* // インフレは*国民生活を破壊する Inflation does great damage to the *national* 「welfare [well-being]. // 大統領の死を全*国民が悲しんだ All *the* 「*nation* [*people*] mourned the death of the President.

国民医療費 national medical care expenditure Ⓤ **国民栄誉賞** People's Honor Award Ⓒ **国民会議派** (インドの代表的政党) the Indian National Congress **国民皆保険** universal (national) health 「insurance [care] Ⓤ **国民楽派** nationalist school (of music) Ⓒ ★ 19 世紀後半から 20 世紀にかけてのロシア・北欧などの民族主義的な音楽運動. **国民感情** national 「mood [climate of opinion] Ⓤ **国民休暇村** national recreation village Ⓒ **国民教育** national education Ⓤ **国民軍** national conscription army Ⓒ **国民経済** national economy Ⓤ **国民健康保険** national health insurance Ⓤ, 《英》 National Health Service Ⓤ **国民車** people's car Ⓒ **国民宿舎** (public) hostel Ⓒ 日英比較 これに相当するものが英米にないので説明的. **国民所得** national income Ⓤ **国民審査** (最高裁の裁判官に対しての) the national review system for supreme court judges **国民性** national traits ★ 普通は複数形で. 《☞ くにがら》 **国民生活金融公庫** the National Life Finance Corporation **国民生活センター** the National Consumer Affairs Center of Japan 《略 NCAC》 **国民政党** people's party Ⓒ **国民政府** (中華民国国民政府) the 「Kuomintang [KMT] (Party) Government **国民戦線** (英国極右の国家主義政党) the National Front 《略 NF》; (フランスの極右組織) the Front national 《略 FN》 **国民総支出** gross national expenditure Ⓤ 《略 GNE》 **国民総生産** gross national product Ⓤ 《略 GNP》 **国民総背番号制** the computerized personal data system **国民体育大会** the National Athletic Meet **国民党** (中華民国の) the Kuomintang 《略 KMT》; the Chinese Nationalist Party **国民投票** (national) referendum Ⓒ 《複 ~s, referenda》, plebiscite Ⓒ **国民年金(制度)** national 「annuity [pension] (system) Ⓒ **国民年金基金** the National Pension Foundation **国民の休日** National People's Day ★ Between Day, Citizens' Day とも訳される. 祝日間に 1 日だけ挟まれた平日がこの休日となる. **国民の祝日** national [public] holidays 《☞ しゅくじつ》 **国民負担** the public burden; (説明的には) the health insurance and tax burden borne by the general public **国民文学** national literature Ⓤ.

こくむ 国務 state affairs ★ 複数形で. **国務省** 《米》 the State Department **国務大臣** Minister of State Ⓒ **国務長官** 《米》 the Secretary of State 参考 アメリカの「国務長官」というのは筆頭の閣僚で,「外務大臣」の役も兼ねる.

こくめい[1] 克明 ―形 (詳細にわたって説明してある) detailed; (手が込んで念入りな) eláborate. ―副 in detail; elaborately. 《☞ しょうさい[1]; くわしい》. ¶ 彼女は毎日*克明に日記をつけている (⇒ 毎日の記載事項を入れて詳細な日記を書いている) She keeps a *detailed* diary with entries for each day. // この本はその事件を*克明に (⇒ 事件の詳細を) 描いている This book 「gives [describes] the full *details* of the event.

こくめい[2] 国名 name of a country Ⓒ.

こくめい[3] **刻銘** exergue /éksəːɡ/ Ⓒ.

こくもつ 穀物 cereal (crop) Ⓒ, grain Ⓤ, 《英》corn Ⓤ 参考 corn は米国・カナダ・オーストラリアでは「とうもろこし」, 英国では主に「小麦」の意味に用いられる. 《☞ むぎ; いね (挿絵)》.

ごくもん 獄門 (牢獄の門) prison gate Ⓒ; (獄門台) *gokumon* scaffold Ⓒ; (説明的には) the scaffold on which the severed head of a criminal was exposed to the public ★ 始めのうちは首が獄の門前に置かれたことから. ¶ *獄門にかける send *a person* to the *scaffold*

ごくやす 極安 ── 形 very cheap; extremely low-priced; (ばか安の) dirt-cheap ★くだけた語. 《☞ やすい (類義語)》.

こくゆ 告諭 ☞ せつゆ

こくゆう 国有 ── 形 (国有の) national, state ★ 前者のほうが普通; 《米》(連邦政府の) federal; (国有にされた) nationalized; (国家の所有する) state-[government-]owned. ── 動 (国有化する) nationalize ㊥. 《☞ こくえい; こくりつ》.
¶ イランは石油産業を*国有化した Iran [The Iranian government] *nationalized* its oil industry.
国有財産 national [state(-owned)] property Ⓤ **国有地** government-owned land Ⓤ **国有林** national [state] forest Ⓒ, state-owned [government-owned] forest Ⓒ.

こくようせき 黒曜石 〔鉱〕 obsidian /əbsídiən/ Ⓤ.

ごくらく 極楽 (楽園) páradise Ⓒ ★ 聖書にあるエデンの園のような所; (キリスト教でいう天国) heaven Ⓤ (↔ hell) 日英比較 日本語の「極楽」は paradise がいちばん近い. 《☞ てんごく; らくえん》.
極楽往生 peaceful death Ⓒ 《☞ だいおうじょう》.
¶ *極楽往生をとげる (⇒ 安らかに死ぬ) die a *peaceful death* / (⇒ 極楽浄土に生まれ変わる) be reborn in the Land of Perfect Bliss **極楽浄土** the Land of Perfect Bliss **極楽鳥** bird of paradise Ⓒ **極楽とんぼ** happy-go-lucky person Ⓒ.

こくり ☞ こっくり

ごくり ¶ 水を*ごくりと飲む *gulp* down the water 《☞ ごくごく; 擬声・擬態語 (囲み)》

こくりつ 国立 ── 形 (国家の) national, state ★ 後者は格式ばった語; (政府管轄の) government. 《☞ こうりつ[1]; こくゆう; こくえい》. **国立科学博物館** the National Science Museum /mjuːzíːəm/ **国立感染症研究所** the National Institute of Infectious Diseases 《略 NIID》 **国立競技場** the National Stadium **国立近代美術館** the National Museum of Modern Art **国立劇場** the National Theater **国立公園** national park Ⓒ **国立公文書館** the National Archives of Japan **国立国語研究所** the National Institute for Japanese Language **国立国会図書館** the National Diet Library **国立西洋美術館** the National Museum of Western Arts **国立大学** national [state] university Ⓒ 日英比較 前者のほうが普通. なお 《米》 では連邦政府の経営している大学は現在はなく, 日本の国立大学に当たるものは各州の州立大学であり state university という. しかし state も元来は「国立の」の意味であるから日本の大学にはいずれを用いてもよい. **国立天文台** the National Astronomical Observatory **国立博物館** national museum Ⓒ **国立病院** national hospital Ⓒ **国立民族博物館** the National Museum of Ethnology **国立予防衛生研究所** the National Institute of Preventive Medicine ★ 国立感染症研究所の旧称.

こくりゅう 穀粒 (穀物の粒) grain Ⓒ; (特に麦・とうもろこしなどの) kernel Ⓒ.

こくりょく 国力 (勢力) national might Ⓤ; (困難などに耐える強さ) national resilience Ⓤ; (富・経済力) national wealth Ⓤ. 《☞ ちから; せいりょく[1]》.
¶ 日本は*国力の充実(⇒ 発展)に努めている Japan is trying to develop its *national resilience.* / (⇒ 日本は国の強さを養おうと努めている) Japan is trying to build up its *national resilience.*

こくるい 穀類 cereal (crop) Ⓒ, grain Ⓤ, 《英》corn Ⓤ. 《☞ こくもつ; むぎ; いね (挿絵)》.

こくれん 国連 the United Nations ★ the を付けて, 単数扱い. UN または U.N. と略す. 《☞ 略語 (巻末)》. ¶ *国連は 1945 年に組織された *The United Nations* was organized in 1945. // 日本は 1956 年に*国連に加入した (⇒ 国連の一員になった) Japan became a member of *the United Nations* in 1956.
国連安全保障理事会 the United Nations Security Council 《略 UNSC》 **国連加盟国** member of the United Nations Ⓒ **国連環境開発会議** the United Nations Conference on Environment and Development 《略 UNCED》 《☞ ちきゅう[1] (地球サミット)》 **国連旗** the United Nations flag **国連記念日** United Nations Day **国連教育科学文化機関** the United Nations Educational, Scientific and Cultural Organization 《略 UNESCO》 《☞ ユネスコ》 **国連軍** the United Nations Forces **国連軍縮委員会** the United Nations Disarmament Commission 《略 UNDC》 **国連経済社会理事会** the United Nations Economic and Social Council 《略 ECOSOC》 **国連憲章** the Charter of the United Nations **国連公用語** official United Nations language Ⓒ **国連事務局** the Secretariat of the United Nations **国連事務総長** the Secretary-General of the United Nations **国連人権委員会** the United Nations Commission on Human Rights **国連総会** the United Nations General Assembly ★ 新聞の見出しなどで UNGA と略されることがある. **国連大学** the United Nations University 《略 UNU》 **国連大使** the Ambassador to the United Nations **国連難民高等弁務官** the United Nations High Commissioner for Refugees 《略 UNHCR》 **国連の日** United Nations Day **国連分担金** financial contribution(s) to the United Nations **国連平和維持活動** the United Nations Peacekeeping Operations 《略 PKO》 **国連平和維持軍** the United Nations Peacekeeping Force 《略 PKF》 **国連本部** the United Nations Headquarters ★ 単数扱い.

ごくろう 御苦労 ☞ くろう

こくろん 国論 national opinion Ⓤ 《☞ よろん》.
¶ *国論は二分された The *national* [*National*] *opinion* 'was divided [split]. // *国論を統一する create a *national consensus*

ごぐん 語群 〔言〕 word group Ⓒ.

こぐんふんとう 孤軍奮闘 ── 動 (単独で戦う) fight alone ㊀; (一人の戦いをする) fight a lone(ly) battle. 《☞ たたかう》.

こけ[1] **苔** 〔植〕 (せん類) moss Ⓤ ★ ミズゴケなどのように茎があるもの; (たい類) liverwort Ⓤ ★ ゼニゴケなどのように葉状のもの; (地衣類) lichen /láɪk(ə)n/ Ⓤ ★ 岩の表面などに生える菌類と藻類の共生体. ¶ 岩に*こけが生えた *Moss* has formed on the rock. // 転石*こけむさず A rolling stone gathers no *moss.* 《ことわざ; ☞ こけむす》 語法 このことわざは以前はしばしば職業や住所を変える人は成功しないという意味で使われていたが, 最近では活動して飛び回っている人はいつも清新であるという意味に解されることもある.

こけ² 虚仮 1 《愚かなこと》: (愚かさ) stupidity [U]; (ばか者) fool [C]; (大ばか) idiot [C]; (うすのろ) moron [C]. 《☞ ばか》. ¶ 人を*こけにする (⇒ ばかにする) *make a fool of a person*
2 《いつわり》: untruth [C].

こげ 焦げ (焼け焦がし) burn [C]; (表面的な焼け焦げ) scorch [C]; (お焦げ) scorched rice [U]. 《☞ こげる》.

ごけ 後家 widow [C].

こけい¹ 固形 ── 形 (固形の) solid. ── 名 (固体) solid (body) [C]. **固形アルコール** solid alcohol [U] **固形食** (食物) solid food [U]. ¶ 私はきのう手術を受けたので*固形食は食べられない Since I ⌜underwent [had] an operation yesterday, I cannot eat *solid food*. **固形燃料** solid fuel [U].

こけい² 孤閨 ¶ 彼女は*孤閨を守った She *looked after the house while her husband was away.*

こけい³ 古形 old [archaic] form [C].

ごけい¹ 語形 word form [C]. **語形変化** 〘文法〙 inflection [U] ★「変化形」の意では [C].

ごけい² 互恵 ── 名 reciprocal favors ★ 複数形で; (互恵主義) rèciprócity [U]. ── 形 (互恵の) recíprocal. **互恵関税率** reciprocal tariff [C] **互恵条約** reciprocal treaty [C] **互恵通商** reciprocal trade [U].

こけおどし (実行する意志のないおどし) empty threat [C]; (はったり) bluff [U] ★ 具体例を指すときは [C]. 《☞ おどし; おどす; はったり》. ¶ そんな*こけおどしには乗らないほうがいい (⇒ 屈するな) Don't give in to such *empty threats*.

こげくさい 焦げ臭い ¶ *焦げ臭いよ (⇒ 何かが焦げている臭いがする) I *smell something burning*. 《☞ こげる》

ごけぐも 後家蜘蛛 〘動〙 (ゴケグモ属のクモの総称) widow spider [C].

こけこっこう cock-a-doodle-doo /kákədù:dldú:/ [C] 《☞ 動物の鳴き声 (囲み); 擬声・擬態語 (囲み); ハイフン (巻末)》.

こけし *kokeshi* doll [C]; (説明的には) Japanese wooden doll [C].

こけしのぶ 苔忍 〘植〙 filmy fern [C].

こげちゃ 焦茶 ── 名 形 dark brown ★ 名 では [U]. 《☞ ちゃいろ》.

こけつ 虎穴 ¶ *虎穴に入らずんば虎児を得ず Nothing ventured, nothing gained. 《ことわざ: 思い切ったことをしないと何も手に入らない》

こげつ 湖月 the moon reflected on the lake.

こげつき 焦げ付き 1 《料理などの》: burning [U]; (物の) scorching [U]. 《☞ こげる》.
2 《貸し金などの》: bad debt [C]; irrecoverable [uncollectible] loan [C] ★ 後者は格式ばった語. 《☞ こげつく》.

こげつく 焦げ付く 1 《焼け付く》: burn (自); (黒焦げになる) char (自). 《☞ こげる; やける¹》. ¶ *焦げ付かないフライパン a *nonstick* frying pan
2 《貸付金が回収できなくなる》 ¶ 貸した金が*焦げ付いた The money I ⌜lent [loaned] *became* ⌜*irrecoverable* [*unrecoverable*; *uncollectible*].

コケットリー (こび) coquetry [U].

コケティッシュ ── 形 (なまめかしい) coquéttish.

こけでら 苔寺 ── 名 (固) Kokedera; (西芳寺) Saihoji Temple, which is famous for its moss-covered garden.

ごけにん 御家人 〘史〙 *gokenin* [C]; (武士の家来) warrior's vassal [C]; (江戸時代の) low-ranking vassal of the shogun [C].

こけむす 苔生す become covered with moss 《☞ こけ¹》. ¶ *こけむした切り株 a stump thickly *covered with moss* // 庭石は*こけむしている The ⌜garden stones [stones in the garden] are ⌜*mossy* [*covered with moss*].

こげめ 焦げ目 ── 動 (きつね色に焦げ目を付ける) brown (他); (少し黒こげにする) char ...slightly. ¶ 魚を*焦げ目を付けて焼く broil [《英》 grill] fish until it *is lightly charred*

こけもも 苔桃 〘植〙 blueberry [C]; whortleberry [C] ★ 前者は北米の, 後者は欧州の近縁種.

こげら 小啄木 〘鳥〙 Japanese pygmy woodpecker [C].

こけらいた 柿板 shingle [C]. ¶ *こけら板で屋根をふく cover the roof with *shingles*

こけらおとし こけら落とし the (grand) opening (of a new theater).

こけらぶき 柿葺き (屋根) shingled roof [C].

こける¹ (ほおが) sink (in) (自); (落ち込む) become hollow ★ 目などがくぼむという意味でも使われる. 《☞ やせる; おちこむ》. ¶ 彼女はほおが*こけてしまった Her cheeks *have* ⌜*sunk in* [*become hollow*].
〔語法〕「彼女はほおがこけている」の場合は She has *sunken* cheeks. という.

こける² 転ける ¶ 親会社が*こけたら大変だ What if the parent company *goes bankrupt*? / It would be ⌜awful [terrible] if the parent company *goes bankrupt*. 《☞ ころぶ; ふせいこう》

-こける ☞ ねむりこける; わらいこける

こげる 焦げる (焼け焦げる) burn (自) (他); (外側がチリチリと焦げる) singe (自) (他); (表面が熱でだめになるほど焦げる) scorch (自) (他); (真っ黒に焦げる) char (自) (他). 《☞ こがす; こげつく; やく¹》. ¶ 肉が*焦げてますよ The meat *is burning*. // 台所で何かが*焦げているにおいがする I (can) smell something *burning* in the kitchen. // トーストが真っ黒に*焦げてしまった The toast *was burned* black.

こけん 沽券 ¶ そんなことをするとあなたの*こけんにかかわる (⇒ それはあなたに不名誉をもたらす) It will bring *discredit* on you if you do such a thing.

ごけん 護憲 ¶ *護憲運動 a movement for the *defense of the Constitution*

ごげん 語源, 語原 the origin of a word, ètymólogy [C] ★ 前者は the を付けて. 後者は専門用語. 《☞ きげん³》. ¶ この単語の*語源はフランス語です (⇒ この単語はフランス語から来ています) This word *comes from* French. / This word is of French *origin*. ★ 前者のほうがより口語的. **語源学** etymology [U] **語源辞典** etymological dictionary [C].

ここ¹ 此処 ── 副 here, over here 〔語法〕 (1) here は話者のいる場所, または話者を中心とした話者に近い場所を言う点では日本語の「ここ」とだいたい一致する. 離れた場所から話者のほうへ向かっての移動を含む場合に口語ではよく over here が用いられる. また, 日本語の「ここ」は主として指示語として使われるが, 英語の here は同じ場所の名を繰り返すことを避けるために, 代名詞的に用いられることがある点に注意. 《☞ 代名詞 (巻末)》. ── 名 (この場所) this place. 《☞ ここら; こちら; あそこ; そこ² 〔日英比較〕》.
¶ *ここにアメリカ人のある少女からの手紙があります *Here* is [*Here*'s] a letter from an American girl.
〔語法〕 (2) 強調がない場合には口語では普通 Here's となる. 《☞ 短縮形 (巻末)》 // *ここでしばらく待っていて下さい Please wait *here* for a moment. // *ここは禁煙です No smoking *here*. // *ここ (⇒ これ) が私の部屋です *This* is my room. // *ここへいらっしゃい Come (*over*) *here*. // *ここから駅までどのくらいありますか How far is it from *here* to the (train) station? // 「僕の傘はどこだろう」「*ここにあるよ」 "Where is my umbrella?" "*Here* ⌜it is [you are]." 〔語法〕 (3) Here ⌜it is [you are]. は「さあ,

ここにあるよ」というように，相手に物を差し出すときに用いる決まった言い方．単に「それはここだ」という意味なら，It's *here.* でもよい．// *ここにいる私の友人が学校内をご案内します My friend *here* will show you around the campus. [語法] (4) here は副詞だが前の名詞を修飾することがある．// *ここはどこですか (⇒私たちはいまどこにいるのか) Where are we now? // *ここはもう大阪市です (⇒私たちは大阪市内にいる) We are now ˹within [inside] the city limits of Osaka. [語法] (5) 以上 2 例のように，日本語で「ここ」とあっても英語では here が用いられないことがある．特に現在地点の説明の場合にそうであることに注意． // *ここしばらくは寒い日が続くでしょう We'll have cold weather for some time. // *ここかしこで *hére* and *thére* / (⇒至る所で) *here,* there, and everywhere // *ここ数年の間に for *the past* several years // *ここだけの話ですが just between you and me / between ourselves **ここで会ったが百年目** ☞ひゃくねんめ **ここを先途と** ☞せんど[2]

ここ[2] 個個 ―[形] (めいめいの) indivídual [A]; (各各の) each [A] ★単数名詞を伴う; (別々の) separate /sép(ə)rət/. ―[副] (個別的に) individually; (別々に) separately; (一つ一つ·次々と) one by one. 《☞べつべつ; それぞれ; こべつ[2]》.
¶ *個々の問題について話し合う時間がない I don't have time to discuss *each* (*separate*) problem. // それらは*個々に扱ったほうがよい We had better treat each of them *separately.*

ここ[3] 呱呱 (赤ん坊の泣く声) a baby's cry 《☞うぶごえ》. ¶ *呱々の声をあげる (⇒生まれる) be born / (⇒出現する) come into ˹this world [existence]

こご 古語 (使われてはいるが古風な語) archaic /ɑəkéɪɪk/ word [C], archaism [C]; (廃語) óbsolète word [C]; (古い言葉) old word [C] ★初めの 2 つは格式ばった語. **古語辞典** dictionary of archaic words [C].

ごご 午後 (正午から夕方まで) afternoon [C]; (時刻を示す場合) p.m.; P.M. (↔a.m.) ★時刻を表す数字の後に付ける. 《☞時刻·日付·曜日 (囲み)》.
¶ 私は*午後ピアノの練習をする I practice the piano *in the afternoon.* 《☞冠詞 (巻末)》// 彼は*午後 2 時にここに来るだろう He'll come here at ˹two (o'clock) *in the afternoon.* [2 *p.m.*] // 弟は*午後遅く帰ってきた My brother came home ˹late *in the afternoon* [*in the* late *afternoon*]. // 母は毎日*午後買い物に行きます Mother goes shopping every *afternoon.* [語法] (1) this [tomorrow; yesterday; every] afternoon (きょうの [あしたの, きのうの, 毎] 午後) のような場合には，前置詞 in は付けない. 《☞あさ[1] [語法]》// きょう[あす]の*午後授業があります I have classes ˹this [tomorrow] *afternoon.* // 私は土曜日の*午後は暇です I'm free (*on*) Saturday *afternoon.* [語法] (2) 特定の日の午後の場合は on を用いる. // ここの図書館は月曜から金曜まで午前 10 時から*午後 6 時まで開いています The library here is open from 10 a.m. to 6 *p.m.* (from) Monday through Friday.
午後一 ¶ *午後一で配達します We'll deliver it *first thing in the afternoon.*

ココア hot chocolate [U], cocoa /kóʊkoʊ/ [U] ★いずれも喫茶店などで注文するときは [C].

ここう[1] 糊口 (暮らし) livelihood [C]; (生計) living [C]. ¶ 彼は*糊口に窮している (⇒暮らしのすべがない) He has no means ˹of *livelihood* [to make a *living*]. // 彼女は近所の臨時仕事をして*糊口をしのいでいる (⇒辛うじて生計をたてている) She ekes out *a bare living* by doing odd jobs in the neighborhood.

ここう[2] 股肱 (信頼できる人) *one's* trusted person [C]; (片腕となる人) *one's* ˹right-hand [right-arm] man [C], *one's* best supporter [C] ★前者は古風な表現. 《☞ふくしん[1]》. **股肱の臣** *one's* right-hand retainer [C].

ここう[3] 虎口 (虎の口) the tiger's mouth; (窮地) the jaws of death. ¶ *虎口を脱する (⇒危険から逃れる) get out of *danger* / (死の危険を免れる) escape (from) *the jaws of death*

ここう[4] 孤高 aloofness [U]. ¶ *孤高を保つ (⇒他から超然としている) keep [stand] *aloof* from others

こごう 古豪 (かつての一流の選手[チーム]) formerly top-rank(ed) ˹player [team] [C].

ごこう 後光 (頭の回りの) halo [C] (複 ~(e)s), aura [C], áureole [C]. ¶ 仏像の頭から*後光がさしていた (⇒後光が仏像の頭の回りにあった) A *halo* [An *aureole*] ˹was around [ringed] the head of the ˹Buddhist statue [Buddha].

こごえ 小声 (低い声) low voice [C] (↔loud voice); (つぶやき) whisper [C]. 《☞こえ[1]; ささやく》.
¶ 彼女は*小声で私に話しかけた She spoke to me in a ˹*low voice* [*whisper*].

こごえじに 凍え死に ☞とうし[4]

こごえじぬ 凍え死ぬ freeze to death [自] 《☞とうし[4]》. ¶ その鳥は*凍え死んでしまうでしょう The bird will ˹*freeze* [*be frozen*] *to death.*

こごえつく 凍え付く ☞こおりつく

こごえる 凍える ―[動] (凍るほど寒く感じる) freeze [自]; (凍えてしまう) be frozen; (寒さで無感覚になる) be benumbed with cold; ((骨まで) 冷える) be chilled (to the bone). ―[形] (凍えるほど寒い) freezing; (寒さで無感覚の) numb with cold [P]; (身震いするほど寒い) chilly; (氷のように冷たい) icy.
¶ けさは冷えて*凍えそうだ It *is freezing* this morning. / I *am freezing* this morning. // 寒くて手が*凍えた My ˹hands [fingers] are *numb with* (*the*) *cold.*

ここかしこ 此処彼処 ―[副] (あちこち) here and there; (至る所) everywhere. 《☞あちこち》. ¶ *ここかしこと引っ越す move *from place to place*

ここく 故国 home [C] [語法] 意味の広い語で，「家庭」「故郷」なども意味する．従って，はっきりと「故国」の意味を出したければ homeland [C], home country [C], やや文学的には (*one's*) mother country などを使うこともできる．しかし，前後関係で明らかであれば，home を使うのがよい. 《☞こきょう; そこく; ぼこく》. ¶ *故国を離れてから 10 年になる (⇒10 年間故国を離れている) I have been away from *home* for ten years.

ごこく[1] 五穀 (穀物) cereals ★複数形で. 《☞こくもつ》. ¶ *五穀豊饒を祈る pray for a ˹good [rich] *harvest*

ごこく[2] 後刻 ―[副] (後ほど) later on; (あとで) afterward(s). 《☞あと[1]》. ¶ その件につきましては*後刻お話いたします I'll talk about it *later on.*

ここじん 個個人 each individual [C] 《☞こじん[1]》. ¶ それは*個々人の問題だ That's up to *each individual.*

ここぞ ¶ *ここぞというときに彼は逃げ出した He ran off at *the crucial moment.* // *ここぞとばかりに撃ちまくった It was like *now or never* and we began shooting for all we were worth.

ここち 心地 ¶ この車は乗り*心地がいい This car *has a comfortable* ride. // この家は住み*心地がいい[悪い] This house *is* ˹*comfortable* [*uncomfortable*] *to* live in. [語法] 「はき心地がいい」，「着心地がいい」，「座り心地がいい」という言い方もこれに準じる. // 彼の家は居*心地がいい (⇒私は彼の家でくつろげる) I *feel at home* in his house. // 生きた*心地もしなかった（⇒ 生きているよりむしろ死んだ気持ちがした）I *felt more dead than alive.* // 悪夢を見ている*心地がした I *felt as if* I were having a nightmare. // 潮風が*心地よい The「sea [ocean] breeze is pleasantly「*refreshing* [*bracing*]. // 朝の空気ですっかりさわやかな*心地になった I *felt* quite *refreshed* by the morning air.

【参考語】 — 形(快適な) comfortable, cozy, snug; (感じのよい) nice, pleasant; (すがすがしい) refreshing.

こごと 小言 — 名（子供をしかるときのような）scolding Ⓒ; (上役が部下に対するような非難の口調の)《格式》reproof Ⓤ; (説教口調の) lecture Ⓒ. — 動 scold ⑩, give (*a person*) a scolding; 《格式》reprove ⑩; lecture ⑩. (☞ しかる; がみがみ).
¶ 怠けてぶらぶらしていて母に*小言を言われた My mother *scolded* me *for* wasting my time. // 彼は犬をいじめたことで，父からうんと*小言を食った He got「a good *scolding* [a long *lecture*] from his father because he was cruel to the dog.
小言幸兵衛 grumbler Ⓒ.

ココナッツ （ココやしの実) cóconùt Ⓒ. **ココナッツオイル** coconut oil Ⓤ **ココナッツミルク** coconut milk Ⓤ.

ここのつ 九つ — 名 nine. — 形(9つの) nine; (9つ目の) the ninth. (☞ 数字 (囲み)).

ここべつべつ 個個別別 ☞ こべつ[2]

ここまい 古古米 long-stored rice Ⓤ; rice harvested two or three years ago Ⓤ.

こごみ 屈み 〖植〗ostrich fern Ⓒ.

ココム （対共産圏輸出調整委員会) COCOM /kóukɑm/ ★ Coordinating Committee for Export Control の略. 1994 年に廃止.

こごむ 屈む ☞ かがむ

こごめる 屈める ☞ かがめる

ココやし ココ椰子 (実) coconut Ⓒ; (木) coconut palm Ⓒ ★ coco Ⓒ《複 ~s》は，木と実両方の意味で用いられる.

ここら 此処等 （場所) around here; (時間) about now. (☞ ここ[1]). ¶ *ここら辺には人家がほとんどない There are few houses「*around here* [*in this neighborhood*]. // 今日は*ここらでおしまいにしよう Let's call it a day *here*.

こごる 凝る (ゼリー状になる) jell ⓐ; (固まる) congeal ⓐ. (☞ にこごり). ¶ *こごった魚の煮汁 the *jelled* liquid in which fish was cooked

こころ 心 heart Ⓤ; mind Ⓤ; spirit Ⓤ.
【類義語】愛や悲しみなどの感情の宿る心は **heart**. 理知的に考える心で，「頭」「頭脳」と言い換えることもできるのが **mind**. 肉体と対比して「精神」という意味での心は **spirit**. 日本語で「心」という語を用いても英語にはそのまま表されない場合もあることに注意.
¶ 私はその悲しい知らせを聞いて*心が痛んだ My *heart* ached when I heard the sad news. / The sad news broke my *heart*. // いまの彼女は*心が落ち着いている She is *calm* now. // きょうは一日中，*心が落ち着かなかった（⇒ いらいらしていた）I *felt*「*nervous* [*impatient and restless*] all day long today. // 庭の花を見るといつも*心が和む（⇒ 慰められる）I *am* always *comforted* by the sight of the flowers in the garden. // 私には彼の*心がわからない I don't know what's on his *mind*. / (⇒ 彼が理解できない) I can't *make* him *out*. // あなたに*心から感謝しています I thank you *from the bottom of my heart*. / I'd like to express my *heartfelt* thanks to you. // 私は彼女に*心から同情している I「sympathize with [feel for] her「*sincerely* [*with all my heart*]. // 私は長いことその考えを*心に抱いている I've had the idea in (my) *mind* for a long time. // ある新しい考えが*心に浮かんだ A new idea「crossed my *mind* [*occurred to* me]. / (⇒ 思いついた) I「*hit upon* [*came up with*] a new idea. ★ 第 1 文より第 2 文がより口語的. // 彼女はそのロマンチックな情景を*心に描いた She「*imagined* [*pictured to herself*] the romantic scenes. // 彼女は*心の温かい人だ She has a kind *heart*. / She is a「*warmhearted* [*kindhearted*] person. // 彼女は*心の狭い人間だ She is a「*narrow-minded* [*petty*] person. // 彼は*心の広い人だ He is a「*broad-minded* [*large-hearted*; *bighearted*] person. // それで*心の重荷がとれた That's [That takes] a「weight [load] off my *mind*. // このようにせわしい世の中では，*心の触れ合いが特に必要である It is especially necessary for us to come into contact with other *minds* in such a busy world. // 彼は二つの進路の間で*心がゆれている He *is wavering* between two courses of action. (☞ ゆれる) // いろいろ*心を配っていただき（⇒ あなたの思いやりに）感謝いたします I am very grateful for your *thoughtfulness*. // 彼女に*心を打ち明けよう I'll tell her frankly (*how I feel about her*). // 私は*心を鬼にして真相を話した I steeled *myself* and told the truth. ★ やや文語調. // それは子供*心にも変に思われた（⇒ 幼すぎて真に理解することはできなかったが）Although I was *too young to really understand* it, I thought it was strange. // 勇ましい*心 a brave *heart* // 気高い*心 a noble *heart* // 残忍な*心 a cruel *heart* // 邪悪な*心 an evil *heart* // 深遠な*心 a profound *mind* // 無情な*心 a pitiless [an unfeeling] *heart*

心が洗われる ☞ あらう **心が重い** ¶ 私は*心が重い My *heart is heavy*. / (⇒ 悲しい) I am *sad*. **心が通う** ¶ *心が通う（⇒ 親密な）間柄である be on「*familiar* [*friendly*] terms (with ...) // 彼とは*心が通った仲だ（⇒ 彼は私にとって気の合った友人だ）He is a *congenial* friend to me. // 彼女と私はすぐに*心が通い合った（⇒ 理解し合った）She and I *understood each other* right away. **心が軽い** ¶ この歌を聞くと*心が軽くなる This song makes me *feel*「*lighthearted* [*happy*; *cheerful*]. // 真相をつきとめて*心が軽くなった *I'm relieved* [*It's a relief*] to find out the truth. **心が挫ける** (元気を失う) lose「heart [courage]; (がっくりする) become「depressed [discouraged]. ¶ 彼は妻に反対されてすっかり*心がくじけてしまった He *was* deeply *disheartened* by his wife's opposition. **心が騒ぐ** (不安だ) feel uneasy, have an uneasy feeling. ¶ 彼から連絡がないので何となく*心が騒ぐ Since I haven't heard from him, I *feel* a little *uneasy*. **心が沈む** *one's* heart sinks; (気がめいる) feel gloomy. ¶ その惨めな光景に*心が沈んだ I *felt gloomy* at the miserable sight. **心が通じる** ¶ 討議を重ねた末やっと彼女に私の*心が通じた After repeated discussions *my feelings* at last *got through to* her. **心がときめく** ¶ ひいきのチームが入場した時*心がときめいた（⇒ どきどきした，興奮した）*A thrill went through me* when the team I support took the field. **心が弾む** feel「excited [elated]. ¶ 劇場への道すがら彼はあの女優に会えると思って*心が弾んでいた On his way to the theater he *felt*「*excited* [*elated*] at the thought of seeing that actress. // 喜びで*心が弾んだ My「*heart soared* [*spirits leaped*] (with joy). **心が乱れる** (平静さを失う) lose *one's*「composure [presence of mind]; (動転・動揺する) get upset, be agitated. ¶ 彼女は悪い知らせに*心が乱れた She「*was upset* [*lost her presence of mind*] at the bad news. **心がやましい** feel guilty, have a guilty conscience. ¶ この件で*心がやましいことはないと彼は言っている He says he *has a*「*clear* [*clean*] *conscience*「about [on] the matter. **心ここにあらず** ¶彼は*心ここにあらずだった He *was absent-minded*. **心に浮かべる** (想像する) imagine; (心に描く) form ⌈a picture [an idea] in *one's* mind. ¶彼は一家団欒の風景を*心に浮かべた He *called to mind* a happy family scene. **心に懸ける** be mindful (of …), bear [keep] (a matter) in mind, have (a ⌈person [matter]) on *one's* mind. ¶いつもお*心に懸けていただいて有り難うございます Thank you for always *thinking of me*. **心に適う** (趣味[気持ち]に合っている) suit *one's* ⌈tastes [mind]; (気に入っている) be to *one's* liking. ¶この詩がいちばん私の*心に適っている This poem *suits my tastes* best. **心に刻む** be engraved on *one's* mind ★ 通例受身で. ¶亡き父の遺訓は深く彼の*心に刻まれている The precepts of his dead father *are engraved* deeply *on his mind*. **心に染みる** ☞ しみる **心に留める** bear [keep] in mind. ¶このことは*心に留めておきます I'll *keep* this *in mind*. // 彼女はいつも優しい母の助言を*心に留めていた She always ⌈*bore* [*kept*] her kind mother's advice *in mind*. **心に残る** ── 形 (忘れ難い) unforgettable; (記憶に残る) memorable. ¶ローマへの休暇旅行は*心に残るものだった My vacation trip to Rome was an *unforgettable* experience. **心に任せる** (思いどおりにする) do as *one* ⌈pleases [likes, wishes]. ¶何をするかは一切彼女の*心に任せている I allow her to do anything *she* ⌈*pleases* [*likes, wishes*]. **心にも無い** (故意にしたものでない) unintentional, unintended; (本気でない) unmeant. ¶*心にも無いお世辞 *empty* compliments / lip service // *心にも無いことは言うべきではない You shouldn't say *what* ⌈*is not in your heart* [(⇒本気で考えていない) *you don't mean*]. **心を合わせる** cooperate (with …). ¶*心を合わせて in cooperation / 《格式》with one accord // 私たちは村人と完全に*心を合わせて (⇒協力して) その古寺を再建した We reconstructed the old temple *in complete rapport with* the villagers. **心を痛める** worry [be worried] (about …; over …). ¶彼女は夫の健康状態についてとても*心を痛めている She *is* deeply *worried about* her husband's physical condition. // 彼らはその悲報にひどく*心を痛めていた They *were terribly disturbed* by the sad news. **心を一(いつ)にして** ☞ いつ[2] **心を入れ替える** (態度を替える) change *one's* ⌈behavior [attitude]; (改心する) turn over a new leaf. ¶*心を入れ替えます (⇒新しい出発をします) I'm going to *make a fresh start*. / (⇒真剣に行いを改めます) I'm serious about *mending my ways*. ★ 第2文より第1文が口語的. // 彼は怠慢な学生だったが, *心を入れ替えて猛勉強を開始した He was a lazy student, but he *turned over a new leaf* and began to study very hard. **心を打つ** move [touch, impress] (*one*). ¶その会合での戦争孤児のスピーチは深く私たちの*心を打った We *were* deeply ⌈*moved* [*touched*] by a talk given at the gathering by a war orphan. **心を奪われる** (魅了される) be ⌈fascinated [enchanted, captivated] (with …; by …). ¶彼は彼女の美しさに完全に*心を奪われてしまった He *was* completely ⌈*fascinated* [*enchanted*] by her beauty. // 彼女は別なことに*心を奪われていた She *was entirely* ⌈*taken up with* [*absorbed in; engrossed in*] something else. **心を躍らせる** ¶*心を躍らせて with *one's heart pounding* // 彼女は*心を躍らせて入場行進を見守っていた Her *heart raced* as she watched the entrance procession. **心を鬼にして** ☞ おに **心を傾ける** (全心全霊を打ち込む) put *one's* heart and soul (into …); (専心する) devote ⌈*oneself* [all *one's* energy] (to …). 《☞ コロケーション (心を…に傾ける)》 ¶彼は会社の再建に心を*傾けた He *devoted himself to* reviving the company. **心を砕く** (苦心・苦慮をする) take great pains; (努力する) make every effort; (頭を絞る) cudgel *one's* brains. ¶監督は強いチームを作ろうとして*心を砕いた The manager *took great pains* in building a strong team. **心を籠める** give *one's* whole mind (to …). ¶*心のこもった慰めの言葉 words of sympathy *spoken from the heart* // *心をこめて彼女に結婚の贈り物をした I gave her a wedding present *that came from the bottom of my heart*. **心を背ける** (遠ざかる) estrange *oneself* [be estranged] (from …); (注意をそらす) divert *one's* attention (from …) ¶家庭内暴力で彼女は夫から*心を背けるようになった The domestic violence served to *estrange her from* her husband. **心を掴む** win *a person's* heart. ¶私は彼女の*心をつかもうと最善を尽くした I tried my best to *win her heart*. **心を捉える** steal *a person's* heart ★ 気付かれずに愛情を獲得する; win over ★ 説得して味方にする. 《☞ コロケーション》. ¶大統領は上院の指導者たちの*心を捉えることができるだろう The President will be able to *win over* Senate leaders. **心を悩ませる** worry (about …) ⓐ, be ⌈anxious [worried] (about …). ¶彼女は子供たちの健康について*心を悩ませている She *worries about* the well-being of her children. **心を引かれる** be ⌈attracted [fascinated] (by …). ¶私は可愛らしい少女に*心を引かれた I *was* ⌈*attracted* [*fascinated*] *by* the pretty girl. **心を開く** open [pour out] *one's* heart (to …) 《☞ コロケーション》. ¶とうとう彼は*心を開いて (⇒警戒心を解いて) 事の真相を話してくれた He finally *put down his guard* and told me what actually happened. **心を翻す** change *one's* ⌈mind [heart]. ¶彼は最後の瞬間に*心を翻して契約書への署名を拒んだ He *changed his mind* at the last moment and refused to sign the contract. **心を許す** ¶私は彼に*心を許した (⇒彼を信頼した) I *trusted* him. // 彼は私がもっとも*心を許せる (⇒信用できる) 友人の一人です He is one of my most ⌈*trustworthy* [*trusted*] friends. **心を寄せる** ¶彼は彼女に*心を寄せている (⇒彼女に恋している) He *is in love with* her. **心暖まる** heartwarming. ¶*心暖まる集い a *heartwarming* gathering // 先生は*心暖まるお話をして下さった The teacher told us a *heartwarming* story. **心ある** ¶*心ある (⇒思いやりのある) 人はそんなことをしない A ⌈*thoughtful* [*considerate* /kənsíd(ə)rət/; *sensitive*] person wouldn't do such a thing. **心掛かり** ☞ きがかり **心の奥底** ☞ おくそこ **心の糧** mental nourishment Ⓤ; food for the mind Ⓤ ★ 書物などをいう. **心の丈** ☞ たけ[2]; おもいのたけ **心の友** *one's* ⌈best [bosom] friend Ⓒ **心の儘** ¶*心のままに of *one's* own will / as *one* ⌈likes [pleases, wishes] // 現在の生活では私は*心のままに振る舞えない The way I live now, I can't do *as I please*. **心ばかり** ¶*心ばかりの (⇒わずかの) 贈り物 *mere* [*slight, small, trifling*] ⌈present [gift, token] // これは*心ばかりの感謝のしるしです This is just a ⌈*mere* [*small*] *token* of my ⌈gratitude [thanks].

――コロケーション――

心に取り付く seize *one's mind* / **心をかき乱す** agitate *one's mind* / **心をくすぐる** tickle the *mind* / **心を占める** occupy *one's mind* / **心を閉ざす** close *one's mind* (to [against] …) / **心を捉える** 《☞ 成句》win [gain] *a person's heart* / **心をとりこにする** capture [captivate] *a person's heart* / **心を…に傾ける** 《☞ 成句 (心を傾ける)》 give *one's mind* to … / **心を…に向ける** turn one's mind to … / 心を開く《☞ 成句》open one's「mind [heart] / 心をまぎらせる divert *one's mind* / 心を乱す disturb *one's mind* // 温かい心 a warm *heart* / 悲しい心 a sorrowful *heart* / 傷ついた心 a wounded *heart* / 冷たい心 a cold *heart* / 悩んでいる心 a troubled *mind* / 広い[狭い]心 a「broad [narrow] *mind* / やさしい心 a「gentle [tender] *heart* / 歪んだ心 a「twisted [warped] *mind*

こころあたり 心当たり (見当) idea Ⓒ; (手掛かり) clue Ⓒ; (ありそうな場所) likely place Ⓒ. 《☞ おもいあたる》. ¶その犬に*心当たりのある方は (⇒ その犬がどこにいるか知っていたら) 至急お知らせ下さい Please let us know immediately if you *have any idea* where the dog is. // この鍵に*心当たりはありますか (⇒ この鍵はあなたにとって何か意味がありますか) Does this key *mean anything* to you? // *心当たり (⇒ ありそうな場所) を捜したが, 財布は見つからなかった I looked for my wallet *in every likely place*, but couldn't find it.

こころいき 心意気 spirit Ⓤ《☞ こころ》.
¶その*心意気だ That's the *spirit*! // 彼の作品にはどれも彫刻家としての*心意気が感じられる I can detect the *heart and soul* of a sculptor in all his works.

こころいわい 心祝い ¶*心祝いに彼に辞書を贈った *As a small token of my*「*good wishes* [*congratulations*], I gave him a dictionary.

こころうつり 心移り ☞ こころがわり

こころえ 心得 (知識) knowledge Ⓤ《☞ こころえる; ちしき》. ¶彼女は多少茶の湯の*心得がある She「has some *knowledge* of [*knows* a bit about] the tea ceremony. ★ [ ]内のほうが口語的. // 旅行添乗員の*心得 (⇒ すべきこととしてはいけないこと) the *dos and don'ts* for tour conductors // 課長*心得 (⇒ 代理) the *acting* chief of the section

こころえがお 心得顔 ━副 (心得顔に) knowingly, with a knowing look. 《☞ しったかぶり》.

こころえちがい 心得違い ¶君のそういう考え方は*心得違いもはなはだしい (⇒ そういう風に考えるのなら, まったく間違っている) If you think that way, you are completely「*mistaken* [*wrong*]. 《☞ ふこころえ》.

こころえる 心得る (知っている) know ⑯; (多少知識がある) have some knowledge of …; (気がついている) be aware of … ¶彼女は多少生け花を*心得ている She「*knows* a bit about [*has some knowledge of*] flower arrangement. // 彼女はその事情については十分*心得ている (⇒ 気づいている) She *is* well *aware of* the situation.

こころおきなく 心置きなく ¶医者がいいと言ってくれたので, これからは*心おきなく (⇒ 自由に) 酒が飲める Now「*I'm free to* drink sake [(⇒ 心ゆくまで) I can drink sake *to my heart's content*] because I have my doctor's permission.

こころおぼえ 心覚え (記憶) memory Ⓤ; (思い出すこと) remembrance Ⓤ; (思い出させるもの) reminder Ⓒ; (覚え書き) notes, memo Ⓒ《複 ～s》 ★ 前者は通例複数形で. 後者のほうがくだけた語. 《☞ きおく》. ¶この件についてなにか*心覚えはありますか Do you have any *memory* of this matter? // *心覚えにその車のナンバーを書き留めた I jotted down the license (plate) number as a *reminder*.

こころがけ 心掛け ¶それはふだんの*心がけが悪いからだよ (⇒ 勉強でないからだ) That's because you don't work hard. 語法 前後関係によって,「不注意だ」(you are careless),「人に親切でない」(you are not kind to others) などといろいろに変える必要がある. // ふだんから*心がけのいい人は試験のときに困らない (⇒ 毎日勉強すれば, 詰め込み勉強をする必要はない) You won't have to cram for the exam *if you study every day*.

こころがける 心掛ける (…するつもり) mean ⑯; (…しようと努める) try ⑯; (気にかけておく) keep [bear] … in mind; (取り計らって…する) see (to it) that … 《☞ つとめる²; りゅうい》.
¶私はもっと一生懸命勉強しようといつも*心がけている I always「*mean* [*try*] to study harder. // そのことを*心がけておきましょう I'll「*keep* [*bear*] that *in mind*. // 月曜日までに終えるよう*心がけて下さい Please *see* (*to it*) *that*「it's [it gets] done by Monday. // 私は毎日の予習を*心がけている (⇒ 常に予習することにしている) I *make a point of* studying for my classes every day.

こころがまえ 心構え (mental) attitude Ⓒ, attitude of mind Ⓒ. ¶あの人たちは私たちとは*心構えが違う Their *attitude* is different from ours. // 私は最善を尽くす*心構えでいる (⇒ つもりだ) I *will* do my best. // 最悪の事態に対する*心構えはできている (⇒ 最悪の事態を覚悟している) I'*m prepared for* the worst.

こころがわり 心変わり ━動 (気が変わる) change *one's* mind; (裏切る) betray ⑯. ━名 change of mind Ⓒ; betrayal Ⓤ. ¶彼は急に*心変わりして大学進学をあきらめた He suddenly *changed his mind* and gave up (on) going to college.

こころくばり 心配り (配慮) consideration Ⓤ; (思いやり) thoughtfulness Ⓤ; (親切) kindness Ⓤ.
¶彼女は老人に特別の*心配りを示した She showed special *consideration* for old people. // お*心配りを感謝申し上げます I am very grateful for your *thoughtfulness*.

こころぐるしい 心苦しい ¶こんなことをお願いするのは*心苦しいのですが… (⇒ 少し厚かましいのですが…) I'm *afraid* I am asking too much of you but … . / (⇒ ご迷惑をかけてすみませんが) I'm *sorry* to trouble you, but …. ★ 第 2 文のほうが一般的.

こころざし 志 **1**《意志・目標》: (意志) will Ⓤ; (はっきりした意図) intention Ⓒ; (決心) resolution Ⓒ; (目的) aim Ⓒ; (野心) ambition Ⓤ; (大志) aspiration Ⓤ ★ しばしば複数形で. 《☞ いし³; もくてき; けっしん¹》. ¶彼は父の*志を継いで裁判官になった He「bowed to the *will* of his father [followed his father's *wishes*] and became a judge. // 彼は*志を遂げた (⇒ 目標を達成した) He achieved his *purpose*. / He attained his *aim*. // 彼は*志半ばで病に倒れた He was taken ill before he could fulfill his *ambition*.
2《親切》: kindness Ⓤ; (好意) favor (《英》 favour) Ⓤ. 《☞ しんせつ¹; こうい²》. ¶お*志に感謝します Thank you very much for your *kindness*. // 彼女のせっかくの*志を無にしてはいけない (⇒ 彼女の親切な申し出に感謝すべきだ) You should appreciate her *kind offer*.
志を立てる (決心する) resolve ⓐ, make a resolution. ¶彼は立派な医者になろうと*志を立てた He *resolved* to become a great physician.

―コロケーション―
大きな志 great *aspirations* / 気高い志 lofty [noble; high-minded] *aspirations* / 崇高な志 sublime *aspirations* / 高い志 a high *ambition*; high *aspirations* / 立派な志 a laudable *ambition*

こころざす 志す (思い立つ) plan ⑯; (意図する) intend ⑯; (目指す) aim (at …) ⓐ; (大望を抱く) have an ambition to *do*; (目標に決める) set *one's*

「heart [mind] on ... (☞ めざす; のぞむ¹; しぼう¹). ¶ 彼は宇宙飛行士を*志した He 「*planned* [*intended*; *aimed*] to 「be [become] an astronaut. // 彼女は高校時代からジャーナリズムを*志した (⇒ 彼女の心は決まっていた) *Her* 「*heart* [*mind*] *was set on* journalism from her high school days.

こごろし 子殺し (自分の子を殺すこと) the killing of *one's* child, killing *one's* child [U]; (幼児殺し) infánticìde [U].

こころしずか 心静か ── [形] (平静な) calm; (穏やかな) peaceful; (落ち着いた) serene /səríːn/; (冷静な) composed. ── [副] calmly; peacefully; serenely; composedly /kəmpóuzɪdli/. (☞ おちつく; へいせい¹). ¶ 田舎で*心静かに暮らしたい I want to live a *peaceful* life in the country.

こころじたく 心支度 ☞ こころがまえ

こころじょうぶ 心丈夫 ── [形] (不安のない) secure; (安全な) safe; (安心させる) reassuring; (励みとなる) encouraging. ¶ 君が来てくれれば*心丈夫だ We will *feel* 「*secure* [*reassured*] if you can come with us. // 彼の発言を聞いて*心丈夫に思った His remarks *were encouraging*.

こころする 心する (気をつける) take care; (注意する) attend to ... ¶ *心して事に当たれ Deal with the problem *with care*.

こころせく 心急く (心がはやる) get impatient; (気があせる) become anxious.

こころぞえ 心添え advice [U].

こころだのみ 心頼み ── [名] reliance [U]. ── [動] (頼りにする) rely on ...; (あてにする) count on ... ¶ 私たちは彼らの援助を*心頼みにした We 「*relied* [*counted*] *on* them for assistance.

こころづかい 心遣い (思いやり) thoughtfulness [U], consideration [U] ★ 前者のほうが口語的. (☞ おもいやり; はいりょ). ¶ お*心づかいありがとう Thank you very much for your *thoughtfulness*.

こころづくし 心尽くし (親切) kindness [U]; (世話) attention(s) ★ しばしば複数形で; (配慮) consideration [U]; (思いやり) thoughtfulness [U]. (☞ おもいやり; はいりょ). ¶ 彼女の*心づくしが身にしみた (⇒ 本当にありがたいと思った) I was truly grateful for her 「*kindness* [*thoughtfulness*; *kind attention(s)*]. // 時々母の*心づくしの (⇒ 母が愛情こめて作った) 田舎料理が懐かしくなる I sometimes feel homesick for the country-style dishes my mother *lovingly prepared* for us.

こころづけ 心付け tip [C] (☞ チップ¹).

こころづもり 心積もり (確信のある期待) expectation [U] ★ 具体的にはしばしば複数形; (前もっての期待) anticipation [U]. (☞ きたい¹; むなざんよう). ¶ *心積もりに反して売り上げは伸びなかった Contrary to our *expectation(s)*, sales did not increase.

こころづよい 心強い ── [形] (励みとなる) encouraging; (頼もしい) rèassúring. (☞ たのもしい; あんしん). ¶ 君の助言で私は*心強かった (⇒ 君の助言は私を勇気づけてくれた) Your advice *encouraged* me. / Your advice was a great *reassurance*. / It was *reassuring* to receive your advice.

こころない 心無い (思慮のない) thoughtless; (思いやりのない) inconsiderate; (無情な) heartless; (慎重さを欠く) *indiscreet*. (☞ むふんべつ). ¶ 彼の*心ない言葉が彼女の気持ちを傷つけた His *thoughtless* words hurt her feelings. // そんなことをするのは*心ないことだ It is *indiscreet* of you to do such a thing.

こころなしか 心なしか (いくぶん) somewhat; (何となく) somehow. ¶ 彼女は*心なしか寂しげだ She looks 「*somewhat* [*somehow*] lonely. / (⇒ 私の気のせいかもしれないが) *It may just be my imagination*, but she looks lonely.

こころならずも 心ならずも (自分の意思に反して) against *one's* will; (気の進まないまま) unwillingly; (いやいやながら) reluctantly, with reluctance. (☞ やむなく; しぶしぶ [語法]). ¶ 彼は*心ならずもその提案を承諾した He 「*reluctantly* [*unwillingly*] 「accepted [agreed to] the proposal.

こころにくい 心憎い (すばらしい) excellent; (称賛に値する) ádmirable. (☞ すばらしい (類義語)). ¶ 舞台の彼女は*心憎いほど落ち着きはらっていた She was *admirably* calm on (the) stage.

こころね 心根 (心の奥の気持ち) *one's* 「innermost [deep] feelings; (性質) nature [U]; (気質) disposition [C]. (☞ しょうね). ¶ 彼女は*心根のやさしい人だ She has a tender *heart*. // あいつの曲がった*心根は直らない It is impossible to reform [You can't change] his crooked *nature*.

こころのこり 心残り ¶ 彼女を独りおいていくのはいささか*心残りです (⇒ 不安を感じる) I *feel uneasy* when I have to leave her behind all alone. / (⇒ 残念だ) I *regret* having to leave her behind all alone. (☞ おもいのこす; ざんねん; ふあん)

こころばかり 心許り ☞ こころ

こころばせ 心馳せ ☞ こころづかい; きだて

こころひそかに 心密かに (心の中で) inwardly; (こっそり) secretly. ¶ 彼女は明るくほほえんだが*心ひそかに明子に嫉妬を感じた She smiled cheerfully, but was *inwardly* jealous of Akiko. // 彼は*心ひそかにその計画を練った He *secretly* worked out the plan.

こころぼそい 心細い (独りぼっちで寂しい) lonely; (孤独で悲しい) lonesome; (不安な) uneasy; (頼るもののない) helpless. (☞ さびしい; ふあん). ¶ 日が暮れて*心細くなった It got dark, and I felt *lonely*. // 月給がこれだけでは*心細い I feel *uneasy* having such a small salary. / (⇒ 月給は情けないほど少ない) My salary is *pathetically* small.

こころまかせ 心任せ ── [動] (思うままにする) have [get] *one's* way, do as *one* 「likes [wants].

こころまち 心待ち ── [動] (楽しみにして待つ) look forward to ... [語法] [名], [動] いずれも続くが [動] の場合は -ing 形; (切望する) long for ... (☞ たのしみ; まちこがれる). ¶ お目にかかるのを*心待ちにしています We *are looking forward to* 「seeing you [your visit]. // 彼は彼女の手紙を*心待ちにしていた He *was* 「*anxiously expecting* [*anxious for*] a letter from her.

こころみ 試み (本番に入る前の試し) trial [C]; (能力・性能などを知るための) test [C], (略式) try [C]; (実現しなかった企て) attempt [C]; (冒険的な) venture [C]; (実験) experiment [C]. (☞ ためし¹; じっけん¹). ¶ *試みにその青年を採用してみよう We'll hire the young man *on a trial basis*. // *試みにやってごらん *Give* it *a try*. // 私たちの*試みはことごとく失敗に終わった All our *attempts* were unsuccessful. // 太陽エネルギーの活用法を探る新しい*試み (⇒ 実験) が始まっている A new *experiment* is now under way to see how we will be able to 「make use of [utilize] solar energy.

こころみる 試みる (試しにやってみる) try (他) ★ 最も一般的な語; attempt (他) [語法] この語は結果としては失敗を暗示することが多い; (実験的に) experiment /ɪkspérəmènt/ (with ...) (自). (☞ ためす; くわだてる; やってみる).

¶ 温室で蘭(らん)の栽培を*試みた I *tried* growing orchids under glass. // 彼らは逃亡を*試みた They *attempted* 「an escape [to escape]. [語法] 普通は結果は失敗だったことを意味する.

こころもち 心持ち **1** «感じ» ¶急に不安な*心持ちになった (⇒不安に感じた) Suddenly I *felt* uneasy. (☞ きもち; かんじ¹)
2 «ほんの少し»: a bit, a little, slightly ★ 前の語ほど口語的. (☞ やや; すこし; いくぶん)
こころもとない 心許ない (不安で心配な) uneasy; (不安定な) erratic; (当てにならない) unreliable. (☞ しんぱい; ふあん). ¶子供たちだけで留守番させるのはどうも*心もとない We *feel uneasy* when the children are left alone at home. // 彼の運転は*心もとない His driving is ˹*erratic* [*unreliable*].
こころやすい 心安い (親しく知っている) familiar; (関係が友好的な) friendly. (☞ したしい (類義語)). ¶*心安い友人 a *close* friend // 彼とは最近*心安くなった (⇒交友関係ができた) I *made friends with* him recently.
こころやすだて 心安立て ¶私は*心安立てに (⇒長年の友情から) 彼によく助言を求める I often ask him for advice *out of our longtime friendship*. // 彼は*心安立てに (⇒心安い態度で) 冗談を言って私をからかう He plays tricks on me *with an easy familiarity*.
こころやり 心遣り ☞ きばらし; うさばらし
こころゆくまで 心行くまで (十分に) fully, to the full; (満足できるまで) to *one's* heart's content. (☞ おもうぞんぶん; じゅうぶん¹). ¶その音楽を*心ゆくまで楽しんだ We *fully* enjoyed the music.
こころよい 快い (気持ちがいい) nice; pleasant; pleasing; agreeable; delightful; (さわやかな) refreshing.
【類義語】最も一般的で口語的なのは *nice*. 快感を与えるという意味で *pleasant* と *pleasing* とはほぼ同義であるが, 後者のほうが格式ばった語. 好み, 性などに合っていて快いのは *agreeable*. 喜びの気持ちが特に強いのは *delightful*. 人に生気を与えるのは *refreshing*. (☞ かいてき (類義語))
¶なんと*快い涼しい風だろう. What a *nice* cool breeze! // 鈴の音が耳に*快かった The tinkling of the bell was ˹*pleasant* [*agreeable*] to the ear.
こころよく 快く (喜んで) gladly; (進んで) willingly; (二つ返事で) readily. ¶彼は私の頼みを*快くきいてくれた He was quite *ready* to comply with my request. // 彼は級友にあまり*快く思われていない (⇒級友の間で評判がよくない) He is not very *popular* among his classmates.
ここん 古今 ¶彼は*古今東西の文学に通じている He is well-read in Eastern and Western literature, *both* ˹*ancient* [*classical*] *and modern*. **古今未曾有** unparalleled [unequaled] in history.
ごこん 語根 the root of a word.
ごごんぜっく 五言絶句 Chinese quatrain with five-character lines Ⓒ.
ごさ 誤差 〚数〛 error Ⓒ. ¶1%以内の*誤差は免れない *Errors* ˹in the range of [within the tolerance of] one percent are unavoidable.
ござ mat Ⓒ. ¶*ござを敷く spread a *mat*
コサージュ (女性が襟につける花飾り) corsage /kɔəsɑ́ːʒ/ Ⓒ.
こさい 小才 (才気のあること) cleverness Ⓤ; (抜け目のないこと) smartness Ⓤ. ¶*小才が利く ☞ こりこう; ぬけめ; こぎよう / (…の才能がある) have a flair for …
ごさい¹ 後妻 second wife Ⓒ.
ごさい² 五彩 ceramic piece with red, blue, yellow, purple, green, or black glaze Ⓒ.
こざいく 小細工 cheap trick Ⓒ (☞ さいく). ¶*小細工を弄(ろう)する play [use] *cheap tricks*
コサイン 〚数〛 cosine /kóusaɪn/ Ⓒ (略 cos).
こさえる 拵える ☞ つくる
こざかしい 小賢しい (抜け目のない) shrewd; (生意気な) impértinent. (☞ ぬけめ; なまいき).
こざかな 小魚 small fish Ⓒ.
こさぎ 小鷺 〚鳥〛 little egret Ⓒ.
こさく 小作 ténant fàrming Ⓤ. **小作権** the right of tenancy Ⓒ **小作地** tenant land Ⓒ **小作人** tenant (farmer) Ⓒ **小作農** (小作による農業) tenant farming Ⓤ; (小作人) tenant farmer Ⓒ.
こさじ 小匙 téaspòon Ⓒ; (計量の単位として, 小さじ 1 杯分) téaspòonfùl Ⓒ. (☞ 数の数え方 (囲み)). ¶砂糖*小さじ 2 杯 two ˹*teaspoonfuls* [*teaspoons*] of sugar
ござしょ 御座所 the Emperor's apartments, the Imperial chamber.
こさつ¹ 古刹 old [ancient] temple (with a history) Ⓒ (☞ てら).
こさつ² 故殺 manslaughter Ⓤ.
ごさつ 誤殺 ― 名 murder of the wrong person Ⓒ. ― 動 (相手を間違えて) kill the wrong person; (誤って) kill unintentionally ㊉.
コサック (コサック族) the Cóssacks; (コサック族の人) Cossack Ⓒ. **コサック帽** Cossack hat Ⓒ.
こざっぱり ― 形 (服装などがきちんとした) neat (and tidy); (清潔できちんとした) clean and tidy. (☞ せいけつ; さっぱり; こぎれい). ¶彼女はいつも*こざっぱりした服装をしている She is always ˹*neat and tidy* in her choice of clothes [*neatly* dressed].
こざとへん 阜偏 (漢字の) mound radical on the left of kanji Ⓒ.
こさむい 小寒い ☞ うすらさむい
こさめ 小雨 (細かく降る雨) fine rain ★ 普通 a を付けて; (短時間降る雨) shower Ⓒ; (少量の雨) light rain ★ 普通 a を付けて; (ぱらぱらと降る雨) sprinkle Ⓒ; (こぬか雨) drizzle Ⓤ. (☞ あめ¹; こぶり¹). ¶*小雨が降っている It *is raining lightly*. / *A light rain* is falling. // 天気予報によると午後は*小雨がぱらつくらしい According to the weather report, ˹there'll be [we'll have] ˹*showers* [*light rain*] in the afternoon.
こざら 小皿 small ˹plate [dish] Ⓒ ★ 前者は浅く後者は深い; (受け皿) saucer Ⓒ. (☞ さら¹).
こざる 小猿 (小さい猿) small monkey Ⓒ; (子供の猿) young monkey Ⓒ.
こさん 古参 ― 名 (年長者・先輩) senior Ⓒ (↔ junior); (古顔) old-timer Ⓒ ★ 後者のほうが口語的. ― 形 senior. ¶会社では彼のほうが私より*古参です He is *senior* to me in our company.
ごさん¹ 誤算 (計算違い) miscalculation Ⓒ; (見込み・判断の誤り) misjudg(e)ment Ⓒ.
¶私はひどい*誤算をしてしまった (⇒判断を誤った) I *made a* gross *error* ˹in [of] judgment.
ごさん² 午餐 luncheon Ⓒ; lunch Ⓒ ★ 前者は客を接待するための正式のもの. ¶*午餐会を開く give a *luncheon* (party)
ごさんきょう 御三卿 〚史〛 (徳川時代の) the three families founded by the sons of shoguns in the Edo period.
ごさんけ 御三家 the ˹top [big] three.
¶自動車業界の*御三家 *the big three* automobile /ɔ́ːtəmoubìːl/ manufacturers / *the big three* ˹car [auto] makers // 徳川*御三家 *the top three branches* of the Tokugawa clan
こし¹ 腰 (胴のくびれた部分) waist Ⓒ; (左右に張り出した部分の一方) hip Ⓒ ★ 全体をいうときは複数形にする; (腰骨付近の背中の部分) loins ★ 複数形で; (背中の部分) the back 日英比較 日本語の「腰」に当たる部分は英語では waist と hip などに区別される. また, 腰痛などの場合は背中 (back) と訳すのがよい. (☞ からだ (挿絵)).

¶彼女はほっそりした[太い]*腰をしている She has a ˹slender [thick] *waist*. // 彼女は*腰に手を当てて立っていた She stood with her hands on her *hips*. / She stood with arms *akimbo*. // 彼は立ち上がって*腰を伸ばした (⇒のびをした) He stood up and ˹*stretched* [*straightened*]. // *腰が痛い I have a pain in my (*lower*) *back*. / I have *backache*. // 彼は年で*腰が曲がっている His *back* is bent with age. / He ˹*stoops* [*is stooped*] from age. // 彼は*腰が弱い He has weak *knees*. (☞よわごし)

腰がある[強い] ¶*腰のあるうどん *firm* [*al dente*] noodles **腰が重い** (無精な) lazy; (行動が遅い) slow to ˹act [take action]. **腰が砕ける** (おじけづく) become weakened, chicken out ㊀ ★後者はくだけた成句; (計画などが失敗する) break down ㊀. (☞こしくだけ). **腰が高い** (横柄な) insolent; (高圧的な) overbearing; (傲慢な) arrogant. **腰がない** (うどんなどが) not firm, too soft. **腰が抜ける** be too surprised to stand firm. **腰が低い** (謙虚だ) be modest. **腰を上げる** (立ち上がる) stand up ㊀; (行動に移る) act ㊀, take action. **腰を入れる** (本気になる) become serious ㊀. **腰を浮かす** rise halfway ㊀. **腰を落ち着ける** settle down ㊀. **腰を折る** (中途で妨げる) interrupt *a person* (while ˹he [she] is talking). **腰を屈める** (前かがみになる) stoop ㊀; (お辞儀をする) bow ㊀. **腰を掛ける** sit down (☞こしかける). **腰を据える** settle down ㊀. ¶腰を据えて仕事にかかる *settle down* to work **腰を抜かす** freeze up in surprise; (足がすくむ) *one's* legs collapse beneath *one*.

こし² 古紙 old newspapers and magazines ★複数形で. ¶*古紙回収 the collection of *old newspapers and magazines*

こし³ 枯死 ━動 wither ㊀ (☞かれる¹). ¶その松の木は*枯死した The pine tree *withered and died*.

こし⁴ 輿 palanquin Ⓒ (☞たまのこし).

こし⁵ 古詩 (古代の詩) ancient poem Ⓒ; (漢詩の一体) early Chinese poem in an archaic meter Ⓒ.

こじ¹ 孤児 orphan Ⓒ ★普通は両親をなくした子をいうが, 片親のない子にも用いることがある. ¶彼女は3歳で*孤児になった She *was* ˹*orphaned* [left an *orphan*] at the age of three. // 中国残留*孤児 (⇒戦争によって故国から引き離された日本人) a wár-displáced Jàpanése in Chína **孤児院** orphanage Ⓒ.

こじ² 故事 (歴史的事実) historical fact Ⓒ; (伝説) legend Ⓒ. (☞いいつたえ).
故事来歴 (起源と成り行き) the origin and development (of ...); (歴史) the history (of ...).

こじ³ 誇示 ━動 (みせびらかす) shów óff ㊉, flaunt ㊉ ★後者のほうが格式ばった語; (はっきりと示す) display ㊉, make a ˹show [display] of ... ━形 (見せびらかすような) 《格式》 òstentátious. (☞みせびらかす; じまん).
¶権力を*誇示するとは彼は最低だ (⇒とても愚かだ) He is so stupid, *flaunting* his power. // 大国は互いに軍事力を*誇示している The ˹major powers [superpowers] *are making an ostentatious display of* their military strength.

こじ⁴ 固持 ━動 (主張する・言い張る) insist on ...; (押し通す) persist in ...; (しがみつく) stick (to ...) ㊀. 語法 以上いずれも名詞または動名詞が続く. (☞こしつ²; けんじ²; いいはる). ¶彼は間違っているとわかっていても自説を*固持する Even when he knows he's wrong, he *sticks to* his ˹guns [views]. ★stick to *one's* guns は成句.

こじ⁵ 固辞 ━動 refuse ... firmly.

こじ⁶ 居士 (在俗の仏教徒) Buddhist ˹layperson [layman] Ⓒ; (男の人) man Ⓒ; (戒名につける) *koji*; (説明的には) Buddhist title given to a deceased layman Ⓒ. ¶一言*居士 a person who has something to say on anything and everything

こじ⁷ 古寺 old [ancient] temple Ⓒ.

ごし 五指 (指) the five fingers; (第1位から5位までの人[もの]) the top five. ¶彼は日本を代表する打者として*五指に入る (⇒日本の代表的な打者5人の中に入る) He is among *the* ˹*top* [*leading*] *five* hitters in Japan. 日英比較 英語ではこの表現は画家, 作家, 学者など文化的な職業の人については用いられない. **五指に余る** ¶倒産した銀行は*五指に余る (⇒5行以上ある) *More than five* banks have gone bankrupt. / *There are more than five* banks that have gone bankrupt.

-ごし …越し **1** 《場所》 ━前 (…の中を通して) through ...; (…の上を越えて) over ...
¶若い男が車から降りるのが窓*越しに見えた *Through* the window I saw a young man ˹get [getting] out of the car. // ボールは塀*越しに飛んでいった The ball went *over* the fence. // 彼はめがね*越しに私を見た He looked at me *over* (the top of) his glasses.
2 《時》 ━前 (…の間) for ...; (…にわたって) over ... ¶彼とは10年*越しの付き合いだ I have been friends with him (˹*over* [*for*]) the past ten years.

ごじ¹ 誤字 (つづり違い) misspelling Ⓒ; (誤った文字) wrong character Ⓒ.

ごじ² 護持 ━名 (守ること) defense Ⓤ; (保持すること) maintenance Ⓤ. ━動 defend ㊉; maintain ㊉. (☞ようご²). ¶憲法を*護持する *support and defend* the Constitution

こしあかつばめ 腰赤燕 〖鳥〗 red-rumped swallow Ⓒ.

こじあける こじ開ける (壊して開ける) break open ㊉; (無理をして開ける) force open ㊉; (ねじ回しなどで) wrench open ㊉.
¶泥棒は戸を*こじ開けて中に入った The thief *broke in* through the door. / The thief *wrenched* the door *open*. // 彼は金庫の錠を*こじ開けて金を奪った He ˹*broke* (*open*) [*forced*] the lock of the safe and stole the money.

こしあて 腰当て (保温のための) pad worn to warm the back Ⓒ; (スカートを広げる) bustle Ⓒ.

こしあぶら 漉し油 〖植〗 *koshiabura* Ⓒ; (説明的には) a deciduous tree of the ginseng family.

こしあん 漉し餡 puree /pjuːréɪ/ of sweetened red beans Ⓒ, strained bean paste Ⓤ.

こしいた 腰板 (壁の) wainscot Ⓒ; wainscoting Ⓤ; (障子の) wooden ˹paneling [《英》 panelling] of a paper sliding door Ⓤ.

こしいれ 輿入れ (結婚) marriage Ⓒ; (結婚式) wedding Ⓒ. (☞よめいり; けっこん¹). ¶彼女は山本家に*輿入れした She *married into* the Yamamoto family.

こじいれる こじ入れる (無理に入れる) squeeze (into ...) ㊉; (力ずくで入れる) force (into ...) ㊉.
¶彼はドアのすき間に警棒を*こじ入れた He *forced* his nightstick *into* the gap in the door.

コジェネレーション (熱電併給) cogeneration Ⓤ.

こしお 小潮 the neap tide; (海) dead water Ⓤ.

こしおび 腰帯 (おび) sash Ⓒ; (腰ひも) waistband Ⓒ. (☞おび).

こしおれ 腰折れ (下手な詩歌) poor [wretched] ˹poem [tanka] Ⓒ (☞こしくだけ).

こしおれやね 腰折れ屋根 mansard [《米》 gambrel] roof [C].

こじか 子鹿 (1 歳以下の) fawn [C]; (若い) young deer [C].

こしかけ 腰掛け (いす) chair [C]; (一時の勤め) temporary work [U]; (一時しのぎのもの) makeshift [C], stopgap [C]; (成功などへの踏み台) stepping stone [C]. (☞ いす). ¶ 彼女は結婚までの*腰掛けのつもりで働いている She is working ˹*temporarily* [*as a stopgap*] until ˹her marriage [she gets married]. // いまの仕事はよい地位につくための*腰掛けだ My present job is a *stepping stone* to a better position in the future.

こしかける 腰掛ける sìt dówn, have [take] a seat, seat *oneself* ★ この順に格式ばった言い方となる. (☞ すわる[1]).

こしかた 来し方 **1** «過ごした時間»: (過去) the past; (過ぎ去った日々) the days gone by. ¶ *来し方行く末を思う look back on *the past* and ahead into the future / think of *one's past* and future **2** «通ってきた所»: the places *one* has passed (☞ かこ[1]).

こしがみ 漉し紙 ☞ ろし

こしき[1] 古式 (古い儀式) old [ancient] rite [C]; (古くから伝わる儀式) time-honored ˹rite [custom] [C]; (古くからのしきたり) ancient custom [U]. ¶ 彼らは*古式にのっとって結婚式を挙げた They held their wedding ceremony according to *ancient custom.*

こしき[2] 濾し器 strainer [C].

こじき[1] 乞食 beggar [C], 《米略式》 panhandler [C].

こじき[2] 古事記 *Kojiki*; *Records of Ancient Matters.*

ごしき[1] 五色 ━[名] (基本五色) the five (cardinal) colors. ━[形] (五色の) five-colored; (多色の) multicolored; (多様の) varied. ¶ *五色のテープ[糸] *five-colored* ˹streamers [strings]

ごしき[2] 五識 〖仏教〗 the five senses: sight, hearing, smell, taste, and touch.

ごしきえび 五色海老 〖魚〗 painted spiny lobster [C].

ごしきどり 五色鳥 〖鳥〗 barbet [C].

ごしきひわ 五色鶸 〖鳥〗 goldfinch [C].

こしぎんちゃく 腰巾着 (従順に付き従う人) shadow [C]; (上司に付きまとうおべっか使い) toady who follows his boss around [C]; (おべっか使い) sýcophant [C]. ¶ 彼は社長の*腰巾着だ He is the president's *shadow*.

こしくだけ 腰砕け ¶ 彼は土俵際で*腰砕けとなり押し出された He *gave way* at the edge of the ring and was pushed out. // 彼は肝心なときになると*腰砕けとなる (⇒ おじけづく) He ˹*becomes weak-kneed* [*chickens out*] at the crucial moment. ★ chicken out はくだけた成句. // 交渉は*腰砕けに終わった (⇒ 途中で失敗した) The negotiations *broke down* ˹*midway* [*in the middle*].

こしぐるま 腰車 (柔道の) hip throw [C].

こしけ 白帯下 〖医〗 leukorrhea /lùːkəríːə/ [U].

ごしごし ¶ 彼は*ごしごしと床を磨いた He ˹*scrubbed* the floor [*gave* the floor *a good scrub*]. (☞ 擬声・擬態語 (囲み); こする)

こじしざ 小獅子座 〖天〗 the ˹Little [Lesser] Lion, Leo Minor.

こしだ 小羊歯 〖植〗 old world forked fern [C].

こしだか 腰高 ━[形] (不安定な) unstable; (横柄な) insolent; (高圧的な) overbearing. (☞ こうまん; おうへい). ¶ *腰高な態度 an *overbearing* manner

こしたけ 腰丈 *one's* height up to *one's* waist [C].

こしたんたん 虎視眈眈 ¶ 彼は*虎視たんたんと政界への返り咲きをねらっている He *is biding his time* until he can ˹get back into politics [make a political comeback]. ★ bide *one's* time で「辛抱して好機を待つ」の意. (☞ ねらう)

ごしちちょう 五七調 the five-and-seven syllable meter.

こしつ[1] 個室 (部屋) *one's* room [C]; (自分専用の部屋) *one's* own room [C], room to *oneself* [C], room of *one's* own [C]; (病院などの) private room [C]; (1 人用の) individual [single(-bedded)] room [C]; (寝台車の) 《米》 roomette [C]. (☞ へや). ¶ これは田中先生の*個室です This is *Mr. Tanaka's room.* // 彼は 2 階に*個室がある He has *his* (*own*) *room* upstairs. // あなたの部屋は*個室ですか Do you have a *room* ˹*to yourself* [*of your own*]?

こしつ[2] 固執 ━[動] (頑固に守る・執着する) stick to …, adhere to … ★ 後者のほうが格式ばった言い方; (しがみつく) cling to …; (言い張る) insist on …; (あくまで通す) persist in … ★ insist on … よりも意味が強い. ━[名] adherence /ədhí(ə)rəns/ [U]; insistence [U]; persistence [U]. (☞ しゅうちゃく[1]; いいはる; こだわる; けんじ[2]). ¶ 彼は同じ見解に*固執した He ˹*stuck* [*adhered*] *to* the same view(s). // 彼は昔の慣習に*固執した He *clung to* the old ways.

こしつ[3] 鼓室 〖解〗 the tympanic cavity [C], the atrium [C] (複 -ria, ～s).

こじつ 故実 old [ancient] ˹practices [customs] ★ 複数形で. ¶ 彼は*故実 (⇒ 昔の風俗習慣) に明るい He is well versed in *old customs and manners.*

ごじつ 後日 (追って) later (on); (そのうちに) some day; (将来) in the future, 《英》 in future. (☞ あと[1]; いずれ). ¶ *後日改めて事故の原因を調べましょう *Later* (*on*), I'll restudy the cause of the accident. **後日談** (出来事の結果・続き) sequel to the incident [C].

こしつき 腰付き (姿勢) posture [U]; (歩きぶり) gait [C]. ¶ あのダンサーは*腰付きがいい That dancer has good *posture.* // ふらふらした*腰付きで歩く walk with an unsteady *gait*

ゴシック **1** 〖建・美〗 ━[形] (ゴシック式の) Gothic. **2** «活字»: (太字体) bold face [U]; (太字の活字) bold-faced type [U], Gothic (type) [U], black letter (type) [U] ★ 一番目が普通. **ゴシック建築** Góthic árchitècture [U] **ゴシック小説** Gothic novel [C].

こじつけ ━[動] (事実・意味などを曲解する) strain (他). ━[形] (無理強いの) forced; (曲げられた) strained; (持って回った) farfetched. ¶ 君の解釈はちょっと*こじつけだ Your interpretation is rather ˹*farfetched* [*strained*]. / You have given rather a ˹*farfetched* [*forced*] interpretation.

こじつける (意味などを曲げる) twist (他), strain (他); (事実などをゆがめる) distort (他). (☞ こじつけ). ¶ 彼は自説を裏づけるためにその理論を*こじつけた He ˹*twisted* [*distorted*] the theory to support his argument.

ゴシップ (うわさ話) gossip [C] (☞ うわさ). **ゴシップ記事** item [piece] of gossip [C]; (ゴシップ欄) gossip column [C].

ごじっぽひゃっぽ 五十歩百歩 ¶ …しようとしまいと*五十歩百歩だ (⇒ ほとんど違わない) It *doesn't make* much *difference* whether …. (☞ にたりよったり)

こしなげ 腰投げ (柔道の) hip throw [C]; (レスリン

グ) cross buttocks.

こしなわ 腰縄 waist cord Ⓒ; (説明的には) cord fastened around a prisoner's waist during transport.

こしにく 腰肉 loin (of beef) Ⓤ.

こしぬけ 腰抜け (臆病者) coward Ⓒ; (めめしい男) sissy Ⓒ. (☞ よわむし).

こしひかり *Koshihikari*; (説明的には) a cultivar of Japanese rice produced in Niigata and southwest to Kyushu.

こしひも 腰紐 *koshihimo* Ⓒ; (説明的には) cord tied around the waist to secure a kimono Ⓒ.

こしべんとう 腰弁当 (腰に下げた弁当) lunch box carried at *one's* waist Ⓒ; (安月給取り) low-paid office worker Ⓒ. (☞ べんとう). ¶*腰弁当(⇒弁当持参)で出勤する go to work *carrying a lunch*

こしぼそ 腰細 slender [slim] waist Ⓒ (☞ じがばち).

こしぼね 腰骨 hipbone Ⓒ.

こじま 小島 small island Ⓒ.

こしまき 腰巻き waistcloth Ⓒ; (説明的には) Japanese woman's underskirt worn beneath a kimono Ⓒ.

こしまど 腰窓 small floor-level window Ⓒ.

こしまわり 腰回り waist measurement Ⓒ. ¶*腰回りはどのくらいですか What is your *waist measurement*?

こしもと 腰元 maid Ⓒ; (女王・王女の侍女) lady-in-waiting Ⓒ.

ごしゃ[1] 誤射 ―動 (誤射する) shoot (…) by mistake.

ごしゃ[2] 誤写 ―名 error in copying Ⓒ. ―動 miscopy ⓐ ⓑ. ¶*誤写しないように気をつけなさい Be careful that you don't *make a mistake in copying*.

こしゃく 小癪 ―形 (生意気な) impudent; 《略式》 cheeky; 《主に英》 saucy. ―名 impudence Ⓤ; cheekiness Ⓤ; sauciness Ⓤ. (☞ なまいき). ¶*小しゃくにも彼は私に言い返した He had the *impudence* to talk back to me. // 何を*小しゃくな What *impudence*!

こしゃほん 古写本 codex Ⓒ (複 codices).

こしゆ 腰湯 hip bath Ⓒ. ¶*腰湯を使う take a *hip bath*

こしゅ[1] 戸主 the head of a ⌜family [household].

こしゅ[2] 固守 ―動 (堅く守る) hold fast (to …) ⓐ; (執着する) adhere (to …) ⓐ; (固持する) stick (to …) ⓐ; (固執する) persist (in …) ⓐ. ―名 adherence Ⓤ; persistence Ⓤ.
¶自説を*固守する *hold fast to one's* views // 彼は自分の立場を*固守した He ⌜*adhered* [*stuck*] *to* his position. // 彼らは城を*固守した They *stubbornly defended* the castle.

こしゅ[3] 古酒 (ワインの) old wine Ⓒ, old vintage Ⓒ; (酒の) aged sake Ⓒ.

こしゅ[4] 鼓手 drummer Ⓒ; 《格式》 tambour Ⓒ.

ごしゅいん 御朱印 official seal of a shogun Ⓒ, vermilion seal Ⓒ. **御朱印船** ☞ しゅいんせん

こしゅう[1] 固執 ☞ こしつ[2]

こしゅう[2] 孤愁 *deep* [*profound*] *loneliness* Ⓤ.

ごじゅう 五十, 50 ―名 形 fifty 〔語法〕「第50(番目)の」, あるいは「第50(番目)のもの」の場合は the fiftieth. (☞ 数字 (囲み)).

ごじゅうおん 五十音 the Japanese (*kana*) syllabary /síləbèri/ ★ the を付けて. **五十音順** the order of the Japanese (*kana*) syllabary **五十音図** table of the Japanese (*kana*) syllabary Ⓒ.

ごじゅうかた 五十肩 stiff and painful shoulders due to old age ★ 通例複数形で.

ごじゅうから 五十雀 〔鳥〕 nuthatch Ⓒ.

ごしゅうぎそうば 御祝儀相場 forced quotations to enliven the market (at the ⌜opening [closing] session of the year).

ごじゅうしょう 五重唱 〔楽〕 quintet(te) /kwɪntét/ Ⓒ ★「五重奏」の意味もある.

ごしゅうしょうさま 御愁傷様 ☞ しゅうしょう

ごじゅうそう 五重奏 〔楽〕 quintet(te) /kwɪntét/ Ⓒ ★「五重唱」の意味もある.

こじゅうと 小舅, 小姑 (義理の兄弟) brother-in-law Ⓒ; (義理の姉妹) sister-in-law Ⓒ.

ごじゅうのとう 五重の塔 five-storied [five-story] pagoda /pəgóudə/ Ⓒ.

ごしゅきょうぎ 五種競技 pentáthlon Ⓒ.

こじゅけい 小綬鶏 Chinese bamboo partridge Ⓒ.

ごじゅん 語順 word order Ⓤ (☞ 巻末).

こしょ 古書 (昔の本) old book Ⓒ; (まれな本) rare book Ⓒ. (☞ ふるほん). **古書市** antiquarian book fair Ⓒ.

ごしょ 御所 the Imperial /ɪmpí(ə)riəl/ Palace. **御所車** court (cow) carriage Ⓒ **御所人形** *Gosho* doll Ⓒ; (説明的には) doll of a naked chubby boy with a big head Ⓒ.

ごじょ 互助 (互いに助けること) mutual help Ⓤ; (お互いに頼りにすること) interdependence Ⓤ; (協力) cooperation Ⓤ. **互助会** mutual-aid ⌜society [association] Ⓒ.

こしょう[1] 故障 ―名 trouble Ⓤ; (突発的な) bréakdòwn Ⓒ; (不慮のけがなど) accident Ⓒ. ―動 (故障する) brèak dówn ⓐ; (故障している) be out of order. (☞ こわれる).
¶エンジンの*故障 engine *trouble* // このエレベーター[電話]は*故障している This ⌜elevator [telephone] *is out of order*. / (⇒動かない) This ⌜elevator [telephone] *doesn't work*. ★ 後者のほうが口語的. // 車が途中で*故障した My car *broke down* on the way. // 「その機械はどこか*故障したのですか」「どこも*故障していませんよ」"*Is there* [*Is*] *anything wrong with* the machine?" "No, ⌜*there is nothing* [*nothing is*] *wrong with* it." // *故障はすぐ直った The *breakdown* was soon dealt with. // *故障中 《掲示》 *Out of order* // *故障をしても安全な機構 a *fail*-safe mechanism
故障者リスト injured [disabled] list Ⓒ.

こしょう[2] 胡椒 pepper Ⓤ. ¶*こしょう入れ 《米》 a *pepperbox* / 《米》 a *pepper* shaker / 《英》 a *pepper* pot // このサラダは*こしょうがききすぎている This salad is too *peppery*.

こしょう[3] 小姓 (昔の) page Ⓒ.

こしょう[4] 湖沼 lakes and marshes.

こしょう[5] 呼称 (名づけること) naming Ⓤ; (呼び名) name Ⓒ.

こしょう[6] 誇称 (大げさにいうこと) exaggeration Ⓒ (☞ じまん).

こじょう[1] 古城 old [ancient] ⌜castle [fortress] Ⓒ.

こじょう[2] 湖上 ¶*湖上の島 an island ⌜in [on] the lake **湖上生活者** lake dweller Ⓒ.

ごしょう[1] 後生 ¶*後生だから助けて下さい *For goodness' sake* help (me). / (⇒命を助けて下さい) *For* ⌜*Christ's* [*God's*] *sake* spare my life! 〔語法〕 斜字体の部分は, 懇願するとき強意的に用いる決まり文句. // 彼女は母からもらった指輪を*後生大事にしている She *treasures* the ring her mother gave her.

ごしょう[2] 誤称 misnomer Ⓒ.

ごじょう 互譲 (お互いの譲歩) mutual concessions; (妥協) compromise [C]. (☞ ゆずる; ゆずりあう). ¶私たちは*互譲の精神に基づいて交渉を進めた We conducted the negotiations in the spirit of *compromise*.

こしょうがつ 小正月 Lesser New Year's Day; (説明的には) a period from January 14 to 15 by the lunar calendar.

こじょうれっとう 弧状列島 island arc [C].

こしょく 個食, 孤食 (一人で食べること) eating alone [U]; (家族がめいめい別のものを食べる食事) family meal at which members eat different foods [C].

ごしょく 誤植 (印刷上の誤り) týpogràphic(al) érror [C], misprìnt [C] ★ 前者は少し格式ばった表現; (印刷工の誤り) printer's error [C], 《略式》typo. (☞ ミスプリント; ごじ).

こしょくそうぜん 古色蒼然 ―[動] (非常に古く見える) look very old. ―[形] (古くてがたがきているように見える) decrepit-looking.

ごしょざくら 御所桜 〘植〙 *Goshozakura* [C]; (説明的には) a type of Japanese garden cherry.

ゴジラ ―[名] [固] Godzilla.

こじらいれき 故事来歴 ☞ こじ[2]

こしらえ 拵え ☞ つくり[1]

こしらえる 拵える ☞ つくる

こじらす 拗らす ¶不注意から私は病気を*こじらせてしまった (⇒ ほっておいたために病気が悪くなった) My ⌐sickness [illness] *got worse* through (my own) negligence. (☞ あっか[1]).

こじり[1] 鐺 (刀の鞘の端) chape [C], the tip of a scabbard.

こじり[2] 湖尻 (湖の水が流出する所) point where a lake drains into a river [C].

こじる 抉る (こじあける) prize (《英》 prise) [他] (☞ こじいれる).

こじれる 拗れる (物事・問題が) become ⌐cómplicàted [tangled]; (人間関係などが) 《略式》 go [turn] sour; (病気が) grow [get] worse. (☞ あっか[1]). ¶彼らの仲は*こじれた Their relationship *has gone sour*.

こじろ 小城 small castle [C].

こじわ 小皺 fine wrinkles; (目尻の) crow's-feet ★ いずれも普通複数形で.

こしわざ 腰技 (柔道で) waist techniques.

こじん[1] 個人 ―[名] ìndivídual [C]. ―[形] (個人の) individual [A]; (私的な) private [A], personal [A] ★ 前者は「公的」に対し, 後者は「一般」に対する語. ¶私*個人の見解 my *personal* view // *個人の自由を守らなければならない We must protect the freedom of the *individual*. // 私は*個人の資格で会議に参加した I attended the meeting in ⌐a [my] *private* capacity. // *個人的な問題にはお答えできません (⇒ 論評できない) I'm unable to comment on *private* affairs. // あの人を*個人的に知っているわけではない I don't know him *personally*.

個人競技 individual [non-team] sport [C] **個人教授** private lesson [C] (☞ きょうじゅ[1]). ¶私は数学の*個人教授を受けている I'm ⌐taking [having] *private* ⌐*lessons* [《英》 *tuition*] in mathematics. **個人空間** 〘心〙 personal space [U] **個人経営** private management [U] **個人語** idiolect [C] **個人攻撃** personal criticism [U] **個人差** individual variation [U] **個人識別番号** personal identification number [C], PIN (number) [C] **個人主義** indivídualism [U] **個人主義者** ìndivídualist [C] **個人種目** individual event [C] **個人情報保護法** the Personal ⌐Data [Information] Protection Law **個人崇拝** personality cult [C] **個人タクシー** privately-owned taxi [C] (☞ タクシー) **個人年金** private pension plan [C] **個人プレー** solo play [U] **個人メドレー** (競泳の) individual medley [C] **個人輸入** private import [U].

こじん[2] 故人 (亡くなった人) the deceased ★ 格式ばった語で, 単複両用. (☞ こ-[1]; なき-; 冠詞 (巻末)). ¶*故人は私の親友でした *The deceased* was a ⌐good [close] friend of mine. // 山田氏はすでに*故人となられました (⇒ 死亡している) Mr. Yamada ⌐*is dead* [(⇒ なくなった) *passed away*]. ★ [ ] 内は婉曲的な表現.

こじん[3] 古人 the ancients, men of old ★ 複数形で. ¶*古人曰(いわ)く「急がばまわれ」(⇒ 古い諺では…) The *old saying* goes, haste makes waste.

ごしん[1] 誤診 wrong diagnosis /dàɪəgnóʊsɪs/ [C] (複 〜 diagnoses /-siːz/), misdiagnosis [C]. ¶その医者は彼女の肺炎を風邪と*誤診した The doctor *misdiagnosed* her pneumonia /n(j)uːmóʊnjə/ as a cold.

ごしん[2] 誤審 ―[名] (一般的には) misjudgment [C] ★ misjudgement と綴ることもある; 〘法〙 miscarriage of justice [C]. ―[動] judge wrongly [自]; misjudge [他] ★ 前者のほうが口語的.

ごしん[3] 護身 self-defense [U]. **護身術** (the art of) self-defense [U].

ごしん[4] 誤信 (間違った信念) mistaken belief [U]; (思い違い) misconception [U] ★ 具体的には [C]; (誤まって抱かれがちな考え) fallacy [C]. ¶才能を*誤信する place a *mistaken trust* in *one's* ability // 女性の方が男性よりも数学や理科が苦手であるというのは一般的な*誤信である It is a common *misconception* that women are poorer in mathematics and science than men.

ごじん 御仁 (人) person [C]. ¶重要な*ご仁 an important *person* // りっぱな*ご仁 an honorable *person*

ごじんか 御神火 volcanic fire and smoke seen as a god [U].

こじんまり ☞ こぢんまり

こす[1] 越す, 超す **1** «越える»: (橋・川・海・山・平野などを横切る) cross [他]; (乗り越える) go over …; (病気などから回復する) gèt óver … (☞ こえる[1]; とっぱ). ¶ボールはフェンスを*越した The ball *went over* the fence. // 彼の病気も峠を*越した (⇒ 危機を脱している) He'*s* ⌐*past* [*out of*; *over*] the critical stage. // 暑さも峠を*越した (⇒ 最も暑い日は終わった) The hottest days *are over*.

2 «移転する»: (引っ越す) move [自], remove [自] ★ 前者が普通. (☞ ひっこす; いてん).
¶彼は最近新しい家に*越した He (*has*) recently *moved into* a new house.

3 «時期を過ごす»: spend [他] (過去・過分 spent).
¶彼らは南極で冬を*越した They *spent* the winter in the Antarctic. (☞ えっとう) // その金がないと年が*越せない (⇒ やっていけない) We can't *get through* ⌐the year [to the new year] without that money.

4 «超過する»: be over …, be more than …. (☞ こえる[1]). ¶日本の人口は1億を*超している The population of Japan *is* ⌐*over* [*more than*] one hundred million. // 早いに*越したことはない (⇒ 早いほどよい) The sooner, the better.

こす[2] 漉す, 濾す (フィルターを通して濾過する) filter [他]; (料理などで) strain (off) [他]; (濾過器で徐々に) pércolàte [他]. (☞ ろか).
¶肉汁は*こしてからもう一度火にかけて煮つめます *Strain off* (the) gravy and boil until thick.

こすい[1] 鼓吹 ―[動] (唱道する) ádvocàte [他]; (思想などを吹き込む) instill (… in *a person*) [他]; (吹き込む・呼び起こす) inspire [他]. ―[名] advocacy [U];

instillation Ⓤ; inspiration Ⓒ. (☞ こぶ³; ふきこむ).
¶民主主義の精神を*鼓吹する *advocate* the spirit of democracy // 彼は若い人たちに愛国心を*鼓吹した He「*instilled* [*inspired*] patriotism *in* young people.

こすい² 湖水 lake Ⓒ (☞ みずうみ). **湖水地方** the Lake District ★ 英国北西部の湖水地帯.

こすい³ 狡い ☞ ずるい

ごすい 午睡 ☞ ひるね

こすう¹ 戸数 the number of「houses [families] (☞ -こ²; しょたい¹ (類義語)).

こすう² 個数 number Ⓒ (☞ かず¹).

ごすう 語数 the number of words.

こずえ 梢 (木のてっぺん) treetop Ⓒ, the top of a tree; (枝の先) end of a branch Ⓒ.

こすからい ☞ ずるい

こすずめ 小雀 〘鳥〙(小さな) small sparrow Ⓒ; (子供の) fledgling sparrow Ⓒ.

コスタリカ ── 名 固 Costa Rica /kὰstəríːkə/; (正式名: コスタリカ共和国) the Republic of Costa Rica ★ 中米の共和国. ── 形 Costa Rican /kὰstəríːk(ə)n/. **コスタリカ人** Costa Rican Ⓒ.

コスチューム (舞台衣装) cóstume Ⓒ. **コスチュームジュエリー** costume jewelry Ⓤ **コスチュームデザイナー** costume designer Ⓒ **コスチュームプレイ** (古い時代の衣装で演じられる歴史劇) costume「drama [piece; play] Ⓒ (☞ コスプレ).

コスト (費用) cost Ⓒ (☞ ひよう; けいひ¹). ¶生産*コスト production *cost(s)* **コストアップ[ダウン]** increase [reduction] in cost Ⓒ 日英比較「コストアップ[ダウン]」は和製英語. ¶その新技術は生産の*コストアップ[ダウン]になる The new technique will「*increase* [*lower*; *reduce*] *the cost* of production. **コストインフレ** cost-push inflation Ⓤ **コストパフォーマンス** price/performance ratio Ⓒ, cost performance Ⓤ **コスト割れ** ¶その製品は*コスト割れでした (⇒原価以下で売られた) The products *were sold below cost.*

> **コロケーション**
> コストをおさえる keep down the *cost* / コストを切り詰める reduce [cut (down)] the *cost* / コストを計算する calculate the *cost* / コストを下げる lower the *cost* / コストを負担する bear [shoulder] the *cost* / コストを見積もる estimate the *cost*

コスプリ (コスプレして写すプリクラ) photo sticker of a「cosplayer [person costumed as an animated cartoon character] Ⓒ.

コスプレ ☞ かそう² ── 動 wear「fancy dress [popular characters' costumes] ★「コスチュームプレイ (☞ コスチューム)」の短縮形だが意味は違う.

ゴスペル (福音) the gospel; (福音書) Gospel. **ゴスペルソング** gospel song Ⓒ.

コスミック ── 形 (宇宙の) cosmic /kάzmɪk/.

こずむ 偏む ☞ こる

コスメチック (化粧品) cosmetics ★ 普通は複数形で. (☞ けしょう).

コスモス 〘植〙cosmos /kάzməs/ Ⓒ (複 ~(es)).

コスモポリタン (国際人) cosmopolitan /kὰzməpάlətn/ Ⓒ.

こすりつける ***擦り付ける*** (強く押しつけてこする) rub against ... (☞ ぬる). ¶犬は私の脚に体を*こすりつけた The dog *rubbed* (itself) *against* my leg.

こする 擦る (手や布などで物をこする) rub ⓗ; (ごしごしこすって物をきれいにする) scrub ⓗ.
¶彼女は目を*こすってあくびをした She *rubbed* her eyes and yawned. // 私は塀から泥を*こすり落とした I *scrubbed* the dirt off the wall.

ごする 伍する (地位・順位が同等である) rank「among [with] ...; (能力・資質が対等である) be equal to ..., equal ⓗ. (☞ たいとう¹). ¶日本は明治維新後世界の列強に*伍するようになった Japan *has* (*been*) *ranked*「*among* [*with*] the Great Powers of the world since the Meiji Restoration.

こすれる 擦れる ☞ すれあう; すれる¹

ごすんくぎ 五寸釘 fifteen-centimeter(-long) nail Ⓒ.

こせい 個性 personality Ⓤ; ìndividuálity Ⓤ.
【類義語】この2語はほぼ同じ意味だが, 単にその人と他の人を区別する特徴を *individuality* と言うのに対し, ある人特有の肉体的・精神的特徴は *personality* と言う.
¶*個性を発揮する show [display] *one's individuality* // *個性を伸ばす develop *one's personality* // 彼女は*個性がある[ない] She「has [lacks] *individuality.* // 彼女は非常に*個性的な人だ (⇒はっきりした[強い]個性の持ち主だ) She has a very「clear-cut [strong] *personality.* // ゴッホの自画像には彼の強烈な*個性が出ている The self-portrait by Van Gogh expresses his intense *personality.*

> **コロケーション**
> 個性がない have「no [little] *personality* / 個性に欠ける lack *personality* / 個性を押さえつける stifle *one's personality* / 個性を反映する reflect *one's personality* // 強烈な個性 a「forceful [strong] *personality*

ごせい¹ 語勢 tone (of voice) Ⓒ (☞ ごき¹).
¶*語勢を強める (⇒強調する) emphasize / (⇒強く言う) speak emphatically

ごせい² 悟性 〘哲〙understanding Ⓤ.

ごせい³ 互生 〘植〙 ── 名 alternate leaf arrangement ★ Ⓤ または a を付けて. 専門語では alternate phyllotaxis Ⓤ. ── 形 (互生の) alternate. (☞ たいせい¹⁰; りんせい; そくせい³).

こせいかい 古生界 〘地質〙the Paleozoic /pèɪliəzóʊɪk/ (☞ こせいそう).

ごせいこうき 五星紅旗 (中華人民共和国の国旗) the Five Starred Red Flag.

こせいそう 古生層 〘地質〙Paleozoic strata /stréɪtə, strάː-/ ★ strata は stratum /-təm/ の複数形.

こせいだい 古生代 〘地質〙the Paleozoic /pèɪliəzóʊɪk/ era ★ the を付けて.

ごせいばいしきもく 御成敗式目 the Formulary of Adjudications; (説明的には) the legal code for samurai promulgated by the Kamakura Government in 1232.

こせいぶつ 古生物 (地質時代に生息していた動植物) the life of past geological periods ★ the を付けて. life は集合名詞. **古生物学** paleontology /pèɪliɑntάlədʒi/ Ⓤ.

コセカント 〘数〙(余割) cosecant /koʊsíːkænt/ Ⓒ (略 cosec).

こせき¹ 戸籍 family register Ⓒ (☞ ほんせき).
¶*戸籍に入れる[から抜く] have *a person's* name「entered into [deleted from] the *family register* // 結婚すると夫婦は新しい*戸籍を持つ A newly married couple has to「get [have; prepare] a new *family register.* **戸籍係** registrar Ⓒ **戸籍原本** the original of one's family register **戸籍抄本** copy of part of *one's* family register Ⓒ **戸籍調べ** census taking Ⓤ **戸籍謄本** full [complete] copy of *one's* family register Ⓒ **戸籍筆頭人** the head of a「family [household] **戸籍簿** archive of family registers Ⓒ **戸籍法** the Fam-

ily Registration Law.

こせき[2] 古跡 historic ˹spot [site] Ⓒ; (歴史的名所) place of historical interest; (遺跡) historic remains. 《☞ しせき[1]; いせき[1]》.

こせこせ ―動 (ささいなことに思い煩う) worry [fuss] ˹about [over] small things. ―形 (こせこせした) fussy; (落ち着きのない) restless. 《☞ くよくよ; 擬声・擬態語 (囲み)》. ¶ ささいな事で*こせこせするな (⇒ つまらないことについて心配するな) Don't ˹*worry* [*fuss*] *about* ˹*small things* [*nothing*].

こせつく ☞ こせこせ

こぜに 小銭 (硬貨) coin Ⓒ; (small) change Ⓤ. 《☞ こまかい》. **小銭入れ** (small-)change purse Ⓒ 《☞ さいふ[1] (挿絵)》.

こぜりあい 小競り合い skirmish Ⓒ.

こぜわしい 小忙しい ¶ 彼はいつも*こぜわしく動き回っている He's always *scurrying off* somewhere or other. 《☞ きぜわしい; せわしい》

こせん 古銭 old coin Ⓒ. ¶ *古銭を集める collect *old coins*

ごせん 互選 ¶ 彼女は*互選 (⇒ 投票) によって議長に選ばれた She was elected ˹chair [chairperson] by *ballot*. ★「互選」の「互」にはこだわらなくてよい. 《☞ とうひょう[1]; せんきょ[1]》

ごぜん 午前 morning Ⓒ; (記号として) a.m., A.M. (↔ p.m.) ★ 時刻を表す数字の後に置く. 《☞ あさ[1]; 時刻・日付・曜日 (囲み)》.
¶ 私は*午前中に英語の勉強をする I study English *in the morning*. 《☞ 冠詞 (巻末)》 // 列車は*午前7時に着きます The train will arrive at ˹7 *a.m.* [seven *in the morning*.] // きょう[あす]の*午前中に高知行きの飛行機はありますか Is there a flight for Kochi ˹this [tomorrow] *morning*? 語法 (1) this [tomorrow; yesterday; every] morning (きょうの[あしたの, きのうの, 毎]午前中に) のような場合には前置詞 in は付けない. 《☞ あさ[1] 語法 (2)》 // 会議は9月15日の*午前中です The meeting will be (held) *on the morning* of September 15. 語法 (2) 定まった日の午前中については on を用いる. 《☞ あさ[1] 語法 (3)》.

こせんきょう 跨線橋 overpass Ⓒ, 《英》 flyover Ⓒ.

ごぜんさま 午前様 ¶ 昨夜は*午前様になりました (⇒ 真夜中過ぎに帰宅した) I *got home after midnight* last night.

ごせんし 五線紙 music [scoring] paper Ⓤ, music [scoring] sheet Ⓒ.

ごぜんじあい 御前試合 (martial arts) match held in the presence of the ˹shogun [lord; Emperor].

こせんじょう 古戦場 old [ancient] battlefield Ⓒ 《☞ せんじょう[1]》.

ごぜんじるこ 御膳汁粉 *shiruko* of strained adzuki beans Ⓤ 《☞ しるこ》.

ごせんふ 五線譜 score Ⓒ 《☞ がくふ[1]》.

-こそ 日英比較 日本語では特にあるものを取り立ててあげるのに用いる助詞であるが, 英語では強調・譲歩などの表現として適宜意訳するのがよい.
¶ 彼*こそ非難されるべきだ *It is* he [He is *the one*] *who* should be blamed. // 彼は年*こそ若いが非常に有能だ Young *as* he is [Young *though* he is; *Though* he is young], he is very able. //「失礼しました」「いえ, こちら*こそ」"Excuse me." "Excuse *mé*." 語法「こちらこそ」の意味を出すために, me を高い調子のイントネーションで言う. //「ご一緒していただいてうれしいわ」「いいえ, 私のほう*こそ」"Thank you for coming with me." "The pleasure ˹is [was] mine." // いま*こそ戦うべき時だ Now is the time ˹to fight [for fighting].

こぞ 去年 yesteryear 《☞ きょねん》.

こそあど a four-way system of Japanese demonstrative pronouns.

こぞう 小僧 (少年) boy Ⓒ; (子供) 《略式》 kid Ⓒ ★ 男女両方に用いる; (寺の) novice monk Ⓒ. 《☞ こ[1]; こども》. ¶ いたずら*小僧 a ˹míschievous [náughty] *kíd*

ごそう 護送 ¶ 容疑者は新幹線で東京へ*護送された The suspect *was taken* to Tokyo by the police in Shinkansen. **護送車** patrol [paddy] wagon ★ [ ] 内はくだけた語; 《英》 police van Ⓒ **護送船団** convoy Ⓒ **護送船団方式** convoy system Ⓒ; (説明的には) an industrial policy to protect weak companies.

ごそうさ 誤操作 ―名 incorrect operation Ⓤ, mishandling Ⓤ. ―動 operate ... incorrectly ㊀, mishandle ㊀. 《☞ そうさ[2]》.

ごぞうろっぷ 五臓六腑 (内臓) internal organs, the guts ★ いずれも複数形で, guts はくだけた語. ¶ 熱い風呂の後の冷たいビールは*五臓六腑にしみわたる (⇒ 体全体にしみわたるようだ) Cold beer after a hot bath makes me feel like it spreads through my *entire body*.

こそく 姑息 ―形 (間に合わせの) makeshift, stopgap; (中途半端の) halfway. ¶ *こそくな手段 a ˹*makeshift* [*halfway*; *stopgap*] measure

こそぐ 刮ぐ ☞ こそげる

ごぞく 語族 family of languages Ⓒ.
¶ インド・ヨーロッパ*語族 the Indo-European *family of languages*

ごそくろう 御足労 ¶ ちょっとそこまで*ご足労願いたい (⇒ 私と一緒に来て下さい) Would you mind *coming* [Could you possibly *come*] with me?

こそげる 刮げる (削りはがす) scrape ˹away [off] ㊀.

こそこそ ―副 (こっそりと) stealthily; (内密に) secretly; (後ろ暗い様子で) sneakingly; (ささやき声で) in ˹whispers [a whisper]. 《☞ こっそり; ひそひそ; 擬声・擬態語 (囲み)》. ¶ その男は*こそこそと立ち去った The man ˹*sneaked* [*stole*] away.

ごそごそ ¶ *ごそごそ動くな Don't *move*. // 狐が一匹やぶの中から*ごそごそ出てきた A fox came *rustling* out of the bush. 《☞ 擬声・擬態語 (囲み)》

こそだて 子育て ☞ いくじ[1]

こぞって ¶ 町の青年たちは*こぞって (⇒ 皆) その会合に出席した *All* the young men ˹of [in] the town attended the meeting. // クラス*こぞって (⇒ クラス全体が) 彼の提案を支持した *The whole* class supported his proposal. 《☞ みな; すべて; ぜんぶ[1]》
【参考語】 (すべての) all, every; (例外なく) without exception; (一致して) unánimously.

ごそっと ¶ 社員が*ごそっと会社をやめた (⇒ 社員の大半が突然やめた) *Suddenly most of* the company's employees quit. 《☞ ごっそり》

こそで 小袖 (筒袖の着物) kimono with tight sleeves Ⓒ; (絹の綿入れ) silk-quilted kimono Ⓒ.

こそどろ こそ泥 sneak [petty] thief Ⓒ (複 ~ thieves), cat burglar Ⓒ. 《☞ あきす; どろぼう; ぬすむ (類義語)》.

こそばゆい ―動 tickle ㊀ 《☞ くすぐったい》.

コソボ ―名 ㊀ the Autonomous Province of Kosovo ★ セルビア共和国内の自治州. **コソボ共同暫定行政機構** the Kosovo Joint Interim Administrative Structure **コソボ紛争** the Kosovo conflict.

ごぞんじ 御存じ ¶ 田中さんを*ご存じですか Do you *know* Mr. Tanaka? // あの方は*ご存じの方ですか (⇒ あなたの知り合いですか) Is he an *acquain-*

tance of yours? // *ご存じのように彼女は入院中です As you *know*, she is in the hospital.
ご存じ忠臣蔵（あの有名な忠臣蔵）that famous play "Chushingura."

コダーイ ―名 ㊂ Zoltán Kodály /záltɑːn kóudaɪ, -dɑːi/, 1882–1967. ★ ハンガリーの作曲家.

こたい¹ 固体 ―名 solid (body) Ⓒ (↔ liquid; gas). ―形 solid.《☞ こけい¹》. **固体燃料**（一般に）solid fuel Ⓒ;（推進剤）solid propellant Ⓒ **固体物理学** solid-state physics Ⓤ.

こたい² 個体 individual Ⓒ. **個体差** individual difference Ⓒ **個体発生**〘生〙ontogeny Ⓤ **個体変異** individual variation Ⓤ ★ 変種・変異体の意味では Ⓒ.

こだい¹ 古代 ―名 ancient [old] times ★ 複数形で. ―形 ancient. **古代語** ancient language Ⓒ **古代史** ancient history Ⓤ **古代人** ancient people ★ 集合的に. **古代紫** Tyrian /tíriən/ púrple Ⓤ.

こだい² 誇大 ―形（誇張した）exaggerated /ɪgzǽʤərèɪtɪd/. ―名 exaggeration Ⓤ.《☞ こちょう³》. **誇大広告**（人目を引く）sensational advertisement Ⓒ;（虚偽の）deceptive [false; misleading] advertisement Ⓒ **誇大表示** exaggerated [deceptive]ˌ⌈description [expression] (of goods) Ⓒ **誇大妄想** megalomania /mègəlouméɪniə/ Ⓤ **誇大妄想患者** megalomaniac /-niæ̀k/ Ⓒ.

ごたい 五体 the (whole) body.
¶ *五体満足の赤ちゃん（⇒ 健康な）a *healthy* baby /（⇒体に障害のない）a baby with no *physical* defects

こだいこ 小太鼓（響線が張ってあるもの）snare drum Ⓒ, side drum Ⓒ;（小さな太鼓）small drum Ⓒ.《☞ ドラム（挿絵）》.

ごだいこ 五大湖（米国とカナダの国境にある）the Great Lakes 参考 西から Superior /supí(ə)riə/, Michigan /míʃɪg(ə)n/, Huron /hjú(ə)rən/, Erie /í(ə)ri/, Ontario /ɑntέ(ə)riòu/.

ごだいごてんのう 後醍醐天皇 ―名 ㊂ Emperor Go-Daigo, 1288–1339;（説明的には）the 96th Emperor of Japan, who attempted to restore imperial rule following the collapse of the Kamakura Shogunate in 1333, but was overthrown in 1336 by Ashikaga Takauji, founder of the Muromachi Shogunate.《☞ けんむのちゅうこう》.

ごたいそう 御大層 ☞ おおげさ

ごたいとうち 五体投地〘仏教〙―動 prostrate *oneself*. ―名 prostration Ⓒ.

ごたいろう 五大老 the five daimyo appointed in 1597 by Toyotomi Hideyoshi to support Toyotomi rule《☞ だいみょう》.

こたえ 答え answer Ⓒ; reply Ⓒ;（反応）response Ⓒ;（問題などの解答）solution Ⓒ.《☞ こたえる¹》.
【類義語】単に質問だけでなく, 呼びかけ・命令・要求などに対する答えのいずれにも用いられる最も一般的な語は **answer** で以下の語の代わりにも使える. やや格式ばった語で, 考慮を払った上での返答・返事は **reply**. 要請や呼びかけなど刺激に対する反応で, 即座の回答は **response**.《☞ かいとう¹·²; へんじ¹》
¶ 彼の*答えは合って［間違って］いた He gave the ⌈right [wrong] *answer*. / He gave ⌈a correct [an incorrect] *answer*. // ノックしたが*答えがなかった. I knocked ⌈at [on] the door but ⌈there was no ⌈*answer* [(⇒ だれもドアに来なかった) *nobody came to* the door]. // この問題の*答えは次のページにあります The ⌈*answer to* this question [*solution to* this problem] is on the next page. // この問題の*答えがどうしても出せない（⇒ 問題が解けない）I can't *solve* this problem at all. / I can't ⌈work out [find] the *answer* to this question, however hard I try.

コロケーション
答えがない have no *answer* / 答えに窮する be at a loss for an *answer* / 答える make [give] an *answer* / 答えを当てる guess an *answer* / 答えを受け取る receive an *answer* / 答えを思い付く think of an *answer* / 答えを避ける avoid an *answer* / 答えを知っている know the *answer* / …に答えをせまる press … for an *answer* / 答えをはぐらかす evade giving an *answer* / 答えを引き出す draw out [elicit] an *answer* / 答えを見つける find an *answer* / 答えを求める require an *answer* / 答えをもらう get an *answer* // あいまいな答え an ambiguous [a vague] *answer* / あやふやな答え a dubious *answer* / 意地悪な答え a malicious *answer* / 賢い答え a wise *answer* / 完璧な答え a perfect *answer* / 気の利いた答え a ⌈witty [tactful] *answer* / こじ付けの答え a quibbling *answer* / すばやい答え a ⌈prompt [swift] *answer* / ずるい答え a cunning *answer* / 率直な答え a ⌈frank [strait] *answer* / 直接的な[間接的な; まわりくどい]答え a direct [an indirect; a roundabout] *answer* / 月並みな答え a stock *answer* / 適切な(正しい)答え the right *answer* / ばかげた答え a ⌈foolish [silly; stupid] *answer* / 漠然とした答え a vague *answer* / はっきりした答え a definite *answer* / 不満足な答え an unsatisfactory *answer* / 短い答え a ⌈short [brief] *answer* / 明快な答え a ⌈straightforward [clear-cut] *answer*

こたえられない 堪えられない ¶ これは*堪えられない味です（⇒ たいへんよい味がする）This tastes *very good*.

こたえる¹ 答える answer ㊀ ㊁ ★ 最も一般的な語;（回答する）reply (to …) ㊁ ★ やや格式ばった語;（反応・応答する）respond (to …) ㊁.《☞ こたえ》.
¶ 私の質問に*答えなさい *Answer* my question. / Give me an *answer*. ★ 第 1 文がより一般的な表現. // 彼は何と*答えましたか What was his *answer*? / How did he *answer* (⌈your question [you])?
語法 第 2 文は「はきはき答える」,「あいまいに答える」など答え方の態度も含むので, 意味があいまい.

こたえる² 応える（要求などに）meet ㊀《過去・過分 met》《☞ おうじる》. ¶ 経営者側の回答は組合の要求に*応えるものではない The ⌈reply [offer] ⌈by [of] (the) management does not *meet* the demands of the (labor) union. // ご期待に*応えるよう頑張ります I'll do my best to ⌈*meet* [*fulfill*] your expectations.

こたえる³ 応える（悪影響を持つ）tell on …;（身にしみてわかる）come home to …《☞ しみる; ほねみ》.
¶ 寒さは体に*こたえる（⇒ 寒さを心底感じる）I *really feel* the cold. // 彼の言葉は胸に*こたえた His words *came home to* me.

こたえる⁴ 堪える ☞ たえる¹; もちこたえる

こだかい 小高い ―形（土地が少し隆起している）slightly elevated. ¶ *小高い所（⇒ 丘）a hill /（⇒ 高台）heights ★ 主に複数形で. // 町は北のはずれが*小高くなっている The city gets *a little higher* toward its northern edge.

こだから 子宝 child Ⓒ.
¶ *子宝に恵まれる be blessed with *children*

ごたく 御託 ¶ *ご託を並べる（⇒ えらそうにしゃべる）talk *pompously* about … /（⇒ 長々と不平を言う）

make a *lengthy complaint* ʳabout [against] …

こだくさん 子沢山 ¶彼は*子沢山だ (⇒子どもが大勢いる) He *has many children.* // 貧乏人の*子沢山 The poor *have large families.*

ごたくせん 御託宣 (神託) oracle Ⓒ《☞ごたく》. ¶彼の中身のない*御託宣 (⇒話) は聞きあきた I've heard enough of his empty *talk.*

ごたごた 1《問題》: (面倒) trouble Ⓤ; (特定の問題) problem Ⓒ ★以上2語は「困った問題」の意ではほぼ同意で, 前者は Ⓒ にもなる; (もめごと) discord Ⓒ ★「不和」の意では Ⓤ; (紛争) conflict Ⓤ. 《☞もめごと; いざこざ; 擬声・擬態語 (囲み)》.
¶最近, 会社で*ごたごたがあった Our company has recently had ʳsome *trouble(s)* [a *problem*; *problems*]. // あの家では*ごたごたが絶えない That family is ʳin constant *discord* [constantly *rowing*]. // あの男はいつも近所の人と*ごたごたを起こしている He is always getting ʳin [into] *trouble* with the neighbors. 語法 この進行形は感情的表現で, 「だから困ったやつだ」の意を含む.
2《無秩序》: (混乱) disorder Ⓤ, confusion Ⓤ, 《略式》mess Ⓤ ★しばしば a を伴う. 《☞ごちゃごちゃ; らんざつ》. ¶学園祭の用意で教室が*ごたごたしている The classroom is (in) a *mess* because of (the) preparations for the school festival.

こだし 小出し ¶彼女は金を*小出しに使う (⇒彼女は一度に大金を使わない) She *doesn't spend much* (money) *at any one time.*

こだち[1] 木立ち (a ʳclump [cluster] of) trees; (小さな林) grove Ⓒ. ¶家は*木立ちに囲まれて建っていた The house was surrounded by *trees.*

こだち[2] 小太刀 small [short] sword Ⓒ. ¶*小太刀の名手 a swordsman skilled with the *short sword*

こたつ 火燵, 炬燵 *kotatsu* Ⓒ ★単複同形; (説明的には) Japanese foot warmer with frame and ʳcoverlet [quilt] (over it) Ⓒ. ¶*こたつにあたる warm *oneself* at ʳa [the] *kotatsu* // 掘り*ごたつ a *kotatsu* in the floor // 置き*ごたつ a portable *kotatsu* // 電気*ごたつ an electric *kotatsu* 《☞でんき[1] (電気ごたつ)》 こたつぶとん quilt for a *kotatsu* Ⓒ こたつやぐら wooden frame for a *kotatsu* Ⓒ.

ごたつく ☞ごたごた; こんらん

こだて 戸建て (一戸建ての家) detached house Ⓒ.

こだね 子種 (子ども) child Ⓒ《複 children》; (子孫) descendant Ⓒ, issue Ⓤ ★後者は法律用語で単数または複数扱い. 《☞こども; しそん》.
¶彼は*子種を残さなかった He left no *descendants.* // 彼は*子種がない He's *sterile.*

こたば 小束 small bunch Ⓒ, small bundle Ⓒ. 《☞たば》. ¶幾つかのわらの*小束 a few *small bundles* of straw // 100本のバラを5本ずつ20の*小束にしてください Make a hundred roses into twenty *bouquets* of five each.

ごたぶん 御多分 ¶ティーンエージャーの*ご多分にもれず (⇒ほかのティーンエージャーと同様に), よし子はロック(音楽)が大好きだ Yoshiko, *like* many *other* teenagers, loves rock music.

こだま[1] 木霊 ── 名 echo /ékoʊ/ Ⓒ《複 ~es》. ── 動 (こだまする) echo ⓐ.
¶あの山は*こだまを返す That mountain produces *echoes.* // 大砲の音は山々の間[谷間]に*こだました The gunfire *echoed* ʳbetween the mountains [through the valley]. / <S (場所)+V (*echo*)+*with*+名(音)> The ʳmountains [valley] *echoed with* the gunfire.

こだま[2] 小玉 (球形のもの) small ball Ⓒ; (液体の) globule Ⓒ; (ビーズ・ガラス玉・数珠玉の類) bead Ⓒ. 《☞たま[1]》. 小玉すいか small-sized watermelon Ⓒ.

ごたまぜ ごた混ぜ ── 動 (乱雑に混ぜる) jumble (ʳup [together]) ⓣ ★しばしば受身で; (混ぜ合わせる) mix up ⓣ. ── 名 a jumble; (寄せ集め)《米》a hodgepodge,《英》a hotchpotch ★以上いずれも a を付けて. 《☞まぜる》.
¶たんすの中は靴下や下着が*ごた混ぜになっていた Socks and underwear *were* all *jumbled* (ʳ*up* [*together*]) in the chest of drawers. // 彼の論文は自分の考えと人の考えの*ごた混ぜだ His essay is a *hodgepodge* of his own views and others'. // この書類を*ごた混ぜにしないでください Please take care not to *mix up* these papers.

こだわり ¶彼は富や地位に*こだわりがない (⇒関心がない) He doesn't *care about* wealth or position. // 彼が言ったことにまだ*こだわりがあるのですか *Are* you still *anxious about* what he said? / *Are* you still *hung up* ʳ*on* [*about*] what he said? ★第2文は口語的.

こだわる ── 形 (細かい点を気にする) particular; (選択についてこだわる)《略式》choosy,《略式》picky; (小うるさい) fussy; (凝りすぎる) finicky ★軽蔑的に用いる. ── 動 (執着する) stick (to …) ⓐ,《格式》adhere (to …) ⓐ. 《☞うるさい; しゅうちゃく[1]; こしつ[2]》. ¶形式に*こだわる *stick to* [*be hung up on*] formalities ★[ ]内の表現は口語的. // 母は服装に*こだわる (⇒やかましい) My mother is *particular about* her clothes. // もし色に*こだわらなければどの型でもあります If you're not *picky about* (a specific) color, you can have any of these models. // 試験の点数にあまり*こだわる (⇒重大に考える) 必要はない Don't *take* the results of the exam *too seriously.*

こたん 枯淡 refined simplicity Ⓤ.
¶*枯淡な作品 a *simple and refined* work of art

コタン (Ainu) village Ⓒ, settlement Ⓒ ★コタンは村落や住むところを意味するアイヌ語.

ごだんかつよう 五段活用 〘文法〙the five-tier conjugations of (Japanese) consonant-stem verbs.

コタンジェント 〘数〙(余接) cotángent Ⓒ《略 cótàn》.

こち[1] 鯒 〘魚〙flathead Ⓒ.

こち[2] 故知 (先祖の知恵) the wisdom of our forefathers.

ゴチ ☞ゴシック 2

こちこち 1《堅い》── 形 hard ★最も一般的な語; (石のように堅い) rock hard, stony, stoney. 《☞擬声・擬態語 (囲み)》. ¶粘土は乾くと*こちこちになる Clay gets *hard* when it dries. // チーズの切り口が*こちこちになっている The cut end of the cheese has gotten *hard.*
2《緊張した》── 形 (不安で) nervous; (緊張で) tense. ── 動 (緊張する) be [get] nervous, tense up ⓐ; (あがる) have [get] stage fright; (がんじがらめになる) be [get] all tied up in knots; (凍りついたようになる) freeze (up) ⓐ. 《☞きんちょう[1]; あがる[3]》.
¶彼は面接のとき*こちこちだった He ʳ*was nervous* [*tensed up*] ʳat [during] the interview. // 私は舞台の上で*こちこちになった I *had stage fright* as I stood before the audience.
3《融通がきかない》── 形 (頑固な) óbstinate; (生まれつき頑固な) stubborn ★後者は軽蔑的に用いられることが多い. 《☞がんこ》.

ごちそう 御馳走 1《饗応》── 動 (食事に招く) invite *a person* ʳfor [to] dinner; (おごる) treat ⓣ. 《☞おごる[1]》.
¶私は先週友人を呼んで夕食[昼食]を*ごちそうした I

ʳinvited a friend [had a friend] over (to my house) for ʳdinner [lunch] last week. // 彼は私に昼食を*ごちそうしてくれた He *treated* me *to* lunch.
2 《豪華な食事》: gorgeous ʳdinner [lunch] [C]; feast [C] [語法] feast は「祝宴・宴会」の意だが, 比喩的に「豪華な食事」の意でも使われる; (おいしい食べ物) excellent food [U]; (手のこんだ料理) eláborate [fáncy] dísh [C].
¶たいへんな*ごちそうだった That was a ʳ*feast* [*gorgeous dinner*; *real banquet*].
ごちそうさま Thank you for the ʳnice dinner [lovely meal]. / 《人ののろけに対して》 How kind of you to share that with ʳme [us].

こちゃく 固着 ―[動] (固着する) stick (自) (他), adhere (自) ★ 後者は格式ばった語. 《☞ くっつける》. ¶接着剤で脚をいすに元どおりに*固着する *stick* the leg back on the chair with glue

ごちゃごちゃ ―[形] (混乱した) confused, muddled ★ 後者のほうがより口語的; (いろいろなものが交じり合った状態で) mixed up; (雑然とした) cluttered (up), jumbled, messy ★ 後者のほうがより口語的; (乱雑な) untidy. ―[副] in a ʳjumble [muddle]. 《☞ ざつぜん; ごっちゃ》.
¶やることが山ほどあって頭の中が*ごちゃごちゃだ (⇒ 混乱した状態にある) I've got so many things to do that I *am* ʳ*mixed up* [*confused*]. // 君の部屋は*ごちゃごちゃだ Your room is (*in*) *a mess*. // 私は狭くて*ごちゃごちゃした通りを歩いた I walked through a narrow, *cluttered* street. // 書類を*ごちゃごちゃにしないでくれよ Don't ʳ*muddle up* [*mix up*] those papers.

ごちゃまぜ ―[動] mix up. ¶燃えるものと燃えないものを*ごちゃまぜにしないでください Don't *mix up* flammables with nonflammables.

ごちゅう 語中 (語の中間) the middle of a word; (その言葉の中で) in the statement.

コチュジャン *gochujang* [U]; red pepper paste [U].

こちょう[1] 誇張 ―[名] òverstátement [U], exaggeration /ɪgzædʒəréɪʃən/ [U] [語法] 前者は, 単に行き過ぎがあるという客観的事実を述べる語であるのに対し, 後者は偏見のある誇張だとか, 文学的誇張などをいう. ★ 以上 2 語は具体的な発言を指すときは [C]. ―[形] (誇張された) overstated, exággeràted [A]; (文体などが大仰な) high-flown. ―[動] (誇張する) overstate (他), exaggerate (他) (自). 《☞ 巻末; おおげさ》. ¶彼の話は大部分が*誇張に過ぎない Most of what he says is (sheer) *exaggeration*. // 記者は事実を*誇張しないように注意すべきだ Reporters should be careful not to ʳ*overstate* [*exaggerate*] (the) facts. // *誇張でなく, あの男は天才だ He is, without *exaggeration*, a genius. // 山田さんはものごとを*誇張する傾向がある Mrs. Yamada tends to *exaggerate* (things).
誇張法 〘修辞〙 hyperbole /haɪpə́ːbəli/ [U] ★ 具体的な表現を指すときは [C].

こちょう[2] 胡蝶 butterfly [C] 《☞ ちょう[1]》. **胡蝶の夢** (夢と現実との境が判然としないこと) being half awake and half asleep [U]; (この世の儚さ) empty dream [C]. ¶*胡蝶の夢の間に between ʳbeing *asleep and awake* [*sleeping and waking*] // 人生は*胡蝶の夢のごときものだ Life is *but an empty dream*. ★「胡蝶の夢」の出典は荘子. **胡蝶結び** ―[名] bow [C]. ―[動] (胡蝶結びにする) tie ... in a bow.

ごちょう[1] 語調 tone [C] 《☞ くちょう[1]; ちょうし[1]; くちぶり》.

ごちょう[2] 伍長 (米海軍の) petty officer third class [C]; (英海軍の) petty officer [C]; (米陸軍, 英陸・空軍の) corporal [C].

こちょうらん 胡蝶蘭 〘植〙 móth orchid /ɔ́ːkɪd/ [C], phalaenopsis /fæ̀lənɑ́psɪs/ ★ 後者が正式名称.

こちら ―[副] (この場所へ[で]) here; (こちらの方へ) this way. ―[名] (こちら側) this side [C]. ―[代] (このもの・この人) this; (電話で自分のこと) this; (我々・当方) we. 《☞ ここ[1] [語法]; そちら; あちら [日英比較]; 代名詞 (巻末)》. ¶*こちらではもう桜が満開です The cherry blossoms are already in full bloom *here*. // お手洗いは*こちらです *Here*'s the bathroom. // *こちらにお座り下さいませんか Would you sit *over here*, please? [語法] here の前に over が付くと, 相手のいる位置から「こちら」が離れているというニュアンスが伝わる. // *こちらへどうぞ *This way*, please. / Please come *this way*. ★ 人を案内するときの言い方. // *こちらの方を見てごらん Look *this way*. // 車は通りの*こちらに止めておいて下さい Please park your car on *this side* of the street. ★「反対側」は on the other side. // あちらより*こちらのほうがいい *This* (*one*) is better than that (one). / *These* (《英略式》 *ones*) are better than those (《英略式》 ones). ★ 複数の場合. // *こちら (⇒ この人) は(ヘンリー・)ミルズさんです *This* is Mr. (Henry) Mills. // 《電話で》 *こちらは井上明子です *This* is Inoue Akiko (speaking). // その件は*こちらで (⇒ 我々で) 処理いたします *We* will take care of the matter.

こぢんまり ―[形] (小さい) small; (小さいながらも安らぎを与える) snug, cozy; (余計なものがなく清潔で整った) neat (and tidy); (小さいが緻密な) compáct. ¶この大学は*こぢんまりしている This is a *small* college. // その老婦人は*こぢんまりした郊外の家に住んでいる The old lady lives in a ʳ*cozy* [*snug*] *little* house in the suburbs.

こつ[1] (要領) 《略式》 the hang, a [the] knack. 《☞ こきゅう[1]; ひけつ[1]》. ¶*こつを飲み込むのにしばらくかかるよ It'll take you some time to *get the* ʳ*hang* [*knack*] of it. // 彼は金もうけの*こつを知っている He has ʳ*the knack* of [*a knack* for; *a knack* of] making money. // それには*こつがあります There is *a knack* to (doing) it.

こつ[2] 骨 (骨) bone [C]; (火葬した遺骨) ashes. ¶お*骨を拾う gather pieces of the *bones* of the deceased **骨揚げ** ―[動] gather pieces of the ʳbones [ashes] of the deceased **骨壺** urn (for cremated ashes) [C] [日英比較] 英米では火葬にしないのが普通なので一般的ではない. **骨密度** bone density [U].

ごつい ―[形] (ごつごつした) rough; (頑丈な) tough. 《☞ がっしり》. ¶*ごつい手 *big and rough* hands // *ごつい男 a *tough* ʳman [guy]

こっか[1] 国家 ―[名] (主権のある政府, また, その下に統一された国) state [C]; (国) country [C]; (国民・民族) nation [C] ★ state と同じ意味で用いることもある; (政府) government [C]. ―[形] (国有の・国立の) national, state; (政府の) gòvernméntal, government. 《☞ くに (類義語)》.
¶*国家は我々に補償すべきだ The ʳ*state* [*government*] should indemnify us. // *国家の援助 *government(al)* [*state*] assistance
国家安全保障会議 《米》 the National Security Council 《略 NSC》 **国家管理** state [government] control [U] **国家警察** the National Police System **国家権力** state power [U] **国家公安委員会** the National Public Safety Commission **国家公務員** government ʳofficial [worker; employee] [C]; public servant [C] ★ 後者には「公僕」のニュアンスがある. 《☞ こうむいん》 **国家公務員法**

the National Public Service Law　国家財政 national finance Ⓤ　国家試験 state [national] examination Ⓒ　国家社会主義 state [national] socialism Ⓤ　国家賠償法 the State Compensation Law　国家補償 state compensation Ⓤ.

コロケーション

海洋国家 a maritime ⌈*country* [*nation*] / かいらい国家 a puppet *state* / 社会主義国家 a socialist *state* / 主権国家 a sovereign *state* / 主要国家 a principal *state* / 全体主義国家 a totalitarian *state* / 多民族国家 a multi-ethnic *country* / ならず者国家 a rogue *nation* / 福祉国家 a welfare *state* / 法治国家 a law-abiding *country* / 民主国家 a democratic *country*

こっか[2] 国歌　national anthem Ⓒ.

こっか[3] 国花　national flower Ⓒ.

こっか[4] 骨化　〘医〙 ―名 ossification Ⓤ. ―動 ossify 自 他.

こづか 小柄　*kozuka* Ⓒ; (説明的には) a small knife for everyday use attached to the scabbard of a samurai's sword.

コッカースパニエル　(小形の犬) cocker spaniel /kákə spǽnjəl/ Ⓒ.

こっかい[1] 国会　the Diet ★ 最も一般的. 日本の「国会」の英訳は普通はこれ, または Parliament を用いる; (上下両院) the Houses; (国民の代表の会議) national assembly Ⓒ; (立法府) legislature Ⓒ, législàtive (bódy) Ⓒ 参考 以上の語はどこの国の国会をも指すことができるが, 通常は以下のように国に応じて決まった表現がある; (米国の) Congress; (英国・カナダ・オーストラリアなどの) Parliament /pάːləmənt/ ★ Congress も Parliament も大文字で始め, 定冠詞は付けない. 《☞ ぎかい; しゅうぎいん; さんぎいん》. ¶ *国会はいま開会中だ *The Diet* is now ⌈in session [sitting]. // *国会が召集された *The Diet* was ⌈convened [called into session]. // *国会は来週解散する *Parliament* ⌈will [is scheduled to] dissolve next week. // 臨時*国会 an extraordinary session of *the Diet*
国会喚問 summons to the Diet Ⓒ《複 summonses ～》 国会議員 (英国・日本の) Member of Parliament Ⓒ ★ M.P. /émpíː/ と略す, Diet member; (男性) Dietman Ⓒ《複 -men》, (女性) Dietwoman Ⓒ《複 -women》; (米国の) member of Congress Ⓒ, (男性) Congressman Ⓒ《複 -men》, (女性) Congresswoman Ⓒ《複 -women》; (法律を作る人) lawmaker Ⓒ ★ ややくだけた言い方. 《☞ ぎいん[1]》. ¶ 彼は*国会議員だ He is ⌈a *Member of Parliament* [an *M.P.*; a *Dietman*; a *lawmaker*; a *legislator*]. / (⇒ 議席を持っている) He *has a seat in Parliament*. 国会議事堂 (一般に) the Diet building; (米国の) the Capitol; (英国の) the Houses of Parliament ★ 複数形で. 《☞ ぎじどう》 国会議事録 the Diet Record　国会請願 petition to the Diet Ⓒ　国会図書館 the National Diet Library; (米国の) the Library of Congress.

こっかい[2] 告解　〘カトリック〙 ―名 confession Ⓒ. ―動 confess 他 自. ¶ 彼女は罪を犯したことを司祭に*告解した She *confessed* to the priest that she had committed a sin. / (⇒ 彼女の罪を) She *confessed* her sins to the priest.

こっかい[3] 黒海　―名 固 the Black Sea. ★ 小アジアとヨーロッパの間にある内海.

こづかい 小遣い　pocket money Ⓤ; spending money Ⓤ ★ いずれもくだけた言い方. 前者は特に子供の小遣いを指す; (定期的に与えられるお金) allowance Ⓒ.　小遣いかせぎ side work Ⓒ, odd job Ⓒ. ¶ *小遣いかせぎをする earn [make] *pocket money* // 私は新聞配達をして*小遣いかせぎをしている I *earn my pocket money* by delivering newspapers.

こっかく 骨格　(体格) frame Ⓒ; (人間の体の形・大きさなど) build Ⓒ; (特に男性の体格) physique Ⓒ; (建物の枠組) framework Ⓒ. 《☞ ほねぐみ; たいかく[1]》.　骨格筋 skeletal muscle Ⓒ.

こっかっしょく 黒褐色　―形 dark brown. ―名 dark brown Ⓤ.

こつがら 骨柄　(体格) frame Ⓒ; (人柄) personality Ⓤ. ¶ 人品*骨柄卑しからざる老人 (⇒ 風采のよい) a very *personable* elderly man

こっかん[1] 酷寒　severe [intense] cold Ⓤ ★ [　] 内の方が寒さがきびしい. ¶ *酷寒の時期に in *the coldest* season

こっかん[2] 骨幹　**1**《骨格》: 〘解〙 diaphysis /daɪǽfəsɪs/ Ⓒ《複 -ses /-sìːz/》.　**2**《物事の根幹》: (基礎) basis Ⓒ《複 bases》; (基本) fundamental Ⓒ; (根源) source Ⓒ. ¶ 贈収賄事件は政権の*骨幹を揺るがせた The bribery scandal shook the *foundations* of our political system. // ブロックとタックルとはフットボールの*骨幹だ Blocking and tackling are the *fundamentals* of football.

ごっかん 極寒　¶ *極寒の (⇒ 一年でいちばん寒い) 季節 *the coldest* time of the year

こっき[1] 国旗　national flag Ⓒ《☞ はた[1]》.
¶ 私たちは*国旗を掲揚した We raised our *national flag*.
【参考語】《各国の国旗の通称》: (イギリス) the Union Jack; (アメリカ) the Stars and Stripes; (フランス) the Tricolor; (日本) the Rising Sun.

こっき[2] 克己　(自制) self-control Ⓤ, self-restraint Ⓤ ★ 共に外部からの刺激や誘惑に負けないこと; (欲望を抑えること) self-denial Ⓤ. ¶ 彼は*克己心がある [ない] He ⌈has [has no] *self-control*.

こづきまわす 小突き回す　(打ったりなどして) knock ⌈about [around] 他; (乱暴に扱う) push around 他; (いじめる) tease 他. 《☞ こづく》.
¶ 彼は群衆に*こづき回された He *was knocked about* by the crowd. // 彼はよたものたちに*小突き回された He *was pushed around* by a gang of thugs.

こっきょう[1] 国境　(一般に) border Ⓒ, frontier Ⓒ 語法 以上は「国境地帯」という意味でも使われる. 後者は《米》で未開拓の土地に接した地域という意味でも使われるので, 前者のほうがより一般的; (national) boundary Ⓒ ★ 国境線のみを意味するやや格式ばった語. ¶ *国境の町 a ⌈*border* [*frontier*] town // フランスは南はスペインと*国境を接している France *is bordered* on the south by Spain. // 中ロ*国境 the Russo-Chinese *border* // *国境紛争 a *border* dispute / (⇒ 衝突) a *border* ⌈conflict [clash] // *国境の守備 *border* defenses
国境警備兵 border guards　国境線 border(-line) Ⓒ　国境地帯 border region Ⓒ.

コロケーション

国境線を引く draw a *border*(line) / 国境の防備を固める fortify *one's borders* / 国境を越えて潜入する infiltrate the *border* / 国境を越える cross the *border* / 国境をこっそり越える slip across the *border* / 国境を定める fix [establish] a *border* / 国境を侵犯する violate the *borders* / 国境を閉鎖する close *one's borders* / 国境を守る[パトロールする] guard [patrol] *one's border*

こっきょう[2] 国教　state [established] religion Ⓒ. ¶ 英国*国教会 the *Church* of England / the Anglican *Church*　国教徒 (英国の) member of the Church of England Ⓒ.

-こっきり　¶ 一遍*こっきり *just* [*only*] once / once

(and) for all ((☞ いちど))

こっきん 国禁 national ˹ban [prohibition] Ⓒ ★[ ] 内は格式ばった語. ¶*国禁の書 a book *banned by the state*

コック¹ (料理人) cook /kúk/ Ⓒ. **コック長** chef /ʃéf/ Ⓒ.

コック² (調節弁) stopcock Ⓒ; (蛇口) ((米)) faucet Ⓒ, ((英)) tap Ⓒ. ((☞ じゃぐち (挿絵); せん³)). ¶あの*コックを開け[閉じ]なさい Turn ˹on [off] that ˹*stopcock* [*faucet*; *tap*].

こづく 小突く (指・棒・ひじなどで) poke ㊀; (押す) push ㊀; (強くぐいと押す) thrust ㊀; (注意を喚起するためにひじで軽く) nudge *a person* ★ 肩, 背中などは目的語にならない. ((☞ こづきまわす; つつく)).

コックス 〖ボート〗 cox Ⓒ, coxswain /káksn/ Ⓒ.

コックニー cockney Ⓒ ★ しばしば C—. East End に生まれ育った労働者階級のロンドン子. **コックニーなまり** cockney Ⓤ.

コックピット (航空機の操縦室) cockpit Ⓒ. **コックピットクルー** cockpit crew Ⓒ ★ 集合的に用いる. ((☞ クルー)).

こっくべんれい 刻苦勉励 —動 (一生懸命[熱心に] 精を出す) work ˹hard [diligently]; (…に専念する) apply *oneself* (to …). —名 (たゆまぬ努力と苦労) untiring effort and labor Ⓤ.
¶彼は*刻苦勉励しクラス一番で卒業した He ˹*studied extremely hard* [*applied himself arduously to his studies*] and finished top of his class.

こっくり —動 (うなずく・うなずいて示す) nod ㊀ ㊀, give a nod; (居眠りをする) nod (off) ㊀. —名 nod Ⓒ. ((☞ 擬声・擬態語 (囲み))). ¶彼女は*こっくりとうなずいた She *nodded* (her agreement). / She answered *with a nod*. // 彼は*こっくりこっくり居眠りをしていた He *was nodding off*.

こづくり 小作り —形 small, small-sized. ¶*小作りの人 a ˹*short* [*small*] person / a person of *small stature* ★ 文語的. // *小作りのテーブル a *small* table

こっけい 滑稽 —形 (おかしい) funny; (ユーモアがある) humorous /(h)júːm(ə)rəs/; (喜劇的な) comical; (笑いを誘うような) laughable; (嘲笑を誘うほどばかげた) ridiculous [語法] humorous 以外の語は軽蔑や嘲笑のニュアンスを含むことが多い. —名 (無意味でばかげたこと) nonsense Ⓤ. ((☞ おかしい)).
¶彼の話し方はとても*滑稽だ The way he talks is very ˹*funny* [*humorous*]. // それは*滑稽な出来事だった It was a ˹*comical* [*laughable*] incident. // あの人が社長に選ばれるなんて*滑稽だよ How ˹*ridiculous* [*ludicrous*] it is for him to be elected president! **滑稽本** comic writing Ⓤ.

こっけいせつ 国慶節 Anniversary of the ˹Founding [Foundation] of the People's Republic of China Ⓤ ★ 中国の建国記念日, 10 月 1 日.

こっけん¹ 国権 the right of the state; (統治権) national sovereignty Ⓤ. ¶*国権を発動する exercise *the right of the state*

こっけん² 黒鍵 (ピアノなどの) black key Ⓒ.

こっこ 国庫 the ˹national [state] treasury. ¶私の医療費は*国庫負担となる (⇒ 政府が私の医療費を払う) *The government pays* my medical bills. // この学校は*国庫補助を受けている This school is subsidized by the ˹*government* [*state*]. / (⇒ 国の助成金を受ける) This school receives ˹*government* [*state*] subsidies. **国庫金** treasury funds ★ 複数形で; national treasury money Ⓤ **国庫債券** treasury bond Ⓒ **国庫支出** treasury disbursement Ⓒ **国庫収入** national revenues **国庫剰余金** treasury surplus Ⓒ **国庫負担金** government treasury charge Ⓒ.

-ごっこ (…ごっこをする) play … ¶泥棒*ごっこをする *play* cops and robbers // 兵隊*ごっこをする *play* soldiers // お医者さん*ごっこをする *play* doctors and nurses // お店屋さん*ごっこをする *play* ˹stores [((英)) shops] // 彼らは鬼*ごっこをした They *played* tag.

こっこう 国交 (外交関係) diplomatic relations ★ 通例複数形で.
¶その国とは*国交がない We have no *diplomatic relations* with that country. // 1876 年に両国間に*国交が樹立した *Diplomatic relations* were established between the two countries in 1876. / (⇒ 両国は外交関係に入った) The two countries established *diplomatic relations* in 1876. // 両国の*国交は断絶した *Diplomatic relations* between the two countries were ˹severed [broken off; cut]. / The two countries have broken off *diplomatic relations*. // 日中間の*国交は 1972 年に回復した *Diplomatic relations* between Japan and China were restored in 1972. // その国との*国交を正常化するのが急務だ It is ˹crucial [vital] to normalize *diplomatic relations* with that country.

ごつごうしゅぎ 御都合主義 (便宜優先の) opportunism /àpət(j)úːnɪzm/ Ⓤ; (日和見的な) timeserving Ⓒ. ((☞ つごう)). ¶*ご都合主義の人 an *opportunist* / a *timeserver*

こっこうりつ 国公立 —形 national and public. ¶*国公立大学 *national and* (*other*) *public* colleges and universities

こっこく 刻刻 —副 every minute, minute by minute ★ 前者のほうがより口語的. また minute の代わりに second, moment も可能. ((☞ いっこく)).
¶空の色が*刻々変わった The sky changed color *every minute*. // 彼の死は*刻々近づいていた (⇒ 差し迫っている) His death was *imminent*.

こつこつ¹ —副 (着実に・うまずたゆまず) steadily; (辛抱強く) patiently; (常に一定して) constantly; (少しずつ) little by little. ((☞ ちゃくじつ; 擬声・擬態語 (囲み))). ¶彼女は*こつこつ働いた She worked *steadily*. // *こつこつ努力すればきっとうまくいくよ You'll make it if you just *keep trying*.

こつこつ² —名 (軽く叩く) tap Ⓒ; (軽くたたく音) tapping Ⓒ; (固いもので叩く) knock Ⓒ. —動 (こつこつと叩く) tap ㊀; knock ㊀. ¶窓を*こつこつと叩く音がした There was a *tapping* at the window. // 彼は箸でテーブルを*こつこつ叩いた He ˹*rapped* [*tapped*] on the table with his chopsticks.

ごつごつ —形 (滑らかでない) rough, harsh ★ 後者は「不愉快な」というニュアンスが入ることが多い; (土地が起伏が多い) rugged /rʌ́gɪd/; (でこぼこの) uneven; (岩の多い) craggy. ((☞ 擬声・擬態語 (囲み))). ¶*ごつごつした道 a very ˹*uneven* [*rugged*] road // *ごつごつした山 *craggy* mountains // *ごつごつした手 *bony* hands

こつざい 骨材 〖建〗 (コンクリートの) aggregate Ⓤ.

こっし 骨子 (主要な点) main point Ⓒ; (最重要点) the crux; (要旨) the gist ★ 最後の 2 つは the を付けて. ((☞ ようし¹; ようてん¹)).

こっしゅ 骨腫 〖医〗 osteoma /àstióumə/ Ⓒ ((複 -mata, ～s)).

こつずい 骨髄 the marrow ★ the を付けて.
¶彼に対しては彼女は恨み*骨髄に徹している (⇒ ひどい恨みを抱いている) She ˹has [bears; harbors] a ˹bitter [deep] grudge against him. **骨髄移植** bone marrow transplant Ⓒ **骨髄炎** osteomyelitis /àstioumàɪəláɪtɪs/ Ⓤ **骨髄腫** myeloma

/màiəlóumə/ Ⓒ《複 -mas, -mata》 骨髄バンク bone marrow bank Ⓒ.

こっせつ 骨折 ── 名 bone fracture Ⓒ ★ 格式ばった語. ── 動 (骨折する) break a bone. (☞ ほね).
¶ 彼はスキーをしていて右脚を*骨折した He *broke* his right leg while skiing. // 単純 [複雑]*骨折 a ˹simple [compound] *fracture*

こつぜん 忽然 ── 副 (突然に) suddenly, all of a sudden, all at once ★ 後の 2 つのほうが意味が強い; (不意に) unexpectedly. (☞ ふい¹; とつぜん).
¶ 彼は*忽然と姿を消した He *suddenly* disappeared. / He disappeared ˹*all of a sudden* [*all at once*; *unexpectedly*]. // 古代都市の廃墟は探検隊の前に*忽然と (⇒ あたかも魔法のように) 現れた The ruins of the ancient city appeared before the expedition members *as if by magic*.

こっそう 骨相 (頭骨の) the structure of the skull; (人相) physiognomy Ⓒ. **骨相学** phrenólogy Ⓤ **骨相学者** phrenólogist Ⓒ.

こつそしょうしょう 骨粗鬆症 〖医〗 osteoporosis /àstioupəróusɪs/ Ⓤ.

こっそり (ひそかに) secretly, in secret; (公然とではなく) in private 語法 secretly ほど積極的に隠し立てをするニュアンスはない; (人目を忍んで) on the sly ★ 悪いニュアンスで用いる; (ずるいやり方でそっと) stealthily /stélθɪli/; (うさんくさい態度で) furtively; (だれにも見られないで) without letting anyone see, without being seen ★ この 2 つは中立的な表現.
日英比較 以上のほかに日本語の「こっそり」に当たる言葉をそのまま用いないでも, その意味を含む言い方がいろいろある. ((例) *こっそり見る steal a glance at … // *こっそり入る sneak in … // *こっそり持ち去る steal …). (☞ ひそか; 擬声・擬態語 (囲み)).
¶ 私は彼に*こっそり金を渡した I handed him the money ˹*secretly* [*in secret*]. // 彼はよく個人的な手紙を*こっそり勤務時間中に書く He often writes (his) personal letters during office hours *on the sly*. // 彼女は*こっそり家を抜け出した She ˹*sneaked* [*slipped*; *tiptoed*] out of the house. / (⇒ だれにも見られずに) She ˹left [walked out of; went out of] the house *without letting anyone see* her.

ごっそり ¶ 彼は持ち物を*ごっそり奪われた (⇒ 持っていたすべての物を奪われた) He was robbed of ˹*everything* he had [*the whole lot*]. ★ [ ] 内はくだけた言い方. // 彼女はコンテストで賞を*ごっそりさらった (⇒ すべての賞を得た) She won *all* the prizes at the contest. (☞ 擬声・擬態語 (囲み))

ごったがえす ごった返す (混んでいる) be crowded; (騒がしく混んでいる) be thronged; (押し合いへし合いになるほどに混んでいる) be jammed. (☞ こみあう; こんざつ).
¶ 売り場は買い物客で*ごった返していた The department *was* ˹*crowded* [*thronged*; *jammed*] with shoppers. // 市場は*ごった返していた There was a lot of *hustle and bustle* at the market. 語法 hustle and bustle は「ざわついてせわしい様子」.

ごったに ごった煮 hótchpòtch Ⓤ.

こっち ☞ こちら

こづち 小槌 small mallet /mǽlɪt/ Ⓒ; (議長・裁判官用の) gavel /gǽv(ə)l/ Ⓒ. (☞ つち²). ¶ 打ち出の*小槌 a good-luck *mallet*

ごっちゃ ¶ 君は 2 つの考えを*ごっちゃにしている You'*re confusing* the two ideas. // その食べ物は中国料理とインド料理とを*ごっちゃにしたようなものだった The food was like a *mixture* of Chinese and Indian (food). / The food was like Chinese and Indian food *mixed together*. // 書類がみんな*ごっちゃになった The papers *got* all *mixed up*. (☞ こんどう; ごちゃごちゃ; 擬声・擬態語 (囲み))

こっちょう 骨頂 the height (☞ きわみ).
¶ 愚の*骨頂 *the height* of folly

こつづみ 小鼓 〖楽器〗 *kotsuzumi* Ⓒ; (説明的には) a small hour-glass-shaped drum.

こづつみ 小包 (郵便小包) (postal) parcel Ⓒ, (postal) package Ⓒ; (小包便) parcel post Ⓤ.
¶ この*小包を出してきます I'll go and mail this ˹*parcel* [*package*]. // これらの本を*小包で送ろう I'll ˹send [mail] these books (by) *parcel post*.

こってり **1** «食べ物がしつこい» ── 形 (栄養価が高く, 内容的に豊かな) rich; (腹にもたれるような) heavy; (いやにしつこい) (略式) stodgy. (☞ 擬声・擬態語 (囲み)). ¶ 彼は*こってりした食べ物が好きだ He likes ˹*rich* [*stodgy*] food.
2 «たっぷり» ── 形 (たくさんの) a lot of …; (十分な) good. ── 副 (うんと) a lot; (厚く) thick. (☞ 擬声・擬態語 (囲み)).
¶ 彼女はパンにバターを*こってり塗った (⇒ たくさんのバターを付けた) She put *a lot of* butter on the bread. / (⇒ バターを厚く塗った) She spread the butter ˹*thick* [*thickly*] on the bread. / She spread the bread *thickly* with butter. // 私は父から*こってり油をしぼられた I was scolded *good and proper* by my father. / My father gave me ˹a *good* scolding [(略式) *hell*].

ゴッド (神) god ★ キリスト教など一神教の神の場合は通例大文字で始め Ⓤ, 多神教の場合は小文字で始め Ⓒ. (☞ かみ¹).

こっとう 骨董 (骨董品一般) antique /æntíːk/ Ⓒ; (珍しい品・掘り出し物) curio /kjʊ́(ə)riòʊ/ Ⓒ.
¶ 彼は*骨董を集めている He collects ˹*antiques* [*curios*]. // この機械はもはや*骨董品でしかない (⇒ 骨董的価値しかない) This machine has nothing more than *antiquarian* value. ★ antiquarian は「骨董品研究上の」の意. / (⇒ 博物館の陳列品でしかない) This machine is nothing more than a *museum piece*.
骨董収集家 cúrio collèctor Ⓒ **骨董趣味** antiquarianism Ⓤ **骨董屋** (店) curio [antique] shop Ⓒ; (人) antique [curio] dealer Ⓒ.

ゴッドファーザー (男性の名親・教父) godfather Ⓒ.

コットン (木綿) cotton Ⓤ. **コットン紙** cotton paper Ⓤ. **コットンベルト** ── 名 ㊞ Cotton Belt ★ アメリカ南部の綿花地帯.

こつなんかしょう 骨軟化症 〖医〗 osteomalacia /àstioʊməléɪʃ(i)ə/ Ⓤ, malacosteon /mæ̀ləkástiàn/ Ⓤ.

こつにく 骨肉 (肉親) *one's* own flesh and blood; (血縁) blood relations. (☞ にくしん).
¶ *骨肉の争い *family* discord **骨肉相食(は)む**
¶ 遺族たちは今や*骨肉相食む間柄だ (⇒ 血縁同士が争い合う) The family of the deceased are now engaged in an *internecine* /ìntəníːsɪn/ *feud*. **骨肉腫** 〖医〗 osteosarcoma /àstiousɑːkóumə/ Ⓒ 《複 ～s, ～ta》, osteogenic /àstioʊʤénɪk/ sarcóma Ⓒ 《複 ～s, ～ta》.

こつねんれい 骨年齢 bone age Ⓤ.

こっぱ 木っ端 ── 名 (不用になった木の破片) scrap of wood Ⓒ; (木の切れ端) woodchip Ⓒ. ── 形 (取るに足らない) petty ★ 悪い意味で用いる. **木っ端役人** petty official Ⓒ.

こつばい 骨灰 bone ˹ash [earth] Ⓤ.

こっぱみじん 木端微塵 ¶ 花瓶はテーブルから落ちて*こっぱみじんに壊れた The vase fell off the table and ˹broke *into a million pieces* [was smashed *to smithereens* /smìðəríːnz/]. ★ (in)to smithereens で「粉々に」の意.

こつばん 骨盤 〖解〗 pelvis Ⓒ 《複 ～es, pelves

/pélvi:z/》.
こっぴどく —副(厳しく) severely《☞こてんこてん; こってり》. ¶父に*こっぴどくしかられた I was *severely* scolded by my father. / My father gave me a *good* scolding.
こつひろい 骨拾い ☞こつ²(骨揚げ)
こつぶ 小粒 —形(小さい) small (in size). —名(小さい種類) small「kind [type] Ⓒ.《☞ちいさい[な](類義語)》. ¶このトマトは*小粒だ(⇒小さい) This tomato is *small*. / This is a *small*「*kind* [*type*] of tomato. // 山椒(さんしょう)は*小粒でもぴりりと辛い ☞さんしょう²
コップ glass Ⓒ《☞グラス¹(挿絵)》. ¶毎朝*コップ1杯の牛乳を飲むことにしています I drink a *glass* of milk every morning.《☞数の数え方(囲み)》
コップの中の嵐《米》tempest in a teapot Ⓒ,《英》storm in a teacup Ⓒ.
コップ酒 sake in a tumbler Ⓤ, glassful of sake Ⓒ.
こっぷん 骨粉 bone meal Ⓤ.
コッペパン roll Ⓒ.
コッヘル (携帯用炊事道具) portable cooking kit Ⓒ ★「コッヘル」はドイツ語の Kocher より.
こっぺん 骨片 (骨のかけら) piece of broken bone Ⓒ.
ゴッホ —名 ㊀ Víncent van Gogh /góu/, 1853–90. ★オランダの画家.
こつまく 骨膜 〔解〕periosteum /pèriástiəm/ Ⓒ《複 periostea /-tiə/》. **骨膜炎** periostitis /pèriɑstáɪtɪs/ Ⓤ.
こづめ 小爪 (爪の半月) half-moon Ⓒ, lunula /lú:njulə/ Ⓒ《複 -lae /-lì:/》.
こづれ 子連れ ¶彼は*子連れで映画に行った(⇒子供を映画に連れて行った) He *took his children* to the movies.
こつん ¶彼は子どもの頭を*こつんとたたいた He *rapped* the child on the head. // *こつんとテーブルをたたく *rap* on the table《☞擬声・擬態語(囲み)》
ごつん ¶私は頭を*ごつんと壁にぶつけた I *bumped* my head against the wall. // 彼はテーブルをこぶしで*ごつんとたたいた He *thumped* the table with his fist.《☞擬声・擬態語(囲み)》
こて¹ 鏝 (左官の) trowel /tráuəl/ Ⓒ; (整髪用) curling iron Ⓒ; (はんだ用) soldering iron Ⓒ. **鏝板** mortarboard Ⓒ, hawk Ⓒ ★前者の方が一般的.
こて² 小手, 籠手 (前腕) forearm Ⓒ《☞うで(挿絵)》; (剣道の防具) Japanese-fencing glove Ⓒ.
小手をかざす shade *one's* eyes with *one's* hand. ¶日の光がとてもまぶしかったので彼は*小手をかざした He *raised his hand to shade his eyes* against the glaring sunlight.
ごて 後手 ¶私はチェスの試合で*後手に回った I「*had the second move* [*moved second*; *went second*] in the chess game. / (⇒私の相手が先手を打った) My opponent「*had* [*made*] *the*「*first* [*initial*] *move* in the chess game. // 政府の対策は*後手に回った(⇒遅すぎて効果がなかった) The government's actions came *too late to have any effect*.《☞おくれ》,
【参考語】—名(碁・将棋などの) the second move (↔ the「first [initial] move); (人) the second mover. —動(後れをとる) fall behind ...; (先手を失う) lose the lead; (守勢になる) be on the defensive.
こてい¹ 固定 —動(固定する) fix ㊀; (きちっとはめこむ) lock ... in position. —形(動かない) fixed; (いつも変わらない) regular; (基本的な) basic.
固定株 stock owned by an inactive stockholder Ⓒ **固定為替相場** fixed exchange rate Ⓒ **固定観念** fixed [set] idea Ⓒ **固定客** regular customer Ⓒ **固定給** basic [base; regular] pay Ⓤ **固定金利** fixed interest rate Ⓒ **固定資産** fixed ássets ★複数形で; fixed property Ⓤ **固定資産税** the「municipal /mju:nísəp(ə)l/ [fixed] property tax **固定資本** fixed capital Ⓤ **固定焦点** —名 fixed focus Ⓒ《複 focuses, foci /fóusaɪ/》. —形 fixed-focus **固定長** —形(固定長の) fixed-length. ¶*固定長レコード[フィールド] *fixed-length*「records [fields] **固定票** solid vote Ⓒ.
こてい² 湖底 the bottom of a lake.
コティ —名 ㊀ René Jules Gustave Coty, 1882–1962. ★フランスの政治家; 大統領 (1954–59).
コテージ (いなか家・小別荘) cóttage Ⓒ.
コテージチーズ cottage cheese Ⓤ.
コテージピアノ cottage piano Ⓒ.
こてきたい 鼓笛隊 drum and bugle「corps [band] Ⓒ 〔語法〕corps /kɔ́ə/ の複数形 corps の発音は /kɔ́əz/. この語には「軍楽隊」のニュアンスがある. bugle (らっぱ) の代わりに fife (横笛) としてもよい.
こてこて (厚く) thickly; (濃密に) heavily.《☞擬声・擬態語(囲み)》. ¶彼女は*こてこてに化粧している She is *heavily* made up. / Her face is「*thickly* powdered [*heavily* painted]. / She wears *heavy* makeup. // 彼は髪にポマードを*こてこてに塗った He *plastered* his hair with pomade.
ごてごて —形(ごてごてとしつこい) heavy; (量が多すぎる) too much.《☞けばけばしい; 擬声・擬態語(囲み)》. ¶あまり*ごてごて化粧をするとあなたの持って生まれた美しさが台無しになるよ *Too much* [*Heavy*] makeup will prevent your natural beauty from shining through.
こてさき 小手先 —形(容易な) easy; (仮の・一時の) témporàry, stopgap; (代用の) makeshift; (中途半端な) halfway. ¶そんな*小手先の対策ではだめだ Such「*temporary* [*makeshift*; *halfway*] measures won't do.
こてしらべ 小手調べ (試し・予行) trial Ⓒ ★抽象的意味では Ⓤ; (練習) practice Ⓤ; (準備運動) wárm-ùp Ⓒ. ¶*小手調べにこの問題をやってごらん Solve this problem *just*「*for practice* [*as a warm-up*].
ごてどく ごて得 ☞ごねどく
こてなげ 小手投げ (相撲の技) *kotenage* Ⓤ; (説明的には) armlock throw Ⓤ.
こでまり 小手毬 〔植〕spirea /spaɪrí:ə/ Ⓒ.
こてん¹ 古典 —名(評価の定まった一流の作品) classic Ⓒ; (古典文学) the classics ★複数形で; classical literature Ⓤ. —形(古典的な) classic Ⓐ; (古典主義の・古典文学の) classical 〔語法〕classic は古いことよりも標準的で一流のものを指す意味が強いのに対して, classical は (1) 古典主義の (2) 古典文学の, という意味が中心である. 特に後者は英語では古代ギリシャ・ローマの文学を指すが, 日本の古典に流用してもよい.
古典音楽 classical music Ⓒ **古典学者** clássicist Ⓒ ★特に古代ギリシャ・ローマ文学の研究者を指す. **古典劇** classic drama Ⓒ **古典語** (古代ギリシャ・ラテン語) the classics **古典主義** clássicism Ⓤ **古典バレエ** (クラシックバレエ) classical ballet Ⓒ **古典物理学** classical physics Ⓤ **古典文学** classical literature Ⓤ; (特に古代ギリシャ・ローマの文学) the Classics ★単数扱いにするのが普通.
こてん² 個展 (個人的な) private「exhibition [show] Ⓒ; (1人で開いた) one「-man[-woman; -person]「show [exhibition] Ⓒ 〔語法〕前者とほぼ同意だが, show は exhibition よりもくだけた言い方.《☞てんらんかい》.

ごてん 御殿 palace Ⓒ《☞ きゅうでん¹》. **御殿女中** waiting maid of ⌜the Imperial /ɪmpí(ə)riəl/ Court [a shogun; a daimyo] Ⓒ.

ごてんい 御典医, 御殿医 palace doctor Ⓒ; (説明的には) a doctor in ordinary to the shogunate or a daimyo.

こてんぐ 小天狗 (小さい天狗) (Japanese) long-nosed ⌜goblin [genie] of small stature Ⓒ; (特に武道に優れた若者) young master of (Japanese) swordsmanship Ⓒ.

こてんこてん ― 副 (完全に) completely; (ひどく) heavily; (こっぴどく) sharply; (厳しく) severely. 《☞ こっぴどく; 擬声・擬態語 (囲み)》.
¶我々は*こてんこてんに (⇒ ひどく)負けた We were *heavily* defeated. // 彼は*こてんこてんにやっつけられた (⇒ 殴られた) He *was beaten* ⌜*up* [*to a pulp*]. / (⇒ 酷評された) He *was slammed*.

こてんぱん ☞ こてんこてん

こと¹ 事 **1** 《物事・事柄》: thing Ⓒ; matter Ⓒ; affair Ⓒ.
【類義語】意味が広く, 最も一般的な語で日本語の「こと」に相当するのは *thing* である. 平易で口語的な語で, 考え・事情・出来事などかなり広範囲にわたって, 一種の代名詞のように用いることができる. ただしそれだけに, 意味があいまいなことも多く,「こと」という意味では格式ばった調子の言い方にはあまり用いられない. *thing* とほぼ同意であるが, 客観的で多少格式ばったニュアンスの言葉が *matter* である. 個人のすべきこと・計画的な行動や仕事という意味で用いられるのが *affair*. ((例) 君は自分の*ことをまずしなさい Take care of your own *affairs* first.).
日英比較 (1) 日本語では「こと」と「もの」を区別するが, 英語では thing, matter は具体的な「物」をも意味する. ((例) それは役に立つ*物だ It's a useful *thing*. // 印刷*物 printed *matter*). (2) 日本語の「こと」は「事柄」「出来事」などのほかに, 動詞・形容詞などについて「…すること」のように内容を表す名詞表現を作る. このような日本語表現を英語に直す場合には「こと」を英語のそれに相当する語に直接置き換えるのではなく, 内容をくんで, 適宜訳出するように注意しなくてはならない.
¶私はそういう*ことはしない I wouldn't do such a *thing*. / I wouldn't do *anything* like that. / (⇒ そのような種類のことはしない) I wouldn't do *anything* of the ⌜kind [sort]. ★ 第 3 文が最も格式ばった言い方. // その*ことなら (⇒ それを)知っている I know *that*. // 彼がたばこをやめたのはいい*ことだ It's ⌜a good *thing* [good] that he gave up smoking. // この*ことは私が片づけましょう I'll take care of this ⌜*matter* [*business*]. // 彼は*ことの重要性をよく知っている He knows very well how important the *matter* is. // 彼はよく他人の*ことに口を出す He often ⌜meddles [interferes] in other people's *affairs*. // ばかな*ことを言うな Don't say such a silly *thing*. / Don't be silly. ★ 第 2 文のほうがより口語的. // 音楽の*ことは (⇒ 音楽については) あまり知りません I don't know much about music. // それを 1 日で仕上げる*ことは不可能です It is impossible *to* finish it in a day. // 彼の言った*ことはうそです *What* he said is not true. // 教える*ことは学ぶ*ことです Teach*ing* is learn*ing*. //「それは難しいのでしょう」「いいえ, そんな*ことはありませんよ」"It's difficult, isn't it?" "*No, it isn't.*" // それは君の知った*ことではない It's none of your *business*. 語 法 none of your business は慣用的な表現.
2 《出来事》: (付随的な小さな出来事) incident Ⓒ; (思いがけない出来事) occurrence Ⓒ; (重大な出来事) event Ⓒ; (事態・状況) situation Ⓒ. 《☞ できごと; じけん (類義語)》.
¶その*こと (⇒ 出来事) があってから彼女はとても注意深くなった She became extremely careful after the ⌜*incident* [*occurrence*]. // *ことなきを得た (⇒ 深刻な事態には発展しなかった) It did not develop into a *serious situation*.
3 《やっかいな事》: trouble Ⓤ《☞ めんどう》.
¶私は*ことを構えたくありません (⇒ 面倒を起こしたくない) I don't want to ⌜cause [make] *trouble*. // そいつは*ことだ (⇒ 深刻だ) That's *serious*.
4 《計画・予定》: (計画) plan Ⓒ; (予定) schedule Ⓒ. 《☞ けいかく; よてい》.
¶着々と*こと (⇒ 計画) を運ばなくてはならない We must carry out our *plans* ⌜steadily [step by step]. // 彼とはあす会う*ことになっている I'*m scheduled* to meet him tomorrow. // ニューヨークへ引っ越す*ことになりました We're moving [We will move] to New York. 日英比較「…することになる [なっている]」というのは日本語独特の表現法で,「…が…するだろう」というように「こと」を無視して英語に訳すのがよい.「こと」を無視する点は次の 5, 6 にもあてはまる.
5 《経験》 ¶「あなたはイギリスに行った*ことがありますか」「いいえ, まだ一度も行った*ことはありません」"*Have* you *ever been to* England?" "No, I *have never been* there."
6 《習慣》 ¶夜ふかしはしない*ことにしている I make it *a rule* not to stay up late.
7 《強調》 ¶彼はゴルフのクラブを持っている*ことは持っているが, めったにゴルフをしない He *does* (indeed) have [*It's true that* he has] a set of golf clubs, but he rarely plays golf. // 驚いた*ことにはみんながそれを知っていた *To my surprise* everybody knew it.
8 《命令》 ¶午後 3 時にこの部屋に集合の*こと Everyone will meet in this room at 3:00 p.m. ★ 文頭の Everyone will は命令調を和らげる.
事が事だから ¶*事が事だから (⇒ その状況では) この件は秘密にしておかなければならない *Under* [*In*] *the circumstances* we must keep this matter secret. **事ここに至る** ¶*事ここに至っては会社は破産申請を出さねばならない *Under the circumstances*, the company must file for bankruptcy. **事志と違う** ― 動 things turn out contrary to *one's* ⌜hopes [intentions] **事と次第による** ¶*事と次第によっては何千という人が餓死するだろう *Depending on how the situation develops*, thousands of people may starve (to death). **事とする** (専念する) ¶その青年はもっぱら文筆を*事とした The young man *devoted himself wholly to* literary pursuits. // 遊興を*事として職務を忘れてはならない You should not *indulge in* pleasure to the neglect of your duties. **事無きを得る** ¶入金があって*事無きを得た (⇒ 入金が事態を救った) Receipt of money *saved the* ⌜*situation* [*day*]. **事の譬え** ¶*事の譬えにもあるように as the proverb says / as the saying goes **事のついでに** ¶*事のついでに申し上げますが, 彼女との結婚は軽率でしたよ I *take this occasion* to say that it was rash of you to marry her. **事もあろうに** ¶*事もあろうに私は自転車を盗まれてしまった *Of all things*, I had my bicycle stolen. **事を起こす** ¶*事を起こす (⇒ 事業を起こす) には多額の資金が必要だ To *start a business* needs a lot of funds. // *事を起こす (⇒ 問題を起こす) 者は罰せられる Those who *make trouble* will be punished. **事を分ける** ¶*事を分けて (⇒ 段階をふんで) 私たちに話して下さい Please tell us about it *step by step*.

こと² 琴 〘楽器〙 *koto* Ⓒ, Japanese (traditional) zither /zíðə/ Ⓒ. **琴柱**(ことじ) (*koto*) bridge Ⓒ, stop (on a *koto*) Ⓒ **琴爪** *koto* plectrum Ⓒ《複 plectra, ～s》.

こと[3] 古都 ancient ⌐city [capital] Ⓒ. **古都保存法** the Ancient Cities Preservation Law.

こと[4] 糊塗 ── [動] (取り繕う) gloss over ... 《☞ ごまかす; とりつくろう》. ¶ 間違い[失敗]を*糊塗する *gloss over* a ⌐mistake [fault]

こと[5] 言 ☞ ひとこと; ふたことみこと; ふたことめには; ことだま

-ごと[1] …毎 every 《☞ まい-; -おき; -たび》.
¶ オリンピックは 4 年*ごとに開かれる The Olympic Games take place *every* four years. // 彼女は会う人*ごとにその話をする She tells the story to *everybody* she meets. // 彼は日曜*ごとにゴルフに行く He plays golf *every* Sunday.

-ごと[2] ¶ へびは丸*ごとかえる (⇒ かえる全体) を飲み込んだ The snake swallowed the frog *whole.* // この魚は丸*ごと (⇒ 骨も含めてみんな) 食べられます You can eat this fish(,) *bones and all.* // 彼は土地*ごと (⇒ 土地も一緒に) その家を売った He sold the house *together with* the land. 《☞ まるごと; ぜんぶ[1]》

ことあたらしい 事新しい ¶ 今さら*事新しく述べるまでもない問題だ (⇒ この問題について新たに[もっと]言うべきことはない) There's nothing ⌐*new* [*more*] to say about this problem.

ことう[1] 孤島 (1 つだけぽつんとある島) solitary island Ⓒ; (人のあまり行かない島) lonely island Ⓒ; (無人島) desert island Ⓒ; (陸上の辺鄙(へんぴ)な場所) out-of-the-way place Ⓒ.

ことう[2] 古刀 old sword Ⓒ; (慶長以前の日本刀) sword made in the 16th century or earlier Ⓒ.

こどう 鼓動 ── [名] (心臓の) (heart)beat Ⓒ, pulsation Ⓤ ★ 前者は最も一般的な語. 後者はやや専門的. ── [動] beat (自). 《☞ どうき[3]》. ¶ 医者は彼の心臓の*鼓動を聞いた The doctor listened to ⌐his *heartbeat* [the *beat* of his heart]. // 泳ぐ時は心臓の*鼓動が速くなる Our hearts *beat* rapidly when we swim.

ごとう[1] 語頭 ── [名] (語のはじめの位置) beginning of a word Ⓒ, initial position (in a word) Ⓒ ★ 後者は格式ばった言い方. ── [形] initial. 《☞ ご[1]》.

ごとう[2] 誤答 ── [名] wrong [incorrect] answer Ⓒ. ── [動] (間違って答える) answer ⌐wrong [wrongly; incorrectly]; (…に間違った回[解]答をする) give [make] a wrong answer to .... **誤答分析** 〚言〛 error analysis Ⓒ.

こどうぐ 小道具 (映画・劇の) 《略式》 props, (stage) properties ★ いずれも複数形で. 後者は少し格式ばった言い方; (便利で気のきいた) gadget Ⓒ. **小道具方** prop(erty) ⌐man [master; (女性の場合) mistress] Ⓒ.

ごとうくじら 五島鯨 ☞ ごんどうくじら

ごとうしょ 御当所 ☞ とうち[1]

ごとうち 御当地 ☞ とうち[1]

ごとうれっとう 五島列島 ── [名] (固) Goto Islands.

ごとおび 五十日 the days of the month with the numeral five or zero.

ことかく 事欠く ── [動] (…を十分に持っていない) do not have enough ...
¶ 彼は衣食にも*事欠く生活だった (⇒ 食物・衣服が十分なかった) *He didn't have enough* food and clothes. // 私は毎日の生活には*事欠かない (⇒ 生活に十分なだけ稼ぐ) I earn *enough to* get by. // 彼女は金には*事欠かない (⇒ 金を十分に持っている) She has *plenty of* money.

ことがら 事柄 matter Ⓒ 《☞ こと[1] (類義語)》.

-ごとき -如き ☞ -よう[1]

ことぎれる 事切れる (死ぬ) die (自); (遠回しに) pass away (自); (息を引き取る) breathe *one's* last ★ 格式ばった言い方. 《☞ しぬ》.

こどく 孤独 ── [形] (独りぼっちで寂しい) lonely; (ただ 1 人で) alone Ⓟ [語 法] (1) 「寂しさ」は含まない; (仲間や連れがなくただ 1 人の) solitary [語 法] (2) やや格式ばった語. 「寂しさ」は含まない. ── [名] loneliness Ⓤ; solitude Ⓤ. ── [副] alone, in solitude. 《☞ さびしい; ひとりぼっち》. ¶ 私は東京にいるといつも*孤独を感じる I always feel *lonely* in Tokyo. // 彼女は*孤独を好む She likes *being alone.* / She ⌐is fond of [likes] *solitude.* ★ 第 1 文のほうがくだけた表現. // 彼は*孤独な生活をしている He lives ⌐*alone* [*in solitude*].

ごとく[1] 如く (…のように) like ..., as ... 《☞ -よう[1]; あたかも; まるで》.

ごとく[2] 五徳 trivet /trívɪt/ Ⓒ.

ごどく 誤読 ── [動] (読み違える) misread (他); (誤って解釈する) misintérpret (他). ── [名] misreading Ⓒ; misintèrpretátion Ⓒ. ¶ 文を*誤読する *misread* a sentence

ことごとく 悉く ── [形] (すべて) every Ⓐ, all [語 法] 前者は単数名詞を修飾し, 後者は定冠詞を後に伴い, 複数名詞を修飾する. 前者のほうが口語的. ── [副] (すっかり) entirely. 《☞ すべて; ぜんぶ[1]》.
¶ 家は*ことごとく破壊された *Every* house was destroyed. / *All* the houses were destroyed. ★ 第 1 文のほうが強調的. // 園芸に必要なことは*ことごとくこの本に書いてある This book contains *everything* you need to know about gardening.

ことごとしい 事々しい ── [形] (もったいぶった) pompous; (大げさな) bombastic ★ いずれもやや軽蔑的. ── [副] (事々しく) pompously; bombastically. ¶ *事々しい言説を弄する make a *pompous* statement 《☞ ぎょうぎょうしい》

ことごとに 事毎に ¶ 彼は*ことごとに失敗する He fails *every time.* / (⇒ 彼のすることはいつもうまくいかない) *Nothing* he does ever works out. // 彼女には*ことごとに文句を言われる (⇒ 彼女は私のやることすべてにけちをつける) She finds fault with *everything I do.* 《☞ いちいち; -たび; すべて》

ことこまか 事細か ── [副] (十分詳細に) in full detail 《☞ しょうさい[1]; くわしい》. ¶ 彼は計画を*ことこまかに説明した He explained his plan *in full detail.*

ことざ 琴座 ☞ せいざ[1]

ことさら 殊更 (わざと) on purpose, deliberately, intentionally ★ 後の 2 つのほうが格式ばった語. 《☞ わざと; とくに》. ¶ 彼は*ことさら我々を怒らせた He ⌐*deliberately* [*intentionally*] annoyed us. / He annoyed us *on purpose.*

ことし 今年 this year [語 法] しばしば前置詞を伴わずに副詞句を作る. 《☞ きょねん; らいねん》.
¶ *今年の春 *this* spring ★ これから来る場合. / *last* spring ★ すでに過ぎ去った場合. // 「*今年は何年ですか」「2006 年です」 "What year is *this*?" "It's two thousand (and) six." // *今年は雨が多かった We've had a lot of rain *this year.* // *今年の夏休みはどのように過ごしますか How are you going to spend the summer vacation *this year*? // *今年中に before the end of *this year*

ことだま 言霊 the soul [spirit] of words Ⓤ.

ことたりる 事足りる (足りる) suffice (自); (十分な) be enough; (間に合う) serve the purpose. 《☞ たりる》. ¶ とりあえず 100 万円あれば*事足りる (⇒ 間に合う)だろう One million yen will *do* for the present. // これで*事足りますか Will this *serve the purpose*? / Will this *do*?

ことづかる 言付かる (伝言を) be asked to give a message (to ...); (品物を) be entrusted (with

…). ¶彼女からあなたによろしくと*言付かりました She *asked me to* ˹send [pass on] you her best regards. // この本を彼から*言付かって来ました (⇒彼はこの本をあなたに渡すように私に頼んだ) He *asked me to* give this book to you.

ことづけ 言付け méssage Ⓒ《☞でんごん》. ¶何かお*言づけがありますか Would you like to leave a *message*? ★電話や受付などでよく使われる言い方. / Can [May] I take a *message*?

ことづける 言付ける (伝言を残す) leave a message; (人に伝言を頼む) ask *a person* to pass on a message. 《☞でんごん》.

ことづて 言づて méssage Ⓒ《☞でんごん》.

ことてん 事典 encyclop(a)edia /ɪnsàɪkləpíːdiə/ Ⓒ《☞ことばてん》.

ことなかれしゅぎ 事無かれ主義 (消極的な態度) negative attitude Ⓒ; (受身の態度) passive attitude Ⓒ. ¶彼はいつも*ことなかれ主義だ He always takes a ˹*negative* [*passive*] *attitude*.

ことなく 事なく (滞りなく) (go) without a hitch; (トラブルもなく) without trouble; (円滑に) smoothly. ¶すべて*事なくうまくいった Everything *went without a hitch*.

ことなる 異なる ―動 (違っている) be different (from …), díffer (from …) ⓔ ★ほぼ同意だが be different のほうが普通; (いろいろに変わる) vary ⓔ. ―形 (違った) different; (さまざまに異なった) divérse ★different より意味が強く, 格式ばった言葉; (違いが多岐にわたっている・多種多様の) divérgent; (はっきりと異なった・まったく別個の) distinct. 《☞ちがう (類義語)》.

¶A は B と*異なる A ˹*is different* [*differs*] *from* B. // 私たちは意見が*異なっている We have *different* opinions. / We *differ in* opinion. // 私は前とは*異なった見方をしています I see it ˹in a *different* way [*differently*] than before. 〔語法〕 different に続く語は from が標準とされるが,《英》では to ((例) A is *different to* B.),《米》では than もよく用いられる. 特に than は元来接続詞なので, The size is *different than* what I expected. のように節を伴う場合, from that which … のような複雑な表現を避けることができるので好んで用いられる. 上の例文の than before も節を省略した表現と考えられる. // 彼の答えと私の答えは*異なっていた There was a *difference* between his answer and mine. // 参加者の中にはたくさんの*異なった意見があった There were *diverse* views among the participants. // 値段は季節によって*異なる Prices *vary* with the seasons. // その 2 つは形は似ているが, 内容はまったく*異なる The two are similar in form, but ˹wholly *distinct* [totally *different*] in content. // 非常に[少し]*異なる very [a little] *different* // 質的に[量的に]*異なる qualitatively [quantitatively] *different*

―コロケーション―
大いに異なる greatly [vastly] *different* / **相当異なる** widely [significantly] *different* / **微妙に異なる** subtly *different* / **本質的に異なる** essentially *different* / **目立って異なる** strikingly [markedly] *different* / **わずかに異なる** slightly *different*

ことに 殊に (とりわけ) especially; (特に) specially. 《☞とくに (類義語)》.

-ごとに …毎に every 《☞-ごと¹》.

ことにする 異にする differ ⓔ《☞ことなる》.

ことによると 事によると (もしかすると) maybe, perhaps ★前者のほうが口語的; (ひょっとすると) possibly ★確実性がかなり低い. 《☞おそらく (類義語); もしかしたら》. ¶*ことによると本当かもしれないが, 確かではない *Maybe* it's true [It *may* be true], but I'm not sure. // *ことによると彼女は来ないかもしれない (⇒彼女が来ないということはあり得る) *It's possible that* she won't come. / (⇒最悪の場合は) *In the worst case* she ˹will [might] not come.

ことのほか 殊の外 (期待していた以上に) more … than *a person* (had) expected; (めったにないほど) unusually. 《☞ひじょうに; おもいのほか》. ¶成績は*ことのほかよかった My grades were *better than I (had) expected*. // 昨夜は*ことのほか寒かった It was ˹*unusually* [(⇒季節はずれなほど) *unseasonably*] cold last night.

ことば 言葉 **1** 《言語》: (抽象的に言語) language Ⓤ 〔語法〕 英語・日本語など, 具体的な言語をいうときは Ⓒ; (音声言語) speech Ⓤ. 《☞げんご¹; こくご; ようご¹》. ¶話し[書き]*言葉 spoken [written] *language* // ロシア語は難しい*言葉だ Russian is a difficult *language*.

2 《実際に話される言葉》: (言葉遣い・表現の仕方) language Ⓤ; (話す言葉) speech Ⓤ; (個々の語) word Ⓒ.

¶*言葉の多い (⇒言葉数の多い) wordy / (⇒おしゃべりの) talkative // *言葉の少ない (⇒無口の) taciturn // 彼は*言葉静かに真実を語った He told the truth *quietly and calmly*. // *言葉を荒らげて (⇒怒って) angrily / (⇒怒った調子で) in an angry *tone* // *言葉(遣い)に気を付けなさい Watch [Mind] your *language*. // あなたの最後の*言葉が聞こえませんでした I ˹missed [didn't catch] the last *word* you said. // 彼と*言葉を交わしたことはない I've never had a chance to *talk* ˹with [to] him. // 私は彼の*言葉を信じます I believe ˹*him* [*what he says*]. // *言葉が口から出てこなかった *Words* failed me. // その*言葉が口まで出かかっているが思い出せない The *word* is on the tip of my tongue. // そのセールスマンは*言葉巧みに指輪を彼女に売りつけようとした The salesman tried to *smooth-talk* her into buying the ring. ★smooth-talk は「(…を)言葉巧みに説得する」.

3 《方言》: (話し方) speech Ⓤ; (方言) dialect Ⓒ ★やや専門的な語.

言葉が過ぎる ¶彼は*言葉が過ぎた (⇒言うべきでないことまで言った) He even *said what he should not have said*. **言葉に甘える** ¶お*言葉に甘えてご招待をお受けいたします I'd be glad to *take* you *up on* your invitation. **言葉の綾** ¶それは*言葉の綾 (⇒比喩的表現) にすぎない It is only a *figure of speech*. 《☞比喩 (巻末)》 **言葉を返す** ¶お*言葉を返すようですが (⇒反論するつもりはありませんが), これは重大な問題だと思います I don't mean to *contradict* you, but I think this is a serious problem. **言葉を飾る** ¶彼は*言葉を飾らず状況説明をした He didn't ˹*mince* his *words* [(⇒遠回しに言わなかった) beat about the bush] when he assessed the situation. ★mince は事実や言葉などを控えめに言う意. **言葉を尽くす** ¶私は*言葉を尽くして彼女の辞職を引き止めた I *did everything to persuade* her to stay in office. **言葉を慎む** (言葉に気を付ける) watch [mind] *one's* language. ¶先輩に少しは*言葉を慎め (⇒先輩に対してよくそんな失礼なことが言えるな) How dare you *say such a rude thing* to your senior! **言葉を濁す** ¶彼は*言葉を濁した (⇒思い切って言うことをためらった) He *hesitated to speak out*. // 彼女はその件については*言葉を濁した (⇒はっきりと態度を示さなかった) She did *not commit herself* on the issue. 《☞にごす》

―コロケーション―
甘い言葉 a ˹honeyed *word* [smooth *talk*] / **意**

地悪な言葉 a ˹spiteful [sour] *remark* / 忌み言葉 a taboo *word* / 嫌みな言葉 a sarcastic *remark* / 美しい言葉 beautiful [fine] ˹*language* [*words*] / 思いやりのある言葉 a ˹thoughtful [sympathetic] ˹*word* [*remark*] / 思いやりのない言葉 a thoughtless [an unkind; a tactless] ˹*word* [*remark*] / お役所言葉 bureaucratic *language* / 堅苦しい言葉 formal *language* / 簡単な言葉 a simple *word* / 機知に富む言葉 a witty *remark* / きつい言葉 a strong [a harsh; an unkind] *word* / 仰々しい言葉 a high-sounding *word* / くだけた言葉 informal *language* / 口汚い言葉 a profane *word* / 激励の言葉 encouraging *words* / 下品な言葉 foul [improper] *language* / 見当違いの言葉 a wild *remark* / 最初[開会]の言葉 the opening ˹*words* [*address*] / 上品な言葉 refined *language* / 素人言葉 lay *language*; layman's *terms* / しんらつな言葉 bitter ˹*language* [*words*]; a ˹biting [piercing] *remark* / 好きな言葉 a favorite ˹*word* [*phrase*] / 鋭い言葉 a sharp *word* / 性[人種]差別的な言葉 a ˹sexist [racist] ˹*word* [*language*; *remark*] / 粗野な言葉 coarse [crude] *language* / 中傷的な言葉 a slanderous *remark* / 挑発的な言葉 a provocative *remark* / 陳腐な言葉 a ˹commonplace [trite] *remark* / 月並みな言葉 conventional *language* / 冷たい言葉 a cold *word* / 丁寧な言葉 a polite ˹*word* [*remark*] / 適切な言葉 the right *word* / 慰めの言葉 a ˹comforting [soothing] *word* / なだめの言葉 a mollifying *remark* / 控えめな言葉 restrained *language* / 皮肉な言葉 an ironic *remark* / 卑猥な言葉 dirty [indecent; obscene] ˹*language* [*words*] / 不快な言葉 an unpleasant *word* / 侮辱的な言葉 an insulting *remark* / 不注意な言葉 a careless *word* / 不適切な言葉 an ˹improper [inappropriate] *remark* / 古臭い言葉 an old-fashioned *word* / 無礼な言葉 an impolite [a rude; an offensive] *word* / 翻訳できない言葉 an untranslatable *word* / 前置きの言葉 introductory [preliminary] *remarks* / 間違った言葉 the [a] wrong *word* / 無神経な言葉 an insensitive *remark* / 結びの言葉 the ˹closing [concluding] ˹*words* [*remarks*] / 優しい言葉 a tender *word*; kind *words* / 野卑な言葉 vulgar *language* / 有名な言葉 famous *words* / ユーモアのある言葉 a humorous *remark* / 幼児[赤ん坊]言葉 children's *language*; baby *talk* / 乱暴な言葉 rough *language* / 分かりやすい言葉 plain *language* / 悪い言葉 bad ˹*language* [*words*]

ことばあそび 言葉遊び (言葉で遊ぶこと) playing with words Ⓤ; (言葉を使う遊び) word game Ⓒ 〔参考〕 word games には crossword puzzle, puns (ごろ合わせ), tongue twisters (早口ことば), anagrams (つづり換え), riddles (なぞなぞ) などがある.

ことばがき 詞書 (和歌の) foreword Ⓒ; (絵巻物の) notes.

ことばかず 言葉数 ☞ くちかず

ことはじめ 事始め (始まり) beginning Ⓒ ★ 通例単数形で; (開始) commencement Ⓒ ★ 格式ばった語. ¶蘭学*事始《書名》*The Beginning of Dutch Learning*

ことばじり 言葉尻 ¶*言葉尻を捕える (⇒人の言葉のあら探しをする) *pick* [*poke*] *holes in a person's words*

ことばづかい 言葉遣い (ものの言い方) way of ˹speaking [talking] Ⓒ; (言葉の使い方) way of using words Ⓒ; (言葉の選び方) way of choosing words Ⓒ; (使われている言葉や言い回し) wording Ⓤ; (表現) expression Ⓒ.
¶彼女はいつも丁寧な*言葉遣いをします She always ˹*speaks* [*talks*] ˹politely [in a polite way]. // 彼は私に対する*言葉遣いが悪かった He ˹*spoke* [*talked*] rudely to me. / He ˹*spoke* [*talked*] to me in a rude way. // 彼とのやりとりには慎重な*言葉遣いをしたほうがよい You had better ˹*choose* [*use*] your *words* ˹carefully [with care] when dealing with him. // *言葉遣いが非常にあいまいなので書き直さなければならない The *wording* is so ˹ambiguous [vague] that it must be rewritten. // 彼女の論文は遠回しな*言葉遣いをしすぎる She uses too many indirect *expressions* in her paper.

ことばてん 言葉典 (言葉の意味・用法などを説明する辞典) linguistic dictionary Ⓒ《☞ ことてん》.

ことぶき 寿 ☞ いわい

ことほぐ 寿ぐ ☞ いわう

こども 子供 **1** «(親に対しての)子»: child Ⓒ《複 children》,《略式》kid Ⓒ ★ 以上 2 語とも男女両性に用いる; (息子) son Ⓒ; (娘) daughter Ⓒ 〔語法〕 kid 以外の語は成人した者にも使う; (赤ん坊) baby Ⓒ.《☞ むすこ; むすめ; 親族関係 (囲み)》.
¶「あなたは*子供が何人いますか」「3 人です」"How many *children* do you have?" "Three."《☞ 省略 (巻末)》// これは私の*子供です This is my ˹*son* [*daughter*]. // 弟のところに*子供が生まれました My brother and his wife had a *baby*.
2 «年少者»: (大人に対して) child Ⓒ; (男の) boy Ⓒ; (女の) girl Ⓒ;《略式》kid Ⓒ; youngster Ⓒ.
【類義語】性別にかかわらず思春期前の子供を指す最も一般的な語は **child**. 男の子は **boy**, 女の子は **girl** だが, 打ち解けた気分を表すために成年者に対しても用いることがある. 男女ともに用いられるくだけた語は **kid** で, 親しみまたは軽蔑の意味を含む. 年配の人が男女の青少年を呼ぶときに用いるのは **youngster** で, 幾分見下した言い方.《☞ しょうねん; しょうじょ; こ[1]》
¶*子供たちには自由に駆け回れる遊び場が必要だ (⇒子供たちは…を必要とする) *Children* [*Kids*] need a playground where they can run around (freely). // 彼はほんの*子供にすぎない He is ˹only a [a mere] *child*. / He is just a *kid*. ★ 多少ばかにした言い方. // 私は彼に*子供扱いされた He treated me like a *child*. // 彼女は*子供っぽい顔をしている She has a *childlike* face. // 私は*子供のころよくここへ来たものだ I often came here ˹when I was a *child* [in my *childhood*]. ★ 前者のほうが普通. // *子供向けの読み物 *children's* books / *juvenile* literature // *子供の時間《ラジオ・テレビの》*children's* hour

子供は風の子 Children will play outside even when a cold winter wind is blowing. **子供会** neighborhood children's association Ⓒ **子供心** ¶*子供心にも (⇒子供だったが) 家の苦しいのはわかっていた *Though I was only a child*, I knew we were having a hard time. **子供時代** *one's* childhood. ¶*子供時代に when I *was a child* / *in my childhood* **子供じみる** ¶欲しいものは何でも欲しがるのは*子供じみているよ It is *childish* of you to want to have everything you want. **子供だまし** (幼稚な手) childish trick Ⓒ; (あり得ない話) unrealistic story Ⓒ; (安ぴかもの) bauble Ⓒ **子供の権利条約** ☞ じどう[2] (児童の権利条約) **子供の使い** (結果の得られない無駄足の使い) a fool's errand ★ 単数形で. ¶*子供の使いになる (⇒行く[行かされる]) go [be sent] on *a fool's errand* **子供の日** Children's Day《☞ しゅくじつ (表)》 **子供服** children's clothing Ⓤ ★ 一般的な語; (デパートなどで) children's wear Ⓤ **子供部屋** child's room Ⓒ **子供らしい** (褒め言葉として) childlike; (軽蔑的

に) childish. ¶ *子供らしいあどけなさ *childlike* innocence // *子供らしい短絡的な反応 *childish* simplistic reaction

コロケーション
子供に乳をやる feed [nurse] a *baby* / 子供の世話をする look after a *child* / 子供を甘やかす spoil [indulge; pamper] a *child* / 子供を産む have [give birth to; bear] a *child* / 子供を虐待する abuse *one's child* / 子供を叱る scold a *child* / 子供をしつける(排泄などを) train a *child*; (行儀などを) discipline a *child* / 子供を育てる bring up [raise] a *child* / 子供を認知する acknowledge a *child* (as *one's* own) / 子供を罰する punish a *child* / 子供をほったらかしにする neglect *one's child* / 子供を養育する nurture a *child* // いうことをきかない[素直な]子供 a disobedient [an obedient] *child* / いたずらな子供 a ⌈mischievous [naughty] *child* / かわいい子供 a ⌈cute [lovely; pretty] *child* ★ lovely は普通しぐさなどがかわいいことをいう. pretty は男の子には使わない. / 行儀のよい[悪い]子供 a ⌈well-behaved [badly-behaved] *child* / 元気のよい子供 a lively *child* / 強情な子供 a self-willed *child* / 世話のやける子供 a troublesome *child* / だらしない子供 an untidy *child* / 手におえない子供 an unruly *child* / 恥ずかしがりやの子供 a shy *child* / ませた子供 a precocious *child* / 丸々と太った子供 a chubby *child* / 恵まれない子供 an underprivileged *child* / 問題のある子供 a problem *child* / わがままな子供 a selfish *child*

こともなげ 事もなげ ── 形 (無関心な) nonchalant /nànʃəlɑ́ːnt/; (無頓着な) indifferent. ── 副 nonchalantly; indifferently; (しごく容易に) easily; (何の困難もなく) without (any) difficulty. (☞ むぞうさ).
¶「そんなことだろうと思った」と彼は*事もなげに言った "That's what I thought," he said *indifferently*. // 彼は*事もなげにその仕事をやってのけた He accomplished the work ⌈*easily* [*without any difficulty*].

ことよせる 事寄せる ¶ 彼は病気に*事寄せて (⇒ 病気を口実に) 欠席した He did not come *on the pretext of* being ill. (☞ かこつける)

ことり 小鳥 (little [small]) bird Ⓒ 語法 bird は鳥一般を指す場合と, 小鳥だけを意味する場合とがある. (☞ 動物の鳴き声 (囲み)).
¶ 息子が*小鳥を飼いたがっている My son wants to keep some *little birds*.

ことわざ 諺 (世間でよく言われるもの) saying Ⓒ ★ 最も一般的な語で, 以下の語の代わりに用いることができる; (具体的な言葉で風刺などを表したもの) proverb Ⓒ; (短い格言・処世訓) maxim Ⓒ. (☞ かくげん). ¶「泣きっ面に蜂」という古い*ことわざがある There is an old ⌈*saying* [*proverb*], "Misfortunes never come ⌈singly [alone]." // *ことわざにもあるとおり… As the *proverb* ⌈says [goes] …

ことわり¹ 断り **1** 《辞退・拒絶》: (辞退) declining Ⓤ; (拒絶) refusal Ⓒ. **2** 《了承・許可》: permission Ⓤ (☞ りょうしょう; きょか¹). ¶ 私の*断りもなく without my *permission*

ことわり² 理り (道理) reason Ⓤ; (論理的筋道) reasoning Ⓤ. ¶ *理りにかなった要求 a *reasonable* demand

ことわりがき 断り書き ☞ ただしがき

ことわりじょう 断り状 (断りの手紙) letter of ⌈refusal [rejection] Ⓒ; (謝罪の手紙) letter of apology Ⓒ.

ことわる 断る **1** 《拒否する》: refuse ⑯; decline ⑯; reject ⑯, tùrn dówn ⑯.
【類義語】要求・要請などをかなり強い調子で断るのは **refuse**. refuse より柔らかい調子の語で, 例えば社交的な招待などを丁寧な調子で断るのは **decline**. 提案などを不適当あるいは無価値として拒否するのが **reject** で, 同じ意味で, より口語的な表現が **turn down**. (☞ きょひ¹; きょぜつ; にべもない)
¶ 彼は私たちの頼みをにべもなく*断った He flatly ⌈*refused* [*turned down*] our request. // 私は入場を*断られた <S (人)+V (*refuse*)+O (人)+O (事) の受身> I *was refused* admission. // 主任は私たちの提案を*断った Our head ⌈*turned down* [*rejected*] our proposal. // 私は先約のため彼らの招待を*断らなければならない I have to ⌈*decline* [*turn down*] their invitation because of a previous engagement. // 犬はお*断り《掲示》*No Dogs Allowed*
2 《許可を得る》: get permission; (許可を求める) ask for permission; (知らせる) let … know; (話す) tell ⑯; (予告する) give (*a person*) notice. (☞ きょか¹). ¶ この機械を使うときは必ず私に*断って下さい (⇒ 私に知らせて下さい) Please *let* me *know* if you want to use this machine. // 校長に*断りましたか Did you *get* the principal's *permission*? // 引っ越すときは少なくとも 1 か月前に家主に*断らなくてはならない We must *give* at least one month's *notice* to the landlord before we move out.

コロケーション
きっぱり断る *refuse* ⌈categorically [outright; firmly] / 上手に断る *refuse* [*decline*] ⌈tactfully [gracefully] / 断固断る *refuse* resolutely / 丁重に断る *refuse* [*decline*] politely / はっきり(そっけなく)断る *refuse* [*decline*] ⌈bluntly [point-blank]

こな 粉 ── 名 (一般に, 粉末) powder Ⓤ; (小麦粉) flour Ⓤ. (☞ こ³). ── 動 (粉にする・粉を塗る) powder ⑯. (☞ こ³). ¶ 小麦を*粉にひく grind wheat into *flour* 粉おしろい face powder Ⓤ 粉薬 powder Ⓒ (☞ くすり) 粉砂糖 powdered sugar Ⓤ 粉石鹸 soap powder Ⓤ, flakes of soap ★ 普通複数形で. 粉茶 powdered (green) tea Ⓤ 粉ミルク powdered [powder] milk Ⓤ, dry [dried] milk Ⓤ 粉屋 (製粉業者) miller Ⓒ; (販売する人) flour dealer Ⓒ.

こなごな 粉粉 ── 副 (粉々に) to [into] pieces, into [to] smithereens /smìðəríːnz/. (☞ くだける).
¶ 彼女はグラスを落として*粉々にした She dropped the glass and ⌈*smashed* [broke *to pieces*]. // 水差しは落ちて*粉々になった The pitcher fell and *smashed*. / The pitcher ⌈smashed [broke] *to pieces* (when it fell).

こなし (身のこなし) carriage /kǽrɪdʒ/ Ⓤ; (振舞い) behavior Ⓤ. ¶ 彼女は身の*こなしが優雅だ (⇒ 彼女は優雅に振舞う) She *behaves* graciously. // 身の*こなしの立派な女性 a woman of good *carriage*

こなす (行う) do ⑯; (何とかうまくやる) mánage ⑯; (うまくいく・所期の目的を果たす)《略式》make it.
¶ あなたなら 1 週間で*こなせる (⇒ なんとか 1 週間ですることができる) You can ⌈*manage* [*do*] it in a week. / (⇒ うまくやることができる) I'm sure you can *make it* in a week. // 彼は割り当てを*こなした He *did* his share of the work. // あそこ(の店)は数で*こなす (⇒ 大量に売ってもうける) They make a good profit *because of their large sales*. // 彼はハムレットの役を立派に*こなした (⇒ 演じた) He *played* (the part of) Hamlet very well.

こなだに 粉蜱 〔動〕acarid Ⓒ.

こなまいき 小生意気 ── 形 cheeky, saucy ★ 前者のほうが口語的. (☞ なまいき).

こなみじん 粉微塵 —[動] (粉微塵に砕ける) break (to pieces) (自); shatter (自). (☞ こなごな).

こなミルク 粉ミルク ☞ こな (粉ミルク)

こなゆき 粉雪 powdery [powder] snow Ⓤ.

こなら 小楢 〔植〕 pin oak Ⓒ ★ 北米原産の近似種.

ごならべ 五並べ ☞ ごもくならべ

こなれ 熟れ —[名] (消化) digestion Ⓤ; (消化の度合) digestibility Ⓤ. —[形] (消化がよい) digestible; (消化を助ける) digestive. ¶ バナナは*こなれのよい食べ物です Bananas are *digestible* food. / Bananas are easy to *digest*. / Bananas are easily *digested*.

こなれる (食べ物が消化する) digést (自) (☞ しょうか[1]). ¶ *こなれた訳 (⇒ 流暢で表現力に富む訳) a fluent and expressive translation / (⇒ その国の言語にぴったりの訳) an idiomatic translation

ごなん 御難 misfortune Ⓒ (☞ さいなん). ¶ 彼は*御難続きで気の毒です I am sorry that he has suffered a series of *misfortunes*.

コニーアイランド —[名] (固) Coney Island ★ New York 市南岸にある行楽地.

コニーデ (成層火山) stratovolcano Ⓒ ★「コニーデ」はドイツ語の火山分類名 Konide から.

こにくらしい 小憎らしい ☞ にくらしい

コニサー (鑑定家, 目利き) cònnoisseúr Ⓒ.

こにもつ 小荷物 (小さく包装されたもの) parcel Ⓒ; (箱などに納められたもの) package Ⓒ. (☞ こづつみ). **小荷物取扱所** parcels office Ⓒ.

コニャック cognac /kóunjæk/ Ⓤ, brandy Ⓤ ★ 以上はいずれも種類をいうときは Ⓒ. [参考] 前者はブランデーの中でも特にコニャック地方産のものを指す.

ごにん 誤認 —[動] (…を…と見誤る) take [mistake] … for …; (文字や目盛りなどを読み違える) misread (他). (☞ みあやまる; まちがえる). ¶ 彼らは友軍を敵と*誤認した They ⌈*took* [*mistook*] their allies *for* the enemy. // (電車の) 運転手は信号を*誤認した The motorman *misread* the signal. **誤認逮捕** —[名] mistaken arrest Ⓒ. —[動] (誤って逮捕する) mistakenly arrest (他).

こにんずう 小人数 —[名] a few people, a small number of people. —[形] (人数の少ない) a small number of …; (聴衆などが) small. (☞ しょうすう[1]). ¶ *小人数のクラス a *small* class // *小人数の会合だった It was a *small* party. // 聴衆は*小人数だった It was a *small* audience. // 彼の家は*小人数だ He has a *small* family.

ごにんばやし 五人囃子 the five dolls representing ancient Japanese court musicians (displayed at the Doll Festival).

こぬか 小糠, 粉糠 **小ぬか雨** drizzle Ⓤ; (細かい雨) fine rain Ⓤ.

コネ (縁故) connections; (交際・近づき) contacts ★ 以上は通例複数形で; (有力な引き) pull Ⓤ ★ 具体的な行為の場合には Ⓒ. (☞ つて; くちきき). ¶ 彼はあの会社に*コネがある He has ⌈*connections* [*contacts*] in that company. / He has *pull* with that firm. ★ 第 2 文のほうが口語的. // 私は*コネで入社したくない I don't want to get into the company through *contacts*.

こねあげる 捏ね上げる —[動] (パン生地や粘土をこねて形に作り上げる) work [knead] … into …; (でっち上げる) make up (他). —[形] made-up. (☞ こねる).
¶ 粘土をピラミッドの形に*捏ね上げなさい *Work* [*Knead*] the clay *into* the shape of a pyramid.

こねあわせる 捏ね合わせる knead well (他). ¶ パン生地をなめらかになるまで*捏ね合わせる *knead* the bread dough *well* until it is smooth and silky

コネクション ☞ コネ; えんこ[1]

コネクター (接続装置) connector Ⓒ, connecter Ⓒ.

こねくる 捏ねくる ☞ こねる

こねこ 子猫 kitten Ⓒ; (小児語) kitty Ⓒ. (☞ ねこ; おす[3] (表); 動物の鳴き声 (囲み)).

コネチカット —[名] (固) (米国の州) Connecticut (☞ アメリカ (表)).

ごねどく ごね得 —[動] (不平を言ってより有利になる) gain advantage by complaining.

こねまわす 捏ね回す (何度もこねる) work [knead] over and over again; (つまらぬことに文句を言う) quibble.

こねる 捏ねる (粉・粘土などを練り混ぜる) knead (他); (粉を) work (他). ¶ 彼はしばしば私に向かって理屈を*こねる (⇒ 私と議論を始める) He often *starts* ⌈*an argument* [*arguing*] with me. // パン生地をよく*こねなさい *Knead* [*Work*] the dough well.

ごねる (不平を言う) complain (about …) (自), grumble (about …) (自), (略式) bitch (about …) (自).

ごねん 御念 ¶ *御念には及びません (⇒ 心配する必要はありません) You don't have to worry (about it). // 彼は*御念の入った (⇒ 手のこんだ) 弁解をした He gave me an *elaborate* explanation. (☞ ねん[2], こころづかい, しんぱい)

この (指示形容詞) (話者の近くにあるものを指して) this (複 these) (↔ that (複 those)) (☞ あの; その[1] [日英比較]; 代名詞 (巻末)).
¶「*この傘はあなたのですか」「いいえ」"Is *this* umbrella yours?" "No, it isn't." // *この本はだれのですか Whose book is *this*? [語法] (1) Whose is this book? という言い方は普通用いられない. // 私は*この町に 10 年間住んでいます I have been (living) in *this* town for the past ten years. [語法] (2) in this town が前後関係で here と置き換えられることがある. (☞ ここ[1]; 代名詞 (巻末))

このあいだ この間 (最近) recently, lately; (先日) the other day ★ recently よりは間近な感じ; (何日か前) a few [several; some] days ago ★ a few, several, some の相違については (☞ いくつか (類義語)); (幾らか前) some time ago. (☞ さいきん[1] [日英比較]; せんじつ; このまえ).
¶ 彼らはつい*この間結婚した They got married ⌈very *recently* [*the other day*]. // 彼は*この間まで学生だった He was a student until *recently*. // 彼女は*この間から病院に入っている She has been in (the) hospital ⌈*recently* [*lately*].

このあたり around here (☞ このへん).

このうえ この上 —[形] (代) (もっと多くの (もの・こと)) more. —[副] (これに加えて) in addition (to this) ★ やや格式ばった表現; (すでに量が多いのに, それに加えて) on top of this ★ やや口語的; (これとまた別に) besides (this); (そのほかに) else [語法] 疑問詞や不定代名詞などの後に置く. (☞ そのうえ).
¶ *この上まだ何か望もうというのは虫がよすぎる (⇒ これより多くを欲しいのなら, 要求し過ぎている) If you want *more than this*, you are asking for too much. // もう*この上望むものはありません There is nothing *more* that I ⌈want [could ask for]. / (⇒ 私は欲しいものをすべて持っている) I *have all I want*. // 庭いじりは*この上ない楽しみです Gardening gives me *more* pleasure *than any other* thing. // あなたは*この上まだすることがあるのですか Do you have anything ⌈*else* [*more*] to do? / Is there anything *more* that you have to do? / Is there anything that you have to do ⌈*in addition to* [*on top of*; *besides*] *this*? // *この上あなたにご迷惑をかけるには忍

びない I cannot put you to any *more* trouble.

このえへい 近衛兵 (日本の) the Imperial /ɪmpí(ə)riəl/ Guards; (隊員は) member of the Imperial Guards Ⓒ; (英国の) Guards; (隊員は) guardsman Ⓒ《複 -men》.

このかた この方 (…以来) since … ¶生まれて*この方 (⇒生涯で), 病気をしたことがない I have never been ⌈sick [ill] in my life. ∥ 私は20年*この方, 米を作ってきた I have been growing rice *these* twenty years. / I have been growing rice ⌈*for* [*over*] *the* ⌈*last* [*past*] twenty years.

このかん この間 ¶2日間の実験だったが, 彼は*この間まったく実験室を離れなかった (⇒2日間の実験の間) He did not leave the laboratory at all *during* the two-day experiment. / (⇒2日間の実験の終わりまで) He did not leave the laboratory at all *until the end of* the two-day experiment. [語法] 後者のように until を使うと, 実験が済んだ時点で彼が実験室を離れたというニュアンスになる.

このくらい ☞これくらい

このご この期 ☞いまさら

このごろ この頃 ― 副 these days ★「何日か前からこの方」という短期間も指し得る; (現今では) nowadays; (今日・いまの時代) today; (最近) lately, recently, of late [語法] (1) 以上3つはほぼ同意だが, lately が最もくだけた語で, of late は格式ばった言い方. いずれも過去時制・完了時制に用いられ, 普通は単純な現在時制とともには用いられない. また lately は《英》では主として疑問文・否定文に用いられる. 《☞ちかごろ》.

¶*このごろ私はとても忙しい I am very busy *these days*. ∥ *このごろ, 船旅はあまりはやらない *These days* [*Nowadays*], travel by ship is not very popular. ∥ *このごろ, この市の人口は急激に増えてきている The city's population has been rapidly increasing ⌈*recently* [*lately*; *of late*]. ∥ *このごろになってやっと彼もそれに気付いた He noticed it only ⌈*recently* [*lately*]. / It is only ⌈*recently* [*lately*] that he noticed it. [語法] (2) lately がこの用例のようにかなりはっきりと過去を指すときは only などの強調語を伴うことが多い. ∥ *このごろの学生は本がたやすく手に入るから幸せだ Students ⌈*these days* [*nowadays*; (of) *today*] are lucky because they can obtain books very easily.

このさい この際 (いま) now; (この時点で) at this moment; (現状では) under [in] ⌈the [these] circumstances; (いまの場合) on this occasion. 《☞きかい[3]》.

¶*この際はっきりさせたい点が1つある There is one thing that I want to clarify ⌈*now* [*at this moment*; *on this occasion*]. ∥ *この際, この会を解散したほうがよい *Under* [*In*] ⌈*the* [*these*] *circumstances*, we should dissolve this organization.

このさき この先 **1** «ここより先»: (行く手に) ahead; (もっと先に) farther [further] ahead; (ちょっと先) a little ahead. 《☞さき[1]》.

¶この道路は*この先工事のため通行止めになっている This road is blocked (⌈*farther* [*further*]) *ahead* because of construction work. ∥ *この先少し行った所に消防署があります There is a fire station just (*a little*) *ahead*. ∥ *この先の (⇒次の) 角を右へ曲がりなさい Turn right at the *next* corner.

2 «今後»: (いまから) (from) now; (いまからずっと) from now on; (やや遠い将来) in the future. 《☞こんご; これから; しょうらい[1]》. ¶*この先どうするつもりだ What are you going to do (*from*) *now*? ∥ 私は*この先ずっとここに住みます I am going to live here *from now on*. ∥ あんなことが*この先もう起きないようにしてくれよ Don't let that happen again.

このしろ 鰶 〘魚〙 gizzard shad Ⓒ.

このたび この度 [日英比較] 英語では特定の語句でなく, 前後関係によっていろいろに訳せることに注意. 《☞こんど》.

¶私は*この度渡英することになりました (⇒私は間もなくイギリスへ行きます) I'm going to Britain *very soon*. ∥ *この度はおめでとう (⇒おめでとう) Congratulations! ∥ *この度はご愁傷さまでした (⇒深くご同情申し上げます) I'd like to offer [Please accept] my ⌈deepest sympathy [sincerest condolences]. ★お悔やみの決まり文句. ∥ *この度はありがとう (⇒私のために最近あなたがして下さったことを感謝します) I appreciate what you have done for me *recently*.

このつぎ この次 ― 形 (すぐ次の) next 《☞つぎ[1]; こんど》.

¶「*この次の会合はいつですか」「4月10日です」"When's the *next* meeting?" "It's on April 10." ∥ 食堂車は*この次の車両だ The dining car is the *next* ⌈coach [《英》carriage]. ∥ *この次の木曜日に集まろう Let's get together ⌈*next* Thursday [on Thursday *next* week; *this* (*coming*) Thursday]. [語法] next Thursday が最も一般的. on Thursday next week は「来週の木曜日」. ∥ また*この次の機会にしてくれませんか (⇒別のときまで待ってくれませんか) Couldn't you wait until *some other time*?

このて この手 (このやり方) this ⌈way [method] Ⓒ; (この種類) this kind. 《☞やりかた; しゅるい》. ¶*この手の服ははやらなくなった Clothes of *this kind* have gone out of fashion.

コノテーション (言外の意味・含意) connotation Ⓒ ★しばしば複数形で.

このてがしわ 児手柏 〘植〙 Oriental [Chinese] arborvitae /àːbəváɪti/ Ⓒ, thuja /θ(j)úːdʒə/ Ⓒ.

このとおり この通り (このように) like this; (同じ方法で) in the same way; (ご覧のように) as you can see. 《☞-とおり[1]》.

¶*このとおりにやって下さい Please do it *like this*. / (⇒同じようにやって下さい) Please do it ⌈(*in*) *the same way* [*in the same manner*]. [語法] (1) manner の場合, 方法・手順が強調される. / (⇒私のするようにやって下さい) Please do it ⌈*as* [(*in*) *the same way as*] I do. [語法] (2) 特に正確を期す場合以外は as のみを用いるのが一般的. / (⇒指示に従って下さい) Please *follow* the instructions. ∥「展示会はどうでしたか」「*このとおり, 大成功でした」"How was the exhibition?" "It was very successful, *as you can see*."

このとき この時 at this time; (その時) then; (この時点) at this moment; (時間的連続の中のこの一点) at this point [語法] 現時点以外の具体的な時を話題にする場合, 上の表現の中の this を that に替えるのが適当であることが多い. 《☞そのとき》.

¶私は*この時が来るのをずっと待っていた I have been waiting a long time for *this moment* (to come). ∥ *この時彼は15歳だった He was fifteen years old ⌈*then* [*at that time*]. ∥ ほかのみんなが黙ると, 彼は*この時とばかりに立って話し始めた (⇒あたかもその機会ができるのを待っていたかのように) When everyone became silent, he stood up and started talking as if he had been waiting for *that opportunity* (to arise).

このところ この所 (近ごろ) these days; (最近) recently, lately. 《☞このごろ》.

このは 木の葉 leaf Ⓒ《複 leaves》; (1つの草木の葉全体を集合的に指して) foliage Ⓤ. 《☞は[2]》. **木の葉落とし** 〘空〙 the falling leaf maneuver; (スノーボードの滑り方) the falling leaf. **木の葉隠れ** ¶*木の葉隠れに hidden by [underneath] the leaves

このはずく 木の葉木菟 〘鳥〙 scréech òwl Ⓒ.
このはちょう 木の葉蝶 〘昆〙 leaf butterfly Ⓒ.
このはむし 木の葉虫 〘昆〙 leaf insect Ⓒ.
このぶん この分 ¶*この分では彼はまた留年だ (⇒彼がまた留年するように見える) *It looks* ⌜*as if* [*as though*; *like*] ⌜he is flunking [he'll be repeating the year] again. ★ like は口語的. // *この分では市は破産するだろう (⇒ 物事がこのように進めば) *If things go on like this*, the city will go bankrupt. / (⇒ 状況が好転しなければ) *If the situation does not improve*, the city will go bankrupt. // *この分では, 人口はじきに 100 万を超えるだろう (⇒ もし人口がこの割で増加し続ければ) If the population continues to increase *at this rate*, it will soon exceed one million. // *この分では (⇒ 現在の状況から見ると), 政府は結局その条約を締結できないだろう *From* [*Judging from*; *Judging by*; *Considering*] *the present state of affairs*, the government will not be able to conclude the treaty.
このへん この辺 around [near] here ★ 最も一般的で口語的な表現; (この地域に) in this area; (この近所に) in this ⌜neighborhood [《英》neighbourhood], 《格式》in this vicinity. 《☞ へん²; そのへん; あたり¹; きんじょ; ちかく¹》.
¶ 彼は*この辺に住んでいた He ⌜lived [used to live] *somewhere around here*. / (⇒ この地域に) He lived *in this area*. / He lived *in this neighborhood*. / (⇒ 町のこの部分に) He lived *in this part* of ⌜the city [town]. // 「*この辺に地下鉄の駅はありませんか」「100 メートルほど先にあります」 "Is there a subway station ⌜*around* [*near*] *here*?" "Yes, it's about a hundred meters ahead." / (⇒ 最も近い地下鉄の駅はどこでしょうか) "Where is the *nearest* subway station?" "It is about a hundred meters ahead." // 教科書の*この辺を特によく勉強しておきなさい (⇒ この部分に特に細心の注意を払いなさい) Pay particularly close attention to *this part* of the textbook.
このほか この他 besides this; (これに加えて) in addition to this; (これ以外に) else. 《☞ このうえ; ほか》. ¶*このほかに何を読みましたか What *else* have you read (*besides this*)?
このほど この程 ☞ このたび; こんど; こんかい
このまえ この前 **1** «この間»: (先日) the other day; (最近) recently. 《☞ このあいだ; せんじつ》.
2 «前回» ── 形 last 《☞ まえ; このあいだ》.
¶*この前の日曜に私はテニスをした I played tennis *last* Sunday. // きょうは*この前のコンサートの時より聴衆が多いようだ I think we have a larger audience today than we did at the *last* concert. // 彼はいつも英語でいい点を取るのに, *この前は成績が悪かった (⇒ うまくやらなかった) He usually gets good marks in English, but he didn't do well *last time*. // 「*この前の授業ではどこまでやりましたか (⇒ 私たちはこの前の授業でどのくらい進みましたか)」「120 ページまで終わりました」 "How far did we ⌜go [get] (in the) *last* class?" "We finished up to p.120."
このまがくれ 木の間隠れ ── 副 (木々の間に) among the trees. ¶ 車で通ると*木の間隠れに教会の塔が見えた I ⌜caught [got] (occasional) glimpses of the church tower *among the trees* as we drove by.
このましい 好ましい (人柄のいい) nice; (適している) suitable; (好都合な) favorable (《英》favourable); (望ましい) desirable; (…のためになる, …を助長する) conducive (to …) ★ 格式ばった語; (よい) good ★ nice と共に最も一般的な語; (有利な) àdvantágeous; (利益になる) bèneficial ★ やや格式ばった語. 《☞ のぞましい; よい¹》.
¶ 彼は*好ましい青年だ He is a *nice* young man. // 彼が会長になったのは*好ましいことだ (⇒ よいことだ) It's a *good* thing that he's the new chairman. // 新しい税制はわが社にとって*好ましいものだ The new tax system will ⌜be *good* for [be *beneficial* to; *benefit*] our company. // 彼は面接で*好ましくない (⇒ 悪い) 印象を与えた He gave a *bad* impression ⌜in [at] the interview. // その学校は勉学に*好ましい環境にある The school is located in an environment that is ⌜*suitable* for [*favorable* for; *conducive* to] studying. // 彼には*好ましくない (⇒ 道徳的にかんばしくない) 評判がある He has an ⌜*unsavory* [《英》*unsavoury*] reputation. 語法 unsavory は格式ばった語で, 軽蔑的に用いられる.
このまま (そのままの状態に) as it is, as they are 語法 指す物が単数の場合は前者, 複数ならば後者; (手をつけない状態で) intáct Ⓟ, untouched. 《☞ まま¹; そのまま》.
¶ この木は*このままでは (⇒ 現状のままに放って置かれれば) じきに枯れてしまう This tree will soon die *if it is left as it is*. // この机やいすは*このままにしておいてくれ *Leave* these desks and chairs *as they are*. // 警察が来るまでこの部屋は*このままにしておくべきだ (⇒ 手をつけずにおくべきだ) We should *leave* this room ⌜*untouched* [(*just*) *as it is*] until the police arrive. // *このままでは気が済まない (⇒ 何もしないでいては罪悪感を感じる) I'd feel ⌜guilty [bad] *if I didn't do anything*. ★ bad は口語的. // *このままでは済まないだろう (⇒ このことが気付かれないでいることはないだろう) This matter will not *go unnoticed*.
このみ¹ 好み ── 名 (一般的に) liking Ⓤ ★ 意味が最も広い; (趣味) taste Ⓒ; (気まぐれな好み) fancy Ⓒ; (好き嫌い) likes and dislikes 語法 複数形で. likes と対応させる場合, díslikes と発音される.
── 形 (好きな) favorite (《英》favourite) Ⓐ. 《☞ しこう²; すききらい; すきずき》.
¶ このドレスはなかなか彼女の*好みに合っている This dress is pretty much to her ⌜*liking* [*taste*]. // このタイプは私の*好みではない This is not *my* type. // 私は彼の*好みに合わせて料理に味をつけた I seasoned the food to suit his *taste*. // 彼は食べ物の*好みがやかましい He *is* ⌜*particular* [*fussy*] about his food. 語法 particular は関心が深くて好みがやかましいこと. fussy は軽蔑的な意味で用いられ, 小うるさいこと. // これは彼女の*好みの色だ This is her *favorite* color. // 彼女は服装が地味*好みだ (⇒ 彼女は服装に関して保守的な趣味を持っている) She has conservative *taste* in clothes. // 人によって*好みはまちまちだ *Tastes* differ. 《ことわざ: 好みは異なる》 / There is no accounting for *taste*(*s*). 《ことわざ: 人の好みにはいちいち理由がつけられぬもの》
このみ² 木の実 (果実) fruit Ⓒ ★ 一般的な語; (栗などの堅い木の実) nut Ⓒ; (いちごなどの柔らかい木の実) berry Ⓒ. 《☞ み²》.
このむ 好む (好きである) like ㊒; (…のほうを好む) prefer ㊒. 《☞ このみ¹; すき¹》. ¶*好むと好まざるとにかかわらず, 彼はそれをしなくてはならない Whether he *likes* it or not, he has to do it.
このめあえ 木の芽和え ☞ きのめあえ
このめどき 木の芽時 ☞ きのめ
このよ この世 ── 名 (あの世に対して) this world; (世界) the world. ── 形 (世俗的な) worldly Ⓐ; (天国に対して, この世の) earthly Ⓐ. 《☞ げんせ; よ¹; うきよ; よのなか》.
¶ 彼女は 80 歳で*この世を去った (⇒ 80 歳で死んだ) She *died* at the age of eighty. // その夜景は*この世のものとは思われぬ美しさだった The view at night was ⌜out of *this world* [*heavenly*].
このよう この様 ── 形 (このような) such; (この種

の) this ｢kind [sort; type] of ..., ... of this ｢kind [sort; type] ★ 以上 2 つはほぼ同意だが, 後者のほうが格式ばった言い方. ━ 副 (このように) like this; (この方法で) (in) this way. 《☞ こんな; -よう¹》.
¶ *このような話は聞いたことがない I have never heard ｢*such* a story [a story *like this*]. / (⇒ こんな種類の話は) I have never heard a story *of this* ｢*kind* [*sort*]. // *このようなことは 2 度とするな Don't do anything *like this* again. // *このようにやって下さい Please do it ｢*like this* [*this way*].

このわた 海鼠腸 the salted entrails of the ｢trepang [sea cucumber].

このんで 好んで ¶ 彼女は*好んで (⇒ 自らの意志で) 彼と結婚した She married him *of her own free will*. // 彼は*好んでこの歌を口にする (⇒ この歌を歌うのが好きである) He *likes* to sing this song. 《☞ すき¹; すすむ》

ごは 語派 〔言〕 subfamily Ⓒ.

ごば 後場 〔株〕 the afternoon session.

こばい 故買 ━ 名 《俗》 fencing Ⓤ. ━ 動 (故買をする) buy [receive; deal in] stolen goods. **故買者** dealer in stolen goods Ⓒ; 《俗》 fence Ⓒ.

ごはい 誤配 ━ 動 misdeliver ⊕. ━ 名 misdelivery Ⓤ, miscarriage Ⓤ.

こばか 小馬鹿 ━ 動 (見下す･軽蔑する) look down on *a person* 《☞ けいべつ》.

コパカバーナ ━ 名 固 Copacabana /kòupəkəbǽnə/ ★ ブラジル, リオデジャネイロの砂浜海岸.

こはく 琥珀 ━ 名 amber Ⓤ. ━ 形 (こはく色の) amber. **琥珀酸** 〔化〕 succinic acid Ⓤ.

ごはさん 御破算 ━ 動 (約束などを取り消す) cancel ⊕; (予定などを中止する) cáll óff ⊕. 《☞ かいしょう¹; ちゅうし¹; とりけす》. ¶ この計画は*ご破算にしよう (⇒ この計画のことは忘れよう) Let's *forget* about this plan.

こばしり 小走り ━ 動 (小またにせかせかと歩く) trot ⊜; (軽快な足取りで進む) trip ⊜.
¶ その子供達は*小走りに走って行った The children ｢*trotted* [*tripped*] along. / (⇒ 急ぎ足で) The children *went* along *with hurried steps*.

こはずかしい 小恥ずかしい (ちょっと恥ずかしい) be [feel] a little embarrassed 《☞ はずかしい》.

こはぜ 小鉤, 鞐 (足袋などの留め金) clasp Ⓒ 《☞ たび²》. ¶ 足袋の*こはぜをかける [はずす] fasten [unfasten] the *clasps* of *one's tabi*

こはだ 小鰭 〔魚〕 young gizzard shad Ⓒ.

こばち 小鉢 (食器の) small bowl Ⓒ; (植木の) small flower-pot Ⓒ.

ごはっと 御法度 ━ 動 (禁じられている) be forbidden; (法的に禁止である) be banned; (宗教･慣習などの理由で) be ｢tabooed [tabued]. ¶ そのことにふれるのは*御法度です It *is* ｢*forbidden* [*tabooed*] to mention it.

こばな 小鼻 wing of a nose Ⓒ, nosewing Ⓒ ★ いずれも通例複数形で. **小鼻をふくらます** (不満そうである) look ｢dissatisfied [discontented] (with ...).

こばなし 小話 (冗談) joke Ⓒ; (短いこっけいな話) short funny story Ⓒ.

こばなれ 子離れ ━ 動 (子離れする) (stop caring for *one's* children and) make them ｢support themselves [stand on their own two feet].

こはば 小幅 ¶ *小幅な改訂をする make a ｢*minor* [*small*] revision (of ...) // *小幅な値動き a *small* change in prices

こばむ 拒む (拒絶する) refuse ⊕; (断る) decline ⊕; (拒否する) turn down ⊕. 《☞ ことわる; きょひ¹》.

こばやしいっさ 小林一茶 ━ 名 固 Kobayashi Issa, 1763–1827; (説明的には) the late Edo period haiku poet.

こばら 小腹 ¶ *小腹を立てる be slightly offended // *小腹が減ったな I'm a little hungry.

コバルト 〔化〕 cobalt /kóubɔːlt/ Ⓤ 《元素記号 Co》. **コバルト色** cobalt Ⓤ **コバルトグリーン** cobalt green Ⓤ **コバルト爆弾** cobalt bomb Ⓒ **コバルトブルー** cobalt blue Ⓤ **コバルト 60** 〔化〕 cobalt-60 Ⓤ ★ 癌などの放射線療法に使用する.

こはるびより 小春日和 Indian summer Ⓒ.

こはん 湖畔 lakeside Ⓒ, lakeshore Ⓒ. 《☞ みずうみ》. ¶ 私は*湖畔のホテルに泊まった I stayed at ｢a *lakeside* hotel [a hotel *by the lake*; a hotel on *the shore(s) of a lake*].

こばん 小判 *koban(g)* Ⓒ ★ 単複同形; (説明的に) oval gold coin formerly used in Japan Ⓒ.
¶ そりゃ猫に*小判だ (⇒ 豚に真珠を投げ与えるようなものだ) It's just like ｢*casting* [*throwing*] *pearls* before swine. **小判形** oval Ⓒ ★ 形容詞としても用いられる.

ごはん 御飯 rice Ⓤ 日英比較 日本語では米･稲･ご飯などは別語であるが, 英語では文脈から生米でないことが明らかであれば rice のみでよく, 特に必要のない限り cooked rice (炊いた米) などと言わないでよい; (食事) meal Ⓒ. 《☞ こめ 日英比較》.
¶ 「*ご飯ですよ (⇒ 朝食[昼食, 夕食]の用意ができた)」「いま行きます」 "*Breakfast* [*Lunch*; *Dinner*; *Supper*] is ready." "I'm coming." 《☞ ゆく¹》 // 彼は*ご飯の 2 杯目をおかわりした He had a second helping of *rice*.

ごばん 碁盤 go board Ⓒ; (碁 (のゲーム) で使われる盤) board used in (the game of) go Ⓒ ★ 説明的な言い方. **碁盤縞** check Ⓒ, pattern of squares Ⓒ **碁盤割り** ¶ その土地は*碁盤割りに (⇒ 方形に) 区画されている The land is marked off into *squares*.

こばんざめ 小判鮫 〔魚〕 sharksucker Ⓒ ★ 頭に吸盤があり, 他の鮫に寄生することから.

こはんとき 小半時 about half an hour.

こはんにち 小半日 nearly half a day.

こび 媚 (へつらい, おべっか) flattery Ⓤ; (異性に対しての) flirtation Ⓤ. 《☞ こびる》. ¶ 男に*媚を売る *flirt* with a man / 《英略式》 *chat up* a guy

ごび 語尾 ending Ⓒ, the ending of a word ★ 語の終わりの部分ということをはっきり言うときは後者がよい; (屈折語尾) inflection Ⓒ. **語尾変化** inflection Ⓤ; (名詞･形容詞の) declension Ⓤ ★ いずれも変化形の意では Ⓒ.

コピー ━ 名 (写し) copy Ⓒ; (複写機による複写) phótocòpy Ⓒ 日英比較 前者は手書きによる写しなども含み, 意味が広い. 英語の copy は日本語の「コピー」と違って複写機によるものだけではない点に注意. ━ 動 (コピーをとる) copy ⊕; photocopy ⊕, xerox /zíːrɑks/ ⊕. 《☞ ゼロックス; ふくしゃ¹; うつす²》.
¶ その表の*コピーをとった I made a ｢*copy* [*photocopy*] of the table. / I ｢*copied* [*photocopied*] the table. // このページの*コピーを 3 部とって下さい Make three ｢*copies* [*photocopies*] of this page.
コピー機 photocopier Ⓒ, photocopying machine Ⓒ **コピー食品** (模倣食品) imitation food Ⓤ; (人工代用物) ersatz /éəsɑːts/ Ⓒ ★ 品質の劣ったもののニュアンスがある. **コピー人間** (クローン人間) cloned human being Ⓒ; (人のまねをする人) imitator Ⓒ **コピープロテクト** ¶ このソフトは*コピープロテクトされている This software *is copy protected*.

コピーライター copywriter Ⓒ.

コピーライト (著作権) copyright Ⓒ ★ © と表記する.

こびき 木挽き sawyer Ⓒ. **木挽き歌** sawyer's

song Ⓒ.
ゴビさばく ゴビ砂漠 ―图 固 the Gobi /góubi/ ★モンゴル南部から中国北部に広がる砂漠.
こびじゅつ 古美術 ―图 (骨董品) antique Ⓒ ★特に美術的価値が高いことを言いたい場合は fine ～とする. ―形 antique. (☞ びじゅつ).
こびぜん 古備前 (備前の刀) Bizen sword Ⓒ; (桃山時代以前の陶器) Bizen ware (made in the early period) Ⓒ.
こひつじ 小羊, 子羊 lamb /lǽm/ Ⓒ (☞ ひつじ).
こびと 小人 dwarf Ⓒ.
こびとかば 小人河馬 〖動〗 pýgmy [Liberian /laɪbí(ə)riən/] hippopótamus Ⓒ.
こびへつらう 媚び諂う ☞ こびる; へつらう
ごひゃくらかん 五百羅漢 the five hundred disciples of (the) Buddha who attained Nirvana; (その像) statues of the 500 followers of Buddha. (☞ らかん).

ごびゅう 誤謬 ☞ あやまり; まちがい
こひょう 小兵 ―形 (体の小さな) small. ¶ *小兵力士 a *small* sumo wrestler
こびりつく (くっつく) stick (to ...) 自 《過去・過分 stuck》 (☞ くっつく; つく[1]; ふちゃく[1]).
¶ガムが私の靴に*こびりついた Some gum (got) *stuck to* my shoes. // フライパンの底に油の焼けこげが*こびりついている (⇒ 底が焼けこげで覆われている) The bottom of the frying pan *is caked with* burnt grease. // その苦い思い出はいまでも私の心に*こびりついている Those bitter memories still *stick* in my mind.
こびる 媚びる (過度にお世辞を言う) flatter 他; (卑しいお世辞や大げさな敬意の表現でへつらう) fawn (on ...; upon ...) 自; (取り巻き連中・出世をねらう人などが迎合的態度をとる) toady (to ...) 自, 《略式》 crawl (to ...) 自, 《英略式》 suck up (to ...) 自; (異性に) flirt (with ...) 自, 《英略式》 chat up 他. (☞ へつらう; おせじ).
¶ そんなに上司に*媚びるのはよせ Don't ｢*flatter* [*fawn on*; *toady to*; *crawl to*; 《英略式》 *suck up to*] your boss like that. // 若い女に*媚びる *flirt with* [*chat up*] young women
こびん 小鬢 ☞ びん[4]
こぶ[1] 瘤 (打撲によるもの) bump Ⓒ; (はれ物) lump Ⓒ ★ lump は必ずしも打撲によるものではない; (木の) gnarl Ⓒ; (らくだの) hump Ⓒ. (☞ はれもの). ¶頭に*こぶができた A ｢*bump* [*lump*] appeared on my head. / I got a ｢*bump* [*lump*] on my head.
こぶ[2] 昆布 *kombu* Ⓤ; (大型の海草) kelp Ⓤ. **昆布締め** fish roll with kelp Ⓒ. ¶にしんの*昆布締め herring wrapped with kelp and simmered **昆布茶** *kombu* tea Ⓤ **昆布巻** rolled *kombu* Ⓒ.
こぶ[3] 鼓舞 ―動 (勇気づける) encourage 他 (↔ discourage); (沈んだ気持ちを高めて元気づける) chéer (úp) 他; (刺激を与える) stimulate 他. (☞ げきれい; はげます).
ごふ 護符 protéctive amulet /ǽmjulət/ Ⓒ (☞ おまもり; まよけ).
ごぶ 五分 ―形 (等しい) equal; (同等な・均等な) even; (見込みなどが五分五分) fifty-fifty. ―動 (仕返しなどをして…と対等になる) be quits with ...; *(同等である, …と互角である)* match 他. (☞ ごかく). ¶あの2人の少年は(力量が)*五分だ Those two boys are *well-matched*.
五分五分 ¶成功か失敗かの見込みは*五分五分である There's ｢a *fifty-fifty* [an *even*] chance of success. / The chances of success are ｢*even* [*fifty-fifty*]. (☞ どっこいどっこい) // 彼女が試験に合格する見込みは*五分五分である There is ｢an *even* [a *fifty-fifty*] chance that she will pass the examination. / She has ｢a *fifty-fifty* [an *even*] chance of passing the exam. // これでお互い*五分五分だ We'*re quits* now.
こふう 古風 ―形 (古めかしい) archaic /ɑəkéɪɪk/; (旧式な) old-fashioned; (一般的に時代遅れの) out-of-date, outdated. (☞ ふるい[1]; ふるめかしい). ¶この本は*古風な文体で書かれている This book is written in an *archaic* style. // *古風なウェディングドレス an *óld-fàshioned* wédding drèss
ごぶがり 五分刈り ¶*五分刈りの頭 (⇒ 短く刈った髪) *close-cropped* hair 参考 「角刈り」という意味では a crew-cut ともいう.
こふきいも 粉吹き芋 boiled potato with a powdery surface Ⓒ.
ごふく 呉服 (着物の生地) cloth for kimonos /kəmóunəz/ Ⓤ; (織物類・反物) 《主に米》 dry goods ★常に複数形で; 《主に英》 drapery Ⓤ. **呉服屋** draper's shop Ⓒ.
こぶくしゃ 子福者 person (blessed) with many children Ⓒ.
ごぶごぶ 五分五分 ☞ ごぶ (五分五分)
ごぶさた 御無沙汰 long silence Ⓤ 語法 ここでの silence は「音信不通」の意味.
¶長いこと*ごぶさたして申し訳ありません (⇒ 私の長い音信不通を許して下さい) Please excuse [forgive] my *long silence*. / (⇒ 長いこと便りをしないですみません) I am very sorry I have *not written* (to) you *for* ｢*a long time* [*so long*; *such a long time*]. ★《米》では to は省かれることが多い. 日英比較 英語の手紙では日本の習慣と違って, あまりこのような形式的なわびごとは書かないで, いきなり用件に入るのが普通である. (☞ 手紙の書き方 (囲み)) // *ごぶさたしています. お変わりありませんか 《人に会って言う言葉》 I *haven't seen you for* ｢*a long time* [*ages*]. How have you been? // *ごぶさたしました It's *been ages since I saw you last*. ★口語的. 元来は誇張表現.
こぶし[1] 拳 fist Ⓒ (☞ げんこつ). ¶彼は*こぶしを固めた He clenched his *fist*. // 彼は息子に*こぶしを振り上げた (⇒ まさに殴ろうとした) He was about to hit his son. (☞ ふりあげる 日英比較) // *こぶし大の石 a *fist-sized* rock
こぶし[2] 小節 ¶*小節のきいた歌 (⇒ 装飾音のいっぱいついた歌) a song full of ｢*grace notes* [*graces*]
こぶし[3] 古武士 ancient warrior Ⓒ.
こぶし[4] 辛夷 〖植〗 Japanese ｢tulip [cucumber] tree Ⓒ.
ごふじょう 御不浄 ☞ トイレ; べんじょ
こぶた 小豚, 子豚 little [baby] pig Ⓒ, piglet Ⓒ. (☞ ぶた).
こぶつ 古物 (骨董的なもの) antique /æntí:k/ Ⓒ; (珍しいもの) curio /kjú(ə)riòu/ Ⓒ. (☞ こっとう). **古物商** (人) antique [secondhand] dealer Ⓒ; (店) antique [curio; secondhand] shop Ⓒ.
こぶつき 瘤付き ¶彼は*瘤付きの (⇒ 前夫の子供を連れた) 女性と結婚した He married a woman *with* ｢*a child* [*children*] by her ｢ex-husband [former husband].
コプト (コプト人[教徒]) Copt Ⓒ ★キリスト教化したエジプト人. **コプト教会** the Coptic Church.
こぶとり 小太り ―形 (ぽちゃぽちゃとした) plump; (女性が健康で肉づきのよい) buxom /bʌ́ksəm/. ★後者は乳房が大きい意味を含む. (☞ ふとる; ぽちゃぽちゃ).
こぶとりじいさん 瘤取り爺さん *Kobutori jiisan*; (説明的には) a 13th-century folktale in which a kind old man with a lump on his cheek came upon a group of demons drinking and dancing. He entertained them with his funny

dance. As a reward the demons removed his lump. A mean old man, his neighbor, also with a lump, heard of this and entertained them, but his dance was so bad that the demons got angry and put a lump on his other cheek.

こぶな 小鮒 〘魚〙 little crucian carp Ⓒ 《☞ ふな》.

こぶね 小舟 (一般的に小さな舟) boat Ⓒ; (櫂(かい)・櫓(ろ)でこぐ舟) 《米》 rowboat Ⓒ, 《英》 rowing boat Ⓒ. 《☞ ボート》.

こぶはくちょう 瘤白鳥 〘鳥〙 mute swan Ⓒ.

コブラ 〘動〙 cobra Ⓒ; (キングコブラ) king cobra Ⓒ. 《☞ へび (挿絵)》.

コプラ (ヤシ油の原料) copra Ⓤ.

ゴブランおり ゴブラン織り Gobelin /góubəlәn/ Ⓒ. ¶*ゴブラン織りの壁掛け a *Gobelin* (tapestry)

こぶり[1] **小降り** ―動 (小降りになる) let up ⓐ 《☞ こやみ; こさめ》. ¶雨は*小降りになってきました The rain *is letting up.*

こぶり[2] **小振り** ―形 (小型の) small-sized.

コプロセッサー 〘コンピューター〙 còprócessor Ⓒ.

こふん 古墳 (古代の盛り土をした墓) old (burial) mound Ⓒ, barrow Ⓒ, tumulus Ⓒ; (古代の墓) ancient tomb Ⓒ. **古墳時代** the *Kofun* period; (説明的には) a prótohistòric périod during which large tumuluses were built in Japan.

こぶん[1] **子分** (特に政治家などの手下・子分) follower Ⓒ; (軽蔑的に) henchman Ⓒ 《複 -men》; (部下) *one's* men ★ 通例複数形で.

こぶん[2] **古文** (昔に書かれたもの) ancient 「writing [written work] Ⓒ ★ しばしば複数形で; (教科としての日本古典) the Japanese classics ★ the を付けて複数形で.

ごふん 胡粉 (白色の日本画の絵の具) Chinese white Ⓤ.

ごぶん[1] **誤文** úngrammàtical [incorrèct] séntence Ⓒ. ¶*誤文訂正 correction of grammatical *mistakes in a sentence* // *誤文訂正問題 《試験などの》 an *error correction* problem

ごぶん[2] **誤聞** ―動 mishear ⓗ ⓐ, hear ... incorrectly. 《☞ ききちがえる》.

ごぶんけい 五文型 five basic sentence patterns 《☞ ぶんけい[1]》.

ごへい[1] **語弊** ¶それは*語弊がある (⇒ 適切な言葉ではない) It's *not the right word.* / (⇒その言葉は誤解されるおそれがある) The word is *misleading.*

ごへい[2] **御幣** rod with strips of white paper which is used in Shinto rituals Ⓒ. ¶*御幣をかつぐ (⇒ 迷信深い) be superstitious (about ...)

こべつ[1] **戸別** ―形 (家から家への) door-to-door Ⓐ, house-to-house Ⓐ ★ 前者のほうがより慣用的表現. ―副 from door to door, from house to house.

戸別訪問 door-to-door [house-to-house] 「visiting [calling] Ⓤ; (選挙) door-to-door [house-to-house] canvass(ing) Ⓤ. ¶彼らは*戸別訪問して寄付を集めた They made 「*door-to-door* [*house-to-house*] *visits* to collect contributions. / They went *from* 「*door to door* [*house to house*] 「to collect [collecting] contributions.

こべつ[2] **個別** ―副 (一つ一つ) one by one; (各々に) each; (個別的だが, それぞれの比重が同じでないとき) indivídually; (一つ一つばらばらに) séparately. 《☞ ここ[2]; それぞれ; べつべつ》.

¶面接室で*個別に面接を受けました We were interviewed 「*individually* [*separately*] in a reception room. // *個別指導を受ける be given *personal* guidance

個別学習 individualized 「learning [study] Ⓒ.

コペルニクス ―名 固 Nicolaus Copernicus /koupə́:nɪkəs/, 1473–1543. ★ ポーランドの天文学者. ―形 Copérnican. ¶*コペルニクスの地動説 the *Copernican* system // *コペルニクス的転回 a *Copernican* revolution

こへん 子偏 (漢字の) child radical on the left of kanji Ⓒ.

コペンハーゲン ―名 固 Copenhagen /kòupənhéɪgən/ ★ デンマークの首都.

こほう 孤峰 solitary peak Ⓒ.

ごほう[1] **語法** (言葉の使われ方) usage /jú:sɪdʒ/ Ⓤ ★ 具体的な語法を意味するときは Ⓒ. 《☞ 巻末》. ¶彼はアメリカ英語の*語法に詳しい He is familiar with 「American English *usage* [*Americanisms*]. ★ Americanism は「アメリカ特有の表現」の意.

語法辞典 usage dictionary Ⓒ.

ごほう[2] **誤報** (新聞などの誤った報道) false [incorrect] report Ⓒ ★ incorrect のほうが多少格式ばった表現; (間違った情報) wrong information Ⓤ, misinformation Ⓤ ★ 人に誤ったことを教えたりしたときはこの2つの言い方.

ごぼう 牛蒡 〘植〙 burdock Ⓒ. **ごぼう抜き** ¶警官隊はピケのデモ隊員を*ごぼう抜きにした The police forcibly *removed* the pickets *from* the picket line. // 彼女はゴール近くで5人を*ごぼう抜きにした She 「*overtook* [*passed*] five runners near the finish line.

こぼうず 小坊主 (若い僧侶) young 「bonze [Buddhist monk] Ⓒ; (男の子) little boy Ⓒ.

こぼく 古木 old [aged /éɪdʒɪd/] tree Ⓒ. ¶樫の*古木 an *old* oak tree

ごぼごぼ ―名 gurgling Ⓤ; (音) gurgling sound Ⓒ. ―動 gurgle ⓐ. 《☞ 擬声・擬態語 (囲み)》. ¶水が排水管に*ごぼごぼ流れ込んだ The water *gurgled* down the drain.

こぼす 零す **1** «液体をこぼす»: (液体・粒状のものを誤ってこぼす) spill ⓗ; (涙など) shed ⓗ; (パンくずなどを落とす) drop ⓗ. ¶私はうっかり敷き物の上にコーヒーを*こぼしてしまった I *spilled* my coffee on the rug. // 少女はひざの上に涙を*こぼした The girl *shed* tears onto her knees.

2 «不平を言う»: (単にぶつぶつと文句を言う) grumble (about ...) ⓐ; (なんらかの改善策を求めて不平を言う) complain (about ...; of ...) ⓐ. 《☞ ふへい; ぐち[1]》.

こぼね 小骨 (小さい骨) small [fine] bone Ⓒ 《☞ ほね》.

コボル 〘コンピューター〙 (プログラム言語の一つ) COBOL /kóubɔ:l/ ★ *CO*mmon *B*usiness *O*riented *L*anguage の略.

こぼれおちる 零れ落ちる ☞ こぼれる[1]

こぼればなし 零れ話 ―名 (本筋からそれた話) digression Ⓒ; (主題とは直接関係のない話) aside Ⓒ. ―動 (脇道にそれる) digress ⓐ. ¶その事件のちょっとした*こぼれ話を聞きました I heard a little *aside* about the matter.

こぼれる[1] **零れる** (落ちる) fall ⓐ; (思いがけなく落ちる) drop ⓐ; (液体がこぼれる) spill ⓐ. 《☞ あふれる》. ¶その悲しい知らせを聞いて, 彼の目から涙が*こぼれた Tears 「*dropped* [*fell*] (from his eyes) when he heard the sad news. // 手おけから水が*こぼれた Water 「*spilled* [《英》 *spilt*] from the pail.

こぼれる[2] **毀れる** (刃が) be nicked. ¶*こぼれたのみの刃を砥石で研ぐ sharpen a chisel with a *nicked* edge on a whetstone

ごほん ¶*ごほんごほんと咳をする cough /kɔ́:f/ *harshly* / *hack* 《☞ 擬声・擬態語 (囲み)》

こぼんのう 子煩悩 ¶彼は本当に*子煩悩です He is a really *doting* father. / He really *dotes on* his children. ★ dote on ... は「...を盲目的にかわいがる」の意.

こま[1] **駒** (将棋・チェスなどのこま) chessman Ⓒ《複 -men》; (一つ一つのこま) piece Ⓒ [参考] チェスでは 8 個の一番弱い位の駒を pawn (卒) といい, それ以外の king (王), queen (女王), bishop (僧正, 2 個), knight (騎士, 2 個), rook, castle (城, 2 個) の 8 個の駒を pieces という. (☞ チェス).

こま[2] **齣, 駒** 1 《フィルム》: (ひとこま) frame Ⓒ (☞ こまどり[3]).
2 《場面》: scene Ⓒ (☞ ばめん). ¶ 歴史の一*こま a *scene* from history // 私はあの映画の戦闘の一*こまにたいへん感動しました I was very impressed by the battle *scene* in the movie. // 4 *こま漫画 a four-*frame* comic strip // Y 先生は毎週 6 *こま教えている Mr. Y teaches six *classes* a week. // 授業一*こまの長さ the length of one「*class* [*period*] **こま止め** (ビデオテープやテレビの) freeze-frame Ⓒ.

こま[3] **独楽** top Ⓒ. ¶ *こまを回す spin a *top*

こま[4] **高麗** (高句麗) Koguryŏ /kòuɡurjúː/ ★ 古代朝鮮の一国; (高麗(こうらい)) Koryŏ /kɔ́ːrjou/; (一般に朝鮮) Korea.

ごま[1] **胡麻** sesame /sésəmi/ Ⓒ. ¶「開け*ごま」"Open *sesame*!" **ごまをする** ¶ 彼は主任に*ごまをすった (⇒ おせじを言った) He *flattered* his boss. // 彼は*ごますりだ He is「a *flatterer* [a *crawler*; a *sycophant*; a *toady*; 《米略式》 an *apple-polisher*]. (☞ ごますり; おせじ; へつらう) **ごま和(あ)え** sesame-flavored salad Ⓤ, food mixed with ground sesame Ⓤ. ¶ ほうれんそうの*ごま和え spinach *with ground sesame* **ごま油** sesame oil Ⓤ **ごま塩** ☞ 見出し **ごま醤油** sesame-flavored soy sauce Ⓤ **ごますり** ☞ 見出し **ごま豆腐** sesame pudding Ⓤ **ごま味噌** sesame-flavored miso Ⓤ **ごま汚し** ☞ ごま和(あ)え

ごま[2] **護摩** ¶ *護摩を焚く light [make] a「*holy* [*sacred*] *fire* (*for invocation*) **護摩壇** 〔宗〕 fire offering altar Ⓒ **護摩符** 〔宗〕 charm [talisman] (of esoteric Buddhism) Ⓒ.

コマーシャリズム (商業主義) commercialism Ⓤ.

コマーシャル (テレビ・ラジオの短い広告放送) commercial Ⓒ, 《英》 advertisement /ədvə́ːtɪsmənt/ Ⓒ, 《略》 ádvert Ⓒ [日英比較] 日本語でシー・エムというのは commercial message の略と言われるが, この略語は用いられない. (☞ せんでん; こうこく[1]).
¶ 航空会社のテレビ*コマーシャル an airline('s) TV *commercial* / a TV *commercial* for an airline // *コマーシャルソング a TV *commercial* song / an *advertising* song / 《英》 a *jingle* // *コマーシャルの時間 a *commercial* break **コマーシャルアート** (商業美術) commercial art Ⓤ **コマーシャルフィルム** commercial film Ⓒ.

こまい[1] **古米** old [long-stored] rice Ⓤ.

こまい[2] **木舞** (壁の下地の細木や竹) lath /lǽθ/ Ⓒ.

こまいぬ 狛犬 (説明的に) paired Buddhist or Shinto guardian images that combine features of both a dog and a lion.

こまかい 細かい 1 《小さい》: (普通または平均より大きさが小さい) small; (粒や線などがそろっていて細かい) fine (↔ coarse). (☞ ちいさい[な] (類義語)).
¶ *細かい活字は目に悪い Small type is bad for the eyes. // この海岸は砂が*細かい The beach has *fine* sand. // もっと目の*細かい網が欲しい I want a net「of [with] *finer* mesh. // 彼は玉ねぎを*細かく刻んだ He *chopped* the onions「*up* [*finely*].
2 《詳細な》: (細目にわたって詳しい) detailed; (注意深く綿密な) close; (注意深い) careful; (正確で精密な) minute /maɪn(j)úːt/; (金銭について勘定高い) stingy, tight Ⓟ, mean. (☞ くわしい; めんみつ; けち; こまごま; ことこまか; こまかに).
¶ ここでは*細かい点には触れません I'm not going to go into *detail(s)*. // 費用を*細かく書き出しなさい Give a「*detailed* account [*breakdown*] of the expenses. // 君はその点に*細かい注意を払うべきだ You should pay「*close* [*careful*] attention to that point. // 彼はひどく金に*細かい He is very「*stingy* [*tight; mean*] with (his) money.
3 《些少な》 ── 形 (比較的小さく重要でない) minor (↔ major); (些細な) small; (取るに足らない・つまらない) trifling. ── 名 (細かくてつまらないこと) small things, 《格式》 trifles ★ 通例複数形で. (☞ ささい; つまらない).
¶ *細かい誤りより先に (⇒ 細かい誤りに気をとめる前に), 重要なものを直しなさい Correct the major errors before you bother with the *minor* ones. // *細かいことで彼はいつも彼女に小言ばかり言っている He is always grumbling to her about「*small things* [*trifles*].
4 《微妙な》: (感覚が鋭く繊細な) délicate; (刺激に対して敏感で神経質な) sensitive. (☞ せんさい[1]; しんけい).
5 《金銭が少額の》: small (☞ こぜに; くずす). ¶ 私は*細かい持ち合わせがありません I have no (*small*) *change* on me. //「1 ドル札を 10 セント硬貨に*細かくしていただけませんか」「いいですとも」"Would you「*change* [*break*] a dollar bill into dimes, please?" "Certainly."

ごまかし ── 名 (欺瞞) deception Ⓤ; (擬装) camouflage Ⓤ; (小細工) manipulation Ⓤ; (詐欺) trickery Ⓤ; (たわ言) humbug Ⓒ; (言い逃れ) quibble Ⓒ. ── 形 (嘘の) false; (見せかけの) make-believe. (☞ ごまかす).

ごまかす 1 《だます》: (だまし取る) cheat ⓗ; (金銭をだまし取る) swindle ⓗ; (人を欺く) deceive ⓗ; (巧妙にだます) trick ⓗ, 《略式》 con /kɑ́n/ ⓗ. (☞ だます; ぺてん).
¶ 彼は私を*ごまかして金をまきあげた <S (人)+V (*cheat*; *swindle*)+O (人)+*out of*+名 (金)> He「*cheated* [*swindled*; *conned*] me *out of* my money. // 彼はうそをついて, 先生を*ごまかそうとした He tried to *deceive* the teacher by telling「him [her] a lie. // 私は*ごまかされてそれを買うはめになった <S (人)+V (*trick*)+O (人)+*into*+動名の受身> I *was*「*tricked* [*conned*] *into* buying it.
2 《言い抜ける》: (質問や義務などをずるく, 巧みにはぐらかす) evade ⓗ, dodge ⓗ ★ 後者のほうがくだけた語; (あいまいなことを言って, 言い逃れる) quibble ⓗ. (☞ いいのがれ; はぐらかす).
¶ 彼はやっかいな質問を*ごまかそうとした He tried to「*evade* [*dodge*] an embarrassing question. // *ごまかさないで承諾か否かをおっしゃって下さい (⇒ どうかはっきりとイエスかノーかを言って下さい) Please give a straight yes or no.
3 《数量などをごまかす》: (目方をごまかす) give short「measure [weight] ★ 偶然の不足を意味することもある; (釣り銭をごまかす) shórtchánge ⓗ; (年齢をごまかす) misrepresent [lie about] *one's* age; (年齢を実際より若く言う) understate *one's* age; (不正に変更する) doctor ⓗ, tamper with ... (☞ ふせい[1]; いんちき). ¶ あの店員はときどき目方を*ごまかす That「shop clerk [《英》 shop assistant] sometimes *gives* me *short weight*. // 私はあの店で釣り銭を*ごまかされた I *was shortchanged* at that store. // その女性は年を 3 つも若く*ごまかしました The woman *took three years off* her age. / She said she was *three years younger* than she really was. // だれが記録を*ごまかしたのだ Who「*doctored* [*tampered*

with] the record(s)?

4 《着服する》: (こっそりと自分のものにする) pocket ㊀; (他人から任された金を横領する) embézzle ㊀. 《☞ ちゃくふく; おうりょう》.

こまかに 細かに in detail, minutely /maɪn(j)úːtli/. 《☞ こまかい》.

こまぎれ 細切れ, 小間切れ ― 图 (断片) fragment Ⓒ; (切りきざんだ肉) chopped [minced] meat Ⓤ. ― 動 (こま切れにする) cut (up) … into small pieces; (肉などを切りきざむ) chóp (úp) ㊀. 《☞ きる[1]》. ¶ 肉を*こま切れにして下さい *Chop* the meat *up*, please. // 私は化学については*こま切れの知識しかない (⇒ 化学の知識はきれぎれだ) My knowledge of chemistry is just *patchy*.

こまく 鼓膜 eardrum Ⓒ, tympanum /tímpənəm/ Ⓒ (複 tympana /-nə/, ~s) ★ 後者は医学用語. 《☞ みみ》. ¶ *鼓膜が破れる *one's eardrum* bursts

こまくさ 駒草 〔植〕 *komakusa* Ⓒ; (説明的には) a variety of dicentra with white flowers.

こまげた 駒下駄 wooden clogs Ⓒ ★ 通例複数形で用い, 一足を表すには a pair of ~ を用いる.

こまごま 細細 ― 副 (細部にわたって) in detail; (詳細に) minutely /maɪn(j)úːtli/. ― 形 (細かい) detailed; (詳細な) minute. ― 图 (詳細) details; (明細) partículars ★ いずれも複数形で. 《☞ こまかい》. ¶ 彼は*こまごまと説明した He explained it *in detail*. / He explained *all the details*. // 主任が私たちの仕事について*こまごました指示を出した (⇒ 指示を与えた) The boss gave us *detailed* instructions about our work.

ごましお 胡麻塩 salt and sesame Ⓤ. **ごま塩頭** ― 图 (白髪まじりの髪) grizzled [pepper-and-salt] hair Ⓤ; (白髪がところどころに見える) grayflecked hair Ⓤ. ― 形 grizzled [pepper-and-salt] haired. 《☞ かみ[3]; しらが; あたま》.

こましゃくれた (早熟な・ませた) precócious 《☞ ませる》.

ごますり 胡麻擂り ― 图 (ごまをする人) toady Ⓒ; 《米略式》 apple-polisher Ⓒ. ― 動 toady (to …); (ごまを粉状にする) grind sesame seeds. ¶ 彼は上司にしょっちゅう*ごますりをして昇進した He always *toadied to* the boss, and got promotion out of it.

こまた 小股 ― 動 (小股で歩く) walk with [take] short steps. **小股が切れ上がった** ¶ 彼女は*小股が切れ上がったいい女だった She was a *trim and sexy* woman. **小股掬い** (相撲で) *komatasukui* Ⓤ; (説明的には) over thigh scooping body drop Ⓤ.

こまち(むすめ) 小町(娘) (美人) beauty Ⓒ; (花形の女性) queen Ⓒ. ¶ 浅草*小町 a *Miss* Asakusa

こまちゃくれた ☞ こましゃくれた

ごまつ 語末 the ending of a word 《☞ ごび》.

こまづかい 小間使い maid Ⓒ.

こまつな 小松菜 *komatsuna* Ⓒ; (説明的には) a Japanese vegetable similar to spinach.

こまどり[1] 駒鳥 〔鳥〕 robin Ⓒ, (robin) redbreast Ⓒ ★ 後者は特に子供に話すときに使う語. 一般に 《英》 ではヨーロッパコマドリ, 《米》 ではコマツグミを指すが, どちらも日本のこまどりに類似の鳥.

こまどり[2] 齣撮り 〔映〕 stop motion Ⓤ. ¶ *齣撮り映画 a *stop-motion* movie

こまぬく[こまねく] 拱く **手をこまぬく** ¶ 彼は手を*こまぬいているだけで (⇒ 傍観しているだけで), 私のために何もしてくれませんでした He just *looked on* and did not do anything to help me.

こまねずみ 独楽鼠 〔動〕 Japanese dancing mouse Ⓒ. ¶ *独楽鼠のように (⇒ ビーバー [みつばち] のように) 働く work like a 「*beaver* [busy *bee*]

ごまのはえ[はい] 胡麻の蝿, 護摩の灰 thief who preys on travelers Ⓒ.

ごまふあざらし 胡麻斑海豹 〔動〕 harbor seal Ⓒ, spotted seal Ⓒ.

こまむすび 小間結び square [reef] knot Ⓒ. ¶ そのひもを*小間結びにしました I tied the string in a 「*square* [*reef*] *knot*.

こまめ ― 形 (きびきびした) brisk; (喜んで…する) ready. ― 副 briskly; (しばしば) often. 《☞ まめ[3]》. ¶ 彼女は*こまめに (⇒ しばしば) 便りをよこす She *often* writes to me. // 彼は*こまめに人の面倒をみる He is always *ready* to help others. // 彼女は*こまめによく働く She works *briskly*.

ごまめ small dried sardines. ¶ *ごまめの歯軋り (⇒ 無力な者のどうしようもない怒り) helpless anger of *the powerless*

こまもの 小間物 (ボタン・糸・針などの) 《米》 notions ★ 複数形で; 《英》 haberdashery /hǽbədæʃ(ə)ri/ Ⓤ. **小間物屋** 《米》 notions store Ⓒ, 《英》 haberdashery Ⓒ.

こまやか 細やか, 濃やか ― 形 (同情的な優しさのある) tender; (情愛の深い) affèctionate. ¶ 彼女は*こまやかな愛情の持ち主だ She is very *affectionate*. // 2 人は愛情*こまやかな夫婦だ The couple 「*is* [*are*] *devoted to* each other.

こまりきる 困り切る (迷惑をする) be seriously troubled; (困惑をする) be 「greatly [really] annoyed. 《☞ こまる》.

こまりはてる 困り果てる ☞ こまりきる

こまりもの 困り者 ☞ やっかい (やっかい者)

こまる 困る 1 《困難》: (…するのに苦労する) have 「difficulty [trouble] (in *do*ing …); (ひどい目にあう) have a hard time; (困っている) be in trouble ★ 状態をいう; (困った立場である[になる]) 《略式》 be in a fix; (…がなくて困っている) be 「pressed [pushed] for … 《☞ くろう; くるしむ; なやむ》.

¶ この問題が解けなくて*困っています I *am having difficulty* (*in*) solving this problem. // パリでは英語が通じなくてひどく*困りました In Paris I *had a hard time* because they didn't understand English. // 何か*困ったことがあるのではないですか (⇒ 困ったことがあるように見えますが) You appear to *be in trouble*. // 車が動かなくなって本当に*困った We *are in a* real *fix*. Our car has broken down. // 私たちは時間がなくて*困っている We *are* 「*pressed* [*pushed*] *for* time.

2 《金銭》: (金銭上のやりくりで困る) be in (financial) 「difficulty [difficulties], have financial 「difficulties [problems], be hard up; (貧しく, 暮らし向きが悪い) be badly off (↔ be well off). 《☞ びんぼう》. ¶ 彼はこのごろずっとお金に*困っている He *has been* 「*in* (*financial*) *difficulties* [*hard up*] recently. // 彼らはちっとも暮らしには*困っていなかった They *were* not at all *badly off*.

3 《迷惑・当惑》: (いらいらする・手をやく) be annoyed (at …; with …; by …); (煩わされて困る) be bothered, be troubled (by …) ★ 後者のほうが意味が強い; (まごつく・ばつが悪くて困る) be embárrassed (by …; at …; with …); (どうしてよいかわからなくて当惑する) be perpléxed, be baffled; (難問などで困る) be stumped (by …); (どうしてよいかわからない) do not know what to do; (皆目見当がつかなくて途方に暮れる) be puzzled 語法 きつねにつままれたような気持ちというニュアンスがある. 《☞ めいわく; なやむ; とうわく (類義語); まごつく》.

¶ *困ったね That's *too bad*. ★ 相手の困った状態に同情して言う. // *困ったなあ (⇒ どうしたらよいだろう

か) What shall I do? // あの酔っ払いには*困った (⇒悩まされた) I *was annoyed at* the drunkard. // 専門家たちは長年この問題で*困っています The experts *have been* ˹*bothered* [*troubled*] by this problem for many years. / (⇒この問題は長年, 専門家たちを困らせている) This problem *has* ˹*bothered* [*troubled*] the experts for many years. // 彼の露骨な質問に私は*困った (⇒彼は露骨な質問をして私を困らせた) He *embarrassed* me by asking blunt questions. // 先生でさえもその難しい問題に*困りました Even the teacher *was* ˹*baffled* [*stumped*] by the hard question. / (⇒その問題は先生さえも困らせるほど難しかった) The question was hard enough to *perplex* even the teacher. // 彼女はどうしてよいか*困ってしまった (⇒どうしてよいかわからなかった) She *didn't know what to do.* // 私たちは疲れていたし, さらに*困ったことには, 何も食べるものがなかった We were tired, and ˹*to make matters worse* [*what is worse*], we had nothing to eat.

こまわり 小回り tight turn Ⓒ. ¶この車は*小回りがききます (⇒この車は回るのが易しい) This car is *easy to turn around.* // (車が)*小回りする make a *tight turn* // 彼は*小回りのきく人だ (⇒融通のきく人だ) He is a *flexible* person.

コマンダー (指揮官) commander Ⓒ.

コマンド **1** 《コンピューター》: command Ⓒ (☞コンピューター (囲み)).
2 《軍事》: (奇襲隊員) commándo Ⓒ.

ごまんと ¶世の中にはそのような例は*ごまんとある There are *a great number of* such ˹cases [examples] in the world. (☞たくさん (類義語))

こみ 込み ¶勘定はサービス料*込みです The bill ˹*includes* [*is inclusive of*] (the) service (charge). // 私の初任給は税*込み 17 万円でした My starting salary was ¥170,000 a month ˹*before tax* [*gross*].

ごみ (紙・木片・瓶など) 《米》 trash Ⓤ, 《英》 rubbish Ⓤ; (廃物・台所などのごみ) 《格式》 refuse /réfju:s/ Ⓤ; (道路などに散らかる紙くずなど) litter Ⓤ ★ 動 としても用いる; (台所から出るような生ごみ) garbage Ⓤ, 《英》 rubbish Ⓤ; (廃棄物) waste Ⓤ. (☞くず¹ (類義語)).
¶*ごみを捨てないで下さい 《掲示》 No [Don't] *litter*, please. // *ごみはここへ捨てて下さい Pitch [Throw] *waste* here. // *ごみの収集は毎週月曜日と木曜日です The ˹*garbage* [*rubbish*] is collected every Monday and Thursday. / They ˹collect [gather] the *refuse* on Monday and Thursday every week. // 分別*ごみ separated *refuse*
ごみ収集 garbage collection Ⓤ **ごみ収集車** 《米》 garbage truck Ⓒ, 《英》 dustcart Ⓒ **ごみ収集人** 《米》 garbage ˹man [collector] Ⓒ ★ 婉曲的に 《米》 sanitation engineer Ⓒ ともいう. (☞婉曲語法 (巻末)); 《英》 dustman Ⓒ **ごみ処理** garbage disposal Ⓤ **ごみ処理場** land disposal site Ⓒ; (ただ, ごみを捨てておくだけの所) open dump(ing) area Ⓒ; (捨てたごみを固め, 土をかけて, 後にほかの目的に使用する場所) landfill Ⓤ **ごみ焼却場** refuse incineration plant Ⓒ **ごみ焼却炉** incinerator Ⓒ **ごみ捨て場** 《米》 dump Ⓒ, 《米》 garbage dump Ⓒ, 《英》 (rubbish) tip Ⓒ **ごみ取り** dustpan Ⓒ **ごみ箱** 《米》 *trash can* Ⓒ, 《米》 garbage can Ⓒ, 《英》 dustbin Ⓒ; (箱状のもの) trash box Ⓒ; (紙くずかご) wàstepáper bàsket Ⓒ, 《米》 wástebàsket Ⓒ.

コロケーション
ごみをあさる scavenge through *garbage* / ごみを収集する collect [pick up] the ˹*refuse* [*garbage*] / ごみを処分する dispose of [get rid of] ˹*trash* [*refuse; garbage*] / ごみを捨てる dump ˹*trash* [*refuse; garbage*]; drop *litter* / ごみを出す put out [take out] the ˹*garbage* [*trash; rubbish*] ★ 収集のために. / ごみを投げ捨てる throw ˹*trash* [*refuse; garbage*] ˹out [away] / (…の)ごみを拾う pick *litter* up; clear … of *litter* / ごみを撒き散らす throw ˹*trash* [*refuse; garbage*] about; scatter ˹*trash* [*refuse; garbage*] / ごみをリサイクルする recycle ˹*refuse* [*waste*] // 家庭のごみ household ˹*refuse* [*waste*] / 資源(リサイクルできる)ごみ recyclable *waste* / 台所のごみ kitchen ˹*refuse* [*waste*] / 食べ物のごみ food *waste* / 山のようなごみ piled-up *garbage* / 有害ごみ hazardous *waste*

こみあう 込み合う (混雑する) be crowded; (ぎっしりと) be packed; (満員である) be full; (ぎゅうぎゅうに詰め込まれた状態である) be jammed; (大混雑する) be congésted ★ 前の 4 つより格式ばった表現. (☞こむ; こんざつ; ごったがえす).
¶デパートはクリスマスの買い物客で*込み合っていた The department store *was crowded* with Christmas shoppers. // 列車はスキー客で*込み合っていた The train *was* ˹*packed* with [*full* of] skiers.

こみあげる 込み上げる (怒り・笑い・涙などが) wéll úp 自; (出てくる) come to …; (…でいっぱいになる) be filled with … ★「人」が主語になる; fill *a person's* heart with … ★ 文語的表現.「事・物」が主語になる. ¶彼女の目に涙が*込み上げてきた Tears ˹*came to* [*welled up* in] her eyes. // その知らせを聞いて怒りが*込み上げた I *was* ˹*filled with* anger [*enraged*] when I heard the news.

こみいる 込み入る ── 形 (複雑でわかりにくい) cómplicàted; (複雑に入り組んだ) íntricate; (各部が複雑に絡み合った) involved. (☞ふくざつ; ややこしい). ¶事態は君が考えているよりも*込み入っている The situation is more *complicated* than you think. // *込み入った説明 an *involved* explanation

コミカル ── 形 (こっけいな・喜劇的な) comic; (奇妙でこっけいな) comical ★ やや軽蔑的. 日英比較
日本語では「コミカル」を特に悪い意味では使わないが, 英語の comical は本人は人を笑わせようと思っているわけではないのに, はたから見ておかしいような場合に使う. 人を笑わせようとしてやっている場合は comic. 従って *comic* performance は喜劇的演技だが, *comical* performance は軽蔑や皮肉になる. (☞こっけい).

ごみごみ ── 形 (清潔でない) dirty, filthy (↔ clean); (汚く雑然としている) squalid; (ごみの散乱した) littered. (☞きたない).

こみだし 小見出し subhead(ing) Ⓒ (☞みだし).

ごみため ごみ溜め ☞ごみ (ごみ捨て場)

こみち 小道 (市街地の路地・田舎の小道) lane Ⓒ; (野山などの狭い道) path Ⓒ; (庭園・公園などの生け垣や植え込みの間の小道) álley Ⓒ. (☞みち¹ (類義語)).

コミック (漫画) comic Ⓒ, cartóon Ⓒ ★ 後者は劇画も指し, やや格式ばった語. なお,「続き漫画」は正式には comic strip Ⓒ, 《英》 strip cartoon Ⓒ という. (☞まんが).

コミックオペラ (喜歌劇) comic opera Ⓒ.

コミックソング (滑稽味のある歌) comic song Ⓒ.

コミッショナー (最高責任者) commissioner Ⓒ.
¶野球協会*コミッショナー the baseball *commissioner*

コミッション (手数料・仲介料) commission Ⓒ.

コミッティー (委員会・委員(全員)) committee Ⓒ ★ 委員会の構成員を考えるときは単数形でも複数扱いとすることがある.

コミット —動 (言質を与える・ひっこみのつかない立場になる) commit (*oneself*) to ....
コミットメント (言質・掛かり合い) commitment Ⓒ.
こみみ 小耳 ¶ちょっと*小耳にはさんだのですが,... (⇒偶然に…のことを聞いた) I *happened to hear* that ...
ごみむし 塵芥虫 〘昆〙 ground beetle Ⓒ.
コミューター (通勤者) commuter Ⓒ; (近距離用小型旅客機) commuter airplane Ⓒ.
コミューン (市町村自治体・共同体) commune Ⓒ. ¶パリ*コミューン the *Commune* of Paris
コミュニケ (公式声明) communiqué /kəmjúːnəkèɪ/ Ⓒ ★é の ´ は綴り本来のもの.
コミュニケーション (情報の伝達・意思疎通) communication Ⓤ. **コミュニケーションギャップ** communication gap Ⓒ.
コミュニケート —動 (情報交換する) communicate with ....
コミュニスト (共産主義者) communist Ⓒ.
コミュニズム (共産主義) communism Ⓤ.
コミュニティー (地域社会) community Ⓒ. **コミュニティーカレッジ** (地方自治体の運営する短期大学)《米》community college Ⓒ **コミュニティースクール** (地域社会学校) community school Ⓒ **コミュニティーセンター** (地域社会センター・公民館) community center Ⓒ.
ごみんかん 護民官 〘史〙 tribune Ⓒ ★古代ローマ平民保護のためにおいた官職.
コミンテルン the Comintern ★ *Com*munist *Intern*ational の略. 1943 年に解散.
コミンフォルム the Cominform ★ *Com*munist *Inform*ation Bureau の略. 欧州共産党の情報機関 (1947–56).
こむ 込む, 混む **1**《混雑》: (雑踏する) be crowded; (人でぎっしり詰まる) be packed; (満員である) be full; (ぎゅうぎゅう詰め込まれている) be jammed; (車などで大混雑する) be congésted ★前の 4 つより格式ばった表現; (群衆が殺到する)《格式》throng (toward ...; around ...) 自 他. (☞こみあう; こんざつ). ¶列車は帰省する学生で*混んでいました The train *was* 「*crowded* [(*jam-*)*packed*] with homecoming students. // 電車は身動きできないほど*混んでいた The train *was* so *jammed* that I couldn't move. // 道路がすごく*混んでいました The street *was* very *congested*.
2《精巧な》: (細かく正確な) eláborate; (複雑な) intricate. (☞せいこう²). ¶手の*込んだ細工 *elaborate* workmanship
ゴム rubber Ⓤ 参考 gum はチューインガム・ゴムのり・ゴムの木などの意. ¶天然*ゴム natural *rubber* // 合成*ゴム synthetic *rubber* **ゴム編み** rib stitch Ⓒ **ゴム印** rubber stamp Ⓒ **ゴム園** rubber plantation Ⓒ **ゴム管** rubber hose Ⓒ **ゴム靴** rubber(-soled) shoes ★通例複数形で. 数えるときは a pair [two pairs] of rubber shoes のようにいう. (☞くつ 語法) **ゴム消し** eraser Ⓒ, 《主に英》rubber Ⓒ **ゴム長** rubber boots, 《英》Wellington boots ★どちらも通例複数形で. 数えるときは a pair [two pairs] of ... のようにいう. (☞くつ) **ゴムの木** (観葉植物の) rubber plant Ⓒ ★ゴムを採るのは gum tree Ⓒ. **ゴムのり** mucilage /mjúːs(ə)lɪdʒ/ Ⓤ; rubber cement Ⓤ **ゴムバンド** (輪ゴム) rubber band Ⓒ **ゴム引き** ¶*ゴム引きの布 rubber cloth **ゴムひも** elastic 「cord [string] Ⓒ **ゴム風船** balloon Ⓒ **ゴムホース** ☞ゴム管 **ゴムボート** rubber raft Ⓒ **ゴムまり** rubber ball Ⓒ **ゴム輪** ☞ゴムバンド
こむぎ 小麦 wheat Ⓤ, 《英》(穀類一般, 特に小麦) corn Ⓤ 参考 《米》で corn といえば「とうもろこし」を指す.《英》でも Indian corn は「とうもろこし」. **小麦色** —形 (黄味がかった茶色) yellowish-brown; (健康的に日に焼けた) sun-tanned. (☞ひやけ). ¶私は海辺で肌を*小麦色に焼いた I *tanned* (myself) on the beach. **小麦粉** (wheat) flour Ⓤ (☞こな) **小麦畑** wheat field Ⓒ.
コムサット —名 ⓐ (米国通信衛星業務会社) Comsat ★ *Com*munications *Sat*ellite Corporation の略.
こむずかしい 小難しい ¶彼は今朝*小難しい (⇒不機嫌な) 顔をしていた He looked *sullen* this morning. // 彼の理屈は*小難しい (⇒理解するのが少し難しい) His argument *is a little hard to follow*. (☞むずかしい)
こむすび 小結 (相撲の) *komusubi* Ⓒ, fourth ranking sumo wrestler Ⓒ.
こむすめ 小娘 young girl Ⓒ.
こむそう 虚無僧 mendicant Zen priest (wearing a sedge hood and playing a bamboo flute) Ⓒ.
ごむよう 御無用 ☞むよう
こむらがえり こむら返り leg cramps ★複数形で; cramp in the calf Ⓒ. (☞けいれん; つる³). ¶私は*こむら返りになった I got *cramps* in my leg. / I was seized with (a) *cramp in the calf*. ★第 1 文のほうが口語的.
こむらさき¹ 濃紫 dark [deep] purple Ⓤ, indigo Ⓤ.
こむらさき² 小紫 〘昆〙(蝶) Freyer's purple emperor Ⓒ.
ごむりごもっとも 御無理御尤も ¶セールスマンは得意先に*ご無理ごもっともとあやまらなくてはならなかった The salesman had to apologize to the customer 「(⇒自分に非がないことを知っていながら) knowing he was not to blame [(⇒お客様はいつでも正しいので) because the customer is always right]. (☞もっとも¹)
こめ 米 rice Ⓤ 日英比較 日本語の「米」および「稲」「もみ」などの語と英語の rice との対応は下の表のようになる. 日本語では細かく分けた名称を使うのが普通であるのに対して, 英語では特に説明の必要があるとき以外は稲 (rice plant) もごはん (cooked rice) も単に rice と言うのが普通. (☞ごはん; めし; いね (挿絵)).

日本語	英 語
稲	rice
もみ	
米(粒)	
ごはん	

¶日本人の多くは*米を主食にしています Many Japanese people eat *rice* as their staple. (☞しゅしょく¹) // よく*米をといでから炊きなさい Wash the *rice* well before cooking. // 日本の農家では*米はたいてい水田で作ります Japanese farmers 「grow [raise; cultivate] most of their *rice* in paddies. // *米市場の開放 opening of the *rice* market **米食い虫** rice weevil Ⓒ **米倉** rice granary /gréɪnəri/ Ⓒ **米相場** rice market Ⓒ **米代** money for rice Ⓤ; (食費) food expenses ★複数形で. **米俵** straw rice-bag Ⓒ **米作り** rice farming Ⓤ **米粒** (もみがついているもの) grain of rice Ⓒ **米所** rice-producing area Ⓒ **米問屋** rice wholesaler Ⓒ **米ぬか** rice bran Ⓤ **米びつ** rice bin Ⓒ **米偏** (漢字の) rice radical on the left of kanji Ⓒ **米屋** rice shop Ⓒ.
ごめいさん 御明算 ¶*ご明算です (⇒あなたの計算は正確です) Your calculation is 「correct [right].

こめかみ 顳顬 temple Ⓒ《☞ かお(挿絵)》.
コメコン (経済相互援助会議) COMECON /kámikàn/ ★ *C*ouncil for *M*utual *Econ*omic Assistance の略. 1991 年に解体.
こめつき 米搗き ―― 動 (米をつく) polish rice.
こめつきばった 米搗きばった click beetle Ⓒ, elaterid Ⓒ; (へつらう人) flatterer Ⓒ; (上役の機嫌をとる人) crawler Ⓒ, 《米》 apple polisher Ⓒ.
コメット (彗星) comet Ⓒ 《☞ すいせい²》.
コメディアン (喜劇俳優) comedian /kəmí:diən/ Ⓒ; (特に女性の) comedienne /kəmì:dién/ Ⓒ. 語法 現在では男女とも comedian を用いるのが普通.
コメディー (喜劇) cómedy Ⓒ.
こめる 込める 1 《装塡する》: (弾丸を込める) load ㊀ 《☞ そうてん²》. ¶ 彼はライフルに弾丸を*込めた He *loaded* the rifle.
2 《集中する》 ¶ 私は心を*込めて仕事をした (⇒ その仕事に大変な努力をした) I *put a lot of effort* into the work. / (⇒ その仕事に打ち込んだ) I *threw myself into* the work.
3 《含める》: include ㊀, 《略式》 count in ㊀. 《☞ こみ; ふくめる》.
こめん 湖面 the surface of a lake.
ごめん 御免 1 《謝罪》 ¶ *ごめんなさい Excuse (me). / Pardon (me). / I'm sorry. / Sorry. / I beg your pardon. 語法 相手に失礼を謝るときに用いるのが Excuse me. で, 例えば, 知らずに相手の体に触れたり, 相手の前を横切ったりしたときの謝罪の表現である. Pardon me. もこれとほぼ同じである. Excuse me. に対する受け答えは, 丁寧には Certainly., くだけた言い方は That's ˹all right [O. K.] であり, また me を強い強勢で発音し Excuse mé. と答えると「こちらこそ」の意となる. また自分の落ち度・過失を認めて謝るのが I'm sorry. である. I'm を略して Sorry. と言うと, 少し謝り方が軽く感じられる. なお英米で用い方に少し違いがあり, 軽く謝るときには《米》では Excuse me. を, 《英》では Sorry. をより多く使う. また《米》では I'm sorry. は Excuse me. より謝り方の程度が深い. より大きな過失や罪について用いるのが I beg your pardon. であり, 音調はしり下がりになる. ちなみにしり上がりのときは, 相手の言葉が聞きとれなくて, 「もう一度お願いします」という意味になる. 《☞ すみません》 // 遅れてきて*ごめんなさい *I'm sorry* I was late. / (⇒ 遅れてきたことに対して私を許して下さい) *Excuse me for* coming late. // 長い間お待たせして本当に*ごめんなさい *I am* awfully *sorry to* have kept you waiting so long.
2 《断り》 ¶ *ごめんください Excuse me. 語法 人の前を通ったり, 道をあけてもらったり中座したりするときに用いる. これに対する受け答えには, Certainly., Sure., Surely. などが用いられる. なお, 2 人以上で失礼する場合は, Excuse us. となる. 《☞ しつれい》.
3 《拒絶》 ¶ 私は*ごめんです (⇒ 私はしたくない) I don't want to. // 残業は*ごめんこうむりたいものです I would rather *be excused from* working overtime.
4 《訪問・辞去の挨拶》 ¶「*ごめんください」「どなた様ですか」"*Hello.* [*Excuse me.*; (*Is*) *Anybody home?*]" "Who is it?" //「では*ごめんください」「お気をつけて」"*Good-by(e)* then. [Well, *I must be* ˹*leaving* [*going*; *off*] now.]" "Take care."
ごめんそう 御面相 (表情) countenance Ⓒ; (顔つき・目つき) look Ⓒ; (顔の各部の特徴) features. 《☞ かおだち; かおつき》. ¶ 彼はたいそうな*ごめんそうだ (⇒ とても醜い顔をしている) He has a very ugly *face.*
ごめんたい 五面体 pentahedron /pèntəhí:drən/ Ⓒ 《複 ~s, -dra》.

コメンテーター (解説者) cómmentàtor Ⓒ.
コメント ―― 名 (解説) comment /kámeut/ Ⓤ ★ 具体的には Ⓒ. ―― 動 comment (on ...) ㊁ 語法 動 ㊀ として that 節を目的とすることがある. ¶ 彼はその噂について*コメントするのを断った He refused to *comment on* the rumor.
こも 薦 straw [rush] mat Ⓒ. **こもかぶり** (酒樽) a straw-covered cask of sake Ⓒ; (乞食) beggar Ⓒ.
ごもくずし 五目鮨 rice mixed with various delicacies and seasoned with vinegar Ⓤ.
ごもくそば 五目蕎麦 *gomoku soba* Ⓤ; (説明的には) Chinese noodles in hot soup topped with meat, vegetables, eggs, and so on.
ごもくめし 五目飯 rice mixed with fish and vegetables Ⓤ.
こもごも 交交 (2 人の間で交互に) one after the other; (普通 3 人以上の間で) one after another; (代わる代わる) by turns, álternately ★ 後者のほうが格式ばった表現. 《☞ かわるがわる; こうご¹》. ¶ 悲喜*こもごも *mixed feelings* of ˹happiness and sadness [joy and sorrow]
こもじ 小文字 small letter Ⓒ (↔ capital, capital letter); 〖印〗 lowercase Ⓤ.
こもち 子持ち ¶ 彼女は 2 人の*子持ちだ She *has* two *children.* / She is the *mother* of two (children). // *子持ちの魚 a *séed* fish **子持ちわかめ** (説明的に) *wakame* seaweed with roes deposited on it by herrings Ⓤ.
ごもっとも 御尤も ☞ もっとも¹; ごむりごもっとも
こもの 小物 (小さい品物) small article Ⓒ; (重要でない人物) unimportant man Ⓒ; (雑魚ども) small fry ★ 集合的に. ¶ *小物入れ an *accessories* case // なぜ警察は大物を逃がして*小物ばかり捕まえているのだろう Why are the police arresting the *small fry* while letting the big fish go free?
こもり 子守 ―― 名 (両親が留守の間の, 仕事としての子守) baby-sitting Ⓤ; (子守をする人) babysitter Ⓒ ★ 単に sitter とも言う; (子守女) nursemaid Ⓒ. ―― 動 (子守をする) baby-sit ㊁ ㊀ 《過去・過分 -sat》. 《☞ おもり¹》. **子守歌** lullaby /lʌ́ləbàɪ/ Ⓒ, cradlesong Ⓒ.
こもる 籠る 1 《人が》: (閉じこもる) shut *oneself* up (in ...); (病気などのためにこもる) be confined (to ...). 《☞ とじこもる》. ¶ 彼は部屋に*こもってばかりいる He often *shuts himself up in* his room. / (⇒ 彼はめったに自分の部屋から出ない) He *seldom goes out of* his room.
2 《気体が》: (…でいっぱいである) be full of ..., be filled with ... 《☞ いっぱい¹》. ¶ 部屋にはタバコの煙が*こもっていた The room *was* ˹*full of* [*filled with*] cigarette smoke.
3 《感情が》: (自発的な思いやりのこもった) thoughtful; (他人に不愉快な感じを与えないような心づかいのある) consíderate. ¶ 心の*こもった言葉 *considerate* [*kind*; *thoughtful*] words // 心の*こもった贈り物 a *thoughtful* gift
こもれび 木漏れ日 sunlight through the ˹branches [leaves] of trees.
コモロ ―― 名 ㊍ the Comoros /káməròuz/; (正式名; コモロ・イスラム連邦共和国) the Federal Islamic Republic of the Comoros ★ マダガスカル島北西方の共和国.
こもん 顧問 (実際的な知識や経験で助言する人) adviser Ⓒ ★ advisor と綴ることもある; (会社などの) corporate adviser Ⓒ; (弁護士など専門的な) counselor Ⓒ; (専門的な相談相手) consúltant Ⓒ. 《☞ コンサルタント; 会社の組織と役職名 (囲み)》. **顧問団** advisory group Ⓒ **顧問弁護士** legal adviser Ⓒ; (会社の) corporation lawyer Ⓒ.

こもんじょ 古文書 (書かれたもの一般) ancient writings; (手で書かれた原稿) ancient [old] manuscripts; (証拠となる文書類) ancient documents; (公共の記録としての) archives /ɑ́ərkaɪvz/ ★ 以上は複数形で. **古文書学** paleography Ⓤ /pèɪliɑ́grəfi/.

コモンセンス (常識) common sense Ⓤ.

コモンロー common law Ⓤ ★ 英米の慣習法・判例法.

こや 小屋 (粗末な掘っ建て小屋) hut Ⓒ, shack Ⓒ; (物置き小屋) shed Ⓒ; (丸太などで簡素に建てられた小屋) (log) cabin Ⓒ.

> 小屋のいろいろ
> 家畜小屋 pen Ⓒ, 《米》 barn Ⓒ, 馬小屋 stable Ⓒ, 犬小屋 kennel Ⓒ, doghouse Ⓒ, 牛小屋 cowshed Ⓒ, 鶏小屋 coop Ⓒ, 豚小屋 《米》 pigpen Ⓒ, pigsty Ⓒ, 道具小屋 toolshed Ⓒ, 芝居小屋 playhouse Ⓒ

ゴヤ ―名 固 Francisco José de Goya y Lucientes /frənsískou houséɪ də gɔ́ɪə iː lùːsiénteɪs/, 1746–1828. ★ スペインの画家.

こやかましい 小喧しい ☞ やかましい; くちやかましい; うるさい

こやぎ 子山羊 〖動〗 kid Ⓒ (☞ やぎ; おす³ (表)).

こやく 子役 child ˹actor [actress] Ⓒ; (役割) child's ˹part [role] Ⓒ.

ごやく 誤訳 ―名 (間違った訳) mistranslation Ⓒ, incorrect translation Ⓒ; (訳の間違い) mistake [error] in translation Ⓒ. ―動 (誤訳する) mistranslate ⑩; translate ... incorrectly, make ˹a mistake [an error] in translation. ¶ この本には*誤訳はありません There is not a single *mistranslation* in this book. / (⇒ 翻訳の間違いがない) This book is free from *errors in translation*.

こやくにん 小役人 petty official Ⓒ.

こやぐみ 小屋組み 〖建〗 roof ˹truss [frame] Ⓒ.

こやし 肥やし (牛馬のふんなど) manure /mən(j)ʊ́ər/ Ⓤ; (化学肥料) fertilizer Ⓤ. (☞ ひりょう). **肥やしにする** ¶ 彼なら今回の失敗を*肥やしにする (⇒ 失敗を将来の発展のために生かす) だろう He will *make use of* this failure for his future development.

こやす 肥やす (土地に肥料をまく) fértilìze ⑩. ¶ 私腹を*肥やす (⇒ 鳥が自分の巣に羽を敷くように地位などを利用してもうける) *feather one's* nest (☞ しふく²)

こやすがい 子安貝 〖貝〗 cowrie /kɑ́uri/ Ⓒ.

こやすかんのん 子安観音 (説明的に) the Kannon Bodhisattva /bòudɪsǽtvə/ prayed to for women's easy delivery and children's safe upbringing.

こやすじぞう 子安地蔵 (説明的に) Jizo prayed to for easy delivery Ⓒ.

こやま 小山 hill Ⓒ; (hill よりも低く, 草で覆われているようなもの) hillock Ⓒ.

こやみ 小止み ―名 (一時的に小降りになったり, 風がないだりする状態) lull Ⓒ. ―動 (雨・風などが中断する) lull ⓐ, break ⓐ, 《略式》 lèt úp ⓐ. (☞ こぶり¹; こさめ). ¶ 雨は*小止みになってきた The rain *is letting up*.

こゆう 固有 ―形 (特定の人・場所などに限られた) pecúliar (to ...); (自分自身の) *one's* own; (特徴的な) chàracterístic (of ...); (本来備わっている) inherent (in ...), instínctive (to ...); (その土地で生まれ育った) native (to ...). (☞ とくゆう). ¶ 生存欲はあらゆる生物に*固有のものである The survival instinct is *inherent in* all creatures. // カンガルーはオーストラリア*固有の動物である The kangaroo is *native to* Australia.
固有財産 primary property Ⓤ **固有種** endemic species Ⓒ **固有名詞** 〖文法〗 proper noun Ⓒ.

こゆき 小雪 a light snow ★ a を付けて. (☞ ゆき¹; 冠詞 (巻末)).

こゆび 小指 (手の) little finger Ⓒ; (足の) little toe Ⓒ. (☞ ゆび; て (挿絵)).

こゆるぎ 小揺るぎ ¶ 彼らは*こゆるぎもせず 1 時間正座していた They were sitting erect on the floor for an hour without *stirring*.

こよい 今宵 this evening, tonight. (☞ こんばん).

こよう 雇用 ―名 employment Ⓤ. ―動 employ ⑩. (☞ やとう¹).
¶ 完全*雇用 full *employment* // 終身*雇用 lifetime [permanent] *employment* // 男女*雇用均等法 an equal opportunity *employment* act for both sexes // 彼女はその会社に*雇用されるだろう She will *be employed* by the company.
雇用期間 period of employment Ⓒ **雇用契約** contract of employment Ⓒ **雇用条件** employment terms, terms of employment ★ 両者とも複数形で. **雇用調整** employment [labor] adjustment Ⓒ **雇用主** employer Ⓒ (↔ employee) **雇用・能力開発機構** the Employment and Human Resources Development Organization of Japan **雇用保険** unemployment insurance Ⓤ.

ごよう¹ 御用 ¶ 何の*御用ですか (⇒ 私はあなたのために何をすることができますか) What can I do for you? ★ 受付などでよく言われる言葉. / (⇒ あなたは私に何をしてほしいと思っているのですか) What would you like me to do? ★ やや乱暴な表現. // 何か*御用はありませんか (⇒ 私はあなたの手助けをすることができますか) Can I help you? / (⇒ 私はあなたのために何かすることができますか) Can I do anything for you? / (⇒ 私はあなたのために何かすることがありますか) Is there anything I can do for you? // *御用の時はいつでもお電話下さい Please ˹call [telephone] (me) if there's anything I can do.
御用納め ☞ 見出し **御用学者** scholar toadying to politicians Ⓒ **御用聞き** ☞ 見出し **御用金** ☞ 見出し **御用組合** ☞ 見出し **御用始め** ☞ 見出し

ごよう² 誤用 ―名 (間違った使い方) wrong use Ⓤ; (誤った, または不適切な用法) misuse /mɪsjúːs/ Ⓤ. ―動 misuse /mɪsjúːz/ ⑩. (☞ まちがい).

ごようおさめ 御用納め the ˹last [final] working day of the year, the last business day of the year ★ the を付けて.

ごようきき 御用聞き **1** «得意先を回って注文を取る人»: 《米》 róuteman Ⓒ, 《英》 róundsman Ⓒ ★ いずれもセールスや配達もする人をいう; (注文取り) órder tàker Ⓒ.
2 «江戸時代の目明かし»: ☞ めあかし

ごようきん 御用金 (江戸幕府の備蓄金) government funds; (説明的には) loan levied by the Tokugawa shogunate on chartered merchants Ⓒ.

ごようくみあい 御用組合 cómpany ùnion Ⓒ.

ごようしょうにん 御用商人 ☞ ごようたし

ごようしんぶん 御用新聞 (権力側から保護を受けた新聞) képt préss Ⓒ.

ごようたし 御用達 purvéyor Ⓒ (☞ ようたし²).

ごようてい 御用邸 Imperial villa Ⓒ.

ごようはじめ 御用始め the first working day of the year, the reopening of ˹offices [an office] after the New Year recess ★ the を付けて.

ごようまつ 五葉松 〖植〗 Japanese white pine Ⓒ, five-needled pine Ⓒ.

ごようろん 語用論 〔言〕pragmatics Ⓤ.
コヨーテ 〔動〕coyote /káɪout/ Ⓒ.
こよなく (何にもまして) more than anything else; (大変・とても) extremely. ¶私が*こよなく愛でる花 the flower I love *more than any other(s)*
こよみ 暦 cálendar Ⓒ; almanac /ɔ́ːlmənæk/ Ⓒ 〔参考〕後者は, 月日のほかに行事・故事・日の出・日の入・月の満ち欠け・天気・人口・農作物のことなどが記してある書物式の暦.
¶*暦の上では春だが, まだ寒い It is spring according to the *calendar*, but it is still cold.
こより 紙縒り twisted-paper string Ⓒ《☞よる⁵》.
こら (相手の注意を喚起する言葉) Hey!, Hey you! ★ you を付けるほうが呼びかけの気持ちを明確にする. 《☞おい³》. ¶*こら, 待て *Hey!* Stop!
コラーゲン 〔生化〕collagen /kɑ́ləʤən/ Ⓤ.
コラージュ 〔絵〕collage /kəlɑ́ːʒ/ Ⓤ ★作品のときは Ⓒ.
コラール 〔楽〕chorale /kərǽl/ Ⓒ ★プロテスタントの教会用の合唱曲. ¶*コラール前奏曲 a *chorale* prelude
こらい 古来 ―副 (古代から) from ⌜ancient [early] times; (伝説上) traditionally. ―形 old, ancient; (由緒ある) time-honored.
¶この習慣は*古来この地方に伝わってきたものである This custom has ⌜come [been handed] down to us *from* ⌜*ancient* [*early*] *times* in this part of the country. / This is a *time-honored* custom in this area.
ごらいこう 御来光 view of the sunrise from a mountaintop Ⓒ 〔参考〕御来光を拝むという習慣は英米にはない. 《☞ひので》.
ごらいごう 御来迎 1《阿弥陀仏や菩薩の迎え》 the descent of the Buddha Amida /ɑ́ːmidɑ̀ː/ and bodhisattvas /bòudɪsǽtvəz/ to welcome a dying person who is chanting the Buddhist invocation devoutly. 2 ☞ブロッケンげんしょう
こらえしょう 堪え性 (忍耐・我慢強さ) patience Ⓤ; (耐久力) endúrance Ⓤ; (根気強さ・ねばり強さ) pèrsevérance Ⓤ. ¶彼女はどんな仕事にも*こらえ性がある She is *persevering* with ⌜every [any] task. // 彼は*こらえ性がない He is lacking in ⌜*patience* [*endurance*; *perseverance*].
こらえる 堪える 1《耐える》: (つらいこと・いやなことを我慢する) bear ⑭; (自制心を働かせて耐える) stand ⑭ ★以上2語は交換可能なことも多い; (長期にわたって苦痛・困難に耐える) endúre ⑭; (特に怒りなどを) pùt úp with ... ★口語的. 〔語法〕これらの語は疑問文・否定文で用いられることが多い. 《☞がまん (類義語); たえる¹; しんぼう¹》.
2《抑制する》: control ⑭; (感情・欲望などを) subdue ⑭; (一時的な衝動を) refrain (from ...) ⓐ; (表に出さないように) keep ... in, stifle ⑭, suppress ⑭, contain ⑭ ★後になるほど格式ばった語. 《☞おさえる; よくせい; きんじる》.
¶彼女は涙を*こらえられなかった She couldn't *control* her tears. // 彼は笑いたいのをぐっと*こらえた He *refrained from* laughing. // 私は怒りを*こらえることができなかった I couldn't ⌜*keep* my anger *in* [*contain* my anger].
ごらく 娯楽 recreation Ⓤ; amusement Ⓤ; èntertáinment Ⓤ; pástìme Ⓤ ★以上いずれも具体的なものを指すときは Ⓒ.
【類義語】スポーツ・園芸など, 仕事でなく楽しみのために行うのが *recreation* で, work に対する語. おかしいもの, おもしろいものなどを見たり聞いたりするのが *amusement*. 演芸・余興などの娯楽は *entertainment*. 暇つぶしや気晴らしで行う娯楽が *pastime*.
《☞たのしみ》 ¶観劇はこの町の多くの*娯楽の1つです Theater-going is one of the many *amusements* available in this city.
娯楽映画 entertaining movie Ⓒ 娯楽雑誌 humor [amusement] magazine Ⓒ 娯楽産業 the entertainment industry 娯楽施設, 娯楽場 amusement park Ⓒ, recreational facilities ★複数形で. 娯楽室 amusement hall Ⓒ, recreation room Ⓒ 娯楽番組 entertainment ⌜program [《英》programme] Ⓒ.

コロケーション
屋内[屋外]の娯楽 indoor [outdoor] *entertainment* / 家庭で楽しむ娯楽 home *entertainment* ★テレビ・ビデオなど / 家庭向けの娯楽 family *entertainment* / 子供向けの娯楽 children's *entertainment* / 成人向けの娯楽 adult *entertainment* / 大衆娯楽 mass [public] *entertainment* / 知的娯楽 intellectual *entertainment* / 夜の娯楽 evening [nighttime] *entertainment*

こらしめ 懲らしめ (懲罰) punishment Ⓤ ★具体的な罰は Ⓒ; (懲戒) díscipline Ⓤ; (教訓・戒め) lesson Ⓒ. 《☞こらしめる》. ¶*懲らしめのために (⇒懲戒のために) for *disciplinary* purposes / (⇒教訓を教えてやるために) to teach *a person* a *lesson* // あの子たちは少し*懲らしめが必要だ Those boys need a little *discipline*.
こらしめる 懲らしめる (罰する) punish ⑭, discipline /dísəplɪn/ ⑭; (戒める) teach [give] *a person* a lesson, give a lesson to *a person*. 《☞とっちめる; ばっする》. ¶彼を*懲らしめてやろう I'll ⌜*teach* [*give*] him *a lesson*.
こらす 凝らす (精神を集中する) cóncentràte ⑭; (緊張させる) strain ⑭; (苦心して作り上げる) elábòràte ⑭ ⓐ. ¶彼女は瞳を*こらしてそれを見た She *strained* her eyes to see it. / (⇒じっと見た) She *looked hard at* it. ★くだけた表現. / (⇒目をくぎ付けにした) She *fixed her eyes on* it. // 彼らは奇抜な計画に趣向を*こらした (⇒奇抜な計画を念入りに作り上げた) They *have elaborated on* their original plans.
コラプション (腐敗・汚職) corruption Ⓤ.
コラボレーション (共同・協力) collaboration /kəlæ̀bəréɪʃən/ Ⓤ.
コラボレーター (協力者) collábòràtor Ⓒ.
コラム (短評欄) column Ⓒ.
コラムシフト column-mounted gear shift Ⓒ 《☞フロア (フロアシフト)》.
コラムニスト (短評欄の記者) cólumnist Ⓒ.
ごらん 御覧 1《見る》: (...を見る) look at ...; (見せる) show ⑭; (見える・理解する) see ⑭ 〔日英比較〕日本語では「見なさい」と「ご覧なさい」の間にはニュアンスの差があるが, 英語ではその違いを表す必要のないことが多い. 《☞みる¹; 丁寧な表現 (巻末)》.
¶ちょっとこれを*ご覧なさい Just *look at* this. // 私の新しい帽子を*ご覧に入れましょう I'll *show* you my new hat. // 「あの映画はもう*ご覧になりましたか」「はい, 見ました」 "*Have* you *seen* that movie yet?" "Yes, I have." // *ご覧なさい (⇒あなたのしたことを見なさい). 壊れてしまったじゃないの (Just) *see* what you've done! It's broken. // それ*ご覧 (⇒私はあなたにそう言ったでしょう) I *told* you (so)! / (⇒私はあなたにそう言わなかったですか) *Didn't* I *tell* you (so)? ★いずれも決まった表現.
2《試みる》 〔日英比較〕「...してごらん」の意味での「ごらん」を英語に直すときには, 必要に応じて表現全体にその意味を含めるしかない. ¶もう一度やって*ごらん *Try* (and do) it again. // それを書いて*ごらん Write it down, *will you*?

ゴランこうげん ゴラン高原 —名 固 the Golan /góulɑːn/ Héights ★ シリア南西部からレバノン南東部に広がる高原.

コランダム 〔鉱〕(鋼玉) corúndum Ⓒ ★ 硬質の鉱物で研磨用にも使われる.

こり[1] 凝り (肩などのこり) stiffness Ⓤ《☞ こる》.

こり[2] 梱 (船積み用の) bale Ⓒ. ¶綿 1*こり a [one] *bale* of cotton

こり[3] 狐狸 (狐と狸) foxes and badgers; (ひそかに悪事をはたらく人物) sly dog Ⓒ. ¶*狐狸の住むような (⇒ 寂しい) 所に一人で行きたくない I don't want to go alone to a ˹*lonely* [*deserted*] place. // あんな*狐狸の輩には近づくな Keep away from a *sly dog* like him.

ごり 鮴 〔魚〕freshwater goby Ⓒ.

ゴリアテ —名 固〔聖〕Goliath /gəláiəθ/ ★ ペリシテ (パレスティナ) の巨人戦士で, ダビデに殺された.

コリアンダー 〔植〕córiànder Ⓒ ★ ハーブの一種.

コリー (犬の種類) collie Ⓒ《☞ いぬ[1]》.

ごりおし ごり押し —動 (強引に押す) push ㊀ ㊁; (力ずくで通す) force … through; (計画・要求・法案などを無理に押し通す) push through ㊀, bulldoze ㊀, steamroller ㊀ ★ 最初のものが最も一般的. ¶その法案は*ごり押しで国会を通過した The bill was ˹*steamrollered* [*bulldozed*; *forced*] *through* the Diet. // 彼らは要求を*ごり押ししている They are *pushing* their claim.

こりかたまる 凝り固まる —形 (熱狂的な) fanatical; (夢中になっている) crazy (about …); (偏屈な) bigoted /bígətɪd/.

¶彼は自分の信念に*凝り固まっている He is ˹*fanatical in* his belief(s) [*bigoted*]. // 彼女は新興宗教に*凝り固まっている (⇒ 新興宗教の熱狂的な信者だ) She is a *fanatical* believer in a new religion.

こりこう 小利口 —形 (小才のきく) clever; (抜け目のない) smart.《☞ りこう[1]》.

こりこり (食べ物が新鮮でかみごたえのある) fresh and firm《☞ 擬声・擬態語 (囲み)》.

こりごり 懲り懲り —動 (懲りる) have enough of …《☞ こりる》. ¶もう*こりごりです (⇒ 十分だ) I'*ve had enough of* it. / (⇒ もう 2 度とそれをする気はない) I'll *never do* that again.

ごりごり —動 (ナイフなどで平たい物をこするような音を立てる) scrape ㊀ ㊁《☞ 擬声・擬態語 (囲み)》. ¶私は長靴の泥を*ごりごり落とした I *scraped* the mud off my boots. // *ごりごりいう音 a *rasping* sound

こりしょう 凝り性 —形 (好みのやかましい) partícular (about …); (気難しい) fastidious /fæstídiəs/ ★ 後者は格式ばった語; (細かいことにこだわる) meticulous.《☞ こる》.

¶彼女は着物に関しては*凝り性です She is *particular about* her clothes. // 彼は*凝り性だ (⇒ 完全主義者だ) He is a *perfectionist*.

こりつ 孤立 —形 (孤立している) isolàted. —副 (単独で) alone. —名 isolation Ⓤ. ¶その国は世界から*孤立した The country *was isolated from* the world. // 彼は*孤立無援で戦った (⇒ 単独で戦った) He fought ˹*alone* [a *lone* battle]. **孤立語**〔言〕isolating language Ⓒ ★ 屈折変化せず, 語順によって意味が決まる言語. **孤立主義** isolationism Ⓤ **孤立政策** isolationist policy Ⓒ.

コリドー (回廊) córridòr Ⓒ.

ごりむちゅう 五里霧中 —動 (五里霧中である) be in a fog, be at sea, lose *one's* bearings ★ 以上 3 つはほぼ同意.

こりや 凝り屋 (熱中する人) enthúsiàst Ⓒ《☞ こりしょう》.

ごりやく 御利益 (祈りに対する答え) answer to a prayer Ⓒ. ¶*ご利益があった (⇒ 祈りがかなった) My *prayers were answered*.

こりゅう 古流 (生け花や茶道の一派) the *koryu* school, the old school.

こりょ 顧慮 —動 (気遣う) be ˹anxious [worried] about …

こりょう 糊料 glutinizer Ⓒ.

ごりょう 御陵 Imperial /ɪmpí(ə)riəl/ mausoleum /mɔ̀ːsəlíːəm/ Ⓒ《複 ～s, -lea》.

ごりょうかく 五稜郭 —名 固 Goryokaku (Pentagonal) Fortress; (説明的には) the pentagonal Western-style fortress built in Hakodate in 1864 by the Tokugawa shogunate. **五稜郭の戦い** the Battle of ˹Goryokaku [Hakodate].

ごりょうにん 御寮人 (貴人の子供) nobleman's child Ⓒ; (人妻・令嬢の古い敬称) lady Ⓒ, mistress Ⓒ.《☞ おくさま; おじょうさん》.

ごりょうば 御猟場 Imperial [《英》royal] hunting grounds ★ 複数形で.

こりょうり 小料理 (一品料理) Japanese *à la carte* /æ̀ləkáːt/ dish Ⓒ.

小料理屋 small Japanese-style restaurant Ⓒ.

ゴリラ 〔動〕gorilla /gərílə/ Ⓒ.

こりる 懲りる (十分経験する) have enough of …; (教訓を学ぶ) learn a lesson (from …).《☞ こりごり》. ¶彼はまだ*懲りないらしい It seems he *has* not *learned a lesson from* it. // これで彼も*懲りるだろう (⇒ これは彼に教訓を教えるだろう) This will teach him a *lesson*.

コリン (男性名) Cólin.

ごりん 五輪 five rings《☞ オリンピック》.

五輪旗 the (five-ring) Olympic flag **五輪のマーク** the five-ring Olympic emblem.

コリンズ 《米》collins Ⓒ ★ カクテルの一種.

コリント —名 固 Corinth /kɔ́ːrɪnθ/ ★ 古代ギリシャの都市国家. **コリント式**〔建〕Corínthian order Ⓒ.

コリントしょ コリント書 〔聖〕Corinthians /kərínθiənz/ ★ the を付けて単数扱い. 参考 もう少し詳しく言う場合は The ˹First [Second] Corinthians や I [II] Corinthians. 正式には The ˹First [Second] Epistle of Paul the Apostle to the Corinthians.

こる 凝る 1《夢中になる》 —動 (熱中する)《略式》be crazy (about …); (あるものに偏執する) have a mania /méɪniə/ (for …), be a … maniac /méɪniæ̀k/; (心も時間も奪われる) be absorbed in … ★ 多少格式ばった表現; (1 つのことに精力を傾ける) be devoted to …, devote *oneself* to … ★ かなりまじめな目的について用いることが多い; (身も心もまかせて専念する) be given up to …, give *oneself* up to … ★ be absorbed in と意味は似ているが, こちらのほうが口語的. —形 (細かく入念に作った) eláborate; (表現が文学的な) literary.《☞ こりしょう; むちゅう; ねっちゅう》.

¶彼はジャズに*こっています He'*s crazy about* jazz. / He *has a mania for* jazz. / He *is a* jazz *maniac*. / He *is devoted to* jazz. 語法 第 1 文は口語的で, 前後の見境なくこっている感じが強い. 第 2, 3 文はいわゆる「ジャズ狂い」という言い方. maniac は日本語の「凝り性 (の人)」より悪い意味を含む場合がある. 第 4 文はまじめにジャズを勉強している感じが含まれる. // なかなか*こったデザインだ This is quite an *elaborate* /ɪlǽbərət/ design. // そんな*こった表現は避けたほうがよい It is better to avoid such *literary* expressions.

2《肩など》 —形 (筋肉が張った) stiff.

¶肩が*こっています My ⌈shoulders *are* [shoulder *is*] *stiff*. / I *feel stiff* in the ⌈shoulders [shoulder]. / I have ⌈*stiff* shoulders [a *stiff* shoulder].

コル (山の鞍部) col C.

こるい 孤塁 isolated outpost C. **孤塁を守る** (砦を守る) defend an isolated position; (自分の立場を守る) defend *one's* position.

コルカタ —名 固 Kolkata /kálkɑːtə/ ★ インド北東部の都市. 旧称カルカッタ (Calcutta /kælkʌ́tə/).

コルク (コルク材) cork U; (栓) cork C. ¶*コルク栓抜き a corkscrew (☞ せんぬき (挿絵)).

ゴルゴタ —名 固 〔聖〕 Golgotha /gálgəθə/ ★ キリストがはりつけにされたエルサレム郊外の丘.

ゴルゴン —名 固 〔ギ神〕 Górgon C ★ 3 人姉妹の怪物の一人. 2 人以上は複数形となる.

コルサージュ ☞ コサージュ

コルサコフしょうこうぐん コルサコフ症候群 〔医〕 (健忘症候群の一つ) Korsakoff's /kɔ́ːsəkɔ̀ːfs/ sỳndrome C.

コルシカ —名 固 Corsica /kɔ́əsɪkə/ ★ 地中海にあるフランス領の島. —形 Corsican. **コルシカ人** Corsican C.

コルセット corset /kɔ́əsɪt/ C.

コルチゾン 〔生化〕 cortisone /kɔ́ətəsòun/ U ★ 副腎(ふくじん)ホルモンの一種.

コルト (コルト社製のピストル) 〔商標〕 Colt /kóult/ C.

コルドバ —名 固 Cordoba /kɔ́ədəbə/ ★ スペイン南部の都市; アルゼンチン中部の都市.

コルネーユ —名 固 Pierre Corneille, 1606–84. ★ フランスの劇作家・詩人. 「フランス劇の父」と呼ばれる.

コルネット cornet /kɔənét/ C.

ゴルバチョフ —名 固 Mikhail S(ergeyevich) Gorbachev /gɔ́əbətʃɔ̀ːf/, 1931– . ★ 旧ソ連の政治家. 国内を改革し大統領 (1990–1991), ノーベル平和賞 (1990).

コルヒチン 〔薬〕 colchicine /káltʃəsìːn/ U.

ゴルフ golf U (☞ 挿絵).
¶*ゴルフの競技会 a *golf* tournament // 彼は*ゴルフがうまい[下手だ] He is a ⌈good [poor] *golfer*. / He is ⌈good [not good] at *golf*. // 彼らはきのう山梨*ゴルフ場で*ゴルフをした They played *golf* on the Yamanashi *golf* ⌈course [links] yesterday. ★ links は複数形で. // 夫は*ゴルフに出かけました My husband went *golfing*.
ゴルフウィドー (ゴルフ狂の夫に一人残される妻) gólf widow C **ゴルフクラブ** (道具) (golf) club C; (団体・建物) golf club C. ¶*ゴルフクラブ一式 a set of *golf clubs* **ゴルフバッグ** golf bag C **ゴルフボール** golf ball C **ゴルフ練習場** (独立した) driving range C; (ゴルフ場に付属した) practice tee C.

ゴルファー golf player C, golfer C.

コルホーズ (旧ソ連諸国の集団農場) kolkhoz /kɑlkɔ́ːz/ C.

これ 《指示代名詞》 (話者の近くにあるものを指して) this 《複 these》 (↔ that 《複 those》); (相手と自分の間に距離がある場合) this over here. (☞ それ 日英比較; あれ; 代名詞 (巻末)). ¶「*これは何ですか」「地図です」 "What's *this*?" "It's a map."
語法 手に持っていても, 近くのものを指し示していてもよい. また相手との中間にあっても, 手を伸ばして指せばこのように言える.

これい¹ 古例 (昔の慣例) old [ancient] custom C; (伝統) tradition C. (☞ こしき¹; かんしゅう¹) ¶*古例にならって, 儀式は厳粛にとり行われた The ceremony was conducted solemnly according to *ancient custom*.

これい² 孤例 (たったひとつの例) sole ⌈example [case] C; (珍しい[まれな]例) rare example C.

ごれい 語例 instance [example] of words C. ¶天気予報に使われる*語例をあげなさい Give ⌈*instances* [*examples*] *of words* used in weather forecast.

ごれいぜん 御霊前 (霊前に供える供物) offering to the spirit of the deceased C (☞ れいぜん).

コレージュ (フランスの中等学校) collège C ★ è は本来の綴り字.

これから —副 (これ以後) after this; (やや遠い将来) in the future; (これから先ずっと) from now on. —形 (将来の) future A; (来るべき) coming A
日英比較 「これから」 が予定などを意味する場合は特に英語に訳す必要がない場合が多い. (☞ こんご; このさき; しょうらい¹). ¶*これからはもっと頑張ります I'll work harder *from now on*. // *これからどうなるのか (⇒ 将来何が起こるのか) 私にはわからない I don't know what will happen *in the future*. // *これから出かけるところだ I'*m going out*. // その番組は*これから (ちょうど) 始まるところです The program *is* (*just*) ⌈*going* [*about*] *to* start. // 私は*これからの世代にすばらしい事を期待している I'm expecting great things from the *coming* generation.

これきり 此れ切り (今度だけ) (for) this once, once and for all; (もう二度と…しない) never again, no more. ¶*これきり (⇒ これで全部) です This is all.

コレクション —名 (収集) collection U ★ 収

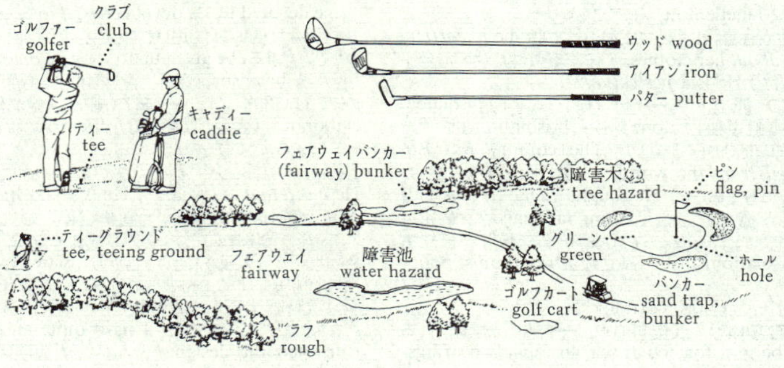

ゴルフ golf

集した物は Ⓒ. ── 動 collect ⑩.
コレクター (収集家) collector Ⓒ.
コレクトコール (受信人払い通話) colléct càll Ⓒ.
これくらい ── 副 (これだけ) this; (このように) like [as] this ★ like を用いるほうが口語的; (そのように) so. 《☞ -くらい; それくらい》.
¶ 魚は*これくらい大きかった The fish was *this* big. ★ 手でジェスチャーを交えながら言う. // 去年も*これくらいの人がここに集まった *About this many* people gathered here last year. // *これくらい上手に詩の書ける人は少ない Few (people) can write ⌈poems *so* well [*such* fine poems]. // *これくらいの嵐で驚いてはいけない (⇒ このような小さな嵐に驚くな) Don't be startled by ⌈a small storm *like this* [*such* a small storm *as this*]. // 子供でも*これくらい知っている Even a child knows *this much*. // *これくらいの金があれば当座は間に合うだろう *This much* money will do for the time being. // *これくらいでよかろう (⇒ これで十分だろう) *This* ⌈will [would] be enough. // 彼のような初心者は, まあ*これくらいのものだろう (⇒ これは私たちが彼のような初心者から期待し得るほぼ最大限のものだと思う) I think that this is *about* ⌈*as much as* [*the most that*] *we can expect* ⌈*of* [*from*] a beginner like him.
これこれ(しかじか) **此れ此れ(しかじか)** so and so, such and such.
これしき **此れ式** ¶ *これしきのことで弱音をはくな Don't whine over *such a* trifling matter. 《☞ これくらい》
コレステロール cholesterol /kəléstəròːl/ Ⓤ 《☞ ぜんだま (善玉コレステロール); あくだま (悪玉コレステロール)》. ¶ 私の*コレステロールは正常値よりも高い My *cholesterol* level is above normal. **コレステロール値** cholesterol level Ⓒ **コレステロール低下剤** cholesterol-lowering medication Ⓤ.
コレスポンデンス (通信) còrrespóndence Ⓤ.
コレスポンデント (通信員・特派員) còrrespóndent Ⓒ.
これだけ ¶ このパレードを見に*これだけ多くの人が来るとは思わなかった I didn't expect *such* a large number of people come to watch this parade. // 私の手元の金は*これだけだ This is *all* the money I have on hand. // 私の取り分はたった*これだけですか Is my share ⌈*this* [so] small? // 他のことはさておき*これだけは許せない Setting other things aside, I can never forgive *this*.
こればかり **此れ許り** **1** 《この程度》 ¶ *こればかりのことができないのか You can do *this much*, can't you? // *こればかりの金では彼は満足すまい He won't be satisfied with ⌈*this much* [*such a small* sum of] money. **2** 《これだけ》 ¶ *こればかりは勘弁してくれ *This is simply* beyond ⌈me [my ability]. / Please don't make me do *this*.
これほど ☞ これくらい; これだけ
これまで **1** 《今まで》: until now 《☞ いままで》. **2** 《ここまで》 ¶ きょうは*これまでにしましょう 《授業などで》 *So much for* today. / *That's all for* today. / 《1日の仕事を切り上げるときに》 Let's *call it a day*.
これみよがし ── 副 (見せびらかすために) for show, to show off ★ 前者の show は名詞, 後者は動詞; (必要以上に見えを張って) òstentátiously. ── 形 (見えを張ってけばけばしい) showy; (見えを張った) òstentátious. 《☞ みせびらかす》.
¶ 彼女は*これみよがしにダイヤの指輪をはめていた She wore a diamond ring *to show off*. // 彼の*これみよがしの態度が気にくわない I don't like his ⌈*show-off* [*ostentatious*] manner.

これら ☞ これ
コレラ 〘医〙 cholera /kάlərə/ Ⓤ. ¶ *コレラ患者 a *cholera* patient / a case of *cholera* // *コレラ菌 a *cholera* germ
ころ[1] **頃** ── 名 the time (when ...). ── 前 (およそ) about ..., around ...; (...に近い時間に) toward(s) ... ── 接 (...するころ) when ... ── 副 about. ¶「いま何時*ごろですか」「6時*ごろです」"What time is it?" "It's ⌈*about* [*around*] six."
日英比較 日本語の「…ごろ」は,「何時ごろ」などの場合には特に英語の特定の語に置き換える必要はない. 《☞ 日本語の消極的表現 (巻末)》 // あなたが帰宅する*ころまでには雨もやむでしょう The rain will ⌈stop [have stopped] by *the time* you get home. // 彼はもう独立してもいい*ころだ It's high *time* for him to be independent. / (⇒ 独立するのに十分な年だ) He is old enough to be independent. //「いつ*ごろが一番都合がいいですか」「午後2時*ごろです [何時でもいいです]」"What *time* is most convenient for you?" "*Around* 2 p.m. [Any time is OK.; Any time will do.]" // いつも7時*ごろ朝食を食べます I always have breakfast (at) *about* seven. 語法 at はしばしば省略され, about は前置詞としての働きを持つ. at のないほうがくだけた表現. // 日暮れ*ごろきれいな虹を見た I saw a beautiful rainbow *toward(s)* evening. // 子供の*ころは楽しかった I was happy *as* a child. / I ⌈spent [had] a happy childhood. // その*ころ私は高校生でした I was a high school student ⌈*in those days* [*at that time*; *then*]. 《☞ そのころ》
ころ[2] **転** (重い物を動かすときに使う丸い棒) roller Ⓒ.
ごろ[1] **語呂, 語路** ¶ この名前は*語呂がよい[悪い] This name *sounds* ⌈*good* [*bad*]. // この標語は*語呂がよい (⇒ よい響きを持つ) This slogan *has a nice ring* (to it). **語呂合わせ** (使う語句) pun Ⓒ; (語呂合わせをすること) punning Ⓤ.
ごろ[2] ☞ ごろつき; ☞ かいしゃ[1] (会社ごろ)
ゴロ grounder Ⓒ, ground ball Ⓒ. ¶ ピッチャー*ゴロを打つ hit a *grounder* to the pitcher
ころあい **頃合い** ¶ 彼は*ころあいを見はからって (⇒ ちょうどよいときに) 部屋から出た He ⌈went out of [left] the room *at the right moment*.
コロイド ── 名 (膠質) cólloid Ⓒ. ── 形 collóidal. **コロイド化学** 〘化〙 colloid chemistry Ⓤ **コロイド溶液** 〘化〙 colloidal solution Ⓤ.
ころう[1] **古老, 故老** old man Ⓒ; (村の) old villager Ⓒ.
ころう[2] **固陋** ── 名 stubbornness Ⓤ, obstinacy Ⓤ. ── 形 stubborn, obstinate. 《☞ がんこ》. ¶ 頑迷*固陋な人々 *stubborn* and bullheaded people
コロー ── 名 ⓖ Jean-Baptiste-Camille Corot /ʒάːnbætíːstkæmíjə kəróu/, 1796-1875. ★ フランスの画家.
ころがき **枯露柿** dried persimmon Ⓒ.
ころがし **転がし** (転売) resale Ⓤ; (利益を目的として転売すること) flipping Ⓤ. ¶ 土地*転がし land *flipping*
ころがす **転がす** (ごろごろと) roll ⑩; (倒す) tumble over ⑩. ¶ 彼はそのたるを自動車のところまで*転がした He *rolled* the barrel to the car.
ころがりこむ **転がり込む** (偶然に入ってくる) come in unexpectedly; (財産などを手に入れる) come into ... ★ 人が主語; (突然現れる) turn up ⓐ. ¶ 思いがけず多額の財産が彼に*転がり込んだ He *came into* a large fortune. // 突然旧友が*転がり込んできた An old friend of mine *turned up* suddenly at my home.

ころがる 転がる (回転する) roll ㊀; (倒れる) fall (down) ㊀; (転げ落ちる) tumble down ㊀. 《☞ ころぶ; たおれる¹》. ¶ その缶は坂をどんどん*転がっていった The can *rolled down* the slope. // ボールが箱から*転がり出た A ball *rolled* out of the box. // そのバスは崖から*転がり落ちた The bus *fell* ⌈*over* [*off*] the cliff.

ごろく 語録 (…の言ったこと) the sayings of … ★ saying Ⓒ は「言ったこと」の意.

コロケーション 〘言〙 collocation Ⓒ 《☞ 巻末》.

ころげおちる 転げ落ちる fall down …. ¶ 階段を*転げ落ちる *fall down* the staircase

ころげこむ 転げ込む ☞ ころがりこむ

ころげまわる 転げ回る roll [tumble; toss] about ㊀; (悶えて) writhe about (in agony) ㊀. ¶ 彼は眠りながら*転げ回った He *tossed about* in his sleep.

ころげる 転げる ☞ ころがる

ころころ ¶ ボールが*ころころとみぞに転がりこんだ The ball *rolled* into the gutter. 《☞ ころがる; 擬声・擬態語 (囲み)》

ごろごろ **1** 《音》 ¶ 雷が*ごろごろ鳴り始めた It began to *thunder*.
2 《大きな物がたくさん転がっている状態》 ¶ 川原には大きな石が*ごろごろしている Big rocks lie *scattered* all along the riverside.
3 《怠けて仕事をしない状態》 ¶ 彼はいつも家で*ごろごろしている (⇒ むだに時を過ごす) He always *idles his time away* at home. 《☞ 擬声・擬態語 (囲み)》

ころし 殺し (殺人) murder Ⓤ; (殺人事件) murder (case) Ⓒ. 《☞ さつじん¹; ひとごろし》. **殺し文句** 《略式》 clincher Ⓒ **殺し屋** hired ⌈killer [gun] Ⓒ; (ピストルなどを持った) gunman Ⓒ.

コロシアム (古代ローマの円形闘技場) the Colosseum /kɑ̀ləsíːəm/ ★ the を付けて.

ころす 殺す kill ㊉ ★ 最も一般的で, 以下の語の代わりにも使える; (意図的に殺す) murder ㊉; (殺意の有無にかかわらず, 無残な殺し方で殺す) slaughter ㊉; (大量に虐殺する) mássacre ㊉; (暗殺する) assássinàte ㊉; (人の命を奪う) take *a person's* life. 日英比較 日本語の「殺す」は次の 2 点で英語の kill と大きく異なる. (1)「殺す」は意図的であるのに対し, kill は意図的・非意図的を問わず生命を絶つことをいう.「殺す」は対象が人であれば普通は意図的殺人を意味するが, kill は必ずしもそうとは限らない. 例えば「その火事で多くの人が死んだ」は The fire *killed* many people. と訳せるが, このように kill は無生物主語をとることもできる. また He *was killed* in a traffic accident. は「彼は交通事故で殺された」ではなく,「交通事故で死んだ」に当たる. この場合は彼の死因が病気などでなく, 外的原因であることを kill が示している. 英語ではっきりと意図的殺人をいう語は murder である. 《☞ しぬ 日英比較》 (2)「殺す」は対象が人・動物に限られるが, kill は対象が人・動物と植物の両方を含む. 従って日本語の「枯らす」が kill に相当することもある. 例えば「霜で花が枯れた」は Frost *killed* the flowers. あるいは The flowers *were killed* by (the) frost. という. この場合 be killed は「枯れる」に当たる. この関係を図示すると次のようになる.

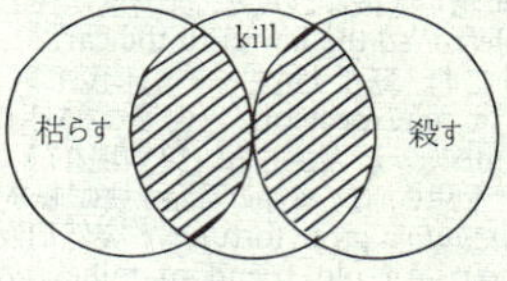

つまり, kill は日本語の「殺す」と「枯らす」の 2 つと重なっている (斜線の部分). 完全に重なっていないのはそれぞれに独特の用法があるからである. 例えば kill には「時間などをつぶす」(*kill* time)「希望を損なう」(*kill a person's* hope(s)) などの比喩的用法がある. 《☞ さつじん》. ¶ 昨夜老夫婦が強盗に*殺された An old couple *were killed* by a burglar last night. // それは事故ではない. 彼は*殺されたに違いない It was not an accident. He must *have been murdered*. // その男は大統領を*殺そうとした The man attempted to ⌈*kill* [*assassinate*] the President. // 息を*殺して暗やみにかくれた I hid myself *with bated breath*. 《☞ いき¹ (息を殺す)》 // スピードを*殺す reduce speed / slow down

コロタイプ 〘印〙 collotype Ⓒ, phòtogélatin process Ⓒ, heliotype Ⓒ.

ごろつき (無法者) ruffian Ⓒ; (暴力団員) gangster Ⓒ; (不良) hoodlum Ⓒ, hooligan Ⓒ ★ 後者のほうが俗語的.

ごろつく ☞ うろつく

コロッケ croquette /kroukét/ Ⓒ.

コロッサス (巨像) colóssus Ⓒ 《複 ~es, colossi》. ¶ ロードス島の*コロッサス the *Colossus* of Rhodes

コロナ 〘天〙 corona /kəróunə/ Ⓒ.

コロニアル (植民地時代風の建築様式) colonial style (of architecture) Ⓒ.

コロニー (植民地) colony Ⓒ.

ごろね ごろ寝 ―動 (着替えないで寝る) sleep without changing *one's* clothes; sleep in *one's* clothes. 《☞ ねる¹》.

コロネーション (戴冠式) coronation Ⓤ.

コロネット (小さな冠) coronet Ⓒ.

ころばす 転ばす (つまずかせる) trip (up) ㊉; (人が転ぶ原因を作る) cause *a person* to fall down.

ころび 転び (転向したキリシタン) cónvert from Christianity Ⓒ.

ころぶ 転ぶ (倒れる) fall (⌈down [over]) ㊀ 《過去 fell; 過分 fallen》; (倒れて大きく転がる) tumble (down) ㊀. 《☞ たおれる¹; てんとう²》. ¶ 老人はつまずいて*転びやすい Old people stumble and *fall* (*down*) easily. // どっちに*転んでも 損はしない I have nothing to lose *either way*. 《☞ どっち》 **転ばぬ先の杖** Prevention is better than cure. 《ことわざ: 予防は治療に勝る》 / An ounce of prevention is worth a pound of cure. 《ことわざ: 少額の予防費は高額の治療費と同じ》 / Look before you leap. 《ことわざ: 跳ぶ前によく見なさい》 **転んでもただでは起きない** (⇒ 何でも利益に変えてしまう) turn everything to (good) account.

コロポックル *koropokkur* Ⓒ; (説明的には) a midget (who live under butterbur leaves) in Ainu myths.

ころも 衣 (僧衣) (priest's) robe Ⓒ; (食べ物のころも) coating Ⓤ.

ころもがえ 衣替え change of clothes Ⓒ.

ころもへん 衣偏 clothes radical on the left of kanji Ⓒ.

コロラチュラソプラノ 〘楽〙 coloratura /kɑ̀lərət(j)ú(ə)rə/ sopráno Ⓤ ★ 人の場合は Ⓒ.

コロラド ―名 固 Colorádo ★ 米国中西部の州, また川の名. 川の場合は the を付けて. 《☞ アメリカ (表)》.

ころりと (たわいなく) easily; (突然に) suddenly; (すっかり) quite. 《☞ かんたん¹; 擬声・擬態語 (囲み)》. ¶ 私たちのチームは 1 回戦で*ころりと負けてしまった Our team was *easily* beaten in the first game.

ごろりと ¶ 彼は帰るなりソファーに*ごろりと横になった As soon as he got home, he ⌈*laid himself* [*lay*] *down* on the sofa. 《☞ 擬声・擬態語 (囲み)》

コロン　colon /kóulən/ Ⓒ《☞ 巻末》.
コロンバス　―名 ⓖ Colúmbus ★ 米国オハイオ州の州都.
コロンビア　**1**《南米の共和国》―名 ⓖ (the Republic of) Colombia. ―形 Colombian. コロンビア人 Colombian Ⓒ.
2《米国のコロンビア特別区》: the District of Columbia ★ D.C. と略し, Washington, D.C. のようにして用いる. 《☞ アメリカ(表)》
3《米国サウスカロライナ州の州都》: Columbia.
コロンブス　―名 ⓖ Christopher Columbus ★ イタリアの航海者. ¶*コロンブスデー *Columbus* Day ★ 米国の法定祝日で 10 月の第 2 月曜日. // *コロンブスの卵 *Columbus's* Egg / an easy task once one knows the trick ★ 説明的.
コロンボ　―名 ⓖ Colómbo ★ スリランカの首都.
コロンボけいかく　コロンボ計画　(東南アジア総合開発計画) the Colómbo Plàn.
こわい¹　怖い, 恐い　―形 (恐ろしい) terrible; (身の毛のよだつような) dreadful; (恐怖や嫌悪感を起こさせる) horrible. 《☞ おそろしい; こわがる》.
¶あのすごく*怖い情景は忘れられない I'll never forget that ˹*dreadful* [*terrible*; *horrible*] scene. // 彼は*怖い顔をして戸口に立っていた (⇒ 厳しい顔つきで) He was standing at the door with a *stern* look on his face. // ああ, *怖い I'*m scared*. ★ くだけた表現. // 彼女は*怖いもの知らずだ (⇒ 何も彼女を怖がらすことができない) Nothing can make her *afraid*. / (⇒ 何をするにも向こうみずだ [大胆だ]) She is ˹*reckless* [*bold*] enough to do anything. // 彼は*怖いもの見たさ (⇒ 好奇心のほうが怖さよりも強くて) にドアを開けた. His curiosity being stronger than *fear*, he opened the door.
こわい²　強い　☞ かたい¹
こわいろ　声色　¶彼は*こわいろを使うのが (⇒ 人の声をまねるのが) 上手だ He is good at ˹*imitating* [*mimicking*] other people's *voices*. 《☞ ものまね》
こわがる　怖がる　be afraid ˹of ... [to *do* ...] ★ いつも怖がっているという意味を表す; (突然怖くなる) be ˹frightened [scared] of ... ★ 一時的な恐怖をいう. scared のほうがより口語的. 《☞ おそれる; こわい; きょうふ¹》. ¶その少女は犬をとても*怖がる The little girl *is* very *afraid of* dogs. // その少女は犬を*怖がった The little girl *was* ˹*frightened* [*scared*] *of* the dog. // 彼は高い所を*怖がる He *is afraid of* heights. // 子供たちは雷を*怖がる Children *are* usually ˹*frightened* [*scared*] *of* thunder. 語法 雷が鳴るたびに怖がるという意味.
こわき　小脇　―副 under *one's* arm.
¶彼女は本を*小脇に抱えていた She had a book *under her arm*. 《☞ かかえる (挿絵)》
こわけ　小分け　―名 subdivision Ⓤ ★ 具体的な物の場合は Ⓒ. ―動 subdivide ... (into ...); (細目に) itemize ⓣ. 《☞ わける》.
こわごわ　怖怖, 恐恐　―副 (臆病に) timidly; (恐る恐る) in fear; (びくびくして) nervously ★ timidly とほぼ同意; (ためらいながら) hésitàtingly. 《☞ おそるおそる; おずおず; びくびく》. ¶彼は先生に*こわごわ質問した He *timidly* asked the teacher a question. // 彼らは壊れかけた橋を*こわごわ渡った They walked *nervously* across the half-broken bridge. // 彼は*こわごわ (⇒ 用心して) その洞窟に入っていった *Gingerly*, he entered the cave.
ごわごわ　―形 (こわばった) stiff (↔ soft); (のりがついて堅い) starchy. 《☞ 擬声・擬態語 (囲み)》.
こわざ　小技　subtle [delicate] technique /tekní:k/ Ⓤ.
こわす　壊す　**1**《破壊する》: (最も一般的に) brèak (dówn) ⓣ《過去 broke; 過分 broken》; (破壊する) destroy ⓣ; (建物などを取り壊す)《格式》demolish ⓣ, púll [tàke; téar] dówn ⓣ (↔ construct); (粉々に砕く) break [take] ... ˹to pieces [into fragments], brèak úp ⓣ; smash ⓣ; shatter ⓣ; (損傷する) damage ⓣ; (機能を狂わす) put [get] ... out of order.
【類義語】「壊す」に当たる最も基本的な語は *break* である. *break* は部分が離れたり, とれたりすることを意味し, He *broke* the table. と言えば, 足がとれたとか, 台が 2 つに割れるなどの状態を意味する. 回復不能なほどに壊すとか, 大きな物を壊すのは *destroy* で, *break* より格式ばった語. 建物のように人工的に作られた物を取り壊すのは *pull* [*take*; *tear*] *down*. ほぼ同意だが,「完全に破壊する」という強い意味が含まれる格式ばった語が *demolish*. 粉々に打ち砕いて壊すのは *break* [*take*] ... ˹*to pieces* [*into fragments*], あるいは *break up* と言うが, 意図的か偶然かは意味に含まれない. それに対して, 普通は意図的に, 力によって一瞬のうちに音を立てて粉々にするのは *smash* という. ガラス・鏡など壊れやすいものを粉々の破片に砕くのは *shatter*. また, 傷つけたり一部を壊して損傷するのは *damage*. 機械類を狂わせて故障させるのは *put* [*get*] ... *out of order*. 《☞ こわれる》
¶彼女はうっかりして花瓶を*壊した She *broke* the vase by accident. // 彼女はコップを粉々に*壊した She *shattered* a glass. / She *smashed* a glass (*to pieces*). 語法 第 2 文は意図的に壊したことが強調される. // 彼はその箱を*壊して開けた He *broke* the box open. // 竜巻でその町の何十軒もの家が*壊された Dozens of houses in the town *were destroyed* by the tornado. // その古い教会は近く取り*壊される The old church will *be* ˹*demolished* [*pulled down*] soon. ★ [ ] 内のほうが口語的. // 何軒かの屋根が突風で*壊された (⇒ 損傷した) The roofs of several houses *were damaged* by the gale.
2《健康を害する》: damage ⓣ; (調子をおかしくする) ùpsét ⓣ. ¶彼は働きすぎて体を*こわした He *damaged* his health by overworking (himself). // 私は胃を*こわした My stomach *is upset*.
こわだか　声高　―副 (大声で) loudly, in a loud voice.
こわだんぱん　強談判　―名 pressing demand Ⓒ. ―動 make strong demands (for ...); take ˹a tough [an uncompromising] ˹stance [attitude] (in negotiations).
こわっぱ　小童　(子供) kid Ⓒ; (軽べつ的に) brat Ⓒ; (わんぱく小僧) urchin Ⓒ. ¶よくそんなことが言えたもんだ, 小しゃくな*こわっぱめ How dare you say such a thing, you impudent *brat*?
こわばる　強ばる　(堅くなる) stiffen ⓘ, get [go] stiff ⓘ ★ 後者のほうがより口語的.
¶彼は恐怖で体 [顔] がこわばった He [His face] *stiffened* with terror.
こわもて¹　強面　(強圧的な態度) threatening attitude Ⓒ; (抑圧的な方法) coercive measures ★ 通例複数形で. ¶*強面でいく take [use] *coercive measures*
こわもて²　強持て　―動 (恐れられているので厚遇される) be treated well because *one* is feared.
こわれもの　壊れ物　(壊れやすい品物) fragile article Ⓒ; (割れ物) breakables ★ 複数形で集合的に用いる. ¶*こわれ物注意《掲示》*Fragile*—Handle with Care
こわれる　壊れる　(部分がとれたり, はずれたりする) break ⓘ《過去 broke; 過分 broken》; (壊される・壊れている) be broken ★ 以上 2 つは最も一般的な語; (崩れ落ちる・車などが故障する) brèak dówn ⓘ; (建物などが崩れる) collapse ⓘ; (完全に破壊される)

be destroyed; (粉々に壊れる) be broken [break] into ⌈pieces [fragments]; (破損する) be damaged; (機械類が調子が狂っている) be out of order. 《☞ こわす (類義語); われる; くずれる; こしょう¹》.

¶ 皿は床に落ちて (⇒ 落ちたとき) 粉々に*壊れた The plate ⌈*broke* [*was broken*] *into pieces* when it fell on the floor. // おもちゃが*壊れた The toy *got broken.* // このいすは*壊れている This chair *is broken.* // この機械は*壊れています This machine *is out of order.* // 落石で私の車が*壊れた A falling rock hit my car and *damaged* it. // *壊れかかった家 a half-*ruined* house

こん¹ 紺 ― 形 dark [deep] blue, navy blue 語法 いずれも 名 U としても用いられ, ほぼ同じ色を指す. 日英比較 英語には 1 語で紺に当たる色の名前はない.

こん² 根 〘数〙 root C 《☞ 数字 (囲み)》.

こん³ 根 ¶ 精も*根も尽きた I *am* ⌈*completely exhausted* [*worn out*]. 《☞ こんき¹》 **根を詰める** concentrate all *one's* energy on …

こん⁴ (せきの音) a cough ★ a を付けて; (きつねの鳴き声) yelp C, bark C.

こん‐ 今… ¶ *今世紀 *this* [*the present*] century // *今会期中に during *this* session

こんい 懇意 ― 動 (友人になる) make friends with …; (親しい関係である) be good friends with … 《☞ したしい (類義語)》. ¶ 彼とは*懇意です He and I *are good friends.* // 彼と*懇意になりたい I want to *make friends with* him.

こんいん 婚姻 marriage /mǽrɪdʒ/ U 《☞ けっこん¹》. **婚姻外の子** (庶子) illegitimate child C; (説明的に) child born ⌈of an extramarital affair [out of wedlock] C **婚姻色** 〘生〙 nuptial coloration U **婚姻届** marriage registration U 《☞ とどけ》.

こんか¹ 婚家 *one's* spouse's family C, family into which *one* has married C.

こんか² 今夏 (今年の夏) this summer.

コンガ conga C ★ キューバの踊り・その伴奏に用いるドラム.

こんかい 今回 this time 《☞ こんど》.

こんかぎり 根限り with all *one's* might.

こんがすり 紺飛白, 紺絣 dark-blue cloth with splash patterns U.

こんがらがる (糸などが) get ⌈entangled [tangled]; (頭が混乱する) get confused; (事柄が複雑になる) gèt cómplicàted. 《☞ からまる; もつれる; ふくざつ》. ¶ 彼と話をしているといつも頭が*こんがらがってくる Every time I talk with him, I *get confused.*

こんがり ― 形 (茶色の) brown. ― 動 (こんがりと焼く) brown ⑯. 《☞ 料理の用語 (囲み)》. ¶ トーストが*こんがりと焼けた The toast is done to a beautiful *brown.* // 彼女はチキンをオーブンで*こんがりと焼いた She *browned* the chicken in the oven.

コンカレント ― 形 (同時発生の) concurrent /kənkə́ːrənt/.

コンカレントエンジニアリング (関連部門の同時進行による製品開発の手法) concurrent engineering U.

こんかん 根幹 (根本) the basis C 《複 -ses /-siːz/》; (基礎・基本) the fundamentals ★ 複数形で. ¶ 教育の*根幹 *the basis* of education // 仏教の*根幹を成す考え方 *the fundamentals* of Buddhism

こんがん 懇願 ― 動 (頼む) beg ⑯; (頼み込む) 《格式》 entreat ⑯; (哀願する) implore ⑯. ― 名 《格式》 entreaty C; (熱心な訴え) earnest appeal C. 《☞ たんがん¹; あいがん¹; たのむ》. ¶ 我々は彼らに援助を*懇願した We ⌈*implored* [*entreated*] them to help us.

こんき¹ 根気 ― 名 (我慢強さ) patience U (↔ impatience); (積極的な持続力) perseverance /pə̀ːsəvíːrəns/ U; (永続的な忍耐力) endurance U; (精力) énergy U. ― 形 patient (↔ impatient). ― 副 patiently, with patience; perseveringly. 《☞ がまん (類義語); ねばりづよい》.

¶ その仕事には*根気がいる That work ⌈requires [needs] *patience.* // そんなに (長く) は*根気が続かない (⇒ それは忍耐力を越えている) That's beyond *endurance.* // 私は*根気よく待ってそのチャンスをとらえた I seized the chance after waiting *patiently.*

こんき² 婚期 (結婚に適した年齢) marriageable age U; (結婚する好機) chance of marriage C. 《☞ けっこん¹; てきれいき》. ¶ *婚期を逸する lose *the chance to get married*

こんき³ 今期 this [the present] ⌈term [period]. ¶ *今期の国会で in [during] the ⌈*current* [*present*] session of the Diet

こんぎ 婚儀 wedding ceremony C 《☞ けっこん¹ (結婚式)》.

こんきゃく 困却 perpléxity U 《☞ こんわく》.

こんきゅう 困窮 (苦境) plight C; (貧困) poverty U (↔ wealth). 《☞ びんぼう; きゅうする¹》. ¶ 彼は*困窮していた He was *poor.* / He was *badly off.* // *困窮の極にある be in extreme *poverty* / be having great *financial difficulties* **困窮者** (総称) the poor, the needy ★ 複数扱い.

こんきょ 根拠 (基礎となるもの) basis C 《複 bases /béisiːz/》, foundation U 語法 前者は特に抽象的な事柄についてのみ用いる; (結論などの論理的なよりどころ) ground U ★ または複数形で; (よりどころ・典拠) authority C; (理由) reason C. 《☞ よりどころ; うらづけ; もとづく》.

¶ 彼の研究は科学的事実のしっかりした*根拠がある His study has a firm *basis* in scientific fact. // そのうわさは*根拠のないものだ That rumor is ⌈*groundless* [without *foundation*]. // 何を*根拠にそんな事が言えるのか *On* what ⌈*grounds* [*authority*] can you say (something like) that? // 彼女がその表現を使ったのには*根拠 (⇒ 理由) がある She has her *reasons* for using that expression.

根拠地 base C 《☞ ほんきょ; きょてん》.

コロケーション

科学的根拠 a scientific *basis* / **十分な根拠** an adequate *foundation* / **確かな根拠** a sound *basis*; firm [solid] *ground* / **薄弱な根拠** a shaky *grounding* / **法的根拠** a legal *basis*; legal *grounds* / **論理的根拠** a ⌈logical [theoretical] *basis*; logical [theoretical] *foundation*

こんぎょう 今暁 ― 副 early this morning.

ごんぎょう 勤行 (religious) service C. ¶ *勤行を行う hold a *religious service*

こんく 困苦 (耐え難くつらいこと) hardship U ★ 具体的には C. 《☞ くるしみ》. ¶ *困苦をなめる go through many *hardships* // *困苦欠乏に耐える suffer many *privations* ★ privation は窮乏.

ゴング (ボクシングの各ラウンドの合図) the bell ★ the を付けて. 日英比較 日本語の「ゴング」に当たる英語の gong は「どら」のこと. ¶ *ゴングに救われる be saved by *the bell*

コンクール (優劣を決める競争) cóntest C 参考 日本語のコンクールはフランス語の concours から.

ゴンクールしょう ゴンクール賞 the Prix Goncourt /príː goːŋkúə/ ★ フランスの文学賞.

こんくらべ 根比べ endurance contest C. ¶ みんなで*根比べをしよう Let's see who can *endure* the longest.

コンクリート cóncrete Ⓤ. ¶ 鉄筋*コンクリートの建物 a reinforced *concrete* building **コンクリート打ち** concrete placing Ⓤ **コンクリート打ちっ放し(の建物)** (buildings of)「undressed [unfaced] concrete Ⓤ《☞ うちっぱなし》 **コンクリートジャングル**(非情な大都会) concrete jungle Ⓒ;(コンクリート造りのビル街) area「crowded [covered] with (tall) concrete buildings Ⓒ **コンクリートパイル** concrete pile Ⓒ **コンクリートブロック** concrete block Ⓒ **コンクリートミキサー** concrete mixer Ⓒ.

コングロマリット (複合企業) conglómerate Ⓒ.

ごんげ 権化 incarnation Ⓒ, personification Ⓒ. ¶ 悪の*権化 the「*incarnation* [*personification*] of evil / a [the] devil *incarnate*

こんけい 根茎 rhizome /ráizoum/ Ⓒ.

こんけつ 混血 ¶ *混血児 a child *of mixed parentage* /pé(ə)rəntɪdʒ/ // 彼女は日本人とフランス人の*混血だ She is *half*-Japanese and *half*-French.

こんげつ 今月 this month《☞ せんげつ; らいげつ; 時刻・日付・曜日 (囲み)》.

¶ *今月は忙しい I'm busy *this month.* [語法] in this month とは言わない. // その雑誌の*今月号を買いましたか Did you buy *the current*「*number* [*issue*] *of*「the [that] magazine?

こんげん 根源, 根元 root Ⓒ; (起源) source Ⓒ. 《☞ こんぽん; こんてい》. ¶ 金に対する執着心がすべての悪の*根源である The love of money is the *root* of all evil.

ごんげん 権現 incarnation of Buddha Ⓒ.

こんご 今後 (再び) again; (これから後ずっと) from「now [this time] on, 《英》 in future, 《米》 in the future; (将来) in the future; (これ以後) after this. 《☞ これから; このさき; しょうらい[1]》.

¶ *今後うそは決してつきません I will never tell a lie *again.* // *今後君と一緒に仕事をしたい I want to work with you *from now on.* // この状態は*今後数年間続くでしょう Things will go on like this *for a few years.* // それは*今後の問題である That remains to be solved *in the future.*

コンゴ ― [名] (固) the Congo; (正式名; コンゴ共和国) the Republic of the Congo. ★ または 1997 年にザイールから改称したコンゴ民主共和国 (the Democratic Republic of the Congo) も指す. ― [形] Congolese /kàŋgoulíːz/. **コンゴ人** Congolese Ⓒ《複 ～》.

こんこう 混交 mixture Ⓒ. ¶ 玉石*混交 a *mixture* of「gems and trash [wheat and chaff] ★ chaff は「もみがら」.

こんごう[1] 混合 ― [動] mix (他) (自) ★ 最も一般的な語; (混ざった成分が識別できるような状態で) mingle (他) (自) ★ 前者より文語的; (味などが調和のとれたものになるように同一系統のものを) blend (他) (自). ― [形] (男女混合の) mixed. ― [名] (混合物) mixture Ⓒ. 《☞ まぜる (類義語)》.

¶ 水と油は*混合できない We can't *mix* oil「*with* [*and*] water. / Oil and water will not「*mix* [*blend*]. // 空気はいろいろな気体の*混合物だ Air is a *mixture* of various gases.

混合気 mixture Ⓤ **混合ダブルス** mixed doubles ★ 複数形で. ¶ 私たちのチームは*混合ダブルスに勝った Our team won the *mixed doubles.* **混合ワクチン** combined vaccine Ⓤ.

こんごう[2] 根号 〔数〕 root sign Ⓒ.

こんごういんこ 金剛鸚哥 〔鳥〕 macaw /məkɔ́ː/ Ⓒ.

こんごうせき 金剛石 (ダイヤモンド) diamond Ⓤ.

こんごうづえ 金剛杖 pilgrim's staff Ⓒ.

こんごうりき 金剛力 ¶ *金剛力の持ち主 a man with「*unusual* [(⇒ ヘラクレスのような) *Herculean*] *strength*

コンコース (中央広場) cóncourse Ⓒ [日英比較] 日本語では「駅地下道」の意味で使うことがあるが, 英語の意味は「駅の中央広場」.

コンコーダンス (作家・聖書などの用語索引) concordance Ⓒ.

ごんごどうだん 言語道断 ― [形] (もってのほか・乱暴でけしからぬ) òutrágeous; (言い訳の立たない・許しがたい) inexcusable. ¶ 彼は*言語道断な奴だ He is an *outrageous* person.

コンコルド ― [名] (固) Concorde /kɑ́nkɔəd/ Ⓒ ★ 英仏共同開発の超音速旅客機. 2003 年運航停止.

コンコルドひろば コンコルド広場 ― [名] (固) (the) Concorde Square ★ パリ中央部の広場.

こんこんと[1] 昏昏と ¶ 彼は*こんこんと (⇒ ぐっすりと) 眠っている He is sleeping *like a log.* / He is *fast* asleep. 《☞ 擬声・擬態語 (囲み); ぐっすり》

こんこんと[2] 滾滾と ¶ 岩の間から清水が*こんこんと湧き出ている Clear water *is gushing*「*out* [*forth*] from the rock. 《☞ 擬声・擬態語 (囲み); わく[2]》

こんこんと[3] 懇懇と (繰り返し) repeatedly; (熱心に) earnestly; (真剣に) seriously. ¶ 母親は息子に二度とそんなことをしないように*懇々と諭した The mother「*repeatedly* admonished her son not to [*earnestly* warned her son that he should not] do such a thing again.

コンサート cóncert Ⓒ. **コンサートホール** cóncert hàll Ⓒ **コンサートマスター** 《米》 cóncertmàster Ⓒ, 《英》 leader Ⓒ.

コンサーバティブ ― [名] (保守的な人・保守主義者) conservative Ⓒ. ― [形] conservative.

こんさい 根菜 root crop Ⓒ.

こんざい 混在 ― [動] (混在している) be intermingled with …

コンサイス ― [形] (簡潔な) concíse.

こんざつ 混雑 ― [名] (過密の状態) congestion Ⓤ; (動きがとれないほどの) jam Ⓒ ★ 口語的. ― [動] be「crowded [congested; jammed] with … 《☞ こむ; こみあう》. ¶ きょうは道路が*混雑している (⇒ 激しい交通がある) There's *heavy* traffic on this road today. / (⇒ 込み合っている) The street *is congested with* traffic today. // 駅はたいへんな*混雑だった The (train) station *was* very *crowded* (*with* people). // *混雑を緩和する relieve the traffic *jam* // *混雑する時間 a *rush* hour

コンサルタント consultant Ⓒ. ¶ 経営*コンサルタント a management *consultant* / a *consultant on* business methods // わが社の*コンサルタント a *consultant*「*to* [*for*] our company

コンサルティングルーム (診察室) consulting room Ⓒ.

コンサルテーション (相談・診断・会議) consultation Ⓤ ★ 会議については Ⓒ.

こんじ 根治 ― [名] complete [permanent] cure Ⓤ. ― [動] (病気を) cure completely (他); (治る) be cured completely, recover completely.

コンシェルジュ (ホテルの接客係) concierge /kɔːnsjéəʒ/ Ⓒ.

こんじき 金色 ― [形] golden, golden-colored. 《☞ きん[1]》.

こんじゃく 今昔 past and present. ¶ マスメディアの*今昔 the mass media of *today and yesterday* **今昔の感に堪えない** be struck with「the changing *times* [the effects of *time*]

コンシャス ― [形] (意識した) cónscious.

こんしゅう[1] 今週 ― [名] this week. ― [副] this week. 《☞ せんしゅう[1]; らいしゅう[1]; 時刻・日付・曜日

(囲み)).
¶私は*今週中ずっと忙しかった I have been busy the whole (of *this*) *week*. // *今週のいつかあなたに会いたい I want to see you sometime *this week*. // 会議は*今週の金曜日です The meeting will be (on) (*next*) Friday. 語法 next は「この次の」の意であるから, 例えば土曜日に next Friday と言えば「来週の金曜日」となり, last Wednesday と言えば「今週の水曜日」となることに注意. なお, 口語では, しばしば on Friday のように何も修飾語を付けずに曜日を用いることで,「今週の金曜日」に当たる表現になる.

こんしゅう² 今秋 (今年の秋) this 《米》fall [autumn].

コンシューマー (消費者) consumer /kənsú:mə/ Ⓒ. **コンシューマーリサーチ** (消費者需要調査) consúmer research /rì:sə:tʃ/ Ⓤ **コンシューマーローン** (消費者ローン) consúmer lóan Ⓤ.

こんじゅほうしょう 紺綬褒章 Dark-blue Ribbon Medal Ⓒ.

こんしゅん 今春 (今年の春) this spring.

こんじょう¹ 根性 (気迫) spirit Ⓤ; (強い気力) 《略式》guts ★ 複数形で; (勇気) 《略式》grit Ⓤ; (性質) nature Ⓤ. (☞ きこつ).
¶あの男は*根性がある He is a man with *guts*. / He has ˹*guts* [*grit*]. // 彼にはそれをするだけの*根性がない He hasn't got the *guts* for it. // あいつは*根性が悪い He is *crooked* /krúkɪd/. // 島国*根性 ínsularism / ìnsulárity // 弥次馬*根性 the urge to join onlookers // 役人*根性 bureaucratic *nature*

こんじょう² 今生 (現世) this world. **今生の別れ** ¶それが我々の*今生の別れ (⇒この世で一緒にいることができた最後の時) だった That was *the last time* we *could be together in this world*.

こんじょう³ 紺青 ━形 (紺青の) Prussian blue; strong greenish blue. ━名 (紺青色) Prussian blue Ⓤ.

ごんじょう 言上 ☞ もうしあげる

こんしょく 混食 ━動 eat a mixed diet.

こんしん¹ 渾身 **渾身の力** ¶その男は*渾身の力をこめて (⇒全力で) 重いドアを押し開けた The man pushed the heavy door open *with a mighty heave*. (☞ ちからいっぱい; ぜんりょく)

こんしん² 混信 (ラジオの) interference /ìntəfí(ə)rəns/ Ⓒ (☞ こんせん¹).

こんしんかい 懇親会 (パーティー) party Ⓒ; (形式ばらない親睦のための集い) 《略式》gét-togèther Ⓒ. (☞ しんぼく¹; かい¹ (類義語)).

こんすい 昏睡 (意識不明の状態) coma Ⓒ; (失神) trance Ⓒ. ¶彼女は*昏睡状態に陥った She fell into a ˹*coma* [*trance*]. / (⇒意識を失った) She became *unconscious*.

こんすう 根数 ☞ こん²

コンスターチ ☞ コーンスターチ

コンスタブル ━名 固 John Constable, 1776–1837. ★ イギリスの風景画家.

コンスタンチノープル ━名 固 (都市) Constantinople /kànstæntənóupl/ ★ イスタンブールの旧称, 東ローマ帝国およびオスマン帝国の首都.

コンスタント ━形 constant.

コンストラクション (建設・建造) construction Ⓤ.

コンストラクター (製作者) constructor Ⓒ.

こんせい¹ 混成 ━動 (混ぜ合わせる) mix 他; (要素が区別できないほど) combine 他, compóund 他 ★ 格式ばった語. ━形 mixed; combined; cómpound; compósite ★ 後の 3 語は交換可能だが, 最後のものは意図的な混成の意が強い.
¶*混成チーム a ˹*mixed* [*combined*] team
混成ガス mixed gas Ⓤ **混成岩** hybrid rock Ⓒ **混成語** 〘言〙 blend Ⓒ ★ brunch (=breakfast+lunch) のような語; hybrid Ⓒ ★ falsehood (ラテン系 (false) +ゲルマン系 (-hood)) のように異なった系統の要素をつないで作った語. 混種語ともいう. **混成酒** mixed drink Ⓒ.

こんせい² 懇請 ━名 earnest [eager] request Ⓒ; entreaty Ⓒ ★ 後者は格式語. ━動 make an earnest request (for ...); entreat (*a person* to *do* ...) ★ 後者のほうが格式ばった語.

こんせいがっしょう 混声合唱 mixed chorus Ⓒ.

こんせき¹ 痕跡 (動物・人・車などが通過した跡) tracks; (存在・通過した跡) traces ★ しばしば疑問文, 否定文で; (残された汚れ・傷など) marks ★ 以上は複数形で; (証拠) evidence Ⓤ; (消滅したものの跡) 《格式》véstige Ⓒ. (☞ けいせき¹; あと²).
¶我々は車 [犯人] の*痕跡を追った We followed the *tracks* of the ˹car [criminal]. // *痕跡をとどめない leave no ˹*traces* [*marks*] // 古代文明の*痕跡 the *vestige* of the ancient civilization

こんせき² 今夕 (今晩) this evening.

こんせつ 懇切 ━形 (親切な) kind; (手の込んだ・詳しい) elaborate. (☞ しんせつ¹; ていねい).
¶彼女は*懇切な指導をしてくれた She instructed me *kindly*.

こんぜつ 根絶 ━動 (完全に取り除く) get rid of ...; (ある場所の人・動物を皆殺しにする) extérminate 他; (望ましくないものを撲滅する) erádicàte 他. (☞ たやす; ぼくめつ; ねこそぎ). ¶すべての犯罪を*根絶する *get rid of* [*eradicate*] all the crime // ゴキブリを*根絶することは不可能だろう It will be impossible to *exterminate* the cockroaches.

コンセプト (概念) concept Ⓤ. **コンセプトアド** (企業・商品のイメージを重視する広告) concept advertising Ⓤ **コンセプトカー** (次世代用の実験的試作車) concept car Ⓒ.

コンセルバトワール (パリ音楽院) le Conservatoire /kənsə́:vətwàə/.

こんせん¹ 混線 ━動 (電話が) get crossed; (話などが錯綜する) get mixed up 語法 いずれも状態を表す場合は get の代わりに be を用いる. ¶電話が*混線している The lines *are crossed*. // 我々の話はよく*混線する Our talks often *get mixed up*.

こんせん² 混戦 confused ˹fight [contest] Ⓒ; (乱闘) melee /méɪleɪ/ Ⓒ; (飛び入り自由の) free-for-all (fight) Ⓒ. ¶保守と革新の争いは*混戦模様となった The dispute between the conservatives and the reformists became rather a *confused* one.

こんぜんいったい 渾然一体 ━動 (調和のとれた全体を構成する) constitute [form] a harmonious whole ★ 格式ばった表現. ¶東西文化が*渾然一体となってこの都市の魅力を作り出している *The blend of* cultural elements of the East and the West makes this city attractive.

こんぜんこうしょう 婚前交渉 premarital /prì:mǽrətl/ sexual relations ★ 複数形で.

コンセンサス (意見の一致・一致した世論) consénsus Ⓒ.

コンセント 《米》(electrical) outlet Ⓒ, socket Ⓒ, 《英》(power) point Ⓒ 参考 「コンセント」は *concentrical* plug からの和製英語. ¶彼はプラグを*コンセントに差し込んだ He put the plug ˹in [into] the ˹(*electrical*) *outlet* [*socket*]. // アイロンのコードを*コンセントに差し込む *plug in* an iron

コンセントレーション (集中・専念) concentration Ⓤ.

コンソーシアム (共同企業体) consortium /kənsɔ́ətiəm/ Ⓒ (複 ~s, -tia).

コンソール 〘コンピューター〙 cónsole [C].
コンソナント 〘音声〙 cónsonant [C].
コンソメ 〘料理〙 consommé /kὰnsəméɪ/ [U] ★ フランス語から (consommé の ´ は綴り本来のもの); clear soup [U]; (clear) broth [U].
こんだく 混濁 ── [形] (考えなどがぼんやりした) muddy; (意識などが混乱した) muddled. ¶ 彼女は意識が*混濁した Her senses became *muddled.*
コンダクター (指揮者) conductor [C].
コンタクト (相手との接触・交渉) contact [U].
コンタクトレンズ cóntact lèns [C] 《☞ レンズ》. ¶ 彼女は*コンタクトレンズをしている [入れた] She ⌈wears [put in] *contact lenses.*
こんだて 献立 (献立表・料理) menu /ménju:/ [C]. ¶ 今晩の*献立は何ですか What is on the *menu* (for) this evening? / What's for dinner tonight? [語法] 第1文はレストランでの, 第2文は家庭での表現. **献立表** menu [C], bill of fare [C] ★ 後者は古風.
こんたん 魂胆 (ひそかな意図) secret intention [C]; (陰謀) plot [C], scheme [C]; (秘密の計画) secret ⌈plan [design] [C]; (隠れている動機) underlying motive [C]. 《☞ たくらみ; さくりゃく; けいかく》. ¶ 彼には何か*魂胆があるようだ He seems to have some *secret* ⌈*plan* [*design*]. // 私は彼の*魂胆をすぐ見破った I soon ⌈penetrated [uncovered] his ⌈(*secret*) *scheme* [*plot*].
こんだん 懇談 ── [動] (人と…について話し合う) talk … over with *a person*, talk with *a person* about …; (くだけた雰囲気で話し合う) have an informal talk with …; (形式ばらないで討議する) discuss … informally. 《☞ そうだん; はなしあう》. ¶ その件についてあなた方と*懇談したい I'd like to *talk* ⌈*with* you *about* that matter [the matter *over with* you]. // 私たちは先生と*懇談した We *had an informal talk with* the teacher. **懇談会** meeting [C] 《☞ こんしんかい》.
コンチェルト 〘楽〙 (協奏曲) concerto /kəntʃéətoʊ/ [C].
こんちくしょう 此畜生 (相手を非難する時などにののしって) Damn it!
コンチネンタル **コンチネンタルタンゴ** cóntinèntal tángo [U] ★ 具体的な作品は [C] **コンチネンタルプラン** the Cóntinèntal plán **コンチネンタルブレックファスト** cóntinèntal bréakfast [U].
こんちゅう 昆虫 insect [C] 《☞ むし¹ [日英比較]》. ¶ *昆虫を採集する collect *insects* **昆虫網** insect net [C], butterfly net [C] **昆虫学** èntomólogy [U] **昆虫学者** èntomólogist [C] **昆虫採集** insect collecting [U] 《☞ さいしゅう³》.

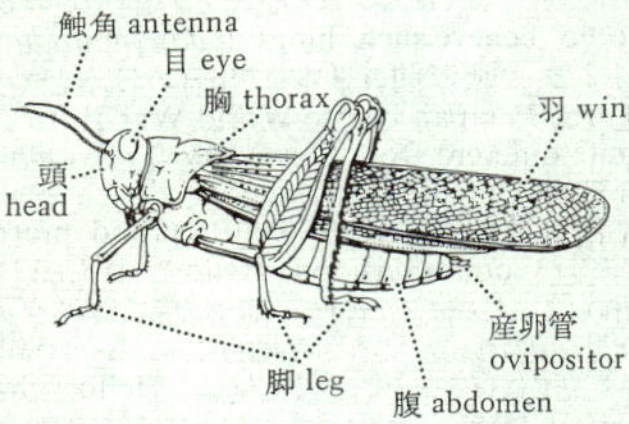

こんちょう 今朝 this morning.
コンツェルン (独占的企業集団) (búsiness) concérn [C] ★ コンツェルンはドイツ語の Konzern から.
コンテ¹ 〘映〙 (台本) continuity /kὰntin(j)ú:əti/ [U].
コンテ² (デッサンに用いるクレヨン) conté /kountéɪ/ [C], conté crayon /kréɪɑn/ [C]. ★ どちらも conté の ´ は綴り本来のもの.

こんてい 根底 (根源・根本) root [C]; (具体的な基本構造) base [C]; (抽象的な基礎) basis [C] 《複 bases /-si:z/》; (物事の根本・真相) bottom [C] ★ しばしば悪い意味で用いる; (強固で大がかりな基礎) foundation [C]. 《☞ きそ¹ (類義語); もと¹; こんぽん》. ¶ これは彼女の理論の*根底をなしている This is *at the root of* her theory. / This forms the *basis* of her theory. // その問題の*根底を窮めるべきだ You should get to the *bottom* of the problem.
コンディショナー (髪などの) conditioner [U].
コンディショニング (調整) conditioning [U].
コンディション (調子・状態) condition [U]; (体調) 《略式》 shape [U]. 《☞ ちょうし¹》. ¶ 私はいまは体の*コンディションがよい[悪い] I'm in ⌈good [bad] *shape* now. // 体の*コンディションがよくないので会に出席できない I can't attend the meeting because I don't feel very well. // 彼は試合に備えて*コンディションを整えた He *conditioned himself for* the game.
コンテキスト (文脈・前後関係) cóntext [U] ★ 個別の事例を指す場合は [C].
コンテスト (競争・競技) cóntest [C] 《☞ きょうぎ²》.
コンテナ contáiner [C]. **コンテナ栽培** container culture [U] **コンテナ車** contáiner càr [C] **コンテナ船** container ship [C] **コンテナターミナル** container terminal [C].
コンデンサー 〘電〙 (蓄電器) capácitor [C], condenser [C] ★ 後者は古い用語; 〘光〙 (集光レンズ) condenser [C].
コンデンスミルク condensed milk [U].
コンテンツ (内容・中味) contents ★ 複数形で.
コンテンポラリー ── [形] (現代の・…と同時代の) contemporary. **コンテンポラリーアート** contemporary art [U].
コント short story [C] ★ 日本語の「コント」はフランス語の conte から.
こんど 今度 ── [副] (このたび) this time; (いま) now; (次回) next time. ── [形] (このたびの・これから行われる) this; (次回の) next; (これから行われる) coming [A] [日英比較] 日本語で「今度」とあっても, 以上の訳語が英語にそのまま当てはまらない場合もある. 英語ではそれらの意味が副詞を伴わず「現在進行形」「be going to …」「現在完了形」などで表されることもしばしばあることに注意. 《☞ このつぎ》. ¶ *今度はよくできたね You have done (it) well *this time.* // *今度は君が話す番だ *Now* it is your turn to speak. // *今度の (⇒ 新しい) 英語の先生は厳しい The *new* English teacher is very strict. // *今度だけは許してやる I'll forgive you *this* ⌈*once* [*time*]. // *今度来るときは電話して下さい Please call me (the) *next time* you come. ★ この next time は接続詞. // それはまた*今度 (⇒ 別の時に) 議論しなさい Discuss it (at) *another time.* // *今度の水曜日は祝日です *Next* Wednesday is a national holiday. // *今度の夏までにはこの仕事を終えよう I will finish this work by *this coming* summer. // *今度またいつか会いましょう Let's have another get-together *some day.* // *今度大阪に引っ越します I'*m going to* move to Osaka. // 彼は*今度議長になりました (⇒ 選ばれた) He ⌈*was* [*has been*] elected chairman.
こんとう¹ 昏倒 ── [動] (意識を失って倒れる) fall down unconscious (自); (失神する) faint (自).
こんとう² 今冬 (今年の冬) this winter.
こんどう 混同 ── [名] confusion [U]. ── [動] (…を…と混同する) míx úp [confuse] … with … ★ mix up のほうが平易な言い方. 《☞ とりちがえる; まちがえる》.

¶ 私はいつもあなたを妹さんと*混同する I always ˹*mix* you *up with* [*get* you *mixed up with*] your sister. / (⇒ 取り違える) I always *mistake* you *for* your sister. // 手段と目的を*混同するな Don't *confuse* the means *with* the end(s).

ごんどうくじら 巨頭鯨 〘動〙 pilot [black] whale Ⓒ, blackfish Ⓒ.

コンドーム condom /kándəm/ Ⓒ, 《米略式》 rubber Ⓒ 参考 《英》 では「消しゴム」の意味.

こんとく 懇篤 ━ 形 cordial.

コンドミニアム (分譲アパート・マンション) còndomínium Ⓒ, 《略式》 cóndo Ⓒ. (☞ マンション).

ゴンドラ (水上・ロープウェーなどの) góndola Ⓒ; (特にロープウェーの) car Ⓒ.

コントラクター (契約者・建築請負人) contractor Ⓒ.

コントラクト (契約・請負) contract Ⓒ.

コントラクトブリッジ (トランプゲームの一種) cóntract brídge Ⓤ.

コントラスト (対照) contrast Ⓤ (☞ たいしょう').

コントラバス 〘楽器〙 double bass /béɪs/ Ⓒ, contrabass /kántrəbèɪs/ Ⓒ, (string) bass Ⓒ 語法 クラシックでは double bass が最も普通の名称. ジャズでは bass.

コントラプンクト 〘楽〙 ━ 名 (対位法) cóunterpòint Ⓤ. ━ 形 contrapuntal /kàntrəpʌ́ntl/.

コントラルト 〘楽〙 contrálto Ⓤ ★ 歌手のときは Ⓒ.

コンドル 〘鳥〙 condor Ⓒ.

コントローラー (制御装置) contróller Ⓒ.

コントロール ━ 名 (制御) contról Ⓤ. ━ 動 control ⑭ 日英比較 英語の control はやや格式ばった語に属する. 従って日本語で「コントロール」とあっても, 必ずしも英語で control と言う訳語を使えるとは限らないことに注意. (☞ ちょうせつ; とうせい').

¶ よい投手はスピードと*コントロールがある (⇒ よいコントロールで速球を投げる) A good pitcher throws a fast ball with (good) *control*. // 彼女は感情を*コントロールできない She can't *control* her own feelings. // 彼は奥さんに*コントロール (⇒ 支配) されている He *is dominated by* his wife. / (⇒ 尻に敷かれている) He is ˹*henpecked* [a *henpecked* husband]. コントロールキー 〘コンピューター〙 contról kèy Ⓒ コントロールセンター contról ˹cènter [《英》 centre] Ⓒ コントロールタワー (管制塔) contról tòwer Ⓒ コントロールパネル 〘コンピューター〙 contról pànel Ⓒ.

こんとん 混沌, 渾沌 ━ 形 (混乱した) confused; (収拾のつかないほど混乱した) chaotic /keɪátɪk/. ━ 名 confusion Ⓤ; chaos /kéɪɑs/ Ⓤ. (☞ こんらん; むちつじょ). ¶ 世界情勢は*混沌としてきた International ˹conditions [affairs] became ˹*chaotic* [*confused*].

こんな so; such 語法 (1) so は 副, such は 形. 従って so は直接に名詞を修飾することはできない. また so, such とも不定冠詞を伴う名詞句を修飾するときは不定冠詞の前に置かれる; (これ・この) this 語法 (2) 日本語の「こんな」はしばしば this と同じ意味を持つ口語的表現; (こんな風な) like this; (この種の) this ˹kind [sort] of ..., ... of this ˹kind [sort] ★ *後者のほうが格式ばった言い方*. また sort は kind より口語的. (☞ そんな; あんな; このよう).

¶ *こんな日には外出したくない I don't feel like going out on ˹*such* a day [a day *like this*]. // *こんなに雨が降るのはここでは珍しい It is rare to have ˹*so much* rain [*such* (a) heavy rainfall] here. // *こんな事は予期していなかった (⇒ これは私の予期していたことではない) *This* isn't what I expected. // *こんな風に紙を折って下さい Fold the paper ˹*this way* [*like this*]. // *こんな本は役に立たない *This* ˹*kind* [*sort*] *of* book is useless. / *These* ˹*kind* [*sort*] *of* books are useless. 語法 (3) 前者の表現では「この種の本」と「種類」が強調される. それに対して, 後者は kind [sort] of が次の名詞に付く軽い修飾語として用いられる感じの口語的表現である. この場合の these は kind of の次の複数名詞と結ばれている. しかし, これは文法的に誤りであると非難する人々もおり, その問題を避けるために these ˹kinds [sorts] of books とするか, あるいは少し格式ばった表現では books of this ˹kind [sort] / books of these ˹kinds [sorts] という形を用いることが多い.

こんなん 困難 ━ 名 (難しさ) difficulty Ⓤ; (問題) trouble Ⓤ; (苦難) hardship Ⓤ 語法 以上は具体的な事柄をいうときは Ⓒ; (難問) problem Ⓒ. ━ 形 (難しい) hard, difficult ★ 前者のほうが口語的; (めんどうな) troublesome. (☞ むずかしい; こまる; くきょう). ¶ 若い人はあらゆる*困難に耐えてゆかなければならない Young people must learn to ˹endure [bear] every *hardship*. // 技術上の*困難 technical *difficulties* // 様々な*困難 various *difficulties* // 無数の*困難 innumerable *difficulties*

コロケーション

困難が待ち受けている *difficulties* lie ahead // 困難に打ち克つ get over [overcome; conquer] a *difficulty* / 困難に対処する cope with a *difficulty* / 困難に直面する face [be confronted with] a *difficulty* / 困難に出会う come across [meet; encounter] a *difficulty* / 困難を経験する experience [suffer] a *difficulty* / 困難を減少させる reduce [ease] *difficulties* / 困難を生じる create [present] *difficulties* / 困難を巧みにかわす dodge a *difficulty* / 困難を取り除く remove [eliminate; get rid of] a *difficulty* / 困難を増す increase *difficulties* // 困難につきまとわれる be beset with *difficulties* // 大きな困難 (a) great [(an) immense; (an) enormous; (a) grave; (a) serious] *difficulty* / 思いがけない困難 an unexpected *difficulty* / 経済[財政]的な困難 economic [financial] *difficulties* / 大変な困難 (a) ˹terrible [dreadful] *difficulty*

こんにち 今日 ━ 副 (現代) today; (いま) now; (近ごろ) (in) these days; (現今) nowadays 語法 いずれもほぼ同意だが, nowadays は特に過去と対比した場合に用いる. ━ 名 today ★ 無冠詞で; (現代) the present time. ★ the を付けて. (☞ げんざい'; いま'). ¶ *今日の若者 young people (*of*) *today* // *今日では人々はそんなことを信じない People do not believe such things ˹*today* [*nowadays*]. // 第 2 次大戦以前の日本は*今日の日本とまったく違っていた Japan before World War II /túː/ was quite different from (˹*what* [*how*] *it is*) *now*.
今日的 contemporary.

こんにちは 今日は (午前中) Good morning; (午後) Good afternoon; Hello. 日英比較 日本語の「こんにちは」は普通午前 10 時ごろから夕方までの間に使われるが, これに時間的にぴたりと合うあいさつが英語には存在しないことに注意. Hello /həlóʊ, helóʊ/ は時刻にかかわらず, くだけたあいさつの言葉として用いられる. 現在の傾向として, 《米》 では Good afternoon は多少古風な言い方となりつつあり, よく Hello で代用される. さらにくだけた言い方として 《米》 では Hi /háɪ/ もよく用いられる.
¶ ブラウン先生, *こんにちは 《午前中》 *Good morning* [*Hello*], Mr. Brown. / 《午後》 *Good afternoon* [*Hello*], Mr. Brown.

こんにゃく (食物) *konnyaku* (jelly) Ⓤ, paste made from devil's-tongue Ⓤ, devil's-tongue paste Ⓤ ★後の 2 つは説明的. いずれも数えるときは piece を用いる; (植物) devil's-tongue Ⓒ.

こんにゅう 混入 ―[動] mix (他); mingle (他) ★混ぜ合わせた成分が均一なときは mix, 成分がある程度識別できれば mingle. (☞ まぜる). ¶ウイスキーに毒を*混入する *mix* poison in whisky / *add* poison *to* whisky

コンパ (形式ばらない懇親会) 《略式》 gét-togèther Ⓒ; (パーティー) party Ⓒ; (同級の者の会) class party Ⓒ. (☞ こんしんかい; ごうコン). 日英比較 「コンパ」は company の略で, 和製英語.

コンバージョン (変換) conversion Ⓤ.

コンバーター (変換装置) converter Ⓒ.

コンバーチブル (屋根がたたみ込める自動車) convertible Ⓒ.

コンバート ―[動] (守備位置などを変更する) convert *a person* to …; 〚ラグ・アメフト〛 (トライ・タッチダウンの後でコンバートする) convert (自) (他) ★ (他) の目的語はトライやタッチダウン. ¶彼は今日 2 つの*コンバートを失敗した He missed *converting* two tries today.

コンパートメント (仕切られた客室) compartment Ⓒ.

こんぱい 困憊 ☞ ひろう[2]

コンパイラー 〚コンピューター〛 compíler Ⓒ. **コンパイラー言語** 〚コンピューター〛 compiler language Ⓤ.

コンパイル 〚コンピューター〛 ―[動] compíle (他). ―[名] compilation /kɑ̀mpɪléɪʃən/ Ⓤ.

コンバイン (刈り取り脱穀機) cómbine Ⓒ.

こんぱく 魂魄 soul Ⓒ.

コンパクト[1] ―[形] (小型の) small; (あまり場所をとらない・車など小型の) compáct 日英比較 日本語の「コンパクトな」は必ずしも英語の compact に当たらないこともある. (☞ こがた). ¶*コンパクトなカメラ a ˹*small* [*compact*] camera **コンパクトカー** 《米》 cómpact (cár) Ⓒ **コンパクトディスク** cómpact dísc Ⓒ (略 CD).

コンパクト[2] (化粧道具) cómpact Ⓒ.

コンパス compass /kʌ́mpəs/ Ⓒ 語法 「方向磁石」「円を描く道具」「船の羅針盤」はいずれも compass である. 区別が必要な場合は, 「方向磁石」を a compass, 「円を描く道具」を a pair of compasses, 「船の羅針盤」を a mariner's compass という.

コンパチブル ―[形] (コンピューターなどが互換性のある) compatible.

コンバット (戦闘) combat Ⓤ.

コンバットマーチ chéerlèading mùsic Ⓤ; (応援歌) fight song Ⓒ 日英比較 「コンバットマーチ」は和製英語.

コンパニオン (催し物での案内係(の女性)) (female) guide Ⓒ; (展示コーナーの接待役) booth attendant Ⓒ; (一般に) model Ⓒ. 日英比較 英語の companion は元来「仲間・話し相手」の意で, 日本のコンパニオンの意味はない.

コンパルソリー ―[形] (強制的な・義務的な) compulsory. ―[名] (フィギュアスケートの規定演技) compulsories; compulsory figures ★後者のほうが正式名.

こんばん 今晩 (今夕) this evening; (今夜) tonight. (☞ ばん[1] 語法; こんや[1]; 時刻・日付・曜日 (囲み)). ¶「*今晩うかがってよろしいですか」「ええ, どうぞ」"May I come to see you *this evening*?" "Certainly." // その列車は*今晩 10 時 30 分に到着の予定です The train is ˹due [to arrive] at 10:30 *p.m.*

こんばんは 今晩は Good evening 語法 夕方から晩にかけて人に会ったときのあいさつだが, 《米》では多少古風になりつつあり, 普通は Hello で代用されることが多い. (☞ こんにちは). ¶山田さん, *こんばんは *Good evening*, Ms. Yamada.

コンビ (2 人の組) pair Ⓒ; (相棒) partner Ⓒ 日英比較 日本語の「コンビ」は英語の combination から出ているが, この語は日本語の「コンビ」の意では使われない. (☞ くみ; くみあわせ; ペア[1]). ¶今度は彼と*コンビを組みたい I want him to be my *partner* next time. / I want to be *partners* with him next time. // 彼女たちは名*コンビだ (⇒ よいパートナーだ) They are good *partners*.

コンビーフ corned beef Ⓤ. ¶*コンビーフの缶詰 canned *corned beef*

コンビナート industrial [chemical] complex Ⓒ 参考 「コンビナート」はロシア語の「結合」を意味する *kombinat* から.

コンビニ ☞ コンビニエンスストア **コンビニ銀行** bank [ATM] in convenience stores Ⓒ.

コンビニエンスストア convénience stòre Ⓒ.

コンビネーション (組み合わせ) combination Ⓤ (☞ くみあわせ; はいごう[1]). **コンビネーションサラダ** combination salad Ⓤ, mixed salad Ⓤ. (☞ サラダ).

コンピューター ―[名] computer Ⓒ. ―[動] (コンピューターで処理する) computerize (他).
¶*コンピューターを使う use [(⇒ 操作する) operate] a *computer* // *コンピューターで情報を検索する retrieve information with a *computer* // データを*コンピューターに入力する input the data into a *computer* / put [feed] the data into a *computer* // 情報を*コンピューターで処理する process information (by means of a *computer*) // *コンピューター化されたシステム a *computerized* system // *コンピューター制御された機械 a *computer*-controlled machine / a machine under *computer* control // *コンピューターが停止している My *computer* is down.
コンピューターアート computer art Ⓤ **コンピューターアシスティッドインストラクション** computer ˹assisted [aided] instruction Ⓤ (略 CAI) **コンピューターアレルギー** computerphobia Ⓤ **コンピューターウィルス** computer virus /váɪ(ə)rəs/ Ⓒ **コンピューター技術** computer technology Ⓤ **コンピューター組版** computer typesetting Ⓤ **コンピューターグラフィックス** computer graphics Ⓤ **コンピューターゲーム** computer game Ⓒ **コンピューター言語** computer language Ⓤ ★具体的な言語は Ⓒ **コンピューターシミュレーション** computer simulation Ⓒ **コンピューターセキュリティー** (コンピューターの安全性) computer security Ⓤ **コンピューターネットワーク** computer network Ⓒ **コンピューター犯罪** computer crime Ⓒ **コンピューターリテラシー** (コンピューターを使いこなす能力) computer literacy Ⓤ **コンピューターワクチン** anti-virus program Ⓒ.

コロケーション

コンピューターにソフトをインストールする install software in a *computer* // コンピューターを起動させる start [boot] up a *computer* / コンピューターを再起動させる restart a *computer* / コンピューターを停止させる shut down a *computer* / コンピューターを(ネットワークに)つなぐ connect a *computer* (with a network) // 高速コンピューター a high-speed *computer* / 直列コンピューター a serial *computer* / 並列コンピューター a parallel *computer* / ポータブルコンピューター a portable *computer* / ホームコンピューター a home *computer* / ホストコンピューター a host *computer* / マイクロコンピューター a *microcomputer*

コンピュータライズ ―[動] (コンピューター化する)

computerize ⓣ.

コンピュータライゼーション compùterizátion Ⓤ.

コンピュートピア (コンピューターの発達がもたらす理想の社会) computopia Ⓤ.

こんぶ 昆布 *kombu* Ⓤ (☞ こぶ[2]).

コンファーム ―動 (確認する) confirm ⓣ (☞ かくにん). ¶ ホテルの予約を*コンファームしましたか Did you *confirm* your hotel reservation?

コンファレンス (会議) conference Ⓒ.

コンフィギュレーション (配置・配列) configuration Ⓒ.

コンフィデンシャル ―形 (秘密の) confidential.

コンフェクション (菓子・糖菓) confection Ⓒ.

コンフェッション (自白・告白) confession Ⓒ.

コンフェデレーション (連合・同盟) confederation Ⓒ.

コンプライアンス (現則などに従うこと) compliance Ⓤ.

コンフリー 〘植〙 comfrey /kʌ́mfri/ Ⓒ.

コンプリート ―形 (完全な) complete.

コンプレックス (劣等感) inferiórity còmplex Ⓒ (↔ superiority complex) (☞ れっとうかん). ¶ 日本人は西洋人に対してある種の*コンプレックスを持っている (The) Japanese have a kind of *inferiority complex* toward Westerners.

コンプレッサー (気体の圧縮機) compressor Ⓒ.

コンペ (試合) còmpetítion Ⓒ (☞ きょうぎ[2]).

こんぺいとう 金平糖 confetti Ⓤ ★ イタリア語から. confetti はボンボンに類したもので金平糖とは少し違う. 日本語の「金平糖」はポルトガル語 confeito から.

こんぺき 紺碧 deep [dark] blue Ⓤ 語法 形としても用いる. 英語には日本語の「紺碧」に当たる1語はない.

コンペティション competition Ⓒ ★ 略して「コンペ」 とも言われるがこれは和製英語で, 英語では comp. (☞ コンペ).

コンベヤー (物の運搬機) conveyor Ⓒ, conveyer Ⓒ. ¶*コンベヤーシステム a *conveyor* system // ベルト*コンベヤー a belt *conveyor*

ごんべん 言偏 (漢字の) speech radical on the left of kanji Ⓒ.

コンベンション (集会・大会) convention Ⓒ.

コンベンションセンター (議事堂・集会所) convéntion cènter Ⓒ.

コンベンションホール (議事堂・集会所) convéntion hàll Ⓒ.

コンペンセーション (補償・賠償) compensation Ⓤ.

コンボ 〘楽〙 (jazz) combo Ⓒ.

コンポ (オーディオ[ステレオ]の) áudio [stéreo] component /kəmpóʊnənt/ Ⓒ 日英比較 「コンポ」は和製英語.

コンボイ (護送船団) convoy Ⓒ. **コンボイ方式** convoy system Ⓒ.

こんぼう[1] 棍棒 club Ⓒ 日英比較 英語の club は日本語の「こん棒」より意味が広く, ゴルフクラブのようなスポーツ用の棒もいう. ¶*こん棒でなぐる beat *a person* with a *club* / *club a person*

こんぼう[2] 混紡 *mixed [blended] spinning* Ⓤ. ¶*混紡の布地 *mixed(-spun)* fabrics // このスーツはウールと化繊20パーセントの*混紡だ This suit is made of wool with a 20 percent chemical fiber *mix*.

こんぽう 梱包 (荷造りすること) packing Ⓤ. ¶ 食器を箱に入れて*梱包する *pack* the dishes in boxes

コンポーザー (作曲家) composer Ⓒ.

コンポート (デザート用にシロップ煮した果物) cómpote Ⓤ; (脚付きの盛り皿) compote Ⓒ.

コンポーネント (機械の構成部品) compónent Ⓒ (☞ コンポ).

コンポジション (作曲・作文・絵画・図案などの構成) composition Ⓒ.

コンポジット ―形 (合成の) composite. **コンポジットフォト** (合成写真) composite photograph Ⓒ.

コンポスト (堆肥(たいひ)) compost Ⓤ.

こんぽん 根本 ―名 (物事の根拠) foundation Ⓒ; (抽象的なものの基礎) basis /béɪsɪs/ Ⓒ (複 bases /-siːz/); (根源) root Ⓒ; (起源) source Ⓒ. ―形 (基礎となる) basic; (基本的な) fundamental; (完全な) complete; (細部にまでわたる) thorough; (徹底的な) drastic. (☞ きそ[1] (類義語); こんてい; もと[1]).

¶ 問題の*根本まで掘り下げなければいけない We must go down to the ⌈*root* [*source*] of the problem. // それは教育の*根本問題にかかわる討論だった It was a discussion about the *fundamental* problems of education. // 彼らは民主主義の*根本原理がわかっていない They don't understand the *basic* principles of democracy. // *根本的な改革が必要だ We need *drastic* improvement(s).

コンマ comma Ⓒ (☞ コンマ (巻末)). ¶ …の間に*コンマを入れる put [use; insert] a *comma* between … ★ put, use を用いるほうが平易な表現.

コンマ以下 ―形副 after the decimal; (比喩的に) below the mark. ¶*コンマ以下は無視してください Ignore any numbers ⌈*after* [*following*] *the decimal* (*point*). (☞ しょうすう[2]; 数字 (囲み)) // 彼らの仕事はこれまでは*コンマ以下だ Their work so far has been *below the mark*.

こんまけ 根負け impatience Ⓤ. ¶*根負けが我々の敗北の原因だった (⇒ 敗北をもたらした) *Our impatience* has brought about the defeat.

こんめい 混迷 (混乱している状態) confusion Ⓤ; (途方に暮れた状態) bewilderment Ⓤ. (☞ こんらん; こんとん).

コンメンタール (注釈[解]・注釈[解]書) commentary Ⓒ ★ コンメンタールはドイツ語 Kommentar より.

こんもう 懇望 ―名 (熱心な頼み) earnest request Ⓒ. ―動 request … earnestly. (☞ たんがん[1]; ねがい). ¶ 彼の*懇望によって at his *earnest request*

こんもり ―副 (多くのものがすき間なく) thickly; (密集して) densely. ―形 thick; dense.

こんや[1] 今夜 (今晩) this evening; (きょうの夜) tonight 語法 前者は仕事・団らん・パーティーなどの行われる活動的な夜の時間を意味し, 後者はそれを含めて, もっと広く夜全体をいう. (☞ こんばん; ばん[1]; 時刻・日付・曜日 (囲み)). ¶*今夜は暇です I ⌈am [will be] free ⌈*this evening* [*tonight*].

こんや[2] 紺屋 (染め物師) dyer Ⓒ; (店) dye house Ⓒ. **紺屋の白袴** ☞ こうや[3]

こんやく 婚約 ―名 engagement (to be married) Ⓒ. ―動 (婚約している [する]) be [get; become] engaged (to …).

¶ 彼女の*婚約がきのう発表された Her *engagement* was announced yesterday. // 私は彼女と*婚約した I've ⌈*gotten* [*become*] *engaged to* her. / She and I *are engaged*. // 彼女は医者と*婚約している She *is engaged to* a doctor.

婚約解消 ―動 *one's* engagement ¶ ボブとキャシーは*婚約解消をした Bob and Cathy *have broken off their engagement*. **婚約者** (男性) fiancé

コンピューター

コンピューター用語の多くは, memory (メモリ ← 記憶) や file (ファイル ← 文具のファイル) のように既存の概念やものごとなどから比喩的に転用したもの, また CPU (← *C*entral *P*rocessing *U*nit 中央処理装置) のように頭文字による略語が多い. 日本語ではコンピューター用語をカタカナで表す場合, software (ソフトウェア) を「ソフト」, personal computer (パーソナル・コンピューター) を「パソコン」のように略しているものが多い.

1 ハードウェアに関する表現

インクジェットプリンター inkjet printer [C] **インターフェース** interface [U] **解像度** resolution [C] **キーボード** keyboard [C] **ケーブル** cable [C] **シーディーロム** (データを記録した CD) CD-ROM [C] **周辺機器** peripheral [C] **スキャナー** scanner [C] **デスクトップコンピュター** (机の上に設置して使うパソコン) desktop computer [C] **テンキー** numeric keypad [C] ★ キーボードの右の数字キーの集まり **ノートブックコンピューター** notebook computer [C] **ハードディスク** hard disk drive [C] ★ hard drive [C] とも言う **パソコン** personal computer [C] ★ PC [C] と略称することもある. ただし, Macintosh と区別して PC と呼ぶ場合には IBM 系パソコンを指すこともある **プリンター** printer [C] **フロッピーディスク** (記録媒体) floppy disk [C], (ドライブ) floppy disk drive [C] **マウス** mouse [C] ★ 複数は一般に動物の「ねずみ」と同じく mice だが, mouses と表記されることもある **メモリー** memory [U] **モデム** modem [C] **モニター** monitor [C] **ラップトップコンピューター** laptop computer [C] **レーザープリンター** laser printer [C] **ワークステーション** (パソコンよりも高性能なコンピューター) workstation [C]

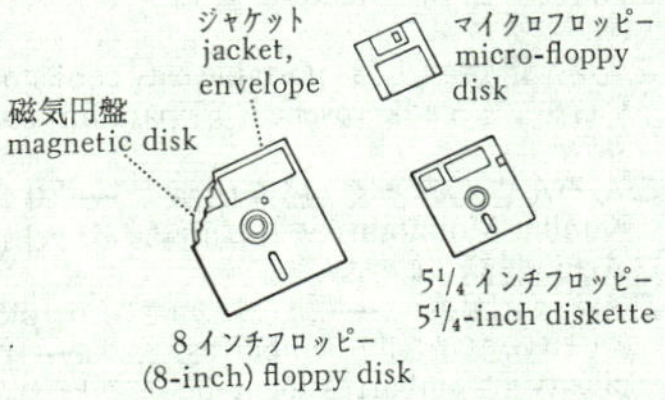

¶「このモニターの解像度はいくらですか」「800X600 です」 "What resolution is this monitor?" "800 by 600."
「パソコンの速度を上げるにはどうしたらいいですか」「メモリーを増設しなさい」 "How can I make my PC faster?" "Install additional memory."
このパソコンにはネットワーク・カードがついていますか Does this PC come with a network card?
このパソコンは USB に対応していますか Does this PC support USB?
USB ケーブルをスキャナーにつなぎなさい Connect the USB cable to the scanner.

2 ソフトウェアに関する表現

アプリケーション applications program [C] **アンチウイルスプログラム** antivirus program [C] **オペレーティングシステム** operating system [C] ★ 略して OS とも言う **機械語** machine language [C] **画像ソフト** graphics software [C] **光学式文字読みとりソフト** OCR [C] ★ *O*ptical *C*haracter *R*eaderの略. **互換性のある** — [形] compatible **シェアウェア** shareware [U] **ソフトウェア** software [U] **デスクトップパブリッシング** desktop publishing [C] **デフォールト** — [形] default **バージョン** (ソフトウェアの) version [C] **バイト** byte [C] **バグ** bug [C] **表計算ソフト** spreadsheet program [C] **ファイル** file [C] **フォルダー** folder [C] **フォント** font [C] **ブラウザ** browser [C] **フリーウェア** freeware [U] **プログラム** program [C] ★ application [C] とも言う **文字コード** character code [C] **ワープロ(ソフト)** word processor [C], word processing program [C]

¶このソフトは私のパソコンで使えますか Does this software run on my computer?"
以前のバージョンにはバグがいくつかありました The previous version had a few bugs.
最新バージョンではバグは訂正されています Bugs have been fixed in the latest version.
新しいバージョンに更新するには, 画面上の指示にしたがってください In order to upgrade to the newer version, follow the instructions on the screen.

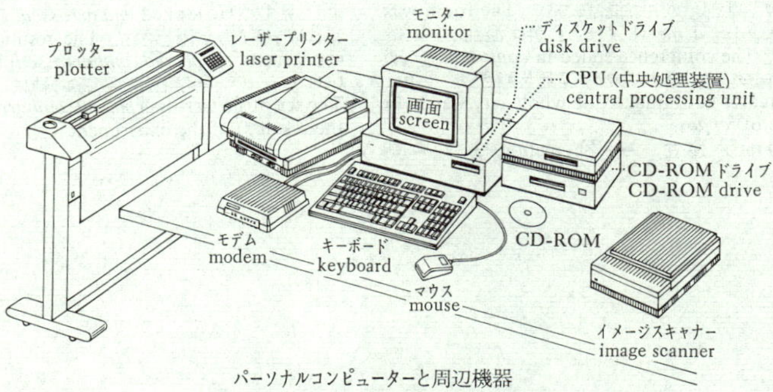

パーソナルコンピューターと周辺機器
personal computer and peripherals

3 操作に関する表現

アイコン icon Ⓒ　アットマーク "at" sign Ⓒ ★電子メールのアドレスの区切りなどに使われる"@"の記号　インストール ―[動] install (他) (↔ uninstall)　上書きする ―[動] overwrite (↔ insert) (他)　エイリアス alias Ⓒ ★ Windows では shortcut (ショートカット) とよぶ　カーソル cursor Ⓒ　カットアンドペースト ―[動] cut and paste (他)　起動する ―[動] start (他)　クリック ―[動] click (他)　更新する ―[動] update (他)　コピーする ―[動] copy (他)　コピーアンドペースト ―[動] copy and paste (他)　コマンド command Ⓒ　シャットダウン ―[動] shutdown (他)　ショートカット shortcut Ⓒ ★ Macintosh では alias (エイリアス) とよぶ　スクロール ―[動] scroll (自)(他)　セル cell Ⓒ ★表計算の基本単位　挿入する ―[動] insert (他) (↔ overwrite)　ダブルクリック ―[動] double click (他)　閉じる ―[動] close　ドラッグ ―[動] drag (他)　ドラッグアンドドロップ ―[動] drag and drop (他)　バックアップ ―[名] (万一の事故に備えてコピーしておいたファイル) backup Ⓒ ―[動] back up (他)　フォーマット ―[動] (初期化する) format (他)　―[名] (初期化) formatting Ⓤ; (書式・形式) format Ⓒ　ペースト ―[動] paste (他)　保存する ―[動] save (他)　マウスポインター mouse pointer Ⓒ

¶コンピューターの電源を入れなさい Turn on the computer.

マウスの左ボタンをクリックしなさい Click the left mouse button.

「プログラムを起動するにはどうしたらいいですか」「アイコンをダブルクリックしなさい」"How do I start the program?" "Double-click on the icon."

エンターキーを押しなさい Press Enter key.

マウスポインターをスタートボタンの上に置きなさい Place the mouse pointer over the "Start" button.

その行をコピーしてメールに貼り付けなさい Copy the line and paste it into your email message.

フロッピーディスクは使う前にフォーマットしなければなりません You have to format your floppy disk before you can use it.

ファイルをフロッピーディスクに保存しなさい Save the file to your floppy disk.

ウィンドウを最大化[最小化]しなさい Maximize [Minimize] the window.

ウィンドウをスクロールして最下行を表示しなさい Scroll the window and display the last line.

ファイルメニューから「開く」を選びなさい Select "Open" from the file menu.

コンピューターが動かなくなりました (⇒入力を受けつけなくなりました, フリーズしました) My computer has frozen. / (⇒こわれました) My computer has crashed.

リセットボタンを押して, システムを再起動しなさい Press the reset button and restart the system.

/fiːɑːnséɪ/ Ⓒ; (女性) fiancée /fiːɑːnséɪ/ Ⓒ ★ fiancé(e)の ´ は綴り本来のもの; (1組の) engaged couple Ⓒ. (☞ いいなずけ). ¶彼は石田さんの*婚約者です He is the *fiancé* of Miss Ishida. / He is Miss Ishida's *fiancé*.　婚約破棄 breach of promise of marriage Ⓒ　婚約不履行 ☞ 婚約解消[破棄]　婚約指輪 engagement ring Ⓒ.

こんゆう　今夕　this evening (☞ こんばん).

こんよう　混用　―[動] mingle (他), mix (他) ★前者は主として, 混ざった後でも個々の要素がある程度識別できる場合. 後者には特にそのような制限はない. ¶この瓶とあの瓶のオイルは*混用しないように Avoid *mixing* this bottle of oil with that one.

こんよく　混浴　mixed bathing Ⓤ.

こんらん　混乱　―[名] (無差別に入り乱れている状態) confusion Ⓤ; (順序・配列が整っていない状態) disorder Ⓤ, mess Ⓤ ★後者のほうが口語的. しばしば a を付けて; (形をとどめないほどの状態) chaos Ⓤ. ―[動] (混乱させる) confuse (他); disorder (他). ―[形] confused; messy; chaotic. (☞ みだれる; みだす[1]). ¶部屋の中は*混乱していた The room was ⌈*messy* [*in a mess*]. // その会議は*混乱のうちに終わった The conference ended in *confusion*. // その大地震の後, 全市はひどい*混乱状態だった After the major earthquake, the whole city was in (a state of) *chaos*.

こんりゅう　建立　―[名] erection Ⓤ. ―[動] erect (他). (☞ けんせつ; たてる[1]).

こんりゅうバクテリア　根粒バクテリア　〔生〕 rhizobium /raɪzóʊbiəm/ Ⓒ (複 -bia /-biə/).

こんりんざい　金輪際　(どんなとき[理由]でも決して) never on any ⌈occasion [account] (☞ けっして; ぜったい). ¶私は*こんりんざい彼とは一緒に仕事をしない I will *never on any* ⌈*occasion* [*account*] work with him. / *No way* will I work with him!

こんれい　婚礼　wedding Ⓒ (☞ けっこん[1]; きょしき).

こんろ　焜炉　(七厘) portable clay cookstove Ⓒ. ¶石油*こんろ a ⌈kerosene [(英) paraffin] *cooking stove*

こんろんさんみゃく　崑崙山脈　―[名] (固) the Kunlun Mountains ★中国西部にある大山脈.

こんわ　懇話　☞ こんだん

こんわく　困惑　―[動] (まごつかせる) perpléx (他); (気まずい思いをさせる) embárrass (他). ―[名] perplexity Ⓤ; embarrassment Ⓤ. (☞ とうわく; こまる). ¶彼は*困惑の表情を浮かべた (⇒困惑しているように見えた) He looked *embarrassed*. // 実験の結果は科学者たちを*困惑させた The result(s) of the experiment ⌈*perplexed* [*embarrassed*] the scientists. / (⇒科学者たちは実験の結果に困惑した) The scientists *were* ⌈*perplexed* [*embarrassed*] by the result(s) of the experiment.

さ, サ

さ[1] 差 —[名] (差異) difference Ⓤ; (不釣り合い) disparity Ⓤ ★ 以上 2 語は具体的な相違点について言うときは Ⓒ; (意見などの隔り・相違) gap Ⓒ ★ あってほしくない場合に用いる; (金額・勝ち負けなど数量で示される差) margin Ⓒ. —[前] (程度や度合いを示して) by [日英比較] この by … は「…の差で」という意味であるが, 日本語では表さないこともある. (☞ ちがい[1]; かくさ; へだたり).

¶ 身分の*差 a ⌈*difference* [*disparity*] in social standing // 世代間の*差 a generation *gap* // 男女の間で*差をつける (⇒ 差別する) *discriminate* between men and women // この 2 人は能力にあまり*差がない There is very little *difference* in ability between these two people. (☞ たいさ[1]) // 彼らの意見にはだいぶ*差がある There's a ⌈big [considerable] *difference* between their views. // 迅速な救急措置が生と死を分ける*差になることがある Prompt first-aid treatment can make ⌈a life-or-death *difference* [the *difference* between life and death]. // 2 点*差で負けている[負けた] We ⌈are behind [lost] *by* two points. // 円はドルに対して 52 銭(の*差で)円安となった The yen fell against the dollar *by* 0.52 yen. // 与党は野党にわずかの*差で勝った The ruling party defeated the opposition by a narrow *margin*.

コロケーション

差が開く[縮まる] the *gap* ⌈widens [narrows] // **差を埋める** bridge [close; fill] a *gap* / **差を縮める** narrow [reduce; lessen] a *gap* / **差を残す** leave a *gap* / **差を広げる** widen a *gap* // **明らかな差** an obvious *difference* / **大きな差** a great [a wide; a huge; an enormous; an immense] *difference* / **階級差** class *difference* / **価格差** price *difference* / **基本的な差** a fundamental *difference* / **個体差** (an) individual *difference* / **時間差** time *difference* / **性差** (a) sexual *difference* / **年の差** age *difference* / **広がる差** a ⌈growing [widening] *gap* / **貧富の差** the *gap* between the rich and the poor / **本質的な差** an essential *difference* / **明確な差** a ⌈clear [distinct] *difference* / **目立った差** a marked *difference* / **わずかな差** a minute [an insignificant; a minor; a little; a slight; a subtle] *difference*

さ[2] 左 ☞ ひだり

-さ[1] —[接尾] -ness, -th, -(i)ty, -ship, -hood [日英比較] 英語では形容詞・名詞などに前記のような接尾辞を付けて抽象名詞とするが, 日本語の「…さ」が必ずしも以上のような英語の抽象名詞に対応するとは限らないことに注意. (☞ 接尾辞 (巻末)).

¶ 彼女の親切*さに感動した I was impressed by her *kindness*. // 彼の強*さは想像以上だった (⇒ 私が想像していたよりはるかに強かった) He was far *stronger* than I (had) expected. // 私は彼のあの粘り強*さに負けた I was beaten by his *tenacity*.

-さ[2] (本当に) honestly; (あなたも知っているとおり) you know; (自信をもって言える) I can tell you; (もちろん) of course; (確かに) certainly, for ⌈sure [certain] [語法] (1) どの表現も, 文の終わり, あるいは中途に挿入的に用いて, 自分の言明を強める働きをする. ただし, 以上の言葉を入れないで, イントネーションによって, 日本語の「…さ」の感じを表すことも多いことに注意.

¶ 彼は正直*さ He is honest, *I can tell you*. [語法] (2) 会話では I can tell you などを付けず be 動詞を強調することで同じような意味を表すことができる. 以下の場合も同様. // これは本当のこと*さ This is true, *you know*. // この本は僕の*さ *Of course* [*Naturally*], this book is mine. // 彼女はもちろん行った*さ She *did* go, *for sure*. [語法] (3) did は強調の助動詞. 言葉の言い方によっては for sure がなくても同じような意味を表すことができる.

ざ 座 **1** 《席》: seat Ⓒ (☞ ざせき; せき[1]). ¶ 彼は*座をはずした (⇒ 席を立った) He left his *seat*. / (⇒ 部屋から出て行った) He *went out of the room*. (☞ ちゅうざ)

2 《地位》 ¶ 彼は権力の*座を守るためには何でもする He would try anything to ⌈stay [remain] *in power*.

3 《集まり》 ¶ 彼は*座を白けさせるから呼ばないことにしよう Let's not invite him because he is a *wet blanket*. ★ wet blanket は「座をしらけさせる人[物]」の意味. (☞ しらける)

ザ (英語の定冠詞から) the, za [日英比較] 1980 年代から日本語の名詞, とくにラジオ・テレビ番組・映画題名や会・催しものなどの固有名詞に英語から借用した「ザ」を付ける一種の流行が始まった (例: ザ・ヤクザ, ザ・ワイド, ザ・アニメなど). このような「ザ」は日本語の構造上からは付ける必要性は全くないもので, 「特別の」などの意味を加え, 国際感を出すための流行語と見てよい. また, 上の第 3 例のように次に母音が続く場合も「ジ」とはしない. 英語に直す場合は the とすると意味不明になることが多く, " za waido " などのようにローマ字書きすればよい. ただし第 1 例の「ザ・ヤクザ」はアメリカ映画の題名にも使われたもので, そのような場合は the yakuza のようにするのがよい.

さあ **1** 《促す言葉》: (催促して) come (on) ★ ややぞんざいな表現; (やや余裕をもって相手に話しかける時) now; (そら) here [語法] (1) here は具体的な物・場所と関連をもたせる場合で, now や 2 の well などと違って here の後は休止を置かない.

¶ *さあ, 行こう *Let's go*. [語法] (2) 後に, shall we? を付けると少し柔らかい言い方になる. // *さあ, こい *Come on*! ★ 挑戦を促す時など. // *さあ, よい機会だ *Now*'s our chance. // *さあ, バスが来たよ *Here* comes our bus. // *さあ, 駅に着いた *Here* we are at the station.

2 《話に間を置くための言葉》: (言いよどんで) well, let me see [語法] 以上 2 つはほぼ同意だが, 後者のほうがこれから考えることをはっきりと相手に言う言い方. ¶ *さあ, それはどうだろう *Well*, I'm not sure about that. // *さあ, ちょっと考えさせて下さい *Let me* ⌈*see* [*think*].

サー sir, Sir. ★ 男性に対する敬称や呼びかけに用いる.

サーガ ☞ サガ

サーカス circus Ⓒ. ¶ *サーカスの小屋をかける put up a *circus* tent // *サーカスを興行する run a *circus* // *サーカスの団長[芸人] a *circus* ⌈master [performer] サーカス団 circus troupe Ⓒ.

サーキット (自動車レースの) (racing) circuit Ⓒ; (電気回路) circuit Ⓒ.

サーキットトレーニング 〘スポ〙 circuit training [U].

サーキュレーション (循環・流通) circulation [U] ★ 発行部数の意味では a を付けて単数形.

サーキュレーター circulator [C].

サークル (同好会) club [C] 《☞ どうこうかい; クラブ》. ¶ 私は写真の*サークルに入った I've joined a photography *club.* ★ club は単独で使わないで, 何のサークルかを付ける.

ざあざあ ¶ *ざあざあ (⇒ ひどく) 雨が降っている It's raining *hard.* / (⇒ どしゃ降りだ) It's *pouring down.* 《☞ どしゃぶり; 擬声・擬態語 (囲み)》

ザーサイ 搾菜 (中国産の漬物) zha-cai /dʒàːsáɪ/ [C].

サージ (布) serge [U].

サーズ (新型肺炎) SARS ★ *s*evere *a*cute *r*espiratory *s*yndrome (重症急性呼吸器症候群) の略. **サーズ [SARS] 感染者** SARS-infected person [C]; (保菌者) SARS carrier [C]; (患者) SARS patient [C] **サーズ [SARS] 感染地域** the SARS-infected area.

サーチ 〘コンピューター〙 ── [動] search (他). ── [名] search [C].

サーチライト searchlight [C].

サーディン 〘魚〙 sardine [C] 《☞ いわし》.

サード (野球の三塁) third (base) [U] ★ 冠詞は普通付けない; (三塁手) third baseman [C] 《複 -men》; (車のギア) third (gear) [U].

サードワールド ── [名] (第三世界) the third world ★ the を付けて. しばしば the T— W—. ── [形] third-world.

サーバー 〘スポ〙 (サービスをする選手) server [C]; 〘コンピューター〙 server [C].

サービス service [U]. ¶ あのホテルは*サービスがよい [悪い] The *service* is ⌈good [poor] at that hotel. / They give ⌈good [poor] *service* at that hotel. // その料金には*サービス料が入っていますか Does the price include (the) *service* (charge)? // マッチは*サービス (⇒ ただ) です You can have the matches *free.* // 本日の*サービス品 today's *special bargain* 日英比較 このような意味では service は使わない. // 私は日曜日はたいてい家庭*サービスをする (⇒ 日曜日を家族と過ごす) I usually spend Sundays with my family.
サービスエース 〘スポ〙 service ace [C] **サービスエリア** service area [C] **サービス(産)業** service industry [C] **サービス残業** voluntary overtime [U], unpaid overtime work [U] **サービスステーション** service station [C] ★ 英語の場合はガソリンスタンドを指すことが多い. **サービスタイム** (開店直後で割り引きのある時間) happy hour [C] **サービスブレーク** (テニス) sérvice brèak [C] **サービスライン** 〘スポ〙 sérvice lìne [C] **サービスルーム** (ホテルなどの) valet service room [C]; storage space [C] ★ 不動産用語.

サーブ ── [名] (テニスなどの) serve [C], service [C]. ── [動] serve (自). ¶ *サーブを受ける [返す] receive [return] a *serve* // 彼はうまい*サーブをした He ⌈made a good *serve* [*served* well]. **サーブ権** ¶ *サーブ権は私だ It's *my serve*.

サーファー surfer [C].

サーフィン surfing [U].

サーフェスモデル 〘コンピューター〙 surface model [C].

サーフジェット surf jet [C].

サーフボード surfboard [C].

サープラス (黒字) surplus [C]. **サープラスショップ** surplus store [C] ★ 特に米軍の余剰物資を販売する.

サーベイ ── [名] (調査) súrvey [C]. ── [動] survéy (他).

サーベイランス (見張り・監視) surveillance /səvéɪləns/ [U].

サーベル saber (《英》 sabre) /séɪbə/ [C].

サーボきこう サーボ機構 ── [名] (自動制御機構) servomechanism /sə́ːvoʊmèkənɪzm/ [C], 《略式》 sérvo [C]. ── [形] sèrvomechánical, servo.

サーボブレーキ sérvo bràke [C].

サーマルプリンター (熱で印字するプリンター) thermal printer [C].

サーモスタット thérmostàt [C].

サーモン (鮭) salmon /sǽmən/ [C] 《複 ～, ～s》. **サーモンピンク** sálmon pink [U].

サーロインステーキ (牛の腰肉) sírloin stéak [U] ★ 肉片を個々に言うときは [C]. 単に sirloin とも言う.

さい[1] 才 (才能) abilities ★ 最も一般的. 複数形で; (磨けば光るような生まれつきの才) talent [C]; (天賦の才) gift [C]. 《☞ さいのう[1] (類義語); のうりょく (類義語); ゆうのう》.

さい[2] 犀 〘動〙 rhinoceros /raɪnás(ə)rəs/ [C] 《複 ～(es)》, 《略式》 rhino /ráɪnoʊ/ [C] 《複 ～(s)》.

さい[3] 際 (…の時) when …; (…の場合) in case of …, in the event of … 《☞ とき[2]; このさい; さいして》.

さい[4] 差異, 差違 difference [C]; (意見などの食い違い) gap [C]. 《☞ ちがい[1]; さ[1]》.

さい[5] 賽, 骰子 《米》 die [C] 《複 dice》, 《英》 dice [C] ★ 単複同形. ¶ *さいは投げられた The *die* is cast.

さい[6] 妻 ☞ つま[1]

さい[7] 菜 (おかず) síde dìsh [C] 《☞ おかず 日英比較》.

さい[8] 細 ── [形] (細心の) minute /maɪn(j)úːt/; (細かい) fine; (詳細な) detailed. ¶ (説明などが) 微に入り*細をうがつ give a ⌈*minute* [*detailed*] explanation / go into the *minutest details* 《☞ び[2]》

さい-[1] 最… -est, most 語法 -est は形容詞・副詞の語尾に, most は前に付けて最上級を作る. 形容詞の最上級は普通, 定冠詞を伴う; (最大の・最高の) maximum [A]; (極度の) extreme, ultra-. 《☞ もっとも[2]; いちばん》.

さい-[2] 再… re- ★「再び」という意味の接頭辞. 口語では again を用いる言い方もある. 《☞ 接頭辞 (巻末)》. ¶ 事件を*再審査する *re*-examine the case / examine the case *again*

-さい …歳, …才 ── [名] (年齢) age [U]. ── [形] (…歳で) old ★ 前に「…歳」(… years) を置く. 《☞ とし[1]; ねんれい》.
¶ 私は 16 *歳です I am sixteen *years* ⌈*old* [*of age*]. ★ [ ] 内はやや格式ばった言い方. //「あなたは何*歳ですか」「18 *歳です」"How *old* are you?" "I'm 18 (*years old*)." 語法 (1) years old はしばしば省略される. // 5 *歳の子供 a five-*year-old* child 語法 (2) この場合 year は複数形としない. 《☞ ハイフン (巻末)》 // 40 (*歳) 台の女性 a woman in her *forties* // 5 *歳から 12 *歳までの男の子 boys ⌈between the *ages* of 5 and 12 [in the 5-12 *age* range] // 彼女は 16 *歳の時からいろいろな仕事をして家計を助けた From *age* 16, she took jobs to help her family's finances. // 先週彼は 20 *歳になった He ⌈turned [became] *20* last week. // 彼は私より 2 *歳年上です He is two *years* older than me. 語法 (3) 文法的には I が正しいとされるが, me のほうが自然で慣用的. // 20 *歳以上の人は選挙権がある People who are *20* or over have the right to vote. / You have to be *20* or over to vote. // 祖父は 80 *歳で死んだ My grandfather died at the *age* of eighty.

ざい[1] 在 1 《地方》: (いなか) the country; (町はずれ) outskirts ★ 複数形で. ¶ 小諸の*在に住む live on the *outskirts* of Komoro // *在の者 a countryman

2《存在》 ¶彼の*在不在（⇒家にいるかどうか）を確かめる find out if he *is at home or not*

ざい[2] 財 fortune Ⓒ. ¶*財を成す（⇒財産を作る）make a *fortune*

-ざい[1] …材 （材料）material Ⓒ. ¶建*材 building *materials* // 教*材 teaching *material(s)*

-ざい[2] …罪 crime Ⓒ. ¶重*罪 a grave *offense* // 誘拐*罪 kidnapping // 未遂*罪 an attempted *crime*

さいあい 最愛 ―[形]（一番大切にしている）(the) dearest, beloved /bɪlʌ́vɪd/ Ⓐ ★後者はやや格式ばった語. ¶彼は*最愛の妻に死なれた（⇒失った）He lost his *beloved* wife.

さいあく 最悪 ―[形] (the) worst Ⓐ (↔(the) best). ―[名]（最悪の事態）the worst. ¶*最悪の事態に備えておけ Prepare for *the worst*. // *最悪の場合には家を捨てなければならない In *the worst* case [If (*the*) *worst comes to* (*the*) *worst*], we'll have to leave our house.

ざいあく 罪悪 （道徳・宗教上の）sin Ⓒ;（法律上の犯罪）crime Ⓒ;（罪悪感）guilt Ⓤ.《☞ つみ[1]（類義語）; はんざい》. ¶いかなる形であれ戦争は*罪悪である War, in any form, is a *crime*. // 彼は*罪悪感に欠けている He ˹lacks [doesn't have] a sense of *guilt*.

ざいい 在位 （在位期間）reign /réɪn/ Ⓒ. ¶王の*在位中に in [during] the *reign* of the king // 王の*在位は10年間におよんだ The king *was on the throne* for ten years.

ザイール ―[名] ㊖ Zaire /zɑːíə/;（正式名）the Republic of Zaire. ★コンゴ民主共和国の旧称. ―[形] Zairian /zɑːí(ə)riən/.《☞ コンゴ》. **ザイール人** Zairian Ⓒ.

さいいんざい 催淫剤 aphrodisiac /æ̀frədíziæ̀k/ (drug) Ⓒ.

さいうよく 最右翼 ¶彼は優勝候補の*最右翼だ（⇒最も勝者になる可能性の高い人だ）He is *the most likely* winner.

さいうん 彩雲 glowing cloud Ⓒ.

さいえん[1] 才媛 intelligent [talented] woman Ⓒ [語法] intelligent は知能が高いこと, talented は有能なことを表す.

さいえん[2] 再演 repeat [second] performance Ⓒ. ¶劇を*再演する give a *repeat performance* (of the play) /（⇒再び上演する）*perform* [*present*] a play *again*

さいえん[3] 菜園 （家庭菜園）(kitchen) garden Ⓒ;（市場向け野菜園）《米》truck farm Ⓒ;《英》market garden Ⓒ.

サイエンス science Ⓤ. **サイエンスパーク**（ハイテク産業地域）science park Ⓒ **サイエンスフィクション** science fiction Ⓤ ★総称的;（空想科学小説）science-fiction ˹novel [story] Ⓒ. ¶私は*サイエンスフィクションの映画が好きです I like *science-fiction* ˹movies [films]. **サイエンスライター** science writer Ⓒ.

サイエンティフィック ―[形] scientific.

さいおう 塞翁 **塞翁が馬** ¶人間万事*塞翁が馬 Inscrutable are the ways of Heaven.《ことわざ: 神のやり方は計りがたい》

さいか[1] 裁可 （天皇による）Imperial /ɪmpí(ə)riəl/ sanction Ⓤ;（公式の認可）official approval Ⓤ.《☞ にんか》.

さいか[2] 災禍 ☞ さいがい

さいか[3] 才華 dazzling ability Ⓤ, brilliance Ⓤ.《☞ さいのう[1]》.

さいか[4] 再嫁 ☞ さいこん

さいか[5] 西下 ―[動]（東京から西へ向かう）go west from Tokyo;（関西方面へ出かける）leave Tokyo for the Kansai district. ¶彼は新幹線で*西下した He *went west from Tokyo* by Shinkansen.

ざいか[1] 財貨 （財産）property Ⓤ;（富）wealth Ⓤ;（大金）fortune Ⓒ. ¶*財貨を蓄積する amass [make] a *fortune*

ざいか[2] 罪科 （法律上の罪）crime Ⓒ;（処罰）punishment Ⓤ. ¶*罪科をただす make inquiry into a *crime* // *罪科に処す inflict *punishment* on a *person*

さいかい[1] 再会 ―[動] meet again ㊀. ―[名]（親類・友人・仲間などの）rèunion Ⓒ.《☞ あう[1]》. ¶私たちは*再会を約束した We promised to ˹*meet again* [have a *reunion*]. ★前者のほうが口語的.

さいかい[2] 再開 ―[動]（いったん閉じてまた始める）reopen ㊉ ㊀;（一時的な中断の後再開して続行する）resume ㊉ ㊀ ★前者より格式ばった語. ―[名] reopening Ⓤ; resumption Ⓤ.《☞ ひらく》. ¶会議は午後1時に*再開される The meeting will ˹*be resumed* [*resume*] at 1 p.m.

さいかい[3] 最下位 （位[地位]の）the lowest ˹rank [position];（順位の）the tail end;（びり）the bottom;（競技の）the cellar ★くだけた語. いずれも the を付けて. ¶この学校では彼はいつもクラスの*最下位（の成績）であった At this school, he was always *at the bottom* of ˹his [the] class. // *最下位から脱出する come from *the cellar*

さいがい 災害 disaster Ⓒ;（天災）natural disaster Ⓒ.《☞ てんさい[2]; じんさい》.
¶今年はいろいろと*災害が多かった（⇒多くの災害を被った）We have suffered many *disasters* this year. // *災害地では人々は生活必需品にも事欠いていた In the ˹*disaster* [*stricken*] areas people lacked even basic necessities. // *災害対策を立てる take ˹measures [precautions] against *disasters* **災害救助法** the Disaster Relief Act **災害救助ロボット** rescue robot Ⓒ **災害保険** casualty [accident] insurance Ⓤ **災害補償**（天災[事故]の）disaster [accident] compensation Ⓤ **災害予測図** hazard map Ⓒ.

コロケーション

災害から立ち直る recover from (a) *disaster* / 災害にあう meet (a) *disaster* / 災害に対処する cope with (a) *disaster* / 災害を経験する experience (a) *disaster* / 災害を避ける avert *disaster* / 災害を引き起こす cause *disaster* / 災害を防止する prevent [stave off] *disaster* / 災害を招く invite *disaster* / 災害をもたらす bring *disaster* // 恐ろしい災害 a terrible [a dreadful; an awful] *disaster* / 壊滅的な災害 a devastating *disaster* / 空前の災害 an unprecedented *disaster* / くり返し起こる災害 a recurrent *disaster* / 差し迫った災害 imminent *disaster* / 人為的な災害 a man-made *disaster* / 全国規模の災害 a national *disaster* / 大災害 a catastrophic *disaster* / 悲惨な災害 a ˹tragic [grievous] *disaster*

ざいかい 財界 business [financial] circles ★複数形で; the ˹business [financial] ˹circle [world] ★the を付けて. **財界首脳** business leader Ⓒ **財界人**（金融業者）financier Ⓒ;（資本家）capitalist Ⓒ;（実業家）businessman Ⓒ.

ざいがい 在外 ―[形]（海外の）overseas Ⓐ. ―[副]（海外で[に]）overseas, abroad.《☞ かいがい》. ¶*在外邦人の数は増加している The number of Japanese citizens ˹*overseas* [*abroad*] is increasing. **在外研究員** researcher [research worker] overseas Ⓒ [語法] overseas researcher とすると, 外国からやって来た研究員の意味になる.

在外公館 diplomatic establishments abroad 在外資産 overseas assets ★ 複数形で. 在外邦人 Japanese citizens abroad; overseas Japanese.

さいかいはつ 再開発 ━ 名 rèdevélopment U. ━ 動 rèdevélop 他. (☞ かいはつ).

さいかいもくよく 斎戒沐浴 ━ 名 purification /pjù(ə)rəfɪkéɪʃən/ U. ━ 動 perform a purification ceremony, purify *oneself* ★ 前者は格式ばった表現.

さいかく 才覚 ━ 名 (臨機応変の才) resource U ★ 格式ばった語; (機転) wit U. ━ 動 (やりくりする) manage 自. (☞ きてん[1]). ¶ 非常に*才覚のある人 a ⌈man [woman] of great *resource* // 彼は何とか*才覚して資金を作った He *managed* somehow or other to raise the funds.

ざいがく 在学 ━ 動 be ⌈in [at] ⌈school [college]; (在籍している) be enrolled ⌈at [in] ⌈school [college]; (…の学生である) be a student at … (☞ ざいせき[1]). ¶ 私が大学*在学中に父が死んだ My father died *when I was* ⌈*a college student* [*in college*; (英) *at college*]. // この大学の*在学生は約5千人です There are about five thousand students *in* this *college*.

在学期間 period of attendance at school C 在学証明書 certificate of ⌈student status [enrollment] C; (身分証明書) student (ID) card C.

さいかくにん 再確認 ━ 名 (予約などの) reconfirmation U. ━ 動 reconfirm 他. (☞ かくにん).

さいかこう 再加工 ━ 名 rèprócessing U. ━ 動 rèprócess 他. (☞ かこう[2]).

さいかじゅうりょうトンすう 載貨重量トン数 déadwèight tonnage /tʌ́nɪdʒ/ U.

さいかん[1] 再刊 ━ 名 republication U. ━ 動 republish 他. (☞ ふっかん[1]).

さいかん[2] 才幹 (能力) ability C; (才能) talent C. ¶ 彼は*才幹に富んだ人物だ He is a man of many *abilities*.

さいかん[3] 彩管 paintbrush C; painter's brush C. (☞ えふで).

さいき[1] 再起 ━ 名 (立ち直り) cómebàck C; (病気の回復) recovery U. ━ 動 còme báck 自; recover (from …) 自. ¶ 彼は*再起不能らしい (⇒ 彼の再起の可能性はほとんどないらしい) There seems to be little chance of ⌈his [him] making a *comeback*.

さいき[2] 才気 ━ 形 (頭の回転のいい) quick-witted; (天分の豊かな) gifted. ¶ 彼女は*才気煥発(かんぱつ)な人だ (⇒ 頭がいい) She ⌈has a *brilliant* mind [(⇒ 非常に器用な) is *extremely clever*]. 才気走る ━ 動 be too quick-witted; (良い意味で, 臨機応変の才がある) be resourceful.

さいき[3] 債鬼 (容赦のない債権者) merciless creditor C; (回収者) (pressing) bill collector C. ¶ 情け容赦のない*債鬼に攻め立てられる be tormented by *merciless* ⌈*bill collectors* [*creditors*]

さいぎ[1] 猜疑 ━ 名 (疑い) suspícion U. ━ 形 (疑いを持った) suspícious; (懐疑的な) skeptical ((英) sceptical). (☞ うたがい; ねたみ; ふしん[2]).

¶ 人を*猜疑の目で見る look ⌈on [at] *a person* with *suspicion* // 彼は非常に*猜疑心が強い He is extremely ⌈*suspicious* of [*skeptical* about] everything.

さいぎ[2] 再議 ━ 名 reconsideration U. ━ 動 reconsider 他.

さいきだいめいし 再帰代名詞 〔文法〕 reflexive pronoun C.

サイキック (心霊作用を受けやすい人) psychic /sáɪkɪk/ C.

さいきどう 再起動 〔コンピューター〕 ━ 名 reboot C, restart C. ━ 動 reboot 他 自, restart 他 自. ¶ コンピューターを*再起動する *reboot* [*restart*] a computer

さいきどうし 再帰動詞 〔文法〕 reflexive verb C.

さいきょ[1] 再挙 ¶ *再挙を図る (⇒ もう一度やってみる) make *another attempt* / (⇒ もう一度チャンスを見つける) find *another chance*

さいきょ[2] 裁許 ━ 名 approval U. ━ 動 approve 他.

さいきょう 最強 ━ 形 (人の力が) the strongest; (エンジンなどが) the most powerful.

さいぎょう 西行 ━ 名 固 Saigyo; (本名) Sato Norikiyo, 1118–1190; (説明的には) a Japanese Buddhist priest-poet, known for *Sankashu*, a collection of his tanka poems.

ざいきょう 在京 ¶ 彼は*在京中に多くの旧友に会った He met many old friends *during his stay in Tokyo*. // *在京の友人たち my friends *in Tokyo*

さいきょういく 再教育 ━ 名 (広い意味での) reeducation U; (特定の職種のための) retraining U; (現職教育) in-sèrvice tráining U; (補習・知識向上のための) refrésher cóurse C. ━ 動 rèéducàte 他; retrain 他. (☞ きょういく). ¶ 私は数学の*再教育を受けたい I want to take a *refresher course* in math.

さいきょうみそ 西京味噌 *saikyo*-miso U; (説明的には) light-brown soybean paste produced in Kyoto and neighboring districts.

さいきょうやき 西京焼き *saikyoyaki* C; (説明的には) slice of fish marinated in *saikyo*-miso and broiled C. (☞ さいきょうみそ).

さいきん[1] 最近 ━ 副 recently, lately 語法 意味は同じであるが, lately は(英)では通常, 疑問文・否定文で用いられる. 日英比較 日本語の「最近」は「最近物価が上がっている」のように現在のことにも用いるが, 英語の recently, lately は過去を意味し, 主として現在完了形, ときに過去形とともに使われ, 現在時制に使われることはない; (現在から見て一番最後に) last. ━ 形 (時間的に一番新しい) (the) latest, (the) most recent; last. (☞ このごろ; ちかごろ).

¶ *最近, 鈴木氏に会いましたか Have you seen Mr. Suzuki ⌈*recently* [*lately*]? // 彼女には*最近 (⇒ 最後は) いつ会いましたか When did you see her *last*? // つい*最近まで私は岡山に住んでいました I lived in Okayama until quite *recently*. // これは*最近3年間に出版された小説のリストです This is a list of novels published in the ⌈*last* [*past*] three years. // *最近の流行は私の好みに合わない I don't like *the latest* ⌈fashions [styles].

さいきん[2] 細菌 ━ 名 (バクテリア) bacteria /bæktí(ə)riə/ ★ bacterium の複数形; (一般に微生物) germ C ★ 日常的な一般語. ━ 形 bacterial. (☞ きん[2]; ばいきん; バクテリア). ¶ *細菌の培養 [繁殖] the ⌈cultivation [propagation] of *bacteria* // *細菌検査を行う carry out a *bacteriological* examination 細菌学 bactèriólogy U 細菌学者 bactèriólogist C 細菌戦 gérm [bácteriològical] wárfare U ★ germ のほうが口語的. 細菌兵器 bacteriological weapon C.

ざいきん 在勤 ¶ 彼女は外務省*在勤中に結婚した She got married ⌈while she *was working for* [during her *time* at] the Foreign Ministry. // 海外*在勤手当 an overseas allowance

さいぎんみ 再吟味 ━ 名 rèexàminátion U. ━ 動 reexamine 他. (☞ ぎんみ).

さいく 細工 **1** 《手芸》: (できばえ・仕上がり)

workmanship Ⓤ; (製作品) piece of work Ⓒ. (☞ しゅげい; てぎわ). ¶これは見事な竹*細工だ This is a beautiful *piece of* bamboo *work*. // ガラスを色々な形に*細工する *work* glass in various shapes

2 «術策»: (術策・策略) «格式» ártifice Ⓒ; (策略) «格式» strategem Ⓒ; (戦術) tactics ★ 複数形で. (☞ こざいく). ¶彼はどうも*細工が多すぎる (⇒ あまりにも多くの細工を用いる) He uses too many ⌈*artifices* [*strategems*]. / (⇒ 人を巧みに扱う) He is *manipulative*. // つまらない*細工はやめなさい Don't play cheap *games*. // *細工は流々仕上げを御覧(ごろう)じろ (⇒ 私の仕事がどの様になるかを見ていなさい) Wait and see how my *work* turns out.

さいくつ 採掘 ―動 (鉱石などを掘る) mine ⑩; (掘る) dig ⑩ ★ 意味の広い語. ―名 mining Ⓤ; digging Ⓤ. (☞ ほる[1]). **採掘権** mining rights.

サイクリスト cyclist Ⓒ.

サイクリング cycling Ⓤ (☞ じてんしゃ). ¶*サイクリングに行きませんか How about going on a *cycling* tour? ★ tour は泊まりがけの旅行. // *サイクリング専用道路 a ⌈*cycling* [*cycle*] path

サイクル cycle Ⓤ (☞ しゅうき[1]; しゅうは[2]). **サイクルヒット** 〘野〙 the cycle.

サイクロトロン cyclotron Ⓒ.

サイクロン (インド洋の熱帯性低気圧) cyclone Ⓒ.

さいくん 細君 *a person's* wife Ⓒ (☞ つま[1]).

さいぐんび 再軍備 ―名 rèármament Ⓤ. ―動 rearm ⓐ ⑩. (☞ ぐんび).

サイケ ☞ サイケデリック

ざいけ 在家 (出家していない信者) layman Ⓒ, laywoman Ⓒ, layperson Ⓒ.

さいけいこくたいぐう 最恵国待遇 ¶*最恵国待遇を与える give ... *most-favored-nation status* / (⇒ 最恵国待遇をする) treat ... as a *most favored nation*

ざいけいちょちく 財形貯蓄 worker's ásset building savings ★ 複数形で.

ざいけいほうていしゅぎ 罪刑法定主義 (犯罪行為に対する刑罰は既定の法律によって決められるとする考え方) the basic principle of law establishing the criteria about crimes before they are applied to a case ★ 説明的な訳.

さいけいれい 最敬礼 ―名 deep bow Ⓒ. ―動 make a deep bow, bow very low ⓐ. (☞ おじぎ).

さいけつ[1] 採決 ―動 (ある件について賛否の投票をする) vote (on ...) ⓐ, take a vote (on ...). ―名 (投票権行使) voting Ⓤ; (票決) vote Ⓒ. (☞ ひょうけつ[1]; けつ[1]).

¶この問題につき*採決を行います We will ⌈*vote* [*take a vote*] *on* this matter. // *採決の結果, 議案に対し, 賛成 10 票, 反対 8 票だった The result of *voting* was ten for and eight against the bill. // 与党は単独*採決することに決めた The ruling party decided to *take a vote* by itself. // その法案は強行*採決された The bill *was* ⌈*railroaded* [*steamrollered*] through the Diet.

さいけつ[2] 裁決 ―名 (決定) decision Ⓤ ★ 具体的な事項では Ⓒ; (法律上などの重大な事柄に関しての決定) judgment Ⓤ ★ judgement と綴ることもある. 語 法 以上 2 語は入れ替え可能な場合もある. ―動 decide ⑩ ⓐ ★ 一般的な語; (裁定・裁決・判定・判決などを下す) pass [give] judgment (on ...). (☞ けっさい[2]; けつ[1]; はんけつ).

¶最終的*裁決は社長に仰ごう We will ask our president for a final *decision*. // *裁決は彼に有利に下された The *decision* was in his favor.

さいけつ[3] 採血 ―動 (血液提供者から) gather [collect] blood; (血管から) draw blood. (☞ ち[1]; けつえき).

さいげつ 歳月 (時・時の流れ) time Ⓤ; (年) year Ⓒ. (☞ ねんげつ; としつき; つきひ).

¶あれから 3 年の*歳月が流れた Three *years* have passed since then. 日英比較 「...年の歳月」という表現は, 英語では「...年」とするだけでよい. // *歳月がたつにしたがって, 彼もその土地が気に入ってきた He came to like the place ⌈with *time* [as *time* ⌈passed [went by]]. // *歳月人を待たず *Time and tide* wait for no man. (ことわざ) 語 法 time も tide も「時」という意味で, 語頭の 't' をそろえて頭韻になっている.

サイケデリック ―形 psychedelic /sàɪkədélɪk/.

さいけん[1] 再建 ―名 (破壊などからの復興) reconstruction Ⓤ; (建物などの建て直し) rebuilding Ⓤ ★ 以上 2 語は同意にも用いられるが, 前者のほうが格式ばった語. ―動 reconstruct ⑩; rebuild ⑩. (☞ ふっこう[1]). ¶会社の*再建に乗り出す embark on the *reconstruction* of the company // 地震の後, 3 年で町はすっかり*再建された The town *was* completely ⌈*reconstructed* [*rebuilt*] within three years of the earthquake.

さいけん[2] 債券 (公債) bond Ⓒ; (社債) debenture Ⓒ. ¶*債券を発行[償還]する issue [redeem] *bonds* // 政府は年利 4 分の*債券を発行した The government issued a new *bond* bearing an annual interest rate of four percent. // 無記名*債券 bearer *bonds*

さいけん[3] 債権 credit Ⓒ (↔ debt); (請求権) claim Ⓒ. ¶*債権の免除[弁済] exemption from [liquidation of] *claims* // 私は彼に対して*債権がある (⇒ 私は彼の債権者だ) I am his *creditor*. / (⇒ 請求権がある) I have a *claim* against him. **債権回収機構[関]** credit [debt]- ⌈collection [recovery] ⌈organization [institution] Ⓒ **債権回収専門会社** servicer Ⓒ **債権回収代行会社** credit collection agency Ⓒ, servicer Ⓒ **債権国** creditor nation Ⓒ **債権者** creditor Ⓒ (↔ debtor) **債権放棄** waiver of a ⌈credit obligation [debt] Ⓤ.

さいけん[4] 再検 reexamination Ⓒ; reinspection Ⓒ. (☞ さいけんとう).

さいけん[5] 細見 ―名 (詳しく見ること) close ⌈inspection [examination] Ⓒ. ―動 inspect ... ⌈in detail [minutely], submit ... to a close examination.

さいげん[1] 再現 ―動 (昔あったものをそのままに作る) reproduce /rì:prəd(j)ú:s/ ⑩. ―名 rèprodúction Ⓤ ★「再現されたもの」は Ⓒ.

¶シェークスピア時代の劇場をここに*再現した We have made a *reproduction* of a Shákespèarean théater. **再現部** 〘楽〙 recapitulation /rì:kəpìtʃʊléɪʃən/ Ⓤ.

さいげん[2] 際限 **際限がない** ¶欲には*際限がない Avarice knows *no bounds*. ★ 慣用的表現. // 彼らの到着を*際限なく待つのですか Do we have to wait for their arrival *indefinitely*? (☞ きり[2]; はてしない)

ざいげん 財源 (政府機関などの収入源) sóurce of révenùe Ⓒ; (一般的な収入源) source of income Ⓒ; (資金) funds; (財力) finances; (金銭的資源) financial resources ★ 以上 3 つは複数形で. (☞ しきん; しゅうにゅう). ¶新しい*財源を探す必要がある We have to look for a new *source of* ⌈*revenue* [*income*]. // 彼らの*財源は豊かだ[底をついた] Their *financial resources* are ⌈ample [exhausted].

さいけんとう 再検討 —動 (再度よく調べる) rèexámine (他); (念のため調べる) double-check (他); (もう一度研究する) study ... again ★ 後者のほうが口語的; (再考する) reconsider (他). —名 re-examination Ⓤ; reconsideration Ⓤ. 《☞ けんとう[2]; さいこう[2]; かんがえなおす》. ¶ 記載漏れが無いよう*再検討をお願いします Please *double-check* that you haven't left out ⌜anything [any item].

さいこ 最古 —形 the oldest 《☞ ふるい[1]》.

さいご[1] 最後 **1** «一番終わり» —名 (順序の終わり) the last (↔ the first); (最終点) end Ⓒ (↔ beginning). —形 (the) last; (最終段階の) final Ⓐ [語法] last は連続したものの一番最後で, 次はないことを意味し, final は何かを仕上げたり, 決定したりするための最後の段階を表す. —副 (動詞を修飾して) last; (文全体を修飾して) lastly; (結局は) in the end. 《☞ おわり (類義語)》.

¶ 彼が最後に部屋を出た He left the room *last*. / (⇒ 彼が部屋を出た最後の人だ) He was *the last* (*one*) to leave the room. // *最後の5分間が最も重要だ *The last* five minutes are most important. // 最善を尽くせば*最後は成功します If you try your best, you will succeed *in the end*. // *最後の*最後までがんばる hold out to the very *end* // *最後にこの事を述べて, 私の話を終わりたい I would like to [Let me] ⌜*close* [*conclude*] my speech by saying this. // *最後の1人まで戦う fight to the *last* man // 彼は*最後までがんばった He made a *last-ditch* effort.

2 «いったん...したら» —接 once ...

¶ 彼は一度言い出したら*最後, ほかの人の意見には耳も貸さない *Once* he's started saying something, he won't even listen for a second to anyone else's opinions.

最後通告[通牒] ùltimátum Ⓒ. ¶ *最後通告を出す deliver [give; issue; send] an *ultimatum*

さいご[2] 最期 —名 (人生の終り) the end of *one's* life; (臨終) *one's* last moment(s); (死ぬ日) *one's* dying day. 《☞ しぬ》. ¶ *最期の時まで彼は自分の信条に誠実だった He was faithful to his beliefs to ⌜*his dying day* [*the end of his life*]. // 彼は気の毒な*最期だった (⇒ 彼は悲惨な状態で死んだ) He *died* in misery. // 私が彼の*最期を見届けました (⇒ 臨終の席にいました) I was present at his *deathbed*.

ざいこ 在庫 (商品の蓄え) stock Ⓤ; (在庫品) goods in stock ★ 複数形で. ¶ *在庫を調べる take *stock* // 中古車の*在庫がなくなった Used cars have run out of *stock*. 《☞ しなぎれ》 // 灯油の*在庫はたっぷりあります [もうありません] We have ⌜a large *stock* of [no more] kerosene. // *在庫が不足している We're short of *stock*. // *在庫一掃セール 《掲示》 *Clearance* Sale **在庫管理** inventory control Ⓤ **在庫調べ** stocktaking Ⓤ 《☞ たなおろし》 **在庫整理** clearance of the goods in stock Ⓤ **在庫調整** inventory [《英》 stock] adjustment Ⓒ **在庫表** stock list Ⓒ, inventory Ⓒ ★ 前者のほうが口語的. **在庫品** stored goods ★ 複数形で.

サイコアナリシス (精神分析) psychoanalysis /sàikouənǽləsɪs/ Ⓤ.

さいこう[1] 最高 —形 (高さが一番の) (the) highest; (一番よい) (the) best [語法] 「最高の...」という程度を表すときは形容詞の最上級を用いればよい; (権力・地位・程度などが) supreme /suprí:m/; (最大限の) maximum Ⓐ (↔ minimum).

¶ 彼は私たちの中では*最高の給料を得ている He gets *the highest* salary of all of us. // 彼女は幅跳びで自己*最高(記録)の4メートルを出した She got a personal *best* of four meters in the long jump. // きょうはこの夏*最高の暑さだ Today is *the* warm*est* day this summer. // これが私の出せる*最高額です This is the *maximum* (amount) I can offer. // 私は*最高に (⇒ 完璧に) 幸せだった I was *perfectly* happy. // 天気は*最高だった (⇒ すばらしかった) The weather was *marvelous*. // 日本ではばらは5月が*最高の美しさだ In Japan, roses are *most* beautiful in May. ★ 最上級であるが the を用いない. // *最高だね That's ⌜*great* [*wonderful*]! 《☞ すばらしい (類義語); ぜっこう[1]》 // *最高指導者が交代した The *top* leader has changed.

最高価格 the highest price **最高学府** the highest seat of learning **最高寒暖計** maximum thermometer Ⓒ **最高気温** high Ⓤ (↔ low), the maximum temperature ★ 前者は天気予報で the highest temperature の意味で使われる. 《☞ きおん[1] [語法]》 **最高経営責任者** the chief executive officer Ⓒ ★ 略語は CEO. **最高限度** the ceiling **最高実力者** the most ⌜important [influential] person **最高殊勲選手** the most valuable player 《略 MVP》 **最高司令官** the commander in chief **最高速度** maximum speed Ⓒ **最高点** (試験の) the highest mark; (競技の) the highest score; (投票の) the highest poll.

さいこう[2] 再考 —動 (もう一度熟考する) think ... over again, reconsider (他) ★ 後者のほうが格式ばった語. —名 reconsideration Ⓤ. 《☞ かんがえなおす》. ¶ *再考の余地はありません There is no room for *reconsideration*. // *再考の結果その会には出ないことにした *On second* ⌜*thought* [《英》 *thoughts*], I decided not to attend the party.

さいこう[3] 採光 (照明) lighting Ⓤ. ¶ この部屋は*採光がよい [悪い] This room is ⌜*well-lit* [*poorly lit*].

さいこう[4] 再興 —動 (再興する) revive (自) (他), restore (他) ★ 後者は格式ばった語. —名 revival Ⓤ, restoration Ⓤ. 《☞ ふっかつ; ふっこう[1]》. ¶ 古い祭りの*再興をはかる try to *revive* the old festival

さいこう[5] 再校 〖印〗 (再校刷り) second proof Ⓒ, revise Ⓒ.

さいこう[6] 採鉱 mining Ⓤ 《☞ さいくつ》.

ざいこう 在校 **在校生** student Ⓒ; pupil Ⓒ [語法] 《米》 では小学生を含めすべての学生・生徒を student というのに対し, 《英》 では小・中・高生を pupil, 大学生を student という. 《☞ せいと[1] [日英比較]》.

さいこうがくふ 最高学府 ☞ さいこう[1]

ざいごうぐんじん 在郷軍人 veteran Ⓒ; ex-soldier Ⓒ.

さいこうけんさつちょう 最高検察庁 the Supréme Públic Prósecutor's Óffice 《☞ けんさつ[1]》.

さいこうこく 再抗告 —名 reappeal Ⓤ. —動 reappeal.

さいこうさいていおんどけい 最高最低温度計 maximum and minimum thermometer Ⓒ.

さいこうさいばんしょ 最高裁判所 the Supreme Court 《☞ さいばんしょ》. **最高裁判所長官[判事]** the Chief Justice [justice Ⓒ] of the Supreme Court.

さいごうたかもり 西郷隆盛 —名 (固) Saigo Takamori, 1828–1877; (説明的には) a Japanese general who was instrumental in bringing about the fall of the Tokugawa shogunate and the re-establishment of direct imperial rule.

さいこうちょう 最高潮 —名 (劇・演説などの) clímax Ⓒ; (起伏がある中での) peak Ⓒ. —形 clìmáctic Ⓐ. 《☞ クライマックス; かきょう[1]; たけなわ》. ¶ 話は*最高潮に達しようとしていた The story was reaching its *climax*. // ビートルズの人気は 1960 年

代に*最高潮に達した The popularity of the Beatles reached its *peak* in the「1960's [1960s].

さいこうび 最後尾 ── [名] the furthest back. ── [形] rearmost, last. ¶*最後尾の車両 the *last* carriage

さいこうふ 再交付 ── [名] reissue /riːíʃuː/ [U]. ── [動] reissue (他). (☞ こうふ[1]).

さいこうほう 最高峰 the highest peak.

さいこうれつ 最後列 the rearmost row.

さいこく 催告 ── [名] nòtificátion [U]. ── [動] notify (他).

さいこくじゅんれい 西国巡礼 pilgrimage to thirty-three Buddhist temples in western Japan [C] ★ 説明的な訳.

サイコセラピー (精神療法) psychotherapy /sàɪkoʊθérəpi/ [U].

さいごのしんぱん 最後の審判 〖キ教〗 the Last「Judgment [《英》 Judgement].

さいごのばんさん 最後の晩餐 〖キ教〗 the Last Supper.

さいこよう 再雇用 ── [動] rèemplóy (他). ── [名] reemployment [U].

さいころ 《米》 die [C] (《複 dice》), 《英》 dice [C] ★ 単複同形.

サイコロジー psychology [U].

サイコロジスト psychologist [C].

さいこん 再婚 ── [動] marry again (他) (自), remarry (他) (自) ★ 前者のほうが口語的. ── [名] second marriage [U]. (☞ けっこん[1]).

サイゴン ── [名] (固) Saigon /saɪgán/ ★ ホーチミン市の旧称.

さいさき 幸先 ¶こいつは*幸先がいい This is a *lucky start.*

さいさん[1] 採算 (金銭的な利益) profit [U]; (利得) gain [U] ★ 後者は「もうけ」の意味ではしばしば複数形で用いられる. (☞ りえき; もうけ).
¶この商売は*採算がとれない This business「does not *pay* [is not *profitable*]. (☞ ひきあう) // 彼は*採算を度外視して (⇒ 利害を考えないで) 協力してくれた He cooperated with us without consideration for his own *interests.*
採算性 profitability [U] **採算割れ** ── [形] (利益のない) unprofitable; (原価より安い) below-cost. ── [副] unprofitably; below cost.

さいさん[2] 再三 ── [副] (幾度も) many times, again and again, over and over again; (しばしば) often; (繰り返し) repeatedly ★ 以上のうちでは最も格式ばった語. (☞ たびたび; しばしば). **再三再四**
¶*再三再四の警告にもかかわらず彼は規則を破った He violated the rule in spite of *repeated* warnings. // 彼らは*再三再四試みたが無駄だった They tried「*over and over again* [*again and again*] but it was useless.

ざいさん 財産 (特に不動産) property [U] ★ 最も一般的で, 法律用語としても使われる; (莫大な金額などを指して) fortune [C]; (富) wealth [U]. (☞ しさん[1]).
¶彼は全*財産を甥(おい)に譲った He made over all his *property* to his nephew. // 私はひと*財産を手に入れた I've come into a large *fortune.* // 彼は石油でひと*財産を築いた He made his *fortune*「in [out of] oil. // *財産を…に使う spend *one's fortune* on … // 彼は全*財産を失った (⇒ 持っていた金を全部なくした) He lost *every cent* he had. // *財産目当てに結婚する marry for *money* / marry a *fortune* // 商人には信用が*財産だ (⇒ すべてだ) Credit is *everything* to traders. // 彼はチームにとって大きな*財産だ He is a great *asset* to our team. // 私[国]有*財産 private [national; state; public] *property*
財産家 man [woman] of「wealth [property] [C] ★ property は格式ばった言い方; wealthy person [C] **財産権** property right [C] **財産税** property tax [C] **財産相続** property inheritance [U] **財産分与** distribution of property [U] **財産目録** inventory (of property) [C].

── コロケーション ──
財産を失う lose *one's fortune* / 財産を相続する inherit a *fortune* / 財産をためる accumulate [amass; pile up]「a *fortune* [*wealth*] / 財産を使い果たす go [get; run] through a *fortune* / 財産を手に入れる acquire a *fortune* / 財産を…に譲り渡す hand [pass]「down [on] *one's fortune* to … / 財産を残す leave a *fortune* (to …) / 財産を持っている possess a *fortune* / 財産を浪費する squander [dissipate] *one's fortune* // 社会共有財産 community *property* / 莫大な財産 a great [an enormous; a huge; an immense; a large] *fortune* / わずかな財産 a humble *fortune*

さいし[1] 妻子 *one's*「family [wife and children] (☞ かぞく[1]). ¶*妻子を養うために彼は昼も夜も働いた He worked day and night to support *his family.* // 彼は*妻子を見捨てて家出した He ran away, deserting *his wife and children.* // 彼は*妻子のいるちゃんとした人物だ He is a respectable *family* man.

さいし[2] 才子 (頭のよい人) clever man [C]; (有能な人) talented man [C]. **才子多病** Men of genius often have delicate health.

さいし[3] 祭司 (officiating /əfíʃièɪtɪŋ/) priest [C].

さいし[4] 祭祀 religious service [C].

さいじ[1] 細字 (小さい文字 [漢字]) small「letters [characters] ★ 通例複数形で. **細字用ボールペン** fine ballpoint (pen) [C].

さいじ[2] 細事 trifle [C]. ¶*細事にこだわる worry about *trifles*

さいじ[3] 祭事 festival [C].

さいしき 彩色 coloring [U]. ¶*彩色を施す (⇒ 彩色する) color **彩色画** colored picture [C].

さいじき 歳時記 (季語集) glossary of seasonal terms for haiku poets [C]; (一年の行事にまつわる随筆集) essays on seasonal events.

さいしけん 再試験 (単位を落とした人の) 《米略式》 makeup (exam) [C], 《英略式》 resit /ríːsìt/ [C]; (再び調べること) reexamination [U]. (☞ しけん[1]).

さいじじょう 催事場 exhibition hall [C].

さいじつ 祭日 (全国的な) (national) holiday [C]; (神社の) festival (day) [C]. (☞ しゅくじつ (表); きゅうじつ).

ざいしつ[1] 材質 ¶この柱は*材質がいい This pillar is made of *high-quality wood.* // この像の*材質は何ですか (⇒ この像は何で作られているか) *What* is this statue made of? (☞ しつ[1])

ざいしつ[2] 在室 ── [動] (自分の部屋にいる) be in *one's* room. ¶彼は今*在室していますか *Is* he *in* (*his room*) now?

さいして 際して on … [語法] 「…した際」のような場合は後に動名詞が続く; (特別の行事などの場合に) on the occasion of …; (万一…の場合には) in case of …, in the event of … (☞ とき[2]).
¶出発に*際して一言申し上げたい I would like to say a few words *on* leaving here. // 建物の落成に*際して, 式典が挙行された A ceremony was held *on* completion of the building. // 緊急事態に*際しては敏速に行動すること *In*「*case* [*the event*] *of* emergency, act quickly. // 我々との別れに*際して彼は私の手をぐっと握りしめた He clasped my hand *on* parting from us.

さいじや 催事屋 (各地の物産展をする業者) exhibition-hall trader at a department store who deals in products from various regions Ⓒ.
ざいしゃ 在社 ―動 (会社にいる) be in「the [*one's*] office.
さいしゅ[1] 採取 ―動 (一つずつ丹念に拾い取る) pick ⑯; (抽出する) extract ⑯. ((☞ さいしゅう[1])).
さいしゅ[2] 採種 ―動 gather the seeds.
さいしゅう[1] 採集 ―動 (目的をもって組織的に集め, 蓄える) collect ⑯; (1 か所にかき集める) gather ⑯. ((☞ あつめる (類義語))). ¶ 彼は日曜ごとに昆虫*採集に出かける He goes *collecting* insects every Sunday. **採集家** collector Ⓒ **採集狩猟文化** hunter-gatherer culture Ⓒ 日英比較 英語では「狩猟」と「採集」の順が一般的. **採集網** (捕虫網) insect net Ⓒ; (蝶を捕る) butterfly net Ⓒ.
さいしゅう[2] 最終 ―形 (時間的に一番後の) (the) last (↔ (the) first); (これで決着がつく最終の) final Ⓐ. ((☞ さいご)). ¶ *最終列車はもう出ました *The last* train has already left. // これが*最終案です This is our *final* draft. **最終試験** final examination Ⓒ **最終弁論** final [concluding] argument Ⓒ.
ざいじゅう 在住 ―動 (住む・暮らす) live (in …) ⓐ; (ある場所に居を構える) reside (in …) ⓐ ★ 後者のほうが格式ばった語. ((☞ すむ[1]; ちゅうざい)). ¶ ニューヨーク*在住の日本人 a Japanese *living in* New York
さいしゅうしょく 再就職 ―動 (新しい職を見つける) find a new job.
さいしゅうとう 済州島 ―名 ⓖ Cheju /tʃíːdʒùː/ ★ 朝鮮半島南西海上の島.
さいしゅつ 歳出 ((格式)) annual expenditure Ⓤ (↔ revenue) ★ 具体的な「出費」の意ではしばしば複数形で. ((☞ ししゅつ)).
さいしゅっぱつ 再出発 fresh [new] start Ⓒ ((☞ しんきいってん)). ¶ 彼は人生の*再出発をした He made a「*fresh* [*new*] *start* in life.
さいしょ[1] 最初 ―形 (第一番目の) (the) first (↔ (the) last); (物事の始まりの) initial Ⓐ ★ やや格式ばった語; (元来の・原物の) original; (時間的に最も早い) (the) earliest. ―名 (初めの部分) beginning Ⓒ (↔ end); (開始) start Ⓒ. ―副 (まず最初に) first ★ 最も一般的; (手始めに) in the beginning. ((☞ はじめ; だいいち; いちばん)). ¶ これが彼の (書いた) *最初の詩です This is his *first* poem. // 風邪を引いたら特に*最初の時期を大切にしなさい If you catch a cold, take good care of yourself, especially at the *start*. // *最初はたいへんうまく行った (⇒ 私たちはよいスタートを切った) We made a good「*start* [*beginning*]. // 会の*最初に会長が歓迎の辞を述べた (⇒ 会は会長の歓迎の辞で始まった) The meeting「*began* [*opened*] with the president's welcoming address.
さいしょ[2] 細書 ―名 small letter Ⓒ. ―動 write in small letters.
さいじょ[1] 才女 (知能の優れている [才能のある] 女性) intelligent [talented] woman Ⓒ.
さいじょ[2] 妻女 (妻) wife Ⓒ.
ざいしょ 在所 (いなか) the countryside; (ふるさと) *one's* home「country [village] Ⓒ.
さいしょう[1] 最小, 最少 ―形 (数・量が) the smallest; (量が) the least; (程度が) minimum Ⓐ. ―名 minimum Ⓒ. ((☞ すくない; さいてい[1])). **最小値** the minimum value.
さいしょう[2] 宰相 prime minister Ⓒ.
さいじょう[1] 最上 ―形 (一番よい) the best ((☞ さいこう[1]; さいぜん[1]; ごくじょう)). **最上級** 〘文法〙 the supérlative (degrée).
さいじょう[2] 斎場 (葬儀場) funeral hall Ⓒ; (祭りの場) the site of a religious service.
ざいじょう 罪状 (犯罪) crime Ⓒ; (罪を犯したという事実・意識) guilt Ⓤ. ((☞ つみ[1] (類義語); はんざい)). ¶ 彼は*罪状を自白した He confessed his「*crime* [*guilt*]. **罪状認否** 〘法〙 arraignment /əréɪnmənt/ Ⓤ.
さいしょうげん 最小限 ―形 minimum Ⓐ. ―名 minimum Ⓒ (↔ maximum). ¶ 村人は被害を*最小限にとどめるよう最善を尽くした The villagers did their best to「keep the damage to a *minimum* [*minimize* the damage].
さいしょうこうばいすう 最小公倍数 the「least [lowest] common multiple ((略 L.C.M., l.c.m.)).
さいしょく[1] 菜食 ―動 (菜食する) live on vegetables, etc (but not on meat); be a vegetarian. ¶ 彼女は体重を減らすため*菜食中心の食事制限をしている She is on a *vegetarian diet* to lose weight. **菜食主義** vegetarianism /vèdʒətéː(ə)riənìzm/ Ⓤ **菜食主義者** vegetarian Ⓒ ★ 卵やミルクも取らない絶対菜食主義者は vegan Ⓒ.
さいしょく[2] 才色 ¶ *才色兼備の女性 a woman gifted with both *intelligence and beauty*
さいしょく[3] 彩色 ☞ さいしき
ざいしょく 在職 ―動 be in [hold] office ★ office Ⓤ は「職」の意. ((☞ ざいにん[1])). ¶ 彼は*在職中に亡くなった He died *in office*. // 私の父はこの学校に 15 年間*在職した My father「*worked for* [*taught* at] this school for fifteen years. **在職期間** the period of *one's* service **在職老齢年金** old-age pension paid while *one* is in office Ⓒ.
さいしょり 再処理 ―名 reprocessing Ⓤ. ―動 reprocess ⑯. **再処理工場** reprocessing plant Ⓒ. ¶ 核燃料*再処理工場 a nuclear fuel *reprocessing plant*
さいしん[1] 最新 ―形 (一番新しい) (the) newest; (ニュース・製品などが最近の) (the) latest; (時代に即応した・最近の) up-to-date Ⓐ ★ Ⓟ ではハイフンは付けない; (最も新しい技術・情報などを使った) state-of-the-art. ((☞ あたらしい)). ¶ *最新の情報をお知らせします I'll tell you *the latest* news. // *最新式の車 the「*latest*-[*newest*-] model car // ここの設備を*最新式にしたい I want to make the facilities here as *modern* as possible. // *最新の技術 (the) *state-of-the-art* technology
さいしん[2] 細心 ―形 (注意深い) careful; (用意周到な) scrupulous /skrúːpjʊləs/; (慎重な) prudent; (細かいことによく気を配る) meticulous. ―副 carefully; scrupulously; prudently. ((☞ しんちょう[2])). ¶ 車の運転には事故を起こさないように*細心の注意が必要です (⇒ 非常に注意して運転しなくてはいけない) You should drive *very carefully* (, so as) to avoid accidents.
さいしん[3] 再審 retrial Ⓒ ((☞ しんり[3])). **再審請求** request of retrial Ⓒ.
さいしん[4] 再診 ―名 reexamination Ⓒ. ―動 reexamine ⑯. **再診料** reexamination fee Ⓒ.
さいしん[5] 最深 ―形 (the) deepest.
さいじん[1] 才人 talented person Ⓒ.
さいじん[2] 祭神 enshrined deity Ⓒ.
サイズ size ★ 大きさでは Ⓤ, 衣服などのサイズでは Ⓒ. ((☞ おおきさ; すんぽう)). ¶「この*サイズは私には合いません」「どの*サイズをお召しですか」「9 *サイズです」"I'm afraid this is not my *size*." "What *size* (dress) do you take?" "I take a *size* 9." // *サイズを測る measure *one's size* // *サイズが合うかどうか着て[はいて]みる try on …for *size* // この T シャツの M

*サイズはありますか Do you have this T-shirt in *size* M?

ざいす 座椅子 chair without legs (used in a *tatami*-mat room) [C].

さいすん 採寸 ―[名] (寸法を計ること) measurement [U]. ―[動] measure (他). ((☞ すんぽう)).

さいせい 再生 ―[名] (オーディオ・ビデオの) pláyback [U] ★「再生したもの」の意味では [C]. ―[動] pláy (báck) (他). ¶録画したテレビ番組を*再生する *play back* a video of a TV broadcast **再生ゴム** reclaimed rubber [U] **再生紙** recycled paper [U] **再生繊維** regenerated fiber [U] **再生装置** (録音・録画の) playback equipment [U] **再生品** recycled ⌈article [C] [goods] **再生利用** ―[名] rècýcling [U]. ―[動] recycle /rìːsáɪkl/ (他).

ざいせい¹ 財政 ―[名] finance [U]. ―[形] financial. ((☞ かね¹; しきん)). ¶その会社は*財政がしっかりしている The firm has a good *financial* standing. // *財政上の危機 *financial* crisis // *財政上の理由でその企画は中止になった The project was shelved for *financial* reasons. // 多くの*財政基盤の弱い会社が今年中につぶれるだろう Many *financially* weak firms will go bankrupt within the year. // 健全[赤字]*財政 sound [deficit] *finance* // 国家[地方; 市]*財政 national [local; municipal] *finance* // まず第一に国の*財政 (⇒ 国家経済) を立て直さなければならない First of all, we must reconstruct the national *economy*. // わが家の*財政を立て直すには時間がかかりそうだ It will take time to set our *finances* in order. [語法] 財政状態という意味では複数形を用いる.
財政インフレーション inflation caused by a budgetary deficit [U] **財政援助** financial assistance [U] **財政改革** financial reform [U] **財政学** (public) finance [U] **財政顧問** financial adviser [C] **財政政策** financial [fiscal] policy [C] ★[ ] 内は格式ばった語. **財政投融資計画** fiscal investment and loan program [C] **財政難** financial difficulties ★複数形で. **財政法** the Finance Law.

―コロケーション―
財政を改善する improve the *finances* / **財政を管理する** handle the *finances* // **法人財政** corporate [company] *finance*

ざいせい² 在世 ¶彼は*在世中は有名でなかった He did not enjoy fame ⌈*during his lifetime* [*while he was alive*].

さいせいいっち 祭政一致 the unity of church and state [U]; (神政) theocracy [U]. ¶*祭政一致の国家 a *theocracy* / a state controlled by religious leaders

さいせいき 最盛期 (芸術・学問などの) the [a] golden age ★やや文語的; (名声・成功などの) zenith [C]; (起伏がある中での絶頂) peak [C]. ((☞ ぜっちょう; さかり)).
¶オランダ絵画の*最盛期 *the golden age* of Dutch painting // この火山はいま, 活動の*最盛期だ (⇒ この火山の活動はいま最盛期にある) This volcano's activity is *at its peak* now. // ぶどうはいまが*最盛期です (⇒ 出盛りだ) Grapes are now *in season*.

さいせいさん 再生産 ―[名] reproduction [U]. ―[動] reproduce (他).

さいせいふりょうせいひんけつ 再生不良性貧血 〘医〙 aplástic /eɪplǽstɪk/ anémia [U].

さいせき¹ 採石 ―[動] (石を切り出す) quarry (他). **採石場** quarry [C].

さいせき² 砕石 (舗装用の) macádam [U]. ¶*砕石舗装の道路 a *macádamized* róad

ざいせき¹ 在籍 ―[動] (登録されている) be registered; (学籍に登録されている) be enrolled ⌈in [at] school. ((☞ ざいがく)). ¶彼はまだ*在籍していますか *Is* he still *registered*? **在籍者** registered person [C]; (学生) registered student [C] **在籍証明書** certificate of registration [C].

ざいせき² 在席 ―[動] (自分の席にいる) be at *one's* desk; (その場にいる) be present (at ...). ((☞ しゅっせき)).

さいせん¹ 再選 ―[動] reelect (他). ―[名] reelection [U]. ¶彼は議長に*再選された He *was reelected* chairman.

さいせん² 賽銭 offertory /ɔ́ːfətɔ̀ːri/ [C]. **さい銭箱** offertory ⌈box [chest] [C].

さいぜん¹ 最善 ―[名] the [*one's*] best. ―[形] (the) best. ((☞ ベスト¹; さいじょう¹)). ¶私は*最善を尽くした I did *my best*. // この場合これが*最善のやり方でしょう I think this is *the best* thing to do in this case.

さいぜん² 最前 ―[副] (先ほど) a ⌈little [short] while ago ((☞ さきほど)).

さいぜん³ 截然 ―[形] (はっきりした) distinct; (明白な) clear; (鮮明な) sharp. ¶*截然たる区別をする make a ⌈*clear* [*sharp*] distinction (between ...)

さいせんきょ 再選挙 ―[名] reelection [U]. ―[動] reelect (他). ((☞ せんきょ¹)).

さいぜんせん 最前線 the forefront /fɔ́əfrʌ̀nt/.

さいせんたん 最先端 ―[形] (最も進んだ) the most advanced; (最新の) the latest; (技術などが) state-of-the-art. ―[名] (技術や知識の) the cutting edge. ((☞ せんたん¹)).
¶*最先端の技術 *the* ⌈*most advanced* [*state-of-the-art*] technology // 彼女は流行の*最先端をゆく (⇒ 最新流行の) 服を着ていた She was dressed ⌈in [according to] *the latest* fashion. // 彼は今日の日本のロボット工学の*最先端をゆく人です He is at *the cutting edge* of Japanese robotics today.

さいぜんれつ 最前列 the front row.

さいそく¹ 催促 ―[動] (しつこく勧める) urge (他); (要求する) ask (他); (せかす) húrry (úp) (他); (気付かせる) remind *a person* (of ...); (借金の返済を) press for payment. ¶すぐ来るよう彼に*催促します I'll ⌈*ask* [*urge*] him to come quickly. // 彼は借金を返せというような*催促がましいことは何も言わなかった He said nothing *pressing* for the money I borrowed. **催促状** reminder [C]; (特に支払いの) collection [reminder] letter [C]. ((☞ とくそく)).

さいそく² 細則 (detailed) regulations ★通例複数形で. ((☞ きそく)).

さいた 最多 ―[形] the most. ¶*最多勝利 [ホームラン] *the most* ⌈victories [home runs] // *最多価格帯 *the most* popular price range

サイダー (soda) pop [U], soda (pop) [U] [参考] cider [U] は《米》りんごジュース, 《英》りんご酒のこと.

さいたい¹ 臍帯 〘解〙 umbilical /ʌmbílɪk(ə)l/ córd [C] ((☞ へそ)). **臍帯血移植** 〘医〙 cord blood transplant(ation) [U] **臍帯血バンク** cord blood bank [C].

さいたい² 妻帯 ―[動] (妻を持つ) marry (a woman); be [get] married (to a woman). ((☞ さいたいしゃ)).

さいだい¹ 最大 ―[形] (the) biggest, (the) largest [語法] 前者がより口語的で大げさな感じ; (最も大きい・偉大な) (the) greatest; (最高の) maximum [A]. ((☞ さいこう¹; おおきい (類義語))). ¶世界*最大の都市 *the largest* city in the world // 私たちは*最大多数の*最大幸福を目標にしている We aim for *the greatest* happiness of *the greatest* number. **最大許容線量** (放射被曝の) the maximum permissible dose **最大(瞬間)風速** the maximum (instantaneous) wind ⌈speed [velocity] **最大積載量** the maximum carrying capacity **最大値** the maximum value.

さいだい² 細大 **細大漏らさず** (どんな細かなことも) (down) to the smallest detail(s); (詳しく) in (full) detail; (全部) fully. ¶家へ帰ると彼女は学校での出来事を*細大漏らさず両親に話す When she gets home, she tells her parents *in full detail* everything that took place at school that day.

さいだいきゅう 最大級 (…の中で最も大きい) one of the ⌈biggest [largest] … ★ 名詞の複数形を伴う. ¶世界でも*最大級のタンカー *one of the* ⌈*biggest* [*largest*] tankers in the world // *最大級のお世辞をいう pay *the greatest* compliment to …

さいだいげん 最大限 ―名 maximum Ⓒ (↔ minimum). ―形 maximum Ⓐ (↔ minimum). (☞ さいこう¹).

さいだいこうやくすう 最大公約数 the greatest common divisor《略 G.C.D., g.c.d.》. ¶これは委員会全員の*最大公約数的な (⇒ 共通した) 意見です This is an opinion ⌈*common to* [*shared by*] all the members of the committee.

さいたいしゃ 妻帯者 married man Ⓒ.

さいたく 採択 ―動 adopt ㊎. ―名 adoption Ⓤ. (☞ さいよう). ¶会議でその決議は*採択された The resolution *was adopted* at the meeting.

ざいたく 在宅 ―動 be at home, be in. ¶お父様はご*在宅ですか *Is* your father ⌈*at home* [*in*]? [語法]《米》のくだけた口語では at を省略する言い方も用いられる. // 彼は午前中は*在宅のはずです He *is* usually *at home* in the morning. **在宅医療[介護]** home care Ⓤ **在宅起訴** prosecution without physical restraint Ⓤ **在宅勤務** (コンピューター通信を利用した) telecommuting Ⓤ **在宅福祉** home welfare Ⓤ.

さいたる 最たる (最も悪い) worst (☞ もっとも²). ¶俗物の*最たるもの a snob of the *worst* sort

さいたん¹ 最短 ―形 (the) shortest (↔ (the) longest). ¶*最短コース (⇒ 最も速い道) を行きましょう Let's take *the* ⌈*quickest* [*shortest*] ⌈way [route]. // 駅まで*最短距離はどのくらいですか How far is it from here to the station by *the shortest* route? / What's the *shortest* way (from here) to the station?

さいたん² 採炭 ―名 coal mining Ⓤ. ―動 (採炭する) mine coal. **採炭所** coal mine Ⓒ **採炭夫** pitman Ⓒ, coal miner Ⓒ ★ 前者は口語的. **採炭量** coal output Ⓒ, output of coal Ⓒ.

さいだん¹ 裁断 **1**《布などの》 ―動 cút (óut) ㊎. ―名 cutting Ⓤ. (☞ たつ⁶).
2《決定すること》 ―名 decision Ⓤ; (判断) judgment Ⓤ ★ いずれも具体的な事例は Ⓒ. ―動 decide ㊎; judge ㊎. (☞ さいけつ²; けってい). **裁断機** cutter Ⓒ.

さいだん² 祭壇 altar Ⓒ.

ざいだん 財団 foundation Ⓒ. ¶フォード*財団 the Ford *Foundation* **財団法人** foundation Ⓒ.

さいち¹ 才知 ―形 (機知に富んだ) witty; (頭のいい) brilliant. (☞ さいのう¹; ちえ).

さいち² 細緻 ―形 (微細な) minute /maɪn(j)ú:t/; (綿密な) close; (詳細な) detailed. ¶*細緻な調査 a ⌈*minute* [*close*] examination // *細緻な授業計画 *detailed* lesson plans

さいちゅう 最中 ―前 (…している間に; …で忙しい時に) in the ⌈middle [midst] of … ★ midst は文語的. ―接 (…している間に) while … (☞ -ちゅう). ¶試合の*最中に電話がかかってきた I got a phone call ⌈*in the middle of* the game [*while I was playing* (the game)].

ざいちゅう 在中 ¶「印刷物*在中」 Printed Matter (Only) [語法] 封筒の上書きの表示. 何か同封物がある場合は手紙本文の下に Encl(s). または Enclosure(s) と書く. (☞ どうふう)

さいちょう¹ 最長 (一番長い) the longest. ¶スキージャンプで*最長距離を飛ぶ make *the longest* ski jump **最長不倒距離**〘スキー〙 the [*one's*] longest successful (ski) jump.

さいちょう² 犀鳥〘鳥〙hornbill Ⓒ ★ 下に曲がった大きな嘴の熱帯鳥.

さいちょう³ 最澄 ―名 ㊒ Saicho, 767–822; (説明的には) the founder of the Japanese Tendai sect of Buddhism, known by the posthumous name of Dengyo-Daishi.

さいづちあたま 才槌頭 bulging head Ⓒ.

さいてい¹ 最低 ―形 (the) lowest (↔ (the) highest); (最低限の) minimum Ⓐ (↔ maximum); (最悪の) the worst. ―副 (少なくとも) at least.
¶あの人の絵は*最低 500 万円はする You will have to pay *at least* five million yen to get his painting. // *最低必要条件は備わっている The *minimum* requirements have been met. // これは*最低だね (⇒ これ以上悪いものはない) I'm afraid *nothing could be worse than* this (one). // おまえは*最低の男だ (⇒ 私がこれまで会った中で) You are *the meanest* person I've ever met.
最低温度計 mínimum thermómeter Ⓒ **最低価格** the ⌈lowest [bottom] price **最低貸出金利** the minimum lending rate **最低気温** low Ⓤ (↔ high), the mínimum témperatùre ★ 前者は天気予報で the lowest temperature の意味で使われる. (☞ きおん¹). ¶きょうの*最低気温は 20°C でした *The minimum temperature* for today [Today's *low*] was 20 degrees ⌈centigrade [Celsius]. **最低記録** (今までの) all-time low Ⓒ; (新記録) new low Ⓒ **最低生活** the minimum standard of living **最低生活保障福祉計画** program for maintaining a minimum standard of living Ⓒ **最低賃金(制)** the minimum wage (system) **最低料金** a minimal charge.

さいてい² 裁定 ―名 (決定) decision Ⓤ; (裁決) ruling Ⓒ; (仲裁) arbitration Ⓤ; (損害賠償などの) award Ⓒ. ―動 decide ㊎ ㊐; rule ㊎; arbitrate ㊎; award ㊎.
¶委員会の*裁定に従う abide by the *decision* of the committee // 法廷は彼に無罪の*裁定を下した The court *ruled* that he was ⌈innocent of the charges [not guilty]. // *裁定に持ちこまれる be submitted to *arbitration* // 仲裁*裁定 an *arbitration award*

さいていげん 最低限 ―形 minimum Ⓐ (☞ さいてい¹). ¶彼は*最低限の義務しか果たさなかった He did only the bare *minimum* at work. // 出費は*最低限に減らされた Expenses were reduced to a *minimum*. // *最低限約束は守るべきだ You should *at least* keep your promise.

さいてき 最適 ―形 (一番よい) (the) best; (最もふさわしい) (the) most suitable. (☞ てきする; うってつけ; てきにん). ¶この仕事は彼に*最適だろう I think this job is *most suitable* for him. **最適化**〘コンピューター〙 ―名 optimization Ⓤ. ―動 optimize ㊎.

ざいテク 財テク financial engineering Ⓤ.

さいてん¹ 採点 ―動 (答案・試験の) grade ㊎, mark ㊎ ★《米》では前者のほうが一般的. ―名 grading Ⓤ, marking Ⓤ. (☞ てん¹; 学校・教育 (囲み)). ¶先生は答案の*採点中です The teacher *is* ⌈*grading* [*marking*] the ⌈exam papers [exams]

now. // 答案は100点満点で*採点してある The 「papers [exams] are 「graded [marked] on a scale of 100 points. // 英語の先生は*採点が甘い [辛い] Our English teacher is 「lenient [strict; severe] in 「grading [marking]. 採点者 marker Ⓒ.

さいてん[2] 祭典 (祭り) festival Ⓒ; (儀式) ceremony Ⓒ. (☞ まつり).

さいてん[3] 再転 ―名 reconversion Ⓒ. ―動 (再び変わる) turn again, reconvert ⑯ ⑯ ★ 前者のほうが口語的. ¶ 突然形勢は*再転してわが方に有利となった Suddenly the tide *turned again* in our favor.

サイト 〘インターネット〙 site Ⓒ, website Ⓒ.

さいど[1] 再度 ―副 (もう一度) again, a second time, for the second time 〔語法〕 第1番目が最も一般的で, 以下の語句の代わりとしても用いられる. 2番目は本来なら一度で済むものをもう一度, という感じ. 3番目はやや格式ばった言い方; (2度) twice. ―形 a second, another. (☞ また[1]; ふたたび).

さいど[2] 彩度 chroma Ⓤ.

サイド (側) side Ⓒ. ¶ 私はどちらの*サイドにもつきません I 「never [won't] take *sides*.

サイドアウト 〘スポ〙 sídeòut Ⓒ.

さいどう 細動 〘医〙 (心臓の) fibrillation /fàɪbrəléɪʃən/ Ⓤ. ¶ 心室*細動 ventrícular *fibrillátion*

サイドカー (側車付きオートバイ) mótorcỳcle with a sídecàr Ⓒ; (側車のみ) sidecar Ⓒ.

サイドキック ―動 (サッカーでボールを足の側面で蹴る) side-foot ⑯ ★ この意味の「サイドキック」は和製英語で, 英語の sidekick は「仲間・相棒」を意味する.

さいどく 再読 ―名 a second reading. ―動 read ... again. (☞ よむ[1]; よみかえす). ¶ この本は*再読の価値がある This book is worth 「*a second reading* [*reading again*; *re-reading*].

サイトシーイング (観光) sightseeing Ⓤ. ¶ *サイトシーイングツアー a *sightsèeing* tóur

サイドステップ side step Ⓒ ★ スキー・ダンスなどの横足.

サイドスロー sidearm pitch Ⓒ.

さいとつにゅう 再突入 ―名 (宇宙船などの) reentry Ⓤ ★ re-entry とも綴る. ―動 reenter ⑯ ★ re-enter とも綴る. (☞ とつにゅう). ¶ 大気圏に*再突入する *reenter* the atmosphere

サイドテーブル side table Ⓒ.

サイドビジネス (副業) job on the side Ⓒ, sideline Ⓒ; (夜間にこっそり行うアルバイト) móonlighting Ⓤ ★「サイドビジネス」は和製英語. (☞ アルバイト).

サイドブレーキ (手動ブレーキ) 《米》 emergency brake Ⓒ, 《英》 handbrake Ⓒ.

サイドベンツ (上着の) (side) vent Ⓒ.

サイドボード sideboard Ⓒ.

サイドミラー sideview mirror Ⓒ.

サイドライン 〘スポ〙 sídelìne Ⓒ ★ 通例複数形で. (☞ テニス).

サイドリーダー (副読本) súpplemèntary réader Ⓒ.

サイドワーク (副業・内職) job on the side Ⓒ (☞ サイドビジネス; アルバイト).

サイドワインダー Sidewinder Ⓒ ★ 米軍の空対空ミサイル. sidewinder は北米産毒蛇の横這(はい)ガラガラ蛇のこと.

さいなむ 苛む (苦しめる) afflict ⑯, torment ⑯, torture ⑯, rack ⑯ ★ この順で意味が強まる傾向がある. (☞ なやます). ¶ 良心に*苛まれる be 「*tormented* [*tortured*; *racked*] by one's conscience / be conscience-stricken

さいなん 災難 (大惨事) disaster Ⓒ; (事故) accident Ⓒ; (不運) misfortune Ⓒ. (☞ じこ[1]; ふこう[1]; わざわい). ¶ 彼は家が崖崩れで押しつぶされるという*災難にあった He had the *great misfortune* of having his house destroyed by a landslide. // 5分早く出かけたので, 彼女は*災難を免れた She 「escaped the *disaster* [wasn't involved in the *accident*] because she had left five minutes before it occurred.

ざいにち 在日 在日外国人 foreigner living in Japan Ⓒ 在日大使 ambassador to Japan. Ⓒ. ¶ *在日ドイツ大使 the German *ambassador to Japan* 在日大使館 embassy in Japan Ⓒ. ¶ *在日カナダ大使館 (The) Canadian *Embassy in Japan* 在日米軍 United States Armed Forces in Japan. (☞ ざいにほん).

ざいにほん 在日本 ¶ *在日本大韓民国居留民団 the Korean Residents Union *in Japan* // *在日本朝鮮人総連合会 the General Association of Korean Residents *in Japan*

さいにゅう 歳入 annual revenue Ⓤ. 歳入不足 revenue shortfall Ⓒ.

さいにゅうこく 再入国 rèentry Ⓒ.

さいにん 再任 ―動 (再び任命する) appoint *a person* again, reappoint ⑯; (一度解任された後で) reinstate ⑯. ¶ 監督に*再任される *be appointed* manager *again* / *be reinstated* as manager

ざいにん[1] 在任 ¶ 彼がパリ*在任中 (⇒ パリの事務所に勤めている間) にその事件は起こった The incident took place while he *was working* in the Paris office. (☞ ざいしょく)

ざいにん[2] 罪人 (刑法上の) criminal Ⓒ (☞ つみ[1] (類義語)).

さいにんしき 再認識 ¶ 外国を旅行して英語力の重要性を*再認識した (⇒ 十分[はっきり]わかった) I 「*fully realized* [*realized clearly*] how important a good knowledge of English 「was [is] when I traveled overseas.

サイネリア 〘植〙 (キク科の多年草) cineraria /sìnəré(ə)ria/ Ⓒ ★「シネラリア」の名が「死ね」を連想させるために言いかえた和製語.

さいねん 再燃 ―動 (問題などが再び持ち出される) be brought up again; (再び表面化する) surface /sə́ːfəs/ agáin; (再び活発になる) be revived. ―名 revival Ⓤ. ¶ あの古い論争が*再燃している That old controversy *has been* 「*brought up again* [*revived*].

さいねんしょう 最年少 ―形 (the) youngest. ¶ 彼は私たちの間では*最年少です He is *the youngest* (one) of all of us.

さいねんちょう 最年長 ―形 (the) oldest.

さいのう[1] 才能 ―名 (能力) ability Ⓤ; (芸術などの才能) talent Ⓤ; (天賦の才) gift Ⓒ; (特別なことに対する天分) genius Ⓒ. ―形 (幅広い才能のある) able; talented; gifted.

【類義語】最も一般的に, 先天的・後天的な能力を表す語は **ability** で,「才能」の意味では **abilities** と複数形で用いることが多い. 先天的で特に芸術・芸能など, ある種の特別なことに対する才能であるが, それを訓練することによって初めて開発されるような才能は **talent**. 天賦の才で何の努力も要せず, 自然に発揮される才能は **gift**. ((例) 音楽の*才能 a *gift* for music). 創造的なことに発揮される非凡な才能は **genius**. (☞ のうりょく (類義語); てんさい[1])

¶ 優れた*才能 great 「*ability* [*talent*] // 彼女の*才能はすばらしい (⇒ 彼女はすばらしい才能を持っている) She has a 「brilliant [remarkable] *talent*. / She is a person of great *talent*. / She *is* 「highly [very] *talented*. // 思いがけない*才能 unexpected [surprising]「ability [talent] // 彼は数学の*才能がある He has a *genius* for mathematics. // 私たちは*才能を十分に発揮するよう努めるべきです We should try to「give full play to our *abilities* [develop our *abilities* fully]. // *才能を使う use *one's ability* // *才能を必要とする need [require]「*ability* [*talent*]

コロケーション

才能を買いかぶる overrate [overestimate] *a person's*「*ability* [*talent*] / 才能を過小評価する underrate [underestimate] *a person's*「*ability* [*talent*] / 才能を示す show [display; reveal] *one's*「*ability* [*talent*] / 才能を高める enhance *one's*「*ability* [*talent*] / 才能を試す test *one's*「*ability* [*talent*] / 才能を引き出す draw out the *talent* / 才能をひけらかす show off *one's*「*ability* [*talent*] / 才能を磨く cultivate *one's*「*ability* [*talent*] / …の才能がある have [possess]「an *ability* [a *talent*] for … / 人の才能を買う[認める] appreciate [recognize] *a person's*「*ability* [*talent*] // 埋もれた才能 a buried *talent* / 親譲りの才能 inherited *ability* / 隠れた才能 a hidden *talent* / 経営の才能 administrative「*ability* [*talent*] / 芸術[音楽]の才能 artistic [musical]「*ability* [*talent*]; an artistic [a musical] *genius* / 天賦の才能 natural [innate]「*ability* [*talent*] / 特異な才能 unique「*ability* [*talent*] / 特殊な才能 a peculiar「*ability* [*talent*] / 飛び抜けた才能 (an) outstanding「*ability* [*talent*] / 非凡な才能 extraordinary [exceptional]「*ability* [*talent*] / まれな才能 rare「*ability* [*talent*]

さいのう[2] 採納 ― 動 (寄付などを受け取る) receive ㊙; (提案などを採り入れる) accept ㊙.

さいのう[3] 臍嚢 (稚魚の腹にある袋) umbilical vesicle Ⓒ.

ざいのう 財嚢 (財布) purse Ⓒ; (所持金・資力) pocket Ⓒ ★ 通例単数形で. また deep pockets (豊富な資金) という表現もある.

さいのかわら 賽の河原 (仏教で) the Children's Limbo (☞ シジフォス).

さいのめ 賽の目 ― 動 (さいの目に刻む) dice ㊙, cut … into small cubes. (☞ 料理の用語 (囲み)).

サイバー- cyber- ★「コンピューター・インターネットによる」の意味. (☞ インターネットと E メール (囲み)). **サイバーショッピング** cybershopping Ⓤ **サイバーショップ** cýbershòp Ⓒ **サイバースペース** (仮想空間) cýberspàce Ⓤ **サイバーテロ** cyberterrorism Ⓤ **サイバーモール** (インターネット上のショッピングセンター) cýbermàll Ⓒ.

さいはい 采配 ¶ 彼が(その仕事の)*さい配を振っている (⇒ 彼が大将だ) He *is the boss*. 〔語法〕口語的. この boss には悪い意味はない.

さいばい 栽培 ― 動 grow ㊙, raise ㊙ ★ 以上 2 語は平易な日常語; cultivate ㊙ ★ 前の 2 語より格式ばった語. ― 名 cultivation Ⓤ, culture Ⓤ 〔語法〕culture は特によい品種を育てることに用いる場合がある. ¶ この地域では麦が*栽培されている (⇒ 彼らはこの地域で麦を栽培する) They *grow* wheat in this district. / Wheat *is grown* in this district. / (⇒ この地域は麦を産出する) This district *produces* wheat. // 水*栽培 hỳdropónics ★ 単数扱い. // 植物を水*栽培する *grow* plants in water
栽培技術 cultivation techniques **栽培漁業** aquaculture Ⓤ.

さいばし 菜箸 chopsticks for serving, serving chopsticks ★ 通例複数形で. (☞ はし[3]).

さいはじける 才弾ける ― 形 (利口ぶった) smart-alecky.

さいばしる 才走る ― 動 be sharp(-witted).

さいはつ 再発 ― 名 (病気の) return Ⓒ, relapse Ⓒ; (病気・事故などの) recurrence Ⓒ. ― 動 return ㊀, relapse ㊀; recur ㊀. (☞ ぶりかえす). ¶ 事故の*再発 the *recurrence* of the accident // がんの*再発 the *recurrence* of cancer // 彼は病気が*再発して入院中です He is in (the) hospital again「with [because of] a *relapse*. // (この病気は)*再発すると (⇒(この病気の) 2 度目の発病は) 危険です A *second attack* (of this illness) will be serious.

ざいばつ 財閥 zaibatsu ★ 単数または複数扱い; gréat fináncial conglómerate Ⓒ ★ 説明的な訳. ¶ *財閥の解体 the dissolution of the *zaibatsu*

さいはっけん 再発見 ― 動 rediscover ㊙ (☞ はっけん[1]).

さいはっこう 再発行 ― 動 reissue ㊙. ― 名 reissue Ⓤ. (☞ はっこう[1]).

さいはて 最果て ― 形 (最も遠い) (the) farthest. ― 名 (もうそれ以上先がないところ) end Ⓒ. (☞ はて[1]).

サイバネーション (コンピューターによる自動制御) cybernation Ⓤ.

サイバネティックアート cýbernètic árt Ⓤ.

サイバネティックス (生物・機械などの制御・情報処理機能の研究) cỳbernétics Ⓤ ★ 単数扱い.

さいはん[1] 再版 ― 名 (改訂なしの 2 度目の印刷・第 2 刷) second「impression [printing] Ⓒ; (以前出版された本などの) reprint /ríːprɪnt/ Ⓒ; (改訂版) second [revised] edition Ⓒ. ― 動 reprint /rìːprínt/ ㊙; (改訂する) revise ㊙. (☞ はん[3]).

さいはん[2] 再販 resale /ríːsèɪl/ Ⓤ. ¶ この製品の*再販は認められていますか Is the *resale* of the goods allowed? **再販価格** resale price Ⓒ **再販(価格維持)制度** the no-discount retail system.

さいはん[3] 再犯 second「offense [《英》 offence] Ⓒ. **再犯加重** additional「sentence [punishment] for a second「offense [《英》 offence] Ⓒ **再犯率** recidivism rate Ⓒ.

さいばん 裁判 (公判) trial Ⓤ ★ 個々の公判は Ⓒ; (訴訟) (law)suit Ⓒ. (☞ こうはん[3]; しんり[3]; そしょう). ¶ 公平な*裁判 a fair *trial* // 人を*裁判にかける bring *a person* to *trial* // その紛争はどうも*裁判ざたになりそうだ (⇒ 法廷に持ち込まれるかもしれない) The problem may be taken to *court*. // 原告が*裁判に勝った[負けた] The plaintiff「won [lost] his *suit*. // その件はいま*裁判中です The case is *on trial* now. // その*裁判はいま開かれている The *court* is sitting now. // *裁判 (⇒ 判決) はどうでしたか What was the court's「*decision* [*judgment*]? // *裁判の傍聴人 a spectator at a *trial*
裁判権 jurisdiction Ⓤ. ¶ *裁判権を持つ have *jurisdiction* (over …) **裁判手続** court procedure Ⓤ **裁判費用** judicial costs **裁判離婚** judicial divorce Ⓒ.

コロケーション

軍事裁判 a military *trial*; a court-martial / 刑事裁判 a criminal *trial* / 公開裁判 an open *trial* / 合同裁判 a joint *trial* / 国事犯の裁判 a state *trial* / 殺人事件の裁判 a murder *trial* / 迅速な裁判 a speedy *trial* / 戦犯裁判 a war crime *trial* / 秘密裁判 a secret *trial* / 民事裁判 a civil *trial* / 模擬裁判 a mock *trial*

サイパン ― 名 ㊞ Saipan /saɪpǽn/ ★ 西太平洋の島.

さいばんかん 裁判官 (職種名として一般の裁判官を指す) judge Ⓒ; (裁判官の肩書きとして) justice Ⓒ; (裁判官の職, および裁判官の総称) the bench.

¶ 彼のお父さんは*裁判官です His father is a (*law court) judge*. // *裁判官 A 氏 Mr. *Justice* A **裁判官忌避** challenge of a judge [C] **裁判官訴追委員会** the Judge Indictment Committee **裁判官弾劾裁判所** the Judge Impeachment Court.

さいばんしょ 裁判所 (建物) courthouse [C]; (法廷) court [C]. ¶ 奈良地方*裁判所 Nara District *Court*

> 裁判所のいろいろ
> 簡易裁判所 summary court, 家庭裁判所 family court, 地方裁判所 district court, 高等裁判所 high court, 最高裁判所 the Supreme Court, 少年裁判所 juvenile court

さいばんちょう 裁判長 presiding /prɪzáɪdɪŋ/ júdge [C]. ¶ *裁判長! Your Honor! / 《英》 My Lord! ★ 裁判官への呼びかけに使う敬称.

さいひ[1] 歳費 (国会議員などの手当) annual allowance [C]; (歳出) 《格式》 annual expenditure [U]. (☞ ししゅつ).

さいひ[2] 採否 ¶ 投票によって議案の*採否を決める (⇒ 票決する) *vote* on a bill // *採否 (⇒ 結果[決定]) は後ほど通知いたします We will notify you of ⌈the *result* [our *decision*] later.

さいひつ 才筆 (文才) literary talent [U], brilliant pen [C] ★ 後者のほうが口語的; (優れた文章・作品) brilliant writing [C].

さいひょう 細氷 ice needles ★ 通例複数形で; diamond dust [U].

さいひょうか 再評価 ── [名] rèvaluátion [U]; (課税のための) rèasséssment [U]. ── [動] rèváluàte (他); rèasséss (他). (☞ ひょうか[1]).

さいひょうせん 砕氷船 icebreaker [C].

さいふ[1] 財布 (札入れ) wallet [C]; (留め金の付いた小銭入れ) purse [C] [語法] 後者は主に比喩的用法 ((例) *財布のひもを締める[緩める] tighten [loosen] *one's* purse strings) に用いられる. また, purse は 《米》 では普通女性のハンドバッグを指す.

purse　wallet

¶ 列車の中で*財布を盗まれた I had my ⌈*wallet* [*purse*] stolen on the train. // 彼女にドレスを買ってやったら*財布がすっかり軽くなった (⇒ ほとんど文無しになった) After buying her a dress, I found myself *almost penniless*. **財布の口[ひも]を締める** tighten *one's* purse strings. **財布の底をはたく** (⇒ 金を全部使ってしまう) spend all *one's* money. **財布のひもを握る** ¶ うちでは妻が*財布のひもを握っている My wife *holds the purse strings* in my family.

さいふ[2] 採譜 ¶ メロディーを*採譜する *take* a melody *down on* a music sheet

さいぶ 細部 (細かい所) details; (詳しい説明・内容) partículars ★ いずれも通例複数形で. (☞ しょうさい[1]; こまかい). ¶ *細部が知りたい (⇒ 私が知りたいのは細部だ) What I would like to know is the ⌈*details* [*particulars*]. // *細部にわたって説明する go into *detail(s)*

サイフォン ☞ サイホン

さいぶそう 再武装 ── [名] rèármament [U]. ── [動] rearm (自) (他). (☞ ぶそう).

サイプレス 〚植〛 (糸杉) cypress [C].

さいぶん 細分 ── [動] (一度分けられたものをさらに分割する) sùbdivíde (他). ── [名] sùbdivísion [U] ★ その 1 つ 1 つを指すときは [C].

さいぶんぱい 再分配 redistribution [U].

さいへん 細片 (小さな破片) fragment [C]; (細長くとがったもの) splinter [C].

さいへんせい 再編成 ── [名] (組織の) reorganization [U]; (人事などの) rèshúffle [C] ★ 後者のほうが口語的. ── [動] reorganize (他); reshuffle (他) ★ 後者のほうが口語的. (☞ へんせい[1]; こうてつ[2]). ¶ 首相は内閣の*再編成を予定している The premier /prɪmíə/ is planning ⌈to *reorganize* his cabinet [a cabinet *reshuffle*].

さいほう[1] 裁縫 sewing /sóuɪŋ/ [U]; (針仕事) needlework [U]. ¶ 彼女は*裁縫が上手だ She is good at ⌈*sewing* [*needlework*]. **裁縫道具** sewing kit [C] **裁縫箱** sewing box [C] **裁縫ばさみ** (a pair of) sewing scissors.

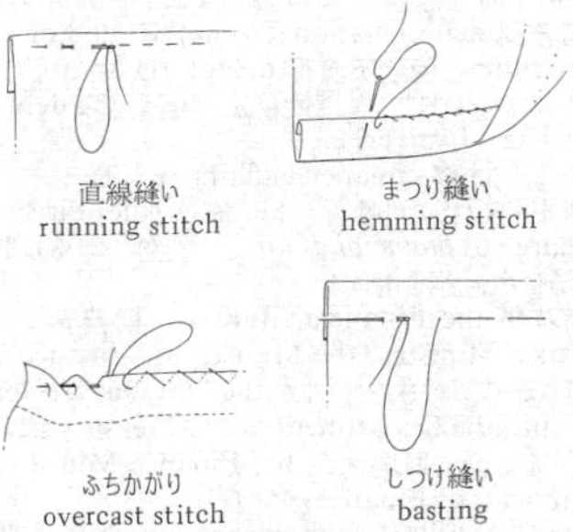

さいほう[2] 再訪 ── [名] revisit [C]. ── [動] revisit (他).

さいぼう 細胞 ── [名] cell [C]. ── [形] cellular /séljʊlə/. **細胞遺伝学** cỳtogenétics ★ 単数扱い. **細胞液** cell sap [U] **細胞核** (cell) nucleus /n(j)úːkliəs/ [C] **細胞学** cytology [U] **細胞学者** cytologist [C] **細胞銀行** cell bank [C] **細胞検査** cytotechnology [U], cytotechnological screening [U] **細胞工学** cellular engineering [U] **細胞組織** cellular tissue [U] **細胞培養** cell culture [U] **細胞分裂** cell division [U] **細胞壁** cell wall [C] **細胞膜** (cell) membrane [C] **細胞融合** cell fusion [U].

ざいほう 財宝 (宝物) treasure [U]; (富) 《文》 riches ★ 複数形で. (☞ たから).

さいほうじょうど 西方浄土 〚仏教〛 the Western Pure Land; (極楽) Paradise.

さいほうそう 再放送 ── [名] (再放送をすること) rebroadcasting [U]; (再放送の番組) rebroadcast [C]; (番組の繰り返し) repeat [C]. ── [動] rebroadcast (他). (☞ ほうそう[1]) ¶ これは昨夜の番組の*再放送です This is the ⌈*repeat* [*rebroadcast*] of a program from yesterday evening.

サイボーグ cyborg /sáɪbɔəg/ [C] ★ *cyb*ernetic *org*anism からの合成語. **サイボーグ遺伝子** cyborg gene [C].

さいほけん 再保険 ── [名] rèinsúrance [U]. ── [動] (再保険をかける) rèinsúre (他).

サイホン siphon [C].

さいまつ 歳末 ── [名] the end of the year. ── [形] year-end. (☞ くれ; ねんまつ). ¶ *歳末助け合い運動を始めています We have started a *year-end* charity drive. // *歳末 (⇒ 12 月の終わり) には交通量が増える There is heavier traffic toward *the end of December*. // *歳末大売り出し 《掲示》 *Year-End* Sale

サイマルキャスト ── [名] (ラジオ・テレビの同時放

送・その番組) simulcast Ⓒ. ― 動 simulcast 他. ★ *simul*taneous broad*cast* からの造語.

さいみつ 細密 ― 形 (細かくて正確な) minute; (詳細な) detailed; (綿密な) close. (☞ めんみつ; ちみつ). **細密画** miniature /míni(ə)tʃùə/ Ⓒ.

さいみん 催眠 (催眠状態・催眠術) hypnosis Ⓤ. **催眠術** ― 名 hýpnotism Ⓤ. ― 動 (催眠術をかける) hypnotize 他 **催眠術師** hypnotist Ⓒ **催眠薬** hypnotic Ⓒ; (鎮静剤) narcotic Ⓒ ★ 複数形で用いることが多い. (☞ すいみん(睡眠薬)) **催眠療法** hỳpnothérapy Ⓤ, hypnótic therapy Ⓤ ★ 前者は専門用語.

さいむ 債務 debt Ⓒ (↔ credit); 〘法〙 obligation Ⓒ. ¶ *債務を弁済する pay off *one's debt(s)* // *債務を免除する release *a person* from a *debt* // *債務の返済繰延べをする reschedule …'s *debt(s)* ★ 国などの場合. // *債務を果たす meet *one's liabilities* // 私は彼に*債務がある I *am in debt* to him. **債務国** debtor nation Ⓒ **債務者** debtor Ⓒ (↔ creditor) **債務不履行** default on an obligation Ⓤ (☞ るいせき(累積債務)) **債務免除** debt ˹forgiveness [waiver] Ⓤ.

ざいむ 財務 financial affairs ★ 複数形で. ¶ 彼が*財務担当の理事です He is ˹a [the] director in charge of *financial affairs.* 語法 理事が 1 人のときは定冠詞を用いる.
財務局 the Financial Bureau **財務省** the Finance Ministry, the Ministry of Finance ★ 前者は略式の呼び方; 《米》 the Treasury (Department), the Department of the Treasury (☞ おおくらしょう) **財務大臣** the Finance Minister, the Minister of Finance ★ 前者は略式の呼び方; 《英》 the Chancellor of the Exchéquer **財務長官** 《米》 the Secretary of the Treasury, the Treasury Secretary **財務部** the finance ˹division [department] (☞ 会社の組織と役職名 (囲み)).

ざいめい 罪名 the name of ˹a crime [an offense]; (告訴の理由) charge Ⓒ, count Ⓒ. (☞ ざいじょう; つみ¹ (類義語)). ¶ 彼らは 5 項目の*罪名で起訴されることになっている They are to be indicted on five ˹*counts* [*charges*].

さいもく 細目 (細部にわたる詳しい内容) details; (枝葉末節) partículars; (個々の箇条・項目) items ★ 以上いずれも複数形で. (☞ うちわけ; しょうさい¹ 語法).

ざいもく 材木 wood Ⓤ ★ 種類を言う場合は Ⓒ; 《米》 lumber Ⓤ, 《英》 timber Ⓤ; (丸太) log Ⓒ.
【類義語】切り出した木の樹皮をはいで建築その他の用途のために整えたのが **wood** で, 最も一般的な語. 用材として板・角材のように加工されたものが 《米》 ***lumber***, 《英》 ***timber***. 《米》では ***timber*** を山林の樹木, または切り出したままの木材に用い, のこでひいて調整したものを ***lumber*** として区別する場合もある. 《英》ではその区別は普通されない. 切り出した樹木の枝を切り落とし, 丸太の形にしただけのものが ***log*** である.

ざいや 在野 ― 形 (官職についてない) out of office; (権力の座にない) out of power; (政党が野党の立場にある) in opposition. ¶ 政府はこのポストのために*在野の人材を求めている The government is looking for an able person *out of office* to fill this post.

さいやく 災厄 ☞ さいなん

サイヤングきねんしょう サイヤング記念賞 Cy Young Memorial Award ★ 毎年米大リーグ最優秀投手に贈られる賞.

さいゆうき 西遊記 ― 名 固 *Hsi-yu chi, Xiyou ji* (Journey to the West); (説明的には) a sixteenth-century Chinese novel that describes the adventures of the seventh-century Buddhist priest San-tsang (Tripitaka) and his three companions ★ 東洋学者 Arthur Waley による英訳 (1942) の題名 *Monkey* でも知られる. (☞ さんぞうほうし; そんごくう).

さいゆうしゅう 最優秀 ― 形 the ˹most excellent [best] (☞ ゆうしゅう¹). **最優秀作品** the most excellent work **最優秀賞** the highest award **最優秀選手** (野球の) the most valuable player (略 MVP).

さいゆうせん 最優先 ¶ *最優先である have the *highest priority* / come *first* // …を*最優先で扱う give … the *highest priority* // 新政権の*最優先の課題は経済の再建である The new government's ˹*highest* [*first, top*] *priority* is to rebuild the economy. (☞ ゆうせん¹) **最優先事項** matter of the ˹highest [first; top] priority Ⓒ.

さいゆしゅつ 再輸出 ― 名 reexportation Ⓤ. ― 動 reexport 他. (☞ ゆしゅつ).

さいゆにゅう 再輸入 ― 名 reimportation Ⓤ. ― 動 reimport 他. (☞ ゆにゅう).

さいよう 採用 ― 動 (計画・方針などを) adopt 他; (提案などを) accept 他; (人を正式に雇用する) employ 他. ― 名 adoption Ⓤ; acceptance Ⓤ; employment Ⓤ. (☞ とりいれる; さいたく).
¶ 彼女の提案はすぐ*採用された Her proposal *was accepted* at once. // ヘボン式ローマ字は広く*採用されている The Hepburn system of *romaji* ˹has been widely *adopted* [has found wide *acceptance*]. // 会社は今年, 女子を 10 名コンピューター要員として*採用した Our company *employed* ten women as computer operators this year. // 仮*採用の期間は 3 週間です The trial period is three weeks. **採用試験** employment ˹examination [test] Ⓒ **採用条件** hiring requirements **採用通知** notification of appointment Ⓒ (☞ つうち) **採用取り消し** cancellation of an offer of employment Ⓤ. ¶ 彼は*採用取り消しの通知を受けた He received notification of the *revocation of the offer to employ* him. **採用内定** promise of employment Ⓒ.

さいらい 再来 second ˹coming [ádvent] Ⓒ; (生まれ変わり) 《格式》 reincarnation Ⓒ.

ざいらい 在来 ― 形 (その土地原産の) native; (伝統的な) traditional. ¶ *在来の習慣だからといって尊重することはない We ˹don't need to [don't have to; needn't] respect the custom simply because ˹it is *traditional* [(⇒ いままで守ってきた) we *have followed* it so far]. **在来種** native species Ⓒ ★ 単複同形. **在来線** (鉄道の) the old railroad line.

さいらん 採卵 (魚卵の) spawning Ⓤ.

さいりしゅう 再履修 ― 動 (再び学ぶ) relearn 他; (再び同じ学課をとる) take a course for the second time. (☞ りしゅう).

さいりゃく 才略 ― 名 (才知とはかりごと) (*one's*) resources ★ 複数形で; (知略) tactful plan Ⓒ. ― 形 resourceful, tactful. (☞ さいち¹).

ざいりゅう 在留 ― 動 (ある場所に生活の根拠地を置く) reside (at …; in …) 自; (住む) live (in …; at …) 自 ★ 同意に用いられることもあるが, 前者のほうが格式ばった語. ― 形 resident; living. ― 名 (在留民) resident Ⓒ. **在留資格** status of residence Ⓤ. ¶ *在留資格のない(不法)移民 an illegal ˹alien [migrant]; 《米》 an illegal immigrant **在留特別許可** (the) Special Permission for Residence Ⓤ, Special Residence Permission Ⓤ **在留邦人** Japanese citizens abroad.

さいりゅうざい 細粒剤 granule /grǽnjuːl/ Ⓒ.

さいりよう 再利用 ―[名] reuse Ⓤ, recycling Ⓤ. ―[動] reuse (他), recycle (他). ―[形] (再利用できる) reusable. ¶このビンは*再利用するのですか Are these bottles to be ⌜*reused* [*recycled*]? **再利用紙** recycled paper Ⓤ.

さいりょう[1] 最良 ―[形] (最もよい) (the) best ★ 最も一般的な語; (一番見事な) (the) finest; (最高の) supreme /suprí:m/. (☞ さいこう[1]; さいぜん[1]). ¶きょうは私の全生涯で*最良の日です Today is *the best* day in my life.

さいりょう[2] 裁量 (判断の自由) discretion /dɪskréʃən/ Ⓤ; (行動・判断・選択の自由) a free hand ★ a を付けて. ¶この件はあなたの*裁量に任せます I'll leave this matter to your *discretion.* / I'll give you *a free hand* in this matter.

ざいりょう 材料 material /mətí(ə)riəl/ Ⓤ, stuff Ⓤ [語法] (1) 前者のほうが一般的で, 具体的な諸材料をいう場合は Ⓒ; (料理などの成分) ingredient /ɪngrí:diənt/ Ⓒ; (資料) data [語法] (2) 元来はラテン語 datum の複数形. 単複両用に扱われるが, 《米》では単数扱いが多い.
¶建築*材料が値上がりしている The prices of ⌜building [construction] *materials* have gone up. // 彼女は目下次の小説の*材料を集めている She is now collecting ⌜*material* [*data*] for her new novel. // ケーキの*材料は粉, 砂糖のほかに何がいりますか What *ingredients* do we need for the cake in addition to flour and sugar?
材料科学 materials science Ⓤ.

ざいりょく 財力 (財政上の力) financial ⌜power [ability] Ⓤ; (財源・資金) financial resources ★ 複数形で; (財産) wealth Ⓤ; 〘法〙(資産) ássets ★ 複数形で. (☞ しりょく[2]; かね[1]; しさん[1]).

さいりん 再臨 《キリストの》 the Second ⌜Advent [Coming].

ザイル climbing rope Ⓒ [参考] 「ザイル」はドイツ語の Seil に由来する.

さいるいガス 催涙ガス tear /tíə/ gàs Ⓤ.

さいるいだん 催涙弾 tear gas ⌜canister [shell] Ⓒ.

さいれい 祭礼 festival Ⓒ (☞ まつり).

サイレン siren Ⓒ. ¶*サイレンを鳴らす sound a *siren*

サイレンサー (消音装置) silencer Ⓒ.

サイレントえいが サイレント映画 silent ⌜movie [film; picture] Ⓒ.

サイレントマジョリティ (物言わぬ大衆) the silent majority.

サイロ silo Ⓒ (複 ~s) (☞ のうじょう (挿絵)).

さいろく[1] 採録 ―[動] (記録・録音する) recórd (他) (☞ しゅうろく[1]; きろく).

さいろく[2] 再録 ―[動] (再度印刷する) reprint (他); (再度録音する) rerecord (他). ―[名] reprinting Ⓤ. ¶その出版社は彼の記事を単行本に*再録した The publisher *reprinted* his articles in book form. // デジタルで*再録する *rerecord* ... in digital format

さいろく[3] 載録 ―[動] (記録に残す) put ... on record; (登録する) register (他).

さいわい 幸い ―[名] (幸福) happiness Ⓤ; (ありがたいこと・もの) blessing Ⓒ. ―[形] happy; (思いがけず運のよい) fortunate; (まったく偶然に運のよい) lucky ★ fortunate よりもくだけた言葉. ―[副] happily; fortunately; luckily [語法] 後の 2 語は文修飾副詞としてのみ用いられる. luckily のほうが fortunately よりもくだけた言葉. (☞ こうふく[1] (類義語); しあわせ; 副詞の位置 (巻末)).
¶その日は天気がよくて*幸いでした We were ⌜*lucky* [*fortunate*] to have good weather that day. // 訪ねて行ったら*幸いにも彼は在宅だった *Fortunately* [*Luckily*](,) he was in when I ⌜called [visited]. // 課長の留守を*幸いに (⇒ 利用して), 彼らは自分たちの計画を練った *Taking advantage of* the section chief's absence, they put their heads together over their own plan. // これがお役に立てば*幸いです I shall be *happy* if [I *hope*] this will be of ⌜help [service] to you. // 天候が*幸いして今年は豊作だ (⇒ 好天の恩恵を得て) *Favored* by good weather, we had a good harvest.

さいわん 才腕 ability Ⓤ. ¶*才腕を振るう display [manifest] *one's ability*

サイン[1] ―[名] (書類や手紙などの署名) signature /sígnətʃùə/ Ⓒ; (記念のためや, 有名人などがファンのためにするもの) autograph Ⓒ; (合図) sign Ⓒ; (警告・命令などのサイン) signal Ⓒ. ―[動] (署名する) sign (他) (自) [語法] (他)の場合, 目的語は手紙・書類および名前など; autograph (他); signal (他).
[日英比較] 日本語のサインは英語からの借用語であるが, 下図のように少なくとも 3 つの英語に対して使われている点に注意. ★ sign (署名する) は [動] で, [名] は signature. sign [名] は「記号」「合図」の意. (☞ しょめい[1] [語法] (1)).

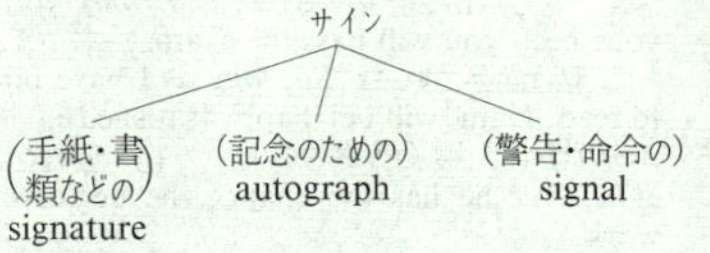

¶ここに*サインして下さい Please ⌜*sign* (*your name*) [*write your name*] here. // これは確かにジェーン オースティンの*サインだ This is ⌜certainly [definitely] Jane Austen's ⌜*autograph* [*signature*]. // 監督はピッチャーに歩かせろという*サインを送った The manager ⌜*signaled* [*gave the sign to*] the pitcher to walk the batter.
サイン会 autograph session Ⓒ **サイン帳** autograph ⌜album [book] Ⓒ **サインプレー** 〘野〙(離塁した走者を刺す時) pickoff play Ⓒ ★ 監督などからの合図は単に sign, signal を用いる. 「サインプレー」は和製英語. **サインペン** felt(-tipped) pen Ⓒ ★「サインペン」は日本の商標.

サイン[2] 〘数〙 sine Ⓒ (略 sin).

ざいん 座員 member of a ⌜troupe [company] Ⓒ, trouper Ⓒ.

ザイン 〘哲〙(本質) being Ⓤ ★ 日本語はドイツ語の Sein による.

サインランゲージ (手話) sign language Ⓤ.

ザウアークラウト sauerkraut /sáuəkràut/ Ⓤ.

サウザン(ド)アイランド(ドレッシング) Thousand Island dressing Ⓤ.

サウジアラビア ―[名] (固) Saudi Arabia /sáudi əréɪbiə/. ―[形] Saudi Arabian. **サウジアラビア人** Saudi Arabian Ⓒ.

サウスカロライナ ―[名] (固) (米国の州) Sòuth Carolína (☞ アメリカ (表)).

サウスダコタ ―[名] (固) (米国の州) Sòuth Dakóta (☞ アメリカ (表)).

サウスポー (左腕投手) 《米略式》 southpaw (pitcher) Ⓒ, left-hander Ⓒ, 《略式》 lefty Ⓒ.

サウナぶろ サウナ風呂 sauna /sáunə/ (bath) Ⓒ.

サウンドアルバム album Ⓒ; (説明的には) collection of music or sounds from the natural environment on a record Ⓒ.

サウンドエフェクト (音響効果) sound effects ★ 複数形で.

サウンドスケープ (音の風景) soundscape Ⓤ.

サウンドトラック (映画の) soundtrack Ⓒ, sound track Ⓒ.

サウンドバリアー (音速障壁) the sound barrier, the sonic barrier.

サウンドプルーフ ― [形] (防音の) sóundpròof. ― [名] soundproofing Ⓤ. (☞ ぼうおん[1]).

サウンドボックス (弦楽器の) sound box Ⓒ.

サウンドミキサー (放送·録音の際の収録音調整係·装置) sound mixer Ⓒ.

さえ 冴え ¶ 彼の腕の*冴え (⇒ 偉大な技術) はこの作品に見られる We can ⌈see [appreciate] his *great skill* in this piece of work. // 彼女の頭の*冴え (⇒ 彼女の聡明さ) には驚いた I was impressed ⌈by [with] her ⌈*keen intelligence* [*brilliance*]. (☞ さえる)

-さえ 1 《…すら》 ― [副] even (☞ 副詞の位置 (巻末)). ¶ 子供で*さえそんなことはわかる *Even* a child could understand it. // その事を思い出すと, いまで*さえ身震いする *Even* now I shudder to think of it.

2 《ただ…ならば》 ― [接] (ただ…でさえあれば) if ónly …; (…である限りは) as [so] long as … ¶ 彼*さえいたらなあ *If only* he were here now. // 全力を尽くし*さえすれば, 合格するでしょう *If only* you do your best, you will pass the exam. // 本*さえ読めれば, 私は満足です *As* [*So*] *long as* I have books to read, I ⌈am [will be] ⌈happy [satisfied]. // 折*さえあれば (⇒ 機会がある時はいつも), 彼はさぼる *Whenever* he has the chance, he neglects his work.

3 《加えて》 ― [副] (さらに) besides …; (加うるに) in addition; (その上に) on top of that. ¶ 風は強かったし, 雨*さえ降り出した It was blowing hard, and *besides*, it began to rain.

さえかえる 冴え返る (冴える) be ⌈very clear [bright]; (冷える) be bitterly cold. (☞ さえる; さえわたる).

さえき 差益 (利益) profit Ⓤ ★ 具体的には Ⓒ; (利ざや) (profit) margin Ⓒ; (もうけ) gain Ⓤ. (☞ りえき; もうけ). ¶ 為替レートの変動で*差益が出た We made a *profit* from changes in exchange rates.

さえぎる 遮る (人の発言や行為などを) interrupt (他); (視界などを) obstruct (他), shút óut (他) ★ 後者のほうが口語的; (行く手を) block (他), bar (他), stand in *a person's* way. (☞ じゃま (類義語)). ¶ 私が話しているのを*さえぎって彼が突然話し始めた *Interrupting* ⌈my speech [me], he suddenly started talking. // 前の大きな建物がこの窓からの視界を*さえぎっている The tall building in front ⌈*obstructs* [*shuts out*] the view from this window. // あのトラックがぬかるみで立往生して私たちの道を*さえぎっている That truck has stalled in the mud, ⌈*blocking* [*barring*; *standing in*] our way.

さえざえ 冴え冴え ― [形] (すがすがしく澄んだ) fresh and clear.

さえずり 囀り (鳥の鳴き声) song Ⓒ ★ ごく一般的に小鳥の鳴き声を表し, 以下の語の代わりにも使える; (小鳥がさえずること) twittering Ⓤ; (小鳥などがちゅっちゅっと鳴くこと) chirping Ⓤ. (☞ 動物の鳴き声 (囲み)). ¶ 小鳥の*さえずりが朝の澄んだ空気を渡ってきた The ⌈*twittering* [*chirping*] of birds came through the clear morning air.

さえずる 囀る (鳥が鳴く) sing (自) ★ ごく一般的な語で, 以下の語の代わりにも使える; (小鳥がさえずる) twitter (自); (小鳥がちゅっちゅっと) chirp (自); (ひばりなどが) warble (自). (☞ 動物の鳴き声 (囲み)). ¶ 太陽が昇る前から小鳥が*さえずり始めた The birds began to ⌈*sing* [*twitter*; *chirp*] before the sun rose.

さえる 冴える 1 《澄んでいる》 ― [形] (澄んだ) clear; (明るい) bright. ¶ 今夜は月が*冴えている The moon is ⌈*bright* [shining *brightly*] tonight. // 鐘の*冴えた音が大きく響き渡った The bell rang loud and *clear*. ★ この clear は [副]. // 彼は*冴えない (⇒ 具合が悪そうな) 顔つきだ He looks *unwell*.

2 《腕前·頭がよい》 ― [形] (腕前が鮮やかな) skillful (《英》 skilful); (手先が器用な) déxt(e)rous ★ やや格式ばった語; (頭が明晰(めいせき)な) clearheaded; (聡明な) bright. (☞ さえ). ¶ あなたの腕前は*冴えてきた (⇒ あなたは技が巧みになった) You have become ⌈*skillful* [*dext(e)rous*]. // 彼女は頭の*冴えた人だ She is a ⌈*clearheaded* [*bright*] person.

3 《目が冴えている》 ― [形] (目覚めている) awake Ⓟ. ¶ 目がますます*冴えてきた (⇒ 眠れない) I feel less and less like sleeping.

さえわたる 冴え渡る ― [形] clean and clear.

さお 竿, 棹 pole Ⓒ, rod Ⓒ ★ 特に, 物を支えたり舟を押したりする時に用いるのが pole.

さおさす 棹差す (平底小舟をさおでこぐ) punt (他)(自); (さおで進める) pole (他). ¶ 流れに*さおさす *punt* on a stream // 時の流れに*さおさす (⇒ 潮の流れとともに泳ぐ) *swim with the tide* ★ 決まった言い方.

さおだけ 竿竹 bámboo pòle Ⓒ.

さおばかり 竿秤, 棹秤 steelyard Ⓒ.

さか[1] 坂 slope Ⓒ ★ 最も一般的な語; (上り坂) ascént Ⓒ, upward slope Ⓒ; (下り坂) descént Ⓒ, downward slope Ⓒ. (☞ こうばい[1]; けいしゃ[1]; くだりざか). ¶ 私たちは急な[ゆるい]*坂を上って行った We ⌈went up [climbed] a ⌈steep [gentle] *slope*. // *坂の上[下]に at the ⌈top [foot] of the *slope* // *坂の中ほどで彼と出会った I met him half way ⌈up [down] the *slope*. [語法] up は「上り道で」, down は「下る途中で」の意.

さか[2] 茶菓 (茶菓子) refreshments ★ 複数形で; (お茶と菓子) tea and cakes. ¶ *茶菓を出す serve *refreshments*

さが 性 nature Ⓤ (☞ せいしつ).

サガ (北欧伝説·神話, また年代記風大河小説(サーガ)) saga /sáːgə/ Ⓒ.

さかあがり 逆上がり forward upward circling Ⓤ. ¶ 私は鉄棒で*逆上がりができない I cannot do *forward upward circling* on the horizontal bar.

さかい[1] 境 ― [名] (2つの土地を分割する線, またはこれに沿う一帯の地域) border Ⓒ; (地図の上で明確に指示できる境界線) boundary Ⓒ. ― [動] (境を接する) border (on …; upon …) (自). (☞ きょうかい[2]; こっきょう[1]). ¶ ここで米国はメキシコと*境を接する Here the U.S. *borders on* Mexico. // この川が私たちの町と隣村の*境となっている This river forms the *boundary* between our town and the neighboring village. // どこが*境なのかはっきりしない We can't see clearly where the *boundary* is. // 彼は3日間, 生死の*境 (⇒ 間) をさまよった He hovered *between* life and death for three days.

さかい[2] 茶会 (お茶の会) tea party Ⓒ; (茶の湯) tea ceremony Ⓒ.

さかいだかきえもん 酒井田柿右衛門 ― [名] (固) Sakaida Kakiemon, 1596-1666; (説明的には) the founder of a style of Japanese ceramic art who introduced an overglaze from China that produced a persimmon-like hue.

さかいめ 境目 (境界線) borderline Ⓒ; (2つに分ける線) dividing [demarcation] line Ⓒ. (☞ きょうかい[2]; せとぎわ). ¶ 彼の成績は合格と不合格の*境目だ His academic work is on the *borderline* between passing and failing.

さかうらみ 逆恨み ¶ 彼らは私たちを*逆恨みしてい

る（⇒ 彼らこそ非難されるべきなのに，彼らは私たちを非難する）They blame us, although it is they who are to blame.

さかえる 栄える ―動（繁盛する）prosper ⓐ ★ 最も一般的な語；（繁栄する）flourish /flə́ːrɪʃ/ ⓐ, thrive ⓐ. ―形 prósperous; flourishing, thriving.《☞ はんじょう¹; はんえい²》. ¶ この町もかつては*栄えたことがある This town once ˹*flourished* [*prospered*; *thrived*].

さかおとし 逆落とし ¶ 階段の上からやつを*逆落としにしてやった I *threw* him ˹*headlong* [*headfirst*] down the stairs. // 急な土手を馬で*逆落としにかけ下りる *rush down* a steep bank on horseback

さかき 榊 *sakaki* plant Ⓒ;（説明的には）a kind of camellia tree whose twigs are offered to the gods in rituals.

さがく 差額（差し引きした残りの金額）difference Ⓤ;（特に収支などの）balance Ⓒ;（利ざや）(profit) margin Ⓒ.《☞ ざんきん》. **差額病室[ベッド]** extra-charge ˹room [bed] Ⓒ;（料金）hospital charge (that is) not covered by health insurance Ⓒ ★ 説明的な訳.

さかぐら 酒蔵（酒貯蔵用の地下室）(wine) cellar Ⓒ;（酒を飲ませる店）bar Ⓒ,《英》pub Ⓒ.

さかげ 逆毛 teased [《英》backcombed] hair Ⓤ. ¶ 髪に*逆毛を立てる *tease* [《英》*backcomb*] *one's hair*

さかご 逆子（産児）breech baby Ⓒ;（出産）breech delivery Ⓤ. ¶ *逆子で生まれる be born ˹*feet first* [*with the feet first*]

さかさ 逆さ ―名 the reverse. ―形 reverse(d).《☞ ぎゃく》. ¶ 箸を*逆さに持つ hold a pair of chopsticks *by the wrong end*

逆さ言葉 ¶ "dog" は "god" の*逆さ言葉だ "Dog" is ˹*back slang* [*a back-slang word*] for "god." **逆さ富士** inverted image of Mount Fuji (reflected in the water) Ⓒ **逆さまつげ** ingrowing eyelashes.

さかさま 逆様 ―動（位置・順序を逆にする）reverse ⓗ;（上下を逆にする）invért ⓗ. ―名 the reverse; inversion Ⓤ. ―副（上下逆に）upside down;（頭から先に）headfirst, headlong.《☞ あべこべ; ぎゃく（類義語）》. ¶ ポスターは*逆さまにはってあった The poster was put up *upside down*. // アルファベットを*逆さまに言う say [recite] the alphabet *backwards*《☞ ぎゃく》

さがしあてる 捜し当てる，探し当てる（なくした物や隠れている人・物を）find ⓗ《過去・過分 found》★ 最も一般的な語；（よくない物・ことを）detect ⓗ;（位置を捜し当てる）locate ⓗ.《☞ みつける》.

¶ なくしたと思った鍵を*捜し当てた I'*ve found* the key which I thought I'd lost. // レーダーが敵機を*捜し当てた The radar *detected* an enemy plane. // 長い間探索して，彼はついに遺跡を*捜し当てた After a long search, he finally *located* the remains.

さかしい 賢しい（うぬぼれた）conceited;（知ったかぶりの）smart.《☞ こざかしい》.

さかしお 逆潮 adverse [counter] current Ⓒ; current flowing in the opposite direction Ⓒ.

さがしだす 捜し出す（見つけ出す）find out ⓗ;（位置を捜し当てる）locate ⓗ.

さかしま 逆しま ―形（よこしまな）wicked /wíkɪd/;（道理に合わない）unreasonable.

さがしまわる 捜し回る look [search] around (for …).

さがしもの 捜し物 ¶ *捜し物は見つかりましたか Have you found *what you were looking for*?

ざがしら 座頭 the leader of a troupe.

さがす 捜す，探す look for …; seek ⓗ ★ for …を伴って ⓐ のこともある; search ⓗ ⓐ; hunt (for …) ⓐ ⓗ; lóok úp ⓗ; feel for …

【類義語】「捜す」の意を表す最も一般的な語は ***look for*** … これとほぼ同意なのが ***seek*** で，この語は ***look for*** より格式ばった語であるが，新聞英語ではよく用いられる．人や物を求めて場所や人の身体を捜すのが ***search***. 捜す「場所」を目的語に，捜し求める「物」を for 以下に置く点に注意．((例) 警察は彼の家を*捜して凶器を見つけ出そうとした The police *searched* his house *for* the weapon.).「警察は凶器を*捜した」は The police *searched for* the weapon. とする．狩の獲物を追うようにやっきになって捜し求めることを暗示するのが ***hunt*** (***for*** …). 辞書やガイドブックで項目などを調べて捜すのが ***look up***. 目でなく，手探りで捜すのが ***feel for*** …

¶ このあたりで落とした時計を*捜しています I'*m* ˹*looking for* [*searching for*] the watch I lost around here. // 彼はよい仕事[新しい家]を*捜している He *is* ˹*hunting* (*for*) [*seeking*] a ˹good job [new house]. // 辞書でこの語を*捜したが見つからない I've tried to *look up* this word in the dictionary, but haven't been able to find it. // 彼女はハンドバッグに手を入れて万年筆を*捜したが，見つからなかった She *was feeling* (*around*) in her handbag *for* the pen but couldn't find it.

さかずき 杯 (sake) cup Ⓒ;（ワイングラス）(wine) glass Ⓒ.《☞ グラス¹（挿絵）》. ¶ 別れの*杯を交わす drink a parting *cup* / have a parting drink // *杯になみなみと注ぐ fill the ˹*cup* [*glass*] to the brim // *杯を干す drain *one's* ˹*cup* [*glass*] // *杯を返す（⇒ 縁を切る）break (off) *one's* pledge of loyalty

さかぞり 逆剃り ―動（逆ぞりする）shave upward.

さかだい 酒代（飲み代）drink money Ⓤ;（チップ）tip Ⓒ. ¶ 金は全部*酒代に消えた I spent all the money on *drink*. // *酒代をはずむ give a generous *tip*

さかだち 逆立ち ―名 handstand Ⓒ;（頭をつけた）headstand Ⓒ. ―動 do a handstand;（両手で立つ）stand on *one's* hands;（頭と両手で）stand on *one's* head. ¶ *逆立ちして歩く walk *on one's hands* // 君には*逆立ちしてもかなわない（⇒ とても匹敵しない）I'*m no match for* you.

さかだつ 逆立つ stand on end. ¶ 恐ろしさで（⇒ とても恐ろしかったので）毛が*逆立った I was so frightened that my hair *stood on end*.

さかだてる 逆立てる ¶ 猫は毛を*逆立てた（⇒ 背を丸くした）The cat *arched its back*. // 彼女は柳眉を*逆立てた（⇒ 怒って眉をつりあげた）She *raised* her eyebrows in anger.

さかだる 酒樽 cask Ⓒ, (wine) barrel Ⓒ.《☞ たる¹（挿絵）》.

さかて¹ 逆手 ¶ 彼は短刀を*逆手に取った（⇒ 先を下に向けて握った）He held his dagger *point downward*(*s*).《☞ ぎゃくて》

さかて² 酒手（チップ）tip Ⓒ;（飲み代）drinking money Ⓤ.《☞ さかだい》.

さかな 魚，肴 **1**《魚類》: fish Ⓒ 【語法】複数形は普通 fish を用いる．種別を表すときは fishes とすることもある．「魚肉」の意味では Ⓤ. ¶「*魚は何匹釣れましたか」「たった 3 匹です」"How many *fish* did you catch?" "Only three (*fish*)." // 僕は池に*魚を飼っている I keep *fish* in the pond. // 水族館で種々の珍しい*魚を見た I saw various rare ˹*fish* [*fishes*] in the aquarium. // *魚をもう少しいかがですか Would you like some more *fish*?

2《酒の肴》:（添え料理）side dish Ⓒ;（オードブル）hors d'oeuvre /ɔədə́ːv/ Ⓒ《複 ～s》.

¶酒の*さかなはこれに限る（⇒ 酒にはこれが一番よい添え料理だ）This is the best *side dish* ⌈for [with] sake. /（⇒ これが酒と最もよく合う）This goes best *with* sake.

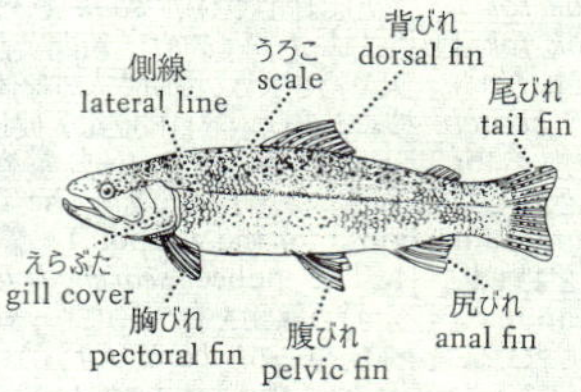

―コロケーション―
赤[白]身魚 *fish* with ⌈red [white] flesh / 海[淡水]の魚 a ⌈salt-water [fresh-water] *fish* / 缶詰の魚 canned *fish* / 切り身の魚 (a) filleted *fish*; a *fish* fillet / 燻製の魚 smoked *fish* / 塩漬けの魚 salted *fish* / 食用の魚 (an) edible *fish* / 鮮魚 (a) fresh *fish* / 取れたての魚 fresh-caught *fish* / 生の魚 raw *fish* / フライの魚 deep-fried *fish* / 蒸し焼きの魚 casseroled *fish* / 冷凍魚 frozen *fish*

さかなで 逆撫で ―動（人の神経を逆なでする）rub *a person* (《英》 up) the wrong way 語法 口語的な慣用表現. 元来は rub a cat the wrong way から. つまり猫の背中を逆なですると怒るので;（人の神経に不快な感じを与える）get on *a person's* nerves. ¶彼の神経を*逆なでするようなことはするな Don't *rub* (《英》 *up*) him *the wrong way*.

さかなみ 逆波 surging waves.

さかなや 魚屋（人）fish ⌈dealer [(《英》) merchant] Ⓒ, 《英》 fishmonger Ⓒ;（店）fish store Ⓒ, 《英》 fishmonger's Ⓒ;（行商の）fish ⌈seller [vendor] Ⓒ.

ざがね 座金（ワッシャー）washer Ⓒ.

さかねじ 逆捩じ 逆ねじを食わせる（言い返す）retort ㊀ ★ 目的語は言い返した言葉, あるいはその内容を表す that 節;（形勢を逆転する）turn the tables (on ...).
¶「大きなお世話だ」と彼は*逆ねじを食わせた "Mind your own business!" he *retorted*. // 私たちは*逆ねじを食って非難を受けることになった We *had the tables turned on* us, and had to face criticism.

さかのぼる 遡る **1** 《上流へ》:（歩いて, あるいは船で）go upstream;（船で）sail ⌈upstream [up the river]. ¶私たちは川を2キロ*さかのぼった We *went upstream* for two kilometers.
2 《過去に》:（戻って行く）go back (to the past) ㊂;（…の起源が…から始まる）date from ...;（…が…までさかのぼる）date back to ... 語法 起源そのものではなく, 風習・建築物など, 起源を有するものが主語になる;（法律などがさかのぼって適用される）be retroáctive. ¶さらに100年*さかのぼると徳川時代の初期です If we *go back* a hundred years ⌈further [farther] ⌈*to* [*into*] *the past*, we will be in the early part of the Tokugawa era /í(ə)rə/. // その寺[風習]の起源は平安時代に*さかのぼる The ⌈temple [custom] *dates from* the Heian era. // この法律は4月1日に*さかのぼって適用される This law applies *retroactively* to April 1.

さかば 酒場 bar Ⓒ, 《英》 pub Ⓒ;（西部劇に出てくるような大きな）《米》 salóon Ⓒ. (☞ バー¹).

さかまく 逆巻く ―動（押し寄せる）surge ㊂;（うねる）roll ㊂;（荒れ狂う）rage ㊂.
―形（海などが荒れ狂った）turbulent. ¶風が強く, 波が*逆巻いていた The wind blew hard and the waves *were* ⌈*rolling* in [*surging*; *raging*]. // *逆巻く大波に小舟は木の葉のようにもてあそばれた（⇒ 激しく揺れた）The little boat was tossed about in the *turbulent* seas.

さかまんじゅう 酒饅頭 bean-paste bun flavored with sake Ⓒ ★ 説明的な訳.

さかみち 坂道 slope Ⓒ (☞ さか¹).

さかむけ 逆剝け hangnail Ⓒ.

さかむし 酒蒸し ―動 sake-steam ㊀. ¶虹ますを*酒蒸しにする（⇒ 塩と酒をふって虹ますを蒸す）sprinkle rainbow trout with a little salt and sake and *steam* it // *酒蒸しの舌びらめ *sake-steamed* sole

さかめ 逆目 ¶*逆目には削れないよ You can't plane *against the grain*.

さかもり 酒盛り（酒宴）drinking party Ⓒ;（ひとしきり大いに酒を飲むこと）drinking ⌈bout [spree] Ⓒ;（祝宴）feast Ⓒ.

さかや 酒屋（店）sake [wine] shop Ⓒ, liquor store Ⓒ;（人）wine ⌈dealer [(《英》) merchant] Ⓒ;（酒の醸造人[所]）sake ⌈maker [producer] Ⓒ;（ぶどう酒の醸造所）winery Ⓒ. (☞ でいり 日英比較).

さかやき 月代 the shaved forepart of an adult male's head (in premodern Japan) Ⓒ ★ 説明的な訳.

さかやけ 酒焼け ¶*酒焼けした顔 a ruddy ⌈face [complexion] caused by habitual drinking

さかゆめ 逆夢 dream which turns out to be the opposite to what really happens Ⓒ 日英比較 英語には逆夢という決まった言い方がないので, 説明的表現しかできない.

さからう 逆らう ―動（…に逆らって行動する）go against ...;（反対する）oppose ㊀;（否定・反駁(はんばく)する）còntradíct ㊀;（親などに従わない）disobey ㊀.
―前（…に反対して）against ...;（…を無視して）in defiance of ...;（…を冒して）in the teeth of ... (☞ はんこう²). ¶私たちは風に*逆らって走った We ran ⌈*against* [*in the teeth of*] the wind. // 彼は両親に*逆らうような人（⇒ 種類の人）ではない He is not the kind of person who ⌈*disobeys* [*goes against*] his parents. // 彼らは命令に*逆らって行動した They acted *in defiance of* orders.

さかり 盛り **1** 《絶頂》:（最も盛んな状態）the height;（最良の状態）the best;（振幅が最大に振れたような状態・最高潮）full swing Ⓤ 語法 いずれも用例中にあるように, 副詞または形容詞の働きをもつ句の形で使用されるのが普通. (☞ さいせいき; まっさいちゅう).
¶さるすべりは夏の*盛りに花をつける Crape myrtles bloom ⌈*at the height of* summer [in midsummer]. // 暑い*盛りに（⇒ 日盛りに）出かけたくない I don't want to go out *in the heat of the day*. // 桜の花は4月の10日ごろが*盛りです The cherry blossoms will be ⌈*in full bloom* [*at their best*] ⌈about [around] the 10th of April.
2 《人生の》:（全盛期）the prime. ¶彼らは若い*盛りだ They are *in the prime* of life.
3 《発情》:（雌の）heat Ⓤ;（雄の）rut Ⓤ. ¶*盛りのついた(雌)犬 a (female) dog ⌈in [(《英》) on] *heat*

さがり 下がり（相撲の）*sagari* Ⓒ;（説明的には）threadlike ornament hanging from a sumo wrestler's loincloth Ⓒ. (☞ すもう).

さかりば 盛り場（みんなが行く所）public resort Ⓒ;（歓楽街）amusement area Ⓒ;（特に夜の）popular night entertainment area Ⓒ;（繁華街）the busiest part (of a city).

さがりめ 下がり目（たれ気味のまぶた）drooping [droopy] eyelids;（たれ目）eyes with ⌈drooping [droopy] lids;（下がり気味）downward trend Ⓒ;

(落ち目) declining trend Ⓒ. ¶ 物価は*下がり目です Prices are showing a *downward trend.* // 彼の人気は*下がり目だ His popularity *is on the decline.*

さかる 盛る prosper (自) 《☞ さかえる》.

さがる 下がる 1 《低い所へ移動する》: gò [còme] dówn (自) (↔ gò úp) ★ 最も平易な一般的な言葉で, 以下の語の代わりにも用いられる; (気温・値段などが) fall (自) (↔ rise); (低下する) lower (自), be lowered; (急に下がる) drop (自). 《☞ ていか¹》.
¶ 気温が急に*下がった The temperature ˹*went down* [*fell*; *dropped*] suddenly. // 彼の熱がなかなか*下がらない His fever won't *go down.* // 野菜の値段が*下がった The price of vegetables *has* ˹*come down* [*gone down*; *fallen*]. // 来月から金利が*下がります Interest rates will *be lowered* next month. // 今度の試験で成績がぐんと*下がってしまった (⇒ 非常に悪い点を取った) I got ˹very bad [(⇒ 前よりうんと悪い) far worse] marks on the last exam.
2 《後方に移る》: (元の位置へ) gò báck (自); (後ろに退く) stép báck (自); (邪魔にならないように後ろに下がる) stand back (自). 《☞ どく²》. ¶ まず 3 歩*下がって, 1 歩進みます Three steps *backward(s)*, one step forward(s). // 警官はやじ馬 (⇒ 見物人) に後ろへ*下がってと言った The ˹policeman [police officer] ordered the spectators to *stand back.*

さかん¹ 盛ん ── 【形】 (繁盛している) prósperous, flourishing /flə́ːrɪʃɪŋ/, thriving ★ prosperous が最も一般的な語; (勢いのよい) vigorous; (精力的な) ènergétic; (活発な) active; (熱烈な) enthùsiástic; (人気がある) popular. ── 【副】 prosperously; vigorously; energetically; actively; enthusiastically. ¶ 幸いいまのところ彼らの商売は*盛んだ Fortunately their business is ˹*doing well* [*flourishing*; *thriving*] at present. // 私たちは*盛んな (⇒ 熱烈な [心からの]) 歓迎を受けた We received ˹an *enthusiastic* [a *hearty*] welcome. // 彼女は*盛んに新しい作品を書き続けている She has been writing new works *energetically.* // 彼らは*盛んに議論をしている They are having an *active* discussion. // 学生の間では海外旅行が*盛んだ Traveling abroad is *popular* ˹among [with] students.

さかん² 左官 plasterer Ⓒ.

さがん¹ 左岸 the left bank (of …) 【参考】 川下に向かって左.

さがん² 砂岩 sandstone Ⓤ.

さき¹ 先 1 《先端・先頭》: (針・棒などのとがった先) point Ⓒ; (指・つま先などの) tip Ⓒ; (先端・端) end Ⓒ; (先頭) head Ⓒ.
¶ 筆箱を落としたら鉛筆の*先がみな折れた All the *points* of my pencils broke when I dropped my pencil case. // 人さし指[舌]の*先を痛めてしまった I hurt the *tip* of my ˹forefinger [tongue]. // その半島の北の*先に灯台がある There is a lighthouse at the northern *end* of the peninsula.
2 《前方・将来など》 ── 【名】 (将来) the future. ── 【副】 (前方に) ahead; (これから先ずっと) from now on. ── 【前】 (…の先に) beyond …; (…から) from … 《☞ ぜんぽう; さきざき; しょうらい¹》.
¶ 300 メートル*先, 工事中 《掲示》 Road (Under) Construction 300 Meters *Ahead* // 私の家はあの大きな松の木の 3 軒*先です My house is three ˹doors [houses] ˹*beyond* [*from*] that big pine tree. // 熱海は箱根の*先ですか手前ですか Is Atami (on) this side of Hakone or (on) the other side (of it)? // これから*先は歩こう (⇒ 残りの道は) We'll [Let's] walk *the rest of the way.* // *先のことを心配してもしようがない It's ˹useless [no use] worrying about (*what may come up in*) *the future.* // 10 年*先には (⇒ 10 年たてば) 私たちもそれぞれ家族を持っているだろう *In ten years* [*Ten years from now*], we will have our own families. // これから*先はどうなさいますか What are you going to do ˹*from now on* [(⇒ この後は) *after this*]? // その話の*先 (⇒ 続き) が知りたい I want to know the *sequel* to the story.
3 《順位》 ── 【副】 (前もって・あらかじめ) in advance, beforehand; (第一に) first; (より早く) earlier (than …) ★ 時間的にのみ先であることを表す. ── 【前】 (…より前に) ahead of …; (…の先に・前に) before … 《☞ まえ》.
¶ 代金は*先に払います I'll pay ˹*in advance* [*beforehand*]. // 彼女が私より*先にそこに着くはずです She will arrive there ˹*earlier than* I [*ahead of* me; *before* me]. // 彼女がいつも一番*先に来る She always comes *first.* // 何より*先に食事をしましょう Let's eat *first of all.* // どうぞお*先に (⇒ (私は)あなたの後で) *After* you. ★ 日本語とは発想が逆であるが, 一番よく使われる言い方. / Go *ahead,* please.
先がある ¶ 元気を出しなさい. 君にはまだまだ*先がある Cheer up! You *have a long future* ˹before [ahead of] you. **先が長い** ¶ まだ*先が長い (⇒ 進むべき長い道のりがある) We *have a long way* to go. **先が見える** ¶ 2 年前にその仕事を始めたが, まだ*先が見えない We started the work two years ago, and there is no *end in sight.* **先が短い** ¶ おばはいつももう*先が短いと言っている My aunt always says that she *won't* ˹*survive* [*live*] ˹*for long* [*much longer*]. **先を争う** ¶ 子供たちは*先を争ってバスに乗った The children *vied with each other* to get on the bus first. **先を急ぐ** ¶ 私たちは*先を急いでいます We *are in a hurry to move ahead.* **先を越す** ¶ 昇進では彼に*先を越された He got promoted ˹*ahead of* [*over*; *above*] me. **先を見通す** ¶ よい指導者は*先を見通すことができなければならない A good leader should *look far ahead into the future.* **先を読む** ¶ *先を読んで行動しなさい *Plan ahead,* and act accordingly.

さき² 左記 ── 【形】 (次の) following Ⓐ (↔ preceding); (下記の) mentioned below, below-mentioned. ── 【名】 (次のこと・次の人(たち)) the following ★ 単数または複数扱い. 英語は横書きなので以上のように言う. 《☞ かき³; つぎ¹》.

さぎ¹ 詐欺 ── 【名】 (犯罪行為となる詐欺) fraud Ⓤ; (金品をだまし取ること) swindle Ⓒ. ── 【形】 fraudulent. ── 【動】 swindle (˹*a person* out of money [money out of *a person*]). ¶ 彼は*詐欺にあって大金をだまし取られた He *was swindled out of* a great deal of money. // その男は*詐欺の容疑で逮捕された The man was arrested on suspicion of *fraud.* // 彼女は結婚*詐欺にひっかかった She *was swindled* by a man who promised to marry her.
詐欺師 fraud Ⓒ, swindler Ⓒ **詐欺事件** fraud case Ⓒ.

さぎ² 鷺 heron Ⓒ.

さきおととい three days ago.

さきおととし three years ago.

さきがけ 先駆け 1 《先導》 ── 【名】 (先導・指揮) the lead; (主導権) the inítiative; (開拓者) pìonéer Ⓒ. ── 【動】 (先駆けとなる) take the ˹lead [initiative] (in …); (先に立って導く) lead (他). 《☞ くさわけ》. ¶ 彼らは世論の*先駆けの役をした They *took the* ˹*lead* [*initiative*] *in* ˹stirring up [influencing; arousing] public opinion.
2 《前ぶれ》: fórerùnner Ⓒ, precursor Ⓒ, herald Ⓒ; 《文》 harbinger /hɑ́ːəbɪndʒə/ Ⓒ. 《☞ ぜんちょう¹; まえぶれ》.

さきがけて 先駆けて ¶ 水着のショーは夏にはるか*先駆けて (⇒ 夏のずっと前に) 開かれた The swim-

wear show was held, *long before* summer. (☞ さきだって)
さきこぼれる 咲き溢れる ¶庭は*咲きこぼれんばかりの花にみちていた The garden was full of flowers *in all their glory*.
さきごろ 先頃 (先日) the other day; (しばらく前) some time ago; (最近) lately, recently. (☞ せんじつ; このあいだ; さいきん¹). ¶彼ならつい*先ごろ見かけました I saw him ⌈*the other day* [*fairly recently*].
さきざき 先先 1 «ずっと先までの将来»: (distant) future Ⓤ (☞ さき¹; しょうらい¹; このさき). ¶*先々のこと (⇒ 自分の将来) を思い悩んでいます I'm ⌈worrying [anxious] about my *future*. // *先々どうなるか (⇒ 将来何が起こるか) だれにもわかりはしない Nobody knows what will happen *in the future*.
2 «行く[訪れる]すべての場所»: every place *one* ⌈goes to [visits]. ¶行く*先々で歓迎された We were welcomed at *every place we* ⌈*went to* [*visited*]. / (⇒ どこへ行っても) We were welcomed *wherever we went*.
さきさま 先様 ☞ せんぽう¹
さぎそう 鷺草 〔植〕fringed orchid Ⓒ.
サキソフォン 〔楽器〕sáxophòne Ⓒ, 《略式》sax Ⓒ. **サキソフォン奏者** sáxophònist Ⓒ.
さきそろう 咲き揃う be in full bloom.
さきだか 先高 ¶アナリストは市場は*先高であると予想している The analysts are expecting *higher* ⌈*quotations* [*prices*] *in the future market*. / The analysts are expecting the market will make *further gains*.
さきだつ 先立つ 1 «先に死ぬ» ¶彼は妻に*先立たれた (⇒ 彼の妻は彼より前に死んだ) His wife ⌈*died before* [*predeceased*] him. / (⇒ 彼は妻より長生きした) He ⌈*survived* [*outlived*] his wife.
2 «まず必要とする» ¶*先立つものは金です (⇒ 何よりもまず必要なのは金だ) *What we need* ⌈*first of all* [*before anything else*] is money. / (⇒ 金がなくては何もできない) We can't do anything without money.
さきだって 先立って ━前 (…より前に) before …, previous to …, prior to … ★ この順に格式ばった言い方となる. (☞ さきがけて). ¶試合に*先立って開会式がある There is an opening ceremony *before* the game. / (⇒ 開会式が試合に先行する) An opening ceremony *precedes* the game.
さきづけ 先付け ━形 (その日より後の日づけの) postdated.
さきどり 先取り 1 «あらかじめ受け取る» ━動 take [receive] … in advance.
2 «予想して行動する» ━動 anticipàte ⑯ (☞ さきんずる). ¶彼らは私たちの計画を*先取りした They *anticipated* our plan.
さきに 先に (前に) before …; (より早く) earlier (than …). (☞ さき¹).
さきのこる 咲き残る (まだ咲いている) be still in bloom. ¶いつまでも*咲き残っている花 *lingering* flowers
さきばしり 先走り ¶とんだ*先走りで失敗した I *acted too hastily* and failed in the end.
さきばしる 先走る (早まったことをする) jump the gun ★ 元来は競走で号砲よりも先に飛び出すこと. 比喩的な用法.
さきばらい 先払い 1 «前払い» ━名 advance payment Ⓤ. ━動 pay … in advance. (☞ まえばらい).
2 «受取り人払い» ━名 payment [cash] on delivery Ⓤ ★ [ ] 内の場合は c.o.d. または C.O.D. と略す; (電話の先方払い) 《米》collect call Ⓒ.
さきぶと 先太 ━形 (一端が太い) club-shaped, claviform.
さきぶれ 先触れ (先駆者) forerunner Ⓒ; (前兆) herald Ⓒ ★ 後者はやや文語的. ¶北風は冬の*先触れ The north wind is the ⌈*forerunner* [*herald*] of winter.
さきぼう 先棒 (悪者などの手先) tool Ⓒ, cat's-paw Ⓒ ★ 後者はやや古風. (☞ てさき; おさきぼう).
さきほこる 咲き誇る (満開である) be in full bloom (☞ まんかい). ¶池のあやめが*咲き誇っている The irises in the pond *are in full bloom*.
さきぼそ 先細 ━形 tapering.
さきぼそり 先細り ━動 (だんだん減る) decrease gradually ⓐ; (次第に減少する) dwindle ⓐ; (先が細くなる・だんだん減る) táper óff ⓐ. ━形 tapering. (☞ じりひん). ¶生徒数は*先細りしそうだ I'm afraid the number of students may ⌈*gradually decrease* [*taper off*].
さきほど 先程 a little while ago (☞ さっき¹). ¶スミスさんはつい*先ほど (⇒ ちょうどいましがた) お帰りになりました Mr. Smith left *just now*. // *先ほど述べたように, 私は反対です As I told you ⌈*a little while ago* [(⇒ 前に) *before*], I am against it. // *先ほどから (⇒ しばらくの間) お客様がお待ちです A guest has been waiting for you *for some time*.
さきまわり 先回り ━動 (…より先に目的地に着く) arrive ⌈ahead of [before] … (☞ だしぬく). ¶私たちは彼らの*先回りをしてホテルに着いた We *arrived* at the hotel *ahead of* them.
さきみだれる 咲き乱れる (一面に咲く) bloom all over ⓐ (☞ さく¹; さきほこる).
さきもの 先物 futures ★ 複数形で. ¶*先物を買う [取り引きする] buy [deal in] *futures* // 金の*先物買い (⇒ 思惑買い) をする *speculate* in gold
先物価格 forward price Ⓒ **先物市場** the forward market **先物相場** the forward rate **先物取引** dealings in futures ★ 複数形で.
さきもり 防人 (古代の日本の) soldier garrisoned in Kyushu in ancient times Ⓒ ★ 通例複数形で.
さきやす 先安 ¶この数ケ月*先安だと予想する expect *lower* ⌈*quotations* [prices] for the next few months
さきゅう 砂丘 sandhill Ⓒ, (sand) dune Ⓒ ★ 前者のほうが一般的.
さきゆき 先行き (将来) future Ⓤ (☞ さきざき; しょうらい¹; さき¹).
さぎょう¹ 作業 ━名 work Ⓤ, operation Ⓒ ★ 後者はしばしば複数形で. また前者より格式ばった語; 〔軍隊〕(兵舎の清掃, 料理当番などの骨の折れる作業) fatigue /fətíːg/ Ⓒ. ━動 work ⓐ. (☞ しごと).
¶私たちは一斉に*作業を開始した We all started *work* at once. // *作業中に話をしないこと Don't talk while (you *are*) ⌈*working* [*at work*]. // 毎日 8 時に*作業を始め, 4 時に終わる Every day we start *working* at eight and stop (*working*) at four. // *作業中 《掲示》Men *Working* / Men at *Work* // 雑役*作業〔軍〕*fatigue* duties ★ 普通は罰としての作業. 複数形で.
作業員 worker Ⓒ **作業仮説** wórking hypothesis /haɪpɑ́θəsɪs/ Ⓒ (複 hypotheses /-sìːz/) **作業管理** operation control Ⓤ **作業着** [**服**] (一般の) work (ing) clothes; (工員用の上ばきズボン) óverall̀s; (上着とズボンが一緒になっているもの) cóverall̀s ★ いずれも複数形で; 〔軍〕fatigue uniform Ⓒ **作業坑** service tunnel Ⓒ **作業工程** (作業の手順) work process Ⓒ; (作業の流れ) work-

flow [C] **作業効率** work [operation] efficiency [U] **作業時間** working hours ★ 通例複数形で. **作業場** workshop [C] **作業療法** 〘医〙 occupational therapy [U] 《略 OT》 **作業療法士** occupational therapist [C] 《略 OT》.

overalls　coveralls

さぎょう[2] さ行 the *sa* column; (説明的には) the *sa* column of the Japanese syllabary.

ざきょう 座興 (余興) entertainment [C]; (慰み) amusement [C]; (楽しみ) 《略式》 fun [U]. ¶ *座興に (⇒ あなた方を楽しませるために) ひとつ歌いましょう Let me sing a song to ⌈*entertain* [*amuse*] you.

さきわけ 咲き分け (2 色の) bicolor(ed) [two-colored] flowering [U]; (多色の) multicolored flowering [U]. ¶ このペチュニアは 2 色に*咲き分ける This petunia *blooms in* ⌈bicolor(s) [two colors].

さきわたし 先渡し (商品の引き渡しを一定期間後に行うこと) future delivery [U]; (前払い) advance payment [U], payment in advance [U]. 《☞ まえばらい》.

さきわれスプーン 先割れスプーン spork [C] ★ spoon と fork の合成語.

さきん 砂金 gold dust [U].

さきんずる 先んずる (…より先に行く) go ⌈before [ahead of] …, precede (他); (出し抜く) 《格式》 fòrestáll (他); (先取りする) antícipàte (他). 《☞ せんこう[3]; さきどり; さきまわり》. ¶ 真のリーダーは(常に)時勢に一歩*先んずる A true leader ⌈(always) *goes* [*is* (always)] one step *ahead of* the times. // 私たちの計画は敵に*先んじられた Our plan *was* ⌈*anticipated* [*forestalled*] by the enemy. // *先んずれば人を制す *First come*, first served. 《ことわざ: 一番早く来た者が, 一番先にもてなしを受ける》

さく[1] 咲く blossom (自); bloom (自); flower (自); (花が開く) còme óut (自) ★ やや口語的; (花が咲き出す) come into flower.

【類義語】 果実を結ぶ木の花が咲くのが **blossom**. 特に鑑賞用の花の満開を思わせるニュアンスがあるのが **bloom**. また, 花が咲くのは一般に **flower** で表せるが, 特に草花について多く用い, 花の新鮮さ・美しさ・生命の短さを含みとして用いることが多い. 《☞ はな[1] (類義語)》

¶ りんごの花は間もなく*咲く The apple trees will ⌈*blossom* [*come into flower*] soon. // 公園のばらが*咲いている The roses in the park *are* ⌈*in bloom* [*blooming*]. // たちあおいは次々と*咲くが, すぐにしおれてしまう Hollyhocks *flower* one after another, but they fade very soon. // 5 月になるとたくさんの花が*咲く Many flowers *come out* in May.

さく[2] 裂く, 割く **1** 《2 つ(以上)に割る・切る》: (引き裂く) tear /téə/ (他) 《過去 tore; 過分 torn》; (ある程度の長さを縦に) split (他) 《過去・過分 split》; (急に, かつ乱暴に) rip (他) [語法] 以上の 3 語はほぼ同じ意味で交換して用いられることもある; (切り裂く) cút (úp) (他) ★ やや口語的; (無理に別れさせる) séparàte (他), sever (他) ★ 後者のほうが格式ばった語. 《☞ さける[2]; ひきさく; やぶる》. ¶ 彼は書類を 2 つに[細かく]*裂いた He *tore* (*up*) the paper ⌈in ⌈two [into pieces]. // 知らせを聞いて, 彼は胸が*裂かれる思いだった He felt his heart *break* ⌈on hearing [when he heard] the news. // あの 2 人の仲を*裂くことなどはとてもできない It's impossible to *separate* the two. // 彼女はドレスを釘に引っかけて*裂いた She *tore* her dress on a nail.

2 《割き与える》: spare (他). ¶ 5 分ほど時間を*割いてもらえますか Can you *spare* me five minutes?

さく[3] 柵 ― [名] (木や金網の) fence [C]; (横棒の) railing [C] ★ しばしば複数形で; (丈夫な材木を縦に並べた防御さく) stockáde [C]. ― [動] (さくをする) fence (他); (さくで囲む) fence [rail] in (他). 《☞ へい[1]; かきね; かこい》.

¶ 庭の回りに*さくを作りたい I want to ⌈set up a *fence* around [*fence*] the garden. // 牧草地は*さくで囲まれていた The pasture *was fenced in*.

さく[4] 策 (計画) plan [C] ★ 最も一般的; (組織的な行動計画) scheme [C]; (方策・方針) policy [C]; (対策・処置) measure [C] ★ しばしば複数形で. 《☞ たいさく[1]; しゅだん》. ¶ 何かよい*策はないのか Do you have any good *plans*? // *策は前もって十分に練っておこう We'll draw up our *plan*(*s*) very carefully beforehand. // 正直は最善の*策 Honesty is the best *policy*. 《ことわざ》 **策が尽きる** ¶ *策が尽きてしまった We are *at our wit's end*. **策に溺れる** ☞ さくし[3] **策を講ずる** (しっかりした計画を考案する) devise a scheme; (方策を立てる) design measures. **策を弄する** (策動する) scheme (自). ¶ 彼らはいつも*策を弄している They are always *scheming and plotting*. 《☞ ろうする[2]》

さく[5] 作 (芸術などの作品) work [C]; (細工物など, 集合的に) work [U] ★ 1 つ 1 つのものを示す時は a piece of をつける; (収穫) crop [C]. 《☞ しゅうかく[1]》. ¶ ルノワールの*作 a *work* by Renoir // 見事な*作 *a* beautiful *piece of work* // この詩はだれの*作ですか (⇒ だれが書きましたか) Who *wrote* this poem?

さく[6] 索 〘解〙 cord [C].

ざく (すきやきの) sundry [assorted] vegetables [C]; (木炭の) charcoal of low quality [U].

ざぐ 座具 cushion (for sitting on) [C].

さくい[1] 作為 ― [名] (人為的なこと) artificiality /ɑ̀ətɪfɪʃiǽləti/ [U]; 〘法〙 commission [U]. ― [形] artificial. 《☞ ふしぜん》. **作為動詞** 〘文法〙 factitive verb [C].

さくい[2] 作意 ― [名] (意図) intention [U]. ― [形] intentional; (故意の) delíberate. ― [副] intentionally; deliberately. 《☞ こい[3]; わざと》.

さくい[3] (率直な) frank 《☞ きさく[1]》.

さくいん 索引 ― [名] index [C] 《複 ~es, indices /índəsì:z/》. ― [動] (索引を付ける) index (他). ¶ *索引を作る compile an *index* **索引カード** index card [C].

ザクースカ 〘料理〙 (ロシア料理の前菜) zakuska /zəkú:skə/ 《複 ~, -ki /-ki/》.

さくおとこ 作男 farmhand [C].

さくがら 作柄 (収穫高) crop [C], harvest [C]. 《☞ しゅうかく[1]》.

さくがんき 鑿岩機 rock drill [C].

さくげん 削減 ― [動] (切り詰める) cút (dówn) (他), cut down on … ★ 以上は最も一般的な語; (出費などを切り詰める) 《格式》 curtáil (他); (減少・低下させる) reduce (他). ― [名] cut [C] ★ 最も一般的な語; 《格式》 curtailment [U]; reduction [U]. 《☞ けずる (類義語); へらす》. ¶ 車の輸出は 5%*削減される The export of automobiles is to *be* ⌈*cut* (*down*) [*reduced*] (by) five percent. // 経費の*削減 (⇒ 削減する方法) を考えなければならない We have to devise some way of ⌈*cutting* (*down* (*on*)) [*curtailing*; *reducing*] (our) expenses.

さくご 錯誤 error [C] 《☞ あやまり》. ¶ *錯誤に陥っている be in *error* // 時代*錯誤 anachronism

さくさく[1] ― [形] (食物が新鮮で) crisp, crunchy. ¶ *さくさくしたレタス *crisp* lettuce // 霜柱は私たちの

足の下で*さくさくと音を立てた The frost on the ground *crunched* under our feet. 《☞ 擬声・擬態語 (囲み)》 // (コンピューターが)*さくさく動く work *at high speed* / do the job *instantaneously* // *さくさく動くインターネット検索エンジン an Internet search engine that *works at high speed*

さくさく² 嘖嘖 ¶好評*嘖々 highly ˹reputed [praised]

ざくざく ¶砂利道を大勢の人たちが*ざくざくと歩いて行く Many people *are crunching* along the gravel path. 《☞ 擬声・擬態語 (囲み)》 // 小判が*ざくざく *a large cache of* old gold coins // キャベツを*ざくざくと切る chop cabbage (noisily)

さくさん 酢酸 acetic /əsíːtɪk/ acid Ⓤ. **酢酸菌** acetic acid bacteria ★ 複数形, acetobacter /əsétəbæ̀ktə/ Ⓒ **酢酸ビニール** vinyl acetate /váɪn(ə)l ǽsətèɪt/ Ⓤ **酢酸メチル** methyl /méθ(ə)l/ ácetàte Ⓤ.

さくし¹ 作詞 ― 動 write a ˹song [lyric]. ¶彼がこの歌の*作詞をした He *wrote the words* ˹for [to] this song. **作詞家** songwriter Ⓒ. 《☞ さくしさっきょく》.

さくし² 作詩 ― 動 write [compose] a poem 《☞ し³》.

さくし³ 策士 (陰謀をめぐらす人) schemer Ⓒ ★ 悪い意味で; (戦術家) tactician Ⓒ ★ よい意味で. ¶*策士策に溺れる (⇒ 策略家は墓穴を掘る) A ˹*schemer* [*plotter*] digs his/her own grave.

さくしさっきょく 作詞作曲 ¶ジョン・レノン*作詞作曲 *words and music by* John Lennon

さくじつ 昨日 yesterday 《☞ きのう¹》.

さくしゃ 作者 (筆者) writer Ⓒ; (著者) author Ⓒ. ¶この芝居の*作者はだれですか (⇒ だれがこの芝居を書いたのか) Who *wrote* this play? **作者不詳** ― 名 ànonýmity Ⓤ. ― 形 anónymous 《略 anon.》.

さくしゅ 搾取 ― 動 (人を利己的に利用する) exploit ⑭; (しぼり取る) squeeze ⑭. ― 名 exploitation Ⓤ. ¶上流階級は農民を*搾取した The upper classes *exploited* the farmers. // 独裁者は重税を課して人民から金を*搾取した The dictator *squeezed* money out of the people by imposing heavy taxes. // *搾取[被*搾取]階級 the ˹*exploiting* [*exploited*] class(es)

さくしゅう 昨秋 last ˹fall [autumn], the ˹fall [autumn] (of) last year. 《☞ あき¹; きょねん》.

さくしゅん 昨春 last spring, the spring (of) last year. 《☞ はる¹; きょねん》.

さくじょ 削除 ― 動 (文や文章の一部などを削る) delete ⑭; (横線などを引いて) cróss ˹óut [óff] ⑭; (取り除く) elíminàte ⑭; (書物から不穏当な部分を) expurgate ⑭. ― 名 deletion Ⓤ; elimination Ⓤ; expurgation Ⓤ. 《☞ けずる (類義語); カット¹》.

¶次の5語を本文から*削除して下さい Please ˹*delete* [*cross out*; *eliminate*] the next five words from the text. // 会費未納者は名簿から*削除されます Members in arrears will *be crossed off* the list. // 無*削除版 an *unexpurgated edition*

さくじょう 索条 cable Ⓒ 《☞ ケーブル》. **索条鉄道** cable car Ⓒ.

さくず 作図 ― 動 (図をかく) draw (a figure) ⑭; 〘幾〙(コンパスと定規で) construct ⑭. ― 名 〘幾〙 construction Ⓤ. 《☞ ず¹》.

さくする 策する ☞ たくらむ

さくせい 作成 ― 動 make ⑭, prepare ⑭, dràw úp ⑭ ★ 以上3つは書類・計画などの作成について, ほぼ同意で交換して用いられるが, make が最も一般的な語; (計画などを立てる) frame ⑭, formulate ⑭; (証書・小切手などを) màke óut ⑭. 《☞ つくる》. ¶私たちはすぐに計画の*作成に取りかかった We started to ˹*draw up* [*prepare*; *make*; *formulate*] a plan at once. // 書類は2[3]通*作成する必要があります The document must *be* ˹*drawn up* [*made out*] in ˹duplicate [triplicate].

サクセスストーリー success story Ⓒ.

さくせん 作戦 ― 名 (軍隊の軍事行動) operations ★ 通例複数形で; (戦略・策略) strategy /strǽtədʒi/ Ⓤ; (戦術) tactics Ⓤ 【語法】 strategy は全体の作戦計画. tactics は個々の戦術で,「策略」の意味では複数扱い. ― 形 (作戦的な・作戦上の) operational; strategic /strətíːdʒɪk/; tactical. 《☞ せんじゅつ¹; せんりゃく》.

¶我々は*作戦を練った We ˹worked [mapped] out our *tactics*. // *作戦上重要な地点を我々は勝ち取った We won an area of *strategic* importance. // 彼らは*作戦を誤った (⇒ 戦術[作戦]的な誤りを犯した) They committed ˹a *tactical* [an *operational*] error. // 「砂漠の嵐」*作戦 Operation Desert Storm // 「イラクの自由化」*作戦 Operation Iraq Freedom ★ 作戦の名称の場合は日本語と逆に operation は最初にくる.

作戦会議 (方策の) strategy meeting Ⓒ; (戦争の) council of war Ⓒ **作戦室** operations room Ⓒ.

コロケーション

作戦を行う conduct an *operation* / **作戦を開始する** launch [mount] an *operation* / **作戦を実行する** execute an *operation* / **作戦を遂行する** carry out [execute] an *operation* / **作戦を立てる** plan *operations* // **奇襲作戦** a surprise *maneuver* / **救出作戦** a rescue *operation* / **共同作戦** combined [joint] *operations* / **軍事作戦** military ˹*operations* [*maneuvers*] / **ゲームの作戦** a game *plan* / **ゲリラ作戦** guerrilla *operations* / **焦土作戦** scorched-earth *policy* / **心理作戦** psychological *tactics* / **掃討作戦** mopping-up *operations* / **大規模作戦** a large-scale *operation* / **大胆な作戦** bold *maneuvers* / **引き延ばし作戦** delaying ˹*tactics* [*action*] ★ 後者はスポーツの. / **夜間作戦** night *operations*

さくそう 錯綜 ― 動 (込み入る) get [become] cómplicàted; (もつれる) get [become] entangled. ― 形 complicated; entangled; (どうしようもないほど複雑な) íntricate. 《☞ ふくざつ; こみいる》. ¶事情が*錯綜していて, 私にはよくわからない I can't understand these situations, because they are very ˹*complicated* [*intricate*].

さくちゅう 作中 ¶*作中の人物 a character *in* ˹a [the] *story* ★ 劇[映画]であれば story の代わりに *play* [*movie*] とする.

さくづけ 作付け ― 名 planting Ⓤ. ― 動 (作物を植える) plant ⑭ ★ 最も一般的; (…を畑に植える) plant (a field with …) ⑭; (種をまく) sow ⑭. 《☞ うえる¹; まく³》.

さくっと (食感が) crisply; (軽く) lightly 《☞ さっくり》; (簡単[手短]に) briefly, easily, quickly. 《☞ さくさく¹》.

さくてい 策定 ― 動 (規則などを制定する) lay (down) ⑭.

さくてき 索敵 ― 動 (斥候を出す) scout ⑭; (偵察する) reconnoiter ⑭. 《☞ ていさつ》. **索敵機** spotter plane Ⓒ **索敵行動** reconnoitering [scouting] movement Ⓒ.

さくどう 策動 ― 動 (巧みに操る) maneuver /mən(j)úːvə/ (《英》 manoeuvre /-njúːvə/) ⑭ ⓐ; (陰謀をめぐらす) scheme /skíːm/ ⓐ. ― 名 maneuver (《英》 manoeuvre) Ⓒ; scheme Ⓒ. 《☞ かく

さく》. ¶あの男は陰で*策動した He ˹*maneuvered* things [*schemed*] behind the scenes. **策動家**（悪だくみをする）schemer Ⓒ;（後ろで糸を引く）《米》wirepuller Ⓒ.

さくにゅう　搾乳　—動 milk (a cow) ㊉. **搾乳器** milker Ⓒ　**搾乳場** dairy Ⓒ.

さくねん　昨年　last year《☞ きょねん》.

さくばく　索漠　—形（物寂しく暗い感じの）dreary;（寒々とした）bleak;（住む人もない）deserted;（荒れ果てた）désolate.《☞ こうりょう³》.

さくばん　昨晩　last night《☞ さくや》.

さくひん　作品　work Ⓒ ★最も一般的な語. 複数形は通例「全作品」の意味を表す場合に限って用いられる;（文学・音楽上の短い作品）piece Ⓒ;〖楽〗opus Ⓒ　語法 (1) 作品番号を言う時 op. 8（作品第 8 番）のように略して書く.
¶この彫刻はロダンの*作品だ This sculpture is Rodin's /róudænz/ *work*. // 私はロダンの*作品が好きだ I like the *works* of Rodin. //『戦争と平和』はトルストイの偉大な*作品（⇒ 小説）です *War and Peace* is a great *novel* by Tolstoy. 語法 (2) 特定の個々の作品を言う場合は, 一般的な work を用いるより, このように意味の限定された語を用いるほうがよい.

さくふう　作風　（人・流派・時代の表現様式）style Ⓤ.

さくぶん　作文　essay Ⓒ, còmposítion Ⓒ　語法 交換可能な場合もあるが, 前者のほうが普通. 後者はやや格式ばった語で musical [poetic] composition（音楽 [詩] の作品）のように広い意味に使われる語;（学校などの提出物）paper Ⓒ.《☞ えいさくぶん》.
¶我々は「私の趣味」という題で*作文を書かなければならない We must write ˹an *essay* [a *composition*] entitled "My Hobby." // この*作文はあすまでに提出しなくてはならない I must ˹turn in [submit; hand in] this ˹*essay* [*paper*] by tomorrow. ★ submit はやや格式ばった語. // 自由*作文 free *composition*

さくぼう　策謀　（たくらみ）scheme Ⓒ;（陰謀）intrígue Ⓒ ★以上二つはいずれも悪い意味;（策略・戦略）stratagem Ⓒ.《☞ いんぼう; たくらみ》.

さくもつ　作物　（栽培して収穫する）crop Ⓒ;（農産物）fárm próduce Ⓤ. ¶どのような*作物を栽培していますか What kind(s) of *crop(s)* do you grow?

さくや　昨夜　last night, yesterday evening　語法 (1) 普通は yesterday night とは言わないことに注意.《☞ ばん¹; きのう¹; 時刻・日付・曜日（囲み）》. ¶*昨夜はとてもおもしろかった I had a very good time *yesterday evening*. 語法 (2) 前置詞を付けないことに注意. // *昨夜から雪が降り続いている It has been snowing since *last night*.

さくゆ　搾油　oil ˹pressing [squeezing] Ⓤ. **搾油機** oil press Ⓒ.

さくゆう　昨夕　last [yesterday] evening.

さくら¹　桜　（木）cherry (tree) Ⓒ;（花）cherry ˹blossoms [flowers] ★通例複数形で. 日英比較 英米の桜は日本のものと種類が異なる. また, 主としてさくらんぼを取るのが目的のため blossom（果樹の花）が普通用いられる. ¶*桜はもうすぐ咲く The *cherry blossoms* will come out soon.
桜色 pale pink Ⓤ　**桜開花予想** cherry blossom forecast Ⓒ;（予想日）the expected date for blooming of cherry blossoms　**桜狩り**（花見の宴）picnic under the cherry blossoms Ⓒ《☞ はなみ¹》　**桜前線** cherry blossom front Ⓒ.

さくら²　（大道商人の仲間で客のふりをする人）decoy Ⓒ;（劇場で拍手喝采するために雇われた人々）claque /klǽk/ Ⓒ ★その一人一人は claqueur /klækə́ː/ Ⓒ と言う.　**さくらをつとめる** act as a ˹decoy [《米俗》shill].

さくらえび　桜海老　small pink shrimp Ⓒ《複 ~(s)》;（食品として乾燥させたもの）small dried shrimp(s) ★複数形で.

さくらがい　桜貝　〖貝〗（ニッコウガイ）Japanese ˹sunrise [sunset] shell Ⓒ;（ピンク色のニッコウガイ）pink tellin Ⓒ.

さくらそう　桜草　〖植〗primrose Ⓒ.

さくらにく　桜肉　horse meat Ⓤ, horseflesh Ⓤ.《☞ ばにく》.

サクラメント　〖キ教〗（カトリックの秘跡・プロテスタントの礼典）sacrament Ⓒ.

さくらもち　桜餅　cherry-leaf rice cake Ⓒ;（説明的には）rice cake stuffed with bean paste and wrapped in a cherry leaf Ⓒ.

さくらゆ　桜湯　cherry blossom tea Ⓒ;（説明的には）hot drink with salted cherry blossoms Ⓒ.

さくらん　錯乱　—動（気が狂う）go mad;（取り乱す）be distracted;（精神が混乱する）be deranged. —名 distraction Ⓤ; derangement Ⓤ.《☞ きょうらん¹》.

さくらんぼう　さくらん坊　cherry Ⓒ.

さぐり　探り　**探りを入れる**（人の意向・気持ちを打診する）sóund (óut) ㊉, féel óut ㊉　語法 通例「人」が目的語になる.《☞ さぐる》. ¶彼ら（の気持ち）に*探りを入れてみよう I'll try to ˹*sound* [*feel*] them *out*.

さぐりあい　探り合い　¶腹の*探り合いをする（⇒ 互いの考えを打診する）*sound out* each other's views

さぐりあてる　探り当てる　（見つけ出す）find (out) ㊉;（手探りで見つける）grope for ... and find ㊉;（場所を）locate ㊉.《☞ さぐりだす》.
¶私は暗闇でスイッチを*探り当てた I *groped for* the light switch in the dark *and found* it. // 腫瘍を*探り当てる *locate* the tumor

さぐりだす　探り出す　（見つけ出す）find out ㊉;（事実などを）dig up ㊉;（隠れ家などを）hunt out ㊉;（人から聞き出す）worm out ㊉. ¶旧悪を*探り出す *dig up a person's* past crime // 犯人の隠れ家を*探り出す *hunt out* the criminal's hideout // …から秘密を*探り出す *worm* the secret *out of a person*

サクリファイス　sácrifice Ⓒ《☞ ぎせい》.

さくりゃく　策略　（軍略・戦略）《格式》stratagem /strǽtədʒəm/ Ⓒ;（たくらみ・ごまかし）trick Ⓒ;（巧妙なごまかし）《格式》artifice /ɑ́ətəfɪs/ Ⓒ.《☞ けいりゃく; けんぼうじゅっすう》. ¶彼は*策略を使ってその金を手に入れた He got the money by a *trick*. // 彼らは目的を達するためにあらゆる*策略を用いた They ˹tried every *trick* (in the book) [resorted to every possible *stratagem*] to attain their aim.

さぐる　探る　**1**《手などで捜し求める》:（よく見えない所で手を使って捜す）grope (for ...) ㊀;（捜そうとして不器用に手を動かす）fumble (for ...) ㊀;（目で見ないで手で触れながら）feel (for ...) ㊀.《☞ さがす; てさぐり》. ¶暗やみの中で私はスイッチを*探った I ˹*groped* [*fumbled*] (*about*) *for* the switch in the dark(ness). // 彼はポケットを*探って鍵を捜した He ˹*fumbled* [*groped*; *felt*] in his pockets *for* the key.
2《そっと調べる》:（人の意向・考えをそれとなく探る）sóund [féel] óut ㊉　語法 通例「人」が目的語になる;（秘密などをこっそり調べる）spý óut ㊉.《☞ さぐり》. ¶私は彼女の顔を見つめて本心を*探ろうとした I gazed into her face, trying to ˹*sound* [*feel*] her *out*.

さくれつ　炸裂　—動 explode ㊀ ㊉. —名 explosion Ⓒ.《☞ ばくはつ》.

ざくろ　石榴　〖植〗（ざくろの実・木）pomegranate

/pám(ə)grænət/ Ⓒ.

ざくろいし 石榴石 garnet Ⓒ.

さくわ 作話 ☞ つくりばなし

さけ[1] 酒 (アルコール飲料) alcoholic「drink [beverage] Ⓒ, alcohol Ⓤ, liquor /líkə/ Ⓤ [語法] (1) alcoholic beverage は alcoholic drink よりも格式ばった言葉. また liquor は《米》ではウイスキーのような特にアルコール分の強い酒を指す; (日本酒) sake /sá:ki/ Ⓤ; (ぶどう酒) wine Ⓤ ★ いずれも Ⓤ の語は種類を言うときは Ⓒ. 《☞ 可算・不可算名詞 (巻末)》.

¶ この*酒はかなり強い This「*sake* [*liquor*] is pretty strong. // 私は*酒は一滴も飲みません I don't *drink* at all. [語法] (2) drink のみで「酒を飲む」という意味になる. // 彼は*酒が強い[弱い] (⇒ 強い[弱い]飲み手だ) He's a「heavy [light] *drinker*. // *酒を造る make *sake* // お客に*酒を出した They served the guests with *sake*. // 彼[彼の息]は*酒臭かった He [His breath] smelled of「*liquor* [*drink*]. / I could smell *alcohol* on his breath. 《☞ くさい》 // 彼は*酒好きだ He is fond of *drinking*. // 彼は*酒に飲まれている He can't hold his *liquor*. / He's at the mercy of *liquor*. // *酒が回ってきたみたいだ (⇒ 影響を感じはじめている) I'm beginning to feel the effect(s) of the *wine*. // *酒の勢いで (⇒ 酒の影響を受けて) under the influence of *liquor* // *酒の上のけんか a *drunken* brawl // 彼は*酒浸りになった He「gave himself over [was given] to *drink*. ★ やや古風な表現. // 私は医者に*酒 (⇒ 飲酒) をやめるように忠告された (⇒ 医者は忠告した) My doctor advised me to「give up [stop; quit] *drinking*.

酒は百薬の長 Sake is the best of all medicines. **酒粕** sake lees ★ 複数形で. **酒癖** ¶ *酒癖の悪い人 a mean *drunk* **酒の席** drinking bout Ⓒ **酒飲み** drinker Ⓒ; (大酒飲み) heavy drinker Ⓒ; (飲んだくれ) drunkard Ⓒ ★ 軽蔑的; (常習的な酒飲み) habitual drinker Ⓒ **酒太り** ¶ 彼は*酒太りだ He *is fat from habitual drinking*.

さけ[2] 鮭 salmon /sǽmən/ Ⓒ 《複 ~(s)》. **鮭茶漬け** boiled rice topped with roast salmon in hot tea ★ 説明的な訳. **サケマス漁業** salmon and trout fishing Ⓤ.

さげ 下げ (値段などの下落) fall Ⓒ; (低下) drop Ⓒ. 《☞ さがる》.

さげあし 下げ足 〔株〕(弱気の傾向) bearish tendency Ⓒ; (下押し傾向) downward「tendency [trend] Ⓒ.

さけい 左傾 ―動 (左翼になる) become a「leftist [left-wing]; (急進的になる) become radical. 《☞ さよく》.

さけじ 裂け痔 bleeding「piles [hemorrhoids] ★ [ ] 内は専門語, いずれも複数形で. 《☞ じ[3]》.

さげしお 下げ潮 ebb tide Ⓤ (↔ flood tide) ★ 比喩的にも用いられる. 《☞ ひきしお》.

さげすみ 蔑み contempt Ⓤ; (露骨なあなどり) scorn Ⓤ. 《☞ けいべつ》.

さげすむ 蔑む (見下す) lóok dówn (up)on ..., despise (他) ★ 前者のほうが口語的. 《☞ けいべつ (類義語)》.

さげはば 下げ幅 the extent of reduction Ⓤ 《☞ わりびき》.

さけび(ごえ) 叫び(声) (叫ぶこと・叫ぶ声) cry Ⓒ, shout Ⓒ, yell Ⓒ ★ cry は大声とは限らない; (金切り声の) scream Ⓒ, shriek Ⓒ. 《☞ ひめい[1]》. ¶ 表の通りで助けを求める [火事だという] *叫び声が聞こえた A *cry*「for help [of "Fire!"] was heard outside in the street.

さけぶ 叫ぶ (大声を上げる) shout (自) (他); crý (óut) (自) (他); yell (自) (他); (金切り声で叫ぶ) scream (自) (他); shriek (自) (他); (感嘆して叫ぶ) exclaim (自) (他).

【類義語】 最も一般的な語で, 喜び・怒りなど叫ぶ内容に関係なく, 声を限りに大声で叫ぶのが ***shout***. 喜び・驚き・苦しみ・痛みなどで声を立てるのが ***cry*** で, 特に大声を上げる場合は ***cry out*** という. 特にスポーツの応援などのように興奮して絶叫するのが ***yell***. 女性などが金切り声で「きゃー」と叫ぶような叫び方が ***scream***. 恐怖などで ***scream*** よりさらに甲高い声で突然に叫ぶのが ***shriek***. 以上の語より格式ばった語で, 感嘆して叫ぶという意味の語は ***exclaim***. 《☞ きゃっ》

¶ 彼らは助けを求めて*叫んだ They「*cried out* [*shouted*; *yelled*] *for* help. // 女の*叫ぶ声が聞こえた I heard「a woman *scream* [a woman's *scream*]. ★ [ ] 内の scream は 名. // そんなに*叫ばなくても聞こえます Don't *shout* like that. I can hear you (perfectly). // 彼女は驚いて「きゃっ」と*叫んだ She *gave a*「*scream* [*shout*] of surprise. // 彼女は「しまった」と*叫んだ She「*cried* [*exclaimed*], "Oh, my goodness!" // 我々は大声で*叫んでのどをからした We *shouted* ourselves hoarse.

さけめ 裂け目 (破れた箇所) tear /téə/ Ⓒ; (激しく裂けた箇所) rent Ⓒ; (長く裂けた箇所) rip Ⓒ; (茶わん・壁・地面などの割れ目) crack Ⓒ; (岩・地面の深くて狭い裂け目) crévice Ⓒ; (細長い割れ目) slit Ⓒ. 《☞ われめ》. ¶ 彼女はコートの*裂け目を縫い合わせた She sewed up the「*tear* [*rent*; *rip*] in her coat. **裂け目噴火** fissure eruption Ⓒ.

さけよいうんてん 酒酔い運転 《英》drink [《米》drunk(en)] driving Ⓤ, driving while intoxicated Ⓤ 《略 DWI》. 《☞ よっぱらい (酔っぱらい運転)》.

さける[1] 避ける (用心して意識的に) avoid (他); (未然に防ぐ) prevent (他); (嫌って避ける) shun (他); (近寄らない) keep [stay] away from ...; (逃れる・免れる) escape (他); (質問・義務などをうまく逃れる) evade (他). 《☞ かいひ[1]》.

¶ 彼はいつも私に会うのを*避ける He always *avoids* seeing me. [語法] 不定詞を目的語にすることはできない. // 慎重に運転すれば交通事故は*避けられる Traffic accidents can *be*「*avoided* [*prevented*] by careful driving. // ダイエットをしているので彼女は栄養分の高い食べ物は*避けている As she is on a diet, she *avoids* rich food(s). // 彼のような人物は*避けたほうがよい You'd better「*keep* [*stay*] *away from* a person like him. // 彼は聞こえない振りをしてその質問に答えるのを*避けた He *evaded* (answering) the question by pretending not to hear it. // 彼らの別居は*避け難かった It was *inevitable* that they would separate. ★ inevitable は必然性があって避け難いこと. 《☞ ふかひ》

さける[2] 裂ける (木・岩などが割れて) split (自); (布などが破れる) tear /téə/ (自); (急にかつ乱暴に) rip (自); (袋などが破裂して) burst (自). 《☞ さく[2]; やぶれる》.

さげる 下げる **1** 《低くする》: (降ろす・低下させる) lower (他); (引っ張って降ろす) pùll dówn (他); (削減する) reduce (他); (値段・温度を) brìng dówn (他); (賃金などを) cùt dówn (他); (頭を) bow (自); (階級を) demote (他). 《☞ おろす[1]》. ¶ 少し日よけを*下げて下さい Please「*lower* [*pull down*] the「(window) shade [blinds] a little bit. // 値段を*下げればこれはよく売れますよ This will sell well, if you「*lower* [*bring down*; *reduce*] the price.

2 《つるす》: (つり下げる) hang (他); (身につける) wear (他). 《☞ ぶらさげる; かける[1]》. ¶ この風鈴をそこへ*下げてちょうだい *Hang* this wind-bell there, please. // 将軍は勲章をいくつも*下げていた The general *wore* several decorations.

3 《片付ける》: (取り除く) cléar (awáy) (他); (持ち去る) tàke awáy (他). ¶ この皿を*下げましょう Let me

「*take away* [*clear* (*away*)] these (empty) plates.
4《後方に移す》: (後方へ動かす) móve báck (他); (後方へ引く) púll báck (他); (後方へ押す) púsh báck (他). ¶少し机を*下げて下さい Please 「*move* [*pull*; *push*] *back* the desk a little bit.
さげわたす 下げ渡す (授与する) grant (他).
さげん 左舷 port Ⓤ (↔ starboard) 《☞ ふね (挿絵)》.
ざこ 雑魚 (小魚) small fish Ⓒ《複 ~es, ~》; (取るに足らない人たち) small fry Ⓒ ★ 単複同形. 通例複数形として用いる.
ざこう 座高 *a person's* height sitting down Ⓤ. ¶彼は*座高が低い (⇒ 胴が短い) He has a short *trunk*.
さこうべん 左顧右眄 ── [動] (気迷う) waver (自). ── [名] (優柔不断) irresolution Ⓤ, indecisiveness Ⓤ, wavering Ⓤ. 《☞ うこさべん》.
さこく 鎖国 ── [名] (national) seclusion Ⓤ. ── [動] close the country; (外国人に門戸を閉ざす) close the door to foreigners. **鎖国政策** the seclusion policy **鎖国令** Seclusion Act.
さこつ 鎖骨 collarbone Ⓒ, clavicle Ⓒ. 《☞ ほね》.
ざこつ 坐骨 ischium /ískiəm/ Ⓒ《複 ischia /-kiə/》. **坐骨神経痛** sciatica /saɪǽtɪkə/ Ⓤ.
ざこね 雑魚寝 ── [動] (皆でごたごた押し合う状態で寝る) sleep together all in a 「huddle [bunch].
サゴやし サゴ椰子 〘植〙 sago /séɪgoʊ/ pàlm Ⓒ.
さこんのさくら 左近の桜 the cherry tree planted on the east side of the south stairway to the ceremonial hall Shishinden in the Impérial /ɪmpí(ə)riəl/ Pálace precincts ★ 説明的な訳.
ささ 笹 bámboo gráss Ⓤ; (笹の葉) bamboo 「leaf [blade] Ⓒ. **笹飴** candy wrapped in a bamboo leaf Ⓤ **笹かまぼこ** boiled fish-paste shaped like a bamboo leaf Ⓤ ★ 説明的な訳. 《☞ かまぼこ》 **笹だんご** dumpling stuffed with sweet bean paste and wrapped in a bamboo leaf Ⓒ ★ 説明的な訳. **笹笛** bamboo-leaf whistle Ⓒ **笹舟** bámboo-lèaf bóat Ⓒ **笹藪** bámboo thícket Ⓒ.
ささい 些細 ── [形] (取るに足りない) trivial; (小さくてつまらない) petty, small; (重要でない) unimportant. 《☞ こまかい; つまらない》. ¶彼らは*ささいなことでけんかした They quarreled 「over [about] 「*trivial* [*petty*; *small*] things.
ささえ 支え (助けてやること) support Ⓤ; (つっかい棒) prop Ⓒ. 《☞ ささえる》.
さざえ 栄螺 turbo Ⓒ, turban shell Ⓒ. **さざえの壺焼き** turbo grilled in its own shell Ⓒ ★ 説明的な訳.
ささえる 支える (倒れないようにしっかりと支える・扶養する) support (他); (支えの棒などで) próp úp (他). ¶こんな細い柱で屋根が*支えられるのか Can these thin posts *support* the roof? // 彼女は一家を*支えている She *supports* her family.
ささくれ (爪の根元のさかむけ) hangnail Ⓒ, agnail Ⓒ; (木などの) splinter Ⓒ. ¶*ささくれができている I've got [I have] a *hangnail*.
ささくれだつ ささくれ立つ (物が) split (up) finely (自) 《☞ ささくれる》.
ささくれる (爪の根元がさかむける) have [get] 「a hangnail [an agnail]; (木などが) splinter (他) (自); (心や気分が) be bitter and irritable (about ...). ¶*ささくれた気分 (⇒ とげとげしく, 無情な) *bitter*, *harsh* feelings (toward ...)
ささげ 〘植〙 black-eye(d) pea Ⓒ, cowpea Ⓒ.
ささげつつ 捧げ銃 (銃を持っての敬礼) present arms; (号令) Present arms!
ささげもの 捧げ物 offering Ⓒ; (いけにえ) sacrifice Ⓒ.
ささげる 捧げる **1**《真心・努力・金銭・時間などをささげる》: devote (他). ¶彼は一生を教育に*ささげている He *has devoted* 「*himself* [*his life*] *to* education. // 亡き父母に*ささぐ《献辞》 *Dedicated to* [*To*] the memory of my (late) parents. ★ 格式ばった表現.
2《神にささげる》: offer (他). ¶神に祈りを*ささげる *offer* a prayer to 「the gods [God]
ささつ 査察 inspection Ⓤ《☞ けんさ》. **空中査察** ☞ くうちゅう (空中査察) **現地査察** ☞ げんち[1] (現地査察)
さざなみ 漣 ── [名] ripple Ⓒ. ── [動] ripple (他) (自). 《☞ なみ[1]》. ¶湖の水面には*さざなみが立っていた The surface of the lake was covered with *ripples*. // 微風で池に*さざなみが立った The pond *rippled* in the breeze. / The breeze *rippled* the pond.
サザビーズ ── [名] [固] Sotheby's /sʌ́ðəbiz/ ★ ロンドンのオークション業者. 美術品・骨董品などを扱う.
ささみ 笹身 chicken breast Ⓒ ★ 数える時は two chicken breasts とも two pieces of chicken breast とも言う.
ざざむし ざざ虫 〘昆〙 cáddis /kǽdɪs/ flỳ lárva (used as fishing bait or boiled down in soy sauce as a relish) Ⓒ ★ larva の複数形は larvae /lάəvi:/ または ~s.
さざめき (人々の声) people's voices.
ささめく (ささやく) whisper (自); (さざ波のようにさらさらと音を立てる) ripple (自).
さざめく (にぎやかにしゃべる) chatter (自); (群集ががやがやいう) buzz (自). ¶笑い*さざめく laugh merrily
ささめゆき 細雪 (小雪) light 「snow [snowfall] Ⓤ; (細かい雪) fine snow Ⓤ.
ささやか ── [形] (小さい) small; (質素な) humble; (控えめな) modest. 《☞ ちいさい[な] (類義語)》. ¶私は*ささやかな家を郊外に建てた I have built a *small* house in the suburbs. // これは*ささやかなお礼のしるしです This is a *small* token of my gratitude /grǽtət(j)ù:d/. // 会社は我々の*ささやかな要求さえも拒否した The company refused even this *modest* demand of ours.
ささやき 囁き whisper Ⓒ, murmur Ⓒ.
ささやく 囁く whisper (自); (ひそひそと話す) speak under *one's* breath.
¶彼らはひそひそと*ささやきあった They *whispered* to each other. / They *spoke* to each other *under their breath*. // 人の前で耳に*ささやくようなことをしてはいけない You shouldn't *whisper* in someone's ear in front of 「others [other people].
ささら 簓 bamboo whisk Ⓒ.
ささる 刺さる (とげなどが) stick in ... 《☞ さす[2]》.
さざれいし 細れ石 pebble Ⓒ, small stone Ⓒ ★ pebble は河岸や海岸の丸くなった小石.
さざんか 山茶花 〘植〙 sasanqua /səsά:ŋkwə/ Ⓒ.
サザンクロス (南十字星) the Southern Cross.
ササンちょう ササン朝 the Sassanid dynasty ★ ペルシアの王朝 (226–642).
さし[1] 差し ── [形] (差し向かいで) tête-à-tête /téɪtətéɪt/; (面と向かっての) face-to-face [参考] tête-à-tête はフランス語から. ── [副] tête-à-tête; face-to-face; (余人を交えず, 2 人だけで) (all) by 「ourselves [yourselves; themselves]. ── [名] (2 人だけの対話) tête-à-tête Ⓒ. 《☞ さしむかい》.
¶*差しで話し合おう Let's have a 「(*face-to-face*) talk (*all*) *by ourselves* [*tête-à-tête*].
さし[2] 砂嘴 (岸から直角に突き出た地形) spit Ⓒ.
さじ[1] 匙 spoon Ⓒ; (小さじ, 茶さじ) teaspoon Ⓒ;

(大さじ) tablespoon Ⓒ. 《☞ スプーン (挿絵)》.
¶次に砂糖を大*さじ2杯加えます Next add two ⌜*tablespoonfuls* [*tablespoons*] of sugar. [語法] 料理書では [ ] 内の言い方が普通. 《☞ 数の数え方(囲み)》 さじを投げる ¶医者は2, 3日前にすでに*さじを投げた (⇒患者を見放した) The doctor already *gave up* on the patient a few days ago.

さじ² 些事 trivial matter Ⓒ.

ざし 座視 ―[動] (座して眺める) sit and watch …; (傍観者である) be [remain] a passive ⌜onlooker [spectator; bystander]. ¶彼の窮状は*座視するにしのびなかった I couldn't just *sit and watch* him in his sad plight.

さしあげる 差し上げる (進呈する) give (他), presént (他) ★後者のほうが格式ばった語で, 日本語の「差し上げる」に近い. 《☞ あげる¹》. ¶この絵を*差し上げましょう I will *present* this picture to you. / I'll *present* you with this picture. // 「何を*差し上げましょうか」「ハンカチを1枚下さい」"May I help you, ⌜sir [ma'am, madam]?" "Yes, I'd like a handkerchief."

さしあたり 差し当たり (現在) now ★最も一般的で口語的. 以下の言葉の代わりにも用いられる; (当分の間・ここしばらくは) for the time being, for the present; (ただいまのところ) at present, at ⌜this [the] moment. 《☞ いまのところ; とうざ; いちおう; とりあえず》. ¶*さしあたり, ほかに必要なものはないと思います I don't think I need anything else ⌜*now* [*for the time being*; *for the present*]. // *さしあたり (⇒いまは) 急ぐ仕事はありません I don't have any urgent work to do ⌜*now* [*at present*; *at* ⌜*this* [*the*] *moment*].

さしあみ 刺し網 (水中に張る網) gill /gíl/ nèt Ⓒ.

さしいれ 差し入れ (刑務所への) thing sent in to a prisoner Ⓒ; (一般に) supply of ⌜food [refreshments] (to ⌜a person [persons] occupied with some task) Ⓒ. 差し入れ弁当 lunch sent in to a prisoner Ⓒ 差し入れ屋 prison caterer Ⓒ.

さしいれる 差し入れる **1** «挿入する»: insert … (in [into] …), put [place] … ⌜in [into] … [語法] insert, place のほうが格式ばった語. また, insert はそれだけで差し入れるという意味だが put, place は前置詞句が必要. 《☞ さしこむ; そうにゅう; はさむ》.
2 «刑務所内へ» ¶彼は刑務所にいる友人に本を*差し入れた He *sent* (*in*) some books to his friend *in prison*.
3 «陣中見舞い»: supply ⌜food [refreshments] (to ⌜a person [persons] occupied with some task).

さしえ 挿絵 ―[名] (一般に) picture Ⓒ, (pictorial) illustration Ⓒ ★後者は格式ばった言い方; (挿入図) figure Ⓒ ★fig. と略す. ―[動] (挿絵を入れる) illustrate (他). 《☞ ず¹; ずかい》.
¶この本にはきれいな*挿絵がたくさんある There are many beautiful ⌜*pictures* [*illustrations*] in this book. / This book has a lot of pretty *illustrations*. // *挿絵1を見よ See Fig. 1. // 本に*挿絵を入れる *illustrate* a book // *挿絵入り[なし]のおとぎ話の本 an ⌜*illustrated* [*unillustrated*] storybook
挿絵画家 illustrator Ⓒ.

サジェスチョン suggestion /sə(g)dʒéstʃən/ Ⓒ 《☞ あんじ; ていあん》.

サジェスト ―[動] suggest (他).

さしおく 差し置く ((うっかり) 怠る) neglect (他); (無視する) disregard (他); (故意に無視する) ignore (他). 《☞ むし²》.
¶彼らは議長を*差し置いて, どんどん発言した They spoke ⌜out [up], ⌜*ignoring* [*disregarding*] the ⌜chairman [chair(person)]. // 私は係の人を*差し置いて (⇒飛び越して), 課長と交渉した I negotiated with the section chief *over* the head of the person in charge. // 何を*差し置いても (⇒まず第一に) この手紙を書かなければならない I have to write this letter ⌜*first of all* [*before anything else*].

さしおさえ 差し押さえ ―[動]〖法〗attach (他); (押収する) seize (他). ―[名]〖法〗attachment Ⓒ; seizure Ⓤ. ¶債権者は*差し押さえをすると言って (彼を) 脅かした (His) creditors threatened (him with) ⌜*attachment*(*s*) [*seizure*]. // 債権者は彼の給料を*差し押さえた The creditors ⌜*attached* [*seized*] his wages. // *差し押さえを食う have *one's* property ⌜*attached* [*seized*] // *差し押さえが解除される be released from ⌜*attachment* [*seizure*]
差し押さえ令状 writ of ⌜attachment [seizure] Ⓒ.

さしかえる 差し替える (AをBと取り替える) replace A with B; (Aの代わりにBを入れる) put B in place of A, substitute B for A. 《☞ いれかえる; おきかえる》.

さしかかる 差し掛かる (…の所に来る) come to …; (近づく) approach (他), draw near (自) ★後者のほうが口語的. ¶我々は山道の分岐点に*差し掛かった We *came to* a fork in the mountain path.

さしかけ 差し掛け ―[形] lean-to /líːntùː/. ―[名] lean-to Ⓒ. ¶*差し掛け小屋[屋根] a *lean-to* ⌜shed [roof]

さしかける 差し掛ける hold … over … ¶背の高い少年は母親に傘を*差し掛けていた The tall boy *was holding* an umbrella *over* his mother.

さじかげん 匙加減 ―[名] (料理の味付けの具合) the manner of seasoning; (裁量) discretion Ⓤ. ―[動] (…を斟酌(しんしゃく)する) make allowances for … ¶あの委員会の決定は委員長の*さじ加減一つだ Decisions by that committee are made at the *discretion* of the chairperson. 《☞ てかげん》.

さしかざす 差し翳す hold … over *one's* head.

さしがね 差し金 (示唆) suggestion Ⓤ; (暗示) hint Ⓒ; (そそのかし) instigation Ⓤ. ¶だれの*差し金だ, これは Whose *suggestion* was this? // 彼が気を変えたのは父親の*差し金 (⇒圧力) に違いない He must have changed his mind under *pressure* from his father.

さしき 挿し木 ―[動] plant a cutting. ―[名] cutting Ⓒ.

さじき 桟敷 (劇場の2階さじき) balcony Ⓒ; (劇場の天井さじき) gallery Ⓒ. 《☞ げきじょう¹ (挿絵); スタンド》.

ざしき 座敷 (部屋) room Ⓒ; (居間) living room Ⓒ, 《米》family room Ⓒ; (客間) drawing room Ⓒ. ¶客を*座敷へ通す show a guest into a *Japanese-style* (⌜*drawing* [*guest*]) *room* [日英比較] 英語の drawing room は広い邸宅などの来客接待用の部屋で格式ばった感じ. guest room は来客用寝室. 従って, 単に和室という意味なら Japanese-style room とする. // お*座敷がかかる (⇒(芸者・芸人などが)なじみの客に呼ばれる) *be called by a client* / (⇒仕事の口がかかる) *be offered a job* 座敷歌 song sung at a (drinking) party Ⓒ 座敷芸 amateurish performance at a (drinking) party Ⓒ 座敷牢 confinement [holding] cell Ⓒ 座敷わらし (説明的に) imp or house fairy in the shape of a little, ruddy-faced and crop-headed child Ⓒ.

さしきず 刺し傷 (とがった刃物類の) stab (wound) Ⓒ; (動植物の針やとげの) sting Ⓒ. 《☞ きず》. ¶彼は胸にひどい*刺し傷を負った He had a serious *stab wound* in the chest.

さしぐむ 差し含む ☞ なみだぐむ

さしくる 差し繰る (うまく…する) manage to *do* …; (…する時間を作る) make time to *do* … 《☞ く

りあわせる》.
さしこ 刺し子 quilted coat Ⓒ; (刺し子に縫うこと) quilting Ⓤ. 《☞ キルト》.
さしこみ[1] 差し込み (急激な腹痛) sudden stomach pains ★ 通例複数形で.
さしこみ[2] 差し込み (コンセント) socket Ⓒ, 《米》 outlet Ⓒ, 《英》 (power) point Ⓒ.
さしこむ 差し込む, 射し込む **1** 《光が》: come [shine] ˹in [into] ...; (ふんだんに差し込む) pour ˹in [into] .... 《☞ さす[1]》. ¶ 部屋には明るい日差しがあふれるように*差し込んでいた Bright sunlight ˹*was pouring into* [(⇒ 満たした) *filled*] the room.
2 《挿入する》: insert ⑭, pùt ín ⑭, put ... in ... ★ insert はやや格式ばった語; (プラグを) plúg ín ⑭. ¶ プラグをコンセントに*差し込んで下さい *Put* the plug *in* (the outlet), please. / *Plug* it *in*, please. 語法 it は電気器具を受ける代名詞.
3 《胃腸のあたりが急に激しく痛む》: have [feel] a ˹sharp [bad; violent; spasm of] pain in *one's* stomach ★ a spasm of pain は痛みの発作. 《☞ いたみ; いたむ[1]》.
さしころす 刺し殺す stab ... to death.
さしさわり 差し障り ── 名 (他人の感情を傷つけること) offense (《英》 offence) Ⓤ. ── 形 offensive. 《☞ さしつかえ; ししょう[1]; あたりさわり》.
¶ *差し障りのあることは言うまい I won't make any *offensive* remarks. // それをすると何か*差し障りがありますか (⇒ 害を及ぼすか) Will it ˹do [cause] any *harm* if I do it?
さしさわる 差し障る (妨げる) obstruct ⓐ ⑭; (遅らせる) hinder ⑭; (害がある) be harmful. ¶ すぐにこの仕事を終わらせないと次の仕事に*差し障る Unless we finish this ˹task [job] at once, it will *hinder* ˹our [the] next one.
さししめす 指し示す point ˹to [at] ... ¶ 彼は地図の一点を*指し示した He *pointed* ˹*at* [*to*] a spot on the map.
さしず 指図 ── 名 (指示) directions, instructions; (命令) orders, command Ⓒ 語法 最初の 3 語は通例複数形で用いる. また, 後の 2 語は前の 2 語よりも意味が強い. ── 動 direct ⑭, instruct ⑭ ★ 前者のほうが格式ばった語; order ⑭, command ⑭. 《☞ めいれい; しじ[2]》.
¶ 私の*指図どおりにしなさい Follow my ˹*directions* [*instructions*; *orders*]. // 私は*指図どおりにしたまでです (⇒ 命令に従っただけだ) I was only obeying ˹an *order* [*orders*]. // 私はだれの*指図も受けない (⇒ 自分の思いどおりにする) I will have my own way. / (⇒ 好きなようにやる) I will do as I like. // *指図を仰ぐ ask *a person* for ˹*directions* [*instructions; orders*]
さしずめ 差し詰め (さしあたり) for the present, for the ˹time being [moment]; (結局) after all. 《☞ さしあたり; けっきょく》.
さしせまる 差し迫る ── 形 (危険などがいますぐにでも起こりそうな) ímminent; (切迫した) impending 語法 2 語とも嫌な事が切迫することをいうが, 前者のほうが切迫感が強く, より格式ばった語; (緊急の) urgent; (間近に迫って) close at hand. ── 動 (近づく) draw near ⓐ, approach ⓐ ★ 前者のほうが口語的. 《☞ せっぱく; きんきゅう》.
¶ *差し迫った危険はないようだ I see no ˹*imminent* [*impending*] danger now. // 選挙が*差し迫っている The election *is now close at hand.* // 締め切りが*差し迫っている The deadline *is* ˹*drawing near* [*approaching*].
さしそえる 差し添える (添付する) attach ⑭; (加える) add ⑭. 《☞ そえる; さしだす》. ¶ 彼は右手に持った書類に左手を*差し添えた (⇒ 左手を添えた) He brought his left hand to join his right in holding the document.
さしだす 差し出す **1** 《前へ出す》: (握手などのために手を) hòld óut ⑭; (手をいっぱいに伸ばす) réach [strétch] óut ⑭. ¶ 彼は立ち上がり, 手を*差し出した He stood up and ˹*held* [*stretched*] *out* his hand. ★ 握手を求める動作.
2 《提出する》: (正式に渡す) presént ⑭; (書類などを) submit ⑭ ★ 以上 2 語はやや格式ばった語; (権威ある人に提出する) hánd [tùrn; sènd] ín ⑭. 《☞ ていしゅつ; だす》. ¶ 彼は紹介状を私に*差し出した He *presented* a letter of introduction to me.
差出人 (手紙・小包などの) sender Ⓒ (↔ receiver) 《☞ 手紙の書き方 (囲み)》.
さしたる ¶ 前途に*さしたる (⇒ それほど重大な) 困難はなさそうだ I see no *serious* ˹difficulty [difficulties] ahead. 《☞ たいした》
さしちがえ 差し違え (行司の) misjudg(e)ment Ⓒ.
さしちがえる[1] 差し違える (行司が) misjudge ⑭.
さしちがえる[2] 刺し違える (互いに刺し合う) stab each other.
さしつかえ 差しつかえ (困難) difficulty Ⓤ; (害) harm Ⓤ; (障害) obstruction Ⓤ. 日英比較 「差しつかえない」という日本語の否定表現は英語では以上の訳語を使わないで,「よろしい」「都合がよい」というように肯定の表現で表されることが多い. 《☞ さしさわり; ししょう[1]》. ¶ 私は*差しつかえありません (⇒ 私に関しては結構です) It's ˹*all right* [*OK*] with me. // 書類の印刷は少し不鮮明だが, 読むのには*差しつかえない (⇒ 困難はない) The paper is not printed very clearly, but I have no *difficulty* (in) reading it. // あすうかがっても, *差しつかえありませんか (⇒ よろしいですか) *May* [*Can*] I call on you tomorrow? ★ May を用いるほうが丁寧な表現.
さしつかえる 差しつかえる (妨げになる) disturb ⑭; (…に悪影響がある) have a bad effect on ... ¶ 仕事中に話しかけないで下さい. 仕事に*差しつかえます Please don't talk (to me) while I'm working. It's *disturbing* [It *disturbs* me].
さしつぎ 刺し継ぎ ── 動 (継ぎを当てる) pátch [stitch] úp ⑭.
さしつさされつ 差しつ差されつ ¶ 彼らは*差しつ差されつ語り合った (⇒ 1 本のワインを一緒に飲みながら) They talked *over a bottle of wine.* 《☞ しゃく[2] 日英比較》
さして[1] 差し手 ¶ 横綱は相手の*差し手をきめた (⇒ 相手の腕を外側から自分の腕で押さえつけて, 無力にした) The grand champion locked his opponent's *arms* under his own so that the latter was helpless.
さして[2] 指し手 (将棋・チェスの) move Ⓒ.
さして[3] very, much, greatly 語法 この意味では否定の語とともに, 否定の表現で用いる. 《☞ さしたる; たいして[2]》.
さしでがましい 差し出がましい ── 形 (目上の人に対して生意気な) ímpudent, impértinent; (おせっかいな) officious ★ やや格式ばった語. ── 動 (干渉する) interfere /ìntəfíə/ (with ...; in ...) ⓐ; (侵入して邪魔する) intrude ⓐ; (口を差しはさむ) 《略式》 butt in (on ...) ⓐ. 《☞ でしゃばる; おせっかい》. ¶ 彼はいつも*差し出がましいことを言う He always makes *impertinent* remarks. // *差し出がましいようですが (⇒ 干渉するつもりはないが), ここに使用上の説明が必要ではないでしょうか I don't want to ˹*interfere* [*intrude*; *butt in*], but don't you think you need instructions here?
さしでぐち 差し出口 ── 名 (余計な[生意気な]

言葉) uncalled-for [impertinent] remark Ⓒ. ━━動 (干渉する) interfere (in …) ⓐ; (干渉して邪魔をする) interfere (with …) ⓐ. 《☞ くちだし; かんしょう¹》.

さしとおす 刺し通す (刃物や先のとがった物で) pierce ⓗ, thrust … through … ★ pierce は一語で刺し貫くという意味になる. 《☞ さす²; つきさす; つらぬく》. ¶ 彼の槍が虎の足を*刺し通した His spear *pierced* the tiger's leg. / He *pierced* the tiger's leg with his spear. / He *thrust* his spear *through* the tiger's leg.

さしとめ 差し止め (禁止) ban Ⓒ; (法律による禁止) prohibition Ⓤ. 《☞ さしとめる》.

さしとめせいきゅうけん 差し止め請求権 (停止[禁止]命令を求めての) the right to demand an injunction.

さしとめる 差し止める (禁止する) stop [prohibit] … (from *doing*), forbid … (to *do* …) ★ prohibit は格式語; (一定期間停止する) suspend ⓗ. ¶ A 氏が B 氏と契約することは*差し止めなければならない We must ⌜*stop* Mr. A *from* [《英》 stop Mr. A] sign*ing* a contract with Mr. B. // その記事の発表は*差し止められた Publication of the article *has been suspended*.

さしぬい 刺し縫い stitch Ⓒ.

さしね 指し値 〔商〕(買いの呼び値) bid price Ⓒ; (売買の限界値) limit Ⓒ. ¶ *指し値注文 *limit orders* // *指し値で売る[買う] sell [buy] at *one's limits*

さしのべる 差し伸べる ¶ 困っている人たちに助けの手を*差し伸べなさい *Give a helping hand* to those in need.

さしば 差し歯 (義歯) false tooth Ⓒ 《☞ いれば》. ¶ 数本*差し歯をした I had some *false teeth* ⌜fitted [made].

さしはさむ 差し挟む (言葉を) pùt ín ⓗ; (話に割り込む) cút [brèak] ín ⓐ; (口を出して邪魔をする) interrupt ⓗ ⓐ; (異議などを唱える) raise ⓗ. 《☞ くちだし》. ¶ 彼が話している間, 言葉を*差し挟まないで下さい Please don't ⌜*interrupt* (him) [*cut in*; *break in*] while he is speaking. // 異議を*差し挟むことはできなかった I couldn't *raise* any objections to it.

さしひかえる 差し控える (慎む) refrain [abstain] (from …) ⓐ ★ refrain のほうが格式ばった語; (遠慮する) reserve ⓗ; (抑える) hòld báck ⓗ; (節制する) moderate ⓗ. 《☞ ひかえる; せっせい¹》. ¶ 批評は*差し控えた I ⌜*refrained* [*abstained*] *from* making ⌜a [any] comment. / I ⌜*reserved* [*held back*] my comment(s).

さしひき 差し引き (差額) balance Ⓤ. 差し引き勘定 the balance (of the account). ¶ *差し引き勘定をする *balance* ⌜*an account* [*accounts*]

さしひく 差し引く (数を) tàke ⌜óff [awáy] ⓗ, subtract ⓗ ★ 前者のほうが口語的; (金額などを) take off ⓗ, deduct ⓗ ★ 後者のほうが格式ばった語. ¶ 必要経費を*差し引いても, まだ 100 万円は残る Even after we ⌜*take off* [*deduct*] (the) necessary expenses, we'll have a million yen left.

さしまねく 差し招く (手招きする) beckon ⓗ; beckon [motion] *a person* to come.

さしまわし 差し回し ¶ ホテル*差し回しのバス a *bus provided by* the hotel / a *courtesy* bus

さしみ¹ 刺身 sashimi Ⓤ; (説明的には) sliced raw fish Ⓤ, slices of raw fish ★ 複数形で. ¶ *刺身のつま a garnish [trimmings] ⌜for [served with] ⌜*sashimi* [*sliced raw fish*] ★ trimmings は口語的. / (⇨ つけ足しで重要でない人) a superfluous person 《☞ つけあわせ》 刺身包丁 (slender) kitchen knife for slicing (raw) fish Ⓒ ★ 説明的な訳.

さしみ² 差し身 〔相撲〕 *sashimi* Ⓤ; (説明的には) the sumo tactic to hold *one's* opponents by the dominant hand 《☞ さす¹》.

さしみず 差し水 ¶ 沸騰したら*差し水をします *Add* some *water* when it comes to a boil.

さしむかい 差し向かい ━━副 (向かい合って) face to face (with …). ¶ 私たちはテーブルに*差し向かいに座った We sat *face to face* at the table.

さしむける 差し向ける (派遣する) send ⓗ, dispatch ⓗ ★ 前者のほうが口語的. 《☞ はけん¹》.

さしもどし 差し戻し (裁判の) 〔法〕 remitter Ⓤ; (送り返すこと) sending [referring] back (to …) Ⓤ.

さしもどす 差し戻す (送り返す) send … back (to …); (任せる) refer … back (to …) ★ 前者のほうが口語的; (下級裁判所へ) 〔法〕 remit ⓗ. ¶ その件は下級裁判所に*差し戻された The case *was* ⌜*remitted* [*sent back*; *referred back*] *to* the lower court.

さしもの¹ 差物 (昔の戦場などでの識別のための旗) colors ★ 通例複数形で, banner Ⓒ; (説明的には) standard for identification on the battlefield in ancient times Ⓒ.

さしもの² 然しもの (…でさえ) even … ¶ その問題は*さしもの秀才も答えられなかった *Even* the brightest student couldn't answer the question.

さしものし 指物師 (建具工) joiner Ⓒ; (高級家具などの) cabinetmaker Ⓒ.

ざしゃ 座射 (弓道の方式) style of Japanese archery in which the archer nocks his arrow in a kneeling position, then rises and releases it ★ 説明的な訳.

さしゅ 詐取 ━━動 (だまし取る) swindle ⓗ, cheat ⓗ. ━━名 (詐欺) fraud Ⓤ ★ 行為を指す場合は Ⓒ; swindle Ⓒ. 《☞ さぎ¹》.

さしゅう 査収 ━━名 receipt Ⓒ. ━━動 (受け取る) receive ⓗ.

さじゅつ 詐術 way of deceiving Ⓒ. ¶ 彼は*詐術にたけている He is good at *deceiving* people.

さしょう¹ 査証 visa /víːzə/ Ⓒ 《☞ ビザ》. ¶ 大使館で*査証を受けなくてはならない I must get a *visa* at the embassy. // 観光*査証 a tourist *visa* // 再入国*査証 a rèéntry *visa* // 就労*査証 a work *visa* // 通過*査証 a transit *visa*

さしょう² 詐称 ━━動 (偽名を用いる) use [assume] ⌜a false name [an alias]; (偽る) falsify ⓗ. ━━名 (虚偽の申し立て) false statement Ⓒ. 《☞ ぎめい; いつわる》. ¶ 彼は学歴を*詐称した He *falsified* his academic ⌜records [career].

さしょう³ 些少 ¶ *些少ですが私の感謝の気持ちとして (⇨ 私の感謝の小さな印として) お受け下さい Please accept this as a *small* token of my gratitude.

さじょう 砂上 砂上の楼閣 a house built on sand.

ざしょう¹ 座礁 ━━動 go [run] aground. ¶ その船は*座礁した The ship ⌜*went* [*ran*] *aground*.

ざしょう² 挫傷 〔医〕 contusion Ⓒ; (一般に打ち身) bruise Ⓒ; (骨・軟骨などの損傷) fractural injury Ⓒ. ¶ 脳*挫傷 a brain *contusion*

ざしょく¹ 座職 (座ってする仕事) sédentàry ⌜òccupátion [wórk; jób] Ⓒ.

ざしょく² 座食 ━━形 (怠け者の) lazy. ━━動 (働かずにぶらぶらする) live a lazy life. 座食の徒 lazy person Ⓒ.

さしわけ 指し分け ☞ ひきわけ

さしわたし 差し渡し (直径) diameter /daɪǽmətə/ Ⓒ 《☞ ちょっけい¹》.

さじん 砂塵 cloud of dust Ⓒ; (砂あらし) sandstorm Ⓒ. ¶*砂塵を巻き上げる throw up *clouds of dust*

さす¹ 差す, 射す **1**《光が》: (輝く) shine (自); (入る) come [get] ˹in [into] ... (☞ ひ¹; ひあたり; さしこむ). ¶雨がやんで日が*差してきた The rain stopped and the sun began to *shine*.
2《色・気持ちなどがあらわれる》 ¶東の空にはわずかに赤みが*さしていた The eastern sky *was tinged with* a faint blush of color. // 私は仕事に嫌気が*さしている (⇒ 飽きて[嫌になって]きた) I am getting ˹tired [sick] of my job.
3《入れる》: put ... in ... ¶このばらを花瓶に*差して下さい Please *put* these roses *in* the vase. // 自転車に油を*差しなさい *Oil* your bicycle. // 目薬を*差す *apply* eyewash // ...に水を*差す (⇒ 白けさせる) cast a chill over ... (☞ みず)
4《傘を》: pùt úp (他) (☞ かさ¹). ¶だれも傘を*差していない Nobody *has* ˹*put up* [*opened*; *unfurled*] his umbrella. / Nobody *has* his umbrella *up*.
5《相撲》: get hold on *one's* opponent in a sumo match by thrusting *one's* arm under the opponent's arm

さす² 刺す (ナイフなどで) stab (他); (とがったもので) pierce (他); (蚊・のみなどが) bite (他) (過去 bit; 過分 bitten); (はちなどが針で) sting (他) (過去・過分 stung); (野球で) thrów óut (他). (☞ つきさす).
¶警官は腹部を*刺されて死亡した The policeman *was stabbed* to death in the stomach. // 蚊に首を*刺された I *was bitten* by mosquito(e)s ˹in [on] the neck. // 肌を*刺すような風 a *piercing* wind // 鼻を*刺す (⇒ きつい) におい a *sharp* ˹smell [odor] // ランナーは 2 塁で*刺された The runner *was thrown out* at second base. (☞ アウト)

さす³ 指す (指し示す) point (to ...) (自); (教室などで) call on ...; (意味する) mean (他); (言及する) refer to ... ★「人」が主語; (将棋を) play (他). (☞ しめす¹). ¶針は真北を*指した The needle *pointed* ˹right *to* the [due; dead] north. // 先生はよく私を*指す Our teacher often *calls on* me to answer questions. // 彼が「この国」と言ったのは日本のことを*指す He ˹*means* [*is referring to*] Japan when he says "this country."

さす⁴ 砂州 sandbar Ⓒ; (特に河口や港の入口の浅瀬) sandbank Ⓒ.

ざす 座主 (寺の最高位の僧) head priest Ⓒ.

さすが (...に期待されるように) as may be expected (of ...); (...でさえも) even.
¶*さすがに専門家だ. 彼は実によく知っている He knows the subject (matter) very well, *as is expected of* a specialist. // 金を受け取らないとは*さすがに彼だ (⇒ 彼らしい) It's *just like* him to refuse the money. // 難問を*さすがの彼も解けなかった *Even* he couldn't solve that difficult problem.

さずかりもの 授かり物 (天から与えられた喜ばしいもの) blessing Ⓒ; (思いがけない幸運) godsend Ⓒ; (天から授けられた才能) gift (for ...) Ⓒ. ¶健康は*授かり物だ Good health is a *blessing*. // 彼女の音楽の才能は*授かり物だ She has a *gift* for music.

さずかる 授かる (与えられる) be given, be granted ★ 後者のほうが格式ばった語; (才能などを) be gifted with ...

さずける 授ける (権利・特権などを与える) grant (他); (位・勲章・称号・恩恵などを) 《格式》 confér (他). (☞ あたえる; じゅよ). ¶王はナイトの位を彼に*授けた The king *conferred* a knighthood on him.

サスプロ (自主番組) sustaining program Ⓒ.

サスペンション (自動車などの) suspension Ⓒ.

サスペンス suspénse Ⓤ. ¶この推理小説は*サスペンスに富んでいる This detective story is ˹full of *suspense* [*suspenseful*].

サスペンダー (ズボンつり) 《米》 suspenders, 《英》 braces ★ いずれも複数形で. 数えるときは a pair of ˹suspenders [braces] の形で. ¶*サスペンダーをする wear ˹*suspenders* [*braces*]

サスペンデッドゲーム (一時停止試合) suspended game Ⓒ.

さすまた weapon with a U-shaped metal prong attached to the end of a wooden stick, formerly used to capture a criminal Ⓒ ★ 説明的な訳.

さすらい wandering Ⓤ ★「放浪の旅」の意味では複数形. (☞ ほうろう¹).

さすらう (あてもなく歩き回る) wander [roam] (about) (自). (☞ あるきまわる; さまよう).

さする (優しくなでる) stroke (他); (こする) rub (他); (マッサージする) massage (他). (☞ なでる).

ざする 座する sit (自) (☞ すわる¹). **座して食らえば山も空し** (⇒ 怠惰は山の如き富をも食べつくす) Idleness will eat away a mountain of wealth.

ざせき 座席 (固定された席) seat Ⓒ (☞ せき¹).
¶窓側[通路側]の*座席はありますか Do you have ˹a window [an aisle] *seat*? // (劇場などの) 後部[前の]*座席 a *seat* ˹toward [in] the ˹back [front] // (自動車の) 後部*座席 a back seat // このホールの*座席数は 700 だ (⇒ 700 人座らせられる) This hall *seats* 700. / (⇒ 700 の座席がある) There are 700 *seats* in this hall. // その芝居の*座席を 2 つ予約して下さい Please ˹reserve [book] two *seats* for the play. // *座席を (良い方に) 替えた (⇒ より良い席と替えた) I changed my *seat* (for a better one). **座席指定券** reserved seat ticket Ⓒ (☞ してい¹) **座席指定車** reserved-seat car Ⓒ **座席番号** seat number Ⓒ **座席表** seating plan Ⓒ.

サゼスチョン ☞ サジェスチョン

させつ 左折 ── (動) turn left, turn to the left ★ 前者のほうが普通; (車などが) make [take] a left turn. (☞ ひだり). ¶次の信号で*左折して下さい Please *turn left* at the next traffic ˹light(s) [signal]. // 《標識などで》*左折禁止 No *Left Turn* // *左折のみ *Left Turn* Only

ざせつ 挫折 ── (動) (失敗する) fail (自); (失敗に終わる) brèak dówn (自); (計画などがつぶれる) collapse (自) (☞ しっぱい; ちゅうだん¹). ¶資金難で彼の計画は*挫折した His plan collapsed owing to financial difficulties. // 彼は失恋して深い*挫折感を味わった He was disappointed in love and felt *a* deep *sense of failure*.

させる (強いて...させる) make (他); (無理に...させる) force (他); (本人の意志のままにさせる) let (他); (依頼して) have ... (*do* ...), get ... (to *do* ...); (人をある状態にする) set [get] ... (*doing*).
¶彼にはもう少し勉強*させるべきだ You should *make* him study harder. // 私は部屋の掃除を*させられた I *was* ˹*made* [*forced*] to tidy up the room. // その問題では考え*させられた The problem ˹*set* [*got*] me thinking. [語法] (1) この set, get は「人を...の状態にさせる」の意. // 彼女の好きに*させるつも

りだ I'm going to *let* her do as she likes. // 私は靴を直*させるつもりです I'm going to *have* the shoemaker repair my shoes. 語法 (2) この have は「…に…させる」という能動的な使役を表す.

させん 左遷 ―動 (左遷する・格下げする) rélegàte ⊕; (階級・地位を下げる) demote ⊕ (↔ promote) ★ 以上 2 語はやや格式ばった語; (…をより低い地位に下げる) transfér … to a lówer position ★ 説明的表現. ―名 relegation Ⓤ; demotion Ⓤ. (☞ かくさげ). ¶ 彼は(下の地位に)*左遷された He *has been* ⌈*relegated* [*demoted*] *to* a lower position.

ざぜん 座禅 zazen Ⓤ, meditation in Zen Buddhism /búːdɪzm/ Ⓤ. ¶ *座禅を組む (⇒ 禅の瞑想をしつつ坐る) sit in Zen meditation

ざぜんそう 座禅草 〔植〕 skúnk càbbage Ⓒ.

さぞ (非常に) very; (きっと) surely; (確信する) I'm sure 語法 「さぞ…でしょう」は「とても…に違いない」という意味であると考えて, must を用いるほうがよい場合も多い. (☞ きっと[1]). ¶ ご両親も*さぞお喜びのことでしょう *I'm sure* your parents are very pleased. // *さぞ盛会だったことでしょう It *must* have been a grand occasion.

さそい 誘い (招き) invitation Ⓤ; (誘惑) temptation Ⓤ. ★ いずれも具体的には Ⓒ. (☞ まねき; しょうたい[1]). ¶ 私はダンスパーティーへの*誘いを受けた (⇒ 誘われた) I *was invited to* a dance.

さそいあわせる 誘い合わせる ¶ ご近所お*誘い合わせのうえお越し下さい Please come see us, and bring your friends and neighbors. // 皆様お*誘い合わせのうえのご来店をお待ちいたします We are looking forward to your visit and that of your family and friends with you.

さそいこむ 誘い込む lure … into … ¶ 彼らは彼女をその家に*誘い込んだ They *lured* her *into* the house.

さそいだす 誘い出す (誘惑して) lure *a person* ⌈out (of …) [away (from …)] (to …); (招いて) ask *a person* out (to …). (☞ さそう). ¶ 麻雀に*誘い出す (⇒ 雀荘に) *lure a person out to* a mah-jong parlor

さそいみず 誘い水 **1** 《ポンプの》 ―名 (誘い水をすること) pump priming Ⓤ; (誘い水そのもの) priming water Ⓤ. ―動 prime ⊕.

2 《比喩的に》 ―名 (誘因となる刺激) incentive Ⓒ. ―動 (…という結果を招く) lead to … (☞ ゆういん; よびみず). ¶ 減税は景気回復への*誘い水となるであろう Tax reductions will ⌈be an *incentive* [*lead*] *to* an economic recovery.

さそう 誘う (招待する) invite ⊕; (人に…してくれと頼む) ask (*a person* to *do* …) ⊕. (☞ まねく; しょうたい[1]; かんゆう[1]). ¶ 彼は私を音楽会に*誘ってくれた He *invited* me to a concert. // 彼も一緒に来るように*誘うつもりだ I'm going to ⌈*invite* [*ask*] him to come with us.

ざぞう 座像, 坐像 seated ⌈image [statue] Ⓒ ★ statue は立体の像. image は画像と立体の像の両方に用いられる. (☞ ぞう[2]; ぶつぞう).

さぞかし, さぞや (たいへん) very; (きっと) surely; (まことに・実に) indeed; (確信する) I'm sure. (☞ さぞ).

さそり 蠍 scorpion /skɔ́ːəpiən/ Ⓒ. さそり座 〔天〕 Scorpio /skɔ́ːəpiòu/, the Scorpion. (☞ せいざ[1])

さそん 差損 loss from differences in quotations Ⓒ. ¶ 為替*差損 foreign exchange *loss*

さた 沙汰 ¶ それはついに刃傷*ざたになった (⇒ 血を流す結果になった) It ended in bloodshed. // 事件はついに裁判*ざたになった (⇒ 法廷に持ち込まれた) The affair *was* finally *brought to court*. // 地獄の*さたも金次第 Money makes the mare (to) go. 《ことわざ: お金は雌馬を進ませる》 // 狂気の*さた an *act* of sheer madness // 計画は*さた止みになった The plan *was shelved*.

サターン ―名 ⓖ 〔天〕 (土星) Saturn /sǽtən/. サターンロケット Saturn.

さだいじん 左大臣 (日本の律令制で太政大臣に次ぐ位) the minister of the left.

サタイア (風刺) satire Ⓤ.

さだか 定か ―形 (明確な) clear; (確信がある) sure. ―副 clearly; surely. (☞ たしか). ¶ 記憶が*定かでない I don't remember it ⌈*clearly* [*for sure*]. / (⇒ ぼんやりとした記憶しかない) I have only a vague memory of it.

ざたく 座卓 low table Ⓒ ★ 文脈から和室のテーブルであることが明らかであれば単に table でもよい.

サタデー (土曜日) Saturday Ⓒ.

サダト ―名 ⓖ (Muhammad) Anwar ⌈as [el]-Sadat, 1918–81. ★ エジプト大統領 (1970–81). ノーベル平和賞 (1978).

さたなし 沙汰無し ―動 (…から何の連絡もない) hear nothing from …

さだまり 定まり ―名 (定番) fixture Ⓒ. ―形 (型にはまった) routine; (お決まりの) inevitable; (いつもの) stock. ¶ お*定まりの傘を持った英国人 an Englishman with his *inevitable* umbrella // あれは彼のお*定まりの冗談だよ That's one of his *stock* jokes.

さだまる 定まる (決定される) be decided; (日取りなどが) be fixed ★ 後者のほうが口語的. (☞ きまる; おちつく; さだめる). ¶ 日が*定まったらお知らせします I'll tell you ⌈when [after] the date ⌈*is* [*has been*] *fixed*. // この秋は天候が*定まらない (⇒ 変わりやすい) The weather is very ⌈*changeable* [*unsettled*] this fall.

さだめ 定め **1** 《おきて》: (法律) law Ⓒ; (公の法規・規定) regulation Ⓒ; (規則) rule Ⓒ. (☞ きそく; さだめる).

2 《運命》: destiny Ⓤ; (不幸な) fate Ⓤ ★ 前者のほうが重々しい語. (☞ うんめい).

さだめし 定めし, さだめて 定めて (きっと) surely, no doubt. (☞ きっと[1]; さぞ).

さだめる 定める (法律・条約が) provide ⊕; (条件・条項として) stipulate ⊕. (☞ せいてい; きてい[1]). ¶ …ということが法律で*定められている It *is* ⌈*provided* [*stipulated*] by law that …

サタン 魔王 Satan /séɪtn/, the Devil.

ざだん 座談 (informal) talk Ⓒ. **座談会** (informal) round-table ⌈talk [discussion] Ⓒ **座談の名手** good [skillful (《英》 skilful)] ⌈talker [conversationalist] Ⓒ.

さち 幸 **1** 《幸福》: happiness Ⓤ; (幸運) (good) luck Ⓤ. (☞ こうふく[1]; さいわい).

2 《産物》 ¶ 海の*幸, 山の*幸を (⇒ ありとあらゆる美味を) ごちそうになった We were ⌈regaled with [served] all sorts of *delicacies*. ★ regale は「大いにごちそうする」. // 海の*幸 (⇒ 海産物) seafood [ocean] *products*

さちゅうかん 左中間 left center (field) Ⓤ. ¶ 彼は*左中間にフライを打ち上げてアウトになった He flied out to *left center* (*field*).

ざちょう 座長 **1** 《議長》: chair Ⓒ, chairman Ⓒ, chairwoman Ⓒ, chairperson Ⓒ ★ 最後の語は男女差別をしないために用いる. (☞ ぎちょう).

2 《劇団などの長》: the léader of a (theátrical) troupe /trúːp/.

さつ[1] 札 《米》 bill Ⓒ, 《英》 note Ⓒ, bank note Ⓒ. (☞ しへい[1]).

さつ[2] 察 (警察) police ★ 警察一般を指すときは無

冠詞. 《☞ けいさつ》. **察回り** (警察担当記者) police reporter Ⓒ. ¶ 彼は*察回りの記者だ (⇒ ニュースの資料を集めるために警察署へ行く) He ⌈*goes to* [*visits*] *police stations* regularly to *collect* news materials (as a news reporter).

-さつ …冊 (部) copy Ⓒ 《☞ ほん; 数の数え方 (囲み)》.

¶ この本を 10 *冊欲しい I want ten *copies* of this book.

ざつ 雑 ― 形 (大まかな・不完全な) rough; (雑多な) miscellaneous /mìsəléɪniəs/; (不注意な) careless; (不正確な) ináccurate; (いい加減な) sloppy. ― 名 (雑録) miscellany /mísəlèɪni/ Ⓒ. 《☞ そざつ; ぞんざい》. ¶ *雑な草案しかできていません I've made only a *rough* draft. // その記事は*雑の項の中にあります You will find the article under the heading (of) "*Miscellaneous.*" // *雑な仕事 *sloppy* work // *雑な (⇒ 不注意な) 人 a *careless* ⌈man [woman]

さつい 殺意 murderous intent Ⓤ.

さついれ 札入れ wallet Ⓒ, 《米》 billfold Ⓒ. 《☞ さいふ[1] (挿絵)》.

さつえい 撮影 ― 動 (写真をとる) take a ⌈picture [phótogràph] (of …), photograph ⓗ; (映画で) film ⓗ, shoot ⓗ. ― 名 photographing Ⓤ; shooting Ⓤ. 《☞ しゃしん》.

¶ 彼は式典の写真を*撮影した He *took* ⌈*pictures* [*photographs*] *of* the ceremony. / He *photographed* the ceremony. // 映画の*撮影は 10 月に開始です (⇒ 映画の撮影を 10 月に開始する) We will start *shooting* the film in October. // 《掲示で》*撮影禁止 No ⌈*Photographing* [*Photography*; *Cameras*] Allowed / (⇒ ここではカメラは禁じられている) *Cameras* are forbidden in this area.

撮影機 (映画のカメラ) movie camera Ⓒ **撮影技師** cameraman Ⓒ 《複 cameramen》 ★ スチール写真のカメラマンは photographer Ⓒ. **撮影所** (映画の) movie [film] studio Ⓒ.

ざつえい 雑詠 miscellaneous /mísəlèɪniəs/ poems.

ざつえき 雑役 (家庭などの雑用) chores; (半端仕事) odd jobs ★ 以上 2 つは複数形で; (種々雑多な仕事) miscellaneous /mìsəléɪniəs/ work Ⓤ. 《☞ ざつむ》.

ざつおん 雑音 noise Ⓤ ★ Ⓒ となることもある; (耳障りな音) jar Ⓒ; (テレビ・ラジオなどの) static Ⓤ. 《☞ そうおん》. ¶ テレビに*雑音が入った The television program was affected by ⌈*static* [(⇒ 空電) *atmospherics*]. **雑音に耳を貸す** ¶ *雑音 (⇒ 無関係な騒ぎ) に耳を貸すな Don't *listen to irrelevant noises.* **雑音を入れる** (意見を言う) make noise(s).

さっか[1] 作家 writer Ⓒ; (著者) author Ⓒ; (小説家) novelist Ⓒ.

さっか[2] 昨夏 last summer, the summer (of) last year. 《☞ なつ; きょねん》.

ざっか 雑貨 miscellaneous /mísəlèɪniəs/ [súndry] góods, sundries ★ いずれも複数形で; general merchandise Ⓤ ★ 格式ばった表現. **雑貨商** (食料雑貨商) grocer Ⓒ; (店) grocer, grocer's ★ 以上おもに 《英》, (《米》 ドラッグストアの主人) druggist Ⓒ **雑貨店** convenience store Ⓒ.

サッカー[1] soccer Ⓤ ★ association football を短縮して -er を付けたもの, 《英》 (association) football Ⓤ. ¶ 彼は*サッカーが上手だ He is a good ⌈*soccer* [(《英》) *football*] player.

サッカーくじ (サッカー賭博) 《英》 the pools; soccer lottery Ⓒ. 《☞ トトカルチョ》.

サッカー[2] (夏服用の木綿地) seersucker Ⓤ.

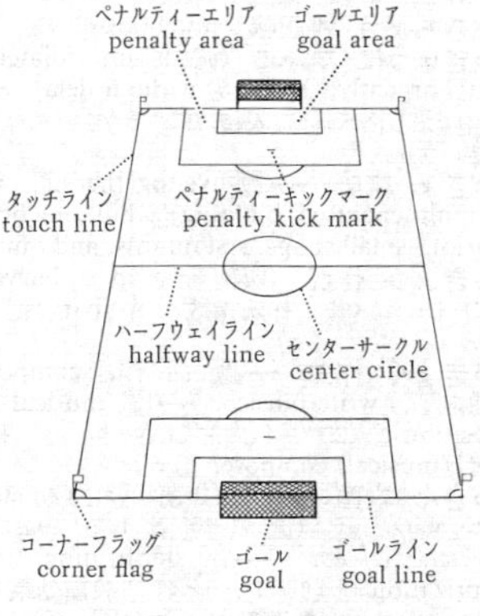

soccer [football] field

さつがい 殺害 ― 動 (殺す) kill ⓗ ★ 最も一般的. ただし意図的とは限らない; (人を不法にしかも意図的に) murder ⓗ. ― 名 murder Ⓤ; killing Ⓤ. 《☞ ころす; さつじん[1]》. ¶ *殺害事件 a case of *murder* // *殺害者は犯行現場で逮捕された The *murderer* was caught at the scene of the crime.

さっかく[1] 錯覚 (見誤り・勘違い) illusion Ⓒ. ¶ これは目の*錯覚にちがいない This must be an optical *illusion.* // 目を覚ましたとき, 朝だと*錯覚した When I woke up, I was under the *illusion* that it was morning.

さっかく[2] 錯角 〘数〙 alternate angles ★ 複数形で.

ざつがく 雑学 knowledge of ⌈various [miscellaneous /mìsəléɪniəs/] matters Ⓤ; (幅広い知識) general knowledge Ⓤ.

さっかしょう 擦過傷 scrape Ⓒ, 《格式》 abrasion Ⓒ; (かすり傷) graze Ⓒ; (ひっかき傷) scratch Ⓒ. 《☞ きず (類義語); さっしょう[2]; けが 日英比較》.

サッカリン saccharin /sǽkərɪn/ Ⓤ.

サッカレー ― 名 ⓖ William Makepeace Thackeray, 1811-63. ★ 英国の小説家.

ざっかん 雑感 (miscellaneous [scattered]) ⌈impressions [thoughts] ★ 複数形で.

さつき 五月, 皐月 (植物) azalea /əzéɪljə/ Ⓒ; (旧暦の五月) the fifth month of the lunar calendar; (現在の五月) May. **皐月賞** ― 名 ⓖ the Satsuki Sho; the Japanese 2000 Guineas; (説明的には) one of five Japanese horseracing classics run in April **五月晴れ** (五月のよく晴れた天気) clear [fine] weather in May Ⓤ; (梅雨の晴れ間) clear [fine] weather during the rainy season Ⓤ ★「晴れた日」を指すときは weather の代わりに day. 参考 旧暦では入梅は 5 月.

さっき[1] (しばらく前) some time ago; (2, 3 分前) a few minutes ago; (少し前) a little while ago. 《☞ さきほど》.

さっき[2] 殺気 ― 形 (血に飢えた) bloodthirsty; (おびやかすような) menacing. ¶ 暴徒は*殺気立っていた The rioters looked ⌈*bloodthirsty* [*menacing*]. 《☞ さつい》

ざつき 座付き ― 形 (ある特定の劇団に属している) belonging exclusively [attached] to a particular ⌈theatrical [drama] company. **座付き作者** playwright ⌈belonging exclusively to [specially writing for] a ⌈theatrical [drama] company Ⓒ. ★ それぞれ説明的な訳.

ざっきちょう 雑記帳 notebook Ⓒ.

さっきゅうに 早急に (直ちに) immediately; (緊急に) urgently; (遅滞なく) without delay ★ 以上の中で最も格式ばった表現. 《☞ そうきゅう[1]; ただちに; しきゅう[2]》.

ざっきょ 雑居 ― 動 live together (自). **雑居ビル** multitenant(ed) building Ⓒ, building housing various small shops, restaurants, and offices Ⓒ.

さっきょう 作況 (収穫高) crop Ⓒ, harvest Ⓒ. 《☞ しゅうかく[1]》. **作況指数** crop [harvest] index Ⓒ.

さっきょく 作曲 ― 動 (曲を作る) compose (他); (曲を書く) write music. ― 名 (musical) composition Ⓤ. 《☞ さくし[1]; さくしさっきょく》. **作曲家[者]** (musical) composer Ⓒ.

さっきん 殺菌 ― 動 (無菌状態にする) sterilize /stérəlàɪz/ (他); (低温殺菌する) pasteurize /pǽstʃəràɪz/ (他). ― 名 stèrilizátion Ⓤ; pasteurization Ⓤ. 《☞ しょうどく》. **殺菌効果** sterilizing effect Ⓒ **殺菌剤** sterilizer Ⓒ **殺菌消毒器** sterilizer Ⓒ.

ざっきん 雑菌 (various /vé(ə)riəs/) ˹germs [mìcroórganìsms; bacteria /bæktí(ə)riə/; bacilli /bəsílaɪ/] ★ 複数形で. 《☞ さいきん[2]; ばいきん》.

サック (保護するための入れもの) case Ⓒ; (さや型のケース) sheath Ⓒ; (指サック) (finger)stall Ⓒ; (親指用サック) thumbstall Ⓒ; (コンドーム) condom Ⓒ, (cóntracèptive) shéath Ⓒ 参考 英語の sack は丈夫な織物・紙・ビニール等で作られた大きい袋で, 穀類・野菜・石炭等を入れる. また《米》では, 買物客に買った品物を詰めて渡す紙袋のことも sack という.

ザック pack Ⓒ, knapsack Ⓒ, 《主に英》 rucksack /rʌ́ksæ̀k/ Ⓒ; (小型のもの・デイパック) day pack Ⓒ.

サックコート (背広の上着) sack coat Ⓒ.

サックス 《略式》 sax Ⓒ ★ saxophone の短縮形. 《☞ サキソフォン》.

サックドレス (筒型のドレス) sack dress Ⓒ.

ざっくばらん ― 形 (率直な) frank; (腹臓のない) candid; (ずけずけ物を言う) òutspóken. ― 副 frankly; candidly; outspokenly; (自由に) freely. 《☞ そっちょく; あけすけ; きさく[1]》. ¶ 彼はまったく*ざっくばらんな人だ He is quite ˹*frank* [*outspoken*]. // *ざっくばらんに言えば, この案は気に入らない If I may ˹speak *frankly* [*speak out*; speak my mind *freely*], I don't like this plan.

さっくり ¶ このせんべいは*さっくりした歯ざわりだ (⇒ 軽くて, かみ砕きやすい) These rice crackers are *light and* ˹*crisp* [*crispy*].

ざっくり ― 形 (織物や編物の目が粗い) loose; (切り口などが大きく割れている) gaping. 《☞ あらい[1]》. ¶ *ざっくりした織の布地 cloth with a *loose* weave // *ざっくり編んだセーター a *bulky* knit sweater // *ざっくり口を開けた大きな切り傷 a large *gaping* gash

ざっけん 雑件 miscellaneous /mìsəléɪniəs/ ˹mátters [affáirs], sundries ★ いずれも複数形で. 《☞ ざつじ》.

ざっこく 雑穀 minor [various] ˹cereals [grains] ★ 複数形で.

さっこん 昨今 (このごろ) these days; (以前と比べてこのごろでは) nowadays ★ やや口語的. 《☞ このごろ; ちかごろ; さいきん[1]》.

ざっこん 雑婚 (乱婚) (sexual) promiscuity /prɑ̀mɪskjúːəti/ Ⓤ; (異人種・異民族間の結婚) mixed marriage Ⓒ, intermárriage Ⓒ.

さつざい 擦剤 (液状の塗布剤) liniment Ⓤ; (軟膏) ointment Ⓤ.

さっさつ 颯颯 (木の葉がざわつく音) 《文》 sough /sáʊ/ Ⓒ; (風のそよぎ) the rustling of the wind.

さっさと (速く) quickly; (敏速に) promptly; (急いで) in a hurry, in haste ★ 後者のほうが格式ばった言い方. 《☞ すぐ (類義語); 擬声・擬態語 (囲み)》. ¶ *さっさと仕事を片づけなさい Get your work done *quickly*. // 会が終わったら, 彼は*さっさと帰ってしまった He left ˹*promptly after* [(⇒ 終わるとすぐ) *as soon as*] the meeting was over.

さっし[1] 察し (理解) understanding Ⓤ; (推察) guess Ⓒ; (判断) judgment (《英》 judgement) Ⓤ. 《☞ さっする; すいさつ》. ¶ 彼女は*察しがよい (⇒ 理解が速い) She is quick to ˹*understand* [*catch on*]. ★ catch on を用いるほうが口語的. // お*察しのとおりです (⇒ あなたは正しく推測した) You *have guessed* right.

さっし[2] 冊子 (小冊子) booklet Ⓒ; (パンフレット) pamphlet Ⓒ; (情報を載せた) brochure /broʊʃúə/ Ⓒ. 《☞ パンフレット 日英比較》. **冊子小包** ☞ しょせき (書籍小包)

サッシ (窓枠) sash Ⓒ 《☞ まど (挿絵)》.

ざっし 雑誌 mágazìne Ⓒ ★ 一般的な語; (特に専門的な) journal Ⓒ; (定期刊行物) periodical /pì(ə)riɑ́dɪkəl/ Ⓒ 日英比較 日本語では雑誌も本の一種と考えられるが, 英語の magazine は book (単行本) には含まれないことに注意. 《☞ げっかん[1]; しゅうかん[2]; きかん[5]》. ¶ どんな*雑誌を予約購読なさっていますか What ˹*magazines* [*journals*] do you ˹subscribe to [take]? ★ take を用いるほうが口語的. // これはその*雑誌の 5 月号です This is the May ˹issue [number] of the *magazine*. // 学術*雑誌 an ácadèmic [a scíentìfic] *jóurnal* ★ [ ] 内は自然科学関係. // 季刊*雑誌 a quarterly (*magazine*) **雑誌記事** magazine article Ⓒ **雑誌記者** magazine writer Ⓒ, journalist Ⓒ **雑誌編集者** magazine editor Ⓒ.

> **コロケーション**
> 高級雑誌 a (high-)quality *magazine* / 写真雑誌 a photographic *magazine* / 女性雑誌 a women's *magazine* / ファッション雑誌 a fashion *magazine* / 文芸雑誌 a literary *magazine*

ざつじ 雑事 miscellaneous /mìsəléɪniəs/ [various /vé(ə)riəs/; assórted] ˹things [affáirs; mátters] ★ 複数形で; (家庭などの雑用) chore Ⓒ. 《☞ ざつよう》. ¶ 私は*雑事に追われている (⇒ いろいろな事で忙しい) I am occupied with *various things*.

ざっしゅ 雑種 ― 名 (動植物など, 異種交配による) cróss (brèed) Ⓒ; (特に犬の) mongrel /mʌ́ŋgrəl/ Ⓒ. ― 形 crossbred; mongrel. **雑種犬** mongrel (dog) Ⓒ.

ざつしゅうにゅう 雑収入 miscellaneous /mìsəléɪniəs/ íncome Ⓒ; (公共団体の) míscellàneous révenue(s). 《☞ しゅうにゅう》.

さっしょう[1] 殺傷 ― 動 (殺したり傷つけたりする) wound and kill (他); (血を流す) shed blood. 《☞ ころす; ししょうしゃ》.

さっしょう[2] 擦傷 (すり傷) scrape Ⓒ; (ひっかき傷) scratch Ⓒ. 《☞ きず (類義語); けが 日英比較》.

ざっしょく 雑食 ― 形 omnívorous ★ やや格式ばった語.

ざつしょとく 雑所得 (所得税の) miscellaneous income Ⓒ.

さっしん 刷新 ― 名 (よい状態に戻すこと) renovation Ⓤ; (改革) reform Ⓒ; (人事の) 《略式》 reshuffle /rìːʃʌ́fl/ Ⓒ; (再編成) reorganization Ⓤ. ― 動 renovate (他); reform (他); 《略式》 reshuffle (他); reorganize (他). 《☞ かいかく》. ¶ 彼は政界の*刷新を図った He tried to ˹carry out (a) political *reform* [*renovate* the political world]. // 人事の*刷新をしました We had a personnel *reshuffle*. /

We *reorganized* our staff.

さつじん[1] **殺人** (計画的な殺人) murder Ⓤ ★「殺人事件」の意味では Ⓒ; (殺意のない殺人・故殺) mánslàughter Ⓤ; (最も広い意味で)〚法〛hómicìde Ⓤ. (☞ ころす; たさつ; さつがい). ¶ 彼は*殺人の容疑を受けている He is suspected of (having committed) *murder*. // *殺人的な忙しさだ I'm「*terribly* [*extremely*] busy. // *殺人的に混んで be *horribly* crowded **殺人鬼** hómicìdal maniac /méɪniæk/ Ⓒ **殺人罪** murder Ⓤ,〚法〛homicide Ⓤ **殺人事件** murder (case) Ⓒ, case of murder Ⓒ **殺人犯人** murderer Ⓒ **殺人未遂** attempted murder Ⓤ ★「事件」の意味では Ⓒ. **殺人容疑者** murder suspect Ⓒ.

さつじん[2] **殺陣** ☞ たて[3]

さっする 察する (推測する) guess ⓗ; (…だろうと思う) suppose ⓗ 〔語 法〕口語ではこの意味で guess を用いることもある; (推定する) presume ⓗ, assume ⓗ; (…から…と推論する) infer ⓗ ★ やや格式ばった語; (…から…と了解する) gather ⓗ; (想像する) imagine ⓗ; (同情する) feel for …, sympathize (with …) ⓐ ★ 前者のほうが口語的; (理解する) understand ⓗ. (☞ すいさつ; そうぞう[1]).
¶ *察するところ彼らは勉強したくないのだ I「*suppose* [*assume*; *guess*] they don't want to study. // 彼が語ったことから*察すると, お金に困っているようだ As I'*ve*「*gathered* [*inferred*] from what he told me, he is in need of money. // 彼の悲しみを*察すると, どうしてよいかわからない When I *imagine* how sad he must be, I'm at a loss (as to what I should do). // 彼の胸中を*察して, 励ますために手紙を書いた I「*felt for* [*sympathized with*] him and wrote a letter to cheer him up. // 我々の困難な立場を*察していただきたい I would like you to *understand* that we are in a difficult situation.

ざつぜん 雑然 ―副 (取り散らかって) in「disorder [confusion]. ―形 (乱雑な) untidy; (取り散らかした) messy. ―名 confusion Ⓤ, disorder Ⓤ, mess Ⓤ ★ mess はしばしば a を付けて. 最も口語的. (☞ らんざつ; ごちゃごちゃ). ¶ ノートが机の上に*雑然と積んであった Notebooks were piled up *in*「*confusion* [*disorder*] on the desk. // 部屋は*雑然としていた The room was in「*a mess* [*disorder*].

ざっそう 雑草 ―名 weed Ⓒ. ―動 (雑草を取る) weed ⓗ. (☞ くさ[1]; くさとり). ¶ 庭には*雑草がはびこっていた The garden was「overgrown [overrun] with *weeds*. // 庭の*雑草を取らなくてはならない I have to *weed* the garden.

さっそうと 颯爽と (スタイルよく) smartly; (足取りも軽く) with light steps. ¶ 青年は新しいスーツに*さっそうと身を包んでいた The youth was *smartly* dressed in a new suit. // *さっそうと部屋に入って来る[部屋から出て行く] *sail*「into [out of] the room

さっそく 早速 (間を置かず直ちに) immediately, at once, right away, right off ★ 後の表現ほど口語的; (すばやく) promptly. (☞ すぐ (類義語); ただちに). ¶ *早速パーティーの手配をいたします I'll arrange (for) the party *right away*.

ざっそく 雑則 miscellaneous /mísəlèɪniəs/ rúles ★ 複数形で.

さっそざい 殺鼠剤 (ねこいらず) rat poison Ⓤ; (特に亜砒酸) ratsbane Ⓤ.

ざっそん 雑損 petty losses ★ 複数形で.

ざった 雑多 ―形 (種々の) various, sundry Ⓐ ★ 後者のほうが格式ばった語; (寄せ集めの) miscellaneous /mìsəléɪniəs/. ―名 (雑品) sundries ★ 複数形で. (☞ しゅじゅ; いろいろ).

さつたば 札束 bundle [stack; sheaf; wad] of「bills [(英) (bank) notes] Ⓒ ★ bundle は中央をしばった束, stack は積み重ねた束, sheaf は一つにまとめてしばった束, wad は固くたばねられた束. (☞ さつ). **札束外交** money (power) diplomacy Ⓤ **札束ジャーナリズム** money (power) journalism Ⓤ.

ざつだん 雑談 ―名 (たわいない会話) idle [small] talk Ⓤ; (気楽なおしゃべり) chat Ⓒ; (人のうわさ話) gossip Ⓒ. ―動 chat ⓐ; gossip ⓐ.
¶ 私たちは 2 時間も*雑談してしまった We spent two hours「*gossiping* [*in small talk*;「*in* [*on*] *idle talk*]. // 彼らはすぐに*雑談を始めた Soon they started to have a *chat*.

さっち 察知 ―動 (感づく) sense ⓗ; (かぎつける) get wind of … ★ 口語的. (☞ かんづく; きづく).

サッチャー ―名 ㊀ Margaret Thatcher, 1925–　. ★ イギリスの政治家; 首相 (1979–90).

さっちゅうざい 殺虫剤 insécticide Ⓒ (☞ のうやく). ¶ 菜園に*殺虫剤をまく spray *insecticide*「on [over] the vegetable garden / spray the vegetable garden with *insecticide*

さっちょうれんごう 薩長連合 (日本の幕末の) the Alliance of Satsuma and Choshu.

さっと (速く) quickly; (すばしこく) nimbly; (急に) suddenly. (☞ 擬声・擬態語 (囲み)). ¶ ドアが*さっと開いて女の子が入ってきた The door「opened *suddenly* [*was flung open*] and a girl came in. // 彼は*さっと身をかわした He「stepped aside [got out of the way] *nimbly*.

ざっと **1**《ぞんざいに》: (簡単に) briefly. ¶ 彼は新聞に*ざっと目を通した He「*glanced* [(⇒ ざっと読んだ) *skimmed*] through the newspaper. 〔語 法〕この例のように英語では必ずしも briefly を用いなくてもよい. // *ざっと問題の大筋だけを言って下さい Tell me *briefly* the main points of the problem.
2《大体》: (おおよそ) about, roughly, appróximately ★ 最後の語はやや格式ばった語; (ほとんど) almost. (☞ おおざっぱ; やく[3]). ¶ 費用は*ざっと 30 万円ぐらいになろう The cost will be「*roughly* [*about*] 300,000 yen. // *ざっと 2 千人ばかり集まっている *About* [*Almost*] two thousand people have gathered here.

さっとう 殺到 ―動 (大急ぎで駆けつける) rush (into …; to …; for …) ⓐ 〔語 法〕into は「…の中へ」, to は方向, for は目標をそれぞれ表す; rush ⓗ; (どっとなだれ込む) pour (in) ⓐ ★ ⓗ でも用いる; (押し合いへし合いして集まる) throng (to …) ⓐ ★ ⓗ でも用いる; (あらしが襲うように) storm ⓗ; (押し寄せる) swamp ⓗ ★ 通常受身で. ―名 rush Ⓒ. (☞ おしかける; おしよせる).
¶ 大勢の人がドアへ*殺到した Many people「*made a rush* [*rushed*] *for* the door. // 注文が*殺到している Orders *have poured in*. // 少女たちはサインを求めて彼のところに*殺到した Girls *rushed* (*to*) him for his autograph. // 電話が*殺到する *be swamped with* phone calls

ざっとう 雑踏 ―名 (人込み) crowd Ⓒ 〔語 法〕群衆を一団と考えるときは単数扱い, 一人一人を別々に考えるときは複数扱いとすることがある; (大群衆) throng Ⓒ. ―動 (混雑する) be crowded (with …); (ごった返す) be thronged with … (☞ ひとごみ; こんざつ).

ざつどく 雑読 ―名 random reading Ⓤ. ―動 read at random ⓐ.

ざつねん 雑念 (あること以外の考え) other thoughts; (世俗的な) worldly thoughts ★ いずれも複数形で. ¶ 彼は*雑念を払って研究に専心した He devoted himself to research, dismissing「*all other* [*worldly*] *thoughts*.

ざつのう 雑嚢 haversack Ⓒ; (円筒形の) duffle bag Ⓒ.

ざつはいすい 雑排水 waste water from the kitchen and bathroom Ⓤ.
ざっぱく 雑駁 ― 形 (一致・調和しない) inconsistent; (首尾一貫しない) incohérent; (知識などが雑で寄せ集めの) patchy. ¶*雑駁な知識 (a) *patchy* knowledge
さつばつ 殺伐 ― 形 (血なまぐさい) bloody; (野蛮な) barbarous; (無法な) wild; (不人情で人間味の薄い) inhumáne ★ やや格式ばった語. (☞ ちなまぐさい; むざん). ¶暴動などが多く, *殺伐とした時代であった It was a *bloody* age with many riots and other disturbances.
ザッハトルテ Sacher torte /sá:kə tɔ́ətə, zá:-/ Ⓒ ★ オーストリアのチョコレートケーキ. もとはドイツ語.
さっぱり **1**《さわやかな》 ― 形 (清潔な) clean; (きちんとした) neat; (ざっくばらんな) frank; (心の広い) open-minded; (あっさりした味の) plain, simple; (気分が爽快になって) refreshed. (☞ こざっぱり; 擬声・擬態語 (囲み)). ¶子供は*さっぱりした服を着ていた The child was ˹*neatly* dressed [dressed in *clean* clothes]. // 彼は*さっぱりした人なので, そんな細かいことは気にかけまい He's *open-minded*, so he wouldn't care about such small things. // *さっぱりした味が好きです I like ˹*plain* [*simple*] seasoning. // シャワーを浴びて*さっぱりした I feel *refreshed* after a shower.
2《まったく》 ― 副 (全然…でない) not … at all. ― 形 (これっぱかりも…ない) not the slightest. (☞ ぜんぜん). ¶数学は*さっぱりわからない I ca*n't* understand mathematics *at all*. // 彼の考えていることは*さっぱりわからなかった I could*n't* get even *the slightest* idea of what he was thinking.
ざっぴ 雑費 (雑多な費用) miscellaneous /mìsəléɪniəs/ expenses; (予期しない出費) incidéntal expénses; (どの費目にも入らない) incidentals ★ 以上いずれも複数形で.
さっぴく 差っ引く ☞ さしひく
さつびら 札びら ¶彼はいたる所で*札びらを切った (⇒ 派手に金をまき散らした) He *threw his money around* everywhere (he went).
さっぷうけい 殺風景 ― 形 (つまらない) dull; (荒涼とした) bleak.
ざつぶつ 雑物 míscellàneous árticles ★ 複数形で.
ざつぶん 雑文 míscellàneous wrítings ★ 複数形で.
ざっぽう 雑報 míscellàneous néws Ⓤ.
ざつぼく 雑木 míscellàneous trées ★ 複数形で. (☞ ぞうきばやし).
ざっぽん 雑本 míscellàneous bóoks ★ 複数形で.
さつまあげ 薩摩揚げ satsuma fry Ⓒ; (説明的には) deep-fried fish-paste patty with vegetables Ⓤ.
さつまいも 薩摩芋 sweet potato Ⓒ《複 ～es》.
ざつむ 雑務 (半端な仕事) odd jobs; (つまらぬこと) small [trivial] things ★ 以上いずれも複数形で. (☞ ざつえき). ¶毎日, *雑務に追われている I'm kept busy with ˹*odd jobs* [*small things*] every day.
ざつよう 雑用 (家事などの) (domestic [household]) chore Ⓒ; (半端な仕事) odd jobs ★ 複数形で. (☞ ざつむ; ざつじ).
さつりく 殺戮 ― 名 (人を無残に殺すこと) slaughter Ⓤ; (人種・国民皆殺しなど集団殺りく) génocìde Ⓤ; (無差別な大量虐殺) massacre /mǽsəkə/ Ⓒ. ― 動 massacre ㊀; slaughter ㊀. (☞ ぎゃくさつ (類義語)).
ざつろく 雑録 miscellaneous /mísəlèɪniəs/ ˹récords [nótes] ★ 複数形で.
ざつわ 雑話 ☞ ざつだん
さて now, well 語法 いずれも間投詞で, 新しい話題や要求・勧誘などを持ち出すときに用いる. (☞ さあ; では). ¶*さて, どうしよう *Now* what shall we do? // *さて, お話をうかがってみましょう *Well* [*Now*], let me hear the story.
さてい 査定 ― 名 (財産・税額・罰金・損害などの算出) assessment Ⓤ. ― 動 assess /əsés/ ㊀. (☞ ひょうか). **査定価格** assessed value Ⓤ.
サディスティック ― 形 sadistic.
サディスト sadist /séɪdɪst/ Ⓒ.
サディズム sadism /séɪdɪzm/ Ⓤ.
さておき ¶何は*さておき (⇒ 何よりも先に) まず両親に会いたい I want to see my parents ˹*before everything else* [*first and foremost*]. // さて, 冗談は*さておき (⇒ 別にして) 本題に戻りましょう Now, joking *aside*, let's return to our topic. // この問題は*さておき (⇒ ひとまず別にして) 一番重要なものを考えましょう Let's take up the most important problem, *setting* this one ˹*aside* [*apart*] *for the moment*.
さてつ¹ 砂鉄 iron sand Ⓤ.
さてつ² 蹉跌 ☞ ざせつ
さては (きっと) surely, certainly 日英比較 普通, 日本語の「さては」に当たる英語の語句を置き替えるのではなく, 内容をくんで訳すようにしなくてはならない. ¶*さては彼女は逃げたな (⇒ 逃げたに違いない) She *must* have run away. // *さてはきのう来たのは君だったのか *Oh*, was it you (who) came to see me yesterday? 語法 who を略すのはくだけた言い方.
サテライト (衛星) sátellite Ⓒ. **サテライトオフィス** branch Ⓒ, branch [satellite] office Ⓒ **サテライトスタジオ** mobile /móʊb(ə)l/ ˹radio [TV] studio Ⓒ, satellite studio Ⓒ **サテライトステーション** satellite station Ⓒ **サテライトビジネス** (the) satellite business Ⓒ.
さてん 茶店 ☞ きっさてん
サテン satin Ⓤ. ¶*サテンのドレス a *satin* dress
さと 里 **1**《人家のあるところ》: (村) village Ⓒ; (町) town Ⓒ 日英比較 日本語のこの意味の「里」にぴったりする英語表現はない.
2《実家・生家》: *one's* ˹parents' [old] home. ¶妻は2, 3日*里に帰っている My wife is staying at *her parents' home* for a few days.
さど 砂土 sandy soil Ⓤ.
サド ― 名 (サディズム) sadism /séɪdɪzm/ Ⓤ; (人) sadist /séɪdɪst/ Ⓒ. ― 形 sadistic. **サド侯爵** ― 名 固 Marquis de Sade; (本名) Donatien-Alphonse-François de Sade, 1740–1814. ★「サド」「サディズム」の語源となったフランスの軍人・作家.
さとい 聡い (賢い) smart, clever (☞ かしこい; ぬけめ).
さといも 里芋 taro Ⓒ《複 ～s》.
さとう¹ 砂糖 sugar Ⓤ (☞ 数の数え方 (囲み)). ¶紅茶に*砂糖を入れる *sugar* tea / sweeten tea with *sugar* // パンの生地に*砂糖を入れる[加える] put *sugar* in [add *sugar* to] the bread dough // コーヒーに*砂糖を入れますか Would you like (to have) *sugar* in your coffee? // コーヒーに*砂糖は幾つ入れますか How many ˹spoon(ful)s [lumps] of *sugar* in your coffee? // ケーキに*砂糖の衣をまぶす coat [ice; frost] a cake with *sugar* // 角*砂糖 a ˹lump [cube] of *sugar* // 黒[白]*砂糖 raw [refined] *sugar* **砂糖入れ** (卓上用の) sugar ˹bowl [《英》basin] Ⓒ **砂糖きび** (sugar)cane Ⓒ **砂糖大根** (sugar) beet Ⓒ **砂糖漬け** ¶砂糖漬けのプラム *candied* plums
さとう² 左党 (酒好きの人) drinker Ⓒ, 《俗》

drunk Ⓒ. (☞ さけ¹).
さどう¹ 作動 ── 動 (正常に機能する) work 自, óperàte 自 ★ 前者のほうが口語的; (順調に動く) run 自; (始動させる) start 他. (☞ うごく; かける¹; エンジン). ¶ 機械は*作動していますか *Is* the machine ˹*working* [*running*; *operating*]?
さどう² 茶道 (the) (Japanese) tea ceremony, the way of tea. (☞ ちゃ).
さどう³ 差動 ── 形 (差動の) differential. **差動運動** differential motion Ⓤ **差動装置[歯車]** differential (gear) Ⓒ **差動電動機** differential motor Ⓒ.
ざとう 座頭 (一座のリーダー) ☞ ざがしら; (盲人) blind person Ⓒ; (盲目の琵琶法師) blind Buddhist priest in medieval and early modern Japan, who played the Japanese lute Ⓒ ★ 説明的な訳.
ざとうくじら 座頭鯨 humpback (whale) Ⓒ.
さどおけさ 佐渡おけさ the Sado *okesa*; (説明的には) a Japanese traditional folk song and dance originating in Sado Island.
さとおや 里親 foster ˹parent [father; mother] Ⓒ.
サドカイは サドカイ派 the Sadducees.
さとかた 里方 ¶ *里方の (⇒ 妻の) 父親 my *wife's* father
さとがえり 里帰り ── 動 (re)visit *one's* ˹old [family] home after (*one's*) marriage; (結婚後最初の) a [the] bride's first call at her parents' home. 日英比較 英米ではこのような決まった習慣がないので説明的な訳しかできない. (☞ きせい⁴).
さとご 里子 foster ˹child [son; daughter] Ⓒ ★ 受け入れる側の言い方. ¶ *里子に出す send *one's* child to its foster parents
さとごころ 里心 ── 動 (里心がつく) get homesick. ── 名 homesickness Ⓤ.
さとことば 里言葉 ☞ くになまり; ほうげん¹
さとざくら 里桜 〔植〕 Japanese garden cherry Ⓒ.
さとす 諭す (優しく注意する) 《格式》 admonish 他; (助言する) advise 他; (説得する) persuade (*a person* to *do* …) 他. ¶ 彼は父親に*さとされて学校を続けることにした He *has been persuaded* by his father *to* ˹keep on attending [stay on at] school.
サドマゾ 〔精神医〕 sadomasochism /sèɪdoumǽsəkìzm/ Ⓤ ★ サディズムとマゾヒズムが同一人に重複して現れること; (サドマゾの人) sadomasochist Ⓒ.
さとやま 里山 hill near a village (where people used to collect firewood and edible wild plants) Ⓒ ★ 説明的な訳.
さとゆき 里雪 snowfall on the plain(s) Ⓒ.
さとり 悟り (宗教的に何かを会得すること) spiritual enlightenment Ⓤ; (禅の) satori Ⓤ. ¶ 彼が*悟りを開いたのはその時です It was then that he ˹attained (*spiritual*) *enlightenment* [attained *satori*; (⇒ 霊的に目覚めた) *was spiritually awakened*].
さとる 悟る **1** «知る»: (認識する) realize 他; (気がつく) become aware of …; (わかる) find 他; (危険などを感づく) sense 他. (☞ きづく; かんづく).
¶ 私は事の深刻さをすぐに*悟った I soon ˹*realized* [*became aware of*] the seriousness of the matter. // 私はだまされていたことを*悟った I *found* that I had been deceived. // 彼は危険を*悟って, すぐにその場を立ち去った He *sensed* (the) danger and left the place at once. // 敵に*悟られずに without *being noticed* by the enemy
2 «悟りを開く»: attain (spiritual) enlightenment, attain satori. ¶ 彼は*悟ったような (⇒ 悟りを開いた人のような) 口をきく He talks ˹*like a philosopher* [(⇒ すべてを知っているかのような) *as if he knew everything*].
サドル saddle Ⓒ (☞ じてんしゃ (挿絵)).
サドンデス 〔スポ〕 (球技などで同点決勝の一回勝負) sudden death Ⓤ. ¶ 試合は*サドンデスに持ち込まれた The game went into *sudden death*.
さなえ 早苗 rice sprouts ★ 複数形で.
さなか 最中 in the ˹middle [midst] of … ★ midst は文語的. (☞ さいちゅう).
さながら (ちょうど…のように) exactly [just] like …; (まるで…かのように) as ˹if [though] … 語法 動詞は仮定法を用いる. (☞ まるで; あたかも). ¶ 雨が降って寒く, 気候は*さながら真冬のようだった It was cold and rainy(,) *as if* (*it were*) in the middle of winter.
さなぎ 蛹 (蝶, 蛾などの) chrysalis /krísəlɪs/ Ⓒ (複 chrysalides /krɪsǽlədìːz/, ~es); (昆虫の) pupa /pjúːpə/ Ⓒ (複 ~s, pupae /-piː/). (☞ ちょう¹ (挿絵)).
さなだむし 真田虫 tapeworm Ⓒ.
サナトリウム 《米》 sanitarium /sæ̀nətéː(ə)riəm/ Ⓒ, sànatórium Ⓒ.
サニーサイドアップ ── 形 (目玉焼きの) sunny-side up (☞ 料理の用語 (囲み)).
サニーレタス red leaf lettuce Ⓤ ★「サニーレタス」は日本の商品名.
サニタリー ── 形 sanitary. **サニタリーナプキン** sanitary napkin Ⓒ **サニタリーユニット** sanitary unit Ⓒ.
サヌア ── 名 固 Sanaa, San'a /sɑːnɑ́ː/ ★ イエメンの首都.
さね 実, 核 (果実の種) seed Ⓒ; (中心に1個ある種) stone Ⓒ. (☞ たね).
さねかずら 真葛 kadsura vine Ⓒ; (説明的には) a climbing plant of the family Magnoliaceae.
さのう¹ 砂嚢 (砂袋) sandbag Ⓒ; (鳥類の) gizzard Ⓒ.
さのう² 左脳 the left ˹hemisphere [brain].
さのみ 然のみ ¶ 入場料金は*然のみ (⇒ 法外に) 高いというほどではない The admission ˹fee [charge] is not *exorbitantly* high. (☞ それほど; むやみに)
さは 左派 (集合的に) the left (wing); (党内の) the leftist faction; (個人) leftist Ⓒ, left-winger Ⓒ ★ 前者のほうが普通. (☞ さよく).
さば 鯖 mackerel Ⓒ (複 ~(s)). **さばを読む** ¶ 彼女は年をいつも少し*さばを読んで (⇒ 少なく) 言う She always *understates* her (true) age.
さば雲 ¶ *さば雲の空 a mackerel sky **さば鮨** mackerel sushi Ⓤ; (説明的には) pressed sushi with slices of vinegared mackerel on it Ⓤ.
サパークラブ dinner [supper] club Ⓒ.
サバービア (郊外(の居住者たち)) suburbia /səbə́ːbiə/ Ⓤ.
さはい 差配 ── 動 (運営する) manage 他; (…に代わって管理する) be an ˹agent [act] for … **差配人** (不動産の) 《米》 real estate agent Ⓒ; (土地の) 《英》 land agent Ⓒ; (家屋の) 《英》 house agent Ⓒ.
サバイバル (生き残ること) survival Ⓤ. **サバイバルキット** (キャンプ・ハイキングなどのための非常携帯品一式) survíval kìt Ⓒ **サバイバルゲーム** survíval gàme Ⓒ **サバイバルナイフ** survíval knìfe Ⓒ **サバイバルフーズ** survíval fòod(s) **サバイバルルック** survíval lòok ★ 単数形で. ¶ *サバイバルルックに身をつつんで dressed in *a survival suit* / (⇒ 非常用の服装で) *dressed for an emergency*
さばおり 鯖折り ── 動 (相撲での) grab the belt of *one's* opponent and, pulling tightly, lean on

him to make him fall backwards ★ 説明的な訳. —— 名 forward [frontal] force-down Ⓒ.

さばき[1] **裁き** judgment (《英》 judgement) Ⓤ; (決定) decision Ⓤ ★ 一般的な語. 《☞ はんけつ》.
¶ その件にはすでに*裁きが下された *Judgment* has already been passed on the matter. // 彼は高等裁判所で*裁きを受けた He *was tried* ⌈at [by] the High Court. // *裁きを受ける覚悟はできている I am ready to *face* (*the*) *trial*.

さばき[2] **捌き** ¶ 包丁*捌きが (⇒ 包丁を扱うことが) 上手[下手]だ be ⌈clever [awkward] in *handling* a kitchen knife / 和服を着ると足*捌きがうまくいかない (⇒ 足の自由な動きを妨げる) Japanese clothes interfere with *the free movement* of the feet.

さばく[1] **裁く** (判決を下す) judge (他), pass judgment on ... ★ 後者のほうがより格式ばった言い方; (裁判にかける) try (他). 《☞ さいばん》.
¶ だれが彼を*裁くことができようか Who can ⌈*judge* [*pass judgment on*] him?

さばく[2] **捌く** 1 《処理する》: (問題を解決する) settle (他); (問題などを扱う) deal with ...; (巧みに扱う) handle (他). 《☞ しょり》. ¶ 彼女は多くの難問題をうまく*さばいてきた She *has* ⌈*settled* [*dealt with*; *handled*] many difficult problems successfully. // 次々に注文が来て*さばき切れない (⇒ 注文が多すぎて需要に応じられない) We have had so many orders that we cannot *meet the demand*.
2 《売る》: sell (他) 《過去・過分 sold》 《☞ うる[1]; うりきれる》.

さばく[3] **砂漠** —— 名 désert Ⓤ ★ 具体的な意味では Ⓒ. —— 形 (土地が乾燥して不毛な) arid; barren ★ どちらも比喩的にも用いる. ¶ ゴビ*砂漠 the Gobi /góʊbi/ (*Desert*) 《☞ 冠詞 (巻末)》 // 彼女が去った後は彼は*砂漠のようなあじきない生活を送った He led an *arid* life after she had left him. **砂漠化** desertification Ⓤ **砂漠化阻止** the prevention of desertification **砂漠緑化** desert reclamation Ⓤ.

さばく[4] **佐幕** (幕末の尊皇攘夷・討幕の動きに対して, 幕府を支持すること) the support of political groups for the Tokugawa Shogun, and against the overthrow of the Shogunate at the end of the Edo period.

さばけた **捌けた** —— 形 (人づきあいのよい) sociable; (心の広い) open-minded.

さばける **捌ける** (売れる) be sold 《☞ うりきれる》.

さばさば 1 《気分がよい》 —— 動 (新鮮な気持ちになる) feel refreshed; (ほっと安心する) feel relieved. 《☞ さっぱり; 擬声・擬態語 (囲み)》. ¶ シャワーを浴びて*さばさばした I *feel very refreshed* after (taking) a shower. // 宿題を片づけて, やっと*さばさばした I *feel relieved* after finishing my homework.
2 《性格などが》 —— 形 (率直な) frank; (心が広い) open-minded. 《☞ さっぱり》.

サバティカル (大学教授などの 7 年ごとの有給休暇) sabbatical (leave) Ⓒ. ¶ ウィリアムズ教授でしたら*サバティカルです Professor Williams is ⌈on [taking a] *sabbatical*.

サハラさばく **サハラ砂漠** —— 名 (固) the Sahara /səhǽ(ə)-rə/ (Desert) 《☞ 冠詞 (巻末)》.

サバラン savarin /sǽvərən/ Ⓒ ★ ブランデーなどをしみこませたスポンジケーキ.

サハリン —— 名 (固) Sakhalin /sǽkəlìːn/.

さはんじ **茶飯事** (日常決まってすること) (daily) routine Ⓤ, routine work Ⓤ; (始終起こるようなこと) everyday ⌈occurrence [affair] Ⓒ. 《☞ にちじょう》.

サバンナ savánna(h) Ⓤ ★ 具体的な場所では Ⓒ.

さび[1] **錆** (鉄などの) rust Ⓤ 《☞ さびる; さびつく》.
¶ 鉄格子は*さびでまっ赤だ The iron lattice is red with *rust*. // 包丁の*さびを落としたい I want to ⌈remove the *rust* from [get the *rust* off; rub the *rust* off] the knife. // それは身から出た*さびだ (⇒ 私自身の過ちだ) It is all my own fault. / (⇒ 自分のまいた種は自分で刈りとらねばならない) You have to reap what you have sown. 《☞ み[1] (身から出たさび); じごうじとく》 **さび色** reddish brown Ⓤ.

さび[2] **寂** (落ち着いた静けさ) tranquil(l)ity Ⓤ; (高尚な穏やかさ) serénity Ⓤ 【日英比較】 日本語の「さび」にぴったりする英語表現はない.

さび[3] ☞ わさび

ザビエル —— 名 (固) Saint Francis Xavier /zéɪviə/, 1506–1552. ★ スペインの宣教師.

さびごえ **寂声** (鍛えられた声) chastened voice Ⓒ.

さびしい **寂しい, 淋しい** —— 形 lonely, lonesome ★ 後者のほうが口語的; 《文》 forlórn; desérted. —— 動 (人がいない, または物がないので寂しく思う) miss (他).
【類義語】 友達や家族から離れた寂しさには **lonely**, **lonesome** を用いる. 特に人恋しい寂しさの気持ちを表すには **lonesome** を用いる. 人のあまりいないという意味では **lonely** は場所にも用いられる. 人込みの中でひとり取り残されたような寂しさを表す文語的な語が **forlorn**. 通りなど人通りのない寂しさには **deserted** を用いる. 《☞ こどく; ひとりぼっち》
¶ 私はひとりぼっちで*寂しい I am all alone and *lonely*. // *寂しいところにひとりで行ってはいけません Don't go alone to a ⌈*lonely* [*deserted*] place. // 夫の死後, 彼女は*寂しい暮らしをしている Since her husband's death, she has been leading a *lonely* life. // このあたりは日が暮れると*寂しくなる The neighborhood is *deserted* after dark. // *寂しがる feel *lonely* // 私たちはあなたがいなくなるととても*寂しくなります We'll *miss* you very much.

さびしがりや **寂しがり屋** ¶ 彼は*寂しがり屋だ He *misses people*. / (⇒ 常に誰かが一緒であることを望む) He *always wants company*. 《☞ さびしい》

さびつく **錆び付く** (さびる) rust (自); (さびで動かなくなる) be stuck with rust, be rusted up; (能力・知識などが) be rusty ★ 比喩的用法. 《☞ さび[1]; さびる》. ¶ 私のフランス語は少し*さびついています My French *is* a little *rusty*.

さびどめ **錆止め** (さび止め剤) ànticorrósive Ⓒ, rust ⌈preventive [preventative] Ⓒ. ¶ このはさみは*さび止めがしてあります This pair of scissors has been treated with an *anticorrosive*.

ざひょう **座標** 〘数〙 coordinate /koʊɔ́əd(ə)nət/ Ⓒ. ¶ *座標を求める find the *coordinates* // 直交*座標 rectangular *coordinates* ★ 複数形で. // 縦*座標 the *ordinate* // 横*座標 the *abscissa* /æbsísə/ // x [y] *座標 the ⌈x [y]-*coordinate* **座標軸** coordinate axis Ⓒ **座標変換** coordinate transformation Ⓤ ★ 具体的なものを表す場合は Ⓒ.

さびる **錆びる** rust (自), get [become] rusty. 《☞ さび[1]; さびつく》. ¶ 手すりがすっかり*さびてしまった The railings *have* ⌈completely *rusted* [*gotten* all *rusty*; *become* all *rusty*].

さびれる **寂れる** (衰える) decline (自); (落ち目になる) go downhill ★ 前者より口語的. ¶ この村は*寂れて行く This village *is declining*. / (⇒ 人口が減っている) This village *is losing population*.

サブ (補欠選手) sub Ⓒ ★ substitute の短縮形; (助手) assistant Ⓒ.

サファイア sapphire /sǽfaɪə/ Ⓒ 《☞ たんじょうせき (表)》.

サファリ safari /səfáːri/ Ⓒ. **サファリジャケット**

safari [bush] jacket Ⓒ　サファリパーク safari [wild animal] park Ⓒ　サファリルック the safari look.
サブウェー　subway Ⓒ《☞ ちかてつ》.
サブカルチャー（下位文化）subculture Ⓤ.
サブコントラクター（下請け業者）sùbcóntractor Ⓒ.
サブザック　day pack Ⓒ, small [compact] knapsack Ⓒ ★ 前者が一般的.《☞ ザック》.
ざぶざぶ（水をはねかせて）with a splash《☞ 擬声・擬態語（囲み）》.　¶ 子供たちは*ざぶざぶと海へ入って行った The children [Children] *splashed* into the sea. // 彼らは*ざぶざぶと川を渡った They crossed the river, *splashing water about.*
サブジェクト（主題）subject Ⓒ.
サブシステム（下部組織）súbsỳstem Ⓒ.
サブスクリプション（予約講読）subscription Ⓤ.
サブスタンス（物質・実体）substance Ⓤ.
サブストラクチャー（社会などの下部構造）súbstrùcture Ⓒ.
サブセット〘数〙（部分集合）súbsèt Ⓒ.
サブタイトル（副題）súbtìtle Ⓒ.
ざぶとん 座布団　(Japanese) cushion Ⓒ
日英比較 日本の座布団は主としてその上に座るものだが, cushion は尻の下に敷くほかに, 背中にあてたり, その上にひざまずいたりするのに使う;（いすの上に敷く）chair pad Ⓒ.

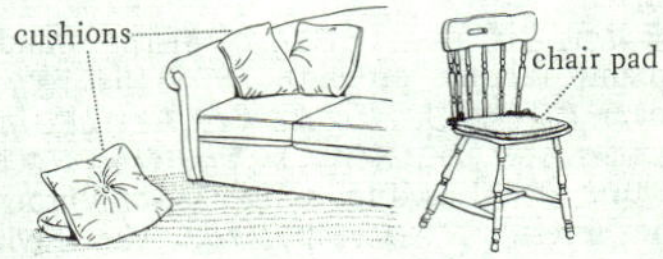

サブノートパソコン　sub-notebook ˹computer [PC] Ⓒ《☞ コンピューター（囲み）》.
サブマリン（潜水艦）súbmarine Ⓒ.　サブマリンサンドイッチ submarine sandwich Ⓒ ★ フランスパンのような細長いパンにハムや野菜などをはさんだもの.
サプライ（供給）supply Ⓒ.　サプライサイド〘経〙 ━ 形（(経済理論が)供給側重視の）supply-side.
サプライヤー（供給者）supplier Ⓒ《☞ バイヤー》.
サフラワーオイル（紅花油）safflower oil Ⓤ.
サフラン　saffron Ⓒ;（ハナサフラン・クロッカス）crócus Ⓒ.
ざぶり　¶ 彼は*ざぶりと（⇒たくさんの）水をかぶった He poured *a lot of* water over himself.《☞ ざぶん; 擬声・擬態語（囲み）》
サブリーダー（副指導者）subleader Ⓒ.
サブリミナル ━ 形（意識下の）sùblíminal.　サブリミナル映像 súblìminal ímage Ⓒ　サブリミナル効果 sùblíminal efféct Ⓤ　サブリミナル広告 súblìminal ádvertising Ⓤ　サブリミナル知覚 sùblíminal percéption Ⓤ.
サプリメント（栄養補助食品）(dietary) supplement /sʌ́pləmənt/ Ⓒ《☞ ほい》.
サブレー（ビスケット）《米》cookie Ⓒ,《英》biscuit Ⓒ ★ サブレーはフランス語の sablé から.
ざぶん（水をはねる音を立てて）with a splash《☞ 擬声・擬態語（囲み）》.　¶ 彼は*ざぶんとプールに飛び込んだ He ˹*jumped* [*plunged*] into the pool.
日英比較 このように, 必ずしも日本語の「ざぶん」に直接対応する語句を使わない場合もあることに注意. // そのとたん私は川に*ざぶんと落ちてしまった At that moment, I fell into the river *with a splash.*
さべつ 差別 ━ 動（差別待遇する）discríminàte (against ...; in favor of ...) ⓐ　語法 in favor of ... のように優遇した差別にも用いる.　━ 名 discrimination Ⓤ.《☞ せいさべつ; じんしゅさべつ》.
¶ 女性を*差別してはならない Don't *discriminate against* women. // 以前アメリカでは黒人は*差別されていた In the United States black people used to *be* ˹*discriminated against* [*segregated*]. // 性による*差別は法律により禁止されている *Sexism* [*Sex discrimination*] is prohibited by law. // 人種*差別は憲法違反である *Racism* [*Racial discrimination*] is unconstitutional. // 彼は人種[女性]*差別主義者ではない He is not a ˹*racist* [*sexist*].
差別関税 discriminatory (trade) tariff Ⓒ　**差別待遇** discríminatòry tréatment Ⓤ　**差別発言** discriminatory remark Ⓒ　**差別(用)語**（一般的な）discriminatory ˹language Ⓤ [word Ⓒ; term Ⓒ];（軽蔑的な）derogatory /dɪrάgətɔ̀ːri/ ˹language Ⓤ [word Ⓒ; term Ⓒ];（人種差別の）racist ˹language Ⓤ [word Ⓒ; term Ⓒ];（性差別の）sexist ˹language Ⓤ [word Ⓒ; term Ⓒ] ★ language は総称, word や term は個々の語.　¶ *差別語は決して使ってはならない *Discriminatory words* should never be used.

コロケーション
差別と戦う fight *discrimination* / 差別に直面する face *discrimination* / 差別を行う practice *discrimination* / 差別を終わらせる end *discrimination* / 差別を禁ずる ban [bar; prohibit] *discrimination* (in employment) / (少数者)差別を撤廃[根絶]する abolish [eliminate] *discrimination* (against minorities) / (性)差別をなくす eliminate *discrimination* (on grounds of gender) / 差別を容認する tolerate *discrimination* // 逆差別 reverse *discrimination* / 公然とした差別 open *discrimination* / 宗教を理由とする差別 religious *discrimination* / 賃金の差別 wage *discrimination* / 年齢差別 age *discrimination* / ひどい差別 blatant [gross; outright; overt] *discrimination* / 不当な差別 unfair [unjust] *discrimination*

さへん 左辺　the left side.
サボ[1]　☞ サボタージュ
サボ[2]（木靴）sabot Ⓒ.
さほう 作法（行儀）manners ★ 複数形で;（エチケット）étiquette Ⓤ.
【類義語】社会習慣としての一般的な行儀作法には ***manners***, 社交上の決まりには ***etiquette*** を用いる.《☞ ぎょうぎ; れいぎ》
¶ 彼女はよい*作法を身につけている She has good *manners.* // あの人は*作法を知らない That person has no *manners.* / That person doesn't know much about *etiquette.* // *作法にかなって[反して] in accordance with [against] ˹*good manners* [(*the*) *rules of etiquette*] // 食卓での*作法 table *manners*
さぼう 砂防　erosion control Ⓤ.　砂防ダム erosion [sediment] control dam Ⓒ　砂防林 erosion control forest Ⓒ.
サポーター（関節などに巻く）supporter Ⓒ;（男性のスポーツ用の）athletic supporter Ⓒ, jockstrap Ⓒ ★ 後者のほうがくだけた語;（スポーツチームなどを応援する人）supporter Ⓒ, fan Ⓒ.　¶ 膝に*サポーターを巻く wear a *supporter* on *one's* knee // 熱狂的なサッカーの*サポーター enthusiastic ˹soccer [football] *supporters*
サポート（支援）support Ⓤ.
サボタージュ（怠業）《米》slówdòwn Ⓒ,《英》go-slow Ⓒ.　日英比較 英語の sabotage /sǽbətὰːʒ/ は設備・機械・製品などを破壊したりする妨害行為を指し，日本語のサボタージュのように仕事を怠けるという意味はない.《☞ サボる》.

サボテン cactus Ⓒ《複 cacti /kǽktaɪ/, ～es》.

さほど (not)「so [very] … 語法 not を伴って「さほど…ではない」「あまり…ではない」という日本語に当たる表現となる. 過去分詞の前では not「so [very] much となる;（特別に…ではない）not particularly …《☞ そんなに》.

¶ 彼は*さほど有名ではない He is *not* 「*so* [*very*] famous. // 彼は*さほどの（⇒ たいした）学者ではない He is *not much of* a scholar. // 私はこの出来事に*さほど興味を持っていない I am *not*「*very* [*particularly*] interested in this event.

サボる（学校をずる休みする）plày truant /trúːənt/,《米略式》play hook(e)y;（仕事をおろそかにする）neglect *one's*「work [duties],《略式》（なまける）goof「off [around] ⓐ;（仕事をさぼってのらくらする）loaf on *one's* job;（授業を）《略式》cut「a class [classes].《☞ なまける》.

¶ 彼はきのう学校を*サボった He *played*「*hooky* [*truant*] yesterday. // 彼は怠け者でいつも仕事を*サボっている（⇒ 働こうとしない）He is lazy and *won't work*. / He *goofs*「*off* [*around*] all the time. // 午後のクラス [会議] は*サボろう I'm going to *cut* (the)「class [meeting] this afternoon.

ザボン〘植〙shaddock Ⓒ.

さま 様 ¶ 彼の慌てる*様が目に浮かぶ I can easily picture *how* embarrassed he will be.

様になる ¶ 彼の新しいスーツの着こなしは*様になっている [*様になっていない] He looks「*stylish* [*awkward*] in his new suit.

-さま …様（男）Mr.;（未婚女性）Miss;（既婚女性）Mrs.;（未婚・既婚の別なく女性）Ms. /mìz/ ★ 用法上の注意などは ☞ -さん¹; さまづけ.

ざま ¶ 何という*ざまだ（⇒ 何と情けない）*What a shame*! ★ 相手に向かって用いる口語的表現. // *ざまをみろ（⇒ 君には当然の報いだ）*It serves* [*Serves*] *you right*. /（⇒ だからそう言ったでしょう）*I told you so*!

サマー summer Ⓤ. サマーウール（夏用の薄手のウール）summer-weight wool Ⓤ サマーキャンプ summer camp Ⓒ サマースクール summer school Ⓒ《☞ がっこう¹ 語法》 サマーセーター summer sweater Ⓒ サマータイム（夏時間）《米》daylight saving time Ⓤ《略 DST》,《英》summer time Ⓤ《☞ なつじかん》 サマーハウス summer「house [cottage] Ⓒ サマーリゾート summer resort Ⓒ.

さまがわり 様変わり ― 動 change「completely [drastically; beyond recognition].

さまざま 様々 ― 形（数多くのいろいろな）various;（あらゆる種類の）all「kinds [sorts] of … ★ 特に種類を強調して;（いろいろ異なった）different Ⓐ.《☞ いろいろ; しゅじゅ》.

さます 冷ます, 覚ます, 醒ます **1**《冷やす》:（飲食物などを）cool ⓗ;（熱などを下げる）brìng dówn ⓗ.《☞ ひやす; さめる》. ¶ 熱くて飲めない. すこし*冷ませう It's too hot to drink. Let's「*cool* it [let it *cool*] a bit. // 熱を*冷ます薬が欲しい I want some medicine to *bring down*「the [my] fever.

2《感情・興味をそぐ》:（楽しみなどを損なう）spoil ⓗ;（気力などをくじく）dampen ⓗ;（水をさす）put [*cast*] *a damper* on …

¶ 彼の言葉が私たちの興を*さましてしまった What he said *spoiled* our fun. // 小さな失敗が彼らの熱意を*さましてしまった Their small mistake「*dampened* [*put a damper on*] their enthusiasm.

3《意識を取り戻す》:（目を覚ます）wake (up) ⓐ ⓗ, waken (up) ⓗ, awake ⓐ ⓗ 語法 第 1 番目が最も口語的. また awake は比喩的にあることに気づかせるという意味にも用いる;（酔いからさます）sober (up) ⓗ;（迷いなどから）awaken ⓗ;（…を正気に戻す）bring *a person* to「his [her] senses.《☞ さめる; おこす²》. ¶ 屋根に当たる雨の音で目を*覚ました I *woke up* at the sound of raindrops on the roof. // 彼は酔いを*さまそうとした He tried to *sober* himself *up*.

さまたげ 妨げ（通行などの）obstruction Ⓒ;（計画や実行の）hindrance Ⓤ ★ 具体的な障害物の意味では Ⓒ.《☞ じゃま》.

¶ 違法駐車の車は交通の*妨げになる Illegally parked cars「cause *an obstruction* [are *a hindrance*] to the smooth flow of traffic.

さまたげる 妨げる（人の仕事などを邪魔する）disturb ⓗ;（障害物で道や視界などをさえぎる）obstruct ⓗ;（通行などを妨害する）bar ⓗ;（…できないようにする）prevent ⓗ;（計画や行動をはばむ）hinder ⓗ.《☞ じゃま（類義語）; はばむ; ぼうがい¹》. ¶ その騒音が私の眠りを*妨げた The noise *disturbed* my sleep. // 落石が通行を*妨げていた Fallen rocks「*obstructed* [*barred*] the way. // 我々の計画を*妨げているものがあと 1 つある There is one more thing that「*hinders* [*is hindering*] our plan.

さまつ 瑣末 ― 形 trivial《☞ ささい》.

さまづけ 様付け（敬称[様]をつけて人を呼ぶこと）a polite form of address using「honorifics [Mr.; Ms.; etc.]《☞ けいしょう³; かたがき; くんづけ; さんづけ》.

さまよう さ迷う（あてもなく歩き回る）wander [roam] (about; around) ⓐ ★ ほぼ同意だが, roam にはそうすることが気ままな楽しみという感じがある.《☞ あるきまわる; ぶらつく》. ¶ その森をよく*さまよい歩いたものだ I used to「*wander* [*roam*] through the forest. さ迷えるオランダ人 The Flying Dutchman ★ 伝説に出てくる幽霊船の名. またはこの伝説を題材にしたワグナー作のオペラの題名.

サマリア ― 名 固 Samaria /səmé(ə)riə/ ★ パレスチナ北部. ¶ 善き*サマリア人 a good *Samaritan* /səmǽrətn/ ★ 聖書による「苦しむ人の友」の意.

サマリー（要約）summary Ⓒ.

サマリウム〘化〙samarium /səmé(ə)riəm/ Ⓤ《元素記号 Sm》.

サマルカンド ― 名 固 Samarkand /sǽməkæ̀nd/ ★ ウズベキスタンの都市.

サマワ ― 名 固 Samawah /səmáːwə/ ★ イラク南部の都市.

さみしい 寂しい, 淋しい ☞ さびしい

さみせん 三味線 ☞ しゃみせん

さみだれ 五月雨 early summer rain Ⓒ 日英比較 この英語には日本語の「五月雨」のような語感はない.

サミット（首脳会議）summit Ⓒ ★ 形容詞的にも使い, a *summit*「meeting [conference] ともいう. ¶ G8 *サミット a「G8 [Group of Eight] *summit* / a *summit* of the Group of Eight《☞ ジーエイト》 サミット外交 summit diplomacy Ⓤ.

さみどり 早緑 ― 名 light green Ⓤ. ― 形 light green.

サミング〘ボク〙thumbing Ⓤ.

さむい 寒い cold; chilly; freezing.

【類義語】最も一般的な語は **cold** で, very などの副詞を付ければ以下の語の代わりにも用いられる. 肌寒い不快な寒さは **chilly**. 程度の一番強い凍るような寒さは **freezing**. なお, *freezing* は副詞のように扱って *freezing* cold として用いることも多い.《☞ さむさ》

¶「きょうは*寒いな, 君は*寒くないの」「それほどでもないね」"It's *cold* today. Aren't you *cold*?" "Not really." // こう*寒くては我慢できない I can't stand this *cold* (weather). 語法 weather を省略した

場合の cold は 图. // *寒くないようにセーターを着なさい (⇒ 暖かくするように) Put on a sweater to *keep yourself warm.* // 私は*寒い部屋で震えていた I was shivering in the *chilly* room. // 外はとても*寒い It's *freezing* (*cold*) outside. // ちと懐(ふところ)が寒い (⇒ 少しばかりお金に困っている) I'm a bit *pressed for* money. // 冗談を言ったら彼女は*寒いと言った When I cracked a joke, she said it left her *cold.*

さむがり 寒がり ¶私は*寒がりだ (⇒ 寒さに敏感だ) I *am sensitive to* (*the*) *cold.* / (⇒ 寒さにまったく耐えられない) I just *can't tolerate the cold.*

さむがる 寒がる feel the cold; (寒さを感じやすい) be sensitive to (the) cold.

さむけ 寒気 chill Ⓒ.
¶*寒気がする I have a *chill.* // 考えただけで*寒気がする (⇒ そのことを考えただけで体が震える) The mere thought of it makes me *shudder.* / (⇒ そのことを考えると背中が寒くなる) The thought sends *a chill* down my ˹spine [back]. 《☞ ぞっと》

さむさ 寒さ cold Ⓤ ★ しばしば the を付けて; (寒い天候) cold weather Ⓤ 語法 (1) 普通は無冠詞だが, 特定の天候を言うときは the, this などが付く. 《☞ さむい; さむぞら》.
¶*寒さで震える shiver with *cold* // *寒さに弱い (⇒ 寒さに敏感) be sensitive to (*the*) *cold* // きょうは*寒さが厳しい (⇒ ひどく寒い) It is ˹very [intensely] *cold* today. 日英比較 日本語で「寒さ」と名詞が用いられていても, 英語では形容詞を用いることが多い点に注意. // 彼らは*寒さをしのぐために寄り添って座った They sat huddled together to protect themselves from *the cold.* // この*寒さには我慢できない I can't ˹stand [bear] this *cold weather.* // ここの冬の*寒さは大したことはない (⇒ ここでは冬は穏やかだ) The winter is *mild* here. 語法 (2) 冬が暖かいことには普通 warm は使わない.

コロケーション
寒さでかじかむ be numb with *cold* / 寒さを感じる feel *the* ˹*cold* [*chill*] / 寒さを防ぐ keep ˹off [out] *the cold* // 体がしびれる程の寒さ numbing *cold* / 厳しい寒さ extreme [bitter; icy; intense] *cold* / 記録的な寒さ record *cold* / 凍るような寒さ frigid *cold* / 身を切る寒さ biting [piercing] *cold*

さむざむ 寒寒 ―形 (冬を思わせるように寒々とした) wintry; (荒れて心を暗くするような) bleak; (ものさびしく暗い感じの) dreary; (冷え冷えする) chilly. 《☞ さむい》. ¶*寒々とした冬の夕方 a *dreary* winter evening

サムシング ―代 (何か, あるもの) something.

さむぞら 寒空 (寒い天気) cold weather Ⓤ. ¶この*寒空に in this *cold weather*

サムソン ―图 固 (旧約聖書に登場する勇士) Samson.

さむらい 侍 samurai /sǽm(j)ʊràɪ/ Ⓒ 《複 ~(s)》, 《文》 warrior Ⓒ. **侍蟻** (他種の蟻を奴隷にする蟻) slave-making ant Ⓒ ★ slave maker ともいう; (兵隊蟻) soldier ant Ⓒ ★ soldier ともいう. **侍所** *samuraidokoro* Ⓒ; (説明的には) a government agency which controlled the activities of vassals in the Kamakura and Muromachi periods.

さめ 鮫 shark Ⓒ. **鮫皮** sharkskin Ⓤ **さめ肌** rough skin Ⓤ.

さめざめ ¶*さめざめと泣く cry *bitterly* 《☞ なく¹; 擬声・擬態語 (囲み)》

さめる 冷める, 覚める, 醒める, 褪める **1** 《冷える》: (熱さ・熱情などが) cool 自 ★ 熱情や怒りには cóol ˹dówn [óff] としても用いる; (物の温度が) get cold. 《☞ ひえる; さます》.
¶料理が*冷めてしまった The food *has gotten cold.* // スープが*冷めないように (⇒ 熱くしておくために) なべをストーブの上にのせておいた I've put the ˹pot [saucepan] on the stove to *keep* the soup *hot.* // 彼らの熱意は*冷めるかもしれない Their enthusiasm may *cool* (*down*).

2 《意識が戻る》: (目が覚める) wake (up) 自, awake 自 語法 前者のほうが口語的. awake は比喩的に「あることに気づく」という意味にも用いられる; (迷いなどからさめる) awake 自; (正気に戻る) come to *one's* senses; (酔いが) sober (up) 自, become sober ★ 前者のほうがより口語的. 《☞ めざめる; さます》. ¶10 時に目が*覚めた I *woke* (*up*) at ten (o'clock). // 目の*覚めるような (⇒ 鮮やかな) 赤いコート a *bright* red coat // 彼の忠告で私の迷いがさめた (⇒ 彼の忠告が私を正気に戻した) His advice *brought* me (*back*) *to my senses.* // 酔いがさめたら話をしよう Let's talk when ˹you'*ve sobered up* [*you're so-ber* (*again*)]. // *覚めた目で世の中を見る (⇒ 冷静[現実的]に) look at the world ˹*coolly* [*realistically*] / (⇒ 物事を冷静に考える) take a *cool* view of things

3 《色があせる》: (だんだんと) fáde (awáy) 自; (色が消える) lose ˹*one's* [its] color, become discolored ★ 後者のほうが格式ばった言い方. 《☞ あせる²》.
¶この生地は色が*さめやすい This material *fades* easily. // 屋根の色が*さめてしまった The roof *has* ˹*lost its color* [*become discolored*]. // この青は洗っても*さめませんか (⇒ 洗濯に耐えるか) Does this blue *stand washing*? // これは*さめない色です This is a *fast* color.

ザメンホフ ―图 固 Lazarus Ludwig Zamenhof /lǽzərəs lʌ́dwɪg zɑ́:mənhòuf/, 1859–1917. ★ エスペラント語を創案したポーランドの言語学者.

さも ―副 (とても) very, quite. 《☞ いかにも》.
¶彼らは*さも幸せそうだった They looked ˹*very* [*quite*] happy.

サモア ―图 固 (国名) Samoa /səmóuə/; (正式名) the Independent State of Samoa ★ アメリカ領サモアは American Samoa. ―形 Samoan. **サモア諸島** Samoa, the Samoa Islands. **サモア人** Samoan Ⓒ.

さもありなん ¶*さもありなん (⇒ 大いにありそうなことだ) That's very likely. / (⇒ そんなところだと思った) I thought as much. / (⇒ 別に意外ではない) I'm not surprised.

さもしい (卑劣な) mean; (下劣な) 《文》 base; (軽蔑に値する) contemptible. 《☞ あさましい》. ¶私はそんな*さもしい根性はしていない (⇒ 考えは持っていない) I don't have such ˹*mean* [*base*] ideas.

ざもち 座持ち ―動 (座に興を添える) entertain 他 自. ―图 (楽しませる人) entertainer Ⓒ. ¶*座持ちがうまい be a good *entertainer*

ざもと 座元 (興行主) producer Ⓒ; (興行場の持主) proprietor of a ˹theater [《英》 theatre] Ⓒ.

さもないと otherwise, or (else), if not ★ ほぼ同意で入れ替え可能だが, 口語では前の 2 つが多く用いられる. ¶急ぎなさい. *さもないと学校に遅れますよ Hurry up, *or* you'll be late for school. // きっと来て下さい. *さもないとあなたの分はほかの人に取られてしまいますよ Be sure to come. *Otherwise*(,) [*If not*,; *Or*] some other person may get your share.

サモワール samovar /sǽməvɑ̀ə/ Ⓒ ★ ロシアの伝統的な卓上用湯わかし器.

さもん¹ 査問 ―图 (調査・問い合わせ) inquiry Ⓒ ★ やや格式ばった語. ―動 (正式に・組織的に問いただす) intérrogàte 他 ★ やや格式ばった語.
¶贈賄事件に関し, *査問が行われる An *inquiry into* the bribery case is to be held. // 彼らは委員会の*査問を受けた They *were interrogated* by the

committee. **査問委員会** inquiry commission Ⓒ, commission of inquiry Ⓒ.

さもん² 砂紋 ripple mark Ⓒ; (説明的には) wave-wrought [wind-wrought] pattern on the sands Ⓒ. 《☞ ふうもん》.

さや¹ 莢 (豆の) pod Ⓒ; (特に固い) shell Ⓒ. **さやいんげん** kidney [《英》 French] bean Ⓒ **さやえんどう** (garden [field]) pea Ⓒ.

さや² 鞘 (刃物・道具の) sheath Ⓒ; (刀の) scabbard Ⓒ. ¶ *鞘を払う (⇒ 刀を抜く) *draw* [*unsheathe*] a sword ★ draw のほうが口語的. // 刀を*鞘に納める *sheathe* a sword **鞘を取る** (手数料を取る) take a commission 《☞ りざや》.

さやあて 鞘当て ¶ 恋の*鞘当て *rivalry* in love

さやか 清か ―〘形〙 (月(光)などが明るい) clear. ―〘副〙 clearly.

ざやく 座薬 suppository Ⓒ.

さやさや ¶ 微風が柳を*さやさやと揺らした The breeze *rustled* the willows. 《☞ さらさら¹》

さゆ 白湯 (plain) hot water Ⓤ 《☞ ゆ》.

さゆう 左右 **1** «左と右»: right and left 〘語 法〙 left and right の語順も用いられる.

¶ *左右を見てから道を渡りなさい Look ˹*right and left* [(⇒ 両方向) *both ways*] before you cross the street. // 彼は*左右 (⇒ 辺り) を見回した He looked *around*. // 道の*左右 (⇒ 両側) に美しい家が並んでいた There were beautiful houses on ˹*either* side [*both* sides] of the street. // 彼は言を*左右にして (⇒ あれこれの口実で) 答えなかった He refused to answer *on some pretext or other*.

2 «支配する» ―〘動〙 (決定する) decide (他); (人の考えや行動に影響を与える) influence (他). 《☞ けってい; えいきょう》. ¶ この事件が彼の今後を*左右するかもしれない This incident may *decide* his future. // 彼女はあなたの言うことにはすぐ*左右される (⇒ 影響される) ようだ She seems to *be influenced* easily by what you tell her. **左右対称** ―〘名〙 symmetry Ⓤ. ―〘形〙 symmetrical.

ざゆう 座右 ―〘副〙 (傍らに) by *one's* side; (手近に) at hand, to hand. ¶ この本はいつも*座右に備えています I always ˹have [keep] this book ˹*by my side* [*at hand; to hand*]. // 彼は「正直」を*座右の銘 (⇒ モットー) としている He has “honesty” as a *motto*. 《☞ めい³》

さよあらし 小夜嵐 (夜の嵐) night storm Ⓒ; (夜の強風) gale at night Ⓒ.

さよう 作用 ―〘名〙 (器官・薬などの) operation Ⓤ; (機械・器官などの) action Ⓤ; (機能) function Ⓒ; (働き) working Ⓒ. ―〘動〙 óperàte (自); act (自); function (自); work (自). 《☞ はたらき》.

¶ 酸の*作用で金属が腐食する Metals corrode by the *action* of (an) acid. // 2 つの要素が互いに*作用しあって (⇒ 2 つの要素の相互作用が), よい結果を生んだ The *interaction* of the two elements brought (about) a good result. // 化学*作用 a chemical *action* // *作用と反作用 *action* and reaction

さようなら Good-by(e)!, So lóng! ★ 後者がより口語的; (また会いましょう) (I'll) see you!, (I'll be) seeing you! ★ 少しくだけて俗っぽい言い方; (夜の) Good night! 《☞ さよなら》 〘語 法〙 (1) 別れのあいさつとして一番普通に用いられるのは Good-by(e)! 親しい間柄では So long! も用いられる. 「おやすみなさい」を含め, 夜別れる場合には Good night! が用いられる. (2) このような英語のあいさつでは Good-by(e), John! のように相手の名前を一緒に言うことが多い.

¶ 「*さようなら, パティー」「ではまた, あきら」 “*Good-by*, Patty!” “I'll see you, Akira.” // 「*さようなら」「お休みなさい」 “*Good-by*!” “Good night!”

さよきょく 小夜曲 serenade /sèrənéɪd/ Ⓒ.

さよく 左翼 ―〘名〙 (翼) left wing Ⓒ; (政治団体・思想の) the left wing; (左派の人) leftist Ⓒ (↔ rightist), left-winger Ⓒ ★ 前者のほうが普通; (野球の) left field Ⓤ. ―〘形〙 leftist. **左翼手** left fielder Ⓒ **左翼団体** leftist organization Ⓒ.

さよなら **1** ¶ *さよならする say *good-by(e)* to ... / (⇒ 終わらせる) put an end to ... // *さよならパーティ a *farewell* party 《☞ さようなら; わかれ¹》

2 〔野〕 game that is won in the bottom of the last inning Ⓒ. ¶ *さよならホームラン a *game-ending* homer

さより 細魚 halfbeak Ⓒ.

さら¹ 皿 (盛り皿) dish Ⓒ; (取り皿) plate Ⓒ; (特に肉・魚用の盛り皿) 《米》 platter Ⓒ; (コーヒー・ティーカップの受け皿) saucer Ⓒ.

〘日英比較〙 (1) 伝統的な日本の料理では, 盛り付けしたものを膳にのせて出すので, 盛り皿と取り皿の区別は本来不要である. (ただし, 今日の日本の家庭料理などは和洋折衷であるのでこの限りではないが) 従って, 日本料理ではすべてをあらかじめ美しく盛り付けするために, 大小とり混ぜた椀類・鉢類・皿類など食器の種類が豊富である. ところが, 欧米の料理では, 料理を大きな盛り皿に盛って出し, それを各人に取り分ける. この盛り皿が **dish** であり, そこから **dish** には「料理」という意味が生まれた. そして, 各人の取り皿が **plate** である. (ただし《米》では *plate* の意味で *dish* を用いることがある.) *dish* は大きくて深めの皿, *plate* は浅くて小さめの皿が普通だが, この 2 つの基本的な区別はその機能にある. だから, 例えばスープ用の取り皿はかなり深めの皿だが soup *plate* と呼ばれる.

また, *dish* は普通複数形 (*dishes*) で皿類, あるいは食器類の総称としても用いられる. 例えば「食器を洗う」「後片付けをする」という意味の wash [do] the *dishes* などがその例である. 皿, dish, plate, saucer の関係を図示すると次のようになる.

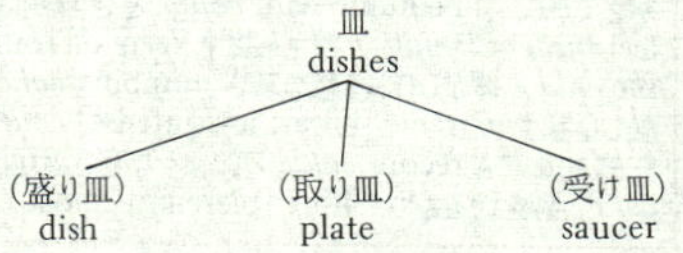

★ ( ) の付いたものは説明的な言葉..

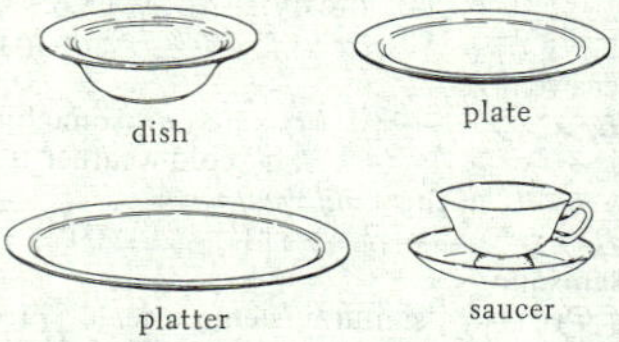

¶ *皿を持ち上げてはいけません Don't lift your *plate*. 〘日英比較〙 (2) 欧米では食べるときに, 皿を持ち上げないのが食事のマナー. // *皿洗いをする do [wash] the *dishes* // お*皿を洗わせて下さい Let me wash up. // 目を*皿のようにして (⇒ 目を大きく開けて) with *one's* eyes *wide open*

皿洗い機 dishwasher Ⓒ.

―コロケーション―

皿に…をいっぱい盛る fill a ˹*plate* [*dish*] with ... / 皿に…を盛る load a *plate* with ... / 皿を片づける clear [take] away the *dishes* / (料理の)皿を人に出す give *a person* a *plate* / 皿をなめる lick a *dish* / 皿をピカピカに磨く scour the *dishes* / 皿を拭く dry the *dishes* / 皿を人に回す pass *a per-*

son a plate / 一皿平らげる polish off [eat] a plateful // 大皿 a large「plate [dish] / ガラス皿 a glass plate / 銀皿 a silver「plate [dish] / ケーキ皿 a cake plate / 小皿 a small plate / サラダ皿 a salad plate / スープ皿 a soup plate / 中皿 a medium-sized plate / 使い捨ての紙の皿 a disposable paper plate / ディナー皿 a dinner plate ★ 主要料理用. / デザート用の皿 a dessert plate / 陶器の皿 a china plate / パン皿 a bread plate / ひびの入った皿 a cracked plate / 縁の欠けた皿 a chipped plate

さら² 新, 更 ─ 形 (新しい) new 《☞ あたらしい》.

ざら ¶ あんな人はごく*ざらだ (⇒ ありふれている) That「kind [type; sort] of person is quite *common*. / (⇒ 見つけるのはまれではない) It is *not rare* to find that「kind [type; sort] of person. // こんな貝がらは*ざらにある (⇒ どこにでもある) You can *find* such shells *everywhere*.

さらいげつ 再来月 the month after next 《☞ らいげつ》.

さらいしゅう 再来週 the week after next 《☞ らいしゅう¹》.

さらいねん 再来年 the year after next 《☞ らいねん》.

さらう¹ 攫う, 浚う **1** «奪い去る»: (運び去る) carry off ⑩; (押し流す) sweep [wash]「away [off] ⑩; (誘拐する) kidnap ⑩. 《☞ ゆうかい¹》.
¶ 釣り人が大波に*さらわれた An angler *was*「*carried off* [*swept away*; *washed away*] by a big wave. // ビートルズはあっという間に若い人たちの人気を*さらった The Beatles immediately *won* overwhelming popularity among young people.
2 «きれいにする»: cléan (óut) ⑩; (浚渫(しゅんせつ)する) dredge ⑩; (網を引いて物を捜す) drag ⑩. 《☞ しゅんせつ》. ¶ 溝は月に1回*さらいます We *clean* (*out*) the drains once a month. // 警察は凶器を求めて池を*さらった The police「*dragged* [*dredged*] the pond for the weapon.

さらう² 復習う review ⑩ 《☞ ふくしゅう¹》.

さらうどん 皿饂飩 fried noodles with cooked meat and vegetables on them, served on a plate ★ 説明的な訳.

サラエボ ─ 名 固 Sarajevo /særəjéɪvou/ ★ ボスニアヘルツェゴビナの首都.

ざらがみ ざら紙 (質の良くない) poor-quality paper Ⓤ; (ざらざらした) rough paper Ⓤ.

サラきん サラ金 (消費者金融) consumer financing Ⓤ; (消費者金融業 [会社]) consumer credit「business [company] Ⓒ; (高利貸し) loan shark Ⓒ. 《☞ サラリーマン》.

さらけだす 曝け出す (明らかにする) reveal ⑩, disclose ⑩; (白日の下にさらす) bring ... to light; (暴(あば)く) expose ⑩ ★ 以上いずれもやや格式ばった表現. 《☞ ばくろ (類義語)》.
¶ 本心を*さらけ出す *reveal* [*disclose*] *one's* true intention(s) // 不用意な発言で彼は無知を*さらけ出した (⇒ 発言が無知をさらけ出した) His casual remark *exposed* his ignorance.

さらこばち 皿小鉢 dishes and small bowls.

サラサ 更紗 chintz /tʃínts/ Ⓤ, 《米》 calico Ⓤ.

サラサーテ ─ 名 固 Pablo de Sarasate /pá:blou də sà:rəsá:teɪ/, 1844–1908. ★ スペインのバイオリン奏者・作曲家.

さらさら¹ ¶ 木の葉が風で*さらさら鳴った The leaves「*rustled* [*whispered*] in the wind. // あたりは静かで, 小川の*さらさらいう音が聞こえるばかりだった It was very quiet and only the *murmuring* of a brook could be heard. // 彼女はペンを手に取り, *さらさらと書きはじめた She picked up a pen and started writing *smoothly*. 《☞ 擬声・擬態語 (囲み)》

さらさら² 更更 ¶ 君にけんかを売る気は*さらさら (⇒ まったく) ない I do*n't* have *the slightest* intention of picking a quarrel with you.

ざらざら ─ 形 (手触りが粗い) rough; (ほこり・砂などで) sandy, gritty; (ほこりだらけの) dusty. 《☞ ざらつく; 擬声・擬態語 (囲み)》. ¶ 彼の手はひびが切れて*ざらざらしていた His hands were chapped and *rough*. // テーブルはほこりで*ざらざらだ The table feels「*sandy* [*gritty*] with dust.

さらし 晒し (さらし木綿) bleached cotton Ⓤ.

さらしくび 晒し首 criminal's head on public display Ⓒ ★ 説明的な訳. 《☞ ごくもん》.

さらしこ 晒し粉 bleaching powder Ⓤ.

さらしねぎ 晒し葱 minced leek (soaked in water) Ⓤ.

さらしもの 晒し者 ¶ *さらし者にされる (⇒ 一般の人々の目にさらされる) be *exposed*「*to public view* [*for public viewing*]

さらしもめん 晒し木綿 bleached cotton cloth Ⓤ.

さらす 晒す **1** «漂白する»: bleach ⑩ 《☞ ひょうはく¹》.
2 «外気などに当てる»: expose ⑩ 《☞ あまざらし》. ¶ その仏像は風雨に*さらされたままになっていた The Buddhist「icon [image] was「left *exposed to* the weather [*weather-beaten*]. // 危険に身を*さらしてはいけないよ You should not「*expose yourself to* [*put yourself in*] danger.
3 «恥をさらす»: be put to shame; (笑い物になる) be rídicùled.

サラセン (サラセン人) Sáracen Ⓒ. サラセン帝国 the Saracenic Empire.

さらそうじゅ 娑羅双樹, 沙羅双樹 〔植〕 sal /sá:l/ (tree) Ⓒ.

サラダ salad Ⓤ. ¶ ハム*サラダ (a) ham *salad* ★ 具体的な例では Ⓒ になることが多い. // 私が*サラダを作ります I'll「make [prepare; fix] (a) *salad*. サラダオイル salad oil Ⓤ サラダドレッシング (salad) dressing Ⓤ サラダ菜 lettuce Ⓤ 《☞ レタス 語法》 サラダボール salad bowl Ⓒ.

さらち 更地 vacant lot Ⓒ.

ざらつく (手触りが粗い) be rough to the touch; (砂などがこぼれて) be「sandy [gritty] (with ...). 《☞ ざらざら》.

サラトガ ─ 名 固 Saratoga /særətóugə/ ★ ニューヨーク州東部の村 (現在名 Schuylerville /skáɪləvìl/). 独立戦争の戦場となった (1777).

さらに (さらに進んで) further; (なお・いっそう) even, still ★ 比較級を強める. 日英比較 日本語で「さらに」とあっても英語では特別な語を用いずに, 比較級を用いて表せることが多い. 《☞ もっと; いっそう¹ 語法; そのうえ》.
¶ 私はそれを*さらに調べなくてはならない I must examine it *further*. // 山田氏は田中氏より年上だが, 青木氏は*さらに年上です Mr. Yamada is older than Mr. Tanaka. But Mr. Aoki is「*still* [*even*] older (than Mr. Yamada). // *さらに悪いことには強い風が吹きはじめた *What was worse* [*To make matters worse*], it began to blow hard.

さらば ─ 感 farewell.

さらばかり 皿秤 balance Ⓒ.

サラファン (ロシアの女性の民族衣装) sarafan Ⓒ.

サラブレッド (馬) Thoroughbred /θə́:rəbrèd/ Ⓒ ★ 大文字で始める.

さらまわし 皿回し (行為) plate spinning Ⓤ; (人) plate spinner Ⓒ.

サラマンダー (山椒魚)〘動〙 salamander Ⓒ.
サラミ (ソーセージ) salami /səlάːmi/ Ⓤ.
ざらめ 粗目 granulated [crystal] sugar Ⓤ.
さらゆ 更湯 the bath ready for the first person to use.
サラリー (給料) pay Ⓤ; (月給・年俸) salary Ⓒ
[日英比較] 日本語の「サラリー」は「月給」とほぼ同意で, しかも格式ばらない文脈で使われることが多い. この意味で一番近い英語は pay で, 最も口語的で一般的な語である. 定期的に定額支給される少し堅苦しい感じの語が salary で, 知的な職業について用いられる. 日本語の「サラリー」とのずれに注意. 《☞ きゅうりょう[1] (類義語); げっきゅう》.
¶ 彼は 20 万円の*サラリーをもらっている (⇒ 彼の給料は 20 万円だ) His *pay* is 200,000 yen. / He gets a *salary* of 200,000 yen. // こんな安*サラリーでは暮らしていけない I cannot live on such a small *salary*.
サラリーマン (事務職員) office worker Ⓒ, white-collar worker Ⓒ [語法] 後者は blue-collar worker Ⓒ (工場などの現場勤務者) に対して用いる; (主に高級職の) salaried worker Ⓒ. 《☞ かいしゃいん》. **サラリーマン金融** ☞ サラきん **サラリーマン生活** the daily life of an office worker.
さらりと ¶ 講演者は意地の悪い質問を*さらりと (⇒ 軽く) かわした The speaker *easily* parried a malicious question. 《☞ 擬声・擬態語 (囲み)》
サランラップ 《商標》 Saran Wrap /sərǽnræ̀p/ Ⓤ.
サリー (インドの女性の民族衣装) sari /sάːri/ Ⓒ.
ざりがに crayfish Ⓒ, 《米》 crawfish Ⓒ.
さりげない さり気ない ― [形] (無頓着な) nonchalant /nὰnʃəlάːnt/; (無関心な) indifferent Ⓟ. ― [副] nonchalantly; indifferently. 《☞ なにげない》. ¶ 彼は*さり気なく (⇒ 何気ない様子で) あたりを見回した He looked around ⌈*in a casual manner* [*casually*]. // 私は*さり気ない風を装う (⇒ 無関心な態度をとる) ように努めた I tried to assume an attitude of *indifference*. // *さり気ない調子で (⇒ 重要なことではないかのように) *as if it* ⌈*were* [*was*] *nothing important*
さりじょう 去り状 letter of divorce Ⓒ.
サリチルさん サリチル酸 〘化〙 salicylic acid /sæ̀ləsìlɪk ǽsɪd/ Ⓤ. **サリチル酸ナトリウム** 〘化〙 sodium salicylate Ⓤ.
さりとて 然りとて ― [副] (それにもかかわらず) yet, for all that, nevertheless. ★ 前者ほど口語的.
¶ 彼は法に触れるようなことはしていないが, *さりとて許すわけにはいかない He did nothing against the law, (but) *yet* ⌈I'll [we'll] never forgive him. ★ but を省略すると yet は接続詞.
サリドマイド 〘薬〙 thalídomide Ⓤ. ¶ *サリドマイド児 a *thalidomide* ⌈baby [child]
さりょう 茶寮 (お茶や食事を出す店) tearoom Ⓒ; (茶室) room for the tea ceremony Ⓒ.
サリン (毒ガス) sarin /sάːrən/ Ⓤ.
サリンジャー ― [名] (固) J(erome) D(avid) Sálinger, 1919– . ★ アメリカの小説家.
さる[1] 去る **1** 《離れて行く》: (場所や地位を) leave (他) (自) (過去・過分 left); (地位や職を) resign (他) (自); (あらしなどが通り過ぎる) pass (自); (あらしや季節が終わる) be over. 《☞ たちさる; すぎさる》.
¶ *彼女は悲しげにその場を*去って行った* She *left* the place sadly. // 彼はその職を*去らねばならなかった He had to ⌈*leave* [*resign* (*from*)] his position. ★ leave のほうが口語的. // あらしは*去った The storm ⌈*has passed* [*is over*]. // *去る者は日々に疎し Out of sight, out of mind. 《ことわざ: 姿が見えなくなると, 心からも消えていく》
2 《亡くなる》: die (自), pass away (自) ★ 後者は婉曲的な表現. 《☞ しぬ》. ¶ 彼は 1950 年にこの世を*去った He ⌈*died* [*passed away*] in 1950.
3 《前の》 ¶ *去る 20 日の出来事です (⇒ それは今月 20 日に起こった) It happened on the twentieth of this month. [語法] 過去形を用いて表現すれば十分なことが多い.
さる[2] 猿 monkey Ⓒ; (チンパンジーやゴリラなどのように尾がなく大型の) ape Ⓒ. 《☞ 動物の鳴き声 (囲み)》. ¶ *猿も木から落ちる Even Homer sometimes nods. 《ことわざ: ホメロスのような大詩人でもへまをすることがある》 **猿芝居** (茶番劇) farce Ⓒ **猿知恵** ¶ *猿知恵を働かせる (⇒ 見せる) show *shallow cunning* **猿まね** blind imitation Ⓒ; (猿まねをする人) blind [slavish] imitator Ⓒ, 《略式》 copycat Ⓒ **猿回し** monkey show Ⓒ; (人) trainer of performing monkeys Ⓒ.
さる[3] 申 (十二支の) the Monkey 《☞ ね[4]》.
さる[4] (ある) certain 《☞ ある[2]》.
ざる 笊 Jápanèse colander /kʌ́ləndə/ màde of bambóo Ⓒ ★ 説明的な訳. colander は水切り用の穴のあいた容器. **ざる碁** ¶ 私のはほんの*ざる碁でして (⇒ 下手だ) I play go only poorly. **ざるそば** cool buckwheat noodles served on a ⌈bamboo plate [slatted bamboo tray] ★ 説明的な訳. **ざる法** law full of loopholes Ⓒ **ざる耳** (すぐに忘れてしまうような耳) ears that forget soon; (悪い記憶力) memory like a sieve Ⓒ, short [poor] memory Ⓒ.
サルーン (セダン型乗用車) 《英》 saloon (car) Ⓒ; 《米》 sedan Ⓒ.
さるがく 猿楽 *sarugaku* Ⓒ; (説明的には) mimicry, wordplay, parodies, and other forms of art in the Heian period, an earlier style of Noh and *kyogen*.
さるかにがっせん 猿蟹合戦 ― [名] (固) *Sarukanigassen*; (説明的には) a Japanese folk tale about a fight between a monkey and a crab.
さるぐつわ 猿ぐつわ gag Ⓒ. ¶ *さるぐつわをはめる put a *gag* in *a person's* mouth / *gag a person*
サルサ (ダンス音楽・ソース) salsa Ⓤ.
サルジニア ― [名] (固) Sardinia ★ 地中海西部の島.
さるすべり 百日紅 〘植〙 crape [crepe] myrtle Ⓒ, Indian lilac Ⓒ.
サルタン (イスラム国の君主) sultan Ⓒ.
ザルツブルク ― [名] (固) Salzburg /sɔ́ːlzbəːg/ ★ オーストリアの都市.
サルトル ― [名] (固) Jean-Paul Sartre /ʒάːnpɔ́ːl sάətrə/, 1905–80. ★ フランスの実存主義哲学者.
さるのこしかけ 猿の腰掛 〘植〙 polypore /pάlipɔ̀ə/ Ⓒ.
サルバドル ― [名] (固) Sálvadvòr ★ ブラジルの港湾都市.
サルバルサン (梅毒などの薬) 《商標》 Salvarsan /sǽlvəsæ̀n/ Ⓤ.
サルビア 〘植〙 salvia Ⓤ.
サルファざい サルファ剤 (薬) sulfa /sʌ́lfə/ drùg Ⓒ ★ 単に sulfa ともいう.
サルベージ (海難救助, および沈没船の引き揚げ作業) salvage Ⓤ 《☞ ひきあげる》.
さるまた 猿股 (ズボン下・パンツ) únderpànts [語法] 複数形で用い, 数えるときは a pair of を付ける.
サルモネラきん サルモネラ菌 salmonella /sæ̀lmənélə/ Ⓤ.
さるもの さる者 (したたか者) tough ⌈character [customer] Ⓒ; (尋常ならざる者) no ⌈common [ordinary] character Ⓒ; (抜け目ない者) smart [sharp] character Ⓒ. ¶ 我々をこんなにうまくだます

とは敵(⇒ 彼ら)も*さる者だ They are really「*sharp* [*smart*] (*actors*) to have cheated us so cunningly.

-ざるをえない ☞ -せざるをえない

ざれうた 戯れ歌 (こっけいな和歌) comic *waka* Ⓒ; (こっけいな歌) comic song Ⓒ ★ 英詩でこれに相当するのは limerick (5 行の戯れの詩) Ⓒ.

されき 砂礫 gravel Ⓤ.

されこうべ 髑髏 skull Ⓒ.

ざれごと[1] **戯れ事** (ふざけ) fun Ⓤ. ¶怒るなよ, ほんの*戯れごとでやったんだ Don't take offense. I did it just「in [for] *fun*.

ざれごと[2] **戯れ言** ☞ じょうだん[1]

サレジオかい サレジオ会 the Salesians ★ カトリックの修道会の一つ.

サロメ ── [名] (女性の名) Salome /səlóumi/

[参考] 特に有名なのは新約聖書に登場する女性. ただしそこでは名前は出ていない.

サロン (接待用の広間) reception hall Ⓒ; (社交用の部屋) social room Ⓒ; (大邸宅の大広間) salón Ⓒ. **サロンコンサート** salon concert Ⓒ **サロンミュージック** (レストラン, ホテルなどで演奏される軽い音楽) salon music Ⓤ.

さわ 沢 (湿地) swamp /swámp/ Ⓤ, marsh Ⓤ ★ 後者は特に低地帯のもの; (山間の渓谷) gorge Ⓒ. **沢登り** ── [動] climb (up) along a mountain stream.

サワー (カクテル) sour Ⓒ.

サワークリーム sour cream Ⓤ.

さわかい 茶話会 tea party Ⓒ.

さわがしい 騒がしい noisy; loud; bóisterous; (時代などが) turbulent, troubled.

【類義語】 音がやかましい様子を表す最も一般的な語は **noisy**. 声が大きいことを示すには **loud**. 行動なども含めてにぎやかでやかましい様子には **boisterous**. 時代などが騒然として不穏な様子には ***turbulent***, ***troubled*** がほぼ同意で用いられる. (☞ うるさい; やかましい)

¶ここは*騒がしい, どこか別の所へ行こう It's *noisy* here. Let's go somewhere else. // 周りの人々が*騒がしくて, アナウンスが聞こえない I can't hear the announcement, because the people around me are「*very noisy* [talking very *loud*; speaking *loudly*]. // 私たちは*騒がしい時代に住んでいる We「are living [live] in「*troubled* [*turbulent*] times.

さわがせる 騒がせる ── [動] (動揺させる) disturb (他); (人々の間に大騒ぎを引き起こす) create a「stir [sensation]; (心配させる) worry (他); (迷惑をかける) trouble (他), cause trouble. ── [形] (世間をあっと言わせる) sensational. (☞ さわぐ)

¶そのニュースは私の心を*騒がせた The news *disturbed* me. // 今月は世間を*騒がせた誘拐事件が 3 つあった There were three *sensational* kidnap(p)ing cases this month. // お*騒がせしてすみませんでした I'm sorry to *have*「*disturbed* [*worried*] you.

さわがに 沢蟹 river crab Ⓒ.

さわぎ 騒ぎ **1** «騒ぐこと・騒動»: (騒音) noise Ⓤ ★ Ⓒ となることもある; (大騒音) clamor (《英》 clamour) Ⓤ ★ 特に人が反対・要求して騒ぐことに用いる; (騒動) an úpròar ★ an を付けて; (面倒・困ったこと) trouble Ⓒ; (妨害) disturbance Ⓒ; (騒ぎ立てること) fuss Ⓤ ★ やや口語的. しばしば a を付けて; (出来事) affair Ⓒ; (事件) case Ⓒ. (☞ おおさわぎ; そうどう[1]; じけん)

¶あの*騒ぎは何だ What's all that *noise* about? // 部屋中大*騒ぎになった The whole room was *in an uproar*. // *騒ぎが起こらなければよいが I hope there won't be「any *trouble* [*a disturbance*]. // 子供たちはよく小さなことで大*騒ぎをする Children often make *a fuss* over small things.

2 «程度» ¶私にとっては笑うどころの*騒ぎ(⇒ 笑い事)ではない It's *no laughing matter* for me. // いまは忙しくて, 旅行どころの*騒ぎではない (⇒ 忙しすぎて考えられない) Now I'm *too* busy *to* think about going on a trip.

さわぎたてる 騒ぎ立てる ¶再統一を要求し[に反対し]て*騒ぎ立てる *clamor*「for [against] reunification // つまらないことに*騒ぎ立てる *make so much fuss about* trivialities (☞ さわぐ)

さわぐ 騒ぐ **1** «騒がしくする»: make (a) noise ★ 最も一般的な表現; (パーティーなどでにぎやかに) have fun; (…について騒ぎ立てる) make a fuss (about; over …), fuss (about …; over …) (自); (興奮する) get excited. ¶*騒ぐな. うるさいぞ Don't *make noise*. // 少女たちはしゃべり, *騒いだ The girls chattered and「*made lots of noise* [*were very noisy*]. // そのことで学生が*騒いだ The students *got excited*「about [over] it.

2 «不穏になる»: (動揺する) be [become] agitated; (不安になる) be「alarmed [nervous]; (騒ぎを起こす) make [cause] a disturbance. (☞ さわがせる)

¶どうも胸が*騒ぐ (⇒ 不安な気持ちがする) I feel *uneasy*. / Somehow or other I *am*「*agitated* [*alarmed*; *nervous*]. (☞ むなさわぎ)

ざわざわ ── [動] (触れ合って音が出る) rustle (自). ── [副] (さらさらと音を立てて) rustlingly; (騒がしく) noisily. (☞ がやがや; さわがしい; ざわめく; ざわつく; 擬声・擬態語 (囲み)). ¶会場が*ざわざわしていた (⇒ 聴衆の中にがやがやいう人声があった) There was a「*hum* [*buzz*] of conversation in the audience. // *ざわざわして (⇒ やかましすぎて) 演説が聞こえない It's too *noisy* to hear the speech. // 風で木々の葉が*ざわざわ鳴った The leaves on the trees *rustled* in the wind.

ざわつく (騒がしい) be noisy; (木の葉などが) rustle (自); (人のせわしい動きで) bustle (自). (☞ ざわざわ). ¶彼らはまだ*ざわついている (⇒ 騒いでいる) They *are* still *making* (*a*) *noise*. / (⇒ 静まらない) They *haven't*「*quieted* [《英》 *quietened*] *down* yet.

さわむらしょう 沢村賞 Sawamura Award; (説明的には) an award given annually to the best fast-ball pitcher in the professional baseball games of that year.

ざわめき (話し声の) hum [buzz] of conversation Ⓒ; (笑いの) ripple of laughter Ⓒ.

ざわめく (騒ぐ) make (a) noise; (ぶんぶんという音・声を出す) hum (自); (つぶやく) murmur (自). (☞ ざわつく; ざわざわ). ¶部屋からは人々の*ざわめく声が伝わってきた We heard *a*「*hum* [*buzz; murmur*] *of*「*conversation* [*voices*] in the room.

さわやか 爽やか ── [形] (新鮮な) fresh; (気分を爽快にする) refreshing; (空気・天気が) crisp; (とても快い) delightful; (快適な) pleasant; (弁舌が) fluent, éloquent ★ 後者のほうが格式ばった語. (☞ すがすがしい; そうかい[1]; こころよい).

¶*さわやかな空気を胸いっぱい吸い込んだ I breathed in the「*fresh* [*crisp*; *refreshing*] air deeply. // 冷たい湖の水は*さわやかに感じられた The cool lake water was「*delightful* [*pleasant*] to (the) touch. // シャワーを浴びたら気分が*さわやかになった (⇒ シャワーが私をさわやかにした) The shower *refreshed* me. // 彼は弁舌が*さわやかだ (⇒ 雄弁だ) He is an *eloquent* speaker.

さわら[1] **鰆** 〔魚〕 Spánish máckerel Ⓒ.

さわら[2] **椹** 〔植〕 sawara cypress Ⓒ.

さわらび 早蕨 〔植〕 fresh [young] bracken sprouts.

さわり[1] **触り** (最もわくわくさせる所) the most exciting part; (最高潮の所) the high point; (通例結末に近い所にある山場) the climax ★ 以上いずれも the を付けて.

さわり[2] **障り** (害) harm Ⓤ; (悪影響) a bad effect. ¶ 彼にやらせてみても何の*さわりもなかろう There's no *harm* in letting him try. // 体に*さわりがあるようならジョギングはやめなさい Give up jogging if it has *a bad effect* upon your health.

さわる 触る, 障る **1** «触れる»: (指や手で触れる) touch ⑪; (触って感じる) feel ⑪ 《過去・過分 felt》. 《☞ ふれる[1]》. ¶ 絵に*触らないで Do not *touch* the paintings. // *触らないこと 《掲示》 *Hands Off* / Do Not *Touch* ★ 後者のほうが丁寧. // *触らぬ神にたたりなし Let sleeping dogs lie. 《ことわざ: 眠っている犬を起こすな》

2 «感情などを害する»: (傷つける) hurt *a person's* feelings; (いらいらさせる) get on *a person's* nerves; (怒らせる) offend ⑪. ¶ お気に*触ったらごめんなさい Forgive me if I*'ve* ⌈*hurt your feelings* [*offended* you].

3 «害を与える»: (傷つける) hurt ⑪; (害がある) be harmful (to …); (危険だ) be házardous (to …); (影響する) affect ⑪.

¶ 喫煙は身体に*さわる Smoking *is* ⌈*harmful* [*hazardous*] *to* (your) health. // この暑さが病人に*さわったのではないか I'm afraid this heat *has* ⌈*affected* [*been bad for*] the patient.

さわんとうしゅ 左腕投手 left-hander Ⓒ, 《略式》 southpaw Ⓒ.

さん[1] **三, 3** ── 名 形 three 語法 「第3 (番目) の」, あるいは「第3 (番目) のもの」の場合は the third. 《☞ 数字 (囲み); だいさん[1]》.

さん[2] **桟** (雨戸などの戸締まり用の) bolt Ⓒ; (障子の) frame Ⓒ. ¶ 戸の*さんは下ろしました I *have bolted* the door.

さん[3] **酸** ── 名 acid Ⓤ ★ 種類をいうときは Ⓒ; (酸類) acids. ── 形 (酸性の) acid.

さん[4] **産** ☞ おさん

さん[5] **算** (数) number Ⓒ; (計算) calculation Ⓤ; (算術) arithmetic Ⓤ. **算を乱す** ¶ 敵は*算を乱して (⇒ ちりぢりばらばらに) 逃げだした The enemy ran away ⌈*in all directions* [*in complete disorder*].

さん[6] **燦** ── 形 (光り輝いた) brilliant; (輝かしい) bright. 《☞ さんぜん》. ¶ *燦たる陽光 the *brilliant* sunshine // *燦たる未来 a *bright* future **燦として輝く** shine brilliantly. ¶ 彼の業績は日本の近代経済史に*燦として輝く His achievements *have been shining brilliantly* in the modern economic history of Japan.

-さん[1] (男性) Mr. ★ 男性の姓または姓名に付ける; (既婚の女性) Mrs., Madam(e) 《複 Mesdames /meɪdάːm/》 語法 Mrs. のほうが普通の言い方で, 既婚女性の夫の姓または姓名に付け, Mrs. (John) Smith のように言う. ただし非公式または未亡人の場合には女性の姓名に付ける; (未婚の女性) Miss; (区別なしに) Ms. /mìz/ ★ 既婚・未婚の区別を避けるときに用いる. 日英比較 英語では親しい間柄では日本語と違い, 敬称抜きで名 (first name) で呼び合うのが一般的である. 《☞ さんづけ; くんづけ; -くん》. ¶ 中田*さん, お電話です *Mr.* [*Mrs.*; *Miss*; *Ms.*] Nakada, ⌈you're wanted on the phone [(there's) *a (phone) call* for you].

-さん[2] …産 ── 名 (産物) product Ⓒ; (特に農産物) produce /prάd(j)uːs/ Ⓤ. ── 動 (生産する) produce /prəd(j)úːs/ ⑪. 《☞ さんぶつ; さんち[1]; とくさん》. ¶ これはハワイ*産です (⇒ ハワイの産物だ) This is a *product* of Hawaii. / This is *from* Hawaii. // オランダ*産のチーズはおいしい *Dutch* cheese tastes very good.

-さん[3] …山 Mount …, Mt. … ★ 山の名の前に付ける. Mt. は Mount の略. 《☞ やま》. ¶ 富士*山 *Mount* [*Mt.*] Fuji 語法 Mount のほうが普通. Mt. は地図・新聞などで用いる.

さんい 賛意 approval Ⓤ, assent Ⓤ ★ 後者のほうが格式ばった語. 《☞ さんせい[1]》. ¶ *賛意を表する give [show] *one's approval*

さんいつ 散逸 ── 動 be scattered and lost ★ 受動態で.

さんいん 産院 maternity ⌈ward [hospital; clinic] Ⓒ ★ ward は「病棟」を言う.

ざんえい 残映 (夕焼け) evening glow Ⓤ; (残照) afterglow Ⓒ; (名残) traces. ¶ 江戸の*残映 *traces* of the Edo period

さんえん 三猿 image of the see-not, hear-not, and speak-not monkeys Ⓒ 《☞ みざる》.

サンオイル (日焼け用オイル) suntan oil Ⓤ.

さんか[1] **参加** ── 動 (積極的に活動に加わる) partícipàte (in …) ⓐ, take part (in …) ★ 後者のほうが口語的; (加わる) join ⑪ ⓐ; (競技などに) enter ⑪. ── 名 participation Ⓤ. 《☞ くわわる》.

¶ あなた方の*参加は歓迎です Your *participation* is ⌈welcome [welcomed]. // 彼らはボランティア活動に*参加した They ⌈*participated* [*took part*; *joined*] *in* volunteer activities. // 次の競技に*参加の方はこちらへおいで下さい Those wishing to *enter* the next race, please come over here. // 勝敗より*参加することに意義がある What is important is not the outcome of the game but *participation*. // 彼は我々にその募金運動への*参加を呼びかけた He appealed to us to *take part in* the fund drive.

参加校 participating school Ⓒ **参加国** participating nation Ⓒ **参加者** ¶ 集会の*参加者 *participants* in a rally

さんか[2] **傘下** ── 形 (系列の) affiliated /əfílièɪtɪd/ 《☞ こがいしゃ》. ¶ 住友*傘下の会社 a ⌈company *affiliated* with [*subsidiary* of] Sumitomo // 彼はいかなる派閥の*傘下にも入らなかった He kept away from any faction. // 彼らは保守党の*傘下にある They are *under the umbrella of* the Conservative Party.

さんか[3] **酸化** ── 名 òxidátion Ⓤ, oxidization Ⓤ ★ 前者が普通. ── 動 oxidize ⑪ ⓐ. ¶ *酸化とはある物質が酸素と化合することである *Oxidation* is the combination of a substance with oxygen. **酸化アルミニウム** alúminum óxide Ⓤ **酸化剤** óxidìzer Ⓒ **酸化窒素** nitrogen oxide Ⓤ **酸化鉄** iron oxide Ⓤ **酸化銅** copper oxide Ⓤ **酸化漂白剤** oxidative bleaching agent Ⓒ **酸化物** oxide Ⓤ, oxide compound Ⓒ **酸化防止剤** àntióxidant Ⓒ.

さんか[4] **産科** ── 名 obstétrics Ⓤ. ── 形 obstetric(al). **産科医** òbstetrícian Ⓒ **産科病院** maternity hospital Ⓒ 《☞ さんいん》.

さんか[5] **賛歌** song [poem] in praise (of …) Ⓒ.

さんか[6] **惨禍** (災害) disaster Ⓒ, catastrophe /kətǽstrəfi/ Ⓒ. 《☞ さんじ[1]; さいがい; ひがい[1]》.

さんか[7] **山窩** nomadic mountain tribe Ⓒ; (説明的には) formerly, a nomadic mountain people in Japan.

さんが[1] **参賀** ── 動 go ⌈to [and] offer *one's* congratulations.

さんが[2] **山河** mountains and rivers. ¶ 故郷の*山河 the *mountains and rivers* of *one's* birthplace // 国破れて*山河あり ☞ くに 1 (用例)

サンガー ── 名 固 Margaret Sanger, 1883–1966. ★ 産児制限を提唱したアメリカの女性社会運動家.

さんかい[1] **散会** ── 動 (一定期間, 会を閉じる)

adjourn (自) (他); (閉会になる) close (自); (解散する) brèak úp (自). ── [名] adjournment [U]. (☞ かいさん). ¶委員会は5時に*散会となった The committee *adjourned* at five o'clock. // 会は混乱のうちに*散会した The meeting *broke up* in confusion.

さんかい² 参会 ── [動] (出席する) attend (a meeting) (他), be present (at …). ── [名] attendance [U]. (☞ しゅっせき).

さんかい³ 山海 ¶*山海の (⇒ あらゆる種類の) 珍味 *all kinds of* delicacies

さんかい⁴ 山塊 group [range] of mountains [C].

さんがい¹ 三階, 3階 ── [名] (米) the third ˹floor [story], (英) the second ˹floor [storey]. ── [形] (3階建ての) three-˹story [(英) storey] [A], three-˹storied [(英) storeyed]. (☞ -かい³ [語法]). ¶彼の事務所は*3階です His office is on *the third floor.* // 私の家は*3階建てです My house ˹has *three stories* [is *three-storied*].

さんがい² 惨害 (悲惨な災害) terrible disaster [C]; (災害・戦争による破壊) devastation [U].

さんがい³ 三界 (仏教で) the three-fold world; (比ゆ的に全世界) the whole world. ¶女は*三界に家なし Women have no home of their own in *the whole world.*

ざんがい 残骸 (船・飛行機などの) wreck [C]; (集合的に) wreckage [U]; (残留物) remains ★複数形で; (壊れて粉々になったもの) debris /dəbríː/ [U]. ¶船の*残骸は引き揚げられる The ˹*wreck* [*wreckage*] of the ship will be salvaged. // 飛行機の*残骸はジャングルの中で見つかった The *wreckage* of the plane was found in the jungle.

さんかいき 三回忌 ¶祖父の*三回忌 *the second anniversary* of my grandfather's *death* (☞ かいき³)

さんかく(けい) 三角(形) ── [名] trìangle [C]. ── [形] (三角(形)の) triángular.

> 三角形のいろいろ
> 正三角形 equilateral triangle, 直角三角形 right-angled triangle, (米) right triangle, 二等辺三角形 isosceles /aɪsɑ́səlìːz/ triangle, 鋭角三角形 acute(-angled) triangle, 鈍角三角形 obtuse(-angled) triangle, 不等辺三角形 scalene triangle

¶*三角形の頂点 [底辺] the ˹vertex [base] of a *triangle* ★vertex の代わりに apex でもよい. // *三角形の内角の和は180°です The sum of the angles in a *triangle* is 180 degrees.

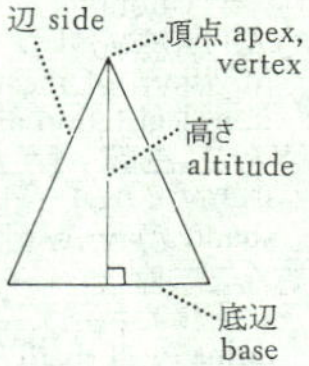

三角関係 triangular love affair [C], (love) triangle [C], eternal triangle [C] **三角関数** 〔数〕 trìgonométric(al) fúnction [C] **三角巾** triangular bandage [C] **三角定規** (米) triangle [C], (英) set-square [C] (☞ じょうぎ (挿絵)) **三角州** delta [C] **三角錐** 〔数〕 triangular pyramid [C] **三角測量** triangulation [U] **三角点** 〔測量〕 triangulation point [C]; (標石) stone triangulation marker [C] **三角法** 〔数〕 trìgonómetry [U] **三角貿易** triangular trade [U] **三角窓** (自動車の) (英) quarter ˹light [rent] [C], (米) wing [C]; (家の) triangular window [C] **三角翼** delta wing [C].

さんかく 参画 ── [動] (加わる) take part in …; (関係する) have a hand in … (☞ さんか¹; くわわる).

さんがく¹ 山岳 mountain [C] (☞ やま). ¶彼らは*山岳部員です They are members of *the* ˹*mountaineering club* [*alpine club*]. **山岳信仰** mountain worship [U] **山岳地帯** mountain(ous) district [C] **山岳仏教** mountain Buddhism [U].

さんがく² 産額 (一般的に総額) the (amount of) production; (農産物の) yield [C]; (金属・工業製品などの) output [U].

ざんがく 残額 (差引残高) balance [C]; (残金) the remainder. (☞ ざんきん). ¶銀行預金の*残額を知りたい I'd like to know ˹the *balance* in my bank account [my (*bank*) *balance*].

さんがくきょうどう 産学協同 industry-university cooperation [U].

さんがつ 三月 March (略 Mar.) ★語頭は必ず大文字. (☞ いちがつ [語法]; 時刻・日付・曜日 (囲み); 略語 (巻末)).

さんがつかくめい 三月革命 (1917年のロシアの革命) the March Revolution.

さんがにち 三箇日 the first three days of the new year.

さんかん¹ 山間 ¶*山間部 a *mountainous* /máuntənəs/ *région* // *山間の僻地 an isolated [a remote] district ˹*in* [*among*] *the mountains*

さんかん² 参観 ── [名] (訪問) visit [C]. ── [動] visit (他); (授業などを) sit in on …; (見る) see (他). (☞ けんがく¹). ¶きょうは授業*参観がある (⇒ 私たちのクラスに訪問者を持つ) We are going to have *visitors* in our class today. // 彼は私たちに授業を*参観させてくれた He ˹allowed us to [let us] *sit in on* his class. **参観者** visitor [C] **参観日** parents' ˹visiting [(class) observation] day [C].

さんかんおう 三冠王 winner of the triple crown [C]. ¶*三冠王になる win the *triple crown*

さんかんしおん 三寒四温 cycle of three cold days and four warm days [C].

さんかんば 三冠馬 Triple Crown horse [C].

さんぎ 算木 (占い用の) divining block [C].

ざんき 慚愧 ¶*慚愧に堪えない (⇒ 深く恥じる) *be* deeply *ashamed of* … (☞ はじ¹)

さんぎいん 参議院 the House of Council(l)ors. **参議院議員** member of the House of Council(l)ors [C], Council(l)or [C] (☞ ぎいん¹) **参議院議長** the President of the House of Council(l)ors.

サンキスト (商標) Sunkist ★米国 Sunkist Growers 社販売の果実・ジュース.

さんきゃく 三脚 ── [名] (写真の) tripod /tráɪpɑd/ [C]. ── [形] three-legged. ¶*三脚をここへ立てましょう Let's put the *tripod* here.

ざんぎゃく 残虐 ── [形] (残酷な) cruel; (野蛮で残忍な) brutal; (極悪非道な) atrócious. ── [名] cruelty [U]; brutality [U]; atrocity [U]. (☞ ざんこく). **残虐行為** cruelty [C]; brutality [C]; atrocity [C].

さんきゅう 産休 maternity leave [C].

サンキュー ── [感] Thank you (☞ ありがとう). **サンキューレター** thank-you letter [C] (☞ れいじょう²).

さんぎょう 産業 ── [名] industry [U]. ── [形] industrial. (☞ こうぎょう¹). ¶鉄鋼[レジャー]*産業 the ˹steel [leisure] *industry* // 漁業がこの村の主な*産業だ Fishing is the ˹main [dominant] *industry* in this village. // *産業発展の結果が環境汚染となった *Industrial* development has resulted in the spread of environmental pollution. // *産業の合理化 rationalization in *industry* // 第一[二, 三]次*産業 primary [secondary; tertiary] *industries* // 主要*産業 chief [major] *industries* // 米国労働総同盟*産

(業)別会議 the American Federation of Labor and Congress of *Industrial* Organizations《略 AFL-CIO》
産業医 occupational health physician Ⓒ 産業界 the industrial world 産業革命 the Industrial Revolution 産業基盤 industrial infrastructure Ⓒ 産業構造 industrial structure Ⓤ 産業再生機構 the Industrial Revitalization Corporation of Japan《略 IRC》 産業資本 industrial capital Ⓤ 産業スパイ industrial [corporate] spy Ⓒ 産業政策 industrial policy Ⓒ 産業廃棄物 industrial waste(s) ★しばしば複数形で. 産業排水 industrial waste water Ⓤ 産業別組合 industrial [vertical] union Ⓒ 産業用ロボット industrial robot Ⓒ 産業予備軍 industrial reserve army Ⓒ.

コロケーション

音楽産業 the music *industry* / 外食産業 the food service *industry* / 加工産業 the processing *industry* / 基幹産業 a key *industry* / コンピューター産業 the computer *industry* / 技術[知識]集約型産業 a ˹technology [knowledge]-intensive *industry* / 住宅産業 the housing *industry* / 受験産業 the entrance examination [the cram school] *industry* / 新興産業 an emerging *industry* / 成長産業 a growth *industry* / ハイテク産業 the high-tech *industry*

ざんきょう 残響 reverberation Ⓤ ★複数形では残響音を表す.《☞ よいん》.
ざんぎょう 残業 ── 名 overtime [extra] work Ⓤ. ── 動 work ˹overtime [extra hours] 自.《☞ ちょうか¹》. 残業手当 overtime pay Ⓤ《☞ てあて》.
さんぎょうこうこく 三行広告 (求人·求職等の案内広告) classified ad Ⓒ ★ad は advertisement の略.
さんぎょうち 三業地 red-light district Ⓒ; (説明的には) district where licenses were given for the businesses of restaurants, assignation houses, and geisha houses Ⓒ.
さんきょく¹ 三曲 trio of (Japanese) musical instruments (, *koto, samisen,* and *shakuhachi*) Ⓒ.
さんきょく² 三極 ── 形〔電〕tripolar. 三極委員会 the Trilateral Commission ★日米欧の民間人による非営利政策協議機関.
ざんぎり 散切り ¶*散切り頭 (⇒髪を短く刈り込んだ頭) a *cropped* head // 髪を*散切りにする have *one's* hair *cut short*《☞ かる³》.
ざんきん 残金 (後に残った金) money left over Ⓤ; (差引残高) balance Ⓒ; (借金などの残金) the remainder.《☞ さがく》.
¶これで*残金は2万円になる The *balance* after this transaction ˹will be [is] ¥20,000. // *残金はいくらですか (⇒いくら残っているか) How much *money* is *left*? // *残金を今週末までに払わなければならない I have to pay *the remainder of* ˹*my debt* [*what I owe*] by the end of this week.
さんきんこうたい 参勤交代 the alternating attendance system, the sankin-kotai system; (説明的には) the feudal system in which each daimyo was forced to maintain a permanent residence at Edo and to spend alternate periods in residence at Edo and at his fief.
サンクスギビングデー Thanksgiving (Day).
サンクチュアリー (禁猟区) sanctuary Ⓒ.
さんくつ 山窟 mountain cave Ⓒ.
サンクトペテルブルグ ── 名 固 St. Petersburg ★ロシア連邦北西部の都市.
サングラス sunglasses, dark glasses ★いずれも複数形で. 数えるときは a pair [two pairs] of ˹sunglasses [dark glasses].《☞ めがね》.
サングリア sangria Ⓤ ★赤ワインに果汁などを加えたスペインの飲み物.
サンク(ン)ガーデン (周りより一段と低い庭·沈床園) sunk(en) garden Ⓒ.
さんけ 産気 ── 動 (産気づく) begin [go into] labor, feel [have] labor pains. ── 名 (陣痛) labor (《英》labour) Ⓤ.
ざんげ 懺悔 ── 名 (罪の告白) confession Ⓒ; (後悔) penitence Ⓤ; (悔い改めること) repentance Ⓤ. ── 動 confess 自 他, make a confession (of ...).
さんけい¹ 山系 mountain system Ⓒ; (山脈) mountain range Ⓒ.《☞ さんみゃく》. ¶ヒマラヤ*山系 the Himalayas / the Himalayan *mountains*
さんけい² 参詣 ── 動 visit a ˹temple [shrine]; (礼拝に行く) go to worship at a ˹temple [shrine].《☞ さんぱい¹》. 参詣客 visitor to a ˹temple [shrine] Ⓒ.
さんけい³ 三景 ¶日本*三景 the scenic trio of Japan; (説明的には) the three most ˹beautiful views [famous beauty spots] in Japan
さんケー 3K 3D's ★英語は *d*emanding [*d*ifficult], *d*irty and *d*angerous の頭文字をとったもの.
さんげき 惨劇 (悲劇) tragedy Ⓒ; (悲劇的な出来事) tragic event Ⓒ.《☞ さんじ¹》.
さんけつ 酸欠 shortage of oxygen Ⓒ; (空気) oxygen-deficient air Ⓤ; (水) oxygen-deficient water Ⓤ.
ざんげつ 残月 a (wan) morning moon, the moon at dawn.
さんけん 散見 ── 動 (あちこちに見える) be found here and there ★「事物」が主語; (ところどころで出くわす) come across in (several) places ★「人」が主語. ¶彼の論文には誤植が*散見する Misprints *are found here and there* in his article.
ざんげん 讒言 ── 動 slander 他. ── 名 slander Ⓤ ★具体的な言葉などは Ⓒ. ── 形 slanderous.《☞ ちゅうしょう²》. ¶*讒言に陥る fall (a) victim to *a person's slander* 讒言者 slanderer Ⓒ.
さんげんしょく 三原色 three primary ˹colors [《英》colours].
さんけんぶんりつ 三権分立 the ˹separation [division] of the three powers (of administration, legislation and judicature).
さんこ 三顧 ¶*三顧の礼で迎える (⇒再三人に職に就いてくれるよう頼む) try again and again to persuade *a person* to assume the office of ...
さんご¹ 産後 ── 形 副 after ˹childbirth [delivery]《☞ おさん》. ¶*産後の肥立ちがよい[悪い] be doing ˹well [badly] *after* ˹*childbirth* [*delivery*]
さんご² 珊瑚 coral Ⓤ. 珊瑚珠 coral bead Ⓒ 珊瑚樹 coral formation Ⓒ 珊瑚礁 coral reef Ⓒ; (環礁) atoll Ⓒ 珊瑚虫 coral polyp Ⓒ.
さんこう¹ 参考 (情報を得るために見ること) reference Ⓤ ★具体的なものは Ⓒ; (情報) information Ⓤ.《☞ さんしょう¹》.
¶何かこの件の*参考になるものをお持ちですか Do you have any *references* on this topic? // この本は日本史の勉強に大いに*参考になる (⇒役に立つ) This book is very *helpful* in the study of Japanese history. // ご*参考までに (⇒あなたの情報のために) 新聞の切り抜きをお送りします For your *information*(,) I'm sending you some newspaper ˹cuttings [clippings].

参考書 (各教科の学習用の) student handbook [C]; (要点だけまとめたもの) manual [C]; (論文などで参考にした本) reference [C] **参考資料** reference 「materials [data] ★ 通例複数形で. **参考人** (宣誓しない証人) unsworn witness [C] **参考文献** references ★ 通例複数形で.

さんこう[2] 山行 hiking [trekking] through mountainous areas [U]. ¶ 立山連峰*山行 *hiking* [*walking*] *and climbing* in the Tateyama mountains

さんこう[3] 三高 three highs: high stature, high degree, high income ★ 90 年代日本の若い女性の恋人・夫の条件.

さんごう 山号 (説明的に) the title prefixed to the name of a Buddhist temple. (☞ じごう[2]).

ざんこう 残光 afterglow [U].

ざんごう 塹壕 (城の堀) moat [C]; (野戦での防御用からぼり) trench [C]. ¶ *塹壕を掘る dig a *trench*

さんごうざっし 三号雑誌 short-lived magazine [C]; magazine lasting only a few issues [C] ★ 後者は説明的な訳.

さんこうしゃごげんぎょう 三公社五現業 the former three public corporations and five government enterprises, which are partly privatized now, and became Japan Railways, NTT and so on ★ 説明的な訳.

さんこうちょう 三光鳥 〔鳥〕 black paradise flycatcher [C].

さんごく 三国 three 「countries [states]; (昔, 日本人が考えていた「世界」) Japan, China and India. **三国一** the best in the world **三国一の花嫁** a bride unparalleled by any other in Japan, China or India **三国干渉** the Triple Intervention **三国同盟** (一般に) the Triple Alliance [C]; (第二次世界大戦の日独伊の) the Tripartite Pact.

ざんこく 残酷 ── [形] (むごい) cruel ★ 最も一般的; (極悪な) atrocious ★ やや格式ばった語; (けだもののように残忍な) brutal. ── [名] cruelty [U]; brutality [U]; atrocity [U] ★ 以上のいずれも行為を表す場合は [C]. ── [副] cruelly; atrociously; brutally. (☞ むごい; かこく; むじょう[2]). ¶ 動物に*残酷なことをしてはいけない Don't be *cruel* to animals. **残酷映画** horror 「movie [film] [C].

さんごくし 三国志 (魏・呉・蜀の興亡史) *The History of the Three Kingdoms.*

さんこつ 散骨 ── [動] scatter the ashes.

ざんさ 残渣 ☞ ざんし[1]

サンサーンス ── [名] (固) Charles Camille Saint-Saëns /sænsɑ́ːns/, 1835–1921. ★ フランスの作曲家.

さんさい 山菜 edible wild grass [U], edible wild plant [C].

さんざい[1] 散在 ── [動] (点々とある) be dotted (with …); (ちりばめられている) be studded (with …) [語法] いずれも場所が主語. (☞ てんざい). ¶ 瀬戸内海には小さな島が*散在している The Inland Sea *is studded with* small islands.

さんざい[2] 散財 ¶ 彼はむだな*散財をする (⇒ 大金を浪費する) He *wastes a lot of money.* // とんだ*散財をおかけしましたね (⇒ 多くの出費をさせた) I'm sorry I'*ve put* you *to so much expense.* (☞ ろうひ)

ざんさい 残滓 ☞ ざんし[1]

さんさく 散策 ── [動] take [go for] a walk; (ぶらぶら歩く) stroll (自). (☞ さんぽ).

さんざし 〔植〕 hawthorn /hɔ́ːθɔən/ [U].

さんさしんけい 三叉神経 〔解〕 the trigeminal /traɪdʒémən(ə)l/ (nerve). **三叉神経痛** trigeminal neuralgia [U].

ざんさつ 惨殺 ── [動] murder (他) [語法] cold-bloodedly, ruthlessly などを付けて用いることがある. (☞ ぎゃくさつ (類義語)). ¶ 一家はその強盗に*惨殺された The (whole) family *was ruthlessly murdered* by the burglar.

さんざっぱら ☞ さんざん

さんざめく ── [動] (さざ波のような音をたてる) ripple. ── [名] (さざ波のような音) ripple [C]. ¶ 少女たちの*さんざめく声 a *ripple* of girls' voices

さんざる 三猿 ☞ さんえん

サンサルバドル ── [名] (固) San Salvador /sænsǽlvədɔ̀ə/ ★ 中米エルサルバドルの首都.

さんさろ 三叉路 (3 方に分かれた道路) three-forked road [C]; (3 つの道路の交差点) junction of three roads [C].

さんさん 燦燦 ¶ 太陽が*さんさんと (⇒ 明るく) 輝いていた The sun was shining 「*brightly* [*brilliantly*]. (☞ 擬声・擬態語 (囲み))

さんざん 散散 ¶ 帰りが遅かったので私は*さんざんしぼられた (⇒ たっぷりしかられた) I got a *good* scolding for coming home late. // 土砂降りの雨で私たちは*さんざんな目にあった (⇒ ひどい経験をした) We *had a hard time* (*of it*) in the downpour. // 彼は我々に*さんざん迷惑をかけた (⇒ たいへん迷惑をかけた) He has caused us *a great deal of* trouble. (☞ 擬声・擬態語 (囲み))

さんさんくど 三三九度 ¶ 新郎新婦は*三三九度の杯 (⇒ 婚礼の杯) を交わした The couple *exchanged nuptial cups.*

さんさんごご 三三五五 ¶ 彼らは*三三五五 (⇒ 2, 3 人ずつかたまって) 家路についた They went home 「in [by] *twos and threes.*

さんし 蚕糸 ☞ きいと

さんじ[1] 惨事 (突然の大災害) disaster [C]; (悲劇的な出来事) tragedy [C]. ¶ その墜落事故は史上最悪の航空*惨事になった The plane crash turned out to be the most terrible air *disaster* in history. // その*惨事は静かな山村で起きた The *tragedy* took place in a peaceful mountain village.

さんじ[2] 賛辞 (称賛) eulogy [U], praise [U] ★ いずれも言葉で表したものは [C]. 前者のほうが格式ばった語. (☞ しょうさん[1]). ¶ 彼らは彼の勇敢なる行為に*賛辞を送った They delivered a *eulogy* of his brave deed. // 私たちは彼の勤勉さに対して最大の*賛辞を惜しまない We have the highest *praise* for his diligence.

さんじ[3] 三次 ── [形] (3 番目の) the third; (3 次の・立体の) cubic; (第 3 の) 《格式》 tertiary ★ primary, secondary に対する語. (☞ さんじげん). **三次方程式** cubic equation /ɪkwéɪʒən/ [C] (☞ ほうていしき).

さんじ[4] 参事 (書記官など) sécretàry [C]; (参議・参事官など) council(l)or [C].

さんじ[5] 三時 (おやつ) (afternoon) snack [C], 《英》 teatime [U] ★ 三時ころお茶や軽食を取る休憩の時間; (農業の大切な季節) the three seasons: the spring (for sowing), the summer (for weeding), and the fall (for harvesting).

ざんし[1] 残滓 (食べ物などの) léftòvers ★ 通例複数形で; (液体の底に残るおりやかす) dregs ★ 複数形で. (☞ のこり).

ざんし[2] 惨死 ── [動] meet a 「violent [tragic] death; (殺される) be cruelly murdered. **惨死体** (切りさいなまれた死体) mangled body [C].

ざんじ 暫時 for a 「time [while] (☞ しばらく).

サンジカリスム (急進的労働組合主義) sýndicalism [U].

さんじかん 参事官 (大使館の) counselor (《英》 counsellor) [C].

さんしき 算式　numerical /n(j)uːmérɪkəl/ expréssion Ⓒ.
さんしきすみれ 三色菫 〔植〕pansy Ⓒ.
さんじげん 三次元 ― 名 three dimensions; (第3次元) the third dimension. ― 形 three-dimensional《略 3-D /θríːdíː/》.
さんしすいめい 山紫水明 (景色のよい場所) scenic spot Ⓒ; (風景の美) scenic beauty Ⓤ. ¶そこは*山紫水明の地として有名です The place is famous for its *scenic beauty*.
さんじせいげん 産児制限 (避妊) bírth contròl Ⓤ; (家族計画) fámily plánning Ⓤ.
さんしつ 散失 ☞ さんいつ
さんしゃ 三者 (関係者たち) the three parties. 三者会談 tripartite conference Ⓒ 三者三様 (人はそれぞれ異なる) Everyone is different from each other. 《☞ じゅうにんといろ》 三者凡退〔野〕three up and three down Ⓤ《☞ ぼんたい》 三者面談 (学校での) joint consultation between the teacher, the teacher's student, and the student's parent(s) Ⓒ.
さんじゃく 三尺 三尺下がって師の影を踏まず (⇒いつも先生に対しては敬意を払いなさい) Always be deferential to your teacher.
さんじゃまつり 三社祭 the Sanja Festival; (説明的には) the festival held at the Asakusa Shrine, Tokyo on May 17 and 18.
さんじゅ 傘寿 *one's* 80th birthday. ¶*傘寿を迎える reach *the age of eighty*
ざんしゅ 斬首 ― 動 behead ㊀, decapitate /dɪkǽpətèɪt/ ㊀ ★ 後者のほうが格式ばった語. ― 名 beheading Ⓤ, decapitation Ⓤ ★ 後者のほうが格式ばった語.
さんしゅう 参集 ☞ しゅうごう
さんじゅう¹ 三十, 30 ― 名 形 thirty 語法 「第30(番目)の」, あるいは「第30(番目)のもの」の場合は the thirtieth.《☞ 数字(囲み)》.
さんじゅう² 三重 ― 形 threefold, triple ★ 後者は single, double に対する語; (3列·3様·3倍) treble. ― 副 threefold; trebly.《☞ にじゅう¹ 語法》. 三重苦 triple handicap Ⓒ 三重唱〔奏〕trio /tríːoʊ/ Ⓒ 三重の塔 three-storied pagoda Ⓒ 三重母音 triphthong Ⓒ.
さんしゅうき 三周忌 ☞ さんかいき
さんじゅうごミリ 35ミリ 35ミリカメラ 35 ˹millimeter [mm] camera Ⓒ 35ミリフィルム 35 ˹millimeter [mm] film Ⓤ.
さんじゅうさんかいき 三十三回忌 ¶祖父の*三十三回忌 *the 32nd anniversary* of my grandfather's death
さんじゅうし 三銃士 *The Thrée Musketeers* /mʌ̀skətíəz/ ★ 原題は *Les Trois Mousquetaires*. デュマ(父)の大衆歴史小説.
さんじゅうねんせんそう 三十年戦争 the Thirty Years' War ★ 主にドイツ国内の宗教戦争(1618–48).
さんじゅうはちどせん 38度線 (南北朝鮮の境界) the 38th parallel.
さんじゅうろっかせん 三十六歌仙 the thirty-six master (*waka*) poets ★ 平安中期藤原公任が選んだもの.
さんじゅうろっけい 三十六計 三十六計逃げるに如かず To run away is the best thing to do when you are in trouble. / Discretion is the better part of valor.《ことわざ: 慎重さは勇気の大部分である》《☞ にげる》.
さんしゅこんごうワクチン 三種混合ワクチン three-way vaccine Ⓤ; DTP [DPT] vaccine Ⓤ ★ ジフテリア (diphtheria), 破傷風 (tetanus), 百日咳 (pertussis), の混合ワクチン.
さんしゅつ¹ 産出 ― 動 (一般的に, 生産する) produce ㊀; (特に作物などを) yield ㊀. ― 名 production Ⓤ (↔ consumption); (工業製品などのある一定時期の産出高) output Ⓒ; (特に農産物などの産出(高)) yield Ⓒ.《☞ せいさん¹》. ¶わが国では米の*産出が需要を上回る The ˹*production* [*output*] of rice exceeds the demand in our country.
さんしゅつ² 算出 ― 動 (計算する) calculate ㊀ ㊁; (複雑なものを正確に)《格式》compute ㊀ ㊁. ― 名 calculation Ⓤ;《格式》computation Ⓤ ★ いずれも「算出額」では Ⓒ.《☞ けいさん¹》.
さんじゅつ 算術 aríthmetic Ⓤ《☞ さんすう; すうがく》. 算術医 (金儲けばかり熱心な医者) greedy doctor Ⓒ 算術平均 árithmètic(al) méan Ⓒ.
さんしゅのじんぎ 三種の神器 the Three Sacred Treasures (of the Japanese Imperial House); (三種類の必需品) the three status symbols.
さんしゅゆ 山茱萸 〔植〕Japanese ˹cornel [cornelian cherry] Ⓒ.
さんじょ 賛助 ― 動 (支持する) support ㊀; (後援する) báck úp ㊀. ― 名 support Ⓤ; backing Ⓤ.《☞ えんじょ; こうえん³》. ¶有名な歌手が何人か*賛助 (⇒ゲストとして) 出演する Several famous singers will *appear as guest artists*. 賛助会員 supporting member Ⓒ.
ざんしょ 残暑 (夏の終わりの炎暑) the heat of late summer; (夏の暑さの名残) the lingering summer heat. ¶*残暑がまだ厳しい (⇒私たちはまだ厳しい残暑を経験している) We are still experiencing *the extreme heat of late summer*.
さんしょう¹ 参照 ― 動 (見る) see ㊀. ¶28ページ*参照 *See* p. 28. / *cf.* p. 28 参考 *cf.* はラテン語 confer の略で, /síːéf/ または /kəmpéə/ と読む.《☞ 略語(巻末)》 参照項目 (参照箇所) reference Ⓒ 参照文献 reference book Ⓒ ★ 百科事典などの辞·事典類.《☞ さんこう¹》.
さんしょう² 山椒 (木) Japanese pepper tree Ⓒ; (香辛料) Japanese pepper Ⓤ. ¶*山椒は小粒でもぴりりと辛い (⇒小さいものの中には大きな力を持っているものがあるからばかにできない) You cannot look down on small things because some of them may have great power. ★ 直訳的には Though the seed of a Japanese pepper tree is small, it tastes burning hot. / (⇒彼は体は小さいが頭がいい) He is *small* but smart. 山椒味噌 soybean paste [*miso*] flavored with Japanese pepper Ⓤ.
さんしょう³ 三唱 ¶万歳を*三唱する give three cheers
さんじょう¹ 三乗 ― 名 cube Ⓒ, the third power 語法 前者は3乗にしか使えないが, 後者のように power を用いると何乗にでも使える.
― 動 (3乗する) cube ㊀.《☞ 数字(囲み)》. ¶2の*3乗は8 The *cube* of 2 is 8. / 2 *cubed* is 8. / *The third power* of 2 is 8. / 2 to *the third* (*power*) is 8.
さんじょう² 惨状 (窮状) misery Ⓤ; (ひどい光景) disastrous [terrible] scene Ⓒ; (ひどい状況) dreadful [pitiable] condition Ⓒ.
さんじょう³ 山上 the top of a mountain. 山上の垂訓 the Sermon on the Mount ★ 新約聖書中の故事.
さんじょう⁴ 参上 ― 動 (訪問する) visit ㊀, pay a visit ★ 後者のほうがより改まった表現.《☞ ほうもん¹; たずねる²》.
ざんしょう 残照 afterglow Ⓒ ★ 通例単数形

て.《☞ ゆうやけ》.
さんしょううお 山椒魚 sálamànder Ⓒ.
さんじょうき 三畳紀 〖地〗the Triássic période ★ 約2億4700万年前から約2億1200万年前までの期間.
さんしょく 三食 three meals《☞ しょく[2]》. 三食昼寝付き a leisurely life with three meals and a nap ★ 説明的な訳.
さんじょく 産褥 confinement Ⓤ. ¶ *産褥につく be *confined* 産褥期 confinement Ⓒ 産褥熱 〖医〗puerperal /pjuːə́ːp(ə)rəl/ fever Ⓤ.
さんしょくすみれ 三色菫 ☞ さんしきすみれ
さんしょくぶんかい 三色分解 the three-color process.
さんじる[1] 散じる (散らばる) scatter ⓐ, disperse ⓐ ★ 後者のほうが改まった語; (浪費する) throw away ⓗ, squander ⓗ.《☞ ろうひ》.
さんじる[2] 参じる (来る) come ⓐ; (召喚されて来る) be summoned.
さんしん[1] 三振 〖野〗 ― 名 stríkeòut Ⓒ. ― 動 stríke óut ⓐ ⓗ. ¶ バッターは*三振した The batter (*was*) *struck out*. // 彼は空振りの*三振をした He *struck out* swinging. // 彼は打者3人を連続*三振にうちとった He *struck out* three batters in a row. // 松井は見逃しの*三振を喫した Matsui *was called out on strikes*.
さんしん[2] 三線 〖楽器〗snakeskin samisen (of Okinawa) Ⓒ ★ 単複同形.《☞ しゃみせん》.
さんしんせいど 三審制度 (同一事件について地裁・高裁・最高裁の3回の審理を行う制度) three-court system Ⓤ.
ざんしん 斬新 ― 形 (奇抜な) novel ★ 人を驚かせるような新しさ; (新しい) new, fresh; (独創的な) original; (型にはまらない) unconventional; (最新(式)の) up-to-date Ⓐ ★ Ⓟではハイフンを付けない. ― 名 novelty Ⓤ; originality Ⓤ. ¶ *斬新なアイディア a *novel* [an *original*] idea // *斬新なデザイン a *very* 「*original* [*unconventional*] design
さんしんとう 三親等 relative [relation] in the third degree Ⓒ《☞ にしんとう》.
さんすい[1] 山水 (陸地の風景) landscape Ⓒ; (一地方の風景全体) scenery Ⓤ. 山水画 landscape (painting) Ⓒ 山水画家 landscapist Ⓒ.
さんすい[2] 散水 ― 動 sprinkle water (over ...; on ...), sprinkle ... with water.《☞ まく[2]》. 散水車[装置] sprinkler Ⓒ 語法 芝生などの「散水機」にも用いる.
さんずい 三水 (漢字の) water radical on the left of kanji Ⓒ.
さんすう 算数 ― 名 aríthmetic Ⓤ; (数えること) counting Ⓤ. ― 形 àrithmétic(al).《☞ すうがく; 数字(囲み)》. ¶ 私は*算数に弱い I'm not good at 「*arithmetic* [*counting*]. / (⇒ 数字に向く頭を持っていない) I don't have a head for *figures*.
さんすくみ 三すくみ ― 動 (どうにも動きがとれなくなる) be at a deadlock.
サンスクリット ― 名 (古代インドの文章語) Sanskrit Ⓤ. ― 形 Sanskrit.
さんすけ 三助 male worker at a public bath who boils water and helps customers wash their backs Ⓒ ★ 説明的な訳.
さんずのかわ 三途の川 the (River) Styx.
さんする 産する (工業・鉱業製品などを生産する) produce ⓗ; (特に作物などを) yield ⓗ.《☞ さんしゅつ[1]》. ¶ その鉱山は多量の銅を*産する The mine *produces* a great deal of copper.
さんぜ 三世 (仏教で) the three temporal states of existence: the past, the present and the future.

さんせい[1] 賛成 ― 名 (同意) agreement Ⓤ (↔ disagreement); (是認) approval Ⓤ (↔ disapproval); (好意・支援) favor (《英》favour) Ⓤ; (支持) support Ⓤ. ― 動 agree (with ...; to ...; on ...) ⓐ; 《英》agree ⓗ; approve ⓗ; support ⓗ; (動議などに) second ⓗ; (...に味方する) be in favor of ...《☞ どうい[1]; しじ[1]; ふさんせい》.
¶ 私は彼の計画に*賛成した I 「*agreed* [was *agreeable*] *to* his plan. 語法 (1) 計画・申し出などに同意する場合は to を用いる. // 彼は私の考えに*賛成です He *agrees with* me. 語法 (2) 意見や考えが一致するの意では「with＋人」. // 父は私の提案に*賛成しなかった My father did not 「*approve* [give his *approval* to] my suggestion. 語法 (3) give ... to の代わりに show ... toward, express ... for などを用いてもよい. // 私はベック氏の考えに*賛成です I *am in favor of* Mr. Beck's idea. // 彼の方針に*賛成の学生はほとんどいなかった There were very few students who *supported* his policy. // 動議に*賛成する *second* a motion // その法案に対する投票は*賛成5票, 反対23票だった The vote was 5 *for* and 23 against the bill. // *賛成演説をする make [deliver] a speech *in support of* ... // *賛成多数により可決されました *The ayes* have it. ★ 議長の言葉.
賛成者 supporter Ⓒ 賛成投票 vote 「for [in favor of] ... Ⓒ; favorable vote Ⓒ.
さんせい[2] 酸性 ― 名 acidity Ⓤ. ― 形 acid, acidic. 酸性雨 acid rain Ⓤ 酸性紙 acid paper Ⓤ 酸性食品 acid foods 酸性度 acidity Ⓤ 酸性土壌 acid soil Ⓤ 酸性反応 acid reaction Ⓒ 酸性肥料 acid fertilizer Ⓤ 酸性霧 acid 「fog [mist] Ⓤ.
さんせい[3] 三世 (日系米人の) sansei Ⓒ《複 ~(s)》, third-generation Japanese-American Ⓒ 語法 一般に「三代目の世代」という意味では the third generation というが, 特定の国の日系人の場合は, たとえば「ブラジルの日系三世」なら third-generation Japanese-Brazilian Ⓒ のようにいう.
さんせいけん 参政権 suffrage Ⓤ. ¶ 婦人*参政権 female *suffrage*
さんせき 山積 ¶ 仕事が*山積していて(⇒ 山のような仕事があって) ゆっくり旅をする暇もない I have *piles of work* and have no time to go on a pleasure trip. // 問題が*山積している(⇒ 解決すべき問題がたくさんある) I *have lots of* problems to solve.
さんせだいかぞく 三世代家族 three-generation family (living together) Ⓒ《☞ せだい》.
ざんせつ 残雪 lingering [remaining] snow Ⓤ.
サンセットほうしき サンセット方式 sunset review process Ⓒ ★ 法律・事業などの期限つき方式.
さんせん[1] 参戦 ― 名 participation in [entry into] (a) war. ― 動 enter [participate in] (a) war.
さんせん[2] 三選 ― 動 be elected 「to [for] a third (consecutive) term.
さんぜん 燦然 ― 形 (明るい) bright; (まばゆいほどきらびやかな) brilliant ★ 格式ばった語. ― 副 brightly; brilliantly.《☞ かがやく; さん[6]》.
ざんぜん 嶄然 ― 形 (他に抜きん出た) outstanding; (傑出した) preeminent. ― 副 outstandingly; preeminently.
さんぜんさんご 産前産後 before and after childbirth.
さんぜんせかい 三千世界 (全世界) the entire world.
さんそ 酸素 oxygen Ⓤ《元素記号 O》. 酸素アセチレン炎 oxyacetylene /ɑ́ksiəsètəlɪn/ fláme Ⓒ 酸

素化合物 oxygen compound [C], oxide [C]　酸素吸入 oxygen inhalation [U]　酸素吸入器 oxygen ⌈inhaler [apparatus] [C]　酸素欠乏〖医〗 ── [名] hypoxia [U]. ── [形] hypoxic　酸素マスク oxygen mask [C]　酸素熔接 óxyacètylene wélding [U].

ざんそ　讒訴 ── [名] false charge (to set a trap for a person) [C].　── [動] bring a false charge against a person.

さんそう　山荘　(個人の夏向き別荘) summer house [C] ★一般的な語だが山中とは限らない; (山中の大きな別荘) mountain villa [C]; (狩猟・スキーなどのための) lodge [C]. (☞ べっそう¹).

ざんぞう　残像　áfterimage [C].

さんそうこうりゅう　三相交流　three-phase current [U].

さんぞうほうし　三蔵法師 ── [名] (固) Hsüan-tsang, Xuanzang /ʃwàːnzáːŋ/, 602–664. ★この表記は正式名「玄奘(げんじょう)」のもので, 英語では「三蔵」(San-tsang /sàːnzáːŋ/) よりこちらが普通. 中国の高僧でインドから仏典を持ち帰った.『西遊記』の中では孫悟空たちと西域を旅する人物で, その英訳では「三蔵」(三種の仏典)にあたるサンスクリット語で Tripitaka とも呼ばれる. (☞ さいゆうき).

さんぞく　山賊　bándit [C].

さんそん　山村　mountain village [C].

ざんぞん　残存 ── [動] (生き残る) survíve (他); (残る, …のままでいる) remain (自).　── [名] survival [U]. (☞ のこる; いきのこる; げんそん¹).　残存主権 remaining sovereignty [U].

サンソンずほう　サンソン図法　(地図投影法の一つ) Sanson-Flamsteed projection [U].

サンタ ── [名] (固) Sánta Clàus ★口語では Santa とも言う. (☞ サンタクロース).

サンダーバード　thunderbird [C] ★アメリカ先住民が雷鳴・電光を起こすと信じていた想像上の鳥.

さんだい　三代　(親子三代) three generations. ¶その写真には祖父, 父それに私と親子*三代が写っている The picture shows *three generations* — my grandfather, father and me.

さんだいえいようそ　三大栄養素　the three major nutriments ★たんぱく質 (protein), 脂肪 (fat), 炭水化物 (carbohydrate).

ざんだか　残高　(収支の) balance [C]; (残額) the remainder. (☞ ざんきん).　残高照合[会] account balance inquiry [C].

サンタクロース ── [名] (固) Sánta Clàus, St. Nicholas, 〈英〉 Father Christmas　[参考] Santa Claus は元来オランダ語. 米語を経て英語に入った.

さんだつ　簒奪 ── [動] usurp (他).　── [名] usurpation [U].　簒奪者 usurper [C].

サンタマリア　(イエスキリストの母) the Virgin Mary, Saint Mary ★イタリア語で Santa Maria.

サンダル　sandals ★複数形で. 数えるときは a pair [two pairs] of sandals. (☞ くつ (挿絵)).

サンタルチア ── [名] (固) Santa Lucia ★イタリア民謡の題名. 元はイタリアの港の名.

さんたん¹　惨憺 ── [形] (悲惨な) wretched /rétʃɪd/; (困窮した・みじめな) miserable; (ひどい) terrible; (ぞっとするような) horrible. (☞ ひさん¹; みじめ; くしん (苦心惨憺)).　¶私は目前の*惨たんたる光景に思わず立ちすくんだ I was transfixed ⌈at [by] *the* ⌈*terrible [horrible] sight* (in front of me). // 彼らは*惨たんたる生活を強いられた They were forced to lead a ⌈*wretched* [*miserable*] life.

さんたん²　賛嘆 ── [名] admiration [U].　── [動] (賛嘆する) admire (他).

さんたん³　三嘆 ── [動] (感心して熱心にほめる) be ⌈loud [warm] in *one's* admiration (of …).

サンタン　(日焼け) suntan [C].　サンタンオイル suntan oil [U].

さんだん¹　算段 ── [動] (どうにかこうにか…する) manage (他) (自); (工面する・やりくりする) make do. (☞ やりくり; くめん).　¶彼はどうにか*算段してその金を作った He *has* somehow *managed to* scrape together the sum. // 彼女は少ない収入でどうにかやりくり*算段をしている (⇒ 収支を合わせようとしている) She *is trying to make ends meet* on a small income.

さんだん²　散弾　shot [C]; (空気銃などの) slug [C]. (☞ たま³ (挿絵)).　散弾銃 shotgun [C].

さんだん³　三段　¶*三段構え a *threefold* defense // *3 段式ロケット a *three-stage* rocket // *3段抜きの記事 a *three-column* article

さんたんげん　三単現　〖文法〗 third person singular present form [C] ★「三人称単数現在形」の略.

さんだんとび　三段跳び　the triple jump; the hop, step, and jump ★いずれも the を付けて.　三段跳び選手 triple jumper [C].

さんだんろんぽう　三段論法 ── [名] sýllogìsm [C].　── [形] sỳllogístic.

さんち¹　産地　¶愛媛はみかんの*産地として (⇒ みかんの栽培で) 有名です Ehime is famous ⌈*for its cultivation of* mandarins [(⇒ みかんを栽培する地域として) as a mandarin-*growing district*].　[語法] 青果物などには production は使えない. (☞ -さん²)　産地直送 ── [形] (農場・飼育場から直送の) direct from the farm ★ farm は農場だけでなく動物・魚類の飼育場もいう.

さんち²　山地　mountain(ous) ⌈district [region] [C]; (高地) highlands ★主に複数形で.

サンチアゴ ── [名] (固) Santiago /sæ̀ntiáːgoʊ/ ★チリの首都.

サンチーム　(スイスなどの貨幣単位) centime /sáːntiːm/ [C].

さんちゃんのうぎょう　三ちゃん農業　mom-grandpa-grandma farming [U]; (説明的には) farming carried on by mom, granny and grandpa (while dad is working at other jobs) [U].

さんちゅう　山中　¶*山中をさまよう wander *in the mountains*

さんちょう　山頂　mountaintop [C], top [summit] of a mountain [C] ★[　] 内のほうが格式ばった語. (☞ ちょうじょう; やま (挿絵)).

さんちょく　産直　☞ さんち¹ (産地直送)

サンチョパンサ ── [名] (固) Sancho Panza /sæ̀ntʃoʊ pǽnzə/ ★セルバンテスの小説『ドン・キホーテ』の作中人物.

さんづけ　さん付け ── [動] (丁寧な言葉づかいをする) speak in respectful terms (☞ -さん¹; くんづけ).

さんてい　算定 ── [動] (計算する) calculate (他); (見積もる) estimate (他).　── [名] calculation [U]; estimation [U]. (☞ けいさん¹).

ざんてい　暫定 ── [形] (一定期間の) interim; (過渡期の) transitional; (一時的な) provisional. (☞ かり¹).　暫定協定 provisional agreement [C]　暫定政権 interim [transitional] government [C]　暫定予算 provisional budget [C].

さんディーケー　3 DK　3-room ⌈apartment [dwelling] with a ⌈kitchen with a dining area [kitchen-cum-dinette] [C].

サンディエゴ ── [名] (固) San Diego ★カリフォルニア州南部の港湾都市.

サンデー¹　(日曜日) Sunday [C].

サンデー²　sundae /sʌ́ndi/ [C].　¶チョコレート*サンデー a chocolate *sundae*

サンテグジュペリ ── [名] (固) Antoine de Saint-Exupéry /sæntègz(j)uperíː/, 1900–44. ★フランス

の作家. ★ Exupéry の ´ は綴り本来のもの.
サンデッキ sun deck Ⓒ.
さんてんしじ 三点支持 〖登山〗(三点支持の原則) the three point rule.
さんど¹ 三度 ―副 (3回) three times, thrice ★ 後者は文語的. ―形 (3回目の) (the) third. (☞ ど; -かい¹). ¶ 彼は*三度の飯より仕事が好きだ (⇒ 完全な仕事中毒だ) He is a complete workaholic. **三度目の正直** The third time (is) lucky. / The third time is the charm.
さんど² 酸度 acidity Ⓤ.
サンド¹ (サンドイッチ) sandwich /sǽn(d)wɪtʃ/ Ⓒ 日英比較 サンドは和製英語. ¶ ハム*サンド a ham *sandwich*
サンド² (砂) sand Ⓤ.
ざんど 残土 leftover [surplus] soil Ⓤ.
サンドイッチ sandwich Ⓒ 語法 ひと重ね全部, すなわち一人分を a sandwich という. 3 枚のパンを使った 2 段重ねのものは double-decker Ⓒ, (米) club sandwich Ⓒ という. ¶ トマトときゅうりの*サンドイッチ a tomato and cucumber *sandwich* **サンドイッチシステム** sandwich system Ⓒ ★ イギリスの教育制度で, 学習と現場学習とを一定期間交代に繰り返すこと. **サンドイッチマン** sandwich man Ⓒ.
さんとう 三等 ―名 (競技などで) the third prize; (第三位) (the) third place; (乗り物で) third class. ―形 (三流の) third-rate; (劣っている) inferior. **三等親** ☞ さんしんとう **三等星** star of the third magnitude Ⓒ **三等品** third-rate goods.
さんどう¹ 賛同 ―動 (是認する) approve (of ...) 他 自; (同意する) consént (to ...) 自. ―名 approval Ⓤ; consént Ⓤ. (☞ さんせい¹; どうい¹). ¶ 我々はこの案について彼の*賛同を得ました We obtained his *approval* ⌈of [on] this plan. / We obtained his *consent* to this plan.
さんどう² 参道 the approach (to a shrine).
さんどう³ 山道 mountain path Ⓒ, mountain track Ⓒ, mountain trail Ⓒ ★ 後のものほど細い.
ざんとう 残党 (残存者) the remnants ★ 複数形で; (難を逃れて他所に移った人) refugee /rèfjudʒíː/ Ⓒ. ¶ 平家の*残党 *refugees* from the *Taira* clan
サンドウエッジ (ゴルフのクラブ) sand wedge Ⓒ.
さんとうさい 山東菜 〖植〗 Shantung cabbage Ⓒ.
さんとうせいじ 三頭政治 triumvirate /traɪʌ́mvərət/ Ⓒ.
さんとうぶん 三等分 ―動 divide ... into three (equal) parts; 〖数〗 trisect (an angle). ―名 trisection Ⓤ. (☞ とうぶん³).
サンドスキー sand skiing Ⓤ.
サンドストーム sandstorm Ⓒ.
サントドミンゴ ―名 固 Sánto Domíngo ★ 中米ドミニカ共和国の首都.
サントニン (回虫駆除薬) sántonin Ⓤ.
サンドパイル 〖土〗(砂ぐい) sand pile Ⓒ.
サンドバギー (砂丘[浜]用自動車) dune [beach] buggy Ⓒ.
サンドバッグ (砂袋) sandbag Ⓒ; 〖ボク〗(米) punching [heavy] bag Ⓒ.
サンドペーパー ―名 sandpaper Ⓤ. ―動 (サンドペーパーで磨く) sandpaper 他.
サントメプリンシペ ―名 固 São Tomé and Príncipe /sàuntəméɪ ən prínsəpi/; (正式名; サントメプリンシペ民主共和国) the Democratic Republic of São Tomé and Príncipe ★ 西アフリカギニア湾内のサントメ島とプリンシペ島などからなる国.
サントラ soundtrack Ⓒ. ¶ この映画の*サントラ盤をもってるよ I have the (original) *soundtrack* of this film.
さんにゅう¹ 算入 ―動 add 他 (☞ くわえる¹).
さんにゅう² 参入 ―動 enter into ... ―名 entry Ⓤ. ¶ 英国のヨーロッパ共同体への*参入 Great Britain's *entry into* the European Community // 外国の会社の日本市場への*参入を阻む prevent ⌈foreign companies from *entering into* [foreign companies' *access to*] the Japanese market
ざんにょう 残尿 residual urine Ⓤ. **残尿感** sensation of residual urine Ⓤ.
さんにん 三人 ¶ *三人寄れば文殊(もんじゅ)の知恵 Two heads are better than one. (ことわざ: 二つの頭は一つより良い) **三人官女** the three ladies-in-waiting (of the doll-festival) **三人組** trio Ⓒ. ¶ *三人組の強盗 a *trio* of robbers / a gang of *three* robbers **三人三様** (⇒ 人の数があるだけ心の数がある) So many men, so many minds.
ざんにん 残忍 ―形 (残酷な) cruel ★ 最も一般的; (非人間的な) inhuman; (血も涙もない) cold-blooded; (野蛮な) brutal. ―名 cruelty Ⓤ; brutality Ⓤ. (☞ ざんこく; れいこく).
さんにんしょう 三人称 〖文法〗 the third person.
ざんねん 残念 ―動 be sorry (for ...; about ...; to ...; that ...); regret 他; (格式) repent (of ...) 自 他. ―形 sorry Ⓟ; regrettable; repentant; (遺憾な) unfortunate.
【類義語】 不幸・不運などについて悲しい感情を表す一般的で口語的な語は ***sorry***. 特に後悔の気持ちやどうにもならないことに対する残念さを表すのは ***regret***. 悔い改める気持ちを含む格式ばった語は ***repent***. (☞ がっかり; しつぼう)
¶ きのうはお目にかかれなくて*残念でした I'*m sorry* (*that*) I couldn't see you yesterday. // 「試験はだめでした」「それは*残念でしたね」"I failed the exam." "*That's too bad.*" // *残念ながら出席できません *To my* (*deep*) *regret*, [*I regret to say*; *Unfortunately*; *I'm sorry to say*; *I'm afraid*] I will be unable to attend. ★ 最初の表現は格式ばっており, [ ] 内は順にくだけた言い方となる. // 勉強を十分にしなかったことを*残念がってももう遅い It's too late for you to *repent for* not having studied enough. **残念賞** consolation prize Ⓒ **残念無念** What a shame!
さんねんせい 三年生 (小学校の) (米) third grader Ⓒ 語法 日本の場合は third-year ⌈student [pupil] Ⓒ でもよい; (中学校の) (米) 9th grader Ⓒ; (4 年制大学の) junior Ⓒ; (3 年制高校の) senior Ⓒ. (☞ 学校・教育 (囲み)).
¶ 私は高校[中学]*3 年生です I am ⌈in my *third year* [a *third-year student*] in ⌈senior [junior] high school. // 彼は大学 *3 年生のとき重病を患った He became seriously ill when he was a *junior*.
さんのとり 三の酉 the third Cock Fair held at the Otori Shrine, Tokyo in November (☞ とり²).
さんば 産婆 midwife Ⓒ (複 -wives).
産婆役 ¶ 彼はこのプロジェクト推進にあたって*産婆役をつとめた (⇒ 世に出すためにたゆみなく働いた) He worked tirelessly to bring this project into this world.
サンバ samba Ⓒ.
サンバーン (炎症を起こすような日焼け) sunburn Ⓤ (☞ サンタン).
さんばい 三倍 three times (☞ ばい). ¶ 5 の *3 倍は 15 である *Three times* five is fifteen. // 彼は私より *3 倍も多くの本を持っている He has *three*

times as many books as I (⌈do [have]). // 彼らの人数は私たちより*3倍も多い There are *three times* as many of them (than us).

さんぱい¹ 参拝 ── 動 visit a ⌈temple [shrine]; (儀式などに従って礼拝する) worship (at a ⌈shrine [temple]) 自.

さんぱい² 酸敗 ── 名 acidification U, rancidification U. ── 動 acidify 自, rancidify 自.

ざんぱい 惨敗 ── 動 (完全に負かされる) be thoroughly beaten; (粉砕される) be crushed; (圧倒的に敗北する) be defeated overwhelmingly. ── 名 crushing [disastrous] defeat C. (☞ かんぱい³; まける). ¶我々のチームは再び*惨敗を喫した Our team *was* again ⌈thoroughly *beaten* [*defeated overwhelmingly*; *crushed*].

さんぱいきゅうはい 三拝九拝 ¶*三拝九拝して彼から金を借りた I had to *get down on my knees* to beg money from him.

サンバイザー sun visor C.

さんばいず 三杯酢 dressing of ⌈sugar [*mirin*], soy sauce and vinegar U. ¶*三杯酢にする flavor ... with *sugar, soy sauce and vinegar*

サンパウロ ── 名 固 São Paulo /sàumpáulu:/ ★ ブラジル南部の都市.

さんばがらす 三羽烏 (3人1組) trio C. ¶漱石門下の*三羽烏 (⇒ 特にすぐれた3人) the three distinguished ⌈disciples [students] of Soseki

さんぱくがん 三白眼 (凶相) very spiteful look C; (説明的には) eye with the pupil rolled up showing the white of the eye below the pupil and on both sides C.

さんばし 桟橋 (海に突き出た船の発着・遊歩用の) pier C; (港・河の船着き場) wharf C (複 wharves, ~s); (やや小規模な岸壁) quay /kí:/ C; (浮き桟橋) landing stage C. (☞ はとば). ¶間もなく船は*桟橋に横付けになった Soon the ship came alongside the *pier*.

さんぱつ¹ 散髪 ── 動 get [have] a haircut; (髪を切ってもらう) have *one's* hair cut. ── 名 haircut C; (髪を整えること) hairdressing U. ¶きのう*散髪した I ⌈*got* [*had*] *a haircut* yesterday. / I *had my hair cut* yesterday. ★ 第1文のほうが口語的. // 15分で*散髪してもらえますか Can you *give* me *a haircut* in fifteen minutes?

さんぱつ² 散発 ── 形 (時々起こる) sporadic. ── 副 sporadically.

ざんばらがみ ざんばら髪 wildly ⌈disheveled [disordered] hair U.

さんばん 三ばん the three *ban*'s: *jiban, kanban* and *kaban*; (説明的には) the three essentials for getting into politics: *jiban* (constituency), *kanban* (reputation) and *kaban* (campaign chest).

ざんぱん 残飯 (飲食物の残り物) leftovers ★ 複数形で. ¶彼女は*残飯をごみ箱に投げ捨てた She dumped the ⌈*leftover food* [*leftovers*] in the garbage can.

さんはんきかん 三半規管 three semicircular canals ★ 複数形で.

さんび¹ 賛美 ── 名 (称賛) praise U; ((神の) 栄光をたたえること) glorification U. ── 動 praise 他; glorify 他; ((神を) あがめる・崇拝する) adore 他. (☞ しょうさん¹). **賛美歌** hymn /hím/ C; (賛美歌集) hymnal /hímn(ə)l/ C.

さんび² 酸鼻 ── 形 (恐るべき) horrifying; (ぞっとするような) appalling; (いたましい) pitiable; (吐き気を催させるような) nauseating. ¶*酸鼻をきわめた光景だった It was an extremely ⌈*nauseating* [*appalling*] sight.

さんぴ 賛否 ── 名 (承認か否認) appróval or disappròval U; (決議の諾否) yes or no; (賛否両論) pros and cons ★ やや文語的. ── 副 (賛否両様に) pro and con. (☞ さんせい¹; ふさんせい). ¶議長は議案に対する*賛否を問うた (⇒ 議案を票決に付した) The chairman *put* the bill *to a vote*. // 彼らは提案に関する*賛否の意見を述べた They argued ⌈the proposal *pro and con* [*for and against* the proposal]. // *賛否両論に耳を傾ける listen to ⌈the arguments *for and against* [*the pros and cons* of] a matter

ザンビア ── 名 固 Zambia; (正式名; ザンビア共和国) the Republic of Zambia ★ アフリカ南部の英連邦加盟国. ── 形 Zambian. **ザンビア人** Zambian C.

サンピエトロだいせいどう サンピエトロ大聖堂 ── 名 固 St. Péter's (Basílica) ★ バチカン市にあるローマカトリックの総本山.

さんびゃく 三百, 300 ── 名 形 three hundred
語法 「第300 (番目) の」あるいは「第300 (番目) のもの」の場合は the three hundredth. (☞ 数字 (囲み); ひゃく). **三百代言** pettifogger C; (米略式) shyster C (☞ きべん). **三百年記念祭** tèrcenténary C, tèrcenténnial C.

さんぴょう 散票 scattered votes ★ 複数形で.

さんびょうし 三拍子 **1** «音楽»: triple time U. ¶この曲は*三拍子だ This tune is in *triple time*. **2** «重要な3条件» ¶彼は走・攻・守の*3拍子そろった野球選手だ He is an ⌈*all-(a)round* [*ideal*] baseball player with perfect fielding, batting, and (base) running.

さんぴん 産品 product C.

ざんぴん 残品 (残りの在庫) the remaining stock(s); (売れ残り) unsold goods ★ 複数形で.

さんぶ 三部 three parts. **三部合唱[合奏]** chorus [ensemble] in three parts C, three-part ⌈chorus [ensemble] C **三部作** trilogy C.

さんぷ 散布 ── 動 (まき散らす) scatter 他; (水・砂などを) sprinkle 他; (粉を) dust 他; (霧状にして) spray 他. ¶いま殺虫剤を*散布しているところです Now I'*m* ⌈*dusting* [*sprinkling*] the plants with insecticide. **散布器** sprayer C **散布剤** (傷の消毒用) dusting powder U; (殺虫用) insecticide spray C.

ざんぶ¹ with a splash (☞ ざぶん; 擬声・擬態語 (囲み)).

ざんぶ² 残部 the remainder; (本などの残りの部数) copies (of the book) in stock. (☞ のこり). ¶*残部僅少 Only a few copies *in stock*.

さんぷく 山腹 mountainside C, hillside C. (☞ ちゅうふく).

さんふじんか 産婦人科 obstetrics /əbstétrɪks/ and gynecology /gàɪnəkálədʒi/ U (☞ さんか⁴). **産婦人科医** (産科医) obstetrician C; (婦人科医) gynecologist C; (両者を合わせて) obstetrician (and) gynecologist (略 ob-gyn) C.

さんぶつ 産物 (天然の産物または製品) product C; (特に農産物) produce /prád(j)u:s/ U; (結果・成果) result C, óutcòme C ★ 後者のほうが意味が軽い.
¶みかんがこの地の主要*産物です Tangerines are the ⌈main [staple] ⌈*produce* [*products*; *crop*] of this district. // この小さな機械が私の長年の研究の*産物です This small machine is the ⌈*result* [*outcome*] of my long years of research.

サンフランシスコ ── 名 固 San Francisco ★ アメリカ西海岸の都市. **サンフランシスコ講和条約** the San Francisco Peace Treaty.

サンプリング (標本抽出) sampling U ★ 抽出された見本品などは C.

サンプル sample Ⓒ 日英比較 日本語では「サンプル」を「実例」の意で使うことがあるが, 英語の sample は「見本」「標本」の意で,「実例」の意では example を使う.《☞ みほん》.

さんぶん[1] **三分** ―動 divide ... into three (parts);〖数〗(3 で割る) divide ... by three; (3 (等)分する) trisect ⑯. ―名 trisection Ⓤ.《☞ 数字 (囲み)》. ¶私たちの約*3 分の 2 の人は行くだろう About *two-thirds* of us will probably go.

さんぶん[2] **散文** ―名 prose Ⓤ (↔ verse); (散文の書き物) prose writing Ⓤ. ―形 prosaic /prouzéɪɪk/. **散文詩** (個々の詩) prose poem Ⓒ; (全体) prose poetry Ⓤ.

さんぺいじる 三平汁 'sanpei' soup Ⓤ; (説明的には) soup, peculiar to Hokkaido, with salted salmon and vegetables Ⓤ.

サンベルト the Sunbelt ★ 米国南部の東西にのびる温暖地帯.

ざんぺん 残片 remnant Ⓒ.

サンボ (格闘技) sambo Ⓤ.

さんぽ 散歩 ―動 take [go for] a walk; (ぶらぶら歩く) stroll ⓐ, take a stroll. ―名 walk Ⓒ; stroll Ⓒ; (遊歩)《格式》pròmenáde Ⓒ. ¶少し*散歩しましょう Let's ˹*take* [*go* (*out*) *for*] *a walk*. // 私は毎朝公園を*散歩します I ˹*take* [*go for*] *a walk* in the park every morning. // 犬を*散歩に連れていかなくてはならない I must *walk* my dog. ★ この walk は ⑯. / I must *take* my dog *for a walk*. // 朝の*散歩中に彼を見かけた I saw him on my morning *walk*.

さんぼう[1] **参謀** (軍の) the staff ★ 総称; (個人) staff officer Ⓒ. **参謀(総)長** the Chief of Staff ★ the を付けて. **(統合)参謀本部** the Joint Chiefs of Staff ★ the を付けて.

さんぼう[2] **三方** **1** 《方向》: on three sides《☞ しほう[1]》. **2** 《神具》: small wooden stand on which to place offerings to the gods ★ 説明的な訳.

サンホセ ―名 ⓖ San Jose /sæ̀nəzéɪ/ ★ コスタリカの首都.

さんま 秋刀魚 〖魚〗(Pacific) saury /sɔ́:ri/ Ⓒ.

さんまい 三枚 ―動 (魚を三枚におろす) fillet a fish into two fillets and the bones, slice a fish into three pieces.《☞ -まい[1]; にまいおろし; おろす[1] 6》.

-さんまい …産米 ¶秋田*産米 *rice produced in* Akita / Akita rice

ざんまい 三昧 ¶読書*三昧に (⇒ 読書に没頭して) 暮らしています I spend my days ˹*absorbed in* reading [(⇒ 本を熟読して) *poring over* my books; (⇒ 本とともに) *with* books]. // 彼女はぜいたく*三昧に (⇒ 安楽[ぜいたく]に) 育った She has been raised *in* ˹*clover* [*luxury*]. ★ in clover は口語的.

さんまいめ 三枚目 comedian, comic ˹actor [actress] Ⓒ, clown Ⓒ.

サンマリノ ―名 ⓖ (国名・またその首都) San Marino /sà:nmərí:nou/; (正式国名; サンマリノ共和国) the Republic of San Marino ★ イタリア半島中東部の内陸国. ―形 Sàn Marinese /mæ̀rəní:z/. **サンマリノ人** San Marinese Ⓒ.

サンマルコだいせいどう サンマルコ大聖堂 ―名 ⓖ (ベネチアの) St. Mark's (Basilica) ★ Basilica は特権を与えられた聖堂.

さんまん 散漫 ―形 (落ち着きのない・おっちょこちょいの)《略式》scatterbrained; (気を散らした) distracted. ¶疲労で注意力が*散漫になっていた My attention *was distracted* by fatigue. / (⇒ 集中できなかった) I could not *concentrate* because I was tired.

さんみ 酸味 ―名 (酸性) acidity Ⓤ; (すっぱさ) sourness Ⓤ. ―形 sour; acid (↔ alkaline).《☞ すっぱい》.

さんみいったい 三位一体 〖キ教〗the Trinity. **三位一体論者** Trinitarian /trɪ̀nətéː(ə)riən/ Ⓒ.

さんみゃく 山脈 mountain ˹range [chain] Ⓒ. ¶ロッキー*山脈 *the* Rocky *Mountains*《☞ 冠詞 (巻末)》

ざんむ 残務 remaining [unfinished] business Ⓤ. ¶*残務を整理する settle [clear up] the *remaining business* / 《倒産した会社の》*liquidate* a company

さんめんきじ 三面記事 (新聞などの)《米》city [《英》local] news Ⓤ; (社会のニュース) social news Ⓤ; (ゴシップ欄) gossip column Ⓒ.

さんめんきょう 三面鏡 three-sided [triple] mirror Ⓒ.

さんもうさく 三毛作 three crops a year.

サンモリッツ ―名 ⓖ St. Moritz /mərɪ́ts/ ★ スイス南東部の観光・保養地, ウィンタースポーツの中心地. ドイツ語名 Sankt Moritz.

さんもん[1] **山門** temple gate Ⓒ.

さんもん[2] **三文** **三文小説** cheap novel Ⓒ,《米》dime novel Ⓒ **三文判** ready-made seal Ⓒ **三文文士** hack Ⓒ **三文の価値もない** not worth a ˹penny [fig, button]《☞ にそくさんもん》.

さんや 山野 fields and mountains.

さんやく[1] **三役** (相撲) the three highest ranks in sumo except *yokozuna*; the sumo wrestlers of the three highest ranks except *yokozuna* ★ いずれも説明的な訳; (幹部) the three key officials.

さんやく[2] **散薬** powder Ⓤ, powdered medicine Ⓤ ★ 薬の種類あるいは散薬 1 回分は Ⓒ.《☞ くすり》.

さんゆこく 産油国 oil-[petroleum-]producing country Ⓒ.

さんよ 参与 ―名 (役名) council(l)or Ⓒ. ―動 (参画する) partícipàte (in ...) ⓐ.

ざんよ 残余 ―名 (残り・残部) the remainder; (残留物) the résidùe; (列挙したり言及したりした物以外の物) the rest. ―形 remaining; resíduàry, resídual.《☞ のこり; あまり[1]》.

さんよう 山容 the ˹shape [figure] of a mountain.

さんようすうじ 算用数字 Árabic ˹númerals [figures]《☞ すうじ[1] (類義語)》.

さんようちゅう 三葉虫 trilobite /tráɪləbàɪt/ Ⓒ.

さんらん[1] **散乱** ―動 (各所に) be scattered (around [about])《☞ ちらかる; ちらばる》. ¶新聞紙や雑誌が部屋一面に*散乱していた Newspapers and magazines *were scattered* ˹*around* [*about*] all over the room.

さんらん[2] **産卵** ―動 lay eggs; (魚介が) spawn ⑯ ⓐ. **産卵管** ovipositor Ⓒ **産卵期** breeding [spawning] season Ⓒ.

さんらん[3] **燦爛** ―形 (光り輝く) brilliant; (まばゆいばかりの) dazzling. ―副 brilliantly; dazzlingly.

さんりゅう 三流 ―形 third-˹rate [class; grade] 語法 ほぼ同意だが class や grade ははっきりと決まった等級を表すことが多い.《☞ いちりゅう; かいきゅう[1]》. ¶これは*三流のホテルで, 安いがよくはない This is a *third-class* hotel, which means cheap but not good.

ざんりゅう 残留 ―動 (そのまま居続ける) remain ⓐ; (後に残る) stay behind ⓐ.《☞ とどまる (類義語); のこる》. ¶中国*残留日本人孤児 war-displaced Japanese in China **残留組** remaining

さ

group Ⓒ 残留磁気 residual magnetism Ⓤ 残留農薬 residual agricultural chemicals 残留部隊 remaining forces.

さんりん 山林 forest Ⓒ; (山林のある土地) forest land Ⓤ; (森林地帯) woodland Ⓤ.

さんりんしゃ 三輪車 tricycle Ⓒ.

さんるい 三塁 third (base) Ⓤ. 三塁手 third baseman Ⓒ, third (base) Ⓒ 三塁打 three-base hit Ⓒ, triple Ⓒ.

ざんるい 残塁 ¶走者は1塁に*残塁に終わった The runner *was* ⌈*left* [*stranded*] *on first base.* 《☞ いちるい》

サンルーフ (開閉できる自動車の屋根) sunroof Ⓒ.

サンルーム (日当たりの良い広いガラス張りの部屋) 《米》 sun parlor Ⓒ, sunroom Ⓒ, sun porch Ⓒ, 《英》 sun lounge Ⓒ.

さんれつ 参列 ━動 (出席する) attend ㊀, be present (at ...) ★ 後者のほうが口語的; (参加する) partícipàte (in ...) ㊀. ━名 attendance Ⓤ ★ 参列者の意味では Ⓒ 《☞ 用例》. また attendee Ⓒ, attender Ⓒ のほか, 文脈によっては会葬者 《☞ かいそう³》, 客 《☞ きゃく¹ 1》 などを使うことも可能; presence Ⓤ; participation Ⓤ. 《☞ しゅっせき (出席者); さんか¹ (参加者)》. ¶明日の式典には*参列します I'll ⌈*attend* [*be present at*] the ceremony tomorrow. // *参列者は非常に多かった (⇒ 大変多くの参列者があった) There was a very large *attendance.* / There were a lot of *attendees.* / (⇒ 多くの人が出席した) A great many people *were present.*

サンレモ ━名 ㊀ San Remo /sɑ:n réɪmoʊ/ ★ イタリア北部の観光都市. サンレモ音楽祭 the San Remo Music Festival.

さんれんぷ 三連符 〘楽〙 triplet Ⓒ.

サンローラン ☞ イブ サンローラン

さんろく 山麓 the ⌈foot [base] of a mountain 《☞ ふもと》.

し, シ

し[1] 市 city [C]; (都市) town [C] [参考] 《米》では重要な town を州の許可によって city と呼ぶ. 《英》では国王から特に許可を得た town を city と呼び, しばしば大聖堂 (cathedral) を持つ. 《略式》では city の資格があっても town と呼ぶことがある. (☞ しない[1]; しえい[1]; しりつ[1]). ¶ 鎌倉*市 the city of Kamakura [語法] Kamakura City でもよいが, 英語では New York City のように名前の一部となっている場合を除いてこのような言い方はしない. **市当局** the munícipal góvernment **市役所** ☞ 見出し

し[2] 死 death [U] (☞ しぬ (類義語); しぼう[2]). ¶ 不注意が彼の*死を招いた Carelessness caused his death. // 人は*死を免れ得ない (⇒ 死すべきもの) Man is mortal. // 彼は危うく*死を免れた He narrowly escaped death. / (⇒ もうちょっとで死ぬところだった) He was almost killed. // 我々は*死を恐れる We are afraid of ˹death [dying]. // 彼は*死に直面していた He was face to face with death. // *死を賭す stake one's life on … // *死の灰 ☞ 見出し
死一等を減じる 〖法〗 commute the death sentence by one degree. **死を賜る** (切腹を命ぜられる) be ordered to ˹commit harakiri [disembowel oneself] ★ [ ] 内は説明的な訳. **死を賭す** risk death. ¶ *死を賭して at the risk of ˹dying [death]

コロケーション

死に向かう be near death // うまく死を免れる cheat death / 死を悼む mourn [lament] a person's death / 死を受け入れる accept death / 死を恐れる fear death / 死を早める hasten [quicken] one's death / 死をものともしない defy death // 苦しまない死 a painless death / 原因不明の死 an obscure death / 静かな死 a ˹calm [tranquil] death / 即死 an instant death / 血なまぐさい死 a bloody death / 突然死 a sudden death / 早すぎた死 an untimely [a premature] death / ひき逃げによる死 a hit-and-run death / 悲劇的な死 a tragic death / 不慮の死 an unexpected death / 法律上の死 a civil death / 惨めな死 a ˹miserable [dog's] death / 安らかな死 a peaceful death

し[3] 詩 ―[名] (一編の詩) poem [C]; (文学形式の一分野としての) poetry [U]; (散文に対しての韻文) verse [U]; (詩の一行) line [C]. ―[形] (詩[について]の・詩的な) poétic; (詩で書かれた) poétical [A]. (☞ しじん[1]; ししゅう[2]). ¶ 私もかつては*詩を書いた I once ˹wrote [composed] ˹poems [poetry]. // *詩を暗記する memorize a poem // *詩を朗読する recite a poem

し[4] 四, 4 ―[名][形] four [語法] 「第4(番目)の」あるいは「第4(番目)のもの」の場合は the fourth. (☞ 数字 (囲み)). **四の五の言う** ☞ しのごの

し[5] 史 (歴史) history [U] ★「史書」の意では [C]. (☞ れきし[1]). ¶ 近代[中世]*史 modern [medieval] history

し[6] 師 teacher [C] (☞ せんせい[1]).

し[7] 士 1 《武士》: samurai [C]. 2 《人》: person [C]. ¶ 同好の*士 persons who share the same interest

し[8] 氏 1 《敬称》: (男性の) Mr.; (女性の) Ms., Mrs., Miss. [参考] 遠慮を置く間柄で, 男の姓または姓名には Mr., 女性は既婚者には Mrs., 未婚者には Miss, 区分を示さないときは Ms. (☞ -さん[1]). ¶ 田中*氏 Mr. Tanaka 2 《氏族》: family [C], clan [C]. ¶ 平*氏 the Taira ˹family [clan]

し[9] 指 finger [C] (☞ じっし[3]; ごし; くっし).

シ 〖楽〗 ti /tíː/ [U].

じ[1] 字 (書いたり印刷するときに用いる文字) character [C] ★「漢字」などはこれを用いる; (アルファベットの文字) letter [C]; (筆跡) hand [C]; (活字) type [U]. (☞ もじ; ひっせき).
¶ お父さん, この*字はなんて読むの Dad, how do you read this character? // 彼女は*字がうまい[下手だ] Her handwriting is ˹good [bad]. // 彼は2歳の時にもう*字が読めた[書けた] He could ˹read [write] when he was only two. // その手紙は女の*字だった The letter was written in a woman's hand. // この本は*字が大きい This book is printed in large type. // もっと*字をきれいに書きなさい Write more ˹clearly [neatly]. // 彼女の*字は読めない Her handwriting is ˹hard to read [hardly legible].

じ[2] 地 1 《素地》: báckgròund [C]. ¶ 赤い*地に白い花のデザイン a design of a white flower on a red background 2 《本性》: one's real character (☞ ほんしょう[1]; じがね). 3 《囲碁の》: captured territory [C]. **地が出る** (本性を現す) betray oneself **地で行く** ¶ 彼は悩めるハムレットを*地で行ってしまった (⇒ 実生活でハムレットを演じた) He played the role of a troubled Hamlet in real life. **地の文** narrative [descriptive] part [C].

じ[3] 痔 〖医〗 h(a)emorrhoids /hémərɔ̀ɪdz/, piles ★ いずれも通例複数形で.

じ[4] 辞 (会合などでの挨拶) speech [C], address [C] ★ 後者のほうが改まった語. ¶ 送別の*辞 a farewell speech // 開会[閉会]の*辞 the ˹opening [closing] address **辞を低くする** speak humbly (自).

-じ …時 o'clock [語法] (1) o'clock は毎時ちょうどのときは付けても付けなくてもよいが, 「…分過ぎ」など端数のあるときは付けない. (☞ ふん[1]; なんじ[1]; 時刻・日付・曜日 (囲み)).
¶ 音楽会は午後6*時に始まった The concert began at six (o'clock) in the evening. // いま8*時半です It's half past eight now. / It's 8:30. ★ 8:30 は eight-thirty と読む. // 午前0*時 twelve (o'clock) midnight // 13*時 thirteen hundred hours [語法] (2) 数字では 13:00 と書く. このように24時制にしていうときには o'clock ではなく hours という. // 空腹*時におなかが痛むんだけどどうしたんだろう I have a stomachache when I'm hungry. What's wrong, I wonder?

シアーズ ―[名] (固) Sears, Roebuck and Company ★ 米国最大の小売り業者.

しあい 試合 ―[名] (テニス・サッカーなどの) match [C]; (野球・バスケットボールなど球技の) game [C] [語法] 《米》では -ball のつく競技や試合には game を, その他には match を用いる傾向がある. 《英》では一般に match を用いる; (ボクシング・レスリングなどの) bout [C]; (勝ち抜きの) tournament /tʊ́ənəmənt/ [C]; (一般に, 勝敗・優劣を競うこと) còmpetítion [C]. ―[動] (…の試合をする) play [have] a … ˹game [match]; (競技などを行う) play (他); (競争に加わる) compete /kəmpíːt/ (自). (☞

きょうぎ[2]).
¶きょうの午後野球の*試合がある We're going to have a baseball *game* this afternoon. // 我々は東西高校チームとサッカーの*試合をした We *played* soccer against (the team from) Tozai High School. // 練習*試合は午後1時から行われた The practice ┌*game* [*match*] started at one o'clock. // 彼はその*試合に勝った[負けた, 引き分けた] He ┌won [lost; drew] the ┌*game* [*match*]. // 彼女はテニスの学内*試合で優勝した She won the intramural tennis *tournament*. // …に*試合を申し込む challenge … to a ┌*match* [*game*] // 勝ち抜き*試合 an elimination ┌*game* [*match*] // 同点の決勝*試合 a play-off ┌*game* [*match*]

コロケーション

試合にわざと負ける throw a ┌*game* [*match*] / 試合を始める start a ┌*game* [*match*] / 試合を見る watch a ┌*game* [*match*] // 荒っぽい試合 a rough *game* / 遺恨試合 a grudge ┌*game* [*match*] / 一方的な試合 a ┌one-sided [lopsided] ┌*game* [*match*] / 互角の試合 a close ┌*game* [*match*] / 大学対抗試合 an intercollegiate *game* / 大試合 a big ┌*game* [*match*] / 昼[夜]間試合 a ┌day [night] *game* / つまらない試合 a dull *match* / 白熱した試合 a heated *game* / はらはらする試合 an exciting ┌*game* [*match*]

じあい[1] 自愛 ━動 (自分の健康に(くれぐれも)気を付ける) take (good) care of *oneself*. ¶ご*自愛を祈ります I hope you will [Please] *take care of yourself*. 日英比較 この表現は日本語と違って, 普通は健康のすぐれない人に対してのみ用いる. 英語の手紙では With best wishes. (ご多幸を祈ります) など別の言い方をする. (☞ 手紙の書き方 (囲み))

じあい[2] 慈愛 ━名 (愛情) affection Ⓤ; (心の優しさ) kindness Ⓤ. ━形 (慈愛深い) affectionate; kind. (☞ あいじょう).

じあえんそさん 次亜塩素酸 〚化〛 hypochlorous acid /háɪpoʊklɔ̀ːrəs ǽsɪd/ Ⓤ.

しあがり 仕上がり ¶すばらしい*仕上がりだね (⇒ 見事に仕上げられている) It *is* beautifully *finished*. // その絵は*仕上がりを待つばかりだ (⇒ 最後の加筆のみを必要とする) The picture only needs the ┌final [finishing] touches.

しあがる 仕上がる ¶明日までにレポートが*仕上がりますか Can you ┌*finish* [*complete*] your paper by tomorrow? (☞ かんせい[1]; しあげる)

しあげ 仕上げ finish Ⓤ ★ 具体的な事例は Ⓒ; (仕上げること) finishing Ⓤ. ¶この本棚はマホガニー*仕上げだ This bookcase has a mahogany *finish*. // 物事は*仕上げが肝心 All's well that *ends* well. (ことわざ: 終わりよければすべてよし) // その計画は*仕上げの段階だ The project is in its *final stages*.

じあげ 地上げ (土地の値段を不正に操ること) land price rigging Ⓤ. **地上げ屋** (脅迫的手段で土地の買い占めを行う業者) intimidatory land buyout agent Ⓒ; (土地取引で不当利益を得る者) land shark Ⓒ.

しあげる 仕上げる (済ませる) finish ⑱; (完成させる) complete ⑱ ★ 後者のほうが格式ばった語, do ⑱ ★ 完了形または受身で用いる. (☞ おえる). ¶この仕事は一両日中に*仕上げます We'll *finish* the work in a day or two. // それはちょうど*仕上げたところだ I'*ve* just ┌*finished* [*done*] it.

しあさって (3日後に) three days from now; (3日のうちに) in three ┌days [days' time]. ¶「*しあさって出発します」と彼女が言った She said, "I'll leave ┌*in three days* [*three days from now*]." / She said that she would leave *three days later*. (☞ 話法 (巻末))

ジアジン ☞ ダイアジン

ジアスターゼ 〚生化〛 diastase /dáɪəstèɪs/ Ⓤ.

シアター theater ((英)) theatre) Ⓒ.

しあつ 指圧 (指圧療法) finger pressure therapy Ⓤ, ácuprèssure Ⓤ 語法 acu- は鍼(はり)療法 (acupuncture) の「はり」の意で, acupoint (つぼ) という語もここから来ている. なお, *shiatsu* というローマ字語も英米の辞書にあるので, これを添えて *shiatsu* massage Ⓤ として用いてもよい. ¶*指圧療法を施す[受ける] give [get] *acupressure* (treatment) **指圧師** ácuprèssurist Ⓒ.

シアトル ━名 固 Seattle ★ 米国ワシントン州の都市.

シアヌーク ━名 固 Norodom Sihanouk /nɑ̀rədɑ́ːmsíːənʊ̀k/, 1922– . ★ カンボジアの前国王.

じあまり 字余り ¶*字余りの行 a line *with* ┌*extra* [*too many*] *syllables*

じあらし 地嵐 strong wind blowing down a mountain to the sea Ⓒ.

しあわせ 幸せ ━形 (満足に思って幸せな) happy; (重大な事柄について運がよくて) fortunate; (好運な) lucky ★ fortunate より意味が軽い. ━名 (幸福) happiness Ⓤ; (幸運) fortune Ⓤ; luck Ⓤ. ━副 happily; fortunately; luckily. (☞ こうふく[1] (類義語); こううん). ¶彼女は*幸せだった She was *happy*. // 彼らは*幸せに暮らした They lived ┌*happily* [*in happiness*]. // あんなよい息子さんがあってお*幸せですね You are *fortunate* to have such a good son. // お*幸せにね I wish you ┌a lot of [great] *happiness*. // 君はあんな立派な家があって*幸せ者 (⇒ 幸運な人) だよ You're a *lucky* person to have such a fine house.

しあん[1] 思案 ━名 (考えること) thought Ⓤ; (思いつき) idea Ⓒ; (計画・案) plan Ⓒ; (熟慮) consideration Ⓤ. ━動 think (about …; of …) ⓐ; consider ⑱ ★ やや格式ばった語.
¶ほかによい*思案もない I can't *think of* a better plan. // ここが*思案のしどころだ Now you must *think* hard.
思案にあまる[思案投げ首] do not know what to do, be at a loss, be at *one's* wits' end. (☞ とほう; おもいあまる) **思案にくれる** be lost in (deep) thought **思案顔** thoughtful look Ⓒ.

しあん[2] 試案 tentative plan Ⓒ.

しあん[3] 私案 private plan Ⓒ.

シアン 〚化〛 cyanogen /saɪǽnədʒən/ Ⓤ.
シアン化カリウム ☞ せいさん[6] (青酸カリ) **シアン化水素** hydrogen cyanide Ⓤ **シアン化ナトリウム** sodium cyanide Ⓤ **シアン化物** cyanide Ⓤ.

しい[1] 椎 〚植〛 (木) chinquapin /tʃíŋkəpɪn/ Ⓒ; (実) chinquapin Ⓒ, sweet acorn Ⓒ.

しい[2] 恣意 ━形 (恣意的な・任意の) árbitràry (☞ にんい).

しい[3] 思惟 thinking Ⓤ, speculation Ⓤ ★ 後者がより改まった語.

シー (アルファベットの第3字) C Ⓒ, c Ⓒ.

じい[1] 辞意 *one's* ┌intention [decision] to resign ★ 前者は「意向」, 後者は「決心」. (☞ じしょく; じひょう[1]). ¶社長は*辞意をもらした (⇒ やめるとほのめかした) The president ┌hinted [intimated; implied] that he would *resign*. // 私は*辞意を固めた I've made up my mind to ┌*resign* [*give up my post*; *quit my job*]. ★ 最後の表現が最も口語的. // 彼は*辞意をひるがえした He backed away from *his decision to resign*.

じい[2] 自慰 ━名 masturbation Ⓤ. ━動 masturbate ⓐ ★ *oneself* を付けて ⑱ となることも

ある; (婉曲には) play with *oneself*.

じい[3] 示威 (示威運動) demonstration [C] (☞ デモ).

じい[4] 侍医 court physician [C].

じい[5] 爺 (老人) old man [C] ★ 口語では父親や夫の意味にも用いる; (祖父) gran(d)daddy [C]; ☞ じいや.

ジー (アルファベットの第 7 字) G [C], g [C].

シーアールティー (ブラウン管) CRT [C] ★ *c*athode-*r*ay *t*ube の略.

シーアイ (企業識別) CI [U] ★ *c*orporate *i*dentity の略.

ジーアイ (米兵) GI [C] ★ *g*overnment *i*ssue (官給(品)) の略から.

シーアイエー CIA ★ *C*entral *I*ntelligence *A*gency (中央情報局) の略.

シーアイエス (独立国家共同体) CIS ★ *C*ommonwealth of *I*ndependent *S*tates の略.

シーアイエフ C.I.F. ★ *c*ost, *i*nsurance and *f*reight の略.

シーアイキュー CIQ ★ 税関 (*C*ustoms), 入国管理 (*I*mmigration), 検疫 (*Q*uarantine) の頭文字をとったもの.

シーアは シーア派 (イスラム教の一派) Shiah, Shia /ʃíːə/; (信者) Shiite /ʃíːaɪt/ [C], Shia [C].

シーイーオー (企業の最高経営者・社長) CEO [C] ★ *c*hief *e*xecutive *o*fficer の略.

ジーエイチキュー (総司令部) GHQ ★ *G*eneral *H*ead*q*uarters の略.

ジーエイト (先進八か国首脳会議) G8, Group of Eight.

シーエーアイ (コンピューター援用教育) CAI ★ *c*omputer[-*a*ssisted[-*a*ided] *i*nstruction の略.

シーエーティーブイ (共同視聴アンテナテレビ) CATV [U] ★ *c*ommunity *a*ntenna *t*ele*v*ision の略; cable TV [U].

シーエス (通信衛星) CS ★ *c*ommunications *s*atellite の略.

シーエヌエヌ CNN ★ *C*able *N*ews *N*etwork の略.

ジーエヌピー (国民総生産) GNP ★ *g*ross *n*ational *p*roduct の略.

シーエフ cf. ★ confer (参照せよ) の略. (☞ さんしょう[1]).

シーエム (コマーシャル) commercial [C], (TV) ad [C] 日英比較 英語では CM という略語は用いられない. (☞ コマーシャル; せんでん). ¶*シーエムを流す air [run] a *commercial*

シーオーツー (二酸化炭素・炭酸ガス) CO_2 ★ cárbon dióxide の分子式.

シーオーディー (化学的酸素要求量) COD ★ *c*hemical *o*xygen *d*emand の略. 水の汚染指標.

しいか 詩歌 poetry [U] (☞ し[3]).

シーがたかんえん C 型肝炎 hepatitis C [U].

シーキュー 〔通〕(アマ無線交信呼びかけ信号) CQ ★ *c*all to *q*uarters の略.

しいく 飼育 ― 動 raise ⑩, breed ⑩ (過去・過分 bred), rear ⑩ 語法 (米) では raise, (英) では rear, breed が普通 (☞ かう[2] 語法); (飼う) keep ⑩. ― 名 breeding [U], raising [U], rearing [U]; keeping [U]. (☞ かう[2]; そだてる). ¶彼は牧場で牛を*飼育している He 'raises [breeds] cattle on his ranch. **飼育係** keeper [C] **飼育場** breeding farm [C] **飼育法** method of breeding [C].

シークきょう シーク教 Sikhism [U].

ジークフリート ― 名 ⑩ (北欧神話の英雄) Siegfried /síɡfriːd/.

シークレットサービス (秘密情報機関) the secret service ★ the Secret Service はアメリカ財務省秘密検察局 (大統領護衛などを行う).

シーげんご C 言語 〔コンピューター〕C language [U].

シーケンサー (順序配列装置) sequencer [C].

シーケンシャル ― 形 (連続した・一連の) sequential. **シーケンシャルアクセス** 〔コンピューター〕sequential access [U] **シーケンシャルファイル** 〔コンピューター〕sequential file [C].

シーケンス (一連の連続) sequence [C].

ジーコード (商標) G-Code [U] ★ テレビ番組予約用.

シーサー (沖縄の) *shisa* lion [C]; (説明的には) an earthenware lion often fixed to the house roofs in Okinawa in order to ward off evil.

シーザー ― 名 ⑩ Julius Caesar, 100–44 B.C. ★ ローマの政治家.

シーザーサラダ Caesar salad [U].

シーサイド ― 名 (海岸) the seaside. ― 形 seaside.

ジーザスクライスト ☞ イエス キリスト

シーシー (立方センチメートル) cc., c.c. ★ *c*ubic *c*entimeter の略. (☞ 度量衡 (囲み)).

シージー CG ★ *c*omputer *g*raphics の略.

じいしき 自意識 ― 名 self-consciousness [U]. ― 形 (自意識の強い) self-conscious. **自意識過剰** ― 形 too [over] self-conscious.

シージャック (総称として) seajacking [U]; (1 回の事件) seajack [C]. (☞ ハイジャック).

シーズー Shih Tzu /ʃíːtsuː/ [C] ★ 中国原産の愛玩犬の一種. 中国語の「獅子」に由来.

シーズニング (調味料) seasoning [U].

シースルー ― 名 (中が透けて見える衣類) sée-thròugh [C]. ― 形 sée-thròugh.

シーズン season [C] (☞ きせつ[1]). ¶野球の*シーズンが近づいてきた The baseball *season* is nearly here. // いまはいちごの*シーズンだ[ではない] Strawberries are 'in [out of] *season* now. ★ season は成句として用いられる場合は無冠詞.

シーズンオフ ― 名 óff-séason [C] 日英比較 「シーズンオフ」は和製英語. ― 形 off-season [A]; (最高時を外れた) off-peak [A]. **シーズンオフ料金** off-season rate [C].

しいせい 恣意性 〔言〕arbitrariness [U].

ジーセブン (先進七か国蔵相会議) G7, Group of Seven.

ジーゼル ☞ ディーゼルエンジン

シーソー seesaw [U] ★「シーソー板」の意では [C]. ¶子供たちは*シーソーで遊んでいる The kids are playing on a *seesaw*. **シーソーゲーム** close-fought 'game [match] [C] ★ seesaw 'game [match] という言い方もあるが使われなくなっている.

しいたけ 椎茸 *shiitake* (mushroom) [C].

しいたげる 虐げる (弾圧する) oppress ⑩; (暴政を行う) tyrannize ⑩. (☞ あっせい; ぎゃくたい). ¶*虐げられた人々 *oppressed* people | the *oppressed* // 王は人民を*虐げた The king *tyrannized* the people.

シーチキン canned [tinned] tuna [U] ★「シーチキン」は日本の商標名.

シーツ sheet [C]. ¶彼女はベッドにきれいな*シーツを敷いた She put clean *sheets* on the bed. 参考 ベッドでは普通シーツを 2 枚敷き, その間に入る格好で寝るので複数形となる. // ベッドの*シーツを取り替えなさい Change the (bed) *sheets*.

しーっ ― 感 (静かに) hush /ʃː/, shh /ʃː/ ★ 擬声語. /ʃː/ と言いながら唇に指をあてるジェスチャーを伴うこともある. hush を単独に読むときの発音は /hʌ́ʃ/; (動物などを追い払うとき) shoo. ― 動 (しーっと言って追い払う) shoo (away) ⑩ ★ 口語的. (☞

擬声・擬態語（囲み）》. ¶*しーっ静かに *Hush* (*up*)! // 彼は*しーっと言って猫を追い払った He *shooed* the cat *away*.

しいて 強いて ¶*強いて行かせるには及ばない You don't have to ⌈*force* [*press*] him to go. /（⇒ 彼の意志に反して行かせてはいけない） You shouldn't make him go *against his will*. // あなたが*強いてとおっしゃるのならそのようにしましょう I'll do it if you *insist*. 《☞ あえて; たって》

シーディー CD Ⓒ, compact disc Ⓒ.

シーティーシー （列車集中制御） CTC ★ *cen*tralized *t*raffic *c*ontrol の略.

シーティースキャン CT スキャン 〚医〛（コンピューター X 線体軸断層写真） CAT scan Ⓒ;（撮影装置） CAT scanner Ⓒ;（撮影すること） CAT scanning Ⓤ ★ CAT は *c*ompúterized *á*xial *t*omógraphy の略.

ジーディーピー （国内総生産） GDP ★ *g*ross *d*omestic *p*roduct の略.

シーディーロム CD-ROM Ⓒ ★ *c*ómpact *d*ísc *r*éad-*ó*nly *m*èmory の略.

シート¹ （保護するために覆うもの） cover(ing) Ⓒ;（防水シート） tarpáulin Ⓒ ★ 普通 tarp と略して用いる;（防水を施した厚い丈夫な布） waterproof canvas Ⓤ;（切手の） sheet Ⓒ.

シート² （座席） seat Ⓒ;（いす） chair Ⓒ.

シード 〚スポ〛 ― 動 seed (他). ― 名（シードされたチーム・選手） seed Ⓒ. ¶本校のチームは東京では第 3* シードだった Our team *was seeded* No. 3 in Tokyo.

ジード ― 名 (固) André Gide /ɑːndréɪ ʒíːd/, 1869–1951. ★ フランスの小説家.

シートノック 〚野〛（守備練習） fielding practice Ⓒ 日英比較 「シートノック」は和製英語.

シートベルト （一般に） seat belt Ⓒ;（特に自動車の場合） safety belt Ⓒ, shoulder strap Ⓒ 語法 航空機では seat belt が普通. ¶*シートベルトを締めなさい Fasten your *seat belt*. ★ 航空機の場合. / Buckle up your *shoulder strap*. ★ 自動車の場合. また Buckle up. でよくスローガンに用いられる.

シードル （りんご酒） cider Ⓤ ★ 英国ではアルコールを含むが米国では単に cider と言うと普通りんごジュースを指す. アルコールを含む場合は hard cider と言う. 《☞ サイダー》.

シートン ― 名 (固) Ernest Thompson Seton /síːtn/, 1860–1946. ★ 米国の博物学者・動物物語作家.

ジーニアス （非凡な才能） genius Ⓤ;（人） genius Ⓒ.

シーバース （作業用の停泊施設） sea berth Ⓒ.

ジーパン jeans,《米》 blue jeans ★ いずれも複数形で. 数えるときは a pair [two pairs] of jeans. 《☞ 数の数え方（囲み）》. ¶*ジーパンをはいた女の子 a girl *in jeans*

ジーピーエス （全地球測位システム） GPS ★ *g*lobal *p*ositioning *s*ystem の略.

シーピーユー 〚コンピューター〛（中央処理装置） CPU ★ *c*entral *p*rocessing *u*nit の略.

ジープ jeep Ⓒ.

シーファーミング （水産養殖） sea farming Ⓤ.

シーフード （海産食物） seafood Ⓤ.

シープスキン （羊皮） sheepskin Ⓤ.

シーボルト ― 名 (固) Philipp Franz von Siebold /síːboʊlt/, 1796–1866. ★ ドイツの医師・博物学者.

シームレスストッキング seamless stockings ★ 普通複数形で.

ジーメン （捜査官） invéstigàtor Ⓒ 参考 G-man《複 G-men》は government man の略で FBI の特別捜査官 (FBI agent) をいう古い言い方. 日本の場合は使わないほうがよい. ¶麻薬*ジーメン a narcotics *investigator*

じいや 爺や （老年の男の召使い） elderly male servant Ⓒ.

ジーユーアイ 〚コンピューター〛 GUI ★ *g*raphical *u*ser *i*nterface の略.

しいら 鱰 〚魚〛 dorado Ⓒ, dolphin Ⓒ.

シーラカンス 〚魚〛 coelacanth /síːləkæ̀nθ/ Ⓒ.

シーラブけいかく シーラブ計画 the Sealab Project ★ 海底居住実験計画.

シーリング （価格・賃金などの最高限度） ceiling Ⓒ. ¶ゼロ*シーリング ☞ ゼロ（ゼロシーリング） **シーリングプライス** ceiling prices ★ 複数形で. **シーリング方式** the ceiling system **シーリングライト**（雲照灯） ceiling light Ⓒ.

しいる¹ 強いる （力ずくなどで無理に） force (他) ★ 一般的な語;（…せざるをえなくさせる） compel (他);（押しつけがましくせきたてる） press (他). 《☞ きょうせい¹（類義語）; きょうよう³》. ¶彼女は辞職を*強いられた She *was forced to* resign.

しいる² 誣いる （事実を曲げる） distort (他);（中傷する） slander (他);（人を悪く言う） accuse falsely (他).

シール seal Ⓒ 日英比較 seal は日本語の「シール」のほかに「封印」「公文書の印章」などの意味があることに注意. ¶その手紙にクリスマスの*シールをはった I put a Christmas *seal* on the letter.

シールドこうほう シールド工法 the shield method.

しいれ 仕入れ ― 動 lay in a stock (of ...);（手に入れる） get (他);（買う） buy (他). ¶小麦粉をたくさん*仕入れなくてはならない We must *lay in a* large *stock of* flour. // 何か新しい情報を*仕入れたか Have you *got* any new information? **仕入れ価格** cost [buying; purchase] price Ⓒ **仕入れ係** purchase clerk Ⓒ **仕入れ先** supplier Ⓒ **仕入れ品**（在庫品） stock Ⓤ,《米》 inventory Ⓤ.

シーレーン （海上交通路） sea lane Ⓒ.

じいろ 地色 the ground ⌈color [《英》 colour] 《☞ じ²; したじ》.

しいん¹ 死因 cause of death Ⓒ. ¶がんが彼の*死因だった Cancer was the *cause of his death*. **死因処分**〚法〛 legal act that takes effect upon the death of the transactor Ⓒ **死因贈与**〚法〛 donatio mortis causa /dənéɪʃioʊ mɔ́ətɪs kɔ́ːzə/ Ⓤ **死因別死亡率** cause-specific death rate Ⓒ.

しいん² 子音 〚音声〛 consonant Ⓒ.

しいん³ 試飲 ― 動（試供品を飲んでみる） sample (他);（試しに味わう） taste (他). ¶ワイン*試飲会 a wine-*tasting* party

シーン （映画・演劇の場面） scene Ⓒ;（実際に目で見た状況・光景） sight Ⓒ 日英比較 日本語の「シーン」は「映画の一こま」という意味から目の前の光景を指すようになったと思われるが, 英語ではしばしば sight などほかの語を用いることがある《☞ こうけい¹; ばめん》. ¶感動的な[劇的な]*シーンだった It was a ⌈*moving* [*dramatic*] *scene*. // 恐ろしい*シーンだった It was a horrible *sight*. // ラブ*シーン a love *scene*

じいん 寺院 （ヒンズー教・仏教など, キリスト教以外の） temple Ⓒ;（回教の） mosque Ⓒ. **寺院建築** Buddhist [ecclesiastical] architecture Ⓤ

ジーン （遺伝子） gene Ⓒ. **ジーンセラピー** géne thèrapy Ⓤ **ジーンチップ**〚生化〛 gene chip Ⓒ **ジーンバンク** gene bank Ⓒ.

ジーンズ jeans,《米》 blue jeans ★ いずれも複数形で. 《☞ ジーパン》.

じいんと ¶胸に*じいんとくる話だった It was a ⌈*moving* [*touching*] story. /（⇒ その話は私の心を感動させた） The story *touched* my heart. // その光

景を見て目頭が*じいんと熱くなった（⇒感動して涙がこぼれそうだった）I *was* nearly *moved to tears* ⌜at [by] the sight.

じう　慈雨　（待ち望んでいた雨）welcome rain Ⓒ（☞あめ¹）. ¶干天の*慈雨 a *welcome* [*looked-for*] *rain* during the dry season.

じうた　地唄　*jiuta* Ⓒ;（説明的には）a traditional 5–7 syllable song, usually sung to samisen accompaniment.

しうち　仕打ち　（扱い・処置）treatment Ⓤ. ¶彼はひどい*仕打ちを受けた（⇒ひどく扱われた）He *was treated* badly.

しうん　紫雲　auspicious purple clouds.

じうん　時運　the current of the times ★単数形で. ¶時期により，*時運というものは違った方向に向く At different periods *the tide of opportunity* flows in different directions.

しうんてん　試運転　―[動]（試す）test (他);（車を）test-drive (他). ―[名] test Ⓒ; test drive Ⓒ;（車・機械の）trial run Ⓒ.（☞ためす）. ¶新しい機械はいま*試運転中です The new machine *is being* ⌜*tested* [*given a trial run*]. // 新車を*試運転してみた I *test-drove* ⌜a [the] new car.

シェア　（市場占有率）share Ⓒ. ¶市場の80パーセントの*シェアをもつ have an 80% *share* of the market　シェアホールダー（株主）shareholder Ⓒ.

シェアウェア　〔コンピューター〕sháreware Ⓤ.

しえい¹　市営　―[形]（市の）city Ⓐ, municipal /mju:nísəp(ə)l/ ★後者のほうが格式ばった語;（市が所有している）city-owned, municipally owned ★前者のほうが口語的. ¶この地下鉄は*市営です（⇒市によって運営されている）This subway *is operated by the city*.　**市営住宅** municipal housing Ⓤ, municipal apartment house Ⓒ ★住宅の集合をいう. 各戸を指すときは apartment Ⓒ という;（英）council block Ⓒ.　**市営バス** municipally-owned bus system Ⓒ ★説明的な訳.（米）では市内バスは市営なので単に bus system という.

しえい²　私営　―[形]（私営の）private.

じえい　自衛　―[名] self-defense（（英）self-defence）Ⓤ.　―[動] defend [protect] *oneself*. ¶その男を撃ったのは*自衛上やむをえなかった（⇒撃たざるを得なかった）I was forced to shoot that man in *self-defense*.　**自衛官** Self-Defense Forces official Ⓒ　**自衛艦** Japan Maritime Self-Defense Force ship Ⓒ　**自衛権** the right of self-defense　**自衛手段** self-defense measure Ⓒ　**自衛戦争** war fought in self-defense Ⓒ　**自衛隊** ☞見出し　**自衛能力**（防衛能力）self-defense capability Ⓤ. ¶日本は適度に*自衛能力を整備してきた Japan has built up *its defense capability* to appropriate levels.　**自衛本能** the instinct of self-⌜protection [preservation].

ジェイ　（アルファベットの第10字）J Ⓒ, j Ⓒ.

ジェイアール　JR ★*J*apan *R*ailways の略.　**JR 東[西]日本** East [West] Japan Railway Company.

ジェイオーシー　（日本オリンピック委員会）the JOC ★*J*apan *O*lympic *C*ommittee の略.

じえいぎょう　自営業　―[形] self-employed. ¶私は*自営業です I'*m self-employed*.

じえいたい　自衛隊　the Self-Defense Forces（略 SDF）. ¶陸上[海上，航空]*自衛隊 the ⌜Ground [Maritime; Air] Self-Defense Force ★それぞれ GSDF, MSDF, ASDF と略す.（☞略語（巻末））　**自衛隊員** Self-Defense Forces official Ⓒ　**自衛隊派遣** ―[名] the dispatch of ⌜the Self-Defense Forces [SDF personnel]. ―[動] dispatch ⌜the Self-Defense Forces [SDF personnel]　**自衛隊法** the Self-Defense Forces Law.

ジェイリーグ　―[名] (固) (the) J. League ★the Japan Professional Football League から.

シェーカー　shaker Ⓒ.

シェーク　(milk) shake Ⓤ ★個々には Ⓒ. ¶「*シェークは何になさいますか」「イチゴを二つください」"What flavor of *shake* would you like?" "Two strawberry *shakes*, please."

シェークスピア　―[名] (固) William Shakespeare /ʃéɪkspɪə/, 1564–1616. ★英国の詩人，劇作家. ―[形]（シェークスピア風の）Shakespéarean, Shakespearian /ʃeɪkspí(ə)riən/.

シェークハンドグリップ　〔卓球〕the shake-hands grip.

シェード　（日よけ・電灯のかさなど）shade Ⓒ.

シェーバー　shaver Ⓒ（☞かみそり）.

シェービングクリーム　shaving cream Ⓤ.

シェービングフォーム　（ひげそり用の）shaving foam Ⓤ.

シェーファー　―[名] (固) Sheaffer ★万年筆の商標.

シェープアップ　―[動]（美容・健康のために運動する）shape up (自), do beauty exercises.

ジェームズ　（男性名）James ★愛称は Jim, Jimmy;（英国王；～1世）James I, 1566–1625.

シェエラザード　―[名] (固)〔楽〕Sheherazade /ʃəhèrəzá:də/ ★リムスキーコルサコフ作曲の交響組曲.

ジェーンエア　―[名] (固) Jane Eyre /éə/ ★イギリスの作家シャーロット ブロンテ（Charlotte Brontë）の小説（1847）・その主人公.

シェーンベルク　―[名] (固) Arnold Schönberg /ʃə́:nbə:g/, 1874–1951. ★オーストリアの作曲家.

しえき　私益　personal [private] interest Ⓤ.

しえきどうし　使役動詞　〔文法〕causative verb Ⓒ.

シェシェ　（有難う）Thank you ★中国語「謝謝」から.

ジェス　（男・女の名）Jess ★男性 Jesse, 女性 Jessica の愛称.

ジェスイット　（イエズス会士）Jesuit /dʒéʒuit/ Ⓒ.

シエスタ　（昼寝）siesta /siéstə/ Ⓒ.

ジェスチャー　gesture Ⓒ（☞みぶり）.　ジェスチャーゲーム　¶*ジェスチャーゲームをする play *charades* /ʃəréɪdz/ ★この意味の charade は常に複数形で単数扱い.

ジェット　☞ジェットき　**ジェットエンジン** jet engine Ⓒ　**ジェット気流** jet stream Ⓒ　**ジェットスキー**（水上バイク）jet ski Ⓒ　**ジェット戦闘機** jet fighter Ⓒ　**ジェット族** the jet set Ⓤ ★時に複数扱い.　**ジェット燃料** jet fuel Ⓤ　**ジェットパイロット** jet pilot Ⓒ　**ジェットフォイル**（水中翼船）jetfoil Ⓒ　**ジェットポンプ** jet pump Ⓒ　**ジェットラグ**（時差ぼけ）jet lag Ⓒ　**ジェット旅客機** jet airliner Ⓒ.

ジェットき　ジェット機　jet (⌜plane [airplane]) Ⓒ;（定期航路のジェット旅客機）jet airliner Ⓒ.（☞ひこうき）. ¶彼は*ジェット機で帰って来た He came back ⌜by *jet* [on a *jet plane*].

ジェットコースター　roller coaster Ⓒ　日英比較　「ジェットコースター」は和製英語.

シェットランドシープドッグ　（犬の種類）Shetland sheepdog Ⓒ.

ジェトロ　（日本貿易振興会）JETRO ★*J*apan *E*xternal *T*rade *O*rganization の略.

ジェネラリスト　（一般職）generalist Ⓒ.

ジェネリックブランド　（ノーブランド商品）generic brand Ⓒ, generic Ⓒ.

ジェネレーション　generation Ⓒ（☞せだい）.

し

¶*ジェネレーションの差 the gèneràtion ⌈gàp [gulf] ★ カッコ内は大きな隔たり　ジェネレーション X (エックス世代) Generation X Ⓤ ★ 1960 年代半ばから 70 年代半ばに生まれた世代.
ジェネレーター　(発電機) génerator Ⓒ.
ジェノサイド　(集団殺害) genocide Ⓤ.　**ジェノサイド条約** the Genocide Convention ★ 正式名は the Convention on the Prevention and Punishment of the Crime of Genocide.
ジェノバ　— [名] 固 Genoa /ʤénouə/ ★ イタリア北西部の都市.
シェパード　(犬の種類) German shepherd Ⓒ, Alsatian Ⓒ.
シェフ　chef Ⓒ (☞ コック¹).
ジェファソン　— [名] 固 Thomas Jefferson, 1743–1826. ★ 米国第 3 代大統領.
ジェミニぼうえんきょう ジェミニ望遠鏡　the Gemini Telescopes ★ 北半球(ハワイ島)と南半球(チリ中部)の二台の望遠鏡から全天を観測する国際天文台. 総称として the Gemini Observatory とも言う.
ジェラシー　(嫉妬) jealousy Ⓤ.
シエラネバダ　— [名] 固 the Sierra Nevada /siérənəvǽdə/ ★ アメリカ西海岸の山脈.
シエラレオネ　— [名] 固 Sierra Leone /-lióun/; (正式名) the Republic of Sierra Leone ★ 西アフリカの共和国.　— [形] Sierra Leonean.　**シエラレオネ人** Sierra Leonean /lióuniən/ Ⓒ.
シェリー¹　(酒) sherry Ⓤ.
シェリー²　— [名] 固 Pércy Bysshe /bíʃ/ Shélley, 1792–1822. ★ 英国の詩人.
シェリフ　(保安官) sheriff Ⓒ.
シェル　(貝殻) shell Ⓒ.　**シェル構造**〘建〙shell construction Ⓒ　**シェルショック**〘精神医〙shell shock Ⓤ.
ジェル　(整髪用の) gel Ⓤ.
シェルター　(避難所) shelter Ⓒ.　¶ 核*シェルター a fallout *shelter*
シェルパ　(ヒマラヤ山脈のチベット人・登山ガイド) Sherpa /ʃéəpə/ Ⓒ.
ジェロニモ　— [名] 固 Geronimo, 1829–1909. ★ インディアンのアパッチ族の族長. 本名はゴヤスレイ (Goyathlay).
しえん¹ 支援　— [名] support Ⓤ.　— [動] (援助する) support 他; (後援・支持する) báck (úp) 他. (☞ えんじょ; たすけ).　¶ 私たちの計画を*支援して下さるものと思います I hope you will *back* our plan. // 彼女をご*支援下さい Please ⌈*back* her *up* [*support* her].　**支援グループ** support ⌈group [organization] Ⓒ.
しえん² 私怨　¶*私怨を抱く have a *grudge* against … (☞ うらみ¹; うらむ¹)
しえんかたんそ 四塩化炭素　〘化〙carbon tetrachloride Ⓤ.
ジェンダー　(社会的・文化的観点からの性) gender Ⓒ;〘文法〙(性) gender Ⓒ.　**ジェンダーギャップ** gender gap Ⓒ　**ジェンダーフリー**　— [形] (ジェンダーにとらわれない) gender-free.
ジェントルマン　gentleman Ⓒ (複 gentlemen).
ジェンナー　— [名] 固 Edward Jenner, 1749–1823. ★ イギリスの医師で種痘の考案者.
しお¹ 塩 — [名] *salt* /sɔ́ːlt/ Ⓤ.　— [形] (塩辛い) salty, salt.
¶ 恐れ入りますが*塩を回していただけますか (食卓で) Would you please pass me the *salt*? / (⇒ 塩に手が届きますか) Can you reach (me) the *salt*?
[語法] 前の文よりややぞんざいだが, 食卓でよく使われる. 答えはいずれも "Certainly." "Of course." または "Sure." が最も普通. // *塩を一つまみ[一さじ]加えて下さい Add ⌈a pinch [a spoonful] of *salt*. (☞ 数の数え方 (囲み)) // 鶏肉によく*塩こしょうして下さい Season the chicken well with *salt* and pepper. // このスープは*塩がききすぎている This soup is too *salty*. / There's too much *salt* in this soup. // これは少し*塩気が足りない This needs a touch of *salt*. // *塩をふりかける sprinkle *salt* on … / sprinkle … with *salt* // *塩出しする make … less *salty* / remove (some of the) *salt* from … // *塩をまく scatter *salt*
塩入れ (米) saltshaker Ⓒ, saltcellar Ⓒ　**塩加減**　¶ スープの*塩加減をみた I tasted the soup to see if it had enough *salt*. // シチューの*塩加減が足りない The stew needs a little more *salt*.　**塩づけ** salted food Ⓤ.　¶ …を*塩づけにする *pickle* … ⌈*in brine* [*with salt*] ★ brine は漬物用の塩水. // 不況で*塩づけになった土地 *unutilized* land because of the recession　**塩払い**　— [動] scatter (a pinch of) salt to drive away bad luck　**塩引き**　— [形] (塩づけの) salted; (塩で保蔵加工した) salt-cured.　— [動] salt 他; salt-cure 他　**塩もみ**　— [動] rub … with salt 他.　¶ きゅうりの*塩もみ sliced cucumber *rubbed with salt*　**塩ゆで** ☞ 見出し
しお² 潮　(海潮) tide Ⓒ (☞ みちしお; ひきしお).
¶ 引き*潮 ebb (*tide*) // 満ち*潮 flood (*tide*)　[語法] flood [ebb] tide は潮が満ち[引き]している期間を表し満[干]潮時は high [low] tide Ⓒ という. // *潮の満ち干 the ebb and flow (of the *tide*)　[日英比較] 日本語と語順が逆になることに注意. // *潮が満ちてきている[引き始めている] The *tide* is ⌈coming in [going out]. // *潮が満ちた[引いた] The *tide* is ⌈in [out]. // 鯨が*潮を吹くのを見たことがありますか Have you ever seen a whale *blow*?
潮が引く　¶ 群集は*潮が引くように (⇒ みるみるうちに) 散った The crowd rushed away. / (⇒ 引き潮のように) The crowd dispersed like *the tide on the ebb*.
潮風 sea breeze Ⓒ　**潮気** sea [salt] air Ⓤ　**潮だまり** tidal [tide] pool Ⓒ　**潮待ち**　— [動] wait for the right tide for sailing.
しおあじ 塩味　¶ このシチューはもう少し*塩味をきかせたほうがいい The stew needs some more *salt*.
じおう 地黄　〘植〙Chinese foxglove Ⓒ.
しおおせる 為果せる　accomplish 他 (☞ なしとげる).
しおから 塩辛　salted fish ⌈guts [entrails] ★ 複数形で.
しおからい 塩辛い　salty (☞ しお¹; からい).
しおからごえ 塩辛声　(しゃがれ声) hoarse voice Ⓒ.
しおからとんぼ 塩辛蜻蛉　〘昆〙*shiokara* dragonfly Ⓒ.
しおき 仕置き　— [名] (処罰) punishment Ⓤ; (体罰) chastísement Ⓤ; (死刑) execution Ⓤ.　— [動] punish; chastíse; éxecùte.　**仕置き場** execution ground Ⓒ.
しおくり 仕送り　— [名] (毎月支給を受ける手当・小遣いなど) mónthly allowance /əláuəns/ Ⓒ; (家庭からの送金) money sent from home Ⓤ.　— [動] send a monthly allowance.　¶ 彼は月々 10 万円の*仕送りで生活している He lives on a *monthly allowance* of a hundred thousand yen.
しおさい 潮騒　the sound of the ⌈sea [waves] ★ the を付けて.
しおざけ 塩鮭　sálted salmon /sǽmən/ Ⓒ.
しおさめ 仕納め　¶ これで一年のテニスの*仕納めだろう (⇒ 最後のテニスになるだろう) This will be my *last* tennis match of the year.
しおじ 潮路　(潮の通り路) tideway Ⓒ; (航路) sea

route [C].

しおしおと 悄々と (元気なく) in low spirits; (意気消沈して) dejectedly. (☞ らくたん; いき[4]).

しおせんべい 塩煎餅 rice cracker coated with sweetened soy sauce [C].

しおだち 塩断ち ―[名] abstinence from salt (as a vow) [U]. ―[動] abstain from (eating) salty food (to have a prayer granted).

しおだら 塩鱈 salted cod [U].

しおたれる 潮垂れる (落胆する) be dejected; (悲嘆にくれる) be deep in grief.

しおどき 潮時 (...すべき時) high [about] time [U], time [U] ★ high [about] を付けるほうが, より格式ばった言い方. (☞ チャンス). ¶辞める*潮時だよ It's 「*high* [*about*] *time* you resigned. [語法] high time などの後の節には仮定法過去を用いる.

シオニスト Zionist /záɪənɪst/ [C].

シオニズム Zionism /záɪənìzm/ [U]. ¶反*シオニズム anti-*Zionism*

しおばな 塩花 (清めのためにふりまく塩) salt 「cast [strewn] about for purification [U]; (盛り塩) small mound of salt (placed for luck in front of the entrance of an eating house) [C].

しおひがり 潮干狩 shellfish hunting [U]. ¶きのう木更津へ*潮干狩に行った We went *hunting for shellfish* at Kisarazu yesterday.

ジオフィジックス (地球物理学) gèophýsics [U].

しおふき 潮吹き ―[動] (鯨などが) blow (自), spout water.

ジオプトリー 〘光〙 (レンズの屈折率の単位) diopter (《英》 dioptre) /dàɪɑ́ptə/ [C].

しおまねき 潮招き 〘動〙 fiddler cràb [C].

しおまめ 塩豆 salted beans ★ 通例複数形で; (説明的には) parched beans coated with salt ★ 通例複数形で.

しおみず 塩水 salt water [U] (↔ fresh water); (海水) seawater [U]; (漬物用の) brine [U].

ジオメトリー (幾何学) geómetry [U] (☞ きか[2]).

しおやき 塩焼 broiled [(《英》 grilled] salted fish [U] (☞ 料理の用語 (囲み)).

しおやけ 潮焼け ¶その漁師の顔は*潮焼けしていた The fisherman's face had *turned nutbrown while at sea.*

しおゆで 塩茹で ―[動] boil ... in salted water. ¶*塩茹でのにんじん carrots *boiled in salted water*

しおらしい (従順な) obédient; (つつましい) modest. (☞ おとなしい).

ジオラマ (透視画・立体模型) diorama /dàɪərǽmə/ [C].

しおり (本の間に挟む) bookmark [C]. ¶*しおりを本に挟む put a *bookmark* between the pages

しおれる 萎れる (植物などが干からびて) wither (自); (生気がなくなって) fade (自); (ぐにゃりとなって) droop (自). (☞ かれる[1]; しぼむ). ¶ばら (の花) が*しおれた The roses *have* 「*faded* [*drooped*].

ジオロジー (地質学) geology [U] (☞ ちがく).

しおん[1] 紫苑 〘植〙 aster [C], Michaelmas daisy [C].

しおん[2] 歯音 〘音声〙 dental sound [C].

シオン ―[名] (固) Zion /záɪən/ ★ エルサレム旧市東南の丘, Sion とも書く.

しか[1] 鹿 deer [C] ★ 単複同形; (雄の) buck [C], stag [C] [語法] (1) buck が一般的で, うさぎ・やぎ・かもしかなどにも使う; (雌の) doe [C] [語法] (2) うさぎ・やぎ・かもしかなどにも使う; (子鹿) fawn [C] [語法] (3) 以上は, 普通は deer で代表する; (鹿肉) venison [U]. (☞ おす[3] (表)). **鹿を逐(お)う者は山を見ず** He who chases the deer sees not the mountain. **鹿皮** buckskin [U] **鹿の角** antler [C].

しか[2] 市価 the market 「price [value] ★ the を付けて. (☞ じか[2]). ¶*市価の変動 *market* 「*movements* [*fluctuations*] // この自転車は*市価の 2 割引きで買った I bought the bicycle at a discount of twenty percent off *the price*.

しか[3] 歯科 dentistry [U], 《格式》 dental surgery [U]. (☞ はいしゃ[1]).

歯科医 dentist [C], 《格式》 dental surgeon [C] **歯科医院** dental 「clinic [office] [C], 《英》 dental surgery [C] **歯科衛生士** déntal hygienist /haɪdʒíːnɪst/ [C] **歯科技工士** déntal technícian [C] **歯科大学** dental 「college [school] [C].

-しか (...だけしか・たった...だけ) only ★ この語は修飾する語によって位置が変わることに注意. (☞ 副詞の位置 (巻末); -だけ).

¶私は 500 円*しか持っていない I have 「*only* [*no more than*] five hundred yen. ★ [ ] 内のほうが格式ばった言い方. // 私*しかそのことを知らない *Only* I know that. / I *alone* know that. [語法] alone は名詞, 代名詞の後にのみ置かれる. // 私の愛しているのはあなた*しかいない I love *only* you. / You are the *only* woman I love. // 頼れるのは君*しかいない It's *only* you that I can rely on. / There is nobody *but* you for me to rely on. ★ 第 1 文のほうが口語的. 第 2 文は「君のほかにはだれもいない」の意. // こんなことをするのは彼*しかいない *No one but* him would do such a thing. // その問題を解決する方法はこれ*しかない (⇒ 唯一の方法だ) This is the *only* way [There is *no other* way] to solve the problem. ★ 前者のほうが普通. / (⇒ この方法でのみ問題が解決される) *Only* in this way can the problem be solved. // そこへは一度*しか行ったことがない I've been there 「*only* [*just*] once. // 金はこれ*しか持っていない (⇒ これが私の持っている金のすべてだ) This is *all* the money I have.

しが 歯牙 ¶*歯牙にもかけない pay no attention to ...

じか[1] 直 ―[副] (直接に) directly; (本人自身で[に]) personally, in person. (☞ ちょくせつ (類義語)). ¶これを*じかに彼女に渡して下さい Please hand this *directly* to her. // 君が*じかに尋ねたらよかろう You should ask him 「*personally* [*in person*].

じか[2] 時価 (the) current price [C] (☞ しか[2]). ¶その土地は*時価以上で売れた The lot was sold above *the* 「*current price* [(⇒ 市価) *market value*]. // 盗まれた王冠は*時価 1 億円といわれる The stolen crown is said to be worth a hundred million yen at *the current market price*. / *The* 「*current* [*market*] *price* of the stolen crown is said to be a hundred million yen. **時価発行** ―[動] issue at 「market [going] prices (他).

じか[3] 自家 **自家営業** ―[名] (自営業) self-employed business [C]. ―[動] (自宅で業務を行う) do business at *one's* home. ¶*自家営業の店 a *family* 「store [shop] **自家汚染** self-contamination [U] **自家受粉** self-fertilization [U] **自家製** ☞ 見出し **自家中毒** áutointòxicátion [U] **自家撞着** self-contradiction [U] **自家発電** independent generation of electric power [U] **自家薬籠中の物** ¶人を*自家薬籠中の物にする (⇒ 支配の下におく) get *a person* under *one's* thumb // 彼はその技術を*自家薬籠中の物にした He *had* the skill *at his command*. **自家用** ☞ 見出し

じか[4] 磁化 ―[名] màgnetizátion [U]. ―[動] magnetize (他).

じか[5] 時下 now; at this time of (the) year ★ 後者はやや格式ばった表現.

じが 自我 (自己) self [U]; 〘哲〙 ego [U]. ¶彼は*自我の強い (⇒ 自己中心的な) 男だ He is 「*self-*

し

centered [*egoistic*]. // *自我の形成 the formation of the *self* // *自我に目覚める become conscious of *one's ego*

シガー cigar Ⓒ (☞ はまき; たばこ).

ジガー (カクテルなどの計量器) jigger Ⓒ.

しかい[1] 司会 ―名 (パーティー・ショー・テレビなどの司会者) master of ceremonies Ⓒ (略 M.C.), (米略式) émcée Ⓒ, (英) compere /kɔ́mpeə/ Ⓒ. ―動 (米略式) emcee ⑩ ⓐ, (英) compere /kɔ́mpeə/ ⑩ ⓐ. ¶彼はそのテレビ番組の*司会をしている He ˹is the *master of ceremonies* of [*emcees*] that TV program.

しかい[2] 視界 (視野) sight Ⓤ, view Ⓤ; (見通し) visibility Ⓤ. (☞ しや). ¶富士山が*視界に入ってきた Mount [Mt.] Fuji came into ˹*view* [*sight*]. // あっという間に彼の飛行機は*視界から消えた In a moment his plane passed out of ˹*sight* [*view*]. // 霧のため*視界が悪い *Visibility* is poor because of the fog. // *視界不良のため私の乗る便は欠航になった My flight was canceled due to poor *visibility*.

しかい[3] 市会 (市議会) municipal /mjuːnísəp(ə)l/ [city] assembly Ⓒ, (city [local]) council Ⓒ. (☞ ぎかい). **市会議員** member of the ˹municipal [city] assembly Ⓒ, (米) councilman Ⓒ, councilwoman Ⓒ, (英) councillor Ⓒ. (☞ ぎいん[1]).

しかい[4] 死海 ―名 ㊀ the Dead Sea ★ イスラエルとヨルダンの国境の塩水湖. **死海文書(もんじょ)** the Dead Sea Scrolls ★ 1947 年以降死海沿岸で発見された旧約聖書その他を含む古写本の総称.

しかい[5] 四海 the ˹four [seven] seas; (全国) the whole country; (全世界) the whole world. ¶*四海 (⇒ 全国) を平定する conquer [restore peace in] *the whole country*

しかい[6] 斯界 (この分野) this field ★ 単数で. ¶*斯界の権威 the authority in *this field*

しがい[1] 市外 ―名 (郊外) súburb Ⓒ 〔語法〕 suburb が集まって形成する市外全体をいうときは the suburbs; (市・町などの周辺地域) the outskirts ★ 複数形で. ―形 subúrban. (☞ こうがい[1]; きんこう[2]). ¶彼は名古屋の*市外に住んでいる He lives ˹in a *suburb* [on *the outskirts*] of Nagoya. // *市外に住む人が多くなった More and more people have moved (out) into *the suburbs*.
市外局番 (米・カナダ) area code Ⓒ, (英) STD code Ⓒ ★ STD は subscriber trunk dialing の略. **市外通話[電話]** long-distance call Ⓒ, (英) trunk call Ⓒ. ¶*市外通話をする make a *long-distance call*

しがい[2] 市街 (街路) the streets ★ 複数形で; (市) city Ⓒ; (商業の中心地区) town ★ 冠詞を付けずに単数形で. (☞ まち[1]; しない[1]; とおり). ¶旧*市街 the old section of the *city* // *市街に入ると道は急に混んできた The streets rapidly became crowded as we drove into *town*.
市街化区域 area designated for urbanization Ⓒ **市街化調整区域** controlled urbanization area Ⓒ **市街戦** street fighting Ⓤ **市街地** city area Ⓒ **市街地図** city map Ⓒ **市街電車** (米) streetcar Ⓒ, (英) tram Ⓒ.

しがい[3] 死骸 (人間・動物の) (dead) body Ⓒ ★ 最も一般的な語. 誤解のおそれのないときは body のみでよい; (人間の) corpse Ⓒ; (動物の) carcass Ⓒ. (☞ したい[1] (類義語)).

じかい[1] 次回 ―形 next. ―副 next time. (☞ このつぎ; こんど).

じかい[2] 自戒 self-admonition Ⓤ.

じがい 自害 ☞ じさつ

しがいせん 紫外線 ultraviolet /ʌ̀ltrəváɪələt/ ráys ★ 複数形で. **紫外線写真** ultraviolet photograph Ⓒ **紫外線療法** ultraviolet ˹treatment [therapy] Ⓤ.

しかえし 仕返し ―動 (敵に報復する) revenge ⑩, revenge *oneself* on ..., take revenge (on ...; for ...), retaliate (against ...) ⓐ, (略式) get back at ... 〔語法〕 revenge は *oneself* を伴うか受身にし, 仕返しの相手を表す前置詞は on, ただし revenge oneself on ... はやや古風になっている. また直接に目的語を従えると「…の恨みを晴らす」の意となる. retaliate はやや格式ばった語; (…のために仕返しをする) avenge ⑩. ―名 revenge Ⓤ, retaliation Ⓤ. (☞ ほうふく[1]; ふくしゅう[2]; かたき).
¶あの男に*仕返ししてやる I'll *take revenge on* him. // 私が*仕返ししてやる (⇒ あなたの恨みを晴らしてやる) I'll ˹*avenge* you [(⇒ あなたに代わって報復する) *take revenge* on your behalf]. // いつか*仕返ししてやるからな I'll *get back at* you one day. ★ revenge よりも軽い意味.

しかく[1] 資格 ―名 (ある職・権利の獲得のための資格) qualification Ⓒ ★ しばしば複数形で; (免許) license ((英) licence) Ⓒ; (必要条件) requirements ★ 通例複数形で. ―動 (資格を与える[得る]) qualify ⑩ ⓐ; (権利を与える) entitle ⑩. (☞ めんきょ). ¶私は中学教員の*資格がある I *am qualified* as a junior high school teacher. / I have a *license* to teach at junior high school. // 彼女は医師の*資格を取った She has obtained a ˹physician's [medical practitioner's] *license*. // 彼女は数学の教師の*資格を取った She *qualified* ˹as a teacher of mathematics [to teach math]. // どういう*資格で彼は我々の代表になっているのか (⇒ 何が彼に我々を代表する資格を与えるのか) What *qualifies* him to represent us? // 私は彼をとやかく言う*資格がない (⇒ 立場にない) I am in no *position* to criticize him. **資格検定試験** qualifying examination Ⓒ **資格審査** screening Ⓤ.

コロケーション
資格がいる need [require] the *qualifications* / **資格に欠ける** lack the *qualifications* / **資格を審査する** test the *qualifications* / **資格を満たす** meet [satisfy] the *qualifications* / **資格を持つ** have [possess] the *qualifications* // **疑わしい資格** questionable *qualifications* / **学問的資格** academic *qualifications* / **最低限の資格** the minimum *qualification* / **しかるべき資格** appropriate *qualifications* / **十分な資格** sufficient *qualifications* / **優れた資格** excellent *qualifications* / **…に必要な資格** a necessary *qualification* for ... / **(大学の)入学資格** the entrance *qualifications* (for university) / **立派な資格** outstanding *qualifications* // **教員になるための資格** *qualifications* for a teacher

しかく[2] 四角 ―名 (正方形) square Ⓒ; (四辺形) quadrilateral /kwɑ̀drəlǽtərəl/ Ⓒ ★ 次ページの図にあるすべての四辺形の総称であり, また不等辺四角形をも指す. ―形 square; quadrilateral.
四角四面 ―形 (物の形が真四角な) square; (人がまじめで堅苦しい) prim ★ やや軽べつ的; (折目正しい) formal.

しかく[3] 視覚 vision Ⓤ (☞ め; しりょく[1]). **視覚型** ¶*視覚型の人 a visualizer **視覚教材** visual aids ★ 複数形で. **視覚障害** visual impairment Ⓤ **視覚障害者** visually impaired person Ⓒ; (集合的に) the visually impaired **視覚障害者誘導用ブロック** ☞ てんじ[2] (点字ブロック) **視覚中枢** 〔解〕 visual center Ⓒ.

しかく[4] 死角 blind spot Ⓒ.

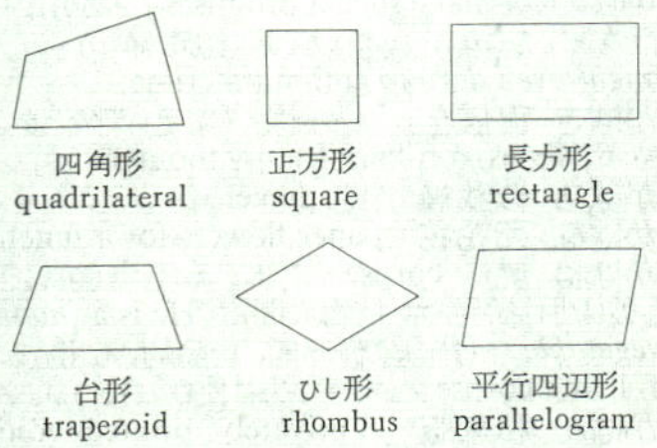

しかく⁵ 刺客 assássin Ⓒ《☞ あんさつ》.

しかく⁶ 視角 (見方・角度) angle Ⓒ. ¶*視角を変えて…を見る (⇒ 違った角度から) look at … from a different *angle*

しがく¹ 史学 history Ⓤ. **史学科** history department Ⓒ.

しがく² 私学 (私立学校) private school Ⓒ; (私立大学) private ˹college [university] Ⓒ. 《☞ しりつ²; 学校・教育 (囲み)》. **私学教職員共済組合** Mutual Aid Association of Private School Personnel ★ 1998 年からは正式名「日本私立学校振興・共済事業団」《☞ にほん》. **私学助成** government subsidization of private education Ⓤ **私学助成金** government subsidies ˹to [for] private schools ★ 複数形で.

しがく³ 詩学 poetics Ⓤ.

しがく⁴ 歯学 dentistry Ⓤ. **歯学部** dental college Ⓒ《☞ しか¹》.

じかく¹ 自覚 ― [動] (悟る) realize (他); (急に…に目覚める) awaken (to …) (自), wake up (to …) (自). ― [形] (意識している・気が付いている) conscious (of …) Ⓟ; (気付いて知っている) aware (of …) Ⓟ. ― [名] consciousness Ⓤ; awareness Ⓤ. 《☞ いしき; さとる》.

¶彼は力不足を*自覚していない He is not ˹*aware* [*conscious*] *of* his lack of ability. // 本人の*自覚を待つ (⇒ 彼がその事態を自覚するのを願う) よりほかはない We can do nothing but hope that he will ˹*awaken to* [*wake up to*; *realize*] the situation.

自覚症状 subjective symptom Ⓒ.

じかく² 字画 (画数) the number of strokes (in a character).

じかく³ 痔核 〔医〕 h(a)emorrhoids /hémərɔ̀ɪdz/ ★ 複数形で.

じかく⁴ 耳殻 〔解〕 auricle /ɔ́:rɪkl/ Ⓒ.

じがくじしゅう 自学自習 ― [名] self-education Ⓤ. ― [動] (独学する) teach *oneself* (自). 《☞ じしゅう¹; どくがく》.

しかくばる 四角張る ― [形] (物の形が) square; (態度が堅苦しい) formal, ceremonious ★ 後者がより格式ばった語. ― [動] stand on ceremony ★ 格式ばった表現. 主として否定文で. 《☞ かくしき》 ¶*四角ばらずにお楽になさい Don't *stand on ceremony*; make yourself at home.

しかけ 仕掛け (装置) device Ⓒ; (ちょっとした小道具的な仕掛け) 《略式》 gadget /gǽʤɪt/ Ⓒ; (やや手の込んだ機械的な仕掛け) contrivance Ⓒ ★ やや格式ばった語; (機械装置の仕組み) mechanism Ⓒ; (トリック) trick Ⓒ.

¶この人形はバネ[電気]*仕掛けで動く (⇒ 仕掛けが動かす) A spring [An electrical] *device* makes this doll move. // これが新しいゴキブリ取りの*仕掛けです This is a new ˹*gadget* [*device*] for killing cockroaches. // このスイッチを入れるとモーターが回る*仕掛けになっている (⇒ スイッチがモータを作動させる) This switch sets the motor in operation. // 種も*仕掛けもない There is no *trick* in it.

しかけばくだん 仕掛け爆弾 booby trap Ⓒ.

しかけはなび 仕掛け花火 set fireworks ★ 複数形で, set piece Ⓒ. 《☞ はなび》.

しかける 仕掛ける (わな・網などを) set (他); (時限爆弾などをこっそりと) plant (他); (けんかなどを) pick (a quarrel) with … ¶彼は畑にわなを*仕掛けた He *set* traps all over the field. // だれかが機内のどこかに爆弾を*仕掛けた Somebody *planted* a bomb somewhere in the plane.

シカゴ ― [名] (固) Chicágo ★ 米国中部, イリノイ州の都市. 《☞ アメリカ (表)》.

しかざん 死火山 extinct volcano /vɑlkéɪnoʊ/ Ⓒ (複 ～(e)s) 《☞ かざん》.

しかし ― [接] but …, however, …; yet … ― [副] still, 《格式》 nèvertheléss; 《略式》 though.

【類義語】 最も日常的な語は **but**. ほぼ同じ意味だが, やや格式ばった語が **however** で, この語は文頭・文中・文尾のいずれにも置かれる. 対立を明確に表現し, 「それでもやはり・しかしやはり」の意味は **yet**. 文修飾の副詞として「そうはいってもしかし」という意味では **still**. ほぼ同意だが, やや格式ばった語が **nevertheless**. 口語的な表現で, 文尾に置かれ, 追加的にいうときには **though** が用いられる. 《☞ だが; -が; けれど(も)》 ¶彼は貧しかった. *しかし友人には恵まれていた He was poor, *but* (he was) rich in friends. // 彼は才能がある. *しかしどうも努力が足りない He is talented; *however*, he doesn't work hard enough. // 彼はよく働いた. *しかし一生貧乏だった He worked hard; *nevertheless* he remained poor all his life. // *しかし, どうも変なところがある There's something ˹strange [funny], *though*. // 彼はなかなか出来のよい学生であった. *しかし一方ではユーモアに欠けるところがあった He was a pretty good student, *but* then he lacked a sense of humor. ★ but then は「しかし (よく考えてみると) 一方では」の意味.

しかじか ¶*しかじかの理由で for *such and such* reasons

じがじさん 自画自賛 praise *oneself*, blow *one's* own ˹horn [trumpet] ★ 《米》では horn が普通.

じかじゅせい 自家受精 〔生〕 self-fertilization Ⓤ.

しかず 如かず ¶A は B に*しかず (⇒ A は B ほどよくない) A is *not as good as* B. / (⇒ B は A よりすぐれている) B is superior to A. / (⇒ A については, B が最善) As for A, B is the best. 《☞ ひゃくぶん; さんじゅうろっけい》

じかせい 自家製 ― [形] (自家製の) homemade 《☞ てせい; てづくり》.

じかせん 耳下腺 〔解〕 parotid Ⓒ. **耳下腺炎** 〔医〕 parotitis /pæ̀rətáɪtɪs/ Ⓤ, mumps Ⓤ [語法] 前者は専門用語. 後者は「おたふく風邪」という日常語.

じがぞう 自画像 self-portrait Ⓒ.

しかた 仕方 (やり方) way Ⓒ ★ 最も一般的な語; (…のやり方) how to *do* …; (系統だったやり方) method Ⓒ. 《☞ やりかた》.

¶彼女に料理[運転]の*仕方を教えてやりなさい Teach her *how to* ˹cook [drive]. // あの男のあいさつの*仕方が気に入らない I don't like his *way* of greeting people. // 彼の勉強の*仕方はどこか間違っている There is something wrong with his *method* of study.

しかたがない 仕方がない ― [動] (避けられない) cannot help (他); (…以外に選択の余地がない) have no choice but to (*do* …); (…してもむだ) it is no 「use [good] (*doing* ...); (...したくて仕方がない) want very much (to *do* ...), 《略式》 be dying (for ...; to *do* ...). (☞ しようがない; やむをえない). ¶ それは*仕方がないことだ It *can't be helped.* / You *can't help* it. // 彼がどうしても一人で行くというのなら*仕方がない We *can't help* it if he wants to go alone. // 彼を首にするよりほか*仕方がない We *have no choice but to* fire him. // 済んだことは*仕方がない (⇒ やったことはやったことだ) What's done *is done.* / (⇒ やったことは元に戻らない) What's done *can't be undone.* // 泣いたって*仕方がない *It's no use* crying. // こんなナイフじゃ*仕方がない (⇒ 役に立たない) This knife *won't do.* // ある程度の間違いは*仕方がない (⇒ 不可避だ) Some errors are *inevitable.* // ビールが飲みたくて*仕方がない I'*m dying for* a glass of beer. // 車の運転を習いたくて*仕方がない I 「*really* [*very much*] *want* to learn how to drive.

しかたなく 仕方なく (いやいやながら) unwillingly, reluctantly; (自分の意志に反して) against *one's* will. (☞ しぶしぶ 語法). ¶ *仕方なく彼は出発の用意を始めた *Unwillingly* [*Reluctantly*], he began to get ready to leave. // *仕方なく彼は私についてきた (⇒ 意志に反して) He followed me *against his will.*

じかたび 地下足袋 rubber-soled canvas boots with a separate big toe, chiefly worn by construction workers ★ 説明的な訳. (☞ たび²).

じがため 地固め ¶ 正しい教育への*地固め(⇒ 基礎固め)をする *lay the groundwork* [*build the foundation*] for a good education

じかだんぱん 直談判 ── 動 (本人が直接話す) talk to ... 「personally [in person].

-しがち ── 動 be 「prone [likely] to *do* ...; (傾向がある) tend to *do* .... ¶ 明日は曇り*がちの天気でしょう It *is likely to be* cloudy tomorrow. // 父は退職後は家にこもり*がちだ My father 「*is prone* [*tends*] *to* confine himself to home after (his) retirement.

しかつ 死活 life 「and [or] death. ¶ それは我々には*死活問題だ It's a matter of *life and death* for us. / It's a *life-and-death* matter for us.

しがつ 四月 April 《略 Apr.》 ★ 語頭は必ず大文字. (☞ いちがつ 語法; 時刻·日付·曜日 (囲み); 略語 (巻末)). **四月ばか** (四月ばかの日) April Fools' Day; (四月ばかの日にかつがれた人) April fool Ⓒ.

じかつ 自活 ── 名 self-support Ⓤ. ── 形 self-supporting. ── 動 support *oneself*; (自分で生活費を稼ぐ) earn *one's* living. (☞ じりつ; どくりつ).

しかつめらしい 鹿爪らしい (格式ばった) formal; (儀式ばった) ceremonious; (まじめくさった) solemn. (☞ かたくるしい). ¶ *しかつめらしい顔をして with a *solemn* face

しかと 確と (確実に) firmly. ¶ *確と約束する promise *firmly* / make a *firm* promise

しかとする (無視する) ignore ⓘ; blank ⓘ ★ 後者は俗語で日本語のニュアンスに近い. ¶ 彼は私を*しかとした He 「*ignored* [*blanked*] me.

じかとりひき 直取引 direct 「transaction [dealing] Ⓒ.

しがない ── *形* *(下っぱの) petty; (貧しい)* poor; (みじめな) wretched /rétʃɪd/ ★ 暮らしなど.

じかに 直に ☞ じか

じがね 地金 (元に使ってある金属) ground metal Ⓤ. ¶ 金の*地金 gold bullion ★ 延べ棒にしてある純金. **地金が出る** ¶ 彼女は*地金が出た (⇒ 自分自身を現した) She *betrayed herself.* (☞ ほんしょう)

-しかねる ¶ そのような約束は*しかねる (⇒ できない) We *cannot* make such a promise. // あの男は不法行為を*しかねない (⇒ 敢えてするかも知れない) He *might even dare to* commit a crime.

じかばき 直履き ── 動 (素足に靴などをはく) wear (shoes) 「on bare feet [without socks].

じがばち 似我蜂 〖昆〗 digger wasp Ⓒ.

しかばな 死花花 paper flowers for a funeral.

しかばね 屍 corpse Ⓒ (☞ したい¹ (類義語)). ¶ 彼は生ける*屍 (⇒ 植物人間) だ He is a (*human*) *vegetable.* 語 法 侮辱的. 比喩的にも用いる. なお living corpse という言い方は使わないほうがよい.

しかばん 私家版 privately printed edition Ⓒ.

じかび 直火 ── 動 (肉などを直火で焼く) roast [(米) broil; (英) grill] ... over an open fire; (主に野外で) barbecue ⓘ. ¶ 子羊肉を*直火で焼く roast [broil] lamb over an *open fire*

じかまき 直播き direct planting Ⓤ. ¶ *直播きで育てる (⇒ 種子から育てる) grow ... from seed

しがみつく (抱きつくようにしてぴったりと) cling to ... 《過去·過分 clung》; (つかまえて離さない) hold on (fast) to ... 《過去·過分 held》. (☞ すがる). ¶ 少女は母親に*しがみついた The little girl *clung to* her mother. // 彼は岩にしっかり*しがみついた He *held on fast to* the rock.

しかめっつら しかめっ面 (相手に対して非難の気持ちを表すための) glowering [frowning] face Ⓒ; (痛さ·いらだたしさなどのための) grimace Ⓒ. ¶ 彼は弟の不作法な言葉に*しかめっ面をした He *grimaced* at his brother's rude words.

しかめる (怖い顔をする) glower ⓘ; (いやな顔をする) frown ⓘ; (苦痛·不快などで) grimace ⓘ. ¶ 彼女は私に向かって顔を*しかめた She *frowned* at me. // 彼は痛みで顔を*しかめた He *grimaced* with pain.

しかも (その上) moreover, besides ★ 前者のほうが格式ばった語; (さらによい [悪い] ことには) what is 「more [worse]. (☞ そのうえ; さらに; おまけに). ¶ その家は気に入らなかった. *しかも値段も高すぎた I didn't like the house; 「*moreover* [*besides*], the price was too high. // 彼女は美人で*しかも金持ちだ She is pretty, and *what is* 「*more* [*still better*], she is rich. / (⇒ 美人なだけでなくまた) She is *not only* pretty *but* (*also*) rich.

じかよう 自家用 (個人用の) for (*one's*) private use; (自分用の) private; (自分で消費する) for home consumption. ¶ *自家用の米 rice *for the farmer's home consumption*

じかようしゃ 自家用車 privately owned car Ⓒ (☞ マイカー).

しがらきやき 信楽焼 *Shigaraki* ware Ⓤ.

しからしめる (当然の結果をもたらす) bring about an anticipated result (☞ みちびく; させる). ¶ 彼の名声は永年の努力の*しからしむところである His renown is *only to be expected* considering his long years of hard work.

しがらみ 柵 (きずな) ties; (まとわりついて束縛する物) fetters ★ いずれも複数形で. ¶ 恋の*しがらみ *fetters* of love // 浮き世の*しがらみ worldly *ties*

しかり 然り **1** 《返事で相手に賛成して》: Precisely!; Exactly!; Absolutely!
2 《前文の内容をさして》 ¶ 米国は富める国, 英国また*しかり (⇒ 英国も同じである) America is a rich country, and *so* is Britain.

しかりつける 叱りつける (厳しく叱る) scold *a person* severely; (うんと叱る) give *a person* a good scolding. (☞ しかる; がみがみ; こごと).

しかりとばす 叱り飛ばす (がみがみ怒鳴る) storm (at ...) ⓘ.

しかる 叱る (怒ってやかましく) scold (他); (注意を与えるために) 《格式》 reprove /rɪprúːv/ (他); (文句を言ってしかりつける) 《略式》 téll óff (他), dréss dówn (他), tálk to … ★ dress down は成人にも用いられる. (☞ がみがみ; こごと).
¶母親は娘を帰りが遅いと*しかった The mother *scolded* her daughter for staying out too late. // 先生はみんなの前でその子を*しかった The teacher ⌈*told* him *off* [*dressed* him *down*] in front of everyone. // あの子はうんと*しかってやらなくちゃいけない That child needs a good ⌈*scolding* [*telling-off*; *talking-to*].

しかるに 然るに yet (☞ それなのに; ところで).

しかるべき 然るべき ―― [形] (適切な・基準に合致するような) proper Ⓐ, appropriate; (ふさわしい) suitable; (相応の・十分な) 《格式》 due Ⓐ; (ちゃんとした) respectable [語法] 特に尊敬に値する立派なことを表すのではなく, 恥ずかしくない程度にまともなことを意味するので, ほめ言葉とはならない. (☞ ふさわしい; てきせつ (類義語)). ¶だれか*然るべき人の推薦状が必要です You will need a recommendation from some ⌈*respectable* [*suitable*; *appropriate*] person. // 彼に何か*然るべき仕事を見つけてやろう I'll find him some *suitable* job. // 彼は自分の骨折りに対して*然るべき報酬を得た He received his *due* reward for his efforts. // あんな奴は罰せられて*然るべきだ (⇒ 処罰に値する) Such a person *well deserves* punishment.

しかるべく 然るべく (最もよいと思うように) as *one* thinks ⌈best [fit]. ¶その件は*然るべく取り計らいます I'll handle the matter *as* I *think best*. / (⇒ うまくいくようにする) I'll see that it comes out all right.

シガレット cigarétte Ⓒ (☞ たばこ).

しかん¹ 士官 officer Ⓒ. **士官学校** military academy Ⓒ.

しかん² 史観 view of history Ⓒ (☞ かん⁴).
¶唯物*史観 the materialistic /mətì(ə)riəlístɪk/ *view of history*

しかん³ 弛緩 ―― [名] (筋肉の) relaxation Ⓤ; (精神のゆるみ) looseness Ⓤ. ―― [動] relax (自). (☞ ゆるみ; たるみ).

しかん⁴ 子癇 〘医〙 eclámpsia Ⓤ.

しかん⁵ 支管 (本管から分かれた管) branch pipe Ⓒ.

しかん⁶ 仕官 ―― [動] (役人になる) go into government service; (浪人が召し抱えられる) find [go into] service (with a new lord).

しかん⁷ 歯冠 crown (on a tooth) Ⓒ (☞ は¹).

しかん⁸ 私感 personal impression Ⓒ.

しかん⁹ 屍姦 necrophilia Ⓤ.

しがん 志願 ―― [名] (申し込み) application Ⓤ. ―― [動] apply (for …) (自); (進んで事に当たる) vòluntéer (自) (他). (☞ もうしこむ).
¶彼女はボストン大学を*志願した She *applied to* Boston University. / She ⌈*filed* [*submitted*; *sent in*] *an application* for admission to Boston University. [語法] for admission は to be admitted としてもよい. 第 2 文は「願書を出した」の意味.
志願者 (入学・就職などの) applicant Ⓒ; (有志) vòluntéer Ⓒ. ¶大学の入学*志願者 the *applicants* for entrance to a university **志願制度** the volunteer system **志願票** application form Ⓒ **志願兵** volunteer Ⓒ.

じかん¹ 時間 (1 時間・1 日のうちのある時間) hour Ⓒ; (時) time Ⓤ; (学校の時限・決められた一定の時間) period Ⓒ; (教室での授業) class Ⓒ. (☞ じこく¹; とき¹; 時刻・日付・曜日 (囲み); 度量衡 (囲み)).
¶1*時間は 60 分だ One [An] *hour* has sixty minutes in it. / There are sixty minutes in an *hour*. // それから 3*時間半たった Three and a half *hours* have passed since then. // 東京から鎌倉まで車で何*時間ぐらいかかりますか How ⌈many *hours* [long] does it take to drive from Tokyo to Kamakura? // ここから頂上まで歩いて 2*時間ぐらいだ The top is about two *hours*' walk from here. / It's about two *hours*' walk from here to the top. // 我々は何*時間も待たされた We were kept waiting for *hours*. // *時間がどんどんたつ *Time* flies. / (⇒ 決められた時間が) The *hours* pass quickly. // *時間がなくなってきた Our *time* is running out. / We are running out of *time*. // もう*時間があまりない There is not much *time* left. // もう*時間です The *time* is up. / (The) *time*'s up. [語法] 割り当てられた時間が終わったことを告げる言い方. // 私はひどく*時間に追われている I am hard pressed for *time*. // 考える*時間を下さい Give me *time* to think it over. // 暇な*時間なんてないよ I have no *time* to spare. / I have no spare *time*. // 芸術家はたいてい*時間に縛られるのを嫌う Most artists hate to *be tied to a schedule*. // *時間を持て余す have *time* ⌈to kill [on *one's* hands] / *time* hangs heavy on *one's* hands // *時間を浪費したくない We do not want to waste *time*. // ちょっと*時間をさいていただけますか Could you spare me a few *minutes*? // この道具を使うとうんと*時間の節約になるよ This tool will save you a lot of *time*. // 伺いたいのはやまやまですが, 今週は*時間がとれるかどうかわかりません I'd very much like to come, but I don't know if I'll be able to find *the time*. // この仕事は*時間がかかりそうだ I'm afraid this work will take *time*. // この時計は*時間が正確だ This watch keeps good *time*. // *時間までに着くかな I'm not sure if we can get there *in time*. // 列車は*時間どおりに着いた The train arrived *on time*. // 約束の*時間に遅れてしまった I was *late* for my appointment. // 締め切り*時間に間に合う[遅れる] meet [miss] the *deadline* // 彼女はいつも*時間どおりに来る (⇒ 時間厳守だ) She is always *punctual*. // 1*時間目のベルが鳴った The first-*period* bell rang. // 2*時間目は英語です We have English in the second ⌈*hour* [*period*]. // 彼は数学の*時間に小説を読んでいた He was reading a novel during the math *class*.
時間の問題 a ⌈matter [question] of time. **時間外勤務** ―― [名] óvertime Ⓤ. ―― [動] work [do] overtime **時間外手当** overtime pay Ⓤ **時間稼ぎ** ―― [動] gain time **時間給** (制度としての) payment by the hour Ⓤ; (金額) hourly wages ★ 通例複数形で. **時間給水** restriction of water supply to certain hours Ⓤ **時間切れ** ¶*時間切れだ There is *no time left*. / Our *time is up*. **時間差** time lag Ⓒ **時間生物学** chronobiology Ⓤ **時間帯** time ⌈slot [zone] Ⓒ. ¶いまの*時間帯はおもしろいテレビがない There are no interesting TV programs ⌈*now* [in this *time slot*]. **時間帯別電灯契約** time-slot electricity rate contract Ⓒ **時間つぶし** ―― [動] kill time. ¶*時間つぶしに小説を読む read a novel to *kill time* // そんな仕事は*時間つぶしだ (⇒ 時間の無駄だ) Doing such a job is a *waste of time*. **時間表** (電車などの) timetable Ⓒ, 《米》 (train) schedule /skédʒuːl/ Ⓒ (☞ じこく¹ (時刻表)) **時間割り** 《米》 (class) schedule Ⓒ, 《英》 (class) timetable Ⓒ.

コロケーション

時間がかかる take *time* ★ it takes time to … などの構文で. / **時間を決める** set the *time* (for a meeting) / **時間をかける** spend *time* (on …; doing …) / **時間を大切にする** value *time* / **時間をつ**

ぶす kill *time*; pass *one's time* (on …; *doing* …) / …する時間を見つける find *time* to *do* … // 開始時間 the opening *time* / 数時間 a few hours' *time* / 大体の時間 the approximate *time* / 長時間 a long *time* / 約束の時間 the appointed *time*

じかん[2] **次官** vice-minister Ⓒ ★ 日本語の直訳的言い方; ⦅米⦆ deputy secretary Ⓒ, ⦅英⦆ under-secretary Ⓒ. ¶ 外務事務*次官 the Vice-Minister for Foreign Affairs

じかん[3] **字間** space between letters Ⓒ.

しき[1] **指揮** ── 動 (楽団を) condúct ㊀ ㊁; (軍隊などを) command ㊀. ── 名 command Ⓤ. ⦅☞ かんとく[1]; しどう[1]⦆. ¶ そのオーケストラの*指揮は小澤征爾だった The orchestra *was conducted* by Ozawa Seiji. // カラヤン*指揮のブラームスの交響曲第 4 番 Brahms'(s) Symphony No. 4 *under the baton of* Herbert von Karajan // その中隊はスミス大尉の*指揮下にある The company is under the *command* of Captain Smith.

指揮官 commander Ⓒ **指揮系統** chain of command Ⓒ **指揮権** command Ⓤ **指揮権発動** ── 名 the exercise of command Ⓤ. ── 動 exercise command **指揮者** (音楽の) conductor Ⓒ **指揮台** (音楽の) podium Ⓒ ⦅複 -dia⦆ **指揮棒** (音楽の) baton /bətɑ́n/ Ⓒ. 日英比較 日本語で使う「タクト」はドイツ語の Taktstock から.

しき[2] **式** **1** «儀式»: (式典) céremòny Ⓒ; (特に宗教上の儀礼) rite Ⓒ ★ しばしば複数形で. ⦅☞ ぎしき; -しき⦆. ¶ *式は荘重に行われた The *ceremony* was ⌈held [performed] solemnly. // *式に参列する attend a *ceremony* // 君たちはいつ*式を挙げるのかね (⇒ いつ結婚するのか) When are you going to get married? / When is your wedding?

2 «数学などの式»: (一般的な式) expression Ⓒ; (公式) formula Ⓒ ★ ⦅複⦆ は formulas または formulae. 後者は特に論文など格式ばったものに用いる.; (等式・方程式) equation Ⓒ; (不等式) inequality Ⓒ; (化学式) chemical formula Ⓒ. ⦅☞ こうしき[2]⦆. ¶ 私の理論は*式にすると以下のようになる My theory can *be formulated* as follows. // *式を立てる[解く] set up [solve] an *equation*

3 «仕方・方式»: ☞ -しき

式次第 ☞ 見出し

しき[3] **士気** (軍隊・チームなど集団の意気) morale /mərǽl/ Ⓤ; (気迫) spirit Ⓤ; (闘志) fight Ⓤ. ⦅☞ ファイト; とうし[2]⦆. ¶ 選手の*士気は上がっている The players' *morale* is ⌈improving [rising]. // 連敗で選手の*士気は落ちた The players' *morale* ⌈sagged [flagged] owing to their successive defeats. // チームの*士気を高める raise [heighten] the *morale* of the team

しき[4] **四季** the (four) seasons ⦅☞ きせつ[1]⦆. ¶ *四季を通じて (⇒ 一年中) *throughout* (*the*) *year* / *all* (*the*) *year round*

しき[5] **死期** the ⌈hour [time] of death; (最期) *one's* end. ⦅☞ し[2]⦆. ¶ *死期が近づいた I am near *my end*.

しき[6] **私記** private record Ⓒ.

しき[7] **紙器** papier-mâché /péɪpəməʃéɪ/ [paper] *wares* ★ *通例複数形で*. papier-mâché は紙粘土のこと.

しき[8] **史記** ── 名 ㊗ *Shih-chi, Shiji*; (英訳タイトル) *Historical Records, Records of the Historian*. ★ 司馬遷による史書. ⦅☞ イタリック体 (巻末)⦆.

-しき **…式** (習慣・風習などのあり方) way Ⓒ ★ 最も一般的な語; (単なる外見的なやり方) fashion Ⓒ; (様式・風) style Ⓒ; (方法・組織) system Ⓒ; (型) type Ⓒ. ⦅☞ ふう[1]; -りゅう⦆.

¶ 日本*式生活にもう慣れましたか Have you become accustomed to the Japanese *way* of life? // アメリカ*式にやろう Let's do it the American *way*. // この町にはゴシック*式の建物がたくさんある You can find a lot of architecture in the Gothic *style* in this town. // 最新*式のパソコン the newest-*type* personal computer // ヘボン*式ローマ字 the Hepburn *system* of Romanization // 古*式泳法 the Japanese traditional swimming technique

しぎ[1] **鴫** 〘鳥〙 snipe Ⓒ.

しぎ[2] **市議** ☞ しかい[3]; しぎかい

しぎ[3] **仕儀** ☞ しだい[1]

しぎ[4] **試技** trial run Ⓒ, practice ⌈jump [run, throw] Ⓒ ★ 前者は一般的に, 後者は競技の種類による.

じき[1] **時期** (ある特定の) time Ⓤ ★ 最も一般的な語; (季節・盛りの時) season Ⓒ; (一定の期間) period Ⓒ. ⦅☞ シーズン; きせつ[1]; じせつ[1]⦆.

¶ 毎年この*時期は雨が多い We have a lot of rain (at) this *time* of year. // ハイキングにはいまが一番いい*時期だ This is the best *season* for hiking. // いまは牡蠣(かき)のうまい*時期だ Oysters are now *in season*. // いちごは今は*時期はずれだ Strawberries are *out of season* now. // まだ*時期が悪い (⇒ 時が熟していない) The *time* is not yet ripe.

時期尚早 ¶ 結論を出すには*時期尚早だ (⇒ 早過ぎる) It is *too early* for us to make our final decision.

じき[2] **直** (間もなく) soon, before long ★ 後者のほうがやや格式ばった言い方; (2, 3 分で) in a few minutes; (ほとんど) almost. ⦅☞ まもなく⦆. ¶ 夫は*じきに戻ってきます My husband will ⌈be back *soon* [come back *in a few minutes*]. // 雨は*じきにやむでしょう It'll stop raining *before long*. // もう*じき 6 時だ It's *almost* six.

じき[3] **次期** ── 形 (次の) next ⦅☞ つぎ[1]⦆.

¶ *次期国会 the *next* session of the Diet // *次期大統領 the Président-eléct 語法 選挙が終わって次の大統領に決まった人を指す.

じき[4] **磁気** ── 名 mágnetìsm Ⓤ. ── 形 (磁気の・磁気を帯びた) magnetic.

磁気嵐 magnetic storm Ⓒ **磁気カード** magnetic card Ⓒ **磁気学** magnetics Ⓤ **磁気コンパス** magnetic compass Ⓒ **磁気ディスク** magnetic disk Ⓒ **磁気テープ** magnetic tape Ⓒ **磁気浮上列車** máglèv Ⓒ ★ magnetic levitation (磁気による空中浮揚) から作られた語. **磁気ヘッド** magnetic head Ⓒ **磁気量** magnetic charge Ⓤ **磁気録音** magnetic recording Ⓤ.

じき[5] **磁器** porcelain /pɔ́ːs(ə)lɪn/ Ⓤ, china Ⓤ.

じき[6] **時機** opportunity Ⓒ ⦅☞ きかい[3]; チャンス⦆.

じき[7] **自記** ── 形 (自記式の) self-recording.

¶ *自記式の湿度計 a *self-recording* hygrometer

自記装置 self-recording instrument Ⓒ.

-じき **-敷き** ¶ 20 畳*敷きの応接間 a twenty-*mat* drawing room ⦅☞ -じょう[3]⦆

じぎ[1] **字義** the meaning of a word. ¶ *字義どおりの解釈 a *literal* interpretation

じぎ[2] **児戯** (子供の遊戯) child's play Ⓤ ★ 比喩的に簡単なことを意味する. ¶ 私のピアノなど*児戯に等しい (⇒ お笑いぐさだ) My piano playing is ⌈*a joke* [*laughably poor*].

じぎ[3] **時宜** ¶ *時宜にかなった処置 (⇒ 時機がちょうどよい処置) *timely* measures ⦅☞ タイミング⦆

しきい **敷居** (玄関の) threshold /θréʃ(h)òʊld/ Ⓒ; (障子・ふすまなどの) runner Ⓒ, groove Ⓒ 日英比較 前者は「滑走面」, 後者は「溝」の意だが,

英米の家には普通ないものなので, さらに for a sliding door のような説明を必要とする場合もある.
敷居が高い ¶ごぶさたばかりしてどうも*敷居が高くなりました (⇒ 来るのが気まずい) I haven't been here for so long that I *feel awkward coming*.
敷居をまたぐ ¶あいつには二度とこの家の*敷居はまたがせないぞ (⇒ 家に入れない) I'll never let him *in my door* again.

しきいし 敷石 (地面に敷く大きくて平らな) paving stone Ⓒ; (砂利) gravel Ⓤ; (舗装用割り石) road metal Ⓤ.

しきいち 閾値 〘理〙 threshold /θréʃ(h)ould/ Ⓒ.

しきうつし 敷き写し ¶彼は私の文章を*敷き写しにしているだけだ He's just *duplicating* my work. 《☞ トレース; なぞる; まね; まるうつし》

しぎかい 市議会 municipal [city] assembly Ⓒ, (city [local]) council Ⓒ. 《☞ ぎかい》. **市議会議員** member of the ˹municipal [city] assembly Ⓒ, 《米》 councilman Ⓒ, councilwoman Ⓒ, 《英》 councillor Ⓒ. 《☞ ぎいん¹》.

しきかく 色覚 color vision Ⓤ. **色覚異常** dyschromatopsia Ⓤ **色覚遺伝子** color vision gene Ⓒ.

しきがわ 敷き皮, 敷き革 (床に敷くための小さな) (fur) rug Ⓒ; (靴の) inner sole Ⓒ.

しきかん 色感 (色覚) color vision Ⓤ; (色彩感覚) ☞ しきさい (色彩感覚); (色の感じ) the impression of a color.

しきぎょう 私企業 private enterprise Ⓒ, privately owned company Ⓒ.

しききん 敷金 (保証・予約のための) (dámage) depósit Ⓒ, 《米》 security deposit Ⓒ. ¶*敷金を払う make a *security deposit*

しきけん 識見 (判断力) judg(e)ment Ⓤ; (意見) opinion Ⓒ; (見解) view Ⓒ. 《☞ けんしき》.

しきさい 色彩 ── 名 (色) color (《英》 colour) Ⓤ ★ 具体的な色を指す場合は Ⓒ. ── 形 (色彩豊かな) colorful (《英》 colourful). 《☞ いろ (類義語)》. ¶*色彩豊かな民族衣装 *colorful* ethnic ˹costume [dress] // 彼女はなかなか*色彩感覚がいい She has a good sense of *color*. // 政党的*色彩のない人を選ぼう Let's choose a ˹man without any party *coloration* [non-party man]. **色彩学** chromatics Ⓤ **色彩学者** chromatist Ⓒ **色彩感覚** color sense Ⓒ, sense of color Ⓒ **色彩計** 〘物理〙 còlorímeter Ⓒ.

しきざき 四季咲き ── 形 perpétual, flowering all the year round ★ 後者のほうが平易な表現. ¶*四季咲きのばら *perpetual* roses

じきさん 直参 *jikisan* Ⓒ; (説明的に, 江戸時代以前の) direct retainer (of a feudal lord) Ⓒ; (説明的に, 江戸時代の) direct retainer of the shogun Ⓒ. **直参旗本** *jikisan-hatamoto* Ⓒ; (説明的には) higher-ranking direct retainer of the shogun Ⓒ.

しきし 色紙 square piece of cardboard (for writing a poem on) Ⓒ ★ 説明的表現.

しきじ¹ 式辞 addréss Ⓒ. ¶*式辞を述べる give [deliver] an *address* 語法 [ ] 内のほうが格式ばった言い方.

しきじ² 識字 **識字運動** ànti-illíteracy campaign Ⓒ **識字率** the literacy rate.

じきじき 直直 ── 副 (本人自身で[に]) personally, in person; (直接に) directly. 《☞ みずから》.

しきしだい 式次第 order of ceremony Ⓒ, ceremony program Ⓒ.

しきしゃ¹ 識者 (専門家) éxpert Ⓒ.

しきしゃ² 指揮者 ☞ しき¹ (指揮者)

しきじゃく 色弱 partial color blindness Ⓤ 《☞ しきもう》.

しきじょう¹ 式場 ceremonial hall Ⓒ 《☞ かいじょう¹》.

しきじょう² 色情 (性欲) sexual ˹appetite [desire] Ⓤ; (色欲) lust Ⓤ ★ 前者のほうが客観的な表現. 《☞ せいよく; よくぼう》.

しきしん 色神 **色神検査** color test Ⓒ 《☞ しきかく》.

しきせ 仕着せ ☞ おしきせ

しきそ 色素 〘生〙 pigment Ⓤ. **色素タンパク質** chromoprotein Ⓤ **色素レーザー** dye laser Ⓒ.

じきそ 直訴 ¶大臣に*直訴する make a *direct* ˹*petition* [*appeal*] to the Minister

しきそう 色相 hue Ⓒ. **色相環** hue circle Ⓒ.

しきそくぜくう 色即是空 (⇒ すべてはむなしいことである) All is vanity.

しきたり 仕来たり (慣習) convention Ⓤ ★ 具体的には Ⓒ; (風習) custom Ⓒ; (慣例) practice Ⓒ. 《☞ しゅうかん¹; かんしゅう¹ (類義語)》.

ジギタリス 〘植〙 dìgitális Ⓒ, foxglove Ⓒ ★ 植物名としては後者が一般的; (強心剤) digitalis Ⓤ.

しきち 敷地 (ある目的のための用地) site Ⓒ; (住宅などのための区画された狭い地所) lot Ⓒ.

しきちょう 色調 (色どり) (color) tone Ⓒ; (明暗の度合い) shade Ⓒ. 《☞ いろ》.

しきつめる 敷き詰める (一面に広げる) spread ... all over; (覆う) cover ㊐. 《☞ しく》. ¶小道に砂利を*敷き詰める *cover* a lane with gravel

じきでし 直弟子 pupil Ⓒ 語法 pupil という語にすでに個人的な教えを受けた者という意味があるので, この訳語で十分であるが, a direct ˹disciple [student] of ... のような訳も可能. 《☞ でし》.

しきてん 式典 cérémòny Ⓒ 《☞ しき²; ぎしき》.

じきでん 直伝 direct ˹transmission [initiation] Ⓤ.

しきど 色度 chromaticity Ⓤ.

じきに 直に ☞ じき²

じきひつ 直筆 (その人自身の筆跡) *one's* own ˹hand Ⓒ [handwriting Ⓤ] 《☞ じひつ》. ¶この書簡は王の*直筆だ (⇒ 王自身によって書かれた) This letter *was written* by the king *himself*. // 漱石*直筆の原稿 a manuscript in Soseki's *own* ˹*hand* [*handwriting*]

しきふ 敷布 sheet Ⓒ 《☞ シーツ》.

しきふく 式服 formal dress Ⓤ; (礼装) full dress Ⓤ. 《☞ れいふく》.

しきぶとん 敷布団 (ベッドの) mattress Ⓒ 《☞ ふとん 日英比較》.

しきべつ 識別 ── 動 (違いがわかる) tell ㊐ ★ 一般的で口語的な語; (特徴をつかんでほかとはっきりと区別する) distinguish ㊐; (類似しているものの微妙な違いを見分ける) discriminate ㊐. ── 名 distinction Ⓒ; discrimination Ⓤ. 《☞ くべつ (類義語); みわける》. ¶A と B を*識別する *distinguish* [*tell*] A from B

しきま 色魔 (色情狂) sex maniac /méɪniæk/ Ⓒ.

しきみ 樒 〘植〙 Jápanèse stár anise /ǽnɪs/ Ⓒ.

しきもう 色盲 ── 形 color-blind (《英》 colour-blind). ── 名 color blindness Ⓤ.

しきもの 敷物 (じゅうたん) carpet Ⓒ; (小型のじゅうたん) rug Ⓒ; (マット・むしろ・ござの類) mat Ⓒ. 《☞ じゅうたん》. ¶彼女はテーブルの下に*敷物を敷いた She spread a *rug* under the table.

じきもん 直門 (直弟子) direct disciple Ⓒ 《☞ じきでし》.

しぎやき 鴫焼き *shigi-yaki* Ⓤ; (説明的には) fried ˹eggplant [《主に英》 aubergine /óʊbəʒìːn/] served with miso Ⓒ.

しきゃく 刺客 ☞ しかく⁵

しぎゃく 嗜虐 sadism Ⓤ. **嗜虐的** ―形 sadistic.

じぎゃく 自虐 ―名 masochism /mǽsəkìzm/ Ⓤ. ―形 màsochístic.

しきゅう[1] 支給 ―動 (与える) give ⓗ; (必要な物を与える) supply ⓗ, provide ⓗ; (一定の金を定期的に) allow /əláu/ ⓗ. ―名 supply Ⓤ, provision Ⓤ ★ 以上は具体的な支給物の意では Ⓒ; allowance /əláuəns/ Ⓒ. ¶ 生徒たちは教科書を*支給された The students *were* ⌈*given* [*supplied with*] textbooks. // あなたに交通費として月 1 万円を*支給しよう We'll *allow* you ten thousand yen a month for commuting expenses.

しきゅう[2] 至急 ―形 (緊急の) urgent; (差し迫った) pressing ★ 以上 2 つは事の重大さを表すニュアンスがある; (迅速な) prompt; (即時の) immediate. ―副 urgently; promptly; (直ちに) at once, immediately 〔語法〕 後者はやや格式ばった語だが, 強調のために会話でもよく用いられる; (できるだけ早く) as ⌈soon [quickly] as ⌈possible [*one* can]. (☞ ただちに; すぐ (類義語); きゅう[1]).
¶ 彼は*至急の用事で大阪へ行った He went to Osaka on ⌈*urgent* [*pressing*] business. // *至急ご返事を下さい I would appreciate your *prompt* reply. // これを*至急田中さんへ届けてくれ Take [Deliver] this to Miss Tanaka *as* ⌈*soon* [*quickly*] *as possible*. // この傷は*至急手当を要する The wound should be treated ⌈*promptly* [*immediately*].

しきゅう[3] 子宮 womb /wúːm/ Ⓒ, 〔解〕 uterus /júːtərəs/ Ⓒ (複 uteri /-ràɪ/, ～es). **子宮外妊娠** 〔医〕 extrauterine /èkstrəjúːtəràɪn/ prégnancy Ⓤ **子宮がん** 〔医〕 úterine /júːtəràɪn/ càncer Ⓤ **子宮筋腫** 〔医〕 fibroid /fáɪbrɔɪd/ Ⓤ **子宮頸** 〔解〕 cervix uteri Ⓒ **子宮頸管** 〔解〕 cervical canal Ⓒ **子宮頸がん** 〔医〕 cervical cancer Ⓤ **子宮後屈** 〔医〕 rètrofléxion of the úterus Ⓤ **子宮収縮剤** òxytócic Ⓤ **子宮摘出** 〔医〕 hysterectomy Ⓒ **子宮内膜炎** 〔医〕 endometritis /èndoumətráɪtɪs/ Ⓤ **子宮内リング** intrauterine device Ⓒ (略 IUD).

しきゅう[4] 四球 〔野〕 base on balls Ⓒ, walk Ⓒ. (☞ フォアボール).

しきゅう[5] 死球 ☞ デッドボール

じきゅう[1] 時給 payment by the hour Ⓤ (☞ きゅうりょう[1]).

じきゅう[2] 持久 **持久戦** war of attrition Ⓒ **持久走** long-distance run Ⓒ **持久力** stamina Ⓤ (☞ こんき[1]; にんたい). ¶ 自分の*持久力を試す test *one's endurance* // 彼の*持久力は大したものだ I admire his *stamina*.

しきゅうしき 始球式 opening of a ball game Ⓒ. ¶ 知事の*始球式で試合が始まった The game was started with *the* (*first*) *ball thrown out* by the governor.

じきゅう(じそく) 自給(自足) ―名 self-sufficiency Ⓤ. ―形 self-sufficient. ¶ 食糧[石油]を*自給する be *self-sufficient* in ⌈food [oil] (production) // *自給自足の生活 a *self-sufficient* lifestyle **自給率** rate of self-sufficiency Ⓒ.

しきょ 死去 death Ⓤ (☞ しぬ).

じきょ 辞去 ―動 take leave of [say good(-)bye to] *a person* ★ [ ] 内は口語的.

しきょう[1] 司教 〔カトリック〕 bishop Ⓒ 〔参考〕 ローマカトリック教会 (Roman Catholic Church) の bishop を司教, 英国国教会 (the Church of England) などでは主教と呼ぶ. bishop は司教区 (diocese) を代表し, 司教座聖堂 (cathedral) に司教座 (cathedra) をもつ. また司教を統率するのが大司教 (archbishop) である.
¶ ローマ*司教 the *Bishop* of Rome ★ ローマ教皇のこと. **司教区** diocese /dáɪəsɪs/ Ⓒ.

しきょう[2] 市況 market Ⓤ (☞ しじょう[1]). **市況報告** market report Ⓒ.

しきょう[3] 詩経 (中国最古の詩集で五経 (☞ ししょごきょう) の一つ) the *Shijing*, the *Shih Ching*; (英訳タイトル) the *Book of* ⌈*Odes* [Songs].

しぎょう 始業 ―動 (学校などが始まる) begin ⓐ, start ⓐ; (店などが開く) open ⓐ. ―名 opening Ⓒ. (☞ はじまる; かいてん[2]).
始業式 the opening ceremony.

じきょう 自供 ―動 (白状する) confess ⓗ ⓐ; (自分がしたことを述べる) tell what *one* has done ★ 一般的な言い方. ―名 confession Ⓒ. (☞ じはく; はくじょう[2]).
¶ 彼は犯行のすべてを*自供した He *made a full confession* of his crimes. / He *told* the police *everything he had done*. ★ 第 2 文のほうが平易な表現. // 男は殺人を*自供した He *confessed* ⌈to [that he had committed] the murder.

じぎょう 事業 (売買などの取り引き) business Ⓤ; (大胆に行う企て) énterprise Ⓒ.
【類義語】 一般的で意味の広い語は **business** で, 単に商売だけでなく work と同意に用いられることもある. 日本語の「事業」も多くの場合はこの語に相当する. しかし, 特に「企て」というニュアンスを強調したいときは **enterprise** を用いる. (☞ しょうばい; じつぎょう)
¶ 彼は*事業に失敗[成功]した He ⌈failed [succeeded] in *business*. // 国家[市営, 民営]*事業 a ⌈state [municipal; private] *enterprise* // (大きな) *事業を営む run a (big) *business* // *事業を拡大する expand the *business* // お金を慈善*事業に寄付する give money to *charity*
事業家 (事業主) entrepreneur /àːntrəprənə́ː/ Ⓒ; businessperson Ⓒ; (男の事業家) businessman Ⓒ; (女の事業家) businesswoman Ⓒ **事業債** industrial bond Ⓒ **事業資金** business funds ★ 複数形で. **事業者団体** trade association Ⓒ **事業所得** business [enterprise] income Ⓒ **事業税** business [enterprise] tax Ⓒ **事業部** the enterprises ⌈division [department] (☞ 会社の組織と役職名 (囲み)).

コロケーション
事業を起こす establish [build] ⌈a *business* [an *enterprise*] / **事業を振興する** promote ⌈a *business* [an *enterprise*] / **事業を推進する** push forward ⌈a *business* [an *enterprise*] / **事業を始める** begin [start; launch; embark on] ⌈a *business* [an *enterprise*] // **非営利事業** a noncommercial *enterprise* / **儲かる事業** a ⌈profitable [lucrative] ⌈*enterprise* [*business*]

しきょうひん 試供品 (free) sample Ⓒ.

しきよく 色欲 sexual desire Ⓤ; lust Ⓤ ★ 後者のほうが強い欲望. (☞ しきじょう[2]).

しきょく[1] 支局 branch (office) Ⓒ (☞ しぶ[1]).

しきょく[2] 私曲 (よこしまなこと) wickedness Ⓤ; (不正な行為) corruption Ⓤ.

じきょく[1] 時局 (形勢・事態) situation Ⓒ; (物事のあり様) the state of ⌈affairs [things]. (☞ じたい[1]; じょうせい[1]). ¶ この重大な*時局を乗り切るにはこれしか方法はない This is the only way to tide us over this ⌈critical *situation* [*crisis*].

じきょく[2] 磁極 magnetic pole Ⓒ.

しきり 仕切り **1** 《区切り》: (部屋をさらに区切っているついたてや薄い壁) partítion Ⓒ; (区画された部分) compartment Ⓒ. (☞ しきる). ¶ 部屋は*仕切りで 2 つに分かれていた The room was divided into two by a *partition*. // このかばんは*仕切りが 4

つある This bag has four *compartments*.
2 «相撲の»: *shikiri* Ⓤ; (説明的には) the rituals of sumo wrestlers before the initial charge. ¶*仕切りに入る try *shikiri*, i.e. facing each other on the dividing lines / toe the mark // *仕切り直しする《☞ 成句》try *shikiri* again / toe the mark again
3 «会計の»: (決算) settlement of accounts Ⓤ.
仕切り価格 (請求書明細に書かれた値段)〘商〙invoice price Ⓒ **仕切り直し** (やり直し) ¶最初の交渉は打ち切られ*仕切り直しを余儀なくされた The initial negotiations were canceled, and we had to make a fresh start. 《☞ 2 用例》 **仕切り値段**〘商〙(市場での成り行きの値段) price of the market orders Ⓒ **仕切り売買**〘商〙transaction on dealers' basis Ⓒ.

しきりに 頻りに (非常に頻繁に) very often, frequently ★ 後者のほうが格式ばった語; (熱心に) eagerly. ¶彼はこのごろ*しきりに顔を見せる He ˹*often* [*frequently*] comes to see me these days. // 彼は*しきりに私に同行を勧めた He *urged* me to go with him. // 彼は*しきりにあなたに会いたがっている He is *anxious* to see you.

しきる 仕切る (分割する) divide ㊀; (仕切りで分ける) partition ㊀. 《☞ わける; へだてる; くぎる; しきり》. ¶その部屋はついたてで 2 つに*仕切られていた The room *was* ˹*partitioned* [*divided*] into two by a screen.

しきわら 敷き藁 (動物の) litter Ⓤ. 《☞ わら》.

しきん 資金 (特定の目的のための金) fund Ⓒ ★ 手持ちの金・財源の意味では通例複数形で; (資本金) capital Ⓤ. 《☞ しほん; ざいげん; かね¹》.
¶*資金が足りない[豊富である] We ˹are short of *funds* [have ample *funds*]. // *資金調達に苦労した We had difficulty in raising the ˹*capital* [*funds*]. // どの会社も*資金繰りが苦しい (⇒ 運営資金の確保に苦労している) All companies are facing difficulties in securing sufficient operating *funds*. // 店はその人が*資金を出している (⇒ その人によって融資されている) The store *is financed* by that person. // 政治*資金 political *funds* 《☞ せいじ¹》 // 選挙*資金 electoral *funds* // 運営*資金 operating [operation] *funds* // 自己*資金 *one's* own ˹*funds* [*resources*] // 運動*資金 campaign *funds* **資金集め** fund ˹collecting [raising] Ⓤ **資金カンパ** ― 图 fund raising campaign Ⓒ. ― 動 (資金カンパをする) make a donation **資金洗浄** ☞ マネーロンダリング **資金凍結** the freezing of funds **資金難** the ˹lack [want] of ˹funds [capital] **資金部** the finance processing ˹division [department] 《☞ 会社の組織と役職名 (囲み)》.

―コロケーション―
(手持ちの)資金がある have *funds* (on hand) / 資金を集める collect *funds* / 資金を運用する administer *funds* / 資金を創設する create *funds* / 資金を蓄積する accumulate *funds* / 資金を使い果たす drain *funds* / 資金を提供する give [offer; provide] *funds* / 資金を投資する invest *funds* / 資金を…に流用する divert *funds* to … / 資金を保有する hold *funds* // 限られた資金 limited *funding* / 厚生資金 health and welfare *funds* / 政府資金 government *funds* / 退職資金 a retirement *fund* / 凍結資金 frozen *funds* / 年金資金 a pension *fund* / 不正資金 a slush *fund*

しぎん 詩吟 recitation of a Chinese poem Ⓤ.

しきんきょり 至近距離 very close [point-blank] range Ⓤ. ¶彼は*至近距離から撃たれた He was shot at ˹*very close* [*point-blank*] *range*. // 彼は彼女を*至近距離から撃った He fired *point-blank* at her. ★ この point-blank は 副.

しきんせき 試金石 (金・鉄などの純度を試す石) touchstone Ⓒ ★ 比喩的にも用いる; (試すための手段) test Ⓒ. ¶逆境は友情の*試金石だ Adversity is a *test* of friendship.

しく 敷く (敷物・鉄道などを) lay ㊀ 《過去・過分 laid》; (布などを広げる) spread ㊀ 《過去・過分 spread》; (覆う) cover ㊀; (じゅうたんを敷く) carpet ㊀; (道に砂などを敷く) pave ㊀; (砂利を敷く) gravel ㊀. 《☞ しきもの》.
¶私たちは床にじゅうたんを*敷いた We *laid* a carpet on the floor. / We *carpeted* the floor. // この道には赤れんがを*敷こう <S (人) + V (*pave*) + O (場所) + *with* + 名 (物)> We'll *pave* the path *with* red bricks. // どうぞ座ぶとんを*敷いて下さい (⇒ 座ぶとんの上にお座り下さい) Please *sit on* the cushion. // ここにござを*敷いて (⇒ 広げて) 下さい *Spread* a mat here. // 私は部屋全体にじゅうたんを*敷きつめるのが好きだ I like wall-to-wall *carpeting*.

じく¹ 軸 **1** «中心の棒»: (それを中心に物が回転する軸) axis Ⓒ 《複 axes》; (機械の心棒) shaft Ⓒ; (車軸) axle Ⓒ; (旋回軸・回転軸) pivot Ⓒ. 《☞ しんぼう²》. ¶*軸が折れた The ˹*axle* [*shaft*] has broken. // 地球はその*軸を中心として 24 時間に 1 回転する The earth turns on its *axis* once every twenty-four hours. // ペン*軸 a pen*holder* // x*軸と y*軸 x-*axis* and y-*axis* / the vertical and horizontal *axes*
2 «掛け物»: scroll Ⓒ.
軸受け合金 bearing metal Ⓒ.

じく² 字句 ― 图 (単語と句) words and phrases ★ 複数形で; (言い回し) wording Ⓤ. ― 形 (言葉の上の) verbal; (文字どおりの) literal. 《☞ ことば; もじ》.
¶*字句に忠実な[こだわらない]翻訳 *literal* [*free*] translation // この文は*字句どおり (⇒ 文字どおり) に解釈してはいけない You should not ˹take [interpret] this sentence *literally*.

ジグ 治具 (工具などを制御する装置) jig Ⓒ.

じくあし 軸足 pivot leg Ⓒ.

じくう 時空 〘物理〙 space-time Ⓤ.

じくうけ 軸受け bearings ★ 複数形で.

しぐさ 仕種, 仕草 (身振り) gesture Ⓒ; (演技) action Ⓒ. 《☞ みぶり; どうさ》. ¶彼女は別れの*しぐさをした (⇒ さようならと手を振った) She *waved* good-bye. // 彼女は怒りをあらわす*しぐさをした She made a *gesture* to indicate her anger.

ジグザグ ― 图 (Z 字形) zígzàg Ⓒ; (デモなどのジグザグ行進) snake dance Ⓒ. ― 形 zigzag Ⓐ. ― 副 zigzag. ― 動 (物・人がジグザグに進む) zigzag ㊀; (デモ隊などが) snake-dance ㊀. ¶デモ隊は通りを*ジグザグ行進した The demonstrators *snake-danced* along the street. // *ジグザグなコースをとる take a *zigzag* course **ジグザグデモ** snake dance Ⓒ **ジグザグドリブル** 〘バスケ〙 ― 图 dribbling in a zigzag course Ⓤ. ― 動 dribble in a zigzag course ㊀ ㊀ **ジグザグミシン** zigzag-stitch sewing machine Ⓒ.

じくじ 忸怩 ¶*忸怩たる思い[もの]がある (⇒ 恥じる) be [feel] ashamed of … 《☞ はじる; はじ¹; はずかしい》

しくしく ¶おなかが*しくしく痛む I have a *nagging* pain in the stomach. // 女の子は*しくしく泣いていた The girl *was sobbing*. 《☞ 擬声・擬態語 (囲み)》

じくじく ¶*じくじくした地面 *sodden* [*boggy*] ground // *じくじくした傷 an *oozing* wound 《☞ 擬声・擬態語(囲み)》
【参考語】 ― 動 (じくじく出る) ooze (out) ㊀. ― 形

oozy; (びしょぬれの) sodden; (湿地の) boggy.

しくじり —[名] (無知・不注意による大失敗) blunder [C]. —[動] make a blunder. 《☞ へま; しっぱい》.

しくじる (失敗する) fail (in ...) (自) ★ 試験などに失敗する意では (他) となることが多い; (試験にしくじる) flunk (他) ★ 学生用語; (大きなへまをやる) blunder (自); (間違いをする) make a mistake. 《☞ しっぱい》. ¶ 彼は試験を*しくじった He ˹*failed* [*flunked*] the examination. // 彼は舞台の上で*しくじった He *blundered* on (the) stage. // 彼は会社を*しくじった (⇒ 解雇された) He *was fired from* his job.

ジグソーパズル jigsaw (puzzle) [C].

じぐち 地口 —[名] pun [C]; (ことば遊び) wordplay [U]. —[動] pun (自); (ごろ合せをする) play on words.

しくつ 試掘 —[名] (試し掘り) trial ˹dig(ging) [boring; bore] [U]. —[動] make a trial ˹digging [boring], prospect (自) (他).

シグナル signal [C] 《☞ あいず; サイン[1]》.

シグネチャー (署名・サイン) signature [C].

しくはっく 四苦八苦 —[動] (苦労する) have difficulty; (つらい思いをする) have a hard time (of it) ★ 後者のほうが口語的. 《☞ くろう》. ¶ 私はいつもレポートを書くのに*四苦八苦している I always *have a hard time* writing (term) papers. // 彼は借金で*四苦八苦している (⇒ 借金から解放されようと苦労している) He *is struggling* to ˹free himself from [get out of] debt.

じくばり 字配り print layout [C].

シグマ (ギリシャ語アルファベットの第 18 字) sigma [C] ★ ギリシャ文字は Σ, σ, s.

しくみ 仕組み (構造) structure [U]; (機械などの各部の働き) mechanism [C]; (機構) scheme /skíːm/ [C]. 《☞ こうぞう》.

しくむ 仕組む (たくらむ) plot (他), contrive (他) ★ 後者のほうが格式ばった語; (企てる) design (他) ★ この語は必ずしも悪い意味はない. 《☞ たくらむ》. ¶ それは巧妙に*仕組まれたわなだった It was a ˹cunningly *designed* [cunning] trap. // *仕組んだ狂言 (⇒ 八百長) a *put-up* job

シクラメン 〘植〙 cyclamen /sáɪkləmən/ [C].

しぐれ 時雨 (秋のにわか雨) autumn shower [C]; (晩秋のそぼふる雨) drizzling rain in late autumn [C]. 《☞ あめ[1]》.

しぐれに 時雨煮 *shigure-ni* [U]; (説明的には) clams or fish boiled down in soy with ginger.

しぐれる 時雨る —[動] rain [shower] off and on (自) ★ it を主語として.

しくんし 使君子 〘植〙 Rangoon creeper [U].

しけ 時化 —[名] (あらし) storm [C]; (荒れ模様) stormy weather [U]; (不景気) recession [C]. —[形] stormy; (特に海が荒れた) rough. 《☞ あらし; しける[2]》. ¶ *しけにあう be overtaken by a *storm* // 海は*しけ模様だ The sea looks ˹*stormy* [*rough*]. // 今回は*しけ(⇒ 不漁)だった We have had a ˹*poor haul* [*poor catch* (of fish)] this time. 《☞ ふりょう[2]》

じげ 地毛 (かつらに対して) *one's* own hair [U].

しけい[1] 死刑 —[名] (刑罰としての) the death penalty; (死の宣告) death sentence [C] ★ 裁判の判決について; (極刑) capital punishment [U] ★ やや文語的. —[動] (死刑を宣告する) sentence [condemn] *a person* to death; (死刑に処する) éxecùte (他), put *a person* to death ★ 前者のほうがより普通の表現. 《☞ しょけい[1]》. ¶ 彼は*死刑を宣告された He *was* ˹*sentenced* [*condemned*] *to death.* // *死刑は廃止すべきだ The *death penalty* should be abolished. // 彼は妻殺害のかどで*死刑になった He was ˹*executed* [*put to death*] for the murder of his wife. **死刑執行** execution [C] **死刑執行人** executioner [C] **死刑囚** condemned criminal [C], criminal on death row [C] ★ death row は「死刑囚監房」; death row inmate [C] ★ ínmàte は刑務所などの被収容者. **死刑廃止** the abolition of capital punishment **死刑廃止論** the argument for abolition of capital punishment.

しけい[2] 紙型 matrix /méɪtrɪks/ [C] 《複 ~es, -trices /méɪtrəsìːz/》.

しけい[3] 詩形 verse [poetic] form [C].

しけい[4] 私刑 ☞ リンチ

しけい[5] 市警 city police [U]; municipal police [U] ★ 後者は町・市警察など. 英米の市警は通例市ごとの独立組織だが, 日本各市の警察署は各都道府県警察(一部の大都市ではその一部門である市警察部)の統轄下にあり, 厳密に言うと独立した市警は存在しない.

しげい 至芸 consummate [superb] performance [C].

じけい[1] 字形 letterform [C].

じけい[2] 次兄 *one's* second ˹eldest [oldest] brother.

じけいだん 自警団 《米》 vígilance commìttee [C]. **自警団員** vigilante /vɪdʒəlǽnti/ [C] ★ 私刑を加えるなどの悪いニュアンスを持つことがある.

シケイン (自動車レースのコース上の減速障害物) chicane [C].

しげき[1] 刺激 —[名] (刺激すること) stimulation [U]; (刺激を与えるもの) stimulus [C] 《複 stimuli /stímjʊlàɪ/》; (誘因) incéntive [U]. —[動] (刺激する) stimulate (他); (感情などを起こさせる) excite (他); (挑発する) provoke (他); (皮膚をひりひりさせる) írritàte (他). —[形] (刺激性の) stimulant; (刺激的な) stimulating; (煽情的な) sensational; (挑発的な・人を怒らせるような) provocative; (舌や鼻を刺激する) 《格式》 pungent. ¶ その*刺激に対して反応は何もなかった (⇒ その刺激は何の反応も起こさなかった) The *stimulus* ˹brought [evoked] no response. // その煙は*刺激的なにおいがした The smoke had a *pungent* smell. // 彼らは*刺激的なポスターを掲げた They put up a *sensational* poster. // そのにおいは私の食欲を*刺激した The smell *stimulated* my appetite. // 彼の成功は弟にとってたいへんな*刺激だった His success ˹was [gave] a great *stimulus* to his brother. // この町の*刺激のない生活 (⇒ 退屈な生活) にはもうあきあきした I'm fed up with the *dull* life in this town. **刺激剤** 〘医〙 stimulant [C] **刺激物** (コーヒー・茶・酒など) stimulant [C] **刺激療法** stimulation therapy [U].

しげき[2] 史劇 historical play [C].

しげき[3] 詩劇 drama in verse [C].

しげく 繁く ☞ あししげく

しけこむ (ひそかに入り込む) sneak into ...

しげしげと ¶ 彼は*しげしげと (⇒ 頻繁に) 彼女のもとへ通った He *frequently* went to see her. // 彼は*しげしげと (⇒ じっと) 私の顔を見た He looked *hard* at me. / He ˹*stared* [*gazed*] at me.

しけつ 止血 —[名] 〘医〙 hèmostásis 《複 -ses》. —[動] (出血を止める) stop (the) bleeding. **止血剤** styptic [C] **止血帯** tourniquet [C].

じけつ 自決 (民族自決) self-determination [U]; (自殺) suicide [U]. 《☞ じさつ》.

しげみ 茂み (低木が繁茂している所) thicket [C], brush [U] ★ この 2 つはほぼ同じ意味. 後者は brushwood とも言う; (根本から枝分かれしている低木が生い茂っている所) bush [C]. 《☞ くさむら; しげる》.

しける[1] **湿気る** get ｢damp [moist], dampen ⓐ, moisten ⓐ ★後の2つはやや格式ばった語; (せんべいなどが柔らかくなる) get soft, soften ⓐ.

しける[2] **時化る** (海が荒れる) get ｢rough [stormy]; (金がなくて困っている) be hard up (for money). 《☞しけ》. ¶*しけた顔をする (⇒暗い顔をする) look *blue*

しげる 茂る (繁茂する) grow ｢thick [dense] [語法] ｢植物｣が主語となる. thick は植物の数が多いことに重点があって, 茂っている面積が広がるというニュアンスがある. dense は茂り方が密になることに重点があるが, 前者のほうが一般的; (草などが一面にはびこる) be ｢overgrown [covered] (with …) ★｢場所｣が主語. 《☞おいしげる; はんも》.

¶庭の木がよく*茂った The trees in the garden *have grown* fairly *thick*. ∥ 庭は雑草が生い*茂っていた The garden *was covered with* weeds. ∥ 葉の*茂った木 a tree thickly *covered with* leaves / a *leafy* tree

しけん[1] **試験** **1** 《学校などでの試験》: examination Ⓒ, 《略式》exam Ⓒ; test Ⓒ; (小試験) quiz Ⓒ 《複 quizzes》.

【類義語】最も一般的な語は ***examination***. ただし口語では普通 ***exam*** と略される. ｢試しにやってみるもの｣という広い意味の言葉が ***test***. ｢公式でない簡単な試験｣の意味では ***quiz***. この語は《米》で多く用いられる. 例えば平常の授業で行う小テストなどはこれに当たる. 《☞テスト; じゅけん[1]; 学校・教育 (囲み)》

¶きょうは英語の*試験があった We had an English ｢*exam* [*test*] today. ∥ 歴史の*試験は実に難しかった [易しかった] The history *examination* was very ｢difficult [easy]. / (⇒歴史の先生はたいへん難しい [易しい]試験をした) The history teacher gave us a very ｢difficult [easy] *examination*. ∥ 彼女は化学の*試験に合格した She has ｢passed [succeeded in passing] the *examination* in chemistry. ∥ *試験を受ける take [《英》sit (for)] an *exam* ∥ 私はホワイト先生の*試験に落ちてしまった I ｢failed [flunked] Mr. White's *examination*. ∥ 数学の*試験はどうでしたか How did you do in the math *exam*? ∥ ブラウン先生は毎時間簡単な*試験をすると言っています Mr. Brown says that he will give us a ｢*quiz* [short *test*] every period. ∥ 私はいま*試験勉強でとても忙しい Now I'm very busy ｢studying [cramming] for the *exam*. [語法] cram は特に｢詰め込み勉強をする｣の意の口語的な語. ∥ 中間*試験は英・数・国です The midterm *examination* covers English, mathematics, and Japanese. ∥ この問題は*試験に出るぞ This question will be included in the *examination*. ∥ この問題はこの前の*試験に出た This question was asked in the last *examination*. ∥ 彼はその*試験で A を取った He ｢got [received; made] an A on the *test*. ∥ 学期末*試験 an end-of-｢semester [term] *exam* ∥ 学年末*試験 a final *exam*(*ination*) / 《略式》*finals* ∥ 大学の入学*試験 an entrance *exam*(*ination*) for a college ∥ 追*試験 a supplementary *examination* / 《米略式》a makeup (*exam*) ★｢再試験｣の意にもなる. ∥ 国家*試験 a ｢state [national] *examination* ∥ 筆記[口頭]*試験 a written [an oral] ｢*examination* [*test*] ★筆記試験には a paper-and-pencil test という言い方もある. ∥ 実地*試験 a practical *test* ∥ 学力*試験 an achievement *test*

2 《試してみること》 ━ 图 (一定の基準や条件に合うかどうか確かめること) test Ⓒ; (いろいろ試みて調べてみること) trial Ⓒ; (実験) expériment Ⓒ. ━ 動 (試す) test ⓗ; (実験する) expérimènt ⓐ. ━ 形 (試験的) experimental. 《☞ためす; じっけん[1]》.

¶彼らはその新しい機械の性能を*試験した They put the new machine through an efficiency *test*. ∥ *試験飛行は成功だった The *test* flight was successful. ∥ それはまだ*試験的段階にある It's now in the ｢*experimental* [*test*(*ing*)] stage. ∥ ただいまマイクの*試験中―本日は晴天なり This is a ｢microphone [mike] *test*—one, two, three, four. / *Testing*—one, two, three, four. 《☞ダッシュ (巻末)》

試験科目 subject ｢for [on] an examination Ⓒ, examination subject Ⓒ ★後者のほうがくだけた言い方. **試験官** examiner Ⓒ **試験監督** (行為) 《米》proctoring Ⓤ, 《英》invigilation Ⓤ; (人) proctor Ⓒ, invigilator Ⓒ **試験期日** examination ｢date [day] **試験紙** 〘化〙test paper Ⓤ **試験地獄** the exàminátion ordeal /ɔəˈdíːl/ **試験場** examination ｢room [hall] Ⓒ; (試験の行われる場所) examination site Ⓒ **試験制度** examination system Ⓒ **試験台** (机) test ｢board [desk] Ⓒ; (テスト材料となる人) guinea pig Ⓒ **試験勉強** cramming [preparation] for an examination Ⓤ **試験問題** test [examination] question Ⓒ **試験用紙** (examination) paper Ⓒ ★略さずに言うほうが格式ばった言い方. **試験料** examination fee Ⓒ.

コロケーション

試験を行う give [conduct; administer] an *examination* / **試験を監督する** supervise [monitor; 《米》proctor] an *examination* / **試験を採点する** mark an *examination* / **追試験を受ける** retake an *examination* ∥ **学位試験** a degree *examination* / **公務員試験** a civil-service *examination* / **最終試験** the final *examination* / **職能試験** a professional *examination* / **選択肢を答える試験** a multiple-choice *examination* / **抜打ち試験** a surprise [an unannounced] *examination* / **能力別クラス分け試験** a placement *examination* / **模疑試験** a mock *examination* / **持ち込み可の試験** an open-book *examination*

しけん[2] **私見** (自分(個人)の意見[考え]) *one's* (own) ｢opinion [view] 《☞いけん[1] (類義語); かんがえ》.

しけん[3] **私権** private right Ⓒ.

しげん[1] **資源** resources ★通例複数形で.

¶日本は天然[地下]*資源が乏しい Japan is poor in ｢natural [mineral] *resources*. ★mineral resources は｢鉱物資源｣の意. ∥ 天然[物的]*資源に富む be rich in ｢natural [material] *resources* ∥ 日本は世界有数の*資源輸入国だ Japan is one of world's leading importers of natural *resources*. ∥ その業界では人的*資源が不足している There is a shortage of *manpower* in that industry.

資源(探査)衛星 resources satellite Ⓒ **資源エネルギー庁** the Agency of Natural Resources and Energy **資源外交** (資源優先の外交方法) resource diplomacy Ⓤ **資源開発** resource development Ⓤ **資源カルテル** producers' cartel Ⓒ **資源管理型漁業** (state-)managed fishery Ⓤ **資源小国** resource-poor country Ⓒ; (説明的には) country poor in natural resources Ⓒ **資源ナショナリズム** resource nationalism Ⓤ.

しげん[2] **至言** (適切な言) apt remark Ⓒ, exactly suitable ｢saying [remark] Ⓒ. ¶…とは*至言だ It *has been* ｢*well* [*aptly*] *said* that ….

じけん 事件 (重要な出来事) event Ⓒ; affair Ⓒ; (問題となる事柄) matter Ⓒ; (小さな出来事) incident Ⓒ; (法律上の) case Ⓒ.

【類義語】何か原因があって起こる重要で注目すべき出来事が ***event*** で, 特に歴史上に残るような事件に用いられる. 特定の人や事柄に関連して起こる出来事が *affair* で, 恋愛事件などがこれに当たる. 問題となる事柄は *matter*. 大きな出来事に付随して生じる小さな事件は *incident*. 法律的または犯罪などの事件は *case*. 《☞ できごと》

¶ 昨年の重大*事件の 1 つをお話ししましょう I'll tell you about one of the biggest *events* of last year. // 彼はその*事件に巻き込まれた He got involved in the ˹*affair* [*case*]. // これは重大*事件だ This is a serious *matter*. // その*事件はうやむやにされてしまった The *incident* has been covered up. // 先月は殺人*事件が 3 件あった There were three ˹*cases* of murder [murders] last month. // 前代未聞の*事件が起きた An ˹unheard-of [unprecedented] *incident* ˹occurred [took place].

事件記者 news reporter on the police beat Ⓒ.

―コロケーション―

事件を捜査する investigate a *case* // **痛ましい事件** a tragic *incident* / **恐ろしい事件** a horrifying *event* / **変わった事件** a bizarre *incident* / **強盗事件** a burglary *case* / **国家的事件** a national *event* / **衝撃的事件** a shocking *event* / **政治事件** a political ˹*event* [*scandal*] / **世界を揺るがす事件** an earth-shaking [a world-shaking] *event* / **大事件** a ˹great [serious] *event* / **テロ事件** a terrorist *incident* / **難事件** a difficult *case* / **ひき逃げ事件** a hit-and-run *case* / **悲惨な事件** a disastrous *event* / **人騒がせな事件** a sensational *incident* / **歴史上の事件** a historical *event* / **歴史的事件** a historic *event*

じげん[1] 次元 ―图 dimension Ⓒ; (水準) level Ⓒ. ―形 (…次元の) dimensional. 《☞ さんじげん; よじげん》. ¶ 君の言っていることは*次元が違うよ You're talking on a different *level*. // *次元の低い (⇒ 下品な) ジョーク a *vulgar* joke

じげん[2] 時限 time limit Ⓒ; (授業の) period Ⓒ; (授業の時間) hour Ⓒ. 《☞ じかん[1]》.

¶ 第 3 *時限は英語です English is in the third *period*. // 1 *時限は 50 分です Each ˹(class) *period* [class *hour*] lasts fifty minutes. // 組合は*時限ストを行う The (labor) union will go on (a) strike *for a limited number of hours*. **時限装置** time [timing] mechanism Ⓒ **時限爆弾** time bomb Ⓒ **時限立法** temporary statute Ⓒ.

しけんかん 試験管 test tube Ⓒ 《☞ じっけん[1] (挿絵)》. **試験管ベビー** test-tube baby Ⓒ.

しこ[1] 四股 (相撲で) stamp Ⓒ ★「踏みつけること」の意だが, 英米には類似のものがないので, 説明的訳. ¶ 土俵で*四股を踏む *stamp* in the sumo ring as a warm-up (exercise)

しこ[2] 指呼 **指呼の間** (呼べば聞こえる距離の所に) within hailing distance (of *a person*).

しご[1] 死語 (いまは使われていない言語) dead language Ⓒ; (いまは使われていない単語) obsolete /ɑ́bsəlìːt/ word Ⓒ.

しご[2] 私語 ―图 (個人的な打ち解けた話) private talk Ⓒ, tête-à-tête Ⓒ; (ささやき) whisper Ⓒ. ―動 (ささやく) whisper ⓐ ⓗ. ¶ 授業中は*私語を慎みなさい Don't *talk* in class.

しご[3] 死後 ―副 after *one's* death. ―形 *posthumous* /pɑ́stʃuməs/. ¶ その男は*死後 3 日と推定される The man is estimated to *have been dead* for three days. **死後硬直** rigor mortis Ⓤ. ¶ *死後硬直が始まっている *Rigor mortis* has set in.

しご[4] 詩語 poetic word Ⓒ; (詩の語法) poetic diction Ⓤ.

じこ[1] 事故 (不慮の) accident Ⓒ; (進行などの障害) hitch Ⓒ; (災難) mishap Ⓒ. 《☞ じんしんじこ; しょうとつ; むじこ》.

¶ 彼は学校へ行く途中で*事故にあった He ˹had [was in; met with] an *accident* on his way to school. // その*事故で 10 人が負傷[死亡]した Ten people were ˹injured [killed] in the *accident*. // 今月は交通*事故が多かった[ほとんどなかった] There have been ˹many [few] traffic *accidents* this month. / Many [Few] traffic *accidents* have ˹happened [occurred] this month. // 不注意がよく*事故を起こす Carelessness is liable to ˹cause [bring about] an *accident*. // 自動車*事故 a traffic [an auto(mobile)] *accident* // 鉄道*事故 a ˹rail(road) [《英》 railway] *accident* // 飛行機[航空]*事故 an air *accident* / a plane *crash* [語法] crash は飛行機の墜落事故をいう. 《☞ ついらく》 **事故死** accidental death Ⓒ.

―コロケーション―

事故を避ける avoid an *accident* / **事故を少なくする** reduce [cut down on] *accidents* / **事故を防ぐ** prevent an *accident* / **事故を免れる** escape an *accident* / **事故を目撃する** witness an *accident* // **大きな事故** a major *accident* / **恐ろしい事故** a ˹dreadful [frightful; terrible; horrible] *accident* / **原子炉の事故** a nuclear reactor *accident* / **重大事故** a ˹grave [serious] *accident* / **悲惨な事故** a tragic *accident* / **ひどい事故** an awful [a bad] *accident*

じこ[2] 自己 ―图 (自身) self Ⓤ. ―代 (自分自身) oneself. 《☞ じぶん[1]; じしん[3] [語法] (1)》.

¶ 私は*自己流でやります (⇒ 自分自身のやり方でやります) I'll do it (*in*) *my own way*. // 私のピアノは*自己流です (⇒ 独学です) I *taught myself* to play the piano. / I'm a *self-taught* pianist.

自己暗示 autosuggestion Ⓤ **自己移植** 〖医〗 àutotransplantátion Ⓤ **自己感染** 〖医〗 àutoinféction Ⓤ **自己犠牲** self-sacrifice Ⓤ **自己欺瞞** self-deception Ⓤ **自己啓発セミナー** self-enlightenment seminar Ⓒ **自己嫌悪** self-hatred Ⓤ **自己顕示** ―動 push *oneself* forward **自己催眠** self-˹hypnosis [hypnotism] Ⓤ **自己資金** funds on hand ★ 複数形で. **自己実現** self-realization Ⓤ **自己資本** equity capital Ⓤ **自己資本比率** (銀行の預金額に対する純資産率) capital adequacy ratio Ⓒ; (総資産に対する純資産の比率) capital-to-assets ratio Ⓒ **自己主張** self-assertion Ⓤ **自己紹介** self-introduction Ⓤ. ¶ それぞれ*自己紹介して下さい Will each of you *introduce yourself*? **自己宣伝** self-advertisement Ⓤ **自己増殖** 〖生〗 self-replication Ⓤ **自己疎外** self-alienation Ⓤ **自己中心** ☞ 自己本位; じこチュー **自己中毒** autointoxication Ⓤ **自己点火** (内燃機関の) self-ignition Ⓤ **自己点検** self-inspection Ⓤ **自己同一性** ☞ 見出し **自己陶酔** narcissism Ⓤ **自己認識** self-understanding Ⓤ **自己破産** (個人の) personal [individual] bankruptcy Ⓤ; (企業の) voluntary bankruptcy Ⓤ **自己批判** self-criticism Ⓤ **自己評価** self-rating Ⓤ **自己負担** ―動 pay *one's* own expenses **自己分析** (心理学的な) autoanalysis Ⓒ; (一般に) self-analysis Ⓒ **自己弁護** self-justification Ⓤ **自己防衛本能** instinct for self-preservation Ⓤ **自己本位** selfishness Ⓤ; (利己主義) egoism Ⓤ; (自己中心) self-centeredness Ⓤ, ègocentrícity Ⓤ **自己満足** self-˹contentment [satisfaction] Ⓤ **自己矛盾** self-contradiction Ⓤ **自己免疫** ―图 àutoimmúnity Ⓤ. ―形 àutoimmúne **自己免疫疾患** autoimmune disease Ⓒ **自己誘導** 〖電〗

self-induction Ⓤ　**自己輸血** autotransfusion Ⓤ.

じご　事後　(出来事の後の[で]) after the fact; (事後の[に])〘法〙ex post facto.　**事後承諾** ex post facto ⌐consent [approval] Ⓤ.　¶*事後承諾を求める ask for *ex post facto consent*　**事後チェック** ex post facto audit Ⓒ　**事後報告** ex post facto report Ⓒ.

しこう[1]　施行　— [動] (法律などを実施する) enforce (他); (法令の効力を発揮させる) put ... in ⌐force [operation]; (法令が効力を持つに至る) come into force; (有効になる) become effective, go [come] into effect; (発効する) take effect [語法] 以上の中で enforce が一番格式ばった語で, あとは文体上の差は少ない. また最初の 2 つは「人」が主語, 後の 4 つは「法」が主語.　— [名] enforcement Ⓤ; operation Ⓤ. 《☞ じっし[1]; はっこう[2]》.
¶この法律は来年の 5 月から*施行される This law will ⌐*go into effect* [*become effective*; *be put into effect*] next May. // その法律は 1965 年から*施行されている The law *has been in force* since 1965.
施行期間 period of effectiveness Ⓒ　**施行期日** date of enforcement Ⓒ　**施行規則** enforcement regulations ★ 複数形で.　**施行令** enforcement ordinance Ⓒ.

しこう[2]　嗜好　(好み) taste Ⓒ; (好き) liking Ⓤ ★ しばしば a を付けて用いる; (愛好) fancy Ⓒ; (好きなもの) likes ★ 複数形で. 《☞ このみ[1]; しゅみ》.
¶この絵はあなたの*嗜好に合うと思う (⇒ この絵が気に入ると思う) I suppose you *like* this picture. / I suppose this picture will suit your *taste*.
嗜好品 (好きな食物) *one's* favorite ⌐food [beverage] Ⓤ.

しこう[3]　思考　(考え) thought Ⓤ; (考えること) thinking Ⓤ. 《☞ かんがえ; かんがえる》.
思考力 the power of thought.

しこう[4]　指向　— [動] (指す) point (to ...) (自); (向ける) direct (他).　— [形] (指向性の) directional; (...に方向づけられた) -oriented　[語法] export-oriented (輸出指向の) など合成語の第 2 要素として用いる. 《☞ さす[3]》.　**指向性アンテナ** directional ⌐《米》 antenna [aerial] Ⓒ.

しこう[5]　志向　— [動] (目指す) aim at ... 《☞ めざす; しぼう[1]》.　¶ブランド*志向 brand *loyalty* 《☞ ブランド》 // 若者*志向の店 (⇒ 若者を狙った店) stores ⌐*designed* [*intended*] *for* young customers // 消費者は低価格*志向が強い Consumers show strong *inclinations to* buy low-priced goods.

しこう[6]　歯垢　(柔らかいもの) plaque Ⓤ; (歯石) tartar Ⓤ.

しこう[7]　施工　☞ せこう[1]

しこう[8]　伺候　— [動] (人の近くで奉仕する) attend [wait] on (*a person*) (他); (面前に出る) present *oneself* (自).

しこう[9]　至高　— [名] supremacy Ⓤ.　— [形] supreme.

じこう[1]　事項　(事柄) matter Ⓒ; (題目) subject Ⓒ; (項目) item Ⓒ. 《☞ こう[3]; こうもく》.
¶関連*事項 a ⌐related [relevant] ⌐*subject* [*item*] // 調査*事項 *matters* for investigation ★ 複数形で. // 特記*事項なし Nothing in particular ⌐to note [that is worthy of attention].

じこう[2]　時効　〘法〙　— [名] (訴訟提起期間限定法) the statute of limitations; (長年の占有・使用によって権利を獲得すること) prescription Ⓒ.　— [動] (時効によって無効にする・なる) prescribe (他) (自).　¶その事件の*時効は明日成立する (⇒ 訴訟提起期間限定法は明日切れる) *The statute of limitations* on the case runs out tomorrow. // *時効の中断 the interruption of *prescription* // *時効の停止 the suspension of *prescription*

じこう[3]　時候　(季節) season Ⓒ; (天候) weather Ⓤ. 《☞ きこう[1]; きせつ[1]》.　¶*時候の変わり目には風邪を引きやすい We are susceptible to colds ⌐when the *seasons* change [at the turn of the *season*]. // 彼は*時候のあいさつを欠かさない He always sends me (the) *season's* greetings. // *時候はずれのポカポカ陽気 *unseasonably* warm weather // *時候はずれの果物は風味がない Fruits out of *season* have no flavor.

じこう[4]　時好　(その時代一般の好み) contemporary popular taste Ⓒ.　¶*時好に投ずる (⇒ 一般の人気を得る) strike a chord with *popular tastes of the time*

じごう[1]　次号　(雑誌などの) the next issue.　¶以下*次号 To *be continued*.

じごう[2]　寺号　the title of a Buddhist temple. 《☞ さんごう》.

しこうさくご　試行錯誤　trial and error Ⓤ.
¶*試行錯誤によって by *trial and error*

じごうじとく　自業自得　(自分の行いの当然の結果) the natural consequences of *one's* deeds ★ やや格式ばった説明的表現.　¶それは彼の*自業自得さ (⇒ 彼が自分で求めたのだ) He *asked for it*. ★ 慣用句. / (⇒ 当然の報いだ) That *serves him right*.　[語法]「ざまあみろ」という気持ちが含まれる. / (⇒ 自分を責めるよりほかない) He *has no one but himself to blame*. // (⇒ 責任は彼にある) The *fault lies with him*.

しこうてい　始皇帝　— [名] (固) Shih Huang Ti /ʃíːhwàːŋdíː/, 259–210 B.C. ★ 中国秦の初代皇帝.

じごえ　地声　*one's* natural voice Ⓤ.

しごき　扱き　(過重労働などによる虐待) harassment with overwork Ⓤ; (激しい鍛錬) rigorous training Ⓤ; (上級生などの) 《米》 hazing Ⓤ.

しごく[1]　(つらい目にあわせる) run [put] ... through the mill; (連続的に厳しい訓練を施す) put ... through hard training; (一時的に激しい練習をさせる) give ... a real workout; (新入生にいたずらをしていじめる) 《米》 haze (他). 《☞ きたえる》.　¶彼らは新入生を何週間も*しごいた They *put* the freshmen *through* many weeks of *hard training*. // 上級生が新入生を*しごいた The seniors *hazed* the freshmen.

しごく[2]　至極　— [副] (非常に) very; (まったく) quite ★ 以上 2 つは一般的な日常語; (極端に) extremely; (極めて) exceedingly.　¶あなたのおっしゃることは, *至極ごもっともです You're *quite* right (in saying so). // それは迷惑*至極だ It's ⌐*quite* [*such*] a nuisance /núːsns/ (to me). ★ such は「たいへんな」の意の [形].

じこく[1]　時刻　(一般に) time Ⓤ; (1 日のうちのある時間) hour Ⓒ. 《☞ じかん[1]; とき[1]; 時刻・日付・曜日 (囲み)》.
¶「いま (*時刻は) 何時ですか」「5 時です」 "What ⌐*time* is it [is the *time*] (now)?" "It's five."　[語法]「いま」を強調するときは now を付けるが, 付けないのが普通. // 私は彼に*時刻を尋ねた I asked him the *time*. // 列車は*時刻どおり着いた The train arrived *on* ⌐*schedule* /skédʒuːl/ [*time*].
時刻表 (交通機関の) timetable Ⓒ, 《米》 train [bus; flight] schedule Ⓒ.

じこく[2]　自国　(自分の国) *one's* (own) country Ⓒ; (自分の生まれた国) *one's* native land Ⓒ.　**自国語** *one's* native language Ⓒ; *one's* mother tongue Ⓒ ★ 後者のほうが格式ばった語.

じごく　地獄　(天国 (heaven) に対する) hell Ⓤ; (焦熱地獄) inferno /ɪnfə́ːnoʊ/ Ⓒ.　¶*地獄に落ちろ

時刻・日付・曜日

I 時刻の表し方

1 表現の仕方について

(1) ちょうどの時刻の表し方

(i) 時刻が 9 時, 10 時など, ちょうどの時刻のときは, o'clock を付ける. これは省略してもよい.

(ii)「午前」は in the morning,「午後」は in the afternoon ★ 正午過ぎから 5 時ぐらいまで.「夕方」以降は in the evening を時刻の後に付ける.「正午」は (twelve o'clock [twelve]) noon,「真夜中の 12 時 [0 時]」は (twelve o'clock [twelve]) midnight を用いる.

(iii) 時刻を文の形で表現するときには主語に it を用いる. この it は時刻をはじめ日付・距離・天候などを表す文で, 漠然と環境を表すために用いられる.

(iv) 時刻の正確さを示すときは「5 時きっかりに」at five ˹*sharp* [*on the dot*], また定時のニュースなど「毎正時」を示すときは「毎正時に」(every hour) *on the hour* という.

¶ いま*10 時です *It's ten* (*o'clock*). 語法 (1) 日本語では「いま」をよく用いるが, 英語では be 動詞が現在形であることが「いま」の意味を表すので, 普通は now を付けない. ただし, 特に「いま」であることを強調したいときには文尾に now または right now を付けることもある.

いま*正午です *It's twelve* (˹*o'clock* [*noon*]). 語法 (2) 時刻を表す数字は, この言い方の場合は普通は文字で表し, 算用数字は用いない.

いま*午後 4 時です *It's four* (*o'clock*) *in the afternoon.*

私の家では* 7 時に夕食を食べる We have dinner *at seven.* 語法 (3)「夕食」あるいは「ディナー」であれば, 朝 7 時ということはないので, in the evening は省略するのが普通. 時刻を表す前置詞は at を用いる.

私は毎朝*6 時に起き, *7 時ごろに家を出る I get up *at six* every morning and leave home ˹(*at*) *about* [*around*] *seven.* 語法 (4) 会話では at about の at は省略されることが多い. around は《米》で多く用いられるが《英》でも使われる.

(2)「…時…分過ぎ[前]」という言い方

(i) 分を表す数字をそのまま付ける.

¶ いま *10 時 45 分です *It's ten forty-five.*

夕食は*7 時半です Dinner is *at seven-thirty.*

(ii) past [《米》after] …, to … を使ってやや丁寧な言い方をする.

30 分過ぎまでは past または《米》after, 30 分を過ぎると次のちょうどの時刻に向かって「…分前」という意味で to を用いて表す.《米》では to の代わりに of や before を用いることもある. なお, 15 分過ぎ[前]は (a) quarter, 30 分過ぎは half を用いるのが普通である.

以上は標準的な表現で, 30 分を過ぎても past や after を用いる言い方をしたり, quarter を fifteen minutes, half を thirty minutes と言ってもかまわない. また,「…分過ぎ[前]」が付くときは *o'clock* は用いない.

¶ いま*午前 9 時 5 分です *It's five* (*minutes*) ˹*past* [*after*] *nine in the morning.*

学校は*8 時 15 分に始まります School ˹starts [begins] *at* (*a*) *quarter* ˹*past* [*after*] *eight.*

彼は*8 時 15 分前に出発した He started *at a quarter* ˹*to* [*of*] *eight.*

彼は*午後 3 時半ごろには家に帰ってくるでしょう He will come home ˹(*at*) *about* [*around*] *half past three in the afternoon.*

(3) 略式の言い方

例えば「10 時 20 分」なら 10:20 (《英》10.20) と算用数字で書き, ten-twenty のように読む.

午前は a.m., A.M. (ante meridiem の略) を, 午後は p.m., P.M. (post meridiem の略) を時刻の後に付け, /éıém/, /píːém/ のように読む. 時刻の前に付けるのは誤り. 普通は小文字だが,《米》では大文字を用いることが多い. いずれも略字なので, ピリオドを付ける. ただし《英》ではピリオドを付けない. この言い方の場合には o'clock は用いない. 正午は noon, 午前 0 時は midnight を a.m., p.m. の代わりに付ける.

¶ いま*午前 9 時だ It's *9:00 A.M.* 語法 (1) nine a.m. と読み, 00 は読まない.

いま*午後 9 時 5 分だ It's *9:05 P.M.* 語法 (2) nine-o /óʊ/ -five p.m. と読む. nine-five のように言うのは少し改まった場合で, 一般にコロン (:) の右側の数字, すなわち「分」が 05 あるいは 06 のように 0 が付いているときは 0 を /óʊ/ と読む.

この授業は*2 時 45 分に終わる This period ends *at 2:45* (*P.M.*). 語法 (3) この時刻の表し方では, half とか quarter は用いない.

(4) 24 時間制の言い方

交通機関・軍隊などで用いられる表し方で, あまり一般的ではない.

この言い方では, 例えば 13 時 (午後 1 時) は 13:00 と書き, thirteen hundred hours と読む. 00 を hundred と読み, 後に hours を付ける以外は, それほどこみ入ったルールはない. (3) の略式の言い方に準じると思えばよい. 24 時間制であるから, もちろん a.m., p.m. は用いない.

¶ いま*15 時 30 分です *It's 15:30.* ★ fifteen (hundred) thirty と読む.

2 時刻の聞き方と答え方

(i)「何時か」を聞く場合には What time を用いて, What time is it? または What's the time? のように言う. 英語では be 動詞が現在形であることで「いま」ということがわかるので, 日本語で必ず「いま」を付けるからといって, 英語でも now を付けて What time is it *now*? という必要はない. 答えは It's ˹nine ten [9:10]. / It's ten (minutes) past nine. のように言う. past を《米》after に代えてもよい.

(ii) 以上の聞き方, 答え方のほかに, 米口語では Do you have the time? とか What time do you have? と have を用いる聞き方がある.

これは前者は「あなたは時計を持っていますか」という意味が込められており, 後者は相手が時計を持っていることを前提として,「あなたの時計では何時ですか」と聞いていることになる.

have を用いて答えるのが, 形式的には質問に対応するが, 実際の対話では, 質問に have が使われたからといってそれにこだわる必要はない.

また, 以上のほかに Could you tell me the time? という聞き方もできる. 答えは Yes, No を始めに付けてから時刻を教える.

(iii)「あなたは何時に起きますか」のように「何時に」と聞く場合は, 文法的には At what time … となるが, この at は省くのが慣用である. ((例) What time do you get up?) ただし, 厳密に時間を聞く場合は省略しない. ((例) 飛行機は何時に飛び立ちましたか (At) what time did the plane take off?)
¶「私の時計では9時15分ですが, あなたの時計では*何時ですか」「9時17分です」「すると私の時計は2分遅れているようですね」"My watch says 9:15. *What time* is *it* by yóur watch?" "*It's* 9:17." "Then (I'm afraid) my watch is two minutes slow." [語法]「…の時計で」ということを表す前置詞は by, 時計が「遅れている」は slow,「進んでいる」は fast を用いる.

II 日付の表し方

1 表現の仕方について

(i) 日付は, 例えば6月10日は June 10, 《英》 10 June のように書き, June (the) tenth, the tenth of June のように読む.

なお, 日を表す数字は序数で言うのが普通だが, June ten のように基数が用いられる場合もある. 序数を用いる場合は月の名と日の間には定冠詞を入れても入れなくてもよく, 入れるほうが格式ばった言い方となる.

(ii) 月の名は書くときは Aug. のような省略形を用いてもよい. 年号を添える場合は June 10, 1998 のように, コンマで区切って入れ June (the) tenth, nineteen ninety-eight と読む. 2004 なら two thousand (and) four と読む. 《☞ 数字 (囲み)》

(iii) 日付を言う文では主語に it または today, the date, today's date などを用いる.
この it は時刻に用いる it と同じ種類のものである.
¶きょうは*9月1日です *It's Sept. 1* today. ★ 日付は September (the) first と読む. / *Today* is *Sept. 1.* // 1学期は*4月8日に始まる The first term ⌈starts [begins] *on April 8*. [語法] 日付を表す前置詞は on.

2 日付の聞き方と答え方

日付を聞くには date を用いるのが最も普通だが, day of the month も用いられる.
¶「きょうは*何日ですか」「*10月29日です」"*What's today's date*?" "It's *October 29* today [*Today* is *October 29*]." / "*What day of the month* is *it* today?" "It's *October 29* (today)."
「あなたの誕生日は*いつですか」「*4月23日です」「それはきょうですね. おめでとう」「ありがとう」"*When* is your birthday?" "*It's April 23.*" "That's today! Happy birthday!" "Thank you." [語法]「…はいつか」と聞くときは When is …? という聞き方が普通.

III 曜日の表し方

1 表現の仕方について

曜日は, 例えば「きょうは水曜日です」ならば *It's* [*Today* is] Wednesday. のように it または today を主語にして表す. It を主語とする構文では today を省略することが多い.
¶きょうは*金曜日です *It's Friday*. / *Today's Friday*.
あしたは*日曜日です Tomorrow is *Sunday*. / *It's Sunday* tomorrow.

2 曜日の聞き方と答え方

曜日を聞くときは What day is it today? と聞くのが最も一般的である.

日本語の習慣から考えると, この質問は直訳が「きょうは何の日か」となるので, 日付を聞いているようにもとれる. しかしキリスト教が広く普及している欧米では神が6日間で世界を創造し, 7日目に休息を取ったとする聖書の故事にならい, 6日間働いて日曜日を安息日とし, 礼拝を行う習慣があって, 生活のサイクルが曜日中心なので, What day is it today? と聞けば普通は曜日を聞いていることになるのである.

このことは給料などが元来週単位 (ただし現在は salary は月単位, また家賃も《米》では現在は月単位) であったことや, 日記などに日付・曜日を記すときも Friday, Mar. 10 のように曜日が先に置かれることなどを考えても理解できる.

しかし, 曜日だということをはっきりとさせたいときには day of the week を使って What day of the week is it today? のように聞く.

なお, くだけた表現では What's today? という聞き方もあるが, これは多少あいまいな質問とされ, 答えは Today's Monday. でも, Today's my birthday. でもよいとされており, 前後関係で何を聞いているかが明らかでないときは使わないほうがよい.
¶「きょうは*何曜日ですか」「*木曜日です」"*What day* (*of the week*) is *it* today?" "*It's* [*Today's*] *Thursday*."
「今度の*日曜日には何をしますか」「スキーに行くつもりです」"What are you going to do next *Sunday*?" "I'm going skiing." [語法] (1) 曜日を表す言葉が副詞的に用いられるとき, next, last などが前に付けば常に前置詞なしで用いられる. (2) 新聞の英語や口語では「彼は日曜日に出発する」を He will leave here *Sunday*. のように前置詞なしで用いることもあるが, on Sunday とするのが一般的である.
「*金曜日には授業は何時間あるの」「6時間です」"How many classes do you have *on Friday*(*s*)?" "Six." [語法] (3) 特定の曜日における習慣的なことを述べるには複数形を用いることが多い. 《☞ にちよう(び)》

Go to *hell*! // そこでの私の生活はまさにこの世の*地獄だった My life there was (a) *hell* on earth.
地獄で仏に会ったよう ―― [動] feel as if one had found 'a friend in need.' **地獄の一丁目** the anteroom of Hell **地獄の釜の蓋もあく(日)** (⇒ 奉公人の休みの日) servant's holiday [C] 《☞ やぶいり》. **地獄の沙汰も金次第** Money is the key that opens all doors. 《ことわざ: 金はどんな扉でも開けられる鍵だ》 / Money is the best lawyer. 《ことわざ: 金は最良の弁護士》 / Money makes the mare to go. 《ことわざ: 金は雌馬も歩かせる》
地獄絵 picture of the tortures of Hell [C] **地獄耳** ¶彼は*地獄耳だ (⇒ 大きな耳を持っている) He has *big ears*.

しこしこ ―― [形] (食物がかみでのある) chewy; (こつこつと地道な) steady, constant. 《☞ はごたえ; こつこつ¹; じみち; ちゃくじつ; 擬声・擬態語 (囲み)》.

しごせん 子午線 〖天〗 merídian [C].

しこたま (たくさんの) a lot of … ★ 最も口語的. 数にも量にも用いられる; (多量の) a great deal of …; (多数の) a large number of … 《☞ たくさん (類義語); どっさり; たんまり》. ¶彼は*しこたまもうけた (⇒

大金をつくった) He made *pots of* money. ★ pots of ... は《略式》「多額の」.

じこチュー 自己チュー (自己中心の人) self-centered person Ⓒ; (自己本位で目立ちたがり屋) egotist Ⓒ, egoist Ⓒ. (☞ じこ²(自己本位); みがって; わがまま).

しこつ 肢骨 the bones of the limbs.

しごと 仕事 1 《働くこと》 ―名 (遊びに対する) work Ⓤ; (収入を伴う) job Ⓒ; (商売上の) business Ⓤ; (人から課せられた) task Ⓒ; (骨の折れる) labor (《英》 labour) Ⓤ. ―動 (仕事をする・働く) work (自); (特定の仕事をする) do *one's* job.

【類義語】「仕事」を意味する最も一般的な語は **work** で, 肉体的な作業にも精神的なものにも用いられ, 収入の有無・難易には関係ない. この語は以下の語と入れ換えて用いることが可能な場合が多い. work よりも少し意味が狭く, また口語的な語であり, 決まった内容を持った具体的な仕事で, 収入を伴うものは **job** で, 日常的な手間仕事の意味でも用いられる. 商売や職業上の仕事という意味を表すのが **business**. この語はかなり意味が広く, work とほぼ同じ意味で使われることもあるが, 多くの場合実業的な仕事を意味する. 平易な語ではあるが, job ほどくだけた語ではなく, また job よりも少し自主性のある仕事というニュアンスがある. やや改まった感じの語で, ほかの人から任務や義務として課せられる仕事は **task**. 困難な仕事を指すことが多い. 肉体的・精神的に骨の折れるつらい仕事は **labor**. (☞ はたらく)

¶*仕事は終わりました I have finished [I'm through with] my *work*. ★ [ ] 内は口語的. さあ*仕事を始めよう (⇒ 仕事をしよう) Let's ⌈get to *work* [start *working*]. // *仕事がたくさんある I have a lot of *work* to do. // 彼は*仕事熱心だ (⇒ 一生懸命働く) He *works* hard. / (⇒ 勤勉な働き手だ) He's a hard *worker*. // 私は*仕事が楽しい I enjoy my *work*. // 彼は朝早く*仕事に出かける He goes to *work* early in the morning. // 木曜日は*仕事がない I have Thursday *off*. // きのうは1日*仕事を休んだ I took ⌈a [the] day *off* yesterday. // いま*仕事中です I'*m working*. / I'm doing my ⌈*work* [*job*]. / I'm on duty. ★ 最後は看護師・警官・兵士・消防士などの特殊な任務の場合の表現. / (⇒ いまは暇がない) I'm not free now. // 彼は*仕事が速い[遅い] He's a ⌈fast [slow] *worker*. // 彼女は*仕事に追われています She's swamped with *work*. (☞ おう¹) // *仕事が手につかない cannot get (down) to *work* // 「きょうお暇ですか」「いえ*仕事があります」"Are you free today?" "No, I have (to) *work* today." // 私はきつい*仕事はごめんだ I don't like hard *work*. // *仕事はずい分はかどっています We're getting along very well with the *work*. // その*仕事を進んで引き受けようという者はいなかった No one was willing to undertake ⌈the [that] *task*. // 彼は*仕事を家へ持ち帰ることがよくある He often brings *work* home from the office. // 彼女は*仕事でニューヨークへ向かった She left for New York on *business*. // 彼は*仕事の虫だ He is a ⌈*work* addict /ǽdɪkt/ [*workaholic* /wə̀ːkəhɔ́ːlɪk/]. 参考 workaholic は work と alcoholic の合成語で,「仕事中毒の人」の意. // 彼は*仕事中によく居眠りをする He often sleeps *on the job*. // 重要な*仕事 important *work* // 退屈な*仕事 a boring *job* // 難しい*仕事 difficult *work* / a difficult *job* // 楽な*仕事 easy [light] *work* / an easy *job*

2 《職業》: (一般的に職業) occupation Ⓤ ★ やや格式ばった語だが最も中立的な語で書類などの職業欄の見出しにはこれを用いる; (勤め口) work Ⓤ ★ 意味が広く, 以下の語と入れ換えて用いることが可能な場合が多い; (臨時的または永久的な職) job Ⓒ ★ 口語的でくだけた語; (特定の職種) position Ⓒ 語法 job よりも格式ばった語だが, 求人・求職の広告などによく用いられる; (人に雇われて勤めること) employment Ⓤ ★ やや格式ばった語. (☞ しょくぎょう(類義語)). ¶「彼の*仕事は何ですか」「石油会社の社員です」"What does he *do* (*for a living*)?" "He *works* for an oil company." / "What kind of *job* does he have?" "He's a clerk ⌈in [for] an oil company." / (⇒ どんな仕事に従事しているか) "What line of *business* is he in?" "He *works* for an oil company." // 私は*仕事を捜しています I'm looking for ⌈*work* [a *job*; a *position*]. / I'm ⌈seeking [looking for] ⌈*employment* [a *position*]. ★ 第2文のほうが格式ばった言い方. // 彼の*仕事は自動車の販売です His ⌈*work* [*job*] is selling cars. // 彼女はその会社でパートの*仕事が見つかった She got a part-time *job* with that firm. // 彼は*仕事にあぶれている He is out of ⌈*work* [*a job*]. (☞ あぶれる; しつぎょう)

仕事着 work clothes ★ 複数形で. **仕事師** (作業員) workman Ⓒ; (やり手) 《略式》 go-getter Ⓒ **仕事中毒** (状態) workaholism /wə̀ːkəhɔ́ːlɪzm/ Ⓤ; (人) workaholic Ⓒ, work addict Ⓒ **仕事場** workshop Ⓒ **仕事始め** the commencement of work. ¶*仕事始めは1月4日だ We *resume our routine work* on January 4. **仕事振り** *a person's* ⌈way [manner] of doing ⌈his [her] job **仕事部屋** workroom Ⓒ **仕事率** 〔物理〕 power Ⓤ **仕事量** workload Ⓒ.

コロケーション

仕事に就く take a *job* / **仕事を失なう** (失業する) lose *one's job* / **仕事を得る** get [find; land] a *job* / **仕事をする** do [go about] *one's work* / **仕事を成し遂げる** accomplish ⌈a *job* [a *task*] / **仕事を辞める** quit *work*; resign from [give up; quit; 《英》 leave] a *job* // **いい加減な仕事** slipshod [sloppy] *work* / **一日の仕事** a day's *work* / **一生の仕事** *one's lifework* / **いやな仕事** an unpleasant *job* / **大仕事** a big *job* / **体を使う仕事** (肉体労働) physical [manual] ⌈*work* [*labor*] / **くたびれる仕事** tiring *work* / **事務の仕事** office [clerical] *work*; an office *job* / **つまらない仕事** dull [dreary] *work*; a dull *job* / **骨の折れる仕事** a backbreaking *job*; backbreaking *work*

じこどういつせい 自己同一性 identity Ⓤ (☞ アイデンティティー).

しこな 醜名 sumo wrestler's professional name Ⓒ.

しこみ 仕込み ¶酒の*仕込みの時期だ It is time to *prepare the raw materials* /mətɪ́(ə)riəlz/ for making sake. // イギリス*仕込みのすばらしい発音 an excellent accent *acquired* in England // 彼のフランス語はフランス*仕込みだ (⇒ フランスで習った) He *learned* his French in France. (☞ しこむ; くんれん; おしえる; しいれ)

しこむ 仕込む (訓練する) train (他); (教える) teach (他) 《過去・過分 taught》. (☞ くんれん; おしえる). ¶ 彼は息子を腕のいい大工になるよう*仕込んだ He *trained* his son to be a good carpenter. // 犬にいろいろな芸を*仕込んだ I ⌈*taught* [*trained*] my dog *to* do various /vé(ə)riəs/ tricks.

しこり 1 《体にできるもの》: (はれ物) lump Ⓒ; (腫瘍) túmor (《英》 túmour) Ⓒ ★「がん」というニュアンスを持つことが多い; (体の組織にできる異常なかたまり) growth Ⓒ ★ 特に「腫瘍」など. ¶腋の下に*しこりができた A *growth* has developed under my armpit. // *しこりがなくても乳がんのこともある Breast cancer can be present without a *lump*.

2 «感情的なもの»: (不愉快な[悪]感情) unpleasant [bad] feelings ★ 通例複数形で; (感情のもつれ) emotional entanglement [U] ★ 格式ばった表現. (☞ わだかまり). ¶ 2 人の間には何の*しこりも残らなかった There were no *bad feelings* left between them.

じこりゅう 自己流 ―[副] (in) *one's* own way (☞ じこ[2]).

しこる 凝る ☞ こる; しこり

ジゴロ (女に養われる男) gigolo /dʒígəlòu/ [C].

しこん[1] 歯根 the root of a tooth.

しこん[2] 紫紺 deep purple [U].

しこん[3] 士魂 **士魂商才** noble spirit combined with business shrewdness [U].

しさ[1] 示唆 ―[動] (連想によってそれとなく思いつかせる) suggest /sə(g)dʒést/ (他); (間接的に提案してわからせる) hint (他). ―[形] (示唆に富む) suggestive, thought-provoking. ―[名] suggestion [C]; hint [C]. (☞ あんじ (類義語); ほのめかす).
¶ 彼の漱石についての論文は*示唆に富んでいる His essay on Soseki is ˹full of *suggestions* [very *thought-provoking*].

しさ[2] 視差 〔天・写〕 párallàx [U].

しざ 視座 ☞ してん[2]

じさ 時差 time difference [C], difference in time [C] ★ 後者のほうが格式ばった言い方. difference の前に時間を表す言葉がくると a が付く.
¶ 東京とロンドンとは 9 時間の*時差がある There is ˹a nine-hour [nine hours'] *difference* between Tokyo and London.
時差出勤 staggered working hours ★ 複数形で. **時差ぼけ** jet lag [U]. ¶ *時差ぼけにかかる suffer from *jet lag*

シザー(ズ)カット (鋏による調髪) scissors cut [C], scissor cut [C].

シザーズパス 〔ラグ〕 scissors /sízəz/ [C].

しさい[1] 子細, 仔細 ―[名] (細かなこと) details ★ 複数形で; (事のわけ) reason [C]; (事情) círcumstànces ★ 通例複数形で. ―[副] (綿密に) closely; (詳細に) minutely /maɪn(j)úːtli/; (細部にわたって) in detail. (☞ じじょう[1]; しょうさい[1]).
¶ *子細は後で話します I'll tell you the *details* later. // 彼は自分の計画を*子細に語ってきかせた (⇒ 計画の子細な説明を与えた) He gave a *detailed* account of his plan. / He explained his plan *in detail*. // その件は*子細に検討する必要がある We must discuss the matter *in great detail*. // 彼女は*子細ありげに (⇒ 意味ありげに) 私を見た She gave me a *meaningful* look.
子細顔 meaningful look [C].

しさい[2] 司祭 〔英国国教会・カトリック〕 priest [C] (☞ しんぷ[1]).

しさい[3] 詩才 poetic genius [C]. ¶ 彼には*詩才がある He has a *genius for poetry*.

しざい[1] 死罪 the death penalty, capital punishment [U] ★ 後者はやや文語的. (☞ しけい[1]).

しざい[2] 私財 (私有財産) private property [U]; (個人の資金) private funds ★ 複数形で; (自分の金) *one's* own money [U]. (☞ ざいさん; しきん).
¶ 彼女は*私財を投じてその橋をかけた She ˹used [gave] *her own money* to build the bridge.

しざい[3] 資材 material /mətí(ə)riəl/ [C] (☞ ざいりょう). ¶ 建築*資材 building *materials* ★ 複数形で. **資材部** the ˹materials [purchasing] ˹division [department] (☞ 会社の組織と役職名 (囲み)).

じざい 自在 ―[副] (自由に) freely; (意のままに) at will. (☞ じゆう[1]). **自在鉤** pothook [C] **自在スパナ** monkey wrench [C] **自在継ぎ手** 〔機〕 universal ˹joint [coupling] [C].

じざかい 地境 (土地の境界) boundary (line) [C].

じさがり 字さがり indention [U], indentation [U] ★ いずれも具体的な場合は [C]. (☞ 字さがり (巻末)).

しさく[1] 思索 (考えること) thinking [U]; (思考・思想) thought [U]; (熟考) contemplation [U]; (精神・宗教上の問題などを集中的に深く考えること) meditation [U] ★ 後の 2 つは格式ばった語. (☞ かんがえる). ¶ 彼女は*思索にふけっていた She was lost in ˹*thought* [*contemplation*]. // *思索型の人 a *thinking* person

しさく[2] 試作 (試しに製造すること) trial ˹manufacture [production] [U]. ¶ これは*試作品です (⇒ 実験として作られた) This *has been* ˹*made* [*manufactured*] *experimentally*. **試作品** trial product [C].

しさく[3] 施策 ☞ さく[4]; ほうさく[2]; しょち

じさく 自作 ¶ *自作の歌をおきかせしましょう Let me sing a song *of my own composition*. // 彼は*自作の詩を朗読した He recited *his own* poem. // 彼は*自作自演でやる (⇒ 自分自身が書いた劇の中で演じる) つもりだ He's going to act in one of *his own* plays.
自作農 independent [landed] farmer [C].

じざけ 地酒 local brew of sake /sáːki/ [C].

しさつ[1] 視察 ―[動] (検査する) inspect (他). ―[名] inspection [U]. (☞ けんさ (類義語)). ¶ 大臣はいま北海道を*視察中です The minister is on an *inspection* tour of Hokkaido. // この工場は毎年 1 回政府役人の*視察がある This factory *is inspected* by a government official once a year.
視察団 group of inspectors [C]; (視察を目的とした団体) observation ˹group [party] [C] **視察旅行** tour of inspection [C], inspection [study] tour [C] ★ 前者のほうが改まった言い方.

しさつ[2] 刺殺 ―[名] 〔野〕 putout [C]. ―[動] (刃物で突き殺す) stab ... to death. ¶ ランナーを*刺殺する *put* a runner *out*

じさつ 自殺 ―[名] suicide /súːəsàɪd/ [U]. ―[動] kill *oneself*, commit suicide ★ 後者のほうが格式ばった表現; (自らの命を断つ) take *one's* own life. ¶ 彼女は*自殺した She *killed herself*. / She *committed suicide*. / She *took her own life*. ★ この順に格式ばった表現となる. // 彼はピストル*自殺をした He *shot himself*. // 彼は服毒*自殺した He *killed himself* by taking poison. // 老人は首つり*自殺した The old man *hanged himself*. **自殺行為** suicidal /súːəsàɪdl/ áct [C] **自殺者** suicide [C] **自殺点** 〔サッカー〕 own goal [C] **自殺幇助** aiding and abetting a suicide [U] **自殺未遂** attempted suicide [C].

じざむらい 地侍 (日本の中世の土豪的武士) medieval yeoman /jóumən/ warriors with local military power but not in the service of the shogunate.

しさん[1] 資産 (土地や建物) property [U]; (財力) means ★ 複数扱い; (富) wealth [U]; (莫大な金) fortune [C]; 〔法〕 (個人または会社の) ássets ★ 会計上は負債に対する資産. 複数形で. (☞ ざいさん).
¶ *資産を上手に運用する make good use of *one's means* // 固定*資産 fixed [capital] *assets*
資産運用 asset management [U] **資産家** (金持ち) rich person [C]; (財産家) person of ˹property [means] [C] **資産価値** asset values **資産株** income ˹stock [U] [shares] ★ 企業収益に応じて配当が支払われることから. **資産勘定** assets account [C] **資産公開** the disclosure of *one's* assets and

property 資産状態 *one's* financial standing Ⓤ. ¶会社の*資産状態 the *financial standing* of a firm 資産凍結 assets freeze Ⓤ 資産評価 assets valuation Ⓤ 資産目録 statement [inventory] of assets Ⓒ.

しさん² 試算 trial calculation Ⓤ《☞ けいさん¹》. ¶ざっと*試算 (⇒ ざっと計算) してみた I *calculated* it 「*roughly* [*approximately*]. 試算表〘簿〙 trial balance Ⓒ.

しさん³ 四散 ―動 scatter 自 他《☞ ちりぢり; ばらばら》.

しざん 死産 ―名 stillbirth Ⓤ. ―形 (死産の) stillborn. ¶彼女の第1子は*死産だった Her first child was *stillborn*.

じさん¹ 持参 ―動 (持ってくる) bring 他; (持って行く) take 他. ¶上ばきをご*持参下さい Please *bring* your slippers with you. // 私は弁当*持参で出かけた I *took* my lunch with me. 持参金 (新婦の) dowry Ⓒ 持参人払い (持参人払いの) payable to the bearer. ¶*持参人払い小切手 a check *payable to the bearer*

じさん² 自賛 ☞ じがじさん

しし¹ 四肢 (手足) the limbs ★ limb /lím/ は手または足の1本を指す格式ばった語; (手と足) arms and legs, 《格式》 the extremities ★ 複数形で. 《☞ てあし》.

しし² 獅子 lion Ⓒ《☞ ライオン》.

獅子身中の虫 (自分の(門)内の敵) the enemy within (*one's* gate); (自分の胸に抱えた蛇) a snake in *one's* bosom. 《☞ しんちゅう⁴》. 獅子の子落とし spare the rod and spoil the child《ことわざ: 甘やかすと子どもはだめになる》.

獅子頭 lion's mask Ⓒ 獅子吼(しく) ―名 (大声できつい説教) harangue Ⓒ. ―動 (…に向かって) harangue 他 しし座 Leo /líːoʊ/, the Lion《☞ せいざ¹》 ししっ鼻 snub [pug] nose Ⓒ 獅子奮迅の勢い (抵抗できない激しい勢い) irresistible force Ⓤ 獅子舞 lion dance Ⓒ; (説明的には) a ritual dance with a lion's mask.

しし³ 志士 person with noble ideals Ⓒ. ¶勤王の*志士 a *loyal supporter* of the Emperor

しし⁴ 死屍 corpse Ⓒ; dead body Ⓒ. 《☞ したい¹ (類義語)》. ¶*死屍に鞭を打つ (⇒ 死後に人の悪口を言う) speak ill of *a person after* 「*his* [*her*] *death* 死屍累々 heaps of dead bodies.

しじ¹ 支持 ―動 (意見・考えなどに賛成する) support 他, báck (úp) 他 ★ 後者のほうが口語的. ―名 support Ⓤ, backing Ⓤ. 《☞ あとおし; えんご》.

¶新大統領を*支持するものは多い Many people *support* the new president. // 彼の提案は熱狂的 [圧倒的] な*支持を受けた Enthusiastic [Overwhelming] *support* was given to his proposal. // 彼の政策は世論の*支持を得ることができなかった His policy failed to win public *backing*. // 精神的*支持 moral *support*

支持価格 (農産物などの) support price Ⓒ 支持者 supporter Ⓒ; backer Ⓒ ★ 後者は特に金銭面での後援の意味が強い. 前者は競技における特定チームの応援者を意味する場合もある. 支持率 approval rating Ⓒ. ¶現内閣の*支持率は下がる[上がる]一方だ *Fewer and fewer* [*More and more*] people 「are *supporting* [*support*] the present cabinet.

しじ² 指示 ―動 (指図する) direct 他; (細かい点まではっきりと指示する) instruct 他; (方向などを示す) indicate 他. ―名 (指図) directions; instructions ★ 以上2つは通例複数形で; (表示) indication Ⓤ. 《☞ しれい¹; さしず; めいれい》.

¶万事あなたの*指示に従います I'll follow your 「*directions* [*instructions*] in everything. // 本社から何の*指示もなかった I've received no *instructions* from the head office. 指示器 indicator Ⓒ 指示詞〘文法〙 demonstrative Ⓒ 指示代名詞〘文法〙 demónstrative prónoun Ⓒ.

しじ³ 師事 ¶K教授に*師事する *study under* Professor K《☞ おしえ¹; おそわる》

しじ⁴ 私事 (一身上の事) personal [private] affair Ⓒ; (秘密の事) secret affair Ⓒ. ¶*私事にわたって恐縮です Excuse me for *being personal*. // 他人の*私事をあばく disclose *a person's private affairs* // 他人の*私事を穿鑿(せんさく)する pry into *a person's privacy*

しじ⁵ 死児 (死んだ子ども) dead child Ⓒ; (死産児) stillborn child Ⓒ.

死児の齢(よわい)を数える calculate how old the dead child would be if he/she were alive; (済んでしまったことを悔やむ) cry over spilt milk.

じし 侍史 respectfully《☞ 手紙の書き方 (囲み)》.

じじ 時事 ―形 (時事的な) current. 時事英語 current English Ⓤ 時事解説 news commentary Ⓒ 時事解説者 news commentator Ⓒ; (ラジオ[テレビ]の) radio [TV] commentator Ⓒ 時事問題 current affairs ★ 複数形で.

ししおどし 鹿威し water-driven clapper Ⓒ《☞ そうず¹》.

シシカバブ 〘料理〙 shish kebab /ʃíʃkəbàːb/ Ⓤ.

ししき 司式 ―名 officiating Ⓤ. ―動 officiate 自. ¶結婚式の*司式をする *officiate* at the wedding

ししきゅう 四死球 〘野〙 walks and hit batters ★ 複数形で. 《☞ デッドボール; フォアボール》.

じじこっこく 時時刻刻 (毎時) every hour; (毎分) every minute; (一瞬一瞬) every moment ★ いずれも副詞的に用いられる. ¶状況は*時々刻々変わる The situation is changing 「*every hour* [*hourly*].

ししそんそん 子子孫孫 ¶…を*子々孫々に伝える hand … down to *posterity*《☞ しそん; こうせい⁵》

ししつ¹ 資質 (生まれつきの性質) nature Ⓤ; (生まれつきの才能) endowments ★ 複数形で. 《☞ さいのう¹; そしつ》.

ししつ² 私室 ☞ こしつ¹

ししつ³ 紙質 the quality of paper《☞ しつ¹》.

ししつ⁴ 脂質 〘生化〙 lipid Ⓒ.

しじつ 史実 (歴史上の事実) historical fact Ⓒ; (歴史的な証拠) historical evidence Ⓤ.

じしつ¹ 自室 *one's* (「own [private]) room Ⓒ.

じしつ² 痔疾 〘医〙 h(a)emorrhoids /hémərɔ̀ɪdz/ ★ 常に複数形で. 《☞ じ³》.

じしつ³ 自失 absentmindedness Ⓤ《☞ ぼうぜん》.

じじつ¹ 事実 ―名 (実際の事柄) fact Ⓒ ★ 想像・理想などに対する事実の意味では Ⓤ; (真実) truth Ⓤ; (現実) reality Ⓒ; (実情) case Ⓒ ★ be the case で「本当である」の意味となる. ―形 (事実上の) actual, 《格式》 de facto /dɪfǽktoʊ/; (実質的な) virtual. ―副 (実を言うと) as a matter of fact; (実際上は) practically; (実質的に) virtually; (事実上は) in fact 語法 この句は何かほかのことと対比したり, あるいは前言を違う角度から言い直したりするときに用いる.

¶彼女の言うことは*事実だ What she says is 「(a) *fact* [(⇒ 本当だ) *true*]. // 私は*事実を曲げることはできない I cannot falsify the *facts*. / (⇒ 真実をゆがめることはできない) I cannot pervert the *truth*. // 彼の

証言は*事実に反する His testimony /téstəmòuni/ is ⌈contrary [contradictory] to ⌈*fact* [the *facts*]. // この物語は*事実に基づいている This story is based on *fact(s)*. // 彼らは直ちにその*事実について調査した They immediately inquired into the *facts* of the case. // 私は遅れたという*事実を否定はしない I don't deny (the *fact*) that I was late. [語法] the fact that … は回りくどい表現となるので可能な場合は省いたほうがよい. // *事実はときとして小説よりも奇なりだ *Fact* [*Truth*] is sometimes stranger than fiction. // そのうわさは結局*事実だった (⇒ 本当だとわかった) The rumor turned out (to be) *true*. // それが*事実なら, 彼は辞職すべきだ If that *is the case*, he should resign. // 彼は*事実上は社長だが, 名目上はそうではない He is the president *in fact*(,) but not in name. // 彼は*事実上その会の指導者だ He is the ⌈*virtual* [*de facto*; *actual*] leader of the party. // そのうわさは*事実無根 (⇒ 根拠のないこと) です The rumor is *groundless*. // 基本的*事実 a basic *fact* // 興味深い*事実 an interesting *fact* // 具体的な*事実 a concrete *fact*

事実婚 de facto marriage Ⓤ **事実調査委員会** fact-finding commission Ⓒ.

――コロケーション――

事実を明らかにする disclose a *fact* / 事実を隠す hide [conceal; suppress] a *fact* / 事実を確認する confirm [check] a *fact* / 事実をごまかす gloss over a *fact* / 事実を認識する realize a *fact* / 事実を暴露する reveal [expose] a *fact* / 事実を発見する discover [find] a *fact* / 事実を曲げる distort [twist] ⌈a *fact* [the *facts*] / 事実を見逃す overlook a *fact* / 事実を無視する ignore a *fact* / …という事実を受け入れる accept the *fact* that … / …という事実を直視する face the *fact* that … / …という事実を握っている know the *fact* that … / …という事実を認める admit [recognize] the *fact* that … / 人に事実を伝える tell *a person* a *fact* // 争う余地のない事実 an indisputable *fact* / ありのままの事実 a bare *fact* / 意義深い事実 a significant *fact* / 疑いのない事実 an unquestionable *fact* / 永遠の事実 (an) eternal *fact* / 恐ろしい事実 a ⌈horrible [horrifying] *fact* / 驚くべき事実 an ⌈amazing [astonishing] *fact* / 科学上の事実 a scientific *fact* / 悲しい事実 a sad *fact* / 極めて重要な事実 a crucial *fact* / 自明の事実 a self-evident *fact* / 知られていない事実 an unknown *fact* / 統計上の事実 a statistical *fact* / 嘆かわしい事実 a ⌈deplorable [lamentable] *fact* / 悲惨な事実 a tragic *fact* / 否定できない事実 an undeniable *fact* / 明白な事実 a clear [an obvious] *fact* / 揺るぎない事実 an unshakable *fact* / 冷酷な事実 a cold *fact*

じじつ[2] 時日 date Ⓒ (☞ にちじ; とき[1]).

ししとう(がらし) 獅子唐(芥子) 〘植〙 small green pepper Ⓒ.

ししなべ 猪鍋 wild-boar stew Ⓤ.

シジフォス 〘ギ神〙 Sisyphus [参考] 邪悪なコリント王. 地獄で絶えず転がり落ちる大石を山の上に押し上げる永遠の罰を負わされた.

シジフォスの岩 (果てしないむだな骨折り) the stone of Sisyphus ★ 賽の河原と似た無駄な努力の意味で用いられる. (☞ さいのかわら).

しじま silence Ⓤ (☞ しずけさ). ¶ 夜の*しじま the *silence* of the night

しじみ 蜆 〘貝〙 corbicula Ⓒ (複 -lae), freshwater clam Ⓒ. **蜆汁** miso soup with freshwater clams Ⓤ.

しじみちょう 蜆蝶 〘昆〙 (青い羽の) blue Ⓒ; (緑の羽の) hairstreak Ⓒ; (だいだい色の羽の) copper Ⓒ.

じじむさい 爺むさい ☞ -じみる; としより

ししゃ[1] 死者 dead person Ⓒ ★ 単に「死んだ人」という客観的な言い方; (最近亡くなった人) the deceased ★ 複数の故人たちの意にもなる; (事故などでの死者) (格式) fatality Ⓒ [参考] 事故の報告などで「死傷者」という場合は casualties という; the dead ★ 複数扱い; (犠牲者) victim Ⓒ ★ この語は死者だけでなく被災者の意味にもなる; (事故などの犠牲者の数) (death) toll Ⓒ ★ 通例単数形で. 報道などで用いることが多い. (☞ こじん[2]; ししょうしゃ).

¶ その事故で多数の*死者が出た (⇒ 多くの生命を奪った) The accident *took* ⌈many [a heavy *toll of*] *lives*. / (⇒ 生命が失われた) Many *lives were lost* in the accident. / There were a large number of *fatalities* due to the accident. // 事故の*死者は 10 人を超えた *Fatalities* in the accident numbered more than ten. // 戦闘が終わって彼らは*死者を葬った After the battle they buried *the dead*.

ししゃ[2] 支社 branch (office) Ⓒ (↔ head office) (☞ してん[1]; しぶ[1]). ¶ その会社はニューヨークに*支社がある The company has ⌈a *branch* [an *office*] in New York.

ししゃ[3] 使者 méssenger Ⓒ (☞ つかい). ¶ *使者を送る send a *messenger*

ししゃ[4] 試射 ― [名] test(-)firing Ⓤ. ― [動] (試射する) test-fire (他). **試射場** firing range Ⓒ.

じしゃ 寺社 shrines and temples. **寺社奉行** commissioner of shrines and temples Ⓒ.

ししゃかい 試写会 preview Ⓒ. ¶ (その映画の) *試写会はきのうあった The *preview* (of the film) was ⌈given [held] yesterday. / The film *was previewed* yesterday.

じしゃかぶ 自社株 (会社株式) company ⌈stock Ⓤ [share Ⓒ]; (自己株式) treasury stock Ⓤ. (☞ かぶ[1]).

ししゃく 子爵 viscount /váɪkàunt/ Ⓒ (☞ きぞく[2] [参考]). **子爵夫人** viscountess /váɪkàuntɪs/ Ⓒ.

じしゃく 磁石 ― [名] magnet Ⓒ; (棒[馬てい]型の) bar [horseshoe] magnet Ⓒ; (羅針盤) compass Ⓒ. ― [形] magnetic.

じじゃく 自若 ― [形] calm and self-possessed. ― [名] (冷静さ) self-possession Ⓤ. (☞ れいせい[1]; たいぜん[1]).

ししゃごにゅう 四捨五入 ― [動] (細かい端数を切り捨てる) róund (óff) (他); (切り上げて) róund úp (他); (切り捨てて) róund dówn (他) [参考] 英語では「四捨五入」式の言い方はしないで以上のように言う. ― [副] (端数をなくして) in round ⌈numbers [figures]. ¶ 3.145 を小数以下第 3 位で*四捨五入せよ *Round off* 3.145 *to* two ⌈decimals [decimal places]. // 49.8 を*四捨五入すれば 50 になる We can *round (off)* 49.8 *to* 50. / 49.8 can *be rounded (off)* to 50. // *四捨五入して 2.35 になった We had 2.35 *in round figures*.

ししゃざい 止瀉剤 ☞ げり (下痢止め)

ししゃも 〘魚〙 smelt Ⓒ.

ししゅ[1] 死守 ― [動] (必死に守る) defend [maintain] … desperately; (最後まで守る) defend … to the ⌈last [death].

ししゅ[2] 詩趣 poetry Ⓤ (☞ しじょう[7]). ¶ 彼の絵は力強いが*詩趣に欠けている His paintings are dynamic but not *poetic*.

じしゅ[1] 自主 ― [形] (人に頼らない) independent; (自発的な) vóluntàry; (自主的な) autónomous. ― [副] independently; vòluntárily; (自分の意志で) of *one's* own free will; (自分の判断で) on *one's* own judgment. ― [名] (独立) independence Ⓤ; (自主性) autónomy Ⓤ; (自由意志) free will Ⓤ; (独立独行) self-reliance Ⓤ. 《☞ じはつてき》. ¶ 彼女は考え方に*自主性がない She lacks *independence* in her way of thinking. // 個人の*自主性は尊重すべきである The *free will* of the individual should be respected. // *自主外交政策を進めることが必要だ It is necessary to promote an *independent* foreign policy. // 彼女は*自主的にその会に参加した She participated in the meeting ⌈*of her own free will* [*voluntarily*].

自主管理 self-management Ⓤ **自主規制** voluntary restraint Ⓤ. ¶ 自動車輸出の*自主規制 *voluntary restraint* on car exports **自主権** autónomy Ⓤ **自主財源** independent source of income Ⓒ **自主退学** ―動 drop out of school of *one's* own (free) will 《☞ たいがく[1]; ちゅうたい[1]》 **自主トレ** voluntary training Ⓤ **自主防衛** self-defense Ⓤ **自主流通米** market-price rice Ⓤ.

じしゅ[2] **自首** ―動 (降服して) surrénder *onesèlf*; (出頭して) give *oneself* up, deliver *onesèlf* ★ 前者のほうが口語的. 《☞ しゅっとう》. ¶ 彼は警察に*自首した He *surrendered himself* to the police. / He *gave himself up* to the police.

ししゅう[1] **刺繍** ―名 embróidery Ⓤ. ―動 embroider ㊎ ㊌, do embroidery (on ...). ¶ 私はハンカチに自分のイニシャルを*刺繍した I *embroidered* my initials *on* a handkerchief.

刺しゅう糸 embroidery thread Ⓤ **刺しゅう台** embroidery frame Ⓒ.

ししゅう[2] **詩集** collection of poems Ⓒ; (名詩選集) anthology Ⓒ. 《☞ し[3]》. ¶ 藤村*詩集 Toson's *Poetical Works* / *Collected Poems* of Toson

ししゅう[3] **死臭** ¶ 戦場は*死臭に満ちていた The battlefield was filled with *the stench of death*.

しじゅう[1] **始終** (いつも) always; (絶えず) constantly ★ always より格式ばった言葉; (しばしば) (very) often; (頻繁に) frequently 〔語法〕 often より格式ばった言葉で, 頻度がより高いというニュアンスがある; (始めから終わりまで) from beginning to end; (ずっと) all the time. 《☞ たえず (類義語); いつも》. ¶ 彼は*始終しかめつらをしている He is *always* frowning. // あの子供は*始終何か欲しがっている That child is *constantly* ⌈asking for [wanting] something. // 彼は*始終ここに来る He comes here *very often*. / He is hanging around here *all the time*. ★ 口語的表現.

しじゅう[2] **四十, 40** ―名形 forty 〔語法〕「第40(番目)の」, あるいは「第40(番目の)もの」の場合は the fortieth. 《☞ 数字 (囲み)》. ¶ あの人は*40代だ He is in his *forties*. **四十にして惑わず** become free from wavering at the age of forty.

じしゅう[1] **自習** ―動 (独力で勉強する) study by *oneself*. ¶ 2時間目は先生が休んだので*自習だった The second period was changed into a *study hour* because the teacher was absent. **自習時間** study hall Ⓒ ★ 時間割に定められているもの; study hour Ⓒ **自習室** study hall Ⓒ **自習書** (虎の巻) 《略式》 crib Ⓒ.

じしゅう[2] **次週** next week, the coming week 〔語法〕 *next week* は副としても用いる. 現在からみて次週をいう時は無冠詞. 《☞ らいしゅう[1]; つぎ[1]》.

じじゅう[1] **侍従** chámberlain Ⓒ. **侍従職** the Board of Chamberlains **侍従長** the grand chamberlain.

じじゅう[2] **自重** dead weight Ⓤ.

ししゅうえん **歯周炎** 〔歯〕 periodontitis /pèrioʊdɑntáɪtɪs/.

しじゅうかた **四十肩** chronic shoulder pains occurring at about the age of 40.

しじゅうから **四十雀** 〔鳥〕 tít(mòuse) Ⓒ 《複 tits, titmice》 ★ ( )内を省略するほうが口語的. 《☞ 動物の鳴き声 (囲み)》.

しじゅうくにち **四十九日** the 49th day after a person's death (when a person's soul is believed to start its second life in Buddhism).

しじゅうしちし **四十七士** 〔史〕 the forty-seven samurais of Akou, who avenged their former master in 1703 ★ 説明的な訳. 《☞ ちゅうしんぐら》.

しじゅうしょう **四重唱** 〔楽〕 (vócal) quartét(te) Ⓒ.

しじゅうそう **四重奏** 〔楽〕 quartet(te) /kwɔətét/ Ⓒ. ¶ 弦楽*四重奏 a string *quartet*

しじゅうはって **四十八手** (相撲の) the forty-eight techniques of sumo wrestling; (一般的に) all the tricks.

ししゅうびょう **歯周病** 〔歯〕 periodontitis /pèrioʊdɑntáɪtɪs/ Ⓤ.

ししゅく **私淑** ―動 (敬慕する) adore ㊎; (敬服する) admire ㊎; (熱心に見習う) emulate ㊎; (...に影響を受ける) be strongly influenced by ... ¶ 彼は田中博士に*私淑している He ⌈*adores* [*admires; is strongly influenced by*] Dr. Tanaka.

しじゅく **私塾** private school Ⓒ.

じしゅく **自粛** self-control Ⓤ, self-restraint Ⓤ. ¶ 両方の会社は広告の*自粛を申し合わせた Both companies agreed to use *self-restraint* in their advertising.

ししゅつ **支出** (収入に対しての) óutgò Ⓒ (↔ íncome), outlay Ⓒ; (支払い) payment Ⓤ; (支出額) expenditure Ⓒ; (費用) expenses 〔語法〕 複数形で. また「出費」の意味では Ⓤ. 実際にかかった費用が expense, 支出の額をまとめていうのが expenditure. 《☞ しゅっぴ; ひよう》.

¶ *支出を切り詰めねばならない We should cut down (on) our *expenses*. // 今月は*支出が多かった[少なかった] The level of *expenditure* has been ⌈high [low] this month.

しじゅほうしょう **紫綬褒章** Purple Ribbon Medal Ⓒ.

しじゅんかせき **示準化石** 〔地〕 index [key] fossil Ⓒ.

ししゅんき **思春期** ―名 puberty /pjúːbəti/ Ⓤ ★ やや格式ばった語; (思春期) adolescence /ædəlésns/ Ⓤ. ―形 adolescent. 《☞ せいしゅん》. ¶ *思春期に達する reach the age of *puberty*

思春期痩せ症 〔精神医〕 (神経性食欲不振症) anorexia nervosa /ænəréksiə nəːvóusə/ Ⓤ.

しじゅんせつ **四旬節** 〔キ教〕 Lent.

ししょ[1] **司書** librarian /laɪbré(ə)riən/ Ⓒ. **司書補** assistant librarian Ⓒ.

ししょ[2] **支所** branch (office) Ⓒ.

ししょ[3] **支署** substation Ⓒ.

しじょ **子女** children, sons and daughters. 《☞ こども》. ¶ 良家の*子女 *children* from good families

じしょ[1] **地所** (土地) land Ⓤ ★ 財産としての「所有地」の意味では複数形になることもある; (地面) ground Ⓤ ★「家のまわりの土地・屋敷」の意味では複数形で用いられる; (宅地・敷地) lot Ⓒ; (狭い敷地) plot Ⓒ; (大きな地所・私有地) estáte Ⓒ. 《☞ とち; ようち[2]》.

¶ 私は家を建てるために*地所を買った I bought a ⌈piece [tract] of *land* ⌈for a house [to build a house (on)]. // 彼は約300平方メートルの*地所を持っている He has about three hundred square meters of *land*. // 私たちの家は狭い*地所の上に建っている Our house stands on a ⌜small *lot* [*plot*]. // *地所付き売り家 a house and *lot* for sale

じしょ² 辞書 dictionary Ⓒ; léxicòn Ⓒ; glossary Ⓒ.

【類義語】最も一般的な語は **dictionary**. それより格式ばった語で, しばしばギリシャ語, ラテン語などの古典語辞典, あるいはある特定の作家・分野などの用語の辞書という意味で用いられるのが **lexicon**. 多少狭い範囲の用語辞典や, 本の巻末の語彙リストなどを指すのが **glossary**.

¶その語を*辞書で調べなさい Look ⌜up the word [the word up] in the *dictionary*. // 新しい単語が出てきたら (⇒出会ったら) *辞書を引きなさい Consult [Use; Refer to] your *dictionary* when you come ⌜upon [across] a new word. // その語は私の*辞書に載っていない The word isn't ⌜included [given] in my *dictionary*. // *辞書を作る[編集する] make [compile] a *dictionary*

辞書学 (辞書編集の理論と実践) lèxicógraphy Ⓤ; (辞書研究) dictionary research Ⓤ **辞書編集** lèxicógraphy Ⓤ, dictionary ⌜making [compilation] Ⓤ **辞書編集者** lèxicógrapher Ⓒ.

コロケーション

辞書[辞典]を座右に置く have a *dictionary* at hand / 辞書[辞典]を引いて単語を探す consult a *dictionary* for a word / 辞書[辞典]を拾い読みする browse ⌜in [through] a *dictionary* // 医学辞書[辞典] a medical *dictionary* / 一言語辞書[辞典] a monolingual *dictionary* / 一般向け辞書[辞典] a general-purpose *dictionary* / 英英辞典 an English-English *dictionary* / 中型の辞書[辞典] a medium-sized *dictionary* / 解釈用辞書[辞典] a ⌜passive [decoding] *dictionary* / 改訂版の辞書[辞典] a revised *dictionary* / 学習辞書[辞典] a learner's *dictionary* / 逆引き辞書[辞典] a reverse *dictionary* / 語源辞書[辞典] an etymological *dictionary* / 挿し絵入りの辞書[辞典] an illustrated *dictionary* / 縮約版の辞書[辞典] an abridged *dictionary* / 初級[中級]者用辞書[辞典] a beginner's [an intermediate] *dictionary* / 専門語辞書[辞典] a technical *dictionary* / 大学生用の辞書[辞典] a college *dictionary* / 電子辞書[辞典] an electronic *dictionary* / 特殊辞書[辞典] a specialized *dictionary* / 二言語辞書[辞典] a bilingual *dictionary* / 発表用辞書[辞典] an ⌜active [encoding] *dictionary* / 非縮約版の辞書[辞典] (大辞典) an unabridged *dictionary* / ポケット版の辞書[辞典] a pocket *dictionary* / 歴史的辞書[辞典] a historical *dictionary*

じしょ³ 自署 ―图 (署名) signature /sígnətʃùə/ Ⓒ; (記念のための) autograph Ⓒ. ―動 sign ㊀ ㊁; autograph ㊀. (☞ サイン¹; しょめい¹).

じしょ⁴ 自書 *one's* own writing (☞ じひつ).

じじょ¹ 次女 the [*one's*] second daughter.

じじょ² 自助 self-help Ⓤ. **自助具** self-help device Ⓒ **自助グループ** self-help group Ⓒ **自助努力** self-help effort Ⓒ.

じじょ³ 侍女 waiting ⌜woman [maid] Ⓒ.

ししょう¹ 支障 (前にふさがって邪魔になる物) obstacle Ⓒ; (進行を妨害すること) hindrance Ⓤ ★具体的な障害物の意味では Ⓒ. (☞ しょうがい¹; じゃま; さしさわり). ¶それは私の仕事の*支障にはならない It will not be ⌜an *obstacle* [a *hindrance*] to my work. // 万事*支障なくいきました (⇒とどこおりなく進んだ) Everything went on *without a hitch*. / (⇒円滑にいった) Everything went *smoothly*. ★とくに口語的. // 容疑者の突然の死は捜査の進展に重大な*支障をきたすだろう The sudden death of the suspect will be a serious *hindrance* to the progress of the investigation.

ししょう² 師匠 teacher Ⓒ; (やや格式ばって) master Ⓒ; (女性の) mistress Ⓒ ★古風な語. (☞ せんせい¹). ¶日本舞踊の*師匠 a *master* of the traditional Japanese dance

しじょう¹ 市場 market Ⓒ (☞ マーケット).

市場のいろいろ

国内市場 domestic market, 海外市場 overseas [foreign] market, 世界市場 the world market, 独占市場 monopolistic market, 外国為替市場 the foreign exchange market, 買い手市場 buyer's market, 売り手市場 seller's market, 金融市場 the ⌜financial [money] market, 株式市場 the stock market

¶この製品は最近*市場に出た This product has recently been put on the *market*. // その会社は日本に*市場を求めている The firm is in search of a *market* in Japan. // 米国は日本にもっと*市場を開放しろと迫った The U.S. urged Japan to open its *market(s)* wider. // 輸出*市場を開拓しなければならない We have to build up an export *market*.

市場開放 market opening Ⓒ **市場価格** market price Ⓒ **市場価値** market value Ⓤ **市場均衡** márket èquilíbrium Ⓤ **市場経済** market economy Ⓤ **市場性** marketability Ⓤ. ¶*市場性のない発明 an *unmarketable* invention **市場占有率** market share Ⓒ **市場調査** market research Ⓤ.

しじょう² 史上 ―副 (歴史上で) in history. ―形 (史上最高の・記録的な) récord Ⓐ. (☞ れきし¹; くうぜん). ¶今年の米の収穫は*史上最高だった We had a *record* rice crop this year. // それは航空*史上前例のない事故だった It was an accident unprecedented *in the history of* aviation. [語法] unprecedented は「先例のない」.

しじょう³ 私情 (個人的な感情) personal feelings ★複数形で; (個人的な配慮・考え) personal consideration Ⓒ; (感情の入った意見) sentiments ★通例複数形で. (☞ じょうじつ).
¶彼は*私情に左右されない He is never influenced by his *personal* ⌜*feelings* [*sentiments*]. / (⇒彼は常に公平である) He *is* always *impartial*. // 今度の場合*私情を差し挟む余地はない There is no room for *personal considerations* in this case.

しじょう⁴ 紙上, 誌上 ¶私はその記事をどこかの*紙[誌]上で読んだ気がする I think I have read the article *in* some ⌜*paper* [*magazine*] or other. // *紙上を騒がす (⇒見出しになる) hit [make] *the headlines*

しじょう⁵ 至上 ¶芸術*至上主義 (⇒芸術のための芸術) art for art's sake **至上命令** supreme order Ⓒ; (緊急の必要事項) urgent requirement Ⓒ.

しじょう⁶ 試乗 ―動 (車の性能を試すための) test-drive ㊀. ¶新車*試乗会 *test-driving* of a new car

しじょう⁷ 詩情 poetic(al) sentiment Ⓤ, poetry Ⓤ. ¶*詩情豊かな人 a person full of *poetic sentiment* // その土地は彼の*詩情をそそった The place evoked the *poet* in him. / The place stirred his *poetic sentiment*.

しじょう⁸ 糸状 ―形 thready, threadlike. **糸状菌** filamentous fungus Ⓒ (☞ かび¹; きんるい) **糸状虫** filaria Ⓒ (☞ フィラリア).

じしょう¹ 自称 ―形 (勝手に名乗っている) self-styled; (本当はそうでないがそのつもりになっている)

would-be Ⓐ. ── 動 style [call] *oneself* …; (言い張っている) claim to be … (☞ じにん). ¶ 彼は*自称詩人だ He is a ⌈*self-styled* [*would-be*] poet. / He ⌈*styles* [*calls*] *himself* a poet.

じしょう² 事象 (現象) phenomenon Ⓒ《複 phenomena》.

じしょう³ 自傷 self-mutilation Ⓤ.

じじょう¹ 事情 (状況) círcumstànces; (状態) conditions ★ 両者とも通例複数形で; (情勢) situation Ⓒ; (理由) reason Ⓒ.

【類義語】人の周囲の状況などで, そのまま受け入れざるを得ないような事情は **circumstances**. それより大きな範囲で, 世の中, あるいはその状態を作り出した周囲の状況・原因などの関係を意味に含めるときには **conditions**. 主題となるものと, 周囲の状況との関係, つまり「立たされている立場」に重点を置く言葉が **situation**. 事柄の理由という意味では **reason**. (☞ じょうきょう¹; じょうたい¹ (類義語); わけ¹)

¶ それはそのときの*事情による It depends on the ⌈*circumstances* [*situation*]. // やむを得ない*事情で彼は辞職した (⇒ 事情が彼を強いて辞職させた) *Circumstances* forced him to leave office. // *事情の許す限り[*事情が許せば]援助します As far as [If] *circumstances* permit, I will help you. // 彼は食糧[住宅]*事情について講演した He lectured on the ⌈food [housing] *situation*. // 彼はアメリカの*事情に通じている (⇒ アメリカについて非常に多くのことを知っている) He *knows a great deal about* America. / (⇒ アメリカの情報に詳しい) He *is well informed* ⌈*on* [*about*] America. // *事情はいまではまったく一変した (⇒ 形勢は変わった) The *tide* has turned now. // 私は家庭の*事情で大学進学をあきらめた For family *reasons* I gave up the idea of going (on) to ⌈college [university]. // 私は詳しい*事情 (⇒ 詳しい事柄) は知りません I don't know the *details*.

事情聴取 hearing Ⓒ **事情通** well-informed person Ⓒ.

じじょう² 自乗 ── 動 square ㊥, raise … to the power of two. ── 名 square Ⓒ, the second power 〔語法〕 square は自乗しか使えないが, power を使うと何乗にでも使える. (☞ へいほう¹; 数字 (囲み)). ¶ 5 の*自乗は 25 である The ⌈*square* [*second power*] of five is twenty-five. / (⇒ 5 を自乗すると 25 になる) Five *squared* ⌈is [makes] twenty-five. // 4 を*自乗しなさい *Square* four. / *Multiply* four *by itself*.

じじょう³ 自浄 ── 形 self-cleansing. ¶ 自然の*自浄作用 the *self-cleansing* action of nature

じじょう⁴ 磁場 〔物理〕 magnetic field Ⓒ.

ししょうかぶ 視床下部 ── 名 〔解〕 hypothalamus /hàɪpoʊθǽləməs/ Ⓒ. ── 形 hỳpothalámic.

じしょうこつ 耳小骨 〔解〕 ear [auditory] ossicle Ⓒ.

ししょうじ 指小辞 diminutive Ⓒ.

じじょうじばく 自縄自縛 ¶ *自縄自縛に陥る (⇒ 自分の仕掛けたわなにはまる) be caught in *one's* own trap / (⇒ 自ら面倒を招く) get *oneself* in trouble / (⇒ 自分の大砲で打ち上げられる) be hoist on *one's* own petard 〔語法〕 hoist は「空に上げる」意の古い動詞 hoise の過去分詞. petard /pɪtáə(d)/ は城門を爆破するための昔の大砲.

ししょうしゃ 死傷者 casualties 〔語法〕 casualty は死者と負傷者の両方を指す. 死傷者 (数) を表すときは複数形で. (☞ ししゃ¹).

¶ その戦闘で多数の*死傷者が出た There were heavy *casualties* in the battle. // バスがトラックと衝突したが*死傷者はなかった The bus collided with a truck, but there were no *casualties*. // その山崩れは 30 人の*死傷者を出した Thirty people *were either killed or injured* in the landslide.

しじょうしん 至上神 supreme god Ⓒ.

ししょうせつ 私小説 "I" novel Ⓒ, novel depicting the author's own life Ⓒ.

ししょく 試食 ── 名 sampling Ⓤ. ── 動 (検査などのために) sample ㊥; (試みに食べてみる) try ㊥. **試食会** sampling [tasting] party Ⓒ.

じしょく 辞職 ── 動 (職をやめる) resign /rɪzáɪn/ ㊥ ㊀, 《略式》 quit ㊥ ㊀ 《過去・過分 quit》; (去る) leave (*one's* job) ㊥ 《過去・過分 left》. ── 名 resignation Ⓤ ★「辞表」の意味のときは Ⓒ. (☞ やめる²; じひょう¹).

¶ 彼は委員長を 2 週間前に*辞職した He *resigned* as chairman two weeks ago. // 私は*辞職願いを出した I ⌈sent in [handed in] my *resignation*.

ししょごきょう 四書五経 the Four Books and the Five Classics; (説明的には) the two groupings of the Chinese classic texts of Confucianism /kənfjúːʃənìzm/.

じじょでん 自叙伝 àutobiógraphy Ⓒ.

ししょばこ 私書箱 P.O. Box ★ post office box の略. ¶ 手紙は神田郵便局*私書箱第 101 号へお送り下さい Please ⌈direct [address; send] your letters to Kanda *P.O. Box* 101.

シシリー ☞ シチリア

ししん¹ 指針 (手引き) guide(book) Ⓒ; (政策などの) guidelines ★ 通例複数形で. ¶ 問題処理の新しい*指針を定める set [issue] new *guidelines* for dealing with a problem // *指針を作成する draw up *guidelines* // *指針に従う[を守る] follow [adhere to] (the) *guidelines*

ししん² 私信 private [personal] letter Ⓒ (☞ てがみ).

ししん³ 私心 (利己的な動機) selfish motive Ⓒ (☞ りこ). ¶ *私心を去る get rid of (*one's*) *selfish motives* (☞ わたくしごころ)

ししん⁴ 指診 ── 名 touch Ⓤ ★ 通例 a を付けて. ── 動 touch ㊥. (☞ しょくしん).

ししん⁵ 視診 inspection Ⓤ.

ししん⁶ 詩神 the muse.

しじん¹ 詩人 poet Ⓒ (☞ し³).

しじん² 私人 (公職についていない[を離れた]民間人) private citizen Ⓒ (☞ こじん¹).

じしん¹ 自信 ── 名 (自分の能力に対する) confidence Ⓤ; (強い自信) assurance Ⓤ. ── 形 (自信のある) confident (of …; about …); (確かな・確信のある) sure (of …) Ⓟ, certain (of …) Ⓟ ★ 後者のほうが, より客観的な事実に基づく判断という含みがある.

【類義語】自分自身, 自分の力に対する自信が **confidence**. *confidence* よりさらに意味が強く, 時として尊大・高慢な態度となって表れることがあるのが **assurance**. *confidence* が理性的な自信であるのに対して, *assurance* は結果の正否を問題にしない感情的なところがある. (☞ かくしん¹)

¶ 彼女はたいへん*自信が強い She has great *self-confidence*. // 彼は自分の能力に*自信をもった [失った] He ⌈gained [lost] *confidence* in his own ability. // 彼は*自信をもってその質問に答えた He answered the question with ⌈*confidence* [*assurance*]. // 彼は*自信満々だった He was ⌈full of [loaded with; brimming (over) with] *confidence*. // 私たちは成功する*自信がある We are *sure* ⌈of our success [we will succeed]. // *自信はありますか (⇒ 確かですか) Are you *sure*? // *自信を生む create *confidence* // *自信を深める confirm *one's confidence* in … // *自信を増す increase

confidence // 大きな*自信 great *confidence*
自信過剰 —图 òvercónfidence Ⓤ. —形 overconfident.

コロケーション

自信がある have *confidence* (in「*one's* own ability [*oneself*]) / 自信を与える give *confidence* / 自信を表す express *confidence* / 自信を欠く lack *confidence* (in「*one's* own ability [*oneself*]) / 自信をくじく kill [destroy; crush] *a person's confidence* / 自信をぐらつかせる dent *one's confidence* / 自信を高める … boost [bolster] *one's confidence* / 自信をつける develop [build (up)] *confidence* / 自信を取り戻す get back [regain] *one's confidence* in *oneself* / 自信を見せる show [display] *confidence* // 確固たる自信 an immovable *confidence* / 十分な自信 full *confidence* / 強い自信 firm *confidence* / 揺らいでいる自信 shaky *confidence* / 揺るぎない自信 unshaken [unwavering] *confidence*

じしん[2] 地震 earthquake Ⓒ, 《略式》 quake Ⓒ, tremor Ⓒ. 《☞ しんおう[1]》.
¶けさ早く*地震があった We had [There was] an *earthquake* early this morning. // きのう東京に弱い[強い]*地震があった (⇒ 地震が東京を揺さぶった) A「weak [strong] *quake* shook the Tokyo area yesterday. // 東京の*地震の震度は 4 でした The *earthquake* was rated (at) four on the Japanese scale in Tokyo. 《☞ しんど[2]》 // *地震はマグニチュード 6.8 だった The magnitude of the *earthquake* was 6.8 on the Richter scale. // *地震の震源は伊豆半島沖の海底だった The「focus [center] of the「*earthquake* [*shock*] was traced to the seabed off the Izu Peninsula. / The epicenter was (located) under the sea off the Izu Peninsula. // *地震の予知はできないものだろうか Can't *earthquakes* be predicted? // かなり強い*地震が近日中に起こるかもしれない A rather「strong [severe] *earthquake* may occur in the near future. // *地震の巣 the region where a series of *earthquakes* occurred
地震雷火事親父 ¶*地震・雷・火事・親父は昔から日本では恐ろしいものの代表とされている *Earthquake, thunder, fire* and *father* — these are the four fears of Japanese popular tradition.
地震学 seismology /saɪzmɑ́lədʒi/ Ⓤ **地震学者** seismólogist Ⓒ **地震活動** séismic activity Ⓤ **地震観測所** seismological /sàɪzməlɑ́dʒɪkəl/ observatory /əbzə́ːvətɔ̀ːri/ Ⓒ **地震計** seismometer /saɪzmɑ́mətə/ Ⓒ **地震研究所** seismographic research institute Ⓒ **地震前兆現象** earthquake「sign [precursor; omen] Ⓒ, sign [precursor, omen] of an earthquake Ⓒ **地震帯** earthquake「zone [belt] Ⓒ **地震対策** counter-earthquake *measures*; (地震災害に対する対策) countermeasures against earthquake disasters; (地震被害を減らすための) measures to reduce earthquake damage **地震探査** seismic exploration Ⓤ **地震断層** seismic fault Ⓒ **地震調査委員会** the Earthquake Research Committee **地震波** seismic wave Ⓒ **地震予知** earthquake prediction Ⓤ **地震予知連絡会** the Coordinating Committee for Earthquake Prediction.

じしん[3] 自身 —图 (自己) self Ⓒ. —代 *oneself* 語法 (1) 人称に従って myself, yourself, himself, herself などとなる. —形 (自分自身の) *one's* own. —副 (人手を借りずに独力で) for *oneself*, by *oneself* 語法 (2) 前者には自己の利益のために独力でする意味が含まれる; (個人的には) personally; (自ら) in person. 《☞ じぶん[1]》.
¶彼*自身がそう言いました He *himself* said so. / He told me so *himself*. // 自分*自身でそれをやってみなさい Try it *yourself*. // 彼はその本箱を自分*自身で作った He made the bookcase *by himself*. // 私*自身としてはその提案に反対です *Personally*, I'm against the proposal.

じしん[4] 時針 ☞ たんしん[2]

じしん[5] 磁針 (磁石の) magnetic needle Ⓒ; (羅針盤の) compass needle Ⓒ.

じじん 自刃 —图 suicide by sword Ⓤ. —動 commit suicide with a sword. 《☞ せっぷく》.

ししんけい 視神経 optic nerve Ⓒ.

ししんでん 紫宸殿 the Hall for State Ceremonies.

じしんばん 自身番 neighborhood (civil) patrol unit (of the Edo period) Ⓒ ★ 説明的な訳.

ジス JIS /dʒéɪàɪés/ ★ 日本工業規格 (*J*apanese *I*ndustrial *S*tandard(s)) の略. 発音に注意.
ジスコード JIS code Ⓤ **ジスマーク** JIS mark Ⓒ.

しずい 歯髄 〘解〙 the dental pulp. **歯髄炎** pulpitis /pʌlpáɪtəs/ Ⓤ.

じすい 自炊 —動 cook for *oneself*, fix *one's* own meals, do *one's* own cooking. 《☞ すいじ》.

しすう[1] 指数 index (number) Ⓒ; 〘数〙 expónent Ⓒ. ¶3 月末の消費者物価*指数は 212.8 だった The consumer price *index* at the end of March stood at 212.8. **指数関数** exponential function Ⓒ.

しすう[2] 紙数 (ページ数) the number of pages; (余地) space Ⓤ. ¶*紙数の都合で(⇒ スペースが足りないので)この問題は詳しくは論じない This problem will not be discussed in detail for lack of *space*.

じすう 字数 (the) number of characters. ¶(小論文の)*字数は 400 字以内 The essay must not exceed four hundred *characters*.

シスオペ ☞ システム (システムオペレーター)

しずか 静か —形 (音のしない) quiet, still, silent; (穏やかな) calm /kɑ́ːm/; (激しくない) soft; (落ちついて静かな) tranquil ★ 格式ばった語. —副 quietly, still, silently; calmly; softly; tranquilly; (安らかに) peacefully, in peace.

【類義語】一般的で口語的な語で, 騒音や騒ぎなどがなくて静かなのが **quiet**. 音だけでなく動きもなくて静かなのが **still**. 音がまったくせず, ひっそりしているとき, 人が口をきかないで黙っているときなど, 音や声のしないことを強調するやや文語的な語が **silent**. 以上の語は入れ替えて用いられる場合もしばしばある. ((例) *静かな夕暮れ a「*quiet* [*still*] evening // *静かな夜 a「*still* [*silent*] night). 海や心などが穏やかで静かなのは **calm**. 音楽などが静かで穏やかな感じなのが **soft**. 心の動揺または騒動などがなく, 落ち着いて静かなのが **tranquil**.

¶*静かにしなさい Be *quiet*! 語法 (1) 最も普通の言い方で, 口をきくなというだけでなく, 動きについてもいう. / (⇒ 黙れ) Shut up! ★ 乱暴な言い方. // 私は彼らにしばらく*静かにしてくれるように頼んだ I asked them to keep *quiet* for a while. // *静かな (⇒ 穏やかな) 海 a「*calm* [*quiet*] sea // *静かな足音 *quiet* [*soft*] footsteps // 彼女は*静かな声で話す She speaks in a「*soft* [(⇒ 優しい) *gentle*] voice. // 私は*静かな音楽が好きだ I like *soft* music. 語法 (2) silent は用いられない点に注意. // 彼を*静かに (⇒ 邪魔しないで) 寝かせておきなさい Let him sleep *undisturbed*. // 赤ん坊は*静かに眠っている The baby is sleeping「*peacefully* [*quietly*].

しすぎる し過ぎる ¶君は仕事を*し過ぎるよ You

「are *overworking* [work *too hard*]. // 用心はいくらしても*し過ぎるということはない You can't be *too* careful. (☞ -すぎる)

しずく 雫 (1粒の) drop Ⓒ. ¶ 雨の*しずくが私の顔に当たった A *drop* of rain fell on my face. // ひと*しずくの涙が彼女のほおを伝って落ちた A *tear* rolled down her cheek.
【参考語】 ―動 (しずくとなって落ちる) drip ⓐ, trickle ⓐ.

しずけさ 静けさ (もの一つ動かないような静寂) stillness Ⓤ; (物音がしないこと) silence Ⓤ; (騒音のない静けさ・閑静) quiet(ness) Ⓤ 【語法】単に 形 の quiet の名詞形としては quietness が用いられるが, 特に静寂・平静な状態の意味では quiet となる; (平穏) calm Ⓤ; (ざわめきがやんだ後の) hush Ⓒ; (穏やかさ) tranquil(l)ity Ⓤ. (☞ しずか (類義語); せいじゃく). ¶ サイレンの音が夜の*静けさを破った The siren broke the「*silence* [*stillness*] of the night. // あらしの前の*静けさ the「*calm* [*silence*; *hush*] before「the [a] storm // ホール内は水を打ったような*静けさになった A *hush* fell over the hall.

シスコ ☞ サンフランシスコ

しずしずと 静静と (静かに) quietly; (ゆっくりと) slowly; (優雅に) gracefully. (☞ しずか).

シスター (カトリック教会の) sister Ⓒ ★ 呼びかけにも用いる.

シスターボーイ (見かけやふるまいが女のような) effeminate young man Ⓒ; (弱々しくふるまいが少女のような) sissy Ⓒ.

システマチック systematic. ¶ 彼はやり方が*システマチックだ His methods are *systematic*.

システム (組織) system Ⓒ. **システムアナリシス** (システム分析) systems analysis Ⓤ **システムエンジニア** (情報処理技術者) systems engineer Ⓒ **システムオペレーター** (コンピューターネットワークの管理運用者) system operator Ⓒ **システム家具** unit furniture Ⓤ **システムカメラ** system camera Ⓒ ★ 交換レンズや他の付属品をいろいろ組み合せできるカメラ. **システムキッチン** unit kitchen Ⓒ **システム工学** systems engineering Ⓤ **システムソフト** systems software Ⓤ **システムダウン** (システムの故障) system failure Ⓤ **システム手帳** organizer Ⓒ **システムファイル** system file Ⓒ **システムフローチャート** (システム全体の流れ図) systems flowchart Ⓒ.

ジステンパー 〔獣医〕 distemper Ⓤ.

ジストマ (寄生虫) distome /dáɪstoʊm/ Ⓒ; (病気) distomatosis /daɪstòʊmətóʊsɪs/ Ⓤ.

ジストロフィー 〔医〕 dýstrophy Ⓤ. ¶ 筋*ジストロフィー muscular *dystrophy*

じすべり 地滑り (大きな) landslide Ⓒ; (小規模の) landslip Ⓒ. ¶ 大統領選で彼は*地滑り的勝利をおさめた He won the presidential election by a *landslide*.

しずまりかえる 静まり返る ―動 become「very [deathly] quiet. ―形 (静まり返った) hushed. ¶ 家は*静まり返っていた A *deathly hush* fell over the house. // 部屋の中は一日中*静まりかえっていた The room *was*「*quiet* [*silent*] all day. / (⇒ すべてが静かだった) *Everything was quiet* in the room all day.

しずまる 静まる, 鎮まる (静かになる) become *quiet* ⓐ, 《米》*quiet down* ⓐ, 《英》quieten down ⓐ; (穏やかになる) calm [die; go] down ⓐ; (弱まる) 《格式》abate ⓐ; (暴動などが鎮圧される) be suppressed, be put down ★ 後者のほうが口語的; (一時的な騒ぎ・興奮などが元に戻る) subside ⓐ; (気持ちが落ち着く) feel at ease. (☞ おさまる; しずめる[1]). ¶ 夕方になって風が*静まった The breeze「*died* [*calmed*] *down* in the evening. // あらしが*静まると船はすぐに出帆した The ship set sail as soon as the storm *abated*. // 反乱はすぐに*鎮まった The revolt *was* soon「*put down* [*suppressed*]. // 騒動は徐々に*鎮まった The tumult /t(j)úːmʌlt/ gradually *subsided*. // 私は彼がそばにいると気が*静まる (⇒ 彼のいることが私を落ち着かせる) His presence「makes me *feel* [*puts* me] *at ease*.

しずむ 沈む **1** 《水面下・地平線下に》: gò「dówn [únder] ⓐ, sink ⓐ 《過去 sank, 《米》ではまた sunk; 過分 sunk》 ★ 前者のほうが意味の広い口語的な語; (特に太陽・月などが) set ⓐ 《過去・過分 set》 (↔ rise). (☞ ちんか[2]; ちんぼつ). ¶ 船は*沈んでしまった The ship *went*「*down* [*under*]. / The ship *sank*. ★ 第1文のほうが口語的. // 日 [月] が*沈んだ The「sun [moon] *has*「*set* [*gone down*]. // 太陽がゆっくり西に*沈むところだった The sun *was* slowly「*sinking* [*going down*] in the west.
2 《気分が》: feel「depressed [low] (☞ ゆううつ). ¶ 体が悪いと気が*沈む When we are in poor health, we *feel depressed*. / (⇒ 不健康は我々の気分を沈ませる) Ill health *depresses* us. // 彼女は物思い[悲しみ]に*沈んでいる She *is buried in*「thought [grief].
沈む瀬あれば浮かぶ瀬あり (⇒ 今日倒れる者も明日は立ち上がるだろう) One「that [who] falls today may rise again tomorrow.

しずめる[1] 静める, 鎮める (静かにさせる) 《米》quiet ⓣ, 《英》quieten ⓣ; (落ち着かせる) cálm (dówn) ⓣ; (和らげる) soothe ⓣ, ease ⓣ; (怒り・苦痛などを) assuáge ⓣ; (特に痛み・苦しみなどを) relieve ⓣ; (自分の気持ちを落ち着かせる) compose ⓣ; (暴動などを鎮圧する) pùt dówn ⓣ, suppress ⓣ ★ 前者のほうが口語的. (☞ しずまる; ちんあつ). ¶ 先生は興奮している子供たちを*静めた The teacher「*quieted* [*calmed* (*down*)] the excited children. // だれも彼の怒りを*静めることができなかった Nobody could「*soothe* [*assuage*] his anger. // 歯の痛みを*鎮めるにはこの薬がよい This medicine *relieves* toothache(s). // 彼は心を*静めようと努めた He tried to *compose*「his mind [himself].

しずめる[2] 沈める sink ⓣ; (戦闘などで) send ... to the bottom; (水中につける) submerge ⓣ ★ 水中に完全に浸すことを表す語. ⓐ の用法もある. ¶ 我々は敵艦3隻を*沈めた We *sank* three enemy ships. // ソファに身を*沈める *sink down* into「the [a] sofa

しする 資する (寄与[貢献]する) contríbute ⓐ (☞ こうけん[1]). ¶ この協定は中東の平和に*資するところ大であろう This agreement will *contribute* greatly to peace in the Middle East.

じする[1] 辞する (退去する) leave ⓣ; (辞任する) resign from ...; (辞退する) decline ⓣ. (☞ さる[1]; じしょく).

じする[2] 持する (保つ) hold ⓣ; (ある状態を保つ) maintain ⓣ. ¶ 満を*持する ☞ まん[2]

しせい[1] 姿勢 (体の構え) posture Ⓤ ★ 具体的な個々の姿勢を言う場合は Ⓒ; (何かをするときの格好) position Ⓒ; (身のこなし) a carriage ★ 通例 a を付けて, 格式ばった表現; (物腰) bearing Ⓤ; (ポーズ) pose Ⓒ; (態度) attitude Ⓒ.
【類義語】日常の体の構えや格好, またはある瞬間の姿勢を表すのが **posture**. ((例) 立った[座った]*姿勢 a「standing [seated; sitting] *posture*). 比喩的には「うわべだけの態度」を示すことがある. いすに座るとか, 壁に寄り掛かるとか, ある物に対する体の置き方を表すのが **position**. ((例) 窮屈な*姿勢 an uncomfortable *position*). 頭や手足など, 体の各部の保ち方・身のこなしを表すのが **carriage**. ((例) 軍人風の*姿勢 a military *carriage*). 行動するときの物理的な身のこなしばかりでなく，その精神的な面，すなわち「物腰」をも表すのが **bearing**. 写真や絵のモデルのようにある効果をねらって意識的にとる姿勢が **pose**. 気取った態度の意味も含む. 意識的または無意識的に気分・感情などを外面に表した態度が **attitude**. ((例) 傲慢(ごうまん)な*姿勢 an overbearing *attitude*). ((☞ たいど (類義語); ポーズ[1])

¶ 彼は*姿勢が悪い [よい] He has ˹poor [good] *posture*. / He has a ˹poor [good] *carriage*. // *姿勢を正しなさい (⇒ 背中をまっすぐ伸ばしなさい) *Hold your back straight*. / *Straighten up*. // 写真家は彼女にその*姿勢をくずさない (⇒ そのまま保つ) ように頼んだ The photographer /fətάgrəfə/ asked her to hold that *pose*. // 彼らはその問題に前向きの*姿勢 (⇒ 積極的な態度) で取り組んだ They took a positive *attitude* toward this matter. // 彼女はこの問題に対しては低[高]*姿勢だった She ˹took [assumed] a ˹modest [disdainful] ˹*attitude* [*posture*] towards this issue.

姿勢制御 (宇宙船などの) attitude control Ⓤ.

―コロケーション―

姿勢を変える change *one's posture* / 姿勢を正す correct *one's posture* / 闘争的な姿勢を取り続ける maintain a militant *posture* / 防御の姿勢を取る adopt a defensive *posture* / よい姿勢を取る take [assume] a good *posture* // 硬直した政治姿勢 an inflexible political *posture* / しゃがんだ姿勢 a squatting *posture* / 上品な姿勢 an elegant *posture* / だらしない姿勢 a slovenly *posture* / 直立の姿勢 an ˹erect [upright] *posture* / ゆったりした姿勢 a relaxed *posture*

しせい[2] 施政 administration Ⓤ; (政治) government Ⓤ. ((☞ せいけん[1]; ぎょうせい)).

施政権 admínistrative ˹pówer [right] Ⓤ **施政方針** administrative policy Ⓒ; (党の政策) party lines ★ 複数形で. **施政方針演説** (首相などの) (administrative) policy speech Ⓒ.

しせい[3] 市制 municipal /mju:nísəp(ə)l/ system Ⓒ.

しせい[4] 市政 municipal [city] government Ⓤ.

しせい[5] 私製 ── 形 private. **私製はがき** (unofficial) postcard Ⓒ ★ postcard だけで通例私製はがきの意味になる. ((☞ はがき)).

しせい[6] 至誠 sincerity Ⓤ. ¶ 彼の演説は*至誠にあふれていた His speech was full of *sincerity*. // *至誠天に通ず (⇒ 天を動かす) *Sincerity* will move heaven.

しせい[7] 四声 the four tones of standard Chinese.

しせい[8] 市勢 the population and the social and economic conditions of a city. ¶ *市勢の概要 the trends of *the demographic and other socioeconomic conditions of a city*

しせい[9] 市井 (町) the town; (世間) the world. ((☞ まち[1]; ちまた)). ¶ *市井の声を聞く (⇒ 世論を聞く) listen to *public* opinion

しせい[10] 刺青 ☞ いれずみ

しせい[11] 雌性 ── 名 femaleness Ⓤ. ── 形 female. ((☞ じょせい[1])). **雌性ホルモン** female sex hormone Ⓒ.

しぜい 市税 municipal [city] tax Ⓒ ((☞ ぜい[1])).

じせい[1] 時勢 (時代) (the) times ★ 複数形で. ((☞ じだい[1]; じりゅう)). ¶ *時勢が変わった *The times* [*Times*] have changed. // 彼は*時勢に遅れないように (⇒ 時勢と共に進むために) 一生懸命勉強している He is studying hard to keep ˹abreast of [pace with; up with] *the times*.

じせい[2] 時制 〘文法〙 tense Ⓒ. **時制の一致** 〘文法〙 sequence of tenses Ⓤ.

じせい[3] 自制 ── 名 self-control Ⓤ. ── 動 control *oneself*. ¶ 彼は*自制(心)を失った He lost his *self-control*. ((☞ じせいしん))

じせい[4] 自生 ── 動 (自然に生える) grow wild. ── 形 (その土地に固有の) indígenous (to ...), native (to ...). ¶ ここには蘭が*自生している Orchids *grow wild* around here. **自生種** native species Ⓒ ★ 単複同形. **自生植物** native plant Ⓒ **自生地** natural growth area Ⓒ.

じせい[5] 辞世 ¶ これが彼の*辞世の句です (⇒ 死の床で作った歌だ) This is the *poem* he *composed on his deathbed*.

じせい[6] 磁性 ── 名 mágnetìsm Ⓤ. ── 動 (磁化する) mágnetìze ⊕. ── 形 magnétic. **磁性体** magnetic substance Ⓒ.

じせい[7] 自省 ── 名 (内省) introspection Ⓤ; (反省) self-examination Ⓤ. ── 動 introspect ⓐ; examine *oneself*.

じせい[8] 時世 time Ⓒ ★ しばしば複数形で. ¶ 彼はこの不景気のご*時世にぜいたくな暮らしをしている He leads a life of luxury in these bad *times*.

じせい[9] 自製 ── 形 (自作の) of *one's* own making; (自家製の) homemade; (手製の) handmade. ((☞ じさく; じかせい; てせい)).

しせいかつ 私生活 *one's* private life ((☞ プライバシー; せいかつ[1])). ¶ 人の*私生活に立ち入る invade *a person's* ˹*private life* [*privacy*]

しせいかん 死生観 *one's* view on life and death Ⓒ.

しせいじ 私生児 illegitimate /ìlɪdʒítəmət/ child Ⓒ.

じせいしん 自制心 self-˹control [restraint] Ⓤ.

しせいだい 始生代 〘地質〙 the Archeozoic /άəkiəzòuɪk/ éra.

しせき[1] 史跡 (歴史的に有名な場所) historic ˹spot [scene] Ⓒ; (歴史上の出来事のあった場所) historical site Ⓒ; (歴史的に興味のある場所) place of historical interest Ⓒ. **史跡公園** park with historic remains Ⓒ.

しせき[2] 歯石 tartar Ⓤ.

じせき[1] 次席 (長を補佐する立場の人) assistant manager Ⓒ; (第 2 番目の地位にある者) ((略式)) number-two ˹man [woman] Ⓒ, no. 2 Ⓒ, second in command Ⓒ. ¶ 彼はロンドン支店の*次席をしている He is the *assistant manager* of our London office. **次席検事** députy públic prósecùtor Ⓒ.

じせき[2] 自責 (自分を責めること) self-reproach Ⓤ; (良心のとがめ) guilty conscience Ⓒ, pang of ˹conscience [guilt] Ⓒ; (強い後悔) remorse Ⓤ. ((☞ こうかい[1])). ¶ 彼は*自責の念にかられている (⇒ 良心のかしゃくに苦しんでいる) He is suffering from a *guilty conscience*. **自責点** 〘野〙 earned run Ⓒ.

じせき[3] 耳石 〘解〙 otolith Ⓒ.

じせだい 次世代 the next generation. **次世代インターネット** the Next Generation Internet **次世代コンピューター** next-generation computer Ⓒ **次世代スペースシャトル** next-generation space shuttle Ⓒ.

しせつ[1] 施設 (公共機関またはその建物) institution Ⓒ; (便宜を与える設備) facilities ★ 複数形で; (老人・孤児などの) home Ⓒ. ((☞ せつび)).

¶ 当市には孤児のための*施設がある There is ˹an *institution* [a *home*] for orphans in this city. / There is an *orphanage* in this city. // 我々の厚生[教育]*施設は貧弱だ[すばらしい] We have ˹poor [excellent] ˹welfare [educational] *facilities*. // 軍事*施設 military *installations* ★ 複数形で. // 公共[文化, 娯楽, 福祉]*施設 public [cultural; rec-

reation; welfare] *facilities*
施設部隊 engineering unit Ⓒ.

しせつ[2] **使節** （大使･公使など特別な使命を帯びた外交上の） envoy Ⓒ; （会議などに出席する代表） delegate /déligət/ Ⓒ; (1つの代表団全員) delegation Ⓒ; (特殊な任務を帯びた使節団) mission Ⓒ. 《☞ とくし》.
¶彼は首相の個人*使節です He is the prime minister's personal *envoy*. // 政府は貿易 [文化] *使節団をアメリカへ派遣した The government sent a ⌜trade [cultural] *mission* to the U.S.A. // 彼らは親善*使節として中国へ行った They went to China on a goodwill *mission*.

しせつ[3] **私設** ― 形 private. **私設応援団** private cheering squad Ⓒ **私設水道** private water supply Ⓒ **私設秘書** private secretary Ⓒ.

じせつ[1] **時節** （季節） season Ⓒ; (時期) time Ⓤ; (機会) chance Ⓒ; (時勢) the times. 《☞ じき[1]; じこう[3]》. ¶*時節が来れば (⇒ そのうちには) 彼も昇進するだろう He will be promoted *in (due) time*. // いよいよ*時節到来だ The *time* has come at last. **時節柄** in view of the times. ¶*時節柄ご自愛ください Take good care of yourself *at this time of year*.

じせつ[2] **自説** *one's* own ⌜view [opinion] Ⓒ 《☞ いけん[1]; かんがえ》. ¶*自説を主張する[曲げる] maintain [change] *one's opinion*

しせん[1] **視線** （まなざし） *one's* eyes ★ 複数形で; （感心したり驚いたりして見つめること） gaze ★ 単数形で用いる; (好奇心などからじろじろ見つめること) stare Ⓒ; (一べつすること) glance Ⓒ. 《☞ め[1]》.
¶偶然に2人の*視線が合った *Their eyes* met by chance. // 彼は私から*視線をそらした He turned *his eyes* (away) from me. // みんなの*視線が彼女に向けられた *All eyes* were turned ⌜upon [on] her. // 私はだれかの*視線を (⇒ だれかが私を見ているのを) 感じた I felt someone ⌜*looking* [*staring*] at me.
視線恐怖 （見つめられることに対する恐怖） ophthalmophobia Ⓤ; （衆人に見られることへの恐怖） scopophobia Ⓤ ★ ほぼ同じ意味で用いられる.

しせん[2] **支線** （鉄道の） branch line Ⓒ; (電気･通信用の) branch cable Ⓒ.

しせん[3] **死線** ¶*死線をさまよう hover /hʌ́və/ *between life and death* / (⇒ 死に直面する) *face death*

しせん[4] **私選** *one's* own ⌜choice [selection]. **私選弁護人** *one's* own counsel Ⓒ.

しせん[5] **四川** ― 名 固 Sichuan /sìtʃwáːn/ ★ 中国中西部の省. **四川料理** （食べ物） Sichuan food Ⓤ; (料理法) Sichuan ⌜cooking [cuisine] Ⓤ.

しぜん 自然 **1** 《山川草木･自然界･本来の姿》
― 名 nature Ⓤ. ― 形 natural.
¶彼は*自然の美に深い感銘を受けた He was deeply impressed ⌜with [by] the ⌜beauty [beauties] of *nature*. // それは*自然の法則にかなっている It agrees with the laws of *nature*. // *自然に帰ろう Let's return to *nature*.

2 《当然･ありのまま》 ― 形 natural.
¶子が親のまねをするのは*自然だ It is *natural* for children to follow their parents' example. 《☞ とうぜん[1]; あたりまえ》 // その件は*自然の成り行きに任せたほうがよい (⇒ 放っておきなさい) Leave ⌜it [the matter] alone. ★ 口語的.

3 《ひとりでに》 ― 副 by itself; (自動的に) automatically; (生まれつき) naturally; (自然発生的に) spontaneously. ― 形 natural; spontaneous /spɑntéiniəs/. ¶戸は*自然に開いた The door opened ⌜*by itself* [*automatically*]. // 彼女の髪は*自然にカールしている Her hair is *naturally* curly.
自然遺産 （世界遺産条約の） Natural Heritage Site Ⓒ **自然エネルギー** natural energy Ⓤ; (再生可能エネルギー) renewable energy Ⓤ; (原子力や化石燃料以外の) soft energy Ⓤ ★ 英語では具体的に solar energy (太陽エネルギー), wind energy (風エネルギー) などということが多い. **自然界** nature Ⓤ, the ⌜natural [physical] world ★ 後者はやや格式ばった表現. **自然解凍** thawing [defrosting] at room temperature Ⓤ **自然科学** natural science Ⓤ **自然科学者** natural scientist Ⓒ **自然環境** natural environment Ⓒ **自然環境保全法** the Nature Conservation Law **自然乾燥** natural (air) drying Ⓤ; (材木の) (natural) seasoning Ⓤ **自然気胸** spontaneous pneumothorax Ⓤ **自然休会** ― 名 spontaneous recess of the Diet Ⓤ. ― 動 go into spontaneous recess. 《☞ きゅうかい[1]》 **自然休暇村** natural recreation village Ⓒ **自然休暇林** natural recreation forest Ⓒ **自然凝固** spontaneous coagulation Ⓤ **自然景観** natural scene Ⓒ **自然減(収)** natural decrease (in revenue) Ⓒ **自然言語** natural language Ⓤ **自然現象** nátural phenómenon Ⓒ《複 phenomena》 **自然光** available light Ⓤ **自然公園** nature park Ⓒ **自然災害** natural disaster Ⓒ **自然死** natural death Ⓒ, death from natural causes Ⓒ **自然児** child of nature Ⓒ **自然主義** naturalism Ⓤ **自然承認** （国会で予算の） automatic approval (of the budget bill) Ⓤ **自然消滅** natural extinction Ⓤ **自然食品** natural food(s) **自然数** 〖数〗 natural number Ⓒ **自然崇拝** nature worship Ⓤ **自然葬** natural burial Ⓤ **自然増(収)** natural increase (in revenue) Ⓒ **自然体** ― 副 (自然体で) in an unassuming posture **自然対数** natural [Napierian] logarithm Ⓒ **自然治癒力** （けが･傷の） self-healing power Ⓤ; (体がもつ回復力) natural [spontaneous] ability of the body to ⌜cure [recover from] illnesses and injuries Ⓒ **自然地理学** physical geography Ⓤ **自然淘汰** natural selection Ⓤ 《☞ とうた》 **自然農法** natural farming Ⓤ **自然破壊** destruction of nature Ⓤ **自然発火** spontaneous combustion Ⓤ **自然発生** ¶*自然発生的暴動 the *spontaneous outbreak* of a riot **自然美** natural beauty Ⓤ; (自然の風景の) scenic beauty Ⓤ **自然描写** description of nature Ⓒ **自然分娩** natural childbirth Ⓤ **自然弁証法** （唯物弁証法） dialectical materialism Ⓤ **自然法** natural law Ⓤ **自然保護** conservation (of ⌜nature [the (natural) environment /ɪnvái(ə)rənmənt/]) Ⓤ; (環境保護) environmental /ɪnvài(ə)rənméntl/ protection Ⓤ **自然保護運動** conservation movement Ⓒ **自然保護区** wildlife ⌜sanctuary [《米》 reservation; 《英》 reserve] Ⓒ; nature ⌜reservation [《英》 reserve] Ⓒ **自然保護主義者** conservationist Ⓒ **自然保護団体** conservation group Ⓒ **自然免疫** natural immunity Ⓤ **自然林** natural forest Ⓒ 《☞ てんねん (天然林)》.

コロケーション
自然に従う follow the laws of *nature* / 自然の力を利用する harness *nature* / 自然を支配する control *nature* / 自然を破壊する destroy *nature* / 自然を保護する protect *nature* / 自然を保存する preserve *nature* / 自然を模倣する imitate [copy] *nature*

じせん[1] **自薦** ― 動 recommend *oneself*.

じせん[2] **自選** ― 動 select from among *one's* own works. ¶彼女は*自選の詩集を出した She published a collection of her poems which *she selected by herself*.

じぜん[1] 事前 ― 副 (前もって) beforehand, in advance, ahead of time. (☞ まえもって 語法).
¶彼はその結果を*事前に知っていた He knew the result(s) *in advance*. // 私たちは席を*事前に決めておいた We arranged the seating ⌜*beforehand* [*ahead of time*]. 事前運動 ¶選挙の*事前運動は禁止されている *Pre-election campaigning* is prohibited. 事前協議 prior consultation Ⓤ 事前通告 advance [prior] notice Ⓤ.

じぜん[2] 慈善 ― 名 charity Ⓒ ★慈善事業・行為の意味では複数形で. ― 形 charitable.
¶彼らは*慈善のために金を集めた They collected money for *charity*.
慈善音楽会 charity concert Ⓒ 慈善家 philánthropist Ⓒ 慈善興業 ☞ チャリティーショー 慈善事業 charities ★複数形で; charitable work Ⓤ 慈善団体 charitable [charity] organization Ⓒ, charity Ⓒ 慈善鍋 charity pot Ⓒ.

じぜん[3] 次善 ― 形 the ⌜next [second] best.
¶*次善の策をとらねばならない We'll have to take *the* ⌜*next* [*second*] *best* measures.

しそ[1] 紫蘇 〔植〕 beefsteak plant Ⓒ, perilla Ⓒ ★西洋では普通は食用としない.

しそ[2] 始祖 the founder; (比喩的に) the father. (☞ ちち[1]).

しそう[1] 思想 thought Ⓤ; (観念) idea Ⓒ.
【類義語】理性的に考えて浮かぶ考えが *thought*. 口語的な語で, まとまっているいないにかかわらず心に浮かぶ考えをいうのが *idea*. 従って日本語の「思想」という少し格式ばった言い方に近いのは *thought* のほうであるが, 前後関係によっては *idea* と訳せる場合もある.
¶古代ギリシャの*思想 ancient Greek *thought* // 彼の*思想と行動はちぐはぐだ (⇒彼の行動は思想と矛盾している) His action is inconsistent with his *thought*. // それは東洋と西洋の*思想の違いからくる It comes from the difference between Eastern and Western *ideas*. // 私は彼の過激な*思想には反対だ I am against his radical ⌜*ideas* [*thought*; *thinking*]. // 近代[科学]*思想 modern [scientific] *thought* // *思想の自由 freedom of *thought* // *思想の弾圧 a clampdown on *thought* / suppression of *thought* / *thought* suppression
思想家 thinker Ⓒ 思想調査 survey of people's views Ⓒ 思想統制 thought control Ⓤ 思想犯 (人) thought criminal Ⓒ; (犯罪) ideological offense Ⓒ.

しそう[2] 死相 ¶彼の顔には*死相が現れている (⇒死の影が) *The shadow of death* is on his face.

しそう[3] 志操 ¶*志操堅固な (⇒節操のある) 人 a *principled* person

しそう[4] 詩想 (詩的想像力) poetic(al) imagination Ⓤ; (着想) poetic(al) inspiration Ⓤ. ¶すばらしい*詩想がわく have a brilliant *poetic*(*al*) *inspiration*

しそう[5] 試走 (車の) test drive Ⓒ; (陸上競技の) trial run Ⓒ. (☞ しうんてん).

しそう[6] 詞藻 (華麗な文体) rhétoric Ⓤ; (詩文) poetry [verse] and prose Ⓤ. (☞ あや).

しぞう[1] 死蔵 ― 動 lock [store] away ⑭.
¶大部分の記念貨幣はたんすに*死蔵される Most commemorative coins *are* ⌜*locked* [*stored*] *away* in the chest.

しぞう[2] 私蔵 private collection Ⓒ.

じそう 自走 ― 名 self-propulsion Ⓤ. ― 形 (自走の) self-propelling, self-propelled. 自走砲 self-propelled gun Ⓒ.

じぞう 地蔵 *Jizo*, (the) guardian deity /dí:əti/ of the people Ⓒ. ¶石*地蔵 a stone ⌜statue [image] of *Jizo* 地蔵堂 *Jizo-do* Ⓒ; (説明的には) small shrine where (a) ⌜*Jizo* [*jizo*] is housed Ⓒ.

しそうのうろう 歯槽膿漏 〔歯〕 pyorrhea alveolaris /pàɪərí:ə ælvì:əlé(ə)rɪs/ Ⓤ.

シソーラス thesaurus /θɪsɔ́:rəs/ Ⓒ.

しそく[1] 子息 son Ⓒ (☞ むすこ).

しそく[2] 四則 〔数〕 the four basic operations of arithmetic; (加減乗除) addition, subtraction, multiplication and division.

しぞく[1] 士族 (武士の家柄) family with samurai antecedents Ⓒ; (人) descendant of (a) samurai Ⓒ. 士族の商法 (素人じみた商売) an amateurish ⌜business practice [way of doing business].

しぞく[2] 氏族 (祖先を同じくする) clan Ⓒ, family Ⓒ. 氏族社会 clan ⌜society [community] Ⓒ 氏族制度 the ⌜clan [family] system.

じそく[1] 時速 ¶彼は*時速 60 キロで車を運転した He drove *at* (*a speed of*) sixty kilometers ⌜*an* [*per*] *hour*. ★60 kph と略せる. (☞ そくど[1]; まいじ)

じそく[2] 自足 ― 名 (自給自足) self-sufficiency Ⓤ (☞ じきゅう(じそく)). ― 形 self-sufficient.
¶必要なものをすべて*自足できる国はない No country is *self-sufficient* in everything it needs.

じぞく 持続 ― 動 (一定期間あるいは普通より長く続く) last ⓐ; (継続する) continue ⓐ. 語法
last は続いている期間に重点がある. continue は中断することなく続くことで, 期間よりも続く状態に重点がある. (☞ つづく). ¶好天は 3 週間*持続した The fine weather ⌜*lasted* [*continued*] (for) three weeks. 持続時間 (継続) duration Ⓤ; (存続) endurance Ⓤ.

しそくじゅう 四足獣 four-footed animal Ⓒ, quadruped /kwɑ́drəpèd/ Ⓒ ★後者のほうが格式ばった語.

しそくほこう 四足歩行 ― 形 (四足で歩く) quadrupedal. ― 動 walk with four feet ⓐ.

しそこなう fail to *do* ...; (うっかりして) miss ⑭. (☞ -そこなう).

しそちょう 始祖鳥 〔古生〕 archaeopteryx /àəkiɑ́ptərɪks/ Ⓒ.

しそまき 紫蘇巻き *shisomaki* Ⓤ; (説明的には) pickled *ume* or miso wrapped in a perilla leaf Ⓤ.

しそん 子孫 (家系・血統上のつながりのある人) descendant Ⓒ; (人間の子供たち) children ★単数形は child; (親から生まれた子供たち) offspring Ⓒ ★単複同形. この語は人間にも動物にも使う.
¶彼は*子孫に財産を一切残さなかった He left no legacy ⌜for [to] his *children*. // 彼は源氏の*子孫だと言っている He claims to be ⌜a *descendant* of [*descended* from] the Genji family.

じそん[1] 自損 self-inflicted ⌜injury [damage] Ⓤ. 自損行為 self-inflicted act Ⓒ 自損事故 self-inflicted accident Ⓒ.

じそん[2] 児孫 descendant Ⓒ. 児孫のために美田を買わず (⇒子孫が怠けないように, 私は彼らに多くの財産を残さない) I won't leave a generous legacy to my children lest they should become lazy. (☞ びでん).

しそんじる 仕損じる (失敗する) fail ⓐ (☞ しっぱい; やりそこなう; -そこなう).

じそんしん 自尊心 (よい意味で) self-respect Ⓤ; (悪い意味をも含めて) pride Ⓤ. (☞ ほこり[2]). ¶彼は*自尊心が強い He has a great deal of ⌜*self-respect* [*pride*]. / (⇒自分をとても偉いと考えている) He *thinks very highly of himself*. // 彼女の言葉に私の*自尊心は傷つけられた (⇒彼女の言葉が私のプライドを傷つけた) Her words wounded my *pride*.

した[1] 下 1 《場所・位置》 ― 前 (…の下に) under …(↔ over …), beneath …, underneath …; (…より下のほうに) below … (↔ above …); (…のふもとに; …の下に) at the foot of …; (…の底部に) at the bottom of … ―[名] (一番下・底) bottom [C]. ―[副] (下に) under, 《格式》 beneath, underneath; (より下の方に) below.

【類義語】「…の真下に」という意味の言葉が *under* で, 接触して真下の場合と, またそうでない場合との両方を意味する. ほぼ同意に用いられるが, 特に上から覆いかぶさっている感じを強調する言葉が *underneath*. また以上とほぼ同意だが多少格式ばった言葉が *beneath*.「…より下の方に」という意味で, 相対的な位置関係を示す言葉が *below* である. 従って, 日本語で「いすの下に」という場合の「下」は *under* the chair と *under* で表され,「水平線の下に」の「下」は *below* the horizon と *below* で表される. また *below* は「下手(しもて)に」の意味に当たることもある. ((例) 橋の*下手に *below* the bridge).

① The ivy ˹is hanging [hangs] (*down*) from the pot. (植木鉢からつたが垂れている)
② The fishbowl is ˹*below* [*underneath*]˺ the flowerpot. (植木鉢の下に金魚鉢がある)
③ The goldfish is *at the bottom of* the bowl. (金魚は鉢の下のほうにいる)
④ The doily is (laid) ˹*underneath* [*beneath*] the fishbowl. (金魚鉢の下に敷き物が敷かれている)
⑤ The cat is *at the foot of* the table. (猫がテーブルの下にいる)
⑥ The dish of milk is *under* the table. (ミルク皿がテーブルの下にある)

¶あの木の*下でちょっと休もう Let's take a short rest *under* the tree. // 机の上には辞書が 2 冊あり, *下にはかばんがある There are two dictionaries on the desk and a bag *under* it. // 船はその橋の*下を通った The ship ˹went [passed] *under* the bridge. // その語の*下に線を引きなさい Draw a line *under* the word. / *Underline* the word. // 猫がベッドの*下から走り出た A cat ran out from *under* the bed. // わきの*下に抱えているのは何ですか What are you carrying *under* your arm? // 私はその手紙を本の*下から (⇒ 本の下に) 見つけた I found the letter *underneath* a book. // *下から 3 行目に誤植がある There is a ˹misprint [typographical error] in the third line from the *bottom*. // その本は各ページの*下に注がついている (⇒ その本は各ページの下に注を持つ) The book has notes *at the* ˹*foot* [*bottom*] *of* each page. // 彼女のスカートのすそはひざの*下まであった The hem of her skirt was *below* the knees. // その棚は何かで*下から支える必要がある (⇒ あなたはその棚を何かで下から支えなければならない) You'll have to support the shelf from *below* (with something). // 重い本は*下の段に置いて下さい Please place (˹the [your]) heavy books on the ˹shelf *below* [*lower* shelf].

2 «内側» ―[前] (…の下に) under …; (…のすぐ下に) underneath … ★ この語は副詞的にも用いる. 《☞ うちがわ》.

¶私はワイシャツの*下に何も着ていない I'm wearing nothing ˹*under* [*underneath*] ˹this [my] shirt.

3 «下方» ―[副] (下の方へ) down ★ 動詞とともに 2 語でまとまった意味を成す場合が多い; (下へ向かって) downward; (より下方に) below.

¶彼女は日よけを*下におろした She ˹*pulled* the shades *down* [*lowered* the shades]. // 彼女はかばんを静かに*下へ置いた He *laid* the bag *down* gently. // 「このエレベーターは*下へ行くのですか」「いいえ, 上です」"Is this elevator *going down*?" "No, (it's going) up." // 山の頂上からずっと*下のほうに村が見えた From the mountaintop we could see a village (*down*) *below*. // 彼女は恥ずかしそうに*下を向いた She looked *downward* shyly. 《☞ うつむく》

4 «階下» ―[副] (階下に[で]) downstairs (↔ upstairs); (より下方に) below (↔ above).

¶彼は朝食に*下へ降りて行った He *went downstairs* ˹for [to] breakfast. // 彼女は*下で待っている [*下の部屋で勉強している] She is ˹waiting [studying] *downstairs*. // 彼女は*下の部屋に住んでいる She lives in the room *below*.

5 «年齢» ―[形] (…より年下の) younger. ―[名] (年下の人) junior [C]. 《☞ としした》. ¶彼は僕より 3 つ年*下だ He is three years ˹*younger* than me [my *junior*]. ★ [ ] 内は格式ばった表現. // 私のすぐ*下の妹はアメリカに留学中です (⇒ アメリカで勉強している) My next *younger* sister is studying in the U.S.A. // 彼女は 40 歳より*下のはずはない She can't be ˹*under* [*less than*] forty. [語法] 「特定の年齢より下」を言う場合は under, less than を使う.

6 «下位・従属» ―[前] (…より下で) below …; (…の部下 [弟子] として) under …; (…の後ろに位置して) behind …; (…のすぐ下位に) underneath … ―[形] (…より下位で) junior (to …) [P]; (地位などが…より低くて) lower (than …) [P], subordinate (to …) [P] ★ 前者がより口語的.

¶彼女は私より 2 級*下だった She was two grades ˹*below* [*behind*] me ˹at [in] school. // 私は会社では役職が彼より*下だ My rank at the office is *lower than* his. / I'm ˹*junior* [*subordinate*] *to* him at the office. // 彼の点は平均より*下だ His grades are *below* average. // 社長の*下には副社長が 3 人いる *Under* [*Underneath*] the president are three executive vice-presidents. // 彼は*下からたたき上げた男だ (⇒ 底から苦労して上へ進んだ) He has worked his way up from the *bottom*. // 私は彼女の*下で働いている I am working *under* her. [語法] 階級の上下は above, below を用い, 支配関係は over, under を用いる.

下にも置かない (丁重に扱う) treat *a person* very courteously. ¶私は*下にも置かないもてなしを受けた (⇒ 心からの歓迎を受けた) I *received a hearty welcome*. // 彼は*下にも置かないもてなしを受けた (⇒ 彼らは彼を王族のようにもてなした) They *treated* him *like royalty*.

した[2] **舌** tongue /tʌ́ŋ/ [C]. ¶私の*舌は荒れている My *tongue* is sore. ★ sore は炎症などを起こしていること. // その女の子は私に向かって*舌を出した The girl stuck her *tongue* out at me. ★ 軽蔑の場合など. // その犬はだらりと*舌を出していた The dog's *tongue* ˹lolled [hung] out. // *舌の先をやけどした I've burned the tip of my *tongue*. // 彼女はよく*舌が回る (⇒ 達者な舌を持つ) She has a glib *tongue*. ★ この文は軽蔑的な響きを持つことがある. / (⇒ おしゃべりだ) She is very *talkative*. // 彼は知らない人の前に出ると*舌が回らなくなる He gets *tongue-tied* in the presence of strangers. ★ tongue-tied は「はにかみなどで自由に話せない」ことを表す. // 彼は

酔っ払っていたので*舌がもつれていた (⇒ はっきりしゃべれなかった) As he was drunk, he *was unable to speak* ⌈*distinctly* [*clearly*].
舌先三寸 ☞ したさき **舌足らず** ☞ 見出し **舌鼓** ☞ 見出し **舌なめずり** ☞ 見出し **舌の根** ¶ 彼はうそはつかないと言ったが, その*舌の根も乾かぬうちにまたうそをついた (⇒ その言葉が口から出るや否やもううそをついた) He said he would never tell a lie. *No sooner were the words out of his mouth than* he told another one. **舌を巻く** ¶ 私は彼女の流ちょうな英語に*舌を巻いた (⇒ びっくりした) I *was amazed* by her fluent English.

コロケーション
舌打ちする click *one's tongue* / 舌が痛い have a sore *tongue* / 舌をかむ bite *one's tongue* / 舌を突き出す stick out *one's tongue* / 舌を引っ込める pull in *one's tongue* / 二枚舌を使う speak with a forked *tongue*

しだ 羊歯 〘植〙 fern Ⓒ. **羊歯植物** pteridophyte /térədoufàɪt/ Ⓒ.

じた 自他 ¶ 彼が車の運転のうまいことは*自他ともに認めるところである (⇒ 自分でうまいと言っているがそのとおりだ) He calls himself an expert driver, and that's what he is.

じだ 耳朶 ☞ みみ (耳たぶ)

したあご 下顎 (下あごの先の部分) chin Ⓒ; (下あご全体) lower jaw Ⓒ. 《☞ あご》.

したあじ 下味 preseasoning Ⓤ. ¶ *下味をつける *season* food before cooking (it)

したあらい 下洗い (手洗いによる) preliminary hand-washing Ⓤ.

シタール 〘楽器〙 (インドの楽器) sitár Ⓒ.

したい¹ 死体 (遺体) (dead) body Ⓒ; corpse Ⓒ; (動物の) carcass Ⓒ, 《英》 carcase /káːkəs/ Ⓒ.
【類義語】 人間の死体を表す最も口語的で普通の言葉は **body**. 特にまぎらわしい場合を除いては *dead body* とは言わない. 客観的, または冷たい感じで「死体」というときには **corpse**. また日本語の「遺体」の訳としても *body* を使うのがよい. また動物の死体は **carcass** または **carcase** という.
¶ 彼らはその身元不明の*死体を解剖した They ⌈performed [did] an autopsy on the unidentified ⌈*body* [*corpse*]. // 彼は*死体で発見された (⇒ 死んで発見された) He was found *dead*.
死体遺棄 abandonment of a body Ⓤ **死体移植** transplant from a dead donor Ⓒ; ☞ のうし¹ (脳死移植) **死体肝移植** liver transplant from a (bráin-)dèad donor /dóunə/ Ⓒ ★ カッコ内は脳死の場合. **死体検案書** 〘法〙 áutopsy report Ⓒ, (検屍官の報告書) medical examiner's report Ⓒ; (検死解剖証書) postmortem certificate Ⓒ.

したい² 肢体 (手足) the limbs /límz/ ★ 格式ばった語. 複数形で; (女性の身体全体の姿) figure Ⓒ; (男性の) physique Ⓒ. 《☞ てあし; しし¹; からだ; したいふじゆうじ》.

したい³ 姿態 (姿) figure Ⓒ; (身振り) pose Ⓒ. 《☞ すがた》.
¶ 彼女は美しい*姿態をしている She has a lovely *figure*.

-したい (欲する) want (to *do* …); (…したいと思う) 《丁寧》 would [should] like (to *do* …) 語法 'd like to と短縮される. 疑問形は would you like to *do* …? となる; (希望する) hope (to *do* …); (…したくてたまらない) 《略式》 be dying (to *do* …); (切望する) be anxious (to *do* …), long (to *do* …).
【類義語】 口語的で単刀直入に「…したい」という言い方で最も一般的なのは **want** (to *do* …) である. ((例) 私はあなたと話*したい I *want to* talk ⌈to [with] you.) しかし, これは自分の欲望・希望を率直に述べる言い方なので, 少し乱暴で失礼な表現である. 控えめに「…したいのですが」と希望を述べる丁寧な言い方が **would** [**should**] **like** (to *do* …). 《米》 ではすべての人称で *would* でよいが, 《英》 では 1 人称には *should* が用いられる傾向がある. また 《米》 でも書き言葉などでは *should* が用いられることもある. しかし, 《英》 でも次第に 《米》 用法が優勢になってきている. 好ましいことを望むときには **hope** (to *do* …) が用いられる. また「その映画をどうしても見たい」(*be dying to* see the movie) のように「…したくてたまらない」という意味の略式表現が **be dying** (to *do* …),「切望する・どうしても…したい」の意味では **be anxious** (to *do* …) または **long** (to *do* …) が用いられる. 後者には「あこがれ」の気持ちを表すニュアンスが加わる. 《☞ -たい; -たがる; -したがる》
¶ 私はいつか世界一周旅行を*したいと思う I ⌈*want* [*hope*] *to* make a round-the-world trip someday. //「ちょっとお伺い*したいのですが (⇒ 質問をしたい)」「ええ, どうぞ」"I'*d like to* ask you a question." "Please do." / (⇒ 質問してもよいですか) "May I ask you a question?" "Certainly." 語法 後者の対話例のほうが丁寧な言い方. // いまのところ何も*したくない (⇒ したい気がしない) I *don't feel like* doing anything (right) now.

しだい¹ 次第 **1** «すぐに»: (…するとすぐ) as soon as …; (…のすぐ後で) right after …, immediately [directly] (after) … ★ right after のほうが口語的. after を省略するのは 《英》. 《☞ しだいに》
¶ 天気になり*次第出発しよう (⇒ 天気になったらすぐ出発しよう) Let's start *as soon as* it clears up. // ロンドンに着き*次第手紙を出します (⇒ ロンドンに着いたらすぐに便りを書きます) I will write to you ⌈*as soon as* [*right after*; *immediately after*] I arrive in London. // 機会があり*次第彼に伝えておきます (⇒ 最初の機会に彼に知らせます) I will inform him *at the first opportunity*. // ご都合がつき*次第お返し下さい (⇒ 一番早く都合がついたときに) Please return it to me ⌈*at your earliest convenience* [(⇒ できるだけ早く) *as soon as possible*].
2 «…によって決まる»: (…による) depend ⌈on [upon] …, rest ⌈on [upon] …; (…の責任だ) be up to …, rest with … ★ rest を用いるのはどちらも格式ばった表現. ¶ 成功はあなたの努力*次第だ (⇒ あなたの努力による) Success *depends on* your efforts. // 値段は数量*次第です (⇒ 数量によって変わる) The price ⌈*varies with* [*depends on*] the quantity. // 決定はあなた*次第です (⇒ 決定権はあなたにある) The decision *rests with* you. / (⇒ 決めるのはあなたの責任だ) It *is up to* you to decide.

しだい² 私大 private ⌈college [university] Ⓒ 《☞ だいがく¹; 学校・教育 (囲み)》.

じたい¹ 事態 (周囲の状況・情勢) situation Ⓒ; (漠然と) matters; (世の中の事情) things ★ 後の 2 つは複数形で. 《☞ じょうせい¹; じょうきょう³》.
¶ 我々は容易ならぬ (⇒ 重大な) *事態に直面した We (have) faced a ⌈serious [critical] *situation*. // 彼らは*事態の解決[改善]に全力をあげている They are doing their best to ⌈solve the *problem* [improve the *situation*]. // *事態は楽観を許さない (⇒ 物事[事柄]の状態はとても重大だ) *The state of* ⌈*things* [*affairs*] is very ⌈serious [grave]. // *事態は好転[悪化]している *Things* are getting ⌈better [worse]. // *事態はさらに悪化した The *situation* [*Things*] went from bad to worse. // 最悪の*事態 (⇒ 最も悪いこと) が生じた The *worst* has happened. // 緊急*事態 an *emergency*

じたい² 辞退 — 動 (丁寧に断る) 《格式》 decline ⓐ ⓗ; (強い調子で断る) refuse ⓗ ⓐ ★ 後者のほう

が断り方としては失礼である.《☞ ことわる(類義語)》.
¶彼は次の選挙に出ることを*辞退した He *refused* to run in the next election. // 先約がありますのでせっかくのご招待を*辞退させていただきます I am sorry, but [I regret that; I'm afraid that] I must *decline* your invitation, as I have a previous engagement. 語法 [ ] 内は格式ばった表現で, 手紙などに使う.

じたい³ 自体 (そのもの) itself; (自分) oneself. 《☞ じしん³》. ¶額縁はさておき絵*自体が気にいらない Not to mention the frame, I don't like the picture *itself*.

じたい⁴ 字体 the form of a character; (活字の) type Ⓤ. 《☞ かつじ(活字体)》.

じだい¹ 時代 **1** «時期»: period /pí(ə)riəd/ Ⓒ; era /í(ə)rə/ Ⓒ; age Ⓒ; epoch /épək/ Ⓒ.
【類義語】長短に関係なく, ある特定の期間を表すのは **period** で, 最も一般的な語. age, time で代えられる場合も多い. ((例) 文芸復興*時代 the ˹*period* [*age*; *time*] of the Renaissance). 根本的な変化や重要な事件・人物などで特徴づけられる時代, 歴史上のある時期は **era**. ((例) ナポレオン*時代 the *era* of Napoleon). era がやや漠然としているのに対し, より明確で大きな特色を持ったかなり長い時代を指すのが **age**. ((例) 石器*時代 the Stone *Age*). 長い期間に及び, 著しい変化を伴う画期的な時代が **epoch**. ((例) 探検と植民地化の*時代 the ˹*epoch* [*era*] of exploration and colonialization). 以上の語は互いに交換可能な場合も多いが ((例) 革命*時代 the ˹*period* [*era*; *age*] of revolution), 慣用的に決まっている場合もあることに注意.
¶彼は明治*時代に生まれた He was born in the Meiji ˹*era* [*period*]. 語法 (1) era のほうが普通. // いまは原子力の*時代だ This is the *age* of ˹nuclear [atomic] power. // 最初の人工衛星の打ち上げは通信に新しい*時代を開いた (⇒ 新しい時代を画した) The launching of the first artificial satellite marked a new *epoch* in communications. // 宇宙旅行の*時代 (⇒ 宇宙旅行を楽しめるとき) は必ず来ると思う I am sure the *time* will come when we can enjoy space travel. // それらの展示品の中にはいろいろな*時代のものがあった Among the exhibits were articles from different *periods*. // 私は学生*時代よくそこへ行ったものだ When I was in college, I used to go there. // レンブラントは彼の*時代の最高の画家だった Rembrandt was the greatest painter of his ˹*day* [*time*]. 語法 (2)「時代」を day と訳す場合, 個人的な「…のころ」の意味では複数形, 背景の時代を言うときは単数形. // 彼はシェークスピアと同*時代の人だった He was *a contemporary* of Shakespeare. ★ contemporary Ⓒ は「同時代人」の意.
2 «時勢・世代»: (世の中の情勢) (the) times ★ 通例複数形で; (世代) generation Ⓒ 語法 年数は約 30 年間. 《☞ じせい¹; じりゅう; せだい》.
¶彼は*時代に先んじていた[遅れていた] He was ˹ahead of [behind] *the times*. // そのスタイルは一*時代前に流行していた That style was in fashion a *generation* ago. // いまは*時代が違う (⇒ 物事は以前にあったものではない) Things are not what they used to be. / (⇒ 時代は変わった) *The times* [*Times*] have changed. // 彼は*時代がかったコンピューターを使っている He is using an ˹*antiquated* [*outmoded*] computer. 《☞ こふう》
時代遅れ (衣服やスタイルなどが古くさい, 考え方などが旧式の) out-of-date, old-fashioned. ¶*時代遅れの考え方 an ˹*old-fashioned* [*out-of-date*; *outdated*] idea **時代感覚** (世の動向に対する感度) sensitivity to the spirit of the time(s) Ⓤ **時代区分** periodization Ⓤ **時代劇** (ちゃんばら劇) samurai ˹drama [play] Ⓒ **時代考証** (historical-) background research Ⓤ **時代錯誤** ── 形 (時代遅れの) out of date; (時代・年代的にあり得ない) anachronistic /ənæ̀krənístɪk/. ── 名 anachronism /ənǽkrənɪ̀zm/ Ⓒ **時代思潮** the ˹trend(s) [current(s); spirit] of the age **時代小説** historical [period] novel Ⓒ **時代精神** the spirit of the age, the Zeitgeist /tsáɪtgàɪst/ ★ ともに the を付けて. **時代の寵児** hero of the times Ⓒ **時代物** (骨董品) antique Ⓒ.

> **コロケーション**
> 黄金時代 the golden *era* / キリスト以前の時代 the pre-Christian *era* / 激動の時代 a ˹tempestuous [stormy] *period* / 困難な時代 a difficult *period* / 失意の時代 a *period* of adversity / 植民地時代 the colonial *era* / 過ぎ去った時代 a bygone *era* / 第二次大戦後の時代 the ˹post-World War II [post-war] *era* / デジタル時代 the digital *era* / 動乱の時代 a turbulent *period* / …の青年時代 the youthful *period* of … / 不安定な時代 an uncertain *period* / 古い時代 an old *period*

じだい² 次代 (次の世代(の人々)) the ˹next [coming] generation; (若い世代の人々) the younger generation ★ generation は集合的に用いられる. 《☞ つぎ²; せだい》.
¶その仕事は*次代の人たちにゆだねられた The task was entrusted to *the* ˹*next* [*coming*] *generation*.

じだい³ 地代 (ground [land]) rent Ⓤ 語法 この語は「借り賃」の意味にも「貸し賃」の意味にもなる. 《☞ かりちん》.

じだいしゅぎ 事大主義 **1** «おべっか»: toadyism /tóʊdiìzm/ Ⓤ; (へつらい) sycophancy Ⓤ; (行為) submission to power Ⓤ. **2** «瑣末なことにばかりこだわる態度»: trivialism Ⓤ. **事大主義者** (ひよりみ主義者) timesèrver Ⓒ; (ごますり) toady Ⓒ.

しだいに 次第に gradually; (ますます) increasingly. 《☞ じょじょに; だんだん》.

したいふじゆうじ 肢体不自由児 physically handicapped child Ⓒ.

したう 慕う (深く心から愛する) love … dearly; (敬慕する・熱烈に恋い慕う) adore ⊕; (いなくて寂しく思う) miss ⊕ 語法 以上の語はこの意味では進行形にはならない. ¶彼女は父親を*慕っている She *loves* her father *dearly*. // 彼女はピアノの先生を*慕っている She *adores* her piano teacher. // 彼女はいまも亡くなった母を*慕っている She still *misses* her dead mother.

したうけ 下請け ── 名 sùbcóntract Ⓒ. ── 動 (下請けをする・下請けに出す) sùbcóntract ⊕ ⊜; (下請けさせる) sùblét ⊕. 《☞ うけおい》. ¶その建築家は彼に*下請けを出した The architect gave a *subcontract* to him. / (⇒ 彼にその仕事を下請けさせた) The architect ˹*subcontracted* [*sublet*] the work to him. // 我々は彼の会社の*下請けだ We get *subcontracts* from his company.
下請け業者 sùbcontráctor Ⓒ **下請け系列化** grouping [consortium] of subcontractors Ⓒ **下請け工事** subcontracted (construction) work Ⓤ **下請け工場** subcontract ˹factory [plant] Ⓒ.

したうち 舌打ち ── 動 (短く鋭い音を出す) click *one's* tongue; (吸気でチッと鳴らす) tut(-tut) ⊜. ── 名 click of the tongue Ⓒ, tut(-tut) Ⓒ. ¶彼女はチェッと*舌打ちした She *clicked her tongue*. / She ˹*went tut-tut* [*tut-tutted*].

したえ 下絵 (略図) rough sketch Ⓒ; (図案) design Ⓒ. ¶ドレスの*下絵を描く make a *rough* *sketch* of ｢a [the] dress

したえだ 下枝 lower branches ★ 複数形で. ¶ 木の*下枝をはらう lop off the *lower branches* ｢of [on] a tree

したえのぐ 下絵の具 underglaze color Ⓒ.

したおび 下帯 loincloth Ⓒ ((☞ ふんどし; こしまき)).

したがう 従う (命令・法律などに) obey ⑩ ⓐ; (忠告・命令・慣習などに) follow ⑩ 語法 (1) 以上2つは入れ替え可能なこともあるが, 前者は特に権威・目上の者の命令についていう; (力に屈する) yield to …; (命令・規則・要求などに) comply with …; (法律・規則・協定などに) abide by …; (慣習・しきたりなどに) conform to … ★ 最後の4つはいずれも少し格式ばった語で, 特に制度・規則などについていう. ((☞ まもる; おうじる)). ¶ 彼は私の命令に*従った[*従わなかった] He ｢*obeyed* [*disobeyed*] my order(s). // あなたは両親に*従うべきだ You should *obey* your parents. // 彼は先生の忠告に忠実に*従った He faithfully ｢*followed* [(⇒ 受け入れた) *took*] his teacher's advice. 語法 (2) 忠告に従うときは obey とは言わない. // 我々は法律に*従わねば (⇒ 法律を守らねば) ならない We must ｢*observe* [*obey*] the law(s). // 規則に*従う *abide by* [*obey*] the rules // 私は彼の要求に*従った (⇒ 彼の要求に屈服した) I *yielded to* his demand(s). // 残念ながらあなたの要求に*従うことはできません We regret that we are unable to *comply with* your request(s). ★ 格式ばった表現. // 大部分の人は世間の慣習に*従う Most people *conform to* social convention(s). // 老いては子に*従え *Be guided by* your children when you get old.

したがえる 従える (伴う) be accompanied by … ((☞ ひきいる; つれている)). ¶ 彼は供の者を*従えていた (⇒ 供に付き添われていた) He *was accompanied by* attendants.

したがき 下書き (草稿) draft Ⓒ. ¶ 私はレポートの*下書きを3度書いた I made three *drafts* of the term paper.

したかげ 下陰 ☞ こかげ

したがって[1] 従って **1** «…どおりに»: according to …, in accordance with … ★ 後者は格式ばった言い方. ¶ その試合は日本のルールに*従って行われた The game was played *according to* (the) Japanese rules. // 私は彼の指図に*従ってそれをやった I have done it ｢*according to* [*in accordance with*] his instructions.
2 «…につれて»: (…するのに応じて) as …; (…の割合に応じて) in proportion ｢to [with] … ((☞ -つれて)). ¶ 上へ登るに*従って空気は冷たくなった *As* we went up, the air grew colder. / (⇒ 高く登れば登るほど) *The higher* we climbed, the colder the air became. // 収入が増すに*従ってむだ使いをするようになるようだ Wasteful spending seems to increase *in proportion to* our income.

したがって[2] 従って ― 副 (そういうわけで) for ｢this [that] reason, therefore, consequently, accordingly ★ 後の語ほど格式ばった語. ((☞ だから)). ¶ 彼は足にけがをした. *従って走ることができなかった He injured his leg, *that's why* he could not run. // そのメモは何か暗号で書かれていた. *従って私には理解できなかった The note was written in some sort of code; ｢*therefore* [*accordingly*] it was unintelligible to me. 語法 therefore, consequently, accordingly は接続詞ではないからセミコロンで区切るか, and ｢therefore [accordingly] とする. ((☞ セミコロン (巻末)))

したがり 下刈り ― 動 (下草・下木を取る) clear away the ｢underbrush [((英)) undergrowth].

-したがる (…したい) want (to *do* …); (熱心にしたがる) be eager (to *do* …), be anxious (to *do* …) ★ 後者のほうが口語的; (どうしても…したくてたまらない) ((略式)) be dying (to *do* …); (あこがれを持って切望する) long (to *do* …; for …). ((☞ -たがる; -したい (類義語))). ¶ 彼はあなたと交際*したがって (⇒ 友達になりたがって) いる He *is eager to* make friends with you. / (⇒ 交際を切望している) He *longs for* your companionship. 語法 後者のほうがやや格式ばった感じ. // 彼らは早く出発*したがっている They *are anxious to* start soon.

したき 下木 underbrush Ⓤ, ((英)) undergrowth Ⓤ.

したぎ 下着 únderwèar Ⓤ, ((格式)) underclothes /ʌ́ndəklòu(ð)z/ ★ 複数形で.

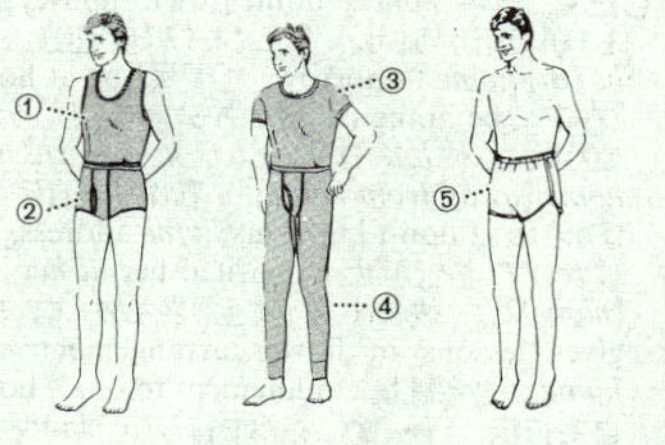

① ランニング シャツ sleeveless undershirt ② ブリーフ briefs ③ 半そでシャツ T-shirt ④ ズボン下 long ｢underpants [underwear] ⑤ パンツ shorts

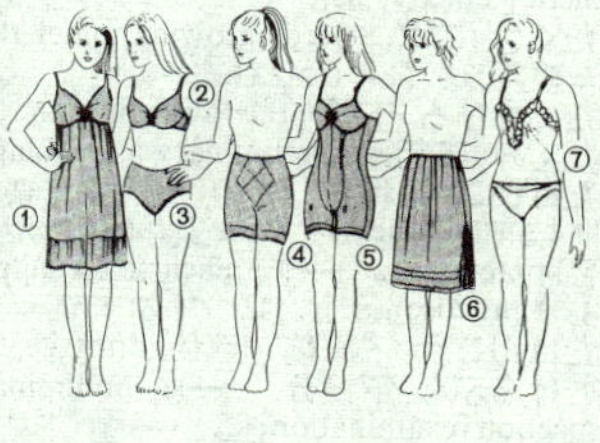

① スリップ slip ② ブラジャー brassiere ③ パンティー panties ④ ガードル girdle ⑤ オール イン ワン all-in-one, corselet ⑥ ペチコート petticoat ⑦ キャミソール camisole

¶ *下着を着る[脱ぐ] put on [take off] *one's underwear*

したきりすずめ 舌切り雀 The Tongue-Cut Sparrow; (説明的には) a folktale about a sparrow ｢that [who] gives riches to a kind old man and punishes his cruel wife.

したく[1] 支度 ― 名 (準備) preparation Ⓤ ★ 具体的なさまざまの準備の意では複数形で; (手はず) arrangements ★ 複数形で. ― 動 (…を用意する) get … ready, prepare ⑩ ★ 前者のほうが口語的; (…のために準備する) get ready [prepare] for …; (手はずを整える) arrange ⑩. ― 形 (用意ができて) ready Ⓟ. ((☞ じゅんび; ようい)).
¶ *支度はいいですか Are you *ready*? // 私は今週中に旅行の*支度をしなければならない I have to *make* ｢*preparations* [*arrangements*] *for* the trip within this week. / I have to *get everything ready* for the trip within this week. ★ 第2文のほうが口語的. // 私たちは歓迎会の*支度で忙しいところだ We are busy ｢*preparing* [with *preparations*] *for* the reception. // 彼女は朝食の*支度のために早く起きた She got up early to ｢*get* breakfast *ready* [*prepare* breakfast]. // 夕食の*支度ができました Dinner

[Supper] is *ready*. / Dinner *is served*. 語法 夕食会などで客に告げる時の表現. // 彼女はいつも外出の*支度が長い (⇒ 長い時間をかける) She always takes a long time to *get* ⌈*ready* [(⇒ 身仕度する) *dressed*] for going out.
支度金 (新婦の結婚持参金) dowry /dáu(ə)ri/ Ⓒ; (転任・就職などの身仕度用の) clothing [uniform] allowance Ⓒ; (旅費) travel(ing) allowance Ⓒ 日英比較 日本語では漠然と「支度金」というが, 英語では何の費用かはっきりさせる必要があり, 衣服・制服代とか旅費とかを特定して言う. **支度部屋** (劇場などの楽屋) dressing room Ⓒ.

したく² 私宅 *one's* private ⌈house [home; residence] Ⓒ ★ residence は《格式》で立派な邸宅. 《☞ いえ》.

じたく 自宅 *one's* ⌈home [(own) house] 《☞ いえ (類義語); うち²》. ¶私はあすは*自宅にいます I'll *be* (*at*) *home* tomorrow. 語法 be at home は「在宅」, be home は「家に帰っている」という意味で使われる. // 彼女は*自宅にいなかった She *was* ⌈not *at home* [*away from home*]. // 私は彼の*自宅の住所は知らない I don't know his *home* address. // 彼は彼女の*自宅を訪ねた He visited her *at her* ⌈*house* [*home*]. // 彼女は*自宅で生け花を教えている She gives lessons in flower arrangement *at her home*. **自宅謹慎** confinement to *one's* home Ⓤ **自宅待機** ── 動 (指令を待って) stand by at home. ── 名 (不況のためなどの) lay-off Ⓤ **自宅軟禁** house arrest Ⓤ **自宅分娩** home delivery; ☞ しぜん (自然分娩) **自宅療法** home ⌈treatment [remedy] Ⓤ.

したくさ 下草 weeds growing under the trees ★ 複数形で. 《☞ したばえ》.

したくちびる 下唇 the lower lip 《☞ くちびる》.

したぐみ 下組み prelìmináry assémblage Ⓤ.

したげいこ 下稽古 ── 名 (芝居・音楽などを公開する前の) rehearsal Ⓤ ★ 具体的なものは Ⓒ; (練習) practice Ⓤ. ── 動 rehearse 他 自; practice (《英》 practise) 他 自. 《☞ けいこ; れんしゅう》.

したげんこう 下原稿 (草稿) draft Ⓒ.

したけんぶん 下検分 ── 名 prelìmináry ⌈inspéction [exàminátion] Ⓒ. ── 動 (下見する) go over ….

したごころ 下心 (ひそかな意図) secret intention Ⓒ 《☞ たくらみ》. ¶彼は何か*下心があって彼女を訪問した He visited her *with some secret intention*.

したごしらえ 下拵え ── 名 (前もって整えておくいろいろな手はず) prelìmináry arrángements; (準備) preparations. ★ 以上は複数形で. ── 動 (用意をする) prepare 他; (あらかじめ手だてをしておく) arrange … beforehand.

したさき 舌先 the tip of *one's* tongue. ¶彼は*舌先三寸 (⇒ 達者な口) で彼女を言いくるめた He persuaded her ⌈with [by] his *glib tongue*. 《☞ くちさき》

したざさえ 下支え ── 名 (支援) backup Ⓒ; (援助) support Ⓤ. ── 動 support 他; (押し上げる) boost 他. ¶安定しない経済を*下支えする *boost* the faltering economy

したざや 下鞘 〖株〗 ── 形 (他の同種銘柄より相場が安い) low(er)-⌈quoted [priced], lower in a *quotation*.

したざわり 舌触り ¶このソースは*舌触りがよい[悪い] This sauce is ⌈*smooth* [*lumpy*].

したじ 下地 (back)ground Ⓒ 《☞ じ²; きそ¹; そよう》. ¶彼の訪問が両国の友好関係の*下地を作った (⇒ 道を開いた) His visit *paved the way for* friendly relations between the two nations.

しだし 仕出し ── 名 (宴会などの料理の) catering /kéɪtərɪŋ/ Ⓤ. ── 動 cater 他 自 ★ 前置詞は for. 《☞ てまえ》. **仕出し弁当** (仕出し屋の作った箱詰め弁当) box lunch prepared by a caterer Ⓒ 日英比較 英米には日本の仕出し弁当のような習慣はない. caterer は料理は出前するが箱詰め弁当ではないのが普通. **仕出し屋** caterer Ⓒ.

したしい 親しい ── 形 (友好関係のある) friendly; (親密な) familiar; (懇意な) íntimate; (密接な) close /klóus/. ── 動 (友人になる) make friends with …; (友人である) be (good) friends; (友人関係にある) be on ⌈friendly [good] terms ★ やや格式ばった表現; (懇意な関係にある) be on intimate terms.

【類義語】友達としての仲のよい関係が *friendly* で, 友好関係をいう最も一般的な語. 家族間で見られるような, 互いに遠慮のないくだけた関係, または長年の付き合いなどで打ち解けた間柄が *familiar*. 単なる付き合いだけでなく, 互いに深く理解し合って気心の知れている懇意な間柄が *intimate*. ただしこの語は異性間に用いると性的な関係を暗示するから注意. 他人の介入を許さず密接に結びついた関係が *close*.

¶彼と私は*親しい He and I *are good friends*. / He and I *are on* ⌈*friendly* [*good*] *terms*. // 彼らは私にとても*親しくしてくれる They are very *friendly* ⌈to [with] me. // 彼は私の*親しい友人の一人だ He is one of my ⌈*good* [*close*; *best*] friends. // 両国は*親しい関係にある The two nations have *close* relations. // 私は学生のころ彼と*親しくなった (⇒ 友人になった) I *made friends with* him when I was a student. // 彼とあまり*親しくしすぎるな Don't be too *familiar* with him. **親しき仲にも礼儀あり** A hedge between keeps friendship green. 《ことわざ: 間の垣根は友情を新鮮に保つ》 / Good fences make good neighbors. 《ことわざ: よい垣根はよい隣人関係を作る》 / Love your neighbor, yet pull not down your fence. 《ことわざ: 隣人を愛しなさい, しかし間の垣根は取りこわさないこと》

したじき 下敷き ── 名 plastic ⌈sheet [board] Ⓒ ★ ノートなどに使う「下敷き」は英米にはない. ── 動 (…の下敷きになる) be crushed under … 《☞ しく》. ¶彼は崩れた建物の*下敷きになって死んだ He *was crushed* to death *under* the collapsed building. // 彼はマクベスを*下敷きに (⇒ 手本にして) 小説を書いた He wrote a novel *modeled* ⌈*on* [*after*] *Macbeth* /məkbéθ/.

したしみ 親しみ ── 名 (友好的な気持ち) friendly feeling Ⓒ; (愛情) affection Ⓤ. ── 形 (友好的な) friendly; (親密な・なじみ深い) familiar. ── 動 (親しみをもつ・好む) like 他; (好きになる) take to …

¶彼女は彼に*親しみを感じているようだ (⇒ 好きになったようだ) She seems to *have taken to* him. // 私は彼の率直な態度に (⇒ 率直な態度ゆえに彼に) *親しみを感じた I ⌈had *friendly feelings* toward [*liked*] him because of his frank manner. // 彼は*親しみやすい [にくい] 人だ (⇒ 社交的[非社交的]な人だ) He is ⌈a *sociable* [an *unsociable*] person.

したしむ 親しむ ¶その歌はみんなに*親しまれている (⇒ とても人気がある) The song is very *popular*. / (⇒ よく知られている) The song is *familiar to* everybody. / (⇒ みんなその歌をよく知っている) Everybody is *familiar with* the song. // 彼は田舎で自然に*親しんでいる (⇒ 自然のすぐ近くで暮らしている) He *lives close* to nature in the country. // いまは書物に*親しむ絶好の (⇒ 本を読むのに最もよい) 季節だ It is the best season for reading.

したじゅんび 下準備 ── 動 (準備をする) prepare 他; (前もって手だてを講じておく) arrange … beforehand, make preliminary /prɪlímənèri/

arrangements (for ...). ━名 preparations; preliminary arrangements ★ いずれも複数形で. 後者のほうがより格式ばった言い方. (☞ おぜんだて; したしらべ; じゅんび).

したしらべ 下調べ ¶あしたの授業の*下調べは済みましたか *Have* you *prepared for* tomorrow's classes? (☞ よしゅう; したじゅんび)

しだす 仕出す **1** «始める»: begin [start] ⌈to *do* [*doing*] ... (☞ はじめる). ¶息子が真剣に勉強*しだしたのはつい最近のことです It's only quite recently that my son ⌈*began* [*started*] *to* study seriously.

2 «料理を作って届ける»: cater for ... (☞ しだし). ¶パーティーに料理を*仕出す *cater for* a party

したそうだん 下相談 preliminary talks ★ 複数形で. ¶この件について私たちは*下相談をする必要があるだろう We'll have to have some *preliminary talks* about this.

したたか ━副 (強く) hard; (厳しく) severely; (たくさん) a great deal. ¶私は*したたか殴られた I was *severely* beaten up.

したたか者 tough ⌈person [《略式》 customer] Ⓒ. ¶彼は*したたか者だ (⇒ 扱うのがとても難しい) He *is very hard to deal with.*

したためる 認める write ⑪ ⓐ (☞ かく¹).

したたらす 滴らす drip ⓐ. ¶彼女は汗を*したたらしていた She *was dripping* with perspiration. (☞ したたる)

したたらず 舌足らず ¶彼女は時々*舌足らずな (⇒ 子供みたいな) 口をきく She sometimes speaks *like a child.* // 彼の説明は*舌足らず (⇒ 不十分) だった His explanation was *inadequate*.

したたり 滴り (しずく) drop Ⓒ; (ぽたぽた落ちる) trickle Ⓒ; (たらたら流れる) dribble Ⓒ. (☞ しずく). ¶血の*したたり a *dribble* of blood

したたる 滴る drop ⓐ; drip ⓐ; trickle (down) ⓐ.

【類義語】上から落ちることを表す最も一般的な語が **drop**. しずくなどがぽたりぽたりと落ちるのが **drip**. ゆっくり細く流れ落ちるのが **trickle**. ただし *trickle* はぽたぽた落ちる場合にも用いられる. (☞ たれる; しずく)

¶彼の額から汗が*したたっていた (The) perspiration *was dripping* ⌈from [off] his forehead. / <S (額) +V (*drip*)+*with*+名(汗)> His forehead *was dripping with* perspiration. (☞ たらす 語法 (1)) // 彼女の目から大粒の涙が*したたり落ちた Large tears /tíəz/ *fell* from her eyes. / (⇒ 大粒の涙が彼女のほおを伝って流れた) Large tears *trickled* down her cheeks.

したたるい 舌たるい (ことばが甘い) honeyed; (甘いことを言う) honey-tongued. ¶*舌たるいしゃべり方をする speak in *honeyed* tones

したつ 四達 ━動 (発達した道路網を持つ) have a fully developed road network; (広く行き渡る) spread (to ...) ⓐ; (普及する) prevail ⓐ. (☞ いきわたる; ふきゅう¹).

したつけ 下付け (手紙の結び言葉) (complimentary) close Ⓒ.

したつづみ 舌鼓 ━動 (おいしいものに唇をぱちっと鳴らす) smack *one's* lips; (おいしく食べる) relish ⑪; (楽しむ) enjoy ⑪. ━名 smack (of the lips) Ⓒ.

¶彼はミートパイに*舌鼓を打った He *smacked his lips* over the meat pie. / He ⌈*enjoyed* [*relished*] the good taste of the meat pie.

したっぱ 下っ端 (手下・下役) únderling Ⓒ ★ 軽蔑的な言葉; (小役人) petty [minor] official Ⓒ. (☞ ひら).

したづみ 下積み (低い地位) low(ly) position Ⓒ; (底) the bottom; (比喩的に, はしごの一番下の段) the ⌈lowest [bottom] rung of a ladder. ¶私は*下積み時代に忍耐強くなった (⇒ 低い地位で働いて [はしごの一番下の段に] いるときに忍耐することを学んだ) I learned to be patient while I ⌈worked *in a low(ly) position* [*was on the lowest rung of the ladder*].

下積み厳禁 《掲示》(上には何も載せるな) Load Nothing on Top.

したて¹ 仕立て (裁縫) sewing Ⓤ; (仕立て方) tailoring Ⓤ; (裁ち方) cut Ⓤ. (☞ したてる).

¶彼女は*仕立てが上手だ (⇒ 上手な仕立て屋だ) She is a good ⌈*tailor* [*seamstress*; *dressmaker*]. 語法 tailor は紳士服の, seamstress は女性裁縫師, dressmaker は婦人・子供服の仕立て屋. / (⇒ たいへんうまく縫える) She can *sew* very well. // 彼は*仕立てのいい服を着ている He is wearing a *well-cut* suit. / (⇒ 彼の服は仕立てがよい) His suit *is* well ⌈*tailored* [*made*]. // 彼女の服は最新流行の*仕立てだ Her dress is of the latest ⌈*cut* [*style*]. // 特別*仕立ての列車 a *special* train

仕立て上がり ━形 (新しく作った) newly made; (真新しい) brand-new. (☞ しんちょう³). ¶*仕立て上がりのドレス a ⌈*newly made* [*brand-new*] dress

仕立て下ろし (新しく作りたての服) newly made [brand-new] ⌈clothes [suit Ⓒ]

仕立て賃 sewing [tailoring] charges ★ 複数形で.

仕立て直し ━名 (部分的なサイズなどの変更) alteration Ⓤ ★ 具体的な事例は Ⓒ. ━動 (仕立て直す) rèmáke ⑪

仕立て物 (縫い物) sewing Ⓤ; (針仕事) needlework Ⓤ

仕立て屋 (紳士服の) tailor Ⓒ; (婦人・子供服の) dressmaker Ⓒ.

したて² 下手 ━形 (謙虚な) modest; (自分を卑下して控えめな) humble; (慎み深い) low.

━動 (ぺこぺこする) humble *oneself*.

¶彼が*下手に出てきたのには面くらった (⇒ 彼のへりくだった[謙虚な]態度に驚いた) I was surprised by his ⌈*humble* [*modest*] attitude. // こちらが*下手に出ることはないと思う I don't think we should ⌈*humble ourselves* [*behave humbly*]. // (相撲で) 相手の*下手を取る seize [grab] an opponent by the belt from *underneath his arm*

下手投げ (相撲の) *shitatenage* Ⓤ; (説明的には) underarm throw Ⓤ ★ 前者を使うことが多い; (野球の) underhand throw Ⓒ

下手捻り (相撲の) *shitatehineri* Ⓤ; (説明的には) twisting underarm throw Ⓤ.

したてあげる 仕立て上げる (完成する) complete ⑪; (人を育てる) brìng úp ⑪. (☞ したてる; つくりあげる; そだてる). ¶ドレスを*仕立て上げるのに 3 週間かかった It took me three weeks to *complete* the dress. // 私は彼を弁護士に*仕立て上げた I *prepared* him to be a lawyer. // 軍隊は彼を一人前に*仕立て上げた The army *made* a man out of him.

したてる 仕立てる (洋服を作る) make ⑪, tailor ⑪ ★ 前者は一般的な語. 後者は特に寸法を取って入念に作る感じ. (☞ したて¹).

¶彼女は私に洋服を 3 着*仕立ててくれた She ⌈*tailored* three suits for me [*made* me three suits]. // あなたの服はどこで*仕立ててもらいましたか (⇒ だれが作ったか) Who *made* your clothes? // 彼は息子を大工に*仕立てた (⇒ 養成した) He *trained* his son ⌈for [to be] a carpenter. // 彼はその事件を小説に*仕立てた (⇒ 事件を基に小説を書いた) He wrote a novel *based on* the event.

したどり 下取り ━動 (下取りに出す) trade in ... for ...; (...を下取りする) take ... as a trade-in. ¶私は古いテレビを*下取りに出して新しいのを買った I *traded in* my old TV *for* a new one. // その自動車を*下取りいたします We will *take* the car *as* ⌈*a*

trade-in [*part payment*]. 下取り価格 trade-in price Ⓒ. 下取り品 tráde-ìn Ⓒ.

したなめずり 舌なめずり ―動 lick *one's* ⌈lips [chops]《☞ なめる; したつづみ》.

したぬい 下縫い ☞ かりぬい

したぬり 下塗り undercoat Ⓤ. ¶壁に*下塗りをした I gave the wall a layer of *undercoat*.

したね 下値 price lower than the market price Ⓒ.

したば¹ 下歯 the [*one's*] lower teeth《☞ は¹》.

したば² 下葉 lower leaf Ⓒ《複 leaves》.

したばえ 下生え underbrush Ⓤ,《英》undergrowth Ⓤ.《☞ したくさ》.

したばき¹ 下履き outdoor shoes ★ 複数形で.

したばき² 下穿き (パンツ) underpants.

じたばた ―動 (もがく) struggle ⓐ; (…を大げさに騒ぎ立てる) make a fuss ⌈over [about] …; (泣いたりわめいたりして騒ぎ立てる) make a scene.《☞ 擬声・擬態語 (囲み)》.

¶いまさら*じたばたしても始まらない (⇒ むだだ) It's no use ⌈*fighting* [*making a scene*] now. // つまらぬことに*じたばたするな (⇒ 大騒ぎするな) Don't *make a fuss over* a small thing.

したばたらき 下働き (助手) assistant Ⓒ; (お手伝い) housemaid Ⓒ; (台所の下働きの女性) kitchen maid Ⓒ.

したばら 下腹 belly Ⓒ; únderbèlly Ⓒ ★ 後者は人間には用いない.《☞ かふくぶ; はら¹》. ¶彼は*下腹が出てきた His ⌈*belly* [*gut*; *lower abdomen*] began to stick out. // *下腹に力を入れる strain *one's abdominal muscles*

したばり 下張り lining Ⓒ; (紙) lining paper Ⓤ.

したび 下火 ―動 (火事が) be (brought) under control; (火勢が弱まる) burn ⌈down [low] ⓐ; (衰える) decline ⓐ; (勢いが弱くなる) drop ⓐ, wane ⓐ,《格式》abate ⓐ; (勢力が弱まる) gò [díe] dówn ⓐ; (数量が減る) decrease ⓐ; (低調になる) get lower ⓐ; (次第に消えてなくなる) táil óff ⓐ.《☞ おちめ》.

¶火事は*下火になった The fire *has been brought under control*. / The fire *has burned* ⌈*down* [*low*]. // ボーリングは急に*下火になった (⇒ 人気を失った) Bowling *has* suddenly *lost its popularity*. // インフレはここ当分の間*下火にならないだろう The rate of inflation will not ⌈*drop* [*get lower*; *decrease*] in the near future.

したびらめ 舌平目〔魚〕sole Ⓒ.

したへん 舌偏 tongue radical on the left of kanji Ⓒ.

したまえ 下前 the right front part of a kimono, folded under the left part.

じたまご 地卵 locally-produced egg Ⓒ.

したまち 下町 (東京の) the old commercial district of Tokyo 参考 downtown と言うと町の中心部・繁華街・商業地区などを指し, 日本語の「下町」とは異なる. 下町言葉 the dialect of ⌈*shitamachi* [the commercial district of Tokyo] 下町情緒 the cordial atmosphere of *shitamachi*.

したまわる 下回る (…以下である) be below … (↔ be above …); (…より少ない) be less than …; (…より低い) be lower than …; (…に達しない) come [fall] short of …

¶今年の降雨量は平均を*下回る This year's rainfall *is below* average. // 彼の年収は500万円を*下回る His annual income *is* ⌈*less* [*lower*] *than* five million yen.《☞ いか》// 売り上げは昨年の水準を*下回った (The) sales ⌈*sank* [*fell*] *below* last year's levels. // 賃上げは我々の期待を*下回った (⇒ 期待はずれだった) The wage hike ⌈*came* [*fell*] *short of* our expectations.

したみ 下見 prelíminàry ⌈inspéction [exàminátion] Ⓒ. ¶修学旅行の*下見をする make an *inspection trip* before a school excursion

したむき 下向き ―動 (衰える) gò dówn ⓐ, decline ⓐ ★ 前者のほうが口語的; (ライトなどを下向きにする) lower ⓣ, dip ⓣ.

¶景気は*下向きになりはじめた The market has begun to *decline*. / Business *is going down*. // 対向車に対してライトを*下向きにする *dim* [《英》*dip*] *one's* headlights for oncoming traffic

したむく 下向く (下がる) go down ⓐ; (衰える) decline ⓐ; (低下する) fall off ⓐ.《☞ したむき》.

¶家運が*下向いている The fortunes of the family *are on the wane*.

しため 下目 downward ⌈glance [look] Ⓒ. 下目使い glance with lowered eyes Ⓒ.

したやく 下役 (部下) subordinate Ⓒ; (下っ端) underling Ⓒ.《☞ したっぱ》.

したよみ 下読み ―動 (予習する) prepare ⓣ ⓐ《☞ よしゅう; したしらべ》.

じだらく 自堕落 ―形 (身持ちの悪い) loose /lúːs/; (無精な) slovenly.《☞ だらしない》.

じたらず 字足らず ¶*字足らずの行 a line of a *waka* or haiku poem that *does not have enough syllables*

したりがお したり顔 ―名 (勝ち誇った顔つき) triumphant /traɪʌ́mf(ə)nt/ look Ⓒ; (満足気な顔つき) smug look Ⓒ. ―形 (勝ち誇った) triumphant; (得意気な) proud. ―副 triumphantly.《☞ とくい¹; じまん》. ¶彼は自分の成功を*したり顔に話した He talked about his success ⌈*triumphantly* [*with a smug look*].

しだれうめ しだれ梅〔植〕weeping *ume* tree Ⓒ.

しだれざくら しだれ桜〔植〕weeping cherry (tree) Ⓒ.

しだれやなぎ しだれ柳〔植〕weeping willow Ⓒ.

しだれる 枝垂れる (垂れる) weep ⓐ; (下に下がる) hang down ⓐ.

したわしい 慕わしい ―形 (愛しい) dear, beloved /bɪlʌ́vɪd/ ★ 後者のほうが格式ばった語.《☞ したう》.

したん 紫檀〔植〕rosewood Ⓤ. ¶*紫檀のテーブル a *rosewood* table

しだん¹ 詩壇 poetry [poetical] circles ★ 複数形で.

しだん² 師団 division Ⓒ. ¶機械化*師団 a mechanized *division* 師団長 division(al) commander Ⓒ.

しだん³ 指弾 ☞ つまはじき

じたん 時短 (労働時間の削減) cut in working hours Ⓒ; (短い労働時間) shorter working hours ★ 複数形で.

じだん 示談 (法廷外での解決) settlement out of court Ⓒ, out-of-court settlement Ⓒ; (友好的[私的] 解決) amicable [private] settlement Ⓒ. ¶その件は10万円の*示談で解決した (⇒ 法廷外で [私的に] 解決された) The case *was settled* ⌈*out of court* [*privately*] for ⌈a [one] hundred thousand yen. // この場合*示談にするのは難しい In this case, it is difficult to *reach a settlement out of court*. 示談金 (債務の) composition Ⓒ; (和解の) settlement money Ⓤ 示談屋 settlement broker Ⓒ.

じだんだ 地団太 地団太を踏む ¶彼は絶好の機会を逃して*地団太を踏んだ He missed a great chance and *stamped his feet in* ⌈*frustration* [*anger*].

しち¹ 七, 7 ―名形 seven 語法 「第7 (番目)

の」, あるいは「第7(番目)のもの」の場合は the seventh. 《☞ 数字(囲み)》.

しち² 質 —名 pawn Ⓤ, pledge Ⓤ, 《米》 hock Ⓤ 語法 この順にくだけた語となる. 最初の2語は「質ぐさ」の意味ではⒸ. —動(質に入れる) give [put] ...in hock, pawn ⑩, pledge ⑩ ★ 第1番目が最も口語的.

¶ 時計を*質に入れた I *have pawned* my watch. // 宝石を*質に入れて1万円借りた I *pawned* a jewel for ten thousand yen. // 指輪を*質から受け出した I took my ring out of ˹*hock* [*pawn*].

質草 article for pawning Ⓒ **質権** right of pledge Ⓒ **質札** pawn ticket Ⓒ. 《☞ しちながれ》.

しち³ 死地 the jaws of death. **死地に赴く** march into the jaws of death.

じち 自治 self-government Ⓤ, autónomy Ⓤ 語法 後者は大きなものの中の小さな単位, 例えば国に対して州・県など, についていう場合が多い.

¶ 第二次大戦後イギリスはその多くの植民地に*自治を許した After World War II, Britain granted *self-government* to many of its colonies. // 彼は大学の*自治の重要性を強調した He stressed the importance of the *autonomy* of universities.

自治会 (学生の) students' union Ⓒ, student body Ⓒ ★ body は「団体・組織体」の意味の平易な語; (学生以外の) self-governing body Ⓒ **自治共和国** autonomous republic Ⓒ **自治区** autonomous [self-governing] district Ⓒ ★ 区にあたる district は地域により area, region も使われる. **自治権** autonomy Ⓤ, the right of self-government **自治省** the Ministry of Home Affairs ★ 現在は総務省《☞ そうむ¹》の一部. **自治体** self-governing [autonomous] ˹body [community] Ⓒ; (地方自治体) munícipal còrporátion Ⓒ, municìpálity Ⓒ **自治大臣** the Minister of Home Affairs **自治領** (self-governing) dominion Ⓒ **自治労** ☞ 見出し

しちかいき 七回忌 the sixth anniversary of *a person's* death.

しちがつ 七月 July ★ 語頭は必ず大文字. 《☞ いちがつ 語法; 時刻・日付・曜日(囲み)》. **七月革命** the July Revolution ★ フランスの革命(1830).

しちけんじん 七賢人 (ギリシャの) the Seven Wise Men (of Greece) ★ the Seven Sages ともいう.

しちごさん 七五三 (お祝いの日) festival day for boys of three and five and girls of three and seven Ⓒ.

しちごちょう 七五調 the seven-and-five-syllable meter 《☞ いんりつ》.

しちさん 七三 seven to three. ¶ 彼は髪を*七三に分けていた (⇒一方の側で分けていた) He had his hair parted *on one side*. 《☞ かみ³》

しちじゅう 七十, 70 —名形 seventy 語法 「第70(番目)の」, あるいは「第70(番目)のもの」の場合は the seventieth. 《☞ 数字(囲み)》.

しちじゅうそう[しょう] 七重奏[唱] 〘楽〙 septet(te) Ⓒ.

しちしょう 七生 seven lives.

シチズン (国民・市民) citizen Ⓒ.

シチズンシップ (市民権) citizenship Ⓤ.

シチズンバンド citizens' band Ⓤ 《略 CB》 ★ トランシーバーなどで主に車の運転時用の個人用周波数帯.

しちてんばっとう 七転八倒 —動(苦しくてのたうち回る) writhe /ráɪð/ in agony; (ごろごろ転げ回る) toss about ⓐ. ¶ 彼は腹痛で*七転八倒の苦しみを味わった He *writhed in agony* with a stomachache. // 彼女は苦痛で*七転八倒した She *tossed about* in pain.

しちながれ 質流れ (品) forfeited pawned article Ⓒ 《☞ しち²》.

しちならべ 七並べ (トランプの) fan-tan Ⓤ.

しちなん 七難 〘仏教〙 (7種類の災難) the Seven Adversities; (多くの欠点) many defects.

しちねんせんそう 七年戦争 the Seven Years' War ★ プロイセンとオーストリアとの間の戦争 (1756–63).

しちぶ 七分 —形 three-quarter ★ 厳密には ¾ の意味だが, ほぼ日本語の七分に相当する. **七分袖** three-quarter sleeves ★ 複数形で.

しちふくじん 七福神 the Seven Gods of Good ˹Fortune [Luck].

しちみとうがらし 七味唐辛子 *shichimi-togarashi* Ⓤ; (説明的には) seven-flavored [《英》 seven-flavoured] spice(s).

しちめんちょう 七面鳥 〘鳥〙 turkey Ⓒ.

しちめんどう しち面倒 ☞ めんどう

しちや 質屋 (店) pawnshop Ⓒ; (人) pawnbroker Ⓒ. 《☞ しち²》.

しちゃく 試着 —動(着てみる) try on ⑩. ¶ 彼はその新しい上着が合うかどうか*試着してみた He *tried* ˹*on* the new coat [the new coat *on*] to see if it fitted him. **試着室** fitting room Ⓒ.

しちゅう¹ 支柱 (物を上に持ち上げておく) prop Ⓒ; (上から物が落ちないように支える) support Ⓒ; (物を固定させる) 《文》 stay Ⓒ. 《☞ はしら》. **支柱根** prop root Ⓒ.

しちゅう² 市中 —形副 in the city 《☞ しない¹》. **市中銀行** city bank Ⓒ; (民間の銀行) commercial bank Ⓒ.

しちゅう³ 死中 (絶体絶命の窮地) desperate situation Ⓒ; (窮地) tight corner Ⓒ ★ 普通は単数形で. **死中に活を求める** (窮地から脱するために危険を冒す) take a risk to get out of a desperate situation

シチュー stew /st(j)úː/ Ⓤ 《☞ 料理の用語(囲み)》. ¶ ビーフ*シチュー beef *stew*

シチュエーション (状況・立場) situation Ⓒ. **シチュエーションコメディー** (状況喜劇, 特に一話完結の連続 TV コメディー) situátion cómedy Ⓒ ★ 口語では sitcom /sítkɑ̀m/ ということが多い.

じちょ 自著 *one's* (own) book Ⓒ.

しちょう¹ 市長 mayor /méɪɚ/ Ⓒ 《☞ ちょうちょう¹; し¹》. ¶ 京都*市長 the *mayor* of Kyoto **市長職** máyoralty Ⓤ **市長選挙** mayoral election Ⓒ.

しちょう² 思潮 the ˹current [trend] of thought 《☞ しそう¹》. ¶ 近代[文芸]*思潮 *the* ˹*currents* [*trends*] *of* ˹modern *thought* [literature]

しちょう³ 試聴 —動(レコードを) try ⑩. **試聴室** (楽器・レコード店の) listening booth Ⓒ.

しちょう⁴ 支庁 branch office Ⓒ.

じちょう¹ 自重 —動(思慮深くする) be prudent; (用心深くする) be cautious. ¶ 今後はもっと*自重します I will *be* more ˹*prudent* [*cautious*] from now on.

じちょう² 自嘲 —名 self-mockery Ⓤ. —形 self-mocking.

じちょう³ 次長 deputy general manager Ⓒ, assistant general manager Ⓒ. 《☞ 会社の組織と役職名(囲み)》.

しちょうかく 視聴覚 —形 audiovisual. ¶ *視聴覚教育[教材] *audiovisual* ˹education [aids]

しちょうしゃ 視聴者 (1人) (TV) viewer Ⓒ; (全体) audience Ⓒ. **視聴者参加番組** audience-participation program Ⓒ; (電話で参加する番組) 《米》 call-in (program) Ⓒ, 《英》 phone-in (programme) Ⓒ.

しちょうそん 市町村 (市・町・村) cities, towns and villages; (地方自治体) municipálities ★ いずれも複数形で. **市町村合併** merger [consolidation] ⌜between [of] two (or more) municipalities Ⓒ ★ [ ]内は Ⓤ. 吸収合併を merger, 新自治体を設立する合併を consolidation と区別することもある. **市町村議会** local assembly Ⓒ **市町村民税** local tax Ⓒ.

しちょうりつ 視聴率 (audience) rating Ⓒ. **視聴率至上主義** belief that audience ratings are everything Ⓒ.

しちょく 司直 (総称) 《格式》 the judiciary /ʤuːdíʃièri/ ★ the を付けて; (裁判官) judge Ⓒ; (法) the law. ¶首相といえども*司直の手を免れるわけにはいかない Even the Prime Minister cannot escape the (long) arm of *the law*.

シチリア ― 名 固 (シシリー島) Sicily /sísəli/ ★ イタリア南方の地中海の島. **シチリアマフィア** the Sicilian Mafia (☞ マフィア).

しちりん 七輪 charcoal (cooking) stove Ⓒ.

じちろう 自治労 (全日本自治団体労働組合) the All Japan Prefectural and Municipal Worker's Union.

じちん 自沈 ― 動 (自分の船を沈める) sink [scuttle] *one's* boat ★ scuttle は船底に穴をあけて. ¶国籍不明船は爆破により*自沈した模様 The ship of unknown nationality seems to *have sunk* after an internal explosion.

じちんさい 地鎮祭 ground-breaking ceremony Ⓒ.

しつ[1] 質 quality Ⓤ (☞ ひんしつ; しな[1]). ¶量よりも*質が大切だ (⇒ 問題となる) *Quality* matters more than quantity. / *Quality* is more important than quantity. // この本の紙の*質はよい[悪い] (⇒ この本の紙はよい[悪い]質だ) The paper of this book is of ⌜good [poor] *quality*. // このせっけんは*質が悪い (⇒ 質において劣る) This soap is ⌜inferior in [of inferior] *quality*. // 最近は学生の*質が低下[上昇]した Recently the *quality* of the students has ⌜declined [improved].

―コロケーション―

> 質を維持する maintain *quality* / 質を落とす lower [debase] the *quality* / 質を確保する ensure *quality* / 質を犠牲にする sacrifice *quality* / 質を調べる check the *quality* / 質を高める improve [raise] *quality* // 優れた質 excellent [superior] *quality* / 高い質 high *quality* / 低い質 low [poor] *quality*

しつ[2] 室 (部屋) room Ⓒ. ¶(アパートなどの) 7 号*室 *Room* 7 ★ room seven と読む. (☞ 数字 (囲み))

しつ[3] 瑟 *shitsu* Ⓒ; (説明的には) an old Chinese stringed instrument with twenty-three or twenty-four strings.

しっ sh!, hush! (☞ しーっ).

じつ 実 ¶*実のある人 a *sincere* person **実を言うと** to tell the truth (☞ じつは; じつに; じつの) **実をとる** (実際上の勝者となる) be a practical winner; (名声よりも利益を選ぶ) choose profit over fame; (最初に負けて最後に勝つ) *lose at first* but win in the end.

しつい 失意 (期待を裏切られたこと) disappointment Ⓤ (☞ しつぼう; ぜつぼう).

じつい 実意 **1** 《誠意》: sincerity Ⓤ. ¶あの人は*実意がある That person is *sincere*.
2 《本当の意味》 ☞ しんい

じついん 実印 *one's* ⌜registered [legal] seal Ⓒ

日英比較 説明的な表現. 欧米では印鑑の使用は普通ではない. (☞ いんかん[1]; はん[1]).

しつう[1] 歯痛 toothache Ⓤ (☞ は[1]).

しつう[2] 私通 adultery Ⓤ, illicit love affair Ⓒ. (☞ かんつう[2]; みっつう; ふりん).

しつうはったつ 四通八達 ¶東京は交通が*四通八達している (⇒ 東京は日本の交通組織の中心だ) Tokyo is Japan's traffic hub. / (⇒ あらゆる種類の公共交通機関がある) There are *all sorts of public transportation available* in Tokyo.

じつえき 実益 (net) profit Ⓤ. ¶彼はうまく趣味と*実益を結びつけた (⇒ 趣味で金もうけをした) He has *made money* ⌜out of [from] his hobby. // 盆栽を育てるのは趣味と*実益を兼ねている (⇒ おもしろくもあり利益にもなる) It is *profitable* as well as interesting to grow ⌜bonsai [potted dwarf trees].

じつえん 実演 ― 名 (劇場の) stage ⌜show [performance] Ⓒ; (公演・公開の実験など) (public) demonstration Ⓒ. ― 動 give a stage ⌜show [performance]; give a demonstration.

しつおん 室温 room temperature /témp(ə)rətʃùə/ Ⓒ. **室温核融合** cold nuclear fusion Ⓤ, nuclear fusion at room temperature Ⓤ ★ 低温核融合ともいう. (☞ かく[4] (核融合)).

しっか[1] 失火 ― 名 accidental fire Ⓒ. ― 動 start a fire (accidentally). (☞ かじ[1]).

しっか[2] 膝下 ¶父母の*膝下にいる (⇒ 保護の下にいる) be under the protection of *one's* parents

じっか[1] 実家 (両親のいる家) *one's* parents' home Ⓒ; (親元の一族) *one's* parents' family Ⓒ. (☞ さと).

じっか[2] 実科 practical course Ⓒ.

しつがい 室外 ― 副 (部屋の外で) outside (a room); (屋外で) outdoors. **室外機** (エアコンの) external unit of an air conditioner Ⓒ.

じっかい 十戒 〔聖〕 ¶モーセの*十戒 the Ten Commandments

じつがい 実害 (害悪) (actual) harm Ⓤ; (損害) (actual) damage Ⓤ. (☞ がい[1]; そんがい; ひがい[1]).

しつがいこつ 膝蓋骨 〔解〕 patella /pətélə/ Ⓒ 《複 patellae /-liː/》, kneecap Ⓒ ★ 後者は平易な日常語.

しっかく 失格 ― 動 (失格させる) disqualify ⓗ; (資格がない) be unqualified; (レースからはずす) put [throw] ... out of the race. ― 名 (資格を奪うこと) disqualification Ⓤ; (失敗者) failure Ⓒ. (☞ しかく[1]).
¶彼は遅刻したために決勝戦で*失格となった He *was disqualified* from the finals for being late. // フライングを 3 回すると*失格する (⇒ ピストルが鳴る前に 3 回飛び出すとレースからはずされる) If you jump the gun three times, you will *be* ⌜*put* [*thrown*] *out of the race*. // 彼は教師としては*失格だ (⇒ 教師としては失敗者だ) He is a *failure* as a teacher.
失格者 disqualified person Ⓒ.

じつがく 実学 practical science Ⓤ.

じつかぶ 実株 〔株〕 actual stock Ⓒ (↔ nominal stock).

しっかり ― 副 (一生懸命) hard; (ぎゅっと) tight(ly); (ぴったりとくっつけて) fast ★ 以上 3 つは入れ替えて用いられることも多い; (しっかり固定して) securely; (力を入れて固く) firmly; (強く・頑丈(がんじょう)に) strongly. ― 形 tight; fast; secure ★ 以上 3 つは入れ替えて用いることもある; strong; firm; (歩き方などがちゃんとした) steady; (頼りになる) reliable. ― 動 (元気を出す) chéer úp ⓐ. (☞ ぎゅっと; かたく[1]). ¶このロープに*しっかりつかまりなさい Hold this rope ⌜*hard* [*tight*]. // 彼は手すりに*しっかりつかまっていた He was holding on ⌜*fast* [*tight*] to the rail. //

窓は*しっかり閉まっています The window is 「shut *tight* [*secure*]. // 彼は靴ひもを*しっかり結んだ He tied his shoelaces *tightly*. // 私はくいを地中に*しっかり立てた I fixed a post *firmly* in the ground. // この箱は*しっかり (⇒ 堅固に) できている This box is *strongly* built. // *しっかり (⇒ 一生懸命) 勉強すれば必ず試験に受かります If you 「study [work] *hard*, you are sure to pass the examination. // この家は土台が*しっかりしている (⇒ 頑丈な土台を持っている) This house has a *solid* foundation. // *しっかりしろ (⇒ 元気を出せ) *Cheer up*! // 彼は年を取っているが*しっかりした足取りで歩く (⇒ 年にもかかわらず足がしっかりしている) In spite of his old age, he is *steady* on his legs.

しっかりもの しっかり者 (根性のある人) gutsy person 🄲.

しつかん 質感 (材質[表面の特色]から受ける感じ) the feeling of 「the [a] 「material [surface quality]; (物の表面の視覚的・触覚的特質) texture 🄲. ¶ 木とスチールは*質感が全く違う Wood and steel have completely different *textures*.

しっかん 疾患 disease 🄲 (☞ びょうき).

じっかん¹ 実感 — 名 (感情) feelings ★ 複数形で; (信じる気持ち) belief 🅄; (認識) realization 🅄. — 動 (fully) realize (他); make *oneself* believe …

¶ 私は百聞は一見にしかずということをつくづく*実感した (⇒ 悟った) I *fully realized* that seeing is believing. // この文章は*実感が出ている (⇒ 真に迫っている) This description *is true to* 「*nature* [*life*]. // 私はコンテストで優勝したという*実感がまだわかない (⇒ 優勝したということを自分自身に信じ込ませることがまだできない) I am still unable to *make myself believe* that I have won first prize in the contest.

じっかん² 十干 the Ten Celestial Signs ★ 丙(ひのえ)などの十種があり, しばしば十二支と組合せて使う. (☞ ひのえうま).

しつかんせつ 膝関節 〘解〙 knee joint 🄲.

しっき¹ 漆器 (うるし塗りの器物) lacquer(ed) /lǽkə(d)/ ware 🅄, japan(ned) ware 🅄 ★ 前者が普通. 後者は単に japan 🅄 ともいう. (☞ うるし).

しっき² 湿気 ☞ しっけ

しつぎ 質疑 (質問) question 🅄; (問い合わせ) inquiry 🄲 ★ 格式ばった語. (☞ しつもん; ぎもん). ¶ *質疑応答 *questions* and answers // 我々の*質疑に対する彼の答えは少しも要領を得なかった His answers to our 「*questions* [*inquiries*] were not to the point at all.

じつぎ 実技 (体操の) (gymnastic) exercise 🄲; (運転の) driving 🅄. ¶ 運転の*実技試験 a *driving* test

シッキム — 名 (固) Sikkim ★ インドの州.

しっきゃく 失脚 — 名 (没落) downfall 🅄; (権力の座からの失墜) fall (from power) 🅄; (地位の喪失) *loss of position* 🅄. — 動 fall from power; lose *one's* position. ¶ その革命で彼は*失脚した (⇒ 革命が彼の没落をもたらした) The revolution brought about his *downfall*. // 交渉は失敗し彼は*失脚した (⇒ 地位を失った) The negotiations failed and he *lost his position*.

しつぎょう 失業 — 動 (職を失う) lose *one's* job; (職がなくなる) become jobless; (失業している) be out of work; (職がない) be 「jobless [unemployed] ★ [ ] 内のほうが格式ばった言い方. — 名 unemployment 🅄. ¶ 私は*失業した I *have lost my job*. // 彼は*失業中だ He *is out of work*. // 来年は*失業が大幅に増えるだろう *Unemployment* will increase greatly next year. // 潜在*失業 ☞ せんざい¹

失業者 unemployed person 🄲; (集合的) the unemployed. ¶ この国には*失業者はほとんどいない (⇒ 失業がほとんどない) There is little *unemployment* in this country. **失業人口** the unemployed population; (失業者数) the number of unemployed 「persons [workers] **失業対策** relief measure for the unemployed 🄲 ★ しばしば複数形で. **失業対策事業** relief work for the unemployed 🅄 **失業手当** unemployment 「benefit [allowance /əláuəns/] 🄲, 《英略式》 the dole 🅄 **失業保険** unemployment insurance 🅄 **失業問題** the unemployment problem **失業率** the unemployment rate. ¶ 現在, *失業率は 1.3 パーセントだ At present *the unemployment rate* is 1.3 percent.

じっきょう 実況 **実況中継** relay from the spot 🄲 **実況放送** — 名 〘テレビ・ラジオ〙 (現場からの) on-the-spot broadcast 🄲; (試合を逐一伝えるスポーツの) play-by-play broadcast 🄲; 〘テレビ〙 on-the-spot telecast 🄲. — 動 broadcast [televise] … on the spot. (☞ ほうそう¹) **実況録音** live /láiv/ recording 🅄.

じつぎょう 実業 (仕事) business 🅄 (☞ じぎょう; しょうばい). ¶ 彼は卒業後*実業につくことを望んでいる He wants to go into *business* after graduation. / (⇒ 実業界へ入りたいと望んでいる) He wants to enter *the business world* after leaving school. ★ 第 2 文はやや格式ばった言い方.

実業家 businessperson 🄲; (男) businessman 🄲; (女) businesswoman 🄲. (☞ ビジネスマン) **実業界** the business world. ¶ 彼はいま*実業界で活躍している (⇒ 活発に実業に従事している) He is now actively engaged in *business*.

しっきん 失禁 〘医〙 incontinence 🅄. ¶ その老人は最近*失禁するようになった The old man *has* 「*been incontinent* [*often had toilet accidents*] recently.

しっく 疾駆 — 動 (馬が[を]) run 「fast [swiftly] (自) (他); (乗物を) drive … 「fast [swiftly]. (☞ しっそう¹).

シック — 形 (あか抜けした) chic /ʃíːk/ ★ 元はフランス語; (粋な) stylish; (上品な) tasteful. (☞ いき²; あかぬけた).

しっくい 漆喰 — 名 (れんが・ブロック・石などの間に接合材として使う) mortar 🅄; (壁・天井などに塗る) plaster 🅄; (仕上げに使う化粧用の) stucco 🅄. — 動 (しっくいを塗る) plaster (他).

しつくす し尽くす ¶ 彼はぜいたくの限りを*し尽くした He 「indulged in *every sort of* luxury [lived in the *utmost* luxury].

シックネスバッグ (乗物酔いのための袋) sick bag 🄲.

シックハウスしょうこうぐん シックハウス症候群 sick house syndrome 🅄 (☞ シックビルシンドローム).

シックビルシンドローム sick building syndrome 🅄. ¶ 新築のしめ切った部屋ではしばしば空気中の化学物質で*シックビルシンドロームが起きる In a newly-built closed room, chemicals seeping into the air often cause *sick building syndrome*.

しっくり — 副 (正確に) exactly; (申し分なく) perfectly; (ぴったりと) to a T ★ 口語的. — 動 (しっくりいく) get along well (with …).

¶ 彼は父親とこのところ*しっくりいっている (⇒ 仲よくやっている) He *is getting along well with* his father these days. // 彼らはお互いに*しっくりいっていないらしい (⇒ 調和しない[調子がはずれている]らしい) They seem to *be out of* 「*harmony* [*tune*] with each other. / (⇒ 意見がぶつかり合っているらしい)

They seem to *clash*.

じっくり ―副 (綿密に) closely; (注意深く) carefully; (十分に) thoroughly; (慎重に) deliberately; (急がずに) without ˹hurry [haste]. 《☞ よく¹; じゅくどく; じゅくりょ》.
¶ 答える前に問題を*じっくり (⇒注意深く) 読みなさい Read the question *carefully* before you answer it. // 私は彼の言ったことを*じっくりと考えてみた I *thought over* what he said. // *じっくりやりなさい (⇒あわてる必要はない) There is *no need to hurry*. / (⇒時間をかけなさい) Take your time. ★ 第2文のほうがくだけた言い方.
【参考語】―動 (熟考する) think over ⑩; (腰をすえてとりかかる) settle down (to …) ⓐ.

しつけ¹ 躾 ―图 (心身両面の) training Ⓤ; (精神的な) discipline Ⓤ; (行儀・作法) manners ★ 複数形で. ―動 (決められたことができるように訓練する) train ⑩; (規律を身につけさせる) discipline ⑩; (行儀を教える) teach manners. 《☞ ぎょうぎ》.
¶ 家庭の*しつけ (⇒親の) parental *discipline* // 彼の子供たちは家庭でよく*しつけられている His children *are well trained* at home. // 彼の家は*しつけが厳しい (⇒彼の両親は彼に対して厳しい) His parents are very *strict* with him. // 彼女は子供たちに*しつけをして (⇒行儀を教えて) いるのかしら I wonder if she *teaches* her children ˹*manners* [*how to behave*].

しつけ² 仕付け ―图 (仮縫い) tacking Ⓤ. ―動 tack ⑩. 《☞ かりぬい》.
仕付け糸 tacking thread Ⓒ.

しっけ 湿気 ―图 (湿り気) moisture Ⓤ; (不快な) damp(ness) Ⓤ; (湿度) humidity Ⓤ. ―形 (湿気のある・湿気の多い) moist; damp; humid.
【類義語】不快な湿気, または人に害を与えるような湿気が **damp(ness)**. 必ずしも不快な気持ちを与えない湿気が **moisture**. 大気中に含まれる湿気が **humidity**. 《☞ しめる²; しつど; じめじめ》
¶ *湿気で本にかびが生えてしまった The books became moldy because of the *dampness*. // *湿気の多い気候はリューマチによくない A ˹*humid* [*damp*] climate is bad for rheumatism. // この箱を*湿気のない所 (⇒乾燥した場所) に置いておきなさい Keep this box in a *dry* place. / (⇒湿気にさらさないようにしなさい) Don't expose this box to *moisture*.

しっけい 失敬 **1** 《無礼な》 ―形 (無作法な) rude; (丁寧さを欠いた) impolite. 《☞ しつれい》.
2 《別れる時》 ¶ じゃここで*失敬 See you!
3 《くすねる》 ―動 filch ⑩, pilfer ⑩.

じっけい¹ 実刑 (刑務所に入れること) imprisonment Ⓤ 《☞ けい¹; けいばつ¹》.
¶ 裁判官は懲役2年の*実刑を彼に言い渡した The judge sentenced him to two years' *imprisonment* (with hard labor).
実刑判決 unsuspended prison sentence Ⓒ.

じっけい² 実兄 *one's* (elder) brother Ⓒ
【日英比較】英語では *one's* brother は実兄[弟]であり, 義兄[弟]にのみ -in-law を付ける.

しっけつ 失血 loss of blood Ⓤ, blood loss Ⓤ.

じっけつ 十傑 the ten best. ¶ 鈴木さんは将棋界の*十傑に入る Mr. Suzuki is one of *the ten best* in the world of *shogi*. 《☞ ベスト¹ (ベストテン)》

じつげつ 日月 (時) time Ⓤ; (歳月) years ★ 複数形で. 《☞ さいげつ》.

しつける¹ 躾ける ☞ しつけ¹

しつける² 仕付ける ☞ しつけ²

しっけん¹ 執権 (職) regency Ⓤ; (人) regent Ⓒ.

しっけん² 失権 (権利を失うこと) loss of *one's* rights Ⓤ; (権力を失うこと) loss of power Ⓤ.

しっけん³ 識見 ☞ しきけん

しつげん¹ 失言 ―图 (うっかり口を滑らせること) slip of the tongue Ⓒ; (不適切な発言) improper remark Ⓒ; (誤った陳述) misstatement Ⓒ ★ この順に格式ばった言い方になる. ―動 make a slip of the tongue; misstate ⑩. ¶ 彼はよく*失言する He often *makes slips of the tongue*. // 大臣は*失言を取り消した The minister ˹took back [retracted] his ˹*misstatement* [*improper remarks*]. ★ take back のほうが口語的. **失言癖** habit of [tendency toward] making ˹misstatements [improper remarks] Ⓒ ★ tendency のほうが習慣性が弱い.

しつげん² 湿原 marsh(land) Ⓤ, wetlands ★ 通例複数形で.

じっけん¹ 実験 ―图 (科学的な実験) experiment /ɪkspérəmənt/ Ⓒ; (効果・性能などを知るための) test Ⓒ. ―動 experiment /ɪkspérəmènt/ (on …; with …) ⓐ, make an experiment (in …; on …; with …) ★ 後者のほうが口語的で最も普通の言い方. なお make のほかに do, conduct, perform, carry out などが使われるが, これらはそれぞれの動詞の意味に従って多少ニュアンスが違う; test ⑩, put … to the test ★ 前者より格式ばった言い方. ―形 (実験的な) expèriméntal. ―副 (実験的に) experimentally.
【類義語】科学上の実験と, 理論や仮説を実際に試してみる実験の両方に **experiment** を用いる. 実際の効果や基準などに合っているかを調べるのが **test** で, 目的は機械・爆弾などや試作品の実験に限られている.
¶ 彼は生物工学の*実験をしている He *is* ˹*making* [*doing*] *experiments in* biotechnology. // *実験を試みる try [attempt] an *experiment* on … // 彼は新しい化学製品の*実験をしている He *is experimenting* ˹*on* [*with*] a new chemical. // その*実験はうまくいった[いかなかった] The ˹*experiment* [*test*] ˹worked [didn't work] well. // 彼は動物でその薬を

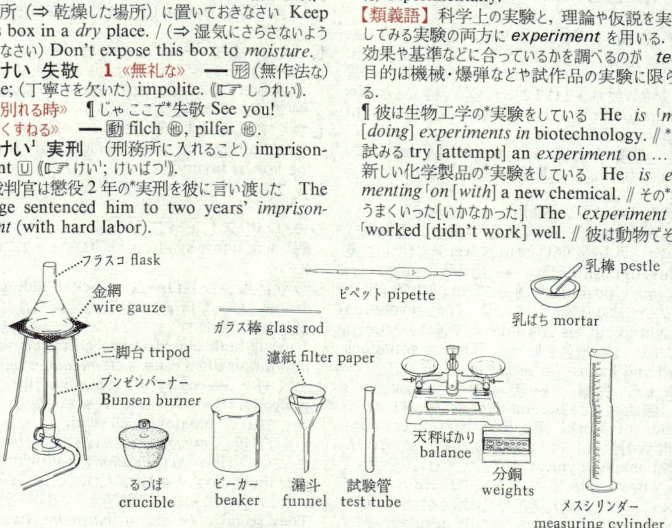

実験道具 chemistry apparatus

*実験した He *tested* the drug on animals. // 前例のない*実験 an unprecedented *experiment* // その安全性は多くの動物*実験によって証明されている Its safety has been proved through many animal *experiments.* // 複雑な*実験 a complicated *experiment* // いかなる種類の核*実験も禁止されるべきだ All nuclear /n(j)úːkliə/ *tests* must be banned. // 私は*実験的にこの器具を使っているのです I am using this appliance *experimentally.*
実験室 láboratòry Ⓒ ★ 口語では lab と略す.
実験場 (新車などを走らせる) testing ground Ⓒ; (核兵器などの) test site Ⓒ **実験心理学** experimental psychology Ⓤ **実験装置** experimental device Ⓒ **実験台** (実験材料) subject Ⓒ; (比喩的に) guinea /gíni/ pìg Ⓒ **実験道具** (化学の) chemistry apparatus /æpərǽtəs/ Ⓒ **実験動物** laboratory animal Ⓒ **実験物理学** experimental physics Ⓤ.

コロケーション
実験に着手する embark on an *experiment* / **実験を行う** do [carry out; conduct; perform; make; run] an *experiment* / **実験を計画する** plan an *experiment* / **同一の実験を繰り返す** replicate an *experiment* // **危険な実験** a ⌈dangerous [hazardous] *experiment* / **実験室での実験** a laboratory *experiment* / **物理実験** a physics *experiment* / **予備実験** a preliminary *experiment*

じっけん² 実権 (実際の権力) real [actual] power Ⓤ; (完全な支配力) full control Ⓤ. (☞ けんりょく). ¶ その党が政治の*実権を握っている The party holds *real power* over the government. // 彼は名ばかりの社長で*実権はない He is the nominal president without *actual power.* // 彼の家庭では奥さんが*実権を握っている In his home, it is his wife who has the *real power.*

じっけん³ 実見 actual observation Ⓒ. **実見者** ☞ もくげきしゃ

じっけん⁴ 実検 ―名 inspection Ⓤ. ―動 inspect ⓣ. (☞ くびじっけん).

じつげん 実現 ―動 (現実化する) realize ⓣ; (本当になる) come true ★ 口語的. ―名 realization Ⓤ. ¶ 彼は医者になりたいという夢を*実現した He ⌈*realized* [(⇒ 達成した) *achieved*] his dream of becoming a doctor. // いつの日かあなたの希望[夢]が*実現する (⇒ 本当になる) ことを祈ります I hope your ⌈wish [dream] will *come true* someday. // その計画は*実現不可能です It is impossible to *realize* the project. / (⇒ その計画は実現からほど遠い) The project is far from *realization.* ★ 第 2 文のほうが格式ばった言い方.

しっこ ☞ おしっこ

しつこい 1 «執拗な» ―形 (いくら言っても聞かない) persistent; (うるさくせがむ) impórtunate. ―副 persistently; importunately. (☞ くどい; うるさい).
¶ *しつこい咳 a *persistent* cough // 彼は本当に*しつこい男だ He is too *persistent.* // 彼はいつも先生に*しつこく質問する (⇒ うるさい質問で悩ます) He *is* always *pestering* his teacher with *persistent* questions. // 彼は私に*しつこく (⇒ 絶えず) 借金の返済を催促する He ⌈*persistently* [*continually*] presses me for the return of the money he loaned me. // 彼女は私に隣の人のことを*しつこく聞いた (⇒ 私の隣人について知りたがった) She was very *inquisitive* about my neighbor.
2 «食べ物が»: (腹にもたれる) heavy; (こってりしている) rich; (特に, 甘いものが) cloying; (脂っこい) greasy; (味つけが強い) highly-seasoned.
¶ その料理は少し*しつこかった The dish was a little too *heavy.*

しっこう¹ 執行 ―名 (職務の) performance Ⓤ; (公務・特に死刑の) execution Ⓤ 語法 以上 2 つは職務の執行の意味ではほぼ同意で入れ替えても用いられるが, 公務などの執行には主として後者が用いられる. ―動 perform ⓣ; éxecùte ⓣ; (実行する) cárry óut ⓣ ★ 最も口語的. (☞ じっこう¹; じっし¹).
¶ 彼は警察官の公務*執行妨害で逮捕された He was arrested for obstructing a policeman in the *execution* of his official duties.
執行委員会 executive /ɪgzékjʊtɪv/ ⌈bòard [committee] Ⓒ **執行機関** executive organ Ⓒ **執行処分** executive measure Ⓒ **執行部** the executives **執行猶予** (執行延期の判決) suspended sentence Ⓒ (☞ ゆうよ¹).

しっこう² 失効 ―動 (効力を失う) lose effect ★ 最も一般的で平易な表現; (権利などが消滅する) lapse ⓘ; (無効になる) become null and void; (法律上無効になる) be invalidated ★ 最後の 2 つは格式ばった表現; (略式) be no good. ―名 (権利などの消滅) lapse Ⓒ. (☞ むこう²; こうりょく¹).
¶ 免許証は更新を怠ると*失効する Your driver's license will become *invalid* if you fail to renew it.

しっこう³ 膝行 ―動 go on *one's* knees.

じっこう¹ 実行 ―動 (実際に行う) cárry óut ⓣ ★ 最も一般的な語; (する・行う) do ⓣ ★ 口語的で意味の広い語; (期待・要求されていることを果たす) fulfill ⓣ; (公務などを遂行する) éxecùte ⓣ ★ 後の 2 つは格式ばった語; (計画などを実行に移す) put ... into practice. ―名 (実践) practice Ⓤ; (行動) action Ⓤ; (実際に行う行為) deed Ⓒ. (☞ じっせん¹; じっし¹). ¶ 彼らは契約を*実行しなかった They did not ⌈*carry out* [*execute*] contract. // 我々はその計画をできるだけ早く*実行に移したいと希望している We hope to *put* the plan *into practice* as soon as possible. // 我々に必要なのは言葉ではなく*実行だ What we need is not words but *deeds.* / (⇒ 我々は議論よりも行動を必要としている) We need *action* instead of talk. ★ 第 2 文のほうが口語的. // 彼は約束は必ず*実行する (⇒ 守る) He always ⌈*keeps* [*carries out*; *fulfills*] his promises. // それは*実行不可能だ It's *impracticable.*
実行委員会 exécutive /ɪgzékjʊtɪv/ committee Ⓒ
実行力 executive ability Ⓒ. ¶ *実行力のある人 a ⌈person [man; woman] *of action*

じっこう² 実効 ―名 (実際の効力) actual [real] effect Ⓒ. ―形 (実効のある) effective (↔ ineffective). (☞ こうか¹; ききめ). **実効価格** effective price Ⓒ **実効金利** real [effective] interest rate Ⓒ **実効湿度** effective humidity Ⓤ.

しっこく¹ 漆黒 ¶ *漆黒の髪 *jet-black* hair (☞ まっくろ; くろ)

しっこく² 桎梏 (くびき) yoke Ⓒ; (足かせ) fetters ★ 通例複数形で. ¶ 彼の恩愛が*桎梏となった (⇒ 負担になった) His love became a *burden.*

しつごしょう 失語症 〔医〕aphasia /əféɪʒ(i)ə/ Ⓤ. **失語症患者** 〔医〕aphasi(a)c Ⓒ.

じっこん¹ 昵懇 ―形 (親しく知っている) familiar; (関係が密接な) close. (☞ したしい). ¶ 彼とは*昵懇の間柄だ I'm on *familiar* terms with him. / He and I are *close* friends.

じっこん² 実根 〔数〕real root Ⓒ (☞ きょこん).

じっさい 実際 ―名 (事実) fact Ⓒ; (真実) truth Ⓤ; (現実) reality Ⓤ ★ 以上は入れ替えて用いることのできる場合もある; (理論に対する実地) practice Ⓤ. ―形 (実用的な) practical; (現実

の) actual Ⓐ; (外見と実質が一致した) real; (真実の・本当の) true. ―【副】 actually; really; (強調を示して) indeed; truly ★ 以上は文・文中の語句を修飾する副詞; (実際には) in practice; (現実には) in reality; (実際問題として) as a matter of fact ★ 以上は節や文を連結するつなぎの副詞として用いられる. 《☞ じじつ¹; げんじつ; じつは》.

¶ 彼の話は*実際と違う His story doesn't match the *facts*. // 理論と*実際は必ずしも一致しない Theory and *practice* do not ˹necessarily [always] go ˹together [hand in hand]. // 彼は貧乏に見えるが*実際は金持ちだ He appears poor, but he is ˹*in reality* [*really*] a rich man. // 彼女は*実際よりも老けて見える She looks older than she ˹*really* [*actually*] is. // *実際問題としてそんな大金は集められない *As a matter of fact* [*In practice*], we cannot collect such a large amount of money. // それは*実際の話 (⇒ 実話) です That is a *true* story. // *実際の費用は見積もりよりも安かった The *actual* cost was lower than the estimate. // 私は英語の*実際的な知識を身につけたい I want to acquire a ˹*practical* [*working*] knowledge of English. // 私は事故が起きたとき*実際にその場にいた I was *actually* there when the accident occurred. // *実際 (⇒ 実に) 彼の勇気には感心する I *really* admire his courage.

実際家 practical person Ⓒ.

じつざい 実在 ―【名】 (存在) existence Ⓤ. ―【形】 (現実の) real (↔ unreal; imaginary); (生存している) living; (物・事・人などが存在する) existent. ―【動】 (実際に存在する) (really) exist (自). ¶ 私は神の*実在を信じる I believe ˹in the *existence* of God [(that) God *really exists*]. ★ [ ] 内のほうが口語的な表現. // シェークスピアが*実在の人物であったことには疑いがない There is no doubt that Shakespeare was a *real* person.

実在論 〘哲〙 realism Ⓤ.

しっさく 失策 (誤り) error Ⓒ, mistake Ⓒ 【語法】 以上は入れ替えて用いられる場合も多いが, error が非難の気持ちを含むのに対し, mistake は含まない. 《☞ まちがい; しっぱい》.

しつじ 執事 (家事全般を取り仕切る召使い頭) butler Ⓒ.

じっし¹ 実施 ―【動】 (実行する) cárry óut (他); (計画などを実行に移す) put … into practice ★ carry out と入れ替え可能なこともあるが, より格式ばった言い方; (行われている状態にする) put … into operation; (活動などを始める) launch (他); (法律などを施行する) put … into effect ★ 以上 3 つはやや格式ばった表現; (法律などが効力を生じる) become effective, take effect ★ 前者のほうがよりくだけた言い方; (法律などが施行される) come into ˹effect [operation; force] ★ やや格式ばった表現. ―【名】 (実行すること) practice Ⓤ; (法律などの実施) operation Ⓤ. 《☞ おこなう; じっこう¹; しこう¹》.

¶ 我々は早速その計画を*実施した We *put* the plan *into* ˹*practice* [*operation*] at once. // 健康診断はあす*実施されます The medical examination will *be carried out* tomorrow. // その法律はいつから*実施されるのですか When does the law *come into effect*? // キャンペーンセールは来月から*実施される *The sales campaign will be launched* next month.

じっし² 実子 *one's* own child Ⓒ.

じっし³ 十指 ten fingers. ¶ 彼女はこの町で*十指に入る金持ちだ She is one of the *ten* most wealthy ˹people [persons] in this town. 十指に余る more than ten.

じっし⁴ 実姉 *one's* (elder) sister Ⓒ 《☞ じっけい² 【日英比較】》.

しっしき 湿式 ―【形】 wet. **湿式複写機** wét diázo pròcess phótocòpier Ⓒ.

じっしつ 実質 ―【名】 (中身) substance Ⓤ; (最も重要な部分) éssence Ⓤ 【語法】 物質的なものまたは量については substance, 精神的なものまたは質については essence が用いられる傾向がある. ―【形】 (実質的な) substantial; (本質的な) essential; (実際上の) practical; (事実上の) virtual Ⓐ ★ 最後の 2 つはほぼ同意で入れ替えて用いられることも多い. ―【副】 (実質的に) in substance, substantially; (本質的に) in essence, essentially; (実際上は) practically; (事実上は) virtually. 《☞ ほんしつ; じっさい; ないよう¹》. ¶ 外見と*実質は大違いだった There was a great difference between the appearance and the *substance*. // 彼の意見も私の意見も*実質 (⇒ 本質) においては同じだ His opinion and mine are the same *in* ˹*essence* [*substance*]. / (⇒ 彼の意見と私の意見の間には実際的な相違はない) There is no *practical* difference between his opinion and mine. // 売り上げは伸びたが*実質上は赤字だ The sales have improved, but we are still *virtually* in the red.

実質経済成長率 the real economic growth rate **実質所得** real income Ⓤ **実質賃金** real wages ★ 複数形で.

しつじつごうけん 質実剛健 ―【形】 simple and sturdy.

じっしゃ 実写 (現実の映像) real image Ⓒ; (テレビ・映画で特殊効果を加えていない) live /láɪv/ action Ⓤ. ¶ このシーンは*実写ですか特殊撮影ですか (⇒ 特殊撮影効果を使ったのか使わなかったのか) Was this scene produced with or without special effects?

じっしゃかい 実社会 (世の中) the world; (人生) life Ⓤ. 《☞ しゃかい; せけん》. ¶ *実社会に出る go out into *the world* / get a start in *life* ★ 後者のほうが口語的. // *実社会の荒波にもまれることは彼にとってよい薬になるだろう (⇒ 人生のつらいことを経験することは彼にとってためになるだろう) It will do him good to go through the hardships of *life*.

じっしゅう¹ 実習 ―【名】 (訓練) (practical) training Ⓤ; (練習) practice Ⓤ; (科目としての) láboratòry Ⓒ. ―【動】 (訓練を受ける) have [receive] (practical) training; (練習する) practice (他). 《☞ くんれん; れんしゅう 【語法】》.

¶ 私たちは工場で*実習をした We received *practical training* at a factory. // 教育*実習はどこでやりましたか Where did you do your *practice teaching*? / Where did you *practice-teach*?

実習生 trainee /treɪníː/ Ⓒ.

じっしゅう² 実収 (正味の収入) net income Ⓒ 《☞ てどり》.

じっしゅきょうぎ 十種競技 decáthlon Ⓒ.

しつじゅん 湿潤 ―【名】 wetness Ⓤ. ―【形】 (湿った) wet; (快く湿った) moist; (天候などが) humid.

しっしょう 失笑 ¶ 彼のこっけいなしぐさは皆の*失笑を買った His comic behavior was met with *contemptuous laughter*. 《☞ わらう; ふきだす》

じっしょう 実証 ―【動】 (証明する) prove (他); (理論や実物によって説明する) démonstràte (他); (証拠を見せる) give evidence. ―【名】 (証明するための証拠) evidence Ⓤ. 《☞ りっしょう; しょうめい¹》.

実証主義[論] 〘哲〙 pósitivìsm Ⓤ **実証主義者** 〘哲〙 positivist Ⓒ **実証的** (実証できる) verifiable; 〘哲〙 positive.

じつじょう 実情, 実状 (実際[現実]の状況・事情・状態) the ˹actual [real] ˹state [circumstances;

conditions]; (世の中の実際の状況) the ˹actual [real; true] state of ˹things [affairs]. (☞ じじょう[1] (類義語); じょうきょう[1]; じょうたい[1] (類義語)).

¶ 彼は中国の*実情に通じている He is familiar with *the ˹actual [real] state of affairs* in China. / (⇒ 物事がどんな具合かよく知っている) He is well informed as to *how things are going* in China. // 彼は借金で首が回らないのが*実情だ (⇒ 彼は借金に深くはまっているのが事実だ) *The fact* is that he is deeply in debt.

実情調査委員会 (公的機関の) fact-finding commission Ⓒ; (一般の) fact-finding committee Ⓒ.

しっしょく　失職　— [動] lose *one's* job (☞ しつぎょう).

しっしん[1]　失神　— [動] (一時的に気を失う) faint (自); (意識を失う) lose consciousness.　— [名] faint Ⓒ. (☞ きぜつ; そっとう).　¶ 暑さで何人かの生徒が*失神した Several pupils *fainted* ˹from [in] the heat.

しっしん[2]　湿疹　〔医〕eczema /éksəmə/ Ⓤ.

じっしんぶんるいほう　十進分類法　decimal classification system Ⓤ.

じっしんほう　十進法　〔数〕the decimal system.

じっすう　実数　(実際の数) the actual number; 〔数〕real number Ⓒ.

しっする　失する　(失う) lose (他); (逃がす) miss (他). ¶ 時機を*失する *miss* a chance // 礼を*失する (⇒ 無作法である) be *rude* // 遅きに*失する be *too* late

しっせい[1]　叱正　¶ ご*叱正を乞う (⇒ 私の仕事[作品]がより良くなるような提案をいただけたらありがたい) I should appreciate any *suggestion(s)* that might improve my work.

しっせい[2]　失政　bad government Ⓤ; (誤った統治) misgovernment Ⓤ, misrule Ⓤ ★ 以上 2 語は格式語.　後者はときに権力支配が非人道的だという強い意味をもつ.

しっせい[3]　執政　(政務を司ること) administration Ⓤ; (その職にある者) administrator Ⓒ.

じっせいかかく　実勢価格　current [actual] price Ⓒ.

じっせいかつ　実生活　(毎日の生活) everyday life Ⓤ; (実際[現実]の生活) actual [real] life Ⓤ. ¶ 学校教育の大部分は*実生活ではあまり役に立たない Most school education is of little use in ˹*actual* [*real*] *life*.

しっせいしょくぶつ　湿生植物　hýgrophỳte Ⓒ.

じっせいレート　実勢レート　current [actual] rate Ⓒ.

じっせかい　実世界　(実在する世界) the real world; (学校などからみて外の世界) the outside world.

しっせき[1]　叱責　— [名] (権威をもった痛烈で厳しい) rebuke Ⓒ; (相手を非難して責める) reproach Ⓤ.　— [動] *rebuke* (他); *reproach* (他) ★ 以上はいずれも, 「叱責」という日本語同様, 堅苦しい言葉. (☞ しかる; けんせき).

しっせき[2]　失跡　— [名] disappearance Ⓤ ★ 個別の事件は Ⓒ.　— [動] disappear (自), run away (自). (☞ しっそう[2]).

じっせき　実績　(実際の成果) actual result Ⓒ; (成し遂げた仕事・業績) achievement Ⓒ; (貢献・功労) services ★ 通例複数形で. (☞ ぎょうせき[1]; せいか[1]).

¶ その会社の過去 1 年の*実績は注目に値する The company's *achievements* over the past year are worthy of notice. // 昨年の輸出*実績は総額 1 億ドルだった Last year's *actual* exports totaled $100 million. // *実績が上がらないので彼らは苦労した (⇒ 仕事が実を結ばないので彼らはつらい時を持った) Since their work did not *bear fruit*, they had a hard time. [語法] bear fruit は熟語.

しつぜつ　湿舌　〔気象〕wet [moist] tongue Ⓒ.

じっせつ　実説　authentic account Ⓒ, true story Ⓒ ★ 前者は格式ばった表現.

じっせん[1]　実践　— [名] practice Ⓤ.　— [動] (実行する) put … into practice, practice (他) ★ 前者のほうが一般的. (☞ じっこう[1]).　¶ 新しい理論は直ちに*実践に移された The new theory *was put into practice* immediately. // 自分の説くところを*実践しなさい *Practice* what you preach.　[参考] この英語は日本語の「医者の不養生」に当たることわざとして用いられる.

じっせん[2]　実戦　(演習ではない実際の戦い・戦闘) actual [real] fighting Ⓤ (☞ せんそう[1]; せんとう[2]).

じっせん[3]　実線　solid line Ⓒ.

しっそ　質素　— [形] (簡素な) simple; (派手でない) plain; (ぜいたくでない) homely.　— [副] simply; plainly.　— [名] simplicity Ⓤ; plainness Ⓤ. (☞ かんそ; そまつ; じみ[1] (類義語)).

¶ 結婚式は近親者しか招かない*質素なものだった The wedding was a *simple* one, to which only the immediate family was invited. // 彼は田舎で*質素な暮らしをしている He lives ˹*simply* [*plainly*] in the country. / He lives a ˹*simple* [*plain*] life in the country.　★ 第 1 文のほうが口語的で一般的. // *質素な服 a *plain* dress

しっそう[1]　疾走　— [動] (全速力で走る) run at full speed (自); (車などが速く走る) speed (away; by) (自).　— [名] (短距離の) sprint Ⓒ. (☞ ぜんそくりょく).

しっそう[2]　失踪　— [動] (姿を消す) disappear (自); (逃亡する) rùn awáy (自).　— [名] disappearance Ⓤ. (☞ ゆくえ; くらます).

失踪者 missing person Ⓒ; (逃亡者) rúnawày Ⓒ

失踪宣告 adjudication of disappearance Ⓒ.

じっそう　実相　actual state of affairs Ⓤ.

じつぞう　実像　〔光〕real image Ⓒ (↔ virtual image); (真の姿) the ˹real [true] nature. (☞ しょうたい[2]; じったい[1]).

しっそく　失速　〔空〕　— [名] stall Ⓒ.　— [動] stall (自).

じっそく　実測　actual measurement Ⓒ.

じつぞん　実存　existence Ⓤ.　**実存主義**〔哲〕èxisténtialism Ⓤ　**実存主義者** existentialist Ⓒ.

しった　叱咤　— [名] scolding Ⓤ.　— [動] scold (他).　**叱咤激励**　— [動] (…に励ましの言葉を与える) give … ˹words of encouragement [a pep talk] (☞ げきれい).

しったい[1]　失態　blunder Ⓒ (☞ しっぱい).

しったい[2]　失対　☞ しつぎょう (失業対策)

じったい[1]　実態　(実際[現実]の状況[状態, 事情]) the ˹actual [real] ˹state [conditions; circumstances] (☞ じつじょう).　**実態調査** investigation into the actual conditions Ⓒ; (事実調査) fact-finding Ⓤ ★ 後者は口語的.

じったい[2]　実体　— [名] (内容) cóntent Ⓤ; 〔哲〕substance Ⓤ.　— [形] (実体のある・実質的な) tangible. (☞ じっしつ; ないよう[1]).

しったかぶり　知ったかぶり　— [動] (知っているふりをする) pretend to know ….　— [副] (心得顔に) knowingly, in a knowing way.

¶ 彼は何でも*知ったかぶりをする He *pretends to know* everything. / He's such a ˹*know-all* [*know-it-all*]. ★ know-(it-)all は軽蔑的に, 何でも知っているような口をきく人をいう. // 彼女は*知ったかぶりの口をきいた She spoke ˹*knowingly* [*in a knowing way*]. / (⇒ あたかもそれを知っているように話した) She talked *as if she knew* it. ★ 第 2 文の

ほうがもったいぶった言い方.

じつだん 実弾 **1**《弾丸》: live /láɪv/ ammunition Ⓤ (↔ blank); (小銃弾) bullet Ⓒ; (爆薬を詰めた砲弾) live shell Ⓒ. ¶兵士たちは*実弾を撃っていた The soldiers were firing *live ammunition*.
2《金》: money Ⓤ; (現金) cash Ⓤ. (☞ かね¹).
¶彼は町の顔役の多くに*実弾をつかませた (⇒ 買収した) He ⌈*greased the palms* of [*bribed*] many important people in town. **実弾射撃** firing practice with live ammunition Ⓒ.

しっち¹ 失地 lost territory Ⓒ. ¶*失地を回復する recover the *lost territory*

しっち² 湿地 (沼地) marsh Ⓒ (☞ ぬま).

じっち 実地 ― 名 (理論だけでなく, 実際に行われること) practice Ⓤ. ― 形 (実際の) practical; (直接の) firsthand. ― 副 (実際に) practically, in practice; (現場で) on the spot. (☞ じっさい; げんば). ¶理論を*実地に応用する put the theory into *practice* / make a *practical* application of the theory ★ 後者のほうが格式ばった言い方. // その件は*実地に (⇒ 直接) 調査する必要がある The matter should be investigated ⌈*at first hand* [(⇒ 現場で) *on the spot*].
実地訓練 (現場での) on-the-spot training Ⓤ; (直接参加による) hands-on training Ⓤ; (職場での) on-the-job training Ⓤ **実地検証** (現場の) inspection of the scene Ⓤ; (現場での) on-the-spot inspection Ⓒ **実地試験** field test Ⓒ; (自動車の) driving test Ⓒ **実地調査** (現場での) on-the-spot survey Ⓒ; (捜査などの) firsthand investigation Ⓒ; (研究などの) fieldwork Ⓤ.

しっちゃく 失着 ― 名 (囲碁で) (うっかりした間違い) mistake Ⓒ; (とんでもない失敗) blunder Ⓒ. ― 動 make a mistake (in a game of go).

じっちゅうはっく 十中八九 (1 対 10 で・きっと) ten to one; (多分) most likely; (ほとんど確実に) in all probability ★ 以上いずれも予測に用いる副詞 (句) で, この順に堅い言い方になる; (10 回のうち 9 回まで・たいてい) nine times out of ten.
¶*十中八九彼のチームが勝つだろう *Ten to one* [It is *ten to one* (that)] his team will win. / (⇒ ほとんど確実だ) It is *almost certain* that his team will win. / (⇒ きっと) His team *is sure to* win. // *十中八九彼は成功するだろう *Most likely* he will succeed. / He is *very likely* to succeed. ★ この場合の likely は形容詞. // *十中八九ストライキは行われるだろう *In all probability*, they will go on strike. // *十中八九雨が降るだろう There is a *ten to one* chance of rain.

しつちょう 室長 section chief Ⓒ.

しっちょう 失調 ― 名 (機械や身体の不調) malfunction Ⓒ; 〖医〗(運動機能の失調(症)) ataxia /ətǽksiə/ Ⓤ ★ 前者も〖医〗で使われる. ― 動 malfunction ⓐ. (☞ えいよう (栄養失調); じりつ² (自律神経失調症)). ¶両方のエンジンが*失調した Both of the engines ⌈*malfunctioned* [*failed to function*].

じっちょく 実直 ― 形 (正直な) honest; (誠実な) sincere; (忠実な) faithful. ― 副 honestly; faithfully. (☞ せいじつ¹; しょうじき). ¶彼は*実直 (⇒ 正直) な男だ He is ⌈an *honest* [a *sincere*] *man*. 語法 a man of sincerity のような言い方は古風で, あまり使われない.

しっつい 失墜 ¶そのスキャンダルで彼の威信は*失墜した (⇒ 彼は威信を失った) He *lost* prestige because of the scandal. (☞ うしなう)

じつづき 地続き ― 形 (隣の) neighboring Ⓐ; (すぐ続いている) adjoining, adjacent /ədʒéɪsnt/ ★ 以上 2 語は格式ばった語. (☞ となり).
¶彼は*地続きの土地を買った He bought the ⌈*neighboring* [*adjoining*] lot. // その土地は片側が公園と*地続きになっている The land *adjoins* the park on one side.

じって 十手 (昔の捕り物道具の一つ) truncheon (used by police officers during the Edo period in Japan) Ⓒ ★ truncheon は《英》警官の警棒.

じってい 実弟 *one's* (younger) brother Ⓒ (☞ じっけい² 日英比較).

しつてき 質的 ― 形 quálitàtive (↔ quantitative).

しつてん 質点 〖物理〗particle Ⓒ.

しってん 失点 ¶田中投手は相手チームを*失点ゼロに抑えた Tanaka's pitching enabled them to *keep* the other team *from scoring*.

しつでん 湿田 (水はけの悪い水田) seepy paddy Ⓒ.

しっと 嫉妬 ― 動 (嫉妬している) be jealous (of ...); (嫉妬を示す) show jealousy (of ...). ― 形 (嫉妬深い) jealous. ― 名 jealousy Ⓤ. (☞ やきもち; ねたみ; うらやむ).
¶彼女は私が彼とつきあっていることに*嫉妬している She *is jealous of* me (for) going out with him. // 彼は*嫉妬深い He is a *jealous* man. // 彼女の名声は彼を*嫉妬させた Her reputation made him *jealous*. / (⇒ 彼女の名声が彼に嫉妬を起こさせた) Her reputation aroused his *jealousy*. ★ 第 2 文のほうが文語的な言い方. // 彼女は*嫉妬に目がくらんだ She was blinded by *jealousy*. // 彼女は*嫉妬心からそんなことをした She has done it *out of jealousy*.

しつど 湿度 ― 名 humidity /hjuːmídəti/ Ⓤ. ― 形 (湿度の高い) humid. (☞ しっけ).
¶*湿度は現在 75 パーセントです The *humidity* is 75 percent now. // 夏は*湿度が高い The *humidity* is high in summer. / There is a lot of *humidity* (in the air) in summer. ★ 第 2 文のほうが改まった言い方. // *湿度の高い日は不愉快だ We feel uncomfortable on *humid* days. / (⇒ 湿度の高い日は我々を不愉快にする) *Humid* days make us uncomfortable. ★ 第 2 文のほうが改まった言い方.
湿度計 hygrometer /haɪgrɑ́mətə/ Ⓒ.

じっと **1**《つくづくと・熱心に》: (じっと動かさずに) fixedly; (一定の期間同じような調子で) steadily; (興味を持って一心に) inténtly; (注意を向けて) attentively. (☞ 擬声・擬態語 (囲み)).
¶彼女は私の顔を*じっと見つめた She looked ⌈*hard* [*intently*; *fixedly*; *steadily*] at me. / (⇒ じろじろと見つめた) She *stared* at me. / She *stared* me in the face. / (⇒ 驚いたように眺めた) She *gazed* into my face. (☞ みつめる) // 彼女はその手紙を*じっと (⇒ 視線を動かさずに) 見つめた She ⌈*fixed* [*riveted*] her eyes on the letter. 語法 rivet は「鋲で打ちつける」という意味. // 私は*じっと耳をすましたが何も聞こえなかった I listened ⌈*attentively* [*intently*] but heard nothing. // 彼は*じっと考え込んでいた (⇒ 考えに没頭していた) He *was* ⌈*lost* [*absorbed*] *in* thought.
2《動かずに・落ち着いて》 ― 形 (静かな) quiet; (動かず音も立てない) still; (動かない) motionless.
¶写真をとる間*じっとしていて下さい Please keep ⌈*still* [*quiet*] while I take your photograph. // 国歌が演奏されている間, 私たちは*じっと立っていた We stood ⌈*still* [*motionless*] while the national anthem was being played. // 結果がわかるまで彼は*じっとしていられなかった (⇒ 落ち着かなかった) He was *restless* until he learned the result. // 私は天気がよいと家に*じっとしていられない (⇒ 何もしないで家にいることができない) I *cannot stay idle* at home when the weather is fine. // 私はその知らせを聞いて

*じっとしていられず, すぐに現場へ急行した I was unable to *sit still* after hearing the news, so I rushed to the scene.

3 《忍耐強く》: patiently (☞たえる).

¶私は2時間も*じっと待った I waited *patiently* for two hours. // 彼はその侮辱[苦痛]を*じっとこらえた He bore the ⌈insult [pain] *patiently*.

シットイン sit-in Ⓒ (☞すわりこみ).

しっとう¹ 執刀 ― 動 (手術を行う) perform an operation (☞しゅじゅつ). ¶その手術は西博士が*執刀した Dr. Nishi *performed the operation*.

しっとう² 失投 careless pitch Ⓒ.

じつどう 実働 ¶私たちは1日*実働8時間です (⇒1日に8時間働く) We *work* eight hours a day. 日英比較 日本語では実働時間を拘束時間と区別することがあるが, 英語では普通そのような区別はしない. もし区別をする表現が必要なら In our eight-hour workday we spend about six hours actually working. (1日8時間労働のうち, 実際に働くのは6時間です) のような説明的表現となる. / (⇒8時間労働日を持つ) We have an eight-hour day.

実働時間 actual working hours ★複数形で. (☞日英比較)

しっとり ― 形 (少し湿った) moist, slightly wet; (静かで落ち着いた) quiet. (☞擬声・擬態語 (囲み)). ¶草は朝露で*しっとりぬれていた The grass was ⌈*moist* [*slightly wet*] with morning dew. // 私はこの町の*しっとりとしたたたずまいが好きだ I like the *quiet* appearance of this town.

じっとり ― 形 (ぬれた) wet; (冷たくべとつく) clammy. (☞じとじと; 擬声・擬態語 (囲み)). ¶彼のシャツは汗で*じっとりぬれている His shirt is *wet through* with sweat. // 私の背中は汗で*じっとりしていた My back was *clammy* with perspiration.

しつない 室内 ― 形 (室内の) indoor Ⓐ (↔ outdoor). ― 副 (家の中で) indoors; (部屋の中で) in a room. ― 名 the interior /ɪntí(ə)riə/ of a room. (☞へや; おくない).

室内楽 chamber music Ⓤ **室内(管弦)楽団** chamber orchestra Ⓒ **室内競技** indoor athletics Ⓤ **室内競技会** indoor athletic meet Ⓒ **室内競技場** indoor track Ⓒ **室内スポーツ** indoor sports **室内装飾** interior decoration Ⓤ **室内プール** indoor pool Ⓒ.

じつに 実に (たいへん・とても) very; (恐ろしく) terribly; (ものすごく) awfully; (本当に) really; (極度に) extremely; (真に) truly; (まことに) indeed.

【類義語】「とても・たいへん」という意味の強調の言葉として, 最も一般的で口語的なのは **very**. 日本語の「恐ろしく」に対応し, どちらかというと悪い意味に多く使われるのが **terribly**. ((例) *実に寒い It's ⌈*terribly* [*very*] cold.) 多少俗語的な感じの言葉が **awfully**. また真実とか虚偽とかいうほどの意味でなく, 日本語の「ほんとに」に対応するような意味で使われるのが **really**. かなり程度の進んだ状態を表す言葉が **extremely**. 真実性を強調する場合は **truly** が使われる.「まことに・ほんとに」という意味で少し格式ばった感じのする言葉が **indeed** である. (☞とても (類義語); ひじょうに) ¶あなたの話は*実におもしろい Your story is ⌈*very* [*really*] interesting. // きょうは*実に忙しい I'm *terribly* busy today. // 窓からの眺めは*実にすばらしかった The view from the window was *truly* beautiful. // それは*実に難しい質問だ It's an *extremely* difficult question. // それは*実にばかげた意見だった It was *indeed* an absurd opinion. // *実にたいへんな人出だった The crowds were *very* large *indeed*. 語法 indeed は「very ＋ 形・副」の後に添えて, 意味をさらに一層強調するためにも使える. // それは*実にうまい考えだ (⇒何てすばらしい考えだろう) *What* a good idea it is!

しつねん 失念 ― 名 lapse of memory Ⓒ. ― 動 forget ⓐ. ¶すっかり*失念しました I completely *forgot* about it. / (⇒記憶から離れた) It entirely *slipped my mind*.

じつねん 実年 ― 名 (中年) middle age Ⓤ. ― 形 middle-aged.

じつの 実の (本当の・実在する) real; (真実の) true ★以上2語は入れ替えて用いられる場合もある. (☞ほんとう). ¶彼は自分が彼女の*実の父だと名乗り出た He announced that he was her ⌈*true* [*real*] father.

実の所 actually, to tell (…) the truth ★後者はやや重大な件について用いる. ¶*実の所あれは作り話でした *Actually*, that was ⌈fiction [an invention].

じつは 実は (本当は…だ) the truth is (that) …; (真実を述べると) to tell (you) the truth 語法 (1) 以上2つはかなり重要な真実を述べる感じを持つ; (真実は…だ) (the) fact is (that) … 語法 (2) 相手の理解をくつがえすような事実を述べるときに使う; (事実は) actually; (実際には) as a matter of fact 語法 (3) 相手の期待をくつがえすほどの真実ではないような場合に使う; (事実上は・つまり・要するに) in fact 語法 (4) かなり軽い意味で使われ, 会話などで自分のすでに述べたことを少し違った角度から言い直したりするような感じのときにもよく使われる. ((例) 僕は彼をあまりよく知らない. *実は会ったこともないんだよ I don't know him very well. *In fact*, I have never met him.)

¶*実はあの話はうそだったのです *The truth is* (*that*) the story was a lie. 語法 (5) 口語では *The truth is*, the story …のように that がよく省略される. // *実は (⇒実を言うと) その手紙を出すのを忘れてしまったんです *To tell* (*you*) *the truth*, I forgot all about mailing the letter. // *実は私はまだその本を読んでいません *As a matter of fact*, I haven't read the book yet. // *実はあのとき一文なしだった *Actually* [*In fact*], I had no money with me then. / *The fact is that* I had no money with me then. 語法 (6) 口語では that が省略され *The fact is*, I had …, さらに定冠詞も省略して *Fact is*, I had … の形もよく用いられる.

ジッパー 《米》 zipper Ⓒ, 《英》 zip Ⓒ. (☞チャック).

しっぱい 失敗 ― 動 (しくじる) fail (in …) ⓐⓣ (↔ succeed); (挫折する) fall through ⓐ; (計画などが途中でつまずく) be set back; (うまく行かない) go wrong ⓐ, be unsuccessful 語法 fail が最も一般的で, 次の3つは主語が「人」以外のものに限られる. be unsuccessful は「人」も「事物」も主語になる. ― 名 (不成功) failure Ⓤ (↔ success) ★具体的なものを指すときは Ⓒ; (たいへんな失策) blunder Ⓒ; (挫折) setback Ⓒ; (誤り) mistake Ⓒ. (☞やりそこなう; ふせいこう).

¶我々の計画は*失敗した Our plans *failed*. / (⇒失敗に終わった) Our plans ⌈ended [resulted] in *failure*. // 彼は試験に*失敗した He *failed* the examination. // 彼のやることはすべて*失敗した Everything he tried *went wrong*. // 彼の事業は*失敗だった His business ⌈was [turned out to be] a *failure*. // 彼らの結婚は*失敗だった[*失敗した] Their marriage was ⌈a *failure* [*unsuccessful*]. // *失敗は成功のもと (⇒どの失敗も成功への踏み石である) Every *failure* is a stepping-stone to success.

失敗者 failure Ⓒ.

コロケーション

失敗覚悟でやる risk (a) *failure* / 失敗する make a *mistake*; commit a *blunder* / 失敗の原因となる cause a *failure* / 失敗を恐れる fear *failure* /

失敗を隠す hide [conceal] (a) *failure* / 失敗を繰り返す repeat a *failure* / 失敗を経験する experience [suffer] *failure* / 失敗を避ける avert a *failure* / 失敗を…のせいにする attribute the *failure* to … / 失敗を防ぐ prevent (a) *failure* / 失敗を認める admit *failure* // 明らかな失敗 an evident *failure* / 完全な失敗 a total [a complete; an entire; a perfect; an utter] *failure* / 屈辱的な失敗 a humiliating *failure* / 避けられる[避けられない]失敗 an ｢avoidable [inevitable] *failure* / 惨たんたる失敗 a disastrous ｢*failure* [*blunder*] / 重大な失敗 a ｢serious [grave; fatal] ｢*failure* [*blunder*] / 絶望的な失敗 a hopeless *failure* / 大失敗 a big *failure* / ばかばかしい失敗 a ｢silly [stupid; foolish; ludicrous] ｢*failure* [*blunder*] / みじめな失敗 a ｢miserable [dismal] *failure*

じっぱひとからげ　十把一からげ　── 副 (一括して) sweepingly; (まとめて) all together.　── 形 sweeping.　── 動 (まとめて扱う) lump together ⑭. 《☞ いっかつ; ひとまとめ》.
¶ *十把一からげの批評 *sweeping* comments // 地方のニュースは*十把一からげにされて 1 つの見出しのもとに扱われた All the local news *was lumped together* under one headline.

しっぴ　失費　expenditure Ⓤ.

じっぴ¹　実費　(実際に支出した費用) (actual) expenses ★ 通例複数形で; (原価) cost (price) Ⓒ 日英比較 日本語の「実」は特に英語に訳出する必要はない. 《☞ ひよう; けいひ¹》.

じっぴ²　実否　☞ しんぎ³

しっぴつ　執筆　── 動 write ⑭ ⓐ.　── 名 writing Ⓤ.　¶ 彼女に雑誌への*執筆を依頼した We asked her to *write* for our magazine. // 彼は目下新作を*執筆中だ He *is* now *writing* a new book.
執筆者 (著者) author Ⓒ; (寄稿者) contríbutor Ⓒ.

しっぷ　湿布　cómpress Ⓒ.　¶ 母は私の腕に温[冷] *湿布をした Mother applied a ｢hot [cold] *compress* to my arm.　**湿布薬** poultice Ⓒ.

シップ　☞ ふね

じっぷ　実父　*one's* real father Ⓒ.

しっぷう　疾風　(大風) gale Ⓒ; (強風) strong wind Ⓒ; 〖気象〗 fresh breeze Ⓒ. 《☞ かぜ¹》.　**疾風迅雷**　── 副 as quick as lightning, like a whirlwind.　¶ 敵は*疾風迅雷の如くに襲ってきた The enemy attacked *like a whirlwind.*　**疾風怒濤** ¶ *疾風怒濤の勢いで with *overwhelming* force

ジップコード　(米国の郵便番号) zíp còde Ⓤ ★ 具体的な番号は Ⓒ. 参考 英国では postcode. 日本の郵便番号は通例 zip code と訳される.

じつぶつ　実物　── 名 (実際の物[人]) real ｢thing [person] Ⓒ; (正真正銘の物) genuine object Ⓒ; (物自体) the thing (itself); (美術品の複製に対する原物) original Ⓒ; (美術作品の対象となる実物) life Ⓤ.　── 形 real; genuine /ʤénjuɪn/; (人工でない自然の) natural; (実物そっくりの) lifelike. 《☞ ほんもの; げんぶつ》.
¶ 私はその造花を*実物と間違えた I mistook the artificial flowers for ｢*real* [*natural*] ones. // とにかく*実物 (⇒ その物) を見せて下さい Anyway, let me *take a look at the thing (itself)*. // これは複製で, *実物はロンドンの大英博物館にあります This is a copy. The *original* is in the British Museum in London. // この肖像画は*実物そっくりだ This portrait ｢is very much like [looks just like] the *real person.* / This portrait is very *lifelike.* ★ 第 2 文のほうが口語的. // *実物を見て猫を描く draw a cat from *life* // 彼女は*実物より写真のほうがよい[悪い] (⇒ 写真でのほうがよく[悪く]見える) She looks ｢better [worse] in the photograph.　**実物教育** demonstration Ⓒ　**実物大**　── 形 (模型などが) full-scale; (美術品などが) life-size(d).　¶ *実物大の彫像 a *life-size(d)* statue // その写真は*実物大に引き伸ばされた The photograph was enlarged to *life-size.*　**実物取引** spot transaction Ⓒ.

しっぺい　疾病　disease Ⓒ 《☞ びょうき》.

しっぺがえし　しっぺ返し　(仕返し) retaliation Ⓤ, 《略式》 tit for tat Ⓤ; (言い返し) retort Ⓒ.

しっぽ　尻尾　(動物の) tail Ⓒ.　¶ その犬は*しっぽを激しく振った The dog wagged its *tail* furiously.
しっぽを出す　¶ 彼女はしまいにきっと*しっぽを出すよ (⇒ 本性を現す) I'm sure she *will show her true* ｢*character* [*colors*] in the end. ★ show *one's* true colors は旗を掲げていずれの味方であるかを示す様子になぞらえた成句.　**しっぽをつかむ** ¶ 彼らは彼の*しっぽをつかもうとした (⇒ 過失を見つけようとした) They tried to *find fault with* him.　**しっぽを振る** ¶ 彼は上役に年中*しっぽを振っている (⇒ 上役におべっかを使っている) He *is* always *flattering* his boss.　語法 進行形は話し手のいまいましい気持ちを表す.　**しっぽを巻く** ¶ 彼はついに*しっぽを巻いて逃げた He finally ran away *with his tail between his legs.* ★ with 以下は犬の逃げる様子になぞらえた成句.

じつぼ　実母　*one's* real mother Ⓒ.

しつぼう　失望　── 動 (…に失望する) be disappointed (at …; in …; with …) 語法 (1) at は「…して」というように原因・理由などのとき, in は「人」や「行為」のとき, with は「物」や「人」を目的語とするときに用いられる; (希望を失う) lose *one's* hope(s); (…でがっかりする) be disheartened (by …), lose heart.　── 名 (期待外れ) disappointment Ⓤ; (落胆) discouragement /dɪskə́ːrɪʤmənt/ Ⓤ.　── 形 (失望させる) disappointing; (失望した) disappointed.　── 副 (失望して) disappointedly, in disappointment; (失望したことには) to *one's* disappointment. 《☞ がっかり; ぜつぼう》.
¶ その知らせを聞いて私たちは非常に*失望した We *were* very *disappointed* ｢*at* [to hear] the news. // 彼[その本]には*失望した I *was disappointed* ｢*in* him [*with* the book]. / (⇒ 彼[その本]は私にとって失望だった) He [The book] was *a disappointment* to me.　語法 (2) disappointment は具体的な物や人を指すときは Ⓒ. // *失望するな (⇒ 落胆するな). 何かいいことがきっとある *Don't lose heart.* Something good is sure to turn up. // 講演者は拍手がないのに*失望した (⇒ がっかりした) The lecturer *was disheartened by* the lack of applause. / (⇒ 拍手のないことが講演者をがっかりさせた) The lack of applause *disheartened* the lecturer. // 息子が試験に落ちたときの彼女の*失望はたいへんなものだった Her *disappointment* was very great when her son failed the examination. // 彼女は*失望の色を浮かべた (⇒ 失望しているように見えた) She looked *disappointed.* // デートの相手が来なかったので彼は*失望して帰って来た He returned home *in disappointment,* because his date didn't turn up.

しっぽうやき　七宝焼き　cloisonné /klɔ̀ɪzənéɪ/ Ⓤ ★ é の ´ は綴り本来のもの.　¶ *七宝焼きの花びん a *cloisonné* vase

しつぼく　質朴　── 形 (素直で飾り気がない) simple and honest; (すれたところがない) unsophisticated. 《☞ そぼく》.

しっぽくりょうり　卓袱料理　*shippoku* dishes; (説明的には) Japanized Chinese dishes served on large plates; (そば・うどんの) bowl of (buckwheat) noodles with mushrooms and fish paste slices

Ⓒ.

じつまい 実妹 *one's* (younger) sister《☞ じっけい² 日英比較》.

しつむ 執務 ―動 (働く・仕事をする) work ㊐; (勤務中・仕事中である) be at work; (事務的な仕事について勤務中である) be at *one's* desk. ―名 (仕事) work Ⓤ; 《略式》 job Ⓒ. 《☞ きんむ; しごと》. **執務時間** office [business; working] hours ★ 複数形で.

じつむ 実務 (実業・仕事) business Ⓤ《☞ ぎょうむ; しごと; じむ》. ¶*実務の経験はありません I have no *business* experience. **実務家** (男の) businessman Ⓒ; (女の) businesswoman Ⓒ **実務者レベル(で)** (at) the working level. ¶*実務者レベルの交渉 *working-level* negotiations **実務的内閣** (実際的でてきぱきした) businesslike cabinet Ⓒ; (政策が実務的な) cabinet with practical policies Ⓒ.

じづめ 字詰め (一行[頁]の) the number of characters per ˹line [page]. ¶400 *字詰め原稿用紙 paper ruled to write four hundred *characters per page*

しつめい 失明 ―動 lose *one's* sight, become [go] blind ★ 後者のほうが口語的な表現. ―名 loss of ˹eyesight [sight] Ⓤ.

じつめい 実名 *one's* real name Ⓒ《☞ ほんみょう》.

じつめいしょうせつ 実名小説 novel in which real people using their actual names are used as characters Ⓒ ★ 説明的な訳.

しつもん 質問 ―名 (最も普通の意味で) question Ⓒ; (問い合わせ) inquiry Ⓒ ★《英》では enquiry も用いられる. ―動 (質問する) ask a question; (質問を出す) raise a question 語法 (1) ask と同じに使われることもあるが,「質問を提起する」というような格式ばったニュアンスがある. 普通は ask a question が使われる. 《☞ ぎもん; しつぎ; たずねる¹》. ¶何か*質問はありますか Do you have [Have you got] any *questions*? / Are there any *questions*? / Any *questions*? 語法 (2) 英語では複数形を使って訳すのが普通. 最後の文が最も口語的. //「*質問してもよろしいですか」「ええ, どうぞ」"May I *ask* (you) *a question*?" "Certainly [Of course]." // 私の*質問に答えて下さい Please answer my *question(s)*. //きょう習ったことでいくつか*質問があります I have some *questions* about today's lesson. // この*質問の正しい答えは何ですか What is the correct answer to this *question*? // 私たちは彼にたくさん*質問した We asked him a lot of *questions*. / We put a lot of *questions* to him. // 彼らは市長を*質問ぜめにした (⇒ にわか雨のように質問を浴びせた) They showered the mayor with *questions*. // 会場[客席]から*質問を受ける take *questions* from the floor // *質問を繰り返す repeat a *question* // *質問を投げかける hurl a *question* // *質問を無視する ignore a *question* // 大きな*質問 a big *question* // 面白い*質問 an interesting *question* // 仮定の*質問 a hypothetical *question* // 基本的な*質問 a basic *question* // 極めて重大な*質問 a crucial *question* // 子供じみた*質問 a childish *question* // 重要な*質問 an important *question*

質問者 questioner Ⓒ **質問書** written inquiry Ⓒ; (アンケートの) questionnaire /kwèstʃənéə/ Ⓒ.

―コロケーション―

質問を浴びせる fire [shower; hail] *questions* ˹on [at] *a person*; shower *a person* with *questions* / **質問を受け流す** parry a *question* / **質問をかわす** dodge a *question* / **質問を避ける** evade a *question* / **質問をそらす** turn a *question* aside / **質問を撤回する** withdraw a *question* / **人に質問をする** put [pose; address] a *question* to *a person* // **あけすけの質問** a point-blank *question* / **意地の悪い質問** a nasty *question* / **気の利いた質問** an intelligent *question* / **きわどい質問** an ˹intimate [embarrassing; upsetting] *question* / **下らない質問** an idle *question* / **個人的な質問** a personal *question* / **答えようのない質問** an unanswerable *question* / **失礼な質問** a rude *question* / **鋭い質問** a ˹sharp [penetrating] *question* / **率直な質問** a frank *question* / **単刀直入の質問** a ˹direct [straight] *question* / **つまらない質問** a trivial *question* / **唐突な質問** a brusque *question* / **根掘り葉掘りの質問** an inquisitive *question* / **ばかな質問** a silly [an absurd; a stupid] *question* / **漠然とした質問** a vague *question* / **人をまごつかせる質問** a puzzling *question* / **複雑な質問** a complicated *question* / **ぶしつけな質問** an indelicate *question* / **的を射た[的外れの]質問** a relevant [an irrelevant] *question* / **難しい質問** a ˹difficult [hard; tough] *question* / **厄介な質問** a disturbing *question* / **矢継ぎ早の質問** rapid-fire *questions* / **露骨な質問** a blunt *question* / **悪気のない質問** an innocuous *question*

しつよう 執拗 ―形 (頑固な) óbstinate; (しつこい) persistent; (強情で) stubborn. 《☞ しつこい; ねばりづよい》. ¶彼は我々の計画に*執拗に反対した He offered *stubborn* resistance to our project.

じつよう 実用 ―名 (実際に用いること・実際的な効用) practical use Ⓤ. ―形 (実用的な・実際の役に立つ) practical. 《☞ じっさい》. ¶彼の発明は*実用になりそうもない His invention seems to ˹be of [have] no *practical use*. / (⇒ 彼の発明は実際に応用できそうもない) His invention seems to have no *practical application*. / (⇒ 彼の発明を実用に供するのは難しいだろう) It will be difficult to put his invention to *practical use*. // この品は*実用向きにできている This article is ˹designed [intended] for *practical use*. // この品は*実用向きではない (⇒ この品は実際の目的に役立たない) This article serves no *practical* purpose. // 私は*実用的な英語を身につけたいと思っている I want to ˹get [obtain] a *practical* knowledge of English. **実用英語** practical English Ⓤ **実用主義** ―名 pragmatism Ⓤ. ―形 pragmatic **実用新案特許** patent for a new practical ˹device [design] Ⓒ **実用品** useful article Ⓒ; (家庭用品) domestic article Ⓒ; (日用品) daily necessaries ★ 複数形で.

じづら 字面 ¶文の*字面の意味と含みの意味 the *surface meaning* and the ˹implication [implied meaning] of a sentence

しつらえる 設える (据え付ける) sèt úp ㊥; (準備をする) prepare ㊥.

しつらくえん 失楽園 *Paradise Lost* ★ 英国の詩人ミルトンの叙事詩.

じつり 実利 (実際の利益) (actual) profit Ⓤ ★ 具体的には Ⓒ; (実際の効用) utility Ⓤ. 《☞ りえき》. **実利主義** ―名 utilitarianism /juːtìlətéːriənìzm/ Ⓤ. ―形 utilitarian **実利主義者** utilitarian Ⓒ.

しつりょう¹ 質量 〘物理〙 mass Ⓤ. ¶この2つの物体の*質量は同じである These two bodies have equal *mass*. **質量保存の法則** the law of conservation of mass.

しつりょう² 室料 room rent Ⓒ.

じつりょく 実力 1 《実際の能力》: (能力) ability Ⓒ ★「才能」の意味ではしばしば複数形で; (真価) merit Ⓤ ★ しばしば複数形で; (力量) cómpetence Ⓤ. 《☞ のうりょく (類義語); ちから; ゆうのう (類義語)》. ¶彼女は英語の*実力がある (⇒ 英語が上手だ) She is ˹*good* [*excellent*] *at* English. / (⇒ 英語を上手に使う能力[知識]がある) She has *a good* ˹*command* [*knowledge*] of English. // 彼は英語の*実力がない (⇒ 英語が下手だ) He is ˹*poor at* [*weak in*] English. // 彼女は*実力のある (⇒ 有能な) 先生です She is ˹*a competent* [a *capable*; an *able*] teacher. // 実業界でものをいうのは学歴ではなくて*実力だ It is not one's educational career but *real ability* that ˹counts [tells] in the business world. // 彼は*実力によって現在の地位を得た He ˹won [gained] his present position through his own *merits*. // その会社では*実力に応じた待遇をする That company treats its employees according to ˹their *merits* [*merit*; individual *worth*]. // 君の*実力を示す絶好の機会だ It is a good chance for you to ˹prove that you are really *capable* [display your *ability*]. // 彼女は試験で十分に*実力を発揮できなかった She failed to *do herself justice* in the examination. ★ do *oneself* justice は「自分の能力を十分に発揮する」という意味の成句.

2 《腕力》: (力ずく) force Ⓤ 《☞ ちからずく》.
¶彼はそれを*実力で奪い返した He recovered it by *force*.

実力行使 (力の行使) use of force Ⓤ; (ストライキ) strike Ⓒ. 《☞ ストライキ》 **実力者** influential /influénʃəl/ person Ⓒ. ¶彼は財界の*実力者だ He *has great influence* in financial circles. **実力主義** merit system Ⓒ **実力テスト** achievement test Ⓒ.

しつれい 失礼 **1** 《無礼》 — 形 (粗野な) rude; (丁寧さに欠けた) impolite; (行儀が悪い) ill-mannered.

【類義語】他人の気持ちを無視し, 礼儀をわきまえず粗野な振舞いを表す言葉が ***rude***. *rude* とときにはほぼ同意にも用いられるが, 特に言葉遣い・態度が礼儀作法にかなっていないことを表すのが ***impolite***. 以上 2 語が最も一般的な言葉である. 態度・振舞いについて, しつけ・行儀作法が悪いことを強調するのが ***ill-mannered***. 《☞ ぶさほう; ぶれい; ぎょうぎ》

¶知らない人をじろじろ見るのは*失礼だ It is *rude* to stare at strangers. // ほかの人が話しているのにおしゃべりをするのは*失礼だ It is ˹*impolite* [*rude*] to talk when someone else is talking. // 人に贈り物をもらってお礼を言わないのは*失礼だ (⇒ エチケットに反する) It is ˹*a breach of etiquette* [*bad form*; *bad manners*] not to thank people for gifts. ★ [ ] 内のほうが口語的. // 彼は時々*失礼なことを言う He sometimes ˹says *rude* things [makes *rude* remarks]. ★ [ ] 内のほうが硬い言い方. // あんな*失礼なやつは二度と呼ばないぞ I will never invite such an *ill-mannered* fellow again.

2 《謝罪・あいさつ》 ¶「どうも*失礼しました」「いえ, いいんですよ」"*Excuse me*. / *I'm sorry*. / *Pardon me*." "That's all right." 語法 (1) 前文の 3 つは人にぶつかるとか, 足を踏むなどして謝るとき. この意味では《英》では Excuse me. よりも (I'm) sorry. のほうが普通. // 「ちょっと*失礼」「どうぞ」"*Excuse me*." "Certainly." 語法 (2) 中座したり, 人の前を横切ったりするとき. // お待たせして*失礼しました *I'm sorry* ˹*I've* [*to have*] kept you waiting. // 手袋をはめたままで*失礼します (⇒ 私の手袋をお許し下さい) Please *excuse* my gloves. // *失礼ですが自己紹介させていただきます (⇒ 自己紹介することをお許し下さい) *Allow me to* introduce myself. // *失礼ですがどちら様でしょうか (⇒ お名前を聞いてもよろしいですか) *Might* [*May*] *I ask* your name? ★ might のほうが丁寧. / *Could I have* your name, please? ★ 最も丁寧な聞き方. // *失礼ですがもう一度おっしゃって下さい *I beg your pardon*? / *Beg* (*your*) *pardon*? / *Pardon*? 語法 (3) いずれも上昇調で普通の疑問文のように言う. 前のものほど丁寧. // 今度の会は*失礼させていただきます (⇒ 残念ながら次の会には出られないと思います) I'm afraid *I can't come* to the next meeting. // お先に*失礼します (⇒ 先に帰ることをお許し下さい) Please *excuse my leaving* early. // もう*失礼いたします (⇒ 帰らなくてはなりません) Now *I must be going*. / (⇒ さようならを言わなければなりません) *I must say good-by*(*e*) now. // *失礼しちゃうわね (⇒ ばかなことはやめなさい) None of your *foolishness*, please! / (⇒ 失礼なことはやめなさい) None of your *impertinence*! / None of your *cheek*! ★ この順に語気の強い表現になる.

じつれい 実例 (代表となる) example Ⓒ; (証拠となる個別的な事例) instance Ⓒ. 《☞ れい[1] (類義語)》. ¶彼は具体的な*実例をいくつか示してくれた He ˹gave [showed] us some concrete *examples*. // 彼の説を裏づける*実例はたくさんある There are a lot of *instances* which support his theory.

しつれん 失恋 — 動 be disappointed in love. — 名 lost love Ⓤ. 《☞ ふられる》.
¶彼は*失恋した He *was disappointed in love*. / He was *brokenhearted*. 語法 失意の状態をいうので, 必ずしも失恋とは限らないことに注意.

じつろく 実録 (記録) true [authentic] record Ⓒ ★ [ ] 内は格式ばった語; (歴史) true [authentic] history Ⓒ. ¶*実録ドラマ a *docudrama* /dákjudrɑ̀ːmə/

じつわ 実話 (真実の物語) true story Ⓒ.

して 仕手 **1** 《能・狂言の》: *shite* Ⓒ; (主役) the leading ˹part [role]; (主役を演じる人) the lead.
2 《株の》: (投機家) speculator Ⓒ; (大量に売買する人) operator Ⓒ. 《☞ とうき[2]》.
仕手方 (能の) protagonist Ⓒ; principal actor Ⓒ; (説明的には) character who plays the leading role in a Noh play Ⓒ **仕手株** (投機的な株) speculative stock Ⓒ; (投機家が好む株) speculators' ˹favorite [《英》 favourite] stock Ⓒ **仕手集団** group of speculators Ⓒ **仕手戦** battle between speculators Ⓒ.

しで 四手 〖植〗 hornbeam Ⓒ; (玉串・しめ縄などに下げる紙) sacred paper-strip Ⓒ.

してい[1] 指定 — 動 (日時・場所を) appoint ⊕; (明示する) 《格式》 désignàte ⊕; (時・条件などを明確に述べる) specify /spésəfàɪ/ ⊕. — 名 appointment Ⓤ; designation Ⓤ; specification Ⓤ.
¶日時は指定されたが場所は指定されていない The date *has been appointed* but the place has not. // 彼は次の会合の日時と場所を*指定した He ˹*designated* [*specified*] the time and place for the next meeting. // 彼女は*指定の時間に来なかった She did not come at the ˹*appointed* [*specified*; *designated*] time. // 私たちは学校*指定の (⇒ 学校によって手配された) 旅館に泊まった We stayed at a hotel *designated* by the school. // 彼女は材料を*指定どおりに混ぜた She mixed the ingredients as *specified*. // 特に*指定がなければ荷物は普通便で送ります We will send the goods by ˹ordinary [surface] mail unless otherwise *specified*.
指定漁業 licensed fishery Ⓤ **指定券** reserved seat ticket Ⓒ **指定席** reserved seat Ⓒ **指定伝染病** designated infectious disease Ⓤ 《☞ ほうてい[2]》 **指定都市** ordinance-designated city Ⓒ 《☞ せいれい[1]》 **指定暴力団** designated gangster organization Ⓒ **指定銘柄** designated stock Ⓒ.

してい[2] 師弟 master and pupil, teacher and

student. 語法 and で結ばれた2つの名詞が密接な関係にあるときは冠詞を付けない. 前者のほうが格式ばった言い方.《☞ 冠詞 (巻末); でし; せんせい[1]; せいと[1]》. ¶この2人は*師弟の間柄です (⇒2人は師弟です) The two (of them) are *teacher and student*.

してい[3] 子弟 children; (年少者) young people ★ 複数扱い.《☞ こども》. ¶良家の*子弟 *children* ⌈of [from] respectable families

してい[4] 私邸 *a person's* private ⌈residence [house] Ⓒ ★ residence を用いるのは格式ばった表現.《☞ いえ (類義語)》.

じてい 自邸 *one's* own house Ⓒ, *one's* residence Ⓒ ★ 後者は立派な家の感じを強く表す.

シティー (ロンドンの) the City (of London).

シティーホール city hall Ⓒ.

しでかす 仕出かす (する) do ⑩ 日英比較 英語の do には日本語の「しでかす」に当たるようなニュアンスはないので, 文のほかの部分の表現でそれを表すようにするしかない. ¶そんなことを*しでかすとは何て君はばかなんだ What a fool you are to *have done* such a thing! // 彼は次に何を*しでかすやらわからない There's no ⌈knowing [telling] what he will *do* next.

してき[1] 指摘 ——動 póint óut ⑩, indicate ⑩ ★ 後者はやや格式ばった語. ¶私は彼女に誤りを*指摘してやった I *pointed out* her mistakes to her.

してき[2] 詩的 ——形 poetic, poetical Ⓐ 語法 両者は同じようにも用いられるが, 詩的な内容については poetic, 散文に対する韻文という意味で詩の形式については poetical が用いられることが多い.《☞ し[3]》.

してき[3] 私的 ——形 (公に対して個人的な) private Ⓐ; (個人個人の) personal.《☞ こじん[1]; プライバシー》. **私的年金** private pension Ⓒ.

してき[4] 史的 ——形 historical《☞ れきし[1]》.

じてき 自適 ☞ ゆうゆう

してつ 私鉄 private ⌈railroad [《英》railway] Ⓒ《☞ てつどう》. **私鉄総連** the General Federation of Private Railway and Bus Workers' Unions of Japan ★ 正式名称は日本私鉄労働組合総連合会.

じてっこう 磁鉄鉱 〔鉱〕magnetite Ⓤ.

シテとう シテ島 ——名 固 the Cité ★ パリの中心に位置するセーヌ川にある島. フランスカトリック界の総本山であるノートルダム寺院がある. フランス語で Île de la Cité.

しでのたび 死出の旅 ——名 (最後の旅) *one's* last journey; (あの世への旅) *one's* journey to the other world. ——動 (死出の旅路に就く) go on *one's* last journey; go on *one's* journey to the other world.

-しては ——前 (…の割には) for …; (…ということを考えると) considering … ★ 接続詞としても用いる; (…としては) as …《☞ -としては; -にしては; わり》. ¶彼は年に*しては若く見える He looks young *for* his age. // 9月に*してはいくぶん寒い It is rather cold *for* September. // 彼は作家と*しては二流だ He is second-rate *as* a writer. / He is a second-rate writer.

しでむし 埋葬虫 〔昆〕carrion [burying] beetle Ⓒ.

-しても (たとえ…であっても) (even) if …; (…ということを考慮しても) (even) granted (that) …, (even) supposing …; (どんなに…しても) however …, no matter how …; (何を…しても) whatever …, no matter what …; (だれが…しても) whoever …, no matter who …; (どこへ…しても) wherever …, no matter where …; (いつ…しても) whenever …, no matter when … 語法 以上 -ever と no matter …の2つの表現はいずれもほぼ同意で入れ替え可能. また譲歩節には may が用いられることもあるが, 口語では省略されることが多い.《☞ -ても》.
¶あなたがよいと*しても, 彼はうんと言うまい *Even if* it is all right with you, he will not give his consent. // この本は間違いがあるに*してもごくわずかです This book has few mistakes, *if* any. // きょうこの本を読み終えたと*しても, 試験までにまだ2冊読まねばならない本がある (*Even*) *supposing that* I finish reading this book today, I (still) have two more to read before the examination. // どんなに努力*しても彼には追いつけない *However* [*No matter how*] hard I (may) try, I cannot catch up with him. // いつ訪問*しても彼は不在だ *Whenever* [*No matter when*] I call on him, he is ⌈out [not (at) home].

してやられる (だまされる) be ⌈cheated [deceived]; (ぺてんにかけられる)《略式》be taken in.《☞ だます》. ¶彼は簡単に*してやられた He *was* easily ⌈*deceived* [*taken in*]. // 私は彼に*してやられた (⇒彼は私の機先を制した) He *got a head start on* me.

してやる ¶私は彼の宿題を*してやった I *did* his homework *for* him.《☞ あげる[1]》// 今度は(彼を)*してやった (⇒参らせた) I *beat* him this time.

してん[1] 支店 (一般的には) branch Ⓒ; (店の種類に応じて) branch ⌈office [store; shop; house] Ⓒ (↔ head office).《☞ ししゃ[2]》.
¶その会社は世界各地に*支店を持っている The company has *branches* ⌈in all parts of [all over] the world. // その会社はニューヨークに新しい*支店を開いた The company ⌈opened [established] a new *branch* (*office*) in New York. ★ [ ]内のほうが格式ばった表現. **支店次長** deputy branch manager Ⓒ, assistant ⌈district [regional] manager Ⓒ **支店長** branch manager Ⓒ, general manager Ⓒ, district [regional] manager Ⓒ.《☞ 会社の組織と役職名 (囲み)》.

してん[2] 視点 (観点) point of view Ⓒ, viewpoint Ⓒ.《☞ かんてん[1]; みかた[2]》.

してん[3] 支点 (てこの) fulcrum /fʊ́lkrəm/ Ⓒ《複 ～s, fulcra /-krə/》.

しでん 市電 (municipal /mjuːnísəp(ə)l/ [city]) ⌈streetcar [《英》tram] Ⓒ.

じてん[1] 次点 (競技などでの2位) runner-up Ⓒ《複 runners-up, ～s》《☞ にい》.
¶彼女は競技の*次点だった She was the *runner-up* in the contest. / (⇒2位だった) She ⌈was [finished] *second* in the contest. / (⇒2位を獲得した) She took *second place* in the contest. //《選挙で》彼はわずかの差で*次点になった (⇒2番目に大量の票を獲得した) He obtained *the second largest number of votes* by a narrow margin.

じてん[2] 自転 ——動 rotate ⓐ. ——名 rotation Ⓤ ★ 1回転という意味のときは Ⓒ.《☞ かいてん[1] (類義語); まわる》. ¶地球は西から東へ*自転する The earth *rotates* from west to east. // 地球は太陽の回りを公転しながら, 地軸を中心に*自転している The earth rotates on its axis while revolving around the sun.

じてん[3] 時点 (時期) the time; (現在あるいはある特定の時) the moment. ¶その*時点ではすべてがうまくいっていた Everything went well *at the time*. // 現在の*時点ではこれが手に入る最良の参考書である This is the best reference book available *at the moment*.

じてん[4] 辞典 dictionary Ⓒ《☞ じしょ[2]》.

じてん[5] 事典 (百科事典) encyclop(a)edia /ɪnsàɪkləpíːdiə/ Ⓒ; (通俗的には) dictionary Ⓒ.《☞ じしょ[2]》.

じてん[6] 字典 lexicon Ⓒ《☞ じしょ[2]》.

じでん 自伝 àutobiógraphy Ⓒ. **自伝小説** autobiographical novel Ⓒ.

じてんしゃ 自転車 ― 名 bicycle Ⓒ, cycle Ⓒ, bike Ⓒ ★口語的. ― 動 (自転車に乗る[乗って行く]) bicycle ⓐ.

¶ 彼は*自転車で通学する He goes to school ⌈on a [by] *bicycle*. // あなたは*自転車に乗れますか Can you ride a *bicycle*? // *自転車で坂道を下りるのは楽しい It is fun ⌈coasting on a *bicycle* [*bicycling*] down a slope. 語法 coast は「ペダルを踏まずに自転車に乗って下る」の意. // 私は毎日駅まで*自転車で行く I ⌈ride my *bicycle* [*bicycle*] to the station every day. // 私は*自転車を押して彼と一緒に歩いた I walked my *bicycle* with him. // 彼女は*自転車のハンドルを切り損ねて道ばたに倒れた She lost control of her *bicycle*, and fell off onto the road. // *自転車に乗る人 a *bicycle* rider / a *cyclist* / a *bicyclist*

「自転車道路」の掲示

自転車置場 ☞ ちゅうりん (駐輪場) **自転車競走** bicycle [cycle] race Ⓒ **自転車操業** ― 動 (なんとか黒字になるように会社を経営する) run a ⌈business [firm] only just managing to stay in the black; (破産ぎりぎりの状態で会社を経営する) run a ⌈business [firm] staying on the brink of bankruptcy. ★いずれも説明的表現. **自転車屋** bicycle shop Ⓒ **自転車旅行** bicycle trip Ⓒ.

してんのう 四天王 1 «仏教»: the Four Devas /déɪvəz/.
2 «ある部門や集団»: (特に優れた4人) the Big Four.

しと¹ 使途 (金の使われる目的) the purpose for which the money is spent (☞ つかいみち; ようと).
¶ 彼はその金の*使途を明らかにするように求められた (⇒ どのようにその金を使ったか説明するように要求された) He was asked to account for *how the money was spent*. **使途不明金** unaccounted-for expenditure Ⓤ ★または an ～. ¶ 大学には1億円の*使途不明金がある The college has a 100 million yen *expenditure which it is not possible to trace in the accounts*.

しと² 使徒 (伝道者) apostle /əpásl/ Ⓒ; (弟子・門人) disciple /dɪsáɪpl/ Ⓒ.

しど 示度 reading Ⓒ. ¶ 温度計の温度の*示度 temperature *readings* on a thermometer

しとう¹ 死闘 (激しい戦い) fierce battle Ⓒ (☞ せんとう²; げきせん). ¶ この島は第2次大戦のとき日米の間で*死闘が繰り広げられた所です A *fierce battle* took place on this island between Japanese and American troops during World War II.

しとう² 至当 ― 形 (公正な) just; (正当と見なされるべき) jústifiable; (妥当な) reasonable. (☞ ただしい; せいとう¹; だとう¹).

しとう³ 私闘 feud Ⓒ.

しどう¹ 指導 ― 動 (進むべき道を示しながら導く) guide ⓗ; (監督・指図しながら指導する) direct ⓗ; (先頭に立って導く) lead ⓗ (過去・過分 led); (個人的に教える・コーチする) coach ⓗ; (具体的に系統立てて教授する) give instruction (to *a person*; in ...); (教える) teach ⓗ. ― 名 guidance Ⓤ; direction Ⓤ; leadership Ⓤ; instruction Ⓤ; teaching Ⓤ. (☞ おしえる (類義語); きょういく).
¶ 彼に息子の英語の*指導を頼んだ I asked him to ⌈*teach* [*give* private lessons *in*] English to my son. ★[ ]内のほうが改まった言い方. // 彼は私たちの学校でサッカーを*指導している He *coaches* the soccer team at our school. // 私たちは先生の*指導で英語劇をやった We performed a play in English *under the* ⌈*guidance* [*direction*] *of* our teacher. // よろしくご*指導を願います (⇒ この問題であなたに指導を期待します) I look to you for *guidance* in this matter. 日英比較 この表現は日本語の表面的な意味を英語に直したものであるが, 日本語の「よろしく」は英語に適当な訳語がなく, また, このような英語表現は, 日本語で目上の人に挨拶がわりに使う軽い意味の表現とは意味が違ってしまうので, 実際には翻訳不可能と考えたほうがよい. // 彼女はその集団の中では*指導的な立場にある (⇒ 集団のリーダーだ) She is the *leader* of the group. // 彼はその研究で*指導的役割を果たした He *played a leading part* in the research.
指導案 (授業の教案) teaching [lesson] plan Ⓒ **指導教員** (大学の) (academic) ⌈adviser [advisor; supervisor] Ⓒ, (英) tutor Ⓒ **指導原理** guiding principle Ⓒ **指導者** (一般に) leader Ⓒ; (運動のコーチ) coach Ⓒ **指導主事** teacher's supervisor Ⓒ **指導要領** ☞ がくしゅう (学習指導要領) **指導要録** ☞ がくしゅう (学習指導要録) **指導力** leadership Ⓤ. ¶ 彼は内閣改造について*指導力を発揮した (⇒ 率先して行なった) He took *the initiative* in the Government reshuffle.

しどう² 私道 private ⌈road [path] Ⓒ ★road は車も通るが path は歩行者のみ. (☞ どうろ; みち¹ (類義語)).

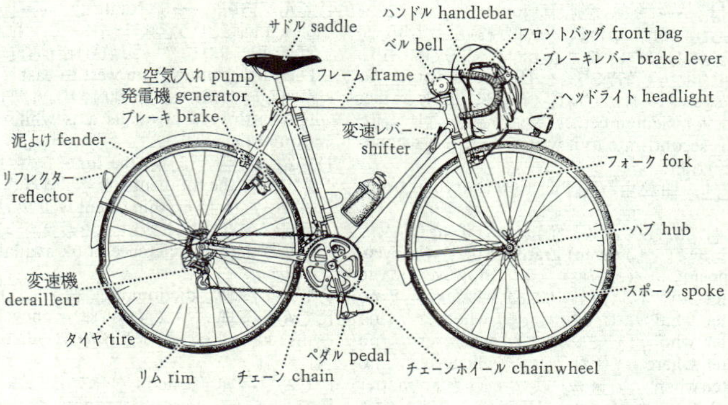

自転車 bicycle

しどう³ 始動 —動 start 他 自; (…を動かす) set … in motion ★ 説明的な感じの表現. ¶ 彼はモーターを*始動させた He *started* the motor.

しどう⁴ 市道 municipal road C.

しどう⁵ 斯道 (この分野) this field U.

じとう 地頭 lord of the manor C.

じどう¹ 自動 —形 (自動の) automatic. —副 (自動的に) automatically.

¶ サーモスタットは*自動的に温度を調節する The thermostat regulates the temperature *automatically*. // この扉は*自動的に開閉する This door opens and shuts ⌈*automatically* [*by itself*].

自動エレベーター automatic elevator C **自動改札機** automatic ticket checker C **自動逆転** —形 名 autoreverse ★名 は U. **自動支払機** automated [automatic] teller machine C; 《英》 cash dispenser C. 《☞ げんきん¹ (現金自動支払機)》 **自動小銃** automatic rifle C **自動焦点** 〘写〙 automatic focusing U 《☞ オートフォーカス》 **自動焦点カメラ** autofocus camera C **自動食器洗い機** automatic dishwasher C **自動推進** —形 (自動推進式の) self-propelled **自動制御** automatic control U **自動操縦装置** automatic pilot C **自動着陸装置** automatic landing system C **自動データ処理** 〘コンピューター〙 automatic data processing U **自動ドア** automatic door C **自動二輪** motorcycle C **自動販売機** vending [(《英》) slot] machine C **自動ピアノ** player piano C **自動引き落とし** automatic deduction U 《☞ 自動振替》 **自動飛行制御システム** automatic flight control system C 《略 AFCS》 **自動振替** —名 automatic ⌈transfer [deduction] U. —動 pay by ⌈automatic transfer [direct debit] 他; (料金が自動的に引き落とされる) be automatically deducted from *one's* bank account **自動変速装置** automatic transmission C **自動翻訳** (機械翻訳) machine translation U **自動巻きの時計** self-winding watch C **自動窓口機** ☞ 自動支払機 **自動免疫** 〘医〙 active immunity U (↔ passive immunity (受動免疫)) **自動両替機** money changer C **自動列車制御装置** automatic train control C 《略 ATC》 **自動列車停止装置** automatic train stop system C **自動露出** automatic exposure U.

じどう² 児童 —名 (子供) child C 《複 children》 [語法] 他の名詞の前に置いて形容詞のようにも用いる; (学童) schoolchild C; (少年少女) 《格式》 juvenile C. —形 (児童の) 《格式》 juvenile A. 《☞ こども》. ¶ *児童向けの本 books for *children* / *juvenile* /ʤúːvənàɪl/ [*children's*] books

児童虐待 chíld abuse /əbjùːs/ U **児童虐待防止法** the Child Abuse Prevention Law **児童憲章** the Children's Charter **児童公園** children's park C **児童心理(学)** child psychology U **児童相談所** child ⌈consultation [guidance] center C, children's welfare clinic C **児童手当** child allowance C **児童の権利(に関する)条約** the Convention on the Rights of the Child ★ 1989 年国連で採択. **児童福祉** child welfare U **児童福祉法** the Child Welfare Law **児童文学** literature for children U, juvenile [children's] literature U ★ juvenile のほうが格式ばった言い方. **児童文学者** writer of children's stories C.

じどうし 自動詞 〘文法〙 intransitive verb C (↔ transitive verb).

じどうしゃ 自動車 (一般の乗用車) car C, 《主に米》 automobile /ɔ́ːtəmoubìːl/ C, 《主に英》 motorcar C; (各種のものを総合的に) motor vehicle C; (トラック) truck C, 《英》 lorry C; (バス) bus C ★《英》では遠距離バスは coach C.

【類義語】日常語としては *car* が最も一般的で, 正式な感じの言葉が *automobile*, *motorcar*. 日本語では自動車といえば, トラックやバスも含まれるが, 英語では *car* や *automobile* には bus, truck は含まれないことに注意. 《☞ くるま (コロケーション)》

¶ あなたは*自動車を運転しますか Do you *drive* (a car)? // 私は*自動車の運転ができない I can't *drive*. / I don't know how to *drive*. // 彼女は*自動車の運転がとてもうまい She is a very good *driver*. // 彼は*自動車で通勤する He *drives* to work every day. // 警察の*自動車 a police *car* // *自動車事故は全国的に深刻な問題の一つである *Automobile* accidents are one of the nation's most serious problems. // 私は 5 週間*自動車学校へ行き, きのう運転免許を取った I got my driver's license yesterday after going to *driving* school for five weeks.

自動車運転手 driver C; (雇われて専属の) chauffeur /ʃóufə/ C **自動車産業** automobile industry C **自動車修理工** car mechanic C **自動車ショー** motor show C **自動車税** automobile tax C **自動車専用道路** expressway C, 《英》 motorway C **自動車総連** the Confederation of Japan Automobile Workers' Unions 《略 JAW》 ★ 正式名称は全日本自動車産業労働組合総連合会. **自動車電話** car (tele)phone C **自動車販売業者** (店) car dealer C; (セールスマン) car salesperson C **自動車保険** automobile insurance U **自動車レース** auto race C **自動車労連** Japan Automobile-Workers' Union.

じとく¹ 自得 —名 (自己満足) self-complacency U, self-satisfaction U; (会得) understanding U, 《文》 apprehension U. —動 be self-satisfied, be satisfied with *oneself*; understand 他, 《文》 apprehend 他. 《☞ じごうじとく》.

じとく² 自瀆 masturbation U, onanism U.

しどけない —形 slovenly /slʌ́v(ə)nli/ 《☞ だらしない》.

しとげる 仕遂げる (努力の結果完成する) accomplish 他; (計画などを実行する) cárry óut 他; (仕上げる) finish 他; (完成する) complete 他. 《☞ なしとげる; やりとげる; しあげる》.

しどころ ¶ ここが我慢の*しどころだ (⇒ いまが一番忍耐の必要とされるときだ) Now is *the time* when (your) patience is most essential.

しとしと ¶ きのうは一日中雨が*しとしと降っていた It *was drizzling* all day (long) yesterday. 《☞ きりさめ; 擬声・擬態語 (囲み)》

じとじと —形 (ぬれた) wet; (不快な感じで湿気のある) damp; (冷たくじっとりする) clammy; (粘る) sticky. 《☞ じめじめ; じっとり; 擬声・擬態語 (囲み)》. ¶ 着ている物が汗で*じとじとしている My clothes feel *wet* with ⌈perspiration [sweat]. // *じとじとした天気でうんざりする (⇒ じめじめした天気が私を憂鬱(ゆううつ)にする) The *damp* weather gets me down.

しとしんじょう 使徒信条 the (Apostles' /əpáslz/) Créed.

シドニー —名 固 (都市) Sydney ★ オーストラリア, ニューサウスウェールズ州の州都.

しとね 褥 mattress C.

しとめる 仕留める (殺す) kill 他; (撃ち落とす) bring [shoot] down 他. 《☞ うちころす》.

しとやか 淑やか —形 (優美な・美しくて魅力的な) graceful; (物柔らかな・優しい) gentle. —副 gracefully; gently. 《☞ じょうひん (類義語); ゆうが》.

じとり ☞ じっとり, じとじと

じどり[1] **地取り** **1** «地面の»: ―名 (配置・区画) layout Ⓒ. ―動 lay out 他.
2 «碁の»: (地をとること) taking territory (in go) Ⓤ.

じどり[2] **地鳥** local chicken Ⓒ.

シトローエン (自動車)《商標》Citroën /sìtrou-én/ Ⓒ.

しどろもどろ ―形 (筋の通らない) incoherent /ìnkouhí(ə)rənt/; (めちゃくちゃの) confused; (矛盾した) ìnconsístent. ―副 (うろたえて) confusedly; incoherently; inconsistently; (口ごもりながら) falteringly /fɔ́:lt(ə)rɪŋli/. ―動 (混乱する) be [get] confused; (口ごもる) falter 自. 《☞ くちごもる; 擬声・擬態語 (囲み)》.
¶彼は*しどろもどろの返事をした He gave ⌈an *incoherent* [a *confused*] answer. / He answered *falteringly*. // その予期しない質問で彼は*しどろもどろになった (⇒ 予期しない質問が彼を混乱に陥れた) The unexpected question *threw* him into *confusion*.

シトロン 〖植〗(木・果実) citron Ⓒ.

しな[1] **品** **1** «品物»: (個々の物品) article Ⓒ; (商品) goods ★ 複数扱いで, 数詞や many は付けられない. ¶私はあの店で 3 *品買った I bought three *articles* at that store. // この*品はよく売れている This *article* is selling ⌈well [fast]. // 注文の*品は 3 日以内にお届けします The *goods* ordered will be delivered within three days. // 所変われば*品変わる (⇒ それぞれの国は各自の習慣を持っている) Each country has its own customs.
2 «品質»: (質) quality Ⓤ; (品種) brand Ⓒ. 《☞ ひんしつ; しつ[1]》. ¶彼女のハンドバッグは*品がよい [悪い] Her handbag is of ⌈good [poor] *quality*.

しな[2] **科** しなを作る (こびを見せる) coquet 自 ★ 古風な言い方.

しな[3] **支那** ―名 固 China 《☞ ちゅうごく》.

しない[1] **市内** ―副形 (市内に [の]) in [within] the city; (市の行政区画の範囲内に [の]) within the city limits, within the limits of a city ★ この場合の limit は複数形で. 《☞ し[1]; しがい[2]》.
¶彼は山口*市内の高校に通っている He goes to a high school *in the city* of Yamaguchi. // 2 人は*市内見物に出かけた The couple went out to ⌈see [do] (the sights of) *the city*. ★ do を用いるのは口語. // メーデーに彼らは*市内をパレードした On May Day they paraded *through* ⌈*the city* [*the streets*]. // *市内の配達は無料です Delivery *within the city* (*limits*) is free. **市内観光[見物]** sightseeing around the city Ⓤ **市内電話** local call Ⓒ.

しない[2] **竹刀** bamboo sword Ⓒ.

-しないか ☞ -しませんか

シナイはんとう **シナイ半島** ―名 固 the Sinai /sáɪnaɪ/ Peninsula ★ エジプト・アラブ共和国の北東端.

しないよう so as not to (*do* …), in order not to (*do* …), so that … not … 《☞ よう[1]》. ¶試験に*落ちないようにしっかり勉強しなさい Work hard ⌈*so as not to* [*in order not to*] fail in the exam. // 学校に遅刻*しないように急いだ I hurried up *so that* I would*n't* be late for school.

しなう **撓う** ―動 (曲がる) bend 自 《過去・過分 bent》; (先が垂れ下がる) bow /báu/ 自. ―形 (曲がりやすい・曲げやすい) flexible, pliable ★ 後者のほうが格式ばった語. 《☞ たわむ》.
¶竹は雪の重みで*しなった The bamboos ⌈*bent* [*bowed*] under the weight of the snow. // この釣りざおはよく*しなう This fishing rod is very *flexible*. // その板は彼の重みで*しなった The board *gave* under him. [語法] この give は「(圧力・重みなどで) しなう・つぶれる・崩れる」の意.

しなうす **品薄** ―形 (不足している) short, in short supply ★ 前者のほうが口語的. ―動 (不足する) run short 自. 《☞ ふそく[1]》. ¶この手のものは*品薄だ This particular item is *in short supply*. / The stocks of this particular item *are running short*. **品薄株** short-supply stock Ⓒ.

しなおす **し直す** (もう一度する) *do* … again 他; (繰り返す) repeat 他. 《☞ やりなおす》.

しながき **品書き** (品物の) catalogue Ⓒ; (料理の) menu Ⓒ.

しなかず **品数** ¶あの店は*品数がそろっている (⇒ 商品のバラエティーが多い) They have a *large variety of goods* in that store.

しなかたち **品形** (人柄と容貌) pèrsonálity and appearance /əpí(ə)rəns/.

じなき **地鳴き** (鳥の) chirping Ⓤ.

しなぎれ **品切れ** (売り切れである) be sold out; (在庫がない [なくなる]) be [run] out of stock. 《☞ うりきれる》. ¶その本は*品切れです The book *is sold out*. / (⇒ 手に入らない) This book is *not available*. // ただいまエアコンは*品切れです Air-conditioners *are out of stock* at present.

シナゴーグ (ユダヤ教徒の礼拝堂) sýnagògue Ⓒ.

しなさだめ **品定め** ―動 (…について批評する) make comments on …; (評価する) appraise 他 ★ 格式ばった語; size úp 他 ★ 口語的な表現. ―名 appraisal Ⓤ. 《☞ ひょうか[1]》.

しなしな ―副 pliantly 《☞ しなやか》.

しなじな **品品** various articles. ¶結構な*品々をありがとうございました Thank you for the wonderful *presents* (you sent me).

しなす **死なす** (失う) lose 他.

しなだれかかる **撓垂れ掛かる** (媚びて寄りかかる) lean coquettishly (against …) 自; (すり寄る) snuggle [nestle] up (to …) 自.

しなだれる **撓垂れる** **1** «垂れ下がる»: hang down 自; (葉や枝が力なく垂れる) droop 自. 《☞ たれる》.
2 «寄りかかる»: lean ⌈against [on] …; (すり寄る) snuggle against … 《☞ よりかかる》.

しなちく ☞ メンマ

しなびる **萎びる** (植物が水分を失って) wither 自 他; (しおれる) wilt 自; (強い熱などに当たって縮まったり巻いたりする) shrivel 自. 《☞ かれる[1]; しぼむ》.

シナプス 〖生理〗(神経細胞の連接部) sýnapse Ⓒ.

しなぶそく **品不足** shortage of goods Ⓒ 《☞ しなうす》.

しなもの **品物** (1 個の物) article Ⓒ; (商品) goods ★ 複数扱いで, 数詞や many は付けない. 《☞ しな[1]; しょうひん[1]》.

シナモン (香味料) cínnamon Ⓤ.

しなやか ―形 (手などが柔らかくてきゃしゃな) soft and tender; (折らずに曲げたりねじったりできる) flexible; (とてもしなやかで簡単に曲げたり畳んだりできる) supple. 《☞ だんりょく》. ¶少女の*しなやかな手 the girl's *soft and tender* hands // *しなやかな体 a ⌈*flexible* [*supple*] body // 若い竹は*しなやかだ Young bamboo is quite *flexible*.

じならし **地ならし** ―動 (地面をならす) level (the ground) 他. ―名 ground leveling Ⓤ. 《☞ ならす[3]》.

じなり **地鳴り** ―動 rumble 自. ―名 rumbling of the earth Ⓤ.

シナリオ scenario /sɪné(ə)riòu/ Ⓒ 《複 ~s》, screenplay Ⓒ. 《☞ きゃくほん》. **シナリオライター** scenarist Ⓒ, scriptwriter Ⓒ, screenwriter Ⓒ.

しなる **撓る** ☞ しなう

しなれる **死なれる** ¶私は小学生の時に父に*死なれ

た (⇒ 父を失った) I *lost* my father when I was in elementary school. 《☞ しぬ》

しなん[1] **至難** ── [形] (非常に困難な) most difficult 《☞ むずかしい》. **至難の業**(わざ) herculean /hə̀ːkjʊlíːən/ tásk Ⓒ [参考] ギリシャ神話の英雄ヘラクレスのような力[能力]を必要とする仕事の意から.

しなん[2] **指南** ── [名] instruction Ⓤ, teaching Ⓒ ★ 前者はやや格式ばった語. ── [動] instruct (他), teach (他). ¶ 彼は名人の*指南を受けた He *was instructed* by the master. **指南役** instructor Ⓒ.

じなん **次男** the [*one's*] second son Ⓒ, the second son of *one*. 《☞ 親族関係 (囲み)》.

シナントロプス ペキネンシス 〖人類〗 Sinanthropus pekinensis Ⓤ ★ 北京(ペキン)原人 《☞ ペキン》の学名.

シニア senior Ⓒ. **シニア料金** senior (citizen) rate Ⓒ. ¶ 彼らは割引きの*シニア料金で旅行した They traveled at a discounted *senior rate*.

しにいそぐ **死に急ぐ** (死へと急ぐ) hurry [hasten] to *one's* death ★ hurry のほうが口語的.

しにおくれる **死に後れる** (生き延びる) survive (他); (…より長生きする) outlive (他). 《☞ いきのびる》.

しにがお **死顔** (死人の顔) the face of a dead person; (死んだ人の面影を石膏などで残しておくもの・デスマスク) death mask Ⓒ.

しにがね **死に金** (むだなお金) wasted money Ⓤ; (利用されないお金) dead capital Ⓤ.

しにがみ **死神** the god of death; Death ★ 後者は擬人化していう場合. 《☞ 擬人化 (巻末)》.

シニカル ── [形] (冷笑的な) cynical.

しにきれない **死に切れない** ¶ 彼女は自殺しようとしたが*死に切れなかった (⇒ 死にそこなった) She ˹tried [attempted] to commit suicide, but she *failed*. ‖ 無実の罪を晴らすまでは死んでも*死に切れない (⇒ 死ねない) I *can't die* until I clear myself of the false charge.

しにぎわ **死に際** ¶ 彼女は*死に際になって (⇒ 死の床で) 心に秘めていた恋を告白した She confessed her secret love ˹*at* [*on*] *her deathbed*.

しにく[1] **死肉** dead flesh Ⓤ, carrion Ⓤ ★ 後者は腐りかけた肉. ¶ ハイエナは*死肉をあさる Hyenas /haɪíːnəz/ feed on *carrion*.

しにく[2] **歯肉** gum Ⓒ, 〖解〗 gingiva /dʒíndʒəvə/ Ⓒ 《複 -vae /-vìː/》. **歯肉炎** 〖医〗 gingivitis Ⓤ.

しにざま **死に様** way to die Ⓒ. ¶ 醜い*死に様を見せたくない I don't want to die an ugly *death*.

シニシズム (冷笑(主義)・犬儒主義) cýnicism Ⓤ.

しにしょうぞく **死に装束** dress for *one's* last journey Ⓒ; (経かたびら) shroud Ⓒ.

しにせ **老舗** (古い店) old store Ⓒ; (昔創業した店[会社]) store [company] established a long time ago Ⓒ.

しにぞこない **死に損ない** ── [名] (自殺未遂者) would-be suicide Ⓒ; (無用に長生きした人) person who has outlived ˹his [her] time Ⓒ; (老いぼれ) dotard Ⓒ. ── [動] (死ぬことに失敗する) fail in a suicide attempt; (いつまでも無用に生きる) outlive *one's* usefulness.

しにそこなう **死に損なう** (死のうとして失敗する) fail to die; (死ぬ一歩手前まで行く) come near to dying; (…より長生きする) outlive (他); (生き残る) survive (他) (自). ¶ 2 人は自殺を図ったが, 男のほうは*死に損なった The couple tried to commit suicide but the man *failed in the attempt*. ‖ 彼は先の大戦で*死に損なったと (⇒ 戦友より生き延びたと) 悔やんでいる He regrets *having outlived* his comrades /kámræ̀dz/ in the last war.

しにたい **死に体** ¶ その力士は*死に体と判断された The sumo wrestler was judged to have been ˹in *shinitai* [(⇒ 完全に平衡を失っていると) *completely off balance*]. **死に体内閣** lame-duck cabinet Ⓒ.

しにたえる **死に絶える** (家系などが絶える) die out (自); (生物の種などが) become extinct ★ 格式ばった言い方. 《☞ ぜつめつ》.

しにどき **死に時** (死ぬ好機) opportunity to die Ⓒ; (死ぬ時期) the time to die Ⓒ. ¶ 彼は*死に時を逸した He missed the *opportunity to die*.

しにどころ **死に処** (fitting) place to die Ⓒ. ¶ 彼は*死に処を得た He found a *fitting place to die*.

しにばしょ **死に場所** place to die Ⓒ.

しにばな **死に花** ¶ *死に花を咲かせる (⇒ 立派な死をとげる) die a glorious death

シニフィアン 〖言〗(記号表現) signifier Ⓒ ★ フランス語 signifiant から.

シニフィエ 〖言〗(記号内容) signified Ⓒ ★ フランス語 signifié から.

しにみず **死に水** **死に水をとる** (死の床に立ち会う) be present at *a person's* deathbed.

しにめ **死に目** ¶ 彼は父の*死に目に会えなかった (⇒ 父の死の床に付き添えなかった) He couldn't be present at his father's *deathbed*. 《☞ りんじゅう》

しにものぐるい **死に物狂い** ── [副] (命がけで) for dear life, for *one's* life, 《略式》 like hell; (やけくそになって) desperately; (ものすごく) 《口語的》 frantically. ── [形] desperate; frantic. 《☞ ひっし[1]; いっしょうけんめい》.

¶ 彼は*死に物狂いで逃げた He ran *for* ˹*his* [*dear*] *life*. ‖ 彼女はその仕事を済ませるために*死に物狂いになっている She is working ˹*frantically* [*desperately*] to finish the project.

しにょう **屎尿** human waste Ⓤ 《☞ だいべん[2]; しょうべん》.

屎尿処理 (human) waste disposal Ⓤ **屎尿処理場** (human) waste disposal plant Ⓒ.

シニヨン (女性の束髪) chignon /ʃíːnjɑn/ Ⓒ ★ フランス語より.

しにわかれる **死に別れる** ¶ 私は 10 歳のとき両親に*死に別れました (⇒ 両親が死んだ) My parents *died* when I was ten years old. 《☞ しべつ》

しにん **死人** dead person Ⓒ; the dead ★ 複数として扱われる. 《☞ ししゃ[1]》. ¶ *死人に口なし *Dead men* tell no tales. 《ことわざ: 死人は告げ口をしない》

じにん[1] **自任** think [fancy] *oneself* [語法] fancy を使えば「かけ離れたことを考えている」というニュアンスがある. 《☞ にんじる; じしょう[1]》. ¶ 彼は天才を*自任している He ˹*thinks* [*fancies*] *himself* a genius.

じにん[2] **辞任** ── [動] (職をやめる) resign /rɪzáɪn/ (自) (他), 《略式》 quit (他) (自); (去る) leave (他) (自). ── [名] resignation Ⓤ. 《☞ じしょく; やめる[2]》. ¶ 職を*辞任する *resign* from *one's* ˹post [job] ‖ 議長を*辞任する *resign* as chair

じにん[3] **自認** ¶ 過失を*自認する *acknowledge one's own* mistake / (⇒ 過失を犯したことを認める) *acknowledge oneself to* have made a mistake 《☞ みとめる》

しぬ **死ぬ** ── [動] (最も普通に) die (自); (外からの原因で死ぬ) be killed; (婉曲な表現で) pass away (自); (自殺をする) kill *oneself*. ── [形] (死んだ) dead.

[日英比較] 日本語の「死ぬ」は病気などで死ぬのも, また交通事故や戦争など外的な原因で死ぬのも, 普通は区別しない. ところが英語では, 両方に *die* を使うことも可能だが, しばしば後者には *be killed* を用いる. 例えば「彼は交通事故で死んだ」は He *was killed* in a traffic accident. のように言うことが多い. これを日本語で「彼は交通事故で殺された」ということはできない. 日本語でもそういう言い方をしないこともないが, その場合は英語とはニュアンスが違ってしまう. 日本語で「殺される」 というのは犯罪としての殺人の意味であって, 英語では *be murdered* がこれに当たる. *be killed* は犯罪としての意図的殺人か, あるいは偶発的な事故による死亡かを問わず, 外的な原因による死亡を表す表現である. この関係を図示すれば次のようになる.

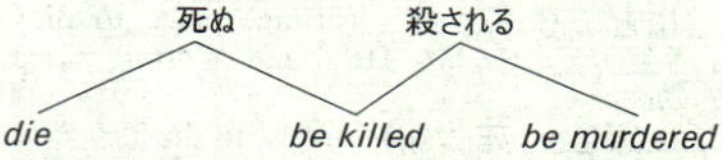

【類義語】「死ぬ」という最も一般的な語は *die* または *be killed*. 死を意味する婉曲的な表現として *pass away* がよく用いられる. その他やや文語的表現として, be gone (亡くなる), breathe *one's* last (息を引き取る), leave this world (他界する) などがある. (☞ し²; しぼう²) ¶ 彼は若くして*死んだ He *died* young. // 彼女は*死にかかっている She *is dying*. // 彼はがん[その傷がもと]で*死んだ He *died* ˹of cancer [from the wound]. [語法] 通例 die of は病気・飢え・老齢などにより, die from は外傷・不注意に起因する死を示すが, この区別は必ずしも明確ではない. // 彼は戦争[交通事故]で*死んだ He ˹*was killed* [*died*] in ˹the war [a traffic accident]. // 父が*死んでから 3 年になる My father has been *dead* for three years. / (⇒ 父は 3 年前に死んだ) My father *died* three years ago. // 幼い子を残して*死ぬに死ねない I don't want to *die* and leave my little children behind. // このことは*死ぬまで(⇒ 一生)忘れないぞ I will remember this ˹*to my dying day* [*all my life*]. / (⇒ 生きている限りこのことを覚えている) I'll remember this *as long as I live*. // 彼は*死ぬまで意識がはっきりしていた His mind was clear till the hour of his *death*. // 痛くて*死にそうだ (⇒ この痛みは私を殺してしまいそうだ) The pain *is killing* me. // のどが渇いて*死にそうだ I'*m dying* for water. // *死にそうに退屈だった I was bored *to death*. // この病気で*死ぬことはめったにない This disease is seldom *fatal*. // 息子は*死んだ父親に生き写しです The boy is the spitting image of his *dead* father. // 人は*死ぬものだ Man is *mortal*. // 彼はみじめな*死に方をした (⇒ みじめに死んだ) He died a miserable *death*. / He died like a dog. ★ die like a dog は「のたれ死にする」の意味の成句だがあまり一般的ではない. // 別れて暮らすなら*死んだほうがましだ We'd rather *die* than live separately.

コロケーション

苦しみながら死ぬ *die* ˹painfully [an agonizing *death*] / **静かに死ぬ** *die* calmly / **すぐ死ぬ** *die* quickly / **突然死ぬ** *die* suddenly / **安らかに死ぬ** *die* peacefully / **勇敢に死ぬ** *die* bravely // **飢えて[凍えて]死ぬ** *die* ˹from [of] hunger [the cold] / **国のために死ぬ** *die* for *one's* country / **けがで死ぬ** *die* from the injury / **熱病で死ぬ** *die* of the fever

じぬし 地主 (土地の所有者) landowner Ⓒ; (土地や家を貸す人) landlord Ⓒ.

じねずみ 地鼠 〘動〙 shrew Ⓒ, shrewmouse /ʃrúːmàus/ Ⓒ (複 -mice /-màɪs/).

じねつ 地熱 the internal heat of the earth, geothermal heat Ⓤ. (☞ ちねつ (地熱発電)).

シネマ 《米》 the movies, 《英》 the cinema ★ the を付けて用いる.

シネマスコープ 《商標》 CinemaScòpe.

シネラマ cìneráma Ⓤ.

シネラリア 〘植〙 cineraria /sìnəré(ə)riə/.

じねんじょ 自然薯 〘植〙 (ヤマノイモ) (Japanese) yam Ⓒ.

しの 篠 (小ぶりの竹) a small kind of bamboo; (笹) bamboo grass Ⓤ. **篠を突く雨** ☞ しのつく

しのう 子嚢 〘植〙 ascus /ǽskəs/ Ⓒ (複 asci /ǽs(k)aɪ/).

しのうこうしょう 士農工商 feudal classes of warriors, farmers, artisans and tradesmen ★ 説明的な訳.

しのぎ 鎬 しのぎを削る (激しい競争をする) have a fierce competition (for ...).

-しのぎ -凌ぎ ¶ 一時*しのぎ a makeshift / a stopgap // 暑さ[寒さ]*しのぎに[の] to keep out the ˹heat [cold] // 退屈*しのぎに[の] to kill time **当座の凌ぎ** ☞ とうざ (当座しのぎ)

しのぐ 凌ぐ **1** «防ぐ»: (防ぐ) defend ㊙; (守る) protect ㊙; (避難する) take shelter.

¶ 今年の冬は*しのぎやすい (⇒ 穏やかな冬だ) It's been a *mild* winter this year. // 我々は少量のパンと水で 10 日間飢えを*しのいだ (⇒ 生きた) We lived on a small amount of bread and water for ten days.

2 «まさる»: (ある点においてまさる) surpáss ㊙, excel ㊙, exceed ㊙. (☞ まさる; りょうが).

¶ 彼は知識においては師を*しのいでいる He ˹*surpasses* [*exceeds*] his teacher in knowledge.

しのこす し残す (仕上げずに[半分済ませて]残す) leave ... ˹unfinished [half-done] (☞ やりっぱなし). ¶ 君が*し残した分は私がやります I'll do what you have left ˹*unfinished* [*half-done*].

しのごの 四の五の **四の五の言う** (あれこれ文句を言う) complain about this and that; (...のことで不平を言う) grumble ˹at [about; over]... (☞ つべこべ; もんく). ¶ *四の五の言うな (⇒ 細かいことで騒ぐな[文句を言うな]) *Don't* ˹*make a fuss* [*complain*] *about* such little things. / (⇒ 黙れ) *Shut up*! // *四の五の言わずに without *complaint*

しのしょうにん 死の商人 merchant of death Ⓒ.

しのつく 篠突く **篠突く雨** pouring rain Ⓤ ★ しばしば複数形で; (土砂降り) downpour Ⓒ. (☞ ごうう).

シノニム sýnonỳm Ⓒ (☞ 類義語 (巻末)).

しののめ 東雲 (夜明け) dawn Ⓤ, daybreak Ⓤ ★ 前者のほうがやや格式ばった語.

しのはい 死の灰 (放射性降下物) radioactive fallout Ⓤ, death ash Ⓤ ★ 前者が一般的.

しのばせる 忍ばせる (声を忍ばせる) talk in whispers ㊀, whisper ㊀ ㊙; (物を隠す) conceal ㊙, hide ㊙ ★ 前者のほうが格式ばった語だが, 見出し語の語感には近い; (足音を) walk stealthily ㊀. (☞ こそこそ). ¶ 私たちは声を*忍ばせて話した We *talked in whispers*. // 彼はピストルをかばんに*忍ばせていた (⇒ 隠し持っていた) He *carried* a pistol *secretly* in his bag.

しのび 忍び ☞ にんじゃ

しのびあい 忍び逢い rendezvous /rɑ́ːndɪvùː/ Ⓒ.

しのびあし 忍び足 ―動 (そっと歩く) walk stealthily ㊀. ―名 stealthy steps ★ 複数形で. (☞ ぬきあし; こそこそ).

しのびあるき 忍び歩き ―名 (身分を隠して旅をすること) traveling incognito Ⓤ. ―動 travel incognito; (そっと歩く) tiptoe ㊀, walk on tiptoes.

しのびがえし 忍び返し 〘建〙 spike Ⓒ.

しのびごえ 忍び声 ―名 whisper Ⓒ. ―動

（忍び声で話す）whisper (自), speak in whisper.

しのびこむ　忍び込む　（こっそりと入る）steal (into …) (自);（こそこそと入り込む）sneak (into …) (自);（泥棒が侵入する）break (into …) (自).　¶泥棒は地下室から銀行に*忍び込んだ The burglars *broke into* the bank from the basement.

しのびない　忍びない　cannot ｢stand [bear] (他).　¶あの状態は見るに*忍びない I *cannot bear* to see that situation.

しのびなき　忍び泣き　―[動] sob (自).　―[名]（忍び泣き（の声））sob [C].《☞ なく[1]》.

しのびのもの　忍びの者　☞ にんじゃ

しのびよる　忍び寄る　steal up (自).　¶見知らぬ人が暗やみで私の方に*忍び寄ってきた A stranger *stole up* to me in the darkness.

しのびわらい　忍び笑い　―[動] chuckle [C]; laugh to *oneself*.　―[名] chuckle [C].《☞ わらい》.

しのぶ[1]　忍ぶ　**1**《我慢する》:（耐える）bear (他)　[語法] can, could とともに, 疑問文・否定文に用いられることが多い;（怒りなどをこらえる）put up with … ★ 口語的.《☞ たえしのぶ; がまん（類義語）; たえる[1]; しんぼう[1]》.

2《隠れる》: hide (*oneself*) (自) (他).　¶2人は毎晩人目を*忍んで会った（⇒ 秘密の会合を持った）The couple *had a secret meeting* every night.

しのぶ[2]　偲ぶ　¶私たちは亡き M 氏を*偲んで会を催した We held a meeting *in memory of* the late Mr. M.

しのぶぐさ　忍ぶ草　〘植〙hare's foot fern [U].

シノプシス　（あらすじ）synopsis /sɪnάpsɪs/ [C]《複 -ses /-siːz/》《☞ たいい[1]; あらすじ》.

しば[1]　芝　（芝草）grass [U];（刈り込んだ芝生）lawn [C];（芝生の地面からはぎ取って四角に切った泥つきの芝）turf [C].　¶庭に*芝を植える lay *turf* in the garden ★ この場合は turf は [U] で用いる.《☞ しばふ》　**芝刈り** ―[動]（芝を刈る）mow /móʊ/ the lawn　**芝刈り機** lawn mower [C]　**芝目**〘ゴルフ〙the grain of the turf.

しば[2]　柴　（たきぎ）firewood [U].　**柴刈り** ―[動]（たきぎを集める）gather firewood.

じば[1]　磁場　〘物理〙magnetic field [C].

じば[2]　地場　―[形] local.　**地場産業** traditional local industry [U].

ジハード　（（イスラムの）聖戦）jihad /dʒihǽd/ [C].

しはい[1]　支配　―[動]（国を治める）rule (他);（政治的に支配する）govern (他);（優勢な力で）dóminàte (他);（抑圧して）control (他).　―[名] rule [U]; government [U];（管理）control [U].　―[形]（支配的な・優勢な）dominant;（多数を占める）predominant.

【類義語】権力で国を治めるのが *rule*, 権力者が政治組織を通じて支配するのが *govern* だが, 前者のほうが平易な言葉として *govern* の代わりによく用いられる. 優勢な力で他を支配するのが *dominate* で, あまりよい意味には用いられない. [形] の *dominant* は勢力・権力で優位を占めている意味だが, よく「抜きんでている」という比喩的な意味に用いられる.（(例) 当時の*支配的な考え the *dominant* idea at that time). 数の上で支配的なのは *predominant* という. 他を抑えつけて支配・管理するのは *control*.《☞ おさめる[2]（類義語）; とうち[2]》　¶その国は王が*支配している A king ｢*rules* [*governs*] that country. // 独裁者は完全にその国を*支配していた The dictator had complete *control* over the country. // ローマ帝国は2千年前に世界の相当の部分を*支配した The Roman Empire *dominated* a large part of the world two thousand years ago. // この意見が若い人たちの間に*支配的である This opinion is *predominant* among young people.

支配階級 the ruling class　**支配者** ruler [C]　**支配人** mánager [C].

しはい[2]　賜杯　（カップ・盾など）trophy [C]; cup [C].《☞ ゆうしょう[1]》.

しはい[3]　紙背　☞ がんこう[1]

しばい　芝居　play [C]; drama [C] ★ 前者が普通. drama は演劇というジャンルの意味では [U].《☞ げき[1]; えんげき》.

¶今晩*芝居でも見に行かないか How about going to ｢the *theater* [a *play*] this evening? ★ [　] 内のほうが口語的. // 彼は*芝居がうまい（⇒ よい俳優だ）He is ｢a good [an excellent] *actor*. /（⇒ 彼の本音はなかなかわからない）You never know what he is thinking. // その*芝居は当たった The *play* has ｢been successful [become a big hit]. ★ [　] 内のほうが口語的. // その*芝居は受けなかった The *play* was not very popular. / The *play* was a failure. // 彼女は本当に泣いているんじゃないよ. *芝居だよ（⇒ 演技をしているだけだ）She's not really crying. She's only *acting*.

芝居気　¶彼はなかなか*芝居気がある He is quite a *showman*.　**芝居見物** theatergoing（《英》theatregoing）[C]　**芝居小屋** playhouse [C]《☞ げきじょう[1]》　**芝居好き** theatergoer（《英》theatregoer）[C].

しばいがかる　芝居がかる　¶*芝居がかったしぐさ a ｢*theatrical* [*melodramatic*] gesture

じばいせき(ほけん)　自賠責(保険)　（自動車損害賠償責任保険）compulsory ｢automobile [motor vehicle] liability insurance [U].

しばいぬ　柴犬　〘動〙*Shiba Inu* [C]; a breed of small Japanese dog.

しばいひん　試売品　goods on trial sale ★ 複数扱いで, 数詞や many は付けられない.

しばえび　芝蝦, 芝海老　〘動〙prawn [C]《☞ えび》.

じはく　自白　―[動] confess (他) (自).　―[名] confession [U] ★ 個々の自白の場合は [C].《☞ じきょう; はくじょう[2]》.　¶その男はすっかり罪を*自白した The man ｢*confessed* all his crimes [*made a* full *confession* of his crimes]. // 拷問, 強要による*自白は証拠にならない *Confessions* extracted by torture or coercion cannot be accepted as evidence.　**自白剤** truth ｢drug [serum] [C].

じばく　自爆　（一般に）self-destruction [U];（自殺行為の爆破）súicide bómbing [C].　**自爆攻撃** suicide attack　**自爆テロ**（terrorist) suicide bombing [C].

しばぐり　柴栗　small chestnut [C].

しばざくら　芝桜　〘植〙（花瓜草）moss pink [C].

しばしば　many times; often; frequently.

【類義語】何度も繰り返すことを表す最も一般的な表現が *many times*. 回数をいうよりは, 半ば習慣的にたびたび起こるのが *often* で, この言葉も平易な口語. *often* より格式ばっており, しかも頻度がより高いというニュアンスのある語が *frequently*.《☞ よく[1]; 副詞の位置（巻末）》

¶私はその国を*しばしば訪れた I have visited that country *many times*. // 私は昼食に*しばしばサンドイッチを食べる I *often* eat a sandwich for lunch.　[語法] often はほかの頻度を表す副詞と同様, 位置は文頭・文末も可能であるが, 普通は動詞の前に置かれることが多い.《☞ 副詞の位置（巻末）》// 彼は*しばしば同じような間違いをする He makes the same kind of mistake very *often*. // この問題はこの会議で*しばしば討議されました This problem has *frequently* been discussed at our meetings.

しばせん　司馬遷　―[名] (固) Ssu-ma Ch'ien, 145?–?85 B.C. ★ 中国前漢の歴史家.

じはだ 地肌 (皮膚の) skin Ⓤ; (地面の) ground Ⓤ.
しばたく 瞬く ☞ しばたたく
しばたたく 瞬く blink ⓐ ((☞ まばたき)).
じばち 地蜂 small black wasp Ⓒ.
しはつ 始発 (始発の便) the first run; (始発列車・電車) the first train; (駅) starting station Ⓒ.
¶ 組合は*始発から午前 8 時までのストライキをする The ⌈workers' [labor] union will stage a strike from *the first run* ⌈to [until] 8:00 a.m.
始発駅 terminal Ⓒ ★「終着駅」にもなる.
しばづけ 柴漬け *shiba-zuke* Ⓤ; (説明的には) pickled eggplants flavored with perilla.
じはつてき 自発的 ── 形 (自分の自由な意志による) voluntary /vάləntèri/. ── 副 voluntarily /vὰləntérəli/. ((☞ すすんで; にんい)). ¶ 彼は*自発的にそのグループに参加した He joined the group *voluntarily*.
しばふ 芝生 (芝草) grass Ⓤ ★ the を付けて使う. 最も一般的な語; (刈り込んだ芝生) lawn Ⓒ. ((☞ しば[1])).

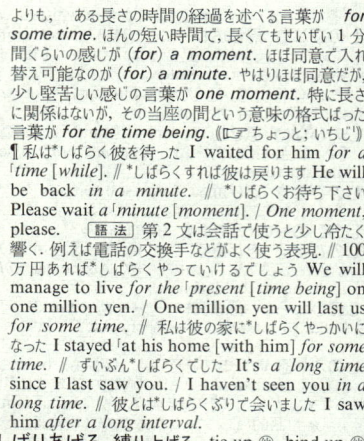

¶ *芝生に入らないで下さい (掲示) Please Keep Off the Grass
しばぶえ 柴笛 ¶ *柴笛を吹く (⇒ 木の葉を鳴らす) play a tune by vibrating a leaf
しばやま[1] 芝山 grassy ⌈hill [knoll] Ⓒ.
しばやま[2] 柴山 shrubby ⌈hill [knoll] Ⓒ.
じばら 自腹 **自腹を切って** (自分の費用で) out of *one's* own pocket, at *one's* own expense ★ 前者のほうが口語的. ((☞ じひ[1])).
¶ 私たちの夕食は彼が*自腹を切った He *paid* for our dinner *out of his own pocket*.
しはらい 支払い payment Ⓤ ★「支払い額」の意味では Ⓒ. ((☞ はらう; かんじょう[2])). ¶ 車の*支払いは月 5 万円です My car *payments* are fifty thousand yen a month. // 先月末に 30 万円の*支払いを受けた We *were paid* three hundred thousand yen at the end of last month. // *支払い済み (表示) *Paid*
支払い勘定 account payable Ⓒ **支払い期日** the date of payment **支払い先** payee Ⓒ **支払い準備制度** reserve fund system Ⓒ **支払い条件** terms of payment ★ 複数形で. **支払い高** (払った額) the amount paid; (支払わなければならない額) the amount due **支払い停止** suspension of payment Ⓤ **支払い手形** bill payable Ⓒ **支払い伝票** payment slip Ⓒ **支払い人** payer Ⓒ **支払い能力** solvency Ⓤ. ¶ この額は私の*支払い能力を超えている (⇒ とても支払えない) I can't *afford* this amount. **支払い不能** insolvency Ⓤ **支払い保証** certification of payment Ⓤ **支払い保証小切手** certified check Ⓒ **支払い命令** order for payment Ⓒ **支払い猶予** mòratórium Ⓒ (複 ~s, moratoria) **支払い猶予期間** days of grace.
しはらう 支払う pay ⓐ ⓑ; (借金などを) páy báck ⓐ; (完済する) páy óff ⓐ. ((☞ はらう)).
しばらく 暫く (少しの間) for a ⌈time [while]; (ある時間) for some time; (ほんのちょっとの間) (for) a moment, (for) a minute ★「しばらくたつと」の意味のときは in a minute となる; (やや堅苦しく) one moment; (当分の間) for the time being.
【類義語】何分間とか何時間とかいう時間の長さには特に関係はないが, とにかくあまり長い時間でないことを表すのが *for a ⌈time [while]*. 時間が短いということよりも, ある長さの時間の経過を述べる言葉が *for some time*. ほんの短い時間で, 長くてもせいぜい 1 分間ぐらいの感じが *(for) a moment*. ほぼ同意で入れ替え可能なのが *(for) a minute*. やはりほぼ同意だが, 少し堅苦しい感じの言葉が *one moment*. 特に長さに関係はないが, その当座の間という意味の格式ばった言葉が *for the time being*. ((☞ ちょっと; いちじ[1]))
¶ 私は*しばらく彼を待った I waited for him *for a ⌈time [while]*. // *しばらくすれば彼は戻ります He will be back *in a minute*. // *しばらくお待ち下さい Please wait *a ⌈minute [moment]*. / *One moment*, please. 語法 第 2 文は会話で使うと少し冷たく響く. 例えば電話の交換手などがよく使う表現. // 100 万円あれば*しばらくやっていけるでしょう We will manage to live *for the ⌈present [time being]* on one million yen. / One million yen will last us *for some time*. // 私は彼の家に*しばらくやっかいになった I stayed ⌈at his home [with him] *for some time*. // ずいぶん*しばらくでした It's *a long time* since I last saw you. / I haven't seen you *in a long time*. // 彼とは*しばらくぶりで会いました I saw him *after a long interval*.
しばりあげる 縛り上げる tie up ⓐ, bind up ⓐ ★ 後者がより格式ばった表現.
しばりくび 縛り首 hanging Ⓤ ★ 個々の例では Ⓒ. ¶ 犯罪者を*縛り首にする *hang* a criminal // *縛り首になる be *hanged*
しばりつける 縛り付ける tie ⓐ ((☞ しばる)).
しばる 縛る (くくりつける) tie ⓐ; (縛って 1 つにする) bind ⓐ (過去・過分 bound).
【類義語】綱・ひもなどで結びつけて動かないようにするのが *tie*. 2 つ以上のものをひもなどで結びつけ, 1 つになるようにするのが *bind*. ただし, この 2 語はほぼ同じ意味で用いられることも多い. なお *tie*, *bind* は比喩的に, 時間や自由などを束縛する意味にもなるが, 強いものに抑えられ, 自由がきかなくなるのが *tie* で, 義務や友情などに束縛されるのが *bind*. ((☞ こうそく[1]; そくばく))
¶ その男は手足をロープで*縛られていた The man had his hands and feet ⌈*bound* [*tied*] with (a) rope. // 彼は新聞を*縛って束にした He *bound* the newspapers into a bundle. // 2 人 3 脚では 2 人の人が足を*縛る In a three-legged race, two people ⌈*tie* [*bind*] their legs together. // 彼女はいつでも髪をリボンで*縛っている She always *ties* her hair with a ribbon. // 私はこの仕事にもう何週間も*縛られている I *have been tied* to this work for weeks. // 私は時間に*縛られない職業につきたい I'd like to take a job ⌈not *bound* by time [free from the *restrictions* of working set hours]. // うちの学校では服装は厳しい規則に*縛られている (⇒ 服装に関して厳しい規則がある) In our school *there are hard and fast rules* about what to wear.
じばれ 地腫れ swelling (around an injury) Ⓒ ((☞ はれ[2])).
しばれる ── 動 freeze ⓑ; (凍りつくほど寒い) be freezingly cold ★ いずれも it を主語にして.
しはん[1] 市販 ── 動 (市場に出す) put ... on the market; (売られている) be on sale. ¶ 次々に新しい製品が*市販される New articles *appear on the market* one after another. // その薬はもう*市販されていますか *Is* the medicine *on sale* yet?
しはん[2] 師範 (手本) model Ⓒ; (先生) instructor Ⓒ, teacher Ⓒ. ((☞ てほん; せんせい[1])). **師範学校** normal school Ⓒ **師範代** substitute teacher Ⓒ.
しはん[3] 紫斑 (赤紫色のあざ) purplish-red spot Ⓒ. **紫斑病** purpura /pə́ːpjurə/ Ⓤ.
しはん[4] 死斑 death spot Ⓒ.
じはん 事犯 (犯罪行為) crime Ⓒ; (不法行為) offense ((英)) offence) Ⓒ. ((☞ はんざい)).

じばん[1] 地盤 (土地) ground Ⓤ; (足がかり) footing Ⓒ; (選挙区) constituency Ⓒ; (土台) foundations ★ 複数形で.
¶その家は堅い*地盤の上に建っている The house「is [stands] on firm *ground.* // この地域は*地盤が柔らかい The *ground* is soft in this area. // この辺は地震で*地盤が沈下した The *ground* around here sank because of an earthquake. // 彼の選挙*地盤 (⇒ 選挙区) は工業地区だ His *constituency* is an industrial area. // まず*地盤を固めなければならない (⇒ 強める) First we must「strengthen [(⇒ 築きあげる) build up] the *foundations.* / (⇒ 地位を安全にする) First we must make our *position* secure. // 全般的には国立大学の*地盤沈下が著しい (⇒ かつての威信を失いつつある) Generally, the national universities *are losing* to a great extent *the prestige* /prestíːʒ/ they once enjoyed.
地盤液化 earth liquefaction Ⓤ.
じばん[2] 襦袢 ☞ じゅばん
しはんき 四半期 ── [名] quarter Ⓒ. ── [形] (四半期ごとの) quarterly. ¶第一*四半期 the first *quarter* (of the year)
じはんき 自販機 vending machine Ⓒ.
ジパング Zipangu /zɪpǽŋguː/ ★ マルコポーロによる日本の呼称.
しはんけい 視半径 〘天〙 apparent radius /réɪdiəs/ 《複 radii /-diàɪ/, 〜es》 Ⓒ.
ジバンシー ── [名] 固 Hubert de Givenchy /juːbéədəʒìːvɑːnʃíː/, 1927– . ★ フランスのファッションデザイナー.
しはんぶん 四半分 quarter Ⓒ, one-fourth Ⓤ.
しひ[1] 私費 **私費留学生** student studying abroad at「his [her] own expense Ⓒ; (海外から来た留学生) foreign student studying at「his [her] own expense Ⓒ. 《☞ じひ[1]》.
しひ[2] 市費 municipal expenditure Ⓤ. ¶*市費で at *municipal expense*
しひ[3] 詩碑 monument engraved with a poem Ⓒ 《☞ ひ[8]》.
じひ[1] 自費 *one's* own expense 《☞ じばら; じべん》. ¶彼は昆虫に関する本を*自費で出版した He published a book on insects at *his own expense.*
じひ[2] 慈悲 ── [名] (情け) mercy Ⓤ; (あわれみ) pity Ⓤ. ── [形] (慈悲深い) merciful; (心の優しい) kindhearted. 《☞ なさけ》.
シビア (厳しい) severe /sɪvíə/; (つらい) hard; (難しい) difficult 日英比較「シビア」が必ずしも英語の severe には当たらないことに注意. 《☞ きびしい》.
¶*シビアな競争 *severe* competition // 彼の言うことはなかなか*シビアです His remarks are very *severe.* // *シビアな状況で in a very「*difficult* [*delicate*] situation
じびいんこうか 耳鼻咽喉科 (医師) ear, nose, and throat specialist Ⓒ, ENT /iːèntíː/ doctor Ⓒ, otolaryngologist Ⓒ; (分野) otolaryngology /òutəlæ̀rəŋgálədʒi/ Ⓤ.
じびか 耳鼻科 ☞ じびいんこうか
じびき 字引 dictionary Ⓒ 《☞ じしょ[2]》. ¶生き*字引 a walking *dictionary*
じびきあみ 地曳網 dragnet Ⓒ 《☞ あみ[1]》.
しひつ 史筆 historical way of writing Ⓒ; (歴史の見方) view of history Ⓒ.
じひつ 自筆 ── [名] autograph Ⓒ ★ 自筆の原稿やサインなどをいう. ── [形] (自分の手で書いた) written in *one's* own hand. 《☞ じきひつ》. **自筆遺言** holograph will Ⓒ.
シビックセンター (市民会館・官庁地区) civic「center [《英》 centre] Ⓒ.
しびと 死人 ☞ しにん

じひびき 地響き (どしんという音) thud Ⓒ. ¶その木は*地響きを立てて倒れた The tree fell with a *thud.*
しひょう[1] 指標 index Ⓒ 《複 〜es, indices /índəsìːz/》. **指標株** index [barometer] stock Ⓒ.
しひょう[2] 死票 (落選者への投票) wasted vote Ⓒ.
しひょう[3] 師表 model Ⓒ.
しびょう 死病 (致命的な) fatal「illness [disease] Ⓒ; (不治の) incurable「illness [disease] Ⓒ.
じひょう[1] 辞表 resignation Ⓒ 《☞ じしょく; やめる[2]》. ¶市長は市議会に*辞表を提出した The mayor「sent [handed] in his *resignation* to the city council. // 彼の*辞表は受理された His *resignation* was accepted.
じひょう[2] 時評 (時事の批評) comment on current「affairs [events] Ⓒ. ¶社会*時評 a *comment on current* (social) *events* // 文芸*時評 a literary「*comment* [(⇒ 特に書物や劇の) *review*]
じびょう 持病 (以前から悩まされ続けている病気) old complaint Ⓒ; (慢性病) chronic disease Ⓒ. ¶祖母は*持病のリューマチで苦しんでいる My grandmother is suffering from「her *old complaint* of rheumatism /rúːmətìzm/ [*chronic* rheumatism].
シビリアン ── [名] (一般人・民間人) civilian Ⓒ. ── [形] civilian. **シビリアンパワー** civilian power Ⓒ.
シビリアンコントロール civílian control Ⓤ.
シビリゼーション (文明) civilization Ⓤ 《☞ ぶんめい[1]》.
シビルミニマム the minimum living and environmental conditions to be guaranteed by a municipality 日英比較「シビルミニマム」は和製英語.
しびれ 痺れ (感覚がないこと) numbness /nʌ́mnəs/ Ⓤ; (麻痺) paralysis /pərǽləsɪs/ Ⓤ; (座っていたりしたときの足のしびれ) sleep Ⓤ. 《☞ まひ; むかんかく》. **しびれを切らす** (忍耐を失う) lose *one's* patience, grow impatient. ¶彼女はしばらく待っていたが, *しびれを切らして出ていった She waited for some time, but *became impatient* and left room. // 彼は*しびれを切らして (⇒ 待ちくたびれて), とうとう私の家までやって来た Finally, *getting tired of* waiting, he came to my house. / Finally, he *got tired of* waiting and came to my house. ★ 第 2 文のほうが口語的. **痺れ薬** àn(a)esthétic Ⓒ 《☞ ますい (麻酔剤)》.
しびれる 痺れる (感覚が鈍くなって) be numbed; (筋肉などが動かなくなる) be páralỳzed; (長く座っていたりして感覚がなくなる) be asleep ★ 足が主語. 《☞ まひ; むかんかく》.
¶寒さで指が*しびれた (⇒ 寒さが私の指をしびれさせた) The cold *numbed* my fingers. // 畳に長く座っていたので足が*しびれた I have been sitting on a tatami for a long time, and my legs *are asleep.* / My legs are *numb* from sitting on a tatami too long. // 彼の歌には*しびれてしまった I found myself *carried away* by his song. ★ carry away は「夢中にさせる, ほれぼれさせる」の意.
しびん 溲瓶, 尿瓶 chamber pot Ⓒ.
じびん 次便 (郵便) the next「mail [《英》 post]; (飛行機) the next flight.
しふ 師父 (師と父) *one's* master and father; (父のような師) fatherly master Ⓒ.
シフ ☞ シーアイエフ
しぶ[1] 支部 (一般的に) branch (office) Ⓒ; (クラブや同窓会などの支部) 《米》 chapter Ⓒ. 《☞ してん[1]》. **支部長** head [manager] of a branch office Ⓒ.

しぶ[2] **渋** (渋味) astríngent taste Ⓤ 《☞ しぶい》. ¶茶*渋 tea *stains* **渋色** tan Ⓤ **渋茶** coarse green tea Ⓤ.

じふ[1] **自負** ── [名] (自信) self-confidence Ⓤ; (うぬぼれ) self-conceit Ⓤ. ── [動] be confident; (自己を高く評価する) think highly of *oneself*. 《☞ じしん[1]; うぬぼれ》. **自負心** self-confidence Ⓤ.

じふ[2] **慈父** devoted father Ⓒ.

ジブ 〘ヨット〙(船首の三角帆) jib Ⓒ.

しぶい **渋い** **1** 《味が》: (きつくて突き刺すような) sharp and stinging; (渋柿のように渋い) astringent.
2 《地味な》: (色彩などが) sober; (おとなしい感じの) quiet; (黒っぽい) dark 日英比較 日本語で言う「渋味のある」という感じにぴったりした英語は 1 語では存在しないので, 説明的に言わなくてはならない場合が多い. 《☞ じみ[1]》.
¶*渋い色 *quiet* [*dark*] colors // 古い日本家屋には*渋い美しさがある (⇒ 簡素で芸術的な) Old Japanese houses have a *simple and artistic* beauty.
3 《けちな》: (締まり屋の) tight with money, tightfisted ★ 2 つとも口語的. 《☞ けち》.
4 《気難しい》: (不機嫌な) cross 《☞ ふきげん》. ¶父はその手紙を読んで*渋い顔をした My father became *cross* after reading the letter.

しぶいた **四分板** half-inch-thick board Ⓒ.

しぶうちわ **渋団扇** tan-painted fan Ⓒ.

シフォン (薄い生地) chiffon /ʃɪfɑ́n/ Ⓤ. **シフォンケーキ** chiffon cake Ⓤ.

しぶおんぷ **四分音符** 〘楽〙《米》quarter note Ⓒ, 《英》crótchet Ⓒ.

しぶがき **渋柿** astringent persimmon Ⓒ.

しぶがっしょう **四部合唱** 〘楽〙(vocal) quartet(te) /kwɔːtét/ Ⓒ.

しぶがっそう **四部合奏** 〘楽〙quartet(te) Ⓒ.

しぶがみ **渋紙** tanned paper Ⓤ.

しぶかわ **渋皮** ¶栗の*渋皮 (⇒ 表面の) the *astringent* ⌈*coating* [(⇒ 内皮の) *inner layer*] of a chestnut // *渋皮のむけた女性 (⇒ 洗練された) a ⌈*refined* [(⇒ 教養があってあか抜けた) *sophisticated*] woman

しぶき ── [名] (霧のように細かい水煙) spray Ⓤ; (はね散る水) splash Ⓒ. ── [動] (しぶきを上げる) splash (自). ¶彼は大きな水*しぶきを上げてプールに飛び込んだ He plunged into the pool, making a great *splash*. // 車は浅い流れを水*しぶきを上げて横切った The car *splashed* across the shallow stream.

しぶきゅう(し)ふ **四分休(止)符** 〘楽〙quarter rest Ⓒ.

しふく[1] **私服** (制服に対して) pláin clothes /klóu(ð)z/; (軍服に対して) civilian clothes ★ いずれも複数形で. **私服警官** pláinclóthesman Ⓒ.

しふく[2] **私腹** **私腹を肥やす** line *one's* pockets. ¶彼は公共事業で*私腹を肥やそうとした He tried to *line his pockets* from a public enterprise.

しふく[3] **至福** supreme bliss Ⓤ; (幸福の頂点) the peak of *one's* happiness.

しふく[4] **紙幅** space Ⓤ 《☞ しめん[2]》. ¶*紙幅が尽きましたので (⇒ 手紙が長くなりすぎるので) これで筆を置きます I am afraid this *letter is getting too long, so I will stop here.*

しふく[5] **雌伏** ── [動] bide *one's* time.

しぶく **繁吹く** (しぶきとなって飛び散る) spray (自), splash (自). 《☞ ふきぶり》.

じぶくろ **地袋** floor cupboard Ⓒ.

ジプシー Gypsy Ⓒ, 《英》Gipsy Ⓒ ★ 普通大文字で始める. ジプシーの自称としては Romany Ⓒ, Roma (複数形)のほうが好まれる.

しぶしぶ (気の進まないまま) unwillingly; (いやいやながら) reluctantly 語法 前者のほうが後者よりも不満の気持ちが強い. 前者はできれば拒否したいという気持ちだが, 後者は乗り気ではないが一応同意するという気持ち. 《☞ ふしょうぶしょう; しかたなく》.
¶彼女は*しぶしぶそれをやった She did it *unwillingly*. // 彼は*しぶしぶ自分の非を認めた He admitted *reluctantly* that he was in the wrong. / It was *with reluctance* that he admitted his faults. ★ 第 1 文のほうが口語的.

ジブチ ── [名] (固) (国名) Djibouti /ʤɪbúːti/; (正式名) the Republic of Djibouti ★ アフリカ北東部, アデン湾西岸にある国. ── [形] Djiboutian /ʤɪbúːʃən/. **ジブチ人** Djiboutian Ⓒ.

しぶちん **渋ちん** ☞ けち

しぶつ **私物** (自分のもの) *one's* (own) thing Ⓒ ★ 最も平易な言い方; (私有財産) personal property Ⓤ; (身の回り品) personal effects ★ 格式ばった言い方. 複数形で. 《☞ もちもの》. ¶彼は会社の車を*私物化している He *is misappropriating* the company car *for* his *private use*.

じぶつ **事物** (物・事) things; (出来事) affairs ★ 以上複数形で. 《☞ ふうぶつ; ものごと》.

ジフテリア 〘医〙diphtheria /dɪfθí(ə)riə/ Ⓤ. **ジフテリア菌** (the) diphtheria bacillus Ⓒ 《複 bacilli /bəsílaɪ/》, diphtheria bacteria ★ 複数形. 《☞ きん[2]》 **ジフテリア血清** antidiphtheria serum /sí(ə)rəm/ Ⓤ.

シフト (移行) shift Ⓒ; (野球で相手の攻撃に対してとる特別の守備位置) shift Ⓒ, defensive formation (against ...) Ⓒ; (勤務体制) shift Ⓒ. **シフトキー** shift (key) Ⓒ **シフトジスコード** Shift-JIS /ʤéɪàɪés/ còde Ⓤ **シフトダウン** ── [動] (車で上り坂においてギアをローへ切り換える) downshift (自), shift into a lower gear, 《英》change down (自).

しぶとい (態度が頑固な) óbstinate; (性格的に強情で言うことをきかない) stubborn; (断固として屈服しない) unyielding. 《☞ がんこ (類義語); しつこい; ねばりづよい》. ¶*しぶとい精神 *unyielding* spirit // 敵も*しぶとかった (⇒ なかなか降参しなかった) My opponent would *not give in* easily.

ジプニー jeepney /ʤíːpni/ Ⓒ ★ フィリピンの小型乗合バス.

しぶぬき **渋抜き** ── [動] remove the astringency (of persimmons).

じふぶき **地吹雪** snow blown about by the wind Ⓤ.

しぶみ **渋味** (味が渋い) astringency Ⓤ; (態度や様子などが簡素で地味) severity /səvérəti/ Ⓤ; (上品で趣がある) refinement Ⓤ. 《☞ しぶい》.

ジブラルタル ── [名] (固) Gibraltar /ʤɪbrɔ́ːltə/ ★ イベリア半島南端の英国直轄領. **ジブラルタル海峡** the Strait of Gibraltar ★ スペインとモロッコとの間にある海峡.

しぶりばら **渋り腹** 〘医〙tenésmus Ⓤ.

しぶる **渋る** (気が進まない) be unwilling (to *do* ...); (気が進まないのでやりたがらない) be reluctant (to *do* ...); (決断がつかず躊躇(ちゅうちょ)する) hesitate (自). 《☞ いやがる; ためらう; なんしょく; しぶしぶ 語法》.
¶彼はその会に出席することを*渋った He *was* ⌈*unwilling* [*reluctant*] to attend the meeting. // 彼は返事を*渋った He ⌈*was reluctant* [*hesitated*] to answer the question.

しぶろく **四分六** (4 対 6) a ratio of six to four; (成功率など) sixty percent. ¶*四分六で A の勝ちだろう The ⌈chances [odds] are *six to four* in favor of A. ★ chances, odds は「(勝つ) 見込み」.

しふん[1] **私憤** personal grudge Ⓒ 《☞ うらみ[1]; いかり[1]; いきどおり》.

しふん[2] **脂粉** (化粧品) cosmetics ★ 通例複数形で; (化粧) makeup Ⓤ. 《☞ けしょう》.

しぶん[1] **四分** ―動 (4つの部分に分ける) divide ... into four ⌈parts [pieces]《☞ わける》. ¶ *4分の1 [3] a *quarter* [three *quarters*] / one-*fourth* [three-*fourths*]

しぶん[2] **死文** (法律の) dead letter Ⓒ.

しぶん[3] **詩文** (詩と散文) verse and prose; (文学) literature Ⓤ.

じぶん[1] **自分** ―代 (自分自身) *oneself* 《☞ じしん[3] 語法 (1)》. ―名 self Ⓒ. ―形 (自分自身の・自分の所有の) *one's* (own) ★ own を付けたほうが強調的. ¶ *自分のことは*自分でしなさい Do *your* work ⌈(*by*) *yourself* [*on your own*]. // 母親は息子のために*自分を犠牲にした That mother sacrificed *herself* for her son. // 彼は*自分だけでは (⇒ 独力では) 何もできない He cannot do anything ⌈*by* [*for*] *himself*. // 彼女はその秘密を*自分の胸に秘めておいた She kept the secret to *herself*. // これは*自分の家です This is *my* (*own*) house. // 彼女は*自分から進んでそこに行った She went there of *her own* (free) will. // *自分としてはその意見に賛成です *As for me*, the idea is acceptable. // みんな*自分勝手なことをやっている Everybody *is having their own way*. // そりゃ*自分勝手な言い分だ That's a *self-serving* argument. // 彼は*自分勝手な男だ He is a *selfish* man.
自分持ち ☞ じひ[1]

じぶん[2] **時分** (時) time Ⓤ; (時刻) hour Ⓒ; (季節) season Ⓒ. 《☞ いまごろ; そのころ》.

しぶんおんぷ 四分音符 ☞ しぶおんぷ

しぶんきゅうふ 四分休符 ☞ しぶきゅう(し)ふ

しぶんごれつ 四分五裂 ¶ リーダーの逮捕でその集団は*四分五裂した (⇒ ばらばらになった) The group ⌈*fell apart* [(⇒ 分裂した) *split up*] after the arrest of its leader. 《☞ ばらばら》

じぶんし 自分史 ☞ じでん

しぶんしょ 私文書 private document Ⓒ.
私文書偽造 forgery of a private document Ⓤ.

しへい[1] **紙幣** (硬貨に対して) paper money Ⓤ; (1枚の札) 《米》 bill Ⓒ, 《英》 (bank) note Ⓒ; (ドル紙幣) 《米》 greenback Ⓒ. 《☞ さつ[1]》. ¶ この小切手を10ドル*紙幣に換えて下さい Please cash this check. I'd like (it in) ten-dollar *bills*.

しへい[2] **私兵** private soldier Ⓒ; (傭兵) mercenary Ⓒ; (武器を携えている護衛) armed guard Ⓒ. ¶ *私兵集[軍]団 a private army

じへいしょう 自閉症 〖心〗 autism Ⓤ. ¶ *自閉症の子供 an *autistic* child

じべた 地べた the ground 《☞ じめん》.

ジベタリアン *Jibetarian* tribe Ⓒ; (説明的には) people (mostly young) who sit or squat on the ground in a group.

しべつ 死別 ―動 (失う) lose ㊐, be bereaved (*of* ...) ★ 後者は堅苦しく, 古めかしい言い方. 《☞ うしなう; さきだつ》. ¶ 彼女は30歳の時に夫と*死別した She *lost* her husband when she was thirty.

シベリア ―名 ㊐ Siberia /saɪbí(ə)riə/ ★ ロシア連邦のウラル山脈以東の北アジア地区. ―形 Siberian. **シベリア気団** Siberian air mass Ⓒ **シベリア高気圧** Siberian high Ⓒ **シベリア鉄道** the Trans-Siberian Railway.

シベリアンハスキー (犬) Siberian husky Ⓒ.

シベリウス ―名 ㊐ Jean Sibelius /ʒɑ́ːn sɪbéɪljəs/, 1865–1957. ★ フィンランドの作曲家.

しへん[1] **詩篇** 〖聖〗 The Book of Psalms /sɑ́ːmz/, the Psalms.

しへん[2] **四辺** ―副 (あらゆる側に) on all sides ★ 複数形で; (あたり一面) all around. 《☞ しほう[1]》.

しへん[3] **紙片** (細い) slip of paper Ⓒ; (細くて長い) strip of paper Ⓒ; (一般的に小片の) piece of paper Ⓒ. 《☞ かみ[2]》.

しべん[1] **思弁** (思索) thinking Ⓤ; (純理論的な考察) speculation Ⓤ. **思弁哲学** speculative philosophy Ⓤ.

しべん[2] **至便** ―形 very convenient 《☞ べんり》.

しべん[3] **支弁** ―名 payment Ⓤ. ―動 pay ㊐.

じへん 事変 (小規模な戦争・暴動など) incident Ⓒ. ¶ 満州*事変 the Manchurian /mæntʃʊ́(ə)riən/ *Incident*

じべん 自弁 *one's* own expense(s) 《☞ じひ[1]; じばら》. ¶ マラソン大会の参加費用は*自弁だ You have to *pay your own expenses* if you wish to take part in the marathon.

しへんけい 四辺形 quadrilateral /kwɑ̀drəlǽtərəl/ Ⓒ 《☞ しかく[2] (挿絵)》. ¶ 平行*四辺形 a parallelogram /pæ̀rəléləgræ̀m/

しほ 試補 ―名 (事務見習い) probátioner Ⓒ. ―形 probátionary.

しぼ 思慕 ―動 (思いあこがれる) long for ...; (愛情を抱く) feel affection towards ... 《☞ したう》.

じぼ[1] **字母** (文字) letter Ⓒ; (活字の母型) matrix /méɪtrɪks/ Ⓒ 《複 ~es, matrices /méɪtrəsìːz/》.

じぼ[2] **慈母** affectionate mother Ⓒ.

しほう[1] **四方** ―副 (そこら中に) all around ★ あたり一面を表す最も普通の言い方; (四方八方に) on every side, on all sides 語法 all around より多少強調的で, 主として場所を示す; (あらゆる方向に) in every direction, in all directions.
¶ 私は*四方を見回した I looked *all around*. // *四方を高い山に囲まれた村 a village surrounded by high mountains *on* ⌈*every side* [*all sides*] // *四方で火の手が上がった Fire(s) broke out *in all directions*. // その爆弾は5キロ*四方にある (⇒ 半径5キロ以内の) ものすべてを破壊する The bomb destroys everything within a *radius of* five kilometers.
四方八方 ¶ そのニュースは*四方八方へと (⇒ 野火のように) 広まった The news spread *like wildfire*. // *四方八方から弾が飛んできた Bullets came *from all directions*. // *四方八方手を尽くして (⇒ 至るところ) 彼女を捜した We have looked for her *everywhere*.

しほう[2] **司法** ―名 (裁判・法務の運用) the administration of justice; (司法権・裁判権) judicial /dʒuːdíʃəl/ pówer Ⓤ, judicature /dʒúːdɪkətʃʊ̀ə/ Ⓤ ★ 後者はどちらかというと「司法権の運用」という意味が強い. ―形 (司法の) judicial.
¶ 近代国家では行政・立法・*司法の三権は独立している In modern nations the administrative, legislative, and *judicial* powers are independent of each other.
司法解剖 legal postmortem Ⓒ **司法官** judicial officer Ⓒ; (裁判官と検事) judges and prosecutors /prɑ́sɪkjùːtəz/ **司法権** judicial power Ⓤ **司法研修所** the Judicial Research and Training Institute **司法試験** bar examination Ⓒ **司法修習生** (司法研修所の学生) student of the Judicial Research and Training Institute Ⓒ; (弁護士[検察官, 裁判官]の実習生) trainee ⌈lawyer [prosecutor; judge] Ⓒ **司法省** the Ministry of Justice ★ 日本の「法務省」は普通英訳としてこれを用いる; 《米》 the Department of Justice **司法書士** judicial scrivener /skrív(ə)nə/ Ⓒ ★ 英米にはこれに対応する職業はなく, その業務は弁護士が行うのが普通なので, 説明的に a person qualified to prepare legal documents などと訳すのがよい. **司法制**

度 the judicial system　司法大臣 the Minister of Justice, the Justice Minister ★ 後者のほうが口語的;《米》(司法長官) the Attorney General　司法当局 the judicial authorities, the judiciary　司法取引 plea bargaining Ⓤ ★ 被告が重罪での告訴取り下げと引き換えに軽罪を認めること.

しほう³ 至宝 (きわめて大きな宝) great treasure Ⓒ; (大切な[価値のある]所有物) great [valuable] asset Ⓒ. (☞ たから).

しほう⁴ 私法 private law Ⓤ.

しほうじん 私法人 private corporation Ⓒ, private legal person Ⓒ.

しぼう¹ 志望 — 動 (欲する) want (to *do* ...); (計画する) plan (to *do* ...); (職やある資格などを得ようと申し込む) apply for ...; (将来のことであまり可能性のないようなことを希望する) wish (to *do* ...). — 名 (計画) plan Ⓒ; (将来の計画) future plan Ⓒ; (申し込み) application Ⓒ; (希望) wish Ⓒ. (☞ きぼう¹; こころざす).

¶ 彼は画家*志望だ He ｢*wishes* [*plans*] *to* be a painter. // 私は T 大学を*志望した (⇒ 願書を出した) I *applied*｢*to* [*for* admission to] T University. / (⇒ 入学したいと思った) I *wanted to* go to T University. // 第 1 *志望はどこを受けましたか What school did you apply for as your first *choice*? 志望校 the school of *one's* choice.

しぼう² 死亡 — 名 death Ⓤ. — 動 die ⓐ; (事故などで) be killed; (婉曲に) pass away ⓐ. (☞ しぬ (類義語) 日英比較; し²). 死亡広告 death notice Ⓒ　死亡証明書[診断書] déath certificate /sətɪ́fɪkət/ Ⓒ　死亡数 the number of deaths, the death toll　死亡通知 obítuàry nótice Ⓒ　死亡統計 mortality statistics, statistics of mortality ★ 複数形で.　死亡届 notice of death Ⓒ　死亡欄[記事] obituary /əbítʃuèri/ ｢column [notice] Ⓒ　死亡率 the death rate.

しぼう³ 脂肪 (動物の脂肉の部分) fat Ⓤ; (豚から作る食用の脂肪・ラード) lard Ⓤ; (植物性脂肪) vegetable fat Ⓤ. (☞ あぶら). 脂肪過多症〘医〙adipósis Ⓤ　脂肪肝 fatty liver Ⓒ　脂肪細胞 fat cell Ⓒ　脂肪酸 fatty acid Ⓤ　脂肪質 — 名 fat Ⓤ. — 形 fatty.　脂肪体質 — 形 constitutionally obése.

しぼう⁴ 子房 〘植〙óvary Ⓒ.

じほう 時報 time signal Ⓒ. ¶ 私は 8 時の*時報に時計を合わせた I set my watch by the eight o'clock *time signal*.

じぼうじき 自暴自棄 — 形 désperate. — 名 desperation Ⓤ; (絶望) despáir Ⓤ. (☞ やけ). ¶ 恋人に去られて彼女は*自暴自棄になった She grew *desperate* because her lover left her.

しほうだい 仕放題 ☞ かって

しほうはい 四方拝 the *Shiho-hai* ceremony; (説明的には) the ceremony in which the Emperor worships the deities in all quarters on New Year's Day.

しぼつ 死没 ☞ しぼう²

しぼむ 萎む (植物などが水分を失って) wither ⓐ ★ 比喩的にも用いる; (葉・皮膚など薄いものが) shrivel ⓐ; (縮んで小さくなる) shrink ⓐ; (中の空気などが抜けて小さくなる) deflate ⓐ. (☞ しなびる; しおれる; かれる 日英比較).

¶ 花が*しぼんだ The flower *withered* (*away*). 語法 away を付けると完全にしぼんでしまうことを意味する. ただし蘇生の可能性は残っている感じである. ｢枯れてしまう｣意味では die を用いる. // 葉は暑い太陽を受けて*しぼんでしまった The leaves *have shriveled* in the hot sun.

しぼり 絞り **1**《カメラの》: (機械) iris /áɪ(ə)rɪs/ diaphragm /dáɪəfræ̀m/ Ⓒ; (その開きの程度) aperture /ǽpətʃùə/ Ⓤ. ¶ *絞りを小さくすると露出を長くする必要がある A smaller *aperture* will require a longer exposure.

2《絞り模様》 — 名 dapple Ⓤ; variegation Ⓤ ★ 前者は地とは異なった色の斑点のある模様. 後者は多色の絞り模様. — 形 dappled; variegated.

絞り優先〘写〙aperture priority Ⓤ. ¶ *絞り優先の自動露出 *aperture*｢*-priority*[*-preferred*] auto exposure

しぼりあげる 搾[絞]り上げる (責める) chew *a person* out (for *doing* ...); (金などを) squeeze ... out of *a person*. (☞ しぼりとる).

しぼりかす 搾り滓 strained lees ★ 複数形で.

しぼりぞめ 絞り染め — 動 tie-dye ⓣ. — 名 (布) tie-dyed fabrics ★ 複数形で.

しぼりだす 絞り出す (強く押して出す) squeeze ⓣ; (声を) strain *one's* voice; (知恵を) rack [beat] *one's* brains. (☞ しぼる).

しぼりとる 絞り取る, 搾り取る (絞って取る) squeeze ⓣ (☞ しぼる). ¶ 最後の一文まで*絞り取る *squeeze* the last money out of *a person*

しぼる 絞る, 搾る **1**《果汁・布の水気などを》: (強く押したり握ったりする) squeeze ⓣ; (押しつぶす) press ⓣ; (ねじったり, 絞り機にかけたりして水を出す) wring ⓣ《過去・過分 wrung》.

¶ レモンを*絞る *squeeze* a lemon // 母はレモンのジュースを*絞った Mother *squeezed* the juice *from* a lemon. // その少女はぬれた水着を*絞った The girl *wrung* out her bathing suit. // 私は毎朝牛の乳を*搾る I *milk* the cows every morning.

2《搾取する》: (金銭を搾り取る) squeeze ⓣ; (資本家などが労働者などを) exploit ⓣ. (☞ さくしゅ). ¶ 地主は小作人から金を*搾り取った The landowner *squeezed* money *from* the tenant farmers.

3《的を絞る》: (正確に目標を定める) pínpòint ⓣ; (捜査の範囲などを狭める) narrow down ⓣ; (レンズを絞る) stop down (the lens).

4《知恵・頭を》: rack [beat] *one's* brains. ¶ 私は知恵を*絞ってその答えを出した I *racked my brains* for the answer.

シボレー 《商標》Chevrolet /ʃèvrəléɪ/ ★ 米国 GM 社製の自動車.

しほん 資本 (会社などの) capital Ⓤ; (財産) ásset Ⓒ. (☞ もとで; しきん).

¶ *資本金 100 億円の大企業 a ｢big business [mammoth enterprise] with ten billion yen in (*authorized*) *capital* // その会社は*資本金 1 億円だ The company *is capitalized at* 100 million yen. // 彼らは外国*資本の誘致に懸命だ (⇒ 外国からの投資) They are working hard to attract foreign *investment*(*s*). // 私は体が*資本だ (⇒ 健康が私の唯一の財産だ) Good health is my only *asset*. // 運転*資本 ☞ うんてん // 自己*資本 ☞ じこ²

資本家 cápitalist Ⓒ. ¶ *資本家と労働者 *capital* and labor　資本回転率 turnover ratio of capital Ⓒ　資本勘定 capital account Ⓤ　資本主義 capitalism Ⓤ　資本主義経済 capitalist economy Ⓤ　資本主義国(家) capitalist country Ⓒ　資本蓄積 accumulation of capital Ⓤ　資本提携 capital tie-up Ⓒ.

しま¹ 島 (一般的に) island /áɪlənd/ Ⓒ; isle /áɪl/ Ⓒ ★ 文語的. 固有名詞の一部としてよく用いられる. ((例) the British Isles, the Isle of Man); (小さな島)《文》islet /áɪlət/ Ⓒ. ¶ 彼はその*島に 10 年前から住んでいる He has been living *on the island* for the past ten years. // その*島には病院がありますか Is there a hospital *on the island*? // 私たちは*島巡りをした We made a tour of the *islands*. // 八丈*島

Hachijo *Island*　島育ち　―名 islander Ⓒ. ―動 grow up on an island.
【参考語】―形(島の・島についての) insular. ―名(島の人) islander Ⓒ.

しま² 縞　―名 stripe Ⓒ.　―形 striped Ⓐ. (☞ こうし⁴ (格子縞)).
¶*縞のシャツ a *striped* shirt // 彼女は赤い*縞のある黒いドレスを着ていた She wore a black dress with red *stripes.* // 縦*縞 vertical *stripes* // 横*縞 hórizòntal *stripes*　縞柄[模様] striped pattern Ⓒ.

しまあじ 縞鯵　〘魚〙yellow jack Ⓒ.

しまい¹ 仕舞い (終わり) end Ⓒ; (店などを閉めること) close /klóuz/ Ⓒ. (☞ さいご¹; おわり (類義語)).
¶この本は*しまいまで読んだ I have read the book ˹*through* [(⇒ 表紙から表紙まで) *from cover to cover*]. // これで僕の話はお*しまいです This is the *end* of my story.

しまい² 仕舞　Noh dance in plain clothes Ⓒ.

しまい³ 姉妹　―名 sister Ⓒ.　―形 (姉妹の・姉妹のような) sisterly. (☞ 親族関係 (囲み); きょうだい¹ 語法; あね; いもうと). ¶東京はニューヨークの*姉妹都市である Tokyo is a *sister* city ˹to [of] New York. / Tokyo and New York are *sister* cities. // *姉妹のような愛情 *sisterly* love　姉妹(言)語 sister language Ⓒ, 〘言〙cognate Ⓒ　姉妹校 sister school Ⓒ　姉妹編 companion volume Ⓒ.

しまいこむ 仕舞い込む (片づけて) pùt … awáy; (押し込んで大切に保存する) túck … awáy.　¶昔の手紙はどこか引き出しの中に*しまい込んである I *have tucked* my old letters *away* somewhere in the drawer.

しまいさき 縞伊佐木　〘魚〙sharpnose tigerfish Ⓒ.

しまう 仕舞う　**1** «動作の完了を表す場合»
¶あなたは宿題をやって*しまいましたか *Have* you ˹*finished* [*done*] your homework? // 彼はもう行って*しまった He *has* already *gone.* // その本はすっかり読んで*しまった I *have read* the book through. / I *have read* the book from cover to cover.　日英比較　日本語で「…してしまう」あるいは「…してしまった」とある場合に，それらがすべて英語で完了形になるとは限らないことに注意．例えば「私は彼女を怒らせて*しまった」は I *made* her angry. でよく，「彼は死んで*しまった」は He died *after all.* のように別の語句を添えて意味を表すことができる．このように日本語の「…してしまう」は結末を述べるときにも使われるので，英語では単に過去形で表されることもかなりある．
2 «終える»: (店などを閉める) close ㊀; (止める) stop ㊀. (☞ しめる³; おえる). ¶労働者たちはいつもより仕事を早く*しまった The workers *stopped* working earlier than usual. // 彼らは午後8時に店を*しまう They *close* the store at eight o'clock in the evening.
3 «片付ける»: (元の所へ置く) pùt … báck; (どこかへ持っていく) pùt awáy ㊀; (しまっておく) keep ㊀. (☞ かたづける). ¶そんな物騒な物は*しまっておきなさい *Put away* that dangerous thing. // 物は使ったら元の場所に*しまっておきなさい *Put* things *back* when you are done with them. // また使うかも知れないから，それはどこか安全なところに*しまっておいて下さい Please *keep* it somewhere safe, as we may (possibly) use it again.

しまうま 縞馬　〘動〙zebra /zíːbrə/ Ⓒ.

じまえ 自前　☞ じひ¹

しまかげ¹ 島陰　―副 (島の背後に) behind an island; (島の風下に) under the lee of an island.

しまかげ² 島影　¶*島影が見えてきた An *island* has come into sight.

じまく 字幕　(せりふの) subtitles ★ 複数形で. ¶*字幕が画面に出た *Subtitles* were displayed on the screen. // この映画には日本語の*字幕がついている This film ˹carries [has] Japanese *subtitles*.　字幕スーパー superimposed dialogue Ⓤ.

しまぐに 島国　island [insular] nation Ⓒ.　島国根性 insularity Ⓤ.

-しませんか, -しないか (相手に対する勧誘) How [What] about …? ★ 動詞が続くときは -ing 形; (…しよう) Let's … ★ 動詞の原形が続く; (多少くだけた勧誘) Won't you …?; (…したらどうですか; …しなさいよ) Why don't you …?, Why not …? ★ くだけた表現で目上の人には用いない.
【類義語】相手に飲食物などを勧めたり，あるいはある動作をすることを勧誘したりするときに，かなり広く一般的に用いるのが **How [What] about …?** 自分も含めて一緒に何かをしようと提案するのが **Let's …** この表現はかなりざっくばらんな響きがあり，自分と同じ仲間という意識が持てる間柄においてだけ用いる．付加疑問の shall we? を付けて語調を和らげることができる．やはりくだけた調子での勧誘であるが，相手の意志を尋ねる形で誘いかけを表すのが **Won't you …?** これは場合によっては Will you …? に似た要請に近いニュアンスを含む．対等の人または親しい人に対して，反語的に「…したらいいではないですか」「…しなさいよ」という誘いかけが **Why don't you …?** で，**Why not …?** もほぼ同意だが，後者のほうが多少詰問調できつい響きがある．¶「お茶に*しませんか」「そうしましょう」"*How* [*What*] *about* (having) a cup of tea?" "Fine. / OK. / All right."　語法 (1) この誘いは，前後関係によっては「お茶をひとついかがですか」と，相手にお茶を勧める言葉にもなる．その答えは，肯定なら "Yes, please." 否定なら "No, thank you." である． //「散歩*しませんか」「いいですね」"*How* [*What*] *about* ˹taking [going for] a walk?" "That's fine." //「野球を*しないか」「いいとも」"*Let's* play baseball!" "OK. / All right."　語法 (2) このほかに，Yes, let's (do that). のような答え方も多く行われるが，多少子供っぽく聞こえる．(☞ -しよう 語法) //「一緒にゲームを*しませんか」「よし，やろう」"*Won't you* join us in the game?" "OK. / I will." / "*Why don't you* join us in the game?" "OK. / All right." //「もう少しゆっくり*しませんか」「ではそうしましょう」"*Why* ˹*don't* you [*not*] stay a little longer?" "OK. / All right."

しまだ 島田　the *shimada* coiffure; (説明的には) a traditional Japanese maiden's hairstyle.

しまだい 縞鯛　〘魚〙parrot fish Ⓒ.

しまつ 始末　¶この子供は甘やかされて*始末に負えない (⇒ 手に余るほど甘やかされている) This child is spoiled and *uncontrollable.* // こんなものをもらっても*始末に困ります (⇒ どうしてよいかわからない) *I don't know what to do with* such a present. (☞ かたづける; しょぶん; あとしまつ)　始末書 (わび状) written apology Ⓒ.　日英比較　英米には始末書を書くという習慣はない.

しまった　Gosh; (Oh) God; Dear me; Oh dear
語法 いずれも大文字で始めて文頭に置くことが多い．また最後には感嘆符を付けるのが普通.
【類義語】いずれも何かに失敗したときのほか，驚き・困惑などを表す感嘆詞になる．最も普通なのは **Gosh**, **(Oh) God** の2つで，**Gosh** のほうが **God** より穏やかな言葉．元来キリスト教では神の名をみだりに口にしてはいけないという教えがあり，**Gosh** は **God** を婉曲的に表す言葉として使われてきた．また男女によって使われ方の分かれているものもあり，特に女性的な感じのものは **Dear me, Oh dear** など. (☞ あっ; むむ)
¶*しまった．寝過ごした *Gosh* [*God*], I've overslept!

しまづたい 島伝い　―副 from island to island.

しまつや 始末屋 thrifty person Ⓒ (☞ しまりや).
しまどじょう 縞泥鰌 〖魚〗sand loach Ⓒ.
しまながし 島流し —動 (島へ追放する) exile /égzaɪl/ … to an ísland. —名 exile Ⓤ.
しまぬけ 島抜け —動 run away from exile on an island ⓐ.
しまふくろう 島梟 〖動〗Blakiston's fish owl Ⓒ.
しまへび 縞蛇 〖動〗Japanese striped snake Ⓒ.
じまま 自儘 ¶*自儘に暮らす (⇒ 自分の好むことをして暮らす) live doing ⌈as *one* pleases [whatever *one* likes] / (⇒ のんびりと生活を楽しむ) enjoy ⌈the [a] carefree life (☞ きまま)
しまみみず 縞蚯蚓 brandling Ⓒ, manure worm Ⓒ.
しまめ 縞目 empty space between stripes Ⓒ.
じまめ 地豆 groundnut Ⓒ, peanut Ⓒ.
しまもの 縞物 (縞のある布) striped cloth Ⓤ; (縞模様の服) striped clothes ★ 複数形で.
しまらない 締まらない (格好などがだらしない) slovenly; (仕事ぶりなどがいいかげんな) slipshod; (話などがでたらめな, 出まかせの) haphazard. ¶*しまらない格好の男 a man of *slovenly* appearance // *しまらない話 a *haphazard* story / (⇒ 要領を得ない話) a talk *off the point* / a *pointless* talk
しまり 締まり ¶彼は顔に*締まりがある[ない] (⇒ 知的に見える [知的でない]) He looks ⌈*intelligent* [*stupid*]. //彼は*締まりのない格好をする He dresses *sloppily*.
しまりす 縞栗鼠 〖動〗striped squirrel Ⓒ, chipmunk Ⓒ.
しまりや 締まり屋 (けちな人) stingy person Ⓒ; (倹約家) thrifty person Ⓒ ★ 後者のほうが格式ばった言い方. (☞ けち).
しまる 閉まる, 締まる (閉じる) close /klóuz/ ⓐ, shut ⓐ (過去・過分 shut) 語法 close は閉じた状態, shut は閉じる動作のほうにそれぞれ意味の中心が置かれている. いずれも ⓗ としても用いられる; (戸がばたんと閉まる) slam ⓐ; (戸締まりされる) be fastened; (錠がかけられる) be locked. (☞ しめる[3] (類義語); しめる[4]; しめつける).
¶門がひとりでに*閉まった The gate ⌈*closed* [*shut*] by itself. // 風でドアがバタンと*閉まった The door ⌈*slammed* [*closed with a slam*] because of the wind. / The wind *slammed* the door *shut*. // その家の戸はみんなぴたりと*閉まっていた All the doors of the house *were fastened* securely. // その店は午後10時に*閉まる That store *closes* at 10 p.m. // 結び目が*締まった The knot *got tight*. / The string has been *tied tightly*. // *締まった身体つき a ⌈strong [sturdy] build // 身が*締まる (⇒ 緊張する) pull *oneself* together (☞ ひきしまる) / (⇒ 気を落ちつかせる) sober down
じまわり 地回り (盛り場を根城にするならず者) hoodlum hanging around the amusement area Ⓒ; (近在から送られてくる品物) products from neighboring districts ★ 複数形で.
じまん 自慢 —動 (…を誇りに思う) be proud of …; (…を自慢する) boast ⌈about [of] … ★ boast には ⓗ の用法もある; be boastful of …; speak ⌈boastingly [boastfully] of …; (…を大げさに自慢する) brag about … —名 (誇り) pride Ⓤ ★ 誇りに思う物・事の場合は Ⓒ; (自己称賛) self-praise Ⓤ; (自慢の種) boast Ⓒ; (大げさな自慢話) brag Ⓒ. —形 (気位が高くて自慢をする) proud; (自慢たらたらの) boastful.
【類義語】気持ちの上で誇りに思っているが, それをあからさまに言いふらすかどうかは問題にしないのが ***be proud of*** … 口に出して自慢するのが ***boast*** ⌈***about*** [***of***] … ほぼ同意で ***be boastful of*** … も使われる. 自慢げに話すことを強調するのが ***speak*** ⌈***boastingly*** [***boastfully***] ***of*** … 特にほらをまじえて大げさな自慢をし, ときにこっけい味のある自慢の仕方を意味するのが ***brag about*** … である.
¶彼女は息子を*自慢にしている She *is proud of* her son. // 彼はいつもお国*自慢をする He always *brags about* his hometown. // 彼はクラスで走るのが一番速いと*自慢している He *boasts* that he is the fastest runner in his class. // あいつは*自慢がすぎる He *boasts* too much. // 彼は身の丈より大きな魚を釣ったと*自慢した He *bragged* that he caught a fish bigger than himself. // 生活水準の高さがわが市の*自慢 (の種) です Our city *boasts* a high standard of living. // 彼の*自慢 (話) にはうんざりだ I am sick of his *bragging*. // *自慢じゃないが, 私はこのクラブではゴルフが一番だ (⇒ うぬぼれて…と思う) I *flatter myself that* I'm the best golfer in this club. // のど*自慢 ☞ のどじまん
じまんたらしい 自慢たらしい —形 boastful. ¶彼のいつもの*自慢たらしい話 his usual *bragging*
しみ[1] 染み (汚点) stain Ⓒ; (小さな汚れ) spot Ⓒ; (にじみ出た) blot Ⓒ; (落ちにくい) smear Ⓒ; (ぼんやりとした) smudge Ⓒ; (小さい染み) speck Ⓒ; (顔などの) blotch Ⓒ.
【類義語】一般的に異物によって変色したものを指すのが ***stain*** および ***spot*** であるが, ***spot*** はまたけがや病気による変色部も指す. インクのにじみなどによる染みや汚れを指すのが ***blot***. 特に油や粘性の物による染みが ***smear*** で, こすったりしてにじんだりぼやけたりしたのが ***smudge***. 小さい染みが ***speck*** で, 顔などの染みが ***blotch*** である. ¶彼女のスカートにペンキの*染みが付いた (⇒ ペンキが彼女のスカートの上に染みを作った) Some paint made a ⌈*stain* [*spot*] on her skirt. / Some paint ⌈*stained* [*spotted*] her skirt. 語法 第2文は染みが1か所とは限らない. // 果物の汁は*染みになる Fruit juice usually leaves a ⌈*stain* [*spot*]. // インクの*染みはなかなか落ちない Ink ⌈*stains* [*spots*] don't come out easily. // 彼のシャツは真っ白で, *染みひとつなく清潔だ His shirt is all white, *spotless* and clean.
しみ[2] 衣魚, 紙魚 〖昆〗silverfish Ⓒ. ¶*しみの食った本 a *worm-eaten* book
じみ[1] 地味 —形 (服装などがおとなしい) plain; (素朴で) simple; (おとなしい感じの) quiet (↔ loud); (黒っぽい) dark; (人が) modest. —名 plainness Ⓤ; simplicity Ⓤ; quietness Ⓤ; modesty Ⓤ.
【類義語】服装などについて, 飾り気がなく, 目を引くものがないのが ***plain*** で, さらにそれに単純さ, 素朴さの加わったのが ***simple***. 色や飾りがあっても極端でなく, あまり目を引くことのないのが ***quiet***. 黒っぽい感じが ***dark***. 人の性質・態度が控えめなのが ***modest***.
¶このドレスは*地味すぎる This dress is too ⌈*plain* [*simple*]. // 彼女は*地味な服装をしていた She was *quietly* dressed. // 私は少し*地味な柄がいい I prefer rather *quiet* designs. // 彼女の*地味なドレスは宝石のきらびやかさを引き立たせた Her *quiet* dress emphasized the gorgeousness of her jewelry. // その色はあなたのような若い人には*地味だ That color is too *dark* for a young lady like you. // 彼女は*地味な人です She is a *modest* person.
じみ[2] 滋味 (美味) deliciousness Ⓤ; (滋養) nourishment Ⓤ. ¶*滋味に富む食べ物 *delicious and nutritious* food // *滋味あふれる随筆 (⇒ 興味深くて楽しい) an *interesting and delightful* essay
シミーズ slip Ⓒ, chemise /ʃəmíːz/ Ⓒ ★ 後者は元はフランス語.
しみいる 滲[染]み入る (液体が) soak into …;

（考えなどが人の心などに）sink into …;（人に考えなどを吹き込む）inspire *a person* with … ★ やや格式ばった表現. ¶岩に*滲み入るせみの声 The chorus of cicadas *sank into* the rocky mountains.

しみこむ 染み込む （水などが）soak into …;（中へ深く入る）sink into …《☞ しみる; しんとう¹》. ¶雪が溶けて地面に*染み込んだ The snow melted and ｢*soaked* [*sank*] *into* the ground.

しみじみ （深く）deeply;（静かに）quietly 日英比較 日本語の「しみじみ」をそのまま英語の 1 語に置き換えられないことが多い. そのような場合には文のほかの部分にその意味を表すのに近い言葉を使う.《☞ 擬声・擬態語（囲み）》.
¶いろいろな思いが*しみじみと私の胸に迫った（⇒ いろいろの懐かしい思い出が心に浮かんだ）Various sweet memories passed through my mind. // 彼の親切を*しみじみと感じた（⇒ 彼の親切が私の胸を打った）His kindness *touched* my heart. // 親のありがたさが*しみじみとわかる（⇒ 親のおかげをこうむっていることが十分にわかる）It's come *home* to me how much I owe my parents.

しみず 清水 （澄んだ水）clean water Ⓤ;（湧き水）spring water Ⓤ.

しみだす 滲み出す ☞ にじみでる

じみち 地道 ── 形（着実な）steady. ── 副 steadily.《☞ ちゃくじつ; けんじつ》. ¶彼は*地道に勉強する He studies *steadily*.

しみつく 染み着く ¶その頃に私はなまけ癖が*染みついた I *got* rather lazy in those days. // 血痕が*染みついたハンカチ a handkerchief *stained* with blood《☞ しみる》

しみったれ ── 形（けちな）stingy. ── 名 stinginess Ⓤ;（けちなやつ）《俗》tightwad Ⓒ. ── 動（節約する）skimp 他, skimp on …《☞ けち（類義語）》.

しみでる 染み出る ooze (out) 自.

しみどうふ 凍み豆腐 ☞ こうやどうふ

しみとおる 染み透る （水分などが）soak ｢through [into] …《☞ しみこむ; しんとう¹》.
¶雨が私の上着に*染みとおった The rain *soaked through* my coat. /（⇒ 上着がびしょぬれになった）My coat was *wet through*.

しみぬき 染み抜き ── 動 remove stains. ── 名（薬品）spot-remover Ⓒ, stain-remover Ⓒ.《☞ しみ¹》.

しみゃく 支脈 （山脈などの）offset Ⓒ.

シミュレーション （模擬実験）simulation Ⓤ.
シミュレーション技術 simulation technique Ⓒ シミュレーションゲーム simulation game Ⓒ.

シミュレーター （模擬装置）símulàtor Ⓒ.

しみる 染みる **1**《ひりひりする》:（うずくように痛む）smart 自;（刺されたように痛む）sting 自;（刺激的にひりひりさせる）írritàte 他.《☞ ひりひり》. ¶この消毒剤は傷口に*しみません This antiseptic will not make the cut ｢*smart* [*sting*]. // このローションは肌に*しみる This lotion *irritates* my skin.
2《身にこたえる》:（親切心などが）touch 他.
¶彼女の優しい心が身に*しみた Her kindness *touched* me. // 彼の忠告が私の心に*しみた His advice *deeply impressed* me.《☞ こたえる³》
3《染み込む》: soak into …《☞ しみこむ; しみとおる; にじむ》.

-じみる… 染みる ¶彼は年寄り*じみたことを言う（⇒ 年寄りのように話す）He talks *like* an old man. // 彼の行動には狂気*じみたところがある There is something *abnormal* about ｢him [his behavior]. / There's *a touch of* abnormality in his behavior. ★ 第 1 文のほうが口語的.《☞ -ぽい; -がかる》
【参考語】（…の気味がある）smack of …;（かすかに…のところがある）have a touch of …

しみわたる 染み渡る （浸透する）pervade 他, spread 自 ★ 前者は格式語;（心身などにしみる）sink in 自.

しみん¹ 市民 （市民・国民としての権利を持つ人）citizen Ⓒ 語法 行政区画上の「市の住人」の意味と「（共和国の）国民」という意味の両方に用いられる;（ある特定の町や市の人々）the townspeople ★ the を付けて複数扱い;（全市民）the (whole) city ★ 集合体と考える時には単数扱い.《☞ じゅうみん; こくみん》. ¶私は一*市民として政治に参加したい I would like to take part in politics as a *citizen*. // ニューヨーク*市民（一人の）a *citizen* of New York /（総称）the ｢*people* [*citizens*] of New York // *市民の過半数が現市長に投票した The majority of the *citizens* voted for the present mayor. // アメリカ*市民 a *citizen* of the United States
市民運動 civic movement Ⓒ **市民会館** civic center Ⓒ **市民階級** the bourgeoisie **市民革命** popular revolution Ⓒ **市民権**（市民・国民としての身分）citizenship Ⓤ **市民社会** civil society Ⓤ **市民税** municipal tax Ⓒ **市民大学** college for adult citizens Ⓒ **市民法** civil law Ⓤ.

しみん² 四民 the four social classes in the feudal Japan.

じみんとう 自民党 the Liberal Democratic Party《略 LDP》. **自民党員** Líberal Démocràt Ⓒ, member of the Liberal Democratic Party Ⓒ.

じむ 事務 ── 名（工場・現場などに対しての事務）office work Ⓤ;（机でする仕事）deskwork Ⓤ;（書記的な仕事）clerical work Ⓤ;（広い意味での仕事）business Ⓤ;（業務）affairs ★ 複数形で. ── 形（事務的な）businesslike ★ 感情を混じえない冷たい処理の仕方についていう.《☞ しつむ; しごと》.
¶彼は*事務に向いている He is fit for ｢*office* [*clerical*] *work*. / He is made for *deskwork*. 語法 第 2 文は生まれつき事務に向いている, というニュアンスがある. // 彼女はかなりの年月の*事務の経験がある She has years of experience /ɪkspí(ə)riəns/ in *office work*. /（⇒ 彼女は何年間も事務員をしてきた）She has been an *office* worker for years. // その大学はコンピューターを使って*事務処理をしている（⇒ 事務手続きをコンピューター化した）The university has computerized its *procedures*.
事務員 clerk Ⓒ, office worker Ⓒ ★ 以上いずれも男女の区別は普通はしないが, 必要ならば女性の場合 female clerk または female office worker という. 日英比較「オフィスレディー」は 和製英語. **事務官**（官吏）government official Ⓒ **事務局** secretariat /sèkrəté(ə)riət/ Ⓒ **事務局長** director general Ⓒ **事務次官** vice-minister Ⓒ, ùndersécretàry Ⓒ **事務室** office Ⓒ **事務所** office Ⓒ **事務職員**（ある事務所の職員全体）the office staff ★ 複数扱い;（事務を司る人）clérical emplòyée Ⓒ **事務折衝** negotiations at the ｢official level [level of government officials] ★ 通例複数形で. **事務総長**（国会・国連の）secretary-general Ⓒ **事務長** head official Ⓒ;（船や飛行機の）purser Ⓒ **事務当局** authorities [officials] in charge ★ 複数形で. **事務屋** (mere) clerk Ⓒ **事務用品** office supplies ★ 複数形で;（文房具）stationery Ⓤ **事務レベル** the ｢official [working] level《☞ じつむ（実務者レベル）; 事務折衝》.

ジム 《略式》gym Ⓒ ★ gymnasium の略.

ジムカーナ （自動車の障害レース）gymkhana /ʤɪmkɑ́:nə/ Ⓒ.

しむけ 仕向け ☞ しうち; はっそう¹

しむける 仕向ける （させる）make *a person do* …;（強制的にさせる）force *a person* to *do* …《☞

させる; けしかける)). ¶親が子供にそうするように*仕向けたのです (⇒ 親が子供にそうさせた) The parents *made* their child do it. // 彼らはその家族がその土地を出て行くよう*仕向けた They *forced* the family *to* leave the place.

じむし 地虫 (うじ虫) grub Ⓒ; (みみず) earthworm Ⓒ.

じむしょ 寺務所 office of a temple Ⓒ.

ジムナスティクス (体操) gymnastics Ⓤ.

しめ 締め (束) bundle Ⓒ; (合計) the (sum) total. ¶半紙一*締め a *bundle* [2000 *sheets*] of Japanese writing paper // *締めを出す *sum up* the figures

しめあげる 締め上げる (強くしばる) bind ... tightly; (厳しく追求する) put the heat on ... ★くだけた言い方. ((☞ しめる⁴; しばる)). ¶彼らはその男の両手を縄で*締め上げた They *bound* the man's hands *tightly* with a rope. // 警察は彼を*締め上げた The police *put the heat on* him.

しめい¹ 使命 (権限を与えられ, 派遣されて果たすべき公的な仕事) mission Ⓒ; (一般的な意味で, 与えられた仕事) appointed task Ⓒ.
¶彼は*使命を首尾よく果たした He carried out his *mission* successfully. // 彼は政治的な*使命をになって中東へ飛んだ He flew to the Middle East on a political *mission*. // 彼は秘密の*使命を帯びていた He was charged with a secret *mission*.
使命感 sense of ⌜duty [mission] Ⓤ ★a を付けて.

しめい² 指名 ―動 (候補者として) nominate ⑪; (名指す) name ⑪; (やや格式ばった語で) designate ⑪; (地位などに任命する) appoint ⑪. ―名 nomination Ⓤ; designation Ⓤ; appointment Ⓤ. ((☞ にんめい)). ¶その党は彼を大統領候補に*指名した The party *nominated* him *as* its presidential candidate. // 委員会は彼を議長に*指名した The committee *designated* him (as) chairman.
指名スト strike by workers designated by the union Ⓒ 指名打者 〖野〗 designated hitter Ⓒ ((略 DH)) 指名手配 ―動 hunt down ... as wanted. ―名(人) wanted ⌜man [woman] Ⓒ. ¶警察はその男[女]を全国に*指名手配した The police initiated a nationwide ⌜*search* [*hunt*] *for* the ⌜man [woman] *as a wanted criminal*. // *指名手配中の犯人 the criminal *wanted by the police*
指名手配人 most wanted criminal Ⓒ 指名入札 tender by nominated bidders Ⓒ 指名読み (授業で個人を指名して音読させる) individual reading Ⓤ.

しめい³ 氏名 (full) name Ⓒ; (名と姓) *one's* ⌜given [first] name and ⌜family [last] name. ((☞ せいめい³; なまえ¹)).

しめい⁴ 死命 (生死) life or death; (運命) destiny Ⓤ; (不幸な) fate Ⓤ. ¶*死命を制する have *a person's* life in *one's* hands

じめい 自明 ―形 (明白な) self-evident; (説明のいらない) sélf-explánatòry. ―名 self-evidence Ⓤ. ((☞ あきらか; きまりきった)). ¶それは*自明のことだ It is *self-evident*. / It *speaks for itself*. ★この言い方は英語での決まり文句.

しめかざり しめ飾り new year decoration of a twisted straw festoon with strips of white paper attached Ⓒ ★説明的な訳.

しめかす 搾め滓 (固形油かす) oil cake Ⓒ.

しめがね 締め金 (ベルトや皮ひもの) buckle Ⓒ ((☞ かけがね)).

しめきり¹ 締め切り (日・時間) deadline Ⓒ ((☞ きげん²)).
¶きょうがレポート提出の*締め切り日です Today is the ⌜*deadline* [(⇒ 最後の日) *final day*] for turning in the papers. // 応募*締め切りは午後4時です The ⌜*deadline* [*closing time*] for applications is 4 p.m. // *締め切りに間に合う meet [make] the *deadline* ★[ ] 内のほうがくだけた表現. // *締め切りに間に合わない miss the *deadline*

しめきり² 閉め切り ((掲示)) (⇒ 閉鎖中) Closed; ((掲示)) (⇒ 入るな) No Entrance. ¶*閉め切りの部屋 a *closed* room

しめきる¹ 締め切る (期日・申し込みなどを) close /klóuz/ ⑪ ⑥.
¶彼が求職の申し込みをしようとした時には既に*締め切られた後だった The *deadline* for job applications *had* already *passed* when he tried to apply. // 幼稚園への入園申し込みは定員になり次第*締め切ります Applications for the kindergarten will *be closed* as soon as all the places are filled.

しめきる² 閉め切る ¶あの家ではたいてい一日中窓を*閉め切っている They usually *keep* the windows *closed* all day long in that house.

しめくくり 締め括り (結論) conclusion Ⓒ; (終わり) end Ⓒ ★前者のほうが格式ばった語. ((☞ けつろん)). ¶年内に仕事の*締めくくりをつけたい (⇒ 完了したい) と思っている I would like to ⌜*complete* [*finish*] the work by the end of this year.

しめくくる 締め括る (完全なものとして仕上げる) complete ⑪; (最後の部分を終える) finish ⑪ ★後者のほうが口語的; (結論を出す) conclude ⑪; (結論に持ち込む) bring ... to a conclusion.
¶彼はそのスピーチを感謝の言葉で*締めくくった He ⌜*finished* [*concluded*] his speech with a word of thanks.

しめこみ 締め込み 〖相撲〗 sumo wrestler's ⌜loincloth [tournament belt] Ⓒ.

しめころす 締め殺す (窒息させて) choke ... to death; (人の首を締めて) strangle ⑪ 語法 口語的なのは choke. 犯罪などでよく使われるのは strangle. ((☞ こうさつ²)).

しめさば 締め鯖 vinegared /vínɪgəd/ máckerel Ⓤ.

しめし 示し (手本・例) example Ⓒ; (規律・しつけ) díscipline Ⓤ. ¶親がこんなに不品行では子供に*示しがつかない (⇒ このような不品行な親は子供にとって悪い手本となろう) Such ill-mannered parents will set a bad *example* to their children.

しめじ *shimeji* mushroom Ⓒ.

しめしあわせる 示し合わせる (前もって手はずを整える) arrange ⌜previously [beforehand] ⑥ ⑪; (悪事をたくらむ) conspire ⑥. ((☞ もうしあわせる)).
¶我々はかねて*示し合わせたとおりに行動した We acted as we *had arranged* ⌜*previously* [*beforehand*].

しめしめ (よかった) Good(!) ★感嘆詞的に使う. ¶*しめしめ. すべてうまくいきそうだ *Good*. Everything is going well.

じめじめ ―形 (ぬれた) wet; (不快な感じに湿った) damp; (空気などに湿気のある) humid; (性格が暗い) gloomy. ((☞ しっけ; 擬声・擬態語 (囲み))).
¶雨の後で運動場はすっかり*じめじめしていた The playground was all *wet* after the rain. // パジャマが*じめじめしている My pajamas are *damp*. // 彼は日本の暑くて*じめじめした夏に慣れていない He is not used to the hot and *humid* summers in Japan. // 私は彼の*じめじめした性格が大嫌いだ I hate his *gloomy* personality.

しめす¹ 示す show ⑪ ★最も一般的; (はっきりと指し示す) póint (óut) ⑪; (ある事柄の内容・意味を示す) indicate ⑪; (実例・図・絵などで) illustrate ⑪; (計器などがある目盛りを) stand [be] at ..., read ⑪; (実例・模範などを) give ⑪. ¶その問題に対して彼はたいへん興味を*示した He *showed* great interest in the problem. / (⇒問題が彼の興味を引いたようだ) The problem seemed to interest him. ★第 1 文のほうが口語的. // この矢印は北の方向を*示している This arrow *points* (to the) north. // 寒暖計は 20 度を*示している The thermometer /θəmámətə/ 「*stands at* [*is at*; *reads*] twenty degrees. // 2, 3 実例を*示して下さい Please *give* me a few examples.

しめす² **湿す** (湿らせる) moisten ㊐; (ぬらす) wet ㊐. (☞ぬらす).

しめすへん 示偏 (漢字の) deity radical on the left of kanji Ⓒ (☞へん³).

しめた Good! (☞しめしめ).

しめだし 締め出し ¶*締め出しをくう (⇒錠がかかって中に入れない) *be locked out* of ….

しめだす 締め出す (入れない) shút óut ㊐ ★最も一般的; (道をふさいで通さない) bar ㊐; (錠をかけて中に入れない) lóck óut ㊐ 語法 この語は「工場・職場を閉鎖する」という意味にもよく使われる; (仲間に入れない) exclude ㊐; (参加させない) shut [close] the door (to …) ★主に比喩的に用いる.

¶彼は寮から*締め出された He *was* 「*shut* [*locked*] *out* of the dormitory. // 《ホテルなどで》昨夜は中から錠がかかって*締め出された I *was locked out* last night. ★ドアが閉まると自然に錠がかかる装置になっている場合に言う. // 彼はグループから*締め出された He *was excluded* from the group. // そのクラブは事件のあと外国人を*締め出した The club 「*shut* [*closed*] *its doors to* foreigners after the incident. / The club *refused entry* to foreigners after the incident.

しめつ 死滅 ―動 (死んでいなくなる) díe óut ㊒ ★口語的表現; (絶滅する) become extinct. (☞たえる²; ぜつめつ).

じめつ 自滅 ―動 (自分で自分をだめにする) destroy *oneself*; (破滅させる) ruin *oneself*. ―名 self-destruction Ⓤ; self-ruin Ⓤ. ―形 (自殺的な) suicidal /sùːəsáɪdl/. ¶彼の怠慢さが*自滅を招いた His idleness resulted in *self-ruin*. // 実際のところは敵は*自滅したのだ In effect, the enemies *destroyed themselves*.

しめつけ 締め付け (ねじなどの) clamping Ⓤ; (取り締まり・弾圧) clámp-dòwn Ⓒ; (金融・行政などの) tight controls ★複数形で. ¶金融に関する*締め付けを強化する[緩める] tighten [ease; relax] monetary *controls*

しめつける 締め付ける 1 《堅く締める》: (ひもなどで) bind … tightly; (ボルトなどを) fasten ㊐. (☞しめる⁴). 2 《厳しく取り締まる》: control … tightly; (抑圧して虐げる) oppress ㊐. (☞よくあつ).

しめっぽい 湿っぽい (かなり湿った) wet; (不快に湿った) damp; (空気が湿った) humid; (じめじめと湿気のある) moist; (性格・話などが) gloomy. (☞しっけ (類義語); じめじめ; なまがわき).

しめて 締めて (全部で) *in all*; (全部合わせると) all told.

しめなわ 注連縄 sacred straw festoon /festúːn/ Ⓒ.

しめやか ―形 (悲しくてもの静かな) sad and quiet; (おごそかな) solemn; (威厳のある) dignified. ―副 (威厳のある慎しみ深さをもって) with dignified restraint; (厳かに) solemnly. ¶葬儀は*しめやかにとり行われた The funeral was conducted *with dignified restraint*.

しめらす 湿らす dampen ㊐. ¶アイロンをかける前に, 布を*湿らせなさい *Dampen* the cloth before ironing it.

しめり 湿り (不快な湿気) dampness Ⓤ; (水気・水分) moisture Ⓤ. (☞しっけ (類義語)).

¶よいお*湿り (⇒にわか雨) ですね What a 「welcome [refreshing] *shower*!

しめりけ 湿り気 ☞しっけ

しめる¹ **占める** (位置をとる) óccupỳ ㊐; (座席などにつく) take ㊐; (しっかりと確保している) hold ㊐; (手に入れる) gain ㊐; (一般的に, 持っているの意味で) have ㊐. ¶ホテルが海岸沿いのきれいな場所を全部*占めている The hotels 「*occupy* [*take up*] all the beautiful sites along the beach. // 新党は国会で過半数を*占めることを目指している The new party aims at *gaining* a majority in the Diet. // わがチームは世界第 3 位を*占めている Our team *stands* third in the world.

しめる² **湿る** become [get] 「damp [moist] ★damp は不快感を伴う; (ぬれる程度に湿る) become [get] wet. (☞じめじめ; ぬれる; しっけ (類義語)). ¶このシャツはまだ*湿っている This shirt is still *damp*. // 雨で地面が*湿った The ground 「*became* [*got*] 「*moist* [*wet*] with rain.

しめる³ **閉める** close /klóuz/ ㊐; shut ㊐ (過去・過分 shut) (↔ open).

【類義語】ほぼ同意のことが多いが, 閉めた後の状態に重点をおくのが **close**. 閉める動作を強調する語が **shut**. (☞しまる; とじる¹)

¶店は午後 6 時に*閉められます The store 「*closes* [*shuts*] at 6 p.m. // その戸を*閉めて下さい Please 「*shut* [*close*] the door. // 彼女は窓を*閉めた She *pulled down* the window. ★pull down は上下にスライド式の窓の場合. // ふたを*閉めて固定する *lock* the lid into position

しめる⁴ **締める** 1 《結ぶ》: tie ㊐ (☞ゆう⁷).

¶私は自分ひとりでは帯を*締めることができない I can't *tie* my *obi* by myself. // 彼はきょうはネクタイを*締めている (⇒つけている) He *is wearing* a 「tie [《米》 necktie] today. / He *has* a tie *on* today. ★第 2 文のほうが口語的.

2 《ボルトで締める》: bolt (up) ㊐, fasten /fǽsn/ … with a bolt.

3 《合計する》: (計算する) ádd úp ㊐ ㊒; (総計を出す) súm úp ㊐ ㊒, total ㊐ ㊒.

しめる⁵ **締める** (鳥の首などを) wring ㊐ (☞しめころす).

しめわざ 締め技 〔柔道〕 choking technique Ⓒ.

しめん¹ **四面** the four sides, all sides ★複数形で. ¶*四面に on *all sides* // 日本は*四面を海に囲まれている Japan is bounded by the sea. 語法 最後に on all sides を加えると, かえって冗漫になる. **四面楚歌** ―動 (四面楚歌である) be surrounded by foes **四面体** 〔数〕 tetrahedron /tètrəhíːdrən/ Ⓒ.

しめん² **紙面** space Ⓤ. ¶その新聞はこの記事に多くの*紙面を割いている The newspaper has devoted a great deal of *space* to this article. // その記事は*紙面の都合で (⇒スペースがないので) 割愛された The article was cut for lack of *space*.

しめん³ **誌面** (雑誌などのページ) page (of a magazine) Ⓒ. ¶2004 年 10 月号の*誌面で in *the issue* for October, 2004 (☞しじょう⁴)

じめん 地面 (水面・空中に対しての) the ground; (土地の表面) the surface of the 「earth [land]. (☞とち). ¶雨上がりで*地面がぬれている *The ground* is wet after the rain. **地面師** fraudulent land broker Ⓒ.

しも¹ **霜** frost Ⓤ.

¶けさはひどい*霜だった There was a 「hard [heavy; severe] *frost* this morning. // けさ初*霜が降りた We had the first *frost* of the season this morning. // ひどく*霜が降りた寒い朝だった It was a (cold and) *frosty* morning. **霜取り装置** defroster Ⓒ.

しも² 下 ―名 (下のほう・下の部分) the lower part; (後の半分) the ˹second [latter] half; (川下) the lower stream. ―副 (下手へ) downward; (川下に) downstream. ¶*下の句 ☞しものく

しもう 刺毛 〘植〙sting Ⓒ, stinging hair Ⓒ; 〘動・植〙seta Ⓒ《複 setae》. 《☞とげ》.

しもがかる 下掛かる ―形 (品の悪い) indecent; (いやらしい) dirty. ―動 (品の悪い話をする) talk about indecent things. ¶*下掛かった冗談 a *dirty* joke

しもがこい 霜囲い frost protector Ⓒ.

しもがれ 霜枯れ ―形 (霜で傷んだ) frost-nipped; (冬の) wintry; (寒々とした) bleak. ¶*霜枯れした野菜 vegetables *nipped by the frost* // *霜枯れの景色 a *bleak* scene 霜枯れ時 (冬) the winter season; (不況期) slack season Ⓒ; (閑散期) off-season Ⓒ.

しもがれる 霜枯れる be ˹touched [ruined] by (the) frost. ¶野原は一面茶色く*霜枯れていた The field *was ruined by* (*the*) *frost* and brown all over.

しもき 下期 ☞しもはんき

じもく 耳目 (耳と目) eyes and ears ★英語の順に注意; (注目) attention Ⓤ. ¶*耳目をそばだたせる事件 (⇒センセーショナルな出来事) a *sensational* incident // 世間の*耳目を集める (⇒注目を引く) attract public *attention*

しもごえ 下肥 night soil Ⓤ.

しもざ 下座 lower seat Ⓒ《☞かみざ》. ¶*下座につく take a *lower seat*

しもじも 下々 (位の高くない一般の平民) the common people; (軽蔑的に, 一般大衆・庶民) the masses ★the を付けて複数形で.

しもたや 仕舞た屋 (residential) house (in the shopping district) Ⓒ.

しもつき 霜月 (旧暦の十一月) the eleventh month of the lunar calendar; (現在の十一月) November.

しもて 下手 (観客に向かって右方) the right (side of the stage)《略 R》《☞げきじょう¹ (挿絵)》.

ジモティ (その土地の人々) the local people ★複数扱い.

じもと 地元 ―形 (その土地の) local 日英比較 日本語の「ローカル」と違い,「田舎の」という意味は含まない. ¶*地元(の人)はこぞって新空港建設の計画に反対している *The local people* are all against the plan to construct a new airport.

しもどけ 霜解け ¶*霜解けで道がぬかるんでいる (⇒解けかけた霜が道をぬかるみにした) The *thawing frost* made the path muddy.

じもの 地物 (その土地の産物) local produce Ⓤ.

しものく 下の句 the ˹second [latter] half of a tanka (poem).

しもばしら 霜柱 frost Ⓤ 日英比較 「霜」と「霜柱」とは英語では区別されない. ¶*霜柱が立った *Frost* formed on the ground.

しもはんき 下半期 the ˹second [latter] half of the year《☞はんき¹》. ¶2004年度*下半期 *the* ˹*second* [*latter*] *half* of fiscal 2004 ★fiscal year は「会計年度」.

しもぶくれ 下膨れ ¶*下ぶくれの顔 a *full-cheeked* face / a face with *plump cheeks*

しもふり 霜降り (肉) marbled beef Ⓤ.

しもべ 僕 ☞めしつかい

しもやけ 霜やけ ―名 (軽い) chílblàins ★通例複数形で; (重い) frostbite Ⓤ. ―形 (霜やけの・霜やけにかかった) chilblained; frostbitten. ¶手に*霜やけができる suffer from *chilblains* on *one's* hands

しもやしき 下屋敷 villa [suburban residence] of a daimyo Ⓒ.

しもよ 霜夜 frosty night Ⓒ.

しもよけ 霜除け frost protector Ⓒ.

じもる (地元で遊ぶ) have a good time [enjoy *oneself*] in *one's* neighborhood.

しもわれ 霜割れ ―名 (樹木が寒さのため音を立てて割れること) frost crack Ⓒ. ―動 crack (because of severe coldness) 自.

しもん¹ 指紋 fingerprints ★通例複数形で. ¶警察はコップから犯人の*指紋を採取した The police lifted the suspect's *fingerprints* from the glass. 指紋押捺 (指紋をとること) fingerprinting Ⓤ; (指紋の登録) fingerprint registration Ⓤ 指紋押捺義務 fingerprinting obligation Ⓒ 指紋登録制度 fingerprint registration system Ⓒ.

しもん² 諮問 consultation Ⓤ. 諮問委員会 consultative [advisory] committee Ⓒ 諮問機関 advisory [consultative] body Ⓒ. ¶私的*諮問機関 private *advisory body* Ⓒ

しもん³ 試問 (調べるための質問) examination Ⓒ; (質問) question Ⓒ. 《☞しけん¹; しつもん》.

じもん 地紋 pattern Ⓒ; (織り模様) woven pattern Ⓒ.

じもんじとう 自問自答 ―動 (自分自身に尋ねる) wonder to *oneself*; (自分に語りかける) talk to *oneself*. ―名 soliloquy /səlíləkwi/ Ⓒ.

しや 視野 (見える範囲) field [range] of ˹view [vision] Ⓒ; (見る力) view Ⓤ, sight Ⓤ; (洞察力) vision Ⓤ; (活動・知識などの範囲) scope Ⓤ; (見通し) outlook Ⓒ. 《☞しかい²》. ¶霧が我々の*視野をさえぎった The mist limited our *field of vision*. // 小鳥が*視野に入った A bird came ˹into *view* [in *sight*]. // 彼はどちらかというと*視野が狭い He takes a rather narrow *view* of things. // 彼は外国旅行に行って大いに*視野を広めた Traveling abroad greatly widened his *horizons*. 視野狭窄 ☞見出し 視野障害 visual field impairment Ⓒ.

しゃ¹ 紗 silk gauze Ⓤ.

しゃ² 社 ☞じんじゃ; かいしゃ¹

しゃ³ 斜 ☞ななめ 斜に構える (体を斜にする) stand with one shoulder drawn back; (皮肉な態度をとる) take a cynical attitude.

じゃ 蛇 snake Ⓒ; (大蛇) serpent Ⓒ. 《☞へび》. 蛇の道はへび Set a thief to catch a thief. 《ことわざ: 泥棒に泥棒をつかまえさせよ》 ★泥棒が泥棒のことを一番知っているから.

蛇踊り (中国・長崎などの) dragon dance Ⓒ.

しゃー ¶刻んだたまねぎをフライパンに入れると, *しゃーと音をたてた When the chopped onions were put in the pan, there was *a light sizzling noise*. 《☞擬声・擬態語 (囲み)》

シャー shah, Shah /ʃάː/ ★ペルシャ・イラン王の尊称.

じゃあ well, then. 《☞では; それでは》.

じゃー ☞じゃあじゃあ

ジャー thermos /θə́ːməs/ (contàiner) Ⓒ, 《英》(thermos) flask Ⓒ, 《英》(vacuum) flask Ⓒ 日英比較 英語の jar はガラス・焼物の広口の容器のこと. 日本でごはんなどを入れて保温しておくために用いる「ジャー」と同じものは英米にはない. 《☞ポット》.

ジャーキー (牛の干し肉) (beef) jerky Ⓤ, jerk Ⓤ, jerked beef Ⓤ.

じゃあく 邪悪 ―形 (自分の意志で不正・不道徳を行う・罪深い) wicked; (道徳的に有害な・悪徳の) vicious; (心も行いも非常に悪い) evil ★最も意味が強い. ―名 wickedness Ⓤ; (悪徳) vice Ⓤ (↔virtue) ★この語はよく「悪徳行為」の意味で用い, そのときは Ⓒ; evil Ⓤ. 《☞あく³; わるい》.

ジャーク (重量挙げ) (clean and) jerk [U] ★ clean はバーベルを床から肩の高さまで持ち上げ, jerk は頭上に高く上げる動作.

シャークスキン sharkskin [U]. ¶ *シャークスキンの上着 a *sharkskin* jacket

シャーシー ☞ シャシー

ジャージー (スポーツ選手が着るシャツ) jersey [C] ★「生地」の意味では [U].

じゃあじゃあ ¶ 水を*じゃあじゃあ出しっぱなしにする leave the faucet *running* ★ faucet は蛇口. (☞ ざあざあ; 擬声・擬態語 (囲み))

しゃあしゃあと ― 形 (平気な) cool; (恥知らずの) shameless; (厚かましい・ずうずうしい) brazen(-faced). ― 副 shamelessly. (☞ 擬声・擬態語 (囲み)). ¶ 彼はあんなたいへんな過ちをしでかしておいて*しゃあしゃあとしている He looks *cool* after making such a serious mistake. // その悪徳政治家は*しゃあしゃあと選挙に立候補した The vicious politician was *shameless* enough to run in the election. / The vicious politician *shamelessly* ran in the election.

ジャーナリスティック jòurnalístic. ¶ *ジャーナリスティックな見方 a *journalistic* ⌈way of looking at things [viewpoint]

ジャーナリスト jóurnalist [C] (☞ きしゃ[1]).

ジャーナリズム jóurnalism [U].

ジャーナル journal [C].

ジャーニー journey [C] (☞ たび[1]; りょこう).

シャープ[1] 〔楽〕 sharp [C] ★ プッシュホンやキーボードの#はしばしば pound, hash と呼ぶ.

シャープ[2] ― 形 (鮮明・鋭敏な) sharp. ¶ *シャープな学生 a *sharp* student // *シャープな画面 (⇒ 焦点の合った) a *well-focussed* picture

シャープペンシル mechanical pencil [C], 《英》 propelling pencil [C].

シャーベット 《米》 sherbet [C], 《英》 sorbet [C].

シャーマニズム (原始宗教の一形態) shá-manìsm [U].

シャーマン (シャーマニズムで治療・予言などをする人) shaman /ʃá:mən/ [C].

シャーリング 〔服〕 (飾りひだ) shirring [U].

シャーレ (検査物用ガラス皿) láboratòry dísh [C].

シャーロッキアン (シャーロックホームズの愛好家) Sherlóckian [C].

シャーロック ホームズ Shérlock Holmes /hóʊmz/ ★ 英国の作家ドイル (☞ ドイル) の推理小説に登場する名探偵.

しゃい 謝意 (日常的な語) thanks ★ 複数形で; (格式ばった語) gratitude [U]. (☞ かんしゃ[1]). ¶ *謝意を表する express *one's* ⌈*thanks* [*gratitude*]

シャイ ― 形 shy (☞ はずかしがりや).

ジャイアント giant [C] (☞ きょじん).

ジャイアントスラローム 〔スキー〕 the giant slalom.

ジャイアントパンダ 〔動〕 giant panda [C] (☞ パンダ).

ジャイナきょう ジャイナ教 〔宗〕 Jainism [U].

ジャイロ ジャイロコンパス (回転羅針儀) gýrocòmpass [C] ジャイロスコープ (回転儀) gýroscòpe [C].

シャイロック Shylock ★ シェークスピア作『ベニスの商人』の中の高利貸し; (シャイロックのような人) Shylock [C].

しゃいん[1] **社員** (従業員) emplòyée [C]; (事務員) clerk [C]; (職員の 1 人) staff member [C]; (集合的に, 1 つの会社の職員全体) the staff ★ 複数形にはしない. (☞ かいしゃいん; じゅうぎょういん). ¶ 正*社員 a regular *employee* // 新入*社員 the new *employees* // 彼は我が社の*社員です He's on our *staff*. / He's on *the staff* of our company. 社員旅行 staff ⌈outing [excursion] [C].

しゃいん[2] **社印** company's (official) seal [C]; the seal of a company.

じゃいん 邪淫 ☞ いんらん; かんつう[2]

しゃうん 社運 (会社の将来) the future of the company. ¶ *社運を賭して at the risk of *the company*

しゃえい 射影 ☞ とうえい[1]

しゃおう 沙翁 ☞ シェークスピア

しゃおく 社屋 office building [C], 《英》 office block [C].

しゃおん 謝恩 謝恩会 graduation [commencement] (day) reception (for teachers by students) [C] 謝恩セール thank-you sale [C].

しゃか 釈迦 (仏陀・釈迦の尊称) (the) Buddha /bú:də/; (釈迦牟尼) S(h)akyamuni /ʃá:kjəmùni/. (☞ せっぽう).

しゃが 著莪 〔植〕 *shaga* [C]; (説明的には) a variety of Japanese iris with light-purple, yellow-centered flowers.

ジャガー 〔動〕 jaguar /ʤǽgwaə/ [C].

ジャカード (ジャカード紋織地) Jacquard /ʤǽkaəd/ (weave) [U] ★ または jacquard.

シャガール ― 名 固 Marc Chagall, 1887–1985. ★ フランスの画家.

しゃかい 社会 ― 名 (世の中・世間) society [C]; (世の中) the world ★ ややくだけた表現; community [C] ★ 特に地域 (共同) 社会. ― 形 (社会の) social; (公共の) public [A]. (☞ せけん; よのなか; じっしゃかい).

¶ 彼は高校を卒業してすぐに*社会に出た Right [Immediately] after graduating from high school, he went out into *the world*. // 私は何か*社会のため (⇒ 社会福祉) になることをしたい I want to work for the *public* ⌈good [welfare]. // 教師の*社会 (⇒ 教師の間) では, そんなことは通用しない A thing like that won't be accepted by school teachers. // 人間は*社会的な生き物である Human beings are *social* creatures. // 男本位の*社会 a ⌈male-dominated [male-centered] *society* // *社会を一新する renew *society* // *社会を改造する remodel *society*

社会悪 social ills ★ 通例複数形で. 社会運動 social movement [C] 社会科 social studies ★ 複数形で. 社会科学 social science [U] 社会学 sociology [U] 社会環境 social environment [C] 社会教育 (成人教育) adult education [U] 社会契約説 social-contract theory [C] 社会言語学 sociolinguistics [U] 社会現象 social phenómenòn [C] 《複 -na》 社会主義 socialism [U] 社会主義インターナショナル the Socialist International 社会主義者 socialist [C] 社会情勢 social conditions ★ 複数形で. 社会心理学 social psychology [U] 社会人 working member of society [C]. ¶ *社会人になる go out into the world 社会人類学 social anthropology [U] 社会生活 social life [C] 社会政策 social policy [C] 社会制度 social system [C] 社会秩序 social [public] order [U] 社会通念 socially accepted idea [C] 社会道徳 social ⌈morals [moralities] ★ 通例複数形で. 社会鍋 charity pot (of the Salvation Army) [C] 社会部 (新聞の) 《米》 the city desk; the local news section 社会部記者 local-news reporter [C]; (サツ回り) police reporter [C] 社会不安 social unrest [U] 社会福祉 social welfare [U] 社会(福祉)事業 social (welfare) project [C] 社会福祉士 (licensed) social welfare ⌈worker [specialist] [C] 社会復帰 returning to work [U] 社会復帰施設 halfway house [C] 社会奉仕 community service [U] 社会

保険 social insurance Ⓤ 社会保険庁 the Social Insurance Agency 社会保険労務士 licensed social insurance consultant Ⓒ 社会保障 social security Ⓤ 社会保障制度 social security system Ⓒ 社会民主主義 social democracy Ⓤ 社会面 (新聞の) local news page Ⓒ 社会問題 social problem Ⓒ.

コロケーション

社会構造を改める restructure *society* / 社会に害毒を流す contaminate *society* / 社会に奉仕する serve *society* / 社会を一変させる transform *society* / 社会を改革する reform *society* / 社会を変える change *society* / 社会を堕落させる degrade *society* / 社会を破壊する destroy (the fabric of *one's*) *society* / 社会を腐敗させる corrupt *society* / 社会をよくする improve *society* // 階級社会 hierarchical *society* / 競争社会 competitive *society* / 均質の社会 a homogeneous *society* / 近代社会 modern *society* / 原始社会 primitive *society* / 現代社会 contemporary *society* / 高齢化社会 aging *society* / 国際社会 international *society* / 資本主義社会 a capitalistic *society* / 消費社会 a consumer *society* / 上流社会 polite [high] *society* / 先進社会 an advanced *society* / 多民族社会 a ˹multiracial [multiethnic] *society* / 人間社会 human *society* / 民主的な社会 a democratic *society* / 豊かな社会 an affluent *society*

しゃがい 社外 ¶*社外の outside ˹the [*one's*] company 社外重役 outside director Ⓒ.

しゃかいとう 社会党 the Socialist Party《☞ しゃみんとう》. 社会党員 Socialist Ⓒ.

じゃがいも potato /pətéɪtoʊ/ Ⓒ《複 ~es》 参考《米》では「さつまいも」(sweet potato) と区別して white [Irish] potato とも言う.《☞ いも》.

しゃかく 斜格 〘文法〙 oblique case Ⓒ.

ジャガタラぶみ ジャガタラ文 Jakarta letters; (説明的には) letter from a foreigner's Japanese wife or children exiled in Jakarta during the period of Japan's national isolation Ⓒ.

しゃかっこう 斜滑降 〘スキー〙 ── 名 traversing Ⓤ. ── 動 traverse 自 他.

しゃがむ (かがむ) crouch 自; (しゃがみこむ) squat 自 日英比較 動物が座るようにひざを曲げ，すぐ次の行動に移れるような姿勢が crouch で，ひざを完全に曲げて腰を地面にまで低く落としてしゃがみこむのが squat である. sit の 1 つの形ではあるが，英米の習慣として，squat する習慣がなく，このような姿勢は異様で，よい印象が持たれない.

squat crouch

しゃかむに 釈迦牟尼 ☞ しゃか

ジャカルタ ── 名 固 Jakarta /dʒəkɑ́ːtə/ ★ インドネシアの首都.

しゃがれごえ 嗄れ声 hoarse [husky] voice Ⓒ《☞ しゃがれる》.

しゃがれる 嗄れる (声がかれる) become hoarse《☞ しわがれる》.

しゃかん 舎監 dórmitòry sùperinténdent Ⓒ.

しゃかんきょり 車間距離 the distance between two cars.

¶前の車との*車間距離を十分に取りなさい Keep a good *distance* ˹from the car ahead [between your car and the one ahead]. / Don't *tailgate*. ★ tailgate《米略式》は「前の車にくっつけて運転する」. // トラックが前の乗用車に追突したのは*車間距離をきちんと取っていなかったからだ The truck collided with the car in front because the truck driver *was* ˹*following too close to* [*tailgating*] it.

しゃき 社旗 company flag Ⓒ; (船の) house flag Ⓒ.

じゃき 邪気 ¶*邪気を払う drive out *evil spirits*《☞ わるぎ; やく[5]; あくま; じゃしん[1]》// *邪気のない ☞ むじゃき

シャギー ── 形 (毛足の長い) shaggy. ¶*シャギーカーペット a *shaggy* carpet

ジャギー ── 形 (ぎざぎざした) jaggy, jagged.

しゃきしゃき ── 形 (人・動作がきびきびした) brisk; (食べ物の歯ざわりが) crisp.《☞ きびきび; 擬声・擬態語 (囲み)》.

しゃきょう 写経 hand-copying of a sutra Ⓤ; (写した経) hand-copied sutra /súːtrə/ Ⓒ.

じゃきょう 邪教 héresy Ⓤ《☞ いきょう[2]》. 邪教徒 héretic Ⓒ.

しやきょうさく 視野狭窄 narrowing of the ˹field of vision [visual field] Ⓤ.

しゃきん 謝金 ☞ しゃれい

しやく 試薬 〘化〙 reagent /riéɪdʒənt/ Ⓒ.

しゃく[1] 癪 ── 形 (態度や言葉などがいかにも挑戦的で，人を怒らせるような) provocative; (いらいらさせるような) írritàting ★ ちょっとした個人の振舞いについて言うときは後者のほうが普通; (迷惑で腹立たしい) annoying.

¶彼の言葉は*癪にさわった His words were *provocative*. / His words *made me angry*. ★ 第 2 文のほうが口語的. // 彼はいつも彼女にからかわれるのが*癪だった (⇒ 彼女の不断のからかいにいらいらさせられた) He *was irritated* by her constant teasing. 癪の種 cause of annoyance Ⓒ.

しゃく[2] 酌 ── 動 (酌をする) fill *a person's* ˹cup [glass] 日英比較 欧米の習慣では普通他人のグラスに酒などをつぐということをしない. ¶私にお*酌をさせてください Let me *pour* you a drink.

しゃく[3] 尺 (Japanese) foot Ⓒ《複 feet》 参考 1 尺は約 0.3m.《☞ しゃっかんほう》

しゃく[4] 笏 (王などが持つ) scepter (《英》 sceptre) Ⓒ; (職杖) mace Ⓒ.

しゃく[5] 勺 *shaku* Ⓒ; (体積の場合，説明的には) an old Japanese unit of capacity equal to about 0.018 liters; (面積の場合，説明的には) an old Japanese unit of area equal to about 0.033 square meters.

じやく 持薬 *one's* ˹habitual [regular; usual] medicine; (通常使用している薬) medicine that *one* uses regularly Ⓒ.

-じゃく …弱 less than … ¶私は身長 1 メートル 70 センチ*弱です (⇒ 170 センチより少し低い) I am a little *shorter than* one meter seventy centimeters. // そこまで車なら 1 時間*弱で行ける If you drive, you can get there in *less than* an hour.

しゃくい 爵位 (貴族の肩書き) title of nobility Ⓒ《☞ きぞく[2]》.

じゃくおんき 弱音器 〘楽〙 (楽器の) mute Ⓒ; (金管楽器の) damper Ⓒ.

しゃくざい 借財 ☞ しゃっきん

じゃくさん 弱酸 weak acid Ⓤ. 弱酸性 〘化〙 weak acidity Ⓤ. ¶*弱酸性の溶液 a ˹*weakly*

[*slightly*] *acid*(*ic*) solution

しゃくし 杓子 (丸底の大型スプーン) ladle [C]; (平底でカップ状) dipper [C]
[語法] ladle は長い柄の付いたスプーンのような形をしていて液体をすくう. dipper は長い柄のついたコップのような形をして, 水や液体をくむのに使う. **しゃくし定規** ¶彼は*しゃくし定規な人だ (⇒ 規則にこだわる) He *sticks fast to* the *rules*.

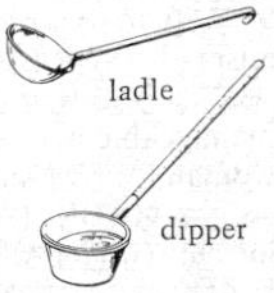

じゃくし 弱視 ―[名] weak (eye)sight [U]. ―[形] weak-sighted. (☞ しりょく[1]).

しゃくしぎ 杓鴫 〘鳥〙(中型の) w(h)imbrel [C]; (大型の) curlew [C].

じゃくしゃ 弱者 the weak ★ 複数扱い. (☞ 冠詞 (巻末)).

しゃくしゃく 綽綽 ☞ よゆう

じゃくじゃく 寂寂 ―[形] (ひっそりとしてさびしい) lonesome; (無念無想の) free from worldly thoughts.

しやくしょ 市役所 cíty [munícipal] óffice [C] ★ [ ] 内のほうが格式ばった語; (庁舎) city [《英》 town] hall [C]. **市役所職員** city-hall 「worker [employee] [C].

しゃくじょう 錫杖 priest's staff [C]; (カトリック司教の杖) crosier, crozier /króʊʒə/ [C].

じゃくしょう 弱小 ―[形] small and weak; (小さい) minor.

じゃくじょう 寂静 (静かなこと) tranquility [U]; (解脱の境地) nirvana [U].

じゃくしん 弱震 slight earthquake [C] (☞ じしん[2]).

しゃくぜん[1] 釈然 ¶君の説明ではどうも*釈然としない (⇒ 私は満足していない) I'm not entirely 「*happy* [*satisfied*] *with* your explanation.

しゃくぜん[2] 灼然 ―[副] (輝やいて) glitteringly; (明らかに) clearly.

じゃくそつ 弱卒 cowardly soldier [C] (☞ ゆうしょう[3]).

しゃくそん 釈尊 ☞ しゃか

じゃくたい 弱体 ―[形] weak (☞ よわい).

しゃくち 借地 leased land [U]. **借地権** lease [U] **借地借家法** the Land and Building Lease Act **借地人** tenant [C]; leaseholder [C] ★ 後者は格式ばった言葉で「借地権保持者」の意.

じゃぐち 蛇口 《米》 faucet [C], tap [C].

じゃくてん 弱点 (不得手な点・弱い点) weak point [C], weakness; [C]; (欠点) defect [C]; (不足する点・欠点) shortcomings ★ 通例複数形で. (☞ けってん (類義語); よわみ).

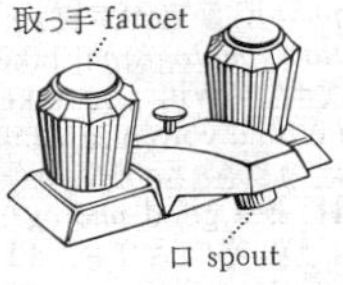

faucet

¶だれでもそれぞれ*弱点があります Every man has his *weak point*. // 僕は自分の*弱点を克服しようと努力しています I am trying to conquer my *shortcomings*.

じゃくでん 弱電 weak (electric) current [U].

しゃくど 尺度 (計量の単位) measure [C]; (目盛り・度盛り) scale [C]; (ヤード尺) yardstick [C]. (☞ ものさし).

しゃくどういろ 赤銅色 ―[形] (褐色の) brown; (日焼けした) tanned. (☞ かっしょく).

しゃくとりむし 尺取虫 〘昆〙 measuring worm [C], looper [C], inchworm [C].

しゃくなげ 石南花 〘植〙 rhòdodéndron [C].

じゃくにくきょうしょく 弱肉強食 ¶私たちは*弱肉強食の世界に住んでいる (⇒ 強いものが弱いものを餌食にする世界) We live in a world where 「*the stronger prey upon the weaker* [*the law of the jungle prevails*].

しゃくねつ 灼熱 ―[形] (焼けるような) scorching; (燃えるような) burning. ¶空には*灼熱の太陽が輝いていた A *scorching* sun was shining in the sky.

じゃくねん 若年, 弱年 youth [U] (☞ わかもの; わかい[1]). ¶*若年向きの雑誌 a magazine for *young people*

じゃくはい 若輩, 弱輩 ―[名] (若くて経験の浅い人) young and inexperienced /ìnɪkspí(ə)riənst/ person [C]; (新米) novice [C]. ―[形] (未熟の) green. (☞ わかい[1]).

しゃくはち 尺八 〘楽器〙 shakuhachi [C], Japanese bamboo flute [C].

しゃくふ 酌婦 barmaid [C].

しゃくぶく 折伏 ―[動] conquer evil (through religious belief) (他); (改宗させる) convert (他). ―[名] conversion by persuasion [C].

しゃくほう 釈放 ―[動] release (他); (…を自由にする) set … free. ―[名] release [U]. (☞ じゆう[1]). ¶乗っ取り犯人たちは刑務所に収容されている仲間の*釈放を要求した The hijackers demanded the *release* of the imprisoned members of their organization.

しゃくま 借間 (借りること) renting a room [U]; (借りた部屋) rented room [C].

じゃくまく 寂寞 ☞ せきばく

しゃくめい 釈明 ―[名] (説明) explanation [U]; (言い訳) excuse /ɪkskjúːs/ [C]. ―[動] explain (他); excuse /ɪkskjúːz/ (他). (☞ せつめい; いいわけ).

じゃくめつ 寂滅 ☞ ねはん

しゃくや 借家 rented house [C]. **借家人** tenant [C].

しゃくやく 芍薬 〘植〙 peony /píːəni/ [C].

しゃくよう 借用 ―[動] (無料で借りる) borrow (他); (有料で借りる) rent (他), 《英》 hire (他); (用いる) use (他). (☞ かりる [日英比較]). **借用語** 〘文法〙 loanword [C] (☞ 借用語 (巻末)). **借用証書** written acknowledgment of debt [C], IOU [C] ★ I owe you の音訳.

しゃくりあげる しゃくり上げる sob (自) (過去・過分 sobbed) ★ 声を詰まらせて短くあえぐように声をあげて泣くこと. (☞ なく[1]).

しゃくりなき しゃくり泣き sob [U], sobbing [U]. (☞ なく[1]; なきじゃくる).

しゃくりょう[1] 酌量 consideration [U] (☞ しんしゃく; じょうじょうしゃくりょう). ¶*酌量する *take* … into *consideration* // 彼の場合*酌量の余地はない In his case, there is no room for any *consideration* (of the circumstances). // 彼の年齢のことを*酌量してやらなければならない We must *make allowance*(*s*) *for* his age.

しゃくりょう[2] 借料 ☞ かりちん

しゃくる 杓る ☞ すくう[2]

しゃくれる 杓れる ―[形] (凹状の) concave. ―[動] (上を向く, 上に向ける) turn up (自) (他). ¶*しゃくれたあご a *turned-up* chin

しゃくん 社訓 the motto of a company.

しゃけ 鮭 ☞ さけ[2]

しゃけい 斜頸 wryneck [U], 〘医〙 tòrticóllis [U].

しゃげき 射撃 ―[名] shooting [U]. ―[動] (鉄砲で撃つ) shoot (他) (自). (☞ うつ[2]).

しゃけつ 瀉血 〘医〙 bloodletting [U], venesection [U] ★ 後者の方がより専門的な用語.

ジャケット, ジャケツ (上着) jacket Ⓒ; (レコードの) récord ⌈jàcket [còver] Ⓒ. 《☞ カバー》.

しゃけん[1] 車検 vehicle (safety) inspection Ⓒ. ¶*車検は来月だ (⇒ 検査してもらわなければならない) I must *have my car inspected* next month.

しゃけん[2] 車券 bicycle-race [bike-race] ticket Ⓒ.

じゃけん 邪険 ―形 (優しくない) unkind; (意地悪く厳しい) harsh. 《☞ そっけない》. ¶*邪険な言葉 *unkind* [*harsh*] words // 彼らは上司から*邪険な取り扱いを受けた They got *harsh* treatment from their boss.

しゃこ[1] 車庫 (自動車の) garage /gərɑ́ːʒ/ Ⓒ ★ 英語では「(自動車の) 修理工場」の意味もある; (電車などの) car barn Ⓒ.

しゃこ[2] 蝦蛄 〔動〕 squilla Ⓒ《複 ~s, -lae》.

しゃこ[3] 鷓鴣 〔鳥〕 partridge Ⓒ.

じゃこ ☞ ざこ; ちりめん (縮緬じゃこ)

しゃこう[1] 社交 ―名 (つきあい) society Ⓤ. ―形 (社交上の) social; (人が社交的な) sociable. 《☞ つきあい; こうさい[1]》. ¶彼はなかなかの*社交家だ He is quite a *sociable* man.
社交界 social circle Ⓒ 社交辞令 ¶それは*社交辞令でしょう (⇒ あなたは私にお世辞を言っている) You *are flattering* me. 社交性 sociability Ⓤ 社交ダンス social dance Ⓒ.

しゃこう[2] 遮光 ―動 (光をさえぎる) shade ⊕; (光源を覆い隠す) shield ⊕. ―名 shading Ⓤ. ―形 (光を通さない) lightproof, lighttight.
¶カーテンで*遮光する *shade* the light with a curtain 遮光栽培 shade cultivation Ⓤ 遮光幕 (灯火の周りの) shade Ⓒ; (灯火管制用の) blackout curtain Ⓒ.

しゃこう[3] 斜坑 inclined shaft Ⓒ.

しゃこう[4] 斜光 slanting beam of light Ⓒ.

じゃこう 麝香 (香料) musk Ⓒ.

じゃこうじか 麝香鹿 〔動〕 musk (deer) Ⓒ.

しゃこうしん 射幸心 (投機的な[賭け事の]) speculative [gambling] spirit Ⓒ. ¶*射幸心をあおる stir up *one's gambling spirit*

じゃこうねこ 麝香猫 〔動〕 rasse /rǽs(ə)/ Ⓒ.

じゃこうねずみ 麝香鼠 〔動〕 muskrat Ⓒ.

しゃこがい 硨磲貝 〔貝〕 giant clam Ⓒ.

しゃこく 社告 announcement [notice] of a company Ⓒ.

しゃさい 社債 bond Ⓒ ★ 証書・証文・債券などの意味にも用いられる.

しゃざい 謝罪 ―名 (わび・弁解) apology Ⓒ. ―動 (謝る・わびる) apologize (for ...; to ...) ⓐ, make an apology (for ...; to ...) 語法 以上 2 つとも,「人」に対する場合は to,「事柄」に対する場合は for を用いる. ―形 (謝罪の) apòlogétic. 《☞ あやまる[1]; わび[1]》.
¶我々は彼に*謝罪を要求した We demanded an *apology* from him. // 彼は遅刻したことを先生に*謝罪した He ⌈*apologized* [*made an apology*] *to* his teacher *for* being late. // 新聞に*謝罪広告を出す publish an *apology* in a newspaper

しゃさつ 射殺 ―動 shoot ... ⌈dead [to death] 《過去・過分 shot》 《☞ うつ[2]》.

しゃし[1] 斜視 ―名 squint Ⓒ. ―形 (斜視の) *squint-eyed*; (寄り目の) cross-eyed.

しゃし[2] 社史 corporate [company] history Ⓤ.
社史室 the corporate history office 《☞ 会社の組織と役職名 (囲み)》.

しゃし[3] 奢侈 ☞ ぜいたく

しゃじ 謝辞 (感謝の言葉) words of thanks; (感謝を表す演説) address of thanks Ⓒ. ¶*謝辞を述べる express (*one's*) *thanks*

シャシー (車台) chassis /ʃǽsi/ Ⓒ《複 ~ /-z/》.

しゃじく 車軸 axle Ⓒ 《☞ じく[1]》.

しゃじつ 写実 ―形 (写実的) realistic.
¶*写実的な絵 a *realistic* painting 写実主義 realism Ⓤ 写実小説 realistic novel Ⓒ.

じゃじゃうま じゃじゃ馬 (手におえない女) unmanageable woman Ⓒ; (気短な女) quarrelsome woman Ⓒ, 《文》 shrew Ⓒ.

しゃしゃりでる しゃしゃり出る (口を出す) butt in ⓐ; (干渉する) meddle ⓐ. 《☞ でしゃばる》.
¶子供のけんかに親が*しゃしゃり出た The parents *meddled* in their children's quarrel.

しゃしゅ[1] 車種 (デザイン・年式などの) model Ⓒ; (用途・種類別などの) type Ⓒ.

しゃしゅ[2] 射手 (ライフル・弓などの) shooter Ⓒ; (弓の) archer Ⓒ; (射撃・弓の名人) marksman Ⓒ 《複 marksmen》, markswoman Ⓒ 《複 markswomen》.

しゃしゅ[3] 社主 the ⌈proprietor [owner] of a company ★ [ ] 内のほうが口語的.

じゃしゅう 邪宗 (異教) heretical religion Ⓤ; (邪悪な宗教) evil sect Ⓒ. 《☞ じゃきょう》.

しゃしゅつ 射出 ―動 (弾丸を発射する) shoot ⊕; (外へ出す) eject ⊕; (液体を噴出する) spout ⊕; (熱・光を放射する) radiate ⊕. ―名 shoot Ⓒ; ejection Ⓤ; spout Ⓒ; radiation Ⓤ. 《☞ はっしゃ[2]; ふんしゃ》.

しゃしょう[1] 車掌 conductor Ⓒ 語法 《米》ではバス・電車・列車の車掌を言うが,《英》では列車の車掌は guard と言う. 女性の車掌は woman conductor Ⓒ.

しゃしょう[2] 捨象 ―名 abstraction Ⓤ. ―動 (抽象する) abstract ⊕.

しゃしょう[3] 社章 (記章) company badge Ⓒ; (社名のマーク) logo /lóʊgoʊ/ Ⓒ.

しゃじょう[1] 謝状 ☞ かんしゃ[1]; れい[2]

しゃじょう[2] 車上 ¶*車上の (列車に乗って) on [aboard] a train / (自動車で) in a car 《☞ しゃない》 車上狙い[荒し] (行為) theft from a vehicle Ⓤ; (人) vehicle thief Ⓒ.

しゃしょく 写植 〔印〕 photocomposition Ⓤ, 《英》 filmsetting Ⓤ. 《☞ しゃしん (写真植字)》.

しゃしん 写真 picture Ⓒ, phótogràph Ⓒ, 《略》 photo Ⓒ 語法 photograph よりも picture のほうがくだけた語; (スナップ写真) snapshot Ⓒ.
¶これは祖父の*写真です This is a ⌈*photograph* [*picture*] of my grandfather. / This is my grandfather's ⌈*photograph* [*picture*]. // 私は*写真をとるのが好きだ I like taking ⌈*pictures* [*photographs*; *photos*]. // 私は*写真をとってもらった I had my ⌈*picture* [*photograph*] taken. // 僕の*写真をとってくれませんか Will you take my ⌈*picture* [*photo*]? / (Would you) please take a *snapshot* of me? // 彼は*写真をとるのがうまい (⇒ 写真をとるのがうまい人だ) He is a good *photographer*. // この*写真をもう一枚焼き増しして下さい Please make another copy of this *picture*. // この*写真を引き伸ばして下さい Please enlarge this *picture*. // この*写真はよくとれている This ⌈*photo* [*picture*] ⌈came [turned] out well. // 彼の*写真はピンぼけです His *picture* was out of focus. // 彼女は*写真うつりがよい She looks good in ⌈*pictures* [*photos*]. / She is *photogenic*. ★ phòtogénic は「写真うつりがよい」という 形. // ここで[この中で]*写真をとってもかまいませんか (⇒ 写真をとることが許されていますか) Are we allowed to take *pictures* ⌈here [in here]? // あなたは*写真のほうが若く見える You look younger in the *photo*. // 彼は*写真嫌いだ He is *camera-shy*. / He hates ⌈having his *picture* taken [the *camera*]. // 彼女は

この*写真より実物のほうがよい This *picture* does not do her justice. // 電子*写真 an electronic ⌈*picture* [*photo*; *photograph*] **写真家** (proféssional) photógrapher Ⓒ [語法] 単に photographer と言うと「写真をとる人」の意味で，専門的な写真家とは限らないので，区別が必要な場合は( )内を加える. **写真館** photo studio Ⓒ **写真機** camera Ⓒ《☞ カメラ》 **写真集** photograph collection Ⓒ **写真植字** phòtotýpesètting Ⓤ, phòtocomposítion Ⓤ **写真製版** photo-type process Ⓒ **写真測量** photogrammetry Ⓤ **写真帳** pícture [phótograph] àlbum Ⓒ **写真電送** facsímile (transmíssion) Ⓤ, phòtotelégraphy Ⓤ **写真判定** (写真判定による勝負) phóto finish Ⓒ **写真メール** digital photo mail (transmitted from a camera phone) Ⓒ《☞ カメラ (カメラ付き携帯)》. **写真屋** (写真機の販売や写真の現像などをする店) camera store Ⓒ, photography shop Ⓒ; (写真をとる店) photo studio Ⓒ.

コロケーション

写真を(壁に)かける hang [put up] a ⌈*picture* [*photo*; *photograph*] (on the wall) / 写真を現像する develop a ⌈*picture* [*photo*; *photograph*] / 写真をピンで(壁に)留める pin (up) a ⌈*picture* [*photo*; *photograph*] (on the wall) / 写真を焼きつける print a ⌈*picture* [*photo*; *photograph*] / 写真を焼き増しする reprint a ⌈*picture* [*photo*; *photograph*] / 写真を露出過度[不足]にする overexpose [underexpose] a ⌈*picture* [*photo*; *photograph*] / スナップ写真を撮る snap a ⌈*picture* [*photo*; *photograph*] // 衛星写真 a satellite ⌈*picture* [*photo*; *photograph*] / 家族写真 a family ⌈*picture* [*photo*; *photograph*] / 黄ばんだ写真 a yellowed ⌈*picture* [*photo*; *photograph*] / 正面を向いた写真 a full-faced ⌈*portrait* [*photo*; *photograph*] / 白黒写真 a black-and-white ⌈*picture* [*photo*; *photograph*] / 水中写真 an underwater ⌈*picture* [*photo*; *photograph*] / 全身[半身]写真 a ⌈full-length [half-length] ⌈*portrait* [*photo*; *photograph*] / 鮮明な写真 a sharp ⌈*picture* [*photo*; *photograph*] / 卒業写真 a graduation class ⌈*picture* [*photo*; *photograph*] / パノラマ写真 a panoramic ⌈*picture* [*photo*; *photograph*] / ピンぼけ写真 a blurred ⌈*picture* [*photo*; *photograph*] / 連続写真 sequential ⌈*pictures* [*photos*; *photographs*]

じゃしん¹ 邪心 (不正な心) wicked heart Ⓒ; (邪悪な考え) evil thought Ⓒ; (悪意のある意図) malicious intention Ⓒ. ¶*邪心のない人 an *innocent* person

じゃしん² 邪神 ☞ あくま; おに

しゃしんき 写真機 ☞ しゃしん (写真機); カメラ

ジャス (日本農林規格) JAS /dʒéièés/ ★ *J*apanese *A*gricultural *S*tandard の略. **ジャスマーク** JAS mark Ⓒ.

ジャズ jazz Ⓤ. **ジャズシンガー** jazz singer Ⓒ **ジャズダンス** jazz dance Ⓒ **ジャズバンド** jazz band Ⓒ.

じゃすい 邪推 ── [動] (偏見を持って疑う) be ⌈biased [prejudiced] in *one's* suspicion(s) of *a person*. ── [名] biased suspicion Ⓒ. 《☞ うたがう; へんけん》. ¶それは*邪推だ (⇒ それは君の思いすごしだ). ひどいよ That's just your *imagination*. How unkind of you! / (⇒ 私は君の偏見を持った態度に怒りを感じる) I resent your *biased attitude*. ★ 第2文のほうが格式ばった言い方.

ジャスダック JASDAQ ★ *J*apan *A*ssociation of *S*ecurities *D*ealers *A*utomated *Q*uotation の略.

ジャスティファイ (正当化する) justify (他).

ジャスト (ちょうど) just, exactly; (きっかり) sharp ★ 時刻などの後に置く. [日英比較] 英語の just は「まさに」「ちょうど」のほかに「ちょっと」とか「…したばかり」の意味があり，そのほうが普通の使い方.「きっかり」の意では exactly のほうが普通. 《☞ ちょうど¹; かっきり》. ¶彼は5時*ジャストにここに来ました He came here ⌈*exactly* [*just*] at five. / He arrived here at five *sharp*.

ジャストフィット ── [名] (ぴったり合ったもの) good fit Ⓒ. ── [動] (ぴったり合う) fit very well (他) (自), fit just right (他) (自). [日英比較]「ジャストフィット」は和製英語.

ジャストミート 〔野〕 ¶ボールに*ジャストミートする (⇒ ボールを正確に打つ) *hit* a ball *squarely* [日英比較]「ジャストミート」は和製英語.

ジャスミン 〔植〕 jasmin(e) /dʒǽzmən/ Ⓒ. **ジャスミン茶** jasmin(e) tea Ⓤ.

しゃする 謝する ☞ かんしゃ¹; れい²; あやまる¹; わびる

しゃぜ 社是 company policy Ⓒ.

しゃせい¹ 写生 ── [動] (スケッチする) sketch (他) (自). ── [名] sketch Ⓒ. 《☞ スケッチ》. **写生帳** sketchbook Ⓒ **写生文** (literary) sketch Ⓒ.

しゃせい² 射精 ── [名] ejaculation Ⓤ. ── [動] (射精する) ejaculate (他).

しゃせつ 社説 editorial Ⓒ, 《英》 leading article Ⓒ, leader Ⓒ. 《☞ ろんせつ》.

しゃぜつ 謝絶 ── [動] (きっぱり断わる) refuse (他); (丁重に断わる) decline (他) ★ 後者は格式ばった語. ── [名] refusal Ⓤ. 《☞ ことわる》.
¶彼女は私たちの申し出を*謝絶した She *declined* our offer. // 彼は面会*謝絶です (⇒ 彼に会うことは許されていない) We *are not allowed to* see him. / (⇒ 彼は見舞い客を許されていない) He *is allowed no* visitors. // 面会*謝絶 《掲示》 No Visitors

じゃせつ 邪説 ☞ いたん

しゃせん¹ 車線 lane Ⓒ 《☞ みち¹ (類義語)》.
¶4*車線のハイウェー a four-*lane* highway

しゃせん² 斜線 slant [oblique /oʊblíːk/] line Ⓒ, diágonal Ⓒ; (区切りのためなどに入れる短い斜線) slash Ⓒ. 《☞ ななめ》. **斜線制限** ☞ りんち (隣地斜線制限).

しゃそう¹ 車窓 train [car] window Ⓒ 《☞ まど》.

しゃそう² 社葬 company funeral Ⓒ, funeral (service) ⌈conducted [sponsored] by the company of the deceased Ⓒ.

しゃぞう 写像 〔数〕 mapping Ⓤ.

しゃそく 社則 company regulations ★ 複数形で.

しゃたい¹ 車体 the body (of a car), chassis /ʃǽsi/ Ⓒ 《複 ～ /-z/》; (自転車の) frame Ⓒ. **車体広告** (電車やバスなどのポスター広告) transit advertising Ⓤ ★ 個々の広告は transit sign という; (車体にペンキで描いた) ad(vertisement) painted on the body of a car Ⓒ. 《☞ ラッピング¹ (ラッピング広告)》.

しゃたい² 斜体 ── [名] (斜字体) italics ★ 複数形で. ── [形] italic. ¶*斜体で印刷する print in *italics* // *斜体の字 an *italic* letter

しゃだい 車台 chassis /ʃǽsi/ Ⓒ 《複 ～ /-z/》.

しゃたく 社宅 (一戸建ての家も含めて集合的に) company housing Ⓤ; (一戸建ての家) company house Ⓒ; (会社の寮) company dormitory Ⓒ ★ 家族用のものでもよい.

しゃだつ 洒脱 ── [形] (屈託のない) free and easy; (慣習にとらわれない) unconventional. 《☞ あかぬけた》.

しゃだん 遮断 ── [動] (交通などを止める) hòld úp

㊀; (止める) stop ㊀. (☞ さえぎる; とめる¹). ¶ 交通が*遮断された Traffic *was* ˹*held up* [*stopped*]. 遮断機 crossing ˹gate [barrier] Ⓒ 遮断器 (電気の) (circuit) breaker Ⓒ.

しゃだんほうじん 社団法人 corporate juridical person Ⓒ ★ 法律上の名称. あまり厳密である必要のない場合は単に corporation Ⓒ でもよい.

しゃち 鯱 〘動〙 killer whale Ⓒ.

しゃちほこ 鯱 *shachihoko* ornament Ⓒ; (説明的には) (一対の) a pair of (golden) ornaments in the form of a fish-like animal attached to both ends of the roof of a Japanese castle.

しゃちほこだち 鯱立ち ☞ さかだち

しゃちほこばる 鯱張る ── 形 (改まった) formal. ── 動 stand on ceremony 語法 否定構文で用いる. ¶ そんなに*しゃちほこばらないで下さい Please don't be so *formal*. / Please don't *stand on ceremony*.

しゃちゅう¹ 車中 on the train.

しゃちゅう² 社中 (会社の社員) the members of a company; (集合的に) the staff; (俳優などの一座) troupe Ⓒ.

しゃちょう 社長 president Ⓒ, 《英》 managing director Ⓒ ★ 実権を握る社長は chief executive officer で, 単に chief executive, またはしばしば略して CEO という. (☞ 会社の組織と役職名 (囲み)). ¶ 副*社長 an executive vice-*president* ★ 単に vice-president とすると 《米》 では部長の意. (☞ 会社の組織と役職名 (囲み))

シャツ (ワイシャツ・スポーツシャツなどの) shirt Ⓒ; (下着のシャツ) undershirt Ⓒ 日英比較 日本語の「シャツ」は下着を指すことも多いが, 英語の shirt は上に着るものを指すのが普通; 《英》 vest Ⓒ. (☞ ワイシャツ). ¶ 私は*シャツを着た [脱いだ] I ˹put on [took off] my *undershirt*. // 彼は*シャツの袖をまくりあげて仕事にとりかかった He set to work with his *shirt* sleeves rolled up. シャツブラウス shirt blouse Ⓒ.

じゃっか 弱化 ☞ じゃくたい; よわい¹; よわる

ジャッカル 〘動〙 jackal Ⓒ.

しゃっかん 借款 loan Ⓒ. ¶ *借款を申し込む ask for a *loan* // わが国は開発途上国に 50 億ドルの*借款を与えた Our country [We] offered the developing countries five billion dollars as a *loan*. 借款協定 loan agreement Ⓒ.

じゃっかん¹ 若干 (数) some, a few; (量) a little. (☞ すこし; いくらか; いくつか (類義語)).

じゃっかん² 弱冠 young age Ⓒ. ¶ 彼は*弱冠 32 歳でその会社の社長になった He became the president of the company ˹at the *young age* of 32 [when he was *only* thirty-two].

しゃっかんほう 尺貫法 the *shaku-kan* system of measurement; (説明的には) the traditional Japanese system of measurement using *shaku*, a unit of length, *kan*, a unit of weight, and *sho*, a unit of volume. (☞ しゃく³; かん¹⁵)

じゃっき 惹起 ☞ ひきおこす

ジャッキ (押し上げ万力) jack Ⓒ.

しゃっきん 借金 debt /dét/ Ⓒ; (貸し付け金) loan Ⓒ. (☞ ふさい¹; かり²).
¶ 私はあの店に*借金がある I *am in debt* to that store. // 私は彼女に 1 万円*借金している I *owe* her *ten thousand* yen. / I *owe* ten thousand yen *to* her. // 今月の終わりまでに彼女に*借金 (⇒ 金) を返さなければならない I have to pay the money back to her by the end of ˹this [the] month. // 彼は*借金を踏み倒した He dodged paying his *debts*. // 彼は*借金で首が回らない (⇒ 深く [耳のところまで] 借金をしている) He is ˹deeply [up to his ears] *in debt*. ★ [ ] 内の言い方は英語の成句. 《英》 では ears の代わりに eyes を用いる. // *借金を申し込む ask *a person* for a *loan* 借金取り bill collector Ⓒ.

ジャック (トランプの) the jack ★ the knave /néɪv/ ともいう.

ジャックナイフ jackknife Ⓒ 《複 -knives》. ジャックナイフ現象 (トレーラーなどの) jackknifing Ⓤ, jackknife Ⓒ.

しゃっくり ── 名 hiccup Ⓒ, hiccough Ⓒ ★ 発音は両方とも /hɪ́kəp/. ── 動 hiccup ㊀, hiccough ㊀. ¶ *しゃっくりが止まらない I can't ˹get rid of the *hiccups* [stop *hiccup(p)ing*].

ジャッグル 〘野〙 juggle ㊀.

しゃっけい 借景 natural scenery used as the background in (the) landscaping (of a garden) Ⓤ ★ 説明的な訳.

じゃっこく 弱国 (国力の弱い国) country with little national power Ⓒ; (弱小国) minor [lesser] power Ⓒ; (貧しい国) poorer country Ⓒ.

しゃっこつ 尺骨 〘解〙 ulna /ʌ́lnə/ 《複 ulnae /ʌ́lniː/, ~s》.

ジャッジ (審判員) judge Ⓒ; (審判) judgment (《英》 judgement) Ⓤ. ジャッジペーパー score sheet Ⓒ 日英比較 「ジャッジペーパー」は和製英語.

シャッター shutter Ⓒ 語法 「カメラのシャッター」,「店などのよろい戸」の両方を意味する. 後の意味の場合は通例複数形で.
¶ 彼は素早く*シャッターを切った He quickly ˹released [pressed] the *shutter*. // カメラマンたちは盛んに*シャッターを切った (⇒ カメラがカチカチと音を立て続けた) The cameras kept *clicking* (away). 日英比較 英語の cameraman は映画やテレビなどの撮影技師のことで, 一般の写真家は photographer という. ただし, ここでは意訳してある. // あの店は午後 8 時に*シャッターを下ろす They roll down the *shutters* at 8 P.M. at that store.
シャッターチャンス (説明的に) the perfect moment to take a picture; (決定的瞬間) decisive moment Ⓒ 日英比較 「シャッターチャンス」は和製英語.
シャッター優先 〘写〙 shutter priority Ⓤ. ¶ *シャッター優先の自動露出 *shutter*˹*-priority*[*-preferred*] auto exposure

しゃっちょこだち ☞ さかだち

しゃっちょこばる ☞ しゃちほこばる

シャットアウト 〘野〙 (完封(試合)) shútòut Ⓒ.
¶ (投手が) *シャットアウトする pitch a *shutout*

ジャップ 《卑》 Jap Ⓒ.

シャッフル (トランプの札を切る) shuffle ㊀.

シャッポ ★「シャッポ」はフランス語の chapeau から. シャッポを脱ぐ (敬意を表する) take off *one's* hat to ...; (屈服する・従う) bow (down) to ...

しゃてい¹ 射程 range Ⓒ. ¶ この銃の*射程距離は長い (⇒ 長い射程をもつ) This gun has a long *range*. // 敵は*射程内 [外] だ The enemy is ˹within [out of] *range*.

しゃてい² 舎弟 ☞ おとうと

しゃてき 射的 (射撃) shooting Ⓤ; (練習) shooting practice Ⓤ. (☞ しゃげき). 射的場 shooting gallery Ⓒ.

しゃでん 社殿 (the main building of) a shrine.

しゃとう 斜塔 ¶ ピサの*斜塔 the *Leaning Tower* of Pisa

しゃどう 車道 road Ⓒ (☞ どうろ; みち¹ (類義語)).

じゃどう 邪道 (正統的でない方法) unorthodox method Ⓒ. ¶ それは*邪道だと思います (⇒ 適切な方法ではない) I'm afraid that's ˹*not a proper* [an *improper*] *way* of doing it.

シャトー ☞ しろ²

シャドー shadow Ⓒ. **シャドーキャビネット** shadow cabinet Ⓒ **シャドーボクシング** shadowboxing Ⓤ.
シャトーブリアン (シャトーブリアン風ビーフステーキ) chateaubriand /ʃæ̀toubriɑ́ːŋ/ Ⓤ.
シャトル (シャトルバス・列車・航空機など) shuttle Ⓒ; (スペースシャトル) (space) shuttle Ⓒ ★ Spáce Shùttle と大文字で始めることもある. ¶ ワシントンへの*シャトルの機上で偶然彼に出会った I ran into him on the *shuttle* to Washington.
シャトル(コック) shuttle(cock) Ⓒ.
シャトルバス shuttle bus Ⓒ.
しゃない[1] 車内 ¶ *車内はたいへん込み合っていた The train was very crowded. ★ 特に「車内」を訳す必要はない. ∥ *車内でのタバコはご遠慮下さい Please don't smoke *in the car.*
車内販売 (人) (food) vendor on a train Ⓒ; (事) (food) vending on a train Ⓤ **車内放送** (the) PA system on a train Ⓒ ★ PA system は *p*ublic *a*ddress system (公共放送設備) の略.
しゃない[2] 社内 ¶ 彼女は*社内で一番の美人です She is the most charming girl *in our* ˹*office* [*company*]. 《☞ かいしゃ[1]》
社内オンブズマン in-house ombudsman Ⓒ 《複 -men》. **社内結婚** marriage between two employees of the company Ⓒ ★ 説明的な訳. **社内研修** in-house training **社内食堂** company canteen Ⓒ; (カフェテリア式の) company cafeteria Ⓒ **社内(積み立て)貯金** in-house (installment) savings ★ 複数形で. **社内ベンチャー** business venture activities within a company **社内報** (in-)house bulletin Ⓒ **社内留保** internal reserves ★ 普通複数形で. **社内旅行** company trip Ⓒ.
-じゃないですか 日英比較 口語体の「…じゃない(です)か」は, おもに確認や同意を求めることを表す. 英語ではこのような場合否定疑問文や付加疑問文を用いて表すことが多い. また,「…です」の意味で, 強調を表すときは, 文頭に I'm sure や I('ll) bet を付けて表したり, 特に訳さずイントネーションで表す場合もある. 《☞ -じゃん》.
¶ すぐに結論を出すって言った*じゃないですか *Didn't you* say you'd make a quick decision? / You said you'd make a quick decision, *didn't you?* ∥ けい子は今時めずらしい人じゃないですか (⇒ めずらしいタイプの人だと思いませんか) *Don't you think* Keiko is a rare type nowadays?
しゃなりしゃなり ── 副 (優雅に) gracefully; (とりすました様子で) affectedly, in an affected manner.
しゃにくさい 謝肉祭 carnival Ⓒ ★ カトリック教国で Lent (四旬節) の直前 3 日間の祝祭.
しゃにむに 遮二無二 (向こうみずに) recklessly; (やけくそになって) désperately; (力ずくで) by force. ¶ 彼は*しゃにむに (⇒ 無理に) 人込みを押し分けて進んだ He *forced* his way through the crowd.
シャネル ── 名 固 Gabrielle Chanel /gɑ̀ːbriél ʃənél/, 1883-1971. ★ フランスのデザイナー. 通称 Coco Chanel.
じゃねん 邪念 (悪い[気を散らす]考え) wicked [distracting] thoughts ★ 通例複数形で; (よこしまな欲望) evil desire Ⓤ. ¶ *邪念を払う (⇒ 気を散らす考えを振り払う) shake off *distracting thoughts*
じゃのめ 蛇の目 (的などの中心の丸) bull's eye Ⓒ; (二重の輪) double ring Ⓒ; (傘) paper umbrella with a bull's eye design Ⓒ.
しゃば[1] 娑婆 (囚人から見た世間) the outside world 《☞ せけん》. **しゃば気** worldly ambitions ★ 複数形で.
しゃば[2] 車馬 (車と馬) horses and vehicles ★ 複数形で. 英語の語順に注意; (乗り物) vehicle Ⓒ. ¶ *車馬通行禁止《掲示》No Thoroughfare for *Horses and Vehicles*
しゃばくじょう 射爆場 firing and bombing range Ⓒ.
ジャパニーズ ☞ にほん
ジャパニーズイングリッシュ Japanese English Ⓤ.
ジャパノロジー (日本学) Jàpanólogy Ⓤ.
じゃばら 蛇腹 (写真機などの) bellows Ⓒ ★ 単数・複数扱い; (建物の) cornice Ⓒ.
ジャパン ☞ にほん
ジャパンバッシング (日本たたき) Japan bashing Ⓤ.
しゃひ 社費 the company's expenses ★ 一般的には複数形で. ¶ *社費で at *one's company expense*
じゃひ 邪飛 〚野〛(ファウルフライ) foul fly Ⓒ 《☞ ファウル; フライ[2]》.
ジャピック (日本プロジェクト産業協議会) JAPIC ★ *J*apan *P*roject-*I*ndustry *C*ouncil の略.
しゃふ 車夫 (人力車の) ricksha(w) man Ⓒ.
しゃぶ 《俗》(覚醒剤) upper Ⓒ, speed Ⓤ 《☞ かくせいざい》.
ジャフ (日本自動車連盟) JAF ★ *J*apan *A*utomobile *F*ederation の略.
ジャブ ── 名 jab Ⓒ. ── 動 jab 自 他. ¶ 彼は相手のあごに*ジャブを出した He *jabbed* his opponent in the chin. ∥ 左の*ジャブ a ˹left [left-hand] *jab*
しゃふう 社風 a company's characteristics; the ways of a company.
しゃふく 車幅 the breadth of a car 《☞ はば》.
しゃぶしゃぶ *shabushabu* Ⓤ; (説明的には) a sort of fondu(e) of thin slices of beef first dipped in boiling water then in a special vinegary sauce and eaten with tofu and various vegetables.
じゃぶじゃぶ ¶ 少年たちは川の浅瀬を*じゃぶじゃぶ歩いて (⇒ 水をはねかして) 渡った The boys *splashed* across the shallows. 《☞ 擬声・擬態語 (囲み)》
しゃふつ 煮沸 ── 動 boil 他 自. ── 名 boil Ⓤ ★ しばしば a を付けて. **煮沸消毒** sterilization by boiling Ⓤ.
シャフト (機械の軸) shaft Ⓒ.
シャブリ Chablis /ʃæblíː/ Ⓤ ★ フランス Chablis 産の辛口白ワイン.
しゃぶりつく ☞ しゃぶる; むしゃぶりつく
しゃぶる (吸う) suck 他. ¶ 赤ん坊が指を*しゃぶっている The baby *is sucking* ˹its [his; her] thumb. 語法 性別がわかれば his, her を用いるのが普通.
しゃへい 遮蔽 ── 動 (覆い隠す) cover 他; (上に何かかぶせて保護する) shelter 他; (放射線などの影響から遮断する) shield 他; (光・熱・風などをさえぎる) screen 他. **遮蔽物** 〚軍〛cover Ⓒ; (原子炉などの) shield Ⓒ; (目隠し) screen Ⓒ.
しゃべり 喋り talking Ⓤ 《☞ おしゃべり; しゃべる》.
しゃべりまくる (ぺちゃくちゃしゃべる) blabber 自; (ぺらぺら秘密やくだらないことを) blab 自; (しゃべりにしゃべる) talk (and talk) 自, talk away 自, talk *one's* head off ★ 3 番目のものはくだけた表現.
しゃべる 喋る talk (to ...; with ...) 自 ★ 最も一般的; (楽しくしゃべる) chat 自; (つまらぬことをぺちゃくちゃしゃべる) chatter 自. 《☞ はなす[1]; おしゃべり; いう (類義語)》. ¶ 彼女はよく*しゃべる人だ She *talks* a lot. / She is very *talkative*. ∥ 彼と*しゃべったことはない I'*ve* never *talked* ˹*to* [*with*] him.
シャベル shovel /ʃʌ́v(ə)l/ Ⓒ.

しゃへん 斜辺 oblique /oublíːk/ side Ⓒ; (直角三角形の) hypotenuse /haɪpátənùːs/ Ⓒ.
しゃほん 写本 mánuscript Ⓒ.
シャボンだま シャボン玉 soap bubble Ⓒ. ¶*シャボン玉をとばす (⇒ 吹く) blow *bubbles*
じゃま 邪魔 ── 動 (妨害する) disturb ⓗ; hinder ⓗ; (干渉する) interfere /ìntəfíə/ (with ...) ⓐ; (障害となる) obstruct ⓗ; be [stand] in *a person's* way; (さえぎる) interrupt ⓗ. ── 名 disturbance Ⓤ; hindrance Ⓤ; interference Ⓤ; interruption Ⓤ; obstruction Ⓤ. 語法 いずれも具体的な邪魔物をいうときは Ⓒ.
【類義語】 平静や集中力をかき乱すのが **disturb**. 活動や進行を差し止めたり遅らせたりして妨害するのが **hinder**. 余計な手出し口出しをして妨害するのが **interfere**. 進路の途中に障害物を置いて前進を妨げるのが **obstruct**. 人の行く手をふさぐという意味の口語的表現が ***be [stand] in a person's way***. 仕事や話などの腰を折るのが ***interrupt***. (☞ ぼうがい¹; しょうがい¹; さまたげる) ¶仕事の*邪魔をしないで下さい Don't ⌈*disturb* [*hinder*] me in my work. 語法 disturb を用いるほうが普通の言い方. 騒音などで気を散らせるようなことをするなという意味. / (⇒ 口出しなどして干渉するな) Don't *interfere with* my work. // 道に大きな石があって交通の*邪魔になった (⇒ 路上の大石が交通を邪魔した) A big ⌈rock [stone] on the road *obstructed* the traffic. // お*邪魔でしょうか *Am* I *in your way*? // お話し中 (*邪魔をして) すみませんが, ちょっとお話ししたいことがあります I'm sorry to *interrupt* you, but I have something to talk ⌈to [with] you about. // どうもお*邪魔しました (⇒ あなたの時間を多く取ってしまってすみません) I'm sorry I'*ve taken* so *much of your time*. 日英比較 これは実際に忙しい相手に時間を割かせてしまったことに対して謝罪をする言い方. しかし日本語の「お邪魔しました」は謝罪の意味で用いることはむしろ少なく, 別れのあいさつ代わりにすることが多い. もしそのような軽い意味であれば, 英語では I must be going now. I'll ⌈see [be seeing] you. (もう帰らなくてはなりません, それではまた) とか, I've enjoyed talking with you. Goodby(e). (お話しして楽しかった. さようなら) などとすべきである. // お暇な時にお*邪魔したいと思います (⇒ あなたにお会いしたい) I would like to *see* you when you are free. // 彼は私を*邪魔者扱いする (⇒ やっかい者のように扱う) He treats me as a *nuisance*.
邪魔立てする hinder ⓗ, stand in *a person*'s way ★ 後者は口語的.
ジャマイカ ── 名 固 Jamaica /dʒəméɪkə/ ★ 西インド諸島の中の独立国. ── 形 Jamaican. **ジャマイカ人** Jamaican Ⓒ.
じゃまっけ 邪魔っ気 ── 形 (気にさわる) annoying; (迷惑な) troublesome; (かさばって扱いにくい) cumbersome. (☞ じゃま; -け¹). ¶*邪魔っ気なスーツケース an *unwieldy* [a *cumbersome*] suitcase
しゃみせん 三味線 samisen /sǽməsèn/ Ⓒ ★ 単複同形; (説明的表現として) (traditional) Japanese three-stringed banjo-like instrument Ⓒ.
しゃみんとう 社民党 (一般に社会民主党) the Social Democratic party; (日本の) the Social Democratic Party of Japan (略 SDPJ).
シャム (タイの旧名) Siam /saɪǽm/ ★ Thailand が 1949 年からの正式国名. **シャム双生児** Siamese /sáɪəmìːz/ twins ★ 複数形で.
ジャム¹ jam Ⓤ, preserves ★ 通例複数形で. 後者はやや古風; (マーマレード) mármalàde Ⓤ. ¶いちご*ジャム strawberry *jam* // *ジャムつきパン bread ⌈and [with] *jam* **ジャムパン** bun with a layer of jam inside Ⓒ.
ジャム² (ジャズの即興演奏) jam Ⓤ. **ジャムセッション** jam session Ⓒ.
しゃむしょ 社務所 shrine office Ⓒ.
シャムねこ シャム猫 〔動〕 Siamese /sàɪəmìːz/ cát Ⓒ.
しゃめい¹ 社命 ¶*社命により under *company orders* / by *order of the company*
しゃめい² 社名 the name of a ⌈company [firm].
しゃめん¹ 斜面 (地面の) slope Ⓒ; (主に垂直線に対する傾斜) slant Ⓒ. (☞ けいしゃ¹; こうばい¹). ¶山の急な*斜面 the steep *slope* of the mountain
しゃめん² 赦免 (罪を免じること) pardon Ⓤ; (減刑) remission Ⓤ. (☞ ゆるす).
しゃも 軍鶏 〔鳥〕 gamecock Ⓒ.
しゃもじ 杓文字 (ご飯用のしゃもじ) rice ⌈paddle [scoop] Ⓒ 日英比較 英米には日本のしゃもじに当たるものはないので, 必要ならば a large wooden spoon for serving rice のような説明的な訳をする.
シャモニー ── 名 固 (都市) Chamonix /ʃǽməni/ ★ モンブラン (Mont Blanc) 北麓の町.
しゃゆう 社友 (社内の同僚) colleague Ⓒ; (社の関係者) "friend" of a company Ⓒ.
しゃよう¹ 社用 (会社の用事) company business Ⓤ. ¶彼は*社用でアメリカに渡った He went to the United States *on business*. **社用接待** entertaining on (an) expense account Ⓤ **社用族** (company) employees who take advantage of expense accounts ★ 説明的な訳.
しゃよう² 斜陽 ── 形 (衰え始めた) declining. **斜陽産業** declining industry Ⓒ.
じゃよく 邪欲 evil ⌈passion [desire] Ⓒ (☞ よく²; よくぼう).
しゃら 娑羅 ☞ さらそうじゅ
しゃらく 写楽 ☞ とうしゅうさいしゃらく
しゃらくさい 洒落臭い (生意気な) cheeky; (厚かましい) impudent; (知ったかぶりの) pedantic. (☞ なまいき). ¶*しゃらくさい口をきくな (⇒ 生意気なことを言うな) None of your *cheek*!
じゃらじゃら ── 動 (じゃらじゃら音を立てる) jingle ⓐ (☞ 擬声・擬態語 (囲み)). ¶ポケットの中で小銭がじゃらじゃら音を立てた The coins in my pocket *jingled*.
じゃらす ¶子猫を*じゃらす *play with* a kitten (☞ じゃれる)
しゃり 舎利 Buddha's bones.
じゃり 砂利 gravel Ⓤ; (small) pebbles ★ 複数形で.
【類義語】 自然の侵食作用で丸くなった小石が **pebble**. **pebble** や岩石の破片が混じったものが **gravel** で, 道路の修理などに使う.
¶その小道には*砂利が敷いてある The path *is gravel(l)ed*. // *砂利道 a ⌈*gravel* [*gravel(l)ed*] road
【参考語】 ── 動 (砂利を敷く) gravel ⓗ.
じゃりトラック gravel (dump) truck Ⓒ.
じゃりじゃり ── 動 (じゃりじゃり音を立てる) crunch ⓐ, make a crunching sound. (☞ 擬声・擬態語 (囲み)). ¶私たちが歩くと砂は*じゃりじゃりと音を立てた The sand ⌈*crunched* [*made a crunching sound*] under our feet.
しゃりょう 車両 (乗り物一般) vehicle /víː(h)ɪkl/ Ⓒ; (鉄道の) 《米》 car Ⓒ, 《英》 carriage Ⓒ. ¶この列車は*車両 8 台の編成になっている This train is made up of eight *cars*. // この橋は大型*車両は通行できません (⇒ 大型車両には閉鎖されている) This bridge is closed to large *vehicles*.
車両故障 car trouble Ⓒ, breakdown Ⓒ.
しゃりん 車輪 wheel Ⓒ (☞ くるま).
しゃりんばい 車輪梅 〔植〕 Yeddo hawthorn Ⓒ.

ジャル （日本航空）JAL /dʒéɪèɪél/ ★ *J*apan *A*ir*l*ines の略.

シャルル ―名 固 Charles /tʃáəlz/ ★ フランス王などの男性名. 英語の「チャールズ」にあたる. ¶*シャルル 5 世 *Charles* V ★ Charles the Fifth と読む.

シャルルマーニュ ―名 固 Charlemagne /ʃáələmèɪn/, 742–814. ★ カロリング朝フランク国王カール 1 世[大帝]のフランス語名.

しゃれ 洒落 （人を笑わす冗談）joke Ⓒ;（ごろ合わせ）pun Ⓒ.《☞ じょうだん¹; ユーモア》. ¶*しゃれを言う[飛ばす] make [crack] a *joke* / *joke* (about ...) / *pun* (on ...) // 彼にはぼくの*しゃれはわからない He doesn't ｢get [see the point of] my *joke*. // 彼は*しゃれがうまい He is good at ｢(making) *plays* [*playing*] *on words*.《☞ しゃれのめす》

しゃれい 謝礼 （善行・功績などに対する謝礼金）reward Ⓒ;（弁護士などの主として専門的な人に払う）fee Ⓒ;（講演などの）honorarium /ànəré(ə)riəm/ Ⓒ 語法 特に本人が謝礼などを要求しない（というようなニュアンスの）場合に用いる;（報酬）pay Ⓤ ★ 報酬・給与など広く一般に用いられる語で, 特別なニュアンスはない.《☞ れい²; ほうしゅう》.
¶ 新しい情報を提供してくれれば 1 万円の*謝礼を差し上げます A ten-thousand-yen *reward* will be offered for new information. // ピアノの先生の（⇒ピアノの授業に対する）*謝礼 the *fee* for piano lessons // 講演の*謝礼 (the) *honorarium* for a lecture

シャレード （ジェスチャーゲーム）charades /ʃəréɪd/ ★ 単数扱い.

しゃれき 社歴 （会社の歴史）the history of the company;（入社してからの年月）the length of *one's* services for the company.

しゃれこうべ 髑髏 skull Ⓒ.

しゃれこむ 洒落込む ☞ しゃれた; しゃれっけ; しゃれる

しゃれた 洒落た （感じのよい・すてきな）nice ★ 口語的な語;（趣味のよい）tasteful;（才気のある）witty;（服装が）stylish, smart.《☞ いき²; おしゃれ》.
¶*しゃれたネクタイをしているね You have a *nice* tie on! // 彼は*しゃれたことを言った He made some *witty* remarks. // 彼はいつも*しゃれた服装をしている He is always *smartly* dressed.

しゃれっけ 洒落っ気 ¶ 彼女は最近*しゃれっ気が出てきた（⇒服装に注意を払うようになった）She has recently began to *pay attention to her dress*. // あの子は全然*しゃれっ気がない（⇒着る物に無頓着だ）That boy *is* quite *indifferent to what he wears*. // 彼は*しゃれっ気のある（⇒機知とユーモアに富む）スピーチをした He gave a speech full of *wit and humor*.

しゃれのめす 洒落のめす （終始冗談を言う）crack jokes one after another;（洒落を言い続ける）continue joking to the last.《☞ -のめす》.

しゃれもの 洒落者 （しゃれ男）dandy Ⓒ;（着こなしがしゃれた人）smart dresser Ⓒ.

しゃれる 洒落る （おしゃれをする）dress smartly;（冗談を言う）crack a joke.《☞ おしゃれ》. ¶ 今日の彼女は*しゃれている（⇒流行の装いをしている）She looks *stylish* today.

じゃれる play with ... ¶ 子猫が毛糸の玉に*じゃれていた The kittens *were playing with* a ball of yarn.

じゃれん 邪恋 immoral love Ⓤ;（よこしまな情事）illicit love affair Ⓒ.《☞ よこれんぼ》.

シャロット 〘植〙shallót Ⓒ.

じゃろん 邪論 （異説）héterodòxy Ⓤ《☞ いたん; いきょう¹》.

ジャワ ―名 固（ジャワ島）Java /dʒáːvə/. ―形 Javanese /dʒàːvəníːz/. ¶*ジャワ島人 a *Javanese* ★ 単複同形. **ジャワ原人** (the) Java man Ⓤ《☞ ピテカントロプス》 **ジャワ語** Javanese Ⓤ **ジャワ更紗** (Javanese) bat(t)ik Ⓤ.

シャワー shower Ⓒ《☞ ふろ（挿絵）》. ¶ 彼女は毎朝*シャワーを浴びる She ｢takes [has] a *shower* every morning. **シャワールーム** shower stall Ⓒ.

シャン （美人）good-looking girl Ⓒ ★ もとはドイツ語 schön (＝beautiful) から. 昔の学生語.

-じゃん ¶ 彼が行こうが行くまいがどうでもいい*じゃん《じゃないかの略》We *don't care* whether he goes or stays.《☞ -じゃないですか; -でしょう》

ジャンキー （麻薬常用者）junkie Ⓒ.

ジャンク （がらくた）junk Ⓤ;（船）junk Ⓒ. **ジャンク遺伝子**〘生〙junk gene Ⓒ **ジャンク債** junk bond Ⓒ.

ジャンクション （高速道路などの合流点）junction Ⓒ.

ジャンクフード junk food Ⓤ ★ カロリーは高いが栄養にならないスナックなどの食品.

シャングリラ （地上の楽園）Shangri-La /ʃæŋgrɪláː/ ★ ジェームズ ヒルトンの小説『失われた地平線』(1933) の理想郷より.

ジャングル jungle Ⓒ ★ 通例 the を付けて. **ジャングルジム** jungle gym Ⓒ.

じゃんけん rock, paper, scissors; toss Ⓒ; toss-up Ⓒ 日英比較 rock（ぐう）, paper（ぱあ）, scissors（ちょき）は日本のじゃんけんとほぼ同じだが, 元来日本のじゃんけんのような遊びの習慣は英米にはない. toss, toss-up はコイン投げのことで, 硬貨を投げてその裏表で順番を決める. この方法は大人の間でよく行われる.

しゃんしゃん ¶ 会は*しゃんしゃんと終わった（⇒すべての人が同意して）The meeting ended ｢*with all present agreeing* [*with unanimous agreement*].《☞ 擬声・擬態語（囲み）》

じゃんじゃん ¶ 彼はコーヒーに*じゃんじゃん（⇒大量に）砂糖を入れた He put *a great deal of* sugar ｢in [into] his coffee. // 彼は*じゃんじゃん（⇒湯水のように）金を使った He ｢spent [wasted] money *like water*.《☞ 擬声・擬態語（囲み）》

シャンゼリゼ ―名 固 Champs-Élysées /ʃàːnzeɪliːzéɪ/ ★ パリの大通り. Élysées の ´ は綴り本来のもの.

じゃんそう 雀荘 ☞ マージャン

シャンソン 〘楽〙chanson /ʃɑːŋsɔ́ːŋ/ Ⓒ ★ フランス語より.

シャンツェ 〘スキー〙（ジャンプ台）jumping hill Ⓒ 参考「シャンツェ」はドイツ語の Schanze から.

シャンデリア chandelier /ʃændəlíə/ Ⓒ.

しゃんと ¶*しゃんと座りなさい（⇒姿勢を伸ばして座りなさい）Sit up *straight*! // 父は 80 歳ですがまだ*しゃんとしています（⇒元気です）My father is eighty(,) but still *hale and hearty*.《☞ 擬声・擬態語（囲み）》

ジャンヌダルク ―名 固 Joan of Arc /dʒóunəváək/, 1412–31. ★ 百年戦争を勝利に導いたフランスの英雄的女性. フランス語では Jeanne d'Arc. 通称 the Maid of Orleans /ðəleɪáːŋ/.《☞ オルレアン》.

ジャンパー （一般に）jacket Ⓒ;（防風・防寒のために手首と胴回りにゴムの入った）windbreaker Ⓒ ★ 元は商標名.

ジャンパースカート 《米》jumper Ⓒ,《英》pinafore (dress) Ⓒ.

シャンパーニュ ―名 固 Champagne /ʃæmpéɪn/ ★ フランス北東部の一地方. シャンパンの産地.

シャンハイ 上海 ―名 固 Shànghǎi. ★ 中国東部, 長江河口にある都市. **上海蟹** Chinese mitten crab Ⓒ **上海料理** Shanghai cuisine Ⓤ.

ジャンバラヤ 〘料理〙 jambalaya /dʒʌ̀mbəláiə/ Ⓤ.

シャンパン champagne /ʃæmpéɪn/ Ⓤ.

シャンピニオン (食用きのこ) champignon /ʃæmpínjən/ Ⓒ ★もとはフランス語.

ジャンプ ― 動 (足でけって飛び上がる) jump ⓐ; (かなりの距離を飛ぶ・飛んで越える) leap (across ...) ⓐ ★以上2語は入れ替え可能なときもある; (水中などに飛び込む) plunge ⓐ; (ばねのように勢いをつけて飛び上がる) spring ⓐ. 日英比較 日本語の「ジャンプ」が必ずしも英語の jump に当たるとは限らない点に注意. (☞ はねる[1] (類義語)). ¶ 彼は*ジャンプして小川を越えた He *leaped across* the ⌈streamlet [brook]. **ジャンプ競技** (スキーの) ski jump Ⓒ **ジャンプ台** jumping hill Ⓒ (☞ シャンツェ).

シャンプー ― 名 (洗髪) shampoo /ʃæmpúː/ Ⓒ; (洗髪剤) shampoo Ⓤ. ― 動 (髪をシャンプーで洗う) shampoo ⓗ. ¶ *シャンプーとセットお願いします《美容院で》 I'd like a *shampoo* and set, please.

ジャンプサーブ (バレーなどの) jump serve Ⓒ.

ジャンプスーツ (上下続きの婦人服) jumpsuit Ⓒ.

ジャンブルセール (慈善バザー) 《英》 jumble [《米》 rummage] sale Ⓒ.

シャンペン ☞ シャンパン

ジャンボ (大型ジェット機) jumbo jet Ⓒ 日英比較 日本語ではボーイング747機のことを指すことが多いが, 英語ではその他のすべての種類の大型ジェット機が jumbo jet または jumbo と呼ばれる. **ジャンボサイズ** ― 形 jumbo Ⓐ, jumbo-sized Ⓐ.

ジャンボタクシー minibus taxi Ⓒ 日英比較 「ジャンボタクシー」は和製英語.

ジャンボリー (ボーイスカウトの大会) jàmborée Ⓒ.

ジャンル genre /ʒɑ́ːnr(ə)/ Ⓒ. (☞ けいしき; ようしき[1]; ぶんや)

しゅ[1] 主 (神) the Lord (☞ しゅのいのり).

しゅ[2] 主 ― 形 (主たる) chief Ⓐ, main Ⓐ, primary. ― 副 (主として) chiefly, mainly, primarily. (☞ しゅとして; おもな (類義語); おもに[1]).

しゅ[3] 朱 vermílion Ⓤ. ¶ *朱に交われば赤くなる He who touches pitch will be defiled. 《ことわざ: ピッチに触れる者は汚れるであろう》
朱色 vermilion Ⓒ.

しゅ[4] 種 (生物学上の分類の種) species Ⓒ ★単複同形. (☞ しゅるい; ひんしゅ; いっしゅ). ¶ このバラはあのバラとは*種が違う This rose is a different *species* from that one. // 『*種の起源』《書名》 *The Origin of Species* (☞ イタリック体 (巻末))

-しゅ ...首 ¶ 和歌一*首を詠む compose a tanka ★数を示す補助語として特に訳す必要はない. (☞ 数の数え方 (囲み))

シュア ― 形 (確実な) sure.

しゅい[1] 首位 ― 名 first [top] place Ⓤ; (指導的な地位) the leading position; (位階・重要度などの第一位) primacy Ⓤ ★格式ばった語; (首位走者) leader Ⓒ, leading runner Ⓒ. ― 形 (競走などで先頭の) leading ★「主要な; 一流の」の意味にもなる. ― 副 (首位で) at the top. (☞ いちばん).
¶ *首位を争う fight for *first place* // 彼に*首位を譲った I gave up my *first place* to him. // そのチームは*首位から転落した That team lost its *first place*. // わが社は自動車生産では世界の*首位の座を占めている Our company ⌈is *at the top* [holds *first place*] in automobile production. // *首位打者 the *leading* hitter

しゅい[2] 趣意 (目的) purpose Ⓒ; (要点) the point; (意味) meaning Ⓒ. (☞ しゅし[1]). ¶ この会の*趣意がはっきりしない The *purpose* of this meeting is not clear. // 私は次のような*趣意の手紙を受け取った I received a letter to the following *effect*. **趣意書** prospectus Ⓒ.

しゅいん[1] 主因 (最も重要な原因) the primary cause; (主な要因) the main factor. (☞ げんいん[1]).

しゅいん[2] 手淫 masturbation Ⓤ (☞ じい[2]).

しゅいんせん 朱印船 (近世初期の鎖国までに用いられた日本の官許の貿易船) *shuinsen* or vermilion-seal ship Ⓒ; (説明的には) a licensed Japanese foreign trade ship during the first half of the seventeenth century. It was so called because it carried a Shogun's vermilion-sealed license.

しゆう[1] 私有 ― 形 private Ⓐ, privately owned ★後者のほうが厳密な言い方.

「私有地につき駐車禁止」の掲示

私有財産 private property Ⓤ **私有地** private ⌈land [property] Ⓤ.

しゆう[2] 雌雄 (雄と雌) male and female 日英比較 英語は順序が逆. **雌雄を決する** ¶ 2人の英雄が*雌雄を決する (⇒勝負を決める戦いをする) 時が来た The time has come for the two heroes to ⌈*fight a decisive battle* [(⇒対決をする) *have a showdown*]. **雌雄異株** 〘植〙 dioecism Ⓤ.

しゆう[3] 市有 ― 名 city ownership Ⓤ. ― 形 (市有の) city-owned; municipal ★後者は格式ばった語. ¶ *市有地 *city* land

しゅう[1] 州 《米》 state Ⓒ; 《英》 county Ⓒ. ¶ ニューヨーク*州 the *state* of New York / New York *State* (☞ アメリカ (表)) // アリゾナ*州立大学 Arizona *State* University // *州議会 a *state* assembly // *州知事 a *state* governor

しゅう[2] 週 week Ⓒ (☞ 時刻・日付・曜日 (囲み)). ¶ 私は2*週間の休暇をとった I took a two-*week* vacation. **週五日制** five-day (work)week Ⓒ (☞ しゅうきゅう[1]).

しゅう[3] 衆 (大勢の人) a great number of people; (民衆) the people; (多数) great numbers.
¶ 私たちは*衆に先んじて (⇒真っ先に) その計画を実行に移した We *were the first* to put the plan in practice. // 彼らは*衆を頼んで (⇒多数を頼り) その法案を通した Relying on their *great numbers*, they railroaded the bill through the Diet. // 村の若い*衆がみこしをかついだ The young *people* in the village carried around a *mikoshi*.

しゅう[4] 周 (競技場の一周) lap Ⓒ; (物の回りをまわる一周) circuit Ⓒ. ¶ トラックを3*周する do [make] three *laps* on a track

しゅう[5] 周 ― 名 固 (中国の王朝) Zhou, Chou /dʒóu/ ★ 1050? B.C.–256 B.C.

-しゅう ...宗 (仏教の宗派) sect Ⓒ (☞ しゅうは[1]). ¶ 日蓮*宗 the Nichiren *sect*

じゆう[1] 自由 ― 名 (拘束がないこと) freedom Ⓤ; (権利としての自由) liberty Ⓤ; (放縦) license (《英》 licence) Ⓤ. ― 形 free; (気楽な) easy. ― 動 (自由にする) free ⓗ, set ... free; (解放する) líberàte ⓗ; (囚人などを) release ⓗ.
【類義語】 束縛・制限・強制などがないことを表す最も意味の幅が広い言葉が **freedom**. 自分のやりたいこと

ができる権利としての自由，またはかつての束縛や拘束から解放された自由が ***liberty***. 以上の 2 語は交換可能な場合もあるが，慣用的にいずれも決まった表現に用いられることが多い．勝手気ままに自由を乱用することを表す語が ***license***. また 動 で最も広い意味で永続的に自由にすることを表すのが ***free***, ***set … free***. この 2 つはほぼ同意だが後者のほうが普通の言い方．少し格式ばった言い方で，解放して自由な状態にすることを表す言葉が ***liberate***. 囚人など捕らわれの状態の者を自由にするのが ***release***. 《☞ かいほう[1]; しゃくほう》
¶ 私たちは*自由な国に住んでいる We live in a *free* country. // *自由と*自由の乱用とをはきちがえてはならない (⇒ 異なったものと考えるべきである) We should regard *liberty* and *license* as different things. // 集会，結社及び言論，出版その他一切の表現の*自由は，これを保障する《日本国憲法第二十一条》 *Freedom* of assembly and association as well as of speech, the press and all other forms of expression are guaranteed. // 多くの人々が*自由のために戦い，死んでいった A great many people fought and died for ⌈*freedom* [*liberty*]. // *自由の女神像はニューヨーク港にある The Statue of *Liberty* stands in New York harbor. // 信教の*自由は侵害されてはならない *Liberty* of conscience [*Freedom* of religion; *Freedom* of worship] should not be infringed. // 個人の*自由は尊重すべきである We should respect personal *liberty*. // *自由を抑圧する suppress *freedom* // この会では*自由に質問して下さい Please feel *free* to ask ⌈questions [any questions you like] at this meeting. // 好きな物を何でもご*自由にお取り下さい Please *help yourself to* anything you like. ★ help *oneself* to … は「…を自由に取って食べる[飲む]」の意味の慣用句. // 彼は 6 か国語を*自由に操ることができる He *has* a very *good command of* six languages. // 彼はその機械を*自由自在 (⇒ 意のまま) に操ることができる He can operate the machine ⌈*freely* [*as he pleases*]. // その囚人は*自由になる日を待ちわびていた The prisoner longed for the day he would *be* ⌈*set free* [*freed*; *released*].

自由意志 free will U **自由営業** unrestricted business U **自由演技** optional exercise U **自由化** liberalization U. ¶ 貿易を*自由化する *liberalize* foreign trade **自由形** (水泳の) freestyle U ★ しばしば the を付けて. **自由業** ―形 (自由業の) self-employed **自由競争** free [open] competition U **自由経済** free economy U **自由契約選手** free agent C **自由行動** free action U **自由航路** free sea route C **自由裁量** free hand ★ a を付けて; (行動の自由) discretion U **自由作文** essay C; (自由作文法，自由作文すること) free composition U ★ 書かれたものの場合は C **自由詩** free verse U **自由時間** free time U **自由主義** liberalism U **自由主義国** free nation C **自由主義者** liberal C **自由世界** the free world **自由席** nonreserved [unreserved] seat C **自由選択** free choice U **自由党** the Liberal Party **自由貿易** free trade U **自由(貿易)港** free (trade) port C **自由放任主義** (経済上の) laissez-faire /lèseɪféə/ U; (不干渉の) noninterference policy C **自由民権運動** (明治時代日本の) The Movement for Civic Rights and Freedom **自由民主党** ☞ じみんとう

コロケーション

自由を与える give [grant] *freedom* / 自由を失う lose (*one's*) *freedom* / 自由を回復する regain [restore] (*one's*) *freedom* / 自由を獲得する gain [achieve] (*one's*) *freedom* / 自由を制限する restrict *freedom* / 自由を守る protect *freedom* / 人の自由を奪う take away *a person's freedom*; deprive *a person* of *freedom* / 人の自由を犯す violate *a person's freedom* / 人の自由を侵害する infringe on *a person's freedom* // 学問の自由 academic *freedom* / 憲法上の自由 constitutional *freedom* / 政治活動の自由 political *freedom*

じゅう[2] 事由 (理由) reason C; (原因) cause C. 《☞ りゆう》.

じゅう[1] 十, 10 ―名形 ten 語法 「第 10 (番目)の」，あるいは「第 10 (番目)のもの」の場合は the tenth. 《☞ 数字 (囲み)》. ¶ そのパーティーには何*十人もの人が出席した *Dozens of* people attended the party. // 彼は何*十回となく外国へ行ったことがある He has been abroad *scores of* times. // *十中八九彼女は失敗するだろう *Ten to one* she will fail.

じゅう[2] 銃 gun C 語法 一般的な語で大砲・鉄砲・ピストルなどに共通して使える; (ライフル銃) rifle C. 《☞ けんじゅう (挿絵); ピストル; じゅうほう[1]》.
¶ 彼は私に*銃を向けた He aimed his *gun* at me.

じゅう[3] 柔 **柔よく剛を制す** A soft answer is a specific cure for anger. 《ことわざ: 穏やかな返事は怒りの特効薬である》 / Persuasion is better than force. 《ことわざ: 説得は腕ずくよりもよい》

じゅう[4] ―動 (じゅうと音を立てる) sizzle 自. ―名 (じゅうという音) sizzle C. 《☞ 擬声・擬態語 (囲み)》.

じゅう[5] 従 ―形 (第二義的な) secondary; (下位の) subordinate.

-じゅう[1] …中 ―前 (一定期間の最初から最後まで) throughout …, all through …; (至る所に [で]) throughout …, all over …; (…の中で) of …; (…の範囲の中で) in … ★ 最後の 2 つは最上級と共に用いる. ―副 (至る所) throughout, all over. ―形 (すべての) all; (…全体) whole A. 《☞ -ちゅう》. ¶ 彼は一日*中 (⇒ 終日) 読書しています He is reading (books) *all day* (*long*). // きのうは一晩*中雨だった It rained *throughout* the night. // 今年は夏*中忙しかった I was busy ⌈*throughout* [*all through*] the summer this year. // 彼は一年*中あくせくしていた He busied himself *all* (*the*) *year round*. // 体*中かゆい I itch *all over*. // 学校*中が大騒ぎした The *whole* school made a fuss about it. // 彼は世界*中に名をとどろかせている He is known ⌈*all over* the world [*all* the world *over*; *throughout* the world]. // 日本*中から申し込みの手紙が届いた Letters of application came from *all over* Japan. // 山田君はクラス*中で一番背が高い Yamada is the tallest ⌈*in* our class [*of* our classmates].

-じゅう[2] …重 -fold ★ 形容詞語尾. ¶ 2 *重の two*fold* / double // 3 *重の three*fold* / treble / triple // 3 *重に包装された箱 a box wrapped in three*fold* layers

しゅうあく 醜悪 ―形 ugly 《☞ みにくい[1]》.

しゅうあけ 週明け (週初め) the beginning of a week. ¶ *週明けに試験があります We are going to have an examination ⌈*early next week* [(⇒ 月曜日に) on Monday].

じゅうあつ 重圧 pressure U 《☞ あつりょく》.

しゅうい 周囲 (回りの長さ) circumference /səkʌ́mf(ə)rəns/ U; (回りの状況) surroundings ★ 複数形で; (取り巻く環境) environment /ɪnváɪ(ə)rənmənt/ C. 《☞ まわり; あたり[1]; かんきょう[1]》. ¶ その湖は*周囲約 8 キロあります The lake is about eight kilometers ⌈*around* [*in circumference*]. ★ around のほうが口語的. // 読書をするのにはもっと*周囲が静かでなければいけません (⇒ もっと静かな環境

を必要とする) We need 「quieter *surroundings* [a quieter *environment*] to read. // その牧場は*周囲にさくをめぐらしてあった The pasture was enclosed with fences all *around* it. // 彼が成功したのは*周囲の人々が皆援助してくれたおかげです He has succeeded because all the people *around* him helped him. // あなたは*周囲を (⇒ 人の言うことを) 気にしすぎる You are too conscious of *what other people say*.

じゅうい 獣医 《米》 veterinarian /vètərənέ(ə)riən/ [C], 《英》 veterinary surgeon [C], vet [C]. **獣医学** veterinary /vétərənèri/ 「science [medicine] [U] **獣医学部** the 「college [school; faculty] of veterinary 「medicine [science].

じゅういち 十一, 11 ―[名][形] eleven [語法] 「第11 (番目) の」, あるいは「第11 (番目) のもの」の場合は the eleventh. (☞ 数字 (囲み)).

じゅういちがつ 十一月 November (略 Nov.) ★ 語頭は必ず大文字. (☞ いちがつ [語法]; 時刻・日付・曜日 (囲み); 略語 (巻末)).

しゅういつ 秀逸 ―[名] excellence [U]. ―[形] excellent. (☞ すぐれる). ¶ *秀逸な作品 an *excellent* work

じゅういつ 充溢 ―[名] (満ちること) fullness [U]; (あふれ出ること) óverflòw [U]; (豊富) affluence /ǽfluːəns/ [U]; (活気に満ちていること) exuberance /ɪgzúːb(ə)rəns/ [U]. ―[形] full; affluent; exuberant. ―[動] overflow (自). ¶ 彼は気力が*充溢している He *is full* of vigor. / He *is overflowing* with energy.

しゅういんじょう 集印帖 souvenir /sùːvənɪ̀ə/ séal àlbum [C].

しゅうう¹ 驟雨 (sudden) shower [C], 《気象》 rain shower [C]. (☞ ゆうだち). ¶ *しゅう雨にあう be caught in a *shower*

しゅうう² 秋雨 áutumn ráin [U].

しゅうえき¹ 収益 (利益) profit [U] ★ しばしば [C] にもなる. (☞ りえき; しゅうにゅう). ¶ 会社は十分な*収益をあげた The company made 「a satisfactory *profit* [sufficient *profits*]. **収益力** earning power [U].

しゅうえき² 就役 ¶ 軍艦を*就役させる *put* a warship *in commission* / *commission* a warship // 新造船は太平洋航路に*就役した The new ship *was placed* in the Pacific line. (☞ しゅうぎょう²)

しゅうえん¹ 終演 ¶ *終演は午後9時です (⇒ 幕は9時に下りる) The *curtain falls* at 9 p.m. (☞ かいえん¹)

しゅうえん² 終焉 (死) death [U]; (終わり) end [C]. ¶ 坂本龍馬*終焉の地 the place where Sakamoto Ryoma *died*

しゅうえん³ 周縁 ☞ まわり; ふち¹

じゅうおう 縦横 ―[副] (四方八方に) in all directions; (存分に) freely. (☞ たてよこ). ¶ 東京では鉄道が*縦横に通じている A network of railroads 「runs *in all directions* in Tokyo [penetrates *all sections* of Tokyo]. ★ [ ] 内のほうが格式ばった言い方. **縦横無尽** (自由な) free; (活発な) active. ¶ 彼はその運動で*縦横無尽の活躍をした He played an *active* part in the movement.

じゅうおく 十億 a [one] billion (☞ 数字 (囲み)).

しゅうおん 集音 **集音マイク** highly directional microphone [C].

しゅうおんらい 周恩来 ―[名][固] Zhou Enlai /ʤóu ènlái/, 1898-1976. ★ 中国の革命家・政治家.

しゅうか¹ 臭化 《化》 (臭素化) bromination [U]. **臭化銀** silver bromide [U] **臭化水素** 《化》 hydrogen bromide [U] **臭化物** bromide /bróumaɪd/ [C].

しゅうか² 集荷 collection of cargo [U].

しゅうか³ 衆寡 (多数と少数) large and small numbers. ¶ *衆寡敵せず (⇒ 少人数のものに勝ち目はない) The odds are against those who fight *in small numbers*.

じゅうか 銃火 (gun)fire [U]. ¶ *銃火を浴びる come under *fire* // 敵に*銃火を浴びせる *fire* on the enemy // 敵と*銃火を交える exchange *fire* with the enemy

しゅうかい 集会 meeting [C] ★ 最も一般的な語; (宗教・政治などに関する公的な) assembly [C]; (政治的な示威などを目的とする大集会) rally [C]. (☞ あつまり; かい¹ (類義語); かいごう¹; つどい). ¶ 学生たちは抗議*集会を開いた The students held a protest *meeting*. // 国会議事堂の前で政治*集会が開かれた A political *rally* was held in front of the Diet Building. **集会所** (一般に) meeting place [C]; (公的な) assembly hall [C] **集会の自由** freedom of assembly [U] ☞ ふほう¹ (不法集会)

しゅうがい 臭害 bad-smell [stench] hazard [U].

じゅうがい 獣害 damage to crops and plants caused by (wild) animals [U].

しゅうかいどう 秋海棠 《植》 begónia [C].

じゅうかがくこうぎょう 重化学工業 heavy chemical industries.

じゅうかき 重火器 heavy firearms ★ 複数形で.

しゅうかく¹ 収穫 ―[名] crop [C]; harvest [C] [語法] 実った作物やその収穫を表す最も一般的な語が crop. 取り入れやその時期・収穫高に重点を置いた語が harvest. ―[動] (取り入れる) harvest (他), crop (他) ★ 前者のほうが一般的. (☞ とりいれ). ¶ 今年は小麦の*収穫(高)が多かった We had a large wheat 「*crop* [*harvest*] this year. // 米の*収穫に大きな損害をこうむる suffer heavy losses in the rice *crop* // 秋は*収穫の季節だ Fall [Autumn] is the *harvest* season. // その本からあまり多くの*収穫 (⇒ 多くのこと) は得られないだろう You will not be able to *get* much from that book. **収穫祭** harvest festival [C] **収穫時期** harvest [C] **収穫高** crop [C]; (収穫量) yield [C].

> **コロケーション**
> **記録的な収穫を得る** reap a record 「*harvest* [*crop*] / **収穫が多い[少ない]** have a 「good [poor; small; bad] 「*harvest* [*crop*] / **たくさんの収穫を生む** yield a 「rich [large] 「*harvest* [*crop*] ★ 土地などが主語. / **豊かな収穫を約束する** promise a good 「*harvest* [*crop*] ★ 天候などが主語. / **豊かな収穫を予想する** anticipate a 「plentiful [bountiful] 「*harvest* [*crop*]

しゅうかく² 臭覚 the sense of smell (☞ きゅうかく).

しゅうがく 就学 ¶ 両親は子供を*就学させる (⇒ 学校へやる) 義務がある Parents have to *send* their children *to school*. // *就学年齢に達する reach *school age* **就学義務** compulsory school attendance [U] **就学免除** exemption from school attendance [U] **就学率** the percentage of school attendance.

しゅうがくりょこう 修学旅行 school excursion [C] (☞ りょこう (類義語)).

じゅうかさんぜい 重加算税 heavy additional tax [C].

じゅうかしつ(ざい) 重過失(罪) gross negligence [U].

じゅうかぜい 従価税 ad valorem duty Ⓒ.
じゅうがつ 十月 October《略 Oct.》★ 語頭は必ず大文字.《☞ いちがつ 語法; 時刻・日付・曜日(囲み); 略語(巻末)》.
じゆうかって 自由勝手 ☞ かって
しゅうかん[1] 習慣 —名 (個人的な習慣・癖) habit Ⓒ; (社会的な習慣・しきたり) custom Ⓒ 語法 意識的にくり返される個人的な習慣も custom と言うことがある; (伝統的に確立された習慣・慣習) convention Ⓤ ★ 具体的には Ⓒ; (意識的に行う習慣) practice Ⓒ; (決まり) rule Ⓒ. —形 habítual; customary; conventional.《☞ くせ; かんしゅう[1] (類義語)》.
¶*習慣は第二の天性 *Custom* is second nature. // 喫煙は悪い*習慣です Smoking is a bad *habit*. // 悪い*習慣を身につけないように注意しなさい Be careful not to develop any bad *habits*. // 私はその*習慣を直そうと努めている I'm trying to break that *habit*. // 私は夕食後歯をみがくのを*習慣にしています I *make it a* ⌈*rule* [*practice*] to brush my teeth after supper. // この村では昔からの*習慣がよく守られています Old *customs* are well preserved in this village. // 誕生日に贈り物をするのはよい*習慣だと思います I think it's a nice *custom* to give presents on birthdays. // 私は朝食前に散歩するのが*習慣です It is my *custom* to go for a walk before breakfast. ★ 上記 語法 参照. // それはこの国の*習慣です It's *customary* in this country. // 睡眠薬の中には*習慣性になるものがある Some sleeping pills are *habit forming*. // ばかげた*習慣 a foolish *custom*

コロケーション
☞ くせ // **悪習慣** a vicious *habit* / **確立した習慣** an established ⌈*habit* [*custom*] / **好ましい習慣** a desirable *habit* / **宗教上の習慣** a religious *tradition* / **節約の習慣** a thrifty *habit* / **その土地の習慣** a local *custom* / **読書の習慣** the reading *habit* / **長年の習慣** a long-standing *habit* / **不健全な習慣** an unhealthy *habit* / **昔からの習慣** an ⌈old [age-old; ancient] *custom*

しゅうかん[2] 週刊 —形 (週刊の) weekly《☞ げっかん[1]》. **週刊誌** weekly (magazine) Ⓒ.
しゅうかん[3] 週間 week Ⓒ《☞ しゅう[2]》.
¶2, 3*週間もしたら戻ってきます I'll be back in a couple of *weeks*. // 愛鳥[交通安全]*週間 Bird [Traffic Safety] *Week* ★ この場合の Week は Ⓤ.
週間天気予報 weather ⌈forecast [outlook] for the (coming) week Ⓒ.
しゅうかん[4] 収監 —名 imprisonment Ⓤ. —動 put ... in prison, imprison ⊕ ★ 前者のほうが口語的.《☞ けいむしょ; かんきん[1]》. ¶政治犯たちはまだ*収監されている (⇒ 刑務所にいる) Political offenders *are* still *in prison*.
収監状 warrant for imprisonment Ⓒ.
しゅうかん[5] 終刊 the cessation of publication.
¶これがこの雑誌の*終刊号です This is *the final issue* of this magazine.
じゅうかん[1] 縦貫 —動 run through ...
じゅうかん[2] 重患 (重い病気) serious /sí(ə)riəs/ íllness Ⓒ; (人) serious case Ⓒ.
じゅうがん 銃眼 loophole Ⓒ.
じゅうかんきょう 住環境 residential environment /rèzədénʃəl ınvái(ə)rənmənt/ Ⓒ.
しゅうかんし 週刊誌 ☞ しゅうかん[2]
しゅうき[1] 周期 —名 (くり返し起こる事柄の一過程・及びその期間) cycle Ⓒ; (周期の長さ・区切り) period /pí(ə)riəd/ Ⓒ. —形 (周期的な) periodic(al) /pì(ə)riádık(əl)/, cyclic ★ 後者はやや格式ばった語. —副 (周期的に) periodically; in cycles.
¶四季は*周期をなしている The seasons of the year form a *cycle*. // ハレー彗星は*周期的に現れる Halley's /hǽliz/ comet appears ⌈*periodically* [(⇒ 規則正しい間隔で) *at regular intervals*].
周期運動 periòdic mótion Ⓤ **周期表** (元素の) the periòdic táble (of the elements) **周期律** the periòdic láw.
しゅうき[2] 臭気 (いやなにおい) bad smell Ⓒ, offensive ⌈odor [《英》 odour] Ⓒ 語法 前者のほうが平易で, 広い意味を持つ言い方. bad, offensive の代わりに foul, nasty なども用いられる. odor は smell とほぼ同意だが, 特に薬品・液体などの強いにおい; (特に強い悪臭) stink Ⓒ.《☞ におい (類義語)》.
¶この部屋には*臭気が漂っている (⇒ この部屋は不快なにおいを持っている) This room has an *unpleasant smell*. / (⇒ 何かがにおう) Something *smells* in this room. / (⇒ 部屋で何かいやな物のにおいがする) I can *smell* something *nasty* in this room. // *臭気が鼻をつく (⇒ それはにおう) It *stinks*. / (⇒ それはいやなにおいを持っている) It has an *offensive smell*. // この沼は*臭気を放っている This swamp gives off an *offensive smell*. // これを使えば冷蔵庫の*臭気は取れるでしょう (⇒ これは臭気を取り除くだろう) This will ⌈remove the *unpleasant smell* from [deodorize] the refrigerator. ★ [ ] 内のほうが格式ばった語. **臭気止め, 臭気抜き** deodorizer Ⓒ, deodorant /dì:óudərənt/ Ⓤ ★ 製品としては Ⓒ.
しゅうき[3] 秋季 autumn Ⓒ, 《米》 fall Ⓤ.《☞ あき[1]》.
秋季運動会 autumn ⌈《米》 field day [《英》 sports day] Ⓒ; (競技会) autumn athletic(s) meet Ⓒ.
-しゅうき …周忌 the anniversary of *a person's* death. ¶きょうは父の3*周忌だ Today is *the* second *anniversary of* my father's *death*.
しゅうぎ[1] 祝儀 (祝いの贈り物) gift Ⓒ, present Ⓒ; (心づけ・チップ) tip Ⓒ, gratuity Ⓒ ★ 後者はやや格式ばった表現.《☞ チップ[1]》. **祝儀袋** envelope for a ⌈gift of money [tip] Ⓒ.
しゅうぎ[2] 衆議 ¶我々は彼の計画を受け入れることに*衆議一決した (⇒ 満場一致で同意した) We *unanimously agreed* that we (should) accept his plan.《☞ まんじょう》
じゅうき[1] 什器 (用具・道具) uténsil Ⓒ; (家具・備品) furniture Ⓤ ★ 数えるときは a piece [two pieces] of furniture; (据え付けのもの) fixtures ★ 複数形で; (家庭用品) household goods.
じゅうき[2] 銃器 small arms ★ 複数形で.
しゅうぎいん 衆議院 the House of Representatives. **衆議院議員** representative Ⓒ《略 rep., Rep.》; (少し格式ばった正式の言い方として) member of the House of Representatives Ⓒ.《☞ ぎいん[1]》 **衆議院議長** the Speaker of the House of Representatives.
じゅうきネットワーク 住基ネットワーク (住民基本台帳ネットワーク) the Basic Resident Registration Network.
しゅうきゅう[1] 週休 ¶*週休2日制 (⇒ 週5日の勤務) が普通になってきている The five-day week is becoming common.
しゅうきゅう[2] 週給 (毎週の給料) weekly pay Ⓤ; (毎週の賃金) weekly wages 語法 wages は通例複数形で用いる. pay は給料を表す最も普通の言葉.《☞ きゅうりょう[1] (類義語)》. ¶僕のアルバイトは*週給だ (⇒ 週単位で支給されている) I *am paid* ⌈*by the week* [*weekly*] for my part-time job.
しゅうきゅう[3] 蹴球 football Ⓤ《☞ サッカー[1]; フットボール》.
じゅうきょ 住居 (家) house Ⓒ; (格式ばって) residence Ⓒ.《☞ いえ (類義語)》. ¶彼は郊外に

*住居を定めた He *settled down* in the suburbs. 住居跡 dwelling site Ⓒ 住居侵入罪 (charge of) house breaking Ⓤ ★ charge は Ⓒ. 住居地域 residential area Ⓒ 住居費 housing expenses ★ 複数形で. 住居面積 living space Ⓤ.

しゅうきょう 宗教 ―[名] religion Ⓤ ★ 個別の宗派を指すときは Ⓒ; (信仰) faith Ⓒ, belief Ⓒ ★ 両者とも信仰の意から転じて宗教の意味に用いられる. ―[形] religious.
¶「お宅の*宗教は何ですか」「仏教です」"What is your (family) *religion*?" "We are all Buddhists." // 新興*宗教と既成*宗教 the new and the established *religions* // 彼女はまったく*宗教に関心がない She is quite indifferent to *religion.* // いま彼はある*宗教に凝っている He has become a ⌈*religious* fanatic [fanatical adherent of a certain *religion*]. ★ [ ] 内のほうが格式ばった言い方. / He is now devoted to a certain *religion.* // 私は無*宗教です I do not ⌈follow [subscribe to] any particular *religious belief.*
宗教音楽 sacred music Ⓤ 宗教家 (宗教に関係している人) person of religion Ⓒ; (宗教心のあつい人) religious person Ⓒ; (司祭) priest Ⓒ 宗教画 religious ⌈painting [picture] Ⓒ 宗教改革 (一般的には) religious reformation Ⓒ; 〖史〗the Reformation 宗教学 the ⌈science [study] of religion; (西欧の神学) theology Ⓤ 宗教活動 religious activity Ⓤ 宗教教育 religious education Ⓤ 宗教裁判 (異端審理) the Inquisition 宗教心 piety Ⓤ 宗教団体 religious ⌈group [organization] Ⓒ ★ group は小規模, organization は大規模なもの. 宗教法人 religious corporation Ⓒ 宗教法人法 the Religious Corporation Law.

しゅうぎょう[1] 終業 ¶*終業は5時です (⇒5時に仕事を終わる) We ⌈*close* [*stop working*] at five o'clock in the evening. [語法] close は店・工場などの場合について言うことが多い. / The *closing* [*Closing*] time is (at) five o'clock. // 本日は*終業しました *Business is* ⌈*over* [*finished*] (for) today. 終業式 ceremony held on the last day of the (school) term Ⓒ [日英比較] 英米の学校にはないので説明的訳.

しゅうぎょう[2] 就業 ¶1日の*就業 (⇒勤務) 時間はどのくらいですか What are your ⌈*working* [*business*] hours? / (⇒何時間働くか) How many hours do you *work* a day? // *就業中《掲示》In Operation 就業規則 office regulations ★ 複数形で. 就業規定 job description Ⓤ 就業人口 the working population.

しゅうぎょう[3] 修業 ¶中学校の*修業年限は3年です (⇒中学教育は3年の課程から成る) Junior high [Middle] school education consists of a three-year program (of courses). / (⇒中学校の卒業には3年の出席が必要です) Three years' *attendance* is required for graduation from ⌈junior high [middle] school.

じゅうぎょういん 従業員 (雇用者に対して被雇用者) employee Ⓒ; (一般に労働者) worker Ⓒ; (集合的に, 一事業所全体の) the (working) staff ★ 複数形にはしない. 《☞ しゃいん[1]; しょくいん[1]》.
¶その工場は*従業員はどのくらいいますか (⇒どれくらいの人数の人が働いているか) How many people work ⌈in [at] that factory? / How many ⌈*employees* [*workers*] are there ⌈in [at] that factory?
従業員組合 workers' union Ⓒ 従業員専用入口 service entrance Ⓒ 従業員持株制度 employee stock ownership plan Ⓒ 《略 ESOP》.

しゅうぎょうふ 醜業婦 ☞ ばいしゅん[1] (売春婦)

しゅうきょく[1] 終局 (終わり) end Ⓒ, close /klóuz/ Ⓒ ★ ほぼ同意だが, end のほうが明確な終結という感じ. 《☞ おわり (類義語)》.

しゅうきょく[2] 終極 ―[形] últimate 《☞ きゅうきょく; さいしゅう[2]》. ¶*終極の目的 the *ultimate* purpose

しゅうきょく[3] 終曲 〖楽〗the finale /fɪnǽli/.

しゅうきょく[4] 褶曲 〖地質〗fold Ⓒ. 褶曲山地 fold(ed) mountains.

しゅうぎょとう 集魚灯 light to attract fish Ⓒ.

しゅうきん 集金 ―[動] collect money. ―[名] collection Ⓤ. 集金人 money [bill] collector Ⓒ.

じゅうきんぞく 重金属 heavy metal Ⓒ.

しゅうく 秀句 (優れた俳句) excellent haiku Ⓒ; (気のきいた文句) wisecrack Ⓒ.

しゅうぐ 衆愚 (軽べつ的に一般大衆) the vulgar crowd; (無秩序で乱暴な群衆) the mob. 衆愚政治 ochlocracy /ɑklákrəsi/ Ⓤ; (暴民による支配) mob rule Ⓤ.

じゅうく 十九, 19 ―[名][形] nineteen [語法] 「第19(番目)の」, あるいは「第19(番目)のもの」の場合は the nineteenth. 《☞ 数字 (囲み)》.

ジュークボックス jukebox Ⓒ.

シュークリーム cream puff Ⓒ [参考] 「シュークリーム」はフランス語の chou à la crème からきている.

じゅうぐん 従軍 service in a war Ⓤ.
¶*従軍する (⇒戦線に出る) go to the front / (⇒軍人になる) join the army 従軍慰安婦 comfort woman Ⓒ ★ 日本語の「慰安婦」からの直訳で, 海外でも知られている; (売春行為を強制させられた女性) forced prostitute during the war Ⓒ 従軍看護婦 war nurse Ⓒ 従軍記者 war correspondent Ⓒ 《☞ きしゃ[1]》.

しゅうけい 集計 ―[動] (合計する) ádd úp (他), total (他). ―[名] (合計) total Ⓒ. 《☞ ごうけい; そうけい[1]》.

じゅうけい[1] 重刑 heavy [severe] penalty Ⓒ 《☞ けい[1]》.

じゅうけい[2] 重慶 ―[名] (固) Chongqing /tʃʌŋtʃíŋ/ ★ 中国四川省の商工業都市.

じゅうけいしょう 重軽傷 serious or slight injury Ⓒ. ¶10人が*重軽傷を負った Ten people *were injured either slightly or seriously.*

しゅうげき 襲撃 ―[名] attack Ⓤ; (軍隊・警察などによる不意の) raid Ⓒ. ―[動] attack (他); raid (他). 《☞ おそう (類義語); こうげき》.

じゅうげき 銃撃 ―[動] shoot (with a ⌈gun [rifle; pistol]) (他) (自). 銃撃戦 gunfight Ⓒ.

しゅうけつ[1] 集結 ―[動] (集まる・集める) cóncentràte (自) (他), gather (自) (他) ★ 後者のほうが口語的だが, 「集結」のニュアンスには前者のほうが近い. ―[名] còncentrátion Ⓤ. 《☞ あつまる; あつめる; けっしゅう》. ¶敵軍は山の向こう側に*集結している The enemy forces *are concentrated* on the other side of the hill.

しゅうけつ[2] 終決, 終結 ―[名] (終わり) end Ⓒ. ―[動] (終わる) come to an end; (終わらせる) bring ... to an end. 《☞ おわり (類義語)》.
¶我々はストを*終結させるよう努力したがだめだった We made efforts to *bring* the strike *to an end,* but without success.

じゅうけつ 充血 ―[名] congestion Ⓤ. ―[形] (充血した) congested; (目が) bloodshot. 《☞ ちばしる》. ¶目が*充血している Your eyes are *bloodshot.*

じゅうけつきゅうちゅう 住血吸虫 blood fluke Ⓒ, schistosome /ʃístəsòum/ Ⓒ. 住血吸虫病 〖医〗schistosomiasis /ʃìstəsoumáɪəsɪs/ Ⓤ.

しゅうげん 祝言 wedding (ceremony) Ⓒ 《☞ けっこん[1]》. ¶*祝言を挙げる hold a *wedding cere-*

mony // 仮*祝言 a private *wedding*

じゅうけん 銃剣 bayonet Ⓒ. ¶*銃剣を着ける[外す] fix [unfix] a *bayonet* // *銃剣で刺す *bayonet a person* 銃剣術 bayonet drill Ⓤ.

じゅうご[1] 十五, 15 ── 名 形 fifteen 語法 「第 15 (番目) の」, あるいは「第 15 (番目) のもの」の場合は the fifteenth. 《☞ 数字 (囲み)》. ¶いま 8 時 *15 分前です It is ˹(a) *quarter* [*fifteen* minutes] to eight. 《☞ 時刻·日付·曜日 (囲み)》

じゅうご[2] 銃後 the home front.

しゅうこう[1] 周航 ── 名 (行楽などのための巡航) cruise Ⓒ; (世界一周の) world cruise Ⓒ, round-the-world cruise Ⓒ, voyage [cruise] around the world Ⓒ, cìrcumnàvigátion Ⓤ ★ 最後のはやや格式ばった語. ── 動 (行楽などの目的で巡航する) cruise ㊀ ㊉; (世界を周航する) cruise around the world ㊀, cìrcumnávigàte ㊉ ★ 後者はやや格式ばった語 《☞ こうかい[2]》.

しゅうこう[2] 就航 ── 動 (処女航海[飛行]をする) make a maiden ˹voyage [flight]; (営業を開始する) enter service.

しゅうこう[3] 集光 ── 動 (レンズが) condense ㊉. 集光レンズ[装置] condenser Ⓒ.

しゅうこう[4] 醜行 disgraceful [scandalous] ˹conduct [behavior] Ⓤ.

しゅうごう 集合 ── 動 (人が集まる) gather ㊀; (意図的に, または偶然に複数の人が集まる) meet ㊀; (大勢の人がある目的をもって集まる) assemble ㊀. ── 名 gathering Ⓒ; meeting Ⓒ; assembly Ⓒ ★ やや格式ばった語; 〘数〙 set Ⓒ. 《☞ あつまる (類義語)》. ¶全員*集合したか (⇒ みんなここにいるか) Is everybody here? // 1 時間後にみんなここに*集合すること We'll *meet* here again (in) one hour from now. // 生徒は全員直ちに体育館に*集合しなさい All the students, please ˹*come* to [*gather* in] the gym immediately. // *集合時間と*集合場所 (⇒ いつどこで集まるか) を忘れないように Be sure to remember when and where *to meet*.

集合住宅 apartment ˹house [building] Ⓒ; (分譲の) còndomínium Ⓒ. 《☞ アパート》 集合物 property considered as a whole Ⓤ 集合名詞 〘文法〙 collective noun Ⓒ 集合論 set theory Ⓤ.

じゅうこう[1] 重厚 ── 形 (態度·様子などが重々しい) grave; (奥行きの深い) profound. ¶*重厚な態度 a *grave* manner // *重厚な学者 a *profound* scholar

じゅうこう[2] 銃口 muzzle (of a gun) Ⓒ 《☞ けんじゅう (挿絵)》. ¶人に*銃口を向けるな Don't aim your *gun* at other people.

じゅうごう 重合 ── 名 〘化〙 polỳmerizátion Ⓤ. ── 動 polymerize /pəlímərὰɪz/ ㊀ ㊉. 重合体 polymer /pάləmə/ Ⓒ.

じゅうこうぎょう 重工業 heavy industry Ⓤ.

しゅうこうじょうやく 修好条約, 修交条約 amity [friendship] treaty Ⓒ. ¶*修好条約を結ぶ conclude an *amity treaty* (with ...) / sign a *treaty of amity*

じゅうこうぞう 柔構造 flexible [pliable] structure Ⓤ.

しゅうこつ 収骨 ── 動 (骨を骨つぼに収める) put [place] *a person's* ashes in the urn; (遺骨を収集する) collect the bones of a person who was killed in (the) war.

じゅうごや 十五夜 night when there is a full moon Ⓒ 《☞ まんげつ; つき[1] (挿絵)》. ¶きょうは*十五夜です We have a *full moon* tonight. / (⇒ 月が満ちる) *The moon* is *full* this evening. ★ やや文語的表現. // だんごを供えて*十五夜の月見をした We offered rice-dumplings to the *full moon* and enjoyed viewing it.

じゅうこん 重婚 bigamy /bígəmi/ Ⓤ. ¶*重婚する commit *bigamy*

しゅうさ 収差 〘光〙 àberrátion Ⓤ ★ 種類をいうときは Ⓒ.

じゅうざ 銃座 gun emplacement Ⓒ.

ジューサー juicer Ⓒ.

しゅうさい 秀才 ── 形 (頭のよい) bright; (知能の高い) intelligent; (生まれつき才能のある) talented. ── 名 bright [intelligent; talented] person Ⓒ. 《☞ えいさい; あたま》. 秀才教育 education for gifted children Ⓤ.

じゅうざい 重罪 serious /sí(ə)riəs/ ˹crime [offense] Ⓒ, major crime Ⓒ; (死罪に相当するような重罪) capital crime Ⓒ; félony Ⓒ ★ 法律用語として, 「軽犯罪」(misdemeanor) に対して用いる. 《☞ はんざい; つみ[1]》. ¶彼は*重罪を犯した He committed a *serious* crime.

しゅうさく[1] 秀作 (優れた作品) excellent work Ⓒ ★ しばしば複数形で.

しゅうさく[2] 習作 study Ⓒ; (特に芸術用語では) étude /éɪt(j)u:d/ Ⓒ. ★ é の ´ は綴り本来のもの.

じゆうさくぶん 自由作文 ☞ じゆう[1] (自由作文)

しゅうさつ 集札 ── 名 ticket collection Ⓤ. ── 動 collect tickets. 集札係 ticket collector Ⓒ.

じゅうさつ[1] 銃殺 ── 動 (銃殺刑に処する) execute *a person* by shooting 《☞ しけい[1]》.

じゅうさつ[2] 重刷 reprinting Ⓤ 《☞ ぞうさつ》.

じゅうさつ[3] 重殺 〘野〙 double play Ⓒ 《☞ ダブル (ダブルプレー)》.

しゅうさん 蓚酸 〘化〙 oxalic acid Ⓤ.

じゅうさん 十三, 13 ── 名 形 thirteen 語法 「第 13 (番目) の」, あるいは「第 13 (番目) のもの」の場合は the thirteenth. 《☞ 数字 (囲み)》.

しゅうさんち 集散地 distribution center Ⓒ; (取り引きの中心地) trading center Ⓒ.

じゅうさんや 十三夜 the thírtèenth níght (of a lunar month); (陰暦 9 月 13 日の夜) the night of September 13 by the lunar calendar.

しゅうし[1] 収支 (収入と支出) income and expenditure Ⓤ, incomings and outgoings ★ 前者のほうが決まった言い方. 後者は複数形で; (収支勘定) balance Ⓤ. 《☞ しゅうにゅう; ししゅつ》.

¶*収支を償わせるのが一苦労だ I have great difficulty (in) *making* (*both*) *ends meet*. 語法 make (both) ends meet は「収入の範囲内で暮らす」という意味の慣用句. // 日本の国際*収支は赤字[黒字]だ Japan's *balance* of payments is in the ˹red [black].

収支決算 the settlement of accounts.

しゅうし[2] 修士 (修士号) master's degree Ⓒ; (文科系) Master of Arts 《略 M.A., 《米》 A.M.》; (理科系) Master of Science 《略 M.S(c).》; (修士号をもつ人) master Ⓒ. 《☞ 学校·教育 (囲み)》.

¶彼女はハーバード大学で*修士号をとった She ˹got [received] ˹a [her] *master's degree* from Harvard University.

修士課程 master's degree program Ⓒ 修士論文 《米》 master's thesis Ⓒ 《複 theses》, 《英》 master's ˹dissertation [essay] Ⓒ.

しゅうし[3] 宗旨 (宗派) religious ˹sect [denomination] Ⓒ; (宗教) religion Ⓒ. ¶彼はキリスト教に*宗旨がえをした (⇒ 改宗した) He ˹*converted* [*was converted*] *to* Christianity.

しゅうし[4] 終始 (初めから終わりまで) from beginning to end; (ずっと) throughout. 《☞ ずっと》.

¶*終始一貫して自分の主義を通す stick to one's

principles *from beginning to end*

しゅうし[5] **終止** ―[名]（終わり）end [C];（止まること）stop [C];（終了）termination [C]. ―[動] stop (自); come to an end; terminate (自).《☞ おわる; とまる[1]》 **終止形**（日本語の）the dictionary form of a verb.

しゅうじ[1] **習字** callígraphy [U];（書法・書き方練習）penmanship [U].《☞ しょ[1]》. ¶英*習字 English *penmanship* // *習字を習う practice「*penmanship* [*calligraphy*] // 彼女は*習字がうまい [下手だ] She is *a*「good [poor] *calligrapher*.

しゅうじ[2] **修辞** figure of speech [C]. **修辞疑問**〘文法〙rhetórical quéstion [U]《☞ 修辞疑問（巻末）》 **修辞法[学]** rhétoric [U].

じゅうし[1] **重視** ―[動]（…を重大にとる）take … seriously /sí(ə)riəsli/;（…を重要と思う）think … important ★ 最も平易な言い方;（重要性を与える）attach importance (to …);（重要視する）think much of … ―[名]（重要と考えること）serious view [C]. ★ take a serious view of … の言い方になる.《☞ じゅうよう[1]; おもんじる》.

¶我々はその問題を*重視している We *take* the matter *seriously*. / (⇒ その問題は重要だと考える) We *think* (that) the matter is *important*. / We *attach great importance to* the matter. ★ 最後の文が最も格式ばった言い方. // この学校では数学を*重視している (⇒ 数学に重点を置いている) This school「*lays* [*places*; *puts*] *stress* on mathematics.

じゅうし[2] **十四, 14** ―[名][形] fourteen [語法]「第 14（番目）の」, あるいは「第 14（番目）のもの」の場合は the fourteenth.《☞ 数字（囲み）》.

じゅうじ[1] **従事** ―[動]（職業に携っている）be employed in … ¶彼は印刷業に*従事している He *is in* the printing business.

じゅうじ[2] **十字** cross [C]. ¶*十字を切る *cross oneself* **十字懸垂**（つり輪の）the crucifix.

ジューシー ―[形] juicy. ¶*ジューシーなオレンジ a *juicy* orange

じゅうじか **十字架** cross [C]. ¶…を*十字架にかける *crucify a person* // 私は*十字架を背負う覚悟ができている I am prepared to bear my *cross*. ★「自分の苦難に耐えてゆく」という意味. // *十字架のキリスト像 a crucifix

じゅうじぐん **十字軍** （十字軍の戦い）crusade /kru:séɪd/ [C] ★ しばしば大文字で用いる;（個々の戦士）crusader [C].

じゆうじざい **自由自在** ¶彼は*自由自在に (⇒ 気ままに) 世界中を旅行した He traveled around the world「*at will* [*as he pleased*]. // 彼女はフランス語を*自由自在に操る (⇒ 完全に使いこなす) She has a *perfect command* of French.《☞ じゆう[1]》

じゅうしち **十七, 17** ―[名][形] seventeen [語法]「第 17（番目）の」,「第 17（番目）のもの」の場合には the seventeenth.《☞ 数字（囲み）》.

しゅうじつ[1] **終日** （一日中）all day (long) ★ long を添えたほうが意味が強くなる;（一日中ずっと）throughout the day ★ 動作の継続の意味が強い;（丸一日）the whole day, all day ★ 以上 2 つはある特定の日に一日中という意味で, ほぼ同意;（朝から晩まで）from morning till night.

¶我々は*終日一生懸命働いた We worked hard「*all day* [*from morning till night*].

しゅうじつ[2] **週日** weekday [C] ★ 1 週間のうち日曜を除いた日. 土曜も除く場合もある.《☞ ウィークデー》.

じゅうじつ **充実** ―[形]（内容がいっぱいの）full;（豊かな）rich;（中身のある）substántial. ―[名] fullness [U].《☞ みちたりる》.

¶彼は*充実した生活を送った He「led [lived] a *full* life. // 私は*充実した夏休みを送った My time *was well filled* (during) this summer vacation. / My summer vacation *was well spent*. // 彼の本は内容が*充実している His book is「*substantial* [*rich* in content]. // その学校は研究施設が*充実している (⇒ 完全な研究施設を持っている) The school has *complete* facilities for advanced studies.

充実感 sense of fulfillment [C].

しゅうしふ **終止符** period /pí(ə)riəd/ [C],《英》(full) stop [C].《☞ ピリオド（巻末）》. ¶…に*終止符を打つ put「an *end* [a *period*; a *stop*] to …

じゅうじほうか **十字砲火** cross fire [U], crossfire [U]. ¶*十字砲火を浴びる be [get] caught in the *cross fire* // 敵に*十字砲火を浴びせる pour *cross fire* on the enemy

じゅうしまつ **十姉妹** 〘鳥〙society finch [C].

しゅうしゃ **終車** （最後の列車[バス]）the last「train [bus]《☞ しゅうでんしゃ》.

じゅうしゃ **従者** （お供）follower [C];（付き添い人）attendant [C].《☞ けらい; とも[2]》.

シューシャイン shoeshine [C]《☞ くつ（靴磨き）》. ¶*シューシャインボーイ a *shoeshine* boy

しゅうじゅ **収受** receipt [U]《☞ じゅりょう》.

しゅうしゅう[1] **収拾** ―[動]（事件などに決着をつける）settle (他);（困った状況を回避させる）save the situation ★ 互いにばつの悪い立場などについて言う;（問題を解決する）solve (他);（事態を処理する）handle [deal with] the situation. ―[名]（制御）control [U]; settlement [U]; solution [U].《☞ かいけつ[1]（類義語）; おさめる[2]》.

¶事態を何とか*収拾しなくてはならない We must「*solve* the problem [*settle* the matter] somehow. // 会議は*収拾がつかなくなった (⇒ 会議は混乱に陥った) The conference「was thrown into confusion [got out of *control*].

しゅうしゅう[2] **収集** ―[動] collect (他) [語法] 組織的に集めることをいう言葉で, 単に集める動作のみをいう gather は用いられない;（手に入れる）obtain (他). ―[名] collection [U] ★ 収集物の意味では [C].《☞ あつめる》. ¶彼女は切手の*収集が趣味だ Her hobby *is*「*collecting* stamps [stamp *collecting*]. // 彼は本を書く資料の*収集のためにアメリカへ行った He visited America to *collect*「material [data] for his book.

収集狂 collecting maniac [C] **収集癖** collecting mania [C], mania for collecting [C].

しゅうしゅう[3] ―[名]（しゅうしゅうという音）hiss [C]. ―[動]（しゅうという音を出す）hiss (自).《☞ 擬声・擬態語（囲み）》. ¶空気が小さいすき間から*しゅうしゅうと吹き出していた Some air was coming out of a small opening with a *hissing sound*. / Some air was *hissing* out of a small crack.

じゅうじゅう[1] ―[名]（じゅうじゅうという音）sizzle [C]. ―[動]（じゅうという音を出す）sizzle (自).《☞ 擬声・擬態語（囲み）》. ¶フライパンの中で肉が*じゅうじゅうと焼けている (⇒ じゅうじゅういっている) The meat *is sizzling* in the (frying) pan.

じゅうじゅう[2] **重重** ―[副] very (much)《☞ かさねがさね; よくよく[1]》. ¶*重々おわびします Please accept my *sincere* apologies.

じゆうしゅぎ **自由主義** ☞ じゆう[1]（自由主義）

しゅうしゅく **収縮** ―[動]（布などが縮む）shrink (自);（筋肉・金属などが縮小する）contract (自);（圧縮されて狭くなる）be constricted. ―[名] shrinkage [U]; contraction [U]; constriction [U] ★ 以上は具体的には [C].《☞ ちぢむ; のびちぢみ》.

¶筋肉の*収縮 the *contraction* of a muscle / a「muscle [muscular] *contraction* // 血管の*収縮 the *constriction* of the blood vessels // 鉄は熱する

と膨張するが冷やすと*収縮する Iron expands when heated and *contracts* when cooled.

じゅうじゅく 習熟 ―動 (慣れる[慣れている]) get [be] used to …; (習得する) master ⊕. ―形 (習熟した) skilled; (精通した) expert. 《☞ なれる[1]; じゅくれん》. ¶ 私はまだその仕事に*習熟していない (⇒ 慣れていない) I *am* not *used to* ｢that [my] job yet. **習熟度別クラス** (等質学級編成) homogeneous /hòumədʒíːniəs/ gróuping Ⓤ; (能力別学級編成) ability grouping Ⓤ, grouping [division] according to ability Ⓤ.

じゅうじゅつ 柔術 ☞ じゅうどう

じゅうじゅん 柔順, 従順 ―形 (言われたことに素直に従う) obédient; (素直な) docile; (もの静かな) placid; (怒ったりせず辛抱強くおとなしい) meek. ―名 obédience Ⓤ; docility Ⓤ; placidity Ⓤ; meekness Ⓤ. 《☞ おとなしい; すなお》. ¶ 彼は*柔順な子だ He is an *obedient* child. / (⇒ その子はおとなしい性格を持つ) The boy has a *placid* nature.

じゅうじゅんようかん 重巡洋艦 heavy cruiser Ⓒ.

じゅうしょ 住所 (郵便などの所番地) address /ǽdres, ədrés/ Ⓒ 《☞ 手紙の書き方 (囲み)》.
¶「*住所はどちらですか」「調布市小島町 1-2-3 です」 "What is [May I have] your *address*, please?" "It's [My *address* is] 1-2-3 Kojima-cho, Chofu." / (⇒ どこに住んでいるのですか) "Where do you live?" "I live at 1-2-3 Kojima-cho, Chofu." 《☞ 数字 (囲み)》 // 彼は先月末に*住所を変えた He changed his *address* at the end of last month. // *住所不定の男が盗みで捕まった A man ｢of no [without a] fixed *address* was arrested for stealing. // 東京の現*住所を書いてください Write down ｢your Tokyo *address* [your present *address* in Tokyo], please.
住所不明 (手紙の) address unknown ★ このままの形で封筒などに書く. **住所変更届** notification of change of address Ⓒ **住所録** (自分で記入する) address book Ⓒ; (1 冊の本になっている人名簿) directory Ⓒ.

しゅうしょう[1] 愁傷 ご愁傷さまです (⇒ 心からの同情を申し上げます) I extend my ｢sincere [heartfelt] sympathy to you. / (⇒ 私の悔やみを受け入れて下さい) Please accept my sincere condolences.

しゅうしょう[2] 秋宵 autumn evening Ⓒ.

しゅうじょう 醜状 ☞ しゅうたい

じゅうしょう[1] 重傷 ―動 (重傷を負わせる) seriously ｢injure [wound; hurt] ⊕ [語法] injure は事故などのけが, wound はピストル・刃物などの武器によるけが, hurt は体の一部のけがについていう. なお「重傷を負う」は受身構文となる. ―名 serious [severe] ｢injury [wound] Ⓒ. 《☞ けが [日英比較]; きず (類義語)》.
¶ 彼は*重傷を負った He *was seriously* ｢*injured* [*wounded*; *hurt*]. / He ｢suffered [received] a *severe injury*. ★ 第 2 文のほうが文語的.

じゅうしょう[2] 重症 ―形 (重い病気で) seriously /sí(ə)riəsli/ ｢síck [ill]; (危篤状態で) in (a) critical condition. ―名 serious [grave] illness Ⓤ. 《☞ じゅうびょう; じゅうたい[1]》. ¶ 彼は*重症だ He is ｢*seriously* [*gravely*] *ill*. / His condition is *critical*. **重症患者** serious case Ⓒ **重症心身障害** serious mental and physical disorder Ⓒ.

じゅうしょう[3] 銃床 gunstock Ⓒ; (ライフルの) the stock of a rifle.

じゅうしょう[4] 重唱 〔楽〕 ―名 part-singing Ⓤ. ―動 sing in ｢chorus [parts] ⓐ. ¶ 二*重唱 a duet // 三*重唱 a trio // 四*重唱 a quartet

じゅうしょうしゅぎ 重商主義 mercantilism Ⓤ. **重商主義者** mercantilist Ⓒ.

しゅうしょうろうばい 周章狼狽 ―動 (パニック状態にある) be pánic-strìcken; (パニック状態になる) fall [get] into a panic; (大混乱に陥る) be thrown into utter confusion. 《☞ うろたえる》.

しゅうしょく[1] 就職 ―動 (職を得る[見つける]) get [find] a ｢job [position] ★ position のほうがやや堅苦しい感じの語; (勤め口を得る[見つける]) get [find] employment ★ 前の言い方とほぼ同意; (雇われる・雇われている) be employed.
¶ 彼は出版社に*就職した He *got a* ｢*job* [*position*] ｢with [in] a publishing company. //「卒業後はどこへ*就職しますか」「銀行に*就職するつもりです」 "What kind of *job* are you going to *get* after you graduate?" "I'm ｢going [planning] to ｢*get* [*find*] *a* ｢*job* [*position*] at a bank." // 今年は卒業生全員が*就職できた All ｢the [our] graduates were able to ｢*get* [*find*] ｢*employment* [a *job*; *jobs*] this year. // 弟さんはどこに*就職していますか (⇒ どんな仕事をもっているか) What kind of *job* does your brother *have*? / Where does your brother *work*? / (⇒ どんな会社に勤めていますか) *What company* does your brother *work* for? // 彼女は保険会社に*就職している (⇒ 勤めている) She ｢*is employed* in [*works* for] an insurance company. // 彼はまだ*就職が決まっていない He *has* not ｢*gotten* [*found*] *a job* yet. // おじが*就職の世話をしてくれた (⇒ 私にその職を見つけてくれた) My uncle found me *the job*. / (⇒ おじの世話で就職した) I *got the job* through my ｢uncle's influence [uncle]. / (⇒ おじの援助で) I *got the job* with the help of my uncle.
就職係 (学校の部局) placement office Ⓒ; (人) placement officer Ⓒ **就職活動** job hunting Ⓤ. ¶ 私は目下*就職活動で忙しい (⇒ 仕事を探して) I'm busy ｢*looking* [*hunting*] *for a job*. ★ hunt を用いるほうが口語的. **就職希望者** job ｢hunter [seeker] Ⓒ **就職協定** agreement among companies fixing the official start of recruiting activities Ⓒ **就職口** (仕事) job Ⓒ; (やや改まった語) position Ⓒ; (欠員) vacancy /véikənsi/ Ⓒ. ¶ 何かよい*就職口はありませんか Do you happen to know of any *vacancies* in good companies? **就職シーズン** job-hunting season Ⓒ **就職試験** employment examination Ⓒ **就職説明会** (企業が大学構内でおこなう) job fair Ⓒ **就職戦線** competition among job seekers Ⓤ **就職センター** (大学などの) placement office Ⓒ; ☞ ハローワーク **就職担当教諭** career adviser Ⓒ **就職難** job shortage Ⓤ, difficulty in finding employment Ⓤ. ¶ いまは新卒者にとってたいへんな*就職難です It's very *difficult* for new graduates *to get jobs* these days. **就職率** employment rate Ⓒ.

しゅうしょく[2] 修飾 ―名 〔文法〕 modification Ⓤ. ―動 〔文法〕 modify ⊕, qualify ⊕. **修飾語(句)** 〔文法〕 modifier Ⓒ.

しゅうしょく[3] 秋色 (秋の景色) autumn scenery Ⓤ; (色合い) autumn colors; (気配) signs of autumn.

じゅうしょく[1] 住職 the ｢chief priest [abbot] (of a Buddhist temple) Ⓒ.

じゅうしょく[2] 重職 important [responsible] ｢post [position] Ⓒ 《☞ ようしょく[2]》.

じゅうじろ 十字路 crossroads ★ 複数形で, 単数扱い; (交差点) intersection Ⓒ ★ やや格式ばった語. 《☞ こうさてん; よつつじ》.

しゅうしん[1] 終身 ―副 (あるときから死ぬまで) for life; (生まれてからずっと) all (through) [throughout] *one's* life. ―形 life Ⓐ. 《☞ いっしょう[1]; しょうがい[2]》. **終身会員** life member Ⓒ 終

身刑 (判決) life sentence [C]; (懲役) life imprisonment [U], imprisonment for life [U] **終身雇用** life employment [U]; (制度として) the lifetime employment system **終身年金** pension [C], annuity [C] **終身保険** whole life insurance [U].

しゅうしん[2] 執心 ── [動] (熱心である) be devoted to …; (没頭している) be intent on …; (恋人などに) be infatuated with …; (愛着を感じる) be attached to … ── [名] devotion [U]; attachment [C]. (☞ しゅうちゃく[1]).

しゅうしん[3] 就寝 ── [動] (寝る) go to bed.

しゅうしん[4] 修身 (学科) ethics ★ 単数扱い; (修養) moral training [U].

しゅうじん 囚人 (未決囚をも含めた) prisoner [C]; (刑務所に収容されている者) inmate [C]; (有罪となった) convict [C].

じゅうしん[1] 重心 center [(英) centre] of gravity [C] (☞ つりあい). ¶ 彼は*重心でその棒の釣り合いをとった He balanced the pole (at its *center of gravity*). // 片足で体の*重心 (⇒ 釣り合い) をとるのは難しい It is difficult to *balance* (*yourself*) on one leg.

じゅうしん[2] 銃身 barrel (of a gun) [C] (☞ けんじゅう (挿絵)).

じゅうしん[3] 重臣 (前近代的な関係の) chief retainer [C].

じゅうしん[4] 獣心 ¶ 人面*獣心 a ｢*brute* [*beast*] with a human face

しゅうじんかんし 衆人環視 ¶ 彼は*衆人環視の中で恥をかいた He was *publicly* ｢shamed [disgraced; humiliated]. // *衆人環視の的 (⇒ 焦点 [対象]) the ｢focus [object] of *public attention*

しゅうじんそうち 集塵装置 device for collecting dust [C]; (集塵器) dust chamber [C].

ジュース[1] (缶詰などの清涼飲料) soft drink [C]; (果物を絞った果汁 100% のもの) juice [U] 日英比較 日本では炭酸水の混じった瓶詰や缶詰のものもジュースということがあるが, これらを英語では soft drink という. (☞ しる[2]; 数の数え方 (囲み)). ¶ オレンジ*ジュース orange *juice* ★ 果汁 100% のもの. / òrangeáde ★ 甘味などを加えたもの. **ジューススタンド** juice bar [C]; (特に屋台形式の) (soft) drink stand [C], juice stand [C] **ジュースのあき缶** empty ｢can [(英) tin] of ｢juice [soft drink].

ジュース[2] (テニスなどの) deuce /d(j)ú:s/ [U].

じゅうすい 重水 〘化〙 heavy water [U].

じゅうすいそ 重水素 〘化〙 heavy hydrogen [U].

じゅうすいろ 重水炉 heavy-water reactor [C] (略 HWR).

しゅうせい[1] 修正, 修整 ── [動] (法律・条約などの語句を改める) amend [他]; (文書などを部分的, 全般にわたって改訂する) revise [他]; (規則や基準から逸脱したものを直す) (格式) rectify [他]; (一般的に誤りを正す) correct [他], put … right ★ 後者は最も平易な表現. 以上 2 つはどちらかというと「訂正」という日本語に近いことが多い; (部分的に削ったり加えたりして直す) modify [他]; (変更する) change [他]; (特に細部の変更をする) alter [他]; (絵などに手を入れる) retouch [他]. ── [名] amendment [U]; revision [U]; alteration [U]; modification [U]; correction [U]; rectification [U]; retouching [U] ★ 以上はいずれも具体的には [C]. (☞ ていせい[1]; かいせい[2]; へんこう[1]).
¶ 委員会はその法案を*修正することに決めた The committee decided to *amend* the bill. // 来年度の予算案はこの前の会議で*修正された The budget (bill) for the next fiscal year *was revised* at the last meeting. // 字句を少し*修正 (⇒ 変更) したほうがいいです You'd better ｢make some *changes* in [make some *alterations* in; *change*] the wording. // その契約の条件は一部*修正された The terms of the contract *were modified*. // 彼らはその人工衛星の軌道を*修正しようとした They tried to ｢*correct* [*rectify*] the orbit of the satellite. / (⇒ 正しい軌道に乗せようとした) They tried to *put* the satellite *in(to) the right orbit*. ★ 後者のほうが口語的. // この写真は*修正してある This photograph *has been retouched*. // 来年度の経済成長率は下[上]方*修正されるだろう The economic growth rate for next year will *be revised* ｢downward [upward]. (☞ かほう[3])
修正案 amendment [C]; (文書の) proposed revision [C]; (議案の) amended bill [C] **修正液** correction fluid [U] **修正資本主義** modified capitalism [U] **修正主義** revisionism [U] **修正主義者** revisionist [C] **修正申告** revised ｢return [report] [C] **修正予算** revised budget [C].

しゅうせい[2] 習性 (動植物の) habit [C]; (人・動物の平常の行動) behavior [U].

しゅうせい[3] 終生 ── [副] (一生涯) all [throughout] *one's* life; (生きている限り) as long as *one* lives. ── [形] (一生の間続く) lifelong [A]. (☞ いっしょう[1]; しょうがい[2]).

しゅうせい[4] 集成 ── [名] (収集) collection [U]; (書物などの編纂) compilation [U]. ── [動] collect [他]; compile [他].

しゅうぜい 収税 ── [名] (税を取り立てること) tax collection [U], collection of taxes [U]; (税を課すこと) taxation [U]. ── [動] collect [gather] taxes. **収税係** (部門) the revenue section; (人) revenue agent [C], tax collector [C] ★ 前者は公式名.

じゅうせい[1] 銃声 (gun) report [C]. ¶ 私はその*銃声を聞いた I heard the *report* of a gun.

じゅうせい[2] 獣性 brutálity [U]; bestiality /bèstʃiǽləti/ [U] ★ 前者は残忍さを, 後者は人間性の欠如を強調する. ¶ *獣性をむき出しにする reveal *one's brutal nature*

じゅうせい[3] 重星 〘天〙 multiple star [C].

じゅうぜい 重税 (税金) heavy tax [C]; (輸出入物品の) heavy duty [C]; (課税の意味では) heavy taxation [U]. (☞ ぜいきん). ¶ これらの商品には*重税がかかっている There is a *heavy duty* on these goods. / These goods are *heavily taxed*.

しゅうせいざい 集成材 〘建〙 glued laminated ｢wood [timber] [U].

じゆうせかい 自由世界 ☞ じゆう[1] (自由世界)

しゅうせき 集積 ── [名] (蓄積) accumulation [U]; 〘物理〙 integration [U]. ── [動] (大量に集める) accumulate [他]. (☞ ちくせき; つみかさねる). **集積回路** 〘電〙 íntegràted círcuit [C] (略 IC).

じゅうせき 重責 (重い責任) heavy (burden of) responsibility [C]. (☞ せきにん; たいにん[1]).

しゅうせん[1] 周旋 ── [名] (不動産などの仲介) agency [C]; (斡旋(あっせん)) good [kind] offices ★ 複数形で. ── [動] (取りもち役を務める) act as an agent. (☞ あっせん; ちゅうかい[1]). **周旋業** brokerage [U] **周旋屋** broker [C] **周旋料** (手数料) commission [C].

しゅうせん[2] 終戦 the end of a war; (休戦) truce [C], armistice [C]; (特に第 2 次大戦の) the end of World War II. (☞ せんそう[1]). **終戦記念日** ¶ *終戦記念日は 8 月 15 日である *The anniversary of the end of World War II* is (on) August 15.

しゅうぜん 修繕 ── [動] (修理する) repair [他], fix [他]. ── [名] repair [U] ★「修理作業」という意味ではしばしば複数形で. (☞ しゅうり; なおす).
¶ 彼は屋根を*修繕していた He was ｢*repairing* [making *repairs* to] the roof. // このラジオはもう*修

繕がきかない（⇒修繕をこえている）This radio is 「beyond [past] *repair.* / This radio cannot *be repaired.*

じゅうぜん[1] 十全 ―形（完全な）perfect;（徹底した）thorough /θə́ːroʊ/. ―名 perfection Ⓤ; thoroughness Ⓤ.《☞ かんぜん[1]; かんぺき》. ¶*十全な対策をとる（⇒徹底的な策を講じる）take *thoroughgoing* measures

じゅうぜん[2] 従前 ☞ いぜん[1]; じゅうらい

しゅうそ[1] 臭素 〖化〗bromine /bróʊmaɪn/ Ⓤ《元素記号 Br》.

しゅうそ[2] 宗祖 the founder of a religious sect.

しゅうぞう 収蔵 ―動（収納する）store ㊕;（貯蔵する）stock ㊕;（収集する）collect ㊕. ¶彼は現代絵画をたくさん*収蔵している He *has* a good *collection* of modern paintings. **収蔵庫** storehouse Ⓒ.

じゅうそう[1] 縦走 ―動（尾根伝いに歩く）walk along (the) (mountain) ridges.

じゅうそう[2] 重曹 baking soda Ⓤ;〖化〗(炭酸水素ナトリウム) sodium bicarbonate /sóʊdiəm baɪkáəbənèɪt/ Ⓤ.

じゅうそう[3] 銃創 bullet [gunshot] wound Ⓒ.

じゅうそう[4] 重奏 ―動 play in concert ㊐. ¶二*重奏 a duet // 三*重奏 a trio // 四*重奏 a quartet《☞ しじゅうそう》

じゅうそう[5] 重層 ―形（いくえにも重なった）multilayer(ed);（多くの階層から成る）multilevel. **重層構造** multilayer structure Ⓒ **重層信仰**（異なる宗教を同時に信仰する）syncretism Ⓤ.

しゅうそく[1] 収束 ―名 conclusion Ⓒ;〖数〗convergence Ⓤ. ―動 put an end to .... ―形 conclusive; convergent. ¶論争をうまく*収束する *bring* the dispute *to a* satisfactory *conclusion* **収束レンズ** converging lens Ⓒ.

しゅうそく[2] 終息 ―動 come to an end; end ㊐ ㊕.《☞ おわる》.

しゅうぞく 習俗（風俗習慣）manners and customs;〖社〗folkways ★ 複数形で.《☞ ふうぞく; ふうしゅう; しゅうかん[1]》.

じゅうそく 充足 ―動（満足させる）satisfy ㊕. ―名（充足感）satisfaction Ⓤ.《☞ みたす; じゅうじつ》.

じゅうぞく 従属 ―形（…の支配下で）(be) under the rule of ...;（…より位が下の; …の支配下にある）subordinate (to ...);（…に世話になっている; …に養われている）dependent (on ...);（他の権力に支配を受ける）subject (to ...). ―名 subordination Ⓤ; dependence Ⓤ.《☞ ふくじゅう; したがう》. ¶その国は長いこと外国に*従属していた（⇒外国の支配下にあった）That country was *under* foreign rule for a long time. /（⇒外国の従属国だった）That nation was a foreign *dependency* for a long time. **従属関係**〖文法〗subordination Ⓤ **従属国** dependency Ⓒ **従属節**〖文法〗subordinate [dependent] clause Ⓒ **従属接続詞**〖文法〗subordinate conjunction Ⓒ.

じゅうそつ 従卒 officer's servant Ⓒ;《英》(将校の当番兵) batman Ⓒ.

しゅうた 衆多 ☞ たすう

シューター shooter Ⓒ.

しゅうたい 醜態（恥ずべき行動）disgraceful behavior Ⓤ;（ばかなまねをすること）making a fool of *oneself* Ⓤ. ¶私は人前で*醜態を演じてしまった（⇒ばかなことをした）I *made a fool of myself* in front of「others [everybody]. /（⇒みっともないことをした）I *behaved*「*badly* [*disgracefully*] in front of「others [everybody].

じゅうたい[1] 重態, 重体 ―形（病気が重い）serious;（最悪の事態の）grave ★やや格式ばった語;（危篤状態の）critical. ―名 a「serious [grave; critical] condition ★ a を付けて.《☞ じゅうびょう; きとく[1]》. ¶患者は*重態だ The patient is「*seriously* [*gravely*] *ill.* / The patient's *condition* is「*serious* [*grave*].

じゅうたい[2] 渋滞 ―名（交通の混雑）traffic congestion Ⓤ, (traffic) jam Ⓒ ★後者のほうが口語的;（一般に渋滞, 遅滞）holdup Ⓒ. ―動（混雑する）be congested.《☞ こむ》.

¶交通*渋滞のために遅刻した I was late because of「the *traffic congestion* [a *traffic jam*]. // この道路は車の*渋滞が激しい（⇒いつも込み合う）This street *is* always *congested.* // 交通*渋滞を解消する（⇒整理する[もつれをとる]）sort out [unsnarl] a *traffic jam* // 事務員の不注意で事務に*渋滞を来した（⇒遅延をもたらした）The carelessness of a clerk caused a *holdup* in the office work.

じゅうたい[3] 縦隊（軍隊などの）file Ⓒ;（一般に縦の列）line Ⓒ 〔参考〕横の列は軍隊などでは rank, 一般には row.《☞ れつ》. ¶我々は 1[2] 列*縦隊に並んだ We lined up in「single *file* [two *files*]. ★ in single file で「1 列で」の意の決まり文句. // 2 列*縦隊で行進する march in double *file*

じゅうだい[1] 重大 ―形（重要な）important ★最も一般的な語;（深刻な）serious /sí(ə)riəs/;（特に憂慮しなくてはならないほど重大な）grave ★ serious よりも grave のほうが意味が強い. ―名 importance Ⓤ; seriousness Ⓤ; gravity Ⓤ.《☞ じゅうよう[1]; しんこく[1]》. ¶これは*重大なことです（⇒重要な[深刻な]問題だ）This is「an *important* [a *serious*] matter. / This is a *serious* question. 〔語法〕第 2 文は単に重要なだけでなく憂慮すべき問題というニュアンスがある. // 事態はますます*重大になってきている（⇒問題は悪化している）The problem is getting *worse.* /（⇒深刻になっている）The situation is becoming more and more *serious.*

重大視 ―動 take ... seriously **重大性** ¶我々は事態の*重大性を認識しなければならない We must realize the「*seriousness* [*gravity*] of the situation. **重大問題** serious problem Ⓒ, matter of great concern Ⓒ.

じゅうだい[2] 十代 ―形（年齢が十代で）in *one's* teens 〔参考〕teens は 13 歳（thir*teen*）から 19 歳（nine*teen*）まで.《☞ ティーンエージャー》.

¶彼女はまだ*十代のうちに結婚した She married when she was still *in her teens.* // 私は*十代の終わりごろに東京に出てきた I came (up) to Tokyo when I was *in my* late *teens.* // 観客はほとんど*十代の人たちだった The audience「was [were] almost all *teenagers.*

しゅうたいせい 集大成 ¶この本は彼の研究を*集大成したものです（⇒この本は彼の研究の成果をすべて含んでいる）This book「*contains* [*brings together*] *the results of all his studies.* // 彼は民話を*集大成して 1 冊の本にまとめた（⇒民話を集めて 1 冊の本に編集した）He *collected* folktales and *put them all in(to) a book.*

じゅうたく 住宅（家屋）house Ⓒ,《米》home Ⓒ;（格式ばって）residence Ⓒ;（総称的に）housing /háʊzɪŋ/ Ⓤ.《☞ いえ（類義語）》.

¶彼は公務員*住宅に住んでいる He lives in a「*house* [*housing complex*] for government employees. // 東京の*住宅問題は年々深刻になっている The *housing* problem in Tokyo gets more serious every year. // 都市における*住宅難 the *housing*「shortage [trouble] in the towns // 私はその銀行に*住宅ローンを申し込んだ I asked for a *housing* loan at the bank. // 古い木造*住宅 an old

wooden *house*
住宅金融公庫 the Housing Loan Corporation
住宅地域 residential「area [district] Ⓒ; (都市計画の) residence zone Ⓒ 住宅手当 housing allowance Ⓒ 住宅保障機構 the Organization for Housing Warranty 住宅ローン控除 tax deduction for housing loans Ⓤ.

コロケーション
☞ いえ // 個人住宅 private *housing* / 賃貸住宅 rental *housing* / 連棟式住宅 (長屋) a row *house*

しゅうだん 集団 (行動を共にする集まり) group Ⓒ; (非常に多数の人・物の集まり) mass Ⓒ; (1つにまとまった) body Ⓒ. 《☞ グループ; だんたい¹》.
¶ 学生たちは*集団でやってきた The students came to us in a *group*. // 彼らは*集団を作って方々へ移動して行く They form *groups* and wander from place to place. // デモ参加者は大きな*集団をなして行進した The demonstrators marched in a huge「*mass* [*body*]. 集団安全保障 collective security Ⓤ 集団帰属意識 group consciousness Ⓤ 集団検診 group「examination [checkup] (for ...) Ⓒ 集団行動 group [collective] action Ⓤ; group [collective]「behavior [《英》 behaviour] Ⓤ 集団指導(体制) (the system of) collective leadership Ⓤ 集団就職 mass employment Ⓒ 集団食中毒 mass food poisoning Ⓤ 集団生活 communal「living [life] Ⓤ 集団疎開 ☞ そかい¹ 集団的自衛権 right of collective self-defense Ⓤ 集団農場 collective farm Ⓒ 集団発生 mass outbreak (of ...) Ⓒ 集団見合い group meeting with a view to marriage Ⓒ.

じゅうたん 絨毯 (部屋一面または階段に敷く) carpet Ⓒ; (テーブルの下・暖炉の前など, 床の一部に敷く) rug Ⓒ. 《☞ しきもの》. ¶ 私たちは居間の床に*じゅうたんを敷いた We「put [laid; spread] a *carpet* on the living-room floor. // 床には厚い*じゅうたんが敷きつめてあった The floor was covered with a thick *carpet* from wall to wall.
絨毯爆撃 area [carpet] bombing Ⓤ.

じゅうだん¹ 縦断 ── 動 (縦に通る) go [run; travel; walk] through ... (↔ go across ...). ¶ 彼は自動車で本州*縦断を計画している He is planning to *travel*「(*right*) *through* [*the length of*] Honshu by car. // ロッキー山脈は北米大陸を*縦断している The Rockies *run through* North America. // 台風は本州を*縦断した The typhoon *passed through* Honshu.

じゅうだん² 銃弾 (弾丸) bullet Ⓒ; (発射された弾, および射撃・射撃音なども含めて) shot Ⓒ. 《☞ だんがん; たま³ (挿絵)》.

じゅうたんさんソーダ 重炭酸ソーダ 〘化〙 ☞ じゅうそう²

しゅうたんば 愁嘆場 pathetic [tragic] scene Ⓒ. ¶ その女優による*愁嘆場は観客の涙を誘った The *heart-rending scene* acted by the actress moved the audience to tears.

しゅうち¹ 周知 ¶ それは*周知の事実です (⇒ それはよく知られた事実です) It is a *well-known* fact. / (⇒ それはみんなに知られている事実です) It is a fact *known to*「*everybody* [*all*]. / (⇒ 共通の知識です) It is (a matter of) *common knowledge*. // *周知のように (⇒ みんなが知っているように) その計画は失敗に終わった As *everybody knows* [(⇒ 一般に知られているように) As is *generally known*], the plot turned out to be a failure.

しゅうち² 衆知, 衆智 ¶ 私たちは*衆知を集めて (⇒ 各方面の専門家の意見を求めて) 都市計画を作った We drew up the city plans after *seeking professional advice from various quarters*. / (⇒ 多くの専門家が都市計画を作るのに援助してくれた) *Many experts* helped us「(in) drawing [draw] up the city plans.

しゅうちしん 羞恥心 (はにかむこと) shyness Ⓤ; (恥) sense of shame Ⓒ. 《☞ はずかしい; はじ¹》.
¶ あの男は*羞恥心がない (⇒ 恥知らずだ) He has no *sense of shame*. // 彼女は*羞恥心て (⇒ 恥ずかしくて) 顔を赤らめた She blushed「for [with] *shame*.

しゅうちゃく¹ 執着 ── 動 (あることに打ち込んで離れられない) stick to ..., 《格式》 adhere /ædhíə/ to ...; (...に愛着がある) be attached to ... ── 名 (執着) 《格式》 adherence /ædhí(ə)rəns/ Ⓤ; (愛着) attachment Ⓤ. 《☞ こしつ²; あいちゃく; しゅうねん》.
¶ 彼はまだ原案に*執着している He「still *sticks* [still *adheres*; *is* still *sticking*; *is* still *adhering*] *to* his original plan.

しゅうちゃく² 祝着 congratulation Ⓤ ★「祝いの言葉」の意味では複数形. 《☞ めでたい》. ¶ 志望の大学へご入学の由*祝着に存じます I warmly *congratulate* you [Please accept my warmest *congratulations*] upon your entrance into the university of your choice.

しゅうちゃくえき 終着駅 terminal (station) Ⓒ, terminus Ⓒ 《☞ ターミナル; えき¹; しゅうてん》.

しゅうちゅう 集中 ── 動 (1か所に集める・集まる) cóncentràte 他 自; (注意などを焦点に合わせるように集中する) focus 他 自; (中心に向けて結集する) center 他 自; (権力・組織の機能などを中心へ集める) centralize 他. ── 形 (集中的な) intensive ★ 短期間に密度を濃く, くまなく何かを行う状態. ── 副 intensively. ── 名 concentration Ⓤ; centralization Ⓤ. 《☞ あつまる》.
¶ 日本の人口は大都市に*集中している The population of Japan *is concentrated* in (the) large cities. // 自分の仕事に注意を*集中させなさい *Concentrate* [*Focus*; *Center*] your attention on your work. // 彼はその問題を*集中的に研究した (⇒ 集中的な研究をした) He has made an *intensive* study of the subject. // 彼は*集中力に欠けている He lacks「(the power of) *concentration* [the ability to *concentrate*].
集中型輸出 concentrated export Ⓤ 集中管理システム centralized control system Ⓒ 集中豪雨 (局地的な大雨) localized torrential downpour Ⓒ; (集中した大雨) concentrated heavy rain Ⓤ. 《☞ ごうう》 集中講義 intensive course Ⓒ 集中(データ)処理システム 〘コンピューター〙 centralized [integrated] data processing system Ⓒ 集中治療室 intensive care unit Ⓒ 《略 ICU》 集中砲火 cóncentràted fire Ⓤ 集中冷暖房 central heating and air conditioning Ⓤ.

しゅうちょう 酋長 chief(tain) Ⓒ ★ 説明的には the chief of the tribe とも言う.

じゅうちん 重鎮 (影響力のある人) person of influence (in ...) Ⓒ; (傑出した人) prominent figure (in ...) Ⓒ; (指導的立場の人) leader (of ...) Ⓒ; (支えになる人) pillar Ⓒ.

じゅうづめ 重詰め foods packed in tiered lacquer boxes ★ 複数形で. ¶ おせちを*重詰めにする *pack* New Year's foods *in tiered lacquer boxes*

シューツリー (靴型) shoe tree Ⓒ.

しゅうてい 舟艇 (比較的小型の船) boat Ⓒ, craft Ⓒ ★ 後者は複数同形. ¶ 上陸用*舟艇 a landing「*boat* [*craft*]

シューティングゲーム (テレビゲームの一種) shóot-'em-úp (gàme) Ⓒ.

しゅうてん 終点 (交通機関の) terminal (station) Ⓒ, terminus Ⓒ; (物事の終わり) end Ⓒ. (☞ ターミナル; えき¹).

¶ 私たちは*終点まで行きます We are riding as far as the ⌈*terminal* (*station*) [*end of the line*]. // このバスの*終点はどこですか (⇒ このバスはどこ行きか) Where does this bus go? //「みなさん, *終点です」と車掌が言った " We have arrived at the ⌈*terminal* [*end of the line*]!" said the conductor.

しゅうでん 終電 ☞ しゅうでんしゃ

じゅうてん¹ 重点 (重要な点) important point Ⓒ; (力点) stress Ⓤ; (強調) emphasis Ⓤ; (優先) priority Ⓤ. (☞ りきてん).

¶ わが校は理科教育に*重点を置いている Our school ⌈lays [puts] ⌈*stress* [*emphasis*] on the study of science. / (⇒ 理科教育が優先権を与えられている) Science education is given ⌈the first [top] *priority* in our school. // あなたは英語を*重点的に (⇒ 優先して) 勉強しなさい You should study English *as a priority*. **重点主義** (優先的なものから先にする) priority system Ⓒ; (好ましいものから先にする) préferèntial básis Ⓒ **重点政策** policy that has overriding priority Ⓒ.

じゅうてん² 充填 ―動 (いっぱいにする) fill úp (他); (虫歯などを) plug (他). (☞ つめる). **充填剤** filler Ⓤ ★ 時に a ～.

じゅうでん 充電 ―名 charge Ⓤ. ―動 (蓄電池に充電する) charge (他). ¶ *充電式電気かみそり a *rechargeable* /ríːtʃɑ̀ːədʒəbl/ sháver **充電器** charger Ⓒ.

しゅうでんしゃ 終電車 (最後の電車) the last train (of the day); (最終便) the last run. (☞ しゅうしゃ; しゅうバス; しゅうれっしゃ). ¶ 昨夜は*終電車に乗り遅れてタクシーで帰った I took a taxi, as I missed *the last train* last night. // 鎌倉行きの*終電車は何時ですか When is *the last train* for Kamakura?

しゅうと 舅, 姑 (男) fáther-in-làw Ⓒ; (女) móther-in-làw Ⓒ. (☞ 親族関係 (囲み)).

シュート ―名 (バスケットなどの) shooting Ⓤ; (1回のシュート・その得点) shot Ⓒ; (野球の) screwball /skrúːbɔ̀ːl/ Ⓒ. ―動 (シュートする) shoot (他) (自) (過去・過分 shot).

¶ 彼はコートの右側からロング*シュートをした 《バスケット》 He made a long *shot* from the right(-hand) side of the court. // 彼は試合の前半にすばらしい*シュートを決めた 《サッカー》 He *shot* a beautiful *goal* in the first half of the game.

シュートボール 〖野〗 screwball Ⓒ.

じゅうど 重度 ―形 (重症の) serious; (ひどい) severe. ¶ *重度の障害のある人 a *severely* handicapped person

しゅうとう 周到 ―形 (間違いを起こさないように注意深い) careful; (よく考えて慎重な) prudent; (危険を避けるために用心深い) cautious. (☞ ちゅういぶかい; しんちょう²).

¶ そのために*周到な (⇒ 注意深い) 用意をしなくてはならない We must make *careful* preparations for it. // レインコートを持ってきたとは用意*周到だね (⇒ 賢明だ) It was *wise* (of you) to bring your raincoat with you. // 彼は万事に用意*周到な男だ He is very *careful* and *prudent* in everything.

しゅうどう 修道 **修道院** (男子の) mónastèry Ⓒ; (特に女子の) convent Ⓒ **修道院長** abbot Ⓒ; prior /práɪə/ Ⓒ ★ abbot は abbey (大修道院) の長, prior は abbot の次席, または小修道院長; (一般的に) the superior /sʊpí(ə)riə/ of a monastery; (女子修道院長) ábbess Ⓒ, prioress Ⓒ, mother (superior) Ⓒ **修道会** monastic order Ⓒ **修道士** monk /mʌ́ŋk/ Ⓒ, brother Ⓒ ★ 複はしばしば brethren; (托鉢修道士) friar Ⓒ **修道女** nun Ⓒ, sister Ⓒ.

じゅうとう¹ 充当 ―動 (特別の用途に当てる) apprópriàte (他) 〔語法〕 議会用語として予算の充当[割当て]などの意味で使われる; (資金などをある目的のために取っておく) earmark (他). ―名 appropriation Ⓤ ★「充当金」の意では Ⓒ. (☞ わりあてる; あてる¹). ¶ 1 千万円がこの新しい計画に*充当された Ten million yen *has been* ⌈*appropriated* [*earmarked*] *for* the new project.

じゅうとう² 重盗 〖野〗 double steal Ⓒ (☞ ダブル (ダブルスチール)).

じゅうどう 柔道 judo Ⓤ. ¶ *柔道では彼は黒帯です He holds a black belt in *judo*. // 5 段の*柔道家 a 5th⌈-*dan* [-rank; -level] ⌈*judoka* [*judoist*] // *柔道をする do [practice] *judo* **柔道着** suit for judo practice Ⓒ, judo ⌈suit [uniform] Ⓒ.

しゆうどうたい 雌雄同体 hermaphrodite /hə(ː)mǽfrədàɪt/ Ⓒ.

じゅうとうほう 銃刀法 the Law to Control the Possession of Firearms and Swords ★「銃砲刀剣類所持等取締法」の通称. (☞ じゅうほう¹).

銃刀法違反 ¶ 彼は*銃刀法違反の容疑で逮捕された He was arrested on suspicion of *violating the Firearms and Sword Control Law*.

しゅうとく¹ 習得 ―動 (習って身につける) learn (他) ★ 最も口語的で平易な語; (時間をかけ, 努力して身につける) acquire (他); (知識を完全に身につける) master (他). ―名 àcquisítion Ⓤ; mastery Ⓤ. (☞ えとく; たいとく; おぼえる).

¶ コンピューターの技術を*習得する *learn* computer skills // 1 年間で英語を*習得するのは無理です It's impossible to *master* English in ⌈a [one] year.

しゅうとく² 拾得 ―動 (拾う) pick úp (他); (見つける) find (他). (☞ ひろう¹). **拾得者** finder Ⓒ **拾得物** find Ⓒ.

しゅうとく³ 修得 acquisition Ⓤ (☞ しゅうとく¹).

しゅうとめ 姑 móther-in-làw Ⓒ (☞ 親族関係 (囲み)).

じゅうなん 柔軟 ―形 (順応性のある) adaptable; (融通性のある・しなやかな) flexible ★ flexible は筋肉・体などにも使う. (☞ ゆうずう). ¶ 子供は一般に*柔軟性 (⇒ 順応性) がある Children are generally *adaptable*. // 彼はとても*柔軟な男だ (⇒ 融通性がある) He is a very *flexible* person. / (⇒ 考え方が融通がきく) He is quite *flexible* in his opinions. // その問題には*柔軟に対処しよう Let's take a *flexible* attitude toward the problem. **柔軟仕上げ剤** fabric softener Ⓒ **柔軟体操** ☞ じゅんび (準備運動); ☞ ストレッチング; calisthenics /kæ̀ləsθénɪks/ ★ Ⓤ または複数扱い. **柔軟路線** soft line Ⓒ. ¶ …に対し*柔軟路線をとる take a *soft line* with …

じゅうに 十二, 12 ―名 形 twelve 〔語法〕「第 12 (番目) の」, あるいは「第 12 (番目) のもの」の場合は the twelfth. (☞ 数字 (囲み)). **十二音音楽** twelve-tone music Ⓤ, dodécaphony /doʊdékəfəni/ Ⓤ ★ 後者は専門用語. **十二音階** twelve-note scale Ⓒ **十二進法** the duodecimal /d(j)ùːədésəm(ə)l/ system.

じゅうにがつ 十二月 December 《略 Dec.》 ★ 語頭は必ず大文字. (☞ いちがつ 〔語法〕; 時刻・日付・曜日 (囲み); 略語 (巻末)).

じゅうにきゅう 十二宮 (黄道十二宮・十二宮一覧図) the zodiac.

じゅうにく 獣肉 (動物の肉) flesh Ⓤ; (魚肉・鳥肉に対して) butcher('s) meat Ⓤ.

じゅうにし 十二支 (時刻の) the twelve horary

signs; (年などの) the twelve signs of the Chinese and Japanese zodiac. 《☞ ね[4](表); えと》.

じゅうにしちょう 十二指腸 duodenum /d(j)ù:ədí:nəm/ Ⓒ《複 ~s, duodena /-nə/》. **十二指腸潰瘍** dúodènal ulcer Ⓒ.

じゅうにひとえ 十二単衣 twelve-layered robe Ⓒ; (説明的には) a Japanese ceremonial costume for court ladies.

じゅうにぶん 十二分 ¶彼らはその試合で*十二分に実力を発揮した (⇒期待された以上に立派に) They played much better than they had been expected to. // きょうは*十二分に (⇒徹底的に) 楽しませていただきました I *thoroughly* enjoyed myself today. 《☞ じゅうぶん[1]; たっぷり》

しゅうにゅう 収入 (個人の所得) income Ⓒ; (歳入) revenue Ⓤ ★国庫の収入など公的機関の年間収入を言う. 《☞ しょとく》.
¶私の*収入は少ない[多い] My *income* is ⌈small [large]. / I earn a ⌈small [large] *income*. // 彼は月20万円の*収入がある He has an *income* of ¥200,000 a month. ★two hundred thousand yen と読む. // *収入が増えた[減った] My *income* has ⌈increased [decreased]. // 彼の*収入はかなりよい He gets a pretty good *income*. // *収入が3年前の2倍になった (⇒2倍稼ぐ) I'm *earning* twice as much as I did three years ago. // 私は自分の*収入で暮らしていける I can get along on my (⌈present [current]) *income*. **収入印紙** revenue stamp Ⓒ **収入役** treasurer Ⓒ.

> **コロケーション**
> **かなりの収入** a comfortable *income* / **株式配当収入** stock-dividend *income* / **資産収入** property *income* / **賃金収入** wage *income* / **月々の収入** a monthly *income* / **乏しい収入** a meager *income* / **年間の収入** an annual [a yearly] *income* / **平均収入** the average *income* / **予想収入** a prospective *income* / **臨時収入** an extra *income*

しゅうにん 就任 ―動 (公職につく) take office (as ...); (役目などを引き受ける) assume 他; (式を行って, 大統領などの高い地位に正式につく) be inaugurated /ɪnɔ́:gjurèɪtɪd/ (as ...). ―名 (任につくこと) assumption of office Ⓤ; (大統領などの) inauguration Ⓤ. 《☞ つく[4]》.
¶A氏は部長に*就任した Mr. A *took up his position as* the head of the division. // 彼はそのクラブの会長に*就任した He *assumed* the presidency of the club. // 来年の1月に彼は大統領に*就任する He is going to *be inaugurated as* president next January. // *就任の宣誓をする take the oath of *office* **就任演説** inaugural (address) Ⓒ **就任式** inaugural ceremony Ⓒ, inauguration Ⓒ.

じゅうにん[1] 住人 (半永久的な居住者) inhabitant Ⓒ; (一定期間の在住者) resident Ⓒ; (アパートなどの住人) tenant Ⓒ. 《☞ じゅうみん》. ¶昨年から京都の*住人となった I became a ⌈Kyoto *citizen* [*citizen* of Kyoto] last year.

じゅうにん[2] 重任 (重要な任務) important duty Ⓒ; (再任) reappointment Ⓤ. 《☞ せきにん》.

じゅうにんといろ 十人十色 ¶*十人十色 So *many men, so many minds*. 《ことわざ: 人の数だけ心の数》 // 人の好みは*十人十色 There's no accounting for tastes. 《ことわざ: 人の好みは説明できない》

じゅうにんなみ 十人並み ¶彼は*十人並みです (⇒普通の外見の男性です) He is an *ordinary*-looking man. // 彼女の料理の腕は*十人並み (⇒料理においては平均) 以上[以下]だ She is ⌈above [below] (*the*) *average* in cooking. 《☞ ひとなみ[2]》

しゅうねん 執念 ―形 (復讐心に燃えた) revengeful, vengeful; (執拗な)《格式》tenacious /tənéɪʃəs/ Ⓐ; (恨みなどを忘れないで許さない) unforgiving. 《☞ しゅうちゃく[1]; しつこい》. ¶彼は*執念深い人だ He is ⌈a (*re*)*vengeful* [a *tenacious*; an *unforgiving*] person. // 彼はがんの研究に*執念を燃やしている (⇒専念している) He *has devoted himself to* the study of cancer.

-しゅうねん …周年 (周年祭) ànnivérsary Ⓒ 《☞ -ねんさい》. ¶9月15日はわが校の開校30*周年記念日です September 15 is the thirtieth *anniversary* (of the foundation) of our school.

じゅうねん 十年 ten years; (10年間) decade Ⓒ. ¶*10年ごとに every *ten years* / (⇒10年に1度) once ⌈in *ten years* [a *decade*] **十年一日** ¶彼は*十年一日のごとく (⇒中断しないで何年間も) 研究に励んだ He devoted himself to his research ⌈*without a break for many years* [(⇒年々歳々) *year in, year out*]. **十年一昔** ¶*十年一昔だ (⇒十年は大きな変化をもたらした) The past [These] ten years have brought about great changes.

しゅうのう 収納 ―動 (受け取る) receive 他; (物を入れる) put ... into ...; (貯蔵する, 保管する) store 他. ―名 (金銭などの) receipt Ⓤ; (貯蔵, 保管) storage Ⓤ. 《☞ しまう; おしいれ; ものおき》. **収納係** receiver Ⓒ; (銀行の) receiving teller Ⓒ **収納庫** (押し入れ) closet Ⓒ; (納戸) storeroom Ⓒ **収納スペース** storage space Ⓤ; (物を置く場所の余裕) room to put ... Ⓤ **収納壁** (壁に戸棚が作り付けてあるもの) storage wall Ⓒ.

じゅうのう 十能 fire shovel Ⓒ.

じゅうのうしゅぎ 重農主義 physiócracy Ⓤ. **重農主義者** phýsiocràt Ⓒ.

じゆうのめがみ 自由の女神 (ニューヨークにある) the Statue of Liberty.

しゅうは[1] 宗派 (分派) sect Ⓒ; (特定の教派) denomination Ⓒ ★sect より大きいグループ. 《☞ は[4]》. **宗派争い** sectarian strife Ⓒ.

しゅうは[2] 周波 〔電〕cycle Ⓒ; (周波数) frequency Ⓒ. ¶高[低]*周波〔電〕a ⌈high [low] *frequency* // ラジオやテレビ局は異なった*周波数で放送している Radio and television stations broadcast on different *frequencies*. **周波数特性** frequency characteristic Ⓒ **周波数変調** frequency modulation Ⓤ.

しゅうは[3] 秋波 **秋波を送る** (色目を使う) make eyes at ...; (性的興味をもって見る) ogle (at ...) 他 自 ★軽蔑的. 《☞ いろめ; ながしめ》.

しゅうはい 集配 ―動 (集配する) collect and deliver 他. ―名 collection and delivery Ⓤ. 《☞ あつめる; くばる》. ¶日曜日は郵便の*集配はありません There is no *collection* ⌈*and* [or] *delivery* of mail on Sunday(s). **集配人** (郵便の)《米》mailman Ⓒ, 《英》postman Ⓒ.

じゅうばこ 重箱 *jubako* Ⓒ; (説明的には) nest of lacquered boxes Ⓒ. **重箱の隅をほじくる** ―動 (あまりにも細かいことを区別する) split hairs ★軽蔑的. ―形 hairsplitting. ¶それは*重箱の隅をほじくるようなことだ That is *splitting hairs*. **重箱読み** corrupt pronunciation of Chinese characters Ⓒ 《☞ ゆとう(湯桶読み)》 **重箱料理** foods arranged in lacquered boxes.

しゅうバス 終バス the last bus (of the day) 《☞ しゅうでんしゃ; しゅうれっしゃ》.

じゅうはち 十八, 18 ―名 形 eighteen 語法 「第18(番目)の」, あるいは「第18(番目)のもの」の場合は the eighteenth. 《☞ 数字 (囲み)》. **十八金** 18-karat gold Ⓤ.

じゅうはちばん 十八番 ☞ おはこ
しゅうはつ 終発 ☞ しゅうでんしゃ; しゅうバス; しゅうれっしゃ
しゅうばつ 秀抜 ―形 (優れた) excellent; (傑出した) outstanding; (抜群の) distinguished; (才気のある) brilliant. ¶ *秀抜な成績 an ⌈*outstanding* [*excellent*] grade
じゅうばつ 重罰 severe [heavy] punishment Ⓤ. ¶ そのようなことは*重罰に値する A thing like that deserves *severe punishment*.
じゅうはっしりゃく 十八史略 ―名 固 *Juhasshiryaku*; (説明的には) an outline of the eighteen books of the dynastic history of China ★ 14 世紀の前半に曾先之により撰述された中国史.
しゅうばん¹ 終盤 (勝負事の) endgame Ⓒ ★ 序盤 (opening), 中盤 (middle game) に対して; (終わりの段階) the ⌈final [last] ⌈stage [phase]. (☞ おわり). ¶ 選挙戦はすでに*終盤に入っている The election campaign has already ⌈entered [gotten into] ⌈*the* [its] *final stage*(*s*).
しゅうばん² 週番 weekly duty Ⓤ; (週番の生徒) student on duty for the week Ⓒ. ¶ 今週はだれが*週番ですか Who is *on duty* this week?
じゅうはん¹ 重版 (そのまま刷り数を重ねること) second [another] impression Ⓒ, reprinting Ⓤ; (改訂または増補して版を重ねること) second [revised] edition Ⓒ. (☞ はん³ (類義語)).
じゅうはん² 重犯 (重い犯罪) serious crime Ⓒ, 〖法〗 félony Ⓒ; (罪を重ねること) repetition of a crime Ⓒ. (☞ はんざい). **重犯者** (重罪犯人) felon Ⓒ; (累犯者) repeat(ed) offender Ⓒ.
じゅうはん³ 従犯 (犯罪) aiding and abetting Ⓤ; (犯人) accessory Ⓒ, accomplice Ⓒ.
じゅうはん⁴ 縦帆 fore-and-aft sail Ⓒ.
しゅうび¹ 愁眉 ¶ *愁眉を開く (⇒ 安心する) feel relieved / (⇒ ほっと一息つく) breathe freely (again)
しゅうび² 醜美 ☞ びしゅう
じゅうひ 獣皮 hide Ⓒ, (animal) skin Ⓒ ★ 後者のほうが一般的な語.
しゅうひょう 集票 ―動 poll [gather] votes ★ poll は特に選挙の投票の場合. ¶ この候補者は 50% 以上の*集票能力がある This candidate has the ability to *poll* more than fifty percent of *the votes*.
じゅうびょう 重病 ―形 (重病で) seriously /sí(ə)riəsli/ ⌈sick [ill]; (危篤状態で) in a critical condition. ―名 serious illness Ⓒ. (☞ びょうき; じゅうしょう²). ¶ 彼は*重病だ He is *seriously ill*. **重病患者** serious case Ⓒ.
しゅうふうさくばく 秋風索寞 ―動 (秋風に心細く感じる) feel desolated in the autumn wind.
しゅうふく 修復 ―動 (修理して一新する) renovate ⓐ; (元の状態に戻す) restore ⓐ. ―名 renovation Ⓤ ★ しばしば複数形で; restoration Ⓤ. (☞ しゅうり; しゅうぜん). ¶ 彼らはその山門を*修復した They *renovated* the temple gate. // 彼らは友情の*修復を望んだ They wanted to *restore* their friendship to its former state.
じゅうふく 重複 óverlàp Ⓤ (☞ ちょうふく; かさなる).
しゅうぶん¹ 秋分 the autúmnal equinox /í:kwənàks/. **秋分点** 〖天〗 the autumnal point **秋分の日** Autumnal Equinox Day (☞ しゅくじつ (表); ひがん¹).
しゅうぶん² 醜聞 scandal Ⓒ (☞ スキャンダル).
じゅうぶん¹ 十分, 充分 ―形 (必要を満たすに足る) enough; sufficient; (必要最少限はある) ádequate; (あり余るほどある) plenty of ...; ample; (必要以上にある) plentiful; (いっぱいの) full; (徹底した) thorough. ―副 enough; sufficiently; well; fully; in full; (徹底的に) thoroughly /θɚ́:rəli/; amply; plentifully. ―名 sufficiency Ⓤ; amplitude Ⓤ; plenty Ⓤ.
【類義語】 必要なだけの数または量があり, それよりも多くも少なくもない, つまり「ちょうど…するに足る」ことを意味するのが **enough**, ほぼ同意で用いられるが, *enough* より格式ばった語は **sufficient**. 用法としては, *enough* は形容する名詞の前にも後にも付くが, *sufficient* は名詞の前のみ. ただし, 日本語の「十分」はしばしば「たくさん」「多量」の意で用いられるので enough には当たらないことがあることに注意がいる. 具体的な必要十分条件の域までとにかく達していることを表すのは **adequate**. あり余るほどたっぷりあるのは **plenty**, **ample** で, *plenty* は *plenty of* ... の形で形容詞的に用いる. *ample* は普通不可算名詞に用いられる. plenty の 形 の形は **plentiful**. いっぱいに満ち, 最大限にあるのは **full**. (☞ たくさん; たっぷり; ほうふ¹)
¶ それをする時間は*十分にある We have *enough* time to do it. // 食物は*十分供給された (⇒ たくさんの食物が供給された) *Plenty of* food was provided. / (⇒ 食物は不足なく供給された) *Sufficient* food was provided. // 時間は*十分あるよ (⇒ 沢山ある) We have *plenty of* time. // 計画は*十分に (⇒ 徹底的に[心行くまで]) 検討してから実行に移しなさい Examine the plan ⌈*thoroughly* [*well*] before putting it into action. // 証拠は*十分にそろった (⇒ 十分な証拠を集めた) We have gathered ⌈*enough* [*ample*; *plenty of*; *sufficient*] evidence. // その本は*十分 (⇒ 結構) 読む価値がある The book is *well* worth reading. //「もう少しいかがですか」「いや結構です. *十分いただきました」"Please have some more." "No, thank you. I've had ⌈*plenty* [*enough*]."
十分条件 sufficient condition Ⓒ.
じゅうぶん² 重文 〖文法〗 compound sentence Ⓒ.
じゅうぶん³ 重文 ☞ じゅうよう (重要文化財)
しゅうへき¹ 習癖 habit Ⓒ (☞ くせ).
しゅうへき² 周壁 surrounding wall Ⓒ.
シューベルト ―名 固 Franz (Peter) Schubert /frǽnts pí:tə ʃú:bət/, 1797–1828. ★ オーストリアの作曲家.
しゅうへん 周辺 ―前 (…の周り) around ... ―名 (都市を取り巻く地域) environs, outskirts ★ 以上 2 語はほぼ同意だが, 前者は格式ばった語. いずれも複数形で; (近所) neighborhood (《英》 neighbourhood) Ⓤ; (近辺) (《格式》) vicínity Ⓤ. (☞ しゅうい; ふきん¹; まわり).
¶ 池の*周辺 (⇒ 周り) を歩いてみましょう Let's walk *around* the pond. // 東京およびその*周辺の居住者 the people who live in and *around* Tokyo // 多くの生徒は市の*周辺部に住んでいる Many students live on the *outskirts* of the city. // イギリスではロンドンとその*周辺を見物した In England I visited London and the *area around it*.
周辺事態 emergency in Japan's periphery Ⓒ
周辺事態法 the Law Concerning Measures to Ensure the Peace and Security of Japan in Situations in Areas near Japan.
じゅうべん 重弁 ☞ やえざき
しゅうほう 週報 weekly ⌈búlletin [report] Ⓒ.
しゅうぼう 衆望 (人気) popularity Ⓤ; (政治家などへの一般の支持) public support Ⓤ; (民衆の信任) public confidence Ⓤ. (☞ しんにん¹).
じゅうほう¹ 銃砲 guns, firearms ★ いずれも複数形で. 後者のほうが形式ばった語だが, 見出し語のもつニュアンスには近い. **銃砲規制** firearms control

Ⓤ; (所有規制) restriction on the possession of firearms Ⓒ. 《☞ じゅうとうほう》. ★ 米国の銃規制法はレーガン大統領暗殺未遂事件で銃弾をうけた報道官の名から「ブレイディ法」(the Brady Act) と呼ばれる. 《☞ ブレイディほう》 **銃砲店** gun shop Ⓒ.

じゅうほう² 重砲　heavy gun Ⓒ; (総称として) heavy artillery Ⓤ.

シューホーン　shoehorn Ⓒ 《☞ くつ (靴べら)》.

じゅうぼく 従僕　(使用人) servant Ⓒ; (制服を着た) footman Ⓒ.

シューマイ　*shaomai* /ʃàʊmáɪ/ Ⓒ; (説明的には) a kind of Chinese minced pork and vegetable dumpling.

しゅうまく 終幕　(物ごとの) end Ⓒ, close /klóʊz/ Ⓒ; (芝居の) the last scene; (演技の終り) the end of a performance. 《☞ おわり》.

しゅうまつ¹ 週末　weekend Ⓒ ★ 金曜の夜または土曜から月曜の朝まで. 《☞ ウィークエンド》. ¶ 私は*週末を別荘で過ごした I spent the *weekend* at my cottage. / I stayed at my cottage ⌐over [for] the *weekend*.

しゅうまつ² 終末　end Ⓒ; (世の終りの日) doomsday /dúːmzdèɪ/ Ⓤ ★ 形容詞的にも用いる; (最後の審判の日) the day of the Last Judg(e)ment ★ キリスト教の聖書にある表現. 《☞ おわり (類義語)》 ¶ *終末思想の宗派[新興宗教] a *doomsday* cult // *終末思想の持ち主 a *doomsdayer* / a *doomsayer* **終末時計** the Doomsday Clock ★ 米国の核問題専門誌 Bulletin of the Atomic Scientists の表紙に描かれた時計で, 発行時の核戦争の切迫度を午前零時までの残り分数で示す. **終末論** 〘宗〙 eschatology Ⓤ.

シューマン　― 名 固 Robert (Alexander) Schumann /ʃúːmɑːn/, 1810–1856. ★ ドイツの作曲家.

じゅうまん¹ 十万, 10 万　a hundred thousand ★ one hundred thousand は少し改まった言い方. 《☞ 数字 (囲み)》.

じゅうまん² 充満　― 動 (いっぱいになる) be full of ..., be filled with ... ★ 前者のほうが平易な表現. ― 名 ful(l)ness Ⓤ. 《☞ いっぱい¹; みちる》. ¶ 部屋には煙が*充満していた The room *was full of* smoke. / I found the room *filled with* smoke. 〔語法〕 第 2 文は「(気がついたら, あるいは行ってみたら) 部屋は煙でいっぱいだった」の意味. // 会場は不平で*充満した There was *much* dissatisfaction among those in the hall.

しゅうみ 臭味　☞ くさみ

しゅうみつ 周密　☞ めんみつ; しゅうとう

しゅうみん 就眠　― 動 (床につく) go to bed; (眠る) go to sleep, fall asleep. 《☞ ねる¹》. **就眠時間** bedtime Ⓤ.

じゅうみん 住民　(県・市町村の在住者) resident Ⓒ ★ visitor に対して用いられる; (特定の地域に住む人) inhabitant Ⓒ; (ある場所の住民全部) the population Ⓤ, 《格式》 the populace Ⓤ ★ 以上 2 つは複数扱い.
¶ 彼らはこの町の*住民です They are *residents* of this town. // その計画は*住民の強い反対にあった The plan met with strong opposition from the local ⌐*inhabitants* [*residents*].
住民運動 citizens' movement Ⓒ **住民基本台帳** *the Basic Resident Registers* **住民基本台帳ネットワーク** ☞ じゅうきネットワーク **住民税** resident's tax Ⓒ; (地区の税) ward [village] tax Ⓒ **住民訴訟** citizen's lawsuit (against municipal authorities for malfeasance) Ⓒ **住民投票** rèferéndum Ⓒ **住民登録** resident registration Ⓤ **住民票** resident card Ⓒ **住民票コード** resident registration code number Ⓒ; (説明的には) 11-digit individual identification number assigned to a resident for the national registry system Ⓒ.

じゆうみんしゅとう 自由民主党　☞ じみんとう

しゅうめい 襲名　― 動 (...の名前を継ぐ) succeed to the name of .... ― 名 succession to *a person's* name. ¶ その役者は「菊五郎」を*襲名した The actor *succeeded to the name of* Kikugoro. // *襲名披露をする make an announcement of *one's succession to a person's name*

じゅうめん 渋面　― 名 (痛さ・いらだたしさなどでの) grimace Ⓒ; (非難の気持ちを表す) glowering [frowning] face Ⓒ. ― 動 grimace at ..., make a grimace at ... 《☞ しかめっつら》.

じゅうもう¹ 絨毛　〘解〙 (小腸などの) villus /víləs/ Ⓒ 《複 villi /vílaɪ/》.

じゅうもう² 獣毛　animal hair Ⓤ.

しゅうもく 衆目　¶ この人選は*衆目の一致するところである (⇒ この選択は一般の賛成を得ている) This [The] choice has met with *universal approval*. / (⇒ 大部分の人たちがこの任命に同意した) *Most people agreed* on ⌐this [the] appointment. // *衆目の見るところでは彼が次期首相だ (⇒ 多くの人の意見では彼が次の首相になりそうだ) In *the opinion of most people*, he is likely to ⌐be [become] the next prime minister.

しゅうもん 宗門　(religious) ⌐sect [denomination] Ⓒ 《☞ しゅうは¹》.

じゅうもんじ 十文字　cross Ⓒ. ¶ 道がこの近くで*十文字になっている (⇒ 交わっている) The streets *intersect* near here. 《☞ じゅうじろ》

しゅうや 終夜　(一晩中) all night (long) ★ long を付けたほうが意味が強い; (丸一夜) the whole night; (夜中ずっと) throughout the night, (all) through the night, the whole night through ★ through または throughout が付くと継続の意味が強い.
¶ あの食堂は*終夜営業している That restaurant /réstərənt/ is open *all night*. // 大みそかには電車は*終夜運転をする Trains run ⌐*through(out) the night* [*all night*] on New Year's Eve.

しゅうやく 集約　― 動 (集める) collect 他; (1 つにまとめる) put ... together. ― 名 collection Ⓤ. ― 形 (集約的) intensive. ¶ すべてのデータはここに*集約されている All the data ⌐*are* [*is*] *collected* here. **集約農業** intensive agriculture Ⓤ.

じゅうやく¹ 重役　(責任ある地位の人) executive /ɪgzékjʊtɪv/ Ⓒ 〔語法〕 (1) この語は組合などの執行委員も意味する; (取締役) director Ⓒ. 《☞ やくいん¹; 会社の組織と役職名 (囲み)》.
¶ 彼は*重役だ He is ⌐an *executive director* [a *director*]. / (⇒ 重役会に属している) He is *on the board of directors*. ★ 第 2 文のほうが改まった言い方. // 彼は B 社の研究開発担当*重役です He is research and development *director* at company B. 〔語法〕 (2) 重役の 1 人ならば a を付ける.
重役会 the board of directors **重役会議** meeting of the board Ⓒ, board meeting Ⓒ.

じゅうやく² 重訳　― 名 retranslation Ⓤ, secondhand translation Ⓤ ★ 両者とも訳した文書は Ⓒ. ― 動 retranslate 他. ¶ それは英訳からの*重訳だ It is a (*re*)*translation of the* English *translation*.

じゅうゆ 重油　heavy oil Ⓤ 《☞ せきゆ》.

しゅうゆう 周遊　(周遊旅行) tour around ... Ⓒ, (circular) tour Ⓒ 〔語法〕 一周を強調するときは circular を付ける. 《英》 では round trip Ⓒ ともいうが, この語は 《米》 では往復旅行を指す; (巡航) cruise

[C]. (☞ ツアー [日英比較]; りょこう (類義語)). ¶ 彼らは北海道*周遊に出かけた They went on a *tour around* Hokkaido.

周遊券 (割引きの) excursion ticket [C]; (回遊の) 《英》 round-trip ticket [C].

しゅうよう¹ 収容 ―[動] (建物が人を収容する) accómmodàte (他); (部屋などがある数の座席を持つ) seat (他); (余裕がある) admit (他) ★ 建物を主語にして; (人が遺体などを) recover (他). ―[名] accommodation [語 法] 《米》は複数形だが, 《英》は [U] で単数形で用いられる; (座席の収容力) seating [U]. (☞ はいる).

¶ このホテルは 500 人の客を*収容できる This hotel can *accommodate* five hundred ⌈people [guests]. / This hotel has *accommodation(s)* for five hundred people. // この教室は 100 人の学生を*収容できる This lecture room *seats* a hundred students. / (⇒ 100 の座席を持っている) This classroom has a hundred *seats* for students. / (⇒ この部屋は 100 人の学生が座ることのできる収容力を持つ) This room has *seating capacity* for a hundred students. // 市はホームレスの*収容を計画している The municipal government is planning to *house* the homeless. // この図書館にはこれ以上の本は*収容できません (⇒ 本のためにこれ以上の余地を持たない) We have no more room for books in this library. // 救助隊は遺体の*収容に向かった The rescue team set off to *recover* the bodies. // 約 20 人が病院に*収容された (⇒ 運び込まれた) Some twenty people *were* ⌈*taken* to (the) hospital [(⇒ 入院させられた) *hospitalized*].

収容所 (難民の) refugee camp [C], relocation ⌈center [camp] [C]; (捕虜・政治犯などの) internment camp [C]; (強制収容所) concentration camp [C] ★ 第 2 次大戦中のナチスのユダヤ人強制収容所のイメージが強いので, 普通ははじめの 3 つの表現を使う. **収容人員** the number of persons to be admitted **収容力** (劇場などの) seating capacity [U]; (ホテルなどの) sleeping accommodation 《米》では複数形で, 《英》では [U] で用いるのが普通. (☞ しゅくはく).

しゅうよう² 修養 (精神の教化) (the) cultivation of the mind; (道徳的な訓練) moral training [U]; (人格形成) character building [U]. (☞ しゅぎょう; たんれん; くんれん). ¶ 君はまだ*修養が足りない (⇒ 自制心を働かすことを習うべきだ) You should learn to exercise *self-control*. / (⇒ 道徳的な訓練が必要だ) You are still in need of *moral training*. // *修養を積んだ人 people of *culture* / *cultured* people / *cultivated* people

しゅうよう³ 収用 ―[動] (土地などを公の目的のために取り上げる) exprópriàte (他). ―[名] expropriation [U]. ¶ 土地*収用権 (the right of) *eminent domain* // 土地*収用法 the Land *Expropriation* Act

じゅうよう¹ 重要 ―[形] (価値・意味・影響力などの点で大切な) important ★ 最も一般的な語; (不可欠な) essential; (かなめになる) key; (他と比較してより重要な) major [A]; (生死に関する・非常に重大な) vital; (意義深くて重大な) significant. ―[名] importance [U]. (☞ しゅよう¹; たいせつ¹; じゅうだい¹).

¶ 彼は*重要人物だ He is an *important* person. [参 考] 口語で a *v*ery *i*mportant *p*erson のことをその頭文字を取って VIP /víːàɪpíː/ [C] という. (☞ 略語 (巻末)) / He is a person *of great importance*. ★ 第 2 文のほうが格式ばった言い方. // 英語は中学・高校では一番*重要な科目の 1 つです English is one of the most *important* subjects in secondary schools. // 英語は受験科目として*重要視されている As an examination subject English is regarded as *important*. // 造船業は日本の*重要産業の 1 つであった Shipbuilding used to be one of the ⌈*key* [*major*] industries in Japan. // 脳は*重要な器官の 1 つです The brain is one of the *vital* organs of the body. // そんなことはあまり*重要ではない It is of no great *importance*.

重要参考人 important witness [C] **重要事項** important matter [C], (格式ばって) matter of importance [C] **重要書類** important document [C] **重要文化財** (全体を指して) important cultural ⌈property [U] [assets] ★ [ ] 内は複数形で. **重要無形文化財** important intangible cultural assets ★ 複数形で用いる.

じゅうよう² 重用 ―[動] (重要視する) make much of ...; (人に重要な地位を与える) give an important position (to ...). (☞ おもんじる).

じゅうようし 重陽子 〖物理〗 deuteron [C].

じゅうよく 獣欲 carnal [animal] desire(s); (強い性欲) lust [U].

しゅうらい 襲来 ―[動] (災害などが打撃を与える) hit (他); (災害などが襲う) visit (他); (攻撃する) attack (他); (侵入する) invade (他) (自). ―[名] attack [U]; invasion [U] ★ いずれも具体的な個々の事例は [C]. (☞ しゅうげき; おそう (類義語)). ¶ 外敵の*襲来 foreign *invasion*

じゅうらい 従来 ―[形] (伝統的な) traditional; (慣習的な) conventional; (古い) old; (前の) former [A]. ―[副] (いままで) until [till; up to; up till] now; (これまでのところ) so far; (いつもどおり) as usual.

¶ *従来のやり方ではだめです (⇒ 役に立たない) The ⌈*traditional* [*conventional*] method ⌈will [does] not work any more. // *従来の建物は取り壊された The ⌈*old* [*former*] building was ⌈pulled [torn] down. // その説は*従来正しいとされてきた (⇒ これまで) *Up to now* the theory has been [*Until now* the theory was] believed to be true. // 入試は*従来どおり (⇒ いつものように) 2 月に行います Entrance examinations will be held *as usual* in February.

しゅうらく 集落 (村) village [C]; (少数の人家の集まり) community [C], settlement [C].

しゅうらん 周覧 ―[名] round trip [C]. ―[動] make a round trip.

じゅうらん 縦覧 ―[動] (見る) see (他), view (他) (他); (調べるために見る) inspect (他). ―[名] viewing [U]; inspection [U]. (☞ えつらん; けんがく¹). ¶ それはいつでも*縦覧できる (⇒ 一般に公開されている) It is open to the public.

しゅうり 修理 ―[動] (複雑で技術を要するものを直す) repair (他); (簡単なものを直す) mend (他), 《米略式》 fix (他). ―[名] repair [U] ★「修理作業」という意味ではしばしば複数形で; mending [U], fixing [U]; (アフターサービスの) service [U]. (☞ なおす).

¶ 私は時計を*修理してもらった I *had* my watch *repaired*. // 私は壊れた窓を*修理した I *mended* the broken window. // この傘は自分では*修理できない I cannot *fix* this umbrella myself. // この車の*修理に 2 日かかった The *repairs* to the car took two days. / It took two days to *have* my car *repaired*. [語 法] 第 1 文は自分で直した場合でも修理工場で直してもらった場合でも使えるが, 第 2 文は後者の意味に限られる. // この時計はもう*修理がきかない This watch is ⌈beyond [past] *repair*. // その道路は目下*修理中です The road is under *repair*. // *修理中 Under *Repair* ★ 道路などの標識. // 自動車*修理工場 an auto *repair* shop / a *garage* /gərάːʒ/

修理工 (機械の) repairman Ⓒ《複 -men》; (自動車などの) mechánic Ⓒ　修理費 repair charge Ⓒ ★複数形で用いることもある.

コロケーション
家[道路, 橋]の修理 home [road; bridge] *repair* / 応急修理 temporary *repairs* / 大がかりな修理 large [extensive; major] *repairs* / 緊急修理 emergency [urgent] *repairs* / 小さな修理 small [minor] *repairs* / ちょっとした修理 petty *repairs*

じゆうりつ 自由律 free verse Ⓤ.

しゅうりょう¹ 修了 ━動 (コース・学校などを終える) complete ⓗ, finish ⓗ ★後者のほうが口語的. ━名 completion Ⓤ. 《☞ そつぎょう; かんりょう¹ (類義語)》. ¶ *修了証書: 福田まり子は本校においてフランス料理上級の課程を*修了したことを証する CERTIFICATE: This is to certify that Miss Mariko Fukuda *has completed* the advanced course in French cooking. 日英比較 英語では普通「本校において」は付けない.

しゅうりょう² 終了 ━動 (予定されていたことが終わる) end ⓐ; (継続していたものが終わる) close ⓐ. ━名 end Ⓒ; close Ⓒ, conclusion Ⓒ. 《☞ おわる (類義語); おえる; かんりょう¹》. ¶ 公演の*終了時刻は 10 時半ごろの予定です The performance will *end* at approximately 10:30 p.m. // 大会は無事に*終了した The convention *was brought to a* successful *conclusion*.

しゅうりょう³ 収量 (収穫量) yield Ⓒ; (収穫高) crop Ⓒ; (生産高) production Ⓤ. ¶ 1 ヘクタールあたりの小麦の*収量 wheat *yield* per hectare

じゅうりょう¹ 重量 ━名 weight Ⓤ. ━動 (重さを計る・重さが…ある) weigh ⓗ ⓐ. 《☞ おもさ; めかた; たいじゅう; 度量衡 (囲み)》.
¶ この箱は*重量が 5 キロあります This box *weighs* [The *weight* of this box is] five kilo(gram)s. // *重量超過はいくらですか (⇒ 余分の重量にいくら払ったらよいか) How much must I pay for (the) extra *weight*? // この彫刻は*重量感がある (⇒ どっしりとしている) This statue is *massive*.
重量挙げ weight lifting Ⓤ　重量級 ━名 (スポーツで) the heavyweight ⌜division [class]; (個々の選手) heavyweight Ⓒ. ━形 heavyweight　重量制限 weight limit; (トラックなどの積荷の) load limit Ⓒ　重量トン dead-weight ton Ⓒ.

じゅうりょう² 十両 (相撲の階級) *juryo* Ⓤ; (説明的には) the lowest level of a salaried sumo wrestler; (十両の力士) *juryo* wrestler Ⓒ.

じゅうりょうぜい 従量税 specific ⌜duty [(⇒ 関税) tariff] Ⓒ 《☞ ぜいきん》.

じゅうりょく 重力 (特に地球の) gravity Ⓤ; (重力の作用) gravitation Ⓤ. ¶ 無*重力状態 weightlessness 《☞ むじゅうりょく》 // *重力の法則 the law(s) of *gravitation* // *重力に逆らう defy *gravity*　重力加速度 the acceleration of gravity　重力計 gravímeter Ⓒ　重力波 gravity [gravitational] wave Ⓒ　重力波天文学 gravitational wave astronomy Ⓤ.

しゅうりん 秋霖 long spell of rain in ⌜autumn [fall] Ⓒ.

じゅうりん 蹂躙 ━動 (人の意志などを踏みにじる) *trample down* ⓗ; (権利などを犯す) violate ⓗ. 《☞ ふみにじる》. ¶ そんなことをすると人権*蹂躙になる If you do that, you will *violate* the personal rights of others.

シュールレアリスト (超現実主義者) surrealist /sərí:əlɪst/ Ⓒ.

シュールレアリスム ━名 (超現実主義) surrealism /sərí:əlìzm/ Ⓤ. ━形 surrèalístic.

しゅうれい¹ 秀麗 ━形 (美しい) beautiful. ¶ 眉目*秀麗な若者 a *very* ⌜*handsome* [*good-looking*] young man

しゅうれい² 秋冷 chilly [cool] ⌜fall [autumn] weather Ⓤ.

じゅうれつ 縦列 (人・物などの列) file Ⓒ; (人・物・数字・名前などの列) column Ⓒ. 《☞ れつ》. 縦列駐車 parallel parking Ⓤ.

しゅうれっしゃ 終列車 the last train (of the day); (最終便) the last run. 《☞ しゅうしゃ; しゅうでんしゃ; しゅうバス》. ¶ やっと*終列車に間に合う just ⌜catch [make] *the last train*

しゅうれん¹ 収斂 ━名 (皮膚などが引き締まること) astriction Ⓤ; 〖数・物理〗 convergence Ⓤ. ━動 converge (on ...) ⓐ. ━形 astringent; convergent. 収斂剤 astringent Ⓒ　収斂レンズ converging lens Ⓒ.

しゅうれん² 修練 training Ⓤ; practice Ⓤ, drill Ⓤ; discipline Ⓤ.
【類義語】最も一般的な語が **training**. 技能習得のための繰り返しの訓練という意味の語が **practice** と **drill** だが, 後者は命令に従って集団で行なうというニュアンスがある. 精神を鍛えることに重点を置くのが **discipline**. 《☞ れんしゅう; くんれん》
¶ …になるため 5 年の*修練を積む undergo five years of *training* to become ...

しゅうれん³ 習練 ☞ れんしゅう

じゅうれん 重連 (重連列車) doubleheader Ⓒ.

しゅうろう 就労 ━動 (仕事を始める) set to work ⓐ, set about [start] working; (雇われる) be employed, find work.　就労時間 working hours ★複数形で.　就労者 employed person Ⓒ; (総称的に) the employed　就労日数 working days ★複数形で.　就労ビザ work [working] visa Ⓒ.

じゅうろうどう 重労働 (つらい仕事) hard work Ⓤ; (特に, 刑期などの) hard labor Ⓤ.

しゅうろく¹ 収録 ━動 (人が記録・録音[画]する) recórd ⓗ; (放送用に番組を) film ⓗ, tape ⓗ; (本などが載せている) contain ⓗ; ☞ しゅうろく². ━名 recording Ⓤ. 《☞ きろく; ろくおん; ろくが; のる²》. ¶ 我々は野鳥の声をテープに*収録した We *recorded* the singing of wild birds on tape. // この辞書には約 10 万項目が*収録されている This dictionary ⌜*contains* [*has*] about 100,000 entries. ★ entry は辞書などの「収録項目」. // 漱石全集未*収録の手紙 a letter *uncollected* in Soseki's works // 全集に*収録する *include* in the complete works // 番組*収録を観覧する attend a *taping* // 番組*収録中に during ⌜*filming* [*taping*]

しゅうろく² 集録 ━動 (印刷物に集める) gather ⓗ, collect ⓗ; (印刷する) print ⓗ; (ビデオテープに) (video)tape ⓗ. 《☞ しゅうろく¹》. ¶ 彼女の全作品はこの一冊に*集録されている All her works *are collected* in this volume. // 彼はテレビの日本の古典音楽の番組をいつも*集録している He always *videotapes* Japanese classic music programs on TV.

じゅうろく 十六, 16 ━形名 sixteen 語法 「第 16 (番目)の」, あるいは「第 16 (番目)のもの」の場合は the sixteenth. 《☞ 数字 (囲み)》. ¶ *十六分音符 a *sixteenth* note / 《英》 a *semiquaver*　**16** ミリ(映画) 16-mm ⌜film [movie] Ⓒ.

しゅうろん 修論 ☞ しゅうし² (修士論文)

しゅうわい 収賄 ━名 (わいろを受け取ること) acceptance of [accepting] a bribe Ⓤ; (汚職) corruption Ⓤ. ━動 (わいろを受け取る) take a bribe. 《☞ わいろ; ぞうわい; ばいしゅう; おしょく; ふせい¹》. ¶ その役人は*収賄のかどで告発された The

official was charged with 「taking [accepting] *bribes*.
収賄罪 bribery Ⓤ **収賄事件**（醜聞）bribery scandal Ⓒ;（刑事事件として）bribery case Ⓒ.

じゅうわり 十割 one hundred percent《☞ わり》. ¶この計画は成功率は*十割だ（⇒ 100%成功する）This project will succeed *one hundred percent*.

ジューン（女性名）June.

ジューンブライド June bride Ⓒ ★ 6 月に結婚する花嫁は幸福になるといわれる.

しゅえい 守衛（警備員）guard Ⓒ;（門番）doorkeeper Ⓒ, doorman Ⓒ,《米》janitor Ⓒ,《英》commissionaire Ⓒ.

じゅえき 樹液 sap Ⓤ.

じゅえきしゃ 受益者 beneficiary /bènəfíʃièri/ Ⓒ. ¶*受益者負担の原則 the *beneficiary* payment principle

ジュエリー（宝石・貴金属類）jewelry Ⓤ ★ 宝石類全体を表す.《☞ ジュエル》.

ジュエル jewel Ⓒ ★ 一つ一つの宝石を指す.《☞ ジュエリー》.

しゅえん¹ 主演 ━動（主演させる・主演する）star ⊕ ⊜. ━名（主演男優）the leading 「actor [man];（主演女優）the leading 「actress [lady].《☞ しゅやく》. ¶この映画はメグ ライアンが*主演している This movie *stars* Meg Ryan. / Meg Ryan *stars* in this movie. // ジャッキー チェン*主演の映画は全部見た I 「saw [have seen] all the films *starring* Jackie Chan. **主演賞** award for the 「leading [principal] 「actor [actress] Ⓒ.

しゅえん² 酒宴（酒を飲むパーティー）drinking party Ⓒ;（ごちそうの出る宴会）feast Ⓒ, banquet Ⓒ.《☞ えんかい¹》.

しゅおん 主音〘楽〙tonic Ⓒ, keynote Ⓒ.

しゅか 主家 *one's* 「employer's [master's] house Ⓒ. 語法 master（主人）という語は現在ではあまり用いられない.

シュガー sugar Ⓤ 日英比較「砂糖」という意味では日英ほぼ一致するが, 英語の sugar は「砂糖を入れる」という 動 としても用いられる. **シュガーポット** sugar bowl Ⓒ,《英》sugar basin Ⓒ, sugar Ⓒ.

シュガークラフト sugarcraft Ⓤ.

シュガーボウル the Sugar Bowl ★ 米国ルイジアナ州ニューオーリンズにあるフットボール競技場. また同所で毎年 1 月 1 日に行われる招待大学チームによるフットボールの試合.

しゅかい 首魁（首謀者）ringleader Ⓒ《☞ さきがけ》.

しゅがい 酒害 the 「bad [harmful] effects of drinking.

じゅかい 樹海（森林地帯）woodland Ⓤ;（広大な地域にわたる森林）forest Ⓒ;（樹の海）a sea [an ocean] of trees ★ a(n) を付けて. 見渡す限り木が生えているような状態をいう文語的表現.

しゅかく 主格〘文法〙subjective Ⓒ, subjective case Ⓒ ★ nominative Ⓒ, nominative case Ⓒ ともいう.
主格補語〘文法〙subjective complement Ⓒ.

じゅがく 儒学 Confucianism Ⓤ. **儒学者** Confucian Ⓒ; Confucian scholar Ⓒ.《☞ じゅきょう》.

しゅかくてんとう 主客転倒 ━動（馬の前に荷車を付ける）put the cart before the horse ★ この表現は英語の慣用句.《☞ ほんまつてんとう》.

しゅかん¹ 主観 ━名（主観性）sùbjectívity Ⓤ (↔ òbjectívity). ━形（主観的な）subjective (↔ objective). ━副（主観的に）subjectively (↔ objectively).《☞ きゃっかん》. ¶あなたの意見は*主観的すぎる Your opinion is too *subjective*.
主観主義 subjéctivism Ⓤ **主観的批評** subjective criticism Ⓤ **主観テスト** subjective test Ⓒ.

しゅかん² 主幹 the chief editor, the editor in chief《複 editors in chief》★ 後者のほうが格式ばった言い方.

しゅがん(てん) 主眼(点)（主なねらい）the chief aim;（主要な目的）the principal object.《☞ ねらい; しゅし¹》.

しゅき¹ 手記（覚え書き）note Ⓒ, memo Ⓒ《複 ～s》★ 前者のほうが普通;（回想録）memoirs /mémwɑəz/ ★ memoir の複数形. やや格式ばった語.

しゅき² 酒気 ━名（酒臭いにおい）the smell of 「alcohol [liquor]. ━副（酒気を帯びて）under the influence of 「alcohol [liquor]. ¶*酒気帯び運転 driving *under the influence of* 「*alcohol* [*liquor*]

しゅき³ 酒器 sake vessel Ⓒ《☞ ちょうし²; さかずき》.

しゅき⁴ 朱熹 ━名 ㊒ Chu Hsi, 1130–1200. ★ 中国, 南宋の哲学者.

しゅぎ 主義（自分の生活や行動の基準）principle Ⓒ;（宗教や政治上の）dóctrine Ⓒ;（理論, 主義, 学説）ism Ⓒ;（大義名分）cause Ⓒ.《☞ しんねん¹》. ¶それは私の*主義に反する It is against my *principles*. // 彼は絶対に*主義を曲げない（⇒ 常に主義に忠実である）He is always true to his *principles*. // *主義を曲げる（⇒ 犠牲にする[妥協する]）sacrifice [compromise on] *one's principles* // *主義を変える change *one's principles* // 安全第一*主義で働く work *on the principle* of "Safety first" // *主義のために死ぬ人もいる Some people die for their *cause*. // あの病院はもうけ*主義だ（⇒ 金もうけの仕事として運営されている）That hospital is run as a moneymaking business. // 彼女は自分の*主義主張をはっきりと述べた She clearly stated her *ideas and principles*.

しゅきおくそうち 主記憶装置〘コンピューター〙main memory Ⓒ.

しゅきゃく¹ 主脚（飛行機の）the main landing gear.

しゅきゃく² 主客（主人と客）host and guest;（主と従）principal and subsidiary. **主客転倒** ☞ しゅかくてんとう

しゅきゅう¹ 守旧 ☞ ほしゅ¹

しゅきゅう² 首級（severed）head Ⓒ ★ severed は「切られた」. ¶*首級をあげる cut off the head of [behead] *a person*

じゅきゅう¹ 需給 supply and demand Ⓤ 日英比較 日本語と語順が逆.《☞ じゅよう¹; きょうきゅう》. ¶*需給が均衡を取り戻した (The) balance between *supply and demand* has been restored.
需給関係 the relation between supply and demand **需給ギャップ** gap between supply and demand Ⓒ.

じゅきゅう² 受給 ━動 receive ⊕. ¶老齢年金を*受給する *receive* an old age pension
受給資格 qualifications 「to be [as] a recipient. ¶彼は障害年金の*受給資格がある He 「has the *qualifications* [*qualifies*] *for* an annuity for the disabled. **受給者** recipient Ⓒ. ¶年金*受給者 a *recipient* of a pension / a *pensioner*

しゅきょう¹ 主教〘キ教〙bishop Ⓒ ★ 英国国教会・聖公会・ギリシャ正教などの聖職者の位. カトリックでは司教.《☞ しきょう³》.

しゅきょう² 酒興（酒席での歓楽）merrymaking (at a drinking party) ★ merrymaking は文語;（酒の席の余興）entertainment at a party Ⓤ.

しゅぎょう 修行 ━動（技術などの訓練を受け

る) be trained; (宗教的な苦行をする) be under ⌈strict [ascetic] discipline. ━名 training Ⓤ; (宗教上の苦行) (ascetic) self-discipline Ⓤ. 《☞ しゅうよう²; ぎょう²; たんれん; くんれん》. ¶ お前は*修行が足りない (⇒ 訓練が必要だ) You need more *training*. **修行者** dísciplinant Ⓒ.

じゅきょう 儒教 Confucianism /kənfjúːʃənìzm/ Ⓤ ★「孔子 (Confucius /kənfjúːʃəs/) の教え」という意味.

じゅぎょう 授業 ━名 (学校などの教室で多人数に教える授業) class Ⓒ 語法 (1) 学校の授業をいう最も一般的な言葉. 授業を形式としていう言葉なので,「…時間の授業がある」などのときはこの言葉が普通; (学校の授業全体) school Ⓤ; (教えること) teaching Ⓤ; (教師・学生が集まって開いている会合という意味で) session Ⓒ ★ class よりやや格式ばった言葉; (学校での勉強を指して) schoolwork Ⓤ, classwork Ⓤ. ━動 (授業をする) have (a) class 語法 (2) この意味では最も普通の言い方.「授業を受ける」という意味にもなる; (授業(を)する・教える) teach ⊕. 《☞ こうぎ²; 学校・教育 (囲み)》.

¶「*授業は何時に始まって何時に終わりますか」「8 時 45 分に始まって 3 時 30 分に終わります」"What time does *school* ⌈begin [start] and ⌈end [finish]?" "*School* ⌈begins [starts] at 8:45 and ⌈ends [finishes] at 3:30." 語法 (3) 8:45 と 3:30 はそれぞれ eight forty-five, three thirty と読む. 《☞ 時刻・日付・曜日 (囲み)》 // 「あすは何時間の*授業がありますか」「6 時間あります」"How many *classes* do you have tomorrow?" "We have six (*classes*)." // あしたは数学の*授業 (⇒ 数学) がありますか Do you have ⌈(a) math *class* [math] tomorrow? // 「3 時間目の*授業は何でしたか」「化学でした」"What *class* did you have in the third period?" "We had chemistry." // 青木先生は*授業がうまい[下手だ] (⇒ 上手[下手]に教える) Miss [Mr.; Mrs.] Aoki is very ⌈good [poor; bad] at *teaching*. / (⇒ 優秀[お粗末]な先生だ) Miss [Mr.; Mrs.] Aoki is a ⌈good [poor; bad] teacher. // *授業が終わったら (⇒ 授業時間後は) 教室には残らないこと No students ⌈may [are allowed to] remain in the classroom(s) *after* ⌈*school hours* [*school* is over]. ★ [ ] 内のほうが格式ばった言い方. // 英語の*授業は 204 番教室です The English *class* ⌈is [will be] in ⌈classroom [room] 204. // あすは*授業はありません We have no *classes* tomorrow. / We have [There is] no *school* tomorrow. // 3 年の男子は教室で*授業をしている The third-year boys are ⌈having a *class* [doing *classwork*] in the ⌈classroom [room]. // 私はきょうの午前中 3 つの*授業をしました I have ⌈had [taught] three *classes* this morning. 語法 (4) have taught を用いれば先生の発言に限定される. // 先週はその*授業を休みました (⇒ 欠席した) I ⌈did not attend [missed] the *class* last week. // 彼はよく*授業をサボった He often ⌈cut [skipped] *classes*. 《☞ サボる》 // あしたの*授業はお休みにします《先生が生徒に向かって》 I will cancel my *classes* tomorrow. / My *classes* (for) tomorrow are canceled. 《☞ きゅうこう³》 // 今日の*授業はこれで終わり *Class* dismissed. / That's all for today. / So much for today. // 彼は*授業中によく居眠りをする *He often falls asleep during* (the) *class*. // 静かにしなさい. *授業中に話をしてはいけません Be quiet. Don't talk in *class*.

授業時間 school hours. ¶ 教員の平均*授業時間は週 18 時間です The average teacher's *teaching load* is eighteen hours a week. **授業日数** (学校のある日の数) the number of school days; (出席すべき授業時間) *one's* required class hours. ¶ 君は*授業日数が足りないから進級できなかったのです You were not promoted because you did not complete your *required class hours*. **授業料** (小中高の) school fees ★ 普通は複数形で; (大学・私学・個人授業の) tuition Ⓤ, tuition fees ★ 普通は複数形で. ¶ *授業料は学期の始めまでに納入のこと *Fees* must be paid ⌈prior to [before] the first day of the term.

> **コロケーション**
> 授業に行く go to *class* / 授業に出席する attend a *class* / 授業を受ける take a *class* / 授業を終わりにする dismiss a *class* / 授業を聴講する sit in on [《米》 audit] a *class* / 授業を始める start a *class*

しゅぎょく 珠玉 (カットして磨いた宝石) gem Ⓒ ★ 比喩的にも用いられる. ¶ *珠玉のような詩 a ⌈*gem* [*jewel*] of a poem

しゅぐ 手具 gymnastic hand apparatus Ⓒ.

じゅく 塾 (詰め込み学習の学校) cram(ming) school Ⓒ; (日本語をそのまま使って) *juku* Ⓒ ★ 単複同形. 日英比較 日本の塾に当たるものが英米にはないので, 以上の訳語はさらに説明を必要とすることが多い. 例えば A *juku* is a private ⌈súpplemèntal [《英》 supplementary] school where schoolchildren cram outside school hours. のように. 《☞ 学校・教育 (囲み)》. ¶ きょうは学校が終わったら*塾へ行かなくてはならない I must go to (the) *juku* after school today. // 私の父は自宅で英語の*塾をやっています (⇒ 私的な授業をしている) My father gives private English lessons at home.

塾通い *juku* [cram school] attendance Ⓤ **塾生** student of a ⌈*juku* [cram school] Ⓒ **塾長** the headmaster of a ⌈*juku* [cram school].

しゅくい 祝意 (人に対する) congratulations ★ 通例複数形で; (出来事に対する) celebration Ⓤ. 《☞ いわう》. ¶ 創立者に*祝意を表して *in honor of* the founder

しゅくえん¹ 祝宴 bánquet in celebration (of …) Ⓒ 《☞ えんかい¹》.

しゅくえん² 宿縁 destiny Ⓤ; fate Ⓤ ★ 共に避け難い運命の意. 後者は不運なことが多い. 《☞ うんめい》.

しゅくが 祝賀 ━名 (祝うこと) celebration Ⓤ; (祝いの言葉) congratulations ★ 複数形で. ━形 (祝賀の) congrátulatòry. 《☞ いわい》. **祝賀会** celebration Ⓒ **祝賀電報** congratulatory telegram Ⓒ.

しゅくがん 宿願 (夢) dream Ⓒ 《☞ ねんがん》. ¶ 英国へ行くことは私のかねての*宿願であった (⇒ 長い間願ってきた) I *have long been wishing* to go to England. / It has been *a dream of mine for years* to go to England. ★ 第 1 文のほうが口語的. // 彼は*宿願がかなってその大学に入学した His *cherished dream* came true and he entered the university.

じゅくご 熟語 (決まった言い方) idiom Ⓒ; (慣用句) idiomatic phrase Ⓒ ★ 前者のほうが一般的で意味が広い. 《☞ イディオム (巻末)》. ¶ *熟語はそのまま覚えること *Idioms* must be learned as they are.

しゅくこんそう 宿根草 ☞ しゅっこんそう

しゅくさいじつ 祝祭日 national [public] holiday Ⓒ 《☞ しゅくじつ》.

しゅくさつ 縮刷 ━動 (縮刷する) print … in reduced size. **縮刷版** (小さい版) small edition Ⓒ; (ポケット版) pocket edition Ⓒ.

じゅくさつ 熟察 ☞ じゅくりょ; じゅっこう

しゅくじ 祝辞 (祝いの演説) congrátulatòry ad-

dréss Ⓒ; (祝いの言葉) congratulations ★ 複数形で. 《☞ いわう》.
¶ 卒業式で来賓が*祝辞を述べた A distinguished guest「gave [delivered] a *congratulatory address* at (the)「commencement [graduation ceremony]. ★ gave のほうが平易な語. // 本日ここに一言皆様に心からご*祝辞を述べさせていただきます It is my privilege to offer my sincere *congratulations* to you on this occasion.

じゅくし[1] 熟柿 rípe persimmon Ⓒ 《☞ じゅくす》. ¶ *熟柿の落ちるのを待つ (⇒ 時機が来るまで待つ) wait for the moment to arrive

じゅくし[2] 熟視 ―名 stare Ⓒ. ―動 stare ⓐ, look hard at .... 《☞ みつめる》. ¶ 彼は彼女の顔を*熟視した He *stared* her in the face.

しゅくじつ 祝日 (国で定めた) national [public] holiday Ⓒ; (法律で定められた) legal holiday Ⓒ ★ 後者はやや堅苦しいが, 正式な言い方, 《英》bank holiday Ⓒ; (祝祭日) 《略式》red-letter day Ⓒ ★ 暦に赤い字で印刷されることから. ただし, 個人的な記念日も含む. 《☞ さいじつ; やすみ; きゅうじつ》.

> **日本の祝日** 《☞ こくみん (国民の休日)》
> 元旦 New Year's Day, 成人の日 Coming-of-Age Day, 建国記念の日 National Foundation Day, 春分の日 Vérnal Equinox /iːkwənὰks/ Dày, みどりの日 Greenery Day, 憲法記念日 Constitution Day, 子供の日 Children's Day, 海の日 Marine Day, 敬老の日 Respect-for-the-Aged Day, 秋分の日 Autumnal Equinox Day, 体育の日 Health-Sports Day, 文化の日 Culture Day, 勤労感謝の日 Labor (Thanksgiving) Day, 天皇誕生日 The Emperor's Birthday ★ 2007 年昭和の日 (Showa Day) 新設予定

しゅくしゃ[1] 宿舎 (宿泊する所) place to stay Ⓒ; (ホテル) hotel Ⓒ; (集合的に) housing Ⓤ. 《☞ やど; ホテル》. ¶ 公務員*宿舎 *housing* for government workers 《☞ こうむいん》

しゅくしゃ[2] 縮写 ―名 reduced copy Ⓒ. ―動 make a reduced copy of ....

しゅくしゃく 縮尺 ―名 (reduced) scale Ⓒ. ―動 scale (down) ⓐ.
¶ 地図には必ず*縮尺が示されている Every map carries a *scale*. // *縮尺 5 万分の 1 《地図などの記載》*Scale*(:) 1:50,000 [語法] 1:50,000 は one to fifty thousand と読む. 《☞ 数字 (囲み)》// *縮尺 5 万分の 1 の地図 a map on a *scale* of 1 to 50,000 / a one-to-fifty-thousand map // この模型は実物の 10 メートルを 1 センチに (⇒ 1 センチ対 10 メートルの割で) *縮尺してある This model *is scaled* (*down*) to 1 centimeter to 10 meters.

しゅくしゅ 宿主 〖生〗(寄生動[植]物の) host Ⓒ.
¶ ...の*宿主となる become [act as] a *host* for ...

しゅくしゅく 粛粛 ―副 (静かに) silently; (厳かに) solemnly /sάləmli/; (厳粛な静けさの中で) in solemn silence; (静まりかえった中で) in hushed silence. 《☞ しずか; おごそか》. ¶ 行列は*粛々と通り過ぎた The procession passed *in* 「*solemn* [*hushed*] *silence*.

しゅくしょ 宿所 ☞ しゅくしゃ[1]; やど; すまい

しゅくじょ 淑女 lady Ⓒ (↔ gentleman).

しゅくしょう 縮小 ―動 (出費などを切り詰める) cút (dówn) ⓐ, cút dówn on ... ★ 以上は最も一般的な言い方; (数量などを減らす) reduce ⓐ, curtail ⓐ ★ 後者のほうが格式ばった語. ―名 reduction Ⓒ; cut Ⓒ; curtailment Ⓤ ★ 第 3 番目が最も格式ばった語. 《☞ さくげん; ちぢめる》.
¶ 政府は公共支出費の*縮小を考えている The government hopes to「*cut down on* [*reduce*; *curtail*] public spending. // 米国は軍備*縮小の新提案をした The U.S. has made new proposals for「*military cutbacks* [*reductions in armaments*]. // *縮小コピー a「*reduced-size* [*scaled-down*] photocopy

しゅくず 縮図 (実物を小さくした図) reduced drawing Ⓒ, reduction Ⓒ; (小規模のもの) miniature /míniətʃùə/ (copy) Ⓒ; (比喩的な) epitome /ɪpítəmi/ Ⓒ; (宇宙・世界などの) microcosm /máɪkrəkὰzm/ Ⓒ. ¶ これの 10 分の 1 の*縮図を書きなさい Make a「*reduced copy* [*reduction*] of this picture on the scale of one to ten. 《☞ しゅくしゃく》// 家族は社会の*縮図である The family is the *epitome* of (a) society. / (⇒ 小規模の社会である) The family is (a) society *in miniature*.

じゅくす 熟す ―動 (果物など, または比喩的に) ripen /ráɪp(ə)n/ ⓐ ⓐ, become ripe. ―形 (熟した) ripe (↔ unripe; green). 《☞ みじゅく》
¶ もうりんごは*熟している The apples are *ripe* now. / (⇒ いつ摘んでもよい) The apples are *ready* to be picked. // このさくらんぼはまだ食べられるほど*熟していない These cherries are not (yet) *ripe* enough to eat. // ぶどうは秋に*熟します Grapes *ripen* in the「fall [autumn]. // 果物は日光で*熟する (⇒ 日光は果物を熟させる) The sun *ripens* fruit. // いまや改革の機が*熟した The time is *ripe* for initiating (some) reforms. / (⇒ もうとっくに改革を実施しなければならない時機である) It is *high time* we「carried out [instituted] some reforms. // 機運が*熟すのを待ちなさい Wait till the time *is ripe*. // 彼女の芸は十分に*熟している (⇒ 彼女の芸は完全にできあがっていた) Her performance *was* thoroughly *accomplished*. [日英比較] 英語では過去形となる.

じゅくすい 熟睡 ―動 (よく眠る) sleep「well [soundly] ⓐ; (熟睡している) be「fast [sound] asleep; (疲れたりして, 前後不覚に) 《略式》sleep like a「top [log] ★ 熟睡している人を「よく回って止まったように見えるこま」,「ごろんと横たわっている丸太」になぞらえた言い方. ―名 a「sound [good] sleep ★ a を付けて. 《☞ ぐっすり; ねむる; あんみん》.
¶「昨夜はよく眠れましたか」「ええ*熟睡しました」"Did you sleep well last night?" "Yes, I *had a good night's sleep*." // 彼は疲労のあまり前後不覚に*熟睡した He was so exhausted that he *slept like a*「*top* [*log*].

しゅくする 祝する ☞ いわう

しゅくせい[1] 粛正 ―名 enforcement of discipline Ⓤ. ―動 enforce discipline. ¶ 役人の綱紀を*粛正する必要がある It is necessary to *enforce discipline* among government officials.

しゅくせい[2] 粛清 ―動 (追放する) purge ⓐ; (除く) get rid of ... ★ 後者のほうが口語的な言い方. ―名 purge Ⓒ. 《☞ ついほう》. ¶ 彼は政権を掌握するとただちに反対分子を*粛清した When he came to power, he at once「*purged* [carried out a *purge* of] his opponents.

じゅくせい 熟成 ―形 (熟した) ripe; (よく熟れてまろやかな) mellow. 《☞ じゅくす》.

しゅくぜん 粛然 ―副 (静かに) quietly, silently; (厳粛に) solemnly. ¶ 我々は*粛然として衿を正した (⇒ 敬意を表して沈黙しつづけた) We maintained a *respectful silence*. // 葬列は*粛然と続いた The funeral procession proceeded *in solemn silence*.

しゅくだい 宿題 **1** 《学校の》: homework Ⓤ ★ 一般的な言葉; 《米》assignment Ⓒ [語法] 特に指定された参考書などを読んでまとめる宿題を指す.
¶ きょうは*宿題がたくさんある I have a great deal of *homework* (to do) today. // *宿題をする do *one's*

homework // あの先生はいつも*宿題を山ほど出す That teacher always gives his students lots of ⌈*homework* [*assignments*]. // 僕は弟の*宿題を見てやった (⇒ 手伝ってやった) I helped my brother with his *homework*. // *宿題の提出が遅れた生徒が数人いた There were several students who delayed handing in their *homework*.

2 《未解決の問題》: open question Ⓒ ★ 格式ばった言い方. ¶ この問題は*宿題にしておこう We'll leave this matter an *open question*. / (⇒ もっと後になって解決することにしておこう) Let's leave this problem for *future solution*.

じゅくたつ 熟達 —— 動 (完全に修得する) master (他); (堪能(たんのう)になる) attáin proficiency (in ...), become proficient (in ...). ★ 前者は格式ばった表現. —— 名 (自分のものとしていること) mastery Ⓤ; (堪能) proficiency Ⓤ. 《☞ じゅくれん》.
¶ 1 年やそこらで英語に*熟達することはできない You cannot *master* English in only a year or so. / It's impossible to *become proficient in* English in just a couple of years. // 彼女はフランス語に*熟達している (⇒ フランス語が自由に使える) She has *a good command of* French. // 彼の技術の*熟達度はすばらしい His *mastery* of technique is admirable.

じゅくち 熟知 —— 動 (十分に知る) know ... very well ★ 最も平易な言い方; (十分に知り尽くしている) have full knowledge (of ...); (いろいろ聞いたり読んだりして十分に知っている) be well informed (on ...; of ...; about ...), be well acquainted with .... 《☞ くわしい》. ¶ その件については*熟知している I *am well informed on* the matter.

じゅくちょう 塾長 ☞ じゅく (塾長)

しゅくちょく 宿直 (夜間勤務) night duty Ⓤ 《☞ とうちょく; やきん¹》. ¶ 今夜はだれが*宿直ですか Who is on *duty* tonight?
宿直員 (夜間勤務の人) person on night duty Ⓒ.

しゅくてき 宿敵 old enemy Ⓒ 《☞ てき》.

しゅくてん 祝典 celebration Ⓒ; (お祭り気分の) festival Ⓒ.

しゅくでん 祝電 congrátulatòry télegràm Ⓒ 《☞ でんぽう》. ¶ *祝電を打つ send *a person* a *congratulatory telegram*

しゅくとう 祝禱 benediction Ⓤ. ¶ *祝禱をささげる give [deliver] the *benediction*

しゅくとく 淑徳 feminine virtue Ⓤ. ¶ *淑徳の誉れ高い彼の夫人 (⇒ しとやかで完ぺきに立派な) his *graceful and impeccably virtuous* wife

じゅくどく 熟読 —— 動 (注意深く[徹底的に]読む) read ... ⌈carefully [thoroughly]; (何度も読む) read ... over and over again. —— 名 careful [thorough] reading Ⓤ. ¶ *熟読玩味する *read with appreciation*

じゅくねん 熟年 (説明的に, 円熟した年代) mature age; (中年) middle age Ⓤ. 《☞ ちゅうねん; ちゅうこうねん》. **熟年離婚** late divorce Ⓒ.

しゅくば 宿場 (昔の街道の) stage Ⓒ; (旅行者が休んだり, 馬を乗り換えたりした) post Ⓒ. **宿場町** post town Ⓒ.

しゅくはい 祝杯 —— 動 (祝杯を上げる・祝って飲む) drink in celebration (of ...); (乾杯する) toast (自), drink a toast (to ...). —— 名 (乾杯) toast Ⓒ. 《☞ かんぱい²》.
¶ 彼の無事帰国を祝って我々は*祝杯をあげた (⇒ 祝って飲んだ) We *drank in celebration of* his safe return from overseas. // 来客一同新郎新婦のために*祝杯をあげた All the guests ⌈*toasted* [*drank a toast to*] the bride and bridegroom.

しゅくはく 宿泊 —— 動 (一般的に泊まる・滞在する) stay (at ...) (自); (下宿人などを宿泊させる) tàke in (他), 《英》 pùt úp (他); (ホテルなどが宿泊設備を提供する) accómmodàte (他). —— 名 (一般的に泊まったり滞在したりすること) stay Ⓤ; (宿泊設備) accommodation 〔語法〕 《米》では複数で用いられ, 《英》ではⓊとして扱われるのが普通. 《☞ -はく; とまる²; とめる²》. ¶ 彼はホテルに*宿泊している He is *staying at* a hotel. // 電話でホテルに*宿泊を申し込んだ (⇒ ホテルに電話して部屋を予約した) I ⌈called [phoned] the hotel and ⌈reserved [《英》 booked] a room. // ここは学生が*宿泊できますか (⇒ 宿泊させますか) Do you *take in* students? // 「そのホテルには何人*宿泊できますか (⇒ 何人の客を収容できるか)」「200 人*宿泊できます」 "How many guests can the hotel *accommodate*?" "It can *accommodate* two hundred guests."
宿泊券 hotel voucher Ⓒ **宿泊施設[設備]** accommodation(s) ★ 米では複数形で, 英ではⓊ; hotél facílities ★ 複数形で. **宿泊人** (ホテルなどの泊り客) guest Ⓒ; (賄い付きの) boarder Ⓒ **宿泊料** hotel ⌈charges [rates] ★ 複数形で; (宿泊した後での請求書) hotel bill Ⓒ. ¶ 「*宿泊料はいくらですか」「シングルで 1 泊 30 ドル, ツインで 40 ドルです」 "What's the *rate*? / How much do you *charge*?" "Thirty dollars ⌈a [per] night for a single room, (and) forty dollars for a twin."

しゅくふく 祝福 —— 動 (神の加護を祈る) bless (他); (幸運を祈る) wish (*a person*) good luck. —— 名 (神の加護・幸運を祈ること) blessing Ⓒ; (特に宗教上の) benediction Ⓒ. ¶ 我々[彼ら]に神の*祝福がありますように May God *bless* ⌈us [them]! // その 2 人の結婚はすべての人の*祝福を受けた That couple's marriage had the *blessing* of everybody.

しゅくべん 宿便 feces /fí:si:z/ retained in the intestines ★ 複数扱い. 《☞ べんぴ》.

しゅくほう 祝砲 salute (of guns) Ⓒ.

しゅくぼう¹ 宿坊 (参詣者[巡礼者]の) visitors' [pilgrims'] ⌈lodgings [lodge] in a temple ★ lodging は複数形で. lodge は Ⓒ.

しゅくぼう² 宿望 (以前からの夢) old dream Ⓒ; (長い間胸に抱いていた望み[大望]) long-cherished ⌈desire [ambition] Ⓒ ★ 後者は格式ばった表現. 《☞ しゅくがん》. ¶ *宿望を果たす have an *old dream* come true / attain *one's long-cherished* ⌈*desire* [*ambition*]

しゅくめい 宿命 —— 名 (運命) destiny Ⓤ; (特に, 不運な運命) fate Ⓤ. —— 形 (宿命的な) fatal /féɪtl/. 《☞ うんめい》. ¶ そのような死に方をするのは彼の*宿命であった It was his ⌈*destiny* [*fate*] to die ⌈in such a way [such a death]. / (⇒ 彼はそのように死ぬように運命づけられていた) He *was destined to* die in that way. // その失敗は*宿命としてあきらめた I gave it up as it *was foredoomed* to failure. / I met my failure with *resignation*.
宿命論 fatalism Ⓤ **宿命論者** fatalist Ⓒ.

しゅくやく 縮約 —— 名 (短く要約すること) abridg(e)ment Ⓤ ★ 具体的には Ⓒ; (表現などを簡潔にすること) condensation Ⓤ. —— 動 abridge (他); condense (他). 《☞ しゅくしょう; ようやく²》. ¶ 辞書の*縮約版 an *abridged* dictionary

じゅくりょ 熟慮 —— 動 (よく考える) think óver (他); (じっくり考える) consider (他) (自); (あれこれ思いをめぐらして考え込む) ponder (他), ponder (over ...; on ...) (自); (問題などを深く考える) cóntemplàte (他). —— 名 careful consideration Ⓤ; contemplation Ⓤ. 《☞ こうりょ; じゅっこう; かんがえる》.
¶ いま*熟慮中だ I'*m thinking* it *over* now. / I'*m pondering* (⌈*on* [*over*]) it now. // その問題は*熟慮

を要する The matter requires *careful consideration.* // *熟慮の末, 彼はその家を買うことにした After *careful consideration* he decided to buy the house. // 私は*熟慮断行をモットーにしている I make it my motto to *be deliberate* and prompt in action.

じゅくれん 熟練 ── 形 (訓練などにより技術を習得した) skilled (in ...); (上手な) skillful (at ...; in ...; with ...); (専門的な知識を持った) éxpert (at ...; in ...; on ...); (経験のある) experienced (in ...). ── 名 (すぐれた技) skill Ⓤ. 《☞ じゅくたつ; しゅうじゅく》. ¶この仕事はかなりの*熟練を要する This work requires great *skill.* // 彼は*熟練したドライバーだ He is an ˹*expert* [*experienced*] driver. // 彼らは道具の扱い方に*熟練している They are *skilled in* the use of tools.
熟練工 skilled worker Ⓒ.

しゅくん¹ 殊勲 ── 名 (際立った務め) distinguished services; (称賛に値する行動) 《格式》 mèritórious déeds ★ いずれも通例複数形で. ── 動 (殊勲を立てる) render distinguished services. 《☞ てがら》. ¶最高*殊勲選手 《野球で》 the most valuable player 《略 MVP》
殊勲賞 (野球などの) most-valuable-player prize Ⓒ; (相撲などの) the outstanding performance award **殊勲打** (野球) winning hit Ⓒ.

しゅくん² 主君 *one's* lord Ⓒ.

じゅくん 受勲 ── 動 receive ˹a decoration [an order] 《☞ くんしょう》. **受勲者** the recipient of ˹a decoration [an order].

しゅけい 主計 **主計官** (財務省で予算を司る公務員) bùdgetéer Ⓒ. **主計局** (財務省の) the Budget /bʌ́dʒɪt/ Bureau /bjʊ̀(ə)roʊ/.

しゅげい 手芸 handicrafts ★ 通例複数形で.
手芸品 (刺しゅう・かぎ針編みなど) fancywork Ⓤ; (編み物・手工芸品) handicraft Ⓒ.

じゅけい¹ 受刑 ── 動 (刑期を勤める) serve (*one's* sentence). ¶彼は殺人で15年間*受刑した He *served* fifteen years for murder. **受刑者** (既決囚) convict Ⓒ, convicted person Ⓒ.

じゅけい² 樹形 the shape of a tree.

しゅけん 主権 sovereignty /sáv(ə)rənti/ Ⓤ. ¶*主権在民 (⇒ 主権は国民にある) *Sovereignty* rests with the people. // *主権を侵す violate [infringe on] the *sovereignty* (of ...) **主権国** sovereign state Ⓒ **主権者** sovereign Ⓒ.

じゅけん¹ 受験 ── 動 ((入学)試験を受ける) take [《英》 sit for] an (entrance) examination (for ...); (ある学校を志望する) apply for ... 《☞ しけん¹ (類義語); うける¹》. ¶「来年はどこを*受験しますか」「W大学が第一志望です」 "Which university are you going to ˹*apply* [*take the entrance examination*] *for* next year?" "W University is my first choice." // 昨年はK大学の*受験に失敗した Last year I ˹failed [did not pass] *the entrance examination for* K University. // 息子は*受験勉強で忙しい My son is occupied in preparing for *the* (*entrance*) *examination.*
受験科目 subject in an examination Ⓒ **受験参考書** reference ˹book [manual] for entrance examinations Ⓒ, 《略式》 crammer Ⓒ **受験資格** qualification for taking an examination Ⓒ **受験地獄** the examination ordeal [日英比較] 英米人が日本について書いた本などには the "examination hell" と言う言い方がよく見られるが, これは日本語をなぞった直訳. 英米には日本のような受験地獄はないので, さらに説明の必要な場合が多い. **受験者** (志願者) ápplicant Ⓒ; (試験・審査される人) examinee /ɪgzæ̀məníː/ Ⓒ **受験生** student preparing for an (entrance) examination Ⓒ **受験番号** examinee's (seat) number Ⓒ **受験票** (志願者の身分証明書) applicant's identification card Ⓒ; (受験許可票) admission card ˹for [to] ˹an [the] examination Ⓒ **受験料** examination fee Ⓒ.

じゅけん² 受検 submitting to inspection Ⓤ 《☞ けんさ》.

しゅげんじゃ 修験者 ascetic /əsétɪk/ Buddhist /bʊ́dɪst/ monk /mʌ́ŋk/ Ⓒ. ★ ascétic 形 は「禁欲して苦行する」の意.

しゅげんどう 修験道 mountain asceticism Ⓤ.

しゅご¹ 主語 〘文法〙 subject Ⓒ.

しゅご² 守護 ── 名 (守ること) protection Ⓤ; (鎌倉時代の) *shugo* Ⓒ; (説明的には) military commissioner Ⓒ. ── 動 (守る) protect ⑩. **守護神** guardian ˹god [deity] Ⓒ **守護聖人** patron /péɪtrən/ sáint Ⓒ.

しゅこう¹ 趣向 (思いつき) idéa Ⓒ; (案) plan Ⓒ; (工夫して考え出した仕掛け) device Ⓒ. ¶それはなかなかうまい*趣向だ It's a very good *idea.* // 彼らは学園祭を盛り上げるためにいろいろと*趣向を凝らした (⇒ いろいろな考えを出した) They put forward a great many *ideas* to enliven the school festival.

しゅこう² 首肯 ── 動 (同意する) agree (with ...; to ...) ⓐ, assent (to ...) ⓐ, consent (to ...) ⓐ ★ 2番目, 3番目は格式ばった語, consent は上位の物が与える同意のニュアンスがある; (うなずく) nod ⓐ ⑩. ── 形 (説得力のある) convincing; (理解できる) understandable. 《☞ うなずく; なっとく; どうい¹》. ¶*首肯するにたる説明 a *convincing* explanation

しゅこう³ 手交 ── 動 (手渡す) hand over ⑩ ⓐ. ── 名 handing over Ⓤ. 《☞ てわたす; わたす》. ¶我々は契約書を*手交した We *handed over* the contract.

しゅこう⁴ 酒肴 food and drink Ⓤ. **酒肴料** food and drink money Ⓤ; (代金) charge for food and drink Ⓒ.

しゅごう 酒豪 heavy drinker Ⓒ 《☞ さけ¹》.

じゅこう¹ 受講 ── 動 (講義などをとる) take a lecture; (授業などに出席する) attend a class; (講習などに参加する) participate in [take] a course. ── 名 (class) attendance Ⓤ. 《☞ こうぎ²; じゅぎょう》.
¶私は小川先生の講義を*受講している (⇒ 小川先生の授業に毎週出ている) I *attend* Mr. Ogawa's class every week. // 夏期特別講習会の*受講希望者は*受講料1万円を添えて申し込むこと Those who wish to ˹*take lectures in* [*participate in*; *attend*; *join*] the summer sessions are requested to ˹send [hand] in their applications together with a *tuition fee* of 10,000 yen. ★ 最初の [ ] 内はこの順に平易な口語表現になる.

じゅこう² 樹高 ¶*樹高3メートルのかしの並木 a row of 3-meter *tall* oak trees

しゅこうぎょう 手工業 handicrafts ★ 通例複数形で; (家内工業) cóttage índustry Ⓤ. **手工業者** handicraftsman Ⓒ 《複 -men》.

しゅこうげい 手工芸 handicrafts ★ 通例複数形で. **手工芸品** handicraft Ⓒ.

ジュゴン 〘動〙 dugong /dúːgɑn/ Ⓒ.

しゅさ 主査 (主たる試験官) chief examiner Ⓒ; (審査委員会の長) chairperson of the examination committee Ⓒ; (主調査官) chief investigator Ⓒ. ¶学位論文の*主査 the *chief examiner* of *a person's* dissertation /dìsətéɪʃən/

しゅざ 首座 (席) the top seat; (客席) the seat of honor; (食卓の上座) the head. 《☞ かみざ; しゅせ

き¹》. ¶*首座に座る take [sit at] *the head* of the table

しゅさい¹ 主催 ―動(会合·催しなどを組織する) organize ⑩; (後援する) sponsor ⑩; (国際会議などの主催国になる) host ⑩. ―名(後援する立場) sponsorship Ⓤ. ―前(…の主催で) under the ʳsponsorship [auspices] of … ★[ ] 内のほうが格式ばった言い方. (☞ こうえん³).
¶「この講演会はどこの*主催ですか (⇒ だれが主催したか)」「市の図書館が計画して市が*主催しました」 "Who *organized* this lecture?" "It was ʳplanned [arranged] by the city library and *sponsored by* the city authorities." //「この前のオリンピックはどこが (⇒ どの国が) *主催しましたか」「スペインです」 "Which country *hosted* the last Olympic Games?" "Spain (did)." // その英語弁論大会は A 新聞の*主催で行われた The English speech contest was held *under the* ʳ*sponsorship* [*auspices*] *of* newspaper A.
主催国 (国際会議·競技などの) the host country **主催者** (編成した者) organizer Ⓒ; (後援者) sponsor Ⓒ. ¶*主催者側の発表によれば参加者の数は約10万人とのことである According to the *organizers*, the number of participants was about one hundred thousand.

しゅさい² 主宰 ―動(監督·指揮する) superintend ⑩, supervise ⑩; (雑誌を) edit ⑩; (会などを統轄する) preside (over …) ⑪. ¶会合を*主宰する *preside over* the meeting **主宰者** (リーダー) leader Ⓒ; (議長) chairperson Ⓒ.

しゅざい 取材 ―動(新聞記者などが取材する) cover ⑩; (情報[資料]を集める) gather [collect] ʳinformation [materials /mətí(ə)riəlz/]. ―名(新聞などの報道) coverage Ⓤ. (☞ ほうどう). ¶彼は海外へテレビの*取材に出かけた (⇒ ニュースの資料を集めるために[取材記者として]) He went abroad ʳto *collect news materials* [*as a news reporter*] for a TV program. // 記者たちがその事故の*取材のために現場へ急行した News reporters [Newsmen] rushed to the scene to *cover* the accident.
取材活動 the activities for gathering information **取材記者** (news) reporter Ⓒ (☞ きしゃ¹) **取材規制** coverage blackout Ⓒ **取材競争** media scrimmage Ⓒ **共同取材** ☞きょうどう¹ **現場取材** ☞げんば

しゅざん 珠算 calculation [computation] on an abacus /ǽbəkəs/ Ⓤ (☞ そろばん).

じゅさん 授産 **授産所** work center Ⓒ.

しゅし¹ 趣旨 (公の活動などのねらい) aim Ⓒ; (目的) object Ⓒ; (意味すること) the meaning; (要点) the point; (真意) the spirit.
¶きょうの集まりの*趣旨は何ですか What is the ʳ*aim* [*object*] of the meeting today? // *趣旨に賛同する方は (⇒ もし趣旨に賛成なら) ここに署名して下さい If you support our *aims*, please sign here. // お話の*趣旨はよくわかりました (⇒ あなたの意味することは理解できる) I understand *what you mean*. / (⇒ あなたの議論の要点はつかめた) I've got *the point* of your argument. // 彼の解釈はその法律の*趣旨に反している His interpretation is against *the spirit* of the law. // 企画が首尾よく完了したという*趣旨の情報 *information to the effect that* the project has been successfully completed [語法] to the effect that …は「…という趣旨の」の意味の成句.

しゅし² 主旨 (主要な点) the main point Ⓒ; (要旨) the gist. (☞ ようてん¹).

しゅし³ 種子 seed Ⓒ (☞ たね). **種子植物** seed plant Ⓒ.

しゅし⁴ 朱子 ☞ しゅき⁴

しゅじ 主事 (指導者) director Ⓒ; (管理者) sùperinténdent Ⓒ. (☞ かんとく¹).

じゅし 樹脂 resin /rézn/ Ⓤ. ¶合成*樹脂 synthetic *resin* **樹脂加工** ―動(樹脂加工する) resinate ⑩, treat … with resin.

しゅじい 主治医 (病院などでの) physician in charge Ⓒ; (かかりつけの医者) *one's* family doctor Ⓒ. (☞ いしゃ).

しゅじく 主軸 (中心となる軸) the principal axis (複 axes); (中心人物) the ʳcentral [leading] figure. (☞ じく¹; ちゅうしん¹). ¶動力の*主軸 *the principal axis* of (motive) power

じゅしゃ 儒者 Confucian Ⓒ (☞ じゅきょう).

しゅしゃせんたく 取捨選択 ―動 (選ぶ) choose ⑩; (慎重に吟味して選ぶ) select ⑩. ―名 choice Ⓤ; selection Ⓤ. (☞ えらぶ (類義語); せんたく²).

しゅじゅ 種種 ―形 (多くの[あらゆる]種類の) many [all] ʳkinds [sorts] of …; (いろいろの) various; (雑多な) miscellaneous /mìsəléɪniəs/; (いろいろと違った種類の) different, diverse ★後者のほうが格式ばった語. ―副 (いろいろと) in ʳmany [various] ways. (☞ いろいろ). ¶*種々の理由で会は延期された The meeting was postponed for *various* reasons. // *種々雑多な本 books of *every sort and kind* / *miscellaneous* books

じゅじゅ 授受 ―動 give and receive ⑩; (譲渡する) transfer ⑩. ―名 giving and receiving Ⓤ. (☞ うけわたし). ¶彼らの間には金銭の*授受があった (⇒ 金の所有者が変わった) と思われる Money seems to *have changed hands* between them.

しゅじゅう 主従 (雇主と雇人) master and ʳservant [man] ★[ ]内は格式ばった言い方; (武士の) lord and vassal; (雇用上の) employer and employee ★いずれも無冠詞. ¶彼らは*主従の関係にある They are *master and servant*. **主従関係** the relationship of ʳsuperior and inferior [master and servant].

しゅじゅつ 手術 ―名 operation Ⓒ, surgery Ⓤ. ―動 (手術する) óperàte [perform an operation] (on a patient for a diseased condition); (手術を受ける) be operated on [undergo an operation] (for a diseased condition) [語法] undergo の代わりに have を用いれば口語的になる.
¶*手術は成功[失敗]だった The *operation* was a ʳsuccess [failure]. // 今日では心臓の*手術でもあまり危険ではない Nowadays even heart *operations* are not so dangerous. // 外科医は患者の胃潰瘍(かいよう)を*手術した The surgeon ʳ*operated* [*performed an operation*] *on* the patient *for* a stomach ulcer. // 父は盲腸炎の*手術を受けた My father *was operated on for* appendicitis. / My father ʳ*had* [*underwent*] ʳ*an operation* [*surgery*] *for* appendicitis. // 患者はいま*手術中です The patient *is being operated on* now. // 彼は*手術後の経過は良好です He is progressing ʳwell [favorably] after the *operation*. / He is making good progress after the *operation*. // *手術はもう手遅れだ It is too late to *operate*. // 複雑な[難しい]*手術 a ʳcomplicated [difficult] *operation*
手術室 operating ʳroom [theater] Ⓒ **手術台** operating table Ⓒ **手術中** (掲示) Operation in Progress

―コロケーション―
胃[心臓, 脳]の手術 stomach [heart; brain] *surgery* / 簡単な手術 a simple *operation* / 緊急手術 emergency *surgery* / 大手術 a ʳlarge [major] *operation*

じゅじゅつ 呪術 (一般に魔術) magic Ⓤ; (邪悪な魔法) the black art ; (呪文) spell Ⓒ. ((☞ まほう)). **呪術師** magician Ⓒ.

しゅしょ 朱書 ―動 (朱で書く) write in red (ink). ¶ 請求書在中と*朱書する *write* "Bill" *in red*

じゅしょ 儒書 Confucian writings.

しゅしょう¹ 首相 prime minister Ⓒ, premier Ⓒ; (ドイツの) chancellor Ⓒ 語法 (1) 以上は話し手の国の首相を指す場合, もしくは姓名に冠して用いる場合は大文字で書き始める. (2) chancellor はドイツ・オーストリアなどに限って用いられる. (3) 米国には首相はなく, 首相の権限の多くは大統領が持ち, 閣僚の取りまとめ役を果たすのは国務長官 (secretary of state) である.
¶ K*首相は来週訪米の予定である *Prime Minister* K will visit the U.S. next week.
首相官邸 the official residence of the prime minister, the prime minister's official residence **首相公選制** direct election of the prime minister Ⓤ **首相代理** acting premier Ⓒ.

しゅしょう² 主将, 首将 captain Ⓒ ((☞ キャプテン)).

しゅしょう³ 殊勝 ―形 (ほめるに足る・感心な) comméndable; (称賛に値する) praiseworthy; (行いなどが立派な) ádmirable. ((☞ りっぱ; かんしん¹)).
¶ それはたいへん*殊勝なことだ It is highly *commendable*. // 彼の行いは*殊勝なことだ (⇒ 称賛に値する) His conduct is *worthy of praise*. // 彼は立派な英語の先生になろうという*殊勝な心がけで英語の勉強を始めた He started studying English with the *admirable* intention of becoming a good English teacher.

しゅじょう 衆生 (一切の生物) living ⌜things [creatures], ((格式)) (知覚力のある生物) sentient beings; (人間) people ★ 集合的, humankind Ⓤ.
¶ *衆生を救う法を説く give a lecture on saving *the world* **衆生済度** the salvation of humankind.

じゅしょう¹ 受賞 ―動 (賞をもらう・授与される) be awarded 語法 award は目的語を 2 つとる他動詞; (自分の力で勝ち取る) win ⑱. ((☞ しょう⁴)).
¶ 彼は 1983 年のノーベル平和賞を*受賞した He ⌜*was awarded* [*won*] the Nobel Peace Prize in 1983. / He was the ⌜Peace Nobelist [Nobel laureate in Peace] in 1983. // これは彼の芥川賞*受賞作品です This is his Akutagawa Prize-*winning* ⌜novel [work]. // 彼女は英語弁論大会で 1 等賞を*受賞した She ⌜*won* [*was awarded*] (the) first prize in the English speech contest.
受賞者 prizewinner Ⓒ.

じゅしょう² 授賞 ―名 prize giving Ⓤ. ―動 (賞を授与する) award [give] a prize. **授賞式** award ceremony Ⓒ.

じゅじょう 樹上 ―形副 on [in] a tree; (動物などが樹上性の) arboreal /ɑəbɔ́ːriəl/. ¶ *樹上生活をする動物 an *arboreal* animal **樹上の家** (子供の遊び場などの) tree house Ⓒ.

しゅしょうしゃ 主唱者 (先に立って行う人) advocate /ǽdvəkət/ Ⓒ; (ある組織を設立するのに発起人として推進する人) promóter Ⓒ.

しゅしょく¹ 主食 ―名 staple (food) Ⓒ. ―動 (…を常食にしている) live on …. ((☞ じょうしょく)). ¶ 日本人は米を*主食としている (The) Japanese people ⌜eat rice as their *staple* [(⇒ 常食にしている) *live on* rice]. // アジアの多くの国では米が*主食になっている Rice is the *staple* (*food*) in many Asian countries.

しゅしょく² 酒色 (酒と女) wine and women; (官能的な楽しみ) sensual pleasures ★ 複数形で.
¶ *酒色にふける (⇒ 酒と女に身を任せる) give *oneself* up to [indulge in] *wine and women* / (⇒ 放蕩の生活を送る) lead a life of *debauchery*

しゅしょく³ 酒食 food and wine. ¶ 客を*酒食でもてなす *wine and dine one's* guest / entertain *one's* guest with *food and drink*

しゅしん¹ 主審 (野球の) home plate umpire /ʌ́mpaɪə/ Ⓒ ((☞ しんぱん¹)).

しゅしん² 酒神 (酒の神) god of wine Ⓒ; (ギリシャ神話の) Dionysus /dàɪənáɪsəs/; (ローマ神話の) Bacchus.

しゅじん 主人 **1** «一家の主人»: (家族の長) the head of the family; (世帯主) householder Ⓒ; (一家のあるじ) the master of the house.
2 «夫»: husband Ⓒ ((☞ おっと¹)).
3 «店・旅館の主人»: (小売店の店主) ((米)) storekeeper Ⓒ, ((英)) shopkeeper Ⓒ; (経営者としての主人) proprietor /prəpráɪətə/ Ⓒ; (女の経営者) proprietress Ⓒ ★ 以上 2 語は「所有者」という意味を強調する; (旅館・下宿の男の主人) landlord Ⓒ; (女の主人) landlady Ⓒ.
4 «客に対して»: (男の主人) host Ⓒ; (女主人) hostess Ⓒ. ¶ だれがパーティーの*主人役をするのですか Who will ⌜act as *host* at [*host*] the party? 語法 [ ] 内の言い方では host は 動 ⑱.
5 «雇い主»: (主人) master Ⓒ 語法 この語はいまではあまり用いられない; (雇用者) employer Ⓒ (↔ employee).

じゅしん¹ 受信 ―名 reception Ⓤ (↔ transmission). ―動 (電波を受け取る) receive ⑱. ((☞ じゅそう; キャッチ)).
¶ 船からの緊急電報を*受信する *receive* an urgent message from a ship // 山岳地帯ではテレビの*受信状態はよくない Television *reception* is poor in mountainous regions.
受信機 (一般には) receiver Ⓒ; (テレビ・ラジオなどは) receiving set Ⓒ **受信局** receiving station Ⓒ **受信者[人]** (手紙などのあて名の人) àddresséе Ⓒ **受信障害** interference /ìntəfí(ə)rəns/ Ⓤ **受信料** (テレビ・ラジオの) subscription fee Ⓒ, ((英)) licence fee (for a family TV set) Ⓒ.

じゅしん² 受診 ―動 (診察を受ける) have a medical examination; (医者に診てもらう) see [consult] a doctor. ((☞ しんさつ)). **受診患者** patient Ⓒ.

しゅじんこう 主人公 (男) hero /hí(ə)rou/ Ⓒ ((複 ～es)); (女) heroine /hérouɪn/ Ⓒ. ¶ この映画の*主人公は不幸な運命をたどる The ⌜*hero* [*heroine*] of the film is ill-fated.

しゅす 繻子 satin Ⓤ.

じゅず 数珠 (一般にガラス玉を連ねた) (a string of prayer) beads; (カトリック教徒が使うロザリオ) rósary Ⓒ. **数珠玉** (個々の) bead Ⓒ; (つないだ玉) the beads of a rosary **数珠つなぎ** ¶ 車が*数珠つなぎになって (⇒ 長い車の列が) のろのろ運転をしていた *A long string of* cars was moving very slowly. / (⇒ バンパーとバンパーがつながって) Cars were moving *bumper-to-bumper*.

しゅすい 取水 ¶ ダムからの*取水を制限する control *the amount of water taken from* the dam **取水口** (用水, 人工水路などの) head gate Ⓒ; (特に流量調節の) sluice (gate) Ⓒ. ¶ 川からの*取水口 *the gate through which water is taken* from a river **取水塔** intake tower Ⓒ.

じゅすい 入水 ―動 (自らおぼれ死ぬ) drówn *onesèlf*; (水に飛び込んで自殺する) commít súicide by thrówing *onesèlf* into the wáter.

しゅすおり 繻子織り satin weave Ⓒ.

しゅずみ 朱墨 cinnabar stick Ⓒ.
しゅせい¹ 守勢 the defensive (↔ the offensive).
¶ そのチームは始めから終わりまで*守勢に立っていた The team was *on the defensive* from start to finish.
しゅせい² 酒精 (ethyl /éθəl/) alcohol /ǽlkəhɔ̀ːl/ Ⓤ, ethanol /éθənɔ̀ːl/ Ⓤ. (☞ アルコール; エチルアルコール; エタノール).
しゅぜい 酒税 liquor tax Ⓒ (☞ ぜいきん).
じゅせい¹ 受精 〖生〗 ―[名] fertilization Ⓤ. ―[動] (卵子が受精する) be fertilized; (受精させる) ☞ じゅせい².
じゅせい² 授精 ―[名] fertilization Ⓤ, insemination Ⓤ. ―[動] fertilize (他), inseminate (他). **人工授精** artificial ˹fertilization [insemination] Ⓤ.
じゅせい³ 樹勢 the ˹health [growth] of a tree.
¶ その古木は*樹勢が衰えてきた That old tree is not very *healthy* any more. // *樹勢を回復する recover (*strength*) / start *growing* again
しゅぜいきょく 主税局 the tax bureau.
しゅせいぶん 主成分 príncipal ingrédient Ⓒ (☞ せいぶん¹).
じゅせいらん 受精卵 (一般的に) fertilized egg Ⓒ; (細胞分裂の始まったもの・胚) embryo Ⓒ. **受精卵移植** embryo transfer Ⓤ ★ 具体的には Ⓒ, embryo implantation Ⓤ ★ 前者の方が一般的. **受精卵クローン** embryo cloning Ⓤ **受精卵診断** embryo diagnosis Ⓤ (☞ ちゃくしょう (着床前遺伝子診断)) **受精卵操作** embryo manipulation Ⓤ.
しゅせき¹ 首席 ―[名] (学業・業績の順位など) the top (↔ the bottom); (首位に位するもの) the head. ―[形] (首位の) top; (最高位の) chief Ⓐ. (☞ いちばん).
¶ 彼女はクラスでいつも*首席だ She is always at *the* ˹*top* [*head*] of her class. // 彼は高校を*首席で卒業した He finished high school at *the top* of the school. / (⇒ 最高の成績をもって) He graduated from high school *with the highest grades* in the school. // 彼は国際貿易会議の*首席代表に任命された He was appointed *chief* delegate to the international trade conference. **首席秘書官** chief secretary (to the minister) Ⓒ (☞ ひしょ¹) **首席補佐官** chief assistant Ⓒ (☞ ほさ).
しゅせき² 主席 (国民会議などの) chairman Ⓒ (☞ ぎちょう).
しゅせき³ 酒石 tartar Ⓤ. **酒石酸** tartaric acid Ⓤ.
しゅせき⁴ 酒席 (drinking) party Ⓒ; (正式の宴会) banquet Ⓒ. (☞ えんかい¹). ¶ *酒席を設ける give [hold] a *party*
しゅせつ 主節 〖文法〗 main clause Ⓒ (☞ せつ²).
しゅせん¹ 主戦 ☞ せんそう¹ **主戦投手** 〖野〗 best [top] pitcher Ⓒ **主戦論** jíngoìsm Ⓤ **主戦論者** (好戦的愛国者) jingoist Ⓒ; (戦争挑発者) warmonger /wɔ́ːmʌ̀ŋgə/ Ⓒ.
しゅせん² 酒仙 (酒好きの人) lover of drinking Ⓒ, someone who enjoys drinking; (大酒飲み) heavy drinker Ⓒ; (ふざけて) son of Bacchus Ⓒ.
じゅせん 受洗 〖キ教〗 ―[動] (受洗する) be ˹baptized [christened] (☞ せんれい²).
しゅせんど 守銭奴 (ためる一方の) miser Ⓒ, (けちんぼ) skinflint Ⓒ ★ いずれも軽蔑的な意味で用いる; (金のためには何でもやる) 《略式》 móneygrùbber Ⓒ. (☞ けち (類義語)).
じゅそ 呪詛 ―[名] curse Ⓒ. ―[動] curse (他). (☞ のろい²). ¶ 敵に*呪詛を投げかける call down a *curse* upon *one's* enemy
しゅぞう 酒造 sake brewing Ⓤ. **酒造業** (醸造業) the brewing ˹industry [business] ★ [ ]内は特に商活動をいう; (ワインの) the wine-making ˹industry [business]; (蒸留酒の) the distilling ˹industry [business].
じゅぞう 受像 ―[動] (放映された像を受信する) receive a picture. ―[名] (受信された像) picture (received) Ⓒ. (☞ じゅしん¹). **受像管** television [picture] tube Ⓒ **受像機** (テレビ) télevìsion [TV] (set) Ⓒ; (一般に) receiving set Ⓒ.
しゅぞく 種族 tribe Ⓒ (☞ じんしゅ).
しゅたい 主体 ¶ この集まりは高校生を*主体としたものです (⇒ 主として高校生のためのもの) This meeting is *primarily* for high school students. // この団体の*主体をなすのは (⇒ 大多数は) ボランティアです The *majority* of the people in this organization are volunteers.
主体性 (自主性) independence Ⓤ; (独立独行) self-reliance Ⓤ. (☞ じしゅ¹). ¶ 彼はまったく*主体性がない (⇒ 容易に人の影響を受ける) He is easily influenced by others. // *主体性を失わないようにせよ Be careful not to lose your *independence*.
しゅだい 主題 (一般に, 主たる題目) subject Ⓒ; (特に, 小説・音楽などのテーマ) theme Ⓒ; (主な話題) main topic Ⓒ; (主な内容) subject matter Ⓒ. (☞ テーマ; だい¹).
¶ これは罪と贖いを*主題にした小説です (⇒ この小説のテーマは罪と贖いです) The *theme* of this novel is sin and redemption. / (⇒ …についての小説) This is a novel *about* sin and redemption. ★ 第 2 文のほうが平易で口語的.
じゅたい 受胎 ―[名] conception Ⓤ. ―[動] (受胎する) conceive (自); (妊娠する) become pregnant. (☞ にんしん). **受胎告知** 〖キ教〗 the Annunciation ★ 天使 Gabriel が聖母 Mary にキリストの受胎を告げたこと. **受胎調節** birth control Ⓤ.
じゅだい 入内 the first appearance of the émpress at the Imperial /ɪmpí(ə)riəl/ Pálace.
しゅだいか 主題歌 (映画などで, 繰り返し歌われる) theme song Ⓒ; (映画などで, その題名と同名の) title song Ⓒ. [参考] 「主題曲」は theme tune Ⓒ.
シュタイクアイゼン ☞ アイゼン
じゅたく 受託 **受託者** trustee Ⓒ; (商品の) consignee /kɑ̀nsaɪníː/ Ⓒ **受託収賄(罪)** (the crime of) soliciting and accepting bribes **受託生産** production on commission Ⓤ **受託販売** sales on ˹consignment [commission] **受託物** (委託された物) object entrusted Ⓒ; (保管されている物) object in the custody of … Ⓒ.
じゅだく 受諾 ―[動] (申し出などを受け入れる) accept (他) (↔ reject); (承諾する) consént (to an offer; to *do* …) (自). ―[名] acceptance Ⓤ (↔ rejection); consént Ⓤ. (☞ うけいれる; ききいれる; しょうだく).
¶ 彼らは我々の申し出を正式に*受諾した They formally ˹*accepted* [*consented to*] our offer. // 彼は校長就任を*受諾した He ˹*accepted* [*consented to* take] the post of principal.
しゅだん 手段 (最も一般的な語) means Ⓒ ★ 単複同形; (対策) measures ★ 複数形で; (やり方の意味で) way Ⓒ; (段階的処置) steps ★ 複数形で; (便宜的な手段) expedient /ɪkspíːdiənt/ Ⓒ. (☞ ほうほう¹ (類義語)).
¶ 自動車はアメリカでは主要な交通*手段です Automobiles [Cars] are the principal *means* of transportation in America. // 彼は目的のためには*手段を選ばない (⇒ 目的をかなえるのに役立つものであれば, どんな手段でも喜んで使う) He is willing to use any *means* ˹so long as it helps him (to) get what he

wants [to obtain his end]. // 侵略に対しては断固たる*手段をとるべきだ We must take decisive 「*measures* [*steps*] to guard against invasion. // 彼は不正な*手段でその本を手に入れた He got the book 「by foul *means* [(⇒ 不正に) dishonestly]. // ほかに問題解決の*手段はないようだ I'm afraid there's no other *way* to solve the problem. / (⇒ これが唯一の解決策だ) I think this is the only *way out*. // 最後の*手段として彼の助力を求めた I asked (for) his help as a last *resort*. ★ as a last resort は「最後の手段として」の意味の成句. // *手段を誤る resort to the wrong 「*means* [(⇒ 策) *tactics*] // あらゆる*手段を尽くす try 「all possible *means* [every *means* available]

しゅちしゅぎ 主知主義 intelléctualism Ⓤ. **主知主義者** intellectualist Ⓒ.

しゅちにくりん 酒池肉林 (ぜいたくな酒宴) sumptuous /sʌ́m(p)tʃuəs/ 「feast [banquet] Ⓒ.

しゅちゅう¹ 手中 ━副 (手中に) in *one's* hands. ¶ 私の将来はあなたの*手中にあります My future is *in your hands*. // 彼はその会社を*手中におさめる (⇒ 会社の支配権を得る) ことに成功した He succeeded in 「gaining [taking over] full control of the company. // その町はついに敵軍の*手中に落ちた The town finally fell into 「the enemy's [enemy] *hands*.

しゅちゅう² 主柱 principal pillar Ⓒ 《☞ だいこくばしら》.

じゅちゅう 受注 ━動 receive an order. 《☞ ちゅうもん》. ¶ *受注が生産を上回った We have a backlog of *orders received*. ★ backlog は「応じ切れないほどの注文」. **受注残高**〔商〕 báck òrder Ⓒ; backlog (of orders) Ⓒ ★ 普通は a ～.

しゅちょ 主著 (重要な著作物) *one's* major writings; (主な著作) *one's* 「chief [main] 「book [work] Ⓒ. 《☞ ちょさく》.

しゅちょう¹ 主張 ━動 (自分の立場を固持して) insist (on ...; that ...) ⓐ; (権利として主張する) claim ⓗ; (事実だとして主張する) assert ⓗ; (反論に対して自分の立場を主張し続ける) maintain ⓗ; (相手を負かそうと) contend ⓗ; (証明しようとして主張する) argue ⓗ ★ 例えば学問上の考えなど. 他の言い方については ☞ コロケーション. ━名 insistence Ⓒ; claim Ⓒ; assertion Ⓤ; (意見) opinion Ⓒ ★ 普通は *one's* ... の形で用いる. 《☞ いいはる》. ¶ 彼は自分が正しいと*主張している He 「*insists* [*claims*; *asserts*] *that* he is right. 〔語 法〕 (1) insist は「正しいこと」をあくまでも力説する. claim は「正しいこと」を事実として承認するように求めて主張する. assert は「正しいこと」を言明して主張する意味. // 彼はそのカバンは自分のものだと*主張した He *claimed* that the bag belonged to him. / He laid *claim to* the bag. // ガリレオは地動説を*主張した Galileo 「*maintained* [*contended*] that the earth 「*moved* [*moves*] *round the sun*. // 彼は一つの言語には無限の文があると*主張する He *argues* that a language has an infinite number of sentences. // あなたの*主張は間違っているようだ I'm afraid your *assertions* are wrong. 〔語 法〕 (2) 相手の誤りを指摘するとき I'm afraid を語気を和らげるのに用いることが多い. // 会議で私の*主張は通らなかった (⇒ 私の提案は受け入れられなかった [私は主張を通すことができなかった]) My *proposal* was not accepted [I was unable to carry my *point*] at the meeting. // 彼は最後まで*主張を通した He stuck to his 「*opinion* [*position*] to the last. / Throughout the argument he refused to give way.

―コロケーション―

主張する make 「an assertion [a *point*; *claims*]; make (out) a *case* / 主張を撤回する withdraw a *claim* // 強硬な主張 firm [stubborn] *insistence* / 虚偽の主張 a 「false [fraudulent] *claim* / 根拠のない主張 a 「groundless [baseless] *claim* / 筋の通った[通らない]主張 a reasonable [an unreasonable] *claim* / 正当な主張 a 「fair [just] *claim* / 説得力のある主張 a persuasive *case* / 対立する主張 competing [conflicting] *claims* / 正しい主張 a correct *claim* / 強い主張 a strong *claim* / ばかげた主張 an absurd [a ridiculous] *claim* / まことしやかな主張 a specious *claim*

しゅちょう² 首長 head Ⓒ 《☞ ちょう³ (類義語)》. ¶ 地方自治体の*首長 the *head* of a local government **首長国** (イスラム教国の) emirate /émərət/ Ⓒ 《☞ アラブ》; (アラブ人の) sheik(h)dom /ʃíːkdəm/ Ⓒ.

しゅちょう³ 主潮 main current Ⓒ 《☞ ながれ》. ¶ 時代の*主潮 the *main current(s)* of the times

しゅちょう⁴ 腫脹 ☞ はれ²

じゅつ 術 (技術) art Ⓒ; (特殊な技術) skill Ⓤ ★ 具体的な意味では Ⓒ. 前者は広い意味で用いる. 《☞ ぎじゅつ (類義語)》. ¶ 彼は金もうけの*術を心得ている He knows 「the *art* of making money [how to make money]. ★ [ ] 内のほうが口語的.

しゅつえん 出演 ━動 (テレビ[舞台]に) appear (on 「TV [the stage]) ⓐ; (演じる) perform (as ...; in ...) ⓐ. ¶ 彼女は来週テレビに*出演する She will *appear on* TV next week. **出演者** performer Ⓒ **出演料** (一般に) pay Ⓤ; performance fee Ⓒ ★ やや格式ばった言い方.

しゅっか¹ 出荷 ━動 (大量の荷物を送る) ship ⓗ ★ 船に限らず, どのような交通機関を使ってもよい; (一般に, 送る) send ⓗ. ━名 shipment Ⓤ. 《☞ つみだす》. ¶ 毎年じゃがいもが北海道から東京へ (トラック便で) 大量に*出荷される Large quantities of potatoes *are* 「*shipped* [*sent*] from Hokkaido to Tokyo (by truck) every year. **出荷先** destination Ⓒ.

しゅっか² 出火 ¶ 昨夜隣から*出火した (⇒ 火事が起こった) A *fire broke out* next door last night. // *出火 (⇒ 火事) の原因は目下調査中です The cause of the *fire* is now under investigation. 《☞ かじ¹; ひ²》

しゅつが 出芽 ━名 budding Ⓤ. ━動 (芽を出す) bud ⓐ; (芽ぶく) come into bud. 《☞ はつが》.

じゅっかい¹ 述懐 ━動 (過去の思い出を語る) reminisce /rèmənís/ (about ...) ⓐ; (思い起こす) recollect ⓗ. ━名 rèminíscence Ⓤ; recollection Ⓒ. ★ 具体的な考えをいうときは複数形で. 《☞ かいそう¹; おもいだす》.

じゅっかい² 十戒 ☞ じっかい

しゅっかん 出棺 (霊柩車が出ること) the departure of the hearse. ¶ *出棺は午後 3 時です *The hearse is to leave the house* at 3 p.m.

しゅつがん 出願 ━動 (申し込む) apply (for ...) ⓐ; (出願手続きをする) submit [turn in] *one's* application (for ...). ━名 application Ⓤ ★ 個々の出願をいうときは Ⓒ. 《☞ がんしょ; もうしこむ》. ¶ 彼は自分の発明に対して特許を*出願した He *applied for* a patent on his new invention. // いつ*出願(手続き)をしましたか When did you submit your *application*? // *出願の締切りはいつですか When is the deadline for *application(s)*? // 特許*出願中《広告》Patent *applied for*. / Patent pending. **出願期日** the deadline for application(s) **出願者** ápplicant Ⓒ **出願手続き** application procedure Ⓒ.

しゅっきん[1] 出勤 ―動 (働きに行く) go to work; (職場に行く[来る]) go [come] to the office; (家を出る) leave home for work; (職場に着く) clock in at ... ¶「毎朝何時に*出勤しますか (⇒ 家を出るか)」「8 時半です」 "When [What time] do you ˹*leave home for* [*go to*] *work* every morning?" "At 8:30." ★ 8:30 は eight-thirty または half past eight と読む. // きょうは彼女はまだ*出勤していない (⇒ 会社に来ていない) She *hasn't come to the office* yet today. / (⇒ 職場の中にいない) She *is* not *in the office* yet this morning. // 1 月は 5 日から*出勤します (⇒ 仕事に戻る[仕事を再開する]) We will ˹*be back at work* [*start work(ing) again*] on January (the) fifth.
出勤時間 (the) ˹starting [clocking-in] time (for work) **出勤日数** the number of days worked **出勤日** workday C, working day C **出勤簿** work log C ★ log は「業務記録」.

しゅっきん[2] 出金 (支出額) expenditure C; (寄付) contribution U; (投資) investment U. (☞ ししゅつ; きふ[1]; とうし[1]).

しゅっけ 出家 ―名 priest C. ―動 become a priest.

しゅつげき 出撃 ―名 sortie C. ―動 make a sortie.

しゅっけつ[1] 出欠 ―動 (出欠をとる) call the roll. ―名 (出席と[か]欠席) attendance(s) ˹and [or] absence. (☞ しゅっせき; けっせき[1]).
¶*出欠の記録 a record of *attendance* // スミス先生は授業時間の終わりに*出欠をとる Miss Smith usually *calls the roll* at the end of each ˹class [period]. // 総会についての*出欠 (⇒ 出席するかどうか) を今月末までに当方までお知らせ下さい Please let us know whether you will *attend* the general meeting (*or not*) by the end of this month. // *出欠のご返事を下さい Please let me have your answer whether you *are* ˹*coming* [*attending*] *or not*.

しゅっけつ[2] 出血 ―名 bleeding U; 〖医〗 hemorrhage /hémərɪdʒ/ U. ―動 (血が出る) bleed 自 《過去・過分 bled》.
¶歯ぐきから*出血している (⇒ 歯ぐきが出血している) Your gums *are bleeding*. // *出血がなかなか止まらない The *bleeding* won't stop. // 彼は*出血多量で死んだ He died from excessive *bleeding*. // 内*出血 internal *bleeding* // 日曜日はあの店では玉子の*出血販売がある (⇒ 捨て値で売る) On Sundays they sell eggs *at* ˹*a sacrifice* [*giveaway prices*].
出血セール sacrifice C (☞ セール[1]).

しゅつげん 出現 ―名 (目に見える所への) appearance C; (到着の意味から比喩的に) arrival U; (特に重要な物・人などの) the advent (of ...). ―動 appear 自, make *one's* appearance. (☞ あらわれる). ¶けさ東京上空に UFO が*出現した A UFO ˹*appeared* [*made its appearance*] in the sky over Tokyo this morning. 参考 UFO には /júːèfóʊ/ と /júːfoʊ/ の 2 つの発音があるが, 前者が普通. // コンピューターの*出現で我々の日常生活は大いに変わった *The advent of* the computer has brought great changes ˹to [in] our daily life. / *The advent of* the computer has greatly altered *our lifestyle*.

しゅっこ 出庫 ―動 (商品を出荷する) ship 他; (蔵から出す) take goods out of a warehouse; (車などが車庫から出る) leave [go out of] a ˹garage [parking structure]. ¶コンピューター 10 台は明朝*出庫します We will *ship* 10 computers tomorrow morning. // その電車は朝 8 時に*出庫した The train *left* the carbarn at 8 a.m.

じゅつご[1] 述語 〖文法〗 prédicate C.
述語論理 〖論理〗 predicate calculus C 《複 --culi /-laɪ/, ―~es》, predicate logic U.

じゅつご[2] 術語 technical term C.

じゅつご[3] 術後 ―形 postoperative, post-op.
¶彼は*術後の経過は良好だ He is making good progress *after the operation*. / His *postoperative* progress is going well.

しゅっこう[1] 出航 ―動 (船出をする) sail (from ... for ...) 自, set sail; (出発する) leave (... for ...) 他. (☞ ふなで; しゅっぱん[2]).

しゅっこう[2] 出向 ―動 be on loan (to ...).
¶彼は子会社に*出向している He ˹*is on loan* [(英) *has been seconded*] *to* a subsidiary. // *出向を (⇒ 一時的な移動を) 命ずる You have been ordered to *transfer temporarily*.

しゅっこう[3] 出港 ―動 leave port. ―名 departure from a port U.

しゅっこう[4] 出講 ―動 (教える) teach 他 自; (授業をする) give a class; (非常勤で教える) teach part time. ¶あなたの*出講日はいつですか What day(s) (of the week) do you *teach*? / What is your *teaching* day? // 私は金曜日にその大学に*出講しています I *teach part time* at that university on Fridays.

しゅっこう[5] 出校 ―動 (学校に出る) attend [go to] school ★ attend は生徒・学生についていう.
¶多くの先生が休日にも*出校した A lot of teachers *went to school* even on holidays.

じゅっこう 熟考 ―動 (深く考える) think ˹deeply [seriously] about ...; (あれこれと思いめぐらして考える) 《文》 ponder 他; (理解したり, 決定を下すために考える) consider ... carefully. ―名 careful consideration U. (☞ じゅくりょ).
¶彼はその問題を長いこと*熟考した He ˹*thought deeply about* [*pondered*] the problem for a long time. // その件はもう少し*熟考の必要がある The matter requires more *careful consideration*. / We should *give* the matter more *careful consideration*. / We must *consider* the matter more *carefully*. ★ この順に口語的になる.

しゅっこく 出国 ―動 (国を出る) leave [depart from] a country ★ depart のほうが格式ばった語. ―名 departure from a country U. (☞ しゅっぱつ). ¶私は成田から*出国した I *left* Japan from Narita. **出国記録** embarkation card C **出国手続き** departure formalities (↔ entry formalities) ★ 複数形で. (☞ てつづき) **出国ラッシュ** the rush of holidaymakers leaving Japan.

しゅつごく 出獄 ―名 release from ˹prison [jail] U. ―動 be released from prison; be ˹freed [set free]. (☞ しゃくほう).

しゅっこんそう 宿根草 perennial (plant) C (☞ たねんせいしょくぶつ).

じゅっさく 術策 (策略) trick C ★ 特に商売などの駆け引きの意味では tricks として用いる, 《格式》 ruse C; (方法・手段の) tactics ★ 複数または単数扱い; (陰謀などの) intrigue C; (軍事用語から転じて) 《格式》 stratagem /strǽtədʒəm/ C. (☞ さくりゃく; けんぼうじゅっすう). ¶*術策をめぐらす work out [devise] a *ruse*

しゅっさつ 出札 (切符を売ること) ticket sales ★ しばしば複数形で. **出札係** (米) ticket seller C, (英) booking clerk C **出札口** ticket booth [(英) booking office; ticket office] C (☞ えき[1] (挿絵)).

しゅっさん 出産 ―名 (生まれる・生むこと) birth U; (子供が生まれる・子供を生むこと) childbirth U; (分娩) delivery U ★ やや格式ばった言い方だが, 婉曲的な表現としてよく用いられる. ―動

(出産する) give birth to … ★ bear はこの意味では用いられないことに注意.《☞ おさん; うむ¹; うまれる》.
¶ 彼女は男の双子を*出産した She *gave birth to* twin boys. // 「ご*出産はいつごろですか」「12 月です」"When is the baby ⌈*coming* [*due*]?" "In December." ★ be due は「…の予定である」
出産祝い (祝うこと) celebration of a birth Ⓒ; (祝いの品) present given to celebrate a new baby Ⓒ **出産休暇** maternity leave Ⓒ **出産予定日** the expected day of delivery **出産率** birthrate Ⓒ.

しゅっし¹ 出資 ━動 (金を投資する) invest (money) (in …), make an investment (in …); (事業に資金を調達する) finance ㊀ ★ 格式ばった語. ━名 (投資) investment Ⓤ ★ 出資金額が続くときは Ⓒ として an を伴う; (資金の調達) financing Ⓤ. 《☞ とうし¹》. ¶ うちの会社へ*出資してくれませんか Would you ⌈*invest* (some money) [*make an investment*] *in* my business? / Could you *finance* my enterprise? ★ 第 2 文のほうが格式ばった言い方. **出資金** investment Ⓒ **出資者** (投資者) investor Ⓒ; (資金調達者) financier /fìnənsíə/ Ⓒ ★ 格式ばった語.

しゅっし² 出仕 ☞ しゅっきん¹; しゅっしゃ

しゅつじ 出自 (生まれ) birth Ⓤ; (出どころ) origin Ⓤ, source Ⓒ. 《☞ うまれ; でどころ》.

しゅっしゃ 出社 ━動 (職場へ行く[来る]) go [come] to the office; (職場に出ている) be at the office. 《☞ しゅっきん¹》.

しゅっしゅっ ¶ 蒸気機関車が*しゅっしゅっと音を立てて駅から出ていった A steam engine ⌈*puffed* [*chugged*] out of the station. 《☞ 擬声·擬態語 (囲み)》.

しゅっしょ 出所 **1** «発生源»: (情報などの) source Ⓒ; (源) órigin Ⓒ. 《☞ しゅってん¹; でどころ》. ¶ そのニュースは*出所が怪しい (⇒ 信用できない源から来ている) The news came from an unreliable *source*. // これらの例文の*出所はすべて新聞です (⇒ 例文は新聞からとられている) All these ⌈example sentences [illustrative examples] *are taken from* newspapers. // *出所不明 The *source* is unknown.
2 «刑務所からの出獄» ━名 release from prison Ⓤ. ━動 be released from prison. 《☞ しゃくほう》. ¶ 仮*出所 *reléase* on paróle

しゅっしょう 出生 birth Ⓒ 《☞ しゅっせい¹》.

しゅつじょう 出場 ━動 (参加する) take part in …, participàte (in …) ㊀ ★ 前者のほうが口語的; (参加して競う) compete in …; (参加登録をする) enter for …, enter ㊀. ━名 participation Ⓤ; entry Ⓒ. 《☞ さんか¹》.
¶ あなたは討論会に*出場しますか Are you going to ⌈*take part* [*participate*] *in* the debate? // 負傷のため彼は決勝レースには*出場できなかった Because of an injury, he was unable to *compete in* the final race. // 我が校の野球部は甲子園に*出場することになった Our school baseball team has qualified to *play* in Koshien Stadium /stéɪdiəm/.
出場者 (参加者) partícipant Ⓒ; (競争者) contestant Ⓒ **出場停止** suspension Ⓤ. ¶ その選手は*出場停止になっている The player ⌈is *under suspension* [has been *suspended*].

しゅっしょく 出色 ━形 (すぐれた) excellent; (卓越した) òutstánding; (実に見事な) superb /supə́:b/ ★ やや文語的な語; (注目に値する) remarkable. 《☞ ずばぬける》.
¶ これは彼の作品の中で*出色のものの 1 つです This is one of the most *outstanding* pieces among his works. // 今夜は*出色のできばえだった (⇒ 実に見事な上演をした) They put on a *superb* performance this evening.

しゅっしょしんたい 出処進退 (身の処し方) course of action Ⓒ 《☞ しんたい²》.
¶ 私は*出処進退を明らかにしたい (⇒ 取るべき行動を説明したい) I would like to explain the *move* I am going to take.

しゅっしん 出身 ━動 (…の出) be [come] from …; (卒業する) graduate from … ━名 (卒業生) graduate Ⓒ. 《☞ で》.
¶「ご*出身はどちらですか」「新潟です」"Where *are* you *from*?" "*I'm from* Niigata." / "Where *do* you *come from*?" "I *come from* Niigata."
[語法] 以上 2 つの言い方では前者が一般的. come from を用いる場合は現在形が用いられることに注意.
// 今度の社長は W 大*出身だ (⇒ W 大の卒業生だ) The new president is ⌈a *graduate* of W University [a W University *graduate*]. ★ [ ] 内のほうが口語的. **出身校** (母校) *one's* alma mater /ǽlməmɑ́:tə/ ¶「*出身校はどちらですか (⇒ どの学校[大学]を卒業したか)」「K 大です」"What ⌈school [university; college] did you *graduate from*?" "(I *graduated from*) K University."
[語法] 大学をきく場合には, (⇒ 第 1 段階の学位 (B.A. = Bachelor of Arts (学士)) をどこで取ったか) Where did you get your B.A.? というきき方もできる. 《☞ 学校·教育 (囲み)》 **出身地** *one's* hometown Ⓒ [語法] 県ならば home prefecture といえるが, 市町村ならいずれも hometown でよい; (出生地) *one's* birthplace Ⓒ. 《☞ くに》.

しゅつじん 出陣 ━動 (戦争に行く) go to ⌈war [battle]; (前線に出る) go to the front. 《☞ しゅっせい²》. ¶ 彼らは選挙戦の*出陣式を開いた (⇒ 選挙戦を始める式を催した) They held the ceremony to *start* their election campaigns.

じゅっしんほう 十進法 the decimal system.

しゅっすい 出水 (洪水) flood Ⓒ; (氾濫(はんらん)して一面を水浸しにする大水) inundation /ìnʌndéɪʃən/ Ⓒ ★ 格式ばった語. 《☞ こうずい; すいがい》.

しゅっせ 出世 ━動 (人生において成功する) succeed in life ㊀; (世の中でうまくやってゆく) get on in the world ㊀; (昇進する) be promoted. ━名 success in life Ⓤ; promotion Ⓤ.
¶ 彼の息子は非常に*出世した (⇒ 人生において大きな成功を得た) His son achieved great *success* (*in life*). // 一生懸命やれば君も*出世するよ If you try hard, you will ⌈*succeed* (*in life*) [*get on in the world*]. // 彼は*出世 (⇒ 昇進) が早かった He ⌈got [won] ⌈speedy [rapid; quick] *promotion*. // 彼は*出世コースに乗っている He is on the *promotional* track. **出世魚** fish that is called by different names as it grows larger Ⓒ **出世頭** the most successful person **出世作** ¶ これは彼の*出世作 (⇒ 彼を有名にした作品) の 1 つだ This is one of the *works that made him famous*. **出世払い** promise to pay up in the future when *one* succeeds in life Ⓒ.

しゅっせい¹ 出生 birth Ⓤ 《☞ うまれ》.
出生地 birthplace Ⓒ **出生地主義** jus soli /dʒʌ́s sóʊlàɪ/ Ⓤ ★ right of the ⌈soil [land] という意味のラテン語. **出生届** the registration of a birth. ¶ 子の*出生届を出す *register the birth* of *one's* child **出生年月日** date of birth **出生率** birthrate Ⓒ. ¶ このところ日本では*出生率が下がっている In Japan *the birthrate* has been falling for some time.

しゅっせい² 出征 ━名 (前線への出発) departure for the front Ⓤ. ━動 (戦争に行く) go to ⌈war [the front]. 《☞ しゅつじん》.
出征兵士 soldier leaving home for the front Ⓒ.

しゅっせき 出席 ━動 (その場に居る) be present (at ...) (↔ be absent (from ...)) ★ 最も口語的. 日英比較「出席している」という状態を表す言い方だが, 日本語の「出席する」にも当たる; (会合・授業などに出る) attend ㊀. ━名 presence Ⓤ; attendance Ⓤ ★ 定期的に決められた出席を指す場合は Ⓒ. (☞ しゅっけつ¹).
¶全員が*出席しています All the members *are present*. // その会には*出席します I'll ⌈*attend* [*be present at*] the meeting. // 外国語の授業ではきちんと*出席することが非常に大切です Regular *attendance* is very important in a foreign language class. // 年次総会になにとぞご*出席下さい Your *presence* is cordially requested at the annual general meeting. ★ 日本語同様, 格式ばった手紙の文句. // では*出席をとります (⇒ 出席簿を読み上げる) Now I'll *call the roll*. // 良好な[悪い]*出席率 good [low; poor] *attendance* // 皆*出席 perfect *attendance* // *出席です *Here*. / *Present*. ★ 名前を呼ばれたときの応答.
出席扱い ¶当校では忌引きは*出席扱いだ (⇒ 出席としてカウントされる) At this school an absence due to a death in the family *is counted as an attendance*. 出席カード attendance slip Ⓒ 出席回数 *one's* attendance ⌈count [record] Ⓒ 出席者 (全体) attendance Ⓒ ★ 普通は修飾語とともに用いる; (出席している人) those (who are) present.
¶*出席者はたった 10 人だった There was an *attendance* of only ten (persons). / (⇒ 10 人だけ出席した) Only ten people *were present*. ★ 第 2 文のほうが口語的. // パーティーには 100 人以上の*出席者があった (⇒ 100 人以上の人によって出席された) The party *was attended by* more than a hundred people. // きょうは*出席者が多かった[少なかった] There was a ⌈large [small] *attendance* today. 出席調べ roll call Ⓒ 出席日数 attendance Ⓤ.
¶君は*出席日数が足りないから試験は受けられませんよ Your *attendance* has been poor, so you won't be allowed to take the examination. 出席簿 roll book Ⓒ.

ジュッセルドルフ ☞ デュッセルドルフ

しゅっそう 出走 ¶*出走は 3 時です (⇒ レースは 3 時に始まる) The race *starts* at 3:00. // *出走馬は 10 頭だ (⇒ 10 頭の馬が参加させられた) Ten horses *have been entered*.

しゅったい 出来 ━動 (物事が起きる) happen ㊁, occur ★ 後者のほうが格式ばった語; (完成する) be completed. (☞ おこる²; かんせい¹).

しゅつだい 出題 ━動 (人に問題を出す) give [set] *a person* a ⌈problem [question]; (試験問題を作る) make (up) [set] questions for an examination. ━名 (問題) question Ⓒ. ¶この問題は私が*出題したものです (⇒ 私の問題です) This is ⌈my *question* [the *question* I made]. // 今度の試験は教科書から*出題します (⇒ 問題は教科書からとられる) The *questions* on the (up)coming test will *be taken from* the textbook. // 先生は私たちに難しい問題をいくつか*出題した The teacher *gave* us some difficult *questions*. // 私は T 大入試の*出題傾向を調べた I have studied the characteristics of the *questions* in the entrance examination(s) for *T Univérsity*. 出題者 person who makes questions for an examination Ⓒ.

しゅったつ 出立 ━動 (旅に出る) start [go] on a ⌈trip [journey], set ⌈off [out] ㊁; (出発する) leave ㊀, start (from ...) ㊁. (☞ たびだつ; しゅっぱつ).

しゅったん 出炭 ━名 coal production Ⓤ. ━動 (出炭する) produce [yield] coal. (☞ せきたん). 出炭量 coal output Ⓤ.

じゅっちゅう 術中 ¶彼は敵の*術中にはまった He *played into his opponent's hands*. / He *fell into the trap set by his opponent*.

しゅっちょう¹ 出張 (公務の) official trip Ⓒ; (商用の) business trip Ⓒ.
¶私は月 1 回大阪へ*出張します (⇒ 商用で行く) I go to Osaka *on business* once a month. / (⇒ 公用の旅行をする) I make *an official trip* to Osaka once a month. // 彼はいま東京へ*出張しています He is in Tokyo *on* ⌈*business* [*a business trip*]. // 私は 1 年間の海外*出張を (⇒ 働くために外国へ行くことを) 命じられた I was ordered (to go) abroad to work for one year.
出張員 (派遣された社員) emplòyée sent away on business Ⓒ 出張教授 ¶私は友人の息子に週 2 回*出張教授 (⇒ 家庭教師) をしている I *tutor* my friend's son at his home twice a week. 出張所 (支店) branch office Ⓒ; (代理店) agency Ⓒ 出張旅費 (実際の旅費) travel(l)ing [travel] expenses ★ 通例複数形で; (旅費手当としての額) travel(l)ing [travel] allowance Ⓒ.

しゅっちょう² 出超 ☞ ゆしゅつ (輸出超過)

シュツットガルト ━名 固 Stuttgart /ʃtʊ́tgɑət/ ★ ドイツ南西部の都市.

しゅってい 出廷 ━動 (法廷に出頭する) appear in court. ━名 appearance in court Ⓒ. (☞ しゅっとう; ほうてい¹).

しゅってん¹ 出典 source Ⓒ (☞ でどころ; しゅっしょ). ¶この例文の*出典を教えて下さい Please tell me the *source* of this illustrative sentence. // この文章は*出典にあたって (⇒ 文章の出典を調べて) みたほうがいい You'd better check the *source* of this passage.

しゅってん² 出店 ━動 (店を出す) open [establish] a ⌈store [shop]. (☞ みせ). ¶彼は銀座に*出店している (⇒ 店を経営[所有]している) He ⌈*runs* [*owns*] *a store* in the Ginza.

しゅつど 出土 ━動 (発掘される) be éxcavàted (☞ はっくつ). 出土品 excavated article Ⓒ; (考古学上の発見物) àrchaeológical find Ⓒ.

しゅっとう 出頭 ━動 (事務上の連絡などのため公の場所へ出かける) report ⌈to [at] ...; (現れる) appear ㊁; (出席する) presént *onesèlf*. ━名 appearance Ⓒ. ¶私は法廷への*出頭を命じられた I was ⌈ordered [summoned; subpoenaed /səpíːnəd/] to *appear* in court. // 彼は警察署へ*出頭するように言われた He was told to *report* ⌈*to* the police [*at* the police station; *to* the police station]. // 必ず本人が*出頭して (⇒ 本人自身で) 申し込むこと Application(s) should be made *in person*. 出頭命令 (裁判所への) summons Ⓒ (複 ~es), subpoena Ⓒ.

しゅつどう 出動 ━動 (出かける) tùrn óut ㊁; (派遣する) send ㊀; (動員する) mobilize ㊀; (召集される) be called out. ━名 mobilization Ⓤ; action Ⓒ.
¶その火事の消火に消防車が 5 台*出動した Five fire engines *turned out* to put out the fire. // 彼らは警察にパトカーの*出動を要請した (⇒ パトカーを派遣してくれるように頼んだ) They asked the police to *send* a patrol car. // 彼は部下を救助活動に*出動させた (⇒ 動員した) He *mobilized* his men for the rescue work. // 機動隊は*出動しなかった The riot police *were* not *called out*.
出動命令 order to go into action Ⓒ.

しゅつにゅうこく 出入国 出入国管理 immigration control Ⓒ 出入国管理及び難民認定法 the Immigration Control and Refugee Recognition Act **出入国記録** embarkation and disembarkation card Ⓒ **出入国審査官** immigration officer Ⓒ.

しゅつば 出馬 (選挙に立候補する) run [《英》 stand] (for …) ⓐ 〔語法〕 for の後には「役職」がくる; (…の候補になる) be a candidate (for …). 《☞ せんきょ²; りっこうほ》.

¶ 彼は来年の市長選挙への*出馬が予想されている He is expected to ˹*run* [*stand*] *for* mayor next year. / (⇒ 予想される候補者だ) He *is a* prospective *candidate for* mayor next year. // 彼は次の総選挙に*出馬するだろう He will *run* in the next general election. // 社長のご*出馬 (⇒ 本人が行くこと) をお願いします We request the president to *go in person*.

しゅっぱつ 出発 ── 動 (ある場所から離れる) leave ⓣ 《過去・過分 left》; (目的へ向かって動き出す) start (from …) ⓐ 〔語法〕 (1) leave は「場所」を離れることに重点があるのに対して, start は動き出す「動作」に重点がある. 従って交通機関などの出発[発車, 出航] 時刻などの場合には leave が, 乗り物や人などが動き出す動作の描写には start が用いられる; (立ち去る) depart (from …) ⓐ ★ leave より格式ばった語; (飛行機が離陸する) tàke óff ⓐ; (出航する) sail ⓐ; (旅に出る) sèt óut (on …; for …) ⓐ. ── 名 departure Ⓤ (↔ arrival); start Ⓒ. 《☞ たつ⁴; でかける; でる; はっしゃ¹ (類義語)》.

¶ あなたの乗る飛行機は何時に*出発しますか When does your plane ˹*leave* [*take off*]? // ベルが鳴り終わると列車は*出発した As soon as the bell stopped ringing, the train *started*. // その列車は 8 時に東京へ向けて博多を*出発した The train *left* Hakata *for* Tokyo at 8:00. // さあ*出発だ Now let's *start*! // 彼はロンドンへ向かって*出発した He ˹*left* [*set out*] for London. 〔語法〕 (2) 目的地だけを問題とするときは leave も自動詞用法. // その船は明朝*出発します The ship *sails* tomorrow morning. // エンジンの故障のため*出発が 2 時間延びた Owing to engine trouble, *departure* was delayed for two hours. // 私は 1 週間ほど*出発を延期した I ˹put off [postponed] my *departure* for a week. ★ put off のほうが口語的.

出発信号 starting signal Ⓒ **出発点** (動き始める地点) starting point Ⓒ; (乗り物などの) place of departure Ⓒ; (競走などの) starting ˹mark [line] Ⓒ; (議論などの) point of departure Ⓒ **出発ロビー** (空港の) departure lounge Ⓒ.

コロケーション

出発する make a ˹*start* [*departure*] / **出発を急がせる** hurry *a person's departure* / **出発を早める** advance *one's departure* / **出発を見合わせる** cancel *one's departure* // **あわただしい出発** a hurried *departure* / **突然の出発** an abrupt [a sudden] *departure* / **早い[遅い]出発** an early [a late] ˹*departure* [*start*] / **真夜中の出発** a midnight *departure*

じゅっぱひとからげ 十把一絡げ ☞ じっぱひとからげ

しゅっぱん¹ 出版 ── 動 (書籍・雑誌・新聞などを) publish ⓣ; (発行する) issue ⓣ ★ 格式ばった語で「出す」という意味に重点がある; brìng [pùt] óut ⓣ; (出る) còme óut ⓐ ★ 以上 2 つはややくだけた表現. ── 名 publication Ⓤ ★「出版物」の意味では Ⓒ. 《☞ はっこう² 〔語法〕; だす》.

¶ 彼の本は来月*出版される His book will ˹*be published* [*come out*] next month. // その本は S 社から*出版された The book *was* ˹*published* [*issued*; *brought out*] by S Publishing Company. // その本はもう*出版されていません (⇒ 絶版です) The book *is* now *out of print*. // 彼はその本を自費*出版した He *published* the book at his own expense. // *出版および言論の自由 freedom of the *press* and freedom of speech

出版記念会 party in ˹celebration [honor] of the publication of *a person's* book Ⓒ **出版業** the publishing business **出版契約** publication contract Ⓒ **出版権** publishing rights ★ 複数形で. **出版社** publisher Ⓒ, publishing ˹firm [house; company] Ⓒ **出版部数** the number of copies ˹printed [issued] **出版物** publication Ⓒ.

しゅっぱん² 出帆 ── 動 sail (for …) ⓐ, set sail (for …) ⓐ ★ 後者は通例帆船に用いる; (出発する) leave ⓣ ⓐ, depart (from …) ⓐ ★ depart のほうが格式ばった語. ── 名 sailing Ⓤ; departure Ⓤ. 《☞ しゅっこう²; しゅっぱつ; ふなで》.

¶ 船は東京港から八丈島へ向けて*出帆した The ship ˹*sailed* from [*left*] Tokyo Harbor *for* Hachijo Island. // その船は数日中に*出帆する The ship will (*set*) *sail* in a few days.

しゅっぴ 出費 (お金を使うこと) expense Ⓤ ★ 特定のものに対する出費を言うときは expenses; (出費または出費の額) expenditure Ⓤ ★ 個別の出費は Ⓒ. 格式ばった語. 《☞ ひよう; ししゅつ》.

¶ 今月は何かと*出費が多かった (⇒ 多くの金を使った) I *have spent* a lot of *money* this month. / (⇒ 支出額が思ったよりもかさんだ) My ˹*expenditures* [*expenses*] for this month amounted to much more than I had expected. ★ 第 1 文のほうが平易で口語的.

しゅっぴん 出品 ── 動 (作品などを人に見てもらうために公開する) exhibit /ɪɡzíbɪt/ ⓣ; (商品などをはっきり見せるために陳列する) display ⓣ; (展示する) show ⓣ, put … on ˹display [show]. ★ 前の 2 語の代わりにもなる最も口語的な語. ── 名 exhibition /èksəbíʃən/ Ⓤ; display Ⓤ ★ いずれも具体的な作品を指すときは Ⓒ. 《☞ てんじ³》.

¶ 私は収集した切手を*出品した I ˹*exhibited* [*showed*] my stamp collection. / I *put* my stamp collection *on display*. // 彼女は*出品した人形で 1 等賞をもらった She won (the) first prize for the doll she ˹*exhibited* [*showed*]. // 品評会にはすばらしい盆栽が*出品されていた There was a fine *display* of bonsai at the show. ★ bonsai は単複同形. // *出品作品は即売されます The works on *display* are also for (immediate) sale.

出品者 exhibitor Ⓒ **出品物** exhibit Ⓒ.

じゅつぶ 述部 〘文法〙 predicate /prédɪkət/ Ⓒ 《☞ しゅぶ》.

しゅっぺい 出兵 ── 動 (軍隊を送る) send [dispatch] troops ★ send のほうが口語的. ── 名 the ˹dispatch [sending] of troops. ★ [ ] 内のほうが口語的.

しゅつぼつ 出没 ── 動 (しばしば現れる) appear frequently ⓐ, make frequent appearances ★ 前者のほうが口語的; (しばしば来て悩ませる・荒らす) infest ⓣ. ¶ 村人によればこの辺は熊が*出没する The villagers say bears *appear frequently* around here. // 昔は瀬戸内海に海賊が*出没していた (⇒ 海賊がはびこっていた) In olden times the Inland Sea of Japan *was infested* with pirates.

しゅっぽん 出奔 ── 動 (逃げ去る) run away ⓐ; (駆け落ちする) elope ⓐ.

しゅつらん 出藍 ¶ 彼は*出藍の誉れとされている (⇒ 師をしのいだといわれている) He is said to *have* ˹*outstripped* [*outshone*] his own teacher.

しゅつりょう¹ 出漁 ¶ その船は*出漁中に (⇒ 魚を捕らえている最中に) だ捕された The ship was

seized while *fishing.* // 日本の漁船は大西洋までも*出漁する (⇒ 魚を捕りに行く) Japanese ships *go (out) fishing* as far as the Atlantic Ocean.
出漁区域 fishing area Ⓒ.

しゅつりょう² 出猟 ━動 go (out) hunting.

しゅつりょく 出力 〘電〙(発電力の量) generating power Ⓤ; (入力に対しての) output Ⓤ. (☞ にゅうりょく).
¶*出力 100 万キロワットの (⇒ 100 万キロワットの電気を起こす) 原子力発電所 a nuclear power station that *generates* one million kilowatts
出力装置 〘電工〙 output device Ⓒ.

しゅつるい 出塁 ━動〘野〙(1 塁に出る) get to first (base).

ジュディー (女性名) Judy /dʒúːdi/ ★ Judith /dʒúːdɪθ/ の愛称.

ジュディス (女性名) Judith /dʒúːdɪθ/ ★ 愛称は Judy /dʒúːdi/.

シュテムターン 〘スキー〙 stem /stém/ tùrn Ⓒ ★「シュテムターン」はドイツ語と英語の組み合わせ.

しゅてんどうじ 酒呑童子 *Shutendoji*; (説明的には) a legendary demon /díːmən/ who raided the old Kyoto.

しゅと¹ 首都 capital (city) Ⓒ (☞ しゅふ²). 首都機能移転 relocation /rìːloukéɪʃən/ and redeployment of ⌜metropolitan [central government] functions 首都圏 metropolitan area Ⓒ 首都高速道路 the Metropolitan Expressway 首都高速道路公団 the Metropolitan Expressway Public Corporation. (☞ こうだん¹) 首都大学東京 Tokyo Metropolitan University.

しゅと² 主都 the metropolis (☞ しゅと¹).

しゅとう¹ 種痘 ━名 vaccination Ⓤ /vӕksənéɪʃən/ ★ 具体的な事例は Ⓒ. ━動 (種痘をする) vaccinate ⑯. ¶ 私は外国へ行く前に*種痘を受けた I *was vaccinated* before going abroad.

しゅとう² 酒盗 (しおから) salted bonito guts ★ 複数形で.

しゅどう 手動 ━名 (手で操作すること) hand [manual] operation Ⓤ, operation by hand Ⓤ; (自動に対して) manual control Ⓤ. ━形 (自動に対して) manual; (手で操作される) operated by hand. ¶ 電話の交換台はしだいに*手動から自動式へ変わっている (⇒ 手動式の電話交換台は自動式のものに置き換えられつつある) *Manual* (telephone) exchanges are gradually being replaced by automatic ones. // パイロットは*手動(操縦)に切りかえた The pilot went over to *manual* (control). // この機械に*手動装置を付ける必要がある This machine needs to be equipped with a ⌜*manual control* device [*manual operation* system]. 手動ブレーキ hand brake Ⓒ.

じゅどう 受動 ━形 (受動的な) passive. (☞ しょうきょくてき). 受動喫煙 pássive smóking Ⓤ 受動態〘文法〙the passive voice 受動免疫 passive immunity Ⓤ.

しゅどうけん 主導権 (指導者の地位・任務) leadership Ⓤ; (支配権) control Ⓤ.
¶ 彼は生徒会の*主導権を握っている He has (the) *leadership* in the student association. / (⇒ 生徒会を掌握している) He has *control* ⌜of [over] the *student council.* // 最近の内閣の改造は与党内の*主導権争いのためである The recent cabinet reshuffle was the consequence of a struggle for ⌜*leadership* of [*control* of; *predominance* in] the ruling party.

しゅどうしゃ 主導者 (指導者) leader Ⓒ; (原動力となる人) prime mover Ⓒ; (レースなどの先導者) pacemaker Ⓒ. ¶ 反政府運動の*主導者 the *leader* of the antigovernment movement

しゅとうぶん 主禱文 ☞ しゅのいのり

しゅとく 取得 ━動 (時間をかけて手に入れる) acquire ⑯; (欲しいものを努力して手に入れる) obtain ⑯; (所有権を得る) get [take] possession of … 語法 get も意味は類似だが, 日本語の「取得」のニュアンスからは前にあげた語のほうが近い. ━名 àcquisítion Ⓤ; (購入) purchase Ⓤ. (☞ にゅうしゅ; える¹). ¶ 運転免許を*取得するのに彼は 3 か月かかった It took him three months to *obtain* his driver's license. // 不動産を*取得した場合は 1 年以内に不動産*取得税を払わなければならない When you *acquire* real estate, you ⌜have to [must; are required to] pay ⌜the [a] real estate *acquisition* tax within a year. 取得時効〘法〙positive prescription Ⓤ 取得物 acquisition Ⓒ.

しゅとして 主として (主に) mainly, chiefly; (第一に) primarily ★ 主たる使用目的などをいう場合. (☞ おもに¹; おもな (類義語)). ¶*主としてロンドンを見物するためにイギリスへ行った I visited England ⌜*chiefly* [*mainly*] to see London. // この本は*主として英語の初学者のために書かれている (⇒ 初学者向きになっている) This book was ⌜written [intended] *primarily* for beginners in English.

シュトラウス ━名 ⓖ (ヨハン〜) Johann Baptist Strauss /ʃtráus/, 1804–49 ★ オーストリアの作曲家; (ヨハン〜) Johann Strauss, 1825–99 ★ オーストリアの作曲家で前者の長男; (リヒャルト〜) Richard Strauss, 1864–1949 ★ ドイツの作曲家.

じゅなん 受難 (一般的に苦しみを受けること) suffering Ⓒ; (試練としての) ordeal Ⓒ; (キリストの最後の晩餐から十字架で処刑されるまでの苦しみ) the Passion; (説明的には) the sufferings of Jesus Christ. 受難曲 Passion (music) Ⓤ 受難劇 passion [Passion] play Ⓒ.

ジュニア (若い人) young person Ⓒ ★ 集合的に「若者たち」という意味では young people; (親しみ, または多少の軽蔑をこめて) youngster Ⓒ; (自分より若い者) junior Ⓒ 日英比較 単に「若者」という意味では junior は使わないことに注意. ¶*ジュニアの (⇒ 若者向きの) お店 a store for *young people*

ジュニアカレッジ (短期大学) junior college Ⓒ (☞ がっこう; 学校・教育 (囲み)).

しゅにく 朱肉 vermílion ⌜ínkpàd [stámp pàd] for a Japanese seal Ⓒ 日英比較 英米には日本の朱肉に正確に当たるものはない.

じゅにゅう 授乳 ━動 (乳を与える) nurse ⑯, feed ⑯; (人工乳を与えることに対して, 乳房から授乳する) breast-feed ⑯ (過去・過分 -fed) (↔ bottle-feed). (☞ ちち²). ¶*授乳の時間です It's time to ⌜*nurse* [*feed*] the baby. 授乳期〘医〙lactation Ⓤ.

しゅにん 主任 (責任者) person in charge Ⓒ; (長) head Ⓒ, chair [chairman; chairwoman; chairperson] Ⓒ; (課長の下) acting manager Ⓒ.
¶ 調理*主任 the *head* cook // 学科*主任 the ⌜*chair* [*chairman*; *chairwoman*; *chairperson*] of the … department / (英) the *head* of the … department // 教務*主任 the teacher *in charge of* the (school) curriculum // 彼は本校の英語の*主任です He is the *head* of the English department ⌜at [in] our school. // 彼女は販売部の*主任になった She was promoted to ⌜sales *manager* [*head* of the sales department]. // 編集*主任 the editor *in chief*
主任手当て allowance for ⌜teachers [professors] with administrative responsibilities Ⓒ ★ 説明的な訳. 主任弁護人 lead counsel Ⓒ.

じゅにん 受任 acceptance of appointment Ⓤ.

じゅにんげんど 受忍限度 limit of patience Ⓤ.
しゅぬり 朱塗り ―形 (朱色の) red. ¶*朱塗りのおぼん a *red lacquer* tray
ジュネーブ ―名 固 Geneva /dʒəníːvə/ ★ スイス西部の都市.
しゅのいのり 主の祈り 〘キ教〙 the Lórd's Prayer /préə/.
しゅのう 首脳 ―名 (指導的地位にある人) leader Ⓒ; (最高位の人) top Ⓒ ★ ややくだけた表現. ―形 (指導的な地位にある) leading; (上位の) senior. (☞ かんぶ¹).
¶ 政府*首脳 the *leading members* of the government / the *leaders* of the administration 語法 (1) administration は "government" の意味では《米》. // 会社の*首脳部 the *management* of the company 語法 (2) management は集合的に「経営者たち」の意. 管理職を含めた広い意味に使われることもある. / (⇒ 重役たち) the company's ⌈*senior* [*top*] *executives*
首脳会談 summit ⌈conference Ⓒ [meeting Ⓒ; talks] ★ talks は普通複数形で. (☞ かいだん² (類義語)). ¶ 日米*首脳会談が 8 月にハワイで行われた A *summit* ⌈*conference* [*meeting*] between Japan and the U.S. was held in Hawaii in August.
じゅのう 受納 ―名 (受け入れること) acceptance Ⓤ; (受け取ること) receipt Ⓤ. ―動 accept ㊀; receive ㊀ ★ 前者は積極的に受け入れること, 後者は単に受け取る意味. ¶ お礼のしるしにこれをご*受納下さい Please ⌈*take* [*accept*] this as a token of my thanks.
ジュノー 〘ロ神〙 Juno /dʒúːnoʊ/ ★ Jupiter の妻. ギリシャ神話では Hera.
シュノーケル (潜水具の) snorkel /snɔ́əkəl/ Ⓒ.
しゅはい 酒杯 (sake) cup Ⓒ; (グラス) glass Ⓒ ★ しばしば合成語で. (☞ さかずき).
シュバイツァー ―名 固 Albert Schweitzer /ʃwáɪtsə/, 1875–1965. ★ フランス生まれの音楽家・医者. 1952 年ノーベル平和賞受賞.
じゅばく 呪縛 ―動 bind *a person* by a spell. ¶ 彼は*呪縛にあったかのように動くことができなかった He was unable to move, as if he were *spellbound*.
しゅばつ 修祓 ceremony of purification by the Shinto priest Ⓒ.
シュバルツバルト ―名 固 (ドイツ南西部の森林地帯) the Black Forest ★「シュバルツバルト」はドイツ語の Schwarzwald による.
しゅはん¹ 主犯 the principal offender Ⓒ (☞ しゅぼうしゃ).
しゅはん² 首班 head Ⓒ (☞ しゅしょう¹). ¶ 内閣の*首班 the *head* of the cabinet // …を*首班に指名する designate … to the *premiership*
じゅばん 襦袢 undergarment for use with a kimono Ⓒ.
しゅひ¹ 守秘 **守秘義務** (秘密を守る義務) (legal) obligation to keep official secrets Ⓒ.
しゅひ² 種皮 seed coat Ⓒ, 〘植〙 testa Ⓒ.
しゅび¹ 守備 ―動 (守る) defend ㊀; (スポーツでゴールなどを守る) defend ㊀, guard ㊀; (野球で守備につく) take to the field. ―名 defense (《英》 defence) Ⓤ; (特に野球の内外野の守備) fielding Ⓤ. (☞ まもり).
¶ あのチームは*守備が弱い That team has a weak *defense*. / That team's *fielding* is poor. // 5 回裏の*守備についた We *took to the field* for the second half of the fifth inning. // 彼は*守備がお粗末だ (⇒ 下手な野手だ) He is a poor *fielder*.
守備陣 the defense ★ 集合的. **守備隊** garrison Ⓒ **守備範囲** (野球で) the range of fielding; (専門などの) *one's* ⌈scope Ⓤ [field Ⓒ]. (☞ はんい¹).
¶ その問題は私の*守備範囲じゃない That problem is not really in my *field*. // その内野手は*守備範囲が広い That infielder ⌈has a wide *range* [covers a lot of *ground*].
しゅび² 首尾 ¶ 彼の言うことはいつも*首尾一貫している (⇒ 矛盾がない) What he says is always *consistent*. // 結局私にとって*首尾よく (⇒ 万事うまく) いきました Everything *went well* for me in the end. // *首尾よく (⇒ 幸いにも) 全員を救出することに成功した *Fortunately*, we succeeded in rescuing all of them. //「*首尾はどうでしたか」「うまくいきました」"How did everything *turn out*?" "It *turned out* fine."
じゅひ 樹皮 bark Ⓤ (☞ き² (挿絵)).
ジュピター 〘ロ神〙 Jupiter /dʒúːpətə/ ★ 神々の主神. 天の支配者. ギリシャ神話では Zeus.
しゅひつ¹ 主筆 (chief) editor Ⓒ, editor in chief Ⓒ ★ 後者は格式ばった言い方.
しゅひつ² 朱筆 ―名 〘印〙 rubric Ⓒ. ―動 (赤を入れて訂正する) correct … in red ink.
しゅびょう 種苗 seeds and saplings ★ 通例複数形で. **種苗店** garden center Ⓒ.
じゅひょう 樹氷 (氷で覆われた木) tree covered with (snow and) ice Ⓒ. ¶ *樹氷が朝日に輝いた The *ice-covered trees* sparkled in the morning sunlight.
しゅひん 主賓 the guest of honor, the honored guest. **主賓席** the head table.
しゅふ¹ 主婦 housewife Ⓒ (複 housewives), 《米》 homemaker Ⓒ. (☞ せんぎょう (専業主婦))
主婦連合会 the Housewives' Federation.
しゅふ² 首府 (その国の中央政府のある) capital (city) Ⓒ; (通商・文化などの主要都市) metrópolis Ⓒ ★ capital と同一の場合もあるし, アメリカのように異なっていることもある. ¶ ワシントンは米国の*首府であり, ニューヨークは最も重要な都市である Washington is the *capital* of the United States, and New York is its leading metropolis.
しゅふ³ 主夫 hóusehùsband Ⓒ, stay-at-home ⌈dad [husband] Ⓒ, 《米略式》 Mr. Mom ★ dad, Mr. Mom は夫婦に子がいる場合.
しゅぶ 主部 (主な部分) the ⌈main [principal] part; 〘文法〙 subject Ⓒ (↔ predicate).
じゅふ 呪符 (幸運・魔除けのお守り) charm Ⓒ; (像などを彫ったお守り) talisman Ⓒ; (身につけるお守り) amulet Ⓒ. (☞ おまもり).
シュプール 〘スキー〙 track Ⓒ 参考「シュプール」はドイツ語 Spur から.
シュプレヒコール chorus of shouts Ⓒ 参考「シュプレヒコール」はドイツ語の Sprechchor から.
¶ デモ隊は「核実験反対」と*シュプレヒコールをした The demonstrators ⌈*shouted in chorus* [*chanted*], "Stop nuclear testing!"
しゅぶん 主文 (判決文の) the text (of a decision) (☞ ほんぶん¹; はんけつ).
じゅふん 授粉, 受粉 ―名 (授[受]粉(作用)) pollination Ⓤ. ―動 (授粉する) pollinate ㊀.
しゅへき 酒癖 ☞ さけ¹ (酒癖)
しゅべつ 種別 (種類) kind Ⓒ; (分類) classification Ⓤ. (☞ しゅるい; ぶんるい). ¶ 資料を*種別する *classify* [*sort* (*out*)] (the) data
しゅほ 酒保 (軍隊の) canteen /kæntíːn/ Ⓒ; (米陸軍の) póst exchànge Ⓒ (略 PX).
しゅぼ 酒母 the ferménted mixture of steamed rice and *koji* or malt ★ 説明的な訳.
しゅほう¹ 手法 (絵画や音楽演奏など芸術上の) techníque Ⓒ; (技法) technical skill Ⓤ; (方法) method Ⓒ; (問題などの取り上げ方) approach Ⓒ.

《☞ ぎじゅつ》.

しゅほう² **主峰** (最も高い峰) the highest peak.

しゅほう³ **主砲** ―[名] (軍艦の) main gun [C]; (野球の強打者) slugger [C]. ―[形] (打順が四番の) cleanup.

しゅぼうしゃ 首謀者 (悪者の一味の指導者) ringleader [C]; (悪事などの発案者) author [C]; (一般的に他の人を率いていく人) leader [C]. 《☞ ちょうほんにん》. ¶その暴動の*首謀者たちは逮捕された The *ringleaders* of the riot were arrested.

しゅみ 趣味 **1** 《職業としてではなく, 楽しみのためにする事柄》: hobby [C] ★ 最も一般的な語; (気晴らし) pastime [C] [日英比較] 英語の hobby は自分で集めたり, 作ったりするような道楽をいい, 読書, スポーツなどは一般には hobby とは言わない.
¶「あなたの*趣味は何ですか」「私の*趣味は切手集めです」"What are your *hobbies*? / What *hobbies* do you have?" "My *hobby* is collecting stamps." // テニスが彼の*趣味 (⇒お気に入りの気晴らし) です Playing tennis is his favorite *pastime*. // 彼は*趣味と実益を兼ねて骨董品を集めている He collects antiques both for *pleasure* and for profit.
2 《好み・審美眼》: taste [U] [日英比較] この語は日本語の場合と異なり, hobby や pastime とはまったく意味が重ならないことに注意. ¶彼女の選んだものは私の*趣味 (⇒好み) に合わない Her choice is not to my *taste*. // 彼女は着る物の*趣味がいい She has good *taste* in clothes.

シュミーズ slip [C] 《☞ したぎ (挿絵)》.

しゅみせん 須弥山 *Shumisen*; (説明的には) the mountain believed to be the center of the Buddhist world.

シュミットカメラ 〔光〕 Schmidt camera [C].

しゅみゃく 主脈 (葉の中央の) midrib [C]; (葉・昆虫の羽の) costa /kástə/ [C] 《複 costae /-tiː/》; (鉱山の) mother lode [C]; (山脈の) the main mountain range.

じゅみょう 寿命 (生命) life [U] ★ 個人の生命・命は [C]; (命の長さ) life span [C]; (余命) life expectancy [U]; (生涯) lifetime [C]; (長寿) longévity [U].
¶亀は*寿命が長い (⇒長い命をもっている) A tortoise has a long *life*. // 人間の*寿命は約 70 年だ The human *life span* is about seventy years. // ここ 20 年間に日本人の平均*寿命は 10 年伸びた The average *life expectancy* of the Japanese has been extended by ten years over the past twenty years. // もうそろそろ*寿命です (⇒私の人生がほとんど終わった) My *life* is nearly ˹over [at an end]. / (⇒(電池などが) 切れてきた) It has almost *run down*. // この電池は*寿命が長い This battery has a long *life*. // それを見て*寿命が縮まる思いがした (⇒死ぬほど恐ろしかった) I was frightened to death by the sight. // 心配すると*寿命が縮む Care killed the cat. 《ことわざ: 心配は猫をも殺した》 《☞ やまい [日英比較]》

しゅむ 主務 (主な任務) main duty [C]. **主務大臣** the competent minister.

しゅめい 主命 *one's* master's order [C].

シュメール ―[名] [固] Sumer /súːmə/ ★ 古代バビロニアの南部地方. ―[形] Sumerian /sumí(ə)riən/. **シュメール語** Sumerian [U] **シュメール人** Sumerian [C] **シュメール文化** the Sumerian culture.

しゅもく¹ **種目** (項目) item [C]; (競技の) event [C]. 《☞ こうもく》. ¶「どの*種目に申し込んでいますか」「100 メートル競走に申し込んでいます」"Which *event* have you entered?" "I've entered the one-hundred-meter dash."

しゅもく² **撞木** wooden bell hammer [C].

じゅもく 樹木 trees (and bushes) 《☞ き²》. ¶*樹木の多いキャンパス a *wooded* campus

しゅもくざめ 撞木鮫 hammerhead shark [C].

じゅもん 呪文 (魔法の力を持っているものとされる言葉) spell [C]; (主として魔除けの呪文) magic words ★ 複数形で. 《☞ まほう; まじない》. ¶魔女は*呪文を唱えた The witch pronounced a *spell*. // 魔法使いは王女に*呪文をかけた The wizard cast a *spell* on the princess. // *呪文を解く break the *spell*

しゅやく 主役 (中心となる役) the ˹leading [principal]˹part [role]; (演劇で題名の人物を演じる役) title role [C]; (主役を演じる人) the lead, the leading ˹man [woman], the star, star performer [C]. 《☞ しゅえん¹》. ¶東京公演で彼は*主役をつとめた He played *the leading* ˹*part* [*role*] in the Tokyo perform-ance(s). // 彼はそのオペラで*主役を演じた He sang the *title role* in the opera. // 今度の会議では日本が*主役です (⇒日本が会議を導くことになっている) Japan is expected to take the *lead* at the next conference.

じゅよ 授与 ―[動] (賞などを) award [他]; (学位・勲章などを) confer [他] ★ award も用いられる. ―[名] awarding [U]; conferment [U], conferral [U]. 《☞ あたえる; さずける》. ¶M 大学は彼女に文学修士の称号を*授与した M University *conferred* the ˹degree of Master of Arts [M.A. degree] on her. // その科学者が今年のノーベル化学賞を*授与された That scientist *was awarded* this year's Nobel prize for chemistry. // 卒業証書*授与式 a graduation ceremony / 《米》 a commencement

しゅよう¹ **主要** ―[形] (重要な) important ★ 最も一般的な語; (主だった) chief [A]; (最も重要な) principal [A]; (全体の中で重要性のある) main [A] ★ 物や場所についてのみ用いる; (大きさ・規模などが他と比べて大きい) major [A]; (基本的で重要な) key [A]. 《☞ おもな (類義語); じゅうよう¹》.
¶英語は中学校の*主要科目の 1 つです English is one of the ˹*main* [*most important*] subjects in junior high school. // 自動車生産は現在日本の*主要産業である Automobile production is a ˹*major* [*key*] industry in present-day Japan.

しゅよう² **腫瘍** 〔医〕 (細胞や組織の異常に増殖したもの) tumor (《英》 tumour) /t(j)úːmə/ [C]; (できもの) growth [C] ★ 医学用語としては前者がよく用いられる. 《☞ できもの; はれ²》.
¶この症状は脳*腫瘍の疑いがある These symptoms suggest a brain *tumor*. // 左のももに*腫瘍ができた A *growth* developed on my left thigh. // 良性 [悪性]*腫瘍 a ˹benign [malignant]˹*tumor* [*growth*]
腫瘍マーカー 〔医〕 tumor marker [C].

じゅよう¹ **需要** demand [U] 《☞ じゅきゅう¹》.
¶*需要が供給を上回った The *demand* exceeded the supply. // 供給が*需要に追いつかない (⇒需要を満たせない) The supply cannot meet the *demand*. // *需要が急激に伸びた There was a sharp rise in *demand*. // 国内*需要 domestic *demand* // 潜在*需要 potential *demand* **需要供給の法則** the law of supply and demand [日英比較] 日本語とは語順が逆になるのが普通. **需要操作** 〔経〕 demand control [U] **需要(超過)インフレ** 〔経〕 demand(-pull) inflation [U].

じゅよう² **受容** ―[動] (受け取る) receive [他]; (受け入れる) accept [他]. ―[名] reception [U]; acceptance [U]. ¶コンスタンティヌス帝の時代にローマ帝国は正式にキリスト教を*受容した It was during the reign of Constantine that the Roman Empire formally *accepted* Christianity. **受容体** 〔生化〕

receptor Ⓒ.

しゅよく 主翼 wing (of an airplane) Ⓒ.

しゅら 修羅 ¶*修羅の巷 a scene of *carnage* ★ carnage は「大虐殺」. **修羅場** (芝居などの戦闘場面) combat [fighting] scene Ⓒ.

ジュラき ジュラ紀 〘地〙 the Jurassic /ʤʊrǽsɪk/ périod.

シュラフ(ザック) sleeping bag Ⓒ ★「シュラフ(ザック)」はドイツ語の Schlafsack による. 《☞ キャンプ (挿絵)》.

ジュラルミン duralumin /d(j)ʊrǽljʊmɪn/ Ⓤ.

しゅらん 酒乱 (人) obnóxious drúnk Ⓒ; (酔って粗暴な振舞いをする人) drunk and disorderly ⌐man [woman] Ⓒ.

じゅり 受理 ━ 動 (受け入れる) accept (他). ━ 名 acceptance Ⓤ. 《☞ うけいれる; じゅだく》. ¶彼の辞表は*受理された His resignation *was accepted.*

ジュリア (女性名) Julia /ʤúːljə/ ★ 愛称は Julie /ʤúːli/.

ジュリアン (男性名) Júlian.

ジュリー (女性名) Julie /ʤúːli/ ★ Julia /ʤúːljə/ の愛称.

シュリーマン ━ 名 (固) Heinrich Schliemann, 1822–90. ★ トロイア遺跡を発見したドイツの考古学者.

ジュリエット (女性名) Juliet /ʤúːljət/.

しゅりけん 手裏剣 throwing-knife, used by samurai warriors and ninja Ⓒ.

じゅりつ 樹立 ━ 動 (確立する) establish (他); (設立する) sèt úp (他) ★ 後者が口語的; (作る) make (他). 《☞ かくりつ[1]》. ¶彼女は 100 メートル競走で世界新記録を*樹立した She ⌐*set* [*established*] a new world record for the one-hundred-meter dash.

しゅりゅう 主流 (河川・思想などの) mainstream Ⓒ ★ 普通 the ~ で. ¶彼の仮説は今日の量子論の*主流になった His hypothesis became *the mainstream* of today's quantum theory. **主流派** the ⌐mainstream [leading] faction 《☞ は[4]》.

しゅりゅうだん 手榴弾 grenade /grɪnéɪd/ Ⓒ.

しゅりょう[1] 狩猟 hunting Ⓤ; (特に鉄砲による猟) shooting Ⓤ. 《☞ りょう[2]; かり[3]》. ¶彼は*狩猟に出かけた He went ⌐*hunting* [*shooting*]. 語法 この hunting [shooting] は動名詞. **狩猟家** hunter Ⓒ **狩猟期** the hunting season Ⓒ **狩猟許可証** hunting [shooting] license Ⓒ **狩猟禁止期** closed [《英》 close] season Ⓒ **狩猟民族** hunters ★ 複数形で, hunting ⌐tribe [people] Ⓒ.

しゅりょう[2] 首領 (悪者一味のかしら) ringleader Ⓒ; (頭となる者) chief Ⓒ. 《☞ しゅぼうしゃ; おやぶん》.

しゅりょう[3] 酒量 *one's* drinking capacity Ⓤ 《☞ さけ[1]》. ¶*酒量が上がる[下がる] (⇒ 以前より多く[少なく]飲む) drink ⌐more [less] than before // *酒量が多い drink a lot / be a heavy drinker

じゅりょう 受領 ━ 動 (単に受動的に受け取る) receive (他); (提供されたものを喜んで受け取る) accept (他). ━ 名 receipt Ⓤ; acceptance Ⓤ. 《☞ うけとる》. ¶代金をお送り頂きありがとうございます. 確かに*受領いたしました Thank you for sending the money. We confirm having *received* it. **受領証** receipt Ⓒ.

しゅりょく 主力 ¶3 学期は英語に*主力を注いだ (⇒ 私のエネルギーを英語に集中させた) During the third term I *concentrated all my energies on* English. / (⇒ 専念した) In the third term I *devoted myself to* English. **主力銀行** primary lending bank Ⓒ **主力産業** major industries ★ 通例複数形で. **主力商品** main ⌐commodity [item] Ⓒ **主力選手** standout (player) Ⓒ.

じゅりょく 呪力 (不思議な力) magic Ⓤ; (魔法のような力) magical power Ⓤ.

じゅりん 樹林 (森) forest Ⓒ; (密林) jungle Ⓒ. ¶熱帯*樹林 a tropical *forest* // 針葉*樹林 a coniferous *forest*

シュリンプ (小えび) shrimp Ⓒ 《☞ えび》.

しゅるい 種類 kind Ⓒ, sort Ⓒ ★ 最も普通; (異なった) variety Ⓒ; (型などの) type Ⓒ; (部類・部門) cátegòry Ⓒ.

【類義語】 1 つのグループとしてはっきり分類できる種類が ***kind***. *kind* よりもくだけた語が ***sort***. どちらも交換して用いることができる場合が多いが, *sort* には軽蔑や非難の意味が含まれることがある. ((例) 私はそんな*種類のことには興味がない I'm not interested in that *sort* of thing.). 同じグループの中にありながら, 細かい点で性質の異なっているのは ***variety***. ((例) 無数の違った*種類の衣装 an infinite *variety* of costumes). 型によって客観的に区別ができる種類は ***type***. ((例) これは私の欲しい(*種類の)自転車だ This is the *type* of bicycle that I want.). *type* よりももっと厳密にその区別が定められた種類は ***category***. 《☞ しゅ[4]; ひんしゅ》

¶「あなたはどんな*種類の小説が好きですか」「SF です」"What *kind* of ⌐novels [stories] do you like?" "I like science fiction." // この花壇には何*種類の花が植えてあるのですか How many *kinds* of flowers are there in this flowerbed? 語法 (1) kind of の次には冠詞を付けないのが普通. (2) kind が複数形ならば, 普通は種類が複数であることを意味する. // この*種類の木は北部にだけ生える Trees of this *kind* grow only in the north. 語法 (3) *This* kind of tree grows ... も可能. また this kind of *trees* とも言えるが, 後者の表現は this と trees の違和感があり, 好まれない. くだけた表現では *these* kind of trees もしばしば用いられる. しかし, these に続いて単数形の kind が来ることに抵抗を感じる人々がいるので, その代わりに These kinds of trees と kind を複数形にするか, あるいは trees of this kind のような表現がよく用いられる. 我々外国人としては, This kind of tree のように単数形にするか, あるいは trees of this kind という表現を用いるほうが安全であろう. // この*種類の魚は食べられない This *species* of fish is inedible. // これは私が捜している*種類のものではない This is not the ⌐*sort* [*kind*] *of thing* I am looking for. // このカードは色で*種類分けにしてある These cards *have been classified* by color. / (⇒ 仕分けした) I *have sorted out* the cards according to color. // 新しい*種類 a new ⌐*kind* [*variety*] (of ...) // 特別な*種類 a special *kind* (of ...)

コロケーション

あらゆる種類(の…) every ⌐*kind* [*variety*] (of ...) / ありふれた種類(の…) a common ⌐*kind* [*variety*] (of ...) / いろいろな種類(の…) various *kinds* of ...; a great *variety* (of ...) / 多くの種類(の…) a large *variety* (of ...) / 異なった種類(の…) a different ⌐*kind* [*variety*] (of ...) / 珍しい種類(の…) a rare ⌐*kind* [*variety*] (of ...)

じゅれい 樹齢 the age of a tree. ¶この松は*樹齢 200 年以上です This pine tree is ⌐more than [over] two hundred years old.

シュレーゲル ━ 名 (固) Friedrich von Schlegel /fríːdrɪk fɔːn ʃléɪgəl/, 1772–1829. ★ ドイツの哲学者.

シュレーディンガー ━ 名 (固) Erwin Schrödinger /ə́ːwɪn ʃrə́ːdɪŋə/, 1887–1961. ★ オーストリアの理論物理学者. **シュレーディンガー方程式**

Schrödinger equation Ⓒ.

シュレッダー (文書細断機) (paper) shredder Ⓒ 《☞ だんさいき》.

しゅれん 手練 ── 图 (技) skill Ⓤ. ── 形 (巧みな) skillful. ¶ 彼の*手練のほどは (⇒ いかに巧みであるか) 私はこの目で見届けた I saw with my own eyes how *skillful* he was.

しゅろ 棕櫚 〘植〙 hemp palm Ⓒ. **棕櫚竹** 〘植〙 lady palm Ⓒ.

しゅわ 手話 ── 图 sign language Ⓤ; finger spelling Ⓤ ★ 後者は指で文字を表す手話. ── 動 (手話で話す) use sign language, sign ㊀ ㊁. ¶ *手話の通訳 an interpreter of *sign language*

じゅわき 受話器 receiver Ⓒ 《☞ でんわ (挿絵)》. ¶ 私は*受話器をとった I ˹lifted [picked up] the *receiver*. // 彼女は*受話器を置いて部屋から出ていった She ˹replaced [put back; hung up] the *receiver* and left the room.

しゅわん 手腕 (能力) ability Ⓤ; (芸術的な才能) talent Ⓤ; (技量) skill Ⓤ 〔語法〕 いずれの語もしばしば複数形で. 《☞ うでまえ; のうりょく (類義語)》. ¶ 彼は会社の立て直しに*手腕をふるった He ˹showed [demonstrated] his *ability* in reorganizing the management of the company. **手腕家** capable person Ⓒ.

しゅん[1] 旬 ── 图 the season. ── 形 (旬の) in season (↔ out of season). ¶ *旬の野菜 vegetables *in season* // かきはいまはもう*旬ではない Oysters are now *out of season*.

しゅん[2] ── 動 (しょげる) become dispirited ; (静かになる) fall silent. ¶ 彼女の辛らつな批評に皆*しゅんとなった They *fell silent* at her sharp comment.

じゅん[1] 順 (順序) order Ⓤ; (順番) turn Ⓒ. 《☞ じゅんばん; じゅんじょ; ばん[2]》.
¶ ABC*順に in alphabetical *order* / alphabetically // 我々は身長の*順に並んだ We lined up in *order* of height. // 申し込みは先着*順に受け付ける Applications will be accepted ˹*in the order of arrival* [*on a first-come, first-served basis*]. 〔語法〕 [ ] 内の言い方が口語ではよく用いられる. // 答案を誤りの少ない方から*順に並べる arrange the exam papers in increasing *order* of the number of errors // 私はその出来事をみんなに*順を追って話した I related the events to them *in order*.
順不同 (無作為の順番) random [no fixed; no particular; no special] order Ⓤ 《☞ ふどう[2]; じゅんじょ》. ¶ *順不同で in *random order*.

じゅん[2] 純 ── 形 (純粋な) pure 《☞ じゅんすい; じゅんきん; じゅんぎん》. ¶ 彼は*純日本風に家を建てた He built his house in *pure* Japanese style. // 彼女は*純な気持ちの持ち主です She has a *pure* heart.
純金 ☞ 見出し **純物質** 〘化〙 homogeneous substance Ⓒ **純文学** serious literature Ⓤ **純毛** ☞ 見出し.

じゅん- 準… 《☞ じゅんけっしょう; じゅんじゅんけっしょう》 ¶ *準会員 an *associate* member // *準ミスワールド the first *runner-up* in the Miss World contest // *準優勝チーム the *runner-up* / the *runners-up* 〔語法〕 runner-up は準優勝者または準優勝チームを表し, team は付けない. team は複数のメンバーから成るので, そのメンバーを指す場合には *runners-up* と言ってもよい. **準大手** quasi /kwéɪsaɪ/-major corporation Ⓒ.

じゅんあい 純愛 (汚れのない愛) pure [genuine] love Ⓤ; (天真らんまんな愛) innocent love Ⓤ; (プラトニックな愛) chaste [Platonic] love Ⓤ. 《☞ あい[1]》.

じゅんい 順位 ── 動 (位する) rank ㊁; (位置を占める) stand ㊁. ── 图 ranking Ⓤ; standing Ⓤ; (順番) order Ⓤ. 《☞ じゅんばん》. ¶ 彼女のクラスでの成績の*順位は上[下]のほうだ (⇒ 彼女はクラスで上[下]に位している) She *ranks* ˹high [low] in her class. // 日本の*順位は各国中第 2 位である (⇒ 2 位を占める) Among the world's nations, Japan *stands* second. // まず優先*順位を決めよう First, let's decide which has *priority* over others. 《☞ ゆうせん[1]》 **順位決定戦** (引き分け・同点のときなどの) pláyòff Ⓒ.

しゅんいつ 俊逸 ── 形 (才能がすぐれた) talented; (秀でた) preeminent; (傑出した) outstanding.

じゅんいつ 純一 ☞ じゅんすい

しゅんう 春雨 (春の雨) spring rain Ⓤ 《☞ はる[1] (春雨)》.

しゅんえい 俊英 ── 形 (傑出した) outstanding; (秀でた) preeminent. ── 图 preeminence Ⓤ; (すぐれた人) preeminent figure Ⓒ.

じゅんえき 純益 net profit Ⓒ 《☞ もうけ; りえき》. ¶ 私は約 20 万円の*純益を上げた I've made a *net profit* of some ¥200,000.

じゅんえん[1] 順延 ── 動 (延期する) pùt óff ㊀, postpone ㊀ ★ 前者のほうが口語的. ── 图 postponement Ⓤ ★ 具体的な事柄をいう場合は Ⓒ. 〔日英比較〕 以上は必ずしも「順延」という日本語にぴったりではないが, 英語では 1 語で「順延」に当たる語はないので, 必要ならば説明的表現をしなくてはならない. 《☞ えんき[1]; のばす》.
¶ その会議は何回も*順延された後に開かれた The meeting was held after being *postponed* many times. // 運動会は雨天の場合*順延される (⇒ 最初の晴天の日まで延期される) In case of rain, the athletic meet will *be* ˹*postponed* [*put off*] until the first clear day.

じゅんえん[2] 巡演 (巡回公演) tour Ⓒ; (地方巡業) the road. ── 動 (巡演する) tour ㊁ ㊀. ¶ 劇団は全国を*巡演中だ The troupe are *on tour* around the country. / The troupe *are touring* the country.

じゅんおくり 順送り ── 動 (順に次へ回す) pass ... on (to ...), pass ˹around [round] ㊀ ★「ぐるりと回す」の意では後者. 《☞ まわす》. ¶ カードに名前を書いて次の人へ*順送りに回して下さい Write your name on the card and *pass* it ˹*around* [*on to* the next person], please.

しゅんが 春画 obscene [pórnogràphic] pícture Ⓒ.

じゅんか[1] 純化 ── 图 purification Ⓤ. ── 動 purify ㊀.

じゅんか[2] 馴化 ── 图 《主に米》 acclimation Ⓤ, 《主に英》 acclimatization Ⓤ. ── 動 acclimate ㊀ ㊁, acclimatize ㊀ ㊁. ¶ 年をとればとるほど新しい環境に*馴化することが益々難しくなる As people become older, it is more difficult for them to ˹*acclimate* [*acclimatize*] to a new environment.

じゅんかい 巡回 ── 動 (受け持ち区域を仕事として回る) make [go] *one's* rounds; (異状はないか特定地域を見て回る) patról ㊀. ── 图 round Ⓒ; patról Ⓤ. 《☞ パトロール; みまわる; じゅんし[1]》.
¶ ガードマンは夜 2 時間ごとにビル内を*巡回する Security guards *make their rounds* of the building every two hours at night. // *巡回中の警官 a ˹policeman [《米》 patrolman] on ˹*patrol* [*his beat*] ★ beat は受け持ち区域のこと.
巡回裁判所 circuit court Ⓒ **巡回診療所** traveling [《英》 travelling] clinic Ⓒ **巡回図書館** 《米》 bookmobile Ⓒ, 《英》 mobile library Ⓒ.

しゅんかしゅうとう 春夏秋冬 ── 图 (四季) the four seasons. ── 副 (年中) all (the) year round. 《☞ しき[4]; ねんじゅう》.

じゅんかつ 潤滑 —名 lubrication U. —動 lubricate 他. ¶ 私達は車のエンジンを*潤滑にするために鉱物オイルを用いる We use mineral oils to *lubricate* a car engine.

じゅんかつざい 潤滑剤 lubricant U.

じゅんかつゆ 潤滑油 lubricating oil U.

じゅんかん 瞬間 —名 (つかの間の時間) moment C; (ほんの一瞬間) instant C ★ instant のほうがより短い感じ. —形 (瞬間的な) mómentàry; ìnstantáneous. 《☞ いっしゅん; すぐ》.
¶ 我々はその劇的[決定的]*瞬間を待った We awaited the 「critical [decisive] *moment*. // それは*瞬間の出来事だった It all happened in 「a *moment* [an *instant*]. // ボールが頭上をかすめた*瞬間, 彼は首を引っ込めた At the very 「*moment* [*instant*] the ball shot over his head, he ducked. // 最大*瞬間風速は 30 メートルだった The maximum *instantaneous* wind velocity was 30 meters per second. **瞬間接着剤** instantaneous adhesive U **瞬間湯沸かし器** flash (water) heater C, 《英》 geyser /gíːzə/ C.

じゅんかん[1] 循環 —動 (決まった通路内を絶えず回る) circulate 自 他; (あるものを中心にぐるぐる回る) rotate 自 他. —名 circulation U; rotation U. 《☞ まわる》.
¶ 血液は体の中を*循環する Blood *circulates* throughout the body. // このラジエーターは熱湯を*循環させることによって部屋を暖める This radiator heats the room by *circulating* hot water.
循環型社会 recycling society C **循環器** (心臓・血管などの) circulatory organ C **循環系** 〘解〙 circulatory system C **循環小数** recurring [repeating; circulating] decimal C 《☞ 数字 (囲み)》 **循環バス** bus following a circular route C.

じゅんかん[2] 旬刊 (旬刊誌) magazine 「issued [published] every ten days C.

じゅんかん[3] 旬間 ten-day period C. ¶ 交通安全*旬間 a *ten-day* traffic safety campaign

じゅんかんごし[ふ] 准看護師[婦] licensed practical nurse C 《略 LPN》 《☞ かんごし[ふ]》.

しゅんき 春季 spring C 《☞ はる[1]》.

しゅんぎく 春菊 〘植〙 crown daisy C.

しゅんきはつどうき 春機発動期 ☞ ししゅんき

じゅんきゅう 準急 semi-express train C
日英比較 これに当たるものは一般に英米にはない. 《☞ きゅうこう[1]》.

じゅんきょ 準拠 (従う) follow 他; (基づく) be based on … 《☞ したがう; もとづく》. ¶ この本は新しい学習指導要領に*準拠して作られた (⇒ 従って編集された) This book was edited *in* 「*accordance* [*conformity*] *with* the new course of study. **準拠枠** frame of reference C.

しゅんぎょう 春暁 dawn [daybreak] in spring U.

じゅんきょう[1] 殉教 martyrdom /máətədəm/ U 《☞ じゅんじる[2]》. **殉教者** martyr C.

じゅんきょう[2] 順境 (繁栄) prosperity U; (好ましい境遇) favorable 「circumstances [situation C]. ¶ *順境は友を作るが逆境はそれを試す *Prosperity* makes friends and adversity tries them.

じゅんぎょう 巡業 —名 (地方を回る旅) tour C. —動 (巡業する) tour 他, make a tour of …
語法 いずれも場所を目的語とする.

じゅんきん 純金 (混じり気のない) pure gold U; (中まで金でできた) solid gold U.

じゅんぎん 純銀 (混じり気のない) pure silver U; (中まで銀でできた) solid silver U.

じゅんきんちさんしゃ 準禁治産者 quasi-incompetent U 《☞ きんちさん》.

じゅんぐり 順繰り —副 in turn, by turns 《☞ かわるがわる; こうたい[1]》.

しゅんけいぬり 春慶塗 (総称) Shunkei lacquer ware U; (個別に) Shunkei lacquer C.

じゅんけつ 純潔 (道徳的に汚(けが)れのないこと) purity U; (貞節) chastity U ★ やや文語的な言葉. 《☞ ていせつ[2]; しょじょ》. ¶ 彼女は*純潔を守った[失った] She 「kept [lost] her *chastity*.

じゅんけつしゅ 純血種 —形 (馬が) thoroughbred /θə́ːrəbrèd/; (犬・猫などが) purebred. —名 thoroughbred C; purebred C.

じゅんけっしょう 準決勝 (個々の試合) semifinal (game [《英》 match]) C; (準決勝の段階) the semifinals, semifinal round C. 《☞ けっしょう[1]; しあい》. ¶ *準決勝に進出する advance to [reach] *the semifinals* **準決勝戦進出者** semifinalist C.

しゅんけん 峻険 (急勾配の) steep; (切り立った) 《格式》 precipitous; (態度などが厳しい) severe. 《☞ けわしい》. ¶ *峻険な山並み *steep*, imposing mountains // *峻険なまなざし a *severe* look

しゅんげん 峻厳 (人が厳格な) stern; (規律などに厳しい) strict; (人やその言動が厳しい) austere.

じゅんけん 巡検 round of inspection C. ¶ その薬品工場は*巡検を受けた The chemical factory underwent a *round of inspection*.

じゅんこ 醇呼 —形 (混じりけのない) pure; (全くそれだけの) sheer. ¶ *醇呼たる意志の力で彼はそれを成し遂げた He has done it by *sheer* willpower. // *醇呼たる文学の世界に浸る be immersed in the *pure* world of literature

しゅんこう 竣工 —動 (完成する) be completed. —名 completion U. 《☞ かんせい[1]; できあがる》.

じゅんこう 巡航 —動 (楽しみのため, または何かを捜し求めてあちこち航海する) cruise 自. —名 cruise C. 《☞ こうかい[3]》. ¶ *巡航中のヨット a yacht *on a cruise* **巡航速度** cruising speed U **巡航ミサイル** cruise missile C.

じゅんこく 殉国 ¶ *殉国者の墓 the graves of those who 「*died* [*dedicated their lives*] *for their country*

じゅんさ 巡査 policeman C 《複 -men》 ★ 最も一般的, 《米》 patrolman, 《英》 constable /kánstəbl/ C, 《俗》 cop C. 《☞ けいかん[1]》. ¶ 交通*巡査 a traffic *policeman* **巡査派出所** police box C **巡査部長** (police) sergeant C.

しゅんさい 俊才 ☞ しゅうさい

じゅんさい 蓴菜 〘植〙 water shield C.

じゅんさつ 巡察 —名 (パトロール) patrol C; (検査・取り調べの) round of inspection C. —動 (パトロールする) make a patrol.

じゅんざや 順鞘 〘商〙 regular [positive] spread C (↔ negative spread).

しゅんじ 瞬時 instant C ★ 普通単数形で. 《☞ しゅんかん》 ¶ *瞬時に消える vanish in an *instant*

じゅんし[1] 巡視 —名 (tour of) inspection C. —動 (警戒のために回る) patrol 他; (視察して検査する) inspect 他. 《☞ じゅんかい; パトロール; しさつ[1]》. **巡視船** patrol boat C.

じゅんし[2] 殉死 —動 (主君[主人]のあとを追って自殺する) kill *oneself* on the death of *one's* 「lord [master] 《☞ じゅんじる[2]》.

じゅんじ 順次 (順を追って) in order 《☞ じゅん[1]; じゅんばん; つぎつぎ》.

しゅんじつ 春日 (春の日) spring day C; (春の太陽) the spring sun.

じゅんじつ 旬日 period of ten days C.

じゅんしゅ 遵守 —動 (定められたことに従う)

obey ⑭; (定められたとおりに行動する) observe ⑭; (定められたことを忠実に守る) abide by … ―图 observance Ⓤ; obedience Ⓤ. 《☞ まもる; げんしゅ¹》. ¶ 法律は*遵守しなくてはならない We must ˹obey [observe; abide by] the law. // 我々は法律を*遵守する国民だ We are a law-*abiding* people.

しゅんじゅう 春秋 (春と秋) spring and ˹autumn [fall] Ⓤ; (年月) year Ⓒ; (年令) age Ⓒ; (書名) *the Chronicle of* ˹*Lu* [*Lǔ*] ★ 中国の儒教教典で五経の一つ. ¶ *春秋に富む人々 people with *a long future* before them

春秋戦国時代 (中国史の) Spring and Autumn [the Ch'unch'iu /tʃʌ̀ntʃúː/] period and the Warring States period (771–221 B.C.).

しゅんじゅん 逡巡 ―動 (ためらう) hesitate ⓐ. ―图 hesitation Ⓤ. 《☞ ためらう; ちゅうちょ》.

じゅんじゅん¹ 順順 in ˹order [turn] 《☞ じゅんばん; じゅんぐり》.

じゅんじゅん² 諄諄 ―副 (熱心に) earnestly; (忍耐強く) patiently; (繰り返して) repeatedly. ¶ 喫煙しないようにと*諄々と説く preach *patiently* against smoking

じゅんじゅんけっしょう 準準決勝 (個々の試合) quàrterfinal (gáme [(《英》) match]) Ⓒ; (準準決勝の段階) the quarterfinals, quarterfinal round Ⓒ. 《☞ けっしょう¹; しあい》. ¶ *準々決勝に進出する advance to [reach] *the quarterfinals* **準々決勝戦進出者** quarterfinalist Ⓒ.

じゅんじょ 順序 ―图 (前後・大小など, 決まった並び方) order Ⓤ; (続いて起こる順) sequence Ⓤ. ―形 (順序立った) methodical. ―動 (順序立てる) put [set] … in order; (整然とまとめる) organize ⑭. 《☞ じゅん¹; じゅんばん; てじゅん》.
¶ *順序はどうでもよいからここにある本を並べなさい Arrange these books in any *order*. // このリストの名前の*順序は逆になっている The *order* of the names on this list is reversed. // 事件の起った*順序 the *sequence* of events // 彼はその出来事を起こったとおりの*順序で我々に話した He related the events to us in ˹*order* of occurrence [the *order* in which they happened]. // 彼は*順序よく (⇒ 系統立てて) その事情を説明した He explained the circumstances *methodically*. // *順序不同 The no fixed *order method*. / In random *order*.

しゅんしょう 春宵 spring evening Ⓒ. **春宵一刻値千金** One hour of a spring evening is worth a thousand pieces of gold.

じゅんしょう 准将 (米陸軍・空軍・海兵隊の) brígadier /brìgədíə/ géneral Ⓒ; (米海軍の) rear admiral, lower half Ⓒ; (英陸軍の) brigadier Ⓒ; (英海軍の) commodore Ⓒ; (英空軍の) air commodore Ⓒ.

じゅんじょう 純情 ―形 (世間ずれしていない) ùnsophísticàted; (うぶで純真な) naive, naïve /nɑːíːv/ ★ 軽蔑的に用いられることがある; (心が清い) simplehearted ★ 文語的. ―图 pure heart Ⓒ. 《☞ じゅん²; じゅんしん; そぼく》. ¶ 彼女は*純情だ She is ˹*naive* [*unsophisticated*]. / (⇒ 彼女は心が純粋だ) She is *simplehearted*.

しゅんしょく 春色 (春の景色) spring scenery Ⓤ. ¶ *春色正にたけなわ *Spring* is now in its full *glory*.

じゅんしょく 殉職 ―動 (任務のために死ぬ) die [be killed] in the line of duty ★ 最も一般的; (自分の持ち場で死ぬ) die at *one's* post, be killed on the job; (仕事中に死ぬ) 《俗》 die with *one's* boots on ★ 成句. ―图 death at *one's* post. 《☞ しぬ》.
¶ 消防士が2名*殉職した Two firemen ˹*died* [*were killed*] *in the performance of their duties*.

じゅんじる¹ 準じる ¶ 彼は正会員に*準じて (⇒ 正会員と同じように) 扱われた He was treated *in the same way* as a regular member. // 以下これに*準じる (⇒ これは次のような場合に同じように適用される) This applies ˹*in the same way* [*correspondingly*] to the following cases.

じゅんじる² 殉じる (殉職する) die [be killed] in the line of duty; (殉教する) die a martyr /mɑ́ːətə/ (to …). 《☞ じゅんし²; じゅんしょく; じゅんきょう¹》.
¶ 彼は主義[信仰]に*殉じた (⇒ 殉教者として死んだ) He *died* ˹*for* [*a martyr to*] his ˹principles [faith].

じゅんしん 純真 ―形 (天真らんまんで純朴な) naive, naïve /nɑːíːv/ ★ 軽蔑的に用いられることがある; (無邪気な) ínnocent; (素朴な) simple. ―图 (天真らんまん) naiveté /nɑːìːvətéɪ/ Ⓤ. ★ é の ´ はつづり本来のもの. 《☞ じゅんじょう; そぼく; むじゃき》. ¶ *純真な子供 an *innocent* child // 彼はまるで子供のように*純真だ He is as ˹*naive* [*simple*] as a child.

じゅんすい 純粋 ―形 (混じり気のない) pure; (本物の) true; (正真正銘の, 偽物でない) génuine; (汚されていない) ùncorrúpted; (混合物のない) unmixed. ―图 purity Ⓤ; genuineness Ⓤ. 《☞ じゅん²》. ¶ 我々は*純粋な (⇒ 世間に汚されていない) 若者たちの気持ちを理解しなくてはならない We have to try to understand the feelings of young people, *who are uncorrupted by the world*. // *純粋なブルドッグ a *purebred* bulldog ★ purebred は「(動物が) 純血種の」という意味.
純粋培養 pure culture Ⓤ.

じゅんせい¹ 準星 quasar /kwéɪzɑə/ Ⓒ.

じゅんせい² 純正 ―形 (純粋の) pure; (本物の) genuine. **純正食品** unadulterated food Ⓤ **純正部品** genuine parts (of a machine).

しゅんせつ 浚渫 ―動 dredge ⑭. ¶ 彼らは川を*浚渫して深くした They *dredged* the river to make it deeper. **浚渫機** dredge Ⓒ **浚渫作業** dredging ˹operations [work Ⓤ] **浚渫船** dredge Ⓒ, dredger Ⓒ.

じゅんぜん 純然 ―形 (混じり気のない) pure and simple ★ 名詞の後で用いる; (正真正銘の) genuine; (まったくの) 《略式》 downright Ⓐ. 《☞ じゅんすい; しょうしんしょうめい》. ¶ 彼女がやったことは*純然たる犯罪行為だ What she did was a crime *pure and simple*. // それは*純然たる (⇒ 明らかに) 私の間違いでした It was *clearly* my mistake.

しゅんそく 駿足 (足の速い人) fast runner Ⓒ 《☞ はやい¹》.

じゅんそんしつ 純損失 〖会計〗 net loss Ⓒ.

じゅんたく 潤沢 ―形 (豊富な) abundant; (十分な) ample. ―图 abundance Ⓤ. 《☞ ほうふ¹; ゆたか; たくさん》.

しゅんだん 春暖 ¶ *春暖の候となりました The *warm spring days* are here. 日英比較 英語の手紙ではこういう時候のあいさつは必要としない.

じゅんちょう 順調 ―形 (目指すことをするのに都合のよい) favorable; (支障がない) 《略式》 O.K. Ⓟ, all right Ⓟ. ―副 (都合よく) favorably; (うまく) well; (すらすらと) smoothly; 《略式》 all right. 《☞ かいちょう²; こうちょう¹》.
¶ 天候は*順調だった (⇒ 好都合だった) We had ˹*good* [*favorable*] weather. // 病人の経過は*順調です (⇒ 少しずつよくなっている) The patient *is improving*. / The patient *is doing well*. ★ 第2文のほうが口語的. // すべて*順調にいった (⇒ すらすらと進行した) Everything went (ahead) *smoothly*. / (⇒ 支障がなかった) Everything was *all right*.

しゅんでい 春泥 (雪解け) thaw Ⓒ.

じゅんど 純度 (純粋さ) purity Ⓤ ★ 光学では色の純度; (合金中の金・銀の純度) fineness Ⓤ 参考 金純度を表すには,「18 金」18 carat gold; 《格式》gold 18 carats *fine* のように言う.

しゅんとう 春闘 the spring (labor) offensive.

しゅんどう 蠢動 ━動 (裏でこそこそ工作する) maneuver [《英》manoeuvre] behind the scenes. ¶ 反対派の*蠢動 opposition group *maneuvers*

じゅんとう 順当 ━形 (当然そうあるべき) proper; (自然な) natural; (理屈にかなっている) reasonable. ━副 (うまく) well. 《☞ とうぜん》. ¶ 彼がその地位に就くのは*順当だ It is ⌈*proper* [*natural*; *reasonable*] that he should get the post. // *順当にゆけば彼は父親の後継者となるだろう (⇒ もしすべてのことがうまくゆけば) If everything goes *well*, he will take over his father's business.

じゅんなん 殉難 ━名 martyrdom Ⓤ. ━動 die for *one's* country. 《☞ ぎせい; じゅんこく; じゅんきょう[1]; じゅんじる[2]》.

じゅんのう 順応 ━動 (自分自身を適応させる) adapt *oneself* to …; (順応する) conform (to …) 自. ━名 adaptation Ⓤ; (適応性) adaptability Ⓤ. 《☞ てきおう (類義語)》.
¶ 彼はすばやく新しい環境に*順応した He quickly *adapted himself to* the new ⌈environment [circumstances]. // 彼は時代[時勢]に*順応することができなかった (⇒ 時の潮に乗って進めなかった) He could not *go with the* ⌈*tide* [*flow*]. / (⇒ 時の流れに乗って泳げなかった) He could not *swim with the current*. // この動物は*順応性がない This animal lacks *adaptability*.

じゅんぱく 純白 ━形 (雪のように白い) snow-white. ━名 pure white Ⓤ. 《☞ しろ[1]; まっしろ》.

しゅんぱつりょく 瞬発力 (瞬間的な力) explosiveness Ⓤ, explosive force Ⓤ.

じゅんばん 順番 (番) turn Ⓒ; (順序) order Ⓤ. 《☞ じゅん[1]; じゅんじょ; こうご[1]; こうたい[1]》.
¶ さあ今度はあなたが話をする*順番だ Now it's your *turn* to tell a story. 語法 mý [yóur; hís; hér; Tóm's] tùrn のように, turn の前の所有格の代名詞や名詞を強く発音する. // 彼らは*順番に (⇒ 交代で) 車を運転した They *took turns* driving. / They drove *in turn*. // 彼女は出札口で*順番を待った She waited her *turn* at the ticket office. // 彼女はファイルの*順番を狂わせてしまった She put the files in the wrong *order*. // 子供たちは呼ばれた*順番に並んだ The children stood in line ⌈*in the order of* the roll call [*in* (*the*) roll call *order*].

じゅんび 準備 ━動 (用意する) prepare 他 自 語法 他 の場合は「…の準備をする, …を作る」の意で, 自 の場合は「…に備えて準備する」の意となる; (支度をする) get [make] … ready ★ 口語的な表現で, 何かをする用意を整えることをいう; (前もって計画を立てたり手はずを整えたりする) arrange 他. ━形 (準備の整った) ready Ⓟ. ━名 preparation Ⓤ ★「準備したもの」の意のときは通例複数形で; arrangements ★ 通例複数形で. 《☞ ようい[1]; したく[1]; おぜんだて》.
¶ 私は W 大学の入学試験を受ける*準備をしている I'*m preparing to* take the entrance examination for W University. // 会合の*準備をしなくてはならない We must make (the) ⌈*preparations* [*arrangements*] for the meeting. // 母は夕食の*準備 (⇒ 支度) をしています Mom *is* ⌈*preparing* [*fixing*] dinner. / Mom *is getting* dinner *ready*. // 朝[夕]食の*準備ができました Breakfast [Dinner] *is ready*. // 「出発の*準備はできましたか」「ええ, できました」"*Are* you *ready* to start?" "Yes, I am." // *準備完了 All set. ★ 口語. / (⇒ すべての準備ができた) Everything *is ready*. // 大々的な*準備 extensive *preparation*
準備委員会 (advanced) planning committee Ⓒ, preparatory committee Ⓒ **準備運動** ━名 wárm-ùp Ⓤ. ━動 wárm úp 自 他. **準備金** reserve Ⓒ ★ しばしば複数形で. **準備銀行** reserve bank Ⓒ **準備室** preparation room Ⓒ **準備預金制度** the reserve deposit requirement system.

> **コロケーション**
> 大ざっぱな準備 tentative *preparation* / 事前の準備 advance *preparation* / 周到な準備 careful *preparation* / 徹底的な準備 thorough *preparation* / 土壇場の準備 last-minute *preparation* / 入念な準備 elaborate *preparation* / 必要な準備 necessary *preparation*

しゅんびん 俊敏 ━形 (動作などが素早い) quick; (利口な) smart, sharp; (鋭敏な) shrewd. ━名 quickness Ⓤ; smartness Ⓤ, sharpness Ⓤ. 《☞ すばやい; びんしょう[1]; えいびん》.

じゅんぷう 順風 favorable [fair] wind Ⓒ 《☞ かぜ[1]》. ¶ 船は*順風に乗って (⇒ 風を受けて[風とともに]) 走った The boat sailed ⌈*before* [*with*] *the wind*. **順風満帆** ¶ 彼は*順風満帆だ (⇒ すべて順調に行っている) *Everything is* ⌈*going well* [*smooth sailing*] for him.

しゅんぷうたいとう 春風駘蕩 ¶ 彼は*春風駘蕩としている (⇒ 彼には温かい和やかなところがある) He has something *warm and friendly* about him.

しゅんぶん 春分 the ⌈vernal [spring] equinox /íːkwənὰks/. **春分点** the vernal equinox **春分の日** Vernal Equinox Day 《☞ しゅくじつ (表); ひがん[1]》.

しゅんべつ 峻別 ━動 (峻別する) make a sharp distinction (between … and …) 《☞ くべつ》. ¶ 公私を*峻別する *make a sharp distinction* [*draw a sharp line*] between (one's) public and private ⌈life [lives]

じゅんぽう[1] 遵法, 順法 ━名 observance of the law Ⓤ. ━形 (法を守る) law-abiding. 《☞ じゅんしゅ; ごうほう[1]》. ¶ *順法精神 a *law-abiding* spirit **順法闘争** slowdown strike Ⓒ.

じゅんぽう[2] 旬報 journal [publication] issued every ten days Ⓒ.

じゅんぼく 純朴 ━形 (単純で正直な) simple and honest; (悪ずれしていない) ùnsophísticàted. 《☞ そぼく; じゅんじょう》.

しゅんぽん 春本 (ポルノ) pornógraphy Ⓒ ★ porn と略す; (わいせつ本) obscéne bóok Ⓒ.

じゅんまいしゅ 純米酒 pure rice sake Ⓤ.

しゅんみん 春眠 ¶ *春眠暁を覚えず (⇒ 春に人は丸太のようにぐっすり眠る) In spring one sleeps like a log.

しゅんめ 駿馬 swift [fleet, fast] horse Ⓒ.

じゅんめん 純綿 ¶ *純綿のシャツ a (⌈*one-hundred-percent-*[*100%-*])*cotton* shirt

じゅんもう 純毛 ━名 pure wool Ⓤ. ━形 all-wool.

じゅんよう 準用 ━動 (適用する) apply 他. ¶ この規則は他のケースにも*準用される This rule can *be applied* to other cases.

じゅんようかん 巡洋艦 cruiser /krúːzə/ Ⓒ 《☞ じゅんこう》.

じゅんら 巡邏 ━名 patrol Ⓒ. ━動 patrol 自 他 《過去・過分 patrolled》. ¶ *巡邏中の警官 a policeman on ⌈*patrol* [the *beat*]

しゅんらい 春雷 spring(time) thunder Ⓤ 《☞ かみなり 日英比較》.

しゅんらん 春蘭 〘植〙 *shunran* Ⓒ; (説明的には) a variety of hardy cymbidium /sɪmbídiəm/.
じゅんらん 巡覧 ―图(周遊旅行) tour Ⓒ; (遊覧旅行) sightseeing tour Ⓒ. ―動(巡覧する) do [go on; make] a tour (of ...; around ...); (遊覧する) go sightseeing (in ...).
じゅんりょう[1] 純良 ―形 (混じり気のない) pure; (正真正銘の) genuine.
じゅんりょう[2] 順良 ―形(善良で柔順な) good and obedient.
じゅんれい 巡礼 (巡礼の旅) pílgrimage Ⓒ; (巡礼者) pilgrim Ⓒ. ¶彼らは八十八箇所の*巡礼に出た They *went on a pilgrimage* to eighty-eight temples. 巡礼地 destination [goal] of a pilgrimage Ⓒ.
じゅんれき 巡歴 ―图 (周遊旅行) tour Ⓒ. ―動(巡歴する) go on [make] a tour. ¶ヨーロッパを*巡歴する *go on* [*make*] *a tour* around Europe
しゅんれつ 峻烈 ―形(厳しい) severe; (残酷な) harsh.
じゅんれつ 順列 〘数〙 permutation Ⓒ. ¶*順列組み合わせ *permutations* and combinations
しゅんろ 峻路 steep ｢road [path] Ⓒ 《☞ みち[1]》.
じゅんろ 順路 route Ⓒ 《☞ コース; ルート[1]》. ¶彼らは*順路をたどって (⇒ 通常のルートで) 山頂へ到達した They reached the summit by *the* ｢*normal* [*regular*] *route*.

しょ[1] 書 (一般的に習字・書道) callígraphy Ⓤ; (筆跡) handwriting Ⓤ ★ 単に hand ともいう. ¶彼は*書 (⇒ 字) がうまい[まずい] He writes a ｢good [poor] *hand*. 語法 やや古風な言い方. / He has ｢good [bad] *handwriting*. // 彼女は*書を習っている She has been ｢studying [practicing] *calligraphy*.
しょ[2] 署 (警察署) police station Ⓒ. ¶*署までご同行願います You are requested to come with us to the *police station*.
じょ 序 (序文・端書き) preface /préfəs/ Ⓒ; (序論) introduction Ⓒ ★ 前者は本文とは独立した解説. 後者は本文の一部. 《☞ じょぶん; はしがき》.
しょあく 諸悪 all evil Ⓤ, all the evils. ¶金銭は*諸悪の根源である Money is the root of *all evil*.
ジョアン (女性名) Joanne /dʒouǽn/.
ジョアンナ (女性名) Joanna ★ 愛称は Jo /dʒóʊ/, Joanne /dʒouǽn/.
じょい[1] 女医 female doctor Ⓒ.
じょい[2] 叙位 honors (《英》 honours) ★ 複数形で. 叙位叙勲 conferment of honors and decorations.
しょいこむ 背負い込む (責任などを負わされている) be ｢burdened [saddled] with ... 《☞ ひきうける; せおう》.
¶私は多額の借金を*背負い込んでいる I *am* ｢*burdened* [*saddled*] *with* heavy debts. // 彼は重い責任を*背負い込んでいる (⇒ 自分の肩に背負っている) He *carries* a heavy responsibility *on his* (*own*) *shoulders*. / (⇒ 押しつけられている) He *has had* a heavy responsibility *thrust on* him.
ジョイス (女性名) Joyce /dʒɔ́ɪs/; (ジェームズ〜) James Joyce, 1882–1941 ★ アイルランドの小説家.
ジョイスティック (テレビゲームなどの) joy stick Ⓒ ★ 英語では飛行機の操縦桿など類似の装置一般をいう.
しょいちねん 初一念 (初めからの意図・目的) *one's* original intention Ⓤ 《☞ しょし[1]》. ¶*初一念を貫く carry out *one's original intention*
しょいなげ 背負い投げ ☞ せおいなげ
ジョイパッド (テレビゲームなどの) joy pad Ⓒ.

しょいん[1] 所員 (個々の) member of the staff Ⓒ; (集合的に) the staff; (所属人員全員を指して) the pèrsonnél ★ 多少格式ばった語. 《☞ しょくいん[1]》.
しょいん[2] 署員 (警察の) staff member ｢of [at] a police station Ⓒ; (税務署の) tax office clerk Ⓒ; (消防署の) fire-department officer Ⓒ.
しょいんづくり 書院造り *shoin-zukuri* Ⓤ; (説明的には) a style of Japanese residential architecture first used in the 16th century.
ジョイント (継ぎ手) joint Ⓒ. ジョイント広告 joint advertisement Ⓒ 《☞ こうこく[1]》 ジョイントコンサート joint concert Ⓒ ジョイントベンチャー joint venture Ⓒ.
しよう[1] 使用 ―動 (使う) use /jú:z/ ㊥; (特に物・知識などを活用・利用する) employ ㊥ ★ 多少格式ばった語; (利用する) make use /jú:s/ of ... ―图 use /jú:s/ Ⓤ; employment Ⓤ. 《☞ つかう; りよう[1]; もちいる》.
¶電話は1870年代に*使用されるようになった The telephone first *came into use* in the 1870's. // その計算器は日常*使用されている The calculator *is used* in everyday life. // その方法はだいぶ前から*使用されていない The method is long *out of use*. // このボールペンは長く*使用に耐える This ball-point pen is capable of long *use*. // 核兵器の*使用は禁止されるべきである The ｢*employment* [*use*] of nuclear weapons should be forbidden.
使用期限 expiry [expiration] date Ⓒ. ¶あなたのクレジットカードの*使用期限はいつですか What is the ｢*expiry* [*expiration*] *date* of your credit card? 使用者 (利用者) user Ⓒ; (雇い主) employer Ⓒ; (消費者) consumer Ⓒ 使用済み ―形 used; (もとの力を失った) spent. 《☞ しようずみかくねんりょう》 使用中 《掲示》 Occupied 使用人 ☞ 見出し 使用法 how to use; (薬などの) directions (for use) ★ 通例複数形; (機械などの使い方の説明) instructions ★ 通例複数形. 使用料 (主として土地・建物・部屋などの) rent Ⓤ.

―コロケーション―
使用方法を覚える learn the *use* of ... / 使用を許可する allow [grant] the *use* of ... / 使用を禁ずる ban [forbid] the *use* of ... / 使用を制限する limit the *use* of ... / 使用をやめる stop the *use* of ... / 常に[毎日]使用する make ｢constant [daily] *use* of ... // ☞ りよう

しよう[2] 枝葉 ☞ しようまっせつ
しよう[3] 私用 ―图 (自分のために使うこと) private [personal] use Ⓤ; (自分の用事) private business Ⓤ. ―形(公ではなく個人的な) private Ⓐ; (自分個人の・私的な) personal ★ この語には公との対照は含まれない.
¶彼はその金を*私用 (⇒ 私的な目的) に使った He used the money *for private purposes*. // 父は*私用で出かけています My father has gone out *on* ｢*private* [*personal*] *business*.
しよう[4] 子葉 〘植〙 seed leaf Ⓒ, cotyledon /kɑ̀təlí:dn/ Ⓒ.
しよう[5] 仕様 (機械などの設計の詳細) specification Ⓒ; (やり方・方法) way Ⓒ. 《☞ しかた; しようがない》. ¶この車は標準*仕様になっています This car is made to standard *specifications*. 仕様書 specifications ★ 複数形で. ただし,「本仕様書」のように一冊と見るときは Ⓒ. ¶本*仕様書は…を規定する This specification covers ....
しよう[6] 試用 ―動 try out ㊥. ¶新製品を*試用する *try out* the new product 試用期間 trial period Ⓒ.
しよう[7] 飼養 ☞ しいく; かう[2]

-しよう　1《勧誘》: let's《☞ -しませんか（類義語）》.
¶「野球を*しよう」「うん, *しよう」"*Let's* play baseball." "Yes, *let's*. / *O.K.* / *All right*." 語法 (1) 典型的な答え方は Yes, let's. であるが, 多少子供っぽい響きをもつので, All right. のような答え方が好まれることが多い. 「いや, よそう」は "No, let's not." である. // 口論は止めに*しよう *Let's* stop quarreling. // もうそのことは言わないことに*しよう *Let's not* talk about it any more. / 《英》*Don't let's* talk about it any more. 語法 (2) let's の否定形は Let's not ... が普通. 《英》では Don't let's ... も並行して用いられる. 《米》でも Don't let's ... が使われることもあり, やや強調した場合には Let's don't ... も使われる.
2《意図》: (…するつもり; …する意志がある) intend to *do* ...; (計画している) plan to *do* ...; (意図的にするつもり) mean to *do* ... 語法 心には思っていても実際にはそうならない否定的な意味を含むことが多い; (意図的に…を…にするつもり) mean ... ˹to be [for] ...《☞ -つもり》.
¶私はあの人と議論*しようとは思わない I don't *intend to* argue with him. // 夏休みに九州を旅行*しようと思う I ˹*plan* [*intend*] *to* travel in Kyushu during the summer vacation. // 彼をパーティーに招待*しようと思ったが忘れてしまった I *meant to* invite him to the party but forgot.

しょう[1] 省　1《政府機構の 1 つの機関》: (イギリスの一部の省および日本の) ministry Ⓒ; office Ⓒ ★例えば「外務省」の通称 the Foreign *Office* などのような, ある特別な結びつきの場合; (アメリカ・イギリスの) department Ⓒ. 日英比較 省の最高責任者は通例日本では大臣 (minister), アメリカでは長官 (secretary) と呼ばれる. ただし ☞ しほう[2] (司法大臣). イギリスでは大半の省で secretary (of state) が正称だが, 総称として minister も用いる《☞ ざいむ (財務大臣)》.
¶アメリカの国務*省は日本の外務*省に相当する The U.S. *Department* of State corresponds to the Japanese *Ministry* of Foreign Affairs.
2《中国の行政区画》: province Ⓒ.

しょう[2] 小　━形 small.　━名 smallness Ⓤ. 《☞ ちいさい[な]》. ¶山口は*小京都 (⇒京都を小型にしたもの) といわれている Yamaguchi is called a ˹*small* [*miniature*] Kyoto.　小アジア ☞ 見出し

しょう[3] 性　¶この食べ物は私の*性に合わない This food doesn't *agree with* me. // この仕事は私の*性に合わない (⇒私はこの仕事に合っていない) I'*m* not *suited to* this job. / (⇒この仕事は嫌いだ) I don't like this work. 《☞ しょうぶん》

しょう[4] 賞　prize Ⓒ《☞ じゅしょう[1,2]; にゅうしょう; けんしょう[1]》. ¶彼女はスピーチコンテストで 1 等*賞を得た She ˹won [took; got] first *prize* ˹at [in] the speech contest. ★動詞はこの順で口語的になる. // ノーベル(文学)*賞 the Nobel *prize* (for Literature)

しょう[5] 章　(書物の) chapter Ⓒ. ¶第 2 *章 *Chapter* II ★chapter two と読むのが普通. the second chapter と読むのは改まった場合.

しょう[6] 商　〔数〕quotient /kwóuʃənt/ Ⓒ.

しょう[7] 升　(体積の単位) *sho* Ⓒ; (説明的には) an old Japanese unit of capacity equal to about 1.8 liters.

しょう[8] 正　━副 (正確に) exactly; (ちょうど) just.　━形 (掛け値なしの) net. ¶会議は*正 10 時に始まる The meeting starts *exactly* at ten o'clock.

しょう[9] 将　(将官) general Ⓒ; (司令官) commander Ⓒ; (指揮官) leader Ⓒ. ¶敵*将を捕える capture an enemy *general*
将を射んと欲すればまず馬を射よ (⇒娘の心を得たければまず母親から始めよ) He that would the daughter win, must with the mother first begin.

しょう[10] 笙　(雅楽の楽器) *sho* Ⓒ; (説明的には) free-reed mouth organ used in Japanese court music Ⓒ.

しょう[11] 衝　¶内閣改造の*衝に当たる be *in charge of* ˹a [the] cabinet reshuffle

しょう[12] 背負う ☞ せおう

-しょう[1] …勝　(ゲームなどの勝ち) win Ⓒ (↔ loss); (勝利) victory Ⓒ (↔ defeat) ★やや格式ばった語. ¶6 *勝 1 敗 six *wins* ˹and [against] one loss // そのチームは 5 *勝零敗である The team has had five ˹*wins* [*victories*] and no ˹losses [defeats]. 語法 win に対しては loss, victory に対しては defeat.

-しょう[2] …性　¶彼女は心配*性だ (⇒心配しがちな傾向がある) She *tends to* worry. // 私の肌は荒れ*性だ (⇒簡単に荒れる) My skin *chaps easily*.

-しょう[3] …抄　(選集) selection Ⓒ; (抄録) excerpt Ⓒ; (抜粋) abstract Ⓒ. ¶論語*抄 *selections* from *the Analects of Confucius*

じよう 滋養　━名 nourishment /nə́ːrɪʃmənt/ Ⓤ, 《格式》nutrition Ⓤ.　━形 nourishing, 《格式》nutritious.　**滋養物** nourishing food Ⓤ　**滋養分** nutriment Ⓤ.

じょう[1] 情　(愛情) love Ⓤ; (いとおしいという感情) affection Ⓤ. 《☞ あいじょう》.
¶彼はなかなか*情のある人だ (⇒優しい心をもっている) He has rather a *tender* heart. // あの家族には親子の*情があまりないようだ There seems to be little *love* between the parents and the children in that family. // 彼女は*情にもろい (⇒感じやすく, すぐに涙が出る) She is easily *moved to tears*. // *情が移る (⇒…に同情的になる) *become sympathetic* toward ...

じょう[2] 錠　━名 (錠前一般) lock Ⓒ; (特に南京錠) padlock Ⓒ　日英比較 日本語と違い, 「鍵 (key)」と「錠 (lock)」ははっきり区別する.　━動 (錠を下ろす) lock ⑩ (↔ unlock). 《☞ かぎ[1] (挿絵); かけがね (挿絵)》. ¶ドアは*錠がかかっていた [いなかった] The door *was* ˹*locked* [*unlocked*]. // 泥棒は金庫の*錠をピンであけた The thief ˹opened [picked] the *lock* on the safe with a pin.

じょう[3] 上　━形 (最上の) the best; (トップの) top Ⓐ. ¶(本の) *上(巻) volume [book] *one* // 握りの*上を注文する order the *top-quality* sushi《☞ じょうげ; げ; じょうい[1]》

-じょう[1] …条　(規則・法律などの箇条) article Ⓒ; (光などの筋) ray Ⓒ. ¶一*条の光 a *ray* of light // 日本国憲法第 9 *条 *Article* Nine of the Japanese Constitution

-じょう[2] …錠　(薬の錠剤) tablet Ⓒ; (丸薬) pill Ⓒ. ¶毎食後 3 *錠ずつ飲んで下さい Take three ˹*tablets* [*pills*] after every meal.

-じょう[3] …畳　the number of tatami. ¶八*畳の間 an eight-˹*tatami* [*mat*] room《☞ -じき》

-じょう[4] …乗　〔数〕power Ⓒ. ¶6 の 4 *乗 the fourth *power* of six // 4*乗する raise ... to the ˹fourth *power* [*power* of 4]《☞ じじょう[2]; さんじょう[1]》

-じょう[5] …上　¶彼女は経済*上の理由で退学した She left school for financial reasons. // 彼は健康*上の理由で (⇒不健康を申し立てて) 辞職した Citing ill health, he resigned.

-じょう[6] …状　━接尾 (…のような) -like; (…形の) -shaped ★以上の他に特定の語に付く形容詞語尾 (…の) -ar; (…性の) -ous, (…に似た) -y によっても「…状」の意味を表すことがある. ¶球*状の globe-*like* // チューブ*状の tube-*shaped* // ふさ*状の

bunchy // 粒*状の granular // ガス*状の gaseous

じょうあい 情愛 ── [名] affection [U]. ── [形] (情愛深い) affectionate. (☞ じょう[1]; あいじょう (類義語); あい[1]).

しょうあく 掌握 ── [動] (支配・命令する) command ㊟; (支配力を持っている) have control over ... (☞ はあく). ¶ 若い先生ではこのクラスは*掌握できない Young teachers cannot ˹get [gain; achieve] control over this class. ★ 動詞はこの順に格式ばってくる.

しょうアジア 小アジア ── [名] ㊫ Asia Minor.

しょうあつざい 昇圧剤 vasopressor [C].

しょうい[1] 小異 minor difference [C]. ¶ *小異を捨てて大同につく ignore *minor differences* for the common good

しょうい[2] 少尉 (米陸軍・空軍, 英陸軍の) sécond lieutenant /luːténənt/ [C]; (米海軍の) ensign [C]; (英海軍の) acting sublieutenant [C]; (英空軍の) pilot officer [C].

じょうい[1] 上位 ¶ 世界の*上位 50 社 the world's ˹fifty larg*est* [*top* fifty] corporations // 彼の*上位入賞は無理でしょう He's not likely to win a *higher prize.* // 彼はクラスでは*上位のほう (⇒ 平均以上) です He is *above average* in his class. **上位語** superordinate (term) [C].

じょうい[2] 譲位 ── [名] abdication [U]. ── [動] abdicate ㊀ ㊟. ¶ 王は皇太子に*譲位した The king *abdicated* (the throne) in favor of the crown prince.

じょうい[3] 攘夷 exclusion of foreigners [U]; (攘夷主義) exclusionism [U]. **攘夷論者** exclusionist [C].

しょういいんかい 小委員会 subcommittee [C] (☞ いいんかい).

じょういうち 上意討ち (日本の封建時代の) execution (of the death penalty) by the command of the feudal lord [C].

じょういかたつ 上意下達 ── [形] (意見などが上から下への) top-down.

しょういぐんじん 傷痍軍人 disabled veteran [C].

しょういだん 焼夷弾 incendiary ˹bomb [shell] [C].

しょういちい 正一位 the senior grade of the first Court rank.

しょういん[1] 勝因 the cause of victory.

しょういん[2] 承引 ☞ しょうだく

しょういん[3] 証印 (ろう・鉛などの上に押す印) seal [C]; (印紙・検印) stamp [C]. ¶ その書類には*証印が押してあった A *seal* was affixed to the document.

じょういん[1] 上院 (各国に共通した呼称として) the Upper House, 《米》 the Senate, 《英》 the House of Lords. (☞ ぎいん[1]).

じょういん[2] 乗員 (個々の) crew member [C], crewman [C] 《複 -men》 ★ 前者のほうが格式ばった語; (1 チームとなった) crew [C] ★ 集合的に用いられる. (☞ じょうむいん).

じょういん[3] 冗員 (余計な職員) superfluous ˹member [staff] [C] ★ staff は職員全体を指す; (定員外の人) 《格式》 supernumerary [C]. ¶ *冗員の数を削減する reduce the number of *superfluous members*

しょういんしん 小陰唇 〔解〕 labia minora /léɪbiə mənɔ́ːrə/ ★ 複数形.

しょうう 小雨 ☞ こさめ; あめ[1]

じょううち 常打ち giving a performance regularly at a certain place [U] ★ 説明的な訳. ¶ 彼らには*常打ちの芝居小屋[演芸館]がある They have a ˹playhouse [variety theatre] in which they *regularly* ˹*give a performance* [*perform*].

しょううちゅう 小宇宙 microcosm /máɪkrəkàzm/ [C].

しょううん 勝運 ── [名] (幸運) (good) luck [U]; (good) fortune [U] ★ 前者の方がややくだけた語; (運命の女神) Fortune. ── [形] lucky; fortunate. ¶ 我々は*勝運に恵まれた (⇒ 幸運にも勝った) We were *lucky enough to win.* / (⇒ 運命の女神が我々に味方してくれた[微笑んだ]) *Fortune* ˹favored [smiled upon] us.

じょうえい 上映 ── [動] (映画を) show ㊟ ㊀, presént ㊟ ★ 後者のほうが格式ばった語. ── [副] (上映されて・上映中で) on. ── [名] presentation [U]. ¶ H 劇場ではいま何を*上映していますか What's *on* at the H Theater? / What film *are* they *showing* at the H Theater? ★ 第 1 文のほうが普通の言い方. // プラザ劇場でとてもおもしろい映画を*上映している There's a very entertaining film *on* at the Plaza. // 当劇場は教育映画しか*上映しません Our theater ˹*presents* [*shows*] only educational films. // 次週*上映. 乞ご期待 《広告などで》 Coming next week! [語法] 「乞ご期待」に当たるものは付けないのが普通.

上映時間 running time [U], the length (of a movie).

しょうエネ(ルギー) 省エネ(ルギー) ── [形] energy-saving. ¶ *省エネ(ルギー)政策 an *energy-saving* policy **省エネ建築** (建物) energy-saving building [C]; (構造) energy-saving structure [C] **省エネ法** (法令) the energy conservation act [C]; (法律) the energy conservation law [U].

しょうえん[1] 荘園 〔史〕 manor /mǽnɚ/ [C]. ¶ *荘園領主の邸宅 a *manor* house **荘園制度** the manorial system **荘園領主** lord of the manor [C].

しょうえん[2] 消炎 ── [動] reduce an inflammation. **消炎剤** ànti-inflámmatòry [C], àntiphlogístic /æ̀ntɪflədʒístɪk/ [C].

しょうえん[3] 硝煙 gunpowder smoke [U].

じょうえん 上演 ── [動] (公開する) presént ㊟; (舞台で演じる) stage ㊟; (続演される) run ㊀. ── [副] (上演されて) on. ── [名] presentation [U]. ¶ 彼の最新作はいま帝国劇場で*上演されている His latest play ˹is now *on* [*is being presented*] at the Imperial Theater. ★ [ ] 内のほうが格式ばった言い方. // 来月「オセロ」を*上演する予定です We are going to *stage "Othello"* next month. // その芝居は 6 年以上も*上演されている The play *has been running* for more than six years.

じょうえんかほうふん 上円下方墳 *joenkaho-fun* [C]; (説明的には) ancient Japanese tomb with a dome-shaped mound on a square base [C]. (☞ こふん; ぜんぽうこうえんふん; ぜんぽうこうほうふん).

しょうおう 照応 ── [動] (2 つのものが対応する) correspond (with ...; to ...) ㊀; (一致する) accord (with ...) ㊀. ── [名] 〘文法〙 (前方照応) anáphora [U]; (後方照応) catáphora [U]. ¶ このエッセイの調子は主題とよく*照応している The tone of this essay *accords* well *with* the subject matter. // 普通, 代名詞は前方*照応的に用いられる Usually, pronouns are used *anaphorically*.

しょうおん 消音 **消音装置** (自動車の) 《米》 muffler [C], 《英》 silencer [C]; (銃の) silencer [C]; (ピアノの止音器) damper [C] **消音ピアノ** silent piano [C], piano with a damper [C].

じょうおん 常温 normal temperature [C]. ¶ この食品は*常温で 2 ヶ月間保存可能です This food is preservable for two months at the *normal*

(room) *temperature*. 常温核融合 cold fusion Ⓤ.

しょうか¹ 消化 ―動 digest /daɪdʒést/ ⑩ ⓐ. ―名 digestion Ⓤ.

¶ *消化を助ける[妨げる]食物 food that ˹aids [interferes with] *digestion* // この肉は*消化がいい This meat is easy to *digest*. // このテキストは内容が多すぎて我々には*消化できない The contents of this textbook are too much for us to *digest*. // 国内だけではこれらの製品はとても*消化（⇒消費）しきれない It is impossible for the domestic market alone to *consume* all these goods.

消化液 digestive ˹juice [fluid] Ⓤ ★ 種類をいうときは Ⓒ. **消化器(管)** digestive organ Ⓒ **消化酵素** digestive enzyme Ⓒ **消化剤** digestive Ⓒ **消化試合** game played after the championship is decided Ⓒ ★ 説明的な訳. **消化不良** indigestion Ⓤ 《☞ ふしょうか》 **消化力** digestion Ⓤ.

しょうか² 消火 ―動（火を消す）pùt óut ⑩, extinguish ⑩ ★ 前者のほうが口語的;（消火活動をする）fight a fire. ―名 fire fighting Ⓤ.

¶ 我々は総出で*消火にあたった We all *fought the fire*. / We all tried to *put out the fire*. **消火器** (fire) extinguisher Ⓒ **消火栓** (fire) hydrant Ⓒ, 《米》fireplug Ⓒ **消火ポンプ[ホース]** fire-fighting pump Ⓒ, fire hose Ⓒ.

しょうか³ 唱歌 song Ⓒ;（歌うこと）singing Ⓤ. 《☞ うた》. ¶ 小学*唱歌 a *song* for schoolchildren

しょうか⁴ 昇華 ―名〘心〙（性衝動などを社会的に意義あるものに置き変えること）sublimation Ⓤ; 〘化〙（固体の気化）sublimation Ⓤ. ―動 sublimate ⑩. ¶ 性衝動を抽象画に*昇華させる *sublimate one's* sex drive in abstract paintings

しょうか⁵ 商家 merchant's family Ⓒ.

しょうか⁶ 消夏 ―名（夏を過ごすこと・避暑）summering Ⓤ. ―動 summer (in …; at …) ⓐ. ¶ 夏の暑さを忘れるよい*消夏法 a good way of *spending* (*the*) *summer* and forgetting its heat

しょうか⁷ 商科（商業科）business course Ⓒ;（商科大学）business college Ⓒ. ¶ *商科の学生 a *business* student

しょうか⁸ 硝化 〘化〙 ―名 nìtrificátion Ⓤ. ―動 nitrify /náɪtrəfàɪ/ ⑩.

しょうか⁹ 頌歌（祝歌）anthem Ⓒ;（頌詩）ode Ⓒ ★ 抒情詩の一つ.

しょうが 生姜 〘植〙 ginger Ⓤ.

じょうか¹ 浄化 ―動（浄化する）purify ⑩;（掃除してきれいにする）cléan úp ⑩ 語法 いずれも空気などのほかに, 比喩的に罪などを清める意にも用いる. ―名 purification Ⓤ. 《☞ きよめる》.

¶ これは水を*浄化する装置です This is a device to *purify* water. // 現在の政界を*浄化するには抜本的な改革が必要だ Drastic reforms are needed to *clean up* the present political world.

浄化運動 cleanup campaign Ⓒ;（選挙の）"clean election" campaign Ⓒ **浄化槽**（バクテリア使用の）septic tank Ⓒ **浄化装置**（下水の）sewage treatment facilities ★ 複数形で.

じょうか² 情火（燃える思い）flame of love Ⓒ;（情欲）fire of passion Ⓤ. ¶ *情火を燃え立たせる kindle ˹*a flame of love* [*fire of passion*]

しょうかい¹ 紹介 ―動（人を）introduce ⑩ ★ 文化・制度などを取り入れることも意味する, present ⑩ ★ 少し堅苦しい言い方. ―名 introduction Ⓒ, presentation Ⓤ ★ 前者よりやや格式ばった言い方.

¶ 自己*紹介をいたします I'd like to *introduce* myself. // 私はそのパーティーで森さんに*紹介された At the party, I *was introduced* to Miss Mori. // 私を青木さんに*紹介して下さい Please *introduce* me to Mr. Aoki. 語法 Please introduce Mr. Aoki to me.（青木さんを私に紹介して下さい）とはしないことに注意. そのような言い方は失礼に当たる. // ウイリアムズ氏はベック氏をスミス夫人に*紹介した Mr. Williams *introduced* Mr. Beck to Mrs. Smith. // 彼はバッハの音楽を日本に*紹介した人です He *introduced* Bach's /bɑ́ːks/ music to Japan.

紹介状 letter of introduction Ⓒ.

しょうかい² 照会 ―動（尋ねる・問い合わせる）inquire for …;（質問事項などについて知識を得るために問い合わせる）refer to … (for …) 語法 to の後には照会先, for の後には質問事項が来る. ―名 inquiry Ⓒ. 《☞ といあわせ》.

¶ *照会はすべて支配人あてに願います All *inquiries* should be ˹addressed [directed] to the manager. // 当店の信用状態に関しては M 銀行へご*照会下さい You may [Please] *refer to* the M Bank *for* our credit rating. // 詳しい情報については支配人に*照会するように言われた I *was referred to* the manager *for* detailed information. // *照会の件について返答申し上げます This is in reply to your *inquiry* about the matter.

照会状 letter of inquiry Ⓒ.

しょうかい³ 商会 company Ⓒ 《☞ かいしゃ¹》. ¶ 武田*商会 Takeda & Co. 参考 Takeda and Company の略.

しょうかい⁴ 哨戒 patrol Ⓤ. **哨戒機** patrol plane Ⓒ **哨戒艇** patrol boat Ⓒ.

しょうかい⁵ 詳解 ―名（詳しい説明）detailed explanation Ⓒ. ―動 explain in detail ⑩.

しょうがい¹ 障害 ―名（邪魔なもの）obstacle Ⓒ;（邪魔をすること）obstruction Ⓤ;（妨害）hindrance Ⓤ;（身体機能の）disability Ⓤ ★ 具体的には Ⓒ, handicap Ⓒ 語法 (1) 前者のほうが格式ばった語だが好まれる. ―動（進行・実施を妨げる）obstruct ⑩;（妨害して遅らせる）hinder ⑩. ―形（身体・精神上障害のある）disabled, handicapped 語法 (2) 前者のほうがより格式ばった語だが好まれる. ★ 差別を避けるために「障害をもつ」形を differently [otherly; uniquely] abled ということがある. 《☞ じゃま（類義語）》.

¶ 大きな木が倒れて交通の*障害となっていた（⇒倒れた大きな木が道をふさいでいた）A big fallen tree *obstructed* the road. // *障害を克服する overcome an *obstacle* // 私は多くの*障害（⇒困難）を乗り越えてきた I've overcome a lot of *difficulties*. // 彼の干渉が*障害になって仕事の完成が遅れている His interference *hinders* us in completing the work. // 予期せぬ*障害 an unexpected *obstacle* // 言語*障害 a speech ˹*impediment* [*defect*] // 胃腸*障害 stomach *trouble*

障害児教育 education of physically and mentally ˹handicapped 〔challenged〕 children Ⓤ 語法 差別的な意味を除くために〔 〕内を用いるほうがよいとされる. **障害者** ☞ 見出し **障害年金** pension for the disabled Ⓒ **障害物**（邪魔なもの）obstacle Ⓒ;（さえぎるもの）barrier Ⓒ **障害物競走** steeplechase Ⓒ ★ ハードルや水たまりなどを越える競走;（ハードル）hurdle race Ⓒ, the hurdles ★ 複数形で;（運動会の）obstacle race Ⓒ **障害補償** disability compensation Ⓤ.

―コロケーション―
障害と闘う contend with an *obstacle* /（物が）障害となる constitute [pose; present] an *obstacle* / 障害に会う come across [meet with; encounter] an *obstacle* / 障害を避けて通る circumvent an *obstacle* / 障害を取り除く clear away [get

rid of; remove] an *obstacle* / 障害を乗り越える get over an *obstacle* // 大きな障害 a great [an immense; a tremendous; a major; an enormous] ｢*obstacle* [*hindrance*] / 技術上の障害 a technical *obstacle* / 重大な障害 a serious ｢*obstacle* [*hindrance*] / 法律上の障害 a legal *obstacle*

しょうがい² 生涯 ―副 (生きている限り) as long as *one* lives, during *one's* lifetime, all [throughout] *one's* life ★ 第一の表現が最も平易. ―名 *one's* entire life Ⓤ, one's lifetime Ⓒ ★ 普通単数形で; (人生) life Ⓒ. ―形 lifelong Ⓐ. (☞ いっしょう¹; じんせい).
¶ あの人は幸せな*生涯を送った He led a happy *life*. // 彼は*生涯を医学の研究に捧げた He devoted *his entire life* to the study of medicine. // その詩人はこの村で*生涯を終えた The poet ended *his* ｢*life* [*days*] in this village. // 彼は*生涯結婚しなかった He ｢never married [(⇒ 独身だった) remained single] ｢*all* [*throughout*] *his life*. // 私は*生涯彼女のことを忘れない I will never forget her *as long as I live*. // 彼は私の*生涯の友だった He was my *lifelong* friend. **生涯教育** (成人教育) adult education Ⓤ; (生涯続く教育) lifelong education.

しょうがい³ 傷害 ―名 injury Ⓒ. ―動 (傷つける) injure ⑩. (☞ きず).
¶ 先月この地区で 3 件の*傷害事件があった There were three *injury* cases in this district last month. // その男は警官に*傷害を加えたかどで逮捕された The man was arrested on a charge of inflicting an *injury* upon a policeman.
傷害罪 charge of inflicting bodily injury Ⓒ **傷害致死** bodily injury resulting in death Ⓒ **傷害保険** (personal) accident insurance Ⓤ, casualty insurance Ⓤ.

しょうがい⁴ 渉外 public relations ★ 複数形で.
¶ 彼は*渉外担当だ He is *in public relations*. **渉外課** the Public Relations Section **渉外係** public relations representative Ⓒ **渉外事務** public relations (business Ⓤ) **渉外部** the public relations ｢division [department] (☞ 会社の組織と役職名 (囲み)).

じょうがい 場外 ¶ *場外にいた人たちはけがはなかった No one *outside the hall* was hurt. **場外取引** off-floor ｢trading [trade] Ⓤ **場外馬券売り場** off-track [off-course] betting office Ⓒ **場外ホームラン** out-of-the-park homer Ⓒ.

しょうがいしゃ 障害者 (身体障害者) physically disabled person Ⓒ, physically handicapped person Ⓒ; (集合的に) the physically disabled, the physically handicapped ★ 複数名詞として扱われる; (精神障害者) mentally disabled person Ⓒ; (集合的に) the mentally disabled ★ 複数名詞として扱われる; (聴覚障害者) hearing-impaired person Ⓒ; (集合的に) the hearing-impaired ★ 複数名詞として扱われる; (視覚障害者) visually-impaired [visually disabled] person Ⓒ; (集合的に) the visually-impaired, the visually disabled ★ 両者とも複数名詞として扱われる. (☞ しょうがい¹). ¶ 政府や企業は心身*障害者の雇用を促進すべきである Government and business should promote the employment of physically or cognitively ｢*disabled* [*handicapped*] *people*. **障害者控除** tax deduction for a disabled person Ⓒ.

しょうかいせき 蔣介石 Chiang Kai-shek /ʤiá:ŋkàiʃék/, Jiang Jieshi /ʤiá:ŋʤì:ʃí:/, 1887–1975 ★ 中華民国総統.

しょうかく 昇格 ―動 (身分などを昇格させる) promote ⑩; (格などを上げる) raise ⑩, élevàte ⑩ ★ 後者のほうが格式ばった語. ―名 promotion Ⓤ; elevation Ⓤ. (☞ かくあげ). ¶ 彼は教授に*昇格した He *has been promoted* to (the rank of) professor. // その学校は戦後大学に*昇格した The school *was* ｢*raised* [*elevated*] to the status of a college after the war.

しょうがく¹ 小額 **小額紙幣** small ｢note [bill] Ⓒ.

しょうがく² 少額 (少ない金額) a small ｢sum [amount] (of money) Ⓒ.
¶ ユニセフに*少額の寄付をした I donated *a small sum of money* to UNICEF.

しょうがく³ 商学 commercial science Ⓤ. **商学士[博士]** Bachelor [Doctor] of Commercial Science Ⓒ **商学部** the ｢department [college] of commercial science.

じょうかく 城郭 (城の囲い) castle walls ★ 複数形で; (城) castle Ⓒ.

しょうがくきん 奨学金 scholarship Ⓒ, fellowship Ⓒ 語法 一般には前者. 後者は博士号など高い学位のために勉学している大学院生 (fellow) などに与えられる奨学金.
¶ 彼は*奨学金をもらっている He is *on* (*a*) *scholarship*. // 彼は*奨学金をもらうことになっている He is going to ｢obtain [receive; be offered] a *scholarship*. // この大学では優秀な学生に*奨学金を出している This university ｢offers [awards] *scholarships* to outstanding students. // 山田氏は*奨学金でハーバード大学に 1 年留学した Mr. Yamada studied at Harvard (University) *on a scholarship* for a year. **奨学金制度** scholarship Ⓒ.

じょうがくこつ 上顎骨 upper jawbone Ⓒ, 〖解〗 maxillary bone Ⓒ.

しょうがくせい¹ 小学生 schoolchild Ⓒ (複 -children); (男の) schoolboy Ⓒ; (女の) schoolgirl Ⓒ; elementary [grade; primary] school student Ⓒ ★ 正式な言い方. (☞ しょうがっこう; 学校・教育 (囲み)). ¶ 私の弟はまだ*小学生です (⇒ 小学校に通っている) My brother still *goes to elementary school*.

しょうがくせい² 奨学生 student on a scholarship Ⓒ, scholarship student Ⓒ ★ 後者のほうが口語的.

しょうがくせいど 奨学制度 scholarship program Ⓒ.

しょうがつ 正月 (新年) the New Year; (1 月) January; (元日) New Year's (Day) ★ 《米》 では Day を省くことがよくある. (☞ がんじつ; しんねん²; しゅくじつ (表)). ¶ 子供たちは*正月を楽しみにしている The children are looking forward to *the New Year*. // *正月休み *the New Year* holidays // まだ*正月気分が残っている *The New Year* holiday spirit is still lingering on.

しょうがっく 小学区 smallest school district Ⓒ (☞ がっく).

しょうがっこう 小学校 elementary school Ⓒ, primary school Ⓒ ★ 《米》 では前者のほうが普通; 《米》 grade school Ⓒ. (☞ しょうがくせい¹; 学校・教育 (囲み)). ¶ 私の妹は今年*小学校に入りました My sister started (*elementary*) *school* this year. (☞ ちゅうがっこう 語法) // 私の弟は*小学校 3 年です (⇒ 第 3 学年にいる) My brother is in the third grade.

しょうがない 仕様がない ¶ それはあきらめるより*しようがない (⇒ 唯一できるのはあきらめることだ) *The only thing we can do* is give up. // それは*しようがなくてやったことだ (⇒ 必要からやむを得ず) I did it 「from [out of] necessity. // 彼が大学をやめたいのなら*しようがない (⇒ さえぎることはできない) We *cannot stop* him from quitting college if he wants to. (☞ しかたがない)

じょうかまち 城下町 castle town Ⓒ.

しょうかん[1] 召喚 〖法〗 ── [動] (法廷などが証人などを) summon (他), subpoena /səpíːnə/ (他). ── [名] summons Ⓒ (複 ～es), subpoena Ⓒ. (☞ かんもん[1]; よびだす). ¶ 彼は法廷からの*召喚を拒否した He refused a 「*summons* [*subpoena*] issued by the court. // 彼は証人として法廷へ*召喚された He *was* 「*summoned* [*subpoenaed*] to appear in court as a witness. **召喚状** summons Ⓒ.

しょうかん[2] 将官 (陸軍) general Ⓒ; (海軍) admiral Ⓒ.

しょうかん[3] 償還 ── [名] redemption Ⓤ. ── [動] (償還する) redeem (他). ¶ その債券は 10 年で*償還になる The bond 「is *redeemable* [can *be redeemed*] in ten years.

しょうかん[4] 召還 ── [動] (呼びもどす) recall (他). ── [名] recall Ⓤ. ¶ 政府は駐仏大使を*召還することを決定した The government decided to *recall* the ambassador to France.

しょうかん[5] 小寒 *shokan* Ⓤ, the lesser cold; (説明的には) the cold period around January 10. (☞ だいかん[1] [日英比較]).

しょうかん[6] 商館 commercial 「house [establishment] Ⓒ.

じょうかん[1] 上官 senior [superior /supí(ə)riə/] officer Ⓒ.

じょうかん[2] 情感 feeling Ⓤ. ¶ 彼女は*情感をこめてバイオリンを弾いた She played the violin with *feeling*.

じょうかん[3] 上巻 the first volume [vol. 1] (in two volumes).

しょうかんしゅう 商慣習 commercial [business] practice Ⓤ.

じょうかんぱん 上甲板 the upper deck.

しょうき[1] 正気 ── [名] senses ★ 複数形で; (right) mind Ⓤ. ── [形] (正気の) sane (↔ insane); (酔っていない) sober.

¶ 彼は*正気を (⇒ 意識を) 失った He 「lost *consciousness* [*fainted*]. / (⇒ 頭がおかしくなった) He became *insane*. // 彼女は数分で*正気づいた She 「came to her *senses* [came to] after a few minutes. [語 法] còme tó だけでも「意識を回復する」という意味がある. この場合の to は副詞なので強く発音する. / (⇒ 意識を回復した) She regained *consciousness* after a few minutes. // これで彼も*正気になるだろう (⇒ これが彼を正気に戻すだろう) This will bring him to his *senses*. // *正気である be in *one's right mind* // そんなことをするなんて*正気のさたとは思えない (⇒ 頭がどうかしているに違いない) He must be *out of his mind* to do such a thing. / (⇒ 正気であるわけがない) He can't be *sane* if he does such a thing.

しょうき[2] 勝機 chance of victory Ⓒ.

しょうき[3] 商機 business opportunity Ⓒ. ¶ 彼は*商機を逸した He 「missed [failed to seize] a *business opportunity*.

しょうき[4] 詳記 ── [名] (詳しい説明) detailed [full] account (of ...) Ⓒ; (細かい記述) minute description Ⓒ. ── [動] (詳記する) give a 「detailed [full] account (of ...).

しょうき[5] 小器 (小さい器) small vessel Ⓒ; (スケールの小さい人) person of little capability Ⓒ.

しょうき[6] 鍾馗 Shoki the Plague-Queller. **鍾馗髯(ひげ)** abundant beard Ⓒ.

しょうぎ[1] 将棋 *shogi* Ⓤ; (説明的には) Japanese chess Ⓤ. ¶ 君は*将棋がさせますか Do you know how to play *shogi*?

将棋倒し ── [動] fall 「one upon another [like dominoes]. ¶ 乗客は扉のところで*将棋倒しになった The passengers *fell* 「*one upon another* [*like dominoes*] at the door. **将棋の駒** *shogi* piece Ⓒ **将棋盤** *shogi* board Ⓒ.

しょうぎ[2] 床几 (折りたたみ式の腰掛け) campstool Ⓒ; (腰掛け) stool Ⓒ.

しょうぎ[3] 省議 ministry [department] council Ⓒ. ¶ この問題を*省議にかける refer the problem to the *ministry council*

じょうき[1] 蒸気 steam Ⓤ. ¶ この船は*蒸気で動く The ship is driven by *steam*. **蒸気圧** vapor pressure Ⓤ **蒸気機関** steam engine Ⓒ **蒸気機関車** steam 「locomotive [engine] Ⓒ **蒸気船** (やや小型のもの) steamboat Ⓒ; (一般的には) steamship Ⓒ **蒸気タービン** steam turbine Ⓒ.

じょうき[2] 常軌 **常軌を逸した** ── [形] (普通でない) eccentric; (異常な) abnormal. ¶ 彼は*常軌を逸した行動に出た He behaved in an 「*eccentric* [*abnormal*] manner.

じょうき[3] 上気 ── [動] (顔が赤らむ) flush (他) (自) ★ 運動・喜びなどで顔が紅潮すること. (☞ あからめる). ¶ 彼女は喜びで*上気していた She (*was*) *flushed* with joy.

じょうき[4] 上記 ── [形] (上に述べられた) above-mentioned (☞ じょうじゅつ).

じょうき[5] 条規 (条款) provision Ⓒ; (規定) stipulation Ⓒ. (☞ きてい[1]).

じょうぎ 定規 ruler Ⓒ; (T 形や L 形の直角定規) square Ⓒ. (☞ ものさし). ¶ 三角*定規 a *triangle* / a set *square* // T 字形*定規 a T *square*

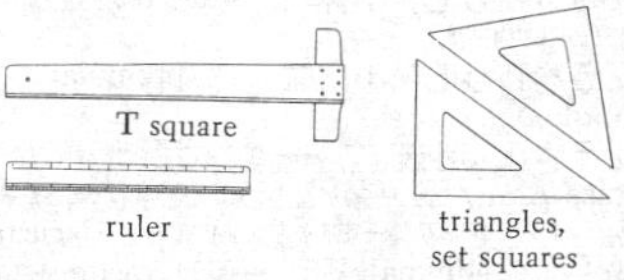

しょうきぎょう 小企業 small [minor] business Ⓒ (☞ ちゅうしょうきぎょう).

じょうきげん 上機嫌 ── [形] (意気軒昂で) in high spirits; (気分上々で) in (a) good humor. (☞ きげん[1]; ごきげん).

しょうぎたい 彰義隊 ── [名] (固) 〖史〗 *Shogitai*; (説明的には) the military unit formed by former retainers of the Tokugawa shogunate, which was organized in March 1868 to resist *Osei Fukko*, the Imperial Restoration.

しょうきち 小吉 a bit of good luck. ¶ おみくじは*小吉だった The lot at the shrine predicted *a bit of good luck*.

しょうきぼ 小規模 ── [形] small-scale. ── [副] on a small scale. (☞ きぼ; スケール).

しょうきゃく[1] 焼却 ── [名] incinèrátion Ⓤ. ── [動] búrn úp (他) ★ 日常的な語, incineràte (他) ★ 格式ばった語. ¶ ごみ*焼却場 an *incinerátion* plant **焼却炉** incínerȁtor Ⓒ.

しょうきゃく[2] 正客 (主賓) guest of honor Ⓒ.

しょうきゃく[3] 償却 ☞ げんかしょうきゃく; へんさい

じょうきゃく[1] 乗客 passenger Ⓒ.

¶ 200 人の*乗客と 10 名の乗務員を乗せた飛行機がハワイへ行く途中で行方不明になった A plane carrying two hundred *passengers* and a crew of ten was lost on its way to Hawaii.

乗客案内所 information (office) Ⓒ **乗客係** (列

車などの車掌) conductor Ⓒ; (船や飛行機の事務長) purser Ⓒ; (飛行機の男性旅客係) steward Ⓒ; (女性) stewardess Ⓒ; flight attendant Ⓒ ★ 前 2 者は船でも用いる. 最後は性別の明示を避けた語. **乗客名簿** passenger list Ⓒ.

じょうきゃく² 上客 (よい客) good customer Ⓒ; (美容院・商店などの顧客) client Ⓒ.

じょうきゃく³ 常客 (決まって来る客) regular customer Ⓒ; (よく来る人) frequent visitor Ⓒ.

しょうきゅう¹ 昇給 《米》 (pay [wage]) raise Ⓒ, 《英》 (pay [wage]) rise Ⓒ ★ 最も一般的な言い方; pay [salary] increase Ⓒ, increase in ⌈pay [salary] Ⓒ ★ 後者は少し格式ばった言い方; 《米略式》 wage hike Ⓒ. 《☞ きゅうりょう¹》.
¶ 先月*昇給があった I got ⌈a *raise* [an *increase in my salary*] last month. / I *had my* ⌈*pay* [*salary*] *raised* last month. // 定期*昇給 a set annual *pay* ⌈*raise* [*rise*] **昇給率** the rate of pay raise.

しょうきゅう² 昇級 ── [動] (昇級する) be promoted. ── [名] promotion Ⓤ. 《☞ しょうしん¹》.

じょうきゅう 上級 ── [形] (上の・先輩の) senior (to …) (↔ junior (to …)); (進んだ・程度の高い) advanced (↔ elementary).
¶ 大学で彼は私の 2 年*上級だった He was two years *senior to* me ⌈at [in] college. / (⇒ 私より 2 年前にいた) At college he was two years *ahead of* me. // 私は来年は*上級コースへ進める I can get into an *advanced* program next year.
上級官庁 superior government office Ⓒ **上級公務員試験** high-level civil service examination Ⓒ **上級裁判所** higher court Ⓒ **上級審** higher court Ⓒ; (上級審での判決) higher court's decision Ⓒ **上級生** senior student Ⓒ.

しょうきゅうし¹ 小休止 short rest Ⓒ 《☞ きゅうけい¹; やすむ》.

しょうきゅうし² 小臼歯 premolar /prìːmóulə/ Ⓒ.

しょうきょ 消去 ── [動] (消しゴムなどで消す) erase /ɪréɪs/ (他); (書いたものなどを削除する) delete (他); (データをクリアーする) 〘コンピューター〙 clear (他); (除外する) elíminàte (他). ── [名] erasure Ⓤ; deletion Ⓤ ★ どちらも個別の個所は Ⓒ; (消去法) elimination Ⓤ. 《☞ けす; さくじょ》. ¶ 間違って文書データをすべて*消去してしまった I've ⌈*cleared* [*deleted*; *erased*] all the data in the document by mistake. **消去法** process of elimination Ⓒ, elimination Ⓤ.

しょうきょう 商況 (市場) the market; (商売) business Ⓤ. 《☞ けいき²》. ¶ *商況は活発だ[不振だ] *The market* is ⌈brisk [dull].

しょうぎょう 商業 (最も広い意味で, 産業に対しての商業) cómmerce Ⓤ; (具体的な通商取引を指して) trade Ⓤ; (仕事・業務の意味での) business Ⓤ.
商業英語 business English Ⓤ **商業高等学校** commercial high school Ⓒ **商業資本** trading capital Ⓤ **商業写真** commercial ⌈photograph [photo] Ⓒ **商業主義** commercialism Ⓤ **商業地区[地域]** business district Ⓒ **商業通信** commercial [business] correspondence Ⓤ **商業デザイン** commercial design Ⓤ **商業都市** commercial city Ⓒ **商業取引** commercial [business] *transaction* Ⓒ **商業美術** commercial art Ⓤ **商業放送** (ラジオ[テレビ]の) commercial (⌈radio [television]) broadcasting Ⓤ **商業簿記** commercial bookkeeping Ⓤ.

じょうきょう¹ 状況, 情況 (あるがままの状態) state Ⓒ ★ 通例単数形で; (具体的な原因・環境によって生じた周囲の事情) conditions ★ 複数形で. 後者のほうがやや堅い言い方; (周囲との関係・立たされている立場) situation Ⓒ; (周囲の環境) círcumstànces ★ 複数形で; (漠然と, 一般的な状態) things ★ 複数形で. 《☞ じょうたい¹ (類義語); じじょう¹ (類義語)》.
¶ 交渉の*状況には変化がない The *state* of the negotiations is unchanged. // 日本は外国貿易をめぐって困った*状況に立たされている Japan is now in trouble over foreign trade. // 被害の*状況はまったく(⇒ 被害に関しては何も) わかりません Nothing is known about the damage. // *状況はだんだんよく[悪く]なっています *Things* are getting ⌈better [worse]. // *状況を把握するのが先決だ We must first ⌈grasp the *situation* [see how *matters* stand]. // *状況を改善する improve the *situation* // *状況を説明する explain the *situation* // *状況を呑み込む take in the *situation* // *状況を分析する analyze the *situation* // 異常な[異例の]*状況 an ⌈abnormal [unusual] *situation* // 特殊な*状況 special *circumstances*
状況証拠 circumstantial /sə̀ːkəmstǽnʃəl/ évidence Ⓒ **状況判断** assessment [judgment] of the situation Ⓤ. ¶ *状況判断を誤る[正しく行う] *judge the situation* ⌈wrongly [correctly]

> **コロケーション**
> 状況を悪化させる worsen [aggravate; undermine] the *situation* / (ある)状況を生む produce a (certain) *situation* / 状況を変える change [alter] the *situation* / 状況を巧みに操る manipulate the *situation* / 状況を正す correct the *situation* / 状況を調査する examine [investigate] the *situation* / 状況を複雑にする complicate the *situation* / 状況を見守る observe [watch] the *situation* / (ある)状況をもたらす bring about a (certain) *situation* / 状況を読み違える misinterpret [misconstrue] the *situation* // 危なっかしい状況 a precarious *situation* / 行き詰まった状況 a dead-end *situation* / 一触即発の状況 a volatile *situation* / 危機的な状況 a critical *situation*; critical *conditions* / 危険な状況 a ⌈dangerous [risky; hot] *situation*; dangerous *conditions* / 現在の状況 present [current] ⌈*circumstances* [*conditions*] / 混沌とした状況 a chaotic *situation* / 困難な状況 a difficult *situation*; difficult [hard; harsh] ⌈*conditions* [*circumstances*] / 周囲の状況 surrounding *circumstances* / 深刻な状況 a ⌈grave [serious] *situation* / 生か死かの状況 a life-⌈and [or]-death *situation* / 絶望的な状況 a ⌈desperate [hopeless] *situation*; desperate *circumstances* / 全体の状況 the ⌈entire [overall; general] *situation* / その後の状況 the ensuing *circumstances* / 堪えがたい状況 an ⌈intolerable [unbearable] *situation* / とんでもない状況 an impossible *situation* / 嘆かわしい状況 a deplorable *situation* / にっちもさっちもいかない状況 a no-win *situation* / 皮肉な状況 an ironic *situation* / 微妙な状況 a delicate *situation* / 複雑な状況 a complex *situation* / 不愉快な状況 an ⌈unhappy [unpleasant] *situation* / 予測しがたい状況 unforeseeable *circumstances* / 流動的な状況 fluid *situations*

じょうきょう² 上京 ── [動] go [come] to Tokyo [語 法] go は東京へ向かって行く場合, come は東京を中心にして東京へ来る場合に用いる. ¶ 来月いとこが*上京してくる My cousin *is coming to Tokyo* next month. // おじがいま*上京している My uncle is *in Tokyo* now.

しょうきょく 小曲 short piece (of music) Ⓒ.

じょうきよく 蒸気浴 steam bath Ⓒ.

しょうきょくしゅぎ 消極主義 negativism Ⓤ. **消極主義者** negativist Ⓒ.

しょうきょくせい 消極性 passivity Ⓤ《☞ しょうきょくてき》.

しょうきょくてき 消極的 ―［形］（否定的で控えめな）negative (↔ positive);（好ましくない意味で, 人の言いなりになる）passive (↔ active);（保守的な）conservative (↔ progressive).

¶私の考えに対して彼女は*消極的だった（⇒消極的な態度を示した）She displayed a *negative* attitude toward my plan. // 彼女はいつも*消極的だ She always remains *passive*. // 彼はコンピューターの導入に対しては*消極的だった He was rather *conservative* about adopting computer systems.

しょうきん[1] 賞金 （競技などの）prize money Ⓤ;（報奨金）reward Ⓒ;（政府などの奨励金）bounty Ⓒ.《☞ けんしょう[1]》. ¶彼は去年 1 千万円以上の*賞金を稼いだ He ｢collected [won] over ten million yen in *prize money* last year. // 紛失した書類をみつけた人には*賞金 100 万円を出します A *reward* of one million yen will be offered to anyone who discovers the lost papers.

賞金稼ぎ（人） bounty hunter Ⓒ.

しょうきん[2] 正金 （補助貨幣の紙幣に対して金銀貨）specie /spíːʃi/ Ⓤ;（現金）cash Ⓤ.

じょうきん 常勤 ―［形］［副］full-time (↔ part-time). ¶*常勤の音楽の先生 a *full-time* music teacher // 彼女はこの学校の*常勤です She works *full-time* for this school.

しょうきんるい 渉禽類 〘鳥〙 wading bird Ⓒ, wader Ⓒ.

じょうく 冗句 （重複した句）redundant ｢phrase [passage] Ⓒ;（余計な句）superfluous ｢phrase [passage] Ⓒ;（冗語）redundancy Ⓒ.

¶この*冗句を削りなさい Cross out this ｢*redundant* [*superfluous*] *passage*.

じょうくう 上空 （空）the sky, the skies ★複数形にすると「上空一帯」,「上空の空模様」などの意味となる.《☞ そら[1]》.

¶札幌*上空に UFO が現れた A UFO appeared in *the skies* over Sapporo. // いま東京湾*上空を飛んでいる We are now flying *over* Tokyo Bay. // 5 千メートルの*上空（⇒高度）でエンジンの 1 つが故障した One of the engines failed at ｢an *altitude* [a *height*] of 5,000 meters.

しょうぐん 将軍 （陸軍の）general Ⓒ;（幕府の）shogun /ʃóugən/ Ⓒ. **将軍家** the Shogunate /ʃóugənət/.

しょうくんきょく 賞勲局 the Decoration Bureau.

じょうげ 上下 ―［副］（上下に）up and down. ―［形］（上下の）up-and-down;（両方向の）two ways. ―［動］（船が上下に揺れる）pitch (自).

¶少年は旗を*上下に振った The boy waved the flag *up and down*. // 船は*上下にひどく揺れた The boat *pitched* heavily. // 中央線は*上下線とも不通です Train service on the Chuo Line is suspended *both ways*. // 彼の最新作は*上下 2 巻で（⇒2 巻で）出た His latest novel has come out in *two volumes*. // 寒暖計は 30 度を*上下した The mercury *hovered* around 30 degrees Centigrade. ★「(人が) うろつく」の意味の hover を比喩的に用いた文. // 背広の*上下 a suit

上下動 up-and-down [vertical] movement Ⓒ **上下変動** 〘地〙 vertical (crustal) movement Ⓒ;（一般的に）☞ へんどう.

しょうけい[1] 小計 súbtòtal Ⓒ《☞ ごうけい》.

しょうけい[2] 小径 （公園・野山の）path Ⓒ;（生け垣・家の間の）lane Ⓒ;（路地・狭い裏通り）alley Ⓒ.《☞ みち[1]》.

しょうけい[3] 承継 ☞ けいしょう[1]

じょうけい[1] 情景 （一場面の）scene Ⓒ;（目に入った）sight Ⓒ.《☞ こうけい[1]; シーン》.

じょうけい[2] 上掲 ―［形］above. ¶*上掲のリスト the *above* list

しょうけいもじ 象形文字 hieroglyphics /hàɪərəglífɪks/ ★複数形で.

しょうげき 衝撃 （精神的・物理的両方の意味で）shock Ⓒ;（影響などの）impact Ⓒ.《☞ ショック》.

¶そのニュースは我々には大きな*衝撃だった The news was a great *shock* to us. /（⇒我々は衝撃を受けた）We *were* terribly *shocked* by the news. // 彼の辞任は政界に大きな*衝撃を与えた His resignation had a great *impact* on the political world. // その爆発の*衝撃で壁が崩れ落ちた The wall collapsed under the ｢*shock* [*impact*] of the explosion. **衝撃音** impulsive [crashing] sound Ⓒ **衝撃試験** 〘工〙（衝撃による破壊の状況[態]を調べる）impact test Ⓒ;（装甲の様子を調べる）shock test Ⓒ **衝撃波** shock wave Ⓒ **衝撃療法** ☞ ショック（ショックセラピー）

じょうげすいどう 上下水道 （設備）running water and ｢sewerage /súːərɪdʒ/ [drainage] (system) Ⓤ.

しょうけつ[1] 焼結 〘冶金〙 ―［動］sinter (自)(他). **焼結物** sinter Ⓒ **焼結炉** sintering furnace Ⓒ.

しょうけつ[2] 猖獗 ―［形］rampant, raging. ¶疫病が国中に*猖獗を極めている The epidemic is ｢*rampant* [*raging*] throughout the country.

しょうけん[1] 証券 （為替手形）bill (of exchange) Ⓒ;（債券）bond Ⓒ;（有価証券）securities /sɪkjʊ́(ə)rətiz/ ★複数形で.

証券アナリスト secúrities ànalyst Ⓒ **証券会社** secúrities firm Ⓒ **証券(仲買)業者** stockbroker Ⓒ **証券業務** the securities business **証券市場** securities market Ⓒ **証券投資** securities investment Ⓤ **証券取引委員会** 《米》 the Securities and Exchange Commission《略 the SEC》 **証券取引所** stock exchange Ⓒ **証券取引審議会** the Securities and Exchange Council **証券取引等監視委員会** the Securities and Exchange Surveillance Commission **証券取引法** the Securities Exchange Act **証券部** securities ｢division [department]《☞ 会社の組織と役職名（囲み）》.

しょうけん[2] 正絹 （まじりけのない絹）pure silk Ⓤ;（化学繊維でなく本物の絹）real silk Ⓤ.

しょうけん[3] 召見 ―［動］summon ... for an audience (他) ★格式ばった表現.

しょうげん[1] 証言 ―［名］（証人による）téstimòny Ⓤ;（証拠）evidence Ⓤ. ―［動］（法廷で宣誓をして証言する）testify (自)(他);（証拠をあげて証言する）witness (自) ★この意味では非常に格式ばった語.《☞ しょうにん[3]》.

¶彼女はその男を見たと*証言した She ｢*testified* [*gave testimony*] that she had seen him. // 彼は私に有利な[不利な]*証言をした He *testified* ｢in support of [unfavorably to] my claim. // 目撃者の*証言 the *testimony of* a witness

証言拒絶権 the right to refuse to testify **証言台** 《米》 witness stand Ⓒ,《英》 witness box Ⓒ.

しょうげん[2] 詳言 （詳しい記述）detailed explanation Ⓤ;（詳述）explication Ⓤ.

しょうげん[3] 象限 〘幾〙（四分円）quadrant /kwádrənt/ Ⓒ.

じょうけん 条件 ―［名］（一般的に）condition Ⓒ;（契約などの）terms ★複数形で;（要求）requirement Ⓒ;（必要な資格）qualification Ⓒ.

―― 圏 (…という条件で) on condition that … (☞ぜんてい¹).
¶ それを承諾するについては1つ*条件がある I'll agree to it on one *condition.* // 支払いの*条件が合わなかった We didn't agree on the *terms* of payment. // あなたがまた貸ししないという*条件でこの本を貸しましょう I'll lend you this book *on condition that* you do not lend it to anyone else. // あなたは入会の*条件に合っています You meet the ˹*requirements* [*qualifications*] for membership. // この*条件には応じられない I cannot accept these *terms.* // 私はよい*条件で雇われた I was employed *on* favorable *terms.* // *条件を与える give a *condition* // 彼らはその契約に*条件をつけた They set *conditions* on the contract. // この大学へ入るには次の*条件を満たさなければならない You must ˹meet the following *requirements* [have the following *qualifications*] to enter this university. // 必要十分*条件 the necessary and sufficient *conditions* // 第一*条件 the first *prerequisite* // 労働*条件 working *conditions*
条件節〘文法〙conditional clause Ⓒ **条件付き** ―― 形 conditional. ―― 副 (一般的に) conditionally; (付帯条件として) with strings attached. ¶ *条件付き契約 a *conditional* contract // *条件付き補助金 a subsidy *with strings attached* **条件付け**〘心〙conditioning Ⓤ **条件闘争** (…を勝ち取るための闘い) struggle to win … Ⓒ; (労働争議における条件交渉の段階) the bargaining stage in a labor dispute **条件反射[反応]** conditioned ˹reflex /ríːfleks/ [response] Ⓒ **条件法**〘文法〙the conditional (mood).
【参考語】―― 形 (無条件の) unconditional.

> **コロケーション**
> 条件を押しつける impose a *condition* (on *a person*) / 条件を緩和する ease a *condition* / 条件を拒否する reject a *condition* / 条件を定める lay down a *condition* / 条件をつける attach a *condition* (to …) / 条件を撤回する waive a *condition* / 条件を変更する change [alter; modify] a *condition* ★ modify は一部変更の意. / 条件を満たす satisfy [meet] a *condition* / 条件を認める approve a *condition* / 条件を設ける set [establish] a *condition* // 一般条件 general *conditions* / 受け入れられる[受け入れられない]条件 an ˹acceptable [unacceptable] *condition* / 厳しい条件 rigid [stiff; strict; stringent] *conditions* / 基本的な条件 a basic *condition* / 停止[解除]条件〘法〙a *condition* ˹precedent [subsequent] / 特恵条件 preferential *conditions* / 入会[入学]条件 entrance *conditions* / 無理のない条件 a moderate *condition* / 有利な[不利な]条件 a favorable [an unfavorable] *condition*

じょうげん¹ 上限 the upper ˹limit(s) [bounds]; (最大限) maximum Ⓒ; (値段などの) the ceiling. (☞げんど).

じょうげん² 上弦 (月の満ち欠けの最初の 1/4) the first quarter (moon). ¶ *上弦の月 (⇒ 満ちていく三日月) a *waxing crescent* moon

しょうけんこうたいごう 昭憲皇太后 ―― 名 ⊛〈明治天皇の后〉Empress Dowager Shoken; (説明的には) the wife of Emperor Meiji.

しょうこ 証拠 evidence Ⓤ ★ 1つの証拠品を指す場合には a piece of evidence; proof Ⓤ ★ 具体的な物をいう場合は Ⓒ.
【類義語】ある結論や判断の証明となる証拠は *proof* または *evidence* だが, *evidence* は事実関係の証拠であるのに対し, *proof* は人を納得させるような, あるいは真理を証明するような証拠という意味合いが強い. 従って, 裁判などの物的な証拠には *evidence* が, 主張・意見などのための証拠には *proof* が使われることが多い. (☞しょうめい¹; こんきょ)
¶ 彼が有罪だという*証拠がありますか Is there any ˹*proof* [*evidence*] that he is guilty? / (⇒ 証拠を提出できるか) Can you produce *evidence* that he is guilty? / (⇒ 証明できるか) Can you *prove* him guilty? / Can you *prove* that he is guilty? // 彼が有罪であることを証明するに足る*証拠がある There is enough *evidence* to prove him guilty. // 十分な*証拠 enough [sufficient] ˹*evidence* [*proof*] // *証拠固め (⇒ 集め) に少し時間がかかる It will take some time to ˹gather [collect] *evidence.* // *証拠不十分ということで彼は釈放された He was set free on (the) grounds of ˹insufficient [lack of] *evidence.* // 無罪を*証拠立てる *prove* [*verify*; *attest*] *one's* innocence // *証拠を隠滅する (⇒ 破壊する [隠す]) destroy [suppress] *evidence* // *証拠を積み上げる pile up *evidence* // 科学的*証拠 scientific ˹*evidence* [*proof*] // 貴重な*証拠 valuable *evidence* // 状況*証拠 circumstantial *evidence* // 物質的*証拠 material [tangible] *evidence* (☞ぶっしょう¹; ぶってき (物的証拠)) // 論より*証拠 The *proof* of the pudding is in the eating. (ことわざ: プディングのうまいまずいは食べてみればわかること)
証拠隠滅罪 crime of ˹destroying [suppressing] evidence Ⓒ **証拠開示** disclosure of evidence Ⓤ **証拠金** deposit [earnest] money Ⓤ **証拠書類** documentary evidence Ⓤ **証拠調べ** the ˹gathering [collecting] of evidence **証拠能力** admissibility of evidence Ⓤ **証拠品** piece of evidence Ⓒ **証拠物件** evidence Ⓤ; (法廷で認定された) exhibit Ⓒ **証拠保全** perpetuation of evidence Ⓤ.

> **コロケーション**
> 証拠がある have *evidence* / 証拠を消す erase *evidence* / 証拠を捜す look for [seek] ˹*evidence* [*proof*] / 証拠を示す show ˹*evidence* [*proof*] / 証拠を調べる examine [look into] *evidence* / 証拠を提出する give [present; produce; submit] ˹*evidence* [*proof*] / 証拠をでっち上げる manufacture [fabricate] *evidence* / 証拠を手に入れる attain [get] ˹*evidence* [*proof*] / 証拠を並べる parade *evidence* / 証拠を握っている hold ˹*evidence* [*proof*] / 証拠を見つける find ˹*evidence* [*proof*] // 嘘の証拠 false *evidence* / 裏付けとなる証拠 collateral *evidence* / 強力な証拠 strong ˹*evidence* [*proof*] / 具体的な証拠 concrete ˹*evidence* [*proof*] / 決定的な証拠 decisive [conclusive] ˹*evidence* [*proof*] / 新証拠 new [fresh] ˹*evidence* [*proof*] / 信憑性のある証拠 reliable [trustworthy] *evidence* / 説得力のある証拠 convincing [compelling] *evidence* / 確かな証拠 solid [hard] ˹*evidence* [*proof*] / 直接[間接]の証拠 direct [indirect] ˹*evidence* [*proof*] / 伝聞証拠 hearsay *evidence* / 納得のいく証拠 convincing *evidence* / 反対の証拠 contrary *evidence* / 否定できない証拠 undeniable ˹*evidence* [*proof*] / 不十分な証拠 weak [insufficient] *evidence* / 補強証拠 confirmatory [corroborating] *evidence* / 明白な証拠 clear [explicit; obvious] ˹*evidence* [*proof*] / (…に)有利な証拠 favorable *evidence*; *evidence* ˹for [in favor of] … / 有力な証拠 substantial *evidence* // (…に)不利な証拠 *evidence* against …

しょうご 正午 (真昼) noon Ⓤ; (やや厳密に時を示すときは) twelve (o'clock) noon (↔ twelve (o'clock) midnight), midday. (☞時刻・日付・

曜日 (囲み); ひる[1]》.

¶いま*正午です It's *twelve o'clock noon.* // *正午のニュース《ラジオ・テレビの》a *midday* report / the *twelve o'clock* ｢news [newscast] // ラジオで*正午の時報が鳴った The radio chimed *noon.* // 私たちは*正午に昼食をとる We have lunch *at noon.*

じょうこ 上古 (古代) ancient times; (遠い昔) the remote past.

じょうご[1] 漏斗 ―［名］funnel /fʌ́nl/ Ⓒ. ―［動］(じょうごで入れる) funnel (他). ¶*じょうごでびんに水を入れる *funnel* water into a bottle

じょうご[2] 畳語 (重複) reduplication Ⓤ; (同じ単語を重ねること) repetitive use of the same word Ⓒ.

じょうご[3] 冗語, 剰語 (言葉数の多いこと) wordiness Ⓤ; (余分なくり返し) redundancy Ⓤ; (くり返しの語[句]) redundant ｢word [phrase] Ⓒ.

じょうご[4] 上戸 (酒の飲める人) drinker Ⓒ. ¶泣き*上戸 a maudlin ｢*drinker* [*drunk*] // 笑い*上戸 a happy ｢*drinker* [*drunk*] ★いずれも drunk を用いたほうが口語的. 《☞ なきじょうご; わらい (笑い上戸); いける[3]》

しょうごいんだいこん 聖護院大根 〔植〕 Shogoin daikon Ⓒ; (説明的には) a big turnip-like Japanese radish.

しょうこう[1] 小康 (嵐・活動などの中休み) lull Ⓒ. ¶母は今のところ*小康状態を保っています (⇒状態が安定している [少し快方に向っている]) My mother's condition *is* ｢*stable* [*somewhat better*] now.

しょうこう[2] 将校 officer Ⓒ.

しょうこう[3] 焼香 ―［動］óffer [burn] íncense. ¶霊前で*焼香する *offer incense* to the spirit of the ｢departed [deceased]

しょうこう[4] 昇降 ―［動］go up and down (自), rise and fall (自) ★後者のほうが改まった言い方. 《☞ あがりおり》. **昇降機** 《米》elevator Ⓒ; 《英》lift Ⓒ. 《☞ エレベーター》 **昇降計** 〔空〕statoscope Ⓒ.

しょうこう[5] 昇汞 corrosive sublimate Ⓤ, mercuric chloride /mə(ː)kjú(ə)rɪk klɔ́ːraɪd/ Ⓤ. **昇汞水** 〔化〕solution of corrosive sublimate Ⓒ.

しょうこう[6] 商港 mercantile [trading] port Ⓒ 《☞ みなと》.

しょうこう[7] 症候 symptom Ⓒ 《☞ しょうこうぐん; しょうじょう[1]》.

しょうごう[1] 照合 ―［名］check Ⓒ. ―［動］check (他). 《☞ てらしあわせる》. ¶私の結果を彼女のと*照合した I *checked* my results ｢with [against] hers.

しょうごう[2] 称号 (肩書き) title Ⓒ; (学位) degree Ⓒ. 《☞ かたがき》.

しょうごう[3] 商号 (商店の) name of a store Ⓒ; (会社の) corporate name Ⓒ; (一般に) trade name Ⓒ ★「商品名」の意味もある.

じょうこう[1] 条項 (規則・契約・憲法などの一つ一つの箇条) article Ⓒ, item Ⓒ ★後者のほうが「項目」という一般的な意味を持つ語; (条約・法律などの一つのまとまった条文) clause Ⓒ; (法律・憲法などの規定・箇条) provision Ⓒ; (契約などの条件を書いたもの) stipulation Ⓒ ［語法］ article, clause, provision, stipulation は互いに交換可能なこともあるが, はっきり独立した条項は article, ある程度のまとまりと長さのある条文は clause, もっと格式ばった語で, 特に憲法・法律などに用いるのが provision, 契約条件などについて言う場合に使うのが stipulation. 《☞ こうもく; じょうぶん[1]》. ¶この契約にはたくさんの*条項がある This contract contains a great number of *stipulations.* // この*条項は削除すべきだ This ｢*article* [*clause*] should be eliminated.

じょうこう[2] 上皇 (引退した天皇) retired emperor Ⓒ; (前の天皇) former emperor Ⓒ.

じょうこう[3] 情交 (性交) sexual intercourse (with ...; between ...) Ⓤ; (遠回しに肉体関係) intimacy (with ...) Ⓤ ★または複数形で.

じょうこう[4] 乗降 (乗り物の) getting on and off Ⓤ; boarding and alighting Ⓤ ★格式ばった表現; (特に船・飛行機の) embarking and disembarking Ⓤ. **乗降客** passengers getting on and off **乗降用ステップ** footplate Ⓒ.

じょうごう 乗号 the multiplication sign ★掛け算の記号「×」.

しょうこうい 商行為 business [commercial] transaction Ⓒ ★しばしば複数形で. business のほうが具体的な商取引を指す.

しょうこうかいぎしょ 商工会議所 the Chamber of Commerce and Industry.

しょうこうぎょう 商工業 commerce and industry Ⓤ. **商工業地帯** commercial and industrial ｢area [district] Ⓒ.

しょうこうぐち 昇降口 entrance Ⓒ.

しょうこうぐん 症候群 syndrome Ⓒ.

しょうこうし 小公子 (幼君) princelet Ⓒ; (幼い王子) young prince Ⓒ; (物語の題名) *Little Lord Fauntleroy* ★フランシス バーネット作の物語 (1886). 《☞ イタリック体 (巻末)》.

しょうこうしゅ 紹興酒 shao-hsing (rice) wine Ⓤ.

しょうこうだ 昇降舵 élevàtor Ⓒ 《☞ ひこうき (挿絵)》.

しょうこうねつ 猩紅熱 scarlet fever Ⓤ.

しょうこく 小国 (小さな国) small ｢country [nation] Ⓒ; (重要ではない国) minor power Ⓒ. 《☞ たいこく》.

しょうごく 生国 (生まれた国) *one's* ｢home [native] country; (祖国) homeland Ⓒ.

じょうこく 上告 ―［名］〔法〕appeal Ⓒ. ―［動］appeal (to ...) (自) ★(他)の用法もある. 《☞ こうそ[1]》. **上告期間** the statute of appeals, the period of appeal **上告棄却** dismissal [rejection] of the (final) appeal Ⓤ **上告裁判所** final appellate /əpélət/ cóurt Ⓒ **上告審** hearing of final appeal Ⓒ **上告人** appéllant Ⓒ.

しょうこつ 踵骨 heel bone Ⓒ, 〔解〕calcaneus /kælkéɪniəs/ Ⓒ 《複 calcanei /-niàɪ/》, calcaneum 《複 calcanea》.

しょうこりもなく 性懲りもなく ¶おまえは*性懲りもなくまたそんな事をやったのか (⇒また同じことをしたのか. この前のとき教訓をまなばなかったのか) Did you do the same thing again? Didn't you *learn a lesson* last time? / (⇒ほらまたいつものことが始まった) There you go again! ★《略式》の成句.

しょうこん[1] 商魂 (商売気) commercial spirit Ⓤ; (営利主義) commercialism Ⓤ. ¶彼はなかなか*商魂がたくましい (⇒抜け目のないセールスマンだ) He is a *shrewd* salesman.

しょうこん[2] 性根 (辛抱強く耐えること) perseverance Ⓤ; (根気) patience Ⓤ. 《☞ こんき[1]; こんじょう[1]; せいこん[1]》. ¶私はもはや*性根尽き果てた (⇒これ以上耐えられない) I can't *persevere* with it any longer.

じょうこん 条痕 (筋状の跡) linear mark Ⓒ; (陶板にこすりつけたときにできる鉱物の) streak Ⓒ; (弾丸の) scratch marks on a bullet. **条痕色** streak color Ⓤ **条痕板** streak plate Ⓒ.

しょうさ[1] 小差 ¶*小差で勝つ win by a *narrow margin* // 市長は 50 票の*小差で再選された The mayor was reelected by the *narrow majority* of fifty votes. 《☞ さ; たいさ[1]》

しょうさ[2] 少佐 (米陸軍・空軍, 英陸軍の) major

Ⓒ; (米・英海軍の) lieutenant /luːténənt/ commánder Ⓒ; (英空軍の) squadron leader Ⓒ.

しょうさ[3] **照査** (照合) check Ⓒ, checkup Ⓒ; (対照調査) collation Ⓤ; (照合して調べること) examination by reference (to ...) Ⓤ.

しょうさい[1] **詳細** ― [名] (細部にわたり詳しいこと) details; (全体から見て枝葉末節) particulars ★ いずれも通例複数形で. [語法] details は細かいけれども必要な情報だが, particulars は全体から見ればどうでもよいことという意味で使われることが多い. ― [形] (詳しく述べた) detailed (↔ general); (全体の・完全な) full Ⓐ; (全体に対する個々の) particular; (必要以上に細かく精密な) minute /maɪn(j)úːt/. ― [副] (細かな部分にわたって詳しく) in detail; (すべてにわたって・完全に) fully, in full; particularly; minutely. 《☞ くわしい; こまかい》.
¶事件の*詳細を話して下さい Please give me the *details* of the ˹incident [matter]. // それを*詳細に説明しましょう I will explain it *in detail*. // *詳細は (⇒ これ以上の情報については) 彼に聞いて下さい Ask him for *further* ˹*details* [(⇒ 情報) *information*].

しょうさい[2] **商才** business ˹ability [talent] Ⓤ, a head for business. 《☞ さいのう[1]; のうりょく》.

じょうさい **城塞** (とりで) fort Ⓒ; (大きくて堅固な) fortress Ⓒ; (要塞) stronghold Ⓒ. 《☞ とりで》.

じょうざい[1] **錠剤** tablet Ⓒ 《☞ くすり》.

じょうざい[2] **浄財** (寄付金) donation Ⓒ; (慈善的な寄付金) charity Ⓒ.

じょうさいぼう **娘細胞** 〘生〙 (細胞分裂による) daughter cell Ⓒ.

じょうさく **上策** (すばらしい考え) brilliant idea Ⓒ; (よく考え抜かれた計画) well-thought-out plan Ⓒ.

じょうさし **状差し** (壁などに掛けた) letter rack Ⓒ; (書類ばさみ) file Ⓒ.

しょうさつ[1] **焼殺** ― [動] burn ... to death.

しょうさつ[2] **笑殺** ― [動] (一笑に付する) laugh off (他). ― [名] laughter Ⓤ. ¶彼はそのうわさを*笑殺した He *laughed off* the rumors.

しょうさっし **小冊子** (仮とじの) pamphlet Ⓒ; (宣伝・内容紹介などの) brochure /brouʃúə/ Ⓒ; (紙表紙の) booklet Ⓒ. 《☞ パンフレット》.

しょうさん[1] **称賛, 賞賛** ― [動] (ほめる) praise (他) ★ 最も一般的な語; (価値を認めて感心・敬服する) admire (他). ― [名] praise Ⓤ; admiration Ⓤ. 《☞ ほめる》. ¶皆が彼を*称賛した Everybody *praised* him. / (⇒ 皆が彼に敬服した) Everybody ˹*admired* [expressed *admiration* for] him. // 彼の行為は*称賛に値する His conduct is ˹worthy of *praise* [*praiseworthy*].

しょうさん[2] **勝算** (勝つ見込み) (good) chance of winning Ⓒ; (勝利の自信) confidence of victory Ⓤ. 《☞ かちめ》. ¶我々には*勝算がない We have no *chance of winning*. // この試合には*勝算がある (⇒ 我々はこの試合に勝つ自信がある) We ˹have *confidence* [are *confident*] that we *will win* the game.

しょうさん[3] **硝酸** 〘化〙 nitric acid Ⓤ. **硝酸塩** nitrate Ⓤ ★ 具体的には Ⓒ. **硝酸カリウム** potássium nitrate /náɪtreɪt/ Ⓤ **硝酸銀** silver nitrate Ⓤ **硝酸銅** copper nitrate Ⓤ **硝酸ナトリウム** *sodium /sóʊdiəm/ nitrate* Ⓤ.

しょうさん[4] **消散** ― [動] (消えて見えなくなる) vanish (自); (だんだん薄くなって消える) fade away (自); (特に雲・霧などが) dissipate (自) ★ 格式ばった語. 《☞ きえる》.

しょうし[1] **焼死** ― [動] be ˹burned [burnt] to death. **焼死者** person ˹burned [burnt] to death Ⓒ **焼死体** charred body Ⓒ.

しょうし[2] **笑止** ― [形] (嘲笑すべき) ridiculous; (ばかばかしい) absurd. ― [名] (ばかげたこと) nonsense Ⓤ. ¶*笑止千万 *Nonsense*!

しょうし[3] **小史** short [brief] history Ⓤ ★ 歴史の本の意味では Ⓒ. ¶英文学*小史 *a short history* of English Literature

しょうし[4] **小誌** (小論文・小冊子) pamphlet Ⓒ; (雑誌) magazine Ⓒ; (学術団体などの雑誌) journal Ⓒ ★ 英語では自分達が発行している雑誌をへりくだった表現でいう必要はない.

しょうし[5] **証紙** stamp Ⓒ. ¶*証紙を貼る put [stick] a *stamp* on ...

しょうじ[1] **障子** sliding paper ˹door [screen] Ⓒ ★ 説明的な訳. ¶*障子を貼る paper the *sliding door* **障子紙** sliding-screen paper Ⓤ.

しょうじ[2] **小事** (ささいな事柄) trivial [minor] matter Ⓒ, trifle Ⓒ ★ 後者は格式ばった語. 《☞ だいじ[1]》. **小事は大事** Many a little makes a mickle. 《ことわざ: たくさんの小さいものが大きいものになる》

しょうじ[3] **正時** ― [副] on the hour. ¶そのラジオ局は毎*正時にニュースを放送している That radio station broadcasts news every hour *on the hour*.

じょうし[1] **上司** (上役) *one's* superior /supí(ə)riə/ Ⓒ; (直属の) 《略式》 boss Ⓒ. 《☞ ボス [日英比較]; うわやく》.

じょうし[2] **城址** the ˹site [ruins] of a castle ★ site は「あった場所」. 《☞ あと[2]》.

じょうし[3] **上梓** ― [動] publish (他) 《☞ しゅっぱん[1]》.

じょうし[4] **情死** ― [名] lovers' double suicide Ⓒ. ― [動] die together for love. 《☞ しんじゅう》.

じょうし[5] **上肢** (人間の) upper limb Ⓒ, arm Ⓒ. **上肢筋** upper-limb [arm] muscle Ⓒ.

じょうじ[1] **常時** (常に) always; (通例・いつもは) usually; (習慣的に) habitually; (絶えず) constantly ★ 一定不変であることを強調する言葉; (永久的に) permanent. 《☞ つねに》. ¶インターネットへの*常時接続 a *permanent* Internet connection

じょうじ[2] **情事** lóve affàir Ⓒ.

しょうじいれる **招じ入れる** invite [ask] ... in.

しょうしか **少子化** (出生率の低下) declining birth rate Ⓒ; (子供数の減少) decline in the number of children Ⓒ. ¶日本は*少子化傾向にある *Births are on the decline* in Japan.

しょうじがいしゃ **商事会社** commercial ˹company [firm] Ⓒ; (貿易の) trading company Ⓒ. 《☞ しょうしゃ[1]》.

しょうじき **正直** ― [形] (誠実な) honest; (率直な) straightforward, frank. ― [名] honesty Ⓤ; frankness Ⓤ, straightforwardness Ⓤ. ― [副] honestly; straightforwardly, frankly.

【類義語】他人に対してうそ偽りのないのは **honest**. 包み隠さず率直であるのは **straightforward**. ほぼ同じ意味で **frank** も用いる. 《☞ そっちょく》

¶彼は*正直な少年だ He is an *honest* boy. // *正直な人は決して金を盗んだり, うそをついたりしない An *honest* man never steals money or tells lies. // 彼は*正直に私に本当のことを話した He was *honest* in what he told me. // 彼は私に*正直に答えた He gave me a *straight* answer. // *正直なところ私はあなたの意見に賛成できない *Frankly* [*To be honest*], I cannot agree with you. // 3度目の*正直 third time('s) lucky 《ことわざ》 / Third time's the charm. 《ことわざ》

正直の頭(こうべ)に神宿る God dwells in an honest heart. **正直は最善の策** Honesty is the best policy. 《ことわざ》 **正直者が馬鹿を見る** Honesty isn't always the best policy.

じょうしき 常識 ―― 名（たいていの人が知っていること）common knowledge Ⓤ;（普通の人に共通の思慮・分別）common sense Ⓤ 日英比較 日本語の「常識」は英語では以上2つの言い方に分かれることに注意;（実際的な知恵・分別）practical ｢wisdom [sense] Ⓤ. ―― 形（常識的な）common-sense Ⓐ.《☞ りょうしき》.
¶ それは*常識だ It is a matter of *common knowledge.* /（⇒ みんなが知っている）Everybody knows that. // 彼は*常識がない（⇒ 彼は共通の思慮分別を持たない）He ｢has no [does not have; lacks] *common sense.*《☞ ひじょうしき》// そんなことをしてはいけないのは*常識でわかるはずだ *Common sense* ought to tell you that you mustn't do that.
常識テスト（一般的知識の試験）general knowledge ｢test [examination] Ⓒ.

しょうしこうれいか 少子高齢化 increase in aging population due to a low birth rate Ⓒ. **少子高齢化社会** aging [graying] society with a low birth rate Ⓒ.

しょうししゃかい 少子社会 society with a declining birth rate Ⓒ.

しょうしたい 硝子体 〔解〕vitreous body Ⓒ.

しょうしつ[1] 焼失 ―― 動（全焼する）búrn dówn ⓐ, be burned down ★ いずれも一般的な表現;（火事によって破壊される）be destroyed by fire;（灰になる）be reduced to ashes ★ この順に格式ばった表現になる.《☞ かじ[1]; やける[1]》.
¶ この前の火事で10戸ばかりの家が*焼失した About ten houses (*were*) *burned down* in the recent fire. // その火事で我々の学校は*焼失してしまった Our school *was reduced to ashes* in the fire. // 私の家は*焼失を免れた My house escaped *the fire.*
焼失家屋 house burned down Ⓒ **焼失区域** area devastated by a fire Ⓒ ★ かなりの大火について報道などで使われる格式ばった言い方.

しょうしつ[2] 消失 ―― 動（消えて見えなくなる）vanish ⓐ, disappear ⓐ ★ 前者のほうが格式ばった語;（権利などが）lapse ⓐ;（期限などが）expire ⓐ.《☞ しょうめつ[1]》.

じょうしつ 上質 ―― 形 of ｢excellent [fine; high; superior /supí(ə)riə/] quality 語法 of ... の表現を名詞の後に置くのは格式ばった言い方. 普通は次の「上質紙」の英語のように名詞の前に置く.《☞ じょうとう; りょうしつ》. **上質紙** woodfree paper Ⓤ.

じょうじつ 情実（個人的な考慮）private [personal] considerations ★ 通例複数形で;（個人的な事情）private [personal] circumstances ★ 通例複数形で;（えこひいき）favoritism Ⓤ.《☞ しじょう[3]》. ¶ *情実に左右される be influenced by *personal considerations* // 政治家たるもの公事には*情実を排すべきである（⇒ 政治家は個人的考慮をわきに置くべきである）Politicians should set aside ｢*personal* [*private*] *considerations* when dealing with public matters.

しょうしみん 小市民 ―― 名（プチブル）petit bourgeois /pətiːbúəʒwɑː/ Ⓒ. ―― 形 petit bourgeois;（下層中産階級の）lower middle class.《☞ しみん[1]》.

しょうしゃ[1] 商社（商業本位の）commercial ｢company [firm] Ⓒ;（貿易を主とする）trading ｢company [firm; house; concern] Ⓒ,《米》trading [trade] corporation Ⓒ. ¶ 彼は*商社に勤務している He works for a *trading company.* // 総合*商社 a general *trading* ｢*company* [*firm*] **商社マン** trading ｢company [firm] employee Ⓒ.

しょうしゃ[2] 勝者（勝利者）winner Ⓒ (↔ loser);（勝ち残った者）survivor Ⓒ.《☞ しょうり》. ¶ 100メートル予選の*勝者はスタート地点に集まった The *survivors* of the one-hundred-meter heats assembled at the starting point. ★ heat は予選などの「組」「回」.

しょうしゃ[3] 瀟洒 ―― 形（洗練された）refined;（整然として清潔な）neat;（外見上整然として均斉のとれた）trim;（優雅な）elegant;（身なりなどのきちんとした）smart.《☞ せんれん; しゃれた; あかぬけた》. ¶ *瀟洒な家 an *elegant* house // あの女性はいつも*瀟洒な服装をしている（⇒ きちんとした服を着ている）That lady is always dressed ｢*smartly* [*neatly*; *elegantly*].

しょうしゃ[4] 照射 ―― 名（エックス線の）irràdiátion Ⓤ; X-radiation Ⓤ. ―― 動 irrádiàte ⓣ; X-ray ⓣ, apply X-rays to ...《☞ レントゲン》. **照射線量** exposure dose Ⓒ.

じょうしゃ 乗車 ―― 動（乗って行く）take ⓣ ★「乗り物」を目的語にとる;（バス・列車などに乗る動作を指して）get on ... (↔ get off ...);（車・タクシーなどに乗る）get in ...;（車中に入る）go on board.《☞ のる[1]（類義語）》.
¶ 私は間違って仙台行きの列車に*乗車してしまった I *took* a train for Sendai by mistake. //「あなたはどこの駅で（この列車に）*乗車しましたか」「横浜です」"At what station did you *get on* (this train)?" "I *got on* (this train) at Yokohama." // みなさん、ご*乗車下さい All *aboard*! // ニューヨーク行きの方は急いで*乗車して下さい Will all the passengers for New York please *get* ｢*on board* [*aboard*] (the ｢train [bus]) immediately. 語法 形の上からは疑問文だが，このようにアナウンスの場合は普通疑問符は付けない. // 無賃*乗車で（⇒ 切符を持たずに乗っていて）つかまった I was caught ｢*traveling* without a ticket [(⇒ ただ乗りしていて) stealing a *ride*]. // タクシーはよく短距離の客を*乗車拒否する Taxis often refuse to *accept* short distance *passengers.*
乗車口 the gate (to a platform) Ⓒ (↔ exit), way-in Ⓒ;（列車などの）door Ⓒ **乗車券** (train [streetcar; bus]) ticket Ⓒ;（乗客の切符）passenger ticket Ⓒ ★ 前後関係で明らかならば，普通は ticket だけでよい. **乗車券売り場**（切符の窓口）ticket window Ⓒ;（出札所）《米》ticket office Ⓒ,《英》booking office Ⓒ.《☞ えき[1]（挿絵）》 **乗車券自動販売機** ticket (vending) machine Ⓒ **乗車賃** (railway [car]) fare Ⓒ.

しょうしゃく 照尺 gunsight Ⓒ, sight Ⓒ.

しょうじゃひっすい 盛者必衰 The prosperous must fall into decay.《☞ ひっすい》.

しょうじゃひつめつ 生者必滅 All living things must die. / All living creatures are mortal. ★ 後者のほうがやや格式ばった言い方.

じょうしゅ[1] 城主 the lord (of a castle) Ⓒ.

じょうしゅ[2] 情趣 ―― 名（美的感覚）taste Ⓤ;（芸術的効果）artistic effects ★ 複数形で;（情緒）sentiment Ⓤ. ―― 形（情趣豊かな）tasteful; artistically effective. ¶ *情趣に富む絵画 a painting full of *artistic effects*

じょうじゅ 成就 ―― 動（成し遂げる）accomplish ⓣ. ―― 名（達成）accomplishment Ⓤ.《☞ たっせい; なしとげる》. ¶ これで大願*成就だ（⇒ 私の望みは達成された）My aim ｢*is* [*has been*] *accomplished.*

しょうしゅう[1] 召集 ―― 動（会に人を呼ぶ）call ⓣ ★ 以下の訳語より口語的;（会議・議会を）convene ⓣ ★ ⓐ として「会を開く」という意味で用いることもできる;（命令によって召喚する）summon ⓣ. ―― 名（会などに人を呼ぶこと）call Ⓒ;（命令による召喚）summons Ⓒ《複 ～es》.《☞ よびよせる》.
¶ きのう臨時国会が*召集された An extraordinary

session of the Diet *was convened* yesterday.
召集令状 call-up ˹card [paper] Ⓒ.

しょうしゅう[2] 招集 ── [動] (会議などに) call (他); (集るようたのむ) ask ... to gather. ── [名] call Ⓒ, 《格式》 convocation Ⓤ. ¶会議を*招集する *call* [*convene*] a conference

しょうしゅう[3] 消臭 ── [動] deodorize /diːóudəràɪz/ (他). ── [名] deodorization Ⓤ. ¶トイレを*消臭する *deodorize* the bathroom
消臭剤 deodorant Ⓒ.

しょうじゅう 小銃 (ライフル銃) rifle Ⓒ; (鉄砲の1つとして) gun Ⓒ. 《☞ じゅう[2]》.
小銃弾 bullet Ⓒ.

じょうしゅう 常習 ── [形] (常習的な) habitual; (常習的になった) confirmed; (定期的な) regular. ¶*常習的なうそつき a *habitual* liar
常習犯 habitual criminal Ⓒ. ¶彼は学校では遅刻の*常習犯だ (⇒習慣的に[いつも]遅れる) He is ˹*habitually* [*always*] late for school.

じょうじゅう 常住 ── [動] (定住する) settle (自). ── [名] settlement Ⓤ.
常住人口 the settled population.

しょうしゅうかん 商習慣 business practice Ⓒ; (貿易慣習) trade practice Ⓒ.

じょうじゅうざが 常住坐臥 (いつも) always; (寝てもさめても) waking or sleeping; (明けても暮れても) day in and day out.

しょうじゅつ 詳述 ── [動] (詳しく説明する[論じる]) explain [treat] in (full) detail (他) (自). ── [名] (詳しい説明) detailed explanation Ⓒ; (完全な論述) full treatment Ⓤ. 《☞ くわしい》. ¶このことについては次章で*詳述する《本の中などで》This will *be more fully treated* in the following chapter.

じょうじゅつ 上述 ── [形] (上にある) above; (上に述べられた) above-mentioned Ⓐ; (前にある) foregoing Ⓐ; (かなり前の箇所で述べた) aforementioned Ⓐ [語法] ★文語的だが, 法律・論文などの中ではよく用いられる. 《☞ ぜんじゅつ》.
¶*上述の文はシェークスピアからの引用です The ˹*above* [*foregoing*] sentence is a quotation from Shakespeare. // *上述の意見は私自身のものです The *above-mentioned* opinion is my own.

じょうしゅび 上首尾 ── [名] (大成功) a great success ★ a を付けて. ── [形] very successful. 《☞ せいこう[1]》.

しょうじゅん 照準 (銃の照尺) sight Ⓒ ★しばしば複数形で. 《☞ ねらい》. ¶*照準を合わせて撃った I lined up the *sights* and fired. ★ line up は照準器などを「調整する」. **照準器** sight Ⓒ, sighting device Ⓒ **照準儀** (測量などの) alidad(e) /ǽlədèɪd/ Ⓒ.

じょうじゅん 上旬 (月の最初の10日) the first ten days of the month [日英比較] 英語では普通は月を10日ごとに区切ることをせず, 第1週, 第2週のように週で区切る. 従って「上旬」は用例にあるように「…月の早いうちに」というのが普通.
¶7月*上旬に (⇒7月の初めに) 東京へ戻ってきます I'll come back to Tokyo ˹*early* in [at the *beginning* of] July.

しょうしょ[1] 証書 (借用などの) bond Ⓒ ★「債券」や「契約」の意味でも用いられる; (不動産関係の) *deed* Ⓒ; (証拠となる文書) document Ⓒ ★「証券」の意味でも用いられる; (資格などの) certificate /sə(ː)tífɪkɪt/ Ⓒ ★「修了証明書」などの場合. 《☞ しょうもん[1]》. ¶英語の講座を修了したので (⇒終了した後で) *証書をもらった After ˹I (had) finished [finishing] my course in English, I ˹got [received] a *certificate*. // 卒業*証書 a *diplóma* // 借用*証書 a *bond* of debt ★口語では an I.O.U. という. 《☞ しゃくよう》

しょうしょ[2] 紹書, 詔書 (天皇の命令書) Imperial Rescript /ɪmpí(ə)riəl ríːskrɪpt/ Ⓒ. ¶終戦の*詔書 the *Imperial Rescript* announcing the end of the war

しょうしょ[3] 小暑 *shosho* Ⓤ; (説明的には) the lesser hot season beginning around July 8. 《☞ だいかん[1] [日英比較]》.

しょうしょ[4] 尚書 ☞ しょきょう

しょうじょ 少女 (女の子) girl Ⓒ; (年端のゆかない少女) little girl Ⓒ; (年少の女の子) young girl Ⓒ. 《☞ おんな; むすめ》. ¶あのかわいい*少女はだれですか Who is that ˹pretty [cute] (*little*) *girl*? [語法] pretty は「かわいらしく美しい」の意味. cute は幼児・児童などに使うのが普通.
少女歌劇 girls' opera Ⓒ **少女雑誌** mágazìne for young girls Ⓒ **少女趣味** ── [名] (少女的な興味) girlish interest Ⓒ; (少女的な好み) girlish taste Ⓤ. ── [形] girlish.

じょうしょ[1] 上書 (請願書) petition Ⓒ.

じょうしょ[2] 浄書 (清書) fair [clean] copy Ⓒ; (正式の字体での清書) engrossment /ɪngróusmənt/ Ⓒ ★公文書などに用いる. 《☞ せいしょ[2]》.

じょうじょ 乗除 multiplication and division Ⓤ 《☞ かげんじょうじょ》.

しょうしょう[1] 少少 ── [形] (量) a little; (数) a few; (いくらかの) some ★複数形か Ⓤ の名詞をとる. ── [副] (ちょっと) a little; (わずかに) slightly; (幾分か) somewhat ★やや格式ばった語; (しばらくの間) a moment, a minute, a second. 《☞ たしょう[1] (類義語); いくらか; すこし》.
¶*少々お待ち下さい Would you please wait (for) ˹*a minute* [*a moment*]? / *One moment*, please. ★交換手などの使う事務的な言い方. // 私はそのニュースを聞いて*少々驚いた I was ˹*a little* [*slightly*; *somewhat*] surprised to hear the news.

しょうしょう[2] 少将 (米陸軍・空軍, 英陸軍の) major general Ⓒ; (米海軍の) rear admiral, upper half Ⓒ; (英海軍の) rear admiral Ⓒ; (英空軍の) air vice-marshal Ⓒ. 《☞ じゅんしょう》.

しょうじょう[1] 症状 (病気の兆候) symptom Ⓒ; (病状) condition Ⓤ; (病気の症例) case Ⓒ. 《☞ ちょうこう[3]; ようだい》. ¶風邪に似た*症状が出た Coldlike *symptoms* developed. // 子供の*症状は絶望的だ The child's *condition* is hopeless. // その*症状が出たのは私が30代の時だ I was in my 30's when the *symptoms* started. // (麻薬などの) 禁断*症状 withdrawal *symptoms* // 肺ガンの末期*症状 terminal *symptoms* of lung cancer

しょうじょう[2] 賞状 (功績などを称える証明となるもの) certificate of commendation Ⓒ; (感謝状・表彰状) tèstimónial Ⓒ; (感謝状) letter of appreciation Ⓒ; (学校の優等賞など) honors ★複数形で. 《☞ ひょうしょう[1]》. ¶その発明者には政府から*賞状が贈られた The inventor was granted a *certificate of commendation* from the government.

しょうじょう[3] 猩猩 〔動〕(オランウータン) orangutan /əræ̃ŋutæ̀n/ Ⓒ.

しょうじょう[4] 小乗 〔仏教〕 Hinayana /hìːnəjáːnə/ ★サンスクリット語; (英語では) the Lesser Vehicle. 《☞ しょうじょうぶっきょう》.

しょうじょう[5] 掌状 ── [形] (てのひら状の) palmate; (葉が) digitate. **掌状脈** 〔植〕 palmate vein Ⓒ **掌状葉** 〔植〕 digitate leaf Ⓒ.

しょうじょう[6] 鐘状 ── [形] (鐘状の) bell-shaped; shaped like a bell. **鐘状火山** thóloid Ⓒ.

じょうしょう[1] 上昇 ── [動] (物価・気温などが) gò úp (自), rise (自) ★前者のほうが口語的; (物価などが急激に上がる) soar ⓐ; (まっすぐ上がる) ascend ⓐ (↔ descend) ★ 多少格式ばった言葉. ―名 (物価・気温などの) rise Ⓒ (↔ fall); ascent Ⓒ. 《☞ あがる¹》. ¶ 牛肉の値段が急*上昇した The price of beef *has* ⌜*gone up* [*risen*] suddenly. / The price of beef *has* ⌜*soared* [*skyrocketed*]. // 彼の人気は*上昇中だ (⇒ 彼は人気を得つつある) He *is gaining* popularity. 上昇気流 updraft Ⓒ, 《英》 updraught Ⓒ, ascending air current Ⓒ.

じょうしょう² 常勝 ¶*常勝チーム an ⌜*unbeatable* [*invincible*] team ★ [ ] 内のほうが格式ばった語.

じょうじょう¹ 上上 ―形 (ずば抜けてよい) the very best; (極上の) sùperfíne; (一番の) number one; (第一流の) 《米略式》 A one /éɪ-wʌ́n/ ★ A 1 とも書く. 《☞ じょうでき》. ¶ 首尾は*上々だ (⇒ 成功です) It's a *success*!

じょうじょう² 上場 〔株〕 ―動 (取引所に登録する) list ⓗ. ¶ この会社の株は*上場されている The stock of this ⌜company [firm] *is listed*. 上場会社 listed company Ⓒ 上場株 listed ⌜stock [share] Ⓒ 上場基準 listing requirements ★ 通例複数形で. 上場銘柄 listed issue Ⓒ.

じょうじょう³ 嫋嫋 ―形 (音などが長く残る) trailing; (なかなか消えない) lingering. ¶ 余韻*嫋嫋たる鐘の音 the ⌜*trailing* [*lingering*] notes of a bell

じょうじょうしゃくりょう 情状酌量 ―名 extènuátion Ⓤ. ―動 (酌量の余地を与える) exténuàte ⓗ; (事情を斟酌する) make allowances for circumstances. 《☞ じじょう¹; じょうきょう¹》.
¶ 彼の残酷な犯罪には*情状酌量の (⇒ 事情を考慮する) 余地はない There is no room to *take the circumstances* of his cruel crime *into consideration*. / (⇒ 彼の残酷な犯罪は酌量することができない) We cannot *extenuate* his cruel crime. ★ 第 1 文のほうが一般的な言い方. // *情状酌量して (⇒ すべてを考慮に入れて) 判事はその男に科料を言い渡した *Taking all things into consideration*, the judge ordered the man to pay a fine.

しょうじょうばえ 猩猩蠅 〔昆〕 fruit fly Ⓒ.

しょうじょうぶっきょう 小乗仏教 the Hinayana /hìːnəjáːnə/ ★ サンスクリット語で「小さい乗り物」の意. 《☞ しょうじょう⁴》.

しょうしょく 少食, 小食 ¶ 彼女は*少食だ (⇒ 少食家だ) She is a ⌜*light* [*small*] *eater*. / (⇒ あまり食べない) She *doesn't eat much*. / (⇒ 鳥のような食べ方だ) She *eats like a bird*. 語法 英語での決まった言い方. ただし, 自分のことをいう場合はあまりこの表現は用いない. // 私は*少食です (⇒ あまり食べない) I *don't eat much*. / (⇒ いつもあまり食欲がない) I *have a small appetite*.

じょうしょく 常食 (主要な食物) the staple food; (日々の食物) daily food Ⓤ ★ 種類をいうときは Ⓒ. 《☞ しゅしょく¹》.

しょうじる 生じる (結果として引き起こす) brìng abóut ⓗ ★ 口語的; (原因となる) cause ⓗ; (問題などが起こる) arise ⓐ 《過去 arose; 過分 arisen /ərízn/》 ★ 前者より格式ばった語; (事件などが偶然に) happen ⓐ, còme abóut ⓐ ★ 後者は特に自然の成り行きとして起こる意味が強い; (産み出す) produce ⓗ; (新たなものを産み出す) create ⓗ; (結果として起こる) result ⓐ. 《☞ おこる²; うむ¹; まねく》.
¶ これからよい結果が*生じるとよいが (⇒ これがよい結果をもたらすとよいが) I hope this will *bring about* some good results. // 家族の間に金銭をめぐって不和が*生じた Discord *has arisen* within the family over money matters. // なぜこのような経済危機が*生じたのか How did such an economic crisis *come about*? // そのショックで表面に亀裂が*生じた (⇒ ショックが亀裂を生じさせた) The shock *produced* a crack on the surface. // そんなことをしたら混乱が*生じるに決まっている I'm sure chaos will *result* if you do that. // この事件で両国間に摩擦が*生じた (⇒ この事件が生じさせた) The incident *created* friction between the two countries. // 無から有は*生じない Nothing *comes out of* nothing. 《ことわざ》

じょうじる 乗じる (好機などを利用する) take advantage of .... 《☞ りよう¹; つけこむ¹》.
¶ 泥棒は暗やみに*乗じて逃げた The ⌜robber [thief] *took advantage of* the darkness and ⌜ran away [escaped].

しょうしるい 鞘翅類 〔昆〕 Còleóptera. ¶*鞘翅類の昆虫 a còleópteròn ★ 複数形は coleoptera. 《☞ こうちゅう¹》

しょうしん¹ 昇進 ―動 (昇進する) be promoted. ―名 promotion Ⓒ. 《☞ えいてん¹; しょうかく》. ¶ 彼は部長に*昇進した He *was promoted to* head of the division.

しょうしん² 傷心 ―形 (悲しみにくれる) sorrowful; (悲しみで心を痛めた) grieved. ―名 (悲しみ) sorrow Ⓤ. 《☞ かなしみ》.

しょうしん³ 小心 ―形 (勇気や自信がなくてびくびくした) timid; (臆病な) cowardly (↔ brave), chicken(hearted) ★ 後者のほうが口語的. ―名 (勇気や自信のないこと) timidity Ⓤ; (臆病) cowardice Ⓤ. 《☞ おくびょう》. 小心者 timid person Ⓒ; coward Ⓒ 小心翼翼 ―形 (非常に気の小さい) very timid; (用心深い) cautious.

しょうしん⁴ 焦心 ―形 (気をもんでいる) worried; (不安に思って) anxious; (いらいらした) impatient.

しょうじん¹ 小人 (くだらない人) petty person Ⓒ. 小人閑居して不善をなす The devil finds work for idle hands (to do). 《ことわざ: 悪魔は怠け者たちに仕事を見つける》

しょうじん² 精進 ―動 (努力する) make ⌜an effort [efforts] (to *do* ...); (献身的に行う) devote *oneself* to .... ―名 (努力) effort Ⓒ; (一身をささげること) devotion Ⓤ. 《☞ どりょく》.
¶ 彼が成功したのは*精進のたまものだ (⇒ たゆまぬ努力が彼に成功をもたらした) His constant *efforts* brought him success. // 彼は長い間柔道に*精進している He *has devoted himself to* judo for a long time.
精進揚げ (油で揚げられた野菜) deep-fried vegetables ★ 通例複数形で. 精進落とし (精進が終わり肉食できること) the end of maigre days 精進潔斎 ―動 (身を清める) purify *oneself* by abstinence 精進日 (肉食をやめる日) maigre day Ⓒ; (節制の日) day of abstinence Ⓒ 精進物 vegetarian food Ⓒ 精進料理 vegetarian diet Ⓒ.

じょうしん 上申 ―動 (自分の意見を(上司に)文書で申し述べる) state *one's* opinion (to a higher official) in written form; (ある件について文書による報告書を提出する) submit a (written) report (to a higher official) on ... 上申書 (written) ⌜report [statement] Ⓒ.

じょうじん¹ 常人 (普通の人) ordinary person Ⓒ; (集合的に) ordinary people ★ 複数扱い; (平均的な人) average person Ⓒ.

じょうじん² 情人 ☞ あいじん

じょうしんこ 上新[糝]粉 (fine) rice flour Ⓤ ★ 糝粉を特に細かくしたもの.

しょうしんじさつ 焼身自殺 ―動 burn *oneself* to death 《☞ じさつ》.

しょうじんしょう 小人症 〔医〕dwarfism Ⓤ.

しょうしんしょうめい 正真正銘 ―形（真の・本当の意味での）true (↔ false);（本物の・実在の・まやかしでない）real;（混じりけのない・純粋な）genuine /dʒénjuɪn/.《☞ほんとう¹; じゅんせん》.

¶彼は*正真正銘の学者です He is a ˹*real* [*true*] scholar. // *正真正銘のスコッチ *genuine* [*real*] Scotch (whisky)

しょうじんぶつ 小人物 （心の狭い人）narrow-minded person Ⓒ;（つまらない人）small person Ⓒ;（力量のない人）person of low caliber Ⓒ.

じょうず 上手 ―形（上手な）good (↔ poor; bad);（熟練した）expert. ―副（上手に）well.《☞うまい》.

¶彼はトランプ［ピアノ］が*上手だ He's *good* at playing ˹cards [the piano]. / He's a *good* ˹card-player [pianist]. ★第2文のほうが口語的. // 彼女は英語をしゃべるのが*上手だ She's a *good* English speaker. / She speaks English very *well*. 〔語法〕(1) 英語としてはいずれの表現も可能であるが,「…が上手だ」は *do* … (very) well の表現よりは be a good -er の形が好まれる. (2) 第2の表現では, well も very well も厳密な区別はなく, very の付いたほうが多少意味が強いと考えればよい. 言葉の調子の上からも very well のほうが好まれることが多い. // あなたは英語が*上手ですね You speak *good* English. 〔語法〕(3) 相手に向かって言うときはこの表現が多く使われる. 単に上手ということ以外に, 話す英語が立派な英語 (good English) ということに重点を置くからであろう. // 私の父はゴルフが*上手だ My father is a *good* golfer. / My father plays golf very *well*.

上手の手から水が漏れる (Even) Homer sometimes nods.《ことわざ: ホメロスのような大詩人でもへまをすることがある》

上手ごかし cheating under cover of kindness Ⓤ.

しょうすい¹ 憔悴 ―形（やせ衰えた）emáciàted;（疲れ切った）exhausted /ɪgzɔ́:stɪd/, wórn-óut ★後者のほうがやや口語的. ―動（やせ衰える）be [become] emaciated;（疲れ切る）be exhausted, be worn out. ―名 emaciation Ⓤ; exhaustion Ⓤ.《☞つかれる¹; やつれる》.

しょうすい² 小水 urine /jʊ́(ə)rɪn/ Ⓤ《☞にょう; しょうべん》. ¶手術後*小水が普通にできましたか Could you discharge *urine* normally after the operation?

じょうすい 上水 （水道の水）tap water Ⓤ;（給水）water supply Ⓒ ★または the ～ として.

上水道 water supply Ⓒ;（給水設備）waterworks ★複数形でしばしば単数扱い.

じょうすいき 浄水器 water purifier Ⓒ.

じょうすいじょう 浄水場 water filtering plant Ⓒ.

しょうすう¹ 少数 ―形（少ない数の）a small number of … (↔ a large number of …);（過半数に達しない）minor (↔ major). ―名（小さい数）small number Ⓒ (↔ large number);（過半数に達しない数）minority /mɪnɔ́:rəti/ Ⓒ (↔ majority).《☞すくない; こにんずう》. ¶*少数の人が反対しているだけだ Only *a small number of* people are against it. // *少数の意見も尊重すべきである The opinion of the ˹*minority* [*few*] should also be respected. // 出席者は*少数だった The *number* of those (who were) present was *small*. / Only *a small number of* people were present.

少数意見 minority opinion Ⓒ《☞上記用例》. **少数精鋭**（少数の有能な人々）a few people of superior ability;（ベストメンバー・精鋭部隊）corps d'elite /kɔ́əzdeɪlí:t/ ★単複同形. **少数代表制** minority representation system Ⓒ **少数派[党]** the minority **少数民族** minority race Ⓒ.

しょうすう² 小数 〔数〕―名 decimal Ⓒ. ―形 decimal.《☞数字（囲み）》.

¶*小数第5位まで求めよ Calculate down to five *decimal* places. **小数点** decimal point Ⓒ.

じょうすう 乗数 〔数〕múltiplìer Ⓒ.

しようずみかくねんりょう 使用済み核燃料 spent nuclear fuel Ⓤ《☞かく⁴（核廃棄物）》. **使用済み核燃料棒** spent nuclear fuel rod Ⓒ.

しょうする¹ 称する （言う）say ⊕;（…を…と呼ぶ）call ⊕;（偽って言う）pretend ⊕;（本当だと主張する）claim ⊕. ¶田中氏は病気と*称して会議に出席しなかった Mr. Tanaka didn't attend the meeting, *pretending* that he was ˹sick [ill]. // 彼女はその絵は自分の作品だと*称している She *claims* ˹to have painted [that she painted] the picture.

しょうする² 証する （文書で証明する）certify ⊕. ¶あなたが資格試験に合格したことを*証します This is to *certify* that you have successfully passed the qualification test. ★証書の決まり文句. you の所は名前が来ることが多い.

しょうずる 生ずる ☞しょうじる

しょうせい¹ 招請 ―動（招待する）invite ⊕. ―名（招待）invitation Ⓤ.《☞しょうたい¹; まねく》. **招請状** (letter of) invitation Ⓒ.

しょうせい² 小生 ―代 I (my, me). ―名（自分）my humble self ★謙遜した表現. 英語では一般的ではない.《☞わたし¹》.

しょうせい³ 勝勢 ―動（勝勢である）stand a ˹good [fair] chance of winning (the game). ¶我々は*勝勢となった The odds *tilted heavily in our favor*.

しょうせい⁴ 焼成 （れんが・陶器などの）burning Ⓤ, firing Ⓤ;（石灰の）calcination Ⓤ.

じょうせい¹ 情勢, 状勢 （事態）state of ˹affairs [things] Ⓒ;（具体的な原因または環境によって生じた周囲の状況）conditions ★通例複数形で;（周囲の環境）circumstances ★通例複数形で;（周囲との関係・立たされている立場）situation Ⓒ;（様子）appearances ★通例複数形で.《☞じょうきょう¹; じょうたい¹（類義語）; じじょう¹（類義語）; じたい¹》.

¶全般的な*情勢はどうですか What is the general *situation*? // 目下の*情勢ではこの問題は解決されそうにもない Under ˹present [existing; current] ˹*conditions* [*circumstances*], this problem is not likely to be solved. // 政治*情勢が変わりつつある The political ˹*situation* [*climate*] is changing. // *情勢の変化に対応する cope with the changes in the *situation* // *情勢を慎重に判断する assess the *situation* carefully // *情勢に応じた対策をとる take proper measures according to the *situation*

コロケーション

緊張した情勢 a tense *situation* / **軍事情勢** the military *situation* / **国際情勢** the international *situation* / **社会情勢** social ˹*circumstances* [*conditions*] / **複雑な情勢** a complex *situation* / **不利な情勢** adverse [unfavorable] ˹*circumstances* [*conditions*] / **有利な情勢** advantageous [favorable] ˹*circumstances* [*conditions*]

じょうせい² 上製 ―形 of ˹superior /supí(ə)riə/ [excellent] quality;（本が）hardcover. **上製本** hardcover Ⓒ.

じょうせい³ 醸成 ―動（酒などを）brew ⊕;（雰囲気・気運などを作り出す）produce ⊕;（原因となって引き起こす）cause ⊕;（結果としてもたらす）bring about ⊕ ★口語的.《☞じょうぞう》.

しょうせき 硝石 〔化〕niter (《英》nitre) /náɪtə/

U.

じょうせき[1] 定石 (囲碁の定則[決まった打ち方]) formula [standard stratagem] in the game of go C《複 formulas ~, formulae ~》; (試験済みで確かなやり方) tried and true methods ★ 通例複数形で. ¶*定石どおりに事を運んだほうがいい We [You] had better use *tried and true methods*. / (⇒ 規則どおりきちんとやる) It is better to do everything *by the book*.

じょうせき[2] 上席 ¶*上席につく (⇒ 会議などで) sit at *the head* of the table / (⇒ 食卓[部屋]で) sit in *the best seat* 「at the table [in the room]《☞ かみざ》// *上席検事 a *senior* (public) prosecutor

じょうせき[3] 定席 (決まった席) reserved seat C; (自分のいつもの席) *one's* usual seat C.

じょうせき[4] 定跡 (将棋の標準的な指し方[戦略]) standard 「move [strategy] C. ¶*定跡どおりに指す follow a *standard strategy*

しょうせつ[1] 小説 novel C ★ 主として長編のものを指す; (物語) (fictional) story C; (架空の話) fiction U ★ 総称として用いる.

¶彼はいま*小説を書いている He is writing a *novel*. // 事実は*小説よりも奇なり Fact [Truth] is stranger than *fiction*.《ことわざ》// 日本の*小説には私*小説が多い Quite a few *novels* in Japan deal with their authors' private lives. / Many Japanese *novels* are in fact autobiographical (*stories*). ★「私小説」は an "I"「story [novel] ともいう. // 推理*小説 a detective *story* // 短編*小説 a short *story* // 連載*小説 a serial *story* // 通俗*小説 a popular *novel*

小説家 novelist C; (作家) writer C ★ 一般的で広い意味. 随筆家なども含まれる.

—コロケーション—
怪奇小説 a Gothic *novel* / **くだらない小説** a trashy *novel* / **娯楽小説** a light *novel* / **最新作の小説** the latest *novel* / **実験小説** an experimental *novel* / **自伝小説** an autobiographical *novel* / **写実小説** a realistic *novel* / **スパイ小説** a spy *novel* / **ベストセラー小説** a 「best-selling [best-seller; block-buster] *novel* / **冒険小説** an adventure *novel* / **問題小説** a problem *novel*

しょうせつ[2] 小節 〖楽〗(縦線で囲まれた部分) bar C ★ 小節を分ける縦線の意味でも用いられる; measure C. ¶最初の4*小節をピアノで弾いてみなさい Play the first four *bars* on the piano.

しょうせつ[3] 詳説 ━動 (細部にわたって[もらさず全部]説明する) explain ...「in detail [fully]. ━名 detailed [full] explanation C.《☞ しょうさい[1]; しょうじゅつ》.

しょうせつ[4] 消雪 ━動 melt snow. **消雪道路** road with sprinklers to melt snow C.

しょうせつ[5] 章節 chapters and sections ★ 複数形で.

しょうせつ[6] 小雪 *shosetsu* U; (説明的には) the beginning of the snow(y) season around November 22.《☞ だいかん[1] 日英比較》.

じょうせつ 常設 ━形 (常置の) standing A; (永久的な) permanent. ━動 (永久的に設置する) establish ... permanently.

常設委員会 stánding committee C.

じょうぜつ 饒舌 ━形 (話好きな・おしゃべりな) talkative《☞ おしゃべり》.

しょうせっかい 消石灰 〖化〗slaked lime U.

しょうせん[1] 商船 (軍艦に対して) merchant 「ship [vessel] C (↔ warship). **商船高等専門学校** National College of Maritime Technology C **商船大学** University of Mercantile Marine C ★ 国立の東京商船大学と神戸商船大学の二つがあったが, 2003年に前者は東京海洋大学 (Tokyo University of Marine Science and Technology) に, 後者は神戸大学海事科学部になった.

しょうせん[2] 商戦 sales battle C, trade war C.

しょうぜん[1] 悄然 ━副 (悲しげに) sadly; (悲嘆にくれて) sorrowfully.《☞ しょんぼり》.

しょうぜん[2] 承前 (前のページなどからつづく) continued (from page ...).

しょうぜん[3] 聳然 ━形 (高くそびえる) towering, soaring. ━副 (恐れを抱いて) filled with awe. ¶*聳然たる富士の山 *soaring* Mt. Fuji

じょうせん[1] 乗船 ━動 (船に乗り込む) go [get] on board, go aboard (a ship); (船に乗り込む・乗船させる) embark 自 他 ★ 前2者より格式ばった語だが, 書類などではよく使われる. ━名 embarkation U (↔ disembarkation).《☞ のる[1] (類義語); じょうしゃ》. ¶我々は夕方の5時までに*乗船しなければならない We have to 「*be* [*go*; *get*] *on board* by five (o'clock) in the evening. // 乗客の皆様はいますぐご*乗船下さい《アナウンス》Will all passengers please *get on board* immediately. 語法 この場合疑問符は不要. **乗船券** (passage) ticket C.

じょうせん[2] 情宣 labor union's propaganda U. **情宣活動** prὸpagándizing U, propagandizing activities.

じょうせん[3] 定先 (囲碁などで常に先手で) playing go with one player always having the first move U.

しょうせんきょく 小選挙区 (小さな選挙区) minor electoral district C (↔ major electoral district); (選挙民も含めた意味で) minor constituency C (↔ major constituency). **小選挙区制** the single-seat 「electoral district [constituency] system ★ the を付けて. **小選挙区比例代表併用[並列]制** the electoral system based on a combination of single-seat constituencies and proportional representation.

じょうせんしょくたい 常染色体 〖生〗autosome C.

しょうぜんてい 小前提 〖論〗minor premise C《☞ ぜんてい[1]》.

しょうそ 勝訴 ━動 (裁判に勝つ) win a 「suit [lawsuit] (↔ lose a suit). ¶裁判は原告の*勝訴になった (⇒ 原告がその裁判に勝った) The plaintiff *won the suit*.

じょうそ 上訴 〖法〗━名 appeal C. ━動 appeal (to a higher court) 自 他.《☞ こうそ[2]》.

しょうそう[1] 焦燥, 焦躁 ¶彼は自分の置かれた状況に*焦燥を感じていた (⇒ 落ち着かなかった) He was 「*impatient* [*restless*] over his situation.《☞ あせる[1]; いらいら》

しょうそう[2] 尚早 ━形 (早すぎる) too early; (まだ熟していない) premature /prìːmət(j)ύə/; (時機を得ない) untimely. ¶その案を実行するには時期*尚早だ It is 「*too early* [*premature*] to 「put the plan into practice [carry out the plan].

しょうそう[3] 少壮 ━形 (若々しい) young; (若さにあふれ, はつらつとした) youthful. ¶彼は*少壮気鋭の学者である He is a *young* and spirited scholar.

しょうぞう 肖像 (肖像画・写真) portrait /pɔ́ətrɪt/ C; (絵・写真) picture C ★ 広く一般的な語で, 前後関係で肖像画 [写真] の意味になることもある.

¶私は自分の*肖像をかいてもらった I had my 「*portrait* [*picture*] painted. / (⇒ 肖像のために座った) I sat for my 「*portrait* [*picture*]. // この*肖像は生き写しだ This 「*portrait* [*picture*] is a living likeness.

肖像画 portrait Ⓒ　肖像画家 portraitist; portrait painter Ⓒ　肖像権 portrait right Ⓒ.

じょうそう[1]　上層　— 形 (上の) upper Ⓐ; (指導的立場の) leading.　¶ 会社の*上層部 the *leading* members of the company / (⇒ 経営者) the *management* of the company ★ 集合的に使う.
　上層雲 the upper clouds ★ 通例複数形で.
　上層階級 the upper class ★ しばしば複数形で.
　上層気流 the upper air current.

じょうそう[2]　情操　sentiment Ⓒ.　情操教育 cultivation of aesthetic sentiments Ⓤ.

じょうぞう　醸造　— 動 (ビールなどを) brew /brúː/ ㊤.　— 名 (ビールなどの) brewing Ⓤ.　醸造酒 (特にビール) brew Ⓒ　醸造所 (ビールの) brewery /brúːəri/ Ⓒ.

しょうそういん　正倉院　the Shosoin Treasure House; (説明的には) the Imperial treasure repository, a high-floored log cabin, which contains some 3,000 historic articles and fine art objects from the 8th century.

しょうそく　消息　(新しい知らせ) news Ⓤ; (情報) information Ⓤ ★ 以上 2 語は数えるときは a piece of…, two pieces of… の形をとる; (所在・居所) whereabouts ★ 単数または複数扱い. 《☞ たより[2]; ゆくえ; じょうほう》.
　¶ ここ 2 年間ほど彼から*消息がない I haven't had any *news* from him for the past two years. / (⇒ 便りをもらっていない) I *haven't heard from* him for the past two years. // 最近の彼の*消息を知っていますか (⇒ 所在を知っているか) Do you know his *whereabouts*? / (⇒ 最近どうやっているか) Do you know how he *has been getting along* lately? // それ以来彼の*消息は絶えた He ⌈*has been missing* [*has not been heard of*] since then.
　消息筋 well-informed sources ★ 複数形で.
　消息通 well-informed person Ⓒ.

しょうぞく　装束　(演劇などの服装) costume Ⓤ 《☞ いしょう[1]》.

じょうそく　常則　established rule Ⓒ.

じょうぞく　上簇　putting silkworms on cocoon holders Ⓤ.

しょうたい[1]　招待　— 動 invite ㊤ ★ 最も一般的な語; (人を食事などに) ask (*a person*) to… ★ invite とほぼ同意で入れ替え可能なことも多いが, ask のほうが口語的.　— 名 invitation Ⓤ. 《☞ まねく; よぶ》.
　¶ *招待を受ける[断わる] accept [decline] an *invitation* // 私はパーティーに*招待された I *was* ⌈*invited* [*asked*] to the party. // ご*招待ありがとう Thank you (very much) for ⌈*inviting* me [your *invitation*]. // 来週フランス政府の*招待でパリに行きます I'm going to Paris next week at the *invitation* of the French government.
　招待外交 invitation diplomacy Ⓤ　招待客 guest Ⓒ　招待券 invitation ticket Ⓒ; (優待券) complimentary ticket Ⓒ　招待状 invitation (card) Ⓒ, letter of invitation Ⓒ ★ 後者のほうが格式ばった言い方.

> Tokyo
> May 10, 2005
>
> *Dear George,*
> We would like to invite you to dinner at my home at 6:00 P.M. on Thursday, May 26. Can you come?
>
> Sincerely yours,
> Akira Sato
> R. S. V. P.

語法　この invitation card の例はごく普通の親しい間柄の場合. R.S.V.P. は「返事を下さい」という意味のフランス語の略. 《☞ おりかえし》
　招待席 reserved seat Ⓒ　招待選手 invited ⌈athlete [player] Ⓒ ★ 前者は陸上競技の, 後者はゴルフ・テニスなどの.　招待日 day for invited guests Ⓒ ★ 主に展覧会などについて用いられる.

しょうたい[2]　正体　**1** 《本当の姿》: *one's* true colors, *one's* real ⌈nature [character].　¶ 彼はとうとう*正体を現した (⇒ やつの正体をつかんだ) We've ⌈*found* [*figured*] him *out*. / He has shown *his true colors*. / He has betrayed *his real* ⌈*nature* [*character*]. ★ 第 1 文が最も口語的. // 人の*正体を暴く debunk [unmask] *a person* ★ debunk のほうが口語的.
2 《正気》　¶ 彼は*正体なく眠っている (⇒ ぐっすり) He is *fast* asleep. / (⇒ 丸太のように) He is sleeping *like a log*.

しょうたい[3]　小隊　(陸軍の) platóon Ⓒ.

じょうたい[1]　状態　state Ⓒ ★ 通例単数形で; (周囲の状況) conditions ★ 通例複数形で. また Ⓤ として「健康状態」などの意味でも用いられる; (周囲の環境) círcumstànces ★ 通例複数形で.
【類義語】あるがままの客観的な状態を表すには **state** を用いる. ((例) わが国の現在の*状態 the present *state* of our country). その状態を作り出した周囲の状況・原因などとの関係を意味に含めるときは **conditions**. ((例) 革命を招く社会*状態 the social *conditions* leading to the revolution). ある特定の人・出来事などと, それを取り巻く具体的な状況との相互関係を強調するときには **circumstances** を用いる. 《☞ ようす; じょうきょう[1]; げんじょう[1]; ありさま; じじょう[1] (類義語)》
　¶ 患者は危篤*状態です The patient is in critical *condition*. // 目下の*状態では手の打ちようがない Under (the) present *circumstances*, there is nothing I can do. // 天候の*状態がよくなるまで待とう Let's wait until weather *conditions* improve. // 君の精神*状態は正常ではない Your mental *state* is ⌈not normal [abnormal]. // あんな*状態では (⇒ あのまま続けると) 彼は試験に合格できない He won't (be able to) pass the examination if he goes on that way.　状態変化 〖物理〗 state transition Ⓒ.

—コロケーション—
衛生状態 hygienic [sanitary] *conditions* / 気の毒な状態 pitiful *conditions* / 経済[財政]状態 economic [financial] ⌈*conditions* [*standing*] / 健康状態 *one's* physical *condition* / 最高の状態 (in) ⌈superb [top] *condition* / 心理状態 *one's* psychological *state*

じょうたい[2]　上体　the upper part of the body Ⓒ 《☞ じょうはんしん》.

じょうたい[3]　常態　(正常な状態[運営]) normal ⌈condition [operation] Ⓤ 《☞ せいじょう[1]》.　¶ *常態に戻る go back into [return to] *normal condition*

じょうだい[1]　上代　— 名 ancient times.　— 形 ancient.　上代仮名 ancient *kana* Ⓤ; (説明的には) the Japanese syllabary used in the Heian period　上代(特殊)仮名遣い the (special) rule for the use of *kana* in the Nara period　上代歌謡 songs and ballads in ancient times in Japan ★ 通例複数形で.　上代文学 ancient literature Ⓤ.

じょうだい[2]　城代　〖史〗 deputy castellan Ⓒ; (城を守る人) keeper of a castle Ⓒ; (江戸幕府の職名) deputy governor of a castle Ⓒ.　城代家老 〖史〗 daimyo's council(l)or in charge of his master's castle Ⓒ.

しょうたいしゃく　使用貸借　borrowings ★ 複数形で.

しょうたく¹　沼沢　(湿地) swamp Ⓒ, marsh Ⓒ ★ 後者は特に低地帯のもの. (☞ ぬま; しっち²).

沼沢植物 marsh [bog] plant Ⓒ.

しょうたく²　妾宅　*one's* mistress's house Ⓒ.

しょうだく　承諾　―【名】(提案や要請を特に自発的に受け入れること) consént Ⓤ; (意見や提案への賛同) assént Ⓤ ★ 積極的か否かの区別のない単に同意を表す言葉; (話し合いなどののち, 相違や食い違いを解決して達する同意) agreement Ⓤ (↔ disagreement); (許可) permission Ⓒ.　―【動】consént (to …) (自); assént (to…) (自); agree (to …; with …) (自) (↔ disagree) (☞ どうい¹ 【語法】(1)); permit (他). (☞ しょうにん¹; しょうふく; じゅだく).

¶ 彼は両親の*承諾を得ないで家を売った He (has) sold the house without (obtaining) his parents' ˹*consent* [*permission*]. // 彼女は父に結婚の*承諾を求めた She asked her father's *consent to* her marriage. // これは双方*承諾の上でやったことです We have done this by mutual ˹*consent* [*assent*; *agreement*]. // あなたの意見 [考え] には*承諾できない I can't *agree with* your ˹opinion [idea].

承諾書 written consent Ⓤ.

じょうたつ　上達　―【動】(だんだんよくなる[する]) improve (自) (他); (着実に進歩する) progress /prəgrés/ (自).　―【名】(力が伸びること) improvement Ⓤ; (進歩) progress /prɑ́grəs/ Ⓤ. (☞ しんぽ).

¶ あなたの英語はぐっと*上達した Your English *has* greatly *improved*. / You *have* greatly *improved* ˹in [your] English. / You have made great ˹*improvement* [*progress*] in English. ★ 第 3 文は前 2 者より改まった表現. // 英語が*上達する方法を教えてくれませんか Will you tell me how I can *improve* my English? // 私の娘はピアノの*上達が遅い [早い] My daughter is making ˹slow [rapid] *progress* in her piano playing.

しょうたん　称嘆, 賞嘆　―【名】admiration Ⓤ.　―【動】admire (他). (☞ しょうさん).

しょうだん¹　商談　(商売上の話) business talk Ⓒ; (交渉) negotiation Ⓒ ★ しばしば複数形で. (☞ かけあう (類義語); とりひき).

¶ 新規契約の*商談がまとまった (⇒ 交渉が決着した) The *negotiation* of a new contract was ˹settled [concluded]. // 100 万円で彼らとの*商談を取り決めた We finally ˹made [reached] an agreement with them to pay one million yen. ★ [　]内のほうが格式ばった言い方.

しょうだん²　昇段　―【動】(武術・碁などの段位があがる) be promoted (to a higher rank).

じょうたん　上端　(上の方の端) the upper end; (最上部) the top.

じょうだん¹　冗談　―【名】(どっと笑わせるような笑い話・しゃれなど) joke Ⓒ; (格式) jest Ⓒ.　―【動】(冗談を言う・ふざける) joke (自), make [tell; crack] a joke.　【日英比較】英米では, joke は社交術の一つになっていて, joke の本も多数出版され, それを読んで勉強する人も多い. その点で日本語の「冗談」と英語の joke のニュアンスの違いに注意がいる. (☞ しゃれ).

¶ 私の父はいつも*冗談ばかり言っている My father is always ˹making [telling] *jokes*. // それはうまい*冗談だ That's a good *one*.　【語法】口語で, 決まり文句のようにして使う. // またストライキだって. *冗談じゃない (⇒ やり過ぎだ) They're on strike again? *That's too much*. // *冗談も休み休み言いたまえ (⇒ 君の冗談はこれ以上いらない) I don't want any of your *jokes* anymore. // *冗談にもほどがある Even *joking* has its limits. / (⇒ 君は冗談を押し進めすぎている) You're carrying the *joke* too far. // *冗談はさておいて話を続けましょう *Joking* ˹apart [aside], ˹let me [I'll] continue my story. // 彼は私の言った*冗談を真に受けた (⇒ まじめに取った) He took my *joke* seriously. // ただ*冗談に (⇒ おもしろ半分に) やっただけです I did it just ˹for [in] *fun*. // *冗談でしょう (⇒ からかってんだろう) You'*re* ˹*kidding* [*joking*]! / (⇒ からかうな) No ˹*kidding* [*joke*]!

冗談口　¶ *冗談口をたたく make [tell; crack] a *joke*　**冗談半分(に)** half in ˹joke [jest], half jokingly.

―コロケーション―

冗談がわかる get [see; understand] a *joke* / 冗談を交わす exchange [swap; trade] *jokes* (with *a person*); have a *joke* (with *a person*) / 冗談をとばす crack [cut] a *joke* (about …; with *a person*); fire [let] off a *joke* / 負けずに冗談を言い返す cap a *joke* / …を冗談のつもりで言う say … ˹for [as] a *joke* // 冗談がうけない a *joke* falls flat / 冗談がうける a *joke* ˹gets [raises] a laugh // いつもの冗談 *one's* ˹stock [same old] *joke* / うまい[へたな]冗談 a ˹good [bad; poor] *joke* / おかしい冗談 a ˹funny [hilarious] *joke* / きわどい冗談 an off-color [a spicy] *joke* / 下品[上品]な冗談 a ˹dirty [clean] *joke* / 素晴らしい冗談 a first-rate *joke* / たわいのない冗談 an innocent *joke* / つまらない冗談 a ˹dull [cheap; wretched; weak] *joke* / 卑猥な冗談 an obscene *joke* / 古臭い冗談 a stale *joke*

じょうだん²　上段　(寝台車などの) upper berth Ⓒ (↔ lower berth).　¶ *上段に座る sit on *the top seat* // 彼は*上段に構えた He ˹wielded [held] a sword *over his head*.　**上段の間** room with a raised floor (for honored guests) Ⓒ.

しょうち¹　承知　―【動】(知っている) know (他); (わきまえている) be aware (of …); (承諾する) consént (to …) (自); (許可する) permit (他). (☞ わきまえる).

¶ 彼がうそを言っていることは百も*承知だ (⇒ 十分に知って[わきまえて]いる) I *know* full well [I'*m* well *aware*] that he told a lie. // ご*承知のように私は歌は不得手です As you *know*, I'm not a good singer. // 彼はこの案を*承知するだろうか Do you think he will *consent to* this plan? // 「あしたまた来てくれますか」「*承知しました」"Will you come over again tomorrow?" "*Certainly*."　【語法】O.K. や All right は「承知しました」という日本語のニュアンスよりはくだけた感じ. All right, ˹sir [ma'am] ならよい. // 二度とこんなことをしたら*承知しないからな (⇒ それに対して後悔するだろう) If you do this again, *you'll be sorry* (˹*for* [*about*] *it*).

しょうち²　招致　―【動】(招き寄せる) invite (他); (引きつける) attract (他). (☞ ゆうち).　¶ オリンピック*招致委員会 an Olympic bid committee

じょうち¹　常置　―【形】(持続的な) standing; (永久的な) permanent. (☞ じょうにん; じょうせつ).

常置委員会 stánding committée Ⓒ.

じょうち²　情痴　(盲目的な情欲) blind passion Ⓤ; (色欲) lust Ⓤ.

じょうち³　上智　〘キ教〙(神の知恵) sophia Ⓤ.

しょうちくばい　松竹梅　(a piece of) a pine, a bamboo and a plum (used as symbols of good fortune) ★ 通例単数形で; (料理などの 3 段階) the first, the second and the third class (as in the classification of the Japanese menu).

しょうちゅう¹　焼酎　*shochu* Ⓤ, Japanese distilled liquor made from ˹sweet potatoes [rice; wheat] Ⓤ ★ 後者は説明的な訳. 2 つとも種類をい

うときは Ⓒ.

しょうちゅう[2] **掌中** ¶勝利は彼らの*掌中にある The victory is *in their hands*. **掌中の珠** the apple of *one's* eye ★「とても大切なもの」の意味. くだけた慣用表現.

じょうちゅう[1] **常駐** ¶国連軍がその国に*常駐している (⇒配置されている) United Nations Forces *are stationed* in that country. **常駐プログラム**〘コンピューター〙memory-resident program Ⓒ.

じょうちゅう[2] **条虫** tapeworm Ⓒ.

しょうちゅうのへん 正中の変 the Shochu Conspiracy; (説明的には) the attempt to overthrow the Kamakura shogunate by Emperor Go-Daigo in 1324.

じょうちょ 情緒 (喜怒哀楽の感情) emotion Ⓒ; (雰囲気) átmosphère Ⓒ ★ 通例単数形で. ¶彼は*情緒 (⇒感情的に) 不安定だ He is *emotionally* unstable. // 浅草には昔の東京の*情緒 (⇒雰囲気) がある Asakusa has the *atmosphere* of (the) old Tokyo. **情緒障害** emotional disturbance Ⓤ **情緒障害児** emotionally disturbed child Ⓒ.

しょうちょう[1] **象徴** ── [名] (抽象的なものを表すのに選ばれたもの) symbol Ⓒ ★ 形は似ていなくてもよい. ── [動] symbolize (他). ¶はとは平和の*象徴である A [The] dove is the *symbol* of peace. ((☞冠詞 (巻末)) / (⇒はとは平和を象徴する) A [The] dove ˹*symbolizes* [is *symbolic* of] peace. **象徴詩** (文学として) symbolical poetry Ⓤ; (一編の詩) symbolical poem Ⓒ **象徴主義** symbolism Ⓤ **象徴主義運動** the symbolist movement **象徴天皇制** the system recognizing the emperor as the symbol of the state **象徴派** the symbolist school.

しょうちょう[2] **小腸** the smáll ˹intéstine [bówel] Ⓒ ((☞ちょう[2]; ないぞう[1] (挿絵)).

しょうちょう[3] **消長** (繁栄と衰退) prosperity and decay Ⓤ; (盛衰) rise and fall Ⓤ; (よい時と悪い時) ups and downs ★ 常に複数形で. rise and fall よりは口語的.

しょうちょう[4] **省庁** (政府機関) government offices; (省と庁) ministries and agencies; (当局) the authorities ★ 以上いずれも複数形で. ((☞しょう[1]; ちょう[4]; かんちょう[2])). ¶関係*省庁 the *government offices* concerned // *省庁間人事交流 *interdepartmental* personnel exchange

じょうちょう 冗長 ── [形] (長たらしい) lengthy; (言葉数の多い) wordy, verbose /vəːbóus/ ★ 後者のほうが格式ばった語. ((☞じょうまん)). **冗長性** redundancy Ⓤ.

しょうちょく 詔勅 Imperial edict /ɪmpí(ə)riəl íːdɪkt/ Ⓒ.

しょうちん 消沈 ── [名] dejection Ⓤ. ── [動] (落胆した) be dejected; (気落ちした) be depressed. ((☞いき[4] (意気消沈); らくたん; しつぼう)).

しょうつき 祥月 the month of *a person's* death. **祥月命日** the anniversary of *a person's* death ((☞めいにち)).

じょうてい 上程 ── [動] (提出する) presént (他); (問題などを提議する) bring úp (他) ★ 口語的; (議案を提出する) submit (他), introduce (他) ★ bring up よりは格式ばっているが, 見出しの日本語のニュアンスには近い. *¶この法案は昨日議会に*上程された* (⇒提出された) This bill *was* ˹*presented* [*submitted*; *introduced*] to the Diet (session) yesterday.

しょうてき 小敵, 少敵 (取るに足らない[弱い]敵) insignificant [weak] enemy Ⓒ ★ enemy の代わりに opponent (競争相手) を用いてもよい. ((☞てき)).

じょうでき 上出来 ── [形] (とてもよい) very good ★ 最も口語的な表現; (優秀な) éxcellent; (よくなされた) well-done Ⓐ, well-made Ⓐ ★ Ⓟ ではハイフンなし; (輝かしく, すばらしい) splendid; (成功した) successful. ((☞じょうじょう[1]; でき)).

¶このレポートは*上出来だ This paper is ˹*very good* [*excellent*; *well done*]. // *上出来, *上出来 *Well done*! / *Splendid*! // この作品は*上出来のほうだ (⇒かなりよくできている) This work is quite ˹*well done* [*well made*; *good*]. // 彼にしては*上出来だ (⇒彼は私が期待していたよりよくやった) He *has done better* than I had expected.

しょうてん[1] **焦点** ── [名] (一般に) focus Ⓒ ((複 ~es, foci /fóusaɪ/)); 〘光〙focal point Ⓒ. ── [形] focal Ⓐ. ((☞ピント)). ¶私の撮った写真はみな*焦点が合っていた [いなかった] All the pictures (that) I took were ˹in [out of] *focus*. ★ in [out of] focus は慣用句. // このカメラの*焦点はどうやって合わせるのですか How do you *focus* this camera? ★ この focus は [動] (他). // あの犬に*焦点を合わせなさい Bring that dog into *focus*. // 2*焦点レンズ a *bifocal* /báɪfòuk(ə)l/ lens // 固定*焦点のレンズ a fixed *focus* lens // 彼女は*焦点の定まらない目をしていた She had a *blank* look. // 議論の*焦点は絞ったほうがよい We had better narrow the *focus* of debate.

焦点距離 focal ˹length [distance] Ⓤ **焦点深度** depth of focus Ⓤ.

しょうてん[2] **商店** ((米)) store Ⓒ, ((主に英)) shop Ⓒ; (商会) firm Ⓒ. ((☞みせ)). **商店街** shopping district Ⓒ, ((米)) (歩行者専用の) mall Ⓒ.

しょうてん[3] **昇天** ── [名] ascension Ⓤ ★ キリストの昇天の意の時は the Ascension とする. ── [動] ascend [go] to heaven; (死ぬ) die (自); (婉曲に) pass away (自). ((☞しぬ)). **昇天日** Ascension Day ★ 復活祭 (Easter) 後 40 日目の木曜日.

しょうてん[4] **声点** tone sign Ⓒ; (説明的には) dot put on Chinese characters to show the four tones Ⓒ.

しょうてん[5] **衝天** high spirits ((☞いき[4] (意気衝天)).

しょうでん[1] **小伝** bíogràphical skétch Ⓒ, brief life Ⓒ.

しょうでん[2] **昇殿** ── [動] (宮殿に上がることを許される) be granted access to the Imperial Court; (神社で) be admitted to the sanctuary of a Shinto shrine.

じょうてんき 上天気 fine [beautiful] weather Ⓤ ((☞てんき[1])).

しょうてんち 小天地 mícrocòsm Ⓒ.

しょうど[1] **照度** 〘光〙illúminance Ⓤ ★ 単位は lux. **照度計** illuminometer /ɪlùːmənámətə/ Ⓒ.

しょうど[2] **焦土** ¶町は*焦土と化した The whole town *was burnt to ashes*. **焦土作戦** scorched-earth tactics ★ 複数形で.

じょうと 譲渡 ── [動] (引き渡す) hánd óver (他), transfér (他) ★ 後者のほうが格式ばった語. ((☞ゆずりわたす; ゆずる)). **譲渡所得** capital gains ★ 複数形で. **譲渡性預金** negotiable deposit Ⓒ.

じょうど 浄土 the Pure Land. ¶極楽*浄土 Paradise ((☞ごくらく)) **浄土教** the ˹*Jodo* [Pure Land] teaching **浄土宗** the *Jodo* sect (of Buddhism) **浄土真宗** the *Jodo-Shinshu* sect (of Buddhism).

しょうとう[1] **消灯** ── [動] (明かりを消す) turn out the light; (スイッチを切る) turn [switch] off (他) (↔ turn [switch] on) ★ テレビやラジオなどについても用いられる. [ ]内は((英)). **消灯時間** lights-out Ⓤ.

しょうとう[2] **小党** (規模の小さい[重要度の低い]) small [minor] (political) party Ⓒ ((☞とう[3])).

しょうとう[3] **小刀** small [short] sword Ⓒ; (大刀に対して) smaller [shorter] sword Ⓒ.

しょうとう[4] **檣灯** masthead light Ⓒ.

しょうとう[5] **鐘塔** bell tower Ⓒ.

しょうどう[1] **衝動** ― [名] (心のはずみ) impulse Ⓒ; (駆り立てるような強い感じ) urge Ⓒ. ― [形] impulsive. (☞ できごころ). ¶ 私は大声で叫びたい*衝動にかられた I ˹felt [had] an ˹*impulse* [*urge*] to cry out. // 彼女は*衝動的にそのブローチを万引きしてしまった She shoplifted the brooch *on impulse*. **衝動買い** buy ... ˹impulsively [on (an) impulse; on the spur of the moment].

しょうどう[2] **唱道, 唱導** ― [動] advocate (他). **唱道者** advocate Ⓒ.

しょうどう[3] **鐘堂** (鐘楼) bélfry Ⓒ; (一般的に) bell tower Ⓒ.

じょうとう 上等 ― [形] (よい) good; (質のよい) good quality; (優秀な) éxcellent; (よりすぐれた) superior (↔ inferior) [語法] 比較の意味はあまり強くなく, excellent とほぼ同意のこともある; (上質の) quality Ⓐ ★ 製品名などに付けて. (☞ 写真); (選りすぐった) choice ★ 製品名に付けて; (第一級の) first-class, first-rate. (☞ ごくじょう).

「上等の帽子」という帽子屋の看板

¶ これは*上等の肉です This is *quality* meat. / (⇒ この肉は品質において上等だ) This meat is ˹*good* [*excellent*; *superior*] in quality. / This meat is (*of*) *good quality*. // 「もっと*上等のものはありませんか」「残念ながらこれより*上等のものはありません (⇒ これが当店で一番上等です)」 "Is there [Do you have] anything *better*?" "I'm sorry, this is the *best* we have."

じょうどう 常道 (標準・規則に従った[正統的な]方法) regular [orthodox] method Ⓒ ★ method の代わりに way (一般に, 方法), practice (繰り返すやり方) などを用いてもよい; (一般に認められた行動の規範) accepted standards of behavior ★ 複数形で.

じょうとうく 常套句 (決まり文句) stock phrase Ⓒ; (やや軽べつ的に) cliché /kliːʃéɪ/ Ⓒ ★ cliché の ´ は綴り本来のもの.

じょうとうしき 上棟式 the framework-raising ceremony, a ceremony performed when the framework of a new house has been completed ★ 後者は説明的な訳. [日英比較] 英米ではこのような習慣はない. (☞ むねあげ).

じょうとうしゅだん 常套手段 (使い古された策略) old trick Ⓒ, old ploy Ⓒ ★ 後者はくだけた言い方; (いつもの手段) *one's* usual practice Ⓤ.

しょうとうしょう 小頭症 mìcrocéphaly Ⓤ.

じょうとうへい 上等兵 (米陸軍の) private first class Ⓒ; (米海軍の) seaman Ⓒ.

しょうとく[1] **生得** ― [形] innáte (☞ せんてんてき).

しょうとく[2] **頌徳** ― [動] (あがめる) honor (他). **頌徳碑** monument in honor of *a person*'s achievements Ⓒ.

しょうどく 消毒 ― [動] (病菌を除去する) disinfect (他); (無菌状態にする) sterilize /stérəlàɪz/ (他). ― [名] disinfection Ⓤ; sterilization Ⓤ. (☞ さっきん). ¶ メスを*消毒しなさい *Disinfect* [*Sterilize*] ˹your [the] surgical knives. // この一帯を薬剤で*消毒した We ˹*disinfected* [*sterilized*] this area with a chemical ˹solution [powder]. **消毒液** antiseptic solution Ⓒ **消毒薬** disinfectant Ⓒ.

じょうとくい 上得意 good customer Ⓒ.

しょうとくたいし 聖徳太子 ― [名] (固) Prince Shotoku, 574–622; (説明的には) the great imperial prince who formulated the first constitution of Japan. ¶ *聖徳太子的な (⇒ 多くの仕事を一時にこなす) multitasking

しょうとつ 衝突 **1** 《自動車・列車などの》 ― [名] (衝突事故) collision /kəlíʒən/ Ⓒ; (激突) crash Ⓒ; (デモ隊などのぶつかり合い) clash Ⓒ. ― [動] (衝突事故を起こす) collide /kəláɪd/ (with ...) (自); (ぶち当たる) run into ...; (特に激しく) crash (into ...) (自); (ぶつかり合う) clash (with ...) (自). (☞ ぶつかる; じこ[1]).

¶ 中央線で電車の*衝突事故があった There was a ˹railroad [《英》 railway] *collision* on the Chuo line. // その踏切で電車とトラックの*衝突があった There was a *collision* between a train and a ˹truck [《英》 lorry] at the crossing. // バスはハンドルを取られて立ち木に*衝突した The bus went out of control and ˹*ran* [*crashed*] *into* a tree. // 彼の車はダンプカーと正面*衝突した His car ˹*collided* head-on [had a head-on *collision*] *with* a dump truck. // デモ隊は警官隊と*衝突した The demonstrators *clashed with* the police. / There was a *clash* between the demonstrators and the police.

2 《意見・利害などの》 ― [名] (意見などの不一致) clash Ⓒ, cónflict Ⓒ ★ 前者は「ぶつかり合い」, 後者は「争い」のニュアンスがある. ― [動] ((人が人と) 意見が合わない) disagree (with ...) (自); (意見などが食い違う) clash (with ...) (自), conflíct (with ...) (自). (☞ たいりつ).

¶ 両者の間には意見[利害]の*衝突がある There is a *clash* of ˹opinion(s) [interest(s)] between the two. // その問題で意見[利害]の*衝突が起こった A *conflict* of ˹opinion(s) [interest(s)] arose over the matter. // 労働者と経営者の*衝突はストライキに発展した The *clash* between the workers and their employer led to a strike.

衝突防止装置 (航空機の) TCAS unit Ⓒ ★ TCAS は *T*raffic Alert and *C*ollision *A*voidance *S*ystem の略.

> **コロケーション**
> 空中衝突 a midair *collision* / 車の衝突事故 a car *crash* / 衝突しそうになる a near *collision* / 飛行機の衝突 an airplane *collision* / 流血の衝突 a bloody *clash* // 感情の衝突 a *collision* of sentiments / 車同士の衝突 a *collision* ˹of [between] two cars / 原理原則の衝突 a *collision* of principles / 政党間の衝突 a *clash* between two political parties / 武力衝突 a *clash* of arms

しょうとりひき 商取引 business transaction Ⓒ ★ しばしば複数形で. (☞ とりひき).

じょうない 場内 ¶ *場内は禁煙です Smoking is prohibited *in the hall*. // *場内 (⇒ その場所) は満員ですし詰めの有様だった The *place* was so full that we were packed (in) (together) like sardines. // *場内整理の不備から (⇒ 不適切な聴衆管理のために) 事故が起こった An accident happened because of inadequate *crowd* control. **場内アナウンス** the PA /píːéɪ/ sỳstem ★ PA は *p*ublic-*a*ddress の略.

しょうなごん 少納言 (日本の昔の官位) *shona-*

gon; (説明的には) lesser council(l)or of state Ⓒ. 《☞ だいなごん》.

しょうに 小児 little child Ⓒ; (少々改まって) ínfant Ⓒ. 《☞ ようじ³》.
小児科 (医学上の) pediatrics /pì:diǽtrɪks/ Ⓤ; (病院の) the pediatrics department **小児科医** pediatrician /pì:diətríʃən/ Ⓒ, children's doctor Ⓒ ★ 後者は口語的. **小児科医院** pediatrician's [children's doctor's] office Ⓒ **小児癌** infantile /ínfəntàɪl/ cáncer Ⓤ **小児虐待** child abuse Ⓤ **小児結核** ínfantìle tuberculosis /t(j)ʊbə̀:kjʊlóʊsɪs/ Ⓤ **小児語** baby word Ⓒ; (赤ちゃんことば) baby talk Ⓤ **小児性愛** — [名]〖心〗pedophilia (《英》 paedophilia) /pì:dəfíliə/ Ⓤ. — [形] p(a)edophiliac, p(a)edophilic **小児性愛者** pedophile (《英》 paedophile) /pí:dəfàɪl/ Ⓒ **小児成人[生活習慣]病** lifestyle disease of children Ⓒ **小児ぜんそく** infantile asthma /ǽzmə/ Ⓤ **小児難病** infantile incurable disease Ⓒ **小児病** childhood [children's] diseases ★ 複数形で. **小児病院** children's hospital Ⓒ **小児麻痺** ínfantile parálysis Ⓤ, 《略式》 polio Ⓤ.

しょうにゅうせき 鍾乳石 〖地質〗 stalactite /stəlǽktaɪt/ Ⓒ.

しょうにゅうどう 鍾乳洞 limestone ˹cave [cavern] Ⓒ ★ cave より cavern のほうが格式ばった語で, 特に大きい洞窟を指す.

しようにん 使用人 (従業員) èmployée Ⓒ; (召使い) servant Ⓒ; (家事手伝い) help Ⓒ ★《米》では Ⓤ で単数または複数扱いとなることがある; (女性の) maid Ⓒ.

しょうにん¹ 承認 — [動] (地位などを公認する) récognize (他); (自ら認める) acknowledge (他); (是認する) approve (他) (↔ disapprove), approve of ...; (承諾する) consént (to ...) (自); (許可する) permit (他). — [名] recognition Ⓤ; (許可) permission Ⓒ; acknowledgment Ⓤ ★《英》では acknowledgement ともつづる; approval Ⓤ (↔ disapproval); consént Ⓤ. 《☞ しょうだく; りょうしょう》. ¶ 1960 年代に多くのアフリカの国々が独立国として*承認された Many African countries *were recognized* as independent states ˹in [during] the nineteen-sixties. // 全員が彼の提案を*承認した Everybody ˹*approved* [*consented to*] his proposal. // この問題は委員会の*承認を経なければならない This matter is subject to the *approval* of the committee.

しょうにん² 商人 merchant Ⓒ [語法] 一般的な語だが, 特に貿易商のことを言い, また《米》では「小売り商人」,《英》では「卸し売り商人」という意味で用いられる; (小売り商の店主) 《米》 store owner Ⓒ, 《英》 shopkeeper Ⓒ. **商人気質** trait characteristic of merchants Ⓒ **商人根性** mercantile spirit Ⓒ.

しょうにん³ 証人 (目撃者) witness Ⓒ ★ 法律用語としても用いられる. 《☞ しょうげん¹》.
¶ 私は*証人として裁判所に喚問された I was summoned to (the) court as a *witness*. / (⇒ 裁判所で証言するために) I was called to *give testimony* in court. // あなたの無罪は私が*証人になりましょう I will *bear witness to* your innocence. ★ bear *witness to* ... は「...の証人となる」の意味の決まり文句. / (⇒ 証明する) I will ˹*testify* [*attest*] to your innocence. // 第 2 次世界大戦の生き*証人 a living *witness* to WW II
証人喚問 summons of a witness Ⓒ **証人調べ** examination of a witness Ⓤ **証人台** 《米》 witness stand Ⓒ, 《英》 witness box Ⓒ. ¶ *証人台に立つ 《米》 take the (*witness*) *stand* / 《英》 enter the *witness box*

しょうにん⁴ 昇任 — [動] (昇任する) be promoted. — [名] promotion Ⓤ. 《☞ しょうしん¹》.

しょうにん⁵ 上人 (高位の僧) holy priest Ⓒ; (高徳の人) saint Ⓒ.

じょうにん 常任 — [形] (常置の) standing; (永久的な) permanent; (いつもの) regular. ¶ 彼は*常任委員 (⇒ 常任委員会のメンバー) である He is a member of the *standing* committee.
常任理事国 (国連安全保障理事会の永久メンバー) permanent member of the U.N. Security Council Ⓒ.

しょうにんずう 少人数 ¶ その会には*少人数しか出席しなかった Only *a small number of people* attended the meeting. 《☞ こにんずう; にんずう》

しょうね 性根 ¶ あいつは本当に*性根が腐っている (⇒ 骨の髄まで腐っている) He is *corrupt* to the marrow (of his bones). // おまえの*性根を (⇒ 曲がった習癖を) たたき直してやる I will correct your ˹*crooked* [*wicked*] *habits*.

じょうねつ 情熱 — [名] (理性を圧倒する強い感情) passion Ⓤ ★ a を伴うことがある; (異常な熱心さ) ardor (《英》 ardour) Ⓤ; (長続きする熱心さ) fervor (《英》 fervour) Ⓤ ★ 他の語より格式ばった語; (何かを熱心に追求する情熱) enthúsiàsm Ⓤ; (非常に強い熱情) zeal Ⓤ. — [形] passionate; ardent; fervent; enthùsiástic; zealous. 《☞ ねつい》.
¶ 彼女は*情熱をこめて詩を朗読した She read the poem *passionately*. // 彼は平和への*情熱をこめて演説した He spoke *passionately* for peace. // 彼女は音楽への*情熱を持っている She has ˹a *passion* [strong *enthusiasm*] for music. / She is *enthusiastic* ˹over [about] music. // 彼は*情熱的な人だ He is a man of *passion*. / He is a *passionate* man. // それで彼の*情熱も冷めてしまった (⇒ それは彼の情熱を冷ました) It ˹chilled [cooled] his *ardor*. ★ chilled のほうが意味が強い.

しょうねつじごく 焦熱地獄 (burning) hell Ⓒ, inferno /ɪnfə́:noʊ/ Ⓒ ★ 後者のほうがやや格式ばった語.

しょうねん 少年 — [名] (17, 8 歳までの男子) boy Ⓒ; (少年・少女) 《格式》 juvenile Ⓒ. — [形] (少年らしい) boyish. 《☞ こども; おとこ》.
¶ 天才*少年 a *boy* genius // 非行*少年 a delinquent *boy* // 私は*少年時代田舎に住んでいた I lived in the country when I was a *boy*. // *少年よ大志をいだけ *Boys*, be ambitious. // *少年老い易く学成り難し Art is long, life is short. 《ことわざ: 技芸の道は長く人生は短い》
少年院 《米》 reform school Ⓒ, 《英》 community home Ⓒ **少年鑑別所** detention ˹《米》 center [《英》 centre] Ⓒ; (日本の施設の英訳は) Juvenile /ʤú:vənàɪl/ Classification Home Ⓒ **少年期** *one's* boyhood Ⓤ **少年刑務所** juvenile prison Ⓒ **少年時代** *one's* boyhood Ⓤ **少年審判所** juvenile court Ⓒ **少年団** the Boy Scouts; (その一員) boy scout Ⓒ **少年犯罪** juvenile delinquency Ⓤ ★ 個々の犯罪を表す時は Ⓒ. **少年犯罪者** juvenile delinquent Ⓒ **少年法** the Juvenile Law.

じょうねん 情念 feelings, emotions ★ 後者のほうが強い感情. いずれも複数形で.

しょうねんば 正念場 (最も重要な時機) crucial moment Ⓒ. ¶ これからが*正念場だ The *crucial moment* is yet to come. / We will face the *crucial moment* in the near future.

しょうのう¹ 小脳 〖解〗 cèrebéllum Ⓒ (複 ~s, cerebella) 《☞ のう¹》.

しょうのう² 樟脳 camphor /kǽmfə/ Ⓤ; (虫よけ

用の玉状になったもの) camphor ball Ⓒ. **樟脳油** camphor oil Ⓤ.

しょうのう[3] **笑納** ¶感謝のしるしにウィスキーをお送り致しました. ご*笑納ください (⇒ 気に入っていただけたら幸いです) I've sent you a bottle of whisky as a token of thanks. I hope you will like it. 日英比較 英語では「つまらないものですがご笑納を…」といったへりくだった言い方はしない.

しょうのう[4] **小農** small-scale farmer Ⓒ《☞ のうみん》.

じょうのうきん 上納金 money paid to the authorities Ⓤ.

しょうのつき 小の月 month that has 30 days or less Ⓒ; (偶数の月) even month Ⓒ.

しょうは[1] **小破** ―名 slight damage Ⓤ. ―動 be slightly damaged.

しょうは[2] **消波** ―名 wave damping Ⓤ. **消波ブロック** wave-damping block Ⓒ.

じょうば 乗馬 ―名 (馬に乗ること) (horseback) riding Ⓤ; (馬術) horsemanship Ⓤ. ―動 (馬に乗る・乗って行く) ride a horse; (馬に乗って行く) go on horseback; (馬の上に乗る) mount [get on] a horse ★ 乗る動作をいう.《☞ うま[1]; ばじゅつ》. ¶私の趣味は*乗馬です My hobby is (*horseback*) *riding*. **乗馬靴** riding boots ★ 通例複数形で. **乗馬クラブ** riding club Ⓒ **乗馬ズボン** (riding) breeches ★ 通例複数形で. **乗馬服** riding dress Ⓒ; (婦人用の) riding habit Ⓒ.

しょうはい[1] **勝敗** (勝ったり負けたりすること) victory or defeat Ⓤ; (戦いなどの結末) the ┌result [outcome] of the ┌battle [contest] Ⓒ.《☞ しょうぶ[1]; かちまけ》.
¶あのホームランが*勝敗を決した (⇒ 試合を決めた) That home run decided *the game*. ∥ 我々の優勝はきょうの試合の*勝敗いかんにかかっている Our winning the championship depends ┌on [upon] *the outcome of* today's *game*.
勝敗は時の運 Victory or defeat is a matter of ┌luck [chance]. **勝敗つかず** 〖野〗 no-decision Ⓒ. ¶投手は*勝敗つかずに終わった The pitcher had to settle for a *no-decision*.

しょうはい[2] **賞杯, 賞盃** (カップ) cup Ⓒ; (カップを含めた) trophy Ⓒ.

しょうはい[3] **賞牌** (prize) medal Ⓒ.

しょうばい 商売 (利益を得るための商活動) business Ⓤ; (商い・貿易) trade Ⓤ; (職業) occupation Ⓒ, line Ⓒ ★ 後者のほうが口語的.《☞ とりひき; ばいばい》. ¶「何のご*商売ですか」「靴屋です」"What *business* are you in? / What's your ┌*trade* [*line*]?" "I'm a shoemaker." ∥ 彼は*商売が繁盛している His *business* is thriving. / He's doing good *business*. ★ 第2文のほうが口語的. ∥ 彼は*商売をやめる [変える] ことにした He decided to ┌give up [change] his *business*. ∥ 不景気で*商売上がったりだ The recession has nearly forced us out of *business*. ∥ 彼は学校をやめて*商売を始めた He left school and ┌went into [started in] *business*. ∥ 彼はお茶の*商売をしている (⇒ お茶を扱っている) He ┌*deals in* tea [is a tea *merchant*]. ∥ その企画は元手がかかり過ぎて*商売にならなかった (⇒ 利益を生まなかった) The plan required too much capital *to yield a profit*. ∥ *商売は*商売 (人情などは禁物) *Business* is *business*.《ことわざ》
商売がたき business [trade] rival Ⓒ **商売がら** ¶先生という*商売がら行いには気をつけている As [Being] a teacher, I try to be careful (of) how I behave. ∥ *商売がら彼は金のことには抜け目がない Because of *the nature of his business*, he's sharp about money. ∥ 彼は*商売がらきちんとした服装でいなければならない (⇒ 職業が要求する) His *occupation* requires that he ┌should be [be] neatly dressed. 語法 《米》では be (仮定法現在)が一般的. **商売気** ―名 enterprising spirit Ⓒ. ―形 business-minded **商売道具** ¶私の*商売道具はワープロだ The word-processor is *the tool of my trade*. **商売人** (一般的に) merchant Ⓒ; (小売り商の店主)《米》store owner Ⓒ,《英》shopkeeper Ⓒ.《☞ しょうにん[2]》. ¶彼はなかなかの*商売人だ He *has a* good *sense of business*.

> **コロケーション**
> 商売を拡大[縮小]する enlarge [reduce] *one's business* / 商売を切り盛りする manage a *business* / 商売をする run [conduct; carry on] a *business* / 商売を始める start [launch] a *business* / …と商売する do *business* with … ∥ いい[儲かる]商売 good [a lucrative; a profitable] *business* / いかがわしい商売 a disreputable *business* / まっとうな[不正な]商売 a ┌clean [crooked] *business* / 儲からない商売 bad [poor] *business*

じょうはく 上白 (米) first-class rice Ⓤ; (砂糖) first-class sugar Ⓤ.

じょうはく(こつ) 上膊(骨) ☞ じょうわん (上腕骨)

しょうはく(るい) 松柏(類) conifer Ⓒ, coniferous tree Ⓒ.《☞ しんようじゅ》.

じょうばこ 状箱 letter [message] case Ⓒ.

じょうばさみ 状挟み letter ┌clip [file] Ⓒ.

しょうばつ 賞罰 (ほうびと罰) reward and ┌punishment [penalty] Ⓤ. ¶*賞罰なし No *reward*, no *punishment*. 日英比較 日本の履歴書に書く言葉を英語に直せばこうなるが, 英米の履歴書にはこのような書き方はしないで, 特記すべきもののみ記す.《☞ りれき(履歴書)》

じょうはつ 蒸発 ―動 (水蒸気などになって消散する) evaporate ⓐ; (気化する) vaporize ⓐ ★ いずれも ⓣ としても用い, 入れ替え可能なことが多い; (気体に変わる) change into a gas ★ vaporize と同意だが平易な言い方. ―名 evaporation Ⓤ; vaporization Ⓤ. ¶ベンジンはすぐ*蒸発する Benzine /bénziːn/ ┌*evaporates* [*vaporizes*] quickly. / Benzine quickly *changes into a gas*. ∥ 私の夫が*蒸発して (⇒ 逃げて) からもう5年になる It's already five years since my husband *ran* ┌*away* [*off*]. / (⇒ 5年前に消えた) My husband *disappeared* five years ago.
蒸発器 eváporàtor Ⓒ **蒸発皿** evaporating ┌dish [basin] Ⓒ **蒸発熱** evaporation heat Ⓤ.

しょうばん 相伴 ―動 share in …《☞ おしょうばん》. ¶利益のお*相伴にあずかる *share in* the profits ∥ 今すいかを食べてるのよ. あなたもお*相伴なさい We're having some watermelon. *Join* us, will you?

じょうはん 上半 the ┌first [upper] part.

じょうはんしん 上半身 the upper half of the body Ⓒ (↔ the lower half of the body)《☞ はんしん》. ¶レントゲンをとるので*上半身 (⇒ 腰まで) 裸になった I stripped *to the waist* for an X-ray.

しょうひ 消費 ―名 (物資などを使い尽くすこと) consumption Ⓤ; (金・時間などを使うこと) spending Ⓤ ★ 後者のほうが口語的.
―動 consume ⓣ; spend ⓣ.《☞ つかう》.
¶石油の*消費は夏よりも冬のほうがずっと多い Oil *consumption* is much greater in winter than in summer. / We *consume* much more oil in winter than in summer. ∥ 政府は個人*消費を抑えようとしている The government is trying to reduce ┌*spending* by individuals [personal *consump-*

tion].
消費インフレ consumption-driven inflation Ⓤ 消費期限 consume-by [use-by] date Ⓒ 消費財 consumer goods ★複数形で. 消費支出 consumption expenditure Ⓤ 消費者 consumer Ⓒ. ¶*消費者の購買力は落ちている *Consumer* purchasing power ˹is down [has declined]. 消費者運動 the consumer(s') movement, consumerism Ⓤ 消費社会 consumer society Ⓒ 消費者価格 consumer(s') price Ⓒ 消費者金融 consumer ˹credit [finance; loan] Ⓤ 消費者金融会社 consumer finance company Ⓒ 消費者志向 ―形 consumer-˹oriented [conscious] 消費者団体 consumer organization Ⓒ 消費者被害救済制度 consumer damage relief system Ⓒ 消費者物価指数 consumer price index Ⓒ 消費者米価 consumer rice price Ⓒ 消費者保護基本法 the Consumer Protection Fundamental Law 消費者ローン consumer loan Ⓤ 消費税 consumption tax Ⓒ 消費生活 consumer's lifestyle Ⓒ 消費生活協同組合 consumers' cooperative society Ⓒ 消費税法 the Consumption Tax Law.

しょうび¹ 焦眉 ¶地震の被災者を救出することが*焦眉の急だ (⇒緊急に必要だ[最も緊急を要する事柄だ]) We *urgently* need [It is a matter *of the utmost urgency*] to rescue the victims of the earthquake.

しょうび² 賞美 ―動(ほめる) admire ⊕; (珍重する) prize ⊕. 《☞ほめる》.

じょうひ¹ 冗費 (不必要な出費) unnecessary ˹expense [expenditure] Ⓒ ★[ ]内は格式ばった語; (浪費) squandering Ⓤ.

じょうひ² 上皮 〘生〙 epithelium /èpəθíːliəm/ Ⓒ 《複 -lia》. 上皮組織 épidèrmal tíssue Ⓤ.

じょうび 常備 ―形 (常置の) standing. ―動 (用意しておく) have ... ˹ready [on hand]; (備えつけてある) be provided with ... 《☞そなえつける》. 常備軍 (常置の[臨時ではなく正規の]軍) standing [regular] armed forces ★陸・海・空軍にはそれぞれ army, navy, air force を用いる. 常備薬 household medicine Ⓤ; (救急薬品セット) first-aid kit Ⓒ.

じょうびたき 尉鶲 〘鳥〙 (ツグミ科の鳥) redstart Ⓒ ★欧州産の近縁の鳥.

しょうひつ 正筆 ☞しんぴつ¹; にくひつ

しょうひょう 商標 (トレードマーク) trademark Ⓒ. ¶*商標を登録する register a *trademark* // *商標を侵害する infringe ˹on [upon] a *trademark* // *商標を盗用する pirate a *trademark* // 登録*商標 a registered *trademark* 商標権 the trademark right 商標盗用 trademark piracy /páɪ(ə)rəsi/ Ⓤ 商標法 the Trademark Law.

しょうびょうてあてきん 傷病手当金 sick [sickness] benefit Ⓤ.

しょうびょうへい 傷病兵 the sick and wounded ★複数扱い.

しょうひん¹ 商品 (品物) goods 〔語法〕複数扱いだが, 数詞では修飾できない; (売買するための品) 《格式》 merchandise Ⓤ. 《☞しな¹; しなもの》. ¶あの店は*商品が多い There is a large variety of *goods* in that shop. 商品回転率 the ˹stock [merchandise] turnover 商品開発[管理]部 the product ˹development [administration] ˹division [department] 《☞会社の組織と役職名 (囲み)》 商品券 gift certificate /sə(ː)tífɪkət/ Ⓒ, 《英》 gift voucher Ⓒ 商品先物取引 commodity futures transaction Ⓒ 商品相場 quotations on commodities 商品手形 commercial ˹bill [paper] Ⓒ 商品取引所 commodity exchange Ⓒ 商品見本 commercial sample Ⓒ 商品名 trade name Ⓒ.

しょうひん² 賞品 prize Ⓒ 《☞しょう⁴》.

しょうひん³ 小品 (短い作品) short piece Ⓒ 《☞さくひん》.

じょうひん 上品 ―形 (しとやかで優美な) graceful; (優雅な) elegant; (洗練されてあか抜けした) refined. ―名 (上品さ) grace Ⓤ; elegance Ⓤ; refinement Ⓤ.

【類義語】踊り・女性の振舞い・身のこなしなどが優美であるのは ***graceful***. 豪華でしかも趣味がよく優雅な感じは ***elegant***. 洗練されて知性を感じさせる上品さは ***refined***. 《☞ひん》 ¶スミス夫人は*上品な人です Mrs. Smith is a *graceful* lady. // 彼女は*上品な話し方をする She speaks *gracefully*. / She has a *refined* manner of speaking. ★第2文のほうが格式ばった言い方. // 彼女は*上品な身なりをしている She is *elegantly* dressed.

しょうふ 娼婦 próstitùte Ⓒ ★最も一般的な語. この語は必要があれば正式な場面で使える; whore Ⓒ, hooker Ⓒ ★以上2語は改まった場面では使ってはならない. 《☞ばいしゅん¹˒²》.

しょうぶ¹ 勝負 (試合) game Ⓒ 《☞しあい; しょうはい¹》. ¶*勝負に勝った[負けた] We ˹won [lost] the *game*. // やっと*勝負がついた The *game* is over at last. // *勝負はこっちのものだ We have the *game* in our hands. // あの男とでは*勝負にならない (⇒私はまったく彼に匹敵しない) I'm no *match* for him. // あの2人はいい*勝負だ They *are* evenly *matched*. // ここが*勝負どころだ (⇒転機だ) This is a *turning point*. // 君は*勝負どころ (⇒勝つ機会) を逸したよ You let your *winning chance* go! 勝負は時の運 Victory or defeat is a matter of ˹chance [luck]. 勝負事 gambling Ⓤ 勝負師 (ばくち打ち) gambler Ⓒ; (大胆な競技者) daring [bold] player Ⓒ.

しょうぶ² 菖蒲 〘植〙 sweet flag Ⓒ; (あやめ) iris Ⓒ. 菖蒲湯 sweet flag bath Ⓒ; (説明的には) bath with sweet flags floating on the water (taken on May 5) Ⓒ.

じょうふ¹ 情夫 lover Ⓒ.

じょうふ² 情婦 mistress Ⓒ.

じょうふ³ 上布 (上等の麻布) quality hemp cloth Ⓤ.

じょうぶ¹ 丈夫 1 《健康な》 ―形 (心身が健康な) healthy; (筋骨たくましく力のある) strong (↔weak); (特に老人などが) hale and hearty; (屈強で頑丈な) robust; (心身ともに堅固で頑張りのきく) tough. 《☞けんこう¹; げんき¹》.
¶この子はとても*丈夫です This child is very *healthy*. // 少し運動でもして体を*丈夫にしなさい Get a little exercise to ˹*build up* [*improve*] *your health*. // 私の父は年をとっていますが体はいたって*丈夫です Though my father is old, he is ˹*hale and hearty* [very *healthy*].
2 《堅固な》: (破壊する力などに強い) strong (↔weak) ★最も一般的な語; (ものの作りががっちりしている) firm; (実質的で頑丈な) substantial; (もちのよい) durable /d(j)ʊ́(ə)rəbl/. 《☞がんじょう; つよい (類義語)》. ¶このいすは*丈夫だ This ˹chair [stool] is *strongly* made. // このハンドバッグは*丈夫な布でできている This ˹handbag [purse] is made of ˹*strong* [*substantial*; *durable*] cloth. // 革は*丈夫です Leather *wears well*.

じょうぶ² 上部 (上の部分) the upper part; (頂上) the top. 《☞うえ¹》.
上部機構[構造] superstructure Ⓒ.

しょうふく 承服, 承伏 ―動 (意見・提案などに自発的に同意する) consént (to ...) ⓐ, give *one's* consent (to ...); (受け入れる) accept ⊕ (↔reject, refuse). ―名 consént Ⓤ; acceptance Ⓤ. 《☞

なっとく》.

¶あなたの意見[提案]は*承服できない I can't ⌈*consent to* [*accept*] your ⌈opinion [proposal]. // 彼の理論は人を*承服させるに足るものだ (⇒ 説得力がある) His theory is quite ⌈*persuasive* [*convincing*].

しょうふだ 正札 price tag Ⓒ 《☞ ていか²》.
¶*正札を付ける fasten a *price tag* (to ...) / (⇒ 値段を付ける) set [put] a *price* (on ...) **正札付き** (正札の付いた商品) item with a price tag Ⓒ 《☞ ふだつき》.

じょうぶつ 成仏 —動 (死ぬ) pass away ⓐ, die ⓐ ★ 前者は婉曲的表現. ¶彼が*成仏しますように (⇒ 安らかに永眠しますように) May he *rest in peace.*

しょうぶん 性分 (生まれつきの性質) nature Ⓤ; (その人独特の気質) disposition Ⓒ ★ 前者より格式ばった語; (気分的な特徴) temperament Ⓒ; temper Ⓒ ★ 主として「怒りっぽい性分」(short [quick] temper) のような結びつきで用いる. 《☞ せいしつ¹ (類義語); たち¹; きしょう¹》. ¶僕の持って生まれた*性分だから仕方がない (⇒ 現在の自分はどうしようもない) I can't help what I am. // あの子はおとなしい*性分だ The child ⌈is calm by *nature* [has a placid *disposition*]. // 私は得[損]な*性分だ (⇒ 常に運がいい[悪い]) I'm always ⌈in [out of] luck.

じょうぶん¹ 条文 (序文や注釈などに対する本文) text Ⓤ; (規則・契約・憲法などの一つ一つの箇条・条文) article Ⓒ; (条令・一般の法律などの一つのまとまった条文) clause Ⓒ; (法律の規定・条項) provision Ⓒ. 《☞ じょうこう¹ 語法; -じょう¹》.
¶基本的人権の擁護は憲法の*条文に明記されている The safeguarding of fundamental human rights is ⌈specified [expressly stated] in (the *text* of) the Constitution. // 憲法には内閣についての*条文がある There are (some) *provisions* concerning the cabinet in the Constitution.

じょうぶん² 上文 (上の記述) the above (statement); (先の段落) the foregoing paragraph.
¶*上文のごとく (⇒ 上で述べられているように) as stated *above*

しょうへい¹ 招聘 —名 (招待) invitation Ⓒ. —動 invite ⓣ. 《☞ まねく; ゆうち; しょうたい¹》.

しょうへい² 将兵 officers and men.

しょうへい³ 哨兵 sentry Ⓒ.

しょうへいこう 昌平黌 (江戸時代の) *Shohei* Academy; (説明的には) the center of learning established by the Shogunate government at Edo.

しょうへき 障壁 (進行の妨げになる物) obstacle Ⓒ; (壁・塀) wall Ⓒ ★ 比喩的な障害にも用いる; (進行を妨げ, しかも間を離すような障害物) barrier Ⓒ ★ 克服しがたい障害を表すことが多い. 《☞ しょうがい¹; じゃま; かべ》.
¶言葉の違いが彼らの*障壁となった Their language differences became ⌈a *barrier* [an *obstacle*; a *wall*]. 語法 barrier を用いるほうが重大な障害の感じが強い. / (⇒ 彼らの間には言語の障壁があった) There was a language *barrier* between them. // 関税の*障壁 a tariff ⌈*barrier* [*wall*]

じょうへき 城壁 castle wall Ⓒ 《☞ しろ² (挿絵)》.

しょうへきが 障壁画 sliding door and wall paintings ★ 個々には a sliding-door painting, a wall painting のようにする. 《☞ へきが》.

しょうへん¹ 小片 small piece Ⓒ; (かけら) fragment Ⓒ. ¶*小片に刻む cut into *small pieces*

しょうへん² 小編, 小篇 short story Ⓒ.

しょうへん³ 掌編, 掌篇 (超短編) short short story Ⓒ 《☞ しょうへん²; たんぺん》.

しょうべん 小便 —名 (尿) urine /jʊ́(ə)rɪn/ Ⓤ ★ 堅苦しいが最も正式な言い方で, 改まった場面でも使える; (分泌液としての) water Ⓤ ★ 尿以外の分泌液についても用いられる; 《卑》 piss Ⓤ, 《小児》 pee /píː/ Ⓤ ★ 以上 2 語は人前では使わないほうがよい.
—動 (トイレへ行く) go to the ⌈rest room [bathroom] ★ [ ] 内は個人の住宅の場合. この言い方が最も一般的; 《格式》 urinate /jʊ́(ə)rənèɪt/ ⓐ, 《格式》 pass urine; make [pass] water ★ それほど下品ではないが, 改まった場面では使わないほうがよい; 《卑》 piss ⓐ. 《☞ にょう; おしっこ; てあらい¹; トイレ》.
¶*小便を我慢する retain [hold] *one's urine* / (⇒ 尿意を抑える) control *one's* need to *urinate* // 彼は*小便が近い He has a frequent need to *urinate.* / He needs to *go to the bathroom* frequently. // 立ち*小便をする *urinate* [*relieve oneself*] in the street ★ [ ]内は婉曲的な言い方.

じょうへん 上編 the first part of a book.

じょうほ 譲歩 —動 (認めて譲る) 《格式》 concede ⓣ ⓐ 語法 (1) 「しぶしぶ」という気持ちが含まれることが多い; (脅迫などに屈して譲る) give way (to ...); (折り合う) meet ... halfway ★ meet の目的語として「人」をとる. あとの 2 つは口語的.
—名 concession Ⓒ. —形 concessive. 《☞ ゆずる; あゆみよる; だきょう》.
¶時には*譲歩することも必要である It is sometimes necessary to ⌈*concede* [make *concessions*]. // この問題に関しては*譲歩しかねる I cannot *concede* my position in this matter. 語法 (2) in this matter を文頭にもっていく時は as for [regarding] this matter を用いてもよい. // 彼も仲直りしたいのだからあなたも*譲歩してやりなさい He wants to make up, so you had better *meet* him *halfway*.

しょうほう¹ 商法 (法律) commercial law Ⓤ; (商売のやり方) business method Ⓒ. 《☞ ビジネス; しょうばい》.

しょうほう² 詳報 (記述が細部にわたる[十分な]報告) detailed [full] report Ⓒ.

しょうほう³ 唱法 method of singing Ⓒ.

しょうぼう 消防 (消火活動) fire fighting Ⓤ; (消防士) firefighters, firemen ★ 普通「消防が来る」などの場合は, 1 人で来ることはないので複数となる. 《☞ しょうか²; かじ¹》.
¶*消防は大事な仕事だ *Fire fighting* is an important job. // *消防に努める *fight a fire* // 「*消防はまだ来ませんか」「もう来て火を消しています」 "Have the *firemen* ⌈come [arrived] yet?" "Yes, they are fighting the fire now." // すぐ*消防 (⇒ 消防署) を呼んで下さい Please call the *fire department* immediately.
消防演習 fire drill Ⓒ **消防官** fire officer Ⓒ **消防士** firefighter Ⓒ, fireman Ⓒ 《複 -men》 参考 性別を特定しないよう, -man の付く言葉を避けて前者を使う場合が多くなりつつある. **消防自動車** fire engine Ⓒ **消防署** (市の組織としての) 《米》 fire department Ⓒ, 《英》 fire brigade Ⓒ; (各地区ごとにあるもの) fire station Ⓒ **消防隊** fire-fighting team Ⓒ **消防団** (私設の) 《米》 fire-brigade Ⓒ **消防庁** the Fire Defense Agency **消防艇** fireboat Ⓒ **消防本部** the fire defense headquarters **消防ポンプ** fire pump Ⓒ.

じょうほう¹ 情報 (あることに関しての知識) information Ⓤ ★ 数えるときには a ⌈piece [bit] of ... の形を用いる; (資料) data ★ 単数または複数として扱われる; (敵側に関する情報) intelligence Ⓤ. 《☞ ちしき; しりょう¹》.
¶*情報をありがとう Thank you for your *information.* // これは役に立つ*情報だ This is *a* useful *piece of information.* // そのことについては何の*情報

も持ち合わせていません（⇒何も知りません）I don't *know anything about it*. / (⇒何の情報も受け取っていない) I have ˹no [not received any] *information* ˹on [*about*] that matter. // 結論を出すにはもっと多くの*情報が必要だ We need much more *information* to be able to reach a conclusion. // あなたはその*情報をどこで手に入れましたか Where did you ˹obtain [get] the *information*? // 中央*情報局 the central *intelligence* agency 〔語法〕大文字で書いて特定の国の中央情報局をいうことがある．例えば米国の CIA 《the *C*entral *I*ntelligence *A*gency》はその 1 例 // *情報を公開する make *information* open to the public / disclose *information*

情報インフラ information infrastructure Ⓒ **情報エントロピー** information entropy Ⓤ **情報開示** disclosure (of information) Ⓤ **情報科学** information science Ⓤ **情報格差** ☞デジタルディバイド **情報革命** information revolution Ⓒ **情報化社会** information-oriented society Ⓒ **情報化ビル** intelligent building Ⓒ **情報管理** information control Ⓤ **情報機関** intelligence service Ⓒ **情報技術革命** the IT revolution **情報局** intelligence bureau Ⓒ **情報源** source of information Ⓒ **情報検索** information retrieval Ⓤ ★略称は IR. **情報公開** freedom of information Ⓤ, information disclosure Ⓤ **情報公開制度** official information disclosure system Ⓒ, freedom-of-information system Ⓒ **情報公開法** the Freedom of Information ˹Law [《米》Act] **情報工学** computer science Ⓤ **情報産業** information industry Ⓤ **情報誌** information magazine Ⓒ **情報時代** the age of information, the information age **情報収集** information gathering Ⓤ **情報収集衛星** intelligence-gathering satellite Ⓒ **情報処理** information processing Ⓤ **情報スーパーハイウェー** the Informátion Sùperhíghway **情報セキュリティー** information security Ⓤ **情報操作** manipulation of information Ⓤ **情報通** well-informed person Ⓒ, good source of information Ⓒ **情報(通信)技術** information technology Ⓤ《略 IT》**情報通信サービス** telecommunications services ★通例複数形で. **情報提供者** (一般的に) informant Ⓒ; (警察への) informer Ⓒ; (密告者)《俗》stool pigeon Ⓒ **情報ネットワーク** information network Ⓒ **情報部** information ˹bureau [section] Ⓒ **情報網** intelligence network Ⓒ **情報もれ** leakage of information Ⓒ; intelligence leak Ⓒ **情報リテラシー** information literacy Ⓤ **情報理論** information theory Ⓤ **情報ルート** (一般的に) secret channel of information Ⓒ; (口コミの) the grapevine; (犯罪の) undercover [covert] information Ⓤ.

コロケーション

情報を集める collect [gather; assemble; accumulate] *information* / 情報を送る send *information* / 情報を検索する retrieve *information* (from a database) / 情報を交換する exchange [trade; swap] *information* / 情報を更新する update *information* / 情報を探り出す dig up *information* / 情報を伝える convey [impart] *information* / 情報を提供する give [offer; pass on; provide; supply] *information* / 情報を流す release *information* / 情報を入力する input [feed] *information* (into ...) / 情報を伏せる[隠す] withhold [cover up; suppress] *information* / 情報を漏らす leak [divulge] *information* // 詳しい情報 detailed [in-depth] information / 公式の情報 official *information* / 最新情報 the ˹latest [most recent] *information* / 事前の情報 advance *information* / 信頼すべき情報 reliable [trustworthy; authentic; solid] *information* / 正確な情報 accurate [correct; exact] *information* / 伝聞による情報 hearsay *information* / 当局の情報 authoritative *information* / 入手可能な情報 accessible *information* / 古くなった情報 dated [out-of-date] *information* / 未確認情報 unconfirmed *information* / より詳しい情報 further *information*

じょうほう² 定法, 常法 (規則) rule Ⓒ; (決まった方式) the usual ˹method [way].

じょうほう³ 乗法 ☞かけざん

しょうほうし 小胞子 〔植〕microspore Ⓒ.

しょうほうてい 小法廷 Petty Bench of the Supreme Court Ⓒ 〔参考〕大法廷は the Grand Bench of the Supreme Court.

しょうほん¹ 抄本 (抜粋してあるもの) éxtract Ⓒ. ¶戸籍*抄本 an *extract* from *one's* family register 〔日英比較〕米国では family register は作らない.

しょうほん² 正本 the original.

じょうまえ 錠前 lock Ⓒ (☞かぎ¹). ¶*錠前をかける[はずす] *lock* [*unlock*] the door

しょうまく 漿膜 (胚の) chorion /kɔ́ːriàn/ Ⓒ; (体腔の) serous /sí(ə)rəs/ membrane Ⓒ.

しようまっせつ 枝葉末節 (取るに足らない物・事) trivial [unimportant; small] ˹thing [matter] Ⓒ ★small は口語的; (ささいなこと) triviality Ⓒ, trifle Ⓒ 〔語法〕trifle は《米》ではあまり使われない. (☞つまらない; こまかい; ささい). ¶そんなことは*枝葉末節だ That's a ˹*trivial* [*small*] ˹*thing* [*matter*]. // あの人は*枝葉末節にこだわる (⇒重要でない[取るに足らない]細かい点にうるさい) He is particular about ˹*unimportant* [*trivial*] *details*. / (⇒ささいなことにこだわる) He sticks to ˹*trivialities* [*trivial things*].

じょうまん 冗漫 ―形 (必要以上に言葉の多い) wordy, verbose /vəːbóus/ ★後者のほうが格式ばった語; (退屈するような) boring; (長たらしい) lengthy. (☞たいくつ).

しょうみ¹ 正味 ―形 (中身だけの) net Ⓐ (↔ gross); (時間などについてまるまるの) full Ⓐ. ―副 (まるまる) fully. (☞なかみ; まる²). ¶「中身の目方は*正味どのくらいですか」「800 グラムです」"What's the *net* weight of the contents?" "Eight hundred grams." // *正味 200 グラム《ラベルなどの表示》*Net* ˹wt. [weight] 200g // きょうは*正味 8 時間たっぷり働いた Today I worked (for) a *full* eight hours.

しょうみ² 賞味 ―動 (おいしく食べる) relish ⑩; (ゆっくり噛みしめながら味わう) savor ⑩; (味を楽しむ) enjoy ⑩. (☞あじわう; たべる).

賞味期間 the best-before period **賞味期限** ―形 best before ... ★...に 06/2005 のような日付が入る. ―名 (販売期限) pull date Ⓒ, 《英》sell-by date Ⓒ; (使用期限) use-by date Ⓒ.

じょうみ 情味 (情趣) charm Ⓒ; (人情) human kindness Ⓤ; (慈愛) mercy Ⓤ. ¶彼は*情味に欠けている He is lacking in *human kindness*. // *情味のある判決 a *merciful* sentence

じょうみゃく 静脈 ―名 vein Ⓒ (↔ artery). ―形 venous /víːnəs/. (☞けっかん²).

静脈血 venous blood Ⓤ **静脈注射** intravenous /ìntrəvíːnəs/ injection Ⓒ, I.V. injection Ⓒ **静脈弁** venous valve Ⓒ **静脈瘤** 〔医〕varix /vé(ə)rɪks/ Ⓒ《複 varices /vé(ə)rəsìːz/》. ¶*静脈瘤がある have *varicose veins*

しょうみょう 声明 the chanting by a Buddhist

priest.

しょうむ 商務 commercial [business] affairs ★通例複数形で. **商務協定** commercial [business] agreement Ⓒ **商務省** 《米》 the Department of Commerce **商務長官** 《米》 the Secretary of Commerce.

じょうむ[1] **常務** (常務取締役) Managing Director Ⓒ 《☞ じゅうやく[1]; 会社の組織と役職名 (囲み)》.

じょうむ[2] **乗務** ―[動] be on duty as a ⌈crewman [crew member].

じょうむいん 乗務員 (船・飛行機などの乗務員の 1 人) crewman Ⓒ 《複 -men》, crew member Ⓒ; (乗務員全体) crew Ⓒ ★集合的に用いる; (列車・電車の運転手) 《米》 engineer, motorman Ⓒ 《複 -men》; (列車・電車の車掌) 《米》 conductor Ⓒ, 《英》 guard Ⓒ. 《☞ のりくみいん》. ¶その飛行機には 6 人の*乗務員が乗っていた Six *crewmen* were ⌈aboard [on board] the plane. // その墜落事故では乗客も*乗務員も全員が死亡した All the ⌈*crew members* [*crew*] and passengers were killed in the air crash. **乗務員室** the crew's cabin; (列車などの) the ⌈driver's [engineer's] cabin.

しょうめい[1] **証明** ―[動] (実験・証拠などにより証拠だてる) prove (他); (言葉で証言する) testify (自) (他) [語法] 「物・事」が主語になると「…の証拠となる」という意味になる; (公式文書によって証明する) certify (他); (数学などで実証する) démonstràte (他). ―[名] (証拠を示し証明すること) proof Ⓤ; (証言) téstimòny Ⓤ; demonstration Ⓤ. 《☞ しょうこ (類義語); しょうげん[1]; りっしょう》.
¶私は彼が無罪であることを*証明した I *proved* his innocence. / <S (人)+V (*prove*)+O (人)+C (形; *to* 不定詞)> I *proved* him (*to* be) innocent. / <S (人)+V (*prove*)+O (*that* 節)> I *proved that* he was innocent. / (⇒(法廷で) 彼の無罪について証言した) I *testified to* his innocence. //「身分を*証明するものを何かお持ちですか」「はい, 学生証を持っています」"Do you have anything to ⌈*prove* [*establish*] your identity?" "Yes, I have my student ⌈identification card [ID]." // その事実は彼の誠実さを*証明している The fact ⌈*proves* [*shows*] *that* he is sincere. / (⇒誠実さの証明である) The fact is ⌈*proof* [*testimony*] of his sincerity. // 定理を*証明する *demonstrate* [*prove*] a theorem **証明書** certificate /sə(ː)tífɪkət/ Ⓒ 《☞ しょうしょ[1]》. ¶この*証明書は山田氏が本大学の卒業生であることを証明します 《証明書の文句》 This is to *certify that* Mr. Yamada is a graduate of this university. ★This から that までは証明書の決まり文句. **証明責任** 〘法〙 the burden of proof **証明力** 〘法〙 probative value Ⓤ.

しょうめい[2] **照明** ―[動] (電灯などで明るくする) light (up) (他), illúminàte (他) [語法] 以上 2 語はほぼ同意だが, 後者のほうが改まった言い方. 特に街路やビルなどを飾る目的で照明するという場合は illuminate を用いる. ―[名] lighting Ⓤ, illumination Ⓤ. 《☞ てらす》.
¶この部屋は*照明がよい [悪い] This room *is* ⌈well [poorly] *lighted*. // そのホールは何十という (⇒何ダースという) シャンデリアで*照明されている The hall *is* ⌈*lighted* (*up*) [*illuminated*] by dozens of chandeliers. // 私はこのレストランのソフトな*照明が好きだ I like the soft *lighting* in this restaurant. // 直接 [間接]*照明 direct [indirect] *lighting* // *照明が弱すぎて絵の細部がよく見えない The ⌈*illumination* [(⇒光) *light*] is too weak to show the ⌈detail in [details of] the painting. **照明係** lighting technician Ⓒ **照明器具** (照明する物) light Ⓒ; (照明のための備品) light fixtures ★通例複数形で. **照明効果** lighting effects ★複数形で. **照明弾** flare Ⓒ **照明塔** light tower Ⓒ.

しょうめい[3] **召命** 〘キ教〙 (宗教的職業への神のお召し, 天職) vocation Ⓒ.

しょうめつ[1] **消滅** ―[動] (習慣などがすたれてなくなる) díe óut (自), gò óut (自) ★以上は口語的表現; (いままで存在していた物がなくなる) vanish (自); (姿が見えなくなる) disappear (自); (一般に失われる) be lost; (権利などが失効する) lapse (自). ―[形] (すっかりなくなって) extinct. ―[名] extinction Ⓤ; lapse Ⓒ; disappearance Ⓤ. 《☞ たえる[2]; すたれる》.
¶この習慣もやがて*消滅するだろう This custom will ⌈*die out* [*disappear*] before long. // このタイプの古い町は急速に*消滅しつつある This type of old town *is* rapidly *disappearing*. // いままでにいろいろな種類の生物が地球上から*消滅した Many (plant and animal) species ⌈*have vanished* from the earth [*have become extinct*]. // 多くの貴重な史的資料が戦火のために*消滅した Many valuable historical documents *were lost* during the war. // 自然*消滅 natural *extinction*

しょうめつ[2] **生滅** birth and death Ⓤ.

しょうめん 正面 ―[名] (前の部分) the front Ⓒ (↔ back; rear) [日英比較] 日本語では離れた前方も「正面」と言うが, front にはその意味はなく,「…の前方に」という場合には in front of を用いる; (大きな建物の通りに面した部分) facade, façade /fəsáːd/ Ⓒ. ―[形] front Ⓐ. ―[前] (…の正面に; …の前に) in front of … (↔ behind …) ★離れていて, しかも直前の地点をいう. 《☞ まえ (挿絵); ぜんぽう》.
¶その建物の*正面はブラウン通りに面している *The front* of the building faces Brown Street. // この建物の*正面入口はどこですか Where is *the front* entrance of this building? // 私の家の*正面は銀行です (⇒私の家の前方に銀行がある) There is a bank *in front of* my house. // その大聖堂の*正面は彫刻で飾られている The ⌈*facade* [*front*] of the cathedral is decorated with carvings. // 私はその問題に*正面から (⇒一生懸命) 取り組むつもりです I'm determined to struggle *hard* with the problem. // 彼には*正面切って (⇒直接に) 言ったほうがよい You'd better tell it to him *directly*.
正面衝突 ―[名] (正面からぶつかること) head-on collision Ⓒ; (正面からぶつかって壊れること) head-on car crash Ⓒ. ―[動] collide [crash] head-on (自). 《☞ しょうとつ》. ¶2 台の自動車が*正面衝突した The two cars ⌈*collided* [*crashed* (into each other)] *head-on*. [語法] crashed into each other という言い方は互いにめり込んだ様子を暗示する. **正面図** front view Ⓒ **正面装備** 〘軍〙 front-line equipment Ⓤ.

しょうもう 消耗 ―[動] (資源・体力などをすっかり使い尽くす) exhaust /ɪgzɔ́ːst/ (他) ★すっかりという意味が強調される; (消費物資などを使い切ってしまう・消費する) consume (他); (むだに使う) waste (他). ―[名] exhaustion /ɪgzɔ́ːstʃən/ Ⓤ; consumption Ⓤ; 《格式》 (摩滅) attrition Ⓤ. 《☞ つかいはたす》.
¶彼はつらい仕事で*消耗してしまった He *was exhausted* ⌈because of [by] hard work. // それは精力を*消耗させる仕事です That's an energy-*consuming* job. // つまらないことで精力を*消耗すべきではない You shouldn't *waste* your energy *on* unimportant things. // 我々はそのときにはもう体力を*消耗してしまっていて何もできなかった We could not do anything, because we *had exhausted* our strength by that time. **消耗戦** war of attrition Ⓒ. ¶*消耗戦をする wage a *war of attrition* **消耗品** article for consumption Ⓒ, 《略式》 expend-

ables ★2つとも複数形で用いるのが普通.

じょうもく　条目　☞じょうこう¹

じょうもの　上物　(質の良いもの) goods of high ⌐quality; (選りすぐったもの) fine [quality] goods ★具体的には goods の代わりに製品名を付けて用いる. ¶*上物の手袋 *fine* [*quality*] gloves

しょうもん¹　証文　(借金・約束などの証書) bond Ⓒ; (書かれた約束の書類) written contract Ⓒ; (借用証書) IOU /áiòujúː/ Ⓒ ★I owe you ...(私はあなたに借りがある)の発音を略語風に短縮して書いたもの. (☞しょうしょ¹).

しょうもん²　掌紋　palm print Ⓒ.

じょうもん¹　城門　castle gate Ⓒ.

じょうもん²　縄文　*Jomon* pattern Ⓒ; (説明的には) straw-rope pattern Ⓒ.　**縄文稲作** the rice ⌐farming [cultivation] in the *Jomon* period　**縄文漆製品** lacquer product of the *Jomon* period Ⓒ　**縄文時代**〘考古〙the *Jomon* period ★the を付けて.　**縄文人** the *Jomon* people　**縄文杉** *Jomon sugi*; (説明的には) the oldest monster cedar growing high in Yakushima, Kagoshima Prefecture　**縄文(式)土器** *Jomon* ware Ⓤ, straw-rope pattern pottery Ⓤ　**縄文農耕** the agriculture in the *Jomon* period　**縄文文化** *Jomon* culture Ⓤ.

じょうもん³　定紋　family crest Ⓒ (☞かもん¹).

定紋付　― 形 (定紋の付いた) with a family crest.　― 名 (定紋の付いた羽織) kimono overcoat with a family crest Ⓒ.

しょうや　庄屋　village headman Ⓒ.

しょうやく¹　抄訳　(一部を抜粋して訳したもの) translation of selected passages Ⓒ; (全体を要約して訳したもの) abridged translation Ⓒ. (☞ほんやく).

しょうやく²　生薬　― 名 galenical /gəlénɪk(ə)l/ Ⓤ, crude drug Ⓒ ★前者は医学用語.　― 形 galenical.

しょうやく³　硝薬　gunpowder Ⓤ (☞かやく).

じょうやく　条約　treaty Ⓒ. ¶両国は*条約を締結[破棄]した The two countries ⌐concluded [abolished] the *treaty*. // 日本は米国と安全保障*条約を結んでいる Japan has a security *treaty* with the United States. // *条約を改正する revise a *treaty*　**条約(加盟)国** treaty power Ⓒ.

じょうやど　定宿，常宿　*one's* regular ⌐hotel [inn] Ⓒ ★[ ]内は比較的小さなもの.

じょうやとい　常雇い　(雇用) regular employ Ⓤ; (人) regular employee Ⓒ, 《略式》regular Ⓒ. ¶*常雇いになる get in *regular employ* / get a *permanent job*

じょうやとう　常夜灯　(病室などにある小さい明かり) night light Ⓒ; (防犯用のもの) security light Ⓒ.

しょうゆ　醤油　soy sauce Ⓤ ★略式なら soy だけでよい.　**醤油かす** soy sauce lees ★複数形で.

しょうゆうせい　小遊星　☞しょうわくせい

しょうよ　賞与　bonus Ⓒ (☞ボーナス). ¶*賞与は6月と12月に出る *Bonuses* are ⌐paid [given] in June and December. // 年末*賞与 a year-end *bonus*

じょうよ¹　譲与　― 動 (地位・権限などを譲り渡す) hánd óver ㊀; (法的に譲る) transfér ㊀. ★前者のほうが口語的.　― 名 tránsfer Ⓤ. (☞ゆずる).

じょうよ²　剰余　surplus Ⓒ; (収支の差額) balance Ⓒ. (☞あまり¹; よじょう¹).　**剰余価値**〘経〙surplus value Ⓤ　**剰余金** surplus (fund) Ⓒ.

しょうよう¹　商用　business Ⓤ (☞しごと). ¶彼は*商用で大阪に行った He went to Osaka *on business*.

しょうよう²　小用　☞しょうべん

しょうよう³　称揚　☞しょうさん¹

しょうよう⁴　逍遥　☞そぞろ

しょうよう⁵　従容　― 形 (平静な) calm; (落ち着きはらった) composed.　― 副 calmly; composedly /kəmpóʊzɪdli/. ¶*従容として死を迎える meet *one's* death ⌐*calmly* [*composedly*]

しょうよう⁶　小葉　〘植〙leaflet Ⓒ; 〘解〙lobule /lábjuːl/ Ⓒ.

じょうよう　常用　― 動 (習慣的に[日常普通に]用いる) use ... ⌐habitually [commonly] ★薬などを飲む意味では take を用いる; (麻薬などを常用している) be addicted (to ...).　― 名 habitual [common] use Ⓤ.
¶この薬は*常用すると中毒になるおそれがある If you *take* this medicine *habitually*, you may become addicted to it. // 麻薬*常用者 (⇒麻薬中毒患者) a drúg *àddict* // これらの道具はその地域の住民の間ではまだ*常用されている These implements are still *in common use* among the local people.
常用漢字 Chinese characters [kanji] for daily use　**常用癖** (麻薬などの) addiction Ⓤ.

じょうようしゃ　乗用車　(一般的に) car Ⓒ; (正式名称で) 《米》áutomobile Ⓒ, 《英》motorcar Ⓒ; (特に乗用を示して) passenger car Ⓒ. (☞じどうしゃ (類義語); くるま).

しょうようじゅりん　照葉樹林　broad-leaved evergreen forest Ⓒ.　**照葉樹林文化** (the) culture of East Asia in the broad-leaved evergreen forest region.

じょうよく　情欲，情慾　(性欲) sexual ⌐desire [appetite] Ⓤ ★一般的な言い方; (過度なほどに強い性欲) lust Ⓤ ★格式ばった語. 具体的には Ⓒ.

しょうらい¹　将来　― 名 future Ⓤ (↔past).　― 形 future Ⓐ; (これから…となる) -to-be ★名詞の後に置く.　― 副 (今後は) 《米》in the future, 《英》in future; (未来に・将来に) in the future; (いつか) someday. (☞みらい; こんご).
¶あなたは*将来何になりたいですか What do you want to be *in the future*? / (⇒大人になったら) What would you like to be *when you grow up*? // *将来何が起こるかはだれにもわからない Nobody can tell [We never can tell] what will happen *in the future*. // 君もそろそろ*将来の計画を立てなくてはならない You will soon have to make some plans for your *future*. // 彼女は彼の*将来の花嫁[妻]だ She is his ⌐bride-*to-be* [*future* wife]. // *将来の世界 the world-*to-be* ★the world to come とすると「死後の世界」「あの世」の意となる. // 彼の前途には明るい*将来がある He has a bright *future* ahead of him.　語法 形容詞を伴っているので不定冠詞 a が付く. // *将来使えるようにこれはとっておきなさい Keep this for *future* use. // 近い*将来には普通の人々も宇宙旅行ができるだろう Ordinary people may be able to travel ⌐through [in] space *in the near future*.
将来性 ― 名 (前途) future Ⓒ.　― 形 (将来性のある) promising. (☞みこみ). ¶彼は*将来性のある青年だ He is a *promising* young man. // この仕事には*将来性がある This job is *promising*. / There is a *future* in this job. ★後者はやや格式ばった言い方.

コロケーション
将来性がない have no *future* / 将来に影響する affect *one's future* / 将来のことを考えておく think about *one's future* / 将来を台無しにする ruin *one's future* / 将来を予言[予想]する predict [forecast; foretell] the *future* // 明るい将来 a bright *future* / 安心できる将来 a secure *fu-*

ture / 輝かしい将来 a shining *future* / 暗い将来 a ⌈dark [bleak] *future* / 素晴らしい将来 a brilliant *future* / 近い将来 the ⌈near [immediate] *future* / 遠い将来 the ⌈distant [far-off; remote] *future* / ばら色の将来 a rosy *future* / 豊かな将来 a prosperous *future*

しょうらい² 招来 ― 動 (引き起こす) bring about ⑩; (結果として…となる) lead to …

じょうらく 上洛 ― 動 (京都へ行く) go to [visit] Kyoto.

しょうらん¹ 笑覧 ¶近作一部お送り申し上げます. 御*笑覧いただければ (⇒ 親切に読んでいただければ) 幸いです I have sent you a copy of my latest article. I should be very happy if you would *kindly read* it.

しょうらん² 照覧 god's witness Ⓒ. ¶神もご*照覧あれ Heaven be my *witness*!

じょうらん¹ 擾乱 (騒動) disturbance Ⓤ; (暴動) riot Ⓒ.

じょうらん² 上覧 (天皇の) Imperial inspection Ⓤ. ¶*上覧に供する submit … to *Imperial inspection*

しょうり 勝利 victory Ⓒ (↔ defeat); triumph Ⓒ ★ 後者はより格式ばった語.

【類義語】勝利を表す一般的な語が **victory** で, 戦いの勝利やスポーツの試合の勝利などに用いられる. 勝利感・勝利の歓喜などの感じを含む言葉は **triumph** で, しばしば比喩的に用いられる. ((例) 近代科学の*勝利 a *triumph* of modern science). 《☞ かつ¹; かち²》 ¶我々のチームは*勝利をおさめた (⇒ 勝った) Our team *won* (the game). / The match ended in (a) ⌈*victory* [*triumph*] for our team. ★ 後者は格式ばった言い方. // 大*勝利をおさめる gain [win] a great *victory*

勝利者 (ゲームなどの) winner Ⓒ, victor Ⓒ ★ 後者のほうが格式ばった大げさな語. 《☞ しょうしゃ²》 **勝利投手** winning pitcher Ⓒ.

じょうり¹ 条理 ― 名 (筋道が通っていること) reason Ⓤ. ― 形 (条理にかなった) reasonable. 《☞ どうり》.

じょうり² 情理 ¶その計画をあきらめるように*情理をつくして (⇒ 感情と理性に訴えて) 彼女を説得した I resorted to *both emotion and reason* in an attempt to persuade her to give up that plan.

じょうり³ 場裏 (活動の舞台) arena /əríːnə/ Ⓒ. ¶国際*場裏で競争する compete in the international *arena*

しょうリーグ 小リーグ minor league Ⓒ.

じょうりく 上陸 ― 動 (陸に上がる) go ashore, land ⓐ; (船から降りる) disembark ⓐ ⑩ (↔ embark). ― 名 landing Ⓤ; disembarkation Ⓤ.

【類義語】単に陸地へ上がるのが **go ashore** で, 最も一般的な言い方. 目的地に着いて上陸するという意味を含むのが **land**. 出入国管理・交通機関などの正式用語として用いられる格式ばった語が **disembark**. ¶我々はサンフランシスコで*上陸した We ⌈*landed* [*disembarked*] at San Francisco. // 台風は四国に*上陸するかもしれません (⇒ …に打撃を与える) The typhoon may *hit* Shikoku.

上陸許可 (水兵・船員の) shore [landing] leave Ⓒ **上陸用舟艇** landing craft Ⓒ.

しょうりつ 勝率 the percentage of wins; (勝ちの平均) winning average Ⓒ.

しょうりゃく 省略 ― 動 (省く) omit ⑩; (短くする) shorten ⑩ ★ 以上は口語的な語; (内容を縮める) abridge ⑩; (語句などを省く) abbreviate ⑩; (短縮する) contract ⑩. ― 名 omission Ⓤ ★ 省略部分の意では Ⓒ; shortening Ⓤ; abridgment Ⓤ; abbreviation Ⓤ ★「略語」という意味では Ⓒ; contraction Ⓤ.

【類義語】あるものを省いて取り除くことは **omit**. 長さを短くするために省くのは **shorten**. ((例) 短く*省略した名前 a *shortened* name). 文章などの一部を取り除いたりして短くする際に, 主要な事柄が残るように配慮する省略の仕方は **abridge**. 語句などの文字を抜いたり, 代わりの記号を使ったりする省略は **abbreviate**. 2 つのものを 1 つにしたり, 途中の音を抜いたりしてしまうような省略は **contract**. ((例) "don't" は*省略[短縮]形です "Don't" is a *contracted* form.) 《☞ はぶく; たんしゅく; 省略 (巻末)》

¶この部分は*省略してもよい You can *omit* this part. / This part can *be omitted*. ★ 後者のほうがやや意味が弱い. // この本にはずいぶん*省略がある There are many *omissions* [Many *omissions* are found] in this book. //「トーマス」は普通「トム」と*省略される "Thomas" *is* usually *shortened to* "Tom." // "Aug." は "August" の*省略である "Aug." is the ⌈*abbreviation* [*abbreviated form*; *shortened form*] *of* "August." / "Aug." is an *abbreviation for* "August." 《☞ 短縮形 (巻末)》

省略符号 apostrophe /əpástrəfi/ Ⓒ **省略法** 〘文法〙 ellipsis Ⓒ 《複 ellipses /-siːz/》.

じょうりゅう¹ 上流 **1** «川の源の近くの流れ» ― 名 the upper ⌈stream [course; reaches] (of a river) ★ 第 1 番目が最も口語的. ― 前 (…の上流に) above … (↔ below …). ― 副 (上流に向かって) upstream (↔ downstream). 《☞ かりゅう》. ¶その町はこの川の*上流にある The town is on *the upper reaches of this river*. // もう少し*上流によい釣り場があります There is a good fishing spot a little *above* this place. // 我々は*上流へ向かって泳いだ We swam *upstream*.

2 «社会の上位の階層» ― 名 the upper class ★ しばしば複数形で. (↔ the middle class; the lower class); (上流の上品な社会) high society Ⓤ ★ 前者のほうが客観的な分類をするときの言葉. ― 形 upper-class.

¶彼は*上流家庭の子弟です He is the son of an *upper-class* family. // この国では国民の約 5% が*上流に属する About five percent of the people belong to *the upper class(es)* in this country.

上流階級 the upper class ★ しばしば複数形で. **上流社会** high society Ⓤ; (階級が) the upper classes ★ 通例複数形で.

じょうりゅう² 蒸留 ― 名 distillátion Ⓤ. ― 動 distíll ⑩. **蒸留器** distiller Ⓒ **蒸留酒** (ウイスキーなどの) distilled liquor Ⓤ **蒸留水** distilled water Ⓤ **蒸留装置** (個別の) distiller Ⓒ; (装置一式) distillation apparatus Ⓒ.

しょうりょ 焦慮 ― 動 (あせる) get [become] impatient; (いらだつ) get [become] irritated; (気をもむ) worry about … 《☞ あせる¹》.

しょうりょう¹ 少量 ― 形 (少しはある) a little (↔ much); (少ししかない) little; (ほんのちょっとの) a bit of … ★「ほんの少量」の意味が強く, 口語的表現; (少しの量の) a small ⌈quantity [amount] of … ★ 少し堅苦しい言い方. ― 名 (混ぜたり加えたりするものの少量) dash Ⓒ. 《☞ すこし 語法; りょう¹ 日英比較》. ¶瓶には*少量の水が入っている There is a ⌈*little* [*small quantity of*] water in the bottle. // ごく*少量の塩を加えて下さい Please add just *a* ⌈*little bit* [(⇒ 一つまみの) *pinch*] *of* salt.

しょうりょう² 渉猟 ― 動 (山野などを) range through fields and mountains; (書物などを) read … ⌈widely [extensively].

しょうりょう³ 小量 ☞ きょうりょう¹

しょうりょう⁴ 精霊 the spirit of a dead person. 精霊送り[迎え] sending off [welcoming back] the spirits of the dead Ⓤ 精霊流し floating lanterns for the spirits of the dead at the end of the Bon Festival Ⓤ.

しょうりょく 省力 ―名(労働力を少なくすること) reduction of labor Ⓤ; (労働を節約すること) saving of labor Ⓤ. ―形(省力的な) labor-saving. 省力化 labor reduction Ⓤ. ¶オートメーションや農業機械などは*省力化に役立っている Automation, agricultural machinery and the like are helping (to) *reduce labor*.

じょうりょくじゅ 常緑樹 evergreen (tree) Ⓒ (↔ deciduous tree).

しょうりんじ 少林寺 ―名 固 Shaolin Temple. 少林寺拳法 Shorinji Kempo Ⓤ; (説明的には) a kind of athletic boxing originally started at Shaolin Temple in China.

しょうるいあわれみのれい 生類憐みの令 the Animal Protection Act (, issued by Tokugawa Tsunayoshi in 1685).

じょうるり 浄瑠璃 *joruri* Ⓤ; (説明的には) dramatic narrative chants accompanied by the samisen often associated with Bunraku puppet theater. 浄瑠璃芝居 *joruri* play Ⓒ; (説明的には) puppet play accompanied with the narrative Ⓒ.

しょうれい[1] 奨励 ―動(勧め励ます) encourage ㊀; (推薦する) recommend ㊀. ―名 encouragement Ⓤ. (☞ すすめる[2]). ¶私たちの学校はあらゆる種類のスポーツを*奨励しています Our school *encourages* all kinds of sports. // それはあまり*奨励できるようなことではない It's not a thing to *be recommended*. 奨励金 (国からの助成金) subsidy Ⓒ.

しょうれい[2] 症例 case (of ...) Ⓒ.

しょうれい[3] 省令 ministerial ordinance Ⓒ.

じょうれい 条例 (地方公共団体の定める法規) ordinance Ⓒ; (市などの) munícipal règulátion Ⓒ; 《英》 býlàw Ⓒ, býelàw Ⓒ ★《米》では「内規」の意味. (☞ ほうき[2]; ほうれい[1] (類義語)). ¶その*条例は4月1日から施行される The *ordinance* will be enforced from April 1. // あなたの行為は市*条例違反です Your conduct is against (the) *municipal regulations*. / (⇒ あなたは市条例を破っている) You have ˹violated [broken] a ˹*municipal regulation* [local *law*; city *ordinance*].

じょうれん 常連 (いつも来る客) regular ˹customer [patron] Ⓒ; (いつも来る訪問者) regular visitor Ⓒ. ¶彼は新聞の投書欄の*常連だ He's a *regular* in the newspaper's Letters to the Editor. / (⇒ 彼の手紙はしばしば新聞に載る) His letter often gets in the newspaper.

しょうろ 松露 (食用きのこ) shoro mushroom Ⓒ.

じょうろ 如雨露 watering can Ⓒ.

しょうろう 鐘楼 (教会堂などに付属した) belfry Ⓒ; (独立した) bell tower Ⓒ.

しょうろうながし 精霊流し ☞ しょうりょう[4]

じょうろう(にょうぼう) 上臈(女房) (官女) court lady Ⓒ; (高貴の婦人) noblewoman Ⓒ; (江戸城大奥の高級御殿女中) high-ranking maid-in-waiting (in the inner palace of Edo Castle) Ⓒ.

***しょうろうびょうし* 生老病死** (仏教) the four sufferings: birth, ag(e)ing, illness and death.

しょうろく 抄録 extract Ⓒ.

しょうろん[1] 詳論 (細部にわたる[十分な]論議) detailed [full] discussion Ⓒ.

しょうろん[2] 小論 short ˹article [essay] Ⓒ.

しょうわ[1] 唱和 ―動 (一緒に言う) say ... in ˹chorus [unison]. ¶万歳三唱にご*唱和下さい Please *say* three banzai cheers *in chorus*.

しょうわ[2] 小話 short short story Ⓒ; (小品) sketch Ⓒ; (逸話) anecdote Ⓒ; (エピソード) episode Ⓒ.

しょうわ[3] 笑話 (こっけいでおかしい話) funny story Ⓒ; (ユーモアがある話) humorous /(h)júːm(ə)rəs/ story Ⓒ; (ジョーク) joke Ⓒ.

しょうわ[4] 昭和 Showa (1926–1989). 昭和維新 the Showa Restoration 昭和基地 (南極の) Showa Base 昭和新山 the Showa Shinzan(, a new volcano in Hokkaido) 昭和天皇 Emperor Hirohito, the Emperor Showa 昭和の日 ☞ しゅくじつ

じょうわ 情話 love story Ⓒ.

しょうわくせい 小惑星 〔天〕 ásteròid Ⓒ.

しょうわる 性悪 ―形 (性質の悪い) ill-natured; (意地の悪い) nasty, 《米》 mean; (悪意のある) malicious. (☞ いじわる).

じょうわん 上腕 the upper arm, 〔解〕 the brachium /bréɪkiəm/ (複 -chia). 上腕骨 〔解〕 humerus /hjúːmərəs/ Ⓒ (複 humeri /-raɪ, -riː/).

しょえん 初演 ―名 (音楽・演劇の) the first performance; (映画・演劇の) the première /prɪmjéə/ ★後者は専門的な感じを与える言い方. première の ` は綴り本来のもの(つけないこともある). ―動 perform ... first, give the first performance (of ...) ★後者のほうがやや格式ばった言い方. ¶その劇は日本では1950年に*初演された The drama *was first* ˹*performed* [(⇒ 上演された) *staged*] in Japan in 1950. // この曲は本邦*初演です (⇒ これがこの曲のこの国での最初の(公開)演奏です) This is *the first* (*public*) *performance of* this piece in this country.

じょえん 助演 ―動(脇役を演じる) play a supporting role (☞ きょうえん[1]). 助演者 (男[女]の) supporting ˹actor [actress] Ⓒ 助演賞 (男[女]の) award for the best supporting ˹actor [actress] Ⓒ.

ショー[1] show Ⓒ 【日英比較】 日本語の「ショー」は軽演劇・ミュージカルなどを指すが, 英語の show はもう少し意味が広く, 展示会・映画・サーカス・ラジオ・テレビのドラマなども指す; (レストラン・ナイトクラブなどの) floor show Ⓒ.

¶あの劇場では1日2回*ショーをやっている They give two *shows* at that theater every day. // 今年の自動車*ショーは来月10日から開かれる This year's ˹auto [car] *show* will ˹open [be opened] on the tenth of next month. // ワンマン*ショー a one-man *show* 【語法】 女性の場合には a one-woman *show* となる.

ショーガール showgirl Ⓒ ショーパブ pub which gives a variety show Ⓒ ショーマン showman Ⓒ.

ショー[2] ―名 固 George Bernard Shaw, 1856–1950. ★アイルランド生まれの英国の劇作家・批評家.

ジョー (男性名) Joe ★Joseph の愛称; (女性名) Jo ★Joanna /ʤouǽnə/, Josephine /ʤóuzɪfìːn/ の愛称.

じょおう 女王 queen Ⓒ (↔ king) 【参考】「王妃」も queen と呼ばれる.

¶英国*女王エリザベス2世 Elizabeth II, *Queen* of England ★II は the second と読む. (☞ 大文字(巻末)) / *Queen* Elizabeth the Second of England // *女王陛下がその式にご出席になる *Her Majesty* will be present at the ceremony. 【語法】 女王に2人称として呼びかける時には Your Majesty を用いる. (☞ へいか) // ばらは花の*女王だ The rose is the *queen* of flowers. 女王蟻 queen ant Ⓒ 女王蜂 queen (bee) Ⓒ (☞ はち[1]).

ショーウインドー show window Ⓒ ★店頭または店内の陳列窓をいう;《米》store window Ⓒ,《英》shop window Ⓒ ★以上2つは店頭の陳列窓のみをいう.

ジョーカー (トランプの) joker Ⓒ.

ジョーク joke Ⓒ (☞ じょうだん).

ショーグンボンド 〔証券〕Shogun bond Ⓒ.

ショーケース (陳列棚) showcase Ⓒ.

ジョージ (男性名) George.

ジョージア[1] (女性名) Georgia ★愛称は Georgie, Georgina /dʒɔ̀ːədʒíːnə/.

ジョージア[2] ―【名】(固) (米国の州) Georgia (☞ アメリカ(表)).

ジョージー (女性名) Josie /dʒóuzi/ ★Josephine /dʒóuzɪfiːn/ の愛称; Georgie ★Georgia の愛称.

ジョージーナ (女性名) Georgina /dʒɔ̀ːədʒíːnə/ ★Georgia の愛称.

ジョージタウン ―【名】(固) Georgetown ★ガイアナの首都. また, 米国ワシントン市の高級住宅地.

ジョーズ Jaws ★人食い鮫 (man-eating shark) を扱った米国の作家 P. ベンチリーの小説およびその映画化作品. 原義は「(上下の)あご, 口」の意.

ジョーゼット georgette /dʒɔ̀ːədʒét/ (crepe) Ⓤ.

ジョーゼフ (男性名) Joseph ★愛称は Joe.

ショーツ (半ズボン・運動パンツ) shorts ★複数形で. shorts は男性用の下着を指すこともある; (女性の下着) panties ★複数形で.

ショート **1** 《電流が短絡する》 ―【動】short-circuit (自),《略式》short (自). ―【名】short circuit Ⓒ,《略式》short Ⓒ. ¶コードがぬれて*ショートした The electrical cord was wet and ⌈caused a *short circuit* [*short-circuited*].

2 《野球の遊撃手》: shortstop Ⓒ,《略式》short Ⓒ.

ショートアイアン〔ゴルフ〕short iron Ⓒ ショートカット short hair Ⓒ. ¶*ショートカットにする *have one's* hair *cut short* ショートカットキー〔コンピューター〕shortcut key Ⓒ ショートケーキ layered sponge cake with white icing and strawberries (or other fruit) Ⓒ ★米英の shortcake はスポンジケーキではなく biscuit (小型パン)にクリームと果物を挟んだり載せたりしたものが普通 (☞ ビスケット). ショートショート (超短編小説) short short story Ⓒ ショートスカート short skirt Ⓒ ショートステイ short-term stay (at a nursing home) Ⓒ ショートストーリー (短編小説) short story Ⓒ ショートストップ〔野〕shortstop Ⓒ ショートタイム〔経〕(操業短縮) short time Ⓤ (☞ そうぎょう[2] (操業短縮)) ショートトラック(レース)〔スポ〕short-track race Ⓒ ショートトン short ton Ⓒ ★《米》で約 907 kg (200 ポンド). ショートバウンド〔野〕short ⌈bound [hop] Ⓒ ショートパンツ shorts ★複数形で. ショートブロー〔ボク〕short blow Ⓒ ショートプログラム (スケートなど) short program Ⓒ ショートヘア short hair Ⓤ ショートホール〔ゴルフ〕par-⌈three [3] hole Ⓒ ★short hole は必ずしもパー3とは限らない. ショートレンジ ―【形】(短距離の, 短期の) short-range.

ショートニング (菓子作り用のバター・ラードなどの油脂) shortening Ⓤ.

ショービジネス show business Ⓤ.

ショービニズム chauvinism /ʃóuvɪnìzm/ Ⓤ.

ショーファー (自家用運転手) chauffeur /ʃóufə/ Ⓒ.

ショーペンハウアー ―【名】(固) Arthur Schopenhauer /áətuə ʃóupənhàuə/, 1788–1860. ★ドイツの哲学者.

ショーボート (演芸船) showboat Ⓒ.

ショーマンシップ (興業的手腕) showmanship Ⓤ.

ショーラン 〔航空〕shoran Ⓤ ★*short-range navigation* の略. 航空機が自己の正確な位置を決定するレーダー装置.

ショール shawl Ⓒ. ショールカラー〔服〕shawl collar Ⓒ.

ショールーム (展示室) showroom Ⓒ.

ショーロホフ ―【名】(固) Mikhail Aleksandrovich Sholokhov, 1905–84. ★ロシアの小説家.

ショーン (男性名) Sean /ʃɔ́ːn/, Shaun /ʃɔ́ːn/.

ジョーン (女性名) Joan /dʒóun/.

しょか[1] **初夏** early summer Ⓤ (☞ なつ).

しょか[2] **書架** (本棚) bookshelf Ⓒ (複 -shelves); (図書館の) stacks ★通例複数形で.

しょか[3] **書家** calligrapher Ⓒ.

しょが 書画 paintings [pictures] and calligraphic works (☞ しょがこっとう; こっとう).

ジョガー jogger Ⓒ.

ジョガーズニー jogger's knee Ⓒ.

しょかい 初回 the first time,〔野〕the first inning.

じょがい 除外 ―【動】(締め出す・仲間などに入れない) exclude (他) (↔ include); (ある基準などに合わないため取り除く) except (他) ★しばしば否定文で用いる; (負担などを免除する) exempt (他), be exempt from ... ★この exempt は【形】【P】. ―【名】exclusion Ⓤ; exception Ⓤ; exemption Ⓤ. ―【前】(...を除外して) except ... (☞ のぞく[1] 語法).

¶このようなケースは*除外しなければなるまい We may have to ⌈*exclude* [*except*] such a case. // この法律は未成年を*除外してすべての国民に適用される This law is applied to all citizens *except* minors. // 外国人はこの規則の適用から*除外 (⇒免除) される Aliens *are exempt from* (the application of) these regulations. / (⇒外国人にはこの規則は適用されない) These regulations are not ⌈applied [applicable] to aliens.

しょがかり 諸掛かり expenses ★複数形で. (☞ けいひ[1]; ひよう; しゅっぴ).

じょかく 除核 〔生〕―【名】enucleation /iːn(j)ùːkliéɪʃən/ Ⓤ. ―【動】enucleate /iːn(j)úːklièɪt/ (他).

しょがくしゃ 初学者 beginner Ⓒ.

じょがくせい 女学生 female [girl] student Ⓒ ★girl は高校生以下の場合. (☞ がくせい[1]).

しょがこっとう 書画骨董 objects of art and curios (☞ こっとう).

しょかつ 所轄 ―【名】jurisdiction Ⓤ. ―【形】(担当の) in charge of ... (☞ かんかつ).

¶*所轄の警察 the police *in charge of* your district ★この言い方は口語的. / the police station ⌈with [that has] *jurisdiction* ⌈over [in] your district ★この表現は文書などで用いる文語体.

所轄官庁 the authorities concerned ★複数形で. (☞ かんかつ).

じょがっこう 女学校 girls' high school Ⓒ.

しょかつりょう 諸葛亮 ―【名】(固) Chu-ko Liang /dʒúːgòuliáːŋ/, 181–234. ★中国三国時代の蜀漢の軍師. あざなは孔明 (☞ こうめい[3]).

しょかん[1] **書簡** (手紙) letter Ⓒ; ((往復)書簡類の総称) correspondence Ⓤ. (☞ てがみ). 書簡箋 writing [letter] paper Ⓤ, notepaper Ⓤ; (上質の) stationery Ⓤ; (便箋一つづり全体) writing pad Ⓒ 書簡文 epistolary style Ⓒ.

しょかん[2] **所感** (論評・短評) comment Ⓒ; (心に感じた事柄・印象) impression Ⓒ; (簡単な批評) remark Ⓒ. (☞ かんそう[2]). ¶この件について一言*所感を述べさせていただきます Let me make a few *comments* on this. / I would like to make a few *remarks* about this. ★前者が口語的. 特に remarks を使うのはやや格式ばった言い方.

しょかん[3] **所管** jurisdiction Ⓤ《☞しょかつ》.

しょかん[4] **初巻** the first volume.

じょかん 女官 court lady Ⓒ, lady-in-waiting Ⓒ.

じょかんとく 助監督 〘映〙 assistant director Ⓒ; 〘野〙 assistant manager Ⓒ.

しょき[1] **初期** ━ 名 (初めのころ) the beginning (↔ the end); (早い時代) the early ⌈days [years] 語法 days を用いたほうがいっそう微視的になる, いずれも複数形で; (いくつかの段階のうちで最初の段階) the first stage. ━ 形 (初期の) early (↔ late) Ⓐ. ━ 副 (初期に) early (↔ late). 《☞はじめ》.

¶その寺は江戸時代*初期に建てられた The temple was built ⌈at *the beginning* of the Edo era [*early* in the Edo period]. // ヘミングウェーは作家としての*初期にはパリに住んでいた In *the early years* of his writing career, Hemingway lived in Paris. // 私は彼の*初期の作品が好きだ I like his *early* works. // がんは*初期に発見することが大切だ It is important to detect cancer in its ⌈*first* [*initial; early*] *stages*. **初期化** ☞見出し **初期癌** cancer in the early stage(s) Ⓤ **初期条件** 〘数〙 initial condition Ⓒ **初期症状** initial symptom Ⓒ **初期微動** (地震の) preliminary tremor Ⓤ.

しょき[2] **所期** ━ 形 (期待した) expected; (望まれた) desired.

¶残念ながら, *所期の目標を達成できなかった (⇒ 不幸にも目標に到達できなかった) Unfortunately, we could not ⌈reach [achieve; attain] *the goal* (we *expected*). 語法 日本語の「所期の」という意味は goal の中に含まれる. / (⇒ 期待された結果が得られなかった) Unfortunately, we could not ⌈achieve [attain] the ⌈*expected* results [*desired* end].

しょき[3] **書記** (事務員) clerk Ⓒ; (秘書) sécretàry Ⓒ. **書記官** secretary Ⓒ **書記局** secretariat /sèkrətέ(ə)riət/ Ⓒ **書記長** chief secretary Ⓒ.

しょき[4] **暑気** (熱気) the heat; (熱波) 《米》 heat wave Ⓒ; (暑い気候) hot weather Ⓤ.

¶彼は*暑気当たりらしい (⇒ 日射病にかかったらしい) He seems to have suffered from sunstroke. / (⇒ 暑さで病気になったらしい) He seems to have gotten sick because of the ⌈*heat* [*heat wave*; *hot weather*]. // *暑気払いに (⇒ 涼みに[暑さから逃れるために]) 泳ぎに行こう Let's go swimming to ⌈*cool off* [*get out of the heat*].

しょき[5] **所記** 〘言〙 signifié /sìnjifiéɪ/ Ⓒ ★ é の ´ は綴り本来のもの, signified Ⓒ. 《☞のうき》.

しょきか 初期化 〘コンピューター〙 ━ 名 (ハードディスクなどの) initialization Ⓤ, formatting Ⓤ. ━ 動 initialize ⓗ, format ⓗ, default to ….

じょきじょき ¶布をはさみで*じょきじょき切る *snip* cloth with scissors // 羊から毛を*じょきじょき刈り取る *shear* wool from sheep

しょきゅう 初級 ━ 形 (入門の) introdúctory; (初歩の) elementary; (初心者の) beginners'. 《☞しょほ; しょしんしゃ; にゅうもん》. ¶*初級英会話 *elementary* English conversation / English conversation *for beginners* ★ 前者のほうが格式ばった言い方. // 私は*初級のクラスです I'm in the *beginners'* class.

じょきょ 除去 ━ 動 (邪魔な物などを移動させて除く) remove ⓗ; (基準に合わないものを除く) elíminàte ⓗ ★ 前者より改まった語; (いやな物を除く) get rid of … ★ 口語的; (邪魔な物を除いてきれいにする) clear ⓗ. 《☞のぞく[1]; とりのぞく 語法》.

しょきょう 書経 *the Book of History*; (中国語では) *the Shujing* /sù:dʒíŋ/ ★ 五経の一つ. 《☞ししょごきょう》.

しょぎょう 所業 ☞おこない

じょきょうじゅ 助教授 assistant professor Ⓒ, 《英》 reader Ⓒ ★ senior lecturer Ⓒ ともいう. 日英比較 《米》 では準教授 (associate /əsóuʃiət/ professor) という地位があり, これが日本の助教授に当たる場合が多い. 《☞こうし[1] 語法 (1); きょうじゅ[1]; 学校・教育 (囲み)》.

しょぎょうむじょう 諸行無常 (あらゆるものは移り変わる) Everything is transient.

じょきょく 序曲 〘楽〙 (歌劇などの) overture /óuvətʃùə/ Ⓒ.

じょきょしょく 除去食 (アレルゲンを含まない食べ物) allergen-free diet Ⓒ.

じょきん 除菌 ━ 名 disinfection Ⓤ. ━ 動 disinfect ⓗ. ¶部屋を*除菌する *disinfect* the room **除菌クリーナー** disinfectant [disinfecting] cleaner Ⓒ **除菌療法** eradication therapy Ⓤ.

ジョギング ━ 名 jogging Ⓤ. ━ 動 jog ⓐ 参考 「ジョギングをする人」は jogger Ⓒ という. ¶私は毎朝 30 分*ジョギングをする I ⌈*jog* [go (out) *jogging*] for half an hour every morning.

しよく 私欲 self-interest Ⓤ 《☞しり[2]; りこ》. ¶彼は*私欲に目がくらんでいる He is blinded by *self-interest*.

しょく[1] **職** (働き口) job Ⓒ ★ 他の語より口語的で一般的; (仕事) work Ⓤ ★ 意味の広い語; (一般的に職業) occupation Ⓒ ★ 中立的な語; (専門職) position Ⓒ; (手仕事) trade Ⓒ; (勤め口) 《格式》 situation Ⓒ. 《☞しょくぎょう (類義語); しごと (類義語); しゅうしょく[1]》.

¶彼は*職を探している He is looking for ⌈a *job* [*work*]. / He is seeking a *position*. 語法 (1) 後者のほうが少し格式ばった言い方. // 私に*職を見つけてくれませんか Can you find me a *job*? // 彼は*職を失った He lost his *job*. / (⇒ 解雇された) He was fired. // 「君はどうして*職をやめ[変え]たんだい」「もっとよい*職が見つかったからさ」 "Why did you ⌈quit [change] your *job*?" "Because I found a better one." // 不況で*職を失う人が増えている (⇒ 失業者の数が増えつつある) The number of *unemployed* people is increasing because of the business downturn. // 私は手に何か*職をつけたい I want to learn ⌈a [some] *trade*. // *職を求む *Situation* Wanted 語法 (2) 新聞の案内広告などの見出しに使われる決まり文句. **職探し** ━ 名 job hunting Ⓤ. ━ 動 hunt for a job **職長** foreman Ⓒ 《☞会社の組織と役職名 (囲み)》.

しょく[2] **食** (食事) meal Ⓒ; (食物) food Ⓤ; (食欲) áppetìte Ⓤ. 《☞しょくじ[1]》.

¶「君は 1 日に何*食食べますか (⇒ 何回の食事をするか)」「普通は 3 *食だが, 日曜日は 2 *食だよ」 "How many *meals* do you *have* a day?" "Usually I *have* three *meals*, but on Sundays I *have* two (*meals*)." // 私はこのごろあまり*食が進まない (⇒ 食欲がない) I don't *have* much *appetite* these days. // ジョギングをすると*食が進む (⇒ ジョギングは我々に十分な食欲を与える) Jogging gives us a good *appetite*. 《☞しょくよく》 // 彼は*食が細い (⇒ 小食(家) だ) He is a light *eater*. 語法 大食をする人は a ⌈big [heavy] eater という.

しょく[3] **食, 蝕** ━ 名 〘天〙 eclipse Ⓒ. ━ 動 (天体が他の天体を食する) eclipse ⓗ ★ しばしば受身で.

しょく[4] **蜀** ━ 名 ⓟ Shu ★ 中国三国時代 (220–280) の一国.

しょく[5] **燭** (灯火) light Ⓒ 《☞しょっこう[1]》. ¶60 *燭の電球 a globe of 60 *candlepower*

しょくあたり 食あたり ━ 名 food poisoning Ⓤ. ━ 動 get food poisoning.

しょくあん 職安 ☞ しょくぎょう(職業安定所)

しょくいき 職域 (仕事の領域) the area of *one's* work; (職場) *one's* workplace.

しょくいん¹ 職員 ━名 (職員の1人) staff member Ⓒ ★ある職場･作業場などで仕事に携わる人に広く用いる; (職員全体を集合的に) the staff; (特に公共団体･軍隊などの職員全体) the personnel. ━動 (職員を置く) staff ㊀ ★普通受身形で用いる; (…の職員である) be on the staff of…《☞ しゃいん¹; じゅうぎょういん》.

¶「あなたの事務所にはいま*職員は何人いますか」「全部で15人です」"How many *staff members* are there in your office?" "There are fifteen in all."

[語法] a *staff* of fifteen とは言えるが fifteen staffs とは言えない. ∥ この課は*職員が多い [少ない] (⇒大きな [小さな] 職員集合体を持っている) This section has a ˹large [small] *staff*. ∥ 彼はこの研究所の*職員です He *is* ˹a *staff member* [*on the staff*] *of* this research institute. ★[ ] 内のほうが格式ばった言い方. ∥ この学校は*職員が足りない (⇒不足している) This school *is understaffed*.

職員会議 staff meeting Ⓒ; (教員会議) teachers' meeting Ⓒ **職員室** staff room Ⓒ; (教員室) teachers' room ★前者も教員室の意味に用いる. **職員名簿** staff list Ⓒ, personnel directory Ⓒ ★後者のほうが格式ばった言い方で, 住所なども記載してあるものをいう.

しょくいん² 職印 official seal Ⓒ.

しょぐう 処遇 ━名 (待遇) treatment Ⓒ. ━動 (処遇する) treat ㊀. 《☞ たいぐう¹》.

¶彼は不当な*処遇を受けた (⇒彼は公平に扱われなかった) He *was* not fairly *treated*.

しょくえん 食塩 (塩一般) salt Ⓤ; (特に食卓用の) table salt Ⓤ. 《☞ しお¹》. **食塩水** saline /séiliːn/ solution Ⓤ《☞ しおみず》.

しょくおや 職親 guardian who acts as (a) guarantor for a minor seeking employment Ⓒ.

しょくがい 食害 pest damage Ⓤ.

しょくかん 食間 ¶この薬は1日3回*食間にお飲み下さい Take this medicine three times a day *between meals*.

しょくがん 食玩 ☞ しょくひん(食品玩具)

しょくぎょう 職業 ━名 (仕事) job Ⓒ ★口語的; (一般的に) occupation Ⓒ; (知的な職業) profession Ⓒ; (一生の仕事) career Ⓒ; (天職) vocation Ⓒ, 《格式》 calling Ⓒ; (手についた仕事) trade Ⓒ; (商売) business Ⓤ; (仕事) work Ⓤ. ━形 (職業(上)の) occupational; professional; vocational.

【類義語】 職業を表す言葉の中で口語的で「勤め口, 仕事, 職業」の意味で広く使われるのが *job*. 無色で日本語の「職業」というやや改まった表現にぴったりなのが *occupation*. 身上調書その他の書類などの「職業」欄の見出しにはこの言葉が用いられる. 元来かなり高い学歴などが必要とされる知的な職業を表す言葉が *profession*. 特別な訓練･技術を必要とし, 人が一生の仕事とするような職業を指すのが *career*. 本来は天職という意味の言葉で, 自分に一番ふさわしい仕事, 特に社会的, 宗教的, 奉仕的で社会に役立つ仕事を指す言葉が *vocation*. ((例) *職業高校 a *vocational* high school). 特に商業あるいは手仕事をいう言葉が *trade*. 営利を目的とする商売という意味で広い範囲の仕事を表す言葉が *business*. いかなる仕事にも広く使われ, ときには *occupation* または *vocation* とほぼ同意で用いられる平易な言葉が *work*. 特に宗教的,医療上の職業を *calling* と言うこともある. 《☞ しょく¹; しごと》

¶「ご*職業は何ですか」「高等学校の教員をしています」"What is your *occupation*?" "I'm a teacher at a (senior) high school." / (⇒何をしていますか) "What do you *do* (*for a living*)?" "I teach at a (senior) high school." / (⇒あなたは何ですか) "*What* are you?" "I'm a high school teacher."

[語法] What are you? という質問は多少失礼な聞き方なので, 遠慮のいらない間柄か, あるいはクイズ番組などで相手の職業をあてたりするような場合などに限られる. 3人称の主語で What is he? となるような場合はこの限りではない. ∥ 佐藤氏の*職業は弁護士です Mr. Sato is a lawyer *by* ˹*profession* [*occupation*]. ∥ 彼の*職業は大工だ He is a carpenter *by trade*. / (⇒建築業だ) He is in the building *trade*. ∥ 私は法律を一生の*職業にしたいと思っている I want to pursue a *career* in law. ∥ 彼女は医者を*職業として選んだ She chose medicine as her *occupation*. ∥ 彼は絵を描くことを*職業としている (⇒絵を描いて生計を立てている) He *makes a living* by painting. ∥ 本のセールスが私の*職業です The sale of [Selling] books is my *business*.

職業安定所 public employment security office Ⓒ; 《英》 job centre Ⓒ **職業安定法** the Employment Security Law **職業案内欄** (新聞などの) "Help Wanted" column Ⓒ, classified ads, 《米》 want ads ★複数形で. **職業意識** professional consciousness Ⓤ. ¶*職業意識が強い be highly *profession-conscious* **職業学校** vocational school Ⓒ; (事務技術などを教えるところ) business ˹college [school] Ⓒ **職業がら** ☞ しょうばい(商売がら) **職業教育** vocational ˹education [training] Ⓤ **職業軍人** career ˹soldier [military person] Ⓒ **職業訓練** vocational training Ⓤ **職業語** jargon Ⓤ **職業指導** vocational guidance Ⓤ **職業紹介所** employment agency Ⓒ **職業選択の自由** the freedom to choose one's occupation **職業団体** trade association Ⓒ **職業適性検査** professional [vocational] aptitude test Ⓒ **職業病** occupational disease Ⓒ **職業婦人** working woman Ⓒ; (専門職の) career woman Ⓒ **職業別組合** trade union Ⓒ **職業別電話帳** the Yellow Pages, classified telephone directory Ⓒ **職業野球団** (プロ野球チーム) professional baseball team Ⓒ.

―コロケーション―

金になる職業 a ˹lucrative [profitable] *occupation* / 危険な職業 a dangerous *occupation* / 給料のよい[悪い]職業 a ˹well-paid [badly paid] *occupation* / ストレスの多い職業 a stressful *occupation* / ちゃんとした職業 a reputable *occupation* / やりがいのある職業 a rewarding *occupation*

しょくげん 食言 ━動 (約束を破る) break [go back on] *one's* word.

しょくご 食後 ━副 (食事の後で) after a meal. ¶*食後に2錠ずつ服用しなさい Take two tablets *after each meal*. ∥ *食後に (⇒デザートに) アイスクリームはいかがですか Would you like some ice cream for *dessert*?

しょくさい 植栽 ━動 plant flowers and trees. ¶生け垣を*植栽する *plant* a hedge **植栽林** plantation Ⓒ.

しょくざい¹ 贖罪 ━名 redemption Ⓤ; (キリストによるもの) the Atonement. ━動 redeem *a person* from sin.

しょくざい² 殖財 moneymaking. ¶*殖財の才がある be good at *making money*

しょくざい³ 食材 foodstuffs ★通例複数形で; (特定の料理の) ingredient Ⓒ. ¶旬の*食材 *foods* in season

しょくさいぼう 食細胞 phagocyte /fǽgəsàɪt/ Ⓒ.

しょくし 食指 (人さし指) the index finger, the forefinger. **食指が動く** ¶鰻の蒲焼きに*食指が動く (⇒焼かれた鰻が食欲を刺激する) The grilled eel *stimulates my appetite.* // 新しいポストに*食指が動いた (⇒地位にひかれた) I *became attracted to* the new position. / (⇒地位が気を引いた) The new position *appealed to* me.

しょくじ[1] 食事 (一般的に) meal Ⓒ; (美容・健康・療養のための規定食) diet Ⓒ. (☞しょくじ[3]; ちょうしょく[1]; ちゅうしょく; ゆうしょく[1]; ごはん).

¶私たちは1日に3回*食事をする We 「have [eat] three *meals* a day. // もう*食事はすみましたか Have you 「finished [(米) eaten] your 「*dinner* [*lunch*; *breakfast*; *meal*] yet? 〔語法〕 一般的な meal よりも, 時刻に応じて朝食・昼食など個別の語を使うのが普通. // 軽い[十分な]*食事をした I had a 「light [good] *meal.* // *食事の最中に電話がかかってきた I had a phone call in the middle of 「*dinner* [*lunch*; *breakfast*]. // 私は母を手伝って*食事の後片付けをした I helped my mother clear the *table.* // 今晩は外で*食事をしましょう Let's 「*eat* [*dine*] out this evening.

食事作法 table manners ★複数形で. **食事時間** mealtime Ⓤ; (ホテルなどの) meal hours ★通例複数形で. ¶「*食事時間はいつですか」「朝食は7時から9時, 昼食は11時から2時, 夕食は6時から9時までです」 "What *hours* are (the) *meals* served?" "Breakfast is from seven to nine, lunch from eleven to two, and dinner from six to nine." **食事代** (下宿などの賄い) board Ⓤ (☞しょくひ[1]) **食事宅配サービス** door-to-door meal delivery service Ⓤ; (病弱者・老人のための) meals on wheels **食事付き宿泊** bed and board.

―コロケーション―

がつがつ食事をする devour a *meal* / 食事の献立を考える plan a *meal* / 食事の支度をする prepare [fix] a *meal* / 食事を与える give [offer; provide] a *meal* / 食事を注文する order *one's meal* / 食事を抜く skip a *meal* // 脂っこい食事 a high-fat *meal* / 栄養価の高い食事 a 「nutritious [nourishing] *meal* / 塩分の多い食事 a salty *meal* / おいしい食事 a tasty *meal* / 高[低]カロリーの食事 a 「high[low]-calorie *meal* / 高[低]コレステロールの食事 a 「high[low]-cholesterol *meal* / 凝った食事 an elaborate [a fancy] *meal* / 菜食主義の食事 a vegetarian *meal* / すばらしい食事 a superb *meal* / ぜいたくな食事 a luxurious [a luxury; an extravagant] *meal* / とてもおいしい食事 a delicious *meal* / 腹応えのある食事 a 「heavy [solid] *meal* / バランスのとれた食事 a well-balanced *meal* / 毎日の食事 daily *meals* / 量の多い食事 a 「big [large] *meal*

しょくじ[2] 植字 〔印〕 ―名 typesetting Ⓤ. ―動 set ... in type, typeset (他).
植字機 typesetting machine Ⓒ **植字工** typesetter Ⓒ.

しょくじ[3] 食餌 (食べ物) food Ⓤ. **食餌実験** feeding experiment Ⓒ **食餌問題** 〔数〕(線形計画法の問題) *diet problem* Ⓒ **食餌療法** diet Ⓒ; diet 「therapy Ⓤ [cure Ⓒ]. ¶私は(やせるために)*食餌療法をしている I'm *on a diet* (to lose weight). // 医者は彼に*食餌療法をさせた The doctor put him *on a diet.*

しょくしゅ[1] 職種 kind of occupation Ⓒ (☞しょくぎょう(類義語)). **職種別賃金** occupational wages ★複数形で.

しょくしゅ[2] 触手 (下等動物の) téntacle Ⓒ. **触手を伸ばす** (…を得ようとする) try to obtain ….

しょくじゅ 植樹 ―動 (木を植える) plant a tree. ¶その建物の落成に際して知事による記念の*植樹が行われた (⇒完成を記念するために) *A tree was planted* by the governor to commemorate the completion of the building. **植樹祭** tree-planting ceremony Ⓒ.

しょくじゅうきんせつ 職住近接 ―動 live near *one's* workplace.

しょくじょ 織女 (機織りの女性) woman weaver Ⓒ; 〔天〕(織女星) Vega /víːgə/. (☞せいざ[1] (表)).

しょくしょう[1] 食傷 ―動 (…にうんざりする) be fed up with …; (十分に…した) have enough of …; (…を十分すぎるほど…する) have more than enough of … (☞あきる; うんざり). ¶もうそんな話には*食傷した I'*m fed up with* that talk. / I'*ve had more than enough of* those stories.

しょくしょう[2] 職掌 (職務) duties ★複数形で, function Ⓒ ★後者のほうが格式ばった語. ¶*職掌柄その種のことはよく知っている My *duties* have made me familiar with that sort of problem.

しょくしん 触診 ―名 examination by touching Ⓒ, palpátion Ⓤ ★個々の事例では Ⓒ. 後者のほうが文語的. ―動 pálpate (他). ¶腹部の*触診を受ける have *one's* abdomen *palpated*

しょくじん 食人 (慣習) cánnibalìsm Ⓤ. **食人種** ☞ひとくいじんしゅ

しょくず 食酢 ☞す[2]

しょくせい[1] 職制 (職場の人員組織) the (staff) organization of an office. ¶*職制の改革 a *staff* reorganization

しょくせい[2] 植生 vegetation Ⓤ.

しょくせい[3] 食性 feeding [eating] habit Ⓒ.

しょくせいかつ 食生活 ¶体力を増進するには*食生活を改善しなければだめだ You have to improve your 「*diet* [*eating habits*] to increase your (physical) strength.

しょくせき 職責 *one's* duty Ⓒ (☞ぎむ).

しょくぜん[1] 食前 ―副 (食事の前に) before a meal. ¶*食前に1錠ずつ飲みなさい Take one tablet *before each meal.* **食前酒** aperitif /ɑːpèrətíːf/ Ⓒ.

しょくぜん[2] 食膳 (dining) table Ⓒ. ¶刺身が*食膳に上った (⇒供された) Sashimi *was served.*

しょくそう 食草 〔昆〕 larval food plant Ⓒ.

しょくだい 燭台 candlestick Ⓒ.

しょくたく[1] 食卓 (dining) table Ⓒ (☞テーブル). ¶*食卓を用意する set [(英) lay] the *table* // *食卓を片付ける clear the *table* // *食卓を囲む sit around the *table* // みんな*食卓につき, 食事を始めた They all sat down 「at the *table* [(英) to *table*; at *table*] and began the meal. 〔語法〕 (1) (英) では無冠詞. // *食卓では (⇒食事中は) 楽しい話題を選ぶように心がけなくてはならない We must try to choose pleasant topics (of conversation) *at* (*the*) *table.* 〔語法〕 (2) (米) では普通 the を付けて. // この箸は*食卓用ではない These chopsticks are not for *table* use. **食卓塩** table salt Ⓤ.

しょくたく[2] 嘱託 (非常勤の職員) part-time employee Ⓒ; (臨時の職員) nonregular employee Ⓒ. **嘱託殺人** murder by contract Ⓤ.

しょくちゅうしょくぶつ 食虫植物 insectivorous /ìnsektív(ə)rəs/ plant Ⓒ, inséctivòre Ⓒ ★後者は動物も含む.

しょくちゅうどうぶつ 食虫動物 〔生〕 insectivorous /ìnsektív(ə)rəs/ ánimal Ⓒ, inséctivòre Ⓒ ★後者は植物も含む.

しょくちゅうどく 食中毒 food poisoning Ⓤ.
しょくちゅうるい 食虫類 insectivore Ⓒ.
しょくつう 食通 gourmet /gúəmeɪ/ Ⓒ《☞ グルメ; くいどうらく; びしょく》.
しょくどう[1] 食堂 (食事をする部屋) dining room Ⓒ; (レストラン) restaurant Ⓒ; (学校・職場などのセルフサービス式の食堂) cafeteria /kæfətí(ə)riə/ Ⓒ; (軽食堂) snack bar Ⓒ.
¶*食堂は台所の隣です《家で》The *dining room* is next to the kitchen. // お弁当はいつも*食堂で食べます I usually eat my lunch in the *lunchroom*. ★ lunchroom は学校や会社の軽食堂.
食堂車 dining car Ⓒ, restaurant /rést(ə)rənt/ càr Ⓒ ★後者のほうが格式ばった言い方; 《略式》diner Ⓒ; (ビュッフェ式の) buffet /bʌféɪ/ càr Ⓒ.
しょくどう[2] 食道 《略式》gullet Ⓒ, the food passage ★後者は平易な言い方; 〘解〙esophagus /iːsáfəgəs/ Ⓒ. 《☞ ないぞう[1] (挿絵)》. **食道癌** cancer of the esophagus Ⓤ **食道鏡** esophagoscope Ⓒ **食道狭窄** stricture of the esophagus Ⓒ **食道発声** esophageal /ɪsàfədʒìːəl/ spéech Ⓤ.
しょくどうらく 食道楽 ☞ くいどうらく
しょくにく 食肉 1 《食用の肉》: meat Ⓤ. 2 《肉食》: carnivorousness Ⓤ. **食肉偽装事件** mislabeling meat scandal Ⓒ **食肉表示偽装** mislabeling meat fraud Ⓤ.
しょくにくしょくぶつ 食肉植物 ☞ しょくちゅうしょくぶつ
しょくにくどうぶつ 食肉動物 carnivorous /kɑənívərəs/ [flésh-èating] ánimal Ⓒ (↔ herbivorous animal), cárnivòre Ⓒ (↔ herbivore).
しょくにくるい 食肉類 carnivore Ⓒ.
しょくにん 職人 craftsman Ⓒ《複 -men /-mən/》; (女性の) craftswoman Ⓒ《複 -women /-wɪmɪn/》; artisan Ⓒ ★最後は格式ばった言い方. **職人気質**(かたぎ) the artisan spirit **職人芸** (職人の技能・腕前) craftsmanship Ⓤ, the skill of ʳan artisan [a craftsman].
しょくのう 職能 (職務遂行能力) *one's* ability for work; (機能) function Ⓒ. **職能給** wages based on performance ★複数形で. **職能代表制** vocational [functional] representation Ⓤ **職能別組合** craft union Ⓒ《☞ くみあい》.
しょくば 職場 (働く場所) place of work Ⓒ
日英比較 日本語で「職場」という場合, 英語では自分が所属する「職場」の種類に従って, 具体的に「会社」company Ⓒ,「事務所」office Ⓒ,「工場」factory Ⓒ,「仕事場」workplace Ⓒ, workshop Ⓒ などの言葉を使う場合が多い.
¶私の*職場は都心にある My ʳ*place of work* [*office*] is in the heart of the city. // 私の*職場には女性が少ない There are few women in my ʳ*office* [*workshop*; *factory*]. // *職場を替える (⇒仕事を替える) change ʳ*one's job* [*jobs*] / (⇒部署を移る) *transfer to a different section* // きょうの昼休みに*職場集会をします We will have a *union* meeting during the lunch hour.
職場結婚 office marriage Ⓤ **職場ストレス** job stress Ⓤ **職場代表** (組合の) shop steward Ⓒ **職場復帰** ―動 go back to work **職場保育所** cómpany ʳcrèche /kréʃ/ [nùrsery] Ⓒ ★ crèche の ` は綴り本来のもの. **職場放棄** ―名 (ストライキ) strike Ⓒ, 《略式》wálkòut Ⓒ. ―動 be on strike, 《略式》wálk óut ⓐ.
しょくばい 触媒 cátalyst Ⓒ.
しょくはつ 触発 ―動 (誘発する) tóuch óff ⓜ; (引き金を引くように) trígger (óff) ⓜ. 《☞ ひきがね》. ¶そのけんかに*触発されて暴動が起こった The fight ʳ*touched off* [*triggered*] the riot.
しょくパン 食パン bread Ⓤ 日英比較 パン一般を bread といい, 日本で言う「食パン」は単に bread, ロールパンなどは a roll という.「食パン」を一切れに切ったものは a slice of bread という.「食パン一斤」は a loaf of bread. 《☞ パン[1]》.
しょくひ[1] 食費 (生計費の中の) food expenses ★複数形で; (下宿の) (the) charge for board Ⓒ. ¶私は給料の 3 分の 1 は*食費に使う I spend one-third of my salary ʳfor [on] (buying) *food* [to pay my *food expenses*].
しょくひ[2] 植皮 skin grafting Ⓤ; (移植組織片) skin graft Ⓒ. ¶足から腕へ*植皮する *graft* (*a piece of*) *skin* from the leg onto the arm
しょくひん 食品 (個々の) food Ⓒ ★「食物」の意味のときは Ⓤ; (いろいろの食料品) foodstuff Ⓒ ★しばしば複数形で. 《☞ しょくもつ; しょくりょう[1]; たべもの》. ¶缶詰*食品 canned *foods* // 最近は種々のインスタント*食品が出回っている (⇒売られている) Various kinds of instant *foodstuffs* are sold these days. // 遺伝子組み替え*食品 genetically modified *foods* // 加工*食品 processed *foods* **食品安全基本法** the Food Safety Basic Law **食品衛生** food hygiene Ⓤ **食品衛生責任者** food-sanitation manager Ⓒ **食品衛生法** the Food Sanitation Law **食品汚染** food pollution Ⓤ **食品加工業** the food processing industry ★ the を付けて. **食品玩具** plaything attached to candy Ⓒ **食品期限表示** best before indication for food Ⓒ **食品群** food group Ⓒ **食品成分表** fóod ingredient /ɪngríːdiənt/ tàble Ⓒ **食品添加物** (food) ádditive Ⓒ **食品リサイクル法** the Food Recycling Law.
しょくふ 織布 woven material Ⓤ.
しょくぶつ 植物 ―名 plant Ⓒ ★最も一般的な語 (↔ animal); (動物に対しての植物) vegetable Ⓒ; (特定の場所の草木, またはその繁茂の状態) vegetation Ⓤ. ―形 (植物の・植物性の) vegetable Ⓐ.
¶鉢植えの*植物が枯れてしまった The *plants* in the pot died. // 彼女は庭の*植物に水をやった She watered the *plants* in the garden. // 彼は室内で珍しい*植物を育てている He is growing some exotic *plants* indoors. // これはたいへん強い*植物だ This is a ʳhardy [vigorous] *plant*. // 谷を降りたところには*植物がよく繁茂していた Down the valley there was ʳa rich growth of *bushes* [rich *vegetation*]. ★ bushes は灌木類. // 室内*植物 an indoor [a house] *plant* // 熱帯[寒帯]*植物 a tropical [an arctic] *plant* // 高山*植物 an alpine *plant* // 水生*植物 an aquatic [a water] *plant* // 一年生[多年生]*植物 an annual [a perennial] *plant*
植物園 botánical gárden Ⓒ **植物界** the vegetable kingdom **植物学** bótany Ⓤ **植物学者** bótanist Ⓒ **植物区系** floral region Ⓒ **植物群落** plant community Ⓒ **植物検疫** plant quarantine /kwɔ́ːrəntìːn/ Ⓤ **植物採集** plant collecting Ⓤ ¶少年のころよく田舎へ*植物採集に行ったものだ When I was a boy, I used to go *plant collecting* in the countryside. **植物質** vegetable matter Ⓤ **植物状態** vegetable-like [vegetative] state Ⓒ **植物性器官** vegetable organ Ⓒ **植物性食品** plant [vegetable] foods ★複数形で. **植物(性)繊維** vegetable fiber Ⓒ **植物性染料** vegetable dye Ⓒ **植物生態学** plant ecology Ⓤ **植物性蛋白質** vegetable protein Ⓤ **植物帯** vegetational zone Ⓒ **植物地理学** geographical botany Ⓤ, plant geography Ⓤ **植物人間** (human) vegetable Ⓒ. ¶まったくの*植物人間になる become a *human vegetable* **植物標本** botanical

specimen Ⓒ 植物プランクトン phytoplankton /fàɪtouplǽŋktən/ Ⓤ 植物防疫 plant protection Ⓤ 植物防疫所 the Plant Protection Station 植物防疫法 the Plant Quarantine Law 植物ホルモン plant hormone Ⓒ 植物油 vegetable oil Ⓤ.

コロケーション

植物を植え替える transplant a *plant* / 植物を植える plant a *plant* / 植物を枯らす kill a *plant* / 植物を切り倒す cut down a *plant* / 植物を整枝する train a *plant* / 植物を根こそぎにする root up a *plant* // 湿生植物 a marsh *plant* / 種子植物 a seed *plant* / 着生植物 an air *plant* / つる性植物 a climbing *plant*

しょくぶん[1] **職分** *one's* duty Ⓒ. ¶*職分を尽くす do *one's duty* // *職分 (⇒ あなたが行うべきこと) をわきまえなさい You must be aware of *what you have to do.*

しょくぶん[2] **食分** 〔天〕 phase of an eclipse Ⓒ.

しょくべに 食紅 food red Ⓤ.

しょくへん 食偏 food radical on the left of kanji Ⓒ.

しょくぼう 嘱望 ¶その青年は皆に*嘱望されている (⇒ 彼は有望な青年だ) He is a *promising* young man. / (⇒ 彼は皆の期待の的だった) He is everybody's *hope.*

しょくみん 植民 colonization Ⓤ《☞ いみん》. 植民地 ── 名 cólony Ⓒ. ── 動 (植民地化する) colonize ㊀. ¶オーストラリアはイギリスの*植民地だった Australia ⌈used to be a British *colony* [was once *under* British *colonial rule*]. 植民地主義 colónialism Ⓤ 植民(地)政策 colónial pólicy Ⓒ.

しょくむ 職務 ── 名 (仕事) job Ⓒ, work Ⓤ ★ 前者は口語的, 後者は広い意味で使われる一般的な語; (任務) duty Ⓤ ★ しばしば複数形で; (役目) function Ⓒ ★ 少し堅苦しい言葉; (責任) responsibility Ⓤ. ── 形 (職務上の) official. 《☞ しごと; にんむ; ぎむ; つとめ[2]》.

¶それが私の*職務 (⇒ 仕事) です That's my ⌈*job* [*work*; *responsibility*]. // 私は万難を排して (⇒ どうしても) *職務を遂行しなくてはならない I must ⌈perform [do] my *duties*, no matter what. // 彼は*職務に忠実である He is faithful to his *duties.* // *職務に怠慢である neglect *one's* ⌈*work* [*duties*]

職務規定 office regulations ★ 複数形で. 職務給 job-duty rate Ⓒ, pay attached to a post Ⓒ 職務権限 ¶それはあなたの*職務権限を逸脱していますよ That's not within your *functions.* 《☞ けんげん[1]》 職務質問 ── 名 (警官の) police questioning Ⓤ. ── 動 question ㊀ 職務内容 job specification Ⓒ 職務発明 service invention Ⓒ 職務犯罪 criminal abuse of power Ⓤ 職務評価 job evaluation Ⓤ 職務分析 job analysis Ⓤ 職務命令 orders from above.

しょくめい 職名 (職業) occupation Ⓒ; (肩書き) title Ⓒ; (地位・資格) status Ⓒ. 《☞ しょくぎょう (類義語)》. ¶彼の*職名は何ですか (⇒ 役職上の肩書きは何か) What is his *official title*? / (⇒ 職業は何か) What is his *occupation*?

しょくもう[1] **植毛** ── 名 (頭髪の人工植毛) hair *implant* Ⓤ. ── 動 implant hair.

しょくもう[2] **触毛** 〔動〕 feeler Ⓒ.

しょくもく 属目 ── 動 have great expectations for .... ¶*属目される新人選手 a *promising* new player

しょくもたれ 食もたれ ── 動 sit heavy on *one's* stomach ★ 食物を主語として. ── 形 (食物が腹にもたれる) stodgy.

しょくもつ 食物 (一般に) food Ⓤ ★ 種類をいうときには Ⓒ; (いろいろな食料品) foodstuff Ⓒ ★ しばしば複数形で. 《☞ しょくりょう[1,2]; しょくひん; たべもの》. ¶病人は栄養のある*食物をとらなくてはならない A sick person must ⌈eat [take] nourishing *food.* // 消化のよい [悪い]*食物 digestible [indigestible] *food* 食物アレルギー food allergy Ⓒ 食物繊維 dietary fiber Ⓤ, roughage /rʌ́fɪdʒ/ Ⓤ 食物連鎖 food chain Ⓒ.

しょくやすみ 食休み ── 名 a rest after a meal ★ 通例 a を付けて. ── 動 relax (for a while) after a meal.

しょくよう 食用 ── 形 (食べられる) edible; (食用に適する) fit to eat ★ 特にとり立てて食用かどうかを問題にするとき以外は前者を使う. 《☞ たべる》.

¶この植物は*食用ですか Is this plant *edible*? / Is this plant *fit to eat*? // それは*食用にはなるが, おいしくない It may be *edible*, but it's not eatable. 語法 この場合 eatable は食用かどうかではなく, 口に合うかどうかをいう.

食用油 cooking oil Ⓤ 食用蛙 bullfrog Ⓒ 食用菊 edible chrysanthemum Ⓒ 食用菌 edible mushroom Ⓒ 食用色素 food ⌈color [dye] Ⓒ.

しょくようじょう 食養生 eating a balanced diet to maintain *one's* health Ⓤ 《☞ しょくじ[3] (食餌療法)》.

しょくよく 食欲 áppetite Ⓤ ★ しばしば an または所有代名詞を伴う.

¶私はきょうは*食欲がない I have ⌈no [little] *appetite* today. / (⇒ 何も食べたくない) I don't ⌈want to eat [feel like eating] anything today. // あの子はいつも*食欲がない The child has a poor *appetite.* / (⇒ 少なく食べる人) The child is a poor eater. // 彼は*食欲が旺盛だ He has a ⌈good [hearty] *appetite.* // 過労で*食欲がなくなった I've lost my *appetite* through overwork. / Overworking spoiled my *appetite.* // *食欲不振はどうしたらよくなるでしょう How can we improve our *appetite*? // アルコール類は*食欲を増進させる Liquor stimulates the *appetite.* / (⇒ アルコール類は食欲増進となるものだ) Liquor [An alcoholic drink] is a wonderful *appetizer.* ★ appetizer は食欲をそそるもの. // 間食は*食欲をそぐ Snacking between meals ⌈ruins [spoils] your *appetite.* 食欲異常 disturbance of appetite Ⓤ.

しょくらい 触雷 ── 動 touch [strike] a mine.

しょくり 殖利 ☞ りしょく[1]

しょくりょう[1] **食料** food Ⓤ ★ 種類をいうときは Ⓒ. 《☞ しょくもつ; たべもの; しょくひん》.

食料品 foodstuff Ⓒ ★ しばしば複数形で.

食料品店 grocery [food] store Ⓒ ★ grocery store は生鮮食料品・缶詰類などいろいろの種類の食料品を売る店をいう; (食料品商) grocer Ⓒ.

しょくりょう[2] **食糧** food Ⓤ; (食糧の蓄え) food supplies ★ 複数形で; (将来の使用のために蓄えられた食物) provisions ★ 複数形で. 前者が一般的な言い方. 《☞ しょくもつ; たべもの; しょくひん》.

¶*食糧は十分にある We have enough *food* (*supplies*). / (⇒ たくさんある) We have ⌈plenty of [a good supply of] *food.* // *食糧がなくなった We've run out of ⌈*food* [*provisions*]. / The *provisions* have run out. // *食糧が不足している We are short of *food.* // アフリカの*食糧問題[事情]は深刻である The *food* ⌈problem [situation] in Africa is serious /sí(ə)riəs/.

食糧管理制度 food control system Ⓒ 食糧管理法 the Staple Food Control Law ★ 1995 年廃止. 食糧危機 food crisis Ⓒ. ¶かんばつのためにインドは*食糧危機に陥った (⇒ かんばつが食糧危機を

引き起こした) A bad drought has caused a *food crisis* in India. **食糧サミット** World Food Summit **食糧自給率** the rate of self-sufficiency in food **食糧需給** the supply and demand for food **食糧庁** the Food Agency ★ 2003 年廃止. **食糧農業機関** (国連の) the Food and Agriculture Organization 《略 FAO》.

しょくりん 植林 ― 图 afforestation /əfɔ̀ːrɪstéɪʃən/ Ⓤ. ― 動 plant trees.

しょくれき 職歴 (経歴) work [occupational] ⌈career [background] Ⓒ; (現在までの仕事) the jobs *one* has had; (職業上の経験) professional [occupational] experience Ⓒ. 《☞ けいれき; -れき》.
¶「彼はどんな*職歴を持っていますか」「もう 10 年も S 会社の販売部員で, 有能なセールスマンです」"What is his *occupational* ⌈*career* [*background*; *experience*]?" "He has been a staff member of the sales department of the S Company for ten years and is a very competent salesman." // 私の*職歴は次のとおりです *The jobs I have had* are as follows.

しょくん 諸君 (男性に対しての呼びかけ) Gentlemen; (全員に呼びかけて, みなさん) Everyone, Everybody ★ 教師が生徒に向かって言う場合など, 目下の者に向かって使われる; (友人たちに対して) Friends; (少年・少女たちに対して) Boys and girls. ★ いずれも文頭の場合を想定して大文字としてある.

じょくん 叙勲 ― 图 conférment Ⓤ, decoration Ⓤ ★ 後者は勲章の意味になることもある. ― 動 (勲章を与える) decorate … for … 《☞ くんしょう》. ¶ 彼は社会へのすぐれた貢献によって*叙勲された He *was decorated for* his distinguished service to society.

しょけい¹ 処刑 ― 图 execution Ⓤ. ― 動 éxecùte ⑯. 《☞ しけい¹》. ¶ 彼は 1789 年パリで*処刑された He *was executed* in Paris in 1789. **処刑台** scaffold Ⓒ.

しょけい² 書痙 writer's cramp Ⓒ.

しょげい 諸芸 accomplishments ★ 複数形で. ¶*諸芸に通じている be accomplished in *various arts* // *諸芸に通じた女性 an *accomplished* woman

じょけい 女系 the female line. **女系親族** relative ⌈in the female line [on the mother's side] Ⓒ.

じょけつ 女傑 heroine /hérouɪn/ Ⓒ; (大柄でがっしりした女性) ámazòn Ⓒ ★ ギリシャ神話に出てくる女傑の部族名 Amazon から.

しょげる (暗い気持ちになる) be depressed; (勇気をなくし, がっかりする) be dispirited, be disheartened ★ 以上いずれも入れ替え可能な場合もある; 《略式》 be [look] down in the mouth. 《☞ しょんぼり; がっかり》. ¶ 彼は試験に落ちて*しょげている He *is* terribly *depressed* because he failed the exam. / (⇒ みじめな状態に見える) He *looks miserable* because of his failure in the examination. // そう*しょげるなよ (⇒ 元気を出せ) Cheer up!

しょけん¹ 所見 (意見) opinion Ⓒ; (個人的な判断を伴う意見) view Ⓒ; (批評的な意見) comment Ⓒ; (簡潔な論評) remark Ⓒ. 《☞ いけん¹ (類義語); しょかん²》 ¶ 問題について*所見を述べる *comment* [make a *comment*] on the issue

しょけん² 初見 **1** 《初めて見ること》 ― 動 see … for the first time. ¶ 彼とは*初見だ (⇒ 会ったことがない) I *have never seen* him *before*.
2 《楽譜を下見せずに演奏すること》 ― 動 sight-read ⓐ ⑯ ★ 歌う場合も含む. ¶*初見演奏する play a piece *at sight*

しょけん³ 諸賢 ¶*諸賢の御列席を賜わり光栄の至りです It is a great honor for me to have the company of such distinguished guests as you, gentlemen.

しょげん 緒言 ☞ まえがき; じょぶん

じょけん 女権 women's rights ★ 複数形で. ¶*女権拡張運動 a ⌈*women's rights* [*feminist*] movement // *女権拡張論 *féminism* // *女権拡張論者 a *feminist*

じょげん¹ 助言 ― 图 (忠告) advice Ⓤ 語法 (1) 最も一般的. 通例は個人的な忠告をいうが, 弁護士の助言 (legal advice) のように形容詞を伴ったり, 前後関係によっては公的な助言にも用いられる; (重要な事柄に関する公的な) counsel Ⓤ ★ 前者より格式ばった語. ― 動 advise ⑯; counsel ⑯. 《☞ ちゅうこく (類義語); しんげん¹》.
¶ あなたは先輩の*助言に従うべきだ You'd better ⌈follow [take] your older friend's *advice*. // 君にひとこと*助言しておきたい Let me give you a ⌈piece [bit] of *advice*. 語法 (2) advice は piece で数を数える. // 彼はその点について*助言してくれた He *advised* me *on* that point. // 彼は私にその試験を受けるように*助言してくれた He *advised* me *to* take the examination. // 私は会社のコンサルタントの*助言を求めた I asked our company's consultant for his *counsel*.

じょげん² 序言 ☞ まえがき; じょぶん

しょけんだい 書見台 bookrack Ⓒ, bookstand Ⓒ, bookrest Ⓒ.

しょこ 書庫 (図書館・図書室) library Ⓒ; (図書館の) stacks ★ 複数形で.

しょこう¹ 初校 〘印〙 the first proof (sheet Ⓒ).

しょこう² 曙光 the first light of day. ¶ 和解の*曙光が見られる We can see *a ray of hope* for reconciliation /rèk(ə)nsìliéɪʃən/.

じょこう¹ 徐行 ― 動 (ゆっくり行く) go slowly ⓐ, 《略式》 go slow ⓐ; (速度を落とす) slow ⌈down [up] ⓐ ⑯ (↔ speed up), reduce (the) speed ★ 前者のほうが口語的. ¶ 列車は*徐行していた The train *was going slowly*. // この道は危ないから*徐行したほうがいいよ (⇒ 速度を落としたほうがよい) You'd better *slow down*, because this road is dangerous. // *徐行《掲示》*Go Slow* / *Slow Down* // 最*徐行《掲示》*Dead Slow*

じょこう² 女工 factory girl Ⓒ. **女工哀史** *A Pathetic Story of Mill Girls* ★ 細井和喜蔵の著書 (1925).

じょごう 除号 division sign Ⓒ.

じょこうえき 除光液 nail-polish remover Ⓒ.

しょこく 諸国 ¶ その会議には東南アジア*諸国からの代表が出席した Representatives from Southeast Asian *countries* attended the meeting. // 彼は*諸国を (⇒ 国から国へと) 放浪して歩いた He wandered *from one country to another*.

ショコラ chocolate Ⓤ ★「ショコラ」はフランス語の chocolat から.

しょこん 初婚 *one's* first marriage. **初婚年齢** age of first marriage Ⓤ.

しょさ 所作 (座ったり立ったりしているときにとる姿勢, またはその姿勢をとるためのしぐさ) posture Ⓤ ★ 具体的なものをいうときは Ⓒ; (芝居などでの身の動き) action Ⓤ. 《☞ うごき》. ¶ 日本の踊りには独特の*所作がある Japanese dancing has its own unique *postures*.

しょさい¹ 書斎 study Ⓒ.

しょさい² 所載 ― 動 (載せる) carry; (発表する) publish; (記事を書く) report. ¶ 前号*所載の私の論文 my article ⌈*carried* [*published*] in the last issue

しょざい 所在 (人の居場所) *a person's* whére-

abòuts [語法] 単数または複数扱いだが，単数扱いが一般的になりつつある；(物のあり場所) where ... is. (☞ ゆくえ；いどころ；しょうそく).
¶ *所在をくらます (⇒ 姿を消す) disappear / vanish ★ 後者は特に突然さを暗示する. // *所在を突き止める discover *a person's whereabouts* / locate *a person* // 彼の*所在は不明だ His *whereabouts* ⌜is [are] unknown. // その絵の*所在はだれにもわからない (⇒ どこにあるのかだれも知らない) Nobody knows *where* the picture *is*. // 責任の*所在 (⇒ だれに責任があるのか) が明らかではない It is unclear ⌜*who is* responsible [(⇒ どこに責任があるのか) *where* the responsibility *lies*].
所在地 location [C] **所在ない** (⇒ することがなくて退屈だ) be bored having nothing to do.

じょさい 助祭 〘カトリック〙 deacon [C].

じょさいどうそうち 除細動装置 (心臓の)〘医〙 defibrillàtor [C].

じょさいない 如才ない ―[形] (愛想がいい) sociable; (友好的な) friendly; (人をそらさない・機転のきく) tactful. (☞ あいそ；ぬけめ).
¶ あの人は*如才のない人だ (⇒ 人づき合いがよい) He's a ⌜*sociable* [*friendly*] man. // 彼は*如才なく立ち回る He acts *tactfully*. // 彼女は応対に*如才がない (⇒ 彼女は客を迎えるのに手際がよい) She is *tactful* with visitors. / She treats her visitors *with tact*. ★ 後者のほうが格式ばった言い方.

しょさん¹ 所産 (努力などの成果) fruit [C] ★ しばしば複数形で；(産物) product [C]; (結果) result [C]. (☞ せいか²；けっか). ¶ 努力の*所産 the ⌜*fruits* [*product*] of *one's* effort(s)

しょさん² 初産 *one's* first childbirth [U].
初産婦 (初めて出産する) a woman expecting (a baby) for the first time; (初めて出産した) a woman having had her first baby.

じょさんぷ 助産婦 midwife [C] (複 -wives).

しょし¹ 初志 (第 1 の目的) *one's* ⌜first aim [primary goal] [C]; (はじめからの意志) *one's* original ⌜intention [purpose] [C]. ¶ 彼は*初志を貫徹した He achieved *his* ⌜*first aim* [*primary goal*]. / He carried out *his original* ⌜*intention* [*purpose*].

しょし² 書肆 (米) bookstore [C], (英) bookshop [C]. (☞ しょてん；ほんや).

しょし³ 所志 (意図していること) (*one's*) intention [C].

しょじ¹ 所持 ―[動] (身に付けて持っている) have ...⌜with [on] *one*; (持ち歩く) carry ... on *one*. (☞ もつ¹；しょゆう). ¶ その男はピストルを*所持していた The man ⌜*had* [*carried*] a gun *on* him.
所持金 money on hand [U] **所持人払い** ―[形] payable to holder **所持品** *one's* ⌜things [belongings] ★ 複数形で. ¶ ポケットの*所持品 (⇒ 持っている物) をここへ出しなさい Take out what you *have* in your pockets and put it here. // *所持品には名前を付けておくこと Put your name on *your things*. **所持品検査** body search [C].

しょじ² 諸事 all things ★ 複数形で. **諸事万端** ―[代] everything.

じょし¹ 女子 (女の子) girl [C] (↔ boy); (成人の女性) woman [C] (複 women /wímɪn/) (↔ man); (婦人) lady [C] (↔ gentleman). (☞ おんな (類義語)；じょせい¹；ふじん¹).
¶ 私たちのクラスには男子が 30 人，*女子が 20 人います There are thirty boys and twenty *girls* in our class. // *女子(用) (トイレの掲示) *Ladies*
女子学生 girl student [C]; (男女共学の大学の女子学生) (略式) coed [C] [参考] この語は性差別的な感じがするという理由で，だんだん使われなくなりつつある. ¶ *女子学生に対する就職差別 discrimination against *female students* in job openings **女子教育** education of ⌜girls [women] [U] **女子(高)校** girls' (high) school [C] **女子差別撤廃条約** Convention on the Elimination of all Forms of Discrimination against Women ★ 正式名称「女子に対するあらゆる形態の差別の撤廃に関する条約」 **女子大学** women's ⌜university [college] [C].

じょし² 助詞 〘文法〙 (日本語の) postposition [C], postpositional particle [C].

じょし³ 助士 (助手) assistant [C]; (機関車などの) assistant engineér [C].

じょし⁴ 序詞 (著者自身のはしがき) preface [C]; (著者以外の人が書く序文) foreword [C]; (プロローグ) prologue [C]; (短歌の) an epithet placed at the beginning of a tanka poem. (☞ じょぶん).

-じょし ...女史 (既婚女性の場合) Mrs.; (未婚女性の場合) Miss; (既婚・未婚を問題にしないとき) Ms. /mìz/ ★ いずれも姓または姓名の前に付けて用いる. なお，Ms. は性差別廃止の立場から使われ出した語.

じょじ 女児 (女の子) girl [C]; (女の赤ちゃん) baby girl [C].

しょしがく 書誌学 bìbliógraphy [U]. **書誌学者** bìbliógrapher [C].

しょしき 書式 form [C]. ¶「何か定まった*書式がありますか」「はい，この書類 [*書式] に書き込んで下さい」"Is there any fixed *form*?" "Yes. Please fill out this *form*." // 指示された*書式どおりに書いて下さい Please write it ⌜according to [following] the prescribed *form*. // この書類は*書式が違います This paper does not follow the correct *form*.

じょじし 叙事詩 epic (poem) [C].

しょしだい 所司代 (室町時代以後京都の) Kyoto police deputy [C]; (説明的には) administrator of justice in Kyoto [C].

じょしつ 除湿 ―[名] dèhumidificátion [U]. ―[動] dehumidify /dì:hju:mídəfàɪ/ ⓗ. **除湿器[装置]** dèhumídifier [C].

しょしゃ 書写 ―[動] (書き写す) copy ⓗ, transcríbe ⓗ ★ 後者のほうが格式ばった語. (☞ かきうつす)；(国語科目の) ☞ しゅうじ¹

じょしゅ 助手 assistant [C] (☞ てつだい).
助手席 (車の) (front) pássenger sèat [C].

ジョシュア (男性名) Joshua /ʤɑ́ʃuə/ ★ 愛称は Josh.

しょしゅう 初秋 early fall [U], (英) early autumn [U]. (☞ あき¹).

じょしゅう¹ 女囚 female prisoner [C].

じょしゅう² 除臭 ☞ だっしゅう

しょしゅつ 初出 (単語などの) earliest occurrence /əkɑ́:rəns/ [C]. **初出年** date of earliest occurrence [C].

じょじゅつ 叙述 ―[名] (描写) description [U]. ―[動] describe ⓗ. (☞ えがく；びょうしゃ). ¶ 形容詞の*叙述用法 the *predicative* use of an adjective

しょしゅん 初春 early spring [U] (☞ はる¹).

しょじゅん 初旬 (月はじめ) the beginning of the month; (月はじめの 10 日間) the first ten days of the month [日英比較] 英語では日本語のように，1 か月をはっきり 10 日ずつに区切っていう言い方はないので説明的な訳.
¶ その会は来月*初旬に開かれる The meeting will be held sometime ⌜in [within] *the first ten days of next month*. / (⇒ 来月早いうちに開かれる) The meeting will be held *early next month*.

しょしょ 処暑 *shosho* [U]; (説明的には) the end of the hottest season around August 23. (☞ だいかん¹ [日英比較]).

しょじょ 処女 —[名] virgin [C] [参考] virgin は「(男の) 童貞」の意味にも使われる ((例) 彼は童貞だ He's a *virgin.*). —[形] (性経験のない) virgin [A]; (未婚の) maiden [A]. ¶彼女はその夜*処女 (⇒処女性) を失った She lost her *virginity* that night. **処女宮** 〖天〗 Virgo, the Virgin **処女航海** maiden voyage [C] **処女降誕** 〖キ教〗 the Virgin Birth **処女作** first work [C] **処女生殖** 〖生〗 parthenogenesis /pὰəθənoυʤénəsɪs/ [U] **処女地** virgin soil [U] **処女飛行** maiden flight [C] **処女膜** hymen [C].

しょじょう 書状 letter [C].

じょしょう¹ 序章 introductory chapter [C].

じょしょう² 女将 ☞ おかみ¹

じょじょう 叙情, 抒情 —[名] (叙情味) lyricism [U]. —[形] (叙情的) lyric(al).
叙情詩 (総称) lyric poetry [U]; (個々の) lyric (poem) [C] **叙情詩人** lyric poet [C].

じょじょうふ 女丈夫 ☞ じょけつ

じょしょく 女色 **1** «容貌»: (美しい容色) woman's beauty [U]; (色香) charms ★複数形で. (☞ いろか). ¶*女色に迷う be captivated by a *woman's beauty* **2** «情事»: love affair [C] (☞ じょうじ²). ¶*女色にふける indulge in *love affairs*

じょじょに 徐々に (だんだんと・次第に) gradually; (少しずつ) little by little ★前者のほうが格式ばった語; (一歩一歩) step by step; (段階を追って少しずつ) by degrees ★第 2, 第 3 番目より格式ばった表現; (ゆっくりと) slowly [語法] <比較級+and+比較級> でも「徐々に」「だんだん」の意味を表す. (☞ だんだん).
¶彼女は*徐々に健康を回復しつつある Her health is *gradually* improving. // 状況は*徐々に好転してきている The situation is ˹*gradually* [*slowly*] changing for the better. // 川の水量が*徐々に増えた The water of the river rose *little by little.* // 彼は*徐々に英語の力をつけていった He improved his English *step by step.* // 飛行機は*徐々に上昇していった The airplane ˹went (up) [rose; flew]˺ *higher and higher.*

しょしん¹ 所信 (信念) belief [U]; (意見) opinion [C], view [C]. (☞ いけん¹; かんがえ; かくしん¹). ¶このことについていささか*所信を述べさせていただきます (⇒このことについて少し話すのを許していただきたい) Please allow me to speak about this matter for a few minutes. **所信表明演説** (首相などの) key policy speech [C], keynote address [C].

しょしん² 初診 (最初の診察) the initial medical examination; (初診の患者) new patient [C]. **初診料** initial ˹fee [charge] [C].

しょしん³ 初心 (初志) *one's* original intention [U] (☞ しょし¹). **初心忘るべからず** (⇒始めたときの新鮮な心を忘れてはならない) We should not lose the fresh spirit that we had at the beginning.

じょしん 女神 goddess [C] (☞ めがみ).

しょしんしゃ 初心者 (始めたばかりの人) beginner [C]; (新米) novice [C] ★多少軽蔑的. (☞ かけだし).
¶この仕事は*初心者には難しすぎる This work is too hard for ˹a *beginner* [(⇒未経験者) an *inexperienced person*; a *novice*]. // この本は*初心者向けです This book is for *beginners.* // 私は碁はまだ*初心者です I'm a *beginner* at go. / (⇒いま習い始めたばかり) I'*ve just started to* learn go. // *初心者歓迎 《掲示》 Welcome to *Beginners*
初心者マーク ☞ わかば (若葉マーク)

じょすう¹ 序数 ordinal ˹number [numeral] [C] (↔ cardinal number) (☞ 数字 (囲み)). **序数詞** ordinal ˹number [numeral] [C].

じょすう² 除数 divisor [C] (☞ わりざん).

じょすうし 助数詞 counting-suffix [C]; 〖文法〗 (分類辞) classifier [C]. (☞ 数の数え方 (囲み)).

ショスタコーヴィチ —[名] ⓖ Dimitri Shostakovich /dmíːtri ʃὰstəkóυvɪtʃ/, 1906–75. ★旧ソ連の作曲家.

しょずり 初刷り the first impression ★ the を付けて.

ジョスリン (女性名) Jocelyn /ʤάs(ə)lən/.

しょする 処する (処罰する) punish ⓗ; (処理する) deal with …; (切り抜ける) cope with …; (社会で暮らす) get on [make *one's* way] in the world. (☞ たいしょ¹).
¶この規則に違反した者は厳罰に*処する Any person who ˹violates [breaks] this rule will *be* ˹severely [heavily] *punished.* // その男は死刑に*処せられた (⇒死刑を宣告された) The man *was sentenced to* death. / (⇒死刑を執行された) The man *was executed.* // 難局に*処する覚悟はいつでもできている I'm always ready to *deal with* difficulties. // これから世に*処する道 (⇒どうやって暮らしてゆくかという方法) を学んでいきたいと思う I want to learn how to *get on* in the world.

しょせい 書生 (学生) student [C]; (下宿する学生) student boarder [C]; (下宿する弟子) boarding apprentice [C]. **書生気質** the student spirit **書生論** (非現実的な議論) impractical argument [C].

じょせい¹ 女性 —[名] (成人した女) woman [C] 《複 women /wímɪn/》 (↔ man); (若い女性) girl [C] (↔ boy); (多少敬意をこめて言うとき) lady [C] 《複 ladies》; (生物学的表現) female [C] (↔ male); (生物学的に女性全体を指して) the female sex; (男性全体に対して, 女性全体を指して多少堅苦しく言うとき) womankind [U] (↔ mankind); (女であること) womanhood [U] (↔ manhood); 〖文法〗 the feminine gender (↔ the masculine gender). —[形] (女性の) woman [A], female; (女性的な・女のような・めめしい) womanish (↔ mannish); (女らしい・女性にふさわしい・優しい) womanly (↔ manly); (女性の特徴を備えた) feminine (↔ masculine). (☞ おんな (類義語); ふじん¹; じょし¹; めす¹).
¶「あの*女性はだれですか」「私の近所の人です」"Who is that ˹*woman* [*lady*]?" "She is my neighbor." [語法] 若い女性なら girl ということもある. // 「その人は*女性ですか, 男性ですか」「*女性です」"Is that person ˹male or *female* [a man or a *woman*]?" "It's a *woman.*" // あの男は*女性的なところがある (⇒女性的な男だ) He is ˹a *womanish* [an *effeminate*] man. // 彼女は本当に*女性らしい*女性だ She is truly a ˹*womanly* [*feminine*] *woman.* // それは*女性的な表現だ That's a *feminine* expression. // *女性遍歴 ☞ へんれき
女性解放運動 (一般的に) women's movement [C]; (1970 年頃からの) women's liberation [U], women's lib [U] ★後者はしばしば軽べつ的. **女性解放論者** feminist [C], proponent of the women's movement [C] ★前者が一般的. **女性学** women's studies ★複数形で. **女性警(察)官** female police officer [C], woman police officer [C] 《複 women police officers》 **女性語** women's language [U] **女性差別** sexism [U] ★「性差別 (主義)」の意味だが男性に対する場合には通例用いない. **女性差別語** sexist language [U] **女性差別主義者** sexist [C] **女性誌[週刊誌]** women's ˹magazine [weekly] [C] **女性上位社会** female-dominant society [C] **女性ドライバー** woman driver [C] 《複 women drivers》 **女性の日** Women's Day **女性ホルモン** female sex hormone [U], éstrogen [U].

じょせい² 助成 —[動] (援助する) support ⓗ

し

★ 研究・企業などかなり広い意味に用いられる; (財政上の責任を持つ) sponsor ⑩; (企業を金銭面で援助する) subsidize /sʌ́bsədàɪz/ ⑩. ―名 support Ⓤ; subsidization /sʌ̀bsədɪzéɪʃən/ Ⓤ. ((☞ えんじょ)). ¶ この研究は文部科学省が*助成している This research *is* ⌈*supported* [*sponsored*] by the Ministry of Education. // その会社は政府の*助成を受けることになった The company is to *be subsidized* by the government. / (⇒ 助成金を受けることになっている) The company is to be granted a government *subsidy*. 語法 以上 2 文は経営不振などで援助を受ける場合とか, 特別の目的で援助を受ける場合などに言う. // 彼の仕事は政府の特別*助成によって完成した He has completed his work ⌈with [through; under] a special government *grant*. 助成金 (公的な機関の援助金) grant Ⓤ ★ しばしば a を付けて; (企業に対する政府の援助金) súbsidy Ⓒ.

じょせい[3] **女声** woman's [female] voice Ⓒ. 女声合唱 female chorus Ⓒ.

じょせい[4] **女婿** son-in-law Ⓒ ((複 sons-)).

じょせい[5] **助勢** ―動 give ... a helping hand; (支持する) support ⑩; (争いなどで) help ... in a fight.

しょせいくん 処世訓 (標語の形の) motto Ⓒ ((複 mottoes, mottos)); (方針・信条) principles in life ★ 普通 *one's* を付けて複数形で用いる.

しょせいじゅつ 処世術 ¶ 彼は*処世術がうまい (⇒ 世の中[人生]を生きてゆく方法を知っている) He knows *how to get* ⌈*along* [*on*] in life. / (⇒ 社会でうまくやっていく術を知っている) He knows *the art of maintaining smooth social relations.* ((☞ よわたり))

じょせいと 女生徒 girl student Ⓒ ((☞ じょし[1])).

しょせき 書籍 book Ⓒ ((☞ ほん)). ¶*書籍売り場 a *book* department ★ デパートなどの本の売り場をいう. / ((掲示)) *Books* 書籍小包 (料金) ((米)) book rate Ⓤ, ((英)) book post Ⓤ; (表示) Books.

じょせき[1] **除籍** ―動 remove [cróss óut; cróss óff] *a person's* name from ... ★ [ ] 内は口語的で, 日本語の「除籍」のニュアンスには remove のほうが近い; (追放) expel ⑩ ★ 身分などを剥奪して除名すること. ¶ その学生は授業料の未納で*除籍になった *The name* of the student *was* ⌈*removed from* [*crossed out of*] the school register because he did not pay the tuition.

じょせき[2] **除斥** (裁判官の) disqualification Ⓤ ((☞ きひ)). 除斥期間 term of exclusion Ⓒ.

しょせつ[1] **諸説** (いろいろな意見) various ⌈views [opinions]; (いろいろな風評) different rumors. ((☞ いけん[1]; うわさ)). ¶ この件については*諸説が入り乱れている (⇒ 意見が分かれている) *Opinion* is [*Opinions* are] divided on this matter. // その問題については*諸説粉々だ (⇒ 意見が飛びかっている) There are *various rumors* afloat concerning the question.

しょせつ[2] **所説** *one's* ⌈opinion [view] Ⓒ.

じょせつ[1] **除雪** ―動 remove [clear] the snow. 除雪車 snowplow (((英)) snowplough) Ⓒ; (噴射式除雪車) snow ⌈blower [thrower] Ⓒ.

じょせつ[2] **序説** introduction Ⓒ. ¶『哲学*序説』*An Introduction to Philosophy* ((☞ イタリック体 (巻末)))

ジョセフ ☞ ジョーゼフ

ジョセフィン (女性名) Josephine /ʤóuzɪfiːn/ ★ 愛称は Jo, Josie /ʤóuzi/.

ジョセフソン ―名 固 Brian David Josephson, 1940–95. ★ 英国の物理学者. ジョセフソン効果 〖電工〗 the Josephson effect ジョセフソン・コンピューター 〖コンピューター〗 Josephson computer Ⓒ ジョセフソン素子 〖電工〗 Josephson device Ⓤ.

しょせん[1] **所詮** (結局) after all; (最後には) in the end. ((☞ けっきょく; どうせ)).
¶ どんなに隠したって*所詮は (⇒ 結局は) 見つかるさ However hard you may try to hide it, you will be found out ⌈*after all* [*in the end*]. // 彼は*所詮助からないだろう (⇒ 彼が回復する希望はないと思う) I'm afraid there is no hope ⌈of [for] his recovery. // それは*所詮はかない夢さ (⇒ 私の夢が実現されないことはよく知っている) I know very well that my dream will never ⌈be realized [come true].

しょせん[2] **初戦** the first match Ⓒ. ¶*初戦で敗退する lose (in) *the first match*

しょせん[3] **緒戦** ¶ 彼の軍隊は*緒戦連戦連勝だった His army won a series of victories *at the beginning of the war*.

しょそう 諸相 (various) aspects ★ 複数形で. ((☞ そう[5])). ¶ 言語の*諸相 *aspects* of language

しょぞう 所蔵 ―動 (...のものである) belong to ...; (...の所有物である) be the property of ...; (美術品などが...のコレクションの 1 つである) be in *a person's* collection. ((☞ しょゆう)). ¶ この絵は山田氏*所蔵のものである This picture ⌈*belongs to* [*is the property of*] Mr. Yamada. / This picture *is in* Mr. Yamada's *collection*.

じょそう[1] **助走** (走り幅跳びの) approach (run) Ⓒ. 助走路 runway Ⓒ.

じょそう[2] **女装** ―動 disguise *oneself* as a woman; (女の洋服を着る) put on ⌈female dress [a woman's clothes].

じょそう[3] **除草** ―名 weeding Ⓤ. ―動 weed ⑩ ⓐ. ((☞ くさとり)). 除草剤 weed killer Ⓒ, herbicide Ⓒ ★ 後者のほうが正式名.

じょそう[4] **除霜** ―動 dèfróst ⑩. 除霜装置 defroster Ⓒ.

じょそう[5] **序奏** 〖楽〗 introduction Ⓒ ((☞ イントロ 日英比較)).

じょそう[6] **助奏** 〖楽〗 ob(b)ligato /àbləgáːtou/ Ⓒ ((複 ~s, -ti /-tiː/)).

しょそく 初速 〖物理〗 initial velocity Ⓒ.

しょぞく 所属 ―動 (...に属する; ...の所有 [領有]である) belong to ...; (配属されている; ...の一部として付けられている) be attached to ... ((☞ ぞくする; ふぞく)).
¶ 彼はそのテニスクラブに*所属している He *belongs to* the tennis club. / (⇒ 彼はそのテニスクラブの一員だ) He is *a member of* the tennis club. // その実験所はこの大学*所属だ The laboratory *is attached to* this university. // 君の新しい*所属は決まったかい *Have* you *been assigned to* a new post?

しょぞん 所存 (意見) opinion Ⓒ; (考え) idea Ⓒ. ((☞ いけん[1]; かんがえ)).

じょそんだんぴ 女尊男卑 female supremacy over males Ⓤ.

しょたい[1] **所帯, 世帯** (雇い人まで含めた家族全体の人々) household Ⓒ; (家族) family Ⓒ 語法 集合的に扱い, 家族の個々のメンバーについていうときには複数動詞で呼応する; (家庭) home Ⓒ.
【類義語】 社会生活の単位としての家族という意味では *household* も *family* もほぼ同意で用いられることもあるが, 1 つの建物 (house) に住んでいる人すべて, すなわち必ずしも血縁関係のある者とは限らず, 寄宿人や雇い人なども含めて家の住人すべてを指すのが *household*. それに対して夫婦とその子供を中心として祖父母・孫など, 血縁者の集まりを *family* という. また人が定住の場所として住んでいるところは *home* という. ((☞ かぞく[1]; いえ (類義語); かてい[1]))
¶ この集落の*所帯数は 150 である The number of

households in this part of the village is 150. // 彼は間もなく*所帯を持ちます(⇒結婚します) He is going to *get married* pretty soon. / (⇒新しい家庭を持つ) He is going to make a new *home* pretty soon. // 彼のところは大[小]*所帯だ He has a ˹large [small] *family*. // 彼はこのごろ*所帯じみてきた He *is domesticated* these days. // 彼は*所帯持ちだ He has a *family*. / (⇒結婚している) He *is married*. / He is a *family* man. 《☞ せたい》
世帯道具 household goods ★ 複数形で.
世帯主 householder Ⓒ **所帯やつれ** ── 動 (家庭のことで参っているように見える) look weighed down by ˹domestic [family] cares.

しょたい² 書体 handwriting Ⓤ.

しょだい 初代 ── 形 the first.

じょたい¹ 除隊 ── 名 díscharge Ⓤ. ── 動 (除隊させる) dischárge ⑩. ¶ 陸軍を*除隊になる *be discharged* from the army

じょたい² 女体 (女らしい姿) feminine figure Ⓒ; (女性の体) female body Ⓒ.

しょたいめん 初対面 ¶「彼女をごぞんじですか」「いいえ, *初対面です (⇒会ったことがない)」"Have you met her?" "No, I'*ve never met* her." // きのうは彼とは*初対面でした (⇒初めて彼に会った) I ˹*met* him [(⇒紹介された) *was introduced* to him] *for the first time* yesterday.

しょだな 書棚 bookshelf Ⓒ 《複 -shelves》.

しょだん 初段 the first grade 《☞ だん¹》.

しょち 処置 ── 動 (取り扱う) deal with ...; (決着をつける) settle ⑩; (解決する) solve ⑩, wórk óut ⑩ ★ 後者のほうが口語的; (対策をとる) take ˹measures [steps] against ...; (治療する) treat ⑩. ── 名 (処置・手段) measure Ⓒ ★ しばしば複数形で; (段階的に続く1つの処置) step Ⓒ; (解決) settlement Ⓤ, solution Ⓤ; (処分) disposal Ⓤ; (治療) treatment Ⓤ. 《☞ しょり; しょぐう; そち》.
¶「この問題をどう*処置しましょうか」「君にまかせるよ. 適当に*処置してくれたまえ」"How shall I ˹*handle* [*deal with*] this problem?" "I'll leave it up to you. *Handle* [*Deal with*; *See to*; *Take care of*] it ˹in whatever way you think best [as you see fit]." // そのような違反者には警察は強硬な*処置をとる The police will *take* strong *measures against* such offenders. // もう*処置なしです (⇒どうしてよいかわからない) I don't know what to *do with* it. / (⇒まったく途方に暮れる) I'*m* quite *at a loss*. // この虫歯はすぐ*処置する必要がある This decayed tooth requires urgent *treatment*. 《☞ てあて; ちりょう》

しょちゅう 暑中 ¶ *暑中お見舞い申し上げます I hope you are not finding *the heat* too unbearable. / I hope you're surviving *the heat*. ★ 後者はくだけた言い方.
暑中見舞い(状) letter of summer greetings Ⓒ
参考 英米には暑中見舞いをする習慣はない.

じょちゅう 女中 (古めかしく) maidservant Ⓒ; (お手伝いの女性) maid Ⓒ; (昔の御殿などの) court lady Ⓒ.

じょちゅうぎく 除虫菊 〘植〙 pyrethrum /paɪríːθrəm/ Ⓒ ★ 薬剤の粉末は Ⓤ.

しょちょう¹ 署長 head Ⓒ, chief Ⓒ ★ 前者のほうがより口語的. 《☞ ちょう³ (類義語)》. ¶ 警察*署長 the ˹*head* [*chief*] of a police station // 消防*署長 《米》 the *chief* of the fire department / 《米》 a fire *chief* / 《英》 the *head* of the fire brigade / 《米》 a fire *marshal*

しょちょう² 所長 head Ⓒ, chief Ⓒ ★ 前者のほうが口語的; (ある団体・研究所・組織的事業体などの長) director Ⓒ. 《☞ ちょう³ (類義語)》. ¶ 英語教育研究所*所長 the *director* of the English Language Education Institute

しょちょう³ 初潮 the first menstrual period, menarche /mɪnάːki/ Ⓤ ★ 後者は専門的な言葉.

じょちょう 助長 ── 動 (主としてよいことを促進する) promote ⑩; (強める) strengthen ⑩; (発展させる) devélop ⑩; (助けて大きくする) foster ⑩; (助けて...させる) encourage ⑩. 《☞ そくしん¹; ぞうしん》.
¶ 文化交流は国際的友好関係を*助長する Cultural exchange(s) will *promote* international friendship. // それはヨーロッパ諸国に保護貿易主義を*助長させることになるであろう It will ˹*strengthen* [*develop*] protectionism among the European countries. // それは大衆の不満を*助長することになる That will *foster* discontent among the general public.

しょっかいせい 職階制 (地位の階層体系) hierarchy /háɪərὰːki/ of positions Ⓒ.

しょっかく¹ 触角 antenna /ænténə/ Ⓒ 《複 antennae /-iː/》 《☞ こんちゅう (挿絵)》.

しょっかく² 触覚 the sense of touch 《☞ ごかん¹》. **触覚器(官)** tactile [touch] organ Ⓒ.

しょっかく³ 食客 hanger-on Ⓒ 《複 hangers-on》 《☞ いそうろう》.

しょっかん¹ 食間 between meals. ¶ *食間に服用のこと To be taken *between meals*. ★ 注意書きなどで.

しょっかん² 触感 (物に触る感覚) feeling Ⓤ 《☞ かんしょく¹》.

しょっかんせいど 食管制度 ☞ しょくりょう² (食糧管理制度)

しょっき¹ 食器 (総称) tableware Ⓤ; the dishes ★ 後片付けや, 洗う対象になる食器類をまとめて指す.
¶ 私は*食器は自分で選ぶ I choose my own *tableware*. // *食器を洗って下さい Please ˹wash [do] *the dishes*. **食器洗い機** dishwasher Ⓒ **食器棚** cupboard /kʌ́bəd/ Ⓒ.

しょっき² 織機 loom Ⓒ.

ジョッキ (ビールの) beer mug Ⓒ 《☞ グラス¹ (挿絵)》.

ジョッキー jockey Ⓒ 《☞ きしゅ²》.

しょっきゃく 食客 ☞ いそうろう; しょっかく³

しょっきゅう 職給 wages based on performance ★ 複数形で. 《☞ しょくのう (職能給)》.

ショッキング ── 形 (衝撃的な) shocking 《☞ ショック》. ¶ *ショッキングなニュース *shocking* news
ショッキングピンク shocking pink Ⓤ.

ショック shock Ⓒ ★ 病理上のショックは Ⓤ. 《☞ しょうげき》. ¶ その知らせは*ショックだった The news was a *shock* to me. / The news came to me as a *shock*. / (⇒その知らせを聞いてショックを受けた) I *was shocked* ˹to hear [at; by] the news. // 彼の死は我々にはたいへんな*ショックだった (⇒彼の死は我々に大きなショックを与えた) His death gave us a great *shock*. // 彼は注射の*ショックで死んだ He died of *shock* from an injection.
ショックアブソーバー shóck absòrber Ⓒ **ショック死** death from shock Ⓤ **ショックセオリ** 〘経〙 shock theory Ⓒ **ショックセラピー** 〘医〙 (ショック療法) shóck thèrapy Ⓤ, shock treatment Ⓤ.

しょづくえ 書机 Japanese-style desk Ⓒ.

しょっけん¹ 職権 (権力) power Ⓤ; (地位や資格に基づいて与えられた) authority Ⓤ. 《☞ けんげん¹》.
¶ このような場合には警察は*職権を行使できない The police cannot exercise ˹*power* [*authority*] on such occasions. // 彼は検査をする*職権を与えられている He has been given the ˹*power* [(⇒権利) *right*] of inspection. // このような人物を議長は*職権で退場させることができる On his own *authority*

the chair can order such a person to leave. 職権乱用 abuse of authority Ⓒ.

しょっけん² 食券 meal ticket Ⓒ.

しょっこう¹ 燭光 candlepower Ⓤ《略 cp》. ¶20 *燭光 20 ⌈*candlepower* [*cp*]

しょっこう² 織工 weaver Ⓒ.

しょっこう³ 職工 (職人) workman Ⓒ《複 workmen》; (遠回しに) óperative Ⓒ ★格式ばった語; (機械関係の) mechánic Ⓒ.

しょっちゅう (常に) always; (年がら年中) all the time. (☞ しきりに).

しょっつる *shottsuru* Ⓤ; (説明的には) a kind of fish sauce made in northern Japan, or a dish prepared with this sauce.

しょってたつ 背負って立つ (責任などを背負う) shoulder ⑩; take [carry] ... on *one's* shoulders. ¶彼はこの会社の将来を*背負って立つ男だ (⇒将来が彼の肩にかかっている) He is the man *on whose shoulders* the future of this company *rests*.

しょってる 背負ってる (うぬぼれている) be full of conceit; 《略式》 be stuck-up. (☞ うぬぼれ). ¶ *しょってるね *Aren't* you *stuck-up*?

ショット (ゴルフ・テニスなどで球を打つこと) shot Ⓒ; (映画の一場面) shot Ⓒ. (☞ シュート). ¶うまい*ショット a good *shot*

ショットガン shotgun Ⓒ (☞ さんだん²(散弾銃)). ショットガンウエディング shotgun ⌈wedding [marriage] Ⓒ ★妊娠させたためにやむをえずする「できちゃった結婚」のこと. 父親が娘の相手にショットガンを突きつけて結婚させたことから. ショットガンフォーメーション 〔アメフト〕 shotgun (formation) Ⓒ ★クォーターバックが後方に下がるパス攻撃のための陣形.

ショットキーダイオード 〔電工〕 Schottky diode Ⓒ.

ショットグラス (小さいグラス) shot glass Ⓒ.

ショットバー quickie [shot] bar Ⓒ.

ジョッパーズ (乗馬ズボン) jodhpurs /dʒɑ́dpərz/ ★複数形で. 数えるときは a pair of jodhpurs. (☞ 数の数え方 (囲み)).

しょっぱい (塩からい味の) salty (☞ からい).

しょっぱな 初っ端 ¶*しょっぱなから失敗した I failed ⌈*from the very beginning* [*from the start*; (⇒最初の試みで) *in my first attempt*]. (☞ はじめ; でだし)

しょっぴく (警察へ尋問のため) 《略式》 pull in ⑩. ¶彼は麻薬で警察に*しょっぴかれた (⇒警察が彼を) The police *pulled* him *in* for (possession of) drugs.

ショッピング (買い物) shopping Ⓤ (☞ かいもの). ¶*ショッピングをする[に行く] do [go] *shopping* ショッピングカート shopping cart Ⓒ, 《英》 (supermarket) trolley Ⓒ ショッピングセンター shopping center Ⓒ ショッピングバッグ 《米》 shopping bag Ⓒ, 《英》 carrier bag Ⓒ ショッピングモール 《主に米》 shopping mall Ⓒ.

ショップ shop Ⓒ (☞ みせ) ★仕事場を指すときは a carpenter's shop のように合成語として用いる. ショップインショップ in-store shop Ⓒ, shop in shop Ⓒ 日英比較 ショップインショップはビジネスで使われることがあるが一般的な英語ではない. ショップオートメーション shop automation Ⓤ ショップ制 shop *policy* Ⓒ (☞ ユニオンショップ; クローズド(クローズドショップ); オープン (オープンショップ)) ショッププランナー (ショーウインドーなどの飾りつけをする人) display artist Ⓒ; (助言などをする人) display consultant Ⓒ 日英比較 「ショッププランナー」は和製英語.

しょて 初手 (物事の始め) the start Ⓤ; (碁・将棋の第一手目) the first move Ⓒ.

しょてい 所定 ─形 (指定された) appointed; (定まった) fixed; (指示などに規定された) prescribed Ⓐ. (☞ きてい¹). ¶3月3日に*所定の場所に集合のこと You are requested to come to the *appointed* place on March 3. // その会合は*所定の日に開かれる The meeting will be held on the ⌈*fixed* [(⇒予定された) *scheduled*] date. // 申し込みは*所定の用紙を使うこと An application must be made in ⌈a [the] *prescribed* form. // *所定の (⇒要求された) 単位を修得した者は卒業できる A person can graduate when he has received the *required* (number of) credits. 所定外賃金 overtime Ⓤ 所定内賃金 straight time Ⓒ.

じょてい 女帝 empress Ⓒ.

ジョディー (女性名) Jodie /dʒóʊdi/.

しょてん 書店 《米》 bookstore Ⓒ, 《英》 bookshop Ⓒ. (☞ ほんや).

じょてんいん 女店員 saleswoman Ⓒ《複 -women》(☞ てんいん¹).

しょとう¹ 初等 ─形 (基本の) elementary; (初歩の) primary Ⓐ. (☞ しょきゅう; にゅうもん; しょほ). 語法 学科に付けるときは elementary が普通. 初等教育 elementary [primary] education Ⓤ 初等数学 elementary mathematics Ⓤ.

しょとう² 初頭 the beginning (☞ はじめ). ¶その戦争は18世紀*初頭に起こった The war broke out at *the beginning* of the eighteenth century.

しょとう³ 諸島 (群島) islands; (列島) archipelago /ɑ̀ːəkəpéləgòʊ/ Ⓒ. (☞ れっとう²). ¶ハワイ*諸島 the Hawaiian *Islands*

しょとう⁴ 初冬 early winter Ⓒ; (冬の始め) the beginning of winter. (☞ ふゆ).

しょとう⁵ 蔗糖 cane sugar Ⓤ.

しょどう¹ 書道 (毛筆による) callígraphy Ⓤ (☞ しょ¹).

しょどう² 初動 〔地震学〕 the initial shock.

じょどうし 助動詞 〔文法〕 auxiliary verb Ⓒ.

しょどうそうさ 初動捜査 initial step in criminal investigation Ⓒ.

しょとうちゅうとうきょういくきょく 初等中等教育局 the Elementary and Secondary Education Bureau Ⓤ.

しょとく 所得 (収入) income Ⓒ; (稼ぎ高) earnings ★複数形で. (☞ しゅうにゅう). ¶「彼の*所得はどのくらいだろうか (⇒彼はどのくらいの収入を得ているか)」「月に20万円ぐらいだろう」 "How much [What] is his *income*? / How much does he ⌈*make* [*earn*; *get*]?" "I guess he ⌈*makes* [*gets*; *earns*] about two hundred thousand yen ⌈a [per] month." // 彼は年間1千万円の*所得がある He has ⌈a yearly [an annual] *income* of 10 million yen. // その人は不動産業をしてかなりの*所得を得ている That man draws a ⌈considerable [hefty] *income* from the real estate business. // 実質*所得 a real *income* // 勤労[不労]*所得 earned [unearned] *income* // 高額[低額]*所得者 a person in the ⌈upper [lower] *income* bracket // *所得2千万円から3千万円の人 a person in the *income* bracket between 20 million and 30 million yen // 可処分*所得 a disposable *income* // 年間総*所得 gross annual *income* 所得格差 income differential Ⓒ 所得隠し income cover-up Ⓒ 所得控除 tax deductions and allowances 所得水準 (一国の国民全体の標準) standard of income Ⓤ, income standard Ⓤ; (社会の中でその高低を問題とする場合) income level Ⓤ 所得税 income tax Ⓒ 所得税確定申告 final income tax return Ⓒ 所得政策 incomes policy Ⓤ　所得倍増 income doubling Ⓤ　所得保証制度 income maintenance Ⓤ　所得補償保険 income indemnity insurance Ⓤ.

コロケーション
高額所得 a high *income* / 国民所得 national *income* / 世帯所得 family *income* / 総[実]所得 gross [net] *income* / 一人当たりの所得 per capita *income*; an *income* per capita

ジョナサン (男性名) Jónathan ★ 愛称は Jon.

しょなのか 初七日 the seventh day after *a person's* death 日英比較 死後 7 日目を特別の日とする習慣は英米にはないので, 英米人に理解してもらうためにはさらに説明が必要.

じょなん 女難 trouble with women Ⓤ 《☞ そう⁵》.

ジョニー (男性名) Johnny ★ John の愛称.

じょにだん 序二段 (相撲の) *jonidan* Ⓒ; (説明的には) second-rank junior (sumo) wrestler Ⓒ.

しょにち 初日 the ˹first [opening] day.

しょにゅう 初乳 〘医〙(産婦の) colostrum Ⓤ.

じょにん 叙任 investiture Ⓤ; 〘キ教〙(聖職者への) ordination Ⓤ. 《☞ にんかん》.

しょにんきゅう 初任給 starting [initial] ˹pay [salary] Ⓒ ★ pay のほうがより口語的. 《☞ きゅうりょう¹ (類義語)》.

¶ 僕は*初任給は 15 万円だった (⇒ 僕は 15 万の給料でスタートした) I *started* ˹*with a salary* [at a *pay level*] *of* 150,000 yen. // 今年は大卒の*初任給は 20 万円だそうだ I hear that *the starting* ˹*pay* [*salary*] *for* a college graduate is 200,000 yen this year.

しょにんしゃけんしゅう 初任者研修 newcomers [new employees] training Ⓤ.

しょねん 初年 (最初の年) the first year; (初期のころ) the early years.　初年兵 (raw) recruit Ⓒ.

じょのくち 序の口 (始め) beginning Ⓒ, start Ⓒ, opening Ⓒ; (第一段階) the ˹first [initial] stage; (相撲の階級) *jonokuchi* Ⓤ, (説明的には) the lowest rank of a (sumo) wrestler; (力士) *jonokuchi* wrestler Ⓒ. 《☞ はじめ; はじまり; ほったん》.

¶ これはまだ*序の口だ (⇒ ほんの始まりに過ぎない) This is only *the beginning*.

じょのまい 序の舞 (能の) slow graceful dance of a Noh play Ⓒ; (歌舞伎のはやし) soft music of a kabuki play Ⓒ.

しょは 諸派 (小人数の政党などをまとめて) minor parties ★ 一覧などでは others で表してもよい.

じょはきゅう 序破急 (能の) artistic three stages, prelude, development and finale.

じょはすいみん 徐波睡眠 ☞ ノンレムすいみん

しょばつ 処罰 ── 名 (処罰すること・されること) punishment Ⓤ; (罰金など具体的な罰) pénalty Ⓒ. ── 動 punish ⊛. 《☞ ばつ¹; げんばつ》.

¶ 彼は重い*処罰を受けた He received severe *punishment*. / (⇒ 厳しく罰せられた) He *was punished* severely. // このような行為は*処罰に値する Such conduct deserves *punishment*. // その犯罪には最大限の*処罰を与えるべきだ The heaviest *punishment* should be inflicted for that crime. // あなたは*処罰は免れないだろう You can't escape *punishment*. // 酔っ払い運転の*処罰はもっと厳しくすべきだ The *penalties* for drunken driving should be made much heavier.

しょはん¹ 初版 (最初の版) the first edition; (第 1 刷) the first printing.

しょはん² 初犯 (罪) first ˹offense [《英》offence] Ⓒ; (人) first offender Ⓒ.

しょはん³ 諸般 ── 形 (種々の) various /vé(ə)riəs/. ¶ *諸般の(明細に述べることのできない)事情で for *various* (unspecified) reasons

ショパン ── 名 固 Frédéric François Chopin /frèderí:k frɑ:nswá: ʃóupæn/, 1810–49. ★ ポーランドのピアニスト・作曲家.

じょばん 序盤 the opening (of the game), the early stage.

しょひ 諸費 various expenses ★ 複数形で.

¶ *諸費高騰の折… (⇒ 物価が上がっているときに) When *prices* are going up, ….

しょひょう 書評 book review Ⓒ 《☞ ひひょう》.

じょひょう 除氷 ── 動 deice /di:áɪs/ ⊛ 《☞ じょそう⁴》.　除氷剤 deicer Ⓤ　除氷装置 deicer Ⓒ.

ジョブ (職業; またコンピューターの仕事の単位) job Ⓒ ★ 口語的な語. 《☞ しごと》.　ジョブシェアリング (複数の人が交代で一つの仕事をすること) job sharing Ⓤ　ジョブタイトル (肩書き) job title Ⓒ　ジョブハンティング job-hunting Ⓤ　ジョブホッパー (転々と職を変える人) 《略式》 job-hopper Ⓒ　ジョブリクエスト制度 (希望の部署を選べる制度) job request system Ⓒ　ジョブローテーション (社員の計画的異動) job rotation Ⓤ.

しょふう 書風 style of ˹calligraphy [penmanship] Ⓒ.

しょぶん 処分 ── 動 (処理する) do with … ★ 疑問詞 what とともに用いることが多い; (捨てる) throw away ⊛; (始末をつける) dispose of …; (いやなものを取り除く) get rid of … ★ dispose より口語的; (売る) sell ⊛; (自由にできる) be at *one's* disposal ★ 処分・使用されるものを主語として; (処罰する) punish ⊛. 《☞ しまつ; しょり》.

¶「この古本をどう*処分したらよいだろうか」「*処分しない (⇒ 捨てない) ほうがいいよ」"What ˹shall [will] I *do with* these old books?" "You'd better not *throw* them *away*." // この空箱の*処分に困っている (⇒ どのようにして始末したらよいか) I don't know how I can ˹*dispose of* [*get rid of*] these empty boxes. // 彼はその後すぐに家を*処分して (⇒ 売って) しまった Soon after that he *sold* his house. // この金は私が自由に*処分できる (⇒ 私はこの金を好きなように使える) I can *spend* this money as I like. / (⇒ この金は私の思いのままになる) This (amount of) money *is at my disposal*. // その学生はカンニングで*処分された (⇒ 罰せられた) The student *was punished for* cheating.

じょぶん 序文 (端書き) preface /préfəs/ Ⓒ; (特に著者を知っている人が書く序文) foreword Ⓒ. 《☞ はしがき》.

ショベル ☞ シャベル

ショベルカー power shovel Ⓒ ★「ショベルカー」は和製英語.

ショベルローダー (ショベル付きトラクター) shovel /ʃʌ́vəl/ lóader Ⓤ.

しょほ 初歩 ── 形 (初等の) elementary (↔ advanced); (初心者の) beginners'. ── 名 (第一歩) the [a] first step; (最初に学ぶべき基本的な事柄) the ABC('s) (of …). 《☞ しょきゅう; にゅうもん》.

¶ *初歩の英会話 *elementary* conversational English / (⇒ 第一歩) *the* [*a*] *first step to* conversational English / (⇒ 初心者の英会話) *beginners'* conversational English // 私は英語をもう一度*初歩から (⇒ まったくの始めから) やり直したい I want to study English from *the very beginning* again.　初歩的 elementary. ¶ *初歩的なミス an *elementary* error

しょほう¹ 処方 ── 名 prescription Ⓒ. ── 動 prescribe ⊛.

¶ 医者が私の病気に対して薬の*処方を書いてくれた The doctor *prescribed* medicine *for* my illness.

/ The doctor wrote (out) a *prescription* (of medicine) for my illness. // その薬剤師は医者の*処方どおりに薬を調合した The ˹pharmacist [druggist] filled the doctor's *prescription.*
処方食 (治療用のペットフード) prescription diet Ⓒ ★元来は商標名. 一般的には therapeutic ˹pet food [diet] Ⓒ とも言う. **処方箋** prescription Ⓒ **処方薬** prescription Ⓒ; prescribed medicine Ⓤ.

しょほう² 書法 penmanship Ⓤ; (美術としての) callígraphy Ⓤ.

じょほう 除法 〘数〙 (割り算) division Ⓤ.

しょぼくれる ── 形 (しょぼくれている) crestfallen.

しょぼしょぼ ¶彼は目を*しょぼしょぼさせていた (⇒目が疲れてかすんでいるようだった) His eyes *looked bleary*. // 彼は眠そうに目を*しょぼしょぼさせてドアのところへやってきた He came to the door *with* ˹*sleepy* [*bleary*] *eyes*. 《☞ 擬声・擬態語 (囲み)》

しょぼぬれる しょぼ濡れる ☞ びしょぬれ

じょまく¹ 除幕 ── 動 (銅像や碑などの幕をあける) unveil ㊀. ¶*除幕式 an *unveiling* ceremony // その銅像の*除幕式が昨日行われた (⇒その銅像は昨日幕をあけられた) That bronze statue *was unveiled* yesterday.

じょまく² 序幕 (芝居の第一幕) the ˹opening [first] ˹act [scene].

しょみん 庶民 ── 名 (普通の人々) the people ★総称で複数扱い. 最も一般的な言葉; (どこにでもいる普通の人) the man on the street ★the を付けて. 専門家・聖職者などと区別する意味を含む; (普通の市民) ordinary citizen Ⓒ; (平民) the common people ★総称で複数扱い; (1人1人の場合) commoner Ⓒ 〔語法〕以上2つは「皇族・貴族」に対していう言葉. ── 形 (一般の) popular; (日常の) everyday. 《☞ たいしゅう¹》.
¶それが*庶民の声である (⇒一般大衆の意見である) That is the opinion of *the* ˹*general public* [*man on the street*]. // アメリカ人は*庶民的な国民である (⇒階級意識がない) Americans are *not class-conscious*. // 今度の社長は*庶民的な人だ (⇒庶民の立場で物を考える人だ) The new president is a *democratic-minded* person. / (⇒庶民的で親しみやすい) The new president *has the common touch*. // 車はいまや*庶民の足 (⇒すべての階級の人々の交通手段) となった Cars have become the means of transportation ˹of [for] *all classes of people*. // このような高い食べ物はなかなか*庶民の食卓には上らない (⇒このような高い食べ物を普通の市民は食べられない) *Ordinary citizens* cannot eat such high-priced food(s).
庶民階級 populace /pάpjʊləs/ ★しばしば the を付けて複数扱い. **庶民金融** people's finance Ⓤ; (公衆への小口貸出し) petty [small] loans for the public ★複数形で.

しょむ 庶務 general affairs ★複数形で. **庶務課[部]** the general affairs ˹section [division] 《☞ 会社の組織と役職名 (囲み)》.

しょめい¹ 署名 ── 名 signature /sígnətʃʊə/ Ⓒ; autograph /ɔ́:təgræ̀f/ Ⓒ 〔語法〕(1) signature は契約・手紙などに付ける署名, autograph はもっと一般的に, 著者が自分の著書にサインしたり, 俳優がファンにサインしたりするものをいう. ── 動 sign ㊀ ㊁; (自筆で名前を書く) autograph ㊀. 《☞ サイン¹》.
¶彼はその書類に*署名した He *signed* (his name ˹on [to]) the document. 〔語法〕(2) on のほうが口語的. // 手紙の終わりには*署名しなくてはならない You must write ˹your *signature* [your *name in your own hand*] at the end of your letters. / You must *sign* (your name to) your letters. 《☞ 手紙の書き方 (囲み)》 // 小切手の右すみに*署名して下さい Please *sign* ˹in [at] the lower right hand corner of your check. // 彼はその本に自筆で*署名した He *signed* his *autograph* in the book. // 私たちはこの嘆願書の*署名を集めています We are now collecting (*the*) *signatures* for this petition.
署名運動 signature-collecting campaign Ⓒ **署名者** signer Ⓒ **署名代理** (代理人による署名) signature by proxy Ⓒ **署名捺印** ── 動 (活字体できちんと書き捺印する) print *one's* name and stamp *one's* seal on … 〔参考〕put the seal on …, be signed and sealed などの表現が英語にあるが, これらは「物事が決まった, 準備ができた」という意味で比喩的に用いられる. 《☞ なついん》.

しょめい² 書名 the ˹title [name] (of a book) 《☞ アンダーライン (巻末)》.

じょめい¹ 助命 ── 動 (命を助けてやる) spare *a person's* life 《☞ たすける》. ¶我々は国王に彼の*助命を嘆願した We ˹begged [implored; asked] the king to *spare* ˹*his life* [*him his life*].

じょめい² 除名 ── 動 (追放する) expel ㊀; (追い出す) oust … (from …) ★やや格式ばった語. ── 名 expulsion Ⓤ. 《☞ ついほう; じょせき¹》. ¶彼はその党を*除名された (⇒党から追放された) He *was expelled* from the party.

しょめん 書面 (手紙) letter Ⓒ; (文書) writing Ⓤ. ¶ご返事は*書面でお願いします (⇒手紙[文書]で返事を下さい) Please reply ˹by *letter* [in *writing*]. // *書面で申し込んで下さい (⇒書いた申し込み書を送って下さい) Please send in a *written application*.

しょもう 所望 ── 動 (欲しいと望む) want ㊀; (…が欲しい) would like … ★丁寧な表現; (…を求める) ask for … ── 名 (要請) request Ⓒ. 《☞ もとめる; せいきゅう¹》.

じょもう 除毛 ☞ だつもう

しょもく 書目 (本の目録) cátalògue [《米》 catalog] of books Ⓒ; (本の題名) title Ⓒ.

しょもつ 書物 book Ⓒ 《☞ ほん》.

しょや 初夜 (結婚の) *one's* wedding night.

じょや 除夜 New Year's Eve. **除夜の鐘** the watch-night bell 《☞ しんねん²》.

じょやく 助役 (市の) deputy mayor Ⓒ; (駅の) assistant stationmaster Ⓒ.

しょゆう 所有 ── 動 (個人的な財産として持つ) own ㊀, possess ㊀ 〔語法〕後者のほうがやや格式ばっており, 法律上の文などでは好まれる; (保持する) hold ㊀. ── 名 (所有物) property Ⓤ; (持っていること) possession Ⓤ. 《☞ もつ¹; ほゆう; しょぞう》.
¶この絵は山田氏*所有のものです (⇒この絵は山田氏によって所有されている) This picture *is owned* by Mr. Yamada. / (⇒この絵は山田氏に属する) This picture ˹*belongs to* [is the *property* of] Mr. Yamada. // その土地は私の*所有になっている The land is in my *possession*. // それは私の*所有物だ That's my personal *property*. // 父はその会社の株を*所有している My father ˹*owns* [*holds*] stock in the company. **所有格** possessive case Ⓒ **所有権** ownership Ⓤ **所有者** owner Ⓒ, possessor Ⓒ **所有地** *one's* land Ⓤ.

じょゆう 女優 actress Ⓒ 《☞ はいゆう》.

しょよ 所与 (与えられた) given. ¶*所与の条件 a *given* condition

しょよう¹ 所要 ── 形 (必要な) necessary; (要求される) required. **所要経費** (necessary) expenses ★複数形で. **所要時間** the time ˹required [needed]. ¶そこまでの*所要時間は歩いて約20分です (⇒そこまで歩くのに約20分かかる) It *takes* about twenty minutes to ˹go [get] there on foot. 《☞ ひつよう》

しょよう[2] **所用** ¶午後から*所用で出かけます I'll be out *on business* this afternoon. / (⇒用事があるので) I'm going out this afternoon because I have an *engagement*. 《☞ようじ[1]》

しょり 処理 ― [動] (取り扱う) handle ㊥, deal with … [語法] 前者は操作することに, 後者は処理することに重点がある; (なんとかうまく始末する) manage ㊥; (処分する・片づける) dispose of … ★ やや格式ばった表現. ― [名] handling [U]; disposal [U]. 《☞あつかう; しょぶん; しまつ; たいしょ[1]》
¶私にはこの問題は*処理できない I can't 「*handle* [*deal with*; *manage*] this problem. // 私がなんとかうまく*処理しましょう I'll *manage* it somehow. // 彼は手際よく事務を*処理した (⇒行った) He *conducted* (his) business efficiently. // ごみの*処理は大都会では大きな問題だ Garbage *disposal* is a big problem in large cities.

じょりじょり (ひげ剃りなどの音) scrape-scrape [U]. ¶*じょりじょりとあごひげを剃る make *a scraping sound* as *one* shaves *one's* beard 《☞擬声・擬態語 (囲み)》

じょりゅう 女流 ― [形] (女性の) woman, female, lady [語法] woman が最も普通. 性別を客観的に表すときは female を, 口語では lady を用いる. なお, 英語では, 特に女性であることを強調するとき以外は woman などの形容詞を付けないのが普通. 《☞おんな; じょせい[1]》 ¶*女流作家 a *woman* writer ★ 複数形は women writers.

しょりょう 所領 (封土) fief [C] 《☞りょうち[1]》.

じょりょく 助力 ― [名] (手を貸すこと) help [U]; (しばしば公的な援助) aid [U]; (補助的な立場の) assistance [U]. ― [動] help ㊥; aid ㊥; assist ㊥. 《☞えんじょ; たすける (類義語)》
¶私は彼の仕事の*助力をした I 「*helped* [*aided*; *assisted*] him 「with [in] his work. // 私はあなたの*助力がいる I need your 「*help* [*assistance*].

しょるい 書類 (書かれたり印刷されたりした書類一般) papers ★ 通例複数形で; (証拠とできるような正式な文書) document [C] ★ 多少堅苦しい言い方. 《☞ぶんしょ》. ¶これは重要*書類だ These are important 「*papers* [*documents*]. // 秘密*書類 secret 「*papers* [*documents*]
書類かばん briefcase [C] 《☞かばん (挿絵)》 **書類整理箱** filing cabinet [C] **書類選考** ― [動] select candidates on the basis of their records **書類送検** ― [動] send [submit] the documents pertaining to a case to the public prosecutor's office **書類ばさみ** folder [C].

ショルダー (肩) shoulder [C]. **ショルダーバッグ** shoulder bag [C] **ショルダーパッド** shoulder pad [C] **ショルダーベルト** shoulder belt [C] ★ 自動車のシートベルトの肩にかけるベルト.

じょれつ 序列 ― [名] (地位) rank [U]; (格付け) ranking [U]; (順位) order [U]. ― [動] (地位を占める) rank ㊀. 《☞じゅんい; じゅんじょ; ちい》. ¶彼は職場の*序列では上のほうだ He *ranks* rather high in his office. // 日本は年功*序列の社会だ (⇒年功序列制度が広く行われている) The *seniority system* is prevalent in Japan.

しょろう 初老 ― [形] (中年の) middle-aged; (年輩の) elderly ★ old よりも丁寧な語.

じょろう 女郎 prostitute [C] 《☞ばいしゅん[1] (売春婦)》. **女郎屋** brothel [C].

じょろうぐも 女郎蜘蛛 silk spider [C].

しょろん 緒論 introduction [C] 《☞じょろん》.

じょろん 序論 introduction [C].

ジョン (男性名) John ★ 愛称は Johnny, Jack, Jake. また John および Jónathan の愛称・異形として Jon という綴りもある.

ジョンエフケネディこくさいくうこう ジョンエフケネディ国際空港 ― [名] ㊜ John F. Kennedy International Airport, 《略式》 J.F.K.

ジョンソン ― [名] ㊜ (リンドン〜) Lyndon Barnes Johnson, 1908–73. ★ 米国第 36 代大統領; (サミュエル〜) Samuel Johnson, 1709–84. ★ 英国の文学者・英語辞典編纂者.

ジョンブル ― [名] ㊜ (典型的英国人の意味で) John Bull 《☞ヤンキー[1]; アンクルサム》.

しょんぼり ¶彼は*しょんぼりと (⇒がっかりした様子で) 立って[座って]いた He was 「standing [sitting] *with a crestfallen look*. ★ crestfallen は「元気なく」の意. crest は「にわとりのとさか」が原意. // 彼女はひとりで*しょんぼりと (⇒打ち沈んで) 帰ってきた She came home alone 「*in low spirits* [*out of spirits*]. // 彼は*しょんぼりした (⇒寂しそうな) 様子だった He looked *lonely*. 《☞しょげる; 擬声・擬態語 (囲み)》

ジョンまんじろう ジョン万次郎 ― [名] ㊜ John Manjiro, 1827–98; (説明的には) a fisherman who, after suffering a shipwreck, was taken to the United States and was educated there; later he worked for the Tokugawa shogunate using his good command of English. ★ 本名は中浜万次郎.

シラー (Johann Christoph) Friedrich von Schiller /fríːdrɪk fɔːn ʃílə/, 1759–1805. ★ ドイツの詩人.

しらあえ 白和え *shira-ae* [U]; (説明的には) salad with tofu dressing [U].

じらい[1] **地雷** (land) mine [C]. ¶*地雷を敷設する lay *mines* // ごめん, *地雷踏んだかしら (⇒まずいこと[言うべきでないこと]を言ったかしら) Sorry. Did I say something 「wrong [I shouldn't have]? **地雷禁止国際キャンペーン** International Campaign to Ban Landmines 《略 ICBL》 **地雷原** minefield [C] **地雷探査ロボット** mine-finding [mine-detector] robot [C] **地雷探知機** mine detector [C].

じらい[2] **爾来** (その時以来) since then, 《文》 thenceforth; (その後ずっと) ever since. 《☞-いらい》.

しらうお 白魚 〔魚〕 whitebait [U].

しらうめ 白梅 (白梅の花[木]) white *ume* 「blossom [tree] [C] ★ blossom は一本の木全体の花を表す時は [U].

しらが 白髪 (しらがまじりの髪) gray hair [U]; (銀[白]髪) silver [white] hair [U] [語法] white hair は若い人の場合もあり, 必ずしも老人の白髪ばかりを意味しない. 《☞かみ[3]; け[1]》.
¶*しらがを抜く pull out a *white hair* // *しらがを黒く染める dye *one's gray hair* black // 彼の頭は*しらがまじりだ His *hair is streaked with gray*. / (⇒しらがが増えてきている) His hair *is graying*. // 彼の髪は*しらがになった His hair turned 「*gray* [*white*; *silver*]. / He got *gray*「*-haired*[*-headed*]. // *しらがの紳士 a 「*gray-*[*silver-*]*haired* gentleman
しらが頭 (白髪の) white-haired. ¶*しらが頭の老人 a *white-haired* old man **しらが染め** hair dye [C].

しらかば 白樺 〔植〕 white birch [C]. **白樺派** the Shirakaba school; (説明的には) a literary circle of writers who contributed to *Shirakaba*, a monthly literary journal.

しらかべ 白壁 whitewashed wall [C] 《☞かべ; へい[1]》. **白壁造り** (白壁の建物) whitewashed building [C]. ¶*白壁造りの家 a *whitewashed* house.

しらかゆ 白粥 (普通のかゆ) rice 「porridge [gruel] [U] 《☞かゆ》.

しらかわよふね 白河夜船 ― [形] (ぐっすり眠って) fast [sound] asleep, in a deep sleep. ― [動]

し

sleep ｢soundly [deeply] ⓐ.

しらき 白木 (塗料を塗らない白地のままの木) plain wood Ⓤ. **白木造り** ¶ *白木造りの家 a house ｢made [built] of *plain wood*

しらぎ 新羅 ―図 ⓐ (朝鮮半島の歴史上の一国名) Silla /sílə/.

しらぎく 白菊 〘植〙 white chrysanthemum /krəsǽnθəməm/ Ⓒ (☞ きく[3]).

シラク ―図 ⓐ Jacques Chirac /ʒɑ́:k ʃi:rɑ́:k/, 1932- . ★ フランスの政治家, 大統領.

しらくも 白癬 ringworm Ⓤ.

しらけ 白け (無関心) apathy Ⓤ. **白けの世代** apathetic generation Ⓒ **白けムード** (白けた雰囲気) apathetic atmosphere Ⓒ. ¶ 彼らは政治に対して*白けムードだ They *are apathetic* about politics.

しらける 白ける (興がさめる) be chilled; (台無しになる) be spoiled. (☞ きょうざめ). ¶ 座が*白けた (⇒ よそよそしくなった) The (atmosphere ｢of [at] the) party *grew chilly*. // 彼の発言で一座の (楽しい) 空気が*白けた (⇒ 彼の発言は一座の楽しい雰囲気をさました[台無しにした]) His words ｢*chilled* [*spoiled*] the pleasant atmosphere of the group. / His remark *threw a wet blanket over* the pleasant atmosphere. ★ 慣用的な言い方. 座を「白けさせる人」を a wet blanket という.

しらこ 白子 **1** «魚の精液のかたまり»: soft roe Ⓤ, milt Ⓤ.
2 «色素の少ない人・動物»: albíno Ⓒ.

しらさぎ 白鷺 〘鳥〙 egret /í:grət/ Ⓒ.

しらじこぎって 白地小切手 blank check Ⓒ (☞ こぎって).

しらじてがた 白地手形 blank draft Ⓒ (☞ てがた).

しらじら 白白 ¶ 東の空が*白々と明るくなった The sky was getting *light* in the east. / (⇒ 夜が明けかかっていた) Day was breaking.

しらじらしい 白々しい ¶ 彼は*白々しい (⇒ 見えすいた) うそをついた He told a *transparent* lie. // 私は彼の*白々しい (⇒ うわべだけの) おせじが嫌いだ I don't like his *hollow* compliments. (☞ うわべ; みえすいた)

しらす[1] 白子 〘魚〙 whitebait Ⓤ. **白子干し** dried ｢whitebait [sardine fry] Ⓤ.

しらす[2] 白州 **1** 〘史〙 «昔の日本の法廷»: (law) court Ⓒ (☞ ほうてい[1]).
2 «砂洲»: white sandbar Ⓒ (☞ さす[4]).

しらす[3] 白砂 volcanic sand soil Ⓤ. **白砂台地** volcanic sand plateau Ⓒ.

じらす 焦らす (からかってじらす) tease ⓗ; (未決定のままにしておく) keep *a person* ｢hanging [in the air]. (☞ じれる). ¶ 小さい子供を*じらすのはよくない It is not good to *tease* little children. // 私を*じらさないでくれ Don't *keep* me ｢*hanging* [*in the air*]. / (⇒ 私を我慢できない状態にしないでくれ) Don't make me *impatient*.

しらずしらず 知らず知らず ¶ 我々は*しらずしらず誤りを犯すことがある (⇒ 気付かずに[無意識に]) We sometimes make mistakes ｢*unawares* [*unconsciously*]. / (⇒ 私たちはときどき自分の誤りに気付かない) We *are* sometimes *unconscious of* our mistakes. // 彼は*しらずしらず彼女と恋に落ちていた He fell in love with her *without knowing it*. (☞ むいしき)

しらせ 知らせ (ニュース) news Ⓤ; (情報) information Ⓤ; (言葉による知らせ) word Ⓤ ★ 通例無冠詞で; (報告) report Ⓒ; (告知) notice Ⓤ; (通知) notification Ⓤ ★ 格式ばった語. 〔語法〕 (1) news, information は数えるときは a piece [an item] of ..., two ｢pieces [items] of ... となる. (☞ ニュース; つうち).
¶ 我々はよい[悪い]*知らせを受け取った We received some ｢good [bad] *news*. // その*知らせはまだ聞いていない We have not ｢heard [received] the *news* yet. / (⇒ その知らせはまだ我々のところに到着していない) The *news* has not reached us (as) yet. // お*知らせをいただきありがとうございました Thank you for your *information*. // これは役に立つ*知らせだ This is *a* useful *piece of information*. // いままでのところ郷里からは何の*知らせもない So far I have received no *word* from home. // 虫の*知らせで彼女にきょう会えそう [もう会えないよう] な気がする I have *a hunch* I ｢can see her today [will never (be able to) see her again]. 〔語法〕 (2) a hunch は「予感」という意味の口語. やや格式ばっては premonition /prì:məníʃən/ Ⓒ という.

―コロケーション―
痛ましい知らせ tragic *news* / うれしい知らせ happy [glad; welcome] *news* / うれしくない知らせ unhappy [unwelcome] *news* / 思いがけない[びっくりする]知らせ unexpected [surprising] *news* / がっかりさせる知らせ disappointing [disheartening] *news* / 悲しい知らせ sad *news* / 素晴らしい知らせ great *news*

しらせる 知らせる (告げる・言う・話す) tell ⓗ (過去・過分 told); (何かの手段で知らせる) let *a person* know ...; (情報を与える) inform (*a person* of ...) ⓗ; (通告する) notify ⓗ, give [serve] notice ｢of [that] ... ★ 以上 2 つは最初のものより格式ばった表現. (☞ つたえる; つげる; つうち; おしえる).
¶ 彼はその件について私に*知らせてくれた (⇒ 話してくれた) He *told* me *about* that. / (⇒ 情報をくれた) He *gave* me (some) *information on* that subject. / <S (人) + (*inform*) + O (人) + *of* + 名 (事柄)> He *informed* me *of* that subject. // そのニュースはだれにも*知らせないで下さい Please don't *tell* the news *to* anybody. // 彼女はあなたが病気だと*知らせてくれた She *told* me (that) you were sick in bed. // いつお着きになるかお*知らせ下さい Please ｢*tell* me [*let* me *know*] when you will arrive. // 我々は工場が間もなく閉鎖されると*知らされた <S (人) + V (*inform*) + O (人) + O (*that* 節) の受身> We *were informed that* the factory would be closed soon. // 品物が到着したらお*知らせします <S (人) + V(*notify*) + O (人) + *of* + 名 (事柄)> We ｢will [shall] *notify* you *of* the arrival of the goods. ★ 公式な通知の場合. // もし退職しようと思うなら, 1 か月前に雇い主に*知らせなくてはならない If you want to quit your job, you must *give* ｢one [a] month's *notice* to your employer.

しらたき 白滝 *konnyaku* (jelly) strings ★ 複数形で.

しらたま 白玉 rice-flour dumpling Ⓒ. **白玉粉** rice flour Ⓤ.

しらちゃ 白茶 (薄茶色) pale brown Ⓤ.

しらちゃける 白茶ける (色があせる) fade ⓐ; (色が薄くなる) become [get] palish.

しらっぱくれる ☞ しらばくれる

しらなみ 白波 (波頭が白い波) white-crested waves, whitecaps; (泡立つ波) foaming [frothy] waves ★ いずれも複数形で. (☞ なみ[1]). **白波物** *shiranami-mono* Ⓒ; (説明的には) kabuki drama that features robbers Ⓒ.

しらぬい 不知火 (八代海の) mysterious fire on the sea off Yatsushiro in Kyushu Ⓤ. **不知火型** (相撲で) the *Shiranui* style of ring-entering ritual; (説明的には) one of two styles performed by grand champion sumo wrestlers. (☞ うんりゅうがた).

しらぬかお 知らぬ顔 **知らぬ顔の半兵衛** (無関心[無知]をよそおって) with feigned ˹indifference [ignorance] (☞ しらんかお).

しらぬがほとけ 知らぬが仏 Ignorance is bliss. 《ことわざ: 無知は幸福》.

シラノドベルジュラック Cyrano de Bergerac /sírənoʊdəbɑ́ːʒəræ̀k/, 1619–55. ★ フランスの詩人・軍人. 大鼻で有名.

しらは[1] 白羽 **白羽の矢を立てる** (特に1人だけ選び出す) single out ⊛. ¶ 後継者として彼に*白羽の矢が立った (⇒ 彼が後継者として選ばれた) He *was singled out* as the successor.

しらは[2] 白刃 naked sword Ⓒ (☞ ぬきみ).

しらばくれる (知らないふりをする) pretend ˹not to know [to be ignorant; ignorance], feign ignorance; (無実のようなふりをする) play innocent.

¶ 彼は*しらばくれて, どうしてもそれを知らないと言い張った (⇒ 彼は知らないふりをして, 知っていることを認めようとしなかった) He *pretended not to know* it and would not admit that he knew it. // *しらばくれるな Don't *play innocent*.

シラバス (教授要目) syllabus Ⓒ.

しらはた 白旗 ☞ しろはた

しらはり(ぢょうちん) 白張り(提灯) white paper lantern Ⓒ.

しらびょうし 白拍子 (舞) *shirabyoshi* Ⓒ; (説明的には) ancient dance by a courtesan in warrior costume Ⓒ; (遊女) courtesan Ⓒ.

しらふ 素面 ── 形 (酔っていない) sober. ── 名 (しらふであること) sobriety Ⓤ. ¶ きょうは*しらふですよ I'm *sober* today. / (⇒ 酔っ払っていない) I'm *not drunk* today.

シラブル (音節) syllable Ⓒ.

しらべ[1] 調べ (綿密な検査) exàminátion Ⓤ; (公式の検査) inspection Ⓤ; (調査・捜査) investigation Ⓤ; (尋問) questioning Ⓤ; (問い合わせて調べること) inquiry Ⓤ. (☞ とりしらべ; ちょうさ[1]; けんさ (類義語); そうさ[1]).

¶ 税関の*調べは厳しかった The customs *inspection* was rigorous. // 警察の*調べでは殺人犯人は女性らしい According to the police *investigation*, the murderer may be a woman.

しらべ[2] 調べ (旋律) melody Ⓒ; (節回し) tune Ⓒ ★ 後者が日常的な語. (☞ メロディー).

しらべあげる 調べ上げる investigate thoroughly ⊛. ¶ 彼らはその事故の原因を*調べ上げた They *made a thorough investigation* into the causes of the accident.

しらべなおす 調べ直す (再検査する) reexamine ⊛; (再捜査する) reinvestigate ⊛; (確認のためによく調べる) check over ⊛. ¶ 証拠は*調べ直したほうがよい We had better *reexamine* the evidence. / (⇒ 再点検すべきだ) We should ˹*check over* [*recheck*] the evidence.

しらべもの 調べ物 ── 名 (調査・研究) research Ⓤ. ── 動 check (up) on ...; do research (on ...) ★ 後者は学術的で綿密な調査. ¶ ちょっと*調べ物がある I have something to *check* (*up*) *on*.

しらべる 調べる (状態・性質などを検査をして調べる) examine ⊛; (税関・衛生関係の役所などが公式に検査する) inspect ⊛; (警察などが捜査する) investigate ⊛; (組織的に調査する) inquire into ...; (尋問する) question ⊛; (原因などを調べる) look into ...; (細部まで綿密に調べる) scrútinìze ⊛; (辞書・時刻表などで) consult ⊛. (☞ ちょうさ[1]; けんさ; そうさ[1]; けんとう[2]; ぎんみ).

¶ それを顕微鏡で*調べてみよう Let's *examine* it ˹under the [with a] microscope. // 山田太郎の電話番号を*調べる *find* [*look up*] Taro Yamada in the telephone directory // 「アイオワはどこ」「地図で*調べなさい」 "Where's Iowa?" "*Look* it *up* on [*Consult*] the map." // 私はその単語の意味を辞書で*調べた I *consulted* the dictionary ˹*for* [to find] the meaning of the word. / I *looked up* the word in the dictionary. // 保健所は年に1回食堂の衛生状況を*調べる The public health department *inspects* the sanitary condition of restaurants once a year. // 税関吏は私の荷物を*調べた The customs officer *inspected* my baggage. // 警察は事故の原因を徹底的に*調べている The police *are* ˹thoroughly *investigating* [*making a* thorough *investigation into*] the cause of the accident. / The cause of the accident is now *under* thorough *investigation* by the police. // 我々はその件をもっと*調べてみる必要がある We must ˹*inquire* further [*make* (a) further *inquiry*] *into* the matter. // 私は警察に*調べられた (⇒ 尋問された) I *was questioned by* the police. // アリバイを*調べる *examine* [《米》*check out*] an alibi // おざなりに*調べる *examine* [*inspect*] perfunctorily

しらほ 白帆 white sail Ⓒ.

しらみ 虱 louse Ⓒ (複 lice).

しらみつぶしに 虱潰しに (一つ一つ) one by one. ¶ 彼はそのなくなった書類を家中*しらみつぶしに (⇒ くまなく) 探した He *combed* the house for the missing document.

しらむ 白む ¶ 東の空が*白んできた (⇒ 明るくなった) The eastern sky ˹*turned bright* [*brightened*]. / (⇒ 夜が明けかかっていた) Day was breaking. (☞ よあけ)

しらやき 白焼 plainly grilled ˹fish [eel] Ⓤ; (説明的には) fish [eel] grilled without sauce or seasoning Ⓤ.

しらゆきひめ 白雪姫 (グリム童話の主人公) Snow White. **白雪姫と7人の小人たち** Snow White and the Seven Dwarfs.

しらゆり 白百合 white lily Ⓒ; (てっぽうゆり) Easter lily Ⓒ ★ 復活祭の百合から. (☞ ゆり).

しらをきる 白を切る ¶ 彼は*しらを切った (⇒ 知らないふりをした) He *pretended not to know it*. / (⇒ 無知を装った) He *pretended to be ignorant of it*. (☞ しらばくれる)

しらん 紫蘭 〖植〗 bletilla Ⓒ.

しらんかお 知らん顔 ¶ 彼らは他人が困っているのを見ても*知らん顔だ (⇒ 無関心だ) They *are indifferent to* other people's ˹troubles [difficulties]. // 彼女は通りで会っても*知らん顔をする (⇒ 私に気がつかないふりをする) She *pretends not to* ˹*recognize* [*notice*] me on the street. (☞ とぼける; しらばくれる; なにくわぬかお)

しらんぷり 知らん振り ☞ しらんかお

しり[1] 尻 **1** 《人・動物の》: buttocks; hips; (動物の) rump Ⓒ; haunches ★ rump を除く以上3語は通例複数形で; 《卑》 ass Ⓒ, 《英卑》 arse Ⓒ, 《略式》 bottom Ⓒ, 《略式》 rear (end) Ⓒ.

【類義語】 腰掛けるとき, いすのシートに触れる部分を **buttock** といい, 全体を指すときは複数形になる. なお《俗》では略して butt という. 人の腰と太ももの間で左右に張り出した肉付きのよい部分の1つを指すのが **hip** で, 「腰」という日本語に当たることもある点に注意. 全体をいうときは複数形になる. 以上2語は最も一般的な語. *buttocks*, *hips* および, 太ももの上部の付近までを含み, 以上の言葉の中では一番広い範囲の部分を指す語は **haunches**. 日本語の「けつ」などに当たる下品な言葉は **ass** で, 内容は *buttocks* と同じである. **ass** よりも多少上品で, 口語的な言葉は

bottom である. これは内容的には *buttocks* とほぼ同じである. やはり *buttocks* と同じ内容で, 一部の人々に用いられる言葉に *rear* (*end*) がある. なお *rear* は普通の意味は「後部」である. 《☞ からだ (挿絵)》
¶ 母親は罰に子供の*しりをぶった The mother hit her child on the *bottom* for punishment. / The mother *spanked* her child. [語法] spank (他) は「罰としてしりをぶつ」という意味. // あの人はお*しりが大きい That woman has ˹fat [heavy] *hips*. ★ fat は侮辱的. / That woman is heavy- *hipped.* // フラダンサーは*しりを振る Hula dancers swing their *hips.* // 彼は私にお*しり (⇒ 背中) を向けて座った He sat with his *back* toward me. // ズボンの*しりに穴があいている There's a hole in the *seat* of the ˹trousers [pants].

2 《後方などの比喩的意味》 ¶ 私は列の*しり (⇒ 後ろ) に並んだ I stood in the ˹*back* [*rear*] of the line.

尻が暖まる (落ち着く) get settled. **尻が重い** ¶ 彼は何をするにも*しりが重い (⇒ 動作がのろい) He is *slow* ˹in [at] (doing) everything. **尻が軽い** ── [形] (セックスで相手を選ばない) (sexually) promiscuous /prəmískjuəs/; (不品行な) loose. **尻が来る** (後始末をさせられる) be forced to clean up *a person's* mess 《☞ しりぬぐい》. **尻がこそばゆい** (気まりが悪くて落ち着かない) feel [be] embarrassed and restless. **尻が長い** (長く居続ける) stay too long. **尻から抜ける** (見聞きしたことをすぐに忘れる) quickly forget things (*one* has learned); (物事にしまりがなくなる) become loose. **尻に敷く** ¶ 彼は女房の*しりにしかれている (⇒ 恐妻家だ) He's a *henpecked* husband. **尻に火がつく** (さし迫っている) be pressed for time. **尻に帆を掛ける** (急いで逃げる) clear ˹out [off]; (一目散に逃げる) run for ˹*one's* [dear] life; (脱兎のごとく) run like a rabbit. **尻をあげる** (出かける) get going; (立ち去る) leave (他) (自). **尻を追い回す** ¶ 女の*しりを追い回す *chase* (*after*) women **尻を据える** (本気で取り組む) settle down to ... ¶ 彼女は会社勤めをやめて*しりを据えて主婦業に取り組むことにした She *has* finally *settled down to* the role of wife and mother after leaving her business career. **尻をたたく** 《米》 pressure (他), 《英》 pressurize (他). ¶ 親に*しりをたたかれ勉強した I *was pressured* by my parents ˹into studying [to study]. **尻をぬぐう** ☞ しりぬぐい **尻をまくる** (居直る) take [assume] a threatening attitude; (追いつめられて攻撃的になる) suddenly turn (desperately) aggressive (when cornered).

尻隠し (自分の過失を隠すこと) covering up *one's* mistakes Ⓤ; (尻のポケット) hip pocket Ⓒ.

しり[2] 私利 self-interest Ⓤ 《☞ りこ》.
¶ 彼は*私利私欲のために行動をするような人ではない (⇒ 利己的な人ではない) He is not a ˹*self-seeking* person [*self-seeker*]. / (⇒ 利己的な動機から決して行動しない) He never acts from *selfish* motives. // 彼は*私利私欲のためなら何でもやる He will do anything ˹in his own *self-interest* [(⇒ 自分の利益のために) for his *own profit*].

じり 事理 ☞ どうり

シリア ── [名] (固) Syria; (正式名; シリアアラブ共和国) the Syrian Arab Republic. ── [形] Syrian.
シリア語 *Syriac* /síriæk/ Ⓤ *シリア人* Syrian Ⓒ.

しりあい 知り合い (特に親しいというほどではない知人) acquaintance Ⓒ 《☞ かおみしり》.
¶ あの人は私の*知り合いです (⇒ 知り合いの 1 人です) He is an *acquaintance* of mine. // 彼は友人ではありません. 単なる*知り合いです He is not a friend, only an *acquaintance.* // 彼とはあいさつを交わす程度の*知り合いです He and I are ˹nodding [casual] *acquaintances.* // 彼女は*知り合いが多い She has a large circle of *acquaintances.* // 「ブラウンさんとはお*知り合いですか」「ええ, よく知っている仲です」 "Do you *know* Mr. Brown?" "Yes, I *know* him well." / (⇒ ブラウンさんと会ったことがありますか) "*Have* you *met* Mr. Brown?" "Yes, we *know each other* well." [語法] meet は「紹介されて知り合いになる」という意味.

しりあう 知り合う (つき合うようになる) get [come] to know ★ 口語的で一般的な言い方; (個人的に知り合いとなる) become [get] acquainted (with ...), make *a person's* acquaintance; (紹介されて初対面のあいさつを交わし正式な知人となる) meet (他) (自).
¶ 「彼女とはどうやって*知り合いましたか」「パーティーで初めて*知り合ったんです」 "How did you ˹*get* [*come*] *to know* her? / (⇒ 顔見知りになったか) How did you ˹*get* [*become*] *acquainted with* her? / How did you *make her acquaintance*? / (⇒ どうやって正式に知り合ったか) How did you *meet* her?" "I first *met* her at a party."

しりあがり 尻上がり ¶ 普通の疑問文は*尻上がりで (⇒ 上がり調子で) 言われる Ordinary yes-no questions are asked with a *rising intonation.* // 景気は*尻上がりによくなっている Business *is* ˹*improving* [*picking up*].

シリアス ── [形] serious /sí(ə)riəs/ 《☞ しんけん[1]》.

しりあて 尻当て patch on the seat of trousers Ⓒ.

シリアル[1] (朝食用のコーンフレークなど) cereals /sí(ə)riəlz/ ★ 複数形で.

シリアル[2] ── [形] (一続きの) serial.
シリアルナンバー serial number Ⓒ シリアルプリンター serial printer Ⓒ.

シリアルでんそう シリアル伝送 〘コンピューター〙 (直列伝送) serial transmission Ⓤ 《☞ パラレルでんそう》.

ジリアン (女性名) Gillian /ʤíliən/ ★ 愛称は Gill, Jill, Jilly.

ジリー (女性名) Jilly ★ Gillian の愛称.

シリーズ (続き物) series /sí(ə)ri:z/ Ⓒ ★ 単複同形. 連続してはいるが話などが 1 つ 1 つ完結するもの. 1 つの話がずっと続く連続物は serial と言う. [日英比較] 英語の series は小説などだけでなく, 一般に「連続したもの」という広い意味にも用いる (例: 連戦連勝 a *series* of victories).

シリウス 〘天〙 (おおいぬ座の主星) Sirius /síriəs/.

しりうま 尻馬 ¶ 彼はすぐに人の*しり馬に乗る (⇒ ほかの人をまねる) He ˹*imitates* [*follows*] ˹others [other people] *blindly.*

しりおし 尻押し ── [動] (後援する) báck (úp) (他); (支援する) support (他). ── [名] backing Ⓤ; support Ⓤ; (ラッシュアワーの駅のしり押しの人) (rush-hour) pusher Ⓒ, (説明的には) railroad station worker who pushes passengers into packed trains during rush hour(s) Ⓒ. 《☞ あとおし》.

じりおし じり押し ── [動] (少しずつ押す) push little by little (他); (ものごとを粘り強く行う) do things patiently.

しりおも 尻重 (なまけ者) lazybones ★ 単複同形; (のろま) 《米》 slowpoke Ⓒ, 《英》 slow coach Ⓒ.

シリカゲル 〘化〙 silica gel /sílɪkəʤèl/ Ⓤ.

しりがる 尻軽 (浮気な女) flirt Ⓒ ★ 男にも用いる.

じりき[1] 自力 (自力で) by [for] *oneself*, on *one's* own. 《☞ どくりょく [語法]》. ¶ 彼は穴に落ちたが*自力で (⇒ 独力で) はい上がった He fell into a hole but got out (of it) ˹*by himself* [(⇒ 助けを借りず) *without help*]. // 彼女はその仕事を*自力で (⇒ ひと

りで)成し遂げた She finished the work *by herself*. // 病人は*自力で (⇒医者の手当なしで) 回復した The patient recovered *without medical treatment*.
自力更生 self-rehabilitation Ⓤ.

じりき² 地力 (本当の能力) real ability Ⓤ《☞じつりょく; のうりょく (類義語); ちから》. ¶彼は試験になると*地力を発揮する (⇒試験では本当の能力を見せる) He ⌈displays [shows] his *real ability* ⌈in [on] exams.

しりきれとんぼ 尻切れとんぼ ¶私の話は*しり切れとんぼになってしまった (⇒私は話を終わりまでまとめ上げることができなかった) I *could not finish* my speech. // 仕事を*しり切れとんぼにしてはいけない (⇒何もやり残しのないようにしなさい) Don't *leave* anything ⌈*undone* [*unfinished*].
【参考語】 ―〔動〕(仕上げる) finish (自) (他); (未完のままにする) leave ... ⌈undone [unfinished]; (言い残す) leave ... unsaid; (途中で突然やめる) stop ... abruptly. ―〔形〕(不完全な) incomplete.

しりくせ 尻癖 1 《大小便の》 ¶*しり癖の良い (⇒ペットの排泄のしつけができた) housebroken / 《英》house-trained // *しり癖の悪い (⇒排泄のしつけができていない) 犬 a dog which *isn't* ⌈*housebroken* [*house-trained*] 《☞しっきん; おもらし》
2 《性的に》 ¶*しり癖の悪い (⇒ふしだらな) promiscuous

シリコーン 〔化〕(珪素樹脂) sílicòne Ⓤ《☞シリコン》.

しりごみ 尻込み ―〔動〕(小さくなって引き下がる) shrink (from ...) (自); (ためらう) hesitate (自); (ひるむ) recoil (from ...) (自); (たじろぐ) flinch (from ...) (自).
【類義語】「小さくなる」という意味がもとで, 危険などに直面してしり込みするのは **shrink**. ぐずぐずして態度を決めかねるという意味で, ためらうのが **hesitate**. 恐ろしいことなどに出会って, はっと驚きひるむのが **recoil**. 気が弱かったり勇気がなくて引き下がるのが **flinch**. 《☞ためらう》
¶彼は危険なことにも*しり込みしない He never ⌈*shrinks* [*recoils*] *from* danger. // うちの猫は火を見ると*しり込みする Our cat ⌈*shrinks* [*flinches*] *at* the sight of fire. // 彼は何事にも*しり込みしない (⇒彼は何でもためらわずに行う) He *hesitates at* nothing. / (⇒何事をするにも決してちゅうちょしない) He never *hesitates in* doing anything.

シリコン 〔化〕(珪素) silicon /sílɪk(ə)n/ Ⓤ《元素記号 Si》 ★合成樹脂の一種のシリコーンは silicone /síləkòʊn/. シリコンウェハー silicon wafer Ⓒ シリコンゲルマニウムトランジスター silicon germanium transistor Ⓒ シリコン集積回路 silicon integrated circuit Ⓒ シリコン樹脂 silicone Ⓤ シリコンチップ silicon chip Ⓒ シリコンプロセス(技術) silicon process (technology) Ⓤ.

シリコンバレー ―〔名〕(固) Silicon Valley ★米国サンフランシスコ郊外の, 高度なエレクトロニクス産業が集中している地域の通称.

しりさがり 尻下がり ¶この種の疑問文は*しり下がりに読むように Read this kind of question with a *falling intonation*. // 景気は*しり下がりに落ち込んでいる Business *is* ⌈*deteriorating* [*falling off*].

じりじり 1 《少しずつ・ゆっくりと》 ¶その男は私に*じりじりと近寄った The man drew *closer and closer* to me. // 彼は目標に向かって*じりじりと (⇒一歩一歩) 進んでいる He is achieving his ⌈aim [goal] *step by step*. 《☞擬声・擬態語 (囲み)》
【参考語】 ―〔副〕(少しずつ) gradually; (距離を少しずつ) inch by inch; (程度が少しずつ) little by little.
2 《強く焼きこがす形容》 ¶太陽が*じりじりと照りつけた (⇒太陽は焼けつくように暑かった) The sun was *scorching*. / (⇒太陽は我々の頭上に激しく照りつけていた) The sun *was beating down* on us.
【参考語】 ―〔形〕(焼きつけるような) scorching, burning; (輝く) glowing, dazzling, blazing; (太陽が熱い) strong; (暑い) hot.

しりすぼみ 尻窄み 1 《勢いが衰えること》 ¶キャンペーンは*しりすぼみになった The campaign *grew feeble toward the end*. // パーティーは*しりすぼみに (⇒がっかりする形で) 終わった The party ended *in a disappointing way*.
2 《物の形が》 ¶*しりすぼみのグラス a glass *tapering toward the bottom*

しりぞく 退く (後ろへ下がる) dràw [stép] báck (自); (引き下がる) withdraw (自); (軍隊などが) púll báck (自); (定年などで退職する) retire (自). 《☞さがる; こうたい²》. ¶私は1歩*退いた I ⌈*took* [*made*] a step *backward*. // 彼は*退いて身構えた (⇒後ろへ下がって戦う用意をした) He ⌈*drew* [*stepped*] *back* and positioned himself to fight. // 彼は1歩も*退かなかった (⇒自分の立場を主張した) He ⌈*held* [*kept*] his ground. // 彼は60歳で第一線から*退いた He *retired* from an active business life at ⌈the age of sixty [age sixty].

しりぞける 退ける (きっぱり断る) refuse (他); tùrn dówn (他) ★後者のほうが口語的. また前者のほうが意味が強い; (特に申し出・提案などを却下する, 拒否する) reject (他). 《☞きょぜつ; きょひ¹; きゃっか; ことわる (類義語); いっしゅう²》.

じりだか じり高 (除々の) gradual ⌈rise [ascent] Ⓤ; (株価などの上昇傾向) a rising tendency ★ a を付けて.

しりつ¹ 市立 ―〔形〕(市の) municipal 《☞こうりつ¹; しえい¹; ちょうりつ²》. ¶*市立中学校 a *municipal* junior high school // *市立図書館 a *municipal* library

しりつ² 私立 ―〔形〕(私営の) private Ⓐ《☞こうりつ¹》. ¶*私立学校 a *private* school 《☞学校・教育 (囲み); しがく²》

じりつ¹ 自立 ―〔動〕(自活する) support *oneself*; (自分の責任で...をする) do ... on *one's* own account; (独立する) be [become] independent (of ...). ―〔名〕independence Ⓤ. 《☞ひとりだち; どくりつ; じかつ》. ¶彼の息子はもう*自立しています His son *is* already *supporting himself*. // 彼には*自立してやってゆく自信がなかった He was not confident enough to *do on his own account*. // その仕事のおかげで彼は両親から*自立できた (⇒その仕事が彼を両親から独立させた) The job made him *independent of* his parents.
自立語〔文法〕free form Ⓒ 自立心 spirit of ⌈independence [self-reliance] Ⓤ ★通例 a を付けて. ¶彼は*自立心に欠ける He lacks *a spirit of independence*. // *自立心を育てる encourage *a spirit of self-reliance*

じりつ² 自律 ―〔名〕autonomy Ⓤ. ―〔形〕autonomous. 自律神経〔解〕áutonòmic nérve Ⓒ 自律神経系 autonómic [autónomous] nérvous sỳstem Ⓒ 自律神経失調(症) àutonómic imbálance Ⓤ 自律制御 autonomous control Ⓤ 自律制御機械 autonomous control machine Ⓒ 自律分散型制御 distributed autonomous control Ⓤ 自律分散協調システム distributed cooperative autonomous system Ⓒ 自律分散システム distributed autonomous system Ⓒ.

しりつたんてい 私立探偵 private detective Ⓒ 《☞たんてい¹》.

しりとり 尻取り Japanese word-chain game Ⓒ
日英比較 英米には日本のしり取りに当たる子供の遊

びがないので，説明的にしか言えない．

しりぬく 知り抜く know thoroughly ⑯．¶彼は野球のことは*知り抜いている（⇒完全な知識をもっている）He *has a thorough knowledge* of baseball.

しりぬぐい 尻拭い ¶私は他人の*しり拭いはごめんだ（⇒私は他人の失敗のための報いを受け[責任を取り]たくない）I don't like to ｢*pay for* [*take the consequences of*] ｢another person's [someone else's] mistakes. ★ take the consequences of を用いるほうが格式ばった言い方．

しりぬけ 尻抜け （忘れっぽさ）forgetfulness Ⓤ; （規則などの抜け穴）loophole Ⓒ.

しりはしょり 尻端折り ― 動（すそをからげる）tuck up ｢*one's* skirt [the hem of *one's* kimono]《☞ からげる》.

しりびと 知り人 ☞ ちじん[1]

しりびれ 臀鰭 （魚の）anal fin Ⓒ《☞ ひれ》.

じりひん じり貧 ¶このままではだんだん*じり貧になってゆくだろう（⇒もしもあなたがそれについて何もしなければ，事態はますます悪く[深刻に]なってゆくだろう）Unless you do something about it, ｢the situation [things; matters] will ｢*get* [*become*] ｢*worse and worse* [*more and more serious*]. // 食料は*じり貧になってきた（⇒だんだん少なくなっている）Our ｢food *is* [provisions *are*] *running short*. / （⇒あまり残っていない）There is *not much* food *left*.

しりめ 尻目 ¶国王は国民の苦しみを*しり目に（⇒無視して）優雅な生活を送った The king enjoyed a leisurely life, ｢*disregarding* [*ignoring*] his people's hardships.

しりめつれつ 支離滅裂 ― 形（論理的に筋道の通っていない）incoherent /ìnkouhí(ə)rənt/; （矛盾している）inconsistent. ― 名 incoherence Ⓤ; inconsistency Ⓤ. ¶彼の言うことは*支離滅裂だ What he says is ｢*incoherent* [*inconsistent*]. / （⇒ばかげたたわごとを言う）He *talks nonsense*.

しりもち 尻餅 ― 動（しりもちをつく）fall on [be knocked on(to)] *one's* ｢rear (end) [bottom].

じりやす じり安 （株価などの）a gradual decline ★ a を付けて．

しりゅう 支流 tríbutàry Ⓒ.

じりゅう 時流 （時勢の流れ）the ｢current(s) [trend(s); tendency; tendencies] of the times《☞ じせい[1]; じだい[1]》.

¶彼は*時流に乗って成功した（⇒時勢の流れ[世論の傾向]に迎合して名声を得た）He won popularity by *conforming to the current of* ｢*the times* [*public opinion*]. // あの人は*時流には染まらない（⇒現在の流行に影響されない）He is unaffected by *current trends*. // *時流には逆らえない（⇒流れに逆らって泳げない）We cannot swim against *the* ｢*current(s)* [*trend(s)*] *of the times*.

しりょ 思慮 ― 名（考え）thought Ⓤ; （考慮・熟慮）consideration Ⓤ; （慎重な用心深い考え・分別）prudence Ⓤ; （決定したり，事を行ったりするに当たって働かす思慮分別）discretion /dɪskréʃən/ Ⓤ. ― 形（思慮深い・思いやりのある）thoughtful; （慎重な）prudent; （事を行うに当たって決定に慎重な）discreet.《☞ かんがえ; ふんべつ》.

¶あの人は*思慮深い人だ He is a ｢*prudent* [*discreet*] person. / （⇒深く考える人だ）He is a *thoughtful* man. // それはあなたの*思慮分別にお任せしましょう I will leave it (up) to your *discretion*. // そんなことを言うとはまったく彼も*思慮が足りない It was very ｢*thoughtless* [(⇒軽率だ) *imprudent*] of him to say such a thing.

しりょう[1] 資料 （取材・調査・研究などの素材）material /mətí(ə)riəl/ Ⓤ; （データ）data /déɪtə/ 語法 (1) もともと datum の複数形だが，単複両様に用いられる; （調査結果）findings ★ 通例複数形で．《☞ ざいりょう; とうけい[1]; データ》.

¶彼は新しい本のための*資料を集めている He is ｢collecting [gathering] *material* for his new book. // この*資料は正確ですか Are these [Is this] *data* ｢accurate [correct]? 語法 (2) data は単数扱いをすることも多い．

しりょう[2] 飼料 （牛・馬・豚・羊などにやる干し草・とうもろこしなど）fodder Ⓤ; （特に牛や馬などのかいば）forage Ⓤ; （一般に広く家畜・家禽類のえさ）feed Ⓤ.《☞ えさ》. **飼料作物** feed crop Ⓤ; （穀物）feed grain Ⓤ.

しりょう[3] 史料 históricaI ｢material /mətí(ə)riəl/ [record; document] ★ material は Ⓤ. [ ]内の 2 語は Ⓒ で，しばしば複数形で．

しりょう[4] 死霊 （亡霊）ghost Ⓒ; （死者の魂）the spirit of a dead person Ⓤ.

しりょく[1] 視力 (eye)sight Ⓤ; （視覚）vision Ⓤ.《☞ め[1]》.

¶彼は*視力が弱い He has ｢poor [weak] *eyesight*. // 彼はついに*視力を失った[回復した] He eventually ｢lost [recovered] his *sight*. // 左の目の*視力が最近とみに衰えた *Vision* in my left eye has been considerably impaired recently. // *視力を検査する test *a person's* ｢*eyesight* [*vision*] // 私の*視力は 1.0 だ I have ｢20/20 [twenty-twenty] *vision*.

日英比較 視力の測定は英米ともにスネレン式で，《米》では 20 フィートの位置から視標番号 20 の確認できる視力を 20/20 と表す．分母は視標の番号で，分子は距離．視標番号 30 の場合は 20/30 となる．《英》では 6 メートルの位置からで 6/6 と表す．いずれも日本の 1.0 に相当する．ちなみに日本の場合は 5 メートルの距離で測定する． **視力検査** eye examination Ⓒ **視力検査表** eye examination chart Ⓒ **視力障害** óculardéfect Ⓒ.

しりょく[2] 資力 （富）wealth Ⓤ; （実際に運用可能な金）means ★ 複数扱い; （財源・資金）resources, finances ★ いずれも複数形で．《☞ しきん》. ¶彼は*資力がある（⇒金持ちだ）He is a man of ｢*wealth* [*means*]. // 私には*資力がない（⇒お金をたくさん持っていない）I don't have much *money*. // わが社にはその計画を実行する*資力がない Our company lacks the *financial resources* to carry out ｢the [that] project.

しりょく[3] 死力 **死力を尽くす** make desperate efforts. ¶彼は*死力を尽くして戦った（⇒死に物狂いで）He fought *desperately*.

じりょく 磁力 〔物理〕magnetic force Ⓤ; （磁気）mágnetism Ⓤ. **磁力計** màgnetómeter Ⓒ **磁力線** magnetic line of force Ⓒ.

じりょくきゅうさい 自力救済 〔法〕self-help Ⓤ.

シリング shilling Ⓒ ★ 1 ポンドの 20 分の 1 に相当する英国の旧通貨単位．s と略記．

シリンダー 〔機〕（気筒）cýlinder Ⓒ ★ 元来「円筒」の意で，ピストンの往復運動をする円筒形の部分をいう．《☞ えんとう[1]》. **シリンダー錠** cylinder lock Ⓒ.

しる[1] 知る **1** «情報として»: （直接に）know ⑯ ⓐ《過去 knew; 過分 known》; （間接に情報・様子などを）know of …; （人に知らされて）learn of …

日英比較 日本語の「知る」は瞬間的な動作を意味するのに対し，英語の know は「知っている」という状態を表す． 従って英語では何かを見聞して知る場合には learn を用いる．この語は知識・技術などを身につける動作を表す．また何かを知るに至ることを表すには get to know … を用いる．《☞ わかる; しらずしらず》.

¶私は彼のことならなんでも*知っている I *know* everything about him. //「彼女の住所を*知っていますか」「いいえ, *知りません」"Do you *know* her address?" "No, I don't (*know* it)." 語法 (1) "No, I don't *know*." とはならない. 疑問文の know が他動詞の場合は返事の know にも目的語が必要. //「彼はアメリカ人ですか」「さあ, *知りませんね」"Is he (an) American?" "I don't *know*." 語法 (2)「わからない」という場合の know は自動詞. //「どこかよいホテルを*知りませんか」「Y ホテルはどうです」"Do you *know of* any good hotel?" "How about the Y Hotel?" // 私の*知る限り彼は有能な男だ As far as I *know*, he is an able person. // 私はその事故のことをニュースで*知った I *learned of* the accident on the news. 語法 (3) テレビやラジオのニュースの場合は, 前置詞は on を用いる. // 私は彼が死んだということを*知って驚いた I was surprised to ⌈*learn* [*hear*; *read*] (that) he was dead. // 彼はこの町の人すべてに*知られている ＜S(人)＋V (*know*)＋O (人) の受身＞ He *is known to* everybody in this town. 語法 (4) 前置詞は by でなく to であることに注意.

2 «知り合いである»: (個人的に知っている) know ㊀ (☞ しりあい). ¶スミス氏ならよく*知っている I *know* Mr. Smith very well. //「彼を*知っていますか」「名前[顔]だけは*知っています」"Do you *know* him?" "Yes, I *know* him only by ⌈name [face]." // 彼のことは聞いて*知っているが, 個人的には*知らない I *know of* him, but (I) do not *know* him personally. 語法 know of him はうわさなどで間接的に知っていることで, know him は実際に交際して人物そのものをよく知っていること. // 私はアメリカ滞在中に彼を*知るようになった I got to *know* him during my stay in the U.S.A.

3 «知識がある»: know ㊀ (☞ こころえる; わかる). ¶私はチェスのやり方を*知らない I don't *know* how to play chess. // 彼はラテン語をいくらか*知っている (⇒ ラテン語の知識をいくらか持っている) He *has* some *knowledge* of Latin. // 私はこの辺の土地はよく*知らない (⇒ 不案内の者だ) I'm a *stranger* here. // 彼らは戦争を*知らない (⇒ 戦争の経験がない) They *have no experience* of war.

4 «理解する»: (わかる) know ㊀; (真価を認める) appreciate ㊀; (悟る) realize ㊀. (☞ わかる; さとる). ¶病気になって初めて健康のありがたさを*知る (⇒ 健康を失うまでそのありがたみがわからない) We cannot *appreciate* (the blessing(s) of) (good) health until we lose it. // 彼の言葉から私は彼がその取り引きに反対であることを*知った From his remarks I ⌈*knew* [*realized*] (that) he was against the deal. 語法 realize は know の強調形として用いられる.

5 «発見する»: (見つけ出す) discover ㊀; (わからなかったこと・隠された事実などを見出す) find (óut) ㊀ ★ out を付けると「真相を知る」という意味となる. (☞ みつける; はっけん[1]). ¶私は2, 3日たって間違いをしたことを*知った (⇒ 発見した) A few days later I ⌈*discovered* [*found* (*out*)] that I had made a mistake. // 彼の正体を*知った We *found* him *out*. // いずれ真相が*知れるでしょう Sooner or later the truth will *be* ⌈*discovered* [*found* (*out*)].

6 «気付く»: (知っている) know ㊀; (気がついている) be aware (of ...). (☞ きづく). ¶私は彼女がうそをついていることを*知っている I *know* she is lying. // 彼は彼女がどんなに彼を愛していたか*知らなかった (⇒ 気がつかなかった) He *was unaware* (of) how deeply she loved him. // 何が起ころうと私の*知ったことではない (⇒ 私はかまわない) I don't *care* what ⌈will happen [happens].

知らぬ顔[が仏] ☞ 見出し　**知る権利** the right to know.　**知る人ぞ知る** (少数の人だけによく知られている) be well-known but to the few.　**知る由もない** have no ⌈way [means] of ⌈knowing [finding] ... ¶その真相は*知る由もない We *have no* ⌈*way* [*means*] *of* ⌈*knowing* [*finding*] the truth. (☞ よし[2])

しる[2] 汁 (果物・野菜・肉などの) juice Ⓤ; (吸い物) soup Ⓤ. (☞ ジュース[1]). ¶彼女はレモンの*汁を絞った She ⌈squeezed [pressed] (the *juice* ⌈from [out of]) a lemon. // 彼がひとりでうまい*汁を吸ってしまった (⇒ 彼が一番いい部分を取った) He *took the best portion of* it. / (⇒ 最良の部分をすくってしまった) He *skimmed off the cream*. / He *took the lion's share*. 参考 イソップ物語のライオンの話から.　**汁気** (水分) water Ⓤ; (果物などの) juiciness Ⓤ. ¶*汁気の多い果物 *juicy* fruits　**汁の実** ingredient in soup Ⓒ. ¶*汁の実は何ですか (⇒ 何が入っていますか) What is in the soup?　**汁碗** soup bowl Ⓒ.

ジル (女性名) Gill, Jill ★ Gillian の愛称.

シルエット (影の形・輪郭) silhouette /sìluét/ Ⓒ 参考 投影されてできる影は shadow. (☞ かげ[1]).

シルキー (なめらかな・すべすべした) silky (☞ きぬ[1]).

シルク (絹) silk Ⓤ.　**シルクスクリーン** silk screen Ⓒ. ¶*シルクスクリーン印刷 *silk-screen* printing

シルクハット silk [top] hat Ⓒ, high hat Ⓒ 参考 high-hat 形 は比喩的な意味で,「気取った」「偉ぶった」の意味に用いられる.

シルクロード the Silk Road.

しるこ 汁粉 sweet red-bean soup with rice cake(s) Ⓤ ★ 説明的な訳.

ジルコニウム 〘化〙 zirconium /zəːkóuniəm/ Ⓤ 《元素記号 Zr》.

ジルコン 〘鉱物〙 zircon /zə́ːkɑn/ Ⓤ ★ 美しいものは宝石に用いられる.

しるし[1] 印, 標 (線・点などの印) mark Ⓒ; (照合の印) check Ⓒ, 《英》tick Ⓒ 日英比較 ✓ で表し, 日本の ○ や × に相当する; (ある意味・内容を表す記号や符号) sign Ⓒ; (ある事柄・感情などを思い起こさせる具体的なもの) token Ⓒ. (☞ マーク[1]; きごう[1] (類義語); ふごう[1]).
¶✓ の*印は OK という意味です A *check* (*mark*) ✓ means OK. // もしよろしければ ✓ の*印を付けて下さい If you approve of it, please ⌈*check* it [*mark* it with a *check*]. ★ with の後の check は代わりに ✓ の記号を書いてもよい. // 私は難しい単語に赤えんぴつで*印を付けた I *marked* the difficult words with a red pencil. // 赤は危険の*印である Red is ⌈a [the] *sign* of danger. // 黒いリボンは喪の*印である A black ribbon is a ⌈*token* [*sign*] of mourning. // これはつまらない物ですが, 私の感謝の*印です This is a small *token* of my gratitude.
標付け marking Ⓤ, putting a mark (on ...) Ⓤ
標[印]ばかり ― 形 (ささやかな) token; (少量の) a little; (つまらない) small. ¶*標[印]ばかりの品 a *token* gift / *a small* present // *印ばかりの物ですが ... (⇒ 特別な物ではないが) This is *nothing special*, but ....　**標針** marking ⌈pin [needle] Ⓒ.

しるし[2] 験, 徴 (前ぶれ・前兆) harbinger Ⓒ; (気配) promise (of ...) Ⓤ ★ いずれもやや格式ばった語.

しるしばんてん 印半纏 (そろいの服) (workman's) livery (coat) Ⓒ (☞ はんてん[3]; はっぴ).

しるす 記す (忘れないように書き留める) wríte [pùt] dówn ㊀; (文字・名前などを石・金属などにきざみしるす) inscribe ㊀. (☞ かきしるす).

ジルバ 〘楽〙 jitterbug /dʒítəbʌ̀g/ Ⓒ.

シルバー (銀) silver Ⓤ 語法 英語の silver には「銀製の」「銀色の」という意味の形容詞用法がある.

[日英比較] 英語の silver には日本語の「シルバー」のような「お年寄りの」の意味はない. 《☞ ぎん; シルバーシート》. **シルバーオンライン** emergency system for elderly people who live alone Ⓒ ★ 説明的な訳.「シルバーオンライン」は和製英語 **シルバー産業** elderly-oriented business Ⓤ **シルバー人材センター** employment service office for senior citizens Ⓒ. ¶ 全国*シルバー人材センター協会 National *Silver Human Resources Centers* Association **シルバーパワー** gray [grey] power Ⓤ, senior citizens' power Ⓤ, aged power Ⓤ ★「シルバーパワー」は和製英語 **シルバーボランティア** (外国でボランティア活動をしている高齢者) elderly volunteers working in developing countries ★ 説明的な訳.「シルバーボランティア」は和製英語. **シルバーホン** the emergency telephone system for the elderly people ★ 説明的な訳.「シルバーホン」は和製英語. **シルバーマーク** sticker put on an elderly driver's car Ⓒ ★「シルバーマーク」は和製英語. **シルバーマーケット** (高齢者層をねらった市場) market geared to the older generation Ⓒ ★「シルバーマーケット」は和製英語.

シルバーウェディング silver wedding Ⓒ 《☞ ぎんこんしき》.

シルバーグレー ―[名] (色) silver gray Ⓤ. ―[形] silver-gray; (白髪の·白髪まじりの) gray-haired; (銀髪の·白髪の) silver-haired.

シルバーシート (ある車両のシルバーシート全体) priority [courtesy] seating Ⓤ [語法] 集合的に用い, 掲示などではこれを使う. 個々の座席を指すときは seating の代わりに seat Ⓒ を用いる. 意味は「優先[親切]席」で, 写真にあるように「お年寄りや体の不自由な人[乗客]のための優先席[のために親切に譲ってあげる席]」というのが説明的表現.

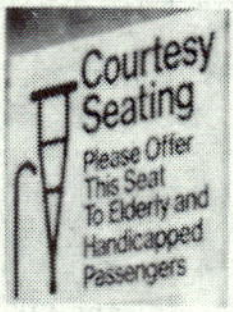

シルバーフォックス 〘動〙(銀ギツネ) silver fox Ⓒ ★ 毛皮は Ⓤ.

シルビア (女性名) Sílvia, Sýlvia ★ 愛称はともに Sýlvie.

シルビー (女性名) Sylvie ★ Silvia, Sylvia の愛称.

シルルき シルル紀 〘地質〙 the Silurian /sılúːriən/ (pèriod) ★ 約4億4600万年前から約4億1600万年前までの紀.

しれい[1] 指令 ―[名] (命令) order Ⓒ ★ しばしば複数形で; (指図) instructions ★ 通例複数形で. ―[動] (命令する) order (他); (指図する) instruct (他). 《☞ しじ[2]; めいれい; さしず》.

¶ 我々はすべて本部の*指令に従って行動することになっている We are required to act according to (the) ˹*orders* [*instructions*] from headquarters. // 執行部は組合員にストライキの*指令を出した (⇒ ストライキをすることを要求した) The executive committee *called on* the union members *to* ˹go on strike [walk out].

しれい[2] 司令 (司令官) commander Ⓒ. **司令長官** commander in chief Ⓒ **司令塔** (軍艦などの) cónning tòwer Ⓒ; (サッカー·ラグビーの) playmaker Ⓒ **司令部** headquarters ★ 複数または単数扱い. ¶ 総*司令部 general *headquarters* 《略 GHQ》

しれい[3] 死霊 ☞ しりょう[4]

じれい[1] 辞令 **1** 《辞令書》: written appointment (to ˹a [*one's*] new post) Ⓒ. ¶ 彼は4月1日付の*辞令をもらった He received a *written appointment to his new post* dated Apr. 1.

2 《応対の言葉》: (言い回し) language Ⓤ; (言葉遣い) wording Ⓤ. ¶ そんな外交*辞令はよしてくれ Stop *speaking* ˹so diplomatically [in such diplomatic *terms*].

じれい[2] 事例 case Ⓒ; (先例) precedent Ⓒ. 《☞ れい[1] (類義語)》. **事例研究** case study Ⓒ.

ジレー (ベスト) gilet /ʒiléɪ/ Ⓒ.

しれごと 痴れ言 ☞ たわごと

しれたこと[もの] 知れた事[物] (分かりきった事) matter of course Ⓒ; (大したことでない事) negligible matter Ⓒ. ¶ 言わずと*知れたこと It is *a matter of course.* / (⇒ 言わずもがな) That *goes without saying.* 《☞ いわずとしれた》 // 高いと言っても*知れたものです (⇒ それ程の値段ではない) It's fairly expensive, but *not too much.* **知れたこと[もの]でない** There's no telling [knowing] … ¶ 彼は何をしでかすか*知れたものではない *There's no* ˹*telling* [*knowing*] what he'll do.

しれつ 熾烈 ―[形] (戦いが激しい) fierce; (競争などが激しい) severe, keen. ―[名] severity Ⓤ, keenness Ⓤ. 《☞ きびしい; はげしい》. ¶ *熾烈な戦い a *fierce* battle // *熾烈な競争 *severe* [*keen*] competition

しれつきょうせい 歯列矯正 〘医〙 ―[名] (術) orthodontics /ɔ̀əθədɑ́ntıks/ Ⓤ. ―[動] correct irregularities of the teeth. 《☞ はならび》. **歯列矯正器** brace Ⓒ. ¶ *歯列矯正器を付けている wear ˹*braces* [a *brace*] (on *one's* teeth)

じれったい 焦れったい ―[形] (もどかしい) impatient (to *do* …; for …); (腹立たしい) exásperàting. ―[動] (いらいらさせる) írritàte (他). 《☞ もどかしい; いらいら》.

¶ 彼女がなかなか決心がつかないので*じれったかった I *was feeling irritated* because she was slow ˹in making [to make] up her mind. // *じれったいな. 早く教えてくれよ (⇒ それを聞きたくてたまらない) What is it? I'*m impatient to* hear it.

ジレッタント ☞ ディレッタント

しれもの 痴れ者 idiot Ⓒ 《☞ たわけもの》.

しれる 知れる ―[動] (知れるようになる) become known to …; (世間に知れる) be known to everybody ★ 最も普通の言い方; (世間一般に知れる) become public knowledge ★ やや格式ばった言い方; (見破られる) be found out; (うそなどがばれる) be out. ―[形] (有名な) famous; (よく知られている) well-known; (人気のある) popular.

¶ その事実は皆に*知れてしまった The fact *became* ˹*known to everybody* [*public knowledge*]. // それは学校に*知れるとまずいのです (⇒ 私はそれを学校の先生に知ってもらいたくない) I don't want my teachers (at school) to *know* about it. // 隠してもいつかは*知れるさ (⇒ たとえ秘密にしても, いつかはばれるだろう) Even if you keep it secret, it will *come out* some day. 《☞ しれたこと[もの]》

じれる 焦れる ―[形] (我慢できない) impatient. ―[動] (いらいらさせる) írritàte (他); (思うようにならないのでやきもきする) fret (自). 《☞ じらす; もどかしい; じれったい》. ¶ 彼はだんだん*じれてきた He is growing *impatient.* // 彼は*じれて (⇒ 我慢できなくて) 大声で叫んだ He shouted from *impatience.* // 赤ん坊が*じれて泣きやまない The baby *is fretting* and won't stop crying.

しれわたる 知れ渡る (広く知れるようになる) become widely known. ¶ 彼の名声は日本中に*知

れ渡っている He's *famous* throughout Japan. / His name is *widely known* throughout Japan.

しれん 試練 (災難・困難などによる試練) trial [C]; (忍耐力を試すような試練) test [C].
¶いまは私にとって*試練の時だ It [This] is a time of *trial* for me. // これがあなたの受ける最初の大きな*試練となるでしょう This will be the first major ⌈*test* [*trial*] you must face. // 彼女はその*試練に耐えられるだろうか Can she ⌈endure [(⇒打ち勝つ) get over] the *trial*?

ジレンマ (板ばさみ) diléṁma [C] 日英比較 英語の dilemma は通常どちらもよくないことがらの二者択一を指す. (☞ いたばさみ). ¶*ジレンマに陥る get caught up in a *dilemma* // 彼女はとどまるべきか彼と一緒に行くべきか*ジレンマに陥っていた She was in a *dilemma* whether to stay or to go with him. // 彼女はどちらを選んだらよいか*ジレンマに陥っていた (⇒心が乱れていた) She *was torn* between (the) two choices.

しろ[1] 白 1 《色》 ―名 white [U]. ―形 (白色の) white; (肌が) fair. ―動 (白くする) whiten (他).
¶花嫁は普通*白い服を着る Brides are usually dressed in *white*. / Most brides wear *white* dresses. // 山は雪で真っ*白だ The mountain is covered with (silvery) *white* snow. // それは雪のように*白い It is as *white* as snow. // それは真っ*白というよりクリームがかった*白です It is creamy *white* rather than pure *white*. // 彼女は色が*白い She has a *fair* ⌈skin [complexion]. 語法 She has a *white* skin. はほめ言葉にはならない. // 彼女は真っ*白な (⇒真珠のように白い) きれいな歯をしている She has beautiful pearly *white* teeth. // 彼女は*白い歯を見せてにっこりした She *grinned* at me.

2 《潔白・無罪》 ―形 (無罪の) not guilty, guiltless; (潔白の) ínnocent ★ 前 2 者が罪に該当するかどうかの問題についてのみ言うのに対し, 後者は純粋で何のけがれもないというニュアンスがあり, 意味が広い. ―名 guiltlessness [U]; innocence [U]. (☞ けっぱく; むざい). ¶私は彼は*白だと思う I am sure that he is ⌈*guiltless* [*innocent*]. // 裁判所は被告が*白か黒かを決めなくてはならない The court must rule whether the accused is guilty or not.

白い大陸 ☞ なんきょく[1] (南極大陸) **白い目** ¶彼は私のしていることを*白い目で見た (⇒冷たい目で) He *looked* ⌈*coldly* upon [(⇒うさんくさそうに) *askance at*] what I was doing. **白っぽい** whitish (☞ -ぽい).

しろ[2] 城 (一般に) castle /kǽsl/ [C]; (市街を見おろして守護する城) cítadel [C].

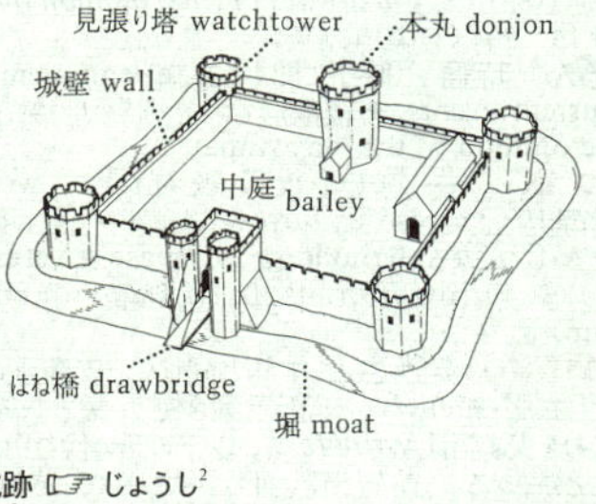

城跡 ☞ じょうし[2]

しろ[3] 代 (田) paddy [rice] field [C] ★ 単に paddy とも言う. ¶*代をかく cultivate [plow] a *paddy field* in preparation for planting rice plants
代掻き preparation of a paddy for planting rice plants [U].

しろあめ 白飴 white candy [U] (☞ あめ[2]).

しろあり 白蟻 〘昆〙 white ant [C] ★ 俗称; termite [C] ★ 正式な名称.

しろあん 白餡 white bean paste [U] (☞ あん[3]).

しろう 屍蠟 〘生化〙 adipocere /ǽdəpəsìə/ [U].

しろう(しょう) 脂漏(症) 〘医〙 seborrhea (《英》 seborrhoea) /sèbərí:ə/ [U].

じろう[1] 痔瘻 〘医〙 ánal fistula /fístʃulə/ [C].

じろう[2] 耳漏 〘医〙 otorrhea /òutərí:ə/ [U].

しろうと 素人 (しろうと愛好家・アマチュア) amateur /ǽmətə̀:/ [C] (↔ professional); (専門的知識のない人) layman [C] (複 -men); (芸術のしろうと愛好家) dilettante /dílətɑ̀:nt/ [C]; (専門家でない人を客観的に区別する言葉) nonprofessional [C]. (☞ もんがいかん). ¶私は写真は*しろうとですよ (⇒しろうとの写真家だ) I'm an *amateur* photographer. / I'm an *amateur* in photography. ★ 後者のほうが格式ばった言い方. // 私はこの方面 (⇒分野) のことは*しろうとです I'm ⌈a *layman* [*not* an *expert*] in this field. / (⇒特別の専門家ではない) I'm *not* a *specialist* in this field. // 彼は美術批評家と称しているが*しろうとにすぎない He calls himself an art critic, but he is only a *dilettante*.
素人女 (堅気の女性) decent [respectable] woman [C] **素人考え** layman's ⌈view [idea] [C]; (未熟な考え) amateurish ⌈view [idea] [C]. ¶*素人考えですが (⇒私のつまらない意見では)... In my *humble opinion* .... **素人芸** amateur performance [C] **素人芝居** amateur theatricals ★ 複数形で. **素人筋** (株式の一般の投資家) the investing public **素人離れ** ¶*素人離れしている (⇒本職[専門家]並み) be as good as ⌈a professional [an expert] / be on the level ⌈with [of] ⌈a professional [an expert] **素人目** ¶*素人目に (⇒訓練を受けていない目にとって) to the *untrained eye*, ... **素人療法** amateur doctoring [U]; (家庭療法) home treatment [U] **素人分り** ¶*素人分りのする説明をする give an explanation in layman's terms

しろうり 白瓜 〘植〙 Oriental pickling melon [C].

しろえり 白襟 white collar [C]. **白襟紋付** crested kimono worn over white-collared underwear [C].

しろおび 白帯 (柔道の) white belt [C].

しろかき 代掻き ☞ しろ[3]

しろがね 白銀 silver [U] (☞ ぎん).

しろかび 白黴 mildew [U].

しろかもめ 白鴎 〘鳥〙 (一般に白色の) (北極海の) glaucous gull [C]; (海かもめ) seagull [C] ★ 背は灰色; white gull [C].

しろぎす 白鱚 〘魚〙 Japanese whiting [C] (☞ きす[1]).

しろぎつね 白狐 〘動〙 (北極ぎつね) arctic fox [C], white fox [C].

しろくじちゅう 四六時中 (一日中) all day (long); (まるまる一日) a whole day; (24 時間休みなく) around the clock; (常に) always. (☞ しじゅう[1]; たえず). ¶あの店は*四六時中あいている That store is open ⌈*around the clock* [*24 hours*]. // 私は*四六時中忙しい (⇒いつも忙しい) I'm *always* busy.

しろくじら 白鯨 〘動〙 white whale [C].

しろくばん 四六判 (紙の判型) dùodécimò ★ 大きさを示すときは [U], その大きさの本 [紙, ページ] を示すときは [C] (複 ~s). 12 mo, 12° と略記する.

しろくま 白熊 〘動〙 polar [white] bear [C].

しろくろ 白黒 (白と黒) black and white ★ 常にこの語順になる.
¶このカメラには*白黒フィルムが入っている This camera is loaded with ⌈*black and white* [*móno-*

chrome] film. // *白黒テレビ a *black-and-white* television // 彼はその話を聞いて目を*白黒させた (⇒ひどく驚いたように見えた) He *looked amazed* at the news.　白黒を決める[つける] (⇒どちらが正しいか決める) decide which is right《☞ こくびゃく》.

しろクローバー　白クローバー　〘植〙 white clover Ⓤ《☞ しろつめくさ》.

しろごま　白胡麻　〘植〙 white sesame Ⓤ.

しろさい　白犀　〘動〙 white rhinoceros /raɪnɑ́s(ə)rəs/ Ⓒ《複 ～(es)》《☞ さい²》.

しろざけ　白酒　white sake Ⓤ《☞ さけ¹》.

しろざとう　白砂糖　white sugar Ⓤ; (精製した) refined sugar Ⓤ.

しろじ　白地　white ⌈ground [background] Ⓒ. ¶*白地に赤の日の丸の旗 the Japanese flag, which has a crimson sun against a *white* ⌈*ground* [*background*]

しろしょうぞく　白装束　white dress Ⓒ. ¶*白装束の女 a woman *in white*

じろじろ　¶人の顔をそう*じろじろ見ないで下さい Don't *stare at* me that way. // 彼は私を*じろじろ見た (⇒てっぺんからつまさきまで見た) He *looked* me *up and down*.《☞ じっと; 擬声・擬態語 (囲み)》

しろそこひ　白底翳　☞ はくないしょう

しろた　代田　watered paddy field Ⓒ; (より説明的には) paddy field ready for bedding out young rice plants Ⓒ.

しろたえ　白妙　(白布) white cloth Ⓤ; (白色) white Ⓤ.《☞ しろ¹》.

しろタク　白タク　únlicensed táxi Ⓒ.

しろちょうがい　白蝶貝　〘貝〙 golden lip Ⓒ.

シロッコ　(サハラ砂漠から地中海沿岸に吹く熱風) sirocco Ⓒ.

じろっと　☞ じろりと

シロップ　(砂糖を果汁などで煮詰めたもの) syrup, sirup /sírəp, sə́ːrəp/ Ⓤ.

しろっぽい　白っぽい　☞ しろ¹ (白っぽい)

しろつめくさ　白詰草　〘植〙 white [Dutch] clover Ⓒ.

しろながすくじら　白長須鯨　〘動〙 blue whale Ⓒ, sulfur-bottom Ⓒ.

しろなまず　白癜　〘医〙 vitiligo /vìtəláɪgoʊ/ Ⓒ《複 ～s》.

しろナンバー　白ナンバー　(自家用車) private car Ⓒ.

しろぬき　白抜き　── 图〘印〙 (反転印刷物) reverse Ⓤ.　── 動 (白字が黒あるいは色地に出るように印刷する) reverse (out) ㊗.

しろぬり　白塗り　── 形 (顔など白く塗った) white-painted; (壁など) whitewashed; (しっくいなど) white-plastered.　¶*白塗りの顔 a *white-painted* face

しろねずみ　白鼠　〘動〙 white rat Ⓒ; (白マウス) white mouse Ⓒ; (色) light gray Ⓤ.《☞ はつかねずみ》.

しろバイ　白バイ　police motorcycle (painted white) Ⓒ. ¶*白バイの警官 a *motorcycle* policeman

しろはた　白旗　white flag Ⓒ. ¶*白旗を掲げる show [fly; hang out] the *white flag* / (⇒降伏する) *surrender*

しろひとり　白灯蛾　〘昆〙 a kind of white-colored tiger moth looking like a fall webworm moth《☞ アメリカ (アメリカしろひとり)》.

しろびょうし　白表紙　(直訳的には) blank-covered school textbook candidate Ⓒ; (説明的には) school textbook proofs submitted to the Ministry of Education for authorization ★文部科学省に検定審査のために提出するので.

しろぶさ　白房　(相撲の) *shirobusa* Ⓒ; (説明的には) the white tassel hanging from the southwest corner of the roof over the professional sumo ring.

しろぶどうしゅ　白葡萄酒　white wine Ⓤ《☞ ワイン》.

しろぼし　白星　¶その力士は5日連続*白星をあげた (⇒5つの取組みに連続して勝った) The sumo wrestler *won* five consecutive *bouts*. // その裁判は検察側の*白星となった (⇒有利に判決が下った) The trial ended [The case was decided; The case was closed; The court ruled] *in favor of* the prosecution.《☞ かつ¹》

【参考語】(勝負などに勝つ) win a game, be a winner; (勝利をあげる) gain [win] a victory; (結果的に有利になる) end in favor of ...

シロホン　〘楽器〙 (木琴) xylophone /záɪləfòʊn/ Ⓒ.

しろみ　白身　(卵の) the white (of an egg); (魚の) white flesh Ⓤ.

しろみそ　白味噌　white miso Ⓤ《☞ みそ》.

しろむく　白無垢　(純白の着物) pure-white kimono Ⓒ.

しろめ¹　白目　(目の白い部分) the white of the eye《☞ め¹ (挿絵)》.

しろめ²　白目　(すずと鉛などの合金) pewter Ⓤ.

しろもの　代物　(特に物の名前をあげず, 漠然という場合) stuff Ⓤ; (具体的な物・事件など) thing Ⓒ. ¶これはなかなかの (⇒よい) *代物だ This is pretty good *stuff*. // それはなかなかやっかいな*代物だ (⇒それは扱うのにたいへん難しい) It's very hard to deal with. // あのじいさんはなかなかやっかいな*代物だ (⇒たいへん頑固だ) That old man is pretty *obstinate*. / (⇒機嫌を取るのが難しい) That old man is *hard to please*.

じろりと　¶彼は*じろりと私を見た (⇒怒ったように) He *glared at* me. / (⇒うさん臭そうに見つめた) He *gave* me *a suspicious stare*.《☞ じろじろ; みる¹; 擬声・擬態語 (囲み)》

しろん¹　試論　(私見を述べた論文) essay Ⓒ《☞ ろんぶん》.

しろん²　史論　(理論) historical theory Ⓒ; (評論) essay on history Ⓒ.

しろん³　詩論　(理論) poetics Ⓤ; (評論) essay on poetry Ⓒ.

しろん⁴　私論　*one's* personal view Ⓒ.

じろん¹　持論　(お気に入りの理論) pet theory Ⓒ; (心に抱いている意見 [考え]) cherished ⌈opinion [view] Ⓒ.　¶それは彼の*持論だ It is his ⌈*pet theory* [*cherished opinion*]. // 私はいつも…という*持論 (⇒意見) です I'*m always of* (*the*) *opinion that* ... ★ the を省くのは主に《英》.

じろん²　時論　(時事に関する評論) comments on current events ★複数形で; (その時の世論) public opinion of the ⌈day [time] Ⓒ.

しわ　皺　── 图 (顔・皮膚・紙・布などの) wrinkle /ríŋkl/ Ⓒ; crease Ⓒ; furrow Ⓒ.　── 動 (しわを寄せる・しわになる) wrinkle ㊗ ㊐; crease ㊗; crumple ㊗ ㊐; furrow /fə́ːroʊ/ ㊗; (ひだを寄せる) pucker (up) ㊗.

【類義語】英語でも日本語と同じく, 皮膚上のしわと, 衣服・紙のしわとは同じ言葉を使う. 最も一般的なしわを表す語は **wrinkle** で, 以下の語の代わりに使うことができる.　畳んだり, 押しつけたりしてできるしわは **crease**. 深く刻まれたしわは **furrow** で, 以上のものより格式ばった語. 元来は車のわだちの跡や畑のあぜ道などを表す語である. もみくちゃにしてしわを作るという動詞が **crumple**.《☞ しわくちゃ》

¶ 彼女はアイロンでドレスの*しわを伸ばした She

ironed out the *wrinkles* on her dress. // その老人の顔は*しわだらけだった The old man's face was full of *wrinkles*. / The old man's face *was wrinkled* all over. // その老人の顔は寄る年波で深く*しわが刻まれていた The old man's face *was furrowed* with age. // 彼は額に*しわを寄せた (⇒ まゆをひそめた) He *knitted his brows*. / He *frowned*. // 彼女は紙の*しわを伸ばした She smoothed out the *crumpled* paper. // 彼女は立ち上がってスカートの*しわを伸ばした She stood up and *smoothed* ⌈*down* [*out*] her skirt. // 目じりの小*じわ a *crow's foot*
しわのばし (ものを平らにすること) smoothing Ⓤ; (器具) gadget for smoothing out wrinkles Ⓒ; (顔の美容整形) face-lifting Ⓤ　しわ腹 (old person's) wrinkled ⌈belly [abdomen] Ⓒ ★[ ]内は腹部を表す格式語.

しわがれごえ 嗄れ声 hoarse [husky] voice Ⓒ ★[ ]内は前者ほど耳ざわりでない.
¶*しわがれ声で話す speak in a ⌈*hoarse* [*husky*] *voice*

しわがれる 嗄れる (声・人がしわがれ声になる) become hoarse《☞ かれる[3]》. ¶長時間しゃべったので声が*しわがれてしまった I *became hoarse* from talking so long. / I talked myself *hoarse*.

しわくちゃ 皺くちゃ ── 【形】(しわの寄った) wrinkled. ── 【動】(しわにする・なる) wrinkle (他) (自); (もみくちゃにする・なる) crumple (up) (他) (自). 《☞ しわ; くしゃくしゃ》. ¶彼のズボンは*しわくちゃだった (⇒ しわだらけだった) His trousers *were all wrinkled*. // 手紙をポケットに入れておいたので*しわくちゃになってしまった I kept the letter in my pocket, so it ⌈*was* [*got*] *crumpled up*.

しわけ 仕分け, 仕訳 ── 【動】(基準・範疇を決めて分類する) classify (他); (区分けして別にする) sórt (óut) (他) ★以上2つは入れ替え可能な場合もあるが, 後者のほうが口語的. ── 【名】classification Ⓤ; sorting (out) Ⓤ. 《☞ ぶんるい》. ¶今は手紙は機械で*仕分けされる Letters *are sorted* (*out*) by machines now. // 製品は大きさによって*仕分けされる Products *are classified* according to (their) sizes. 仕分け帳, 仕訳帳 〔簿〕 journal Ⓒ.

しわざ 仕業 ¶これはだれの*仕業だ (⇒ だれがこれをしたのか) Who *did* this? // 塀に落書きしたのはだれの*仕業だ (⇒ だれが塀に落書きしたのか) Who *scribbled* on the wall? // これは悪魔の*仕業 (⇒ やったこと) に違いない This must be *the work* of the ⌈Devil [devil].

しわしわ 皺皺 ── 【形】(顔などが) wrinkled, wrinkly. 《☞ しわ》.

じわじわ (ゆっくり) slowly; (徐々に) gradually. 《☞ ゆっくり; じょじょに; 擬声・擬態語 (囲み)》.

しわす 師走 (旧暦の十二月) the twelfth month of the lunar calendar; (現在の十二月) December. 《☞ くれ》.

じわっと (徐々に) gradually. ¶額に汗が*じわっとにじみ出した (⇒ 私の額に汗の雫が目立ち始めた) Beads of sweat *began to stand out* on my forehead. 《☞ ゆっくり》

しわぶき 咳 cough Ⓒ《☞ せき[2]》.

しわほう[1] 指話法 dàctylólogy Ⓤ, finger language Ⓤ ★後者のほうが日常的な表現. ¶*指話を使う use *finger language*

しわほう[2] 視話法 visible speech Ⓤ ★A. M. Bell が19世紀に考案した発音体得法.

しわよせ 皺寄せ ¶いつも*しわ寄せをくうのは我々だ (⇒ いつも一番損害をこうむるのは我々だ) It is always we who *suffer* most. // 彼らは原料の値上げを消費者に*しわ寄せした (⇒ 回した) They *passed* the increase in costs on to the customer.

じわり 地割り ── 【名】allotment of land Ⓤ. ── 【動】(地割りをする) allot land.

じわりと ☞ じわっと

じわれ 地割れ crack [fissure] (in the ground) Ⓒ 《☞ きれつ》.

しん[1] 芯 (りんご・梨などの芯) core Ⓒ; (鉛筆の芯) lead /léd/ Ⓤ; (ランプの芯) wick Ⓒ.
¶このりんごは*芯まで [が] 腐っている This apple is rotten ⌈to [at] the *core*. // 鉛筆の*芯が折れている The *lead* of the pencil is broken. // このご飯は*芯がある (⇒ 十分に炊けてない) This rice *is* ⌈*undercooked* [*not completely cooked*].

しん[2] 心 (心) heart Ⓒ; (精神) spirit Ⓤ; (感覚) sense Ⓤ; (意志) will Ⓒ.
¶彼女は*心はいい[親切な]人だ She is ⌈good-*hearted* [kind*hearted*]. // 私は体の*心まで (⇒ 骨まで) 冷え切っていた I was ⌈chilled [frozen] *to the bone*. // 彼は*心がしっかりしている (⇒ 奥底では意志が強固だ) He has a strong *will underneath*. // この仕事で*心が疲れた (⇒ 精神的に) I was *mentally* fatigued by this work. // 彼らは公徳*心が欠けている They ⌈are lacking in [lack] a *sense* of public morality.

しん[3] 真 ── 【形】(うそではない本当の) true (↔ false); (本物の) real; (正真正銘の) genuine /dʒénjuɪn/. ── 【名】truth Ⓤ; reality Ⓤ. 《☞ ほんとう[1] (類義語); じゅんぜん》.
¶彼は*真の意味で芸術家であった He was an artist in the *true* sense of the word. // *真の友達ならそんなことはしないだろう A ⌈*true* [*real*; *genuine*] friend would not do such a thing. // 映画のその場面は*真に迫っていた The scene in the film was *true* to life. // 彼女は*真に迫った演技でみんなを驚かせた She acted with such *realism* that everybody was surprised. // まさかの友が*真の友 A friend in need is a friend *indeed*. 《ことわざ: 困っているときの友達が本当の友達だ》

しん[4] 臣 (臣下) subject Ⓒ; (封建時代の) liege man Ⓒ 《複 liege men》 ★単に liege ともいう.

しん[5] 信 (信義) faith Ⓤ; (信用) trust Ⓤ; (信頼) reliance Ⓤ. 《☞ しんぎ[2]; しんにん[1]; しんよう; しんらい[1]》. 信を問う ¶選挙で国民の*信を問う ask for people's *confidence* by election.

しん[6] 清 ── 【名】(固) (中国の王朝) Ching, Ch'ing /tʃíŋ/. ¶*清朝 the *Ching* dynasty

しん[7] 秦 ── 【名】(固) (中国の王朝) Ch'in /tʃín/.
¶*秦朝 the *Ch'in* dynasty

しん[8] 晋 ── 【名】(固) (中国の王朝) Chin /dʒín/.
¶*晋朝 the *Chin* dynasty

しん-[1] 新… ── 【形】new (↔ old) 《☞ あたらしい》.
¶*新学期がもうすぐ始まります A [The] *new* school term will soon begin. // 彼は世界*新記録を作った He set a *new* world record. // *新製品 a *new* product // *新発売《テレビの CM などで》*New*! / (⇒ 改良したもの) *Improved*! / (⇒ 最新のもの) *The Latest*! / (⇒ 新改良品) The *new improved* …!

しん-[2] 親… ── 【接頭】(…びいきの) pro- (↔ anti-) 《☞ 接頭辞 (巻末)》. ¶彼は*親日家です He is *pro*-Japanese.

じん[1] 陣 **1** 《陣地・戦い》: (陣営) camp Ⓒ; (守備をしている陣地) position Ⓒ.
¶*陣を張る set up (a) *camp* // 彼らは背水の*陣を敷いた (⇒ 壁を背にして戦った) They fought *with their backs to the wall*.
2 《一群の集団》: (集団) group Ⓒ; (職員) staff Ⓒ; (教職員全体) faculty Ⓤ ★集合的に用いる.
¶市長は報道*陣に取り囲まれた The mayor was surrounded by (a *group* of) newspaper reporters. 【日英比較】日本語の「陣」は英語の複数形で表

されていると考えてもよい. // 新製品はその会社の技術*陣のレベルの高さを示している The new product shows that the engineering *staff* ⸢at [of] that company ⸢is [《英》are] highly competent. // スミス博士をわが大学の教授*陣の一員に迎える予定です We are going to have Dr. Smith on the ⸢*faculty* [teaching *staff*] of our college.

じん² 仁 (儒教の) virtue Ⓤ; (人間愛) humanity Ⓤ; (仁愛) benevolence Ⓤ.

ジン (酒の) gin Ⓤ.

しんあい 親愛 ── 形 (親愛な) dear; (最愛の) beloved /bɪlʌ́vɪd/ Ⓐ ★ 後者は文語的. ── 名 (愛) love Ⓤ; (温かく優しい愛情) affection Ⓤ. ¶ *親愛なる友人のみなさん Friends! 語法 My friends! とか My dear friends! とは言わない. // 多くの人が彼に*親愛の情を抱いた[示した] Many people ⸢had [showed] (a) deep *affection* for him.

じんあい 塵埃 (ちり) dust Ⓤ; (ほこり) dirt Ⓤ. 《☞ ちり; ごみ》. ¶ *塵埃にまみれる be covered with ⸢*dust* [*dirt*] // 世俗の*塵埃を逃れる (⇒ 人生のいやな現実から逃れる) escape from the *depressing realities* of life

しんあん 新案 ── 名 (考案) new idea Ⓒ; (意匠) new design Ⓒ. ── 形 (新しく考案された) newly ⸢devised [designed]. ¶ 私は*新案のボールペンの特許を得た[申請した] I ⸢got [applied for] a patent on a *newly designed* ballpoint (pen). **新案特許** ☞ じつよう (実用新案) 《☞ とっきょ》.

しんい 真意 (本心) *a person's* real intention Ⓒ ★ しばしば複数形で; (言葉の真の意味) the true meaning. 《☞ ほんしん¹》. ¶ 彼の*真意がわからない I don't know his *real intention(s)*. / (⇒ 本当は何を言いたいのかわからない) I can't make out *what* he *really means*.

じんい 人為 ── 名 (人の為せるわざ) the work of human hands Ⓤ; (人力) human power Ⓤ; (工夫・技巧) artifice Ⓤ. ── 形 (人工的な) artificial; (人の手になる) man-made. ¶ それは*人為の及ぶ所ではない It is beyond *human power*.
人為災害 man-made disaster Ⓒ **人為選択[淘汰]** artificial selection Ⓤ.

しんいき¹ 神域 (神聖な構内・境内) holy precincts /príːsɪŋ(k)ts/ ★ 複数形で. 《☞ けいだい》.

しんいき² 震域 seismic /sáɪzmɪk/ area Ⓒ.

しんいり 新入り néwcòmer Ⓒ 《☞ しんじん¹; しんまい》.

しんいん¹ 心因 ── 名 psychic /sáɪkɪk/ origin Ⓤ. ── 形 (心因性の) psychogenic /sàɪkoʊdʒénɪk/. **心因性疾患** psychogénic diséase Ⓤ 《☞ びょうき》 **心因性反応** psychogenic reaction Ⓒ **心因性不調** psychogenic disorder Ⓒ.

しんいん² 真因 (本当の理由[原因; 動機]) the true ⸢reason [cause; motive] Ⓒ. ¶ 彼女の自殺の*真因はだれも知らない Nobody knows the *true motive* for her suicide.

じんいん 人員 (人数) the number of persons; (集合的に職員) the staff, the pèrsonnél 語法 staff のほうが一般的. personnel は軍隊・官庁・会社などの職員全体を事務的に指す言葉. 《☞ にんずう; しょくいん》.
¶ 事務所の*人員を増やす[減らす]べきだ We should ⸢*increase [reduce] the* (number of) *staff* in our office. // 事務所の*人員が過剰だ[不足している] The office is ⸢*overstaffed* [*understaffed*].
人員減少 (自然減) attrition Ⓤ; (人員の削減) personnel ⸢cut [reduction] Ⓒ **人員構成** personnel ⸢organization [setup] Ⓒ **人員整理** personnel ⸢cut [reduction] Ⓒ. ¶ 組合は*人員整理の提案に反対だ The union is against the proposed *personnel* ⸢*cut* [*reduction*]. // *人員整理をする *cut down* [*reduce*] *the* ⸢*staff* [*personnel*] **人員点呼** roll call Ⓒ 《☞ てんこ》. ¶ *人員点呼をする *call the roll*

しんいんしょうしゅぎ 新印象主義 〔美〕(19世紀末の絵画運動) neo-impressionism Ⓤ.

じんうえん 腎盂炎 〔医〕pyelitis /pàɪəláɪtɪs/ Ⓤ.

しんうち 真打ち (演芸などの目玉になる立役者) headliner Ⓒ ★ 米国の劇場関係の俗語. ビラなどに大きく名前を書かれることから; (主演者) star [principal] performer Ⓒ 日英比較 日本の落語家の位に相当するようなものは英米にはないので, 正確な訳語はない.

しんうちゅうたんさ 深宇宙探査 deep space exploration Ⓤ.

しんえい 新鋭 ── 形 (新鮮で元気な) fresh; (新しい) new; (時代に即応した) up to date, up-to-date Ⓐ; (新しく作られた) newly produced; (超近代的な) ùltramódern. 《☞ あたらしい; さいしん¹; しんしん³》.

じんえい 陣営 camp Ⓒ ★ 理想・主義などを同じくする仲間やグループ. ¶ 世界が東西両*陣営に分かれていた時代は過ぎた The days are gone when the world was divided into Eastern and Western ⸢*camps* [*blocs*]. // 彼は革新*陣営に属している He belongs to the reformist *camp*.

しんえいたい 親衛隊 (護衛) bodyguard Ⓒ ★ 集合体と考える時には単数, 構成要素を考える時には複数扱い; (熱狂的なファン) ardent fans; (有名人を追い回す女の子など) groupies.

しんエス・エヌ・エー 新SNA (新国民経済計算体系) the New System of National Accounting.

しんエネルギー 新エネルギー new energy resources ★ 複数形で. **新エネルギー自動車** new energy car Ⓒ.

しんえん¹ 深遠 ── 形 (深い) deep; (考え・学問などが) profound ★ 前者が一般的. 後者は格式ばった語だが見出し語のニュアンスには近い. 《☞ おくふかい》. ¶ その語には*深遠な意味がある The word has a *deep* meaning. // 彼の思想は*深遠だ His thinking is *deep* and *profound*. 語法 同義語を繰り返すと意味が強調される.

しんえん² 深淵 《格式》abyss Ⓒ. ¶ 悲しみの*深淵に陥る plumb /plʌ́m/ the *depths* of sorrow ★ 格式ばった表現.

しんえん³ 心猿 (欲望などの押さえがたいこと) uncontrollable passions ★ 複数形で. 猿がわめき騒ぐのにたとえていう語.

じんえん 腎炎 〔医〕nephritis /nɪfráɪtɪs/ Ⓤ, inflammation of the kidney(s) Ⓤ.

しんエンゼルプラン 新エンゼルプラン the New Angel Plan; (説明的には) a plan for supporting child care.

しんえんるい 真猿類 anthropoid Ⓒ.

しんおう¹ 震央 épicènter Ⓒ. **震央距離** epicentral distance Ⓤ.

しんおう² 深奥 (奥深い所) the depth Ⓤ; (底の知れない淵) abyss Ⓒ.

しんおう³ 心奥 the bottom of *one's* heart; the depths of *a person's* mind. 《☞ おくそこ; ないしん》.

しんおん¹ 心音 the sound of a heartbeat.
心音記録計 phonocardiograph /fòʊnəkɑ́ədiəgræ̀f/ Ⓒ.

しんおん² 唇音 〔音声〕labial /léɪbiəl/ Ⓒ.

しんか¹ 真価 (本当の価値) real worth Ⓤ, true value Ⓤ 語法 ほぼ同意で入れ替え可能のこともあるが, 前者は人などの知的・道徳的価値をいうのに対し，後者は実際的な有用性・重要度などをいう．《☞ かち¹ (類義語)》．¶彼の作品は日本ではその*真価が認められなかった The ⌈*real worth* [*true value*] of his work was not appreciated in Japan. // 彼は実業界で*真価を発揮した He proved his *real worth* in the business world.

しんか² 進化 —[名]〘生〙evolution [U]. —[動] evolve (自). 《☞ しんぽ; はってん》．¶化石を調べれば*進化の歴史がわかる (⇒化石の研究は進化の歴史を教えてくれる) The study of fossils will tell us the history of *evolution*. **進化主義** evolutionism [U] **進化論** the theory of evolution [C]; (ダーウィン説) Darwinism [U] **進化論者** evolutionist [C]; (ダーウィン主義者) Darwinist [C].

しんか³ 臣下 (個々の) subject [C]; (総称) the lieges. 《☞ しん⁴》．

しんか⁴ 深化 —[名] (深まること) deepening [U]; (深刻になること) aggravation [U]. —[動] deepen (自)(他); ággravàte (他). 《☞ しんこく¹》．¶不況は*深化しつつある The depression *is deepening*.

じんか 人家 (一般的に) house [C]; (店や事務所に対して) dwelling (house) [C] ★ 法律用語．《☞ いえ (類義語); じゅうたく》．
¶この辺りは*人家が密集している [まばらだ] The area around here is ⌈crowded [dotted] with *houses*. / (⇒人が密集して [まばらに] 住んでいる) This area is ⌈densely [sparsely] populated.

シンカー 〘野〙sinker [C] ★ sinkerball ともいう．

シンガー (歌手) singer [C] 《☞ かしゅ》．

シンガーソングライター singer songwriter [C].

しんかい 深海 the deep sea; (海の深い所) (大洋の) the ocean depths. ¶彼らは*深海を探検した They explored *the* ⌈*deep sea* [*ocean depths*]. **深海魚** deep-sea fish [C] ★ 複数形は fish 又は fishes で，普通は前者．《☞ さかな》 **深海漁業** deep-sea fishery [U] **深海掘削(計画)** Deep-Sea Drilling (Project) [C] **深海性玄武岩** abyssal basalt /bəsɔ́ːlt/ [U] **深海成層** abyssal sediment [U] **深海底** the deep seabed ★ the を付けて． **深海底コア** deep-sea core [C] **深海底生物群集** deep-sea biological community [C].

しんがい¹ 侵害 —[動] infringe (⌈on [upon] …) (他)(自); trespass (on …) (自); violate (他); intrude (on …) (自); invade (他); encroach (on …) (自). —[名] infringement [U]; trespass(ing) [U]; violation [U]; intrusion [U]; invasion [U]; encroachment [U] ★ それぞれ具体的な侵害行為を指すときは [C].

【類義語】法律・協定を破ったり，他人の権利や自由を侵害することには **infringe**. 不法に他人の財産・権利に立ち入る侵害には **trespass**. 当然守るべき法律や他人の自由などを破ることには **violate**. 求められないにもかかわらず，押し入るようにして他人の権利を侵害することには **intrude**. 他人の領域を敵意をもって侵害することには **invade**. じわじわと浸食作用のように他人の権利を侵害することには **encroach**. 以上いずれも日本語の「侵害」と同様，格式ばった語．

¶それは著作権の*侵害だ It ⌈is [constitutes] an *infringement* of copyright. // 彼は特許権を*侵害した He *infringed* (*on*) a patent (right). // 彼は私の私有財産を*侵害した He *trespassed on* my (private) property. // 人権の*侵害は憲法に反する The *violation* of human rights is against the Constitution. // 他人のプライバシーを*侵害してはならない Don't ⌈*encroach upon* [*invade*; *intrude upon*] the privacy of other people. // 多数派は少数派の権利を*侵害した The majority *encroached* ⌈*on* [*upon*] the rights of the minority.

しんがい² 心外 ¶疑われるとは*心外だ (⇒残念だ) I *am sorry* (that) you are suspicious of me. / (⇒考えもしなかった) I *didn't expect* that you would be suspicious of me. 《☞ いがい¹; ざんねん》．

しんがい³ 震駭 —[動] (驚かせる) frighten (他); (恐怖を抱かせる) terrify (他); (衝撃を与える) shock (他). 《☞ おどろかす》．

じんかい 塵芥 (主に生のごみ) garbage [U]; (ごみ・くず) trash [U]. 《☞ ごみ》．

しんがいかくめい 辛亥革命 the Chinese Revolution in 1911.

じんかいせんじゅつ 人海戦術 human wave tactics.

しんかいち 新開地 newly developed land [C].

しんがお 新顔 new face [C]; (新しく入ってきた人) néwcòmer [C]; (見知らぬ人) stranger [C]. 《☞ ニューフェース; しんじん¹; しんまい》．

しんがく¹ 進学 —[動] (高校[大学]に進む) go on to ⌈senior high school [college]; (入学する) enter (他). 《☞ 学校・教育 (囲み)》．
¶本校の生徒は大学に*進学する者がほとんどです Most of our students *go on to college*. // 大学*進学希望者の数が毎年増えている The number of *college-oriented* students is increasing every year. **進学組** college-bound students **進学指導** —[名] guidance for entering college [U]. —[動] be an adviser to the students ⌈wishing [planning] to go (on) to college **進学志望者** students who wish to go on to a higher level of education **進学塾** cram school [C] **進学適性検査** scholastic aptitude test [C] **進学率** the ratio of students who go on to a higher level of education.

しんがく² 神学 theology [U]. **神学校** (一般に) theological school [C]; (キリスト教各派の) seminary [C] ★ 固有名詞に付けて用いる場合は後者が普通． **神学者** thèológian [C].

じんかく 人格 (思想・行動のもとになる道徳的な資質) character [U]; (個性・人間性) personality [U]. 《☞ せいかく³; ひとがら; こせい》．¶スポーツは*人格を形成するのに役立つ Sports help to build *character*. // 彼はいつも子供の*人格を尊重[無視]します He always ⌈respects [disregards] children's *personalities*. // 二重*人格 a ⌈dual [double] *personality* / (⇒分裂した性格) a split *personality* // 多重*人格 a multiple *personality*
人格化 —[動] personify (他). —[名] personification [U] **人格教育** character-building education [U] **人格権** personal rights ★ 複数形で． **人格者** man of (⌈noble [fine]) character [C] **人格主義** 〘哲〙personalism [U] **人格神** anthropomorphic deity /æ̀nθrəpəmɔ̀ːəfɪk díːəti/ [C].

しんかくか 神格化 —[名] deification /dìːəfɪkéɪʃən/ [U]. —[動] deify /díːəfàɪ/ (他).

じんがさ 陣笠 (雑兵の笠) wooden hat formerly worn by rank-and-file soldiers [C] ★ 説明的な訳; (平議員) rank and filer [C], 《英》backbencher [C].

しんかしゃ 新華社 —[名] (固) (中国の国営通信社) Xinhua /ʃìn(h)wáː/ News Agency, New China News Agency 《略 NCNA》．

しんがた 新型 —[形] (新しい) new (↔ old); (最新の) (the) latest. —[名] (一番新しい型) the latest ⌈model [style] [語法] 構造などから見た型が model で，種類・タイプから見た型が style. 《☞ しんしき¹; かた²; さいしん¹》． ¶*新型のスポーツカー a sports car of *the latest model*

しんがっき 新学期 new school term [C]; (来るべき次の学期) the coming school term.

しんかなづかい 新仮名遣い the new *kana* orthography [U].

しんかぶ 新株 new「stock [《英》share] [C]. **新株落ち** ex rights《略 XR》★ 形容詞・副詞的に. **新株引受権** preemptive right [U] **新株引受権付社債** bond with subscription warrant [C].

しんかぶき 新歌舞伎 modern kabuki [U]《☞ かぶき[1]》.

シンガポール ―[名](固)(島) Síngapòre; (国名) the Republic of Singapore. ―[形] Sìngapórean. **シンガポール人** Sìngapórean [C].

しんから 心から ―[副](心から) heartily, from (the bottom of) *one's* heart; (生まれつき) by nature. ―[形](生まれつきの) born.

しんがり (特に軍隊の) the rear [C]; (行列などの) tail (end) [C].《☞ うしろ; さいご[1]》. ¶彼は行列の*しんがりにいた He was at the *tail* of the procession. // 彼が*しんがりを務めた He brought up *the rear*. ★ 格式ばった言い方.

しんかん[1] 新刊 (新しい本) new book [C] ★ 口語的で一般的な言い方; (新刊書) new publication [C].《☞ ほん; しゅっぱん[1]》. ¶今月の*新刊図書目録をお送り下さい Please send me this month's「list [catalogue] of *new publications*. **新刊紹介** book review [C] **新刊予定**《広告》Forthcoming《☞ きんかん[1]》.

しんかん[2] 森閑, 深閑 ―[形](声・音がせず静かな) silent; (音も動きもなく静かな) quiet, still ★ 後者は動きがないことに重点がある. ―[名] silence [U], quiet(ness) [U]; stillness [U].《☞ ひっそり; しんと[1]; せいじゃく》. ¶家の中は*森閑としていた All was「*silent* [*quiet*] in the house. / There was dead *silence* in the house / *Silence* reigned in the house. ★ 後者は文語的な表現.

しんかん[3] 信管 (爆弾などの) fuse [C]. ¶彼らは慎重に爆弾から*信管をはずした They carefully「removed the *fuse* from [*defused*] the bomb.

しんかん[4] 新館 new building [C]《☞ べっかん[1]》.

しんかん[5] 神官 Shinto priest [C].

しんかん[6] 震撼 ―[名](衝撃) shock [U]. ―[動](動揺させる) shake (他)《過去 shook; 過分 shaken》; (衝撃を与える) shock (他); (おびえさせる) terrify (他). ¶その事件は世界を*震かんさせた The event *shook* the world.

しんかん[7] 新患 new patient [C]《☞ かんじゃ[1]》.

しんかん[8] 新歓 (新入生歓迎) welcome gathering of freshmen [C]. **新歓コンパ** ¶*新歓コンパを開く give a *welcome party for freshmen*

しんがん[1] 心眼 *one's* mind's eye. ¶*心眼で見る see in *one's mind's eye* // *心眼を開く gain *insight* into …

しんがん[2] 真贋 (本物か偽物) original or imitation《☞ しんぎ[3]》. ¶絵の*真贋 (⇒ 本物かどうか) を調べる examine the *genuineness* of a painting

しんかんせん 新幹線 the *Shinkansen*; the new … line [語法] 前者は固有名詞的に扱ったもの. 日本の事情に詳しい人への説明的な表現とすれば後者のようにする; (超特急列車) superexpress (train) [C]; (弾丸列車) bullet train [C] ★ 新幹線開設当時, 外国で言われた俗称.
¶東海道[東北]*新幹線 *the New*「Tokaido [Tohoku] *Line* // 世界で有名な超特急の東海道*新幹線 (のぞみ) は東京・大阪間を 2 時間 30 分で結びます The *Shinkansen* [The *Superexpress* Nozomi], the world-famous *bullet train,* covers the distance between Tokyo and Osaka in two hours and thirty minutes.

しんき[1] 新規 ―[形](新しい) new; (これまでと別のやり方の) fresh. ―[副] newly,《格式》afresh; (もう一度はじめから) all over again.
¶彼は*新規に (⇒ 新しい) 事業を始めた He started a *new* business. // *新規に選出された委員 the *newly* elected committee members // *新規まき直しでやるつもりだ (⇒ 新しくスタートをやり直す) I will *make a fresh start*. / I will *start afresh*. ★ 後者は格式ばった言い方. / (⇒ もう一度はじめからやる) I will「*start* [*begin*] *all over again*.

しんき[2] 新奇 ―[名] novelty [U] ★ 具体的な事柄を指すときは [C]. ―[形] novel.

しんぎ[1] 審議 ―[動](賛否を慎重に討議する)《格式》delíberàte (他) (自) ★ 特に国会などの; (結論を出す前に慎重に考える) consider (他); (問題をあらゆる角度から検討する) discuss (他). ―[名] deliberation [U]; consideration [U]; discussion [U].《☞ けんとう[2]; とうぎ[1]》.
¶その法案は現在国会で*審議中です The bill is *under deliberation* in the Diet now. // その件は国会*審議に付された The matter was brought up for *discussion* in the Diet. // 委員会はその件を*審議した The committee「*deliberated* (*on*) [*considered*; *discussed*] the problem. // その法案は参議院の*審議に回された The bill went to the House of Councilors for *discussion*. // *審議打ち切りの動議は可決された The motion to close the *discussion* was passed. // 彼らはその法案を継続*審議に持ち込む (⇒ 次期に持ち越す) のに成功した They succeeded in carrying the bill over to the next session. // その件はついに*審議未了となった (⇒ 棚上げとなった) The matter *was*「*shelved* [《米》*tabled*] in the end.
審議会 council [C]. ¶中央教育*審議会 the Central *Council* for Education **審議官** councilor [C]; (中央官庁の) vice-minister [C]. ¶外務*審議官 a *Deputy Minister* for Foreign Affairs **審議拒否** rejection of deliberation [U].

しんぎ[2] 信義 ―[名](約束などを守ること) faith [U]; (決めたことを誠実に守ること) loyalty [U]. ―[形] faithful; loyal (↔ unfaithful; disloyal).
¶彼は友達に対する*信義を守った[破った] He「kept [broke] *faith* with his friends. / He was「*faithful* [*disloyal*] to his friends. ★ 後者のほうがくだけた言い方. // そのような行為は国際*信義 (⇒ 行動規範) にもとる Such conduct is「against [contrary to] international *codes of conduct*. // 彼は*信義を重んずる人だ He is a *man of honor*.

しんぎ[3] 真偽 ¶その*真偽のほどは (⇒ 本当かどうかは) よくわからない It is not certain whether it is *true or not*. // うわさの*真偽 (⇒ 真実) を確かめてみるつもりだ I will check on the *truth* of rumor.
【参考語】―[形](真実の) true; (偽りの) false; (真か偽か) true or false. ―[名] truth [U]; falseness [U], falsehood [U].
真偽法〖論〗true-false test [C]《☞ まるばつテスト》.

じんき 人気 (場所・地域などの気風) climate [C].
¶*人気のよい町 a town with a friendly *climate*

じんぎ[1] 仁義 (道徳上の規範) moral code [C].
¶彼の行いは*仁義にはずれている His conduct is against our *moral code*. **仁義を切る** make a formal greeting (customary among gamblers). **仁義立て** doing *one's* duty [U].

じんぎ[2] 神器 the sacred treasures ★ 複数形で; (天皇の象徴としての三種の神器) the emblems of the Japanese Imperial throne ★ the を付けて.

しんきいってん 心機一転 ¶いままでのことは忘れ, *心機一転して頑張りなさい (⇒ 過去については忘れて再出発しなさい) Forget about the past and *make a fresh start*. // 彼は*心機一転して勉強に励むことに決めた He decided to *turn over a new leaf* and study hard. ★「新しいページをめくる」, つまり「心を入れ替えて生活を一新する」という意味.

しんきくさい 辛気臭い （じれったい）irritating.

しんきげん 新紀元 new era Ⓒ; epoch /épək/ Ⓒ ★ 後者は格式ばった語. ¶ *新紀元を画する発明 an *epoch-making* invention // 天文学に*新紀元を画する mark ⌈a *new era* [an *epoch*] in astronomy 《☞ かくする; かっきてき》

しんきこうしん 心悸亢進 rapid pulse Ⓒ, accélerated héartbeat Ⓤ ★ 前者のほうが口語的; (動悸) palpitations ★ 複数形で.

しんきじく 新機軸 ── 名 (革新・刷新) innovation Ⓤ ★「新しいもの[こと]」という意味では Ⓒ. ── 形 (新しい) new.
¶ この辞書はいろいろな*新機軸を打ち出している This dictionary has introduced various *innovations*. // この方法はまったく*新機軸だ (⇒ 全く新しい発展だ) This method is a completely *new departure*.

しんきしょう 心気症 〘医〙 hypochondria /hàɪpəkándriə/.

ジンギスカン ☞ チンギスハン

ジンギスカンなべ ジンギスカン鍋 Mongolian barbecue Ⓒ; (説明的には) a bárbecùe of thin slices of mutton and vegetables roasted on a convex griddle.

じんきのうけんさ 腎機能検査 〘医〙 renal [kidney] function test Ⓒ.

しんきゅう[1] 進級 ── 名 promotion Ⓒ. ── 動 (進級する) be promoted to ... 《☞ 学校・教育 (囲み)》. ¶ 妹は 6 年生に*進級しました My sister *was promoted to* the sixth grade. // 私は来年(高校の) 3 年に*進級します (⇒ 最上級生になる) I will be a senior next year.

しんきゅう[2] 新旧 ── 形 old and new 〔日英比較〕 日本語と語順が逆になる点に注意; (新任と退任の) íncòming and óutgòing. ¶ *新旧大臣 the *incoming and outgoing* ministers // *新旧交代の時期だ It's a ⌈time [period] of *transition*.

しんきゅう[3] 鍼灸 acupuncture /ǽkjʊpʌ̀ŋ(k)tʃə/ and moxibustion /màksəbʌ́stʃən/. **鍼灸師** practitioner of acupuncture and moxibustion Ⓒ.

しんきょ 新居 (新築した家屋) new house Ⓒ, new home Ⓒ 〔語法〕 home は普通は家庭を指すが《米》では house と同意のことがある. 《☞ しんちく; いえ (類義語)》.
¶ *新居にはいつ移られましたか When did you move ⌈into [to] your *new house*? // 彼らは結婚後, 郊外に*新居を構えた They made their *new home* in the suburbs after getting married.

じんきょ 腎虚 (やつれ・憔悴(しょうすい)) emaciation Ⓤ.

しんきょう[1] 心境 (気持ち・気分) frame [state] of mind Ⓒ; (精神状態) mental state Ⓒ; (心・精神) mind Ⓤ. 《☞ きもち; しんり[1] (類義語)》.
¶ 彼の現在の*心境はわからない I don't know his present *state of mind*. // 当時の*心境 (⇒ 当時どのように感じていたか) を話していただけませんか Will you please tell us how you *felt* at that time? // *心境の変化でその計画は取りやめました I had a change of *heart* and gave up the plan.

しんきょう[2] 信教 religion Ⓤ 《☞ しゅうきょう》.
¶ *信教の自由は保証されている Freedom of *religion* is guaranteed.

しんきょう[3] 進境 prógress Ⓤ 《☞ しんぽ》. **進境が著しい** make remarkable progress.

しんきょう[4] 新教 Prótestantìsm Ⓤ 《☞ プロテスタント》. **新教徒** Protestant Ⓒ.

しんきょう[5] 神鏡 divine mirror Ⓒ.

しんきょう[6] 神橋 sacred bridge (in the precincts of a shrine) Ⓒ.

しんきょうウイグルじちく 新疆ウイグル自治区 ── 名 固 Sinkiang-Uighur /síŋkjæŋwí:gə/ Autónomous Région.

しんきょく[1] 新曲 (新しい音楽作品) new musical composition Ⓒ; (新しい曲) new ⌈tune [piece; song] Ⓒ. 《☞ きょく[1]》.

しんきょく[2] 神曲 *The Divine Comedy* ★ ダンテ作の叙事詩.

しんきり 芯切り (ろうそくの芯切りばさみ) dóuter Ⓒ.

しんきろう 蜃気楼 mirage /mɪrá:ʒ/ Ⓒ.
¶ *蜃気楼は砂漠によく現れる *Mirages* often occur in the desert.

しんきろく 新記録 new record Ⓒ; (最高記録) all-time high Ⓒ. 《☞ きろく》. ¶ 彼は走り高跳びで日本 [世界]*新記録を作った He set a *new* ⌈Japanese [world] *record* in the high jump. // 今月の売り上げは*新記録だ This month's sales have ⌈reached [hit] an *all-time high*.

しんきん[1] 心筋 〘解〙 myocardium /màɪoʊkáədiəm/ Ⓒ 《複 myocardia》, heart muscle Ⓒ ★ 後者が日常的な表現.

しんきん[2] 信金 ☞ しんよう (信用金庫)

しんぎん 呻吟 ── 動 (病苦などでうめく) groan 自; (悲しみなどで) moan 自 ★ 前者より軽い. ── 名 groan Ⓒ; moan Ⓒ. 《☞ うめく》. ¶ 痛さのあまり*呻吟する *groan* ⌈with [in] pain

しんきんかん 親近感 ¶ 私は彼に*親近感をおぼえた I developed a close *attachment* to him. 《☞ したしみ》

しんきんこうそく 心筋梗塞 (心臓発作) heart attack Ⓒ; 〘医〙 myocardial /màɪoʊkáədiəl/ infarction Ⓤ.

しんきんしょう 真菌症 〘医〙 mycósis /maɪkóʊsɪs/ Ⓒ 《複 mycoses /-si:z/》.

しんきんぞく 新金属 (希少金属) rare metal Ⓒ.

しんきんるい 真菌類 〘生〙 Eumycota /jù:maɪkóʊtə/ ★ Mycota は「菌類」, eu- は「真の」の意; the true fungi /fʌ́ndʒaɪ/.

しんく[1] 辛苦 (耐えがたい苦しみ) hardship Ⓤ ★ 具体的なことを指す場合は Ⓒ; (労苦・骨折り) pains ★ 複数形で. 《☞ くなん; しんさん; くろう》.
¶ 彼は幾多の*辛苦をなめて (⇒ くぐり抜けて) きた He has gone through many *hardships*.

しんく[2] 真紅, 深紅 ── 形 名 crimson /krímzn/ ★ 名 の場合は Ⓤ.

シンク (流し) sink Ⓒ 《☞ ながし[1]》.

しんぐ 寝具 (ベッドに使用されるものすべて) bedding Ⓤ; (布団) futon Ⓤ; (敷布団以外のシーツや毛布など) bedclothes ★ 複数形で. 《☞ ふとん》. ¶ うちにはお客用の*寝具が十分にない We don't have enough ⌈*bedding* [*futon*] for guests.

じんく 甚句 *jinku* Ⓒ; (説明的には) a kind of Japanese lively folk song.

しんくいむし 心食い虫 〘昆〙 codling moth larva Ⓒ ★ codling moth は「ひめはまきが」の一種.

しんくう 真空 vacuum /vǽkjuəm/ Ⓒ. ¶ 音は*真空を伝わらない Sound ⌈does not [cannot] travel in a *vacuum*. **真空管** (vacuum) tube Ⓒ ★《英》では valve Ⓒ という. **真空技術** vacuum technology Ⓤ **真空掃除機** vacuum cleaner Ⓒ ★《英》では Hoover Ⓒ (商標名)ともいう. **真空パック** ¶ *真空パックのミートボール *vacuum-packed* meatballs **真空放電** vacuum discharge Ⓤ **真空ポンプ** vacuum pump Ⓒ **真空マイクロエレクトロニクス** vacuum microelectronics Ⓤ.

じんぐう 神宮 shrine Ⓒ 《☞ じんじゃ》. ¶ 明治*神宮 (the) Meiji *Shrine* // 伊勢大*神宮 the

Grand *Shrine* at Ise / (the) Ise Grand *Shrine*

ジンクス (皆に信じられている考え) popular belief Ⓒ; (迷信) sùperstítion Ⓒ 日英比較 「ジンクス」という日本語は jinx から来ているが, これは「悪運をもたらすもの」「貧乏神」という悪い意味にしか用いない. (☞ めいしん[1]). ¶ ユニフォームを洗うと試合に勝てないという*ジンクスがある There is a *popular belief* that you cannot win a game if you wash your uniform.

シンクタンク think tank Ⓒ ★ 集団の構成員を念頭に置くときは単数形でも複数扱いとする.

シングル (野球のヒット) single Ⓒ; (ホテルの部屋) single (room) Ⓒ; (ベッド) single bed Ⓒ; (洋服) single-breasted coat Ⓒ.
シングルイシューポリティックス (争点を1つに絞った政治運動) single issue politics Ⓤ **シングル家計** single household economy Ⓤ **シングルスペース** ― 動 (原稿をシングルスペースで印刷する) single-space ㊉ **シングルチップコンピューター** single-chip computer Ⓒ **シングルトラックレース** single-track race Ⓒ **シングル盤** (レコードの) single Ⓒ **シングルヒット** 〚野〛 single Ⓒ, one-base hit Ⓒ **シングルファーザー** (父子家庭の父親) single father Ⓒ **シングルプレーヤー** 〚ゴルフ〛 single-digit handicapper **シングルマザー** (母子家庭の母親) single mother Ⓒ **シングルライフ** (独身生活) single life Ⓤ **シングルルーム** (ホテルの一人部屋) single room Ⓒ.

ジングル (コマーシャル, コマーシャルソング) jingle Ⓒ.

シングルス 〚スポ〛 singles (↔ doubles) ★ 複数形だが単数扱い. ¶ *シングルスの試合をする play *singles* // 男子[女子]*シングルス men's [women's] *singles*

シングルズ (独身者たち) singles ★ 複数形で. (☞ どくしん).

ジングルベル (曲名) Jingle Bells.

シンクロ synchro Ⓤ ★ シンクロナイズドスイミング (synchronized swimming), 自動車のシンクロメッシュ (synchromesh), 同時録音, カメラのシャッターとフラッシュの同調 (synchronization) などの略.

シンクロトロン 〚物理〛 sýnchrotròn Ⓒ.

シンクロナイザー (同期装置) sýnchronizer Ⓒ.

シンクロナイズドスイミング 〚スポ〛 sýnchronìzed swímming Ⓤ.

シンクロニック 〚言〛 (共時的) sỳnchrónic.

シンクロフラッシュ (写真の) sýnchroflàsh Ⓒ ★ 形容詞的にも用いられる.

しんぐん 進軍 ― 名 (行進) march Ⓤ. ― 動 march ㊉. (☞ こうしん[1]).

しんけい 神経 ― 名 nerve Ⓒ ★「図太さ」の意味では Ⓤ. ― 形 (神経の・神経質な) nervous.
¶ 彼は*神経が太い (⇒ あつかましい) He *has* ⌈*plenty* [*a lot*] *of nerve*. / (⇒ 恐れを知らない) He is *fearless*. // 彼は*神経が鈍い He is ⌈*insensitive* [*thick-skinned*]. // アルコールは*神経系統に影響を及ぼす Alcohol ⌈acts on [affects] the *nervous* system. // その薬を飲んだらとても*神経が高ぶった The drug set my *nerves* on edge. // 彼女は*神経がいら立っている She's ⌈in a state of *nerves* [*worked up*]. // 彼はすっかり*神経がまいっていた He was a complete *nervous* wreck. // 彼女の声はどうも*神経にさわる Her voice somehow ⌈gets on my *nerves* [grates on me]. // あいつは本当に*神経にさわるやつだ (⇒ いらいらさせるやつだ) He's a most *irritating* person. // 彼はいつも*神経を張りつめている He is under constant *nervous* ⌈*strain* [*stress*]. (☞ ぴりぴり) // あなたの病気は*神経だよ Your illness is just *nerves*. / (⇒ 神経に由来する) Your illness ⌈is due to [stems from] your *nerves*. / (⇒ 症状を想像して病気だと思っている) You *are imagining* your symptoms. / (⇒ あなたの症状は気のせいだ) Your symptoms are *imaginary*. // 自律*神経 an àutonómic *nérve* // 彼女は運動*神経がいい She has good *reflexes*. // (歯医者が)*神経を抜く extract a *nerve*
神経炎 neuritis /n(j)ʊráɪtɪs/ Ⓤ **神経科** the department of neurólogy Ⓒ **神経回路** neural circuit Ⓒ **神経ガス** nerve gas Ⓤ **神経過敏** ― 名 nervousness Ⓤ. ― 形 oversensitive. ¶ 彼女は*神経過敏だ She is *oversensitive*. **神経系** neural system Ⓒ **神経細胞** nerve cell Ⓒ **神経症** neurosis /n(j)ʊróʊsɪs/ Ⓤ ★ ノイローゼに当たる英語. **神経症患者** neurótic Ⓒ **神経衰弱** nervous breakdown Ⓒ; (トランプの) pairs ★ 複数形で; concentration Ⓤ **神経戦** war of nerves Ⓒ, psychological warfare Ⓤ **神経繊維** nerve fiber Ⓒ **神経組織** nerve tissue Ⓒ **神経中枢** 〚解〛 nerve center Ⓒ **神経痛** neuralgia /n(j)ʊrǽldʒə/ Ⓤ **神経伝達物質** nèurotransmítter Ⓒ **神経毒** neurotoxin Ⓒ **神経ブロック** 〚医〛 nerve block Ⓒ **神経麻痺** nèuroparálysis Ⓤ.

> **コロケーション**
> 神経に障る grate on *one's nerves*; hit [touch] a *nerve* / 神経をいらだたせる irritate *a person's nerves*; set *a person's nerves* on edge / 神経を鎮める calm [quiet; soothe] *one's nerves* / 神経をすり減らす fray [frazzle] *one's nerves* / 神経を参らせる strain the *nerves* / 神経を乱す unsettle *one's nerves* // 強靭な神経 strong *nerves* / 敏感な神経 sensitive *nerves*

じんけい 陣形 (戦闘隊形) battle formation Ⓤ. ¶ *陣形を保持する preserve *the formation*

しんけいしつ 神経質 ― 形 nervous; (興奮しやすい) high-[(英) highly-]strung; (怒りっぽい) touchy. (☞ しんけい). ¶ *神経質な女の子 a ⌈*nervous* [*high-strung*] girl

しんげき[1] 進撃 ― 動 (前進する) advance (on …; against …) ㊉. ― 名 advance Ⓒ. (☞ ぜんしん[1]). ¶ 我々は敵の*進撃をくい止めた We ⌈stopped [halted] the enemy's *advance*.

しんげき[2] 新劇 *shingeki* Ⓤ; (説明的には) the Western-style drama developed in the Meiji era. **新劇運動** the *shingeki* movement.

しんけつ 心血 ¶ 彼はその作品に*心血を注いだ (⇒ 身も心も打ち込んだ) He *devoted* ⌈*himself heart and soul* [(⇒ 全精力を注いだ) *all his energies*] *to* the work. (☞ せんしん[1]; せんねん[1]; ぜんりょく)

しんげつ 新月 new moon Ⓒ (↔ full moon); (三日月) crescent moon Ⓒ. (☞ みかづき; つき[1] (挿絵)).

じんけつ 人血 human blood Ⓤ (☞ ち[1]).

じんけっせき 腎結石 〚医〛 rénal calculus /kǽlkjʊləs/ Ⓒ (複 renal calculi /-làɪ/), kidney stones ★ 後者が日常的な表現.

しんけん[1] 真剣 ― 形 (冗談でなく本気の) serious /sí(ə)riəs/; (まじめで熱心な) earnest. ― 副 seriously; earnestly. ― 名 seriousness Ⓤ; earnestness Ⓤ. (☞ ほんき; まじめ).
¶ 私は*真剣だ I am *serious*. / (⇒ 冗談ではない) I'm *not joking*. / (⇒ 私は本気だ) I am *in earnest*. 語法 in earnest で成句. // 彼は*真剣な顔つきをしていた He had a *serious* expression (on his face). // 将来のことを*真剣に考えなさい Think *seriously* about your future. // 人の話はもっと*真剣に (⇒ 注意深く) 聞くものだ You should listen to other people more *carefully*.
真剣勝負 (本物の刀での戦い) fight with real swords Ⓒ; (本気の勝負) game played in real earnest Ⓒ.

しんけん² 親権 parental /pərέntl/ authόrity Ⓤ.
¶*親権を行使する exercise *parental authority*
親権者 person in parental authority Ⓒ.

しんけん³ 神権 divine right Ⓒ ★通例複数形で. **神権政治** theocracy Ⓤ.

しんげん¹ 進言 —〔名〕(助言・勧告) advíce Ⓤ; (自分のほうから積極的に持ち出す提案) proposal Ⓒ; (控え目な提案) suggestion Ⓒ. —〔動〕 advise /ədváɪz/ (他); propose (他); suggest (他). (☞ ていあん; じょげん; もうしいれる).
¶社長に改善案を*進言した We ⌜*suggested* [*proposed*] a reform plan *to* the president.

しんげん² 震源 hypocenter /háɪpousὲntə/ Ⓒ. (☞ しんげんち). **震源域** focal [hypocentral] region Ⓒ **震源断層** earthquake source fault Ⓒ.

しんげん³ 箴言 (いましめの言葉・警句) áphorism Ⓒ; (旧約聖書中の一書) the Book of Proverbs.

じんけん¹ 人権 (一般的に) human rights; (法に定められた市民権・公民権) civil rights ★いずれも複数形で. (☞ けんり).
¶他人の*人権を尊重しなくてはならない We must respect the *human rights* of other people. // *人権を擁護[抑制]する protect [suppress] *human rights* // 基本的*人権 fundamental *human rights*
人権 NGO Human Rights NGO Ⓒ ★NGO は *n*ongovernmental *o*rganization の略 (☞ エヌジーオー). **人権教育** human rights education Ⓤ **人権週間** Human Rights Week ★世界人権デー (☞ せかい) を記念する週間. **人権侵害[蹂躙(じゅうりん)]** violation of human rights Ⓤ ★具体的な事例は Ⓒ. ¶それは*人権蹂躙[侵害]だ That's a *violation of* our *human rights*. / That's an *infringement* ⌜*of* [*upon*] *personal rights*. **人権宣言** the Declaration of Human Rights. ¶世界*人権宣言 the Universal *Declaration of Human Rights* **人権問題** human-rights issue Ⓒ. ¶それは*人権問題だ That's a *question* ⌜*of* [*touching upon*] *human rights*. **人権擁護委員** Commissioner for the Protection of Fundamental Human Rights Ⓒ **人権擁護局** the Civil Liberties Bureau.

じんけん² 人絹 artificial silk Ⓤ, rayon /réɪɑn/ Ⓤ. (☞ レーヨン).

しんけんざい 新建材 néw búilding materials /mətí(ə)riəlz/ ★複数形で.

しんげんち 震源地 (地震の中心) focus [center] of ⌜an earthquake [a quake] Ⓒ ★最も口語的で平易な言い方. origin が使われることもある; (震源の直上の地表の点) epicenter /épəsὲntə/ Ⓒ ★専門的な語; the seismic /sáɪzmɪk/ center ★epicenter とほぼ同意. (☞ しんげん²; じしん²).
¶*震源地は伊豆半島沖 100 キロとわかった The ⌜*focus of the quake* [*seismic center*; *epicenter*] was (located) 100 kilometers /kɪlάmətəz/ off the coast of the Izu Peninsula. // そのうわさの*震源地は学校のようだ (⇒うわさは学校から出たようだ) The rumor seems to *have started at* (the) school.

じんけんひ 人件費 labor costs, personnel ⌜expenses [expenditures] ★通例複数形で. 前者は製造業などの人件費を表す一般的な表現. ¶近ごろは*人件費がかさむ The *labor costs* are increasing these days. // *人件費を抑える cut down ⌜the *cost of labor* [on *labor costs*] // *人件費が予算の 6 割を占めている The *personnel expenditures* account for sixty percent of the budget.

しんげんぶくろ 信玄袋 square bottom drawstring pouch Ⓒ.

しんけんぽう 新憲法 new constitution Ⓒ; (日本国憲法) the Constitution of Japan. (☞ けんぽう¹; にほん (日本国憲法); きゅうけんぽう).

しんこ¹ 新香 Japanese pickles ★通例複数形で.

しんこ² 糝粉 rice flour Ⓤ. ¶上*糝粉 ☞ じょうしんこ **糝粉細工** figures made of rice-flour dough ★複数形で. **糝粉餅** rice-flour dough Ⓤ.

しんご 新語 (初めて使われる語) new word Ⓒ; (新造語) (new) coinage Ⓒ 〔語法〕後者は作り上げた言葉という感じが強い. なお coinage は coin (新語を作る) という動詞に対する名詞. (☞ ご³; ことば).
¶これは最近の*新語です This is a *new word*. / This is a ⌜*recent* [*new*] *coinage*. ★後者のほうが格式ばった言い方. // 最近は*新語が次々と (⇒たくさん) 現れる *New words* are appearing in great numbers these days. / (⇒新しい語が作られる) Many *new words* are being coined these days.

じんご 人後 **人後に落ちない** ¶彼は英語にかけては*人後に落ちない (⇒だれにも劣らない) He is *second to none* in English. // 私は一生懸命努力することにかけては*人後に落ちない (⇒だれにも負けず勤勉だ) I am *as* hardworking *as anybody* (*else*).

しんこう¹ 進行 **1** «乗り物の» —〔動〕(走る) run (自); (動く) move (自). (☞ うごく).
¶彼は*進行中の列車から飛び降りた He jumped off the *moving* train. // *進行中は(バスの)車内で席を移動しないで下さい Don't move to another seat while the bus is ⌜*moving* [*in motion*].
2 «物事の» —〔動〕(進歩する) progréss (自); (仕事などがはかどる) gét [cóme] alóng with ... ★「人」を主語にする; (進行中) be under way. —〔名〕 prógress Ⓤ. (☞ はかどる; すすむ (類義語)).
¶「仕事の*進行はどんな具合ですか」「うまくはかどっています」 "How *are* you ⌜*getting* [*coming*] *along with* your work?" "I'm doing well. / I *am making good progress* (with it)." ★前者のほうが口語的. // 工事の*進行が早い[遅い] The construction work *is progressing* ⌜rapidly [slowly]. // 工事は現在*進行中です The construction work *is* now ⌜*in progress* [*under way*]. // 仕事は計画どおり*進行しています The work *is going ahead* according to plan. // 準備は着々と*進行しています We *are making steady progress* with the preparations. // 病気が*進行しないうちに (⇒進んだ状態になる前に) 入院しなさい Go into (the) hospital before the disease *reaches an advanced stage*. ★the を省くのは《英》.
進行係 (演出する人) director Ⓒ; (司会者) master of ceremonies Ⓒ. ¶彼がその会議の*進行係を務めた (⇒司会[議長]をした) He *presided* ⌜*at* [*over*] the meeting. **進行形** 〘文法〙 the progressive form **進行性筋ジストロフィー** progressive muscular dystrophy Ⓤ **進行方向** the direction of movement; traveling direction Ⓒ. ¶*進行方向 (⇒前方) に船が現われた A ship appeared *ahead* of us. // 車は*進行方向 (⇒むき) を変えて幹線道路へ入った The car *turned* into the highway. // 列車の*進行方向と逆向きに (⇒機関車に背を向けて) 座る sit with *one's* back to the engine

しんこう² 信仰 —〔名〕(宗教的な強い信仰) faith Ⓤ; (信心) belief Ⓒ. —〔動〕 believe in ... (☞ しんじる; しんじん²; しんねん¹).
¶私はキリスト教を*信仰している (⇒キリスト教徒です) I'm a *Christian*. / (⇒私の宗教はキリスト教です) My *religion* is Christianity /krɪ̀stʃiǽnəti/. / (⇒私はキリスト教の神を信じる) I *believe in* God. // 彼は*信仰を捨てた He ⌜renounced [abandoned] his *faith*. // 彼はますます仏教への*信仰を深めた He deepened his *faith* in Buddhism. // 彼は*信仰が厚い He is (deeply) *religious*. / He is a man of

deep *faith.* ★ 後者のほうが格式ばった言い方.
信仰箇条 articles of faith ★ 複数形で; creed Ⓒ **信仰告白** (一般に) confession (of faith) Ⓒ;〘カトリック・英国教会〙Credo Ⓤ **信仰心** religious nature Ⓤ. ¶ *信仰心のない unbelieving **信仰の自由** freedom of religion Ⓤ (☞ しんきょう²).

しんこう³ 振興 ― [名] promotion Ⓤ; (促進)《格式》advancement Ⓤ. ― [動] promote (他). (☞ そくしん¹; しょうれい¹). ¶ 経済*振興 5 ヵ年計画 a five-year program for (the *promotion* of) economic development // 国内産業の*振興を図る必要がある It is necessary [We need] to *promote* the development of domestic industries.

しんこう⁴ 新興 ― [形] (新しい) new; (開発途上の) developing. **新興階級** newly emerged class Ⓒ **新興工業経済地域** NIES /níːs/ ★ *n*ewly *i*ndustrializing *e*conomie*s* の略. **新興国** developing ⌈country [nation] Ⓒ **新興財閥** new financial group Ⓒ **新興宗教** new religion Ⓒ, cult Ⓒ **新興住宅地** newly-developed residential area Ⓒ **新興勢力** (the) growing power Ⓤ.

しんこう⁵ 親交 (友人関係) friendship Ⓤ ★ 個々の具体的な関係を指す場合, また形容詞が付いた場合は Ⓒ; (親しい関係) friendly relations ★ 通例複数形で. (☞ こうさい¹).
¶ *親交を結ぶ[深める] form [deepen] a *friendship* // これが彼らが*親交を結ぶきっかけ (⇒ 始まり) になった This was the beginning of their (forming a) *friendship.* // 彼とは*親交があります (⇒ 彼は私のよい友達だ) He is *a good friend* of mine. / (⇒ 親しい間柄にある) I *am on familiar terms with* him.

しんこう⁶ 侵攻 ― [名] (侵入) invasion Ⓒ. ― [動] invade (他). (☞ しんりゃく).

しんこう⁷ 深更 midnight Ⓤ (☞ しんや).

しんこう⁸ 進攻 ― [名] (攻撃) attack Ⓒ; (侵入) invasion Ⓤ. ― [動] attack (他); (侵入する) invade (他). (☞ せめる²).

しんこう⁹ 深厚 ― [形] (深い) deep, profound ★ 後者は格式ばった語; (心からの) heartfelt. ¶ *深厚な同情 *deep* [*profound*] sympathy // *深厚な謝意 *heartfelt* thanks

しんこう¹⁰ 深紅 ☞ しんく²

しんごう 信号 ― [名] (手・光・音などによる合図) signal Ⓒ; (交通信号灯) traffic ⌈light [signal] Ⓒ. ★ 普通《米》は単数形,《英》は複数形で用いる. ― [動] (信号を送る) signal (他), give [make] a signal. (☞ あいず).
¶ 交通*信号は守らなければいけない We must obey the *traffic signals.* // 「*信号は青でしたか」「いいえ, 赤でした」 "Was the (*traffic*) *light* green?" "No, it was red." [語法] 前後関係でわかる場合は traffic は不要. [日英比較] 日本語では「青信号」のように緑色のものにも「青」を用いることがある. // 青は進め, 赤は止まれの*信号です The green light is the go *signal*, and *the red light is the stop signal.* // *信号が青になった[赤から青に変わった] The (*traffic*) *lights* ⌈turned green [changed from red to green]. // 車は赤*信号を無視して走っていった The car ⌈《米》ran (through) [《英》jumped] the red *light.* / The car ignored the red *light* and kept going. // 彼は*信号を無視して歩いた He ⌈crossed [walked] against the *traffic signal.* / He *jaywalked.* [語法] jaywalk は信号を無視したり, 横断すべきでない所を横断するという意味の口語. 「人」は jaywalker Ⓒ という. // 船は遭難*信号を出した The ship sent ⌈a mayday [an SOS]. / The ship sent a distress *signal.* ★ 後者のほうが格式ばった言い方. **信号機** signal Ⓒ **信号灯** signal light Ⓒ.

アメリカの歩行者信号. Dont't Walk は「止まれ」,「進め」は Walk となる

コロケーション
信号を送る send [give; transmit] a *signal* / 信号を解読する interpret [read] *signals* / 信号を受信する receive a *signal* / (遭難)信号を傍受する pick up a (distress) *signal* / 信号を守る observe a *signal*

じんこう¹ 人口 population Ⓤ ★ 具体的な一地域の人口を指す場合は Ⓒ.
¶ 私の町は*人口が多い[少ない] My town has a ⌈large [small] *population.* // 「この町の*人口はどれくらいですか」「約 3 万です」 "What [How large] is the *population* of this town?" "It's about thirty thousand." [語法] (1) 人口を尋ねる場合 how many population とは言わない. // この都市は 300 万の*人口を有する This city has *a population of* three million. [語法] (2) 後に of を伴って具体的な数が続くときは a を付ける. / The *population* of this city is three million. // 日本はフランスよりも*人口が多い The *population* of Japan is larger than that of France. // 当市の*人口は増加[減少]している This city is ⌈growing in [losing] *population.* // 第三世界の国々で*人口が増加している The *populations* of Third-World nations are ⌈growing [rising]. // この地域は*人口が密[稀薄]だ (⇒ 人が密[稀薄]に住んでいる) This area *is* ⌈densely [sparsely; thinly] *populated.*
人口に膾炙(かいしゃ)する (よく知られる) be well known; (皆に知られている) be known to everybody; (常識である) be (a matter of) common knowledge.
人口圧 population pressure Ⓤ **人口過剰** ― [名] overpopulation Ⓤ. ― [形] overpopulated **人口減(少)** population decrease Ⓒ **人口構成** population ⌈composition Ⓤ [make-up Ⓒ] **人口集中地区** densely inhabited district Ⓒ **人口政策** population policy Ⓒ **人口増加(率)** population increase Ⓤ ★ 増加率は population growth rate Ⓒ とも言う. **人口調査** census Ⓒ **人口統計** population statistics **人口動態** population movements ★ 複数形で. **人口爆発** population explosion Ⓒ **人口ピラミッド** population pyramid Ⓒ **人口変動** population fluctuation Ⓤ **人口密度** population density Ⓤ **人口問題** the problem of overpopulation.

コロケーション
過剰人口 excess [superfluous; overflowing; redundant] *population* / 希薄な人口 a ⌈sparse [thin] *population* / 急増する人口 a fast-growing *population* / 減少する人口 a ⌈*decreasing* [shrinking] *population* / 生産人口 a producing *population* / 成人人口 an adult *population* / 世界[国]の人口 the ⌈world [national] *population* / 総人口 the overall *population* / 増大する人口 a growing [an expanding; a rising; a swelling] *population* / 都市人口 an urban *population* / 農村部の人口 a rural *population* / 莫大な人口 a ⌈huge [vast] *population* / 老齢人口 an ⌈aged [elderly] *population*

じんこう² 人工 — [名] art [U] (↔ nature). — [形] (人為的) artificial /àːtəfíʃəl/ (↔ natural); (人が造った) mán-máde. — [副] artificially. (☞ じんぞう¹). ¶ *人工的に雨を降らせることは可能です It is possible to make rain fall *artificially*. **人工衛星** mán-màde sátellìte [C]. ¶ *人工衛星を打ち上げる launch a *mán-màde sátellìte* **人工栄養** (病人の) ártificial nourishment /nə́ːrɪʃmənt/ [U]; (乳児の) bottle-feeding [U] **人工関節** 〖医〗 artificial joint [C] **人工甘味料** ártificial swéetener [C] **人工魚礁** man-made fish reef **人工血液** 〖医〗 artificial blood [U] **人工血管** 〖医〗 artificial blood vessel [C] **人工言語** ártificial lánguage [C] **人工降雨** rainmaking [U] **人工肛門** 〖医〗 artificial anus [C] **人工呼吸** artificial rèspirátion [U]; (口でやる) mouth-to-mouth resuscitation /rɪsÀsətéɪʃən/ [U]. ¶ 私は彼女に*人工呼吸を施した I ⌈used [tried] *artificial respiration* on her. **人工呼吸器** réspiràtor [C] **人工歯根** 〖医〗 artificial dental root [C] **人工地震** man-made earthquake [C] **人工芝** artificial ⌈grass [turf] [U] **人工地盤** man-made ground [U] **人工授精** (動物・植物の) artificial fertilization [U]; (動物の) artificial insemination [U] **人工授粉** artificial pollination [U] **人工心臓** 〖医〗 mechanical heart [C] **人工心肺** 〖医〗 heart-lung machine [C] **人工水晶体** artificial lens [C] ★ 専門用語としては眼内レンズ (intraocular lens [C]) とも言う. **人工頭脳** mechanical brain [C]; (電子頭脳) electronic brain [C] **人工生命** artificial life [U] 《略 AL》 **人工赤血球** 〖医〗 artificial red blood cell [C] **人工臓器** 〖医〗 artificial internal organ [C] **人工知能** artificial intelligence [U] ★ AI と略す. **人工透析** diálysis [C] 《複 -ses》 **人工内耳** artificial inner ear [C]; 〖医〗 cochlea /kóʊkliə/ implant [C] **人工(妊娠)中絶** ☞ ちゅうぜつ; にんしん (妊娠中絶) **人工皮膚** 〖医〗 artificial skin [U] **人工孵化**(ふか) artificial incubation [U] **人工放射性元素** artificial radioactive element [C] **人工雪** man-made [artificial] snow [U] **人工林** artificial forest [C] **人工惑星** man-made planet [C].

じんこうかしょう 腎硬化症 nephrosclerosis /nèfroʊsklɪróʊsɪs/ [C] 《複 -ses》.

しんこうつうシステム 新交通システム the "New Transit System".

しんこきゅう 深呼吸 — [名] deep breath [C]; deep breathing [U] ★ 前者は 1 回の呼吸. — [動] breathe /bríːð/ deeply [自]. (☞ こきゅう¹). ¶ 私は*深呼吸をした I ⌈took [drew] a ⌈*deep* [*long*] *breath*. / I *breathed deeply*. / (⇒ 息を深く吸って吐いた) I ⌈*breathed in* [*inhaled*] *deeply* and then ⌈*breathed out* [*exhaled*]. ★ [ ] 内は格式語.

しんこきんわかしゅう 新古今和歌集 — [名] [固] *Shin Kokin Wakashu* (New Collection from Ancient and Modern Japanese *Waka* Poetry); (説明的には) the eighth imperial anthologies of classical Japanese *waka* poetry compiled by Fujiwara no Sadaie and others in 1205.

しんこく¹ 深刻 — [形] (重大な) serious /sí(ə)riəs/; (ゆゆしい) grave [語法] (1) grave のほうが serious よりも意味が強いが古風な語. (☞ じゅうだい¹; せつじつ).
¶ 彼は*深刻な顔をしていた He had a *serious* expression (on his face). // あまり*深刻に考えずに気楽にやれよ Don't be so *serious*. Take it easy. // 彼は物事を*深刻に考えるたちだ He always takes things *seriously*. // 国際情勢は*深刻だ The international situation is ⌈*serious* [*grave*]. [語法] (2) grave を用いると戦争など危機をはらんだ情勢を暗示する. // 東京は*深刻な水不足に悩まされている Tokyo is suffering from a *serious* water shortage. // 不況はますます*深刻化 (⇒ 悪化) している The depression is ⌈*worsening* [getting *worse*].

しんこく² 申告 — [名] (報告) report [U]; (申し立て) statement [C]; (所得税の) return [C]; (税関での) declaration [U] ★ 具体的な行為は [C]. — [動] report [他]; state [他]; file a return; declare [他].
¶ 税務所に所得金額を*申告した I *declared* (the amount of) my income at the tax office. // 彼は所得税の*申告を怠った He neglected to *file* his income tax *return*. // 《税関で》「何か*申告するものがありますか」「いいえ, 何もありません」 "Do you have anything to *declare*?" [語法] 略して "Anything to *declare*?" とも言う. "No, I have nothing to *declare*." // 税関*申告 Customs *Declaration* 《掲示》 // 確定[青色]*申告 a ⌈final [blue] *return* **申告者** declarer [C] **申告書** (報告書) report [C]; (申し立て) statement [C]; (税関の) (customs) declaration form [C]; (税金の) tax return [C] **申告納税** tax payment by self-assessment [U] **申告用紙** return form [C].

しんこく³ 神国 the land of the gods; (神聖な国) the divine land.

しんこく⁴ 新穀 new rice [U] (☞ こくもつ).

しんこく⁵ 親告 complaint by the alleged victim [C], criminal complaint from the victim [C]. **親告罪** crime subject to prosecution only on complaint from the victim [C].

しんこくげき 新国劇 *shinkokugeki* [U]; (説明的には) the new national drama.

しんこくさいけいざいちつじょ 新国際経済秩序 the New International Economic Order 《略 NIEO》.

しんこせいだい 新古生代 〖地質〗 the Neopaleozoic era /nìːoʊpéɪliəzòʊɪk í(ə)rə/ ★ the を付けて. (☞ こせいだい).

じんこつ 人骨 human bone [C] (☞ ほね).

しんこっちょう 真骨頂 ¶ その老婆の演技は杉村の*真骨頂であった (⇒ 老婆の演技をしているときの彼女は最高だった) Ms. Sugimura *was at her best* playing the old woman.

しんこてんしゅぎ 新古典主義 neoclassicism [U].

シンコペーション 〖楽〗 syncopation [U].

しんこん¹ 新婚 ¶ 彼らは*新婚ほやほやだ (⇒ 結婚したてのカップルだ) They are ⌈a *newly married* couple [*newlyweds*]. // 彼は*新婚早々転勤になった (⇒ 結婚後すぐ) He was transferred soon after his *marriage*. // *新婚旅行はハワイへ行きました We went to Hawaii for our *honeymoon*. (☞ けっこん¹)

しんこん² 心魂 *one's* heart [C].

しんごんしゅう 真言宗 the *Shingon* sect of Buddhism; (説明的には) a sect of Buddhism founded by Kukai, commonly known as Kobo Daishi (☞ くうかい).

しんさ 審査 — [動] (吟味・検討する) examine [他]; (優劣を判断する) judge [他]; (選抜する) screen [他]. — [名] exàminátion [U]; judgment [U] ★ 以上 2 語は具体的な行為を指す場合は [C]; screening [U]. (☞ せんこう¹).
¶ 彼の作品は*審査に合格した[不合格となった] (⇒ (審査員に) 受け入れられた[拒否された]) His work was ⌈accepted [rejected] (by the *judges*). // 教授は彼女の博士論文を慎重に*審査した The professor *examined* her doctoral dissertation carefully. // ドッグショーで*審査するのはだれですか Who are going to *judge* the dog show? / (⇒ だれが審

査員になるのか) Who are going to be the *judges* at the dog show? // 委員会は奨学金申し込み者を*審査した The committee *screened* the applicants for the scholarship.
審査委員会 (コンテストなどの) panel of judges Ⓒ; (選考委員会) screening committee Ⓒ; (コンテストなどの審査員団) jury Ⓒ **審査員** judge Ⓒ, juror Ⓒ [語法] (1) ほぼ同意で入れ替えて用いられるが, juror は審査員団 (jury) の一員を指す. ¶スピーチコンテストの*審査員を務める act as (a) *judge* at a speech contest [語法] (2) 審査員という個人よりもその役割を強調する場合は a を付けないのが普通. **審査請求** call for investigation Ⓒ.

しんさい 震災 earthquake (disaster) Ⓒ ★ 特に地震による災害の意味では disaster を付ける. (☞ じしん²).
¶関東大*震災 the great *earthquake* that hit the Tokyo area in 1923 / the Great (Kanto) *Earthquake* of 1923 ★ 前者は説明的な訳. // 阪神大*震災 the Great Hanshin *Earthquake* of 1995
震災記念日 the Anniversary of the Great Kanto Earthquake.

じんさい 人災 man-made disaster Ⓒ. ¶その事故は*人災 (⇒ 人間の不注意[間違い]) によるところが大きかった The accident was due in large part to *human* ｢*negligence* [*error*].

じんざい 人材 (仕事などに有能な人) cómpetent pérson Ⓒ; (能力のある人物) capable [able] person Ⓒ; (恵まれた才能のある人) talented person Ⓒ; (有能な職員 (全体)) efficient staff Ⓒ ★ 集合的に用いる. 一人一人は a staff member という. (☞ しょくいん¹). ¶彼は有為な*人材だ He is a ｢*competent* [*able*; *capable*] *person*. // わが社の技術陣は*人材がそろっている[不足している] Our firm ｢has [does not have] an *efficient staff* of engineers. // *人材を発掘する discover [dig up; find] ｢a *capable person* [*underutilized talent*] **人材開発** human resource development Ⓤ **人材銀行** employment [placement] agency Ⓒ **人材派遣会社** temporary employment ｢company [agency] Ⓒ **人材派遣業** temporary office staff ｢business [agency] Ⓒ **人材派遣業界** temporary ｢help [service] industry Ⓤ **人材引き抜き[スカウト]** headhunting Ⓤ.

しんさく 新作 (新しい作品) new work Ⓒ; (新しい小説) new novel Ⓒ; (新しい曲) new composition Ⓒ.

しんさつ 診察 ── 動 (医者が患者を診察する) examine ⑩, look at ... ★ 後者の方が口語的; (医者に診てもらう・医者が患者を診る) see ⑩ ★ examine より口語的.「医者」も「患者」も主語になる; (医者にかかる) consult ⑩ ★「患者」が主語. see より格式ばった語. ── 名 (physical [medical]) ｢examination [check-up] Ⓒ.
¶医者に*診察してもらったほうがいい You should ｢*see* [*consult*] a doctor. / (⇒ 健康診断が必要だ) You need a *physical* ｢*examination* [*checkup*]. ★[ ] 内の方が口語的. // 医者は丁寧に*診察してくれた The doctor *examined* me carefully. // 胸が痛いので*診察してもらった I had my chest ｢*looked at* [*examined*] because I was experiencing some pain.
診察券 hospital identification card Ⓒ **診察時間** office hours, ((英)) surgery hours ★ 複数形で. **診察室** (医師の仕事場) doctor's office Ⓒ ★ 医師の家を漠然と指すこともある; (診察する部屋) consulting [consultation] room Ⓒ **診察日** consultation day Ⓒ **診察料** doctor's fee Ⓒ.

しんざつおん 心雑音 〖医〗 heart [cardiac] murmur Ⓤ.

しんさよく 新左翼 (総称) the New Left; (個人) New Leftist Ⓒ. (☞ さよく).

しんさん 辛酸 hardship Ⓤ ★ 具体的な例を指す場合は Ⓒ. (☞ くるしみ; くろう; しんく¹). ¶彼は人生のあらゆる*辛酸をなめた (⇒ くぐり抜けてきた) He went through every *hardship* in life.

しんさんぎょうとし 新産業都市 new industrial city Ⓒ.

しんざんもの 新参者 néwcòmer Ⓒ (☞ しんいり; しんまい).

しんざんゆうこく 深山幽谷 high mountains and deep valleys.

しんし¹ 紳士 ── 名 gentleman Ⓒ (複 -men) (↔ lady). ── 形 (紳士的な) gentlemanly. (☞ おとこ).
¶彼は非の打ちどころのない*紳士だ He is ｢a [the] perfect *gentleman*. // 私は彼の*紳士気取りが我慢できない I can't stand his ｢*snobbery* [*gentility*]. // (デパートで)「*紳士用品はどちらですか」「婦人用品の隣です」"Where is the *men's* department?" "It's next to the ladies' department."
紳士協定[協約] gentleman's [gentlemen's] agreement Ⓒ **紳士道** the code of a gentleman **紳士服[靴]** men's ｢suit Ⓒ [shoes] ★ men's の代わりに gentlemen's ともいう. **紳士録** Who's Who Ⓒ ★ 書名として用いるときはイタリック体にする; ((米略式)) blue book Ⓒ. (☞ イタリック体 (巻末)).

しんし² 真摯 ── 形 (真剣で熱心な) earnest; (まじめで本気な) serious. (☞ ひたむき).

しんし³ 伸子 (布を張るために使う) temple Ⓒ. **伸子張り** keeping the cloth stretched with temples.

しんじ¹ 心地, 芯地 (衣服の表地と裏地の間に入れた芯) interlining Ⓤ; (詰め物) padding Ⓤ.

しんじ² 心耳 **1** 《体の》: 〖解〗 (心臓の一部) auricle Ⓒ. **2** 《心で聞くこと》 ¶*心耳で聴く listen ｢attentively [in *one's* mind or imagination]

しんじ³ 神事 (典礼) divine [religious] service Ⓤ; (儀式) Shinto ｢ritual [rite] Ⓒ. ¶*神事を行う perform *Shinto rituals*

じんじ 人事 ── 名 (人事関係の事務) pèrsonnél ｢affáirs [mátters] ★ 複数形で; (人事の管理) personnel management Ⓤ; (役職の任命) personnel [staff] appointments ★ 通例複数形で. ── 形 (職員に関する) personnel.
¶彼は*人事 (⇒ 人事関係の事務[問題]) を担当している He is in charge of *personnel* (｢*affairs* [*matters*]). // 新しい*人事 (⇒ 役職の任命) が発表になった The new ｢*personnel* [*staff*] *appointments* were announced. // *人事のやり方に不満がある I'm not happy with the way they handle *personnel* ｢*transfers* [*changes*]. **人事を尽くして天命を待つ** (⇒ 最善を尽くして後は神に任せる) do *one's* best and leave the rest to ｢Providence [fate]
人事異動 (人事を動かすこと) personnel ｢transfers [changes] ★ 複数形で; (職場全体の人事異動) staff reorganization Ⓤ, rearrangement (of staff) Ⓤ ★ 以上はほぼ同意で, 多少格式ばった言い方; (内閣など) reshuffling Ⓤ. (☞ いどう²). ¶毎年 4 月には*人事異動が行われる They ｢*reorganize* [*shuffle*] *the staff* in April every year. / They *move the staff around* every April. ★ 後者のほうが口語的.
人事委員会 personnel committee Ⓒ **人事院** the National Personnel Authority **人事院勧告** recommendation by the National Personnel Authority Ⓒ **人事課** the personnel section **人事権** right to implement personnel management Ⓒ **人事考課** (作業評価) (personnel) performance ｢rating [evaluation] Ⓒ; (能力評価)

merit rating Ⓒ **人事訴訟** personal suit Ⓒ **人事部** the personnel「division [department] (☞ 会社の組織と役職名 (囲み)).

シンシア (女性名) Cynthia /sínθiə/ ★ 愛称は Cindy /síndi/.

しんしおん 唇歯音 〔音声〕 làbiodéntal Ⓒ, lábiodèntal sóund Ⓒ ★ /f, v/ など.

しんしき[1] **新式** ―形 (新しい) new (↔ old); (近代的な) modern; (最新式の) up-to-date. ―名 (新しい型) new type Ⓒ; (新しい方法) new method Ⓒ. (☞ さいしん[1]; しんがた). ¶ 私は最*新式のカメラを買った I bought a camera of *the*「*newest* [*latest*] *type*.

しんしき[2] **神式** Shinto rites ★ 通例複数形で. ¶ 結婚式は*神式ですかキリスト教式ですか Will you have a *Shinto* or a Christian wedding? // *神式で葬儀を行う conduct a funeral according to *Shinto rites*

シンジケート syndicate /síndɪkət/ Ⓒ ★ 組織暴力団という意味では《米》.

しんじたい 新字体 new Chinese characters for daily use (designated in 1949) ★ 複数形で.

しんしつ[1] **寝室** bedroom Ⓒ 日英比較 英米の家屋と異なり, 日本の家には寝室専用の部屋がない場合があるので, 訳には注意がいる. (☞ 挿絵). ¶ この部屋は私の勉強部屋ですが, 夜は*寝室になります This room is my study, and「I sleep here [I use it as my *bedroom*] at night.

しんしつ[2] **心室** 〔解〕 véntricle Ⓒ. ¶ 右[左]*心室 the「right [left] *ventricle* (of the heart) **心室細動** 〔医〕 ventrícular fibrillátion Ⓤ.

しんじつ 真実 ―名 truth Ⓤ. ―形 true. (☞ ほんとう[1]; しんり[2]; じじつ[1]). ¶ 新聞は*真実を伝える義務がある Newspapers ought to report the *truth*. // *真実を語るには勇気がいる It takes courage to「tell [speak] the *truth*. // 彼の話には*真実味がない There is no *truth* in his story.

シンシナティ ―名 固 Cincinnati /sìnsənǽti/ ★ 米国オハイオ州の都市.

じんじふせい 人事不省 unconsciousness Ⓤ (☞ いしき). ¶ 彼女は*人事不省に陥った She lapsed into *unconsciousness*. / (⇒ 意識不明になった) She became *unconscious*. / (⇒ 意識を失った) She *lost consciousness*. ★ 後者の 2 文のほうが一般的な言い方.

しんしゃ[1] **深謝** (心からの感謝) hearty thanks; (心からの詫び) heartfelt apology Ⓒ. (☞ かんしゃ[1]; しゃざい). ¶ 不注意を*深謝いたします I *sincerely apologize* for my carelessness.

しんしゃ[2] **新車** (中古車に対して新しい車) new car Ⓒ; (新しい型の車) new model car Ⓒ ★ 文脈により車が明らかな場合は new model だけでよい.

しんしゃ[3] **辰砂** 〔鉱〕 cinnabar Ⓤ.

しんじゃ 信者 believer Ⓒ. ¶ 私はキリスト教 [仏教] の*信者です (⇒ キリスト教徒[仏教徒]です) I am a「*Christian* [*Buddhist*]. (☞ しんこう[2]).

じんじゃ 神社 (Shinto) shrine Ⓒ 参考 日本では一般に神社を shrine, 寺を temple と英訳している. (☞ じんぐう). ¶ 彼は*神社にお参りした He visited a (*Shinto*) *shrine*. // この*神社には菅原道真が祭ってある This *shrine* is dedicated to Sugawara no Michizane.

神社建築 shrine building Ⓒ; Shinto architecture Ⓤ **神社神道** Shrine Shinto Ⓤ 参考「教派神道」は Sect Shinto,「国家神道」は State Shinto. **神社本庁** the Association of Shinto Shrines ★ 宗教法人.

ジンジャー ginger Ⓤ.

ジンジャーエール ginger ale Ⓤ.

しんじゃが 新じゃが new potato Ⓒ (複 ~es) (☞ じゃがいも).

しんしゃく 斟酌 ―動 (大目に見る) allow for ..., make allowance(s) for ...; (考慮の中に入れる) take ... into「consideration [account]. ―名 consideration Ⓤ; allowance Ⓒ. (☞ こうりょ). ¶ 彼が年少だという点を*斟酌すべきだ (⇒ 大目に見るべきだ) You should「*allow* [*make allowance(s)*] *for* his youth. / (⇒ 年少を考慮に入れるべきだ) You should *take* his youth *into*「*consideration* [*account*].

しんしゅ[1] **進取** ―形 (進取の気性がある) enterprising. ¶ 彼は*進取の気性に富んだ人物だ He has a highly *enterprising* nature.

しんしゅ[2] **新種** (種) new species Ⓒ ★ 単複同形; (変種) new variety Ⓒ. ¶ *新種のばら a *new variety* of rose

しんしゅ[3] **浸種** (種子を散布前に水に浸すこと) seed presoaking Ⓤ.

しんしゅ[4] **新酒** new sake (of the year) Ⓤ.

しんじゅ 真珠 pearl Ⓒ. ¶ *真珠のネックレス a *pearl* necklace // *真珠を養殖する culture *pearls* // 養殖*真珠 a cultured *pearl* // 豚に*真珠 cast

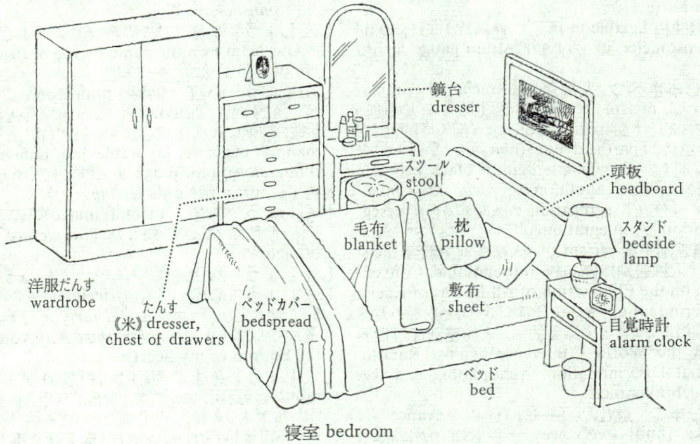

寝室 bedroom

[throw] *pearls* before swine **真珠色** pearl Ⓤ **真珠貝** pearl ⌈oyster [shell] Ⓒ **真珠層** nacreous /néɪkriəs/ láyer Ⓒ, mother-of-pearl Ⓤ **真珠養殖** pearl culture Ⓤ **真珠養殖場** pearl farm Ⓒ **真珠湾** — 名 (固) Pearl Harbor ★米国ハワイ州オアフ (Oahu) 島の軍港. ¶*真珠湾攻撃 the attack on *Pearl Harbor*

じんしゅ 人種 — 名 (白人·黒人などの大きな分類の) race Ⓒ; (一国の中での人種的グループ) ethnic group Ⓒ 【語法】(1) この語は, 例えば米国内での黒人·少数民族などのグループを指すのに, 婉曲的に用いられる. 《☞ 婉曲語法 (巻末)》. — 形 racial Ⓐ. 《☞ じんしゅさべつ; みんぞく¹; しゅぞく》.

¶*人種や宗教を理由に人を差別してはならない We must not discriminate against a person on the basis of *race* or religion. 【語法】(2) この例のように抽象的な意味では Ⓤ. // 白色[黄色]*人種 the ⌈Cáucasòid [Móngolòid] *race* 【語法】(3) white, yellow は人種差別的なひびきがあるので使わないほうがよいとされる.

人種学 (文化·民族的な) ethnology Ⓤ; (生物学的な) physical anthropology Ⓤ **人種学者** ethnologist Ⓒ; physical anthropologist Ⓒ **人種隔離政策** ☞ アパルトヘイト **人種的偏見** racial prejudice Ⓤ **人種問題** race problem Ⓒ.

しんしゅう 真宗 ☞ じょうど (浄土真宗)

しんじゅう 心中 (2人一緒の自殺) double suicide Ⓒ 【日英比較】英語には本来「心中」という考え方がないので, 説明的な表現である. 《☞ じさつ》. ¶不幸な恋人達は*心中した The unhappy couple committed *suicide*. // 一家*心中 a family *suicide* // 無理*心中 a forced *double suicide* 《☞ むり 成句》 **心中物** *joruri* or kabuki play dealing with a lovers' suicide Ⓒ.

しんじゅうきょう 神獣鏡 (古代の鏡) "gods and beasts" mirror Ⓒ; (説明的には) ancient bronze mirror with gods and beasts decorating its back Ⓒ.

しんじゅうしょうしゅぎ 新重商主義 neo-mercantilism /nìːoʊmə́ːkəntìːlɪzm/ Ⓤ.

しんしゅく 伸縮 ¶ゴムひもは*伸縮自在だ A rubber band is *elastic*. / (⇒伸縮性を持っている) A rubber band has *elasticity*. 《☞ だんりょく; のびちぢみ; ちぢむ》

【参考語】 — 形 (伸縮自在の·ゴムのような) elastic; (曲げても壊れない) flexible. — 名 (伸縮性) elàsticity Ⓤ. — 動 (伸びる) stretch (自); (広がる) expand (自); (縮む) contract (自).

伸縮関税 flexible tariff Ⓒ **伸縮計** 〘機〙(伸び計) èxtensómeter Ⓒ; (ひずみ計) strain gauge /géɪdʒ/ Ⓒ.

じんしゅさべつ 人種差別 racial discrimination Ⓤ, racism Ⓤ ★後者は思想も言う; (人種隔離を中心とする) segregation Ⓤ; (南ア共和国で行われていた) apartheid /əpáːtheɪt/ Ⓤ. ¶黒人を*人種差別する *discriminate against* black people // *人種差別撤廃 abolition of *racial discrimination* 【語法】segregation の撤廃の場合は desegregation Ⓤ, integration Ⓤ という. 《☞ さべつ》.

人種差別主義 racism Ⓤ **人種差別主義者** racist Ⓒ **人種差別撤廃条約** International Convention on the Elimination of All Forms of Racial Discrimination ★正式名称「あらゆる形態の人種差別撤廃に関する国際条約」 **人種差別反対世界会議** the World Conference against Racism, Racial Discrimination, Xenophobia and Related Intolerance.

しんしゅつ¹ 進出 — 動 (進む) advance (自), make [find] *one's* way ★後者のほうが口語的; (入り込む) enter (他), go into … ★後者のほうが口語的; (拡大する) expand (他); (伸張させる) extend (他). 《☞ のりだす》. ¶わがチームは決勝戦に*進出した Our team *has advanced* to the finals. // 日本製品が海外に (⇒海外の市場に) *進出している Japanese products *are* ⌈*finding* [*making*] *their way into* foreign markets. // わが社は海外*進出を決めた Our firm has decided to *expand* its business overseas. // そのデパートは横浜に*進出 (⇒支店を開設) する計画だ That department store is planning to *open a new branch* in Yokohama. // その出版社は映画産業に*進出してきた That publishing company *has extended its business* to filmmaking. // 最近の女性の社会への*進出にはめざましいものがある The recent *involvement* of women in public life is truly remarkable.

しんしゅつ² 新出 — 形 (新しい) new; (新しく現れた) newly introduced. ¶この課で*新出の単語 *new* words in this lesson

しんしゅつ³ 滲出 — 動 (にじみ出る) exude /ɪgzúːd/ (自). — 名 exudation /èks(j)ʊdéɪʃən/ Ⓤ. **滲出液** [物]〘医〙exudate /éks(j)ʊdèɪt/ Ⓒ **滲出性体質** exudative diathesis /ɪgzúːdətɪv dàɪəθíːsɪs/ Ⓤ.

しんじゅつ 針術, 鍼術 ☞ はり²

じんじゅつ 仁術 (人道的な行い) humanitarian act Ⓒ. ¶医は*仁術 (⇒人道的な職業)である Medicine is a *humanitarian profession*.

しんしゅつきぼつ 神出鬼没 — 形 (なかなかつかまらない) elusive; (謎のような) mysterious /mɪstí(ə)riəs/. ¶*神出鬼没の犯人 an *elusive* [a *mysterious*] criminal

しんしゅん 新春 the New Year 《☞ しんねん²; しょしゅん》.

しんじゅん 浸潤 — 動 (液体などが染み込む) permeate (自); (組織内に侵入する) infiltrate (自). — 名 permeation Ⓤ; infiltration Ⓤ. 《☞ しみこむ》. ¶肺*浸潤 *infiltration* of the lungs

しんしょ¹ 信書 letter Ⓒ; (総称) correspondence Ⓤ. 《☞ しょかん¹; てがみ》. ¶*信書の秘密 the privacy of (personal) *correspondence*

しんしょ² 親書 private [personal] letter Ⓒ; (総理などの) personal message Ⓒ. 《☞ しょかん¹; てがみ》.

しんしょ³ 新書 *Shinsho* book Ⓒ; (説明的には) (large-)pocket-sized paperback Ⓒ.

新書版 paperback (large-)pocket edition Ⓒ; (大きさ) *shinsho*-size Ⓒ.

しんしょう¹ 辛勝 ¶わがチームは2対1で*辛勝した Our team *won* the game *by the narrow margin* of 2 to 1. 《☞ せっせん¹》

しんしょう² 心証 (印象) impression Ⓒ; (裁判官の得た確信) conviction Ⓤ. 《☞ いんしょう¹》. ¶彼の態度は裁判官の*心証をよくした[害した] His manner made ⌈a favorable [an unfavorable] *impression* on the judge. // 人の*心証 (⇒感情) を害する hurt a person's *feelings*

しんしょう³ 心象 (mental) image Ⓒ 《☞ イメージ》. ¶私の故郷の*心象 a *mental picture* of my hometown

しんしょう⁴ 身上 ☞ しんだい²; しんしょうもち

しんじょう¹ 心情 (感情) feelings ★複数形で. ¶*心情お察しいたします I *feel for* you. / (⇒(心の底から) 同情します) I *sympathize with* you (from the bottom of my heart).

しんじょう² 身上 (優れた [得意な] 点) strong point Ⓒ; (長所) merit Ⓒ; (貴重で有用なもの) ásset Ⓒ. 《☞ とりえ¹》. ¶正直なのが彼の*身上だ His honesty is his *strong point*. **身上調査書** (就職の

際の) résumé /rézumèɪ/ Ⓒ.

しんじょう[3] 信条 (生活・行動などの主義) principle Ⓒ; (宗教上の) creed Ⓒ. 《☞ しゅぎ》. ¶それは私の*信条に反する It is against my *principles*.

しんじょう[4] 真情 (本当の気持) *one's* true feelings ★ 複数形で; (本心) *one's* real intention Ⓒ. 《☞ まごころ》. ¶*真情を吐露する express *one's true feelings*

しんじょう[5] 進上 ― [動] (与える) give (他); (進呈する) presént (他) ★ やや格式ばった語. 《☞ さしあげる; あげる[1]》.

じんじょう 尋常 ― [形] (通常の) ordinary; (普通の) common; (いつもの) usual. 《☞ ふつう[1]; なみ[2]》. ¶*尋常一様ではない処置 (⇒ 通常でない) *uncommon* measures

じんしょうがい 腎障害 〔医〕 nephropathy /nɪfrɑ́pəθi/ Ⓤ.

しんしょうしゃ 身障者 physically handicapped person Ⓒ, (physically) disabled person Ⓒ ★ 後者のほうが正式な言い方; (集合的に) the physically handicapped, the (physically) disabled ★ ともに複数扱い. ¶*身障者用の設備 facilities for *the* ｢*physically handicapped* [(*physically*) *disabled*] 《☞ しんたいしょうがい》

しんしょうひつばつ 信賞必罰 ― [名] rewards and punishments. ― [動] reward good conduct and punish evildoing.

しんしょうぼうだい 針小棒大 ― [動] (誇張する) exággeràte (他) (自); make a mountain out of a molehill ★「もぐらづかを山と呼ぶ」という比喩的表現. 《☞ おおげさ; こちょう[1]》.

しんしょうもち 身上持ち (財産家) wealthy person Ⓒ; (家事のやりくり) housekeeping Ⓤ.

しんしょく[1] 浸食 ― [名] erosion Ⓤ. ― [動] erode (他). ¶この谷は氷河の*浸食によって形成された This valley was formed by glacial *erosion*.
浸食作用 erosive action Ⓤ.

しんしょく[2] 寝食 ¶彼は*寝食を忘れて研究に打ち込んだ (⇒ すべての時間を研究にあてた[没頭した]) He ｢*devoted all his time to* his [*buried himself in*] studies. // 彼女は*寝食を忘れて子供の看病をした (⇒ 看病に忙しかったので食べたり寝たりする暇もなかった) She was so busy nursing her child that she had no time to *eat or sleep*. // 私は彼と 1 年間*寝食を共にした (⇒ 彼と暮らした) I *lived with* him for a year.

しんしょく[3] 神職 (地位・職務) Shinto priesthood Ⓤ; (その地位にある人) Shinto priest Ⓒ.

しんしょくみんちしゅぎ 新植民地主義 neocolonialism Ⓤ.

しんじる 信じる **1** 《本当と思う》: believe (他); (存在・価値を信じる) believe in …
¶私の言うことを*信じて下さい *Believe* me. // そんな話は*信じられない I can't *believe* such a story. // 私は彼の潔白を*信じています I *believe* that he is innocent. / I *believe* him (to be) innocent. [語 法] that 節を使うほうが口語的で, 後者は古風な表現になってきている. なお, 日本語の「信じている」にひかれて進行形にしないように注意. // 7 は縁起がいい数だと*信じられている Seven *is believed* to be a lucky number. // あなたは霊魂の不滅を*信じますか Do you *believe in* the immortality of the soul? // *信じられないことが起こった An *unbelievable* thing happened.
2 《信用する》: (直観的に信頼する) trust (他); (いちずに信頼する) have faith in … 《☞ しんよう (類義語)》.
¶人間は (⇒ 私たちは) 互いに*信じ合わなければいけない We should *trust* each other. // あの人は*信じられない We cannot *trust* him. / He cannot *be trusted*. ★ 前者は主観的, 後者は客観的な言い方. // 自分を*信じなさい *Have faith* [*Believe*] *in* yourself.
3 《確信する》: be ｢sure [confident] that … ★ confident のほうが格式ばった言い方. 《☞ かくしん[1]》.
¶彼らは成功すると私は*信じています I *am* ｢*sure* [*confident*] (*that*) they will succeed. [語 法] 口語では that は省略されることが多い.
4 《信仰する》: believe in … 《☞ しんこう[2]》. ¶両親は仏教を*信じています (⇒ 仏教の信者である) My parents are *believers in* Buddhism /búːdɪzm/. / (⇒ 仏教徒である) My parents are Buddhists.

> **コロケーション**
> 誤って信じる *believe* ｢mistakenly [erroneously; fallaciously] / 堅く信じる *believe* ｢firmly [strongly] / 心から信じる *believe* ｢sincerely [devoutly] / 深く信じる *believe* deeply / 盲目的に信じる *believe* blindly

しんしん[1] 心身 mind and body Ⓤ. ¶その青年は*心身ともに健全です The young man is sound in *mind and body*. // 私は*心身ともに (⇒ 精神的, 肉体的に) 疲れ果てた I am ｢tired [exhausted] *both mentally and physically*. // 彼女は研究に*心身を打ち込んだ (⇒ 身を捧げた) She *devoted herself body and soul to* her studies.
心身症 psychosomatic /sàɪkousəmǽtɪk/ diséase Ⓤ. ¶*心身症患者 a *psychosomatic* (patient)
心身障害 mental or physical disorder Ⓒ. ¶*心身障害者 a (*cognitively or physically*) *handicapped* person / (全体) the *cognitively and physically handicapped* ★ 複数扱い 《☞ しょうがいしゃ》.

しんしん[2] 深深 ¶夜は*深々と (⇒ だんだんと) 更けていく It's getting *later and later*. [日英比較] 日本語の「深々と」という擬態語にぴったりの英語はない. // 外では雪が*深々と (⇒ 絶えまなく) 降っている It is snowing *steadily* outside. 《☞ 擬声・擬態語 (囲み)》

しんしん[3] 新進 ― [形] (これから伸びようとしている) up-and-coming; (新人の) new; (若い) young; (有望な) promising.
¶*新進作家 an *up-and-coming young* writer // *新進気鋭の学者 a *young* and *promising* scholar / (⇒ 若くて将来有望な学者) a *young* scholar with a promising future

しんしん[4] 津津 ¶私は状況がどう進展するのか興味*津々だった (⇒ 状況の進展を大きな興味を持って見守った) I watched the development of the situation *with great interest*.

しんじん[1] 新人 (芸能界の) new ｢star [talent] Ⓒ; (スポーツなどの) 《米俗》 rookie /rúki/ Ⓒ; (新参者) néwcòmer Ⓒ. 《☞ ニューフェース》.

しんじん[2] 信心 (信仰) faith Ⓤ; (敬虔(けいけん)な心) devotion Ⓤ. 《☞ しんこう[2]》.

しんじん[3] 深甚 ¶*深甚な (⇒ 深い) 謝意を表す express *one's profound* gratitude

じんしん 人心 people's ｢minds [hearts]. ¶政府は*人心の安定 (⇒ 人々の心配を軽くすること) に努めるべきだ The government should try to allay *people's concerns*. **人心を掌握する** have control over the people.

じんしんけん 人身権 personal right Ⓒ.

じんしんこうげき 人身攻撃 personal attack Ⓒ. ¶彼らは私に対して*人身攻撃を加えた They made a *personal attack* ｢on [against] me.

しんしんこうじゃく 心身耗弱 feeble-mindedness Ⓤ.

じんしんじこ 人身事故 (傷害・死亡につながる事故) traffic accident resulting in injury or death Ⓒ《☞ じこ¹》.

しんしんしょう 心身症 ☞ しんしん¹ (心身症)

しんしんしょうがいしゃ 心身障害者 ☞ しんしん¹ (心身障害)

しんしんそうしつ 心神喪失 ―形 not of sound mind; 〔法〕 non compos mentis /nánkámpəsméntɪs/ Ⓟ.

じんしんばいばい 人身売買 human traffic Ⓤ; (奴隷売買) the slave trade Ⓤ.

じんしんほごほう 人身保護法 the Protection of Personal Liberty Act; 〔英史〕 the Habeas /héɪbiəs/ Corpus Act ★ 1679年に制定.

しんじんるい 新人類 new breed of humans Ⓒ.

しんすい¹ 浸水 ―名 (洪水) flood Ⓒ. ―動 be flooded; (船が) let in water. ¶ 数百戸の家屋が床上*浸水した Several hundred houses *were flooded* above floor level. 日英比較 英語には「床上浸水」にぴったりの表現はない. // ボートは*浸水しはじめ, 5 分後に沈んだ The boat began to「*take* [*be filled with*] *water* and sank in five minutes. **浸水家屋** flooded house Ⓒ.

しんすい² 心酔 ―名 (崇拝) worship Ⓤ; (賛美) admiration Ⓤ; (敬慕・熱愛) adoration Ⓤ; (献心) devotion Ⓤ. ―動 worship ⑯; admire ⑯; adore ⑯; (偶像視する) idolize ⑯; (心身を捧げる) be devoted to ...; (魂を奪われたようになる) be fascinated「with [by] ... 《☞ けいとう²》.
¶ 彼はベートーベンに*心酔している He *worships* Beethoven /béɪtouv(ə)n/. / (⇒ ベートーベンの熱心な賛美者だ) He is an *ardent admirer* of Beethoven.

しんすい³ 進水 ―動 (進水する) be launched ★「船」を主語にして用いる. ¶ この船は明日*進水する This ship will *be launched* tomorrow. **進水式** launching ceremony Ⓒ **進水台** launching platform Ⓒ.

しんすい⁴ 深邃 (奥深いこと) profundity Ⓤ《☞ しんえん¹》.

しんすい⁵ 親水 **親水公園** water garden Ⓒ **親水性** ―名 hydrophile /háɪdroufàɪl/ property Ⓤ, hydrophilicity Ⓤ. ―形 hydrophilic **親水性繊維** hydrophilic fiber Ⓒ.

しんずい 神髄, 真髄 (最も重要な部分) essence Ⓤ; (外面的なことに対して, 物事の精神) the soul Ⓒ, the spirit Ⓤ ★ 後者のほうが一般的. ¶ 彼は武士道の*神髄を理解したようだ He seems to have understood *the very*「*spirit* [*soul*] of Japanese chivalry.

しんせい¹ 申請 ―名 (申し込むこと) application Ⓤ. ―動 (申し込む) apply (for ...) ⓐ, make an application (for ...). 《☞ もうしこむ》.
¶ *申請があれば書類をお送りします The papers will be sent (to you) on *application*. // すぐ旅券の*申請をします I'll「*apply* [*make an application*] *for* a passport at once. **申請書** (written) application Ⓒ; (用紙) application form Ⓒ **申請人[者]** (申し込み者) applicant Ⓒ.

しんせい² 神聖 ―形 (神聖で犯してはならない) *sacred* /séɪkrɪd/; (宗教的に神聖な) holy ★ 以上 2 語は入れ替え可能なことが多い; (神に関する) 《格式》 divine. ―名 holiness Ⓤ; sacredness Ⓤ; sanctity Ⓤ ★ この順に格式ばった語となる. ¶ インドでは牛は*神聖な動物である The cow is a *sacred* animal in India.

しんせい³ 真性 ―形 genuine. ¶ *真性コレラ a「*verified* [*genuine*] case of cholera

しんせい⁴ 新制 new system Ⓒ. ¶ 第 2 次世界大戦後, 多くの*新制大学が生まれた After World War II, many universities were established under the *new system*.

しんせい⁵ 新星 〔天〕 nova /nóuvə/ Ⓒ《複 ~s, novae /-viː/》; (新しいスター) new star Ⓒ.

しんせい⁶ 新生 (新しく生まれること) new birth Ⓤ; (新しい生活を始めること) new life Ⓒ. ¶ *新生日本 the *new-born* Japan

じんせい¹ 人生 life Ⓤ ★ 一生の意味では Ⓒ. 《☞ いっしょう¹; しょうがい²》.
¶ 私は幸福な*人生を送りたい I want to *live*「happily [a happy *life*]. // *人生は短く, 芸の道は長い Art is long, *life* is short. 《ことわざ》 // *人生の浮沈 the「ups and downs [vicissitudes] of *life* // 彼は*人生経験が豊富だ He has seen a good deal in his *life*. // *人生意気に感ず (⇒ 相手の心をつかむのはこちらの心による) Heart is won by heart.
人生観 *one's* view of life, *one's* outlook on life **人生行路** (人生の旅路) life's journey Ⓤ; (人生の遍歴) *one's* journey through life **人生哲学** *one's* [a] philosophy of life **人生模様** (人生のいろいろな局面) (various) phases of life.

じんせい² 靭性 strength Ⓤ, toughness Ⓤ.

しんせいがん 深成岩 〔地質〕 plutonic [abyssal] rock Ⓒ.

しんせいじ 新生児 newborn baby Ⓒ. **新生児黄疸** 〔医〕 neonatal jaundice Ⓤ.

しんせいだい 新生代 〔地質〕 the Cenozoic /sìːnəzóuɪk/ era.

しんせいどうめい 神聖同盟 the Holy Alliance ★ 1815年に結成されたロシア・オーストリア・プロイセン間の同盟.

しんせいめん 新生面 (新局面) new aspect Ⓒ; (新段階) new phase Ⓒ; (新分野) new field Ⓒ.
¶ *新生面を開く enter upon a *new phase* / open up a *new field* / break *new ground* // 彼は物理学に*新生面を切り開いた He broke *new ground* in physics.

しんせいローマていこく 神聖ローマ帝国 the Holy Roman Empire ★ 962-1806までのドイツと北イタリアにまたがった帝国.

しんせかい 新世界 new world Ⓒ; (アメリカ大陸) the New World.

しんせき¹ 親戚 relative Ⓒ, relation Ⓒ. 《☞ しんるい¹; しんぞく; 親族関係 (囲み)》.

しんせき² 臣籍 (旧憲法で臣民の身分) the status of a subject. **臣籍降下** assuming the status of a subject Ⓤ **臣籍降嫁** the marriage of an Imperial princess to a subject.

じんせきみとう 人跡未踏 ―形 (人が足を踏み入れたことのない) trackless, untrodden; (処女地の) virgin. 《☞ みとう》. ¶ 私たちの目の前には*人跡未踏の森林が広がっていた *Virgin* [*Trackless*; *Untrodden*] forests stretched before us. // *人跡未踏の (⇒ 探険されていない) 地域 an *unexplored* region

シンセサイザー sýnthesìzer Ⓒ.

しんせつ¹ 親切 ―形 (親切な・優しい) kind; (性格として) kindly; (人に対して道徳的に振舞う) good; (友好的な) friendly; (温かくもてなす) hospitable; (優しく思いやりがあって) tenderhearted; (寛大な) generous. ―副 (親切に) kindly; (優しく) tenderly; hospitably. ―名 kindness Ⓤ ★「親切な行為」の意では Ⓒ; kindliness Ⓤ; (優しさ) friendliness Ⓤ; hospitality Ⓤ.
【類義語】最も一般的な語は *kind*. 本質的に親切な性格を持っているのが *kindly* で主に目下のものに対して用いるが古風な語になってきている. 従って「彼は

*親切な心の持ち主だ」は He has a *kind* heart. でよいが特に性質をいう時は He has a *kindly* disposition. という. 優しく, また人の役に立つという意味から「親切」なのは **good**. ((例) 病気のとき彼女は*親切にしてくれた She was very *good* to me when I was sick.) 友人として親切に扱うのは **friendly**. 旅行者・お客などを快く迎え入れるような親切は **hospitable**. ((☞ やさしい[1]; おもいやり))

¶ 彼は私にはいつも*親切です He is always *kind* to me. // アメリカ人は旅行者にとても*親切 (⇒ 友好的) です Americans are very *friendly* to visitors. / (⇒ 訪れる人は温かく迎えられる) Visitors are treated with great *hospitality* in America. // それは*親切な気持ちからしたことです I did it out of *kindness*. // ご*親切なお言葉をありがとうございました Thank you for your *kind* ⌜words [advice]. // ご*親切にどうもありがとうございました Thank you very much. It was very *kind* of you (to do so). / Thank you very much for your *kindness*. ★ 前者のほうが口語的. // 彼は*親切にも駅まで車で送ってくれた He was ⌜*good* [*kind*] enough to take me to the station in his car. / He *kindly* ⌜took me [gave me a ride] to the station in his car. // 彼女はいろいろ*親切にしてくれた (⇒ 親切な行為をしてくれた) She did me many *kindnesses*. // ご*親切は決して忘れません I shall [I'll] never forget your *kindness*.

親切ごかしに under (the) ⌜pretense [mask] of ⌜kindness [friendship].

しんせつ[2] 新設 ―形 (新しい) new; (新たに設置された) newly-⌜organized [built; established; founded]. ―動 (組織・機関などを) establish ⑩, organize ⑩ ★ 前者は恒久的なものをいう; (学校・団体など, 資金を要するものを) found ⑩.

¶ この地域に高等学校を*新設してほしい We want to have a *new* high school (*built*) in this area. // これは*新設校です This is a ⌜*new* [*newly-built*] school. // 私たちの学校は2年前に*新設された Our school *opened* two years ago.

しんせつ[3] 新説 (学説) new theory Ⓒ; (見解) new view Ⓒ; (解釈) new interpretation Ⓒ.

しんせつ[4] 新雪 fresh snow Ⓤ ((☞ ゆき[1])). **新雪なだれ** ☞ ひょうそう[1] (表層なだれ)

しんせっきじだい 新石器時代 〘考古〙 ―名 the New Stone Age; (学術用語では) the Neolithic /nìːəlíθɪk/ ⌜era /ɪ́(ə)rə/ [áge]. ―形 Neolithic.

しんせん 新鮮 ―形 (新しくて汚れていない, 物が生き生きとしている) fresh ((☞ いきいき)). ¶ *新鮮な空気 the *fresh* air // *新鮮な野菜 *fresh* vegetables // この形が見慣れた道具に*新鮮な感覚を与えている This shape gives us a *fresh* sense of the familiar tool.

しんぜん[1] 親善 (友好心) goodwill Ⓤ; (親交) friendliness Ⓤ; (友情) friendship Ⓤ; (友好関係) friendly relations.

¶ 日中*親善のために中国にバレーボールのチームを派遣した We sent volleyball teams to China to promote ⌜*friendly relations* [*goodwill*] between China and Japan. // 国際*親善は相互理解に基づくべきだ International *goodwill* has to be based ⌜on [upon] mutual understanding.

親善試合 goodwill match Ⓒ **親善使節** goodwill envoy Ⓒ **親善大使** goodwill ambassador Ⓒ **親善訪問** goodwill visit Ⓒ.

しんぜん[2] 神前 ¶ 彼は*神前に玉ぐしをささげた He offered a sprig of the sacred tree *to the god*. **神前結婚** wedding according to Shinto rites Ⓒ, Shinto wedding Ⓒ.

しんぜん[3] 浸染 **1** «染めること»: dip-dyeing Ⓤ.
2 «感化されること»: being gradually influenced Ⓤ.

じんせん 人選 ―名 (適当な人を選ぶこと) the selection of ⌜a suitable [the right] person; (人選をして任命すること) appointment Ⓤ. ―動 select [choose] a (suitable) person (for ...); appoint ⑩. ((☞ せんこう[1])). ¶ いま適当な人 (⇒ その地位にふさわしい人) を*人選中です We are now *in the process of selecting a suitable person* for the post. / (⇒ 探しているところだ) We are now *looking for a suitable person* for the post.

しんせんぐみ 新撰組 *Shinsengumi*; (説明的には) a group of masterless samurai organized by the Tokugawa shogunate to guard Kyoto.

じんぜんけっこんしき 人前結婚式 (宗教抜きの結婚式) wedding ceremony without religious rites Ⓒ; (宗教儀式なしの届け出結婚) civil marriage Ⓒ.

しんぜんび 真善美 truth, good and beauty; the true, the good and the beautiful.

しんそう[1] 真相 (真実) the truth; (事実) facts ★ 複数形で. ((☞ しんじつ; うちまく; ないじょう)).

¶ *真相が知りたい I want to know *the* ⌜*truth* [*facts*]. // *真相が明らかになった *The truth* has just come out. // *真相究明のために委員会が作られた A committee has been formed to ⌜inquire into *the true state of things* [elicit [bring to light] *the truth*]. / (⇒ 真相究明委員会が作られた) A *fact-finding* committee has been formed.

しんそう[2] 新装 ―名 (建物の) renovation Ⓤ; (模様替えなどの) refurbishment Ⓤ. ―動 rénovàte ⑩; refurbish ⑩. ((☞ かいそう[2])).

¶ その店はあす*新装開店する The shop *has been renovated* and will reopen tomorrow. / The shop will reopen tomorrow after *renovation*.

しんそう[3] 深層 the depths. ¶ 意識の*深層 *the depths of one's* consciousness **深層構造** 〘言〙 deep structure Ⓒ **深層心理学** depth psychology Ⓤ **深層水** (海洋深層水) deep-sea water Ⓤ **深層防護** (原子炉の) deep safeguard Ⓒ **深層流** deep-sea current Ⓒ.

しんそう[4] 深窓 ¶ *深窓の令嬢 (⇒ 良家で周囲から守られて育てられた) a girl *brought up protectively in a good family*

しんぞう[1] 心臓 **1** «体の心臓» ―名 heart Ⓒ. ―形 (心臓に関する) cardiac /kɑ́ədiæ̀k/ Ⓐ. ★ 医学用語. ((☞ ないぞう[1] (挿絵))).

¶ 彼は*心臓が弱い[悪い] He has a weak *heart*. // 熱い風呂は*心臓の悪い人にはよくない A bath that is too hot is not good for someone with ⌜*heart* trouble [a weak *heart*]. // 彼女の手紙を受け取ったとき, *心臓が高なった My *heart* leaped when I received her letter. // あまりびっくりして*心臓が一瞬止まった I was so astonished that for a moment my *heart* stood still. // *心臓発作を起こす have a *heart* attack // 彼は*心臓発作で亡くなった He died of a *heart* attack.

2 «大胆不敵» ―形 (ずうずうしい) brazen-faced; (大胆な) bold. ―動 (厚かましくも…する) have the ⌜cheek [nerve] to *do* ...

¶ 彼女は*心臓が弱い (⇒ 臆病(おくびょう)だ) She is ⌜shy [timid]. // 彼はなかなかの*心臓だ I've found him *brazen-faced*. // 彼は*心臓にも金をくれと言った He *had the* ⌜*cheek* [*nerve*] *to* ask me for money.

心臓移植 heart transplant Ⓒ. ¶ *心臓移植手術をする perform a *heart transplant* (operation) **心臓カテーテル法** 〘医〙 cardiac catheterization /kɑ́ədiæ̀k kæ̀θətərɪzéɪʃən/ Ⓤ **心臓外科[手術]** heart [cardiac] surgery Ⓤ **心臓外科医** heart [cardiac] surgeon Ⓒ 心(臓)血管疾患 cardiovascular disease Ⓤ 心臓死〘医〙cardiac [heart] death Ⓤ 心臓神経症〘医〙cardiac neurosis Ⓤ 心臓専門医 heart specialist Ⓒ 心臓肥大 cardiac hypértrophy Ⓤ, megalocardia /mègəloukáədiə/ Ⓤ. ¶ 彼は*心臓肥大だ He has an *enlarged heart*. 心臓病 heart [cardiac] disease Ⓤ; heart trouble Ⓤ 心臓病患者 heart patient Ⓒ 心臓ペースメーカー (heart) pacemaker Ⓒ 心臓弁膜症 valvular/vǽlvjulə/ disease of the heart Ⓤ 心臓マッサージ heart massage Ⓒ 心臓麻痺(まひ) heart failure Ⓤ 心臓破りの丘 (ボストンマラソンの急坂コース) Heartbreak Hill.

しんぞう[2] **心像** (mental) image Ⓒ.

しんぞう[3] **新造** ── 形 (新しい) new; (新しく造られた) newly built. 新造語 newly-coined word Ⓒ, 《格式》coinage Ⓒ; (新語) new word Ⓒ 新造船 newly built ship Ⓒ.

じんぞう[1] **人造** ── 形 (人工的に作った) man-made; (本物の代用として作られた) àrtificial; (模造の) imitation, false; (合成の) synthétic. 人造絹糸 ☞ じんけん[2] 人造湖 man-made lake Ⓒ 人造氷 artificial ice Ⓤ 人造ゴム synthetic rubber Ⓤ 人造石油 synthetic petroleum Ⓤ 人造繊維 synthetic [chemical; man-made] fiber Ⓤ 人造染料 artificial color Ⓒ 人造ダイヤ synthetic diamond Ⓒ 人造肉 synthetic meat Ⓤ 人造人間 robot Ⓒ 人造皮革 imitation [artificial] leather Ⓤ 人造肥料 artificial fertilizer Ⓤ.

じんぞう[2] **腎臓** ── 名 kidney Ⓒ. ── 形 renal ★ 医学用語. 《☞ ないぞう[1] (挿絵)》. ¶ 彼は*腎臓が悪い He has *kidney* trouble. // 人工*腎臓 an artificial *kidney* 腎臓炎〘医〙nephritis Ⓤ, inflammation of the kidney(s) Ⓤ 腎臓結石 kidney [renal] stone Ⓒ 腎臓病 kidney trouble Ⓤ.

しんぞく **親族** relative Ⓒ, relation Ⓒ ★ 前者のほうが一般的; (総称) kinsfolk ★ 古風な語. 《☞ しんるい[1]; けつぞく; けつえん; 親族関係 (囲み)》.
¶ 彼は*親族が多い [少ない] He has ˹many [few] *relatives*. // *親族一同を代表して感謝の意を申し上げます I would like to express my ˹gratitude [appreciation] on behalf of all *the relatives*.
親族会議 family council Ⓒ; (姻戚をも含めた) council of relatives and in-laws Ⓒ. ¶ この件は*親族会議で討議しましょう Let's discuss this problem at the *family council*.
親族語彙 family term Ⓒ; (専門語では) kinship terminology Ⓤ ★ 親族関係を表す語彙.

じんそく **迅速** ── 形 (動作が素早い) quick; (速い) fast ★ 一般的な語で, ほかの語の代わりに使える; (急速な) rapid; (敏速な) swift. ── 副 quickly; fast; rapidly; swiftly. 《☞ はやい[1] (類義語)》.

しんそこ **心底** ── 副 (心の底から) from (the bottom of) *one's* heart; (本気で) sincerely; (激しく) cordially. ── 形 (本気の) sincere; (真心のこもった) heartfelt, cordial ★ 後者のほうが格式ばった語. 《☞ こころ; おくそこ》. ¶ 彼は同僚から*心底嫌われていた He was *cordially* ˹disliked [hated] by his colleagues.

しんそつ **新卒** néw graduate /grǽdʒuət/ Ⓒ 《☞ そつぎょう》.

じんた (小人数の吹奏楽団) small brass band Ⓒ.

しんたい[1] **身体** ── 名 body Ⓒ ★ 最も一般的な語; (男性の体格) physique Ⓒ; (体質) constitution Ⓒ. ── 形 physical Ⓐ. ── 副 physically. 《☞ からだ》. ¶ 彼は*身体強健だ He is *physically* strong. / (⇒ 健康だ) He is (quite) *healthy*. // 健全なる*身体に健全なる精神 (が宿らんことを) A sound mind in a sound *body*. 《ことわざ》// 精神の発達は*身体の発達に必ずしも伴わない Mental development does not always go hand in hand with *physical* development.
身体介護 physical care Ⓤ 身体刑 ☞ たいばつ 身体計測 somatometry /sòumətámətri/ Ⓒ 《☞ そくてい》 身体検査 (医学的) physical examination Ⓒ, physical checkup Ⓒ, 《略式》physical Ⓒ; (犯罪捜査などで身体に触って捜すこと) search Ⓤ; (空港などでの) security check Ⓤ. ¶ きのう*身体検査を受けた I had a ˹*physical* (*examination*) [*physical checkup*] yesterday. // 警官はその男の*身体検査をした The policeman ˹*searched* [*frisked*] the man. 身体障害 ☞ しんたいしょうがい

しんたい[2] **進退** **1** 《進むか退くか》 ── 動 advance or retreat; (動く) move ⓐ. ¶ 雪の中で我我は*進退きわまった We couldn't *move* in either direction in the snow. / (⇒ 立ち往生した) We *got stuck* in the snow. 《☞ きわまる》
2 《態度》: (立場) *one's* position Ⓤ; (進路) *one's* course of action Ⓒ. ¶ そろそろ*進退を明らかにすべきだ We should ˹decide on *our course of action* [clarify *our position*] pretty soon.
進退伺い (非公式の辞表) informal resignation Ⓒ
日英比較 英米では進退伺いを出すという習慣はない; (説明的には) inquiry to *one's* superior about whether *one* should resign or not Ⓒ. ¶ 彼は*進退伺いを提出した He has submitted his *informal resignation*.

しんたい[3] **神体** object of worship in a Shinto shrine Ⓒ.

しんだい[1] **寝台** (部屋の) bed Ⓒ; (船・列車の) berth Ⓒ. 《☞ ベッド》. ¶ 上[下]段の*寝台 an upper [a lower] *berth* 寝台券 sleeper ticket Ⓒ 寝台車 sleeping car Ⓒ, 《米》sleeper Ⓒ 寝台料金 (個別の) sleeper charge Ⓒ; (運賃体系の中での) sleeper charges ★ 複数形で.

しんだい[2] **身代** (富) fortune Ⓒ; (財産) property Ⓤ. 《☞ ざいさん》. ¶ 彼は一代で莫大な*身代を築いた He made a large *fortune* over his lifetime. // *身代をつぶす lose *one's fortune* 身代かぎり (財産を費やしてしまうこと) losing [wasting; ruining] *one's* property Ⓤ; (破産) bankruptcy Ⓤ.

じんたい[1] **人体** human body Ⓒ 《☞ しんたい[1]; からだ》. 人体解剖図 anatomical chart Ⓒ 人体実験 experiment on a human body Ⓒ.

じんたい[2] **靭帯** 〘解〙ligament Ⓒ. ¶ *靭帯を痛める hurt [sprain] *one's ligament*

じんだい[1] **甚大** ── 形 (程度がはなはだしい) great; (被害などがひどい) heavy; (重大な) serious; (影響などが深い) profound; (大きい) enormous. 《☞ ばくだい; ひどい》.
¶ *甚大な損害を受ける suffer a ˹*great* [*heavy*] loss

じんだい[2] **人台** (洋裁の) dress form Ⓒ, dressmaker's ˹model [dummy] Ⓒ.

しんたいげんご **身体言語** ☞ ボディーランゲージ

じんだいこ **陣太鼓** war [military] drum Ⓒ.

しんたいし **新体詩** (総称) the new-style poetry Ⓤ; (詩一篇) new-style poem Ⓒ.

しんたいしょうがい **身体障害** physical ˹handicap [disability] Ⓒ. 身体障害者 physically handicapped person Ⓒ, (physically) disabled person Ⓒ ★ 後者のほうが正式な言い方; (集合的) the physically handicapped, the (physically) disabled. 《☞ しんしょうしゃ》. 身体障害者施設 facilities for the handicapped ★ 複数形で. 身体障害者手帳 physically disabled person's ˹certificate [ID booklet] Ⓒ, disability certificate Ⓒ 身体障害者福祉法 the Physically Handi-

親族関係

I 家族

家族名を英語に直すときに注意することは，英語では長幼の順による呼称があまり用いられないこと，夫婦や兄弟の間で互いに呼び合うときは名前を言うのが普通であることなどである．例えば「兄さん」と兄に呼びかけることは普通はなく，Tom とか Bob のような名前を言う．

1 呼称

「私 (I)」を中心とした家系図 (family tree) を次ページに示すが，次の点に注意する必要がある．

(i) 日本語では,漢字では兄弟と姉妹を区別するが,「きょうだい」と発音して姉妹をも含めていう場合が多い．((例)「女のきょうだい」) 従って，日本語で「私の父は 8 人きょうだいでした」に対しては My father was one of eight children. (8 人の子供の 1 人) として発想を変えて表現する必要がある．《☞発想 (巻末)》

しかし，英語では男女をはっきり区別する．従って，「きょうだい」を引っくるめて言うときは brothers and sisters という言い方をしなくてはならない．兄弟・姉妹を引っくるめて siblings という言い方もあるが，日常語ではない．

(ii)「年上のきょうだい」はそれぞれ，older [elder] brother, older [elder] sister または子供の場合は big brother, big sister と言い,「年下のきょうだい」はそれぞれ younger brother, younger sister, またはあまり年のゆかない子供なら little brother, little sister と言うが，これは必要のあるときに使う第二義的な，いわば説明のための表現で，日本語の「兄」とか「妹」のように 1 語で表す言葉はない．普通は my brother とか my sister のような言い方をし，長幼の順は問題にしない．

(iii) 異父 [母] 兄弟 half-brother, 異父 [母] 姉妹は half-sister という．

(iv) 英語では妻が夫のことを「主人」というような言い方をすることは，冗談の場合を除いてはない．最も一般的なのは my husband である．ただし，改まった感じの言い方では性別を無視して「配偶者 (spouse)」，または partner という言い方がされることがある．

(v) 親から見て息子や娘を引っくるめて my [our] children と呼ぶことができる．子供が成人しても,「親の子供」という意味では children と呼ぶことが可能である．しかし成人後は普通は son とか daughter と言うことが多い．

(vi) 子供から見て，両親を parents と言う．父または母のいずれか一方は parent と単数形で言う．

(vii) 以上は，father, mother を除いては呼びかけには使わないのが普通である．父親が息子に向かって,「息子よ」という意味で my son と呼びかけることはあるが，これはかなり改まったときである．この点は日本語と共通していると言ってよい．

2 呼びかけ

(1) 夫婦間

honey, my dear, dear, darling, my darling などか，さもなくば互いに相手の名 (first name) を呼び合うのが最も普通．次の点に注意．

(i) dear, my dear などは親から子供への呼びかけにも使う．

(ii)《米》では my dear のほうが dear より改まった感じだが,《英》ではその逆である．

(iii) Yes, dear. のように受け答えの呼びかけには dear を使っても，改めて呼びかけるときには名を呼ぶケースも多い．

(2) 親から子供へ

(1) で述べたように，dear, my dear などを使うこともあるが，多くの場合，名 (first name) を呼ぶ．この点は日本語と似ている．

(3) 子供から親へ

小さい子供なら，父親を呼ぶには，Daddy, Dad, 母親を呼ぶには,《米》Mommy /mámi/,《英》Mummy /mʌ́mi/,《米》Mom が最も普通．少し成長して，10 代以上になると，Daddy や Mommy は子供っぽく感じられるせいかあまり使われなくなり，Dad, Mom と呼ぶことが多くなる．なお，かつては父母を Father, Mother と呼びかけることも多かったが，現在ではこの習慣は消えつつある．次の点に注意．

(i) 英語では papa, mamma, mama はあまり使われない．従って，日本語の「パパ」は Dad または Daddy,「ママ」は Mom, あるいは Mommy と訳したほうがよい．

(ii) Pa /pá:/, Ma /má:/ という言い方もされるが，あまり一般的ではない．

(iii) Dad, Mom などは，固有名詞的な扱いを受けるので，書くときは大文字で始める．Father, Mother も同様である．また my も付けない．日本語の「お父さん」「お母さん」も家族内では固有名詞的であるのと似ている．

(4) きょうだい同士

原則として名 (first name) で呼び合う．従って日本語の「兄さん」「姉さん」という呼びかけは名が示されていないと訳すことが不可能．

II 家族以外の親族・姻戚関係

1 自分より上の世代

次の点に注意が必要である

(i) 父方・母方で呼称は違わない．

(ii) 伯父・伯母 (親より年上)，叔父・叔母 (親より年下) の区別はない．いずれも uncle または aunt である．またおばの夫，おじの妻もそれぞれ uncle, aunt である．

(iii) 祖父は grandfather, 祖母は grandmother, 祖父母を引っくるめて grandparents と呼ぶ．そのいずれか 1 人は grandparent である．

(iv) 曾祖父は great-grandfather, 曾祖母は great-grandmother, これを引っくるめて great-grandparents と言う．

(v) それから 1 世代ずつさかのぼるごとに great- を 1 つずつ付け加えて，great-great-grandfather, great-great-great-grandmother のように言う．

2 自分と同世代

(i) 英語ではいとこ (従兄弟・従姉妹) には男女の区別はしない．必要なときは male, female を付ける．

(ii) 父母の兄弟・姉妹の子供，すなわちいわゆるいとこの正式な呼称は first cousin である．しかし，英語では，いとこの子供 (first cousin once removed) も父母のいとこの子供 (second cousin) (日本語のまたいとこもこれに当たる) も，みな通称

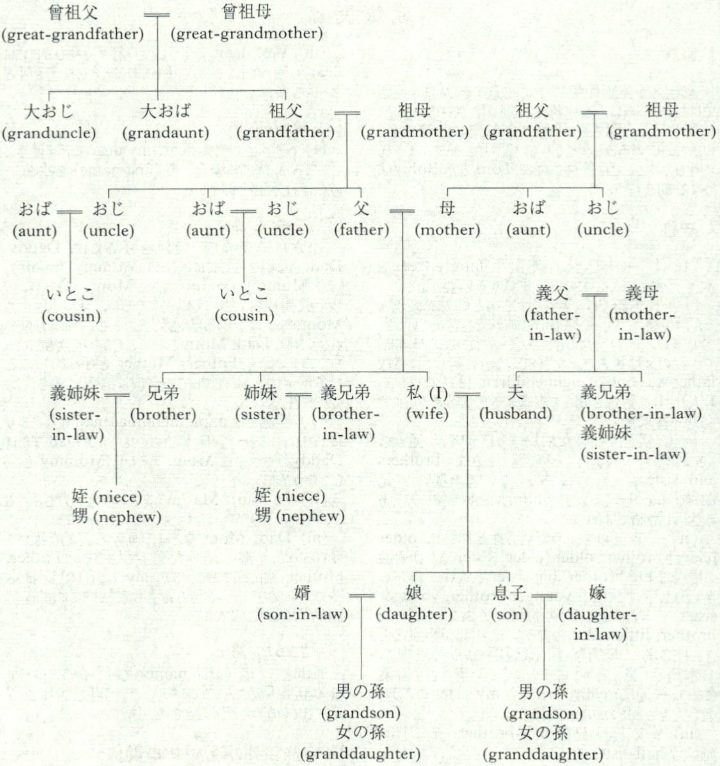

cousin と言う. 以上あげたような正式な呼称は特に説明を要するときか, 相続問題を論じるような改まったときでなければ用いないので, cousin という語の使い方には注意を要する.

3 自分より下の世代

次の点に注意する必要がある.

(i) 嫁・婿には -in-law が付く.

(ii) 孫は grandson (男), granddaughter (女), 曾孫は great-grandson (男), great-granddaughter (女) とする.

(iii) それから先は1世代下がることに great- を付け, great-great-grandson, great-great-great-granddaughter のように言う.

(iv) 孫を引っくるめて grandchildren, 曾孫を引っくるめて great-grandchildren のように言うことができる.

(v) 配偶者の側の甥・姪には -in-law が付く.

(vi) 甥・姪の息子は great-nephew, grandnephew, 甥・姪の娘は great-niece, grandniece で, 配偶者の場合にはそれに -in-law が付く.

III 親族関係に関する用例

¶ 家族とは, 結婚, 血縁, 養子縁組によって結ばれる人々のグループと定義される The family is defined as a group of persons united by the ties of marriage, blood or adoption.
家族構成は小さくなる傾向にあり, 子供の数は平均2人以下である Family size tends to decrease, and the average number of children per family is less than two.
核家族は結婚した男女とその子供たちから成る The nuclear family consists of a husband and wife and their offspring.
お父さん, これ見て Dad [Daddy], look at this.
サムおじさん, こちらはボブです Uncle Sam, this is Bob. 語法 (1)「おじさん・おばさん」の場合には名前と並べてこの例のように用いることが多い.
ちょっと待ちなさい. お父さんがやってあげよう Wait a minute. I'll do it for you. 語法 (2) 日本語では1人称の代わりに, 相手に対する役割上の名称を用いて会話をすることが多いが, 英語では1人称代名詞となる場合がほとんど.

capped Welfare Law　**身体障害年金** physical disability allowance [C]　**身体障害保険** disability insurance [U].

じんだいすぎ　神代杉　lignitized Japanese cedar [C].

しんたいせい　新体制　new ⌈system [structure; order] [C].

しんたいそう　新体操　rhythmic gymnastics ★ 複数扱い.

しんたいはっぷ　身体髪膚　¶*身体髪膚（⇒ 身体）これを父母に受く，あえて毀傷(きしょう)せざるは孝の始(はじめ)なり Taking good care of one's *body*, which one has got from one's parents, is the first step to filial piety.

しんたいりく　新大陸　☞ しんせかい

しんたかくてきぼうえきこうしょう　新多角的貿易交渉　☞ ウルグアイラウンド

しんたかね　新高値　〘株〙new high [C]《☞ たかね》.

しんたく¹　信託　（委託）trust [U];（負託）mandate [C] ★ 通例単数形で.　¶（選挙で）国民の*信託を受ける receive a *mandate* from the people　**信託会社** trust company [C]　**信託銀行** trust bank [C]　**信託契約** trust agreement [C]　**信託統治** trusteeship [U]　**信託統治領** trust territory [C].　¶この島は国連の*信託統治領である This island is under ⌈U.N. *trusteeship* [the *trusteeship* of the U.N.]　**信託預金** trust deposit [C].

しんたく²　神託　（神のお告げ）oracle [C], divine message [C] ★ 後者は説明的.

シンタックス　（統語論）syntax [U].

じんだて　陣立て　（軍隊の隊形）battle formation [U];（軍勢の配置）battle array [U];（構成）the ⌈makeup [lineup] (of...);（準備）preparation [U].《☞ じんよう》.

しんたん¹　心胆　¶そのニュースは彼らの*心胆を寒からしめた（⇒ ぞっとさせた）The news *made their blood curdle*.

しんたん²　薪炭　firewood and charcoal [U];（燃料）fuel [U].　**薪炭商** fuel dealer [C]; wood and charcoal dealer [C]　**薪炭林** fuelwood forest [U].

しんだん　診断　── [名] diagnosis /dàɪəgnóusɪs/ [C]《複 diagnoses /-siːz/》.　── [動] diagnose /dáɪəgnòus/ (他).　¶その医者は彼女の病気をがんだと*診断した The doctor *diagnosed* her illness as cancer.　**診断書** medical certificate [C].

じんち¹　人知　（人間の知恵・理解力）human ⌈intelligence [understanding] [U].　¶それはとても*人知の及ぶところではない It is far beyond *human* ⌈*understanding* [*intelligence*].

じんち²　陣地　（守備をしている場所）position [C];（野営地）encampment [C].《☞ じん¹》.　**陣地戦** position warfare [U].

しんちく　新築　── [名]（新しい建造物）new building [C].　── [形] newly built.　── [動]（建てる）build (他), construct (他) ★ 後者のほうが格式ばった語.《☞ けんちく; たてる¹》.　¶彼は家を*新築した He *has built* a (new) house. ★ 自分で建てたときにも，業者に建てさせたときにもいう. // 私の家はいま*新築中です My house is ⌈*being built* [*under construction*]. ★ [　] 内は格式ばった言い方.

新築祝い（パーティー）housewarming [C];（贈り物）housewarming present [C].

じんちく　人畜　men and beasts.　**人畜共通感染症** zoonosis /zouánəsɪs/ [C], zoonotic /zòuənátɪk/ infection [C]　**人畜無害**（表示）Harmless [No harm] to humans and animals.

シンチグラフィー　（放射性同位元素を使った造影法）〘医〙scintigraphy [U].

しんちそうけんきゅう　深地層研究　（核物質を埋めるため）deep underground research [U].　**深地層研究所** the Deep Underground Research Institute.

しんちゃ　新茶　new tea [U]; the first tea of the season.《☞ ちゃ》.

しんちゃく　新着　── [名] new arrival [C].　── [形] newly-arrived [A].　¶彼女は*新着の（⇒ 棚に入った）本はすぐ買う She buys books as soon as they appear on the shelves.

しんちゅう¹　心中　（考え）*one's* mind;（感情）feelings ★ 複数形で.《☞ きょうちゅう》.　¶彼は*心中穏やかでなかった（⇒ 満足ではなかった）He *was not happy at heart*. /（⇒ 感情を害された）He felt *hurt*. // *心中をお察しいたします（⇒ 同情する）I *sympathize with* you. / I know *how you feel*. ★ 後者のほうが口語的. /（⇒ 共鳴します）I *feel for you*.

しんちゅう²　真鍮　── [名] brass [U].　── [形] brass [A].

しんちゅう³　進駐　── [動]（占領する）occupy (他)《☞ せんりょう¹》.　**進駐軍** the Occupation Forces.

しんちゅう⁴　身中　¶獅子*身中の虫（⇒ 草むらのへび）a snake in the grass /（⇒ 裏切る友人）a ⌈treacherous [deceitful] friend《☞ しし²》

じんちゅう　陣中　（前線）front [C];（戦場）field [C];（野営地・駐留地）camp [C].　¶*陣中の兵を見舞う visit soldiers at the *front* // 私は選挙運動の*陣中見舞いに酒を届けた（⇒ 選挙運動を激励するために酒を贈った）I sent some sake to the campaign workers *to encourage* them.

しんちょう¹　身長　height /háɪt/ [U] ★ 一般的な語;（立った時の背丈）stature [U].《☞ せい¹; 度量衡（囲み）》.

¶彼女の*身長は 162 センチです She *is* 162 centimeters *tall*. / She is 162 centimeters *in height*. // 「*身長はどれくらいですか」「185 センチです」"What's *your height*?" "(It's) 185 centimeters." / "How *tall* are you?" "I'm 185 centimeters tall." // この 1 年間に*身長が 5 センチ伸びた I've grown five centimeters ⌈this last [in the past] year.

しんちょう²　慎重　── [形]（過ちを犯さないように注意深い）careful ★ 最も一般的な語. 以下の語の代わりに用いられることも多い;（危険などに対して用心深い）cautious;（言葉などに用心して）guarded;（言葉・行為に気を配る）discreet;（配慮がゆき届いて）prudent.　── [副] carefully; cautiously; discreetly; prudently.　── [名] caution [U]; discretion /dɪskréʃən/ [U]; prudence [U].《☞ さいしん²; ちゅういぶかい》.

¶雨のときは*慎重に運転しなさい Drive very *carefully* when it is raining. // 化学薬品の取り扱いは十分*慎重にして下さい You need to exercise extreme *caution* in working with chemicals. // 彼は発言が*慎重である He is always *guarded* in what he says. // 私たちの行動には*慎重さが必要だ We need to act ⌈*with prudence* [*prudently*]. // 彼の行動はしばしば*慎重さを欠く He is apt to *be* ⌈*careless* [*imprudent*] in his actions. // その問題は*慎重な考慮を要する（⇒ 我々はその問題に真剣な考慮をする必要がある）We need to give the matter *serious* consideration.

しんちょう³　新調　── [形]（新品の）new;（新しく作った）newly-made;（真新しい）brand-new /brǽn(d)n(j)úː/.　¶スーツを*新調した（⇒ 作らせた）I ⌈*had* [*got*] a suit *made*.

しんちょう⁴　伸長　── [動]（延ばす）extend (他);（拡大する）expand (他).　── [名] extension [U]; expansion Ⓤ. (☞ のび; のばす).

しんちょう⁵ 深長 ¶意味*深長な一言 a *meaningful* remark / (⇒ 含みのある) a remark *full of* ⌈*implications* [*meaning*] / (⇒ 意義深い[示唆に富んだ] a ⌈*significant* [*suggestive*] remark (☞ いみ¹)

しんちょう⁶ 清朝 ☞ しん⁶

じんちょうげ 沈丁花 〔植〕 daphne /dǽfni/ Ⓒ.

しんちょく 進捗 ── [動] (進行する) progréss (自), máke prógress. ── [名] prógress Ⓤ. (☞ しんこう¹; すすむ). ¶仕事の*進捗状況はいかがですか (⇒ 仕事はどのように進んでいますか) How *is* the work ⌈*progressing* [*coming along*]?

シンチレーション scìntillátion Ⓤ. **シンチレーションカウンター** scìntillátion còunter Ⓒ **シンチレーションカメラ** scintillation camera Ⓒ.

しんちんたいしゃ 新陳代謝 〔生〕 metábolìsm Ⓤ.

しんつう 心痛 (不安・心配) anxiety /æŋzáɪəti/ Ⓤ; (気苦労) worry Ⓤ; (悲しみ) distréss Ⓤ. (☞ しんぱい (類義語)).

じんつう 陣痛 labor ((英)) labour) Ⓤ.

じんつうりき 神通力 (魔法の力) magical power Ⓤ; (超自然的な力) súpernàtural pówer Ⓤ ★ いずれもしばしば複数形にもなる.

しんて 新手 (新しい方法) new way Ⓒ; (新しいうまいやり方) new trick Ⓒ. (☞ あらて).

しんてい¹ 進呈 ── [動] (人に物を与える) give (他); (人に贈り物をする) presént (他). (☞ あげる¹ 2; さしあげる). ¶*進呈: 田中啓介様 鈴木一郎より (献呈の辞など) To Tanaka Keisuke from Suzuki Ichiro. / To Tanaka Keisuke, with *best* ⌈*regards* [*wishes*], Suzuki Ichiro. 【語法】(1) best regards は贈り物などに付ける表示. 宛名, 献辞, 送り手の名はそれぞれ行をかえて書く. // お祝いにこの本を*進呈しましょう This book is my *present* to you to celebrate the occasion. 【語法】(2) give は直接的で, 相手を目の前にして言うときは失礼な感じがするので避ける. // カタログ無料*進呈 Catalog *offered* free (☞ きんてい¹)

しんてい² 心底 the bottom of *one's* heart (☞ しんそこ). ¶私は*心底穏やかでない I don't feel at ease, *deep down*. // 彼の*心底を見抜きなさい (⇒ 本当の意図) See his *real intentions*.

しんてい³ 新訂 new revision Ⓒ. **新訂版** newly-revised edition Ⓒ.

じんてい 人定 the confirmation of *a person's* identity. **人定尋問** ── [名] identity questioning Ⓤ. ── [動] question *a person's* identity.

シンディー (女性名) Cindy /síndi/ ★ Cynthia /sínθiə/, Lucinda /luːsíndə/ の愛称.

ジンテーゼ 〔論・哲〕 (総合) synthesis Ⓤ ★「ジンテーゼ」はドイツ語 Synthese より.

しんてき 心的 (精神の) mental; (心理的) psychological. **心的外傷** 〔医〕 (事件・事故などによる心の傷) trauma /trɔ́ːmə/ Ⓤ **心的外傷後ストレス障害** post-traumatic stress disorder Ⓤ (略 PTSD) **心的現象** mental phenomenon Ⓒ **心的状態** mental state Ⓒ.

じんてき 人的 ── [形] human. ¶その事故で*人的被害はなかった (⇒ だれもけがをしなかった) No one was hurt in the accident. **人的交流** personal *exchange* Ⓒ **人的資源** *human resources* ★ 複数形で; (動員できる人員) manpower Ⓤ **人的資源管理** human resource(s) management Ⓤ (略 HRM) **人的資本** 〔経〕 human capital Ⓤ **人的証拠** (証人から出た証拠) evidence supplied by a witness Ⓤ; (証人の証言) testimony of a witness Ⓤ **人的損害** casualty Ⓒ.

しんでし 新弟子 (新しい門弟[生徒]) new ⌈disciple [student] Ⓒ; (新しい徒弟) new apprentice Ⓒ.

しんでる 死んでる ── [形] (へばっている) dead tired Ⓟ (☞ くたくた; くたびれる). ¶彼はきついスケジュールで*死んでる He is *dead tired* because of a hard work schedule.

シンデレラ Cìnderélla ★ 突然の幸運に恵まれた人の意味では Ⓒ. **シンデレラコンプレックス** Cinderella complex Ⓒ **シンデレラボーイ[ガール]** Cinderella ⌈boy [girl] Ⓒ.

しんてん¹ 進展 ── [名] (発展) devélopment Ⓤ ★ 具体的な事柄を指すときは Ⓒ; (進むこと) prógress Ⓤ; (前進) advance Ⓤ. ── [動] develop (自); progréss (自), make progress; advance (自). (☞ はってん). ¶捜索には*進展がありましたか Have there been any *developments* in the search? / Has there been any *progress* made in the search? // 私たちの話し合いは思わぬ方向に*進展してしまった Our talks *have* ⌈*gone* [*advanced*] in an unexpected direction.

しんてん² 親展 ── [形] cònfidéntial ★ 手紙の封筒などに書く.

しんでん 神殿 shrine Ⓒ; (古代ギリシャ・ローマ・エジプトなどの) temple Ⓒ; (聖なる場所) sanctuary Ⓒ.

しんでんず 心電図 〔医〕 electrocardiogram /ɪlèktroʊkɑ́ːdiəgræ̀m/ Ⓒ, cardiogram Ⓒ (略 ((米)) EKG, ((英)) ECG). ¶*心電図をとる take an *electrocardiogram*

しんてんち 新天地 (新世界) new world Ⓒ; (新しい活動の場) new field of activity Ⓒ. ¶*新天地を開拓する break ⌈*fresh* [*new*] *ground*

しんでんづくり 寝殿造り *Shinden* style Ⓤ; (説明的には) the architectural style used in aristocratic residences of the Heian period.

しんてんどうち 震天動地 ☞ きょうてんどうち

しんと¹ ── [形] (声・音・動きがなく) quiet, still ★ 後者は動きがないことに重点がある; (物音がしない) silent; (静まり返った) hushed. (☞ しずか (類義語); 擬声・擬態語 (囲み)).
¶辺りは*しんとしていた It was *very quiet* all around. / (⇒ すべて静かだった) All was *quiet*. / (⇒ 物音一つしなかった) *Not a sound* ⌈was [could be] heard all around (us). // 彼らは彼女の言葉に驚いて一瞬*しんとなった For a moment, they *were struck dumb* with astonishment at her remark.

しんと² 信徒 (信者) believer Ⓒ; (信奉者) follower Ⓒ; (帰依者) ((格式)) dèvotée Ⓒ; (集合的) the faithful. (☞ しんじゃ).

しんど¹ 震度 seismic /sáɪzmɪk/ intensity Ⓤ ★「地震の強度」という一般的な言い方; (日本式の震度) intensity of the earthquake (on the Japanese scale of ten) Ⓤ 【日英比較】 震度計により計測したもので, 日本独特のもの. 従ってかっこ内の説明を付けたほうがよい場合が多い; (地震の震度の計り方) seismic scale Ⓒ; (地震の規模・マグニチュード) magnitude Ⓤ, the Richter /ríktə/ scale 【語法】 C. Richter によって作られたマグニチュードの計り方. アメリカでは一般にこれが使われる. (☞ マグニチュード).
¶けさの地震は東京で*震度 2 でした The *intensity of the earthquake* this morning was two *on the Japanese scale* (*of ten*) in Tokyo.
震度階(級) seismic intensity scale Ⓒ **震度計** seismic intensity meter Ⓒ.

しんど² 進度 prógress Ⓤ. ¶このクラスは 2 時間ほど英語の*進度が遅れている This class is two hours behind in English.

しんど³ 深度 depth Ⓤ (☞ ふかさ).

しんどい ☞ きつい

しんとう¹ 浸透 ── [動] (思想・考えなどが染み込む) pénetràte (他) (自), infiltrate (他) (自) 【語法】 ほぼ同意のこともあるが，前者は影響などが自然に染みとおること，後者はかなり積極的・攻撃的に染み込むことをいう；(染み渡る)《格式》permeate /pə́ːmièɪt/ (自) (他). ― [名] penetration Ⓤ, infiltration Ⓤ;《格式》permeation Ⓤ.《☞ しみこむ》.

¶ 水はだんだん土に*浸透していった Water gradually *permeated* (into) the soil. // 彼らはウーマンリブの*浸透をはかっている They are trying to *infiltrate* the women's lib movement. // この考えを何とか*浸透させたい I want this idea to *penetrate* into people's consciousness. **浸透圧** osmotic /ɑzmátɪk/ pressure Ⓤ **浸透性** permeability Ⓤ.

しんとう² 神道 Shíntoìsm Ⓤ, Shinto Ⓤ. **神道信者** Shintoist Ⓒ.

しんとう³ 親等 the degree of relationship Ⓤ《☞ -とうしん¹》. ¶ 一*親等の親族 a relative in the first *degree*

しんとう⁴ 心頭 ¶ 怒り*心頭に発する(⇒ 激怒する) *be inflamed with rage* / (⇒ かっとなる) *fly into a rage* // *心頭を滅却すれば(⇒ 雑念を心から取り除けば)火もまた涼し *If you clear your mind* of all worldly thoughts, you will find even fire cool.

しんどう¹ 震動，振動 **1** «震動・震え動くこと» ― [名] (小刻みで速い) vibration Ⓤ; (衝突などによる激動) shock Ⓒ; (大きく激しい震動) quake Ⓒ. ― [動] vibrate (自); quake (自); (不規則に細かく震え動く・動かす) shake (自) (他); (がたがたと大きく) jolt (自); (乗り物ががたがたと進む) bump (自).《☞ ふるえる (類義語)》.

¶ 爆発の*震動はかなりひどかった The *shock* of the explosion was rather ⌈severe [strong]. // この道の車の交通の激しさで建物が*振動する (⇒ 激しい車の交通が建物を振動させる) The heavy traffic on this street *shakes* the buildings.

2 «振動・揺れ動くこと» ― [名] (振子などの振れ) swing Ⓤ, 〚物理〛 oscillation Ⓤ. ― [動] swing (自), oscillate (自). **振動数** frequency Ⓒ.

しんどう² 神童 infant [child] prodigy Ⓒ; (少年) boy wonder Ⓒ.

じんとう 陣頭 (戦闘で先頭の位置) the vanguard, the van. ¶ *陣頭に立つ be [stand] at *the* ⌈*front* [*head*] // 将軍は*陣頭で指揮をとった The general commanded the army *from the field*.

じんどう¹ 人道 (道義) morality Ⓤ; (人間愛) humanity Ⓤ ★「人道的行為」は humane actions. ¶ 彼らは*人道的な理由から行動を起こした They took action for *humanitarian* reasons. // 彼らの行為は*人道にもとるものである Their actions are against *humanity*. **人道主義** humanitarianism /hjuːmæ̀nətéː(ə)riənìzm/ Ⓤ《☞ ヒューマニズム》 **人道主義者** humànitárian Ⓒ **人道的介入** humanitarian intervention Ⓒ **人道的支援** humanitarian aid Ⓤ **人道に対する罪** crime against humanity Ⓒ **人道問題** question of humanity Ⓒ.

じんどう² 人道 ☞ ほどう¹

じんとうぜい 人頭税 poll tax Ⓒ.

じんとく 人徳 (生まれつきの良い性質) *one's* natural good qualities ★ 複数形で; (個人的な魅力) *one's* personal charm Ⓤ.

シンドバッド ― [名] (固) Sindbad /sín(d)bæd/, Sinbad /sínbæd/ ★『アラビアンナイト』の中の船乗り.

しんどめ 心止め，芯止め ☞ てきしん

じんとり 陣取り prisoner's base Ⓤ ★ 子供の遊び.

じんどる 陣取る (位置を占める) take up *one's* ⌈station [position], place *oneself*; (場所を占有する) occupy (他); (軍隊が陣営を設ける) encamp (自). (☞ じん¹).

¶ 彼らはいつも教室の前列に*陣取っている (⇒ 座っている) They *are* always *seated* in the front row ⌈in [of the] class. // デモ隊は建物の前に*陣取った The demonstrators ⌈*took up* (*their*) *positions* [*placed themselves*] in front of the building.

シンドローム syndrome Ⓒ《☞ しょうこうぐん》.

シンナー thinner /θínə/ Ⓤ. ¶ *シンナー遊び *glue-sniffing* /《格式》solvent abuse // *シンナーを吸う sniff *glue* / inhale *paint thinner* ★ 前者は口語的.

しんなり ― [形] (人や動物がしなやかな)《格式》lithe; (物がしなやかな) pliable; (柔軟な) flexible; (柔らかな) soft.《☞ しなやか》.

¶ 塩をひとつまみかけるときゅうりは*しんなりします With a pinch of salt on them, the cucumber slices will *get softer*.

しんに 真に ☞ しん³; ほんとう¹

しんにち 親日 ― [形] pro-Japanese. **親日家** pro-Japanese Ⓒ.

しんにゅう¹ 侵入 ― [動] (泥棒などが家屋などへ) break (into ...) (自); (他国の領土などへ) invade (自) (他); (無理やりに入る) intrude (into ...) (自); (私有地などへ) tréspass (on ...) (自). ― [名] invasion Ⓒ; intrusion Ⓒ; (不意の) raid Ⓒ.《☞ おしいる; しのびこむ; しんりゃく》.

¶ 泥棒は窓から*侵入した The burglar *broke into* the house ⌈by [through] the window. // ドイツは 1940 年にノルウェーに*侵入した Germany *invaded* Norway in 1940. // *侵入者は告発されます *Trespassers* will be prosecuted.

しんにゅう² 進入 ― [動] (入る) enter (他), go (into ...) (自) ★ 後者のほうが口語的. **進入禁止**《掲示》Do not enter / No Entry ★ 一方通行出口など.《☞ はいる》.

しんにゅう³ 之繞 ☞ しんにょう

しんにゅうしゃいん 新入社員 new employee Ⓒ.

しんにゅうせい 新入生 new student Ⓒ;《英》new ⌈boy [girl] Ⓒ; (大学・高校の 1 年生) freshman Ⓒ (複 -men).《☞ いちねんせい; 学校・教育 (囲み)》. ¶ 彼女はワシントン大学の*新入生だ She is a *freshman* at the University of Washington. [語法] 男女に関係なく freshman を用いる.

しんにゅうまく 新入幕 rising newly to the rank of the "makuuchi" division Ⓤ; newly entering the "makuuchi," the top division (of sumo wrestling) Ⓤ. ¶ *新入幕の力士 a *newly promoted* ⌈*makuuchi* [*top division*] (sumo) *wrestler*

しんにょう 之繞 (漢字の) advance radical at the left-bottom of kanji Ⓒ.

しんにん¹ 信任 ― [名] confidence Ⓤ. ― [動] place confidence (in ...)《☞ しんらい¹》.

¶ 彼は選挙民の*信任を得た He ⌈won [earned] the *confidence* of his constituents.

信任状 credéntials ★ 通例複数形で. 主として政府の信任状を示す. **信任投票** vote of confidence Ⓒ《☞ ふしんにん》. ¶ 政府は*信任投票に勝った [敗れた] The government ⌈won [lost] the *vote of confidence*.

しんにん² 新任 ― [形] (新しい) new; (新たに任命された) newly-appointed.《☞ しゅうにん》.

¶ *新任の先生 a *new* teacher

しんにん[3] **親任** (天皇みずから任命すること) Emperor's personal appointment Ⓤ. **親任式** Imperial investiture Ⓒ.

しんねったいく 新熱帯区 the Neotropical region.

しんねりむっつり ―形 (無口な) tácitùrn; (不機嫌な) moróse; (むっつりした) sullen.

しんねん[1] **信念** (信念・信仰) belief Ⓤ; (理屈抜きの) faith Ⓤ; (ある事の正当性に対する確信) conviction Ⓒ. (☞ かくしん[1]).

¶ 彼は*信念の人だ He is a person of *strong convictions*. // 自分の*信念を失う lose *one's faith* // *信念を貫く (⇒ 最後まで維持する) maintain *one's convictions* to the end / (⇒ 一貫して信念に従う) consistently follow *one's convictions*

しんねん[2] **新年** (一般的な年の) new year Ⓒ; (特定の年の) the New Year ★ 大文字で書く; (元日) New Year's Day. (☞ しょうがつ).

¶*新年おめでとう (I wish you a) Happy New Year! 日英比較 日本では年が明けてから用いるが, 英米では年の明ける前から用いられる.「あなたによい新年が来ますように」との祈願文がもとだからである. 相手は "The same [Same] to you." という. またクリスマスカードなどで "Merry Christmas and a Happy New Year." のように書くときは a を付けることもある. (☞ とし[1] 日英比較; おめでとう) // 日本では除夜の鐘をついて旧年を送り, *新年を迎える In Japan, we ring out the old year, and ring in the *new year* listening to the New Year's Eve temple bells. // *新年 (⇒ 1 月) 早々に試験がある We('ll) have our exams early *in January*.

新年歌会始め the New Year's *Waka* Recital; (宮中の) the Imperial New Year's Poetry Reading **新年会** New Year's party Ⓒ.

しんのう 親王 Imperial /ɪmpí(ə)riəl/ prínce Ⓒ.

しんぱ 新派 (新しい流派) new school Ⓒ; (新派劇) *shinpa* [new-school] drama Ⓒ.

シンパ (同調者) sýmpathìzer Ⓒ.

しんぱい[1] **心配** ―名 (心にのしかかるような不安) care Ⓤ; (これから先の不安) anxiety /æŋzáɪəti/ Ⓤ; (悩み事による) worry Ⓤ; (恐れによる) fear Ⓤ ★ 以上の語はいずれも具体的なことを指すときは Ⓒ; (関心を持っているものに対する) concern Ⓤ; (何となく不安な) uneasiness Ⓤ; (心配事) trouble Ⓒ. ―動 (漠然と…ではないかと憂慮する) be afraid (of…; that …); (気にかける) care (about …) 自 語法 (1) 主として否定文・疑問文で; worry 他 自; fear 他 自 ★ やや文語的; be ⌐concerned [anxious /ǽŋ(k)ʃəs/] (about …); be troubled; (気にする) mind 他 自. 語法 (2) 自 は主として否定文・疑問文に用いられる. ―形 anxious; uneasy; worried.

【類義語】心にのしかかる不安・心配など, また責任などに対する精神的重圧は **care**. 将来起こりそうな不安・不幸などに対する心配は **anxiety**. あれこれと思い悩む意味で一般的な語は **worry**. 恐れ・恐怖という意味では **fear**. 深い関心のあるものに対する心配は **concern**. 不安で落ち着けない気持ちになる心配は **uneasiness**. 悩み事・不幸などによる心配事は **trouble**. なお, それぞれ具体的な心配事の意味では Ⓒ として用いることが多い. (☞ ふあん; なやみ (コロケーション)) ¶ あまり*心配しなさんな Don't *worry*. / Have no *fear*. // 息子の将来が*心配だ I am ⌐*worried* [*anxious*; *concerned*] about my son's future. // *心配そうな顔をしているが, どうしたのですか You look *worried*. What's the matter? // また間違えたのではないかと*心配した I *was afraid* I had made a mistake again. // 彼女は*心配のあまり病気になった She made herself sick with *anxiety*. // 彼は落第することを*心配して試験を受けたがらない He doesn't want to take the examination ⌐*for fear of* failing [*in case* he fails]. // 私は*心配で眠れなかった I *was* so *worried* I couldn't sleep. // 費用のことなら*心配はいらない Don't ⌐*worry about* [*concern yourself about*] the expenses. // おじが迎えに来なかったらどうしようかと*心配だった I *was* ⌐*uneasy* [*worried*] about what I should do if my uncle failed to come ⌐to [and] meet me. // 彼は宿まで*心配してくれた (⇒ 親切にも見つけてくれた) He ⌐*was kind enough* [*took the trouble*] *to find* me a place to stay.

心配性 (人) (natural) worrier Ⓒ, 《米略式》worrywart Ⓒ.

しんぱい[2] **心肺** **心肺移植** heart-lung transplantation Ⓤ **心肺機能** cardiopulmonary /kɑ̀ːdiəpʌ́lmənèri/ function Ⓤ **心肺停止(状態)** 〔医〕cardiopulmonary arrest Ⓤ. ¶ *心肺停止状態の患者 a patient in *cardiac or respiratory arrest*

じんぱい(びょう) 塵肺(病) 〔医〕pneumoconiosis /n(j)ùːməkòʊnaɪóʊsɪs/ Ⓒ; (炭塵によるもの) black lung (disease) Ⓒ. **塵肺訴訟** pneumoconiosis suit Ⓒ.

じんばおり 陣羽織 half-length military coat Ⓒ; (説明的には) a jacket worn over *yoroi* or armor in former times.

しんぱく 心拍 heartbeat Ⓤ ★ 個々の鼓動を言うときは Ⓒ. ¶ 患者の*心拍が速い[不規則だ] The patient's *heartbeat* is ⌐rapid [irregular].

シンパサイザー ☞ シンパ

シンパシー sympathy Ⓤ (☞ どうじょう[1]).

シンパセティック sympathetic (☞ どうじょう[1]).

しんばつ 神罰 divine punishment Ⓤ.

しんぱつじしん 深発地震 deep-focus earthquake Ⓒ.

ジンバブウェ ―名 固 Zimbabwe /zɪmbɑ́ːbwi/; (正式名) the Republic of Zimbabwe ★ アフリカ南東部の共和国. ―形 Zimbábwean. **ジンバブウェ人** Zimbabwean Ⓒ.

シンハラ (スリランカのシンハラ族・その一員) Sínhala Ⓒ, Sìnhalése Ⓒ ★ どちらも単複同形. **シンハラ語** Sinhalese Ⓤ ★ スリランカの公用語.

しんばりぼう しんばり棒 bar Ⓒ (☞ かんぬき).

シンバル 〔楽器〕cymbals ★ 普通複数形で. ¶*シンバルがジャーンと鳴った The *cymbals* clashed.

しんぱん[1] **審判** ―名 (事件の) judgment Ⓤ. ―動 (判決を下す) judge 他; (スポーツなどで判定する) rèferée 他; (野球・テニス・バレーボールなどで) úmpire 他. (☞ さばき[1]).

¶ 私は今度の日曜日に野球[サッカー]の*審判を頼まれている I've been asked to ⌐*umpire* the baseball game [*referee* the soccer match] next Sunday. // 《キリスト教の》最後の*審判の日 *Judgment* Day / the Day of *Judgment* / Doomsday **審判員** (野球・テニスなどの) umpire Ⓒ; (ボクシング・フットボールなどの) rèferée Ⓒ; (一般に競技などの) judge Ⓒ **審判官** 《米》administrative law judge Ⓒ ★ 独占禁止法などの行政法の判事.

しんぱん[2] **侵犯** ―名 (権利の) violation Ⓤ; (領土の) intrusion Ⓤ. ―動 violate 他; intrude 自. (☞ しんりゃく; しんにゅう[1]).

しんぱん[3] **新版** new edition Ⓒ (☞ はん[3]; しんかん[1]).

しんぱん[4] **親藩** (徳川時代の) Tokugawa-related clan Ⓒ; (説明的には) feudal clan closely related to the Tokugawa family Ⓒ.

しんぴ[1] **神秘** ―形 mysterious /mɪstí(ə)riəs/. ―名 mystery Ⓒ. **神秘主義** mýsticism Ⓤ **神秘主義者** mystic Ⓒ.

しんぴ[2] **真否** ¶ …の*真否を問う ask whether …

is *true* (*or false*)

じんぴ 靭皮 〘植〙 bast Ⓤ. **靭皮植物** plant with bast fiber Ⓒ **靭皮繊維** bast fiber Ⓤ.

シンビオシス 〘生〙 (共生) symbiosis /sìmbióʊsɪs/ Ⓤ.

しんびがん 審美眼 (美的感覚) aesthetic /esθétɪk/ sense Ⓒ, eye for beauty Ⓤ.

しんひしつ 新皮質 neocortex Ⓤ.

シンビジューム 〘植〙 cymbidium /sɪmbídiəm/ Ⓒ.

しんひだい 心肥大 〘医〙 ☞ しんぞう¹ (**心臓肥大**)

しんぴつ¹ 真筆 genuine handwriting Ⓤ.

しんぴつ² 親筆 *one's* (own) writing Ⓤ (☞ じきひつ).

しんぴょうせい 信憑性 ── 图 (信頼性) reliability Ⓤ. ── 形 reliable. (☞ しんらい¹). ¶この報道記事には*信憑性がある [ない] This is ˹a *reliable* [an *unreliable*] report.

しんぴん 新品 ── 图 new article Ⓒ. ── 形 (新しい) new; (真新しい・手に入れたばかりの) brand-new. (☞ あたらしい). ¶これは*新品同様です This is as good as *new*.

じんぴん 人品 (人柄) personality Ⓤ; (風采) appearance Ⓤ. ¶*人品卑しからぬ(⇒きちんとした風采の)紳士 a respectable-*looking* gentleman

しんぶ 深部 (深い所) depths ★ 複数形で; (底部) the bottom ★ 普通は定冠詞を付けて. ¶大洋の*深部 the *depths* of the ocean // 心の*深部 *the bottom* of *one's* heart **深部感覚** 〘生〙 deep sensation Ⓤ; 〘生理〙 deep sensibility Ⓤ.

しんぷ¹ 神父 father Ⓒ; (カトリックの司祭) (Catholic) priest Ⓒ 語法 呼びかけには前者を使い, 後者は「彼は神父になった」 He became a *Catholic priest*. のような記述に用いる. (☞ ぼくし). ¶スミス*神父 *Father* Smith

しんぷ² 新婦 bride Ⓒ (↔ (bride)groom) (☞ しんろう¹).

しんぷ³ 新譜 (新発売のレコード・CD など) new release Ⓒ; (新しく作曲された曲譜) new music Ⓤ, new tune Ⓒ.

ジンフィズ gin fizz Ⓤ ★「1杯のジンフィズ」の意味では Ⓒ.

しんぷう 新風 (新鮮な風) fresh breeze Ⓒ; (新しい生命) new life Ⓤ; (新生面) new phase Ⓒ. ¶文壇に*新風を吹き込む breathe *new life* into the literary world / (⇒新生面を開く) usher in a *new phase* in literary circles

シンフェインとう シンフェイン党 (北アイルランド独立を目指す政党) Sinn Fein.

シンフォニー 〘楽〙 symphony Ⓒ (☞ こうきょうきょく). **シンフォニーオーケストラ** symphony orchestra Ⓒ.

しんぷく¹ 振幅 〘物理〙 amplitude (of vibrations) Ⓤ.

しんぷく² 心服 ¶彼らは新しい指導者に*心服していた(⇒尊敬の念をもって従った) They *followed* their new leader ˹*devotedly* [*wholeheartedly*]. // 彼は部下の*心服を得ている(⇒尊敬されている) He ˹*is respected* by [*enjoys the high esteem* of] his subordinates. ★[ ]内は格式ばった表現.

しんふぜん 心不全 héart fàilure Ⓒ.

じんふぜん 腎不全 kídney [rénal] fàilure Ⓒ.

しんぶつ 神仏 ¶彼らはひたすら*神仏の (⇒神の) 加護を祈った They earnestly prayed for *divine* protection. **神仏混淆[習合]** mixture of Shintoism and Buddhism Ⓤ. ¶この神社は*神仏混淆の名残りがある In this shrine, you can see some traces of the days when ˹*Shintoist and Buddhist* deities were enshrined side by side [*Shintoism and Buddhism* were merged]. **神仏分離** separation of Shintoism and Buddhism Ⓤ.

じんぶつ 人物 **1** 《人》: person Ⓒ 語法 (1) 男女を問わず使う; (男性) man Ⓒ (複 men); (女性) woman Ⓒ (複 women); (劇などの登場人物) character Ⓒ 語法 (2) 普通とは異なった人の意味でも用いられる; (大立て者) figure Ⓒ. (☞ ひと). ¶劇の登場*人物は 3 人だけです There are only three *characters* in the play. // 歴史上の偉大な*人物 a great ˹*character* [*figure*] in history // 政界の指導的立場にある*人物の一人 one of the ˹leading *figures* [*leaders*] of the political world // 危険*人物 a dangerous *character*

2 《人柄》: (性格) character Ⓤ; (個性) personality Ⓤ. (☞ ひとがら). ¶彼の*人物は信頼できる (⇒彼は信用できる) You can trust *him*. // 彼女の*人物について少し述べて下さい Please tell me something about her *character*. / (⇒彼女がどんな人だか教えて下さい) Please tell me *what sort of person she is*. // 彼は*人物がよくない He is not a man of good *character*.

人物画 (肖像画) portrait (painting) Ⓒ **人物考査** personality appraisal Ⓒ **人物主義** personalism Ⓤ **人物証明書** (letter of) reference Ⓒ. ¶前雇用主の*人物証明書 a (*letter of*) *reference* from *a person's* former employer **人物評** character sketch Ⓒ **人物描写** portrait of a person Ⓒ.

シンプリファイ ── 動 (単純化する) símplifỳ 他 (☞ たんじゅん).

シンプル simple (☞ たんじゅん; かんたん¹; そぼく). **シンプルライフ** (簡素な生活) simple life Ⓒ.

しんぶん 新聞 newspaper Ⓒ, paper Ⓒ ★ 後者はくだけた表現; (新聞・雑誌・報道事業などの総称, またそれに従事する人々の総称) the press, journalism Ⓤ. ¶きょうの*新聞を読みましたか Have you read today's *paper* yet? // そのニュースは*新聞で読みました I read that news in the *newspaper*. // *新聞によるときのう飛行機の (墜落) 事故があったそうです According to the *paper* there was a plane crash yesterday. / (⇒新聞は…ということを報じている) The *newspaper* ˹says [reports] that a plane crashed yesterday. // それは*新聞に出ていました It was in the *paper*. / (⇒新聞で読みました) I read it in the *paper*. // 「あなたは何*新聞をとっていますか」「朝日をとっています」 "What *paper* do you ˹take [read; subscribe to]?" "I ˹take [read; subscribe to] *the Asahi*." 参考 新聞名は印刷ではイタリック体にし, 手書きのときは下線を引く. また普通, 新聞名は the を添える. (☞ 冠詞 (巻末)) // 彼はよく*新聞に投書する He often writes (letters) to the editor (of the *newspaper*). // その*新聞は購読者が多い (⇒大きな発行部数を持っている) That *paper* has a large circulation. // 日本では大*新聞は 5 つある Five major *newspapers* are published in Japan. // *新聞を編集する edit a *newspaper* // *新聞の朝[夕]刊 a morning [an evening] ˹*paper* [*edition*] // 英字*新聞 an English(-language) *newspaper* // 扇情的な*新聞 a sensational *newspaper* // *新聞の見出し a *newspaper* headline // *新聞の切り抜き *newspaper* ˹(米) clippings [(英) cuttings]

新聞売り子 newsboy Ⓒ **新聞売り場** (駅などの) newsstand Ⓒ **新聞学** journalism Ⓤ **新聞学科** department of journalism Ⓒ **新聞記事** newspaper article Ⓒ; report [account] in a paper Ⓒ 語法 (1) 前者は記事そのものを問題にしている場合で,「長い[短い]記事」a ˹long [short] *article*,「2 番目の記事」the second *article* のように言う. report は事件のほうに重点があり,「新聞記事によると」according to the *newspaper report* のように用いる; (記事) story Ⓒ. 《☞ きじ¹》 **新聞記者** (newspaper) reporter Ⓒ, journalist Ⓒ [語法] (2) reporters もしくは journalists という場合にはラジオ・テレビ・雑誌などの報道記者も含まれる. 《☞ きしゃ¹》 **新聞記者席** the press ⌈gallery [box] **新聞広告** (全般的な内容の) newspaper advertisement Ⓒ; (求人・求職などの案内広告) classified ad Ⓒ ★ ad は advertisement の略. 《☞ こうこく¹》 **新聞購読者** newspaper subscriber Ⓒ **新聞購読料** subscription to a newspaper Ⓒ **新聞紙** newspaper Ⓤ ★ 数えるときは a ⌈sheet [scrap] of newspaper. ¶ こわれやすいものを*新聞紙で包みました I wrapped the fragile objects in *newspaper*. **新聞社** (会社としての) newspaper publisher Ⓒ; (事務所・社屋) newspaper office Ⓒ **新聞小説** serial story in a newspaper Ⓒ **新聞辞令** conjectural appointment reported in a paper Ⓤ **新聞種** news item Ⓒ. ¶ その事件は*新聞だねになった (⇒ 新聞に報道された) The incident ⌈was reported [appeared] in the *paper*. **新聞取次店** (取次・配達の) delivery agent Ⓒ; (販売の) 《米》 newsdealer Ⓒ, 《英》 newsagent Ⓒ **新聞配達** newspaper delivery Ⓤ **新聞配達員** (大人) newspaper delivery ⌈man [person] Ⓒ; (少年) newsboy Ⓒ, paper boy Ⓒ **新聞発表** press release Ⓒ **新聞倫理綱領** the Press Moral Code ★ the をつけて. **新聞論調** the tone of the press comments (on ...) Ⓒ.

コロケーション

新聞から(記事を)切り抜く clip [cut] (an article) ⌈from [out of] a *newspaper* / **新聞に目を通す** go through a *newspaper* / **新聞を検閲する** censor a *newspaper* / **新聞をたたむ** fold a *newspaper* / **新聞を配達する** deliver *newspapers* / **新聞を開く** open a *newspaper* / **新聞を拾い読みする** scan [skim] a *newspaper* / **新聞を広げる** spread [unfold] a *newspaper* / **新聞をやめる** cancel a *newspaper* (subscription) // **学生新聞** a student *newspaper* / **権威のある新聞** a prestigious *newspaper* / **高級な新聞** a quality *newspaper* / **大衆新聞** a ⌈popular [tabloid] *newspaper* / **発行部数の多い新聞** a mass-circulation *newspaper*

じんぶん 人文 **人文科学** the humanities **人文主義** humanism Ⓤ **人文地理** húman geógraphy Ⓤ.

じんぷん 人糞 feces /fíːsiːz/, excrement Ⓤ ★ 前者は複数扱いで後者よりも口語的. **人糞肥料** human manure Ⓤ; (婉曲的に) night soil Ⓤ.

しんべい 親米 ―形 pro-American. ¶ 政府は*親米政策をとった The government took a *pro-American* policy. **親米主義者** pro-American Ⓒ.

しんぺい 新兵 recruit Ⓒ; (徴兵による) new conscript /kánskrɪpt/ Ⓒ, rookie /rúki/ Ⓒ ★ 最後はくだけた言い方. ¶ 陸軍の*新兵たち army *recruits*

じんべえ 甚兵衛 men's short-sleeved casual wear worn in the summertime Ⓤ. **甚兵衛羽織** men's sleeveless overgarment worn in winter Ⓒ.

じんべえざめ 甚兵衛鮫 〔魚〕 whale shark Ⓒ.

しんぺん 身辺 ¶ 首相の*身辺警護は厳しい (⇒ 厳しく警護されている) The prime minister is heavily guarded. 《☞ みのまわり》

しんぽ 進歩 ―名 (予期された方向・ある線に沿って進むような) prógress Ⓤ; (レベルを一挙にぐんと高めるような) advance Ⓒ; (不満足・不備なところを改善しての) improvement Ⓤ ★ 具体的には Ⓒ. ―動 progréss ㊀; advance ㊀ ㊉; improve ㊀ ㊉; devélop ㊀ ㊉; make progress. ―形 (進歩的な・前向きの) progressive (↔ conservative); (時代に先行している) advanced. 《☞ はってん; じょうたつ; こうじょう²》.

¶ 最近の科学の*進歩はめざましい The recent *progress* in science is remarkable. // あなたの英語は*進歩していますか *Is* your English *improving*? / *Are* you *making* any *progress* in English? ★ 前者のほうが口語的. // 顕微鏡の発明によって医学は大きな*進歩を遂げた The invention of the microscope brought about ⌈great *advances* [rapid *progress*] in medicine. // *進歩を続ける maintain *progress* // 今度の先生はなかなか*進歩的な人です The new teacher is very *progressive*.

進歩主義 progréssivism Ⓤ.

コロケーション

進歩を促す stimulate *progress* / **進歩を遅らせる** delay [retard] *progress* / **進歩を妨げる** prevent [block; hamper; hinder] *progress* / **進歩を示す** show *progress* / **進歩を促す** facilitate *progress* / **進歩を遂げる** make [achieve] *progress* / **進歩を早める** accelerate [speed up] *progress* / **進歩を止める** stop *progress* // **著しい進歩** remarkable [marked; notable] *progress* / **大きな進歩** great [enormous; immense] *progress* / **驚くべき進歩** amazing [astonishing; surprising; startling] *progress* / **科学[技術]の進歩** scientific [technological] *progress* / **かなりの進歩** considerable [substantial] *progress* / **着実な進歩** steady *progress* / **ゆっくりした進歩** slow *progress*

しんぼう¹ 辛抱 ―名 (つらいことなどをじっと我慢すること) patience Ⓤ; (長期にわたる辛抱) endurance Ⓤ; (頑張り抜くこと) perseverance /pə̀ːsəví(ə)rəns/ Ⓤ [語法] 最初の 2 つは交換して用いられるが, patience が最も口語的で普通の言葉. perseverance は積極的な「忍耐」の意味で用いられる. ―形 patient; persevering. ―動 endure ㊀; persevere ㊀; (怒りなどをこらえる) put up with ... ★ 口語的. 《☞ がまん (類義語); たえる¹; ねばりづよい》.

¶ 彼女は*辛抱強い She is ⌈*patient* [*persevering*]. // 彼らは*辛抱強く知らせを待った They waited *patiently* for the news. // 彼女は*辛抱して仕事をやり通した She *persevered* in getting the job done.

しんぼう² 心棒 (車軸) axle Ⓒ; (機械の) shaft Ⓒ; (こまの) stem Ⓒ. 《☞ じく¹》.

しんぼう³ 信望 (人望) popularity Ⓤ; (信用) confidence Ⓤ. 《☞ じんぼう; しんよう》.

¶ 会員の*信望を得る[失う] win [lose] the *confidence* of the members

しんぼう⁴ 心房 〔解〕 atrium /éɪtriəm/ Ⓒ 《複 atria /-triə/, ～s》 《☞ しんしつ²》. ¶ 右*心房 the right *atrium* **心房細動** 〔医〕 átrial [auricular] fibrillátion Ⓤ.

しんぽう¹ 信奉 ―動 (信じる) believe (in ...) ㊀; (心から信頼する) have faith (in ...); (指導者などを固く支持する) adhere (to ...) ㊀. 《☞ しんじる》. **信奉者** adherent Ⓒ, follower Ⓒ. ¶ 彼の*信奉者は多い He has many ⌈*adherents* [*followers*].

しんぽう² 新法 (新しい法律) new law Ⓒ [語法] 法律全体は Ⓤ. ¶ *新法の下で税制改革を行う carry out tax reform under the *new law*

じんぼう 人望 popularity Ⓤ 《☞ にんき¹》. ¶ 彼は学生に*人望がある He *is popular* with his students. // 彼女はどうやってあんなに*人望を得たのだろう How *has* she *achieved such popularity*? / How *has* she *become so popular*? ★ 後者のほうが自然で口語的.

しんぼうえんりょ 深謀遠慮 ―形 (先見の明のある) farsighted; (慎重な) prudent; (抜けめのない) shrewd. ―名 farsightedness U; prudence U; shrewdness U.

しんぼく[1] 親睦 (友好・友情) friendship U; (仲のよいこと) friendliness U.
¶ *親睦をはかるために会を計画している We are planning a gathering to ⌜promote [cultivate; enhance] *mutual friendship*. ★[ ] 内は格式ばった語. // *親睦会はあすです We are having a ⌜*social gathering* [*get-together*] tomorrow.
語法 get-together は友人同士などの非公式の集まりを意味する口語的表現. 《☞ かい[1] (類義語)》

しんぼく[2] 神木 sacred tree C.

シンポジウム symposium /sɪmpóuziəm/ C 《複 ~s, symposia /-ziə/》. ¶ 今年の秋に京都で近代美術についての*シンポジウムが開かれる A *symposium* on modern arts is to be held in Kyoto this fall.

シンポジスト (シンポジウム参加者) symposiast /sɪmpóuziæ̀st/ C.

しんほしゅしゅぎ 新保守主義 nèoconsérvatism U.

シンボライズ ―動 sýmbolize 他 《☞ しょうちょう[1]》.

シンボリズム (象徴主義・象徴化) sýmbolìsm U.

シンボリック ―形 (象徴的な) sỳmbólic. ―副 symbolically.

シンボル symbol C 《☞ しょうちょう[1]》. ¶ はとは平和の*シンボルです The dove is the *symbol* of peace.

シンボルカラー (学校・特定団体などの) colors ★ 複数形で.

シンボルマーク (何かを象徴するもの) symbol C; (印) mark C; (国や団体などの) emblem C.
日英比較 「シンボルマーク」は和製英語.

しんぽん 新本 new book C. ¶ *新本で買う buy a book *new*

じんぽんしゅぎ 人本主義 ☞ じんぶん (人文主義)

しんまい 新米 **1** 《米》: new rice U.
2 《人》: (仕事に慣れていない人) new [young] hand C; (全然経験のない人) nóvice C ★ 多少軽蔑的; (新参者) néwcòmer C; (初心者) beginner C. 《☞ かけだし; しょしんしゃ》.

しんまくえん 心膜炎 〘医〙 pericarditis /pèrəkɑədáɪtɪs/ U.

じんましん 蕁麻疹 nettle rash U ★ 具体的には C, hives ★ 単数・複数両扱い; 〘医〙 urticaria /ə̀:təké(ə)riə/ U. ¶ また*じんましんが出た I've got *nettle rash* again.

しんみ[1] 親身 ―形 (親切な) kind; (誠意のある) sincere. ―副 kindly; sincerely. 《☞ しんせつ[1]》.
¶ おじは*親身になって (⇒ 親のような愛情で) 孤児たちの世話をしていた My uncle was looking after the orphans *with parental affection*.

しんみ[2] 新味 (新鮮さ) freshness U; (独創的な新しさ) orìginálity U.

しんみつ 親密 ―形 (友好関係のある) friendly; (関係が密接な) close /klóus/; (よく知っている) familiar. ―動 (親しい関係である) be good friends with ...; (...と友人になる) make friends with ... 《☞ したしい (類義語); なかよし》.
¶ 私と彼は*親密な間柄だ I'm ⌜*good* [*close*] *friends with* him. // この 2, 3 日の間に我々は皆*親密になった (⇒ 友達になった) We *have* all ⌜*made friends with* each other [*become good friends*] in the past few days.

じんみゃく 人脈 (人との関係[つながり]) personal ⌜relationships [connections] ★ 複数形で.

しんみょう 神妙 ―形 (柔和でおとなしい) meek; (黙って) quiet; (従順な) amenable /əmí:nəbl/; (人の言うなりの) docile /dɑ́sl/ ★ 改まった語. 《☞ おとなしい》. ¶ 彼は*神妙な様子だったが, いつもそうなのかい He was quite *amenable*, but is he always like that? // 彼らは*神妙に (⇒ 静かに) 聞いていた They listened *quietly*.

しんみり 日英比較 「しんみり」をそのまま英語に置きかえられないことが多い. その場合は文中にその意味を含ませるような意訳が必要である.
¶ 彼女の話を聞いて一座は*しんみりした (⇒ 彼女の話は皆を悲しくさせた) Her story *made* everybody *sad*. // 私たちは*しんみり話し合った (⇒ 腹を割った話をした) We had a *heart-to-heart* talk.

しんみん 臣民 (君主国の国民) subject C ★ subject は例えば a British *subject* のように王国, 帝国の国民に用いられ, 共和国の場合は citizen が用いられる. 《☞ こくみん》.

じんみん 人民 the people ★ 社会主義的な見方から「人民」というときはこの語を使う. 複数扱い; (国民) the citizens; (民衆) the public. 《☞ たいしゅう[1]; みんしゅう》. ¶ 彼らは*人民の敵として非難された They were denounced as ⌜enemies of *the people*. // *人民の権利は尊重されなければならない *Civil* [*People's*] rights should be respected.
人民解放軍 the People's Liberation Army **人民憲章** 〘英史〙 the People's Charter (1838) **人民公社** péople's cómmune C **人民裁判** people's ⌜court [tribunal] C **人民戦線** the ⌜popular [people's] front **人民投票** national referendum C. 《☞ こくみん (国民投票)》 **人民日報** (中国共産党中央機関紙) the People's Daily; (中国語表記) *Renmin Ribao* **人民服** (中国の常用服) (上下) Mao suit C; (上着) Mao jacket C.

じんむ 神武 **神武以来** since the reign of Emperor Jinmu. ¶ *神武以来の (⇒ 史上空前の) 不況 a *historically unprecedented* depression **神武紀元** (皇紀) the imperial era /ɪmpí(ə)riəl í(ə)rə/ (of Japan) 《☞ こうき[13]》 **神武景気** the economic boom in the late 1950s **神武天皇** Emperor Jinmu; (説明的に) the legendary first Emperor of Japan.

しんめ 新芽 sprout C; (若芽) shoot C. 《☞ め[2]》.

しんめい 身命 (命) *one's* life C. ¶ *身命をささげる sacrifice [give] *one's life* // 彼は*身命を賭して彼女を救った He saved her at the risk of *his life*. // 彼は国のために*身命を投げうった He laid down *his life* for his country.

じんめい[1] 人命 (human) life U ★ 個人の生命では C. 《☞ いのち; せいめい[1]》.
¶ その地震では*人命に被害はなかった No *lives* were lost in the earthquake. / The earthquake caused no loss of *life*. ★ 後者のほうが格式ばった言い方. // これは*人命にかかわるおそれがある This may endanger *lives*. **人命救助** lifesaving U. ¶ 彼は*人命救助で表彰された He was honored for his *rescue* work. **人命尊重** respect for human life U.

じんめい[2] 人名 name of a person C, person's name C. **人名辞典** bíográphical díctionàry C; (書名) *Who's Who* (of famous people) **人名簿** list of names C; (住所録) directory C **人名用漢字** Chinese character for the person's name C.

シンメトリー (釣合い・調和) symmetry U. ¶ 建物の*シンメトリーを損なう spoil [destroy] the *symmetry* of the building

じんめん 人面 **人面魚** fish with a head like a human's Ⓒ **人面獣心** beast [brute] with a human face Ⓒ **人面竹** ☞ ほていちく

しんめんもく 真面目 (本性) *one's* true self Ⓒ 《☞ しんか¹; ほんりょう》. ¶彼は新しい職場で*真面目を発揮した(⇒能力を示した) He gave full play to his *abilities* at his new workplace. / (⇒新しい職場が彼の能力を引き出した) His new job situation brought out all his *abilities*.

しんもつ 進物 (やや改まった贈り物) gift Ⓒ; (日常的な贈り物) présent Ⓒ. 《☞ おくりもの (類義語)》.

しんもん 審問 ― 名 (審理) trial; (聴問) hearing Ⓒ; (問いただすこと) inquiry /ɪnkwáɪ(ə)ri/ Ⓒ. ― 動 try ⑩; hear ⑩; inquire ⑩. ¶彼はその事件で*審問を受けている(⇒公判中である) He is on *trial*. / His case *is being heard*.

じんもん¹ 尋問 ― 動 (問いただす) question ⑩; (証人や被告に対して) examine ⑩; (正式に, また組織的に) intérrogàte ⑩ ★ やや格式ばった語. ― 名 question Ⓒ; (尋問すること) questioning Ⓤ; examination Ⓤ; interrogation Ⓤ ★ やや格式ばった語. 《☞ とりしらべ; しつもん》. ¶証人は反対*尋問を受けた The witness *was cross-examined*. // 誘導*尋問 a leading *question* **尋問調書** 〔法〕 interrogatory /ìntərάgətɔ̀ːri/ Ⓒ; protocol of examination Ⓒ.

じんもん² 人文 ☞ じんぶん

じんもん³ 陣門 camp gate Ⓒ. **陣門に下る** ☞ こうふく²; こうさん²; ぐんもん

しんや 深夜 ― 形 late-night. ― 副 (夜遅く) late at night 語法 英語の midnight は午前0時の意味なので「深夜」には当たらない. 《☞ まよなか; よふけ; よる¹》.

¶この喫茶店は*深夜営業をしている (⇒深夜まで) This coffee shop is open *till* ⌈*late at night* [*the small hours*]. 語法 (1) small hours は午前1時から3時ごろまでをいう. // 私は以前はラジオの*深夜放送をよく聞いたものです I used to listen in to *late-night* ⌈*broadcasting* [*radio programs*]. 語法 (2) テレビの深夜放送の場合は late-night TV; a late-night ⌈《米》 telecast [television] program.

深夜業 night work Ⓤ **深夜電力契約** late-night power contract Ⓒ **深夜バス** late-night bus Ⓒ. ¶駅から団地までは*深夜バスが出ています (⇒深夜バスの便があります) There is a *late-night bus service* from the station to the housing complex. **深夜料金** late-night rate Ⓒ.

じんや 陣屋 (陣営) camp Ⓒ 《☞ ぐんえい》; (代官などの役所) manor house Ⓒ; (宿街のつめ所) station Ⓒ.

しんやく 新薬 new ⌈medicine [drug] Ⓒ 《☞ くすり (類義語)》.

しんやくせいしょ 新約聖書 the New Testament 《略 N.T., NT》 《☞ せいしょ¹》.

しんやすね 新安値 〔株〕 new low Ⓒ. ¶*新安値に達する hit [drop to] a *new low*

しんゆう¹ 親友 (仲のよい友) good friend Ⓒ; (最も親しい友) best friend Ⓒ; (親しく付き合っている友人) close [good] friend Ⓒ. 《☞ ともだち》.

しんゆう² 心友 bosom friend Ⓒ.

しんよう 信用 ― 名 (信頼) confidence Ⓤ; trust Ⓤ; faith Ⓤ; reliance Ⓤ; (一般的および取引上の信用) credit Ⓤ. ― 動 put [have] ⌈confidence [faith] (in ...); trust ⑩ ⓐ; rely (on ...) ⓐ.

【類義語】 信用・信頼という意味で, *confidence*, *trust*, *faith*, *reliance* はほぼ同意として入れ替えて使用される場合もあるが, 何か確信があって信用する場合は *confidence*. 自己の判断で直観的に信用するのは *trust*, まったく相手を信じきってすべてを任せて信用するのは *faith*, 頼れる相手と思って信頼するのは *reliance* を用いる. 《☞ しんらい¹; しんじる》

¶お医者さんを*信用しなさい *Trust* your doctor. // 彼女は*信用できる She is ⌈*trustworthy* [*reliable*]. // あの人は*信用できない That man is ⌈*not to be relied upon* [*unreliable*; *untrustworthy*]. // 私は彼女には*信用がある I think I have her full *confidence*. / (⇒彼女は私を信用している) She *trusts* me. // 彼の言葉は*信用してよいだろうか Can I ⌈*trust* what he says [*believe* him; *take* him *at his word*]? // *信用で少々金を借りた I have borrowed some money *on credit*. // 努力しないとあなたの*信用はなくなる(⇒評判を落とす) You may lose your *reputation* unless you work hard.

信用買い margin buying Ⓤ **信用貸し** loan on credit Ⓒ, credit loan Ⓒ **信用金庫** credit ⌈bank [association; union] Ⓒ **信用組合** credit union Ⓒ **信用状** letter of credit Ⓒ 《略 L/C》 **信用調査** credit research Ⓤ **信用取引** credit transaction Ⓒ ★ しばしば複数形で. **信用販売** credit sale Ⓒ.

じんよう 陣容 (戦闘隊形) battle array Ⓤ; (チーム) team Ⓒ; (構成員) staff Ⓤ; (顔ぶれ) líneùp Ⓒ. 《☞ かおぶれ》. ¶*陣容を整える(⇒軍隊を戦闘隊形にする) put the troops in *battle formation* // *陣容を固める(⇒団結を固める) *close* (*the*) *ranks* // *陣容を立て直す(⇒再組織する) reorganize the *system* // この仕事は新しい*陣容でやるつもりです The work is to be carried out by the new *team*.

しんようじゅ 針葉樹 cónifer Ⓒ. **針葉樹林** coníferous fórest Ⓒ.

しんらい¹ 信頼 ― 名 trust Ⓤ ★ 一般的な言葉; (確信を持った信頼) confidence Ⓤ; (信じきっている気持ち) faith Ⓤ; (しっかりしていて頼りになる感じの信頼) reliance Ⓤ. ― 動 trust ⑩; put [have] ⌈confidence [faith] (in ...); rely (on ...) ⓐ. 《☞ しんよう (類義語)》.

¶*信頼できる筋 *reliable* sources // このニュースは*信頼性がある This news is *reliable*. // 自分の力を*信頼しすぎてはいけない You shouldn't ⌈*place too much confidence* in your ability [*be too self-confident*]. // 彼女はうそをついて先生の*信頼を裏切った She betrayed her teacher's ⌈*trust* [*confidence*] by telling lies. **信頼度** reliability Ⓤ. ¶*信頼度の高いニュース the news of high *reliability* // *信頼度を高める improve [increase] *reliability* **信頼の原則** the principle of trust.

しんらい² 新来 ― 形 new(come). ¶*新来患者 a *new* patient // *新来の客 a *newly-arrived* guest / a new arrival // *新来者 a newcomer

しんらつ 辛辣 ― 形 (鋭い) sharp; (痛烈でひどい) bitter; (厳しい) severe; (耳に痛く響くような) harsh; (刺すような) biting. 《☞ とげ》. ¶彼は*辛らつな批評で有名だ He is well-known for his ⌈*sharp* [*harsh*; *severe*; *biting*] criticism. // *辛らつな皮肉 *bitter* sarcasm // 彼は*辛らつな男だ He has a *sharp* tongue.

しんらばんしょう 森羅万象 (万物) all things in nature, all nature Ⓤ, the whole of creation.

しんらん 親鸞 ― 名 ⓐ Shinran, 1173–1262; (説明的には) a priest who founded the *Jodo-Shinshu* sect of Buddhism.

しんり¹ 心理 ― 名 state [frame] of mind Ⓤ; mentality Ⓤ; psychology /saɪkάlədʒi/ Ⓤ. ― 形 (心理的な) psỳchológical. ― 副 (心理的に) psychologically.

【類義語】 精神状態や気分は *state* [*frame*] *of mind* を用い, 精神能力を強調すれば *mentality* になる. 心理学的にみた場合には *psychology* を用いる.

《☞ せいしん¹; こころ》
¶ 私には彼の*心理がわからない (⇒ 彼が何を考えているのかわからない) I can't understand *what* he *is thinking*. / (⇒ 彼の心の状態がわからない) I can't understand his ｢*state of mind* [*mentality*]. // 彼は子供の*心理についての権威である He is an authority on child *psychology*. // 彼の英語に対する恐れは*心理的なものです His fear of English is *psychological*. **心理学** psychology /saɪkálədʒi/ Ⓤ

> 心理学のいろいろ
> 実験心理学 experimental psychology, 児童心理学 child psychology, 社会心理学 social psychology, 犯罪心理学 criminal psychology, 教育心理学 educational [pedagogical] psychology, 異常心理学 abnormal psychology

心理学者 psychologist Ⓒ **心理言語学** psỳcholinguístics Ⓤ **心理作戦** psychological tactics ★ 複数形で. **心理主義** 〔哲〕 psychólogism Ⓤ **心理小説** psychological novel Ⓒ **心理状態** state of mind Ⓒ, *one's* psychology. ¶ 彼女の*心理状態はわからない I cannot understand *her psychology*. **心理戦争** psychological warfare Ⓤ **心理テスト** psychological test Ⓒ **心理描写** psychological description Ⓒ **心理療法** psỳchothérapy Ⓤ.

しんり² 真理 truth Ⓤ 《☞ しんじつ》. ¶ *真理の探求 the pursuit of *truth* // 我々は常に*真理を求めている We are always ｢seeking [in search of] *truth*. // そのことわざには一面の*真理がある There's some *truth* in the saying. **真理値** 〔論〕 truth-value Ⓤ **真理表** 〔論〕 truth table Ⓒ.

しんり³ 審理 ━图〔法〕(裁判) trial Ⓤ. ━動 try ⊕. 《☞ さいばん》. ¶ 事件は*審理中です The case is on *trial*.

じんりきしゃ 人力車 rickshaw Ⓒ. ¶ *人力車に乗る ride in a *rickshaw*

しんりゃく 侵略 ━图 (他国の領土などへの侵入) invasion Ⓤ; (争いなどを仕掛けること) aggression Ⓤ. ━動 invade ⊕. ━形 (侵略的な) aggressive; invasive. 《☞ しんにゅう¹》.
¶ 経済的*侵略行為 an act of economic *invasion* // 軍隊は隣国に*侵略した The army *invaded* the neighboring country.
侵略国 aggressor (nation) Ⓒ **侵略者** aggressor Ⓒ, invader Ⓒ **侵略主義** policy of aggression Ⓒ **侵略戦争** aggressive war Ⓒ.

しんりょ 深慮 ━形 (思慮深い) thoughtful; (慎重な) prudent; (先見の明のある) fársighted. ━图 thoughtfulness Ⓤ; prudence Ⓤ; farsightedness Ⓤ. 《☞ しりょ》. ¶ *深慮遠謀の人 a *farsighted* person

しんりょう 診療 medical ｢treatment [care] Ⓤ. **診療時間** *consultation hours, office hours*, 《英》 surgical hours ★ 複数形で. **診療所** (専門医が治療する所) clinic Ⓒ; (学校・事業所などの) infirmary Ⓒ.

しんりょうないか 心療内科 department of psychosomatic /sàɪkousəmǽtɪk/ médicine Ⓒ.

しんりょく¹ 新緑 fresh ｢green [《詩語》 verdure /vɚ́ːdʒɚ/] Ⓤ 《☞ みどり》. ¶ 5月は*新緑の月です May is a month of *fresh green leaves*.

しんりょく² 深緑 deep [dark] green Ⓤ.

じんりょく¹ 尽力 ━動 (努力をする) make ｢an effort [efforts]; (最善を尽くす) do *one's* best; (助ける) help ⊕; (力を貸す) assist ⊕. ━图 (努力) effort Ⓒ; (助力) help Ⓤ; assistance Ⓤ. 《☞ どりょく; つくす》. ¶ 彼女は私のためにできるだけ*尽力すると約束した She promised to ｢*do her best* [*make every possible effort*] for me. // ご*尽力をお願いしたくてまいりました I've come to ask for your ｢*assistance* [*help*].

じんりょく² 人力 human power Ⓤ. ¶ *人力飛行機 a *human-powered* aircraft // *人力飛行 *human-powered* flight // 自然は*人力ではいかんともしがたい (⇒ 人間の支配を超えている) Natural phenomena are beyond *human control*.

しんりん 森林 forest Ⓒ 《☞ もり¹》. ¶ *森林地帯 *forest* land // *森林公園 a *forest* park **森林科学** ☞ りんがく **森林官** forester Ⓒ **森林監視員** (forest) ranger Ⓒ **森林資源** fórest [tímber] resources /ríːsɔəsɪz/ ★ 複数形で. **森林帯** forest zone Ⓒ, wooded region Ⓒ, woodlands ★ woodlands はしばしば複数形で単数扱い. **森林鉄道** logging railroad Ⓒ **森林伐採** deforestation Ⓤ **森林法** the Forest Law **森林保護** forest conservation Ⓤ **森林浴** stroll ｢in [through] the woods Ⓒ.

じんりん 人倫 (人道) humanity Ⓤ; (道徳) morality Ⓤ. ¶ *人倫にもとる行為 *immoral* behavior

しんるい¹ 親類 relative Ⓒ, relation Ⓒ ★ 前者のほうが一般的. 《☞ にくしん; 親族関係 (囲み)》.
¶ 彼女はあなたの*親類ですか Is she a ｢*relative* [*relation*] of yours? // 彼は母方の*親類です He *is related to* me on my mother's side. // 遠くの*親類より近くの他人 A good neighbor is better than a *relative* far away. **親類縁者** *one's* relatives ★ 複数形で. **親類付き合い** ¶ 私は彼らと*親類付き合いをしている I ｢*am very close to* [*have very friendly relations with*] them. / I *deal with* them *as if they were my relatives*.

しんるい² 進塁 ¶ ランナーは二塁に*進塁した The runner *advanced* to second base.

じんるい 人類 mankind /mǽnkáɪnd/ Ⓤ 参考 /mǽnkàɪnd/ とすると「男性」という意味になる; the human ｢race [species]; man ★ 単数無冠詞で; humankind, human beings, humans; Homo sapiens /hóumou-sǽpiənz/.
【類義語】人類全体を表す少し古風で格式ばった言葉が **mankind** で, 通例単数扱いで無冠詞. また, 科学的な感じで, 正式に人類を表す言葉が **the human race**. 多少文語的で, ほかに「男性」の意味に用いるのが **man**. この語は無冠詞で, 複数にしない. また m を大文字にすることもある. なお, 最近では *mankind* あるいは *man* を「人類」の意で使うのは性差別撤廃の立場から避けられる傾向がある. 代わりに **the human race, humankind, human beings, humans** などが使われることが多い. 「ヒト」というラテン語から出た学名が **Homo sapiens**. 《☞ ひと; にんげん¹》
¶ 1969年の7月, *人類は初めて月に到達した In July of 1969 *man* reached the moon for the first time. // ここで*人類の起原について少し述べよう Here I would like to say a few words about the origin of ｢*man* [*the human race*; *Homo sapiens*]. // それは*人類史上最も恐ろしい惨事の1つだった It was one of the most disastrous incidents in ｢*human* history [the history of *man*].
人類愛 love of ｢humankind [mankind] Ⓤ **人類学** anthropology /ænθrəpálədʒi/ Ⓤ **人類学者** ànthropólogist Ⓒ **人類の共同遺産** common heritage of humankind Ⓒ.

しんれい¹ 心霊 (精神) spirit Ⓤ; (霊魂) soul Ⓒ 《☞ れいこん》. **心霊学** psychics /sáɪkɪks/ Ⓤ **心霊学者** psychic researcher Ⓒ **心霊現象** psychic phenomenon Ⓒ **心霊術** spiritualism Ⓤ **心霊術者** spiritualist Ⓒ **心霊療法** [治療] psychic healing Ⓤ.

しんれい[2] **振鈴** handbell Ⓒ. ¶*振鈴を鳴らす ring「a [the] *bell*

しんれい[3] **浸礼** 〘キ教〙(全身を水に浸す洗礼) immersion Ⓤ.

しんれき **新暦** (太陽暦) the solar calendar; (グレゴリオ暦) the Gregórian cálendar. 《☞ きゅうれき》.

しんろ[1] **進路** (進む方向) course Ⓒ; (比喩的な意味での道) way Ⓒ; (目的地までの定まったコース) route Ⓒ; (方向) direction Ⓤ.
¶*進路は決めましたか Have you decided on「your future *course* [what *course* you'll take]? // ここは台風の*進路にあたる This area is in the *path* of the typhoon. // ジャングルの中*進路を切り開くのに数時間を必要とした It took several hours to cut our *way* through the jungle. **進路指導** counseling on the choice of「college [high school] Ⓤ. ¶*進路指導の先生 a *counselor* / 《英》 a *careers*「master [mistress]

しんろ[2] **針路, 進路** course Ⓒ. ¶船は*針路を東へ向けた The ship「set [followed] a *course*「toward the east [eastward]. // *進路を誤ったようだ I'm afraid I've taken the wrong *course* (in life).

しんろう[1] **新郎** (bride)groom Ⓒ (↔ bride) 《☞ むこ[1]》. ¶*新郎新婦のために乾杯をした We toasted the bride and *(bride)groom*. ★ 対になっている場合の順序と冠詞に注意.

しんろう[2] **心労** (心配) anxiety Ⓤ 《☞ しんぱい (類義語)》.

じんろく **甚六** (総領息子) the eldest son (who will become the head of the household); (世間知らず) naive person Ⓒ, person who knows nothing of the world Ⓒ ★ 後者は説明的. ¶総領の*甚六 (⇒ 長男は鷹揚(おうよう)な環境で育つ) The eldest son *grows up in easy circumstances*.

しんわ[1] **神話** (1つの) myth Ⓒ; (総称) mythólogy Ⓤ. ¶アポロという名前はギリシャ*神話からきています The name "Apollo" comes from Greek *mythology*. **神話学** mythólogy Ⓤ.

しんわ[2] **親和** (仲よくすること) friendship Ⓤ 《☞ しんぼく[1]》. **親和性[力]** 〘化〙 affinity Ⓤ. ¶酸素と水素の*親和力 the *affinity* of oxygen for hydrogen

じんわり ☞ じわじわ; じわっと

す，ス

す¹ 巣 (鳥·昆虫·小動物の) nest Ⓒ; (はちの) (honey)comb Ⓒ; (くもの) (cob)web Ⓒ, 《米》 spider web Ⓒ; (野獣の) den Ⓒ.
¶ つばめは時々煙突の中に*巣を作る Swallows sometimes ˹build their *nests* [*nest*] in chimneys. // くもは虫を捕まえて食べるために*巣をかける Spiders spin *webs* to catch insects for food. // 愛の*巣を営む build a love *nest* ★ love nest は比喩的表現. / (⇒ 幸福な家庭を作る) make a happy *home* // 悪の*巣 a *nest* of crime // 空の*巣症候群 ☞ からのすしょうこうぐん
巣をくう ¶ ねずみが天井裏に*巣をくった (⇒ 巣を作った) Some mice *built* their *nest* in the ceiling.

す² 酢 vinegar Ⓤ. **酢醤油** soy sauce mixed with vinegar Ⓤ **酢だこ** vinegared octopus Ⓤ **酢の物** ☞ すのもの

す³ 州 (sand)bar Ⓒ, sandbank Ⓒ; (三角州) delta Ⓒ.

す⁴ 簀 bamboo mat Ⓒ 《☞ すのこ》.

す⁵ 鬆 ── 名 (大根などの) pore Ⓒ; (鋳物の) cavity Ⓒ. ── 形 pithy; (スポンジ状の) spongy. ¶ *すが立っている be *pithy* // この大根は*すが入っている The center of this daikon *is* ˹*spongy* [*pithy*].

ず¹ 図 (鉛筆·ペンなどでかいた) drawing Ⓒ; (絵) picture Ⓒ; (一覧表のような図) chart Ⓒ; (グラフ) graph Ⓒ; (上から見た図) plan Ⓒ; (本の中の挿入図) figure /fígjə/ Ⓒ (略 fig.); (説明のための絵や図) illustration Ⓒ; (説明のためにかく構図や図表) diagram Ⓒ 【語法】 illustration は「説明」という意味が主であるのに対して, diagram は図表そのものをいう; (略図) sketch Ⓒ. 《☞ え¹; さしえ; ずいり》.
¶ *図をかく make a *drawing* // 4 ページの第 3 *図を参照せよ Refer to ˹*figure* 3 [the third *figure*] on page 4. // 先生はその原理を*図で説明した The teacher illustrated the principle with a *diagram*. / (⇒ 略図をかいて) The teacher explained the principle by drawing a *sketch*. // 天気*図 a weather ˹*chart* [*map*]
図に当たる ¶ 企画は*図に当たった (⇒ 思ったとおりうまくいった) The project *worked well as* we (*had*) *expected*. **図に乗る** ¶ 彼は親切にしてやるとすぐ*図に乗る (⇒ 親切につけ込む) He is willing to *take advantage of* your kindness. 【語法】 この your は相手を含めた一般の人々を表す. / (⇒ 1 インチを与えれば 1 マイル[ヤード]まで取る男だ) Give him an inch and he'll take a ˹mile [yard].

ず² 頭 ¶ 彼は*頭が高い (⇒ 横柄だ) からだれも相手にしない Since he *is arrogant*, nobody cares for him. 《☞ あたま; おうへい (類義語)》

すあし 素足 bare foot Ⓒ 【語法】 bare は靴下など習慣上はくべきものをはかない状態. 《☞ はだし》.
¶ 彼は熱い砂浜を*素足で歩いた He walked on the hot (beach) sand with *bare feet*. / He walked *barefoot*(*ed*) on the hot (beach) sand. // 彼女は*素足に (⇒ 靴下をはかないで) サンダルをはいていた She wore sandals *without stockings*.

すあま 素甘 soft and mildly sweet rice cake Ⓒ.

ずあん 図案 (デザイン) design Ⓒ; (模様) páttern Ⓒ. 《☞ もよう 【語法】; がら¹》. ¶ *図案を描く *design* / draw [make] a *design* (*of* …) **図案化** ¶ 花を*図案化する *make a design* ˹of [with] flowers **図案家** designer Ⓒ.

すい¹ 酸い ¶ 彼は人生の*酸いも甘いもかみ分けた人だ He has known ˹both the sweet and *the bitter* [*the bittersweet*] of life. / (⇒ 彼は世間に通じている人だ) He is a man of the world. 《☞ すっぱい》

すい² 粋 (最も重要な部分) éssence Ⓤ; (最良の部分) the cream. 《☞ しんずい; ほんしつ》. ¶ 彼女はヨーロッパ文化の*粋を日本に紹介した She introduced *the* ˹*essence* [*cream*] of European culture ˹to [into] Japan. // この橋は最新技術の*粋を集めたものである This bridge incorporates all the latest technical *advances*. / (⇒ 一大傑作である) This bridge is a *masterpiece* of modern technology.
粋をきかす (いきな思いやりをする) show a great deal of consideration (in *doing* …); (物わかりがいい) be very understanding (in *doing* …).

ずい¹ 髄 (動物の) marrow Ⓤ; (植物の) pith Ⓤ.
¶ 寒くて骨の*髄まで凍ってしまいそうだ It's so cold that I feel frozen to the *marrow*. // 政治機構は骨の*髄まで (⇒ 中心部まで) 腐っている The political ˹structure [system] is rotten to the *core*.

ずい² 隋 ── 名 固 (中国の王朝) Sui /swíː/.

すいあげ 吸い上げ suction Ⓤ, sucking Ⓤ. **吸い上げポンプ** suction pump Ⓒ.

すいあげる 吸い上げる **1** 《液体を》: súck úp 他; (ポンプで) púmp úp 他; (引き出す) draw (up) 他.
¶ 根は地中から水を*吸い上げる Roots *suck up* water from the soil. // 彼女は残っている石油をポンプで*吸い上げた She *pumped up* the remaining oil. // *吸い上げポンプ a *suction* pump
2 《利益などを》: siphon off 他; (搾取する) exploit 他. 《☞ さくしゅ》. ¶ 下請けの利益を*吸い上げる *siphon off* the profits of subcontractors
3 《意見などを取り上げる》: accept 他; (聞き入れる) listen to … ¶ 要求を*吸い上げる *listen to a person's* request

すいあつ 水圧 water pressure Ⓤ 《☞ あつりょく》. **水圧管** penstock Ⓒ **水圧機** (集合的に) hydraulic machinery Ⓤ **水圧計** water-pressure gauge Ⓒ **水圧試験** hydraulic test Ⓒ **水圧ジャッキ[リフト]** hydraulic ˹jack [lift] Ⓒ **水圧プレス** hydraulic press **水圧ポンプ** hydraulic pump Ⓒ.

すいい¹ 推移 ── 名 (変化) changes ★ 通例複数形で; (移り変わり) transítion Ⓒ ★ 前者より改まった語; (進展) devélopment Ⓒ; (徐々に起こる状況·意見などの変化) shift Ⓒ. ── 動 change 自, undergo a ˹change [transition]; develop 自. 《☞ へんか¹; へんせん; うつりかわり》.
¶ 彼女は時代の*推移に敏感だ She is sensitive to the *changes* of the times. // 事態の*推移 (⇒ 事態がいかに進むか) を見守る watch how things *go*

すいい² 水位 water level Ⓒ. ¶ *水位が高い [低い] The *water level* is ˹high [low]. // ダムの*水位が 1 メートル下がった[上がった] The *water level* in the dam ˹fell [rose] (by) one meter. **水位計** wáter gauge /gèɪdʒ/ Ⓒ; hydrograph Ⓒ. ★ 後者は専門的な語.

ずいい 随意 ── 形 (自由に選択できる) optional; (自由に…できる) at liberty (to *do* …) Ⓟ ★ 格式ばった言い方; (自由気ままな) free. 《☞ じゆう¹; にん

い》. ¶きょうの会への出席は*随意です Attendance at today's meeting is *optional.* // この部屋をご*随意にお使い下さい You are [Please feel] *free* to use this room. // 服装*随意 Party dress *optional*《パーティーなどの招待状に書く言葉》 //「もっと早く出発しようか」「ご*随意に」 " Shall we start earlier? " " It's *up to* you. "

随意科目《米》elective (subject) Ⓒ;《英》optional (subject) Ⓒ.《☞ せんたく² (選択科目)》 **随意筋** voluntary muscle Ⓒ **随意契約** private [free] contract Ⓒ, contract *ad libitum* Ⓒ.

すいいき 水域 (海域) waters ★ 複数形で; (区域) zone Ⓒ.《☞ りょうかい²》. ¶日本の漁業専管*水域 the Japanese exclusive fishery *zone*

ずいいち 随一 the best ★ the を付けて.《☞ だいいち; いちばん》.

スイート¹ ── ㊀ (味が甘い・感じがよい) sweet.

スイート² (ホテルの居間と寝室を備えた高級な部屋) suite Ⓒ 〔日英比較〕「スイートルーム」は和製英語.

スイートコーン (糖分の多いとうもろこし) sweet corn Ⓤ.

スイートスポット 〚スポ〛sweet spot Ⓒ.

スイートハート 《古風》sweetheart Ⓒ ★ 今は girlfriend, boyfriend が普通.

スイートピー 〚植〛sweet pea Ⓒ.

スイートホーム (楽しい家庭) loving [happy] home Ⓒ; (新婚家庭) newly married couple's home Ⓒ ★ 後者は説明的な訳. 〔日英比較〕 日本語の「スイートホーム」は一つには「楽しきわが家」というアメリカ民謡から, また一つには「スイート」が「甘い」と一般に訳されることから「新婚家庭」という意味で用いられるが, 英語では単に「居心地のよいわが家」の意.「楽しい家庭」「愛の巣」の意では a *loving* home, a *happy* home が普通.

スイートポテト (さつまいも) sweet potato Ⓒ《複 ～es》; (さつまいもで作った菓子) Japanese cake made of sweet potatoes Ⓒ.

スイートルーム ☞ スイート²

スイーパー 〚サッカー〛sweeper Ⓒ. ¶*スイーパーは守備要員でゴールキーパーの前でプレーする A *sweeper* is a defensive player and plays in front of the goalkeeper.

スイーピング 〚カーリング〛(ブラシなどで氷面をこすること) sweeping Ⓤ.

スイープしゅもく スイープ種目 〚ボート〛sweep event Ⓒ.

ずいいん 随員 (貴人・高官の随員一行の総称) suite /swíːt/ Ⓒ; (側近たち) entourage Ⓒ /àːntʊráːʒ/; (一行) party Ⓒ; (付き添い人) attendant Ⓒ; (大使・公使の) attaché /ætəʃéɪ/ Ⓒ ★ attaché の ´ は綴り本来のもの.《☞ ずいこう; とも²》.

¶大統領と*随員は特別機で到着した The President and his ⌈*entourage* [*party*] arrived by (a) special plane.

すいうん¹ 水運 (人の輸送) water transportation Ⓤ; (貨物の輸送) water transport Ⓤ.

すいうん² 衰運 declining fortune Ⓤ. ¶*衰運をたどる be on the ⌈*decline* [*wane*] // *衰運に向かう begin to ⌈*decline* [*wane*] // *衰運を挽回する (⇒ 元の繁栄をとりもどす) regain *one's* former prosperity

ずいうん 瑞雲 (めでたいことの前ぶれとされる雲) auspicious cloud Ⓒ. ¶式場の上には*瑞雲がたなびいていた *Auspicious clouds* were hanging over the ceremonial site.

すいえい 水泳 ── ㊁ (泳ぐこと) swimming Ⓤ. ── ㊂ swim ㊄, have [go for] a swim ★ 後者は「ひと泳ぎする」というニュアンスを持つ; (水泳に行く) go swimming.《☞ およぐ》.

¶私は夏は毎日*水泳に行く I ⌈*go swimming* [*swim*; *have a swim*] every day in (the) summer. // 彼女は*水泳がうまい (⇒ 上手な泳ぎ手だ) She is a good *swimmer.* // 私は*水泳は全然だめです I can't *swim* a stroke. / (⇒ 私は石のように沈む) I sink like a ⌈rock [stone]. ★ hammer (かなづち) は用いない. // 私は*水泳を習わなくてはならない I have to learn (how) to *swim.* // この夏は*水泳の練習をしたい I want to practice *swimming* this summer.

水泳着 (上下続いている女性用の) swimsuit Ⓒ, swimming costume Ⓒ,《英》bathing suit Ⓒ; (ビキニ) bikini /bəkíːni/ Ⓒ; (男性用の) swimming [bathing] trunks ★ 複数形で.《☞ みずぎ》 **水泳競技** swim [swimming] ⌈race [competition] Ⓒ《☞ きょうえい¹》 **水泳教室** swim class Ⓒ **水泳世界選手権** the World Swimming Championship **水泳選手** swimmer Ⓒ **水泳大会** swim(ming) meet Ⓒ **水泳パンツ** (swimming) trunks ★ 複数形で. 数えるときは a pair of (swimming) trunks のように言う.《☞ 数の数え方 (囲み)》 **水泳帽** swimming [bathing] cap Ⓒ.

すいえき 膵液 〚医〛pancreatic /pǽŋkriætɪk/ júice Ⓤ《☞ すいぞう》.

ずいえき 髄液 〚医〛cerebrospinal fluid Ⓤ, spinal fluid Ⓤ.

すいえん¹ 垂涎 ☞ すいぜん

すいえん² 膵炎 〚医〛pancreatitis /pæ̀ŋkriətáɪtəs/ Ⓒ《複 pancreatitides /-títədìːz/》.

すいえん³ 錘鉛 plumb Ⓒ.

すいおん 水温 water temperature Ⓤ《☞ おんど》. **水温計** water temperature gauge Ⓒ.

すいか¹ 西瓜 watermelon Ⓒ.

すいか² 水火 fire and water Ⓤ. **水火の苦しみ** (大変な困難や災害) great hardship and suffering Ⓤ **水火の責め** torture by water and fire Ⓤ **水火の難** damage from flood and fire Ⓤ **水火も辞せず** ── ㊂ (いかなる困難もいとわない) be ready to face any hardship; (火の中, 水の中でも進む) be willing to go through fire and water.

すいか³ 誰何 ── ㊁ challenge Ⓒ. ── ㊂ challenge ㊅. ¶「誰だ」と守衛が門口で*誰何した " Who goes there? " *challenged* the guard at the gate.

すいがい 水害 (洪水) flood Ⓒ; (損害) flood damage Ⓤ; (惨禍) flood disaster Ⓒ.《☞ こうずい; はんらん²》.

¶台風は各地に*水害をもたらした The typhoon caused ⌈*floods* in many places [widespread *flood damage*]. // その地方は少なくとも年に 1 回は*水害に見舞われる The district ⌈*suffers from* [*is damaged by*] *a flood* at least once a year.

水害対策 (救済) flood-relief measure Ⓒ; (防止) flood-control measure Ⓒ **水害地** flooded district Ⓒ **水害被災者** flood victim Ⓒ.

すいかいせん 水界線 boundary of sea and land Ⓒ.

すいかしきようしょく 垂下式養殖 ¶カキの*垂下式養殖 the *hanging method* of oyster *culture*

すいかずら 忍冬 〚植〛Jápanèse hóneysùckle Ⓒ.

すいがら 吸い殻 (紙巻きたばこの) cigarette ⌈butt [《英》end] Ⓒ《☞ たばこ》.

すいかん¹ 酔漢 (酔っぱらい) drunkard Ⓒ, drunk Ⓒ ★ 両方とも軽蔑的.

すいかん² 水干 *suikan* Ⓒ; (説明的には) old plain clothes worn by court nobles.

すいかん³ 水管 **水管系** 〚動〛(棘皮(きょく)動物の) water-vascular system Ⓒ.

すいかん[4] **吹管** blowpipe Ⓒ. **吹管分析** 〘化〙 blowpipe analysis Ⓒ 《複 -ses》.

すいがん[1] **酔眼** boozy [drunken] eyes; eyes blurred with drink ★ いずれも複数形で. ¶ 彼は*酔眼もうろうとしていた (⇒ 酔っぱらって, 物が目の前でもうろうとしていた) He got drunk, and things were 「blurring [swimming] before his eyes. 《☞ よっぱらい》.

すいがん[2] **水癌** 〘医〙 noma Ⓤ.

ずいき[1] **随喜** (心からの喜び) overwhelming joy Ⓤ; (心からの感謝) heartfelt [deep] gratitude Ⓤ. ¶ *随喜の涙を流す (⇒ うれし泣きに泣く) weep *for joy* / (⇒ 心底から感謝の涙を流す) shed tears of 「*deep* [*great*] *gratitude*

ずいき[2] **芋茎** the stem of a taro.

すいきゃく **酔客** drunken person Ⓒ; (飲んだくれ) drunkard Ⓒ. 《☞ よっぱらい》.

すいきゅう **水球** 〘スポ〙 wáter pòlo Ⓤ.

すいぎゅう **水牛** 〘動〙 wáter bùffalo Ⓒ 《複 ~, ~(e)s》.

すいきょ **推挙** ―名 (推薦) recommendation Ⓤ; (指名) nomination Ⓤ. ―動 recommend ㊀; nominate ㊀. 《☞ すいせん[1]》.

すいきょう[1] **酔狂, 粋狂** ―形 (気まぐれな) 《格式》 whimsical; (頭のおかしい) 《略式》 crazy. ―名 (気まぐれ) whim Ⓒ. 《☞ きまぐれ (類義語); ふうがわり》. ¶ 今度の計画は一時の*酔狂ではありません This plan is no *whim* of the moment. // この雨に出かけるとは*酔狂だな You're *crazy* to go out in this rain.

すいきょう[2] **水鏡** ☞ みずかがみ

すいぎょのまじわり **水魚の交わり** close [firm; strong] friendship Ⓒ. ¶ *水魚の交わりを結ぶ form a *close friendship* (with ...)

すいきん **水禽** waterfowl Ⓒ 《複 ~(s)》 《☞ みずとり 語法》.

すいぎん **水銀** 〘化〙 mercury Ⓤ 《元素記号 Hg》. **水銀汚染** mercury 「pollution [contamination] Ⓤ **水銀温度計[気圧計]** mércury 「thermómeter [barómeter] Ⓒ **水銀剤** mercurial Ⓒ **水銀柱** (温度計) mercury Ⓒ **水銀中毒** mercury poisoning Ⓤ **水銀電池** mercury battery Ⓒ **水銀灯** mercury(-vapor) lamp Ⓒ.

すいきんくつ **水琴窟** water *koto* grotto Ⓒ; (説明的には) device which makes the sound of dripping water echo in a buried large pot Ⓒ.

すいくち **吸い口** (パイプなどの) mouthpiece Ⓒ; (紙巻きたばこの) cigarette 「tip [filter] Ⓒ.

すいくん **垂訓** (説教) sermon Ⓒ; (偉人などの教え) teachings ★ 通例複数形で. ¶ 山上の*垂訓 《聖書》 the *Sermon* on the Mount

すいぐん **水軍** naval forces (in ancient Japan) ★ 通例複数形で.

すいけい[1] **推計** ―動 (推定する) calculate ㊀ ㊁; (見積もる) *estimate* /éstəmèɪt/ ㊀ ㊁. ―名 calculation Ⓤ; (見積もり) estimate /éstəmət/ Ⓒ. **推計学** stochastics /stəkǽstɪks/ ★ 単数扱い.

すいけい[2] **水系** river [basin] system Ⓒ.

すいけん **水圏** the hydrosphere. **水圏(科)学** hydrospherics Ⓤ.

すいげん **水源** (川の) the 「source [head] of a river, headwaters; (水道の) the source of the water supply. 《☞ みなもと》. **水源(涵養)林** watershed forest Ⓒ **水源地** ¶ この川の*水源地は中禅寺湖です (⇒ ...から発する) This river flows *from* Lake Chuzenji.

すいこう[1] **遂行** ―動 (計画・命令などを実行する) cárry óut ㊀, execute /éksɪkjùːt/ ㊀ ★ 前者のほうが普通; (仕事・義務などを行う) perform ㊀. ―名 execution Ⓤ; performance Ⓤ. 《☞ じっこう[1]; じっし[1]; はたす》. ¶ 彼は立派に任務を*遂行した He 「*carried out* [*executed*] his duties very competently. // 彼女は職務*遂行中に事故にあった She experienced an accident *in the line* of duty.

すいこう[2] **推敲** ―動 (改良する) improve ㊀; (修正して書き改める) revise ㊀. ―名 improvement Ⓤ; revision Ⓤ. 《☞ しゅうせい[1]; ねる[2]》.

すいこう[3] **推考** ―動 (推して考える) infér ㊀ 《☞ すいろん》.

すいごう **水郷** (運河地帯) canal district Ⓒ; (川辺の地域) riverside district Ⓒ. ¶ 私たちは船で*水郷巡りを楽しんだ We enjoyed a boat excursion in the *canal district*.

ずいこう **随行** ―動 (仲間として一緒に行く) accompany /əkʌ́mp(ə)ni/ ㊀; (目上の人に従って行く) attend ㊀; (同行して護衛する) escórt ㊀; (付き従う) follow ㊀. 《☞ つきそう; ずいいん》. ¶ 彼は貿易使節団に*随行してフランスへ行った He *accompanied* the trade mission to France. // 社長の旅行には看護師が*随行した A nurse *attended* the president on his journey.
随行員 (付き添いの人) attendant Ⓒ; (一団) suite /swíːt/ Ⓒ; (側近たち) entourage /ɑ̀ːntʊrɑ́ːʒ/ Ⓒ ★ 団員の 1 人は a member of the entourage.

すいこうほう **水耕法** hydroponics Ⓤ, aquaculture Ⓤ.

すいこでん **水滸伝** ―名 固 the *Water Margin* ★ 中国の長編小説.

すいこてんのう **推古天皇** ―名 固 Empress Suiko, 554–628; (説明的には) the first empress in Japan.

すいこみ **吸い込み** (排水口) drainage hole Ⓒ; (排水管) drain Ⓒ, drainpipe Ⓒ.

すいこむ **吸い込む** dràw 「ín [úp] ㊀; (人が息を) bréathe ín ㊁ ㊀, inhale ㊀ ㊁ (↔ exhale) ★ 後者のほうが格式ばった語; (気体や液体を唇や舌などを使って) súck 「in [úp] ㊀; (液体を表面からしみ込ませるようにして) soak up ㊀, absorb ㊀ ★ 前者のほうが口語的. 《☞ すう[1]; きゅうしゅう[1]; こきゅう[1]》.
¶ 彼は新鮮な空気を深く*吸い込んだ He 「*breathed in* [*inhaled*] the fresh air deeply. // 乾燥した地面は雨水を*吸い込んだ The dry land *soaked up* the rain.

すいさい **水彩** **水彩絵の具** watercolors ★ 通例複数形で. **水彩画** watercolor [《英》 watercolour] (painting) Ⓒ 《☞ え[1]》. ¶ *水彩画をかく paint a *watercolor* / (⇒ 水彩絵の具で) paint 「*with* [*in*] *watercolors* **水彩画家** watercolor painter Ⓒ, watercolorist Ⓒ.

すいさし **吸いさし** (吸いがら) cigarette 「butt [《英》 end] Ⓒ; (短くなった吸い残り) stub Ⓒ.

すいさつ **推察** ―動 (見当をつける) guess ㊀ ㊁; (人の言動から察する) gather ㊀; (想像する) imagine ㊀. ―名 guess Ⓒ; (想像) imagination Ⓤ. 《☞ すいそく (類義語); さっする》.
¶ あなたの*推察は正しい[間違っている] Your *guess* was 「right [wrong]. / (⇒ うまく言い当てた[当てそこなった]) You *guessed* 「right [wrong]. / You made a 「correct [wrong; incorrect] *guess*. // 彼の言葉から*推察するとお母さんの具合が悪いようだ From what he said I *gather(ed)* that his mother 「is [was] ill.

すいさん **水産** ―形 (海の) maríne Ⓐ. **水産学** fisheries ★ 単数扱い. **水産加工業** the marine product processing industry **水産加工品** processed marine products ★ 複数形で. **水産業** fisheries ★ 複数形で. **水産資源** (海産物) marine 「resources [products] ★ 複数形で. **水産試**

験場 marine laboratory Ⓒ　水産大学 fisheries college Ⓒ, university of fisheries Ⓒ. (☞ だいがく[1]) 水産庁 the Fisheries Agency 水産調査船 fisheries research vessel Ⓒ　水産物 marine products ★ 複数形で.

すいさんか　水酸化　〚化〛 ¶ *水酸化ナトリウム sodium *hydroxide*　水酸化物 hydroxide Ⓤ.

すいさんき　水酸基　〚化〛 hydroxyl /haɪdrɑ́ksl/ (group) Ⓒ.

すいし　水死　— 動 (水死する) be drowned, drown 自. (☞ おぼれる). ¶ 彼は海[川]で*水死した He 「*was drowned* [*drowned*] 「at sea [in the river]. 水死者 drowned person Ⓒ; (集合的に) the drowned 水死体 drowned body Ⓒ.

すいじ　炊事　— 動 (火を使って煮炊きする) cook 他 自; (食事の支度をする) prepare 他. — 名 (料理) cooking Ⓤ; (台所仕事) kitchen work Ⓤ. (☞ 料理の用語 (囲み)). ¶ *炊事は自分でやります I do my own *cooking*. / (⇒ 自分で料理する) I *cook* for myself. 炊事係 cook Ⓒ　炊事道具 cooking [kitchen] utensil Ⓒ; (台所用品) kitchenware Ⓤ　炊事当番 person on kitchen duty Ⓒ　炊事場 (台所) kitchen Ⓒ.

ずいじ　随時　(いつでも) at any time; (必要に応じて) as occasion arises; (要求しだい) on 「demand [request]. (☞ いつでも).

すいしつ　水質　water quality Ⓤ.　水質汚染 water pollution Ⓤ　水質汚濁防止法 the Water Pollution Prevention Law　水質管理 water-quality control Ⓤ　水質基準 water quality standard Ⓤ　水質検査 water 「analysis [examination] Ⓒ.

すいしゃ　水車　waterwheel Ⓒ.　水車小屋 water mill Ⓒ.

すいじゃく[1]　衰弱　— 形 (体が弱っている) weak, feeble ★ 前者は一般的な語. 後者のほうが程度が強い; (老齢で弱った) infirm. — 動 (弱る) be weakened; (弱くする・弱る) weaken 他 自. — 名 weakness Ⓤ, feebleness Ⓤ. (☞ おとろえる; よわる).

¶ 彼女の*衰弱の原因は栄養不良だ Her 「*weakness* [*feebleness*] is due to malnutrition. // 彼は長患いで*衰弱してしまった He is *weak* 「because of [after] his long illness. / (⇒ 長い病気が彼を衰弱させた) His long illness *has weakened* him. // 患者は心臓が*衰弱している The patient has a *weak* heart.

すいじゃく[2]　垂迹　☞ ほんじすいじゃくせつ

すいしゅ　水腫　〚医〛 dropsy Ⓤ; (浮腫) edéma Ⓒ (複 ~s, ~ta). (☞ はれもの; しゅよう[2]; できもの).

すいじゅん　水準　(水準の高さ) level Ⓒ; (標準) standard Ⓒ. (☞ ていど (類義語)).

¶ わが国の生活*水準は極めて高い Our *standard* of living is very high. // 彼らの文化の*水準は高かった They had a high *level* of culture. // 彼の新作は*水準以下だ His latest work is below *par*. // *水準に達する reach [meet] 「the [a] *standard*

水準器 level Ⓒ　水準儀 (測量用) surveyor's level Ⓒ; leveling instrument Ⓒ　水準測量 leveling Ⓤ　水準点 bench mark Ⓒ (略 BM).

コロケーション

学問的水準 an academic *standard* / 技術水準 a technical *standard* / 教育水準 an educational *standard* / 高[低]い水準 a 「high [low] *standard* / 知的水準 an intellectual *standard* / 品質水準 a quality *standard* // 水準が高い[低い] have a 「high [low] *standard* / 水準に達しない fall short of a *standard* / 水準を維持する maintain a *standard* / (ある)水準を超える exceed a (certain) *standard* / (ある)水準を達成する achieve [attain] a (certain) *standard* (☞ きじゅん[1])

ずいしょ　随所　(至るところに) everywhere; (あちこちに) here and there. (☞ あちこち; ほうぼう[1]).

すいしょう[1]　水晶　crystal Ⓤ. ¶ 紫*水晶 amethyst /ǽməθɪst/　水晶婚式 crystal wedding Ⓒ　水晶体 (目の) (crystal(line)) lens Ⓒ　水晶時計 quartz 「clock [watch] Ⓒ (☞ とけい)　水晶発振器 crýstal [quártz] oscillator /ɑ́səlèɪtə/ Ⓒ.

すいしょう[2]　推奨　— 動 recommend 他 (☞ すすめる[2]; すいせん[1]).　推奨銘柄 〚株〛 recommended stock Ⓒ.

すいじょう　水上　— 名 (水面) the surface of the water. — 形 副 (水の上の[で]) on the water. (☞ ふじょう[1]). ¶ 彼らは*水上に浮かんでいるブイを発見した They found a buoy floating *on the water*.　水上競技 water [aquatic] sports ★ 複数形で.　水上警察 (the) 「marine [harbor] police Ⓤ　水上交通 water(borne) transportation Ⓤ; water(borne) traffic Ⓤ　水上スキー — 名 (競技) water-skiing Ⓤ. — 動 water-ski 自　水上生活 life on the water Ⓤ　水上生活者 people who 「live [make a living] on the water ★ 集合的.　水上バイク[オートバイ] personal watercraft Ⓒ ★ jet ski は商標名.　水上バス waterbus Ⓒ　水上(飛行)機 seaplane Ⓒ (☞ ひこうき)　水上レストラン floating restaurant /réstərənt/ Ⓒ; boat restaurant Ⓒ.

ずいしょう　瑞祥, 瑞象　(吉兆) good omen Ⓒ; (めでたいしるし) auspicious sign Ⓒ. ¶ トビは勝利の*瑞祥 A kite is an *auspicious sign* of victory.

すいじょうかじょ　穂状花序　〚植〛 spike Ⓒ.

すいじょうき　水蒸気　(熱を加えたときに発生する) steam Ⓤ; (自然の状態で発生する) vapor (〔英〕 vapour) Ⓤ. (☞ ゆげ).　水蒸気爆発 phreátic explósion Ⓒ.

すいしん[1]　推進　— 動 (前進させる) propél 他; (計画・運動などを推し進める) push 「on [forward] with …. (☞ おしすすめる; すすめる[1]).

¶ ロケットはガスの噴射で*推進する (⇒ 前進させられる) The rocket *is* 「*propelled* by gas [gas-*propelled*]. // 彼らは私の忠告を無視してその計画を*推進した (⇒ 推し進めた) They *pushed* 「*on* [*ahead*; *forward*] *with* their plan in spite of my advice.

推進器 propéller Ⓒ; (特に船の) screw Ⓒ　推進剤 propellant Ⓒ, propellent Ⓒ　推進力 propelling power Ⓤ; (促進力) driving force Ⓤ.

すいしん[2]　水深　(the) water depth ★ 単数形で; (測量した深さ) soundings ★ 通例複数形で. 深さを測ることを sound 他 という. (☞ ふかさ).

¶ 私たちはその湖の*水深を測った We 「sounded [measured] *the depth of* the lake. // 「この池の*水深はどのくらいですか」「3 メートルです」 " How *deep* is this pond? " " It's three meters 「*deep* [*in depth*]. " // 彼らは*水深 30 メートルの所に沈没船を見つけた They found a sunken ship at a *depth of* thirty meters.

水深測量器 depth sounder Ⓒ, bathómeter Ⓒ.

すいしん[3]　垂心　〚数〛 órthocènter (〔英〕 -centre) Ⓒ.

すいじん[1]　粋人　(風流な人) elegant [sophisticated] person Ⓒ; (趣味のよい人) person of refined taste Ⓒ; (物わかりのよい人) sensible person Ⓒ; (粋な遊びをする人) person who seeks pleasures in a refined way Ⓒ. (☞ ふうりゅう; ものわかり; つう[1]).

すいじん[2]　水神　gód of wáter Ⓒ, wáter gòd Ⓒ.

スイス　— 名 固 Switzerland /swítsələnd/.

── 形 (スイスの) Swiss. ¶ *スイス製の時計 a *Swiss* watch スイス人 Swiss Ⓒ ★ 単複同形; (総称) the Swiss ★ 複数扱い.

すいすい ── 副 (楽々と) easily; (軽快に) lightly. ── 動 (鳥・ちょうなどがすいすい飛ぶ) flit ⓐ. 《☞ 擬声・擬態語 (囲み)》. ¶ 彼らは凍った池の上をスケートで*すいすい (⇒ 軽快に) 滑った They skated *lightly* over the frozen pond. // 小鳥が枝から枝へ*すいすいと飛んでいた I saw a bird *flitting* from branch to branch.

ずいずいずっころばし *zuizuizukkorobashi* Ⓤ; (説明的には) a traditional Japanese children's game in which players sing a song beginning with "zuizuizukkorobashi".

すいせい[1] 水星 〔天〕 Mercury.

すいせい[2] 彗星 〔天〕 comet Ⓒ. ¶ ハレー*彗星 Halley's *comet* **彗星のごとく現れる** (急に目立つ存在となる) be brought into sudden prominence. ¶ 彼は*彗星のごとく現れ彗星のごとく消えた (⇒ 突然現れ突然消えた) He disappeared as suddenly as he appeared.

すいせい[3] 水生 〔生〕 ── 形 (水生の) aquatic /əkwátɪk/. **水生植物** aquatic plant Ⓒ **水生動物** aquatic animal Ⓒ.

すいせい[4] 水性 ── 形 aqueous /éɪkwiəs/. **水性インク** wáter-sòluble ínk Ⓤ **水性ガス** 〔化〕 water gas Ⓤ **水性塗料** water paint Ⓤ.

すいせい[5] 水勢 the force of water ; (強い水の流れ) strong current Ⓒ.

すいせい[6] 衰勢 decline Ⓒ ★ 通例単数形で. 《☞ たいせい[8]; すいたい[1]》.

すいせいがん 水成岩 〔鉱物〕 aqueous rock Ⓒ.

すいせん[1] 推薦 ── 動 recommend ⓗ; (地位・受賞候補に推す) nominate ⓗ. ── 名 recommendation Ⓤ. 《☞ すすめる[2]; すすめ; くちぞえ; せわ》. ¶ 彼女は先生の*推薦で秘書の口を得た She got a position as a secretary ⌈through [on] the *recommendation* of her teacher. // 先生はその辞書を私たちに*推薦した The teacher *recommended* the dictionary to us. // あなたなら喜んでクラブの会員に*推薦いたします I will be glad to *recommend* you for membership in the club.

推薦候補 recommended candidate Ⓒ **推薦者** recommender Ⓒ; (人物証明をする人) reference Ⓒ **推薦状** (letter of) recommendation Ⓒ; (人物証明という意味で) reference Ⓒ 〔語法〕 本人の能力の客観的判定などを含むものが reference で, 単によい点のみを記した recommendation とは区別する. ¶ 彼女については学校の先生たちからすばらしい*推薦状が来ている She has excellent *references* from her school teachers. **推薦入学** admission ⌈by [on] recommendation Ⓤ.

すいせん[2] 水仙 narcissus /nɑəsísəs/ Ⓒ 《複 ~es, narcissi /nɑəsísaɪ/》; (らっぱずいせん) dáffodìl Ⓒ; (*黄ずいせん*) *jonquil* Ⓒ.

すいせん[3] 垂線 〔数〕 pèrpendícular (líne) Ⓒ 《☞ すいちょく》. ¶ 底辺に向けて*垂線を引く draw a *perpendicular* (*line*) toward the base

すいぜん 垂涎 **垂涎の的** the object of envy ★ 通例 the を付けて. ¶ 彼女の美しい指輪は友人たちの*垂涎の的だった Her beautiful ring was *the object of envy* among her friends.

すいせんべんじょ 水洗便所 flush toilet Ⓒ 《☞ トイレ》.

すいそ 水素 〔化〕 hydrogen Ⓤ 《元素記号 H》. **水素イオン** hýdrogen ion /àɪən/ Ⓒ **水素イオン指数** hydrogen ion exponent Ⓒ ★ pH で表す 《☞ ペーハー》 **水素エネルギー** hydrogen energy Ⓤ **水素ガス** hydrogen gas Ⓤ **水素結合** hydrogen bond Ⓒ **水素爆弾** hydrogen bomb Ⓒ, H-bomb Ⓒ.

すいそう[1] 吹奏 ── 動 (演奏する) play ⓗ; (らっぱなど) blow ⓗ. 《☞ えんそう; ふく[1]》.
吹奏楽 wind (instrument) music Ⓤ **吹奏楽団** (金管だけの) brass band Ⓒ; (軍楽隊) military band Ⓒ **吹奏楽器** wind instrument Ⓒ.

すいそう[2] 水槽 water tank Ⓒ.

すいそう[3] 水葬 burial at sea Ⓒ 《☞ そうぎ[1]》. ¶ 彼の遺体は*水葬にふされた His body *was buried at sea*.

すいそう[4] 水草 water [aquatic] plant Ⓒ.

すいぞう 膵臓 〔解〕 pancreas /pǽŋkriəs/ 《☞ ないぞう[1] (挿絵)》. **膵臓炎** pancreatitis /pæ̀ŋkriətáɪtɪs/ Ⓒ 《複 pancreatitides /-tɪ́tədì:z/》 **膵臓癌** cancer of the pancreas Ⓤ 《☞ がん[1]》.

ずいそう 随想 occasional thoughts ★ 複数形で. **随想録** essays ★ 複数形で; (回顧録) memoirs /mémwɑəz/ ★ 複数形で. 《☞ ずいひつ》.

すいそく 推測 ── 動 (推測する) guess ⓐ ⓗ; conjécture ⓗ; 《格式》 surmise /səmáɪz/ ⓗ ★ この順に格式ばった語となる. ── 名 guess Ⓒ; conjecture Ⓤ; surmise Ⓤ; (当て推量) guesswork Ⓤ.
【類義語】 当てずっぽうに意見を言うのが **guess** で, 最も一般的で口語的な言葉. 多少改まった言葉で, 不十分な根拠に基づいて意見を述べたり判断を下したりするのが **conjecture**. 格式ばった語で, 単に想像をもとにして推量するのが **surmise**. 《☞ すいさつ; そうぞう[1]》 ¶ 彼の*推測は当たった [はずれた] (⇒ 正しく [誤って] 推測した) He *guessed* ⌈right [wrong]. / (⇒ 彼はその推測において正しかった [間違っていた]) He was ⌈right [wrong] in his ⌈*conjecture* [*surmise*]. // それは単なる*推測にすぎない It is mere ⌈*guesswork* [*conjecture*; *surmise*].

── コロケーション ──
推測する make [have] a *guess* // 当てずっぽうで推測をする *guess* wildly / 賢く推測する *guess* shrewdly / 簡単に推測できる (can) *guess* easily // 当てずっぽうの推測 a wild *guess* / 誤った推測 a wrong *guess* / うまく当たった推測 a lucky *guess* / 大まかな推測 a rough *guess* / 根拠のない推測 a baseless *guess* / へたな推測 a bad *guess* / 見事な推測 a good [an admirable; an excellent] *guess*

すいぞくかん 水族館 aquarium /əkwé(ə)riəm/ Ⓒ 《複 ~s, aquaria》.

すいたい[1] 衰退 ── 動 (衰える) decline ⓐ; (徐々に) decay ⓐ. 《☞ すいび; おとろえる》.

すいたい[2] 推戴 ── 動 (長として迎える・指名する) nominate *a person* as the president (of ...) ¶ その会は櫻宮殿下を会長に*推戴している The society is ⌈*under the presidency of* [*presided by*] Prince Sakuranomiya.

すいたい[3] 酔態 (酔っていること) drunkenness Ⓤ; 《格式》 intoxication Ⓤ. ¶ 客に*酔態をさらして恥ずかしい I'm ashamed of having displayed my *drunkenness* to our guests.

すいたい[4] 錐体 〔数〕 (円錐) cone Ⓒ; (角錐) pyramid Ⓒ.

すいだし 吸い出し **吸い出し膏薬** plaster for a boil Ⓒ 《☞ こうやく[2]; はれもの》.

すいだす 吸い出す draw out ⓗ; (唇や舌を使って気体や液体を) suck out ⓗ. 《☞ すう[1]; すいこむ》.

すいだん 推断 ── 動 (推論する) infer ⓗ; (推論によって結論を下す) conclude ... by inference. 《☞ すいろん》.

すいちゅう 水中 ¶ 彼は服を着たまま*水中に飛び込んだ He ⌈jumped [plunged] *into the water* with his clothes on. // 彼女は*水中に長く潜っていられる She can stay *underwater* (for) long periods. // その船は*水中に没した The ship disappeared *under the water*. // その小さな島は高潮のとき*水中に隠れます (⇒ 高潮がその小さな島を水中に沈める) High tides *submerge* the small island.

水中ウォーキング water walking Ⓤ **水中花** artificial flower which opens when immersed in water Ⓒ **水中カメラ** underwater camera Ⓒ **水中考古学** underwater arch(a)eology Ⓤ **水中撮影** underwater photography Ⓤ **水中戦** subsurface warfare Ⓤ **水中聴音器** hydrophone Ⓒ **水中テレビカメラ** underwater TV camera Ⓒ **水中眼鏡** (水泳用) swimming goggles ★ 複数形で; (潜水用) face mask Ⓒ **水中翼船** hýdrofòil Ⓒ.

すいちょく 垂直 ―(形) pèrpendícular; vertical (↔ horizontal). ―(副) (直角に) at right angles (to ...); perpendicularly; vertically; (真っすぐに) upright.

【類義語】線あるいは面に対して正確に 90 度であることを強調するが, その基準となる線[面]は必ずしも水平とは限らないのが *perpendicular*. 水平面に対して真っすぐ上に伸びている状態を指し, 正確に 90 度でない場合も含むのが *vertical*. (☞ ちょっかく[1]; かく[6] (挿絵))

¶ 彼らはその*垂直の絶壁を登ろうとした They tried to ˹climb (up) [scale] the ˹*perpendicular* [*vertical*] cliff. // 旗ざおは*垂直に立っていた The flagpole stood *upright*. // 線 A は線 B と*垂直に交わる Line A and line B cross ˹*perpendicularly* [*at right angles*]. / (⇒ 線 A は線 B に対して垂直だ) Line A is *perpendicular to* line B. // この柱は*垂直でない This pole isn't quite *straight*.

垂直安定板 (航空機の) fin Ⓒ, vertical stabilizer Ⓒ ★ 後者のほうが専門的. (☞ ひこうき (挿絵)) **垂直線** perpendicular line Ⓒ **垂直二等分線** pèrpendícular bísector Ⓒ **垂直尾翼** vértical ˹táil [fin] Ⓒ **垂直(的)分業** vértical specializátion Ⓤ **垂直分布** vértical distribútion Ⓤ **垂直貿易** vertical trade Ⓤ, inter-industry trade Ⓤ **垂直面** vértical pláne Ⓒ **垂直離着陸機** vertical takeoff and landing aircraft Ⓒ ★ 単複同形. VTOL /víːtoul/ Ⓒ (複 ~s) と略される.

すいつく 吸い付く (くっつく) stick (to ...) (自); (ぴったりとくっつく) cling (to ...) (自). (☞ くっつく). ¶ 蛭(ひる)が私の足に*吸い付いた A leech ˹*stuck* [*clung*] *to* my leg.

すいつける 吸い付ける (吸い寄せる) attract (他) (☞ ひきつける). ¶ 磁石は鉄を*吸い付ける A magnet *attracts* iron.

スイッチ ―(名) switch Ⓒ. ―(動) (スイッチを入れる) tùrn [swítch] ón (他); (スイッチを切る) tùrn [swítch] óff (他). ¶ 彼はラジオ[テレビ]の*スイッチを入れた[切った] He ˹*turned* [*switched*] ˹*on* [*off*] the ˹radio [TV]. **スイッチ取引** ☞ スイッチ貿易 **スイッチバック** 〖鉄道〗 swítchbàck Ⓒ **スイッチヒッター** 〖野〗 swítch-hìtter Ⓒ **スイッチ貿易** switch trade Ⓤ **スイッチボード** (配電盤) swítchbòard Ⓒ.

スイッチャー switcher Ⓒ.

すいてい[1] 推定 ―(動) (見積もる) estimate (他); (想像する) suppose (他), presume (他) ★ 前者のほうがより口語的. ―(名) estimation Ⓤ; supposition Ⓤ, presumption Ⓒ. (☞ すいそく). ¶ その市の人口は約 100 万と*推定されている The population of the city *is* ˹*supposed* to be [*estimated* at] about a million. 【語法】 (1) suppose を用いるほうが口語的. // 彼女の死亡*推定時刻は午前 6 時から 7 時の間だ The *estimated* time of her death was between six and seven in the morning. 【語法】 (2) この場合 the supposed time とすることはできない. **推定価格** (...の推定された価値) the presumed value (of ...) **推定相続人** heir presumptive Ⓒ (複 heirs ―) **推定値** éstimated válue Ⓤ **推定年齢** the estimated age **推定量** éstimated vólume Ⓤ.

すいてい[2] 水底 the bottom of the ˹sea [river]; (川床) riverbed Ⓒ; (海底) seabed Ⓒ. (☞ そこ[1]).

すいてき 水滴 drop (of water) Ⓒ (☞ しずく; したたる).

すいでん 水田 paddy [rice] field Ⓒ, rice paddy Ⓒ ★ 単に paddy ともいう.

すいと (身軽に) lightly; (すばやく) quickly; (敏捷に) nimbly. ¶ 彼は*すいとボートから飛び降りた He jumped *nimbly* out of the boat.

すいとう[1] 水筒 cantéen Ⓒ. (☞ キャンプ (挿絵)).

すいとう[2] 出納 (収入と支出) revenue [income] and expenditure(s) ★ expenditure はしばしば複数形で; (金の出入り) account Ⓒ. (☞ しゅうし[1]). **出納係** (一般に) cashíer Ⓒ; (特に銀行の) teller Ⓒ **出納長** chief cashier Ⓒ **出納簿** (現金の) cashbook Ⓒ; (会計の) account book Ⓒ.

すいとう[3] 水稲 paddy rice Ⓤ ★ 陸稲は dryland rice. (☞ すいでん; いね).

すいとう[4] 水痘 〖医〗 chícken pòx Ⓤ (☞ みずぼうそう).

すいどう 水道 (給水設備) waterworks ★ 単複いずれにも扱われる. 浄水場・水圧ポンプ・配水パイプなどの給水のための機械類の総称; (給水システム) water supply Ⓤ ★ 貯水し, 水をある地域に送水する仕組みをいう; (用水) water Ⓤ; (水道の水) tap [running] water Ⓤ; (水路) watercourse Ⓒ; (海峡) channel Ⓒ. (☞ みず; すいろ).

¶ この地区は*水道がある[ない] We ˹have [have no] *water* (*supply*) in this ˹district [area]. // ガスと*水道はいま引いているところです Gas and *water* pipes are now being laid. // この*水道の水は飲めません (⇒ 飲むのに不適です) This *tap water* is not ˹safe [fit] to drink. // 私は彼女に*水道の水を止める[出す]ように頼んだ I asked her to turn ˹off [on] the ˹*faucet* [*tap*]. // だれかがまた*水道の水を出しっ放しにした Someone has left the ˹*faucet* [*tap*] running again. // ここの*水道は出がよい[悪い] The *water* pressure is ˹fine [too low] here.

水道管 (本管) water main Ⓒ; (引き込み管) water pipe Ⓒ **水道局** the bureau of waterworks **水道工事** (建物内の給排水) plumbing (work) Ⓤ; (地区などの) waterworks ★ 単数または複数扱い. **水道栓** (蛇口) (米) faucet Ⓒ, (英) tap Ⓒ (☞ じゃぐち (挿絵)); (路上の給水栓) hydrant Ⓒ **水道屋** plumber Ⓒ **水道料金** water ˹charges [bill Ⓒ], (英) water rate(s). (☞ りょうきん).

ずいどう 隧道 ☞ トンネル

すいとうしょう 水頭症 〖医〗 hydrocephalus /hàidrouséfələs/ Ⓤ.

すいとりがみ 吸い取り紙 blotting paper Ⓤ; (台付きの) blotter Ⓒ.

すいとる 吸い取る (口で吸い上げるように) súck ˹úp [ín] (他); (表面からしみ込ませて) sóak úp (他), absorb (他) ★ 後者はやや改まった語. (☞ すう[1]; きゅうしゅう[1]). ¶ スポンジは水をよく*吸い取る A sponge ˹*sucks up* [*absorbs*] water well.

すいとん 水団 vegetable soup containing flour dumplings Ⓤ.

すいとん(のじゅつ) 水遁(の術) (忍術の) the art of invisibility by means of water; (説明的には) one of the ninja's skills of making ˹himself [herself] invisible by using water.

すいなん 水難 (溺死) drowning Ⓒ; (難船) shipwreck Ⓒ. **水難救護法** the Sea Disaster Relief Law **水難救助** sea rescue Ⓤ ★ 難船などの.

すいのみ 吸い飲み feeding cup Ⓒ; (特に寝たきり病人用) vacuum feeding cup (with a spout) Ⓒ.

すいば 酸葉 ☞ すかんぽ

すいばいか 水媒花 〔植〕 hydrophilous flower Ⓒ.

すいばく 水爆 (水素爆弾) hydrogen bomb Ⓒ, H-bomb /éɪtʃbɑ̀m/ Ⓒ. 《☞ すいそ; げんばく; かく[4]; ばくはつ》. **水爆実験** H-bomb [thèrmonúclear] test Ⓒ.

すいはん 垂範 ―動 (…によい手本を示す) set [give] a good example to …

すいばん 水盤 (生花用の) flower bowl Ⓒ.

ずいはん 随伴 **随伴現象** accompanying phenomenon Ⓒ 《複 phenomena》 《☞ ずいこう》.

すいはんき 炊飯器 rice cooker Ⓒ. ¶電気[ガス]*炊飯器 an electric [a gas] *rice cooker*

すいはんきゅう 水半球 (地球の海洋面積が最大となるよう区分した半球) the wáter hèmisphere.

すいひ 水肥 liquid manure Ⓤ.

すいび 衰微 (国力などの) decline Ⓒ 《☞ おとろえる; すいたい[1]》.

ずいひつ 随筆 essay Ⓒ 《☞ ずいそう》. **随筆家** essayist Ⓒ **随筆集** (collected) essays ★ 複数形で.

すいふ 水夫 (一般に) sailor Ⓒ 《☞ せんいん》.

スイフト[1] ―形 (速い) swift. ―名 〔野〕 (速球) fastball Ⓒ.

スイフト[2] ☞ スウィフト

すいぶん 水分 (水) water Ⓤ; (水気) moisture Ⓤ; (液汁) juice Ⓤ. 《☞ しっけ》. ¶植物は地中から*水分を吸収する Plants suck up ⌈*water* [*moisture*] from the earth. // トマトのほうがりんごより*水分が多い Tomatoes ⌈have more *juice* [are *juicier*] than apples. // 風邪を引いているときは*水分を多くとったほうがいいです You should drink a lot of ⌈*liquids* [*water*] when you have a cold. // *水分を除く dehydrate ★「水分を除いて乾燥させる」は désiccàte ⑩ ⓐ; dry (up) ⑩ ⓐ.

水分補給 rehydration Ⓤ. ¶*水分補給にスポーツドリンクを飲む have a sports drink to *supply the body with water*

ずいぶん 随分 ―副 (非常に) very (much), 《略式》 awfully, a lot; (普通以上に) quite; (かなり) pretty. ―形 (たくさんの) a lot of …, a good deal of … ★ 後者のほうがやや格式ばった言い方. 《☞ かなり; ひじょうに; たいへん》.

¶彼は*ずいぶん腹を立てていた (⇒ 非常に怒っていた) He was *very* angry. / He was *very* offended. ★ 第1文のほうが口語的. 語法 (1) 過去分詞の修飾には very ではなく (very) much を用いるのが原則だが, excited, interested など感情を表し形容詞的に用いられるもの, tired, crowded など純粋に形容詞となったと考えられるものには very が用いられる. // 彼は*ずいぶんよくなった He has become (very) *much* better. 語法 (2) 比較級の修飾には very ではなく much を用いる. // けさは*ずいぶん寒いね It's ⌈*very* [*pretty*; *awfully*] cold this morning, isn't it? // この車には*ずいぶん金を使った I've spent *a* ⌈*lot* [*good deal*] *of* money on this car. // 彼女はこの前会ってから*ずいぶん変わった She's changed ⌈*a lot* [*very much*] since the last time I saw her. // *ずいぶん久しぶりですね (⇒ あなたと長いこと会いませんでしたね) I haven't seen you *for a long time*. / It's been *ages* since the last time I saw you. ★ 第2文は会話でよく使われる慣用表現. 《☞ 誇張 (巻末)》

すいへい[1] **水平** ―形 (平らな) level; (垂直に対して) horizontal (↔ vertical) 語法 前者のほうが意味が広く, 他の表面と高さがそろう場合にも用いるのに対し, 後者は垂直に対して水平になっていることを強調する. ―動 (水平にする) level ⑩. ―名 (水平面) level Ⓒ; horizontal Ⓒ. 《☞ たいら》.

¶彼女は傾いている額縁を*水平にした She *leveled* the tilted frame. // この敷居は*水平でない This sill is not ⌈*level* [*horizontal*]. // 飛行機は1万メートルの高さで*水平飛行に移った The plane *leveled off* at ten thousand meters.

水平安定板〔空〕 horizontal stabilizer Ⓒ **水平運河** sea-level canal Ⓒ **水平器** level Ⓒ 《☞ すいじゅん (水準器)》 **水平距離** hórizòntal dístance Ⓒ **水平線** the horizon 《☞ ちへいせん》 **水平舵** driving rudder Ⓒ **水平動** (水平方向の動き) hórizòntal ⌈móvement [mótion] Ⓤ; (水平方向の振動) horizóntal vibrátion Ⓤ **水平尾翼** hórizòntal táil Ⓒ 《☞ ひこうき (挿絵)》 **水平(的)分業** (発展段階が同程度の国の間での) horizóntal specializátion Ⓤ **水平分布** (緯度と関連づけた生物分布) horizóntal distribútion Ⓤ **水平貿易** horizontal trade Ⓤ, intra-industry trade Ⓤ **水平面** horizontal plane Ⓒ, the horizontal; (水平な表面) level surface Ⓒ.

すいへい[2] **水兵** sailor Ⓒ, seaman Ⓒ 《複 -men》 語法 前者は一般船員をも含むが, 後者は特に海軍軍人を意味することが多い; (海兵隊員) marine Ⓒ.

水兵服 sailor's [seaman's] uniform Ⓒ **水兵帽** sáilor hàt Ⓒ.

すいほう[1] **水泡** (あぶくの1つ) bubble Ⓒ; (bubble が集まっているもの) foam Ⓤ. 《☞ あわ[1]》.

水泡に帰する ¶彼女の努力は*水泡に帰した(⇒ 努力が実を結ばなかった[無に帰した, 無益に終わった, 下水溝に流れた]) Her efforts ⌈*proved fruitless* [*came to nothing*; *ended in vain*; *went down the drain*]. ★ 最後の表現は口語的. 《☞ みずのあわ; むだ; ふい[2]》

すいほう[2] **水疱** ☞ みずぶくれ; まめ[2]

すいぼう[1] **水防** (洪水の抑制) flood control Ⓤ; (洪水の防止) prevention of floods Ⓤ, flood prevention Ⓒ. **水防訓練** flood-control drill Ⓒ **水防工事** flood-control works ★ 複数形で. **水防対策** antiflood measures ★ 複数形で.

すいぼう[2] **衰亡** ―名 (衰弱) decline Ⓒ; (朽ち果てること・衰退) decay Ⓤ; (滅亡) downfall Ⓒ; (荒廃・没落) ruin Ⓤ ★ 後になるほど破滅の意が強い. ―動 go down ⓐ ★ 口語的; decline ⓐ; be ruined. ¶『ローマ帝国*衰亡史』 *The Decline and Fall of the Roman Empire*

ずいほうしょう 瑞宝章 the Order of the Sacred Treasure. ¶勲三等*瑞宝章 *the* Third (Class) *Order of the Sacred Treasure*

すいぼくが 水墨画 ☞ すみ[2] (墨絵)

すいぼつ 水没 ―名 submergence Ⓤ. ―動 submerge ⑩. 《☞ ぼっする》. ¶洪水で*水没した村 a village *submerged* by flood water

すいま 睡魔 (眠気) sleepiness Ⓤ; (眠くてぼんやりすること) drowsiness Ⓤ; (童話の眠りの精) the sandman 参考 子供の目に砂を入れて眠くし, 目をこすらせる. 《☞ ねむい; ねむけ; すいみん》. ¶*睡魔に襲われた (⇒ とても眠くなった) I ⌈got [felt] *very sleepy*.

スイマー (泳ぐ人・水泳選手) swimmer Ⓒ.

ずいまく 髄膜 〔医〕 meninx /míːnɪŋ(k)s/ Ⓒ 《複 meninges /mənɪ́ndʒiːz/》. **髄膜炎** meningitis /mènɪndʒáɪtɪs/ Ⓒ 《複 meningitides /mènɪndʒɪ́tədiːz/》.

すいみつ 水密 ―形 (防水の) watertight. **水密隔壁** (船の) watertight bulkhead Ⓒ **水密扉**

watertight door Ⓒ.

すいみつとう 水蜜桃 〔植〕(white) peach Ⓒ.

すいみゃく 水脈 (地下水の通る路) water vein Ⓒ. ¶*水脈を掘り当てる strike (a *vein of*) *water*

すいみん 睡眠 sleep Ⓤ《☞ ねむる; ねむり》.
¶子供は毎日 8 時間の*睡眠が必要だ Children need「eight hours' *sleep* [to *sleep* eight hours] every「day [night]. // 私は夜十分に*睡眠をとった I「had [got; enjoyed] a good night's *sleep*. ★ a を付けて用いる. **睡眠学習法** sleep-learning Ⓤ; hypnopedia Ⓤ **睡眠口座** ☞ きゅうみん (休眠口座) **睡眠時間** sleeping hours, hours of sleep ★ いずれも複数形で. ¶彼は勉強のために*睡眠時間を減らした He cut down on his「*sleeping hours* [(*hours of*) *sleep*] to study. **睡眠時無呼吸症候群**〔医〕the sleep apnea syndrome《略 SAS》 **睡眠障害** sleep disorder Ⓒ **睡眠中**《掲示》Do not disturb ★ ホテルの部屋のドアなどにかけておく. **睡眠不足** lack [want] of sleep Ⓤ. ¶私は*睡眠不足気味だ I'm rather *short*「*of* [*on*] *sleep*. // 君の頭痛は*睡眠不足のせいだ Your headache is due to *lack of sleep*. **睡眠薬** sleeping drug Ⓒ; (錠剤) sleeping「tablet [pill] Ⓒ.《☞ くすり》 **睡眠療法** sléep thèrapy Ⓤ, sléep cùre Ⓤ.

スイミング swimming Ⓤ《☞ すいえい》. **スイミングクラブ** swím(ming) clùb Ⓒ **スイミングスクール** swim(ming) club Ⓒ, swím(ming) clàss Ⓒ, swim school Ⓒ.

スイム (水泳) swim Ⓒ ★ 通例単数形で. **スイムアンドラン** (競技) swim & run Ⓤ **スイムスーツ** (女性用の水着) swimsuit Ⓒ.

ずいむし 髄虫, 螟虫 rice borer Ⓒ.

すいめい 吹鳴 ― 名 blowing (of a whistle) Ⓤ. ― 動 blow (a whistle).《☞ すいそう[1]》.

すいめん 水面 the surface of the water. ¶*水面から上 1 メートルのところに (at the height of) one meter above (*the surface of*) *the water* // *水面から下 1 メートルのところに (at the depth of) one meter below *the surface* (*of the water*) // *水面に浮かび出る come up [rise] to *the surface of the water* // *水面に浮く float *in the water*
水面下 (水面下で[に]) below the surface (of the water); (こっそり) in secret, behind the scenes. ¶*水面下で活動する act *behind the scenes*

すいもの 吸い物 consommé Ⓤ ★ é の ´ は綴り本来のもの; clear soup Ⓤ.《☞ スープ》. **吸い物椀** soup bowl Ⓒ.

すいもん[1] 水門 (water) gate Ⓒ; (大量の水を調節する) floodgate Ⓒ; (流量調節の) sluice (gate) Ⓒ; (河や運河の水位調節の) lock (gate) Ⓒ. **水門通過料** lockage Ⓤ.

すいもん[2] 水紋 (water) ring Ⓒ《☞ はもん[1]》.

すいもんがく 水文学 hydrology Ⓤ.

すいやく 水薬 ☞ みずぐすり

すいようえき 水溶液 (water) solution Ⓤ ★ 種類を言うときは Ⓒ.

すいようせい 水溶性 ― 形 water-soluble.

すいようび 水曜日 Wednesday《略 Wed.》《☞ 時刻・日付・曜日 (囲み); 略語 (巻末); にちよう(び)》.

すいよく 水浴 ― 動 bathe /béɪð/ 自. ― 名 (水泳) swimming Ⓤ.《☞ かいすいよく; みずあび》.

すいよせる 吸い寄せる (ひき寄せる) attract 他; (誘惑する・おびき寄せる) lure 他. ¶彼女は高給につられ町に*吸い寄せられた She *was lured to* the town by the promise of a high salary. // 多くの観光客を*吸い寄せようとして彼らは高い展望台を建てた They built a high observatory to *attract* a lot of visitors.

すいらい 水雷 (魚雷) torpedo Ⓒ《複 ～es》; (機雷) (underwater) mine Ⓒ. **水雷艇** torpédo bòat Ⓒ.

すいらん 水蘭 〔植〕*suiran* Ⓒ; (説明的には) a kind of wild chrysanthemum with yellow flowers.

すいり[1] 推理 ― 名 (当てずっぽうの推理) guess Ⓒ ★ 口語的; (ある前提から割り出した推理)《格式》inference Ⓤ; (論理的な) reasoning Ⓤ. ― 動 guess 自 他; reason 自 他; infér 他.《☞ すいそく; すいてい[1]》. ¶君の*推理は間違っている (⇒ 間違って推理した) You *guessed* wrong. / Your *guess* is wrong. / Your *inference* is incorrect. ★ 第 3 文は格式ばった言い方.
推理小説 (探偵小説) detective story Ⓒ, mystery (story) Ⓒ **推理小説家** detective story writer Ⓒ, mystery writer Ⓒ **推理力** *one's* reasoning Ⓤ; deductive powers ★ 後者は文語的.

すいり[2] 水利 (給水システム) water supply Ⓤ; (灌漑) irrigation Ⓤ.《☞ すいどう; かんがい[2]》. ¶我々は*水利のよい場所を選びました We chose a site with a good「*water supply* [*supply of water*]. **水利組合** irrigation association Ⓒ **水利権** water [irrigation] rights.

ずいり 図入り ― 形 (図入りの) illustràted. ¶*図入りの手引書 an *illustrated* manual / a manual *with illustrations*

すいりく 水陸 land and water《☞ すいじょう; りくじょう》. ¶*水陸両用車[飛行機, 戦車] an *àmphibious*「véhicle [pláne; tánk]

すいりゅう 水流 (強くて速い流れ) (water) current Ⓒ; (水源からの継続的な流れ) stream Ⓒ.《☞ ながれ》.

すいりょう[1] 推量 ― 動 (当てずっぽうをする) guess 他 自 ★ 最も口語的; (不確かな根拠に基づいて推測する) conjécture 他;《格式》(単なる想像に基づいて推測する) surmíse 他. ― 名 guess Ⓒ; (当て推量) guesswork Ⓤ; (確証はないが正しいと考えること) supposition Ⓤ.《☞ あてる[1]; すいさつ; すいそく (類義語)》. ¶私の*推量は当たった[はずれた] (⇒ 正しく[間違って]推量した) I *guessed*「right [wrong]. / My *guess* was「right [wrong]. / I made a「correct [wrong; incorrect] *guess*. // 彼は当て*推量でその問題に答えた He answered the question「*by guessing* [*with a guess*].

すいりょう[2] 水量 the volume of water. ¶豪雨で川の*水量が増した The river「rose [swelled] after the heavy rain. **水量計** water gauge Ⓒ.

すいりょく[1] 水力 waterpower Ⓤ, hydraulic power Ⓤ ★ 後者は専門用語. ¶*水力を利用する make use of *waterpower* **水力機械** (集合的に) hydraulic machinery Ⓤ; (個別の) hydraulic machine Ⓒ **水力タービン** hydráulic túrbine Ⓒ **水力発電** hydroelectric generation Ⓤ **水力発電所** hydroelectric power plant Ⓒ.

すいりょく[2] 推力 (推進力) propulsion Ⓤ, propulsive「power [force] Ⓤ; (プロペラ・ジェット機・ロケットなどの) thrust Ⓤ.《☞ すいしん[1]》.

すいれい 水冷 water cooling Ⓤ. **水冷式エンジン** water-cooled engine Ⓒ.

すいれん 睡蓮 〔植〕water lily Ⓒ; (熱帯地方の) lotus Ⓒ. ¶*睡蓮の葉 a *lily* pad

すいろ 水路 (船が通る) channel Ⓒ, waterway Ⓒ; (運河) canál Ⓒ; (水が流れる) watercourse Ⓒ.《☞ こうろ[1]》. ¶ベニスは縦横に*水路が通じている Venice has a network of *canals*. **水路図** hydrographic map Ⓒ **水路測量** (技術としての) hydrography Ⓤ; (個別の) hydrographic survey Ⓒ **水路標識** beacon Ⓒ **水路部** (海上保安庁の) the Hydrographic Department (of the Japan Coast

Guard).

すいろん 推論 ―動 (当てずっぽうをする) guess 他 自 ★最も口語的; (論理的な推論をする) reason 他 自; (ある事実から割り出して推論する) 《格式》 infér 他; (演繹(えんえき)的に結論などを出す) deduce 他 ★格式ばった語. ―名 reasoning U; ínference U; deduction U ★具体的には C. (☞ すいり[1]; すいそく (類義語)).
¶彼女の*推論はもっともように思われる Her ˹*reasoning* [*inference*] seems plausible.

すいわ 水和 〖化〗 hydration U. **水和物** hýdrate C.

スイング ―名 (バットなどの振り) swing C; (音楽) swing (music) U. ―動 swing 自 他 《過去・過分 swung》. ¶彼女は力強い*スイングでボールを打った She took a powerful *swing* at the ball. // 彼はバットを鋭く*スイングしたが空振りに終わった He ˹*swung* (the bat) sharply [took a hefty *swing*] at the ball but missed. **スイングアウト** ―動 〖野〗 strike out [go down] swinging.

スイングドア (前後いずれにも開く) swing door C, swínging dóor C.

すう[1] 吸う (呼吸する・気体を吸い込む) breathe 自 他 ★特に「体内へ」の気持ちがあるときは in を伴う; inhale 他 (↔ exhale) ★少し改まった語; (液体を) suck 他; (たばこを) smoke 他 自; (吸収する) absorb 他. (☞ すいこむ; すする; きゅうしゅう[1]).
¶私は新鮮な空気を深々と*吸った I *breathed* (*in*) (the) fresh air deeply. // 私たちは無意識のうちに息を*吸ったり吐いたりしている We *breathe in* and out ˹unconsciously [automatically]. // 息を*吸って. 息を吐いて *Breathe in*! Breathe out! // 赤ん坊は哺乳瓶 [母親の乳]を*吸っている The baby *is* ˹*sucking* from a bottle [*feeding*; *sucking* at its mother's breast]. // 私はたばこを*吸いません I don't *smoke*.

すう[2] 数 number C (☞ かず[1] (コロケーション); 数字 (囲み)).

すう- 数… ¶*数十人 *dozens of* people // *数人 *several* [*a few*] people (☞ なん- 3)

スー(ぞく) スー(族) the Sioux ★アメリカ先住民の一部族.

スーイズム (訴訟主義) sueism U.

スウィフト ―名 固 Jonathan Swift, 1667-1745. ★アイルランド生まれの英国の作家.

スウェーデン ―名 固 Sweden /swíːdn/; (正式名) the Kingdom of Sweden. ―形 Swedish /swíːdɪʃ/. **スウェーデン語** Swedish U **スウェーデン刺繍** Swédish embróidery U **スウェーデン人** Swede C **スウェーデン体操** Swedish gymnastics U **スウェーデンリレー** 〖スポ〗 the Swedish relay C.

スウェット (汗) sweat U. **スウェットシャツ** sweat shirt C **スウェットスーツ** sweat suit C **スウェットパンツ** sweat pants ★複数形で.

すうかい 数回 (4, 5 回から 7, 8 回) several *times*; (2, 3 回) *a few times*. (☞ なんかい[1]).

すうがく 数学 màthemátics U, 《米略式》 math (《英略式》 maths) U. (☞ 学校・教育 (囲み)). **数学者** mathematician /mæθ(ə)mətíʃən/ C **数学的帰納法** mathemátical indúction U.

すうき 数奇 ―形 (波乱に富んだ) varied. ¶彼は*数奇な一生を送った He ˹led [lived] a *varied* life.

すうきけい 枢機卿 〖カトリック〗 cardinal C.

すうけい 崇敬 ―名 (大きな尊敬の念) great respect (for …) U; (愛情のこもった尊敬の念・敬愛) 《格式》 réverence U; (崇拝の念) 《格式》 veneration U. ―動 respect 他, have great respect (for …); (崇拝する) 《格式》 venerate 他; (あがめる) 《格式》 revere /rɪvíə/ 他. (☞ そんけい; うやまう). ¶…に対して*崇敬の念をこめて *in reverence* for …

すうこう 崇高 ―形 (気高い) noble; (高尚な) lofty; (荘厳な) sublíme ★後の 2 つは文語的.
¶*崇高な理想 a *lofty* ideal

スーザフォン 〖楽器〗 sóusaphòne C ★チューバの一種.

すうし 数詞 〖文法〗 numeral C (☞ 数字 (囲み)).

すうじ[1] 数字 number C; numeral C; figure C; digit C. (☞ 数字 (囲み)).
【類義語】 1, 200, 3,000, 15,000 など数の計算のシステムの中のある数または書かれた数字をいうのが ***number***. 数を表す慣習的記号の書き方に重点を置くやや改まった語が ***numeral*** で, 例えばローマ数字 (Roman numerals), アラビア数字 (Arabic numerals) などの場合はこれが用いられるが, これらは *numbers* で代用してもよい. 以上に対して, 元来 0 から 9 までの数字を意味し, 複数形では数字で書き表された ある数を意味し, さらに計算の結果という意味から計算そのものをも意味するのが ***figure***. ((例) 次の数をすべて*数字で書きなさい Write all the following numbers in *figures*.) *figure* が種々の派生的意味を持つので, 具体的に 0 から 9 までの数字という意味を明らかに示したいときに用いるのが ***digit***. ((例) 電話のダイヤルには*数字が書かれている A telephone dial has *digits* on it.) 「数字が物を言う」というように比喩的に用いる場合の「数字」は, 複数形の *figures* によって表す. ((例) *数字が物を言う *Figures* talk.)
¶ナンバープレートには文字と*数字が書かれている A ˹license plate [《英》 numberplate] has both letters and ˹*numbers* [*numerals*]. // 正確な*数字はまだわかりません The exact *figures* are not yet known. // *数字をあげる必要はない You don't need to ˹cite [give] *figures*. // 彼は*数字に強い[弱い] He is ˹good [bad] at ˹*figures* [*numbers*]. // ワインの生産高を*数字で示す state [express] the wine production in *figures*

すうじ[2] 数次 several times (☞ すうかい). **数次入国査証** multiple-entry visa C **数次旅券** passport for multiple journeys C, multiple-journey passport C.

すうしき 数式 (式) (numérical) ˹expréssion [formula] C; (等式) equation /ɪkwéɪʒən/ C; (公式) formula C. (☞ しき[2]; ほうていしき; こうしき[2]).

すうじく 枢軸 (軸) axis C (複 axes); (物事の中心) the center ((英) the centre); central point C. (☞ じく[1]). **枢軸国** the Axis powers ★連合国は the Allies.

すうじつ 数日 (だいたい 2, 3 日) a few days; (だいたい 4, 5 日から 7, 8 日ぐらい) several days. ¶彼はロンドンに*数日間滞在した He stayed in London for ˹*a few* [*several*] *days*. // ここ*数日好天に恵まれている We have had good weather for the ˹last [past] ˹*few* [*several*] *days*.

すうじゅう 数十 scores; dozens 日英比較 score は 20, dozen は 1 ダース, つまり 12 を表すが, 複数形で用いると日本語の「数十, 何十」に相当する意味になる. ¶その事故で*数十名の人がけがをした *Scores* [*Dozens*] of people were injured in the accident. // 過去*数十年の間にいろいろな変化が起こった Many changes have taken place during the ˹last [past] ˹*several* [*few*] *decades*. ★decade は「10 年間」の意味. // *数十万人の人々 *hundreds of thousands* (of people)

すうすう ¶*すうすういう音 *hissing* sound // ドアの建て付けが悪いので冷たい風が*すうすうする (⇒ 冷たいすきま風を感じる) As the door fits badly I can *feel a cold draft of air*. // 息子は*すうすうと (⇒ おだやかに) 寝息をたてていた My son was asleep breathing

数　字

数字の基本となる基数，順序を示すのに用いられる序数，その他分数，小数，身近にみられる数字など，幾つかの項目について英語での読み方と書き方，および用法などを示す．

1 基数·序数·分数·小数

(1) 基数 (cardinal numbers)

アラビア数字 (Arabic numerals)	文字による書き方と読み方	ローマ数字 (Roman numerals)
0	zero ★ 数字の間では /óʊ/ と読むことも多い. ((例) 105 /wʌ́n òʊ fáɪv/)	
1	one	I, i
2	two	II, ii
3	three	III, iii
4	four	IV, iv
5	five	V, v
6	six	VI, vi
7	seven	VII, vii
8	eight	VIII, viii
9	nine	IX, ix
10	ten	X, x
11	eleven	XI, xi
12	twelve	XII, xii
13	thirteen	XIII, xiii
14	fourteen	XIV, xiv
15	fifteen	XV, xv
16	sixteen	XVI, xvi
17	seventeen	XVII, xvii
18	eighteen	XVIII, xviii
19	nineteen	XIX, xix
20	twenty	XX, xx
21	twenty-one	XXI, xxi
30	thirty	XXX, xxx
32	thirty-two	XXXII, xxxii
40	forty	XL, xl
50	fifty	L, l
60	sixty	LX, lx
70	seventy	LXX, lxx
80	eighty	LXXX, lxxx
90	ninety	XC, xc
100	a [one] hundred	C, c
101	a [one] hundred (and) one	CI, ci
200	two hundred	CC, cc
400	four hundred	CD, cd
500	five hundred	D, d
900	nine hundred	CM, cm
1,000	a [one] thousand	M, m
2,000	two thousand	MM, mm
10,000	ten thousand	
100,000	a [one] hundred thousand	
1,000,000	a [one] million	
2,000,000	two million	
2,000,000,000	two billion	

(i) 普通，文中では 12 までの数は文字で書くことが多いが，時刻·日付·計算などについてはアラビア数字を用いることもある．

文語体の格式ばった文章では 1 から 100 までの数と，100 以上でも端数のない数 (round numbers) は文字で書く．ただし，文頭ではどんな場合でも文字で書く．また同じ文 (章) の中で 2 回以上数が現れる場合は，書き方を数字か文字のいずれかに統一するほうがよい．

(ii) 基数には代名詞·名詞·形容詞の用法がある．

¶ 10 人がその会に出席した *Ten* attended the party. // 彼は 6 時に起きた He got up at *six*. // その 3 姉妹はよく似ている The *three* sisters closely resemble each other.

(iii) 4 桁以上の数は読み易くするために (,) で切る. 《☞ コンマ (巻末)》. 下のほうから 1 番目の (,) は thousand, 2 番目は million, 3 番目は billion である.《米》では 100 位の次の and はしばしば省略される．

¶ 4,578 four thousand five hundred (and) seventy-eight // 8,765,004 eight million seven hundred sixty-five thousand (and) four

(iv) 数詞または数を示す形容詞を伴っても，単位名となる hundred, thousand, million, billion には -s を付けない．

¶ 100 万台の車 *a* [*one*] *million* cars 【語法】 one million, one hundred, などのほうが a million, a hundred などよりも正式な言い方．

(v) 端数を示すには数字の後に -odd を付けるか, or so を付ける．

¶ 30 余年 thirty-*odd* years / thirty years *or so* ★ 後者は「30 年足らず」の意にもなりうる．

(vi) 数字ではないが，日常的に用いられるもので日本語と違うものに dozen (12), score (20), couple (2) がある．例えば 6 のことを a half *dozen*, half a *dozen*, 18 のことを a *dozen* and a half, 70 年を three*score* years and ten《人の寿命》, 2 週間を a *couple* of weeks などというようにして用いられる．

(vii) 不特定多数を示すときはその概数によって hundreds (of ...) (何百の), thousands (of ...) (何千という), tens of thousands (of ...) (何万という) などのように言う．

(viii) ローマ数字の規則:

基本となるものは I (l), V (5), X (10), L (50), C (100), D (500), M (1000) で，同じものを続けて書けばその倍となる (CC＝C＋C＝200).

ある記号の左側にそれより下の位の記号を置けば引くことになり (XL＝L－X＝50－10＝40), 右側に置けば加えることになる，(LX＝L＋X＝50＋10＝60). 従って, MCMXCVI は M＋CM＋XC＋VI＝1000＋(1000－100)＋(100－10)＋(5＋1)＝1996 となる．また 2006 年は MMVI となる．

(ix) ローマ数字の用法:

ローマ数字は年号，王·女王の継承順位，書物の章·ページ，時計の文字盤の数字などを示す場合に用いられる．ローマ数字の小文字は書物でも序文のページとか説明文の小区分を示すなど，その使用場面はさらに限定される．

¶ 第 1 章 chapter I ★ chapter one または the first chapter と読む．一般に，基数を使って読んで

も序数を使って読んでもよい場合は後者のほうが格式ばった読み方になる. // 第二次世界大戦 World War II ★ World War Two または the Second World War と読む. // エリザベス2世 Elizabeth II ★ Elizabeth (the) Second と読む.

(2) 序数 (ordinal numbers)

	文字による書き方	略記法
第1番目(の)	first	1st
第2 〃	second	2nd
第3 〃	third	3rd
第4 〃	fourth	4th
第5 〃	fifth	5th
第6 〃	sixth	6th
第7 〃	seventh	7th
第8 〃	eighth	8th
第9 〃	ninth	9th
第10 〃	tenth	10th
第11 〃	eleventh	11th
第12 〃	twelfth	12th
第13 〃	thirteenth	13th
第14 〃	fourteenth	14th
第15 〃	fifteenth	15th
第16 〃	sixteenth	16th
第17 〃	seventeenth	17th
第18 〃	eighteenth	18th
第19 〃	nineteenth	19th
第20 〃	twentieth	20th
第21 〃	twenty-first	21st
第22 〃	twenty-second	22nd
第23 〃	twenty-third	23rd
第25 〃	twenty-fifth	25th
第30 〃	thirtieth	30th
第40 〃	fortieth	40th
第50 〃	fiftieth	50th
第60 〃	sixtieth	60th
第70 〃	seventieth	70th
第80 〃	eightieth	80th
第90 〃	ninetieth	90th
第100 〃	(one) hundredth	100th
第101 〃	(one) hundred (and) first	101st
第112 〃	(one) hundred (and) twelfth	112th
第123 〃	(one) hundred (and) twenty-third	123rd
第200 〃	two hundredth	200th
第365 〃	three hundred (and) sixty-fifth	365th
第1000 〃	(one) thóusandth	1,000th
第1982 〃	(one) thousand nine hundred (and) eighty-second	1,982nd
第2000 〃	two thousandth	2,000th

（i）序数は first, second, third を除いては, 基数に -th/θ/ を付けて作るが, five → fifth, twelve → twelfth のような例外, および eight → eighth /éɪtθ/, nine → ninth の綴りに注意. また -ty /-ti/ で終わる10位の数詞は -tieth /-tiɪθ/ となる. 100番目などの one は特に強調するとき以外は省く.

（ii）序数には形容詞・名詞の用法があり, 普通は the を付けて用いる.

¶ アルファベットの7番目の文字 *the seventh* letter of the alphabet // 10月2日 October 2 ★ October (the) second と読む. / *the second* of October ★ 後者は格式ばった言い方.

(3) 分数 (fractions)

（i）分数は, まず分子 (numerator) を基数で, 次に分母 (denominator) を序数で読む. 文字で書く場合は, 読むとおりに, 分子には基数, 分母には序数を用いる. ただし $^{1}/_{2}$ と $^{1}/_{4}$ については (iii) を参照.

（ii）分子が2以上の数のときには分母を複数形にする. 例えば $^{2}/_{9}$ は $^{1}/_{9}$ (a [one-]ninth) が2つあるということで two-ninths となる.

（iii）$^{1}/_{2}$, $^{1}/_{4}$ の読み方と書き方に注意. それぞれ「半分」(a half),「4分の1」(a quarter) のようになるのが普通, 分子の1は a より one を用いるほうが正確で強調的. ($^{1}/_{2}$ a half, one-half; $^{1}/_{4}$ a quarter, one-fourth; $^{3}/_{4}$ three-quarters, three-fourths).

（iv）$^{123}/_{456}$ のような複雑な分数は, over を用いて one hundred (and) twenty-three *over* four hundred (and) fifty-six のように, 分子・分母とも基数で読むのが普通. $^{22}/_{7}$ のように仮分数 (improper fractions) は必ずこの方式で twenty-two *over* seven と読む.

（v）$3^{4}/_{7}$ のような帯分数 (mixed numbers) は通常の数と分数とを and で結び付けて three *and* four-sevenths と読む.

¶ 会員の3分の2が会に出席した *Two-thirds* of the members attended the meeting. // 1分は1時間の60分の1である A minute is *one sixtieth* of an hour.

(4) 小数 (decimals)

小数点を point と読むほかは日本語と同じで, 4.05 は four-*point*-zero-five, 19.87 は nineteen-*point*-eight-seven と読む. 0点いくつと言う場合, 0に相当する zero は口語では普通省略される. 0.123 は (zero-)*point*-one-two-three.

¶ 1マイルは1.609キロメートルだ A mile is *one-point-six-zero-nine* kilometers.

(5) 累乗 (powers)・**根** (roots)

3^2 … three squared; the square of three
3^3 … three cubed; the cube of three
3^4 … three to the fourth (power)
3^5 … three to the fifth (power)
$\sqrt{9}$ … the square root of nine
$\sqrt[3]{64}$ … the cube root of sixty-four

¶ 4の2乗は16 ($4^2=16$) *Four squared* is sixteen. / *The square of four* is sixteen. // 25の平方根は5 ($\sqrt{25}=5$) *The square root of twenty-five* is five.

(6) 簡単な計算 (elementary arithmetic)

文字による表現が, そのまま数式 (mathematical expressions) の読み方になる.

¶ 4足す3は7 ($4+3=7$) *Four plus three* ⌈is [equals] seven. / *Four and three* ⌈are [is; make; makes] seven.

8引く2は6 ($8-2=6$) *Eight minus two* ⌈is [equals] six. / *Two from eight* leaves six.

3掛ける4は12 ($3\times4=12$) *Three times four* ⌈is [are; makes; equals] twelve. 【日英比較】 掛け算の読み方はこのように「掛ける」に当たる times を入

れて頭から読むので,「3 掛ける 4」という言い方に関する限りは日英の表面上の相違はない. しかし, times はもともと「…倍」という意味であり, three times four という英語の意味は「4 の 3 倍」ということである. 英米人はこれを数式に書く場合, 3×4 のように読むときの語順のとおり「…倍」という部分を先に置くのである. つまり, 3×4 という式は英米人には「4 の 3 倍」を意味するのである. ところが, 日本人の考え方では「4 の 3 倍」に対する式は 4×3 とするのが普通で, 3×4 という式を見ると「3 の 4 倍」と感じてしまう. そして 3×4 を英語で four times three と言ってしまいがちなので注意が必要である. なお,「2 倍」は数式の場合は two times のほうが普通だが, 一般には twice という. 《☞ ばい》.

20 割る 4 は 5 (20÷4=5) *Twenty divided by four* 「is [gives; makes; equals] five.

2 対 3 は 4 対 6 (2:3=4:6) Two is to three as four is to six. ★ 英米での数式の書き方は 2:3::4:6 となることもある.

2 数字と日常生活

(1) 住所

番地・家屋番号・部屋番号などの場合は, 3 桁以上の数字は棒読みにするのが普通.

¶ 朝日町 2 丁目 143 の 27 143-27 Asahi-machi ni-chome ★ 数字の部分は one-「forty-three- [four-three-] 「dash [hyphen] twenty-seven と読む. 日英比較 2 丁目は 2-chome でもよいが two chome と読まれることになる. なお, 日本の郵便の便宜を考えれば, 2-143-27 Asahi-machi がよい. 《☞ 手紙の書き方 (囲み)》 // 桜ホテル 826 号室 Room 826, Sakura Hotel ★ 数字の部分は eight-「twenty-six [two-six] と読む. // 彼の研究室は 4 号館の 7 階です His office is on the seventh floor of Building 「no. [number] 4. ★ 階数の数え方は ☞ -かい³.

(2) 電話番号, その他

電話・ファックス・クレジットカードなどの番号のように長い数字が続くものは数字を棒読みにするのが一般的. ただし, 略式の読み方として最後から 2 桁ずつに区切って, 例えば 3219 なら thirty-two nineteen, 810 なら eight-ten のように言うこともある. 0 は /óʊ/ と読むのが普通で, 特にゼロであることを強調するときには zero /zíːroʊ/ と読む. 《英》では nought と読むこともある.

¶ 緊急の時は 110 番を回しなさい In an emergency dial 110. ★ one-one-「o [zero] と読む. // 私の会社の電話番号は 0557-54-3219 内線 521 です My office phone number is 0557-54-3219, extension 521. ★ o-five-five-seven, five-four, three-two-one-nine, extension five-two-one と読む.

(3) 年号・日付・時刻

3 桁以上の西暦年号は普通下のほうから 2 桁ずつ区切って, 上から読む. 従って 1996 年は nineteen ninety-six と読むのが最も普通. 少し改まった場合に nineteen hundred (and) ninety-six と読むこともある. 1900 年は nineteen hundred, 1905 年は nineteen (hundred and) five または nineteen-o /óʊ/ -five, 2000 年は two thousand, 2001 年は two thousand (and) one と読む.「西暦 (紀元)…」を表す A.D. は,「紀元前…」を表す B.C. と対比して用いられるときや, ごく古い年代を言うときに用いるのが普通. A.D. を数字の後に置くのは主に 《米》, 前に置くのは 《英》. 《☞ きげん⁴ 語法》.

¶ アウグストゥス皇帝は紀元前 63 年に生まれ, 紀元 14 年に死んだ Emperor Augustus was born in (the year) 63 B.C. and died in (the year) 14 *A.D.* // 私は昭和 50 年生まれです I was born in 「the fiftieth year of Showa [Showa 50]. 日英比較 日本の年号を知らない英米人に対して言う場合は, この後に, that is, in 1975 と説明を加えたほうがよい. // 1960 年代 the 1960s ★ nineteen-sixties と読む. // 彼らは 6 月 18 日に結婚した They got married on 「June 18 [the 18th of June]. // 10 時 23 分発大阪行きの列車は定刻に発車した The 10:23 Osaka train left on schedule. ★ 10:23 は ten twenty-three と読む. 《☞ 時刻・日付・曜日 (囲み)》

(4) 年齢・学年

¶ 私は 17 歳で高校 2 年です I'm seventeen (years old) and a 「second-year student [《米》 sophomore] in high school. // 兄は大学 3 年です My brother is 「in his third year of [《米》 a junior in] college. // 彼女は 60 代の前半 [半ば, 後半] です She is in her 「early [mid; late] sixties. // 彼は 20 歳(はたち)前後だ He's twenty 「or so [or thereabouts].

(5) 金銭

¶ 家賃は 10 万円 The (house) rent is ¥100,000. ★ 読み方は one hundred thousand yen. // 私は 5 ドル 20 セント払った I paid $5.20. ★ 読み方は five dollars and twenty cents. 口語的には five-twenty でもよい. // それは 5 ポンド 20 ペンスした It cost £5.20. ★ 読み方は five pounds twenty pence. 口語的には five-twenty でもよい.

(6) ページ・章

¶ 教科書の 73 ページを開けなさい Open your textbook(s) 「to [《英》 at] page 73. ★ page seventy-three と読む. // この問題は本書の第 6 章で詳細に扱う This problem will be treated in detail in chapter 6 of this book. // これはマタイ伝第 5 章第 13 節からの引用です This is a quotation from *Matthew* 5:13. ★ (chapter) five, (verse) thirteen と読む. // シェークスピアは『ハムレット』で「生きるべきか死ぬべきか, それが疑問だ」(第 3 幕第 1 場第 56 行) と書いている Shakespeare writes in *Hamlet*: "To be, or not to be: that is the question." (III, i, 56). ★ act three, scene one, line fifty-six と読む. // 18 ページの 3 行目から 8 行目までを和訳しなさい Put into Japanese lines 3-8 on page 18. ★ lines three 「to [through] eight on page eighteen と読む.

(7) その他

¶ 彼は平均時速 80 キロで運転した He drove at an average speed of eighty kilometers 「an [per] hour. 《☞ そくど》 // 博多行きの電車は 17 番線から発車する The Hakata train leaves from 「track [《英》 platform] 17. ★ track [platform] (number) seventeen と読む. // ボーイング 747 Boeing 747 ★ Boeing seven forty-seven, または seven-four-seven と読む. // 私はよく NHK 第 2 放送を聞く I often listen to NHK 2. ★ NHK two と読む. // テレビの第 10 チャンネル Channel 10 on TV ★ channel ten と読む.

'softly [quietly; peacefully]. (☞ 擬声・擬態語(囲み))

ずうずうしい ―― 形 (厚かましい) ímpudent; (恥知らずな) shameless; (生意気な) 《略式》 cheeky; (鉄面皮の) brazen(-faced). ―― 名 ímpudence Ⓤ; shamelessness Ⓤ; 《略式》 cheek Ⓤ; (厚かましさ) nerve Ⓤ. ―― 動 (ずうずうしくも…する) have the 'impudence [cheek; nerve] to *do* ... (☞ あつかましい; なまいき).
¶ 彼は*ずうずうしい He has 'lots of *nerve* [plenty of *cheek*]. // お前はなんて*ずうずうしいんだ What *nerve* (you have)! // よくもまあ*ずうずうしくそんなことが言えるね (⇒ そんなことを言うなんて君はなんてずうずうしいんだ) How *impudent* of you to say a thing like that! / (⇒ よくもそんなことが思い切って言えたものだ) How *dare* you say such a thing!

ずうずうべん ずうずう弁 ☞ とうほく (東北弁)

すうせい 趨勢 (固有の傾向) tendency Ⓒ; (一般的動向) trend Ⓒ; (風潮) current Ⓒ. (☞ けいこう¹; たいせい¹; どうこう¹). ¶ それは時代の*趨勢を示している That illustrates 'a [the] '*tendency* [*trend*] of the times.

すうたい 素謡 chanting a Noh text without musical accompaniment Ⓤ.

ずうたい 図体 (体) body Ⓒ; (体格・骨格) frame Ⓒ; (特に大きく太った体) bulk Ⓒ. (☞ からだ; たいかく¹). ¶ 彼は*ずうたいの大きな男だった He had a large '*body* [*frame*]. // *ずうたいの大きなかば a hippopotamus of great *bulk* ★ この bulk は「(大きな) 容積」という意味で Ⓤ.

すうだん 数段 (階段) several steps. ¶ 階段を*数段登る go up *several steps* of the stairs // 碁の実力は彼のほうが*数段上です He belongs to a *much higher* '*grade* [*rank*; *class*] in (the game of) go.

スーダン ―― 名 固 the Sudán; (正式名) the Republic of the Sudan. ―― 形 Sudanese. スーダン人 Sùdanése Ⓒ; (総称) the Sudanese.

すうち 数値 〖数〗 numérical válue Ⓤ. **数値演算コプロセッサー** 〖コンピューター〗 math coprocessor Ⓒ **数値解析** numerical analysis Ⓤ **数値制御** numerical control Ⓤ **数値目標** numerical target Ⓒ **数値予報** numerical weather prediction Ⓤ **数値予報モデル** numerical weather prediction model Ⓒ.

スーツ suit Ⓒ 日英比較 日本語の音に引っぱられて suits という複数形と混同しないこと.
¶ 私は*スーツを新調した I 'had [got] a new *suit* made. // 彼女は白い*スーツがよく似合う (⇒ 白いスーツを着るとすてきにみえる) She looks very nice in a white *suit*. / A white *suit* 'becomes her [is (very) becoming to her]. // 出来合いの*スーツ a ready-made *suit* // あつらえの*スーツ a custom-made *suit*

スーツケース suitcase Ⓒ.

すうどん 素うどん (*wheat*) *noodles* (*served*) *in a* hot broth.

すうにん 数人 (4, 5 人から 7, 8 人) several 'persons [people]; (2, 3 人) a few 'persons [people].
¶ 駅で*数人の知り合いに出会った I met '*several* [*a few*] acquaintances (of mine) at the station.

すうねん 数年 several years, some years, a few years 日英比較 いずれも日本語の「数年」に相当するが, 前 2 者は 4, 5 年から 7, 8 年, 最後は 2, 3 年という含みがある. ¶ 彼らが結婚してから*数年になる (⇒ 数年たった) *Several years* have passed since they (got) married. / It 'is [has been] *several years* since they (got) married. 語法 主節中に has been を用いるのは 《米》 に多い. // 彼はここ*数年, がんの研究に専心している He has been involved in the study of cancer for the 'last [past] *few years*. // ここ*数年は当市の人口に大きな変動はないと思う (⇒ 同じままだと思う) I think the population of this city will remain 'stationary [stable] for *some years* to come.

スーパー ☞ スーパーマーケット

スーパーインポーズ ―― 名 (映像・文字などを重ね合わせること) sùperimposítion Ⓤ ★ スーパーインポーズをした箇所の意味では Ⓒ; (字幕) súbtìtle Ⓒ. ―― 動 sùperimpóse ㊀. ¶ インタビュー番組に日本語の字幕を*スーパーインポーズする *add* Japanese *subtitles to* an interview

スーパーカー súpercàr Ⓒ.

スーパーカミオカンデ ☞ カミオカンデ

スーパーコンピューター súpercompùter Ⓒ (☞ コンピューター (囲み)).

スーパースター súperstàr Ⓒ. ¶ 彼は母国では映画界の*スーパースターだ He is a movie *superstar* at home.

スーパーソニック ―― 名 (超音速) sùpersónic Ⓤ. ―― 形 (超音速の) supersonic. ¶ *スーパーソニック時代 the *súpersònic* áge

スーパータンカー súpertànker Ⓒ.

スーパーチャージャー (過給機) súperchàrger Ⓒ.

スーパーバイザー (管理者・監督・指導者) súpervìsor Ⓒ.

スーパーボウル 〖スポ〗 the Súper Bòwl .

スーパーマーケット súpermàrket Ⓒ (☞ マーケット).

スーパーマン (超人) súpermàn Ⓒ (複 -men); (漫画[映画]の主人公) Superman.

すうはい 崇拝 ―― 動 (神聖なものをあがめる) worship ㊀; (称賛する) admire ㊀; (深く敬慕する) adore ㊀. ―― 名 worship Ⓤ; admiration Ⓤ; adoration Ⓤ. (☞ うやまう; そんけい). **崇拝者** worshipper (《米》 worshiper) Ⓒ; admirer Ⓒ.

すうひょう 数表 (数値の表) table of numerical values Ⓒ (☞ ひょう¹).

スープ soup Ⓤ; (濃い) cream soup Ⓤ ★ potage /pɔːtáːʒ/ はあまり一般的ではない; (澄んだ) consommé /kànsəméɪ/ Ⓤ ★ consommé の ´ は綴り本来のもの, clear soup Ⓤ. ★ 以上種類をいうときは Ⓒ. ¶ 私は夕食にいつも*スープを飲む I always have *soup* at 'dinner [supper]. // *スープを飲むときは音を立ててはいけません Don't 'make noise when you eat [slurp your] *soup*. 日英比較 皿からスプーンで飲むときは eat で, drink とは言わない. ただしスプーンを使わずカップなどから直接飲むときは drink soup と言える. (☞ のむ) // 濃い[薄い]*スープ thick [thin] *soup* // 固形*スープの素 a bouillon /búː(l)jɑŋ/ cube // 固形*スープの素で作った*スープ *soup* made from bouillon cubes **スープ皿** soup plate Ⓒ (☞ さら¹ (挿絵)) **スープストック** (soup) stock Ⓤ **スープスプーン** soupspoon Ⓒ.

スーベニア (記念の品・みやげ) souvenir /sùːvəníə/ Ⓒ **スーベニアシート** (記念切手シート) souvenir sheet Ⓒ **スーベニアショップ** souvenir shop Ⓒ.

スーベニール ☞ スーベニア

スーペリア ―― 形 (上位の) superior /supí(ə)riə/.

スーペリオリティーコンプレックス (優越感) superiórity còmplex Ⓒ.

すうみついん 枢密院 (日本の旧憲法下の天皇の最高諮問機関) the Privy Council. ¶ *枢密院議長 the President of *the Privy Council*

ズーム **ズームアウト[バック]** ―― 名 (映像が遠ざかること) zooming out Ⓤ. ―― 動 zoom out on ... **ズームイン[アップ]** ―― 名 (映像が近づくこと) zooming in Ⓤ. ―― 動 zoom in on ... **ズームレンズ**

zoom lens Ⓒ.

すうよう 枢要 ― [形] the most important.

すうり 数理 (数学の理論) máthemàtical príncíple Ⓒ; (計算・算数) figures ★ 複数形で. (☞ すうじ¹; すうがく; けいさん¹). ¶ 彼は*数理に暗い He is poor at *figures*. **数理経済学** màthemátical ècònómics Ⓤ **数理言語学** màthemátical lingúistics Ⓤ **数理哲学** màthemátical philósophy Ⓤ **数理統計学** màthemátical statístics Ⓤ **数理物理学** máthemàtical phýsics Ⓤ **数理論理学** máthemàtical lógic Ⓤ. ★ アクセントについては ☞ アクセントの移動 (巻末).

すうりょう 数量 (分量) quantity Ⓤ; (全体量) amount Ⓒ. (☞ ぶんりょう). ¶ 値段は*数量によります The price depends on the *quantity*. // *数量が多い場合は (⇒ 多量に対しては) 特別割引の用意があります We are prepared to allow special discounts for a large ⌈*quantity* [*amount*]. **数量詞** 〚言〛 quantifier Ⓒ.

ズールー (南アフリカ共和国最大の部族) the Zulu(s) /zúːluː(z)/. **ズールー語** Zulu Ⓤ.

すうれつ 数列 **1** «数学»: progression Ⓒ, sequence (of numbers) Ⓒ. ¶ 等差*数列 an arithmetic(al) ⌈*progression* [*sequence*] // 等比*数列 a geometric ⌈*progression* [*sequence*]
2 «いくつかの列»: several ⌈lines [rows] (☞ れつ).

すえ 末 **1** «終わり»: end Ⓒ (☞ おわり (類義語)). ¶ 私は4月の*末にアメリカへ行きます I'll go to America at the *end* of April. // *末の子 the *youngest* child
2 «あげく» ― [前] (…の後で) after … (☞ あげく). ¶ 私は多年の苦心の*末その仕事を完成した I (have) finished the work *after* ⌈years of labor [many years of effort]. // 私たちはよく考えた*末その提案を受け入れた *After* careful consideration we accepted the offer.
3 «堕落した時代»: (退廃した) degenerate age Ⓒ; (嘆かわしい) deplorable age Ⓒ. ¶ 世も*末だ ☞ よ¹ (世も末) **末の世** ☞ まっせ

スエーデン Sweden (☞ スウェーデン).

スエード suede /swéɪd/ Ⓤ.

すえおき 据え置き ― [名] (支払いなどの) deférment Ⓤ. ― [形] (償還できない) nonredeemable. (☞ えんき¹). ¶ *据え置き期間が終われば預金はいつでも引き出せます You can ⌈withdraw [draw out] your deposit anytime after the ⌈period of *deferment* [*fixed period*; *fixed term*].

すえおく 据え置く (預金などの支払いを延ばす) defér (他); (負債などを不弁済のままにしておく) leave … unredeemed; (物価・賃金などを凍結する) freeze (他); (物価などをくぎづけにする) peg (他); (事柄をそのままにしておく) leave … as it is. (☞ とうけつ).
¶ その預金は3か月間*据え置かなければなりません The deposit must *be left in* for three months. / The term of deposit is *fixed* at three months. // 政府は公共料金を1年間*据え置くことに決めた The government has decided to ⌈*freeze* [*peg*] public utility charges for one year.

すえおそろしい 末恐ろしい ¶ この子は*末恐ろしい (⇒ 将来何か恐ろしいことをやるだろう) This child will do something terrible in the future.

すえかねる 据えかねる ¶ 彼女の言いぐさは*腹に据えかねる (⇒ がまんができない) I *can't put up with* her remarks.

すえき 須恵器 (日本古代の土器) *sueki* earthenware Ⓤ.

スエズうんが スエズ運河 the Suez /suːéz/ Canál (☞ 冠詞 (巻末)).

すえぜん 据え膳 table set before *a person* for a meal Ⓒ (☞ すえる¹; ぜん²). ¶ 私は上げ膳*据え膳のもてなしを受けた (⇒ ずっとあれこれと世話をしてもらった) I was waited on hand and foot all the time.

すえたのもしい 末頼もしい (将来有望な) promising. ¶ 彼は*末頼もしい青年です (⇒ 有望な) He is a *promising* youth. / (⇒ 輝かしい未来を持つ) He has a *bright future* ⌈before [ahead of] him.

すえつけ 据え付け ― [形] (固定された) fixed; (一定の場所に置かれて動かせない) stationary; (作り付けの) built-in. ― [名] (取り付けること) installation Ⓤ. (☞ つくりつけ; そなえつけ). ¶ この本棚は全部壁に*据え付けになっている These bookshelves *are* all *fixed* to the wall. **据え付け工事** installation work Ⓤ.

すえつける 据え付ける (器具などを取り付ける) install (他); (しっかり固定する) fix (他); (場所を定めて置く) place (他); (必要なものを装備する) equip (他). (☞ とりつける; そなえつける). ¶ そのビルは新しいボイラーを*据え付けた They *installed* a new boiler in that building. / A new boiler *was installed* in that building.

すえっこ 末っ子 the youngest child.

すえながく 末長く ¶ *末長くおつきあいをねがいます I hope our friendship will last *for ever*. // *末長くお幸せに I wish you happiness *for ever and ever*.

すえひろがり 末広がり ― [形] (扇形の) fan-shaped. ― [動] (扇形に広がる) fán óut (自).

すえる¹ 据える **1** «置く»: (きちんと置く) set (他); (決まった場所に配置する) place (他); put (他); (しっかり固定する) fix (他). (☞ おく¹; すえつける). ¶ 彼女は安楽いすを窓ぎわに*据えた (⇒ 置いた) She ⌈*set* [*placed*; *put*] an easy chair by the window.
2 «本腰になる»: séttle dówn (自) (☞ こし¹ (腰を据える); ほんき). ¶ 彼女は腰を*据えて (⇒ 本気になって) 仕事に取りかかった She *settled down* to work. // じっくり腰を*据えて (⇒ ゆっくり時間をかけて) この本を読みなさい *Take your time* reading this book.
3 «視線などを»: (視線を固定させる) fix *one's* eyes (on …; upon …).

すえる² 饐える (食べ物が悪くなる) go bad (☞ くさる; いたむ¹).

すおう 蘇芳, 蘇方, 蘇枋 〚植〛 sappanwood Ⓒ; (色) dark red Ⓤ.

すおどり 素踊り pláinclòthes dánce Ⓒ (☞ おどり; ダンス).

スカ 〚楽〛 (ジャマイカの音楽) ska /skáː/ Ⓤ.

ずが 図画 (鉛筆・ペンなどで絵を描くこと) drawing Ⓤ; (絵の具などを使って絵を描くこと) painting Ⓤ ★ 以上描いた絵を意味する場合は Ⓒ. (☞ かいが; え¹). **図画工作** ☞ ずこう

スカート skirt Ⓒ.

> スカートのいろいろ
> ギャザースカート gathered skirt, キュロットスカート culottes, ショートスカート short skirt, タイトスカート tight skirt, プリーツスカート pleated skirt, フレアースカート flared skirt, ミニスカート miniskirt, ロングスカート long skirt

¶ 彼女は*スカートをはいた[脱いだ] She ⌈put on [took off] her *skirt*. // 彼女は立ち上がって*スカートの形を整えた She stood up, smoothing down her *skirt* with her hands. // ひざ上[下] 10センチの*スカートがいまはやってきている[はやりだ] *Skirts* which fall ten centimeters ⌈above [below] the knee are now ⌈coming into [in] fashion. // *スカートは流行の変化につれて短くなったり長くなったりする (⇒ ファッション

が変化するとスカートのすそは上げられたり下げられたりする) When fashions change, hemlines are raised or lowered. ★ hemline はドレスやスカートのすそ(丈).

スカーフ scarf Ⓒ《複 ~s, scarves》.

スカーレット (深紅色) scarlet Ⓤ.

ずかい 図解 ― [名] (説明用の図) diagram Ⓒ; (イラスト) illustration Ⓒ. ― [動] (図解する) illustrate (他). 《☞ ず; さしえ》. ¶この本にはカラーの*図解がたくさん入っている This book has a lot of colored *illustrations*.

スカイアート (空を舞台にした芸術) sky art Ⓤ.

スカイウォーク (ビルとビルを結ぶ宙にかけられた通路) skybridge Ⓒ, skywalk Ⓒ.

ずがいこつ 頭蓋骨 skull Ⓒ. **頭蓋骨骨折** skull fracture Ⓒ.

スカイサイン (屋上など高所の広告)《英》sky sign Ⓒ.

スカイジャック ― [動] skyjack (他) ★ 口語的. 《☞ ハイジャック》.

スカイスクレーパー (超高層ビル) skyscraper Ⓒ 《☞ こうそうけんちく》.

スカイダイバー (スカイダイビングをする人) skydiver Ⓒ.

スカイダイビング ― [名] (パラシュートで目標地点へ降下するスポーツの一種) skydiving Ⓤ. ― [動] skydive (自).

スカイパーキング (ビル形式の駐車場) multistory parking garage Ⓒ.

スカイブルー ― [名] sky blue Ⓤ. ― [形] sky-blue.

スカイメッセージ (空中広告) skywriting Ⓤ, sky message Ⓒ.

スカイライト (屋根・天井の明かり取り) skylight Ⓒ. **スカイライトフィルター** skylight filter Ⓒ.

スカイライン (空を背景とした建物や山などの輪郭線) skyline Ⓒ; (景色のよい高山地帯の自動車道) (scenic) mountain highway Ⓒ. 〔日英比較〕 英語の skyline には山岳地帯の自動車道の意味はない.

スカイラブ (宇宙実験室) Skylab Ⓒ.

スカウト ― [名] (talent) scout Ⓒ. ― [動] (スカウトする) scout (他) 〔参考〕 英語の scout には「スパイ(する)」という意味もあるので注意. ¶彼らは若い人材を*スカウトしようとやっきになっている They are eager to *scout* young ⌈talented people [talent]. ★ talent は「才能のある人たち」という意味の集合名詞.

すがお 素顔 (化粧をしてない顔) face without makeup Ⓒ; (本当の顔・正体) true face Ⓒ ★ 後者は比喩的に用いる. 《☞ ありのまま》. ¶彼女の*素顔は魅力的だ Her *face* is attractive *without makeup*. / She looks attractive (even) *without makeup*. // この写真より彼女の*素顔のほうがいい (⇒ 写真は彼女の顔を正確に写していない) *This picture doesn't ⌈do justice to her* (face) [*do her* (face) *justice*]. 〔語 法〕 do justice to … は「正確に表す」という意味. // その実業家の*素顔 (⇒ 正体) はだれも知らない Nobody knows the *true face* of that ⌈businessman [businesswoman]. // *素顔のニューヨーク (⇒ 本当のニューヨーク) the *real* New York / (⇒ ベールを取り除いた) New York *unveiled*

すかさず ― [副] (すぐに) at once; (一瞬も遅れずに) without a moment's delay. 《☞ ただちに; すぐ (類義語)》.

すかし 透かし (紙の) watermark Ⓒ. **透かし絵** transparency (picture) Ⓒ **透かし織り** transparent cloth Ⓤ **透かし彫り** ― [名] openwork Ⓤ. ― [形] openwork, openworked **透かし模様** watermark Ⓒ.

スカジー 〔コンピューター〕 SCSI /skúːzi/ ★ *s*mall *c*omputer *s*ystem *i*nterface の頭文字. ハードディスクなどの機器をコンピューターに接続するための規格.

すかしゆり 透かし百合 〔植〕 *sukashiyuri* Ⓒ; (説明的には) wild lily with small dots on the petals Ⓒ.

すかす[1] 透かす (…を通して見る) see … through …; (…を通してこっそり見る) peep through …; (光にかざして見る) hold up … to the light; (目をこらしてじっと見る) peer into … 《☞ すける》.
¶雲を*透かして月が見えた I could *see* the moon *through* the clouds. / (⇒ 月が雲間からのぞい(てい)た) The moon *peeped through* the clouds. // 彼はスライドを明かりに*透かして見た He *held* the slides *up to the light*. // 私は暗闇の部屋の中を*透かして見た I *peered into* the dark room.

すかす[2] 賺す (なだめる) coax /kóuks/ (他) 《☞ なだめる》.

すかす[3] 空かす ¶腹を*空かす get [feel] *hungry* // 彼はお腹を*空かせたまま野宿した He slept out in the open *on an empty stomach*.

すかすか ― [形] (植物や果物の水分が抜けて髄になっている状態) pithy; (すき間が多い状態) full of openings; (まばらな) thin. 《☞ まばら; 擬声・擬態語 (囲み)》.

ずかずか ― [副] (無遠慮に) rudely; (許可もなく) without permission. ― [動] (ずかずか入り込む) barge in (自), barge into … 《☞ 擬声・擬態語 (囲み)》. ¶彼はノックもせずに*ずかずかと私の部屋へ入って来た He came into my room *rudely*, without knocking.

すがすがしい 清清しい (新鮮な) fresh; (気分をさわやかにする) refreshing; (空気などが身を引き締めるような) bracing. 《☞ さわやか; こころよい》.
¶雨上がりの草木は*すがすがしい (⇒ 新鮮に見える) The plants look *fresh* after the rain. // *すがすがしい山の空気 the *bracing* mountain air // 昨夜はよく眠ったので*すがすがしい気分だ I *feel refreshed* because I ⌈had [got] a good night's sleep.

すがた 姿 **1**《姿形》: (体つき) figure Ⓒ ★ この意味の figure は通例女性にのみ用いる; (格好) shape Ⓒ; (面影・映像) image Ⓒ; (外見) appearance Ⓒ. 《☞ かたち; かっこう[1]; がいけん; みかけ》.
¶彼女はすらりとした*姿をしている (⇒ すらりとした体つきを持つ) She has a slender *figure*. // あいつは人間の*姿をした悪魔だ He is a devil in human ⌈*shape* [*form*]. // 彼女は自分の*姿を鏡に映して見た She looked at ⌈her own *image* [*herself*] in the mirror. // 彼の後ろ*姿 (⇒ 背後からの外見) は見すぼらしかった His *appearance* [He] was shabby looked at from the back. // 私は最近彼の*姿を見かけない (⇒ 彼に会っていない) I haven't seen him lately. // 猫は私の*姿 (⇒ 私) を見ると逃げて行った The cat ran away ⌈as soon as it saw me [at the sight of me]. 〔日英比較〕 以上 2 例の場合のように, 日本語の「姿」にこだわる必要のないときがある. 《☞ 翻訳 (巻末)》

2《存在を示す姿》 〔日英比較〕 日本語ではこの意味の「姿」は必ず「現す」「消す」などの他動詞とともに用いられる. この日本語の他動詞句は英語の自動詞に相当することが多い. 《☞ みえる; あらわれる; かくれる; きえる》.
¶その船は間もなく水平線上に*姿を現した (⇒ 視界に入ってきた) The ship soon *came into view* on the horizon. // その会に*姿を見せた (⇒ 現れた) のはたった 10 人だった Only ten people ⌈*showed* [*turned*] *up* ⌈at [for] the meeting. // 彼は人込みの中に*姿を消した (⇒ 消えた) He *disappeared* into

the crowd. / (⇒ 人込みの中で彼の姿を見失った) I *lost sight of* him in the crowd. // 子供はカーテンの後ろに*姿を隠した (⇒ 隠れた) The child *hid* (*himself* [*herself*]) behind the curtain.

3 «様子»: (状態) state Ⓒ ★ 通例単数形で; (描かれた姿) picture Ⓒ. (☞ じょうたい[1] (類義語)). ¶ この本は農民の真の*姿を描いている This book gives a true *picture* of farmers' lives. // 彼はその国のありのままの*姿 (⇒ 実際の状態) を話してくれた He told us the actual *state* of things in the country.

すがたえ 姿絵 portrait /pɔ́ətrət/ Ⓒ (☞ しょうぞう).

すがたかたち 姿形 (形) figure Ⓒ; (外見) look Ⓒ, appearance Ⓤ. (☞ すがた). ¶ 人を*姿形で判断してはいけません You shouldn't judge a person by his or her 「*appearance* [*looks*].

すがたみ 姿見 (等身大の固定された鏡) full-length mirror Ⓒ (☞ かがみ[1]).

すがたやき 姿焼き 〔料理〕 whole fish 「grilled [broiled] Ⓒ.

スカッシュ 1 «清涼飲料»: (柑橘類の果汁に砂糖と水を加えたもの) (英) squash /skwáʃ/ Ⓤ. ¶ レモン*スカッシュ (英) lemon *squash* (with soda water) ★ ( ) 内は炭酸水を加えた場合.

2 «スポーツ»: (スカッシュラケット) squash (racquets) Ⓤ; (スカッシュテニス) squash (tennis) Ⓤ ★ 後者は前者よりもよく弾むボールとテニスのものに似たラケットを用いる.

すかっと ¶ あの*すかっとした服装の (⇒ しゃれた服装をした)女の子はだれですか Who is that 「*smartly* dressed girl [girl in the *cool* new dress]? ★ cool は (略式). // 私は昼寝をして*すかっとした (⇒ 気分がさわやかになった) I *felt refreshed* after a nap. // *すかっとする (⇒ さわやかにしてくれる) 飲み物 a *refreshing* drink (☞ さわやか; 擬声・擬態語 (囲み))

スカッドミサイル Scud Ⓒ.

スカトロジー (糞便学・糞尿嗜好) scatology Ⓤ.

スカベンジャーじゅようたい スカベンジャー受容体 〔生化〕 scavenger receptor Ⓒ.

すがめ 眇 squint Ⓒ (☞ しゃし[1]).

-すがら ¶ 道*すがら on the 「way [road] // 道*すがら彼はわが身の行く末を案じた He was worried about his future 「*while walking* [*as he went along*]. // 夜も*すがら all night (long) / all the night through // 母は夜も*すがらまんじりともしなかった My mother didn't sleep a wink *the whole night*.

ずがら 図柄 (装飾の型) páttern Ⓒ; (全体的なデザイン) design Ⓒ. (☞ がら[1]; もよう).

スカラー 〔物理・数〕 scalar /skéɪlə/ Ⓒ (↔ vector). スカラー場 scalar field Ⓒ スカラー量 scalar (quantity) Ⓒ.

スカラざ スカラ座 ── 名 固 La Scala /lɑːskáːlə/ ★ ミラノにあるオペラハウス.

スカラシップ (奨学金) scholarship Ⓒ (☞ しょうがくきん). ¶ 3000 ドルの*スカラシップ (a) $3,000 *scholarship*

スカラップ (帆立貝) scallop Ⓒ; 〔服〕 (襟・すその端を飾るもの) scallops ★ 複数形で.

スカラベ 〔昆〕 (タマオシコガネ) scarab Ⓒ; (装飾品) scarab Ⓒ.

すがりつく 縋り付く cling to ... (☞ すがる).
¶ 彼女は夫が生きているという考えにまだ*すがりついている She still *clings to* the belief that her husband is alive.

スカル (ボートの) scull Ⓒ. スカル種目 sculling event Ⓒ; sculls ★ 複数形で.

すがる 縋る 1 «つかまる»: (つかまえて離さない) hold on to ...; (しがみつく) cling to ...; (つえなどにもたれる) lean on ... ★ 後の 2 つは比喩的にも用いる. (☞ つかむ; しがみつく).
¶ 彼女は行かせまいとして私に*すがった She *held on to* me to prevent me from going. // その女の子は母親のそでに*すがりついた The girl *clung to* her mother's sleeve. // 一人の老人がつえに*すがって道をやってきた An old man came along the road *leaning on* his stick.

2 «頼る»: (…を当てにする) depend 「on [upon] ...; (…を信頼して頼りにする) rely 「on [upon] ...; (人に寄りかかる) lean on ...; (人に頼る) turn to ... (☞ たよる; あて).
¶ 彼女は困ったときはいつでも父親に*すがる (⇒ 寄りかかる) ことができる She can 「*lean on* [*turn to*] her father whenever she is in difficulty.

スカルプ (頭皮) scalp Ⓒ. スカルプケア scalp care Ⓤ.

スカルプチャー (彫刻) sculpture Ⓤ ★ 作品の場合は Ⓒ.

スカルラッティ ── 名 固 (アレッサンドロ〜) Alessandro Scarlatti /àːlesáːndrou skɑəláːti/, 1659–1725 ★ イタリアの作曲家; (ドメニコ〜) Domenico /douméɪnɪkòu/ Scarlatti, 1685–1757 ★ イタリアの作曲家, アレッサンドロの子.

すがわらのみちざね 菅原道真 ── 名 固 Sugawara no Michizane, 845–903; (説明的には) a court scholar of the Heian period, deified and venerated as the god of scholarship.

ずかん 図鑑 ── 名 (絵や写真入りの) illustrated book Ⓒ; (絵本) picture book Ⓒ. ── 形 pictorial Ⓐ. ¶ 日本植物[動物]*図鑑 (書名) *An Illustrated* [*A Picture*] *Book of Japanese* 「*Flora* [*Fauna*]

スカンク 〔動〕 skunk Ⓒ.

スカンジウム 〔化〕 scandium Ⓤ (元素記号 Sc).

スカンジナビア ── 名 固 Scandinavia /skæ̀ndənéɪviə/. ── 形 Scandinavian. スカンジナビア人 Scandinavian Ⓒ スカンジナビア半島 the Scandinavian Peninsula.

ずかんそくねつ 頭寒足熱 keeping *one's* head cool and feet warm Ⓤ.

すかんぴん 素寒貧 ¶ *すかんぴんだ (⇒ お金が全然ない) I have *no money* at all. / I do*n't* have *a dime* (on me). / I have*n't a penny* to my name. / I'm *flat broke*. ★ 2 つ目の例文以下は後のものほど口語的. (☞ むいちもん)

すかんぽ 酸模 〔植〕 sórrel Ⓒ.

すき[1] 好き ── 動 like 他; be fond of ...; love 他; adore 他; prefer ... (to ...); care for ... ── 形 (気に入っている) favorite ((英) favourite) Ⓐ; (好きで得意な) pet Ⓐ.

【類義語】「好き」という意味での最も普通の語が *like*. より口語的で意味も強く「とっても好き」というのが *be fond of*.「異性を愛する」というのが *love* の意味であるが, 物や事柄について使えば「大好き」となり, *like* や *be fond of* より強意となる. この意味では女性が使うことが多い. 口語で *love* とほぼ同意に用いられるのが *adore*. ただし, このほうは *love* 以上に女性がよく使う言葉.「…のほうが好き」と比較の感じを伴うのが *prefer*. 主として疑問文・否定文などで用いられるのが *care for*.

¶ 私は水泳が*好きだ I 「*like* [*love*] 「swimming [to swim]. 〔語法〕 (1) like, love の後では, 特に (英) で, 一般的なことを述べるには動名詞, 特定の場合には不定詞を用いる傾向がある. // 私は犬が*好きだ I *like* dogs. 〔語法〕 (2) 一般的に「…が好きだ」という場合は Ⓒ の名詞は複数形を用いる. // 子供たちはテレビが*好きだ Children 「*are fond of* [*like*] watching television. // 私は冬よりも夏のほうが*好きだ I *like* summer better than winter. / I *prefer* (the) summer *to* (the) winter. ★ 第 1 文のほうが口語的. // 彼女は甘い物が*好きだ She ˹*loves* [*likes*] sweets. / (⇒ 甘い物に弱味がある) She *has a weakness for* sweets. [語法] (3)「よくないものに対する好み」が weakness なので, この英文には「困ったことには」というニュアンスが含まれる. / She *has a sweet tooth.* ★ have a sweet tooth (甘い物に目がない) は決まった言い方. //「私はお芝居を見る (⇒ 劇場へ行く) のが大*好き」と彼女が言った She said, "I ˹*love* [*adore*] (going to) the theater." // 彼はゴルフが大*好きだ (⇒ 熱中している) He *has a passion for* golf. / (⇒ ゴルフは彼の大好きなものだ) Golf is his *passion.* // 彼は競馬が大*好きだ (⇒ 競馬に夢中だ) He *is* ˹*crazy* [*mad*] *about* horse racing. ★ いずれも口語的な言い方. / He *is keen on* horse racing. // 彼女はアイスクリームがあまり*好きではない She doesn't ˹*like* [*care for*] ice cream very much. [語法] (4) care for は否定文・疑問文で用いる. // 数学は私の*好きな科目です Mathematics is my *favorite* subject. // どのクッキーが*好きですか Which cookies are your *favorites*? ★ favorite は 名 C で「好物」の意味で使う. // 彼女には*好きな人がいるようだ She seems to have a man she *loves.* // 彼女は私の*好きなタイプではない She is not ˹the kind of woman I *like* [*my type* (of woman)]. // どちらでも*好きなほうを取りなさい Take whichever you ˹*like* [*prefer*]. / Take your ˹*choice* [*pick*]. ★ 第 2 文のほうが口語的. // *好きなだけ持って行きなさい Take as ˹many [much] as you ˹*please* [*like*]. [語法] (5) 個数の場合は many, 分量の場合は much を用いる. // 私は彼に*好きなようにやらせた I let him do as he ˹*pleased* [*liked*; *chose*]. / (⇒ 彼の思うとおりにさせた) I let him *have his own way.* 《☞ すきかって》 // 私は最近バロック音楽が*好きになってきた I *have* recently ˹*become fond of* [*come to like*] baroque music. // 彼らはすぐに新しい先生が好きになった (⇒ 先生になついた) They *took to* the new teacher at once. // それは彼が自分の*好きでしたことだ (⇒ 彼はそれを自分の好き勝手でやった) He did it *of his own free will.* // *好きこそ物の上手なれ (⇒ 好きなことは上手にやれる) We can do well (at) what we *like.*

すき² 隙 **1** 《油断》 ― 名 (油断しているとき) unguarded moment C; (乗じる好機) chance C; (機会) opportunity C. ― 副 (すきがない・警戒して) on (*one's*) guard; (すきがある・油断して) off (*one's*) guard. 《☞ ゆだん》. ¶ 私たちは相手の*すきに乗じて勝った We beat our opponents by taking advantage of (them at) an *unguarded moment.* // 泥棒はその家に忍び込もうと*すきをうかがっていた The thief was watching for ˹a *chance* [an *opportunity*] to slip into the house. // 彼にはつけ入る*すきがない He is always *on* (*his*) *guard.*
2 《欠陥》: (欠点) flaw C; fault C. 《☞ けってん (類義語)》. ¶ 彼の理論は一分の*すきもない His theory is ˹*flawless* [*faultless*].
3 《空いている所》: (空間) space U; (余地) room U. 《☞ よち¹; くうかん》. ¶ 議場はありのはい出る*すきもない警戒ぶりだった (⇒ 厳重に守られていた) The assembly hall was *closely* guarded.

すき³ 鋤, 犂 (牛馬・トラクターなどに引かせる農耕用の) plow (《英》 plough) C; (シャベル状で園芸用の) spade C.

すき⁴ 数寄 (風流の趣味) elegant [refined] pursuits ★ 複数形で. ¶ *数寄をこらした庭園 an *artistically* [a *tastefully*] *designed* garden

すき⁵ 漉き making paper U 《☞ すく⁶》.

すぎ 杉 〘植〙 *sugi* C, Japanese [Japan] cedar C. **杉板** *sugi* [cedar] ˹board [plank] C **杉板葺き** roof covered with ˹*sugi* [cedar] boards C **杉折** flat box made of ˹*sugi* [cedar] sheets C **杉花粉** *sugi* [cedar] pollen /pálən/ U **杉花粉症** hay fever (caused by ˹*sugi* [cedar] pollen) U; allergy to ˹*sugi* [cedar] pollen C **杉皮** *sugi* [cedar] bark U **杉戸** *sugi*-[cedar-]board door C.

-すぎ …過ぎ **1** 《時間》 ― 前 (何分過ぎて) past …, after … ★ 前者が普通. 後者は《米》; (…の後で) after … 《☞ 時刻・日付・曜日 (囲み)》. ¶ いま 8 時 10 分*過ぎです It's ten minutes ˹*past* [*after*] eight now. // もう昼*過ぎか. どうりでおなかがすいた It's already *past* noon. No wonder I'm hungry. // 彼は 6 時*過ぎに戻った He came back *after* six (o'clock). // 5 日*過ぎなら暇ができる I will be free *after* the fifth (of the month).
2 《年齢》 ― 前 (…を超えて) over …; (…を過ぎて) past … ¶ 彼の父は 70 *過ぎだ His father is ˹*over* [*past*] seventy.
3 《過度》 ¶ 食べ*過ぎないように注意しなさい Be careful not to ˹*over*eat [eat *too much*]. // 酒の飲み*過ぎは健康によくない *Excessive* drinking [*Over*drinking] is not good for ˹the [your] health. // それはやり*過ぎだ You have ˹carried it [gone] *too far.* 《☞ -すぎる [語法]》

-ずき …好き (愛好者) lover C; (熱狂者) enthúsiàst C, fanátic C; (ファン) fan C. 《☞ すき¹; ファン¹》. ¶ 彼女は本*好きだ She is a ˹*lover* of books [book *lover*]. // 彼は大の釣り*好きだ He is a great *lover* of fishing. // 野球[映画]*好き a ˹baseball [movie] *fan* // 芝居*好き a *theatergoer* // ゴルフ*好き a golf ˹*enthusiast* [*fanatic*]

すぎあやおり 杉綾織り hérringbòne C 《☞ ヘリンボーン》.

スキー ― 名 (滑ること) skiing U; (スキーの板) ski C 《複 ～s》 ★ 数えるときは a pair [two pairs] of skis. ― 動 ski 自 [日英比較] 日本語では「スキーをする」というが英語では 動 の ski を使う. do [play] ski は間違い.

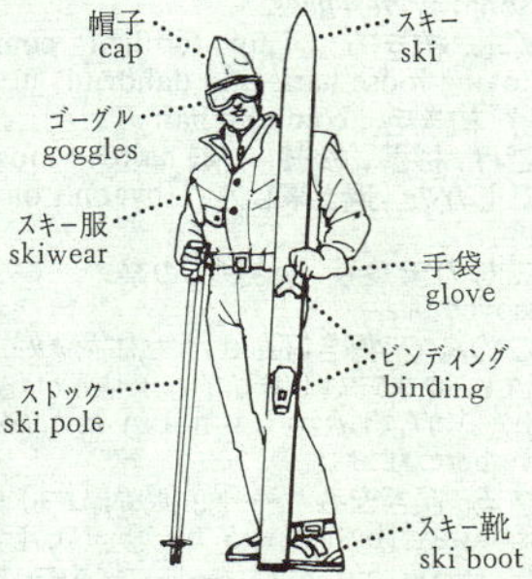

¶ *スキーは人気のある冬のスポーツだ *Skiing* is a popular winter sport. // 彼は*スキーがうまい (⇒ うまいスキーヤーだ) He is a good *skier.* / He is good at *skiing.* // 私は来週北海道[志賀高原]へ*スキーに行きます I'm going *skiing* ˹in Hokkaido [at Shiga Heights] next week. [語法]「一点」と考えられる狭い範囲の地点には at, 多少とも「広がり」があると考えられる場所には in を用いる. 日本語に引かれて to を用いないこと. また, go skiing (スキーに行く) は決まった言い方. // 私は*スキーをはいた[脱いだ] I ˹put on [took off] my *skis.* // 雪の斜面を*スキーで滑るのは非常におもしろい It's fun to ˹glide [slide] down a snow-covered slope *on skis.* / It's really exciting to *ski* down a snowy hill.
スキーウェア skíwèar U **スキー学校** ski school C

スキー靴 ski boots ★ 複数形で. 数えるときは a pair [two pairs] of ... スキー場 (スキーをする場所) ski area Ⓒ; (いろいろな設備の整った地域全体) ski slope Ⓒ ★ 日本語の「ゲレンデ」に相当する. スキー大会 skiing competition Ⓒ スキーバス skiers' special bus Ⓒ スキーパンツ ski pants ★ 複数形で. 数えるときは a pair [two pairs] of ... スキー帽 ski cap Ⓒ スキーボード skiboard Ⓒ スキーマラソン ski marathon Ⓒ スキーヤー skier Ⓒ スキー用品 skiing equipment Ⓤ スキーラック ski rack Ⓒ スキーリフト ski lift Ⓒ, chair lift Ⓒ.

スキーマ (図式) schema Ⓒ《複 schemata》. スキーマ理論 schema theory Ⓒ.

スキーム (計画) scheme Ⓒ.

すきいれ 漉き入れ watermarking Ⓤ. 漉き入れ紙 watermarked paper Ⓤ.

すきおこす 鋤き起こす plow up ⑩, spade ⑩. 《☞ すき[3]》.

すきかえす 鋤き返す ☞ すきおこす

すきかって 好き勝手 ── 動 (好きなようにする) do as *one* ⌜pleases [likes]; (何でも好きなことをする) do ⌜whatever [anything] *one* likes; (思いどおりにする) get [have] *one's* own way. 《☞ すき[1]; かって; おもいおもい》. ¶ *好き勝手なまね[振舞い]は許しません I won't allow you to ⌜*get* [*have*] *your own way*.

すききらい 好き嫌い líkes and díslikes ★ 複数形で; (嗜好) taste Ⓒ; (他と比較しての好み) preference Ⓒ. 《☞ このみ[1]; えりごのみ; しこう[2]》.
¶ だれでも*好き嫌いはある Everybody has his or her *likes and dislikes*. / (⇒ 好みは異なる) *Tastes* differ. // 彼は食べ物の*好き嫌いが激しい He has strong *likes and dislikes* ⌜in [about] food. // 私は食べ物に*好き嫌いはありません (⇒ 気難しくない[えり好みしない]) I'm not ⌜*particular* [*choos(e)y*] about ⌜food [what I eat]. // *好き嫌いを言っている場合ではない (⇒ 自分の好みについて話し合っている余裕はない) We cannot afford to talk about our personal *preferences*.

すきぐし 梳き櫛 fine-toothed comb (for removing loose hairs and dandruff) Ⓒ.

すきげ 梳き毛 combing hair Ⓤ.

すぎごけ 杉蘚, 杉苔 〔植〕 haircap moss Ⓤ.

すぎこしかた 過ぎ来し方 bygone days ★ 複数形で.

すぎこしのまつり 過ぎ越しの祭 (ユダヤ教の) Passover Ⓤ.

すきこのんで 好き好んで ¶ 私は*好き好んでここに住んでいるのではない (⇒ 私がここに住んでいるのは私の自由意志からではない) It is not *by my choice* that I live here. 《☞ いし[3]》

すぎさる 過ぎ去る ── 動 (時が過ぎる) pass ⓐ, páss ⌜awáy [bý] ⓐ, gò bý ⓐ; (いつしか過ぎる) slíde ⌜awáy [bý] ⓐ. ── 形 (過ぎ去った) past. 《☞ たつ[2]; すぎる; おわる》.
¶ いつの間にか 3 年が*過ぎ去った Three years *slid* ⌜*away* [*by*]. // 我々の危機は*過ぎ去った Our crisis ⌜*has passed* [(⇒ 終わった) *is over*]. // *過ぎ去った日々 (the) days *gone by*

すきずき 好き好き ¶ それは*好き好きです (⇒ 好みの問題です) It is a matter of *taste*. / (⇒ 各人の判断による) It depends on the ⌜person [individual]. // 人には*好き好きがある (⇒ 人は各自の好みを持つ) Everyone has ⌜his [their] own *tastes*. / (⇒ 好みは異なる) *Tastes* differ. // たで食う虫も*好き好き There is no accounting for *tastes*. 《ことわざ: 人の好みは説明がつかない》《☞ すききらい; このみ[1]》

ずきずき ── 動 (ずきずき痛む) throb (with pain) ⓐ 《☞ いたむ[1]; 擬声・擬態語 (囲み)》.
¶ けがをした指は*ずきずきと痛んだ My injured finger *throbbed with pain*. // 私は頭が*ずきずきする My head *is throbbing* (*with pain*). / (⇒ 頭にずきずきする痛みを持つ) I have a ⌜*throb* [*throbbing ache*; *throbbing pain*] in my head.

スキゾ(フレニア) 〔医〕(統合失調症) schizophrenia Ⓤ. スキゾ人格 schizoid personality Ⓤ スキゾ人間 (統合失調性の人格をもつ人) schizoid person Ⓒ; (気分にむらのある人) person who has extreme mood swings Ⓒ.

スキット (寸劇) skit Ⓒ.

スキッド ── 名 (自動車の横滑り) skid Ⓒ. ── 動 skid ⓐ.

スキッパー (船長)《略式》skipper Ⓒ.

すきっぱら 空きっ腹 (空っぽの胃) empty stomach Ⓒ 《☞ くうふく》. ¶ 私は*すきっ腹をかかえて (⇒ すきっ腹で) 仕事をしなくてはならなかった I had to work *on an empty stomach*.

スキップ ── 動 (跳びはねる) skip ⓐ; (本などで途中を飛ばす) skip ⑩ ⓐ.

すきとおる 透き通る ── 形 (透明な) transparent (↔ opaque); (澄みきった) clear. ── 動 (透けて見える) be seen through ... 《☞ とうめい; すける》.
¶ 2 階の窓ガラスは全部*透き通っている (⇒ 透明だ) The upstairs windowpanes are all *transparent*. // 川の水は水晶のように*透き通っていた The water of the river was (as) *clear* as crystal. ★ (as) clear as crystal は決まった言い方.

すぎな 杉菜 〔植〕 field horsetail Ⓒ.

すぎない 過ぎない ── 副 (ただ…だけ) only, merely ★ 後者はやや格式ばった語; (純粋に) purely; (単に)《格式》solely; (ただ) just; (…以外の何ものでもない) nothing but ...; (…以上のものではない) no more than ... ── 形 (ほんの) mere Ⓐ. 《☞ ただ[1] (類義語); -だけ[1]; まったく》.
¶ それは単なる推測 [うわさ] に*過ぎない It is ⌜a *mere* [*only* a] ⌜guess [rumor]. ★ 冠詞の位置に注意. / (⇒ 推測 [うわさ] 以上のものではない) It is *no more than* a ⌜guess [rumor]. / (⇒ 推測 [うわさ] 以外の何ものでもない) It is *nothing but* a ⌜guess [rumor]. ★ 第 1 文が最も口語的. // 私の支払いは 5000 円に*過ぎなかった I paid *no more than* 5,000 yen. ★「5000 円も支払った」は paid *no less than* 5,000 yen. // 私は数ある中の 1 例を示したに*過ぎません I gave *only* one example out of many.

スキニー ── 形 (やせこけた) skinny.

すきま 透き間, 隙き間 (開いている口) opening Ⓒ; (あってほしくないすき間) gap Ⓒ; (光・空気などを通す) chink Ⓒ. 《☞ すき[2]; くうかん》. ¶ 何かで壁の*すき間をふさいだほうがよい You had better ⌜stop [fill] (up) the ⌜*gap* [*opening*] in the wall with something. // 塀の*すき間 a *chink* in the fence
すき間風 draft (《英》draught) Ⓒ 《☞ かぜ[1]》. ¶ 二人の間には*すき間風が吹いていた (⇒ 二人の関係は冷ややかだった) Relations between the two of them *were cool*. すき間ゲージ feeler (gauge) Ⓒ, thickness gauge Ⓒ.

スキミング skimming Ⓤ ★「ざっと読むこと」「所得隠し」「クレジットカードの磁気情報の盗み読み」の意味で用いられる.

スキムミルク (脱脂乳) skim [skimmed] milk Ⓤ.

すきや 数寄屋 (茶室) tea ⌜house [pavilion] Ⓒ. 数寄屋造り the style of residential architecture with features characteristic of the *sukiya*.

すきやき すき焼き sukiyaki /sù:kijá:ki/ Ⓤ.

スキャット 〔楽〕 ── 名 scat Ⓒ. ── 動 scat ⓐ.

スキャナー 〔電子〕(走査装置) scanner Ⓒ; (光学スキャナー) 〔コンピューター〕 optical scanner Ⓒ.
¶ フィルム*スキャナー a film *scanner*

スキャニング 〔電工〕(走査) scanning Ⓤ.

スキャン 〘電工〙 ── 图 (走査) scan Ⓒ. ── 動 scan ⑯. スキャンコンバーター scan converter Ⓒ スキャンパネル scan panel Ⓒ.

スキャンダラス (不名誉な) scandalous. ¶*スキャンダラスなうわさ *scandalous* rumors

スキャンダル (不祥事・醜聞) scandal Ⓒ《☞ ふしょうじ》.
¶*スキャンダルをもみ消す cover up a *scandal* // その*スキャンダルは世間の明るみに出た The *scandal* was disclosed to the public. // 彼は*スキャンダルに巻き込まれた He got involved in ˹the [a] *scandal*.

スキャンティー (女性用下着) scanties ★ 複数形で.

スキューバ (水中呼吸装置) scuba /skúːbə/ Ⓒ. スキューバダイビング scúba diving Ⓤ.

すぎゆく 過ぎ行く pass ⓐ《☞ すぎる》. ¶*過ぎ行く人々 the *passing* people // *過ぎ行く年月 (the) *passing* years // 時は矢のように*過ぎ行く Time *flies.* // *過ぎ行く夏を惜しむ mourn the *passing* of summer

スキラばん スキラ版 Skira edition Ⓒ ★ 判型の一つ.

スキル (技能) skill Ⓒ. スキルドワーカー (熟練工) skilled worker Ⓒ.

すぎる 過ぎる (通過する) pass ⑯, go past ...; (通り抜ける) páss thróugh ⓐ; (時間などが経過する) gò bý ⓐ, pass ⓐ ★ 前者のほうが口語的; (度が過ぎる) go too far; exceed ⑯ ★ 前者のほうが口語的. 《☞ -すぎ; とおりすぎる; すぎさる; たつ²; けいか》.
¶列車はもう郡山を*過ぎた Our train *has passed* Koriyama already. // 時が*過ぎる Time *goes by.* // 東京へ来てから3年が*過ぎた It is three years [Three years *have passed*] since I came to Tokyo. // 彼は40歳は*過ぎているに違いない He must *be over* forty. // 彼には*過ぎた奥さんだ (⇒ 彼の妻は彼にはよすぎる) His wife is *too* good for him. // *過ぎたるはなお及ばざるがごとし (⇒ 多過ぎは少な過ぎと同様に悪い) *Too much* is as bad as too little. / (⇒ 多過ぎるのはだめにする, 少な過ぎるのは満足を与えない) *Too much* spoils, too little does not satisfy.

-すぎる …過ぎる ── 接頭 (動詞の前に付けて) over- 語法 動詞の接頭辞として「…し過ぎる」の意味.「煮過ぎる」 *over*cook ⑯,「やり過ぎる」*over*do ⑯,「食べ過ぎる」*over*eat ⓐ,「作り過ぎる」*over*produce ⑯,「払い過ぎる」*over*pay ⑯ ⓐ,「寝過ぎる」*over*sleep ⓐ,「働き過ぎる」*over*work ⓐ ⑯ など. ── 副 (形容詞・副詞を修飾して) too; (動詞を修飾して) too much. 《☞ しすぎる》.
¶勉強し*過ぎるな Don't study *too* hard. // 食べ*過ぎないように Don't eat *too much.* / Don't *overeat.* // このかばんは重*過ぎて運べない (⇒ 運ぶには重過ぎる) This bag is ˹*too* heavy to carry [*so* heavy that I can't carry it]. // あの子はわがまま*過ぎるので, だれも友達になりたがらない That child is *so* selfish that no one wants to make friends with ˹him [her].

スキルス 〘医〙 (硬性癌) scirrhus Ⓒ《複 -rhi, ~es》. スキルス癌 〘医〙 scirrhous carcinoma Ⓒ.

スキン (皮・皮膚) skin Ⓤ; (コンドーム) condom /kʌ́ndəm/ Ⓒ, 《俗》 skin Ⓒ, 《米略式》 rubber Ⓒ.

ずきん 頭巾 hood Ⓒ. ¶*頭巾をかぶる[とる] put on [take off] a *hood*

スキンアート (入れ墨やボディーピアスなどの) skin art Ⓤ.

スキンケア (肌の手入れ) skín càre Ⓤ.

スキンシップ close ˹body [bodily; physical] contact Ⓤ 日英比較 「スキンシップ」は和製英語.
¶赤ん坊との*スキンシップは絶対必要です *Close physical contact* with your ˹baby [babies] is absolutely necessary.

ずきんずきん ☞ ずきずき

スキンダイバー (スキンダイビングする人) skín diver Ⓒ.

スキンダイビング ── 图 (素潜り) skin diving Ⓤ. ── 動 skin-dive ⓐ.

スキンヘッド (毛髪を剃った人) skinhead Ⓒ ★ 特に《英》では反社会的もしくは非行集団のメンバーの印.

すく¹ 空く ¶バスは*すいていた (⇒ 混んでいなかった) The bus was *not crowded.* / I found the bus *empty.* ★ ほとんど人がいない状態のとき. 日英比較 日本語では, 例えば乗り物で空席がちらほら見える程度の状態を「すいている」ということが多いが, このような意味での「すいている」に当たる1語の英語はない. // けさは道路が*すいている (⇒ ほとんど交通量がない) There's *little traffic* on the road(s) this morning. // 手が*すきしだい手伝います (⇒ 自由になったら) I will help you as soon as I *am free.* // 私はおなかが*すいた I ˹*am* [*feel*] *hungry.* 《☞ あく²; から¹; がらあき; ひま; くうふく》

すく² 好く (好きである) like ⑯; (愛している・大好き) love ⑯ ★ 2つとも状態を表す動詞. 《☞ すき¹; にんき¹》. ¶彼女はみんなに*好かれている She *is* ˹*liked* [*loved*] by everybody. // その先生は学生に*好かれている (⇒ 人気がある) The teacher is *popular* with the students. // 彼女は人に*好かれるたちだ She is a very *likable* person.

すく³ 梳く (髪を) comb /kóum/ ⑯《☞ とかす²》.

すく⁴ 透く (透いて見える) be seen through ... 《☞ すける; すきとおる》.

すく⁵ 鋤く (すきで) plow (《英》 plough) ⑯ ⓐ; (耕す) till ⑯. 《☞ たがやす; すき³》.

すく⁶ 漉く ¶紙を*漉く *make* paper

すぐ 直ぐ **1** 《時間の近さ》: (ただちに) at once, immediately, right away; (間もなく) soon, presently; shortly.
【類義語】 時間について「いますぐに」を示す一般的な言い方が **at once**. 同じ意味でやや格式ばった語ではあるが, よく用いられるのが **immediately** で, 何かに続いて「間を置かないで」の意味を強調する. 主として《米》で用いられるくだけた表現が **right away**. 比較的大まかな時間について,「そんなに遅くないうちに」という感じでは **soon**. 同じ内容でやや格式ばっているのが **presently**. 以上2つより時間が短いことを意味するのが **shortly**. なお, この語は未来のことについて用いるのが普通. 《☞ ただちに》
¶*すぐ出発しよう Let's start ˹*at once* [*right away*; *immediately*]. // 彼は*すぐ来ます He'll be coming *in a* ˹*minute* [*moment*]. // 部屋に入ると*すぐ彼は窓を全部開け放した *As soon as* he came into the room, he opened all the windows. // 彼は*すぐ帰ってくるでしょう He will come back *shortly.* // もう*すぐクリスマスだ Christmas is coming *soon.* / Christmas is *just* ˹*around* [*round*] *the corner.*
2 《距離の近さ》 ── 副 (たいへん) very; (まさに) just; (接して近くに) nearby, close by. ── 形 (接するほどに近い) close. 《☞ ちかい¹; ちかく¹》. ¶私の探していた人は*すぐ隣に立っていた The person I had been looking for was standing *just* beside me. // *すぐ近くに本屋がありますか Is there a bookstore *close by*?
3 《たやすく》: easily, readily ★ 後者のほうがやや格式ばった語. ¶彼は*すぐ怒る He is *easily* offended. // 彼女の家は*すぐわかりますよ You can ˹*easily* [*readily*] find her house.

-ずく ¶彼らは腕*ずくできた (⇒ 暴力に訴えた) They *resorted to force.* // 私は欲得*ずくで (⇒ 金のために) それをしたのではない I have not done it *for* (*the*) *money.* 《☞ ちからずく; うで; よくとくずく》

すくい 救い (助け) help Ⓤ ★ 最も一般的で意味の広い語; (危険にさらされている人の救出) rescue Ⓤ ★ 具体的な行為は Ⓒ; (困った状態の人の救助) relief Ⓤ; (神の救い) salvation Ⓤ. ((☞ すくう[1] (類義語); きゅうじょ; えんじょ; たすけ)).

¶ 彼は*救いを求めた He asked for *help*. / (⇒ 助けを呼んだ) He cried for *help*. // だれも彼女に*救いの手をさしのべなかった Nobody ⌈gave [lent] her a *helping* hand. // 私はだれかが*救いに来てくれると信じていた I believed that somebody would come to my *rescue*. // 彼女は正直なのが*救いだ (⇒ 彼女は正直という取り柄を持つ) She has the *saving grace* of honesty. // 彼は*救いようのないばかだ (⇒ どうしようもないばかだ) He is ⌈a *hopeless* idiot [an *incurable* fool]. **救い主** (キリスト教の) the Saviour ★ ((米)) では Savior とつづることもある. ((☞ きゅうせいしゅ 語法)) **救いの神** (救世主・救助者) savior (((英)) saviour) Ⓒ; (神の救いの手) the helping hand of God; (神の摂理) God's Providence Ⓤ.

すくいあげる 掬い上げる (ちょっと浸して) dip (up) ㊀; (すくうように) scoop (up) ㊀; (つまむようにして) pick (up) ㊀. ((☞ すくう[2])). ¶ 金魚を*すくい上げる *dip* [*scoop*] *up* a goldfish

すくいあみ 掬い網 scoop (net) Ⓒ; (たも網) dip net Ⓒ.

スクイーザー (搾り器) squeezer Ⓒ.

スクイズ 〔野〕 ── 图 squéeze plày Ⓒ. ── 動 squeeze (in) ㊀. **スクイズバント** squeeze bunt Ⓒ.

すくいだす 救い出す save [rescue] ... (from ...) ((☞ すくう[1] (類義語))). ¶ 子供がおぼれるところを*救い出す *save* a child *from* drowning // 乗組員は全員無事に*救い出された All the crew *were* safely *rescued*.

すくいなげ 掬い投げ (相撲の) *sukuinage* Ⓤ; (説明的には) beltless arm throw Ⓤ ★ 前者を使うことが多い.

すくいぬし 救い主 ☞ すくい (救い主)

すくう[1] 救う save ㊀; help ㊀; rescue ㊀; relieve ㊀.

【類義語】危険・困った状態などから救うという意味で, 最も一般的な語は **save**. この語は「救う」という意味でほとんどの例に使える. 助力を与える, 手を貸して救い出すという広い意味の言葉は **help**. ただしこの語はどのような状態で助力したのかを述べないと状況がはっきりしないことがある. ((例) 私は彼を危険から*救った I *helped* him out of danger.). 救助隊などが差し迫った危険などから敏速に救助するのは **rescue**. 困窮者や被災者を救済し, 苦痛・重荷などから解放するのが **relieve**. ((☞ たすける; きゅうさい[1]; きゅうしゅつ))

¶ 医者はその少年の命を*救った The doctor *saved* the boy's life. // 彼はその子供がおぼれようとするところを*救った He ⌈*saved* [*rescued*] the child *from* drowning. // 私は彼女を苦境から*救った I *helped* her *out of* difficulty. / (⇒ めんどうなことから出してやった) I *got* her *out of trouble*.

すくう[2] 掬う **1** ((液体などをすくう)): (スコップ状のもので) scóop (úp) ㊀ ★ 手ですくう場合にも用いる; (杓子などで) ladle ㊀; (さじで) spóon ⌈úp [óut] ㊀. ((☞ くむ[2])). ¶ その子は砂をスコップで*すくった The child *scooped up* the sand. // 彼女はおたまでスープを*すくいそれぞれの皿に分けた She *ladled* soup *into each bowl*.

2 ((足を)): tríp (úp) ㊀ ((☞ つまずく)). ¶ 私は彼に足を*すくわれてひっくり返った I *was tripped* (*up*) by him. // 彼は足を波に*すくわれた (⇒ 波が彼の足をさらった) The waves *swept* him *off* his *feet*.

すくう[3] 巣食う (巣を作る) build a nest; (根城にしている) ((略式)) háng óut (at ...; in ...).

スクーター (motor) scooter Ⓒ.

スクーナー (帆船の一種) schooner Ⓒ.

スクープ ── 图 scoop Ⓒ. ── 動 scoop ㊀.
¶ 彼女はその贈収賄事件を*スクープした She *scooped* the bribery case. // このニュースは朝日の*スクープ (⇒ 独占記事) だ This news story is an *Asahi exclusive*.

スクーリング schooling Ⓤ 日英比較 英語の schooling は中学・高校など正規の学校に通って教育を受けることもいう. ¶ 私は1か月間*スクーリングを受けた I had a month's *schooling*.

スクール (学校) school Ⓒ 日英比較 英語の school は普通小・中・高校を指す. ただし, 英米では大学も学部によっては school と呼ばれるものがある.

スクールカウンセラー (school) counselor Ⓒ.

スクールカラー (校風) the traditional character of a school; (学校の色) the school ⌈colors [((英)) colours] ★ the を付けて複数形で.

スクールゾーン school zone Ⓒ.

スクールバス schóol bùs Ⓒ.

スクエア (市内の広場) square Ⓒ. ¶ タイムズ*スクエア Times *Square* ★ ニューヨーク市の中心部.

スクエアスタンス (野球・ゴルフで) square stance Ⓒ. ¶ *スクエアスタンスをとる have [take] a *square stance*

スクエアダンス ── 图 squáre dànce Ⓒ. ── 動 square dance ㊁, do [perform] a square dance.

すぐき 酸茎 pickled turnip Ⓒ.

すぐさま 直ぐ様 (すぐに) at once; (今すぐ) right away; immediately ★ ほぼ同じ意味だが, 三番目がやや改まった語. ((☞ ただちに; すぐ (類義語); そくざ)).

すくすく ¶ 私の植えた木は*すくすく (⇒ 速く) 伸びている The tree I planted is growing ⌈*quickly* [*rapidly*]. ((☞ 擬声・擬態語 (囲み)))
【参考語】 ── 副 (早く) quickly, rapidly, fast; (正常に) normally.

すくない 少ない (数が) few (↔ many); (量が) little (↔ much); (数・量が) small (↔ large); (乏しい) scarce /skéəs/; (不十分な) scanty; (不足している) short; (まれな) rare; (数量がまばらな) sparse.

【類義語】数が少ないというよりはむしろ「ほとんどない」という感じの言葉が **few**. 同じく量について「ほとんどない」と否定的な感じを含むのが **little**. 数や量を表す言葉に付けて, その数, または量が少ないことを表す言葉が **small**. 普通あるべきもの, または以前にはあったものが減って少ないことを表すのが **scarce**. 当然あるべきものが不足していることを表すのが **scanty**. 物や人手などが不足しているのは **short**. 少なくて珍重される意味を表すのが **rare**. ところどころに点々とある状態をいうのが **sparse**. ((☞ すこし; わずか; たしょう[1] (類義語))) ¶ この作文には間違いが*少ない This ⌈essay [composition] has *few* mistakes. // このことを知っている人は*少ない *Few* [*Not many*] people know this. // 彼女が回復する見込みは*少ない There is *little* hope of her recovery. // 彼は家族が*少ない (⇒ 小さな家族を持っている) He has a *small* family. // 我々の食糧の蓄えは*少ない (Our) food is in *short* supply. // 彼がここへ来ることは*少ない (⇒ めったに来ない) He ⌈*rarely* [*seldom*] comes here. // *少ない収入 a *small* income // 住む人の*少ない地域 a *sparsely* populated area // 彼女は聴衆が*少ないのでがっかりした (⇒ 少ない聴衆が彼女を落胆させた) The *small* audience disappointed her.

すくなからず 少なからず ── 副 (程度・度合いを示して) not a little, greatly; (たいへんに・非常に) a great deal, very much. ── 形 not a little; (強意的に) no small; (相当の) considerable. ((☞ ずいぶん; かなり; そうとう[1])).
¶ その知らせに私たちは*少なからず驚いた We were ⌈*not a little* [*greatly*] surprised at the news. // 私

は彼女に*少なからず世話になっている (⇒ たいへん恩になっている) I owe *a great deal* to her. // 新空港建設に*少なからぬ金が費された *No small* amount [A *considerable* sum] of money was spent on (building) the new airport.

すくなくとも 少なくとも (量・程度・数に関して) at least (↔ at most); (数に関して) not less than … ★ 数詞の前にそえて用いる. (☞ さいてい¹). ¶ この服は*少なくとも 4 万円はする This dress will cost 「*at least* [*not less than*] forty thousand yen. // 睡眠は 1 日に*少なくとも 7 時間は必要だ We should sleep *at least* seven hours a day.

すくなめ 少なめ (slightly [somewhat]) below … ¶ *少なめに見積もって at a *low* estimate // 我々はこの仕事に対する彼の貢献を*少なめに評価していた We valued his contribution to this work *somewhat below* its real worth. / We *under*estimated his contribution to this work.

すぐに 直に ☞ すぐ

すくむ 竦む give way (自) (☞ ひるむ; たちすくむ). ¶ 恐怖で足が*すくんだ (⇒ 動けなかった) I was too frightened to move.

-ずくめ ¶ 彼は黒*ずくめの服装をしていた (⇒ すっかり黒で装っていた) He was dressed (*all*) in black. // それは結構*ずくめな話だった (⇒ あらゆる点でよい) It was good news *in* 「*all respects* [*every respect*].

すくめる 竦める (首をひょいと引っこめる) duck (自) (他); (肩を) shrug (他)

[参考] このジェスチャーは, 英米では困惑あるいはどうしようもないというあきらめの気持ちを表す. (☞ ちぢめる).

¶ ボールがひゅーと飛んで来る音を聞いて彼女は首を*すくめた When she heard the whiz of a ball, she *ducked* (her head). // 彼は私の質問に答えず, ただ肩を*すくめた He just *shrugged* his shoulders without answering my question.

スクラッチ — [名] (レコードなどの針音・レコードを途中で止めて手で回したり逆回転させたりして出す音) scratch Ⓒ. — [形] 〘スポ〙 (ハンディキャップなしの) scratch.

スクラップ (不用品) scrap Ⓤ. ¶ 彼はその車を*スクラップの値段で売った He sold his car for *scrap*. **スクラップブック** scrapbook Ⓒ.

スクラップアンドビルド — [名] (効率の悪い部分を削って新しい部分を設けること) getting rid of old and inefficient departments and building up new improved ones Ⓤ; (徹底的な再編成) complete reorganization Ⓒ. — [動] reorganize … completely.

スクラブ (洗顔剤) scrub Ⓤ.

スクラム¹ (ラグビーの) scrum Ⓒ, 《格式》 scrummage Ⓒ. ¶ スクラムを組む form [line up for] a *scrum* **スクラムトライ** scrum try Ⓒ, push-over try Ⓒ **スクラムハーフ** scrum half Ⓒ (略 SH).

スクラム² (原子炉緊急停止) scram Ⓒ.

スクランブル — [名] (軍用機の緊急発進) scramble Ⓒ. — [動] scramble (自) (他). **スクランブルエッグ** scrambled eggs ★ 複数形で. **スクランブル交差点** six-way (pedestrian) crossing Ⓒ **スクランブルレース** (オートバイの) scramble race Ⓒ.

すぐり 酸塊 〘植〙 (フサスグリ) currant Ⓒ; (セイヨウスグリ) gooseberry Ⓒ.

スクリーニング — [名] (選別) screening Ⓤ. — [動] screen (他). **スクリーニングテスト** screening test Ⓒ.

スクリーン screen Ⓒ. **スクリーン印刷** screen printing Ⓤ **スクリーンセーバー** 〘コンピューター〙 screen saver Ⓒ **スクリーンテスト** (映画出演のための) screen test Ⓒ **スクリーンプレー** screenplay Ⓒ **スクリーンプロセス** 〘印〙 screen process Ⓒ; 〘映画・テレビ〙 the (rear; back; front) projection process **スクリーンミュージック** screen music Ⓤ.

スクリプター (映画製作の記録係) script supervisor Ⓒ, continuity 「girl [clerk] Ⓒ. ★ 英語で scripter は scriptwriter (台本作者)をいう.

スクリプト (映画・放送の台本) script Ⓒ.

スクリメージ 〘アメフト〙 scrimmage Ⓒ. **スクリメージライン** line of scrimmage Ⓒ, scrimmage line Ⓒ.

スクリュー screw /skrúː/ (propeller) Ⓒ ★ 単に propeller とも言う. (☞ ふね (挿絵)). **スクリューボール** 〘野〙 screwball Ⓒ.

スクリュードライバー (カクテル) screwdriver Ⓒ (☞ ドライバー²).

すぐる 選る ☞ えりぬく

スクレイピー 〘畜〙 (羊の疾患) scrapie Ⓤ.

すぐれない 勝れない, 優れない (気分が悪い) be [feel] sick, be not [do not feel] well; (健康がよくない) be in 「poor [bad] health; (顔色が) do not look well. ¶ きょうは気分が*すぐれない (⇒ 具合がよくない) I *don't feel well* today. // 彼は健康が*すぐれないようだ He seems to *be in* 「*poor* [*bad*] *health*. // 君はきょうは顔色が*すぐれないね You *don't look well* today.

すぐれる 勝れる, 優れる — [動] (他よりもっとよい) be better than … ★ 最も口語的; (秀でる) 《格式》 excél (in …) (自) ★ (他) でも用いる; (しのぐ; …より上である) 《格式》 surpáss (他); (勝る) 《格式》 exceed (自) (他). (☞ まさる [語法]). — [形] better; (上等な) superior; (優秀な) excellent; (卓越した) outstanding. (☞ まさる; ゆうしゅう¹).

¶ 彼は運動ではクラスのだれよりも*すぐれている He is a *better* athlete *than* anyone (else) in his class. // 能力では彼のほうが私より*すぐれている His 「ability *surpasses* [abilities *surpass*] mine. / (⇒ 私より上だ) He *is superior to* me in ability. / (⇒ 私より才能がある) He is *more capable than* 「I [me; I am]. ★ 第 3 文が最も口語的. // チームでは彼女はずばぬけて*すぐれた選手だ She is by far the *best* player on the team. // 彼は日本の最も*すぐれた学者の 1 人だ He is one of the (most) *outstanding* scholars in Japan.

スクロール 〘コンピューター〙 — [動] scroll (自) (他). — [名] scrolling Ⓤ. ¶ 文書の終わりへ*スクロールしなさい *Scroll* to the end of the document. **スクロールバー** scroll bar Ⓒ.

スクワット 〘スポ〙 squat Ⓒ.

すげ 菅 〘植〙 sedge Ⓒ. **菅笠** sedge hat Ⓒ.

ずけい 図形 (幾何の) figure Ⓒ (☞ ず¹; ずひょう).

スケーター skater Ⓒ.

スケーティング skating Ⓤ. ¶ アイス*スケーティング ice *skating*

スケート — [名] (ice) skating Ⓤ. — [動] skate (自). [日英比較] 日本語では「スケートをする」というが, 英語では [動] の skate を使う. do [play] skate は間違い. また,「スケートで滑ること」は skating で, skate [名] はスケート靴 (通例複数形), またはスケート靴の刃 (runner) をいう.

¶「君は*スケートできる」「うん, 少しはね」 "Can you *skate*?" "Yes, a little." //「来週日光へ*スケートに行こう」「うん, 行こう」 "Let's *go skating* at Nikko next week." "OK." // フィギュア[スピード]*スケート figure [speed] *skating* // ローラー*スケート roller *skating* // インライン*スケート in-line *skating*

スケート靴 (a pair of) skates ★ skate は普通は複

数形で.《☞ 数の数え方(囲み)》 スケート場[リンク] skating rink Ⓒ ★ 単に rink ともいう. スケートボード skateboard Ⓒ.

スケープゴート (身代わり, 他人の罪を負わされた人) scapegoat Ⓒ. ¶村人は彼を*スケープゴートにした The villagers ⌈*made a scapegoat of* him [*made* him *a scapegoat*].

スケーリング 〔歯〕(歯石除去) scaling Ⓤ.

スケール (規模) scale Ⓒ; (人物の度量) caliber (《英》 calibre) /kǽləbə/ Ⓤ. 【日英比較】 日本語でスケールとあっても, 必ずしも英語では scale が使われるわけではない点に注意.《☞ きぼ; どりょう; だいきぼ》.
¶*スケールの大きな計画 a large-*scale* plan // 全国的な*スケールで on a nationwide *scale* // 彼は*スケールの大きい経営者だ He is a high-*caliber* manager. スケールメリット the merit of scale スケールモデル scale model Ⓒ.

すげかえる 挿げ替える ¶下駄の鼻緒を*すげ替える *put a new thong* on *one's* ⌈sandal(s) [*geta(s)*] // 課長の首を*すげ替える bring in a new section ⌈head [chief] / replace the section chief / appoint *a person* to ⌈take over from [replace] the current section manager

スケジューリング 〔コンピューター〕 scheduling Ⓤ.

スケジュール schedule /skédʒu:l | ʃédju:l/ Ⓒ 《☞ よてい; にってい; けいかく》. ¶ずいぶんハード*スケジュールだね (⇒ 詰まっている) Your work *schedule* is very tight. 【日英比較】 英語でも tight の代わりに hard も使えるが, 意味は「詰まっている」というより, 「困難度が高い」ということに重点がある. // 私は夏休みの*スケジュールをたてた I made a *schedule* for ⌈the [my] summer vacation. // 最後の秒読みは*スケジュールどおり行われた The final countdown took place ⌈*on schedule* [as *scheduled*].

すけすけ 透け透け ¶*透け透けのブラウス a *see-through* blouse

ずけずけ ¶彼は*ずけずけとものを言うが根はいい男だ (⇒ 遠慮なく思ったことを言うが) He is *outspoken*, but good-natured.《☞ そっちょく; ぽんぽん; 擬声・擬態語(囲み)》
【参考語】 ―副 (率直に) frankly; (遠慮なく) outspokenly. ―動 (面と向かって不愉快なことを言う) say unpleasant things to *a person's* face.

すけそうだら 助宗鱈 ☞ すけとうだら

すけだち 助太刀 (助力) help Ⓤ, assistance Ⓤ ★ 前者のほうが一般的. 後者は改まった語.《☞ たすけ; たすける (類義語)》.

スケッチ ―名 sketch Ⓒ. ―動 sketch ㊀, make a sketch (of ...). ¶私は庭の花を*スケッチした I ⌈*made a sketch of* [*sketched*] (the) flowers in the garden. スケッチブック sketchbook Ⓒ.

すけっと 助っ人 helper Ⓒ. ¶年内にこの仕事を完成するには 2, 3 人の*助っ人が必要だ We need a few ⌈*helpers* [(⇒ 追加の人手が) more *hands*] to finish this work by the end of this year.

すけとうだら 介党鱈 〔魚〕 Alaska ⌈pollack [pollock] Ⓒ (複 ~(s)).

すげない ―形 (冷淡な) cold; (きっぱりした) flat Ⓐ, point-blank Ⓐ. ―副 coldly; flatly, point-blank.《☞ つれない; つめたい; きっぱり; はくじょう¹》.
¶*すげなく断る give *a person* a ⌈*flat* [*point-blank*] *refusal* // 彼女に*すげなくするつもりはなかった (⇒ 冷たく扱うつもりはなかった) I didn't really mean to *treat* her *coldly*.

すけべ(え) 助兵衛 ―形 (みだらな気持ちの) lewd; (好色な) lecherous; (色欲的な) lustful. ―名 (人) lecher Ⓒ. 助兵衛根性 (好色) lechery Ⓤ; (欲ばり) greed Ⓤ.《☞ よく²; いろけ; いやらしい》.

スケボー ☞ スケート (スケートボード)

すける 透ける (物を通して向こうが見える) see ... through ...; (透明である) be transparent; (澄み切っている) be clear.《☞ とうめい》. ¶このカーテンは*透けて見える This curtain *is* almost *transparent*. // *透けるブラウス a *see-through* blouse // 川にいる魚が*透けて見えた (⇒ 水が透明で魚を見せてくれた) The water *was clear* enough to let us see fish at the bottom.

すげる 挿げる ☞ すげかえる

スケルツォ 〔楽〕 scherzo /skéətsou/ Ⓒ (複 ~s, -zi /-tsi:/).

スケルトン ―名 (骨格・骨組み) skeleton Ⓒ. ―形 (内部の構造が透けて見える) skeleton. ¶*スケルトンの時計 a *skeleton* clock

スコア (試合の得点・音楽の譜面) score Ⓒ 《☞ とくてん¹》. ¶*スコアをつける keep *score* // 5 対 2 の*スコアで私たちが勝った We won the game by a *score* of five to two. スコアカード (得点記入カード) scorecard Ⓒ スコアブック (得点記入帳) scorebook Ⓒ スコアボード (得点掲示板) scoreboard Ⓒ.

スコアラー (記録係) scorer Ⓒ.

スコアリングポジション 〔野〕 scoring position Ⓤ. ¶彼はバントで走者を*スコアリングポジションに進めた He advanced the runner on a bunt to *scoring position*.

すごい 凄い **1** «恐ろしい»: fearful; dreadful; horrible, horrifying; frightful; terrible; terrific; gruesome.
【類義語】 恐ろしいという気持ちを起こさせる最も一般的な語は ***fearful***. ぞっとするような状態を表現するには ***dreadful***. 身の毛もよだつような非常に強い恐怖心を伴うときには ***horrible***, ***horrifying*** が用いられる. 突然の恐怖感に駆られる感じの語が ***frightful***. 口語的で意味が広く, 日本語の「たいへんな」「ひどい」にも当たるのが ***terrible***. 意図的に人々に驚きや恐怖心を与えるのは ***terrific***. 死にまつわるような不気味な恐ろしさ, ものすごさを表す語が ***gruesome***.《☞ こわい; ぞっと》
¶この交差点できのう*すごい交通事故があった A ⌈*terrible* [*dreadful*] traffic accident happened at this ⌈crossing [intersection] yesterday. // *すごいガス爆発 a ⌈*terrific* [*dreadful*; *terrible*] gas explosion // その*すごい地震で多くの家が壊された Many houses were destroyed by that ⌈*very strong* [*terrible*] earthquake. // 私はその*すごい光景を見て震えた I shuddered at the *gruesome* sight.
2 «程度がはなはだしい»: ―形 (ものすごい) 《略式》 awful; (猛烈な) terrific ★ 両者はよい意味にも悪い意味にも用いられる; (ひどい程度の) terrible ★ 一般に, terrible は「(悪い意味で)ひどい」; (不快なほどの) horrible. ―副 awfully; terribly; horribly. 《☞ ものすごい》. ¶背中が*すごく痛い My back hurts ⌈*awfully* [*terribly*]. // その車は*すごいスピードで私たちのそばを通っていった The car sped by us at (a) *terrific* speed. // パーティーは*すごく楽しかった We had a *terrific* time at the party.

ずこう 図工 (学科の図画・工作) drawing and manual arts ★ art は複数形で.《☞ ずが》. ¶*図工の先生 an *art* teacher

すごうで 凄腕 (やり手の人) shrewd person Ⓒ; (群を抜く能力のある人) person with outstanding ability Ⓒ; (有能な人) able [competent] person Ⓒ; (素晴らしい才能がある人) 《略式》 dynamite (person) Ⓒ; (金儲けのやり手) 《米略式》 go-getter Ⓒ.《☞ うで; うでまえ; のうりょく; すごい; やりて》.

スコープ (範囲) scope Ⓤ; (見る器械) -scope. ¶ファイバー*スコープ a fiber*scope*

スコール (熱帯地方特有の激しいにわか雨) local

[localized] severe shower Ⓒ 日英比較 英語の squall は雨や雪を伴う突風のことで, 日本語の「スコール」とは異なる.

スコーン (焼菓子の一種) scone Ⓒ.

すごく 凄く 《略式》 awfully 《☞ すごい; とても》.

すこし 少し (量について) a little; (ほんのちょっと) 《略式》 a little bit; (数について) a few 語法 (1) 「少ししか…でない」と否定的なときは,「量」については little,「数」については few を無冠詞で用いる; (程度について) a little, somewhat, slightly 語法 (2) 以上 3 つのうちで, a little が最も平易な口語. somewhat も口語的ではあるが, a little よりは堅苦しい表現. slightly は「少し」という程度がほんのわずかであることを強調する言葉. 《☞ たしょう¹ (類義語); いくらか》. ¶ *少し疲れた I'm *a little* (*bit*) tired. // 「フランス語は話せますか」「ええ, *少しだけ」 "Do you speak French?" "Yes, *a little*." // 「お肉をもう*少しいかがですか」「では, ほんの*少しだけ」 "How about [Won't you have] *some* more meat?" "Yes, just *a little* (*bit*), please." // 砂糖は入れ物の中に*少ししか残っていなかった There was very *little* sugar left in the bowl. / There was only *a little* sugar left in the bowl. 語法 (3) very little は「ほとんどない」と,「ないこと」を強調する. 第 2 文の only a little も only という語が使われているために,「ほんの少ししかない」と否定の気持ちが含まれるが, very little に比べると「あるとしても少しだ」というように肯定の気持ちが同時に含まれる. 以上に対して There was *a little* sugar left in the bowl. と言うと「少しはある」というように肯定的な意味になる. なお, これらの表現は話者の気持ちによって選択されるのであって, 入れ物の中の同じ残量について以上 3 様の表現のいずれもが可能である. // この本には*少し間違いがある There are *a few* ⌐mistakes [errors] in this book. // 私は*少しがっかりした I was ⌐*a little* [*somewhat*] disappointed. // 計画に賛成の人が*少しあったが, 大多数は不賛成だった *Some* people approved of the plan, but the majority didn't. // *少し寒いね I feel *rather* cold. / It's *a little* cold, isn't it? // もう*少し時間がかかる We need *a little* more time. // もう*少しで (⇒ ほとんど) それを忘れるところでした I ⌐*almost* [*nearly*] forgot it. // 父はもう*少しで 70 歳になる (⇒ 近い) My father is *close to* seventy. // *少し待っていて下さい Wait *a moment*, please. // 彼女は*少し前に出かけた She left *a short* while ago. // *少しでも多いほうがいい (⇒ 多ければ多いほどいい) The more, the better. // *少しでもないよりいい *Anything* [*Something*] is better than nothing. // 一度に*少しずつ食べなさい Eat *just a little* at a time. // 彼は*少しずつよくなってきている He has been getting better ⌐*little by little* [*gradually*]. // *少し緑がかった青 *slightly* greenish blue

すこしも 少しも not at all, not in the least, 《略式》 not a bit 語法 否定の意味を強調する言い方. 最も一般的なのは not at all.「いささかでも…ではない」と, より強意的なのが not in the least と not a bit; (何も…でない) nothing, not ... anything ★ 後者のほうが強調的. 《☞ ぜんぜん; ちっとも 語法》. ¶ 彼は*少しも驚かなかった He was*n't* surprised *at all*. / He was *not* ⌐*at all* [*in the least*; *the least bit*] surprised. ★ 第 2 文のほうがより強意的. // そんなことは*少しも知らない I do*n't* know *anything* about it. / I know *nothing* about it. ★ 第 1 文のほうがより強意的. // そんなことが起ころうとは*少しも考えなかった I ⌐*didn't in the least* expect [*little* expected] such a thing would happen.

すごす 過ごす **1** 《時を》: (時間を費やす) spend ⑩ 《過去・過分 spent》, pass ⑩ ★ 後者のほうが格式ばった語; (怠けて時を過ごす) idle away (*one's* time); (むだに過ごす) waste *one's* time; (愉快に過ごす) have a ⌐good [nice] time; (暮らしてゆく) gèt alóng ⓐ. 《☞ ついやす; おくる¹》.
¶ 夏休みはどうやって*過ごしましたか How did you *spend* ⌐the [your] summer vacation? // 私たちはそのホテルで一夜を*過ごした We *spent* ⌐a [the] night at that hotel. // 時間をむだに*過ごしてはいけません Don't *waste your time*. // 彼は毎日ぶらぶらと*過ごしている He'*s idling away* (*his time*) every day. // 今夜は楽しく*過ごそう Let's *have a* ⌐*good* [*nice*] *time* tonight. / (⇒ 楽しもう) Let's *have fun* tonight. // 「いかがお*過ごしですか」「まあまあです」 "How *are* you *getting along*?" "(*We're getting along*) all right."
2 《度を》: go too far, carry ... too far 語法 内容的にはほぼ同意だが, carry too far は目的語をとる. 《☞ ど; ていど》. ¶ 何事も度を*過ごすのはよくない It's no good to *carry* things *too far*.

すごすご (しおれて) dejectedly; (重い心で) with a heavy heart. 《☞ がっかり; 擬声・擬態語 (囲み)》. ¶ 彼は*すごすご家に帰った He went home ⌐*with a heavy heart* [*dejectedly*].

スコッチ (ウイスキー) Scotch (whisk(e)y) Ⓤ; (服地) (Scotch) tweed Ⓤ. **スコッチエッグ** Scotch egg Ⓒ. **スコッチテリア** Scotch terrier Ⓒ.

スコット ― 名 固 (ロバート ファルコン～) Robert Falcon Scott, 1868–1912 ★ 英国の南極探検家; (ウォルター～) Walter Scott, 1771–1832 ★ スコットランドの作家.

スコットランド ― 名 固 Scotland. ― 形 (スコットランドの) Scottish, Scotch 語法 後者は軽蔑的なニュアンスがあり, ウイスキーや食物, 織物以外では前者を使うほうがよい. 《☞ えいこく 参考; イギリス》. **スコットランド人** (男女とも) Scot Ⓒ; (男) Scotsman Ⓒ 《複 -men》; (女) Scotswoman Ⓒ 《複 -women》; (総称) the Scots, the Scottish.

スコットランドヤード (ロンドン警視庁) Scotland Yard; (公式名) New Scotland Yard.

スコップ (小さいスコップ) scoop Ⓒ; (大きいもの) shovel Ⓒ.

すこぶる 頗る (とても) very, extremely ★ 後者のほうが意味が強い. 《☞ たいへん; とても (類義語)》. **すこぶるつき** ― 形 (非常な) extreme; (普通でない) unusual. ¶ *すこぶるつきの貧乏 *extreme* poverty // *すこぶるつきの才能の持ち主 a person with *unusual* talent // *すこぶるつきの美人 a *rare* beauty

すごみ 凄み ¶ *すごみをきかせる (⇒ 脅かすような態度をとる) assume [adopt] a *threatening* attitude

すごむ 凄む (…するぞと脅かす) threaten (to *do* ...) 《☞ おどす; きょうはく¹》.

すごもる 巣籠る (鳥が) nest ⓐ; (卵をかえすために) brood ⓐ.

すこやか 健やか ― 形 (心身ともに健康な) healthy, sound 語法 いずれも精神・肉体ともに病気や欠陥がない状態をいうが, sound のほうが「完全な」という強いニュアンスを持つ. ― 副 healthily. 《☞ けんこう¹; けんぜん》.

スコラてつがく スコラ哲学 ― 名 Scholásticism Ⓤ ★ 通例大文字で書き始める; Scholástic philósophy Ⓤ. ― 形 (スコラ哲学の) Scholastic. **スコラ哲学者** Scholastic (philosopher) Ⓒ; (特に中世の) Schoolman Ⓒ.

スコリア (岩滓) scoria Ⓒ 《複 scoriae》.

すごろく 双六 *sugoroku* Ⓤ, Japanese backgammon Ⓤ; (説明的には) a Japanese game played with a ⌐die [《英》 dice].

スコンク (零敗) 《略式》 skunk Ⓒ; shutout Ⓒ. ★ skunk は普通相手を零敗させると言う意味の 動 ⑩ として用いられる.

すさのおのみこと 素戔嗚尊, 須佐之男命 〖日本神話〗 ━名固 *Susanoo no Mikoto*; (説明的には) a deity in Japanese mythology. He killed a great, eight-headed, eight-tailed serpent.

すさび 遊び (気ばらし) pastime Ⓒ; (楽しみ) amusement Ⓤ. ¶筆の*すさび writing ˹*for amusement's sake* [*in playful mood*]

すさぶ 荒ぶ ☞すさむ

すさまじい 凄まじい (ぞっとするような) dreadful, horrible, horrifying ★第2語以下のほうが意味が強い; (ひどい) terrible, appalling. (☞すごい(類義語); おそろしい).

¶それは*すさまじい光景だった It was a ˹*horrible* [*horrifying*] sight. // ジェット機の*すさまじい爆音が聞こえた The *appalling* roars of jet planes were heard. // バイクが*すさまじい勢いで走って来た A motorbike was approaching at a ˹*terrible* [*dreadful*; *terrific*] speed.

すさむ 荒む ━形 (生活などが荒れた・放蕩な) 《格式》 díssolùte; (身を持ちくずした) 《格式》 dissipàted; (乱暴な) wild. ━動 (心が荒れる) go [grow] wild 自 ★人が主語; (希望を失う) lose hope (for ...). (☞あれる).

¶*すさんだ生活を送る lead a ˹*dissolute* [*dissipated*] life // 戦争中で人々の気持ちは*すさんでいた (⇒将来への希望がなかった) It was wartime, and people *had no hope for the future*.

ずさん 杜撰 ━形 (不注意な) careless; (仕事などがいいかげんな) slipshod, sloppy; (不正確で誤りのある) ináccurate, faulty. (☞ざつ; そんざい). ¶彼の仕事ぶりは*ずさんだ (⇒不注意な働き手である) He is a *careless* worker. / (⇒仕事がいいかげんだ) His work is *slipshod*.

すし 鮨, 寿司 sushi Ⓤ (☞にぎり; ごもくずし). 鮨桶 tub for serving sushi Ⓒ, sushi tray Ⓒ 鮨種 sushi topping Ⓒ 鮨詰め ☞見出し 鮨飯 sushi rice Ⓤ 鮨屋 sushi ˹shop [bar] Ⓒ.

すじ 筋 **1** 《体の》: (筋肉) muscle /mʌ́sl/ Ⓒ; (腱(けん)) sinew Ⓒ. (☞きんにく). ¶首の*筋を違えてしまった I *got a crick* in the neck. / I *cricked* my neck. ★首・背中などの「筋違い」を crick Ⓒ という. (☞すじちがい)

2 《細長いもの》: (線) line Ⓒ; (光などの) beam Ⓒ. (☞せん¹). ¶雲の切れ目から一*筋の光がさした A *beam* of light came through the clouds.

3 《繊維》 ━名 (野菜などの) string Ⓒ. ━動 (筋を取る) string 他. (☞せんい¹).

¶彼は豆の*筋を取った He ˹*stringed* [removed the *strings* from] the beans. // この野菜[肉]には*筋が多い This ˹vegetable [meat] is very *stringy*.

4 《物事の道理》: (道理) sense Ⓤ; (論理) logic Ⓤ. (☞どうり). ¶あなたの意見は*筋が通らない There is no ˹*sense* [*logic*] in what you say.

5 《話の仕組み》: (筋だて) story Ⓒ; (話の構想) plot Ⓒ ★story のほうが平易で一般的. plot より具体的である. (☞あらすじ). ¶この劇には*筋らしい*筋がない This is a drama without much of a ˹*story* [*plot*] to it.

6 《ある方面の人々》: (情報源) sources ★通例複数形で; (…界) circle Ⓒ; (経路) channel Ⓒ. (☞しゅっしょ; けいろ²). ¶確かな (⇒信頼できる) *筋から直接そのニュースを知った I got the news (straight) from reliable *sources*. // 消息*筋 informed ˹*sources* [*circles*] // その情報は外交*筋を通して伝えられた The information was conveyed through diplomatic *channels*. (☞そのすじ)

7 《素質》 ¶彼の碁はなかなか*筋がいい (⇒彼は碁について非常によい勘を持っている) He has a very good *sense* for (the game of) go. / (⇒適性がある) He *has an aptitude for* (the game of) go.

ずし¹ 図示 ━動 (図や例証によって説明する) illustrate 他 ★この語は言葉による説明にも用いる点に注意; (図をかく) draw a diagram. ━名 illustration Ⓤ ★具体的な図, 挿絵は Ⓒ; (グラフによる) graph Ⓒ; (幾何学的な図表) diagram Ⓒ. (☞ず¹; ずかい; ずしき).

ずし² 厨子 miniature /míniətʃùə/ shríne Ⓒ.

すじあい 筋合い (理由) reason Ⓒ; (正当な権利) right Ⓒ. (☞りゆう; こんきょ). ¶彼女にそんなひどいことを言われる*筋合いはない (⇒彼女は私をそのように侮辱する権利は持っていない) She has no *right* to insult me like that.

すじかい 筋交い 〖建〗 (斜めに入れる補強材) diagonal ˹brace [beam] Ⓒ (☞ななめ; はす³). ¶壁は二本の*筋交いで強化された The wall was reinforced with two *diagonal braces*.

すじがき 筋書き **1** 《大要》: outline Ⓒ. ¶*筋書きを述べる give an *outline*

2 《前もっての段取り》: (計画) plan Ⓒ; (予定) schedule Ⓒ. ¶ことはすべて*筋書きどおりに (⇒予定に従って) 運んだ Everything went (off) ˹*according to schedule* [*as scheduled*].

3 《小説などの筋》: plot Ⓒ (☞すじだて). ¶複雑な*筋書きを組み立てる construct a complicated *plot*

すじがねいり 筋金入り ¶*筋金入りの (⇒根っからの) 党員 a *dyed-in-the-wool* party member / (⇒強硬論者) a *hard-liner* // 彼の信念は*筋金入りだ He is *very firm* in his beliefs.

ずしき 図式 (幾何学的な図) diagram Ⓒ; (地図や絵などの) chart Ⓒ; (グラフ) graph Ⓒ. (☞ず¹).

すじこ 筋子 sálted salmon /sǽmən/ róe Ⓤ.

ずしずし ¶彼は大股に*ずしずしと歩いた He walked with long, *heavy steps*. (☞擬声・擬態語 (囲み))

すじだて 筋立て plot Ⓒ. ¶小説の*筋立てを考える build [construct] the *plot* of a novel // 複雑[簡単]な*筋立ての劇 a play with ˹an intricate [a simple] *plot*

すじだてる 筋立てる (筋道をつける) make ... ˹logical [reasonable].

すじちがい 筋違い ━名 (首・背中などの) crick Ⓒ; (ねんざ) sprain Ⓒ. ━形 (見当違いの) irrelevant; (筋の通らない) unreasonable. (☞すじ).

¶*筋違いをおこす have [get] a *crick* // *筋違いの発言をする make *irrelevant* remarks // 私に手伝えというのは*筋違いだよ It's *unreasonable* to ask for my help.

すしづめ 鮨詰め ━形 (詰め込まれて) packed; (無理に押し込まれて) jammed, 《略式》 jam-packed; (超満員の) overcrowded. ━名 (ぎゅうぎゅう押すこと) tight squeeze Ⓒ. (☞まんいん; つめこむ).

¶けさの電車は*すし詰めだった This morning the train *was jam-packed* with passengers. / The passengers *were packed like sardines* in this morning's train. ★be packed like sardines は缶詰のいわしにたとえた慣用句. (☞誇張 (巻末))

すじばる 筋張る **1** 《筋骨たくましい》 ━形 sinewy. ¶*筋張った褐色の腕 *sinewy* brown arms

2 《堅苦しい》 ━形 (改まった) formal; (厳格な) strict; (頑固な) rigid. ¶*筋張った規則 *hard and fast* rules // *筋張ったことは抜きにしましょう Let's put aside (*the*) *formalities*. / (⇒形式ばらないでいきましょう) Let's be *informal*.

すじみち 筋道 ¶*筋道を立てて (⇒一つ一つ) その事件の経過を話しなさい Tell me *step by step* how the affair developed. // *筋道の通った (⇒正当な)

要求 a *reasonable* demand (☞ すじ; じゅんじょ; どうり; りくつ)

すじむかい 筋向かい (通りの向こう側に) across the street 日英比較 日本語の「筋向かい」は正確には斜め向かいのことであり, 英語の across the street は通りの向こう側の意であるが, 日本語を正確に直訳して堅苦しい表現にするよりも, 状況によってこの日常的で慣用化した表現を使うか, あるいは漠然と通りの向こう側の意の on the other side of the street を使うほうがよい. (☞ むかい¹; ななめ).

¶ その教会はうちの*筋向かいにある The church is just *across the street* from my house.

すじめ 筋目 (折り目) fold Ⓒ, crease Ⓒ; (血統) lineage /líniɪʤ/ Ⓤ. (☞ すじみち). ¶ 彼は*筋目正しい家柄の出である He is a man from a ⌈*good* [*illustrious*] *lineage*.

すじょう 素性, 素姓 ¶ 彼はどんな*素性の人ですか (⇒ 以前は何をしていたか) What did he do in the past? // 彼女は*素性がいい (⇒ 名門の出だ) She is ⌈*from a good family* [*well-bred*]. ★ [ ] 内は古めかしい言い方. // *素性が卑しい be of humble ⌈*origin* [*background*] // 候補者の*素性を調べました We have looked into the candidate's ⌈*record* [*background; career history*]. (☞ うまれ; いえがら; けいれき)

ずじょう 頭上 — 副 (頭の上に) overhead, over [above] *one's* head (☞ うえ¹). ¶ *頭上を高架電車が轟々(ごうごう)と音を立てて走っている Elevated trains are roaring *overhead*. // *頭上注意 (掲示) Watch Your *Head*

「危険. 頭上作業中」の掲示

ずしりと — 形 (非常に重い) very heavy (☞ ずっしり; 擬声・擬態語 (囲み)).

ずしんと (重く鈍い音を立てて) with a thump, with a thud ★ 前者のほうがやや響く音. (☞ どしんと; 擬声・擬態語 (囲み)). ¶ 雪が屋根から落ちて*ずしんと音がした There was a *thud* of snowfall from the roof.

すす 煤 — 名 soot Ⓤ; (ほこり) dust Ⓤ. — 形 (すすけた) sooty. (☞ すすける).

¶ 台所の天井は*すすだらけだ (⇒ すすで覆われている) The ceiling of the kitchen *is covered with* ⌈*soot* [*dust*]. // 私は石油ストーブの*すすを払った I swept the *soot* out of my kerosene heater.

煤色 sooty color Ⓤ **煤竹** (すすけた竹) sooted bamboo Ⓤ; (煤払い用の) bamboo pole for sweeping soot off Ⓒ **煤払い** (大掃除) house-cleaning Ⓤ ★ a を付けることもある.

すず¹ 鈴 — 名 bell Ⓒ. — 動 (鈴を付ける) bell 他 語法 主として「猫に鈴を付ける」bell a cat のような場合. 普通は put a bell on … のように言う. (☞ ベル¹).

¶ *鈴の音が聞こえる I hear *bells* ringing. / I hear the ⌈tinkle [jingle; ring(ing)] of ⌈a *bell* [*bells*].

語法 tinkle と jingle は「チリンチリン」というような高い音を表し, ほぼ同意で入れ替え可能.

鈴を転がすよう ¶ *鈴を転がすような (⇒ 澄んだ美しい) 声で歌う sing in a *clear beautiful* voice

鈴を張ったよう ¶ 彼女は*鈴を張ったような目をしている She has *big bright* eyes.

鈴なり ¶ みかんが木に*鈴なりになっている (⇒ その木はみかんで覆われている[枝もたわわである]) The tree *is* ⌈*covered* [*heavy*] *with* mandarin oranges.

すず² 錫 — 名 〔化〕 tin Ⓤ (元素記号 Sn); (すず箔) tinfoil Ⓤ; (すず製品) tinware Ⓤ. — 形 (すずの) tin. (☞ ブリキ).

すずかけ 篠懸 〔植〕 plane (tree) Ⓒ, (米) sýcamòre Ⓒ.

すずかぜ 涼風 cool breeze Ⓒ ★ a ～ として. (☞ かぜ¹). ¶ 心地よい*涼風 a pleasant *cool breeze*

すずかも 鈴鴨 〔鳥〕 scaup (duck) Ⓒ.

すすき 薄 〔植〕 Jápanèse sílver gràss Ⓤ, eulalia /juːléɪliə/ (grass) Ⓤ.

すすぎ 濯ぎ ☞ すすぐ¹

すずき 鱸 〔魚〕 sea bass Ⓒ (複 ～(es)).

すすぐ¹ 濯ぐ, 漱ぐ — 動 (汚れを落すため, とくに洗ったものを仕上げとして洗う) rinse (óut) 他 自. — 名 rinse Ⓒ. (☞ せんたく¹; ゆすぐ). ¶ このシーツは*すすぎが足りない (⇒ もっと丁寧なすすぎを必要とする) This sheet needs more careful *rinsing*. // この洗剤は*すすぎが簡単だ This detergent *rinses out* easily. // 口を*すすぐ *rinse* (*out*) *one's* mouth

すすぐ² 雪ぐ ☞ そそぐ²

すすける 煤ける become sooty (☞ すす; よごれる).

すずしい 涼しい 1 《気温》: cool 日英比較 日本語の「涼しい」よりも, 少し幅が広く, cold ほどではないが多少寒い感じにも使える. 不快の意味は含まない.

¶ そよ風が*涼しくて気持ちがよい The breeze is *cool* and refreshing.

2 《顔つきなど》: (平気な様子の) unconcerned; (ほかのことにわずらわされない) undisturbed; (無関心な) indifferent. (☞ へいき¹).

¶ 彼はその事件については*涼しい顔をしていた He looked ⌈*unconcerned about* [*indifferent to*; *undisturbed by*] the incident.

すずしさ 涼しさ coolness Ⓤ (☞ すずしい).

¶ 夕暮れ時の*涼しさ the *coolness* of evening

すずしろ 清白 ☞ だいこん

すずな 菘 ☞ かぶ³

すすみ 進み (進歩) progress Ⓤ; (前進) advance Ⓒ. (☞ しんぽ; すすむ). ¶ *進みが早い[遅い] make ⌈rapid [slow] *progress* // 仕事の*進み具合はいかがですか Hów is the wórk *progréssing*?

すずみ 涼み ¶ *涼みがてら川辺を散歩しよう Let's walk along the riverside *to enjoy the cool air*. (☞ すずむ; ゆうすずみ) **涼み客** people out enjoying the cool air ★ 複数扱い. **涼み台** bench Ⓒ.

すすみでる 進み出る come [step] forward 自.

¶ 名前を呼ばれた者は一歩前へ*進み出なさい When your name is called, ⌈*take* [*make*] *a step forward*.

すすむ 進む 1 《前進する》: (人・物が前進する) advance 自, proceed 自, go 自; (物が移動する) travel 自; (自分の力で進む) make *one's* way; (車が) run 自; (飛行機が) fly 自; (船が) sail 自; (行進する) march 自; (歩いて進み出る) step forward 自; (歩く) walk 自.

【類義語】「前に進む」という意味で最も一般的な語は *go* であるが, 「進め」 *Go!* または *Go* ⌈*ahead* [*on*]! のような場合以外には「進む」という日本語と *go* は一致しないことが多い. ある目標に向かって進み, 「前方へ」という意味を強調する語は *advance* であり, 止まっている人が動き出すか, またはそのときまでの前進を続行するという意味を表す格式ばった言葉が *proceed*. ある特定の様態または速さで進むのは *travel*. *make one's way* では *make* の代わりに様々な動詞

を用いて進み方の様態を表す.《☞ ぜんしん[1]; しんこう[1]; すすめる[1]》

¶ 部隊はその日10キロ*進んだ The troops ｢*advanced* [*covered*] ten kilometers (on) that day. // 10番窓口のほうへ*進んで下さい《手続き事務などで》Please ｢*proceed* [*go*] *to* window (｢no. [number]) 10. // 車は高速道路を滑らかに*進んだ (⇒ 疾走した) Our car *sped* smoothly along the freeway. // 雪のため一行はそれ以上は*進むことができなかった The party could not *go on* any ｢farther [further] because of the heavy snowfall. // そのジェット機は信じられない速さで*進む That jet *travels* at an unbelievable speed. // 彼女はゆっくりと戸口のほうへ*進んでいった She *made her way* slowly toward(s) the door. // 人ごみをかき分けて*進まなければならなかった I had to ｢*push* [*elbow*] *my way* through the crowd. // 彼女は一歩前へ*進んだ She *took a step* forward. //「前回はどこまで*進みましたか」「15ページの12行目までです」"How far did we *get* ｢last time [in our last class]?" "To line 12 on page 15, ｢sir [ma'am]."

2 «進歩する»: (段階的に進む) progréss (自), make prógress; (レベルが一挙に高まる) advance (自), make advances.《☞ しんぽ; はってん》

¶ 20世紀になって工業技術が急に*進んだ Technology *has made* rapid ｢*advances* [*progress*] in the twentieth century. // その国では近代化が*進みつつある (⇒ 行われている) Modernization *is taking place* in the country.

3 «時計が»: gain (他) (自) (↔ lose); (進んでいる) be fast (↔ be slow).《☞ とけい》

¶ この時計は1日に2分*進む This watch *gains* two minutes a day. // この時計は5分*進んでいる This clock *is* five minutes *fast*.

4 «気持ちが»: (…したい気がする) feel like *doing* …, have a mind to *do* …; (進んでする) vòluntéer (自) (他).《☞ -したい (類義語)》

¶ 映画に誘われたがきょうは気が*進まなかった I was asked to go to the movies, but I didn't *feel like going*. // 自分から*進んで (⇒ 命令されないで) 勉強する study *without being told* (*to*) // 彼はいつでも*進んで私の手助けをしてくれる He *is* always *willing to* help me. // 彼女は*進んで (⇒ 自分から申し出て) その仕事を引き受けた She *volunteered* ｢*for* [*to* do] the job.

5 «病気などが»: (悪くなる) get ｢worse [serious]; (病状が) devélop (自).《☞ あっか》

¶ 彼の病気はそれほど*進んでいない His disease is still in an early stage. / His disease is still in ｢the [its] early stages.

すずむ 涼む cool *oneself*, get cool; (涼を楽しむ) enjoy the cool air.《☞ ゆうすずみ》

すずむし 鈴虫 〔昆〕 "bell-ringing" cricket Ⓒ [日英比較] コオロギ類の日本独特の昆虫で, 学名は別として英語の一般名はない. a kind of cricket と訳してもよい. 英米では虫の鳴き声を楽しむ習慣がない.

すすめ 勧め (推薦) recommendation Ⓤ; (助言) advice Ⓤ.《☞ すいせん[1]; じょげん》 ¶ 英語の先生の*勧めでこのCDを買いました I bought this CD on the *recommendation* of my English teacher. // 医者の*勧めでたばこをやめました I quit smoking on my doctor's *advice*.

すずめ 雀 〔鳥〕 sparrow Ⓒ《☞ とり[1] (挿絵)》.

雀百まで踊り忘れず (ゆりかごの中で覚えた事は墓場までも忘れない) What is learned in the cradle is carried to the grave.

雀色 reddish brown Ⓤ　**雀の涙** ¶ *雀の涙ほどのお金 *only a little bit of* money《☞ すこし》

すずめばち 雀蜂 〔昆〕 wasp Ⓒ; (特に大型のもの) hornet Ⓒ.

すすめる[1] 進める **1** «前に出す»: (どんどん続ける) get along ｢with [in] … ★ 口語的表現; (特に議事や手続きなどを)《格式》 proceed with …; (計画・仕事・目的などを) carry forward (他), further (他) ★ 後者のほうが格式ばった語; (時計の針などを) set [put] ｢forward [ahead] (他); (進行を速める) spéed úp (他).《☞ はやめる; はかどる》

¶ 彼は勉強を能率的に*進めた (⇒ 続けた) He *got along* ｢*with* [*in*] his studies efficiently. // 彼らは和平交渉を*進めた (⇒ 続行した) They *proceeded with* the peace negotiations. // 私たちはこの計画を*進めることにした We decided to ｢*set* [*put*] this plan *in motion*. // 彼女は本気でその計画を*進めた She ｢*carried forward* [*furthered*] the plan seriously. // 彼は時計(の針)を1時間*進めた He *set* (the hands of) his watch *forward* (by) an hour. // 彼はいつも時計を5分*進めている He always *sets* his watch five minutes *fast*.

2 «程度を高める»: (促進する) promote (他); (さらにいっそう内容を改善する) further (他) ★ この語は [副] としても用いる.《☞ おしすすめる; そくしん[1]; すいしん[1]》

¶ 我々は世界平和を*進めるべきだ We should *promote* world peace. // いまがこの国の民主化を*進める好機だ It is now high time that we *furthered* democracy in this country.

すすめる[2] 勧める, 薦める (忠告する) advíse (他); (提案する) suggest (他); (飲食物・たばこなどを差し出す) offer (他); (推薦する) recommend (他).《☞ しょうれい[1]; すすめ; すいせん[1]》

¶ 医者は私に軽い運動を*勧めた <S (人)+V (*advise*)+O (名・代)+C (*to* 不定詞)> The doctor *advised* me *to* get some exercise. / <S (人)+V (*suggest*)+O (*that* 節)> The doctor *suggested that* I get some exercise. [語 法] suggested me to take … とはできない. // 私は彼女にたばこを*勧めた (⇒ 差し出した) I *offered* her a cigarette. // 私はあなたにこちらの方法を*勧める I *recommend* that you try this method.

すずらん 鈴蘭 〔植〕 lily of the valley Ⓒ.

すずり 硯 inkstone Ⓒ.　**すずり箱** inkstone case Ⓒ, Japanese writing box Ⓒ.

すすりあげる 啜り上げる sniffle (自)《☞ すすりなく》.

すすりなき 啜り泣き sobbing Ⓤ; sob Ⓒ. ¶ ふたたび*啜り泣きが起こった The *sobbing* began again.

すすりなく 啜り泣く sob (自)《☞ なく[1]》.

すする 啜る ― [動] (少しずつ飲む) sip (他) (自) ★ 音を立てる意味は含まれない; (すーすーと音を立ててすする) slurp (他) (自).　― [名] sip Ⓒ; slurp Ⓤ. ¶ 彼女は熱いお茶を*すすった She *sipped* the hot tea. // 日本ではめん類を音を立てて*すすって食べるのは少しも悪い作法ではない *Slurping* noodles is not bad manners at all in Japan.

すすんで 進んで ― [副] (喜んで…する) be ready to *do* …; (自分から申し出て…する) vòluntéer (for …; to *do* …) (自) (他).《☞ すすむ 4; じはつてき; せっきょくてき》

すそ 裾 (腰から下の部分) skirt Ⓒ; (縁の部分) hem Ⓒ; (すその線) hemline Ⓒ; (長くひいたもすそ) train Ⓒ. ¶ 彼女はスカートの*裾をからげて流れを渡った She turned up her *skirt* and waded across the stream.

裾上げ raising a hem Ⓤ　**裾さばき** the way *one* controls the hem of a kimono when walking　**裾払い** (相撲) rear footsweep Ⓒ　**裾回し** the hemline at the bottom of a kimono　**裾模様** design on the skirt (of a kimono) Ⓒ.

ずぞう 図像 icon Ⓒ ★ ikon ともつづる.　**図像学**

ìconógraphy Ⓤ, ìconólogy Ⓤ.
すその 裾野 (山のすそ) foot Ⓒ《☞ ふもと》.
すそわけ 裾分け ☞ おすそわけ
スター star Ⓒ. ¶映画*スター a movie *star* ∥ *スターになる become a (movie) *star* スターダム (人気スターの地位) stardom Ⓤ. ¶*スターダムにのし上がる achieve [attain] *stardom* スタープレーヤー star player Ⓒ スターレット (女優の卵) starlet Ⓒ.
スターウォーズ Star Wars ★ 戦略防衛構想 (Strategic Defense Initiative) の俗称; 映画の題名.
スターウォッチング (星座観測) star watching Ⓤ.
スターガイド (星座図) star guide Ⓒ.
スターズアンドストライプス (米国の国旗) the Stars and Stripes.
スターター (競技で出発の合図をする人・エンジンの始動装置) starter Ⓒ.
スターダスト (星屑・小さな星々) stardust Ⓤ.
スターチ (でんぷん) starch Ⓤ.
スターチス 〖植〗 statice /stǽtəsì:/ Ⓒ.
スターチャート 〖天〗 star ˹chart [map] Ⓒ.
スターティングブロック 〖競技〗 starting block Ⓒ ★ 通例複数形で.
スターティングメンバー 〖野〗 (一人一人の) member of the starting lineup Ⓒ; (全員) (the) starting lineup Ⓒ.
スタート ―名 start Ⓒ; (車・競馬など競走の) getaway Ⓒ ★ 口語表現. ―動 (始める・始まる) start ㊀ ㊁, begin ㊀ ㊁. 《☞ しゅっぱつ; はじめる》. ¶彼はよい*スタートを切った He made a good *start*. ∥「位置について, 用意, ドン」, 子供たちはいっせいに*スタートした "《米》 On your mark(s), get set, go! [《英》 Ready, steady, go!]" All the children *started* at the same time. スタート合図 starting signal Ⓒ スタート係 starter Ⓒ スタート台 (水泳の) starting block Ⓒ スタートダッシュ start dash Ⓤ スタートメニュー 〖コンピューター〗 the Start menu スタートライン starting line Ⓒ.
スターリニズム (スターリン主義) Stalinism Ⓤ.
スターリン ―名 ㊄ Joseph Stalin /stá:lɪn/, 1879–1953. ★ ソ連の政治家.
スターリング (英貨) sterling Ⓤ. スターリング地域 the sterling ˹area [bloc].
スタイリスト (ファッションなどの) stylist Ⓒ; (おしゃれを気にする人) fashion-conscious person Ⓒ ★ この意味では和製英語.
スタイリッシュ ―形 stylish. ¶新調のスーツを*スタイリッシュに着こなす wear a new suit *stylishly*
スタイリング styling Ⓤ.
スタイル (人の体つき) figure Ⓒ; (男性の体格) physique Ⓒ 日英比較 style という英語は「型」「様式」などという意味が中心. 《☞ すがた; かっこう[1]; かた[2] (類義語)》. ¶彼女はほっそりとしていて, その上*スタイルがいい She is slender and has a good *figure* on top of that. スタイルシート (執筆・印刷の規約を書いたもの) style sheet Ⓒ スタイルブック (衣服の流行型を図示した本) (dressmaker's) stylebook Ⓒ.
スタインウェイ (ピアノ) 《商標》 Steinway Ⓒ.
スタインベック ―名 ㊄ John Steinbeck, 1902–68. ★ 米国の小説家.
スタウト (ビールの種類) stout Ⓒ.
すだく 集く (集まる) swarm ㊁; (虫が鳴く) sing [chirp] together ㊁. ¶月の光のもとで草むらに*集く虫の音に耳を傾けた Under the moonlight I listened to *the singing of insects* in the thicket.
スタグフレーション 〖経〗 stagflation Ⓒ.
すたこら ―副 hurriedly; (大あわてで) hurry-scurry; (あわてふためいて) helter-skelter. 《☞ 擬声・擬態語 (囲み)》. ¶彼は後ろも見ずに*すたこら逃げ去った He ˹*scurried* [*ran hurriedly*] away without looking back.
スタジアム stadium /stéɪdiəm/ Ⓒ. スタジアムジャンパー windbreaker with an athletic team's emblems and numbers Ⓒ 日英比較 英語には決まった名称がないので説明的な訳. 詳しく説明する必要がない場合は《米》 windbreaker Ⓒ, 《英》 windcheater Ⓒ (=ジャンパー) とすればよい.
スタジオ studio /st(j)ú:diòʊ/ Ⓒ. ¶テレビ*スタジオ a TV *studio* スタジオ録音 studio recording Ⓒ ★ a を付けて.
スタジャン ☞ スタジアム (スタジアムジャンパー)
すたすた ¶彼は*すたすた歩いていった (⇒ 元気よく) He walked on *briskly*. 《☞ 擬声・擬態語 (囲み)》
ずたずたに (細かく) to pieces; (切れ切れに) to [into] shreds. 《☞ 擬声・擬態語 (囲み)》. ¶彼は彼女の手紙を*ずたずたに破った He tore her letter *in(to) pieces*. ∥その布地は*ずたずたに裂けていた The cloth was torn *to shreds*. ∥地震により電話網が*ずたずたに切断された The earthquake *disrupted* the telephone network.
すだち[1] 巣立ち ☞ すだつ
すだち[2] 酢橘 〖植〗 *sudachi* Ⓒ; (説明的に) a kind of sour citrus fruit.
すだつ 巣立つ (鳥が) leave the nest; (学校を離れる) leave school 語法 前後関係により,「卒業する」意味にも「退学する」意味にもなる; (卒業する) graduate from school; (社会に出る) go out into the world. 《☞ そつぎょう 語法; どくりつ》.
¶今年は約 500 人の生徒が*巣立っていった (⇒ 卒業して社会に出た) About five hundred students *graduated from* our *school and went out into the world* this year.
スタッカート 〖楽〗 staccato Ⓒ.
スタック 〖コンピューター〗 stack Ⓒ. スタックポインター stack pointer Ⓒ.
スタッドレスタイヤ (studless) snow tire Ⓒ.
スタッフ[1] (職員・部員の総称) staff Ⓒ 日英比較 日本語では「スタッフ」は個々の職員を指して言うが, 英語の staff は職員全体を指す語で, 職員の一人を指して a staff とは言えない. 10 名のスタッフは a staff of ten だが, その中の一人のときは a member of the staff または a staff member と言う. また,「彼女はスタッフの一員だ」は She is *on the staff*. と言う.
スタッフ[2] (材料) stuff Ⓤ.
スタッフィング (料理の詰め物) stuffing Ⓤ.
すだて 簀立て brush weir Ⓒ; (漁法) fishing with a weir Ⓤ.
スタニスラフスキー ―名 ㊄ Konstantin (Sergeyevich) Stanislavsky, 1863–1938. ★ ロシアの演出家・俳優. スタニスラフスキーシステム 〖劇〗 the Stanislavsky system.
スタビライザー (安定装置) stabilizer /stéɪbəlàɪzə/ Ⓒ.
ずだぶくろ 頭陀袋 (雑多な物を入れる袋) carryall Ⓒ, 《英》 holdall Ⓒ, large cloth bag Ⓒ; (托鉢僧などの) begging bonze's scrip Ⓒ ★ scrip は古風な表現.
スタミナ stámina Ⓤ 《☞ たいりょく[1]》. ¶私には*スタミナがある[ない] I have ˹a lot of [no] *stamina*. ∥ *スタミナをつける build up [develop] *one's stamina*
スタメン ☞ スターティングメンバー
すたる 廃る ¶一度くらいの失敗でへこたれては男が*廃る (⇒ 名誉が傷つく) It would ˹*stain my honor* [(⇒ 恥である) *be a shame*] to be discouraged by one failure. 《☞ すたれる》
すだれ 簾 (竹の) bamboo blind Ⓒ. すだれ越し

¶*すだれ越しにのぞく peep *through a bamboo blind*

すたれる 廃れる (不用になる) go out of use; (流行・習慣・言葉などが時代遅れになる) go out of ⌈fashion [vogue], become obsolete, die óut (自); (古臭くて使われなくなる) go out of date [語法] 最も一般的な語は go out of fashion. go out of vogue には一時的に流行したものが廃れるという意味があり, 特に言葉や習慣などがすっかり使われなくなったという意味では become obsolete. さらになくなったという意味を表すのは die out. 以上の訳語のうち out of ... の付いているものは, be out of ... のように be を用いると状態を表す.
¶絹の靴下は*廃れてナイロンに変わった (⇒ 使用されなくなった) Silk stockings *went out of use* and were replaced by ⌈nylon ones [nylons]. // こういう帽子はもう*廃れた (⇒ 流行遅れになった) Hats of this sort *are* now *out of* ⌈*fashion* [*vogue*]. // 古き良き時代の習慣がしだいに*廃れていく Customs of the good old days *are* gradually *dying out*.

スタンガン stun gun Ⓒ ★ 高圧の電気ショックを与える護身用の道具.

スタンザ (詩の節) stanza Ⓒ.

スタンス 〘野・ゴルフ〙 stance Ⓒ; (姿勢) posture Ⓤ ★ 具体的には Ⓒ. 《☞ たいど》. ¶彼は少し*スタンスを変えた He slightly altered his *stance*.

スタンダード ―[名] (標準) standard Ⓒ. ―[形] (標準の) standard; (規格化された) standardized. **スタンダードナンバー** (音楽) standard Ⓒ.

スタンダール ―[名] (固) Stendhal /stendάːl/, 1783–1842. ★ フランスの小説家, 本名 Marie Henri Beyle.

スタンディングオベーション ―[名] (聴衆が立ち上がってする熱狂的な拍手) standing ovation Ⓒ. ―[動] give a standing ovation.

スタント (妙技・離れ業) stunt Ⓒ. **スタントカー** (曲芸を演じる自動車) stunt car Ⓒ **スタントマン** (危険な場面の代役) stunt ⌈man [woman; person] Ⓒ.

スタンド (見物席) stands ★ 通常複数形で; (屋根のない観覧席) 《米》 bleachers ★ 複数形で; (机の上に置く電気スタンド) desk lamp Ⓒ; (床の上に置くスタンド) 《米》 floor lamp Ⓒ, 《英》 standard lamp Ⓒ; (ガソリンスタンド) gas [《英》 petrol] station Ⓒ, service [filling] station Ⓒ.
スタンドプレー ―[名] grandstand play Ⓒ. ―[動] make a grandstand play; (大向こうに受けるように演じる) play to the ⌈gallery [《米》 grandstand].

スタンドアローン ―[形] 〘コンピューター〙 stand-alone. ¶*スタンドアローンのパソコン a *stand-alone* PC

スタンバイ ―[名] standby Ⓤ. ―[動] (スタンバイしている) stand by (自); be on standby. ¶彼らは救命艇を*スタンバイさせていた They'd put a rescue boat *on standby*.

スタンプ ―[名] (印) stamp Ⓒ [日英比較] 英語の stamp は「切手」の意味にもなるので混乱がないように使う必要がある; (郵便の消印) postmark Ⓒ. ―[動] stamp (他); postmark (他). 《☞ いん[1]; けしいん》. ¶寺院で絵はがきに記念*スタンプを押してもらった (⇒ 寺院への訪問の記念に) I had a postcard *stamped* in commemoration of my visit to the temple. // 1995 年 2 月 15 日付, シカゴ中央郵便局の*スタンプが押してある手紙 a letter *postmarked* "Chicago GPO, Feb. 15, 1995" ★ GPO は *G*eneral *P*ost *O*ffice の略.
スタンプラリー stamp rally Ⓒ.

スタンフォードだいがく スタンフォード大学 ―[名] (固) Stanford University ★ 米国カリフォルニア州の大学.

スチーブンソン ―[名] (固) (ジョージ〜) George Stephenson, 1781–1848 ★ イングランドの技師, 蒸気機関車の完成者; (ロバート ルイス〜) Robert Louis Stevenson, 1850–94 ★ スコットランドの作家.

スチーム ¶けさは教室に*スチームが入っている The classrooms *are* (*steam-*)*heated* this morning. 《☞ だんぼう》 **スチームアイロン** steam iron Ⓒ **スチームエンジン** steam engine Ⓒ **スチームタービン** steam turbine Ⓒ.

スチール[1] (鋼鉄) steel Ⓤ 《☞ てつ[1]》. ¶*スチール製品 *steel* products // *スチール製の本箱 *steel* bookcases **スチールギター** steel guitar Ⓒ.

スチール[2] 〘野〙 ―[動] (盗塁する) steal (他). ―[名] steal Ⓒ. 《☞ とうるい[1]》.

スチール[3] (写真) still (picture) Ⓒ. **スチールカメラ** still camera Ⓒ.

スチューデント (生徒・学生) student Ⓒ.

スチュワーデス stewardess Ⓒ ★ 男女別の用語をさけるため flight attendant Ⓒ を使うことが多い.

スチュワード (男性乗客係) steward Ⓒ.

スチレン 〘化〙 styrene /stáɪ(ə)riːn/ Ⓤ. **スチレンペーパー** styrene paper Ⓤ.

スチロール 〘化〙 styrene /stáɪ(ə)riːn/ Ⓤ ★ 日本語はドイツ語の Styrol から. ¶発泡*スチロール *styrene* foam / 《商標》 Styrofoam **スチロール樹脂** styrene resin Ⓤ.

-ずつ (重さ・量などが少しずつ) little by little, bit by bit; (長さなどが) inch by inch; (徐々に) gradually; (ゆっくりと) slowly; (各自…ずつ) each; (1 つずつ) one by one, one at a time; (半分ずつ) by halves.
¶英語の語彙を少し*ずつ増やしなさい Try to enlarge your English vocabulary ⌈*little by little* [*bit by bit*]. [語法] bit by bit のほうがより口語的. // 消費者物価は少し*ずつ (⇒ ゆっくりと) 値上がりしている Consumer prices are rising *slowly*. // 彼らは 1 人*ずつ自分の部屋を持っている They *each* have their own room(s). // 1 つ*ずつ取りなさい Take one *each*. // 選手は 2 人*ずつ入場してきた The players came onto the court two *by* two. // 私は 1 日に英語の単語を 20 *ずつ覚えることにしています I usually learn twenty English words *a* day. 《☞ 冠詞 (巻末)》

ずつう 頭痛 headache Ⓒ 《☞ いたみ》.
¶少し[ひどい; 割れるような]*頭痛がする I have a ⌈slight [bad; splitting] *headache*. // 彼女は*頭痛持ちだ She's always complaining of *headaches*. // この問題が我々の最大の*頭痛の種だ This problem is our biggest *headache*. // 息子の病気が*頭痛の種だ My son's illness has been a great *worry* to me. **頭痛鉢巻** ¶彼は資金集めで*頭痛鉢巻です (⇒ 大変心配している) He is *dreadfully worried* about raising the funds. **頭痛薬** headache medicine Ⓤ 《☞ とっこうやく; くすり》.

スツール (丸いす) stool Ⓒ [日英比較] 「スツール」は日本語では「いす」の一種だが, 英語では stool は chair とは呼べないことに注意. 《☞ いす》.

すっからかん ¶株で全財産をなくして彼女は*すっからかんになった She lost all her fortune on the stock market and ended up ⌈*penniless* [*flat broke*]. 《☞ すかんぴん; もんなし; から[1]; 擬声・擬態語 (囲み)》

すっかり ―[副] (すべて) all; (まったく) quite; (完全に) completely, perfectly ★ 以上 2 つはほぼ同意だが, 欠点などをまったく持たないという意味では perfectly のほうが強調表現である. 《☞ すべて (類義語); まったく》. ¶私はそのことを*すっかり忘れていた I've forgotten *all* about it. // 傷口が*すっかり (⇒ 完全に) 治るにはあと 1 週間かかる The wound will take a week to heal *completely*.

ずつき 頭突 ― 名 butt Ⓒ. ― 動 butt ⑯.

ズッキーニ 〘植〙 zucchini /zukíːni/ Ⓒ.

すっきり ― 動 (気分が) feel [be] refreshed. ― 形 (姿・形・デザインなどが整然としている) neat; (輪郭がはっきりしている) clear-cut. (☞ さわやか; はっきり; 擬声・擬態語 (囲み)). ¶ コーヒーを 1 杯飲んだら頭が*すっきりした I *felt* ˹*refreshed* [*much better*] after a cup of coffee. // 彼が辞職したのはどうも*すっきりしない (⇒ 受け入れられない) It doesn't *sit well with* me that he resigned.

ズック (布地) duck Ⓤ; (ズック靴) canvas shoes ★ 通例複数形で. 数えるときは a pair [two pairs] of canvas shoes. (☞ くつ).

すっくと ¶ 彼女は*すっくと (⇒ 突然) 立ち上がった *Suddenly* she stood up. / (⇒ 決然と立ち上がった) She rose *resolutely* to her feet. (☞ まっすぐ; 擬声・擬態語 (囲み))

すづけ 酢漬け ― 名 (酢漬けにすること) pickling (in vinegar) Ⓤ; (漬けもの) pickles ★ 複数形で. ― 動 pickle ... (in vinegar). ¶ このきゅうりを*酢漬けにしよう I'll *pickle* these cucumbers *in vinegar*.

ずっこける ¶ 彼はいつも*ずっこけてばかりいる (⇒ 笑い者になる) He is always *making a fool of himself*.

ずっしり ― 形 (ずっしりと重い) very heavy (☞ おもい¹; 擬声・擬態語 (囲み)). ¶ その袋は*ずっしりと重かった The bag was *very heavy*.

すったもんだ (いざこざ) trouble Ⓒ; (争い) quarrel Ⓒ; (大騒ぎ) fuss Ⓤ ★ しばしば a を付けて. (☞ あらそい; ごたごた; 擬声・擬態語 (囲み)). ¶ そんなつまらないことに*すったもんだするな (⇒ 大騒ぎをするな) Don't make *a* ˹great [big] *fuss* ˹about [over] such little things.

すってんころりと ¶ バナナの皮を踏んで, *すってんころりと転んでしまった I stepped on a banana peel and *fell flat* (*on my back*). (☞ ころぶ; 擬声・擬態語 (囲み))

すってんてん ― 動 (一文なしになる[である]) become [be] penniless, 《略式》 go [be] flat broke; (有り金全部を失う) lose all *one's* money. (☞ もんなし; 擬声・擬態語 (囲み)).
¶ 彼は事業の失敗で*すってんてんになった (⇒ 無一文になった) He ˹*became penniless* [*went flat broke*] because of his failure in business.

すっと **1** «抵抗なく»: (まっすぐに) straight; (滞りなく) directly; (静かに) quietly, softly; (気づかれずに) unnoticed. (☞ 擬声・擬態語 (囲み)) ¶ 彼女は*すっと(⇒ 気づかれずに)改札口を通り抜けた She passed through the ticket barrier *unnoticed*.
2 «素早く»: quickly; (不意に) all of a sudden.
¶*すっと立ち上がる spring [jump] to *one's* feet / rise *quickly* from *one's* seat
3 «気持ちなどが» ☞ すっとする

ずっと **1** «はるかに»: (程度) much, far, a lot, a great deal 語法 いずれも比較級を強めるのに用いられるが, 最も一般的なのは much. 後のものほど意味が強くなる; (距離) far away; (ずっと以前に) long ago, a long time ago.
¶ きょうはきのうより*ずっと暖かい It's *much* warmer today than yesterday. // このワインのほうが国産の物より*ずっとおいしい This wine is ˹*far* [*a lot*; *a great deal*] more delicious than domestic ones. // *ずっと向こうに船が見えた We saw a ship ˹*far away* [*in the distance*]. // *ずっと昔この辺は海だった (⇒ 海の一部だった) *A long time ago* this neighborhood was part of the ocean. // 私は彼が来る*ずっと前にこの仕事を済ませていた I had finished the work *long before* he came.
2 «続けて»: (時間的に) all the time; (道のりなど) all the way; (最初から終了まで) throughout ..., all through ... (☞ たえず (類義語)).
¶ 列車は仙台まで*ずっと混んでいた The train was crowded *all the way* to Sendai. // 午前中*ずっと勉強した I worked *all through* the morning. // 夏休み中は*ずっとアメリカにいた I stayed in the U.S. *throughout* the summer vacation. // 私は*ずっと (⇒ できるだけ長く) パリにいたい I would like to stay in Paris *as long as possible*. // 彼女の秘密を*ずっと (⇒ 初めから) 知っていた I knew her secret *all along*.

すっとする (心の重荷を取り除く) take a ˹load [weight] off *a person's* mind ★ 本人以外の人・事柄が主語となる; (満足する) be satisfied with ...; (うれしい) be pleased ˹with [at] ...; (さっぱりした気持ちになる) feel refreshed. (☞ さっぱり; さわやか; 擬声・擬態語 (囲み)). ¶ これで気持ちが*すっとした (⇒ 心の重荷がとれた) This *has taken a load off* my *mind*. / (⇒ 気持ちがさっぱりした) This *made* me *feel refreshed*.

すっとぶ 素っ飛ぶ fly (to ...); (風で飛ばされる) be blown off. (☞ とぶ¹). ¶ その知らせで私は*すっ飛んで帰宅した At the news I *flew* home *like the wind*. // 強風で屋根は*すっ飛ばされた The roof *was blown off* by the gale.

すっとんきょう 素っ頓狂 ☞ とんきょう

すっぱい 酸っぱい (酸のような) acid; (未熟・発酵による) sour; (酢のような酸っぱさ) vínegary.
¶ このりんごは*酸っぱい This apple is *sour*. // その牛乳は*酸っぱくなっている The milk has gone *sour*.
酸っぱくなるほど(言う) ¶ そのことについて口が*酸っぱくなるほど言ったのに (⇒ 何回も話したのに), 彼は私の言うことを聞かなかった I *told* him about it *over and over again*, but he didn't listen to me.

すっぱだか 素っ裸 ― 形 《略式》 stark naked /néɪkɪd/ (☞ ぜんら; まるはだか).
¶ 彼は*すっ裸でおもてに飛び出した (⇒ まったくの裸で) He ran out into the street ˹*stark naked* [(⇒ 何も身につけずに) *with nothing on*].

すっぱぬく 素っ破抜く (悪事などを暴露する) expose ⑯; (マスコミなどが他を出し抜いて) scoop ⑯; (事件などを報道する) break a story. (☞ あばく; ばくろ).

すっぱり completely (☞ きっぱり; 擬声・擬態語 (囲み)).

すっぽかす (約束を) break an ˹engagement [appointment]; (特に異性(との約束)を) stand up ⑯. (☞ やぶる; やくそく 語法). ¶ 私は 1 時にテニスをする約束を*すっぽかした I *broke an appointment* to play tennis at one o'clock. // 彼女は彼とのデートを*すっぽかした (⇒ 姿を見せなかった) She did*n't show up* for her date with him. / She *stood* him *up*.

すっぽぬける すっぽ抜ける ¶ 樽の底が*すっぽ抜けた The bottom ˹*came* [*fell clean*] *out of* the barrel. // ボールが彼のグラブから*すっぽ抜けてランナーはセーフになった The ball *slipped out* of his glove, and the runner was safe.

すっぽり ¶ けさ, 山頂は雪に*すっぽりと覆われていた The top of the mountain was *completely* covered with snow this morning. // この瓶の栓が*すっぽり抜けた The cork of this bottle came ˹*clean* [*clear*] out. (☞ 擬声・擬態語 (囲み))

すっぽん 〘動〙 soft-shelled turtle Ⓒ. ¶ 月と*すっぽんほどの違い (⇒ 夜と昼ほどに違う) as different as night and day

すっぽんぽん 素っぽんぽん ☞ すっぱだか; ぜんら

すで 素手 ― 名 empty hand Ⓒ; (むき出しの手)

bare hand Ⓒ. ―副 with empty hands, empty-handed; (むき出しの手で) barehanded; (武器なしに) unarmed. 《☞ てぶら》. ¶私は*素手で戦って勝った (⇒武器なしで) I fought *unarmed* and won.

ステアリン 〚化〛 stearin /stíːərɪn/ Ⓤ.

ステアリング (操舵・操縦) steering Ⓤ.

ステアリングホイール (車のハンドル) stéering whèel Ⓒ.

スティグマ (汚名) stigma Ⓒ 《複 ～s, stigmata》.

すていし 捨て石 (比喩的に, 犠牲) sacrifice Ⓒ 《☞ ぎせい》.

スティック (棒・棒状のもの) stick Ⓒ 《☞ ステッキ》.

スティミュラント (興奮剤・覚せい剤) stimulant Ⓒ.

すていん 捨て印 extra seal stamped in the margin to authorize corrections within the text Ⓒ ★ 説明的な訳. 《☞ いんかん[1]》.

すてうり 捨て売り sacrifice [bargain] sale Ⓒ 《☞ すてね; なげうり》. ¶ぽんこつ車を*捨て売りする *sell* a rickety car *at a sacrifice* // 古着を*捨て売りする (⇒ばか安で売る) *sell* used clothes *for a song*

ステー (支柱) stay Ⓒ.

ステーキ steak Ⓒ.

ステークス (競馬の特別賞金レース) stake(s) race Ⓒ.

ステージ stage Ⓒ 《☞ ぶたい[1]; げきじょう[1] (挿絵)》. ステージママ stage mom Ⓒ.

ステーショナリー (文房具) stationery Ⓤ.

ステーション (駅・局) station Ⓒ 日英比較 英語の station は消防署, 警察署などの公共的施設にも用いるので, 前後関係であいまいさのあるときは「鉄道の駅」という意味で railroad [railway; train] station というのがよい.

ステーションビル ☞えき[1] (駅ビル)

ステーションワゴン 《米》station wagon Ⓒ, 《英》estate car Ⓒ.

ステータス (地位・身分) status Ⓤ.

ステータスシンボル (地位の象徴) státus sỳmbol Ⓒ.

ステーツマン (政治家) statesman Ⓒ ★ 普通はよい意味で使う. 《☞ せいじ[1] (政治家)》. ステーツマンシップ statesmanship Ⓤ.

ステート (国家) state Ⓒ; (米国などの州) state Ⓒ. ステートアマ (国家が援助するアマチュアスポーツ選手) státe-àided amateur /ǽmətə̀ː/ Ⓒ.

ステートメント (声明) statement Ⓒ 《☞ せいめい[2]》. ¶*ステートメントを発表する issue [make] a *statement*

ステープラー (ホチキス) stapler Ⓒ.

ステープルファイバー (繊維) staple fiber Ⓤ.

すておく 捨て置く ¶彼らの窮状を*捨て置くつもりですか Are you going to *leave* their wretched condition *as it is*? // 彼女のことは*捨て置いたほうがいいですよ You had better *leave* her *alone*. // 今回は彼の失敗を*捨て置くわけにはいかない We cannot *overlook* his mistake this time.

すてがね 捨て金 money thrown away Ⓤ, wasted money Ⓤ. 《☞ しにがね》.

すてき 素敵 ―形 nice; (驚くほどすばらしい) *wonderful, marvelous, great* ★ marvelous は意味が強い. great は口語的; (特に考えなどがすばらしい) splendid, brilliant ★ 前者のほうが口語的. 《☞ すばらしい (類義語); うつくしい (類義語); みりょく》. ¶なんて*すてきな家でしょう What a *nice* house! // 「今度の日曜日にスキーに行かないか」「まあ, *すてき」 "How about going skiing on Sunday?" "That sounds *great*." ★ 単に *"Great!"* でもよい. // *すてきな贈り物をどうもありがとう Thank you very much for your *wonderful* present. // それは*すてきなアイディアだ It's a ⌈*wonderful* [*brilliant*; *splendid*] idea.

すてご 捨て子 (捨てられていた子供) abandoned child Ⓒ; 《古風》(拾った子供) foundling Ⓒ.

ステゴザウルス 〚古生〛 stègosáurus Ⓒ.

ステゴドン 〚古生〛 stégodòn Ⓒ.

すてごま 捨て駒 (将棋の) sacrificed piece (in *shogi*) Ⓒ 《☞ しょうぎ[1]》.

すてさる 捨て去る throw away ⊕ 《☞ すてる》.

すてぜりふ 捨て台詞 parting ⌈threat [shot] Ⓒ.

ステッカー sticker Ⓒ. ¶*ステッカーをはる put a *sticker* on ...

ステッキ walking stick Ⓒ, cane Ⓒ. 《☞ つえ》.

ステッチ (縫い目・縫い方) stitch Ⓒ.

ステップ[1] (階段の) step Ⓒ; (バス・自動車・列車などの) step Ⓒ ★ footstep Ⓒ ともいう; (ダンスの) step Ⓒ. 《☞ だん[1]; かいだん[1] (挿絵)》. ¶バスの*ステップには立たないで下さい 《掲示》 Stand Clear of the *Step*, Please // 軽やかな*ステップで with springy *steps* / with a spring in *one's step* ステップバイステップ step by step ★ 形容詞として使われるときは step-by-step. ¶この本は詳細な*ステップバイステップの説明をしている This book provides detailed, *step-by-step* instructions.

ステップ[2] (大草原地帯) steppe Ⓒ ★ しばしば the Steppes.

ステップアップ ―動 (増進する) stép úp ⊕. ―名 stép-ùp Ⓤ.

ステップファミリー (まま親のいる家族) step-family Ⓒ.

ステディー (特定の恋人) steady Ⓒ.

すててこ Japanese-style underpants ★ 複数形で.

すてどころ 捨て所 ¶ここが命の*捨て所だ (⇒命を捨てる時だ) Now is *the time to* ⌈*give up* [*sacrifice*] my life.

すでに 既に (以前に) before; (とっくの昔に) long ago; (先に) previously; (書物・論文などで上に述べた) above; (もはや) already, yet ★ yet は疑問文に用いる; (いままでに) by now, by this time. 《☞ もう[1]; もはや; 副詞の位置 (巻末)》. ¶私は*すでに (⇒以前に) そこへは行ったことがある I have been there *before*. // もう*すでに約束がある I have a *previous* engagement. // 私がけさ起きたときには彼は*すでに出かけていた He had *already* left when I got up this morning. // *すでに述べたとおり as stated *above*

すてね 捨て値 (売るほうから見て) sacrifice (price) Ⓒ 《☞ やすうり》. ¶車を*捨て値で売る sell a car at a *sacrifice*

すてば 捨て場 (ごみなどの) dump Ⓒ, 《英》tip Ⓒ; (埋め立てごみ捨て場) landfill Ⓒ. 《☞ ごみ》.

すてばち 捨て鉢 ―形 (自暴自棄の) desperate; (危険などを意に介さず向こうみずの) reckless. ―動 (捨てばちになる) become desperate. 《☞ ぜつぼう; やけ; むこうみず》. ¶失恋すると若者は*捨てばちになりがちだ (⇒失恋はしばしば若者を絶望に追い込む[絶望させる]) Disappointment in love often ⌈*drives* young people *to despair* [*makes* young people *desperate*].

すてぶち 捨て扶持 (必要な時まで雇っておくための) retaining fee Ⓒ.

すてみ 捨て身 ―副 (身の安全もかまわずに) without concern for *one's* own safety; (無茶な勇気で) with desperate courage; (死に物狂いで) in desperation. ¶*捨て身で敵に攻め入る attack the enemy *with desperate courage*

すてる 捨てる, 棄てる **1** «投げ棄てる»: thrów awáy (他) ★ 最も一般的; (不用物として) cást óff (他); (不用のものを) discard (他); (大量のごみなどを) dump (他) (自), 《英》 tip (他) (自); (紙くずなどを) litter (他) (自). (☞ なげる (類義語); なげすてる).
¶ごみを*捨てるな 《掲示》 No *Litter*(*ing*), Please / No *Dumping* Here [語 法] (1) 前者は「ごみを散らかすな」. 後者は車などによる「不法投棄禁止」. ∥ 運動場にごみを*棄ててはいけません Don't *litter* your playground. [語 法] (2) litter はごみを棄てる「場所」を目的語にする場合もある. ∥ 彼は空き缶をくずかごの中へ*捨てた He *threw* the empty can in the wastebasket.
2 «見捨てる»: (あきらめて) gìve úp (他); (人を後に残して去る) leave (他); (見捨ててはならない人や物を無責任にも見捨てる) desért (他). (☞ みすてる). ¶ 彼は家族を*捨てて上京した He ˹*left* [*deserted*] his family and came to Tokyo.
3 «放棄する»: (あきらめて) give úp (他); (最後の手段として) abandon (他); (辞職する) resign (他); (犠牲にする) sácrifice (他). (☞ あきらめる).
¶私はそんな考えはとうの昔に*捨てた I *gave up* that sort of idea long ago. ∥ 彼女は自分の命を*捨てて子供を助けた She *sacrificed* her life to save the child.

ステルス (隠密行動) stealth Ⓤ. **ステルス技術** stealth technology Ⓤ **ステルス爆撃機** stealth bomber Ⓒ.

ステレオ (ステレオ装置) stereo /stériòʊ/ Ⓒ ★ 立体音響方式という意味では Ⓤ. (☞ オーディオ). ¶ その交響曲を*ステレオで聞いた I listened to the symphony on my *stereo*. ∥ これは*ステレオで録音されている This is recorded in *stereo*. **ステレオカメラ** stereo camera Ⓒ **ステレオ写真** stereophotograph Ⓒ **ステレオスコープ** stereoscope Ⓒ **ステレオテープ** stereo tape Ⓒ **ステレオ放送** stereophonic broadcast Ⓒ **ステレオレコード** stereo ˹record [disc] Ⓒ.

ステレオタイプ — [名] (型にはまった概念 [人,物]) stéreotỳpe Ⓒ. — [形] stereotyped.

ステロイド 〘生化〙 steroid /stí(ə)rɔɪd/ Ⓤ.

ステンシル (謄写印刷用の原紙) stencil Ⓒ.

ステンドグラス stained glass Ⓤ.

ステンレス(スチール) stainless steel Ⓤ.

スト strike Ⓒ (☞ ストライキ). ¶ ゼネ*スト a general *strike* ∥ ハン*スト a hunger *strike* ∥ *ストを行う stage a *strike* ∥ 明朝から組合は*ストに入る予定だ The union will ˹go on *strike* [*walk out*] tomorrow morning. **スト権** right to strike Ⓒ **スト破り** strikebreaker Ⓒ, scab Ⓒ, 《英》 blackleg Ⓒ ★ この中では第 1 番が格式ばった語で, 第 2, 第 3 はそれより略式で軽蔑的.

ストア store Ⓒ. **ストアブランド** (自社ブランド) store brand Ⓒ.

ストアがくは ストア学派 the Stoic school; the Stoics. ¶ *ストア学派の哲学 *Stoicism*

ストイシズム (ストア学派の哲学) Stoicism Ⓤ; (禁欲主義) stoicism Ⓤ.

ストイック (禁欲的な) stoic(al).

ストウ — [名] (固) Harriet (Elizabeth) Beecher Stowe, 1811–96. ★ 米国の作家.『アンクルトムの小屋』(*Uncle Tom's Cabin*) の作者.

ストーカー (つけ回す人) stalker Ⓒ. **ストーカー規制法** the Stalker Regulation Law **ストーカー犯罪** (the crime of) stalking Ⓤ.

ストーキング — [名] (つきまとい) stalking Ⓤ. — [動] (ストーキング行為をする) stalk (他).

すどおし 素透し — [形] (透明の) transparent. ¶ *素透しの眼鏡 glasses [spectacles] with *plain-glass* lenses

ストーブ heater Ⓒ, 《英》 (electric [gas]) fire Ⓒ [日英比較] 日本語と異なり, 英語の stove は料理用の意味で使われることが多い. 一般的な意味での暖房用は heater, space heater. (☞ だんぼう). ¶ ガス[電気]*ストーブをつけた[消した] I turned ˹on [off] the ˹gas [electric] *heater*. ∥ 石油*ストーブ a ˹kerosene [《英》 paraffin] *heater* **ストーブリーグ** hot stove league Ⓒ ★ シーズンオフに集まってプロ野球の話題に興じるファンたちを指す.

ストーム (嵐) storm Ⓒ.

すどおり 素通り — [動] (立ち止まらずに) pass by (自) (他); (訪れずに) pass (他) ★ 場所が目的語. ¶ 私はおじの家の前を*素通りした I *passed* (*by*) my uncle's house.

ストーリー (物語) story Ⓒ; (筋) plot Ⓒ.

ストール[1] — [名] (停止・失速) stall Ⓒ. — [動] stall (自) (他).

ストール[2] (肩かけ) stole Ⓒ.

ストール[3] (短距離離着陸(機)) STOL (Ⓒ) ★ *s*hort *t*akeoff and *l*anding の略.

ストーン (《英》の特に体重を表す重量単位) stone Ⓒ ★ 単複同形. 1 ストーンは約 6.35 kg.

ストーンウォッシュ — [動] (ジーンズなどにストーンウォッシュ加工をする) stonewash (他). — [形] stonewashed.

ストーンサークル (環状列石) stone circle Ⓒ.

ストーンヘンジ — [名] (固) Stonehenge ★ 英国南部の巨石柱群.

ストケシア 〘植〙 stokésia Ⓒ.

ストッキング stockings ★ 普通は複数形で. ストッキング一足は a pair of stockings. (☞ くつした).

ストック[1] (在庫品) stock Ⓤ (☞ ざいこ). ¶ この本は*ストックがある [ない] This book is ˹*in* [*out of*] *stock*.

ストック[2] (スキーの) ski poles ★ 普通は複数形で. 日本語はドイツ語の Stock から. (☞ スキー (挿絵)).

ストック[3] 〘植〙 stock Ⓒ (☞ あらせいとう).

ストック[4] (株・株式) stock Ⓒ ★ 通例複数形で. **ストックオプション** (自社株購入権) stock option Ⓒ **ストックジャック** (企業乗っ取りのための株の買い占め) buying a majority of the stock to take over a company Ⓤ ★「ストックジャック」は stock (株)と highjack (ハイジャック)の和製英語. **ストックブローカー** (株式仲買人) stockbroker Ⓒ **ストックホールダー** (株主) stockholder Ⓒ **ストックマーケット** (株式市場) stock market Ⓒ.

ストックカー (競走用に改造した普通乗用車) stock car Ⓒ. **ストックカーレース** stock car race Ⓒ.

ストックホルム — [名] (固) Stockholm /stákhoʊ(l)m/ ★ スウェーデンの首都. **ストックホルム症候群** 〘心〙 the Stockholm syndrome.

ストッパー (びん等の栓) stopper Ⓒ; 〘野〙 (抑えの投手) stopper Ⓒ; 〘サッカー〙 stopper Ⓒ.

ストップ — [名] stop Ⓒ. — [動] (止める・止まる) stop (他) (自); (ストップをかける) put a stop to ... (☞ とめる[1]; やめる[1]). **ストップ高[安]** 〘株式〙 maximum ˹gain [loss] allowed by the Stock Exchange Ⓒ **ストップ値段** price limit Ⓒ **ストップモーション** (映像のコマ止め) freeze-frame Ⓤ; (微速度撮影) stop-motion Ⓤ **ストップライト** (赤信号) stop light Ⓒ; (車の制動灯) stoplight Ⓒ, brake light Ⓒ.

ストップウォッチ stopwatch Ⓒ.

すどまり 素泊まり room without meals Ⓒ. ¶ *素泊まりで 1 泊いくらですか How much is the *room without meals*?

ストライキ — [名] strike Ⓒ; (特に現場の労働者の) wálkòut Ⓒ. — [動] go on strike, 《略式》 wàlk óut (自). 《☞ スト; すわりこみ; サボタージュ》. ¶ 彼らは賃上げの*ストライキ中だ They are *on strike* for better wages.

ストライク 〖野〗 strike Ⓒ. ¶ カウントはツー*ストライク, スリーボールです The count is three (balls) and two (*strikes*). ★ 日本語と順番が違うことに注意. **ストライクゾーン** 〖野〗 strike zone Ⓒ.

ストライド (広い歩幅) stride Ⓒ. **ストライド走法** stride running Ⓤ.

ストライプ (縞) stripe Ⓒ.

ストラクチャー (構造) structure Ⓤ.

ストラ(ッ)グル (格闘・苦闘) struggle Ⓒ.

ストラックアウト ―[名] 〖野〗 (三振) stríkeòut Ⓒ. ―[動] stríke óut (自) (他) [参考] 日本語は[動]の過去分詞 struck out より.

ストラットフォードアポンエーボン ―[名] (固) Stratford-(up)on-Avon ★ 英国南部の町でシェークスピアの生誕地.

ストラップ (ひも・肩ひも) strap Ⓒ. **ストラップレス** ―[形] strapless.

ストラディバリウス ―[名] (固) Antonio Stradivarius, 1644?–1737 ★ イタリアの楽器製作者; (その一家が製作したバイオリンなどの弦楽器) Stradivarius /strædəvé(ə)riəs/ Ⓒ 《複 -ii /-iàɪ/》.

ストラテジー (戦略) strategy Ⓒ. ¶ マーケティング*ストラテジー marketing *strategy*

ストラテジスト (戦略家) strátegist Ⓒ.

ストラトフォード ☞ ストラットフォードアポンエーボン

ストラビンスキー ―[名] (固) Igor Fyodorovich /ígɔə fjóudərəvɪtʃ/ Stravínsky, 1882–1971. ★ ロシア生まれの米国の作曲家.

ストリーキング ―[名] (全裸で公衆の面前を疾走すること) streaking Ⓤ. ―[動] (ストリーキングをする) streak (自).

ストリート street Ⓒ.

ストリートチルドレン (戦争・災害・貧困などで路上で生活する子供たち) street children.

ストリキニーネ 〖化〗 strychnine /stríkni:n/ Ⓤ.

ストリッパー stripteaser Ⓒ, stripper Ⓒ.

ストリップ (ショー) striptease Ⓒ.

ストリング (ひも・糸) string Ⓒ.

ストレート ―[副] (ウイスキーなどを割らずに) straight, neat. ―[形] (勝負などが) straight. ―[名] (野球のストレートボール) fastball Ⓒ [日英比較] 「ストレートボール」は和製英語.
¶ ウイスキーを*ストレートで飲む drink whiskey 「*straight* [*neat*] // 《テニス》 私は彼に*ストレートで勝った[負けた] I 「won a *straight-set* victory over him [suffered a *straight-set* defeat at his hands]. // 彼女は*ストレートで大学へ入りました (⇒ 高校課程を終えるとすぐに) She entered college *just after* finishing high school.

ストレス stress Ⓤ. ¶ 彼の胃病は*ストレスが原因だ His stomach disorder results from *emotional stress*. // 適度の運動をして*ストレスを解消した I got rid of my *stress* by exercising moderately.

ストレッチ ―[名] (競技場などの直線コース) stretch Ⓒ ★ 通例単数形で; (ストレッチング) stretching Ⓤ. ―[動] stretch (他). ¶ バック*ストレッチ the back*stretch* // ホーム*ストレッチ the home*stretch*

ストレッチたいそう ストレッチ体操 ☞ ストレッチング

ストレッチャー (担架) stretcher Ⓒ.

ストレッチング (ストレッチ体操) stretching Ⓤ.

ストレプトマイシン 〖薬〗 streptomycin /strèptəmáɪsn/ Ⓤ.

ストレリチア 〖植〗 strelitzia Ⓒ.

ストロー (飲み物を飲むための) straw Ⓒ. **ストローハット** straw hat Ⓒ.

ストローク (テニス・ゴルフ・水泳などの) stroke Ⓒ. ¶ *ストロークの差で勝つ win by one *stroke*

ストロベリー strawberry Ⓒ.

ストロボ 〖写〗 electronic flash Ⓒ, strobe Ⓒ ★ 前者が一般的. 単に flash と言うことも多い. 《☞ フラッシュ1》.

ストロンチウム 〖化〗 strontium /strάnʃ(i)əm/ Ⓤ 《元素記号 Sr》.

すとん ―[副] with a thump 《☞ 擬声・擬態語 (囲み)》. ¶ 私はベッドから*すとんと落ちた I fell out of bed *with a thump*.

ずどん ―[名] bang Ⓒ, boom Ⓒ. ―[動] bang (自), boom (自). 《☞ 擬声・擬態語 (囲み)》.

すな 砂 sand Ⓤ; (砂の粒) grain of sand Ⓒ.
砂を噛むような ―[形] (味のない) tasteless.
砂遊び ―[動] (子供などが) play with sand **砂嵐** sandstorm Ⓒ **砂絵** sand 「picture [painting] Ⓒ **砂被り** ringside seat Ⓒ **砂肝** gizzard Ⓒ **砂煙** cloud of dust Ⓒ **砂地** sandy soil Ⓤ; (広い場所・砂漠) the sands ★ 複数形で. **砂時計** hourglass Ⓒ, sandglass Ⓒ **砂留め** sand fence Ⓒ, sand-erosion control device Ⓒ **砂場** (遊び場) sandbox Ⓒ, 《米》 sand pile Ⓒ, 《英》 sandpit Ⓒ **砂浜** sandy beach Ⓒ **砂袋** sand bag Ⓒ **砂風呂** sand bath Ⓒ **砂埃** cloud of dust Ⓒ **砂山** (海岸の) (sand) dune Ⓒ.

スナイパー (狙撃手) sniper Ⓒ.

すなお 素直 ―[形] (性質が穏やかな) gentle, mild; (おとなしく柔和な) meek; (従順な) obédient. ―[名] gentleness Ⓤ, mildness Ⓤ; meekness Ⓤ; obedience Ⓤ. 《☞ おとなしい》. ¶ あの子供は*素直な性質だ That child has a 「*gentle* [*mild*] nature. // 彼女はたいへん (⇒ 子羊のように) *素直だ She is as *meek* as a lamb. 《☞ 比喩 (巻末)》 // 彼は先生に対しては*素直な生徒だった He was a student *obedient* to his teachers.

スナック (軽い食事や飲み物などを出す店) snáck bàr Ⓒ; (軽食) snack Ⓒ [日英比較] 日本では軽食・酒類を出す店を「スナック」と呼ぶが, 英語の snack は「軽食」の意なので, 英語では snack bar となる. なお, 英米の snack bar は普通は酒類を出さない純粋の軽食堂が多い. 《☞ おやつ; けいしょく》.
スナック菓子[食品] snack food Ⓤ **スナックバー** snack bar Ⓒ.

スナッチ (重量挙げの) snatch Ⓒ.

スナップ **1** 《服の留め金》: snap (fastener) Ⓒ; 《英》 press-stud Ⓒ. ¶ *スナップを留める fasten a *snap*
2 《写真》: 《略式》 snap Ⓒ 《☞ スナップショット》. ¶ *スナップを撮る take a *snap* of ...
3 《野球》: (スナップスロー) snap Ⓒ. ¶ *スナップを利かせてボールを投げる throw the ball with a *snap* of the wrist

スナップショット (写真) snapshot Ⓒ 《☞ スナップ 2》.

すなわち (つまり) that is (to say), namely [語法] (1) 説明・補足の場合に用いる. 前者は一般的で文全体の言い直しに用いるが, namely は語・句の言い換えに限る; i.e. ★ ラテン語 id est の略. /ðàtíz/ または /áɪí:/ と読む. that is (to say) とほぼ同じで, 多少格式ばった文章に用いられる. 《☞ つまり; 略語 (巻末)》.
¶ 私は彼に 10 年前*すなわち 1995 年に会った I met him ten years ago, *that is* (*to say*), in 1995. // 戦争は 2 国間, *すなわちイランとイラクの間で始まった The war started between two nations—*namely*, Iran and Iraq. // 人間の文化の最も重要な側面の 1

つ, *すなわち言語を見てみよう Let's look at one of the most important aspects of human culture, *i.e.*, language. [語法] (2) i.e. はただのコンマで代用することもできる. (☞ コンマ (巻末))

スニーカー sneakers ★ 普通複数形で. 数えるときは a pair [two pairs] of sneakers. (☞ くつ (挿絵))

ずぬける 図抜ける ☞ ずばぬける

すね 脛 (むこうずね) shin Ⓒ; (漠然と足全体) leg Ⓒ. (☞ あし¹ (挿絵); むこうずね). ¶ 彼女は私の*すねを蹴った She kicked me in the *shin*.

すねに傷をもつ ¶ 彼は*すねに傷をもつ身だ (⇒ ひそかにやましい心を持っている) Secretly, he *has a guilty conscience*. / (⇒ いかがわしい経歴を持っている) He *has a shady past*. (☞ やましい) **すねをかじる** (やっかいになる) live off ...; (頼る) be dependent (on ...), depend on ... (☞ おや¹). ¶ 彼女はまだ親の*すねをかじっている She still *lives off* her parents. **すね当て** leggings ★ 複数形で; (スポーツ用の) leg guard Ⓒ, shin guard Ⓒ.

すねる (不機嫌になる) become sulky; (不機嫌である) be sulky; (ふくれっつらをする) pout (*one's* lips) ⓐ ⓗ ★ 唇を突き出すのは英米では不機嫌な表情. (☞ ふくれる).

ずのう 頭脳 (頭の働き) head Ⓒ; (理解力・思考力) brain Ⓤ, brains [語法]「知力」という意味では通例複数形で. head よりもやや格式ばった場合に用いる. (☞ あたま; ちのう; のう¹).

¶ 彼は*頭脳明晰だ He is *bright*. // この仕事を成し遂げるには優秀な*頭脳が必要だ It takes ⸢an excellent *brain* [a lot of *brains*] to accomplish this task. **頭脳集団** think tank Ⓒ **頭脳流出** brain drain Ⓤ **頭脳労働者** brainworker Ⓒ.

スノー (雪) snow Ⓤ. **スノータイヤ** snow ⸢tire [(英) tyre] Ⓒ **スノーボーディング** snowboarding Ⓤ **スノーボート** (そり) snow boat Ⓒ **スノーボード** snowboard Ⓒ **スノーモービル** snówmobile Ⓒ.

スノードロップ 〔植〕snowdrop Ⓒ.

すのこ 簀の子 (台所の水切り台) (米) drainboard Ⓒ, draining board Ⓒ, drainer Ⓒ [日英比較] 風呂場などの「すのこ」は対応するものが英米にないが, 説明的には draining floor board for a bathroom Ⓒ.

すのもの 酢の物 vinegared dish Ⓒ, vinegared food Ⓤ. (☞ 料理の用語 (囲み)).

スパーク ── 名 (火花) spark Ⓒ. ── 動 (スパークする) spark ⓐ.

スパークリングワイン (発泡性ワイン) sparkling wine Ⓤ.

スパート ── 名 (全力投入) spurt Ⓒ. ── 動 (スパートする) spurt (for ...) ⓐ. ¶ ランナーはゴールにむけてラスト*スパートをかけた The runner put on a final *spurt* to reach the finish line.

スパームバンク (精子銀行) sperm bank Ⓒ.

スパーリング ── 名 (ボクシング) spar Ⓒ, sparring Ⓒ. ── 動 spar ⓐ.

スパイ ── 名 (人) spy Ⓒ ★ 最も一般的な語; (スパイ行為) éspionàge Ⓤ; (秘密の任務を帯びた人) secret agent Ⓒ; (諜報部員) intelligence agent Ⓒ. ── 動 spy (on ...) ⓐ. (☞ じょうほう; ちょうほう²).

¶ 彼は*スパイとしてその国に送り込まれた He was sent into the country as a ⸢*spy* [*secret agent*]. // 私は*スパイ行為はしていない I am not engaged in ⸢*spying* [*espionage*]. // 産業*スパイ industrial *espionage* ★「行為」. / an industrial *spy* ★「人」を指す. // 彼女は*スパイ活動をして逮捕された She was arrested for ⸢*spying* [*espionage*].

スパイク **1** 《スパイクシューズ》: (トラック競技などの) spikes, spiked shoes ★ どちらも通例複数形で; (野球などの) cleats ★ 通例複数形で. (☞ くつ).
2 《スパイクすること》: (バレーボールの打ち込み) spike Ⓒ; (スパイクシューズで他人を傷つけること) spiking Ⓤ. ¶ すばらしい*スパイクだったね That was a fantastic *spike*!
スパイクタイヤ studded ⸢tire [(英) tyre] Ⓒ.

スパイシー ── 形 (香辛料のきいた) spicy. ¶ *スパイシーなメキシコ料理 *spicy* Mexican food

スパイス (香辛料) spice Ⓒ ★ 集合的には Ⓤ.

スパイラル ── 形 (らせん状の) spiral. ── 名 (らせん) spiral Ⓒ.

スパゲッティ spaghétti Ⓤ. **スパゲッティナポリタン** spaghetti Napolitana Ⓤ **スパゲッティミートソース** spaghetti ⸢with meat sauce [Bolognese] Ⓤ.

すばこ 巣箱 (鳥の) birdhouse Ⓒ, bird box Ⓒ; (蜜蜂の) (bee)hive Ⓒ.

すばしこい (すばやい) quick; (軽快に動いたり反応する) nimble; (身軽ではしっこい) ágile. (☞ すばやい; びんしょう¹).

すばす 酢蓮 pickled lotus root Ⓒ; (説明的には) thin slice of boiled lotus root in sweetened vinegar /vínɪgə/ Ⓒ.

すぱすぱ (たばこなどを) with quick puffs (☞ 擬声・擬態語 (囲み)).

ずばずば (思ったままを隠さずに) frankly; (ずけずけと遠慮なく) outspokenly ★ 前者は好意的な場合. 後者は批判的で, 無遠慮な意味が強い. (☞ ずばり; ずけずけ; そっちょく; 擬声・擬態語 (囲み)). ¶ 彼はいつも*ずばずばとものを言う He is always *outspoken*.

すはだ 素肌 bare skin Ⓤ (☞ はだ). ¶ 彼女は*素肌がきれいだ She has ⸢beautiful [clear] *skin*.

スパッツ (ひざ下用ゲートル) spats ★ 複数形で.

すぱっと ¶ 竹を*すぱっと二つに割る split a length of bamboo *cleanly* in half // 彼は*すぱっと (⇒ ためらわずに) 会社をやめた He quit his job with the company *without a moment's hesitation*.

スパナ (米) wrench Ⓒ, (英) spanner Ⓒ. (☞ だいく (挿絵)).

すばなれ 巣離れ ☞ すだつ

スパニエル (犬) spaniel Ⓒ (☞ いぬ¹).

スパニッシュ ── 形 (スペイン(人)の) Spanish. **スパニッシュオムレツ** Spánish ómelet Ⓒ.

ずばぬける ずば抜ける ── 動 (並はずれている) be far above (the) average; (ぬきんでている) be outstanding, stànd óut ⓐ; (特にすぐれている) be exceptionally good. ── 副 (断然・はるかに) by far ★ 比較・最上級と共に; outstandingly; (例外的に) exceptionally ★ あとの 2 語はいずれもやや格式ばった語. (☞ ぬきんでる; ばつぐん).

¶ 彼女はクラスでも*ずば抜けている She *is far above (the) average* in the class. // こと運動競技にかけては彼は*ずば抜けている He *stands out* when it comes to ⸢sports [athletics]. // 彼は頭のよさで*ずば抜けていた He *was outstanding* in intelligence.

すばやい 素早い ── 形 (一般的に動作が機敏で速い) quick; (軽快な) nimble. ── 副 quickly; nimbly. (☞ びんしょう¹; すばしこい). ¶ 何でも*素早くしなくてはいけません Be *quick* in doing everything. // 彼は*素早く答えた He made a *nimble* reply. // 彼女は動作が*素早い She is *nimble*.

すばらしい 素晴らしい wonderful; splendid; marvelous ((英) marvellous); excellent; (略式) great, fantastic.

【類義語】 驚き感心する気持ちを表す最も一般的な語は **wonderful** で, 以下の訳語の代わりにもなり得る. ひときわ際立ってすばらしいことを表し, やや誇張的なのは **splendid**. **wonderful** よりさらに驚きや感嘆の感じが強いのが **marvelous**. **wonderful** が多少軽い気持ちで使われることが多いのに対して, *marvelous* は本当に感心した感じが強い. いろいろな面で他に勝ってすぐれていることを意味するのが ***excellent***. 口語で, くだけた感じの表現の中で使われるのが ***great***. *great* よりやや大げさでよい意味で現実ばなれしているものを表すのは ***fantastic***. 《☞ すてき; りっぱ; みごと》
¶*すばらしいね It's *wonderful.* ★ /s wʌ́ndəfəl/ のように軽く発音されることもある. // それは*すばらしい発明だ That's a ⌈*marvelous* [*wonderful*] invention. // そいつは*すばらしい考えだ That's a *splendid* idea. // その映画は*すばらしかった That movie was *great*. // その窓からは*すばらしい景色が見える The window ⌈commands [has] ⌈an *excellent* [a *wonderful*; a *very fine*] view. // 彼は*すばらしく泳ぎがうまい (⇒ とてもよい泳ぎ手だ) He is a *very good* swimmer.

ずばり **1** «思い切って»: (迷いがなくきっぱりと) decisively; (恐れず大胆に) boldly. 《☞ だいたん; ずばずば; 擬声・擬態語 (囲み)》. ¶彼女は*ずばりとそう言ってのけた She ⌈*decisively* [*boldly*] said so.
2 «正確に»: just, exactly ★ 前者のほうがより口語的. 《☞ まさに; 擬声・擬態語 (囲み)》. ¶*ずばりそのとおりだ That's it. ★ 決まった表現. // 彼は*ずばり言い当てた He guessed *just* right.

すばる 昴 〘天〙 the Pleiades /plíːədìːz/.

スパルタしき スパルタ式 spartanism Ⓤ, spartan method Ⓒ. ¶その学校は*スパルタ式教育 (⇒ 厳しいしつけ) で有名だ That school is known for its *rigorous discipline*.

スハルト ―［名］(固) Suharto /suhάːətou/, 1921– . ★ インドネシアの政治家・軍人.

スパン (全長・全幅・時間・距離) span Ⓒ.

ずはん 図版 (説明のための絵や図) illustration Ⓒ; (ページ全体にわたる大きなもの) plate Ⓒ; (挿絵・挿入図・写真など) figure Ⓒ 《略 fig.》; (図表) diagram Ⓒ. 《☞ ず¹; さしえ》.

スパンコール (衣装用の光る飾り) spangle Ⓒ. ¶*スパンコールをちりばめたイブニングドレス a *spangled* evening dress

スピーカー (ラジオ・テレビ・ステレオなどの) speaker Ⓒ; (拡声装置) the PA ★ the *p*ublic-*a*ddress system の略; (会議などの発表者) speaker Ⓒ. 《☞ ラウドスピーカー》. **スピーカーホン** (マイクとスピーカーが一つになった送受話器) speakerphone Ⓒ.

スピーチ ―［名］(演説) speech Ⓒ; (講話) talk Ⓒ ★ 後者のほうがくだけた語. ―［動］ make [deliver] a speech (on ...); give a talk (to ...).
スピーチクリニック (言語障害矯正所) speech clinic Ⓒ **スピーチコンテスト** speech [oratorical; public speaking] contest Ⓒ ★ [ ] 内のほうが格式ばった表現. **スピーチセラピー** (言語療法) spéech thèrapy Ⓤ **スピーチセラピスト** (言語療法士) spéech thèrapist Ⓒ.

スピーディー ―［形］(敏速な) speedy; (素早い) quick. ―［副］ speedily; quickly 日英比較 英語の speedy は主として仕事の速さなどの比喩的速度をいうが, やや格式ばった語なので, くだけた表現では quick を使うのがよい. ¶*スピーディーな決定 a *speedy* decision // もっと*スピーディーにやりなさい Be *quicker* about it.

スピード ―［名］(速度) speed Ⓒ ★ a を付けて. ―［動］(スピードを出す) spéed (úp) (自) 《過去・過分 speeded, sped》. 《☞ そくど¹》.
¶車は時速 80 キロの*スピードで走っていた The car was moving at *a speed* of 80 kilometers /kɪlάmətəz/ per hour. 《☞ じそく¹》 // 車は急に*スピードを上げた The car suddenly *speeded up.* // 車は*スピードを落とした The car *slowed down.* // 彼はフル*スピード [めちゃくちゃな*スピード] で飛ばした He drove at ⌈full [(*a*) reckless] *speed.* // 快適な*スピード *a* comfortable *speed* // 適度な*スピード *a* moderate *speed* // ゆったりした*スピード *an* easy *speed* // 平均*スピード *an* average *speed*
スピードアップ ―［名］(加速・能率促進) spéedùp Ⓒ. ―［動］ spéed úp (自)(他) **スピード違反** speeding Ⓤ. ¶*スピード違反を犯す break [go over] the speed limit // 彼は*スピード違反で捕まった He was arrested for *speeding.* // *スピード違反者 a speeder **スピードガン** (球速などの測定器) speed gun Ⓒ **スピードスケート** speed skating Ⓤ **スピードダウン** ―［名］(減速・停滞) slówdòwn Ⓒ. ―［動］ reduce the speed, slów dówn (自)(他) **スピードボール** 〘野〙(速球) fastball Ⓒ **スピードマニア** speed ⌈maniac [demon] Ⓒ **スピードメーター** speedometer /spɪdάmətə/ Ⓒ 《☞ オートバイ (挿絵)》.

コロケーション
一定のスピードを維持する maintain *a* steady *speed* / 時速 100 キロのスピードに達する reach *a speed* of 100 kph / スピードを落とす slow down [decrease; reduce] *one's speed* / スピードを…に制限する restrict the *speed* to ... / スピードを増す [上げる] gain [increase; pick up; gather] *one's* speed / スピードを守る keep ⌈to [within] the *speed* limit / …のスピードを出す move [drive; fly] at *a speed* of ... // 一定のスピード *a* ⌈constant [steady] *speed* / ハイ[ロー]スピード *a* ⌈high [low] *speed* / 目が回るようなスピード *a* ⌈dizzying [giddy] *speed* / 猛スピード *a* ⌈furious [blistering; breakneck] *speed*

スピッツ (犬) spitz Ⓒ 《☞ いぬ¹》.

スピネット (楽器) spinet Ⓒ.

スピノザ ―［名］(固) Baruch de Spinoza /bərúːk də spɪnóuzə/, 1632–77. ★ オランダの哲学者.

ずひょう 図表 (変動・変化などを一覧表のように記録したもの) chart Ⓒ; (曲線などによるもの・グラフ) graph Ⓒ; (説明のための線図) diagram Ⓒ. 《☞ グラフ; ず¹; ひょう¹》.

スピリチュアル ―［形］(精神の) spíritual. ―［名］(黒人霊歌) spiritual Ⓒ.

スピリッツ (度の強い酒) spirits ★ 通例複数形で.

スピリット (精神) spirit Ⓤ.

スピロヘータ (細菌) spiroch(a)ete /spáɪrəkìːt/ Ⓒ.

スピン (テニス・卓球・スケート・自動車などで) spin Ⓒ. ¶彼女は氷上で優雅な*スピンを演じた She made a series of graceful *spins* on the ice.

スピンアウト ☞ スピンオフ

スピンオフ (企業分割・子会社を分離独立させること) spín-òff Ⓒ; (副産物) spín-òff Ⓒ.

スピンドル (軸・心棒) spindle Ⓒ.

スフィンクス sphinx Ⓒ ★ エジプトの人頭のライオン巨像.

スプートニク (旧ソ連の人工衛星) Spútnik Ⓒ.

スプール (フィルム等の巻軸) spool Ⓒ.

スプーン spoon Ⓒ 《☞ さじ¹; 数の数え方 (囲み)》.
¶先割れ*スプーン a runcible *spoon* ★ オードブルを配るときなどの食器 / a spork ★ spoon と fork を合わせて作った語で商標名. しばしば大文字で始める.

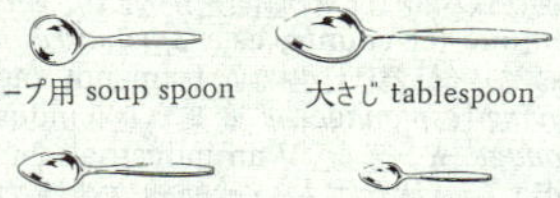

スープ用 soup spoon　大さじ tablespoon　デザート用 dessertspoon　小さじ teaspoon

スプーンレース egg-and-spoon race Ⓒ.

ずぶずぶ ¶*ずぶずぶ泥沼にはまり込んでしまった I sank down *deep* in the mud. // *ずぶずぶにぬれた服を着替えた I changed my clothes, which *were soaked through and through.* (☞ 擬声・擬態語(囲み))

ずぶた 酢豚 〘料理〙 sweet-and-sour pork [U].

ずぶとい 図太い ―形 (大胆不敵で向こうみずな) bold; (厚かましくて生意気な) impudent. ―名 boldness [U]; impudence [U]; (自信があって押しの強い図太さ) nerve [U]. (☞ ずうずうしい). ¶彼の*図太さには驚いた I was surprised ˹by [at] his *nerve.*

ずぶぬれ ずぶ濡れ ―動 (体中ずぶぬれになる) get wet ˹through [all over]; (水がぽたぽたしたたるほどぬれる) get dripping wet; (水が染みとおるぐらいぬれる) be [get] soaked to the skin. (☞ びしょぬれ; ぬれる). ¶彼女は池に落ちて*ずぶぬれになってしまった She fell into the pond and *got wet through.* // 彼は*ずぶぬれになって帰宅した He came home *soaked to the skin.*

ずぶの ¶*ずぶの素人 a *rank* amateur ★ rank は「全くひどい」の意 / (⇒ 全く無経験の人) a *completely* inexperienced person (☞ まったく)

スプラッシュ ―名 (水や泥などの跳ね返り) splash [C]. ―動 splash ⊕.

スプラトリーしょとう スプラトリー諸島 ☞ なんさしょとう

すぶり 素振り ¶バット[ラケット]を*素振りする *practice swinging one's* ˹bat [racket] // 彼は 2, 3 度*素振りしてからバッターボックスに入った He *swung* his bat a few times before entering the batter's box.

スプリット 〘ボーリング〙 split [C]. **スプリットタイム** split [C].

ずぶりと ―副 (深く) home (☞ ぐさりと; ぶすりと; 擬声・擬態語 (囲み)).

スプリング (ばね) spring [C] ★ 弾力を示すときは [U]. ¶このベッドは*スプリングが弱い The *springs* in this bed are too weak.

スプリングコート topcoat [C] (☞ コート¹). ★「スプリングコート」は和製英語.

スプリングボード (飛び込み台・きっかけ) springboard [C].

スプリンクラー sprinkler [C].

スプリンター (短距離走者) sprinter [C].

スプリント (短距離レース) sprint [C].

スフレ (フランス菓子の一種) soufflé /suːfléɪ/ [C] ★ soufflé の ´ は綴り本来のもの.

スプレー (噴霧器) spray [C].

スプレッドシート 〘コンピューター〙 (表計算ソフト) spreadsheet (program) [C]; (データ) spreadsheet [C].

スプロール (都市の) sprawl [U]. **スプロール現象** urban sprawl [U].

スプロケット (鎖歯車) sprocket [C].

すべ 術 (方法) *way* [C]; (手段) *means* [C] ★ 単複同形. (☞ ほうほう¹ (類義語)).

スペア ―形 spare (☞ よび). **スペアキー** spare key [C] **スペアタイヤ** spare tire [C].

スペアミント 〘植〙 spearmint [C].

スペアリブ (豚の肉付きあばら骨) spareribs ★ 複数形で.

スペイン ―名 固 (the Kingdom of) Spain. ―形 (スペインの) Spanish. **スペイン語** Spanish [U] **スペイン人** (個々の) Spaniard [C]; (全体) the Spanish ★ 複数扱い. **スペイン内乱** the Spanish Civil War.

スペース **1 《空間・場所など》:** (余裕) room [U]; (空いている場所) space [U] 【日英比較】 英語では room のほうがより口語的. 従って日本語でスペースとあっても, いつも space と英訳できるとは限らない. (☞ よち¹; ばしょ). ¶ここには机を置く*スペースがない There's no ˹*room* [*space*] to put a desk in here. // この型の机は*スペースを取らない This type of desk doesn't take (up) much ˹*room* [*space*].

2 《宇宙》 ☞ うちゅう

スペースウォーク (宇宙遊泳) spacewalk [C] **スペースキー** 〘コンピューター〙 space ˹bar [key] [C] **スペースクラフト** (宇宙船) spacecraft [C] **スペースケーブルネット** (説明的に) cable TV network which distributes to viewers programming it receives via communications satellite [C] ★ space cable net(work) は和製英語. **スペースコロニー** (宇宙島) space colony [C] **スペースシャトル** space shuttle [C] (☞ うちゅうせん (類義語)). **スペーススーツ** (宇宙服) spáce sùit [C] **スペースステーション** space station [C]; space platform [C] **スペースデブリ** (宇宙ゴミ) space debris [U] **スペーステレスコープ** (宇宙望遠鏡) space telescope [C] **スペーストラベル** (宇宙旅行) space travel [U] **スペースラブ** (宇宙実験室) spáce làb [C].

スペード (トランプの) spade [C]. ¶*スペードのエース the ace of *spades*

すべからく 須らく ¶学生は*すべからく勉強すべし The first requirement for a student is to study. ★ 特に訳す必要がない場合もある. (☞ とうぜん¹)

スペキュレーション (投機) speculation [U].

スペクタクル spectacle [C]. ¶有名スターが多数出演する*スペクタクル映画 a *spectacular* film with lots of big stars

スペクトル 〘物理〙 spectrum [C] (複 spectra). **スペクトル分析** spectrum analysis [C] (複 spectrum analyses).

スペクトログラフ (分光器・分光写真機) spectrograph [C]. ¶サウンド*スペクトログラフ a sound *spectrograph*

スペクトログラム (分光写真) spectrogram [C]; (音響分析記録図) sóund spèctrogram [C].

スペシフィケーション (仕様書) specifications ★ 通例複数形で.

スペシャリスト (専門家) specialist [C]; (熟練家) éxpert [C].

スペシャル ―形 (特別の) special (☞ とくべつ).

すべすべ ―形 (滑らかな) smooth; (毛などがつやややかで) sleek; (ビロードのように) vélvety. (☞ 擬声・擬態語 (囲み)). ¶彼女の肌は*すべすべしている Her skin is ˹*velvety* [*smooth and soft*].

スペック 《略式》(仕様書) specs ★ 通例複数形で. specifications の略.

すべっこい 滑っこい ☞ すべすべ

すべて ―形 (全体の) all; (一つ一つの) every [A]; (全体まとめての) whole [A], entire [A]. ―代 (全部) all; (一つ一つみな) everything 【語法】 (1) all は個体の集まりを意味するときは複数扱い, また物質名詞・抽象名詞などの内容を表すときは単数扱い. everything は常に単数扱い. ―副 (すべて) all; (まったく) entirely.

【類義語】 最も普通に用いられるのが *all* で, 後に普通名詞がくると複数形になる. また集合名詞や物質名詞にも付く. 冠詞の the は後に付く. (☞ 冠詞 (巻末)). 口語的で, *all* よりも強調する場合には *every*. 常に単数名詞を伴う. 後にグループまたは何らかの集合体もしくは組織を表す語がきて, その全体をまとめて表す言葉は *whole*. *whole* より強意的でやや格式ばった語が *entire*. (☞ みな; ぜんぶ¹)

¶彼はそのことについて*すべてを知っています He knows *everything* about it. // 私たちは*すべてその部屋にいた We *all* [*All of* us] were there in the room. / We were *all* there in the room. // 彼は*す

べての財産を一夜で失ってしまった He lost ⌈*all* his fortune [his *entire* fortune] overnight. ★[ ] 内のほうが改まった言い方. // *すべて人間は平等である *All* men are created equal. 参考 米国の独立宣言の中の言葉. // 私は*すべての点で彼の仕事に満足している I am satisfied with his work in ⌈*every* respect [*all* respects]. // 彼女は話の*すべてを知っているとは言っていない She doesn't claim to know ⌈*all the* [*the whole*] story. // *すべての人が詩人になれるわけではない Not *every*one can be a poet. // 光るものの*すべてが金ではない *All* is not gold that glitters. / *All* that glitters is not gold. 《ことわざ》 語法 (2) all, every などと否定語 not を一緒に用いる時は部分否定となることに注意.

すべらかし 垂髪 (日本の昔の髪型の一つ) loose hairstyle Ⓤ; (説明的には) hairstyle formerly worn by upper-class women Ⓤ.

すべらす 滑らす (滑る) slip (自); (口を滑らせる) let slip (他); (秘密などをしゃべる) let out (他). 《☞ すべる¹》. ¶彼女は階段で足を*滑らせた She *slipped* on the stairs. // 私はつい口を*滑らせてしまった I made a *slip* of the tongue. // 彼は口を*滑らせて秘密の恋人の名前を言ってしまった He *let slip* the name of his secret love.

すべりおちる 滑り落ちる slip ⌈off [down] …

スペリオリティーコンプレックス superiority /supì(ə)rió:rəti/ còmplex Ⓒ 《☞ ゆうえつかん》.

スペリオルこ スペリオル湖 ― [名] (固) Lake Superior /supí(ə)riə/ ★ 北米五大湖の一つ.

すべりこむ 滑り込む ― [動] (連続的な動きで) slide (into …; to …) (自); (短い瞬間的な動きで) slip (into …) (自). ― [名] (野球の) slide Ⓒ. 《☞ すべる¹》. ¶ランナーは本塁[2 塁]へ*滑り込みセーフだった The (base) runner safely *slid* ⌈home [*into* second]. // タクシーに乗ってやっと*滑り込みセーフだった I took a taxi and *just made it*. ★ make it は「間に合う」という口語的な言い方.

すべりだい 滑り台 (遊び用の) slide Ⓒ.

すべりだし 滑り出し (動作・活動などの開始) start Ⓒ; (行為の始まり・初めの部分) beginning Ⓒ. 《☞ はじまり; でだし》. ¶*滑り出しは好調だった We made a good *start*.

すべりだす 滑り出す **1 《滑り始める》:** begin to ⌈slide [glide; slip]. ¶子供たちはいっせいに氷の上を*滑り出した The children *started* ⌈*sliding* [*skating*] all together on the ice.
2 《発足する》: make a ⌈start [beginning]; get under way. ¶新都市建設計画がちょうど*滑り出したところだ The project to build a new city *has* just *gotten under way*.

すべりどめ 滑り止め (車輪用の) skid Ⓒ; (安全のための手段・装置) safeguard Ⓒ; (靴底などの) cleat Ⓒ. ¶私は*滑り止めにその大学を受けた I *played* (*it*) *safe* and took the entrance exam for that university, just in case I failed (at) other universities. ★ play (it) safe は「安全な方法をとる」という口語的表現. // *滑り止めの (⇒ いざという時の頼みの綱の) 学校 a *fallback* school

すべりひゆ 滑莧 〘植〙 purslane Ⓒ.

スペリング (語の綴り) spelling Ⓤ ★ 具体的な場合は Ⓒ.

すべる¹ 滑る ― [動] (うっかり滑る) slip (自); (滑走する) slide (自) 《過去・過分 slid》; (静かに流れるように滑る) glide (自); (スキーで) ski (自); (スケートで) skate (自); (試験に落第する) fail (他), 《主に米》 flunk (他). 《☞ すべらす》. ― [形] (表面などがつるつるして滑りやすい) slippery.
¶私はバナナの皮で*滑った I *slipped on* a banana peel. // 母は風呂場で*滑ってけがをした My mother ⌈*slipped* [*had a slip*] in the bathroom and got hurt. // 子供たちは木から*滑り下りた The children *slid down* the tree. // ここから (スキーで) *滑れるかい Can you *ski* down here? // 道路が*滑って歩きにくい The street is *slippery*, and that makes walking difficult. // 注意: 床が*滑りやすくなっています Caution: *Slippery* Surface 《掲示》

すべる² 統べる, 総べる (一つにまとめる) unify (他); (統治する) govern (他); (支配する) rule (他).

スペル spelling Ⓤ ★ 具体的な場合は Ⓒ
日英比較 「スペル」を [名] に使うのは和製英語. 英語の spell は [動] (単語をつづる). [名] としては「ひと続き」「呪文」などまったく別の意味. 《☞ つづり》.

スペルアウト ― [動] (略さずに全部書く) spéll óut (他).

スペルチェッカー 〘コンピューター〙 spell [spelling] checker Ⓒ.

スペンサー ― [名] (固) (エドマンド〜) Edmund Spenser, 1552?–99 ★ 英国の詩人; (ハーバート〜) Herbert Spencer, 1820–1903 ★ 英国の哲学者・社会学者.

スポイト syrínge Ⓒ ★「スポイト」はオランダ語から.

スポイラー (自動車・航空機の) spoiler Ⓒ.

スポイル ― [動] (だめにする) spoil (他).

ずほう 図法 drawing Ⓤ. ¶投影*図法 *projection* // 透視*図法 perspective ⌈*drawing* [*projection*] // メルカトル*図法 Mercator *projection*

スポーク spoke Ⓒ. ¶自転車の車輪の*スポーク a *spoke* on a bicycle wheel

スポークスパーソン (代弁者) spokesperson Ⓒ.

スポークスマン (代弁者) spokesperson Ⓒ; (男) spokesman Ⓒ; (女) spokeswoman Ⓒ.

スポーツ sport Ⓒ 語法 形容詞的に用いられるときは sports となる. ¶*スポーツは日常生活にとって大切な役割を果たしている *Sports* play an important part in our lives. // 「君はどんな*スポーツをしますか」「野球を少しやります」 "What *sports* do you play?" "I play baseball a little." // 私は*スポーツはあまりやりません I don't play *sports* very much. // *スポーツを楽しむ enjoy a *sport* // 好きな*スポーツ *one's* favorite *sport*
スポーツ医学 sports medicine Ⓤ **スポーツウェア** sports clothes **スポーツカー** sports car Ⓒ **スポーツ界** the sports world, sporting circles **スポーツ記者** sportswriter Ⓒ **スポーツコート** sport(s) coat Ⓒ **スポーツシャツ** sport(s) shirt Ⓒ **スポーツシューズ** sports shoes ★ 複数形で. **スポーツ新聞** sports newspaper Ⓒ **スポーツ心理学** sports psychology Ⓤ **スポーツセンター** sports ⌈center [《英》 centre] Ⓒ **スポーツドリンク** (水分補給用の飲料) sports drink Ⓒ **スポーツニュース** sports news Ⓤ **スポーツバッグ** sports bag Ⓒ, gym bag Ⓒ **スポーツプログラマー** sports programmer Ⓒ ★ 文部科学大臣が認定するスポーツ指導者. **スポーツ放送** sportscasting Ⓤ, sportscast Ⓒ **スポーツ保険** sports insurance Ⓤ **スポーツマン** áthlete Ⓒ 日英比較 運動・競技の選手の意味では, sportsman, sportswoman, sportsperson より athlete のほうがふさわしい. **スポーツマン精神[シップ]** (フェアプレー) fair play Ⓤ, sportsmanship Ⓤ **スポーツ用品** (装備・備品) sports equipment Ⓤ; (道具) sporting goods. ¶*スポーツ用品店 a *sporting goods* store **スポーツ欄** sports section Ⓒ, sports page Ⓒ.

コロケーション
スポーツをテレビで見る watch *sports* on TV / (趣味などで)スポーツを始める take up a *sport* // アマチュアスポーツ amateur *sports* / 屋外スポーツ outdoor *sports* / 屋内スポーツ indoor *sports* / 夏季[冬季]スポーツ summer [winter] *sports* / 水上スポーツ water [aquatic] *sports* / 団体スポーツ a team [an organized] *sport* / 激しいスポーツ a ʳstrenuous [vigorous; (肉体のぶつかり合う) contact] *sport* / プロスポーツ professional *sports* / 見て楽しむスポーツ a spectator *sport* / 野外スポーツ field *sports*

スポーティー (服装などが軽快な) sporty. ¶*スポーティーな服 *sporty* clothes

ずぼし 図星 ¶彼の言ったことは*図星だった (⇒正しく推量した) He *guessed it right*. / He *hit the bull's-eye*. ★ bull's-eye は「的の中心」の意味.

すぽっと ¶コルクの栓が*すぽっと抜けた The cork *popped out*. // ドアの取っ手が*すぽっと抜けた The doorknob came off *right in my hand*. // ボールが*すぽっとホールに落ちた The ball dropped *right* into the hole. (☞擬声・擬態語 (囲み))

スポット (場所・地点・点) spot Ⓒ, place Ⓒ (☞デート(デートスポット)); (番組の間の短い放送や宣伝) spot Ⓒ ★ spot announcement あるいは spot advertisement ともいう. スポットアド spot advertising Ⓤ スポットアナウンス spot announcement Ⓒ スポット価格 spot price Ⓒ スポットコマーシャル spot commercial Ⓒ スポット市場 spot market Ⓒ スポットチェック (抜き取り検査) spot check Ⓒ スポット取引 spot transaction Ⓒ スポットニュース spot news Ⓤ スポットマーケット ☞スポット市場

スポットライト spotlight Ⓒ (☞きゃっこう [参考]). ¶*スポットライトを浴びて in the *spotlight*

すぼまる ☞すぼむ

すぼむ ―動 (狭くなる) become narrower. ―形 (口などが) pursed. (☞ちぢむ; しぼむ).

すぼめる (口をとがらす) pout 自 ★ 不快な表情を示す, pucker (up) 他; (唇をぴたりと) purse (up) 他; (傘を) shut 他, fold 他; (肩を) shrug 他 (☞すくめる (挿絵)); (翼を) fold 他.

ずぼら ―形 (だらしがなくて) slovenly; (やるべきことをいいかげんにして) négligent. ―名 (ずぼらな人) slob Ⓒ. (☞なげやり¹; だらしない; ずさん).

すぼり 素掘り excavation without timbering Ⓤ.

ズボン (男物の) trousers; (上着と対になっていないもので男女の別なく) slacks; (米) pants [語法] いずれも複数形で. 数えるときは a pair [two pairs] of ... (☞数の数え方 (囲み)).
¶*ズボンをはいた[脱いだ] I ʳput on [took off] my ʳ*trousers* [*pants*]. // 彼の*ズボンはいつもきちんと折り目がついている His *trousers* are always well creased. // 半*ズボン shorts ズボン下 underpants, (英) pants ★ いずれも複数形で. ズボンつり (米) suspenders, (英) braces ★ いずれも複数形で.

コロケーション
ズボンにアイロンをかける press [iron] *one's* ʳ*pants* [*trousers*] / ズボンのジッパーをかける[下ろす] zip up [unzip] *one's* ʳ*pants* [*trousers*] / ズボンの裾を折り返す turn up *one's* ʳ*pants* [*trousers*] / ズボンの丈を伸ばす[詰める] lengthen [shorten] *one's* ʳ*pants* [*trousers*] / ズボンをまくり上げる roll up *one's* ʳ*pants* [*trousers*] // カジュアルなズボン casual ʳ*pants* [*trousers*] / 体にぴったりのズボン close-fitting ʳ*pants* [*trousers*] / きついズボン tight ʳ*pants* [*trousers*] / 作業ズボン work ʳ*pants* [*trousers*] / たっぷりした[細い]ズボン full [narrow] ʳ*pants* [*trousers*] / だぶだぶの[太い]ズボン baggy ʳ*pants* [*trousers*] / 注文仕立てのズボン tailor-made [tailored] ʳ*pants* [*trousers*] / ベルボトムの[ラッパ]ズボン bell-bottom [flared] ʳ*pants* [*trousers*] / フォーマルなズボン formal [dress] ʳ*slacks* [*trousers*]

スポンサー ―名 (商業放送の広告主) sponsor Ⓒ. ―動 (スポンサーになる) sponsor 他. (☞ていきょう; こうえん³).

スポンジ sponge /spʌ́ndʒ/ Ⓒ. スポンジケーキ sponge cake Ⓒ (☞ケーキ) スポンジタイヤ (模型自動車などのスポンジ製のタイヤ) sponge ʳtire [(英) tyre] Ⓒ スポンジボール (スポンジ製のおもちゃのボール) nerf ball Ⓒ; (軟式野球用のゴムボール) rubber ball Ⓒ.

スマート ―形 (格好のよい) nice-looking, good-looking; (しゃれて気のきいた) smart; (流行に合った) stylish; (体つきが) slender [日英比較] 英語の smart は「利口な・手際のよい」の意味で使われることが多いことに注意. ¶彼女は青いドレスを着ると*スマートだ She *looks nice* in a blue dress.

スマートカード smart card Ⓒ.

スマートばくだん スマート爆弾 (高精度爆弾) smart bomb Ⓒ.

スマートボール (ゲームの一種) Japanese pinball Ⓤ ★「スマートボール」は和製英語.

すまい 住まい (住所) address /ədrés, ǽdres/ Ⓒ; (家庭) home Ⓒ; (家屋) house Ⓒ. (☞いえ (類義語); じゅうしょ). ¶お*住まいはどちらですか (⇒どこに住んでいますか) Where do you *live*? / May I ask your *address*? ★ 第 1 文はぞんざいな表現. 第 2 文は丁寧な聞き方. // いまはアパート*住まいです We *live* in an apartment. // ロンドンでは 1 か月ほどホテル*住まいでした While (I was) in London I *stayed* at a hotel for a month.

スマイリー 〖コンピューター〗(顔文字) smiley Ⓒ.

スマイル (ほほえみ) smile Ⓒ.

すまき 簀巻き rolling up in a bamboo mat Ⓤ; (近世の私刑) rolling *a person* up in a bamboo mat and tossing ʳhim [her] in water Ⓤ; (説明的には) a punishment practiced unofficially during the Edo period.

すましじる 澄まし汁 clear soup Ⓤ; (コンソメ) consommé Ⓤ ★ ´ は綴り本来のもの.

すましや 澄まし屋 (おつにすました人) smug (looking) person Ⓒ; (異性関係に上品ぶる人) prude Ⓒ.

すます¹ 済ます **1** 《終える》: finish 他, get through ... ★ 後者がより口語的; (やり終える) complete 他 ★ 前の 2 語より改まった語. (☞おわる (類義語); おえる). ¶私はあすまでに仕事を*済ませたいと思っている I want to ʳ*get through* [*finish*; *complete*] the work by tomorrow. // 夕食はレストランで*済ませて (⇒食べて) きました I'*ve* already *had* my supper at a restaurant.
2 《間に合わせる》: (やっていく) gèt alóng 自; (どうにかする) mánage 自. ¶イングランドへ行って, 英語なしで*すますことはできないでしょう When you're in England, you can't possibly *get along* without practical knowledge of English.

すます² 澄ます **1** 《耳などを》 ¶私は耳を*澄ませた (⇒注意して聞いた) I listened *carefully*.
2 《態度などが》 ¶彼女はいつもつんと*澄ましている She is *prim and proper*. // 彼は*澄ました顔でうそをつく He tells lies *with a straight face*.

すませる 済ませる, 澄ませる ☞すます¹,²

スマッシュ ―名 smash Ⓒ. ―動 (スマッシュする) smash 他, hit ... with a smash. スマッシュヒッ

ト (大当たり) smash hit Ⓒ.

スマトラ ―名 固 Sumatra /sʊmάːtrə/ ★ インドネシア西部の島. ―形 Sumatran. **スマトラ沖地震** the (2004) Great Sumatra Earthquake **スマトラ人** Sumatran Ⓒ; (総称) the Sumatrans.

すまない 済まない ―動 (申し訳ない) be sorry (for …) (☞ すみません 語法).
¶ 彼には本当に*すまないことをした I *am* really *sorry* ⌈*about* [*for*] what I did to him.

すみ¹ 隅 corner Ⓒ (☞ かたすみ; はし²).
¶ 彼女は部屋の*隅から隅まで掃除した (⇒ 徹底的な掃除をした) She gave the room a *thorough* cleaning. // 警察はその家を*隅から隅まで調べた The police searched ⌈*all over* the house [*every nook and cranny* (of the house)]. ★ every nook and cranny で「隅から隅まで」という慣用句. // 私は喫茶店では普通*隅のほうに座ります In a coffee shop I usually sit in the *corner*.
隅に置けない ―形 (利口で抜け目がない) smart; (小才がきいて器用な) clever. (☞ ぬけめ). ¶ 彼はなかなか*隅に置けない He's a ⌈*smart* [*clever*] person.

すみ² 墨 (固形または液体になった物質としての) India [(英) Indian; China; Chinese] ink Ⓤ; (棒状の) ink stick Ⓒ; (蛸(たこ)・烏賊(いか)の) ink Ⓤ. **墨絵** (画法) monochrome painting Ⓒ; (絵) India(n)-ink ⌈picture [drawing] Ⓒ **墨壺** (大工道具) (carpenter's) ink pad Ⓒ; (墨汁入れ) ink ⌈pot [bottle] Ⓒ **墨縄** ink snap-line Ⓒ.

すみ³ 済み ―形 (解決済み) settled; (完了) over; (支払い済み) paid ★ 受取などに記す「(支払い) 済み」は PAID. (☞ すむ²).

すみ⁴ 炭 charcoal Ⓤ.

すみいか 墨烏賊 〔魚〕(甲いか) cuttlefish Ⓒ, inkfish Ⓒ.

すみいし 隅石 〔建〕corner stone Ⓒ.

すみか 住みか (家庭・生活の場) home Ⓒ; (野獣などの) den Ⓒ. (☞ いえ (類義語); す¹).

すみきる 澄み切る ―動 be [become] (perfectly) clear, clear up 自. ―形 clear. ¶ *澄み切った空 a *clear* sky

すみごこち 住み心地 ¶ この家は*住み心地がよい This house is *comfortable* (to live in). (☞ いごこち)

すみこみ 住み込み ―形 live-in Ⓐ. ¶ *住み込みのお手伝いさん a *live-in* maid

すみこむ 住み込む (住む) líve ín 自; (使用人が) sléep ín 自.

スミス ―名 固 Adam Smith, 1723–90. ★ スコットランドの哲学者・経済学者.

すみずみ 隅隅 (いたる所で) all over …; (ある場所をくまなく) in every nook and cranny ★ 慣用的表現. (☞ すみ¹; くまなく). ¶ 彼の名前は世界の*隅々まで知れ渡っている His name is known ⌈*all over* [*throughout*; *in every corner* of] the world.

すみそ 酢味噌 vinegared miso /víːnɪgəd míːsoʊ/ Ⓤ.

スミソニアンきょうかい スミソニアン協会 ―名 固 the Smithsonian Institution ★ 博物館などを運営する米国の団体.

すみぞめごろも 墨染め衣 black robe Ⓒ.

すみだわら 炭俵 *charcoal sack* Ⓒ.

スミチオン (殺虫剤の一種) 《商標》Sumithion Ⓤ ★ 薬品名は fenitrothíon.

すみつき 墨付き ☞ おすみつき

すみつく 住み着く séttle (dówn) 自 (☞ ていじゅう; いつく).

すみっこ 隅っこ corner Ⓒ (☞ すみ¹).

すみなれる 住み慣れる get used to (living in) … (☞ なれる¹). ¶ この土地に*住み慣れました I've *gotten used to* (*living in*) this place. // 彼は*住み慣れた (⇒ 最愛の) 自分の家を後にした He left his ⌈*beloved old* [(⇒ 昔からなじんできた) *old familiar*] house.

すみにくい 住みにくい ¶ この町は*住みにくい This city *is* ⌈*difficult* [*unpleasant*] *to live in*. (☞ -にくい)

すみび 炭火 charcoal fire Ⓤ.

すみぶくろ 墨袋 (いかの) ink sac Ⓒ.

すみません 済みません **1** 《謝罪・呼びかけ》: (人にものを尋ねたりするとき) Excuse me.; (人とぶつかったりして謝るとき) Excuse me.; Pardon me. 語法 以上は me に強い強勢を置くと, 最初に謝る人の場合は謝り方の程度が深くなり, 答える人の場合は「いえ, こちらこそ」の意味となる; (少し深い謝り方) I'm sorry., Sorry. ★ 後者のほうが比較的軽い謝り方; I beg your pardon. ★ 下がり調子でいうやや丁寧な謝り方. (☞ ごめん 語法; しつれい; 丁寧な表現 (巻末)).
¶ *すみません, いま何時でしょうか *Excuse me*. Do you have the time? (☞ 時刻・日付・曜日 (囲み)) // 「*すみません」「どうぞ」"*Excuse me.*" "Certainly." ★ 人の前を横切るときなど. こちらが 2 人以上の場合は Excuse us. // 「*すみません」「いいんですよ」"*Pardon me.*" "That's ⌈all right. [O.K.]" ★ ぶつかったりして謝られた時などの最も一般的な答え方. // ご迷惑をかけて*すみません *I am sorry* to have troubled you. // *すみませんがもう一度言って下さい Would you *please* say that again?
2 《お礼》: Thank you., Thanks. 日英比較 日本語の「すみません」は謝罪や呼びかけだけでなく, 礼を述べたりするときにも使うので, 文脈によって判断を誤らないようにしなくてはならない. (☞ ありがとう). ¶ どうも*すみません, 大助かりです *Thank you* very much. It helps a lot.

すみやか 速やか ―形 (てきぱきした) quick; (事務処理などが速い) speedy; (完了・実行までの時間が短い) prompt; (即座の) immediate. ―副 quickly; immediately. (☞ はやい¹ (類義語); すぐ (類義語)). ¶ 計画を*速やかに実行しなさい Put the plan into practice *immediately*.

すみやき 炭焼き (炭を作ること) charcoal making Ⓤ; (人) charcoal burner Ⓒ. **炭焼き窯** charcoal kiln Ⓒ.

すみよい 住みよい ¶ この町は*住みよい (⇒ 便利だ) This town *is convenient* (*to live in*).

すみれ 菫 〔植〕violet Ⓒ; (三色すみれ) pansy Ⓒ. **すみれ色** ―名 violet Ⓤ. ―形 violet.

すみわけ 棲み分け (生物の生息地の) hábitàt sègregátion Ⓤ.

すみわたる 澄み渡る (澄んでいる) be clear (☞ すむ³; はれる¹).

すむ¹ 住む, 棲む live (in …) 自 ★ 最も一般的な語; (居を構える) reside (in …) 自 ★ 格式ばった語; (集団などがある地域を住みかとする) inhabit 他.
¶「あなたはどこにお*住まいですか」「東京の原宿に*住んでいます」"Where do you *live*?" "I *live in* Harajuku, in Tokyo." // 私は彼女がいまどこに*住んでいるか知らない I don't know where she ⌈*is living* [*lives*] now. 語法 (1) live は普通は進行形では用いないが 「ある時点においてある場所に住んでいる」という意味のときは進行形にする. // 彼には*住む家がなかった He had nowhere to *live*. / He was homeless. // この地域には昔はきつねが*すんでいた Foxes used to *inhabit* this area. // 彼はこの通りに*住んでいます He *lives on* this street. 語法 (2) 「通りに住む」の意のときの前置詞は《米》は on, 《英》は in が普通. / His house is *on* this street. ★「彼の家」を念頭においた表現.《☞とおり》// イギリスの首相はダウニング街 10 番に*住んでいる The British Prime Minister ⌈*lives* [*resides*] *at* (No.) 10(,) Downing Street. 語法 (3)「…番(地)に住む」のときの前置詞は at. // その家はだれも*住んでいない (⇒空いている) That house is vacant.

住めば都 There is no place like home.《ことわざ: わが家[故郷]にまさる所なし》.

コロケーション

田舎に住む *live* in the country / 遠方に住む *live* far away / 叔父の家に住む *live* at [*lodge* with; *board* with] *one's* uncle's / 近所に住む *live* nearby / 水中に住む *live* in the water / 通りの向こうに住む *live* across the street / 友人と一緒に住む *live* with *one's* friends / 陸上に住む *live* on land

すむ² 済む (完了する) be over, be finished ★ 前者がより口語的; (終わる) come to an end.《☞おわる (類義語); かんりょう¹ (類義語)》.

¶ 試験が*済んだ The exam *is over.* // もう*済んだかい *Are* you *finished*? 語法 この表現は口語的. Have you finished …ing? のほうが正式の言い方. // 仕事がやっと*済んだ The work *has* at last *been completed.* // その問題は*済んだ (⇒解決された) The problem *has been solved.* // 金では*済まない問題だ Money cannot *solve* the problem. // 気が*済んだかい (⇒満足したか) *Are* you *satisfied*?

すむ³ 澄む ― 動 become clear. ― 形 (濁りがなく) clear; (透き通って見える) transparent.《☞すきとおる》. ¶ 今晩は空が*澄んでいる The sky is *clear* tonight.

スムーズ ― 形 smooth /smúːð/. ― 副 smoothly.《☞すらすら》. ¶ ことが*スムーズに運んだ Things went *smoothly*.

スメタナ ― 名 固 Bedřich Smetana /bédəʒìk smétənə/, 1824–84. ★ チェコの作曲家.

すめん 素面 ¶ *素面で (⇒剣道のマスクなしで) 剣道を練習する practice kendo *without a mask*

ずめん 図面 (鉛筆やペンなどで書いたもの) drawing C; (設計図) plan C; (青写真) blueprint C.《☞ず》.

すもう 相撲 sumo (wrestling) U. ¶ 私は弟と*相撲を取った I *wrestled* with my brother.

相撲に勝って勝負に負ける (間際になって失敗する[負ける]) fail [be defeated] at the last moment

相撲にならない[ぬ] ¶ 私と彼では*相撲にならない (⇒私は彼にはかなわない) I *am no match for* him.

相撲茶屋 sumo teahouse C; (説明的には) rest house for sumo spectators which sells tickets, serves food and drink, and sells souvenirs C **相撲取り** sumo wrestler C **相撲部屋** sumo stable C.

スモーカー (喫煙家) smoker C. ¶ ヘビー*スモーカー a heavy *smoker*

スモーガスボード (バイキング料理) smorgasbord /smɔ́ːɚgəsbɔ̀ɚd/ U.

スモーキング (喫煙) smoking U.

スモークガラス tinted glass U.

スモークサーモン smoked salmon U.

スモークスクリーン (煙幕) smoke screen C.

スモークチーズ smoked cheese U.

スモークフリー ― 形 (禁煙の) smoke-free. スモークフリーソサエティー smoke-free society C.

スモールトーク 〔コンピューター〕(コンピューター言語) Smalltalk U; (世間話) small talk U《☞ざつだん》.

すもぐり 素潜り ― 名 skín diving U. ― 動 skín-dive 自.

スモック (画家などの着る上っぱり) smock C.

スモッグ smog U. ¶ *スモッグ警報 a *smog* ⌈warning [alert]

すもも 李 〔植〕(Japanese) plum C.

スモン 〔病理〕SMON /smάn/ U ★ *s*ubacute *m*yelo-*o*ptico-*n*europathy の頭字語.

すやき 素焼き (上薬のかかっていない陶器類) unglazed pottery U. ¶ *素焼きのつぼ an *unglazed* pot

すやすや (穏やかに) calmly; (静かに) quietly; (安らかに) peacefully.《☞擬声・擬態語 (囲み)》. ¶ 赤ん坊は*すやすや眠っていた The baby was sleeping ⌈*calmly* [*quietly*; *peacefully*].

すよみ 素読み ― 動 (意味を考えずに音読する) read a text aloud without comprehension; (原稿と照合しないで読む) read proofs without comparing them with the manuscript.

-すら even《☞-さえ; 副詞の位置 (巻末)》. ¶ そんなことは子供で*すら知っている *Even* a child knows a thing like that.

スラー 〔楽〕slur C.

スライサー (食品を薄切りにする道具) slicer C.

スライス **1** 《薄切り》 ― 名 slice C. ― 動 slice 他. ¶ *スライスしたパン *sliced* bread // ハムを一切れ*スライスしてください Would you *slice* off a

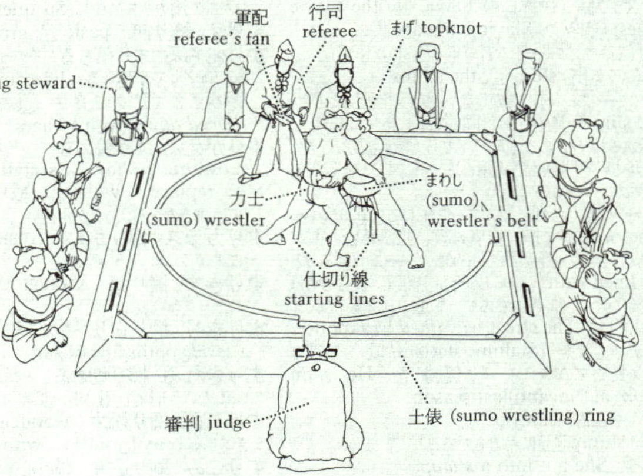

piece of ham, please?
2 《ゴルフ・野球・テニスなどで》 ── [名] slice Ⓤ ★個別の打球は Ⓒ. ── [動] slice (他) (自). ¶ボールを*スライスさせる *slice* the ball / put (a) *slice* on the ball

スライダー 〘野〙 slider Ⓒ.

スライディング ── [名] (滑り込み・滑ること) sliding Ⓤ. ── [形] sliding. ── [動] slide (自) (過去・過分 slid). **スライディングキャッチ** 〘野〙 sliding catch Ⓒ **スライディングシート** (競漕用ボートのすべり座) sliding seat Ⓒ **スライディングシステム[スケール]** 〘経〙 (スライド制) sliding ˹system [scale] Ⓒ **スライディングタックル** 〘サッカー〙 sliding tackle Ⓒ **スライディングルーフ** (開閉する屋根) sliding roof Ⓒ 《☞ サンルーフ》.

スライド (映写用) slide Ⓒ, transparency Ⓒ; (顕微鏡用) slide Ⓒ. **スライド映写機** slide projector Ⓒ **スライドガラス** slide Ⓒ **スライド制** (物価と賃金の) sliding scale Ⓒ.

ずらかる (逃亡する) run away (自), scram (自) ★後者は口語的. 普通は命令形で; (脱出する) escape (自); (高飛びする) skip (out) (自) ★口語的. 《☞ にげる》. ¶彼らは刑務所から*ずらかった They *escaped* from the prison. // 二人とも*ずらかったほうがよさそうだ Maybe we both should *scram*.

スラグ (鉱滓(こうさい)) slag Ⓤ.

ずらす (位置・方向を) shift (他); (移動する) move (他); (滑らせて動かす) slide (他). 《☞ いどう¹》. ¶彼はいすを前に*ずらした He ˹*moved* [*pulled*] his chair forward. // 会議の日取りを1週間先へ*ずらした (⇒会議は延期された) The meeting *was* ˹*put off* [*postponed*] one week. 《☞ えんき¹》

すらすら (滑らかに) smoothly; (容易に) easily; (進んで気持ちよく) readily. 《☞ するする; 擬声・擬態語 (囲み)》. ¶ことが*すらすら運んだ Things went *smoothly*. // 彼女はその問題を*すらすらと解いた She solved the problem *easily*.

スラッガー 〘野・ボク〙 (強打者) power hitter Ⓒ, slugger Ⓒ.

スラックス slacks ★複数形で. 数えるときは a pair [two pairs] of slacks. 《☞ ズボン》.

スラッジ ☞ へどろ

スラッシュ slash Ⓒ ★(/) の記号.

すらっと ☞ すらり

スラップスケート (スケート靴) (a pair of) slap skates ★skate は複数形で.

スラブ¹ ── [形] Slavic, Slavonic. ── [名] (スラブ人) Slav /slάːv/ Ⓒ; (スラブ民族) the Slavs ★複数形で. **スラブ語** (総称して) Slavic Ⓤ, the Slavic languages; (個々の) Slavic language Ⓒ.

スラブ² (石・コンクリートなどの平板) slab Ⓒ.

スラム (スラム街) slum Ⓒ, the slums.

すらり ── [形] (体つきがしなやかで, 均整がとれた) slender, slim [語法] ほぼ同意だが, 後者は弱々しさを暗示する場合がある. 《☞ やせる (類義語); ほそい (類義語); 擬声・擬態語 (囲み)》. ¶*すらりとした美人 a *slender* beauty

ずらり ── [副] (一列に並んで・連続して) in a row, in a line ★前者は横, 後者は縦に並ぶ場合. 《☞ れつ (写真); 擬声・擬態語 (囲み)》. ── [動] (ずらりと並ぶ) be lined with … ★場所が主語で, 並ぶものは with の後に置く. 《☞ ならぶ》. ¶通りには警官が*ずらりと並んでいた The street *was lined with* police.

スラローム 〘スキー〙 slalom /slάːləm/ Ⓤ. ¶彼は昨シーズン長野での*スラロームに優勝した He won the *slalom* at Nagano last season.

スラング (俗語) slang Ⓤ.

スランプ slump Ⓒ 《☞ なかだるみ》. ¶彼女は*スランプに陥った She got into a *slump*.

すり¹ 掏摸 (人) píckpòcket Ⓒ; (行為) pickpocketing Ⓤ. 《☞ する⁴》. ¶*すりに注意 《掲示》 Beware of *Pickpockets* // *すりにやられた (⇒私はポケットをすられた) I *had* my pocket *picked*. // *すりを働く *pick a person's pocket*

すり² 刷り ¶*刷りがよい[悪い] be ˹well [badly] *printed* // 手*刷りの招待状 *a hand-printed* invitation card // 二色*刷りのパンフレット leaflets *printed* in two colors 《☞ はん³》

ずり (採鉱時の廃石) muck Ⓤ.

すりあがる 刷り上がる be off the press; be printed off. ¶音楽会のプログラムはいつ*刷り上がりますか When will the concert program *be off the* (*printing*) *press*?

ずりあがる ずり上がる (ずれて上がる) slip [slide; glide] up (自); creep up (自).

すりあし 摺り足 ── [名] shuffle Ⓒ. ── [動] (すり足で歩く) shuffle (自); walk with a shuffle. ¶老人[老女]は歩道をゆっくりと*すり足で歩いていった The old ˹man [woman] slowly *shuffled* down the sidewalk.

すりあわせる 摺り合わせる rub together (他). ¶二本の棒を*すり合わせて火をおこすことができます You can make a fire by *rubbing* two sticks *together*.

スリー (数の3 (の)) ── [代] [形] three. **スリーアールズ** the three ˹R's [Rs] ★読み書きそろばん. *r*eading, w*r*iting, a*r*ithmetic の R. **スリーディー** (三次元) 3-D Ⓤ **スリーラン(ホーマー)** 〘野〙 three-run homer Ⓒ.

スリーエー 〘野〙 Triple A Ⓤ ★米国プロ野球のマイナーリーグ最上位の区分.

スリークォーター 〘野〙 (スリークォーターの投球) three-quarter pitch Ⓒ; 〘ラグ〙 (スリークォーターバック) three-quarter (back) Ⓒ.

スリーサイズ measurements (of *one's* bust, waist and hip) ★複数形で. 「スリーサイズ」は和製英語.

スリーバント 〘野〙 two-strike bunt Ⓒ ★「スリーバント」は和製英語.

スリーピース ── [名] (服) three-piece Ⓒ. ── [形] three-piece.

スリーピングバッグ sleeping bag Ⓒ 《☞ ねぶくろ》.

スリーブ (そで) sleeve Ⓒ.

スリーマイルとう スリーマイル島 ── [名] (固) Thrée Mìle Ísland ★1979年に大規模な放射能漏れを起こした原子力発電所のある島で, 米国ペンシルバニア州のサスケハナ (Susquehanna) 川にある.

すりえ 擂り餌 paste Ⓤ; ground food Ⓤ.

ずりおちる ずり落ちる (すっと落ちる) slíp dówn (自); (ずるずると落ちる) slíde dówn (自). ¶彼はズボンが (ひざまで) *ずり落ちてしまった His trousers *slipped down* (to his knees).

すりかえる すり替える (…を…の代わりに置く) substitute (… for …) secretly; (…を…と置き換える) replace … with …; (取り替える) switch (他). 《☞ おきかえる; いれかえる》.

すりガラス 擦りガラス frosted [ground] glass Ⓤ 《☞ ガラス》.

すりきず 擦り傷 scratch Ⓒ 《☞ きず (類義語); けが [日英比較]》.

すりきり 摺り切り ¶スプーンに*摺り切り一杯の塩 a *level* spoon(ful) of salt

すりきれる 擦り切れる wéar óut (自) ★be worn out という形でも用いる. 《☞ すりへる》.

すりこぎ 擂り粉木 wooden pestle Ⓒ. ¶*すりこぎでする bray [grind] … with a *wooden pestle*

すりこみ 刷り込み 〘動・心〙 imprinting Ⓤ.

すりこむ 擦り込む rúb ín ㊀.

すりたて 刷り立て ¶*刷り立てのポスター posters ⌈*just off* [*wet from*; *fresh from*] *the press*

スリット (細いすき間・切り込み) slit Ⓒ. スリットカメラ slit camera Ⓒ スリットスカート slit skirt Ⓒ.

スリッパ scuffs, mules, slippers 語法 いずれも複数形で. 数えるときは a pair [two pairs] of ... とする. 日英比較 scuffs, mules はかかとのないスリッパ. slippers は日本語の「スリッパ」より意味が広く, かかとの付いたものを指すとともに scuffs, mules を含めて言うこともある. なお, 英米ではあまり日本式のスリッパは使われない. (☞ うわばき).

スリップ **1** «女性の下着の»: slip Ⓒ ★ underslip ともいう. (☞ したぎ (挿絵)).
2 «車が» —動 skid ㊁. —名 skid Ⓒ. ¶車は凍った道路で*スリップした The car *skidded* on the icy road. 日英比較 英語では slip は車には用いない.
3 «細長い紙片»: slip Ⓒ.
スリップ事故 (accident caused by a) skid Ⓒ.

スリップオン —名 (着脱の楽な衣服・靴など) slip-on Ⓒ. —形 slip-on.

すりつぶす 擂り潰す (柔らかい物を) mash ㊀; (硬いものを臼などでひいて) grind ㊀. (☞ 料理の用語 (囲み)).

スリップダウン (ボクシングで) slip Ⓒ.

スリッポン ☞ スリップオン

スリナム —名 固 (国名) Suriname /sù(ə)rənáːm/; (正式名) the Republic of Suriname ★ 南米北東部の国. —形 Surinamese /sù(ə)rənəmíːz/. スリナム人 Surinamese Ⓒ; (総称) the Surinamese.

すりぬける 擦り抜ける (通り抜ける) pass through ...; (骨折って進む) find *one's* way through ... ¶彼女は群衆の間を*すり抜けた She *passed through* the crowd.

すりばち 擂り鉢 (earthenware) mortar Ⓒ.

すりへる 擦り減る (使ってすり減る) wéar ⌈dówn [awáy] ㊁ ㊀. ¶靴のかかとが*すり減った The heels of my shoes *have worn down*. // 彼はその仕事で神経を*すり減らした He *wore down* his nerves working. / The work *wore down* his nerves.

すりみ 擂り身 ground ⌈fish [meat] Ⓤ.

スリム —形 (ほっそりしてスタイルがよい) slim. ¶彼女は*スリムな体をしている She's *slim*. スリムスタイル slim [slender] style Ⓒ.

すりむく 擦り剝く (かすって) skin ㊀ (☞ きず (類義語); けが 日英比較). ¶子供は転んでひざを*すりむいた The child fell and ⌈*skinned* his knees [*scraped* the skin *off* his knees].

すりもの 刷り物 (印刷物) printed matter Ⓤ; (講演会などのプリント) hándòut Ⓒ. (☞ プリント).

すりよる 擦り寄る (近くに寄る) come ⌈close [near] (to ...) ㊁ (☞ よる[3]).

スリラー (映画・読み物など) thriller Ⓒ.

スリランカ —名 固 (the Democratic Socialist Republic of) Srì Lánka. —形 (スリランカの) Sri Lankan. スリランカ人 Sri Lankan Ⓒ; (総称) the Sri Lankans.

スリリング —形 (スリルのある) thrilling. ¶*スリリングな試合だった It was a *thrilling* ⌈match [game].

スリル —名 thrill Ⓒ. —形 (スリルのある) thrilling. ¶その映画は*スリル満点だった The movie was full of *thrills*. / The movie was really *thrilling*.

する[1] 為る **1** «行う・経験する»: (一般にある事を) do ㊀; (競技などを) play ㊀; (ある状態などを経験する) have ㊀.
日英比較 「勉強(を)する」「比較(を)する」「約束(を)する」「野球(を)する」「食事(を)する」「ドライブ(を)する」など, 日本語では漢語またはカタカナ語を語幹としてそれに「する」を付けて用いることが多い. これらを英語に直すときは, 次のような注意がいる.
(1) 英語では「する」に当たる do を用いず, 1 語の動詞に訳す場合が多い:「勉強する」study,「約束する」promise, 「比較する」 compare, 「ドライブする」 drive,「デモをする」demonstrate など. このようなものについては, 本辞典では「勉強」「約束」「ドライブ」などの各項目を引くこと.
(2) 日本語と同じように「する」に当たる do または play などを用いる場合もある: 「野球をする」 play baseball,「試験をする」give ⌈an exam [a test],「食事をする」have a meal など. ただし, これらの中には, 例えば「食事をする」が have a meal のほかに eat,「洗濯をする」が do the washing のほかに wash のように, 1 語の動詞による言い方もできるものも多い. そのような場合はまったく意味が同じではなくて, 例えば 1 語の動詞のほうが口語的であるなどの違いがあるのが普通である.
(3)「借金する」(⇒ 金を借りる) borrow money,「6か月休学する」(⇒ 6 か月間学校を休む) be absent from school for six months などのように,「借金」debt,「休学」temporary absence from school という日本語の語幹の英訳に do などを付けても正しい英語にはならない場合がある. このようなものは (⇒) の中に示されたような発想に直して英訳しなければならない. (☞ 発想 (巻末); やる).
¶私が買い物を*し, 妻が料理と洗濯を*する I *do* the shopping and my wife *does* the cooking and the washing. //「君はいま何を*しているの」「宿題を*しているところだよ」"What *are* you *doing* now?" "I'*m doing* my homework." // いまは何も*することがありません I have nothing to *do*. / (⇒ 暇である) I'm free. // 私はできるだけのことを*したがだめでした I ⌈*did* everything in my power [(⇒ 最善を尽くした) *did* my best] without success. // 小学生のころはよく野球を*した When I was a schoolboy, I used to *play* baseball. // あした英語の試験を*します I'm going to *give* you an English test tomorrow. // 彼女はその病院で胃潰瘍の手術を*した She *had* an operation for her stomach ulcer at that hospital. // この数年病気を*したことがない I *haven't been* ill for several years. // 彼女は遅い. どう*したのだろう She's late. I wonder what the matter is. // 宇宙飛行士ごっこを*しよう Let's *play* astronauts.
2 «職業・勤務を»: (...として働いている) work as ...; (医者・弁護士など) practice ㊀. 語法 職種によってはその行為を直接に示すのが普通.
¶私は山口で英語の先生を*していた (⇒ 英語を教えた) I *taught* English at a school in Yamaguchi. // 私の姉はあるデパートで店員を*している My sister *works* for a department store *as* a salesclerk. / My sister *is* a salesclerk at a department store. ★ 第 1 文がより口語的. // 私は大学でピッチャーを*していた I used to *pitch* for my college team. / I *was* a pitcher on my college team. // 彼女はいま田舎で医者を*している She ⌈*practices* medicine [*works as* a doctor] in the country.
3 «変化させる»: make ㊀; (人を...にならせる) get *a person* to ⌈be [become] ...; (変える) change ㊀; (交換する) exchange ㊀. ¶彼は息子を共同経営者に*した He *made* his son a business partner. // 空港で日本円をドルに*した (⇒ 替えた) At the airport we *exchanged* Japanese yen *for* dollars.
4 «値する»: (値段が...する) cost ㊀; (...に相当する価値がある) be worth ... (☞ いくら; ねだん). ¶日本で買えば 10 万円以上*するでしょう It would *be*

worth more than ¥100,000 in Japan.
することなすこと everything [whatever] *one* 「does [tries]. ¶*することなすことすべてうまくいかなかった *Everything I did* went wrong. …するために in order to …, so (that) … (☞ ため). ¶彼は早く引退*するために一生懸命に働いた He worked hard 「*in order to* retire young [*so* (*that*) he could retire young]. ★いずれも格式ばった表現. …すれば (…の時間内で) in …, within … ★後者は「時間内」を特に強調したいとき. ¶彼女は2, 3日*すれば帰ってきます She'll be back *in* a few days.

する[2] 擦る (マッチを) strike (他); (こすりつける) rub (他); (金をなくす) lose (他). (☞ こする; すりつぶす; おろす[2]). ¶彼はマッチを*擦ってたばこに火をつけた He *struck* a match to light his cigarette.

する[3] 刷る print (他), put … into print ★前者のほうが普通. (☞ いんさつ). ¶(その本の) 初版は3千部*刷った They *printed* three thousand copies (of the book) for the first edition.

する[4] 掏る pick (他) ★ポケットなど, 物が入っていた場所が目的語となる. (☞ すり[1]; ぬすむ (類義語)). ¶私はポケットの中身を*すられた <S (人)+V (*have*)+O (物)+C (過分)> I *had* my pocket *picked*.

ずる[1] ── [名] (相手をだます行為) trick [C]; (ゲームなどの反則) foul play [U]. ── [動] (人をだます) play a trick (on …); (反則する) cheat (自). (☞ ずるい; ずるやすみ). ¶彼女は試験で*ずるをした She *cheated* on the test. // トランプで*ずるをする *cheat* at cards

ずる[2] ☞ ひきずる

ずるい **1** «狡猾な»: (卑劣でこそこそと事を運ぶ) sly; (悪知恵があって巧妙な) cunning; (策を弄する) tricky. (☞ ぬけめ). ¶そんなことを言うとはまったく (⇒何と) *ずるい奴だ What a *tricky* person 「he [she] is, saying a thing like that!
2 «不公平な»: unfair. ¶それは*ずるいよ That's *not fair*.

ずるがしこい ずる賢い (こっそりと悪事を働く) sly; (悪知恵が働く) cunning; (策略を弄する) crafty; (平気でだます) (dishonestly) tricky.

ずるける (義務・任務を怠る) neglect *one's* 「duty [duties; work]; (無断で学校を休む) play truant. (☞ なまける; サボる; ずるやすみ).

するする (滑らかに) smoothly; (容易に) easily. (☞ すらすら; 擬声・擬態語 (囲み)). ¶猿が*するする木に登った The monkey *easily* climbed (up) the tree.

ずるずる ¶彼は支払いを*ずるずる延ばした He *neglectfully* put off the payment. // 会議は*ずるずると長引いた The meeting *dragged on*. (☞ だらだら; 擬声・擬態語 (囲み))

ずるずるべったり ── [動] (居続ける) stày ón (自) (☞ ながい[2]; 擬声・擬態語 (囲み)). ¶彼女はちょっと訪ねるだけのはずだったのに*ずるずるべったりになってしまった She was to make just a short visit, but she *stayed on*.

スルタン (イスラムの首長) sultan /sʌ́ltən/ [C]; (昔のトルコ皇帝) the Sultan [C].

ズルチン 《商標》 (人工甘味料) Dulcin /dʌ́ls(ə)n/ [U].

するっと ☞ するりと

すると and; then ★and は前後関係によりこのような意味になる場合がある. (☞ そうすると). ¶彼は井戸をのぞき込んだ. *すると自分の顔が水に映っているのが見えた He looked into the well, *and* he saw his own face in the water. // 彼女は戸口に立った. *すると戸がひとりでに開いた She stood at the doorstep. *Then* the door opened by itself.

するどい 鋭い (最も一般的に) sharp; (やや格式ばって) keen; acute.
【類義語】物の先がとがっていたり刃がよく切れる場合や, あるいは人に関して比喩的に頭がいいとか感覚が優れているなどの場合に用いるのが **sharp**. sharp よりやや格式ばった語で, 刃物の刃が非常に鋭かったり, あるいは人物が頭脳明晰で, 困難な問題に取り組む能力がある場合に用いるのが **keen**. 物の先がとがっていたり, 比喩的に人物の感受性が強く微妙な区別をつけることができる場合などに用いるのが **acute** である. (☞ 比喩 (巻末)) ¶その男は目つきが*鋭い The man has a *sharp* look in his eyes. // 彼は*鋭いナイフを持ち歩いている He carries a *sharp* knife with him. // その学生は*鋭い質問をした The student asked a *sharp* question. // 彼は頭に*鋭い痛みを感じた He felt 「a *sharp* [an *acute*] pain in his head. // 彼女は色彩の感覚が*鋭い She has a 「*keen* sense of [*sharp* eye for] color.

スルホンさん スルホン酸 〘化〙 sulfonic /sʌlfánɪk/ ácid [U].

するめ dried squid [C].

するめいか するめ烏賊 (sagittated) squid [C].

ずるやすみ ずる休み ── [名] truancy [U]. ── [動] (学校をサボる) play truant. (☞ サボる). ¶彼は学校を*ずる休みした He *played truant* (from school).

するりと ¶彼女は*するりと指輪を抜き取った She *slipped* the ring 「from [off] her finger. (☞ 擬声・擬態語 (囲み))

ずるりと ¶ナプキンがひざから*ずるりと落ちた The napkin *slipped off* my knees. // 車は*ずるりとみぞにはまった The car *slid into* the ditch. (☞ 擬声・擬態語 (囲み))

ずれ (差・相違) difference [C] ★抽象的な相違の意味では [U] ともなる; (間が大きくあいて異なっていること) gap [C]; (時間的に遅れているずれ) lag [C]. (☞ さ; ずれる). ¶意見の*ずれ a *difference* of opinion // 世代間の*ずれ a generation *gap* // 時間の*ずれ a time *lag*

すれあう 擦れ合う rub [chafe] against each other; (押し合う) jostle (with …).
¶強風の中で, 木々の枝は*すれ合ってがさがさ音を立てた The branches of the trees rustled, *rubbing against each other* in the strong wind.

スレート (屋根瓦) slate [C]. ¶*スレート屋根 a *slate* roof

スレーブ 〘機・コンピューター〙 slave [C].

ずれこむ ずれ込む (遅れる) get [fall] behind (自); be delayed. ¶あの橋の完成は来年初めに*ずれ込むだろう (⇒…までは完成しないだろう) That bridge *will not be completed until* the beginning of next year.

すれすれ **1** «触れそうになること»: (近く) close (to …); (ほとんど触れそうに) almost touching. (☞ 擬声・擬態語 (囲み)). ¶かもめが波の上を*すれすれに飛んでいる Seagulls are flying 「*close to* [(*and*) *almost touching*] the waves. / Seagulls *are skimming* (over) the waves. ★skim は「すれすれに飛ぶ」というやや文語的な動詞.
2 «かろうじて» ¶彼は終電車に*すれすれで間に合った He arrived at the station *just in time* 「for [to catch] the last train. / (⇒もう少しで乗り遅れるところだった) He *almost* missed the last train. // 彼女はその試験を*すれすれで通った She *barely passed* the exam. // 彼はその課程を*すれすれで終了した He *scraped through* the course. ★scrape through … は「(やや長期にわたって) やっと通る」の意. (☞ かろうじて (類義語); やっと)

すれちがい 擦れ違い (☞ すれちがう).
1 «行き違うこと» ¶私たちは*すれ違いにあいさつを交わした We exchanged greetings as we *passed*

each other. // 彼は*すれ違いざま私に斬りかかってきた He cut at me as he *brushed past*.
2《会えないこと》 ¶あの夫婦は*すれ違いが多い（⇒あまり会わない）That couple *don't see* much of each other. // 我々はわずか数分の違いで*すれ違いになった We only *missed each other* by a few minutes.
3《意見が合わない》 ¶二人の話し合いは*すれ違いに終始した（⇒食い違っていた）They talked *at cross-purposes* from beginning to end.

すれちがう 擦れ違う（行き違う）pass each other（☞ゆきちがい）. ¶バス2台が狭い道で*すれ違った Two buses *passed each other* on the narrow road.

すれっからし hussy Ⓒ ★古風な語.（☞あばずれ; おてんば）.

スレッド〔コンピューター〕thread Ⓒ.

すれる¹ 擦れる **1**《世間なれする・ずるくなる》:（世なれしてくる）become sophisticated;（無邪気さを失う）lose *one's* innocence.（☞よなれた）. ¶彼女は都会で生活するうちに，すっかり*すれてしまった She *lost her innocence* (through) living in town.
2《こすれる》: rub [chafe] against ...（☞こする; すれあう）.

すれる² 磨れる（すり減る）wear ㊀ ㊉. ¶彼の手袋は*すれて薄くなった His gloves *are worn* thin.

ずれる **1**《動く》:（滑って）slip ㊀;（位置や方向が変わる）be shifted. ¶留め金が*ずれてはずれた The fastener *slipped* off.
2《考え方などが食い違う》:（…に逆らっている）be against ...;（標準や慣例からはずれている）deviate (from ...) ㊀. ¶そのような行為は世間のしきたりから*ずれている Such conduct ⌈*deviates from* convention [is *unconventional*].

スレンダー（ほっそりした）slender.

すろうにん 素浪人 ☞ろうにん

スロー¹ ―形（遅い・ゆるい）slow. **スローカーブ**〔野〕slow curve Ⓒ **スロービデオ** slow-motion video replay Ⓒ **スローフード** slow food Ⓤ（☞ファーストフード）**スローボール** slow ball Ⓒ.

スロー²（投げること）throw Ⓒ. **スローイン**〔スポ〕throw-in Ⓒ **スロージャンプ**（フィギュアスケートの）throw jump Ⓒ.

スローガン slogan Ⓒ;（特に政党などの）war cry Ⓒ.（☞ひょうご¹）. ¶新しい*スローガンを掲げて under [with] a new *slogan*

ズロース（婦人用下ばき）panties,《英略式》knickers 語法 いずれも複数形で. 数えるときは a pair of ...を使う. 日本語は《古語》drawers がなまったもの.（☞数の数え方（囲み）; パンティー）.

スローダウン ―動 slów dówn ㊀ ㊉. ―名 slówdòwn Ⓒ.

スロープ（坂道・斜面）slope Ⓒ.

スローモー ―名（のろま）slow [dull] person Ⓒ 日英比較 (1) 英語の slow はこの場合頭の回転が遅いという意味で，日本語とぴったりとは一致しない. ―形（動作がのろい）slow-moving 日英比較 (2) 日本語のスローモーはスローモーションの略.（☞スローモーション）.

スローモーション ―名 slow motion Ⓤ. ―形 slow-motion. ¶その場面は*スローモーションで再生された The scene was reproduced in *slow motion*.

ずろく 図録 pictorial ⌈record [book] Ⓒ.

スロット（溝・細長い穴）slot Ⓒ. ¶（コンピューターの）拡張*スロット an expansion *slot* **スロット翼**（航空機の）slotted wing Ⓒ.

スロットマシーン《米》slot (machine) Ⓒ,《英》（果物の絵を組み合わせる）fruit machine Ⓒ.

スロットル throttle Ⓒ. **スロットルバルブ**（エンジンの絞り弁）throttle valve Ⓒ.

スロバキア ―名 固 Slovakia;（正式名）the Slovak Republic ★ヨーロッパ中部の共和国. ―形 Slovak. **スロバキア語** Slovak Ⓤ **スロバキア人** Slovak Ⓒ;（総称）the Slovaks.

スロベニア ―名 固 Slovenia /slouvíːnjə/;（正式名）the Republic of Slovenia ★ヨーロッパ南部の共和国. ―形 Slovene. **スロベニア語** Slovene Ⓤ **スロベニア人** Slovene Ⓒ;（総称）the Slovenes.

すわ ¶*すわという時（⇒緊急の場合に）in case of *emergency* // *すわとばかりに大騒ぎになった（⇒瞬時にしてパニックになった）There was (an) *instant* panic.

ずわいがに ずわい蟹 snow crab Ⓒ; queen crab Ⓒ.

スワジランド ―名 固 Swaziland /swáːzilæ̀nd/;（正式名）the Kingdom of Swaziland ★アフリカ南東部の国. ―形 Swazi. **スワジ語** Swazi Ⓤ **スワジ人** Swazi Ⓒ（複～，～s）;（総称）the Swazi(s).

スワッピング ☞スワップ

スワップ ―動（取り替える・夫婦交換をする）swap ㊉. ―名 swap Ⓒ. **スワップ協定**〔経〕swap agreement Ⓒ **スワップ取り引き**〔商〕swap transaction Ⓒ.

スワトウ 汕頭 ―名 固 Shantou /ʃàːntúː/, Swatow /swàːtáu/ ★中国広東省東部の港湾都市.

スワヒリご スワヒリ語 Swahili Ⓤ, the Swahili language.

すわり 座り ¶この花びんはどうも*座りが悪い（⇒安定していない）This vase isn't ⌈*stable* [(⇒釣り合いがとれていない) *well-balanced*]. **座り心地** ¶*座り心地のよいいすを探しています I'm looking for a *comfortable* chair.

すわりこみ 座り込み ―名 sít-ìn Ⓒ, sít-dòwn Ⓒ, sít-dòwn strìke Ⓒ 語法 以上はいずれも抗議のために公共の場所などに座り込むことと，労働争議で組合員が職場に座り込むことの両方の意味で用いられる. ―動 sit ín ㊀, stage a sit-down strike.

すわりこむ 座り込む sìt dówn ㊀;（抗議や労働争議で）sìt ín ㊀.（☞すわる¹; うずくまる）. ¶彼は玄関口に*座り込んで動こうとしなかった He *sat down* at the front door and wouldn't move. // 彼女は目まいがして地面に*座り込んだ Feeling giddy, she *sat down* on the ground.

すわりだこ 座りだこ（説明的に）callus formed on *one's* knees and ankles due to *one's* habit of sitting on the floor in the Japanese manner Ⓒ.

すわる¹ 座る（座る動作・状態を示して）sit ㊀（過去・過分 sat）;（腰を下ろす動作を示して）sìt dówn ㊀;（席につく）have [take] a seat;（腰を下ろす，または座っている）be seated ★やや格式ばった表現.（☞しゃがむ; こしかける; ちゃくせき）.
¶皆さんお*座り下さい Now everyone, please *sit down*. / Ladies and gentlemen, please *be seated*. ★第2文のほうが改まった表現. // きちんと（⇒上体を起こして）*座りなさい *Sit up* straight. //《犬に向かって》デイジー，お*座り *Sit*, Daisy! // どこへ*座りましょうか Where shall we *sit*? // 私が部屋へ入ってみたら彼はいす[ソファー，床]に*座っていた When I came into the room, I found him *sitting* ⌈*in* a chair [*on* the couch; *on* the floor]. 語法 いすの上に座るのは on, 中にすっぽり入った感じの場合は in.（☞いす（挿絵））// 彼は彼女のそばに*座った He *sat* ⌈at [by] her side. // 父は机に向かって*座っていた My father *was sitting* at ⌈the [his] desk. // ロビーには*座るところがなかった（⇒空席がなかった）There

were no empty *seats* in the lobby. // 列車が満員で東京から名古屋まで*座れなかった The train was so crowded that I had to stand all the way from Tokyo to Nagoya. // 試合が終わるまでは席に*座っていなさい Please *remain seated* until the game is finished. // このホールは 300 人は*座れます This hall can *seat* three hundred people.

すわる² 据わる ¶彼は度胸が*据わっている (⇒勇気をたくさん持っている) He *has* ˹*a great deal of courage* [*a lot of guts*]. 語法 guts は口語的. 《☞ どきょう¹》 // 目が*据わる ☞ め¹ (成句)

スワン (白鳥) swan Ⓒ.

すん 寸 (単位) *sun* Ⓒ (1.193 inch [3.03 cm]); (寸法) size Ⓒ; (丈) length Ⓒ. ¶*寸を与えれば尺を望む Give him *an inch* and he'll take a mile. 《ことわざ: 1 インチを与えると, 1 マイルを取りたがる》

すんいん 寸陰 minute Ⓒ, moment Ⓒ. 《☞ すんか》.

すんか 寸暇 (空き時間) spare moment Ⓒ 《☞ ひま》. ¶彼女は*寸暇を惜しんで (⇒利用して) 勉強する She makes use of every *spare moment* to study.

ずんぐり ― 形 (ずんぐりした) short and thick; (背が低く太った) dumpy; (横幅のがっしりした) stocky. ずんぐりむっくり pudgy; short and ˹fat [plump].

すんげき 寸劇 (短い劇) skit Ⓒ.

すんげん 寸言 short and witty saying Ⓒ; (警句) epigram Ⓒ.

すんごう 寸毫 bit Ⓒ. ¶私には*寸毫も恥じるところはない I am not ˹*in the least* [*at all*] ashamed. // 言われた通りに*寸毫も違わずに実行する do [carry out] *just as one* was told

すんこく 寸刻 moment Ⓒ, instant Ⓒ. ¶乗客の救助は*寸刻を争う (⇒むだにする時間はない) We *have no time to lose* if we are to rescue the passengers.

すんし 寸志 (感謝のしるし) small token of *one's* gratitude Ⓒ; (ささやかな贈り物) small gift Ⓒ.

すんじ 寸時 a very short time 《☞ すんか》. ¶彼は*寸時を惜しんで猛勉強した He studied very hard, without wasting *a moment*.

すんしゃく 寸借 ― 名 (小額の借金) small loan Ⓒ; (短期間の借金) short-term loan Ⓒ. ― 動 (少額を借りる) borrow a small amount of money, get a small loan.

すんしゃくさぎ 寸借詐欺 (詐欺をすること) (petty) swindling on small loans Ⓤ; (人) petty swindler Ⓒ.

ずんずん (すばやく) quickly; (はかどって速く) rapidly; (継続して) on and on. 《☞ はやい¹ (類義語); どんどん¹; ぐんぐん; 擬声・擬態語 (囲み)》. ¶仕事が*ずんずん進んだ The work went ˹*quickly* [*rapidly*]. // 彼は*ずんずん歩いて行った He walked *on and on*.

すんぜん 寸前 ― 前 接 (すぐ前) just [right] before … ― 形 (いまにも起こりそうな) imminent. ― 動 (いままさに…しようとしている) be about to *do* …, be on the verge of … ★ 前者のほうがより口語的. 《☞ まぎわ; いまにも》.
¶彼らは爆発*寸前に爆弾の信管を抜いた They defused the bomb *just before* it would have exploded. // あの会社は倒産*寸前だ That company *is* ˹*about to* go bankrupt [*on the verge of* bankruptcy].

すんたらず 寸足らず ― 動 be too short.
¶この上着は彼に*寸足らずだ This jacket *is too short* for him.

すんだん 寸断 ¶台風で鉄道が*寸断された (⇒多くの所で停止された) Trains *were canceled in many places* because of the typhoon. 《☞ ぶんだん²》

すんづまり 寸詰まり ¶このオーバーは私には*寸詰まりだ This overcoat is *too small* for me. // 洗ったらセーターが*寸詰まりになった (⇒縮んだ) The sweater *shrank* in the wash.

すんてつ 寸鉄 (武器) (small) weapon Ⓒ; (警句) pithy [witty] saying Ⓒ. ¶身に*寸鉄を帯びず carry no *weapon* / *be* (completely) *unarmed* // *寸鉄人を刺す (⇒簡潔で的を射た) be terse and to the point

すんでのところで ¶私は*すんでのところでおぼれるところだった I (was) ˹*nearly* [*almost*] drowned. 《☞ あやうく; かろうじて; きわどい; すれすれ》

ずんどう ― 形 (胴のくびれていない) waistless; (不格好な) shapeless. ― 動 (ウエストがない) have no waist.

すんなり (容易に) easily; (順調に) smoothly. 《☞ すらすら; すらり; 擬声・擬態語 (囲み)》. ¶我々のチームは*すんなり勝った Our team won the game *easily*. / Our team gained an *easy* victory. ★ 第 2 文より第 1 文がより口語的. // *すんなり事が運んだ Things went *smoothly*.

スンニは スンニ派 (イスラム教の一派) Sunni /súni/; (その教徒) Sunni Ⓒ 《複 ～, ～s》, Sunnite /súnaɪt/ Ⓒ.

すんぴょう 寸評 brief comment (on …) Ⓒ 《☞ ひひょう (類義語)》.

すんぶん 寸分 (ちょっと) a bit ★ a を付けて. 《☞ すこし》. ¶その双子は*寸分違わなかった There wasn't *a bit* of difference between the twins. / The twins looked *exactly* alike. ★ 後者は特に外見について. // 目標に*寸分違わず当たる be *bang on* target ★ bang 副 は《英略式》で「正確に」(= exactly; precisely). // 彼の計算は*寸分の狂いもなかった *Every bit* of his calculation was accurate. / His calculation was *bang on*. ★ bang on は《英略式》で=exactly correct.

すんぽう 寸法 (尺度) measure Ⓤ; (計って得た数値) measurements ★ 普通は複数形で; (大きさ) size Ⓒ. 《☞ サイズ; おおきさ》. ¶洋服屋は上着を作るために私の*寸法をとった The tailor took my *measurements* for a coat. / The tailor *measured* me for a coat. // 畳の*寸法は縦 180 cm, 横 90 cm です The tatami is 180 by 90 centimeters. 《☞ よこ 1 日英比較》

せ，セ

せ[1] 背 **1** **《背中など》**: (体の背中・いすなどの背に当たる部分や物の後ろ側) back Ⓒ; (山の尾根) ridge Ⓒ. (☞ せなか; せい[1]; やま (挿絵)).
¶ しゃんと*背を伸ばしなさい Straighten (up) your *back*. / Sit up straight. ★ 座っている場合. // 彼は壁を*背にして (⇒ 壁にもたれて) だれかを待っている He is waiting for someone *leaning* against the wall. // 山を*背に写真を撮る take a photo with mountains in the *background* // 世間に*背を向けては暮らしていけない You can't get along ⌈with your *back* turned on the world [if you turn your *back* on the world]. // 本の*背 the *spine* of a book // 椅子の*背 the *back* of a chair
2 **《高さ》**: (身長を含めて一般的な物の高さ) height Ⓤ; (人の身長) stature Ⓤ. (☞ しんちょう[1]; たかさ).
¶ 彼女は*背が高い[低い] She is ⌈tall [short]. / (⇒ 背の高い[低い]人) She is a ⌈tall [short] person. ★ 第 1 文がより口語的. 日英比較 このように日本語に「背」とあっても英語ではそれに当たる名詞を用いず, 「背が高い[低い]」という形容詞を用いる場合が多いことに注意. (☞ たかさ 語法) //「*背はどのくらいありますか」「160 センチあります」"How tall are you?" "(I'm) 160 centimeters (tall)." / "What is your *height*?" "I'm 160 centimeters." // 彼は私よりずっと*背が高い[低い] He is much ⌈taller [shorter] than I (am). (☞ 省略 (巻末)) // 私はメアリーより 5 センチ*背が高い I'm five centimeters taller than Mary. / I'm taller than Mary by five centimeters. ★ 第 1 文のほうが一般的. //「君と僕ではどちらが*背が高いだろうか」「僕だよ」"Who's taller, you or I?" "I am." ★ 答えの文では I に強い強勢を置いて言う. // 彼は 3 人の中で[クラスで]一番*背が高い He's the tallest (boy) ⌈of the three [in our class]. // トムはこの 1 年で*背が 5 センチ伸びた Tom has grown five centimeters taller this year. // 低いほうから*背の順にここへ一列に並びなさい Make a line here in order of ⌈*stature* [*height*] with the shortest one at the ⌈head [front]. // このプールは*背が立たない (⇒ 底に足が届かない) I can't touch (the) bottom in this pool. / This pool is *out of my depth*. ★ out of *one's* depth は「背が立たない」という慣用句. // *背の立つ所で泳ぎなさい Swim [Stay] *within your depth*.
背に腹はかえられぬ Necessity knows no law. (ことわざ: 必要なことには決まりがない)

せ[2] 瀬 (川の浅瀬) ford Ⓒ; (砂がたまった) shoal Ⓒ. (☞ あさせ; たつせ).

ぜ 是 (正しく理にかなったこと) what is right and justifiable (☞ ぜぜひひしゅぎ; ぜひ[2]). ¶ …を*是とする (⇒ 賛成する) *approve* of … / (⇒ 正しいと考える) consider [think] … *right* // *是は是とし非は非とする call what is *right* right, and wrong wrong **是が非でも** by all means; 《格式》 by fair means or foul. ¶ *是が非でも明日までに仕上げなさい You must finish it by tomorrow *by all means*.

ぜあみ 世阿弥 ―名 固 Zeami, 1363?-1443?; (説明的には) an actor and playwright who is credited with establishing the foundations of Noh.

せい[1] 背 ☞ せ[1]

せい[2] ¶ 彼は何でも人の*せいにする (⇒ 罪を人に着せる) He always *lays the blame on* others. / He always *blames* everything *on* other people. / (⇒ 彼は責任を転嫁する) He always *shifts responsibility onto* others. // 彼がけがをしたのは彼女の*せいです It ⌈is [was] *because of* her that he got hurt. / She ⌈is [was] *responsible for* his getting injured. ★ 第 1 文は強調構文. // それは私の*せいではない (⇒ 私の過失ではない) It's not my *fault*. / (⇒ 責任はない) I'm not *responsible*. ★ 第 2 文より第 1 文がより口語的. // それは君の気の*せいです (⇒ あなたの単なる想像です) It's just your imagination. (☞ せきにん; ため)

せい[3] 性 **1** **《性別》** ―名 sex Ⓤ 日英比較 日本語の「セックス」は性行為の意味で使われるが, 英語の sex は性別の意味が最も普通の意味である点に注意. (人間の肉体的のみならず社会的な要因としての性) gender Ⓤ. ―形 (性の) sex Ⓐ; (性的な・性に関する) sexual.
2 **《性的本能・性行為》** ―名 sex Ⓤ. ―形 sexual. (☞ セックス). ¶ *性に目覚める be *sexually* awakened / begin to ⌈feel [become conscious of] *sexual* impulse
3 **《性質》**: (天性) nature Ⓤ (☞ せいしつ[1]).
¶ 人の*性は善である All men are good by *nature*.
4 **《文法》**: gender Ⓒ.
性感 ☞ 見出し **性感染症** sexually transmitted disease Ⓒ 《略 STD》 **性器** genitals, sexual organs; 〔解〕 genitalia 《複》 ★ いずれも the を付けて複数形で. **性教育** sex education Ⓤ **性交** ☞ 見出し **性行為** sex Ⓤ, (sexual) intercourse Ⓤ ★ 後者は改まった言い方. **性差** ☞ 見出し **性差別** ☞ 見出し **性衝動** sexual urge Ⓒ **性・数・人称の一致** 〔文法〕 agreement of gender, number, and person Ⓤ **性生活** sex life Ⓒ **性染色体** séx chromosome /króuməsòum/ Ⓒ **性的いやがらせ** sèxual harássment Ⓤ **性的虐待** sexual abuse /əbjúːs/ Ⓤ; (いたずら) molestation Ⓤ **性的偏見** génder bias Ⓒ **性的魅力** sex appeal Ⓤ ¶ *性的(に)魅力のある be *sexually attractive* / have *sex appeal* / be *sexy* **性転換** ☞ 見出し **性同一性障害** 〔医〕 gender identity disorder Ⓒ **性倒錯** séxual perversion /pəvə́ːʒən/ Ⓤ **性道徳** sexual morality Ⓤ **性犯罪** sex ⌈crime [offense] Ⓒ **性犯罪者情報公開法** 《米》 Megan's Law ★ New Jersey 州の少女 Megan Kanka 暴行・殺害事件 (1994) にちなむ. **性比** sex ratio Ⓒ **性病** venereal /vəní(ə)riəl/ disease Ⓒ 《略 VD》; sexually transmitted disease Ⓒ 《略 STD》 **性フェロモン** 〔生〕 sex pheromone Ⓤ **性別** ☞ 見出し **性別役割** ☞ せいべつ[1] (性別役割) **性ホルモン** sex hormone Ⓒ **性本能** séxual instinct Ⓤ **性毛** ☞ いんもう **性欲** sexual ⌈desire [appetite] Ⓤ (☞ よくぼう).

せい[4] 精 **1** **《精霊》**: spirit Ⓒ; (妖精) sprite Ⓒ. (☞ ようせい[4]). ¶ 花の*精 the *spirit* of a flower // 水の*精 a water ⌈*nymph* [*sprite*]
2 **《精力》**: (エネルギー) énergy Ⓤ; (活力) vitality Ⓤ; (精神および肉体的な力) vigor (《英》 vigour) Ⓤ. (☞ せいりょく[2]; げんき[1]).
¶ これを食べると*精がつく (⇒ この食べ物はあなたに力を与える) This food will give you *strength*. // *精

も根も尽き果てた（⇒完全に疲れ果てた）I'm completely ｢*exhausted* [*shattered*]. / I'm *worn out*. **精が出る**（精励する）work diligently ★ 人を主語にして. **精を出す** ☞ せいだす ¶ もう少し*精を出して働きなさい（⇒もう少し一生懸命に働くように努めなさい）Try to work a little *harder*.

せい[5] **姓** family name [C], last name [C], súrnàme [C] 日英比較 英語ではいずれも同様に用いるが，最初のものは，日本人や中国人のように名字が名前の最初にきても使える.《☞ みょうじ; なまえ[1]》. ¶ 君の*姓は何ですか What's your ｢*family* [*last*] *name*? / May I ask your *surname*? ★ 第 1 文は第 2 文に比べてややぶしつけな表現. // 結婚をして*姓が変わる change *one's* ｢*family name* [*surname*] after marriage

せい[6] **聖** ¶ *聖ニコラス *St.* Nicholas ★ St. /sèın(t)/ は saint の略.《☞ 略語（巻末）》// *聖なる都 the *Holy* City《☞ しんせい[2]》

せい[7] **正** ── [形]（プラスの）plus [A]（↔ minus), positive (↔ negative). ¶ *正符号《+》a ｢*positive* [*plus*] sign // *正の数 a *positive* number

せい[8] **生**（生命・生活）life [U]《☞ せいめい[1]》.

-せい[1] **…製**（…で作られた）made of …;（生産地を示して）made in …;（…製の）-made ★ Japanese, American, foreign などの語に続けて.《☞ -さん[2]》. ¶ 木*製の本箱 a wooden bookcase / a bookcase *made of* wood ★ 前者に比べて後者は説明的. // 布*製のかばん a cloth bag / a bag *made of* cloth ★ 前者に比べて後者は説明的. // 外国*製コンピューター a foreign-*made* computer // 日本*製の車 Japanese(*-made*) cars

-せい[2] **…制**（制度）system [C]《☞ せいど[1]》. ¶ 6-3 *制 the six-three ｢school [educational] *system* // 4 年*制の大学 a four-year college《☞ ハイフン（巻末）》// 旧*制高校 an old-*system* high school

-せい[3] **…世** ¶ エリザベス二*世 Queen Elizabeth II ★ II は the Second と読む.《☞ 数字（囲み）》

ぜい[1] **税** tax [U] ★ 具体的な個々の税は [C];（物品にかける）duty [C]（課税）taxation [U].《☞ ぜいきん; かぜい[1]》.

¶ 私の月収は*税込みで（⇒全体で）30 万円だ My monthly income is three hundred thousand yen ｢gross [(⇒税金を支払う前で) before *tax*]. 語法 before tax の代わりに pretax という [形] を使って pretax income という表現も使われる. // 所得*税 (an) income *tax* // 地方*税 (a) local *tax* // 直接[間接]*税 direct [indirect] *taxes* // 付加価値*税 value-added *tax* ★ VAT と略す. // 物品*税 commodity *taxes* // 消費*税 consumption [excise] *taxes* // 関*税 customs *duties* // ワインに対する関*税 the ｢duty [*duties*] on wine

税額 the amount of tax [U] **税込み収入** gross income (before tax) **税込み値段** price ｢inclusive of [including] tax [C] **税収** ☞ 見出し **税引き収入** net income (after taxes) [C] **税引き値段** net price (excluding tax) [C] **税法** ☞ 見出し **税率** ☞ 見出し.

> **コロケーション**
>
> **売上税** (a) sales *tax* / **ガソリン税** (a) gasoline *tax* / **均一税** a flat *tax* / **市税** a municipal *tax* / **重税** a heavy *tax* / **滞納税** delinquent *taxes* / **たばこ税** (a) ｢cigarette [tobacco] *tax* // ☞ ぜいきん

ぜい[2] **贅** ¶ *贅をつくしたディナー extremely *luxurious* /lʌgʒú(ə)riəs/ [extravagant] dinner ★ extravagant には無駄なぜいたくだという非難の気持ちが含まれる.

せいあい **性愛** sexual love [U].

せいあくせつ **性悪説** the view that humans are ｢born evil [inherently evil]《☞ せいぜんせつ》.

せいあつ **制圧** ── [動]（威力で抑え，統制の下におく）control (他), bring … under control.《☞ ちんあつ; しはい[1]》. ¶ 警察は暴徒を完全に*制圧した The police *brought* the mob *under control*.

せいあん[1] **成案**（はっきりとした計画）definite plan [C];（具体的な案）concrete ｢program [《英》programme] [C].

せいあん[2] **西安** ── [名] (固) Xi'an /ʃìːáːŋ/. ★ 中国陝西省の省都.

せいい[1] **誠意** ── [名] sincerity [U];（忠実さ）faith [U]. ── [形]（誠意ある）sincere (↔ insincere) 日英比較 英語の sincere は日本語の「まごころ」などとは少しずれて，うそ・偽りのないことを意味する言葉;（忠実な）faithful.《☞ まごころ; せいじつ[1]; しょうじき》. ¶ 彼は*誠意がある He is *sincere*. // *誠意を示す demonstrate *one's sincerity*

せいい[2] **勢威** influence and power [U].

せいいき[1] **声域**〘楽〙register [C]. ¶ 彼女は*声域が広い She has a wide ｢*vocal* [*voice*] ｢*range* [*register*].

せいいき[2] **聖域**（安全な場所の意味で比喩的に）sanctuary [C]. **聖域なき構造改革** structural reform with no ｢sacred cows [sanctuaries] [C].

せいいき[3] **西域** the Western Regions (of ancient China along the Silk Road).

せいいく **生育, 成育** ── [名] growth [U]. ── [動] grow (自).《☞ せいちょう[1]; そだつ》. ¶ 暖かい所は稲の*生育が速い Rice *grows* quickly in warm climates.

せいいたいしょうぐん **征夷大将軍**（平安時代からの）barbarian-subjugating general [C] ★ 説明的な訳;（鎌倉時代以降の）(the title given to a) shogun [C]《☞ しょうぐん》.

せいいっぱい **精一杯**（できるだけ）as hard as possible;（全力で）with all *one's* might.《☞ ちからいっぱい; ぜんりょく》.

¶ 彼は*精一杯働いた（⇒できるだけ一生懸命に）He worked *as hard as* ｢*he could* [*possible*]. // *精一杯やりました（⇒最善を尽くした）I *did my best*. / (⇒できることは全部やった) I *did everything* ｢*I could* [*in my power*]. // いまのところこの仕事だけで*精一杯です（⇒この仕事が私の時間を全部取っている）This work *takes* (*up*) *all my time* at present. // 私の月給では 4 人家族を養っていくのが*精一杯です（⇒辛うじて養っていけるだけだ）My salary is *scarcely enough* to support a family of four.

せいいん[1] **成員** member [C]《☞ メンバー》.

せいいん[2] **成因**（原因）cause [C].

せいいん[3] **正員** regular member [C].

せいう **晴雨** ¶ 競技会はあした*晴雨にかかわらず行います The athletic(s) meet will be held tomorrow, *rain or shine*. // このコートは*晴雨兼用です（⇒どんな天候でも着られる）You can wear this coat *in all kinds of weather*. **晴雨計** barometer /bərɑ́mətə/ [C].

せいうち **海象**〘動〙walrus [C]《複 ~(es)》.

せいうん[1] **星雲**〘天〙nebula /nébjʊlə/ [C]《複 ~s, nebulae /-lìː/》. **星雲説** the nebular ｢hypothesis [theory] **星雲団** nebula cluster [C].

せいうん[2] **青雲** ¶ *青雲の志（⇒高い野心）を抱く have (a) *high ambition* // *青雲の志を抱く若者 an *aspiring* youth

せいうん[3] **盛運** prosperity [U].

せいえい[1] **精鋭** ── [名]（最良のもの）the best;（選りすぐったもの）the pick. ── [形]（選り抜きの）elite /eılíːt/ [A].《☞ よりぬき》. ¶ *精鋭部隊 an *elite* troop

せいえい[2] **清栄** ¶ ますます御*清栄のことと存じ申し

あげます I am glad (to hear) that you are *healthy and prospering.* [日英比較] 通常, 欧米の手紙では不要.《☞手紙の書き方 (囲み)》

せいえき 精液 semen /síːmən/ Ⓤ, sperm Ⓤ ★ 後者は Ⓒ で精子の意味がある.

せいえん[1] 声援 ── [動] (競技者を応援する)《米略式》root for ...; (競技のみでなく一般に励ましの声を送る意味も含めて) cheer 他; (勇気づける) encourage 他. ── [名] (競技などの) rooting Ⓤ; cheering Ⓤ; (励ましの叫び声) shout of encouragement Ⓒ.《☞おうえん; げきれい; はげます》.

¶ 子供たちはそのチームに*声援を送った The children *rooted for* the team. // 第 1 位の走者に観客はみんな*声援を送った The spectators *cheered* the first runner. // 代表に*声援を送る give *encouragement* to a representative

せいえん[2] 製塩 salt ⌈manufacture [making] Ⓤ. **製塩所** saltworks Ⓒ ★ 単複同形.

せいえん[3] 凄艶 ── [形] extraordinarily coquettish /ɪkstrɔ̀ːdənérəli koukétɪʃ/.

せいえん[4] 清艶 ── [形] pure and charming.

せいおう 西欧 (東洋に対して西洋) the West (↔ the East); (ヨーロッパ) Europe; (西ヨーロッパ) Western [West] Europe.《☞せいよう[1]》. ¶ *西欧化する be westernized

西欧諸国 the West European countries ★ the を付けて複数形で. **西欧同盟** the Western European Union《略 WEU》★ 2000 年に解体. **西欧文明** Western civilization Ⓤ.

せいおん[1] 清音 (澄んだ音色) clear sound Ⓒ; (無声音) voiceless sound Ⓒ.

せいおん[2] 静穏 ── [形] quiet and calm《☞へいおん》.

せいか[1] 成果 (努力などの) fruit Ⓒ; (一般的な) result Ⓒ; (成功) success Ⓒ.《☞けっか (類義語); できばえ; せいこう[1]》. ¶ この本は彼の長年の研究の*成果です This book is the *fruit* of his studies over many years. // 彼の研究は立派な*成果をおさめた His research has ⌈proved (to be) very *successful* [borne *fruit*]. // 鈴木先生は新しい教え方ですぐれた*成果をあげている Miss Suzuki has achieved good *results* by adopting a new teaching method.

成果主義 ¶ *成果主義に基づく賃金 *performance* [*merit*]-based pay

せいか[2] 聖火 (オリンピックの) the ⌈Olympic (Sacred) [Sacred Olympic] Flame; (聖火リレーで運ぶ) the Olympic Torch《☞大文字 (巻末)》; (一般的に聖なる火) sacred fire Ⓤ. **聖火台** the Olympic Flame burner **聖火ランナー** Olympic Torch ⌈runner [bearer] Ⓒ **聖火リレー** sacred ⌈fire [torch] relay Ⓒ.

せいか[3] 正課 (正式に行われている課目) regular subject Ⓒ; (必修課目) compulsory [mandatory] subject Ⓒ.《☞かもく[1]; 学校・教育 (囲み)》.

せいか[4] 生家 ¶ これは森鷗外の*生家です This is the *house* ⌈*where* [*in which*] Mori Ogai *was born.*

せいか[5] 製菓 (菓子製造) conféctionèry Ⓤ ★ その事業所を示すときは Ⓒ. **製菓会社** conféctionèry (còmpany) Ⓒ **製菓業者** conféctioner Ⓒ.

せいか[6] 青果 (野菜と果物) vegetables and fruit(s)《☞やさい; くだもの》. **青果市場** vegetable and fruit market Ⓒ.

せいか[7] 聖歌 sacred song Ⓒ; (賛美歌) hymn /hím/ Ⓒ.《☞さんびか》. **聖歌隊** choir /kwáɪə/ Ⓒ.

せいか[8] 盛夏 the height of summer《☞なつ; さかり》.

せいか[9] 正価 (net) price Ⓒ《☞しょうみ[1]》.

せいか[10] 生花 (生きている花) fresh flower Ⓒ; (いけ花) (the art of) flower arrangement Ⓤ.

せいか[11] 正貨 《格式》 specie /spíːʃiː/ Ⓤ. **正貨準備** specie [gold] reserve Ⓤ **正貨保有高** specie holdings ★ 複数形で.

せいか[12] 声価 (評価) evaluation Ⓤ; (評判) reputation Ⓤ. ¶ *声価が高い[低い] have a ⌈good [poor] *reputation*

せいか[13] 精華 (最も美しい部分) the flower; (神髄) the essence.

せいか[14] 製靴 shoemaking Ⓒ. **製靴業** the shoe industry Ⓤ **製靴工** shoemaker Ⓒ.

せいか[15] 西夏 ── [名] 固《史》Xi Xia, Hsi Hsia /ʃíːʃiːɑ́ː/ ★ チベット系タングート (Tangut) 族の国 (1038–1227). **西夏語** Hsi-hsia Ⓤ, Xi-xia Ⓤ, Tangut /tɑ̀ːŋgúːt/ Ⓤ **西夏文字** Hsi-hsia [Tangut] character Ⓒ; (総称) the Hsi-hsia [Tangut] script.

せいか[16] 盛花 ☞もりばな

せいが[1] 聖画 sacred ⌈picture [painting] Ⓒ《☞かいが》.

せいが[2] 清雅 ── [形] elegant.

せいかい[1] 政界 the political world, political circles ★ 後者は複数形で. ほぼ同意で用いられるが, 前者がやや公式で, 格式ばった表現.

¶ 彼の父は*政界の大立者だった His father was a ⌈leading [major] figure in *politics.* / (⇒ 指導者の 1 人) His father was one of the *political* leaders (of Japan). // 彼は 20 代の後半に地方*政界入りをした In his late twenties he entered local *politics.* // 父は 70 歳で*政界を引退した My father retired from ⌈*political life* [*politics*] at the age of seventy. **政界再編** political realignment Ⓤ.

せいかい[2] 正解 correct [right] answer Ⓒ ★ correct のほうがやや厳密な意味の言葉.《☞こたえ (類義語)》. ¶ 君は*正解です (⇒ 正しく答えた) You *answered correctly.* / Your *answer is correct.* / You are *right.* / You gave the *right answer.* // *正解は 51 ページを見て下さい Turn to page 51 for the (*correct*) *answers.*

せいかい[3] 盛会 ¶ 今夜のパーティーは*盛会でした (⇒ 大成功だった) The party this evening was ⌈a *great success* [*very successful*]. / (⇒ 出席者が多かった) There was *a large turnout* at the party this evening.

せいかいいん 正会員 full [regular] member Ⓒ《☞かいいん[1]》

せいかいけん 制海権 command [control] of the sea(s) Ⓤ.

せいかがく 生化学 ── [名] biochemistry Ⓤ. ── [形] biochemical. **生化学検査** biochemical examination Ⓒ **生化学者** biochemist Ⓒ **生化学的酸素要求量** ☞ビーオーディー

せいかく[1] 正確 ── [形] (正しい) correct, right; (念入りで) áccurate; (細かいところまで) precíse; (寸法を測ったように) exact. ── [名] correctness Ⓤ; áccuracy Ⓤ; preciseness Ⓤ; exactness Ⓤ.

【類義語】正しく誤りがないという意味で最も一般的なのは **correct**. **correct** とほぼ同意に用いられるが, より意味が広いのが **right**. 計算・統計・知識などが細かいところまで念入りに正確であるのは **accurate**. ごく微細な部分について実に細心で正確なのが **precise**. 寸法を測ったように厳密で正確なことは **exact**.《☞ただしい; たしか (類義語)》

¶ *正確な時間は何時ですか Do you have [Could you tell me] the ⌈*correct* [*exact*] time? ★ Could you tell me... のほうが丁寧な言い方.《☞時刻・日付・曜日 (囲み)》// あなたの時計は*正確ですか (⇒ いま正確か) Is your watch *right*? / (⇒ いつも) Does your watch keep *good* time? // 彼女の日本史の知識はたいへんに*正確です She has an *accurate* knowledge of Japanese history. // これが私が必要とする*正確な金額です This is the ˹*precise* [*exact*] amount of money I want. // 起こったことを*正確に話してごらん Tell me *exactly* what happened. // 約 1 年間, いや*正確にいうと 13 か月と 1 週間, 私はイギリスにいました I stayed in Britain for about a year—thirteen months and one week, *to be* ˹*exact* [*precise*]. (☞ ダッシュ (巻末))

せいかく² 精確 (念入りで) áccurate ; (細部まで) precise; (測ったように) exact. (☞ せいかく¹).

せいかく³ 性格 (ある人に特有の性格) character Ⓒ; (人柄) personality Ⓤ ★ 具体的には Ⓒ. (☞ せいしつ¹ (類義語); こせい).

¶ 彼は*性格が強い[弱い] He has a ˹strong [weak] *character*. / He is a man of ˹strong [weak] *character*. // 人間の*性格は子供のころに形成される A person's *character* is formed in childhood. // 彼女は魅力的な*性格の女性だ She has ˹a charming [an attractive; a magnetic] *personality*. // *性格を分析する analyze *a person's* ˹*character* [*personality*] // 彼は*性格的に欠陥がある He has a ˹flaw [defect] in his *character*. // あの 2 人は*性格的に合わない They *aren't cut out for* each other. ★ be cut out for ... は「生まれつき合う・適する」という意味の成句. // *性格の不一致 a clash of *personalities* / a *personality* clash

性格異常 character disorder Ⓒ **性格学** characterology Ⓤ **性格劇** character drama Ⓒ **性格検査** character test Ⓒ **性格俳優** character ˹actor [actress] Ⓒ **性格破綻者** abnormal character Ⓒ **性格描写** characterization Ⓤ. ¶ ディケンズは*性格描写にすぐれている Dickens is excellent at *characterization*.

コロケーション

いい[悪い]性格をしている have ˹good [bad] *character* / …から性格を判断する judge [read; tell] *a person's character* from … / 性格を表す illustrate [indicate; reveal] *a person's* ˹*character* [*personality*] ★ 物が主語. / 性格を形づくる shape *one's* ˹*character* [*personality*] / 性格を直す mend *one's character* // 愛らしい性格 a lovable *personality* / 明るい性格 a sunny *disposition* / 異常な性格 an abnormal *personality* / 陰気な性格 a gloomy *personality* / 生まれながらの性格 *one's* inherent *character* / 穏やかな性格 a calm *personality* / 変わった性格 a strange [an odd] *personality* / 気まぐれな性格 a capricious *personality* / 攻撃的な性格 an aggressive *personality* / 優れた性格 an excellent *personality* / のんきな性格 an easy-going [a carefree] ˹*personality* [*nature*] / 陽気な性格 a cheerful *personality* / 利己的な性格 a selfish *personality*

せいかく⁴ 製革 (製革法・なめし法) tanning Ⓤ. **製革(工)業** the tanning industry **製革工場** tannery Ⓒ **製革業者** tanner Ⓒ.

せいがく 声楽 vocal music Ⓤ. ¶ 私は*声楽の勉強をしたい I want to take ˹*singing* [*voice*] lessons. **声楽家** sínger Ⓒ; (ポップミュージックの) vocalist Ⓒ **声楽科** vocal music [singing] course Ⓒ.

せいかじゅう 静荷重 (静止物体の荷重) dead load Ⓒ.

せいかぞく 聖家族 (キリスト教の) the Holy Family.

せいがだい 青瓦台 (韓国大統領官邸) the Blue House; (韓国語表記) Ch'ongwadae /tʃɔ́ːŋwɑːdáɪ/.

せいかたんでん 臍下丹田 (下腹部) ábdomen Ⓒ.

せいかつ¹ 生活 life Ⓤ, living Ⓤ ★ 後者は生計の意では a, *one's* を付けて; (生計) livelihood /láɪvlihʊ̀d/ ★ 通例 a, *one's* を付けて. (☞ くらし; せいけい¹). ¶ *生活が苦しい I'm *badly off*. // 去年よりも*生活が楽になった We are *better off* than last year. // 彼らはふるさとの奈良で幸せな*生活を送った They ˹*lived* happily [led a happy *life*] in their hometown of Nara. // 給料だけで*生活できますか Can you *live* on your salary alone? // 結婚*生活と独身*生活は大違いだ Married *life* is totally different from being single. // 彼女はピアノを教えて*生活している She ˹makes a *living* [earns her *living*; earns her *livelihood*] by giving piano lessons. // この仕事には私の*生活がかかっているんだ This job is *my bread and butter*. // 私は都会の*生活より田舎の*生活のほうが好きだ I prefer ˹country [rural] ˹*life* [*living*] to urban ˹*life* [*living*]. // だれしも*生活のために働かなくてはならない Everybody has to work for a *living*. // 私の学校*生活もあと 1 年だ My school *life* will be over in another year. // 日常[私]*生活 daily [private] *life* **生活科** life envíronmèntal stúdies ★ 複数形で. **生活学習** study through activities and experiences Ⓒ **生活型** 〖生〗 life type Ⓒ **生活学校** (地域の環境・福祉問題に取り組む女性団体) "life school"; (説明的には) local women's social and ecological group; (実生活体験重視の学校(教育)) school education through activities and direct experiences Ⓤ, life-centered school Ⓒ **生活環** 〖生〗 life cycle Ⓒ **生活環境** home environment Ⓒ **生活給** living wage Ⓒ **生活教育** education through activities and experiences Ⓒ **生活協同組合** (組織) cooperative society Ⓒ; (売店) co-op (store) Ⓒ **生活苦** the hardships of life **生活空間** life space Ⓤ **生活形** 〖生〗 life form Ⓒ **生活権** living right Ⓒ **生活雑排水** (nonindustrial) waste water Ⓤ, waste water from households Ⓤ **生活史** 〖生〗 life history Ⓒ **生活指導** (教育上の指導) educational guidance Ⓤ; (学校・職場などでの個人的な問題についての専門家の助言) counseling Ⓤ **生活指導員** welfare [school] counselor Ⓒ **生活習慣病** lifestyle-related ˹illness [disease] Ⓒ ★「成人病」(☞ せいじん¹) の新呼称. **生活水準** the [a] standard of living **生活設計** plan for *one's* life Ⓒ, life ˹plan [design] Ⓒ **生活帯** 〖生〗 life zone Ⓒ **生活大国** lifestyle superpower Ⓒ **生活単元** learning unit based on *one's* experiences Ⓒ **生活綴方** composition which reflects *one's* own living Ⓒ **生活の質** quality of life Ⓤ (略 QOL) **生活派** literary school which lays stress on a real life and experiences Ⓒ **生活廃棄物** household ˹trash [garbage] Ⓤ, daily ˹waste [garbage] Ⓤ **生活反応** vital reaction Ⓒ **生活費** the cost of living, living expenses ★ 後者は複数形で. **生活必需品** the necessities of life ★ 複数形で. **生活保護** ¶ 彼女は*生活保護を受けている She is on ˹*welfare* [(英) *social security*]. **生活保護世帯** family [household] on ˹(米) welfare [(英) social security] Ⓒ, (米) welfare family Ⓒ **生活保護法** the Livelihood Protection Law **生活様式** way [mode] of life Ⓒ, lifestyle Ⓒ **生活力** (生命力) vitality Ⓤ; (収入) earnings ★ 複数形で. (☞ しゅうにゅう).

コロケーション

慌ただしい生活 a hectic *life* / 隠居生活 a retired

life / 穏かな生活 a tranquil *life* / 快適な生活 a comfortable *life* / 家庭生活 family [home; domestic] *life* / 簡素な生活 a simple *life* / 国民生活 national *life* / 大学生活 college [university; campus] *life* / 多忙な生活 a busy *life* / 単調な生活 a monotonous *life* / 知的生活 intellectual *life* / 地方生活 provincial *life* / 田園生活 a ⌈pastoral [rustic] *life* / 都市生活 city [urban] *life* / 二重生活 a ⌈double [dual] *life* / 日常生活 everyday [day-to-day] *life* / 根無し草の生活 a rootless *life* / のんきな生活 an easy-going *life* / 平凡な生活 an ordinary *life* / みじめな生活 a miserable *existence* / 豊かな生活 a prosperous *life*

せいかつ² 正割 〔数〕 secant /sí:kænt/ Ⓒ《略 sec》.

せいかん¹ 生還 ━動 (無事に帰る) return safely ⓐ; (生きて) return alive ⓐ. ━名 (無事に帰ること) safe return Ⓒ. (☞ もどる). ¶ 3人の宇宙飛行士は月から無事*生還した The three astronauts *have* ⌈*returned safely* [made a *safe return*] from the moon. // 彼のライト前ヒットで3塁の走者が*生還した He singled to right field to score the runner from third.

せいかん² 静観 ━動 (動きのあるものを見守る) watch ⓣ; (しばらく様子を見る) wait and see ⓐ. (☞ みまもる; みる¹ (類義語)). ¶ 少し事態を*静観したほうがよさそうです I think we had better *watch* how the situation develops. // 彼は常に*静観的な態度をとる He always takes a *wait-and-see* attitude. (☞ ハイフン (巻末))

せいかん³ 精悍 ━形 (精神・性格がたくましい) tough (☞ たくましい). ¶ 彼は*精悍な顔つきをしている He looks *tough*.

せいかん⁴ 製缶 (缶詰製造) can manufacturing Ⓤ; (ボイラー製造) boiler manufacturing Ⓤ. **製缶業** the ⌈can [boiler] manufacturing industry.

せいかん⁵ 性感 sexual feeling Ⓒ. **性感帯** erogenous zone Ⓒ.

せいかん⁶ 盛観 ☞ そうかん¹

せいかん⁷ 精管 ☞ ゆせいかん

せいかん⁸ 清閑 ━形 (わずらわしさから逃れた) quiet; (静かな) tranquil. ━名 quiet(ness) Ⓤ; tranquility Ⓤ.

せいがん¹ 請願 ━名 petition Ⓒ. ━動 petition ⓣ. (☞ たんがん¹; ちんじょう; ようせい¹; うったえる). ¶ 住民はもっと高校を作るように都へ*請願をした The inhabitants ⌈made a *petition* to [*petitioned*] the Metropolitan government for more high schools in Tokyo. **請願権** right of petition Ⓒ **請願書** (written) petition Ⓒ.

せいがん² 正眼 ¶ (剣道で)*正眼に構える hold the sword *aimed at the opponent's face*

せいがん³ 誓願 ☞ ちかい²

せいがん⁴ 西岸 the west coast. **西岸気候** west-coast climate Ⓒ.

せいがん⁵ 晴眼 normal [good] eyesight Ⓤ. **晴眼者** a person with normal eyesight; (集合的に) the sighted.

ぜいかん 税関 (機関としての) (the) customs ★ 複数形で. しばしば (the) Customs として, 単数扱い; (特定の場所の) custom(s)house Ⓒ.

¶ 横浜*税関 the Yokohama *Custom(s)house* / Yokohama *customs* // 成田の*税関を通るのに30分かかった It took me thirty minutes to ⌈get [go] through *customs* at Narita.

税関検査 customs inspection Ⓤ **税関申告書** customs declaration Ⓒ **税関手続き** customs formalities ★ 通例複数形で. ¶ *税関手続きは済みましたか Are you through with the *customs formalities*? / (⇒ 荷物の通関は済んだか) Have you ⌈gotten [《英》 got] your baggage ⌈cleared [through *customs*]? **税関吏** customs [custom(s)house] officer Ⓒ, customs official Ⓒ.

せいかんうん 星間雲 〔天〕 interstellar cloud Ⓒ.

せいがんざい 制癌剤 anticancer ⌈drug [medicine] Ⓒ (☞ こうがんざい).

せいかんぶっしつ 星間物質 〔天〕 ínterstèllar mátter Ⓤ.

せいき¹ 世紀 century Ⓒ. ¶ 前*世紀 (the) last *century* // 18*世紀の半ばに in the mid-eighteenth *century* // 紀元前8*世紀に in the eighth *century* B.C. ★ B.C. は before (the birth of) Christ の略 (↔ A.D.). // *世紀の変わり目 the turn of the *century* // いまは21*世紀だ We are living in the twenty-first *century*. // ピカソは20*世紀最大の画家である Picasso was the greatest painter of the twentieth *century*. // これは「*世紀の裁判」と呼ばれている It is called the trial of the *century*.

世紀末 ━名 the end of the century. ━形 (世紀末的雰囲気の) fin de siècle /fæ̃ndəsjékl/ ★ フランス語より. siècle の ` は綴り本来のもの; (頽廃的な) decadent.

せいき² 生気 (生命) life Ⓤ; (生命力) vitality Ⓤ; (活力) vigor (《英》 vigour) Ⓤ; (元気) spirits ★ 複数形で. (☞ げんき¹; かつりょく; かっき¹). ¶ 彼は*生気にあふれていた He was ⌈full of *life* [in high *spirits*]. // この雨で庭の木々はすっかり*生気を取り戻した (⇒ 雨が木を再び生き返らせた) The rain has brought the trees in the garden to *life* again. // *生気のない (⇒ 青ざめた) 顔つき a *pallid* look

せいき³ 正規 ━形 (臨時でなく本式の) regular; (正式の) formal. (☞ ほんしき; せいしき¹). ¶ *正規の手続きを踏んだほうがよいでしょう It is advisable to go through the ⌈*regular* procedure(s) [*due* formalities]. // 彼女は*正規の教員です (⇒ 資格を持っている) She is a ⌈*qualified* teacher [(⇒ 本雇いの) *full-time* teacher]. // *正規の職員 the *permanent* staff **正規軍** regular army Ⓒ **正規分布** normal distribution Ⓤ.

せいき⁴ 性器 ☞ せい³ (性器)

せいき⁵ 生起 ━名 (物事が起こること) occurrence Ⓤ. ━動 occur ⓐ. (☞ おこる²).

せいき⁶ 精気 (精神) spirit Ⓤ; (活力) vigor Ⓤ.

せいぎ 正義 justice Ⓤ; 《文》 righteousness /ráɪtʃəsnəs/ Ⓤ. ¶ 彼は*正義の味方だ He is a ⌈champion [friend; lover] of *justice*. // 彼らは*正義のために戦った They fought for *justice*. // 彼は*正義感が強い人だ He has a strong sense of *justice*.

せいきしょうがく 生気象学 〔生〕 biometeorology Ⓤ.

せいきゅう¹ 請求 ━名 (権限を持った強い請求) demand Ⓒ; (当然の権利としての) claim Ⓒ; (穏やかで丁寧な要求) request Ⓒ. ━動 (頼む・求める) ask ... (for ...; to *do* ...) ★ 最も口語的な表現で, 以下の語の代わりに使える場合も多い; demand ⓣ; claim ⓣ; request ⓣ; (代金などを) charge ⓣ. (☞ ようきゅう¹; ようせい¹).

¶ 車の修理代に10万円*請求された They *asked* for ⌈a [one] hundred thousand yen to repair my car. / They *asked* me *to* pay ⌈a [one] hundred thousand yen for repairing my car. // 10日までに家賃を支払うよう*請求されている I *have been asked to* pay the rent by the tenth (of the month). // *請求あり次第カタログをお送りいたします Our catalogue will be sent ⌈at your *request* [on

request]. // 彼らはその損害の補償を*請求しているが，残念ながらその*請求には応じられない They *are claiming* payment from us for the damage(s), but I am afraid we cannot meet their *demand(s)*. // 彼は*請求どおりに支払った He made (the) payment as *requested*.
請求額 the amount ˹claimed [asked]. ¶ *請求額はいくらですか (⇒ いくら支払うことを要求されているか) How much ˹*are* you *asked to pay* [*have you been charged*]? **請求権** (right to) claim Ⓒ. ¶ 遺産*請求権 a *claim* ˹on [against] an inheritance **請求者** claimant Ⓒ **請求書** bill Ⓒ; (商店・レストランなどの)《米》check Ⓒ.《☞ かんじょう²》. ¶ *請求書を下さい Could I have the ˹*bill* [*check*], please? ★ やや丁寧な表現.

せいきゅう² 性急 ―形 (急いだ) hasty; (軽率でせっかちな) rash; (待ちきれない・辛抱できない) impatient. ―副 hastily; impatiently.《☞ せっかち》. ¶ 彼は*性急に結論を出しすぎる (⇒ 軽率な決定をしがちだ) He is apt to make *rash* decisions. / He jumps to *hasty* conclusions.

せいきゅうりょく 制球力 contról Ⓤ《☞ コントロール》.

せいきょ 逝去 ―動 (死ぬ) die ⓐ, páss awáy ⓐ ★「死ぬ」ということを婉曲に言う言葉で，格式ばった表現. ―名 death Ⓤ.《☞ しぬ (類義語); 婉曲語法 (巻末)》.

せいぎょ¹ 制御 ―名 contról Ⓤ. ―動 contról ⓗ.《☞ コントロール》. **制御工学** control engineering Ⓤ **制御装置** control ˹device [system] Ⓒ, controller Ⓒ **制御盤** control panel Ⓒ **制御プログラム** control program Ⓒ **制御棒** (原子炉の) control rod Ⓒ.

せいぎょ² 生魚 (生きている魚) live /láɪv/ fish Ⓒ; (鮮魚) fresh fish Ⓒ.

せいぎょ³ 成魚 adult fish Ⓒ.

せいきょう¹ 盛況 ¶ その夏期講習会はたいへんな*盛況だった (⇒ 大成功だった) The summer workshop was a great *success*. / (⇒ 多くの参加者があった) There ˹were [was] a large number of participants in the summer course. ★ 第 1 文が口語的. // 彼の商売は*盛況だ His business *is flourishing*.《☞ さかん¹; かっきょう》

せいきょう² 生協 (組織) cooperative society Ⓒ; (売店) co-op /kóuàp/ (store) Ⓒ.

せいぎょう¹ 正業 legitimate [respectable] ˹occupation [business] Ⓒ. ¶ *正業を営む make an *honest living* // *正業につく take up an *honest* ˹*calling* [*occupation*]

せいぎょう² 成業 (事業の) completion of *one's* work Ⓒ; (学業の) completion of *one's* ˹school course [studies] Ⓒ.

せいぎょう³ 生業 occupation Ⓒ.

せいきょういく 性教育 ☞ せい³ (性教育)

せいきょうかい 正教会 the Orthodox Church. ¶ ギリシャ[ロシア]*正教会 *the* ˹Greek [Russian] *Orthodox Church*

せいきょうと 清教徒 Puritan Ⓒ. **清教徒革命** 〔史〕the Puritan Revolution **清教徒主義** Puritanism Ⓤ.

せいきょうぶんり 政教分離 the separation of religion and politics ★ the を付けて.《☞ ぶんり 語法》.

せいぎょき 盛漁期 the fishing season. ¶ さけの*盛漁期 *the* salmon *fishing season*

せいきょく¹ 政局 political situation Ⓒ《☞ せいけん¹》.
¶ *政局の危機 a *political* crisis // 彼には*政局を担当する資格はない (⇒ 政権を引き継ぐ適任者ではない) He is not the right person to take over the *government*. // 彼は総選挙によって*政局の安定を図ろうとした He attempted to ˹stabilize [save] the *political situation* by calling a ˹general [national] election. // 現政権は*政局を打開できるか Can the present government break the *political* ˹deadlock [impasse /ímpæs/]?

せいきょく² 正極 positive pole Ⓒ.

せいきん 精勤 (仕事などに対する) industry Ⓤ; (何か特定の方面での) diligence Ⓤ ★ 必ずしも仕事とは限らない; (勤務を休まないこと) good [regular] attendance Ⓤ.《☞ きんべん》. **精勤者** person who attends regularly Ⓒ **精勤賞** prize for regular attendance Ⓒ.

ぜいきん 税金 tax Ⓒ; (地方税) local tax Ⓒ, 《英》rates ★ 通例 the rates として; (物品税) duty Ⓒ; (制度としての) taxation Ⓤ.《☞ ぜい¹; かぜい¹》.
¶ 給料から月々約 3 万円を*税金として引かれている Some thirty thousand yen is deducted from my monthly pay for *taxes*. // 1 年にどのくらい*税金を納めていますか How much do you pay in ˹*taxes* [《英》*tax*] a year? // その国は日本よりずっと*税金が高い People *are taxed* far more heavily in that country than in Japan. // この店で買えば*税金がかかりません You can buy ˹*duty*-free [*tax*-free] at this store. // 日本ではカメラやフィルムに*税金がかかりますか Do you have to pay ˹*duty* [*tax*] on cameras and film in Japan? // これらの品物は*税金はかかりません These articles are ˹free of [exempt from] *tax*(*es*). // 国立大学はすべて*税金でまかなわれている All (the) national universities are financed by *taxes*. // *税金でまかなわれている奨学金 a *tax*-supported scholarship
税金滞納 tax arrears. ★ 複数形で.《☞ たいのう¹》 **税金引当金** tax reserve Ⓒ **税金避難地** tax haven Ⓒ《☞ タックス (タックスヘイブン)》.

コロケーション
税金を集める collect [raise] *taxes* / 税金をかける[課す] put [impose; lay; levy] a *tax* on ... / 税金を減免する remit *a person's tax* / 税金を下げる lower [cut; reduce] *taxes* / 税金を逃れる evade [dodge] (a) *tax* / 税金を増やす increase [raise] *taxes* // 税金に苦しむ groan under *taxes* / 税金を免除される be ˹exempt [exempted] from ˹*taxation* [*taxes*; *tax*]

せいく 成句 set phrase Ⓒ, idiomatic ˹phrase [expression] Ⓒ ★ ほぼ同意だが，後者がやや格式ばった表現.《☞ かんよう²; イディオム (巻末)》.

せいくうけん 制空権 ¶ *制空権を奪う[失う] win [lose] *the* ˹*command* [*control*] *of the air* // *制空権を握っている *command* [*control*] *the air* / hold *the* ˹*command* [*control*] *of the air*

せいくらべ 背比べ ¶ 2 人で*背比べをしてごらん (⇒ 2 人のうちどちらが背が高いか見てみよう) Let's see *which of you two is* (*the*) *taller*. // 彼らはどんぐりの*背比べだ (⇒ みんな似たり寄ったりだ) They are all alike.《☞ どんぐり (どんぐりの背比べ); せ²》

せいくん 請訓 request for instructions Ⓒ. ¶ 大使は本国政府に*請訓した The ambassador *asked* his home government *for instructions*.

せいけい¹ 生計 living, livelihood /láɪvlihùd/ Ⓤ ★ 両者とも通例 a, *one's* を付けて.《☞ くらし; せいかつ¹》. ¶ 彼らは狩りや魚取りをして*生計を立てていた They earned *their* ˹*living* [*livelihood*] by hunting and fishing. **生計費** cost of living Ⓒ, living expenses ★ 複数形で. **生計費指数** cost of living index Ⓒ.

せいけい² 西経 west longitude Ⓤ. ¶ *西経 18

度 *long*. 18° *W*. 〔参考〕 longitude /lándʒət(j)ù:d/ eighteen degrees west と読む. / 18 degrees *west longitude* // その島は*西経 15 度から 22 度あたり (⇒ 15 度から 22 度の約 7 度分) を占めている The island covers some seven degrees of *longitude*, 15° to 22° *west*. 《☞ けいど¹; ど》

せいけい³ 整形 (整形手術) orthop(a)edic /ɔ̀əθəpí:dɪk/ súrgery Ⓤ; (形成手術) plastic surgery Ⓤ; (美容手術) cosmetic surgery Ⓤ ★ 俗に言う美容のための「整形手術」には後の 2 つを用いる. 《☞ けいせい²》.

¶ 目尻のしわは*整形手術でとれる Crow's-feet can be removed by ˹*plastic* [*cosmetic*] *surgery*. // 彼女は*整形手術をしたに違いない She must have had ˹*plastic* [*cosmetic*] *surgery*.

整形外科 (医学の一部門) orthop(a)edics /ɔ̀əθəpí:dɪks/ Ⓤ; (形成外科) plastic surgery Ⓤ; (病院の部門) orthop(a)edic(s) [plastic surgery] department Ⓒ **整形外科医** òrthop(á)edist Ⓒ, orthop(a)edic surgeon Ⓒ; plastic surgeon Ⓒ 《☞ 病気・病院 (囲み)》.

せいけい⁴ 成形 ― 動 (形づくる) form ⑩, shape ⑩; (型に入れて) mold ⑩. ― 名 formation Ⓤ; molding Ⓤ.

せいけいがくぶ 政経学部 (大学の) the ˹college [school; faculty] of political science and economics ★ 英米では学部に当たるものを department と呼ぶ大学もある. 《☞ 学校・教育 (囲み); がくぶ (類義語)》.

せいけつ 清潔 ― 形 (汚れがなくてきれいな) clean; (きちんとした) neat; (きれい好きな) cleanly /klénli/; (衛生的な) hygienic. ― 名 cleanliness Ⓤ; neatness Ⓤ. 《☞ きれい; こぎれい; こざっぱり》.

¶ 体を*清潔にしておくこと Keep yourself *clean*. // *清潔な政治 *clean* government

「この公園は皆様のものです. 清潔にしておくためにご協力下さい」という掲示

せいけん¹ 政権 (政府) government Ⓒ; (特に米国) administration Ⓒ ★ 最近では《英》でも用いられることがある; (政治の組織) regime /reɪʒí:m/ Ⓒ. 《☞ せいじ¹; せいきょく¹》.

¶ クリントン*政権 the Clinton *Administration* // 独裁*政権 a dictatorial *regime* // *政権をとる take ˹over [*the reins of*] (the) *government* ★ [ ] 内は少し格式ばった言い方. // イギリスでは現在労働党が*政権を握っている (⇒ 権力の座にある) In Britain the Labour Party is now *in power*. // *政権の交替 a change of ˹*regime* [*government*] // *政権を握る come ˹to [into] *power* / take *power* // *政権を失う fall from [lose] *power* // *政権に復帰する return [be restored] to *power* ★ restored は格式ばった語で, 主として自分以外の力により復帰が可能になった場合. **政権争い** struggle [scramble] for political power Ⓒ **政権政党** the ruling party Ⓒ.

―コロケーション―

新政権を選ぶ choose a new *government* / 政権を支持する support the *government* / 政権を樹立する establish [set up; form] a *government* / 政権を掌握する seize *power* / 政権を倒す overthrow [overturn] a *government* / 政権を転覆する topple [subvert] a *government* // 安定した政権 a ˹stable [settled] *government* / 傀儡政権 a puppet *government* / 現政権 the current *government* / 後継[退く]政権 the ˹incoming [outgoing] *government* / 左[右]翼政権 a ˹leftist [rightist] *government* / 暫定政権 an interim [a provisional] *government* / 社会主義政権 a ˹socialist [communist] *government* / 弱体政権 a weak *government* / 少数党政権 a minority *government* / 全体主義政権 a totalitarian *government* / 腐敗した政権 a corrupt *government* / 保守政権 a conservative *government* / 民主政権 a democratic *government* / 無能な政権 an ˹ineffectual [inefficient; inept] *government* / 連立政権 a coalition *government*

せいけん² 政見 political ˹view [opinion] Ⓒ. **政見放送** political opinion broadcast Ⓒ; 《英》 party-political broadcast Ⓒ.

せいけん³ 生検 (生体組織検査) biopsy Ⓒ.

せいげん¹ 制限 ― 動 (制限・条件をつける) restrict ⑩; (限界をもうける) limit ⑩. ― 名 restriction Ⓤ ★「制限するもの, 規則」の意では Ⓒ; (限界・限度) limit Ⓒ. 《☞ せいやく¹; かぎる》.

¶ 彼女は食事を*制限している (⇒ ダイエットをしている) She *is* ˹*on a diet* [*dieting*]. // 市街地区での車の使用は大幅に*制限する必要がある The use of vehicles in ˹developed [urban] areas should *be* ˹*restricted* to a considerable degree [greatly *restricted*]. // 用意できる部屋は数に*制限があります The rooms available *are limited* (in number). // この学校は入学の年齢*制限はない They don't set any age *limit* for admissions to this school. // 市街地区域でのスピード*制限は時速 40 キロです In ˹urban [《英》 built-up] areas the speed *limit* is forty kilometers per hour. // 米国は日本に輸入*制限の撤廃を求めてきた The USA has asked Japan to lift its import *restrictions*. // 産児*制限 birth *control*

制限酵素 〚生化〛 restriction enzyme Ⓒ **制限時間** time limit Ⓒ. ¶ *制限時間を守る[越える] keep to [run over; run past] the *time limit* // *制限時間いっぱいです (⇒ あなたの時間はなくなった) Your time is up. **制限戦争** ☞ げんてい (限定戦争) **制限速度** speed limit Ⓒ. ¶ *制限速度を越える[守る] exceed [observe] the *speed limit*

―コロケーション―

制限を解除する lift [raise] a *restriction* / 制限を課す place [put; set; impose; lay down] a *restriction* / 制限を緩和する ease [lighten; relax] a *restriction* / 制限を強化する tighten a *restriction* / 制限を実施する enforce a *restriction* / 制限を撤廃する end [abolish; withdraw] a *restriction* // 価格制限 a price *restriction* / カロリー[食事]制限 a ˹caloric [dietary] *restriction* / 厳しい制限 a ˹severe [strict; tough] *restriction* / 数量制限 a quantitative *restriction* / 貿易制限 a trade *restriction* / 法的制限 a legal *restriction*

せいげん² 正弦 〚数〛 sine Ⓒ 《略 sin》. **正弦関数** sinusoidal /sáɪnjusɔ́ɪdl/ fúnction Ⓒ **正弦曲線** síne cùrve Ⓒ **正弦定理** síne theorem /θí:ərəm/ Ⓒ **正弦波** síne wàve Ⓒ.

ぜいげん¹ 税源 source of tax revenue Ⓒ, tax source Ⓒ.

ぜいげん² 贅言 redundancy Ⓒ. ¶ …については*贅言を要しない (⇒ 長々と話す必要はない) there is no need to *dwell upon* ...

せいご 生後 (生まれた後) after *one's* birth.

¶*生後2か月の赤ん坊 a two-month-old baby // その赤ん坊は*生後20日で死んだ The baby died twenty days *after* ⌈*its* [*his*; *her*] *birth*.

せいこう[1] 成功 ── 名 success Ⓤ ★具体的な事実や成功者の意味では Ⓒ; (興行などの) hit Ⓒ. ── 動 (成功する) succeed (in ...) 自, be successful 語法 (1)「人・物」いずれをも主語にとる. 人の場合は「...に成功する」の意味では in ... となる; (出世などして成功する) rise [succeed] in the world, get on in life. 《☞ しゅっせ》.

¶警察は人質の救出に*成功した The police *succeeded in* rescuing the hostages. // 彼の手術は*成功だった His operation was ⌈a *success* [*successful*]. // 彼は実業家として*成功した He *succeeded* as a businessman. // 彼の*成功はおぼつかない[間違いない] He is ⌈not likely [sure] to *succeed*. // ご*成功をお祈りします I wish you *success*. / Good luck (to you)! 語法 (2) 試験・試合などに行く人に向かって言う言葉. // 彼らは東京公演で大*成功をおさめた Their Tokyo performance was a ⌈great *success* [big *hit*]. 《☞ おおあたり》// 失敗は*成功のもと Failure teaches *success*. 《ことわざ: 失敗が成功を教える》 **成功金** payment conditional upon success Ⓒ **成功者** success Ⓒ ★「成功した物・事」の意味でも用いる. **成功談[物語]** success story Ⓒ **成功報酬** contingency [contingent] fee Ⓒ **成功率** (可能性) probability of success Ⓒ; (割合) success rate Ⓒ **成功裏に** ¶*成功裏に終わる end *in success* 《☞ -り》

せいこう[2] 精巧 ── 形 (部品がたくさん使われて手が込んでいる) eláborate; (機械などが) sophísticàted; (手が込んでいてしかも美しい) exquisite ★多少文語的. ── 名 elaborateness Ⓤ; sophistication Ⓤ; exquisiteness Ⓤ. 《☞ せいみつ》.

¶*精巧な装置 an *elaborate* apparatus // *精巧なカメラ a *sophisticated* camera

せいこう[3] 性向 disposition Ⓒ 《☞ せいしつ[1] (類義語); せいかく[3]》.

せいこう[4] 性交 (séxual) íntercòurse Ⓤ 《☞ セックス》. ¶*性交する have ⌈*sex* [*sexual intercourse*] with ... / make *love* ⌈with [to] ... **性交不能** ímpotence Ⓤ, ímpotency Ⓤ.

せいこう[5] 製鋼 steel manufacture Ⓤ. **製鋼所** steelworks Ⓒ ★単複同形.

せいこう[6] 生硬 ¶彼の文体は*生硬である (⇒ 彼は未熟に堅苦しく書く) He writes in an *immature and stiff* style.

せいこう[7] 性行 character and conduct Ⓒ.

せいこう[8] 清光 the clear light (of the moon).

せいごう[1] 整合 ── 名 (一致) coordination Ⓤ; (首尾一貫) consistency Ⓤ; (調整) adjustment Ⓤ; 〘地学〙 conformity Ⓤ. ── 動 (一致させる) coordinate 他; (調整する) adjust 他. 《☞ せいごうせい》.

せいごう[2] 正号 〘数〙 positive [plus] sign Ⓒ.

せいこううどく 晴耕雨読 ── 動 (晴天には耕し, 雨天には本を読む) plow [《英》 plough] the fields on ⌈fine [clear] days and read books on wet days; (悠々自適の生活を送る) live in quiet retirement.

せいこうかい 聖公会 《米》 the Protestant Episcopal Church; 《英》 (英国国教会) the Anglican Church, the Church of England.

せいごうせい 整合性 (きちんと整って一致すること・合わせること) coordination Ⓤ; (理論に矛盾がないこと) consistency Ⓤ, coherence Ⓤ.

¶*整合性のある計画 a *well-coordinated* ⌈project [plan] // 彼の議論は*整合性に欠ける His argument lacks ⌈*consistency* [*coherence*].

せいこうとうてい 西高東低 ¶気圧配置は*西高東低の典型的な冬型となるでしょう Atmospheric pressure will follow the typical winter pattern—*high to the west and low to the east*.

せいこうほう 正攻法 (正統的な手段) orthodox ⌈method [approach] Ⓒ; (伝統的なやり方) traditional ⌈method [approach] Ⓒ. ¶*正攻法でいく (⇒ 正々堂々と勝負をする) play fair // この問題の解決は*正攻法ではできない (⇒ 使えない) We cannot use an *orthodox* ⌈*method* [*approach*] to solve this problem.

せいこく 正鵠 ── 名 (金的) the bull's-eye; (要点) point Ⓒ; (ねらい) mark Ⓒ. ── 形 (正鵠を得た) appropriate; (適切な) proper. ¶彼女の反対意見は*正鵠を得ていた Her dissenting opinion ⌈was right on the *mark* [hit *the bull's-eye*]. // 彼の学校批判は*正鵠を失した His criticism(s) of the school ⌈missed [was off] *the mark*.

せいこつ 整骨 (骨接ぎ術) bonesetting Ⓤ 《☞ せっこつ; ほね; ほねつぎ》. **整骨療法** osteopathy Ⓤ **整骨療法家** osteopath Ⓒ.

せいごひょう 正誤表 errata /eráːtə/ ★複数形だが, 普通は単数扱い; list of errata Ⓒ.

ぜいこみ 税込み ☞ ぜい[1]

せいごもんだい 正誤問題 true-false test Ⓒ.

せいこん[1] 精根 ¶*精根尽き果てた (⇒ 完全に疲れ果てた) I am completely ⌈exhausted [worn out]. 《☞ せい[4]; げんき[1]; きりょく[1]》

せいこん[2] 精魂 ¶彼らはその仕事に*精魂を傾けた (⇒ 全エネルギーを注いだ) They devoted *all their* ⌈*energy* [*energies*] to the work. // 彼女はその作品に*精魂を込めた[傾けた] (⇒ 全身全霊を傾けた) She *put her* (*whole*) *heart and soul* into her work. / She devoted *all her* ⌈*energy* [*energies*] to the work.

せいこん[3] 成婚 (結婚) marriage Ⓒ 《☞ けっこん[1]》.

せいさ[1] 精査 ── 名 (詳細な調査) minute /maɪn(j)úːt/ invèstigátion Ⓒ; (精密な検査) close inspection Ⓒ; (注意深い検討) careful ⌈survey [examination] Ⓒ. ── 動 (詳しく調査する) investigate minutely 他; (入念に調べる) ⌈examine [survey] carefully 他; (綿密に調べる) scrutinize 他. 《☞ しらべる》.

せいさ[2] 性差 (性別による差) difference ⌈based on sex [between the sexes] Ⓒ; (男女の区別) sexual distinction Ⓒ; (社会的・文化的男女差) gender gap Ⓒ.

せいざ[1] 星座 constellation Ⓒ; (占星術の) (star) sign Ⓒ, sign of the zodiac Ⓒ. ¶「あなたの*星座は何ですか」「うお座です」 "What *sign* are you? / What's your (star) sign?" "(I'm (a)) Pisces." **星座図** ☞ せいず[2]

星座・星のいろいろ

	英 語 名	ラ テ ン 名
アンドロメダ座	Andrómeda	Andrómeda
いて座	the Archer	Sagittarius /sæ̀dʒətéː(ə)riəs/
うお座	the Fishes	Pisces /páɪsiːz/
うみへび座	the Water Snake	Hydra /háɪdrə/
おうし座	the Bull	Taurus

おおいぬ座	the Great Dog	Canis /kéɪnɪs/ Májor
おおぐま座	the Great Bear	Ursa /ə́:sə/ Májor
おとめ座	the Virgin	Virgo /və́:goʊ/
おひつじ座	the Ram	Aries /é(ə)ri:z/
オリオン座	the Hunter	Orion /əráɪən/
カシオペア座	Càssiopéia	Càssiopéia
かに座	the Crab	Cancer
牽牛星	Altair	Altair /æltáɪə/
ケンタウルス座	the Centaur	Centáurus
こぐま座	the Little Bear	Ursa Minor
こと座	the Lyre	Lyra
さそり座	the Scorpion	Scorpius
しし座	the Lion	Leo /lí:oʊ/
織女星	Vega /ví:gə/	Vega
シリウス	the Dog Star	Sírius
てんびん座	the Balance, the Scales	Libra /lí:brə/
白鳥座	the Swan	Cýgnus
ふたご座	the Twins	Gémini
ペガサス座	Pegasus, the Winged Horse	Pégasus
ヘルクレス座	Hercules	Hercules /hə́:kjulì:z/
ペルセウス座	Pérseus	Perseus /pə́:siəs/
北斗七星	《米》the Big Dipper, 《英》the Plough	Septéntrion
北極星	the polestar, the North Star	Poláris
みずがめ座	the Water Bearer	Aquarius /əkwé(ə)riəs/
南十字星	the Southern Cross	Crux
やぎ座	Capricorn, the Goat	Capricornus /kæprɪkɔ́ənəs/
わし座	the Eagle	Aquila /ǽkwələ/

せいざ[2] **正座** ━動 sit on the floor in Japanese fashion 日英比較 英語には「正座」に当たる言葉がないので，さらに詳しく説明するには in Japanese fashion の代わりに with *one's* knees bent and with *one's* toes directly beneath *one's* body とすればよい．

せいざ[3] **静座** ━動 (静かに座る) sit ┌quietly [still] 自.

せいさい[1] **制裁** (国際間の) sanctions ★ 複数形で; (罰) punishment U. (☞ ばつ[1]).
¶ EU 諸国はその国に対して経済上の*制裁を加えた [解除した] The EU (nations) ┌imposed [lifted] economic *sanctions* against that country. // 彼はすでに十分に社会的な*制裁を受けた He has already suffered great social *punishment*. **制裁金** (科料) fine C; (反則金) penalty C. (☞ ばっきん).

せいさい[2] **精彩，生彩** (生気) life U; (活力) vitality U. (☞ せいき[2]; かっき[1]; かつりょく). ¶ 青木先生の授業にはまったく*精彩がない (⇒ 退屈な授業をする) Mr. Aoki gives very dull lectures. // その夜の彼女の踊りはひときわ*精彩を放っていた Her dancing was *remarkable* that evening.

せいさい[3] **正妻** *one's* ┌lawful [legal] wife.

せいさい[4] **精細** ☞ くわしい

せいさい[5] **聖祭** 〖カトリック〗hierurgy /háɪərə̀:dʒi/ U.

せいざい **製材** logging U, 《米》lumbering U. (☞ ざいもく). **製材業** the sawing industry; 《米，カナダ》lumbering U **製材業者** sawmiller C; 《米》lumberer C, lumberman C **製材所** sawmill C; 《米》lumbermill C.

せいさいぼう **精細胞** 〖生〗 spermatoblast /spə́:mətəblæ̀st/ C.

せいさく[1] **製作，制作** ━動 (物を作る) make 他 ★ 最も一般的な語; (機械などで工場生産する) mànufácture 他; (劇・映画などを) produce 他. ━名 manufacture U; production U ★ 作品・製品の意では C. (☞ せいぞう[1]; つくる). ¶ 株式会社東都*製作所 the Toto *Manufacturing* ┌Co., Ltd. [Company Limited] **製作者** (作る人) maker C; (工場などの) manufacturer C; (映画など) producer C **製作費** production cost C.

せいさく[2] **政策** policy C ★ 政府などの政策の場合は U. ¶ 日本の外交*政策 Japan's [Japanese] foreign *policy* **政策学** policy studies ★ 複数形で. **政策協定** policy agreement C **政策減税** policy-oriented tax cut C, tax reduction based on government policy U **政策提言** advocacy U, policy proposal C **政策秘書** policy secretary (to a Diet member) C **政策評価** policy-assessment U **政策論争** policy dispute C.

コロケーション

政策を打ち出す put forward [launch] a *policy* / 政策を推し進める pursue [follow] a *policy* / 政策を変える change [alter] a *policy* / 政策を固める firm up a *policy* / 政策を強化する toughen a *policy* / 政策を決定する decide on a *policy* / 政策を定める set [lay down; establish] a *policy* / 政策を実行する carry out [execute; enforce; implement] a *policy* / 政策を調整する coordinate *policies* / 政策を転換する switch a *policy* / 政策を取りいれる adopt a *policy* / 政策を採る employ a *policy* / 政策を練る work out a *policy* / …政策を始める launch a … *policy* / 政策を発表する announce [voice] a *policy* / 政策を放棄する abandon [scrap] a *policy* / 政策を見直す review a *policy* / 政策を立案する form [make] a *policy* // 一貫性のない政策 an inconsistent *policy* / 強硬な政策 a ┌hard-line [strong] *policy* / 近視眼的な政策 a short-sighted *policy* / 金融引き締め政策 a tight money *policy* / 建設的な政策 a constructive *policy* / 進歩的な政策 a progressive *policy* / 短期的な政策 a ┌short-range [short-term] *policy* / 長期的政策 a ┌long-range [long-term] *policy* / 低金利政策 a cheap money *policy* / 人気取り政策 a vote-catching *policy* / 農業[産業]政策 an ┌agricultural [industrial] *policy* / 場当たり的政策 an ad hoc *policy* / 福祉政策 a welfare *policy* / 物価政策 a price-control *policy* / 保護主義的政策 a protectionist *policy* / 保守的な政策 a conservative *policy* / 前向きな政策 a forward-looking *policy* / 有効な政策 an effective *policy*

せいさしょとう **西沙諸島** ━名 固 (パラセル群島) the Páracel Íslands ★ 南シナ海の北西部にある小島群. (☞ なんかい[3] (南海諸島))

せいさつ **精察** ━名 (詳しい観察) careful observation Ⓤ; (慎重な考慮) careful consideration Ⓤ. ━動 (詳しく調べる) examine carefully ⑯; (入念に考慮する) consider carefully ⑯.

せいさつよだつ 生殺与奪 ¶…に対して*生殺与奪の権を持つ have [hold] the power of *life and death* over …

せいさべつ 性差別 ━名 sex [sexual; gender] discrimination Ⓤ, sexism Ⓤ. ━形 (性差別主義の) sexist. **性差別主義者** sexist Ⓒ. (☞ さべつ)

せいさん[1] 生産 ━名 (生産すること・生産量) production Ⓤ; (一定期間の生産量) output Ⓤ; (製品) product Ⓒ. ━動 produce ⑯, tùrn óut ⑯ ★ 後者のほうが口語的; (工場などで大量に) mànufácture ⑯; (作る) make ⑯ ★ 意味の広い一般的な語. ━形 (生産的な) productive. (☞ せいぞう[1]; つくる).

¶*生産が低下した[増大した] Production has ⌈decreased [increased]. // この工場では毎月 2 千台の自動車を*生産する This factory ⌈*turns out* [*manufactures*; *produces*] two thousand cars a month. // 農産物は*生産が過剰になっている Crops *are being overproduced.* // 国民総*生産 the gross national *product* ★ GNP と略す. (☞ 略語 (巻末)) // 国内総*生産 the gross domestic *product* ★ GDP と略す. (☞ 略語 (巻末))

生産意欲 the ⌈will [willingness] to produce. ¶ *生産意欲を高める arouse *enthusiasm for industrial production* **生産価格** production price Ⓒ, the price of production **生産過剰** overproduction Ⓤ **生産過程** production process Ⓒ **生産管理** production control Ⓤ. ¶*生産管理部 the *production control* ⌈division [department] (☞ 会社の組織と役職名 (囲み)) **生産技術** production [manufacturing] ⌈technique Ⓒ [know-how Ⓤ] ★ production は一般的だが, manufacturing は工場での生産について用いる. know-how は口語的. **生産組合** producers' ⌈association [cooperative] Ⓒ ★ association は一般的に団体を指すが, cooperative は協同組合のこと. **生産原価** production cost Ⓒ, the cost of production Ⓒ **生産工学** industrial engineering Ⓤ **生産コスト** production cost Ⓤ, the cost of production **生産指数** production index Ⓒ **生産者** (一般的な意味で) producer Ⓒ; (作る人) maker Ⓒ; (工場などの) manufacturer Ⓒ **生産者価格** the producer's price **生産者米価** the producer('s) ⌈rice price [price of rice] ★ 消費者米価は the consumer('s) rice price. **生産手段** (土地・資本などの) means of production Ⓒ **生産性** productivity Ⓤ **生産高** output Ⓤ **生産地** place of production Ⓒ. ¶ 米の*生産地 rice-*producing* ⌈*area* [*center*] **生産調整** adjustment of production Ⓤ **生産年齢** working age Ⓤ **生産費** production cost Ⓒ, the cost of production Ⓒ **生産物** (個々の) próduct Ⓒ; (集合的に, 特に農産物などを指す) próduce Ⓤ **生産目標** production target Ⓒ **生産様式** mode of production Ⓒ **生産要素** production factor Ⓒ, factor of production Ⓒ **生産力** production capacity Ⓤ **生産緑地** productive green area Ⓒ; productive agricultural zone Ⓒ.

せいさん[2] 成算 ━名 (成功の自信) confidence of success Ⓤ; (成功の望み) hope of success Ⓤ. ━形 (確信がある) sure ⌈of [that] … Ⓟ; (客観的にも確かな) certain ⌈of [that] … Ⓟ; (自信がある) confident ⌈of [that] … Ⓟ. (☞ みこみ; かくしん[1]; じしん[1] (類義語)). ¶ 私には*成算はまったくない (⇒ 最小限の成功の望みもない) I don't have the slightest *hope of success.* // 今度の計画には十分な*成算がある I'm quite ⌈*sure* [*certain*] *that* the plan will ⌈be successful [succeed].

せいさん[3] 清算 ━動 (負債をきれいに支払う) clear ⑯, páy óff ⑯; (倒産後の会社の負債などを) 《格式》 líquidàte ⑯; (男女が関係を断つ) brèak úp (with …) ⓐ. ━名 clearing Ⓤ; 《格式》 lìquidátion Ⓤ. ¶ 借金の*清算は済みましたか *Have* you ⌈*cleared* [*paid off*] your debt(s)? // 彼女との関係はもうすっかり*清算しました I *have broken up with* her. // 過去のことを*清算して (⇒ 忘れて[葬り去って]) 新規まき直しでやりなさい *Forget* [*Bury*] the past and make a fresh start.

清算会社 company undergoing liquidation Ⓒ **清算人** liquidator Ⓒ.

せいさん[4] 精算 (差し引きの調整) adjustment Ⓤ. ¶ その切符を出口で*精算して下さい Please show the ticket at the exit and *pay the difference of the fare.* **精算所** (運賃などの) fare adjustment ⌈office [window] Ⓒ (☞ えき[1] (挿絵)).

せいさん[5] 凄惨 ━形 (死にまつわるものすごさを感じさせる) gruesome, grisly; (ぞっとするほど恐ろしい) dreadful. (☞ すごい (類義語)). ¶*凄惨な光景 a ⌈*gruesome* [*dreadful*] scene

せいさん[6] 青酸 hydrocyanic /hàɪdrəsaɪǽnɪk/ [prússic /prʌ́sɪk/] ácid Ⓤ. **青酸塩** 〘化〙 prussiate Ⓤ, cyanide /sáɪənàɪd/ Ⓤ **青酸化合物** cyanide Ⓤ **青酸カリ** (シアン化カリウム) (potássium) cýanìde Ⓤ **青酸中毒** hydrocyanic poisoning Ⓤ.

せいさん[7] 正餐 dinner Ⓤ.

せいざん 青山 (草木の繁る山) green ⌈hills [mountains]; (墳墓の地) burial place Ⓒ. ¶ 人間至る所*青山あり ☞ にんげん[1] 成句.

せいさんかくけい 正三角形 equilateral /ìːkwəlǽt(ə)rəl/ triangle Ⓒ (☞ さんかく(けい)).

せいさん(しき) 聖餐(式) 〘キ教〙 (Holy) Communion Ⓤ, the Lord's Supper, the Eucharist /júːk(ə)rɪst/ ★ いずれも単数形で. (☞ ミサ).

¶*聖餐式に出る go to *Communion* // *聖餐を受ける receive [take] ⌈*Communion* [*the Eucharist*] // *聖餐のパンとぶどう酒 the sacrament / the ⌈Blessed [Holy] Sacrament / the Eucharist

せいし[1] 静止 ━動 (じっと動かない) stand still ⓐ. ━形 (静止している) at rest; (固定された) fixed; (1 か所にいて動かない・変動がない) stationary ★ 前の 2 つよりも格式ばった語. (☞ ていし; とまる[1]).

¶*静止している物体 bodies *at rest* // 星は空に*静止しているように見える The stars seem to remain *fixed* in the sky.

静止衛星 geostationary /dʒìːoustéɪʃənèri/ satellite Ⓒ (☞ えいせい[1]) **静止エネルギー** rest energy Ⓤ **静止画像** still picture Ⓒ **静止気象衛星** geostationary meteorological satellite Ⓒ **静止軌道** (衛星の) geostationary orbit Ⓒ **静止トランスファー軌道** stationary transfer orbit Ⓒ **静止摩擦** 〘物理〙 static friction Ⓤ.

せいし[2] 生死 ¶*生死に関する問題 a matter of *life* ⌈*and* [*or*] *death* // いまだに 5 人の*生死がわからない (⇒ 行方不明) とのことです Five people are reported still *missing.* (☞ あんぴ) // 私は彼と*生死を共にする (⇒ 運命を共にする) 覚悟です I am prepared to share *my fate* with him.

せいし[3] 制止 ━動 (やめさせる) stop ⑯; (押しとどめる) hòld báck ⑯. (☞ とめる[1]). ¶ 警察は群衆を*制止することができなかった The police could not *hold back* the crowd. // 私はどうにか 2 人のけんかを*制止した I managed to ⌈*stop* [*break up*] their fight. 語法 break up を使うと「とっ組み合っていることを制止する」というニュアンスがある.

せいし[4] 正視 ¶ その惨状は*正視する (⇒ 見る) に耐えなかった The scene was so dreadful that I could not bear to *look at* it.《☞ ちょくし¹》

せいし⁵ 製紙 paper ┌making [manufacturing] Ⓤ. **製紙業者** paper manufacturer Ⓒ, papermaker Ⓒ ★前者は大規模な業者. **製紙(工)業** the paper industry **製紙工場** paper mill Ⓒ.

せいし⁶ 製糸 spinning Ⓤ. **製糸(工)業** the spinning industry **製糸工場** spinning mill Ⓒ.

せいし⁷ 精子 sperm Ⓒ《複 ～, ～s》.

せいし⁸ 正史 official [authorized] history Ⓒ.

せいし⁹ 誓詞 (神にかけての誓言) oath Ⓒ; (人と人との誓約) pledge Ⓒ.《☞ ちかい²》.

せいし¹⁰ 姓氏 (名字) family name Ⓒ.

せいし¹¹ 聖旨 (天皇のおぼしめし) the Imperial ┌will [wish].

せいじ¹ 政治 ―名 pólitics ★単数または複数扱い; (統治) government Ⓤ; (施政) administration Ⓤ. ―形 (政治の・政治的) polítical.

¶彼は 20 代そこそこで (⇒ 20 代の初期に) *政治に首を突っ込んだ He entered *politics* in his early twenties. // 彼らの*政治に対する不信はつのる一方だった Their distrust of *politics* continued to ┌get [grow] stronger. // あんな人に国の*政治をやって欲しくない We don't want such a man to ┌handle [be in charge of] *affairs of state*. // 彼の*政治的手腕には見るべきものがある His *statesmanship* is remarkable. // 彼女はなかなかの*政治家だ (⇒ 策略にたけた人だ) She's quite a *diplomat*. // この件は*政治的解決が必要である This problem should be settled by *compromise*. ★ compromise は妥協の意味. 足して 2 で割ることから一種の政治的取引になる.

政治意識 political awareness Ⓤ. ¶*政治意識が高い be *politically aware* **政治運動** political ┌campaign [movement] Ⓒ **政治家** politician Ⓒ, statesman Ⓒ 【語法】この 2 語は対照的に用いられると, 前者は党利党略をこととし, 私利をはかる政治屋という悪い意味で, 後者は立派な政治家という良い意味で使われることがある. しかし, 普通職業としての政治家を指すには中立的な意味で前者を使う. **政治改革** political reform Ⓤ **政治学** politics Ⓤ; political science Ⓒ **政治学者** political scientist Ⓒ **政治革命** political revolution Ⓒ **政治活動** political activity Ⓒ **政治記者** political ┌journalist [reporter] Ⓒ **政治狂(人)** politicomaniac Ⓒ **政治経済学** political economy Ⓤ **政治結社** ☞ 政治団体 **政治献金** political donation Ⓤ ★具体的な例は Ⓒ. **政治権力** political power Ⓤ **政治工作** political maneuvering Ⓤ;《略式》politicking Ⓤ **政治ごろ** political ┌parasite [crony] Ⓒ, ringster Ⓒ; (やくざめいた) bullyboy Ⓒ **政治資金** political fund Ⓒ ★すぐ使える手持ちの金・財源の意味では通例複数形. **政治資金規制法** the Political Fund Control Law **政治資金パーティー** political fund-raising party Ⓒ **政治小説** political novel Ⓒ **政治心理学** political psychology Ⓤ **政治責任** political responsibility Ⓤ **政治団体** political ┌organization [group] Ⓒ **政治的正[妥]当性** political correctness Ⓤ **政治的無関心** political apathy Ⓤ; indifference ┌to [toward] politics Ⓤ **政治的リアリズム** political realism Ⓤ **政治哲学** political philosophy Ⓤ **政治道徳** ☞ 政治倫理 **政治難民** political refugee Ⓒ **政治犯(罪)** political crime Ⓒ; (犯人) political offender Ⓒ; (囚人) political prisoner Ⓒ **政治評論家** political commentator Ⓒ **政治亡命** political asylum Ⓤ **政治問題** political problem Ⓒ **政治屋** ☞ 政治家 **政治力** political influence Ⓤ **政治倫理** political ethics ★複数形で. **政治倫理審査会** the Deliberative Council on Political Ethics.

―コロケーション―

政治に関わらないようにする stay [remain] out of *politics* / 政治に参加する participate in *politics* / 政治に携わる engage in *politics* / 政治の世界に入る enter [go into; get in] *politics* // 一党政治 one-party *politics* / 草の根政治 grass-roots *politics* / 国際政治 international *politics* / 国内政治 domestic [internal; national] *politics* / 左翼[右翼]政治 left-wing [right-wing] *politics* / 世界政治 global *politics* / 派閥政治 sectarian [factional] *politics*

せいじ² 青磁 celadon porcelain Ⓤ.

せいじ³ 盛時 (血気の盛んなとき) the prime of life; (繁栄の時代) prosperous ┌age [years].

セイシェル ―名 ㊟ the Seychelles /seɪʃélz/; (正式名) the Republic of Seychelles ★アフリカ東岸沖の島国. **セイシェル諸島** the Seychelles.

せいしき¹ 正式 ―形 (形式の完備した) formal; (公式の) official; (法律上の) legal; (正規の) regular. ―副 formally; officially; legally; regularly.《☞ こうしき¹; せいき³》.

¶私はまだ*正式な通知は受けていません I've not yet received ┌*formal* [*official*] notice. // その*正式発表はいつですか When is it to be *officially* ┌released [announced]? // 彼らはまだ*正式に結婚はしていない They are not yet *legally* married. // 私はそのクラブの*正式メンバーだ I am a *regular* member of the club.

せいしき² 清拭 (寝ている病人の体をベッドの中で拭いて清潔にしてやること) bed bath Ⓒ, blanket bath Ⓒ. ¶病人を*清拭する give a ┌*bed* [*blanket*] *bath* to a patient

せいしき³ 整式 〘数〙 íntegral expréssion Ⓒ《☞ 数字(囲み)》.

せいしつ¹ 性質 nature Ⓤ; disposition Ⓒ; temper Ⓒ ★複数形では用いない; temperament Ⓒ; character Ⓒ; property Ⓒ; quality Ⓒ.

【類義語】人の生まれつきの性質・天性などは *nature*. 人がいつも身につけている気質は *disposition*. 怒りっぽいとか短気であるとかいうような感情的に見た場合の性質は *temper*. 個人の行動や考え方全体の基になるような生まれつきの気質が *temperament*. 誠実・不誠実などの道徳的な立場から見た性格は *character*. また, この語はある性質を持った人の意でも用いられる. 物質・生物を問わず, 同種のものに共通な特質は *property*. 物質や人の特徴的な要素は *quality* で, この語は普通よい意味に用いられる.《☞ せいかく³; じんかく; きしょう¹》

¶彼は頑固な*性質だ He has a stubborn ┌*nature* [*disposition*]. // ブラウンさんは*性質の優しい[怒りっぽい*性質の]人です Mrs. Brown has a ┌sweet [hot] *temper*. // 彼女は神経質な*性質だ She has a nervous *temperament*. // 太郎は愛すべき*性質を持っている(人だ) Taro is a lovable *character*. // 勇気は優れた軍人のもつ*性質の 1 つです Courage is one of the *qualities* of a good soldier. // この金属の最も著しい化学的*性質は何ですか What is the most ┌remarkable [outstanding] chemical *property* of this metal?

せいしつ² 正室 (昔の日本の正妻) *one's* legitimate wife Ⓒ.

せいじつ¹ 誠実 ―形 (態度にうそ・偽りのない) sincere (↔ insincere); (正直な) honest (↔ dishonest); (忠実な) faithful, loyal. ―名 sincerity Ⓤ; honesty Ⓤ; faithfulness Ⓤ. ―副 sincerely; honestly; faithfully.《☞ しょうじき; せいい¹; まごころ》. ¶彼は*誠実な男だ He is ┌a *sincere*

[a *faithful*; a *loyal*; an *honest*] man. // 彼は常に主人に*誠実に仕えた He always served his master ˹*sincerely* [*faithfully*]. // 私は*誠実に答えた I answered ˹*sincerely* [*with sincerity*].

せいじつ² 聖日 (宗教上の) holy day Ⓒ; (キリスト教の) the Lord's day ★ 日曜日のこと.

せいじほう 正字法 orthógraphy Ⓤ.

せいしめんたい 正四面体 〘幾〙 regular tetrahedron Ⓒ.

せいじゃ¹ 正邪 ― 形 (正しいことと不正なこと) right ˹and [or] wrong. ― 名 (善人と悪人) good and evil people Ⓒ. (☞ ぜんあく).

¶ 幼い子供たちに*正邪の区別を教えなければならない We must teach young children *right from wrong*.

せいじゃ² 聖者 ☞ せいじん

せいしゃいん 正社員 (常勤者) full-timer Ⓒ, full-time worker Ⓒ; (本雇い) permanent employee Ⓒ. ¶ 彼女は*正社員だ She's a *full-time employee*. / (略式) She's *full-time*.

せいじゃく 静寂 ― 名 silence Ⓤ, quiet(-ness) Ⓤ, still(ness) Ⓤ 語法 silence は音がしないことを強調, quiet(ness) は穏やかさを示し, still(-ness) は動きがないことを強調する語. ― 形 silent, quiet, still. (☞ しずか (類義語); しずけさ).

¶ あたりは*静寂そのものだった Everything was ˹*quiet* [*still*] around. // その銃声が夜の*静寂を破った The sound of a gunshot broke the ˹*silence* [*quiet*] of the night.

ぜいじゃく 脆弱 ― 形 (weak and) fragile, frail. (☞ もろい).

せいしゅ 清酒 sake /sá:ki/ Ⓤ ★ 種類をいうときは Ⓒ; (説明的には) Japanese rice wine Ⓤ. (☞ さけ¹).

せいしゅう 清秀 ― 形 refined and distinguished.

ぜいしゅう 税収 tax revenue Ⓤ ★ 諸税収の意味では tax revenues と複数形にする. (☞ しゅうにゅう; ぜい¹).

せいじゅうにめんたい 正十二面体 regular dodecahedron Ⓒ.

せいしゅく 静粛 ― 形 (音も動きもない) quiet, still 語法 後者は動きのないことに重点がある; (話し声のしない) silent. ― 名 quiet(ness) Ⓤ; (沈黙) silence Ⓤ; (騒ぎの後の静まり) hush Ⓒ ★ 通例単数形で不定冠詞を付けて用いる. (☞ しずか (類義語); しずけさ; せいじゃく).

¶ どうか*静粛に願います (⇒ 静かにして下さい) Please be *quiet*. / *Order*! *Order*! ★ 会議などでの議長の注意. // 指揮者が指揮棒を上げると会場は*静粛になった (⇒ 静けさが会場を覆った) As the conductor raised his baton, *a hush* fell over the hall.

せいじゅく 成熟 ― 形 (人や動物・植物が十分に成長した) matúre; (成人した) adult; (特に果実が) ripe. ― 動 (熟す) ripen 自. ― 名 maturity Ⓤ; ripeness Ⓤ. (☞ おとな; じゅくす; えんじゅく).

¶ この温度はバナナの*成熟に適している This temperature is suitable for bananas to *ripen*.

成熟期 (the period of) maturity Ⓤ **成熟児** full-term ˹infant [baby] Ⓒ.

せいしゅん 青春 youth Ⓤ; (青年期・成人への過渡期) àdoléscence Ⓤ; (若さの絶頂のころ) the bloom of (*one's*) youth ★ やや文語的; (若いころ) *one's* early days. (☞ せいねん¹; わかい¹). ¶ *青春の夢がついにかなえられた The dream of my *youth* was finally fulfilled. / My *youthful* dream at last came true. **青春期** adolescence Ⓤ **青春時代** *one's* youth Ⓤ. ¶ ここは私が*青春時代を過ごした所です This is (the place) where I lived ˹when I was *young* [in my *youth*]. // *青春時代の友達は一生忘れることはない To the end of our days, we never forget the friends of our *youth*.

せいじゅん 清純 ― 形 (清純な) pure; (無邪気な) ínnocent. (☞ じゅんしん; じゅんじょう). **清純派** ¶ *清純派の歌手 a singer *with a pure and innocent image*

せいしょ¹ 聖書 ― 名 〘キ教〙 (聖典としての) the (Holy) Bible ★ 新約聖書, 旧約聖書をあわせた呼び名; (一冊の) Bible Ⓒ. ― 形 (聖書の) Bíblical, biblical. (☞ 大文字 (巻末); バイブル).

¶ 新[旧]約*聖書 the ˹New [Old] Testament // 欽定訳*聖書 the ˹Authorized [King James] Version // *聖書を 2 冊買った I bought two *Bibles*. // 「地の塩」というのは*聖書の文句です "The salt of the earth" is ˹a *Biblical* phrase [a phrase from *the Bible*]. **聖書学者** biblical [Bible] scholar Ⓒ **聖書研究会** Bible class Ⓒ **聖書考古学** Biblical archaeology Ⓤ.

せいしょ² 清書 fair copy Ⓒ. ¶ 彼女は私の原稿を*清書するのを手伝ってくれた She helped me make a *fair copy* of the draft.

せいしょ³ 盛暑 the height of summer Ⓤ.

せいじょ¹ 整除 〘数〙 ¶ その数字は 3 で*整除できる The number ˹is *divisible* [can *be divided*] by three. // *整除できない *indivisible* (☞ わりきれる)

せいじょ² 聖女 (キリスト教の聖人) saint Ⓒ; (高徳の女性) holy woman Ⓒ.

せいじょ³ 整序 ― 動 (秩序だてて整える) arrange ... systematically.

せいしょう¹ 斉唱 ― 名 chorus Ⓒ. ― 動 (斉唱する) sing in ˹chorus [unison] 自 他. (☞ がっしょう¹).

せいしょう² 政商 businessman with political connections Ⓒ.

せいしょう³ 清祥 ¶ ご*清祥のことと拝察いたします I trust that you are *well and prosperous*. ★ 英語の手紙ではこのような表現は使わず, すぐに本文に入る. (☞ 手紙の書き方 (囲み))

せいしょう⁴ 正賞 the main prize (☞ しょう⁴; ふくしょう³).

せいじょう¹ 正常 ― 形 (正常な) normal (↔ abnormal); (通常の) ordinary Ⓐ (↔ extraordinary). ― 名 normálity Ⓤ, (米) nórmalcy Ⓤ. (☞ つうじょう). ¶ 人体の*正常な体温は 36 度 5 分です The *normal* temperature of the human body is 36.5 degrees ˹centigrade [Celsius]. (☞ おんど¹; 度量衡 (囲み)) // 新幹線は午後から*正常な運行に戻った *Normal* Shinkansen services were resumed in the afternoon.

正常位 (性交の) the míssionary posìtion **正常化** ― 動 (正常化する) normalize 他. ― 名 normalization Ⓤ. ¶ 日ロ両国の国交*正常化をはかりたい We wish to ˹establish *normal* (diplomatic) relations [*normalize* (diplomatic) relations] with Russia. **正常値** normal value Ⓒ.

せいじょう² 政情 (一時期の) political situation Ⓒ; (継続的な) political conditions ★ 通例複数形で. (☞ せいきょく¹).

せいじょう³ 清浄 ― 形 (きれいな) clean. **清浄野菜** clean(ed) vegetable Ⓒ.

せいじょう⁴ 性状 (特性) properties ★ 主に複数形. ¶ 金属の*性状 the *properties* of a metal

せいじょう⁵ 性情 (生まれつきの性質) nature Ⓒ; (気だて) disposition Ⓤ; (性格) character Ⓒ. (☞ せいしつ¹).

せいじょうき 星条旗 the Stars and Stripes ★ 単数扱い; the Star-Spangled Banner ★ 米国国歌の名前でもある. (☞ はた¹).

せいしょうなごん 清少納言 ―［名］［固］Sei Shonagon, late 10th century; (説明的には) a woman writer of the Heian period, author of *Makura no soshi* (*The Pillow Book*). (☞ まくらのそうし).

せいしょうねん 青少年 youth Ⓒ ★ 定冠詞を付けると集合名詞として単複両扱い; (若い世代) the younger generation ★ やや格式ばった表現; (若い人々) young people ★ 平易な表現. (☞ わかもの; せいねん[1]). **青少年犯罪** júvenile delínquency Ⓤ (☞ ひこう[2]) **青少年保護育成条例** juvenile protection and education ordinance Ⓒ.

せいしょく[1] 生殖 (性の有無にかかわらず繁殖) reproduction Ⓤ; (性行為を伴う) procreation Ⓤ ★ 前者のほうが一般的. **生殖医療** reproductive medicine Ⓤ **生殖器(官)** genital organs, genitals ★ 両者とも複数形で用いる; 〖解〗 genitalia ★ 複数形. ¶ 男[女]性*生殖器 the ˹male [female] *genital organs* **生殖細胞** generative [germ] cell Ⓒ **生殖作用** reproductive [generative] function Ⓒ **生殖力** reproductive [generative] power Ⓤ. ¶ *生殖力がある be ˹*reproductive* [*generative*]

せいしょく[2] 聖職 **1** «牧師の職»: the ministry Ⓤ. ¶ *聖職につく take *holy orders* / go into [enter; join] the ˹*church* [*ministry*]
2 «神聖な職業»: sacred ˹vocation [calling; profession] Ⓒ ★ vocation, calling は天職, profession は専門的職業. (☞ しょくぎょう; てんしょく[2]). ¶ 教職は*聖職であると見なされていた Teaching was regarded as a *sacred profession*.
聖職者 clergyman Ⓒ, minister Ⓒ. (☞ ぼくし; しんぷ[1]; しさい[2]).

せいしょく[3] 生色 (血色のいい顔色) ruddy complexion Ⓒ; (健康そうな顔色) healthy complexion Ⓒ. ¶ *生色を取りもどす get back *one's healthy complexion* // *生色がない (⇒ 死んだように青ざめている) look (as) pale as death / (⇒ 異常に青白い) be wan

せいしょく[4] 声色 ☞ こわいろ

せいしょく[5] 星食 〖天〗 occultation Ⓤ.

せいしょく[6] 生食 (生で食べること) eating ... raw Ⓤ (☞ なま). ¶ *生食用野菜 vegetables *eaten raw*

せいしょほう 正書法 orthógraphy Ⓤ.

せいしん[1] 精神 ―［名］(知的・理性的な心) mind Ⓤ; (肉体に対する心) spirit Ⓤ ★ 形式に対する本義という意味でも用いられる; (魂) soul Ⓤ; (心の状態・気持ち) mentality Ⓤ. ―［形］ spiritual; mental; (感情的な) emotional; (心理的な) psỳchológical. (☞ こころ; たましい; しんり[1] (類義語)).
¶ *精神の糧(かて)になるような本を読みなさい Read books that will ˹improve [stimulate] your *mind*. // 彼は*精神に異常がある (⇒ 精神的に病気である) He is *mentally* ˹ill [disturbed]. / He is out of his *mind*. 〔語 法〕 口語表現で, 一時的に正気でなくなった状態についても言う. 軽蔑的表現. // 彼女は*精神状態が不安定だ She is *emotionally* unstable. // 彼女はひどい*精神的 (⇒ 感情の) ショックを受けた She experienced a severe ˹*emotional* shock [trauma]. // *精神的動揺 *emótional* ˹úpsèts [distúrbances] // それは法の*精神に反する It is contrary to the *spirit* of the law.
精神一到何事か成らざらん Where there's a will, there's a way. (ことわざ: 意志のあるところには道がある) **精神安定剤** tránquil(l)izer Ⓒ **精神医学** psychíatry Ⓤ **精神異常** mental disorder Ⓒ **精神衛生** méntal hygiene /háɪdʒiːn/ Ⓤ, mental health Ⓤ **精神科** psychiatry /səkáɪətri/ Ⓤ **精神科医** psychíatrist Ⓒ **精神科学** mental science Ⓤ **精神鑑定** psychiatric /sàɪkiǽtrɪk/ exàminátion Ⓒ **精神錯乱** mental derangement Ⓤ, mental distraction Ⓤ **精神史** spiritual history Ⓤ **精神主義** mentalism Ⓤ, spiritualism Ⓤ **精神障害** mental disorder Ⓒ **精神障害者** mentally ˹handicapped [challenged; disturbed; deranged] person Ⓒ **精神神経症** 〖医〗 psychoneurosis Ⓤ **精神身体医学** psychosomatic medicine Ⓤ **精神衰弱** 〖医〗 psychasthenia Ⓤ **精神生活** spiritual [inner] life Ⓤ **精神遅滞** mental retardation Ⓤ **精神的外傷** 〖医〗 trauma Ⓒ **精神年齢** mental age Ⓒ **精神薄弱** mental weakness Ⓤ (☞ ちてき (知的障害)) **精神薄弱児** (mentally) retarded child Ⓒ, backward child Ⓒ **精神病** mental ˹disease [illness; disturbance] Ⓒ **精神病院** psychiatric [mental] hospital Ⓒ **精神病患者** mental patient Ⓒ **精神病質** psychopathy Ⓤ, psychopathic personality Ⓤ **精神病質者** psychopath Ⓒ **精神病理学** psychopathology Ⓤ **精神風土** spiritual climate Ⓤ **精神文化** spiritual culture Ⓤ **精神分析** psỳchoanálysis Ⓤ **精神分析医** psỳchoánalyst Ⓒ **精神分裂症[病]** schizophrenia /skɪ̀tsəfríːniə/ Ⓤ ★ 現在の正式名は「統合失調症」(☞ とうごう[1]) だが, 英語名は変わらない. **精神分裂症[病]患者** schìzophrénic Ⓒ **精神保健センター** mental health center Ⓒ **精神保健福祉士** (licensed) psychiatric social worker Ⓒ (略 PSW) **精神保健福祉法** the Mental Health Welfare Law **精神療法** (心理学を使う精神病治療法) psychotherapy Ⓤ; (一般的に精神面からの病気治療法) mental cure Ⓒ **精神力** force of will Ⓤ; (意志の力・自制力) willpower Ⓤ. ¶ 彼女は*精神力でその仕事をやり終えた She finished the work by ˹*force of will* [(⇒ 努力によって) *dint of effort*].

―コロケーション―

開拓者精神 the ˹frontier [pioneer; pioneering] *spirit* / **革命精神** a revolutionary *spirit* / **企業家精神** an entrepreneurial /ɑ̀ːntrəprənə́ːriəl/ *spirit* / **国民精神** the national *spirit* / **創造的精神** a creative *spirit* / **博愛精神** a benevolent *spirit* / **不屈の精神** a tireless [a resilient; a dauntless; an indomitable; an unyielding] *spirit* // **国際協力の精神** a *spirit* of international cooperation / **自己犠牲の精神** a *spirit* of self-sacrifice / **時代の精神** the *spirit* of the age

せいしん[2] 清新 ―［形］(新鮮な・できたばかりの) fresh; (新しい) new. (☞ しんせん; あたらしい).

せいじん[1] 成人 ―［名］(最も広く, また法的に) adult /ədʌ́lt/ Ⓒ; (子供に対して) grówn-ùp Ⓒ ★ 後者のほうが口語的. ―［動］(成年に達する) come of age 〔日英比較〕 日本では満 20 歳, 《米》《英》では 18 歳; (成長して大人になる) become an adult. (☞ おとな; せいねん[2]; みせいねん).
¶ *成人に限ります《掲示》 *Adults* Only
成人映画 ádult [X-rated] ˹film [móvie] Ⓒ **成人教育** adult education Ⓤ **成人式** coming-of-age ceremony Ⓒ **成人 T 細胞白血病** 〖医〗 ádult T-cèll leukemia /luːkíːmiə/ Ⓤ (略 ATL) **成人の日** Coming-of-Age Day (☞ しゅくじつ (表)) **成人病** adult('s) disease Ⓒ ★ 現在の正式名は「生活習慣病」(☞ せいかつ[1]). **成人マーク** (図書につける) (restricted to) adult only mark Ⓒ.

せいじん[2] 聖人 (キリスト教の) saint Ⓒ; (高徳の人) holy man Ⓒ. **聖人伝** hagiography Ⓒ.

せいしんせいい 誠心誠意 ¶ 彼は*誠心誠意会社のために働いた (⇒ 最善を尽くした) He *has done*

his best for his company. // 彼は*誠心誠意教育のために尽くした（⇒教育の向上に専念した）He *devoted* ˹*himself* [*his life*] *to* the improvement of education.《☞ せいい¹; せいじつ¹; まじめ》

せいず¹ 製図 ―名 (engineering) drawing Ⓤ; (地図の) cartógraphy Ⓤ. ―動 (図を引く) draw ⊕; (設計図などの下書きをする) draft ⊕. **製図器具** drawing instrument Ⓒ **製図板** drawing board Ⓒ.

せいず² 星図 star ˹map [chart] Ⓒ; (天体図) celestial /səléstʃəl/ map Ⓒ.

せいすい¹ 盛衰 ups and downs ★複数形で;《格式》vicìssitùde Ⓒ; (文明・国家などの) rise and fall Ⓒ.

せいすい² 静水 (静止している水) still water Ⓤ.

せいすい³ 清水 (澄んできれいな水) clear [limpid] water Ⓤ《☞ しみず》. **清水に魚(うお)棲(す)まず** No fish lives in ˹*limpid* [*clear*] *water*.《☞ みず (水清ければ魚棲まず)》

せいすい⁴ 聖水〘カトリック〙holy water Ⓤ.

せいずい 精髄 (物事の本質) the essence,《格式》the quintessence; (根本となる精神) the soul.《☞ ほんしつ; しんずい》.

せいすう¹ 正数〘数〙positive number Ⓒ (↔ negative number)《☞ 数字 (囲み)》.

せいすう² 整数〘数〙whóle númber Ⓒ, íntegerⒸ.《☞ 数字 (囲み)》. **整数論** the theory of numbers, the number theory.

せいする 制する (支配する) govern ⊕; (抑える) control ⊕; (鎮圧する) suppress ⊕; (先手を打って防ぐ) forestall ⊕.《☞ せいあつ; おさえる》.
¶ 彼は自分の気持ちを*制することができなかった He could not *control* himself. // 我々は敵の機先を*制すべくその港を攻撃した We attacked the harbor to *forestall* the enemy forces. // 先んずれば人を*制す A first blow is as good as two.《ことわざ: 最初の一撃は二つ分と同じ》/ The first blow is half the battle.《ことわざ: 最初の一撃は戦争の半分だ》

せいせい¹ 清清 ¶ 彼がいなくなって*せいせいした (⇒本当にほっとした) It is a *great relief* to be rid of him.《☞ ほっと; 擬声・擬態語 (囲み)》

せいせい² 精製 ―名 refinement Ⓤ. ―動 refine ⊕. **精製塩** refined salt Ⓤ **精製所** refinery Ⓒ **精製法** refining process Ⓒ **精製綿** ☞ だっしめん

せいせい³ 生成 ―動 (形成する) form ⊕; (創造する) create ⊕; (生み出す) génerate ⊕. ―名 formation Ⓤ; creation Ⓤ; generation Ⓤ.《☞ つくる》. **生成音韻論**〘言〙génerative phonólogy Ⓤ **生成物**〘化〙próduct Ⓒ **生成文法**〘言〙génerative grámmar Ⓤ.

せいぜい 精精 ¶ *せいぜいお安くします (⇒できるだけよい値段を出します) We will offer you ˹*our best* (*possible*) *price* [*the best price possible*]. / (⇒できるだけ割り引きをします) We'll give you *as big* a discount *as possible*. // この程度の本ならば*せいぜい (⇒高くても) 千円ぐらいでしょう A book of this kind costs ˹*no* [*not*] *more than* ˹one [a] thousand yen. // ここから東京までは*せいぜい (⇒最大限に見ても) 1時間でしょう It ˹takes [will take] you one hour *at most* from here to Tokyo. // 彼は*せいぜい課長止まりでしょう (⇒彼にとって到達できる最高の地位は課長でしょう) I suppose the highest position he can reach is that of a ˹section chief [department head].《☞ たかだか》

ぜいせい¹ 税制 tax [taxation] system Ⓒ《☞ ぜい¹; ぜいきん》. **税制改革** tax reform Ⓤ **税制調査会** (一般的に) the Tax System (Research) Council; (政府の) the Tax Commission.

ぜいせい² 脆性 (もろさ) brittleness Ⓤ; (こわれやすさ) fragility Ⓤ. **脆性破壊**〘金属〙brittle fracture Ⓤ.

ぜいぜい ―名 (ぜいぜいという音) wheeze Ⓒ. ―動 wheeze ⓐ. ―形 wheezy.《☞ 擬声・擬態語 (囲み)》.

せいせいどうどう 正正堂堂 ―副 (公明正大に) fair and square《☞ こうめい(せいだい)》. ¶ 彼は*正々堂々とそのレースに勝った He won the race *fair and square*. // *正々堂々と勝負をしよう Let's ˹play *fair* [make it a *fair* fight].

せいせいはってん 生生発展 (生き生きと絶えず向上すること) vigorous and sustained growth Ⓒ; (持続可能な発展) sustainable development Ⓤ.

せいせいるてん 生生流転 (生命の巡り) the cycle of life; (絶えず変化してゆくこと) the endless cycle of birth, growth, and death; (絶えまない動き) perpetual motion Ⓤ. ¶ 万物は*生生流転す All things *are* ˹*constantly changing* [*in a constant state of flux*].

せいせき¹ 成績 (試験などの結果) result Ⓒ ★しばしば複数形で; (学校の成績記録) school [academic] record Ⓒ; (成績の段階) grade Ⓒ ★「1, 2, 3, 4, 5」や「A, B, C」などの成績; (試験の点数) point Ⓒ,《主に英》mark Ⓒ; (特に100点満点での) percent Ⓒ.《☞ けっか; てん¹; 学校・教育 (囲み)》.
¶ 試験の*成績がきょう発表になった The *results* of the ˹examination [test] were announced today. // 試験の*成績はあまりよくなかった (⇒悪い点を取った) I got a rather bad *grade* on the exam. // 彼女は学校の*成績は抜群だった Her ˹*school* [*academic*] *record* was excellent. // 数学の*成績 *one's grade* in ˹math [《英》maths] // 優れた*成績 an excellent *grade* // 優[良, 可]の*成績 an A [a B; a C] *grade* // 歴史の*成績はBだった I got a B in history. // 私は2学期には*成績が上がった[下がった] My *grades* ˹improved [went down] (during) the second ˹term [semester]. ★ term は3学期制, semester は2学期制の学期. // 彼女は英語で100点満点中95点の*成績を取った She got ninety-five (*points*) out of a hundred in English. / She got ninety-five *percent* ˹on [《英》in] the English test. // 彼はクラスの中では*成績は上のほうです (⇒上に位している) He *ranks* high in his class. // 私のひいきの力士は9勝6敗の*成績でした My favorite sumo wrestler had ˹a nine-and-six *record* [a *record* of nine wins ˹to [and] six losses].
成績係数 coefficient of performance Ⓒ《略 COP》 **成績主義** merit system Ⓒ **成績証明書** transcript Ⓒ **成績表**《米》report card Ⓒ,《英》school report Ⓒ **成績評価** assessment of school records Ⓤ; (段階別の) grade Ⓒ;《英》mark Ⓒ.

> **コロケーション**
> 可の成績 a satisfactory *grade*; (合格点) a passing *grade*; (試験などの) a satisfactory *result* / 抜群の成績 an outstanding *grade* / 低い成績 a low *grade* / 平均的な成績 an average *grade* / 平凡な成績 a mediocre ˹*grade* [*school record*] / 優秀な成績 a high *grade* / よい成績 a good ˹*school record* [*result*] / 悪い成績 a poor *grade*; (不合格) a failing *grade*

せいせき² 聖跡 (神聖な遺跡) holy site Ⓒ.

せいせつ 正接〘数〙tangent Ⓒ《略 tan》.

せいぜつ 凄絶 ―形 (非常にすさまじい) fierce; (すごくぞっとする) extremely gruesome. ¶ *凄絶な戦い (⇒激戦) は夜になってもなお激しく続いた The *fierce* battle raged into the night.

せいせっかい 生石灰 quicklime Ⓤ, burnt [caustic] lime Ⓤ, 〖化〗 calcium /kǽlsiəm/ óxide Ⓤ.

せいせん¹ 精選 ― 動 (慎重に選ぶ) select [pick (out); choose] carefully ㊀. ― 名 careful selection Ⓤ. 《☞ よりぬき》.
¶ これらの品は材料を*精選して作ってあります (⇒ 注意深く選ばれた材料で) These articles are made of *carefully selected* materials. // ここにあるものはいずれも多くの品の中から*精選したものばかりです All of these *have been selected carefully* from (among) many articles.

せいせん² 聖戦 holy war Ⓒ ★ 最も一般的な表現; crusade Ⓒ 参考 crusade は十字軍のことで, キリスト教徒にとっての聖戦を本来的には意味するが, 比喩的に一般的な意味でもよく用いられる; (イスラムの) jihad /dʒɪhɑ́:d/ Ⓒ. ¶ 言論の自由のための[人種差別に対する]*聖戦 a *crusade* ⌈for freedom of speech [against racial discrimination]

せいぜん¹ 整然 ― 形 (きちんと整頓された) tidy, orderly ★ 後者のほうが格式ばった語; (よく整理された) well-ordered; (機能的に) well-organized ★ 以上 2 語は述語的に用いるときはハイフン不要. 《☞ 形容詞の 2 用法 (巻末)》. ― 副 (きちんと) tidily, in good order, in an orderly ⌈fashion [manner; way] ★ 前のものほど格式ばる. 《☞ せいとん; せいり¹; りろせいぜん》.
¶ 彼女の勉強部屋はいつも*整然としている Her study (room) is always kept ⌈*tidy* [*in good order*]. // 彼らは*整然と行進した They marched on ⌈*in good order* [*in an orderly line*].

せいぜん² 生前 ¶ 彼の*生前の遺志により葬儀は行われなかった The funeral ⌈service was [services were] not carried out in accordance with his last wishes. // これは彼が*生前 (⇒ 生きている間に) 愛用した机です This was his favorite desk (*during his lifetime*). **生前行為[処分, 贈与]** 〖法〗 act [disposition; gift] *inter vivos* /ìntəví:vous/ Ⓒ.

せいせんしょくひん 生鮮食品 (腐りやすい食品) perishable foods, perishables; (新鮮な食品) fresh foods ★ 以上いずれも通例複数形で. 《☞ しょくひん》.

せいぜんせつ 性善説 the view that humans are ⌈born good [inherently good].

せいそ¹ 清楚 ― 形 (こざっぱりした) neat; (清潔な) clean. ― 名 neatness Ⓤ. ― 副 neatly. 《☞ さっぱり》. ¶ 彼女は*清楚な身なりでパーティーに姿を現した She turned up *neatly* dressed at the party. / (⇒ 簡素ながら気持ちのよい身なりで) She came to the party in a *pleasantly simple* outfit.

せいそ² 精粗 ¶ 製品の*精粗 (⇒ 質) を吟味することは重要だ It is important to check the *quality* of a product.

せいそ³ 世祖 (説明的に) an honorific title given to the ancestors of Chinese emperors.

せいそう¹ 正装 ― 名 (儀式や公式の場で着る) full dress Ⓤ; (式服) formal dress Ⓤ; (制服) full [full-dress] uniform Ⓒ. ― 動 (正式な服を着る) dréss úp ㊂. 《☞ ふくそう³》. ¶ その海軍士官は*正装していた The naval officer was in *full* ⌈*dress* [*uniform*]. // パーティーには*正装で行ったほうがいいかしら I wonder if I should *dress up* for the party.

せいそう² 盛装 ― 名 (晴れ着) gala dress Ⓤ, *one's* ⌈best [Sunday] clothes ★ 複数形で; *one's* Sunday best Ⓤ. ― 動 (着飾る) dréss úp ㊂. 《☞ はれぎ》. ¶ ホールは*盛装の女性たちでいっぱいだった The hall was full of *well-dressed* ladies.

せいそう³ 清掃 ― 動 (きれいにする) clean ㊀ ★ 一般的な語. 《☞ そうじ¹》. ¶ 私たちは道路を*清掃した We *cleaned* the street. / (⇒ 掃いてきれいにした) We *swept* the street *clean*. **清掃車** 《米》 garbage truck Ⓒ, 《英》 dustcart Ⓒ **清掃人** (ごみ集め係) 《米》 garbage collector Ⓒ, 《英》 dustman Ⓒ 《複 -men》; (建物などの) 《米》 janitor Ⓒ, 《英》 caretaker Ⓒ. 《☞ 婉曲語法 (巻末)》.

せいそう⁴ 政争 political strife Ⓤ.

せいそう⁵ 星霜 (年月) years ★ 複数形で; (時・時の流れ) time Ⓤ. 《☞ さいげつ》.

せいそう⁶ 悽愴 ― 形 (荒れ果てた) désolate; (荒涼とした) dreary /drí(ə)ri/; (ぞっとするほど恐ろしい) ghastly.

せいそう⁷ 精巣 〖解〗 (睾丸) testis /téstɪs/ Ⓒ 《複 testes /-ti:z/》, testicle Ⓒ.

せいぞう¹ 製造 ― 動 (工場などで原料から大規模に作る) mànufácture ㊀; (商品を生産する) produce ㊀; (一般的に, 物を作る) make ㊀. ― 名 manufacture Ⓤ; production Ⓤ. 《☞ つくる; せいさん¹; せいさく¹》. ¶ あの工場では輸出向けの靴を*製造している In that factory they ⌈*manufacture* [*produce*] shoes for export.
製造業 manufacturing industry Ⓒ **製造所** (工場) factory Ⓒ; (大規模な) plant Ⓒ **製造年月日** (製造の日付) the date of manufacture; (包装等の日付) the date of packing **製造費** manufacturing cost Ⓒ ★ しばしば複数形で. **製造物** product Ⓒ **製造物責任** product liability Ⓤ 《略 PL》 **製造法** manufacturing process Ⓒ **製造元[業者]** manufacturer Ⓒ.

せいぞう² 聖像 (一般的に神聖な像) sacred image Ⓒ; (ギリシャ正教で) icon /áɪkɑn/ Ⓒ. **聖像学** iconography Ⓤ **聖像破壊(主義)** iconoclasm Ⓤ **聖像破壊論者** iconoclast Ⓒ.

せいそうがく 性相学 (人相学) physiognomy Ⓤ; (骨相学) phrenology Ⓤ; (手相占い) palmistry Ⓤ.

せいそうかざん 成層火山 stràtovolcáno Ⓒ.

せいそうけん 成層圏 the stratosphere /strǽtəsfɪə/. **成層圏オゾン** stratospheric ozone Ⓤ **成層圏飛行** stratosphere flight Ⓒ.

せいそく¹ 生息, 棲息 ― 動 (生きて生活する) live ㊂; (ある地域に住む) inhábit ㊀. ― 名 habitation Ⓤ. 《☞ すむ¹》. ¶ この湖の周辺には多くの種類の鳥が*生息している Many kinds of birds *live* around this lake. **生息地** (動物の) hábitàt Ⓒ **生息動物** inhabitant Ⓒ.

せいそく² 正則 ― 形 (規則的な) regular; (当を得た) correct. **正則関数** 〖数〗 regular function Ⓒ **正則曲線** regular curve Ⓒ **正則溶液** 〖化〗 regular solution Ⓒ.

せいぞろい 勢揃い ¶ 走者たちはスタートラインに*勢ぞろいした The runners (*were*) *lined up* at the starting line. 《☞ あつまる; せいれつ¹》

せいぞん 生存 ― 動 (現実に存在する) exist ㊂; (生きている) live ㊂; (生き残る) survive ㊂ ㊀. ― 名 existence Ⓤ; survival Ⓤ; life Ⓤ. 《☞ いきる》. ¶ 金星には生物は*生存していない No life *exists* on Venus. // 5 人の*生存はまだ確認されていない The ⌈*survival* [(⇒ 安全) *safety*] of the five people has not yet been confirmed. 《☞ せいし²》 // 適者*生存 the *survival* of the fittest
生存競争 struggle for existence Ⓒ, fight for survival Ⓒ. ¶ 動物の世界の*生存競争は非常に激しい There is a very fierce ⌈*struggle for existence* [*fight for survival*] in the animal world. / Animals have to *struggle for their existence*. **生存権** the right to live **生存者** survivor Ⓒ. ¶ その事故の*生存者は 10 人でした (⇒ 10 人が生き残った) Ten people *survived* the accident. / (⇒ 事故に生

き残った人が 10 人いた) There were ten *survivors* of the accident.

せいたい¹ 生態 (環境との関連で見た生物の生活状態) ecology Ⓤ; (生活様式) mode of life Ⓒ. ¶ありの*生態を観察しています We are studying the *ecology* of ants. / (⇒ 生活と習性を) We are observing *the life and* (*the*) *habits* of ants. **生態学** ecology Ⓤ **生態学者** ecologist Ⓒ **生態系** ecosystem /íːkousìstəm/ Ⓒ, ecological system Ⓒ.

せいたい² 声帯 vocal cords ★ 複数形で the を付けて. **声帯模写** vocal mimicry Ⓤ.

せいたい³ 生体 living body Ⓒ. **生体解剖** ―〘名〙 vivisection Ⓤ. ―〘動〙 vivisect (他) **生体肝移植** 〘医〙 living donor liver ⌜transplant Ⓒ [transplantation Ⓤ] **生体工学** bioengineering Ⓤ, biomedical engineering Ⓤ **生体色素** 〘生〙 biochrome Ⓒ **生体実験** experiment on a living body Ⓒ **生体染色** 〘生〙 vital staining Ⓤ **生体反応** vital reaction Ⓒ.

せいたい⁴ 政体 form of government Ⓒ.

せいたい⁵ 聖体 〘キ教〙 the Eucharist, the (⌜Blessed [Holy]) Sacrament, the Host. 《☞ せいさん(しき)》. **聖体拝領** 〘カトリック〙 (Holy) Communion Ⓤ. ¶*聖体を拝領する receive [take] *Communion*

せいたい⁶ 臍帯 ☞ さいたい¹

せいたい⁷ 成体 〘動〙 (成虫) imago /ɪméɪgoʊ/ Ⓒ 《複 imago(e)s, imagines /ɪméɪgənìːz/》; (成熟した生物) adult Ⓒ.

せいたい⁸ 静態 ―〘形〙 (静止した) státionàry; (静的な) static /stǽtɪk/ (↔ dynamic). **静態経済学** static economics Ⓤ **静態社会学** static sociology Ⓤ **静態統計学** static statistics Ⓤ.

せいたい⁹ 整体 **整体術** (東洋の骨格及び筋肉の触診療法) Eastern therapy of manipulation of the bones and muscles Ⓒ; (カイロプラクティック) chiropractic /káɪrəpræ̀ktɪk/ Ⓤ; (整骨療法) osteopathy /àstiápəθi/ Ⓤ.

せいだい 盛大 ―〘形〙 (堂々とした) grand; (規模が大きく立派な) magníficent; (すばらしい) splendid; (成功した) successful.
¶昨夜*盛大な結婚披露宴が行われた A ⌜*grand* [*magnificent*] wedding reception was ⌜held [given] yesterday evening. // 研究会はとても*盛大 (⇒ 大成功) でした The ⌜seminar [workshop] was a *great success*. / (⇒ 参加者が多かった) We had a lot of participants at our ⌜seminar [workshop].

せいたかあわだちそう 背高泡立草 〘植〙 tall goldenrod Ⓒ.

せいたかくけい 正多角形 〘数〙 régular pólygòn Ⓒ.

せいたかしぎ 背高鷸 〘鳥〙 stilt Ⓒ.

せいたく 請託 ―〘名〙 (特別の配慮の懇願) solicitation Ⓒ. ―〘動〙 solicit (他). ¶*請託を受ける[拒絶する] grant [reject] *solicitation* // 彼らは知事の斡旋を求める*請託を行った They *solicited* the good offices of the governor.

せいだく 清濁 **清濁併せ呑む** (寛容である) be ⌜broad-minded [open-minded; tolerant] 《☞ かんだい¹》.

ぜいたく 贅沢 ―〘名〙 (物質的な) luxury /lʌ́kʃ(ə)ri/ Ⓤ; (節度を超すほどの) extrávagance Ⓤ ★ やや格式ばった語. 以上は具体的な事物を指すときは Ⓒ. ―〘形〙 (豪華な) luxurious /lʌgʒʊ́(ə)riəs/; (浪費する) extravagant; (高価な) expensive; (気前のよい) lavish. ¶彼は東京ですっかり*ぜいたくに慣れてしまった He has gotten used to an ⌜*expensive* mode of living [*extravagant* way of life; *extravagant* lifestyle] in Tokyo. // あそこはとても*ぜいたくな (⇒ 金のかかる) 学校です That school is very *expensive*. // 彼女は着る物 [食べ物] には*ぜいたくだ (⇒ 惜しみなくたくさんの金を使う) She ⌜*lavishes* [*spends*] a great deal of *money on* ⌜clothes [food]. // そう*ぜいたくを言うな (⇒ 君はあまりに多くを求めすぎる) You are asking (for) too much. // *ぜいたくを言えばきりがない (⇒ 完全に満足するということはないものだ) You can never be [One is never] completely satisfied. // 海外旅行というような*ぜいたくはできません We can't afford the *luxury* of overseas travel.
贅沢三昧(ざんまい) ¶彼女は*ぜいたくざんまいに暮らしている She is leading a ⌜*luxurious* life [life of *luxury*]. / She lives in *luxury*. / She's in the lap of *luxury*. ★ in the lap of luxury は「ぜいたくざんまいに[の]」という慣用句. **贅沢品** luxury Ⓒ, luxury goods ★ 複数形で. 《☞ ひつじゅひん》.

コロケーション

いつにない贅沢 an ⌜unusual [unaccustomed] *luxury* / 金のかからない贅沢 an inexpensive *luxury* / 非常な贅沢 a colossal *luxury* / 無上の贅沢 a crowning *luxury* / 唯一の贅沢 *one's* only *luxury*

せいだす 精出す ―〘動〙 (精力を注ぐ) devote all *one's* energies to … ★ やや格式ばった表現; (一生懸命に働く) work hard (自). 《☞ いっしょうけんめい; どりょく; うちこむ》.
¶もっと*精出して (⇒ もっと一生懸命に) 勉強をしなさい You must study *harder*. // 彼はその 1 年仕事に*精出した Throughout that year, he *devoted all his energies to* his work.

せいためんたい 正多面体 〘数〙 régular polyhedron /pàlihíːdrən/ Ⓒ 《複 ~s, polyhedra /-drə/》.

せいたん 生誕 birth Ⓒ 《☞ たんじょう; うまれる》.
¶ブラームス*生誕 150 年 the one hundred (and) fiftieth anniversary of Brahms's *birth* 《☞ -ねんさい》 // クリスマスはキリストの*生誕を祝うものです Christmas is the celebration of the *birth* of Christ.

せいだん¹ 政談 political talk Ⓒ. ¶彼らは好んで*政談をした They liked to *talk politics*.

せいだん² 星団 (星の集団) cluster of stars Ⓒ, (star) cluster Ⓒ. ¶散開*星団 an open (*star*) *cluster* // 球状*星団 a globular *cluster*

せいたんきょく 聖譚曲 〘楽〙 ☞ オラトリオ

せいたんさい 聖誕祭 ☞ クリスマス

せいだんそう 正断層 〘地〙 normal fault Ⓒ (↔ reverse fault).

せいち¹ 精緻 ―〘形〙 (細かくて詳しい) minute /maɪn(j)úːt/; (徹底的で余すところがない) exhaustive /ɪgzɔ́ːstɪv/; (文章などが入念な) eláborate. ―〘名〙 minuteness Ⓤ; exhaustiveness Ⓤ; elaboration Ⓤ. 《☞ ちみつ; せいみつ》. ¶彼の研究は他に類のないほど*精緻なものです His study is unique in its ⌜*minuteness* [*detail*].

せいち² 聖地 holy [sacred] place Ⓒ; (パレスチナ) the Holy Land. **聖地巡礼** pilgrimage to ⌜the Holy Land [sacred places] Ⓒ **聖地巡礼者** pilgrim (on ⌜his [her] way) to the Holy Land Ⓒ 《☞ じゅんれい》.

せいち³ 整地 ―〘動〙 (地ならしする) level (他) 《☞ じならし》. ¶私たちは*整地して小さな小屋を建てた We *leveled* the ground and put up a small hut.

せいち⁴ 生地 *one's* birthplace 《☞ きょうり¹; ふるさと》. **生地主義** ☞ しゅっせい¹ (出生地主義)

ぜいちく 筮竹 divination sticks ★ 普通 50 本

一組なので複数形で.

せいちゃ 製茶 tea ⌈making [production] [U] 《☞ ちゃ》.

せいちゅう 成虫 (昆虫の) imago /ɪméɪgoʊ/ [C] 《複 ~(e)s, imagines /ɪméɪgənìːz/》, adult /ədʌ́lt, ǽdʌlt/ [C]. 《☞ ちょう[1] (挿絵)》.

せいちゅうせん 正中線 〘解〙 median line [C].

せいちゅうめん 正中面 〘解〙 median plane [C].

せいちょう[1] 成長, 生長 ―[名] growth [U]. ―[動] gròw (úp) (自). 《☞ そだつ; はってん》. ¶子供の*成長は目覚ましい (⇒ 成長が早いのには驚きだ) It is amazing how quickly children *grow up*. // 彼の末の息子は立派な若者に*成長した His youngest son *grew* (*up*) ⌈into [to be] a fine young man. // 彼女は*成長する (⇒ 年をとる) につれて母親に似てきた As she *grew older*, she came to look like her mother. // その国の将来は産業の*成長いかんによる The future of the country depends on the *growth* of industry. // 経済*成長 economic *growth* // このばらは*生長が速い This rose *grows* quickly. / This rose is a rapid *grower*. **成長因子** growth factor [C] **成長株** (株式の) growth stock [C]; (将来性のある若者) promising young person [C]; (これから世に出る人) rising star [C] **成長曲線** growth curve [C] **成長産業** growth industry [C] **成長線** (成長の跡を示すもの) lines of growth; (増加していく線) incremental lines **成長点** 〘植〙 growing point [C] **成長ホルモン** growth hormone [C] **成長率** growth rate [C].

せいちょう[2] 清聴 ¶ご*清聴ありがとうございました Thank you (very much for your kind attention). ★ 演説やアナウンスの後の決まり文句.

せいちょう[3] 静聴 ¶ご*静聴願います *Attention* please. / Please *be quiet and listen*. 《☞ きんちょう[4], けいちょう[1]》.

せいちょう[4] 声調 (声の調子) tone of voice [C]; (中国語の四声などの音調) tone [C].

せいちょう[5] 正調 〘楽〙 the standard (Japanese) scale. ¶*正調安来節 the *standard* Yasukibushi

せいちょう[6] 性徴 〘生〙 sex [sexual] characteristic [C]. ¶第一次*性徴 primary ⌈*sex* [*sexual*] *characteristics*

せいちょう[7] 清澄 ―[形] (澄みきった) clear; (気体・液体などが澄んだ) limpid. ―[名] clearness [U].

せいちょう[8] 整調 (ボートの整調手) stroke (oar) [C]. ¶*整調をする row *stroke*

せいちょう[9] 政庁 government office [C].

せいちょうざい 整腸剤 (消化不良のための薬) indigestion remedy [C]; (腸の不調のための薬) medicine for intestinal disorders [C].

せいちょうせき 正長石 〘鉱〙 orthoclase /ɔ́ːθəklèɪs/ [U] 《☞ ちょうせき[1]》.

せいつう 精通 ―[動] (親しんでよく知っている) be familiar with ...; (経験して熟知している) be well acquainted with ...; (特定の分野に詳しい) be (well) versed in ... ★ 最後のものは格式ばった表現. 《☞ くわしい; じゅくち; つう[1]; しる[1]》. ¶彼はその競技の規則に*精通している He *is* ⌈*familiar* [*well acquainted*] *with* the rules of the game. // 私たちの先生はアメリカ文学に*精通している Our teacher ⌈*is well versed in* [(⇒ 完全な知識を持つ) *has a thorough knowledge of*] American literature.

せいてい 制定 ―[動] (立法手続きを経て法律にする) enáct (他); (制度などを確立する) establish (他). ―[名] enactment [U]; establishment [U]. 《☞ さだめる》. ¶労働基準法は 1947 年に*制定された The Labor Standards Law *was enacted* in 1947. // 新しい交通法規を*制定する必要がある It is necessary to *establish* new traffic regulations. **制定法** statute law [C] 《☞ せいぶんほう》.

セイディー (女性名) Sadie /séɪdi/ ★ Sara /sé(ə)rə/, Sarah /sé(ə)rə/ の愛称.

せいてき[1] 性的 ☞ せい[3] (性的)

せいてき[2] 政敵 political opponent [C].

せいてき[3] 静的 ―[形] static (↔ dynamic).

せいてつ 製鉄 iron manufacture [U]; (製鋼) steel manufacture [U] ★ 現在は鋼鉄の占める割合が大きいので, この言い方が普通. **製鉄業** the ⌈steel [iron] industry [U] **製鉄所** steel [iron] works [C] ★ 単複同形.

せいてん[1] 晴天 (よい天気) fair [good; fine; beautiful] weather [U]; (晴れて澄み切った空) clear sky [C]. 《☞ はれ[1]》. ¶1 月は*晴天続きだった (⇒ 我々は 1 月に晴天の長い一続きを持った) We had a long spell of ⌈*fair* [*good*; *fine*] *weather* in January. **晴天乱(気)流** 〘空〙 clear-air turbulence [U] 《略 CAT》.

せいてん[2] 青天 the blue (sky). **青天のへきれき** ¶彼の死(の知らせ)は*青天のへきれきだった (⇒ 青空から落ちてきた雷だった) The news of his death was *a bolt from the blue*. / (⇒ 私たちにとってたいへんな驚きだった) His death was *a terrible* ⌈*surprise* [*shock*] to us. ★ 第 2 文がより口語的. 《☞ おもいがけない》 **青天白日** ¶彼は*青天白日の身となった (⇒ 罪から解放された) He *was cleared of the charge*(*s*).

せいてん[3] 聖典 (一般的に神聖な書物) sacred book [C]; (一般的に宗教の教典) scripture [C]; (キリスト教の) the (Holy) Bible, the Scripture(s); (仏教の) sutra [C], Buddhist scripture [C]; (イスラム教の) the scripture of Islam, the Koran. 《☞ きょうてん[1]; せいしょ[1]》.

せいてん[4] 正典 〘キ教〙 (聖書に収められた経典) canon [C]; (その全部をまとめて) the canonical books (of the Bible).

せいてん[5] 成典 (定まった儀式) established rite [C]; (成文の法典) code of statute law [C].

せいでん[1] 正伝 (正しい伝記) authentic [official] biography [C]; (正式に認可された伝記) authorized biography [C].

せいでん[2] 正殿 (神社の本殿) the main temple; (おもて御殿) the State Chamber.

せいでん[3] 静電 ☞ せいでん(き)

せいでんか 正電荷 positive charge [C].

せいてんかん 性転換 ―[名] sex change [C], change of sex [C]. ―[動] change *one's* sex. **性転換者** trànsséxual [C] **性転換手術** sex-change operation [C].

せいでん(き) 静電(気) static electricity [U]. **静電学** electrostatics [U] **静電選別** electrostatic separation [U] **静電単位** electrostatic unit [C] **静電誘導** electrostatic induction [U] **静電容量** capácitance [U].

せいでんき 正電気 positive electricity [U].

せいと[1] 生徒 《米》student [C] 〔語法〕 (1) 《米》では元来ハイスクール以上の生徒・学生に用いたが, an elementary school *student* のように小学校の生徒にも使われるようになっている; pupil [C] 〔語法〕 (2) 《英》では日本の高等学校に当たるパブリックスクール, グラマースクールまでの生徒. 《米》では小学生を表すが, 現在では使われなくなっている. 〔日英比較〕 《米》《英》ともに大学以上の学生を student と呼ぶのは一致している. 日本では大学では「学生」, 中学校・高等学校では「生徒」, 小学校では「児童」または「生徒」と呼ぶが, 英語に直す場合, 《米》にならえば, すべて student

でよい;（学校に通っている子供）schoolchild Ⓒ,（男）schoolboy Ⓒ,（女）schoolgirl Ⓒ ★主として小学生, 場合によっては中学生も含む;（音楽などの個人的な教授を受ける弟子）pupil Ⓒ ★年齢・学歴に関係なく使う.《☞ がくせい¹; でし; 学校・教育（囲み）》.
¶「あなたのクラスには*生徒が何人いますか」「35 人います」"How many *students* are there in your class?" "Thirty-five." // うちの子はまだ小学校の*生徒です My ˹son [daughter] is still in elementary school. // 校長先生は「自由」について全校*生徒に訓示をした The principal addressed *the whole school* on the theme of "liberty." 語法 (3) school は集合的に用いられる. // この学校の*生徒数は 500 人です This school has (an enrollment of) five hundred *students*.
生徒会 student council Ⓒ **生徒指導** student guidance Ⓤ. ¶*生徒指導をする give *guidance to students*

コロケーション
できのよい生徒 a good [an able] *student* / できの悪い生徒 a bad *student* / 模範的な生徒 a model *student* / 優秀な生徒 an ˹excellent [outstanding] *student*.

せいと² 聖徒 （聖人）saint Ⓒ;（使徒）apostle Ⓒ.《☞ しと²》.

せいと³ 成都 ― 名 固 Chengdu, Chengtu /tʃʌŋdú:/. ★中国四川省の省都.

せいど¹ 制度 （組織だった仕組み）system Ⓒ;（社会の慣例など広い意味の）institútion Ⓒ.《☞ ほうしき; そしき; -せい²》.
¶その古い家族*制度はまだ生き続けている The old family ˹*system* [*institution*] is still in existence. // 日本は 1947 年に 6-3-3 の教育*制度を採用した Japan adopted the six-three-three *system* of school education in 1947.《☞ 学校・教育（囲み）》 // いまの*制度上それはできません This is not allowed under the ˹present [current] *system*. // このやり方は間もなく*制度化されるでしょう （⇒新しい制度として公認される）This method will soon *be authorized as* a new *system*. // 毎年の健康診断を*制度化（⇒制定）する *institute* a yearly medical checkup // 新*制度を設ける set up a new *system*

せいど² 精度 （念入りな正確さ）áccuracy Ⓤ;（細かいところまで正確であること）precísion Ⓤ.《☞ せいかく¹（類義語）》. ¶彼の調査は*精度が高い（⇒正確です）His report is very ˹*accurate* [*precise*]. // …の*精度を高める make … more *accurate*

せいとう¹ 正当 ― 形（ある基準にのっとって正しい）just;（妥当な）right;（立派な）good;（公正な）fair;（法にかなった）legal. ― 動（正当化する）justify (他).《☞ ただしい; とうぜん¹; ごうほう¹; だとう¹》.
¶彼女がそれを断るのには*正当な理由がある She has *good* reason to turn it down. /（⇒彼女が断るのはまったくもっともである）She *is* fully *justified* in rejecting it. ★第 2 文は第 1 文よりやや格式ばった表現. // 私はそれを*正当な手段で手に入れた I came to possess it by *fair* means. /（⇒合法的に）I've obtained it *legally*. // 彼は自分の行為を*正当化しようとした He tried to *justify* himself. // 労働者はストライキの*正当性を主張した The workers asserted the ˹*validity* [*rightness*] of the strike.
正当行為 lawful conduct Ⓤ **正当防衛** self-defense Ⓤ,《英》self-defence Ⓤ.

せいとう² 正答 ― 名（正しい答え）correct [right] answer Ⓒ. ― 動（正しく答える）answer correctly; give the right answer. ¶*正答率を教えて下さい Please tell us the percentage of *correct answers*.

せいとう³ 征討 （征伐）conquest Ⓒ;（服従させること）subjugation Ⓤ ★格式ばった表現;（鎮圧）suppression Ⓤ.《☞ せいばつ》.

せいとう⁴ 正統 ― 形（一般または公式に認められた）órthodòx（↔ unorthodox）;（合法の, 適法の）legítimate（↔ illegitimate）. ― 名 órthodòxy Ⓤ; legítimacy Ⓤ.
¶*正統的な手段 an *orthodox* method // 彼は印象主義の*正統派（⇒正当な後継者）をもって自ら任じている He claims to be the *legitimate* ˹*heir* [*successor*] to the Impressionists.

せいとう⁵ 政党 political party Ⓒ《☞ とう³》. **政党助成金** government subsidy to political parties Ⓒ, party subsidy Ⓒ **政党助成法** The Political Party Subsidies Law **政党政治** party government Ⓤ **政党内閣** party cabinet Ⓒ.

せいとう⁶ 製陶 pottery (manufacture) Ⓤ《☞ とうき³》.

せいとう⁷ 製糖 sugar manufacture Ⓤ《☞ さとう¹》. **製糖業** the sugar-manufacturing industry Ⓤ.

せいとう⁸ 精糖 （砂糖を精製すること）sugar refining Ⓤ;（精白糖）refined sugar Ⓤ.《☞ さとう¹》. **精糖業** the sugar-refining industry **精糖所** sugar refinery Ⓒ.

せいどう¹ 正道 （正しい道）the right path. ¶*正道を踏みはずす stray [deviate] from *the right path*

せいどう² 青銅 bronze Ⓤ. **青銅貨** bronze coin Ⓒ **青銅器**（青銅で作られた利器・容器）bronze ware Ⓤ;（青銅で作られた道具）bronze tool Ⓒ **青銅器時代** the Bronze Age.

せいどう³ 制動 braking Ⓤ《☞ ブレーキ》. **制動回転**〘スキー〙stem turn Ⓒ **制動滑降**（登山）glissade Ⓒ;（スキー）stemming Ⓤ **制動機[装置]**（ブレーキ）brake Ⓒ **制動距離** braking distance Ⓒ **制動子[器]**〘電〙damper Ⓒ.

せいどう⁴ 聖堂 （孔子をまつった堂）shrine [temple] of Confucius /kənfjú:ʃəs/ Ⓒ;（キリスト教の教会堂）church Ⓒ;（キリスト教の大聖堂）cathedral /kəθí:drəl/ Ⓒ.《☞ きょうかい¹》.

せいどう⁵ 政道 （行政）administration Ⓤ;（統治）government Ⓤ.《☞ せいじ¹》.

せいどう⁶ 精銅 （精錬した銅）refined copper Ⓤ.

せいどう⁷ 生動 ― 形（生き生きした）animated;（生きているような）lifelike. ¶気韻*生動の絵 a *lifelike* picture with grace and elegance

せいとうは 青鞜派 the Bluestockings.

せいとく 生得 ― 形（持って生まれた）ínbórn;（生まれながらに備わっている）native, innáte ★後者のほうがより格式ばった語.《☞ せんてんてき》. **生得観念**〘哲〙innate ideas ★複数形で. **生得説**〘哲〙nativism Ⓤ **生得的** inborn;《格式》innate.

せいどく 精読 ― 名（多[速]読に対して）intensive reading Ⓤ;（注意深い）careful reading Ⓤ. ― 動 read … ˹carefully [with care];（丹念に通読する）《格式》peruse /pərú:z/ (他).《☞ どくしょ》.

せいとん 整頓 ― 動（きちんとしておく）keep … tidy ★状態をいう;（きちんと片付ける）tídy (úp) (他) ★動作をいう. 以上 2 つは最も一般的で口語的;（整然とした状態にする）put [set] … in order ★前 2 者より格式ばった表現. ― 形（きちんとした）tidy;（清潔できれいな）neat and clean.《☞ せいり¹; かたづける》. ¶自分の部屋はいつもきちんと*整頓しておきなさい Always *keep* your room ˹*tidy* [*neat and clean*]. // 部屋[本]を*整頓しなさい *Tidy* (*up*) your ˹room [books].

せいなん 西南 ― 名 the southwest《略 SW》 日英比較 英語では常に南・北を先に置く. ― 形 副 southwest.《☞ なんせい¹》. **西南戦争** the Satsuma Rebellion; (説明的には) the rebellion against the new Meiji government led by Saigo Takamori (1877).

せいなんせい 西南西 the west-southwest《略 WSW》.

せいにく 精肉 ¶*精肉業 the *meat* industry // *精肉店 a *butcher('s)* shop《☞ にく》.

ぜいにく 贅肉 (脂肪) fat [U]《☞ ふとる》. ¶*ぜい肉がつかないように (⇒ 太らないように) 気をつけなくてはならない I have to be careful that I don't 「gain [put on] *weight*. // 水泳は*ぜい肉をとる (⇒ 体重を減らす) のによい運動だ Swimming is a good form of exercise to lose *weight*.

せいにゅう 生乳 raw milk [U].

せいねん[1] 青年 (若い男[女]) young 「man [woman] [C] 〔語法〕(1) 青年男女というときは young men and women; (若者) youth [C] 〔語法〕(2) 男性に用いることが多く, 時に軽蔑した含みがある. 多少文語的な語. 定冠詞を付けると特定地域の青年男女全体を指し, 単数または複数扱いとなる; (若い人々) young people ★ 複数扱い; (若い世代) the 「younger [rising; up-and-coming] generation ★ 集合的に用いる.《☞ わかもの》.
¶彼は魅力的な[前途有望な]*青年だ He is a 「charming [promising] *young man*. // 彼女は*青年写真家と結婚した She 「married [got married to] a *young* photographer /fətάgrəfə/.
青年海外協力隊 the Japán Òverséas Coòperátion Vòluntéers《略 JOCV》 **青年学級** open school for young people [C] **青年期** (若い時代) youth [U]《☞ せいしゅん》 **青年時代** *one's* youth [U], *one's* younger days **青年団** youth association [C] **青年の家** youth center [C] **青年の船** youth goodwill cruise program [C] **青年文法学派**〔言〕the Neo-grammarians /nì:oʊgrəmé(ə)riənz/.

せいねん[2] 成年 (成人としての資格・権利を得る年齢) age [U]; (成人となる法定年齢)〔法〕legal adulthood [U], *one's* majority [U].《☞ せいじん[1]; おとな; みせいねん》. ¶彼は来月*成年に達する He comes of *age* next month. / He 「attains [reaches] 「*legal adulthood* [*his majority*] next month. ★ 第 1 文のほうが一般的な言い方. // 彼の息子は*成年に達している[未*成年だ] His son 「is [isn't] legally *an adult*. **成年式** ☞ せいじん[1] (成人式) **成年者** adult [C]《☞ せいじん[1]》.

せいねん[3] 生年 (生まれた年) the year of *one's* birth. **生年月日** birthdate [C], the date of (*one's*) birth. ¶「あなたの*生年月日はいつですか」「1965 年 4 月 3 日です」"What's your 「*birthdate* [*date of birth*]?" "(It's) April 3, 1965." ★ April (the) third, nineteen sixty-five と読む.《☞ 時刻・日付・曜日 (囲み)》 / (⇒ 生まれたのはいつか) "When *were* you *born*?" "April 3, 1965."

せいねん[4] 盛年 *the prime of life*. ¶*盛年重ねて来(きた)らず (⇒ 若い盛りは二度と来ない) *The prime of one's life* only comes once.

せいのう 性能 ―[名] (機械の動き具合) performance [U]; (能力) power [U]; (効率) efficiency [U]. ―[形] (強力な) powerful; (効率のよい) efficient.《☞ こうせいのう; こうりつ[2]》.
¶この車は*性能のよいエンジンを備えている This car has a *powerful* engine. // この芝刈り機は前のより*性能がよい This lawn mower is more *efficient* than the old one. // 私たちは新型車の*性能を調べた We tested the *performance* of the new-model car. // その機械はだんだん*性能が落ちてきた The *efficiency* of the machine has gradually decreased. // 下記の機械は*性能をもとにして選んだ The equipment listed below was chosen on the basis of (its) efficient *performance*. // 最大の*性能 maximum *performance*
性能曲線 performance curve [C] **性能試験** performance [efficiency] test [C].

せいは 制覇 **1**《競技で》―[動] (選手権を取る) win the championship《☞ ゆうしょう[1]》. ¶全国高校野球選手権大会で全国*制覇することが彼らの夢だ (⇒ 彼らは…を夢見ている) They dream of *winning* the National Senior High School Baseball Tournament /tύənəmənt/.
2《征服》―[動] (戦争などで征服する) cónquer (他); (君臨して支配する) dominate (他). ―[名] conquest [U]; domination [U].《☞ せいふく[2]; しはい[1]》.

せいはい 聖杯〔キ教〕chalice [C]. **聖杯伝説** the legend of the Holy Grail.

せいばい 成敗 ¶けんか両*成敗だ (⇒ 両方に責任がある) In a quarrel both parties *are to blame*.

せいはく 精白 ―[動] (米を) polish (他); (砂糖を) refine (他).《☞ せいとう[8]; せいまい》. **精白糖** refined sugar [U] **精白米** polished rice [U].

せいばく 精麦 (精麦すること) barley [wheat] cleaning [U]; (精麦後の麦) cleaned 「barley [wheat] [U].《☞ むぎ》.

せいはちめんたい 正八面体 ―[名]〔数〕régular octahedron /ὰktəhí:drən/ [C]. ―[形] octahedral /ὰktəhí:drəl/.

せいはつ 整髪 (調髪) hairdressing [U]; (散髪) haircut [C].《☞ さんぱつ[1]》. **整髪業** the hairdressing business ★ 店の意味では [C]. **整髪業者** (美容院の) hairdresser [C]; (ヘアデザイナー) hairstylist [C]; (理容師) barber [C] **整髪剤** (ヘアトニックなどの整髪用化粧品) hairdressing [U] **整髪料** (料金) charge for 「a haircut [hairdressing] [C].

せいばつ 征伐 ―[動] (敵などを征服する) cónquer (他); (服従させる)《格式》subjugate (他).《☞ せいふく[2]》.

せいはん[1] 製版 ―[名] (印刷用の版を作ること) platemaking [U] ★ 特にオフセット印刷の. ―[動] make a plate.《☞ いんさつ; かっぱん》. **製版者** platemaker [C].

せいはん[2] 正犯 (主犯)〔法〕principal [C].

せいはんごう 正反合〔哲〕thesis, antithesis, and synthesis.

せいはんたい 正反対 ―[形] (性質・意味などがまったく反対の) ópposite; (順序・方向などが逆の) reverse; (本質的に対立している) contrary. ―[副] (まったく対立して) in direct 「opposition [contradiction]; (打って変わって) on the contrary. ―[名] the exact 「opposite [reverse].《☞ はんたい; ぎゃく (類義語)》.
¶「高い」は「低い」の*正反対だ *High* is *opposite to low*. / *High* and *low* are *opposites*. ★ opposite は「正反対のもの」の意味.《☞ イタリック体 (巻末)》 // 彼はその意味を*正反対に解釈した He interpreted /ɪntə́:prətɪd/ the meaning in the *opposite* way. // 彼は私と*正反対の意見を持っている He 「holds [has] 「a quite *contrary* point of view [a *dramatically opposite* opinion] *to* mine. / (⇒ 彼の意見と私のはまったく反対だ) His views and mine are completely 「*opposite* [*contrary*].

せいひ[1] 成否 (成功または失敗) success or failure [U]; (結果) the result, the outcome.《☞ せいこう[1]; しっぱい; けっか》. ¶*成否 (⇒ 結果) にかかわらず, 最善を尽くすつもりだ I will try my best regardless of *the* 「*result* [*outcome*]. // 事の*成否を問うつもりはない I don't care 「about *success or failure* [*whether you succeed or fail*].

せいひ[2] 正否 ¶事の*正否 (⇒ それが正しいか間

違っているか）を見定めることが必要である It is necessary to find out whether it is ⌈*right or wrong* [*correct or not*].

せいび 整備 ── 動（車などを修理する）fix ㊀, repair ㊀ ★ 前者は主として《米》;（販売後, 機械・車などを修理点検する）service ㊀;（手入れをして維持する）maintain ㊀;（改善する）improve ㊀. ── 名（維持・保全）maintenance Ⓤ; improvement Ⓤ. 《☞ ととのえる; じゅんび》. ¶ 彼は自動車*整備の技術を学んでいる He is studying automobile *maintenance*. / （⇒ 自動車の修理方法を）He's learning how to ⌈*fix* [*repair*] cars. // 私は車を定期的に*整備してもらう I *have* my car *serviced* regularly. // *整備に手抜かりがあった There was an oversight in *maintenance*. // 環境*整備（⇒ 改善）*improvement* of the environment [environmental *improvement*] / (⇒ 保全) *maintenance* of the environment [environmental *maintenance*] // 車道よりも歩道を*整備せよ（⇒ 建設せよ）*Build* ⌈sidewalks [《英》pavements] ⌈rather than [, not] roads (for cars). // 河川の堤防は*整備（⇒ 修理と補強）が進んできた The river ⌈embankments [banks] *have been repaired and strengthened.*
整備員（飛行場の地上の）gróund crèw Ⓒ ★ 集合的に;（球場などの）groundskeeper Ⓒ, groundsman Ⓒ;（自動車の）car [áutomobile; garáge] mechánic Ⓒ;（機械の）repairman Ⓒ **整備工場**（自動車の）garáge Ⓒ, repair [service] shop Ⓒ **整備新幹線** the newly-projected ⌈*Shinkansen* [bullet train; trunk] lines.

せいひつ[1] 静謐 ── 名（平和でおだやか）peace and calm Ⓤ;（静穏）calmness Ⓤ;（平安）tranquility Ⓤ. ── 形（穏やかな）peaceful;（静かな）tranquil;（静かで落ちついた）calm. 《☞ へいおん》.

せいひつ[2] 聖櫃 〘カトリック〙（聖体を安置する容器）tabernacle Ⓒ; 〘ユダヤ教〙（律法書の保管箱）the (Holy) Ark.

せいひょう[1] 製氷（一般的に）ice making Ⓤ;（大規模な）ice manufacture Ⓤ. 《☞ こおり》. **製氷機**（特に角氷を作る）ice machine Ⓒ **製氷工場** ice plant Ⓒ **製氷皿**（冷蔵庫の）ice tray Ⓒ.

せいひょう[2] 星表 〘天〙 uranometry Ⓒ, star ⌈catalog [catalogue] Ⓒ.

せいひょう[3] 青票 ¶ *青票を投じる（⇒ 法案に対して反対の投票をする）vote against a bill

せいびょう 性病 ☞ せい[3]（性病）

せいひれい 正比例 〘数〙 direct ⌈proportion [ratio] Ⓤ (↔ inverse ⌈proportion [ratio]) 《☞ ひれい[1]; わりあい》. ¶ 電線の抵抗はその長さに*正比例する The resistance of a wire is ⌈*in direct proportion* [*directly proportional*] *to* its length.

せいひん[1] 製品（製造した物）próduct Ⓒ;（品物）article Ⓒ;（商品）goods 〔語法〕複数形だが, 数詞や many では修飾できない;（機械などで大量に生産された物）manufactures ★ 通例複数形で. 製糸・製綿関係の製品に使われることが多い. 《☞ せいさん[1]》.
¶ 私どもでは外国*製品は扱っていません We don't deal in ⌈foreign *products* [(⇒ 輸入品) imported *goods*]. // 石油化学[乳]*製品 petrochemical [dairy] *products* // 綿[絹]*製品 cotton [silk] ⌈*manufactures* [*products*]
製品アセスメント quality and ⌈recyclability [environmental impact] assessment Ⓒ **製品ポートフォリオ**（製品の分布状態一覧表）product portfolio Ⓒ **製品ライフサイクル**（製品の市場寿命）product life cycle Ⓒ.

せいひん[2] 清貧 ¶ 彼は*清貧に甘んじて（⇒ 貧しいにもかかわらず）研究に没頭した He was committed to his studies in spite of (his) *poverty*. 《☞ びんぼう; まずしい》

せいひん[3] 正賓 guest of honor Ⓒ 《☞ しゅひん》.

せいふ[1] 政府 ── 名 government Ⓒ ★ 自国の政府をいうときは the Government と大文字で始める場合が多い;（米国の政権）the Administration ★ 米国政府を正式に指すときは the United States Government;（内閣）cabinet Ⓒ ★ 自国の現内閣, 特定の国の内閣を指すときはしばしば大文字で始める. ── 形 governmental Ⓐ;（内閣の）cabinet Ⓐ. 《☞ ないかく[1]; せいけん[1]》.
¶ *政府は増税を考えている *The Government* is planning a tax increase. // 私は現*政府の外交政策に反対である I am against the foreign policy of the present *government*. // *政府の予算案が国会を通過した The *government-drafted* budget passed the Diet.
政府案 Government [government] bill Ⓒ 《☞ ぎあん; ほうあん》 **政府開発援助** official development assistance Ⓤ 《略 ODA》 **政府間機構** intergovernmental organization Ⓒ 《略 IGO》 **政府関係機関** government-affiliated ⌈agency [institution] Ⓒ ★ 日本では特に公庫などの「政府金融機関」が中心. **政府管掌健康保険** government-managed health insurance Ⓤ **政府金融機関** government-managed financial institution Ⓒ **政府高官** high-ranking government official Ⓒ **政府紙幣** government note Ⓒ **政府承認** government approval Ⓤ, recognition of governments Ⓤ **政府筋** government ⌈circles [sources] ★ 複数形で. **政府税制調査会** the Government's Tax Commission **政府専用機** special government plane Ⓒ **政府当局** (the) government authorities ★ 複数形で.

せいふ[2] 正負（正数と負数）〘数〙 positive and negative numbers;（陽と陰）〘電〙 positive and negative Ⓤ, plus and minus Ⓤ.

せいぶ[1] 西部 ── 名 the west 〔語法〕(1) 特定の国の西部の意味では the West と大文字にすることがある;（西の地方）the western part. ── 形 western 〔語法〕(2) 特定の国について言うときは大文字にすることがある. 《☞ にし[1]》.
¶ 浜松は静岡県*西部にある Hamamatsu is (located) in *the west* of Shizuoka Prefecture.
西部劇（映画）Western (⌈film [movie]) Ⓒ.

せいぶ[2] 声部 〘楽〙 voice (part) Ⓒ.

せいふう[1] 清風（爽やかな風）refreshing breeze Ⓒ. ¶ 彼は政界に*清風を吹き込んだ（⇒ すがすがしい風のそよぎをもたらした）He has brought *a breath of fresh air* to political circles.

せいふう[2] 西風（西からの風）the west wind;（秋風）autumn wind Ⓒ;（西からのそよ風）《詩》zephyr /zéfə/ Ⓒ.

せいふく[1] 制服（軍人・警官・看護師などの）uniform Ⓒ 〔語法〕in uniform などとして熟語的に用いる場合は Ⓤ となることがある;（学校の）school uniform Ⓒ. ¶ 警察官や消防士は*制服を着ている Policemen and firemen wear *uniforms*. // そのビルの前には*制服を着たガードマンがいた There was ⌈a security guard in *uniform* [a *uniformed* security guard] in front of the building.

せいふく[2] 征服 ── 動（制圧して手に入れる）cónquer ㊀ ★ 比喩的にも用いられる. ── 名 conquest Ⓤ. 《☞ しはい[1]》.
¶ ノルマン人は 11 世紀にイングランドを*征服した The Normans *conquered* England in the eleventh century. // モンブラン（の頂上）は 1786 年に初めて*征服された (The ⌈peak [summit] of) Mont Blanc /mɔ̀:mblɑ́:ŋ/ *was* first *conquered* in 1786.
征服者 conqueror Ⓒ.

せいふく[3] **正副** ¶書類は*正副2通提出しなければならない You must ｢send in [submit] the ｢documents [papers] *in duplicate*. [語法]「書類が正副2通で」の意味が in duplicate である. 3通の場合は in triplicate という.
正副議長 (一般的に) the chairman and ｢vice-chairman [deputy chairman]; (衆議院の) the Speaker and Deputy Speaker (of the House of Representatives); (参議院の) the President and Vice-President (of the House of Councilors).

せいぶつ[1] **生物** **1** «生き物»: (動物・植物の総称) life Ⓤ; (生きている物) living thing Ⓒ. (☞ いきもの; どうぶつ; しょくぶつ). ¶火星には*生物はいない There is no *life* on Mars.
2 «科目名»: biology Ⓤ (☞ 学校・教育 (囲み)).
生物界 the biological world, living things **生物化学** ☞ せいかがく **生物化学的酸素要求量** biochemical oxygen demand Ⓤ (略 BOD) **生物・化学兵器テロ** biological/chemical terrorism Ⓤ **生物学** ━[名] biology Ⓤ. ━[形] bìológical **生物学者** biologist Ⓒ **生物学主義** biologism Ⓤ **生物活性物質** biologically active substance Ⓒ **生物季節** (季節ごとの生物活動) phenological event Ⓒ; (生物季節学) phenology Ⓤ **生物圏** the biosphere **生物工学** (生物の工学的手法による研究・またその応用をする学問) biotechnology Ⓤ; (生物のしくみを工学に応用する学問) bionics Ⓤ **生物資源** (熱資源としての) biomass Ⓤ; (一般に) useful life forms, biological [living] resources **生物指標** bioindicator Ⓒ **生物多様性** biodiversity Ⓤ **生物地理学** biogeography Ⓤ **生物・毒素兵器禁止条約** the Biological Weapons Convention **生物時計** ☞ たいない[1] (体内時計) **生物濃縮** bioaccumulation Ⓤ; bioconcentration Ⓤ **生物物理学** biophysics Ⓤ **生物兵器** biological weapon Ⓒ.

せいぶつ[2] **静物** (果物・花・陶器など, 絵画の題材としての静物) still life Ⓤ ★ 静物画を指すときは Ⓒ (複 still lifes). **静物画** still-life painting Ⓒ **静物画家** still-life painter Ⓒ.

せいふん **製粉** ━[動] mill (他), grind ... into flour. (☞ こな). **製粉業** the flour industry Ⓤ **製粉業者** miller Ⓒ **製粉所[機]** (flour) mill Ⓒ.

せいぶん[1] **成分** (混合物の) ingrédient Ⓒ; (元素) element Ⓒ; (構成部分) component Ⓒ, constituent Ⓒ ★ 後者は特に不可欠の構成要素[分子]を示す. (☞ ようそ[1]).
¶「その主*成分は何ですか」「米ですよ」"What is the main *ingredient*?" "Rice." // 水素と酸素が水の*成分です Hydrogen and oxygen are the ｢*constituents* [*elements*] of water. // この単語は意味のある幾つかの*成分に分析できる We can divide the word into several meaningful *components*.
成分試験 chemical experiment Ⓒ **成分表示** ingredient label Ⓒ **成分分析** ingredient analysis Ⓤ **成分輸血** blood component transfusion Ⓤ.

せいぶん[2] **正文** official text Ⓒ. ¶国際連合憲章の*正文 the *official texts* of the United Nations Charter [参考] 国連憲章には, 中・仏・露・英・西の5か国語の正文があるので複数形.

せいぶんか **成文化** ━[動] (法律・規則を法典化する) codify (他). ━[名] codification Ⓤ. ¶その法律は*成文化された The law *was codified*.

せいぶんけんぽう **成文憲法** written constitution Ⓒ (↔ unwritten constitution).

せいぶんほう **成文法** (文書の形で公布された法律) written law Ⓒ, statute Ⓒ ★ 後者は法律用語で, 格式ばった語. (☞ ほうりつ).

せいへい **精兵** (選り抜きの兵士) crack trooper Ⓒ; (よく鍛錬された一隊) crack troops, crack unit Ⓒ.

せいへき **性癖** (生まれつきの傾向) (格式) propensity Ⓒ (☞ くせ; せいしつ[1]).

せいべつ[1] **性別** (男女の) sex Ⓤ, gender Ⓤ [語法] この語は従来は文法上の性を指すのが普通であったが, 現在では男女の性別に使われることが多い; (性によるはっきりとした区別) sexual distinction Ⓤ ★ 以上いずれも Ⓒ のこともある. (☞ せい[3]).
¶*性別に関係なくその仕事に応募できる Anyone, regardless of *sex*, can apply for the post. // この表現には男女の*性別は関係ありません There is no *sexual distinction* in the use of this expression. // 死体の*性別はいまだ不明である The ｢*sex* [*gender*] of the corpse has not yet been determined.
性別役割 gender roles ★ 通例複数形で.

せいべつ[2] **生別** ☞ いきわかれ

せいべつ[3] **聖別** 〘キ教〙 consecration Ⓤ, sanctification Ⓤ.

せいへん[1] **政変** (内閣の更迭) change of government Ⓒ; (革命) revolution Ⓒ; (クーデター) coup (d'état) /kúːdeɪtɑ́ː/ Ⓒ (複 coups (d'état) /～(z) (deɪtɑ́ː)/). ★ d'état の ´ は綴り本来のもの. (☞ せいじ[1]; かくめい; クーデター). ¶あの国で*政変が起こったらしい It is reported that a ｢*revolution* [*coup d'état*] has taken place in that country.

せいへん[2] **正編** the ｢principal [main] part (of a book).

せいほ **生保** ☞ せいめい[1] (生命保険)

せいぼ[1] **聖母** 〘キ教〙 (処女マリア) the Virgin Mary /mé(ə)ri/; (聖マリア) Saint Mary, Our Lady, the Madonna ★ すべて聖母マリアを表す語.
聖母子 (画題として) Virgin ｢and [with] Child **聖母受胎** the Immaculate Conception **聖母被昇天** 〘カトリック〙 the Assumption.

せいぼ[2] **歳暮** (年末の贈り物) year-end gift Ⓒ.

せいぼ[3] **生母** *one's* (｢real [biological; birth]) mother (☞ はは).

せいほう[1] **製法** (製造する手順) prócess Ⓒ; (組織的方法) method of manufacturing ... Ⓒ; (料理の作り方) recipe /résəpìː/ Ⓒ. (☞ せいぞう[1]; せいひん[1]; ほうほう[1]). ¶ガラスの新*製法 a new ｢*process* for making [*method of manufacturing*] glass

せいほう[2] **西方** ━[名] the west. ━[形] west, western. ━[副] to the west of ..., west of ... ★ ほぼ同意だが, 後者がより口語的. (☞ にし[1]; せいぶ[1]).
西方教会 〘キ教〙 the Western Church.

せいほう[3] **正法** reasonable rule Ⓒ; 〘法〙 right law Ⓒ.

せいぼう[1] **制帽** cap Ⓒ [語法] 特定のものを指すときは school cap, officer's cap などとする. また in uniform といえば「制服制帽」を指す. (☞ せいふく[1]).

せいぼう[2] **声望** (名声) reputation Ⓤ ★ しばしば a を付けて; fame Ⓤ; (人気) popularity Ⓤ. (☞ にんき[1]; めいせい; じんぼう).

ぜいほう **税法** the tax ｢laws [code] (☞ ぜい[1]; ぜいせい[1]; ほうりつ).

せいほうけい **正方形** square Ⓒ (☞ しかく[2] (挿絵)). ¶一辺が5センチの*正方形 a *square* with sides of five centimeters

せいほく **西北** ━[名] the northwest (略 NW) [語法] 英語では南・北を常に先に置く. ━[形] [副] northwest. (☞ ほくせい).

せいほくせい **西北西** the west-northwest (略 WNW).

せいぼつねん **生没年** the years of *a person's* birth and death. **生没年未詳** dates of birth and death unknown.

せいほん[1] 製本 ―名 (book)binding U. ―動 bind 他. 《☞ そうてい[2]》. ¶ この本は革で*製本されている This book *is bound* in leather. // この本の*製本はしっかりしている The *binding* ⌐of [on] this book is solid. **製本業** the bookbinding industry **製本所** bookbindery C **製本屋(人)** bookbinder C.

せいほん[2] 正本 (公文書の謄本で原本と同じ効力を持つ文書) exemplified [authenticated] copy C, exemplification C; (原本) original (text [copy]) C ★ 通例 the を付けて.

せいまい 精米 (精白した米) polished rice U; (精米すること) rice polishing U. 《☞ こめ》. **精米機** rice-polishing machine C **精米所** rice mill C.

せいみつ 精密 ―形 (細部まで正確な) precise; (詳述された) detailed; (細かいところまで注意を払った) minute /maɪn(j)úːt/; (徹底して綿密な) close /klóʊs/. ―名 precision U; minuteness U; closeness U. ―副 precisely; exactly; minutely; closely; in detail. 《☞ しょうさい[1]; せいかく[1] (類義語); めんみつ》.
¶ 私たちは*精密な地図が欲しい We need a *detailed* map. // 私は*精密な (⇒ 徹底的な) 健康診断を受けた I ⌐underwent [had] a ⌐*thorough* [*complete*] ⌐physical [medical] examination. 語法 健康診断には minute や close は使われない.
精密機械 precision instrument C **精密検査** (機械などの) close [thorough; minute] examination C **精密工業** the precision industry.

せいみょう 精妙 ―名 exquisiteness U. ―形 (精巧な) exquisite; (品質の優れた) fine; (手が込んで上品な) refined. 《☞ せいこう[2]》.

せいむ 政務 (公務) official business U 《☞ こうむ[1]》. **政務次官** vice-minister C, (parliamentary) undersecretary C ★ 現在は「大臣政務官」または「副大臣」となった. 《☞ だいじん[1] (大臣政務官); ふくだいじん》 **政務調査会** the Policy Affairs Research Council.

ぜいむ 税務 (課税業務) taxation business U; (税金の業務) tax ⌐affairs [matters] ★ 複数形で. **税務会計** accounting for taxation U **税務事務所** prefectural branch office for local taxes C **税務調査(権)** (the authority for) tax ⌐examination [investigation] U, audit investigation (by the tax authorities) C **税務通達** tax notice C.

ぜいむしょ 税務署 tax [taxation] office C ★ 前者のほうが口語的. 《☞ こくぜい[1]》.
¶ 地区の*税務署 a ⌐district [local] *tax office*
税務署員 (収税吏) tax collector C; (事務員) tax-office clerk C **税務署長** tax office supervisor C.

せいめい[1] 生命 (命) life U ★「(生命を持った) 人間」という意味では C 《複 lives /láɪvz/》. 《☞ いのち; じんめい[1]》. ¶ *生命の起源 the origin of *life* // 私はその仕事に*生命を賭けた I staked my *life* on the business. // 彼女の*生命に別状はない Her *life* is not in danger.
生命維持装置 life-support system C **生命科学** life science U, bioscience U **生命工学** biotechnology U **生命痕跡** the vestige of life **生命情報科学** bioinformatics U **生命線** (輸送・通信などの) lifeline C; (手相の) lifeline C **生命保険** life insùrance U 《☞ ほけん[1]》 **生命保険会社** life insurance company C **生命力** (生命の力 [エネルギー]) vital ⌐power [energy] U; (活力) vitality U **生命倫理** bioethics U **生命倫理法** bioethics law U.

せいめい[2] 声明 ―名 (政府などの) statement C; (発表) announcement C; (正式または公式の宣言) declaration U ★ 個々の声明は C; (外交上の公式発表) communiqué /kəmjúːnəkèɪ/ C ★ communiqué の ´ は綴り本来のもの. ―動 announce 他; declare 他. 《☞ こうひょう[1]; せんげん; はっぴょう; メッセージ》.
¶ 外相はきのう国際危機について*声明を出した The foreign minister made a *statement* yesterday on the international crisis. // 彼は突然辞職の*声明を出した (⇒ 辞職を発表した) He suddenly ⌐*announced* [made a public *announcement* of] his resignation. // 共同*声明 a joint ⌐*statement* [*communiqué*] **声明書[文]** statement C. ¶ *声明書を出す issue [make] a *statement*

せいめい[3] 姓名 (姓と名) full name C; (名前) name C. 《☞ しめい[3]; なまえ[1]》. **姓名判断** divination from the letters of a name U.

せいめん[1] 製麺 ―名 noodle making U. ―動 make noodles. **製麺機** noodle-making machine C **製麺業者** noodle maker C.

せいめん[2] 精綿 〘紡績〙 carding U.

せいもく 井目, 星目 (囲碁の) the nine principal points. ¶ *井目を置く (⇒ 9 つのハンディキャップをもらう) take *the nine stone handicap* // *井目を置かせる (⇒ …に 9 つのハンディキャップを与える) give … *the nine stone handicap* **井目風鈴** (13 のハンディキャップ) the thirteen stone handicap.

せいもん[1] 正門 (塀やさくなどで囲まれた) the front gate (↔ the back gate); (入口) the main entrance.

せいもん[2] 声紋 (音声の個人的特徴) voiceprint C.

せいもん[3] 声門 ―名 glóttis C 《複 ~es, glottides /glάtədìːz/》. ―形 glottal. **声門閉鎖音** 〘音声〙 glottal stop C.

せいもん[4] 誓文 (誓いを書いた文書) written oath C; (起請文) written pledge C; (誓約) covenant C. ¶ 五箇条の御*誓文 the Imperial /ɪmpí(ə)riəl/ *Covenant* of Five Articles

せいや[1] 聖夜 (クリスマスイブ) Christmas Eve; (聖なる夜) holy [sacred] night C ★ クリスマスキャロルの歌詞などで. 《☞ クリスマス》.

せいや[2] 星夜 ☞ ほしづきよ

せいやく[1] 制約 ―名 (条件を付けて制限すること) restriction C; (ある行為・行動を拘束すること) restraint U, constraint U ★ 後者のほうが意味が強い. いずれも具体的には C; (限界を定めて制限すること) limitation C. ―動 restrict 他; restrain 他; constrain 他; limit 他. 《☞ せいげん[1]; そくばく》.
¶ 時間の*制約がある There are time *restrictions.* / We *are restricted* by time. // これは社会的な*制約を受けない This is free from social *restraints.* // 予算に*制約があるのでそれを買うことができない We cannot afford to buy it because of budgetary *limitations.* // それは何の*制約 (⇒ 拘束) もない自由な投票だった It was a free vote, without *constraint.*

せいやく[2] 誓約 ―名 (神や聖書にかけて人に対してなされる宣誓) oath C; (神に対してなされる誓い) vow /váʊ/ C; (堅い約束) pledge C. ―動 take an oath, make an oath, swear 他; make [take] a vow, vow 他; (…すると堅く約束する) pledge (*oneself*) (to *do* …). 《☞ ちかい[2]; ちかう (類義語); やくそく》. ¶ 彼は*誓約を守った[破った] He ⌐kept [broke] his ⌐*oath* [*vow*; *pledge*].
誓約書 written ⌐oath [pledge; promise] C.

せいやく[3] 製薬 medicine [drug] manufacturing U 《☞ くすり》. **製薬会社** pharmaceutical /fɑ̀əməsúːtɪk(ə)l/ cómpany C.

せいやく[4] 成約 ―動 (契約書に署名する) sign a

contract; (契約に達する) reach (an) agreement.

せいやこう　星野光　integrated starlight [U].

せいゆ[1]　製油　oil production [U].　**製油所** oil refinery [C].

せいゆ[2]　精油　(精製すること) oil refining [U] 《☞ せいせい[2]》; (植物性の芳香油) essential oil [U].

せいゆ[3]　聖油　〘カトリック〙 chrism /krízm/ [U]; consecrated oil [U].

せいゆう[1]　声優　(ラジオで男性の) radio actor [C]; (女性の) radio actress [C]; radio performer [C] ★ 男女の別なく，また必ずしも俳優とは限らず広く出演者を指す; (吹き替えをする人) actor [actress] who dubs a foreign film [C]. 《☞ ふきかえ》.

せいゆう[2]　清遊　(風雅な遊び) refined pleasure [U]; (楽しみの旅行) pleasure excursion [C]; (ピクニック) outing [C].

せいよう[1]　西洋　━ [名] the West (↔ the East); (西洋諸国) (the) Western countries; 《文》 the Óccident (↔ the Orient) ★ いずれもヨーロッパとアメリカを含む. ━ [形] Western; 《文》 Òccidéntal. 《☞ せいおう》.　**西洋音楽** Western music [U]　**西洋画** ☞ ようが[1]　**西洋菓子** ☞ かし[1]　**西洋史** European and American history [U]　**西洋人** Westerner [C]　**西洋梨** (Western) pear [C]　**西洋風** ━ [名] Western style [C]. ━ [形] Western-style　**西洋文明** Western civilization [U]　**西洋料理** (食べ物) Western food [U]; (料理法) Western ˹cooking [cuisine /kwızíːn/] [U]. 《☞ りょうり》.

せいよう[2]　静養　━ [名] (疲れなどをいやすこと) rest [C]; (病気の回復のための) 《格式》 recuperation [U]. ━ [動] (静かに休む) rest quietly (自); (仕事をしないで休む) take a rest; (病後などに元の体力をつける) regain [recuperate] *one's* strength, 《格式》 recúperàte (自), cònvalésce (自). 《☞ きゅうそく[2]; きゅうよう[1]; ほよう; やすむ》.

¶ 彼は自宅*静養をした He *rested* at home. // 彼には十分な*静養が必要である He needs a good *rest*. // 彼女は病気が回復して軽井沢で*静養しています She ˹got over [recovered from] her illness, and *is* ˹*regaining her strength* [*convalescing*] at Karuizawa. // 彼は*静養のため (⇒ 健康を回復するため) に田舎へ行った He went to the country to ˹*recover his health* [*recuperate*; *convalesce*].

せいようさんざし　西洋山楂子　〘植〙 hawthorn [C], maybush [C].

せいようたんぽぽ　西洋蒲公英　〘植〙 (common) dandelion [C].

せいよく　性欲　☞ せい[3] (性欲)

せいらい　生来　━ [副] (生まれつき) by ˹nature [birth] ★ 前者は「性質」, 後者は「出生」を強調. ━ [形] (持って生まれた) ínbórn [A]; (生まれながらに備わっている) native, innate /ınéıt/ ★ 前者のほうが口語的. 《☞ うまれつき; せいとく; せんてんてき》.

¶ 彼は*生来怠け者です He is lazy *by nature*. // *生来の能力 *inborn* [*innate*] ability

せいり[1]　整理　**1** 《整える》 ━ [動] (きちんとする) tídy (úp) (他); (きちんとしておく) keep … tidy; (整理・整頓する) put [set] … in order; (きちんと片づける) stráighten (˹úp [óut]) (他). 《☞ ととのえる; せいとん; あとかたづけ》.　¶ 部屋をきちんと*整理しなさい *Tidy* [*Straighten*] (*up*) your room. // 彼女は書棚の本を*整理した She ˹*put* [*set*] the books on the shelves *in order*. // 彼は帳簿の*整理で忙しい He is busy *adjusting* (the) accounts.

2 《解消する》 ━ [動] (きれいに清算する) cléar (awáy) (他), páy óff (他). 《☞ せいさん[3]》.　¶ 私は負債をすべて*整理したい I want to ˹*clear* (*away*) [*pay off*] all my debts.

3 《減らす》 ━ [動] (人員などを) cút dówn (他), cut down (on …) (自), reduce (他) ★ 前 2 者がより口語的. 《☞ さくげん》.　¶ 会社は人員を*整理した (⇒ 減らした) The company ˹*cut down* (*on*) [*reduced*] its personnel.

整理解雇 dismissal ˹for the purposes of restructuring [due to economic conditions] [U]　**整理会社** (清算中の) company in liquidation [C]; (整理された) liquidated company [C]　**整理回収機構** the Resolution and Collection Corporation 《略 RCC》　**整理株** consolidated stock [C]　**整理券** (列の順番を示すための) number (for service) [C], order [《英》 queue; queuing] ticket [C]　**整理公債** consolidated fund [C]　**整理棚** pigeonhole [C]　**整理だんす** (衣類用) chest of drawers [C]; (書類用) filing cabinet [C]. 《☞ たんす (挿絵)》　**整理箱** (箱) chest [C]; (ファイル式の) file [C]　[参考] 小さなものだけでなく整理ケース (filing cabinet) のように大きなものの意味でも使われる.　**整理番号** reference number [C]　**整理部** (新聞社の) the copydesk.

せいり[2]　生理　━ [名] (生物全般の) physiology [U]; (女性の月経) (menstrual) period(s), menses ★ 後者は複数形で. ━ [形] physiological.

¶ *生理になる begin to ˹have a *period* [*menstruate*] // 今*生理中です I'm having my *period*.

生理休暇 female employees' (monthly) leave [C]　**生理現象** physiological phenomenon [C] 《複 ～ phenomena》.　¶ ちょっと*生理現象で失礼します Excuse me. *Nature is calling*. ★ 便意を催す場合の婉曲表現. ただし実際には Where's the ˹rest room [bathroom]? などの率直な表現のほうがよい. 《☞ トイレ》　**生理痛** ménstrual páins, cramps ★ いずれも複数形で.　**生理的** ━ [形] physiological.　¶ あの人は*生理的に嫌いです (⇒ いつもぞっとさせられる) That man always gives me *the creeps*.　**生理日** *one's* (ménstrual) périod(s)　**生理用ナプキン** 《米》 sanitary napkin [C], 《英》 sanitary towel [C].

ぜいり　税吏　(税務官吏) taxation official [C]; (収税吏) tax collector [C].

せいりがく　生理学　physiology [U].　**生理学者** physiologist [C].

せいりきがく　静力学　statics [U].

ぜいりし　税理士　certified [licensed] tax accountant [C].

せいりしょくえんすい　生理食塩水　phýsiològical ˹sáline [sált] solùtion ★ a を付けて.

せいりつ　成立　━ [動] (生まれる) come into existence; (組織・団体などが結成される) be formed; (契約や協定などを結ぶ) conclude (他); (生ぜしめる) bring [call] … into existence; (達成する) achieve (他); (目標などに到達する) reach (他). 《☞ なりたつ; ふせいりつ》.

¶ その内閣は 12 月に*成立した The cabinet *was formed* in December. // 予算が*成立した (⇒ 認められた) The budget *was approved*. // 法案を*成立させる *pass* a bill // 交渉による和解が*成立した Agreement *was reached* through negotiation./(⇒ その問題は解決された) The problem *was settled* through negotiation. // 彼らの間で休戦協定が*成立した A ceasefire *was* ˹*reached* [*achieved*] between them. // その 2 国間で条約が*成立した (⇒ 締結[調印]された) A treaty *was* ˹*concluded* [*signed*] between the two countries.

ぜいりつ　税率　tax rate [C]; (関税の) tariff [C].

¶ *税率を引き上げる [下げる] raise [lower] the *tax rate*

せいりゃく　政略　(政治上の駆け引き) political tactics ★ 複数扱い; (政治上の戦術) political strategy [U]. 《☞ せいじ[1]; さくりゃく》.

政略結婚 (当事者による打算的な) marriage of

convenience Ⓒ; (当事者の意思でなく政治的な) political marriage Ⓒ.

せいりゅう[1] 清流 clear stream Ⓒ.

せいりゅう[2] 整流 〔電〕(電流の方向の転換) commutation Ⓤ; (交流を直流に変えること) rectification Ⓤ; 〔通〕(検波) detection Ⓤ.
整流回路 rectifier circuit Ⓒ **整流管** rectifying tube Ⓒ **整流器** rectifier Ⓒ **整流作用** rectification Ⓤ, rectifying action Ⓤ **整流子** cómmutàtor Ⓒ **整流子電動機** commutator motor Ⓒ.

せいりゅうとう 青竜刀 (中国の広刃の刀) Chinese broadsword Ⓒ; (中国の幅広の湾曲した刀) Chinese falchion Ⓒ.

せいりょう[1] 声量 the volume of *a person's* voice (☞ こえ[1]). ¶ 彼は*声量がある (⇒ 朗々とした声をしている) He has a *sonorous* voice. / He has a *powerful voice*.

せいりょう[2] 清涼 ── [形] (さわやかで涼しい) cool; (すがすがしい) refreshing.

せいりょういんりょうすい 清涼飲料水 soft drink Ⓒ; (炭酸飲料) carbonated drink Ⓒ, soda Ⓒ. (☞ ジュース[1] [日英比較]).

せいりょうざい 清涼剤 《格式》(気つけ薬) restorative Ⓒ; (強壮剤) tonic Ⓒ. ¶ 彼女の歌は一服の*清涼剤だった (⇒ さわやかだった) The way she sang was *refreshing* to our spirits.

せいりょく[1] 勢力 ── [名] (権力・支配力) power Ⓤ; (実際に行使される物理的な力) force Ⓤ; (影響力) ínfluence Ⓤ. ── [形] (強力な) powerful; (力の強い) forceful; (有力な) influéntial. (☞ ちから).
¶ *勢力の均衡が保たれていた The balance of *power* was ⌈kept [maintained]. // 彼は財界に相当の*勢力を持っている He ⌈is quite *influential* [has considerable *power*] in business circles. // 米国はカリブ海地域に*勢力を伸ばしている The U.S.A. has ⌈extended [expanded] its *influence* in the Caribbean region. // その党は地方政界でめざましく*勢力を伸ばしている (⇒ めざましい繁栄を示している) The party has had a spectacular *rise* at the local (government) level. // その台風は北上するにつれて*勢力が衰えた The typhoon lost much of its *force* as it moved north. // かつて平家はこの地方で*勢力を振るっていた (⇒ 支配していた) The Taira ⌈family [clan] once *dominated* this part of Japan. **勢力争い** struggle for power Ⓒ, power struggle Ⓒ **勢力均衡** the balance of power. ¶ 両国間の*勢力均衡を保つ preserve *the balance of power* between the two countries **勢力圏[範囲]** sphere of influence Ⓒ.

せいりょく[2] 精力 ── [名] (何かをするために蓄積された力) energy /énəʤi/ Ⓤ ★ 活動力を示すときは energies と複数形になることが多い; (活力) vigor (《英》 vigour) Ⓤ; (旺盛な生命力) vitality Ⓤ; (性的能力) sexual capacity Ⓤ. ── [形] ènergétic; vígorous; (活発な) active. (☞ かつりょく; ちから).
¶ 彼は非常に*精力的だ He is very *energetic*. / (⇒ 精力旺盛だ) He is full of ⌈*energy* [*vitality*]. // 彼は*精力的に仕事をした He worked ⌈*vigorously* [*energetically*]. // 彼はその研究に全*精力を注いだ He put all his *energies* into the research. // 彼女は非常に*精力的な作家だ She is a very ⌈*active* [(⇒ 生産的な) *productive*] writer. // *精力絶倫の人 a person possessing ⌈boundless [limitless] *energy*
精力家 person possessing ⌈energy [vigor] Ⓒ, energetic person Ⓒ.

せいるい 声涙 **声涙倶(とも)に下る** (激して泣きながら語る) speak in a tearful voice.

せいれい[1] 政令 (内閣が制定する命令) cabinet order Ⓒ; (政府の命令) government ordinance Ⓒ. (☞ ほうれい[1] (類義語)). **政令指定都市** ordinance-designated city Ⓒ **政令審査委員会** the Ordinance Review Committee.

せいれい[2] 精励 ── [名] diligence Ⓤ. ── [形] diligent. (☞ きんべん).

せいれい[3] 制令 (おきて) regulations ★ 複数形で; (制度と法令) laws and institutions.

せいれい[4] 聖霊 〔キ教〕 the Holy ⌈Spirit [Ghost]. **聖霊降臨祭** 〔キ教〕 Pentecost.

せいれい[5] 精霊 (霊魂) spirit Ⓒ; (肉体に対する魂) soul Ⓒ. (☞ せい[4]; れい[3]). **精霊崇拝** (心霊主義) spiritualism Ⓤ.

せいれき 西暦 (キリスト紀元) the Christian ⌈era [Era]; (キリスト紀元後) A.D. [語法] ラテン語の anno Domini /ǽnou dámənì/ (=in the year of our Lord) の略で, 年号の前に付けるのが正式だが後に置かれることもある. 年号の若い場合にだけ用いるのが普通. なお紀元前は B.C. (=Before Christ). (☞ きげん[4]; 略語 (巻末); 数字 (囲み)).
¶ 彼は*西暦 3 世紀後半に生きていた He lived late in the third century *A.D.* // *西暦 500 年ごろに around *A.D.* 500 // *西暦紀元前 44 年 44 *B.C.*

せいれつ[1] 整列 ── [動] (一列になって立つ) stand in a ⌈line [row] (自) [語法] line は縦に, 前の人の背中を見るように並ぶこと. row は横に, 隣の人と肩を並べるように並ぶこと. (☞ れつ (写真)); (列に並ぶ・並べる) líne úp (自) (他), form a line (☞ ならぶ; れつ); 〔コンピューター〕 sort (他) (☞ ソート). ¶ 彼らは 4 列に*整列した They *were lined up* in four rows.

せいれつ[2] 清冽 ── [形] clear and cool.

せいれん 精練, 製錬 ── [動] (金属の純度を高める) refine (他); (鉱石から金属を取り出す) smelt (他). ── [名] refining Ⓤ; smelting Ⓤ. (☞ せいせい[2]). **精練所** refinery Ⓒ; smelter Ⓒ.

せいれんけっぱく 清廉潔白 ¶ *清廉潔白な人 a person ⌈*with* (*great*) *personal* [*of*] *integrity* ★ integrity は 格式語で「高潔」を意味する.

せいろ(う) 蒸籠 basket steamer.

せいろう 晴朗 (晴れてうららかな) bright and sunny; (晴れた) clear; (よい天気の) fine, fair. ¶ その日は天気*晴朗だった That day was *bright and sunny*. / The weather [It] was *fair* that day.

せいろくめんたい 正六面体 〔数〕 régular hexahedron /hèksəhí:drən/ Ⓒ; (立方体) cube Ⓒ.

せいろん 正論 ¶ 彼の言ったことは*正論だ (⇒ 理にかなっている) What he said was quite *reasonable*.

セイロン Ceylon /sɪlán/ (☞ スリランカ). **セイロン茶** Ceylon tea Ⓤ.

ゼウス ── [名] (固) 〔ギ神〕 Zeus /zú:s/ (☞ ジュピター).

セージ 〔植〕 sage Ⓤ. **セージグリーン** ── [名] ságe gréen Ⓤ. ── [形] ságe-gréen.

セーター sweater /swétə/ Ⓒ [日英比較] 日英の発音の違いに注意.

セーヌ ── [名] (固) the Seine /séɪn/ ★ フランスの川.

せえの (綱を引くときなど) Heave ho!

セービンワクチン (小児まひのワクチン) the Sabin vaccine.

セーフ 〔野〕 ── [形] safe (↔ out). ── [副] safely. ¶ 審判は彼を*セーフと判定した The umpire called him *safe*. // 彼は 2 塁に滑り込んで*セーフだった He slid *safely* into second (base).

セーブ ── [名] 〔野〕 save Ⓒ. ¶ 彼は 20 個目 [20 個] の*セーブを稼いだ He got ⌈his twentieth *save* [twenty *saves*]. ── [動] 〔コンピューター〕 (保存する) save (他). ¶ ファイルをディスクに*セーブする *save* a file on a disk

セーフガード (緊急輸入制限措置) safeguard

measure Ⓒ. ¶*セーフガードを発動する initiate *safeguard measures* セーフガード条項 safeguard clause Ⓒ.

セーフティー safety Ⓤ.

セーフティーゾーン (車道の安全地帯) sáfety ˹zòne [ìsland] Ⓒ, traffic island Ⓒ.

セーフティーネット (安全網) safety net Ⓒ.

セーフティーバルブ (安全弁) sáfety vàlve Ⓒ.

セーフティーバント 〚野〛 ━ 名 drag bunt Ⓒ 日英比較「セーフティーバント」は和製英語. ━ 動 (ヒットにしようとしてバントする) bunt for a single 自. (☞ バント). ¶松本が*セーフティーバントをして1塁に生きた Matsumoto made a *drag bunt* for a single.

セーフティービンディング (スキーの金具) (a set of) sáfety bìndings (☞ ビンディング).

セーフティーファクター 〚機〛(安全率) safety factor Ⓒ, factor of safety Ⓒ.

セーフティーベルト sáfety bèlt Ⓒ.

セーブル 〚動〛(くろてん) sable Ⓒ; (くろてんの毛皮) sable Ⓤ.

セームがわ セーム革 chamois /ʃǽmi/ (léather) Ⓤ.

セーラ (女性名) Sara /sé(ə)rə/, Sarah /sé(ə)rə/ ★ 愛称はともに Sadie /séɪdi/.

セーラーふく セーラー服 (子供用の上下) sailor suit Ⓒ; (女性・子供用のセーラー襟のブラウスとスカート) middy (blouse) and skirt Ⓒ 日英比較 英語の sailor suit はもっぱら子供用の服. 従って日本の女子中学・高校生用のものには第2番目のものにさらに worn by Japanese junior high or high school girls as a school uniform と続けるのがよい; (海軍軍人の) navy uniform Ⓒ.

セーリング (帆走・航海) sailing Ⓤ.

セール[1] (安売り) sale Ⓒ (☞ やすうり; とくばい; おおうりだし). ¶デパートで靴の*セールをやっていた The department store had a *sale* on shoes. // 在庫一掃*セール《掲示》Clearance (*Sale*)

セール[2] (船の帆) sail Ⓒ.

セールス (販売) sale(s) ★ 複数形で形容詞的に「販売の, セールスの」の意味で使われる; (売ること) selling Ⓤ. ¶彼の仕事は車の*セールスです His work is *selling* cars. / (⇒ 彼は車のセールスマンです) He is a car *sales*man.

セールスエンジニア (専門知識を要する製品の販売技術者) sales engineer Ⓒ.

セールスキャンペーン (販売運動) sales campaign Ⓒ.

セールストーク (売り込み文句) sales talk Ⓤ.

セールスプロモーション (販売促進) sales promotion Ⓤ.

セールスポイント (売り込み時の強調点) selling point Ⓒ 日英比較「セールスポイント」は和製英語.

セールスマン (販売の外交員) (traveling) salesman Ⓒ《複 -men》; (女性) saleswoman Ⓒ《複 -women》; (男女両方に用いて) sales representative Ⓒ, salesperson Ⓒ《複 salespeople》. (☞ てんいん[1] 日英比較). **セールスマンシップ** (販売の手腕) salesmanship Ⓤ.

せおいなげ 背負い投げ (柔道の) (over-the-) shoulder throw Ⓒ (☞ いっぽん (一本背負い)); 〚レス〛flying mare Ⓒ. ¶*背負い投げをかける (⇒ 肩越しに相手を投げる) *throw one's* opponent *over one's shoulder*

せおう 背負う (背中に) carry ... on *one's* back; (肩でかつぐ) shoulder 他. (☞ おんぶ; はこぶ; かつぐ; しょいこむ). ¶彼は借金の重荷を*背負っていかなければならない He has to *shoulder* a heavy burden of debts.

せおと 瀬音 (浅瀬の音) the babble of shallows; (さらさら流れる川音) the murmur of the river.

セオドア (男性名) Theodore /θíːədɔ̀ːr/ ★ 愛称は Ted, Teddy, Theo.

せおよぎ 背泳ぎ backstroke Ⓤ ★ しばしば the を付けて. (☞ はいえい; およぐ). ¶彼女は*背泳ぎが上手です She does a very good *backstroke*. 語法 日本語には「とても」がなくても英語では very を付けるのがよい場合が多い.

ゼオライト 〚鉱〛(沸石) zeolite /zíːəlàɪt/ Ⓤ.

セオリー (理論・学説) theory Ⓤ ★ 個々のセオリーをいうときは Ⓒ.

せかい 世界 the world ★ 世間・世の中の意味にも使う; (地球) the earth. (☞ ちきゅう[1]; よのなか; せけん; 冠詞 (巻末)). ¶スポーツ [政治] の*世界 *the* ˹sports [political] *world* // 死後の*世界 (⇒ 生活) *life* after death / (⇒ あの世) the afterlife // エベレストは*世界で一番高い山だ Mt. Everest is the highest mountain in *the world*. // その会議には*世界の各国から代表が集まった (⇒ 出席した) Representatives from all over *the world* attended the conference. // 空の便の発達によって*世界は狭くなった *The* ˹*earth* [*world*] has become smaller with the development of air transport. // 彼は*世界的に有名なピアニストだ He is a *world*-famous pianist. // *世界的な石油不足 a ˹*worldwide* [*global*] shortage of oil // ブラジルは*世界の主要なコーヒー生産国の一つである Brazil is one of the *world's* leading coffee-˹producers [producing nations]. // *世界情勢 the *world* situation

世界遺産 the world heritage ★ 通例 the ~ として. **世界一周(旅行)** (a)round-the-world trip Ⓒ **世界観** outlook on [view of] the world Ⓒ ★ 通例単数形で; world-view Ⓒ **世界気象機関** the World Meteorological Organization《略 WMO》 **世界恐慌** global [world] economic crisis Ⓒ; (1929年の) the Great Depression **世界記録** world record Ⓒ. ¶だれが走り高跳びの*世界記録を持っていますか Who holds *the world record* ˹for [in] the high jump? (☞ きろく) **世界銀行** the World Bank ★ 正式名は the Ínternàtional Bánk for Rèconstrúction and Devélopment《略 IBRD》 **世界経済** the world economy **世界語** international language Ⓒ; (共通語) lingua franca /língwə frǽŋkə/ Ⓒ **世界国家** world state Ⓒ; (連邦化した) world federation Ⓒ **世界史** world history Ⓤ **世界時** Universal Time Ⓤ《略 UT》 **世界システム** the world system **世界自然保護基金** the World Wide Fund for Nature《略 WWF》 **世界主義** cosmopolitanism Ⓤ **世界女性会議** the World Conference on Women **世界人** cosmopolitan Ⓒ; citizen of the world Ⓒ **世界人権会議** the World Conference on Human Rights《略 WCHR》 **世界人権宣言** the *Universal Declaration of Human Rights* **世界人権デー** Human Rights Day ★ 世界人権宣言採択を記念する日 (12月10日) (☞ じんけん[1] (人権週間)). **世界人口** world population Ⓒ **世界選手権大会** world championship Ⓒ ★ 通例複数形で. **世界大戦** world war Ⓒ. ¶第一[二]次*世界大戦 *World War* ˹I [II] ★ World War ˹One [Two] と読む. / the ˹First [Second] *World War* **世界知的所有権機関** the World Intellectual Property Organization《略 WIPO》 **世界都市** cosmopolis Ⓒ; (国際的大都市) international [cosmopolitan] city Ⓒ **世界博覧会** world ˹exposition [fair] Ⓒ **世界平和** world peace Ⓤ **世界貿易機関** the World Trade Organization《略 WTO》 **世界貿易センター** the World Trade Center Ⓒ《☞ ワールドトレードセンター》 **世界保健機関** WHO ★ the *W*orld *H*ealth *O*rganization の略. 《☞ 略語（巻末）》. **世界連邦主義者** world federalist Ⓒ.

コロケーション
外部世界 the outside *world* / **現実の[非現実的な]世界** the real [an unreal] *world* / **現代[古代, 中世]の世界** the ⌐present-day [ancient; medieval] *world* / **自分だけの小さな世界** *one's* own little *world* / **自由主義世界** the free *world* / **狭い世界** a small *world* / **戦後の世界** the postwar *world* / **日常の世界** the everyday *world* / **未知の世界** an unknown *world*

せがき 施餓鬼 〘仏教〙 Buddhist ceremony for feeding "hungry-ghosts" Ⓒ ★ 説明的な訳.

せかす 急かす （無理に…させる) push *a person* (to *do* ...); (せき立てて…させる) press *a person* (to *do* ...); (急がせる) hurry (*a person* to *do* ...) 他; (人を…へと駆り立てる) urge (*a person* to ...) 他. 《☞ せきたてる; いそがせる》. ¶ そんなに*せかさないで Don't *push* me so hard.

せかせか ── 形 (落ち着かない) restless; (忙しい) busy. 《☞ そわそわ; おちつく; 擬声・擬態語（囲み）》. ¶ 彼女はいつも*せかせかしている She is always *restless*.

せかっこう 背格好 （体つき) build Ⓤ; (身長) stature Ⓤ; (大きさ) size Ⓒ. 《☞ しんちょう[1]; からだ》. ¶ その 2 人の兄弟はまったくよく似た*背格好をしている The two brothers have the same *build*. / (⇒ 外見が似ている) The two brothers are very similar in *appearance*.

ぜがひでも 是が非でも by all means 《☞ ぜひ[1]; うむ[3]》.

せがむ （何度もしつこく頼む) badger 他; (…するようにと言って困らせる) pester 他. 《☞ ねだる》. ¶ 彼は父親にお金を*せがんだ <S (人) + V (*pester*) + O (人) + *for* + O (物)> He *pestered* his father *for* money. // 子供は私に動物園へ連れて行けと*せがんだ My child *badgered* me to take him to the zoo.

せがれ 倅 （自分の息子) my son Ⓒ 〔日英比較〕 英語にはこのように息子のことをへりくだっていう言葉はない. 《☞ むすこ》.

せがわ 背革 ── 名 (背をおおう革) leather covering the back Ⓤ; (革でおおわれた背) leather-covered spine Ⓒ; 〘製本〙(背革製本) quarter binding Ⓤ ★「総革装」は full binding という. ── 形 (背革装の) quarter-bound. ¶ 彼女は*背革の辞書を買った She bought a dictionary with a *leather-covered spine*.

セカント 〘数〙(三角関数の正割) secant /síːkænt/ 《略 sec》.

セカンド **1** 《野球》: (塁) second (base) Ⓤ ★ 冠詞は普通付けない; (2 塁手) second baseman Ⓒ 《複 -men》. ¶ 彼は*セカンドです He's a *second baseman*. / (⇒ セカンドをやっている) He plays *second*.
2 《自動車》 second (gear) Ⓤ. ¶ *セカンドにギヤを切り替える change [shift] into *second* (gear)

セカンドオピニオン （別の医者の意見) second opinion Ⓒ.

セカンドカー （2 台目の車) second car Ⓒ.

セカンドクラス ── 名 (等級の 2 等) second class Ⓤ. ── 形 (二流の) second-class.

セカンドハウス （別荘) second home Ⓒ; (夏用の) summer cottage Ⓒ; (休暇用の) vacation home Ⓒ.

セカンドハンド ── 形 (中古の) secondhand ★《米》では used が多く使われる. 《☞ セコハン》.

セカンドベスト ── 名 (次善の人, 物) second best Ⓤ. ── 形 second-best.

セカンドライフ （第二の人生) new life Ⓒ. ¶ 彼は定年後の*セカンドライフを楽しんでいる He is enjoying his *new life* after retirement.

せき[1] 席 （座席) seat Ⓒ 〔語法〕 いす・腰掛けなど, すべての腰掛けるものに使うが, 特に劇場・乗り物などの固定した席に用いる; (劇場や汽車などの決まった席) place Ⓒ. 《☞ いす 〔日英比較〕》.
¶ どうぞ*席について下さい Please *sit down*. / Please ⌐take [have] a *seat*. / Please *be seated*. ★ 後のほうほど格式ばった言い方. 第 3 文は普通かしこまった場面で, 起立者全員に対して用いる. // 彼はバスの中でその老人に*席を譲った He gave his *seat* on the bus to the elderly person. // 彼は 2 人分の*席を占領している He occupies enough *space* for two (people). // 彼は怒って*席を立った (⇒ 離れた) He got angry and left his *seat*. // 君が戻ってくるまで*席をとっておきます I'll ⌐keep [《米》 save] your *seat* (for you) until you come back. // 「*席がとれるかしら」「うん, 次の列車を待てば大丈夫」 "Do you think we can get *seats*?" "I'm sure we can if we wait for the next train." // 「この*席は空いていますか」「いいえ, ふさがっています」 "Is this ⌐*seat* [*place*] ⌐vacant [free]?" "No, it's ⌐taken [occupied]." 《☞ くうせき》 // 隣の*席の人 (⇒ 隣に座っている人) にたばこを勧められた The man *sitting* next to me offered me a cigarette. // 別室に*席を移しましょう Let's move to a different *place*.
席の暖まる暇もない ¶ 社長は多忙で*席の暖まる暇もありません Our president is so busy that he *can't stay long in one place*. / (⇒ いつも動き回っている) Our president is always on the move. **席を改める** (別の場所に行く) adjourn to ... ¶ *席を改めてバーで一杯やろう Let's *adjourn to* a bar for a drink. **席を外す** ¶ ちょっと*席を外してもらえますか (⇒ 私達だけにする) Can you *leave us to ourselves* for a moment? // *席を外します (⇒ 出かけて不在になる) がすぐ戻ります I'm *going out* but I'll be right back. // 「佐藤さんはいらっしゃいますか」「佐藤はいま*席を外しています (⇒ 机の所にはいませんが, すぐ戻るでしょう)」 "Is Mr. Sato in?" "No, he's not ⌐at his desk [in] right now, but he'll be back soon."

コロケーション
席を確保する secure a *seat* / **席を交換する** exchange [switch; trade; swap] *seats* / **席を予約する** reserve [book] a *seat* / **…と席を替わる** change *seats* with ...

せき[2] 咳 ── 名 cough /kɔ́ːf/ Ⓒ; (せきをすること) coughing Ⓤ. ── 動 cough 自.
¶ その子供は*せきがひどい That child has a bad *cough*. // その薬で*せきがおさまった The medicine relieved my *cough*. // 彼女は激しく*せきをした She *coughed* ⌐hard [violently]. // 私は風邪を引くと*せきが何週間も止まらない When I catch (a) cold, the *cough* hangs on for weeks.
せき止め cough ⌐drop Ⓒ [medicine Ⓤ].

コロケーション
結核性の咳 a tubercular *cough* / **たんの出る咳** a wet *cough* / **しつこい咳** a stubborn *cough* / **ぜん息性の咳** an asthmatic *cough* / **止まらない咳** a persistent *cough* / **ひどい咳** a serious *cough* / **慢性の咳** a chronic *cough* // **咳を抑える[こらえる]** stifle a *cough*

せき[3] 籍 （戸籍) family register Ⓒ 《☞ こせき[1]; ほんせき》. ¶ 彼女はまだ*籍が入っていない (⇒ 結婚届

け出がされていない) Her marriage has not yet been reported to the ⌈*register* [*registry*] office. // 彼女は大学に*籍を置いているが (⇒ 正規の学生であるが) ほとんど授業には出ない She is a (*full-time*) *student* at the college but rarely attends classes.

せき[4] **堰** (川の) weir Ⓒ; (貯水用の) dam Ⓒ. ¶*堰を作る build [construct] a ⌈*dam* [*weir*] ★ build のほうがより口語的. // 群衆は*堰を切ったように (⇒ 洪水のように) 国会議事堂へ向かって突進してきた The large crowd of people rushed toward the Diet building *like floodwater*. // その子は*堰を切ったようにしゃべりだした The child began to talk as if a *dam* had burst.

せき[5] **積** 〘数〙 product Ⓒ (↔ quotient). ¶8と5の*積は40 The *product* of eight (multiplied) by five is forty.

せき[6] **関** ☞ せきしょ **関送り** ── 名 (送別会) send-off (party) Ⓒ. ── 動 (…を見送る) see … off.

-せき …**隻** ¶数*隻の船 several *ships* 《☞ 数の数え方 (囲み)》

せきあく 積悪 (一連の悪業) series of bad deeds Ⓒ; (積み重なった罪) accumulated sins ★ 複数形で. ¶*積悪の余殃(よおう)(罪の報い) unhappy consequences of bad karma accruing to *one's* descendants

せきあげる 咳き上げる (咳き込む) have a fit of coughing; (激しくせきをする) cough ⌈very hard [violently]; (発作的に泣く) sob convulsively.

せきうん 積雲 〘気象〙 cumulus /kjúːmjʊləs/ Ⓒ 《複 cumuli /-làɪ/》《☞ くも[1] (挿絵)》.

せきえい 石英 〘鉱物〙 quartz Ⓤ. **石英ガラス** quartz glass Ⓤ.

せきがいせん 赤外線 infrared /ínfrərèd/ ráys ★ 複数形で. **赤外線暗視装置** night-vision [noctovision] device Ⓒ ★ 前者は口語的. **赤外線カメラ** ínfrarèd cámera Ⓒ **赤外線銀河** 〘天〙 infrared galaxy Ⓒ **赤外線写真** (写したもの) ínfrarèd phótograph Ⓒ; (写真術) infraréd photógraphy Ⓤ **赤外線センサー** infrared sensor Ⓒ **赤外線天文学** infrared astronomy Ⓤ **赤外線フィルム** ínfrarèd film Ⓤ **赤外線望遠鏡** infrared telescope Ⓒ **赤外線誘導弾** infrared guided missile Ⓒ; (自動誘導式の) infrared homing missile Ⓒ **赤外線療法** infrared therapy Ⓤ.

せきがえ 席替え ── 動 (席順をかえる) change the seating arrangement(s). ── 名 change in the seating ⌈arrangement(s) [order] Ⓒ.

せきがく 碩学 (偉大な[博識の]学者) great [érudite] scholar Ⓒ ★ [ ] 内は格式語; (深い学問のある人) person possessing profound knowledge Ⓒ.

せきがし 席貸し ── 動 (部屋・ホールを貸す) rent (out) a ⌈room [hall].

せきかっしょく 赤褐色 ── 名 *reddish brown* Ⓤ; (毛髪の) áuburn Ⓤ. ── 形 reddish brown. 《☞ かっしょく》.

せきがはら 関ケ原 ── 名 固 Sekigahara, town in southwestern Gifu Prefecture. ¶天下分け目の*関ケ原 (⇒ 決定的な戦い) a decisive battle **関ケ原の戦** the Battle of Sekigahara; (説明的には) a decisive battle fought in 1600 at Sekigahara that established Tokugawa Ieyasu's hegemony over all of Japan.

せきがん 隻眼 ── 形 (片目の) one-eyed. ── 名 (片目) one eye Ⓒ.

せきぐん 赤軍 the Red Army.

せきこむ[1] **咳き込む** (せきの発作が起こる) have a fit of coughing.

せきこむ[2] **急き込む** (あわてる) get flurried; (興奮する) get excited; (いらいらする) get impatient. 《☞ いらだつ; あせる[1]》. ¶*せき込んで話す talk *impatiently* // *せき込んで質問する ask *in haste*

せきさい 積載 ── 動 (運ぶ) carry ㊀; (荷を積む) load ㊀. 《☞ つむ[1]; はこぶ》. **積載貨物** cargo on board Ⓤ **積載トン数** capacity [freight] tonnage Ⓤ **積載能力** loading capacity Ⓤ **積載排水量** load displacement Ⓤ **積載量** loadings ★ 複数形で.

せきざい 石材 (建築用の) (building) stone Ⓤ.

せきさく 脊索 ── 名 〘生〙 notochord /nóʊtoʊkɔ̀ːəd/ Ⓒ. ── 形 nòtochórdal. **脊索動物** chórdàte (ánimal) Ⓒ.

せきさん 積算 ── 名 (加算) addition Ⓤ; (累積) total Ⓒ; (統合) integration Ⓤ. ── 動 (合計する) ádd (úp) ㊀; (累計する) total (up) ㊀; (合計して…となる) add up to ….
積算温度 accumulated temperature Ⓤ **積算価格** (合計した価格) total price Ⓒ; (原価) total costs; (見積もり価格) estimated price Ⓒ; (見積もり原価) estimated costs **積算計器** integrating meter Ⓒ **積算電力計** (電力量計) integrating wáttmèter Ⓒ **積算法** integration Ⓤ.

せきじ 席次 (学校の成績の) class ranking Ⓤ 《☞ せきじゅん[1]; じゅんばん》. ¶クラスで*席次が5番上がった[下がった] My *class ranking* went ⌈up [down] (by) five places. // 私の*席次はクラスで15番だ I ⌈*rank* [*am*] fifteenth in our class.

せきしつ 石室 (いわむろ) stone hut Ⓒ; (墓穴) tomb Ⓒ.

せきじつ 昔日 (むかし) old ⌈days [times]; (以前) former days. ¶彼女はまだ*昔日の面影をとどめている She still retains something of her *former* appearance.

せきじゅうじ 赤十字 the Red Cross. **赤十字国際委員会** the International Committee of the Red Cross **赤十字条約** the Red Cross Treaty **赤十字病院** Red Cross hospital Ⓒ.

せきしゅつ 析出 ── 名 〘化〙 (抽出) eduction Ⓤ. ── 動 edúce. **析出物** (遊離体) éduct Ⓒ.

せきしゅん 惜春 regretting the passing of ⌈spring [(青春を惜しむ) *one's* youth] Ⓤ.

せきじゅん[1] **席順** the seating order 《☞ じゅんばん》.

せきじゅん[2] **石筍** stalagmite Ⓒ.

せきしょ 関所 (検問所) barrier Ⓒ; (説明的には) (road [highway]) ⌈checkpoint [inspection point] in feudal Japan Ⓒ. **関所手形** travel permit Ⓒ **関所破り** breaking through a barrier Ⓤ.

せきじょう 席上 (…において) at …; (…の折) on the occasion of … ★ やや格式ばった言い方. ¶彼はその祝賀会の*席上で演説をした He delivered a speech ⌈*at* [*on the occasion of*] the celebration.

せきしょく 赤色 (赤い色) red Ⓤ; red color (《英》 colour) Ⓤ; (緋色) scarlet Ⓤ. **赤色巨星** red giant (star) Ⓒ **赤色超巨星** red supergiant Ⓒ **赤色半導体レーザー** red semiconductor laser Ⓒ.

せきしん 赤心 ☞ まごころ

せきずい 脊髄 spinal cord Ⓒ. **脊髄炎** myelitis /màɪəláɪtɪs/ Ⓤ **脊髄注射** spinal injection Ⓒ **脊髄麻酔** spínal ⌈ànesthésia [(《英》 ànaesthésia] Ⓤ.

せきせいいんこ 背黄青鸚哥 〘鳥〙 budgerigar /bʌ́dʒərigɑ̀ə/ Ⓒ, 《略式》 budgie /bʌ́dʒi/, shéll párakèet Ⓒ. 《☞ いんこ》.

せきせつ 積雪 (降雪) snowfall Ⓒ; (積もった雪) snow (on the ground) Ⓤ, accumulated snow Ⓤ; (地面が雪で覆われている状態) snow cover Ⓤ. 《☞ ゆき[1]; つもる》. ¶*積雪1メートルです The *snow* is one meter deep. // 東北自動車道はかなりの*積雪のため全面通行禁止になった The Tohoku Expressway was closed due to a heavy *snowfall*. 積雪寒冷地 cold and snowy area Ⓒ 積雪量 snowfall Ⓤ ((☞ こうせつ¹ (降雪量)).

せきぞう¹ 石像 stone statue Ⓒ.

せきぞう² 石造 ―名 (石の建造物) stone construction Ⓒ. ―形 (石づくりの) stone-built; (石の) stone. ¶ *石造家屋 a *stone* building

せきそうかんでんち 積層乾電池 layer-built ⌈cell [battery] Ⓒ.

せきたてる 急き立てる (心理的圧力でせかせる) press *a person* (to *do* ...); (無理に...させる) push *a person* (to *do* ...); (しつこく勧めて) urge ⑩. ((☞ せかす; いそがせる; さいそく¹)). ¶ そんなに*せきたてるなよ Don't *hurry* me.

せきたん 石炭 coal Ⓤ ★ 燃えている石炭のかたまりは Ⓒ. 石炭液化 coal liquefaction /lìkwəfǽkʃən/ Ⓤ 石炭液化装置 cóal lìquefáction sỳstem Ⓒ 石炭ガス coal gas Ⓤ 石炭ガス化 gasification of coal Ⓤ 石炭殻 (coal) cinder Ⓒ ((☞ コークス)) 石炭紀 〘地質〙 the Carboniferous /kɑ̀ːəbənìf(ə)rəs/ périod.

せきたんさん 石炭酸 〘化〙 carbolic acid Ⓤ.

せきちく 石竹 〘植〙 (China) pink Ⓒ. 石竹色 pink Ⓤ.

せきちゅう¹ 石柱 stone pillar Ⓒ.

せきちゅう² 脊柱 the spinal column, spine Ⓒ ★ 後者のほうが口語的. 脊柱湾曲 spínal cúrvature Ⓤ.

せきちん 赤沈 〘医〙 (赤血球沈降速度) erythrocyte /ɪríθrəsàɪt/ sedimentation rate Ⓒ ((略 ESR)). ((☞ けっちん)). 赤沈検査 blood sedimentation test Ⓒ.

せきつい 脊椎 (背骨) spine Ⓒ, spinal [vertebral] column Ⓒ ★ 後者はやや改まった表現; 〘解〙 (特に動物の) vertebrae /vɜ́ːtəbrìː/ ★ 複数形. 単数形は vertebra /-brə/ Ⓒ で, 脊椎を構成する個々の「椎骨」をいう. 脊椎炎 〘医〙 spondylitis Ⓤ 脊椎カリエス 〘医〙 spinal caries Ⓤ, caries of the spine Ⓤ 脊椎動物 vertebrate (animal) Ⓒ.

せきてい 石庭 rock garden Ⓒ.

せきてっこう 赤鉄鉱 〘鉱物〙 hématìte Ⓤ.

せきとう 石塔 (石造りの塔) stóne pagóda Ⓒ.

せきどう 赤道 ―名 the equátor. ―形 equatorial /ìːkwətɔ́ːriəl/. ((☞ ちきゅう¹ (挿絵)). ¶ *赤道直下の島 an *equatorial* island 赤道儀 equatorial telescope Ⓒ 赤道気団 equatorial air mass Ⓒ 赤道祭 the ceremony of crossing the ⌈line [equator]; Neptune's revel Ⓒ 赤道無風帯 the doldrums ★ 複数形で. しばしば the Doldrums と書く.

せきどうギニア 赤道ギニア ―名 固 Equatorial Guinea /ìːkwətɔ̀ːriəl gíni/; (正式名) the Repúblic of Équatòrial Guínea ★ アフリカ西部の共和国.

せきどうこう 赤銅鉱 cuprite /kjúːpraɪt/ Ⓤ.

せきとめる 塞き止める (堰(せき)を作って流れを) dám úp ⑩; (水の流れなどを抑制する) hòld báck ⑩, kèep báck ⑩. ¶ そのダムは川の流れをここで*せき止めて水を貯めるために作られた The dam was *built to stop the river's flow here and to collect water.*

せきとり 関取 ranking sumo wrestler Ⓒ ((☞ すもう)).

せきにん 責任 ―名 responsibility Ⓤ ★「責任をとらなければならない仕事」の意味では Ⓒ; duty Ⓤ; blame Ⓤ. ―形 (責任のある) responsible.

【類義語】 与えられた仕事や義務を遂行する責任が *responsibility* だが, この語は同時に「…の原因; …のせい」という意味での責任をも意味する. 道理の上から考えて当然行うべき責任が *duty*. 間違いや過失などの責任が *blame*. ((☞ ぎむ (類義語)))

¶ 君は自分のしたことに対して*責任をとらなければいけない You must ⌈take [assume] *responsibility* for what you've done. // 彼は*責任を回避しようとした He tried to ⌈avoid [escape] (the) *responsibility*. // 彼女はあまり*責任を感じない She does not feel much *responsibility*. // 彼は*責任(の所在)をあいまいにし (⇒ 自分の責任を隠し) はじめた He began trying to hide his *responsibility*. // 彼らは彼の刑事*責任を追及した They investigated him for criminal ⌈*liability* [*involvement*]. // あなたの地位はとても*責任ある地位です Yours is a very *responsible* position. // その事故はパイロットの*責任だ The pilot ⌈is [was] *responsible for* the accident. // 彼は社会に対する*責任を果たした He fulfilled his ⌈social [public] *responsibilities*. / He ⌈fulfilled [performed] his public *duties*. // その*責任は医者にある (⇒ 医者が責められるべきだ) The doctor ⌈is [was] to *blame* for it. / (⇒ 医者に責任があるとみなされている) The doctor is held *responsible* for it. // 彼はその失敗の*責任は私にあるといって責めた He *blamed* me for the failure. // *責任 (⇒ 非難すべき落ち度) の一部は彼にある Part of the *blame* rests with him. // それはだれの*責任 (⇒ 落ち度) でもない That is nobody's *fault*. // この仕事は月末までに私が*責任をもってやります (⇒ あなたに約束する) I *promise* you (that) I will finish the work by the end of this month. // 道路混雑の場合はバスが時間どおりに来るかどうかは*責任がもてません (⇒ 保証できない) We cannot *guarantee* ⌈the punctual arrival of buses [that the buses will be on time] in heavy traffic. // 全面的な*責任 complete [total; the entire] *responsibility*

責任感 sense of responsibility Ⓤ ★ 通例 a, the などを付けて. ¶ 彼は*責任感がない He has no *sense of responsibility*. // 彼女は*責任感が強い She has *a* strong *sense of responsibility*. 責任校了 (印刷の表示) OK with corrections 責任者 (担当者) person in charge Ⓒ ((☞ たんとう¹)). ¶ この仕事の*責任者はだれですか Who is *in charge of* this job? 責任能力 adequacy for legal liability Ⓤ; 〘法〙 doli capax /dɑ́likǽpæks/ Ⓤ.

コロケーション

…(に)は責任が伴う ... carry *responsibility* / 責任を負う bear [shoulder] *responsibility* / 責任を…に負わせる put [lay; fix] *responsibility* ⌈on [upon] ... / 責任を…に転嫁する shift [shuffle off; divert] *one's responsibility* onto ... / 責任を果たす carry out [perform; fulfill; meet] *one's responsibility* / …の責任を引き受ける accept [undertake] *responsibility* for ... / 責任を放棄する abandon [abdicate; relinquish; throw off; shed] *one's responsibility* / 責任を認める admit *responsibility* // 大きな責任 great [immense] *responsibility* / 親の責任 parental *responsibility* / 行政責任 administrative *responsibility* / (集団の)共同責任 collective *responsibility* / 個人的責任 personal *responsibility* / 国家責任 a governmental *responsibility* / 重大な責任 a ⌈serious [grave; heavy] *responsibility* / 全責任 full *responsibility* / 戦争責任 war *responsibility* / 道義上の責任 ethical [moral] *responsibility* / 法律上の責任 legal *responsibility*

せきねん 積年 (長い年月) long years; (多年)

many years. **積年の恨み** long-standing grudge [C]. **積年の弊** ¶*積年の弊 (⇒長く続いている弊害) は容易に廃止できない *Evils of many years* are not easily abolished. **積年の労** ¶彼女の*積年の労 (⇒長年の苦心) がついに報いられた Her *years of labor* ⌜bore fruit [were rewarded] at last.

せきのやま　関の山 ¶彼は毎日1時間勉強するのが*関の山だ (⇒最大限1時間) He studies (for) a *maximum* of one hour a day. / (⇒長くても1時間) He studies (for) one hour a day *at* ⌜*the longest* [*most*]. ★第2文がより平易な表現. 《☞ せいぜい》

せきはい[1]　惜敗 ¶彼らはゲームに*惜敗した (⇒接戦に負けた) They *lost a close game.* / (⇒わずかの差で) They *lost the game by a narrow margin.* 《☞ まける》

せきはい[2]　石肺 〔医〕 chalicosis /kæ̀ləkóusɪs/ [C] 《複 -ses /-si:z/》; flint disease [U].

せきばく　寂寞 ── 形 (寂寞たる) lonely; (荒涼とした) lonesome; (住む人もない) désolàte. ── 名 (ものさびしいこと) loneliness [U]; (寂しさ) desolation [U]. ¶*寂寞とした風景 *desolate* [*lonely*] scenery / a *desolate* scene

せきばらい　咳払い ── 動 (話をする前にのどのつかえをとるために) clear *one's* throat.

せきはん　赤飯 (お祝いの赤い米) (festive) red rice [U]; (説明的には) rice boiled with red beans [U]. 《☞ こめ》

せきばん[1]　石版 ── 名 (画) líthogràph [C]; (印刷) lithógraphy [U]. ── 動 (石版で印刷する) lithograph (他). **石版印刷** ── 名 lithógraphy [U]. ── 形 lìthográphic. **石版画** líthogràph [C].

せきばん[2]　石盤 slate [C].

せきひ　石碑 (記念碑) (stone) monument [C]; (墓石) tombstone /tú:mstòun/ [C], gravestone [C].

せきひつ　石筆 slate pencil [C].

せきひん　赤貧 extreme [desperate] poverty [U], 《格式》 pénury [U]. 《☞ びんぼう》. ¶彼は*赤貧洗うがごとしである (⇒教会のねずみのように貧しい) He is (*as*) *poor as a church mouse.* 《☞ 比喩 (巻末)》

せきふ　石斧 stone ⌜ax [《英》 axe] [C].

せきぶつ　石仏 stone image of Buddha [C].

せきぶん　積分 ── 名〔数〕(積分学) íntegral cálculus [U]; (積分(法)) integrátion [U]. ── 動 íntegràte (他). **積分方程式** integral equation [C].

せきへい　積弊 (多年にわたる弊害) evil of many years [C]; (深く根ざした害悪) deep-rooted [deep-seated] evil [C].

せきべつ　惜別 (別れの悲しみ) the ⌜sorrow [regret] of parting.

せきぼく　石墨 〔鉱物〕(鉛筆の芯の材料の) graphite /grǽfaɪt/ [U]; (黒鉛) plumbago /plʌmbéɪgou/ [U]; 《英》 black lead [U].

せきむ　責務 (義務) duty [U]; (義務感を伴った責任) obligation [C]. 《☞ せきにん (類義語); ぎむ (類義語)》.

せきめん[1]　赤面 ── 動 (恥ずかしさで赤くなる) blush (自); (恥ずかしく思う) be ashamed. 《☞ あか[1]》. ¶私は恥ずかしさのあまり*赤面した I *blushed* with shame. **赤面恐怖症** erỳthrophóbia [U].

せきめん[2]　石綿 asbestos [U]. **石綿スレート** asbestos slate [U] **石綿肺症** (pulmonary) asbestosis [U].

せきゆ　石油 oil [U], petroleum /pətróuliəm/ [U] ★後者が正式な呼び方.
¶ガソリンは*石油から作られる (⇒精製される) Gasoline is refined from *oil.* // 日本は*石油の99.7%を輸入に頼っている Japan depends on imports for 99.7 percent of its *oil.* // 世界的な*石油不足 a worldwide ⌜shortage of *oil* [*oil* shortage] // *石油の値段 *oil* [*petroleum*] prices // *石油はこれからもしばらくは最も重要なエネルギー資源である *Oil* will remain the most important energy source for some time to come.
石油会社 oil company [C] **石油化学** pètrochémistry [U] **石油化学工業** the petrochemical industry **石油化学製品** pètrochémical próducts ★複数形で. **石油かん** oil can [C] **石油危機** oil crisis [C] ★オイルショックという日本語に当たる. **石油業者** oilman [C] **石油工業** the ⌜petroleum [oil] industry **石油コンビナート** petrochemical complex [C] **石油採掘** oil drilling [U] **石油産出国** oil-producing country [C] **石油資源** petroleum resources ★複数形で. **石油ストーブ** kerosene [oil; 《英》 paraffin] heater [C] 《☞ ストーブ》 **石油精製** oil refining [U] **石油製品** oil products ★複数形で. **石油タンク** oil (storage) tank [C] **石油備蓄** petroleum reserves ★複数形で. **石油埋蔵量** oil deposits ★複数形で. **石油輸出国機構** the Organization of Petroleum Exporting Countries 《略 OPEC》 《☞ 略語 (巻末)》 **石油輸送管** (一本の管) oil pipe [C]; (管路) oil pipeline [C].

セキュリティー (安全保障・防衛) security /sɪkjú(ə)rəti/ [U]. ¶コンピューター*セキュリティー computer *security* **セキュリティーサービス** (警備会社) security company [C] **セキュリティーチェック** security check [C].

せきらら　赤裸裸 ── 形 (率直な) frank; (飾り気のない) plain; (ありのままの) naked [A]. ── 副 frankly; plainly; (公然と) openly. 《☞ そっちょく; あからさま》. ¶*赤裸々な真実 the *naked* truth // 彼女は自分の過去を*赤裸々に語った She talked ⌜*frankly* [*openly*] about her past.

せきらんうん　積乱雲 〔気象〕 cumulonimbus /kjù:mjulounímbəs/ [C] 《複 cumulonimbi /-baɪ/》; (入道雲) thundercloud [C], thunderhead [C]. 《☞ くも[1] (挿絵)》.

せきり　赤痢 dysentery /dísntèri/ [U]. **赤痢患者** dysentery /dísntri/ patient [C] **赤痢菌** dýsentery bacíllus [C] 《複 -li》.

せきりょう[1]　席料 (部屋代) room charge [C]; (レストランなどの) cover charge [C]. 《☞ -だい[1]》.

せきりょう[2]　責了 ☞ せきにん (責任校了)

せきりょう[3]　寂寥 ── 名 (寂しく人気のないこと) loneliness [U]; (寂しさ) desolation [U]. ── 形 (寂寞たる) lonely; lonesome; (孤独な) désolàte. 《☞ せきばく》.

せきりょく　斥力 〔物理〕 repulsion [U]; repulsive force [C].

せきりょくしきもう　赤緑色盲 ── 名〔医〕 daltonism. ── 形 daltonic.

せきりん　赤燐 〔化〕 red phosphorus [U].

せきれい　鶺鴒 〔鳥〕 wagtail [C].

せきわけ　関脇 *sekiwake* [U]; (説明的には) the third ranking sumo wrestler [C].

せく[1]　急く (急ぐ) hurry (自) ★最も一般的な語; (焦って待ちきれない) be impatient (for ...). 《☞ いそぐ; あせる[1]; せきたてる》. ¶*せいては事を仕損じる *Haste* makes waste. 《ことわざ: 急ぐとむだができる》

せく[2]　塞く (塞き止める) dam (up) (他); (くいとめる) hold back (他); (防ぐ) keep back (他). 《☞ せきとめる》.

セクシー (性的魅力のある) sexy. ¶*セクシーな娘 a *sexy(-looking)* girl

セクシスト (性差別をする人) sexist [C].

セクシズム (性差別) sexism [U].

セクシャル (性的な) sexual.

セクシャルハラスメント (性的いやがらせ) sexual harassment Ⓤ《☞ せい³》.

セクショナリズム (派閥主義) factionalism Ⓤ, séctionalism Ⓤ 日英比較 日本語では派閥主義という意味でのみ用いられるが, 英語の sectionalism には「地方偏重主義」の意もあり, 軽蔑的なニュアンスがある.

セクション (部分・部門) section Ⓒ《☞ くかく; ぶもん¹》.

セクションペーパー (方眼紙) section [graph] paper Ⓤ.

セクスタント ☞ ろくぶんぎ

セクステット ☞ ろくじゅうそう[しょう]

セクソロジー (性科学) sexology Ⓤ.

セクター (産業・経済などの部門) sector Ⓒ.

セクト ―图 (分派・宗派) sect Ⓒ; (派閥) faction Ⓒ. ―形 sectarian /sektέ(ə)riən/.《☞ ぶんぱ; は⁴》.

セクハラ (性的いやがらせ) séxual harássment Ⓤ《☞ セクシャルハラスメント》. **セクハラガイドライン** sexual harassment guidelines ★ 複数形で. **セクハラ訴訟** sexual harassment lawsuit Ⓒ **セクハラ保険** sexual harassment insurance Ⓤ.

セグメント (部分, 区分) segment Ⓒ **セグメント情報** (企業の部門の) segment [segmental] information Ⓤ; (営業損益などの部門ごとの情報) financial information by segment Ⓤ.

セグリゲーション (人種差別) segregation Ⓤ.

セクレタリー (秘書) sécretàry Ⓒ.

せぐろあじさし 背黒鰺刺 〘鳥〙 sooty tern Ⓒ.

せぐろかもめ 背黒鴎 〘鳥〙 herring gull Ⓒ.

せぐろせきれい 背黒鶺鴒 〘鳥〙 Japanese pied wagtail Ⓒ.

せけん 世間 (世の中) the world; (一般大衆・社会の人々) the public ★ 複数扱い; (特定の交際社会) society Ⓒ ★ 以上いずれも「世間の人々」の意味でも使う; (人々) people ★ 複数扱い.《☞ よのなか; しゃかい; うきよ》. ¶ 彼は*世間を知っている (⇒ 人生のことを多く見てきた) He has seen a great deal of *life*. // 彼女は*世間をあっと言わせた She caused a stir ⌈among *the public* [in *society*]. / (⇒ センセーションを巻き起こした) She ⌈caused [created] a great sensation among *the general public*. // *世間を騒がせた (⇒ 悪名の高い) 汚職事件 that *infamous* /ínfəməs/ bribery case // 彼女の名前は*世間に知れわたっている (⇒ 皆に知れている) Her name is known to *everybody*. // これは*世間によくある話だ (⇒ こんなことは非常にしばしば起きる) Such things happen very often. // 彼は*世間の目 (⇒ 他人にどう見えるか) を気にしすぎる He is too nervous about how he may appear to *others*. // *世間は狭い It's (such) a small *world*!《☞ 世間は広いようで狭い (成句)》 // *世間なんてそんなものさ (⇒ それが物事の普通の状態だ) That's the way it ⌈is [goes]. / That's the way things ⌈are [go]. ★ いずれも口語的な表現.
世間一般 the general public, people in general. **世間知らず** ―图 (世慣れない人) person who doesn't know very much about the world Ⓒ; (経験不足の人) inexperienced person Ⓒ; babe in the woods Ⓒ. ―形 (未経験の) inexperienced; (だまされやすい) naive; (無知な) ignorant. ¶ 彼は何て*世間知らずなんだろう How ⌈*naive* [*ignorant of the world*] he is! **世間擦れ** ¶ 彼女は*世間擦れした (⇒ 世の中の策略を身につけてきた) She *developed worldly wiles*. / She *became cunning in the ways of the world*. **世間体がよい[悪い]** look [do not look] respectable ★「世間体が悪い」は damage *one's* reputation という言い方もできる. **世間体をつくろう** keep up appearances. **世間並** ―形 (平均の) average; (普通の) ordinary.《☞ ひとなみ¹》. ¶ だれもが*世間並の (⇒ まあまあよい) 暮らしをしたいと思っている Everybody wants to ⌈make a *decent* living [live *respectably*]. **世間話** ―图 (雑談) chat Ⓒ; (人のうわさ話) gossip Ⓤ. ―動 have a chat; (あれこれと話す) talk about this and that.《☞ ざつだん》. ¶ 昨晩は長時間*世間話をした We had quite a long *chat* last night. **世間離れ** ―形 (浮き世離れした) unworldly; (社会通念とちがう) strange. **世間は広いようで狭い** The world is not so wide after all. / It's a small world after all. **世間を狭くする** ¶ 彼女は品行が悪く*世間を狭くした (⇒ 友人を失った) She *lost friends* through her bad behavior. / (⇒ 皆の信用を失った) She *lost credit with everybody* through her bad behavior.

> **コロケーション**
> 世間に遅れないようにする keep in touch with the *world* / 世間に逆らう go against the *world* / 世間に出る go out into the *world* / 世間を知っている know the *world*

せこ¹ 世故 world affairs ★ 複数形で.《☞ せじ¹》. ¶ *世故にたけた人 a *worldly-wise* person // 彼は*世故にたけている (⇒ 相当人生経験を積んでいる) He *has seen* ⌈*a lot of life* [*the world*].

せこ² 勢子 〘狩〙 (獲物を追い出す人) beater Ⓒ.

せこい ―形 (心の狭い) small-minded; (しみったれた) petty; 《米》(けちな) cheap.

セコイア 〘植〙 sequoia /sɪkwɔ́ɪə/ Ⓒ ★ カリフォルニア産の 2 種の大高木セコイアメスギ, セコイアオスギの総称; (セコイアメスギ) redwood Ⓒ ★ 世界一高い常緑高木.

せこう¹ 施工 ¶ この建物は山田建設の*施工によるものです (⇒ この建物は山田建設によって建てられた) This building *was* ⌈*built* [*constructed*] by the Yamada Construction Company.《☞ けんせつ》

せこう² 施行 ―動 (法律などを実施する) enforce ⑩; (実施する) carry out ⑩; (効力を持つ) come into force ★ 法令などが主語. 以下も同じ; (有効になる) become effective, go into effect. ―图 enforcement Ⓤ.《☞ しこう³; じっし¹》.

セコハン ―形 (中古の) used /júːzd/, sécondhánd ★ 前者のほうが一般的. ―副 (中古で) secondhand.《☞ ちゅうこ》.

セゴビア ―图 固 Segovia ★ スペイン中部の都市. ローマ時代の遺跡が残る; Andrés Segovia, 1893–1987. ★ スペインの作曲家. Andrés の ´ は綴り本来のもの.

セコンダリー ―形 (第二の, 二流の) secondary. ―图 (中級滑空機) secondary glider Ⓒ.

セコンド **1** «介添え人»: second Ⓒ. **2** «秒・秒針»: second Ⓒ.

せさい 世才 ¶ 彼は*世才にたけている(人だ) He is *a man of the world*. / (⇒ 世間をよく知っている) He *knows a great deal of the world*.《☞ よなれた; せけん》

セサミ ☞ ごま¹

-(せ)ざるをえない **1** «どうしても…しないではいられない»: 《略式》 cannot help *doing* …, 《略式》 cannot help but *do* … 語法 (1) cannot help *doing* … と cannot but *do* … の混合で, 以前は非慣用的な用法とされたが現在では口語用法として一般によく用いられる; cannot but *do* …, cannot choose but *do* … 語法 (2) 以上 2 つは多少文語的. but の後にはいずれも動詞の原形がくる.
¶ 私は彼女を気の毒に思わ*ざるをえません I *cannot help feeling* sorry for her. // 彼らが平和を望んでい

ないと考え*ざるをえない We *cannot help but* believe that they don't want peace.

2《余儀なく…させられる》: (強制的にさせられる) be forced to *do* …; (抗しえない事情のために仕方なく) be compelled to *do* …; (やむをえず) be obliged to *do* … ★ 後のものほど意味が弱くなる.

¶ 彼は辞職*せざるをえなかった He *was forced to* resign. ★ ほぼ免職に近い意味. // 日本もそれにならわ*ざるをえない (⇒ 先例に従う) はめになった Japan *was* ⌈*compelled* [*forced*] *to* follow suit.

3《義務》: (客観的に見て, …しなくてはならない) have to *do* …, have got to *do* … 語法 (1) 後者のほうがより口語的であり, また現時点において「どうしても…しなくてはならない」という意味が強い; (強い意味で, 義務としてやらなくてはならない) must 語法 (2) 過去・未来のときは had to, will [shall] have to が使われる. 《☞ -ねばならない (類義語)》.

セザンヌ ―名 固 Paul Cézanne /seɪzǽn/, 1839–1906. ★ フランスの画家. ★ Cézanne の ´ は綴り本来のもの.

せし セ氏 ☞ せっし

せじ[1] **世事** (世間のこと) worldly affairs ★ 複数形で; (世の中) the world. 《☞ せけん; よのなか》.

¶ 彼は*世事にうとい He knows little of *the world*. / He is ignorant of ⌈*the world* [*worldly affairs*].

せじ[2] **世辞** ☞ おせじ

セシウム 〘化〙 cesium /síːziəm/ (《英》caesium) Ⓤ 《元素記号 Cs》.

せしめる (だまし取る) cheat 他; (一般的に得る) get 他. 《☞ かくとく (類義語); える[1]》. ¶ 彼はその金持ちの女性から多額の金を*せしめた <S (人)＋V (*cheat*)＋O (人)＋*out of*＋名・代> He *cheated* the rich woman *out of* a lot of money.

せしゅ 施主 (葬儀・法要の) the chief mourner Ⓒ; (建築業者への依頼人) client of the builder Ⓒ.

せしゅう 世襲 ―形 hereditary /hɪrédətèri/ 《☞ あととり; そうぞく》. **世襲財産** hereditary property Ⓤ **世襲制度** hereditary system Ⓒ.

せじょう[1] **世情** (世の中) the world; (世間のこと) worldly ⌈affairs [matters] ★ 複数形で. 《☞ せじ[1]; せけん》. ¶ 彼女は*世情に通じている She knows a lot about *the world*. / (⇒ 世間的な人情がわかっている) She understands ⌈*human nature* [*humanity*]. ★ 第 2 文はやや気取った表現.

せじょう[2] **施錠** ―動 (鍵をかける) lock 他. ¶ 出かけるときはドアに*施錠すること *Lock* the doors [*Lock up*] when you go out.

セシリア (女性名) Cecilia /səsíːljə/.

セシリー (女性名) Cécily, Cícely.

セシル (男性名) Cecil /síːsl/.

せじん 世人 (世間の人) people ★ 複数扱い; (大衆) the (general) public; (世界中の人たち) the world. ¶ *世人の耳目を集める attract ⌈*people's* [*public*] attention

せすじ 背筋 (背の部分) back Ⓒ; (背骨) spine Ⓒ. 《☞ せ[1]; せぼね》. ¶ *背筋が痛んだ I had a pain in ⌈my [the] *back*. // *背筋を真っすぐにしていなさい (⇒ 姿勢を真っすぐにして座りなさい) Sit up *straight*. **背筋が寒くなる** ¶ その話を聞いて*背筋が寒くなった (⇒ その話が背骨を寒くさせた) The story *sent chills up my spine*. / (⇒ 寒気が背骨を走った) *A cold* ⌈*shiver* [*chill*] *ran down my spine* when I heard the story.

ゼスチュア gesture Ⓒ 《☞ ジェスチャー; みぶり》.

セスナ (セスナ機) Céssna Ⓒ ★ 製造会社創立者の名から. 日英比較 日本語では小型機の意味でセスナをしばしば用いるが, 英語ではこの用法は一般的でないので, 飛行機の種類に応じて small aircraft (小型機) や single-engine(d) plane (単発機) などと言う.

ぜせい 是正 ―動 (内容を改善したり直したりする) revise 他; (誤りなどを訂正する) correct 他, rectify 他 ★ 後者のほうが格式ばった語. ―名 (修正) revision Ⓤ; (訂正) correction Ⓤ ★ いずれも具体的には Ⓒ. 《☞ しゅうせい[1]; ていせい[1]》. ¶ 選挙制度を*是正する *revise* the election system // 不公平を*是正する *correct* [*rectify*] (the) inequities

せせこましい ¶ そんな*せせこましい (⇒ 見解が狭い) 考えは捨ててしまいなさい Get rid of such *narrow* ⌈ideas [views]. // 彼の家は*せせこましい (⇒ 狭くごみごみした) 通りに面している His house ⌈fronts on [faces] a *narrow and crowded* street. 《☞ せまい; こせこせ》

ぜぜひひしゅぎ 是是非非主義 ―名 the principle of fairness and justice Ⓒ. ―動 (ありのままを言う) call a spade a spade. ―形 (公平な) fair; (一方に偏しない) impartial. ¶ 私はだれに対しても*是々非々主義だ (⇒ 公平だ) I (always) try to ⌈be *impartial* to everybody [treat everyone *fairly*].

せせらぎ (小川の流れる音) burble (of a brook), murmur (of a stream) ★ いずれも通例単数形で. 前者のほうが急な流れ; (小さな流れ) little stream Ⓒ; (小川) brook Ⓒ; (浅い流れ) shallow stream Ⓒ. 《☞ ながれ; おがわ》. ¶ 耳をすまして (⇒ 注意深く) 小川の*せせらぎ (の音) を聞いてごらんなさい Listen carefully to the ⌈*burble* [*murmur*] of the ⌈brook [little stream].

せせらわらい せせら笑い sneer Ⓒ. ¶ 彼は*せせら笑いを浮かべていた He had a *sneer* on his face.

せせらわらう せせら笑う (ばかにして冷笑する) sneer 自 語法 必ずしも笑う動作が含まれているとは限らない.「ばかにする」という態度を示すのが中心の意味; (手まねなどでからかって笑う) laugh mockingly; (ひどく軽蔑して) laugh scornfully. 《☞ あざわらう; ちょうしょう[1]; わらう (類義語)》.

¶ 彼女は私の意見を*せせら笑った She *laughed* ⌈*scornfully* [*mockingly*] at my opinion.

せそう 世相 (世間の様相) phase [aspect] of ⌈life [society] Ⓒ; (社会の情勢) social conditions ★ 複数形で; (社会) society Ⓤ. 《☞ じせい[1]; じだい[1]》. ¶ 新聞にはさまざまな*世相が映し出されている Various *aspects of society* are reflected in (the) newspapers. // それらは現代の*世相を反映している They reflect ⌈contemporary *society* [the *society* of today]. **世相語** word reflecting contemporary society Ⓒ.

せぞく 世俗 ―形 (俗界の) worldly; (通俗的な) popular; (非宗教的な) secular. ―名 (世の中) the world. 《☞ せけん; よのなか》. **世俗化** ―動 popularize 他; 《格式》 sécularize 他.

せたい 世帯 (雇い人などを含む家族全員) household Ⓒ ★ 集合的に; (家族) family Ⓒ ★ 集合的に. 《☞ しょたい[1] (類義語); かぞく[1]》. **世帯構成** household makeup Ⓤ **世帯構造** household structure Ⓤ **世帯数** the number of households **世帯主** head of a ⌈household [family] Ⓒ **世帯持ち** (既婚者) married ⌈man [woman] Ⓒ; (妻子のある男) man with a ⌈family [wife and children] Ⓒ. 《☞ しょたい[1] 用例》.

せだい 世代 (約 30 年間, あるいは同じ年代に属する人々) generation Ⓒ ★ 集合的に. 《☞ ねんだい; じだい[1]; だい[4]》.

¶ 我々は若い*世代を信頼している We ⌈put [are putting] our faith in the young(er) *generation*. // 彼はいまの*世代の英雄である He is the hero of this *generation*. // 彼と私は同*世代である He and I are ⌈(of) the same *generation* [contemporaries]. // 親

子の間には*世代の断絶がある There is a *generation* gap between parents and children. // 民話は*世代から*世代へと受け継がれている Folktales are handed down *from generation to generation.* // ロックンロール*世代 the rock-'n'-roll *generation* // 団塊の*世代 the baby-boom *generation* // 次*世代携帯電話 next-*generation* cell phones // 次*世代コンピューター next-*generation* computers // 3*世代住宅 a house for three *generations* / a three-*generation* residence

世代交代 (新しい世代に変わること) generation [generational] change Ⓒ, change of the generations Ⓤ; 〘生〙(有性世代と無性世代の) alternation of generations Ⓤ, heterogenesis Ⓤ. ¶いまや*世代交代の時期である It's time for *change of the generations.* / It's high time *the younger generation took over* (*from the older*). ★従属節の動詞は仮定法過去時制とする. 第2文のほうが格式ばった表現.

コロケーション

新しい[古い]世代 the ⌈new [old] *generation* / **あとに続く世代** the ⌈subsequent [succeeding] *generation* / **後の世代** later *generations* / **以前の世代** the previous *generations* / **今の世代** the present *generation* / **親の世代** *one's* parents' *generation* / **来るべき世代** future *generations* / **コンピューター世代** the computer *generation* / **戦後世代** the postwar *generation* / **次の世代** the ⌈next [coming] *generation* / **ベビーブームの世代** the baby-boom *generation* (☞ だんかい[2])

せたけ 背丈 (身長) height Ⓤ; (人間が立ったときの) stature /stǽtʃɚ/ Ⓤ. (☞ せい[1]; しんちょう[1]).

セダン 〘米〙 sedan Ⓒ, 〘英〙 saloon (car) Ⓒ.

せち 世知, 世智 worldly wisdom Ⓤ (☞ せこ[1]).

せちがらい 世知辛い (暮らしにくい) difficult for survival; (つらい) tough. (☞ くらす; つらい). ¶*せちがらい世の中だ What *hard* times and a *tough* world we're living in!

せつ[1] 説 **1** «学説»: (理論) theory Ⓒ (☞ りろん). ¶多くの科学者が彼の*説に賛成している Many scientists agree with ⌈his *theory* [him].

2 «意見»: (ある物事に対する一般的な考え) opinion Ⓤ ★個人の考え・意見の意では Ⓒ としても用いる; (個人的な物の見方) view Ⓒ. (☞ いけん[1] (類義語)). ¶彼はきっと自分の*説を主張する He is sure to voice his own ⌈*opinion* [*views*]. / (⇒ 説を曲げない) I'm sure he won't change his ⌈*opinion* [*views*]. // この点については*説が分かれている *Opinion* is [*Opinions* are] divided ⌈on [about] this point. // お*説の通りです (⇒ まったくあなたに賛成である) I totally agree [I am in complete agreement] with you.

せつ[2] 節 **1** «時»: (…のとき) when …; (…において) at … (☞ とき[2]). ¶おいでの*節 (⇒ とき) にはこの領収書を見せて下さい *When* you come, please show this receipt. // その*節 (⇒ その時) はお世話になりました Thank you for your help ⌈*at that time* [*on that occasion*].

2 «文章»: (一かたまりの文章) passage Ⓒ; (1 区切り) paragraph Ⓒ; (聖書の) verse Ⓒ; (詩の) stanza Ⓒ; 〘文法〙 clause Ⓒ. (☞ パラグラフ (巻末)). ¶第1*節を読みなさい Read the first *paragraph*.

3 «節操»: (生活や行動などの主義) principle Ⓒ; (信念・信仰) faith Ⓤ. (☞ せっそう; しゅぎ; しんねん[1]). ¶私は (最後まで) *節を曲げない人 (⇒ 主義主張に忠実でいる人) を尊敬する I respect a person who remains true to his *principles*.

節を折る go against *one's* principles. **節を越えない** be moderate. **節を全うする** act on *one's* principles. **節を守る** be true to *one's* principles.

せつあく 拙悪 ── 〖形〗 clumsy and ⌈bad [of poor quality] (☞ れつあく; そざつ).

せつえい 設営 ── 〖動〗 (テントなどを張る) sèt úp (他), pitch (他); (計画に従って組み立てて) construct (他). ── 〖名〗 construction Ⓤ. (☞ つくる; たてる[1]). ¶ここでテントを*設営しよう Let's ⌈*set up* [*pitch*] the tent here. // 彼らはその地点に避難所を*設営した They ⌈*set up* [*constructed*] a shelter at that spot. **設営隊** (テントなどの) setup team Ⓒ; (建造物など大規模な) construction ⌈party [gang] Ⓒ.

せつえん 節煙 ¶いま*節煙中です (⇒ たばこを吸う量を少なくしようとしている) I'm trying to ⌈*smoke less* [*cut down on* my *smoking*]. // 少し*節煙したほうがいいよ (⇒ あまり吸うな) Don't smoke too much. (☞ たばこ)

ぜつえん 絶縁 ── 〖動〗 (絶縁体で包む) insulate /ínsəlèɪt/ (他). ── 〖名〗 insulation Ⓤ. **絶縁状** létter of séverance Ⓒ **絶縁線** insulated wire Ⓒ **絶縁体** insulator Ⓒ **絶縁テープ** insulating [electrical] tape Ⓤ.

せっか[1] 石化 ── 〖動〗 petrify (他) (自). ── 〖名〗 petrification Ⓤ, petrifaction Ⓤ.

せっか[2] 石貨 stone money Ⓤ.

せっか[3] 赤化 ── 〖動〗 (共産主義化する) turn ⌈red [Bolshevik; Communist]; (共産化する) communize (他). ── 〖名〗 communization Ⓤ.

せっか[4] 雪加, 雪下 〘鳥〙 fan-tailed warbler Ⓒ.

ぜっか[1] 舌禍 (失言) a slip of the tongue ★ a を付けて. **舌禍事件** (不適当[不注意]な発言によるごたごた) trouble caused by ⌈inappropriate [careless] remarks Ⓤ.

ぜっか[2] 絶佳 ── 〖形〗 extremely beautiful. ¶眺望*絶佳 an *extremely beautiful* view

せっかい[1] 切開 ── 〖動〗 (傷口などを) cut … open; (手術する) operate (on …) (自), make an incision ★ operate が一般的で意味が広いのに対して, 後者は格式ばった語で, メスなどで切り開くことだけをいう. (☞ しゅじゅつ). **切開手術** (外科手術) (surgical) operation Ⓒ, incision Ⓒ. (☞ しゅじゅつ).

せっかい[2] 石灰 lime Ⓤ. **石灰化** ── 〖名〗 calcification Ⓤ. ── 〖動〗 (石灰化する[させる]) calcify (自) (他). **石灰岩[石]** 〘鉱〙 limestone Ⓤ **石灰水** limewater Ⓤ **石灰窒素** 〘化〙 nitrolime /náɪtrəlàɪm/ Ⓤ **石灰肥料** lime fertilizer Ⓤ.

せつがい 雪害 snow damage Ⓤ, damage ⌈by [from] snow Ⓤ ★後者は説明的表現. ¶野菜が*雪害を受けた The vegetables *have been damaged by the snow.* ★具体的な降雪について言うので the を付ける.

ぜっかい 絶海 ¶*絶海の (⇒ 大海の真ん中の) 孤島 an *isolated* island *in the middle of the ocean* / (⇒ 離れた島) a *remote* island

せっかく 折角 **1** «苦心して» ¶彼は*せっかくためたお金を全部使ってしまった He spent all the money he had saved up. // 我々の*せっかくの (⇒ すべての) 苦労が水の泡になった *All* our pains went for nothing. // 「山田さんはいらっしゃいますか」「いいえ, *せっかくいらっしゃったのに申し訳ありません」 "Is Mr. Yamada in?" "I'm (very) sorry, but he's out." 日英比較 このような場合, 日本語の「せっかくいらっしゃったのに」に当たる表現, 例えば for coming all the way などを英語では使わない. 訪問は原則として約束 (appointment) をするのが一般的で, ふいに訪れた場合などはせいぜい上のように対応する.

2 «親切な» ¶*せっかくのお招きですが (⇒ 親切なご招待に感謝しますが), 残念ながら伺えません Thank you very much for your *kind* invitation; I'm sorry I can't come. // *せっかくですがお断りいたします (⇒ 残念ながら申し出を受け入れることができない) I'm sorry I can't accept your (*kind*) offer. 語法 日本語の「せっかくですが」は I'm sorry に含まれる. 《☞ ざんねん》

3 《貴重な》: (貴重な) valuable, precious; (まれな) rare; (長く待ち望んだ) long-awaited Ⓐ; (大勢の人が待ち望んだ) much-awaited Ⓐ. ¶ *せっかくの (⇒ めったにない) チャンスを逃がしてしまった I ˹missed [lost] a *rare* chance. // *せっかくの (⇒ 大いに [長らく] 待ち望んでいた) 休日も雨で台なしになった (⇒ 雨が台なしにした) The rain spoiled our *long-awaited* holiday.

ぜっかじょう 舌下錠 〖薬〗 súblingual táblet Ⓒ.

ぜっかせん 舌下腺 〖解〗 the sublingual gland Ⓒ.

せっかち ― 形 (あわてた) hasty; (落ち着きのない) restless; (性急な) rash; (辛抱できない) impatient. 《☞ あわてる; せいきゅう[2]》.

¶ 彼は*せっかちだ He's *impatient*. // *せっかちなことをするな (⇒ 急ぐな) Don't *hurry*. / (⇒ 時間をかけよ) Take your time. ★ 両者とも口語的な表現. // そういうふうに結論を出すのは*せっかちだ (⇒ 結論へと飛ぶな) Don't *jump* to conclusions ˹like that [that way]. // それは*せっかちな決定だ That's [That was] a *hasty* decision. // 年を取ると*せっかちになる (⇒ 老人はすぐに忍耐力を失う) Old people easily *lose* (their) *patience*.

せっかっしょく 赤褐色 ☞ せきかっしょく

せっかん[1] 折檻 ― 動 (叩く) beat ㊐; (子供の尻を手やスリッパなどで打つ) spank ㊐; (残酷に罰する) punish ... cruelly; (虐待する) abuse ㊐; (むちでたたく) cane ㊐.

せっかん[2] 石棺 stone coffin Ⓒ, sarcóphagus Ⓒ 《複 -gi /-gaɪ/, ～es》.

せっかん[3] 摂関 (摂政と関白) regents and Imperial advisers. **摂関家** the houses which produce(d) regents and Imperial advisers **摂関時代** the ˹period [era] when regents and Imperial advisers held power **摂関政治** rule by regents and Imperial advisers Ⓤ.

せつがん[1] 接岸 ― 動 (横付けになる) come (up) alongside the pier; (横付けにする) bring ... alongside the pier. ¶ 船は桟橋に*接岸した The ship *was brought alongside the pier*.

せつがん[2] 切願 ― 動 (...を恵んでくれと求める) beg ... of *a person*; (...を...に懇願する) beg *a person* for ...; (...に...してくれと嘆願する) 《格式》 entreat *a person* to *do* ...; (...を嘆願する) implore *a person* to *do* ... 《☞ たんがん[1]》.

ぜつがん 舌癌 cancer of the tongue Ⓤ.

せつがんレンズ 接眼レンズ eyepiece Ⓒ.

せっき[1] 石器 stone ˹tool [implement] Ⓒ. **石器時代** the Stone Age.

せっき[2] 節気 ☞ にじゅうしせっき

せっきゃくがかり 接客係 (応接・受付の係) receptionist Ⓒ.

せっきゃくぎょう 接客業 service industry Ⓒ.

せっきょう 説教 (宗教上の) sermon Ⓒ, preaching Ⓤ 語法 内容を指すときはしばしば複数形で. また両者とも口語的には次の「お説教」の意味にも用いられる; (お説教・小言) lecture Ⓒ; (口やかましくがみがみいう小言) scolding Ⓒ. 《☞ こごと; しかる》.

¶ だれがその*説教をしましたか Who ˹delivered [preached] the *sermon*? // 私は彼の不作法について*説教をした (⇒ しかった) I ˹*gave* him *a scolding* for [*scolded* him for; *lectured* him on] his bad manners. **説教師** preacher Ⓒ; (くどくどお説教する人) sermonizer Ⓒ.

ぜっきょう 絶叫 ― 動 (大声で叫ぶ) shout ㊀; (甲高い声で) scream ㊀; (大きな声を出して言う) crý óut ㊀. 《☞ さけぶ (類義語); おおごえ》. ¶ 彼女は助けを求めて*絶叫した She ˹*screamed* [*gave a scream*; *cried out*] for help.

せっきょくさく 積極策 (前向きな) positive plan Ⓒ; (意欲的な) aggressive step Ⓒ; (積極的政策) positive [forward-looking] policy Ⓒ. ¶ その会社は市場拡大のため*積極策を取った The company took ˹*aggressive* [*bold*] *steps* to expand its market.

せっきょくせい 積極性 ― 形 (活発で活動的な) aggressive 語法 この語は「攻撃的な」という悪い意味で用いられることもあるので, 誤解を招きそうなときは in the good sense of the word と付け加えるほうがよい; (自らやる気のある) (self-)motivated; (行動的で進取の気性に富んだ) énterprìsing ★ やや改まった語. ― 名 aggressiveness Ⓤ; (self-)motivation Ⓤ. ¶ 彼はとても*積極性がある He is very *aggressive*. / He is really (*self-*)*motivated*.

せっきょくちゅうりつ 積極中立 positive ˹neutrality [neutralization] Ⓤ.

せっきょくてき 積極的 ― 形 (肯定的に態度のはっきり決まった) positive (↔ negative); (受身ではなく進んで活動し, 動き回るような) active (↔ passive); (意欲的な) aggressive 語法 攻撃的なという悪い意味もあるが, セールスマンやビジネスマンに必須とされる積極性をいう; (進んでするような・喜んで応じるような) willing. ― 副 positively; actively; willingly. 《☞ まえむき》.

¶ 彼は*積極的な態度をとった He adopted a ˹*positive* [*progressive*] attitude. ★ progressive は「進歩的な」の意. // 彼女は*積極的に (⇒ 活動的に) 政治に参加した She ˹*actively* participated [was an *active* participant] in politics. // *積極的なセールスマン an *aggressive* salesman // 彼らは彼を*積極的に (⇒ 進んで) 援助した They *willingly* helped him. / They gave him *willing* assistance. ★ 第1文がより口語的.

積極的安全保障 positive security assurances ★ 複数形で. **積極的平和** positive peace Ⓤ.

せっきん 接近 ― 動 (近づく) approach ㊐, go [come] near ... 語法 後者がより口語的. ただし前者には交渉・交際のために近づく意味がある; (...の方へ移動する) move toward(s) ... ― 名 approach Ⓤ ★ 交渉・交際のための接近の意では Ⓒ; (方法・手段の面から見た接近) áccess Ⓤ. 《☞ ちかづく; ちかい[1]》.

¶ その船は刻々陸地に*接近していた The ship *was* rapidly *approaching* land. // 外国のスパイが政府高官に*接近しようと試みた A foreign secret agent made *approaches* to a high official in the government. // 火星が地球に一番*接近するのはいつですか When does Mars *come nearest* (to) ˹the earth [Earth]? // この2人は年齢が*接近している (⇒ ほとんど同じ) The two are *nearly* the *same* age. // (飛行機の) 異常*接近 a *near miss* 《☞ ニアミス》 **接近禁止命令** injunction against approaching Ⓒ.

せっく 節句 seasonal festival Ⓒ. ¶ 端午の*節句は5月5日です The Boys' *Festival* is (on) May 5. // 桃の*節句 the ˹Dolls' [Girls'] *Festival* **節句働き** ¶ 怠け者の*節句働き (⇒ 怠け者は休みを取る余裕などない) A lazy man has no time for holidays.

ぜっく 絶句 (がっくりする) brèak dówn ㊀; (言うべき言葉がない) find no words (to say); (漢詩の) ☞ ごごんぜっく. ¶ 彼は二言三言言って*絶句した (⇒ がっくりとまいってしまった) He *broke down* after a few words. // 彼女は感激のあまり*絶句した She was so carried away with emotion that she could *find no words* (*to say*).

せつぐう 接遇 reception Ⓒ (☞ せったい).

セックス ── 图 (性交) séxual íntercòurse Ⓤ, 《略式》 sex Ⓤ 日英比較 (1) 英語の sex は元来は「男女・雌雄の性別」という意味. ── 動 have sexual intercourse (with …), 《略式》 have sex with …, make love ⌐to [with] … ★ 後者のほうが婉曲的; (婉曲に) sleep with … (☞ せい³; 婉曲語法 (巻末); 借用語 (巻末)). ¶ 彼らはあけすけに*セックスの話をする They discuss *sex* frankly. // 彼はその女と*セックス (⇒ 性交) をした He *had* ⌐*sex* [*sexual intercourse*] *with* the woman. 日英比較 (2) 英語の sex を動詞に使うのは「動物 (特に雛(ひな)) の鑑別をする」の意味で, その点の日英の相違に注意. / He *made love* ⌐*to* [*with*] the woman.

セックスアピール sex appeal Ⓤ **セックスカウンセリング** sex counseling Ⓤ **セックスシンボル** sex symbol Ⓒ **セックスチェック** 〔スポ〕 sex check Ⓒ **セックスレス** ── 形 sexless, without sex **セックスレス夫婦[カップル]** sexless married couple Ⓒ; (禁欲的な) celibate couple Ⓒ.

せっくつ 石窟 cave Ⓒ; (大きくて深い) cavern Ⓒ. **石窟寺院** cave temple Ⓒ.

せっけい¹ 設計 ── 图 (計画・設計図・平面図) plan Ⓒ; (様式などを示す) design Ⓒ; (青写真) blueprint Ⓒ. ── 動 plan ⑯; (設計図を描く) draw a plan; design ⑯.

【類義語】最も一般的に広く用いられるのは *plan* で, 立案から目的に達するまでのさまざまな内容を含んでおり, 図面・略図などにも用いる. *plan* が具現化されたのが *design* であり, 全体的な外観などの計画である. 直接工事などに必要な「青写真」という意味で, 細かい部分まで入念に作られた設計を *blueprint* という. (☞ けいかく (類義語))

¶ このホテルはライト氏が*設計した Mr. Wright *designed* this hotel. / This hotel *was designed* by Mr. Wright. // 「あなたは自分でこの家の*設計をしたのですか」「いや, 友人の建築家に頼みました」 "Did you do the *plan* for this house by yourself?" "No, I asked an architect who ⌐is [was] a friend of mine." // 私の父がこの庭の*設計をした My father *laid out* this garden. 語法 物の配置などを考えて図取りをすることを特に lày óut ⑯ と言い, 「うまく設計された庭」は a well-*laid-out* garden という. // 生活*設計 career *planning* // 都市*設計 city *planning*

設計技師 design engineer Ⓒ **設計基準** design criteria ★ 複数形. **設計支援システム** design support system Ⓒ; (コンピューター援用設計) computer-aided design Ⓤ (略 CAD) **設計者** (計画の構想を考える人) designer Ⓒ; (具体的なプランを作る人) planner Ⓒ **設計(仕様)書** design specifications ★ 複数形で. **設計図** (一般的に) plan Ⓒ; (細部にわたる) blueprint Ⓒ; (機械などの仕様の出ている設計図) specifications ★ 通例複数形で.

せっけい² 雪渓 (雪に覆われた渓谷) snowy ⌐ravine [gorge] Ⓒ (☞ たに).

せっけいもじ 楔形文字 (くさび形文字) cuneiform /kjuːníːəfɔ̀ːəm/ character Ⓒ.

ぜっけい 絶景 (すばらしい眺め) wonderful sight Ⓒ; (美しい景色) beautiful scenery Ⓤ. (☞ けしき). ¶ それは*絶景だった It was a *wonderful sight*. / (⇒ その景色の美しさは表現できないほどであった) The *beauty* of the scenery *was beyond description*. ★ 後者は文語的.

せつげつか 雪月花 snow, moon and cherry blossoms(, the three natural beauties of Japan).

せっけっきゅう 赤血球 red (blood) cell Ⓒ, red corpuscle /kɔ́ːəpʌsl/ Ⓒ. **赤血球検査** red blood cell test Ⓒ; (赤血球数の) red blood cell count Ⓒ **赤血球沈降速度** blood sedimentation rate Ⓒ.

せっけん¹ 石鹸 soap Ⓤ 語法 「1 個のせっけん」という場合は a bar of soap が普通だが, さらに形状に応じて, piece, cube, tablet, stick などの語も用いる. (☞ せんざい²; 数の数え方 (囲み)).

¶ これは新しい*せっけんです This is a new bar of *soap*. // この*せっけんは泡立ちがよい This *soap* lathers nicely. / This *soap* makes a fine lather. // このしみは*せっけんで落ちるかしら I wonder if I can ⌐remove [wash out] the stain with *soap* (and water). // この*せっけんは落ちがよい This *soap* washes well. // *せっけんで手を洗いなさい *Soap* (*up*) your hands. ★ soap (up) は「せっけんで洗う」の意味. / Wash your hands with *soap*. // 粉*せっけん *soap* powder // 水*せっけん liquid *soap* // 浴用*せっけん bath [toilet] *soap*

せっけん入れ soap case Ⓒ **せっけん水** soapy water Ⓤ; (泡立った水) soapsuds ★ 複数形で.

せっけん² 席巻 ── 動 (なぎ倒す) sweep ⑯; (征服する) conquer ⑯.

せっけん³ 接見 (公式会見) audience Ⓒ; (面会) interview Ⓒ; (応接) reception Ⓒ. ¶ 彼は天皇に*接見を許された He was granted an *audience* with His Majesty the Emperor. **接見交通権** (弁護人などに面会する権利) right of access (to a lawyer) Ⓒ.

せつげん¹ 節減 ── 動 (出費などを切り詰める) cút (dówn) ⑯, cút dówn on … ★ 後者は主に消費量を減らすことをいう; (削る) trim ⑯ ★ はみ出ているものなどを切り取ってきちんとした形にするという意味を含む; (減少・低下させる) reduce ⑯ ★ 以上の語よりは格式ばった語; (必要に迫られて削る) 《格式》 curtáil ⑯. ── 图 reduction Ⓤ. (☞ せつやく; へらす).

¶ 私たちは出費を*節減しなければならない We have to ⌐*cut* (*down*) [*trim*] (our) expenses. ★ cut down on も使える. / We have to ⌐*reduce* [*curtail*] our spending. ★ 第 2 文のほうが格式ばった表現. // 我々はエネルギーの消費を*節減しなければならない We have to ⌐*cut down* [*economize*] *on* our consumption of energy. // 我々は予算の*節減を迫られている We have been urged to ⌐*reduce* [*cut*] the budget.

せつげん² 雪原 snow-covered field Ⓒ; (雪の荒野) large expanse of snow Ⓒ. **雪原地帯** snowfield Ⓒ.

せつげん³ 接舷 〔海〕 ── 图 (2 隻の船を平行に) bringing *one's* boat alongside another Ⓤ. ── 動 (埠頭に停泊する) tie up alongside the pier. (☞ よこづけ).

ゼッケン (一般的に) number Ⓒ; (選手の番号) (player's) number Ⓒ; (競走・レースの) (racing) number Ⓒ.

せっこう¹ 石膏 (鉱物) gypsum /dʒípsəm/ Ⓤ; (ギブス包帯) plaster cast Ⓒ. (☞ いりょう¹ (挿絵)). ¶ *石膏で型をとる make a *plaster cast*

石膏細工 plasterwork Ⓤ **石膏像** plaster figure Ⓒ **石膏ボード** plasterboard Ⓒ **石膏模型** plaster cast Ⓒ.

せっこう² 斥候 (偵察活動) scouting Ⓤ; (斥候兵) scout Ⓒ. (☞ ていさつ). ¶ *斥候に出る go *scouting*

せっこう³ 石工 stonemason Ⓒ; (石に細工をする人) stonecutter Ⓒ.

せっこう⁴ 拙稿 my manuscript 日英比較 英米ではこういう場合へり下って言う習慣はない.

せっこう⁵ 拙攻 poor ⌐offense [attack] Ⓤ ★ しば

しばa 〜 として.

せつごう 接合 —[動] (くっつける) join (他); (つなぐ) connect (他). —[名] joining [U]; connection [U]; 〘生〙(単細胞生物の) conjugation [U], zygosis [U]. 《☞ くっつける》. **接合剤** (接着剤) adhesive [U]; (にかわ) glue [U]; (土木建築用接合剤) cement [U] **接合子[体]** 〘生〙 zygote [C].

ぜっこう¹ 絶好 —[形] (最善の) (the) best; (完璧な) perfect. 《☞ さいこう¹; あつらえむき》. ¶ きょうはピクニックには*絶好の日和だ It's a *perfect* day for a picnic. // ここはテントを張るのに*絶好の場所だ This is the *best* place to pitch our tent. // それ, いまが*絶好のチャンスだ Look! This is your (*best*) chance. 《☞ せんざいいちぐう》.

ぜっこう² 絶交 —[動] (関係を絶つ) break off [sever] relations with … [語法] (1) sever のほうが意味が強く, また格式ばった語; (絶交している) be through with …; (関係がない) have nothing to do with … —[形] (絶交した) finished ★ 口語的. 《☞ たつ³》.
¶ 私は彼と*絶交した I ⌜*broke off* [*severed*] *all relations with* him. // 我々はその男とは*絶交している (⇒ 関係が切れている) We'*re through with* ⌜the [that] man. / We *have nothing to do with* the man now. ★ いずれも口語的な表現. // これでもう君とは*絶交だ We're *finished.* [語法] (2) 特に男女関係などで, 面と向かって言えば絶交の宣言となり, 第3者に向かって言えば,「彼[彼女]とは手を切った」という意味にもなる. / (⇒ 二度とあなたとはかかわり合いを持ちたくない) I *never* want to *have anything to do with* you again.
絶交状態 severed relations (between …).

ぜっこうちょう 絶好調 —[形] at the top of *one's* form, in ⌜great [excellent] form, in excellent condition. ¶ 彼女はその競技で*絶好調だった She was *in* ⌜*her best* [*top*] *condition* for the contest.

せっこく 石斛 〘植〙 *sekkoku* [C] ★ 後に a variety of white-flowered dendrobium orchid を説明として加えるとよい.

せっこつ 接骨 (接骨術) bónesètting [U]. **接骨医** bónesètter [C] **接骨院** bonesetting clinic [C].

ぜっこん 舌根 the root of the tongue [C].

せっさく¹ 拙策 (まずいやり方) poor policy [C]; (不十分な方策) inadequate measures ★ 複数形で. ¶ 彼の申し出を断ったのは*拙策だった It was ⌜a *bad idea* [an *ill-conceived* plan] to refuse his offer. / It was ⌜*unwise* [*impolitic*] (of us) to refuse his offer.

せっさく² 切削 (そぎ取ること) shaving [U] 《☞ そぐ》. **切削加工** shaving [U].

せっさたくま 切磋琢磨 ¶ 私たちは*切磋琢磨によってはじめて向上をはかることができる (⇒ 互いに競争することによってのみ自己改良ができる) We can improve ourselves only by *competing* (*with each other*).

ぜっさん 絶賛 (大いなる称賛) high praise [U] 《☞ しょうさん¹; ほめる》. ¶ 彼の演技は*絶賛 (⇒ 最高の称賛) を博した His performance ⌜won [received] the *highest praise.* // その本は*絶賛発売中です The book, which *won critical acclaim,* is now on sale. // *絶賛上映中 Now showing to *great acclamation.*

せっし 摂氏 céntigràde 《略 C., cent.》, Celsius /sélsiəs/ 《略 C., Cels.》 ★ 後者は考案者の名より. 《☞ おんど¹; おんどけい; かし³; 度量衡 (囲み)》.
¶ 温度計は*摂氏 31 度を指している The thermometer ⌜stands [is] at 31° *C.* ★ 31° C は thirty-one degrees ⌜centigrade [Celsius] と読む. // 今*摂氏 18 度だ It's 18° *C.*

せつじ 接辞 affix [C] ★ 接頭辞 (prefix) と接尾辞 (suffix) をいう. 《☞ 接頭辞 (巻末); 接尾辞 (巻末)》.

せつじつ 切実 —[形] (重大で深刻な) serious /sí(ə)riəs/; (厳しく妥協の余地のない) severe /səvíə/; (厳しく情勢の差し迫った) acute; (まじめで本心からの) earnest; (重要で緊急に処理すべき) pressing, urgent. —[副] acutely; urgently; (鋭く) keenly; (十分に) fully. 《☞ しんこく¹》.
¶ 食糧不足は*切実な問題である (The) shortage of food is a ⌜*serious* [*severe*] problem. // 相変わらず住宅 (不足) 問題は*切実である The housing (shortage) problem is as *acute* as ever. // この大学へ入るのは長らく私の*切実な (⇒ 真剣な) 願いでした It was long my *earnest* ⌜desire [wish] to enter this college. ★ 格式ばった言い方. // 私は*切実な (⇒ 緊急の) 問題を抱えている I have a *pressing* problem. // 彼女は健康のありがたさを*切実に感じた She *keenly* felt the blessing(s) of health. / (⇒ 健康であることがどんなにすばらしいかを十分に悟った) She *fully* realized how wonderful it is to be in good health.

せっしゃ 接写 (手法) close-up /klóʊsʌ̀p/ photography [U]; (撮った写真) close-up [C]. 《☞ しゃしん》. **接写レンズ** (撮影レンズの先端に取り付ける凸レンズ) close-up /klóʊsʌ̀p/ léns [C]; (マクロレンズ) macro lens [C].

せっしやくわん 切歯扼腕 ¶ 計画が失敗して彼は*切歯扼腕した It *chagrined* him greatly to have failed in his plan. / (⇒ がっくりしたことには計画は完全に失敗した) To his *chagrin,* his plan was a total failure. ★ 両者ともやや格式ばった表現. 《☞ くやしい》

せっしゅ¹ 摂取 —[動] (取り入れる) tàke ín (他); (採用する) adopt (他). —[名] íntàke [U]; adoption [U]. 《☞ とる》. ¶ 肥満はカロリーの*摂取量と大いに関係がある Obesity is closely linked to caloric *intake.* // 外国の考え方を*摂取する *adopt* foreign ways of thinking

せっしゅ² 接種 —[名] (予防接種) inoculation [U]; (特に天然痘の) vaccination [U]. —[動] inoculate /ɪnάkjʊlèɪt/ (他); vaccinate /vǽksənèɪt/ (他). 《☞ よぼうせっしゅ》.

せっしゅ³ 拙守 poor defense [U].

せっしゅ⁴ 節酒 —[名] temperance [moderation] in drinking [U]. —[動] (節制している) be temperate in drinking; (飲酒量を減らす) cut down on *one's* drinking.

せっしゅ⁵ 窃取 —[名] theft [U]. —[動] steal (他). 《☞ せっとう; ぬすみ》.

せつじゅ 接受 —[名] (受け取ること) receipt [U]; 〘通〙 reception [U]. —[動] receive (他). **接受国** recipient country [C].

せっしゅう¹ 接収 —[名] (国や軍の使用のための) requisition [U]. —[動] requisition (他).
¶ その建物は軍に*接収された The building *was requisitioned* for military use. // その劇場はかつて米軍に*接収されていた The theater was once under *requisition* by the U.S. forces.
接収解除 (軍から民間への) derequisition [U]. ¶ その建物は*接収解除された The building *was* ⌜*derequisitioned* [*returned to civilian use*]. **接収家屋** requisitioned house [C].

せっしゅう² 雪舟 —[名] (固) Sesshu, 1420–1506. ★ 説明として a celebrated ink painter whose works are characterized by dynamic brushwork を加えるとよい.

せつじょ 切除 —[動] (一般的に) cút ⌜awáy [óff;

óut] (他); (取り除く) remove (他); (外科手術で) excise (他). ¶彼は腫瘍(しゅよう)を*切除した (⇒してもらった) He *had* a tumor ⌈*cut away* [*cut out*; *removed*; *excised*].

せっしょう[1] **折衝** —［名］(交渉・協議) negotiation [C] ★しばしば複数形で. —［動］negotiate (with ...) (自). (☞こうしょう[1]; かけあう (類義語); はなしあい). ¶目下, 労使間で*折衝が行われている *Negotiations* are now ⌈under way [going on] between labor and management. // 我々は家賃について家主と*折衝中である We *are negotiating with* the landlord ⌈about [over] the rent. // その件は*折衝中だ The matter is under *negotiation*. ★この negotiation は [U].

せっしょう[2] **殺生** —［名］(殺すこと) killing [U]; (生命を奪うこと) taking life [U]. —［形］(残酷な) cruel. (☞ざんこく). **殺生戒** the Buddhist admonition against taking life **殺生禁断** prohibition of hunting and fishing [U].

せっしょう[3] **摂政** (地位・職務) regency /ríːdʒənsi/ [U]; (人) regent [C].

ぜっしょう[1] **絶唱** (すばらしい歌 [詩, 歌唱]) superb ⌈song [poem; singing] [C].

ぜっしょう[2] **絶勝** (非常に美しい景色) strikingly beautiful scenery [U]; (すばらしい眺め) superb view [C]. (☞ぜっけい). ¶*絶勝の地 a *beauty* spot

せつじょうしゃ 雪上車 snowmobile /snóumoubìːl/ [C].

せっしょく[1] **接触** —［名］(接し合うこと) contact [U]; (触れること) touch [C]. —［動］(接触するようになる) come ⌈in [into] contact with ...; touch (他); (連絡をとる) get in touch with ... (☞ふれる[1]; つながり; れんらく).

¶君はどうして彼らと*接触する (⇒つきあいを始める) ようになったのか How did you *come* ⌈*in* [*into*] *contact with* them? // 私はその会社の重役の1人と個人的な*接触がある I am in personal *contact* with an executive of the company. // 私は彼らとは*接触がない I ⌈am out of [have no] *contact* with them. // 梅毒は*接触によって感染する病気である Syphilis /sífəlɪs/ is a *contagious* disease. (☞でんせんびょう) // (回線などの) *接触不良 a break in the circuit **接触感染** contágion [U] **接触事故** (車の) minor collision [C].

せっしょく[2] **節食** —［動］be [go] on a diet ★be は状態, go は動作を表す. (☞しょくじりょうほう; げんしょく[3]; ダイエット).

せつじょく 雪辱 —［動］(負けを返して五分五分にする) get even with ... ¶私たちは彼らに*雪辱しなければならない We must *get even with* them. // 今夜*雪辱戦が行われる There is going to be a *return* match tonight.

ぜっしょく 絶食 —［動］fast (自), abstain from food ★後者は説明的な表現. いずれも宗教的な慣習などに従って断食することに用いる. —［名］fast [C], fasting [U], ábstinence from food [U].

¶きょうは一日中*絶食している (⇒何も食べていない) I *haven't eaten anything* since this morning. / I'*ve been fasting* all day. // 彼は5日間の*絶食に入った He went on a five-day *fast*.

絶食療法 fast [hunger] cure [C].

せっしょくしょうがい 摂食障害 eating disorder [C] ★拒食症など.

セッション (会合・会議) session [C].

せっすい 節水 —［動］save water (☞せつやく).

¶私たちは*節水を迫られている We are being urged to *save water*. // 「*節水」(掲示) *Save Water*

せっする 接する **1** 《交際する》: (会う) see (他); (連絡を取る) come ⌈in [into] contact with ... (☞こうさい[1]; せったい). ¶私は外国人に*接する機会が多い I have many opportunities to ⌈*come in contact with* [*see*] foreigners. // 私は毎日多くの学生に*接している I *am in* daily *contact with* many students. // 私はこの仕事で多くの人に*接することができた (⇒知り合いになった) I came to *know* many people on this job.

2 《隣接する》: (境を接する) 《格式》 abut (on ...) (自), border (他) (自); (...の隣にある) stand [lie] next to ...; (...に面する) face (他). ¶彼の土地は私の土地に*接している His land *abuts on* mine. (☞代名詞 (巻末)) // 西方でいくつかの国がロシアに*接している To the west a number of countries *border* Russia.

3 《(知らせなどを) 受け取る》: receive (他); (手に入れる) get (他). (☞うけとる). ¶彼の訃報に*接して私はすぐ上京した On *receiving* the news of his death, I (immediately) left for Tokyo.

4 《接触する》: (直線が円などに) touch (他) (☞せっしょく[1]). ¶線 A はその円に*接している Line A *touches* the circle.

ぜっする 絶する ¶想像を*絶する大災害 (⇒信じることができないほどの) the ⌈*unbelievably* [*incredibly*] devastating disaster // その景色は言語に*絶する (⇒描写を超えた) 美しさだ The scene is ⌈beautiful *beyond description* [*indescribably* beautiful].

せっせい[1] **節制** —［動］(適量を保つ) be ⌈moderate [temperate] in ...; (酒・たばこなどを断つ) abstain from ...; (規定食による) be on a diet. —［名］moderation [U], temperance [U]; abstinence [U]. (☞ひかえる). ¶彼は飲食の*節制をしている He is practicing *moderation* in eating and drinking.

せっせい[2] **摂生** —［動］(健康に注意する) be careful about *one's* health.

せつぜい 節税 tax saving [U].

ぜっせい 絶世 —［形］(無類の) matchless, peerless; (匹敵するものがない) unequaled. (☞たぐいまれな). ¶彼女は*絶世の美人だ (⇒あんなに美しい人は見たことがない) I have never seen such a beautiful woman. / She is a woman of ⌈*matchless* [*peerless*] beauty. / (⇒美しさにおいて匹敵するものがない) She is *unequaled* in beauty. ★後のものほど格式ばった言い方となる.

せつせつ 切切 —［形］(熱烈な) fervent, ardent; (熱情を抑えきれないような) passionate. (☞せつじつ; ねっしん). ¶それは彼の*切々たる (⇒たいへん熱心な) 願いだった It was his ⌈*fervent* [*ardent*] wish. // その手紙の中で彼女は夫に対する*切々たる思いを述べていた In the letter she expressed her ⌈*deep* [*sincere*; *passionate*] love for her husband. // *切々と訴える make an *ardent* appeal to ...

せっせと (一生懸命) hard; (忙しそうに) busily. (☞いっしょうけんめい; ねっしん; 擬声・擬態語 (囲み)). ¶彼女は*せっせと働いた She worked *hard*. // 彼は*せっせと母親の手伝いをしていた He was *busily* helping his mother.

せっせん[1] **接戦** close /klóus/ ⌈game [match; race; contest; fight] [C] ［語法］ game, match は球技, race は競走, contest は能力を競う競技, fight は格闘技に用いる; (抜きつ抜かれつのゲーム) seesaw game [C]. (☞ねっせん; しあい).

¶試合はなかなかの*接戦だった It was a very *close game*. / We had a very *close game*. ★後者は試合の当事者が主語の場合. // 「勝負はどうですか」「*接戦です」"How's the game?" "(It's) *close*." // *接戦の末, 我々のチームが勝った After a *seesaw game*, our team (finally) won.

せっせん[2] 接線 tangent (line) Ⓒ《☞ えん[3] (挿絵)》.

せっせん[3] 拙戦 (スポーツ) poor game Ⓒ.

せっせん[4] 雪線 the snowline.

ぜっせん[1] 舌戦 verbal warfare Ⓤ; (論争) war of words Ⓒ. 《☞ ろんそう[1]; ぎろん (類義語)》. ¶私たちは彼らと*舌戦を交えた (⇒ 激論した) We had a *heated discussion* with them.

ぜっせん[2] 舌尖 (舌の先端) the tip of the tongue.

せっそう 節操 (道義的な高潔) 《格式》 intégrity Ⓤ; (正義・正道にかなった主義・信条) principle Ⓒ; (一貫した志操堅固な不変性) constancy Ⓤ. 《☞ せつ[2]》. ¶彼は*節操ある人である He is a man of ⌜*integrity* [*principle*]. // 彼は*節操がない He is ⌜*inconstant* [*unprincipled*]. // 彼女は*節操がない (⇒ 道徳的にだらしのない女だ) She is a ⌜*loose* [*fast*] woman.

せつぞう 雪像 snow statue Ⓒ.

せっそく 拙速 ── 形 (手早くずさんに済ませた) done fast and sloppily; (丁寧ではないが何とか役に立つ) rough-and-ready. ¶彼の仕事はいつも*拙速主義だ His work is always *rough-and-ready*.

せつぞく 接続 ── 名 (交通機関などの) connection Ⓒ. ── 動 connect ㊉ ㊀, make a connection with …; (異なる種類の交通機関が) link (up) ㊀. 《☞ つながる (類義語); れんらく》.
¶この線は下北沢で小田急線と*接続する This line ⌜*connects* [*makes a connection*] *with* the Odakyu Line at Shimokitazawa. // 列車は博多で新幹線と*接続する The train is scheduled to *arrive* at Hakata *in time for* the *Shinkansen*. // このバスは列車との*接続がない This bus ⌜has no railroad *connection(s)* [does not *connect with* (any) trains]. // テレビとビデオを*接続する *connect* the video recorder to the television (set) // インターネットへ*接続する *log on to* [*connect to*; *access*] the Internet // インターネット*接続業者 an Internet service provider 接続駅 (rail) junction Ⓒ 接続詞〘文法〙conjunction Ⓒ. ¶従位[従属]*接続詞 a subordinate *conjunction* 接続法 subjunctive mood Ⓤ ★「仮定法」の別名.

ぜっそく 絶息 ── 動 (息を引き取る) 《格式》 expire ㊀; (婉曲的に) breathe *one's* last ★ 文語的な表現. 《☞ しぬ》. ¶彼は病院に運ばれてまもなく*絶息した (⇒ 死んだ) He *died* soon after being hospitalized.

せっそくどうぶつ 節足動物 〘動〙 árthropòd Ⓒ.

せった 雪駄 leather-soled sandals ★ 片方を指す時以外は複数形で.

セッター (犬) setter Ⓒ; (バレーボール) setter Ⓒ.

せったい 接待 ── 動 (訪問客をもてなす) receive ㊉; (茶菓・余興などで) entertain ㊉; (酒食でもてなす) wine and dine ㊉. ── 名 reception Ⓒ; entertainment Ⓤ; wining and dining Ⓤ. 《☞ もてなす; おうせつ》.
¶私たちは彼らに暖かく[冷淡に]*接待された We *were* ⌜warmly [coldly] *received* by them. / They gave us a ⌜warm [cold] *reception*. 語法 (1) 形容詞には「丁寧な」cordial,「熱烈な」enthusiastic /ɪnθ(j)ùːziǽstɪk/,「行き届いた」satisfactory なども用いられる. // 我々は来訪者たちに茶菓の*接待をした (⇒ 茶菓を出した) We *served* ⌜refreshments [tea and cake(s)] to the visitors. // 彼女は人の*接待がうまい She is good at *receiving* ⌜visitors [guests; company]. / (⇒ パーティーなどでもてなしがうまい) She is a good hostess. 語法 (2) 後者がより口語的な表現. hostess は「女主人」をいう. 男の場合は host.
接待係 receptionist Ⓒ 接待費 entertainment [hospitality] expenses ★ 複数形で.

せつだい 設題 (問題) question Ⓒ; (問題作成) making [preparing] ⌜questions [problems] Ⓤ. 《☞ せつもん》.

ぜったい 絶対 **1** 《完全・確実》 ── 形 ábsolùte. ── 副 ábsolùtely ★ 強調の意味が強いときは àbsolútely. 《☞ かならず; きっと[1]》.
¶これは*絶対に本当 [必要] だ This is *absolutely* ⌜true [necessary]. // 彼は*絶対的な権力を持っている He has *absolute* power.
2 《否定・禁止・強い要請》: (決して…しない) never, by no means; (どんな事情があっても) under any circumstances; (必ず…する) be sure to *do* … 《☞ けっして; かならず (類義語)》.
¶*絶対にここへ入ってはならない *Never* ⌜come in [enter] here. / You must not enter here *under any circumstances*. / You are *strictly* prohibited from entering this place. ★ あとの文ほど格式ばった表現. // このことは*絶対に口外しません I'll *never* tell this to anyone. // *絶対, 来なさいよ *Be sure to* come. / Come *by all means*.
絶対安静 ☞ あんせい[1] 絶対音感 absolute pitch Ⓤ 絶対温度 absolute temperature Ⓤ 絶対君主制 ábsolùte mónarchy Ⓤ 絶対光度〘天〙(星の本来の明るさ) absolute luminosity Ⓤ 絶対視 ── 動 regard … as (the) absolute, ábsolutìze ㊉ 絶対者〘哲〙the Absolute 絶対主義 ábsolùtism Ⓤ 絶対数 ¶今年は大学受験生の*絶対数 (⇒ 全体数) が少ない The *overall number* of applicants for college entrance exams for this year is smaller (than usual). 絶対多数 absolute majority Ⓒ 《☞ かはんすう》 絶対値 absolute value Ⓤ 絶対年代 absolute chronology Ⓤ 絶対反対 ── 動 be absolutely ⌜opposed to [against] … 絶対評価 absolute scale Ⓒ 絶対量 ¶わが国の農業生産の*絶対量 (⇒ 全体量) を増大させるのは難しい It's hard to increase the nation's *total* (*amount* of) farm produce. 絶対零度〘物理〙ábsolute zero Ⓤ ★ マイナス 273.15° C.

ぜつだい[1] 絶大 ¶*絶大な (⇒ あなたの気前のよい) ご援助を感謝します I appreciate your ⌜*most* [*very*] *generous* support.

ぜつだい[2] 舌代 (口上代わりの文書) brief ⌜note [notice] (in lieu of an oral message) Ⓒ.

ぜったいぜつめい 絶体絶命 ¶私は*絶体絶命だった (⇒ 絶望的な立場にあった) I was in a ⌜*desperate situation* [*fix*]. ★ in a fix は口語的. / (⇒ どうしても逃れられない事態に追い込まれた) I *was* ⌜*pushed to the* [*up against the*] *wall*. / I *was* ⌜*up a tree* [*cornered*]. ★ あとの 2 つの文はいずれも口語的な表現. // 犯人は*絶体絶命だった (⇒ 追い詰められていた) The criminal *was* ⌜*driven into a corner* [*cornered*]. 《☞ ぜつぼう; きゅうち[1]; おいつめる; せっぱつまる》

せったく 拙宅 my house 日英比較 英米ではへり下る表現を普通使わない.

せつだん 切断 ── 動 (切る) cut ㊉; (切り離す) cút óff ㊉, sever ㊉ ★ 後者のほうが格式ばった語; (手術で手足などを) ámputàte ㊉; (電線などを) disconnect ㊉. ── 名 cutting Ⓤ; severance Ⓤ; amputation Ⓤ; disconnection Ⓤ. 《☞ きる[1]》.
¶彼はそれを 2 つに*切断した He *cut* it in two. // 彼は (手術で) 左脚をひざから*切断した He *had* his left leg *amputated* at the knee.
切断面[図] (cross) section Ⓒ.

ぜったん 舌端 the tip of the tongue. 舌端火を

吐く(するどい言葉で火を吐くような演説をする) make a fiery speech, with a cutting edge in *one's* words.

せっち[1] **設置** ―動(形成する) form ⓣ; (恒常的なものとして) sèt úp ⓣ, establish ⓣ ★前者のほうが口語的; (機械・設備などを) install ⓣ. ―名 formation Ⓤ; establishment Ⓤ; installation Ⓤ. 《☞ とりつける; すえつける; せつりつ》.

¶市議会はその問題に対処するために特別委員会を*設置した The municipal assembly *has* ⌜*formed* [*set up*] a special committee to deal with the problem. // スプリンクラーを*設置する *install* sprinklers **設置基準** (…の設置に要求される基準) standards for the establishment (of …) ★複数形で.

せっち[2] **接地** ―動〘空〙 tóuch dówn ⓘ.

せっちゃく **接着** ―動(くっつく) glue together ⓘ, adhere to … ★後者のほうが格式ばった語; (くっつける) glue ⓣ. ―名 glu(e)ing Ⓤ, adhesion Ⓤ.

せっちゃくざい **接着剤** adhesive /ædhíːsɪv/ Ⓤ ★種類をいうときは Ⓒ; (にかわなど) glue Ⓤ; (主にタイルなどの接合や割れ目を埋める) cement Ⓤ.

せっちゅう[1] **折衷** ―動(màke a) cómpromìse 《☞ だきょう; わようせっちゅう》. ¶*折衷案 a *compromise* proposal // このホテルは和洋*折衷だ (⇒半ば西洋式) This is a *semi*-European-style hotel. / (⇒半ば西洋式, 半ば和式だ) This hotel is partly Western and partly Japanese (in) style. **折衷主義** eclecticism Ⓤ.

せっちゅう[2] **雪中** ―副 in the snow.

せっちょ **拙著** my ⌜work [book] 日英比較 英米ではへり下る表現を普通使わない.

ぜっちょう **絶頂** (頂点・最高点) top Ⓒ; (最高点) peak Ⓒ ★特に尖った, 鋭く突き出た点をいう; (ある事柄の最高潮に達する点) climax Ⓒ; (最も盛んな状態) the height. 《☞ ぜんせい[1]; ちょうてん》.

¶その女優はいま人気*絶頂です (⇒絶頂にあるように思われる) That actress seems to be at the ⌜*top* [*peak*] of her popularity. 《☞ にんき[1] (人気絶頂)》 // 大英帝国はビクトリア女王の時代に栄華の*絶頂を極めた The British Empire reached *the height* of its glory during the reign of Queen Victoria.

せっちん **雪隠** ☞ べんじょ **雪隠詰め** ―動(追いつめられる) be cornered; (どちらにも動きがとれない) be unable to move in any direction.

せっつく (…しろとせき立てる) press *a person* to *do* …; (催促する) urge ⓣ; (何度も説得して…させる) coax /kóuks/ *a person* ⌜to *do* … [into *doing* …]. 《☞ せきたてる; ねだる》. ¶子供に*せっつかれて動物園へ連れて行った My children *coaxed* me *into* taking them to the zoo.

せってい **設定** ―動 sèt úp ⓣ, establish ⓣ. 《☞ つくる; せっち[1]》. ¶通信ソフトでモデムの*設定をする *set up* a modem in a communications program

セッティング (物事を配置すること) setting Ⓒ.

せってん[1] **接点** point of contact Ⓒ.

せってん[2] **節点** 〘建〙 joint Ⓒ.

せつでん **節電** power saving Ⓤ.

セット **1** 《家具・茶器などの》: (同種類の物の1組) set Ⓒ; (幾つかの組み合わせでできている1組) suite /swíːt/ Ⓒ. 《☞ くみ; そろい; 数の数え方 (囲み)》. ¶3点*セット a 3-piece ⌜*suite* [*set*] // 皿の1*セット a *set* of dishes

2 《テニス・バレーボールなどの》: set Ⓒ. ¶彼は3*セット取って, 試合に勝った He took three *sets* and won the match.

3 《髪の》 ―動 set ⓣ. ¶姉は髪を*セットしてもらった My sister *had* her hair *set*.

4 《映画などの》: set Ⓒ.

5 《機械・器具などの》 ―動 set ⓣ. ¶6時にタイマーを*セットしなさい *Set* the timer ⌜for [at] six o'clock.

セットアップ ―動 set up ⓣ **セットアッププログラム** 〘コンピューター〙 setup program Ⓒ **セットオール** ¶*セットオール (⇒双方が同じセット数) だ The set count is ⌜tied [even]. 日英比較 「セットオール」は和製英語. **セットスクラム** 〘ラグ〙 set scrum Ⓒ **セットスコア** 〘スポ〙 the number of (the) sets won **セットポイント** 〘スポ〙 set point Ⓒ **セットポジション** 〘野〙 set position Ⓒ **セットローション** (髪のセット用液) setting lotion Ⓤ.

せつど **節度** (中庸) moderation Ⓤ; (強い自制心) temperance Ⓤ. 《☞ せっせい[1]》. ¶飲酒には*節度がなければいけない We should ⌜*be moderate* [exercise *moderation*] in drinking. / We should drink only *in moderation*.

ゼット (アルファベットの第26字) Z Ⓒ, z /zíː | zéd/ Ⓒ. **ゼット旗** Z flag Ⓒ; (説明的には) a four-colored flag used by the Japanese navy during the Russo-Japanese war, and hoisted in order to raise the morale of sailors ★日露戦争当時日本海軍が士気高揚の意味を与えて使った.

せっとう **窃盗** (行為) theft Ⓤ; (人) thief Ⓒ 《複 thieves》. 《☞ どろぼう; ぬすみ》. **窃盗罪** theft Ⓤ; 〘法〙 larceny Ⓤ.

せつどう[1] **雪洞** snow cave Ⓒ.

せつどう[2] **摂動** (gravitational) perturbation Ⓤ.

ぜっとう **舌頭** (舌の先) the tip of the tongue.

せっとうご **接頭語** ☞ せっとうじ

せっとうじ **接頭辞** 〘文法〙 prefix Ⓒ 《☞ 接頭辞 (巻末)》.

せっとく **説得** ―動(勧めて…させる) persuade ⓣ; (説得してやめさせる) 《格式》 dissuade (… from …) ⓣ; (理を説いて…させる) reason (*a person* into *doing* …) ⓣ. ―名 persuasion Ⓤ. 《☞ いいきかせる; ときふせる》.

¶彼は妹を*説得して医者に行かせた <S (人)+V (*persuade*)+O (人)+C (*to* 不定詞)> He *persuaded* his sister *to* ⌜go to the doctor [be examined by the doctor]. // 我々は彼に無茶な冒険をやめるよう*説得したが, 彼は聞き入れなかった We tried to *dissuade* him *from* his reckless adventure, but he wouldn't listen to us. 日英比較 日本語の「説得」には「説得したがだめだった」のように結果の成否を含まないのが普通であるが, 英語の persuade, dissuade は説得してある結果を得ることを意味する. 従って, この文では tried to がないと英文として成り立たない. // 彼の言葉には*説得力があった His words carried the power of *persuasion*. / He was *persuasive*. ★第1文のほうが格式ばった表現.

セットバック 〘建〙 setback Ⓒ.

せつな **刹那** ―名(瞬間) moment Ⓒ. ―形 momentary; (つかの間の) transient. 《☞ しゅんかん》. ¶*刹那の衝動にかられて向こうみずなことをしてはいけない We mustn't act blindly on ⌜the [an] impulse of the *moment*. // *刹那的な快楽 *momentary* [*transient*] pleasures

刹那主義 the principle of living only for (the pleasure of) the moment.

せつない **切ない** (悲しい) sad; (心からの) earnest; (熱烈な) ardent. 《☞ つらい; かなしい》. ¶彼の心変わりに彼女は*切ない思いをした She felt *sad* when she ⌜learned [found out] that he had changed his mind. // 私は*切ない胸の内を彼女に告白した I confessed my *ardent* love for her.

せつなる **切なる** (本心からの) earnest; (心の底から

の) wholehearted. ¶それは私の*切なる願いです It is my *earnest* hope.

せつに 切に (切望して) eagerly; (まじめで熱心に) earnestly; (本心から) sincerely; (心の底から) from the bottom of *one's* heart, wholeheartedly. (☞ せつぼう). ¶この手紙にご返事をいただけることを*切に望んでおります I am *eagerly* awaiting your response to this letter. // ご成功を*切に祈ります I *sincerely* wish you success.

ぜつにゅうとう 舌乳頭 〔解〕 tóngue papilla /pəpílə/ Ⓒ (複 tongue papillae /-liː/).

せっぱく 切迫 ── 形 (緊急で差し迫った) urgent; (非常に急ぐ) pressing ★ 前者のほうが意味が強い; (危険などがいまにも起こりそうな) imminent; (緊張した) tense. (☞ さしせまる; きんぱく[1]). ¶事は極めて*切迫していた The matter was quite *urgent*. // 約束の期日は*切迫していた (⇒ 近づいていた) The appointed date *was approaching fast*.
切迫流産 imminent miscarriage Ⓒ.

せっぱつまる 切羽詰まる (窮地に陥る) have *one's* back against the wall; (困り果てる) (略式) be in a fix. (☞ ぜったいぜつめい; おいつめる).
¶*せっぱ詰まってどうしようもなかった I *had my back against the wall*. // 彼は*せっぱ詰まって (⇒ 最後の手段として) 金融業者から金を借りた He borrowed money from a moneylender *as a last resort*.

せっぱん 折半 ── 動 (半分に分ける) halve ⑩; (分担する) share ⑩; (半々にする) go fifty-fifty ★ 最後の語がより口語的. (☞ はんぶん). ¶私は彼と利益を*折半した He and I *shared* the profit(s)./ I *went fifty-fifty* on the profit(s) with him.

ぜっぱん 絶版 ── 形 out of print.

せつび 設備 (備品・調度などすべての) equipment Ⓤ; (建物などのかなり大がかりな施設) facilities ★ 複数形で; (ある目的のために考案された装置) device Ⓒ. (☞ しせつ[1]).
¶この録音スタジオは*設備がよい This recording studio *is* very well *equipped*. // この空港にはすぐれた航空管制*設備があります This airport has excellent flight control *facilities*. // 防火*設備 fire-fighting ⌈*devices* [*equipment*]
設備資金 (手持ちの) funds for plant investment ★ 複数形で. **設備投資** investment in (new) ⌈plant and equipment [facilities] Ⓤ **設備費** the cost of equipment.

> **コロケーション**
> 設備を改善する improve *equipment* / 設備を近代化する modernize *equipment* / 設備を整備する maintain *equipment* / 設備を取り付ける install *equipment* / 古い設備を新しいものに取り替える update *equipment* // 旧式(な)設備 outmoded *facilities*; (備品) outmoded *equipment* / 近代的設備 modern *facilities* / 研究設備 research *facilities* / 最新の設備 state-of-the-art *equipment* / ホテルの設備 hotel *facilities*

せっぴ 雪庇 cornice Ⓒ.

ぜつび 絶美 exquisite [great] beauty Ⓤ.

せつびご 接尾語 ☞ せつびじ

せつびじ 接尾辞 〔文法〕 suffix Ⓒ (☞ 接尾辞 (巻末)).

ぜっぴつ 絶筆 *a person's* last ⌈piece of writing [essay].

ぜっぴん 絶品 exquisite piece Ⓒ; (珍品) rarity Ⓒ. (☞ いっぴん; ちんぴん).

せっぷく 切腹 ── 動 commit harakiri. ── 名 harakiri Ⓤ, seppuku Ⓤ 語法 日本語では「腹切り」とは言わないが, 英語としては定着している. 説明的には ritual suicide practiced by Japanese samurai in former times as an honorable form of death. **切腹物** (致命的な過失) fatal ⌈error [mistake] Ⓒ. ¶私は*切腹物のミスをしてしまった I have made a *fatal mistake*.

せつぶん 節分 (the day before) the beginning of spring (☞ まめまき).

せっぷん 接吻 ── 名 kiss Ⓒ. ── 動 kiss ⑩ ⑪. (☞ キス).

せつぶんそう 節分草 〔植〕 *setsubunso* Ⓒ ★ 後に a perennial of the buttercup family whose white flowers bloom early in spring を説明として加えればよい.

ぜっぺき 絶壁 cliff Ⓒ, precipice /présəpɪs/ Ⓒ; (海岸や谷間の) bluff Ⓒ ★ 最初の語が最も一般的. (☞ だんがい[1]).

せっぺん[1] 雪片 snowflake Ⓒ.

せっぺん[2] 切片 slice Ⓒ, section Ⓒ.

せつぼう 切望 ── 動 (熱望する) be ⌈eager [anxious] ⌈for ... [to *do* ...] ★ anxious には結末に一抹の不安がある; (…したいと強く願う) long ⌈for ... [to *do* ...]. (☞ ねつぼう; せつに). ¶彼は外国に留学することを*切望している He *is* ⌈*eager* [*anxious*] *to* study abroad. // 私たちは平和を*切望しています We *are longing for* peace.

せっぽう 説法 (宗教上の) sermon Ⓒ; (道徳・倫理などについての) preaching Ⓒ. ¶釈迦に*説法 preaching to Buddha / (⇒ ローマ教皇にカトリック信仰について教えること) teaching the Pope what it is to be Catholic

ぜつぼう 絶望 ── 動 (まったく望みを失う) despair (of ...) ⑪; (希望を失う) lose [give up] hope. ── 名 despair Ⓤ. ── 形 (絶望的) hopeless; (捨てばちの) desperate. (☞ しつぼう; すてばち).
¶どんなことがあっても*絶望してはいけない Never ⌈*despair* [*give up hope*], whatever may happen. // 彼女は大学生活に*絶望した She gave way to *despair* over her college life. // 行方不明の人々は*絶望と思われています (⇒ 生存の可能性はない) There will *be no possibility of survival* for the missing ⌈people [persons]. // 患者は*絶望的です The patient is *past hope*.

ぜっぽう 舌鋒 (鋭い言葉) incisive [trenchant] language Ⓤ. ¶彼は私を*舌鋒鋭く (⇒ 辛辣に) 非難した He criticized me ⌈*sharply* [*with a sharp tongue*].

ぜつみょう 絶妙 ── 形 exquisite /ekskwízɪt/ ★ 日本語と同じくやや格式ばった表現.

ぜつむ 絶無 ¶そのような例は*絶無 (⇒ いままでに聞いたことがない) というわけではありません Such instances *are* not *unheard of*. (☞ かいむ[1])

せつめい 説明 ── 動 (よくわかるように) explain ⑩; (実例などをあげて) illustrate ⑩; (行為などの申し開きをする) account for ...; (知らせる) tell ⑩ ★ 事実などを話して聞かせる最も一般的な語. ── 名 explanation Ⓒ; illustration Ⓒ; account Ⓒ.
¶私が彼女にそれを*説明します I will *explain* it to her. // 先生はその数学の問題の解き方を*説明してくれた Our teacher *explained* how to solve the mathematical problem. // 理科の先生は (実例によって) その機械の働きを*説明した Our science teacher *illustrated* the workings of the machine. // 彼はその時にどうしていなかったか*説明を求められた He was asked to *account for* his absence on that occasion. // *説明を得る get [obtain] an *explanation* // *説明を加える add an *explanation* // 筋の通った*説明 a reasonable *explanation*
説明会 explanatory meeting Ⓒ; (情報や指示を与えるための) briefing Ⓒ **説明書** (小冊子になったもの) brochure /brouʃúə/ Ⓒ; (機械などの仕様書)

specifications ★ 複数形で. 改まった語; (機械の取り扱いの手引書) manual [C] 説明責任 accountability [U] 説明文 explanation [C].

コロケーション

大まかに説明する *explain* roughly / 十分説明する *explain* ˹fully [sufficiently] / 正確に説明する *explain* ˹exactly [correctly] / 納得いくように説明する *explain* ˹convincingly [satisfactorily] / はっきり説明する *explain* clearly / 分かりやすく説明する *explain* lucidly // 説明をする give [offer; make] an *explanation* / 説明を求める call for [demand] (an) *explanation* / 説明を要する need [require] an *explanation* // 科学的な説明 a scientific *explanation* / 簡潔な説明 a brief *explanation* / 詳しい説明 a detailed *explanation* / 説得力のある説明 a convincing *explanation* / 長々とした説明 a lengthy *explanation* / もっともらしい説明 a plausible *explanation* / 要領を得ない説明 a rambling *explanation*

ぜつめい 絶命 ―[動] (死ぬ) die 自, 《格式》 expire 自; (婉曲に) breathe *one's* last ★ 文語的. 《☞ しぬ》. ¶ 彼は手当のかいもなく*絶命した In spite of every possible medical treatment, he *died*.

ぜつめつ 絶滅 ―[動] (絶える) díe óut 自; (まったくなくなる) become extinct ★ 多少格式ばった表現; (一掃する) wípe óut 他; (強制的に根絶する) exterminate 他; (害になるものを撲滅する) eradicate 他 ★ 後の 2 語は格式ばった語. ―[名] extinction [U]; extermination [U]. 《☞ たえる[2]; たやす; しょうめつ[1]; ほろびる (類義語)》.
¶ 爬虫類の多くは*絶滅した Many (of the) reptiles *died out*. // *絶滅した類人猿の化石 the fossil of an *extinct* anthropoid // その鳥は*絶滅の危機に瀕している That bird is on the ˹brink [verge] of *extinction*. // 核戦争になれば人類は*絶滅するかもしれない The whole human race may *be wiped out* by nuclear war. // この殺虫剤で白ありを*絶滅させることができるでしょう This insecticide will ˹*exterminate* [*eradicate*] termites.
絶滅危惧種 endangered species [C].

せつもん 設問 question [C] 《☞ しつもん》.

せつやく 節約 ―[動] (切り詰めて経済的に使う) economize (on ...) 自; (労力・金などのむだを省いて蓄える) save 他; (出費などを切り詰める) cút (dówn) 他, cút dówn on ... ―[形] (節約家の) thrifty. ―[名] (つましくすること) thrift [U]; economy [U]. 《☞ けんやく; けいざい; せつげん[1]; きりつめる》.
¶ 私たちはエネルギーの*節約を図らなくてはいけない We must ˹*save* [*economize on*] energy. // この機械のおかげで労働力が大いに*節約になった These machines *saved* a lot of labor. // 彼はとても*節約家です He is very *thrifty*.

せつゆ 説諭 ―[動] (さとす・戒める) 《格式》 admónish 他; (叱責する) 《格式》 reprove 他. ―[名] 《格式》 àdmonítion [C]; 《格式》 reproof [U]. 《☞ ちゅうい[1]; さとす》.

せつようしゅう 節用集 (辞書) dictionary [C]; (語彙集) glossary [C].

せつり[1] 摂理 ¶ 神の*摂理 (Divine) *Providence*
[語法] キリスト教国の慣習で, 神に関することは大文字で書く. // 自然の*摂理 natural *law*

せつり[2] 節理 〔地質〕(岩石の割れ目) joint [C]; (条理) reason [U]. ¶ 柱状*節理 a columnar *joint*

せつりつ 設立 ―[動] sèt úp 他, establish 他 ★ 後者のほうが格式ばった語; (創設する) found 他
[語法] set up, establish のほうが広い意味で, found は特に学校・会社などの大きな組織の場合にいう. ―[名] establishment [U]; foundation [U]. 《☞ そうりつ》. ¶ 私たちの会社は*設立されてから 70 年になります It ˹is [has been] seventy years since our company *was* ˹*founded* [*established*].
設立者 founder [C] 設立趣意書 prospectus [C] 設立発起人 promoter [C].

ぜつりん 絶倫 ―[形] (比類のない) matchless; (限界のない) unbounded, boundless. ¶ 彼は精力*絶倫だ He has ˹*boundless* [*limitless*] energy.

セツルメント (貧民街での生活改善事業) settlement [C].

せつれつ 拙劣 ―[形] poor ★ 最も広い意味で, 後の 2 語の代わりにも使える; (無器用な) clumsy; (未熟な) unskillful. 《☞ へた[1]》. ¶ この小説は文体も筋の運びも*拙劣だ This novel is *poor* in both style and plot.

せつわ 説話 (物語) story [C]; (架空・伝説的な話) tale [C] ★ やや文語的; (事実に基づく話) narrative [C]. 説話集 collection of (narrative) tales [C] 説話体 narrative form [U] 説話文学 narrative literature [U].

せと 瀬戸 (狭い海峡) strait [C] ★ しばしば複数形で単数扱い; (広い海峡) channel [C].

せとうち 瀬戸内 the districts along the coast of the Inland Sea.

せとぎわ 瀬戸際 (境目) the brink, the verge. ¶ 彼は破産の*瀬戸際にある He is *on the verge of* bankruptcy. 瀬戸際外交 brinkmanship diplomacy [U] 瀬戸際政策 brink(s)manship [U].

せとないかい 瀬戸内海 the Inland Sea (of Japan). 瀬戸内海国立公園 the Inland Sea National Park.

せとびき 瀬戸引き ―[名] (瀬戸引きの物) enamelware [U]. ―[形] (瀬戸引きの) enameled. ―[動] (瀬戸引きにする) enamel 他. 《☞ ほうろう[2]》.
¶ *瀬戸引きなべ an *enameled* ˹pot [pan]

せともの 瀬戸物 (瀬戸物類の総称) china [U], chinaware [U] ★ 数えるときは a piece [two pieces] of china として; (陶器類一般) pottery [U]. 《☞ とうき[1]》. 瀬戸物屋 china shop [C].

セドリック (男性名) Cedric /síːdrɪk/.

せなか 背中 back [C] 《☞ せ[1]; からだ (挿絵)》.
¶ *背中が痛い I have a pain in my *back*. / I have (a) *backache*. // 猫は*背中をぐっと丸くした The cat arched its *back*. // このドレスは*背中でホックでとめるようになっている This dress hooks up at the *back*.
背中合わせ ¶ 2 つのいすは*背中合わせに並んでいた The two chairs were placed *back to back*. // 生と死は*背中合わせだ (⇒ 表裏の関係だ) Life and death *are two sides of the same coin*.

ぜに 銭 money [U] 《☞ かね[1]》. ¶ 安物買いの*銭失い Penny-wise and pound-foolish. 《ことわざ: 小額の金の使い方に気をつかい, 高額にうっかりする》

ぜにあおい 銭葵 〔植〕 mallow [C].

ぜにかね 銭金 money [U] 《☞ きんせん[1]》. ¶ これは*銭金の問題ではない This is not a ˹question [matter] of *money*.

ぜにがめ 銭亀 〔動〕 (いしがめの子) immature Japanese pond turtle [C].

ぜにごけ 銭苔 〔植〕 liverwort [C].

セニョーラ señora /seɪnjóːrə/ ★ スペイン語から. 「…夫人」の意. 英語の Mrs., Madam に相当する. 名前の前に付けるときは Señora または Sra.

セニョール señor /seɪnjɔ́ə/ ★ スペイン語から. 「…氏」「だんなさま」の意. 英語の Mr., Sir に相当する. 名前の前に付けるときは Señor または Sr.

セニョリータ señorita /sèɪnjəríːtə/ [C] ★ スペイン語から. 「…嬢」「お嬢さん」の意. 英語の Miss に相当する. 名前の前に付けるときは Señorita または

Srta.

ぜにん 是認 —動 approve ⓗ. —名 approval Ⓤ. (☞ みとめる; しょうにん[1]).

せぬい 背縫い seam in the back of a kimono Ⓒ.

せぬき 背抜き ¶*背抜きの上着 a coat *with an unlined back*

セネカ —名 固 Lucius Annaeus Seneca, 4 B.C.?–A.D. 65. ★ ローマの哲学者・悲劇作家・政治家.

セネガル —名 固 Senegal /sènɪgɔ́:l/; (正式名) the Republic of Senegal ★ アフリカ大陸西部の共和国. —形 Senegalese /sènəgəlí:z/. セネガル人 Senegalese Ⓒ ★ 単複同形.

ゼネコン (大手総合建設会社) general contractor Ⓒ. ゼネコン汚職 corruption involving collusion between general contractors and politicians Ⓤ.

ゼネスト general strike Ⓒ (☞ ストライキ; スト).

ゼネラリスト (分野を限定せず広く諸種のことを扱う人) generalist Ⓒ (↔ specialist).

ゼネラルストライキ ☞ ゼネスト

ゼネラルマネージャー (局長・部長) general manager Ⓒ.

ゼネレーション ☞ ジェネレーション

せのび 背伸び —動 (つま先で立つ) stand on tiptoe.
¶彼は僕が*背伸びしたよりも背が高い He is taller than ｢me [I] even if I *stand on tiptoe*. // 彼女はいつも*背伸びしている (⇒ 自分の力の及ばないことをやろうとしている) She's always trying to do things which are *beyond her ability*. // 職を選ぶときにあまり*背伸びしないように (⇒ あまり高くねらうな) When you choose a job, don't *aim too high*.

ゼノフォビア (外国人嫌い) xènophóbia Ⓤ.

セバスチャン (男性名) Sebastian /səbǽstʃən/ ★ 愛称は Seb.

セバスティアン ☞ セバスチャン

セパタクロー 〘スポ〙 sepaktakraw Ⓤ.

せはば 背幅 the ｢width [breadth] of the back.

せばまる 狭まる get [become] narrow ★ get を用いるほうが口語的; narrow ⓐ.
¶その町を出ると道幅は*狭まった The road ｢*got narrow* [*narrowed*] when we drove out of (the) town. // 有名大学の門はますます*狭まる一方です (⇒ 有名大学に入るのはますます難しくなってきている) It's *getting* more and more *difficult* to enter famous colleges.

せばめる 狭める (狭くする) narrow ⓗ (☞ ちぢめる). ¶世代の断絶を*狭める *narrow* the generation gap

セパレーツ (女性用の服) separates /sép(ə)rəts/ ★ 複数形で; (水着) two-piece bathing suit Ⓒ.

セパレート —形 (分離した) séparate. セパレートコース (陸上競技などの) separate course Ⓒ.

せばんごう 背番号 (野球の) (uniform) number Ⓒ; (競走の) (racing) number Ⓒ. ¶あのピッチャーは*背番号 18 です That pitcher ｢is wearing [wears] (*uniform*) *number* 18.

せひ 施肥 —動 fertilize ⓗ, spread fertilizer (on ...).

ぜひ[1] 是非 (必ず) surely, certainly ★ いずれも一般的な語だが, 強いて言えば後者がやや格式ばった言葉; (必ず...する) be sure to *do* ... ★ 命令文で使われることが多い; (どんな犠牲を払っても) at any cost, at all costs ★ 前者のほうがより普通; (どんなことが起こっても) come what may, whatever ｢may happen [happens] ★ 前者は慣用表現でより文語的だが, 会話でも使われる. (☞ きっと[1] (類義語); かならず (類義語); ぜったい).
¶*ぜひおいで下さい *Be sure to* come. / *Please* come. / *Do* come. 語法 (1) この do は強調の言葉. please より強い依頼. 人を招待するときに使えば, 親しみを強く表す表現になる. do の使用以外は一般的に言えば, 語数が多くなればそれだけ丁寧となり, 親密感が薄れる. / You *must* come. 語法 (2) must は 2 人称に使うと一般的にはかなりきつい命令になるが, 人を招待する表現などでは「ぜひに」という気持ちを強く表し, かえって丁寧になることがある. // この仕事は*ぜひ仕上げなくてはならない I must finish this work, ｢*at any cost* [*no matter what*]. // 約束は*ぜひとも守ります I'll keep my promise, *come what may*. // *ぜひあなたに助けていただきたい (⇒ あなたの助力が非常に必要だ) I need your help *very badly*. 語法 (3) want, need などと共に用いられると, badly が「非常に」の意味になる. / I am *very much* in need of your help. // *ぜひその映画を見たい I *am very eager to* see the picture. // *ぜひこれをお受け取り下さい (⇒ 強く要求する) I *insist on* your accepting this.

ぜひ[2] 是非 (善悪) right ｢and [or] wrong (☞ よしあし; ぜんあく). ¶この問題の*是非を考えなくてはならない I have to consider the *rights and wrongs* of this problem. 是非もない ☞ しかたがない

セピア 〘色彩〙 —名 sepia /sí:piə/ Ⓤ. —形 sepia.

せひょう 世評 (うわさ) rumor Ⓒ (☞ うわさ; ひょうばん). ¶*世評では彼は次の選挙に立候補するらしい There is a *rumor* that he's going to run in the next election.

せびょうし 背表紙 back Ⓒ, spine Ⓒ.

せびらき 背開き —動 cut [open] a fish from the back.

セビリア —名 固 Seville ★ スペイン, アンダルシア地方の古都.

せびる (...をくれと言う) ask for ...; (...をくれと言って困らせる) annoy *a person* by asking for ...; (しつこく言って困らせる) pester ⓗ ★ 前者よりくだけた語. (☞ たかる). ¶その少年は母親に金を*せびった The boy ｢*annoyed* [*pestered*] his mother *by asking for* pocket money. / The boy *pestered* his mother for pocket money.

せびれ 背鰭 dorsal fin Ⓒ (☞ さかな (挿絵)).

せびろ 背広 suit Ⓒ; (勤務先に着て行く) 《米》 business suit Ⓒ, 《英》 lounge suit Ⓒ 語法 suit は男物に限らず女物のスーツをも指す言葉. (☞ スーツ).

セブ[1] —名 固 Cebu /seɪbú:/ ★ フィリピン中部の島.

セブ[2] (男性名) Seb ★ Sebastian /səbǽstʃən/ の愛称.

せぶし 背節 (鰹の背の鰹節) dried bonito made from the dorsal flesh (of a bonito) Ⓒ (☞ かつお).

せぶみ 瀬踏み —動 (深さを測る) check the depth; (探りを入れる) sound (out) ⓗ; (試す) try (out) ⓗ. —名 sounding Ⓤ; trial Ⓤ. (☞ さぐる; ためす). ¶*瀬踏みしながら川を渡った Constantly *checking the depth*, we waded across the river. // まだ*瀬踏みの段階です We are still in the *trial* stage(s).

ゼブラ (しまうま) zebra /zí:brə/ Ⓒ. ゼブラゾーン 《英》 zebra crossing Ⓒ, 《米》 crosswalk Ⓒ ゼブラダニオ 〘魚〙 (観賞用熱帯魚) zebra ｢danio [fish] Ⓒ ゼブラフィッシュ 〘魚〙 zebra fish Ⓒ.

せぼね 背骨 backbone Ⓒ, spine Ⓒ, 〘解〙 spinal column Ⓒ ★ 第 1 と第 2 の語は同意だが, 前者はしばしば比喩的に用いられる. (☞ ほね).

せまい 狭い (幅が狭い) narrow (↔ wide); (面積が小さい) small (↔ large); (限られた) limited.

日英比較 右図のように日本語の「狭い」は「幅が狭い」「面積が小さい」の2つを意味するのに対し，英語ではこの2つが別々の言葉で言い表される点に注意が必要である．したがって，「狭い運動場」を a *narrow* playground と訳した場合には廊下のような細長いグラウンドを意味することになる．英語では比喩的には心や考えが狭いことも *narrow* を使う．ただし，「限られた」とか「範囲の定まった」という意味では *limited* を用いる．《☞ ちいさい[な]》

日本語	英語
狭い	(幅が狭い) narrow
	(面積が小さい) small

¶ この通りは*狭い This street is *narrow.* // 私たちの学校の運動場は*狭い Our playground is *small.* // *狭い日本，そんなに急いでどこへ行く (⇒ なぜそんなに急ぐか) Japan is a *small* country. Why are you in such a hurry? // 家族が増えるに従って家がだんだん*狭くなってきた As my family grows (larger), our house ˹is getting [gets] *smaller* and *smaller*. // 彼は心が*狭い He has a *narrow* mind. / He is ˹*narrow*-minded [a *narrow*-minded person]. // 世間は*狭い It's (such) a *small* world! // 彼女のこの件に関する知識は*狭い She has only a *limited* knowledge of this matter. // この通りは先で*狭くなっています This road *narrows* ahead. / 《掲示》 Road *Narrows* (Ahead)

せまきもん 狭き門 (狭い門) narrow gate Ⓒ; (聖書で) the ˹narrow [strait] gate ★ [ ]内は古風な表現; (競争の激しい大学) highly competitive university Ⓒ. ¶ 彼は有名大学の*狭き門を突破した (⇒ 難しい入試に通った) He passed the *difficult entrance examination* for a famous university. **狭き門より入れ** 〚聖〛 Go in through the narrow gate.; (欽定訳) Enter ye in at the strait gate. ★ マタイ福音書7章13節.

せまくるしい 狭苦しい cramped 《☞ きゅうくつ》.

せまる 迫る **1** «近づく»: approach ⊕; (時などが近づく) get close. 《☞ ちかづく》.

¶ 夏休みが間近に*迫っています The summer vacation *is* ˹*near* [*almost here*]. / The summer vacation *is getting close.* // 彼の家の裏手には丘が*迫っている (⇒ すぐ裏にある) There is a hill *just behind* his house. // あの役者の演技は真に*迫っている (⇒ 写実的に演じる) That actor performs quite *realistically*. 《☞ しん[3]》 // 敵がすぐ後ろに*迫っている The enemy *is following close behind.*

2 «強いる»: (しつこく勧めて…させる) urge [push] *a person* (to *do* ...); (心理的圧力で…させる) press *a person* (to *do* ...); (無理やりに…させる) force [compel] *a person* (to *do* ...) ★ compel は force より意味が弱い.

¶ 彼は私にそれを放棄するように*迫った He *urged* me *to* give it up. // 私たちは執拗に約束の実行を*迫られた We *were pressed to* ˹fulfill [keep] our promise. // 家主は私たちに立ち退きを*迫った Our landlord tried to *force* us *to* move. // 政府は問題の解決を*迫られている The government *is compelled to* find a solution to the problem. // 必要に*迫られて *driven* by necessity

セマンティックス 〔言〕(意味論) semantics Ⓤ.

せみ 蟬 cicada /sɪkéɪdə/ Ⓒ. **蟬時雨** a loud (high-pitched) chorus of cicadas ★ 通例 a を付けて.

セミ ― 接頭 semi- ★「半分の」の意.

ゼミ ☞ セミナー

せみくじら 背美鯨 (southern) right whale Ⓒ.

セミコロン sémicòlon Ⓒ 《☞ セミコロン (巻末)》.

セミコンダクター (半導体) sèmicondúctor Ⓒ.

セミドキュメンタリー sèmidocuméntary Ⓒ.

セミナー, ゼミナール séminàr Ⓒ.

セミファイナル (準決勝, メインイベントの直前の試合) sémifinal Ⓒ ★ 準決勝の意味ではしばしば複数形で.

セミフォーマル ― 名 (略式的な礼装) semiformal dress Ⓒ. ― 形 semiformal.

セミプロ ― 名 sèmiproféssional Ⓒ. ― 形 semiprofessional.

ゼムクリップ paper clip Ⓒ, 《商標》 Gem clip Ⓒ ★ 前者が一般的.

セムごぞく セム語族 Semític lánguages.

セムぞく セム族 Semite Ⓒ.

セムハムしょご セムハム諸語 Semito-Hamitic /sémətouhəmìtɪk/ lánguages.

せめ[1] 責め (責任) responsibility Ⓤ; (とがめ) blame Ⓤ. 《☞ せきにん》.

せめ[2] 攻め (攻撃) attack Ⓤ, offense Ⓤ ★ 後者は格式ばった語; (攻勢) the offensive; (碁・将棋などの) offensive move Ⓒ. 《☞ こうげき; せめる[2]》.

¶ *攻めに出る take *the offensive* // 第2セットで彼女は*攻めに転じた In the second set, she turned to *the offensive.*

せめあう[1] 攻め合う fight against each other.

せめあう[2] 責め合う blame each other.

せめあぐむ 攻め倦む ¶ 彼らは山上のとりでを*攻めあぐんだ (⇒ どう攻撃したらよいか途方に暮れた) They *were at a loss how to* ˹*make* [*carry out*] *an attack* on the mountaintop fort.

せめいる 攻め入る (侵略する) invade ⊕ 《☞ しんりゃく》.

せめおとす 攻め落とす ¶ 彼らは奇襲してその城を*攻め落とした They *took* the castle by storm. ★ storm は急[奇]襲. 《☞ かんらく》

せめぎあい 鬩ぎ合い (…と…の間の対立) conflict between ... and ... Ⓒ; (…と…の間の闘争) struggle between ... and ... Ⓒ. ¶ 権力をめぐる2政党間の*せめぎ合い a power *struggle between* two political parties

せめぎあう 鬩ぎ合う (互いに競い合う) compete with each other. ¶ 2チームが優勝を目ざして*せめぎ合っている The two teams *are competing* ˹*with* [*against*] *each other* for the pennant.

せめく 責め苦 torture Ⓤ. ¶ *責め苦にあう (⇒ 拷問にかけられる) be put to *torture* / be *tortured*

せめこむ 攻め込む ☞ せめいる

せめさいなむ 責め苛む (苦しめる) torture ⊕, torment ⊕. 《☞ くるしめる》. ¶ 良心に*責め苛まれる be *conscience-stricken*

セメスター (二学期制の学期) semester Ⓒ. **セメスター制** the semester system.

セメダイン (接着剤) adhesive Ⓒ ★ Cemedine は商標名. 《☞ せっちゃくざい》.

せめたてる[1] 攻め立てる (攻撃を続ける) keep up an attack; (絶え間なく猛攻する) make an incessant onslaught ★ onslaught は「猛攻撃」. 《☞ せめる[2]》.

せめたてる[2] 責め立てる (非難する) (severely) reproach ⊕; (せきたてる) urge ⊕; (強いる) press ⊕. 《☞ せめる[1]》. ¶ 彼は私の非を*責め立てた He *severely reproached* me for making mistakes. // 借金取りは彼に支払うよう*責め立てた The debt collector *pressed* him for payment.

せめて[1] (少なくとも) at least; (…だけ) just

日英比較 英語では必ずしもこれに対応する語句を使わ

ずに，文脈の中でそのニュアンスだけを出して表現することも多い点に注意.《☞ せめてもの》.
¶*せめてもう 10 分早く家を出ればよかった I should have left home *at least* ten minutes earlier. // *せめてもう 5 分待ってくれませんか Couldn't you wait *just* five more minutes?《☞ 丁寧な表現（巻末）》 // *せめてお名前だけでも教えていただけませんか Can [Could] you let us know your name?

せめて² 攻め手 （広く攻撃する人）attacker Ⓒ;（スポーツの攻撃側）offense Ⓤ;（攻撃手段）a means of attack ★ a を付けて. 時に複数扱い;（攻撃の戦法）offensive strategy Ⓒ.

せめてもの ── 形（ただ 1 つの）only, sole ★ 後者のほうは格式ばっていて，意味が強い.《☞ せめて¹》.
¶それが私の*せめてもの慰めだった It was my 「*only* [*sole*] comfort.

せめどうぐ 責め道具 （拷問用の）instrument of torture Ⓒ.

せめのぼる 攻め上る fight up to the capital.

せめほろぼす 攻め滅ぼす attack and destroy ... completely.

せめよせる 攻め寄せる （近づく）move in 自, draw near 自 ★ 後者は古めかしい表現;（包囲して迫る）close in (on ...) 自.《☞ せめる²; おしよせる》.
¶敵は四方から*攻め寄せてきた The enemy 「*moved in* from all directions [*closed in on* us].

せめる¹ 責める （間違いや過失を非難する）blame *a person* (for ...);（具体的に，あるいは法的に責任を追求する）accuse *a person* (of ...).《☞ ひなん¹》.
¶人の欠点を*責めるべきではない We should not *blame* a person *for* his shórtcòmings. // 彼らは職務怠慢のかどで彼を*責めた They *accused* him *of* neglecting his duties. // そう難しい質問ばかりで私を*責めないで下さいよ（⇒ そんなに多く難しい質問をするのをやめてくれませんか）Will you please stop asking me so many difficult questions?

せめる² 攻める （攻撃する）attack 他 (↔ defend);（他国へ侵入する）invade 他.《☞ おそう（類義語）; こうげき》. ¶わが軍は敵の陣地を*攻めた Our troops 「*made an attack on* [*attacked*] the enemy camp. // 敵はゴールを左手から*攻めてきた The opponents *attacked* (on) our left flank.

セメント ── 名 cemént Ⓤ. ── 動（セメントを塗る）cemént 他.《☞ コンクリート》.

せもじ 背文字 （本の背の書名）title on the spine (of a book) Ⓒ.

せもたれ 背凭れ （いすの）back (of a chair) Ⓒ;（安楽いすなどの）backrest Ⓒ.

せもつ 施物 （貧しい人などへの）handout Ⓒ, alms ★ 後者は古風な語. 複数扱いで.

せやく 施薬 ── 名 dispensation Ⓤ. ── 動 dispense 他.

セラー （地下貯蔵室）cellar Ⓒ. ¶ワイン*セラー a wine *cellar*

ゼラチン gélatin(e) Ⓤ.

ゼラニウム 〖植〗geranium /ʤəréɪniəm/ Ⓒ.

セラピー （治療(法)）thérapy Ⓒ.

セラピスト thérapist Ⓒ.

セラミック ── 形（セラミックの）ceramic.
セラミックヒーター ceramic heater Ⓒ セラミックフィルター ceramic filter Ⓒ.

セラミックス ceramics Ⓤ.

せり¹ 競り auction Ⓒ《☞ きょうばい; せりうり》.
¶…を*競りにかける sell ... *at auction*

せり² 芹 Japanese parsley Ⓤ.

せり³ 迫り ☞ せりだし

せりあい 競り合い competition Ⓤ《☞ きょうそう¹》.

せりあう 競り合う （賞などを目指して）compete (「with [against] ... for ...) 自;（速さを競う）race 自.《☞ きょうそう¹》. ¶2 人の出場者は賞を目指して*せり合った The two contestants *competed with* each other *for* the prize.

せりあがる 迫り上がる rise (slowly) 自. ¶*迫り上がる[迫り上げ]舞台 an elevator stage《☞ せりだし》

せりあげる 競り上げる bid up 他.

ゼリー ── 名（ジャムや菓子の）jelly Ⓤ. ── 形（ゼリー状の）jellied. ── 動（ゼリー状にする）jellify 他;（ゼリー状に固まる）jelly 自. ゼリービーンズ（菓子）jelly bean Ⓒ.

セリーグ （野球）the Central League.

せりいち 競り市 （競売）auction Ⓒ;（せりの行われる販売会）auction market Ⓒ;（せり市の場所）auction hall Ⓒ.《☞ きょうばい》. ¶*せり市で at *auction* ★ この場合は無冠詞.

セリウム 〖化〗cerium /sí(ə)riəm/ Ⓤ《元素記号 Ce》.

せりうり 競り売り ── 名 auction Ⓒ. ── 動 sell ... at auction.《☞ きょうばい》.

せりおとす 競り落とす buy ... at auction.

せりかつ 競り勝つ win in a close game 自《☞ せりあう》. ¶私は彼に*競り勝った I *competed* with him and 「*bested* [*defeated*] him.

せりだし 迫り出し （舞台の床の戸穴から役者がせり出すこと）the player's appearance on stage from a trapdoor;（せり出し用の装置）stage elevator Ⓒ.

せりだす 迫り出す （押し出す）push out 他;（突き出る）stick out 自, protrude 自 ★ 後者は格式ばった語. ¶役者を舞台に*せり出す *raise* an actor out of a trapdoor ★ trapdoor は舞台の「はね上げ戸」. // *せり出してきた腹が心配だ I am concerned about my *thickening* middle.

せりふ 台詞 （芝居などの）*one's* lines ★ 複数形で;（決まり文句）set phrase Ⓒ;（言葉）words ★ 複数形で;（発言）remark Ⓒ. ¶*せりふを忘れてしまった I forgot *my lines*. // 彼の*せりふは（⇒ 話し方は）気にくわない I don't like *the way he talks*.
台詞回し elocution on the stage Ⓤ. ¶彼は*せりふ回しがうまい（⇒ 壇上での話が上手）He is a good speaker on the stage.

せりもち 迫持 〖建〗arch Ⓒ.

せりょう 施療 free medical treatment Ⓤ. 施療患者 charity [free] patient Ⓒ 施療病院 charity hospital Ⓒ, free [noncharging] hospital Ⓒ.

せる 競る （競り合う）compete (with ...) 自;（競売で）bid 自 他.

セル （電池・細胞・表計算の）cell Ⓒ.

セル(じ) セル(地) serge Ⓤ《☞ サージ》.

セルシウス ── 名 固 Anders Celsius, 1701–1744. ★ スウェーデンの天文学者. 摂氏温度目盛りを創案.《☞ せっし》. セルシウス度 Celsius degree Ⓒ.

セルバンテス ── 名 固 Miguel de Cervantes Saavedra /səvǽnti:z sɑ:(ə)véɪdrə/, 1547–1616. ★ スペインの小説家.『ドンキホーテ』の作者.

セルビア ── 名 固 Serbia /sə́:biə/ ★ 旧ユーゴスラビア（2003 年国家連合「セルビア・モンテネグロ」(Serbia and Montenegro) となった）の一構成共和国. ── 形 Serbian, Serb. セルビア語（セルビア・クロアチア語）Serbo-Croatian /sə̀:boukrouéɪʃən/ Ⓤ セルビア人 Serb Ⓒ, Serbian Ⓒ.

セルフケア ── 名（自分の面倒を自分で見ること）self-care Ⓤ. ── 形 self-care.

セルフコンシャス ── 形（自意識の強い）self-conscious. ── 名 self-consciousness Ⓤ.

セルフコントロール （自制）self-control Ⓤ.

セルフサービス ―名 self-service Ⓤ. ―形 self-service. 日英比較 日本語の「セルフサービス」は英語とは違った使い方をするときもあるので，いつもそのまま英語に当てはまるとは限らないことに注意. ¶私たちは*セルフサービスの食堂で昼食をとります We have lunch at ˹a *self-service* restaurant [a *cafeteria*]. // お茶は*セルフサービスでお願いします（⇒自分で行って取ってきて下さい）Please go and get ˹your tea *yourself* [*your own* tea]. // お菓子をここへ置きますので*セルフサービスでどうぞ（⇒勝手に召し上がれ）I'll put the cookies here, so please *help yourselves*.

セルフタイマー self-timer Ⓒ.

セルマ ☞テルマ

セルモーター（エンジンの始動装置）starter Ⓒ.

セルラーほうしき セルラー方式 cellular /séljʊlə/ sỳstem Ⓤ.

セルロイド ―名 cèllulòid Ⓤ ★もとは商標名. ―形 cèllulòid.

セルロース〖化〗(繊維素) cellulose Ⓤ.

セレクション（選ぶこと）selection Ⓤ;（選ばれたもの・極上品）selection Ⓒ.

セレクター（選択するもの・人）selector Ⓒ.

セレクト ―動 select ㊀.

セレナード〖楽〗serenade /sèrənéɪd/ Ⓒ.

セレブ（有名人）《略式》celeb Ⓒ ★*celebrity* の略. ¶ハリウッドの*セレブたち Hollywood *celebs*

セレベス ―名 ㊎ Celebes /séləbìːz/ ★インドネシアの Sulawesi 島の旧称. **セレベス海** the Celebes Sea.

セレモニー ceremony Ⓒ.

セレン〖化〗(非金属元素) selenium Ⓤ《記号 Se》.

セロ ☞チェロ

ゼロ 零 zero /zí(ə)roʊ/ Ⓒ 語法 数字のゼロは普通 (1) zero, (2) o(h) /óʊ/, (3) nought /nɔ́ːt/ ★主に《英》; (4) nothing, (5) nil /níl/ のように読まれる. 例えば (i) 2.03 は two point ˹*zero* [*o*; *nought*] three; 0.1 は *zero* point one. (ii) 競技の得点などの 3-0 は three (to) ˹*nothing* [*zero*;《英》*nil*]. (iii) 電話番号の 203-8146 は two-*o*-three, eight-one-four-six, また部屋番号などで 203 号室は room two-*o*-three と読む.《☞数字（囲み）》.
¶そのテストの点数は*ゼロだった I got (a) *zero* on the test. // 4 引く 4 は*ゼロです Four minus four ˹is [equals; leaves] *zero*. // 私たちのチームは 2 対*ゼロで野球に勝った Our team won the baseball game (by) two (to) *nothing*. // 彼は経済観念*ゼロです He has *no* sense of economy *at all*.
ゼロアワー（行動開始時刻）〖軍〗zero hour Ⓤ **ゼロエミッション**（排出ゼロ）zero emission Ⓤ **ゼロ歳児** child under one year old Ⓒ **ゼロサムゲーム** zero-sum game Ⓒ **ゼロシーリング** budget with no increase over the previous year Ⓒ 日英比較 「ゼロシーリング」は和製英語. **ゼロ成長** zero (economic) growth Ⓤ **零戦** Zero (fighter) Ⓒ **ゼロ敗** ―動 lose a game, scoring no points. ★野球の場合はコンマの後が with no runs となる. ―名（圧倒的敗北）overwhelming [complete] defeat Ⓤ;（無敗）no losses. ―形（無敗の）undefeated. **ゼロベース予算** zero-base(d) budgeting Ⓤ《略 ZBB》★前例によらず白紙状態から検討した予算. **ゼロメートル地帯** area below sea level Ⓒ.

ゼログラフィー（乾式複写法）xerography /zɪrágrəfi/ Ⓤ.

ゼロックス《商標》Xerox /zí(ə)rɑks/ Ⓒ;（コピー）photocopy Ⓒ.《☞コピー》. ¶*ゼロックスでページをコピーする *xerox* [*photocopy*] a page ★この xerox, photocopy は ―動.

セロテープ adhesive tape Ⓤ;《商標》《米》Scotch (tape) Ⓤ;《英》Sellotape Ⓤ ★しばしば小文字で.

セロトニン〖生化〗serotonin Ⓤ ★血管収縮・神経伝達作用をもつ. **セロトニン症候群** serotonin syndrome Ⓒ.

セロハン céllophàne Ⓤ. **セロハン紙** cellophane Ⓤ ★数えるときは a piece [two pieces] of ～ として.

セロリ〖植〗celery Ⓤ. ¶*セロリ 1 本 a stick of *celery*

せろん 世論 ☞よろん

せわ 世話 **1**《面倒》―動（日常・身辺の面倒を見る）take care of …; look after …;（病人の看病をする）attend ㊀, attend ˹on [upon] …
【類義語】世話をする，面倒を見るという意味では *take care of* …, *look after* … がほぼ同意で用いられることもあるが，前者は責任を持って面倒を見るという気持ちを強調し，後者は見守って世話をするという動作の面を強調する. 従って，*take care of* … のほうが応用範囲が広い表現ということができる. 例えば「私がその犬の世話を引き受けましょう」は I'll *take care of* the dog. / I'll *look after* the dog. の両方に訳せるが，*look after* はよく見張って逃げないようにするとか食事や散歩などの具体的な犬の世話というニュアンスがある. 病人などの世話には *look after* も用いられるが，やや格式ばっては ***attend***, ***attend*** ˹***on*** [***upon***] … 医者・看護師などが患者の世話をするのはこの表現が普通.
¶その女の子は赤ちゃんの*世話を頼まれた The girl was asked to ˹*take care of* [*look after*; *sit with*; *baby-sit*] the baby. ★sit with はベビーシッターとして子供のお守りをすること. // だれが病人の*世話をしているのですか Who *is attending* the patient?
2《やっかい・迷惑》:（困らせるようなこと）trouble Ⓤ《☞やっかい; めいわく》. ¶おばさんにあまり*世話をかけないようにしなさい Don't give your aunt *trouble*. / Don't *trouble* your aunt. // あなたは*世話の焼ける人ですね You're a *troublesome* person! // 私はおじの家に*世話になっている（⇒泊まっている）I'*m staying with* my uncle.
3《援助》―動（助ける）help ㊀;（親切にする）be kind to … ―名 help Ⓤ; kindness Ⓤ.《☞しんせつ¹》.
¶あの人にはたいへんお*世話になりました（⇒いろいろと助けてくれた）He *helped* me in various ways. // 彼女は私が仕事を始めたときいろいろ*世話をしてくれました She *helped* me *with* my job in various ways when I first started. // あなたにはずいぶんお*世話になりました（⇒ご親切(な助力を)ありがとう）Thank you very much for your ˹*kindness* [*kind help*]. // 余計なお*世話だ It's *none of your business*. / （⇒自分のことだけしていろ）Mind your own business. ★いずれも口語的な表現. / （⇒他人のことに口を出すな）Don't *poke your nose into* somebody else's business.
4《あっせん》―名（推薦）recommendation Ⓤ;（紹介）introduction Ⓤ;（あっせん）offices ★複数形で. ―動（見つけてやる）find ㊀.《☞あっせん》.
¶私は山田氏のお*世話（⇒推薦）で就職しました I got the position ˹*on* [*with*; *through*] *the recommendation of* Mr. Yamada. ★いずれの前置詞でも意味はほぼ同じ. / （⇒あっせんで）I gained the position *through the good offices of* Mr. Yamada. ★第 2 文のほうは格式ばった表現. // 彼は息子に家庭教師を*世話してくれた（⇒見つけてくれた）He *found* my son a tutor.
世話を焼く look after …, take care of …;（うるさいように）fuss over …
世話好き（いつでも喜んで人を助ける）be always ˹willing [ready] to help …《☞世話焼き》. ¶僕

の下宿のおばさんはとても*世話好きです My landlady *is always willing to help* others. **世話女房** (夫に尽くす妻) devoted wife Ⓒ《複 devoted wives》 **世話人** (担当者) person in charge (of ...) Ⓒ; (発起人) sponsor Ⓒ; (幹事) manager Ⓒ **世話物** drama dealing with the lives of ordinary people Ⓒ **世話焼き(人)** busybody Ⓒ **世話役** manager /mǽnɪdʒə/ Ⓒ, órganìzer Ⓒ; (面倒を見る人) caretaker Ⓒ.

せわしい ―形 (忙しい) busy; (落ち着かない) restless. ―副 busily; restlessly. 《☞ きぜわしい; いそがしい》.

せわた 背腸 (えびの) sand vein Ⓒ.

せわり 背割り (衣服の背の) rear vent Ⓒ; (材木の) split in a piece of lumber Ⓒ; (魚の) slit cut in the back of a fish Ⓒ. 《☞ せびらき》.

せん[1] 線 **1** 《直線・曲線などの》: line Ⓒ《☞ ちょくせん[1]; きょくせん》. ¶ 彼は紙に真っすぐな[曲がった]*線を1本描いた He drew a ⌈straight [curved] *line* on the paper. // 太い[細い]*線 a ⌈thick [fine; thin] *line*

2 《鉄道・電話などの》: line Ⓒ; (道路の車線) lane Ⓒ; (列車の番線) 《米》 track Ⓒ, 《英》 platform Ⓒ. 《☞ 数字 (囲み)》.

¶ 道路の下り*線は車でいっぱいだった The outbound *lane* of the road was jammed with cars. // 大阪行きの超特急は15番*線から出ます The superexpress (bound) for Osaka leaves from ⌈《米》 *track* [《英》 *platform*] (no.) 15.

3 《比喩的に》: (進路) track Ⓒ; (境界などの線) line Ⓒ.

¶ 彼の研究はいい*線いっているようだ He seems to be on the right *track* in his research. // 私たちは公私に一*線を画すべきだ We should draw a *line* between public and private ⌈business [affairs]. // 私たちはその契約の*線に沿って行動するつもりです We will act in ⌈*line* [*accordance*] with the contract. // *線が太い人 (⇒ 不屈の精神[意志]を持った) a person with ⌈an *unyielding* spirit [a *strong* will] / (⇒ 心の広い) a *broad-minded* person // *線が細い人 (⇒ 感受性の強い[傷つきやすい]) a ⌈*sensitive* [*vulnerable*] person // その*線 (⇒ 方針) で仕事を進めなさい Proceed along those *lines*.

> **コロケーション**
> **実線** a solid *line* / **斜線** a slant [an oblique] *line* / **垂直線** a vertical *line* / **水平線** a horizontal *line* / **点線** a dotted *line* / **波線** a wavy *line* / **破線** a broken *line* / **平行線** parallel *lines*

せん[2] 千, 1000 ―名 形 thousand ★「第1000 (番目)の」, あるいは「第1000 (番目)のもの」の場合は the (one) thousandth. 語法 1000 は a thousand または one thousand だが, 連続して数を数えるようなときは one thousand のほうが普通. また 2000 (two thousand), 3000 (three thousand) などの数でも複数形にはしない. ただし,「何千もの...」という場合には thousands of ... と複数形になる. 《☞ まん[1] 日英比較; 数字 (囲み)》.

¶ その陳情書には2*千人が署名をした Two *thousand* people signed the petition. // そのポップフェスティバルには何*千人ものファンが集まった *Thousands of* fans gathered at the pop festival.

千に一つ one in a thousand, very rare.

せん[3] 栓 (瓶・たるの) stopper Ⓒ; (コルク栓) cork Ⓒ 語法 ゴムやプラスチックのものについてもいう; (洗面台などの) plug Ⓒ. ¶ 彼女はその瓶の*栓がとれなかった She couldn't get the *cork* out of this bottle. // 瓶の*栓をしておいて下さい Please put the *cork* back in the bottle. // ガスの*栓を締めて[開けて]下さい Please *turn* ⌈*off* [*on*] the gas.

せん[4] 選 (選択) selection Ⓤ; (採択すること) acceptance Ⓤ. 《☞ にゅうせん[1]; らくせん》. ¶ 私の作品は*選にもれた My work was not *accepted*.

せん[5] 腺 〘解〙 gland Ⓒ.

せん[6] 先 ―副 (以前に) sometime ago, once. 《☞ いぜん[1]》. ¶ *先にここに来たことがある I've been here ⌈*once* [*before*]. // *先を越す (⇒ 先に行く) get a head start

せん[7] 詮 (効果) effect Ⓒ; (結果) result Ⓒ. ¶ *詮のないことです (⇒ それについて何もすることができない) There is nothing anyone can do about it.

-せん ...戦 **1** 《戦い・争い》: war Ⓒ. ¶ 冷*戦 a cold *war* ★ かつての米ソのものは the Cold War. // 神経*戦 a *war* of nerves

2 《試合》: match Ⓒ, game Ⓒ. ¶ リーグ*戦 a league *match* // オープン*戦 an exhibition *game*

3 《運動》: campaign Ⓒ. ¶ 選挙*戦 an election *campaign*

ぜん[1] 善 (よいこと) good Ⓤ; (正しいこと) right Ⓤ. 《☞ ぜんあく》. **善は急げ** (⇒ 日の照るうちに干し草を作れ) Make hay while the sun shines. 《ことわざ》

ぜん[2] 膳 (食卓) table Ⓒ; (ごはんなどの1杯分) helping Ⓒ. 《☞ おかわり》. ¶ 二の*膳 the second *table* **膳に上る** be served on the table.

ぜん[3] 禅 〘仏教〙 Zen (Buddhism) Ⓤ. **禅学** the dogmatics of Zén Buddhism /búːdɪzm/ **禅問答** Zén diálògue Ⓒ; (なぞめいた問答) paradoxical and mystical dialogue Ⓒ; (公案) koan Ⓒ.

ぜん-[1] 全... ―形 all Ⓐ; (全体の) whole Ⓐ; entire Ⓐ ★ 後の2つは単数名詞を伴い, ある集合体全体をいう. 《☞ ぜんぶ[1]; すべて (類義語)》.

¶ 彼は火事で*全財産を失った He lost *all* his property in a fire. // *全10巻 the *complete* (set of) ten volumes // *全責任を負う take *full* responsibility

全科 (全部の科目) all the subjects; (全部の課程) all the courses, the ⌈whole [full] curriculum **全課** (課全体) the entire section; (全部の課) all the sections 《☞ 全科》 **全館** (一つの建物全体) the whole building; (全部の建物) all the buildings. ¶ *全館冷房 《掲示》 Air-conditioned 日英比較 特に「全」を訳す必要はない. **全期** the whole ⌈term [period] **全軍** the whole ⌈army [force] **全戸** (一家全体) the whole family; (地域の) all the houses (in the area) **全室** all the rooms. ¶ *全室冷暖房完備 *All the rooms* are air-conditioned. **全自動** ―形 fully automatic. ¶ *全自動カメラ a *fully automatic* camera **全自動洗濯機** automatic washing machine Ⓒ **全隊** (すべての隊) the entire force; (隊全体) the whole unit. ¶ *全隊止まれ 《号令》 Halt!

ぜん-[2] 前... ―形 (以前の) former Ⓐ. ―接頭 ex- ★ former より格式ばった言い方. 《☞ まえ; もと[2]; 接頭辞 (巻末)》. ¶ *前アメリカ大統領 the ⌈*former* President [*ex*-President] of the United States // *前近代的な (⇒ 旧式の) dated

-ぜん ...然 ¶ 彼は学者*然としている (⇒ 学者らしい様子を持っている) He has a scholarly *air* about him. // 彼はその賞をもらったことを得意*然として自慢した (⇒ 得意そうに) He boasted *triumphantly* of having won the prize.

ぜんあく 善悪 (正しいことと間違ったこと) right and wrong 《☞ よしあし》. ¶ 子供でさえ*善悪の区別はできる Even a child can tell *right* from *wrong*.

せんい[1] 繊維 (原料としての) fiber (《英》 fibre) Ⓤ. ¶ 合成 [化学] *繊維 synthetic [chemical] *fiber* //

ガラス*繊維 glass *fiber* // 食物*繊維 dietary /dáɪətèri/ ˹*fiber* [《英》*fibre*] 繊維強化プラスチック fiber-reinforced plastics 《略 FRP》 繊維工業 the textile /tékstaɪl/ industry Ⓤ 繊維細胞〘生〙fibrocyte Ⓒ;〘植〙fibrous cell Ⓒ 繊維作物 fiber [《英》fibre] plant Ⓒ 繊維素〘植〙cellulose Ⓤ;〘動〙fibrin Ⓤ 繊維組織〘解〙fibrous tissue Ⓤ 繊維板 fiberboard Ⓒ.

せんい[2] **戦意** (闘志) fighting spirit Ⓤ.

せんい[3] **船医** ship's doctor Ⓒ.

せんい[4] **遷移** (移り変わり) transition Ⓤ;〘生態〙succession Ⓤ. (☞ すいい[1]). 遷移元素 transition element Ⓒ.

ぜんい 善意 (親切心) kindness Ⓤ; (よい意図) good intentions ★ 通例複数形で; (相手に理解を示し, 有利に計らってやるような) favor (《英》favour) Ⓤ. (☞ こうい[2]). ¶ 彼女は*善意で援助を申し出た She offered her help out of *kindness.* // あなたが*善意でしたことはわかっています I know that you did it with ˹*good* [*the best*] *intentions.* // 彼の言葉を*善意に解しておこう Let's take what he said in a ˹*favorable* [*positive*] sense. // *善意の人 a person of *goodwill* 善意の第三者 third party acting in good faith Ⓒ.

せんいき 戦域 war zone Ⓒ; (軍事行動を行う範囲) area of operation Ⓒ, the theater of operations. 戦域核兵器 theater nuclear weapon Ⓒ 戦域ミサイル防衛 theater missile defense Ⓒ.

ぜんいき 全域 the entire ˹region [area] (☞ いったい[4]; ぜん-[1]). ¶ その地方は*全域にわたってひどい地震の被害を受けた *The entire region* suffered heavy damage from the earthquake. // 関東*全域 *the entire* Kanto *Region*

ぜんいしき 前意識〘心〙preconsciousness Ⓤ.

せんいつ 専一 (専念する) devote *oneself* to …; (集中する) concentrate on … (☞ せんねん[1]). ¶ 《手紙で》御自愛*専一になさって下さい With best wishes. (☞ 手紙の書き方 (囲み)) 日英比較 英語で Please take good care of yourself. のような表現は, 普通健康のすぐれない人に対して使う.

せんいん 船員 (船乗り) sailor Ⓒ; (ある船の乗組員全体) crew Ⓒ; (船員の 1 人) member of the crew Ⓒ, crew member Ⓒ. (☞ すいへい[2]; のりくみいん). 船員手帳 seaman's book Ⓒ 船員保険 seamen's insurance Ⓤ.

ぜんいん 全員 all the members (☞ ぜん-; みな). 全員一致 — [形] unanimous /juːnǽnəməs/. — [副] unanimously. ¶ その法案は*全員一致で可決された The bill was passed *unanimously.* 全員集合 (号令) All hands together. ¶ *全員集合しました We have a *full attendance.*

せんうん 戦雲 war clouds ★ 通例複数形で. ¶ 中近東に*戦雲が立ち込めている *War clouds* are gathering over the Middle East.

せんえい 先鋭, 尖鋭 — [形] (急進的な) radical (☞ かげき[1]). 先鋭化 — [動] become [turn] radical, radicalize (自) (他). — [名] radicalization Ⓤ 先鋭分子 (過激派の人) radical element Ⓒ.

ぜんえい 前衛 — [名] (軍隊の) advance guard Ⓒ, 《格式》the vanguard; (競技の) forward Ⓒ. — [形] (芸術などで時代の先端を行く) avant-garde /àːvaːŋgáːd/. 前衛芸術 avant-garde art Ⓤ 前衛戦 advance-guard fighting Ⓤ 前衛派 (集合的に) the avant-garde 前衛部隊 advance guard Ⓒ; (地上部隊・爆撃部隊などの) screen Ⓒ.

せんえつ 僭越 — [形] (厚かましい) àudácious; (生意気な) 《略式》cheeky. ¶ 彼がそんなことを言うとは*僭越至極だ It's very *audacious* of him to say so. // 皆さん, *僭越ながら新郎新婦への乾杯の音頭をとらせていただきます (⇒ …することをお許し下さい) Ladies and gentlemen, please *allow* me *to* propose a toast to the bride and (bride)groom. 日英比較 かなり格式ばった表現. 日本語の「僭越ながら」に当たる表現は英語では使わないので, 英訳する場合には無視するほうがよい.

せんおう 専横 — [形] (独断的な) arbitrary; (高圧的な) high-handed, 《略式》bossy. (☞ わがまま; おうぼう). ¶ *専横な振舞いをする (⇒ 自分勝手にやる) have *one's own way* / (⇒ 高圧的な態度をとる) take a *high-handed* approach

ぜんおう 全欧 — [名] the whole of Europe. — [副] all over Europe.

ぜんおん 全音〘楽〙whole tone Ⓒ. 全音音階 the whole-tone scale.

ぜんおんかい 全音階 the whole scale.

ぜんおんぷ 全音符〘楽〙《米》whole note Ⓒ, 《英》semibreve Ⓒ.

せんか[1] **戦火** (戦争) war Ⓤ (☞ せんそう[1]).

せんか[2] **戦禍** war devastation Ⓤ.

せんか[3] **戦果** military achievements ★ 複数形で.

せんか[4] **専科, 選科** special course Ⓒ. 専科生 special-course student Ⓒ.

せんか[5] **選歌** (入選した歌) selected poem Ⓒ; (歌を選ぶこと) selection of poems Ⓤ ★「選歌集」の場合は Ⓒ.

せんか[6] **船架**〘海〙(造船・修理用の) cradle Ⓒ; (引き上げ船台) slipway Ⓒ.

せんか[7] **選果** — [名] fruit ˹sorting [grading] Ⓤ. — [動] sort, grade (他).

せんが 線画 (技法) line drawing Ⓤ ★ 描かれた絵は Ⓒ. (☞ え[1]).

ぜんか 前科 (犯罪歴) criminal record Ⓒ. ¶ あの男には*前科がある (⇒ 犯罪歴をもつ) He has a *criminal record.* // 彼女は*前科 3 犯だ She has *a criminal record*(,) consisting of three convictions. 前科者 ex-convict Ⓒ.

せんかい[1] **旋回** — [動] (方向を変える) turn (自); (円状に) circle (自). — [名] turn Ⓒ. (☞ かいてん[1]). ¶ 私たちの船は左に*旋回した Our boat *turned* to port. ★ port は左側の意味. // その飛行機は空港の上を*旋回していた The airplane *was circling* over the airport. // 右に急*旋回する make a sharp *turn* to the right // *旋回運動 *gyrating* movement 旋回飛行 circular flight Ⓒ.

せんかい[2] **仙界** (仙人の住む所) abode of hermits Ⓒ; (俗界を離れた所) place isolated from the secular world Ⓒ.

せんかい[3] **浅海** shallow sea Ⓒ. 浅海魚 shallow-sea fish Ⓒ 浅海堆積物 shallow marine sediment Ⓤ.

せんがい 選外 ¶ 彼女の作品は*選外になった (⇒ 選ばれなかった) Her work *has not been chosen.* / (⇒ 拒否された) Her work *has been rejected.* // *選外佳作に入る receive [win] (an) *honorable mention* (☞ らくせん)

ぜんかい[1] **全快** — [動] recover (…) completely. — [名] complete recovery Ⓤ. (なおる; かいふく[1, 2]). ¶ お父様ご*全快だそうで何よりです I'm glad to hear that your father *has completely recovered* (˹*his health* [*from* his illness]). // *全快祝いをする celebrate *one's complete recovery* (with a party)

ぜんかい[2] **前回** (the) last time (☞ このまえ). ¶ *前回はどこまでいきましたかね (⇒ どこで中止したか) Where did we leave off *last time*?

ぜんかい[3] **全開** — [動] open … (wide). ¶ エンジンを*全開にする *open* (*up*) the ˹throttle [engine] *wide* // エンジンを*全開にして at *full throttle*

ぜんかい[4] **全壊** ―動 be completely destroyed《☞ こわす（類義語）》. **全壊家屋** totally destroyed house Ⓒ.

ぜんかいいっち 全会一致 ―副 unanimously /juːnǽnəməsli/《☞ ぜんいん》. ¶彼女は*全会一致で議長に選ばれた She was elected ｢chairperson [chairwoman] by a *unanimous* vote.

せんがいき 船外機 outboard motor Ⓒ.

ぜんかく 全角 〚印〛 em Ⓒ. **全角文字** full-size character Ⓒ.

ぜんがく[1] **全額** the full amount; (総計) total Ⓒ, the sum total.《☞ ごうけい（類義語）》.

ぜんがく[2] **全学** ―形 all-campus《☞ ぜん-[1]; ぜんこう[1]》.

ぜんがく[3] **前額** ☞ ひたい

せんかくしゃ 先覚者 pìonéer Ⓒ《☞ くさわけ》.

せんかくしょとう 尖閣諸島 ―名 固 the Senkaku Islands. **尖閣諸島問題** dispute over the sovereignty of the Senkaku Islands Ⓒ.

せんがくひさい 浅学非才 *one's* lack of knowledge Ⓤ 日英比較 英語ではこのような東洋的謙遜の言葉をあまり使わない. 従って, 単なる謙遜のための「浅学非才」は訳出不要で,「どうか私に…をお許し下さい」(Please allow me to ...) のような丁寧な要請の形式に訳せばよい.《☞ 丁寧な表現（巻末）》.

ぜんがくれん 全学連 the National Federation of Students' Self-Government Associations.

せんかたない 為ん方無い, 詮方無い ☞ しかたがない

せんかん[1] **戦艦** battleship Ⓒ.

せんかん[2] **潜函** caisson /kéɪsɑn/ Ⓒ. **潜函工法** the caisson method **潜函病** caisson disease Ⓤ, the bends ★ 後者は the を付けて複数形で. 口語的.

せんかん[3] **選管** ☞ せんきょ（選挙管理委員会）

せんがん[1] **洗眼** eye washing Ⓤ. **洗眼薬** eyewash Ⓤ.

せんがん[2] **洗顔** face washing Ⓤ. **洗顔石鹸** facial soap Ⓤ **洗顔フォーム** facial foam Ⓤ.

せんがん[3] **腺癌** glandular cancer Ⓤ; 〚医〛 adenocarcinoma /æ̀dənoʊkɑ̀ɚsənóʊmə/ Ⓒ《複 ～s, -mata /-mətə/》.

ぜんかん 前漢 the ｢Wéstern [Eárlier; Fórmer] Han /hάːn/.

せんがんしゅぎ 先願主義 first-to-file ｢rule [system] Ⓒ.

ぜんがんしょうじょう 前癌症状 ―名 〚医〛 precancerous /prìːkǽns(ə)rəs/ condítion Ⓒ. ―形 precancerous.

せんかんすいいき 専管水域 exclusive fishery zone Ⓒ.

せんカンブリアじだい 先カンブリア時代 〚地質〛 the Precambrian /prìːkǽmbriən/ période.

せんき[1] **戦記** (戦争の記録) record of a war Ⓒ; (戦争の模様を記した実録) cómmentàries on a war ★ 複数形で; (年代順の記録) war chronicle Ⓒ. **戦記物語** ☞ ぐんきものがたり

せんき[2] **戦機** the time to open hostilities. ¶*戦機は熟した *The time* is ripe *to open fire*.

せんき[3] **疝気** 〚医〛 (腰痛) lumbago Ⓤ; (さしこみ) colic Ⓤ.

せんぎ[1] **詮議** ―動 (取り調べる) examine ⑩《☞ とりしらべる; しらべる》.

せんぎ[2] **先議** prior ｢consideration [deliberation] Ⓤ. **先議権** the right to prior ｢consideration [deliberation]. ¶予算の*先議権 *the right to prior deliberation* on a budget bill

ぜんき[1] **前期** ―名 (2 つに分けた前のほうの半分) the first half; (2 学期制の)《米》 the first semester; (次期に対して) the ｢former [preceding] term. ―形 (前期の) early.《☞ ぜんはん》. ¶江戸時代*前期 *the first half* of the Edo period **前期繰越金** the balance brought forward from the previous term **前期決算** settlement for the first half year Ⓤ **前期高齢者** the young-old ★ 総称; (説明的には) person in early old age (65 to 74) Ⓒ **前期中等教育** lower secondary education Ⓤ **前期末試験**《米》 final examination for the first semester Ⓒ,《英》 end-of-term examination for the first term Ⓒ.《☞ 学校・教育（囲み）》.

ぜんき[2] **前記** ―形 (上に述べた)《格式》 above-mentioned Ⓐ ★「上」といっても, すぐ上でなく, かなり前でもよい; (少し前の所で述べた)《格式》 aforementioned Ⓐ.《☞ ぜんじゅつ》.

せんぎだて 詮議立て ―動 conduct a thorough investigation.

せんきゃく[1] **先客** (先に来た客) earlier visitor Ⓒ. ¶彼の家へ寄ってみたらすでに*先客がいた (⇒ 彼はすでに訪問客を持っていた) When I went by his home, he already had *visitors*.

せんきゃく[2] **船客** passenger (on board) Ⓒ《☞ じょうきゃく》. **船客名簿** ship's passenger list Ⓒ.

せんきゃくばんらい 千客万来 ¶この前の日曜日は*千客万来でとても忙しかった (⇒ 多くの訪問者で) We had a very busy day last Sunday with *a lot of visitors*.

せんきゅう 選球 ―動 choose pitches. **選球眼** batting eye Ⓤ. ¶*選球眼がある[ない] have ｢good [poor] *batting eye*

ぜんきゅう 全休 ―動 (終日休む) be off work the whole day; (全期間休む) be off work the whole period.《☞ ぜん-[1]》 ¶土曜*全休 *all* Saturdays *off* // 彼は夏場所*全休だった He *missed every day* of the summer tournament.

ぜんきゅうふ 全休符 〚楽〛 whole rest Ⓒ,《英》 semibreve rest Ⓒ.

せんきょ[1] **選挙** ―名 election Ⓤ. ―動 elect ⑩.《☞ えらぶ; とうひょう[1]（類義語）; とうせん[1]》.

¶アメリカでは 4 年ごとに大統領の*選挙が行われる A presidential *election* takes place every four years in the United States. // 委員は*選挙で決まる The committee members *are elected*. // *選挙の結果はあすの正午までに判明します The *election* results will be known by noon tomorrow. // 放課後に生徒会役員の*選挙をします After school we are going to *vote on* a new slate of officers for the student association. ★ slate は選挙の候補者リスト. // 総*選挙 a general *election* // 中間*選挙 an interim *election* // *選挙に勝つ[負ける] win [lose] the *election* // *選挙に出かける (⇒ 投票場に行く) go to the polls

選挙違反 election irregularities ★ 通例複数形で. ¶彼は*選挙違反 (⇒ 公職選挙法違反) でつかまった He was arrested for a *violation of the Public Offices Election Law*. **選挙運動** election campaign Ⓒ **選挙運動員** canvasser Ⓒ, election campaigner Ⓒ; (軽蔑的に) elèctionéerer Ⓒ **選挙運動費** campaign expenditures **選挙演説** campaign speech Ⓒ **選挙応援演説** campaign support speech Ⓒ **選挙改革** electoral reform Ⓒ **選挙干渉** interference [intervention] in an election Ⓤ **選挙管理** election administration Ⓤ **選挙管理委員会** the Election Administration Committee **選挙管理内閣** caretaker government Ⓒ **選挙区** constítuency Ⓒ **選挙権** suffrage Ⓤ; (説明的に) the right to vote **選挙公報** eléction búlletin Ⓒ **選挙公約** campaign

ˈpromise [pledge] [C], election manifesto [C] 選挙資金 eléctoral fúnds ★ 複数形で; 《米》 war chest [C] 選挙地盤 *one's* electoral turf 選挙事務所 (election) campaign headquarters ★ 単数または複数扱い. 選挙制度 election system [C] 選挙制度審議会 the Election System Council 選挙戦 election campaign [C] 選挙速報 newsflash on election returns [C] 選挙立会人 election observer [C], 《英》 scrutineer [C]; (開票の) canvasser [C] 選挙人 voter [C]; (選挙区全体の) the electorate, the constituents ★ 集合的に. 選挙人名簿 register [registry] of voters [C] 選挙日 《米》 election [《英》 polling] day [C] 選挙法 election law [U] 選挙妨害 campaign [election] obstruction [U].

コロケーション

間接選挙 an indirect *election* / 公正な選挙 a fair *election* / 国政選挙 a national *election* / 市[町]会議員選挙 a municipal *election* / 市長[町長]選挙 a mayoral *election* / 衆議院[参議院]議員選挙 the ˈHouse of Representatives [House of Council(l)ors] *election* / ダブル選挙 a double *election* / 知事選挙 a gubernatorial *election* / 地方選挙 a ˈlocal [regional; provincial] *election* / 直接選挙 a direct *election* / 同時選挙 simultaneous *elections* / 抜き打ち選挙 a snap *election* / 不正工作された選挙 a rigged *election* / 補欠選挙 a by-*election* // 選挙を行う hold [organize; call] an *election*

せんきょ² 占拠 ── [動] occupy (他). ── [名] occupation [U]. (☞ せんりょう¹). ¶ 不法*占拠 illegal *occupation*

せんぎょ 鮮魚 fresh fish [U].

せんきょう¹ 戦況 the ˈwar [military] situation.

せんきょう² 船橋 bridge [C].

せんぎょう 専業 full-time job [C] (☞ ほんしょく; ほんぎょう). 専業主婦 full-time housewife [C] 専業主夫 ☞ しゅふ³ 専業農家 full-time farmer [C].

せんきょうし 宣教師 missionary [C].

ぜんきょうとう 全共闘 (全学共同闘争委員会) the All-Campus Joint Struggle Committee (of Universities).

せんきょく¹ 戦局 the ˈwar [military] situation.

せんきょく² 選曲 (曲を選ぶこと) selection of music [U]; (…に選ばれた曲) music selected (by …) [U].

せんきょく³ 選局 channel selection [U]; (同調) tuning [U]. ¶ BBC を*選局する *tune in to* the BBC // テレビの 3 チャンネルを*選局する (⇒ 3 チャンネルに変える) *change* the television *to* Channel 3 選局ダイヤル tuning dial [C] 選局ボタン channel button [C].

ぜんきょく 全曲 (すべての作品) the complete works (of …); (1 曲の全体) all (of …). (☞ ぜん-¹). ¶ 彼はベートーベンの*全曲のCDを買った He bought *the complete works of* Beethoven /béɪtoʊv(ə)n/ on CD. // タンホイザー*全曲を演奏した They performed *all of* Tannhäuser /tǽnhɔɪzə/.

せんぎり 千切り ── [名] shreds ★ 複数形で. ── [動] cut … into shreds, shred (他). (☞ 料理の用語 (囲み)). ¶ キャベツの*千切り *shredded* cabbage

せんきん 千金 ── [形] (極めて高い価値の) priceless. ¶ 一攫*千金を夢見る dream of a *bonanza* (☞ いっかくせんきん) // 一刻*千金 (⇒ 時は金なり) Time is *money*. 《ことわざ》

ぜんきんだいてき 前近代的 ── [形] (近代以前の) premodern; (旧態依然とした) old-fashioned; (時代遅れの) outdated.

せんぐう 遷宮 (神社を一時的に移すこと) the temporary removal of a shrine; (神体を新神社に安置すること) the installation of a deity in a new shrine. 遷宮祭 the ceremony for the removal of a shrine.

せんくしゃ 先駆者 (開拓者) pìonéer [C] (☞ くさわけ; さきがけ).

ぜんくしょうじょう 前駆症状 〘医〙 prodrome [C], premonitory symptom [C].

せんくち 先口 (約束など) previous ˈengagement [appointment] [C]; (申し込み・申し入れなど) previous ˈapplication [offer] [C].

ぜんくつ 前屈 (前へ曲げること) bending forward [U]; 〘医〙 (子宮などの) anteflexion [U]. (☞ まえかがみ).

せんグラフ 線グラフ line graph [C] (☞ グラフ).

せんぐんばんば 千軍万馬 (大軍) large army [C]; (多くの戦い) many battles. ¶ *千軍万馬の古つわ者 a veteran of *many battles*

せんけ 千家 the Senke school of the tea ceremony (☞ おもてせんけ; うらせんけ).

せんげ 宣下 ── [動] proclaim ˈthe Emperor's words [the Imperial /ɪmpí(ə)riəl/ Decrée].

せんけい¹ 扇形 ── [名] fan shape [C]; 〘幾〙 sector [C]. ── [形] fan-shaped; sectored. 扇形グラフ ☞ えんグラフ

せんけい² 線形 ── [形] linear. 線形空間 linear space [U] 線形代数 linear algebra [U] 線形動物 roundworm [C].

ぜんけい¹ 全景 (全体の眺め) complete view [C]; (壮大な一幅の景色) pànoráma [C]. ¶ この橋から滝の*全景が見える From this bridge we can ˈget [enjoy] a *complete view* of the waterfall.

ぜんけい² 前景 (風景・絵画の) the foreground (↔ the background).

ぜんけい³ 前傾 ¶ *前傾姿勢をとる take a *bent-forward* posture (☞ かがめる)

ぜんけい⁴ 前掲 ¶ *前掲の引用 the *above* quotation // *前掲の文献 the works *mentioned above* / the *above-mentioned* works 前掲書に *op.cit.* /ɑ́psít/ ★ ラテン語からの略号.

ぜんけいどうぶつ 蠕形動物 〘動〙 worm [C].

せんけつ¹ 先決 (第 1 にするべきこと) the first thing to do (☞ だいいち; まず). ¶ この問題の解決が*先決だ (⇒ 私たちはこの問題を第一に解決しなければならない) We must settle this problem *first*. // 家を建てるには土地を手に入れるのが*先決問題です If you want to build a house, *the first thing to do* is to buy land.

せんけつ² 鮮血 (fresh) blood [U].

せんけつ³ 潜血 〘医〙 occult blood [U]. 潜血試験 occult blood test [C].

せんけつ⁴ 専決 sole decision [C] (☞ どくだん). 専決事項 matter to be left to …'s sole decision [C].

せんげつ 先月 last month (☞ こんげつ; らいげつ; 時刻・日付・曜日 (囲み)). 先月号 (the) last month's issue (☞ ぜんごう).

せんけん 先見 foresight [U]. ¶ 政治家には*先見性が必要です A politician needs *foresight*. 先見の明 ¶ 彼は*先見の明がある He has great *foresight*.

せんげん 宣言 ── [動] (公にはっきりと) declare (他); (特に重大な事柄を権威をもって正式に) 《格式》 proclaim (他); (初めて正式に発表する) announce (他). ── [名] declaration [U]; proclamation [U].

《☞ げんめい[1]》.
¶アメリカ合衆国は 1776 年に独立を*宣言した The United States *declared* (its) independence in 1776. // 彼らはその島が自国の領土であると*宣言した <S (人)+V (*proclaim*)+O (名)+C (名)> They *proclaimed* the island their territory. // 彼は次期総選挙に出馬すると*宣言した He *announced* that he was going to run in the next general election. // 共同*宣言 a joint *declaration*
宣言書 written ｢declaration [statement] Ⓒ; (政党などの) manifesto Ⓒ.

ぜんけん 全権 full [plenary /plíːnəri/] power Ⓒ ★[ ] 内は格式ばった語. しばしば複数形で. 《☞ けんげん[1]; けんりょく》. ¶彼らはその交渉の*全権を彼に委任した They ｢invested [entrusted] him with *full powers* to carry ｢out [on] the negotiations. // *全権を握る hold *full power* **全権委員** plenipotentiary /plènəpəténʃ(ə)ri/ Ⓒ **全権委任状** commission of full power Ⓒ **全権大使** ambassador plenipotentiary Ⓒ.

ぜんげん[1] 前言 *one's* (previous) ｢words [remarks; statement Ⓒ] 《☞ ことば》. ¶彼はどうしても*前言を取り消さなかった (⇒ 自分の言ったことを撤回することを拒んだ) He refused to ｢withdraw [take back] ｢*his words* [*what he had said*].

ぜんげん[2] 漸減 ━動 gradually decrease ⓐ; (減少中である) be on the decrease. 《☞ へる[1]; げんしょう[1]》. ¶このごろは交通事故が*漸減している Traffic accidents *are gradually decreasing* these days.

せんけんたい 先遣隊 advance team Ⓒ.

せんけんてき 先験的 ━形 transcendental.

せんこ 千古 (大昔) remote antiquity Ⓤ; (永遠) eternity Ⓤ. **千古不易** ¶*千古不易の真理 an *eternal* truth // *千古不易の名声 *everlasting* fame

せんご 戦後 ━形 postwar Ⓐ (↔ prewar); (戦争の後の) after the war 語法 「戦後の日本」「戦後の時代」などのように, 固有名詞や時期などを表す名詞に付けるときは前者が普通. ━名 (戦後の時期・時代) the postwar ｢period [days; years; era]. ━副 after the war.
¶日本は*戦後間もなく民主化された Japan was democratized soon *after the war*. // *戦後の日本には戦前の日本と比べて多くの面で大きな違いがある *Postwar* Japan is very different from prewar Japan in many ways.
戦後派 the postwar generation **戦後派文学** Japanese literature of the postwar era Ⓤ **戦後賠償[補償]** postwar reparations **戦後補償問題** the ｢issue [problem] of post-World War II reparations.

ぜんご[1] 前後 **1**《方向・位置》 ━副 (前面と後方と) in front and behind; (前面と後尾と) in the front and (in the) rear; (前後に動く動作を表して) back and forth ★ この語順は固定したもの.
¶彼は旗を*前後に振った He waved the flag *back and forth*. // 彼は*前後を警官に護衛されていた He was guarded by policemen *in front and behind*. // 彼らは敵を*前後から攻めた They attacked the enemy *in the front and* (*in the*) *rear*.
2《時間》 ━前 (前か後に) before or after ...; (前後とも) before and after ...
¶その展覧会はクリスマス*前後に開かれるはずです The exhibition is to be held *sometime* ｢*before or after* [*around*] Christmas. // 私は昼食の*前後はテレビを見ていた I was watching television *before and after* lunch. // 2 つの台風が*前後して (⇒ つづけざまに) 本土を襲った Two typhoons hit the mainland *in rapid succession*.
3《およそ》 ━副 (約) about, around; (...かそこら) ... or so. 《☞ だいたい[1]; やく[3] (類義語)》. ¶彼は 10 時*前後に帰りました He returned home ｢*about* [*around*] ten o'clock. // 彼女は 30 歳*前後だ She is ｢*about* [*around*] thirty. / She is thirty *or so*.
4《秩序・筋道》 ¶彼はカードの順序が*前後しているのに気がついた He found the cards *placed in the wrong order*. // 彼女の話はよく*前後する (⇒ 混乱する) She often *gets confused* while talking.
5《理性・情緒》 ¶彼は*前後の見境もなく自動車を猛スピードで (⇒ 向こう見ずなスピードで) 走らせた He drove the car at a *reckless* speed.
前後を失う[忘れる] be beside [forget] *oneself*.
前後関係〘文法〙 cóntext Ⓤ **前後左右** (四方) all directions. ¶船は*前後左右に揺れ出した The ship began to *pitch and roll*. **前後賞** prize for the number preceding or following the winning number Ⓒ **前後不覚** ━動 (意識を失う) become unconscious. ¶彼は飲みすぎて*前後不覚になった (⇒ 意識を失った) He drank too much and ｢*passed out* [*lost consciousness*]. ★ lose consciousness のほうが格式ばった言い方. // *前後不覚に眠る (⇒ 死んだようにぐっすり眠る) sleep *like a log* // *前後不覚に酔いつぶれる drink *oneself unconscious*

ぜんご[2] (アジの体側にある) (keeled) scute Ⓒ.

せんこう[1] 選考 ━動 (慎重に吟味して選ぶ) select ⓣ; (テストまたは特別の審査基準などにより, ふるいにかけて選ぶ) screen ⓣ. ━名 selection Ⓤ; screening Ⓤ. 《☞ えらぶ (類義語); しんさ; せんばつ》. ¶新入社員は多数の応募者の中から*選考された The new employees *were selected* from among many applicants. // 委員会は奨学生の*選考を慎重に行った The committee carefully *screened* the students before awarding the scholarships. // 残念ながらあなたは*選考から漏れました Unfortunately, you *have* not *been selected*. // 書類*選考 ☞ しょるい
選考委員 member of a screening committee Ⓒ
選考委員会 screening committee Ⓒ **選考基準** criterion for selection Ⓒ《複 criteria》 **選考試験** screening test Ⓒ.

せんこう[2] 専攻 ━動 (大学で専攻する)《米》major in ..., specialize in ..., 《英》read ⓣ. ━名 (専門分野) special field (of study) Ⓒ; (専攻科目)《米》major (subject) Ⓒ, spécialty Ⓒ ★ 前者は特に大学についていう; 《英》spèciálity Ⓒ. 《☞ せんもん; 学校・教育 (囲み)》.
¶私は大学で生物学を*専攻した I ｢*majored in* [*read*] biology at (the) university. // 「彼女は大学で何を*専攻しているのですか」「心理学です」 "What *is* she *majoring in* [What is her *major*] at college?" "Psychology."
専攻科 postgraduate program Ⓒ 参考 普通は大学院の意味になるので, 説明が必要であれば special とか one-year とかの語句を前に付ける.

せんこう[3] 先行 ━動 (...より先へ進む) go ahead of ...; (...より時・順序などが前になる)《格式》 precede ⓣ; (先導する・リードする) lead ⓐ ⓣ. ━形 (ある特定のものの前の) preceding Ⓐ ★ 定冠詞が付くと「すぐ前の」の意; (以前の) previous Ⓐ.
¶*先行の (⇒ 前を走っていた) 車が故障した The car (which *was*) *ahead of* ours broke down. // 彼の考えは時代に*先行している His ideas *are ahead of* the times. // 《野球で》我々は 3 点*先行している (⇒ 3 得点リードしている) We'*re leading* by three runs. **先行権** (道路交通の) the right of way 先

行研究 previous research Ⓤ 先行詞〘文法〙antecedent Ⓒ 先行指数 leading index Ⓒ 先行指標 leader Ⓒ, leading indicator Ⓒ 先行投資 prior investment Ⓤ 先行法規 established regulations ★ 複数形で.

せんこう⁴ 潜行 ―― [動] (地下に) go underground; (身を隠す) remain [keep; stay] in hiding. 《☞ かくれる; せんぷく¹》. ¶ その陰謀が発覚すると彼は地下へ*潜行した He *went underground* as soon as the plot came to light.

せんこう⁵ 潜航 ―― [動] (水中に潜る) submerge (自); (水中を航行する) navigate under water. 《☞ せんすい¹》. 潜航艇 submarine Ⓒ.

せんこう⁶ 線香 íncense stìck Ⓒ. ¶ *線香をあげる offer *incense sticks* / (⇒ 線香をたく) burn *incense* 線香代 (香典) íncense mòney Ⓤ 線香立て incense burner Ⓒ 線香花火 sparkler Ⓒ.

せんこう⁷ 閃光 ―― [名] (ぱっと出る光) flash Ⓒ; (キラッときらめく光) glint of light Ⓒ. ―― [動] (閃光を放つ) flash (自). 《☞ ひかる》. 閃光信号 flashing signal Ⓒ 閃光電球 flash bulb Ⓒ.

せんこう⁸ 先攻 ―― [動] (go to) bat first.

せんこう⁹ 穿孔 ―― [動] (小さく丸い穴をあける[があく]) perforate (他) (自); (くり抜いて) bore (他); 〘医〙 trephine /trí:faɪn/ (他); (パンチで) punch (他). ―― [名] perforation Ⓒ. 穿孔カード punch card Ⓒ 穿孔機 drill Ⓒ 穿孔器 puncher Ⓒ; 〘医〙 trephine /trí:faɪn/ Ⓒ 穿孔性潰瘍 perforated ulcer Ⓒ.

せんこう¹⁰ 戦功 military merit Ⓤ 《☞ てがら》.

せんこう¹¹ 選鉱 ore dressing Ⓤ.

せんこう¹² 鮮紅 鮮紅色 ―― [名] scarlet Ⓤ. ―― [形] scarlet.

ぜんこう¹ 全校 (学校全体) the whole school; (全校生徒) all the students of the school, the student body. 《☞ がっこう; ぜん-¹》. ¶ *全校がサッカーチームの勝利を喜んだ *The whole school* celebrated the victory of its soccer team.

ぜんこう² 前項 (前に述べた条文 [項目, 節]) the preceding ⌈clause [item; paragraph] Ⓒ; (比の) 〘数〙 the antecedent Ⓒ.

ぜんこう³ 善行 (一つ一つのよい行い) good deed Ⓒ; (道徳的に見てよい行い) good conduct Ⓤ. 《☞ おこない》. ¶ *善行を積む (⇒ よい行いをし続ける [蓄積する]) keep on doing [accumulate] *good deeds* // *善行を表彰する recognize *a person's good conduct*

ぜんごう 前号 the ⌈last [preceding] ⌈issue [number] 〔語法〕 the last issue は現在の号の1つ前の号であるが, the preceding issue は, いずれの号についても, その1つ前の号という意味となる. 《☞ ごう¹》. ¶ その記事については*前号を参照して下さい Please refer to *the preceding* ⌈*issue* [*number*] for the article. // *前号より続く Continued from *the last issue.*

せんこうどうぶつ 先口動物 〘動〙 protostome /próʊtəstòʊm/ Ⓒ.

せんこく¹ 宣告 ―― [動] (刑を言い渡す) sentence (他), pass (a) sentence (on ...); (宣言する) pronounce (他). ―― [名] (判決) sentence Ⓒ; (有罪の宣告) condemnation Ⓒ. 《☞ はんけつ》.
¶ 裁判官は彼に死刑の*宣告をした The judge *sentenced* him to death. // 彼は5年の刑を*宣告された He *was sentenced* to five years in prison. / He ⌈got [received] five years. ★ くだけた表現. 《☞ くだけた英語と堅苦しい英語 (巻末)》 // 法廷は彼女に無罪を*宣告した (⇒ 彼女を無罪とした) The court *acquitted* her *of* the charge. / She *was found* ⌈not guilty [innocent]. ★ 第1文のほうが格式ばった表現. // 医者は家族に病人はあと3か月の命しかないと*宣告した (⇒ 言った) The doctor *told* the family that the patient would have only three months to live. // 審判は三振を*宣告した The umpire /ʌ́mpaɪə/ *called* him out on strikes.
宣告書 announcement in writing Ⓒ; (証明書) certificate Ⓒ.

せんこく² 先刻 (ちょっと前) a short ⌈time [while] ago; (すでに) already. 《☞ さきほど》. ¶ *先刻承知だ I'm well aware of that.

ぜんこく 全国 ―― [名] the whole country; (全国各地) all parts of the country. ―― [形] (全国的な) nationwide. ―― [副] (国中に) throughout [all over] the country; (全国で) across the ⌈nation [country]. 《☞ くに (類義語); かくち; ぜん-¹》.
¶ 寒波が*全国を襲った A cold wave hit *the whole* ⌈*country* [*land*]. // 応募者は*全国から集まった Applicants ⌈gathered [came] from *all* ⌈*parts of* [*over*] *the country.* // その祭りは日本*全国によく知られている The festival is known *throughout Japan.* // *全国規模の学会 a *nationwide* academic society // 首相の演説は今夜*全国に放送される The prime minister's ⌈speech [address] will be broadcast *nationwide* tonight. // 警察は交通事故を防止するために*全国的な運動を始めた The police started a *nationwide* campaign to ⌈stop [prevent] traffic accidents.
全国区 the ⌈national [nationwide] constituency /kɑnstítʃuənsi/ 全国区選出参議院議員 council(l)or elected from the national constituency Ⓒ 全国紙 national [nationwide] newspaper Ⓒ 全国指名手配 ¶ 彼は*全国指名手配された He *was placed on a nationwide wanted list as a suspect.* 全国人民代表大会 (中国の) the National People's Congress 《略 NPC》 全国大会 (集会) national ⌈convention [conference] Ⓒ; (競技会) national (athletic) meet Ⓒ 全国中継 nationwide hookup Ⓒ 《☞ ちゅうけい》 全国平均 national average Ⓒ 全国放送 nationwide broadcasting Ⓤ; (番組) nationwide program Ⓒ 全国本部 national headquarters ★ 複数形で. ときに単数扱い.

せんごくじだい 戦国時代 (日本の) the *Sengoku* period; (中国の春秋時代なども含めて) the Warring-States period.

せんごくだいみょう 戦国大名 warlord of the ⌈*Sengoku* [Warring-States] period Ⓒ.

せんごくぶね 千石船 large merchant ship Ⓒ.

ぜんごさく 善後策 (改善する手段) remedial /rɪmí:diəl/ méasure Ⓒ ★ しばしば複数形で; (改善策) rémedy Ⓒ.
¶ すぐに*善後策を講じたほうがよい We should ⌈take [work out] *remedial measures* immediately. / (⇒ 事態は素早い改善策を必要としている) The situation requires a speedy *remedy*.

せんこつ 仙骨, 薦骨 〘解〙 sacrum Ⓒ 《複 ~s, sacra》.

ぜんこみぞう 前古未曾有 ☞ ここん (古今未曾有)

せんざ 遷座 shifting of the location of a deity Ⓒ. 遷座祭 ceremony for the removal of a deity to a new site Ⓒ.

ぜんざ 前座 (初めの演技) opening performance Ⓒ; (開幕劇) curtain raiser Ⓒ; (人) minor ⌈performer [character] Ⓒ. ¶ *前座をつとめる play a *minor* ⌈*role* [*part*]

センサー (感知装置) sensor Ⓒ.

せんさい¹ 繊細 ―― [形] (微妙な・鋭い) fine; (こまやかな感覚の) délicate ★ 壊れやすいというニュアンスが

ある; (肌などが過敏な・傷つきやすい) sensitive; (洗練された見事な) exquisite /ekskwízɪt/. ── [名] delicacy [U]; fineness [U]. 《☞ びみょう (類義語)》.

¶ 彼はユーモアを解する*繊細 (⇒ 鋭敏) な感覚を持っている He has a *fine* sense of humor. // *繊細な色彩感覚 a *delicate* sensibility for color(s) // *繊細な模様 an *exquisite* design

せんさい[2] 戦災 (戦争による被害) war damage [U]; (戦争による荒廃) war devastation [U]. ¶ この地域は*戦災をまぬがれた[被った] This district ⌈escaped [suffered] *war* ⌈*damage* [*devastation*]. **戦災孤児** war orphan [C] **戦災者** victim of the ravages of war [C] **戦災地区** war-damaged area [C].

せんさい[3] 先妻 (別れた妻) *one's* ⌈former [divorced] wife [C], *one's* ex-wife [C], 《略式》 *one's* ex [C].

せんざい[1] 潜在 ── [形] (隠れた) latent; (可能性のある) potential; (基底にある) ùnderlýing.

¶ だれでも人によく思われたいという*潜在的な欲望がある Everyone has a *subconscious* desire to be well thought of by others.

潜在意識 ── [名] subconsciousness [U]. ── [形] subconscious **潜在失業** potential unemployment [U] **潜在失業者** (集合的に) the potentially unemployed. ¶ *潜在失業者の数は (⇒ 潜在的失業は) 測りにくい *Latent unemployment* is difficult to measure. **潜在主権** latent sovereignty [U] **潜在需要** potential demand [U] **潜在成長力** potential growth [U] **潜在的脅威** latent threat [C] **潜在能力** potential capacities, latent talent ★ [U] または複数形で. ¶ 彼はその仕事に対して*潜在能力を持っている He has *latent talent(s)* for the job.

せんざい[2] 洗剤 detérgent [U] ★ 広い意味ではせっけん (soap) も含むが, 通常はせっけん以外の合成 [中性] 洗剤 (synthetic detergent) を指す. 製品・種類をいう時は [C]; (みがき粉) cleanser [U] ★ 製品・種類をいう時は [C]. 《☞ せんたく[1]》.

ぜんさい[1] 前菜 hors d'oeuvre /ɔədə́ːv/ [C].

ぜんさい[2] 前妻 ☞ せんさい[3]

ぜんざい 善哉 sweet, thick bean soup with rice flour dumplings [U] ★ 説明的な訳.

せんざいいちぐう 千載一遇 ¶ *千載一遇の機会 a ⌈*rare* [*golden*] opportunity // 私は*千載一遇の機会 (⇒ 生涯一度のチャンス) を逃した I ⌈lost [missed] *the chance of a lifetime*. // いまが*千載一遇の機会だ This is *one chance in a million*. / (⇒ いまか, でなければもう二度とない) Now or never! ★ 成句. 《☞ またとない》

せんさく 穿鑿, 詮索 ── [動] (他人のことに立ち入る) pry into ..., poke *one's* nose into ... ★ 後者のほうが口語的; (調査する) look [inquire] into ...; (細かく調べる) scrutinize (他). 《☞ しらべる; おせっかい (類義語)》.

¶ 彼女の過去を*せんさくしてもむだだ It is no use *prying into* her past. // 彼はまだその問題を*せんさくしている He *is* still ⌈*looking* [*inquiring*] *into* the matter. // 彼女は他人のことを*せんさくするのが好きだ She is very ⌈*inquisitive* /ɪnkwízətɪv/ [*curious* /kjú(ə)riəs/] about other people's affairs. [語法] 自分に無関係のことを根掘り葉掘りせんさくするのが inquisitive で, 悪い意味で用いられるのが普通. curious は好奇心旺盛で物を知りたがること. 悪い意味はない. / (⇒ せんさく好きな女だ) She is ⌈an *inquisitive* [a *nosy*] woman. ★ nosy は軽蔑的な意味で用いられる. / (⇒ いつも他人のことに立ち入る) She always *pokes her nose into* other people's business.

詮索好き (好奇心) curiosity [U]. ¶ *詮索好きは身を誤る (⇒ 好奇心は猫をも殺した) *Curiosity* killed the cat. 《ことわざ》 ★ 猫は九生 (A cat has nine lives.) といってしぶとい動物とされているが, 詮索好きが過ぎるとその猫さえも殺してしまうということ.

センサス (国勢調査) census [C].

せんさばんべつ 千差万別 ── [形] (いろいろな種類の) (many and) various /vé(ə)riəs/; (広く多種多様の) a wide variety of ... 《☞ たしゅたよう》.

¶ 人の興味や趣味は*千差万別だ People's interests and hobbies are (*many and*) *varied*. / (⇒ 人は多種多様な興味や趣味を持っている) People have *a wide variety of* interests and hobbies. // 生活様式は国によって*千差万別だ (⇒ 各国の人々はそれぞれの生活様式を持っている) The people in each country have their own way of ⌈living [life].

ぜんざん 全山 the entire mountain. ¶ *全山紅葉 The leaves are coloring *all over the mountain*.

せんし[1] 戦死 ── [動] be killed in (the) war; (戦場で死ぬ) die in (the) battle ★ いずれも特定の戦争を意味する時のみ the を付ける. ── [名] death in battle [U]. 《☞ しぬ (類義語); せんそう[1]》. ¶ 彼の父は*戦死した His father *was killed in the war*.

戦死者 person killed in (the) war [C]; (集合的に) the war dead **戦死者遺族** war bereaved family [C], family of a combatant war casualty [C].

せんし[2] 戦士 fighter [C], 《文》 warrior [C]; (軍人・兵士) soldier [C]. ¶ 企業*戦士 a corporate *warrior* // 自由の*戦士 a freedom *fighter* // 無名*戦士の墓 the Tomb of the Unknown *Soldier*

せんし[3] 戦史 the history of a war.

せんし[4] 先史 prehistory [U]. **先史学** (the study of) prehistory [U] **先史考古学** prehistoric archaeology [U] **先史時代** the prehistoric age.

せんし[5] 穿刺 〘医〙 centesis [C] 《複 centeses》.

せんじ 戦時 wartime [U] 《☞ せんそう[1] (類義語)》.

¶ 彼は*戦時中情報局に勤務した He worked for the intelligence service *during the war*. // 彼は*戦時中の指導者の一人だ He was one of the *wartime* leaders. **戦時禁制品** war contraband [U] **戦時景気** wartime boom [C] **戦時公債** war ⌈bond [loan] [C] **戦時国際法** the law of war **戦時体制** a wartime footing ★ a を付けて. ¶ *戦時体制下に置かれている be on *a wartime footing* **戦時内閣** war cabinet [C] **戦時犯罪** war crime [C] **戦時補償** war ⌈indemnity [compensation] [U] **戦時立法** wartime legislation [U].

ぜんし[1] 前史 the history of the preceding age.

ぜんし[2] 全紙 (大裁ちの紙) whole sheet of paper [C]; (新聞の全紙面) the whole space of the newspaper; (全ての新聞) all the ⌈papers [newspapers].

ぜんし[3] 前肢 forelimb [C], foreleg [C].

ぜんじ[1] 漸次 ── [副] (次第に) gradually; (少しずつ) by degrees. 《☞ じょじょに》.

ぜんじ[2] 禅師 Zen master [C].

ぜんしきもう 全色盲 total color blindness [U]; (人) totally color-blind person [C].

せんじぐすり 煎じ薬 (煮出したもの) decoction [C]; (薬草を熱湯につけて作ったもの) infusion [C].

ぜんじだいてき 前時代的 ── [形] (古風な) old-fashioned; (時代錯誤の) anachronistic.

せんじちゃ 煎じ茶 ☞ せんちゃ

せんしつ[1] 船室 cabin [C].

せんしつ[2] 泉質 chemical properties of spa water ★ 複数形で.

せんじつ 先日 the other day; (2, 3 日前) a few days ago; (少し前) some time ago [語法] このほかにも前後関係に応じて several days ago (4, 5 日ぐ

らい以前), some days ago などが使える. (☞ このあいだ). ¶私は*先日彼女に偶然出会った I saw her by chance *the other day*. // *先日かなり大きな地震があった We had a pretty strong earthquake ⌈*a few* [*some*] *days ago*. // 彼は*先日来 (⇒ ここ数日) 病気で寝ている He has been sick in bed *for* (*the past*) *several days*. // その本はつい*先日 (⇒ ごく最近) 出版された The book was published quite *recently*.

ぜんじつ 前日 ((…の)前日) the day before (…), the previous day, the preceding day ★ この順に格式ばった表現となる. (☞ まえ).
¶彼は*前日にホテルの予約を取り消した He canceled his hotel reservations (on) *the* ⌈*day before* [*preceding day*]. // 出発の*前日にあなたの手紙を受け取った I received your letter (on) *the day before* my departure. [語法] on があると強調的. // *前日に雨が降ったのでグラウンドはぬれていた The ground was wet, as it had rained *the day before*.

せんじつめる 煎じ詰める ― 動 bóil dówn (to …) 自. ― 副 (結局) after all, in the end; (要するに) in short. (☞ ようするに). ¶問題を*せんじ詰めると, 行くか行かないかということになる The question *boils down to* whether we should go or not. // *せんじ詰めれば (⇒ 結局) その責任は彼にある *After all*, he is responsible for it.

センシティブ ― 形 (感じやすい・感受性の豊かな) sensitive (☞ せんさい¹).

せんしばんたい 千姿万態 (多様なこと) endless variety Ⓤ; (さまざまであること) immense diversity Ⓤ.

センシビリティ (感覚・感受性) sensibility Ⓤ.

センシブル ― 形 (感受性の豊かな) sensitive [日英比較] 日本語ではしばしば「センシブル」を「感受性の豊かな」という意味で使うが, sensible は「思慮のある, ものの分かった」の意が普通.

せんしゃ¹ 戦車 tank Ⓒ. **戦車隊** tank corps /kɔ́ə/ Ⓒ (複 ～/kɔ́əz/).

せんしゃ² 洗車 ― 動 wash a car. ― 名 car wash Ⓒ, car washing Ⓤ. **洗車場** car wash Ⓒ.

せんじゃ¹ 選者 (選択者) selector Ⓒ; (判定者) judge Ⓒ. (☞ せんこう¹).

せんじゃ² 撰者 (作品を選んで歌集などを作る人) compiler Ⓒ; (古代文献についての書物の著者) author Ⓒ.

ぜんしゃ¹ 前者 the first (↔ the second), the former (↔ the latter) [語法] 口語では the first, the second のほうをよく用いる. the former, the latter は多少格式ばった言い方. the one, the other も用いられるが, この場合はどちらが前者でどちらが後者かあいまいになるおそれがある.
¶仕事も遊びもともに必要である. *前者は活力を, 後者は休息を与えてくれる Work and leisure (activities) are both necessary; ⌈*the first* [*the former*] gives us energy and ⌈the second [the latter], rest. (☞ セミコロン (巻末); 省略 (巻末))

ぜんしゃ² 全社 (一つの会社全体) the whole company Ⓤ; (どの会社もすべて) all the ⌈companies [firms].

ぜんしゃく 前借 ― 名 advance Ⓒ, loan Ⓒ. ― 動 borrow … in advance. (☞ まえがり). **前借金** advance money Ⓤ, loan Ⓒ.

ぜんしゃのてつ 前車の轍 ¶*前車の轍を踏むな (⇒ 前任者と同じ間違いをするな) Don't make *the same mistake as your predecessors* /prédəsèsəz/.

せんじゃふだ 千社札 votive ⌈card [slip] Ⓒ; (説明的には) name card pasted on the buildings of Shinto shrines by pilgrims Ⓒ.

せんしゅ¹ 選手 (競技者) player Ⓒ; (運動選手) áthlete Ⓒ; (学校などの代表選手) representative ⌈player [athlete] Ⓒ [語法] 以上のように一般的に選手をいうほか, 個々の競技種目によって「ゴルフの選手」golfer Ⓒ,「ボクシングの選手」boxer Ⓒ,「スケート選手」 skater Ⓒ などのように表すことも多い; (競走・競技をする人) compétitor Ⓒ.
¶彼は野球の*選手です He is a baseball *player*. // 彼女は高校ではバレーボールの*選手だった She ⌈*played* volleyball [*was on* the volleyball *team*] in high school.
選手団 team Ⓒ; squad Ⓒ ★ squad から team が選ばれる. ¶オリンピック出場*選手団 the Olympic *team* **選手登録** the registration of team members **選手村** (オリンピックの) Olympic village Ⓒ; (選手用の個々の宿泊所) athletes' dormitory Ⓒ.

せんしゅ² 先取 ― 動 (先に得点する) score first 自 (☞ とくてん¹). ¶我々は 2 回の表に 3 点*先取した We were *the first to score* three runs in the ⌈first [top] half of the second inning. // *先取点をあげたのはどちらですか Which team *scored first*? // 彼のチームは決勝戦で 2 点*先取した His team *scored the first* two points in the finals. **先取特権** 〔法〕 lien /lí:(ə)n/ Ⓒ.

せんしゅ³ 船首 bow /báʊ/ Ⓒ ★ しばしば複数形で; stem Ⓒ ★「船首から船尾まで」from stem to stern というときに使われる. (☞ ふね (挿絵); ヨット (挿絵)). **船首像** figurehead Ⓒ.

せんしゅ⁴ 船主 shipowner Ⓒ.

せんしゅ⁵ 腺腫 〔医〕 adenoma /ædənóʊmə/ Ⓒ (複 ～s, -mata).

せんしゅ⁶ 占守 occupation Ⓤ (☞ せんゆう¹).

センシュアル ― 形 (官能的な・肉感的な) sensual.

せんしゅう¹ 先週 last week (☞ らいしゅう¹; こんしゅう¹ [語法]; 時刻・日付・曜日 (囲み)).
¶*先週は手紙がたった 2 通しか来なかった (⇒ 2 通だけ受け取った) I received only two letters *last week*. // 私は*先週の土曜日に博物館へ行った I went to a museum /mju:zí:əm/ ⌈*last* Saturday [on Saturday *last*]. [語法] on Saturday last は格式ばった言い方. また last は「この前の」の意であるから, 例えば土曜日に last Wednesday といえば「今週の水曜日」の意であることに注意. その際, 今週の水曜日ではなく先週の水曜日であることをはっきりさせるには on Wednesday *last week* としなくてはならない. **先週のきょう** a week ago today. ¶*先週のきょうは大雪だった We had heavy snow *a week ago today*.

せんしゅう² 千秋 ☞ いちじつ (一日千秋の思い)

せんしゅう³ 選集 selection Ⓒ; (詩・文の) anthology Ⓒ; (選ばれた作品) selected works ★ 複数形で.

せんしゅう⁴ 専修 ― 動 (専攻する) (米) major in …, (英) specialize in … (☞ せんこう²; せんもん). **専修科** special course Ⓒ **専修学校** special (training) school Ⓒ (☞ せんもん (専門学校)).

ぜんしゅう¹ 全集 complete works ★ 複数形で. ¶シェークスピア*全集 the *complete works* of Shakespeare

ぜんしゅう² 禅宗 the Zen sect.

せんじゅうしゃ 専従者 ¶組合の*専従者 a *full-time* union official (☞ せんにん¹) **専従者控除** tax deduction for a family member working full-time at the family firm Ⓤ.

せんじゅうみん 先住民 (以前の住民) former inhabitant Ⓒ; (もともとその土地にいた人々) indigenous people Ⓒ [語法]「原住民」の意の

aborigines /æbərídʒəniːz/ は差別的な感じがあるので使わないほうがよい.《☞ げんじゅうみん》.
¶アメリカ*先住民 a *Native* American

せんしゅうらく 千秋楽 the ˹last [closing] day of… ¶あしたが春場所の*千秋楽です Tomorrow is *the last day of* the spring grand tournament (of sumo).

せんじゅかんのん 千手観音 〘仏教〙 the Goddess of Mercy with a Thousand Hands, the thousand-handed Kannon.

せんしゅけん 選手権 championship Ⓒ, title Ⓒ ★後者は選手権者の称号という意味だが, ほぼ同意に使われる. ¶そのゴルフ選手は1年に3つの*選手権を獲得した That golfer won three *championships* in a year. // 彼らはヘビー級ボクシングの世界[日本]*選手権を争った They ˹contended [fought] for the ˹world [Japanese] heavyweight boxing ˹*championship* [*title*].
選手権試合 title ˹match [bout; fight] Ⓒ **選手権大会** championship series Ⓒ **選手権保持者** champion Ⓒ, titleholder Ⓒ. ¶彼はボクシングのライト級世界*選手権保持者だ He is the world lightweight boxing *champion.*

せんしゅつ 選出 ━動 (選挙で) elect ㊀. ━名 election Ⓤ.《☞ せんきょ¹; えらぶ (類義語)》. ¶彼は東京都*選出の代議士だ He is a Diet member ˹*for* [*from*] Tokyo. // 私たちは彼を議長に*選出した We *elected* him chairman. 語法 役職が1名に限られる場合は無冠詞.《☞ 冠詞 (巻末)》.

せんじゅつ¹ 戦術 tactics ★「戦術」の意味では単数扱いで,「駆け引き」の意味では複数扱い; (全体の戦略) strátegy Ⓤ.《☞ さくせん; かけひき》.
¶彼らは奇襲[巧みな]*戦術でその戦いに勝った They won the battle by ˹surprise [clever] *tactics.* // *戦術上の撤退をする make a *strategic* withdrawal // 引き延ばし*戦術 delaying *tactics* **戦術家** tactician Ⓒ **戦術核兵器** tactical nuclear weapon Ⓒ《☞ せんりゃく (戦略核兵器)》.

せんじゅつ² 仙術 (超自然の術) supernatural art of a hermit Ⓒ; (不老不死の術) the secret art of immortality.

ぜんしゅつ 前出 ☞ ぜんじゅつ

ぜんじゅつ 前述 ━形 (上の) above Ⓐ; (上に述べられた) above-mentioned Ⓐ; (前に述べられた) aforementioned Ⓐ 語法 最後は格式ばった表現. なお, above(-) はそのページの上という意味ではなく, かなり前の部分でもかまわない. ━副 (上に) above.《☞ じょうじゅつ》. ¶*前述のように… as ˹*stated* [*mentioned*] *above*, … // *前述の理由によりご招待はお断りしなければなりません For the ˹reasons *mentioned above* [*above-mentioned* reasons], I have to decline your invitation.

せんしゅぼうえい 専守防衛 (国防上の政策) exclusively defense-oriented policy Ⓒ; (全く防衛的な態度[立場]) *exclusively defensive* ˹posture [stance] Ⓒ.

せんしょ 選書 selected works ★複数形で.

ぜんしょ¹ 善処 ━動 (適当な処置をとる) take proper ˹measures [steps]《☞ たいしょ¹》. ¶皆様方のご要望につきましては*善処いたす所存であります (⇒しかるべき配慮をする) We'll give your request *due consideration.* // 前向きに*善処する *take* positive *steps*

ぜんしょ² 全書 complete book Ⓒ. ¶六法*全書 The *Compendium* of Laws

せんしょう¹ 戦勝 victory Ⓒ. ¶*戦勝国 a ˹*victor* [*victórious*] nation **戦勝記念日** victory day Ⓒ, anniversary of a victory Ⓒ.

せんしょう² 先勝 ━動 win the first ˹game [match]《☞ しあい; かつ¹》.

せんしょう³ 選奨 ━動 (勧める) recommend ㊀. ━名 recommendation Ⓤ.《☞ すいせん¹》.
¶優良図書を*選奨する *recommend* good books

せんしょう⁴ 戦傷 war wound /wúːnd/ Ⓒ. **戦傷者** (総称として) the wár wòunded; (個人では) wounded ˹soldier [sailor; airman] Ⓒ, combatant wounded in battle Ⓒ **戦傷死者** war casualties ★複数形で.

せんしょう⁵ 僭称 ━名 pretension Ⓒ, false claim Ⓒ. ━動 (王位などを) pretend to …《☞ じしょう²》. ¶王位*僭称者 the *pretender* to the throne

せんじょう¹ 戦場 (戦闘の行われる場所) battlefield Ⓒ, battleground Ⓒ; (前線) front Ⓒ.《☞ せんそう¹ (類義語)》. ¶その町は*戦場と化した The town turned into a *battlefield.* // ここは第2次大戦の*戦場だった所です A battle was fought ˹here [in this place] in World War II. // 古*戦場 an old *battleground*

せんじょう² 洗浄 ━動 (洗う) wásh (óut) ㊀; (すすぐ) rínse (óut) ㊀.《☞ あらう; すすぐ¹》. **洗浄器** (局部の) bidet /bɪdéɪ/ Ⓒ **洗浄剤** detergent Ⓒ.

せんじょう³ 線上 ━副 (境界線上に) on the borderline. ¶彼は当落*線上にある (⇒境目の候補です) He is a *borderline* candidate.

せんじょう⁴ 線状 ━形 linear.

せんじょう⁵ 船上 ━副 (船に乗って) on board (a ship), aboard. ¶*船上の事故 an accident *on* ˹*a ship* [*board*] **船上生活** life on board Ⓤ.

せんじょう⁶ 線条 (筋) streak Ⓒ; (線) line Ⓒ. **線条痕** (弾丸の) mark left on a bullet Ⓒ **線条細工** (金・銀などの) filigree Ⓤ.

ぜんしょう¹ 全焼 ━動 (丸焼けになる) be burned down; (完全に焼き尽くされる) be ˹completely [totally] destroyed by fire ★後者のほうがより格式ばった表現.《☞ まるやけ; やける²; しょうしつ¹》. ¶その大火で50戸が*全焼した Fifty houses ˹(*were*) *burned down* [*were completely destroyed*] ˹*by* [*in*] the big *fire.*

ぜんしょう² 全勝 ━動 (負けなしで優勝する) win … without loss(es); (ストレート勝ちする) get straight wins. ¶彼は*全勝優勝した He *won* the championship *without losing once.*

ぜんしょう³ 前哨 〘軍〙 (前方を警戒する部隊) outpost Ⓒ. **前哨基地** outpost Ⓒ **前哨戦** (prelíminàry) skírmish Ⓒ **前哨地** outpost area Ⓒ **前哨部隊** outpost unit Ⓒ.

ぜんじょう¹ 前条 (前に述べた条文[項目, 節]) the preceding ˹clause [item; paragraph] Ⓒ.

ぜんじょう² 禅譲 ━動 abdicate (the throne in favor of *a person* of great virtue). ━名 abdication Ⓒ.

せんじょうじき 千畳敷 vast room floored with a thousand tatami mats Ⓒ; (広い場所) area as huge as a thousand-mat room Ⓒ.

せんじょうち 扇状地 alluvial fan Ⓒ.

せんじょうてき 扇情的 (きわもの的) sensational; (みだらなことを連想させる) suggestive. ¶その雑誌は*扇情的な記事や小説を売り物にしている The magazine features *sensational* articles and *suggestive* novels.

ぜんしょうとう 前照灯 ☞ ヘッドライト

せんしょく 染色 dyeing /dáɪɪŋ/ Ⓤ《☞ そめる》. **染色工場** dye works ★複数形でしばしば単数扱い.

ぜんしょく 前職 former occupation Ⓒ.

せんしょくしつ 染色質 〘生〙 (細胞核内の)

chromatin [U].

せんしょくたい　染色体　〘生〙 chromosome /króuməsòum/ [C].　**染色体異常** chromosome aberration [U]　**染色体検査** chromosome testing [U]　**染色体地図** chromosome map [C].

せんじる　煎じる　(煮る) boil (他); (薬草などを煮出す) decoct (他).

せんしん[1]　専心　**—**動 (…に献身的に身をささげている) be devoted to … ★ やや格式ばった言い方; (一身をささげる) devote *oneself* to …; (夢中になる) be absorbed in …; (精神を集中する) cóncentràte (on …) (自).　**—**副 (一心に) with all *one's* heart (and soul) ★ 文語的; (心から) wholeheartedly; (献身的に) devotedly. (☞ せんねん[1]; ねっちゅう; ぼっとう).

¶ 彼はその本の翻訳に*専心 (⇒ 没頭) している He *is* ⌈*devoted to* [*absorbed in*] the translation of the book. // あなたはいまの仕事に*専心すべきだ You should *concentrate on* your present work. // 一意*専心する *be* completely *absorbed*

せんしん[2]　線審　〘スポ〙 linesman [C].

せんじん[1]　先陣　van(guard) [C] ★ しばしば the を付けて; (先鋒) spearhead [C]. (☞ せんとう[1]).　**先陣争い**　**—**動 fight ⌈to be first [for first place].

せんじん[2]　千尋, 千仞　**千尋の谷** unfathomable chasm [C].

せんじん[3]　先人　(先駆者) pìonéer [C]; (人に先立つ者) *one's* prédecèssor [C].

せんじん[4]　戦陣　(戦いの場・戦場) battlefield [C], battleground [C].　¶ *戦陣に死す die on the ⌈*battlefield* [*battleground*]

せんじん[5]　戦塵　(戦場に立つ砂ぼこり) dust raised over a battlefield [U]; (戦争のさわぎ) the tumult of battle.　¶ *戦塵を避ける escape *the tumult of battle*

ぜんしん[1]　前進　**—**動 (先へ進む) go ahead (自); (ある目標に向かって進む) advance (自) ★「進歩する」の意味を含むことも多い; (前へ向かって移動する) move forward (自), proceed (自) ★ 後者のほうが格式ばった語.　**—**名 advance [U] ★「進歩」の意味では [C]; forward movement [C]. (☞ しんぽ; すすむ (類義語)).

¶ 我々は敵の*前進を食い止めた We checked the *advance* of the enemy. // 彼らは雨の中を 200 メートル*前進した They *advanced* two hundred meters in the rain. // 彼は 3 歩*前進した He *took* three steps *forward*. // 彼らはどんどん*前進した They *moved forward* at a good pace. // 我々は雪で*前進できなかった (⇒ 雪が我々が前進することを妨げた) The snow prevented us from *going* ⌈*forward* [*ahead*]. // *前進 (号令) *Forward*!

前進基地 advance base [C]; (前哨基地) outpost [C]　**前進命令** marching orders, orders to ⌈march [advance] ★ いずれも複数形で; 《略式》 the go-ahead.

ぜんしん[2]　全身　**—**名 (体全体) the whole body; (絵画・写真などで) the full length.　**—**副 (体中) all over ★ 前置詞としても用いる. (☞ からだ; ぜん-[1]).

¶ 彼は*全身汗だくだった He was perspiring *all over*. // 彼はその火事で*全身にやけどした He was burned *all over* (*his body*) in the fire. // 私は雨で*全身 (⇒ 頭の先からつま先まで) ずぶぬれになった I got wet *from head to foot* in the rain. // 彼は*全身の力を込めて車を押した He pushed the car *with all his might*. (☞ ぜんりょく)

全身運動　**—**名 exercise ⌈of [for] the whole body [U].　**—**動 exercise every part of the body.　¶ 水泳はよい*全身運動だ Swimming is (a) good *exercise for the whole body*.　**全身全霊**　¶ 彼はその作品に*全身全霊を打ち込んだ He devoted himself to the work *body and soul*. / He put his *heart and soul* into the work. (☞ せんしん[1])　**全身像** full-length portrait [C].　¶ 私は彼女の*全身像を描いた I painted a *full-length portrait* of her.　**全身不随**　**—**名 total paralysis [U].　**—**動 become ⌈completely [totally] paralyzed　**全身麻酔** géneral ⌈an(a)esthetic /æ̀nəsθétɪk/ [an(a)esthesia /æ̀nəsθíːʒə/] [U]　**全身療法** (漢方などの) holistic healing [U].

ぜんしん[3]　前身　¶ この会社の*前身は小さなガラス工場だった (⇒ もとは小さなガラス工場だった) This company was *originally* a small glass factory. / (⇒ …として出発した) This company *started as* a small glass factory.

ぜんしん[4]　漸進　**—**副 (徐々に) gradually; (一歩一歩) step by step.　**—**動 make gradual progress.　**—**形 (漸進的な) gradual. (☞ じょじょに; ゆっくり).　**漸進主義** gradualism [U]　**漸進主義者** gradualist [C].

ぜんしん[5]　前震　(前触れの小さな地震) foreshock [C].

ぜんじんきょういく　全人教育　(全般的な教育) all-around education [U]; (全人的でバランスのとれた人を育てる教育) education to bring up a well-rounded person [U]; (人格教育) humanistic education [U].

せんしんこく　先進国　advanced ⌈nation [country] [C] (↔ developing ⌈nation [country]); (先進工業国) industrialized nation [C].　¶ *先進国首脳会議 the summit conference of the *industrial*(*ized*) *nations*

せんしんばんく　千辛万苦　(あらゆる困難) all kinds of hardships.

ぜんじんみとう　前人未到　**—**形 (探検・調査されたことのない) unexplored; (だれも通ったことのない) untrodden; (前例のない) unprecedented; (処女地の) virgin. (☞ みとう; くうぜん).　¶ 彼はいまや*前人未到の (⇒ だれにも到達されてない) 地に立った He was now in a place *never* before *reached by anybody*.

せんす　扇子　Japanese (folding) fan [C].

センス　sense [C]; (趣味) taste [U]　日英比較 英語の sense は何かを解する「心」「意識」「観念」という意味だが, 日本語の「センス」は英語と同じ意味のほかに,「能力」「技術」「趣味」というような意味でも使う. 従って, 日本語で「センス」とあるからといって英語で sense と訳せるとは限らない. (☞ かんかく[2]).　¶ 彼はユーモアの*センスがない He has no *sense* of humor. // 彼女は料理の*センスがある [ない] (⇒ 料理がうまい [へただ]) She is a ⌈good [poor] cook. // 彼女はいつも*センスのいい服を着ている Her clothes are always in good *taste*. // 彼は*センス (⇒ 趣味) が悪い He has bad *taste*.

ぜんず　全図　complete map [C] (☞ ぜんけい[1]).

¶ 東京*全図 a *complete map* of Tokyo

せんすい[1]　潜水　**—**動 (水に潜る) dive (自); (水中に沈む) go underwater, submerge (自)　語法 人が水中に潜ることを表す最も一般的な語は dive. 人に限らず物が水中に入るのを表す口語的な語は go underwater で, 少し格式ばった語は submerge. (☞ もぐる).　**潜水泳法** underwater swimming [U]　**潜水艦** submarine [C]　**潜水病** the bends ★ the を付けて. 口語的; (減圧による病気) decompression sickness [U], caisson /kéɪsɑn/ disease [U]　**潜水夫** diver [C]; (潜水工作員) frogman [C]　**潜水服** diving suit [C].

せんすい[2]　泉水　(庭園に造られた池) (garden)

pond Ⓒ, miniature ˹pond [lake] Ⓒ; (泉) fountain Ⓒ; (わき水) spring water Ⓤ.

せんする 宣する (宣言する) declare ⑩; (重大なことを権威をもって)《格式》proclaim ⑩; (告げる・発表する) announce ⑩; (判定する) call ⑩. 《☞ せんげん》. ¶ 議長は開会を*宣した The ˹chair [chairperson] *announced* the opening of the meeting. 《☞ ぎちょう》// 審判は彼にアウトを*宣した The umpire ˹*called* [*gave*] him out.

せんずる 詮ずる **詮ずる所** (結局) after all; (要するに) in short. 《☞ つまるところ》. ¶ *詮ずる所彼は金が欲しいんだ *In short*, he needs some money.

ぜんせ 前世 (前の生涯) *one's* former life Ⓒ.
日英比較 キリスト教にはない考え方なので, さらに説明を要する場合がある《☞ うまれかわり; りんね》.

せんせい¹ 先生 **1**《教師》: teacher Ⓒ; instructor Ⓒ; schoolteacher Ⓒ; (大学の) professor Ⓒ.
日英比較 (1) 日本語では「先生」を呼びかけに使うが, 英語では teacher は普通呼びかけには用いない. 名前を入れて, 「…先生」と呼びかけるときは, 男には Mr. …, 女には Miss …, Mrs. …, Ms. … のように言う. 名前を言わないときは男には sir, 女には ma'am, madam と呼びかける.
【類義語】学校の先生を指す最も一般的な語は ***teacher*** で, 男性・女性両方に用いる. この語は以下の訳語の代わりに使ってもよい. 自動車の運転やコンピューター操作などの特殊技能を教える先生を指す場合は ***instructor***. 特に小・中・高の学校の先生ということを明確に言う語が ***schoolteacher***. 大学の先生は ***teacher*** でもよいが, 「教授」という意味では ***professor*** という. 《☞ 学校・教育 (囲み)》
¶ 私の父は学校の*先生です My father is a (*school*)*teacher*. / (⇒ 私の父は学校で教えています) My father *teaches* at a school. // 松本*先生は音楽の*先生です *Mr.* Matsumoto is a ˹music *teacher* [*teacher* of music]. 語法 (1) 「歴史の先生」「数学の先生」のようにある学科目の先生であることを言うには a ˹history [mathematics] *teacher* とも a *teacher of* ˹history [mathematics] とも言える. 日英比較 (2) 日本語の「松本先生」をそのまま英語にして Matsumoto teacher や teacher Matsumoto とすることはできない. ただし大学の先生であれば Professor Matsumoto という. // 彼のお母さんは高等学校の英語の*先生です His mother *teaches* English at a senior high school. 語法 (2) 「日本語[フランス語, 英語]の先生」は a *téacher* of ˹Jàpanése [Frénch; Énglish], または a Jàpanése [a Frénch; an Énglish] *tèacher* という. なお日本人[フランス人, 英国人]教師の場合はアクセントが a Jápanèse [a Frénch; an Énglish] *téacher* となることに注意. // 日本人の英語の*先生 a Japanese *teacher* of English //「あなたの*先生はどなたですか」「スミス*先生です」"Who is your *teacher*?" "*Mr.* Smith." // 私たちの*先生は厳しい[優しい] Our *teacher* is ˹strict [lenient] with us. 《☞ げんかく¹ 語法》// 担任の*先生 *one's* ˹homeroom [class] *teacher* // *先生, 窓を開けてもいいですか *Sir* [*Ma'am*]! May I open the window? 語法 (3) 実際には名前を直接呼んで Mr. Johnson とか Miss Ford のように言うほうが多い. // キーン博士はブラウン大学の日本文学の*先生です Dr. Keene is a *professor* of Jápanèse líteratùre at Brown University.
2《医者》: doctor Ⓒ《☞ いしゃ》.
¶ 竹田*先生は小児科の専門です *Dr.* Takeda is a ˹specialist in children's diseases [pèdiatrícian]. // *先生, 近ごろ食が進まないのですが, どこか悪いのでしょうか I am not eating well these days, *Doctor*. Is there anything the matter with me?

コロケーション
代わりの先生 a ˹substitute [《英》supply] *teacher* / 厳しい先生 a ˹strict [demanding] *teacher* / 教生の先生 a ˹practice [《英》student] *teacher* / 経験豊かな[経験の浅い]先生 an ˹experienced [inexperienced] *teacher* / 熱心な先生 a ˹devoted [hardworking] *teacher* / 無力な先生 an ˹ineffectual [incompetent] *teacher* / やる気を起こさせる先生 an inspiring [a stimulating] *teacher* / 有能な先生 a ˹competent [capable] *teacher*

せんせい² 宣誓 ── 動 (誓いを立てる) take [swear] an oath; (厳粛に約束する) make [give] a pledge. ── 名 oath Ⓒ. 《☞ ちかう (類義語)》.
¶ 彼女は就任の*宣誓をした She *took the oath* of office. // 彼は開会式で選手*宣誓をした (⇒ 全参加者を代表して正々堂々たることを誓った) He *made a pledge* to be fair on behalf of all the participants at the opening ceremony. **宣誓書** written oath Ⓒ.

せんせい³ 専制 ── 名 (圧制) déspotìsm Ⓤ ★ 軽蔑的; (暴政) týranny Ⓤ; (独裁権) autócracy Ⓤ; (絶対権力) dictátorshìp Ⓤ ★ díctatorship のアクセントもある. 軽蔑的; (絶対主義) ábsolùtism Ⓤ. ── 形 (専制的な) despótic; autocrátic; absolute. 《☞ どくさい¹》. **専制君主** absolute ˹monarch [ruler] Ⓒ **専制君主政体** absolute [despotic] monarchy Ⓒ **専制政治** despotic [autocratic] government Ⓤ; (独裁政治) autocracy Ⓤ.

ぜんせい¹ 全盛 the height of ˹prosperity [success; power]《☞ ぜっちょう》. ¶ 印象派は 19 世紀後半に*全盛をきわめた (⇒ 全盛に達した) The Impressionist school reached *the height of its* ˹*success* [*popularity*] in the late 19th century. // その歌手はいまが*全盛期だ The singer is at *the height of her career*.

ぜんせい² 善政 (よい政治) good government Ⓤ; (賢明な行政) wise administration Ⓤ; (正しい統治) just rule Ⓤ. 《☞ せいじ¹》. ¶ その王は*善政を施した (⇒ 賢明に治めた) The king *governed* the country *wisely*. / (⇒ 巧みに統治した) The king *ruled* the people *well*.

ぜんせいき 前世紀 (ある世紀の 1 つ前の世紀) the preceding century; (今の前の世紀) the last century. ¶ *前世紀の遺物 (⇒ 博物館行きの代物・時代遅れの人) a muséum pìece

せんせいこうげき 先制攻撃《格式》preemptive ˹attack [strike] Ⓒ《☞ さきんずる》. ¶ 彼らは敵に*先制攻撃を加えた They ˹made [delivered] a *preemptive attack* ˹against [on] the enemy. / (⇒ 敵が行動を起こす前に攻撃した) They *attacked* the enemy *before* the enemy went into action. ★ 第 1 文のほうが格式ばった表現.

せんせいじゅつ 占星術 astrólogy Ⓤ《☞ ほしうらない》. **占星術師** astrólogerⒸ.

せんせいてん 先制点 the first score.

せんせいりょく 潜勢力 (将来の可能性) potential Ⓤ; (隠された力) latent power Ⓤ. 《☞ せんざい¹》.

センセーショナリズム (扇情主義) sensátionalism Ⓤ.

センセーショナル (世間を騒がせる) sensational. ¶ *センセーショナルなニュース *sensational* news

センセーション sensation Ⓤ《☞ せんぷう; ひょうばん (類義語)》.

ぜんせかい 全世界 ── 名 the whole [all the] world ★ 定冠詞の位置に注意. ── 副 all over [throughout] the world. ── 形 (世界的な)

worldwide. 《☞ せかい; ぜん-¹》.

¶*全世界が首脳会談の成り行きを注目している *All the world* [*The whole world*] is watching developments in the summit conference. // 彼の名は*全世界に知られている His name is known ｢*all over* [*throughout*] *the world*. / (⇒ 彼は世界的な名声を持っている) He ｢enjoys [has] a *worldwide* reputation. ★ 第 1 文のほうが口語的.

せんせき¹ 船籍 the nationality of a ship, ship's registry Ⓤ. ¶日本の*船籍を持つ船 a ship of Japanese *registration* **船籍港** the port of registry **船籍票** certificate of registry Ⓒ.

せんせき² 戦跡 old battlefield Ⓒ. ¶*戦跡めぐりをする visit *old battlefields*

せんせき³ 戦績 (軍の) military achievements ★ 複数形で; (スポーツの) results ★ 複数形で.

ぜんせつ 前説 *one's* former ｢opinion [view]. ¶*前説を翻す change *one's former view*

ぜんぜつぼいん 前舌母音 〘音声〙 front vowel Ⓒ.

せんせん¹ 戦線 (battle)front Ⓒ 《☞ ぜんせん²; せんじょう¹》. ¶野党は政府に対して共同*戦線を張った The opposition parties formed a ｢united [joint] *front* against the government. // 人民解放*戦線 (the) people's liberation *front*

せんせん² 宣戦 ― 名 (戦争の宣言) declaration of war Ⓒ. ― 動 declare war ｢on [upon; against] ... 《☞ せんげん》. ¶イギリスとフランスは 1939 年 9 月 3 日にドイツに対して*宣戦した Great Britain and France *declared war* ｢*on* [*against*] Germany on September 3, 1939.
宣戦布告 declaration [proclamation] of war Ⓒ.

せんぜん 戦前 ― 形 prewar Ⓐ (↔ postwar); (戦争の前の) before the war. ― 名 (戦前の時期・時代) prewar ｢days [times] ★ 複数形で. ― 副 before the war, in (the) prewar days ★ 後者のほうがやや格式ばった言い方.

¶その歌は*戦前にはやったものだ The song was popular ｢*before the war* [*in* (*the*) *prewar days*]. // *戦前の水準 the *prewar* level
戦前派 the prewar generation.

ぜんせん¹ 善戦 ― 動 (抵抗してがんばる) put up a good fight; (競技・ゲームなどで) play [do] well; (最善を尽くす) do *one's* best. ¶わが校のチームは*善戦したがもう少しのところで負けた Our team *played well*, but lost the game by a narrow margin.

ぜんせん² 前線 (戦場の) the front (line); (気象の) front Ⓒ. 《☞ せんじょう¹》. ¶我々は*前線 [最*前線] で戦った We fought in *the* ｢*front* (*line*) [*forefront*]. // *前線基地 an outpost // 寒冷*前線の通過で気温が急に下がった The passage of the cold *front* caused a sudden drop in temperature. 参考 ｢温暖前線｣は warm front Ⓒ.

ぜんせん³ 全線 ★ 直訳すれば the whole line であるが, 英訳する場合には文脈に応じていろいろ言い換える必要がある. 《☞ ぜん-¹; ろせん》.

¶東北新幹線は 1982 年に*全線開通した The Tohoku Line of the Shinkansen was opened in 1982. 《☞ ぜんつう》 // この道路は大雪のために*全線が (⇒ 完全に) 通行禁止です This road is *completely* closed owing to ｢a [the] heavy snowfall. // 常磐線は*全線不通です (⇒ すべての列車運行が一時停止されている) *All* (*the*) *train services* are suspended on the Joban Line.

ぜんぜん 全然 (少しも…でない) not ... at all; (決して…したこと[すること]がない) never; (まったく) altogether, completely, entirely ★ altogether は他より口語的. 《☞ まったく; すこしも 語法》.

¶*全然わかりません I can't understand it *at all*. // そんな名前は*全然聞いたこともない I have *never* heard (of) such a name. // それは*全然信じられない It's *quite* unbelievable. // これはあれとは*全然違います This is ｢*altogether* [*completely*; *entirely*] different from that. // あの人は*全然知らない人だ (⇒ 一度も会ったことがない) I have *never* met him. / He is a ｢*total* [*complete*] stranger to me. // 彼がどこにいるか, *全然見当もつかない I haven't even the ｢*slightest* [*faintest*] idea (as to) where he is now. // それは*全然問題になりません That's *quite* out of the question.

ぜんぜんかい 前前回 the time before last 《☞ ぜんかい²》.

せんせんきょうきょう 戦戦恐恐 ― 副 (たいへん恐れて) in great ｢fear [dread]; (いらいらして) nervously; (おじけづいて) timidly. ― 動 (たいへん心配している) be ｢terribly [awfully; dreadfully] afraid.

¶彼は彼女の復讐(ふくしゅう)を恐れて, *戦々恐々と暮らしている He is living *in constant* ｢*fear* [*dread*] of her revenge. // 彼は試験の結果に*戦々恐々 (⇒ びくびく) としていた He *was very nervous* about the results of the examination. // 彼は不正行為がばれないかと*戦々恐々としている He *is terribly afraid* that his dishonest deed might come to light.

せんせんげつ 先先月 the month before last 《☞ せんげつ》.

せんせんしゅう 先先週 the week before last 《☞ せんしゅう¹》.

せんせんしゅとく 先占取得 preoccupancy /prìːάkjʊpənsi/ Ⓤ.

せんそ 践祚 succession (to the throne) Ⓤ.

せんぞ 先祖 áncestor Ⓒ ★ 通例祖父母以前の先祖に用いる. 民族・国民の先祖を指すときは通例複数形で用いる; forefathers ★ 通例複数形で用いる. 文語的で, 土地に定住した先祖を意味する; (集合的に) ancestry Ⓤ; (始祖) root Ⓒ. 《☞ そせん》.

¶私たちは*先祖が同じだ We have a common *ancestor*. / We are *of* common *descent*. ★ descent は｢血統｣の意. // *先祖代々の墓 the *family* ｢tomb [grave] // 私の*先祖は菅原道真[藤原氏]です (⇒ 私は菅原道真[藤原氏]の子孫だ) I *am descended from* ｢Sugawara no Michizane [the Fujiwara family; the Fujiwara clan]. // 彼の家は*先祖代々医者だ (⇒ 代々医者を開業している) His family has practiced medicine *for generations*. // *先祖をさかのぼってたどる trace (back) *one's roots*
先祖返り 〘生〙 átavìsm Ⓤ ★ 具体的な事例は Ⓒ.
先祖伝来 ― 形 ancéstral.

せんそう¹ 戦争 (大規模な) war Ⓤ; (戦闘) battle Ⓤ 語法 以上 2 つはいずれも普通は冠詞が付かないことに注意. ただし個々の戦争や特定の戦争を指すときは Ⓒ となり, 冠詞が付く; (戦争状態) warfare Ⓤ; (合戦) fight Ⓒ.

【類義語】 国家間で行われるような大規模な戦争が **war** で, ある特定の地域などで局地的に行われる戦闘が **battle**. 戦争 [交戦] 状態を言ったり, 形容詞を伴って特定の戦争様式をいうのが **warfare**. 小人数の合戦, または個人間の格闘などは **fight**. ただしいずれも, 一般的な戦争の意味でも用いられることがある. 《☞ たたかい》 ¶核*戦争 a nuclear war / nuclear *warfare* // その*戦争は 1861 年に起こった The *war* ｢broke out [started] in 1861. // 日露*戦争は 1904 年から 1905 年まで続いた The Russo-Japanese /rʌ́soudʒǽpəniːz/ *Wár* lasted from 1904 to 1905. // 私の祖父は*戦争で負傷した My grandfather was wounded in *battle*. // 彼らはその*戦争に勝った [負けた] They ｢won [lost] the ｢*war* [*battle*;

fight]. // 私は*戦争に反対だ I am ｢opposed to *war* [against *war*]. // 両国は*戦争を始めた The two nations went to *war*. / The two nations declared *war* (on each other). / (⇒ 両国は戦争状態に入った) The two countries entered ｢into [upon] a state of *war*. ★ 後のものほど格式ばった言い方となる. // その事件は両国の*戦争に発展した The incident developed into *war* between the two countries. // 彼は*戦争を回避するためにあらゆる努力をした He made every effort to ｢prevent [avoid] *war*. // 我々は永久に*戦争を放棄している We have renounced *war* forever. // 当時ドイツはフランスと*戦争中だった Germany *was at war* with France at ｢that [the] time. // 彼らは*戦争体験がない They have no *war* experience. // *戦争をしかける make [wage] *war*

戦争映画 war ｢film [movie] Ⓒ **戦争犠牲者** war victim Ⓒ **戦争景気** war [wartime] boom Ⓒ **戦争孤児** war orphan Ⓒ **戦争ごっこ** ¶ 子供たちは*戦争ごっこをしている The kids *are playing soldiers*. **戦争成金** war profiteer Ⓒ **戦争犯罪** war crime Ⓒ **戦争犯罪人** war criminal Ⓒ **戦争文学** war ｢literature [fiction] Ⓤ **戦争放棄** the renunciation of war **戦争未亡人** war widow Ⓒ.

コロケーション

戦争に突入する plunge into *war* / **戦争を拡大する** escalate a *war* / **戦争を終結する** end a *war* / **戦争を続ける** carry on [continue] *war* / **戦争を引き起こす** cause [bring on] *war* / **…と戦争する** make [wage; conduct] *war* ｢against [on] … / **…に対して戦争を始める** start a *war* with … // **恐ろしい戦争** a horrible *war* / **価格戦争** a price *war* / **全面戦争** (a) ｢total [full-scale] *war* / **総力戦争** an all-out *war* / **通常兵器による戦争** conventional *war* / **悲惨な戦争** a disastrous *war* / **貿易戦争** a trade *war* / **民族戦争** an ethnic *war*

せんそう² 船倉 (積み荷を入れる所) hold Ⓒ.

せんそう³ 船窓 porthole Ⓒ《☞ ふね (挿絵)》.

ぜんそう¹ 前奏 (前に演奏される部分) introductory part Ⓒ. **前奏曲** 〚楽〛 prelude Ⓒ.

ぜんそう² 禅僧 Zén monk /mʌ́ŋk/ Ⓒ.

ぜんぞう 漸増 ― 動 increase ｢gradually [by degrees] ⓐ ⓗ; (増加中である) be on the increase. 《☞ ぞうか¹; ふえる》.

せんそうとへいわ 戦争と平和 (書名) *War and Peace* 《☞ イタリック体 (巻末)》.

ぜんそうなだれ 全層雪崩 full-depth avalanche Ⓒ.

ぜんそうほう 漸層法 〔修辞〕 climax Ⓤ.

せんそく 船側 the side(s) of a ship. ¶ *船側の出入口 a *gangway* 《☞ げんもん》 // *船側のはしご a *gangway* ladder ★「舷梯」 // *船側のタラップ a *gangplank* ★「道板」 板状で桟橋との間にかける.

せんぞく 専属 ― 動 (…だけに属している) belong exclusively to …; (…と(独占)契約している) be under (exclusive) contract to … ¶ 彼はこの会社の*専属俳優だ He *is* an actor *under* (*exclusive*) *contract to* this company. // そのコーチは私たちのテニス部の*専属だ The coach *works exclusively* for our tennis club.

ぜんそく 喘息 〚医〛 asthma /ǽzmə/ Ⓤ. **ぜんそく患者** asthmatic Ⓒ.

ぜんそくりょく 全速力 ― 副 at ｢full [top] speed. ¶ 1 台の車が*全速力で通り過ぎた A car passed by *at* ｢*full* [*top*] *speed*. // 彼は最初から*全速力で走った (⇒ できるだけ速く走った) He ran *as fast as he could* from the start.

ぜんそん¹ 全村 (1 つの村全部) the ｢whole [entire] village; (すべての村) all the villages.

ぜんそん² 全損 total loss Ⓤ.

センター **1** «野球»: (ポジション) center field Ⓤ; (選手) center fielder Ⓒ. ¶ 彼は*センターへフライを打ってアウトになった He flied out to *center*.
2 «中心地区»: center (《英》 centre) Ⓒ; (本部) headquarters ★ 複数または単数扱い. ¶ ショッピング*センター a shopping ｢*center* [*mall*] / (⇒ 町の商業地区) downtown // コミュニティー*センター a community *center*

センターコート (テニス) center court Ⓒ **センター試験** the National Center Test for University Admissions **センターピース** (テーブルの中央に置く飾り) centerpiece Ⓒ **センターポール** (競技場などの中央にある旗をかかげるための柱) center pole Ⓒ **センターライン** centerline Ⓒ.

せんたい¹ 船体 hull Ⓒ; (船) ship Ⓒ. 《☞ ふね》.

せんたい² 船隊 fleet Ⓒ 《☞ せんだん¹; かんたい²》.

せんたい³ 戦隊 squadron Ⓒ.

せんたい⁴ 蘚苔 〚植〛 moss Ⓤ 《☞ こけ¹》. **蘚苔学** bryology Ⓤ **蘚苔植物** bryophyte /bráɪəfàɪt/ Ⓒ **蘚苔類** the bryophytes.

せんだい¹ 先代 ― 名 (父) *one's* father Ⓒ; (亡父) *one's* late father Ⓒ; (家系で, 1 代前の) *one's* predecessor (in the family line) Ⓒ. ― 形 (亡くなった) the late Ⓐ. ¶ *先代 (⇒ 故人) の菊五郎 *the late* Kikugoro

せんだい² 船台 (船を造る時の) shipway Ⓒ; (格子組みの) gridiron Ⓒ.

ぜんたい 全体 ― 名 the whole Ⓤ. ― 代 (すべて) all ★ 事物を指すときは単数扱いで, 人を指すときは複数扱い. ― 形 (全体の) whole Ⓐ; (すべての) all; entire Ⓐ 〔語法〕 (1) whole は the を伴い, 単数名詞を付けて, それが欠けるところなく全体としてまとまっていることを表すのに対し, all は数えられる名詞に付く時は複数名詞に付き,「一つ残らずすべて」の意. また all は単数名詞に付くときは whole とほぼ同意. all は定冠詞の前に用いられる. entire は単数名詞に付き, whole より意味が強く格式ばった語. ― 副 (全部で) in all; (全体として) as a whole; (概して言うと) generally (speaking); (一般的に) in general; (全体として見ると) on the whole; (全体を通じて) throughout, 《略式》 all over. 《☞ ぜんぶ¹; いっぱんに》.
¶ クラス*全体がその討論に参加した *The whole* class [*All* the students in the class] took part in the debate. 〔語法〕 (2) whole を使うと全体を 1 つのまとまったものとして考えるニュアンスがあるのに対し, all を使うとその中の個々の構成員を問題にするニュアンスがある. whole を用いる場合は形は単数だが, 複数として扱う. // その 4 本の柱が屋根の重さ*全体を支えている The four pillars support the *entire* weight of the roof. // 彼はその箱*全体を赤い色のペンキで塗った He painted the box red *all over*. // 出席者は*全体でたった 10 人だった There were only ten participants *in all*. // 日本の気候は*全体的に (⇒ 概して言えば) 温和だ *Generally* (*speaking*) [*In general*] the climate of Japan is mild. // 彼の話は*全体として信用できる His story can be trusted *on the whole*. // 目下新しい計画について*全体の構想を考えているところです Now I'm working ｢over [on] the *general* concepts of the new project. // *全体的に見ると (⇒ 全般に) 我々の仕事はうまく行っている Our business is going well *on the whole*.

全体会議 (本会議) plenary session Ⓒ; (総会) general meeting Ⓒ **全体集合** 〚数〛 universal set Ⓒ **全体主義** ― 名 totalitarianism /toʊtæ̀ləté(ə)riənìzm/ Ⓤ. ―形 totalitarian 全体主義国(家) totalitarian state Ⓒ 全体主義者 totalitarian Ⓒ.

せんだいはぎ 千代萩 〘植〙 false lupine Ⓒ.

ぜんだいみもん 前代未聞 ―形 (聞いたこともない) unheard-of; (前例のない) 《格式》 ùnprécedènted. ¶それは*前代未聞の珍事だった It was an ｢*unheard-of* [*unprecedented*] accident. // それは*前代未聞の大失敗だ (⇒そんな失敗は聞いたことがない) We *have never heard of* such a mistake.

せんたく¹ 洗濯 ―動 (洗濯する) wash 他 自, do (the) washing, do the wash; (水洗いしてアイロンをかける) launder 他. ―名 (洗うこと) a wash ★通例 a を付けて; (洗濯の作業) washing Ⓤ, laundering Ⓤ; (クリーニング屋・洗濯場) laundry Ⓒ

日英比較 (1) 日本語の「クリーニング」はドライクリーニング (dry cleaning, 動 dry-clean) の他に水洗いも含むが, 英語ではドライクリーニングは dry cleaning, 水洗いしてアイロンをかけるのは laundering とはっきり区別するので laundry は水洗い専門の洗濯場 [店] である. 《☞クリーニング》.

¶彼は1日置きに*洗濯する He *does the washing* every other day. // 私は自分のものは自分で*洗濯する I *do* my own *washing*. / I *wash* my own things. // 私は彼女にワイシャツを*洗濯してもらった I *had* my shirt *washed* by her. // 彼女のセーターは*洗濯したら縮んでしまった Her sweater shrank *in* ｢*the wash* [*washing*]. // このしみは*洗濯してとれるでしょうか Will this stain *wash* ｢*out* [*off*]? // この生地は*洗濯がききます This cloth ｢*is washable* [can *be washed*]. // これを*洗濯に出して下さい Please send this to the *laundry*. // 2, 3日休んで命の*洗濯をしたい (⇒再充電する) I'd like (to have) a couple of days off and *recharge my batteries*. ★ recharge *one's* batteries で疲れをとって元気になる意味.

洗濯板 washboard Ⓒ 洗濯かご《米》hamper Ⓒ, 《英》laundry basket Ⓒ. 《☞ふろ (挿絵)》 洗濯機 washing machine Ⓒ, 《米》washer Ⓒ 洗濯せっけん washing soap Ⓤ; (合成洗剤) (synthetic) detergent Ⓤ ★製品は Ⓒ. 《☞せっけん》 洗濯だらい washtub Ⓒ 洗濯ばさみ clothespin Ⓒ, 《英》clothes peg Ⓒ 洗濯物 (洗った物・これから洗う物) wash(ing) Ⓤ, laundry Ⓤ ★前者がより口語的. なお後者はアイロンかけなども含めていう. ¶何か*洗濯物はありますか Do you have any *laundry*? // きょうは*洗濯物が山ほどある I have a ｢large *wash* [lot of *washing* to do] today. // 私は*洗濯物を干した I hung the *washing* out to dry. // 彼女は*洗濯物を取り込んだ She took in the *washing*. 洗濯屋 (水洗いの洗濯店) laundry Ⓒ; (ドライクリーニング店) (dry) cleaner's Ⓒ 日英比較 (2) 上の (1) で述べたように, 英語ではドライクリーニングと水洗いを区別するので, たとえ兼業の店に洗濯物を出す場合でも, 洗濯する物によって言い方を区別する. 例えば, オーバーコートを出す先は (dry) cleaner's であり, ワイシャツは laundry に出す 《☞クリーニング》; (人) laundryperson [laundryman; laundrywoman] Ⓒ; (dry) cleaner Ⓒ; (セルフサービスの店) 《米》láundromàt Ⓒ, 《英》laund(e)rette /lɔ:ndrét/ Ⓒ. 《☞コインランドリー (写真)》.

せんたく² 選択 ―名 (選んで取ること) choice Ⓤ; (多くの中から慎重に選び出すこと) selection Ⓤ; (まったく自由な選択 (権)) option Ⓤ ★ choice より意味が強く格式ばった語. ―動 choose 他; select 他. 《☞えらぶ (類義語)》.

¶職業の*選択はよく考える必要がある We must be careful in our ｢*choice* [*selection*] of jobs. / We must think carefully before we *choose* (our) jobs. // *選択を誤る (⇒間違った選択をする) make a ｢bad [wrong] *choice* (of ...) // それは自由に*選択してよい It's *optional*. / You have (a) free *choice*. / You have ｢an [the] *option* on it. / (⇒その選択はあなたにまかされている) The *choice* is ｢left to you [up to you; yours]. // この件については我々に*選択の自由はない We have no *choice* in this matter. // 我々は前進か退却かどちらかを*選択しなければならない We must (either) advance or retreat. / We have the *alternatives* of advance or retreat. 語法 altérnative は「二者択一」. // よい*選択 a good *choice* // 利口な*選択 an intelligent *choice*

選択科目《米》elective (subject) Ⓒ (↔ required [compulsory] subject), 《英》optional (subject) Ⓒ 選択議定書 optional protocol Ⓒ 選択肢 choice Ⓒ; (2つ(以上)の) alternative Ⓒ 選択制限〘言〙selectional restriction Ⓒ 選択定年制 selective retirement system Ⓤ 選択的夫婦別姓(制度) (the system of) optional separate surnames for married couples 選択売買権〘商〙option Ⓒ 《☞オプション》 選択問題 multiple-choice question Ⓒ.

コロケーション

行き当たりばったりの選択 an arbitrary *choice* / 賢明な選択 a wise *choice* / 慎重な選択 a ｢careful [deliberate] *choice* / 妥当な選択 a sensible *choice* / 適切な選択 an appropriate *choice* / ばかげた選択 a ｢foolish [ridiculous] *choice* / 無難な選択 a safe *choice* / 難しい選択 a ｢hard [difficult] *choice* / (難しい)選択を迫られる be faced with a (difficult) *choice*

せんだつ 先達 (先駆者) pionéer Ⓒ, precúrsor Ⓒ ★後者は格式ばった語; (指導者) leader Ⓒ; (案内者) guide Ⓒ.

せんだって 先だって ―副 (先日) the other day; (2, 3日前) a few days ago; (少し前) some time ago. 《☞せんじつ; このあいだ》.

ぜんだて 膳立て ☞おぜんだて

ぜんだま 善玉 good ｢man [woman] Ⓒ. 善玉コレステロール the good cholesterol.

センタリング 〘スポ〙(サッカーの) centering Ⓤ; 〘コンピューター〙(文字列などの中央揃え) centering Ⓤ.

せんたん¹ 先端 (先) tip Ⓒ; (端) end Ⓒ. 《☞さき》. ¶その棒の*先端はとがっている The *tip* of the stick is pointed. // 彼女のデザインした服はいつも流行の*先端を行く (⇒先がけをする[流行を作り出す]) The dresses she designs always ｢*lead* [*set*] the fashion. // いまこのドレスが流行の*先端です (⇒最新の流行) This dress is the *latest* fashion.

先端医療 advanced medical treatment Ⓤ 先端技術 high technology Ⓤ; (最先端の) cutting-edge [state-of-the-art] technology Ⓤ.

せんたん² 戦端 ¶*戦端を開く (⇒宣戦する) declare *war* ｢on [upon; against] ... / (⇒交戦状態に入る) open *hostilities*

せんたん³ 選炭 coal ｢dressing [preparation] Ⓤ.

せんだん¹ 船団 fleet (of ｢vessels [ships]) Ⓒ. ¶輸送*船団 a *fleet of* transport *ships*

せんだん² 栴檀 〘植〙chínabèrry Ⓒ. せんだんは双葉より芳し (⇒天才は小さいときにもう天分を現す) Genius shows itself even in childhood.

せんだん³ 専断 arbitrary decision Ⓤ 《☞どくだん》.

ぜんだん¹ 前段 (前の段落) the preceding paragraph; (前の部分) the first part.

ぜんだん² 全段 (新聞の全ページ) whole page Ⓒ. 全段抜き (全段抜きの見出し) banner Ⓒ, streamer Ⓒ.

せんち 戦地 (前線) the front; (戦闘が行われる土

地) battlefield Ⓒ, battleground Ⓒ. (☞ せんじょう¹; せんそう¹). ¶ *戦地に赴く go to *the front*

センチ¹ (センチメートル) céntimèter (《英》 centimetre) Ⓒ 《略 cm》 (☞ 度量衡 (囲み)). ¶ 彼は背の高さが 180 *センチある He is 180 *centimeters* tall. // 私は*センチの付いた物差しが欲しい I need a ruler marked off in *centimeters*.

センチ² ☞ センチメンタル

ぜんち 全治 ―動 (傷が治る) héal ˹úp [complétely] 日英比較 日本語で「全治」とあっても単に「治る」と考えてよい場合がかなりある. ―名 complete healing Ⓤ. (☞ なおる). ¶ 傷は 1 週間で*全治するでしょう The wound will *heal* ˹*up* [*completely*] in a week. // 彼は*全治 1 週間の傷を負った He had an injury that took a week to *heal*.

ぜんちきゅうそくいシステム 全地球測位システム ☞ ジーピーエス

ぜんちし 前置詞 〘文法〙 preposition Ⓒ.

ぜんちぜんのう 全知全能 ―形 almighty /ɔ̀ːlmáɪti/, omnípotent ★ 前者のほうが平易な語. ¶ *全知全能の神 *Almighty* God / the *Almighty*

センチメートル céntimèter Ⓒ (☞ センチ¹; 度量衡 (囲み)).

センチメンタリスト sèntiméntalist Ⓒ.

センチメンタリズム sèntiméntalìsm Ⓤ.

センチメンタル ―形 (感傷的な) sèntiméntal; (悲しい) sad; (めそめそした) mawkish ★ sentimental より嫌悪感が強く, 安っぽくていやになるというニュアンスがある; (お涙頂戴の) 《略式》 tear-jerking 日英比較 英語の sentimental は日本語の「センチメンタル」同様, 軽蔑の意味になることもあるが, 元来は「優しい感情に左右された」という意味で, 日本語と少しずれがある点に注意. また, かな書きの「センチメンタル」が必ずしも英語の sentimental とはならない場合もある点にも注意がいる. (☞ かんしょう³).

¶ *センチメンタルな映画 a ˹*mawkish* [*tear-jerking*; *sentimental*] movie // ずいぶん*センチメンタルな (⇒ 悲しい) 話だね It's a very *sad* story, isn't it?

センチメント (感情・感傷) sentiment Ⓤ.

せんちゃ 煎茶 sencha Ⓤ, ordinary green tea Ⓤ. (☞ ちゃ).

せんちゃく 先着 ―名 first [early] arrival Ⓤ ★「先着者」の意味では Ⓒ; (先着者) the first to ˹come [arrive]. ―副 (到着順で) in (the) order of arrival; (早い者勝ちで) on a first-come, first-served basis 参考 First come, first served. はことわざで「最初に来た者が最初にありつける」の意味.

¶ *先着 50 名の方 (⇒ 最初に到着した 50 人) に粗品を贈呈します Gifts will be ˹presented [given] to *the first* fifty ˹*arrivals* [*persons*]. 日英比較「粗品」というへりくだった表現は, 英語では普通しない. // 申し込みは*先着順に受け付けます Applications will be accepted *on a first-come, first-served basis*. // *先着順に一列に並んで下さい Please ˹stand in [form] a line *in* (*the*) *order of arrival*.

せんちゅう 船中 (船の内部) the interior of a ship (☞ せんない¹). ¶ 私はその*船中で彼女に会った I met her *on the ship*. // その時乗客は全員*船中にいた All the passengers were *on board the ship* at the time. // *船中は快適でした (⇒ 楽しい船旅をした) I had a pleasant *voyage*.

ぜんちゅう 蠕虫 (総称) worm Ⓒ; (寄生虫) helminth Ⓒ.

せんちゅうは 戦中派 the war generation.
¶ 私は*戦中派です I belong to *the war generation*. / (⇒ 私は戦争中に育ちました) I *grew up during the war*.

せんちゅうるい 線虫類 (個々の線虫) nematode Ⓒ /némətòud/; (線虫綱の総称) Nèmatóda ★ 複数形で.

センチュリー (世紀) céntury Ⓒ.

せんちょう 船長 captain Ⓒ; (小型船・漁船の) skipper Ⓒ.

ぜんちょう¹ 前兆 (兆し) omen Ⓒ ★ よし悪しに関係ない; (しるし) sign Ⓒ. (☞ きざし; まえぶれ; ちょうこう³). ¶ よい[悪い]*前兆 a ˹good [bad] *omen* // 四つ葉のクローバーを見つけるのは幸運の*前兆だ It *brings* good luck to find a four-leaf clover.

ぜんちょう² 全長 total [full; overall] length Ⓤ (☞ ながさ). ¶ その橋の*全長は約 400 メートルある The ˹*total* [*full*] *length* of the bridge is about four hundred meters. / The bridge is about four hundred meters *long*. ★ 第 1 文のほうが格式ばった表現. // その船は*全長 30 メートルある The ship has an *overall length* of thirty meters. 語法 後に具体的な数詞がくるときは length に a または an が付く. (☞ 冠詞 (巻末))

せんつう 疝痛 colic Ⓤ.

ぜんつう 全通 ¶ 東海道本線は 1889 年に*全通した The *whole* Tokaido Line *was opened* ˹*to* [*for*] *traffic* in 1889. // 自動車 10 台の玉突き事故があったので高速道路が*全通するには (⇒ 再び通れるようになるには) もうしばらくかかるだろう It will take a few more hours before the *whole* expressway *is reopened* ˹*to* [*for*] *traffic* because there was a chain collision ˹of [involving] ten cars.

せんて 先手 ―名 (碁などの) the ˹first [initial] move (↔ the second move); (主導権) initiative Ⓤ. ―動 (出し抜く; …より先に行う) antícipàte ⑯; (先を越す) get ˹ahead of [the edge on] …; (主導権を取る) take the initiative /ɪníʃətɪv/.

¶ 私は将棋で彼に*先手を譲った I let him have *the* ˹*first* [*initial*] *move* in ˹a [our] game of Japanese chess. // 私たちのチームが*先手を取った Our team took the *initiative*. // 我々は敵の攻撃に*先手を打った We *anticipated* the enemy's attack. (☞ せんせいこうげき) // 私は彼に*先手を打たれた (⇒ 彼は私の先を越した) He *got* ˹*ahead of* [(⇒ 私に優った) *the edge on*] me. **先手必勝** (先手を取れば相手より有利になるだろう) If you make the first move, you will have ˹an [the] advantage over your opponent.; (先に立つ者が常に勝つ) The person taking the lead will always win.

せんてい¹ 選定 ―動 (組織的に選ぶ) select ⑯; (自分の意志で選ぶ) choose ⑯ ★ 一般的な語. ―名 selection Ⓤ; choice Ⓤ. (☞ えらぶ (類義語)). **選定基準** selection ˹standards [criteria] ★ 複数形で.

せんてい² 剪定 ―動 〘園〙 (成長を促すための) prune ⑯; (形を整えるための) trim ⑯ ★ 枯れ枝をおろすときなどにはどちらも使われる.
剪定鋏 pruning shears, 《英》 secateurs /sèkətɚ́ːz/ ★ いずれも複数形で. (☞ はさみ¹ (挿絵)).

せんてい³ 船底 the bottom of a ˹ship [ship's hull]. **船底塗料** ship bottom paint Ⓤ.

ぜんてい¹ 前提 ―名 〘論〙 (理論の前提) premise /prémɪs/ Ⓒ; (あることが真であるための前提条件) presupposition Ⓒ; (一般にあることを行うために必要な条件) prerequisite /prìːrékwəzɪt/ (to …; for …) Ⓒ ★ いずれも格式ばった語. ―形 (前提の) prerequisite; (必要な) necessary; (必須の) essential. (☞ じょうけん). ¶ 彼は間違った*前提で議論をしている He is arguing from false *premises*.
前提条件 precondition Ⓒ. ¶ 2 つの会社が合併するための*前提条件 *prerequisite* [*necessary*] *conditions* for a merger between the two firms

ぜんてい² 前庭 1 《家の前の庭》: front ˹yard

[garden] Ⓒ ★ 後者は花や樹木が植えてある庭.《☞ にわ》.

2《解剖学の》 ―[名] the vestibule. ―[形] vestíbular.

ぜんてき 全摘 total removal Ⓤ,〘医〙(total) excision Ⓤ, (tótal) èxtirpátion Ⓤ.《☞ せつじょ》.
¶ 胃*全摘手術 a *total* gastréctomy

せんてつ[1] 銑鉄 pig iron Ⓤ.

せんてつ[2] 先哲 (昔の賢人) ancient sage Ⓒ.

ぜんてつ 前轍 wheel ruts of a preceding wagon. **前轍を踏む** (他人の誤りを繰り返す) repeat another's mistake《☞ ぜんしゃのてつ》.

ぜんでら 禅寺 Zen temple Ⓒ.

せんでん 宣伝 ―[名] (商業などの広告) advertisement /ædvətáizmənt/ Ⓤ, ádvertìsing Ⓤ ★ 前者は具体的な広告・宣伝の場合は Ⓒ. 後者は行為のみをいう;《略式》ad Ⓒ; (テレビなどの広告放送) commercial Ⓒ; (知名度を高めること) publicity Ⓤ ★「知名度」の意にもなる; (政治的な主義・主張の宣伝) pròpagánda Ⓤ ★ しばしば軽蔑的. ―[動] públicìze (他); ádvertìse (他) (自).《☞ ピーアール; こうこく[1]; コマーシャル》.
¶ その自動車会社は盛んに新車の*宣伝をしている That automobile company *is* ˹*advertising* its new model a lot [producing a lot of *advertisements for* its new model]. // あのスーパーはよく派手な (⇒ 大規模な) *宣伝をする That supermarket often does ˹large-scale [a great deal of; extensive; intensive] *advertising*. // その会社は新製品の*宣伝を始めた The company ˹started [launched] an *advertising campaign* for the new product. // 彼女の提案は*宣伝臭い Her proposal ˹smacks [has the smack] of *propaganda*. // 彼は自分の手柄を*宣伝して回っている (⇒ 吹聴している) He *is broadcasting* his exploits. / (⇒ 皆に話して回っている) He is going around *telling everyone* about his exploits.
宣伝員 publicity ˹man [woman; person] Ⓒ **宣伝映画** (政治的な) propaganda film Ⓒ **宣伝カー** sound ˹truck [car] Ⓒ,《英》loudspeaker van Ⓒ **宣伝係** publicity manager Ⓒ; (政治的な) propagandist Ⓒ. ¶ 彼が私の*宣伝係をやってくれました He was my *publicity manager*. **宣伝価値** propaganda [promotional] value Ⓤ **宣伝記事** publicity article Ⓒ **宣伝効果** propaganda effect Ⓤ **宣伝戦** advertising war Ⓒ **宣伝費** advertising [publicity] expenses ★ 通例複数形で. **宣伝ビラ** (政治的な) propaganda leaflet Ⓒ; (ちらし) handbill Ⓒ; (折り込み) leaflet Ⓒ **宣伝部** the advertising ˹division [department]《☞ 会社の組織と役職名 (囲み)》 **宣伝文句** (キャッチフレーズ) cátchphràse Ⓒ; (広告文) copy Ⓤ; (書物の帯などに印刷する広告文)《略式》blurb Ⓒ **宣伝屋** propagandist Ⓒ.

ぜんてん[1] 全店 (その店全体) the whole store; (すべての店) all (the) stores. ¶ その店は*全店で改装前の在庫一掃セールをやっていた *The whole store* had a clearance sale before it was remodel(l)ed. // その町の*全店がクリスマスセールをやっている *All the stores* in the town are [*Every store* in the town is] having a Christmas sale.

ぜんてん[2] 前転 forward roll Ⓒ.

ぜんてんこうがた 全天候型 ―[形] all-weather《☞ アンツーカー》. ¶ *全天候型(テニス)コート an *all-weather* (tennis) court

センテンス sentence Ⓒ《☞ ぶん[2]》.

せんてんせい 先天性 ―[形] (病気・障害などの) congenital /kəndʒénɪtl/《☞ せんてんてき》. ¶ *先天性の病気 a *congenital* disease // *先天性欠損(症) a *congenital* defect / a *birth* defect **先天性難聴**〘医〙congenital deafness Ⓤ **先天性免疫不全症候群**〘医〙congenital immunodeficiency /ìmjʊnoudɪfíʃənsi/ syndrome Ⓒ.

せんてんてき 先天的 ―[形] (生まれながらに備わっている) native, innate /ɪnéɪt/ (↔ acquired) ★ 後者のほうが格式ばった語; (持って生まれた) inbórn; (生まれながらの) born Ⓐ; (固有の・本来一部としてある)《格式》inherent; (病気などが生まれつきの) congénital ★ 専門語; (遺伝的な)《格式》heréditàry.
¶ 彼は*先天的に数学の才能があるらしい He seems to have (a) ˹*natural* [*native*] ˹talent for [ability in] mathematics. // 道徳観念は*先天的なものでなく習得されるものである Moral [One's moral] sense is not *innate* but acquired. // 彼女は絵に対して*先天的な才能がある (⇒ 彼女は生まれながらの画家だ) She is a *born* painter. // 動物には*先天的に自衛本能がある (⇒ 自衛本能はどの動物にも生まれつきある) The instinct of self-defense is *inherent* in any animal. // その子は*先天的に心臓障害がある The ˹child has a *congenital* /kəndʒénɪtl/ heart disease. [語法] congenital は普通は遺伝とは関係ないものに使う.

せんと 遷都 relocation /riːloukéɪʃən/ of the capital Ⓤ.

セント[1] cent Ⓒ ★ アメリカ・カナダなどの貨幣の最小の単位で, 1 ドル (dollar) の 100 分の 1. ¢ という記号を数字の後に付ける. ¶ 6 ドル 95 *セント six dollars and ninety-five *cents* ★ 普通は $6.95 と書いて six ninety-five のように読む.

セント[2] Saint, St. ★ 後者は略語. 人名などの前に付くときには /seɪnt | s(ə)nt/.《☞ せい[6]》. ¶ *セントパトリック *Saint* [*St.*] Patrick

せんど[1] 鮮度 (新鮮さ) freshness Ⓤ《☞ しんせん》.
¶ この魚は*鮮度が落ちてしまった This fish has ˹lost its *freshness* [become less *fresh*].

せんど[2] 先途 (行き着く先) *one's* final destination; (最期) *one's* ˹last [death]; (瀬戸際) the brink ★ 通例 the を付けて. ¶ ここを*先途と戦う (⇒ 最後まで必死になって) fight desperately *to the last*

ぜんと[1] 前途 (将来) future Ⓤ ★ 具体的なものを表す場合は Ⓒ; (見込み) prospects ★ 格式ばった語で, この意味では複数形で; (見通し) outlook Ⓒ.《☞ しょうらい[1]》.
¶ あなたたちの*前途は洋々たるものがある (⇒ 明るい未来を持つ) You have a bright *future* before you. // 彼らは若い 2 人の*前途を祝福した They wished the young couple a happy *future*. // *前途を悲観するのはまだ早い It's too early to ˹be [become] pessimistic about the *future*. // 彼は*前途有望な青年だ He is a *promising* ˹young man [boy; lad]. // 我々の*前途は多難である (⇒ いろいろな困難が前に横たわっている) Various difficulties ˹are [lie] ˹*ahead of us* [*in our future*; *in our way*].
前途無効 ¶ 途中下車*前途無効 No stopovers are allowed on this ticket.《☞ とちゅう (途中下車)》 **前途遼遠** ¶ *前途遼遠だ (⇒ 先が長い) We have *a long way to go*. // ゴールまで*前途遼遠だ (⇒ ゴールからはまだ遠く離れている) We *are still a long way* from our goal.

ぜんと[2] 全都 ¶ *全都にわたって連日都知事選のキャンペーンが繰り広げられている The election campaigns for governor of Tokyo is being held throughout *the Tokyo Metropolitan area* every day.

ぜんど 全土 ¶ 日本*全土 *all over* [*throughout*] Japan // この番組はアメリカ*全土に放送される This program will be broadcast ˹*nationwide* [over a *nationwide* network] in the United States. 《☞ ぜん-[1]; ぜんこく》

せんとう[1] 先頭 (一番先) the head, the top; (先導) the lead; (社会運動などの) the van. 《☞ トップ》. ¶ 彼はそのパレードの*先頭に立って歩いた He walked *at the head of* the parade. // 彼は 100 メートル競走で最初から*先頭を切った He immediately took *the lead* in the (one-)hundred-meter dash.

せんとう[2] 戦闘 (特定地域の大規模な) battle [C]; (小規模な) combat [C]; (戦い) fight [C] ★ 一般的な語で, 実力行使による戦いをいう. 《☞ たたかい; せんそう[1] (類義語)》. **戦闘員** combatant [C] **戦闘機** fighter [C] **戦闘状態** state of war [C]. ¶ 両国は長い間*戦闘状態にある The two countries have been *at war* for a long time. **戦闘隊形** battle formation [U] **戦闘的** —[形] (好戦的な) mílitant; (けんか好きな) combátive; (攻撃的な) aggréssive. —[副] mílitantly; combátively; aggréssively **戦闘服** combat uniform [C] **戦闘部隊** combat [fighting] unit [C] **戦闘力** fighting power [U]; (兵力) combat strength [C].

せんとう[3] 銭湯 public bath [C]. [日英比較] 英米にはない. 《☞ ふろ》.

せんとう[4] 尖塔 spire [C]; steeple [C] ★ 尖塔上部のとがり屋根の部分が spire で, spire が先についた塔が steeple; (小尖塔) pinnacle [C]. 《☞ とう[2]》.

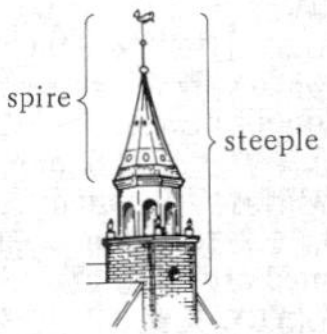

せんどう[1] 扇 動 —[動] (悪いことをけしかける) 《格式》 ínstigàte (他); (演説などをしてあおる) ágitàte (for ...) (自). —[形] (人を怒らせるような) inflámmatòry. —[名] 《格式》 instigation [U]; agitation [U]. 《☞ そそのかす》. ¶ 彼は大会で*扇動的な演説を行った He made an *inflammatory* speech at the conference. // 労働者たちは指導者の*扇動でストライキに入った The workers went on strike at the *instigation* of their leader. **扇動罪** sedition [U] **扇動者** ágitàtor [C]; ínstigàtor [C] **扇動政治家** demagog(ue) [C] 《☞ デマゴーグ》.

せんどう[2] 先導 —[動] (先に立って連れて行く) lead (他); (先に行く) 《格式》 precede (他). 《☞ あんない; ゆうどう》. ¶ 救急車はパトカーに*先導された The ambulance *was preceded* by a patrol car. **先導者** (指導者) leader [C]; (案内者) guide [C] **先導車** leading car [C].

せんどう[3] 船頭 boatman [C]; (渡し船の) ferryman [C]. ¶ *船頭多くして船 山に登る Too many cooks spoil the broth. 《ことわざ: 料理人が多すぎるとスープができ損なう》

ぜんとう 全島 (その島全体) the whole island; (すべての島) all the islands. ¶ 晴れた日は飛行機から*全島が見える On a clear day *the whole island* can be seen from an airplane. // *全島一周サイクリングコース a cycling course around *the island*

ぜんどう[1] 蠕動 —[動] (みみずなどが) wriggle (自). —[名] wriggle [C]; (消化管の) peristalsis /pèrəstǽlsɪs/ [C] 《複 peristalses /-si:z/》. —[形] pèristáltic. **蠕動運動** 〔生理〕 peristaltic movement [C].

ぜんどう[2] 善導 ¶ 非行少年少女たちを*善導するにはかなりの根気が必要だ It takes a lot of perseverance to 「*guide* juvenile delinquents *properly* [*lead* juvenile delinquents *in the right direction*].

ぜんどう[3] 禅堂 Zen meditation hall [C].

せんどうおん 顫動音 〔音声〕 trill [C].

ぜんとうこつ 前頭骨 〔解〕 fróntal bòne [C].

ぜんとうぶ 前頭部 (額) forehead /fɑ́rɪd/ [C] 《☞ ひたい》.

ぜんとうよう 前頭葉 〔解〕 fróntal lòbe [C].

セントエルモのひ セントエルモの火 (放電現象) St. Elmo's fire [U].

セントクリストファーネイビス —[名] (固) St. Christopher-Névis ★ カリブ海の島国.

セントバーナード (犬) Sáint Bernárd [C].

セントビンセントおよびグレナディーンしょとう セントビンセントおよびグレナディーン諸島 —[名] (固) St. Vincent and the Grenadines /grènədí:nz/ ★ カリブ海の島国.

セントポーリア 〔植〕 saintpáulia [C].

セントポール —[名] (固) St. Paul ★ 米国ミネソタ州の州都; (ロンドンの大寺院) St. Paul's.

セントラルパーク —[名] (固) Céntral Párk ★ ニューヨーク市の公園.

セントラルヒーティング central heating [U]; (設備) central heating system [C]. 《☞ だんぼう》.

セントラルリーグ ☞ セリーグ

セントルイス —[名] (固) St. Louis /seɪntlú:ɪs/ ★ 米国ミズーリ州の都市.

セントルシア —[名] (固) St. Lucia ★ カリブ海の島国.

セントローレンス —[名] (固) (川) the St. Lawrence.

せんない[1] 船内 —[副] (船内で) on board, aboard, on a ship. 《☞ せんちゅう; ふね》. ¶ 私はハワイ行きの*船内で彼女と知り合った I made her acquaintance *on* (*board*) *a ship* bound for Hawaii. // 彼らは*船内をくまなく (⇒ 船首から船尾まで) 捜索した They searched the *ship* from stem to stern.

せんない[2] 詮ない ¶ それは*詮ないことだ It *cannot be helped.* / There is *no help* for it. 《☞ しかたがない; しようがない》

せんなり 千生り, 千成り clustering [U]. **千生り瓢簞** 〔植〕 bottle gourd [C] **千生りほうずき** 〔植〕 cutleaf ground-cherry [C].

ぜんなんぜんにょ 善男善女 (信心深い人たち [男女]) pious 「people [men and women].

せんにちこう 千日紅 〔植〕 globe amaranth [C].

ぜんにちせい 全日制 full-time school(ing) system [C]. **全日制高校** full-time senior high school [C].

せんにちそう 千日草 ☞ せんにちこう

せんにちて 千日手 (将棋の) perpetual check [C].

せんにちまいり 千日参り visits to a shrine or a temple for a thousand days in succession ★ 複数形で.

ぜんにほん 全日本 ¶ *全日本バレーボールチーム the *Japanese national* volleyball team 《☞ ぜんぺい [語法]》 // 彼女はオリンピック水泳の*全日本代表に選ばれた She was picked as an Olympic swimmer 「*for* [*to represent*] *Japan.* **全日本選手権** the Japanese national championship.

せんにゅう 潜入 —[動] (密入国させる・密入国する) smuggle (他) (自); (わずかなすきまや弱い所から潜り込む) infiltrate (他) (自) ★ やや格式ばった言葉. 軍隊用語としてよく使われる; (ひそかに忍び込む) sneak [steal] into ... ¶ 彼らはスパイをその国に*潜入 (⇒ 密入国) させた They *smuggled* a spy *into* the country. // 秘密情報部員はその組織に*潜入した The secret agent *infiltrated* the organization.

せんにゅうかん 先入観 (偏った考え) bias /báɪəs/ [C] ★ よい意味にも悪い意味にも使う; (あらか

じめ抱いている概念) preconception Ⓒ ★ 格式ばった感じの言葉だが, 日本語の先入観の訳としては一番近い; (偏見) prejudice Ⓒ.

¶ 彼はばかげた*先入観にとらわれている He is possessed by a foolish ⌈*preconception* [*prejudice*]. // その考えが彼女の*先入観になっているようだ The idea seems to *preoccupy* ⌈her mind [her].

せんにょ 仙女 (妖精) fairy Ⓒ.

せんにん¹ 専任 ── 形 (非常勤に対して常勤の) full-time (↔ part-time). ── 名 (常勤者) full-timer Ⓒ. ¶ 音楽の*専任教師 a *full-time* teacher of music **専任教員見込み** ténure-tràck posítion Ⓒ **専任講師** full-time lecturer Ⓒ; (大学の) instructor Ⓒ. (☞ こうし¹).

せんにん² 選任 ── 動 (選挙で選ぶ) elect (他); (任命する) appoint (他). ── 名 election Ⓤ; appointment Ⓤ. (☞ えらぶ; せんきょ¹).

せんにん³ 仙人 (隠者) hermit Ⓒ; (俗離れした人) unworldly man Ⓒ.

せんにん⁴ 先任 ── 形 senior (☞ せんぱい). **先任権** (先に採用された者の権利) seniority (rights) ★ ( ) 内を省略した場合は Ⓤ. **先任者** (勤続年数が長い) senior Ⓒ ★ 年齢・役職などが上という意味を含むこともある. ¶ 彼女は私の*先任者です She is my *senior*.

ぜんにん¹ 善人 good person Ⓒ (↔ bad person).

ぜんにん² 前任 ── 形 (先行する) preceding (↔ succeeding); (前の) former Ⓐ. ¶ *前任の校長 the ⌈*former* [*ex-*] principal // 彼女の*前任校 her ⌈*former* [*previous*] school / (⇒ 彼女が以前教えていた学校) a school where she *formerly taught* **前任者** predecessor Ⓒ.

せんにんばり 千人針 (日本の第二次大戦中までの) thousand-stitch cloth Ⓒ; (説明的には) long piece of cloth with one thousand red-thread stitches by one thousand women, worn by soldiers as a good-luck belt to protect them against bullets from the Meiji period through World War II Ⓒ.

せんにんりき 千人力 ¶ 彼は*千人力の兵士だ He is a *Herculean* /hə̀ːkjulìːən/ warrior. ★ ギリシア神話の大力無双の英雄 Hercules /hə́ːkjulìːz/ から. // 彼がいれば*千人力だ (⇒ 彼が一緒にいれば私たちは安心だ) When he is with us, we *feel reassured*.

せんぬき 栓抜き (コルク栓の) corkscrew /kɔ́əkskrùː/ Ⓒ ★ 単に screw ともいう; (ビール瓶などの) cap [bottle] opener Ⓒ.

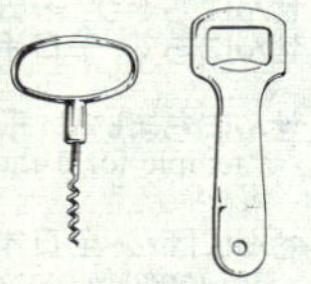

corkscrew cap [bottle] opener

せんねつ 潜熱 〘化・医〙 latent heat Ⓤ.

せんねん¹ 専念 ── 動 (…に一身をささげる) devote *oneself* to …; (…に精神を集中する) cóncentràte on …; (…に夢中になる) be absorbed in …; (…に心を注ぐ) devote *one's* mind to …; (…に精を出す; …を熱心にやる) attend to … ★ 以上いずれも何かを一生懸命する意味では入れ換えて用いることのできる場合も多い. (☞ ねっちゅう; せんしん¹; ぼっとう).

¶ 彼はその翻訳に*専念した He *devoted himself* exclusively *to* that translation. // 騒がしくて彼は勉強に*専念 (⇒ 精神を集中) できなかった He could not *concentrate on* his studies because of the noise. // これからは家業に*専念するよ (⇒ 精を出す) I will ⌈*attend to* [*work hard at*] the family business from now on.

せんねん² 先年 (数年前) a few years ago, some years ago; (以前は) formerly. (☞ いぜん¹; むかし).

せんねん³ 千年 a thousand years; (千年間) millénnium Ⓒ (複 ~s, -nia). (☞ ミレニアム).

ぜんねん 前年 (ある年の前の年) the ⌈previous [preceding] year; (昨年) last year. (☞ きょねん; まえ).

せんのう 洗脳 ── 名 brainwash(ing) Ⓤ. ── 動 brainwash (他) ★ 悪い意味で使う.

ぜんのう¹ 全能 ── 形 almighty /ɔːlmáɪti/, omnípotent. (☞ ぜんちぜんのう).

ぜんのう² 前納 ── 動 pay … in advance. ── 名 (前払い) advance payment Ⓤ ★ 金銭を指すときは Ⓒ. ¶ 授業料は*前納です You are requested to *pay* the tuition *in advance*.

ぜんのう³ 全納 ── 名 (全額払い) full payment Ⓤ, payment in full Ⓤ. ── 動 pay … in full, pay up (他).

ぜんのう⁴ 前脳 〘解〙 the fórebràin, the prosencephalon /pràsenséfəlàn/.

せんのりきゅう 千利休 ── 名 (固) Sen no Rikyu, 1522–91. ★ 後に founder of the Sen School of the tea ceremony を説明として加えるとよい.

ぜんば 前場 〘株〙 the morning session.

せんばい 専売 ── 動 (販売を独占する) monópolize (他) (自). ── 名 (独占) monopolization Ⓤ; (専売権 [品]) monopoly Ⓒ. (☞ どくせん¹). **専売特許(権)** patent /pǽtnt/ Ⓒ. ¶ *専売特許(権)を取る obtain a *patent* **専売特許品** patented article Ⓒ.

せんぱい 先輩 (上級生) senior Ⓒ (↔ junior); (年長者) elder Ⓒ, senior Ⓒ. **日英比較** 日本語では, 「先輩」「後輩」のような上下関係に関する語がよく使われるが, 英語ではあまり使われない. 例えば 「あの人は私の母校の先輩です」 のような場合でも, 単に古い卒業生とか西暦何年の卒業生というような言い方をする場合が多い. (☞ めうえ; ねんちょう).

¶ 彼は私のずっと*先輩です He is my *senior* by many years. / He is much *older than* I. ★ 第 2 文は単に年齢が上であることを述べた文. // 彼は大学で私の 2 年*先輩だった He was ⌈my *senior* by two years [two years my *senior*; two years *ahead of* me] at the university. // 職場の*先輩 (⇒ 年長の同僚) a *senior* colleague // 彼は私の高校の大*先輩 (⇒ 古い卒業生) です He is one of the older *graduates* from my senior high school. // *先輩風を吹かす ☞ かぜ¹ (用例)

ぜんぱい¹ 全廃 ── 動 (廃止する) do away with …, abólish (他) ★ 前者のほうがくだけた言い方; (法律・条例などによる禁止措置などを撤廃する) lift (他). ── 名 (total) àbolítion Ⓤ. (☞ はいし (類義語)).

¶ そんな不公平な法律は*全廃すべきだ We should ⌈*do away with* [*abolish*] such an unfair law. // 政府は輸入食料品に対する制限を*全廃した The Government *lifted* all restrictions on food imports.

ぜんぱい² 全敗 ── 動 (すべてのゲームに負ける) lose every game (☞ れんぱい; かんぱい¹).

せんぱく¹ 浅薄 ── 形 (薄っぺらな) shallow; (うわべだけの) superficial /sùːpəfíʃəl/; (軽薄な) frivolous. (☞ うすっぺら; あさはか; あさい).

¶ 彼は*浅薄な批評家だ He is a *superficial* critic. // その問題について彼は*浅薄な知識しか持っていない He has only a ⌈*superficial* [*shallow*] understanding of the subject.

せんぱく² 船舶 ship Ⓒ, vessel Ⓒ ★ 後者はやや格式ばった語で, 特に大型船を意味するので「船舶」

という日本語に近い; (集合的に) shipping Ⓤ. 《☞ ふね》. **船舶安全法** the Vessel Safety Law **船舶検査** ship inspection Ⓤ **船舶原簿** shipping register Ⓒ **船舶工学** maríne engineéring Ⓤ **船舶国籍証書** certificate of a ship's nationality Ⓒ **船舶信号** ship's signal Ⓒ **船舶法** the Ships Law **船舶保険** ship [hull] insurance Ⓤ ★ hull は船体の意.

せんはく 前膊 forearm Ⓒ 《☞ ぜんわん》.

せんばつ 選抜 ── 動 (注意深く選ぶ) select ㊀; (自由意志で選ぶ) choose ㊀. ── 名 selection Ⓤ; choice Ⓤ. 《☞ えらぶ (類義語); せんこう[1]; せんしゅつ》. ¶ 彼女は多数の応募者の中から*選抜された She *was* ⌈*chosen* [*selected*] ⌈out of [from among] many applicants. // 彼は残念ながら*選抜からもれた He was unfortunately left out ⌈of [in the] *selection*. // 全国*選抜高校野球大会 the National Invitational High School Baseball Tournament **選抜試験** selective examination Ⓒ **選抜チーム** all-star team Ⓒ.

せんぱつ[1] 先発 ── 動 (前に出発する) start in advance. **先発隊** advance party Ⓒ **先発投手** starting pitcher Ⓒ, starter Ⓒ.

せんぱつ[2] 洗髪 ── 動 wash [shampóo] *one's* hair. ── 名 shampóo Ⓒ, hair-washing Ⓤ. 《☞ あらう》.

せんぱつ[3] 染髪 ── 動 (髪を染める) dye *one's* hair. **染髪剤** hairdye Ⓤ.

せんぱつじしん 浅発地震 shallow-focus earthquake Ⓒ.

せんばづる 千羽鶴 string of (a thousand) ⌈paper [origami] cranes Ⓒ.

せんばん[1] 旋盤 lathe /léɪð/ Ⓒ. **旋盤工** turner Ⓒ.

せんばん[2] 千万 ¶ 笑止*千万 (⇒ それはまったく馬鹿げている) It's *quite* absurd. // そんなことを言うなんて君は無礼*千万だ *How* rude ⌈you are [of you] to say such a thing to me! 《☞ しょうし[2]; ぶれい》

せんぱん[1] 戦犯 war criminal Ⓒ.

せんぱん[2] 先般 ── 副 (最近) recently; (しばらく前) some time ago; (先日) the other day. 《☞ さきごろ; せんじつ》.

ぜんはん 前半 the first half (↔ the second half); (ラグビーなど) the first period. ¶ 彼は 20 代の*前半だ He is in his *early* twenties. 《☞ 数字 (囲み)》 **前半戦** (試合の前半) the first half of the game.

ぜんぱん 全判 whole sheet (of paper) Ⓒ.

ぜんぱん 全般 ── 名 the whole. ── 形 the whole Ⓐ ★ the を付けて, 後に単数名詞をとる; (特別なものや一部でなく, 全体の) general; (全部にわたる) overall Ⓐ. 《☞ いっぱんに; ぜんたい 語法》. ¶ 組織*全般を改善[改革]する必要がある *The whole* system must be ⌈improved [reformed]. // 彼らはアメリカ市場*全般について調査した They made ⌈a *general* [an *overall*] survey of the American market. // 大会は*全般的に見て成功だった *On the whole*, the convention was successful. / The convention was *by and large* a success. 《☞ がいして》

ぜんはんき 前半期 the first half of a term 《☞ はんき[1]》.

ぜんはんしゃ 全反射 total reflection Ⓤ. **全反射プリズム** total reflection prism Ⓒ.

ぜんはんせい 前半生 the first half of *one's* life.

せんび[1] 船尾 ── 名 stern Ⓒ (↔ bow). ── 副 (船尾に) astern. 《☞ ふね (挿絵); ヨット (挿絵)》. **船尾灯** stern light Ⓒ.

せんび[2] 戦備 preparations for war ★ 複数形で.

せんぴ 戦費 war cost Ⓒ, war expenditure Ⓒ ★ 後者のほうが格式ばった言い方.

ぜんぴ 前非 (過去の悪行) *one's* past misdeed Ⓒ. ¶ 彼は*前非を悔いているとは思えない He doesn't seem to be repentant of *his past misdeeds*.

せんびき 線引き ── 名 drawing a line Ⓤ; (都市計画で) dèmarcátion of zónes Ⓤ; (引き伸ばして針金を作る金属加工) wíredràwing Ⓤ. ── 動 draw a line. **線引小切手** crossed ⌈check [《英》 cheque] Ⓒ.

ぜんひてい 全否定 〘文法〙 total negation Ⓤ 《☞ ひてい[1]》.

せんびょう 線描 line drawing Ⓤ 《☞ せんが》. **線描画** line drawing Ⓒ.

せんぴょう 選評 ── 動 (選んで批評する) select and comment on ...

せんびょうし 戦病死 ── 動 die ⌈of [from] a disease contracted at the front. **戦病死者** (集合的に) those who died [the dead] ⌈of [from] diseases contracted at the front.

せんびょうしつ 腺病質 ── 名 (虚弱体質) delicate health Ⓤ. ── 形 (病弱な) sickly; (体質が弱い) physically ⌈weak [delicate]. 《☞ きょじゃく; びょうじゃく》.

せんびん 先便 (手紙) *one's* ⌈previous [last] letter Ⓒ 《☞ てがみ》.

ぜんびん 前便 (手紙) *one's* last letter Ⓒ; (交通機関) the last ⌈flight [ship] ★ 前者は飛行機, 後者は船の場合. 《☞ せんびん; びん[2]》.

せんぶ 宣撫 (なだめること) placation Ⓤ; (占領地などで人心を安定させること) pacification Ⓤ. **宣撫工作** pacification work Ⓤ.

せんぷ[1] 先夫 (別れた夫) *one's* ⌈former [divorced] husband Ⓒ, *one's* ex-husband Ⓒ ★ 前者のほうが格式ばった言い方; 《略式》 *one's* ex Ⓒ.

せんぷ[2] 宣布 ── 動 (広く一般に宣言し公表する) proclaim ㊀, make [issue] a proclamation ★「...ということを宣布する」の場合は that ... が続く.

ぜんぶ[1] 全部 ── 代 (すべて) all. ── 名 (全体) the whole (↔ a part); (総計) total Ⓒ. ── 形 (すべての) all Ⓐ; (ことごとくの) every Ⓐ 語法 every のほうが口語的で意味が強い. また all の後に続く名詞は数えられるものの場合は複数形となる. all はその後に定冠詞をとることもできるが ((例) 学生*全部 *all the* students), every は後に単数名詞が続き, 冠詞は付かない. ((例) 学生一人一人*全部 *every* student); (全体の) whole Ⓐ, entire Ⓐ ★ 後者のほうが意味が強い. いずれも定冠詞や所有格を付けて単数名詞とともに使う; (全部を合わせた) total. ── 副 (すべてが) all; (まったく) entirely; (総計すると) in all. 《☞ すべて (類義語); みな; ぜんたい》. ¶ これで*全部ですか Is this [Are these] *all*? // 人数は*全部数えましたか Have you counted ⌈*everyone* [them *all*]? // 彼はエネルギーの*全部をその実験に注ぎ込んだ He devoted his ⌈*whole* [*entire*] energy to the experiment. // 費用は*全部で 30 万円だった The cost was three hundred thousand yen *in all*. / The *total* cost ⌈came to [amounted to; was] three hundred thousand yen. ★ 第 1 文のほうがより口語的. // ここにある本を*全部読んだわけではありません I didn't read *all* (of) the books here. ★ 部分否定に注意.

ぜんぶ[2] 前部 the front (part), the forepart. 《☞ まえ (挿絵); しょうめん》.

ぜんぶ[3] 膳部 (ぜんにのせる食物) meal laid out on the table Ⓒ; (料理) table Ⓒ ★ 古風な語. 単数形で; (料理人) cook Ⓒ. 《☞ りょうり》. ¶ 10 人前の

*膳部 a *table* set for ten people
ぜんぷ 前夫 ☞ せんぷ
せんぷう 旋風 (つむじ風) whirlwind Ⓒ; (大評判) sensation Ⓤ. 《☞ ひょうばん (類義語)》.
せんぷうき 扇風機 electric fan Ⓒ ★ 単に fan ともいう; (天井につるした) ceiling fan Ⓒ. ¶ *扇風機をかけて下さい Please ⸢start [turn on] the (*electric*) *fan*. // その*扇風機をこちらへ向けて下さい Please turn the *fan* this way. // 彼は*扇風機を一日中つけっぱなしにした He kept the (*electric*) *fan* going all day.
せんぷく¹ 潜伏 ── 動 (隠れる) híde (óut) ⓐ, conceal *oneself* ★ 前者のほうが口語的で, 平易な言い方. ── 名 hiding Ⓤ, concealment Ⓤ; (病気の) incubation Ⓤ. 《☞ かくれる》. ¶ 彼はどこかに*潜伏してしまった He went into *hiding* somewhere. ★ go into hiding で「隠れる」の意味. // 犯人はその小屋に 2 日間*潜伏していた The criminal remained (in) *hiding* in the hut for two days. **潜伏感染** latent infection Ⓒ **潜伏期[時]** incubation [latent] period Ⓒ **潜伏性** ── 名 latency Ⓤ. ── 形 latent. ¶ *潜伏性の病気 a *latent* disease
せんぷく² 船腹 (船の貨物を積む部分) freight space Ⓤ. **船腹量** bottom tonnage Ⓤ, bottom Ⓒ ★ 船が複数の場合は複数形で.
せんぷく³ 船幅 beam Ⓒ.
ぜんぷく 全幅 ── 形 (十分な・いっぱいの) full; (心からの) wholehearted. ¶ 彼らは指導者に*全幅の信頼をおいている They ⸢put [place; have] *full* confidence in their leader. / (⇒ 指導者を心から信頼している) They trust their leader *wholeheartedly*.
せんぶり 千振 〔植〕 biennial herb of the Japanese gentian Ⓒ ★ 説明的な訳.
せんぶん 線分 〔数〕 ── 名 segment /ségmənt/ Ⓒ. ── 動 segment /ségment/ ⓗ. ── 形 segmentary.
ぜんぶん¹ 全文 the whole ⸢sentence [passage] ★ sentence は 1 個の文, passage は文章; (条約・演説などの) the ⸢full [whole] text. **全文検索** full-text search Ⓒ.
ぜんぶん² 前文 (法律・条約などの) preamble /príːæmbl/ (to …) Ⓒ (↔ body); (前出の文) the above (sentence).
せんぶんりつ 千分率 permillage /pəmílɪdʒ/ Ⓒ ★ 普通は単数形で.
せんべい 煎餅 Japanese [rice] cracker Ⓒ; (説明的には) cracker made from a mixture of flour and rice-flour dough and sugar baked in an iron mold Ⓒ.
せんべい布団 (使い古してすり切れた) worn-out quilt Ⓒ; (説明的には) hard, thin mattress or futon like a rice cracker Ⓒ. 《☞ ふとん》.
せんぺい 尖兵 (軍隊の) advánce guárd Ⓒ; (率先者) 《格式》 spearhead Ⓒ ★ 単数形で. 《☞ せんぽう³》.
ぜんべい 全米 ── 形 (アメリカ合衆国全土の) national, American 語法 前者は文脈から米国のことであることが明らかな場合; (北米・中米・南米全部を含めて) Pan-American. ── 副 (アメリカ合衆国全土にわたって[で]) *all over* ⸢the United States [America]. ¶ その会議には*全米から代表が参加した The congress was attended by representatives from *all over* ⸢*the United States* [*America*]. // *全米選手権 the ⸢*American* [*national*] championship
せんべいぶとん 煎餅布団 ☞ せんべい (せんべい布団)
せんべつ¹ 餞別 parting [farewell] ⸢gift [present] Ⓒ ★ gift のほうが改まった語. 日英比較 欧米では餞別に金銭を贈る習慣はない. 《☞ おくりもの (類義語)》.
せんべつ² 選別 ── 名 sorting Ⓤ. ── 動 (よいものを選び出す) select ⓗ; (分類してえり分ける) sórt (óut) ⓗ. 《☞ えりわける; えらぶ (類義語)》. **選別機** (分類する) sorter Ⓒ; (選択する) selector Ⓒ. ¶ 郵便物*選別機 a mail *sorter* **選別作業** sorting operation Ⓒ.
せんべん 先鞭 ── 動 (先鞭をつける・先導する) take the initiative /ɪníʃətɪv/ in …; (…の先駆者となる) pìonéer in … 《☞ くさわけ; さきがけ》.
ぜんぺん¹ 前編 (後編に対して) the first half (↔ the second half), the former part (↔ the latter part) ★ 後者のほうが格式ばった言い方. 《☞ こうへん》.
ぜんぺん² 全編 the whole ⸢book [volume] 《☞ ぜんぶ¹》. ¶ 私はその本を*全編読み通した I read the book ⸢*through* [(⇒ 表紙から表紙まで) *from cover to cover*; *from beginning to end*].
せんぺんいちりつ 千編一律 ── 形 (同じ) one and the same; (一本調子の) monotonous; (型にはまった) stéreotỳped.
せんぺんばんか 千変万化 ── 形 (くるくると変化する) kaleidoscopic /kəlàɪdəskɑ́pɪk/; (絶えず変化する) ever-changing Ⓐ ★ Ⓟ ではハイフンは付かない. ── 動 (絶えず変化する) change kaleidoscopically.
せんぼう 羨望 ── 名 envy Ⓤ ★「羨望の的」の意味では Ⓒ. ── 動 (うらやむ) envy ⓗ, be envious (of …). 《☞ うらやましい; うらやむ》.
¶ 彼の新車は友達の*羨望の的だった His new car was the *envy* of his friends. // 君の成功はみんなの*羨望の的だ (⇒ みんながうらやましがっている) Everybody ⸢*envies* [*is envious of*] your success. // 彼女の友達は*羨望の眼で彼女の美しい服を見た Her friends looked *enviously* at her pretty clothes. / Her friends looked at her pretty clothes with *envy*.
せんぽう¹ 先方 (相手) the other party ★ 契約文書や正式な取り決め, あるいは形式ばった説明などで使う; (電話の相手) party Ⓒ; (彼ら) they; (彼) he; (彼女) she. 《☞ あいて》. ¶ *先方の承諾なしには進められない We cannot go ahead without *the other party's* consent. // *先方から何か言ってきましたか Have you heard anything from ⸢*them* [*him*; *her*]?
せんぽう² 戦法 (戦術) tactics ★ 単数扱い; (全体の作戦) strátegy Ⓤ. 《☞ せんじゅつ¹; せんりゃく; さくせん》.
せんぽう³ 先鋒 ── 名 (攻撃・事業の率先者) spéarhèad Ⓒ ★ 単数形で; the van, the vánguàrd ★ 後者は格式語. 集合的に用いられることもある. ── 動 (…の先鋒となる) spéarhèad ⓗ. 《☞ きゅうせんぽう; さきがけ》. ¶ 彼女は目下セクハラ反対運動の*先鋒となっている She *is* currently *spearheading* a campaign against sexual harassment. // 社会改革運動の*先鋒 *the* ⸢*vanguard* [*van*] of the social-reform movement
ぜんぼう 全貌 (全体) the whole; (全体の状況) the ⸢whole [entire] picture; (詳細) details ★ 複数形で. 《☞ ぜんたい》.
¶ 彼の説明では*全貌がわからなかった I couldn't get *the* ⸢*whole* [*entire*] *picture* from his explanation. // 彼は計画の*全貌 (⇒ 詳しい内容) を話してくれた He ⸢gave [told] me the *details* of his project. // 彼女はその*全貌 (⇒ すべて) を知っているらしい She seems to know *all* about it. // その殺人事件の*全

貌が明らかになった *The whole story* of the murder case has been brought to light.

ぜんぽう 前方 — [副] (ずっと前の方に) ahead; (前方へ向かって) forward (↔ backward); (位置が) before [語法] forward は運動について用い, before は静止している位置について用いる. ahead は運動と静止どちらにも用いられる. — [前] (…のずっと前方に) ahead of …; (…のすぐ前に) in front of …, before … (↔ behind …) ★ 前者が口語的で一般的. ((☞ まえ (挿絵); さき[1])).
¶ 私たちの*前方に小さな小屋が見えた We saw a small hut *ahead of* us. // 200 メートルほど*前方に歩道橋があります There is a pedestrian overpass about two hundred meters *ahead*. // 我々の*前方に美しい谷が展開した A beautiful valley spread out ｢*in front of* [*before*] us. // 彼はゆっくりと*前方へ進んだ He moved slowly *forward*.
前方一致検索 〖コンピューター〗 prefix search [C].

ぜんほういがいこう 全方位外交 omnidirectional ｢diplomacy [foreign policy] [U].

せんぼうきょう 潜望鏡 périscòpe [C].

ぜんぽうこうえんふん 前方後円墳 *zenpo-koen-fun* [C]; (説明的には) ancient Japanese front-square and rear-round burial /bériəl/ mòund [C]; (鍵穴形の) ancient Japanese keyhole-shaped burial mound [C]. ((☞ こふん)).

ぜんぽうこうほうふん 前方後方墳 *zenpo-koho-fun* [C]; (説明的には) ancient Japanese front-square and rear-square burial mound [C]. ((☞ こふん; ぜんぽうこうえんふん)).

せんぼうちょう 線膨張 〖物理〗 linear expansion [U]. **線膨張係数** coefficient of linear expansion [C] **線膨張率** the coefficient of linear expansion.

ぜんほくく, ぜんほっく 全北区 (動物相の区分) the Holarctic region.

せんぼつしゃ 戦没者 (the) war dead ★ 複数扱い. ((☞ せんし[1])).

せんぼんごうし 千本格子 lattice with thin vertical strips [C].

せんぼんしめじ 千本しめじ ☞ しめじ

せんまい 饌米 (神に供える洗米) washed rice offered to a deity [U] ((☞ くまい)).

ぜんまい[1] spring [C] ((☞ ばね)). ¶ 時計の*ぜんまいを巻きなさい *Wind up* the clock. **ぜんまい仕掛け** clockwork [U]. ¶ *ぜんまい仕掛けの玩具 a *clockwork* toy **ぜんまい秤** spring balance [C].

ぜんまい[2] 薇 〖植〗 royal [flowering] fern [C].

せんまいだ 千枚田 ☞ たなだ

せんまいづけ 千枚漬 pickles of sliced Japanese turnip ★ 説明的な訳. 通例複数形で.

せんまいどおし 千枚通し awl [C] ((☞ だいく[1] (挿絵))).

せんまいばり 千枚張り — [形] (何枚も重ねた) multilayered; (厚かましい) brazen-faced. ¶ あいつは面の皮が*千枚張りだ (⇒ 厚かましいやつだ) He is a *brazen-faced* fellow. ((☞ てつめんぴ))

せんまん 千万 — [名] ten million. — [形] ten million. ¶ 2 *千万 *twenty million* // 数*千万人の人 *tens of millions* of people ((☞ 数字 (囲み)))
千万人といえども吾往かん (⇒ たとえどんなに多くの人が反対しても私は自分の思ったことをしよう) I will do what I want to do no matter how many people may oppose me. **千万無量** — [形] (数えきれない) innumerable; (計り知れない) unfathomable. ¶ それを見て*千万無量の思いであった (⇒ 深く感動した) I was *deeply* moved by it.

ぜんみ 禅味 Zen ｢air [flavor] [C]; (超俗の趣) unworldly [elevated] ｢air [flavor] [C]. ¶ 彼の語りは*禅味を帯びている His talk savors of the *unworldliness of the Zen*.

せんみん[1] 選民 the chosen people, the elect ★ いずれも the を付けて. ((☞ エリート)). **選民思想** elitism [U].

せんみん[2] 賤民 (歴史上の生まれの卑しい人々) the lowborn ★ 集合的に; (インドの) outcaste [C].

せんむ 専務 (取締役) mánaging dirèctor [C], exécutive diréctor [C]. ((☞ じゅうやく[1]; 会社の組織と役職名 (囲み))).

せんむは 戦無派 the generation(s) who never know World War II ★ 説明的な訳.

せんめい[1] 鮮明 — [形] (形などがはっきりした) clear; (輪郭などが明瞭(めいりょう)な) distinct; (色などが鮮やかな) vivid; (テレビの画像が) sharp. — [名] clearness [U]; distinctness [U]; vividness [U]; sharpness [U]. ((☞ めいりょう; あざやか)).
¶ 彼の面影は*鮮明に私の心に残っている His image remains *vivid* in my mind. // この写真は*鮮明じゃない (⇒ ぶれている) This photograph *is blurred*. // (テレビの)*鮮明な画像 a *sharp* picture
鮮明度 (テレビの) distinction [U].

せんめい[2] 船名 ship's name [C]. **船名録** register book of shipping [C].

せんめつ 殲滅 — [名] ((格式)) annihilation /ənàɪəléɪʃən/ [U]. — [動] ((格式)) annihilate /ənáɪəlèɪt/ (他). ((☞ ぜつめつ)).

ぜんめつ 全滅 — [動] (全滅させる・一人残らずやっつける) ((略式)) wípe óut (他) [語法] 目的語は人または動物.「全滅する」は be wiped out と受身形になる. 以下の語もすべて同様; (建物・町・組織などを完全に破壊する) destroy … completely; (敵などを粉砕し壊滅させる) crush (他) ★「押しつぶす・砕く」が原意; (後に何も残らないように破壊する・皆殺しにする) annihilate /ənáɪəlèɪt/ (他) ★ 格式ばった語で, 意味も強い. 目的語は人(ただし集団)・物いずれでもよい; (特に存在の望ましくないものを絶滅させる・根絶する) extérminàte (他). — [名] complete [total] destruction [U]; annihilation /ənàɪəléɪʃən/ [U]. ((☞ かいめつ; はかい[1])).
¶ 守備隊は爆撃されて*全滅した The defenders *were* bombed and *wiped out*. // 我々は敵を*全滅させた We ｢*wiped out* [*crushed*] our enemy. // 山崩れでその村は*全滅した (⇒ 山崩れが村を全滅させた) A landslide ｢*annihilated* [*completely destroyed*] the village. // この殺虫剤で白ありは*全滅するだろう This insecticide will *exterminate* the termites. // 彼の一家は流感で*全滅だ (⇒ 倒れた) His whole family *is down* with influenza.

せんめん[1] 洗面 — [動] (顔 (や手) を洗う) wash *one's* face (and hands), ((米)) wásh úp (自). ((☞ あらう)). **洗面器** ((米)) washbowl [C], ((英)) washbasin [C] **洗面所** ☞ 見出し **洗面台** sink [C], washbasin [C]. ((☞ ふろ (挿絵))) **洗面道具** toilet articles ★ 複数形で.

せんめん[2] 扇面 (扇の地紙) fan paper [U]. **扇面屏風** portable folding screen decorated with fan paper [C].

ぜんめん[1] 全面 — [名] (表面全部) the ｢whole [entire] surface. — [形] (一律の・全般にわたる) across-the-board. ((☞ ぜんめんてき)). ¶ 湖は*全面に氷が張った The lake froze *over*. / *The* ｢*whole* [*entire*] *surface* of the lake was covered with ice. ★ 第 2 文のほうが格式ばった表現. // この道路は車両*全面通行禁止です This road is closed to *all* motor vehicles.
全面カット ¶ 住宅手当の*全面カット *complete* [*overall*] ｢*suspension* [*cancellation*] of housing allowances **全面広告** full-page ad [C] ★ ad は

advertisement の短縮形. 複数形は ads. **全面降伏** (無条件降伏) unconditional surrender Ⓤ 《☞ こうふく²》 **全面講和** comprehensive peace treaty Ⓒ 《☞ こうわ¹》 **全面勝利** complete victory Ⓒ **全面戦争** total [all-out] war Ⓒ **全面高[安]** (株価の) across-the-board ⌈rise [fall] (in stock prices) Ⓒ.

ぜんめん² 前面 (前の部分) the front 《☞ まえ (挿絵); しょうめん; おもて》.

せんめんじょ 洗面所 (住宅の) bathroom Ⓒ 日英比較 欧米では風呂場・便所・洗面所が一部屋になっているものが多いため, 普通は「風呂場」を表す言葉 bathroom で「洗面所」を代表することが多い. 日本でも洗面所が風呂場に隣接していれば bathroom と訳してさしつかえない. もし離れて洗面設備だけがあるときは《米》washbowl Ⓒ, 《英》washbasin Ⓒ を使う. これは普通水道管・洗面台・排水管の設備まで含めたいわゆる「洗面設備」である; (公の場所での便所兼洗面所) rest room Ⓒ, lávatòry Ⓒ, 《米》washroom Ⓒ. 《☞ ふろ (挿絵); てあらい¹》.

ぜんめんてき 全面的 ―形 (総力あげての) all-out Ⓐ; (全体にわたる) overall Ⓐ; (完全な) complete; (心からの) wholehearted; (全体の) whole Ⓐ; (まったくの) entire Ⓐ; (全般的な) general; (全体的な規模の) full-scale. ―副 (全面的に) overall; completely; wholly; entirely.

¶ その運動は一般の人々の*全面的な支持を得た The movement obtained ⌈*wholehearted* [*all-out*] support from the public. // 問題の*全面的な解決 an *overall* solution to the problem // 私は彼を*全面的に信頼している I have *complete* confidence in him. / I trust him *wholeheartedly*. // 時刻表は 10 月に*全面的に改正される The train schedules will be ⌈*entirely* [*wholly*] revised in October.

せんもう¹ 繊毛 ―名 〔生〕 cilium /síliəm/ Ⓒ 《複 cilia /-liə/》. ―形 ciliary /sílièri/. **繊毛運動** ciliary movement Ⓤ **繊毛虫** ciliate Ⓒ.

せんもう² 譫妄 〔医〕 (意識障害の一つ) delírium Ⓤ.

せんもう³ 剪毛 (羊の毛を刈りとること) sheep shearing Ⓤ.

ぜんもう 全盲 ―形 totally [completely] blind 《☞ もうもく》.

せんもん 専門 ―名 specialty /spéʃəlti/ (《英》 speciality /spèʃiǽləti/) Ⓒ; (得意な道・職業) 《略式》 line (of work) Ⓒ; (研究題目[分野]) special ⌈subject [field] of study Ⓒ; (大学での専攻科目) 《米》 major Ⓒ. ―形 (専門の) special; (技術上の・専門の知識のいる) technical; (職業上の) professional. ―動 (専門にする) specialize (in ...) 自; (大学で専攻する) 《米》 major (in ...) 自, 《英》 read 他; (研究する) study 他. 《☞ せんこう²》.

¶「彼の*専門は何ですか」「経済学です」"What is his *specialty*?" "Economics." / "What does he *specialize in*?" "He *specializes in* economics." / "What's his *line* (*of work*)?" "Economics." // 彼女の*専門は電子工学です Her *specialty* is electronics. / (⇒ 電子工学の専門家だ) She's an electronics ⌈*specialist* [*expert*]. // 私は大学で経済学を*専門に学んだ (⇒ 専攻した) I ⌈*majored* [*specialized*] *in* economics at college. // 高度に*専門的なこと a highly *technical* matter // *専門的技術 *professional* skill // 彼は*専門外 (⇒ 自分の分野外) のことはあまり知らない He isn't very familiar with matters outside his *field*. // この店は婦人服*専門です (⇒ 婦人服だけを商っている) This store *deals* in women's clothes *only*. // そのレストランはイタリア料理が*専門だ The restaurant's *specialty* is Italian food. / The restaurant *specializes in* Italian cuisine.

専門医 (medical) specialist Ⓒ **専門委員** (全員) expert committee Ⓒ ★ 委員会の意味もある; (1人) expert committee member Ⓒ **専門化** ―名 specialization Ⓤ. ―動 specialize 他. ¶ *専門化された研究 *specialized* studies **専門家** specialist Ⓒ; (熟練した専門家) éxpert Ⓒ ★ 人に対してほめ言葉として使う; (本職の人) professional Ⓒ. 《☞ くろうと; ほんしょく》 **専門学校** specialist [professional] school Ⓒ; (一般的に) college Ⓒ ★ ...college, あるいは college of ... のように使う. 《☞ 学校・教育 (囲み)》 **専門課程** specialized course Ⓒ **専門科目** specialist subject Ⓒ **専門教育** (高度の) professional education Ⓤ; (技能を教える) technical education Ⓤ **専門(雑)誌** specialist [technical] magazine Ⓒ; (学術的な) learned journal Ⓒ **専門書** book on ... Ⓒ; (科学・技術関係の) technical book Ⓒ. ¶ 医学*専門書 a *book on* medicine // 美術史の*専門書 a *book on* art history **専門知識** technical knowledge Ⓤ **専門店** specialty store Ⓒ **専門馬鹿** the ignorance of the learned **専門分野** specialized field Ⓒ; (大学生の) major Ⓒ **専門(用)語** technical term Ⓒ.

ぜんもん 前門 front gate Ⓒ.

前門の虎後門の狼 be caught between Scylla /sílə/ and Charybdis /kəríbdɪs/ / be caught between the devil and the deep (blue) sea ★ Scylla, Charybdis は〖ギ神〗の怪物. また devil は船の喫水線近くの板の継ぎ目.

ぜんや 先夜 (先日の夜) the other ⌈night [evening]; (数日前の夜) a few nights ago. 《☞ よる¹; ばん¹ (類義語)》.

ぜんや 前夜 (前の夜) the previous night, the night before (...) ★ 後者のほうがより口語的; (重要な出来事の) the eve ★「祭日の前夜」などは大文字で始めることが多い. 《☞ ばん¹ (類義語); クリスマス》. ¶ *前夜の豪雨で川が増水していた The river was rising owing to the heavy rain ⌈of *the previous night* [that had fallen *the night before*]. // 私は幼かったが開戦*前夜のこと (⇒ 前夜に起こったこと) をよく覚えている I remember well what happened on *the night before* the outbreak of the war even though I was a child. **前夜祭** eve Ⓒ.

せんやいちやものがたり 千夜一夜物語 ―名 固 *The Thousand and One Nights, The Arábian Nights' Entertáinments.*

せんやく¹ 先約 previous ⌈engagement [appointment] Ⓒ 《☞ やくそく》. ¶「今晩, 食事にご招待したいのですが」「すみませんが今晩は*先約があります」"I'd like to invite you to dinner tonight." "I'm sorry, but I have ⌈a *previous* [*another*] ⌈*engagement* [*appointment*] (for) this evening."

せんやく² 仙薬 elixir Ⓒ.

ぜんやく 全訳 complete translation Ⓒ.

ぜんゆ 全癒 complete [full] recovery (from illness) Ⓤ 《☞ ぜんかい¹》.

せんゆう¹ 占有 ―動 (場所・時間などを) óccupỳ 他; (所有する) possess 他; (...を手に入れる・占領する) take possession of ... ―名 occupation Ⓤ; óccupancy Ⓤ 語法 後者のほうが意味が狭く, 家・土地などに限られる; (所有) possession Ⓤ. 《☞ せんりょう¹》.

¶ 土地を不法に*占有する *occupy* the land illegally // 彼らがその土地を*占有するのは違法である Their *occupancy* of the land is illegal. // その会社は市場の 30 パーセントを*占有している The company *has* a 30 percent ⌈market *share* [*share* of the market].

占有期間 occupancy Ⓤ　占有権 (一般的に) the right of possession; 〘法〙 seisin /síːzn/ Ⓤ　占有財産 property in possession Ⓤ　占有者 occupant Ⓒ　占有地 〘法〙 demesne /dɪméɪn/　占有物 possession Ⓒ　占有率 (market) share Ⓤ.

せんゆう² 専有 (独りで占領する) have ... to *oneself*, occupy [have] ... of *one's* own. 《☞ せんりょう¹; どくせん¹》. ¶彼は大きな部屋を*専有している He *has* a large room *to himself*. / He *occupies* a large room *of his own*. ★ 第 2 文のほうが格式ばった表現. 専有権 exclusive right Ⓒ, monopoly Ⓒ　専有者 sole owner Ⓒ　専有部分 area for exclusive use Ⓒ　専有面積 floor space for exclusive use Ⓒ.

せんゆう³ 戦友 fellow soldier Ⓒ.

せんよう¹ 専用 ―形 (排他的) exclusive; (私的な) private; (個人の) personal; (自分だけの) of *one's* own. ―名 exclusive [private; personal] use Ⓤ.

¶私は自分*専用の部屋が欲しい I want a ˹*private* room [room *of my own*]. // このエレベーターは来客*専用です This elevator is ˹for the *exclusive use* of visitors [*exclusively for* visitors]. // この出入口は社員*専用です This entrance is *only for the use* of employees. / (⇒ 従業員専用) Employees *only*. 《掲示》《☞ じゅうぎょういん (従業員入口)》 // この駐車場は教員*専用です This parking lot *is reserved* for (the) teachers. // 彼は自分*専用の飛行機を持っている He has a plane for his *personal use*. // この商標は私どもの*専用です This trademark is *exclusive* to us. // 自動車*専用道路 a freeway / 《英》 a motorway / (⇒ 有料の) a toll road / (⇒ 高速道路) an expressway

専用回線 (privately) leased line Ⓒ　専用貨車 special(ized) freight car Ⓒ　専用機 personal plane Ⓒ. ¶大統領*専用機 ☞ だいとうりょう　専用漁場 exclusive fishing zone Ⓒ　専用室 room for (*one's*) personal use Ⓒ　専用車 (*one's*) private car Ⓒ　専用電話 private-line telephone Ⓒ, telephone for exclusive use Ⓒ.

せんよう² 占用 ¶駐車したり露店を出したりして公共道路を*占用するのは違法行為である To *use* a public road *privately* by parking a car or setting up a stall is illegal.

せんよう³ 宣揚 ―名 《格式》 enhancement Ⓒ. ―動 《格式》 enhance ⑩. ¶国威の*宣揚 the *enhancement* of (the) national prestige

ぜんよう¹ 善用 ―動 make ˹good use [the best] of ... 《☞ りよう¹; かつよう》.

ぜんよう² 全容 the whole picture 《☞ ぜんぼう》.

ぜんら 全裸 ―形 (まったく裸の) stark naked /néɪkɪd/; (何も着ていない) with no clothes on. 《☞ すっぱだか; はだか》. ¶*全裸の写真 a *nude* photograph

せんらん 戦乱 (戦争) war Ⓤ; (戦闘) battle Ⓤ; (動乱) disturbance Ⓤ. 《☞ せんそう¹ (類義語)》.

せんり 千里 one thousand *ri*; (はるかなる道のり) great distance Ⓒ.　千里の馬[駒] (駿足の馬) swift horse Ⓒ; (すぐれた才能の人) person of great talent Ⓒ.　千里の行(こう)も足下(そっか)に始まる (長旅も足元から始まる) A journey of a thousand leagues begins at one's feet.　千里の野に虎を放つ let loose a tiger in a vast plain; (災いの可能性をつくる) introduce the possibility of disaster.　千里も一里 ¶惚れて通えば*千里も一里 (⇒ 愛は千里の旅を一里に思わせる) Love makes a thousand-league journey seem but one. / (⇒ 喜ぶ心は足を速くさせる) A happy heart makes feet fleet.

せんりがん 千里眼 clairvoyance /kleəvɔ́ɪəns/ Ⓤ, second sight Ⓤ ★ 後者のほうが口語的. 《☞ よげん¹》. ¶彼は*千里眼だ (⇒ 千里眼を持つ) He ˹has *second sight* [is *clairvoyant*].

せんりつ¹ 戦慄 ―名 (身震い) shudder Ⓒ; (震え) shiver Ⓒ　語法 shudder は恐怖・嫌悪などで身震いすること. shiver は普通は寒さで震えることを指すが, 比喩的にも用いられる. ―動 shudder ⓐ; shiver ⓐ; (恐れおののく) tremble with fear. ―形 (身の毛もよだつ) horrible; (恐ろしい) terrible; (毛を逆立てるような) hair-raising Ⓐ ★ Ⓟ ではハイフンは付かない. 《☞ おそろしい; ふるえる (類義語)》. ¶恐怖の*戦慄が私の背筋を走った [体の中を貫いた] A *shiver* of horror ˹ran down my back [passed through me]. // その光景を見て私は*戦慄した (⇒ 光景が恐怖で私を震わせた) The sight made me *shudder* with horror. / (⇒ その光景が私に寒けを与えた) The sight gave me the ˹*creeps* [(*cold*) *shivers*].

せんりつ² 旋律 melody Ⓒ; (曲などの主旋律) theme Ⓒ; (節回し) tune Ⓒ. 《☞ メロディー》.

ぜんりつせん 前立腺 〘解〙 próstate (glànd) Ⓒ.　前立腺炎 prostatitis /pràstətáɪtɪs/ Ⓤ　前立腺がん prostate cancer Ⓤ　前立腺切除(術) pròstatéctomy Ⓤ　前立腺肥大(症) (benign) prostátic hypertrophy /haɪpə́ːtrəfi/ Ⓤ ★ 通例「良性の」を意味する benign /bɪnáɪn/ を付ける.

せんりひん 戦利品 (敵からの分捕り品) booty Ⓤ; (戦勝記念品) trophy Ⓒ.

せんりゃく 戦略 (作戦計画) strátegy Ⓤ; (策略) 《格式》 stratagem /strǽtədʒəm/ Ⓒ. 《☞ さくせん》. ¶その*戦略を立てたのは彼だ It is he who ˹worked [mapped] out the *strategy*. // その島は*戦略上重要である The island is ˹*strategically* /strətíːdʒɪkəli/ important [important from the *strategic* point of view].

戦略家 strátegist Ⓒ　戦略核(兵器) strategic nuclear weapon Ⓒ　戦略的外交 strategic diplomacy Ⓤ　戦略爆撃 strategic bombing Ⓤ　戦略爆撃機 strategic bomber Ⓒ　戦略物資 stratégic goods ★ 複数形で.　戦略兵器 strategic arms ★ 複数形で.　戦略兵器削減交渉 the Strategic Arms Reduction Talks 《略 START》 《☞ 略語(巻末)》　戦略防衛構想 the Strategic Defense Initiative 《略 SDI》　戦略ミサイル防衛 strategic missile defense Ⓤ.

ぜんりゃく 前略 日英比較 英文の手紙では Dear ˹Mr. [Mrs.; Miss; Ms.] ... が「前略」や「拝啓」にあたり, 日本の習慣のように時候のあいさつなどは抜きにして, すぐ用件に入るのが普通だから, 特に「前略」にぴったりの訳語はない. 事務的なものは Dear ˹Sir [Sirs; Madam]. 《☞ 手紙の書き方 (囲み)》.

せんりゅう 川柳 *senryu* Ⓒ; (説明的には) witty epigrammatic Japanese poem containing seventeen syllables Ⓒ. 《☞ はいく》.

せんりょ¹ 千慮 (慎重に考えること) prudence Ⓤ.

千慮の一失 (慎重な人のたまの失敗) the occasional slip of a prudent person Ⓒ; (知恵者の手落ち) oversight of a wise person Ⓒ. ¶知者にも*千慮の一失 (⇒ ホメロスのような大詩人もへまをすることがある) (Even) Homer sometimes nods. 《ことわざ》

千慮の一得 (愚者でも(よく考えれば)ときには有益なことを言う) Even a fool will on occasion say something useful.

せんりょ² 浅慮 (慎重さを欠くこと) imprudence Ⓤ; (考えの足りないこと) thoughtlessness Ⓤ; (無分別) indiscretion Ⓤ. 《☞ あさはか》. ¶お金を全部その株に投資したのは*浅慮の至りだった It was *most* ˹*unwise* [*imprudent*] of me to have invested all my money in the stock.

せんりょう¹ 占領 ━ 名 (占拠) occupation Ⓤ; (占有) possession Ⓤ; (攻略) capture Ⓤ. ━ 動 (場所を占領する) óccupỳ 他; (手に入れる) take 他 ★ 広い意味をもつ一般的な語; (奪い取る) seize 他. ¶ 敵の軍隊はその町を*占領した Enemy troops ⌈*occupied* [*took*] the town. / Enemy troops ⌈*got* [*took*] *possession of* the town. // 彼は2部屋を*占領 (⇒ 独り占め) している He *has* two rooms *all to himself*. // *占領下にある be under *occupation*
占領軍 occupation ⌈force [army] Ⓒ **占領地** occupied ⌈area [territory] Ⓒ.

せんりょう² 染料 (染色の原料) dye Ⓤ, dyestuff Ⓒ; (一般的に着色料) coloring matter Ⓤ.

せんりょう³ 千両 **1** «貨幣»: (金額) a thousand *ryo*; (金貨千枚) a thousand pieces of ⌈gold [gold coins].
2 «植物»: *senryo* Ⓒ; (説明的には) evergreen shrub of the chloranthus family Ⓒ.
千両箱 thousand-*ryo* box Ⓒ; (金貨を入れる箱) chest for gold coins Ⓒ **千両役者** (優れた俳優) great ⌈actor [actress] Ⓒ; (スター) star Ⓒ.

せんりょう⁴ 線量 〘物理〙 dose Ⓒ. ¶ 最大許容*線量 (the) maximum permissible *dose* (略 MPD).

せんりょう⁵ 選良 **1** «選ばれた優れた人々»: the [an] elite /eɪlíːt/ ★ 集合名詞として用いる. (☞ エリート).
2 «代議士»: member of the Diet Ⓒ, Diet member Ⓒ. (☞ だいぎし).

ぜんりょう¹ 善良 ━ 形 (よい) good ★ 一般的な語; (人のよい) good-natured. (☞ よい¹). ¶ *善良な人 a *good*(*-natured*) ⌈man [woman]

ぜんりょう² 全量 (the) total amount.

ぜんりょうせい 全寮制 ¶ *全寮制の学校 a *boarding* school

せんりょく¹ 戦力 (兵力) military ⌈strength [power; force] Ⓤ; (潜在的な力) war [military] potential Ⓤ; (戦闘力) fighting ⌈power [strength] Ⓤ; (軍隊) the armed forces. (☞ へいりょく; ちから (類義語)).
¶ *戦力は少しずつ増強されている *Military strength* [*War potential*] is being built up little by little. // 日本国憲法によれば, 我々は陸海空軍その他の*戦力は保持しないとある According to the Constitution of Japan, we will never maintain land, sea, or air forces, or develop any other *military potential*. // 彼はその企画の*戦力にはならない (⇒ 有能な人材ではない) He is not an *efficient staff member* for the project.

せんりょく² 鮮緑 fresh [bright] green Ⓤ; (新緑) (文) verdure Ⓤ.

ぜんりょく 全力 ━ 名 (すべての力) all *one's* ⌈power [strength; might] Ⓤ. ━ 動 (全力を尽くす) do *one's* ⌈best [utmost] ★ utmost のほうが格式ばった表現; (できることは何でもする) do all *one* can, do everything in *one's* power; (全力を傾ける) devote [apply] all *one's* energies to ... ★ 前の2つより改まった言い方; (全力を集中する) concentrate all *one's* energies on ...; (身も心も打ち込む) put *one's* heart and soul into ... ★ 以上2つは格式ばった言い方. ━ 副 (全力を尽くして) *with all one's might*, (略式) for all *one* is worth, to the best of *one's* ability ★ 3番目はやや格式ばった表現. (☞ いっしょうけんめい; ちからいっぱい).
¶ 彼は何事にも*全力を尽くす He *does his* ⌈*best* [*utmost*] in everything. // あなたを助けるために喜んで*全力を尽くします (⇒ できることは何でもやります) I am ready to *do* ⌈*everything in my power* [*all I can*] to help you. // 彼はその仕事に*全力を傾けた (⇒ 全精力を捧げた) He ⌈*devoted* [*applied*] *all his energies to* the work. / (⇒ 全精力を集中した) He *concentrated all his energies on* the work. / (⇒ 身も心も打ち込んだ) He *put his heart and soul into* the work. ★ 第1文に比べて第2, 第3の文は格式ばった表現. // 彼は*全力で (⇒ 力いっぱい) ボートをこいだ He rowed the boat ⌈*with all his might* [*for all he was worth*]. // 投手は打者に対して*全力投球した (⇒ 一番速いボールを投げた) The pitcher ⌈threw [delivered] his *fastest* ball to the batter.

せんりょくがん 閃緑岩 〘鉱物〙 diorite Ⓤ.

ぜんりん¹ 前輪 front wheel Ⓒ (☞ くるま).
前輪駆動 front-wheel drive Ⓤ (略 FWD).

ぜんりん² 善隣 **善隣外交** góod-nèighbor diplómacy Ⓤ **善隣関係** good neighborly relations ★ 複数形で. **善隣政策** good-neighbor policy Ⓒ **善隣友好** good neighborly friendship Ⓤ **善隣友好条約** good neighbor and friendship treaty Ⓒ.

ぜんりんくどう 全輪駆動 ☞ よんりん (四輪駆動)

せんるい 蘚類 〘植〙 the mosses (☞ こけ¹).

せんれい¹ 先例 (従来からの慣例) précedent Ⓒ ★ 法律など公のことに使う; (前の例) previous instance Ⓒ ★ 一般的な表現.
¶ それには*先例がない There is no *precedent* for it. / (⇒ それは先例のないことだ) It is an *unprecedented* matter. ★ 第2文のほうが格式ばった表現. // *先例に習う follow a *precedent* // *先例を作る set [create] a *precedent*

せんれい² 洗礼 ━ 名 baptism Ⓒ; christening /krís(ə)nɪŋ/ Ⓤ 語法 前者のほうが後者より厳密な語. 後者は洗礼に関係なく単に命名する意味でも使われる. ━ 動 (洗礼を施す) baptize 他.
¶ 私はキリスト教の*洗礼を受けた I received a Christian *baptism*. // 牧師はその赤ん坊に*洗礼を施した The minister *baptized* the baby.
洗礼名 Christian [baptismal] name Ⓒ (☞ なまえ¹ 日英比較).

せんれい³ 鮮麗 ━ 形 (明るい) bright; (鮮やかな) vivid; (華麗な) splendid. (☞ あざやか (類義語)).

ぜんれい¹ 前例 (従来からの慣例) précedent Ⓒ; (前に起こったこと) previous instance Ⓒ. (☞ せんれい¹).

ぜんれい² 全霊 (精神力のすべて) the whole soul (☞ ぜんしん² (全身全霊)).

せんれき 戦歴 military [war] record Ⓒ. ¶ 彼は顕著な*戦歴の持ち主だ He has an outstanding *war record*.

ぜんれき 前歴 (過去の経歴 [履歴, 生活]) *a person's* past ⌈record Ⓒ [history Ⓒ; life Ⓤ]; (前の経歴) *a person's* previous record Ⓒ; (過去の生活) past Ⓒ ★ a past としていかがわしい経歴を指すのが普通. (☞ けいれき).
¶ 警察は彼の*前歴を調べた The police ⌈checked [inquired into] *his past* ⌈*record* [*history*]. // 彼の*前歴はだれも知らなかった No one knew his *past*. // 彼女はいかがわしい*前歴を持っている (⇒ 過去のある女だ) She is a woman with *a past*.

せんれつ¹ 戦列 line of battle Ⓒ, battle line Ⓒ. (☞ せんせん¹). ¶ 戦車部隊が*戦列に加わった A squadron of tanks joined the *line of battle*. // 彼女は反戦運動の*戦列に加わった (⇒ 反戦運動に参加した) She joined in anti-war activity.

せんれつ² 鮮烈 ━ 形 (あざやかではっきりしている) vivid; (強烈で印象的な) striking. (☞ あざやか).

ぜんれつ 前列 the front row (☞ れつ). ¶ 彼は*前列の左から2番目にいる He is the second from the left in *the front row*.

せんれん 洗練 **―** 形 (磨かれた) polished; (あかぬけした) refined; (上品で優雅な) elegant; (教養のある) cultivated. 《☞ あかぬけた》. ¶ 彼の言葉遣い[態度]は最近非常に*洗練されてきた His ˹speech [manner] has become very *refined* recently. // 彼女の*洗練された物腰は我々の注目を集めた Her ˹*elegant* [*refined*] manners attracted our attention.

せんろ 線路 (railroad [《英》 railway]) track Ⓒ ★ track はレール 1 本または平行している 1 対のレールを指す; line Ⓒ ★ 主に《英》; (軌道) rail Ⓒ. 《☞ えき[1] (挿絵)》. ¶ 私たちは*線路伝いに歩いた We ˹walked along [followed] the ˹*track* [*line*]. // 彼の仕事は*線路を敷いたり修理したりすることだ His work is laying and repairing *railroad tracks*. **線路工事** (鉄道建設) railroad [《英》 railway] construction Ⓒ; (保線工事) maintenance work Ⓤ **線路作業員** 《米》 tracklayer Ⓒ, 《英》 platelayer Ⓒ.

ぜんろう 全聾 **―** 形 completely deaf.

せんろっぽん 千六本 ☞ せんぎり

ぜんわん 前腕 forearm Ⓒ. **前腕骨** 〔解〕 antebrachial bone Ⓒ.

そ，ソ

そ[1] 祖 (祖先) ancestor Ⓒ; (創始者) founder Ⓒ; (元祖) originator Ⓒ. 《☞ そせん; かいそ[1]》.

そ[2] 租 (日本の奈良・平安時代の) rice ⌈taxes [levies] ★ 複数形で; (説明的には) tax under the *ritsuryo* system of the Nara and Heian periods Ⓒ.

そ[3] 疎 ── 形 (まばらな) thin (↔ thick), sparse (↔ dense) ★ 前者の方が口語的; (親しくない) 《格式》 estranged (from ...). ── 副 thinly, sparsely. 《☞ まばら; そえん》. ¶ 丸の内地区は夜間は人口が*疎になる The Marunouchi district becomes ⌈*thinly* [*sparsely*] populated at night(time). // これら 2 つの国の関係は*疎になった These two countries have become *estranged from* each other.

そ[4] 楚 ── 名 ㊞ (中国の王朝) Ch'u /ʧúː/.

ソ 〘楽〙 sol /sóʊl/ Ⓤ, so Ⓤ.

-ぞ 日英比較 日本語の「…ぞ」は口語で強く言い切るときの男性の口調を表すが, 英語でその感じを表すには特定の表現はなく, 文脈によって, いろいろに意訳したり, イントネーションや強勢の変化などによって表さなくてはならない. ¶ 今度こそやる*ぞ I'll make it this time, *no matter what*. // あいつ, やっと来た*ぞ Here he comes at last!

そあく 粗悪 ── 形 (質の悪い) poor, bad (↔ good) 語法 前者のほうはやや控えめな言葉. 後者ははっきりと「悪い」ことを言う. いずれも広い意味で用いられる語で,「質」quality などの名詞を添えて用いないと意味が不明確になりやすい; (質の劣った) inferior (↔ superior) ★ ほかとの比較において劣っていることを表す; (粗末な) coarse. 《☞ わるい》.
¶ *粗悪品 goods *of* ⌈*poor* [*bad*] *quality* // 材料が*粗悪だ The material is *coarse*.

ソアラー (高性能グライダー) soarer Ⓒ.

そあん 素案 (大ざっぱな) rough ⌈plan [idea] Ⓒ; (一般的な) general ⌈plan [idea] Ⓒ.

-ぞい …沿い ── 前 (…に面して) on ...; (…に沿って) along ... 《☞ そう[2]; -づたい》. ¶ 私の家はこの道路*沿いです My house is *on* this street. // この線路*沿いに真っすぐ歩いて行きなさい Walk straight *along* the railroad tracks.

そいそしょく 粗衣粗食 (質素な暮らし) plain living Ⓤ; (簡素な生活) simple life Ⓒ. ¶ 今の人人は昔の人々のような*粗衣粗食には耐えられまい (⇒ 簡素な暮らしは送れない) The people of today wouldn't be able to *lead* the *simple life* that people led long ago.

そいつ (その男[女]) that ⌈man [woman] Ⓒ; (その男) that ⌈fellow [guy; chap] Ⓒ ★ いずれも略式. guy は主に《米》, chap は主に《英》; (その物) that one, that; (それ) that, it. 《☞ あいつ; こいつ; やつ; それ[1]》. ¶ *そいつの本が見当たらないんだ. 一緒に探してくれよ *That* ⌈*man's* [*woman's*] book is missing; help us look around there for it. // 棚の上のビンはスコッチウィスキーだね? *そいつをくれ The bottle on the shelf is Scotch whisky, isn't it? I'll take [Let me have] *it*. // *そいつは困った *That's* a real headache for me. / (相手に同情して) *That's* too bad.

そいとげる 添い遂げる ¶ その夫婦は一生を*添い遂げました (⇒ その後ずっと幸せに暮らしました) The married couple *lived happily ever after*. // 若い二人は結婚して*添い遂げることを誓いました (⇒ 長く幸せな結婚生活をすることを誓いました) The young couple ⌈has [have] vowed to *have a long and happy married life*. // 彼らは周囲の反対を押しきって*添い遂げることが (⇒ 結婚することが) 出来るのだろうか I wonder if they can ⌈*get married* [*marry*] ⌈against the wishes [in spite of the disapproval] of their families and friends.

そいね 添い寝 ¶ 赤ん坊に*添い寝する (⇒ 赤ん坊の側に横になる) *lie by the side* of *one's* baby // 母親の*添い寝 (⇒ 幼児が母親といっしょに寝ること) は幼児によくないという人もいる Some ⌈persons [people] think it is bad for a child *to sleep with* his/her mother.

そいん[1] 訴因 charge Ⓒ; (起訴状の起訴原因の項目) count Ⓒ ★ 普通, 数詞と共に用いる. ¶ 彼に対する*訴因は詐欺行為だった The *charge* against him was fraud. // 裁判所は起訴された 5 件全部の*訴因で彼に 3 年の禁固刑を宣告した The court sentenced him to ⌈three years in prison [three years' imprisonment] on all five *counts*.

そいん[2] 素因 (要因) (causative) factor Ⓒ; (原因) primary cause Ⓒ; (病気の) 〘医〙 prèdisposítion Ⓒ; (病気にかかりやすい素質) diathesis /daɪǽθəsɪs/ Ⓒ 《複 -es /-siːz/》. 《☞ げんいん[1]》. ¶ 心臓病の遺伝的*素因 a genetic *predisposition* to ⌈heart [coronary] disease

そいんすう 素因数 〘数〙 prime factor Ⓒ 《☞ そすう; いんすう》. ¶ *素因数分解 factorization in *prime numbers*

そう[1] **1** 《そのように》 ── 副 (そんな風に) so, like that; (そういうやり方で) (in) that way 語法 (1) 以上 3 つは入れ替え可能なこともあるが, 文の口調によって選択が決まることも多い. so は前出の表現全体, または述語部分を受ける代名詞的な語で, 意味が比較的軽い. 《☞ 代名詞 (巻末)》. はっきりと「そのように」と強調したいときは like that や (in) that way を使う; (こんな風に) in such a way ★ 何か特に前例が示されていたり, あるいはこれから示そうとしているものを指して言う. 《☞ そんな; あっ (用例)》.
¶ ぜひ*そうして下さい Please do *so*. // 「*そう思いますか」「いいえ, *そうは思いません」 "Do you think *so*?" "No, I don't (think *so*)." 語法 (2)「そうではないと思います」という日本語にも当たる. // 君に*そう言ったじゃないか I told you *so*, didn't I? // 彼女は本当に病気なのですか, もし*そうならすぐに病院に連れて行かなくてはならない Is she really sick? If *so*, we must take her to the hospital immediately. // *そう言ってはなんだが (⇒ これを言うのをちゅうちょするが), 彼は経営についてはほとんど何も知らない I hesitate to say *this*, but he has little knowledge of management. // 彼は 40 歳だが, *そう見えない He is forty years old, but he doesn't look *it*.

2 《非常に》 ── 副 (たいへんに) very, so 語法 (1) very が一般的. so はやや感情的. ── 形 (非常な) much. 《☞ そんなに》. ¶ その値段は*そう高くはない The price is not ⌈*very* [*so*] high. // 試験は*そう難しくなかった The exam was not ⌈*very* [*so*] difficult. 語法 (2) very を用いるほうが客観的なニュアンスが強い. // どの教科書を使っても*そう違い (⇒ 大きな違い) はありません It doesn't make *much* difference which textbook you use.

3 《肯定》: (問いに答えて「そのとおり」) yes; no

★ 答えの文が肯定文なら yes, 否定文なら no を用いる; (前の表現の内容を受けて) so. 《☞ はい[1]》.

¶「これはあなたのボールペンですか」「はい, *そうです」"Is this your ballpoint pen?" "*Yes*, it is." //「あなたはその手紙を受け取らなかったのですね」「*そうです. 今週手紙は 1 通も受け取っていません」"You didn't receive the letter, did you?" "*No*, I didn't. I haven't received any letter(s) this week." 日英比較 (1) 日本語と英語の答え方の違いに注意. 英語では答えが否定なら no を使う. (2)「彼はよくできる」「彼の弟もです[よくできます]」"He's bright." "*So* is his brother." のような場合には日本語では「彼の弟もそうです」とはあまり言わないが, 英語では so を用いることに注意. また「私はもうこれ以上食べられないわ」「私もよ」"I can't eat any more." "*Neither* can I." のように否定表現の場合も, 日本語では「私もそうよ」のように「そう」を使わないのが普通だが, 英語では so の否定形に当たる neither を文頭に置き, また動詞と主語が倒置されることに注意. 《☞ 代名詞 (巻末)》//「あすは学校は休みです」「*そうですか (⇒ 本当ですか)」"We have no school tomorrow." "*Really*?" 語法 Is that so? という答え方もできる. このほうが少しぞんざいな感じ. // *そうですとも *Surely*. / *Sure*. ★ 前者より口語的. / (⇒ そのとおりです) *That's right*.

そう[2] 沿う, 添う **1** «ある物から離れない状態» ―動 (沿って行く[歩く]) go [walk] along … 語法 go の場合は「物」も主語となる. また,「道・川」などが主語の場合は run along … も用いられる. ―前 (…に沿って) along …; (…と並んで; …と平行して) alongside …; (…に従って) in line with … 《☞ -ぞい》. ¶ 私たちは川に*沿って歩いて行った We *walked along* the river. // 道は川に*沿って延びていた The road *ran alongside* the river. / The road *ran parallel to* the stream. // 社長の意向に*沿って計画を立てなさい Make a plan *in line with* the president's idea.

2 «期待などにかなう»: (要求・希望・条件などを満たす) meet ㊐, fulfill ㊐; (希望・要求などに応じる形でかなえる) answer ㊐; (要求・期待などを満足させる) satisfy ㊐; (希望・要求などに近づく形で応じる) còme úp to … 語法 「事・物・抽象名詞」が主語となる.「人」を主語にすると「近づく」の意味になる. come up to … 以外は「人・物」いずれも主語となる. 《☞ おうじる》.

¶ ご期待に*沿うようがんばります I'll try my best to *meet* your expectations. // 結果はあなたの期待に*沿ったものでしたか *Have* the results ⌈*satisfied* [*fulfilled*; *come up to*; *met*] your expectations?

そう[3] 層 (地層・大気・社会の) stratum /stréɪtəm/ Ⓒ《複 strata /-tə/》; (上に覆いかぶさっている) layer Ⓒ; (社会階級) (social) class Ⓒ; (年齢・所得などの) bracket Ⓒ. 《☞ かいそう[4]》. ¶ 社会の中間*層 the middle *class* // 低所得者*層 the lower income *bracket* // この野球チームは投手陣の*層が厚い (⇒ 多くの良い投手をもっている) This baseball team has *a number of* good pitchers. // その雑誌の読者*層は厚い (⇒ 多くの年齢の人々に読まれている) The magazine is read by people of many (different) ⌈age *groups* [ages].

そう[4] 僧 (一般的にどの宗教にも限らず司祭) priest Ⓒ; (修道僧) monk Ⓒ; (特にキリスト教の聖職者) clergyman Ⓒ; (総称) clergy ★ 複数扱い.

そう[5] 相 **1** «姿・ありさま»: (物の姿) áspect Ⓒ; (人相) physiognomy /fìziá(g)nəmi/ Ⓤ. 《☞ にんそう》. ¶ 西洋文化の諸*相 *aspects* of Western culture // 彼は女難の*相がある (⇒ 彼の人相は女性とのトラブルに巻き込まれそうだということを示している) His *physiognomy* shows that he is likely to get involved in trouble with women.

2 «文法»: áspect Ⓒ.

そう[6] 宋 ―名 ㊍ (中国の王朝) Sung. ¶ 南[北]*宋 Southern [Northern] *Sung*

そう[7] 箏 thirteen-stringed lyre Ⓒ.

そう- 総… ―形 (全部の) gross; (合計の) total; (全般的・全体的な) general. ¶ *総所得 *gross* income // 国内*総生産 *gross* domestic product 《略 GDP》// 中国の*総人口 the *total* population of China // *総選挙 a *general* election

-そう[1] ¶ 彼はうれし*そうな顔をしている (⇒ 幸せに見える) He *looks* happy. // 雨が降り*そうだ It *looks like* rain. 語法 look like … で「…になりそうだ」という句動詞. / It *looks as if* it's going to rain. // そんなことはわかり*そうなものだ (⇒ 知っているべきだ) You *should* know something like that. // 彼女は双子を産んだ*そうだ (⇒ うわさに聞けば) I *hear* she gave birth to twins.

-そう[2] …艘 日英比較 英語では日本語と違って船を数える単位の語を使わない. 従って 1 艘の船は a ship, 2 艘の船は two ships とすればよい. 《☞ ふね; 数の数え方 (囲み)》.

-そう[3] …双 ¶ 屏風一*双 a *pair* of portable folding screens

-そう[4] …走 ¶ 100 メートル*走 a 100-meter ⌈*race* [*run*; *sprint*] 《☞ きょうそう[2]》

ぞう[1] 象 elephant Ⓒ.

ぞう[2] 像 (絵に描いたり, 写真にとったり, あるいは彫り抜いたりした人または物の像一般) image Ⓒ; (銅像・石像など) statue Ⓒ; (将来への展望) vision Ⓤ. 《☞ しょうぞう》. ¶ A 氏を記念して私たちは*像を建てた We ⌈put up [erected] a *statue* to A. // 彼は自分なりの都市の未来*像を持っている He has his own *vision* of the city of the future.

ぞう[3] 増 (増加) íncrease Ⓤ ★ 増加量の意味では Ⓒ. 《☞ ぞうか[1]; -まし》. ¶ 大学受験者 (⇒ 大学入学志願者) は 100 人*増だった There was an *increase* of ⌈a [one] hundred applicants for admission to the university. 《☞ きゅうぞう; ばいぞう》

-ぞう …蔵 ¶ これらの古文書は冷泉家*蔵 (⇒ 所有) のものである These ancient ⌈writings [manuscripts] ⌈are the *property* of [*belong to*] the Reizei family. 《☞ しょぞう; しょゆう》

そうあい 相愛 mutual love Ⓤ 《☞ そうしそうあい》. ¶ 二人は*相愛の仲である They are *in love with each other*.

ぞうあざらし 象海豹 élephant sèal Ⓒ, séa èlephant Ⓒ.

そうあたりせい 総当たり制 〘スポ〙 round robin Ⓒ.

そうあん[1] 草案 draft Ⓒ 《☞ ぶんあん; そうこう[2]》.

そうあん[2] 創案 ―名 original idea Ⓒ. ―動 (考案する) oríginàte ㊐. 《☞ こうあん[1]》.

¶ これはあなたの*創案ですか Is this your ⌈*original* [*own*] *idea*? / (⇒ あなたが創案者ですか) Are you the *originator* of this idea?

そうあん[3] 草庵 thatched hut Ⓒ.

そうい[1] 相違 ―名 (性質・状態の違い) difference Ⓒ; (同類のものの中での違い) variation /vè(ə)riéɪʃən/ Ⓒ; (区別・差別などによる) distinction Ⓒ ★ 以上の語は抽象的な相違の意味では Ⓤ ともなる. ―動 differ (from …) ㊎, be different (from …); (同類のものの中で異なる) vary (from …) ㊎. 《☞ ちがい[1] (類義語); ちがう (類義語)》.

¶ A と B との*相違(点)は何か What is the *difference between* A and B? // A と B との間にはわずかな*相違がある A ⌈*is* slightly *different* [*differs* slightly] *from* B. // 上記のとおり*相違ありません (⇒

正しいと断言する)《履歴書・書類などで》I *affirm* the above *to be true* in every particular. // 案に*相違して(⇒期待とは反対に) *contrary to* our expectations

コロケーション

著しい相違 a ⌜marked [noticeable] *difference* / 大きな相違 a great *difference* / かなりの相違 a considerable *difference* / 根本的な相違 an essential [a fundamental] *difference* / 重大な相違 a significant *difference* / 小さな相違 a minor *difference* / はっきりとした相違 a ⌜definite [palpable] *difference* / 微妙な相違 a subtle *difference* / 表面的な相違 a superficial *difference* / わずかな相違 a slight *difference*

そうい² 創意 (独創性) originality Ⓤ; (発明の才) ingenúity Ⓤ; (独創的な考え) original idea Ⓒ. ¶ *創意を欠く lack *originality* // *創意工夫 originality and ingenuity

そうい³ 総意 (大方の意見) the general opinion; (大方の意志) the general will; (一致した意見) the consensus. ¶ その政策は国民の*総意によるものだ(⇒支持された) The policy was backed by *the general will* of the nation.

そうい⁴ 僧衣 (修道服・僧服) monk's habit Ⓒ ★修道女の衣服は nun's habit; (すその長い服) priest's [monk's] robe Ⓒ; (聖職者が着る式服) (priestly) vestment Ⓒ ★しばしば複数形で.

そうい⁵ 創痍 (傷) wound Ⓒ《☞ まんしん² (満身創痍)》.

そういう (前記の, または後述のような) such; (そんな風な) like that ★名詞の後に置く口語的表現; (その種の) that ⌜kind [sort] of ... ★sort のほうがくだけた語; (それ・その) that.《☞ そんな; あんな; そう¹》. ¶ *そういう人は知らないよ I don't know *such* a person. // *そういう男は信用できない I can't trust ⌜a man *like that* [*that sort of* man]. // *そういうことなのだ(⇒そのようなことが事実だ) *Such* is the case. // *そういう訳で太郎は来られなかったのです *That*'s why Taro was unable to come. // *そういう訳なら本をお貸ししましょう If ⌜*that is the case* [*so*], I'll lend you the book. 〔語法〕[ ] 内のほうがくだけた言い方.

そういえば ¶ *そういえば木村さんはきのう欠席だった(⇒あなたの言葉は…を思い出させる) *Your remark reminds me* that Mr. Kimura was absent yesterday. // *そういえばそうかもしれない(⇒あなたがそう言うのは正しいかもしれない) You may be right *in saying so*.

そういれば 総入れ歯 full set of false teeth Ⓒ, dentures ★複数形で.《☞ いれば》.

そういん¹ 総員 ―名 (グループなどのすべてのメンバー) all the members; (すべての職員) the whole staff ★staff は集合名詞; (全職員) all the personnel ★personnel は職員全体をいう集合名詞. ―副 (総員で) in all.《☞ そうぜい; みな》. ¶ 我々は*総員 30 名です There are thirty of us ⌜*in all* [*all told*]. **総員出動** general mobilization Ⓤ.

そういん² 僧院 (寺院) temple Ⓒ; (男子の修道院) mónastèry Ⓒ; (女子の修道院) cónvent Ⓒ.

ぞういん 増員 ―名 increase ⌜of [in] the staff Ⓒ, *staff increase* Ⓒ. ―動 incréase the staff. ¶ 私たちの課は 10 名から 12 名に*増員された *The staff* of ten in our section *has been increased to* twelve.

そううつびょう 躁鬱病 〔医〕 ―名 (病名) manic-depressive psychosis /saɪkóʊsɪs/ Ⓤ. ―形 manic-depressive.《☞ ノイローゼ》. **躁鬱病患者** manic-depressive /mǽnɪkdɪprésɪv/ Ⓒ.

そううら 総裏 (衣服の) full lining Ⓒ. ¶ *総裏のコート a *fully lined* coat

そううん 層雲 〔気象〕 stratus /stréɪtəs/ Ⓒ《複 strati /-taɪ/》《☞ くも¹ (挿絵)》.

ぞうえい 造営 ―動 build ㊀; construct ㊀ ★後者は格式ばった言い方. ―名 construction Ⓤ.《☞ けんちく; たてる¹》. **造営地** building ground Ⓒ; construction site Ⓒ ★後者は格式ばった言い方. **造営費** building [construction] expenses ★複数形で. **造営物** building Ⓒ《☞ けんぞう (建造物)》.

ぞうえいざい 造影剤 (放射線の) contrast medium Ⓒ.

ぞうえき 増益 (増加した利益) incréased prófit Ⓒ; (利益の増加) profit increase Ⓤ, increase in profit Ⓤ ★増加量の意味では Ⓒ.《☞ ぞうしゅう》.

ぞうえん¹ 造園 ―名 (landscape) gardening Ⓤ, garden designing Ⓤ. ―動 lay out a garden.《☞ にわ; ていえん》. **造園家** landscape ⌜gardener [designer] Ⓒ **造園業** landscape gardening business Ⓤ.

ぞうえん² 増援 ―動 reinforce /rìːɪnfɔ́ːəs/ ㊀《☞ ぞうきょう》. **増援隊** reinforcements ★複数形で.

ぞうお 憎悪 ―名 (一般的に) hatred Ⓤ; (強い敵意)《格式》detestation Ⓤ. ―動 hate ㊀; detest ㊀.《☞ にくしみ; にくむ》.

そうおう 相応 ―形 (似つかわしい)《格式》becoming (to ...) Ⓟ; (ぴったり合う)《格式》befitting (to ...), fit (for ...); (適している) suitable (for ...); (ふさわしい・妥当な) ádequate (to ...) Ⓟ ★十分な資格のあることを意味する; (ほどよい・あまりたくさんではない) reasonable.《☞ ふさわしい; みぶん》. ¶ 彼女は身分*相応の話し方を身につけた She has learned how to speak in a manner ⌜*becoming* [*befitting*] (*to*) her social position. // 子供たちは年齢*相応の教育を受けている The children are getting an education ⌜*suitable* [*fit*] *for* their age.

そうおく 草屋 (草ぶき屋根の家) thatched ⌜house [cottage] Ⓒ ★[ ] 内は田舎の小さな家・小別荘の意.

そうおん 騒音 noise Ⓤ ★Ⓒ となることもある.《☞ ざつおん; さわぎ; おと》. ¶ 隣の人たちは時々すごい*騒音を立てる Our next-door neighbors sometimes make a great deal of *noise*. 〔語法〕noise に付く形容詞としてはほかに loud, terrible, awful, 「耳障りな」harsh など. // あの*騒音には我慢できない I can't stand that *noise*. **騒音環境基準** environmental-quality standards for noise ★複数形で. **騒音公害** noise [sound] pollution Ⓤ **騒音測定器** noise [sound-level] meter Ⓒ **騒音防止** prevention of noise Ⓤ **騒音防止条例[法]** (anti-)noise pollution laws, anti-noise laws ★複数形で.

コロケーション

神経にさわる騒音 a nerve-racking *noise* / 耐えがたい騒音 an unbearable *noise* / 不快な騒音 an ⌜offensive [unpleasant] *noise* / 耳障りな騒音 a ⌜harsh [grating] *noise* / 耳をつんざくような騒音 a deafening *noise* / ものすごい騒音 a tremendous [an astounding] *noise*

ぞうか¹ 増加 ―名 (数量が増すこと) íncrease Ⓤ ★増加量の意味では Ⓒ; (加えること) gain Ⓒ; (追加) addition Ⓤ. ―動 incréase ㊁ ㊀.《☞ ます¹; ふえる; きゅうぞう》. ¶ クラブのメンバーは*増加してきている (The) club membership *has increased*. // 取り引きは昨年に比べ 20%*増加した There has been ⌜a *gain* [an *in-*

crease] of 20 percent in trade over last year.
増加額 the amount increased, increment Ⓒ ★ 後者は格式ばった語. **増加関数**〘数〙increasing function Ⓒ **増加率** rate of increase Ⓒ.

ぞうか[2] 造花 artificial flower Ⓒ.

ぞうか[3] 造化 (創り出すこと) creation Ⓤ; (造物主) the Creator; (大自然) nature Ⓤ. ¶ *造化の妙 the ˹wonders [marvels] of *nature* // *造化の戯れ a freak of *nature*

そうかい[1] 爽快 ── 【形】(元気な気分にする) refreshing; (空気がすがすがしい) crisp; (空気が身を引き締めるような) bracing. ── 【動】feel refreshed (他). 《☞ さわやか; すがすがしい》.
¶ 澄んだ空気を吸い込んで身も心も*爽快だった Breathing in the fresh air, I *felt refreshed* in mind and body. // 山の空気は冷たく*爽快だった The mountain air was ˹cold and *crisp* [*bracing*]. // 熟睡したらすっかり気分*爽快になった I *felt* completely *refreshed* after a sound sleep. / (⇒ 十分な眠りが私を気分爽快にした) A ˹sound [good] sleep ˹made [left] me completely *refreshed*.

そうかい[2] 総会 (一般的に) general meeting Ⓒ; (本会議) plenary ˹session [meeting] Ⓒ. 《☞ ほんかいぎ》. ¶ 国連*総会はあす開かれる The United Nations *General Assembly* will open tomorrow. // 株主*総会 a *general meeting* of stockholders // 生徒*総会は毎年 4 月に開かれる The *general meeting* of students is held annually in April. / The students hold their annual *general meeting* in April.
総会屋 corporate extortionist Ⓒ.

そうかい[3] 掃海 ── 【動】clear away marine mines. ── 【名】minesweeping Ⓤ. **掃海艦[艇]** minesweeper Ⓒ.

そうかい[4] 壮快 ── 【形】(わくわくさせる) exciting; (スリル満点の) thrilling; (生気にあふれた) lively. ¶ *壮快なスポーツ *exciting* sports // *壮快な音楽 *lively* music

そうがい[1] 窓外 outside the window 《☞ まど》. ¶ *窓外に目をやる look *out* (*of*) *the window*

そうがい[2] 霜害 frost damage Ⓤ 《☞ しも[1]》.

ぞうかいちく 増改築 extension and rebuilding Ⓤ 《☞ ぞうちく; かいちく》. **増改築ローン** home improvement loan Ⓒ.

そうがかり 総掛かり ── 【副】(力を合わせて) by [with] ˹united [combined] effort; (皆で一緒に) all together ★ 後者のほうがくだけた言い方. 《☞ いっしょ》. ¶ 私たちは*総掛かりで仕事を片付けた We *all* worked *together* to get the task done.

そうがく[1] 総額 (全体の額) the total ˹amount [sum]; (最終的な合計) the sum total. 《☞ ごうけい; そうけい[1]》. ¶ *総額はいくらになりますか How much is it *in all*? // *総額は 1 千万円にのぼった *The total amount* came to ten million yen. // 今年は*総額 3 億円のグレープフルーツの輸入が見込まれる Grapefruit imports *totaling* 300,000,000 yen are expected this year. 《☞ 数字 (囲み)》
総額表示 (消費税込みの値段) tax-inclusive pricing Ⓤ.

そうがく[2] 奏楽 (音楽) music Ⓤ; (演奏) musical performance Ⓒ. 《☞ えんそう》. **奏楽堂** concert hall Ⓒ.

ぞうがく 増額 ── 【名】increase Ⓤ ★「増えた額」の場合は Ⓒ. ── 【動】incréase (他), raise (他). 《☞ ねあげ; ぞうか[1]; ちんあげ》. ¶ 来月からお小遣いを千円*増額してもらうつもりだ I'll *have* my monthly allowance *raised* by one thousand yen from next month.

そうかくさくいん 総画索引 stroke(-count) index Ⓒ 《☞ さくいん》.

そうかつ[1] 総括 ── 【名】(まとめ) summary Ⓒ. ── 【動】súm úp (他); summarize (他) ★ 後者のほうが一般的. ¶ 議長は討議の*総括を述べた The ˹chair [chairperson] ˹provided a *summary* of [*summed up*; *summarized*] the discussion. **総括原価方式** full-cost principle Ⓤ **総括質問** (議会での) general interpellátion Ⓒ **総括的評価** (教育評価) overall evaluation Ⓒ **総括予算** master [overall] budget Ⓒ.

そうかつ[2] 総轄 ── 【名】(監督・管理) sùpervísion Ⓤ, sùperinténdence Ⓤ ★ 後者の方が格式ばった語; (統制) contról Ⓤ. ── 【動】súpervise (他), sùperinténd (他); contról (他). 《☞ かんとく[1]; とうかつ[2]》. **総轄責任者** general supervisor Ⓒ.

そうかへいきん 相加平均 〘数〙árithmètic méan Ⓒ, average Ⓒ.

ぞうがめ 象亀 〘動〙giant tortoise Ⓒ 《☞ かめ[2]》.

そうがわ 総革 ¶ *総革製の本 a *leather*-bound ˹book [volume] // *総革張りのソファー a ˹*leather* [*leather-covered*] sofa

そうかん[1] 壮観 (壮大な眺め) magnificent [grand] view Ⓒ; (すばらしい見せ場・見もの) spectacle Ⓒ. ¶ これはまさに天下の*壮観だ This is indeed one of the ˹*wonders* [*great spectacles*] of the world.

そうかん[2] 創刊 ── 【動】start (a periodical). ¶ この雑誌は 25 年前に*創刊された This magazine ˹*was started* [*made its first appearance*] twenty-five years ago. ★ [ ] 内のほうが格式ばった表現. // 1900 年*創刊 *First published* in 1900. **創刊号** the first ˹issue [number].

そうかん[3] 相関 (相互の関係) correlation Ⓒ.
¶ これら 2 つの要素間には*相関関係がある (⇒ 相互に関係している) These two factors *are* ˹*mutually related* [*correlated*]. **相関係数** correlation coefficient Ⓒ **相関図** correlation diagram Ⓒ **相関表** correlation table Ⓒ.

そうかん[4] 送還 ── 【動】(送り返す) send ... back, 《格式》repatriate (他) ★ 強制という意味は含まない; (外国人を本国へ強制的に送り返す) deport (他). ── 【名】(本国への送還) repatriation Ⓤ; (外国人の強制送還・国外退去) deportation Ⓤ.
¶ 捕虜は本国*送還となった Prisoners of war *were* ˹*sent back* [*sent home*; *repatriated*].

そうかん[5] 総監 súperintèndent-géneral Ⓒ 《☞ けいし[2] (警視総監)》.

そうかん[6] 相姦 (不倫) adultery Ⓤ 《☞ きんしん[1] (近親相姦)》.

ぞうかん[1] 増刊 (増刊号) extra [special] ˹number [issue] Ⓒ.

ぞうかん[2] 増感 ── 【名】sensitization Ⓤ. ── 【動】sensitize (他). **増感剤** sensitizer Ⓒ.

ぞうがん 象眼, 象嵌 ínlày Ⓤ. **象眼細工** inlaid work Ⓤ **象眼師** inlayer Ⓒ.

そうがんきょう 双眼鏡 binoculars /bənákjuləz/ ★ 複数形で. 数えるときは a pair of ...
¶ *双眼鏡で船を見る fix *one's binoculars* on a ship

ぞうがんこうぶつ 造岩鉱物 rock-forming mineral Ⓒ.

そうかんじょう 総勘定 final settlement Ⓒ. **総勘定元帳** general ledger Ⓒ.

そうかんとく 総監督 general manager Ⓒ 《☞ かんとく[1]》.

そうき[1] 早期 ── 【名】(早い段階) early stage Ⓒ. ── 【副】(遠からず) soon. 《☞ はやい[2]》.
¶ がんも*早期に発見されれば治癒が可能だ Cancer can be cured if found ˹*early enough* [*in its early*

stages]. // その問題は*早期解決の見込みはありません(⇒すぐには解決されない) The problem is unlikely to be solved *soon*.

早期がん early cancer [U] **早期教育** early-childhood education [U]《☞きょういく》 **早期警戒衛星** early-warning satellite [C] **早期警戒システム** early-warning system [C] **早期診断** early diagnosis /dàɪəgnóʊsɪs/ [U] **早期是正措置** prompt corrective measures ★複数形で. **早期退職制度** early-retirement program [C] **早期治療** early treatment [U]. ¶*早期治療を受ける get [have, receive] *early treatment* **早期発見** early detection [U].

そうき² 想起 ―[動] (意識的に思い出す) recall (他); (忘れかけていることを努力して思い出す) recollect (他); (記憶していることを思い出す) remember (他) ★前者2つは格式ばった語; (思い出させる) remind (他) ★思い出させる物・人が主語になる. 《☞おもいだす》.

そうき³ 総記 **1** «全体についての記述»: (まとめ) summary [C]; (大要) general outline [C].
2 «図書分類法»: general works ★複数形で.

そうぎ¹ 葬儀 (葬式) funeral [C], funeral ˹ceremony [service] [C] ★service は宗教的儀式の意味; (埋葬) burial /bériəl/ [C]. ¶祖母の*葬儀に参列する attend *one's* grandmother's *funeral* (*service*) // *葬儀は厳粛に執り行われた The *funeral* ˹*service* [*ceremony*] was solemnly performed.

葬儀委員長 the chairman of a funeral committee [C] **葬儀社[屋]** undertaker's (office) [C], funeral parlor [C], 《米》 funeral home [C]; (人) funeral director [C], undertaker [C] **葬儀場** funeral hall [C].

そうぎ² 争議 (労働争議) labor dispute [C]; (ストライキ) strike [C]. 《☞ろうどう(労働争議); ストライキ》. **争議権** the right to strike **争議行為** (労働者側の) strike [C], sabotage [U]; (使用者側の) lóckòut [C] **争議団** the strikers.

ぞうき¹ 臓器 internal organs ★通例複数形で. 《☞ないぞう¹(挿絵)》. **臓器移植** (internal) organ transplant [C] **臓器移植ネットワーク** the Japan Organ Transplant Network **臓器移植法** the Organ Transplant Law **臓器感覚** organic sensation [C] **臓器製剤** hormone drugs (made from animal internal organs) **臓器提供(意志)カード** organ donor card [C] **臓器売買** traffic in internal organs [U] **臓器バンク** órgan bànk [C] **臓器療法** 〘医〙 organotherapy [U].

ぞうき² 造機 engineering [U]

ぞうきばやし 雑木林 thicket [C], copse [C]; (混交[混合]林) mixed forest [C].

そうきゅう¹ 早急 ―[副] (急いで) in a hurry; (すぐに) without delay ★少し格式ばっているが, 日本語の「早急に」には近い感じ. ―[形] (早急の) urgent, immediate /ɪmíːdiət/. 《☞すぐ(類義語); しきゅう²》. ¶*早急に何かしなくてはならない Something must be done *without delay*. // *早急な返事 an *immediate* reply

そうきゅう² 送球 ―[動] pass [throw; toss] a ball (to ...). ―[名] throw [C]. ¶*送球は間に合わなかった The *throw* was not in time. // キャッチャーは*送球を誤った (⇒悪送球をした) The catcher made a bad *throw*.

そうきゅうきん 双球菌 〘医〙 diplococcus /dìploʊkákəs/ [C] (複 diplococci).

そうきょ 壮挙 (勇敢な試み) daring [heroic] attempt [C]; (偉大な仕事) great undertaking [C].

そうぎょ 草魚 gráss càrp [C] ★普通は単複同形.

そうきょう 躁狂 **1** (ひどくさわぐこと) feverish [frenzied] excitement [U]. **2** 〘医〙 (躁病) mania /méɪniə/ [U].

そうぎょう¹ 創業 ―[動] (創立する) found (他), establish (他) ★後者のほうが格式ばった語; (事業を始める) start an enterprise. 《☞そうりつ》. ¶わが社は今年*創業50周年を祝う Our company will celebrate the fiftieth anniversary of its ˹*founding* [*foundation*] this year. // *創業1850年 *Established* in 1850 / Since 1850 ★前または後に社名などを入れて用いる. **創業者** founder [C] **創業者利得[利益]** 〘株〙 founder's profit [U] **創業費** initial [start-up] expenses ★複数形で.

そうぎょう² 操業 ―[名] operation [U]. ―[動] óperàte (他) (自). ¶工場は*操業中です The factory *is in operation*. // *操業を短縮する cut back [curtail] *operations* ★後者は格式ばった表現. / (⇒生産を減らす) reduce *production*

操業休止 shutdown [C] **操業時間** operating hours ★複数形で. **操業短縮** cutback in operations [C] **操業費** operating expenses ★複数形で.

そうぎょう³ 早暁 (夜明け) dawn [U]; (黎明(れいめい)) daybreak [U]. 《☞よあけ》.

ぞうきょう 増強 ―[動] (補強・強化する) reinforce (他); (強める) strengthen (他); (軍事力などを) bùild úp (他); (数・量を増やす) increase (他). ―[名] reinforcement [U]; búildùp [U]; increase [U]. 《☞きょうか¹》. ¶海上輸送力を*増強しなくてはならない We must *increase* our sea transport capability. // 国境地帯の軍隊が大幅に*増強された The army at the frontier was greatly ˹*reinforced* [*strengthened*]. // 軍事力の*増強 arms *buildup*

そうきょういく 早教育 early(-childhood) education [U] 《☞そうき¹(早期教育)》. ¶私はピアノの*早教育を受けた (⇒早い年齢で習った[習い始めた]) I ˹*had* [*started*] piano lessons *at an early age*.

そうぎょきゅう 双魚宮 〘天〙 Pisces /páɪsiːz/, the Fishes.

そうきょく¹ 箏曲 (琴の音楽) koto music [U]; (琴の曲) koto piece [C]. 《☞きょく¹》.

そうきょく² 総局 head office [C].

そうきょくアンテナ 双極アンテナ dipole /dáɪpòʊl/ ˹anténna [《英》 áerial /é(ə)riəl/] [C].

そうきょくし 双極子 〘物理〙 dipole [C]. **双極子磁場** 〘物理〙 dipole magnetic field [C] **双極子モーメント** 〘電〙 dipole moment [C].

そうきょくせん 双曲線 〘数〙 hyperbola /haɪpə́ːbələ/ [C] (複 ~s, -bolae /-lìː/).

そうきょくめん 双曲面 〘数〙 hyperboloid /haɪpə́ːbəlɔ̀ɪd/ [C].

そうぎり 総桐 ―[形] (全体が桐材製の) all-paulownia 《☞きり⁴》. ¶*総桐のたんす an *all-paulownia* wardrobe / a chest of drawers *made wholly of paulownia wood*

そうきるい 総鰭類 〘魚〙 Crossopterygii /krɑsɑ̀ptərídʒiàɪ/ [U]; (総鰭類の魚) lobe-finned fish [C], crossopterygian [C].

そうきん 送金 ―[名] remittance [U] ★「送金額」では [C]. ―[動] (一般の送金) send money (to ...); (実業・金融関係で支払いのために) remit (他), make a remittance (to ...). 《☞おくる¹》. ¶私は書籍代として1万円*送金した I ˹*remitted* [*made a remittance* of] ten thousand yen in payment for the books. **送金受取人** remittee [C] **送金額** the amount of a remittance. ¶わずかな*送金額 a small *remittance* **送金為替** bill of remittance [C] **送金小切手[手形]** remittance ˹check [draft] [C] **送金人** remitter [C].

ぞうきん 雑巾 dustcloth Ⓒ; (からぶき用の) duster Ⓒ; (床ぞうきん) floorcloth Ⓒ; (モップ) mop Ⓒ. ¶床に*ぞうきんをかける *mop* [*scrub*] the floor / (⇒床をぬれた布でふく) wipe the floor with a *damp cloth* ぞうきんがけ swabbing Ⓤ, scrubbing Ⓤ.

そうきんるい[1] 走禽類 ☞そうちょうるい

そうきんるい[2] 藻菌類 algal fungi Ⓤ.

そうく[1] 走狗 (猟犬) hound Ⓒ; (他人の手先) tool Ⓒ.

そうく[2] 瘦躯 (やせた体) lean figure Ⓒ《☞そうしん[3]》. ¶*瘦躯鶴のごとし be (as) *lean* as a rake ★ rake は熊手・レーキ.

そうぐ[1] 装具 (道具) equipment Ⓤ; (ある特定の目的に必要な装備一式) outfit Ⓒ; (用具一式) rig Ⓒ. ¶ハイキングの*装具 hiking *equipment* // 探検隊の*装具 an explorer's *outfit* // 登山家の*装具 a climber's *rig*

そうぐ[2] 葬具 funeral outfit Ⓒ.

そうぐう 遭遇 ─動 (事故・敵などに思いがけなくあう) meet with ..., meet ⑩ 語法 前者のほうが口語的; 《格式》encounter ⑩. ─名 (偶然の出会い) chance meeting Ⓒ; 《格式》encounter Ⓒ. 《☞あう[1]; であう》.
¶彼らはそこで不慮の事故に*遭遇した They *met with* an accident there. // わが隊は次の朝, 敵軍と*遭遇した The next morning our squad ˹*met* [*encountered*] the enemy. // 困難に*遭遇しても (⇒対面しても) ひるんではいけない Don't lose heart even if you *are confronted with* difficulties.
遭遇戦 encounter Ⓒ.

ぞうぐう 造宮 construction of the ˹palace [shrine] Ⓒ.

そうくずれ 総崩れ ─名 (敗走) rout /ráʊt/ Ⓒ; (挫折・崩壊) collapse Ⓤ. ─動 collapse ⓐ; (つぶす) crash ⑩. 《☞かいめつ》.

そうくつ 巣窟 (野獣の) den Ⓒ ★ 比喩的に, 犯罪者などの巣窟の意にも使う; (犯罪者などの巣) haunt Ⓒ, nest Ⓒ; (犯罪者の隠れ場所) 《略式》 hídeòut Ⓒ.

そうぐるみ 総ぐるみ (全員) all; (だれもかれも) everybody. 《☞みな》. ¶探検隊は村中*総ぐるみで歓迎を受けた The expedition party was welcomed by ˹*the whole* village [*all the* villagers]. // その催し物を市民*総ぐるみで祝賀した *All the people* of the town celebrated the event.

そうけ 宗家 (家元) the head (of a school); (本家) the ˹head [main] family. 《☞いえもと; ほんけ》.

ぞうげ 象牙 (工芸の材料としての) ivory Ⓤ ★ 形容詞的に,「象牙製の・象牙色の」の意味でも使う; (象の牙) tusk Ⓒ. 象牙色 ivory Ⓤ, ivory white Ⓤ 象牙細工 ivory work Ⓤ 象牙質 (歯の) dentin /déntn/ Ⓤ, 《英》dentine /déntiːn/ Ⓤ 象牙の塔 ivory tower Ⓒ ☞ぞうげかいがん; ぞうげやし

そうけい[1] 総計 ─名 (合計数・合計額) total Ⓒ; (最終的な合計) the ˹sum [grand] total; (総額・総量) the total ˹amount [sum]. ─動 (総計…となる) total ⑩; (合計する) súm [ádd] úp ⑩. 《☞ごうけい; そうがく[1]》.
¶*総計はいくらになりましたか What is *the sum total*? / What ˹has [does] the *total* come to? // 経費を*総計して下さい Please *add up* the expenses. // 募金額は*総計 1 千万円に達した The money raised ˹*amounted to* [*totaled*] 10 million yen. / The money collected was 10 million yen ˹*in all* [*in total*; *altogether*]. ★ 第 1 文より第 2 文のほうが口語的.

そうけい[2] 早計 ─形 (せっかちで軽率な) rash; (急ぐ) hasty. ─名 rashness Ⓤ; hastiness Ⓤ.

そうけい[3] 蒼勁 ─形 (筆跡や文章が) well-seasoned and virile.

そうげい 送迎 ─動 (出迎えと見送り) welcome [meet] and ˹send [see] off ...
¶このごろ外国からのお客の*送迎に忙しい Nowadays I'm busy ˹*meeting* [*welcoming*] *and* ˹*seeing* [*sending*] *off* foreign guests. // 空港の*送迎デッキ the visitors' deck at the airport
送迎バス (無料バス運行) free bus service Ⓒ; (空港などの) airport (limousine) bus Ⓒ. 《☞バス[1]》.
¶駅からはホテルの*送迎バスがあります The hotel runs a *courtesy bus* to and from the station. / Free *transportation* is available between the station and the hotel.

ぞうけい[1] 造詣 (知識) knowledge Ⓤ 《☞ちしき》. ¶スミスさんは日本の美術に*造詣が深い Mr. Smith *has a* ˹*profound* [*deep*] *knowledge* of Japanese arts.

ぞうけい[2] 造形, 造型 molding (《英》moulding) Ⓤ. 造形美術 the plastic arts ★ 複数形で.

ぞうげい 雑芸 various kinds of folk performances.

そうげいこ 総稽古 dress rehearsal Ⓒ 《☞そうざらい; ゲネプロ》.

そうけいれい 宋慶齢 ─名 ⓖ Song Qingling, 1892?–1981. ★ 中国の政治家. 孫文の夫人.

ぞうげかいがん 象牙海岸 ─名 ⓖ Ivory Coast ★ コートジボアールの旧名 《☞コートジボアール》.

そうけだつ 総毛立つ, 寒気立つ ─形 (ぞくぞくする) thrilling; (毛が逆立つような) hair-raising. ─動 (身震いする) shudder (at ...) ⓐ. 《☞ぞっと; みのけがよだつ》. ¶*そうけ立つような話 a ˹*thrilling* [*hair-raising*] story

ぞうけつ[1] 増結 ─動 (車両を) add ˹(《米》cars [《英》carriages] (to a train); (連結する) couple ⑩. 《☞れんけつ[1]》. ¶博多で 2 両*増結された Two ˹cars [carriages] *were coupled* at Hakata. 増結車 car [《英》carriage] added to a train Ⓒ.

ぞうけつ[2] 造[増]血 blood formation Ⓤ, 〚医〛 hemàtogénesis Ⓤ. 造血幹細胞 hematopoietic /hìːmətəpɔɪétɪk/ stem cell Ⓒ 造血幹細胞移植 hematopoietic stem cell transplantation Ⓤ 造血器官 hematopoietic organ Ⓒ 造血機能 blóod-prodùcing [hematogenous /hìːmətɑ́dʒənəs/] fúnctions ★ 複数形で. [ ] 内は医学用語. 造血機能障害 〚医〛 hematopoietic disorder Ⓤ 造[増]血剤 blood-forming medicine Ⓒ, 〚医〛 hematinic Ⓒ 造血組織 blóod-prodùcing [hèmatógenous] tíssue Ⓤ ★ [ ] 内は医学用語.

そうけっさん 総決算 (最終的な勘定) closing accounts ★ 複数形で; (しめくくること) summing-up Ⓤ; (終わること) closing Ⓤ. 《☞けっさん; しめくくり》. ¶今年は我々の 5 年計画の事業の*総決算の (⇒事業を完結する) 年だ This year we are to *conclude* our five-year project.

ぞうげやし 象牙椰子 〚植〛 ivory palm Ⓒ.

そうけん[1] 双肩 *a person's* shoulders. ¶日本の将来はあなた方の*双肩にかかっている The future of Japan rests on your *shoulders*.

そうけん[2] 壮健 ─形 (健康な) healthy; (老人などが達者な) hale and hearty ★ この語順で成句として用いる. 《☞けんこう[1]; げんき[1]》. ¶祖母はいたって*壮健です My grandmother is ˹*in the best of health* [*hale and hearty*]. // ご*壮健で何よりです (⇒あなたが健康であると知ってうれしい) I'm glad to find you *in good health*.

そうけん[3] 送検 ─動 (検察庁へ引き渡す) turn (a suspect) over to the public prosecutor's office; (書類送検する) send (the papers pertaining to a case) to the public prosecutor's office.

そうけん⁴ 創建 ── 動 found ⊕, establish ⊕ ★ 後者の方が格式ばった語. ((☞ そうせつ¹; そうりつ)).

そうけん⁵ 総見 ── 動 (団体が全員で見物する) see ... in a large group ⊕. ¶ 委員が力士の稽古*総見をした *All* the council members *saw* the practice matches of sumo wrestlers. ((☞ よこづな (横綱審議会))

そうけん⁶ 創見 (独創的な考え) original ˹view [idea] Ⓒ; (独創性) originality Ⓤ. ¶ *創見に富む本 a book with (lots of) ˹*inventive original*] ideas

そうげん 草原 (大草原) grasslands ★ 複数形で; (草の生えた平野) (grassy) plain Ⓒ, prairie Ⓒ. ((☞ へいげん)).

ぞうげん 増減 ── 名 (変動) fluctuation Ⓤ; (増加と減少) increase ˹and [or] decrease. ── 動 (変動する) fluctuate ⓐ; (質的変化を伴わない程度に変わる) vary ⓐ; increase and decrease ⓐ. ((☞ へんか¹; かわる¹)). ¶ 利益には多少の*増減があるかもしれない Profits may ˹*vary* [*fluctuate*] somewhat.

そうこ 倉庫 (商品倉庫) warehouse Ⓒ; (貯蔵庫) storehouse Ⓒ.
¶ その商品は*倉庫に入れなくてはいけない We must ˹*warehouse* [*store*] the goods. ★ この warehouse /wéəhàuz/, store は「倉庫に入れる」の意の他動詞.
倉庫会社 warehouse company Ⓒ **倉庫業** warehousing /-hàuzɪŋ/ Ⓤ **倉庫業者** warehouseman Ⓒ ((複 -men)) **倉庫番** (倉庫係·管理人) warehouse keeper Ⓒ.

そうご 相互 ── 形 (互いの) mutual; (互いにやったりとったりの相関関係にある) reciprocal ★ 格式ばった語. ── 副 mutually; reciprocally. ── 代 each other, one another 語法 一般に 2 者の間では each other, 3 者以上の間では one another が使われると言われるが, この区別はしばしば無視される. ((☞ たがい)).
¶ 両国は*相互の助力を約束した The two countries promised to help ˹*each other* [*one another*]. // 両国の貿易は*相互に行われるべきで, 一方通行ではいけない There should be *two-way*, not one-way, trade between the two countries. // 会員*相互 (⇒ 会員間) の親睦のためにこの会を開いた This meeting is being held in order to promote friendship *among* the members. // 我々は*相互援助条約を締結した We have concluded a *mutual* assistance ˹treaty [pact].
相互安全保障条約 mutual security ˹treaty [pact] Ⓒ **相互依存** interdependence Ⓤ **相互会社** (相互保険会社) mutual-insurance company Ⓒ **相互カウンセリング** co-counseling Ⓤ **相互確証破壊** mutual assured destruction Ⓤ ((略 MAD)) **相互関係** (互いの関係) mutual [reciprocal /rɪsíprək(ə)l/] relations ★ 通例複数形で. **相互銀行** mutual saving and loan bank Ⓒ **相互作用** interaction Ⓤ **相互主義** principle of reciprocity Ⓒ, reciprocity principle Ⓒ **相互主義法案** (米国の) reciprocity bill Ⓒ **相互条約** reciprocal treaty Ⓒ **相互通商協定** reciprocal trade agreement Ⓒ **相互乗り入れ** ¶ 北部鉄道と南部鉄道は*相互乗り入れしている (⇒ 互いの路線に列車を走らせている) The Hokubu Railway and the Nanbu Railway *are running trains on each other's tracks.* **相互扶助** mutual aid Ⓤ **相互貿易** two-way [reciprocal] trade Ⓤ **相互保険** mutual insurance Ⓤ **相互理解** mutual understanding Ⓤ.

ぞうご 造語 (言葉を造ること) cóinage Ⓤ; (造られた語) coinage Ⓒ, coined word Ⓒ. ((☞ しんご)).
造語成分 (複合語の構成要素) constituent of a compound word Ⓒ; (単語の形成要素) formative element Ⓒ **造語法** word formation Ⓤ **造語力** word-forming ability Ⓤ.

そうこう¹ 走行 ── 動 (人·物·車などが進む) travel ⓐ; (ある距離を行く) cover ⊕; (車·機械などが動く) run ⓐ. ((☞ はしる)).
¶ バスの*走行中は席から離れないで下さい Please do not leave your seats while the bus *is moving*. // そこまでの*走行時間は約 1 時間です It *takes* about an hour to *get* there.
走行距離 (走行マイル数) mil(e)age /máɪlɪdʒ/ Ⓤ
¶ この車の*走行距離は 1 万キロちょっとだ The *mileage* on this car is a little more than 10,000 kilometers. **走行距離計** (自動車の) odómeter Ⓒ **走行車線** slow [cruising] lane Ⓒ 参考 追い越し車線は fast lane Ⓒ **走行性** running performance Ⓤ. ¶ この車は*走行性に難がある (⇒ 性能を改善する必要がある) This *car's performance* needs to be improved.

そうこう² 草稿 (粗削りの下書き) (rough) draft Ⓒ; (手書き·タイプなどによる原稿) mánuscript Ⓒ. ((☞ ぶんあん; したがき; げんこう²)). ¶ *草稿を書く make a *draft*

そうこう³ ¶ *そうこうするうちに (⇒ あれこれやっているうちに) 夜が明けてしまった Dawn arrived *while we were* still *busy with one thing and another*.
【参考語】 ── 副 (その間) meanwhile, in the meantime.

そうこう⁴ 奏効 ── 動 (効果がある) have ˹an [some] effect on ... ((☞ こう²; ききめ; こうか)).
¶ 私たちの選挙キャンペーンが彼の当選に*奏効したのだろう I guess our campaign *had* ˹*an* [*some*] *effect on* his victory in the election.

そうこう⁵ 奏功 ── 動 (うまくいく) be successful, work well ⓐ. ((☞ うまく)).

そうこう⁶ 霜降 (二十四節気の一つ) the season when frost comes, one of the twenty-four points in the old solar calendar (around October 23). ((☞ にじゅうしせっき)).

そうこう⁷ 送稿 sending a manuscript. ¶ ファックスで*送稿する *send a manuscript* by fax

そうこう⁸ 操行 (行い) behavior ((英)) behaviour) Ⓤ ((☞ おこない; ふるまい; ぎょうじょう)).

そうこう⁹ 倉皇 (あわてふためくこと) fluster Ⓤ ★ しばしば不定冠詞をつけて. ((☞ あわてる; あわただしい)). ¶ *倉皇として逃げる run away *all in a fluster*

そうこう¹⁰ 艙口 (船の) hatch Ⓒ, hatchway Ⓒ ((☞ ハッチ)).

そうごう¹ 総合 ── 動 (1 つにまとめる) put ... together; (あらましをまとめる) summarize ⊕. ── 形 (全般的な·一般的な) general; (包括的な) òverall Ⓐ. ── 副 (全体としては) as a [on the] whole.
総合安全保障 comprehensive national security Ⓤ **総合開発** overall development Ⓤ **総合科学技術会議** the Council for Science and Technology Policy **総合学習** integrated [comprehensive] studies ★ 複数形で. **総合課税** taxation on aggregate income Ⓤ **総合学科** general course Ⓒ **総合競技** 〔体操〕 combined exercises **総合芸術** composite art Ⓒ **総合口座** checking and savings account Ⓒ **総合雑誌** (general) magazine Ⓒ **総合司会** ── 動 (総合司会をする) anchor ⊕ **総合司会者** anchor(person) Ⓒ **総合商社** general-trading company Ⓒ ((☞ しょうしゃ¹)) **総合職** managerial career Ⓒ. ¶ *総合職につく take a *managerial track* **総合大学** univer-

sity Ⓒ《☞ だいがく¹; 学校・教育(囲み)》 **総合的な学習の時間** Period for Integrated Study **総合判断** synthetic judgment Ⓒ **総合ビタミン剤** multivitamin Ⓒ; (錠剤) multiple vitamin ⌈tablet [pill]⌉ Ⓒ **総合病院** general hospital Ⓒ **総合優勝** victory in the overall standings Ⓒ. ¶彼は1998年ワールドカップで*総合優勝をした He *won* the 1998 World Cup *title for overall performance*.

そうごう² 相好 **相好をくずす** ¶父は*相好をくずして喜んだ (⇒喜色満面だった) My father *was all smiles*. / (⇒顔中を口にしてにっと笑った) My father *grinned from ear to ear*.

そうこうかい 壮行会 send-off [farewell] party Ⓒ.

そうこうげき 総攻撃 all-out attack Ⓒ.

そうこうしゃ 装甲車 armored [《英》 armoured] car Ⓒ.

そうこうのつま 糟糠の妻 (貧困と闘い, 人生の苦労をともにわかちあった者) the ⌈person [one] who, together with me, has struggled against poverty and shared all the hardships of life ★説明的な訳. ¶彼女は私の*糟糠の妻です (⇒私の昔からのパートナーです) She is my *old life partner*.

そうこく 相克 (あつれき) conflict Ⓒ; (摩擦) friction Ⓒ; (張り合うこと) rivalry Ⓤ. 《☞ あつれき; まさつ; はりあう》.

ぞうこつさいぼう 造骨細胞 〔解〕 osteoblast /ɑ́stioublæ̀st/ Ⓒ.

そうコレステロール(ち) 総コレステロール(値) total cholesterol Ⓤ《略 TC》.

そうこん¹ 早婚 ―[名] early marriage Ⓤ ★具体例は Ⓒ. ―[動] marry young (自).

そうこん² 草根 roots of grass ★複数形で. **草根木皮** herb roots and tree barks; (薬草類) medicinal herbs.

そうごん 荘厳 ―[形] (厳かな) solemn /sɑ́ləm/; (壮大な・立派で厳かな) magníficent. ―[副] solemnly; magnificently. 《☞ おごそか; げんしゅく》. ¶*荘厳な音楽 *solemn* music **荘厳ミサ** Sólemn Máss Ⓤ《☞ ミサ》.

ぞうごん 雑言 (悪態・悪口) abuse /əbjúːs/ Ⓤ ★動詞 abuse /əbjúːz/ との発音の違いに注意; (ののしりの言葉) curse Ⓒ. 《☞ あくたい; ののしる; ばとう》. ¶観衆は彼に*雑言を浴びせた The audience hurled a ⌈stream [torrent] of *abuse* at him. // 少年は彼らを怒った顔つきで見て*雑言を吐いた The boy shot them an angry look and a *curse*.

そうさ¹ 捜査 ―[名] (犯罪などの) investigation Ⓒ; (大規模な犯人捜査) manhunt Ⓒ. ―[動] investigate (他) (自), make an investigation (into ...). 《☞ ちょうさ¹》.
¶警察は事件を*捜査中である The police *are* ⌈*investigating* [*making an investigation into*] the case. / The case is ⌈under *investigation* [now *being investigated*] by the police. // 逃亡犯人の*捜査が大規模に行われた There was a *manhunt* for the fugitive (suspect). // *捜査は打ち切られた *The search* has been called off. / They ⌈called off [gave up] the *search*.
捜査員[係] invéstigàtor Ⓒ, police detective Ⓒ **捜査機関** governmental investigative agency Ⓒ **捜査主任** the chief investigator Ⓒ **捜査本部** the investigation headquarters ★複数または単数扱い. **捜査網** police dragnet Ⓒ **捜査令状** search warrant Ⓒ.

> **コロケーション**
> 科学捜査 scientific crime *detection* / 雑な[いい加減な]捜査 a cursory *investigation* / 地道な捜査 a painstaking *investigation* / 徹底的な捜査 a ⌈thorough [rigorous] *investigation* // 捜査を行う conduct a *search* / 捜査を開始する start [launch] ⌈an *investigation* [a *search*] / 捜査を完了する complete the *investigation(s)* / 捜査を続行する pursue [continue] an *investigation* / 捜査を妨害する obstruct [interfere with] a *search*

そうさ² 操作 ―[動] (機械などを) óperàte (他), handle (他) ★ほぼ同意だが, 後者は一般的で意味の広い語; (操縦する) work (他); (巧みに操る) manípulàte (他). ―[名] operation Ⓤ, handling Ⓤ. 《☞ そうじゅう》.

そうさ³ 走査 ―[動] scan (他). ―[名] scanning Ⓤ. **走査型電子顕微鏡** scánning eléctron mìcroscope Ⓒ **走査線** scánning lìne Ⓒ.

ぞうさ 造作, 雑作 ¶*造作 (⇒面倒) をおかけしてすみませんでした I'm sorry that I have given you *trouble*. / I'm sorry to have given you *trouble*. / I'm sorry to *have troubled* you.

そうさい¹ 総裁 (一般に) president Ⓒ; (特に銀行やある種の公的団体などの) governor Ⓒ. ¶自民党*総裁 the *President* of the Liberal Democratic Party // 日銀*総裁 the *Governor* of the Bank of Japan

そうさい² 相殺 ―[動] offset [cancel] each other, cancel (each other) out. 《☞ ちょうけし》. ¶これら2つの要素は互いに*相殺する These two factors ⌈*offset each other* [*cancel* (*each other*) *out*]. // 私たちは貸し借りを*相殺した We *canceled* our debts. **相殺関税** countervailing duty Ⓒ **相殺契約** countervailing contract Ⓒ.

そうざい 総菜, 惣菜 (日常的な料理) daily [ordinary] dish Ⓒ; (添え料理) side dish Ⓒ. 《☞ おかず [日英比較]》.

そうさいりょう 葬祭料 funeral expenses ★複数形で.

そうさく¹ 創作 **1** 《作品, 特に文芸作品, およびそれを作ること》 ―[名] (小説) novel Ⓒ; (小説を書くこと) story writing Ⓤ. ―[動] (小説を書く) write a ⌈story [novel]. 《☞ しょうせつ¹; さくぶん》.
2 《最初に作り出す》 ―[名] creation Ⓤ. ―[動] create (他); (新しく考案する) oríginàte (他). 《☞ つくる》.
創作意欲 creative urge Ⓒ. ¶これらの奈良の古代遺跡は私の*創作 (⇒小説を書く) 意欲を大いにかきたてる These remains of ancient Nara have greatly ⌈*inspired* [*stimulated*] me *to write a story*. **創作家** writer Ⓒ **創作活動** literary [creative] activities; (著作) writing Ⓤ **創作劇** original [creative] ⌈play [drama] Ⓒ **創作舞踊** creative dance Ⓒ.

そうさく² 捜索 ―[動] (探し求める) search (for ...) (自), make a search (for ...) [語法] 前者は (他) として search the house のように用いると家の中を捜索してある物を探すという意味になることに注意; (一般的に「探す」という意味で) look for ...; (あちこち探し回る) hunt (for ...) (自) (他). 《☞ さがす》.
¶遭難者の*捜索に救助隊が出発した The rescue party started to *make a search for* those in distress. // *捜索中の (⇒警察でお尋ね者になっている) 犯人はついに捕えられた The culprit *wanted by the police* was finally caught.
捜索犬 search dog Ⓒ; (麻薬などの) sniffer dog Ⓒ 《☞ たんち (探知犬)》 **捜索隊** search party Ⓒ **捜索願い** application to the police to search for a missing person Ⓒ.

ぞうさく 造作 (建具・家具類) fittings ★複数

形で; (家具) furniture Ⓤ; (顔立ち) features ★ 複数形で.

そうさくいん 総索引 general index (to ...) Ⓒ.

ぞうさつ 増刷 ―名 reprinting Ⓤ. ―動 reprint 他.

ぞうさない 造作ない ¶ *造作ないことです (⇒ とても易しい) It's very ˹*easy* [*simple*]. / (⇒ 困難でない) It's *no trouble* at all. / There's *no difficulty* in doing it. (☞ かんたん¹; やさしい²)

そうざらい 総ざらい ¶ 今日は試験の前の*総ざらいをします Today we will *review* what we have studied for the coming test. // 芝居の*総ざらい (⇒ 舞台げいこ) a *dress rehearsal*

そうざん 早産 premature /prí:mət(j)ùə/ birth Ⓒ. **早産児** premature baby Ⓒ (☞ そうせいじ²).

ぞうさん 増産 ―名 increase in prodúction Ⓒ, production increase Ⓒ. ―動 incréase prodúction.

ぞうざんうんどう 造山運動 〔地質〕 orogenic /ɔ̀:rədʒènɪk/ [orogenetic /ɔ̀:rədʒənètɪk/] movement Ⓤ, orogeny /ɔ:rɑ́dʒəni/ Ⓤ.

ぞうざんたい 造山帯 〔地質〕 orogen /ɔ́:rədʒɪn/ Ⓒ, orogenic /ɔ̀:rədʒènɪk/ belt Ⓒ.

そうし¹ 壮士 activist for the Freedom and People's Rights Movement in the Meiji period Ⓒ ★ 説明的な訳. ¶ 明治時代自由民権運動に奔走する多くの*壮士がいた There were many *activists* who busied themselves with the Freedom and People's Rights Movement in the Meiji period.

そうし² 草紙, 草子 (本) book Ⓒ; (物語本) storybook Ⓤ. ¶ 枕*草子 *The Pillow Book* (☞ まくらのそうし) // 絵*草子 an illustrated *storybook*

そうし³ 荘子 ―名 固 Chuang-tzu /dʒuɑ́:ŋdzə/ ★ 前 4 世紀の中国の思想家. (☞ そうじ³).

そうじ¹ 掃除 ―動 (一般的に) clean 他 ★ この語は以下のいずれの意味をも含む; (掃き出す) sweep 他; (ふき掃除する) wipe 他; (ごしごしこすって) scrub 他; (ほこりを払う) dust 他; (モップでふく) mop 他; (電気掃除機で掃除する) vacuum 他 自. ―名 (一般的に) cleaning Ⓤ.
¶ 私は毎朝自分の部屋の*掃除をします I *clean* my room every morning. // *掃除のよく行き届いた部屋 a very ˹*tidy* [*clean*] room // 年末には家中の大*掃除をします We usually give the house a thorough *cleaning* toward the end of ˹the [each] year. // きょうは君たちが教室の*掃除当番です It's your turn to *clean* the classroom today.
掃除機 vacuum /vǽkjuəm/ (clèaner) Ⓒ. ¶ じゅうたんに*掃除機をかける use a *vacuum cleaner* on the carpet / *vacuum* the carpet **掃除道具** dusting ˹tool [implement] Ⓒ **掃除人** (建物の中の) cleaner Ⓒ; (管理人を兼ねた) janitor Ⓒ.

そうじ² 相似 〔数〕 ―名 (相似であること) simílitùde Ⓤ; (相似形のもの) similar figure Ⓒ. ―形 similar. **相似器官** 〔生〕 analogous organ Ⓒ **相似形** similar [like] figure Ⓒ **相似点** point of ˹likeness [resemblance] Ⓒ; (類似点) similarity Ⓒ.

そうじ³ 荘子 ―名 固 (書名) *Zhuangzi*, *Chuang-tzu* /dʒuɑ́:ŋdzə/. (☞ そうし³).

そうじ⁴ 送辞 farewell ˹speech [address] Ⓒ ★ [ ] 内は格式ばった語. (☞ そうべつ¹). ¶ *送辞を述べる make a *farewell speech* / deliver a *farewell address*

そうじ⁵ 走時 (地震波の) travel time Ⓤ. **走時曲線** travel-time curve Ⓒ.

ぞうし 増資 ―名 increase of capital Ⓒ, capital increase Ⓒ. ―動 increase the capital. **増資株** ˹newly issued [additional] stocks ★ 複数形で.

そうじうお 掃除魚 〔魚〕 cleaner fish Ⓒ.

そうしかいめい 創氏改名 the compulsory changing of Korean family and given names to Japanese names (in colonized Korea in the early 1940s) ★ 説明的な訳.

そうしき¹ 葬式 funeral Ⓒ (☞ そうぎ¹). ¶ 彼の*葬式は金曜日に築地本願寺で行われます His *funeral* will be ˹held [conducted] at Tsukiji Honganji Temple on Friday. // 彼は父親の*葬式も出せないほど貧しかった He was so poor that he couldn't give his father a *funeral*.

そうしき² 総指揮 the ˹high [supreme] command. ¶ 彼が 5000 人の軍隊の*総指揮をとった He had *the supreme command* of 5,000 soldiers. **総指揮官** the supreme commander (☞ そうしれいかん).

そうしさん 総資産 total [gross] assets ★ 複数形で; (正味資産) net worth Ⓤ.

そうししゃ 創始者 founder Ⓒ (☞ せつりつ).

そうししゅつ 総支出 total [gross] expenditure Ⓤ.

そうじしょく 総辞職 ―名 general resignation Ⓤ, resignation ˹in a body [en masse /ɑ:nmǽs/] Ⓤ. ―動 resign ˹in a body [en masse] 自. (☞ じしょく). ¶ 内閣の*総辞職は間もないことだろう The cabinet will *resign en masse* pretty soon.

そうしそうあい 相思相愛 ¶ 2 人は*相思相愛の仲だった The two *were in love* (*with each other*).

そうしちょう 相思鳥 〔鳥〕 Japanese nightingale Ⓒ.

そうしつ 喪失 ―名 loss Ⓤ. ―動 (失う) lose 他 (過去・過分 lost); (奪われてなくなる) be deprived of ... (☞ うしなう). ¶ 少年は記憶*喪失のようだ The boy seems to *have lost* his memory. // 彼女は完全に自信*喪失だ She *has* completely *lost* her self-confidence.

そうして **1** 《時を示して》: (and) then (☞ そして; それから).
2 《状態を示して》: (そのように) like that; (いまのままで) as you are. (☞ まま¹). ¶ *そうして待っていて下さい Stay *as you are*.

そうじて 総じて (一般に・概して) generally, in general; (一般的に言えば) generally speaking; (全体として) as a whole; (全体的に見ると) on the whole. (☞ いっぱんに; がいして; ぜんたい).

そうしはいにん 総支配人 general manager Ⓒ.

そうじまい 総仕舞 (全部終わること) the close of operations; (売り切ること) sellout Ⓒ; (買い切ること) buying up Ⓤ.

そうじめ 総締め (総計) total Ⓒ (☞ そうけい¹); (統率者) director Ⓒ (☞ もとじめ).

そうしゃ¹ 走者 (一般に) runner Ⓒ; (野球の) (base) runner Ⓒ. ¶ リレーチームの第 1 [最終]*走者 the first *runner* [the *anchor* (*man*)] of the relay team // バッターは 1 塁に*走者を置いてホームランを打った The batter slammed a homer with a *runner* on first base. // 彼は*走者一掃の三塁打を打った He hit a triple to *clear the bases*.

そうしゃ² 操車 marshaling Ⓤ. **操車係** yardman Ⓒ (複 -men) **操車場** marshaling yard Ⓒ.

そうしゃ³ 掃射 (機関銃の) machine-gun fire Ⓤ. ¶ 機関銃*掃射を受ける run into *machine-gun fire* / *be machine-gunned*

そうしゃ⁴ 壮者 (元気さかんな人) person in ˹his [her] prime Ⓒ. ¶ *壮者をしのぐ (⇒ 若者と同じくらい元気な) 老人 an old ˹person [man; woman] who *is as strong and healthy as a young* ⌈person [man; woman] / (⇒ 若者を負かすほど元気な) an old ⌈person [man; woman] who *is so vigorous that* ⌈*he* [*she*] *puts young people to shame*

そうしゃ⁵ 奏者 (楽器の) player Ⓒ; 《格式》 performer Ⓒ ★ 前者は演奏する楽器名と共に用いる. (☞ えんそう (演奏者)). ¶ ピアノ[バイオリン]*奏者 a ⌈piano [violin] *player* ★ プロは pianist, violinist が普通.

そうしゅ 宗主 suzerain Ⓒ /súːz(ə)rɪn/. **宗主権** 《格式》 suzerainty /súːz(ə)rɪnti/ Ⓤ **宗主国** (属国に対する) suzerain Ⓒ.

そうしゅう 早秋 early ⌈autumn [fall] Ⓤ (☞ あき¹ 語法).

そうじゅう 操縦 — 動 (飛行機を) fly ㊀; (船を) steer ㊀; (機械などを) work ㊀, óperàte ㊀ ★ 前者のほうが口語的; (人・機械などを) mánage ㊀; (巧みに) maneuver (《英》 manoeuvre) /mənúːvɚ/ ㊀. — 名 operation Ⓤ; management Ⓤ; maneuvering (《英》 manoeuvring) Ⓤ. (☞ そうさ²).
¶ この飛行機は*操縦しやすい This plane is easy to *fly*. // 彼は部下の*操縦がうまい He *manages* his staff well. / (⇒ 上手にコントロールしている) He *has* good *control over* his staff. // 彼女は夫を*操縦して自分の好きなようにさせる ＜S (人)＋V (*maneuver*) ＋O (人)＋*into*＋名・動名＞ She *maneuvers* her husband *into* doing whatever she wants.
操縦桿(かん) control lever Ⓒ, 《略式》 joystick Ⓒ **操縦士** pilot Ⓒ **操縦室音声記録装置** cockpit voice recorder Ⓒ 《略 CVR》 (☞ ボイスレコーダー) **操縦性** manèuverabílity Ⓤ **操縦席** (ジェット機などの) cockpit Ⓒ (☞ ひこうき (挿絵)) **操縦装置** controls ★ 通例複数形で; controlling [steering] gear Ⓒ.

ぞうしゅう 増収 (増加した利益) incréased prófit Ⓒ; (収入の増加) íncrease of ⌈íncome [révenùe] Ⓒ ★ revenue は歳入; (収穫の) íncrease of cróps Ⓒ. ¶ 会社は昨年の同月に比べて約 2 パーセントの*増収だった The balance sheet of the company showed an *increased profit* of about 2 percent over the same month last year. // 政府は税収入の*増収をはかるために (⇒ 税収入を増加させるために) 新しい政策を打ち立てた The government formulated a new policy to *increase* (its) tax revenues.

そうじゅうせつ 双十節 the Double ⌈Ten [Tenth] ★ 10 月 10 日. 中華民国の建国記念日.

そうしゅうにゅう 総収入 total [gross] income Ⓒ (☞ しゅうにゅう).

そうしゅうへん 総集編 summary [summarized] version Ⓒ.

そうじゅうりょう 総重量 gross weight Ⓤ. ¶ この包みの*総重量は 1 kg だが, 正味はたったの 500g だ The *gross weight* of this package is one *kilogram, but its net weight* is only five hundred grams.

ぞうしゅうわい 贈収賄 bribery Ⓤ (☞ ぞうわい; しゅうわい).

そうじゅく 早熟 — 形 precócious, forward ★ 前者のほうが改まった語. (☞ ませる).

そうしゅつ 創出 — 名 creation Ⓤ. — 動 create ㊀.

そうじゅつ 槍術 the art of using a spear (☞ やり).

そうしゅん 早春 early spring Ⓤ.

そうしょ¹ 叢書 (一連の本) series /sí(ə)riːz/ Ⓒ ★ 単複同形; (本の名などに冠して) library Ⓒ. ¶ コスモス*叢書 the Cosmos *Library* // それらの本は*叢書として出版される These books will be published as a *series*.

そうしょ² 草書 the ⌈cursive [running] style. ¶ *草書体で書く write in a ⌈*cursive* [*running*] *hand*

ぞうしょ 蔵書 …'s library Ⓒ; (集めた本) collection of books Ⓒ. ¶ この図書館の*蔵書は 300 万冊です This library *houses* 3 million *volumes*. ★ house ㊀ は「収納する」の意で発音は /háuz/. **蔵書印** ownership stamp Ⓒ; (印影) ownership mark Ⓒ **蔵書家** book collector Ⓒ ¶ 青木教授は*蔵書家だ Professor Aoki ⌈has [owns] a ⌈*large library* [*great many books*]. **蔵書票** bookplate Ⓒ; (ラテン語で) *ex libris* /ekslíːbrɪs/ Ⓒ (略 *ex lib.*) **蔵書目録** library ⌈catalog [catalogue] Ⓒ.

そうしょう¹ 総称 general term Ⓒ. **総称用法** 〔文法〕 genéric úse Ⓤ (☞ 総称用法 (巻末)).

そうしょう² 宗匠 (師匠) master Ⓒ; (教える人) teacher Ⓒ. ¶ 茶の湯の*宗匠 a ⌈*master* [*teacher*] of the tea ceremony

そうしょう³ 相承 (受けついで伝えること) inheritance Ⓒ ★ 普通は単数形で. ¶ 父子*相承の芸 an art *inherited* from one's father

そうしょう⁴ 相称 symmetry Ⓤ (☞ たいしょう³). ¶ この庭のレイアウトは左右*相称だ The layout of this garden *is symmetrical*.

そうしょう⁵ 創傷 (刃物などによる深い傷) wound Ⓒ; (切り傷) cut Ⓒ. (☞ きず).

そうじょう¹ 相乗 (数学の) multiplication Ⓤ. **相乗効果** (薬などの) sỳnergístic /sìnəʤístɪk/ efféct Ⓒ **相乗作用** (薬などの) sýnergìsm Ⓤ **相乗積** product of multiplication Ⓒ **相乗平均** gèométric méan Ⓒ.

そうじょう² 僧正 bishop Ⓒ; (高位の僧) high (-ranking) priest Ⓒ.

そうじょう³ 騒擾 (暴動) riot Ⓒ; (騒乱) disturbance Ⓒ. (☞ そうどう¹; そうらん¹). **騒擾罪** riot Ⓒ.

そうじょう⁴ 奏上 (天皇に伝えること) report to the Emperor Ⓒ. ¶ 首相は中国問題について*奏上した The Prime Minister *reported* on the Chinese question *to the Emperor*.

そうじょう⁵ 層状 stratified form Ⓒ. **層状雲** stratifarmis Ⓒ **層状火山** stratovolcano Ⓒ **層状石** stratified rock Ⓤ.

ぞうしょう¹ 蔵相 the minister of finance /fɪnǽns/, the finance minister ★ 前者のほうが正式名. (☞ おおくらだいじん; ざいむ (財務大臣)).

ぞうしょう² 増床 (病院のベッドの) increasing the number of hospital beds Ⓤ; (売り場の) extending the store space Ⓤ.

そうじょうかじょ 総状花序 〔植〕 raceme /reɪsíːm/ Ⓒ.

そうしようしょくぶつ 双子葉植物 dicotyledon /dàɪkàtəlíːdn/ Ⓒ.

そうじょうたい 躁状態 manic state Ⓒ. ¶ 君は少し*躁状態だ. お願いだから落ち着いてくれよ You are ⌈in a bit of a *manic state* [a bit *manic*]; please calm down. (☞ そうびょう)

そうしょき 総書記 general secretary Ⓒ. ¶ 金日成*総書記 *General Secretary* Kim Il Sung

そうしょく¹ 装飾 — 名 (きらびやかな飾り) órnament Ⓤ; (必要に応じての飾り) decoration Ⓤ; (総称として) ornamentation Ⓤ. — 形 ornamental; decorative. — 動 (飾り立てる) órnamènt ㊀; (きれいに見せるために) decorate ㊀. (☞ かざる). ¶ この部屋には*装飾はいらない I don't want any *decoration* for this room. // 室内*装飾家 an interior /ɪntí(ə)riə/ *decorator* (☞ インテリア) **装飾音** grace (note) Ⓒ **装飾花** ornamental flower Ⓒ **装飾古墳** decorated ancient tomb Ⓒ

装飾美術 decorative art Ⓤ　装飾品 ornament Ⓒ.

そうしょく[2]　僧職　priesthood Ⓤ.

そうしょく[3]　草食　━ [形] grass-eating, herbivorous /(h)əːbívərəs/ ★ 後者は動物学用語.　草食動物 herbivorous animal Ⓒ; (専門的には) herbivore /hə́ːbəvɔ̀ə/ Ⓒ.

ぞうしょく　増殖　━ [動] (増加する) incréase (自); (繁殖する) multiply (自).　━ [名] increase Ⓤ; multiplication Ⓤ.　¶ 細胞の異常*増殖 an abnormal *multiplication* of cells　増殖因子〘生化〙growth factor Ⓒ　増殖速度 multiplication rate Ⓒ　増殖炉 (原子炉の) breeder reactor Ⓒ.

そうしるい　双翅類　〘昆〙(双翅類の昆虫) dipteron /díptərɑ̀n/ Ⓒ《複 -tera /tərə/》; (総称) Diptera.

そうしれいかん　総司令官　supreme commander Ⓒ, commander in chief Ⓒ.

そうしれいぶ　総司令部　general headquarters《略 GHQ》★ 複数形で.

そうしん[1]　送信　━ [名] transmission Ⓤ (↔ reception).　━ [動] transmit (他), dispatch (他) (↔ receive). 《☞ はっしん[1]》.　¶ ニュースは直ちに東京へ*送信された The news *was* ⌈*transmitted* [*dispatched*] to Tokyo at once.　送信機 transmitter Ⓒ (↔ receiver).　送信速度 transmission rate Ⓒ.

そうしん[2]　喪心　(放心状態) abstraction Ⓤ; (ぼうっとすること) stupor Ⓤ ★ または不定冠詞をつけて. 《☞ ほうしん[2]》.　¶ 彼は*喪心状態だった He was in *a stupor*.

そうしん[3]　痩身　slim [slender] body Ⓒ《☞ そうく[2]; やせる》.

ぞうしん　増進　━ [動] (増加する) increase (他); (改善する) improve (他); (促進する) promote (他).　¶ 規則正しい生活は健康*増進を助ける Leading a regular life helps to ⌈*improve* [*promote*] one's health.

そうしんぐ　装身具　(特に婦人用の) accessory Ⓒ; (宝石類の) jewelry (《英》jewellery) Ⓤ　[参考] jewelry には高級時計類も含まれる.

そうず[1]　添水　*sozu* Ⓒ, water-powered [hydraulic] bamboo clapper Ⓒ; (説明的には) simple device to drive away birds and animals, made of a bamboo cylinder, which makes a sound by water falling down Ⓒ. 《☞ ししおどし》.

そうず[2]　挿図　☞ さしえ

そうすい[1]　総帥　(軍などの総司令官) commander in chief Ⓒ; (統率者) leader Ⓒ.

そうすい[2]　送水　━ [動] (給水する) supply water 《☞ きゅうすい; すいどう》.　送水管 (水道管) water pipe Ⓒ; (本管) water main Ⓒ　送水ポンプ water pump Ⓒ.

ぞうすい[1]　増水　━ [名] (水位の上昇) the rise in the water level.　━ [動] (川などが) rise (自), swell (自) (他).　¶ 雪解けで川は*増水を続けている With the ⌈snow melting [melted snow], the river keeps *rising*. / The melted snow *has* ⌈*swelled* [*swollen*] the river.

ぞうすい[2]　雑炊　porridge of rice and vegetables Ⓤ ★ 説明的な訳.

そうすいせい　走水性　〘生〙hydrotaxis Ⓤ.

そうすう[1]　総数　total Ⓒ《☞ そうけい[1]》.

そうすう[2]　双数　〘文法〙dual number Ⓒ.

そうスカン　総スカン　¶ 彼は皆に*総スカンを食った (⇒ 皆が彼に背を向けた) Everyone *turned their backs on* him.

そうする[1]　奏する　(演奏する) play (他)《☞ えんそう》.

そうする[2]　草する　(草案を書く) draft (他), prepare [write] a draft. 《☞ そうあん[1]》.

ぞうする　蔵する　**1**《所有する》: have (他); (収蔵する) house (他). 《☞ しょゆう; しょぞう》.
2《心に抱く》: (恨み・悪意などを) bear (他), harbor (《英》harbour) (他); (感情・意見・希望などを) entertain (他) ★ 後者は格式ばった語.　¶ 彼女は彼に恨みを*蔵しているようだ She seems to ⌈*bear* [*harbor*] a grudge against him.

そうすると　(それでは・じゃあ) then; (もしそうならば) if so. 《☞ すると; それでは》.　¶ *そうするといったいだれの仕業だろうか Who did it, *then*? // *そうすると彼は事故に巻き込まれたかもしれない *If so*, he may have been involved in the accident.

そうすれば　¶ この薬を飲みなさい. *そうすればすぐ良くなります Take this medicine, *and* you will soon get well. // 彼に本当のことを打ち明けてごらんなさい. *そうすればきっと許してくれると思います Why don't you tell him the truth? *If you do* (*so*), I'm sure he will forgive you. // それは秘密にしておこう. *そうすればだれもいやな思いをしなくてすむ Let's keep it a secret. *Then* nobody will ⌈be [get] hurt.　[語法]「そうすれば」は前後関係によっていろいろに意訳しなくてはならない.

そうせい[1]　早世　━ [動] die young《☞ わかじに》.　¶ 誰もが王女が*早世したこと (⇒ 王女の早すぎる死) を嘆き悲しんだ Everybody lamented the princess's *untimely death*.

そうせい[2]　叢生　━ [動] (群がりはえる) grow in clusters (自).　━ [名] dense [gregarious] growth Ⓤ.

そうせい[3]　早成　fast [rapid] growing Ⓤ.　早成性 precocity Ⓤ.　¶ *早成性の鳥 a *precocial* bird

そうせい[4]　早生　(早く生まれること) premature birth Ⓒ; (わせ) early ripening Ⓤ. 《☞ そうざん; わせ; そうせいじ[2]》.

そうせい[5]　創成　creation Ⓤ.　創成期 (初期) the initial stage; (初めのころ) the early period.

そうぜい　総勢　━ [名] (全スタッフ) the whole ⌈party [company] ★ party, company はグループの意味; (全員) all the members.　━ [副] (全員で) in all; (合計で) in total.
¶ *総勢 15 名で行きます Fifteen *of us* will go there. // 彼らは*総勢わずか 20 名だった They were only twenty *in* ⌈*all* [*total*]. // *総勢 500 人が出発した *The whole* ⌈*party* [*company*] of five hundred ⌈started [set] out.

ぞうせい　造成　━ [動] (住宅地を) turn (land) into housing lots; (住宅地を開発する) develop a residential area.　造成地　¶ 住宅[ゴルフ場]用の*造成地 *land developed for* ⌈housing subdivision [a golf course]

ぞうぜい　増税　━ [名] tax increase Ⓒ.　━ [動] increase taxes.

そうせいき　創世記　〘旧約〙Génesis.

そうせいさいばい　草生栽培　sod culture Ⓤ.

そうせいじ[1]　双生児　(2 人まとめて) twins; (その 1 人) twin Ⓒ. 《☞ ふたご》.

そうせいじ[2]　早生児　premature baby Ⓒ, 《米略式》preemie /príːmi/ Ⓒ.

そうせき[1]　僧籍　priesthood Ⓤ.　¶ *僧籍に入る enter the *priesthood*

そうせき[2]　漱石　☞ なつめそうせき

そうせきうん　層積雲　〘気象〙stratocumulus /strèɪtoukjúːmjʊləs/ Ⓒ《複 stratocumuli /-lài/》《☞ くも[1] (挿絵)》.

そうせつ[1]　創設　━ [動] (設立する) found (他), establish (他) ★ 後者のほうが改まった語; (始める) start (他). 《☞ そうりつ》.　創設者 founder Ⓒ.

そうせつ[2]　総説　general remarks ★ 複数形で.

《☞ そうろん》.

そうせつ[3] 霜雪 (霜と雪) frost and snow; (髪の毛などが白いこと) silver [white] hair Ⓤ. 《☞ しらが》.

そうぜつ 壮絶 ¶*壮絶な最期を遂げる (⇒ 勇ましく死ぬ) die *heroically* / die a *heroic* death // *壮絶な (⇒ 全力をあげての) 戦い an *all-out* fight / (⇒ 激しい戦闘) a *fierce* battle

ぞうせつ 増設 ¶学科を*増設する (⇒ 新学科を作る) set up [establish] a new department 《☞ しんせつ[2]》 // メモリー*増設 ☞ **メモリー (メモリー増設)**

そうせん 操船 ━ 動 (操縦する) navigate a ship; (舵をとる) steer a ship; (動かす) sail a ship.

そうぜん[1] 騒然 ━ 形 (騒がしい) noisy; (混乱した) confused. ━ 名 (騒々しさ・大騒ぎ) an uproar ★ 不定冠詞を付けて; (動揺・騒動) commotion Ⓒ; (混乱状態) confusion Ⓤ. 《☞ さわがしい (類義語); こんらん》. ¶彼の発言で議場は*騒然となった (⇒ 彼の発言は議場を大騒ぎにした) His remarks ⌈threw the assembly room into *an uproar* [created a *commotion* in the assembly room]. // 教室は*騒然としていた (⇒ 混乱状態だった) The classroom was in *confusion*.

そうぜん[2] 蒼然 ¶その青銅の像は古色*蒼然としている That bronze statue *looks very old*. 《☞ こしょくそうぜん》 // 雨が降ると秋の夕暮れは一層*蒼然となる The evening shadows in autumn *are* ⌈*gloomier* [*grayer*] when it rains. ★ 前者は心情的に, 後者は視覚的に.

ぞうせん 造船 ━ 名 shipbuilding Ⓤ. ━ 動 build a ship. **造船会社** shipbuilding company Ⓒ **造船学** naval architecture Ⓤ **造船技師** marine engineer Ⓒ **造船業** shipbuilding industry Ⓤ **造船所** shipyard Ⓒ **造船台** shipway Ⓒ; (傾斜した) slip(way) Ⓒ.

そうせんきょ 総選挙 general election Ⓒ 《☞ せんきょ[1]》. ¶次の*総選挙は 2 年後だ The next *general election* will take place two years from now.

そうそう[1] 早早 **1** «急いで»: (すばやく) quickly; (ただちに) immediately; (できるだけ早く) as soon as possible. ¶彼らは*早々に立ち去った They left ⌈*quickly* [*immediately*]. **2** «…するとすぐ»: (早く) early; (…したちょうどその時) just as …; (…するとすぐ) soon after … 《☞ すぐ》. ¶来月*早々集会があります There is a meeting *early* next month. // 来た*早々もう帰る気かい You've just arrived, and you're already leaving?

そうそう[2] (そう度々) so often; (そう長く) so long. 《☞ そんなに》.

そうそう[3] 草草 Yours truly 《☞ けいぐ[1]; 手紙の書き方 (囲み)》.

そうそう[4] 草創 beginning Ⓒ 《☞ さいしょ》. **草創期** (早い時期) the early period; (初期のころ) the pioneer days.

そうぞう[1] 想像 ━ 動 (想像する) imagine (他); (かなり勝手に考える) fancy (他); (当て推量で考える) guess (他) (自) 〔語法〕「想像する」の意味では imagine が最も典型的. ━ 名 imagination Ⓤ; (空想) fancy Ⓤ; guess Ⓒ. 《☞ おもう (類義語); くうそう[1]》. ¶私の*想像は当たった My *guess* was right. / I *guessed* (it) right. // 彼が強盗犯人だとは*想像もできなかった It was ⌈impossible even to *imagine* [hardly *imaginable*] that he was the burglar. // 彼が何をしようとしているのかまったく*想像がつかない I don't *have the slightest idea* what he is after. // 空中を飛ぶことを*想像したことがありますか *Have* you ever *imagined* yourself flying in the air? // それはあなたのご*想像にまかせます I'll leave it to your *imagination*. // 宇宙での冒険は我々の*想像を絶するものであろう Adventures in outer space may be something far beyond our *imagination*. // 一角獣は*想像上の動物です The unicorn is an *imaginary* animal. // 私は色々と*想像を巡らしてみた I worked my *imagination* to the full. / I gave full play to my *imagination*.
想像画[図] imaginative picture Ⓒ, fantasy picture Ⓒ ★ 前者は頭の中で描くイメージの意もあるが, 後者はいわゆる空想的幻想的な絵. **想像妊娠** spurious [phantom] pregnancy Ⓤ **想像力** imagination Ⓤ ★ 具体的には Ⓒ, imaginative power Ⓤ. ¶彼は*想像力を十二分に働かせてこの作品を書いた He gave full play to his *imagination* in writing this work. // 彼女はとても*想像力に富む She ⌈is very *imaginative* [has a rich *imagination*].

そうぞう[2] 創造 ━ 名 creation Ⓤ. ━ 動 (創造する) creáte (他); (作る) make (他) ★ 広い意味を持つ一般的な語. ━ 形 creátive. 《☞ つくる (類義語)》. ¶聖書には神による天地*創造は 6 日間を要したと書かれている The Bible says that *the* ⌈*Creation* (of Heaven and Earth) took six days. **創造主** (万物の造物主) the Creator; (特にキリスト教の神) God **創造性** (新しいものをつくる) creativity Ⓤ; (独自のものをつくる) originality Ⓤ. ¶*創造性を示す show [display] *creativity* **創造物** (神の) creature /kríːtʃə/ Ⓒ 《☞ ひぞうぶつ》 **創造力** (創造する力) creative energy Ⓤ; (独創力) originality Ⓤ.

そうそうこうしんきょく 葬送行進曲 〔楽〕 fúneral márch Ⓒ.

そうぞうしい 騒騒しい (騒がしい) noisy ★ 一般的な語; (陽気で騒々しい) bóisterous. 《☞ さわがしい (類義語); やかましい》.

そうぞうしさ 騒騒しさ noise Ⓤ 《☞ そうおん; さわぎ》.

そうそうたる 錚錚たる ━ 形 (傑出した) próminent; (顕著な) òutstánding; (指導的立場にある・一流の) leading Ⓐ.

そうそく 総則 (規則) general rules; (規定) general provisions. 《☞ きそく》.

そうぞく 相続 ━ 名 (受け継ぐこと) inhéritance Ⓤ; (後を継ぐこと) succéssion Ⓤ. ━ 動 inhérit (他); succéed (to …) (自).
¶彼は*相続によって農場を得た He obtained his farm by *inheritance*. // 少女はおばの財産を*相続した The girl *inherited* her aunt's property.
相続争い (相続権の争い) dispute about [quarrel over] succession Ⓒ **相続権** (相続人である権利) heirship /éəʃɪp/ Ⓤ; (財産・地位などの) (the right of) ⌈succession [inheritance] Ⓤ **相続財産** inheritance Ⓒ, inherited property Ⓤ **相続順位** the order of succession Ⓤ **相続税** inheritance tax Ⓒ **相続人** (遺産の) inhéritor Ⓒ; heir /éə/ Ⓒ; (女性の) heiress /é(ə)rɪs/ Ⓒ. 《☞ あととり (類義語)》. ¶法定*相続人 an *heir* apparent **相続分** portion Ⓒ **相続法** 〔法〕 law of succession Ⓤ **相続放棄** 〔法〕 waiver of inheritance (rights) Ⓤ. ¶彼は*相続放棄をした (⇒ 相続権を放棄した) He ⌈*waived* [*renounced*] *his right of* ⌈*succession* [*inheritance*].

そうそふ 曾祖父 great-grandfather Ⓒ 《☞ 親族関係 (囲み)》.

そうそぼ 曾祖母 great-grandmother Ⓒ 《☞ 親族関係 (囲み)》.

そうそん 曾孫 great-grandchild Ⓒ 《複 -grandchildren》 《☞ 親族関係 (囲み)》.

そうだ 操舵 (舵をとること) steerage Ⓤ 《☞ かじ[3]》. **操舵機[装置]** steering gear Ⓒ **操舵室**

pílothòuse Ⓒ, whéel hòuse Ⓒ **操舵手** stéersman Ⓒ《複 -men》, hélmsman Ⓒ《複 -men》 **操舵術** steering Ⓤ.

-そうだ **1** «伝聞»: (口語的に, …だそうだ) I hear (that) …; (伝えられたという事実をややはっきりさせて) I am told (that) …; (世間のうわさで) They [People] say (that) …, It is said that … ★ 後者のほうが改まった言い方. (☞ -らしい).

¶彼は病気だ*そうだ He *is said* to be ill. / *I hear* [*They say*; *I am told*] he is ill. // これは信じがたいが本当だ*そうだ This is hard to believe, but *it's said* to be true. // その日は彼女は都合が悪い*そうです (⇒…と彼女は言っている) *She says* she won't be free (on) that day.

2 «様態»: (…しそうである) be likely to *do* …, It is likely that … ★ 後者のほうが格式ばった言い方; (外見から見て…らしい) look (自); (…と思われる) seem (自). (☞ -らしい [語法] (1)).

¶午後から雨が降り*そうだ It's 「*likely* [*going*] *to* rain toward afternoon. ★ going とするといまにも降りそうなニュアンスが強い. / (⇒ 雨が降るのではないかと思う) *I'm afraid* it will rain in the afternoon. // 彼女はとても楽し*そうだ She *looks* very happy. // 外は寒*そうだ It *seems* cold outside.

そうたい¹ 早退 ―[動] (早めに切り上げる) leave 「work [the office; school] early; (いつもより早く帰る) leave 「work [the office; school] earlier than usual.

そうたい² 相対 ―[名] (相対性) relativity Ⓤ. ―[形] (相対的) relative. ―[副] relatively. **相対運動** relative motion Ⓤ **相対概念** relative concept Ⓒ **相対価格** relative price Ⓒ **相対空間** relative space Ⓤ **相対主義** relativism Ⓤ **相対性理論[原理]** the 「theory [principle] of relativity **相対速度** relative velocity Ⓤ **相対年代** relative age Ⓒ **相対評価** relative evaluation Ⓤ **相対論的宇宙論** relativistic cosmology Ⓤ.

そうたい³ 総体 ―[副] (全体から見ると) on the whole; (総体として) as a whole; (一般的に言って) generally, in general, generally speaking ★ 以上 3 つはほぼ同意. (☞ ぜんたい; いっぱんに [語法]).

¶*総体的にいまの子供たちは早熟だ *Generally speaking* [*On the whole*], today's children are rather forward.

そうだい¹ 総代 (代表) rèpreséntative Ⓒ; (卒業生総代) 《米》 valedictorian /vӕlədɪktɔ́ːriən/ Ⓒ

[日英比較] 通例成績が最上位で, 卒業生を代表して別れのあいさつを述べる者をいう. 従って日本の学校で, 単に代表として卒業証書を受け取る者とは違う. 在校生の送辞に対して答辞を読む者ならば valedictorian と訳してもよい. ¶彼は卒業生*総代に選ばれ, 卒業式で卒業証書を受け取った He was chosen as the *representative* of the graduating students and received all the diplomas on their behalf at the commencement.

そうだい² 壮大 ―[形] (スケールが大きく立派な) magníficent; (壮麗で雄大な) grand; (威厳のある) majestic. ―[名] magníficence Ⓤ; grandeur /grǽndʒɚ/ Ⓤ. (☞ ゆうだい).

ぞうだい 増大 ―[動] (大きくなる) grow (自); (増加する) incréase (自). ―[名] íncrease Ⓤ. (☞ ふえる; ます¹). **増大号** enlarged 「number [issue] Ⓒ.

¶3 月号は*増大号 (⇒ 拡大された号) です The March issue is an *enlarged number*.

そうたいきゃく 総退却 full retreat Ⓒ; (すべての戦線からの退却) retreat on all fronts Ⓤ. (☞ たいきゃく). ¶軍隊は*総退却中だ The troops *are* 「*in full retreat* [*making a full retreat*].

そうだいしょう 総大将 (最高司令官) supreme commander Ⓒ; (全軍の) commander in chief Ⓒ; (首領) boss Ⓒ; (リーダー) leader Ⓒ.

そうだがつお 宗太鰹, 惣太鰹 〖魚〗 bullet mackerel Ⓒ.

そうだち 総立ち ―[動] (いっせいに立ち上がる) rise as one. ¶観衆は*総立ちになった The audience *rose as one*. // *総立ちの拍手を受ける receive a *standing* ovation

そうたつ 送達 ―[名] delivery Ⓤ. ―[動] (送り届ける) deliver (他); (送る) send (他); (令状などを) serve (他). (☞ おくる¹; とどける²). ¶召喚状を*送達する *serve* 「*a person* with a summons [a summons on *a person*]

そうだつ 争奪 ―[動] struggle for …; (競争する) compete (for …) (自). (☞ きょうそう¹). **争奪戦** contest Ⓒ.

そうたん 操短 ―[名] (操業を切り詰めること) curtailment of operations Ⓤ; (生産を減らすこと) reduction of production Ⓤ. ―[動] curtail [cut down] operations ★ [ ] 内のほうが口語的; reduce production; (従業員を一時的に解雇する) lay off (他) (自). (☞ そうぎょう²).

そうだん 相談 ―[動] (話し合う) talk (with …) (自); (専門家などに意見を聞く) consult (他) (自); (会議を開いて協議する) 《格式》 confér (with …) (自); (助言を求める) seek *a person's* advice. ―[名] (話し合い) talks ★ 通例複数形で; (専門家などに意見を求めること) consultation Ⓤ; (会議による協議) cónference Ⓒ. (☞ きょうぎ¹; かいだん² (類義語)).

¶私たちはその件を*相談した We 「*consulted* (with each other) about [*talked over*] the matter. // 勉強のことは先生に*相談しなさい *Ask* your teacher *for* his *advice* on your studies. // この件について弁護士に*相談するつもりです I will *consult* my lawyer on this matter. // ちょっと*相談にのっていただきたい (⇒ 助言[援助]を必要とする) ことがあります I'm sorry to trouble you, but I've got something that needs your 「*advice* [*help*]. // 課長と*相談させてください Let me *have a word* with our manager. // あすそこへ行くのはとてもできない*相談 (⇒ 不可能) だ *It's impossible* for me to go there tomorrow. // お互いに助け合おうと*相談がまとまった We *have agreed* to help each other. // 彼は両親に何の*相談もなく学校をやめた (⇒ 知らせずに) He gave up school *without his parents knowing*.

相談相手 (助言してくれる人) adviser Ⓒ; (相談にのってくれる人) counselor Ⓒ. ¶*相談相手がだれもいない I have no one to 「*consult* (*with*) [(⇒ 助言を求めて頼る) *turn to* (*for advice*)]. **相談員** counselor Ⓒ **相談所** (カウンセラーの) counselor's office Ⓒ. ¶職業*相談所 a vocational *clinic* // 法律*相談所 a law *center* // 結婚*相談所 a marriage *bureau* **相談ずく** ¶実は彼らは*相談ずくで (⇒ 互いに合意して) それをやったのです The fact is that they have done it *by mutual agreement*. **相談役** (会社の) executive adviser Ⓒ, senior (corporate) adviser Ⓒ (☞ 会社の組織と役職名 (囲み)); (個人の) adviser Ⓒ; (専門家) consultant Ⓒ.

そうたんぱく 総蛋白 total protein Ⓤ.

そうち¹ 装置 (仕掛け) device Ⓒ; (一式の器械装置) apparatus /æ̀pərǽtəs/ Ⓒ《複 ~, ~es》; (組み合わせ式の装置) system Ⓒ; (ある場所に固定して取り付けた設備) installation Ⓒ; (舞台装置) setting Ⓒ. (☞ しくみ; せつび; きかい²; きぐ¹).

¶安全*装置 a safety *device* // 最近暖房[冷房]*装置をつけた We've installed the 「heating [cooling] 「*apparatus* [*system*] recently. **装置産業** (大型装置を使う産業) process industry Ⓒ.

そうち[2] **送致** 〘法〙 referral Ⓤ; (送ること) sending Ⓤ. ¶事件を検察官に*送致する *refer* the case to the public prosecutor // 被疑者を検察当局に*送致する *send* the suspect to the prosecutor's office

ぞうちく **増築** ―動 (建物を拡張する) extend [enlarge] a building 語法 前者にはいままでの建物の一部を伸ばして建て増す, 後者には全体を広げるというニュアンスがある; (校舎などの大きな建物に付加的な建物を建てる) build an ánnex (to ...). ―名 extension Ⓤ ★「増築の部分」の意味では Ⓒ; enlargement Ⓤ. 《☞ たてまし》. ¶彼は最近家を*増築した He *has* 「*extended* [*enlarged*] his house recently. **増築工事** extension work Ⓤ.

そうちゃく **装着** ¶溶接工は防護マスクを*装着する (⇒ 身につける) Welders *put on* their visor helmets. // 雪の日に車の運転をするときにはタイヤにチェーンを*装着する (⇒ つける) We *put* chains *on* the tires of our cars when we drive on a snowy day.

そうちょう[1] **早朝** early morning Ⓒ 《☞ あさ[1]》.

そうちょう[2] **総長** (大学の) president Ⓒ, chancellor Ⓒ 参考 前者のほうが普通. 大学によっては後者を使う所もある. その場合《英》では名誉職だが, 《米》では実務をつかさどり, 名誉職ではない. また, 規模の大きい大学の場合には, president の下に各キャンパスに chancellor が置かれる; (国連の事務総長) Secretary-General (of the United Nations). 《☞ 学校・教育 (囲み)》.

そうちょう[3] **荘重** ―形 (厳かな) solemn /sáləm/. ―名 solemnity /səlémnəti/ Ⓤ. ―副 sólemnly. 《☞ おごそか; げんしゅく》.

そうちょう[4] **曹長** (英陸・空軍の) sergeant Ⓒ; (英海軍の) chief petty officer Ⓒ.

ぞうちょう **増長** ―動 (生意気である[になる]) be [grow; become] impudent 語法 be を使えば状態, grow を使えば動作を表す; (高慢である) 《略式》 be stuck-up ★ 悪い意味で用いられる; (ずうずうしくなる) 《略式》 become cheeky; (思い上がる) 《略式》 be puffed up (with ...). 《☞ なまいき》.
¶母親が甘やかすので子供たちは*増長しているようだ It seems that the children are 「*cheeky* [*impudent*] because their mothers spoil them.

そうちょうるい **走鳥類** 〘動〙 cursorial birds.

そうで **総出** ¶町中*総出で優勝チームを迎えた *All* the town [*The whole* town] went out to welcome the victorious team. // 警察は*総出で交通整理にあたった The police put the *whole* force into traffic control. 《☞ ぜんいん》

そうてい[1] **想定** ―名 (推定) assumption Ⓒ; (仮定) supposition Ⓒ 語法 前者はあることを事実と考えたり見なしたりする前提としての仮定. 後者は可能性の問題としての仮定. 前者のほうが想定という日本語に近い; (理論上の仮定) hypothesis /haɪpáθəsɪs/ Ⓒ (複 -ses /-sìːz/). ―動 assume ㊀; suppose ㊀. 《☞ かてい[2]》.
¶彼の説が正しいという*想定のもとに私たちは実験を進めた We carried out our experiment on the 「*assumption* [*supposition; hypothesis*] that his theory was right.
想定事故 (原子力施設の) hypothetical accident Ⓒ **想定東海地震** anticipated Tokai Earthquake **想定問答集** collection of hypothetical questions and answers Ⓒ.

そうてい[2] **装丁** ―名 (本の表装) binding Ⓒ; (表紙の意匠) design Ⓒ. ―動 (本をとじて表紙を付ける) bind ㊀; (デザインする) design ㊀. 《☞ せいほん[1]》. ¶この本は*装丁が立派だ This book *is* beautifully *bound*.

ぞうてい[3] **送呈** ¶出版社は著者に彼の新作本を20部*送呈した The 「publishing company [publisher] *sent* the author twenty complimentary copies of his new book.

そうてい[4] **漕艇** rowing Ⓤ. **漕艇競技** boat race Ⓒ; (競技会) regatta Ⓒ **漕艇者** rower Ⓒ.

ぞうてい[1] **贈呈** ―動 presént ㊀, màke a présent of ... 語法 present は give より格式ばった語で, 価値のあるものを正式に与えることを意味する. ―名 presentation Ⓤ. 《☞ おくる[2]; きぞう》. ¶あなたに本を1冊*贈呈したい I would like to *present* a book *to* you. / I would like to *present* you *with* a book. ★ 第1文のほうが一般的. // *贈呈《著書に署名して》With the compliments of the author. 《☞ けんぽん》 **贈呈式** ceremony of the presentation (of ...) Ⓒ, presentation ceremony Ⓒ **贈呈品** (個人的な) présent Ⓒ; (公式の) gift Ⓒ **贈呈本** presentation copy Ⓒ.

ぞうてい[2] **増訂** ―動 revise and enlarge ㊀ 《☞ ぞうほ》.

そうてん[1] **争点** (問題[論争]になっている点) the point 「at issue [in dispute]; (法律・政治あるいは国際問題などの論争点) issue Ⓒ; (一般に問題点) question Ⓒ. 《☞ ろんてん》. ¶*争点がよくわからない I don't see what the 「*issue* [*question*] is.

そうてん[2] **装填** ―動 (弾丸やフィルムを込める) load ㊀. ¶彼は銃に弾丸を*装填した He *loaded* his gun (*with* bullets).

そうてん[3] **総点** (合計点数) total number of 「points [marks] Ⓒ ★ 通例 the を付けて; (総得点) total score Ⓒ. 《☞ てん[1]; とくてん[1]》. ¶私のトーフルの*総点は600点だった My *total* TOEFL /tóʊfl/ *score* was 600.

そうでん[1] **送電** ―名 (電力を送ること) power [electric] transmission Ⓤ; (供給) power supply Ⓤ. ―動 transmit [supply] 「electricity [power] (to ...). ¶昨夜急に*送電が止まってしまった Last night, the *power supply* was suddenly cut off. **送電線** power-transmission 「line [wire] Ⓒ 《☞ でんせん[1]》 **送電力** power-carrying capacity Ⓤ.

そうでん[2] **相伝** hereditary succession Ⓤ. ¶一子*相伝の秘法 a secret art *handed down* from parent to child 《☞ いっし[4]》

そうてんい **相転移** 〘物理〙 phase transition Ⓒ.

そうと[1] **壮図** (壮大な企て) grand 「plan [project] Ⓒ. ¶宇宙旅行の*壮図を抱く conceive a *grand project* of a space trip

そうと[2] **壮途** ¶彼は勇躍*壮途についた He *started out on an enterprising trip* in high spirits. // 我々は彼の*壮途 (⇒ 門出) を祝った We gave him a good *send-off*.

そうとう[1] **相当** **1** 《かなり》 ―形 considerable. ―副 (かなり) pretty ★ 口語的で, 会話でよく用いられる; (とても) very ★ 最も一般的な強調の言葉; (どちらかというと・ちょっと) rather 語法 (1) ただし, 好ましくない意味で用いる. 日本語でも「ちょっと困る」は「たいへん困る」と同意であるのと同じように, 悪い意味でかなりの程度を表すこともある; (まったく・とても) quite 語法 (2) very と入れ替え可能なこともあるが, 《米》では very が普通. なお最後の2例のように quite は名詞を修飾することもある; (相当の程度に) considerably. 《☞ かなり》.
¶きょうは*相当に寒い It's 「*rather* [*pretty*] cold today. ★ rather を用いると寒さが好ましくないというニュアンスを伴う. 《☞ 副詞の位置 (巻末)》 // 私の祖父はもう*相当な年です (⇒ 非常に年寄りです) My grandfather is 「*very* [*quite*] old. // 彼は*相当の金を払ってそれを手に入れた He got it for a *considerable* sum of money. // 彼女はその点について*相当に自信がありそうだ She seems to be *quite* certain

about it. // 彼女は*相当な財産を相続した She inherited *quite* a fortune. // 彼は*相当なつわものだ He's *quite* a guy. ★ 口語的な言い方.

2 «匹敵» ── 動 (…に等しい) be equal to …; (…と同価値だ) be equívalent to …; (…と対応する) còrrespónd to … ── 形 (…の値打ちがある) worth Ⓟ ★ worth はすぐ後に目的語をとる.

¶1ドルはだいたい100円に*相当する One dollar *is* roughly *equal to* 100 yen. / One dollar *is* nearly *equivalent to* 100 yen. // アメリカの国務長官は日本の外務大臣に*相当する The position of the U.S. Secretary of State *corresponds to* that of the Foreign Minister of Japan. // 1万円*相当の贈り物 (⇒ 1万円の価値の贈り物) a present *worth* ten thousand yen

相当数 ¶その地震で*相当数の死傷者が出た The earthquake caused *a considerable number of* casualties.

そうとう[2] **双頭** ── 形 (頭が二つある) double-headed. ¶*双頭の鷲 a *double-headed* eagle **双頭政治** diarchy Ⓒ.

そうとう[3] **掃討** ── 動 (一掃する) sweep ㊥; (片付ける) clear ㊥; (残った敵を) mop up ㊥. 《☞ いっそう³》. ¶残敵を*掃討する *mop up* the enemy **掃討作戦** mopping operation Ⓒ.

そうとう[4] **総統** (台湾の) the President; (ヒトラーの称号) the Führer /fjʊ́(ə)rə/.

そうとう[5] **想到** ¶その可能性は*想到していなかった We *have* never *thought of* the possibility.

そうどう[1] **騒動** (つまらないことに対する大騒ぎ) fuss Ⓤ ★ 口語的. しばしば a を付けて; (騒ぎ, 特に社会的な不安を起こす) disturbance Ⓒ; (社会的・政治的無秩序) disorder Ⓒ ★ しばしば複数形で; (暴動) riot /ráɪət/ Ⓒ; (もめごと) trouble Ⓤ; (混乱) confusion Ⓤ; (争い・紛争) dispute Ⓒ. 《☞ さわぎ》. ¶あの*騒動は何事だろう (⇒ 彼らは何について騒いでいるのか) What are those people making *a fuss* about? // 彼らは通りで*騒動を起こした They ˹made [created; caused] a *disturbance* in the street. // その*騒動を静めるために警官隊が出動した The police were ordered out to suppress the *riot*. // それについて何か一*騒動 (⇒ 重大な事が) 起こりそうだ I'm afraid *something serious* will happen because of it. / (⇒ 暴力行為がほっ発しそうだ) I fear there'll be an *outbreak of violence* over it. ★ 前者のほうが口語的.

> **コロケーション**
>
> **騒動が起こる** a *disturbance* ˹occurs [breaks out; erupts] / **騒動が拡大する** the *disturbance* escalates / **騒動が静まる** the *disturbance* ˹subsides [dies down] / **騒動が始まる** a *disturbance* starts

そうどう[2] **双胴** **双胴機** twin-fuselage /fjúːsəlàːʒ/ plane Ⓒ **双胴船** càtamarán Ⓒ.

そうどう[3] **相同** 〖生〗(異種の部分・器官の) homology Ⓤ. **相同器官** 〖生〗 homologue Ⓒ **相同染色体** 〖生〗 homologous chromosome /króuməsòum/ Ⓒ.

そうどう[4] **僧堂** meditation hall (at a Zen temple) Ⓒ.

そうどう[5] ***草堂*** *(草ぶきの家) thatched house* Ⓒ; (自分の家を謙遜して) my (humble) house; (いおり) hermitage Ⓒ.

ぞうとう **贈答** **贈答品** présent Ⓒ, gift Ⓒ ★ ほぼ同意だが, 後者のほうが格式ばった感じの語で, 多少価値のある贈り物に用いられる. 《☞ おくりもの》. **贈答品売場** gift section Ⓒ.

そうどういん **総動員** general mobilization Ⓤ 《☞ どういん¹》. ¶その事件を捜査するために警官が*総動員された All the policemen *were* ˹*called out* [*mobilized*] to investigate the case.

そうとうしゅう **曹洞宗** the *Soto* sect (of Zen Buddhism).

そうとく **総督** (保護領・植民地などの) governor-general Ⓒ 《複 governors-general, ～s》. **総督府** government-general Ⓒ ★ the を付ける.

そうトンすう **総トン数** gross tonnage Ⓤ. ¶この船は*総トン数5万トンである This ship has a *gross tonnage* of fifty thousand tons. ★ 具体的に数量がつく場合は Ⓒ. // 日本の商船の*総トン数はどのくらいですか What is the *gross tonnage* of Japan's merchant fleet?

そうなめ **総なめ** ¶イギリスから来たラグビーチームは日本勢を*総なめにした (⇒ 日本チームを全部負かした) The British rugby team ˹*defeated* [*beat*] *all* the Japanese teams. ★ beat のほうがくだけた言い方. / (⇒ 全面的な勝利をおさめた) The British rugby team *won a sweeping victory* over all the Japanese teams. // その映画は各種の賞を*総なめにした (⇒ 全部持っていった) That film ˹*carried off all* the ˹prizes [awards]. // その火事は一夜にして町を*総なめにした (⇒ 町全部が破壊された) *The whole* town *was destroyed* by the fire in one night.

そうなん **遭難** ── 動 (船が難破する) be wrecked; (山で事故にあう) have [meet with] an accident in the mountains. ── 名 (船の難破) shipwreck Ⓒ ★ 単に wreck ともいう; (船などの遭難, 災害などの緊急事態) distréss Ⓤ; (一般的に, 事故) accident Ⓒ. 《☞ じこ¹; なんぱ¹; ついらく》.

¶その船は暗礁に乗り上げて*遭難した The ship *was wrecked* on the reef. // 彼らは*遭難中の船[登山者]を助けた They helped the ˹ship [climbers] in *distress*. // 彼らは山で*遭難した (⇒ 迷った) They *got lost* in the mountains. / (⇒ 事故にあって死んだ) They *met with an accident* in the mountains and died. **遭難救助隊** réscue pàrty Ⓒ **遭難救助艇** rescue boat Ⓒ **遭難現場** the scene of ˹an accident [a disaster] ★ disaster は大災害の意. ¶救助隊が*遭難現場に急行した The rescue team rushed to *the scene of the* ˹*accident* [*disaster*]. **遭難者** (犠牲者) victim Ⓒ **遭難信号** distress ˹signal [call] Ⓒ, SOS /ésòués/ Ⓒ, Máyday Ⓒ **遭難船** (遭難中の) ship in distress Ⓒ; (難破した) wrecked ship Ⓒ.

ぞうに **雑煮** soup with rice cakes, chicken and vegetables Ⓤ ★ 説明的にはさらに, eaten during the New Year holidays のような語句を加える.

そうにかい **総二階** ¶向こうのあの*総二階の家が私のです That *whole* ˹*two-storied* [*two-story*] house over there is mine.

そうにゅう **挿入** ── 動 (間に差し入れる) insert /ɪnsə́ːt/ ㊥. ── 名 insertion Ⓤ ★ 具体的には Ⓒ. 《☞ はさむ; さしこむ》. **挿入キー** 〖コンピューター〗 the ínsert kèy **挿入句** 〖文法〗 parenthesis /pərénθəsɪs/ Ⓒ 《複 parentheses /-sìːz/》 **挿入写真** ínset Ⓒ ★ 図表や絵などを意味することもある. **挿入部** (音楽の) episode Ⓒ **挿入物** (雑誌・新聞などに入れる) insert /ínsəːt/ Ⓒ; (新聞の折り込み広告など) insertion Ⓒ **挿入モード** 〖コンピューター〗 insert mode Ⓤ.

そうねん[1] **壮年** (男[女]盛り) the prime of life; (身も心も盛んな状態) manhood Ⓤ, womanhood Ⓤ; (中年) middle age Ⓤ ★ 英語では40–60歳ぐらいをいう. 《☞ ちゅうねん》. **壮年期** ¶彼は*壮年期に達しつつある[をすでに過ぎた] He is ˹attaining [already past] *his prime*. // 彼が*壮年期に癌で死んだのは惜しまれる We are sorry to hear that he died from cancer in *the prime of life*.

そうねん² 想念 (漠然とした考え) notion Ⓒ; (思いつき) idea Ⓒ. 《☞ かんがえ》.

そうは¹ 走破 ― 動 (全部を走り通す) run the whole distance; (ある距離を行く) cover (他). 《☞ はしる》. ¶彼はその距離を1時間で*走破した He ⌈*covered* [*ran*] *the whole distance* in one hour.

そうは² 掻爬 ― 名〖医〗(組織の除去) curettage /kjù(ə)rətáːʒ/ Ⓤ. ― 動 curet(te) /kjurét/ (他).

そうば 相場 **1** 《市場価格》: (製品の市場価格) market price Ⓒ ★ 単に market Ⓤ ともいう; (為替の) rate Ⓒ; (株式などの投機) speculation Ⓤ. 《☞ しか²》. ¶外国為替*相場 the foreign exchange *rate* // ゴムの*相場が上がった [下がった] The *market* ⌈*price* of [for] rubber has ⌈risen [fallen]. // ドル*相場は毎日変動する The *exchange rate* of the dollar fluctuates daily. // 円のドルに対する現在の*相場は80円です The going *rate* for the yen against the dollar is 80 yen. // 変動*相場制 the floating *exchange rate* system // 大豆*相場は極めて不安定だ The soybean *market* is far from being stable. // 株式*相場に手を出す *speculate* in stocks // *相場で損をする [もうける] lose [make] money in *speculation*

2 《一般通念》 ¶アルバイトの時給は大体800円と*相場が決まっている (⇒ 標準的な時給) The *standard* pay for a part-timer is about 800 yen an hour. // 大学の先生は金がないものと*相場は決まっている *Most* university teachers are not well off.

相場師 (投機家・山師) speculator Ⓒ; (株屋) stockjobber Ⓒ; (賭博師) gambler Ⓒ **相場表** list of ⌈market prices [quotations] Ⓒ; (株・公債の) stocklist Ⓒ.

ぞうは 増派 ― 動 (軍隊などを) reinforce (他). ― 名 reinforcement Ⓤ. 《☞ ぞうきょう》. ¶戦場に部隊を*増派する (⇒ もっと派遣する) *dispatch more* troops to the battlefield

ぞうはい 増配 (株の配当の) increased dividend Ⓒ; (配給の) increased ration Ⓒ.

そうはく 蒼白 ¶その光景を見て彼女は顔面*蒼白になった Her face went *white* [She turned *pale*] at the sight. 語法 white は恐怖の顔色, pale は血の気の失せた色. 《☞ まっさお》

そうはせん 争覇戦 (選手権試合) championship Ⓒ ★ しばしば複数形で単数扱い.

ぞうはつ 増発 ― 動 (列車・バスなどを特別に増やして運行する) operate [run] an extra ⌈train [bus] ★ operate のほうが格式ばった語. ― 名 (増発された列車・バスなど) extra [special] ⌈train [bus] Ⓒ ★ extra は「余分の」, special は「特別の」を表す. ¶夏の間は海岸まで臨時のバスを*増発します There will be a *special bus service* to the beach during summertime. / We ⌈*operate* [*run*] *special buses* to the beach during summertime.

そうはつき 双発機 twin-engined plane Ⓒ 《☞ ひこうき》.

そうはつせいちほうしょう 早発性痴呆症 〖医〗dementia praecox /dɪménʃ(i)ə príːkɑks/ Ⓤ.

ぞうはていこう 造波抵抗 〖空〗wave drag Ⓤ; 〖造船〗wave-making resistance.

そうばな 総花 ¶今度の政府は*総花的な (⇒ すべての目的にかなう) 政策をとろうとしている The new administration is trying to adopt ⌈an *all-purpose* policy [(⇒ すべての人を喜ばせる) policies *that please everybody*].

そうはん 相反 〖数〗inversion Ⓤ.

そうばん 早晩 (遅かれ早かれ) sooner or later; (時がたつにつれて) in (the course of) time. 《☞ おそかれはやかれ; やがて》.

ぞうはん 造反 ― 動 (権力者に対して組織的に反抗して戦う) rebél (against ...) (自); (現体制を拒否して反乱を起こす) revólt (against ...) (自). ― 名 rebéllion Ⓒ; revólt Ⓒ. ― 形 rébel. 《☞ はんらん¹》. **造反者** rébel Ⓒ, 《格式》 insurgent Ⓒ ★ しばしば複数形で. **造反有理** (反逆には道理がある) To rebel is justified ★ 毛沢東のことば.

そうび 装備 ― 名 (特定の仕事や活動に必要な備品のすべて) equipment Ⓤ; (特定の目的のための装具一式) óutfit Ⓒ ★ equipment よりやや日常的で個人的なものを指す. ― 動 (設備をつける・備える) equip ... (with ...). 《☞ せつび; びひん》.

¶その登山者たちの*装備は不十分だった The *equipment* of the climbers was imperfect. // 彼らは十分な*装備で北極探険に向かった Properly [Well] *equipped*, they set off on the expedition to the North Pole. // その飛行機にはレーダーが*装備されていた The airplane *was equipped with* radar. // 重[完全]*装備の冬山登山隊 a ⌈heavily *equipped* [fully *equipped*] winter mountaineering party

そうひぎょう 総罷業 general strike Ⓒ 《☞ ゼネスト》.

ぞうひびょう 象皮病 〖医〗 elephantiasis /èləfəntáɪəsɪs/ Ⓤ.

そうひょう 総評 (総括的論評) general comment (on ...) Ⓒ. ¶*総評を述べる make a *general comment*

そうびょう 躁病 mania /méɪniə/ Ⓤ 《☞ そうじょうたい》. **躁病患者** manic Ⓒ.

ぞうひょう 雑兵 (一般に最下級兵士) soldier of the lowest rank Ⓒ; (兵卒) private soldier Ⓒ; (将校たちに対して兵士たち) the ranks, the rank and file ★ 幹部・指導者たちに対する一般の人の意味にもなる. 単数又は複数扱い.

そうびれい 宋美齢 ― 名 (固) Song Meiling, 1897–2003. ★ 中国・台湾の政治家, 蒋介石夫人.

ぞうひん 贓品 stolen ⌈goods [articles] ★ 複数形で. **贓品捜査** investigation of stolen goods Ⓒ.

ぞうびん 増便 ― 動 (飛行機で) incréase the number of flights, operate extra flights ★ 後者のほうが格式ばった言い方.

そうふ¹ 送付 ― 動 (送る) sènd (óff) (他); (提出する) submit ... (to ...). 《☞ おくる¹》. ¶予算案は委員会に*送付された The budget bill *was submitted to* the committee. **送付先** (住所) receiver's address Ⓒ; (人) addressee Ⓒ **送付者** sender Ⓒ.

そうふ² 総譜 〖楽〗(楽譜) (full) score Ⓒ 《☞ がくふ¹》.

そうぶ 創部 ― 動 (クラブを設立する) set up a club; (クラブを構成・組織する) form [organize] a club.

ぞうふ 臓腑 entrails ★ 複数形で. 《☞ はらわた; ないぞう¹; ごぞうろっぷ》.

そうふう 送風 ― 名 (換気) ventilation Ⓤ. ― 動 véntilàte (他). 《☞ かんき¹》. **送風機** (換気扇) ventilator Ⓒ; (扇風機) fan Ⓒ; (機械などの装置) blower Ⓒ **送風坑** ventilation shaft Ⓒ.

そうふく 僧服 ☞ そうい⁴

ぞうふく 増幅 ― 名 (電気の) amplification Ⓤ. ― 動 ámplifỳ (他). **増幅器** ámplifier Ⓒ.

ぞうぶつしゅ 造物主 the Creator, the Maker ★ 前者のほうが一般的; (特にキリスト教の神) God.

そうへい 僧兵 Buddhist monk warrior (in Japanese history) Ⓒ.

ぞうへい 増兵 ― 動 (増強する) reinforce (他). ― 名 reinforcement Ⓒ. 《☞ ぞうきょう; ぞうは》. ¶彼らは前線に*増兵することを決めた They decided

そ

to *increase the number of soldiers* at the front.

ぞうへいきょく 造幣局 the Mínt Bùreau /bjù(ə)rou/.

そうへき 双璧 (最高の権威者2人) the two greatest authorities [語法]「…の双璧」という場合は the two greatest … の…に「生物学」なら biologists,「哲学」なら philosophers のように人を表す語を入れる.

そうべつ[1] 送別 (別れ) fárewéll Ⓒ ★ 形容詞的に用いる. (☞ わかれ[1]).
¶ 彼がクラスを代表して*送別の辞を述べた He made a *farewell* speech on behalf of his class. // スミス先生の*送別会を土曜日に開きます We are going to hold a ˹*farewell* [*going-away*] party for Ms. Smith next Saturday. / A *farewell* party will be given this coming Saturday in honor of Ms. Smith. ★ 第2文のほうが格式ばった表現.

そうべつ[2] 層別 stratification Ⓤ. **層別抽出**〘統計〙stratified sampling Ⓤ.

そうほ 相補 (相補的な) còmpleméntary. **相補関係** complementary relationship Ⓒ **相補性** còmplementárity Ⓤ **相補分布** complementary distribution Ⓤ.

ぞうほ 増補 ── 動 (本を改訂して内容を増す) enlarge ⓣ. ── 名 enlargement Ⓤ. (☞ かいてい[2]).
¶ 改訂*増補版 a revised and *enlarged* edition

ぞうぼ 増募 ── 動 (募集人員を増やす) raise the ceiling on enrollment; (募集金額を増やす) increase the amount of money to be raised.

そうほう[1] 双方 ── 名 both ˹parties [sides] ★ 前者は法律関係を表すときに用いることが多い. ── 形 (両方の) both; (互いの) mutual; (共通の) common. (☞ りょうほう[1]; たがい).
¶ *双方の両親ともその結婚に反対です The parents on *both sides* are against the marriage. // その件は労使*双方の間で交渉中である The matter is under negotiation *between* management *and* labor. // これが*双方のために一番よいやり方です This way will be best to ˹satisfy their *common* interests [benefit *both parties*].

そうほう[2] 奏法 (演奏技術) art Ⓒ; (演奏法) how to play … ¶ ピアノ*奏法 the *art* of piano playing

そうほう[3] 走法 (走る方法) way [method] of running Ⓒ; (走るフォーム) running form Ⓒ.
¶ ピッチ*走法 (⇨ 短い歩幅) で走る run ˹in [with] short strides

そうほう[4] 漕法 (漕ぎ方) rowing style Ⓒ; (漕ぐフォーム) rowing form Ⓒ.

そうほう[5] 総苞 〘植〙involucre /ínvəlùːkə/ Ⓒ.

そうほう[6] 操法 handling [manipulation] technique Ⓒ. ¶ 彼がこの機械の*操法を知っています He knows *how to operate* this machine.

そうぼう[1] 僧坊 priests' quarters in a ˹Buddhist temple [monastery] ★ 複数形で.

そうぼう[2] 蒼茫 ¶ *蒼茫たる大海 the *vast blue expanse* of the ˹ocean [sea]

そうぼう[3] 相貌 (顔かたち) looks ★ 複数形で; (顔つき) (文) countenance Ⓒ. (☞ ようぼう[2]). **相貌的知覚**〘心〙physiognomic perception Ⓤ.

そうぼう[4] 双眸 (両方の目) both eyes; (目) *one's* eyes. (☞ りょうがん[2]).

そうぼう[5] 想望 (思慕) adoration Ⓤ; (期待) expectation Ⓤ. (☞ しぼ; きたい[1]).

ぞうほう 増俸 ── 名 pay [salary] increase Ⓒ; increase in ˹pay [salary] Ⓒ. ── 動 increase [raise] *a person's* ˹pay [salary]. (☞ きゅうりょう[1]; じゅうきゅう[1]). ¶ 彼は一割*増俸された He was given a 10 percent ˹*pay increase* [*increase in pay*]. // 彼は二万円*増俸された He was given a twenty-thousand-yen *increase in salary*.

そうぼうきん 僧帽筋 〘解〙trapezius /trəpíːziəs/ Ⓒ.

そうほうこう 双方向 ── 形 (相互に作用する) interactive; (2路・2方向の) two-way Ⓐ; (両方向性の) two-way, two-directional, bidirectional ★ この順に格式ばった語となる. ¶ *双方向性マイクロホン a *bidirectional* microphone **双方向通信** two-way [interactive] communications ★ 複数形で. **双方向テレビ** interactive TV Ⓒ.

そうぼうべん 僧帽弁 〘解〙(心臓の) the mitral /máɪtrəl/ valve.

そうほん 草本 〘植〙herb Ⓒ (☞ くさ[1]) ¶ 一年[二年; 多年]生*草本 an annual [a biénnial; a perennial] *plant*

ぞうほん 造本 (本を作ること) bookmaking Ⓤ; (製本) bookbinding Ⓤ. ¶ *造本がしっかりしている本 a *well-bound* book **造本技術** the art of bookmaking

そうほんけ 総本家 (分家に対して) the head family (☞ ほんけ).

そうほんざん 総本山 (仏教などの) the head temple (of a Buddhist /búːdɪst/ sect).

そうほんてん 総本店 the head ˹office [store]; (最も重要な店) the flagship store. (☞ ほんてん).

そうまくり 総捲り (概観) general survey Ⓒ; (概評) general review Ⓒ.

そうまとう 走馬灯 ── 名 (回り燈籠) revolving lantern Ⓒ. ── 形 (万華鏡のように変わる) kalèidoscópic; (絶えず変化する) ever-changing.
¶ *走馬灯のように次々に変わり行く車窓の風景 the *ever-changing* scenes outside the train window

そうみ 総身 the whole body (☞ ぜんしん[2]).
¶ 大男*総身に知恵がまわりかね Big head, little wit. / Fat head, lean brains. (ことわざ).

そうむ[1] 総務 (仕事) general affairs ★ 複数形で. **総務会長** (the) chairman of the executive council board **総務省** the Ministry of Internal Affairs and Communications (略 MIC) **総務大臣** the Minister for Internal Affairs and Communications **総務庁(長官)** ((the) Director General of) the Management and Coordination Agency ★ 現在は ☞ 総務省[大臣]. **総務部** the administration ˹division [department], the general-affairs ˹division [department] ★ 前者は会社の運営・管理に関する事務, 後者は一般的・総合的な事務を意味する. (☞ 会社の組織と役職名(囲み)).

そうむ[2] 双務 ── 形 (双務的な) bilateral; (相互の) reciprocal. **双務協定** bilateral [reciprocal] agreement Ⓒ **双務契約** bilateral [reciprocal] contract Ⓒ **双務主義** bilateralism Ⓤ **双務条約** bilateral treaty Ⓒ.

ぞうむし 象虫 weevil /wíːv(ə)l/ Ⓒ.

そうめい 聡明 ── 形 (賢い) wise; (知的な) intelligent. (☞ ちてき; りこう[1]).

そうめいきょく 奏鳴曲 〘楽〙sonata Ⓒ (☞ ソナタ).

そうめつ 掃滅 ── 動 (滅ぼす) destroy … completely; (根絶する) extérminàte ⓣ ★ 格式ばった語; (ふき取るように一掃する) wipe out ⓣ, mop up ⓣ. (☞ いっそう[2]; ぼくめつ). ¶ 彼らは敵を*掃滅した They ˹*completely destroyed* [*exterminated*; *wiped out*] their enemies.

そうめん 素麺 thin Japanese noodles ★ 複数形で. 説明的な訳.

そうめんせき 総面積 the total area; (床面積) the total floor space. (☞ めんせき[1]).

そうもく 草木 (特定の地域に生育する植物全般) vegetation Ⓤ《☞ くさき》.
そうもくろく 総目録 complete ˹catalog [《英》catalogue] Ⓒ.
ぞうもつ 臓物 (はらわた) guts; (鳥の, 食用になる) giblets /dʒíbləts/ ★ 両者とも通例複数形で; (食用にする動物の) pluck Ⓤ. 《☞ はらわた》.
そうもん¹ 僧門 the priesthood 《☞ ぶつもん》.
そうもん² 総門 (正門) main gate Ⓒ; (禅寺の表門) the front gate of a Zen temple.
そうもんか 相聞歌 *somon-ka* Ⓒ; (説明的には) love (*waka*) poem Ⓒ.
そうゆ 送油 transporting oil Ⓤ. **送油管** oil pipeline Ⓒ.
そうゆう 曾遊 former visit Ⓒ. **曾遊の地** a place formerly visited.
ぞうよ 贈与 ― 動 give 他, presént 他 ★ 後者のほうが格式ばった語. ― 名 presentation Ⓤ. 《☞ あたえる; おくる²; ぞうてい¹》. ¶ 彼は自分の財産の半分を妻に*贈与した He *has given* half (of) his property to his wife. **贈与者** giver Ⓒ **贈与税** gift tax Ⓒ.
そうらん¹ 騒乱 (社会的な不安を起こす騒ぎ) disturbance Ⓒ; (暴動) riot /ráɪət/ Ⓒ. 《☞ さわぎ; そうどう¹; ぼうどう》. ¶ *騒乱を鎮圧する put down a *riot* / bring a *disturbance* under control **騒乱罪** ¶ 彼らは*騒乱罪で逮捕された (⇒ 暴動を起こしたかどで) They were arrested on ˹a [the] *charge of causing a riot*.
そうらん² 総覧 (大要・概説書) compendium Ⓒ 《複 ~s, compendia》. ¶ 法令*総覧 a *compendium* of statutes
そうらん³ 争乱 (武力による長期の争い) conflict Ⓒ; (不和などによる激しい争い) strife Ⓤ. 《☞ ふんそう¹》. ¶ 2 国間の*争乱 a *conflict* between two countries
そうらん⁴ 総攬 ― 動 (監督する) supervise 他; (管理する) control 他. ― 名 supervision Ⓤ; control Ⓤ.
そうらん⁵ 奏覧 ¶ 天皇に書類を*奏覧する *submit* a document *to the Emperor for inspection*
ぞうり 草履 Japanese sandals ★ 複数形で. 数えるときは a pair [two pairs] of ... ¶ ゴム[わら]*草履 (a pair of) ˹rubber [straw] *sandals* **草履取り** sandal carrier Ⓒ; (説明的には) manservant ˹in [of] a ˹samurai's [Japanese warrior's] household who carries his master's spare sandals Ⓒ.
ぞうりえび 草履海老 〘魚〙 locust lobster Ⓒ.
ぞうりくうんどう 造陸運動 epirogenetic /ɪpáɪ(ə)roudʒənètɪk/ móvement Ⓒ, epirogeny /èpaɪrádʒəni/ Ⓤ, epeirogenesis Ⓤ.
そうり(だいじん) 総理(大臣) the prime minister, the premier ★ 自分の国または特定の国の総理大臣を指すときはそれぞれ P- M-, P- とする. 《☞ しゅしょう¹ 語法》. **総理大臣官邸** *the* Prime Minister's official residence
そうりつ 創立 ― 動 (設立する) establish 他, found 他, sèt úp 他 ★ この順にくだけた言い方となる; (始める) start 他. ― 名 establishment Ⓤ; foundation Ⓤ. 《☞ せつりつ 語法》.
¶ この学校は 1920 年にグリーン氏によって*創立された This school *was* ˹*founded* [*established*; *set up*] in 1920 by Mr. Green. // この大学の*創立は 13 世紀にさかのぼる This university dates back to the thirteenth century. // その会社は今年で*創立 20 周年になる (⇒ 設立[組織]されてから 20 年になる) It is twenty years since the company *was* first ˹*set up* [*organized*]. / (⇒ 今年創立 20 周年記念を祝った) The company celebrated the twentieth anniversary of its *founding* this year. // 新しい会社を*創立する *start* a new company
創立記念日 the anniversary of the ˹foundation [establishment] (of ...) **創立者** founder Ⓒ **創立趣意書** prospectus Ⓒ **創立総会** inaugural (general) meeting Ⓒ.
そうりふ 総理府 the Prime Minister's Office. ★ 現在は内閣府. 《☞ ないかく¹》.
ぞうりむし 草履虫 〘動〙 paramecium /pæ̀rəmíː∫(i)əm/ Ⓒ 《複 paramecia》.
そうりょ 僧侶 (一般に聖職者) priest Ⓒ; (修道僧) monk Ⓒ.
そうりょう¹ 送料 (郵便の) postage Ⓤ; (荷物の運賃) transport(ation) Ⓤ, 《英》 carriage Ⓤ. 《☞ うんちん; ゆうびん》.
¶「この手紙の*送料はいくらですか」「80 円です」 "How much will it *cost* to send [What's the *postage* for] this letter?" "Eighty yen." 《☞ 手紙の書き方 (囲み)》 // この本は*送料込みで 1 万円です This book costs ¥10,000, *postage* included. // 5 千円以上の注文については*送料は無料 (⇒ 無料で発送される) Orders priced at ¥5,000 and over will *be dispatched free*. // この品物の値段は 3 千円ですが, *送料は別途請求となります The price of this article is ¥3,000 and we charge extra for *postage*.
そうりょう² 総量 (全体の重量) the gross /gróus/ weight; (全体の量) the total amount. 《☞ りょう¹; そうけい¹》. **総量規制** (排ガスの) total-emission(s) ˹regulation [control] Ⓤ.
そうりょう³ 総領 the ˹eldest [oldest] child 《☞ ちょうなん; ちょうじょ》. **総領の甚六** The younger brother has the ˹better wits [brain]. 《ことわざ: 弟の方がより知恵がある》 / (⇒ 長男より弟の方がより賢明だ) The younger brothers are (usually) cleverer than the eldest. **総領息子[娘]** the ˹eldest [oldest] ˹son [daughter] Ⓒ.
ぞうりょう 増量 ― 動 (増やす) increase 他.
¶ 飲み薬を*増量する (⇒ 1 回分の服用量を増やす) *increase* the ˹dosage [dose] of (a) medicine // 1 回の食事を*増量する *increase* the quantity of a meal
そうりょうじ 総領事 consul general Ⓒ 《複 consuls general》. **総領事館** consulate /kɑ́ns(ə)lət/ géneral Ⓒ 《複 consulates general》.
そうりょく¹ 総力 ¶ 政府は*総力をあげてその問題と取り組んだ (⇒ 最善を尽くした) The ˹administration [government] *did its best* to solve the problem. / (⇒ あらゆる努力をした) The government *made every effort* to solve the problem. 《☞ ぜんりょく》 **総力戦** (全面戦争) all-out war Ⓒ, total war Ⓒ.
そうりょく² 走力 running ability Ⓤ. ¶ 私は*走力をつけたい I want to ˹develop [improve] my *running ability*.
そうりん¹ 叢林 dense ˹wood [grove] Ⓒ.
そうりん² 相輪 the roof ornament of a pagoda 《☞ くりん》.
ぞうりん 造林 affòrestátion Ⓤ.
ソウル ― 名 固 Seoul /sóul/ ★ 韓国の首都.
そうるい¹ 走塁 〘野〙 (base) running Ⓤ. **走塁妨害** 〘野〙 obstruction Ⓤ.
そうるい² 藻類 algae /ǽldʒiː/ 《単 alga /-gə/》 《☞ も²》. **藻類学** algology Ⓤ **藻類学者** algologist Ⓒ.
ソウルミュージック sóul mùsic Ⓤ, soul Ⓤ.
そうれい 壮麗 ― 形 (雄大な) grand; (立派で美しい) magníficent. 《☞ そうだい²; ゆうだい》.
そうれつ¹ 壮烈 ― 形 (英雄的な) heroic

/hɪróuɪk/;(勇敢な) brave.《☞ いさましい》. ¶ 彼はその戦闘で*壮烈な最期を遂げた(⇒ 彼は英雄的な死に方をした) He died a *heroic* death in the battle.

そうれつ² 葬列 funeral procession Ⓒ.

そうろ 走路 (特に競技場などの) track Ⓒ; (一般的な意味で) course Ⓒ.

そうろう¹ 早老 ── 名 (早く老けること) premature /prì:mət(j)ʊ́ə/ áging Ⓤ. ── 形 prématùrely áged.《☞ ふける²》.

そうろう² 早漏 prèmatúre ejàculátion Ⓤ.

そうろうぶん 候文 old epistolary style (in Japanese) Ⓒ.

そうろん 総論 (全般的な序論) general introduction Ⓒ; (概要) outline Ⓒ. ¶ *総論賛成, 各論反対 agree in *generalities*, but disagree in specifics

そうわ¹ 送話 transmission (of a message) Ⓤ. **送話器** transmítter Ⓒ; (電話の) mouthpiece Ⓒ.

そうわ² 総和 the sum total《☞ そうけい¹》.

そうわ³ 挿話 (小説などの) episode Ⓒ《☞ いつわ》.

ぞうわい 贈賄 ── 名 (わいろを贈ること) giving a bribe Ⓤ,《略式》páyòff Ⓤ ★ 個々の事例は Ⓒ; (わいろ) bribe Ⓒ. ── 動 (わいろを贈る) bribe (他).《☞ わいろ; しゅうわい; おしょく; ばいしゅう; ふせい²》. ¶ その業者は*贈賄で告発された The merchant was charged with ˹*bribery* [*making payoffs*]. **贈賄罪** bribery Ⓤ **贈賄事件** bribery case Ⓒ **贈賄者** briber Ⓒ.

ぞうわく 増枠 increase (in allotment) Ⓒ. ¶ 助成金の*増枠を要求する demand [request] an *increase* in a subsidy

そえがき 添え書き (注記) note Ⓒ; (手紙などの追記) postscript Ⓒ.《☞ あとがき》.

そえぎ 添え木 (骨折部に当てる) splint Ⓒ《☞ いりょう¹(挿絵)》. ¶ 私は右腕に*添え木をあててもらった I had my right arm put in a *splint*.

そえじょう 添え状 cover letter Ⓒ, accompanying note Ⓒ ★ note は短い手紙.

そえぶみ 添え文 ☞ そえじょう

そえもの 添え物 (付加物) addition Ⓒ; (景品) premium /prí:miəm/ Ⓒ.

そえる 添える (添付する) attach (他); (付け加える) add (他); (料理につまを) garnish ... with ... ¶ 彼は贈り物に名刺を*添えた He *attached* his card to the gift. // 彼は遅くなるかもしれないと言い*添えた He *added* that he would be late. // 彼は料理のつまにパセリを*添えた He *garnished* the dish *with* parsley. // 私は願書に写真を*添えて出した I sent a photograph (˹*along* [*together*]) *with* my application.

そえん 疎遠 ¶ 彼らの間は*疎遠になってしまった(⇒ 友情が冷めた) The friendship between them *has cooled* ˹*down* [*off*]. // 2人は互いに*疎遠に(⇒ よそよそしく)なった The two became *estranged* from each other. ★ 格式ばった言い方.

ソーイング (裁縫) sewing Ⓤ.

ソークワクチン the Salk vaccine ★ ポリオ予防用.

ソーサー (カップの受け皿) sáucer Ⓒ.

ソーシャリスト (社会主義者) sócialist Ⓒ.

ソーシャリズム (社会主義) sócialism Ⓤ.

ソーシャル ── 形 sócial.

ソーシャルエンジニアリング (社会工学) sócial èngineéring Ⓤ.

ソーシャルコスト (社会原価) social cost Ⓤ.

ソーシャルサービス sócial sérvice ★ Ⓤ または複数形で.

ソーシャルスキル (社会生活に必要な技術) social skill Ⓒ.

ソーシャルセキュリティー (社会保障) social security Ⓤ.

ソーシャルダンス bállroom [sócial] dáncing Ⓤ《☞ ダンス》. ¶ 私たちは*ソーシャルダンスを練習している We practice ˹*ballroom* [*social*] *dancing*.

ソーシャルワーカー social worker Ⓒ.

ソーシャルワーク (社会事業) social work Ⓤ.

ソース¹ (調味料) sauce Ⓤ ★ 種類をいうときは Ⓒ.

日英比較 食物にかけて味を添える液体調味料はすべて sauce と言う. サラダのドレッシングも sauce で, 醤油も soy sauce. なお, 日本で普通にいう「ソース」は Worcester(shire) /wʊ́stə(ʃə)/ sauce.

¶ 彼女は魚にホワイト*ソースをかけた She ˹put [poured] white *sauce* ˹on [over] the fish.

ソース² (ニュースなどの出所) source Ⓒ《☞ しゅっしょ》.

ソースコード 〘コンピューター〙 source code Ⓤ.

ソースパン saucepan Ⓒ.

ソースプログラム 〘コンピューター〙 source program Ⓒ.

ソーセージ sáusage Ⓒ; (ウィンナーソーセージ) Viénna sáusage Ⓒ,《米》wiener Ⓒ; (フランクフルトソーセージ) frankfurter /frǽŋkfətə/ Ⓒ ★《米略式》では単に frank とも言う.

ソーダ (炭酸ソーダ) soda Ⓤ. **ソーダガラス** (普通のガラス) soda-lime glass Ⓤ **ソーダクラッカー** soda cracker Ⓒ **ソーダ水** soda (water) Ⓤ ★「1杯のソーダ水」の意味では Ⓒ; 《米》club soda Ⓤ; (果物の味がつけてある) soda pop Ⓤ《☞ クリーム (クリームソーダ)》 **ソーダ石灰** soda lime Ⓤ **ソーダ石けん** soda soap Ⓤ **ソーダファウンテン** soda fountain Ⓒ ★「ソーダ売り場」と「ソーダ水を注ぐ容器」の意味がある.

ソーター (分類・選別機) sorter Ⓒ.

ソート ── 名 〘コンピューター〙 sorting Ⓤ. ── 動 sort (他). ¶ 住所録データベースを名字で*ソートした I *sorted* the address database by family name. **ソートキー** sort key Ⓒ **ソートプログラム** sort program Ⓒ.

ソードテール 〘魚〙(熱帯魚) swordtail Ⓒ.

ゾーニング (都市計画による地区制) zoning Ⓤ.

ソープ (石けん) soap Ⓤ《☞ せっけん¹》.

ソープオペラ sóap òpera Ⓒ.

ソープランド massage ˹parlor [《英》 parlour] Ⓒ ★「ソープランド」は和製英語.

ソーラー ── 形 (太陽の) solar. **ソーラーカー** solar powered ˹car [vehicle] Ⓒ ★ [ ] 内は乗り物一般を表す. **ソーラーシステム** (太陽熱を利用した暖房・給湯設備) solar heating system Ⓒ ★ 英語の the solar system は太陽系の意. **ソーラーハウス** solar house Ⓒ **ソーラーパネル** solar panel Ⓒ.

ソール (ゴルフクラブや靴の底) sole Ⓒ; 〘魚〙 ☞ したびらめ.

ゾーン (地帯) zone Ⓒ. ¶ 投球はストライク*ゾーンをはずれた The pitch wasn't in the strike *zone*. **ゾーンディフェンス** 〘球〙 zone defense Ⓤ (↔ man-to-man defense).

そかい¹ 疎開 ── 動 (危険な所から安全な所へ移す・移る) evacuate (他)(自). ── 名 evacuation Ⓤ.《☞ ひなん²》. ¶ 強制*疎開 forced [compulsory] *evacuation* // 集団*疎開 group *evacuation* **疎開先** *one's* place of refuge Ⓒ **疎開児** evacuated child Ⓒ **疎開者** evacuee /ɪvækjuí:/ Ⓒ.

そかい² 租界 (居留地) settlement Ⓒ; (租借地) concession Ⓒ.

そがい¹ 疎外 ── 動 (仲間はずれにする) léave óut (他); (遠ざけて疎んじる) alienate /éɪliənèɪt/ (他) ★ 後者のほうが格式ばった語. ── 名 àlienátion Ⓤ.《☞ とおざける》. ¶ *疎外感を持つ feel ˹*alienated*

[a sense of *alienation*]

そがい² 阻害 —【動】(成長などを抑える) check (他); (妨げる) prevent (他) ★ 後者のほうが格式ばった語. —【名】 check Ⓒ; prevention Ⓤ. 《☞ さまたげる; じゃま (類義語)》. **阻害物質**〘生化〙inhibitor Ⓒ, inhibitory ⌈agent [substance] Ⓒ.

そかぎょ 遡河魚 (海から川へのぼってくる魚) anadromous /ənǽdrəməs/ fish Ⓒ.

そがきょうだい 曾我兄弟 —【名】(固) the Soga Brothers; (説明的には) the elder brother, Juro Sukenari, and the younger, Goro Tokimune. In 1193, they gained revenge on Kudo Suketsune who had killed their father.

そかく¹ 組閣 —【動】(内閣を組織する) form [organize] a (new) cabinet ★ [　] 内のほうが格式ばった語. —【名】 formation [organization] of a (new) cabinet Ⓤ. 《☞ ないかく¹》.
¶ *組閣 (⇒ 新しい閣僚を選ぶ[新内閣を組織する]こと) が難航しているようだ There seem to be some difficulties in ⌈*selecting the new cabinet members* [the *formation of the new cabinet*].
組閣本部 the Cabinet formation headquarters.

そかく² 疎隔 estrangement Ⓤ 《☞ そえん》.

そがのいるか 蘇我入鹿 —【名】(固) Soga no Iruka, ?–645; (説明的には) a court official who intervened in the enthronement of the emperor. He was killed by Prince Naka no Oe.

そがのえみし 蘇我蝦夷 —【名】(固) Soga no Emishi, ?–645; (説明的には) a court official who wielded power in the government. He committed suicide immediately after his son, Soga no Iruka was killed.

そがん 訴願 —【名】(懇願) appeal Ⓒ; (請願) petition Ⓒ. —【動】(懇願する) appeal (他); (請願する) petition (他) ★【動】としては格式語. 《☞ こんがん; せいがん¹; たんがん¹》.

そぎいた 枌板 (屋根をふく薄い板) shingle Ⓒ 《☞ こけらいた》.

そぎおとす 削ぎ落とす (削ぎ取る) chip ... off; (こすり落とす) scrape ... off (...). 《☞ そぐ¹》. ¶ 壁の古ペンキを*削ぎ落とす *chip* the old paint *off* the wall

そぎきり 削ぎ切り (料理で) shaving cut Ⓒ.
¶ しいたけを*削ぎ切りにする *shave shiitake* mushrooms *thinly*

そぎとる 削ぎ取る (薄く削り取る) shave off 《☞ そぐ》.

そきゅう¹ 遡及 —【名】(法律などの) rètroáction Ⓤ. —【動】 rètroáct (to ...) (自). —【形】 retroactive. 《☞ さかのぼる》. ¶ その法律は1月1日に*遡及して施行される The law will be enforced *retroactive* to January 1. **遡及法** retroactive law Ⓒ **遡及力** retroactive power Ⓤ.

そきゅう² 訴求 (買い手に対する) appeal (to customers) Ⓒ 《☞ うりこむ》.

そく 即 **1** «時間的に»: (すぐに) immediately, right away, at once ★ 最初はやや格式ばった語. 《☞ すぐ (類義語)》. ¶ ぐずぐずしてはいられない (⇒ 無駄にする時間はない) *即出発だ We don't have much time to lose; let's start *at once*.
2 «程度が»: (安易にすぐに) easily; (単純に) simply. ¶ 流行に*即飛びつく者がいる Some people ⌈*easily* [*quickly*] jump at the latest fashion. // 咳*即風邪だと思う人が多い Many people think that coughing *simply* means (that they have) a cold.

-そく¹ …足 (はき物などの1組) pair Ⓒ 《☞ 数の数え方 (囲み)》. ¶ 靴1*足 a *pair* of shoes // スリッパを3*足持ってきて下さい Will you go and get us three *pairs* of slippers? 《☞ スリッパ (挿絵)》

-そく² …束 (たば) bundle Ⓒ 《☞ たば》. ¶ まき1*束 a *bundle* of firewood

そぐ¹ 削ぐ (薄く切る) slíce óff (他); (切り落とす) cút óff (他). 《☞ けずる; きる²》.

そぐ² 殺ぐ (興味などを失う) lose (他); (感興をだめにする) spoil (他).
¶ 彼らはその出来事ですっかり興味を*そがれた (⇒ 興味を失った) They *lost* all interest in it because of that incident. / (⇒ その出来事が興味をだめにした) That incident ⌈*spoiled* [*killed*] their interest in it.

ぞく¹ 俗 ¶ 彼は*俗な言葉 (⇒ 俗語(表現)) を使った He used *slang* (expressions). // これが*俗に言う (⇒ ことわざにあるとおり)「3度目の正直」だ *As the saying goes*, "Third time lucky." // 彼は割合に*俗っぽい奴だ He's rather a *worldly*(*-minded*) person. // *俗に言うと, てんぷらとすいかは食べ合わせが悪い *As is commonly said*, tempura and watermelon have a harmful effect when ⌈eaten [taken] together.

ぞく² 賊 (こそ泥) thief Ⓒ 《複 thieves》; (強盗) robber Ⓒ; (夜盗) burglar Ⓒ; (反乱などの) rébel Ⓒ. 《☞ どろぼう; ごうとう (類義語)》. ¶ *賊は売り上げ金を持って逃げた The *thief* got away with the ⌈take [takings]. // 昨夜その店に*賊が入った (⇒ 不法侵入があった) There was a *break-in* at the store last night. / (⇒ 泥棒に入られた) The store *was broken into* last night.

ぞく³ 続 (小説・映画などの続き) sequel /síːkwəl/ Ⓒ; (本などの続きものの2つ目) sécond series /sí(ə)riːz/ Ⓒ. 《☞ ぞくへん; つづき》. ¶『*続・女の一生』 *The Life of a Woman, second series* 《☞ イタリック体 (巻末)》

ぞく⁴ 族 (血縁に関係のある親族) family Ⓒ ★ 語系や語族の意味でも用いられる; (集団) group Ⓒ; (犯罪的・非行的集団) gang Ⓒ; (原始人・遊牧民などの部族) tribe Ⓒ. 《☞ かぞく¹; しゅぞく》.
¶ インドヨーロッパ語*族 the Indo-European ⌈*family* (of languages) [language *family*] // 暴走*族 (⇒ オートバイに乗った非行グループ) a motorcycle *gang* / (⇒ 無謀運転者のグループ) a *group* of reckless drivers // 団地*族 apartment house dwellers // マイカー*族 car owners // 通勤*族 commuters // ケルト*族 *the Celts* /kélts/ 【語法】 the を種族名に付けて全体を表す.

ぞく⁵ 属〘生〙genus /dʒíːnəs/ Ⓒ 《複 genera /dʒénərə/》.

ぞくあく 俗悪 —【形】(粗野な) coarse; (野卑な) vulgar. 《☞ げひん》. ¶ *俗悪な趣味 *coarse* [*vulgar*] tastes

そくあつ 側圧 (横からの圧力) lateral pressure Ⓤ 《☞ あつりょく》.

そくい 即位 —【動】(王位を継承する) succeed to the throne. —【名】 succession to the throne Ⓤ; (戴冠をしての) coronation Ⓒ. **即位式** enthronement (ceremony) Ⓒ; (戴冠式) coronation (ceremony) Ⓒ; (日本の天皇の) imperial ascension rites ★ 複数形で.

そくいん 惻隠 (哀れみ) pity Ⓤ; (同情) compassion Ⓤ. 《☞ どうじょう¹》. ¶ *惻隠の情やみ難く I can't help ⌈feeling *pity* for [having *pity* on] ...

そぐう 似う (適合する) suit (他); (釣り合う) match (他). 《☞ そぐわない》.

ぞくうけ 俗受け —【動】(大衆に迎合する) cater to the masses; (大衆の趣味に訴える) appeal to (the) popular taste. ¶ 新雑誌は*俗受けをねらっている The new magazine *caters to the masses*. // 彼の作品は*俗受けする His work *appeals to* (*the*) *popular taste*.

ぞくえい 続映 —【名】(連続興行) run Ⓒ ★ しば

しば a 〜 として. ━ 動 run ⓐ. 《☞ じょうえい》. ¶その映画は6か月間*続映された The movie *ran* for six months. / The movie had *a run* for six months.

そくえん 測鉛 lead /léd/ Ⓒ, sóunding lèad Ⓒ. ¶*測鉛で水深を測る cast the *lead*

ぞくえん[1] 続演 ¶その芝居はあと1か月*続演が決まった They decided to *continue* (*to put on*) *the play* for another month. // その芝居はまだ*続演されている (⇒ まだ上演されている) The play *is still running*.

ぞくえん[2] 俗縁 (親類縁者) *one's* relatives ★複数形で; (世俗の縁) worldly connection Ⓒ. 《☞ えん[1]》.

そくおう 即応 ¶彼はその問題に対してその場に*即応した (⇒ 適した) 処置をとった He dealt with the problem in a *fitting* manner. // 彼のやり方は時代に*即応したものだ (⇒ 時代の要求に合っている) His method *meets* the ˹demands [needs] of the times. 《☞ おうじる》

そくおん 促音 〘音声〙 elongation /iːlɔ̀ːŋgéɪʃən/ of voiceless consonants (in Japanese) Ⓤ.

ぞくおん[1] 続音 〘音声〙 continuant Ⓒ.

ぞくおん[2] 属音 〘楽〙 dominant Ⓒ.

そくおんき 足温器 foot warmer Ⓒ.

そくおんびん 促音便 〘言〙 (日本語の) geminate consonant euphonic change Ⓒ, euphonic change into a ˹long [double] consonant Ⓒ.

そくがめん 側画面 side plane Ⓒ.

ぞくがら 続柄 (血縁関係) relation Ⓤ; (家族関係) family relationship Ⓤ. 《☞ つづき (続き柄)》.

ぞくぎいん 族議員 *zoku-giin* politician Ⓒ; (説明的には) politician representing special-interest groups and bureaucratic interests Ⓒ.

そくぎん 即吟 ━ 動 improvise a poem. ━ 名 improvisation Ⓤ.

ぞくぐん 賊軍 rebel army Ⓒ.

ぞくけ 俗気 worldliness Ⓤ; (山気) worldly ambition Ⓤ. 《☞ ぞく[1]》. ¶*俗気のある人 a *worldly-minded* person

ぞくご 俗語 (総称的に) slang Ⓤ; (個別の表現) slang [slangy] expression Ⓒ; (語) slangy word Ⓒ. ¶この本は*俗語が多い This book ˹is full of *slang* [has many *slang expressions* in it].

そくさ[1] 側鎖 〘化〙 side [lateral] chain Ⓒ.

そくさ[2] 測鎖 measuring chain Ⓒ.

そくざ 即座 ━ 副 (間を置かず, ただちに) immediately, at once ★後者のほうが口語的, 《略式》 right away, straight away; (すぐその時その場で) then and there ★順序を入れ替えても可. ━ 形 immediate; (心の働きなどが敏速な) ready Ⓐ. 《☞ すぐ (類義語); ただちに; たちどころに》. ¶彼女は*即座に断った She declined *then and there*. / (⇒ 断るのに時間をかけなかった) She *lost no time* (*in*) saying no. // 私は*即座に返事を出した I answered the letter ˹*immediately* [*at once*].

そくさい 息災 ━ 名 health Ⓤ. ━ 形 healthy. 《☞ けんこう[1]》.

ぞくさい 俗才 worldly wisdom Ⓤ 《☞ せさい》.

そくさく 測索 sóunding [lead /léd/] lìne Ⓒ.

そくさん 速算 (速い計算) rapid calculation Ⓒ; (概算) *estimate* Ⓒ. 《☞ けいさん[1]》. ¶経費を*速算する make [do] a *rapid calculation* of expenditures

そくし 即死 ━ 動 (その場で死ぬ) be killed on the spot. ━ 名 death on the spot Ⓤ; (瞬間の死) instantaneous /ìnstəntèɪniəs/ [instant] déath Ⓤ ★instantáneous はやや格式ばった言い方. 《☞ しぬ (類義語); し[2]》. ¶乗客5人が*即死した Five passengers *were killed on the spot*. // 彼は*即死だった His *death* was *instantaneous*.

そくじ 即時 ━ 形 (すぐさまの) immediate /ɪmíːdiət/. ━ 副 immediately; (瞬間に) instantly. 《☞ すぐ (類義語); ただちに》. ¶*即時停戦が行われた An *immediate* cease-fire was ˹brought about [arranged].

即時抗告 (異議申し立て) immediate protest Ⓒ; (裁判上の上告) immediate appeal Ⓒ **即時通話** direct dialing Ⓤ 《☞ つうわ》 **即時払い** spot [immediate] payment Ⓤ ★spot のほうが口語的.

ぞくじ[1] 俗事 (精神的なものに対する世俗的な事柄) worldly affairs ★複数形で; (日常的な仕事) everyday business Ⓤ; (日々決まった仕事) daily routine Ⓤ. 《☞ ざつよう》.

ぞくじ[2] 俗耳 ¶あの先生の講演はわかりやすくて*俗耳に入りやすい (⇒ 普通の人にとって理解しやすい) That professor's lectures are easy for *ordinary people* to understand.

ぞくじ[3] 俗字 informal variant of a kanji Ⓒ.

そくしつ 側室 (日本の封建時代の妾) mistress of a nobleman Ⓒ, concubine Ⓒ.

そくじつ 即日 the same day. ¶結果は*即日お知らせいたします I will let you know the result(s) on *the same day*. **即日開票** ballot counting on (an) election day Ⓤ 《☞ かいひょう[1]》 **即日仕上げ** same-day service Ⓤ **即日入金** receipt of money on the same day Ⓤ **即日配達** same-day delivery Ⓤ **即日払い** payment on the same day Ⓤ.

そくしゃ[1] 速写 ¶*速写する (⇒ スナップ写真をとる) take a *snapshot* (of ...)

そくしゃ[2] 速射 ━ 名 rapid fire Ⓤ. ━ 動 fire quickly. 《☞ うつ[2]》. **速射砲** rapid-fire gun Ⓒ.

そくしゅう 速修 ━ 動 (集中して習う) learn intensively ⓣ. ¶英語を*速修する *learn* English *intensively* // フランス語*速修コース an *intensive* course in French

ぞくしゅう[1] 俗臭 (俗物的言動) snobbery Ⓤ; (低俗) vùlgárity Ⓤ. ¶彼の*俗臭ふんぷんとしたところは我慢できない I can't bear his *snobbery*.

ぞくしゅう[2] 俗習 common practice Ⓒ; (世間一般のやり方) the ways of the world ★複数形で.

ぞくしゅつ 続出 ¶このところ交通事故が*続出している (⇒ 次から次へと発生している) Traffic accidents *have been occurring one after another* recently. 《☞ ぞくぞく[1]》

そくじょ 息女 daughter Ⓒ 《☞ むすめ》.

ぞくしょ 俗書 (つまらない本) worthless book Ⓒ; (品位のない筆跡) unrefined handwriting Ⓤ.

ぞくしょう[1] 俗称 (学名に対して) common name Ⓒ; (一般に用いられる) popular [vernacular] name Ⓒ (↔ technical name). 《☞ つうしょう[2]》. ¶その花は*俗称 (⇒ 一般に) 「アイリス」として知られている The flower *is commonly known as* an iris.

ぞくしょう[2] 賊将 the leader of a rebel army.

そくしん[1] 促進 ━ 動 (最初の段階から助けて進める) promote ⓣ; (ある程度進んだ段階からさらに助長する) 《格式》 further ⓣ; (早める) 《格式》 hasten /héɪsn/ ⓣ; (刺激を与えて前進させる) forward ⓣ. ━ 名 promotion Ⓤ; 《格式》 fúrtherance Ⓤ. 《☞ そうしん; じょちょう》. ¶世界平和を*促進する *promote* [*further*] world peace // 関税の引き下げは輸入を*促進する (⇒ 刺激を与える) A tariff cut will *give an impetus* to imports. / (⇒ 増加を助ける) The reduction of tariffs will *help* (*to*) *increase* (the volume of) imports.

そくしん[2] 測深 ━ 名 sounding Ⓤ. ━ 動 (水深を測る) sound ⓣ. ¶湖を*測深する *sound* the depth of a lake **測深機** sounder Ⓒ.

ぞくしん[1] **続伸** ☞ぞくとう[2]
ぞくしん[2] **俗信** (民間信仰) folk belief Ⓤ ★ または a をつけて; (迷信) superstition Ⓤ.
ぞくしん[3] **俗心** worldly desire Ⓒ (☞ぞくねん).
ぞくじん[1] **俗人** (現世の利益や快楽を追求する人) worldly person Ⓒ ★軽蔑的; (僧に対して) layman Ⓒ (複 -men). (☞ぞくぶつ; ぞく[1]).
ぞくじん[2] **俗塵** ¶彼は*俗塵を避けて暮らしている (⇒世間から隔離して [現世の事柄から超然として]) He lives ⌜secluded from *the world* [aloof from *earthly affairs*]. (☞せけん)
そくしんがっきゅう 促進学級 facilitatory /fəsílətɔ̀:ri/ class Ⓒ; (説明的には) a special class for children with mental retardation.
ぞくじんしゅぎ 属人主義 (裁判権の) the ⌜personal [nationality] principle, the principle of personal privilege for jurisdiction. (☞ぞくちしゅぎ).
そくしんじょうぶつ 即身成仏 〔仏教〕 attaining [attainment of] Buddhahood in this (very) ⌜existence [life] Ⓤ.
そくする 即する ―動 (即応する) conform to ...; (根拠を置く) base ... on .... ―副 (...に従って) according to ...; (...と一致して) in accordance with ... ★後者は格式語. (☞そくおう). ¶それは現実に*即していない It does not *conform* to reality. // 自分の主義に*即した行動をとりなさい Act *according to* your principles. // 社会の変化に*即して自分の立場を変える change *one's* position *in accordance with* changes in (the) society
ぞくする 属する ―動 (所属する) belong to ... 語法 状態の動詞で, 進行形にならない; (分類上) come [fall] under ...; (組織などに加入して) be affiliated with ...; (従属して) be súbject to ... ★最後の2つはやや格式ばった言い方. ―形 (固有のものとして) inhérent (in ...) ★やや格式ばった言い方. (☞しょぞく).
¶私は英会話クラブに*属している (⇒所属する) I *belong to* the English Speaking Society. / (⇒...の一員である) I'*m a member of* the English Conversation Club. // カナダは英連邦に*属している (⇒一員である) Canada *is a member of* the (British) Commonwealth (of Nations). // 北アイルランドは英国に*属している (⇒英国の一部である) Northern Ireland is (*a*) *part of* the United Kingdom. (☞えいこく (挿絵)) // この国は政治的にも経済的にもアメリカに*属している (⇒アメリカの支配下にある) Politically and economically, this nation *is subject to* the United States of America. // 彼は山田派に*属していた (⇒加入していた) He *was* once *affiliated with* the Yamada faction. // この花は植物学上はバラ科に*属している (⇒バラとして分類される) This flower *is* botanically *classified* as a rose.
ぞくせ 俗世 ☞ぞくせけん
そくせい[1] **速成** ―名 (短期課程) short course Ⓒ; (集中養成) intensive training Ⓤ. ―動 (急いで養成する) train quickly ⓣ; (早く仕上げる) complete ⌜in a short time [quickly; rapidly] ⓣ.
¶英語は*速成ではものにならない You can't master English *quickly*. // ドイツ語の*速成コースを履修する take ⌜an *intensive* [a *crash*] course in German ★[ ] 内は口語的. **速成法** quick method Ⓒ; (てっとり早い方法) shortcut Ⓒ.
そくせい[2] **即製** ―動 (その場で作る) make ... on the spot. ―形 (料理などの) instant. (☞そくせき[2]). **即製品** instant product Ⓒ; product manufactured on the spot Ⓒ.
そくせい[3] **促成** forcing Ⓤ. **促成栽培** forcing culture Ⓤ. ¶*促成栽培の野菜 *forced* vegetables **促成物** forced produce Ⓤ.
そくせい[4] **側生** 〔植〕 lateral Ⓒ. ¶*側生根 a *lateral* root // *側生枝 a *lateral* branch **側生動物** 〔動〕 pàrazóan /pæ̀rəzóuən/ Ⓒ.
そくせい[5] **束生** 〔植〕 ―名 fascicled leaf arrangement ★Ⓤ または a をつけて; (専門語では) fascicled phyllotaxis Ⓤ. ―形 (束生の) fascicled. (☞ごせい[3]; たいせい[10]; りんせい).
ぞくせい 属性 (本来備えている性質) áttribùte Ⓒ (☞せいしつ[1]; とくちょう[1]).
そくせき[1] **足跡** (業績) achievement Ⓒ; (貢献) contribution Ⓤ ★具体的なものを指すときは Ⓒ. (☞こうせき[1]; ぎょうせき[1]).
¶彼が野球史上に残した*足跡は決して消えることがない (⇒彼の名前は永久に記憶されるだろう) His name will be remembered forever in the ⌜history [annals] of baseball. / (⇒彼の成し遂げたこと[貢献]は決して忘れられないだろう) His ⌜*achievement(s)* in [*contribution(s)* to] baseball will never be forgotten. // 彼はアメリカ全土にその*足跡を残している (⇒アメリカ全土を訪ねた) He *traveled* all over America. / (⇒ほとんどすべての場所を訪れた) He *has been* almost everywhere in America.
そくせき[2] **即席** ―形 (料理など) instant; (準備なしで行うスピーチなどの) impromptu /ɪmprám(p)t(j)u:/. ―副 (即座に) óffhánd. (☞そくざ; インスタント; そっきょう).
¶そこで*即席に演説を頼まれた I was asked to make an *impromptu* speech on that occasion. **即席ラーメン** instant (Chinese) noodle Ⓒ **即席料理** instant meal Ⓒ.
ぞくせけん 俗世間 (世間) the world ★ the を付けて; (現世) this life. (☞ぞくじん[2]; せけん).
ぞくせつ 俗説 (普通に[通俗的に]言われること) common [popular] saying Ⓒ; (通俗的に考えられていること) popular view Ⓒ; (一般に信じられていること) common [popular] belief Ⓤ ★通例 a 〜 として. (☞つうせつ[2]).
そくせん 側線 (鉄道の) siding Ⓒ; (魚の) lateral line Ⓒ.
そくせんざい 促染剤 accéleràtor Ⓒ, ádditive to hásten dýeing Ⓒ ★後者は説明的な訳.
そくせんしょう 塞栓症 〔医〕 embolism Ⓤ ★塞栓自体や個々の症例は Ⓒ. (☞はいそくせん).
そくせんそっけつ 速戦即決 (電撃作戦) blitz /blíts/ tactics ★複数形で.
そくせんりょく 即戦力 ¶あの新人は*即戦力になりそうだ That recruit seems like a *ready workhorse*. // 山田は*即戦力 (⇒すぐ役立つ) ピッチャーであることを証明した Yamada proved to be an *immediately useful* pitcher.
そくそく 惻惻 ―副 (痛切に) keenly; (胸を引き裂くように) heartrendingly. ¶彼の話は*惻々として人の胸を打つ His story *comes home to our hearts*.
ぞくぞく[1] **続続** ―副 (次から次へと) one after another; (連続して) in succession; (大人数で) in great numbers. ―動 (洪水のようにどっと来る) flood in ⓘ; (流れ込むように来る) pour in ⓘ; (...でいっぱいになる) be flooded with .... (☞つぎつぎ).
¶朝になると空港には*続々と飛行機が到着する As the day breaks, (the) planes arrive at the airport ⌜*one after another* [*in quick succession*]. // 若者は*続々と海外へ出かける Young people are going abroad *in great numbers*. // 先月の初めから申し込みが*続々ときています Applications *have been flooding in* since the beginning of last month. / We *have been flooded with* applications since the beginning of last month. // 世界中から*続々と

問い合わせの手紙が来た Letters of inquiry *poured in* from all over the world.

ぞくぞく[2] ¶体が*ぞくぞくする (⇒ 震えている). かなり熱があるようだ I've got *the shakes*. I'm afraid I have a high fever. // けさは*ぞくぞくするほど寒い It's *shivering(ly)* cold this morning. // 私は背筋が*ぞくぞくとした (⇒ 震えが私の背筋を走った) A *shiver* ran (up and) down my ˹spine [back]. / It sent cold *shivers* down my spine. 《☞ ふるえる; 擬声・擬態語 (囲み)》

そくたい 束帯 (日本の昔の貴族の衣服) male aristocrat's [nobleman's] ceremonial court dress from the Heian period onwards Ⓒ ★ 説明的な訳.

そくだい 即題 (即席で詩や文を作ること) impromptu composition Ⓒ. ¶*即題で詩を作る write [compose] an *impromptu* poem

そくだく 即諾 —動 accept ... immediately. —名 immediate acceptance Ⓤ.

そくたつ 速達 special [《英》 express] delivery Ⓤ. ★ 米国郵政公社 (US Postal Service) の速達便は Express Mail と呼ばれるが, express ˹delivery [service] のような表現はしばしば民間宅配に用いる. 《☞ ゆうびん; てがみ》. ¶手紙を*速達で出す send a letter by ˹*special delivery* [*express*] **速達小包** special-delivery package Ⓒ; 《英》 express parcel Ⓒ **速達郵便** (制度) special-delivery mail Ⓤ; 《英》 express (delivery) post Ⓤ; (手紙) special-delivery letter Ⓒ, express letter Ⓒ **速達料金** special-delivery rate Ⓒ.

そ

そくだん[1] **速断** (早まった結論) hasty conclusion Ⓒ 《☞ はんだん; けつろん》. ¶*速断することは危険です (⇒ 結論に飛びつくのは軽率だ) It is rash of you to *jump to conclusions*. / (⇒ 早まって決定するのは浅はかだ) It's unwise of you to *make a decision so hastily*. ★ 第 2 文のほうが格式ばった表現.

そくだん[2] **即断** —動 decide immediately 他 自. —名 immediate decision Ⓒ.

そくち 測地 (測地すること) lánd [geodétic /ʤìːədétɪk/] survéying Ⓤ ★ land のほうが一般的; (具体的な行為) land [geodetic] survey Ⓒ. 《☞ そくりょう》. ¶*測地する *survey land* / make a *geodetic survey* **測地衛星** geodetic satellite Ⓒ **測地学** geodesy /ʤiːɑ́dəsi/ Ⓤ **測地線** 〘数〙 geodesic (line) Ⓒ.

ぞくちしゅぎ 属地主義 (裁判の) the territorial principle, the principle of territorial privilege for jurisdiction 《☞ ぞくじんしゅぎ》.

ぞくちょう 族長 (一族の長) patriarch /péɪtriɑ̀ək/ Ⓒ; (家長) the head of a family.

ぞくっと ☞ ぞくぞく[2]

ぞくっぽい 俗っぽい ☞ ぞく[1]

そくてい 測定 —名 measurement Ⓤ. —動 (長さ・大きさ・量などをはかる) measure 他; (算定する) wórk óut 他. 《☞ はかる[1]》.

¶私たちは風力[雨量]を*測定した We *measured* ˹the strength of the wind [the rainfall]. // ジャイロコンパスを使って海上における自分の正確な位置を*測定することができる With a gyrocompass you can *work out* your exact position at sea. // あす体重*測定 (⇒ 検査) があります The weight *check* will *take place* tomorrow.

測定誤差 measurement error Ⓒ, error of measurement Ⓒ **測定単位** unit of measurement Ⓒ **測定値** measured value Ⓒ **測定法** method of measurement Ⓒ; 〘数〙 mensuration Ⓤ.

そくていき 測程器 〘海〙 log Ⓒ ★ 速力・航走距離を測る.

そくてん 側転 (体操の) cartwheel Ⓒ, Catherine wheel Ⓒ.

ぞくでん 俗伝 ☞ ぞくせつ

そくてんきょし 則天去私 (私心のないこと) disinterestedness Ⓤ. ¶*則天去私 (⇒ 私心を捨てて自然にゆだねる) の境地に達する attain the state of *being free from self-interest, and let nature take its course*

そくてんぶこう 則天武后 —名 固 Wu Hou /wúːhóʊ/, 624–705. ★ 中国, 唐の高宗の皇后; 後に皇帝となる.

そくど[1] **速度** (時速・分速などの速さ) speed Ⓤ 【語法】後に of を伴って時速など具体的な数字が続くときは不定冠詞を付ける; (学術用語で) velócity Ⓤ; (音楽の) tempo Ⓒ 《複 tempi /témpiː/, ~s》. 《☞ スピード》.

¶「この列車はどのくらいの*速度で走っていますか」「時速 200 キロです」"How *fast* ˹are we [is this train] going?" "Two hundred kilometers /kɪlɑ́mətəz/ per hour." ★ 200 kph と略せる. 《☞ じそく[1]》 // その車は時速 30 マイルの*速度で走っていた The car was going at a *speed* of 30 miles per hour. ★ 30 mph と略せる. // この船の最高*速度は 25 ノットです (⇒ 25 ノットの最高速度を持つ) This ship has a ˹top [maximum] *speed* of twenty-five knots. // 平均*速度 average *speed* // 鉄橋を過ぎると列車は*速度を増した As it passed the bridge, the train ˹increased [gathered] *speed*. // 列車は*速度を時速 40 キロに落とした The train slowed down to (a *speed* of) forty kilometers per hour. // 《掲示で》 *速度を落とせ Slow Down / Reduce *Speed* ★ 前者のほうが口語的. 《☞ じょこう[1]》 // 制限*速度 *speed* limit

速度違反 speeding Ⓤ 《☞ スピード》 **速度記号** 〘楽〙 tempo marking Ⓒ **速度計** speedometer /spɪdɑ́mətə/ Ⓒ, spéed ìndicator Ⓒ. 《☞ オートバイ (挿絵)》 **速度制限** speed regulation Ⓤ.

—コロケーション—

速度を計る measure *speed* // 一定の速度 steady *speed* / 遅い速度 low [slow] *speed* / 経済速度 fuel-efficient *speed* / 巡航速度 cruising *speed* / 速い速度 high [great] *speed* / 目の回るような速度 dizzy [giddy] *speed* / 猛烈な速度 breakneck *speed* / ゆったりとした速度 deliberate *speed*

そくど[2] **測度** 〘数〙 measure Ⓤ.

そくとう[1] **即答** ready [prompt] answer Ⓒ 《☞ こたえ (類義語)》. ¶その質問に対して彼は*即答を避けた He did not give ˹a *ready* [an *immediate*] *answer* to the question. / He avoided giving a *prompt answer* to the question.

そくとう[2] **速答** quick [prompt] answer Ⓒ 《☞ そくとう[1]》.

ぞくとう[1] **続投** 〘野〙 ¶彼は次の日も*続投した He *pitched again* next day. // 監督は彼に*続投させた The manager let him *continue pitching*.

ぞくとう[2] **続騰** —名 continual rise Ⓒ. —動 rise consecutively; continue to ˹go up [rise] 自. ¶株価はこの 10 日間*続騰している Stock prices have been *rising* for ten days ˹*running* [*in a row*] (now).

ぞくとう[3] **属島** territorial island Ⓒ.

そくとうよう 側頭葉 〘解〙 temporal lobe Ⓒ.

そくどく 速読 rapid reading Ⓤ.

ぞくねん 俗念 (世俗的欲望) worldly desire Ⓒ. ¶*俗念を捨てる give up *worldly desires*

そくはい 側背 the side and (the) back 《☞ そくめん; はいめん》.

そくばい 即売 —動 (その場で売る) sell ... on

the spot. ― [名] (on-the-)spot sale [C]. 即売会 on-site [on-the-spot] sale [C]. ¶家具の展示*即売会が開かれた An exhibition and *(on-the-)spot sale* of furniture was held.

ぞくはい 俗輩 (くだらない人たち) small fry ★単複同形. ここは複数扱い; (俗人) worldly person [C]. (☞ ぞくじん¹).

そくばく 束縛 ― [名] (抑止・抑制) restraint [U]; (制限) restriction [U] ★以上は具体的なものを指すときは [C]. ― [動] restrain (他); restrict (他). (☞ こうそく¹). ¶私は何にも*束縛されないで (⇒ 義務や抑制なしで [自由に]) 研究を続けたい I'd like to continue my research ⌈without any *obligations or restraints* [*freely*]. // その法律は自由を*束縛するおそれがある It is feared that the law is going to *restrict* our ⌈freedom(s) [liberty; liberties]. [語法] freedom は拘束からの解放, liberty は権利としての自由を指す. // あらゆる*束縛から逃れる break loose from all *restraint(s)*

そくはつ¹ 束髪 (明治末期からの女性の髪型) bun (hairstyle) [C], hairstyle with a bun [C].

そくはつ² 即発 instantaneous explosion [U] (☞ いっしょくそくはつ).

ぞくはつ 続発 ― [動] (続いて起こる) happen in succession (自); (後に続く) follow (他) (自). ― [副] (次々に) one after ⌈another [the other]. ― [名] (連続して発生すること) succéssive occúrrence [U]. (☞ れんぞく). ¶最近この付近で盗難事件が*続発した (⇒ 一連の強盗事件が報告されている) *A succession of* burglaries ⌈has [have] been reported recently in this neighborhood. // エラーが*続発した (⇒ 1 つのエラーに次のエラーが続いた) One error *followed* (upon) another.

ぞくばなれ 俗離れ ― [形] unworldly. ― [名] unworldliness [U]. ¶あの人は*俗離れしている (⇒ 世事にこだわらない) He *cares little about worldly affairs*.

そくひつ 速筆 ¶彼は*速筆だ (⇒ 速い書き手) He is a ⌈*rapid* [*fast*] *writer*. / (⇒ 速く書く) He *writes quickly*.

ぞくぶつ 俗物 ― [名] (即物的な利益や快楽などに興味のある人) worldly person [C]; (紳士気取りの人) snob [C] ★いずれも軽蔑的な言い方. ― [形] (俗物的な) snobbish. (☞ ぞく¹). **俗物根性** snobbery [U].

そくぶつてき 即物的 realistic. ¶*即物的な考え a view *based on reality*

そくぶん 側聞 ― [名] (うわさ) héarsày [U]. ― [動] (伝え聞く) hear (他); (たまたま耳にする) hear ... by chance; (間接的に聞く) hear ... indirectly. (☞ うわさ). ¶*側聞するところでは彼女は離婚したそうだ I'*ve heard* [I *happened to hear*] that she got divorced.

ぞくぶん 俗文 (通俗体の文) colloquial [popular] style [C]; (くだらない書き物) *trash* writing [C] (☞ くだらない).

そくへき 側壁 sidewall [C].

そくへん 側扁 (平たいこと) flatness [U].

ぞくへん 続編 (続き) continuation [C]; (文学作品などの) sequel [C]. (☞ つづき). ¶私はその小説の*続編を書いている I'm writing a ⌈*continuation* of [*sequel* to] that novel.

そくほ 速歩 trot [C] ★本来馬の早足をいうが, 人の急ぎ足にも用いる; (速い歩調) quick ⌈pace [step] [C]. (☞ はやあし). ¶*速歩で歩く walk ⌈at a *quick pace* [with *quick steps*]

そくほう¹ 速報 (テレビ・ラジオなどの) (news)flash [C], (news) bulletin [C]. (☞ ニュース). ¶ニュース*速報でそのことを知りました I learned about it on a *newsflash*.

そくほう² 側方 side [C] (☞ そくめん).

ぞくほう 続報 (続いてのニュース [報道]) further ⌈news [U] [report [C]], follow-up [U] ★ a が付くことがある, follow-up report [C]. ¶コマーシャルの後すぐに列車事故の*続報をお伝えします We'll give you a *further report* of the train accident right after the commercial.

そくみょう 即妙 (とっさの機知) ready wit [U] (☞ とういそくみょう).

ぞくみょう 俗名 *a person's* secular name [C] ★宗教に帰依する前の名という意味. [日英比較] 戒名に対して生前の名という意味で使うことはできるが, 一般には例えば「俗名田中一郎」なら the late Mr. Ichiro Tanaka (故田中一郎氏) のように言えばよい.

ぞくめい 俗名 ☞ ぞくみょう

ぞくむ 俗務 (日常のありきたりのこと) mundane affairs ★複数形で; (日常の仕事) daily routine [U]. (☞ ぞくじ¹). ¶毎日*俗務に追われています I am busy with my *daily routine*.

そくめつ 即滅 immediate extinction [U].

そくめん 側面 (物体を横から見た面) side [C] ★正面・裏面などに対する一般的な語; (建物・山・軍隊などの) flank [C]; (局面) aspect [C]. (☞ よこ). ¶家の*側面に入り口があった There was a door at the *side* of the house. // 我々は敵の右*側面を攻撃した We attacked the right *flank* of the enemy. // *側面から援助する (⇒ 間接的な援助を与える) give *indirect* aid (to ...) // 彼にはそういう*側面があった (⇒ その出来事は彼の一面を示していた) The episode showed one ⌈*aspect* [*side*] *of* him. **側面運動** lateral movement [U] **側面観** side view [C] **側面攻撃** flank attack [C] **側面図** (横からの眺め) side view [C]; (製図の) lateral plan [C] **側面積** side area [U], side section [C].

ぞくよう 俗謡 (民謡) folk song [C]; (流行歌) popular song [C]; (バラード) ballad [C].

ぞくらく 続落 ― [名] continual ⌈fall [drop] [C] ★[ ] 内は急激に落ちること. ― [動] fall [sag] consecutively ★[ ] 内は相場・物価が下落すること. (☞ げらく).
¶株価は 5 日間*続落している Stock prices *have been* ⌈*falling* [*sagging*] for five *consecutive* days. // 価格は*続落傾向にある The prices *are continuing* on their *downward* trend.

ソクラテス ― [名] (固) Socrates /sákrətìːz/, 470?–399 B.C. ★古代ギリシャの哲学者.

ぞくり 俗吏 mediócre official [C].

ぞくりゅう 俗流 (一般民衆) the ⌈common [vulgar] crowd. ¶*俗流におもねるな Don't cater to *the* (*vulgar*) *masses*.

ぞくりゅうけっかく 粟粒結核 〘医〙 miliary tuberculosis [U].

そくりょう 測量 ― [動] (土地などを測る) survéy (他). ― [名] súrvey [C]. (☞ はかる³). ¶ターミナルビル建設の*測量が始まった They started ⌈*surveying* [*survey* work] for the construction of the terminal building.
測量機械[器] survéying ínstrument [C] **測量技師** survéyor [C], súrvey [survéying] èngineér [C] **測量士** surveyor [C] **測量図** súrvey màp [C] **測量船** surveying ship [C] **測量標** station [surveying; survey] marker [C] **測量法** the (land) ⌈surveying [survey] law.

ぞくりょう 属領 (保護領) dependency [C]; (属領地) possession [C] ★しばしば複数形で. (☞ りょうど; ぞっこく).

そくりょく 速力 speed [U] (☞ そくど¹; ぜんそくりょく; スピード).

そくろう[1] **側廊** aisle /áɪl/ Ⓒ.
そくろう[2] **足労** ☞ごそくろう
ぞくろん 俗論 (因習的な見解) conventional ⌈view [opinion] Ⓒ; (素人の見方) popular view Ⓒ. 《☞ぞくせつ》. ¶*俗論に惑わされるな Don't be misled by *conventional views*.
そぐわない ¶何かその場に*そぐわない気持ちがした (⇒自分が場違いの所にいる感じがした) I found myself *out of place* there. // この表題は内容に*そぐわない (⇒調和しない) This title *does not* ⌈*fit* [*suit*] *well with* the contents. / (⇒この言葉遣いは題材にとって適当でない) This phrase is *not appropriate* ⌈*for* [*to*] the subject (matter). 《☞ふてきとう》
そくわん 側湾 〖医〗(脊柱側湾症) scoliosis /skòulióusis/ Ⓤ.
そけい 鼠蹊 (股の付け根) groin Ⓒ. ¶*鼠蹊ヘルニア an *inguinal* hernia
そげき 狙撃 ― 動 (狙い撃ちする) snipe (at ...) 自. ― 名 sniping Ⓤ; (正確に狙い撃ちをする) shárpshòoting Ⓤ. **狙撃兵** sniper Ⓒ, shárpshòoter Ⓒ.
ソケット socket Ⓒ.
そげる 削げる (薄く削り取られる) be sliced off. ¶ほおの*削げた (⇒落ち込んだ) 病人 a sick person with ⌈*hollow* [*sunken*] cheeks
そけん 訴権 (訴訟事由) cause for action Ⓒ; ground [basis] for action Ⓒ.
そげん 遡源, 溯源 ― 動 (みなもとにさかのぼる) go up [trace] to the source; (起源をたずねる) inquire into the origin. 《☞さかのぼる》
そこ[1] **底** (最低部) bottom Ⓒ; (水底・川床など) bed Ⓒ; (奥深い所) depths ★通例複数形で; (靴の底) sole Ⓒ. 《☞くつ(挿絵)》
¶箱の*底に水がたまっている There is some water at the *bottom* of the box. // 箱の*底が壊れている The box is broken at the *bottom*. // その村はダムの*底に沈んでいる The village lies buried at the *bottom* of the dam. // あなたの援助に対して心の*底から (⇒本当に) 感謝しております I am *sincerely* grateful (to you) for your help. / From the *bottom* of my heart I'd like to express my thanks for your assistance. 〔語法〕 両方とも格式ばった表現で, 主に書き言葉のみに用いられる.
底が浅い (浅薄な) shallow; (表面的な) superficial. ¶*底が浅い知識 *superficial* knowledge
底が割れる (見破られる) be fòund óut. ¶彼のうそはすぐ*底が割れた His lie *was* soon *found out*.
底を突く ¶そろそろ資金が*底をついた (⇒金がほとんどなくなった) My money *has* almost *dried up*. / I'*m running out of* money.
底を割る **1** 《真実を明かす》 ¶*底を割って話す tell the truth [speak *one's* mind] (*very*) *frankly* **2** 《相場で》 ¶株が*底を割った (⇒底なしに下がっている) Stock [Share] prices are ⌈going down [declining] *without* ⌈*striking* [*hitting*] *bottom*. / (⇒底値がくずれた) The *bottom has* ⌈*fallen* [*dropped*] out of the market.
そこ[2] ― 副 (そこへ) there; (離れている向こうに) over there 〔日英比較〕 日本語では「そこ」は相手のいる場所または比較的近くの場所, 「あそこ」は話し手と相手の両方から離れた場所というように区別するが, 英語では右の表のようにいずれも there でよい. over を付けると離れているという距離感が加わる. ― 代 (そのこと) that. ― 名 (その場所) the place. 《☞それ 〔日英比較〕; あそこ 〔語法〕》.
¶*そこで遊んではいけません Don't play *there*. // 彼は*そこから引き返した He turned back *there*. // *そこのその箱は私のです That box *there* is mine. // 私も*そこに行きます I'm going *there*, too. // 「トイレはどこですか」「*そこです」 "Where's the ⌈bathroom [rest room; toilet]?" "It's *over there*." ★bathroom は個人宅のトイレ. // *そこが頭の痛いところだ *That's* my headache. // 私は*そこまでしか知らない I know only *that* much. // 「*そこはどんな所ですか」「沼地です」 "What kind of place is *it*?" "It's a marsh."

日本語	英語
ここ	here
そこ	there
あそこ	

そこへ行くと (その点から考えると) from that point of view; (その点に関しては) on that point. ¶*そこへいくとあの店が一番いい That store is (the) best *from that point of view*.
そこへ持ってきて ☞さらに; そのうえ
そご[1] **齟齬** (意見の相違) disagréement Ⓒ; (意見の衝突) cónflict Ⓒ. 《☞ちがう (類義語)》.
そご[2] **祖語** parent language Ⓒ. ¶印欧*祖語 (Proto-)Indo-European
そこあげ 底上げ ― 動 (低い水準を上げる) raise the low standard (of ...).
そこい 底意 (基にある動機) underlying motive Ⓒ; (本当の意図) true intention Ⓒ. 《☞ほんしん[1]; したごころ》. ¶彼の*底意が見抜けない I can't make out his ⌈*true* [*underlying*] *intention*.
そこいじ 底意地 ¶彼女は*底意地が悪い (⇒本来意地悪だ) I've found her *basically spiteful*. 《☞いじわる》
そこいた 底板 baseplate Ⓒ.
そこいら ☞そこら
そこいれ 底入れ ― 動 (最低となる) hit [reach; touch] bottom; (値段・相場が底をつく) bottom out 自. ¶景気は*底入れした Business ⌈*hit* [*reached*; *touched*] *bottom*.
そこう[1] **素行** (道徳的観点から見た行動) conduct Ⓤ; (行状・振舞い) behavior (《英》 behaviour) Ⓤ. 《☞みもち》. ¶彼はあまり*素行がよくない (⇒常軌を逸した [ふしだらな] 生活をしている) He is leading a ⌈wild [loose] *life*. / (⇒疑わしい人柄の人だ) He is of dubious *character*. ★格式ばった表現.
そこう[2] **遡行** ― 動 go upstream, go up a river.
そこう[3] **粗鉱** crúde ore /ɔ́ə/ Ⓤ.
そこう[4] **粗鋼** crude steel Ⓤ.
そこう[5] **粗肴** plain dish Ⓒ ★料理を相手にすすめるときの謙譲語だが, 英語では I hope you (will) enjoy your dinner. のように言うのが普通. 《☞そさん 〔日英比較〕》
そこうお 底魚 (水底にすむ魚) ground fish Ⓒ, bottom fish Ⓒ ★普通単複同形. 《☞さかな》
そこうり 底売り ― 動 (相場で, 一番の安値で売る) sell ... at the lowest price.
そこかしこ ☞あちこち
そこがたい 底堅い (相場で) steady, firm in tone.
そこがため 底固め ― 名 (相場で下がる余地のないこと) touching bottom Ⓤ. ― 動 touch bottom 自.
そこがわ 底革 (靴の) sole leather Ⓤ; (靴底) sole Ⓒ. ¶*底革を付け替えてもらった I *had* my shoes *resoled*.
そこきみわるい 底気味悪い (悪いことが起こりそうで不気味な) ómínous; (普通でなく気味の悪い) weird; (自然でなく薄気味悪い) uncanny. 《☞きみ

わるい》. ¶*底気味悪い静けさ an *ominous* [*uncanny*] silence // *底気味悪い物音 a *weird* sound

そこく 祖国 (自分の国) *one's* (mother) country Ⓒ; (故国) homeland Ⓒ; (母国) motherland Ⓒ. 《☞ ぼこく; ここく》. ¶20 歳のときに彼は*祖国を捨てた He left *his country* for good when he was twenty. ★ for good は「永久に」を表す. **祖国愛** love ⌈for [of] *one's* own country Ⓤ; (愛国心) patriotism /péɪtriətìzm/ Ⓤ.

そこここ (あちらこちら) here and there ★ 日英の語順に注意; (ところどころ) in places. ¶空き缶が*そこここに散らかっていた Empty cans were scattered *here and there.* // *そこここペンキがはげている The paint is peeling *in places.*

そこしれない 底知れない (底なしの) bottomless; (極端に悪い) abysmal /əbízm(ə)l/; (計ることのできない) immeasurable. ¶*底知れない貧しさ *abysmal* poverty // その政治スキャンダルはわが国の評判に*底知れない損害を与えた The political scandal has done *immeasurable* damage to the reputation of our country.

そこそこ ¶ここから駅までは 10 分*そこそこで行けます (⇒ 歩いて約 10 分の距離です) The station is *about* ⌈ten minutes [a ten-minute walk] from here. // この品物は千円*そこそこの (⇒ 高くて千円の) ものでしょう I imagine this article costs one thousand yen *at most.* 《☞ せいぜい; -くらい》

そこぢから 底力 ¶*底力を発揮する call up *hidden reserves of strength* [*ability*] // 彼はまだまだ*底力があることを見せた (⇒ 十分に強いことを示した) He showed himself still *strong* enough. // 彼は*底力を発揮して (⇒ 自分の能力を十分に発揮して) 優勝した He *did himself justice* and won the first prize. 《☞ ちから; じつりょく》

そこつ 粗忽 ── [形] (不注意な) careless; (軽率な) rash. ── [名] carelessness Ⓤ; rashness Ⓤ. 《☞ ふちゅうい; うかつ》. **粗忽者** careless person Ⓒ; (うっかり者) absentminded person Ⓒ.

そこづみ 底積み (荷物) load (stowed) in the bottom Ⓒ; (バラスト) ballast Ⓤ. 《☞ そこに》.

そこづり 底釣り bottom fishing Ⓤ.

そこで (それだから) so; (それから) then; (さて) now; (さてそれで) well ★ いずれも口語体の文中で, 文のつなぎ・間投詞などとして用いられる. 《☞ くだけた英語と堅苦しい英語 (巻末)》; (それ故) therefore; (従って) accordingly ★ 以上 2 語は格式ばった言い方. 《☞ だから》. ¶棚を見てその本を探したがわからない. *そこで私は店員に尋ねた I could not find the book on the shelf, *so* I asked the salesclerk to get it for me. // *そこでこれからどうしましょう *Well,* what shall we do?

そこなう 損なう (役に立たなくする) spoil ㊀他; (すっかりだめにしてしまう) ruin ㊀他; (傷つける) injure ㊀他, damage ㊀他. 《☞ こわす; がいする》.
¶この塔は公園の美観を*損なう This tower *spoils* the beauty of the park. // つらい仕事で彼は健康を*損ねた (⇒ つらい仕事が彼の健康を害した) Hard work ⌈*ruined* [*injured*; *damaged*] his health. // 彼の機嫌を*損なわないようにしよう (⇒ よい機嫌にしておく) Let's try to keep him in good spirits. / (⇒ 感情を害するな [怒らせるな]) Never ⌈*hurt* his feelings [make him *angry*]!

-そこなう ── [動] (乗り物などを逃す) miss ㊀他; (…しそこなう) fail to *do* … 《☞ -そびれる》. ¶東京行きの終電車に乗り*そこねた (⇒ 電車を逃した) I *missed* the last train ⌈to [for] Tokyo. // きょうは危うく昼食を食べ*そこなうところだった I almost *missed* lunch today. // 私は彼に連絡し*そこなった I *failed to* get in touch with him.

そこなし 底なし ── [形] bottomless. ¶*底なしの井戸 a *bottomless* well // *底なしの大酒飲み a *heavy* drinker

そこなだれ 底雪崩 ☞ ぜんそうなだれ

そこに 底荷 bállast Ⓤ. ¶船に*底荷を積む *ballast* a ship

そこぬけ 底抜け ¶彼は*底抜けの (⇒ 心からの [まったくの]) お人好しだ He is a ⌈*regular* [*real*] dupe. ★ dupe は「だまされやすい人」の意.

そこね 底値 the ⌈bottom [lowest] price 《☞ ねだん; かかく[1]》.

そこねる 損ねる ☞ そこなう

そこのけ ¶彼は大工*そこのけだ (⇒ 大工を赤面させるほどだ) He ⌈could [would] *put* a (professional) carpenter *to shame.* / (⇒ 本職ではないが大工仕事が上手だ) He is a very good carpenter, though not by trade. 《☞ かおまけ; くろうと》

そこはえなわ 底延縄 bottom longline Ⓒ. **底はえなわ漁業** bottom longline fishing Ⓤ.

そこはかとなく ¶*そこはかとなく悲しい (⇒ 理由がわからないのに) I feel rather depressed *without knowing why.* / (⇒ 漠然とした悲しい感じを持つ) I have a *vague* feeling of sadness. 日英比較 「そこはかとなく」という日本語の持つニュアンスを正確に表す英語はない. 《☞ なんとなく》
【参考語】── [副] (何となく) somehow; (なぜかわからないままに) without knowing why; (かすかに) faintly; (ぼんやりと) vaguely. ── [形] vague; faint.

そこばく 若干 ── [形] (いくらかの) some 《☞ いくらか》. ¶私は*そこばくの金をかせいだ I earned *some* money.

そこばなれ 底離れ ── [動] (徐々に上向きになる) turn upward ㊀自. ¶景気は*底離れしてきた The economy *is* ⌈*turning upward* [*improving*].

そこひ 〔医〕(白内障) cátaràct Ⓤ.

そこびえ 底冷え ── [形] raw. ¶けさは*底冷えがする (⇒ 凍りつくほど寒い) It's *freezing cold* this morning. // *底冷えする冬の日々 *raw* winter days

そこびかり 底光り (やわらかな光沢) a subdued gloss ★ a を付けて.

そこびきあみ 底引き網 trawl Ⓒ. ¶*底引き網漁 fishing with a *trawl* **底引き網漁業** trawl [dragnet] fishery Ⓤ **底引き網漁船** trawler Ⓒ.

そこふかい 底深い (非常に深い) very deep; (底なしの) bottomless; (深遠な) profound. 《☞ ふかい[1]》. ¶*底深い恨み a *very deep* grudge // *底深い湖 a *bottomless* lake

そこまめ 底豆 (足裏のまめ) blister on the sole (of the foot) Ⓒ 《☞ まめ[2]》.

そこら ¶*そこら中 (⇒ いたるところ) 捜したが彼は見当たらなかった I looked for him ⌈*all over the place* [*everywhere*], but (I) couldn't find him. // その車は 90 万円か*そこら (⇒ そのくらい) で買える The car costs nine hundred thousand yen *or so.* // これは*そこらによくあるような安いバイオリンではない (⇒ 安物のバイオリンの 1 つではない) This is not *one of those* cheap violins. 《☞ そのへん; そこ[2]》

そこわれ 底割れ ☞ そこ[1] (底を割る)

そさい 蔬菜 (野菜) vegetable Ⓒ ★ 普通複数形で; (青物) greens. 《☞ やさい》.

そざい 素材 (資料) material /mətí(ə)riəl/ Ⓤ; (小説などの題材) subject matter Ⓤ. 《☞ ざいりょう; しりょう[1]》.

ソサエティー (社会・協会) society Ⓒ.

そざつ 粗雑 ── [形] (いい加減な) slipshod, sloppy; (十分に注意しない) careless; (粗い) coarse. ── [名] carelessness Ⓤ. 《☞ ざつ》. ¶彼の仕事は*粗雑だ His work is ⌈*slipshod* [*careless*; *sloppy*]. // この刺しゅうは仕上げが*粗雑だ (⇒ 適切

に[上手に]仕上げてない) This embroidery is *not* ˹*properly* [*well*] finished. // *粗雑な頭 (⇒ 緻密(ちみつ)に考えない人) a ˹*loose* [*sloppy*] thinker

そさん 粗餐 (質素な食事) plain meal Ⓒ.
¶ *粗さんを差し上げたく存じますのでご来宅いただければ幸甚です It would give us a great pleasure if you could come and *dine* with us. 日英比較 このような場合, 英語では日本語のように謙譲して plain meal のようには言わず dinner Ⓒ や, 動詞にして dine ⓐ を用いて表現する.

そし¹ 阻止 ― 動 (行為をやめさせる) stop ⓗ; (…に…させない) keep … from *doing* …; (物事が起こらないようにする) prevent ⓗ ★ 最初の 2 つよりも格式ばった語; (安全に進路をふさいで止める) block ⓗ, obstruct ⓗ 語法 前者のほうがくだけた語. 以上いずれも主語は「人」でも「事物」でもよい. ― 名 prevention Ⓤ; obstruction Ⓤ. (☞ はばむ; くいとめる). ¶ 我々は外敵の侵入を*阻止した We ˹*prevented* [*kept*] the enemy *from* invading. ★ [ ] 内のほうが口語的. / (⇒ 中止させた) We ˹*stopped* [*put a stop to*] the enemy invasion. ★ 前者のほうが口語的. // 彼らは実力でその法案の通過を*阻止した By resorting to force, they *blocked* the passage of the bill.

そし² 素子 〖電〗 element Ⓒ; 〖工〗 device Ⓒ. ¶ 回路*素子 a circuit *element* // 半導体*素子 a semiconductor *device*

そじ¹ 素地 (素質) àptitùde Ⓒ; (基礎教育) grounding Ⓒ. (☞ そしつ).

そじ² 措辞 (ことばの使い方) wording Ⓤ ★ または a を付けて; (字句の使い方) phraseology /frèiziálədʒi/ Ⓤ. ¶ 巧みな*措辞 an excellent *wording* // 陳腐な*措辞 commonplace [stereotyped] *phraseology*

ソシアル ☞ ソーシャル

ソシオエコノミックス (社会経済学) sòcioèconómics Ⓤ.

ソシオグラム (交友図式) sóciogràm Ⓒ.

ソシオバイオロジー (社会生物学) sociobiology Ⓤ.

ソシオメトリー (計量社会学) sociometry /sòusiámətri/ Ⓤ.

ソシオロジー (社会学) sociology Ⓤ.

そしき 組織 ― 名 (特定の目的を持った人の集団) organization Ⓒ ★ 組織化の意味では Ⓤ; (1 つにまとめて構成すること) formation Ⓤ; (系統だった 1 つの体系) system Ⓒ; (生物で, 同じ細胞の集合部分) tissue Ⓤ; (構造) structure Ⓤ. ― 動 organize ⓗ; form ⓗ ★ 前者のほうが改まった語; sýstematize ⓗ. ― 形 (組織的な) sỳstemátic. (☞ こうせい²; こうぞう).
¶ その会社の*組織は複雑だ (⇒ 複雑な組織を持つ) The company has a complex *organization*. // 彼らは新しい政党を*組織した They ˹*organized* [*formed*] a new political party. // 彼のやることは*組織立っていない (⇒ 系統的な取り組み方に欠ける) He lacks a *systematic* approach ˹to [in] what he does. // 社会*組織 social *structure* // 犯罪*組織 a crime *syndicate*
組織委員会 organizing committee Ⓒ **組織液** 〖生〗 tissue fluid Ⓤ **組織化** ― 動 (方法などを) *systematize* ⓗ; (組合・政党などを) organize ⓗ ⓐ; (思想・社会などを) structure ⓗ. ¶ 高度に*組織化された社会 a highly *structured* society **組織家** organizer Ⓒ **組織学** 〖生〗 histology Ⓤ **組織工学** systems engineering Ⓤ **組織体** organism Ⓒ **組織適合性抗原** 〖生化〗 histocompatibility /hìstoukəmpætəbíləti/ antigen Ⓒ **組織培養** tissue culture Ⓤ **組織バンク** 〖医〗 tissue bank Ⓒ **組織(的)犯罪** organized crime Ⓤ **組織票** block votes ★ 通例複数形で. **組織暴力** organized violence Ⓤ **組織網** network Ⓒ **組織力** organizing ability Ⓤ **組織労働者** organized [union(ized)] worker(s) ★ しばしば複数形で.

> **コロケーション**
> 組織に加わる join an *organization* / 組織を運営する run [manage] an *organization* / 組織を解散する dissolve [disband] an *organization* / 組織を作る[設置する] form [set up; establish] an *organization*

そしつ 素質 (あるものになる可能性) the makings ★ 通例 the を付けて複数形で; (天分) quality Ⓒ; (適性) áptitùde Ⓒ; (才能) génius Ⓒ; (潜在的能力) càpabílity Ⓤ. (☞ さいのう¹ (類義語)).
¶ 彼女にはすぐれた科学者になる*素質がある She has the ˹*makings* [*qualities*] of an excellent scientist. // 彼は語学の*素質がある He has a *natural aptitude* for languages. / (⇒ 才能がある) He has a *genius* for languages.

そして … and … ★ 語と語, 文と文をつなぐ接続詞; (それから) (and) then ★ 話の時間的な経過・順序として次に起こることなどを示す言い方; (そしていまや) (and) now. (☞ それから). ¶ 彼は風呂に入り, *そして寝た He took a bath *and* (*then*) went to bed. // 彼女は病気がすっかり治った. *そして元気に働いている She has recovered completely from her illness *and* is *now* working in good health.

そしどう 祖師堂 (説明的に) temple [shrine] where the founder of a sect of Buddhism is enshrined Ⓒ.

そしな 粗品 ¶ ほんの*粗品ですがどうぞ (⇒ あなたがこれを気に入ればいいのですが) I hope you will like it. 日英比較 「粗品」というようなへり下った言い方を英語ではしない. (☞ つまらない; しるし¹).

そしゃく¹ 咀嚼 ― 動 (かみくだく) másticàte ⓗ ★ 格式ばった語; (一般的な語として, かむ) chew ⓗ; (比喩的に, 内容をよく理解する) digest ⓗ. ― 名 chewing Ⓤ; mastication Ⓤ; (理解) digestion Ⓤ. (☞ かむ¹).

そしゃく² 租借 lease Ⓒ. ¶ 土地を*租借する take a piece of land ˹on [by] *lease* / take a *lease* on a piece of land // 20 年間の*租借権 a ˹*lease* [*leasehold*] for twenty years // *租借地 *leased* land / *concession*

ソシュール ― 名 固 Ferdinand de Saussure /fə́ːdənɑːn də sousjúə/, 1857–1913. ★ スイスの言語学者. ― 形 Saussurian /sousjú(ə)riən/.

そじゅつ 祖述 ¶ 師の学説を*祖述する (⇒ 発展させ唱える) *develop and promote one's* mentor's ˹theory [doctrines]

そしょう 訴訟 (申し立てから結審までの) (law-)suit Ⓒ; (特に訴訟の行為・手続きなど) action Ⓒ. (☞ うったえる; こくそ).
¶ 民事[刑事]*訴訟 a ˹civil [criminal] *suit* // 彼はその出版社に対して*訴訟を起こした (⇒ 訴訟の書類を提出した[告訴した]) He ˹filed a *suit against* [*sued*] the publisher. / (⇒ 実際の訴訟手続きを行った) He ˹took [brought] an *action against* the publisher. // その*訴訟に勝てる見込みはない You have no ˹possibility [chance] of winning the *suit*. / (⇒ その訴訟に負けそうだ[負けるのはほぼ確実だ]) It's ˹very likely [almost certain] that you will lose the *suit*. // 彼は離婚*訴訟を取り下げた He withdrew his *suit for* divorce.
訴訟記録 case record Ⓒ **訴訟行為** act of litigating Ⓒ, procedural act Ⓒ **訴訟告知** impleading Ⓤ **訴訟事件** (legal) case Ⓒ **訴訟条件** basis for

a lawsuit Ⓒ　訴訟代理人 counsel Ⓒ, attorney Ⓒ　訴訟手続き legal proceedings ★ 複数形で.　訴訟当事者 lítigant Ⓒ, party to a lawsuit Ⓒ　訴訟人 suer Ⓒ; (原告) plaintiff Ⓒ　訴訟能力 litigation capacity Ⓤ　訴訟費用 the costs of a lawsuit　訴訟法 procedural law Ⓤ.　¶ 民事[刑事]*訴訟法 the *code of* ˹civil [criminal] *procedure*.

そじょう[1]　俎上　¶ その会合では彼のことが*俎上にのぼった (⇒ 彼の事件がよい話の種となった) His affair *was a good topic for conversation* at the meeting. 《☞ わだい》　俎上の魚 ☞ まないた (まないたの上の鯉)

そじょう[2]　訴状　petition Ⓒ 《☞ うったえ》.
¶ 原子力発電所に反対する*訴状を当局に提出する present a *petition* to the authorities against the nuclear power plant

そじょう[3]　遡上　☞ そこう[2]

そしょく[1]　粗食　(粗末な食物) coarse food Ⓤ; (貧しい食事) poor meal Ⓒ; (質素な食事) simple diet Ⓒ. 《☞ しょくじ[1]》.

そしょく[2]　蘇軾　── [名] 固 Su Shih /súːʃíː/, 1036–1101. ★ 中国, 北宋の詩人・書家.

そしらぬ　素知らぬ　¶ 彼は道で会っても*そ知らぬ顔をしている (⇒ 無視する) He always *ignores* me when we meet on the street. / (⇒ わからないふりをする) He ˹*pretends not to recognize* [*cuts*] me when we see each other on the street. 《☞ しらんかお》

そしり　誹り　(批判) criticism Ⓤ; (非難) charge Ⓒ, censure Ⓤ ★ 後者は格式ばった語; (過去などに対する責め) blame Ⓤ. 《☞ ひなん[1]; ひはん》.
¶ 世間の*そしりを招く bring public *censure* // 世間の*そしりは甘受する I am willing to take the public *criticism*.　そしりを免れない　¶ 彼の行為は軽率の*そしりを免れない His behavior *is open to the charge* of indiscretion. ★ 格式ばった表現.

そしる　誹る　(悪く言う) speak ill of … ★ 格式ばった言い方; (非難する) blame (他); (中傷する) slander (他). 《☞ けなす; ひなん[1]》.

そしん　祖神　(祖先伝来の神) ancestral ˹god [deity] Ⓒ; (神々として祭る祖先) ancestor worshiped as a deity Ⓒ.

そすい　疏水　(用水路) irrigátion ˹canál [channel] Ⓒ; (掘割) canal Ⓒ.

そすいせい　疎水性　〘化〙 ── [形] hỳdrophóbic. ── [名] hỳdrophobícity.　疎水性繊維 hydrophobic fiber Ⓒ.

そすう　素数　〘数〙 prime number Ⓒ.　素数分布 prime number distribution Ⓤ.

そせい[1]　蘇生　── [動] (生き返る) come to life, revive (他) (自); (生き返らせる) bring … to life　[語法] revive は他より格式ばった語. なお以上は動物・植物などが生き返る[を生き返らせる]意味にも, また比喩的に活気づく[活気づける]意味にも使う;　(生命を回復する) be restored to life ★ 格式ばった表現.　── [名] revival Ⓤ. 《☞ いきかえる》.

そせい[2]　組成　(構成内容) composition Ⓤ; (物の構造) constitution Ⓤ; (組み立て) make-up Ⓤ.
¶ 化学*組成 chemical *composition*　組成式 composition formula Ⓤ.

そせい[3]　素性　〘言〙 feature Ⓒ.　¶ 弁別*素性 a distinctive *feature*

そせい[4]　塑性　plasticity Ⓤ.　塑性加工 plastic ˹working [forming] Ⓤ　塑性変形 plastic deformation Ⓤ.

そぜい　租税　(税金) tax Ⓒ; (課税) taxation Ⓤ. 《☞ ぜい; ぜいきん》.　租税回避地 ☞ タックス (タックスヘイブン)　租税特別措置 special taxation measures ★ 複数形で.　租税負担率 rate [ratio] of tax burden Ⓒ, tax burden ˹rate [ratio] Ⓒ　租税法 the tax ˹laws [code] 《☞ ぜいほう》　租税法律主義 〘法〙 the principle of no taxation without law.

そせいらんぞう　粗製乱造　mass production of articles of inferior /ɪnfí(ə)riə/ quality Ⓤ.　¶ あの会社は*粗製乱造で有名だ That company is notorious for its *mass-produced inferior goods*.

そせき　礎石　(隅石) cornerstone Ⓒ; (基礎) foundation Ⓒ. 《☞ きそ[1]; どだい[1]》.

そせん　祖先　── [名] áncestor Ⓒ, 《文》 forefathers ★ 後者は通例複数形で; (集合的に) áncestry Ⓤ; (始祖) root Ⓒ.　── [形] ancéstral Ⓐ. 《☞ せんぞ; ルーツ; 親族関係 (囲み)》.
祖先崇拝 ancestor worship Ⓤ.

そそ　楚楚　── [形] (優雅な) graceful; (清らかで美しい) pure and beautiful; (きゃしゃな) slender.　¶ *楚々とした若い娘 a *pure and beautiful* young girl

そそう[1]　粗相　¶ お客様に*粗相のないように (⇒ お客に失礼のないように気をつけなさい) Take care not to be *impolite* to the visitors. // 《子供などが》 *粗相する (⇒ 大・小便などをもらす) have a toilet accident 《☞ しつれい; ふちゅうい》

そそう[2]　阻喪　¶ その知らせを聞いて彼女はすっかり意気*阻喪した (⇒ 落胆 [気落ち] した) She *got* ˹*disheartened* [*depressed*] at the news. 《☞ がっかり》

そぞう[1]　塑像　plastic [plaster] figure Ⓒ.

そぞう[2]　塑造　modeling Ⓤ.

そそぐ[1]　注ぐ　**1** 《液体を》: (水をかける) water (他); (水などをとぎれないように流す) pour … (on …; into …)　[語法] 上にかける場合は on, 中に入れるときは into. また, (自) の用法もある; (流れ・川などが海・湖などに流れる) flow (into …) (自).
¶ 茶わんに熱湯を*注いで約 3 分間そのままにして下さい *Pour* the boiling water *into* the cup and leave it for about three minutes. // ミシシッピー川はメキシコ湾に*注いでいる The Mississippi River *flows into* the Gulf of Mexico.
2 《視線・注意・努力などを》: (全精力・注意などを 1 つの目的に集中する) cóncentràte (on …) (他) (自); (注意などを 1 点に向ける) focus (他); (専念する) devote *oneself* (to …); (視線などを 1 か所へ) fix (他); (注意・視線などをある方向へ向ける) turn (他). 《☞ せんしん[1]; ちゅうもく; むける[1]》.
¶ 彼はその仕事に心血を*注いだ (⇒ 全力を傾けた [専念した]) He ˹*concentrated on* [*devoted himself to*] the work. // 彼は英語の習得に全力を*注いだ (⇒ 精力[努力]を集中した) He ˹*concentrated* his energies [*focused* his efforts] *on* learning English. // 観衆の目はいっせいに壇上にいる男に*注がれた All eyes in the audience *were turned on* the man on the platform. // 彼女は私にじっと視線を*注いだ She *fixed* her eyes ˹*on* [*upon*] me. ★ upon のほうが格式ばった語.

そそぐ[2]　雪ぐ　(恥・汚名などをぬぐい取る) wípe óut (他); (名誉などを挽回する) recover (他).

そそくさ　¶ その男は*そそくさと立ち去った (⇒ 急いで行ってしまった) The man *hurried* ˹off [away]. ★ away のほうが口語的. / (⇒ 落ち着かない様子ですぐに行ってしまった) The man *seemed restless* and soon left the place. 《☞ そわそわ; 擬声・擬態語 (囲み)》

そそっかしい　(不注意な) careless; (軽率な) hasty ★ やや格式ばった語; (分別の足りない) thoughtless. 《☞ ふちゅうい; せっかち》.　¶ 彼は*そそっかしい He's ˹*careless* [a *careless* man].

そそのかす　唆す　(ばからしいこと・悪いことなどを) egg *a person* on (to *do* …) ★ 口語的; (けしかけて人に…させる) put *a person* up to …; (誘惑する)

tempt (他); (扇動して…させる) incíte (他) ★ 最初の3つより格式ばった語; (悪いことをけしかける) 《格式》 ínstigate (他). 《☞ せんどう[1]; あおる; けしかける》.
¶ 彼女は彼を*そそのかしてその金を盗ませた She *egged* him *on to* steal the money. // 彼女はばかげたことをやるよう*そそのかされた She *was tempted into* doing something foolish. // 彼は彼らを*そそのかして暴動を起こさせた He *incited* them to start the riot.

そそりたつ そそり立つ (高くそびえる) rise (high) (自), tower (自) ★ 後者がより文語的. 《☞ そびえる》.
¶ その山は雲の上に*そそり立っている The mountain ⌈*rises* (*high*) [*towers*] above the clouds.

そそる (関心などを呼び起こす) arouse (他); (好奇心などを起こさせる) excite (他); (食欲などを刺激する) whet (他) ★ 以上3語はいずれもやや格式ばった語. 《☞ しげき[1]》.
¶ その話は聴衆の興味を*そそった (⇒ 呼び起こした) The story *aroused* the interest of the audience. / (⇒ 聴衆が興味を持った) The audience *was very interested* in the story. // 台所からするよい香りが私の食欲を*そそった The aroma from the kitchen *whetted* my appetite. // そのポスターを見て少年は好奇心を*そそられた (⇒ ポスターが少年の好奇心をかきたてた) The poster *excited* the boy's curiosity.

そぞろ ¶ 彼女は気も*そぞろの様子だった (⇒ うきうきと興奮しているようだった) She seemed to *be excited.* // 海を見ていると*そぞろ悲しくなる (⇒ なぜだかわからないが) I don't know why, but I feel sad when I look at the ocean. 《☞ 擬声・擬態語 (囲み)》 **そぞろ歩き** (ぶらぶら歩き) stroll [C]; (あてもなく歩くこと) ramble [C]. 《☞ さんぽ》 **そぞろ心** (そわそわして落ち着かない心) restless mind [C]; (あてもない雑然とした考え) untidy thoughts. ¶ *そぞろ心を静める curb [calm] *one's restless mind*

そだ 粗朶 (刈ったり木から落ちた小枝) brushwood [U]; (棒切れ) sticks ★ 複数形で.

そだいごみ 粗大ごみ bulky [oversize] garbage [U] 《☞ ごみ》. ¶ ここに*粗大ごみを捨てないで下さい Don't dispose *large articles* here. // うちの*粗大ごみ (⇒ 役に立たない夫) my good-for-nothing husband

そだち 育ち (教育・しつけ) breeding [U]; (発育) growth [U]. 《☞ せいちょう[1]; しつけ[1]》.
¶ 私は田舎*育ちです (⇒ 田舎で育てられた) I *was brought up* in the country. / I'm country-*bred.* ★ 第1文は第2文より一般的な表現. // 彼は*育ちがよい (⇒ しつけがよい) He is well-*bred.* // 氏より*育ち *Breeding* is better than birth. 《ことわざ: 生まれより養育のほうが大切》
育ち柄 background [C] 《☞ すじょう》 **育ち盛り** ¶ 彼らはいま*育ち盛りだ (⇒ 急速に成長中だ) They *are growing* very fast. // *育ち盛りの子供 a *growing* child

そだつ 育つ (発育する) gròw (úp) (自) [語法] up を付けると「成長して大人になる」というニュアンスが強まる; (養育される) be bròught úp. 《☞ せいちょう[1]》.
¶ この土壌ではばらは*育たない Roses do not *grow* in this soil. // 私は北海道で生まれ, 東京で*育ちました I was born in Hokkaido, but *grew up* in Tokyo. // 彼女の子供は母乳[人工ミルク]で*育った *Her baby was* ⌈*breast-* [*bottle-*]*fed.* // 彼女の息子は立派な若者に*育った Her son *has grown into* a fine young man. // 寝る子は*育つ (⇒ 健康な赤ん坊はよく寝る) A healthy baby is a sound sleeper. // 親はなくとも子は*育つ Nature is a good mother. 《ことわざ: 自然は良い母である》

そだてあげる 育て上げる (子供などを) bring up (他), raise (他); rear (他) ★ 3番目はやや格式ばった語. 《☞ そだてる》.

そだてのおや 育ての親 foster ⌈parent [mother; father] [C]; (養父[母]) adoptive ⌈father [mother] [C] ★ 前者は法的な手続きには関係なくいう場合, 後者は法的な養子関係をいう.
¶ 生みの親より*育ての親 The *foster parent* is dearer to one than the real parent.

そだてる 育てる (子供などを養育する) brìng úp (他), raise (他) [語法] 後者は「人」のみでなく「家畜・植物」などにも使う. 前者は「人」だけに用いる; (特に家畜を) breed (他); (人・動植物を育てる) rear (他) ★ やや格式ばった語; (実子でないものを養育する) foster (他); (大事に育てる) nurse (他); (訓練などで) train (他). 《☞ しいく; かう[2]; ようせい[2]》.
¶ 私は田舎で祖父に*育てられた I *was brought up* in the country by my grandfather. // 彼女は息子を大切に*育てた She ⌈*brought up* [*raised*] her son with the tenderest care. // 彼は後継者として多くの弟子を*育てた (⇒ 教えた[訓練した]) He ⌈*taught* [*trained*] many students to be his successors.

そち 措置 (手段・処置) measure [C] ★ しばしば複数形で; (段階的処置の中の1つ) step [C] ★ 以上2語は入れ替え可能なことも多い. 《☞ しょち; たいさく[1]》. ¶ それに対して政府はどういう*措置をとるのであろうか What *measures* will the government take against it? / (⇒ それをどのように取り扱うつもりか) How is the government going to *deal with* it? // 彼は*措置を誤ったことを (⇒ 間違った手段をとったことを) 認めた He admitted ⌈having taken [taking] a wrong *step.* // 過激派に対して警察は思い切った*措置をとった (⇒ 強い行動を起こした) The police took strong *action* against the radicals. **措置制度** mandatory placement system (for aging and disabled people) [C] **措置入院** enforced hospitalization (for mentally handicapped persons) [U].

そちゃ 粗茶 ¶ *粗茶ですが (⇒ お茶を一杯) どうぞ Please have a cup of *tea.* [日英比較] 「粗茶」というようなへり下った言い方を英語ではしない.

そちら (そこ) there; (離れている向こうに) over there ★ 相手の国・地方などを指すときは your country などを用いることもある; (電話で) this, 《英》 that. 《☞ あちら [日英比較]; そこ[2] [日英比較]》.
¶ すぐ*そちらにまいります I'll be *there* right away. // *そちらにある別のを見せて下さい Please show me that other one *over there.* // 「もしもし, *そちらは山田さんのお宅ですか」「はい, そうです. 太郎ですよ」"Hello. Is *this* the Yamada residence?" "Yes, it is. This is Taro (speaking)."

そつ そつが[の]ない ¶ 彼は*そつのない (⇒ 抜け目のない) 男だ I've found him very ⌈*clever* [*smart*]. [語法] 2語はほぼ同意だが, 前者は器用さを, 後者は機敏さを表す. 《☞ ぬけめ》

-そつ …卒 (卒業生) graduate [C] 《☞ だいそつ; こうそつ》. ¶ 大*卒 a ⌈college [university] *graduate*

そつい 訴追 〘法〙 ── [名] (起訴) prosecution [U]; (弾劾) impeachment [U]. ── [動] prosecute (他); impeach (他). 《☞ きそ[2]; だんがい[2]》. ¶ 汚職のかどで裁判官を*訴追する *impeach* a judge for corruption **訴追免除** ☞ けいじ[3] (**刑事免責**)

そつう 疎通 ¶ 意思の*疎通 (⇒ お互いの理解) が欠けていたためにその問題が起こった The trouble started from a lack of *mutual understanding.* 《☞ りかい》

そつえん 卒園 ── [動] (幼稚園を) finish kindergarten; (保育園を) finish preschool.

そっか 足下 ☞ あしもと

ぞっか 俗化 ¶ 上高地は観光客が多くて*俗化してしまった Kamikochi *has been spoiled* by too many tourists.

ぞっかい 俗界 (世の中) the world; (宗教界に対する) secular world. (☞ せぞく). ¶ *俗界に超然としている stand aloof from *the world* // あの科学者は*俗界のことには無関心だ That scientist is quite indifferent to *worldly* affairs.

ぞっかく 属格 〘言〙 genitive (case) Ⓒ (☞ かく⁵).

ぞっかん 続刊 succeeding issue Ⓒ. ¶ 多くの読者はそのシリーズものの*続刊を楽しみにしている Lots of readers are looking forward to the *succeeding issues* of the series.

そっかんせい 速乾性 ―形 quick-drying. ¶ *速乾性のインク *quick-drying* ink

そっき 速記 shorthand Ⓤ, stenógraphy Ⓤ. ¶ 彼女は私の言ったことを*速記した She wrote (down) what I said in *shorthand.*

速記技能検定 shorthand proficiency testing Ⓤ **速記者** 《英》 shorthand typist Ⓒ, 《米》 stenógrapher Ⓒ **速記術** shorthand Ⓤ, stenógraphy Ⓤ **速記符号[文字]** stenographic character Ⓒ **速記録** sténográphic [shórthànd] récord Ⓒ.

ぞっきぼん ぞっき本 (残本) remainder Ⓒ; (捨て売りの本) book sold at a sacrifice price Ⓒ.

そっきゅう 速球 〘野〙 fastball Ⓒ. ¶ *速球を投げる throw a *fastball* **速球投手** fastball pitcher Ⓒ, fastballer Ⓒ.

そっきょう 即興 ―副 形 (即席に[の]) impromptu /ɪmprɑ́m(p)t(j)uː/, extèmporáneously, off the cuff ★ 2 番目は 副 で格式ばった語, 形 は extemporaneous. 最後はくだけた言い方; (譜面なしで) without a score. ―動 (即興的に曲を作る) ímprovise 他 自. ―名 improvisation Ⓤ. ¶ *即興的な演説 an *impromptu* speech // 彼は結婚式の披露宴で*即興のスピーチをした He spoke ⌈*impromptu* [*off the cuff*] at the wedding reception. // 彼は*即興でピアノを弾いた (⇒ 楽譜なしで) He played the piano *without a score.* / (⇒ 即席に旋律[メロディー]を作って) He *improvised* a ⌈tune [melody] on the piano.

即興演奏 impromptu (musical) performance Ⓒ, (musical) improvisation Ⓒ **即興曲** impromptu Ⓒ **即興劇** impromptu (dramatic) performance Ⓒ, (dramatic) improvisation Ⓒ **即興詩** impromptu poem Ⓒ **即興詩人** improviser Ⓒ, improvisor Ⓒ.

そつぎょう 卒業 ―動 graduate (from ...) 自 〔語法〕 《英》 では大学卒業に限られるが, 《米》 では大学以外のほかの教育機関の修了にも用いられる. 《英》 では大学以外の場合は finish 他, leave 他 を用いるが, leave は前後関係で「退学する」の意味にもなる. ―名 graduation Ⓤ. (☞ 学校・教育 (囲み)).

¶ 彼は 2 年前に大学を*卒業した He *graduated from* ⌈college [(a) university] two years ago. // 彼の息子は東西大学の医学部を*卒業した His son *graduated* in medicine *from* Tozai University. // 彼女はこの春高校を*卒業した She ⌈*graduated from* [*finished*] high school last spring. // 私は*卒業後は教師になりたい I'd like to be a teacher after ⌈*graduation* [I *graduate*].

卒業式 graduation Ⓒ, 《米》 commencement Ⓒ **卒業試験** graduation examination Ⓒ (☞ しけん¹) **卒業証書** diplóma Ⓒ **卒業生** graduate Ⓒ (☞ オービー) **卒業生名簿** (同窓会名簿) alumni /əlʌ́mnaɪ/ directory Ⓒ (☞ めいぼ) **卒業旅行** trip just before graduation Ⓒ; (学校の行事として の) school excursion just before graduation Ⓒ **卒業論文** graduation thesis /θíːsɪs/ Ⓒ (複 ~ theses /-siːz/).

そっきょぎ 測距儀 range finder Ⓒ, stadimeter /stədímətə/ Ⓒ.

ぞっきょく 俗曲 folk song sung to the accompaniment of a samisen Ⓒ.

そっきん¹ 即金 ―動 (現金で払う) pay (in) cash 自 ★ 他 の用法もある; (手付け金として払う) pay down 他. (☞ げんきん¹). ¶ *即金で払います I'll *pay in cash.* // *即金で 5 千円払い, 後は月賦にします I'll *pay* five thousand yen *down* and the rest in monthly installments.

そっきん² 側近 (補佐する人) aide Ⓒ; (顧問団) brain [《英》 brains] trust Ⓒ, think tank Ⓒ.

ソックス sock(s) ★ 通例複数形で. 数えるときは a pair [two pairs] of socks. (☞ くつした).

そっくつ 側屈 lateral bending Ⓤ, lateroflection Ⓤ.

そっくり 1 «全部» ―代 (全部) all ★ 副詞・形容詞としても用いる; (一つ一つすべて) everything. ―名 (全体) the whole. ―形 whole Ⓐ; (元のまま手つかずで) intáct Ⓟ. (☞ ぜんぶ¹; すべて (類義語); みな; 擬声・擬態語 (囲み)).

¶ 持ち物を*そっくりとられた (⇒ 私の物すべてを) I had *all* my things stolen. / Somebody stole *all* my things. // 私の持っているものは*そっくりあなたにあげます I'll give you *all* (that) I have. / You can have *everything* (that) I have. ★ 第 2 文は第 1 文より強調的. // 彼は貯金を*そっくり株に投資した He invested *the whole* of his savings in ⌈stocks [the stock market]. // なくしたお金は*そっくり返ってきた The money I lost was returned *intact.*

2 «似ている» ―形 (同じような) like Ⓐ, alike Ⓟ; (異なったものが類似している) similar (to ...) ★ 最初の 2 語のほうがより口語的. ―動 (形・性質の上で似ている) resemble 他. ―名 (生き写しの人, そっくりのもの) 《略式》 clone Ⓒ; (類似) resemblance Ⓤ. (☞ にる¹ 〔語法〕; 擬声・擬態語 (囲み)).

¶ 彼女は姉に*そっくりだ She is just *like* her sister. / She *resembles* her sister. ★ 第 1 文のほうが口語的. // 彼の性格は母親に*そっくりだ He is very much *like* his mother in character. / His character is very much *like* that of his mother. / His character ⌈has [bears] a strong *resemblance* to that of his mother. ★ 以上 3 文はこの順に格式ばった表現となる. // 君の立場は私の立場と*そっくりだ (⇒ 類似している) Your position is *similar to* mine. // この文章は私のと*そっくりだ (⇒ そのままの引き写しのようだ) This passage seems to be an *exact copy* of mine.

そっくりさん ¶ マイケルジャクソンの*そっくりさん Michael Jackson's ⌈*look-alike* [*double*] ★ 米口語. / a Michael Jackson *clone* **そっくりそのまま** ¶ 江戸時代の町並みが*そっくりそのままの状態で保存されている (⇒ 全く同じ状態で) The streets and houses are preserved *entirely in the same condition* as they were in the Edo period.

そっくりかえる 反っくり返る ―副 (もったいぶって [威厳をつけて]) in a ⌈pompous [dignified] manner (☞ ふんぞりかえる; いばる (類義語)).

そっけ 素っ気 ☞ あじ¹ (味も素っ気もない); そっけない

ぞっけ 俗気 ☞ ぞくけ

そっけつ 即決 ―動 (その場で決める) decide ... on the spot. ―名 (すばやい決定) prompt decision Ⓒ. **即決裁判** 〘法〙 summary judgment Ⓒ.

そっけない 素っ気ない ―形 (ぶっきらぼうな) curt; (乱暴な) brusque /brʌ́sk/; (よそよそしい) cold; (遠慮会釈のない) flat. ―副 curtly; brusquely; coldly; flatly. (☞ ぶっきらぼう; よそよそしい). ¶ 彼女は私に*そっけない返事をした She gave me a ⌈*curt* answer [*brusque* reply]. // 彼女は

彼に*そっけない態度だった She *gave* him *the cold shoulder*. ★ give … the cold shoulder は《略式》で「…を冷たくあしらう」の意味. // そう*そっけなくするなよ (⇒ もう少し親切であってもよいはずだ) You should be a little *kinder* to me. // 彼女に*そっけなく断られた (⇒ 彼女は私をきっぱりと断った) She gave me a *flat* refusal. // 彼女の家へ行ったが*そっけなくされた (⇒ 冷たい接待を受けた) I got a *cold* reception at her house.

そっこう[1] **即効** ── 名 (即座の効果) immediate effect Ⓒ. ── 動 (すぐに治す) cure … quickly. 《☞ ききめ》. ¶ この薬は歯痛に*即効がある (⇒ この薬はあなたの歯痛をすぐ治すだろう) This medicine will *quickly cure* your toothache. / This medicine has an *immediate effect* on toothache. / (⇒ これは歯痛の即効薬です) This is a *quick remedy* for a toothache. **即効性** immediate efficiency Ⓤ. ¶ *即効性がある have an *immediate effect* // この鎮痛剤は*即効性がある (⇒ すぐに効きめがある) This ˹painkiller [analgesic /ænəldʒíːzɪk/] ˹*works* [*takes effect*] *at once*.

そっこう[2] **速効** ── 形 (薬品などが速効性の) fast-[rapid-]acting Ⓐ ★ Ⓟ ではハイフンなしで. **速効性肥料** fast-release fertilizer Ⓤ.

そっこう[3] **速攻** ── 名 (速やかな攻撃) swift attack Ⓒ; (バスケットボールなどの) fast break Ⓒ ★ 相手が防御の体勢を整える前に攻める方法. 《☞ こうげき》. ── 副 (すぐに) right away, at once, immediately; (急いで) quickly. 《☞ すぐ (類義語); いそぐ》. ¶ ちょっと待ってよ. この仕事を*速攻で片付けちゃうから Wait a ˹minute [moment, second], please. I'll finish this job ˹*right away* [*quickly*; *in no time*].

そっこう[4] **側溝** side ditch Ⓒ.

そっこう[5] **測光** 〘光〙 photómetry Ⓤ. **測光器** photómeter Ⓒ.

ぞっこう **続行** ── 動 (続く・続ける) continue ⓐ ⓗ. ── 名 continuation Ⓤ. 《☞ つづける》. ¶ 会議は昼食後も*続行された (⇒ 続いた) The meeting *continued* after lunch. // 試合は雨の中で*続行された (⇒ 雨にもかかわらず試合は続いた) The game (*was*) *continued* in spite of the rain. ★ was を付けるほうが格式ばった言い方.

そっこうじょ **測候所** meteorological /mìːtiərəlάdʒɪk(ə)l/ ˹stàtion [obsérvatòry] Ⓒ ★ observatory のほうが「規模が大きい」というニュアンスがある; (俗には) weather station Ⓒ. 《☞ かんそく[1]》.

そっこく **即刻** (直ちに) immediately /ɪmíːdiətli/; (時を移さず) in no time; (猶予なく) without delay. 《☞ すぐ (類義語); ただちに》.

ぞっこく **属国** (従属国) subject nation Ⓒ; (植民地) colony Ⓒ; (保護領) dependency Ⓒ.

そっこつ **足骨** foot bones ★ 複数形で.

ぞっこん ¶ 私は彼の作品に*ぞっこんほれこんだ (⇒ 深く印象づけられた) I *was deeply impressed by* his work. // 彼はその女の子に*ぞっこんほれこんでいる He is *head over heels in love with* the girl. 《☞ 擬声・擬態語 (囲み)》

そつじながら **卒爾ながら** ¶ *卒爾ながら自己紹介させていただきます (⇒ お許しください) *Allow me to* introduce myself. ★ 格式ばった表現. 普通には May [Can] I introduce myself? / Let me introduce myself. などと言う. 《☞ しつれい》

そつじゅ **卒寿** *one's* ninetieth birthday Ⓒ.

そっせん **率先** ── 動 (先頭を切る[主導権をとる]) take the ˹lead [inítiative] in …; (第 1 番に…する) be the first to *do* …; (他に範を示す) set an example. 《☞ せんとう[1]; まっさき》.
¶ 彼女はいつも*率先して部屋の掃除をする (⇒ 掃除を始める第 1 番の人だ) She *is* always *the first to* start cleaning the room. / (⇒ 先頭に立つ) She always *takes the lead in* cleaning the room. ★ 第 1 文のほうがより口語的. // 彼は*率先してその計画を実行した (⇒ 最初に行動を起こした) He *took the initiative in* carrying out the plan.
率先躬行(きゅうこう) ── 動 take the initiative to *do* … **率先垂範** ── 動 set an example.

そつぜん **卒然** ¶ *卒然と逝く (⇒ 突然死ぬ) die *suddenly*

そっち (そちらのもの) that one; (そちら) there; (離れている向こうに) over there; (そっちの方) that way, in that direction ★ ほぼ同意だが, 後者のほうが格式ばった言い方; (あなた) you. 《☞ そちら; それ; そこ[2] 日英比較》. ¶ *そっちのを見せて下さい Please show me *that one*. // 私が*そっちへ行きましょう I'll go *over there*. / (相手のところへ) I'll come around. 《☞ ゆく[1] (類義語)》

そっちのけ ── 動 (さておく) lay [put] aside ⓗ; (怠ける) neglect ⓗ; (無視する) ignore ⓗ; (考慮に入れない) pay no attention to … 《☞ ほったらかす》. ¶ 彼は勉強を*そっちのけにして (⇒ おろそかにして) サッカーばかりやっている He spends all his time playing soccer, *neglecting* his studies. // 彼は乗客の安全など*そっちのけだった He *paid no attention to* the safety of the passengers.

そっちゅう **卒中** 〘医〙 ápoplèxy Ⓤ; (発作) stroke Ⓒ.

そっちょく **率直** ── 形 (意見などが遠慮のない) frank ★ 最も一般的な語で, 以下の語の代わりにも使える; (単刀直入の) stràightfórward; (腹蔵のない) candid; (ずけずけ物を言う) outspoken; (隠し立てをしない) open. ── 副 frankly; straightforwardly; candidly; outspokenly; openly. ── 名 frankness Ⓤ; straightforwardness Ⓤ; openness Ⓤ. 《☞ あけすけ; あけっぴろげ; ざっくばらん》.
¶ 彼は非常に*率直な人だ He is a very ˹*frank* [*outspoken*; *candid*] person. // この件についてあなたの*率直な意見を伺いたい I'd like to hear your ˹*frank* [*straightforward*] opinion about this matter. // 彼は私の質問に*率直に答えた He answered me *candidly*. // *率直に言うとあなたの計画には反対です To be ˹*frank* [*candid*] with you [(⇒ 本当のことを言うと) *To tell* (*you*) *the truth*], I don't agree with your plan. // *率直に言ってごらん (⇒ 自由に心の内を話しなさい) Speak your mind *freely*. / (⇒ ありのままを言いなさい) You should *call a spade a spade*. ★「鋤(すき)のことは鋤と呼べ」という意味の慣用句で口語的.

そっと (音を立てず静かに) quietly; (優しく静かに) gently, softly; (軽く) lightly; (内緒で) secretly, in secret ★ 前者のほうが口語的; (こっそりと隠れるようにして) stealthily ★ 格式ばった語. 《☞ ひそか; こっそり; 擬声・擬態語 (囲み)》.
¶ 彼女は*そっと部屋から出て行った She left the room ˹*quietly* [*stealthily*]. / (⇒ こっそり[こそこそ]出て行った) She ˹*stole* [*sneaked*] out of the room. // 彼女は*そっと私の手を取った She took my hand *gently*. // 彼女は*そっと秘密を教えてくれた (⇒ 秘密を私に[私の耳に]ささやいた) She *whispered* the secret ˹*to* me [*in my ear*]. // ここから*そっとのぞいてごらん Have a *peek* through here. ★ 口語的な言い方. // しばらくは*そっとしておいて下さい (⇒ ほっておいてくれ) Please *leave* me *alone* for a while.

ぞっと ¶ 彼の話を聞いて*ぞっとした (⇒ 私は恐ろしくなった) I *was horrified at* his story. / (⇒ 彼の話は私を震えさせた) His story made me *shudder*. / (⇒ 彼の話は私にぞっとする感じを与えた) His story gave me *the creeps*. ★ the creeps は恐怖というよりもいやでぞっとする意味が強い口語的な語. // そのことは考

えただけでも*ぞっとする (⇒ 身震いする [恐怖でいっぱいになる]) I「*shudder* [*am horrified*] at the mere thought of it. // へびを見ると*ぞっとする (⇒ へびは寒気をもよおさせる) Snakes give me「(*the*) *shivers* [*the creeps*]. ★ [ ] 内のほうが口語的. 《☞ すごい (類義語); おそろしい; 擬声・擬態語 (囲み)》

ぞっとしない (感心しない) unattractive; (望ましくない) undesirable. ¶ 委員会の新メンバーは*ぞっとしない (⇒ あまり好きではない) I *don't much care for* the new members of the committee. / I find the new members of the committee「*unattractive* [*undesirable*].

そっとう 卒倒 ── [動] (気を失う) faint [自]; (気を失って倒れる) collapse [自]. ── [名] faint [C]. 《☞ きぜつ; しっしん[2]》. ¶ 彼女はその知らせを聞いて*卒倒した She「*fainted* [*collapsed*] at the news.

そっぱ 反歯 projecting [buck] tooth [C] 《複 teeth》.

ソップ (スープ) soup [C] ★ オランダ語の sop から.

ソップ形 〚相撲〛(やせ形の力士) sumo wrestler of (a)「slender [slim] build [C].

そっぽ **そっぽを向く** ── [動] (目をそらす) lóok awáy [自]; (顔をそむける) tùrn awáy [自]. ¶ 彼女は道で会っても*そっぽを向く (⇒ 目をそらす) She *looks away* when(ever) we happen to meet on the street.

そつろん 卒論 graduation thesis [C] 《☞ そつぎょう; ろんぶん》.

そで 袖 (衣服の) sleeve [C]; (舞台の) the wings ★ the を付けて複数形で.

¶ *袖の短いシャツ a short-*sleeved* shirt // 彼は*袖をまくった (⇒ 折り返して上げた [そのまま巻き上げた]) He「turned [rolled; tucked] his *sleeves* up. [語法] roll のほうが一般的で, tuck には「押し込む」というニュアンスがある. // 彼女は彼がうっかり秘密をしゃべってしまわないように*袖を引っ張った She tugged his *sleeve* in order to stop him giving the game away. 《☞ 袖を引く》

袖にする ¶ このぼくを*袖にする (⇒ よそよそしい態度をとる) なんてことがよくできるな How can you *give* me *the cold shoulder*? / (⇒ 冷たく扱う) How can you *treat* me *so coldly*? // あの人は失業したから*袖にしてやったわ (⇒ 見捨てた) I *ditched* him because he lost his job. **袖振り合うも他生の縁** (偶発的な出会いも前もって運命づけられている) Even a chance meeting is「predestined [preordained].

袖を連ねる ¶ 彼らは*袖を連ねてやってきた They came along「*together* [*in a group*].

袖を通す ¶ このスーツはまだ*袖を通していない (⇒ まだ着ていない) I *have*n't *worn* this suit yet.

袖を引く (動作として) pull *a person* by the sleeve; (そっと注意をする) remind *a person* gently (without being noticed by others); (誘惑する) tempt [他], attract [他], entice [他]; (娼婦が) solicit [他] [自].

袖を分かつ (別れる) part [go away] from ...; (関係を絶つ) end a relationship. 《☞ たもと》. ¶ 彼女と夫とはわずか二, 三か月の結婚生活で*袖を分かった She and her husband「*were divorced* [*separated*] after only a few months of marriage.

ない袖は振れぬ ☞ ない[1]

ソディウム 〚化〛(ナトリウム) sodium /sóʊdiəm/ [U] 《元素記号 Na》.

そでうら 袖裏 the lining of a sleeve.

ソテー (料理) sauté /soːtéɪ/ [C] ★ sauté の ´ は綴り本来のもの. 《☞ 料理の用語 (囲み)》.

そでがき 袖垣 low [screen] fence on either side of a gate [C].

そでぐち 袖口 (服・ワイシャツのカフス) cuff [C].

そでぐり 袖ぐり armhole [C].

そでした 袖下 the lower part of a sleeve.

そでたけ 袖丈 the length of a sleeve, sleeve length [U].

そでだたみ 袖畳み temporary [informal] way of folding up a kimono [C].

そてつ 蘇鉄 〚植〛 cycad /sáɪkəd/ [C].

そでなし 袖なし ── [形] sleeveless. ── [名] (袖なしのブラウス) sleeveless blouse [C].

そでのした 袖の下 (わいろ) bribe [C], money under the table [U] ★ 後者は比喩的な言い方で, ちょうど日本語の「袖の下」に当たる. 《☞ わいろ》. **袖の下を使う** ¶ 彼は有利な情報を得るために役人に*袖の下を使った (⇒ 贈賄した) He *bribed* officials to get some profitable information.

そではば 袖幅 the width of a sleeve, sleeve width [U].

そてん 素点 unadjusted score [C].

そと 外 ── [名] (外側) outside [U]; (屋外) the òutdóors ★ the を付けて複数形で. ── [形] outside [A]. ── [副] outside; outdoors. 《☞ おくがい》. ¶ *外はもうすっかり暗い It's quite dark *outside*. // 雨が降っていたので私たちは*外へ出なかった Since it was raining, we didn't go *outdoors*. // 子供は*外で遊ばせなさい Let the children play「*out of doors* [*outdoors*; *outside*]. // ここにいれば*外からは見えない Stay here and you cannot be seen from (the) *outside*. // *外は気持ちがいいね It's very pleasant to be *out*, isn't it? // 彼は窓から*外を眺めた He looked *out* the window. [語法] これは《米》用法で, out は [前]. 《英》では looked out of ...

ソト (アフリカ南部に住むバンツー系の種族の人) Sotho /sóʊtoʊ/ [C] 《複 ~, ~s》. **ソト語** Sotho [U] **ソト族** the Sotho(s).

そとあるき 外歩き ── [動] (外出する) gò óut [自]; (外勤である) work outside [自]. 《☞ そとまわり》.

そとう 粗糖 raw [unrefined] sugar [U].

そどう 祖堂 ☞ そしどう

そとうば 蘇東坡 ☞ そしょく[2]

そとうみ 外海 the open sea 《☞ がいかい》.

そとおもて 外表 ¶ *外表にする (⇒ 表が見えるように二枚の紙を重ねる) put a sheet of paper (or cloth) upon another so as to show the right side of each.

そとがけ 外掛け (相撲で) *sotogake* [C]; (説明的には) outside leg trip [C]. 《☞ すもう》.

そとがまえ 外構え (外観) outer appearance (of a house) [C] 《☞ がいこう[3]》. ¶ *外構えの立派な家 a very impressive-*looking* residence

そとがわ 外側 ── [名] (外の表面) the outside (↔ the inside); (特に外面の部分) the exterior /ɪkstí(ə)riə/ ★ やや格式ばった語; the outer「part [side] ★ 外に広がる部分をいう. ── [形] outside [A]; exterior; outer [A]. 《☞ がわ; がいめん; がいぶ》. ¶ 彼女のコートは内側がウールで*外側が毛皮だ Her coat is wool on the inside and fur on *the outside*. // 建物の*外側はコンクリートとガラスです *The exterior* of the building is made of concrete and glass.

そどく 素読 ── [動] read ... aloud (without paying attention to (the) meaning).

そとぜい 外税 (税抜き価格表示) price「exclusive of [excluding] (consumption) tax [C] 《☞ うちぜい》.

そとだんねつこうほう 外断熱工法 method of construction using external insulation [C].

そとづけ 外付け 〚コンピューター〛 ── [形] external (↔ internal). ¶ *外付けの記憶装置 an *external* memory // *外付けのハードディスク an *external* hard disk drive

そとづら 外面 (外観の体裁) appearance [C]; (目

に見える表面的な部分) externals ★ 普通は複数形で特に「外側」を強調. 後者のほうが格式ばった語; (外部の特徴) outward feature Ⓒ. (☞ がいけん).
¶ 人は*そとづらだけではわからないものです (⇒他人を外見で判断すべきではない) We must not judge others by *appearances*. / Don't judge people by mere *externals*. ★ 第 2 文のほうが格式ばった表現. **外面がいい** ¶ 彼は*そとづらだけはとてもいい (⇒彼は家族以外の人にはみんな愛想がいい) He is very affable to everyone except his own family.

そとのり 外法 the outside measurements ★ 複数形で.

そとば 卒塔婆 〔仏教〕(墓に立てる経文を書いた上部を塔形にした板) stupa-shaped wooden tablet Ⓒ ★ 説明的な訳. stupa は「仏舎利塔」の意.

そとぶろ 外風呂 (家の外にある風呂) detached bath(room) Ⓒ; (他家の風呂) neighbor's bath Ⓒ; (銭湯) public bath Ⓒ.

そとぼう 外房 ―名 固 *Sotobo*; (説明的には) the southern areas on the Pacific Ocean in Boso Peninsula in Chiba Prefecture.

そとぼり 外堀 outer moat Ⓒ (☞ ほり[1]).
外堀を埋める (周辺の障害物を取り除く) get rid of the obstacles blocking the goal.

そとまご 外孫 grandchild born to ⌈*one's* [a married] daughter Ⓒ.

そとまた 外股 ¶ *外股で歩く walk *with one's toes turned out*

そとまわり 外回り (周囲) circumference /səkʌ́mf(ə)rəns/ Ⓤ; (外勤) outside work Ⓤ. (☞ しゅうい; がいきん). **外回りをする** do outside work, work outside (the office). ¶ 彼は千葉で*外回りをした He *did outside work* in Chiba. / He *was on* his *outside* ⌈*work* [*duty*] in Chiba.

そとみ 外見 appearance Ⓒ (☞ がいけん).

ソドミー (男色・獣姦) sodomy Ⓤ.

ソドム ―名 固 Sodom ★ 旧約聖書に記された悪徳の町.

そとむそう 外無双 〔相撲〕 *sotomuso* Ⓤ; (説明的には) outer thigh propping twist-down Ⓒ.

そとめ 外目 appearance Ⓒ (☞ がいけん).

そともうこ 外蒙古 ☞ がいもうこ

そとゆ 外湯 ☞ そとぶろ

そとわく 外枠 outer frame Ⓒ (☞ わく[3]).

ソナー (音波による水中探知機) sonar /sóʊnɑə/ Ⓤ ★ *so*und *na*vigation (and) *r*anging の略.
ソナー航法 sonar navigation Ⓤ.

そなえ 備え (蓄えなどの準備) provision Ⓤ; (物品などの用意) preparations ★ この意味では通例複数形で; (防備の施設) defense (《英》 defence) Ⓒ; (設備) equipment Ⓤ. (☞ じゅんび; そなえる[1]).
¶ 地震に対する*備えは大丈夫だ (⇒よく用意されている) We *are* well ⌈*provided* [*prepared*] *against* earthquakes. // 私たちは老後[将来]の*備えをしておかなければならない We have to make *provision* for ⌈our old age [the future]. // この町は台風に対する*備えがまったくできていない This town is quite *defenseless* against typhoons.
備えあれば憂いなし Lay up ⌈for [against] a rainy day. 《ことわざ: 困ったときのために何か取って置け》 ★ for を使うほうが一般的.

そなえつけ 備え付け ―形 *búilt-in* (☞ つくりつけ). ¶ *備え付けの本棚 *built-in* bookshelves

そなえつける 備え付ける (必要なものを供給する) provide ㊍; (家具などを部屋に) furnish ㊍; (設備などを) equip ㊍; (器具などを) install ㊍. (☞ せつび).
¶ そのアパートは家具が全部*備え付けてあります (⇒家具付きのアパートだ) That is a *furnished* apartment. // その部屋にはクーラーが*備え付けてあった The room *was provided with* an air conditioner. // 各教室にテレビが*備え付けてある (⇒各教室はテレビを持つ) Every classroom *has* a TV in it. / (⇒テレビが設置されている) Every classroom *is equipped with* a TV. ★ 第 1 文のほうが口語的.

そなえもち 供え餅 rice cake offering Ⓒ.

そなえもの 供え物 óffering Ⓒ.

そなえる[1] 備える **1** «設備をする»: (必要なものを装備する) equip ㊍; (保存して管理する) keep ㊍. (☞ そうび; せつび). ¶ この船はレーダーを*備えている (⇒装備されている) This ship *is equipped with* radar. // 入手可能の辞書は全部学校の図書館に*備えてある All the dictionaries available *are kept* in the school library.
2 «準備をする»: (特定の目的のためにあらかじめ用意する) prepare ㊍ ㊌; (将来に対して必要な準備をする) provide for …; (事態などに対して必要な対策をする) provide against … (☞ じゅんび; そなえ).
¶ 彼は入試に*備えて勉強している He *is preparing for* the entrance examination. // 敵の襲撃に*備えた We *prepared for* the enemy attack. // お金をためて将来に*備えなさい Save money and *provide for* the future.
3 «身にもっている» ¶ 彼は威厳を*備えている He ⌈*has* [*possesses*] dignity.

そなえる[2] 供える offer ㊍, make an offering, lay ㊍. ¶ 私は無名戦士の墓に花輪を*供えた I *laid* a wreath on the Tomb of the Unknown Soldier.

そなた 其方 thou ★ 聖書・古典などで用いる古風な言葉で, 所有格 thy, thine, 目的格 thee, 複数形は ye, you (☞ なんじ[2]). また動詞は -(e)st という語尾を取るほか, shalt (＝shall), wilt (＝will) などの特殊な活用をする.

ソナタ 〔楽〕 sonáta Ⓒ. **ソナタ形式** sonata form Ⓤ. ¶ *ソナタ形式で in *sonata form*

ソナチネ 〔楽〕 sonatina /sɑ̀nətíːnə/ Ⓒ (複 ～s, -tine /-neɪ/).

そなわる 備わる (家具などが備え付けられている) be furnished with …; (生まれつき才能に恵まれている) be gifted with … (☞ そなえつける; せつび; さいのう[1]). ¶ 彼には絵の才能が*備わっていた He *was* ⌈*gifted* [*endowed*] *with* a talent for painting. ★ [ ] 内のほうが格式ばった言い方.

ソニック(ス) ―形 (音・音波の) sonic. ―名 (ソニックス(音波工学)) sonics Ⓤ (☞ おんきょう (音響学, 音響効果)). **ソニッククルーザー** (音速機) sonic cruiser Ⓒ **ソニックブーム[バン]** (衝撃波音) sonic boom Ⓒ, 《英》 sonic bang Ⓒ.

そねざきしんじゅう 曽根崎心中 ―名 固 *The Love Suicides at Sonezaki*; (説明的には) a puppet play of a love tragedy written by Chikamatsu Monzaemon.

ソネット (14 行詩) sónnet Ⓒ.

そねみ 嫉み (嫉妬) jealousy Ⓤ; (うらやみ) envy Ⓤ. (☞ しっと).

そねむ 嫉む (ねたむ) be jealous of …; (うらやむ) envy ㊍. (☞ ねたむ; しっと).

その[1] 《指示形容詞》(話者から離れた位置にあるものを指して) that 《複 those》 (↔ this 《複 these》)
日英比較 (1) 英語では指示詞には this 《複 these》 と that 《複 those》 しかない. this は日本語の「これ」または「この」とだいたい対応するが, that は「あれ」「あの」と「それ」「その」の両方に当たる. 区別は前後関係もしくは that book in your hand (あなたが手に持っているその本) のように, 付加する語句で示すほかない. (☞ あの; この; それ 日英比較; 代名詞 (巻末)).
¶ 「*そのかばんはどこで買ったの」「パリで買ったんだよ」 "Where did you buy *that* bag?" "In Paris." //

「*その本は何の本ですか」「これは英会話の本です」"What kind of book is *that*?" "It's a conversational-English textbook." // *その本は皆あなたのですか Are all *those* books yours? 日英比較 (2)「その」が英語では複数に対応することもある点に注意. // *その日私は不在でした I was not at home (on) *that* day. 日英比較 (3) このような that ʳday [time] は場合によっては日本語の「あの日 [時]」にも当たる. // *その映画はもう見ました I have seen *that* ʳmovie [film] already.

その² 園 (庭園) garden Ⓒ; (果樹園) orchard Ⓒ. (☞ にわ). ¶ 女の*園 a woman's *world*

そのあしで その足で ¶ 彼らは仙台に行き*その足で松島を訪れた (⇒ 旅行を延長した) They went to Sendai and *extended their trip to* Matsushima. / (⇒ すぐに行った) They stopped at Sendai and *went straight to* Matsushima.

そのう 嗉嚢 〘動〙(鳥などの) crop Ⓒ.

そのうえ その上 (さらに) besides, moreover; furthermore; (…に加えて) in addition to …; on top of …; (その上悪いことに) what is worse; (その上よいことに) what is better.
【類義語】思いつき程度に補足したり, 通例よくない事が重なる場合に用いられるのが **besides**. *besides* より格式ばっていて, 重要または強調的な事柄を追加する場合に多く用いられるのが **moreover**. *besides* や *moreover* を使った後に, さらに付け加えて述べる場合に用いられるやや格式ばった語が **furthermore** である. *besides* より少し格式ばっていてまわりくどい表現になるのが **in addition to** … やや口語的で, 前述したこととは異なる状況の追加に用いられるのが **on top of** … (☞ おまけに; さらに; それに)
¶ 私たちは疲れて歩けなかったし, *その上雨まで降り出していた We were too tired to walk; *besides*, it had begun to rain. // その本は内容もあまりおもしろくないし, *その上高すぎる The contents of the book don't interest me very much. *Besides*, it's too expensive. // その山はけわしく, 岩がごつごつしていて, *その上一面氷におおわれていた The mountain was steep and rugged /rʌ́gɪd/; *moreover*, it was covered with ice. // 岡田先生は学校で教えているが, *その上放課後は個人的に音楽を教えている Ms. Okada teaches at school. *In addition* (*to that*), she gives private music lessons after school. // *その上おまけに彼は病気になってしまった *On top of* everything else, he got ill. // 途中で暗くなり, *その上悪いことには雨が降り出した It got dark on the way, and ʳ*what was worse* [*to make matters worse*; *worse still*], it began to rain.

そのうち (すぐに) soon; (間もなく) before long; (いつの日か) someday; (いつか) sometime; (近いうちに) one of these days ★ 会話でよく用いる. (☞ すぐ; やがて). ¶ 彼は*そのうち到着するでしょう He will *soon* arrive. // *そのうちお訪ねします I will visit you ʳ*someday* [*one of these days*; (*sometime*) *in the* (*near*) *future*].

そのおり その折 (その際) on that occasion; (そのとき) then. ¶ *その折はいろいろとご親切にありがとうございました Thank you very much for the kindnesses you showed me *on that occasion*. // 近々上京しますので*その折にお目にかかりましょう I'm coming to Tokyo in a few days and I hope to see you *then*.

そのかわり その代わり (代わりとして) instead; (引き換えに) in exchange. (☞ かわり¹). ¶ 彼は行けないが, *その代わり私が行きます He cannot go, but I'll go *instead*. // アメリカの切手を送って下さい. *その代わり日本のを送ります Please send me some American stamps. I will send you some Japanese stamps *in exchange*.

そのかん その間 during that time (☞ このかん; -かん¹).

そのくせ still, and yet; for all …; nèverthelèss.
【類義語】接続詞的に文や節の前に置かれて反対の意味を強く表すのが **still**. ほぼ同意で少し格式ばった言い方が **and yet**.「…で[が]あるにもかかわらず」という意味で, やや感情的な含みのあるのが **for all** … 副詞であるがよく接続詞的にも用いられて,「それにもかかわらずなお」と強く反対の意味を表す格式ばった語が **nevertheless**. (☞ しかし (類義語); だが)
¶ 娘は友人が欲しいと言うのですが, *そのくせ外には出たがらないのです My daughter says that she wants friends; *still* she doesn't like to go out. // 彼はよく僕の悪口を言うが, *そのくせ彼は僕が好きなんです He often says bad things about me, but he likes me ʳ*all the same* [*for all that*]. ★ [ ] 内のほうが意味が強い. // 彼らは文句ばかり言っているが, *そのくせ働こうとしない They are always complaining ʳ, *and yet* [; *nevertheless*] they won't work.

そのくらい (同じくらいの数の) so [as] many; (同じくらいの量の) so [as] much; (その程度の) that ʳmuch [many]. (☞ それくらい; -くらい).

ソノグラフ 〘医〙(超音波検査器) sonograph Ⓒ.

そのご その後 (その後で) after that; (後で) afterward, afterwards ★ 事の順序に重点がある. 《英》では後者のみ; (時間が経ってから) later; (それ以来) since; (それ以来ずっと) ever since ★ 前者の強調. 2つとも完了時制とともに用いる; (そのときからずっと) from that time on. (☞ それから; あと¹; -ご).
¶ *その後3年して, 彼らは大阪へ引っ越した They moved to Osaka three years *after that*. // キャッチボールをして, *その後泳ぎに行った We played catch and then went for a swim *afterward*(*s*). // *その後1か月してその本は出版された A month *later*, the book was published. // 父は先週の (⇒ この前の) 金曜日に出かけて, *その後ずっと留守です Father left last Friday and has been away (*ever*) *since*. //「*その後いかがですか」「まあまあでした」"How *have* you *been*?" "I've been all right." ★「その後 (いままで)」は現在完了形の意味に含まれる.

そのころ その頃 ── 名 (そのとき) that time, then 語法 前者のほうが特定の時間を限定する意味が強い. ── 副 (その当時) in those days. (☞ とうじ¹).
¶ *そのころのことは何も覚えていません I remember nothing about *that time*. // 彼女は*そのころはもっとずっとほっそりしていた She was much thinner ʳat *that time* [*then*]. // *そのころはまだテレビが発明されていなかった Television had not yet been invented *in those days*.

ソノシート sóund shèet Ⓒ ★「ソノシート」は日本の商標名.

そのじつ その実 (本当は) in fact. ¶ 彼女は知らないふりをしているが, *その実なんでも知っている She assumes an air of ignorance, but *in fact* she knows everything.

そのすじ その筋 (取り扱い官庁) the authorities concerned; (職業) the line (of business); (分野) the field. (☞ そのみち). ¶ *その筋のお達しにより by order of *the authorities concerned* // 彼は*その筋にくわしい (⇒ その分野を熟知している) He has a good knowledge of *the field*.

そのせつ その節 (その時) then; (その折) on that occasion. (☞ そのおり).

そのた その他 ── 代 (残りのもの全部) the others. ── 名 (残りの人たち・残りのもの) the rest 語法 (1) the rest が主語で, 数えられるものを指すときは動詞は複数, 数えられないものを指すときは単数で受ける. ── 副 (…など) and so ʳforth [on] 語法 (2) so

に強勢を置いて言う. forth のほうが格式ばった言い方; etc. ★ラテン語 et cetera /etsétərə/ (and other things) の略で, 元来書き言葉だが, 話し言葉で用いられることもある. and so「on [forth] とも読む. 人については et al. /etǽl/ を使う. 日英比較 日本人は and so on を多用しがちなので注意. さらに etc. の前に and を付けないようにも注意すること. 《☞ エトセトラ(巻末)》. ―― 形 (その他の) other Ⓐ; (それ以上の) further Ⓐ. 《☞ ほか; そのほか》. ¶彼が行った後で, *その他の人たちは議論を再開した After he left, *the others* resumed the discussion. // *その他の学生は教室にいます *The rest* of the [*The other*] students are in the classroom. ★前者のほうが意味が強い. // その本にはチョーサー, シェークスピア, ポープ, バイロン, *その他の詩人の詩がのっています The book contains poems by Chaucer, Shakespeare, Pope, Byron, 「*et al.* [*and others.*] 語法 (3) 人を示す場合は and so forth より and others がよい.
その他大勢 and many others. ¶私は*その他大勢 (⇒ エキストラ) として雇われた I was hired as an *extra*.

そのため その為 ¶*そのために (⇒ その理由で) 彼は辞職した He resigned his post *for that reason*. // 一週間雨が降り, *そのために (⇒ その結果) 洪水になった It rained for a week, and *consequently* there was a flood. // わざわざ*そのために (⇒ その目的で) 君に会いに来たのです I came to see you expressly *for that purpose*.

そのつど その都度 (そのたびごとに) each time ★回数を 1 回ずつ区別していう意味合いが強い. 《☞ -たび; いちいち; -ごと[1]》. ¶コピー機を使うときは, *そのつど私に断って (⇒ 言って[知らせて]) 下さい When you use the copying machine, please「tell me [let me know] *each time*.

そのて その手 1 《方法》: (たくらみ) trick Ⓒ; (わな) trap Ⓒ. ¶*その手は食わない (⇒ そのたくらみは私には効果がない) That *trick* won't work「with [on] me. 《☞ 成句》 // *その手には乗らない (⇒ そんなわなにはまるつもりはない) I won't fall into that kind of *trap*.
2 《種類》: (その種の) that「kind [sort] of ... ★sort のほうがくだけた語; (そんな風な) like that ★名詞の後に置く. ¶*その手の役は苦手だ I'm no good at playing roles *like that*.
その手は桑名の焼き蛤 (そんな計略にはだまされない) You can't catch me with such a trick. / I'm not going to fall prey to that sort of trick.

そのとおり その通り ¶「私は B より A がよいと思います」「*そのとおりです」 "I think A is better than B." "*You're right.* / *That's right.*" 語法 いずれも会話で相づちを打ち, 相手の言ったことを認めるときの表現. 単に《略式》Right. とも言う. 「私もそう思う」という意味で, I think so, too. と言ってもよい. // まったく*そのとおりです (⇒ あなたはまったく正しい) You are「*quite* [*perfectly*] *right*. / (⇒ あなたにまったく同意する) I quite *agree with* you. // *そのとおり You said it. ★くだけた言い方.

そのとき その時 then; at that time 語法 (1) then よりも at that time のほうが特定の時間を限定する意味が強い; at that moment, at that instant 語法 (2) 後者のほうがより瞬間性が強い; (ある特定の場面で) *on that occasion*. 《☞ とき[2]; さいして》. ¶あなたは*そのとき何をしていましたか What were you doing「*at that time* [*then*]? // *そのときまでにはこの仕事は済ませます I'll have finished the work by「*that time* [*then*]. // 私は*そのときから彼女には会っていません I haven't seen her since *then*. // *そのとき, 遠くで雷鳴が聞こえた *At that instant* there was a roll of thunder in the distance. // そのパーティーにいらっしゃったのですか. *そのときにはあなたをお見かけしなかったように思いますが Did you come to the party? I don't remember seeing you *on that occasion*. // 私が出かけようとしていたちょうど*そのとき電話がかかってきた I was about to leave the house. Just *then* the telephone rang.

そのば その場 (そこ) there; (場所) the place; (地点) the spot; (場合) the occasion; (場面) the situation. 《☞ ば》.
¶*その場に居合わせた人たちはみんなびっくりした Everybody *there* was surprised. / Those who happened to be *there* were all surprised. ★第 1 文のほうが口語的. // *その場でそう言えばよかった I should have said so「*on the spot* [(⇒ そのときその場で) *then and there*]. // 私は事故のとき*その場にいませんでした I was not *there* when the accident took place.
その場限り ―― 形 (一時的な) témporàry; (内容はともかく, 間に合わせのための) mákeshift; (返事・口実など, 口から出まかせで) glib ★軽蔑的. ¶彼女はよく*その場限りの言い訳をする She often makes *glib* excuses. **その場しのぎ** ―― 形 (間に合わせの) temporary, makeshift. 《☞ まにあわせ; ふり[2]》.
その場逃れ ¶*その場逃れのうそをつく tell a lie to *get oneself off the hook for the moment* // *その場逃れの言い訳 a *makeshift* excuse

そのはず その筈 ☞ それもそのはず

そのひ その日 (その日に) (on) that day; (強調して, まさにその日に) (on) the very day; (強調して, その同じ日に) (on) the same day 語法 いずれも《略式》では on を略すことが多い.
¶「彼らは月曜日にニューヨークに着いたのですか」「いいえ, *その日にニューヨークを発ったのです」 "Did they arrive in New York on Monday?" "No. They left New York (*on*) *that day*." // *その日に限って (⇒ 特にその日に) 私はお金を持ち合わせていなかったのです I didn't have any money with me (*on*)「*that particular day* [*the day in question*].

そのひかせぎ その日稼ぎ ―― 動 (その日稼ぎをする) earn a precarious living. ¶私は*その日稼ぎなので, まだ生活が不安定だ (⇒ 一定の職業がない) As I *have no regular employment*, my life is still unsettled. 《☞ そのひぐらし》

そのひぐらし その日暮らし ―― 動 (その日暮らしをする) live from hand to mouth. ¶当時私は*その日暮らしだった I *lived from hand to mouth* in those days.

ソノブイ 〘海〙(音響探知用ブイ) sonobuoy Ⓒ.

そのぶん その分 1 《それだけ》 ¶もっと一生懸命働けば*その分売り上げが伸びるだろう If you work harder, sales will improve *that much more*.
2 《様子・調子》 ¶*その分では (⇒ そんなやり方を続けていると) 留学はほぼ無理だよ *If you go on*「*that way* [*like that*], you'll have little chance of studying abroad. // *その分では (⇒ この調子では) 成功はおぼつかない *At this rate*「you [you'll] have very little chance of success.

そのへん その辺 (そのあたり) around there; (その近くに) near there; (どこか) somewhere. 《☞ このへん; へん[2]》. ¶「僕の本, どこにあるか知らないか」「*その辺で見たよ. でも, どこだったか覚えていない」 "Don't you know where my book is?" "I've seen it *somewhere*, but I don't remember where." // *その辺のところはよくわかりません (⇒ そのことについては確信がない) I am not quite sure of *it*.

そのほか その外 ―― 名 (残りのもの) the rest. ―― 代 (その他のもの) the others. ―― 副 (そのほかに) else ★修飾する語の後に置かれる. 《☞ そのた; ほか》. ¶必要なだけ取って*そのほかは私に返して下さい

Take what you want and give *the rest* back to me. // *そのほか何がいりますか What *else* do you want?

そのまま ¶「この机はどこに動かしましょうか」「*そのままにしておいて下さい」"Where ˹shall [should] I move this desk?" "Please leave it *as* (*it*) *is*." // 彼は家に帰ると*そのまま (⇒ すぐ, 寝巻きにも着替えずに) ベッドに潜り込んだ *As soon as* he got home, he went to bed *without changing into* (his) *pajamas*. // 彼は宿題を*そのままにして (⇒ やり終えないまで) 遊びに行った He went out to play, with his homework *left* ˹*unfinished* [*undone*]. //《立ち上がりかけた人に》どうぞ*そのままで (⇒ 立ち上がらないで下さい) Please don't get up.《☞ まま¹; このまま》

そのみち その道 (専門・職業) the line ★ 口語的; (研究の分野) the field; (芸道) the art. ¶ 彼女は*その道の大家です (⇒ 専門家[達人]) She is ˹a specialist in [an expert on] this ˹*subject* [*line*]. ★ subject は研究主題などを指す.

ソノメーター sonómeter Ⓒ ★ 弦の震動数測定器.

そのもの その物 ── 名 the very thing. ── 代《強調用法》itself.《☞ じたい³》
¶ これは私が捜していたまさに*そのものです This is *the very thing* I have been looking for. // 庭は雑草だらけだったが, 家*そのものはよい状態でした The yard was full of weeds, but the house *itself* was in good condition. // あなたは健康*そのものですね (⇒ 健康を絵にかいたようだ) You are *the* (very) *picture of* health, aren't you?

ソノリティー (音の聞こえ(度)) sonority Ⓤ.

そのわりには その割には ☞ それにしては

そば¹ 側 **1** «わき»: (漠然と…の近くに) by …; (…の横に) beside …, by [at] the side of …; (人・物のわきに) at [by] …'s side; (すぐ近くに) close ˹to [by] …; (…の次に) next to …
【類義語】一般的には,「…の近くに, …のわきに」を表すが, 左右の近接関係だけでなく, 前後, 上下の近接関係をも含んでいるのが **by** である. 横の位置を明確にするには **beside**, **by** [**at**] **the side of** で, 後者のほうが「すぐ横」という意味が強い. **at** は **by** より範囲がやや限定される. 前は in front of, 後ろの位置は behind などを用いる. 人や物の「わきに」,「わきで」という意味で副詞句の働きをするのが **at …'s side** と **by …'s side** である. **at** は **by** より範囲がやや限定される. ほとんど接触するばかりに近い位置関係を示すのが **close to** や **close by** の2つで, ほぼ同意だが **close to** のほうが一般的. 前後, 左右の位置よりも, 順序関係に力点を置くのが **next to** である. これは2つの物や人の間に介在物を置かないで, それぞれの物・人が隣接している状態を表す.《☞ わき; よこ; かたわら》
¶ 池の*そばに小さな公園があります There is a small park *by* the pond. // 彼女は友達の*そばに座った She sat *beside* her friend. // その樫(かし)の木は家の*そばにある The oak tree is *beside* the house. // その建物の*そばに車をとめた I parked my car *by the side of* the building. // 彼は銀行の*そばの駐車場へ行った He went to the parking lot *at the side of* the bank. // 私の*そばに来て座りませんか Why don't you come and sit *by my side*? // 彼女の母親は彼女が病気の間中ずっと*そばについていた Her mother was *by her side* all through her illness. // 私たちの家は小学校のすぐ*そばにある Our house is *close to* the elementary school. // 彼のすぐ*そばのあの男の人はだれですか Who is that man *next to* him? // 彼女は私の*そばに寄ってきた She came (up) *close to* me. 語法 close は 副 で「すぐそばに」の意味.
2 «付近» ── 前 (…の近くに) near … 日英比較 「…から近い」という日本語を直訳して near from … とするのは誤り; (…の周囲に) around …, about … ★ around のほうが一般的. ── 副 near; (近所に) in the neighborhood ★ やや格式ばった表現; (すぐ近くに) nearby ★ 主として《米》. 距離が近いことを表す. ── 形 near; (近所の・近くの) neighboring Ⓐ, nearby Ⓐ.《☞ ふきん¹; きんじょ; あたり¹》
¶ 私の祖父母は湖の*そばの家に住んでいます My grandparents live in a house *near* the lake. // 君と山田君とどっちが駅の*そばに住んでいますか Who lives ˹*near* [*in the neighborhood of*] the station, you or Yamada? // その古城の*そばには森があった Woods lay *around* the old castle. // 彼の息子と娘はすぐ*そばの学校に通っている His son and daughter go to a school *nearby*. ★ school に修飾語がつくと冠詞がつく.

そば² 蕎麦 (そば・そばの実) buckwheat Ⓤ; (加工品) buckwheat noodle Ⓒ ★ しばしば複数形で; *soba* Ⓤ. **そば掻き** *soba* [buckwheat] mash Ⓤ **そば殻** buckwheat chaff Ⓤ **そば切り** buckwheat noodle Ⓒ **そば粉** buckwheat flour Ⓤ **そば鮨** (説明的に) sushi made with buckwheat noodles instead of vinegared rice Ⓤ **そば猪口** *soba* cup Ⓒ; (説明的には) cup [small bowl] for soy-based sauce to dip *soba* noodles in Ⓒ **そば饅頭** (説明的に) *soba* [buckwheat] bun stuffed with sweet bean paste Ⓒ **そば屋** *soba* [noodle] shop Ⓒ, *soba* [noodle] restaurant /réstərənt/ Ⓒ **そば湯** (説明的に) *soba* starch gruel Ⓤ.

ソバージュ (女性の髪型) *sauvage* /sǽvɪdʒ/ hairdo Ⓤ ★ sauvage は「野蛮な」を意味するフランス語.

そばえ 日照雨 (ある所だけに降る雨) rain falling in a particular place Ⓒ; (断続的な雨) intermittent rain Ⓒ; (通り雨) passing rain Ⓒ; (むらしぐれ) autumn rain Ⓒ.

そばかす ── 名 freckle Ⓒ. ── 形 (そばかすのある) freckled. ¶ その少年は顔に*そばかすがあります The boy has ˹a *freckled* face [*freckles*].

そばしゅう 側衆 〘史〙 chamberlain /tʃéɪmbəlɪn/ of Tokugawa shogunate Ⓒ.

そばだてる ¶ 耳を*そばだてる (⇒ 耳をすます) strain *one's* ears / (⇒ 動物が耳をぴんと立てる) prick up *one's* ears 語法 口語では人間にも使われる. // 私は彼の言うことに耳を*そばだてた (⇒ 注意を集中させた) I gave my whole attention to what he said.

そばづえ 側杖 by-blow Ⓒ. **側杖を食う** be [get] involved, get a by-blow. ¶ 他人の喧嘩の*側杖を食った (⇒ 巻き込まれた) I ˹*was* [*got*] *involved* in other people's quarrel. / I *got a by-blow* in other people's quarrel.《☞ まきぞえ》

そばづかえ 側仕え ── 動 attend [wait] on *a person*. ── 名 (人) personal attendant Ⓒ.

そばづくえ 傍机 ☞ わきづくえ

そばづけ 傍付 ☞ わきづけ

そばめ 側目 ☞ はため

そばめる 側める (目をそらす) look [turn] away; (顔をそむける) turn *one's* face away. ¶ 彼女はその死体から目を*側めた She ˹*looked away* [*averted her eyes*] from the dead body.

そばようにん 側用人 〘史〙 grand chamberlain /tʃéɪmbəlɪn/ of Tokugawa shogunate Ⓒ; (説明的には) one who relays messages between the shogun and his highest councilors called *roju* Ⓒ.

ソビエト ── 名 (政府・人民) the Sóviets ★ 複数形で. ── 形 (ソビエトの) Soviet Ⓐ. **ソビエト連邦** ── 名 固 the Soviet Union; (正式名) the Union of Soviet Socialist Republics《略 U.S.S.R.》★ 1922 年成立, 91 年 12 月解体.《☞ ロシア》

そびえる 聳える rise ㊀, tower ㊀ ★ 後者のほうが格式ばった語. 《☞ そそりたつ; たかい[1] (類義語)》. ¶ 遠くの方に高いビルが*そびえている You can see tall buildings *rising* in the distance. // 入口には大きな木が*そびえている There is a 「*towering* [*very tall*] tree by the gate.

そびやかす 聳やかす (肩を) raise *one's* shoulders; (肩をいからせる) draw (up) *one's* shoulders. 《☞ かた[1]》. ¶ 肩を*そびやかして歩く (⇒ 威張って歩く) swagger

そびょう[1] 素描 (rough) sketch Ⓒ.

そびょう[2] 祖廟 ancestral 「mausoleum /mɔ̀ːsəlíːəm/ [shrine] Ⓒ.

-そびれる (機会を失う) miss a chance to *do* ...; (予想どおりにうまくいかない) fail to *do* ... 《☞ -そこなう》. ¶ 彼に大事なことを言い*そびれてしまった I 「*failed* [*missed the chance*] *to* let him know the important things.

そひん 粗品 ☞ そしな

そふ 祖父 grandfather Ⓒ 《☞ おじいさん; 親族関係 (囲み)》.

ソファー sofa Ⓒ, couch Ⓒ ★ 後者はひじかけが片方だけの長いすをいうこともあるが, 区別は厳密ではない. 《米》では couch をよく使う. 《☞ いす 日英比較 ; いま[2] (挿絵)》. ソファーベッド sofa bed Ⓒ.

ソフィア[1] — 名 固 Sofia /sóʊfiə/ ★ ブルガリアの首都.

ソフィア[2] (女性名) Sophia ★ 原語はギリシャ語の sophia (=wisdom).

ソフィスティケーション sophisticátion Ⓤ.

ソフィスティケート — 動 (洗練させる) sophísticàte ㊀ ★「自然さを失わせる」「世慣れさせる」の意味にもなることに注意. — 形 sophísticàted.

ソフィスト (詭弁家) sophist Ⓒ.

ソフォクレス — 名 固 Sophocles /sάfəkliːz/, 496?–406? B.C. ★ 古代ギリシャの悲劇詩人.

ソフト — 形 (柔らかい) soft (↔ hard). — 名 (コンピューターのソフトウェア) software Ⓤ. 《☞ やわらかい; コンピューター (囲み)》. ソフト産業 〔コンピューター〕 the software industry Ⓤ ソフト帽 (フェルト製の中折れ帽子) (soft) felt hat Ⓒ.

ソフトウェア (コンピューターの) software Ⓤ (↔ hardware) 《☞ コンピューター (囲み)》. ソフトウェアエンジニアリング software engineering Ⓤ ソフトウェア会計 (ソフトウェア関連の会計処理) accounting 「procedure [treatment] for software Ⓤ ソフトウェア開発支援システム software development 「aid [support] system Ⓒ ソフトウェア科学 software science Ⓤ ソフトウェアクライシス software crisis Ⓒ ソフトウェア特許 patent on software Ⓒ ソフトウェアハウス software house Ⓒ.

ソフトエネルギーパス soft energy paths ★ 複数形で.

ソフトカードミルク (乳児用の調整牛乳) soft-curd milk Ⓤ.

ソフトカバーブック softcover (book) Ⓒ (↔ hardcover); (ペーパーバック) paperback Ⓒ.

ソフトカレンシー 〔経〕(金や外貨に換えられない通貨) soft currency Ⓤ (↔ hard currency).

ソフトグッズ (衣類など) soft goods.

ソフトクリーム *soft ice cream* Ⓒ ★ 《英》では ice cream cone あるいは単に ice cream という.

ソフトコピー (画面に表示される情報) soft copy Ⓒ.

ソフトコンタクトレンズ soft contact lens Ⓒ.

ソフトサイエンス (社会科学系の学問) soft science Ⓒ.

ソフトスーツ (ゆったりしたスーツ) loose suit Ⓒ ★「ソフトスーツ」は和製英語.

ソフトセール (穏やかな販売方法) the soft sell(ing) Ⓤ ★「ソフトセール」は和製英語.

ソフトタッチ — 形 (感触が柔らかい) soft to the touch; (人当りが柔らかい) affable; (物腰の柔らかな) polite; (態度が柔和な) gentle ★ soft touch は「だまされやすい人」の意.

ソフトテニス softball tennis Ⓤ.

ソフトドリンク soft drink Ⓒ 《☞ ジュース[1] 日英比較》.

ソフトニュース (スポーツや芸能界などのニュース) soft news Ⓤ.

ソフトノミックス 〔経〕(説明的に) economics for a better information society Ⓤ ★「ソフトノミックス」は soft と economics を組み合わせた和製英語.

ソフトハウス software house Ⓒ.

ソフトパワー 〔政〕(説明的に) economic, cultural, and diplomatic 「influence [effect] in political power Ⓒ ★「ソフトパワー」は和製英語.

ソフトフォーカス — 名 soft focus Ⓤ. — 形 sóft-fócus Ⓐ ★ Ⓟ の場合はハイフンなし. ¶ *ソフトフォーカスのポートレート写真 a *sóft-fòcus* pórtrait

ソフトベンチャー start-up software house Ⓒ.

ソフトボイルド — 形 soft-boiled.

ソフトボール softball Ⓤ ★ ボールの意味では Ⓒ.

ソフトポルノ sóft pornógraphy Ⓤ, 《略式》 soft porn(o) Ⓤ. 《☞ ポルノ》.

ソフトランディング soft landing Ⓒ 《☞ ちゃくりく》.

ソフトルック — 形 (やわらかい色調の) softly toned ★「ソフトルック」は和製英語. ¶ 彼女は*ソフトルックな (⇒ やわらかい線の) ドレスをデザインした She designed a dress *with soft lines*.

ソフトロー 〔法〕 soft law Ⓒ; (説明的には) resolution or/and declaration adopted at an international conference Ⓒ.

ソフトローン soft loan Ⓒ.

そふぼ 祖父母 grandparents 《☞ そふ; そぼ; 親族関係 (囲み)》.

ソ(フ)ホーズ (旧ソ連の国営農場) sovkhoz /sʌfkɔ́ːz/ Ⓒ (複 -zy, ～es; ☞ コルホーズ》.

ソプラノ 〔楽〕 sopráno Ⓤ ★ 歌手の意味では Ⓒ. 形 としても用いられる. ¶ 彼女は*ソプラノで歌っています She sings *soprano*. ソプラノ記号 〔楽〕 soprano clef Ⓒ.

そぶり 素振り (習慣的または特徴的な態度) manner Ⓒ; (心構え) attitude Ⓒ; (様子・外見) air Ⓒ. 《☞ ようす; たいど》. ¶ 彼女は私につれない*素振りをする (⇒ 冷たい) She is cold 「to [toward] me.

ソブリンローン 〔経〕(国家への貸し付け) sovereign loan Ⓒ.

そぼ 祖母 grandmother Ⓒ 《☞ おばあさん; 親族関係 (囲み)》.

そぼう 粗暴 — 形 (乱暴で手に負えず, 行動が危険な) violent; (荒っぽくて優しさのない) rough (↔ gentle); (無軌道な) wild. — 名 violence Ⓤ; roughness Ⓤ; wildness Ⓤ. 《☞ らんぼう; そや》.

そほうか 素封家 (金持ち) wealthy [rich] person Ⓒ; (資産家) person of means Ⓒ.

そほうのうぎょう 粗放農業 (集約農業に対し大規模の) extensive 「agriculture [farming] Ⓤ; (自然農法) organic [chemical-free] farming Ⓤ.

ソホーズ ☞ ソフホーズ

そぼく 素朴 — 形 (飾り気や見えがなく質素な) simple 語法 (1) この語は人に用いると「お人好しで愚かな」という悪い意味になる; (子供のように天真らんまんで純朴な) naive, naïve /nɑːíːv/ 語法 (2) この語はしばしば「お人好しで知恵が足りない」という悪い意味になる; (世間的に悪ずれしていない) ùnsophísticàted (↔ sophisticated). ━图 simplicity Ⓤ; naiveté, naïveté /nɑ̀ːiːvtéɪ/ Ⓤ ★ é の ´ は綴り本来のもの. (☞ じゅんしん; たんじゅん). ¶ *素朴な生活 a *simple* life // *素朴な田舎娘 a *naive* [an *unsophisticated*] country girl // 彼らの家は*素朴な感じの家です Their house is *simple* in style.

そぼふる そぼ降る ━動 drizzle 自. ¶ *そぼ降る雨 (a) *drizzle* / a *drizzling* rain

そぼろ finely minced boiled fish Ⓤ.

そま 杣 (材木をとる山) timberland Ⓤ; (きこり) woodcutter Ⓒ.

そまつ 粗末 **1** «上等でないこと» ━形 (質が悪く貧弱な) poor ★ 意味の広い一般的な語; (飾りがなく簡素であっさりした) plain; (見えを張らず, 質素で控え目な) humble; (質が劣っていて粗野な) coarse; (使い古されていてみすぼらしい) shabby; (見た目がみじめて, みすぼらしい) miserable. (☞ しっそ).

¶ その男は*粗末な衣服を着ていた The man wore ˹*poor* [*shabby*] clothes. // あの役者の演技はお*粗末でした (⇒ あの役者はお粗末な演技をした) The actor gave a ˹*poor* [*miserable*] performance. // 彼らの食べ物は*粗末なものだ They eat *poor* food. // ホワイト一家は農場の*粗末な小屋に住んでいました The Whites lived in a *humble* cottage on a farm.

2 «おろそかに扱う» ━動 (物を不注意に扱う) be careless ˹about [of] … ★ 話し言葉では about が多い; (ないがしろにする) neglect 他; (むだ使いする) waste 他. (☞ ないがしろ).

¶ 体を*粗末にしてはいけません. 体が資本ですから Don't ˹*be careless about* [*neglect*] your health; health is a real asset. ★ neglect のほうが格式ばった言い方. // たった 1 枚の紙でも*粗末にしてはいけません You must not *waste* even a single ˹piece [sheet] of paper.

ソマリア ━图 固 Somalia /soumɑ́ːliə/; (正式名) the Somali /soumɑ́ːli/ Democratic Republic ★ アフリカ東端部, インド洋に面する国. ━形 Somalian. **ソマリア人** Somalian Ⓒ **ソマリア内戦** the Somalian Civil War.

ソマリご ソマリ語 Somali Ⓤ.

ソマリランド ━图 固 Somaliland ★ 東アフリカの地域.

そまる 染まる **1** «色がつく»: (染料によって) dye 自 (☞ そめる). ¶ この生地はよく*染まらない This cloth does not *dye* well. // その男は血に*染まって (⇒ 血に覆われて) 倒れていた The man was found lying *covered* in blood.

2 «感染する»: (悪い影響を受けている) be infected with … (☞ かぶれる). ¶ 子供たちが社会の悪に*染まるのを防がなくてはならない We must prevent children from *being infected* ˹*with* [*by*] the evils of society.

そみつ 粗密, 疎密 (人や物などの密集の度合い) *density* Ⓤ (↔ sparsity); (きめの細かさ) fineness Ⓤ (↔ roughness). ¶ 人口の*粗密 population *density* **粗密波** 〘物理〙 compressional wave Ⓒ.

そみんしょうらい 蘇民将来 (災厄除けの護符) talisman [charm] to ward off disaster Ⓒ.

そむく 背く **1** «従わない»: (命令に従わない) dìsobéy 他; (命令を無視する) disregárd 他 ★ やや格式ばった語; (法律などに違反する) violate 他 ★ やや格式ばった語; (規則を破る) break 他. (☞ いはん¹ (類義語); やぶる). ¶ 彼は上司の命令に*背いた He *disobeyed* his boss. // 彼は私の指図に*背いた He *disregarded* my instructions.

2 «反する» ¶ ご期待に*背かないようがんばります (⇒ ご期待に沿うよう最善を尽くすつもりです) I'll do my best to *meet* your expectations. (☞ うらぎる)

そむける 背ける (顔[視線]をそらす) turn *one's* ˹face [eyes] away from … (☞ そらす¹).

ソムリエ (レストランなどのワイン係) sommelier /sʌ̀məljéɪ/ Ⓒ ★ フランス語から.

ソムリエール (レストランなどの女性ワイン係) female sommelier Ⓒ ★「ソムリエール」はフランス語の sommeliere から.

そめ 染め dyeing Ⓤ. ¶ この生地は*染めが良い [悪い] This material /mətí(ə)riəl/ *is* ˹well [poorly] *dyed*.

そめあがり 染め上がり ¶ この生地は*染め上がりがよい [悪い] This cloth *dyes* ˹well [poorly]. ★ 生地の性質をいう場合. / This cloth *is* ˹well [poorly] *dyed*. ★ 染め上がった状態をいう場合.

そめあがる 染め上がる dye 自 (☞ そまる). ¶ その生地は美しく*染め上がった The cloth *dyed* beautifully.

そめあげる 染め上げる (染め終える) finish dyeing. ¶ 布をあいに*染め上げる *dye* cloth in indigo

そめい 疎明 (言い訳) excuse Ⓒ; (弁明) vindication Ⓤ; (釈明) explanation Ⓤ. (☞ いいわけ; べんめい). **疎明資料** 〘法〙 (推定的証拠) *prima facie* /práɪməféɪʃìː/ evidence Ⓤ.

そめいよしの 染井吉野 〘植〙 Somei-Yoshino cherry tree Ⓒ.

そめかえす 染め返す redye 他 (☞ そめなおす).

そめかえる 染め変える dye … in a different ˹color [(英) colour].

そめこ 染め粉 dye Ⓤ ★ 個々にいうときには Ⓒ.

そめだす 染め出す ¶ 青地に黄色の花柄を*染め出す *dye* a design of yellow flowers ˹on [onto] a blue background

そめつけ 染め付け **1** «染めつけること»: dyeing Ⓤ. **2** «あい色模様を染めつけた布»: cloth with indigo designs Ⓤ. **3** «あい色模様を染めつけた磁器»: glazed china with indigo designs Ⓤ.

そめつける 染め付ける ¶ 花柄を*染めつける *dye* floral designs

そめなおす 染め直す redye 他. ¶ 布地を黒に*染め直す *redye* the cloth black

そめぬきもん 染め抜き紋 white crest on a colored background Ⓒ.

そめぬく 染め抜く ¶ 家紋を黒地に*染め抜く put [keep] *one's* white family crest ˹on [onto] a black background

そめもの 染め物 (染めること) dyeing Ⓤ; (染めた物) dyed goods. (☞ せんしょく). **染め物工場** dyeworks ★ 複数形でしばしば単数扱い. **染め物屋** (人) dyer Ⓒ; (店) dye house Ⓒ.

そめもよう 染め模様 dyed ˹pattern [design] Ⓒ (☞ もよう 語法).

そめる 染める (染料で) dye 他; (比喩的に, 薄く色をつける, うっすらと染める) tinge 他. (☞ そまる). ¶ 彼女は服を赤く*染めた <S (人) + V (*dye*) + O (物) + C (色)> She *dyed* the dress red. // 彼女は髪を金髪に*染めている She has her hair *dyed* blonde. // 入り日が山々を薄くばら色に*染めた The sinking sun *tinged* the mountains with a ˹rose [rosy] ˹color [hue].

-そめる …初める (…し始める) start 他 自, begin 他 自. (☞ はじめる; みそめる).

そめわける 染め分ける (異なった色に染める) dye … in different ˹colors [(英) colours]. ¶ 布を赤, 青, 黄色に*染め分ける *dye* the cloth *in* red, blue, and yellow.

そもう 梳毛 (すいた羊毛) combed /kóumd/ wóol Ⓤ. **梳毛織物** worsted /wʊ́stɪd/ (fabric) Ⓤ **梳毛機** combing /kóumɪŋ/ machine Ⓒ.

そもそも **1** «第一に»: (まず第一番目に) in the

first place; (まず始めに) to begin with.
2 «いったい» ¶*そもそもの事の起こりは何ですか (⇒いったい事がどう始まったかを話してください) Tell me how *on earth* the whole thing started. (☞ いったい[1])

そや 粗野 ― 形 (上品さのない) coarse; (俗悪・野卑な) vulgar; (乱暴な) rough; (無作法な) rude. ― 名 coarseness Ⓤ; vulgarity Ⓤ; roughness Ⓤ; rudeness Ⓤ. (☞ らんぼう; ぶさほう). ¶彼の*粗野な言葉遣いにだれもがあきれた Everyone was shocked by the ⌈*coarse* [*vulgar*] words he used.

そやす (そそのかす) incite ⑩, instigate ⑩ ★ いずれも格式ばった語; (ほめそやす) rave ⌈about [over] …; (おだてる) flatter ⑩. (☞ おだてる; そそのかす).

ソユーズ (ロシアの宇宙船) Soyuz /soujúːz/ Ⓒ.

そよう 素養 (知識・学識) knowledge Ⓤ (☞ がくもん (類義語); きょうよう[1]). ¶中国古典の*素養がある know the Chinese classics

そようちょう 租庸調 〔史〕 *So-yo-cho*, basic taxes under the *ritsuryo* system adopted after the Taika Reform in the seventh century ★ 説明的な訳. (☞ りつりょう).

そよかぜ 微風 breeze Ⓒ; (説明的に) light gentle wind Ⓒ 語法 breeze には「快い」というニュアンスがある. (☞ かぜ[1]). ¶*そよ風が木の葉を揺り動かした The ⌈*breeze* [*light gentle wind*] stirred the leaves. // きょうは*そよ風が吹いている It is *breezy* today.

そよぐ 戦ぐ (さらさらと軽い音を立てる) rustle /rʌ́sl/ ⓐ; (揺れる) sway ⓐ; (軽く動く) stir ⓐ. (☞ かぜ[1]; ゆれる). ¶木の葉が風に*そよぐ The leaves *rustle* in the wind. // 池のほとりの葦(あし)が風に*そよいでいる The reeds by the pond *are swaying* in the wind.

そよそよ ― 副 gently, softly 語法 前者は「穏やかさ」を, 後者は「低くて快い音」を表す. (☞ かぜ[1]; そよかぜ; 擬声・擬態語 (囲み)). ¶春風が*そよそよと果樹園を吹き抜けていた A spring wind was blowing ⌈*gently* [*softly*] through the orchard.

そよふく そよ吹く (そよそよと吹く) breeze ⓐ; (穏やかに吹く) blow gently; (低くやさしく吹く) blow softly. (☞ そよかぜ; そよそよ).

そら[1] 空 **1** «天»: the sky 語法 複数形 skies が用いられる場合は広がり・連続性を強調する用法で, しばしば「空模様」「天候」の意味となる.「ある状態の空」の意味で形容詞が付くと不定冠詞が用いられる; (空中) the air. (☞ てん[2]; くうちゅう; 冠詞 (巻末)). ¶台風が接近して*空が暗くなった *The sky* turned dark as the typhoon approached. // 夕焼け*空は翌日が晴天のしるしだ A crimson *sky* in the evening ⌈is a sign of [promises] a fair day to come. // どんよりとした*空だと憂うつです Gray [Gloomy] *skies* get people down. // 現代の*空の旅はとても速い *Air* travel is now very fast. // テレビ塔が*空高くそびえている The television tower rises high (up) *in the air*. (☞ そびえる)
2 «天候»: weather Ⓤ (☞ てんき[1]). ¶*空が怪しい The ⌈*weather* [*sky*] looks threatening. / (⇒雨が降りそうだ) It looks like rain.
空を使う (知らないふりをする) pretend not to know …, pretend ignorance; (うそをつく) lie ⓐ, tell a lie. (☞ とぼける; うそ[1]).
空色 ― 名 sky blue Ⓤ. ― 形 sky-blue 空模様 the look(s) of the sky; (天候) weather Ⓤ. ¶この*空模様ではあすは雪になるかもしれません Judging from [From] *the look*(*s*) *of the sky*, we may have snow tomorrow.

――コロケーション――
青空 a ⌈blue [clear] *sky* / 明るい空 a bright *sky* / (雨の)降り出しそうな空 a threatening *sky* / 一面に曇った空 an overcast *sky* / 雲のない空 a cloudless *sky* / 曇り空 a cloudy *sky* / 暗い空 a dark *sky* / 晴れた空 a clear *sky* / 星空 a starry *sky* // 空が明るくなる it [the *sky*] brightens / 空が曇る it [the *sky*] clouds ⌈over [up] / 空が晴れ上がる it [the *sky*] clears up / 空が晴れる it [the *sky*] clears

そら[2] (何かを述べる前に注意を引くとき) Look!; (いいかい) See here. (☞ ほら[1]; さあ). ¶*そら, 見せてあげよう *Look*! I'll show it to you. // *そら, バスが来た *Here* comes the bus! // *そらみなさい (⇒そう言ったでしょう) *I told you so*!

ゾラ ― 名 ㊐ Émile Zola /eɪmíːl zóulə/, 1840–1902. ★ フランスの小説家. Émile の ´ は綴り本来のもの.

そらいびき 空鼾 ¶彼は*そらいびきをかいていた (⇒いびきのような声を出して寝たふりをしていた) He feigned sleep by *pretending to snore*.

そらおそろしい 空恐ろしい (…に強い不安を感じる) feel strong anxiety about … (☞ ふあん; おそろしい).

そらおぼえ 空覚え (暗記) mèmorizátion Ⓤ; (うろ覚え) faint memory Ⓒ. (☞ あんき; うろおぼえ).

そらごと 空事 ☞ えそらごと

そらす[1] 逸らす **1** «目を»: turn *one's* eyes away from … (☞ そむける). ¶彼女は私から目を*そらした (⇒彼女の視線は私の視線を避けた) Her eyes *avoided* mine. // 私はぎらぎら輝く太陽から目を*そらした I *turned my eyes away from* the glare of the sun.
2 «話を»: (話題を変える) change the ⌈topic [subject] (into …) 語法 「…から…へ」というときは from … into … となる. ¶話を*そらさないで下さい Please don't *change the subject*. // 彼はその話題から話を*そらした (⇒方向転換させた) He *steered* the conversation *away* from the topic.
3 «注意や気を»: (物事から人の注意などをそらす) divert ⑩.

そらす[2] 反らす (垂直の状態から後ろに曲げる) bend … backward (☞ そる[2]; まげる).

そらぞらしい 空空しい ― 形 (偽りの) false; (誠意や意味のない) empty; (疑わしくて信じられない) thin; (信じられない) unbelievable. (☞ みえすいた; しらじらしい).
¶彼はだれにもわかるような*そらぞらしいことを言った He made a *false* statement which anyone could have seen through. // 彼女はいつも*そらぞらしい言い訳をします She's always making *thin* excuses.

そらだのみ 空頼み (はかない望み) vain hope Ⓒ. ¶彼女に金の援助を期待したんだが*空頼みだった (⇒むだだった) I counted on her financial assistance, but *in vain*.

そらで 空で ¶詩を*そらで覚える (⇒暗記する) *memorize* a poem / *learn* a poem *by heart* ★ 前者には「意識的に覚える」というニュアンスがある. (☞ あんき)

そらとぶえんばん 空飛ぶ円盤 flying saucer Ⓒ (☞ ユーフォー).

そらとぼける 空とぼける ― 動 (知らないふりをする) pretend not to know … ― 名 fálse ínnocence Ⓒ. (☞ しらばくれる).

そらなき 空泣き ☞ うそ[1] (嘘なき)

そらなみだ 空涙 crócodile tèars ★ 複数形で.「わには獲物を食べながら涙を流す」という言い伝えから. (☞ なみだ).

そらに 空似 ― 名 àccidéntal resémblance Ⓒ. ― 動 be like … by chance. (☞ にる[1]). 他人の

空似 ☞ たにん
ソラニン 〔化〕 solanin(e) /sóulənɪn/ Ⓤ.
そらね 空寝 ―名 sham [feigned] sleep Ⓤ. ―動 sham [feign] sleep(ing), pretend to be asleep. (☞ たぬき (たぬき寝入り)).
そらねんぶつ 空念仏 (口先だけの祈り) empty prayer Ⓒ.
そらべん 空弁 box lunch sold at an airport Ⓒ.
そらへんじ 空返事 absent-minded answer Ⓒ (☞ うわのそら). ¶何か心配事があるの? *空返事ばかりして (⇒ぼんやりしているように見える) Are you worried about something? You seem *absent-minded.*
そらまめ 空豆, 蚕豆 〔植〕 broad bean Ⓒ.
そらみみ 空耳 (聞き違い) mishearing Ⓤ; (空想) imagination Ⓤ ★「空想したもの」の意味では Ⓒ. ¶彼女の声が聞こえたと思ったが*空耳だった I thought I heard her voice, but it was only (in) my *imagination.*
そらめづかい 空目遣い ―動 (見て見ぬふりをする) shut [close] *one's* eyes to ...; (上目遣いをする) give ... an upward glance, see ... with *one's* upturned eyes. (☞ うわめづかい).
そらよろこび 空喜び ☞ ぬかよろこび
ソラリアム (病院などの日光浴室) solarium /souléə)riəm/ Ⓒ.
ソラリゼーション 〔写〕 solarization Ⓤ.
そらんじる 諳んじる say [learn] ... by heart; (詩などを) recíte ㊀. (☞ あんき).
そり[1] **橇** ―名 (遊びのための, 小型の) sled Ⓒ; (馬で引くもの) sleigh Ⓒ; (大型で荷物運搬用の) sledge Ⓒ. ―動 (そりに乗る) go on a sled; (そりで行く) sled ㊁. ¶*そり滑りに行こう Let's go *sledding.*
そり[2] **反り** (曲線を描くように曲がっていること) curve Ⓒ; (本来は真っすぐな物に力が加わって曲がっていること) bend Ⓒ; (板などのゆがみ) warp Ⓒ; (橋などの反り) arch Ⓒ.
¶この刀の*反りは美しい (⇒この刀は美しい反りを持っている) This sword has a beautiful *curve.* // この板には*反りがある There is a *warp* in this board. / (⇒この板は反っている) This board *is warped.* / This board has a *warp.*
反りが合わない (意見がまったく一致しない) do not see eye to eye (☞ うま[1] (うまが合う)). ¶「彼は奥さんとうまくいっていますか」「いいえ, 何事においても*反りが合わなくて, 結婚は暗礁に乗り上げると思います」 "Is he getting along well with his wife?" "No. They *don't see eye to eye* on anything, and I'm afraid their marriage will ˹end up on the rocks [break up]."
そり[3] **剃り** shave Ⓒ. ¶深*剃りする get [have] a ˹close [clean] *shave*
そりあじ 剃り味 ¶このかみそりは*そり味がいい (⇒よくそれる) This razor *shaves* well.
そりあたま 剃り頭 (剃った頭) shaven head Ⓒ; (短く刈った頭) close-cropped head Ⓒ.
そりおとす 剃り落とす shàve óff ㊀. ¶ひげを*そり落とす *shave* (*off*) *one's* beard
そりかえる 反り返る 1 «曲がる»: (反って後ろに曲がる) bend backward(s) ㊁; (木材が反る・反らせる) warp ㊁ ㊀, get warped. (☞ そる[2]; まがる (類義語)). ¶部屋の湿気で床が*反り返った (⇒部屋の湿気が床を反り返らせた) The dampness of the room *warped* the floor(boards).
2 «威張る»: (ふんぞり返って歩く) swagger ㊁ (☞ いばる (類義語)).
そりこみ 剃り込み ¶弟は*そり込みを入れている My brother has *his hair shaven at both ends of his forehead.*
そりじたおん 反り舌音 〔音声〕 retroflex sound Ⓒ.
ソリスト soloist /sóulouɪst/ Ⓒ.
そりたて 剃り立て ―形 newly shaven. ¶彼の髭は*剃りたてだ (⇒剃ったばかりだ) He *shaved just now.*
ソリダリティー (連帯) solidarity Ⓤ (☞ れんたい).
ソリッド ―形 (固い・固体の) solid. ―名 solid Ⓒ.
ソリッドギター 〔楽〕 solid [solid-body] guitar Ⓒ.
ソリッドステート ―形 solid-state.
ソリッドタイヤ (中までゴムのタイヤ) solid ˹tire [(英) tyre] Ⓒ.
そりとび 反り跳び the hang-style jump; (説明的には) the long jump with the whole body bent backward.
ソリトン 〔物理〕 soliton /sálətàn/ Ⓒ.
そりはししぎ 反嘴鴫 〔鳥〕 terek Ⓒ.
そりみ 反り身 ―動 (体を後ろに曲げる) bend backward(s) ㊁; (胸を突き出す) stick out *one's* chest. (☞ そりかえる).
そりゃく 粗略 ―副 (軽率に) lightly; (乱暴に) roughly; (無責任に) irresponsibly. (☞ そまつ; ぞんざい). ¶あの人を*粗略に扱わないほうがいい You should not treat him *lightly.* // この箱を*粗略に扱わないように Don't handle this box *roughly.*
そりゅうし 素粒子 〔物理〕 élemèntary párticle Ⓒ. **素粒子物理学** (elementary) particle physics Ⓤ **素粒子論** the theory of elementary particles.
ソリューション (解決) solution Ⓒ; (溶液) solution Ⓤ ★ 種類をいう場合は Ⓒ.
そる[1] **剃る** shave ㊀ ㊁ (☞ かみそり; ひげ[1]). ¶電気かみそりで顔を*そる *shave* with an electric ˹shaver [razor]
そる[2] **反る** (平らな板が乾燥や収縮で曲がる・曲げる) warp ㊁ ㊀; (物が湾曲する) curve ㊁; (体や指が後方に曲がる) bend backward(s) ㊁. (☞ まがる (類義語)). ¶日なたで板が*反った The board *has been warped* by the sun. // この鉄パイプは左に*反っています This steel pipe *curves* to the left.
ゾル 〔化〕 (コロイド溶液) sol /sá:l/ Ⓤ.
ゾルゲじけん ゾルゲ事件 〔史〕 the Sorge Incident.
ソルジェニーツィン ―名 ㊎ Aleksandr Isayevich Solzhenitsyn /á:leksá:ndr(ə) ɪsá:ɪvitʃ sòulʒəní:tsn/, 1918– . ★ ソ連・ロシアの小説家.
ソルジャー (兵士) soldier Ⓒ (☞ ぐんじん).
ソルダム 〔植〕 (スモモの改良種) soldum Ⓒ; (説明的には) Japanese plum of an improved variety Ⓒ.
ソルティドッグ (カクテルの一種) salty dog Ⓒ.
ソルト SALT /sɔ́:lt/ ★ *S*trategic *A*rms *L*imitation *T*alks (戦略兵器制限交渉)の略.
ソルトレークシティー ―名 ㊎ Salt Lake City ★ 米国ユタ州の州都. (☞ アメリカ (表)).
ソルビット 〔化〕 sorbitol Ⓤ.
ソルビンさん ソルビン酸 〔化〕 sorbic acid Ⓤ.
ソルフェージュ 〔楽〕 solfeggio /sɑlféʤiòu/ Ⓒ (複 solfeggi /-ʤi:/, ～s).
ソルベ (シャーベット) (米) sherbet Ⓒ, (英) sorbet /sɔ́əbeɪ/ Ⓒ ★ いずれも食品名としては Ⓤ.「ソルベ」はフランス語から.
ソルベンシーマージン (保険会社の支払い余力) solvency margin Ⓒ.
ソルボンヌ ―名 ㊎ the Sorbonne /sɔəbán/ ★ パリ大学の通称.

ゾルレン 〘哲〙(当為) what ought to be, what one ought to do ★「ゾルレン」はドイツ語の sollen から.

それ[1] **1** «相手の所にあるものを指して»: 《指示代名詞》 that 《複 those》 日英比較 英語では日本語の「これ」「それ」「あれ」(これらをそれぞれ近称・中称・遠称と呼ぶ) の 3 つの区別に対して, this 《複 these》, that 《複 those》 の 2 種類の区別しかしない. this はほぼ日本語の「これ」に相当するが, that は「それ」と「あれ」との両方に当たる. すなわち相手の近くにあるもの (それ) と, 話し手と話し相手の両方から離れた所にあるもの (あれ) の 2 つが that によって表されるのである. 英語ではこれらの区別は前後関係, もしくは that thing in your hand (あなたが持っているそれ) のような付加的な語句によって判断するしかない. (☞ これ; あれ; 代名詞 (巻末)).

日 本 語	英 語
こ れ	*this*
そ れ	*that*
あ れ	

¶「*それは何ですか」「地図ですよ[これは地図ですよ]」 "What's *that*?" "It's a map [This is a map]." ★ 答えの文の It は「それ」とは訳せないことに注意. // 「よし子さん, *それは何」「これは花よ」 "What's *that*, Yoshiko?" "These are flowers." 語法 (1) 質問した人は相手が手に持っている物が何かわからないので単数形を用いて尋ねるが, 答える人はその物が複数なら複数形で答える. // *それは名案だ *That's* a good idea. 語法 (2) このように,「考え」「行動」など目に見える具体的な物でなくても, 相手に関することなら that で表してよい.

2 «一度話題にのぼったものを受けて»: that, it 語法 指示的な意味があれば常に that を用いる. 指示の意味がなく, 単に話題にのぼったものを形式的に受ける場合は it を用いる. このような形式的な用い方をする人称代名詞の it に対応する日本語の表現はない. 例えば,「これは何ですか」という質問に対して,「それはボールペンです」と答える場合の日本語は, 相手の持っている物を指し示して言うのであるから, 英語では常に "*That*'s a ballpoint pen." となる. ところが,「あれは何ですか」に対して「地図ですよ」と日本語では主語抜きで答えるような場合は, 英語では "*It's* a map." と it を用いる. (この it は「それ」という日本語には決して訳せない. 強いて言えば「あれ」に当たることに注意). すなわち, ごく軽い意味で, 一度話題にのぼった物を受ける it には, 指示する意味はなく, 日本語では通常表現されないのである. つまり, 日本語の「それ」は常に指示詞であって, 英語の that に対応する. ただし, 翻訳調の日本語では,「それ」をある程度 it に対応させる場合がある. (☞ 代名詞 (巻末)).

¶「あなたはその話を知っていますか」「(*それは) 知っていますよ」 "Do you know that story?" "Yes, ˹I do [I know *it*]." // 「君はその映画を見たかい」「うん, (*それなら)先週見たよ」 "Did you see that film?" "Yes, I did. I saw *it* last week." // *それは知らなかった I didn't know *that*.

それ[2] ¶*それ来た 《バスなど待ち受けていたものが来たとき》 Here comes the bus! / 《物の受け渡しのときの掛け声》 Here it is. / Here you are. // *それ見た事か, *それごらん (⇒ そう言ったでしょう) *I told you so*! (☞ そら[2]; ほら[1])

それい 祖霊 (先祖の霊) the spirits of ancestors; (ヒンズー教神話の) pitri Ⓒ. (☞ れい[3]).

ソレイユ (太陽) the sun ★「ソレイユ」はフランス語の soleil から.

それから ― 副 (その後) after that; (後で) afterward, afterwards ★《英》では主に後者を用いる; (それ以来) since then; (その次に) (and) then. ― 接 (そして) ... and ... ― 前 (...の後に) after ... (☞ そのご; -いらい; そして).

¶*それから彼は人間がガラッと変わったみたいだった He seemed to be quite another man *after that*. // 7 月に事故にあって, *それからずっと彼は入院している He had an accident in July and has been in the hospital ˹*ever since* [*since then*]. // 私は 7 時に帰宅したが, *それからすぐ後に父が帰ってきた I came home at seven and Father came home soon *afterward(s)*. // 午後 9 時半に芝居が終わり, *それから夜食を食べに行った The play ended at 9:30 P.M., *and then* we went to have supper.

それきり ☞ それっきり

それくらい ― 代 (そんなこと) that. ― 副 (その程度まで) that, so; (同じだけ) as. (☞ -くらい; これくらい).

¶*それくらいのことなら私だってできます I can do *that*, too. / (⇒ 私も同じだけすることができる) I can do *as much* myself. ★ I と myself に強い強勢を置く. / (⇒ これは私にとってさえ易しい) This is easy enough, even for me. ★ me に強い強勢がある. // 彼の考えなんか*それくらいのものさ *So much for* his idea. ★ 軽蔑の意味が含まれる. // あまり食べ過ぎないように. *それくらいで (⇒ もう) やめておきなさい Don't overeat. Stop eating *now*. // *それくらいのこと (⇒ 小さなこと) でくよくよするな Don't worry about *such trivialities*.

それこそ ― 形 (まさにそのもの) very Ⓐ. ― 副 (ちょうど) just; (実に・本当に) indeed ★ 格式ばった語. ― 接 (まるで...のように) as if ..., like ... ★ 後者は口語的で, 会話などに使う. (☞ まさに).

¶*それこそ彼の欲しがっていた辞典です That is ˹the *very* [*just* the] dictionary he wanted. // *それこそ私の必要だったものだ That is ˹*just* what [the *very* thing] I needed. // 失敗すると, *それこそ (⇒ 本当に) 困りますよ If you failed, you would *indeed* be in trouble. // *それこそ (⇒ あたかも) 億万長者にでもなったような気分だった We felt *as if* we were billionaires /bìljənéəz/.

それしき それ式 ¶*それしきのことで (⇒ そんな取るに足らないことで) は驚かない I wouldn't get upset over ˹*such trivial matters* [*trivial matters like that*]. ★ [ ] 内のほうが口語的.

それじしん それ自身 itself (☞ じたい[3]). ¶君のとった行動*それ自身は何も悪くはない Your action in *itself* was not bad at all.

それじたい それ自体 ☞ じたい[3]

それそうおう それ相応 ― 形 (正当な) reasonable (☞ そうおう). ¶*それ相応の報酬を出さなきゃだれもこんな仕事は引き受けないよ Nobody will take on this job without *reasonable* remuneration. // 彼を首にするのには*それ相応の (⇒ 十分な) 理由がある I have *good* reason to dismiss him.

それぞれ ― 副 each; respectively. ― 形 each Ⓐ; respective Ⓐ 語法 (1) each は単数名詞の前で用いられ, それを受ける述語動詞や代名詞は単数形が原則.

【類義語】 ある範囲内の物すべてを個別的に指すのが **each** で, 平易な日常語. 単数として扱われる. 文の中で決められた順序でそれぞれの語の対応関係を明示するときに用いられるのが **respectively**. 普通は文尾に置く. (☞ めいめい[1]; べつべつ; ここ[2])

¶ その子供たちは*それぞれりんごを 2 個ずつもらった The children were given two apples *each*. // 彼は太郎と次郎とよし子に*それぞれ 5000 円, 3000 円, 1000 円を与えた He gave Taro, Jiro and Yoshiko five thousand yen, three thousand yen and one thousand yen *respectively.* // 贈り物は*それぞれ別々に包んであった *Each* gift was wrapped in a separate package. // 人には*それぞれ進むべき道がある People have to follow *their own* path. // 彼らは*それぞれ自分の部屋を持っている *Each* of them has his or her own room. 語法 (2) his だけで受けることもあるが, 正確には his or her とするのがよいとされる. // チームのメンバーは*それぞれ全力を尽くさなければならない *Each* member of the team must do ˹their [his; her; his or her] best. 語法 (3) each は単数として扱われるのが原則だから, his, her (女性だけのメンバーの場合), または his or her で受けるのがよいとされるが, 実際にはしばしば they という複数の代名詞が呼応する. 特に長めの文で, each とそれを受ける代名詞が離れている場合にそうなりやすく, 口語では一般に認められている.

それだから (理由·結果を表す) so; (それが…である理由だ) that is why … ★ いずれも会話でよく使われる表現. 《☞ だから; -ので》.

それだけ ¶ 言いたいことは*それだけですか *Is that all* you ˹want [have] to say? // *それだけでは足りない *That* is not enough. // *それだけ勉強すれば (⇒ 熱心に勉強したのだから) きっと 100 点がとれるよ I'm sure you will get a perfect grade because you have studied *so* hard. // *それだけはどうしても今週中に仕上げたい I want to finish *that* by the end of this week, no matter what. // いま出れば*それだけ早く着きます If you start now, you'll get there *all the* earlier. 《☞ -だけ》

それだま 逸れ弾 stray bullet Ⓒ. ¶ 彼は*逸れ弾に当たって死んだ (⇒ 逸れ弾で殺された) He was killed by a *stray bullet*.

それっきり ― 動 (物事が一時的に停止している) be suspended ★ 格式ばった語; (棚上げされる) be shelved. ― 副 (それ以来) since. 《☞ あれっきり; -きり》.

¶「いくら持っている」「千円」「*それっきりかい」"How much money do you have?" "A thousand yen." "*Is that all* you have?" // 話題は*それっきりになりました (⇒ 打ち切られた) The topic (of our conversation) *was dropped.* // その件は*それっきりになっています (⇒ 一時的に停止して) The matter *has been suspended.* / (⇒ 未解決のまま) The matter *remains unsettled.* // 彼からは 5 年前に手紙をもらって*それっきりだ (⇒ それ以後手紙をもらっていない) I got a letter from him five years ago, but I haven't heard from him *since* (˹then [that time]).

それで (そして) … and …; (それから) then. 《☞ そして; それから》. ¶ *それであなたはどうしたのですか What did you do, *then*?

それでいて (それにもかかわらず) and yet, nèvertheléss 語法 以上 2 つは格式ばった言い方で, 後者のほうが反対の意味がより強い; (それでもなお) still; (それでいて) all the same. 《☞ そのくせ (類義語)》.

¶ 夜更かしは体に悪いのだが, *それでいてやめられない Staying up late is not good for my health, ˹(*and*) *yet* [*but still*] I can't break the habit.

それでこそ ¶ *それでこそ彼女だ (⇒ まさに彼女らしい) That's just like her! // *それでこそ男だ (⇒ 男にふさわしい) That's worthy of a man.

それでなくとも ¶ あの子をいましかるな. *それでなくとも (⇒ 現状でも十分に) 参っているんだ Don't scold ˹him [her] now. He's [She's] depressed *enough as it is.*

それでは (それではいったい) then; (そうならば) if so; (その場合には) in that case. 《☞ では 日英比較》.

¶「これはあなたの車ですか」「いいえ」「*それではだれのですか」"Is this your car?" "No, it isn't." "Whose is it, *then*?" 語法 then は下がり調子のイントネーションで言う. // 「*それでは何をしましょうか」「トランプをしましょう」"What shall we do, *then*?" "Let's play cards." // 「あしたは忙しいんです」「*それでは, きょう来ませんか」"I'll be busy tomorrow." "*If* so, why don't you come today?" // *それではきょうはこれでやめましょう *Well*, ˹that's all [so much] for today. ★ 前者は《米》で口語的.

それでも (しかし) but … 語法 (1) 最も一般的な語で, still, yet, however などより意味が弱い; (それでもなお) still; (それにもかかわらず) and yet …, nèvertheléss 語法 (2) 以上 2 つは格式ばった言い方で, 後者のほうが反対の意味がより強い; (しかしながら) however, … ★ but より格式ばった語; (…にもかかわらず) for all … 《☞ そのくせ (類義語); しかし (類義語)》. ¶ *それでもまだ信じられない *Still* [*Nevertheless*], I can't believe it.

それというのも The reason is ˹that [because] …, It is because … 《☞ なぜなら(ば)》. ¶ いま報告書を渡すことはできない. *それというのも印刷中にコンピューターが突然ダウンしちゃったんだ I can't give you the report now. *It is because* my computer crashed while I was printing it out.

それどころ ¶ 休みを取りたいが, 忙しくて*それどころではない (⇒ そのための[そうする]暇がない) I'd like to take a vacation, but I've no time (˹for one [to do so]).

それどころか (反対に) on the contrary /kɑ́ntrèri/ ★ 前に言われたことと正反対のことを言う; (少しも…でない; …とはとんでもない) far from … 《☞ -どころか; はんたい》. ¶「彼の家に行ったことがありますか」「*それどころかまだ会ってもいないんです」"Have you ever been to his home?" "No. I haven't *even* met him." // 「彼女は怒ったかい」「*それどころか大喜びだったよ」"Did she get angry?" "*Far from* it. She was very pleased. / *On the contrary*, she was very pleased."

それとなく ― 副 (間接的に) indirectly 《☞ とおまわし; ほのめかす》. ¶ 彼女は彼の申し出を*それとなく断った She declined his offer *indirectly*. // 彼女は*それとなく (⇒ あなたがほのめかしを感づくように) そう言ったのでしょう I guess she said so so that you could *take the hint*.

それとなしに (間接的に) indirectly 《☞ それとなく; とおまわし》.

それとも … or … 《☞ あるいは》. ¶「これはあなたのカメラですか, *それとも彼女のですか」「私のです」"Is this camera yours *or* hers?" "It's mine." 語法 イントネーションは or の前で上がり, 文末で下がる. 答えには yes, no は使わない.

それなのに (しかし) but … ★ 最も一般的な語; (それでいてなお) yet … ★ 格式ばった語; (それにもかかわらず) nèvertheléss ★ 格式ばった語; (それどころか反対に) on the contrary /kɑ́ntrèri/; (…にもかかわらず) for all … 《☞ そのくせ (類義語)》. ¶ 皆彼を待っていた. *それなのに彼は現れなかった Everybody was waiting for him, *but* he didn't show up. // 私たちは彼が喜ぶと思っていた. *それなのに彼は怒りだした We thought he would be pleased. *On the contrary*, he got angry.

それなら ¶ *それなら (⇒ そういうことであるなら) 私もご一緒しましょう *If that's the case*, I'll come with you. // もう行くの? *それなら僕もおいとましようかな You're leaving? *Then* [*If so*] I'll leave, too.

それなり ¶ その本は*それなりに (⇒ 相応に) 意義がある The book is significant *in its own way*. // 彼女は*それなりの (⇒ その場にふさわしい) 服装をしていた Her clothing was ˹*suitable for* [*suited to*] *the occasion*.

それに (その上) besides, moreover ★ 後者のほうがやや格式ばった語; (それに加えて) in addition to that, on top of that ★ 後者のほうが口語的. 《☞ そのうえ (類義語)》. ¶ 行きたくないんです. *それに気分が悪いものですから I don't want to go; (and) *besides* I am sick. // 彼は利口な少年ですし, *それにたいへん勤勉です He is an intelligent boy. *Moreover*, he is very hardworking. // 彼は失業し, *それに借金もたくさんあった He lost his job, and *on top of that*, he was deeply in debt.

それにしては ― [接] (…であることを考えると) considering (that) … ― [副] (その割には) considering. ¶ 彼女は外国は初めてだが, *それにしてはうまくやっている She is doing well, *considering that* this is her first time overseas. // *それにしてはすばらしい考えだね That's a wonderful idea, *considering*.

それにしても (それでもなお) still; (それにもかかわらず) for all that. 《☞ それでも; しかし (類義語)》. ¶ 事実だとはわかっているが, *それにしても信じられない I know it is a fact, but *still* I can't believe it. // *それにしても彼は責任を逃れられないだろう *For all that*, I don't think he can escape responsibility.

それにつけても ¶ *それにつけても彼の偉大さがしのばれます (⇒ そのことが彼が偉大だったことを思い出させる) *That* reminds me of what a great man he was.

それにひきかえ ― [副] by [in] 「contrast [comparison]. ― [接] whereas …, while … ★ 前者のほうが格式ばった語. ¶ 彼女は猫が好きだ. *それにひきかえ彼は犬が好きだ She loves cats, *whereas* he likes dogs.

それにもかかわらず and yet, nevertheless. 《☞ それなのに; それでいて》.

それのみ ¶ 私が言いたいのは*それのみだ *That is all* I want to say. 《☞ それだけ; それっきり》

そればかり ¶ *そればかりはごかんべん下さい (⇒ 他のことなら何でもやる) I'll do anything 「*but* [*except*] *that*.

それはさておき putting that aside; (ところで) by the way ★ 後者のほうが口語的. 《☞ さておき; ところで》. ¶ *それはさておき僕の貸してあげた本はもう読みましたか *By the way*, have you finished the book I lent you?

それはそうと (話が変わって, ところで) by the way ★ 話題を変えるときに使う; (さて) well; (話題を変えるならば) to change the subject. 《☞ ところで; さて》. ¶ *それはそうと, 今週みゆき座でやっている新しい映画を見ましたか *By the way*, have you seen the new 「picture [movie] showing at the Miyuki-za Theater this week?

それはそれとして (ところで) by the way; (それはさておき) putting that aside; (それは別として) apart [aside] from that. 《☞ それはさておき; それはそうと》.

それはそれは ¶ *それはそれはすばらしい景色だ What magnificent scenery! // *それはそれは (⇒ 本当に) 失礼いたしました I'm 「*very* [*awfully*] sorry. ★ [ ] 内のほうが口語的. // *それはそれはご苦労さま (⇒ あなたがした苦労に対して心から感謝します) Thank you very much *indeed* (for all the trouble you've gone to).

それほど (そんなに) so; (それほど (多く)) so 「much [many] ★ much は量を示し, many は数を示す; (その程度まで) so far; (それほどでもない) not very. 《☞ -ほど; そんなに》.
¶ *それほど彼女が好きなら結婚を申し込んだらいい If you love her *so much*, why don't you propose to her? // 1 か月に*それほどいりますか Do you need *so* 「*much* [*many*] for one month? // *それほどまでしなくていいよ You don't have to go *so far*. // 「その映画はよかったですか」「*それほどでもなかったです」"Was the movie good?" "*Not very.*"

それまで (そのときまでずっと継続して) up to that time, till [until] then ★ until のほうがやや格式ばった言い方だが文頭では until が普通; (そのときまでに) by 「that time [then]. 《☞ -まで (類義語)》.
¶ *それまで万事順調でした Things went smoothly *up* 「*to* [*until*] *that time*. // パーティーは 7 時に始まりますから, *それまでにおいで下さい Our party begins at seven, so please come *by* 「*that time* [*then*]. // *それまで彼が病気だということを知らなかった *Until then*, I did not know he was ill.

それも at that 《☞ しかも》. ¶ あいつは事故を起こす. *それもしょっちゅうだ He has accidents and very often *at that*.

それもそのはず ¶ 彼女の発音はすばらしかった. *それもそのはず (⇒ なぜなら) 以前アナウンサーだったんだ Her pronunciation was excellent *because* she had been an announcer. // 彼らは試合に負けたが, *それもそのはずだ (⇒ 不思議ではない) They lost the game, *and no wonder*.

それゆえ therefore ★ 少し格式ばった語で, 日本語の「それゆえ」に近い; (従って) accordingly ★ 格式ばった語で, therefore とほぼ同意に用いられることもある. 《☞ -から》.

それる 逸れる (弾丸などが) miss (他); (行為などが正しい道から外れる) go astráy (自); (話が中心の考えからそれる) wander 「off [from] …, stray from … 〔語法〕 後者のほうが意味が強く, 別なところへ迷い込んでしまうことを表す; (針路を急に変える) swerve (自). 《☞ そらす¹; はずれる》.
¶ 彼の弾は的から*それた His bullet *missed* 「its [the] mark. // 私たちは道から*それてしまった (⇒ 間違った道に来た) ようだ I'm afraid we'*ve come the wrong way*. // 彼の話は本題から*それた He 「*wandered* [*strayed*] *from* his subject. // その車は急に左に*それた The car *swerved* to the left suddenly.

ソれん ソ連 ― [名] (固) the Sóviet Únion ★ 正式名は the Union of Soviet Socialist Republics 《略 U.S.S.R.》 であった. ― [形] Soviet. 《☞ ソビエト; ロシア》.

ソレント ― [名] (固) Sorrento /səréntou/ ★ イタリア南部の保養地.

ソロ solo /sóulou/ [C] 《複 ~s, -li /-liː/》 《☞ どくそう³; どくしょう》. **ソロホーマー** solo homer [C].

ゾロアスターきょう ゾロアスター教 Zoroastrianism /zɔ̀ːrouǽstriənìzm/ [U] 《☞ ツァラツストラ》. **ゾロアスター教徒** Zòroástrian [C].

そろい 揃い (関連性のあるものの組) set [C]; (上着・ズボンまたはスカートを含めての衣服一そろい) suit /súːt/ [C]; (家具などの一そろい) suite /swíːt/ [C]. 《☞ セット》. ¶ 衣服一*そろい a *suit* of clothes 〔参考〕 a man's suit といえば, 三つぞろい (上着 (coat), ズボン (trousers), チョッキ (vest)) を指す. // 6 個で一*そろいのワイングラスが欲しいのですが I'd like six matching wine glasses *in a set*. // 彼の姉と妹はお*そろいのドレスを着ていました His sisters wore *the same* 「*sort of* dress [*sorts* of dresses]. 《☞ おそろい》 // お*そろいで (⇒ あなたがたみんなで) お出かけですか Are 「*all* of you [you *all*] going out? ★ all of … は《米》でよく用いられる. **そろいもそろって** (どれもこれも・だれもかれも) each and every one, every 「single [last] one. 《☞ みな; すべて》. ¶ その本には 10 章あって*そろいもそろって笑わせてくれる There are ten chapters in the book, and *every* (*single*) *one* of them will make you laugh.

-ぞろい …揃い (全部が) all; (ただ 1 つの例外もなく) without a single exception; (…のどれもが) every …, every one of … ★ 後者のほうが強調的.

《☞ ぜんぶ¹》. ¶ あの美術館の絵画はみな傑作*そろいです (⇒ すべての絵画が傑作だ) *All* the paintings in that art ⌈museum [gallery] are masterpieces.

ソロイスト sóloist Ⓒ.

そろいぶみ 揃い踏み (相撲で) *soroibumi* Ⓒ; (説明的には) "stomping in unison," sumo-ring-entering ceremony.

そろう¹ 揃う **1** 《集まる》 ── 動 (集まる) gather ⓐ; (出会う・会合する) meet ⓐ; (特別の目的のために集まる) assemble ⓐ ★ gather や meet よりも改まった語. 《☞ あつまる (類義語)》. ¶ 生徒が教室に*そろった All the students *gathered* in the classroom. // みんな*そろいましたか (⇒ みんなここにいますか) *Is* everybody *here*?

2 《同じになる》 ── 動 (等しい) be equal; (高さ・平面などが同じ) be even with ...; (同形である・均一である) be uniform. 《☞ おなじ》. ¶ 能力の点では彼らは皆*そろっている They *are* all *equal* in ability. // あの生け垣は門の高さに*そろっている That hedge *is even with* the gate.

3 《完全になる》 ── 形 (そろって・完全な) complete. ¶ この図書館にはディケンズの小説が全部*そろっています This library has a *complete* set of Dickens's novels.

そろう² 疎漏 (不注意) carelessness Ⓤ; (見落とし) oversight Ⓒ. 《☞ ておち; いろう²》. ¶ 万事*疎漏のないように (⇒ 全てちゃんとなるように) 願います Please see to it that everything *is* ⌈*all right* [*as it should be*]. // それは私の*疎漏でした (⇒ 不注意だったことを認めます) I admit *having been careless*.

そろえる 揃える **1** 《並べる》: (組織的に並べる) arrange ⓣ; (きちんと順序・秩序正しく整える) put [set] ... in order. 《☞ ならべる》.
¶ 彼女は書類をアルファベット順に*そろえた She ⌈*put* [*arranged*] the papers *in* alphabetical *order*. // 脱いだ後スリッパをきちんと*そろえて (⇒ 横に並べて) おきなさい *Place* the ⌈slippers [《米》 scuffs] neatly *side by side* after you have used them.

2 《一定にする・同時にする》 ── 動 (一定にする) make ... even with ...; (足並みをそろえる) keep step with ... ── 副 (声をそろえて) in chorus; (同時に) at the same time, at once. ★ 以上 2 つはほぼ同意だが, 前者のほうが一般的.

3 《整える》: (準備する) get [make] ... ready ★ get のほうがより口語的. 《☞ じゅんび》.
¶ お茶の道具を*そろえて下さい Please *get* the tea things *ready*. // もう教科書は*そろえましたか (⇒ 必要な教科書をすべて持っているか) Do you have *all the necessary* textbooks? // わが校は優秀な先生を*そろえています (⇒ わが校は優秀な教師陣を持っている) Our school *has* an excellent teaching staff.

ソロー ── 名 固 Henry David Thoreau /θəróʊ/, 1817-62. ★ 米国の思想家・著述家.

そろそろ **1** 《まもなく》 ── 副 (まもなく) soon, before long ★ 後者はやや格式ばった言い方; (ほぼ ...) almost. 《☞ やがて; まもなく; 擬声・擬態語 (囲み)》. ¶ *そろそろ出かけよう Let's *get going*.
日英比較 日本語の「そろそろ」はこのような場合は表現を和らげるための言葉で「間もなく」というはっきりした意味ではない. 従って英語に直訳することはできないが, 一般に Let's で始まる文の最後に..., shall we? を付けると似た感じが表せる. 《☞ ぼつぼつ¹ 日英比較》 // *そろそろ冬だなあ It will be winter ⌈*soon* [*before long*]. // *そろそろお茶の時刻だ It is *almost* time for tea. **2** 《ゆっくり》 ── 副 slowly; (次第に) gradually; (少しずつ) little by little ★ 口語的. 《☞ ゆっくり; じょじょに》. ¶ 老人は*そろそろと歩いて行った The old ⌈man [woman] walked *slowly* away.

ぞろぞろ ── 副 (水の流れのように絶え間なく) in a stream; (次から次へと) one after another
日英比較 このような日本語の擬態語は, 英語では対応する副詞を当てるより, 内容をくんで意訳するほうがよい場合が多い. 《☞ 擬声・擬態語 (囲み)》.
¶ 人々がホールから*ぞろぞろ出てきた The people ⌈came out of the hall *in a stream* [*streamed out* of the hall]. // その男の後を子供たちが*ぞろぞろとついて歩いた (⇒ 一団の子供が) A *group* of children ⌈walked after [*followed* (after)] him.

そろばん 算盤 abacus /ǽbəkəs/ Ⓒ 《複 ~es, abaci /ǽbəsàɪ/》. ¶ あなたは*そろばんができますか Can you use an *abacus*? // *そろばんを入れてみましょう (⇒ そろばんで計算してみよう) Let's ⌈calculate [compute] (it) on the *abacus*. // 彼女は*そろばんの 2 級を持っています She's got a second-class certificate in *abacus* calculation.

そろばんが合う ¶ どうしても*そろばんが合わなかった (⇒ 計算が合わなかった) However hard we tried, ⌈*the figures did not add up* [(⇒ 帳尻が合わなかった) *the accounts did not balance*]. // そんな商売をしても*そろばんが合わない (⇒ そんな商売は採算がとれない) That kind of business doesn't *pay*. 《☞ さいさん¹》

そろばんをはじく (そろばんを使う) use [work] an abacus; (計算する) calculate ⓣ ⓐ; (打算的な性格である) have a calculating disposition, be calculative. 《☞ けいさん¹; ださんてき》. ¶ 彼女は何をするにも*そろばんをはじく (⇒ 損得を計算する) She *calculates the loss and gain* of whatever she does.

そろばん勘定 calculation of the loss and gain (with an abacus) Ⓤ **そろばん塾** (private) abacus school Ⓒ **そろばんずく** ── 動 (損得を考えて仕事をする[行動する]) do the work [act] for profit **そろばん高い** (打算的な) cálculàting.

ソロプチミスト (国際女性実業家団体会員) soroptimist /sərɑ́ptəmɪst/ Ⓒ ★ しばしば Soroptimist と綴る. 1921 年米国で結成された団体 Soroptimist Club を母体とし, 現在は国際組織 Soroptimist International となっている.

ぞろめ ぞろ目 double Ⓒ. ¶ あいつは必ず*ぞろ目を出す He never fails to throw a *double*.

ソロモン ── 名 固 (King) Solomon ★ 紀元前 10 世紀のイスラエルの王. **ソロモンの知恵** 〖旧約〗 the Wisdom of Solomon ★ 旧約聖書外典の一書で知恵文学に属する.

ソロモンしょとう ソロモン諸島 ── 名 固 the Solomon Islands ★ 南太平洋の西部にある島々 (から成る国).

ソワール (夕方) evening Ⓒ; (たそがれ時) twilight Ⓤ ★「ソワール」はフランス語の soir から. 《☞ ゆうがた; たそがれ》.

そわせる 添わせる (結婚させる) marry ⓣ; (婚姻で結び付ける) unite ... in marriage; (親が子供を嫁[婿]にやる) marry off ⓣ. 《☞ けっこん¹; よめ¹》. ¶ 恋人同士を*添わせる *unite* the lovers *in marriage*

そわそわ ── 形 (神経質で落ち着かない) nervous; (じっとしていることができない) restless; (うきうきと興奮して落ち着きのない) excited. ── 動 (体を揺すったりして落ち着かない・落ち着かなくさせる) 《略式》 fidget ⓐ ⓣ; (落ち着かない状態でいる) be in a fidget ⓐ. ── 副 nervously; restlessly; excitedly. 《☞ 擬声・擬態語 (囲み)》. ¶ 彼は試験の前にはいつも*そわそわしている He is always *nervous* before an exam. // 彼は彼女とデートがあるので*そわそわしているようだ He seems *excited* because he has a date with her. // 君はどうしてそんなに*そわそわしているの Why *are* you *in* such *a fidget*?

そわつく ☞そわそわ 動

ソワレ (夜会・興行などの夜の部) soiree Ⓒ, soirée /swɑːréɪ/ Ⓒ ★ soirée の ´ は綴り本来のもの. 《☞マチネー》.

そん 損 **1 《損失》** ―名(利益などを失うこと) loss Ⓒ. ―動(お金などを失って損をする) lose 他; (損失者となる) be a loser; (損失をこうむる) suffer a loss ★ 格式ばった言い方; (むだにする) waste 他. 《☞そんがい》.

¶ あの仕事で 1 万円*損をした I *lost* ten thousand yen on that job. / That job *lost* me ten thousand yen. 語法 この場合の lose は「…に…の損失を与える」の意味. // その会社は大*損した The company *suffered* heavy *losses*. // 正直にしていて*損はない (⇒正直は引き合う) Honesty *pays* (*off*). // あんな壊れた古い車を買って*損 (⇒お金をむだに) した I *wasted* my money when I bought that broken-down old car.

2 《不利》 ―名 disadvántage Ⓤ (↔ advantage) ★「不利な条件」「不利な立場」の意では Ⓒ. ―形 dìsàdvantágeous; (割の悪い・他人にありがたく思われない) thankless; (利益の上がらない) unprofitable; (不運な・不利な) unfavorable (《英》 unfavourable). 《☞ふり¹》.

¶ 背が低いのは満員電車の中では*損です Being short is a *disadvantage* in a crowded train. // 私は*損な役目 (⇒ありがたくない仕事) を引き受けた I've taken on a *thankless* job. // 彼は*損な (⇒利益の上がらない) 仕事には決して手を出さない He never undertakes an *unprofitable* venture. // そんなことをしたら君の*損になる (⇒君を不利な立場に置く) It will *put you in an unfavorable position*. // *損して得とれ Sometimes the best way to win is to *lose*. 《ことわざ: 時に最大の利益は損をすること》

そんえい 村営 ¶ このスケートリンクは*村営です This skating rink *is run by the village council*. ★ 関与の様態により village ⌈-funded [-supported; -sponsored] を使う. 《☞そんりつ²》

そんえき 損益 profit and loss ★ 対にして用いる場合は無冠詞.

損益勘定 profit-and-loss account Ⓒ **損益計算書** statement of profit(s)-and-loss(es) Ⓒ **損益分岐点** break-even point Ⓤ.

そんかい¹ 村会 village council Ⓒ 《☞そんぎかい》.

村会議員 member of a village council Ⓒ **村会議長** the speaker of a village council.

そんかい² 損壊 ―動(つぶれる) collapse 自 《☞とうかい》.

そんがい 損害 (傷や害をこうむったための) dámage Ⓤ; (利益などの損失) loss Ⓒ; (戦闘などの人的損害) cásualty Ⓒ. 《☞ひがい; いたで》.

¶ 火災による*損害は約 6 千万円といわれる The *damage* caused by the fire is estimated ⌈at [to be] about sixty million yen. // あらしで多数の家屋が*損害を受けた (⇒あらしが多くの家に損害を与えた) The storm *damaged* many houses. // 洪水はその地域の農場に大*損害を与えた The flood ⌈*did* [*caused*] great *damage* to the farms in the area. // その市は今回の地震で甚大な (⇒重大な[程度の大きい])*損害を受けた The city *has suffered* ⌈serious [heavy] *damage* from the recent earthquake. // わが社は大*損害だ (⇒大損した) Our company [We] *suffered* heavy *losses*.

損害額 damages ★ 複数形で. **損害賠償** compensation for damage Ⓤ **損害保険** accident [nonlife] insurance Ⓤ ★ accident のほうが普通. ¶ 私は 500 万円の*損害保険に入っています I carry five million yen (of) *accident insurance*.

> **コロケーション**
> 軽い損害 slight [minor] *damage* / 広範な損害 widespread [extensive] *damage* / 取り返しのつかない損害 irreparable *damage*

ぞんがい 存外 ―副(意外に) ùnexpéctedly 《☞いがい¹; あんがい》.

そんがん 尊顔 your face. ¶ ご*尊顔を拝する (⇒あなたに会う光栄に浴する) have the honor ⌈of *seeing you* [to *see you*]

そんき 損気 ☞たんき¹

そんぎ 村議 ☞そんかい¹ (村会議員)

そんぎかい 村議会 village assembly Ⓒ 《☞そんかい¹》.

そんきょ 蹲踞 ―名 squat Ⓒ. ―動 squat 自. 《☞うずくまる》.

そんきん 損金 〔簿〕(税控除を認められる費用) deductible expenses ★ 通例複数形で; (財政上の損失) financial loss Ⓤ.

損金処理 ―名 charge-off Ⓒ, write-off Ⓒ. ―動 charge off 他, write off 他.

そんけい 尊敬 ―名(一般的に) respect Ⓤ; (深い尊敬) reverence Ⓤ ★ respect より尊敬の念が深い感じを含むやや格式ばった語. deep respect とほぼ同意. ―動 respect 他, have respect for …; (敬意を払う) look up to … (↔ look down on …) ★ 口語的表現. 《☞うやまう; けいい¹》.

¶ 彼は町のだれからも*尊敬されていた He *was* ⌈*respected* [*looked up to*] by everybody in the town. // 私たちは彼を深く*尊敬している We deeply *respect* him. // 彼女は両親を*尊敬していません She *has* no *respect for* her parents.

尊敬語 honorific Ⓒ 《☞けいご²》 **尊敬表現** (個々の) honorific (expression) Ⓒ; (全体) honorific language Ⓤ. 《☞けいご²》.

そんげん 尊厳 (真の価値・性質の気高さ) dígnity Ⓤ. ¶ 人間の*尊厳 human *dignity*

尊厳死 death with dignity Ⓤ.

そんごう 尊号 honorific title Ⓒ 《☞そんしょう²》.

そんごくう 孫悟空 ―名 固 Sun Wu-K'ung /súnwùːkúŋ/ ★『西遊記』の主人公の猿.

そんざい 存在 ―名 existence Ⓤ; (現実にあること) being Ⓤ. ―動 exist 自; (生まれる) come into ⌈existence [being]. 《☞ある¹; じつざい》.

¶ あなたは神の*存在を信じますか Do you believe in God? // ガソリンエンジンが発明されるまでは飛行機は*存在しなかった The airplane did not *come into being* until gasoline engines were invented. // 酸素がなければ動物は*存在できない Animals cannot *exist* without oxygen. **存在感** ¶ 彼女は*存在感のある女性だ She is the type of person who *makes her presence felt*. **存在理由** reason for being Ⓒ **存在論** 〔哲〕 ontology Ⓤ.

ぞんざい ―形(失礼な) impolite; (粗野で無作法な) rude; (がさつな) rough; (不注意な) careless; (だらしない) slovenly; (いいかげんな) sloppy. ¶ 彼女は言葉遣いが*ぞんざいだ She has a *rough* manner of speaking. // 彼は仕事が*ぞんざいだ He always does *sloppy* work.

そんし 孫子 ―名 固 (中国古代の兵法書・その著者) Sun-tzu /sùːndzúː/. **孫子の兵法** the tactics of Sun-tzu.

ぞんじあげる 存じ上げる (知っている) know 他; (思う) think 他; (信ずる) believe 他. 《☞しる¹; おもう》. ¶ あの方のことはよく*存じ上げております I *know* ⌈him [her] very well.

そんしつ 損失 loss Ⓒ 《☞そん; そんがい》. ¶ 教授が退職したことは大学にとって大きな*損失だ The

｢resignation [retirement] of the professor is a great *loss* to the university.　**損失補てん** compensation for clients' losses Ⓤ.

> **コロケーション**
> **損失を与える** cause a *loss* (to …) ; inflict a *loss* (on …) / **損失を埋め合わせる** make good [compensate for; offset] a *loss* / **損失を被る** suffer [sustain] a *loss* / **損失を最小限に食い止める** minimize a *loss* / **損失を取り戻す** recover [recoup] a *loss* / **損失を招く** incur a *loss*

そんしゃ 村社　village shrine Ⓒ.

そんしょう[1] **損傷**　(損害) damage Ⓤ《☞ そんがい; はそん》.

そんしょう[2] **尊称**　honorific /ɑ́nərìfɪk/ title Ⓒ《☞ けいしょう[3]》.

そんしょく 遜色　**遜色がない** (匹敵する) bear [stand] comparison with …; (同等である) be equal to …; (決して劣らない) be by no means inferior to …; (好敵手となる) be a match for …; (引けを取らない) hold *one's* own (against …; with …).　¶最近の国産品は外国製品に比べて*遜色がない Domestically produced goods these days *are by no means inferior to* those of foreign manufacture.

そんじょそこら　¶これほど味のよいワインは*そんじょそこらでは (⇒このあたりどこでも) 買えない You can't buy such delicious wine *anywhere around here*. // *そんじょそこらによくある例だ (⇒ありふれている) That kind of case is *quite common*. / It is *not at all rare* to find that kind of case.

ぞんじより 存じ寄り　**1**《考え》: (思いつき) idea Ⓒ; (意見) opinion Ⓒ.
2《知り合い》: acquaintance Ⓒ.

そんじる 損じる　(物を傷つけて役に立たなくさせる) damage ㊎; (物の外観・価値などを傷つける) injure ㊎; (人の機嫌・感情を悪くする) offend ㊎; (人の感情を傷つける) hurt the feelings of …《☞ そこなう; きずつける; がいする》.
¶そんざいな言い方をして父の機嫌を*損じてしまった My rude remark ｢*offended* my father [*hurt* my father's feelings]. // あて名を間違って封筒を2枚書き*損じた (⇒むだにした) I *wasted* two envelopes by writing incorrect addresses on them.

ぞんじる 存じる　**1**《知る》: know ㊎《☞ しる[1]; 丁寧な表現 (巻末)》.
2《思う》: think ㊎; (信ずる) believe ㊎.

そんする 存する　(…にある) consist in …《☞ ある[1]; そんざい》.　¶人の価値は富にではなく心の高貴さに*存する A person's worth does not *consist in* ｢his [her] wealth but *in* ｢his [her] nobility of spirit.

そんせい 村政　(村の行政) village administration Ⓤ; (村の政治) village government Ⓤ.

そんぜい 村税　village tax Ⓒ, village residents' tax Ⓒ.《☞ むら[2]》.

そんぞく[1] **存続**　**— 動** (ある存在や状態がずっと続く) continue ㊒; (外部からの力に耐えて続く) endure ㊒ ★後者のほうが格式ばった語; (ある期間もちこたえる) last ㊒.《☞ つづく》.

そんぞく[2] **尊属**　ascendant Ⓒ; (直系尊属) lineal ascendant Ⓒ.　**尊属殺人** (父殺し) patricide Ⓤ; (母殺し) matricide Ⓤ ★ともに Ⓒ で殺人者の意.

そんだい 尊大　**— 形** (他人をばかにして自慢するような) haughty; (自己中心的で他人に敬意など払わず, 傲慢(ごうまん)な) árrogant; (もったいぶった・うぬぼれの強い) self-important ★軽蔑的な語.　**— 副** haughtily; arrogantly; importantly.《☞ おうへい (類義語)》.　¶彼はよく*尊大な態度をとる He often assumes an *arrogant* attitude.

そんたく 忖度　**— 動** (推し量る) conjécture ㊎ ㊒, guess ㊎ ㊒ ★後者は口語的.《☞ すいさつ》.

そんち 存置　**— 動** (そのまま残しておく) leave … as it is; (ある状態を維持する) maintain ㊎.《☞ まま[1]》.

そんちょう[1] **尊重**　**— 動** (価値を認めて敬意を払う) respect ㊎ ★一般的な語; pay respect to …; (高く評価する) regard … highly, hold … in high regard, have a ｢high [great] regard for …
[語法] (1) 以上はいずれもやや格式ばった言い方でほぼ同意だが, hold を用いるとさらに格式ばる. なお, regard が highly などの副詞を伴わず, 単独で用いられるときは否定文・疑問文が普通; (特に高い評価を与えて尊重する) esteem ㊎ ★格式ばった語.　**— 名** respect Ⓤ; high regard Ⓤ　[語法] (2) regard だけでも「敬意」の意味に用いられることもあるが, high, great などの形容詞を伴うのが普通; esteem Ⓤ ★格式ばった語.《☞ そんけい》.
¶人権は*尊重しなくてはいけない We must *respect* human rights. / (⇒他人の権利を尊重すべきだ) We should *respect* other people's rights. // 彼は他人の意見を*尊重しない He ｢*has* no *respect* for [does not *respect*] other people's opinions. // 彼女の意見は常に*尊重される (⇒高く評価される) Her opinions *are* always *held in high regard*.

そんちょう[2] **村長**　mayor Ⓒ　[日英比較] 英米では village に行政上の長がいないので「村長」にぴったりあてはまる英語はないが, town の場合は mayor と呼ぶので, それを当てるのがよい.

ゾンデ　(気象観測用気球)〘気象〙sounding balloon Ⓒ; (体内検査用探り針)〘医〙probe Ⓒ ★「ゾンデ」はドイツ語 Sonde から. 英語でも sonde /sɑ́nd/ Ⓒ は用いられるが, 前2者のほうが普通.

そんどう 村道　village ｢road [lane; path] Ⓒ.

そんとく 損得　loss and gain Ⓤ, profit and loss Ⓤ　[語法] 両者はほぼ同意で用いられるが, 有利なもの・利益のあるものを努力して手に入れる場合の損得には前者を, 物質的または金銭上の損得には後者を用いる; (利害) interest Ⓒ ★しばしば複数形で.《☞ りえき; りがい》.　¶この仕事は*損得抜きです [*損得ずくではありません] (⇒利益 [金] のためにしているのではない) I'm not doing the work for ｢*profit* [*money*]. // 彼は仕事をするときはいつでも*損得を計算する He always calculates the ｢*loss and gain* [*profit and loss*] of his work before he starts it.
損得勘定　**— 動** (損得を注意深く計算する) calculate profit and loss carefully; (利己的な動機から行動する) act from selfish motives.

そんな　(そのような) such; (そんな風な) like that ★口語的な表現; (その種の) that ｢kind [sort] of … ★sort のほうがくだけた語; (それ・その) that.《☞ そういう; あんな; こんな》.
¶*そんな人には会ったこともない I have never ｢met [come across] *such* a person.　[語法] [ ] 内には「偶然にせよ会ったことがない」というニュアンスがある. // 私に*そんなことができたはずはない I couldn't have done *such* a thing. // 彼女は*そんな (⇒そのような趣旨の) 返事をしていました She answered *to that effect*. ★やや改まった言い方. // *そんなはずはない *That* can't be (true). // *そんなときには互いに助け合いましょう Let's help each other in a case *like that*. //「これはいったいどういうつもりですか」「ごめんなさい. *そんなつもりではなかったのです」"What's the meaning of this?" "I'm sorry. I didn't mean it."

そんなこんなで　¶*そんなこんなでお返事を出す暇がありませんでした *What with this and that*, I had no time to reply to your letter. ★what with A and

B は「A やら B やらで」という意味の慣用句.

そんなに （それほどたくさん） that ⌈much [many] ★ 口語的表現. much は量を表し, many は数を表す; (あまり…でない) not very …; (それほど…でない) not all that … 《☞ それほど; -ほど》.

¶ *そんなにたくさんお金を使ったのですか Did you spend *that much* money? ∥ きょうは*そんなに寒くない It's *not very* cold today. ∥ 初歩の英語を教えるのは*そんなに易しくはない Teaching elementary English is*n't all that* easy. ★ 口語的表現. ∥ *そんなにおっしゃるなら (⇒もし強く言い張るなら), あなたのお申し出をお受けしましょう I will accept your offer, *if you* ⌈*insist* [*put it that way*]. ★ insist のほうが意味が強い.

ぞんねん 存念 （考え） idea Ⓒ; (意見) opinion Ⓒ. 《☞ かんがえ》.

そんのうじょうい 尊王攘夷 ¶ *尊王攘夷 (⇒天皇を尊び外国人を追放せよ) が彼らの合い言葉だった "*Revere the Emperor, expel the barbarians*" was their slogan.

そんのうろん 尊王論 （幕末の） the doctrine of reverence for the emperor.

そんぱい 存廃 ¶ 現行の制度の*存廃について (⇒維持するか廃止するかについて) 論議しよう Let's discuss whether to *continue* with the present system *or abolish* it. 《☞ そんぞく[1]; はいし》

そんぴ[1] 存否 ¶ 生存者の*存否についての問い合わせが多かった We received a lot of inquiries about *whether there were* survivors *or not*. 《☞ そんざい》

そんぴ[2] 尊卑 （身分の差） difference ⌈of [in] social ⌈status [standing] Ⓤ 《☞ きせん[3]》.

ゾンビ （生き返った死体） zombi(e) Ⓒ.

そんぷ 尊父 （あなたの父上） your father Ⓒ.

そんぷうし 村夫子 （田舎の学者） country scholar Ⓒ; (軽べつ的に) rural pedant Ⓒ.

ソンブレロ sombrero /səmbré(ə)roʊ/ Ⓒ.

そんぶん 孫文 — 名 ㊀ Sun Wen /súnwʌ́n/, 1866–1925. ★ 中国革命の指導者.

ぞんぶん 存分 — 副 (十分に) fully; (満足がゆくほど) to *one's* heart's content; (思うままたくさん) as much as *one* ⌈likes [pleases] ★ [ ] 内のほうが格式ばった言い方. 《☞ おもうぞんぶん; じゅうぶん[1]》.

¶ 彼は思う*ぞんぶんに働いた He worked *as much as he* ⌈*liked* [*pleased*].

そんぽ 損保 ☞ そんがい (損害保険)

そんぼう 存亡 life or death Ⓤ; (危機) crisis Ⓒ 《複 crises /kráɪsiːz/》. ¶ これは国家の*存亡にかかわる問題である (⇒重大危機だ) This is a serious national *crisis*. **存亡の秋(とき)[機]** moment of crisis Ⓒ, critical moment Ⓒ. 《☞ ききゅう[2]》.

そんみん 村民 villager Ⓒ; (村の人々) people of the village ★ 集合的.

ぞんめい 存命 — 動 (生きている) be alive 《☞ せいぜん[2]》. ¶ 父の*存命中 while my father *was alive*

そんらく 村落 （村） village Ⓒ; (小さな村) hamlet Ⓒ. 《☞ むら[2]》. **村落共同体** village community Ⓒ.

そんりつ[1] 存立 — 名 (continued) existence Ⓤ. — 動 exist ⓐ. 《☞ そんざい》.

そんりつ[2] 村立 — 形 (村の) village Ⓐ; (村に援助されている) village-supported. 《☞ そんえい》.

そんりょう 損料 （賃貸料・賃借料） rent Ⓤ ★ 貸し借りともに同じ語. 《☞ ちんがし; -だい[1]》.

た, タ

た¹ 田 (rice) paddy Ⓒ, rice field Ⓒ. ¶*田を耕す plow a ⌈*paddy* [*rice field*] (☞ たがやす (類義語)) // *田に水を引く irrigate a *rice field* **田遊び** (稲の豊作祈願の神事芸能) artistic Shinto performance praying for a rich rice harvest Ⓒ ★ 説明的な訳.

た² 他 ―[名] (残り) the rest; (別のもの) the other, the others [語法] 2 つのものについて一方を one, もう一方を the other といい, 3 つ以上のものについて残りを the others という. ―[形] other Ⓐ ★ 複数名詞に使う; (もう 1 つの) another Ⓐ ★ 単数名詞に使う. (☞ ほか; そのた).

た³ 多 **多とする** (感謝する) appreciate /əpríːʃièɪt/ [他]; (ありがたく思う) feel grateful; (高く評価する) think highly of … ¶あなたのご助力を*多とします I *greatly appreciate* your help. / I *feel very grateful* for your help. // 彼の尽力を*多としている I *think highly of* his services.

だ 打 ☞ うつ¹

-だ [日英比較] 日本語の「-だ」は「-です」「-である」と同類の言葉で, ① 鯨は哺乳類だ (Whales are mammals.) ② 《喫茶店などで》「君は何にする」「ぼくはコーヒーだ」(“What will you have?” “I'll have coffee.”) のように大きく分けて 2 つの用法がある. ① の場合は A＝B という表現法で, 英語の be 動詞に相当することが多い. ただし, いつも be 動詞と対応するとは限らない. ((例) 僕は彼女が好きだ I love her.) ② の場合は既出の事, もしくは状況から話し手, 聞き手双方にかかっている述部, もしくは述部動詞の代わりに使われる言葉で, 英語の do や do so に似ているがもっと適応範囲の広い言葉である. 上の例では喫茶店では飲食することは明白なので, 「僕はコーヒーを飲む」という代わりに「僕はコーヒーだ」と言っているのである. この「-だ」を ① の「-だ」と混同して英語に持ち込まないよう注意がいる. つまり「僕はコーヒーだ」は I'm coffee. ではなく, I'll have coffee. としなくてはならない. (☞ -です; -である).

たあいない ☞ たわいない

ダーウィニズム Dárwinìsm Ⓤ ★ 種は自然選択により進化してきたとするダーウィンの説.

ダーウィン ―[名] [固] Charles (Robert) Darwin, 1809–1882. ★ イギリスの博物学者.

ターキー (七面鳥) turkey Ⓒ; (ボーリングの) turkey Ⓒ.

ダークエージ (暗黒時代) the Dark Ages.

ダークカラー dark ⌈color [《英》colour] Ⓒ.

ダークグリーン ―[名] dark green Ⓤ. ―[形] dark green.

ダークグレー ―[名] dark ⌈gray [《英》grey] Ⓤ. ―[形] dark ⌈gray [《英》grey].

ダークサイド (暗黒面) dark side Ⓒ. ¶彼はいつも物事の*ダークサイドばかり見ている He always looks on the *dark side* of things.

ダークスーツ dark suit Ⓒ.

ダークブラウン ―[名] dark brown Ⓤ. ―[形] dark brown.

ダークホース dark horse Ⓒ ★ 思いがけない有力な競争相手. 元は競馬の用語.

ダークマター 〖天〗(暗黒物質) dark matter Ⓤ.

ターゲット ―[名] target Ⓒ. ―[動] target [他]. ¶我々の*ターゲットは 10 個の金メダルだ We have set the *target* at ten gold medals. // ミサイルの*ターゲットは飛行場だった They *targeted* the missile on the airfield. **ターゲットゾーン** (目標範囲) target zone Ⓒ.

ターコイズ (トルコ石) turquoise /tə́ːk(w)ɔɪz/ Ⓤ.

ターコイズブルー ―[名] turquoise (blue) Ⓤ. ―[形] turquoise.

ターザン ―[名] [固] Tarzan ★ バローズ (Edgar Rice Burroughs, 1875–1950) のジャングル冒険小説の主人公.

ダーシ ☞ ダッシュ¹

タージマハル ―[名] [固] the Taj Mahal ★ インドの Agra にある白大理石の霊廟.

ダージリン ―[名] [固] Darjeeling /dɑəˈdʒíːlɪŋ/ ★ インドの都市, 紅茶で有名.

ダース dozen /dʌ́zn/ Ⓒ ★ 省略形は単数・複数とも doz., dz. (☞ 略語 (巻末)). ¶青鉛筆 1*ダースと赤鉛筆 2*ダース下さい Give me a *dozen* blue pencils and two ⌈*dozen* red pencils [*dozens* of red pencils]. [語法] 形容詞的に用いられるときは複数形にならない. // 鉛筆は*ダースで売ります (⇒ ダース単位で) Pencils are sold by the *dozen*. / この鉛筆は 1*ダース 600 円です These pencils are six hundred yen a *dozen*.

ダーダネルスかいきょう **ダーダネルス海峡** ―[名] [固] the Dàrdanellés ★ エーゲ海とトルコのマルマラ海を結ぶ海峡.

タータン tartan Ⓤ, plaid Ⓤ ★ 色格子柄の毛織物. 服地としては後者が普通.

タータンチェック tartan Ⓒ ★「タータンチェック」は和製英語.

タータントラック (陸上競技の全天候型トラック) Tartan track Ⓒ ★ 商標名.

ダーツ¹ (投げ矢遊び) darts ★ 複数形で単数扱い. 矢は dart Ⓒ. ¶*ダーツをする play *darts* // *ダーツの的 a *dart* board

ダーツ² (洋服などの) dart Ⓒ. ¶スカートの*ダーツを調整する adjust the *darts* on the skirt

タアツァイ 塌菜 (中国の野菜) tatsoi Ⓤ, tah tsai Ⓤ; (説明的には) Chinese flat cabbage Ⓒ.

ダーティー (汚い) dirty.

ダーティーフロート 〖経〗(政府が介入する変動相場制) dirty float Ⓒ (☞ クリーンフロート).

ダート¹ dirt Ⓒ. **ダートコース** (競馬場の) dirt ⌈track [course] Ⓒ **ダートトライアル** (モータースポーツの) dirt trial Ⓒ.

ダート² (ダーツの投げ矢) dart Ⓒ (☞ ダーツ¹).

タートルネック turtleneck Ⓒ. ¶*タートルネックのセーター a *turtleneck* sweater

ターナー ―[名] [固] J. M. W. [Joseph Mallord William] Turner, 1775–1851. ★ 英国の風景画家.

ターニングポイント (転換点) turning point Ⓒ. ¶当社は今*ターニングポイントにある This company is at a *turning point* now.

ターバン turban Ⓒ.

ダービー 〖競馬〗the Derby /dɑ́ːbi | dάːbi/ ★ the を付けて.

タービュランス (社会的な不穏状態・乱気流) turbulence Ⓤ.

タービン turbine Ⓒ. ¶*タービンを回す spin a

turbine タービンエンジン turbine (engine) Ⓒ.

ターフ (芝生) turf Ⓤ. **ターフコース** (競馬場の) turf ˹course [track] Ⓒ **ターフスキー** turf skiing Ⓤ.

ターブルドート (ホテルのレストランなどの定食) table d'hôte /tάːbldóut/ Ⓒ《☞ アラカルト》.

ターヘルアナトミア ── 名 固 Anatomical Tables ★『解体新書』の原著《☞ かいたい[1] (解体新書)》のオランダ語原題 *Ontleedkundige Tafelen* (解剖図譜)の英訳. 日本語名「ターヘルアナトミア」はオランダ語の tafel (図版; 英語の table に相当) と anatomie (解剖学) を組み合わせた通称.

ターボ ── 形 (タービンの) turbo-. ── 名 (ターボチャージャーの略) turbo Ⓒ. **ターボエンジン** turbocharged engine Ⓒ, turbo engine Ⓒ **ターボジェット機** turbojet Ⓒ **ターボ車** turbocharged ˹car [《米》 automobile] Ⓒ **ターボチャージャー** turbocharger Ⓒ **ターボファン** 〘機・空〙 turbofan Ⓒ **ターボプロップ** 〘空〙 turboprop Ⓒ.

ターミナル (終着・始発駅) (rail [bus; air]) terminal Ⓒ《☞ しゅうてん》. ¶ バス*ターミナル a bus *terminal* // *ターミナル駅は乗降客で混雑していた The *terminal* was crowded with passengers. **ターミナルアダプター** terminal ˹adapter [adaptor] Ⓒ **ターミナルケア** (末期医療) terminal care Ⓤ **ターミナルデパート** department store (built) at a rail terminal Ⓒ **ターミナルビル** terminal Ⓒ 日英比較 英語では単に terminal というのが普通; (特に空港の) air terminal Ⓒ ★ この語にはまた, 空港との間を往復するバスや電車の発着所の意味もある. 《☞ くうこう (挿絵)》. **ターミナルホテル** hotel near a rail terminal Ⓒ.

ターミネーター 〘コンピューター〙 términàtor Ⓒ.

ターミノロジー (術語・専門用語) terminology Ⓤ.

ターム (術語・専門用語) term Ⓒ.

ターメリック (香辛料の) túrmeric Ⓤ.

ダーリン darling Ⓒ.

タール tar Ⓤ. **タール癌** (coal-)tar cancer Ⓤ; (説明的には) skin cancer caused by (coal) tar Ⓤ **タールサンド** 〘地〙 tar [oil] sand Ⓤ **タールピッチ** (coal-tar) pitch Ⓤ **タールボール** tar ball Ⓒ.

ターレット 〘機〙 turret Ⓒ.

ターレル (15-19 世紀のドイツの銀貨) taler Ⓒ, thaler Ⓒ.

ターン (回ること) turn Ⓒ. ¶ 彼はいつも*ターンが上手[下手]だ《水泳などで》(⇒ 上手な[下手な]ターンをする) He always ˹makes [does] a ˹good [poor] *turn*.

ターンオーバー (資金・商品の回転率) turnover ★ 単数形で.

ターンスタイル (回転木戸) turnstile Ⓒ.

ターンテーブル (レコードプレーヤーの回転盤) túrntàble Ⓒ.

ダーンドル (チロル地方の農婦服) dirndl Ⓒ. **ダーンドルスカート** dirndl skirt Ⓒ.

ターンパイク (有料高速道路) túrnpìke Ⓒ.

ターンバックル (ロープなどの締め金具) turnbuckle Ⓒ.

たい[1] 対 (…対…をはっきり示すとき) … versus … 《略 v., vs.》 ★ 略したときも /vɚ́ːsəs/ と読む. 主に競技・訴訟などに用いる; (…と…との間の) between … and … ★ versus より一般的; (…に対抗して) against …; (…に対しての) to …; (…に向かっての) toward …, 《英》 towards …

¶ 法政*対明治の試合 the Hosei *vs.* Meiji game / the game *between* Hosei *and* Meiji // 私たちのチームは 10 *対 1 で楽勝した Our team won an easy victory by (a score of) ten *to* one. // 地*対空ミサイル a ground-*to*-air missile // 日本の*対米政策 Japan's policy *toward* the United States

たい[2] 他意 ¶ *他意はありません (⇒ それに乗じてうまく利用しようとしているのではありません) I'm not going to take advantage of it. 《☞ いと[2]》

たい[3] 鯛 〘魚〙 sea bream Ⓒ ★ 単複同形だが, 種類をいうときは ～s. **腐っても鯛** An old eagle is better than a young crow. 《ことわざ: 老いたわしでも若いからすよりはよい》 **鯛の尾より鰯の頭** Better be the head of a dog than the tail of a lion. 《ことわざ: ライオンの尻尾であるよりは犬の頭であるほうがましだ》.

たい[4] 隊 (人の集まり) party Ⓒ; (ある目的のためのグループ) company Ⓒ; (仕事などの組) team Ⓒ; (小人数の集まり) band Ⓒ; (軍隊や警察の小単位のグループ・分隊) squad Ⓒ. 《☞ だん[2]》.

¶ 学生の一*隊が山を登っていった A *party* of students ˹was [were] climbing up the mountain. // 探検*隊 an expedition (*team*) // *隊を組む form a *party* // *隊を組んで進行する march in *formation*

たい[5] 体 **体をかわす** (さっと身をかわす) dodge ⑩ ⓐ; (身をかがめてかわす) duck ⓐ. 《☞ かわす[2]; よける》. **体をなす** (形をなす) take shape; (具体化する) materialize ⓐ. ¶ この会は基本的な会則も整っていなくて, まったく委員会の*体をなしていない (⇒ 委員会とはとても呼べない) This group *cannot simply be called* a committee, with even the basic ground rules lacking.

たい[6] 態 〘文法〙 voice Ⓤ.

たい[7] 堆 (頂部が平らな海底の小隆起) bank Ⓒ.

-たい (欲する) want (to *do* …) 語法 (1) 口語的で最も一般的に用いられるが, 話し手の希望を単刀直入に表面に出すので, 相手に失礼になることもあるので注意; (…したい) would [should] like (to *do* …) 語法 (2) 丁寧な表現. should は 1 人称のみだが, 口語の場合, 特に《米》では 1 人称にも would が用いられる. 短縮形は 'd like to *do* …; (希望する) hope (to *do* …); (できれば…したい) wish (to *do* …) ★ 実現の困難な願いに用いる; (切望する・ぜひ…したい) be ˹anxious [eager] (to *do* …), long (to *do* …) ★ やや格式ばった言い方; 《略式》 be dying (to *do* …); (…したい気持ちがする) feel like …ing. 《☞ -したい (類義語)》.

¶ まず第一にその問題に触れ*たいと思います I *would* [I'*d*] *like to* comment on the problem first. // 彼女に会い*たい I'*m longing to* see her. // 私は一刻も早く結果を知り*たい I'*m* ˹*anxious* [*dying*] *to* know the result as soon as possible. // 泣き*たい気持ちだ I *feel like crying*.

タイ[1] ── 名 固 Thailand /táɪlænd/; (正式名; タイ王国) the Kingdom of Thailand. ── 形 Thai. **タイ語** Thai Ⓤ **タイ人** Thai Ⓒ.

タイ[2] ── 名 (同点) tie Ⓒ. ── 動 (…とタイにする; …とタイで終わる) tie ⑩ ⓐ. 《☞ どうてん[1]; ひきわけ》. **タイ記録** ── 名 tie Ⓒ. ── 動 (タイ記録を出す) tie the record. 《☞ きろく》. ¶ 彼は 100 メートル平泳ぎで世界*タイ記録を出した He *tied the* world *record* for the (one-)hundred-meter breaststroke. **タイゲーム** tie game Ⓒ **タイスコア** ¶ 2 チームは第 1 試合で*タイスコアになった The two teams (were) *tied* in the first game.

タイ[3] (ネクタイ) tie Ⓒ 《☞ ネクタイ》.

タイ[4] 〘楽〙 tie Ⓒ.

だい[1] 題 **1** 《作文・本などの主題, 表題》: (主題) subject Ⓒ; (論題) theme Ⓒ; topic Ⓒ; (表題) title Ⓒ.

【類義語】主題という意味の最も普通の語は *subject*. 論文・文学作品などで展開し, 詳述されるようなテーマが *theme*. これに対し, 口語的な語で, 討論や随筆などで扱われる共通の話題を意味するのが *topic*.

格式ばらない場合は *subject* や *theme* の代わりにも用いられる. 作文や本などの題目・表題という意味の語が *title*. (☞ しゅだい)

¶ 作文の*題は『私の夏休み』だった The「*subject* [*theme*; *topic*; *title*] of the composition was "My Summer Vacation." (☞ 引用符(号) (巻末)) // この本の*題は『ガリバー旅行記』です The *title* of this book is *Gulliver's Travels*. (☞ イタリック体 (巻末)) // 『種の起源』という*題の本 a book *entitled On the Origin of Species*

2 «問題»: (答えを求める問い) question Ⓒ; (特に数や事実の解決を求める問い) problem Ⓒ. (☞ もんだい; しつもん; 数の数え方 (囲み)). ¶ 数学は 10 題中 4*題しか答えられなかった I was able to「answer only four *questions* [solve only four *problems*] out of ten in mathematics.

コロケーション

あいまいな題 an ambiguous [a vague] *title* / **おもしろそうな題** an interesting [a catchy] *title* / **仮題** a「tentative [working] *title* / **奇妙な題** a「strange [weird] *title* / **誤解を招きそうな題** a「misleading [deceptive] *title* / **挑発的な題** a provocative *title* / **長たらしい題** a lengthy *title* / **ふざけた題** a flippant *title* / **平凡な題** a prosaic *title*

だい[2] 台 (物を置くための) stand Ⓒ; (休ませるために載せる台) rest Ⓒ; (板に脚を付けたいろいろな用途の台) table Ⓒ; (銅像などの) pédestal Ⓒ; (熱いなべなどを置く) trívet Ⓒ.

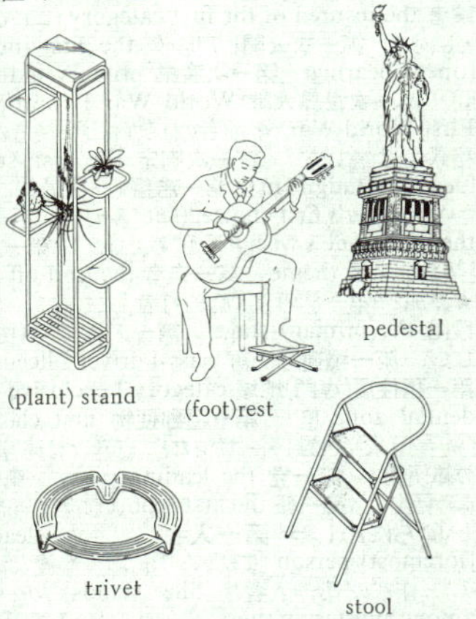

¶ この*台の上に花瓶を置いてはいけません Please don't place a vase on this *stand*. // 彼らは作業*台で機械を修理している They are repairing a machine at the *worktable*.

だい[3] 大 ―形 (量・規模などが大きい) big; (大きさ・かさなどが) large; (とても大きい) great. ―名 (大きさ) size Ⓤ 日英比較 日本語ではよく「大運動会」「大演説会」のように立派な内容ということを強調する意味で「大」を用いることがあるが, 英語にはこのような修飾語を付ける習慣がないので, それを訳出する必要はないことが多い. (☞ おおきい (類義語)).

¶ 兄は*大企業に就職した My elder brother got a position with a *big* company. // 彼らは*大の仲よしです They are「*great* [*good*] friends. // ピザは私の*大好物です Pizza is my *great* favorite. / (⇒ 私はピザが大好きです) I'm *very* fond of pizza. // はがき*大のボール紙を 5 枚用意して下さい Prepare five pieces of cardboard「of postcard *size* [as *large* as a postcard]. // *大中小がありますがどれにしますか We have [It comes in] three sizes: *large*, medium, and small. Which would you like? // この肖像画はほぼ実物*大[等身*大]です This portrait is nearly「*as large as life* [*life-size(d)*].

大なり小なり to a greater or lesser degree; (ある程度) to some degree; (多かれ少なかれ) more or less. ¶ 私は*大なり小なり父親の影響を受けている I am influenced *to some degree* by my father.

大の虫を生かして小の虫を殺す save the large at the expense of the small. **大は小を兼ねる** The greater serves the purpose of the smaller as well. / Too big is better than too small.

だい[4] 代 (時代) time Ⓤ; (世代) generation Ⓒ; (治世) reign Ⓒ. (☞ せだい; だいがわり).

¶ 曾祖父の*代から東京に住んでいます My family came to live in Tokyo in my great-grandfather's *time*. // 彼女の家は何*代も続いた (⇒ 背後に長い歴史をもった) 立派な家柄です Hers is a respectable family with a long history behind it. // リンカーンは第 16*代アメリカ大統領です Abraham Lincoln is the sixteenth president of the United States. (☞ 数字 (囲み)) // 吉宗は徳川幕府の何*代目の将軍ですか What number Shogun was Yoshimune in the Tokugawa Shogunate? (☞ なん-; -め) // 彼は一*代で巨万の富を得た He made a great fortune in his *lifetime*. (☞ いちだい) // 三*代目菊五郎 Kikugoro III ★ the third と読む.

だい- 第… 日英比較 英語では特にこの語に相当する特定の語はなく, 序数の中にこの意味が含まれていると考えるべきである. (☞ 数字 (囲み)). ¶ 憲法*第 9 条 Article 9 of the Constitution // ベートーベンの交響曲*第 3 番 Beethoven's /béɪtoʊv(ə)nz/ *Third* (Symphony) / Beethoven's Symphony *No.* 3 / *The Third* Symphony of Beethoven ★ 後のものほど格式ばった表現になる.

-だい[1] …代 (値段) price Ⓒ; (基準によって決められた料金) rate Ⓒ; (品物またはサービスなどに支払われる料金) charge Ⓒ 語法 (1) charge は主にサービスに対して支払う料金, rate はホテル代などのように単位当たりで決まるものをいう; (乗り物の料金) fare Ⓒ; (賃貸料) rent Ⓤ. (☞ りょうきん (類義語); -りょう).

¶ お*代はいかほどですか How much is it? / What's the「*price* [*rate*]? / How much do I owe you? 語法 (2) 最初の表現が最も一般的. 最後の表現は代金を払うときにのみ用いる. // タクシー*代 taxi *fare* // 本*代 (⇒ 本の請求書) がかさんだ My book *bills*「came [mounted up] to a large sum. // 部屋*代は週 100 ポンドだった The (room) *rent* was a hundred pounds a week. / They *charged* a hundred pounds a week for「the [a] room. // ホテル*代 hotel *rates*

-だい[2] …代 語法 (1) ある 10 代の数 (20 代, 30 代, 120 代など) に属する数をまとめて表すには所有格または the の後で, その 10 代の数を表す語を複数形にする. 数字を用いるときには -'s または単に -s を付ける. (☞ 数字 (囲み)).

¶ 1890 年*代 *the 1890s* / *the 1890's* 語法 (2) 以上いずれも the eighteen-nineties と読む. // 彼はまだ 30 *代です He's still in his *thirties*. ★ この場合はアポストロフィは付けない. (☞ ねんだい)

-だい[3] …台 **1** «単位» ¶ 私の家にはテレビが 2 *台ある I have two TV *sets* [TV's]. (☞ 数の数え方 (囲み)) // 車 2 *台分のスペース a space for two *cars*

2 «区切り»: (はっきりした目印) mark Ⓒ; (水準) level Ⓒ. ¶ その値段はたちまちのうちに 100 万円*台に近づいた The price has climbed rapidly toward the one-million-yen *mark*. // 10 時*台 (⇒ 10 時と 11 時の間) にはバスは 3 本しかありません There are only three buses running *between* ten *and* eleven.

ダイ ☞ダイス[2]

ダイアゴナル ―名 (対角線) diagonal Ⓒ. ―形 (斜めの) diagonal. (☞ななめ).

ダイアジン 〘化〙 diazine Ⓤ ★ 専門分野ではしばしば Ⓒ. ジアジンとも言う.

たいあたり 体当たり ―動 (体当たりする) dash *oneself* against ...

たいあつ 耐圧 ―名 resistance to pressure Ⓤ. ―形 (耐圧式の) pressure-resistant.

タイアップ ―動 (協力する) cooperate /kouάpərèit/ (with ...) ㊀; (...と提携する) tie up with ... (☞ていけい[1]).

ダイアナ (女性名) Diána; (英国の元皇太子妃) Princess ˹Diana [(愛称) Di], 1961–97 ★ 正式には Diana, Princess of Wales (ダイアナ皇太子妃). 旧姓 Diana Frances Spencer.

たいあみ 鯛網 sea-bream fishing net Ⓒ.

ダイアリー (日記) diary Ⓒ (☞にっき).

ダイアル ☞ダイヤル

ダイアレクト (方言) dialect Ⓒ.

ダイアローグ (対話) dialog(ue) Ⓒ (☞たいわ).

ダイアログボックス 〘コンピューター〙 dialog box Ⓒ.

たいあん[1] 大安 lucky day (in the Japanese calendar) Ⓒ. **大安吉日** the luckiest day.

たいあん[2] 対案 cóunterpropòsal Ⓒ (☞あん[1]). ¶ 野党は*対案を出した The opposition parties *countered with another proposal*.

だいあん 代案 alternative /ɔ:ltə́:nətɪv/ (plán) Ⓒ.

たいい[1] 大意 (概略) outline Ⓒ; (まとめ) summary Ⓒ; (要旨) gist Ⓒ; (全体の考え) general idea Ⓒ; (論文などのまとめ) synopsis /sɪnάpsɪs/ Ⓒ (複 synopses /-si:z/), résumé /rézumèɪ/ Ⓒ. (☞がいりゃく; ようし[1]; ようやく[2]). ¶ この段落の*大意を述べよ Write [Give] the *general idea* of this paragraph. // この論文の*大意を 400 語以内で書きなさい Write a ˹*summary* [*synopsis*; *résumé*] of this paper in four hundred words or less.

たいい[2] 体位 (体格) physique /fɪzí:k/ Ⓤ; (姿勢) posture Ⓤ. (☞しせい[1]; たいかく[1]). **体位向上** improvement in physique Ⓤ.

たいい[3] 退位 ―名 abdication Ⓤ. ―動 (退位する) abdicate ㊀, step down from the throne. ¶ 1936 年にエドワード 8 世は*退位した Edward VIII *abdicated* in 1936.

たいい[4] 大尉 (陸[空]軍) captain Ⓒ; (海軍) lieutenant /lu:ténənt/ Ⓒ.

だいい[1] 代位 ―名 〘法〙 sùbrogátion Ⓤ. ―動 〘法〙 súbrogàte ㊉. **代位相続** 〘法〙 inheritance in subrogation Ⓤ, subrogation inheritance Ⓤ **代位訴権** 〘法〙 right of action by a subrogee /sʌ̀broudʒí:/ Ⓒ.

だいい[2] 題意 (題名の意味) meaning of a title Ⓒ; (出題の) point of a question Ⓒ.

たいいき 帯域 〘通信・コンピューター〙 band Ⓒ. **帯域幅** bandwidth Ⓒ **帯域免許** band license Ⓒ.

たいいく 体育 (科目名) physical education Ⓤ (略 PE). **体育館** gymnasium /dʒɪmnéɪziəm/ Ⓒ (複 ~s, gymnasia /-ziə/), (略式) gym Ⓒ **体育祭** (学校などの) (米) field day Ⓒ; (英) sports day Ⓒ; (競技会) athletic(s) meet Ⓒ **体育指導委員** member of a steering committee for sports promotion Ⓒ **体育の日** Health-Sports Day (☞しゅくじつ (表)).

だいいし 台石 (建物の) foundation stone Ⓒ; (胸像などの) pédestal Ⓒ; (墓の) footstone Ⓒ.

だいいち 第一 ―形 the first, number one, no. 1 [語法] (1) 後の 2 つは名詞の後に付けて順序を示すとき, 口語的に優劣の順序を言うときなどに用いる; (主要な・第一次的な) primary Ⓐ; (主な) main Ⓐ; (一流の) leading Ⓐ; (先頭に立つ) foremost ★ 最後の 2 語は入れ替え可能な場合もあるが,「指導的立場の」の意味では leading が普通; (最上の) the best. ―副 (何よりも) first (of all); (一番目に) first, firstly, in the first place ★ この順に格式ばった言い方; (話題の最初として) to begin with. (☞いちばん; 数字 (囲み)).

¶ *第一章[課] *the first* ˹chapter [lesson] / Chapter [Lesson] *I* ★ 本の章や課の見出しなどで. // NHK *第一放送 NHK (channel) *I* /wʌ́n/ // これが*第一の理由です This is the ˹*primary* [*main*] reason. // まず*第一にこの研究の目的を考えてみましょう *To begin with* [*First*; *In the first place*], we will consider the aim of this study. // 幾つかの重要な要因がある. *第一に予想外の物価の上昇, 第二に... There are several important factors: *first* the unexpected rise in commodity prices, secondly ... [語法] (2) firstly を用いてもよいが, 最近は first とすることが多い. (☞コロン (巻末))

第一印象 *one's* first impression **第一楽章** 〘楽〙 the first movement **第一義** (最も重要なこと) the most important thing; (根本原則) the first principle; (原義) the original meaning **第一号被保険者** the insured of the first category (☞ひほけんしゃ). **第一次公開ヒアリング** the first ˹public [open] hearing **第一次産業** primary industry Ⓤ **第一次世界大戦** World War I /wʌ́n/, the First World War ★ 前者のほうが普通. 後者はやや格式ばった言い方. **第一次判定** the first(-stage) ˹decision [judgment] **第一志望** (一番最初に選びたいもの) *one's* first choice; (願い事リストの第一番) the top of one's wish list. (☞しぼう[1]) **第一主題** 〘楽〙 the first theme **第一走者** the lead-off man ★ ほかに「第一泳者」,「第一打者」にも言う. **第一段階** the primary stage **第一人称** ☞いちにんしょう **第一種運転免許** class-I driver's license Ⓒ **第一種住居(専門)地域** category I exclusive residential zone Ⓒ **第一種郵便物** first class Ⓤ [参考] (米) では封書・はがきなど, (英) では速達扱いの郵便物. **第一党** the leading party **第一歩** ☞見出し **第一報** the first report (☞いっぽう[2]).

だいいちにんしゃ 第一人者 the ˹leading [foremost] person (☞いちりゅう). ¶ 彼女はミステリー作家の*第一人者だ She stands *foremost* among mystery writers. // 彼はこの分野では*第一人者です He is the ˹*leading* [*foremost*] expert in this field.

だいいっせい 第一声 the first speech. ¶ 彼は候補者応援の*第一声をあげた He made *the first campaign speech* in support of the candidate.

だいいっせん 第一線 (最前線) the first line; (戦線) front Ⓒ. ¶ 彼は実業界の*第一線で活躍している He is on *the front line* in business.

だいいっぽ 第一歩 the first step; (開始・着手) start Ⓒ, beginning Ⓒ. ¶ *第一歩を踏み出す take [make] *the first step* // 能率改善への*第一歩 *the first step* towards increasing efficiency

たいいほう 対位法 〘楽〙 ―名 cóunterpòint Ⓤ. ―形 contrapuntal /kὰntrəpʌ́ntl/.

たいいん[1] 退院 ―動 come [get] out of (the) hospital, leave (the) hospital [語法] いずれも the を省くのは (英); (病院が退院させる) discharge ㊉.

¶彼女はきのう*退院した She「*got out of* [*left*] (*the*) *hospital* yesterday.

たいいん² 隊員 (一般的に) member (of …) Ⓒ; (消防隊員) fireman Ⓒ《複 -men》, fire fighter Ⓒ ★後者は男性・女性の区別を避けて用いる語; (自衛隊員) Self-Defense Forces official Ⓒ; (救助隊員) rescue worker Ⓒ.

だいいん 代印 ―動 (代わりに署名する [シールを貼る]) sign [stamp with a seal] by proxy. 日英比較 英語圏では印鑑を用いないので, ぴったりの訳語はない. 《☞ はん¹ 日英比較》

ダイイン die-in Ⓒ ★抗議のために大地に横たわる示威行動.

だいいんしん 大陰唇 〘解〙 the labia majora /léɪbiəmədʒɔ́ːrə/ ★labium の複数形.

たいいんれき 太陰暦 the lunar calendar.

だいうちゅう 大宇宙 the mácrocòsm (↔ micrócosm).

だいうんが 大運河 ―名 固 the Grand Canal ★中国東部の天津(または北京)と杭州を結ぶ長さ 1,700 km を越す大運河.

だいえい 題詠 composing a poem, haiku and the like on a given theme Ⓤ, poetical composition on a given theme Ⓒ.

だいえいだん 大英断 ☞ えいだん; けつだん

だいえいていこく 大英帝国 the British Empire ★英国およびその自治領と植民地の旧称.

たいえいてき 退嬰的 (保守的な) conservative; (進取的でない) unenterprising. ¶*退嬰的な傾向 a *conservative* tendency

だいえいはくぶつかん 大英博物館 the British Museum ★ロンドンにある国立の博物館.

たいえき¹ 退役 ―動 retire 自. **退役軍人** ex-serviceman Ⓒ, 《米》 veteran Ⓒ.

たいえき² 体液 (body) fluid Ⓤ. **体液性免疫** immunity of body fluid Ⓤ, humoral immunity Ⓤ.

ダイエタリーファイバー (食物繊維) dietary fiber Ⓤ 《☞ しょくもつ》.

ダイエッター (ダイエット中の人) dieter Ⓒ.

ダイエット ―名 (食事制限) diet Ⓒ. ―動 be [go] on a diet. 《☞ しょくじりょうほう; げんしょく³; せっしょく²》. ¶彼女は*ダイエットしている She *is on a diet*. // 私は*ダイエットしなければならない I must *go on a diet*. // 医師は彼に*ダイエットさせた The doctor put him on a *diet*. **ダイエット食品** diet [low-calorie; low-cal] food Ⓤ **ダイエット療法** dietary cure Ⓒ.

ダイエットクリエーター diet creator Ⓒ.

ダイエティシャン (栄養士) dietitian Ⓒ, dietician Ⓒ. 《☞ えいよう》.

たいえん 耐炎 ―形 flameproof, flame-resistant. ―名 flame resistance Ⓤ.

だいえん 代演 súbstitùte perfórmance Ⓒ; performance by proxy Ⓒ. 《☞ だいやく》. ¶彼がその役者の*代演をつとめた He acted as a *substitute* for the actor. // 役者が病気で彼が*代演した The actor was sick and he *filled in for* him.

たいおう¹ 対応 ―動 (一致・対応する) correspond to …; (相当する・内容的に同じ) be equívalent to …; (問題・事件などに対処する) cope with … ―名 còrrespóndence Ⓤ; equívalence Ⓤ. 《☞ そうとう¹; たいしょ¹》.
¶この 2 つの要素には 1 対 1 の*対応はない There is no one-to-one *correspondence* between these two factors. // この日本語 (⇒日本語の句) はその英語に*対応している This Japanese phrase「*is equivalent* [*corresponds*] *to* that English one.
対応原理 〘物理〙 the correspondence principle, the principle of correspondence **対応策** cóuntermèasure Ⓒ ★しばしば複数形で. 《☞ たいさく¹; ぜんごさく》.

―コロケーション―
正確に対応する *correspond* exactly to … / **大体において対応する** *correspond*「broadly [roughly] to … / **ぴったりと[密接に]対応する** *correspond* closely to … / **部分的に対応する** *correspond*「partly [partially] to … / **ほぼ対応する** *correspond* approximately to …

たいおう² 滞欧 ―名 *one's* stay in Europe. ―動 stay in Europe. ¶彼は 3 週間*滞欧した He *stayed in Europe* for three weeks. // それは彼女の*滞欧中の出来事だった The incident happened during *her stay in Europe*.

だいおう¹ 大王 great king Ⓒ. ¶アレクサンダー*大王 Alexander *the Great*

だいおう² 大黄 〘植〙 rhubarb Ⓤ.

だいおういか 大王烏賊 〘魚〙 giant squid Ⓒ.

だいおうじょう 大往生 ―動 (穏やかな死に方をする) die peacefully; (天寿を全うして死ぬ) die a natural death, die of natural causes. 《☞ しぬ (類義語)》.

だいおうやし 大王椰子 〘植〙 royal palm Ⓒ.

ダイオード 〘電工〙 díode Ⓒ.

ダイオキシン 〘化〙 dioxin /daɪɑ́ksɪn/ Ⓤ. **ダイオキシン汚染濃度** dioxin contamination「density Ⓤ [level Ⓒ] ★density は Ⓒ のこともある. **ダイオキシン摂取量** dioxin intake Ⓤ, intake of dioxin Ⓤ.

たいおとし 体落とし (柔道の技) *tai-otoshi* Ⓤ; (説明的には) body「drop [throw] Ⓒ.

たいおん 体温 temperature Ⓤ 日英比較 日本語と違い「気温」「体温」「温度」の区別は普通しない. 必要があればそのときだけ body temperature という. また下の用例のように英米では普通華氏で表わす. 《☞ ねつ; 度量衡 (囲み)》.
¶子供の*体温は大人より高い A child has a higher (*body*) *temperature* than an adult. / The normal *body temperature* of children is higher than that of adults. // *体温を計る take *one's temperature* // 彼の*体温は 7 度 5 分だ His *temperature* is [He has a *temperature* of] 99.5.
体温計 (clinical) thermómeter Ⓒ 《☞ おんどけい; いりょう¹ (挿絵)》. **体温調節** regulation of body temperature Ⓤ.

―コロケーション―
体温が上がる *one's temperature*「rises [goes up] / **体温が安定している** *one's temperature* remains steady / **体温が下がる** *one's temperature*「falls [drops; goes down] / **(人の)体温を下げる** bring down *a person's temperature*

だいおん 大恩 great obligation Ⓒ. ¶私は先生に*大恩を受けている I *am*「*greatly* [*deeply*] *indebted* to my teacher.

だいおんじょう 大音声 (大きな声で) in a very loud voice; (割れるような声で) in a thunderous voice.

たいか¹ 大家 (一流の専門家) léading éxpert Ⓒ; (権威者) authority Ⓒ; (名人) great master Ⓒ; (大学者) great scholar Ⓒ; (芸術の) virtuoso /vɜ̀ːtʃuóusou/ Ⓒ《複 ~s, virtuosi /-siː/》. 《☞ けんい》. ¶彼は経済学の*大家です He is a *great authority* on economics.

たいか² 大過 **大過なく** ¶幸い*大過なく仕事を終わらせることができた Fortunately I was able to finish my work *without* (*making*) *any serious errors*.

たいか[3] 滞貨 (配達していない貨物・荷物などの山) accumulation of undelivered goods Ⓤ; (貨物の滞り) freight congestion Ⓤ.

たいか[4] 退化 ── 名 〘生〙(劣化すること) degeneration /dɪdʒènəréɪʃən/ Ⓤ; (元の状態に逆戻りすること)《格式》rètrogréssion Ⓤ. ── 動 degénerate (自);《格式》rètrogréss (自). **退化器官** 〘生〙(萎縮した器官) átrophied órgan Ⓤ; (痕跡器官) vestígial órgan Ⓒ.

たいか[5] 耐火 ── 形 firepròof. **耐火建築** fireproof [fire-resistant] building Ⓒ **耐火構造** fireproof structure Ⓒ **耐火材** fireproof material Ⓤ, fireproofing Ⓤ **耐火性** ── 名 fire resistance Ⓤ. ── 形 fire-resistant **耐火性能** fireproof performance Ⓤ **耐火被覆** fireproof coating Ⓤ, fireproof covering Ⓤ **耐火ペイント** fireproof paint Ⓤ **耐火壁** firewall Ⓒ **耐火レンガ** firebrick Ⓒ.

たいか[6] 大火 big fire Ⓒ,《格式》conflagration Ⓒ. (☞ かじ[1]).

たいか[7] 対価 (等価値) equivalent Ⓒ; (補償) compensation Ⓤ; (法律で, 契約上の対価) consideration Ⓒ.

たいが[1] 大河 large [big] river Ⓒ (☞ かわ[1]).
大河小説 roman-fleuve Ⓒ《複 romans-fleuves》★ フランス語で river novel の意から; (長い小説) long novel Ⓒ; (特に一家・一族または社会の変遷をテーマに扱ったもの) saga /sáːɡə/ Ⓒ **大河ドラマ** long historical drama Ⓒ, saga drama Ⓒ. (☞ ドラマ).

たいが[2] 胎芽 (植物の) bulbil Ⓒ; (ヒトの) embryo Ⓒ. **胎芽細胞** embryonic cell Ⓒ.

タイガ (シベリアなどの針葉樹林帯) taiga Ⓒ.

だいか 代価 (値段) price Ⓒ; (費用) cost Ⓒ. (☞ ねだん (類義語); ひよう). ¶ 私はいかなる*代価を払っても目的を遂げるつもりだ I will accomplish my purpose *at* ⌈*any price* [*any cost*; *all costs*]. (☞ ぎせい) **代価弁済** 〘法〙 release of an assumed mortgage (by the assumer's (partial) payment of the mortgage loan) Ⓤ ★ 説明的な訳.

だいが 題画 poem written over a ⌈painting [picture] Ⓒ.

タイガー (虎) tiger Ⓒ (☞ とら).

たいかい[1] 大会 (大集会・大衆を集めての大集会) mass meeting Ⓒ; (総会) general meeting Ⓒ; (政治・宗教団体などの) convention Ⓒ; (会議) conference Ⓒ; (政治的な大集会) rally Ⓒ ★ ボーイスカウトなどの大会にも用いる; (競技・スポーツの) meet Ⓒ. (☞ かい[1] (類義語); しゅうかい).
¶ その*大会には 1 万人以上の市民が参加した More than ten thousand citizens attended the *mass meeting*. // 当会の*大会は毎年 12 月に開かれる The *general meeting* of our society is held in December every year. // 党*大会は延期された The party *convention* was put off. // 陸上競技*大会 a track *meet* // 職場*大会 a ⌈workshop [workplace] *rally*

たいかい[2] 退会 ── 動 withdraw (from ...) (自). ── 名 withdrawal Ⓤ. (☞ だっかい[1]). **退会者** (以前の会員) former member Ⓒ **退会届** notice of withdrawal Ⓒ.

たいかい[3] 大海 ocean Ⓒ, sea Ⓒ ★ ともに the を付けるのが普通; (海の広がり) a wide expanse of sea. **大海の一滴, 大海の一粟**(いちぞく) a drop in the ⌈bucket [ocean].

たいがい[1] 大概 **1** «たいてい» ── 副 (たいていの場合) mostly, in most cases, for the most part ★ 以上 3 つはこの順に格式ばった言い方となる; (一般に) generally, in general 語法 前者は文中に, 後者は文頭に置かれることが多い. また後者は名詞のあとに置かれて形容詞的にも用いられる. ── 形 (たいていの) most; (ほとんど) nearly all, almost all. ── 代 (たいてい) most (of ...). (☞ たいてい).
¶ 仕事も*たいがい片付いた *Almost* [*Nearly*] *all* the work is done now. // *たいがいの場合, 彼女の解答は正確だ *In most cases*, her answers are ⌈right [correct]. // 彼は夜は*たいがい家にいる He is *generally* at home in the evening.
2 «多分» ── 副 probably; possibly, perhaps ★ 以上 3 語の区別は ☞ たぶん[1] 語法; おそらく (類義語).

たいがい[2] 対外 ── 形 (国外の) external; (外国に対する) foreign, overseas. **対外援助** foreign aid Ⓤ **対外関係** foreign relation ★ 普通複数形で. **対外主権** external sovereignty Ⓤ **対外純資産** net external (financial) asset Ⓒ **対外政策** foreign policy Ⓒ **対外直接投資** direct overseas investment Ⓤ **対外的** ── 形 exterior, external; (外国に対する) foreign **対外投資** overseas investment Ⓤ **対外不均衡** foreign trade imbalance Ⓒ **対外貿易** foreign trade Ⓤ.

だいがいしゃ 大会社 big [major] ⌈company [corporation] Ⓒ (☞ かいしゃ[1]).

たいがいじゅせい 体外受精 〘医〙 in vítro fertilizátion Ⓤ ★ in vitro は「試験管内の」の意.

だいかいてん(きょうぎ) 大回転(競技) 〘スキー〙 giant slalom Ⓒ.

だいがえ 代替え ☞ だいたい[2]; だいがわり

たいかく[1] 体格 a build ★ a を付けて, physique Ⓒ, (phýsical) cònstitútion Ⓒ 語法 第 1 番が最も口語的. (☞ からだ). ¶ 彼は*体格がよい He's a well-*built* man. / He has a good ⌈*build* [*constitution*]. **体格指数** body mass index Ⓒ《略 BMI》.

コロケーション

大柄な体格 a large *build* / がっしりした体格 a ⌈sturdy [robust] ⌈*build* [*constitution*] / きゃしゃな体格 a delicate *build* / 筋肉質の体格 a muscular *physique* / 小柄な体格 a small *build* / ずんぐりした体格 a stocky ⌈*build* [*physique*] / たくましい体格 a ⌈strong [powerful] ⌈*physique* [*build*; *constitution*] / 貧相な体格 a poor *constitution* / 太めの体格 a ⌈stout [thickish] *build* / ほっそりした体格 a ⌈slim [slender] *build* / やせた体格 a skinny *build* / 弱々しい体格 a ⌈feeble [frail; weak] ⌈*build* [*constitution*] / りっぱな体格 a ⌈great [magnificent] *physique*

たいかく[2] 対格 〘文法〙 accusative Ⓒ.

たいかく[3] 対角 〘数〙 the opposite angle. **対角線** diagonal /daɪǽɡənl/ (line) Ⓒ.

たいがく[1] 退学 ── 動 (学校をやめる) leave [quit] school ★ leave は一般的. quit はより口語的; (中途で退学する) drop out (of school); (退学させる) dismiss ... from school ★ 格式ばった言い方; (追放する) expel (他), throw ... out of school ★ 後者のほうが口語的. ── 名 (生徒の立場から) withdrawal from school Ⓤ; (処分する立場から) expulsion from school Ⓤ. (☞ ちゅうたい[1]).
¶ 私は家庭の事情で*退学しなければならなかった I had to ⌈*leave* [*quit*] *school* for family reasons. // その学校は一度に 10 人の生徒を*退学させた The school *expelled* ten students at the same time. // 中途*退学者 a dropout
退学処分 expulsion from school Ⓤ **退学届** notice of withdrawal from school Ⓒ.

たいがく[2] 怠学 ── 名 (学業の怠慢) neglecting *one's* studies Ⓤ; (学校をサボること) truancy Ⓤ.

― 動 play truant, 《米》 play hooky. 《☞ ずるやすみ》.

だいがく[1] **大学** (総合の) university Ⓒ; (単科の) college Ⓒ; (理工学の) institute Ⓒ.

【類義語】大学院 (graduate school) を持ち, 幾つかの学部 (college) を擁(よう)する総合大学を ***university*** と言い, 大学院を持たず, 教養学科 (liberal arts) を主とする大学, または単科大学を ***college*** という. 《☞ 学校・教育 (囲み); がくぶ (類義語)》

¶ 東京*大学 Tokyo *University* / the *University* of Tokyo 語法 (1) 大学名に地名が付く場合はこの2通りの言い方ができるが, 後者のほうが格式ばった言い方. ただし大学によっていずれかに決まっている場合が多い. // ブラウン*大学 Brown *University* 語法 (2) 人名が付く場合はこの言い方しかない. // 彼は*大学生だ (⇒ 大学へ行っている) He goes to ˹*college* [(*the*) *university*]. 語法 (3) go to college が最も一般的な言い方. university を用いた場合, 《英》では (the) を省略することが多い. / (⇒ 彼はいま大学に在学中です) He is now ˹*in college* [*at* (*the*) *university*]. / (⇒ 彼は大学生です) He is a ˹*college* [*university*] student. ★ 第1文が最も一般的. // 「あなたはどこの*大学ですか」「東西*大学です」"What [Which] *college* do you go to?" "I go to Tozai ˹*College* [*University*]." // 彼女は今年*大学に入った She entered ˹*college* [(a) *university*] this year. // 彼は去年早稲田*大学を卒業した He graduated from Waseda *University* last year. // 有名[名門]*大学 a prestigious ˹*university* [*college*]

> 大学のいろいろ
> 国立大学 national ˹university [college], 公立大学 public ˹university [college], 私立大学 private ˹university [college], 短期大学 junior college, 女子大学 women's college, 医科大学 medical school, 教員養成大学 teachers college, 工科大学 institute of technology

大学1 [2, 3, 4] 年生 freshman [sophomore; junior; senior] Ⓒ ★ freshman の複数形は freshmen. **大学改革** university reform Ⓒ **大学教員定年制** age-limit system for university teachers Ⓒ **大学教授** (university [college]) professor Ⓒ 《☞ きょうじゅ[1]》 **大学共同利用機関** inter-university [universities' joint-use] research institute Ⓒ **大学構造改革プラン** plan for structural reform of universities Ⓒ **大学審議会** the University Council **大学スポーツ** college sports **大学生** college [university] student Ⓒ; (大学院生に対して) undergraduate (student) Ⓒ **大学生活** college [university] life Ⓤ **大学設置基準** University Chartering Standards **大学総長[学長]** president of a ˹university [college] Ⓒ, university [college] president Ⓒ 語法 (4) 後者のほうが略式の言い方. 《☞ がくちょう[1]》 **大学出[出身者]** college [university] graduate Ⓒ **大学入学資格検定** the University Entrance Qualification Examination **大学入試** college entrance exam(ination) Ⓒ **大学ノート** large-sized notebook Ⓒ **大学病院** university [《英》 teaching] hospital Ⓒ **大学紛争** campus dispute Ⓒ, campus strife Ⓤ **大学野球** college baseball Ⓤ **大学予備門** 〘史〙 the predecessor of the First High School under the prewar education system, the official preparatory school of the University of Tokyo founded in 1887. ★ いずれも説明的な訳. **大学令** the University Order; (説明的には) the prewar University Education Law.

だいがく[2] **大学** (四書の一) *Daigaku*; (説明的には) one of the four Chinese classic texts of Confucianism. 《☞ ししょごきょう》.

だいがくいも 大学芋 candied sweet potatoes ★ 複数形で; (説明的には) bite-sized pieces of sweet potatoes which are deep-fried and coated with sugar and sesame seeds.

だいがくいん 大学院 (pòst) graduate /grǽdʒuət/ school Ⓒ ★ 《米》では post を付けないのが普通. 《☞ 学校・教育 (囲み)》. ¶ *大学院で研究する do *graduate* ˹work [study] **大学院課程** graduate program Ⓒ **大学院生** graduate student Ⓒ **大学院大学** university with graduate school curriculum Ⓒ.

たいかくせん 対角線 ☞ たいかく[3]

だいがくにゅうしセンター 大学入試センター the National Center for University Entrance Examination. **大学入試センター試験** the university entrance examination given by the National Center.

だいかぐら 太神楽, 代神楽 (伊勢神宮に奉納する) dedicatory *kagura* dance performed at the Ise Shrine Ⓒ; (大道芸の) street performance of a lion dance with jugglery Ⓒ. 《☞ かぐら》.

だいかこ 大過去 〘文法〙 the pluperfect 《☞ かこ[1] (過去完了)》.

だいがし 代貸し (金貸しの代理人) agent of a moneylender Ⓒ; (賭博場の) stand-in [fill-in] for the ˹owner [operator] of a gambling den Ⓒ.

ダイカスト ― 名 die-casting Ⓤ ★ 製品は Ⓒ. ― 形 (ダイカストで製造された) die-cast.

だいかぞく 大家族 large [big] family Ⓒ.

たいがため 体固め (レスリングの) body press Ⓤ.

だいかっこ 大括弧 (square) bracket Ⓒ ★ 普通複数形で. 《☞ かっこ[1]》.

だいがっこう 大学校 institute of college level Ⓒ.

たいかのかいしん 大化の改新 (日本古代の政治改革) the Taika Reform (in 645).

だいがらん 大伽藍 cathedral Ⓒ 《☞ がらん》.

だいがわり 代替わり ¶ あの料理店は*代替わりになった (⇒ 経営者がかわった) That restaurant /rést(ə)rənt/ has *changed hands*. / That restaurant *is under new* ˹*ownership* [*management*].

たいかん[1] **退官** ― 動 (官・公職[公務]から) retire (from ˹office [service]) 自 《☞ たいしょく[1]》.

たいかん[2] **体感** bodily sensation Ⓤ, feeling in the body Ⓒ. **体感温度** sensory temperature Ⓤ.

たいかん[3] **大観** (全体を見通すこと) general survey Ⓒ; (広大な眺め) extensive view Ⓒ; (壮観) grand view Ⓒ. ¶ 全体を*大観する take [make] a *general survey* of the whole // 山々の*大観を眺める enjoy the *extensive view* of the mountains

たいかん[4] **耐寒** ― 動 (寒さをこらえる) stand [bear] the cold 《☞ さむさ》. ¶ *耐寒性一年生[多年生]植物 a *hardy* ˹annual [perennial] plant **耐寒訓練** training in the cold season Ⓤ.

たいがん[1] **対岸** (川[湖, 海峡]の反対側) the ˹other [opposite] side (of the ˹river [lake; channel]), the opposite ˹bank [shore] 語法 the other のほうが口語的. side は側を表す一般的な語. bank は主に「川岸」, shore は「海・大河・湖の岸」を表す. ¶ *対岸の家々 the houses on *the* ˹*other* [*opposite*] *side* **対岸の火事** ¶ 彼はその事件を*対岸の火事 (⇒ 関係ないもの) と見ていた He regarded the incident as *having nothing to do with* him.

たいがん[2] **大願** aspiration Ⓒ ★ しばしば複数形で; ambition Ⓒ. ¶ 彼はついに*大願を成就した He finally ˹realized [fulfilled] his ˹*ambition* [*aspira-*

tion]. **大願成就** realization [fulfillment] of an ⌈ambition [aspiration] Ⓤ.

だいかん[1] **大寒** *daikan* Ⓤ, the more intense cold; (説明的には) the coldest season beginning around January 21 日英比較 このような暦の上での区切りは英語にはないので, ローマ字表記にするか, 意味を説明的に表すしかない.

だいかん[2] **代官** (日本の封建時代の) local magistrate Ⓒ. **代官所** magistrate's office Ⓒ.

たいかんしき 戴冠式 còronátion [enthrónement] (cèremony) Ⓒ.

だいがんな 台鉋 (Japanese-style) plane Ⓒ.

だいかんみんこく 大韓民国 —【名】(固) (正式名) the Republic of Koréa《略 ROK /rɑ́k/》; (一般に) South Koréa. 《☞ かんこく[2]》.

たいき[1] **大気** —【名】(空気の層・大気圏) the átmosphère; (空気) the air ★ いずれも the を付けて. —【形】àtmosphéric Ⓐ. 《☞ くうき》.

¶ *大気の状態が不安定になっている *Atmospheric* conditions are unsettled. // *大気圏内の核実験は中止せよ Stop nuclear testing in *the atmosphere*. / Stop *atmospheric* nuclear tests. // *大気圏外の飛行 flight in *outer space*

大気圧 atmospheric pressure Ⓤ 《☞ きあつ》 **大気汚染** air pollution Ⓤ 《☞ おせん》 **大気汚染公害訴訟** air pollution suit Ⓒ **大気汚染防止法** the Air Pollution Control Law **大気拡散** atmospheric diffusion Ⓤ **大気境界層** atmospheric [planetary] boundary layer Ⓒ **大気光** airglow Ⓤ **大気浄化法** (米国の) the Clean Air Act **大気組成** atmospheric composition Ⓤ **大気大循環** atmospheric general circulation Ⓤ **大気電気** atmospheric electricity Ⓤ; (空電) atmospherics ★ 複数形で.

たいき[2] **待機** —【動】(待つ) wait (for ...) (自); (準備して待つ) stand by (自); (油断なく警戒している) be on (the) alert; (いつでも行動できるように) be on standby. 《☞ まつ[1]》.

¶ 全員*待機するよう命じられた All of us were ⌈ordered to *stand by* [given the *standby* order]. // 非常事態に備えて警官が*待機している The police are ⌈*on the alert* [*on standby*] for an emergency.

待機児童 (保育所などでの) child on the waiting list Ⓒ **待機電力** standby ⌈electricity [power] Ⓤ.

たいき[3] **大器** (大きな器) large vessel Ⓒ; (すぐれた才能の人) great talent Ⓒ; (力量のある人) person of real caliber Ⓒ. 《☞ たいきばんせい》. ¶ 未完の*大器 (⇒ 磨かれていないダイヤモンド) a *diamond* in the rough

たいぎ[1] **大義** (大目的・大義名分) (great) cause Ⓒ; (正義) justice Ⓤ. 《☞ せいぎ》.

¶ 彼らは自由の*大義のために戦った They fought ⌈for [in] the *cause* of freedom. // 君の行為はまったく*大義名分が立たない (⇒ そうするちゃんとした理由がない) You have no *good reason* to do that. / (⇒ 何事もあなたの行為の弁解にならない) Nothing ⌈will [can] *excuse* your conduct.

たいぎ[2] **大儀** —【名】(重大な儀式) (national [state]) ceremony Ⓒ. —【形】(面倒な) laborious, troublesome; (ものうい) languid, listless.

¶ 彼女は*大儀そうに坂を登った She walked ⌈*wearily* up the slope [went up the slope *with heavy steps*].

たいぎ[3] **体技** ☞ かくとう[1] (格闘技)

だいぎ 台木 (接ぎ木の) (parent) stock Ⓒ; (機械・器具などの) stock Ⓒ; (銃の) (gun) stock Ⓒ; (木工の) block Ⓒ. ¶ *台木に接ぎ木する insert a graft into a *stock*

だいぎいん 代議員 (代表者) rèpreséntative Ⓒ; (代表団員) délegate Ⓒ. 《☞ だいひょう[1]》. **代議員会** (会議体) board of representatives Ⓒ; (会合) meeting of representatives Ⓒ.

たいきおん 帯気音 〔音声〕 aspirate /ǽspərət/ Ⓒ.

だいきぎょう 大企業 large ⌈enterprise [company] Ⓒ, big business Ⓤ ★ 集合的に.

たいぎご 対義語 antonym Ⓒ 《☞ はんいご》.

だいぎし 代議士 (国会議員) member of the Diet Ⓒ, Diet member Ⓒ; (衆議院議員) member of the House of Representatives Ⓒ; (国会議員一般で, 男の場合) Dietman Ⓒ《複 -men》, (女の場合) Dietwoman Ⓒ《複 -women》. 《☞ ぎいん[1]》.

¶ 彼は東京第 3 区選出の*代議士だ He is a *representative* from the third electoral district of Greater Tokyo. // 私は次の衆議院選挙で*代議士に立候補するつもりだ I'm planning to run in the coming election for the Lower House. // 佐藤氏は*代議士になった Mr. Sato was elected to the Lower House. / (⇒ 国会に議席を得た) Mr. Sato ⌈got [won; obtained] a seat in the Diet. ★ got, won は口語的.

だいぎせい(ど) 代議制(度) representative [parliamentary] system Ⓒ. **代議制民主主義** representative [parliamentary] democracy Ⓤ.

たいきそくど 対気速度 〔空〕 airspeed Ⓤ.

だいきち 大吉 excellent [great good] luck Ⓤ.

たいきばんせい 大器晩成 ¶ *大器晩成 (⇒ 天才は成熟するのがゆっくりだ) Genius is slow to mature. / Great talent matures late. // 彼は*大器晩成型だ (⇒ 遅咲きの花だ) He is a *late bloomer*.

だいきぼ 大規模 —【形】large-scale Ⓐ. —【副】on a large scale. 《☞ きぼ; スケール; てびろく》.

¶ *大規模な道路工事が始まった *Large-scale* road construction began. / (⇒ 道路工事が大規模に始まった) Road construction began *on a large scale*. **大規模小売店舗法** the Large-Scale Retail Store Law **大規模地震** large-scale [great] earthquake Ⓒ **大規模地震対策特別措置法** the Large-Scale Earthquake Countermeasures Law **大規模集積回路** large-scale integrated circuit Ⓒ 《略 LSI》.

たいぎめいぶん 大義名分 ☞ たいぎ[1]

たいきゃく 退却 —【名】(軍隊などが余儀なく退く) retreat Ⓤ; (引き揚げる) withdrawal Ⓤ. —【動】retreat (from ...) (自); withdraw (from ...) (自) (他). 《☞ てったい; こうたい[3]》.

たいぎゃく 大逆 (非人道的行為) inhumane act Ⓒ; (国家・国王などに対する反逆) high treason Ⓤ. **大逆罪** high treason Ⓤ, lese majesty Ⓤ **大逆事件** the High Treason Incident; (説明的には) the incident in which Kotoku Shusui and other anarchists attempted to assassinate the Emperor Meiji in 1910.

たいきゅう 耐久 (持ちこたえる力) endurance /ɪnd(j)ʊ́(ə)rəns/ Ⓤ; (スタミナ) stámina Ⓤ. 《☞ スタミナ》. ¶ 1 万メートルを走るには大いに*耐久力を必要とする You need great ⌈*endurance* [*stamina*] to run ten thousand meters. **耐久競技** endurance race Ⓒ **耐久試験** endurance test Ⓒ **耐久消費材** durable consumer goods, consumer durables ★ いずれも常に複数形で. **耐久性** durability Ⓤ **耐久レース** (自動車の) endúrance ràce Ⓒ.

だいきゅう 代休 substitute holiday Ⓒ 《☞ きゅうじつ》. ¶ 日曜日に出社したので月曜日が*代休だった I worked on Sunday, so I had Monday off.

だいきゅうし[1] **大臼歯** molar Ⓒ.

だいきゅうし[2] **大休止** 〔軍〕 long rest Ⓒ.

たいきょ[1] **退去** —【動】(去る) leave (他); (出てゆく)

go out (of ...) (自); (立ちのく・撤去する) evácuate (他) ★ 前 2 者より格式ばった語; (追放する) expél (他); (政府が不法入国者などを国外に退去させる) depórt (他). 《☞ たちのく; たちさる》.

たいきょ[2] 大挙 ―[副] (密集して) in ｢crowds [a crowd]; (多数で) in great numbers. 《☞ おおぜい》.

たいぎょ 大魚 big [large] fish [C]. **大魚を逸する** (大きなチャンスを逃す) miss ｢a great [*one's* big] chance.

たいきょう[1] 胎教 prenatal influence of the mother on her unborn baby [U].

たいきょう[2] 体協 ☞ にほん (日本体育協会)

たいぎょう 怠業 slowdown [C], 《英》 go-slow [C]. ¶ *怠業戦術をとる use [initiate] *slowdown* tactics **怠業的行為** slowdown [《英》 go-slow] by government workers [C].

だいきょう 大凶 (悪い運勢) extremely bad luck [U]; bad [dark] omen [C]. ¶ 結婚の日に鏡を割るのは*大凶だ Cracking a mirror on your wedding day is a *very bad omen*.

だいきょうこう 大恐慌 the Great Depression ★ 1929 年米国の株暴落に始まる.

たいきょく[1] 対局 ―[名] game (of ｢go [*shogi*]) [C]. ―[動] play (a game of) ｢go [*shogi*] (with ...). 《☞ たいせん[1]》.

たいきょく[2] 対極 opposite pole [C] 《☞ せいはんたい》. ¶ その 2 つのグループの考えは*対極に立っている The two groups *are* ｢*at opposite poles* [*poles apart; completely opposite*] in their views.

たいきょく[3] 大曲 great musical composition [C].

たいきょくけん 太極拳 *t'ai chi* (*ch'uan*) [U]; (説明的には) an ancient Chinese martial art and its maneuvers now practiced as a system of exercises. ★ tai chi (chuan), Tai Chi (Chuan) とも書く.

たいきょくてき 大局的 ―[形] broad, wide [語法] ほぼ同意だが, broad のほうが表面の広がりがより大きいというニュアンスがある. ―[副] broadly. ¶ もっと*大局的に見て判断すべきだ We should judge ｢matters [the matter] ｢on a *broader* basis [from a *wider* point of view].

だいきらい 大嫌い ―[動] hate (他), detest (他) ★ 後者のほうが意味が強い. 《☞ きらい[1]》.

ダイキリ (カクテルの一種) daiquiri [C].

たいきん[1] 大金 a large ｢sum [amount] of money, big [good] money [U] ★ 後者はくだけた表現.

たいきん[2] 退勤 ―[動] (職場を出る) leave the office.

だいきん 代金 (値段) the price; (費用) the cost; (金銭) the money; (料金) the charge. 《☞ -だい[1]; -りょう; りょうきん (類義語)》.
¶ その*代金はいくらでしたか (⇒ いくら払いましたか) How much did you *pay* for it? // *代金はレジでお払い下さい Please *pay* the cashier /kæʃíə/. // それは*代金済みです It *has been paid for*. **代金引き換え** cash on delivery [U]. ¶ 品物は*代金引き換えでお送りいたします The article will be sent ｢*cash on delivery* [*c.o.d.*]. 《☞ ひきかえ》

だいぎんじょう(しゅ) 大吟醸(酒) superb sake brewed from the finest rice [U] 《☞ ぎんじょう》.

たいく 体躯 (身体) the body [C]; (体の造り) physique [U]; (体格) build [U]. 《☞ たいかく[1]》.

だいく[1] 大工 (人) carpenter [C]; (職) carpentry [U].
¶ 彼は日曜*大工としてはとても上手に犬小屋を作った For a ｢Sunday *carpenter* [*do-it-yourselfer*], he made a really good doghouse. ★[ ] 内は「しろうと仕事で」という意味合いがある. // 私は*大工仕事は下手です I'm a ｢poor [bad] *carpenter*.
大工頭 master carpenter [C] **大工道具** carpenter's ｢tools [kit [C]] ★ tool は通例複数形で. kit は道具がセットになっているものをいう.

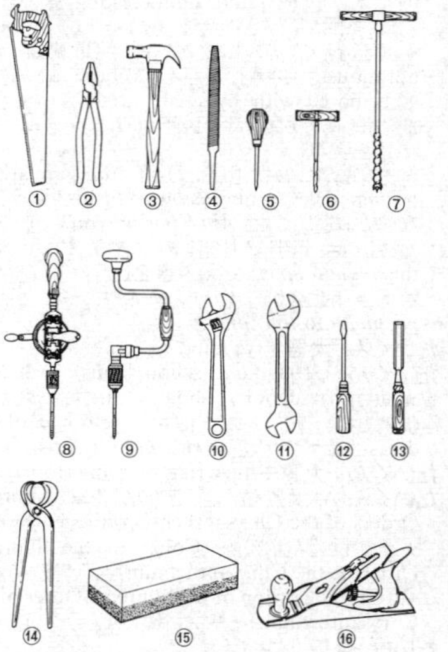

① のこぎり saw ② ペンチ pliers ③ 金づち hammer ④ やすり file ⑤ 千枚通し awl ⑥ きり gimlet ⑦ 大工ぎり auger ⑧ ドリル hand drill ⑨ 繰り子ぎり brace and bit ⑩ 自在スパナ adjustable wrench ⑪ スパナ 《米》 wrench, 《英》 spanner ⑫ ねじ回し screwdriver ⑬ のみ chisel ⑭ やっとこ pincers ⑮ 砥石 whetstone ⑯ かんな plane

だいく[2] 第九 (ベートーベンの交響曲) (Beethoven's) Symphony No. 9 (in D minor).

たいくう[1] 滞空 **滞空時間** (the) duration of (a) flight **滞空(飛行)記録** endurance /ɪnd(j)ʊ́(ə)rəns/ flight rècord [C].

たいくう[2] 対空 **対空砲火** antiaircraft fire [U], 《略式》 ack-ack /ǽkæ̀k/ [U] **対空ミサイル** àntiáircràft missile /mísl/ [C].

たいぐう[1] 待遇 ―[名] (取り扱い) treatment [U]; (給料) pay [U]; (旅館・飲食店などの客扱い) service [U]. ―[動] (取り扱う) treat (他); (給料を払う) pay (他). 《☞ とりあつかい》.
¶ 私たちは好意的な[ひどい]*待遇を受けた We received ｢favorable [terrible] *treatment*. // わが社に来るなら*待遇をよくしましょう We will offer you ｢better *pay* [a higher *salary*] if you join our company. ★[ ] 内のほうが格式ばった表現. // あの会社は*待遇がよい[悪い] (⇒ 従業員はよい[悪い]給料をもらっている) The employees of that company *are* ｢*well paid* [*poorly paid*]. // *待遇改善 a *wage* ｢increase [rise] ★ 後者のほうがやや口語的. **待遇表現**〘言〙 politeness formula [C]; polite (speech) ｢register [style] [C].

たいぐう[2] 対偶 〘数・論〙 ―[名] còntraposítion [U]. ―[形] còntrapósitive.

だいぐうじ 大宮司 the chief priest of a major

Shinto shrine [C].

たいくうしょうめい 耐空証明 airworthiness certificate [C].

タイクーン (大立者) tycoon [C].

たいくつ 退屈 ― [形] (あきあきする) tédious, boring ★ 前者は冗長で退屈なことを表す格式ばった語, 後者は内容的におもしろくなくて退屈なことをいう; (単調でおもしろくない) dull, uninteresting ★ 前者のほうが口語的; (うんざりさせる・あきあきする) tiresome ★ 長話などで気が疲れることをいう; (単調な) monótonous. ― [動] (退屈させる) bore (他); (退屈する) be bored ⌜with [by] …, be tired of … ★「人」が主語. 後者のほうがやや口語的. (☞ あきる; つまらない; うんざり).

¶ 彼の講義はいつも*退屈だ His lectures are always *boring*. / We *are* always *bored by* his lectures. // 私の話は*退屈ですか *Am* I *boring* you? // 私はこの*退屈な (⇒ 単調な) 仕事にあきあきした I'm tired of this *monotonous* work. **退屈しのぎ** ¶*退屈しのぎ (⇒ 暇つぶし) にパチンコをやった I played *pachinko* to *kill time*.

たいくん 大君 tycoon [C].

たいぐん[1] 大群 large ⌜school [shoal; swarm] [C] ★ 魚の群は school か shoal, 昆虫の群は swarm. (☞ むれ). ¶ イワシの*大群 a *large school* of sardines // イナゴの*大群 a *swarm* of locusts

たいぐん[2] 大軍 huge [large] ⌜army [force] [C].

だいくんい 大勲位 (大勲位菊花章) Supreme Orders of the Chrysanthemum /krɪsǽnθəməm/ ★ 大勲位菊花章頸飾 (Collar of the Supreme Order of the Chrysanthemum) と大勲位菊花綬章 (Grand Cordon of the Supreme Order of the Chrysanthemum) とがある. (☞ くん-; くんしょう).

たいげ 帯下 ☞ こしけ

たいけい[1] 体系 ― [名] system ★「組織・制度」の意味では [C],「秩序だったやり方」の意味では [U]. ― [形] (体系的な・体系の整った) systematic (↔ unsystematic). ― [副] systematically. ― [動] (体系づける) sýstematìze (他). (☞ そしき; けいとう[1]; ちつじょ). ¶ 学問には*体系がなくてはならない Our studies must be *systematic*. // 賃金*体系 a wage *system* **体系化** systematization [U].

たいけい[2] 体型, 体形 (体格) build [U], physique [C]; (姿・外観) form [U]; (体の格好) figure [C]; (特有の形) body shape [C]. (☞ たいかく[1]). ¶*体形がくずれる get out of *shape* // がっしりした*体型の男性 a man with a solid *build* / a sturdy man

たいけい[3] 大系 outline (of …) [C]; (シリーズ) series (of …) [C] ★ 単複同形.

たいけい[4] 隊形 (軍隊などの隊列・飛行機の編隊) formation [U].

たいけい[5] 体刑 ☞ たいばつ

たいけい[6] 大計 (長期計画) long-range [long-term] plan [C] (☞ けいかく). ¶ 国家 100 年の*大計を立てる establish [formulate] a national *plan on a long-range basis*

たいけい[7] 大兄 (手紙の宛名などで) Mr. …; (相手を呼んで) you. ¶ ジョン ブラウン*大兄 *Mr.* John Brown // *大兄のご意見をお聞かせください Please let me have *your* opinion.

だいけい 台形 《米》 trapezoid /trǽpəzɔ̀ɪd/ [C], 《英》 *trapezium* /trəpíːziəm/ [C]. (☞ しかく[2] (挿絵)).

だいげいこ 代稽古 ― [動] (代稽古をする) act as (a) substitute teacher (for …). ¶ 彼女は日本舞踊の師匠の*代稽古をしている She *is substituting* for her Japanese dancing teacher.

たいけつ 対決 ― [名] cònfrontátion [U]; (決定的対決) shówdòwn [C] ★ 通例単数形で. ― [動] (…を…と対決させる) confront … with …; (…と対決する) confront /kənfrʌ́nt/ (他); (土壇場の対決をする) have a showdown with …

¶ アラブとイスラエルの*対決が深刻になってきた The Arab-Israeli *confrontation* has become serious. // できれば*対決は避けたい I want to avoid a *showdown* if possible.

たいけん[1] 体験 ― [名] (personal) experience [U] ★ 具体的には [C]. ― [動] experience (他); (苦痛・困難などを) go through …, undergo (他) 《過去 underwent; 過分 undergone》 ★ 前者のほうが口語的. (☞ けいけん[1]).

¶ 私たちは多くの困難を*体験しなくてはならない We must ⌜*go through* [*experience*; *undergo*] various difficulties. // おじは戦争中の*体験談 (⇒ 体験) を私たちに話してくれた My uncle told us about his *experiences* during the war. // 実*体験 hands-on *experience* **体験(型)学習** hands-on learning [U]. ¶*体験学習は子供にとって大切だ *Learning by experience* is important ⌜for [to] children. **体験型ツアー** experience-based tour [C]; (実地体験の) hands-on tour [C].

たいけん[2] 大権 (最高権力) supreme power [U]; (国王の大権) the royal prerogative; (明治憲法下の天皇の権限) imperial ⌜authority [power] under the Meiji Constitution [U]. ¶*大権を発動する exercise the *imperial authority*

たいけん[3] 帯剣 ― [動] (剣を身に帯びる) wear a sword. ― [名] (剣) sword [C].

たいげん[1] 体言 (日本語文法の) the substantives. **体言止め** ending a Japanese sentence or a poem with a substantive [U].

たいげん[2] 体現 ― [名] embodiment [C]. ― [動] (体現する) embody (他).

だいけん 大検 ☞ だいがく[1] (**大学入学資格検定**)

だいけんこうろ 大圏航路 the great-circle route. ¶*大圏航路でロンドンまで飛ぶ fly *the great-circle route* to London

だいけんしょう 大憲章 ☞ マグナカルタ

だいげんすい 大元帥 (総司令官) generalissimo [C]; (最高司令官) commander in chief [C] 《複 commanders in chief》.

たいげんそうご 大言壮語 ― [名] tall [big] talk [C]; (自慢すること) boasting [U]. ― [動] talk ⌜big [tall; boastfully] (自), boast (自), brag (自).

¶*大言壮語する人 a *boaster* / a *braggart* / a *brag*

たいこ[1] 太鼓 drum [C]; (打楽器) percussion instrument [C]. (☞ ドラム (挿絵)).

¶ 彼らは*太鼓を調子よくたたいた They beat the *drums* rhythmically. // 彼は交響楽団で*太鼓とティンパニーを受け持っている (⇒ 打楽器を演奏する) He *plays percussion* in a symphony orchestra. [語法] play percussion はクラシック音楽についてのみ用いる. // *太鼓[打楽器]の演奏者 a *percussionist* **太鼓判を押す** (保証する) gùarantée (他); (完全に確信している) be one hundred percent sure (of …; that …) ★ 後者のほうが口語的.

¶ 彼の誠実さについては私が*太鼓判を押す (⇒ 私が保証する) I ⌜*guarantee* [*am one hundred percent sure*] that he is an honest man. (☞ ほしょう[1]) **太鼓橋** arched bridge [C] **太鼓腹** ― [名] paunch [C], potbelly [C]. ― [形] paunchy, potbellied ★ いずれも男について軽蔑的にまたはふざけて言うときに用いる. **太鼓結び** ☞ おたいこ(むすび) **太鼓持ち** (幇間) professional male entertainer [C]; (おべっか使い) sycophant [C] **太鼓焼き** ☞ いまがわやき

たいこ[2] 太古 ― [名] ancient times ★ 複数形で. ― [形] (昔の) ancient; (原始時代の) primitive. (☞ むかし).

たいご¹ 隊伍 (縦列) line Ⓒ; (横列) rank Ⓒ ★ 普通複数形で; (行列) procession Ⓒ; (隊形) formation Ⓒ. ¶ *隊伍を組む[乱す] form [break] *ranks*

たいご² 対語 ☞ たいぎご

たいこう¹ 対抗 ― 動 (対抗する) match ⊕; (匹敵する) equal ⊕; (競争する) compete (with …; against …; in …) ⊜ ★ 以上いずれも入れ替えて用いられる場合が多い. ― 名 (競争) competition Ⓤ; (張り合うこと) rivalry Ⓤ. 《☞ かなう¹; はりあう》. ¶ だれもゴルフのパットでは彼に*対抗できない (⇒ 匹敵できない) No one can ˹*match* [*equal*] him in putting. / (⇒ ゴルフのパットのことになるとだれも彼を負かせない) No one can *beat* him when it comes to putting. 《☞ かつ¹; かなう¹》 // 釣りでは彼には*対抗できない I'm no *match* for him in fishing. // あす大学*対抗の討論会が行われます The *intercollegiate* debates will be held tomorrow.
対抗策[措置] cóuntermèasure Ⓒ ★ しばしば複数形で. ¶ *対抗策を講じる take *countermeasures* (against …) **対抗馬** (競馬の) rival horse Ⓒ; (選挙の) rival candidate Ⓒ. ¶ B 氏は A 氏の*対抗馬として今度の選挙に出馬するだろう Mr. B will run in the coming election as an *opponent* of Mr. A. **対抗文化** counterculture Ⓤ **対抗要件** 〘法〙 requirement for claiming rights against a third party (such as registration of real estate) Ⓒ **対抗力** 〘法〙 claim to rights or titles Ⓒ, (担保権の) (effect of) perfection Ⓤ; 〘経〙 countervailing power Ⓤ; ☞ ていこう¹ (抵抗力).

たいこう² 退校 ― 動 (学校をやめる) leave [quit] school ★ quit のほうが口語的; (退学を命じる) dismiss [expel] … from school; (追い出す) throw … out of school. 《☞ たいがく¹》 **退校処分** expulsion [dismissal] from school Ⓤ. ¶ 彼は*退校処分を受けた He *was dismissed from school*.

たいこう³ 大綱 (一般的な原則) general principle Ⓒ; (根本原則) basic principle Ⓒ; (概要) outline Ⓒ. 《☞ げんそく¹; がいりゃく》. **大綱化** ― 動 (原則を作る) establish principles; (概要を作る) make an outline (of …).

たいこう⁴ 対向 **対向車** oncoming vehicle Ⓒ **対向車線** the opposite lane.

たいこう⁵ 対校 ― 形 (中学・高校間の) interscholastic; (大学間の) intercollegiate. **対校試合** ínterscholàstic [íntercollègiate] ˹mátch [gáme] Ⓒ.

たいこう⁶ 太閤 **1** «関白職をその子に譲った人»: *taiko* Ⓒ; (説明的には) the father of *kanpaku*(, the principal adviser to the Emperor) ★ the を付けて. **2** «豊臣秀吉» ☞ とよとみひでよし **太閤記** *The Life of Toyotomi Hideyoshi* **太閤検地** Toyotomi Hideyoshi's land surveys.

たいこう⁷ 体腔 (体壁と内臓間の空所) body cavity Ⓒ.

たいこう⁸ 大公 (大公国の君主) grand duke Ⓒ; (旧オーストリア皇太子) archduke Ⓒ. **大公国** grand duchy Ⓒ.

たいこう⁹ 退行 〘心〙 regression Ⓤ; 〘生〙 (退化) retrogression Ⓤ. 《☞ たいか⁴》.

だいこう¹ 代行 ― 動 act for … ― 形 acting Ⓐ. 《☞ だいり¹》. ¶ ブラウン博士が今年は学長を*代行する Dr. Brown will *act as* president this year. / (⇒ 学長代行となる) Dr. Brown will be the *acting* president this year. **代行機関** agency Ⓒ **代行サービス業** proxy service business Ⓤ.

だいこう² 代講 ― 動 teach as a substitute; (…の代わりをする) súbstitùte for …, fill in for … ¶ T 先生の*代講を立てなくてはならない We must find a teacher who can *substitute for* Mr. T.

だいごう 題号 (表題) title Ⓒ 《☞ だい¹; タイトル; だいめい》.

だいこうかいじだい 大航海時代 〘史〙 the Age of Great Voyages ★ 15 世紀から 17 世紀前半.

たいこうば 対抗馬 ☞ たいこう¹

たいこうぼう 太公望 (趣味の釣り人) angler Ⓒ. ¶ *太公望を決め込む (⇒ 存分に釣りをする) indulge in *fishing*

たいこく 大国 (軍事・経済・政治などにおいて国力の強大な国) (major) power Ⓒ; (偉大な国) great nation Ⓒ. ¶ 日本はいまや経済(超)*大国である Japan is now an economic *superpower*. // 軍事*大国は小国にとって脅威である Military *powers* are a menace to small nations. // 中国はアジアの*大国である China is a *great* Asian *nation*. // 生活(超)*大国 a lifestyle *superpower*
大国主義 superpower policy Ⓒ.

たいごく 大獄 (大規模な政治的断圧) political crackdown on a large scale Ⓒ. ¶ 安政の*大獄 *the Great Political Crackdown* of Ansei 《☞ あんせい²》

だいこくこがね 大黒黄金 〘昆〙 (説明的に) a species of tumble bug.

だいこくずきん 大黒頭巾 (横長の丸頭巾) round hood long on both sides Ⓒ.

だいこくてん 大黒天 ― 名 ⓖ (七福神の一人) *Daikokuten*; (説明的には) the God of wealth, one of the Seven Gods of Good ˹Fortune [Luck], usually depicted carrying a magic mallet; (仏教の守護神) Mahākāla /məháːkáːlə/ ★ 梵語.

だいごくでん 大極殿 the *Daigokuden*; (説明的には) a hall in the ancient Imperial Palace where the emperor held state ceremonies.

だいこくねずみ 大黒鼠 〘動〙 (ドブネズミの一種) white [Norway] rat Ⓒ.

だいこくばしら 大黒柱 (家屋の中心になる柱) the central pillar; (一家の稼ぎ手) breadwinner Ⓒ; (支えとなる人・物) mainstay Ⓒ. 《☞ はしら》.

だいこくやこうだゆう 大黒屋光太夫 ― 名 ⓖ Daikokuya Kodayu, 1751–1828; (説明的には) sea merchant who stayed in Russia for about ten years after a shipwreck.

たいこだい 太古代 ☞ せんカンブリアじだい

だいごてんのう 醍醐天皇 ― 名 ⓖ Emperor Daigo, 885–930; (説明的には) the 60th Emperor of Japan, reigned from 897–930.

だいごみ 醍醐味 (楽しみ) enjoyment Ⓤ. ¶ それが人生[釣り]の*醍醐味だ That's the real *enjoyment* ˹in life [of fishing].

タイゴン (雄トラと雌ライオンの子) tigon /táɪɡən/ Ⓒ.

だいこん 大根 〘植〙 daikon Ⓒ 日英比較 はつか大根のような小さくて丸い形のものは radish. 大根はほかに Chinese radish, 特に英国では mooli, muli とも呼ぶ. **大根足** (太い足) pudgy [fat] legs ★ 複数形で. **大根卸し** (器具) daikon grater Ⓒ; (卸した大根) grated daikon Ⓤ **大根役者** ham ˹actor [actress] Ⓒ.

たいさ¹ 大差 (大きな違い) big [great] difference Ⓒ ★ 具体的な相違点について言うとき; (大きな差異) much difference Ⓤ ★ 抽象的あるいは量的な観点から言うとき. 《☞ さ¹》. ¶ その 2 つの間には*大差がない There is ˹not *much* [little] *difference* between the two. // A は B と*大差がない A is not ˹*much* [*very*] *different from* B. // 7 回までにわがチームは相手に*大差をつけていた By the seventh inning our team had *a* ˹*big* [*wide*]

た

lead over our opponents. // 彼女は選挙で対立候補に*大差で勝った She won the election *by a wide margin* over her opponent. 《☞ さ¹; たいしょう⁴》

たいさ² 大佐 (陸軍) colonel /kə́ːnl/ Ⓒ; (海軍) captain Ⓒ; (空軍) 《米》 colonel, 《英》 group captain Ⓒ.

たいざ¹ 対座 ―[名] (座席) ópposite séat Ⓒ. ―[動] (…と向かい合って座る) sit opposite (to) …; (…と顔を合わせて座る) sit face to face with …

¶ 彼は先生と*対座した He *took a seat opposite* (*to*) his teacher.

たいざ² 退座 ―[動] (席を離れる) leave *one's* seat; (部屋を出る) leave the room.

だいざ 台座 pedestal Ⓒ 《☞ だいいし》.

たいさい¹ 大祭 (大きな祭り) grand festival Ⓒ.

たいさい² 大斎 〔カトリック〕 fast Ⓒ.

たいさい³ 体菜 〔植〕 (しゃくしな・青梗菜(チンゲンサイ)の類) bok ˹choy [choi] /bɑ̀ktʃɔ́ɪ/ Ⓤ ★ pak choi とも書く. いずれも「白菜」の中国語音に由来.

たいざい 滞在 ―[動] stay (自) [語法] 最も一般的な語. 人の家にやっかいになるときは stay with, ホテルなどに泊まる場合は stay ˹at [in] となる; (ホテルなどに泊まる) stop (at …) (自). ―[名] stay Ⓒ; (訪問) visit Ⓒ. 《☞ とまる²》.

¶「当地にどのくらいご*滞在の予定ですか」「約 2 週間です」"How long are you going to *stay* here?" "About two weeks." // 私はいまおじの家 [ホテル] に*滞在しています (⇒ 泊まっている) I'm *staying* ˹*with* my uncle [*at* a hotel]. // 私はロンドン*滞在中, しばしば大英博物館を訪れました I often visited the British Museum ˹*during my stay* in London [*while I was in* London].

滞在期間 the length of *one's* ˹visit [stay] **滞在地** place where *one* stays Ⓒ **滞在費** (ホテル代) hotel expenses ★ 通例複数形で.

だいざい¹ 題材 (作品の主題) subject matter Ⓤ, subject Ⓒ; (講義・論文などのテーマ) theme Ⓒ; (対話・討論などの話題) topic Ⓒ. 《☞ だい¹ (類義語); しゅだい》.

だいざい² 大罪 (法律上の) serious /sí(ə)riəs/ [heinous /héɪnəs/] críme Ⓒ ★ [ ] 内は文語; (道徳・宗教上の) deadly [mortal] sin. 《☞ つみ¹; じゅうざい》. ¶ 7 つの*大罪 《キリスト教で》 the seven *deadly sins*

たいさいぼう 体細胞 〔生〕 somatic cell Ⓒ 《☞ さいぼう》. **体細胞クローン** (出来あがった個体) clone of a somatic cell Ⓒ; (クローンを作る事) cloning of a somatic cell Ⓤ **体細胞分裂** somatic cell division Ⓤ.

たいさく¹ 対策 measure Ⓒ ★ 最も一般的な語. しばしば複数形で; (段階的処置の中の 1 つ) step Ⓒ; (対抗策) cóuntermèasure Ⓒ ★ 報復的な手段をいうこともある. 《☞ しゅだん; しょち; そち; ほうさく²》.

¶ 政府は新たな物価*対策を迫られている The Government is urged to take new *measures* against rising prices. // 私たちは常に地震*対策を考えておかなければならない (⇒ 地震に対して十分に備えておくべきだ) We should always *be fully prepared for* an earthquake. // 試験*対策 *preparation* for exams

コロケーション

効果的な対策 effective *measures* / **十分な対策** adequate *measures* / **迅速な対策** prompt *measures* / **断固たる対策** decisive [resolute] *measures* / **適切な対策** appropriate *measures* / **抜本的な対策** drastic *measures* / **万全の対策** all possible *measures*; (準備) thorough *preparation* // **対策を講じる** take [implement] *measures* / **対策を練る** work out [devise] *measures*

たいさく² 大作 (偉大な作品) great work Ⓒ; (傑作) masterpiece Ⓒ. 《☞ けっさく》.

だいさく 代作 ―[名] ghostwriting Ⓤ. ―[動] ghostwrite (他). ¶ 首相の演説は秘書の*代作だった The Prime Minister's speech *was ghostwritten* by his secretary. **代作者** ghostwriter Ⓒ.

たいさつ 大冊 big [voluminous /vəlúːmənəs/] book Ⓒ, great [bulky] volume Ⓒ.

たいさん 退散 ―[動] (逃げる) rùn away (自) ★ 口語的; (負けて逃げる) take (to) flight ★ 格式ばった語; (群衆などが解散する・退散させる) disperse (自) (他) ★ 格式ばった語. 《☞ にげる; たいきゃく; かいさん》. ¶ 警官が群衆を*退散させた Policemen *dispersed* the crowd.

たいざん 大山 great [big; high] mountain Ⓒ. **大山鳴動してねずみ一匹** (空騒ぎ) Much ado about nothing. 《ことわざ》.

だいさん¹ 第三 ―[形] [名] the third, number three, No. 3, ★ 後の 2 つは名詞の後に付けて順序を示すとき, 口語的に優劣の順序を言うときなどに用いる. ―[副] (三番目に) third, thirdly, in the third place ★ 後のものほど格式ばった言い方. 《☞ 数字 (囲み)》.

第三紀 〔地質〕 the Tertiary /tə́ːʃièri/ (period) **第三共和制** (フランスの) the Third Republic **第 3 号被保険者** No.3 insured person Ⓒ; (説明的には) full-time housewife of a private company worker or a public sector employee, ˹who is exempted from paying a premium [whose premium is covered by her spouse] Ⓒ **第三国** third power Ⓒ **第三国人** third national Ⓒ; person from a third country Ⓒ **第三次産業** tertiary industry Ⓤ **第三者** third party Ⓒ **第三者評価** evaluation by ˹a third party [an outsider] Ⓤ **第三者割り当て** (株式) third party allocation of newly issued ˹shares [stocks] Ⓒ **第三種郵便物** third-class mail Ⓤ **第三世界** the Third World **第三セクター** joint venture of local government and private business Ⓒ **第三世代** third generation Ⓒ **第三の火** (原子力エネルギー) atomic energy Ⓤ.

だいさん² 代参 ¶ 母の*代参をする visit a ˹*shrine* [*temple*] ˹*in place of* [*on behalf of*; *as proxy for*] *one's* mother

だいさんじ 大惨事 (大災害) càtastróphic disáster Ⓒ; (前例のない惨事) unprecedented tragedy Ⓒ. 《☞ さんじ¹》.

たいさんせい 耐酸性 ―[形] acid-resistant.

¶ *耐酸性の物質 an *acid-resistant* substance // この金属は*耐酸性がある This metal *is resistant to acids*.

たいさんぼく 泰山木 〔植〕 evergréen magnolia /mægnóʊliə/ Ⓒ.

たいし¹ 大使 ambássador Ⓒ.

¶ 駐日米国*大使 the American *ambassador* to Japan // 彼は駐英*大使に任ぜられた He was appointed *ambassador* to Britain.

大使館 embassy Ⓒ. ¶ オーストラリア*大使館 the Australian *Embassy* **大使館員** (全員) the embassy staff Ⓤ; (個人) member of the embassy staff Ⓒ.

たいし² 大志 (特定の目標や成功・名声などに対する野心) ambition Ⓤ; (あこがれているものになりたいという気持ち) aspiration Ⓤ ★ やや格式ばった語. 《☞ のぞみ; やしん》. ¶ 少年よ*大志を抱け Boys, be *ambitious*.

たいし³ 隊士 soldier in a unit Ⓒ.

たいじ¹ 退治 ―[動] (やっかい払いする) get rid of …; (徹底的にやっつける) wípe óut (他); (根絶する)

róot óut ㊝, extérminàte ㊝ ★ 以上の中では最も格式ばった表現. 特に生物を全滅させること.《☞ くじょ》.

¶ この薬はごきぶりを*退治するのに効果的だ This poison is very effective in 「*getting rid of* [*killing*; *exterminating*] 「cockroaches [《米》roaches].

たいじ² 胎児 (妊娠 8 週間までの) émbryò Ⓒ; (妊娠 3 か月以後の) f(o)etus /fíːtəs/ Ⓒ. **胎児仮死** fetal distress Ⓤ **胎児外科** fetal surgery Ⓤ **胎児診断** fetal diagnosis Ⓒ《複 — -ses》.

たいじ³ 対峙 —動 stand face to face, face [confront] each other.《☞ むかいあう》. ¶ 廃墟の中で我々は死と*対峙した We *stood face to face with* death in the ruins. // 我々は強敵と*対峙していた We 「*held* [*kept*; *maintained*] *our ground against* the powerful enemy.

たいじ⁴ 帯磁 〘電〙 —名 magnetization Ⓤ. —動 become magnetized.

だいし¹ 台紙 —名 (厚紙) pasteboard Ⓤ, cardboard Ⓤ ★ 後者は箱を作るときなどに使う茶色がかったボール紙のこと; (写真·宝石などをはりつけたり載せて置いたりするもの) mount Ⓒ. —動 (台紙にはる) mount ㊝. ¶ 写真を*台紙にはった I *mounted* the picture (on a piece of 「*pasteboard* [*cardboard*]).

だいし² 台詞 ☞ せりふ

だいし³ 大師 (称号) *Daishi*; (仏) Buddha; (高僧) eminent priest Ⓒ. ¶ 弘法*大師 Kobo *Daishi*, the *Reverend* Kobo

だいし⁴ 大姉 (戒名) the last part of a posthumous Buddhist name given to a female; (尊称) honorific title given to a female Buddhist (nun) Ⓒ.

だいじ¹ 大事 **1**《大切なこと》 —形 (重要な) important, of importance ★ 後者のほうが格式ばった言い方; (価値のある) valuable; (貴重な) precious.《☞ たいせつ¹》.

¶ いいですか, これはとても*大事なことなんですよ (⇒ さあ聞きなさい, これはとても重要だ) Now listen. This is very *important*. // 水は砂漠ではとても*大事だ Water is very *valuable* in a desert. // 健康は富よりも*大事だ Health is *better* than wealth.《ことわざ: 健康は富にまさる》 // 体を*大事にして下さい Please *take care of* yourself. 語法 通常は病人に対して「お大事に」の意味で用いる.

2《重大な事件》: (大事件) serious 「incident [happening] Ⓒ; (大災害) disaster Ⓒ.

大事に至る ¶ パイロットの腕のおかげで*大事に至らずにすんだ (⇒ 飛行機は惨事を避けられた) The plane *avoided* (*a*) *disaster* thanks to the pilot's skill.

大事の前の小事 ¶ それは*大事の前の小事だ (⇒ 大きな目的のためには小さな犠牲を払わなくてはならない) We must make *a small sacrifice for a great cause*. **大事を取る** ¶ 彼は*大事をとってすぐに入院させられた He was sent to (the) hospital immediately *to be on the safe side*.

だいじ² 題字 (本などの題目) title Ⓒ. ¶ *題字は山田氏のものです (⇒ 毛筆の題目は山田氏による) *The title* was written *in calligraphy* by Mr. Yamada.

だいじ³ 題辞 épigràph Ⓒ.

たいしいちばん 大死一番 (決死の覚悟で) with a 「do-or-die [death or glory] attitude; (命をかけて) at the risk of *one's* life.

たいしうんどう 対視運動 〘天〙 parallactic motion Ⓒ.

ダイジェスト (要約) dígest Ⓒ. ¶ *ダイジェスト版 an *abridged* edition

だいしきゅう 大至急 ☞ おおいそぎ; しきゅう²

だいしきょう 大司教 〘カトリック〙 àrchbíshop Ⓒ.

だいじけん 大事件 (大きな出来事) great event Ⓒ; (重大な問題) serious matter Ⓒ.《☞ じけん》. ¶ 今年の十*大事件 the ten *great events* of this year // 世界史上の*大事件 a *great event* in world history

だいじしん 大地震 ☞ おおじしん; きょだい (巨大地震)

だいしぜん 大自然 Nature Ⓤ; (擬人化して) Mother Nature Ⓤ.《☞ しぜん》.

たいした 大した **1**《それほど…ではない》: not very, not much, not very much; (あまり…の価値がない) not much of a …; (小さな) small; (少額の) a small amount of …; (大丈夫) all right, OK ★ 後者のほうが口語的.《☞ たいして²》.

¶「最近お忙しいですか」「いや, *大したことはありません」"Have you been busy recently?" "No, *not very*." //「けがはしませんでしたか」「なに, *大したことはありませんよ (⇒ 大丈夫です)」 "Weren't you hurt?" "No, I'm 「*all right* [*OK*]." / "Were you hurt?" "No, *not very much*." ★ 第 1 文のほうが「大丈夫」ということを強調している. // *大した金ではありません (⇒ 少額である) It's *a small amount of* money. // あの人は*大した学者ではありません He's *not much of a* scholar. // この小説も (読んでみると) *大したことはないね (⇒ 期待したほどおもしろくない) This novel is *not as interesting as* I expected.

2《たいへんな》 ☞ たいへん; すばらしい

たいしつ¹ 体質 constitution Ⓒ; (病気にかかりやすい体質) predisposition /prìːdɪspəzíʃən/ Ⓒ ★ 格式ばった語.

¶ 彼は丈夫な[弱い]*体質だ (⇒ 彼は体質的に強い[弱い]) He is *constitutionally* 「strong [weak]. / (⇒ 彼は強い[弱い]体質を持っている) He has a 「strong [weak] *constitution*. // 癌(がん)は*体質的に遺伝するのだろうか (⇒ 癌にかかりやすい体質は遺伝的なものか) Is 「the [a] *predisposition* to cancer hereditary? // 私はどうもアレルギー*体質のようです I'm afraid I'*m predisposed to* allergies /ǽlədʒiz/. // 私は*体質改善のために食餌療法をしている I have 「been [gone] on a diet to improve my 「*physical condition* [*constitution*].

たいしつ² 退室 —動 (部屋を出て行く) leave a room.《☞ たいじょう¹》. ¶ 彼は 5 分前に*退室ました He *left the room* five minutes ago.

だいしっこう 代執行 execution by proxy Ⓤ.

たいしつせい 耐湿性 —形 móisture-resistant, móisture-pròof.《☞ しっけ》. ¶ この壁紙は*耐湿性がある This wallpaper is *moisture-proof*.

たいして¹ 対して **1**《向かって》 —前 to …, toward … 語法「人に対して」というような場合には以上 2 語は入れ替え可能だが, 行為や態度の方向性をはっきり示すときは toward を用いる; (反対して·敵対して) against …; (好意·親切·利益·報復などを示して) for ….《☞ たいする¹》.

¶ 彼女はだれに*対しても親切だ She is kind *to* everybody. // 彼は私に*対してとても好意的だ He is very friendly 「*to* [*toward*] me. // 私に*対してよくもそんなことが言えるな How dare you say such a thing *to* me! // 彼らは私に*対してうらみをいだいている They hold a grudge *against* me. // 皆様のご親切に*対して心から感謝します Thank you very much *for* your kindness. / I'd like to express my heartfelt thanks *for* your kindness. ★ 第 2 文のほうが格式ばった表現.

2《代価·代償など》 —前 for …

¶ 私はそれに*対して 10 万円払った I paid a hundred thousand yen *for* that.

たいして[2] **大して** (あまり…でない) not very ..., not much, not very much. 《☞ たいした》.
¶この本は*大しておもしろくない (⇒ あまりおもしろくない) This book is *not very* interesting. // そんなことを聞いても*大して驚きませんよ I *won't* be *very* surprised to hear that. // それはこのこととは*大して関係ありません That ｢*doesn't* have *much* [*has little*] to do with this matter.

たいしぼう 体脂肪 body fat Ⓤ. **体脂肪計** body fat scale(s) ★ しばしば複数形だが単数扱い. **体脂肪率** body fat ratio Ⓒ.

たいしゃ[1] **退社** ━動 (会社から帰る・会社をやめる) leave ⊕; (定年でやめる) retire (from ...) ⓐ; (自発的にやめる) resign ⓐ, 《略式》 quit ⊕. 《☞ たいしょく[1]; じしょく》.
¶毎日何時に*退社しますか What time do you *leave* ｢your [the] office every day?

たいしゃ[2] **代謝** ━名 metábolìsm Ⓤ. ━動 metabolize ⊕. **代謝異常** metabolic disorder Ⓒ **代謝機能** métabòlic fúnction Ⓒ **代謝障害** metabolic ｢defect Ⓒ [disturbance Ⓤ] **代謝物質** metabolite /mətǽbəlàɪt/ Ⓤ.

たいしゃ[3] **大赦** ━名 ámnesty Ⓒ. ━動 (大赦を行う) grant (an) amnesty (to ...). 《☞ おんしゃ; とくしゃ[1]》.

たいしゃ[4] **大社** (名高い神社) large-scale highly venerated Shinto shrine Ⓒ; (出雲大社) the Grand Shrine of Izumo. ¶*大社造り *the Izumo-Taisha style* of architecture in Shinto shrines

だいしゃ[1] **台車** (鉄道車両の) truck Ⓒ; (手押し車) cart Ⓒ, handcart Ⓒ. 《☞ ておしぐるま》.

だいしゃ[2] **代車** (車修理中などの) loaner Ⓒ; (代替車) substitute car Ⓒ.

だいじゃ 大蛇 big snake Ⓒ; (ボア科のへび) boa (constrictor) Ⓒ. 《☞ へび》.

たいしゃく 貸借 ━名 (簿記の) debit and credit Ⓤ; (一般的に貸すことと借りること) borrowing and lending Ⓤ ★ borrowing を先に言うのが普通; (物・金を貸し借りすること) loan Ⓒ. ━動 loan ⊕. 《☞ かす[1]; かりる》.
¶私は彼とは*貸借関係はない (⇒ 清算すべき勘定はない) I *have no accounts to settle with* him.
貸借対照表 〖簿〗 bálance shèet Ⓒ.

たいしゃくてん 帝釈天 〖宗〗 (仏法の守護神) *Taishaku,* the guardian god of Buddhism; (梵語名) Sákra devānām Indra.

だいしゃりん 大車輪 (器械体操) giant swing Ⓒ. ¶*大車輪で働く work *very hard*

たいじゅ 大樹 big [large] tree Ⓒ. ¶寄らば*大樹の陰 Look for a *big tree* if you need shelter.

たいしゅう[1] **大衆** ━名 (庶民) the people ★ 複数扱い; (一般民衆) the (general) public ★ 単数扱い. ただし一人一人を念頭におく場合は複数扱いとなる; (特に勤労者階級) the masses ★ 軽蔑的なニュアンスをもつことがある; (一般大衆) the (géneral) pópulace. ━形 (一般民衆の) public Ⓐ; (大衆的な・人気のある) popular ★「大衆向きの」という意味にも用いられる. その場合は Ⓐ; (安い) cheap, inexpénsive ★ 前者には「安っぽい」の意もある. 後者のほうがより格式ばった語. 《☞ しょみん; みんしゅう》.
¶彼の考えは*大衆の支持を得た His idea ｢gained [won] the support of *the people.* // あらゆる施設は*大衆のために開放されなければならない All (the) facilities must be open to *the (general) public.* // *大衆料金の音楽会 a reasonably-priced concert
大衆運動 popular movement Ⓒ **大衆化** popularization Ⓤ **大衆課税** taxation on the general public Ⓒ **大衆魚** popular food fish Ⓒ; (手ごろな値段の) inexpensive food fish Ⓒ **大衆迎合主義** (政治的な) populism Ⓤ 《☞ ぞくうけ; にんき[1] (人気取り)》 **大衆娯楽** mass entertainment Ⓤ **大衆酒場** (cheap) bar Ⓒ; 《英》 pub Ⓒ **大衆作家** popular writer Ⓒ **大衆誌** popular magazine Ⓒ **大衆車** (低価格の) low-priced car Ⓒ; (経済的な) economy car Ⓒ **大衆社会** mass society Ⓤ **大衆小説** popular novel Ⓒ **大衆消費社会** mass consumer society Ⓒ **大衆食堂** (安いレストラン) cheap restaurant /rést(ə)rənt/ Ⓒ, 《米》 éatery Ⓒ **大衆操作** mass manipulation Ⓤ **大衆相場** market controlled by the masses Ⓒ **大衆団交** mass bargaining Ⓤ **大衆文化** popular [pop] culture Ⓤ **大衆文学** popular literature Ⓤ **大衆薬** (処方せんなしで買える) over-the-counter drug Ⓒ.

たいしゅう[2] **体臭** bódy ｢òdor [《英》 òdour] Ⓒ 《略 BO》.

たいじゅう 体重 weight Ⓤ. ¶「あなたの*体重はどれくらいですか」「60キロです」 "How much do you *weigh*?" "(I *weigh*) sixty ｢kilograms [kilos]." / "What is your *weight*?" "(My *weight* is) sixty ｢kilograms [kilos]." 《☞ 度量衡 (囲み)》 // 彼は*体重が重い[軽い] He's ｢heavy [light]. / He ｢*weighs* a lot [doesn't *weigh* much]. // 私は*体重を計った I *weighed* myself. ★ 自分で計った場合. // 私はあなたの*体重の2倍ある I am twice your *weight*. / I *weigh* twice as much as you. // *体重が増えた I've ｢put on [gained] *weight*. ★ put on のほうが口語的. // *体重が2キロ増えた[減った] I've ｢gained [lost] two ｢kilograms [kilos]. // *体重がありすぎると心臓に余計な負担がかかる Too much *weight* puts an extra burden on ｢the [your] heart. // 私は身長の割に*体重がない[ある] I am ｢*underweight* [*overweight*] for my height. // *体重を減らすよう心がけなさい Try to ｢reduce [lose *weight*].
体重計 scales ★ 通例複数形で.

だいしゅうそうぞく 代襲相続 〖法〗 representation Ⓤ; inheritance [succession] per stirpes Ⓤ.

だいしゅきょう 大主教 〖英国国教会〗 àrchbíshop Ⓒ.

たいしゅく 退縮 〖医〗 (出産後の子宮などの) involution Ⓤ.

たいしゅつ[1] **退出** ━動 leave ⊕ 《☞ かえる[1]》.

たいしゅつ[2] **帯出** ━動 take out ⊕ 《☞ もちだす》. ¶*帯出禁止 *Reserved.* / Not to *be taken out*.

たいじゅんかん 体循環 〖生〗 systemic circulation Ⓤ.

たいしょ[1] **対処** ━動 (扱う) handle ⊕; (立ち向かう) meet ⊕; (問題などを処理する) deal with ...; (うまく処理して切り抜ける) cope with ... 《☞ しょり; あつかう; たいおう[1]》. ¶彼はその問題に冷静に*対処した He ｢*handled* [*dealt with*] the problem calmly. // その問題はいかに*対処すべきだろうか (⇒ どのように扱ったらよいか) How can we *deal with* the problem? / (⇒ どうやってうまく片付けるか) How can we *cope with* the problem?

たいしょ[2] **大書** ━動 (大きな字で書く) write in large letters 《☞ とくひつ (特筆大書)》.

たいしょ[3] **大暑** *taisho* Ⓤ; (厳しい[猛烈な]暑さ) severe [intense] heat Ⓤ; (説明的には) the hottest part of summer around July 22. 《☞ だいかん[1] 日英比較》.

たいしょ[4] **大所** ☞ たいしょこうしょ

だいしょ 代書 (代筆を業務とする人) scribe Ⓒ; (公証人) notary (public) Ⓒ. 《☞ しほう[2] (司法書

士); だいしょにん》.

たいしょう[1] 対照 ―名 cóntrast Ⓤ. ―動 (対照をなす) contrást (with ...) 自 他, make [form; present] a contrast ⌈with [to] ... ★ make 以下の3語は後のものほど格式ばった言い方; (比較する) compáre 他. ―形 (対照的) contrástive, contrásting. ―副 (対照的に) in cóntrast ⌈with [to] ...; by contrast with ... 《☞ たいひ[1]; くらべる》.
¶ A と B とは著しい*対照をなしている There is a striking *contrast* between A and B. / A and B ⌈*make* [*exhibit*] *a* ⌈remarkable [striking] *contrast*. / A *contrasts* ⌈remarkably [strikingly] *with* B. / A is ⌈strikingly [remarkably] *contrastive with* B. // その赤い屋根は周りの緑と美しい*対照をなしている The red roof ⌈*makes* [*forms*; *presents*] *a* beautiful *contrast* ⌈*with* [*to*] the surrounding greenery. / The red roof *contrasts* beautifully *with* the surrounding greenery. // この2つの方法を比較*対照すれば, その優劣がわかります You can tell which is (the) better if you *compare* the two methods.
対照言語学 contrastive linguistics Ⓤ **対照実験** 〘生〙 control experiment Ⓒ **対照分析** contrástive analysis /ənǽləsɪs/ Ⓒ 《複 analyses /-sìːz/》 《☞ ぶんせき[1]》 **対照法** 〘修辞〙 antíthesis Ⓤ.

たいしょう[2] 対象 (目標) óbject Ⓒ; (主題) súbject Ⓒ 語法 (1) 「力・関心などが向けられるもの」という意味では入れ替えて用いることができるが, 前者を用いるほうがよい場合が多い. 《☞ もくひょう》.
¶ 調査の*対象は何ですか (⇒ 何について調査をするのか) *What* are you going to make a survey of? / What is the *subject* of the survey? 語法 (2) object を用いると「調査の目的」という意味になる. // 彼の著作は非難の*対象となった His book became the ⌈*subject* [*target*; *focus*] of criticism. // 若者を*対象にした本が近ごろよく売れる Books *for* young people sell well these days. // その実験は未婚の男性100人を*対象に (⇒ について) 行われた The experiment was conducted *on* ⌈a [one] hundred unmarried males.
対象化 ―動 (対象化する) objectify 他. ―名 objectification Ⓤ **対象言語** object language Ⓒ **対象喪失** 〘心〙 object loss Ⓤ.

たいしょう[3] 対称 ―名 sýmmetry Ⓤ. ―形 (対称をなす) symmétric, symmétrical. ¶ 三角形 ABC と DBC とは BC に関して*対称をなしている Triangles ABC and DBC are *symmetrical* with respect to BC. **対称式** symmetric ⌈expression [function] Ⓒ **対称図形** symmetric figure Ⓒ **対称性** 〘数・物理・生〙 symmetry Ⓤ, symmetricalness Ⓤ.

たいしょう[4] 大勝 great victory Ⓒ; (圧倒的勝利) crushing [overwhelming] victory Ⓒ 語法 crushing には「相手を壊滅させる」という, より強いニュアンスがある; (完勝) complete [absolute] victory Ⓒ; (選挙の地滑り的勝利) landslide (victory) Ⓒ. 《☞ あっしょう; かつ[1]》.
¶ 私たちのチームは*大勝した Our team gained a *great victory*. / (⇒ 大差で相手を負かした) Our team *beat* its opponents *by a wide margin*. // 彼は選挙で*大勝した (⇒ 圧倒的に多い得票数[地滑り的勝利]で当選した) He ⌈*won* the election [was elected] ⌈*by a large majority* [by a *landslide*]. 《☞ たいさ[1]》

たいしょう[5] 大将 (階級) 〘陸軍・米空軍〙 general Ⓒ, 〘海軍〙 admiral Ⓒ, 〘英空軍〙 air chief marshal Ⓒ ★ 陸・海軍では少将や中将と区別して full ⌈general [admiral] とも呼ぶ; (全軍の指揮者) ☞ そうだいしょう; (男性への呼びかけなどで) sir, mister, buddy, man. 《☞ おやまのたいしょう; わかだいしょう; しゅじん; おやかた; おやじ》.

たいしょう[6] 隊商 cáravàn Ⓒ.

たいしょう[7] 大賞 grand prize Ⓒ 《☞ しょう[4]》.
¶ 日本レコード*大賞 the *grand prize* at the Japan Record Awards

たいしょう[8] 大正 **大正海老** (Yellow Sea) prawn Ⓒ **大正琴** Japanese zither /zíðɚ/ with keys Ⓒ ★ 説明的な訳. **大正時代** the Taisho ⌈period [era] **大正デモクラシー** Taisho Democracy Ⓤ **大正天皇** the Taisho Emperor.

たいしょう[9] 対症 ☞ たいしょうりょうほう; そのば (その場しのぎ)

たいじょう[1] 退場 ―動 (歩いて出て行く) walk out of ...; (去る) leave 他.
¶ 彼らはその決議に抗議して議場から*退場した They ⌈*walked out of* [*left*] the conference hall in protest against the resolution. // 主審はその選手に*退場を命じた The home plate umpire ordered the player *off the field*. // ジュリエット*退場 《芝居のト書き》 *Exit* Juliet.

たいじょう[2] 帯状 ―形 (帯状の) belt-shaped. **帯状疱疹** 〘医〙 shingles Ⓤ, herpes zoster /hɚ́ːpiːz zástɚ/ Ⓤ.

だいしょう[1] 代償 (代価) price Ⓒ ★ この意味では通例単数形で; (時間・労力などの犠牲) cost Ⓒ; (つぐない) compensation Ⓤ. 《☞ ぎせい》.
¶ どんな*代償を払ってもその目的を達成しなくてはならない We must achieve our aim ⌈*at any price* [*at any cost*; *at all costs*]. // 彼らは彼に損害の*代償を要求した They demanded (that) he pay for the damage(s). **代償行動** 〘心〙 displaced aggression Ⓤ **代償作用** compensatory function Ⓒ **代償分割** 〘法〙 compensation division Ⓤ.

だいしょう[2] 大小 ―名 (大きさ) size Ⓤ ★ 具体的には Ⓒ. ―形 (大きいのやら小さいのやら) large and small; (いろいろな大きさの) of various sizes.
¶「どんな大きさのがありますか」「*大小いろいろあります」"What sizes do you have?" "We have *various sizes*." // 港は*大小さまざまな船でいっぱいだ The harbor is full of ships, *large and small*.
大小を問わない ¶ オレンジは*大小を問わず一個200円で販売されていた The oranges were sold at 200 yen apiece ⌈*without regard to* [*regardless of*] *size*.

だいしょう[3] 代将 ☞ じゅんしょう

だいじょう 大乗 〘仏教〙 Mahayana /mɑ̀ːhəjɑ́ːnə/ Ⓤ. **大乗的見地** broader viewpoint Ⓒ **大乗仏教** Máhayàna Búddhism Ⓤ.

だいじょうかん 太政官 〘史〙 the Grand Council of State; (説明的には) the central administrative organ of Japanese government in ancient times.

たいしょうぐん 大将軍 (総指揮官) commander in chief Ⓒ 《☞ せいいたいしょうぐん》.

だいじょうさい 大嘗祭 *Daijosai*; (説明的には) the thanksgiving ceremony after the enthronement of an emperor.

だいじょうだいじん 太政大臣 (日本の律令制時代の) the grand minister of state.

だいじょうだん 大上段 ¶ *大上段に構える 《剣道で》 hold a sword *over one's head* / 《比喩的に》 take a *high-handed* attitude

だいじょうぶ 大丈夫 ―形 (なんともない・順調な[で]) all right Ⓟ, OK Ⓟ, okay Ⓟ ★ all right のほうがやや丁寧; (確信のある) sure (to *do* ...); (安全な) safe (from ...); (耐え得る) proof (against ...); (適する) good (enough) (to *do* ...). ―接尾 (耐え得る) -proof.

¶「顔色がよくないが*大丈夫ですか」「*大丈夫です」"You look pale. Are you *all right*?" "Yes, I'm ˹*all right* [*OK*; *okay*]." //「間に合うでしょうか」「*大丈夫です（⇒きっと間に合います）」"Can we make it?" "Yes. I'*m sure* we can." // この水は飲んでも*大丈夫でしょうか（⇒飲むのに適するか）Is this water ˹*fit to* drink [*drinkable*]? // この建物は地震には*大丈夫です（⇒耐えられる）This building is ˹earthquake-*proof* [*quakeproof*]. //「君ひとりで本当に*大丈夫かね」「ええ，*大丈夫です」(⇒「君ひとりで本当にそれをすることができますか」「ええ，できます」) "*Can you really do it* yourself?" "Yes, *I can.*" / (⇒「君ひとりでそれができる確信があるのですか」「あります」) "*Are you sure you can do it* yourself?" "Yes, *I am.*" // お子さんはもう*大丈夫です（⇒危険を脱した）Your ˹son [daughter] is *out of danger* now.

だいしょうべん　大小便　feces [《英》faeces] and urine Ⓤ; (排泄物) excréta ★ 複数形; (糞便) excrement Ⓤ. (☞ だいべん2; しょうべん).

たいじょうほうしん　帯状疱疹　☞ たいじょう2

だいじょうみゃく　大静脈　〖解〗vena cava /víːnəkéɪvə/ Ⓒ《複 venae cavae /víːniːkéɪviː/》(☞ じょうみゃく).

たいしょうりょうほう　対症療法　〖医〗sýmptomàtic ˹thérapy [tréatment] Ⓤ ★ 前者は専門用語で, 治療方法を指す.

たいしょく1　退職　— 動 (定年などで) retire (from ...) (自); (自分の意志で) resign (他)(自), 《略式》quit (他)《過去・過分 quit》. — 名 (定年退職) retirement Ⓤ; (辞職) resignation Ⓤ. (☞ じしょく; やめる2). ¶ 彼は3月に定年で*退職した He *retired* last March because he had reached the ˹age limit [mandatory retirement age].

退職給付会計 accounting for retirement benefit Ⓤ **退職給付引当金** allowance for employee retirement benefits Ⓒ **退職給与引当金** retiring allowance reserve Ⓒ, reserve for retirement allowance Ⓒ ★ いずれも複数形が普通. **退職金** (解雇による退職時の) séverance pày Ⓤ; (定年時の) retirement allowance Ⓒ; retirement pay Ⓤ; retirement benefit Ⓒ ★ 通例複数形で. **退職者** retired employee Ⓒ; 《米》retiree Ⓒ **退職年金** retirement pension Ⓒ.

たいしょく2　大食　— 形 (大食いの) glúttonous. — 名 gluttony Ⓤ ★ 2語とも軽蔑的. (☞ たべる). ¶ 彼は*大食(家)だ He is a ˹*big eater* [*glutton*]. / (⇒たくさん食べる) He *eats a lot.* / (⇒馬のように食べる) He *eats like a horse.* ★ 英語での決まった言い方で, 戯言的. (☞ くいしんぼう) **大食漢** big eater Ⓒ; (軽べつ的に) glutton Ⓒ **大食細胞** macrophage Ⓒ (☞ マクロ (マクロファージ)).

たいしょく3　退色　— 動 (色があせる) fade (自) (☞ あせる2; さめる).

たいしょくせいごうきん　耐食性合金　corrosion-resisting [corrosion-proof] alloy Ⓤ.

たいしょくへんか　体色変化　〖生〗color change Ⓒ.

たいしょこうしょ　大所高所　¶ その問題を*大所高所(⇒より広い視点)から見る see the issue from a ˹*broader* [*wider*] *point of view*

だいしょにん　代書人　scrivener Ⓒ (☞ だいしょ).

だいしらず　題知らず　(和歌の) (a *waka* poem) without a subject.

だいじり　台尻　(銃の床尾) butt (of a gun) Ⓒ.

たいしん1　耐震　— 形 earthquake-proof. ¶ この建物は*耐震建築だ This is an *earthquake-proof* building. (☞ だいじょうぶ) **耐震構造** earthquake-˹proof [resistant] construction Ⓤ **耐震診断** evaluation of seismic capacity Ⓤ.

たいしん2　大身　(高位の人) person of (high) rank Ⓒ.

たいしん3　対審　confrontation (in court) Ⓤ (☞ しんり3).

たいじん1　退陣　— 動 (辞職する) resign (他)(自). — 名 resignation Ⓤ. (☞ たいしょく1; じしょく). ¶ 野党は首相の*退陣を要求した The opposition (parties) demanded the *resignation* of the Prime Minister.

たいじん2　対人　— 形 (人と人との間の・人に関する) personal. ¶ *対人関係 *personal* relations // 《損害保険などの》*対人保険 insurance against *personal* injury and loss of life **対人恐怖症** anthropophobia Ⓤ **対人地雷** anti-personnel /æ̀ntaɪpə̀ːsənél/ míne Ⓒ **対人信用** personal credit Ⓤ.

たいじん3　大人　(偉大な人) great person Ⓒ; (実業界などの巨頭) tycoon /taɪkúːn/ Ⓒ; (資産家) man [woman] of substance Ⓒ. (☞ おおもの). **大人君子** person of sterling character Ⓒ.

たいじん4　対陣　¶ 両軍は2キロの中間地帯を挟んで*対陣した The two armies *confronted each other* across the two-kilometer no-man's-land.

だいしん　代診　¶ *代診の先生 a *substitute* doctor

だいじん1　大臣　sécretàry Ⓒ, 《英》mínister Ⓒ; (閣僚) cábinet mémber Ⓒ.

【類義語】英国では総理大臣 (prime minister), 大蔵大臣 (Chancellor of the Exchequer) など一部を除き ***secretary*** (正式には secretary of state) と呼ばれ, その下に ***minister*** と呼ばれる副大臣があるが, 大臣の総称としては minister を用いる. 米国では大臣はすべて *secretary* と呼ばれ, これを特に日本語では「長官」と訳している. 自国もしくは特定の国の大臣の場合は固有名詞に準じて大文字で書きはじめるのが普通である. なお米国では法務長官 (Attorney General) のように *secretary* と呼ばれない閣僚があるが, 日本の法務大臣は the *Minister* of Justice と訳している. また庁 (Agency) は省 (Ministry) と機能的には同類のものであるが, 省ほど規模の大きくないものを言い, その長官は一般に the director general と呼ばれる. 日本の場合, 庁の中でも, 防衛庁 (the Defense Agency) などは規模も大きく, 省なみで, その長官には国務大臣が任命されるが, 普通は大臣と呼ばず, 慣習に従って防衛庁長官のように呼ぶ. 英語に直すときも *the Director General* of the Defense Agency のように訳すのが慣例だったが, 近年は minister や commissioner を用いることも増えている. その他の日本の大臣は英国式に *minister* と訳される.

¶ 彼は財務*大臣に任命された He was appointed ˹Finance *Minister* [*Minister* of Finance]. ★ 前者のほうが略式の呼び方. 語法 《米》では the *Secretary* of the Treasury (財務長官), 《英》では the *Chancellor* of the Exchequer が用いられる.

大臣官房 the minister's secretariat **大臣政務官** parliamentary secretary Ⓒ **大臣折衝** negotiations between Cabinet ministers ★ 複数形で.

だいじん2　大尽　(大金持ち) wealthy person Ⓒ; (百万長者) mìllionáire Ⓒ; (豪遊する人) pródigal Ⓒ.

だいしんいん　大審院　the Supreme Court (in prewar Japan).

だいじんぐう　大神宮, 太神宮　grand (Shinto) shrine Ⓒ. ¶ 伊勢の*大神宮 the *Grand Shrine* at Ise

だいしんさい　大震災　(大きな地震(による災害)) great earthquake (disaster) Ⓒ. ¶ 関東*大震災 the

「*Great* [Tokyo] *Earthquake* of 1923 // 阪神淡路*大震災 the *Great* Hanshin-Awaji *Earthquake*

だいしんどちか 大深度地下 deep subterranean area Ⓒ.

だいじんぶつ 大人物 (偉大な人) great person Ⓒ; (重要人物) great figure Ⓒ; (スケールの大きな人) person of high caliber Ⓒ. ¶我が国近代史上の*大人物の一人 one of the *greatest figures* in our modern history

だいしんほう 大震法 ☞ だいきぼ (大規模地震対策特別措置法)

ダイス[1] (さいころ) dice ★ 元は die の複数形だが現在では単数としても用いられる. (☞ さい[5]; さいころ). ¶*ダイスを2個振る[投げる] shake [toss] two *dice*

ダイス[2] (雄ねじ切り・打ち型) die Ⓒ (複 dies).

だいず 大豆 soybean /sɔ́ɪbìːn/ Ⓒ. **大豆油** soybean oil Ⓤ **大豆粕** soybean cake Ⓤ **大豆食品** soybean foods ★ 複数形で.

たいすい 耐水 —[形] (耐水性の) water-resistant; (水を通さない) watertight; (防水の) waterproof. (☞ ぼうすい[1]).

たいすいし 耐水紙 waterproof [water-resistant] paper Ⓤ.

たいすいそう 帯水層 〔地質〕 aquifer Ⓒ.

たいすう 対数 〔数〕 lógarìthm Ⓒ (略 log). **対数関数** lógarìthmic fúnction Ⓒ **対数尺** logarithmic scale Ⓒ **対数表** table of logarithms Ⓒ.

だいすう[1] 代数 —[名] 〔数〕 álgebra Ⓤ. —[形] algebraic /æ̀ldʒəbréɪɪk/. ¶*代数の問題を解く solve *algebraic* problems **代数学者** algebraist /æ̀ldʒəbrèɪɪst/ Ⓒ **代数関数** álgebràic fúnction Ⓒ **代数幾何学** àlgebráic geómetry Ⓤ **代数曲線** álgebràic cúrve Ⓒ **代数曲面** algebraic surface Ⓒ **代数式** àlgebráic expréssion Ⓒ **代数方程式** àlgebráic equation /ɪkwéɪʒən/ Ⓒ **代数和** algebraic sum Ⓒ.

だいすう[2] 台数 the number (of 「cars [trucks; buses; etc.]).

だいすき 大好き —[動] love (他), be very fond of ..., like ... very much ★ ほぼ同意だが love, be fond of, like だけを比べると, 前のものほど意味が強い. fond は持続的な好みを表す. —[形] (お気に入りの) favorite (《英》 favourite). (☞ すき[1]). ¶父はクラシック音楽が*大好きです My father 「*loves* [is a *great lover* of] classical music.

たいする[1] 対する —[前] (…に向けられた) to ..., for ..., toward ..., 《英》 towards ... [語法] to と for は連語関係によっていずれかに決まっていることが多い. toward は「…に向けての」という意味が強く現れる言葉; (…と対照して) in contrast 「to [with] ...; (…に対抗して) against ...; (…に反対して) in opposition to .... (☞ たいして[1]).
¶それは私の質問に*対する答えにはならない That isn't the answer *to* my question. / (⇒ あなたは私の質問に答えなかった) You didn't answer my question. // 母親の子に*対する愛 a mother's love *for* her child // アメリカの中国に*対する政策は変わりつつある (The) American policy *toward* China is changing. // 暴力事件に*対する強力な対策を立てなくてはならない Strong measures must be taken *against* violence.

たいする[2] 体する (要求などに添う) 《格式》 comply with ...; (助言などに従う) follow (他). (☞ したがう; まもる).

だいする 題する —[動] (題をつける) title (他); entitle (他). (☞ だい[1]). ¶彼は「日本の庭」と*題する本を書いた He wrote a book 「*titled* [*entitled*] "Japanese Gardens." // 彼は「日本の将来」と*題する講演をした He gave a lecture 「*titled* [*under the title* (*of*)] "The Future of Japan."

たいせい[1] 大勢 (全体の形勢) a [the] general situation; (全体の傾向) a [the] general tendency; (現在優勢な傾向) a [the] current trend, the latest trend. (☞ けいせい[1]; けいこう[1]).
¶*大勢は我々に有利[不利]である *The general situation* is 「favorable [unfavorable] to us. // *大勢に変化はない There 「is [has been] no change in *the general situation*. [語法] 現在完了形にすると, 継続して変化がなかったことを示す. // 選挙の*大勢はあしたの朝までに判明します Election *results for most seats* will be known by tomorrow morning. // 彼は*大勢に順応することのできない人だ He doesn't like to conform to *the* 「*current* [*latest*] *trends*.
大勢に従う follow the general trend.

たいせい[2] 体制 (組織) system Ⓒ; (構造) structure Ⓤ; (確立している支配的体制) the Establishment ★ 通例 the を付けて, 大文字. (☞ そしき).
¶現在の政治*体制 (⇒ 政治の組織) は将来変わるだろう The present political *system* will be changed in the future. // 彼らは*体制に反対だ They are 「against *the Establishment* [(⇒ 反体制派だ) dissidents; dissident people; (⇒ 意見を異にする人たちだ) dissenters]. **体制側** the establishment ★ the を付けて用いる. ¶彼は*体制側の人間だ He is on the side of *the establishment*.

たいせい[3] 態勢 ¶いつでも仕事を始める*態勢にあります (⇒ 用意ができている) We *are ready to* start work(ing) at any time. **態勢を立て直す** ¶彼は経済改革の*態勢を立て直した He has *reorganized the arrangements* for economic reform.

たいせい[4] 大成 —[動] (人生で成功する) be a success (in life); succeed in life ★ 前者のほうが格式ばった言い方. (☞ せいこう[1]; しゅっせ). ¶彼は*大成するでしょう He'll *be a success* (*in life*). / He'll *succeed in life*. / (⇒ 彼は有望だ) He's *promising*. / He shows (great) *promise*.

たいせい[5] 体勢 ¶彼は*体勢を崩した[立て直した] He 「lost [regained] his *balance*.

たいせい[6] 胎生 〔生〕 —[形] viviparous /vaɪvípərəs/. **胎生魚** viviparous fish Ⓒ **胎生種子** viviparous seed Ⓒ **胎生動物** viviparous animal Ⓒ.

たいせい[7] 耐性 —[名] (薬物・毒物に対する) tolerance Ⓤ; (抵抗力) resistance Ⓤ. —[形] (耐性のある) tolerant; resistant ★ 後者は複合語として用いることが多い. ¶抗生物質に*耐性をもつ細菌 bacteria *resistant* to antibiotics // …に*耐性ができる grow [become] *resistant* to ... **耐性菌** resistant bacteria ★ 複数形. 単数形は bacterium.

たいせい[8] 退勢 (衰退) decline Ⓒ ★ 通例単数形で; (減退) ebb Ⓤ. ¶あの政党は*退勢傾向にある That political party is on 「a gradual *decline* [the *ebb*]. **退勢を挽回する** (困難な状態をよくする) improve the difficult situation.

たいせい[9] 泰西 (西洋諸国) the Occident; the West. (☞ せいよう[1]; せいおう). ¶*泰西名画 a masterpiece of *Western* painting

たいせい[10] 対生 〔植〕 —[名] opposite leaf arrangement ★ Ⓤ または a を付けて. 専門語としては opposite 「phyllotaxis [phyllotaxy] Ⓤ も用いる. —[形] (対生の) opposite.

たいせいほうかん 大政奉還 the Restoration of the Imperial Rule; the Return of Political Rule to the Emperor ★ 1867年の江戸幕府からの朝廷への政権の返上.

たいせいよう 大西洋 —[名] (固) the Atlántic (Ócean). —[形] Atlántic Ⓐ. ¶北*大西洋条約

機構 the North *Atlantic* Treaty Organization《略 NATO /néɪtoʊ/》

大西洋憲章 the Atlantic Charter.

たいせいよくさんかい 大政翼賛会 ―名 固 (日本の第二次世界大戦中の) the Imperial Rule Assistance Association.

たいせき[1] 体積 vólume Ⓤ《☞ ようせき; めんせき[1]》. ¶この箱の*体積は 125 cm³ です The *volume* of this box is 125 cubic centimeters.《☞ 度量衡(囲み)》

たいせき[2] 退席 ―動 leave *one's* seat; (部屋を出る) leave the room.《☞ ちゅうざ》. ¶彼女は会議の途中で*退席した She *left* ⌜*her seat* [*the room*] in the middle of the conference.

たいせき[3] 堆積 ―名 (堆積物)〘地〙sediment Ⓤ; (へどろ) sludge Ⓤ; (堆積すること) sedimentation Ⓤ. ―動 sediment ⓐ. **堆積岩** sedimentary rock Ⓒ **堆積作用** sedimentation Ⓤ **堆積層** sedimentary layer Ⓒ **堆積平野** sedimentary plain Ⓒ.

たいせき[4] 堆石〘地〙moraine Ⓒ.

たいせき[5] 滞積 accumulation Ⓤ《☞ たまる; さんせき》.

たいせつ[1] 大切 ―形 (重要な) important, of importance ★ 後者のほうが格式ばった言い方. 構文の相違にも注意; (貴重な・価値のある) valuable; (金銭では計れないほど貴重な) precious; (時期などが決定的で重大な) crucial. ―動 (よく面倒を見る) take (good) care of ...; (節約する) ecónomize ⓐ; (価値を認め大事にする) treasure ⓗ.《☞ だいじ[1]; じゅうよう[1]; きちょう[1]》.

¶これは*大切な手紙だ This is an *important* letter. // これは*大切な事柄であると考えられている This is considered to be a matter *of* great *importance*. // *大切なもの (⇒ 貴重品) はここに置かないで下さい Please don't leave ⌜*valuable* objects [*valuables*] here. // 私たちにとって健康は一番*大切なものです Health is ⌜the most *precious* thing we have [(⇒ 最も貴重な資源) our most *precious* resource]. // いまが我々にとって一番*大切な時だ (⇒ いま我々は一番決定的な時に直面している) We are facing a *crucial* time. // 体を*大切にして下さい Please *take care of* yourself. [語法] 主として病人に向かって言う. // 時間を*大切にしよう Let's *economize* on (our) time.

たいせつ[2] 大雪 (二十四節気の一つ) *taisetsu* Ⓤ; (説明的には) the period of heavy snow, one of the twenty-four points in the old solar calendar (around December 7).《☞ おおゆき; だいかん[1] [日英比較]》.

たいせつ[3] 耐雪 ―形 snow-proof.

たいせん[1] 対戦 ―動 (試合をする) play against ..., play ⓗ; have a game with ...; (競い合う) compéte with ...; (ボクシング・レスリングなどで戦う) fight ⓗ.《☞ たたかう; しあい》.

¶わが校はあす南高校と*対戦する We will *play* Minami High School tomorrow. // 彼はあしたヘビー級チャンピオンと*対戦する He will *fight* the heavyweight champion tomorrow.

対戦相手 *one's* opponent Ⓒ **対戦成績** ¶山田君との*対戦成績は 5 分 5 分だ The *win-loss record* between Yamada and me is fifty-fifty.

たいせん[2] 大戦 (世界大戦) world war Ⓒ《☞ せんそう[1]》. ¶第二次世界*大戦 *World War* II /túː/

たいせん[3] 苔蘚〘植〙bryophyte Ⓒ. **苔蘚虫類** bryozoan /bràɪəzóʊən/ ★ 総称で.

たいせん[4] 苔癬〘医〙lichen /láɪkən/ Ⓤ.

たいぜん[1] 泰然 ―形 (落ち着いた) calm. ―副 calmly; (自制心を働かせ[見せ]ながら) using [showing] self-control.《☞ おちつきはらう》. ¶彼はその知らせにも*泰然としていた (⇒ 落ち着いて聞いた[受け取った]) He ⌜heard [took] the news *calmly*. **泰然自若** ¶その女性は*泰然自若として困難に立ち向かった The woman faced the difficulty with *great composure*.

たいぜん[2] 大全 (百科全書) encyclop(a)edia Ⓒ; (全集) complete works ★ 複数形で. ¶花木*大全 the *encyclop(a)edia* of flowering trees //『釣魚*大全』The *Compleat* (=*complete*) Angler ★ 釣りに関する英国の随筆書の書名.

だいせん 台船 net carrier Ⓒ; (説明的には) the key boat of stationary net fishing.

だいせんきょく 大選挙区 major ⌜constituency [electoral district] Ⓒ《☞ せんきょ[1]》. **大選挙区制** the ⌜major [multi-member] constituency system.

たいせんしゃほう 対戦車砲 ántitànk gún Ⓒ.

たいせんしょうかいき 対潜哨戒機 àntisúbmarine patról plàne Ⓒ.

だいぜんてい 大前提〘論〙the major premise (↔ the minor premise)《☞ ぜんてい[1]》.

たいせんりょう 滞船料〘商〙demurrage Ⓤ.

たいそう[1] 体操 gymnástics ★ 複数扱い;《略式》gym Ⓤ; (phýsical [gymnástic]) éxercise Ⓤ [語法] 健康を保ち, 体を鍛えるために行うもの一般を指す. 具体的には Ⓒ.《☞ うんどう; たいいく》.

¶朝食前にいつも*体操をします I always ⌜get [have] some *exercise* before breakfast. // 器械*体操 apparátus *gymnástics* // ラジオ[テレビ]*体操 (⇒ 美容体操) radio [TV] *calisthenics* /kæ̀ləsθénɪks/ ★ 単数または複数扱い. **体操競技** gymnastics competition Ⓒ **体操選手** gýmnast Ⓒ **体操服** tracksuit Ⓒ; (特に女性用は) gym suit Ⓒ.

たいそう[2] 大層 very, very much.《☞ ひじょうに; たいそうな》.

たいそう[3] 大葬 the funeral services for the late Emperor.

だいそう 代走 ―動〘野〙run for ... ¶A が B の*代走をするだろう A will *run for* B. **代走者** pínch rúnner Ⓒ.

だいそうじょう 大僧正 Buddhist priest of the highest rank Ⓒ ★ 説明的な訳.

たいそうな 大層な ―形 (数量が多い) a lot of; plenty of; (大げさな) exaggerated; (立派な) grand. ¶海辺は*大層な人出だった The beach was *very* crowded. // 彼は*大層な家に住んでいる He lives in a *grand* house.

たいそく 体側 side of the body Ⓒ.

だいそつ 大卒 college [university] graduate Ⓒ《☞ だいがく[1]》. ¶*大卒社員 a *college graduate* employee / an employee with a *college* ⌜*degree* [*education*]

だいそれた 大それた ―形 (無鉄砲な) reckless; (浅はかな) thoughtless; (無謀な・とっぴな) wild; (恐ろしい) horrible.

¶君は私に向かってよくもそんな*大それたことが言えるものだ (⇒ よくそんなことを言う勇気があるものだ) How *dare* you say such a thing to me! // よくも*大それたことをしてくれたものだ (⇒ おまえはどうしてそんな無鉄砲なことをしたのだ) Why did you do such a *reckless* thing? // あの男がそんな*大それた (⇒ 恐ろしい) 事をしたはずがない That man cannot have done such a *horrible* thing.

たいだ 怠惰 ―形 idle; lazy (↔ hardworking, diligent). ―名 idleness Ⓤ; laziness Ⓤ.

【類義語】怠けようとする意志があるかないかは問題とせず, ただすることが何もなくてぶらぶらしているのが *idle*. 自分の意志で怠けている場合には *lazy* を用い

る. 従って *lazy* のほうがより強い批判の意味が含まれる. 《☞ なまける (類義語)》

¶ 彼は生来*怠惰な人間だ He is *lazy* by nature. // 彼は*怠惰な生活を送っている He is leading an *idle* life. / (⇒ 怠けて時間を過ごしている) He *is idling away* his time. ★ idle は 動.

だいだ 代打 〔野〕 ── 名 (代打者) pinch hitter C. ── 動 pinch-hit (for ...) 自.

だいたい¹ 大体 **1** 《おおよそ》 ── 副 (ほとんど) almost; (約) about ★ 数などに付ける; (ほぼ…に近い) just about; (普通) generally; (一般的に言って) generally speaking. ── 形 (たいていの) most. ── 代 (大部分) most (of ...). 《☞ ほぼ¹ 語法; ほとんど (類義語); やく³ (類義語)》.

¶「パーティーには何人の人が来ますか」「*だいたい 20人ぐらいでしょう」"How many people are coming to the party?" "*About* twenty, I guess." // あなたの答えで*だいたいよい Your answer is *almost* right. // 私の同僚は*だいたい勤勉だ *Generally speaking*, my colleagues are hardworking. // 試験は*だいたいできた (⇒ 質問の大部分に答えられた) I answered *most of* the questions on the exam.

2 《概略·概要》 ── 名 (概略) óutline C; (あら筋) sketch C. ── 副 (原則的に) in principle; (全体として) on the whole. 《☞ がいりゃく; ようし¹》.

¶ これがその本の*だいたいの内容です This is an *outline* of the book. // 我々の計画の*だいたいのところをお話ししましょう I'll give you a *sketch* of our plan. // 両国は*だいたいにおいて (⇒ 原則的に) 意見が一致した The two [Both] countries reached an agreement *in principle*. // 彼の話は*だいたい信用できる (⇒ 全体的に見て信用できる) His story can be trusted *on the whole*.

3 《強調》 ¶ その計画は*だいたい最初から失敗だった The plan was a failure from the *very* beginning. // *だいたい君がいけないのだ (⇒ 君が最も責を負うべき人だ) You are the one who is *most* to blame.

だいたい² 代替 ── 形 (既存のものに代わる) alternative /ɔːltə́ːnətɪv/, 《米》 alternate; (代用の) súbstitùte A. ── 動 (A を B の代わりとする) súbstitùte (A for B). 《☞ だいよう》. **代替医療** alternative medicine U **代替エネルギー** alternative source of energy C **代替地** substitute [alternative] land C **代替物** substitute C **代替フロン類** alternative (chloro)fluorocarbons **代替療法** alternative therapy C.

だいたい³ 大隊 (歩兵·砲兵の) battálion C; (戦車·空軍など) squadron C.

だいだい¹ 代代 (何代にもわたって) for generations; (世代から世代へと) from generation to generation, generation after generation. 《☞ だい⁴》. ¶ 私の家は*代々材木商です (⇒ 私たちの家は何代にもわたって材木を商ってきた) Our family has been dealing in wood *for generations*. // これは*代々伝わっている家宝です This is 「a family treasure [an heirloom /éəlùːm/] handed down *from generation to generation*.

だいだい² 橙 〔植〕 (実) Japanese 「sour [bitter] orange C. **橙色** ── 名 (だいだい色) orange (color) U. ── 形 (だいだい色の) orange(-colored). 《☞ オレンジ》 **だいだい酢** bitter orange vinegar U.

だいたいきん 大腿筋 〔解〕 femoral muscle U; (大腿四頭筋) quadriceps C.

だいたいこつ 大腿骨 〔解〕 thíghbòne C 《☞ ほね》.

だいだいてき 大大的 ── 副 (大規模に) on a large scale; (広く·広範に) extensively. 《☞ だいきぼ; なりものいり》. ¶ 1970 年代には省エネ運動が*大々的に行われた An energy-saving campaign was carried out *on a large scale* in the 1970s. // 新聞はその事件を*大々的に (⇒ センセーショナルな言葉で) 報道した The newspapers reported the news *in sensational terms*.

だいだいひょう 大代表 ☞ だいひょう¹ (代表番号)

だいたいぶ 大腿部 (太もも) thigh C 《☞ ふともも; あし¹ (挿絵)》.

だいだいり 大内裏 (平安京などの皇居) the Emperor's Palace (of ancient Japan).

だいだげき 大打撃 (精神的な) great [severe] blow C; (ショック) great shock C; (損害) great [serious] damage U. 《☞ だげき; そんがい》. ¶ 彼の死は一家にとって*大打撃だった His death was a *great* 「*blow* [*shock*] to his family. // そのストは会社に*大打撃を与えた The strike caused 「*great* [*serious*] *damage* to the company.

だいたすう 大多数 (たいていのもの) most ★ the を付けない; (過半数を超えるかなりの数) the majority ★ 場合により単数または複数扱い; (圧倒的に多い数) a large majority. 《☞ たいはん; だいぶぶん》. ¶ *大多数の人はそう思っています *Most* people think so. // 委員の*大多数はその案に反対だった *The majority* of the committee 「was [were] against the proposal.

タイタック (ネクタイ留め) tie tack C.

タイタニックごう タイタニック号 ── 名 固 (船の名) the Titanic ★ 1912 年処女航海で沈没した豪華客船.

ダイダロス 〔ギ神〕 (イカロスの父, アテネの工匠) Daedalus /dédələs/.

タイタン 〔ギ神〕 (巨人) Titan C; (その一族) the Titans; 〔天〕 (土星の衛星) Titan. **タイタンロケット** (アメリカの軍事用ロケット) Titan (rocket) C.

たいだん¹ 対談 ── 名 (ある人物に聞き手がいろいろ質問する形の) interview C; (2 人の人の間の対話) talk between two people C. ── 動 talk (with ...; to ...) 自 語法 ほぼ同意だが, 《米》 では with は「話し合う」, to は「話しかける」という意味で使うことがよくあるので, この場合 with のほうがよい; have an interview (with ...), interview 他.

たいだん² 退団 ── 動 (劇団から) leave a 「troupe /trúːp/ [theátrical gróup]; (球団から) leave a baseball 「team [corporation]. 《☞ やめる²》. ¶ 彼は病気のため球団を*退団した He *left the baseball team* because of ill health.

だいたん 大胆 ── 形 (向こうみずでずうずうしいと感じられるような) bold (↔ cowardly); (大胆で人の意表をつくような) daring. ── 名 boldness U; daring U. 《☞ ゆうき¹ (類義語); おもいきった》. ¶ それはずいぶん*大胆な思いつきだ It's a very 「*bold* [*daring*] idea. // 彼は*大胆にも鮫(さめ)のいっぱいいる海に飛び込んだ He was *bold* enough to jump into the shark-infested sea // *大胆なデザイン *bold* designs **大胆不敵** ── 形 audacious; (恐れを知らない) fearless. ¶ *大胆不敵な泥棒 *audacious* [*bold and daring*] robbers // 彼は*大胆不敵な計画を立てた He made an *audacious* plan.

だいだんえん 大団円 (劇·小説の) denouement /dèɪnuːmáːŋ/ C 《☞ しゅうきょく; おおづめ》. ¶ そのミステリーは劇的な*大団円で終わる The mystery comes to a dramatic 「*denouement* [*end*].

だいだんそう 大断層 〔地質〕 huge fault C.

だいち¹ 大地 (天に対して地) the earth (↔ heaven); (土地) land U; (地表·地面) the ground. 《☞ ちじょう¹; つち¹》. ¶ 母なる*大地 Mother *Earth* / *Gaia*

た

だいち² 台地 (小高くなったところ) elevation Ⓒ; (丘のように盛り上がって高くなっているところ) heights ★ 複数形で; (高原状の場所) plateau Ⓒ. (☞ たかだい; おか¹).

だいちこうたい 大地溝帯 (アフリカ大陸東部の地溝帯) the Great Rift Valley.

たいちそくど 対地速度 〘空〙 ground speed Ⓤ.

たいちょ 大著 voluminous /vəlúːmənəs/ ˹book [work] Ⓒ; (力作・名著) great ˹book [work] Ⓒ. (☞ ほん).

たいちょう¹ 体調 (physical) condition Ⓤ, shape Ⓤ ★ 後者のほうが口語的. (☞ からだ; ちょうし¹; コンディション). ¶ *体調がいい [思わしくない] I'm in ˹good [poor] ˹*shape* [*condition*]. // マラソンに備えて*体調を整える *get into* (*good*) *trim* for a marathon

たいちょう² 体長 length Ⓤ (☞ ながさ).
¶ 恐竜の中には*体長 20 メートルもあるものがいた Some dinosaurs /dáinəsɔ̀ːz/ were 20 meters *long*. (☞ 度量衡 (囲み))

たいちょう³ 隊長 (長) head Ⓒ; (司令官) commander Ⓒ; (指揮者) leader Ⓒ.

たいちょう⁴ 退潮 (引き潮) ebb Ⓤ ★ 勢いが衰退の意味にも用いる; (衰退) decline Ⓒ ★ be on the decline の形で用いることが多い.

たいちょう⁵ 退庁 ―動 leave the office. ¶ 私は 6 時に*退庁します I *leave the office* at six o'clock.

だいちょう¹ 大腸 the lárge intéstine Ⓒ (☞ ちょう²; ないぞう¹ (挿絵)). **大腸炎** ☞ 大腸カタル **大腸カタル** 〘医〙 colitis /kəláitis/ Ⓤ **大腸癌** 〘医〙 colon [colorectal] cancer Ⓤ ★ 具体的には Ⓒ. **大腸菌** 〘医〙 colon bacillus Ⓒ (複 ～ bacilli) **大腸ポリープ** 〘医〙 colon polyp /kóulən pálip/ Ⓒ.

だいちょう² 台帳 (会計の元帳) ledger Ⓒ (☞ ちょうぼ¹). ¶ きょうは*台帳につけるものがない We have nothing to enter in the *ledger* today.

たいちょうかく 対頂角 〘幾〙 vertically opposite angles.

タイツ tights ★ 複数形で.

たいてい¹ 大抵 ―形 (ほとんどの) most. ―副 (通常) generally; (たいていの場合) mostly, in most cases, for the most part ★ 以上 3 つは後のものほど格式ばった言い方; (普通) usually; (多分) probably; possibly, perhaps, maybe ★ 以上 4 語の区別は ☞ たぶん¹ 語法. ―代 (大部分) most (of ...). (☞ だいぶぶん).
¶ *たいていの人はこの味を好む *Most* people like this ˹flavor [taste]. 語法 flavor はその食べ物に特有な風味, taste は一般的な語. // この書棚の本は*たいてい読みました I have read *most of* the books on this shelf. // 彼はきのう試験を受けたが*たいてい大丈夫だと思う Yesterday he took an examination. I think he *probably* passed it. // *たいてい彼は日曜日には釣りに行く On Sundays he *usually* goes (out) fishing. // 子犬の世話も*たいていではない (⇒ 飼うのは[世話するのは]簡単どころではない) It is *no easy matter* to ˹keep [take care of] a puppy.

たいてい² 退廷 ―動 leave the court.

たいてい³ 大帝 great emperor Ⓒ (☞ だいおう¹).
¶ ピョートル*大帝 Peter *the Great* // カール*大帝 ☞ シャルルマーニュ

たいてき¹ 大敵 (強力な [たいへんな] 敵) powerful [great] enemy Ⓒ; (恐るべき相手) formidable rival Ⓒ ★ 格式ばった言い方. (☞ てき (類義語)).

たいてき² 対敵 ―形 hostile. **対敵行動** hostile action Ⓤ.

たいテロせんそう 対テロ戦争 war ˹against [on] terrorism Ⓒ.

たいてん 大典 grand ceremony Ⓒ.

たいでん 帯電 ―名 elèctrificátion Ⓤ. ―動 (帯電させる) eléctrifỳ 他. **帯電体** electrified body Ⓒ **帯電防止加工** ―名 antistatic finish Ⓒ. ―形 (帯電防止加工された) antistatic. ¶ *帯電防止加工されたカーペット an *antistatic* carpet **帯電防止剤** antistatic ˹additive [agent] Ⓒ, antistatic Ⓒ ★ 通例複数形で.

だいてんし 大天使 〘神学〙 archangel Ⓒ.

だいてんほう 大店法 ☞ だいきぼ (大規模小売店舗法)

たいと 泰斗 leading [great] authority Ⓒ (☞ けんい). ¶ 彼は英文学の*泰斗だ He is a *leading authority* on English literature.

タイト ―形 (きっちりした・衣服がきつい) tight (☞ ぴったり; きっちり).

たいど 態度 (心構え) attitude Ⓒ; (習慣的態度) manner Ⓒ; (立場) stand Ⓒ; (外見) air Ⓒ.
【類義語】 ある事に対する心構え, または心構えを表すような態度は **attitude**. 習慣的でしかもある人に特徴的な態度は **manner**. 日本語で「…のし方」という言い方はこれに当たる場合が多い. ((例) 彼の話し方 his *manner* of talking). 立場・考え方・主張などの意味での態度は **stand**. 外見・風采(ふうさい)など外から見て判断する態度は **air** という. (☞ しせい¹ (類義語))
¶ この問題に対するあなたの*態度はどうですか What is your *attitude* toward this problem? // その国はわが国に対して強い[強硬な]*態度をとった The country ˹took [adopted; assumed] a hostile *attitude* toward us. ★ took のほうが口語的. // 私は彼女の*態度が気にくわない I don't like her *manner*. // 「いやだ」と彼はきっぱりした*態度で答えた "No," he said in a determined *manner*. 語法 attitude を用いることも可能だが, その場合は言い方の調子だけでなく, 心構えそのものが明白であるという意味を含む. // あなたは*態度をはっきりさせなくてはならない You should make your *attitude* clear. // あなたの*態度はよくない (⇒ あなたは不作法だ). もっと礼儀正しくしなさい You are rude. You must be more polite. // 私の*態度 (⇒ 立場) をもっとはっきりさせましょう Let me make my *stand* clearer. // 彼はそれを気取った*態度で言った He said that with an affected *air*.
態度が大きい (傲慢な) arrogant, haughty, uppity ★ 最後の語はくだけた表現. (☞ いばる).

コロケーション

あいまいな態度 an ˹ambiguous [ambivalent] *attitude* / 横柄な態度 an arrogant [a haughty] *attitude* / 寛大な態度 a ˹permissive [tolerant] *attitude* / 強硬な態度 a firm *attitude*; a ˹hard-line [tough] *stance* / 軽蔑的な態度 a scornful *attitude* / 攻撃的な態度 an aggressive [a belligerent] *attitude* / 柔軟な態度 a flexible *attitude* / 消極的な態度 a negative *attitude* / 積極的な態度 a positive *attitude* / 中立的な態度 a neutral ˹*attitude* [*stance*] / 挑戦的な態度 a defiant *attitude* / 悲観的な態度 a pessimistic *attitude* / 無関心な態度 a nonchalant *attitude* / 楽観的な態度 an optimistic *attitude* / わがままな態度 a selfish *attitude* // 態度を変える change *one's attitude* / 態度を決める determine *one's attitude* / 態度を硬化させる stiffen one's attitude / 態度を示す[見せる] display [show] an attitude / 態度を軟化させる soften *one's attitude*

たいとう¹ 対等 ―形 (厳密な意味で等しい) equal; (互いに上下がない) even. (☞ びょうどう (類義語); どうとう¹).
¶ すべての人間は法律的には*対等である All human

た

beings are legally *equal.* // すべての人は*対等の権利を有する Everyone has *equal* rights. // わがチームは S チームと*対等に戦った Our team played an *even* game with S team. 《☞ ごかく》// この会社では女性は男性と*対等の条件で勤務している Women work on *equal* terms with men in this firm.

たいとう² 台頭 — 動 (起こる・生じる) rise 自; (勢力を増す) gain power; (形作られる) be formed. — 名 (興隆) rise U. ¶当時新しい形の民主主義が*台頭してきた In those days a new type of democracy *was*「*rising* [*on the rise*; *being formed*]. ★ 以上 3 つは後のものほど格式ばった言い方.

たいとう³ 帯刀 — 動 (帯刀する) wear a sword 《☞ たいけん³》.

たいどう 胎動 (胎児の動き) the movements of the fetus; (新しい時代などの徴候) signs of … ★ 複数形で.

だいとう 大刀 long sword C 《☞ かたな》.

だいどう 大道 **大道易者** street fortune-teller C **大道芸** street performance C **大道芸人** street performer C.

だいとうあきょうえいけん 大東亜共栄圏 (第二次世界大戦中に日本が唱えたスローガン) the Greater East Asia Co-Prosperity Sphere.

だいとうあせんそう 大東亜戦争 the Greater East Asia War.

だいどうし 代動詞 〚文法〛 pro-verb C.

だいどうしょうい 大同小異 — 形 (ほぼ同じ) much the same; (実質的には同じ) substantially the same; (ほぼ同一) almost identical; (よく似ている) quite similar. ¶これらはみな*大同小異だ These are all *much the same.* // この 2 つは*大同小異だ (⇒ 2 つの間には大した違いはない) There is「*not much* [*little*] *difference* between the two.

だいどうだんけつ 大同団結 ¶すべての野党が*大同団結した(⇒ 統一戦線を敷いた) All the opposition parties *have presented a united front.* 《☞ だんけつ》

だいどうみゃく 大動脈 the main artery (↔ vein), 〚医〛 aorta /eɪɔ́ətə/ C (複 ～s, -tae /-tiː/); (鉄道などの本線) trunk line C; (幹線道路) trunk road C. 《☞ どうみゃく》.

だいとうりょう 大統領 — 名 president C; chief executive C 語法 前者が一般的. 後者は「行政長官」という言い方で, 州知事・市長などにも用いられる. また, 特定の国の大統領を指す場合には定冠詞を付け, 大文字で書き始める. — 形 (大統領(の地位)の) prèsidéntial A.

¶彼はアメリカ*大統領に選ばれた He was elected *President* of the United States. 《☞ 冠詞 (巻末)》 / (⇒ 大統領の地位に選ばれた) He was elected to the *presidency* of the United States. ★ 第 1 文は第 2 文より口語的. // ケネディ*大統領 *President* Kennedy // 副*大統領 the Vice(-)*President* // *大統領閣下《呼びかけ》Mr. [Madam] *President*!

大統領官邸 the prèsidèntial résidence; (米国の) the White Hòuse **大統領行政府** ☞ 大統領府 **大統領拒否権** presidential veto C **大統領候補** prèsidèntial cándidate C **大統領執務室** prèsidèntial óffice C; (米国の) the Oval Office **大統領制** prèsidèntial góvernment C **大統領選挙** prèsidéntial eléction C **大統領専用機** presidential plane C; (米国の) Air Force One **大統領当選者** the Présidènt-eléct ★ 就任式までの当選者をいう. **大統領特権** presidential prerogative C **大統領府** the Executive Office of the President **大統領夫人**《米》the first lady **大統領補佐官** prèsidèntial áide C.

だいとかい 大都会 ☞ だいとし

たいとく 体得 — 動 (経験によって学ぶ) learn … through experience; (習得して完全に自分のものにする) master 他. 《☞ えとく; しゅうとく¹》. ¶その技術を*体得するには何年もかかりますよ It'll take you years to *master* the art.

たいどく 胎毒 (湿疹) eczema /ɪgzíːmə/ on a newborn baby's head or face U.

だいどく 代読 ¶秘書が社長のメッセージを社員の前で*代読した (⇒ 読んだ) The secretary *read* the president's message「*aloud* [*out*] to the employees.

だいどころ 台所 kitchen C; (アパートなどの簡易台所) kitchenétte C. ¶母は*台所で夕食の支度をしています Mother is preparing dinner in the *kitchen.* **台所は火の車** be desperately short of money; be hard up ★ 後者のほうが口語的. 《☞ ひ² (火の車); ふところ》. **台所道具** kítchen utensils /juːténslz/ ★ 台所道具や流しなどの設備類をまとめていうときに使われる; kitchenware U ★ 前者とほぼ同意のこともあるが, 主として鍋・かまや料理用具を指す; (鍋・かまなど) pots and pans ★ くだけた言い方; (台所設備一式) kitchen equipment U.

だいとし 大都市 big [great] city C; (主要な都市) metropolis C. 《☞ とし²; とかい¹》. **大都市制度** metropolitan system C.

タイトスカート tight skirt C 《☞ スカート》.

タイトフィット — 形 (衣服が体にぴったりと合う) tight-fitting.

タイトル **1** «本などの表題»: title C; (章・節などの見出し) caption C; (名前) name C. 《☞ だい¹》.

¶写真の*タイトル the *caption* of the picture

2 «選手権»: (称号) title C; (地位) championship C 日英比較 日本語のタイトルが必ずしも英語の title とは対応しない点に注意. 《☞ せんしゅけん》.

¶彼はフライ級チャンピオンの*タイトルを獲得した[失った] He「won [lost] the flyweight *title.* // *タイトルを防衛する defend the *title*

タイトルスポンサーシップ sponsorship for a title U **タイトル戦** ☞ タイトルマッチ **タイトルバック** title background C **タイトルページ** title page C 《☞ ほん (挿絵)》 **タイトルホルダー** (選手権保持者) titleholder C **タイトルマッチ** title match C **タイトルロール** title role C.

タイトロープ (綱渡りの綱) tightrope C.

タイドローン (使途指定の貸付金) tied loan C.

ダイナー (レストランなどで食事をする人; 簡易食堂) diner C.

たいない¹ 体内 — 形 副 in the body. ¶弾丸は*体内にとどまっていた The bullet remained *in the body.* **体内時計** bíològical [bódy; intérnal] clóck C **体内被曝** internal exposure U.

たいない² 胎内 — 形 副 in the womb /wúːm/.

だいなごん 大納言 (日本の昔の官位) *dainagon*; (説明的には) chief council(l)or of state C.

だいなし 台無し — 動 (だめにする) spoil 他; (大損害を与える・破滅させる) ruin 他; (破壊する) destróy 他; (傷つける) dámage 他; (めちゃめちゃにする) make a mess of … ★ くだけた言い方. 《☞ だめ; めちゃめちゃ; ぶちこわす》.

¶雨で遠足が*台無しになった (⇒ 雨が遠足をだめにした) The rain「*spoiled* [*made a mess of*] our picnic. 語法 中止ではなく, 途中で雨が降り出してめちゃめちゃになったこと. / (⇒ 雨で中止になった) Our picnic *was canceled* because of the rain. // 大雪で作物が*台無しになった (⇒ 大雪が作物をめちゃめちゃに傷つけた) A heavy snowfall「*ruined* the crops [*damaged* the crops *badly*]. ★ [ ] 内のほうが口語的な言い方.

だいななかんたい 第 7 艦隊 the Seventh

Fleet.

ダイナマイト dýnamìte Ⓤ.

ダイナミズム dýnamìsm Ⓤ.

ダイナミック ━形 dynámic. **ダイナミックスピーカー** dynamic speaker Ⓒ **ダイナミックメモリー**〘コンピューター〙dynamic memory Ⓤ **ダイナミック RAM**〘コンピューター〙dynamic random-access memory Ⓤ《略 DRAM》 **ダイナミックレンジ**（オーディオの）dynamic range Ⓤ.

ダイナミックス dynámics Ⓤ《☞ りきがく》.

ダイナモ（発電機）dýnamò Ⓒ《☞ はつでん》.

だいなりしょうなり 大なり小なり ☞ だい[3]（成句）

だいに 第二 ━形（二番目の）the second Ⓐ;（また別の）a second Ⓐ;（次の）the next Ⓐ;（次善の）the ˹second [next] best. ━副 second, secondly, in the second place ★ この順に格式ばった言い方になる.《☞ だいいち; にばん; 数字（囲み）》.
¶あの男は*第二のヒットラーになるおそれがある I'm afraid he'll be *a second* Hitler. ∥ 習慣は*第二の天性 Habit is *second* nature.《ことわざ》∥ *第二の人生を始める begin a *new* life (as ...) 日英比較 英語では the second life とは言わない.
第二会社（企業の倒産後にその商権を受け継ぎ, 設立された新会社）company reorganized after bankruptcy Ⓒ, second company Ⓒ **第二義** secondary importance Ⓤ. ¶*第二義的な問題 a ˹problem [matter] of *secondary importance* **第二共和制** the Second Republic (in France) **第二組合** second union Ⓒ **第二号被保険者** the insured of the second category, No. 2 insured person Ⓒ **第二次産業** secondary industry Ⓤ **第二次性徴** secondary sexual characteristic Ⓒ **第二次世界大戦** World War II /túː/, the Second World War ★ 前者のほうが普通. 後者はやや格式ばった言い方. **第二種運転免許** class-II driver's license Ⓒ **第二種郵便物** second-class mail Ⓤ **第二東名・名神** the Second *Tomei-Meishin* Expressway.

たいにち[1] 対日 **対日関係** relations with Japan **対日感情** feeling ˹about [toward] Japan Ⓒ ★ しばしば複数形で. ¶その国では*対日感情が悪い（⇒反日的感情がある）There is *anti-Japanese* ˹*sentiment* [*feeling*] in that country. **対日講和条約** the Peace Treaty with Japan **対日貿易** trade with Japan Ⓤ.

たいにち[2] 滞日 *one's* stay in Japan. ¶彼は*滞日中に事故にあった He was involved in an accident during *his stay in Japan*. ∥ そのスターは今*滞日している（⇒日本にいる）The star *is* now *in Japan*.

だいにちにょらい 大日如来 *Dainichi* Buddha; Mahāvairocana ★ 後者はサンスクリット名.

だいにっぽんていこく 大日本帝国〘史〙the Empire of Great Japan ★ これは逐語訳で, 実際には the (Imperial) Japanese Empire, the Empire of Japan, Imperial Japan のように呼ぶことが多い. **大日本帝国憲法** the Constitution of the Empire of Japan.

だいにゅう 代入 ━名 substitution Ⓤ.
━動 súbstitùte ⓗ.《☞ だいよう》. ¶A に B を*代入しなさい（⇒A の代わりに B を用いなさい）*Substitute* B *for* A. **代入法**〘数〙the substitution method.

たいにん[1] 大任（重要な任務）important duty Ⓒ;（難しい仕事）difficult task Ⓒ;（重い責任）heavy responsibility Ⓒ;（派遣される場合の重い使命）important mission Ⓒ.《☞ せきにん; たいやく[1]; にん》. ¶彼は社長という*大任を背負っている He ˹assumes [bears; has] *heavy responsibilities* as president. 語法 assume には「責任を引き受ける」, bear には「責任に耐えている」というニュアンスがある. ∥ 彼は*大任を帯びてアメリカに行った He went to America on an *important mission*.

たいにん[2] 退任 ━動（自分から職を辞める）resign ⓐ;（定年などで退職する）retire ⓐ;（去る）leave ⓗ ★ 口語的.《☞ たいしょく[1]; じしょく》.

だいにん 代人 proxy Ⓒ《☞ だいり[1]（代理人）》. ¶*代人をつとめる act as a *proxy*

ダイニングキッチン kitchen with a dining area Ⓒ, kítchen-cum-dinette /-kʊmdaɪnét/ Ⓒ, kitchen-diner Ⓒ 日英比較 dining-kitchen とは言わない.

ダイニングルーム díning ròom Ⓒ《☞ しょくどう[1]》.

たいねつ 耐熱 ━形 héat-resìstant, héat-pròof ★ 後者のほうが耐熱度が高い. **耐熱ガラス** heat-resistant glass Ⓤ **耐熱合金** heat-resistant alloy Ⓒ **耐熱材料** heat-resistant material Ⓒ.

ダイネット（家庭の簡単な食事場）dinette Ⓒ.

だいの 大の（たいへんな）great;（熱烈な）enthusiastic;（一人前の）grown. ¶*大の犬好き a *great* lover of dogs ∥ 彼は*大のサッカーファンだ He is an *enthusiastic* soccer fan. ∥ それは*大の男がやるべきことではない It's not a thing a (*grown*) man should do.

たいのう[1] 滞納 ━名（税金などの）delinquency Ⓤ;（ローン・料金などの）delinquent ˹loan [fee] Ⓒ.
━動（払わない）do not pay ...;（払わないままにしておく）leave ... unpaid;（滞納している）be in arrears /əríəz/ 語法 後のものほど格式ばった言い方となる. arrears は「支払い残金」の意. 滞納状態に陥るという場合は fall into arrears という.《☞ みのう; ためる; とどこおる》.
¶彼は税金を*滞納している（⇒まだ払っていない）He *has not paid* his taxes. /（⇒期限が過ぎている）His taxes are *overdue*. / He *is in arrears* ˹with [in] his tax payments. ∥ *滞納中の税金 (an) *unpaid* tax / (a) tax *in arrears* ★ 後者のほうが格式ばった言い方. ∥ *滞納中の賃貸料 *back* rent ∥ 彼は家賃を3か月も*滞納している（⇒彼は3か月も家賃を払っていない）He *has not paid* the rent (on his house) for the past three months. /（⇒3か月の家賃がたまっている）He *owes* three months' *rent* on his house. / His rent *is* three months *in arrears*. ★ 後のものほど格式ばった言い方となる.
滞納金 arrears ★ 複数形で. **滞納者** defaulter Ⓒ **滞納処分** disposition for failure to pay taxes Ⓤ;（徴税処置）procedure for levying taxes on delinquents Ⓒ.

たいのう[2] 怠納（税などを怠って納めないこと）tax delinquency Ⓤ.

だいのう 大脳〘解〙━名 cerebrum /səríːbrəm/ Ⓒ《複 ～, cerebra /-brə/》. ━形 cerebral.《☞ のう[1]》. **大脳髄質** the cerebral medulla Ⓒ **大脳動脈** cerebral artery Ⓒ **大脳半球** cerebral hemisphere Ⓒ **大脳皮質** the cerebral cortex Ⓒ **大脳辺縁系**（大脳の新皮質以外の皮質で環状の神経構造になっている）cerebral limbic system Ⓒ **大脳葉** cerebral lobe Ⓒ.

だいのうかい 大納会〘株〙the last session of the year at the stock exchange.

だいのじ 大の字 ¶彼は床に*大の字になって寝ていた He *was stretched out* on the floor.

だいのつき 大の月 31-day month Ⓒ.

たいは 大破 ━動 be ˹badly [heavily] damaged ★［ ］内は破損の程度がより大きい.《☞ こわれる; はそん》. ¶船は暴風雨で*大破した The ship *was* ｢*badly* [*heavily*] *damaged* by a typhoon.

だいば 台場 coastal ｢battery [fort] Ⓒ《☞ ほうだい¹》.

ダイバー diver Ⓒ. ¶ スキン*ダイバー a skin *diver* // スカイ*ダイバー a sky *diver* **ダイバーズウォッチ** diver's watch Ⓒ.

ダイハード ― 形 (頑強な) diehard. ― 名 (頑固な人) diehard Ⓒ.

たいはい¹ 退廃 ― 名 (腐敗・堕落) corruption Ⓤ; (衰退) décadence Ⓤ; (悪化・程度の低下) deterioration Ⓤ ★ 最後の 2 語は格式ばった語.
― 動 be corrupted; detérioràte 自. ― 形 (退廃的な) decadent. 《☞ だらく; ふはい¹》. ¶ *退廃的な社会 a *decadent* society // 最近は道義が著しく (⇒ 嘆かわしいほどに) *退廃している Recently public morals *have* ｢*been* deplorably *corrupted* [*deteriorated* shockingly]. // 19 世紀末は*退廃の時代だった The end of the 19th century was an age of *decadence.*

たいはい² 大敗 (完全な敗北) complete defeat; (壊滅的な敗北) crushing defeat 語法 defeat は普通 Ⓤ だが, 形容詞を伴うと a が付くことがある. 《☞ まける; はいぼく》.
¶ 彼らは*大敗を喫した They ｢suffered [met with] *a* ｢*complete* [*crushing*] *defeat.* / They *were* (*completely*) *defeated.* ★ 第 2 文のほうが口語的.

たいはい³ 大杯, 大盃 big [large] (sake) cup Ⓒ.

だいばいしん 大陪審 〔米法〕 grand jury Ⓒ.

だいばかり 台秤 (platform) ｢scale [balance] Ⓒ 《☞ はかり》.

たいはせい 耐波性 seaworthiness Ⓤ.

だいはちぐるま 大八車 two-wheeled wooden cart Ⓒ.

たいばつ 体罰 (体に加える罰) corporal punishment Ⓤ 《☞ ばつ¹》. ¶ 教師は生徒に*体罰を加えてはならない Teachers must not inflict *corporal punishment* on students.

だいはっかい 大発会 〔株〕 the first session of the new year at the stock exchange.

だいはっせい 大発生 (有害動物などの) plague Ⓒ. ¶ いなごの*大発生 a *plague* of locusts 《☞ はっせい¹; げきぞう》

たいはん 大半 ― 名 (半分以上) the ｢greater [better] part ★ [ ] 内のほうがくだけた言い方; (過半数を超えるかなりの数) the majority. ― 代 (ほとんどすべて) most (of …) ★ 普通は the を付けずに使う. ― 副 (たいていは・大部分は) for the most part; (だいたい・たいてい・主として) mostly ★ 前者のほうが格式ばった言い方. 《☞ だいぶぶん; たいてい¹》.
¶ 彼は月の*大半は家を留守にする He is away from home for *the greater part* of the month. // 日本人の*大半は正直で勤勉である *Most* Japanese are honest and hardworking. / The Japanese are ｢*mostly* [*for the most part*] honest and hardworking.

たいばん 胎盤 〔解〕 ― 名 the placenta /pləséntə/ Ⓒ (複 ~s, -tae /tiː/). ― 形 placental.

だいばんじゃく 大磐石 (大きな岩) huge rock Ⓒ 《☞ ばんじゃく》.

たいひ¹ 対比 ― 名 (対照すること・対照して比べた違い) cóntrast Ⓤ; (比較すること) compárison Ⓤ. ― 動 contrást 他; compare 他. 《☞ ひかく¹; たいしょう³》. ¶ 赤と黒の*対比がとても印象的だ The *contrast* ｢*of* [*between*] red and black is very impressive.

たいひ² 待避 **待避線** (道路などの) 《米》 túrnòut Ⓒ, 《英》 láy-bỳ Ⓒ; (鉄道の) (railroad) siding Ⓒ, sidetrack Ⓒ.

たいひ³ 退避 ― 動 (…から避難する) take shelter (from …); (…に避難する) take refuge in … 《☞ ひなん²》. ¶ 雷雨が来たので急いで*退避場所を探した We looked quickly for a place where we could *take shelter from* the thunderstorm.
退避勧告 ☞ ひなん² (避難勧告)

たいひ⁴ 堆肥 cómpost Ⓤ 《☞ ひりょう》.

タイピスト typist Ⓒ 《☞ タイプ¹》. ¶ *タイピスト学院 a *typing* school

だいひつ 代筆 ― 動 (代筆する) write … for *a person.* ¶ 私は父の手紙の*代筆をした (⇒ 私は父の代わりに手紙を書いた) I *wrote* a letter *for* my father.

たいびょう 大病 ― 名 (大病・重病) serious /sí(ə)riəs/ [grave] illness Ⓤ ★ grave のほうが病状が重い感じ. ― 形 (病気が重い) serious; (大病で) seriously ill, in ｢serious [critical] condition ★ 前者のほうが口語的. critical には「生死にかかわる」というニュアンスがある. ― 動 (大病になる) get [fall; be taken] seriously ill ★ 以上は後のものほど格式ばった言い方になる. 《☞ びょうき》.
¶ 彼は*大病だ He is ｢*seriously* [*gravely*] *ill.* / (⇒ 病気が重い状態だ) He is *in serious condition.* // 彼は*大病を切り抜けた He managed to pull through his *serious illness.*

だいひょう¹ 代表 ― 名 (代表者) rèpreséntative Ⓒ; (会議などに出席する代表・使節) délegate Ⓒ; (代表すること) rèpresentátion Ⓤ. ― 動 (…を代表する) rèpresént 他. ― 形 (代表的な・典型的な) typical. ― 前 (…に代わって) on behalf of … ★ 格式ばった言い方.
¶ 私が A 組の*代表です I'm the *representative* of class A. / I *represent* class A. ★ 第 2 文のほうが口語的. // 彼はわが校の*代表として学生会議に出席した He *represented* our school at the student conference. // 彼女が我々を*代表して (⇒ 我々に代わって) あいさつをした She made a little speech *on behalf of* us. // *代表的な (⇒ 典型的な) 日本人 a *typical* Japanese // *代表作 (⇒ 最も重要な作品) *one's most important work*
代表権 (the right of) representation Ⓤ **代表質問** query by a representative of a political party Ⓒ **代表団** delegation Ⓒ **代表電話** main [representative] (tele)phone Ⓒ **代表取締役** the representative director Ⓒ, 《英》 the managing director Ⓒ 《☞ 会社の組織と役職名(囲み)》 **代表番号** (電話の) the key (telephone) number; the main switchboard number **代表民主制** representative democracy Ⓤ.

だいひょう² 大兵 (体の大きいこと) big stature Ⓤ 《☞ おおがら; おおづくり》. ¶ *大兵肥満の男 a ｢*stout* [*corpulent*] man

タイピン tiepin Ⓒ, stickpin Ⓒ.

だいひん 代品 substitute (article) Ⓒ.

ダイビング diving Ⓤ, dive Ⓒ. 《☞ とびこみ》.
¶ スキン*ダイビング skín *diving* // スカイ*ダイビング skýdiving **ダイビングキャッチ** ― 名 diving catch Ⓒ. ― 動 make a diving catch.

たいぶ¹ 大部 ― 形 (分厚い) big, bulky ★ 前者のほうが一般的. 後者は大きくて扱いにくいというニュアンスもある; (冊数の多い) 《格式》 volúminous.

たいぶ² 退部 leave [quit] the club.

タイプ¹ ― 名 (タイプライター) týpewrìter Ⓒ. ― 動 (タイプを打つ) type 自 他. 《☞ ワープロ》.
¶ あなたは*タイプができますか Can you ｢*type* [use a *typewriter*]? // 手紙を*タイプで打つ *type* a letter

タイプ² (型) type Ⓒ; (種類) kind Ⓒ. 《☞ かた² (類義語); しゅるい (類義語)》. ¶ 彼は出世できる (⇒ 人生で成功する) *タイプではない He is not the *type*

that will succeed in life.

だいぶ 大分 — 形 (相当な数・量の) a lot of ..., lots of ... ★ 以上 2 つの区別は ☞ たくさん (類義語); (たくさんの・十分すぎるほどの) plenty of ...; (多量の) a great deal of ... — 副 (たいへん) very; (かなり) 《略式》 pretty, fairly, rather 語法 pretty は最も一般的によく使われる語, fairly は好ましい場合, rather は好ましくない場合に用いられる; (ずっと・はるかに) much ★ 比較級に付ける. 《☞ そうとう[1]; かなり》. ¶ それは*だいぶ金がかかりそうだ I'm afraid it will cost ⌈*a lot of* money [*a great deal*]. // *だいぶ苦労しました (⇒ たいへん骨が折れた) I've had a *very* hard time. // 君は歩くのが*だいぶ速いね You walk *pretty* fast. // 「きょうはいかがですか」「おかげさまで*だいぶいいようです」"How are you feeling today?" "(I feel) *much* better (today), thank you." ★ 病人について言う.

ダイブ — 動 (飛び込む) dive 自. — 名 dive C.

たいふう 台風 typhóon C 《☞ あらし 参考》.
¶ 南太平洋で大型*台風が発生した A big *typhoon* formed in the South Pacific. // *台風の中心は四国沖 500 キロの海上にある The ⌈center [eye] of the *typhoon* is located 500 kilometers off Shikoku. // *台風は中心付近の気圧が 980 ヘクトパスカル, 時速 50 キロで日本に接近している The *typhoon*, whose atmospheric pressure near the center is 980 hectopascals, is approaching Japan at a speed of 50 kilometers /kɪlάmətəːz/ per hour.
台風警報 typhoon warning C **台風圏** the typhoon area **台風の目** (台風の中心 《☞ 用例》) the ⌈center [eye] of a typhoon; (中心人物) ☞ ちゅうしん[1]. ¶ X 氏は政界再編の*台風の目になるだろう (⇒ 決定的な影響力を発揮する) Mr. X will exert a decisive influence ⌈in [on] the reorganization of the political parties. **台風予報** forecast about a typhoon C.

> **コロケーション**
> 大型台風 a fierce *typhoon* // 台風が襲う[上陸する] a *typhoon* ⌈hits [strikes; descends on] ... / 台風が消滅する a *typhoon* ⌈dies out [dissipates] / 台風が進む a *typhoon* moves / 台風が通過する a *typhoon* passes by / 台風が発達する a *typhoon* ⌈develops [is brewing] // 熱帯低気圧が台風に発達する The tropical cyclone develops into a *typhoon*.

タイフーン (台風) typhoon C.

だいぶきん 台布巾 cloth for cleaning the kitchen table C ★ 説明的な訳. 《☞ ふきん[2]》.

たいふく 体幅 〖動〗 antimere /ǽntəmìə/ C.

だいふく 大福 (もち菓子) rice cake stuffed with sweet bean paste C ★ 説明的な訳. **大福帳** (old style) daybook C 《☞ もとちょう》.

たいぶつ 対物 **対物鏡** 〖光〗 objective (lens) C, object ⌈glass [lens] C **対物信用** real credit U **対物損壊保険** (自動車などの) property damage insurance U **対物担保** real security U **対物レンズ** ☞ 対物鏡

だいぶつ[1] 大仏 huge statue [great image] of Buddha C. **大仏殿** the Hall of the Great Buddha.

***だいぶつ[2]* 代物** substitute C. **代物弁済** 〖法〗 payment in substitutes U.

タイプフェース (活字の書体) týpefàce C 《☞ かつじ》.

だいぶぶん 大部分 — 代 (たいてい) most (of ...) ★ 普通 the を付けない. — 形 (たいていの) most ★ the を付けない. — 名 (半分以上) the greater part of ... ★ most ほどではないが過半数の割合; (大多数・過半数) the majority. — 副 (大体において) mostly, for the most part ★ 後者のほうが格式ばった言い方; (主として) mainly, largely ★ 前者は重要度を問題にし, 後者は量・規模・範囲が大きいことを表す. 《☞ だいたすう; たいはん; たいがい[1]; おもに[1]》.
¶ 出席者の*大部分が若い女性だった *Most* [*The greater part*; *The majority*] *of* those present were young women. / Those present were *mostly* young women. // 私の記憶は*大部分正しいことがわかった It turned out that my memory was ⌈*largely* [*for the most part*] correct. // 彼の失敗は*大部分不注意のせいだった His failure was ⌈*mainly* [*largely*] due to (his) carelessness.

タイプライター týpewrìter C 《☞ タイプ[1]》.

タイブレーク 〖テニス〗 tíebrèak C, tíebrèaker C.
¶ *タイブレークで試合に勝つ win a match on the ⌈*tiebreak* [*tiebreaker*]

だいぶん 大分 ☞ だいぶ

たいぶんすう 帯分数 〖数〗 mixed number C 《☞ 数字 (囲み)》.

たいへい 太平, 泰平 — 名 (平和) peace U. — 形 peaceful. 《☞ へいわ》.

たいべい 対米 **対米感情** feelings toward the United States ★ 複数形で. **対米政策** policy toward the United States C **対米貿易** trade with the United States U **対米輸出** export(ation) to the United States U.

タイペイ 台北 — 名 固 Taipei /tàɪpéɪ/ ★ 台湾の首都.

たいへいき 太平記 the Chronicle of the Great Peace ★ 英訳では *The Taiheiki: A Chronicle of Medieval Japan* の題で知られる; (説明的には) the chronicle describing the civil war between the Northern and Southern Dynasties in the late 14th century.

だいへいげん 大平原 (大草原) plains ★ 複数形で, prairie /pré(ə)ri/ C 《☞ グレートプレーンズ》.

たいへいてんごくのらん 太平天国の乱 〖史〗 the Taiping Rebellion ★ 1851–64.

たいへいよう 太平洋 — 名 固 the Pacific (Ocean). — 形 Pacific.
¶ 南[北]*太平洋 *the* ⌈South [North] *Pacific*
太平洋安全保障条約 the ANZUS Treaty, the Pacific Security Pact ★ 1951 年オーストラリア・ニュージランド・アメリカの間で対日本のために締結. 1985 年以降実効力を失っている. **太平洋沿岸** the Pacific coast **太平洋横断飛行** transpacific flight C **太平洋側気候** the (typical) climate of Japan's Pacific coast **太平洋高気圧** Pacific high C, Pacific high (atmospheric) pressure U ★ 前者は略式語. **太平洋・島サミット** the Japan-Pacific Islands Forum Summit Meeting **太平洋戦争** the Pacific War **太平洋津波警報センター** the Pacific Tsunami Warning Center **太平洋プレート** the Pacific Plate **太平洋ベルト地帯** the Pacific belt.

たいへいらく 太平楽 ¶ *太平楽を並べる (⇒ 無責任でのんきな話しにうつつをぬかす) indulge in *irresponsible carefree talk*

たいべつ 大別 — 動 (大まかに分類する) classify ... roughly (into ...); (大まかに分割する) divide ... roughly (into ...). 《☞ わける; ぶんるい》. ¶ これらは 3 つのタイプに*大別される These can *be classified roughly into* three types.

たいへん[1] 大変 — 副 (とても) very ★ 最も一般的な語; very much ★ 動詞を修飾する; (極めて) extremely; (相当な程度に) greatly. — 形 (重大な) serious; (恐ろしい) terrible; (ぞっとする) horrible; (怖い) dreadful; (多量の) a great deal of …, a large amount of … 《☞ とても (類義語); すごい (類義語); ひじょうに; たくさん》.

¶ *たいへんよくできました *Very* good. / Well done. / Excellent. ★ どれも評価の言葉. // 「*たいへんありがとうございました」「どういたしまして」 "Thank you *very much.*" "You're welcome. / Don't mention it." 語法 (1) 答えの文は, 前者は《米》, 後者は《英》に多い. // 「きょうはおいでいただいて*たいへんうれしいです」「こちらこそ」 "I'm ˹*delighted* [*very* pleased] to have you here today." "The pleasure is mine. / It's mý pleasure." 語法 (2) delighted に「たいへん」の意味が含まれる. // 私はそのことに*たいへん興味を持っています I'm ˹*very* [*extremely*] interested in it. ★ [ ] 内はやや格式ばった語で, 前者より意味が強い. // 「*たいへんご迷惑をかけてすみませんでした」「いいえ, とんでもない」 "I'm sorry to have troubled you *so much.*" "That's all right." // *たいへんなことが起こった (⇒ 恐ろしい事故が起こった) A *terrible* accident [(⇒ ぞっとするようなことが) A *horrible* thing] (has) happened. // 彼は*たいへんな勉強家だ He is a *very* hard worker. // それには*たいへんな金 (⇒ 多額の費用) がかかった It cost ˹*a great deal* [*lots*] *of* money.

たいへん² 対辺 〔幾〕 the opposite side 《☞ へん²》.

だいへん 代返 ── 動 (出欠をとる際に…の代わりに返事する) answer the roll (call) for … 《☞ しゅっけつ¹》.

だいべん¹ 代弁 ── 動 speak for… ¶ 私が彼の*代弁をしましょう I'll *speak for* him. **代弁者** (組織などの正式な) spokesperson Ⓒ ★ 男性は spokesman, 女性は spokeswoman という場合もある; (代言者) advocate Ⓒ ★ 他の人々を擁護して主張する人.

だいべん² 大便 ── 名 stool Ⓒ ★ しばしば複数形で; (排泄物) 《格式》 éxcrement Ⓤ, 《格式》 feces (《英》 faeces) /fíːsiːz/ ★ 複数形で; shit Ⓤ. 語法 stool と feces は専門用語だが, stool のほうが婉曲的な語なので一般人にもよく使われる. shit は日本語の「くそ」に当たり, タブー語とされる. さまざまな悪態の言葉にも使われ, 普通は使ってはならない. ── 動 (大便をする) 《格式》 défecàte ㊀; (用便をする) relieve *oneself* ★ 婉曲的な言い方; 《格式》 excréte ㊀. 《☞ べん²》.

たいほ¹ 逮捕 ── 動 arrest ㊉, make an arrest, 《格式》 àpprehénd ㊉; (捕まえる) catch ㊉, nab ㊉ ★ 後者は主に新聞の見出し (headline) で用いられる; (捕われている) be under arrest. ── 名 arrest Ⓒ, 《格式》 apprehension Ⓤ. 《☞ けんきょ²》.

¶ その男は盗みの容疑で*逮捕された The man *was arrested* ˹*for* (alleged) [on suspicion of] theft. ★ [ ] 内のほうが格式ばった言い方. // その女は万引きの現行犯で*逮捕された The woman *was* ˹*arrested* [*caught*] in the act of shoplifting. 語法 be caught … は必ずしも逮捕とはならず「…しているところを見つかった」の意にもなる. // おまえを*逮捕する You *are under arrest*. // 殺人犯は依然*逮捕されていない The murderer is still *at large*. ★ at large (逮捕されないで) は成句.

逮捕監禁罪 〔法〕 false [illegal] arrest and ˹imprisonment [confinement] Ⓤ **逮捕許諾請求** request for permission to make an arrest Ⓒ **逮捕状** arrest warrant Ⓒ.

たいほ² 退歩 ── 名 (元の悪い状態へ戻ること) 《格式》 retrogression Ⓤ; (いままでより悪くなること) 《格式》 deterioration /dɪtì(ə)riəréɪʃən/ Ⓤ. ── 動 (元へ戻る) move [go] backward ★ 口語的な言い方; (元の悪い状態へ戻る) rètrogréss ㊀; (いままでより悪くなる) deteriorate /dɪtí(ə)riərèɪt/ ㊀.

¶ これは文明の進歩というより*退歩だ This is *retrogression* rather than progress in civilization. // 若い世代の体力は*退歩しつつある The physical strength of the younger generation *is deteriorating*.

だいぼいんすいい 大母音推移 〔言〕 the Great Vowel Shift.

たいほう 大砲 (heavy) gun Ⓒ; (旧式の) cannon Ⓒ 《複 ～s, ～》. ¶ *大砲を撃つ fire a *gun* // *大砲の弾 a shell

たいぼう¹ 待望 ── 形 (長く待っていた) long-awaited Ⓐ; (長く期待していた) long-expected Ⓐ; (待ち望んでいた) hoped-for Ⓐ 語法 以上の語はハイフンを付けて 1 語の場合は限定用法のみ. 叙述的に用いられる場合はハイフンを付けない. 《☞ 形容詞の 2 用法 (巻末)》. ── 動 (待ち望む) look forward to … ★ 後に名詞または -ing 形がくる; (熱心に待つ) wait eagerly for … 《☞ まちのぞむ》.

¶ *待望の夏休みが来た The *long-awaited* summer vacation has come. // 間もなく*待望のボーナスが出る (⇒ いまボーナスを待ち望んでいる) We *are looking forward to* (receiving) a bonus now.

たいぼう² 耐乏 ── 名 (物が足りなくて苦しい状態) 《格式》 austerity Ⓤ. ── 形 hard, austere ★ 前者のほうが口語的. 《☞ びんぼう; きんしゅく》.

¶ 我々は*耐乏生活に慣れている We are used to ˹a *hard* life [an *austere* /ɔːstíə/ life; a life of *austerity*]. ★ 以上は後のものほど格式ばった言い方.

だいぼうあみ 大謀網 〔漁業〕 *daiboami*; (説明的には) large pound net Ⓒ.

たいぼうちょう 体膨張 〔物理〕 cubical [volume] expansion Ⓤ. **体膨張率** 〔物理〕 the coefficient of ˹cubical [volume] expansion.

だいほうてい 大法廷 the grand bench 《☞ ほうてい¹》.

たいほうりつりょう 大宝律令 〔史〕 the *Taiho* Code (established in 701) 《☞ りつりょう》.

たいぼく 大木 (大きな木) big tree Ⓒ; (高い木) tall tree Ⓒ.

タイポグラフィー (印刷上のデザイン・活版による印刷術) typógraphy Ⓤ.

だいほっさ 大発作 〔医〕 (てんかんの発作の一つ) grand mal (seizure) Ⓒ.

タイポロジー (類型学) typology Ⓤ.

だいほん 台本 (一般に, 脚本) script Ⓒ; (特に, 映画の) scenario /sɪné(ə)riòʊ/ Ⓒ 《複 ～s》. 《☞ きゃくほん》.

だいほんえい 大本営 (第二次大戦中の日本の) the Imperial /ɪmpí(ə)riəl/ Headquarters.

だいほんざん 大本山 (宗派の) the headquarters of a religious sect.

たいま 大麻 〔植〕 hemp Ⓤ; (麻薬のマリファナ) marijuana /mæ̀rə(h)wáːnə/ Ⓤ; (マリファナと同類の麻薬) hashish /hǽʃiːʃ/ Ⓤ.

タイマー timer Ⓒ.

¶ *タイマーを 6 時にセットした I set the *timer* for six o'clock. // *タイマー付きラジオ a *clock* radio

たいまい¹ 大枚 (多額のお金) a large ˹sum [amount] of money 《☞ たいきん¹》. ¶ その絵に*大枚 100 万円はたいた I spent ˹*as much as* one million [a *cool* million] for the picture. ★ cool は口語で「掛け値なしの」の意味.

たいまい² 玳瑁, 瑇瑁 〔動〕 hawksbill (turtle) Ⓒ.

だいマゼランうん 大マゼラン雲 〔天〕 the Large Magellanic Cloud.

たいまつ 松明 torch Ⓒ.

たいまん 怠慢 ── 名 (義務などを怠ること) ne-

た

gléct [U]; (常習的に怠ること) négligence [U]; (注意の足りないこと) carelessness [U]. ── [形] neglectful; negligent; careless; inattentive. 《☞ なまける; おこたる》. ¶ 彼は職務*怠慢で首になった He was ˹fired [dismissed] for ˹*neglect* of duty [being *negligent of* his duties]. ★ fired を用いるほうが口語的. // 「書類を家に忘れてきました」「それは君の*怠慢だ (⇒ 不注意だ)」"I left the papers at home." "That's very *careless* of you."

たいみつ 台密 the esoteric Buddhism of the Tendai Sect in Japan.

だいみょう 大名 〔史〕 daimyo [C] ★ 単複同形; Japanese feudal lord [C]. **大名行列** daimyo's procession [C]; (比喩的に) stately procession [C] **大名屋敷** daimyo's (Edo) residence [C] **大名旅行** (ぜいたくな旅行) luxurious travel [U].

だいみょうじん 大明神 great gracious ˹deity [god] [C]. ¶ 稲荷*大明神 *the great gracious* Inari *deity*

タイミング ── [形] (タイミングのよい) timely (↔ untimely); (時宜を得た) well-timed [A] (↔ ill-timed) [語法] 叙述的な用法の場合はハイフンを付けず 2 語となる. 《☞ 形容詞の 2 用法 (巻末)》. ── [名] (時間の調節・ころあいを見計らうこと) timing [U] [日英比較] 日本語のタイミングが英語では必ずしも timing とならない点に注意.
¶ あなたのあの提案はちょうど*タイミングがよかった [悪かった] That suggestion of yours was very ˹*timely* [*untimely*]. / That suggestion of yours was ˹*well* [*ill*] *timed*.

タイム[1] ── [名] (所要時間) time [U]; (試合などの休止) time-óut [C]. ── [動] (タイムを計る) time (他); (タイムを要求する) call for a time-out.
¶ 彼の 100 メートル競走の*タイムは 13 秒だった His *time* in the hundred-meter dash was thirteen seconds. // 「僕の*タイムを計ってくれないか」「いいよ」"Will you *time* me?" "OK." // *タイムだ *Time-out*! ★ スポーツ競技で. / (⇒ ちょっと待ってくれ) *Wait a minute*. **タイムアウト** 〔スポ〕 time-out [C] **タイムアップ** ¶ *タイムアップです (Your) *time is up*. / (Your) *time has run out*. ★「タイムアップ」は和製英語. **タイムオーバー** (時間延長) overtime [U] ★「タイムオーバー」は和製英語. **タイムトライアル** (自転車競技の) time trial [C] **タイムレース** time(d) race [C].

タイム[2] 〔植〕 (シソ科の多年草) thyme /táɪm/ [U].

ダイム (10 セント貨) dime [C].

タイムカード (タイムレコーダー用の記録カード) time càrd [C], tíme shèet [C]. 《☞ タイムレコーダー》.

タイムカプセル time capsule /kǽpsl/ [C].

タイムキーパー (時計係) tímekèeper [C].

タイムサーバー timeserver [C].

タイムシェアリング 〔コンピューター〕 (時分割処理) tíme-shàring [U]. **タイムシェアリングシステム** time-sharing system [C].

タイムスイッチ time switch [C], timer [C] ★ 後者は意味が広く, ストップウォッチなどにも用いる. 《☞ タイマー》.

タイムズ ── [名] (固) The Times ★ 英国の代表的な日刊紙.

タイムズスクウェア ── [名] (固) Tímes Squáre ★ ニューヨーク市中心部の一角.

タイムスタディ (作業時間研究) time study [C], timemotion study [C].

タイムスリップ (SF の) tíme slìp [U].

タイムテーブル (交通機関の時刻表・予定表) tímetàble [C].

タイムトラベル (SF の) tíme tràvel [U].

タイムトンネル (SF の) time tunnel [C].

タイムマシーン (SF の) tíme machìne [C].

タイムラグ (時間のずれ) time lag [C].

タイムリー tìmely. **タイムリーヒット** 〔野〕 (適時打) tímely hìt [C].

タイムリミット (日限・時限) time limit [C]; (締め切り日時) deadline [C]. 《☞ きげん[2]》.

タイムレコーダー ── [名] tíme clòck [C] ★ 単に clock とも言う; time recorder [C]. ── [動] (タイムレコーダーで出勤時を記録する) clóck ˹ín [ón] (自); (退社時を) clóck ˹óut [óff] (自). 《☞ タイムカード》.

たいめい 待命 ── [動] (命令を待つ) await *one's* order; (公務員を他の任務につくまで一時的に職務からはずす) remove *a person* from an official post temporarily.

だいめい 題名 ── [名] (本や論文などの表題) title [C]; (名前) name [C]. ── [動] (題名を付ける) entitle (他) ★ 目的語と目的補語を伴う. 《☞ だい[1]》.

だいめいし 代名詞 〔文法〕 prónòun [C] 《☞ 代名詞 (巻末)》.

たいめし 鯛飯 sea bream rice [U]; (鯛のそぼろをのせた) rice served with finely minced sea bream [U]; (鯛を炊き込んだ) rice cooked with sea bream [U].

たいめん[1] **体面** ── [名] (名誉) honor (《英》 honour) [U] (↔ dishonor (《英》 dishonour)). ── [動] (体面を保つ) save face (↔ lose face). 《☞ メンツ; めんぼく》. ¶ 彼は*体面を重んじる (⇒ 名誉を自覚している人間だ) He has a sense of *honor*. // それは私の*体面にかかわる問題だ It is a point of *honor* with me. ★ a point of honor (体面にかかわる問題) は決まり文句. // そんな行いはあなたの*体面を汚す (⇒ あなたに不名誉をもたらす) Such behavior will bring ˹*dishonor* [*disgrace*] on you. ★ disgrace は「恥」. / (⇒ あなたの評判を傷つける) Such behavior will damage your *reputation*. // 試合に勝って同僚に*体面を保つことができた I *saved face* with my colleagues by winning the game.

たいめん[2] **対面** ── [動] (会う) meet (他) (自); (面と向かって話す) talk face to face (with ...). 《☞ あう[1]》. ¶ きのう私は彼女と初めて*対面した I *met* her for the first time yesterday. **対面交通** walking facing the traffic [U].

たいもう[1] **大望** (名声・権力などを強く望む気持ち) ambition [U] ★ 良い意味にも悪い意味にも用いる; (あこがれているものになろうとする気持ち) 《格式》 aspiration [U]. 《☞ やしん》.
¶ 彼は*大望を抱いていた He had *ambition*. / (⇒ 大望でいっぱいだった) He was full of *ambition*. // 彼女は大女優になろうという*大望を抱いている She *aspires* to be a great actress.

たいもう[2] **体毛** (人間の) body hair [U]; (動物の) fur [U]. 《☞ け[1]》.

だいもく 題目 (講演などのテーマ) topic [C]; (本などの表題) title [C]. 《☞ だい[1] (類義語)》.

だいもん 大門 (寺などの正門) the great ˹front [main] gate [C].

たいや 逮夜 the eve of a funeral.

タイヤ tire (《英》 tyre) [C] 《☞ オートバイ (挿絵); じてんしゃ (挿絵)》.
¶ *タイヤがパンクした I ˹got [had] a flat *tire*. ★ got のほうがくだけた言い方. / A *tire* went flat. // *タイヤを取り替えなくてはならない I have to change *tires*. [語法] (1) change の目的語になる tires が複数形になることに注意. // スペア*タイヤ a spare *tire* // スノー*タイヤ a snow *tire* // この*タイヤには空気が十分入っていない (⇒ タイヤは十分な空気をもっていない) This *tire* doesn't have enough air in it. // *タイヤに空気を入れた I ˹pumped up [inflated] the *tire*. [語法] (2) pump up のほうが口語的表現. // 新しい*タイヤの

た

跡 fresh *tire*「tracks [marks]
タイヤチェーン tire chain Ⓒ.

コロケーション
タイヤを再生する recap a *tire* / タイヤを修理する repair a *tire* / タイヤを取り付ける mount a *tire* / タイヤをローテーションする rotate「the [*one's*] *tires* // 擦り減ったタイヤ a「worn [bald] *tire*

ダイヤ[1] (列車などの運行計画) train [railroad] schedule /skédʒuːl | ʃédjuːl/ Ⓒ; (時刻表) train timetable Ⓒ. 〔参考〕「ダイヤ」は train diagram (＝列車の運行図表)に由来する.
¶列車は*ダイヤどおりに動いている The trains are running「on *schedule* [according to *schedule*; (⇒時間どおりに) on *time*]. // 雷雨のため列車の*ダイヤ (⇒運行) が乱れた Trains [Rail *services*] were disrupted「due to [owing to] a thunderstorm. ★ due to のほうが口語的. // *ダイヤの乱れは夜遅くまで続きそうです (⇒正常なダイヤは夜遅くまで回復しないでしょう) Normal *train schedules* will not be restored until late at night. // 鉄道の*ダイヤは4月から大幅に改正される The「*railroad schedules* [《英》*railway timetables; train timetables*] are to be thoroughly revised in April.

ダイヤ[2] (宝石の) díamond Ⓒ; (トランプの) díamond Ⓒ. ¶人造*ダイヤ an imitation *diamond* // *ダイヤのクイーン the queen of *diamonds*

たいやき 鯛焼き sea-bream-shaped pancake stuffed with sweet bean paste Ⓒ.

たいやく[1] **大役** (重要な仕事[任務]) important「task [duty] Ⓒ; (重大な使命) great mission Ⓒ.
¶私は*大役を仰せつかった (⇒託された) I was charged with an *important*「*task* [*duty*; *role*; *mission*]. // 彼はその会議で*大役を見事に果たした He accomplished his *duty* quite successfully at the conference.

たいやく[2] **対訳** ¶この本は英和*対訳になっている (⇒この本は左側のページに英語の本文を, 右側のページに日本語の訳を載せている) This book has the English text on the left(-hand) (pages) and the Japanese translation on the right(-hand) (pages).
【参考語】(原文の付いた訳文) translation with the original Ⓒ; (対訳本) textbook with the translation on the「opposite [facing] page Ⓒ.

たいやく[3] **大厄** (大厄年) the grand climacteric; (大きな災難) great calamity Ⓒ.

だいやく 代役 ―名 súbstitùte Ⓒ; únderstùdy Ⓒ ★前者は一般的な言葉. 後者は俳優の代役; (音声吹き替えや, カメラ・ライトの調整の都合上代役を務める人) stánd-ìn Ⓒ. ―動 (…の代役をする) súbstitùte (for ...) ㊀; únderstùdy ㊁. (☞ だいり[1]; かわり[1]).

ダイヤグラム (図) diagram Ⓒ (☞ ず[1]).

ダイヤモンド díamond Ⓒ (☞ ダイヤ[2]; たんじょうせき(表)); 〔野〕(内野) díamond Ⓒ (☞ ないや). ダイヤモンドゲーム Chinese checkers ★単数または複数扱い. ダイヤモンド婚式 díamond wédding Ⓒ ダイヤモンドダスト(細氷) díamond dùst Ⓤ ダイヤモンドリング〔天〕(日食で見られる) diamond ring Ⓤ.

ダイヤル ―名 dial Ⓒ. ―動 (ダイヤルする) dial ㊁. (☞ でんわ (挿絵)).
¶電話[ラジオ]の*ダイヤル the *dial* on a「telephone [radio] // *ダイヤル式の電話 a *dial* (tele)phone // フリー*ダイヤル a toll-free *number* // 123局の4567番へ*ダイヤルして下さい Please「*dial* [*call*] 123-4567. (☞ 数字 (囲み)) ダイヤルアップ ―形 dial-up. ¶*ダイヤルアップ接続 a *dial-up* connection ダイヤルアップネットワーク dial-up networking Ⓤ ダイヤルキューツー (NTT の) Dial Q[2]; (説明的には) NTT's charge-collecting service for information providers.

ダイヤルイン (交換台を通さずに直接電話できること) direct-dial(l)ing Ⓤ ★普通は市外通話が交換台なしでできること. 〔日英比較〕「ダイヤルイン」は和製英語. ¶《名刺などで》123–4567 (*ダイヤルイン) 123–4567 DIRECT (LINE)

たいよ 貸与 ―動 (貸す) lend ㊁, loan ㊁; (人に物を支給する) provide *a person* with ... ―名 (貸すこと・貸し付け) lending Ⓤ, loan Ⓤ ★「貸し付け金」の意ではⒸ (☞ かす[1] 〔日英比較〕).
¶社員は制服を*貸与される Employees will *be provided with* uniforms. 貸与権 lending right Ⓒ, right to lending Ⓒ.

たいよう[1] **太陽** ―名 the sun (☞ 冠詞 (巻末)); (日光) sunshine Ⓤ. ―形 (太陽の) solar. (☞ ひ[1]; にっこう[1]). ¶*太陽は東から昇り西に沈む *The sun*「rises [comes up] in the east and「sets [goes down] in the west. 〔語法〕rise, set を使うのは慣用的な言い方. // 地球は*太陽の回りを回っている The earth goes「round [around] *the sun*. // *太陽が西から昇る (⇒豚だって空を飛ぶかもしれない) Pigs might fly! ★あり得ないことのたとえ.
太陽エネルギー sólar énergy Ⓤ 太陽王 the Sun King ★フランス王ルイ14世の通称. 太陽系 the solar system 太陽系外惑星〔天〕planet outside the solar system Ⓒ 太陽光線 sunbeam Ⓒ 太陽光発電 phótovoltaic /fóutouvaltèɪɪk/ (pówer) génerátion Ⓤ 太陽黒点 sunspot Ⓒ, solar spot Ⓒ ★前者のほうが一般的. 太陽コンパス〔生〕solar [sun] compass Ⓒ 太陽神 sun god Ⓒ; 〔ギ神〕Helios /híːliəs/; 〔ギ神・ロ神〕Apollo 太陽崇拝 sun worship Ⓤ 太陽政策 (韓国の) the Sunshine Policy 太陽電池 solar cell Ⓒ, solar battery Ⓒ ★battery は1個以上の cell を組み合わせたもの. 太陽電波〔電〕(太陽雑音) solar noise Ⓒ; (太陽放射電波) solar radio waves 太陽灯 artificial sunlight Ⓤ; sunlamp Ⓒ 太陽ニュートリノ〔物理〕solar neutrino Ⓒ 太陽熱 solar heat Ⓤ 太陽熱温水器 solar water heater Ⓒ 太陽熱発電〔電〕solar power Ⓤ, solar thermoelectric power generation Ⓤ 太陽年〔天〕sólar [trópical; ástronòmical] yéar Ⓒ 太陽表面活動 activity on the sun's surface Ⓒ, the sun's surface activity Ⓒ 太陽風 solar wind Ⓤ 太陽放射 solar radiation Ⓤ 太陽暦 the solar calendar 太陽炉 sólar fúrnace Ⓒ.

たいよう[2] **大要** (重要なポイントを組織的にまとめたもの) óutlìne Ⓒ; (全体を手短にまとめたもの) summary Ⓒ; (全体の概念を手短に言ったもの) general idea Ⓒ. (☞ たいい[1]; がいりゃく).

たいよう[3] **大洋** the ocean (☞ うみ[1]). 大洋州 Oceánia.

だいよう 代用 ―動 (A の代わりに B を使う・B を A の代わりとする) súbstitùte (B for A), use (B instead of A); (A として B を使う) use (B as A) 〔語法〕use は (1)「マーガリンをバターの代用にする」のように, A と B を取り替えて用いる場合にも, (2)「箱を机に代用する」のように箱は箱のままで, ほかの「…として使う」といった, 単に機能を変えて用いる場合にも使用できる. ただし (1) の場合には instead of を, (2) の場合には as を伴う. これに対し substitute の用法は (1) の場合に限定される; (…の代用になる) serve「as [for] ... ―名 (代用すること) substitution Ⓤ. (☞ かわり[1]). ¶石炭は石油の*代用になるだろうか Can we「*substitute* coal *for* oil [*use* coal *instead of* oil]? //「このソファーをベッドの*代用にして (⇒ベッドとして使って) いいですか」「ええ, どうぞ」"May I use this sofa *as* a bed?" "Certainly." // この箱は腰掛けの*代用になる This box *serves as* a seat. **代用監獄**(制度としての) the substitute prison system; (留置場) substitute prison Ⓒ **代用教員** schoolteacher without diploma Ⓒ **代用食** substitute (staple) food Ⓤ **代用品** súbstitùte Ⓒ **代用有価証券**〘商〙collateral securities ★ 複数形で.

たいようねんすう 耐用年数 ¶このテレビの*耐用年数は 10 年ぐらいだ The ˹*life* [*life span*] *of* this television (set) is about ten *years*. / (⇒ このテレビは 10 年間ぐらいは使用に耐えるだろう) This television will *last* (for) about ten years.

たいよく 大欲 avarice /ǽv(ə)rɪs/ Ⓤ, great [strong] desire Ⓒ. **大欲は無欲に似たり** (⇒ 大きな望みを持つ者は小さな利益には目もくれない) Ambitious people will not seek small profits. / (⇒ 欲深い者はかえって損をして無欲の者と同じ結果になる) Those who are greedy for profit tend to be poor losers.

だいよん 第四 — 形 the fourth.
第四紀〘地質〙the Quaternary /kwɑ́tənèri/ period **第四世界** the Fourth World.

だいよんじさんぎょう 第四次産業 quaternary industry Ⓤ; (情報産業) the information industry.

たいら 平ら — 形 (平たい・平べったい) flat; (でこぼこのない) even; (なめらかな) smooth; (水平の) level. — 動 (平らにする) make ... ˹flat [even]; (平らにならす) flatten ㊀; (水平にする) level ㊀; (道などが平らになる) level out ㊁. (☞ ひらたい; へいたん¹). ¶その家の屋根は*平らになっている The roof of the house is *flat*. / (⇒ その家は平らな屋根をもつ) The house has a *flat* roof. ★ 英語では後者のほうが一般的. // それは*平らな表面をしている It has ˹a *flat* [an *even*; a *smooth*] surface.

たいらぎ 玉珧〘貝〙(二枚貝の一種) pen shell Ⓒ.

たいらげる 平らげる (すべてを食べる) eat (up) everything; (食べつくす) éat úp ㊀. (☞ たべる; のむ). ¶その犬は皿の肉をきれいに*平らげた The dog *ate up* all the meat on the plate. // 子供たちは食卓の物を残らず*平らげた (⇒ 全部食べてしまった) The children *ate* (*up*) *everything* on the table.

たいらのきよもり 平清盛 — 名 固 Taira no Kiyomori, 1118–81; (説明的には) a warrior and politician in the Heian period who established a government by the ˹Heike [Taira] ˹clan [family].

タイラノザウルス ☞ ティラノサウルス

たいらん 大乱 serious /sí(ə)riəs/ distúrbance Ⓒ.

だいり¹ 代理 — 名 (仕事などの) agent Ⓒ; (公式な) députy Ⓒ; (投票などの) proxy Ⓒ; (会議などの) rèpreséntative Ⓒ; (代役となる人) súbstitute Ⓒ; (代理を務めること) rèpresentátion Ⓤ. — 形 (臨時の代理を務める) acting Ⓐ. — 前 (...の代理として) for ..., in place of ... ★ 後者のほうが格式ばった言い方. — 動 (代表する) rèpresént ㊀; (代わりに職務を行う) act for ...; (代役を果たす) súbstitute for ...

【類義語】仕事の上で, 会社などの権限を代表して, 代理を務める人は **agent**. ((例) 会社の*代理人 an *agent* for a company). 公の権限を付与された職務を代行する人は **deputy**. 形容詞的にも用いられる. ((例) 議長*代理 a *deputy* chairman). 団体や人の代表あるいは代理を務めるという動詞は **represent**. 以上のどの語にも代わり得る最も一般的な言葉が **substitute**. 形容詞的にも用いる. (☞ かわり¹; だいこう¹; だいひょう¹)

¶林商店が日本におけるわが社の唯一の*代理店である (Messrs. /mèsəz/) Hayashi & Co. are our sole *agent* in Japan. // 旅行*代理店 a travel ˹*agent* [*agency*] 語法 agent とすれば「人」を意味するニュアンスがある. // 彼はその会に社長*代理で出席した He attended the meeting as *deputy* president. / (⇒ その会で社長の代理をした) He *represented* the president at the meeting. // 首相の留守中は外務大臣が*代理を務める The foreign minister will ˹*act* [*substitute*] *for* the prime minister in his absence. // 校長*代理 an *acting* principal (☞ だいこう¹) // 私はきょうここに田中氏の*代理で来ました I came here today *in place of* Mr. Tanaka.

代理親 (動物の) surrogate parent Ⓒ; (代理母 [父]) surrogate ˹mother [father] Ⓒ; (代理親を務めること) surrogacy Ⓤ **代理懐胎** surrogate pregnancy Ⓤ **代理権**〘法〙the power of attorney; 〘商〙agency Ⓤ **代理出産** surrogate birth Ⓒ **代理商** broker Ⓒ **代理署名** proxy signature Ⓒ ★ 署名行為の場合は Ⓤ. **代理戦争** war by proxy Ⓒ **代理大使[公使]** chargé d'affaires /ʃɑəʒéɪdəféə/ Ⓒ (複 chargés d'affaires /ʃɑəʒéɪ(z)dəféə/) **代理店** agency Ⓒ **代理投票** próxy vòte Ⓒ **代理人** (取次人) agent Ⓒ; (代表者) rèpreséntative Ⓒ **代理母** surrogate mother Ⓒ.

だいり² 内裏 the Imperial /ɪmpí(ə)riəl/ Pálace.
内裏雛 a pair of dolls representing the Emperor and Empress in ancient costume.

だいリーガー 大リーガー (大リーグの選手) májor léaguer Ⓒ, májor léague báseball plàyer Ⓒ.

だいリーグ 大リーグ major league Ⓒ (↔ minor league).

だいりき 大力 ¶*大力の男 a man of *great strength* // *大力である be ˹*very strong* [*muscular*; *brawny*] / (⇒ 大きな筋力を持っている) have *plenty of muscle* // ...するのは*大力を要する It will take *a great deal of muscle* to *do* ...

たいりく 大陸 — 名 continent Ⓒ 参考 普通は Asia, Europe, Africa, North America, South America, Australia 及び Antarctica の 7 大陸に分けられる. — 形 continental.
大陸移動説 the continental drift theory **大陸横断鉄道** transcontinental railroad Ⓒ **大陸会議**〘米史〙the Cóntinèntal Cóngress **大陸間弾道弾** intercontinental ballistic missile Ⓒ (略 ICBM) **大陸気団** continental air mass Ⓤ **大陸性気候** continental climate Ⓒ **大陸棚** continental shelf Ⓒ **大陸棚条約** the Treaty of the Continental Shelf, the Continental Shelf Treaty **大陸封鎖**〘史〙the Continéntal Sỳstem ★ ナポレオンの経済封鎖政策. **大陸プレート** continental plate Ⓒ.

だいりせき 大理石 marble Ⓤ.

たいりつ 対立 — 名 (反対) opposition Ⓤ; (衝突) cónflict Ⓒ. — 形 (対立する) opposing; (敵対する) rival. — 動 (対立的な関係にある) be opposed to ...; (...と衝突する) conflíct with ... (☞ しょうとつ; てきたい; あいはんする).
¶2 つの*対立した意見がある There are two ˹*opposing* [*conflicting*] opinions. // この点については意見が*対立している (⇒ この点に関する意見の間には激しい衝突がある) There is a sharp *conflict* of opinion on this point. / (⇒ この点については意見が大きく 2 つに分かれている) Opinions *are sharply divided* on this point. // 労働者と経営者は本質的に*対立するものである Labor and management ˹*are* inevitably *opposed to* each other [(⇒ 敵対関係にある) are naturally *hostile*]. // 私の立場はあなたの立場とは*対立するものだ My position ˹*is opposed to* [*conflicts with*] yours. // 彼らは利害が*対立してい

る Their interests *clash.*
対立候補 rival candidate [C].

たいりゃく 大略 ―[名]（大筋）óutlìne [C];（要約）summary /sʌ́m(ə)ri/ [C]. ―[動] óutlìne (他); summarize (他).《☞ がいりゃく; たいよう[2]》. ¶*大略以下の通り It may *be* ⌐*outlined* [*summarized*] as follows: … ★ 通例コロン（:）のあと行を変えて説明を続ける.

たいりゅう[1] 対流 convection [U]. 対流圏 the trópospère.

たいりゅう[2] 滞留 1 «出荷できずに滞ること» ¶突然の雪で大量の物資が*滞留した A large quantity of goods *was left unshipped* because of the sudden snowfall.
2 «滞在する»: stay (自)《☞ とうりゅう》.
滞留時間（大気中の）length [duration; period] of ⌐residence [stay] [U].

だいりゅうこう 大流行 ¶この冬はインフルエンザが*大流行した A flu epidemic *raged* last winter. // ミニスカートが*大流行している Miniskirts are the latest ⌐*craze* [*fad*]. / Miniskirts are the *rage.*《☞ りゅうこう》

たいりょう[1] 大量 ―[名]（多量）a large quantity (↔ a small quantity), a huge [an enormous] quantity [語法] quantity は元来 [U] であるが, large, small などの形容詞を伴うと a を付ける. また複数形でも用いる. large の代わりに huge, enormous, massive, vast を付けると強調の度合いがさらに強くなる. ―[副]（大量に）in quantities, in ⌐great [large] quantities ★ 後者のほうが強意的.《☞ たりょう; たくさん（類義語）; りょう[1] [日英比較]》.
¶航空機は毎日*大量の燃料を消費する Planes consume ⌐*a large* [*a huge*; *an enormous*; *a massive*; *a vast*] *quantity* of fuel every day. // サウジアラビアは*大量の石油を輸出する Saudi Arabia exports ⌐*huge quantities* [*a huge quantity*] of oil. / (⇒ 大量に輸出する) Saudi Arabia exports oil *in* ⌐*great* [*large*] *quantities.*
大量解雇 mass ⌐discharge [dismissal] [U] 大量虐殺 massacre /mǽsəkə/ [C] 大量殺戮兵器 weapon of mass murder [C];（特定の民族や国民などを標的とした）genocidal weapon [C] 大量生産 mass production [U]. ¶今日ではコンピューターも*大量生産される Today even computers *are mass-produced.* 大量破壊兵器 weapon of mass destruction [C]《略 WMD》 大量被曝 ―[名] heavy ⌐radiation exposure [exposure to radiation] [C]. ―[動] be heavily exposed to radiation 大量リサイクル社会 mass-recycling society [C].

たいりょう[2] 大漁（十分な[大量の]捕獲）a ⌐good [big] catch (↔ a poor catch) ★ a を付けて;（網を使った場合）a ⌐good [fine] haul /hɔ́:l/ ★ a を付けて.《☞ りょう[3]》. ¶きょうはまぐろが*大漁だった We had *a* ⌐*good* [*big*] *catch* of tuna today. 大漁旗 good-catch flag [C] 大漁貧乏（説明的に）decrease in profits due to a fall in price caused by large fish catches [C]《☞ ほうさく[1]（豊作貧乏）》 大漁節 song sung in ⌐celebration of [prayer for] a bountiful catch (of fish) [C].

たいりょく[1] 体力（本来持っている体力）(physical) strength [U];（元気・精力）stamina [U].《☞ ちから》.
¶彼は*体力がある（⇒ 強い）He is (*physically*) *strong.* / He has great ⌐*physical strength* [(⇒ とても元気がある) *stamina*]. // 彼は*体力がない（⇒ 弱い）He is (*physically*) *weak.* / He is not (*physically*) *strong.* / He doesn't have much ⌐*physical strength* [*stamina*]. // 病人はもう少し*体力がついてから手術を受ける予定だ The patient will ⌐have [undergo] an operation after he has gained a little more *strength.* ★ have を使うほうが口語的. // これが私の*体力の限界だ This is the limit of my ⌐*physical strength* [*endurance*]. // *体力を使う仕事 an *energy*-consuming job
体力テスト test of (physical) strength [C].

> **コロケーション**
> 体力が衰える *one's strength* ⌐dwindles [declines] / 体力が消耗する *one's strength* ebbs (away) / 体力がつく *one's strength* ⌐grows [increases] / 体力が続く *one's strength* continues // 体力を温存する conserve [save] *one's strength* / 体力を回復する recover *one's strength* / 体力を使い果たす use up *one's strength* / 体力をつける build up [develop; increase] *one's* ⌐*strength* [*stamina*]

たいりょく[2] 耐力（強度）strength [U];〘物理〙（降伏強さ）yield strength [U];（応力）proof stress [U].
耐力診断 strength diagnosis [U].

たいりん 大輪 large flower [C]. ¶*大輪の菊 a *large-flowered* chrysanthemum /krɪsǽnθəməm/

タイル ―[名] tile [C] ★ 屋根瓦もいう. ―[動]（タイル張りにする）tile (他). ¶*タイル張りの床 a *tiled* floor

たいるい 苔類 lívervwòrt [C]; hepátic [C].

たいれい 大礼（即位の式典）coronation [C].

ダイレクト ―[形] direct. ダイレクトシュート〘球〙 ―[名] direct shot (at the goal) [C]. ―[動] take a direct shot (at the goal) ダイレクトセール ☞ ちょくはん ダイレクトタッチ〘ラグ〙 direct kicking into touch [U] ダイレクトドライブ〘機〙（直接駆動）direct drive [U] ダイレクトマーケティング direct marketing [U] ダイレクトメール direct mail [U];（広告のための手紙）advertising letter [C],《俗》junk mail [U] ダイレクトメソッド（対象外国語を直接使って指導する外国語教授法）direct method [C].

たいれつ 隊列（軍隊などが隊を組んだ横列）rank [C];（隊形）formation [U] ★ 具体的には [C];（人の縦の列）file [C]《☞ れつ; せいれつ[1]》. ¶*隊列を組んで in ⌐*ranks* [*file*] // *隊列を乱す break *ranks*

たいろ 退路（逃げる道）way of retreat [C], escape route [C];（退却すること）retreat [U].《☞ にげみち》.

たいろう 大老〘史〙the highest-ranking political advisor to the Tokugawa Shogunate.

だいろっかん 第六感（虫の知らせ・予感）a hunch ★ 口語的;（感じ）a feeling; a sixth sense ★ いずれも a を付けて.《☞ かん[2]》.
¶私の*第六感では彼女は近いうちに結婚するだろう I have *a* ⌐*hunch* [*feeling*] that she will get married in the near future. // 彼は*第六感がよく働く（⇒ 鋭い第六感を持っている）He has *a* keen *sixth sense.* // 私は*第六感でその男が怪しいと思った（⇒ 私は彼には怪しいところがあると感じた）I *sensed* that there was something fishy about him.

たいろん 対論 ―[名]（対話）dialogue [C];（議論）discussion [C]. ―[動] discuss (他).

たいわ 対話 ―[名]（2人の間の会話）dialogue (《米》dialog) [C] [語法] ただし《米》でも dialogue が正式. 抽象的な意味で用いる場合は [U] の場合もある. ―[動]（対話をする）have a dialogue.《☞ かいわ》. ¶このごろは親子の*対話が欠けていると言われる It is said that there is lack of ⌐*dialogue* [(⇒ 意志の疎通) *communication*] between parents and children these days. 対話劇（対話を強調した劇）conversation piece [C];（音楽などを伴わない）straight play [C];（文学作品としての）dialogue [C] 対話者 dialogist [C], interlocutor [C].

た

たいわん 台湾 ―名 固 Taiwan /tàɪwɑ́:n/. ―形 Taiwanese /tàɪwəní:z/. 台湾海峡 ―名 固 the ⌈Taiwan [Formosa] Strait 台湾人 Taiwanese Ⓒ ★ 単複同形.

たいん 多淫 ―名 lustfulness Ⓤ, lasciviousness Ⓤ. ―形 lustful, lascivious.

ダイン (力の大きさの単位) dyne Ⓒ, 《略号》 dyn Ⓒ.

たう 多雨 heavy rainfall Ⓤ, much rain Ⓤ. ¶その国は高温*多雨だ The country has tropical temperatures and ⌈*heavy rainfall* [*much rain*].

ダウ[1] (一本マストの三角帆の船) d(h)ow Ⓒ.

ダウ[2] ☞ダウへいきん ダウ(式)平均株価 the Dow-Jones average (⌈stock [share] price) ダウジョーンズ工業平均株価 the Dow-Jones Industrial Average 《略 DJIA》 ダウジョーンズ商品相場指数 the Dow-Jones Commodity Index ★ 正式名は Dow Jones-AIG Commodity Index 《略 DJ-AIGCI》.

たうえ 田植え (種もみをまくこと) rice-planting Ⓤ; (稲の苗を植えかえること) transplantation of rice seedlings Ⓤ. ¶日本では6月ごろに*田植えをする In Japan we ⌈*plant* [*transplant*] *rice seedlings* around June. 田植機 rice transplanter Ⓒ.

ダウザー dowser Ⓒ, douser Ⓒ ★ 水脈や鉱脈を占い棒で探る人.

ダウジング dowsing Ⓤ, dousing Ⓤ.

ダウト (トランプゲームの1つ) I doubt it Ⓤ. ¶*ダウトはもう飽きた. だれかポーカーやらないか I'm tired of playing "*I doubt it.*" Anybody want to play poker?

ダウニングがい ダウニング街 ―名 固 Downing Street ★ ロンドンの官庁街. 10番地に首相官邸がある.

ダウへいきん ダウ平均 〔株〕 the Dow-Jones average 《☞ダウ[2]》.

タウりゅうし タウ粒子 〔物理〕 tau particle Ⓒ.

タウリン 〔生化〕 taurine Ⓤ.

タウン town Ⓒ. タウンウェア townwear Ⓤ タウンウォーク ―名 town walk Ⓒ. ―形 town-walking タウンウォッチャー (街路観察者) town watcher Ⓒ タウンハウス townhouse Ⓒ タウンホール town hall Ⓒ.

ダウン[1] ―動 (ボクシングで, マットに沈められる) be floored; (比喩的に, すっかり参ってしまう) 《略式》 crack (up) 自. 《☞イメージ; コスト》. ¶彼は第1ラウンドで*ダウンした He *was floored* in the first round. // 働き過ぎて彼はとうとう*ダウンした Finally he *cracked* (*up*) under the strain of overworking.

ダウン[2] (鳥の綿毛) down Ⓤ. ダウンジャケット down jacket Ⓒ ダウンベスト down vest Ⓒ.

ダウンサイジング (小型化・人員削減) dównsìzing Ⓤ.

タウンし タウン誌 magazine for local news Ⓒ.

ダウンしょう ダウン症 〔医〕 Down's /dáunz/ sýndrome Ⓒ.

ダウンスイング 〔球〕 downswing Ⓒ.

ダウンステージ (舞台前方) downstage Ⓤ.

ダウンタウン dówntòwn Ⓤ ★ downtown は, いわゆる「繁華街」を指し,「下町」の意味はない. 《☞したまち》.

ダウンバースト (急激な下降気流) dównbùrst Ⓤ.

ダウンビート 〔楽〕(強拍部) downbeat Ⓒ.

ダウンヒル (スキーの滑降) dówn híll Ⓒ.

ダウンライト (天井などに埋め込み式の照明) dównlìght Ⓒ.

ダウンロード 〔コンピューター〕 ―名 dównlòad Ⓤ. ―動 dównlòad 他.

たえいる 絶え入る ¶*絶え入るような声で (⇒かすかな[弱々しい]声で) in a ⌈*faint* [*feeble*] voice 《☞たえだえ》.

たえがたい 耐え難い unbearable, intolerable, unendurable ★ 後の2語は格式ばった語. 《☞たえる[1]; がまん》.

たえかねる 耐え兼ねる ―動 (我慢できない) cannot bear … ―形 unbearable.

だえき 唾液 saliva /səláɪvə/ Ⓤ 《☞つば[1]》. 唾液腺 salivary /sǽləvèri/ glànds ★ 通例複数形で. 唾液腺ホルモン salivary gland hormone Ⓤ.

たえざる 絶えざる (一定で絶えることのない) constant; (連続した) continuous; (しばしばよくないことが繰り返している) continual; (望ましくないことが果てしなく続く) never-ending; (終りのない, 果てしない) endless. ¶*絶えざる改良を重ねる make ⌈*constant* [*continual*] improvements

たえしのぶ 耐え忍ぶ, 堪え忍ぶ (困難に負けず頑張り抜く) béar úp (against …; under …) 自; (困難などに辛抱強く耐える) bear … patiently; (苦痛などに耐える) suffer 他 ★ 主に否定文で; (怒りなどをこらえる) pùt úp with … ★ 口語的. 《☞たえる[1]; がまん; しんぼう[1]》. ¶私たちは不便を*耐え忍んだ We *put up with* the inconveniences *patiently*.

たえず 絶えず (始終) continually; (いつも) always, all the time; (連続してずっと) continuously; (休みなく) incessantly; (変わることなく) constantly; (着実に) steadily.

【類義語】 絶えず繰り返し行われるという意味は **continually** で表す. ほぼ同意のことは **always**, または ***all the time*** でも表せるが, *always* や *all the time* のほうが口語的な表現. また *all the time* は普通文尾に置く. なお, *continually* はしばしば不愉快なことが繰り返される場合に用いられる. とぎれることなく連続して行われることは ***continuously***, またはやや格式ばった語 ***incessantly*** で表す. 変わることなく常に同じ調子で続くことは ***constantly***. また動きが一定して規則正しいという意味を表すには ***steadily***. なお,「絶えず」は日本語では副詞であるが, 英語では副詞で表されるとは限らず, 以上の各語の形容詞形が用いられることも多い. 《☞いつも》

¶私は*絶えずあなたのことを思っている I think of you ⌈*constantly* [*all the time*]. // その子は*絶えず泣いてばかりいる That child is ⌈*always* [*continually*] crying. 語法 (1) この進行形は「泣いてばかりいて困った子だ」という, 話し手の不満足な気持ちを表すことがある. // 外国語の勉強には*絶えず練習することが必要である (⇒絶えざる練習を必要とする) Studying a foreign language requires *constant* practice. // 彼は*絶えずたばこを吸っている He smokes *all the time*. / (⇒チェーンスモーカーだ) He is a *chain smoker*. / He *chain-smokes*. / He is *always* smoking. / He smokes *incessantly*. 語法 (2) 4番目の進行形の例文は「だからまったく迷惑だ」という不快感を表すことがある. // 彼女は*絶えず不平ばかり言っている She complains *all the time*. / She is *always* complaining.

たえだえ 絶え絶え ―副 (息などが弱々しく) feebly; (あえぎながら) gaspingly. ¶その男は息も*絶え絶えだった The man was breathing *feebly*. // 彼女は息も*絶え絶えに母の名を呼んだ She *gasped out* the name of her mother. ★ gasp out 他 は「あえぎながら言う」という意味.

たえて 絶えて (決して…したこと[すること]がない) never. ¶あれ以来彼からは*絶えて連絡がない I've *never* heard of him since.

たえなる 妙なる (たいへん美しい) very beautiful; (音楽が甘美な) sweet; (天上のもののような) celestial. 《☞うつくしい》. ¶*妙なる調べが聞こえる hear

ʻ*sweet* [*celestial*] music

たえはてる 絶え果てる (消滅する) be extinguished; (死ぬ) die ⓐ. 《☞ たえる²》.

たえまなく 絶え間なく (常に) all the time; (連続してずっと) continuously, incessantly ★ 後者のほうが格式ばった語. 《☞ たえず (類義語)》.

たえる¹ 耐える, 堪える 1 《我慢する》: (悲しみや困難などに) bear ⓗ 《過去 bore; 過分 borne》 ★ 最も一般的な語; (自制心を働かせて) stand ⓗ 《過去・過分 stood》 ★ bear よりくだけた語; (苦痛などに耐える) suffer ⓗ ★ 主に否定文で; (かなり長期にわたって辛抱する) endure ⓗ; (特に怒りなどを我慢する) pùt úp with … ★ 口語的; (痛み・苦しみなどを我慢する) be patient ★ 最も一般的で広い意味. 《☞ がまん (類義語); しんぼう¹》.

¶ 彼女はよく悲しみ[不幸]に*耐えた She *bore* her ʻsorrow [misfortune] well. // 船旅に*耐えられない人もいる Some people cannot *bear* traveling by sea. // 私はここの寒さ[暑さ]には*耐えられない I can't *stand* the ʻcold [heat] here. // 私は動物がいじめられているのは見るに*堪えない I can't *stand* seeing animals treated cruelly. // あいつの横柄な言葉は聞くに*堪えない I can't *put up with* his arrogant comments. // 彼らは苦しい生活に*耐えねばならなかった They had to *endure* a hard life. // 私はどんな困難にも*耐えて (⇒ 打ち勝って) みせる I'm sure I can *overcome* any difficulty.

2 《持ちこたえる》 ── 動 (重さなどを支える) bear ⓗ; (激しい使用などに耐性がある) withstand ⓗ. ── 形 (物が使用などに適する) fit (for …); (物が火や水や衝撃などに堪える) -proof ★ 複合語で; (人が責務などに堪えられる) equal (to …).

¶ その板は重さに*堪えるに十分な強度がある The board is strong enough to *bear* the weight. // 私の家は地震に*堪えるように設計されている My house is designed (so as) to *withstand* an earthquake. // この船は遠洋航海には*堪えない This ship is not *fit for* an ocean voyage. // この時計は衝撃に*堪える This watch is shock*proof*. 《☞ ぼうすい¹》.

たえる² 絶える 1 《滅びる・尽きる》: (死に絶える; 習慣などが廃れる) dìe óut ⓐ; (絶滅・消滅する) become extinct ★ 状態を表す場合は be extinct; (順々に死んでいなくなる) díe óff ⓐ. 《☞ ぜつめつ; ほろびる (類義語)》.

¶ いまはもうこの種のちょうは*絶えてしまっている Butterflies of this species *are* now *extinct*. // この習慣は*絶えて久しい (⇒ ずっと以前に消滅した) This custom *died out* a long time ago. // 彼が死んで (⇒ 彼の死とともに) この村で一番古い家系が*絶えてしまった With his death, the oldest family in this village *died out*.

2 《途中で切れる・やむ》: (通信などが遮断される) be cút óff 《☞ とだえる》.

¶ 台風で本土との通信が*絶えた All communications with the mainland *were cut off* because of the typhoon. // この通りは車の流れが*絶えない (⇒ 絶えず交通の流れがある) There is a *constant* flow of traffic on this road. // 子供のことでは苦労が*絶えない (⇒ 子供についての心配から解放されることがない) I *am never free from* worries about my ʻchild [son; daughter].

だえん(けい) 楕円(形) ── 名 ellipse /ɪlíps/ Ⓒ, oval Ⓒ ★ 後者は「卵形」の意味もある. ── 形 elliptic(al), oval. **楕円軌道** elliptic orbit Ⓒ **楕円曲線** elliptic curve Ⓒ **楕円体[面]** ellipsoid Ⓒ.

タオ Tao Ⓤ ★「道」の意. 道教や儒教での道をいう.

タオイズム Taoism Ⓤ ★ 道教.

たおす¹ 倒す (人または物を投げ倒す) thròw dówn ⓗ; (人を打ち倒す・物を取り壊す) knòck dówn ⓗ; (相手を負かす) beat ⓗ 《過去 beat; 過分 beaten, 《米》 beat》, defeat ⓗ ★ 前者の方が口語的; (木などを切り倒す) cút dówn ⓗ, fell ⓗ ★ ほぼ同意だが前者のほうがより平易な言い方; (風が塀などを) blów dówn ⓗ; (花瓶などをひっくり返す) tip [knock] over ⓗ; (政府などを) overthrow ⓗ. 《☞ たおれる¹》. ¶ 彼はその大男を投げ*倒した He *threw* the big man *down*. 《☞ 副詞の位置 (巻末)》 // 彼は一撃のもとに強敵を*倒した He *knocked down* his powerful opponent with a single blow. // 木こりは大きなもみの木を切り*倒した The woodcutter ʻ*cut down* [*felled*] a tall fir tree. // 台風で塀が*倒された The wall *was blown down* by the typhoon. // スタンド[花瓶]を*倒さないように注意しなさい Take care not to ʻ*tip* [*knock*] the ʻlamp [vase] *over*. // 反乱者たちは政府を*倒した The rebels *overthrew* the government.

たおす² 斃す (殺す) kill ⓗ 《☞ ころす》.

たおやか 嫋やか ── 形 (しとやかな) graceful; (しなやかな) soft and tender. 《☞ しとやか; しなやか》.

たおやめ 手弱女 (しとやかな女) graceful woman Ⓒ. **手弱女振り** feminine [effeminate] style (of *waka*) Ⓒ 《☞ ますらお (益荒男振り)》.

たおる 手折る (花を) pluck ⓗ; (枝を) brèak óff ⓗ.

タオル towel Ⓒ; (顔ふき用の細長いタオル) face towel Ⓒ; (体を洗うための四角いタオル) 《米》 wash cloth Ⓒ, face cloth Ⓒ, 《英》 face flannel Ⓒ ★ towel は乾かすために使うもの. ¶ *タオルで顔をふきなさい Dry [Wipe] your face ʻon [with] a *towel*. [語 法] 水でぬれているものをふくには dry のほうが普通. // バス [湯上がり] *タオル a bath *towel* **タオルを投げる** 〘ボク〙 throw [toss] in the towel ★ 棄権・敗北の意思表示. **タオル掛け** (1 本の) towel rail Ⓒ; (何本かの towel rails から成るもの) towel rack Ⓒ **タオルケット** light terry-cloth covering Ⓒ ★「タオルケット」は和製英語.

たおれふす 倒れ臥す fall ʻdown [flat] ⓐ. ¶ 彼は地面に*倒れ臥した He *fell* ʻ*down* [*flat*] on the ground.

たおれる¹ 倒れる 1 《横転する》: (転んで倒れる) fall (to the ground) ⓐ 《過去 fell; 過分 fallen》 ★ 最も一般的な語; (ぐらついて倒れる) topple ʻdown [over] ⓐ; (くずおれるように倒れる) collapse ⓐ ★ 家などにも用いる; (卒倒する) faint ⓐ. 《☞ たおす¹; ころぶ》. ¶ 私は石につまずいて*倒れた I stumbled on a stone and *fell* ʻforward [over]. ★ forward は「前へつんのめった」ことを表す. // 彼はあお向けに*倒れた He *fell* on his back. // 彼女は滑って地面に*倒れた She slipped and *fell*. // 地震でたくさんの家が*倒れた Many houses ʻ*fell* [*collapsed*] in the earthquake. / (⇒ 地震が多くの家を壊した) The earthquake *destroyed* a great many houses. ★ 第 1 文は第 2 文より口語的. // 彼女は知らせを聞くとへなへなと*倒れてしまった She *collapsed* on hearing the news. // 本の山がぐらっと揺れて床に*倒れた The pile of books *toppled* ʻto [*over* onto] the floor. // 朝礼で 5 人の生徒が*倒れた (⇒ 卒倒した) Five students *fainted* during the morning meeting.

2 《比喩的に》: (内閣などが瓦解する) fall ⓐ; (人が病気になる) become [fall; get] ʻsick [ill] [語 法] get は口語的. ill は主に《英》. なお sick は《英》では「病気の」の意では Ⓐ にしか用いない. ただし「気分が悪い」の意では Ⓟ にも用いられる.

¶ 帝政ロシアは 1917 年に*倒れた Czarist /záːrɪst/ Russia *fell* in 1917. // 彼は過労で*倒れた He ʻ*became* [*got*] ʻ*sick* [*ill*] because he worked too hard. / (⇒ 彼の健康が損なわれた) His health *broke down* ˹from [because of] overwork.

たおれる² 斃れる (殺される) be killed; (死ぬ) die ㊀. ¶彼はテロリストの凶弾に*たおれた (⇒ 撃ち殺された) He *was shot to death* by a terrorist.

たか¹ 高 1 «量»: (金などの額) amount Ⓒ; (総計) sum Ⓒ. (☞ がく¹; りょう¹).

¶支出はかなりの*高になるだろう The expenses will amount to a considerable *sum* (of money). //「1日の売り上げ*高はどのくらいですか」「約 50 万円です」"How much are the day's ˹*takings* [*proceeds*]? / How much do the day's ˹*takings* [*proceeds*] amount to?" "About five hundred thousand yen." (☞ うりあげ)

2 «程度・せいぜいのところ» ¶二郎の言葉をそんなに気にするな. *たかが子供じゃないか (⇒ 二郎の言葉をそんなに真剣に受けとるな. 彼はまだほんの子供なのだから) Don't take what Jiro says so seriously. He's ˹*only* [*merely*] a child. // 彼は*たかがサラリーマンじゃないか He is *no more than* an office clerk. //「2千円入りの財布をなくしてしまった」「くよくよするな. *たかが 2 千円じゃないか」"I lost my wallet with two thousand yen in it." "Cheer up. It was *only* two thousand yen." **高が知れている** (取るに足らない) negligible; (あまり価値がない) not worth much. ¶私がもらう給料など*たかが知れている The pay I receive is quite *negligible.* // 彼の英語の実力は*たかが知れてる (⇒ 大したものではない) His knowledge of English is ˹*not very impressive* [*nothing special*]. **高をくくる** (見くびる) underestimate ㊀, underrate ㊀. ¶あまり*たかをくくらないほうがよい (⇒ あまり楽観的になりすぎるな) Don't be too *optimistic.*

たか² 鷹 〖鳥〗 hawk Ⓒ; (鷹狩に使う鷹) falcon /fɔ́ː(l)k(ə)n/ Ⓒ. **鷹狩** falconry Ⓤ **鷹匠** falconer Ⓒ **タカ派** hawk Ⓒ (↔ dove).

たか³ 多寡 (量) quantity Ⓒ; (額) amount Ⓒ; (数) number Ⓒ.

たが 箍 (おけやたるの回りにはめる) hoop Ⓒ (☞ たる¹ (挿絵)). **たがが緩む** ¶《文字どおりに》*たがが緩んできた The *hoops* have ˹gotten [come; become] loose. //《比喩的に》彼は最近*たがが緩んできた He *has lost his eagerness* these days. (☞ たるむ)

-だか …高 1 «総額・総数量»: ☞ たか¹ 1

2 «値段が上がること» ¶その株価は 20 円*高だ That stock ˹is *up* [*has risen*] 20 yen. ★ up のほうが口語的.

だが (しかし) but …, however, … ★ 後者のほうが少し格式ばった言い方; (それでもなお) yet 〔語法〕 (1) and yet の形式で用いられることも多く, 意味は前の 2 つの語より強く, かつ格式ばった言い方; (それにもかかわらず) nèverthelèss ★ 前の 3 語より格式ばった語で, 意味も最も強い; (…だけれども) although …, though … ★ 以上の 2 語は従位接続詞. ほぼ同意だが, 前者のほうが格式ばった語. 〔語法〕 (2) A, but B のように等位接続詞を用いた場合は A と B は対等に比較されるが, though A, B のように従位接続詞を用いると主節の B のほうに重点が置かれた英文になる. (☞ しかし (類義語); でも).

¶勝てる見込みはない. *だが, 私は放棄する気はない The odds are against me, *but* I am not going to give up. / *Although* I have little chance of *winning, I will* not give up. ★ 第 2 文のほうが格式ばった言い方. // 彼の決心は堅い. *だが, もう一度だけ話してみよう He has made up his mind, *but* I will talk to him just once more. // 彼は博識*だが, あまり良識がない *Though* [*Although*] he is very well educated, he doesn't have much common sense.

ダガー (短剣符) dagger Ⓒ ★「†」の印. 印刷物で参照や没年などを示すのに使われる.

たかあしがに 高足蟹 〖動〗 giant crab Ⓒ.

たかあしだ 高足駄 high wooden clog Ⓒ ★ 一足の場合は a pair of high wooden clogs とする.

ダカーポ 〖楽〗 ―― 形副 da capo /dɑːkɑ́ːpoʊ/ (略 DC).

ダカール ―― 名 固 Dakar /dǽkɑɚ/ ★ セネガル共和国の首都.

たかい¹ 高い 1 «高さが高い»: high (↔ low); tall (↔ short); (そびえ立つ) lofty.

【類義語】地上からの高さを言う場合, 空中の高度と感じられるようなときには **high** を用い, 建物・木・人の丈などのように, 細長いもので地面から連続して高さの測れるものには **tall** を使う傾向がある. ただし,「高い山」a ˹*high* [*tall*] mountain のように入れ替えて用いることのできる場合もかなりある. 非常に高いことを表し,「そびえる」感じの形容には **lofty** を用いることがあるが, やや格式ばった語で, 口語では very ˹*high* [*tall*] のほうが普通. (☞ たかさ)

¶私は*高い所に登るのが怖い I'm afraid of ˹*heights* [*high* places]. / (⇒ 高所恐怖症だ) I suffer from *acrophobia* /æ̀krəfóʊbiə/. ★ 第 1 文は第 2 文より口語的. //「あの*高い塔は何ですか」「東京タワーです」"What's that ˹*tall* [*high*] tower?" "That's Tokyo Tower." 〔語法〕 tall のほうが普通. // あの空*高く飛んでいる飛行機をごらんなさい Look at that plane *high* up in the air. //「あなたのクラスではだれが一番背が*高いですか」「山田君です」"Who's the *tallest* in your class?" "Yamada (is)." // 私はクラスで 2 番目に背が*高い I'm the second *tallest* in our class.

2 «値段が高い»: high (↔ low); (高価な) expensive (↔ inexpensive); (非常に高価な) dear ★ 主として《英》. 〔語法〕 price (値段) を主語にする文や, price を修飾する言い方では high のほうが普通.

¶東京は物価がとても*高い Prices are very *high* in Tokyo. / Everything is *expensive* in Tokyo. // このカメラは*高い This camera is *expensive.* / This is an *expensive* camera. // あの店は*高い That store is *expensive.* / The prices are *high* in that store. // 彼女の車は*高い値で売れた She sold her car for a *high* price. // 彼はあの会社に*高い給料で雇われている (⇒ よい給料をもらっている) He gets ˹paid *well* [a *good* salary] at that company.

3 «地位・身分・程度・数値などが高い»: high (↔ low).

¶身分の*高い人 (⇒ 高官) a *high-ranking* official / (⇒ 重要人物) a very important person ★ 通例 V.I.P., VIP /víːàɪpíː/ と略す. // この国の生活水準は*高い The standard of living in this country is *high.* // 古代ギリシャ人は*高い文明水準を持っていた The ancient Greeks had a *high* level of civilization. // 彼は*高い理想をもっている He has *high* ideals. // 彼は望みが*高い (⇒ 目的を高い所に置いている) He aims *high.* // 彼女はいつもお*高くとまっている (⇒ つんとすましている) She is always ˹*stuck-up* [(⇒ 人を見下している) *supercilious*; *condescending*; (⇒ 先輩ぶっている) *patronizing*]. ★ stuck-up のほうが口語的. // 声が*高い. 静かに Your voice is (too) *loud.* In a lower voice [More quietly], please. // *高い声で歌う sing in a *high-pitched* voice // 格調の*高いスタイル an *elevated* style // お目が*高い You *have an eye* for it. // 彼は子供たちが素直なので鼻が*高い (⇒ 自慢である) He *is proud* that his children are honest. // 私は血圧が*高い I have *high* blood pressure.

たかい² 他界 ―― 動 (死ぬ) páss ˹awáy [ón] ㊀ ★「死ぬ」die の婉曲語法. (☞ しぬ (類義語); 婉曲語法 (巻末)).

たがい 互い ―代 each other, one another. ―形 each other's, one another's; (相互の) mutual. ―副 to [with] each other, to [with] one another; (相互に) mutually.
【類義語】2人または3人以上の人々の間で「互い」という意味を表すのに最も口語的な表現は *each other* または *one another* である. 2人の場合には *each other*, 3人以上の場合には *one another* を用いるべきだとする主張もあるが, 実際にはその区別は行われていない. 従って, この2つはどちらを用いてもよい. 「互いに共通の」の意味を表すときには *mutual* が用いられる.
¶彼らは*互いの弱点を知っている They know ⌈*each other's* [*one another's*] weaknesses. 語法 each other's, one another's が修飾する C の名詞は複数形になる. // 彼らは*互いに顔を見合わせた (⇒お互いを見合った) They looked at ⌈*each other* [*one another*]. // 我々はこの仕事ではお*互いに助け合わなくてはならない We must help ⌈*each other* [*one another*] in this work. 《☞ おたがいさま》// 彼らは*互いに尊敬し合っている They respect *each other*. / (⇒彼らは互いに対する尊敬の念を持っている) They have *mutual* respect. // 人間は*互いに言葉で意志を通じ合う Human beings communicate with ⌈*each other* [*one another*] by means of language.
互い先 ―動 (囲碁などで, 先手を交互にとる) have the ⌈first [initial] move alternately.

だかい 打開 ―動 (打ち破る) break ㊡; (打ち勝つ) òvercóme ㊡; (切り抜ける) gèt óver …; (打開策を見つける) find a way out of … ―名 (打開策) way out C; (難関などの打開) breakthrough C; (解決策) solution U. 《☞ きりぬける》.
¶我々は局面の (⇒行き詰まりの) *打開を図らなくてはならない We must try to *break* the deadlock. / (⇒目下の困難に打ち勝つ[を乗り切る]ことを試みなくてはならない) We must try to ⌈*overcome* [*get over*] the present difficulties. // *打開策を見つけるのが先決だ (⇒まず第一にこの状態からの打開策を見つける必要がある) In the first place we must *find a way out of* this.

たがいちがい 互い違い ―副 (交替で[に]) alternately /ɔ́:ltənətli/. ―動 (互い違いになる[する]) alternate /ɔ́:ltənèɪt/ ㊀ ㊡. 《☞ こうご; こうたい¹; かわりばんこ》. ¶昼と夜は*互い違いにやってくる Day *alternates with* night. / Day and night come *alternately*.

たかいびき 高鼾 (大きないびき) loud snore C 《☞ いびき》. ¶彼は*高いびきをかいて寝ていた (⇒寝ている間大きないびきをかいていた) He was *snoring loudly* as he slept. / (⇒ぐっすり寝ていた) He was ⌈*fast* [*sound*] asleep. ★ sound には「安らかに眠っている」というニュアンスがある.

たがう 違う ¶その企画で彼女は期待に*たがわぬ (⇒まさに期待したとおりに) 活躍をした She played an active role in the project *just as we had expected*. 《☞ きたい¹》// 寸分*たがわず ☞ すんぶん

たがえる 違える (約束などを破る) break ㊡; (守れない) fail to keep … 《☞ やぶる》.

たかが 高が ☞ たか¹ 2

たがく 多額 ―形 (金額が) a large ⌈amount [sum] of … (↔ a small ⌈amount [sum] of …) ★ sum には「総計で」というニュアンスがある; (寄付などがたくさんの) generous ★「気前のよい」というのが原意. 《☞ ばくだい》. ¶この事業には*多額の資金がいる We need *a large amount of* money for this project. // *多額のご寄付をありがとうございました Thank you very much for your *generous* donation. **多額納税者** upper-bracket taxpayer C ★ bracket は収入額などに基づく階層区分.

たかくか 多角化 ―名 diversification /dɪvə̀:səfɪkéɪʃən/ U. ―動 diversify ㊡. 《☞ たかくけいえい》. ¶その会社は市場を拡大するために最近製品の*多角化を図った The firm *has* recently *diversified* its range of products (⌈so as [in order]) to extend its market. **多角化企業** diversified business C; (複合企業) conglómerate C **多角化戦略** diversification strategy U.

たかくけい 多角形 〖幾〗 ―名 pólygòn C. ―形 polýgonal.

たかくけいえい 多角経営 diversified /dɪvə́:səfàɪd/ business operation C 《☞ たかくか》.

たかくしょうじょう 他覚症状 〖医〗 objective symptom C.

たかくてき 多角的 ―形 (多方面にわたる) many-sided; (多様な) diversified; (いろいろの) various. ―副 (違った角度から) from different angles; (さまざまな観点から) from various points of view. ¶我々はこの問題を*多角的に見なければならない (⇒この問題のいろいろな面を) We must examine the *various* /vé(ə)riəs/ *aspects* of this problem. **多角的貿易交渉** multilateral /mʌ̀ltɪlǽt(ə)rəl/ tràde negotiàtion C ★普通複数形で.

たかぐもり 高曇り ―形 overcast [cloudy] with high cloud 《☞ くもり》.

たかくら 高倉 raised storehouse (supported by pillars) C.

たかげた 高下駄 Japanese (wooden) clogs with high lifts ★説明的な訳. 左右の組から成るので普通は複数形. 《☞ げた》.

たかさ 高さ 1 《下から上までの距離》 ―名 (上下の長さ) height /háɪt/ U; (高度) altitude U. ―形 (高さが…の[で]) … high, … tall. 語法 (1) 2つとも P で, 高さを表す語の後に付ける. 日英比較 日本語で「高さ」とあってもそれが英語で必ずしも height という名詞形で表されるとは限らない点に注意. ((例) あの山の*高さはどのくらいですか How ⌈*high* [*tall*] is that mountain? / What is the *height* of that mountain?) ★なお high と tall の区別は ☞ たかい¹ (類義語).
¶「エベレストはどのくらいの*高さですか」「*高さは8,848メートルです」"How ⌈*high* [*tall*] is Mt. Everest?" "It's 8,848 meters (⌈*high* [*tall*])." // 「背の*高さはどのくらいですか」「1メートル60センチです」"How *tall* are you?" "I'm one meter sixty centimeters (*tall*)." 語法 (2) さらに I'm one meter sixty. とすれば最も口語的. // あの塔[建物]の*高さはどのくらいですか How ⌈*tall* [*high*] is that ⌈tower [building]? / What is the *height* of that ⌈tower [building]? 語法 (3) 塔や建物のように地面からの高さをはっきりと意識できるものには普通 tall を用いる. 語法 (4) high と tall の両方に対して high の名詞形の height が用いられるが, やや格式ばった表現. // あなたと私は背の*高さが同じだ You are as *tall* as I (am). / You are the same *height* as me. / You and I are the same *height*. // その木は30メートルぐらいの*高さになる That tree grows to *a height* of about 30 meters. 語法 (5) 具体的な高さを言っているので, この height は C. 《☞ 可算・不可算名詞 (巻末)》// そのような*高さの所では (⇒そのような高度では) 空気はきわめて希薄である At such *a high altitude* the air is very thin. 語法 (6) 具体的な高度を言っているので, この altitude は C.
2 《値段の高さ》: (高いこと) expensiveness U; (高い費用) high cost C; (高い値段) high price C. 《☞ たかい¹》. ¶外国人は東京の生活費[物価]の*高さに不平を言う Foreigners complain about

the high ⌈cost of living [(commodity) *prices*] in Tokyo. ★ 前者のほうが口語的.

3 «声の高さ»: (声の調子の高さ) pitch Ⓤ; (声が大きいこと) loudness Ⓤ. ¶ 声の*高さは個人によって違う Voice *pitch* varies from person to person.

だがし 駄菓子 cheap candy Ⓤ (☞ かし¹).
駄菓子屋 candy store where popular cheap sweets are sold Ⓒ.

たかしお 高潮 tidal wave Ⓒ. ¶ *高潮警報 a *tidal wave* warning

たかしまだ 高島田 tradítional Jápanese háirstỳle for únmàrried wómen Ⓒ.

たかじゅふん 他家受粉, 他花受粉 cross-⌈pollination [fertilization] Ⓤ.

たかすぎしんさく 高杉晋作 ― 名 固 Takasugi Shinsaku, 1839–1867; (説明的には) the organizer of the militia *Kiheitai* and one of the most prominent pro-imperial exclusionists toward the end of the Edo period.

たかだい 高台 (丘) hill Ⓒ; (多少小高くなっている台地状の所) heights ★ 複数形で. Washington *Heights* などの形で固有名詞としてよく用いられる. (☞ おか¹; やま). ¶ 私の家は*高台にある My house ⌈stands [is] on a *hill*.

たかだか 高高 **1** «せいぜい»: (一番高くても) at the highest; (多くても) at (the) most; (最大限で) at (the) maximum. (☞ せいぜい; たか¹). ¶ 損害は*たかだか 10 万円ぐらいだろう *At* (*the*) *most* the damage is expected to total one hundred thousand yen.

2 «高いことの形容»: (高々と) high; (声高々と) loudly, in a loud voice; (鼻高々と) proudly.
¶ 彼らはその建物の上に*高々と国旗を掲げた (⇒ なびかせた) They flew the national flag ⌈*high* on [(⇒ 真上に) *on top of*] the building. // 息子が入学試験に受かって彼女は鼻*高々だった She was very *proud* that her son had passed the entrance examination. ★ この proud は 形. (☞ はな²).

だかつ 蛇蝎 ¶ あの男は*蛇蝎のごとく嫌われている That man *is* ⌈*detested* [*abhorred*]. (☞ きらう (類義語))

たかつき 高坏 *takatsuki* Ⓒ, Japanese kylíx Ⓒ; (説明的には) small one-legged container on which food is served (for one person) Ⓒ.

たかつぎ 高接ぎ (生長した樹木に接ぎ木すること) top grafting Ⓤ.

だがっき 打楽器 percússion ìnstrument Ⓒ; (オーケストラの打楽器部門) the percussion.

たかっけい 多角形 ☞ たかくけい

たかとび¹ 高飛び ― 動 (逃亡する) escape (自); (追手から逃げる) flee (自) ★ 格式ばった語. (☞ とうそう¹ 語法). ¶ その犯人は外国への*高飛びをはかった The criminal tried to ⌈*escape* overseas [*flee* to a foreign country].

たかとび² 高跳び the high jump. ¶ 棒*高跳び the pole *vault* // 走り*高跳び the (running) *high jump*

たかとびこみ 高飛び込み high dive Ⓤ, high [platform] diving Ⓤ.

たかどまり 高止まり ― 動 (高値でずっと続く) stay at the year's high (自) (☞ たかね (高値安定)).

たかな 高菜 〘植〙 *leaf* mustard Ⓤ.

たかなみ 高波 high wave Ⓒ.

たかなり 高鳴り ¶ 胸の*高鳴りを感じる I feel my heart *beating fast*. (☞ たかなる)

たかなる 高鳴る (胸がどきどきする) beat (fast), throb (自) ★ 後者のほうが大げさな言い方. ¶ 私は期待で胸が*高鳴るのを感じた I felt my heart ⌈*beat*(*ing*) (*fast*) [*throb*(*bing*)] with expectation.

たかね 高値 high price Ⓒ (↔ low price); 〘株〙 (最高値) high Ⓒ.
¶ それはここ 10 年来の新*高値である It is the *highest price* in ten years. // その絵には 1 千万かそれ以上の*高値がつくだろう (⇒ 1 千万円かそれ以上に値踏みされるだろう) The picture will be quoted at ten million yen or more.
高値安定 the stabilization at a high price

たがね 鏨, 鏩 (鉄板・岩石用) (cold) chisel Ⓒ; (銅版彫刻用) graver Ⓒ, burin Ⓒ ★ 後者は特に線刻用で, 大理石彫刻にも使う. (☞ のみ²).

たかねのはな 高嶺の花 ¶ それは*高嶺の花だ (⇒ 私の手の届かない所にあるすてきなものだ) It's *a prize beyond my reach*.

たかのぞみ 高望み ― 動 (高すぎる望みを抱く) aim too high (自); (あまりにも野心が大き過ぎる) be too ambitious. (☞ せのび).

たかのちょうえい 高野長英 ― 名 固 Takano Choei, 1804–1850; (説明的には) a doctor of medicine and a scholar of *Rangaku* or Dutch studies during the Edo period.

たかのつめ 鷹の爪 (とうがらしの実) cayenne /káièn/ [réd] pépper Ⓒ.

たかは 鷹派 ☞ たか²

たかはりぢょうちん 高張提灯 large paper lantern hung on a pole Ⓒ.

たかびしゃ 高飛車 ― 形 (高圧的な) high-handed; (威張って・横柄な) overbearing ★ やや格式ばった軽蔑的な語; (威張りちらす) 《略式》 bossy.
― 副 (高飛車に) high-handedly; overbearingly. (☞ こうしせい; こうあつ¹(高圧(的))). ¶ 監督の*高飛車な態度が気にくわない I don't like the supervisor's ⌈*high-handedness* [*overbearing* manner].

たかぶり 高ぶり excitement Ⓤ (☞ こうふん¹).

たかぶる 高ぶる (感情が高ぶる) get excited ★「興奮している」という意の一般的な言い方; (あがって緊張する) get nervous. (☞ こうふん¹). ¶ 試験の前で私の神経は*高ぶっていた (⇒ あがって緊張していた) I *was very nervous* before the examination.

たかべ 鰖 〘魚〙 yellowstriped butterfish Ⓒ.

たかまがはら 高天原 *Takamagahara*; (説明的には) the dwelling place of the gods in Japanese mythology.

たかまくら 高枕 ¶ *高枕で眠る (⇒ 安らかに [不安から解放されて]) sleep ⌈*in peace* [*free from worry*] / (⇒ 安全に感じる) feel *secure*

たかまつづかこふん 高松塚古墳 ― 名 固 Takamatsuzuka tomb; (説明的には) a small 7th-century tomb located in Asuka, Nara Prefecture.

たかまり 高まり (上がり) rise Ⓒ; (結集) búild-ùp Ⓒ; (感情などの) surge Ⓤ; (急騰) upsurge Ⓒ. (☞ たかまる).

たかまる 高まる (増大する) grow (自) 《過去 grew; 過分 grown》; (増加する) incréase (自); (結集する) búild úp (自). (☞ たかめる).
¶ その行為で彼の名声は*高まった (⇒ 彼はより高い名声を得た) He ⌈*got* [*won*] a higher reputation through that conduct. // 中東諸国に緊張が*高まりつつある Tensions *are* ⌈*growing* [*increasing*; *building up*] in the Middle East. // 日本では女性の地位は戦後*高まった (⇒ 向上した) In Japan the ⌈position [status] of women has *improved* since the War.

たかみのけんぶつ 高みの見物 ¶ 私は*高みの見物を決め込んだ (⇒ 単なる傍観者でいようと決心した) I decided just to ⌈*remain* [*be*] *a spectator*.

たかめ 高目 ¶ 彼は*高めのボールに手を出した He

swung the bat at a (*rather*) *high* ball. // 野菜の値段が*高めだ Vegetable prices are *on the high side*.

たがめ 田鼈 〘昆〙giant water bug Ⓒ.

たかめる 高める (上げる) raise ㊀; (増加させる) incréase ㊀; (改善する) improve ㊀; (発達に努める) cultivate ㊀ ★ やや格式ばった語.《☞ たかまる》. ¶ 彼は怒って声を*高めた He *raised* his voice in anger. // 戦争の危険を*高める *increase* the danger of war // 当社は常に製品の質を*高める努力を重ねています We always strive to ⌈*raise* [*improve*] the quality of our products. // 教養を*高めるにはたくさんの本を読まなくてはならない We must read a lot of books to ⌈*cultivate* [*improve*] our mind.

たがやす 耕す cultivate ㊀; plow (《英》 plough) /pláʊ/ ㊀ ㊁.

【類義語】この 2 語はほぼ同意で用いられることも多い. しかし,「耕して作物を栽培する」という養い育てる意味をより強く表すのが ***cultivate*** で, その意味から発展して教養・才能などを開発するという比喩的な意味に多く用いられる. それに対して「土をひっくり返して耕す」という動作に重点を置く語が ***plow*** (《英》 ***plough***) である. ¶ 開拓者たちは土地を*耕すのに苦労した The pioneers had a hard time *cultivating* the land. // 彼らは土地を*耕して種をまいた They *plowed* the land and planted seeds.

たかゆかけんちく 高床建築 〘建〙 elevated-floor structure Ⓤ ★ 具体的建造物の意では Ⓒ.

たかようじ 高楊枝 ☞ ぶし

たから 宝 (宝物) treasure Ⓤ ★ 比喩的に「貴重な物・大切な人」という意味では Ⓒ; (高価なもの) valuables ★ 通例複数形で《☞ かほう²》.

¶ これは私の*宝です This is very ⌈*valuable* [*precious*] to me. // 潜水夫が海底に沈んだ*宝を発見した Divers found sunken *treasure* at the bottom of the sea. **宝の持ち腐れ** (活用されない所有物) unused possession Ⓒ; (隠れた才能) latent talent Ⓒ. ¶ このごろ彼女は絵を描いていない. 何という*宝の持ち腐れだ She hasn't been painting these days. What a *waste of talent*! // あんな立派なスポーツカーを持っていながら運転できないとは*宝の持ち腐れだ (⇒ なんと残念なことだ) *What a shame* that you have such a fine sports car but can't drive. 《☞ むだ; もったいない》 **宝くじ** ☞ 見出し **宝捜し** treasure hunt Ⓒ **宝島** treasure island Ⓒ **宝の山** a mountain of treasures. ¶ *宝の山を掘り当てる dig up (a) *great treasure* **宝船** treasure ship Ⓒ **宝物** treasure Ⓒ.

だから (それで・そこで) so ★ 前の節とコンマで区切って使うのが普通; (それ故に) therefore ★ 前の節を受ける形で使われる. やや格式ばった語; (それが…という理由だ) That's why … 《☞ -から》.

¶ 彼は怠け者だ. *だからいつも勉強が遅れているのだ He is lazy, *so* he is always behind the others in his studies. // 彼は一番初めに来た. *だからよい席がとれた He came first. *Therefore* [*So*; *That's why*] he got a good seat. ★ so を用いるのが最も口語的.

たからがい 宝貝 〘貝〙 cowry Ⓒ, cowrie /káʊri/ Ⓒ.

たからかに 高らかに in a loud voice, loudly.

¶ 彼はその手紙を声*高らかに読みあげた He read the letter *in a loud voice*.

たからくじ 宝くじ public lottery (ticket) Ⓒ ★ ticket は特に券や札を表す.《☞ くじ》.

たからづかかげきだん 宝塚歌劇団 ── 名 固 Takarazuka Revue Company.

たかり (ゆすりの行為) bláckmàil Ⓤ.

たかる **1** «集まる・群がる»: (主として虫などが) swarm ㊁; (人が集まる) gather ㊁. ¶ ありが砂糖に*たかっている Ants *are swarming* around the sugar. // 彼の周りには人が*たかり始めた A crowd *was gathering around* him. 《☞ ひとだかり》

2 «せびり取る»: (せがんで物をもらう) cadge … from *a person*; (人に頼って金などを吸い上げる) sponge (off …) ㊁; (強迫してゆすり取る) extort ㊀. 《☞ せびる》. ¶ その男はいつもは私に金を*たかる The man always *cadges* money *from* me. // 彼は働かないで親類に*たかることばかり考えている (⇒ …しようとする) He doesn't work, and instead always tries to *sponge off* his relatives.

-たがる 日英比較 日本語の「…たがる」は普通第 3 人称に限られるが, 以下の英語にはその制限はない. want (to *do* …), would like (to *do* …) ★ 以上 2 つは同じ内容だが, 後者が丁寧な表現; (熱心に…したがる) be ⌈eager [anxious] (to *do* …); (非常に…したがる・熱望する) long (to *do* …); 《略式》 (…したくてたまらない) be dying (to *do* …). 《☞ -たい; -したがる》.

¶ 彼はあなたに会い*たがっていますよ He *wants to* meet you. / He *would like to* meet you. ★ 第 2 文は話し相手に敬意を払っている感じ. // 彼女はとてもフランスに行き*たがっている She *is* ⌈*eager* [*longing*] *to* go to France. // 彼女はその結果をとても知り*たがっている She *is anxious to* know the results.

タガログご タガログ語 Tagalog /təgɑ́:lɔ:g/ Ⓤ.

たかわらい 高笑い ── 名 (声高な笑い) loud laugh Ⓒ; (突然の) guffaw /gʌfɔ́:/ Ⓒ ★ 後者はまれ. ── 動 laugh loudly ㊁, guffaw ㊁ ★ 前者のほうが一般的. 《☞ わらう》.

たかん 多感 ── 形 (感受性の強い) sensitive; (感傷的な) sentimental. ¶ *多感な少女 a *sentimental* girl

だかん 兌換 ── 名 conversion Ⓤ. ── 形 convertible. ── 動 convert … (to [into] …). **兌換券** convertible note Ⓒ **兌換紙幣** convertible ⌈paper money [(通貨) currency Ⓤ].

たかんしょう 多汗症 〘医〙 hyperhidrosis Ⓤ /háɪpəhɪdróʊsɪs/.

たき¹ 滝 waterfall Ⓒ, falls 語法 ほぼ同意だが, 前者が一般的. 後者は複数形で用い, 地名などとともに使われることが多い; (大滝) cátaràct Ⓒ; (階段状の小滝) cascáde Ⓒ.

¶ 華厳の*滝 the Kegon *Falls* // 男が 1 人*滝に打たれていた (⇒ 男が裸で滝の下に立っているのを見た) I saw a man standing naked under the *waterfall*. **滝つぼ** the basin of a waterfall **滝登り** ☞ こい⁴ (鯉の滝登り)

たき² 多岐 ── 形 (たくさんの) many; (さまざまな) various, diverse ★ 後者のほうが格式ばった語. 《☞ たほうめん》. ¶ 話は*多岐にわたった (⇒ いろいろな問題について語った) We talked about ⌈*various* [*many*] things. **多岐亡羊** ☞ たきぼうよう

たぎ 多義 ── 形 〘言〙 polysemous /pɑ̀lɪsí:məs/; (2 つ以上の意味のある) having more than one meaning. ── 名 〘言〙 polysemy /pəlísəmi/ Ⓤ. 《☞ あいまい》. **多義語** polysemous wórd Ⓒ.

だき¹ 唾棄 ¶ *唾棄すべき行為 (⇒ 不快な[実に不快な; 憎むべき; 卑しむべき]) a ⌈*disgusting* [*revolting*; *detestable*; *despicable*] act ★ 後の語ほど意味が強い.

だき² 惰気 《格式》 índolence Ⓤ 《☞ たいだ》.

だきあう 抱き合う hug [embráce] each other ★ hug のほうが口語的. 《☞ だく¹》.

だきあげる 抱き上げる take … into *one's* arms 《☞ だく¹》. ¶ 彼女は赤ん坊を*抱き上げた She *took* the baby *into her arms*.

たきあわせ 炊き合わせ 〘料理〙 dish of fish and vegetables each cooked separately and mixed together Ⓒ.

だきあわせ 抱き合わせ ── 形 tíe-ìn Ⓐ. ── 名

(抱き合わせ商品) tie-in Ⓒ. ―【動】have [hold; run] a tie-in sale. 抱き合わせ販売 tie-in (sale) Ⓒ.

だきおこす 抱き起こす raise ... in *one's* arms《☞ おこす¹》. ¶母親は子供を*抱き起こした The mother「*raised* [*lifted*] her child *in her arms*. / (⇒ 起き上がるのを助けて立たせた) The mother *helped* her child (*get*) *to his feet*.

だきかかえる 抱きかかえる hold [carry] ... in *one's* arms ★ carry には「運ぶ」というニュアンスがある.《☞ かかえる》. ¶その男の子は看護師に*抱きかかえられて病室に運ばれた (⇒ 看護師はその男の子を抱いて病室に運んだ) The nurse *carried* the boy into the room *in her arms*.

たきがわ 滝川 (急流) rapids ★ 複数形で.

たきぎ 薪 firewood Ⓤ. 薪能 torch-lit, open-air No(h) performance Ⓒ.

だきぐせ 抱き癖 ¶うちの子は*抱き癖がついてしまった (⇒ 抱き上げないと泣き止まないようになってしまった) Our baby keeps *crying unless*「*hugged* [*picked up*].

たきぐち 焚き口 (開口部) the opening (of a furnace); (ドア) the door (of a furnace).《☞ ろ¹》.

たきこみごはん 炊き込み御飯 (ピラフ) pilaf(f) /pɪlɑ́ːf/ Ⓤ; (説明的に) rice cooked with「meat [fish] and vegetables Ⓤ.

たきこむ 炊き込む (...と一緒に米を炊く) cook rice with ...

だきこむ 抱き込む (説得して味方に引き入れる) win [bring] ...「over [round] (to *one's* side) ★ win のほうが「獲得する」というニュアンスが強い. ¶あの男を*抱き込もう We'll「*bring* [*win*] him「*over* [*round*] *to our side*.

たきざわばきん 滝沢馬琴 ―【名】(固) Takizawa Bakin, 1767–1848; (説明的には) a novelist of the Edo period known as the author of *Nanso Satomi Hakkenden* (*Biographies of Eight Dogs*).

タキシード 《米》 tuxédo Ⓒ《複 ~s》;《略式》 tux Ⓒ,《英》 dinner jacket Ⓒ. ★《英》でも tuxedo, tux が最近は使われる.《☞ せいそう¹》.

たきしめる 薫き染める (...に香のかおりを染みこませる) íncense (他).

だきしめる 抱き締める hug (他), embrace (他) ★ 前者のほうが口語的.《☞ だく¹》.

だきすくめる 抱き竦める hug [embrace] ...「tightly [firmly]《☞ だきしめる》.

タキストスコープ 〘心〙(瞬間露出器) tachistoscope /təkístəskòʊp/ Ⓒ.

たぎたげい 多技多芸 ―【名】 vèrsatílity Ⓤ. ―【形】 vérsatile.

たきだし 炊き出し (救援食糧(としてのにぎり飯)の供給) supply of (rice balls as) relief food Ⓤ ★ 説明的訳; (無料食堂での食糧配給) supply of food at the soup kitchen Ⓤ ★ soup kitchen は被災者・困窮者のための無料食堂; (無料の食事) free meal Ⓒ.

たきたて 炊き立て ―【形】(炊いたばかりの) freshly-cooked; (ほかほか熱い) piping hot.《☞ -たて》.

だきつく 抱きつく (しがみつく) cling (to ...) (自); (相手の広げた腕の中に身を投げる) run [throw *oneself*] into *a person's* arms ★ run には「走ってきて...」というニュアンスがある.《☞ しがみつく》. ¶女の子は母親に*抱きついた The girl *clung to* her mother. / The girl「*ran* [*threw herself*] *into* her mother's *arms*.

たきつけ 焚き付け kindling Ⓤ.

たきつける 焚き付ける **1**《火をつける》: (火を起こす) make a fire; (たきぎなどすぐには火のつきにくいものに点火する) kindle (他).《☞ ひ²》. ¶ストーブを*たきつけた We *made a fire* in the stove.

2《扇動する》: egg *a person* on (to *do* ...) ★ 口語的; (そそのかして...させる) incíte (*a person* to ...) ★ to の後には名詞または動詞の原形がくる. 前者よりも格式ばった語; (しきりに勧めて...させる) urge (*a person* to *do* ...).《☞ そそのかす; けしかける》. ¶私は彼を*たきつけて校長と談判させた I *egged* him *on to* talk with the head of our school. // 我々は彼らを*たきつけて反乱を起こさせた We *incited* them *to* rebellion.

タキトゥス ―【名】(固) Publius Cornelius Tacitus, 55?–120? ★ ローマの歴史家. *Annales* (『年代記』), *Historiae* (『歴史』) などの著者.

だきとめる 抱きとめる ¶彼は転ばないように娘を*抱きとめた (⇒ 腕を差しのべて抱いた) He *threw his arms around* his daughter to stop her from falling. / (⇒ 転ぶ前に娘を腕でつかんだ) He *caught* his daughter *in his arms* before she fell.

だきね 抱き寝 ¶彼女は子供を*抱き寝した (⇒ 子供を抱いて寝た) She *slept with* her baby *in her arms*.

たきのう 多機能 multifunction Ⓤ.

たきび 焚火 (屋外での火) open-air fire Ⓒ; (大がかりな) bónfire Ⓒ. ¶私たちは*たき火をしてあたった We warmed ourselves at an *open-air fire*.

たきぼうよう 多岐亡羊 Truth is as hard to find as a sheep lost on a vast plain. ★「真実を見出すのは広い野原で見失った一頭の羊を見つけるのと同じ位に困難だ」の意. / (⇒ 分野が多すぎると真理が見つけにくい) Too many different fields will make you unable to find the truth.

だきゅう¹ 打球 〘野〙(球を打つこと) batting Ⓤ; (打った球) batted ball Ⓒ.《☞ バッティング》.

だきゅう² 打毬 *dakyu*; (説明的には) an ancient Japanese field event in which two groups of people on horseback compete in throwing balls into each goal.

たきょう 他郷 (見知らぬ土地) strange land Ⓒ; (外国) foreign [another] country Ⓒ. ¶*他郷にある[いる] be *away from home*

たぎょう た行 the *ta* column; (説明的には) the *ta* column of the Japanese syllabary.

だきょう 妥協 ―【名】 cómpromise Ⓤ ★ 具体的な事例や「妥協案」を指すときは Ⓒ. ―【動】(互いに譲って歩み寄る) reach a compromise (with ...), compromise (with ...) (自); (話し合って合意に達する) come to terms (with ...); (途中まで歩み寄る) meet *a person* halfway ★ 口語的.《☞ あゆみよる》. ¶*妥協の余地はない There is no room for *compromise*. // 私は彼と*妥協するつもりだ I am going to「*reach a compromise* [*come to terms*] *with* him. / I am going to *meet* him *halfway*. ★ 第2文のほうが口語的. // そんな条件では君たちと*妥協できない We cannot *compromise with* you on such conditions. // 我々はなんとか*妥協点を見出した We managed to「work out a *compromise* [find a *meeting point*].

妥協案 (妥協の計画[提案, 協定]) compromise「plan [proposal; agreement] Ⓒ.

たきょく 多極 ―【形】 multipolar /mʌ̀ltɪpóʊlə/. 多極化 ―【名】 multipolarization Ⓤ. ―【動】 be [become] multipolarized. ¶*多極化時代[世界] a *multipolar*「age [world] // 今や世界は*多極化している The world *has* now *become multipolarized*. 多極管〘電〙 multielectrode tube Ⓒ 多極分散〘生〙 multipolar division Ⓤ.

だきよせる 抱き寄せる ¶その男の子は縫いぐるみのくまを*抱き寄せた The boy *pulled* his teddy bear (*close*) *to him*.

たぎらす 滾らす (…を煮え立たせる) bring … to ｢a [the] boil; (煮立て続ける) keep …boiling.

たぎる (煮立つ) boil ㊀ ⟪☞ わきかえる⟫.
¶なべの中身が煮え*たぎっていた The pot *was* ｢*boiling* [*on the boil*]. ★ 前者のほうが口語的. // 怒りで胸の中が煮え*たぎる思いだった I *was boiling* (*over*) with rage. ★ boil を比喩に用いると口語的になる.

タギング tugging Ⓤ ⟪☞ つな (綱引き)⟫.

たく[1] 焚く, 炊く, 炷く **1** ⟪焚きつける⟫: (火を起こす) make a fire; (燃やす) burn ㊍. ⟪☞ やく[1] 語法; もやす⟫. ¶石炭をうんと*たいた We ｢*burned* [⟪英⟫ *burnt*] a lot of coal. // すぐ風呂を*たきましょう (⇒風呂の準備をしましょう) We'll *get* the bath *ready* right away. // 私たちは暖をとるために火を*たいた We ｢*made* [*built*] *a fire* to get warm. ★ make a fire のほうが一般的な言い方. // 香を*たく *burn* incense
2 ⟪炊く⟫: (火を使って料理する) cook ㊍; (水や液体を加えて煮る) boil ㊍. ¶ご飯をうまく*炊くのは易しくない It isn't easy to *cook* rice well.

たく[2] 宅 (自分の家) *one's* ｢house [home]; (夫) my husband. ⟪☞ うち[2]; いえ (類義語)⟫.

たく[3] 卓 (テーブル) table Ⓒ; (机) desk Ⓒ.

たく[4] 鐸 〘史〙ancient flat bell shaken to sound the tongue inside Ⓒ.

タグ ━ 名 (つけ札・下げ札) tag Ⓒ. ━ 動 tag ㊍, put a tag on …

だく[1] 抱く (両腕にかかえる) hold … (in *one's* arms); (抱きしめる) hug ㊍, embrace ㊍ ★ hug のほうが口語的; (鳥が卵を) sit (on eggs) ㊀. ⟪☞ だきしめる; だきかかえる; かかえる⟫. ¶その人は赤ん坊を*抱いていた The man ｢*held* [*had*] a baby *in his arms*. // 女の子は母親に*抱かれて (⇒母親の腕の中で) 眠ってしまった The girl fell asleep *in her mother's arms*. // 彼らは*抱き合った They ｢*hugged* [*embraced*] (each other).

だく[2] 諾 (よろしい) yes, OK; (同意) consent Ⓤ ⟪☞ だくい; だくひ⟫.

だく[3] 駄句 (下手な表現) poor expression Ⓒ; (下手な俳句) poor haiku Ⓒ.

ダグアウト 〘野〙dúgòut Ⓒ.

たくあん(づけ) 沢庵(漬け) pickled Japanese radish Ⓤ ★ 英米に存在しないものなので説明的な訳.

たぐい 類 (種類) kind Ⓒ, sort Ⓒ ★ ほぼ同意だが, sort のほうが口語的; (型・タイプ) type Ⓒ. ⟪☞ しゅるい (類義語)⟫.

だくい 諾意 (同意) consent Ⓤ; (当局などの正式な同意) assent Ⓤ; (同意の意思) intention of consent Ⓤ. ¶提案に*諾意を与える give *one's consent* to a proposal

たくいつ 択一 ☞ にしゃたくいつ

たぐいない 類ない (独特で比類ない) unique /juːníːk/; (匹敵するもののない) ùnéqualed, unparalleled; (比べるものがない) incómparable. ⟪☞ たぐいまれな⟫.

たぐいまれな 類まれな ━ 形 (まれに見る・すばらしい) rare; (並ぶもののない) matchless; (比較できないほどよい) incómparable. ¶*たぐいまれな天才 a *rare* genius // *たぐいまれな才能を持つ女性 a woman of ｢*rare* [*incomparable*] talent

たくえつ 卓越 ━ 形 (すぐれた) excellent; (傑出した) prominent; (著名な) distinguished. ━ 動 (卓越する) excél (in …) ㊀. ⟪☞ ぬきんでる⟫.

だくおん 濁音 voiced sound Ⓒ. 濁音符 ☞ だくてん

たくけい 磔刑 crucifixion /krùːsəfíkʃən/ Ⓒ.

たぐさ 田草 weeds in a rice field.

たくさん 沢山 **1** ⟪多数・多量⟫ ━ 形 (数・量いずれにも使って) a lot of …, lots of …, plenty of …; (数) many, a ｢large [great] number of …, hundreds [thousands; millions] of …; (量) much, a ｢great [good] deal of …, a large ｢quantity [amount] of …
【類義語】数・量ともに示す言葉で口語的なのは ***a lot of*** …, ***lots of*** …, ***plenty of*** … で, はじめの 2 つはほぼ同意で入れ替え可能なことが多いが, *a lot of* は「数」に, *lots of* は「量」に使われることが多い. *plenty of* は「必要以上にあり余っている」というニュアンスがある. 「数」を示す場合に一般的なのは ***many***. やや格式ばった表現は ***a*** ｢***large*** [***great***] ***number of*** … で, *great* のほうが意味が強い. 何百[何千, 何百万]もの という意味で (非常に) 多数を表すのが ***hundreds*** [***thousands***; ***millions***] ***of*** … 「量」を示すのに一般的なのは ***much***. やや格式ばった表現は ***a*** ｢***great*** [***good***] ***deal of*** …, ***a large*** ｢***quantity*** [***amount***] ***of*** … で, 前者のほうがより口語的. また *quantity* は計量器で計るような量をいうときに使い, *amount* は金額・総額などをいうときに使う. 語法 (1) 口語では, 肯定平叙文には主語の名詞を修飾する以外は many, much の代わりに a lot of, lots of などを使うのが普通だが, very many, very much なら使える. 疑問文ではいずれも可能. 否定文では not many, not much が普通. (2)「数」を示す many, a ｢large [great] number of は 名 Ⓒ の複数形を伴う.「量」を示す much, a ｢great [good] deal of は 名 Ⓤ を伴う. a lot of, lots of, plenty of は両方を伴うことができる. (3) a lot, lots, much, a ｢great [good] deal などは副詞的にも用いる. ⟪☞ おおい[1] (類義語); たいりょう[1]; たりょう; おおく⟫
¶旅行中おみやげを*たくさん買った I bought ｢*a lot of* [*lots of; a large number of*] souvenirs during the trip. // 金は*たくさんある There is ｢*a lot of* [*plenty of*] money. // ビールはあまり*たくさん飲みません I don't drink *much* beer. // 彼は本を*たくさん持っていますか Does he have ｢*many* [*a lot of*; *lots of*] books? // 非常に*たくさんの星が澄んだ夜空に輝いていた *Millions of* stars were twinkling in the clear night sky. //「あなたの故郷では雪が*たくさん降りますか」「いいえ, あまり降りません」"Do you have *much* snow in your home town?" "No, not (｢too [very]) much." // 交番の周りに人が*たくさんいた I saw ｢*a large number of* [*a lot of*] people around the police box. // (もっと)*たくさん欲しい I want *a lot* (more). // 一番*たくさんパン[りんご]を食べたのは次郎だった Jiro was the one who ate *the most* ｢bread [apples].
2 ⟪十分な⟫: enough, sufficient ★ 後者のほうが改まった語. ⟪☞ じゅうぶん[1] (類義語)⟫.
¶4 つあれば*たくさんだ Four will be ｢*enough* [*sufficient*]. // その話はもう*たくさんだ I've had *enough* of that story. / (⇒うんざりする) I'*m fed up with* that story. ★ 少しぞんざいな俗語的表現. // 冗談はもう*たくさんだ *No more* of your jokes, please. //「コーヒーのお代わりはいかがですか」「いや結構です. *たくさんいただきました」"How about another cup of coffee?" "No (more), thank you. I've had *enough*." 語法 食べ物などの場合には. 勧めるほうは How about some more …?と言い, 答えには No (more), thank you. I'm full. も使われる. ただし, これは飲み物の場合には使われない.

たくしあげる たくし上げる (そでなどを) túck úp ㊍ ⟪☞ まくる⟫.

タクシー taxi Ⓒ ⟪複 ~s, ~es⟫, cab Ⓒ ★ 後者は前者よりくだけた言い方. cab の代わりに taxicab を用いることもあるが, これはやや古風な言い方. ¶*タクシーに乗ろう Let's take a ｢*taxi* [*cab*]. // 私は空港へ*タクシーで行った I went to the airport *by taxi*. / I took a *taxi* to the airport. // 駅前で*タクシーを拾っ

た I got a *taxi* in front of the station. // *タクシーを呼んで下さい Please ⌈call [get] me a *taxi*. // 彼は*タクシーを止めた He ⌈hailed [flagged down] a *taxi*. ★ 前者は声を出して, 後者は手を上げて呼ぶ動作. // 個人*タクシー a privately owned [an owner-driver] *taxi* // 流しの*タクシー a cruising ⌈*taxi* [*cab*] タクシー運転手 taxi driver Ⓒ タクシー会社 taxi [taxicab] company Ⓒ タクシー乗り場 taxi stand Ⓒ, 《英》 taxi rank Ⓒ; 《掲示》 Taxi タクシーメーター táximèter Ⓒ タクシー料金 cab [taxi] fare Ⓒ.

タクシーイング (航空機を離着陸時に誘導すること) taxiing Ⓤ, taxying Ⓤ.

たくしき 卓識 vision Ⓤ; far-síghtedness Ⓤ. ¶ 彼は*卓識のある人物だ He is a ⌈*far-sighted* individual [person with *vision*].

たくしこむ たくし込む (たぐりよせる) hául ín ㊀; (はさみ込む) túck ín ㊀.

たくじしょ 託児所 (保育所) day [public] nursery Ⓒ ★[ ] 内は特に公立のもの; (就学前の児童を主にグループで世話する所) day-care center Ⓒ. (☞ ほいく¹).

たくしゅつ 卓出 ── 名 excellence Ⓤ. ── 動 excél ⌈in [at] ...

たくしょう 托生 ☞ いちれんたくしょう

たくじょう 卓上 ── 形 (卓上用の) desk. ¶ *卓上カレンダー a *desk* calendar

たくじょうち 卓状地 tableland Ⓒ.

たくしょく 拓殖 còlonizátion Ⓤ.

だくしょく 濁色 muddy color Ⓒ.

たくす 託す (すっかり信頼して) 《格式》 entrust ㊀; (任せる) leave ㊀. (☞ まかせる; たのむ).

だくすい 濁水 muddy water Ⓤ.

たくぜつ 卓絶 excellence Ⓤ.

たくせん 託宣 (神託) oracle Ⓒ, divine message Ⓒ; (人の命令) 《格式》 *one's* injunction; (人の厳しい指図) *one's* strict instructions.

たくそう¹ 託送 ── 動 (人に頼んで物を送る) send ... ⌈via [(under the) care of] *a person*; (特に荷物を) 《格式》 consign ㊀. ── 名 consignment Ⓤ.

たくそう² 宅送 ☞ たくはい

だくだく¹ ¶ 汗が*だくだく流れた The sweat *poured out* of me. / I *was dripping with* sweat. // 汗*だくだくで (⇒ 汗でびしょ濡れで) be *drenched in* sweat

だくだく² 諾諾 ☞ いいだくだく

たくち 宅地 residential land Ⓤ; (個々の敷地) residential ⌈site [lot] Ⓒ ★ lot のほうが狭い. 宅地債権 housing-land bond Ⓒ 宅地造成 housing land development Ⓤ; (特に埋め立て・開墾などをして) land reclamation for housing purposes 宅地建物取引業 (the) real estate business Ⓤ 宅地並み課税 taxation at the rate for housing land Ⓤ 宅地分譲 sale of housing lots Ⓒ.

タクティックス (戦術) tactics ★「戦術」の意味で tactics は単数扱い. なお, 「かけひき」の意味では複数扱いとなる.

だくてん 濁点 dots added to *kana* symbols (to indicate that the consonant is voiced) ★ 説明的な訳.

タクト 〔楽〕(指揮棒) baton /bətán/ Ⓒ (☞ しき¹). ¶ 彼がそのオーケストラの*タクトを取った (⇒ 指揮をした) He ⌈*conducted* [*directed*] the orchestra.

ダクト duct Ⓒ.

たくないそうち 宅内装置 indoor apparatus Ⓒ.

たくはい 宅配 home-delivery (service) Ⓤ. 宅配会社 home-delivery (service) company Ⓒ; (トラック配送の) trucking company Ⓒ 宅配便 (事業) home delivery service Ⓤ; (品物) parcel sent by home delivery service Ⓒ. ¶ 荷物を*宅配便で送る send a parcel by *home-delivery service*

たくはつ 托鉢 ── 名 religious mendicancy /méndik(ə)nsi/ Ⓤ ★ mendicancy は「物乞い」の意. ── 動 (施しを求める) ask [beg] for alms.

たくばつ 卓抜 ── 形 (すぐれた) excellent; (傑出した) prominent; (抜群の) eminent, preeminent ★ 2 語とも格式ばった語; (著名な) distinguished. (☞ たくえつ).

だくひ 諾否 yes or no. ¶ *諾否を問う (⇒ 受け入れられるか否かを尋ねる) ask *whether a person* will *accept* ... or *not*

タグボート túgbòat Ⓒ ★ 単に tug ともいう; (河川・運河用の) towboat Ⓒ.

たくほん 拓本 (摺り写し) rubbed copy Ⓒ, rubbing Ⓒ.

たくま 琢磨 ☞ せっさたくま

たくまざる 巧まざる natural.

たくましい 逞しい (筋骨が) brawny, muscular [語法] ほぼ同意だが, 前者には腕や脚などに肉がもりもりついているというニュアンスがある; (身体がよく発達した) well-developed; (強壮な) strong, sturdy, robust ★「強い・丈夫な」という意味では strong が最も一般的; (強じんな) tough /tʌ́f/. (☞ つよい (類義語)). ¶ 少年は*たくましい腕をしていた The boy had ⌈*well-developed* [*muscular*] arms. // 彼は*たくましい青年に成長した He has grown into a ⌈*robust* [*sturdy*] young man. // 想像を*たくましくしてみた (⇒ 想像力を奔放に働かせた) I *gave full* ⌈*play* [*rein*] to my imagination. // 彼女は商魂*たくましい She is very business-minded.

たくましゅうする 逞しゅうする ☞ たくましい

たくまずして 巧まずして naturally.

タグマッチ ☞ タッグマッチ

たくみ¹ 巧み ── 形 (上手な) good; (熟練した) skillful (《英》 skilful). ── 副 (上手に) (very) well; skillfully (《英》 skilfully). (☞ うまい [語法]; じょうず).

たくみ² 工, 匠 《格式》 artisan /ɑ́ːtəz(ə)n/ Ⓒ.

タクラマカン ── 名 ㊐ the Takla Makan /tàːkləməkɑ́ːn/ (Desert).

たくらみ 企み (ひそかに練った陰謀) plot Ⓒ; (悪だくみ) scheme Ⓒ ★ 単に「計画」という意味が普通だが, 前後関係で悪い意味になる; (多人数で共謀したたくらみ・謀反) conspíracy Ⓒ ★ やや格式ばった語. (☞ いんぼう (類義語); けいりゃく). ¶ あいつらの*たくらみはわかっている I am aware of their *plot*. // 彼らの政府転覆の*たくらみに巻き込まれた I was involved in their *conspiracy* against the government.

たくらむ 企む (ひそかに悪だくみをする) plot ㊀; (多人数で共謀する) conspire ㊀ ★ 前者より格式ばった語; (人を欺く計画を立てる) scheme ㊀; (何かよくないことを計画する) be up to ... ★ 口語的. (☞ もくろむ). ¶ 彼は妻の殺害を*たくらんだ He *plotted* ⌈the murder of his wife [to murder his wife]. // 彼らは政府打倒を*たくらんだ They *schemed* to overturn the government. // 彼らは大臣の失脚を*たくらんだ They *conspired* ⌈to ruin the minister [the ruin of the minister]. // 子供たちは何かよからぬこと (⇒ 何か) を*たくらんでいる The kids *are up to* ⌈something [(⇒ いたずらを) some mischief].

たくらん 托卵 (ホトトギス, カッコウなどの) brood parasitism Ⓤ, deposition Ⓤ.

たぐりづり たぐり釣り ── 名 fishing with hand lines Ⓤ. ── 動 fish (for ...) with a hand line.

だくりゅう 濁流 (速い泥まじりの流れ) rapid

muddy stream Ⓒ.

たぐりよせる 手繰り寄せる (網などを) haul [pull] in ⊕《☞たぐる》. ¶魚が入っているか見ようと彼はできるだけ近くまで網を*手繰り寄せた He ˹*hauled* [*pulled*] *in* the net as close as possible to see if there were any fish in it.

たぐる 手繰る (糸などを) hául ˹in [úp] ⊕, dràw in ⊕, pull in ⊕ [語法] draw には「滑らかに」, pull は力を入れて引く, haul には「強く」引っ張るというニュアンスがある; (記憶などを) retrace ⊕.
¶少年は凧(たこ)を*たぐった The boy *pulled in* the kite.

たくれる be tucked [get turned] up (to wrinkle).

たくろうしょ 宅老所 nursing-care center for elderly people Ⓒ; (主に老人用の個人病院) nursing home Ⓒ.

たくろん 卓論 sound [good] argument Ⓒ, clever view Ⓒ.

たくわえ 蓄え, 貯え (貯金) savings ★ 複数形で; (貯蔵) store Ⓒ.《☞たくわえる; ちょきん》.
¶*蓄えは全然ない[多少ある] I have ˹no *savings* at all [some *savings*]. // 燃料の*蓄えが尽きた (⇒ 使い切った) We've run out of fuel. // 食糧の*蓄えは十分にある (⇒ 食糧は余るほどある) We have plenty of food.

たくわえる 蓄える, 貯える (貯金する) save ⊕; (後々のために取っておく) pùt ... ˹awáy [asíde]; (貯蔵する) store ⊕; (ためこんでおく) stóre ˹úp [awáy] ⊕; (体力などを増強する) build up ⊕.《☞ちょきん; ちょぞう》.
¶ 定年に備えて多少は*蓄えておかねばならない I'll have to *put* something *away* for my retirement. // 冬を過ごすのに十分な食糧を*蓄えた We *have stored* ˹*up* [*away*] enough food to last through the winter. // 体力を*蓄える *build up one's* strength // ひげを*蓄える *have* [*wear*] a beard

たけ¹ 竹 bambóo Ⓤ ★ 形容詞的にも用いる.
¶*竹のさお a *bamboo* pole 竹を割ったような ―[形] stráightfórward **竹馬** ☞見出し **竹垣** bamboo fence Ⓒ **竹籠** bamboo basket Ⓒ **竹冠** ☞見出し **竹釘** bamboo nail Ⓒ **竹串** bamboo skewer Ⓒ **竹細工** bamboo work Ⓤ **竹ざお** bamboo pole Ⓒ **竹筒** bamboo tube Ⓒ **竹鉄砲** (toy) bamboo ˹pistol [gun] Ⓒ **竹とんぼ** simple toy helicopter made of bamboo rotor blades Ⓒ ★ 日本独特のものなので, 説明的な訳. **竹に雀** (紋所の図柄) family crest of sparrows in a bamboo grove Ⓒ; (比喩的に, よい組み合わせ) good ˹combination [match; pair] Ⓒ **竹の皮** bamboo sheath Ⓒ **竹の子** ☞見出し **竹箸** bamboo chopsticks **竹林** bamboo thicket Ⓒ **竹ひご** thin bamboo stick Ⓒ, thinly-split bamboo Ⓤ **竹笛** bamboo whistle Ⓒ **竹べら** bamboo spatula Ⓒ **竹ぼうき** bamboo broom Ⓒ **竹光** ☞見出し **竹やぶ** *bamboo* ˹thicket [grove] Ⓒ ★[ ]内は小さな竹林. **竹矢来** bamboo palisade Ⓒ **竹槍** bamboo spear Ⓒ.

たけ² 丈 (長さ) length Ⓤ; (高さ) height Ⓤ.《☞ながさ; たかさ; しんちょう¹》. ¶このスカートはちょっと*丈が長すぎる [短すぎる] This skirt is a little too ˹*long* [*short*] for me. // 思い[心]の*丈を述べる *pour out one's* ˹*feelings and thoughts* [*heart*] *to a person* / *tell a person what one is thinking*《☞おもいのたけ》

たけ³ 他家 another family.

たけ⁴ 茸 mushroom Ⓒ《☞きのこ》. ¶松*茸 a matsutake *mushroom*

-たけ …岳, …嶽 Mountain, Mount, Mt. ★ 最初の語は山名の後に, 後の2つは前に付ける《☞-さん³》. ¶乗鞍*岳 *Mount* [*Mt.*] Norikura / Norikura *Mountain*

-たげ (…したそうな様子である) look ˹anxious [eager] to *do* ...; (…かのように見える) look [seem] ˹as if [like] ... ¶彼女はその件で父と話し*たげである She *looks* ˹*anxious* [*eager*] to talk to her father about the matter. // 彼は何か食べ*たげだ He ˹*looks* [*seems*] ˹*as if* [*like*] he wants something to eat.

-だけ¹ **1《限定》** ―[副] (ただ…だけ) only, merely, just [語法] (1) only が最も一般的で, merely は文語的な感じの語. just は口語的な語で, only ほど限定の意味は強くない; (単に…にすぎない) simply; (ひとりで) alone. ―[形] (ただ…だけの・唯一の) only Ⓐ; (単なる) mere Ⓐ [語法] (2) only より文語的な語. ただし, The *mere* sight ...のような表現では only とは入れ替えられない.《☞-しか; ただ¹ (類義語); -ばかり; すぎない》.
¶私が使ったのは千円*だけだった I *only* spent one thousand yen. // 彼女の居所を知っているのはあの人*だけだ (⇒ 彼が知っている唯一の人だ) He is the *only* person that knows her whereabouts. // その医学生は血を見た*だけで気を失った The medical student fainted at the *mere* sight of blood. // 私の持っている金はこれ*だけだ (⇒ これが全部だ) This is *all* the money I have. // 私は本当のことを言った*だけだ I ˹*only* [*simply*] told the truth. // 彼女は私をちらと見た*だけだった She ˹*only* [*merely*] gave me a glance. // 週1回来てくれる*だけでいい You *only* have to come and see me once a week. [語法] (3) only have to *do* ... で「…するだけでよい」の意. / (⇒ あなたがしなければならないことは週1回来ることだけだ) *All* you have to do is come and see me once a week. [語法] (4) all ... で始まる文は米口語では述語に原形不定詞が使われることが多い. // それを見た*だけで胸がわくわくする The *mere* sight of it excites me. // 彼女はピアノ*だけでなくバイオリンも弾く She plays not *only* the piano, but also the violin. / She plays the piano, *and* the violin *as well*. // 一度*だけでいいから南極地方を探検してみたい I wish I could explore the Antarctic *at least* once in my life.

2《程度・範囲》: as ... as《☞かぎり》.
¶できる*だけ早く来て下さい Please come *as* soon *as* ˹possible [you can].
水を飲める*だけ飲んだ I drank *as* much water *as* I could.
これ*だけで十分だろう *This* will be enough.
できる*だけのことはしましょう I'll do *all I can*. / (⇒ 最善を尽くしましょう) I'll *do my best*.

3《評価》 ¶この本は読む*だけの価値がある This book is *worth* reading.
骨を折った*だけのことはあった (⇒ 努力は報われた) My efforts *were rewarded*.

-だけ² …岳, …嶽 ☞-たけ

-だけあって ¶ここは標高が高い*だけあって (⇒ 高い標高から予想されるように) 本当に涼しいね It is really cool up here, *as may be expected at* this high altitude. // 彼は相撲博士といわれる*だけあって (⇒ いわれていて) 相撲のことは実によく知っている *As he is called* a walking dictionary on sumo (wrestling), he knows almost everything about it.《☞-だけに》

たげい 多芸 ―[形] versatile /vɑ́ːsətl/. ―[名] versatílity Ⓤ. **多芸は無芸** Jack of all trades, (and) master of none.《ことわざ: 何でも一応やる人はどれも大して上手ではない》.

たけいせいマーカー 多形性マーカー polymorphic marker Ⓒ.

たけうま 竹馬 stilts ★ 2つで1組のため通例複

数形で. ¶*竹馬に乗る walk on *stilts*
だけかんば 岳樺 Erman('s) birch Ⓒ.
たけかんむり 竹冠 (漢字の) bamboo radical at the top of kanji Ⓒ.
だげき 打撃 **1**《痛手》: blow Ⓒ; (衝撃) shock Ⓒ; (損害) dámage Ⓤ. 《☞ いたで; ショック; そんがい》. ¶妻の死は私にとって大きな*打撃だった My wife's death was a great ⌈*blow* [*shock*] to me. **2**《野球》: batting Ⓤ 《☞ バッティング》. **打撃戦** 《略式》 slugfest Ⓒ, hitfest Ⓒ; (説明的に) game with many hits and runs Ⓒ.
たけくらべ 丈比べ a comparison of heights. ¶子供たちは*丈比べをしていた The children *were seeing which was taller.*
たけしま 竹島 —名 (固) Takeshima; (韓国語名) Tok-do, Dok-do ★「独島」; (英語名) Liancourt Rocks. **竹島領有権問題** the territorial ⌈dispute over [issue of] Takeshima.
たげた 田下駄 *geta*-shaped footwear for working in a rice field ★ 説明的な訳.
たけだけしい 猛々しい (どうもうな) ferocious; (勇敢な) brave. ¶*たけだけしい虎 a *ferocious* tiger // 盗人*たけだけしい (⇒ 恥知らずである) be ⌈shameless [brazen] / (⇒ ずうずうしい) have ⌈a lot [plenty] of nerve
たけだしんげん 武田信玄 —名 (固) Takeda Shingen, 1521–1573; (説明的には) the daimyo of Kai (Yamanashi Prefecture) during the Warring-States and Azuchi-Momoyama periods. 《☞ だいみょう》.

だけつ 妥結 —動 (解決する) come to a settlement; (合意に達する) reach (an) agreement. 語法 具体的な条件, 契約などの場合には不定冠詞が付く. —名 (解決) settlement Ⓒ; (意見の一致) agreement Ⓤ ★ 具体的な協定・契約の意では Ⓒ. ¶労使の交渉は*妥結した (An) *agreement was reached* between labor and management. **妥結額** the average pay raise agreed upon (between labor and management) **妥結条件** terms of agreement ★ 複数形で.
たけつしょう 多血症 〔医〕 repletion Ⓤ.
たけっしょう 多結晶 pòlycrýstal Ⓒ.
だけど(も) ☞ だけれども
たけとりものがたり 竹取物語 *Taketori-monogatari, The Tale of the Bamboo Cutter*; (説明的には) the oldest Japanese folktale of an old bamboo-cutter and his moon princess.
たけなが 丈長 —形 long. ¶*丈長の袖を詰めてもらった I had my *long* sleeves shortened.
たけなわ —動 (…が最高潮にある) be in full swing, be at ⌈its [the] peak 語法 後者は絶頂を表し, 前者は事がどんどん進行している様子を表す; (…のさなかにある) be in the midst of … 《☞ さいこうちょう》. ¶選挙戦は*たけなわとなった The election campaign *is at its peak.* // 宴会は*たけなわだった The banquet *was in full swing.* // 秋まさに*たけなわである We *are in the midst of* fall. / Autumn *is well* ⌈*advanced* [*on*].
-だけに ¶彼は苦労が多かった*だけに (⇒ 苦労が多かったので, それだけいっそう) 成功の喜びはひとしおだ He is *all the more* delighted with his success *because he has* gone through a lot of hardship(s). // 仕事が仕事*だけに (⇒ 仕事の性質のゆえに) 雨の日はつらいものがある *Owing to* [*On account of*] *the nature of* my job, I have a hard time on rainy days. 《☞ -だけあって》
たけのこ 筍, 竹の子 〔植〕 bámboo ⌈shóot [spróut] Ⓒ ★ ほぼ同意だが, 前者のほうが一般的. **雨後のたけのこのように** ☞ うご **筍生活** —動 live by selling off *one's* belongings (one by one) for food **筍の皮** ☞ たけ¹ (竹の皮) **筍飯** boiled rice mixed with sliced bamboo shoot Ⓤ.
たけみつ 竹光 bamboo sword Ⓒ; (なまくらの刀) blunt [dull] sword Ⓒ.
たけもとぎだゆう 竹本義太夫 —名 (固) Takemoto Gidayu, 1651–1714; (説明的には) a narrator of *joruri* and the originator of *gidayu.* 《☞ じょうるり; ぎだゆう; たゆう》.
たけりくるう 猛り狂う rage (自).
たけりたつ 猛り立つ ☞ たけりくるう
たける¹ 長ける ¶彼女は商才に*たけている (⇒ ビジネスの才能をもっている) She *has a* ⌈*head* [*talent*] for business. // 世故に*たけた人 a *worldly* person/ a person *of the world* ★ 前者のほうが口語的.
たける² 猛る —形 (荒々しい) violent; (荒れ狂う) raging.
たける³ 闌ける (深まる) be at ⌈its [the] height; (さかりを過ぎる) be on the wane. ¶秋も*たけた Autumn *is well advanced.* // 彼女の人気も*たけた Her popularity *is on the wane.*
ダゲレオタイプ ☞ ぎんばんしゃしん
だけれども (…にもかかわらず) though …, although … ★ 後者のほうが格式ばった語; (しかし) but …; (しかしながら) however. 《☞ けれど(も); だが》.
たげん¹ 多元 —形 (多元的な) pluralistic /plʊ̀(ə)rəlístɪk/. **多元放送** broadcasting from multiple locations Ⓤ; multiplex broadcasting Ⓤ **多元方程式** 〔数〕 hypercomplex equation Ⓒ **多元論** pluralism /plʊ́(ə)rəlìzm/ Ⓤ.
たげん² 多言 (冗長でくどいこと) verbosity /vəːbásəti/ Ⓤ; (多弁) 《格式》 loquacity /loʊkwǽsəti/ Ⓤ; (べらべらとよくしゃべること) garrulousness /gǽrələsnəs/ Ⓤ. 《☞ たべん; おしゃべり》. **多言を要しない** ¶その件に関しては*多言を要しない (⇒ くどくど話す必要はない) *There is no need to dwell on* the matter.
だけん 駄犬 cur Ⓒ; (雑種) mongrel (dog) Ⓒ (↔ pedigree dog).
だげんがっき 打弦楽器 struck-stringed instrument Ⓒ.
たげんご 多言語 —形 multilingual /mʌ̀ltɪlíŋgwəl/. **多言語辞典** multilingual dictionary Ⓒ **多言語使用** multilingualism Ⓤ **多言語(併用)社会** multilingual society Ⓒ.
たこ¹ 凧 kite Ⓒ. ¶*凧をあげる fly a *kite* // *凧をおろす bring down a *kite* **凧揚げ** kite-flying Ⓤ **凧糸** kite string Ⓒ **凧合戦** kite battle Ⓒ **凧の尾** kite tail Ⓒ.
たこ² 蛸 〔動〕 óctopus Ⓒ. **たこ足配線** —動 connect too many appliances to a single outlet ★ 説明的な訳. **たこ壺** octopus trap Ⓒ, octopus pot Ⓒ **たこ入道[坊主]** (坊主頭の人) man with a ⌈shaven [close-cropped] head Ⓒ; (はげ頭の人) bald-headed man Ⓒ **たこ配当** bogus [fictitious] dividend Ⓒ, dividend from capital Ⓒ **たこ部屋** labor camp Ⓒ **たこ焼き** *takoyaki* Ⓒ; (説明的には) small dumpling with (pieces of) octopus wrapped in dough Ⓒ.
たこ³ (皮膚の堅くなった部分) callus Ⓒ. **耳にたこができる** ☞ みみ
たご 担桶 wooden ⌈bucket [pail] (carried at either end of a pole) Ⓒ.
たこう¹ 多幸 (幸せ) happiness Ⓤ. ¶ご*多幸を祈ります I wish you *every happiness* (*and prosperity*).
たこう² 多孔 —形 (多孔(性)の) pórous. **多孔質** —形 (多孔質の) porous **多孔性物質** po-

rous ⌈substance Ⓒ [matter Ⓤ]　**多孔度[性]** porosity Ⓤ.

たこう³ 他校　(単数) another school; (複数) other schools. ⦅☞ ほか 1⦆. ¶ 彼は*他校へ転校していった He transferred to *a different school*.

たこう⁴ 他行　(単数) another bank; (複数) other banks. ⦅☞ ぎんこう¹⦆.

だこう 蛇行　―― 動 (川・道などがくねくねと曲がる) wind /wáɪnd/ (自), meander /miǽndə/ (自) ★ 前者のほうが一般的; (ジグザグに進む) zígzàg (自).

たこうしき 多項式　〘数〙 polynomial /pɑ̀linóumiəl/ Ⓒ.

たこうていり 多項定理　〘数〙 polynomial [multinomial] theorem Ⓒ.

たこく 他国　(他の国々) other countries; (外国) foreign country Ⓒ.　**他国者** (外国人) foreigner Ⓒ; (よそ者) stranger Ⓒ. ⦅☞ がいじん 【日英比較】⦆.

だこく 打刻　―― 動 (金属などに文字や数字を刻む) inscríbe (他); (タイムレコーダーに時刻を記す) recórd the tíme.

たこくかん 多国間　―― 形 multilateral, multinational.　**多国間協議** multilateral negotiation Ⓒ　**多国間協定** multilateral agreement Ⓒ　**多国間主義** multilateralism Ⓤ　**多国間投資保証機関** the Multilateral Investment Guarantee Agency ⦅略 MIGA⦆.

たこくせき 多国籍　**多国籍企業** mùltinátional corporation Ⓒ　**多国籍軍** multinational forces; (湾岸戦争の) allied forces ★ 複数形で.

タコグラフ　(自記回転速度計) tácho̧gràph Ⓒ.

たごさく 田吾作　(農民) farmer Ⓒ; (小作農) peasant Ⓒ; (田舎者) country person Ⓒ; (country) bumpkin Ⓒ ★ 軽蔑的に.

タコス　(メキシコ料理) taco /tá:kou/ Ⓒ.

たごとのつき 田毎の月　the moon reflected in each paddy field.

たこのき たこの木　〘植〙 screw pine Ⓒ.

タコメーター　tachometer /tækɑ́mətə/ Ⓒ.

たごん 他言　―― 動 (人に言う) tell ... to others; (秘密などを洩らす) let out (他).　**他言無用** ¶ *他言無用だ (⇒ 秘密にしておけ) Keep it secret. / *Don't let it out*.

ださ 打差　¶ ⦅ゴルフで⦆ 2 位と 5*打差の優勝 a five-*stroke* victory over the second-place player

たさい¹ 多彩　―― 形 (いろいろな) various /vé(ə)riəs/ 【語法】 述語的に使うと格式ばった言い方になる. ¶ 私たちの学校では今年 100 周年を祝って*多彩な行事が行われる Our school holds *various* activities to celebrate its centennial this year.

たさい² 多才　―― 形 multi-talented; (多方面にわたる才能のある) versatile /vә́:sətl/ ★ 後者のほうが格式ばった語; (スポーツなどが万能の) all-around ⦅英⦆ all-round) ★ 通例 Ⓐ で. ¶ 彼は*多才な人だ He is a ⌈man of *many talents* [*multi-talented* man]. / (⇒ いろいろなことが上手[器用]だ) He is ⌈*good* [*clever*] *at many different things*. // *多才な芸能人 a *versatile* entertainer

たさい³ 多妻　(一夫多妻) polygyny /pəlídʒəni/ Ⓤ ⦅☞ いっぷたさいせい⦆.

ださい　―― 形 (ぶざまな) awkward; (センスがない) tasteless; (やぼな) ⦅略式⦆ tacky; (身なりがだらしない) dowdy; (いなか風の) rustic, provincial. ¶ 彼女は身なりが*ださい She is ⌈*awkwardly* [*tastelessly*] dressed. / She's a *tacky* dresser. / (⇒ 服のことになるとセンスがない) She *has terrible taste* when it comes to clothes.

だざいふ 大宰府　―― 名 (固) (律令制で九州に置かれた地方官庁) Dazaifu; (説明的には) a local government office in earlier times in Japan, located on the island of Kyushu.

たさいぼうせいぶつ 多細胞生物　multicellular organism Ⓒ.

たさく 多作　―― 形 productive, prolífic 【語法】 前者のほうが一般的で, 量ばかりでなく作品の質もよいというニュアンスがあるが, 後者は単に作品数が多いという意. ¶ *多作な小説家 a ⌈*prolific* [*productive*] novelist

ださく 駄作　poor work Ⓒ.

たさつ 他殺　(殺人) murder Ⓤ; (他殺事件) murder Ⓒ. ⦅☞ さつじん¹⦆. ¶ 連続*他殺事件 a series of *murder cases*

たさん 多産　―― 形 (生産的な・多産の) productive; (子をたくさん産む) prolífic ★ 前者のほうが意味が広く, 一般的.

ださんてき 打算的　―― 形 cálculàting ⦅☞ よくとくずく⦆. ¶ 彼は*打算的な男だ (⇒ 打算的なタイプの人だ) He's the *calculating* type.

たざんのいし 他山の石　(実例による戒め) óbject lèsson Ⓒ ⦅☞ いましめ¹⦆. ¶ 彼の失敗を*他山の石とせよ (⇒ 実例の戒めと考えよ) You should *take* his failure *as an object lesson*. / (⇒ 彼の失敗から学ぶべきだ) You should *learn from* his failure. ★ 第 2 文のほうが口語的.

たし 足し　―― 名 (助け) help Ⓤ; (利益) use Ⓤ. ―― 動 (助けになる) help (他) (自); (不足を補う) súpplemènt (他).

¶ それは何の*足しにもならなかった (⇒ 大して助けにならなかった) It didn't *help* much. / (⇒ 大して役に立たなかった) It wasn't of much *use*. ★ 第 2 文は第 1 文より格式ばった表現. // これを何かの*足しにして下さい (⇒ これが多少とも役に立つことを願う) I hope this will *help* a ⌈bit [little]. ★ a bit のほうが口語的. // アルバイトをやって収入の*足しにした (⇒ 収入を補った) I *supplemented* my income by ⌈doing part-time jobs [moonlighting]. // キャンディーは腹の*足しにならない (⇒ 飢えを満たさない [飢えを食い止めない]) Candies are not enough to ⌈*satisfy* [*stave off*] my hunger.

たじ 他事　other people's affairs. ¶ その時は*他事を顧みる時間がなかった I had no time to think about *other* ⌈*things* [*matters*] then. // 一同無事にしておりますので*他事ながら御安心ください I'm happy to assure you we are all well. ★「他事ながら」は特に訳す必要はない.

だし¹ 出し　**1** ⦅煮出し汁⦆: stock Ⓤ. ¶ *だしを取る make *stock* (for soup)

2 ⦅口実⦆: pretext /prí:tekst/ Ⓒ; (道具) tool Ⓒ. ⦅☞ こうじつ¹; どうぐ⦆.　**だしにする** ¶ 彼は私を*だしにして冗談を言った He told a joke *at* my *expense*. // 彼は部活を*だしにして (⇒ いいわけにして), よく勉強をさぼる He often *uses* his club activities *as an excuse* to neglect his studies.　**だしに使う** ¶ 私は人集めの*だしに (⇒ 道具として) 使われた I *was used as a tool* to draw an audience.

だし² 山車　(festive) float Ⓒ.

だしあう 出し合う　(金を) ⦅英⦆ club together (自); (共同出資する) pool (他). ¶ 私たちは金を*出し合って車を買った We ⌈*clubbed together* [*pooled* our money] to buy a car.

だしいれ 出し入れ　―― 動 (物を出し入れする) get (things) in and out 【日英比較】 (1) 日本語と英語では順序が反対になることに注意. ―― 名 (金の出し入れ) receipts and payments ★ 複数形で. 【日英比較】 (2) 日本語と英語では順序が反対になることに注意. ¶ この引き出しは物の*出し入れに不便だ These drawers are inconvenient for *getting things in and out*. // 金の*出し入れは彼の担当だ He is in charge of *receipts and payments*. / (⇒ 彼は

会計係だ) He is the *treasurer.*
だしおくれ 出し遅れ ¶申し込みを*出し遅れた I *didn't send* (in) my application *in time.* / I *sent* my application *too late.*
だしおしみ 出し惜しみ grudgingness Ⓤ.
だしおしむ 出し惜しむ grudge ㊙,《格式》begrudge ㊙.《☞ おしむ(類義語); だししぶる; しぶしぶ》. ¶彼は費用を*出し惜しんだ He *grudged* the expenses. / (⇒ 気が進まなかった) He *was reluctant to pay* the expenses. ★ 第2文のほうが口語的.
たしか 確か ━形 (確信のある) sure, certain; (明確な) clear, définite, positive; (信頼できる) reliable, trustworthy; (正しい) correct; (正確な) áccurate; (正気の) sane; (腕の確かな) able, cómpetent. ━副 surely, certainly; (疑いもなく) undoubtedly; (恐らく・多分) probably, perhaps, no doubt《☞ おそらく》; (確かに…と思う) I believe ★ 挿入句として用いる.
【類義語】**sure** と **certain** の2語の意味・用法はほぼ同じだが, 主観的に確信していることを表すのが **sure**. 客観的な証拠や事実に基づいて確かだということを表すのが **certain**. 従って「人」が主語のときには, 口語では *sure* を使う頻度が高く, *It is* … の構文では **sure** は用いられない. また明白ではっきりしているという意味で最も一般的で広く使われる語は **clear**. ただし細部にわたってはっきりと規定されているということを表すのは **definite**. ((例) 確答 a *definite* answer). 非常に強い意味で, 決定的に明白な態度または事実を表す語が **positive**. また頼りになるという意味で確かなのが **reliable**. 単に主観的だけではなくいままでの実績から考えて信頼が置けるという意味で確かなのが **trustworthy**. 正確なことを表すのは **correct**, **accurate** だが, 後者は努力と注意を払って正確になることを言う. ((例) 正確な計算 *accurate* calculation)《☞ せいかく[1] (類義語)》. 精神に病的な異常がないというのが **sane**. 能力があって腕が確かなのは **able**. ある特定の仕事について言う場合, 有能で腕が確かなのが **competent**.《☞ かくじつ[1]; かくしん[1]; かならず (類義語); きっと[1] (類義語)》
¶「*確かですか」「ええ, *確かですとも」"Are you *sure*?" "Yes, I ám. / Yes, I'm *súre.*" // 帽子をここに置いたのは*確かかい Are you *sure* you put your hat here? // あの人は*確かに来ますよ He will ˹*definitely* [*certainly*] come. / He's ˹*certain* [*sure*] to come. / (⇒ 彼が来ることは確実だ) It's *certain* that he will come. ★ 第1文が最も一般的. 後のものほど格式ばった表現. なお, 第3文には sure は用いられない. / (⇒ 彼が来ると確信している) I'm ˹*sure* [*certain*] (that) he will come. // *確かな証拠を見せてもらおう Give me *positive* proof. // これは*確かなことだ This is ˹a *certain* [an *undisputable*] fact. // 彼から*確かな返事は得られなかった He gave us no *definite* answer. // その点はまったく*確かです (⇒ 確信があります) I am quite ˹*sure* of [*positive* on] that point. // 彼女が私を愛していることは*確かだ (⇒ 愛していることを疑わない) I ˹*don't doubt* [*have no doubt*; *am in no doubt*] that she loves me. // 彼女は*確かに有能な経営者だ She is ˹*undoubtedly* [*certainly*] a competent manager. // そのニュースの出所は*確かだ The news comes *from a reliable* source. // あれは*確かな男か Is he *trustworthy*? // 彼女の運転の腕は*確かだ (⇒ 非常に上手な運転手だ) She is a very *skil(l)ful* driver. // 彼女が来たのは*確か (⇒ もし私の記憶が正しければ) 先週の火曜です She came to see me last Tuesday, *if my memory serves* (*me*) *right.* // *確か君は四国出身でしたね You're from Shikoku, *I believe.* **確からしさ** ☞ かくりつ[2]

たしかめる 確かめる (念のために確かめる) make … ˹sure [certain] 〔語法〕後に節が続くときは make sure (that) … の形となる. make sure のほうが一般的. 両語の違いについては《☞ たしか》; (照合などによって確かめる) check ㊙; (確認する) confirm ㊙; (検証する)《格式》verify ㊙; (見定める) see ㊙.《☞ かくにん》.
¶彼が在宅かどうか*確かめなさい *Make sure* he's at home. // 彼女は来ると思うが*確かめたほうがいい I think she'll come, but you'd better *make sure.* // 名簿を*確かめてみましょう I'll *check* the name list. // それを辞書で*確かめてみて下さい Please *check* it in the dictionary. // 彼の話は*確かめる必要がある (⇒ 確認しなくてはならない) We must ˹*confirm* [*verify*] his story. // 真偽を*確かめねばならない We should *see* if it's true or not.
だしがら 出し殻 (コーヒーなどのかす) grounds ★ 複数形で; (お茶のかす) used tea leaves.
タジキスタン ━名 ⓟ Tajikistan; (正式名) the Republic of Tajikistan ★ 中央アジア西部の国.
だしきる 出し切る (力や金を使い果たす) exhaust ㊙, use up ㊙.
タジク ☞ タジキスタン
タシケント ━名 ⓟ Tashkent ★ ウズベキスタンの首都.
だしこんぶ 出し昆布 *dashikombu* Ⓤ; (説明的には) dried sea tangle for making Japanese soup stock Ⓤ.
たしざん 足し算 ━名 addition Ⓤ (↔ subtraction). ━動 (足し算をする) add ⓘ (↔ subtract).《☞ たす; 数字 (囲み)》. ¶彼は*足し算が速い He is quick at *addition.* // あの子はまだ*足し算もできない The child cannot even *add* yet.
だししぶる 出し渋る (いやいや与える) grudge ㊙,《格式》begrudge ㊙; (与えることに気が進まない) be unwilling to give …《☞ だしおしむ; しぶる》.
だしじゃこ 出し雑魚 *dashijako* Ⓤ; (説明的には) boiled and dried small sardines used in making miso soup stock ★ 複数形で.
だしじる 出し汁 broth Ⓤ, stock Ⓤ.
たしせいせい 多士済済 ¶この課は*多士済々だ This section has an ˹*excellent* [*outstanding*] *staff.*
たしせんたくほう 多肢選択法 multiple choice method Ⓒ. **多肢選択法テスト** multiple-choice test Ⓒ.
たじたじ ¶彼は彼女の鋭い語気に*たじたじとなった He *was staggered* by her sharp tone of voice.《☞ たじろぐ; しりごみ; 擬声・擬態語 (囲み)》
たじたたん 多事多端 ━形 (出来事の多い) eventful; (忙しい) very busy.
たじたなん 多事多難 ━形 (波乱に豊んだ) turbulent; (難事の多い) troublesome.
たしつ 多湿 high humidity Ⓤ. ¶ここの夏は高温*多湿だ The summer here is *very* hot and *humid.*
たじつ 他日 (いつか) someday; (現在と区別して, また別の日 [時] に) some other ˹day [time].《☞ いつか; そのうち》.
だしっぱなし 出しっ放し ¶水道を*出しっ放しにする *leave* the water *running* // おもちゃが床に*出しっ放しになっていた The toys *were left lying around* on the floor.
だしなげ 出し投げ (相撲の) *dashinage* Ⓤ; (説明的には) pulling throw Ⓤ.
たしなみ 嗜み (慎しみ) modesty Ⓤ; (優美さ) délicacy Ⓤ; (嗜好・趣味) taste Ⓤ. ¶彼女は音楽にたしなみが深い (⇒ 洗練された音楽の趣味を持っている) She has sophisticated musical *taste.*

たしなむ 嗜む ¶酒はいささか*たしなみます (⇒ 少し飲む) I *drink* ⌈a little [in moderation]. // 酒は一滴も*たしなみません (⇒ 全然飲まない) I don't *drink* at all.

たしなめる (しかる) scold ⊕; (叱責する) reprove ⊕ ★ 格式ばった語. (☞ しかる; とがめる). ¶母親は息子の無作法を*たしなめた The mother *scolded* her son *for* his impoliteness.

だしぬく 出し抜く (裏をかく・だます) òutwít ⊕, òutsmárt ⊕ ★ 後者のほうが口語的; (機先を制する) steal a march on ...; (...より有利になる) gain [win] an advantage over ... (☞ うら). ¶あの男を*出し抜いてやった I ⌈*outwitted* [*outsmarted*] him. // その会社は競争相手を*出し抜いて新型を発表した The company *stole a march on* their competitors and published a new ⌈version [model]. // 彼らは互いに*出し抜こうと懸命だった (⇒ 他より有利になろうとした) They tried very hard to ⌈*gain* [*win*] *an advantage over* one another.

だしぬけ 出し抜け ―副 (突然(に)) suddenly, all of a sudden ★ 後者のほうが突然の意味が強い; (不意に) abruptly; (思いがけなく) unexpectedly. (☞ とつぜん; きゅう[1]). ¶「もうおいとまします」と彼は*出し抜けに言った "Now I must say goodbye," he said *suddenly*. // 彼は*出し抜けに私に結婚してくれと言った *All of a sudden* he proposed to me.

たしまえ 足し前 supplement Ⓒ.

だしまえ 出し前 *one's* share Ⓒ. ¶我々は各自*出し前を払った Each of us paid *his/her share*.

だしまきたまご 出し巻き卵 omelet(te) roll Ⓒ; (説明的には) rolled omelet(te) with *dashi* (stock), sugar, *mirin* (sweet rice wine) and salt added.

だしもの 出し物 (上演目録) program (《英》 programme) Ⓒ (☞ プログラム; じょうえん). ¶その劇場の今月の*出し物は何ですか (⇒ 何が上演されていますか) What's *on* at the theater this month? // 来月の歌舞伎座の*出し物は何ですか What is the Kabukiza *program* like for next month?

たしゃ 他者 others ★ 無冠詞, 複数形で.

だしゃ 打者 batter Ⓒ. ¶強*打者 a ⌈hard [strong] *hitter* / (《米略式》) a *slugger* // 右[左]*打者 a ⌈right-handed [left-handed] *batter*

だじゃく 惰弱 ―形 (意気地のない) effeminate /ɪféménət/; (体が弱い) weak.

だじゃれ 駄洒落 (ごろ合わせ) pun Ⓒ; (つまらないしゃれ) feeble joke Ⓒ. (☞ しゃれ).

たしゅ 多種 ☞ たしゅたよう

だしゅ 舵手 (一般の船の) steersman Ⓒ (複 -men), helmsman Ⓒ (複 -men); (ボートの) cox Ⓒ, coxswain /kάksn/ Ⓒ.

たじゅう[1] 多重 ☞ じゅうそう[3]; ちょうふく ¶車の*多重衝突に巻き込まれる be involved in a *multiple* car ⌈crash [collision]
多重債務 various [multiple] debts **多重処理** multiprocessing Ⓤ **多重人格障害** multiple personality disorder Ⓤ (略 MPD) **多重通信** multiplexed communication Ⓤ **多重防護** multiple safeguard Ⓒ ★ しばしば複数形で. **多重放送** multiplex broadcasting Ⓤ; (1回の放送・放送番組) multiplex broadcast Ⓒ. (☞ おんせい (音声多重放送); もじ (文字多重放送)).

たじゅう[2] 多汁 ―形 juicy; (果物・肉等が多汁で美味) succulent. ―名 juiciness Ⓤ; succulence Ⓤ.

たしゅたよう 多種多様 ―形 (いろいろな種類の) various (kinds of ...) [語法] various を Ⓟ に使うと格式ばった言い方になる; (同種類の間でいろいろな変化のある) a variety of ...; (互いに他と異なった・いろいろな) different Ⓐ, diverse ★ 後者のほうが格式ばった語. (☞ いろいろ; たよう).
¶話題は*多種多様だった (⇒ 私たちはいろいろなことについて話し合った) We talked about *various* things. // その会合に集まった人たちは*多種多様だった (⇒ 多種多様の人たちが集まった) *A variety* [*Many different kinds*] *of* people gathered at the meeting.

たしゅつ 多出 (ひんぱんに出ること) frequent appearance Ⓒ; (出現回数が多いこと) great frequency Ⓤ. ¶この英語の問題は試験に*多出している These English questions have been asked ⌈*many times* [*frequently*] in the examination.

たしゅみ 多趣味 ―動 (趣味がたくさんある) have ⌈a lot of [many] hobbies ★ a lot of のほうが口語的. ¶彼は*多趣味だ He *has a lot of hobbies*. / (⇒ 多くのことに興味を持っている) He *is interested in many things*.

だじゅん 打順 the batting order.

たしょ 他所 another place (☞ よそ).

たしょう[1] 多少 **1** 《幾らかの》 ―形 (数が幾つかの) a few; some; (量が少しの) a little; some. ―副 (ちょっと) a little, (《略式》) a bit; somewhat.
【類義語】数えられる名詞に付けて, 少数ではあるが, その存在を肯定的に述べるときには **a few** を用いる. この言葉にはよく「2, 3 の」という日本語が当てられるが, 必ずしも絶対的な数が定まっているわけではない. この言葉の大事な特徴は「少しはある」ということを肯定的に述べていることで, 時には 2, 3 を超える数でも, 控えめな気持ちから *a few* を用いることもある. ((例) あなたの作文に*多少間違いがあるのに気がつきました I noticed *a few* mistakes in your composition.) それに対して, 数えられる名詞に付く場合は漠然と複数であることを表し, 数えられない名詞に付くときには漠然とある程度の量であることを表して, 冠詞と同じように軽い意味で用いられるのが **some**. 日本語ではこれにぴたりと当たる表現がない場合も多く,「多少」とか「少し」という日本語がなくても *some* を用いなくてはならない場合も多い. 量について, 数における *a few* に当たる役目をする言葉が **a little** である. すなわち, 肯定的に「少しはある」ことを表す.「少し」「多少」が定まった量ではなく, 話者の主観によるものであるのは日本語の場合と類似している. *a little* は副詞的にも用いられる. 口語で *a little* とほぼ同じ意味で用いられるのが **a bit**. 少し格式ばった語が **somewhat** である. (☞ すこし; いくらか; ちょっと)
¶あの会社には*多少知り合いがいる I know *a few* people in that company. // 瓶にはウイスキーが*多少残っている There is ⌈*a little* [*some*] whisky left in the bottle. //「英語は話せますか」「ええ, *多少は」"Do you speak English?" "Yes, *a* ⌈*little* [*bit*]." // けさは*多少気分がいい I'm feeling *a little* better this morning. / (《略式》) I'm feeling *a* (*little*) *bit* better this morning. // それについて*多少とも (⇒ 何か) 知っていたら教えてください If you know *anything* about it, tell me.
2 《多いか少ないか》 ¶*多少にかかわらず寄付は歓迎いたします Your contribution, (whether) *large or small*, will be gladly accepted. // 数[量]の*多少はどうでもいい The ⌈*number* [*quantity*] doesn't matter.

たしょう[2] 多生 〖仏教〗 metempsychosis /məté̀m(p)sɪkóusɪs/ Ⓤ.

たしょう[3] 他生 (仏教の前世) previous life Ⓒ; (仏教の来世) life after death Ⓒ.
他生の縁 Karma relations from a previous life.

たしょう[4] 他称 〖文法〗 the third person.

たじょう 多情 **1** 《移り気》 ―形 fickle.

— 名 fickleness U; (人) flirt C.

2 《多感》 — 形 (感受性の強い) sensitive; (感傷的な) sentimental; (感情的な) emotional. ¶息子は*多情な時期にある My son is at a *sensitive* age. **多情多感** — 形 (情緒的な) emotional; (感じやすい) sensitive; (情熱的な) passionate. ¶*多情多感な年ごろ an *emotional* [a *sensitive*] age **多情多恨** ¶*多情多恨の人生 a life *full of worries and regrets*

だしょう 打鐘 〖競輪〗 the bell; (説明的には) the bell rung to ⌈signal [notify] that the last one and a half circuits remain in the keirin.

だじょうかん 太政官 〖史〗 the Grand Council of State.

だじょうだいじん 太政大臣 ☞ だいじょうだいじん

たしょく 多食 — 動 eat ⌈a lot [much]. ¶この動物は肉類を*多食する This animal *eats* ⌈*a lot* of [*much*] meat. **多食症** ☞ かしょくしょう

たしょくずり 多色刷り multicolored printing U. ¶*多色刷りのパンフレット *multicolored* leaflets / leaflets *printed in multicolors*

たじろぐ (恐れ・不快などでしり込みをする) shrink (from ...) 自, flinch (from ...) 自; (おびえる) shy (away) (from ...) 自; (びっくりさせる) stagger 他. 《☞ ひるむ; しりごみ (類義語)》. ¶彼女は危険には決して*たじろがない She never ⌈*shrinks* [*shies away*] *from* danger. // 彼女は値段を聞いて*たじろいだ She *was staggered* by the price.

だしわり 出し割り soy sauce, vinegar and so on, thinned with broth.

だしん 打診 — 動 (意向を探る) sóund óut 他; (医者が) examine ... by percussion. 《☞ さぐる》. ¶彼の気持ちを*打診してみてくれませんか Will you *sound* him *out*?

たしんきょう 多神教 polytheism /páliθiːìzm/ U.

たす 足す — 前 (...を加えた) plus ... (↔ minus ...). — 動 (加える) add 他; (合計する) ádd úp 他; (合計...になる) add up to ... 《☞ くわえる¹; つぎたす; 数字 (囲み)》.
¶6*足す5は11です Six *plus* five is eleven. / Six *and* five make(s) eleven. ★ ほぼ同じだが, 第1文は第2文よりやや一般的な言い方. // 6に5を*足しなさい *Add* five *to* six. // その数を全部*足すと幾つになりますか What do the numbers *add up to*? // 途中で用を*足してきた (⇒ やることがあった) ので遅れました. すみません I'm sorry I'm late. I *had something to do* on the way.

タス — 名 固 (旧ソ連の通信社) TASS ★ ロシア語の「ソビエト連邦通信社」(Telegrafnoe Agentstvo Sovetskogo Soyuza) の略. 現在は「イタル-タス (ITAR-TASS)」となった.

だす 出す 1 《中から外へ》: lèt óut 他; (取り出す) tàke óut 他; (突き出す) pùt óut 他; (手などを) hòld óut 他. ¶ここから*出してくれ *Let* me *out* of here! // 彼女は鳥をかごから*出した She *let out* the birds *from* the cage. / She *let* the birds *out of* the cage. // 彼はポケットから財布を*出した He *took* his wallet *out of* his pocket. / He *took out* his wallet *from* his pocket. // 少年は窓から首を*出した The *boy put his head out (of)* the window. 《☞ くび 日英比較》 // 舌を*出してごらん *Put* [*Stick*] *out* your tongue. // 彼は箱の中身を全部*出した (⇒ 空にした) He *emptied* the box (of its contents).

2 《送る》: (人・物をほかの場所へ) send 他; (手紙を投函(とうかん)する) 《米》 mail 他, 《英》 post 他; (手紙を書く) write (to *a person*) 自. 《☞ おくる¹; ゆうそう¹; とうかん¹》. ¶彼にすぐ返事を*出した I *answered* his letter right away. / I *sent* him a reply at once. 語法 第1文はとにかく礼状とか受け取りの返事などの手紙を出したという意味. 第2文は要求された内容についての返事を出すことを意味する. // 彼女にすぐ手紙を*出そう I'll *write* (*to*) her at once. 語法 to のない言い方は《米略式》に多い. // この手紙を*出してあげましょう I'll ⌈*mail* [*post*] this letter for you. // 母親は息子を使いに*出した The mother *sent* her son *on* an errand. // あなたのクラスから代表を1名*出して下さい (⇒ 選んで下さい) Please *elect* someone to be a representative for your class. // この大学は我が国の有力な経済学者を*出している (⇒ 作り出している) This university *has* ⌈*turned out* [*produced*] some of the country's leading economists.

3 《提供する》: (資金などを前貸し・提供する) pùt úp 他; (与える) supply 他; (申し出る) óffer 他; (食事などを) serve 他; (支払う) give 他, pay 他 ★ give のほうが意味の広い一般的な語.
¶さる篤志家が金を*出してくれた A well-wisher *has put up* the money. // 私が資金を*出しましょう I'll *supply* you *with* the funds. // この切手を手に入れるためなら100万円でも*出そう I would ⌈*give* [*pay*] a million yen to get this particular stamp. // 彼らはとても良い条件を*出した They *offered* very good conditions. // 彼女は私たちにお茶とビスケットを*出してくれた <S (人)+V (*serve*)+O (代)+O (名)> She *served* us tea and ⌈cookies [《英》 biscuits].

4 《世間一般に公開する》: (出版する) publish 他, issue 他, brìng [pùt] óut 他 ★ 出版の意味では publish が最も一般的. 《☞ しゅっぱん¹; はっこう¹》.
¶あの出版社はいい本を*出す That publishing company ⌈*produces* [*brings out*] good books. // このパンフレットは政府が*出している These pamphlets *are issued* by the Government.

5 《広告などを》: (掲示などを張り出す) pùt úp 他; (ある場所に出す) place 他.
¶彼らは看板 [掲示] を門に*出した They *put up* a ⌈signboard [notice] at the gate. // その新聞に求人広告を*出した I *placed* a wanted ad in the paper. // バントのサインを*出す *give* a signal ⌈for bunting [to bunt]

6 《提出する》: (報告書などを出す) tùrn ín 他, submit 他 ★ 前者は口語的; (議題などを) presént 他 ★ 格式ばった語; (送付する) sènd ín 他; (手渡す) hànd ín 他; (提案する) pùt fórward 他; (意見・案を) offer 他. 《☞ ていしゅつ》.
¶彼は最後に答案を*出した He ⌈*handed* [*turned*] *in* his paper last. // 願書はもう*出しました I *have* already ⌈*sent in* [*submitted*] my application. // この議案は次の議会に*出そう We'll ⌈*present* [*put forward*] the bill to the next Diet. // 彼はしょっちゅういいアイディアを*出す He often *puts forward* very good ideas.

7 《発する》: (音・光・においなどを) gìve óff 他. ¶あの機械はひどい音を*出す That machine *makes* a terrible noise. // 声を*出してはいけない (⇒ 静かにしていなさい) Keep quiet. // あまりスピードを*出さないように Don't drive too fast. // 元気を*出しなさい Cheer up!

-だす (...しはじめる) start [begin] (to *do* ...; *doing* ...) ★ start のほうが口語的. 《☞ はじめる》.
¶雨が降り*だした It ⌈(*has*) *started* [*began*] ⌈*to* rain [rain*ing*]. // 彼は最近また酒を飲み*だした He ⌈*started* [*began*] drink*ing* again recently. // それを見て彼女は急に笑い[泣き]*だした She *burst out* ⌈laugh*ing* [cry*ing*] when she saw it.

たすう 多数 a ⌈large [great] number 語法

great のほうが意味がやや強い.「多数の」は a large number of ... となる; great numbers ★ 複数形で. また in great numbers で「多数で」「大勢で」となる.《☞ たくさん(類義語); おおぜい; おおく》.
¶ 京都は観光客が*多数訪れる A ｢*large* [*great*] *number* of tourists visit Kyoto. / Tourists visit Kyoto in *great numbers*. ★ 第1文は第2文より口語的. // 彼は圧倒的*多数で議長に選ばれた He was elected chairman by *an overwhelming majority*.《☞ だいたすう》
多数決 majority decision Ⓤ ★ 具体的には Ⓒ; (多数決で事を行うこと) majority rule Ⓤ. ¶ その議案は*多数決で通った The bill was passed by *a majority decision*. **多数派[党]** the majority.

だすう 打数 at bat. ¶ 5 *打数 3 安打 three hits in five times *at bat*

たすかる 助かる **1** «救助される»: be ｢saved [rescued] ★ rescued は救助隊などによる場合; (助かって生き残る) survíve ⊕ ★ 目的語に事故などを表す語がくる.《☞ きゅうじょ; たすける》.
¶ その事故で*助かったのは彼だけだ (⇒ 彼だけが生き残った) He alone *survived* the accident. // 元気を出せ. 私たちはきっと*助かる Cheer up! I'm sure we'll *be*｢*saved* [*rescued*]. // もう*助からないものと観念した (⇒ 生き残る希望をまったく捨てた) I *gave up all hope of survival*.
2 «助けになる»: be helpful. ¶ 彼の忠告のおかげで*助かった (⇒ 彼の忠告はとても助けになった) His advice was ｢*very helpful* [*a great help*] to me. // おかげさまで*助かりました (⇒ ご助力に感謝します) Thank you very much for your *help*.

たすき 襷 cord for tucking up sleeves Ⓒ; (片方の肩からかける) sash (worn over one shoulder) Ⓒ.
たすきがけ ¶ *たすきがけで (⇒ そでをひもでたくし上げて) with *one's* sleeves pushed up *with a cord* 日英比較 英米にはたすきをかける習慣はないので, 説明的な表現. **たすきには短し手拭いには長し** (⇒ いずれの目的にも中途はんぱで不充分である) It's insufficient for any purpose.《☞ おび(帯に短したすきに長し)》.

タスク task Ⓒ **タスクフォース** tásk fòrce Ⓒ《☞ プロジェクト(プロジェクトチーム)》.

たすけ 助け **1** «助力»: (1人ではできないことを手伝ってやること) help Ⓤ ★ 最も一般的で口語的な語; (主として公的な援助) aid Ⓤ; (補助的な助力) assistance Ⓤ ★ 後の2語は help よりも格式ばった語.《☞ たすける(類義語); えんじょ; じょりょく; おうえん》. ¶ 君の*助けはいらない I don't need your ｢*help* [*assistance*]. // 彼は私に*助けを求めてきた He asked me for *help*. // 彼女はとても私の*助けになった She was ｢*a great help* [*very helpful*] to me.
語法「助けになる人・物」という意味のときは help に不定冠詞が付く.
2 «救助»: (救助隊によるもの) rescue Ⓤ ★ 具体的な行為は Ⓒ; (一般的な語として) help Ⓤ ★ 助けを求めるときに使う語.《☞ きゅうじょ; すくう¹(類義語)》. ¶ 彼女は大声で*助けを求めた She cried (out) for *help*. // *助けを呼ぶ声が聞こえた I heard a cry for *help*. // だれも私を*助けに (⇒ 救助に) 来なかった Nobody came to my *rescue*.
助け船 ¶ 私が質問に答えられないでいると, 彼が*助け船を出してくれた (⇒ ヒントを出してくれた) When I didn't know how to answer the question ｢he gave me a hint [(⇒ 代わりに答えてくれた) he answered it for me].

たすけあい 助け合い mutual help Ⓤ; (協力) cooperation Ⓤ. ¶ *助け合いの精神 a spirit of *helpfulness* // 歳末*助け合い運動 (⇒ 慈善運動) a year-end charity drive

たすけあいぎむ 扶け合い義務 〘法〙 duty of mutual ｢cooperation [help] Ⓒ; (説明的には) legal ｢duty [obligation] to mutually cooperate (between lineal relatives) Ⓒ.

たすけあう 助け合う help ｢each other [one another] 語法 each other は2人の場合, one another は3人以上の場合に使われるとされるが, その区別は厳密ではない; (力を合わせる) coóperàte (with ...) ⊜.《☞ きょうりょく¹; たがい》.
¶ 友人は*助け合わなければいけない Friends should *help one another*. // 私は彼と*助け合って (⇒ 協力して) 新しい店を始めた I *cooperated with* him in setting up a new business.

たすけあげる 助け上げる help *a person* ｢up [out] 語法 out には「助け出す」というニュアンスがある; (海から船上へ) pìck úp ⊕.
¶ 老人を溝から*助け上げた We *helped* the old man *out of* the ditch.

たすけおこす 助け起こす help *a person* to ｢his [her] feet《☞ おこす¹》. ¶ 警官はその女の人を*助け起こした The policeman *helped* the woman *to her feet*.

たすけだす 助け出す (救援隊によって危険などから) rescue ⊕; (一般的な語として危険などから助ける) save ⊕.《☞ すくう¹(類義語); きゅうしゅつ》.
¶ 消防士たちは燃えさかる火の中から女の子を*助け出した The firefighters ｢*rescued* [*saved*] the girl from the raging fire.

たすける 助ける **1** «助力する»: (手伝う) help ⊕; (援助する) aid ⊕; (補助する) assist ⊕; (後援する) support ⊕, give support (to ...), báck úp ⊕; (助長する) promote ⊕.
【類義語】「助力する」という意味で最も一般的な語は **help**. やや格式ばった語に **aid** があり, これは主として公的な援助をいう. 補助的な立場に立って助力するのは **assist**.「後援する」という意味では口語的なのが **back up**. それよりやや格式ばったのが **support**, **give support to** ... 助長し, 促進して助けるという意味の語が **promote**.《☞ たすけ; えんじょ; てつだう》
¶ あなたに*助けてもらいたい I'd like you to *help* me. / (⇒ あなたの助力が必要だ) I need your *help*. // 発展途上国を*助けなければならない We should *aid* developing countries. // 近所の人たちは私たちを*助けてくれなかった The neighbors gave us no *assistance*. // 私は彼女を*助けて荷物を運んだ <S (人)+V (*help*)+O (人)+C (原形・*to*不定詞)> I *helped* her (*to*) carry the baggage. 語法 目的語の後に原形不定詞を用いるのは《米》に多く, to 不定詞を用いるのは《英》に多い. // 彼を*助けようとする者はいなかった (⇒ 後援しようとする者はいなかった) There was nobody to ｢*support* him [*back* him *up*]. // この薬は消化を*助ける This medicine ｢*aids* [*helps*] digestion.
2 «救助する»: (手を貸して助ける) help ⊕ ★ 最も一般的で意味の広い語; (危険などから救う) save ⊕; (救助隊などが) rescue ⊕; (助命する)《格式》spare ⊕.《☞ すくう¹(類義語); きゅうじょ》.
¶ *助けて－ *Help*! // 私は子供がおぼれそうになっているのを*助けた <S (人) +V (*save*)+O (人)+*from*+動名> I *saved* the child *from* drowning. / (⇒ おぼれている子供を救った) I *saved* the drowning child. // 命ばかりは*助けて下さい (⇒ どうか殺さないで) Please don't kill *me*. / *Spare* me, please. ★ 第2文は格式ばった言い方.

たずさえる 携える (手に持っている) have ⊕; (身につけて持ち歩く) carry ⊕.《☞ もつ¹; もちあるく; けいたい¹》.

たずさわる 携わる (...に従事する) be engaged in ...; (...に参加する) take part in ...《☞ じゅうじ¹; さ

んか》.

ダスター （家具などのちりや汚れを拭うぞうきん，ふきん）duster Ⓒ.

ダスターコート （軽いコート）light overcoat Ⓒ 【参考】日本語の語源となった duster (coat) という英語は現在あまり使われていない.

ダスト dust Ⓤ.

ダストシュート dust [rubbish] chute Ⓒ.

たずねあてる 尋ね当てる find òut ㊥.

たずねびと 尋ね人 （行方不明の人）missing person Ⓒ. **尋ね人欄**（新聞の）personals ★ 複数形で. personal column Ⓒ ともいう.

たずねる[1] 尋ねる **1**《問う》:（わからないことを人に聞く）ask ㊥ ★ 一般的な語;（回答や情報を求めて質問する）inquire ㊥ ㊀;（一連の質問をする）question ㊥;（安否・健康状態などを問う）ask [inquire] after … ★ inquire は ask よりも格式ばった語.《☞ きく[1]; しつもん》.

¶私はその値段を*尋ねた I *asked* the price. // 彼にそのことを*尋ねてみよう ＜S（人）＋V（*ask*）＋O（人）＋*about*＋名・代＞ I'll *ask* him *about* it. // 通りがかりの人に駅へ行く道を*尋ねた ＜S（人）＋V（*ask*）＋O（人）＋O（物事）＞ I *asked* a passerby the way to the station. // ちょっとお*尋ねしたいことがあるのですが（⇒質問してもよいですか）May I *ask* you a question? ★ 最も一般的で丁寧な表現. // 彼は私にいつ来るのかと*尋ねた ＜S（人）＋V（*ask*）＋O（人）＋O（*wh* 節）＞ He *asked* me *when* I would come. // 私は彼女に来るのかどうか*尋ねた ＜S（人）＋V（*ask*）＋O（人）＋O（*if* 節）＞ I *asked* her *if* she was coming. // 彼女はあなたのことを心配して*尋ねていました She ˹*asked* [*inquired*] *after* you.

2《捜す》:（捜し求める）look for …;（くまなく捜す）search (for …) ㊀ ㊥ ★ 前者のほうが普通.《☞ さがす（類義語）》.

¶私は彼の家を*尋ねてあちこち歩き回った I walked up and down *looking for* his house. // 彼らは行方不明の少年を*尋ねて森を捜索した ＜S（人）＋V（*search*）＋O（場所）＋*for*＋名（人）＞ They *searched* the woods *for* the missing boy.

たずねる[2] 訪ねる （会いに行く）come [go] ˹to [and] see *a person*;（気軽に短時間訪れる）call on *a person*, call at *a place*;（訪問する）visit ㊥, pay [make] a visit (to …);（ひょっこり立ち寄る）《略式》drop ˹in [by] (on *a person*).

【類義語】相手の所へ「遊びに行く」という場合には **come ˹to [and] see** が最も普通の言い方. **and** でつなぐのは **to** を用いるよりくだけた感じである. 第 3 者のところへ遊びに行くのには **go ˹to [and] see** を用いる. 短期間，あるいは長時間の滞在を伴う訪問のいずれにも用いられ，しかも **come to see** よりはやや格式ばった感じの語が **visit**. ほぼ同意だが，さらに改まった言い方が **pay a visit**. 短時間の訪問は **call (on …; at …)** で表す. 人の場合は **on**, 家や場所の場合は **at** を用いる. この言い方は特に商用・公務などの場合によく使う. 軽い感じでひょっこり訪ねるのは **drop ˹in [by]** で，口語でよく用いられる.《☞ ほうもん（類義語）》

¶きのう田中さんが*訪ねてきた Mrs. Tanaka *came to see* me yesterday. // あした小川さんを*訪ねるつもりだ I'll ˹*go and see* [*call on*] Mr. Ogawa tomorrow. // 彼を長いこと*訪ねていない I *haven't visited him for a long time*. // オックスフォードを*訪ねたのはその時が初めてだった（⇒それが初めての訪問だった）That was my first *visit* to Oxford. // 彼はよくひょっこり*訪ねてきてはおしゃべりをしていく He often *drops* ˹*in* [*by*] (*on* us) for a chat.

タスマニア ── 名 固（オーストラリアの州）Tasmania /tæzméɪniə/ ★ オーストラリア南東方の島.

だする 堕する degenerate /dɪdʒénərèɪt/ ㊀. ¶もうけ主義に*堕する *degenerate into* a profit-minded policy

ダズン （ダース）dozen Ⓒ.

たぜい 多勢 **多勢に無勢** ¶*多勢に無勢だった（⇒はるかに数を越されていた）We *were heavily outnumbered*. ★ outnumber は「…より数でまさる」の意.

だせい 惰性 （物体の慣性）inertia /ɪnə́ːʃə/ Ⓤ;（はずみ）moméntum Ⓤ;（習慣の力）(force of) habit Ⓤ.《☞ だりょく[1]; はずみ; しゅうかん[1]》.

だせいせっき 打製石器 〘考古〙flaked stone tool Ⓒ.

だせき 打席 〘野〙── 動（打席につく）be at bat, come up to ˹bat [the plate].

¶彼は 3*打席 3 安打だった He ˹*came up to bat* [*was at bat*] three times and ˹made [scored] three hits. **打席数**（the number of times) at bat Ⓒ《☞ だすう》.

たせん[1] 他薦 recommendation Ⓤ《☞ すいせん[1]》.

たせん[2] 多選 ¶彼女は参議院の*多選議員だった She *was elected many times* to the House of Council(l)ors. // *多選を禁ずる limit the (number of) terms

だせん[1] 打線 ¶強力*打線 a strong *batting lineup*

だせん[2] 唾腺 〘解〙salivary /sǽləvèri/ glands ★ 複数形で.

たそう 多層 ── 名 many layers ★ 複数形で. ── 形（多層の）multilayer(ed).

たぞうきふぜん 多臓器不全 multiple organ failure Ⓤ《略 MOF》.

たそがれ 黄昏 （日没後，空がまだ薄明るいころ）(evening) twilight Ⓤ;（空が暗くなりかけたころ）dusk Ⓤ ★ 前者のほうが明るい.《☞ うすくらがり 語法》. ¶*たそがれが迫ってきた *Dusk* ˹came [fell].

【語法】twilight は in the twilight のような形で用い，このような文の主語にはなれない. // 人生の*たそがれ時に in the *twilight years* of *one's* life

たそがれる 黄昏れる （薄暗くなる）get dark;（比喩的に）go into decline; *one's* fortunes ebb.

だそく 蛇足 ── 名（不必要な付け足し[発言]）unnecessary ˹addition [remark] Ⓒ. ── 形（余分な）redundant;（不必要な）superfluous /supə́ːfluəs/.《☞ よけい[1]》. ¶それは*蛇足だ That's ˹*redundant* [*superfluous*].

たそくるい 多足類 〘動〙myriapod /míriəpɑ̀d/ Ⓒ.

たそやあんどん 誰哉行灯 〘史〙*tasoya* lantern Ⓒ;（説明的には）standing lantern with a wooden frame, which was used to light up the streets in Yoshiwara in the Edo period Ⓒ.

たそんじこ 他損事故 accident in which the damage was caused by another party Ⓒ.

たた 多多 ── 形 many《☞ たくさん》.

多多ますます弁ず（多ければ多いほど良い）The more, the better ★「良い」の部分はその意味によって happier, merrier などが代わりうる.

ただ[1] 唯 **1**《単に》── 形（唯一の）only Ⓐ;（単なる）mere Ⓐ;（たった 1 つの）single Ⓐ;（余計なものが入っていない）plain Ⓐ. ── 副（ただ…だけ）only, merely;（単に）simply;（ほんの）just.

【類義語】最も普通の語は **only**. **only** より格式ばった語が **merely**. 単純で他の要素が入らないことを言うのが **simply**. それほど重い意味でなく，「ただ…だけ」という感じで会話でよく使われるのは **just**.《☞ -だけ[1]; -しか; たった; たんなる; すぎない》

¶あれは*ただの冗談さ It was *only* a joke. // その子は*ただ泣いてばかりいた The child did *nothing but* cry. // 彼は*ただ好奇心からそれをしただけだ He did it *simply* out of curiosity. // *ただあなたの顔を見たかっただけだ I *just* wanted to see you. // これは*ただの水さ This is *plain* water. // 彼女は*ただの雇い人だ She is ˹*only* [*merely*] an employee. // 彼の答案には*ただの 1 つも誤りはなかった I couldn't find a *single* mistake in his paper. 〔語法〕 (1) not a single … は「1 つの…もない」という意味の強い言い方. // あなたは*ただ彼の言うことを聞いていればいい You *only* have to listen to him. / (⇒ あなたのすることは彼の言うことを聞くだけだ) *All you have to do* is listen to him. 〔語法〕 (2) 第 2 文は第 1 文より口語的. all …に続く述部には《米》では原形不定詞が用いられることが多い.

2 «普通の» **—** 形 (標準的な·型どおりの) ordinary ★ 通例 Ⓐ; (日常よく見かける·当たり前の) common; (いつもお決まりの) usual. (☞ ふつう¹; ありふれた). ¶ 彼は*ただものではない He is no *ordinary* person. 〔語法〕 He's not an *ordinary* person. とすると「普通ではない」ことを述べるだけで, 飛び抜けた人物という意味にはならない. // これは*ただごとではないな (⇒ 普通のことではない [異常だ]) This is something ˹*unusual* [*out of the ordinary*]. // これは*ただの風邪ではありません This is not (just) a *common* cold.

☞ ただただ; ただでさえ　ただでは済まないぞ[置かないぞ]　¶ うそをついたら*ただでは済まないぞ I ˹*won't let you go unpunished* [*will teach you a lesson*] if you tell me a lie.

ただ² 只 «無料の» **—** 形 free. **—** 副 free. (☞ むりょう¹).

¶ 入場料は*ただだった Admission was *free*. // それは*ただでもらった I got it (*for*) *free*. // そんなものは*ただでもいらない (⇒ 贈り物としても受け取らない) I wouldn't have it *even as a gift*. // それは*ただ同然で買った (⇒ 捨て値で買った) I bought it ˹*at a giveaway price* [*for peanuts*]. ★ peanuts は「はした金」の意味の口語. **ただより高い物はない** Nothing costs you more than what you're given for *free*. / There's no such thing as a *free* lunch. (ことわざ: ただの昼食などというものはない)

ただ³ though (☞ ただし; けれど(も)). ¶ この本はとても有益だ, *ただ少々読みにくいが This book is very useful, *though* it's a little difficult to read.

だだ 駄駄　だだをこねる ¶ あの子はいつも*だだをこねている (⇒ むずかっている) That child *is* always ˹*fretting* [(⇒ 無理なことをせがんでいる) *asking for the impossible*]. // *だだをこねるもんじゃありません (⇒ 聞き分けのないことをいうな) Don't *be unreasonable*. (☞ だだっこ; ぐずる)

タタール ☞ だったん; タタールスタン

タタールスタン **—** 名 固 Tatarstan /tὰːtəstǽn/; (正式名; タタールスタン共和国) the Republic of Tatarstan ★ ロシア共和国の中にある独立共和国. 旧称タタール自治共和国.

ただい 多大 **—** 形 (非常に多くの) a ˹great [good] deal of … 〔語法〕 いずれも量について言う. great, good はほぼ同意だが, great のほうが意味が強い; (重大な) serious; (ひどい) heavy. (☞ たくさん (類義語); たいへん).

だたい 堕胎 abortion Ⓤ (☞ ちゅうぜつ). **堕胎罪** criminal [illegal] abortion Ⓤ; (胎児殺し) feticide Ⓤ.

ダダイスト dadaist Ⓒ.

ダダイズム 〔芸〕 dada /dɑ́ːdɑː/ Ⓤ, dadaism Ⓤ.

たたいにんしん 多胎妊娠 〔医〕 multiple pregnancy Ⓤ, polycyesis /pὰləsaɪsíːsɪs/ Ⓤ. ★ 後者は専門語.

ただいま 唯今 **1** «いま»: now; (現在のところ) at present ★ 前者のほうが口語的で, 平易な言葉; (今のところ) currently; (たったいま·ほんの少し前) just [right] now; (すぐに) right away, soon, 《米》 presently ★ ほぼ同意だが, この順に格式ばった語となる. (☞ いま¹; げんざい¹).

¶ メアリーは*ただいま戻ったところです Mary ˹has *just* got back [got back *just now*]. 〔語法〕 (1) 「いましがた」という意味の just now は通例過去時制と共に用いられる. // *ただいままいります Yes, I'm *just coming* (*now*). 〔語法〕 (2) 呼ばれたときの返答の表現. // 首相は*ただいまヨーロッパ歴訪中です The Prime Minister is ˹*currently* [《米》 *presently*] on a visit to Europe. // *ただいま入ったニュース *the latest* [*hot*] news ★ [ ]内の方がくだけた表現.

2 «あいさつ»: hi /háɪ/, helló (《英》 hulló) ★ hi のほうがくだけた言い方. 〔日英比較〕 英米の習慣では帰宅したときの決まったあいさつはなく, 人に会ったときのあいさつと同じものが用いられる. また「帰りました」という意味で I'm back. / I'm home. と添えることがある. ¶ *ただいま, お母さん *Hi* [*Hello*], Mom. I'm home!

たたえる¹ 称える (ほめる) praise ㊥; (称賛·感服する) admire ㊥. (☞ しょうさん¹). ¶ 人々はみな彼の英雄的行為を*称えた Everybody ˹*praised* [*admired*] (him for) his heroism.

たたえる² 湛える (いっぱいにする) fill ㊥; (満たされている) be filled (with …); (あふれそうになる) brim (with …) ㊀ ★ 液体を入れている「容器」が主語となる. (☞ みちる).

¶ なみなみと酒を*たたえた大杯 a big cup *filled* brimful *with* sake // 彼女は満面に笑みを*たたえていた She *was* ˹*all smiles* [*beaming*].

たたかい 戦い, 闘い (戦争) war Ⓤ ★ 個々の戦争, または比喩的な意味では Ⓒ; (争い·衝突) cónflict Ⓒ; (特定の地域の戦闘) battle Ⓒ; (実力を使っての争い) fight Ⓒ ★ 以上の語はいずれも比喩的な意味でも用いられる; (奮闘·努力) struggle Ⓒ. (☞ せんそう¹ (類義語); せんとう²; とうそう²; あらそい).

¶ *戦いは拡大するばかりだった The ˹*war* [*conflict*] ˹was spreading over ever wider areas [kept expanding]. // 医者はがんとの*戦いを続けている Doctors are carrying on a *war* against cancer. // 彼は公害との*闘いの先頭に立っている He leads the *fight* against pollution. // 病との*闘い the *struggle* ˹with [against] the disease ★ against のほうが with より意味が強い. // 関ケ原の*戦い the *Battle* of Sekigahara

コロケーション

戦いに勝つ win a *war* / **戦いに備える** prepare [arm] for *war* / **戦いに負ける** lose a *war* / **(…)に戦いを挑む** challenge *a person* to a *fight* / **戦いを行う** put up [wage] a ˹*fight* [*struggle*] (against …); wage *war* (against …; with …) / **戦いを避ける** avert (a) *war* / **戦いを仕掛ける** provoke (a) *war*; pick a *fight* (with …) / **戦いを続ける** carry on a ˹*fight* [*struggle*] / **戦いを始める** start [begin] a ˹*fight* [*war*] / **戦いをやめる** stop [break up] a *fight*; end a *war* // **自然との戦い** a *struggle* with nature / **所有権をめぐる戦い** a *struggle* ˹over [about] property rights / **正義の(ための)戦い** a ˹*fight* [*struggle*] for justice / **二者[三者]間の戦い** a ˹*struggle* [*fight*] ˹between the two [among the three] parties / **貧困との戦い** a ˹*fight* [*struggle*] against poverty / **麻薬との戦い** a *war* on drugs // **命がけの[総力をあげた]戦い** a life-and-death [an all-out] *struggle* / **権力をめぐる戦い** a power *struggle* / **孤独な戦い** a solitary *struggle* / **大義名分のない戦い** an unjustifiable *war* / **断固たる戦い** a ˹firm [determined] *struggle* / **激しい戦い** a ˹fierce [violent] ˹*strug-*

gle [*fight*] / **果てしない戦い** a ceaseless [an unending] ˹*fight* [*struggle*] / **必死の戦い** a desperate ˹*struggle* [*fight*] / **無益な戦い** a ˹futile [pointless] *struggle*

たたかいとる　闘[戦]い取る　(勝ち取る) win (他); (闘って獲得する) fight to ˹win [gain] … ¶ 賃上げを*闘い取る *fight to* ˹*win* [*gain*] a pay raise // その国は長い努力の末ようやく独立を*闘い取った　That country ˹*won* [*gained*] its independence after a long struggle.

たたかいぬく　戦い抜く　(どちらかが勝つまで) fight to the finish; (争いに決着をつけるために) fight it out ★ 後者のほうがより口語的.

たたかう　戦う, 闘う　(人・国・犯罪・貧困などと) fight (against …; with …) (自) 《過去・過分 fought》 [語法] (1) (他) の用法もある. against のほうが with より敵対の意味が強い; (困難などと奮闘する) struggle (against …; with …) (自); (抵抗する) resist (他); (試合をする) play (他). 《☞ あらそう; せんそう¹ (類義語); とうそう²》.

¶ 彼は敵と勇敢に*戦った　He *fought* bravely ˹*against* [*with*] the enemy. [語法] (2) with は「…と共に戦う」という意味にもなるから注意. // 英国はフランスと共にドイツと*戦った Great Britain *fought with* France *against* Germany. // 私たちは出版の自由のために*戦った We *fought for* ˹a free press [freedom of the press]. ★ [ ] 内のほうが格式ばった言い方. // 彼女は一生貧苦と*闘った She *struggled* ˹*against* [*with*] poverty all her life. // 私はそれを盗みたいという衝動と*闘った (⇒ 衝動に抵抗した) I *resisted* an impulse to ˹take [steal] it. // 私たちは試合で正々堂々と*戦った We *played* the game fairly.

コロケーション

最後まで戦う *fight* (it out) to the end / **必死に戦う** *fight* [*struggle*] desperately

たたかわす　戦わす　(議論などを) have ˹an argument [a discussion]; (動物・人を) set … to fight. ¶ 両党はその問題で激しい議論を*戦わせた The two parties *had* a heated *argument* over the issue. // かぶと虫とくわがた虫を*戦わせる *set* a *kabutomushi* beetle *to fight* with a stag beetle

たたき¹　叩き　(土間) earth [《米》dirt] floor section (of a traditional Japanese house) [C].

たたき²　叩き　── 動 (切りきざむ) chop (他), mince (他). ¶ あじの*たたき *minced* raw horse mackerel

たたきあげ　叩き上げ　── 形 (厳しい訓練を積んだ) severely trained. ¶ *叩き上げの職人 a *severely trained* workman

たたきあげる　叩き上げる　(低い地位から努力して出世する) work *one's* way up (from …). ¶ 彼は職工から*たたき上げて社長になった He *worked his way up from* a workman to become the president of a company. // 彼は自分の腕一本で*たたき上げた男だ He is a *self-made* man.

たたきうり　叩き売り　(安売り) (bargain) sale [C]; (割引販売) díscount sále [C]. 《☞ やすうり》.

たたきうる　叩き売る　(格安で売る) sell … ˹at a bargain [very cheap]. ¶ 在庫品を*たたき売る *sell goods in stock* ˹*at a bargain* [*very cheap*]

たたきおこす　叩き起こす　(目を覚まさせる) wáke (úp) (他), rouse /ráuz/ (他) ★ 後者のほうが格式ばった語; (戸をたたいて人を起こす) knock at the door and wake up *a person*.

¶ 朝早く*たたき起こされたので眠い I am sleepy because I *was* ˹*woken up* [*roused out of bed*] very early in the morning. // 私は彼を朝 6 時に*たたき起こした I *knocked at the door and woke* him *up* at six in the morning.

たたきおとす　叩き落とす　(はえなどをたたいて落とす) swat (˹down [away]) (他); (たたいて払いのける) knóck óff (他). ¶ 彼ははえを*たたき落とした He *swatted* (˹*off* [*away*]) a fly.

たたききる　叩き切る　(なたなどを打ちおろして切る) chop (他) 《☞ きる¹》. ¶ 私はその木を*たたき切った I *chopped* down the tree.

たたきこむ　叩き込む　(くぎなどを) dríve ín (他); (投げ込む) throw [cast] … (into …) ★ cast のほうが格式ばった語; (教え込む) strike [hammer] … (into …) ★ hammer のほうが意味が強い. ¶ 私はハンマーでくぎを*たたき込んだ I *drove in* a nail with a hammer. // 彼はその思想を私の頭に*たたき込もうとした He tried to *hammer* the idea *into* my head.

たたきころす　叩き殺す　beat … to death 《☞ ころす》.

たたきこわす　叩き壊す　(粉々に) knock … to pieces; (一撃のもとに打ちくだく) smash (他). 《☞ こわす》.

たたきだい　叩き台　(討論などの) springboard [C].

たたきだいく　敲き大工　(腕の悪い大工) clumsy [poor] carpenter [C].

たたきだす　叩き出す　(追い出す) tùrn [kíck] óut (他) ★ kick のほうが意味が強い; (解雇する) 《格式》 dismiss (他), 《略式》 fire (他). 《☞ おいだす; かいこ¹》.

たたきつける　叩き付ける　(物を投げる) throw (他) ★ 最も一般的な語; (力を入れて乱暴に投げる) fling (他); (突きつける) thrust (他). 《☞ なげつける》. ¶ 彼は手紙を地面に*たたきつけた He ˹*threw* [*flung*] the letter ˹on [onto; to] the ground. // 私は辞表を上司に*たたきつけた I *thrust* my resignation at my boss.

たたきつぶす　叩き潰す　(押しつぶす) crush (他); (粉々にする) knock [smash] … ˹into [to] pieces ★ smash のほうが意味が強い. 《☞ つぶす》.

たたきなおす　叩き直す　(癖などを矯正する) correct (他); (無理やりに直す) force … to give up …

たたきのめす　(殴り倒す) knóck ˹dówn [óut] (他); (力で完全に屈服させる) crush (他). 《☞ うちのめす》. ¶ 落雷で彼らは床に*たたきのめされた (⇒ 落雷が…) The lightning *knocked* them *down* on the floor.

たたきわる　叩き割る　(打ち壊す) break down (他); (粉々に打ち壊す) smash (他); (粉々に砕く) shatter (他). ¶ ガラスを粉々に*たたき割る *smash* [*shatter*] the glass into pieces // 彼らは中に閉じ込められた子供をドアを*たたき割って助けた They *broke* the door *down* to save the child locked inside.

たたく　叩く　1 «打つ»: (急にかなり強く打つ) strike (他) 《過去・過分 struck》; (繰り返し続けざまに打つ) beat (他) (自) 《過去 beat; 過分 beaten》 [語法] (1) 人・動物を折檻(せっかん)のため繰り返したたくのにはこの語を使う; (ねらいをつけて 1 回限り打つ) hit (他) 《過去・過分 hit》 ★ strike よりもくだけた語; (こぶしまたは堅い物で強く打つ・殴る) knock (他); (戸などを) knock (at …; on …) (自); (こぶしまたは重いもので何度も強く打つ) pound (他) (自); (指先のような小さなもので軽く打つ) tap (他); (平手でぴしゃりと打つ) slap (他); (手を合わせてたたく) clap (他). 《☞ うつ¹ (類義語); なぐる》.

¶ 彼はこぶしでテーブルを*たたいた He *struck* the table with his fist. // 彼はその犬を棒で*たたいた He ˹*beat* [*hit*] the dog with a stick. // 太鼓を*たたくのをやめなさい Stop *beating* (*on*) the drum. // 彼は私の頭を*たたいた He *hit* me *on* the head. / He *hit* my head. [語法] (2)「人」をたたくことに主眼が置かれる場合は前者の構文 <S (人)＋V (*hit*)＋O (人)＋*on*＋名(体の部分)> が,「体の部分」に主眼が置かれる場合は後者の構文 <S (人)＋V (*hit*)＋

O (体の部分)> が用いられる. // だれかが戸を*たたいた (⇒ ノックした) Someone *knocked* ⌈*at* [*on*] the door. // 私は彼の肩[背中]をぽんと*たたいた I *tapped* him *on* the ⌈shoulder [back]. (☞ 語法 (2)) // 彼女は彼のほおをぴしゃりと*たたいた She *slapped* him *on* the cheek. (☞ 語法 (2)) // 彼女は注意を引くために手を*たたいた She *clapped* her hands to gain attention.

2 «やっつける»: (攻撃する) attack ⓣ; (非難する) criticize ⓣ; (殴りつける・やっつける) (略式) bash ⓣ. (☞ こうげき; ひなん¹). ¶ 人々は彼の政策を*たたいた (⇒ 攻撃した) People *attacked* his policies. // 彼は軽率だと*たたかれた (⇒ 非難された) He *was criticized* for carelessness. // 日本*叩き Japan *bashing*

3 «値切る»: (値段を負けさせる) (略式) beat down ⓣ (☞ かいたたく; ねぎる).

¶ 私は値段を*たたいて 10 パーセント値引きさせた I *beat* ⌈him [the price] *down* by ten percent.

4 «言う»: (にくまれ口をたたく) say some sharp things; (大口をたたく) brag (about ...) ⓘ. ¶ 妹はよく私ににくまれ口を*たたく My sister often *tosses some sharply worded comments* at me.

たたけばほこりが出る ¶ 誰でも*たたけばほこりが出る (⇒ 誰でも欠点のない人はない) No one is without stain. **たたけよさらば開かれん** Knock, and it will be opened to you.

ただぐい 只食い ― 動 (ただで食事をする) eat [have] a free meal; (無銭飲食する) eat (...) without paying money.

ただごと ¶ 私はこれは*ただごとでない (⇒ きわめて深刻だ) と思った I thought this was *quite serious*. (☞ じゅうだい¹; しんこく¹)

ただし 但し (しかし) but ..., however, ... ★ 後者はやや格式ばった語; (もし…ならば) provided [providing] (that) ... ★ providing のほうがくだけた言い方; (…という条件で) on condition that ... (☞ しかし).

¶ 私は行くつもりです. *ただし, 雨が降ったらやめます I am planning to go, *but* I'll give up if it rains. // 私は手紙を書きました. *ただし, 出してはいません I wrote a letter; *however*, I haven't mailed it. // 割引きをしますが, *ただし前払いしていただきます (⇒ 前払いするという条件で割引きます) I'll give you a discount *on condition that* you pay in advance.

ただしい 正しい (誤りのない) correct (↔ incorrect); (正当な) right (↔ wrong) 語法 correct とほぼ同意だが,「真実・道徳的基準に合致した正しさ」の意味でも用いられる; (正確な) áccurate; (基準にかなった) proper. (☞ せいかく¹ (類義語)).

¶「この答えは*正しいでしょうか」「いいえ, 間違っています」"Is this answer ⌈*correct* [*right*]?" "No, it's ⌈incorrect [wrong]." // 私たちは*正しい情報を求めている We are seeking ⌈*correct* [*accurate*] *information*. // 私はその*正しいやり方を知っている I know the *proper* way to do it. // 私の推測は*正しかった I guessed *right*. ★ この right は副詞. // 政治的に*正しい politically *correct* ★ 人種・性差別など社会的な差別を含まない表現について用いられる表現. PC と略す. // 由緒*正しい家柄の人 a person of *good* lineage // *正しい姿勢をとる assume a *good* posture

ただしがき 但し書き (法令・契約などの条件) proviso /prəváɪzoʊ/ Ⓒ (複 ~(e)s); 〔法〕(規定・条項) provision Ⓒ. (☞ じょうけん).

ただす¹ 正す (誤りを正しくする) correct ⓣ; (基準からはずれているのを修正する) (格式) rectify ⓣ; (不正を直す) right ⓣ; (改心させる・する) reform ⓣ ⓘ; (修正する) amend ⓣ ★ 格式ばった語; (姿勢をまっすぐにする) straighten *oneself* (up). (☞ なおす; ていせい¹; しゅうせい¹).

¶ 誤りは*正さなければならない We must ⌈*correct* [*rectify*] the errors. // このごろ彼は行いを*正したようだ He seems to *have reformed* these days. // 彼は姿勢を*正して私をじっと見た He *straightened himself* (*up*), and looked at me fixedly.

ただす² 質す (質問する) ask ⓣ; question ⓣ ★ 前者は一般的な語, 後者は「尋問する」「改まって質問する」という意味がある; (確かめる) make sure (of ...; (that) ...). (☞ きく¹; たずねる¹; しらべる).

¶ 担当の人の意向を*ただしてみよう I'll *ask* the opinion(s) of those in charge. // 各候補者に政見を*ただしたいものだ I'd like to *question* each candidate on his view(s).

たたずまい 佇まい (外見) appearance Ⓒ; (雰囲気) átmosphere Ⓒ. (☞ ようす; ふんいき; がいけん).

たたずむ 佇む (立ち止まる) stop ⓘ; (歩みを止める) pause ⓘ ★ 前後関係によって「手を休める・話をやめる」などの意味にもなる; (じっと立ったままでいる) stand still. (☞ たちどまる).

¶ 私はしばらく川岸に*たたずみ, 日没を見守った I ⌈*paused* [*stopped*; *stood still*] for a while on the bank and ⌈watched [looked at] the sunset.

ただただ 唯唯 (すっかり) completely; (全く) absolutely. ¶ その子の才能には*ただただ驚いた I was ⌈*completely* [*absolutely*] amazed at the child's talent.

ただちに 直ちに ― 副 (すぐに) at once, (略式) right away, immediately ★ 3 番目はやや格式ばった語で, 意味が強い. ― 接 (…したとたんに) the ⌈moment [instant] ... ★ 瞬間的な変化や緊急の場合は [ ] 内が多く用いられる; (…するとすぐに) as soon as ... (☞ すぐ (類義語); いちはやく).

¶ *ただちに仕事に取りかかって下さい Get (down) to work ⌈*at once* [*immediately*; *right away*]. // ニュースを聞くと彼は*ただちに事故の現場に駆けつけた *As soon as* [*The moment*; *Immediately* (*after*)] he heard the news, he ran to the scene of the accident.

だだっこ (甘やかされた子供) spoiled [(英) spoilt] child Ⓒ; (気むずかしい子供) fretful [nervous] child Ⓒ 語法 fretful は「いら立ってむずかる子」, nervous は「神経質な子」を意味する; (手に負えない子供) unmanageable [unruly] child Ⓒ. (☞ だだ).

だだっぴろい だだっ広い (広すぎる) too spacious (☞ ひろい; ひろびろ).

ただでさえ 只でさえ ¶ *ただでさえ困っているのに君はますます私を困らせようとしている I'm in *enough* trouble *without* you *making it worse*.

ただどり 只取り ― 動 (代償なしに取り上げる) take ... ⌈for nothing [without compensation]; (無料で手に入れる) get ... for nothing. ¶ 彼らは農地を*ただ取りされた They *had* their farming land *taken without compensation*.

ただなか 直中 ☞ まっただなか

ただならぬ (普通でない) unusual; (重大な) serious. (☞ じゅうだい¹; しんこく¹). ¶ これは*ただならぬことだ This is *quite serious*.

ただのり ただ乗り ― 動 (不正に乗車する) steal a ride. ¶ 彼は大阪まで*ただ乗りした He *stole a ride* (*on a train*) as far as Osaka.

ただばたらき ただ働き ― 動 work ⌈for nothing [without being paid]. ¶ *ただ働き同然だった (⇒ 報酬が法外に少なかった) The pay was outrageously low.

たたみ 畳 tatami (mat) Ⓒ; (敷物) mat Ⓒ 日英比較 畳は英米にないから mat は意訳にすぎない.

最近は tatami という日本語をそのまま用いても通じるようになってきている.
¶私たちはその部屋に*畳を敷いた We laid some *tatami mats* in that room. // *畳のへり ☞ 畳べり
畳の上で死ぬ ¶あんな男は*畳の上で死ねない(⇒自然死[安らかな死に方]はできない) A man like that can't *die* a ⌈*natural* [*peaceful*] *death.* **畳の上の水練** ¶それは*畳の上の水練(⇒理論は知っているが活用できない)のようなものだ It seems as if you *know the theory but can't make use of it.* **畳糸** tatami thread Ⓒ;(説明的には) thread to stitch tatami (mat) facing or borders Ⓒ **畳表** mat facing Ⓤ **畳替え** renewing the tatami mats Ⓤ **畳針** tatami needle Ⓒ **畳べり** border of a ⌈tatami [mat] Ⓒ **畳目** (畳表の編み目) mesh of a tatami mat Ⓤ《☞ たたみめ》 **畳屋** tatami ⌈maker [weaver] Ⓒ ★[ ]内は畳表を作っている人を指す.

たたみいわし 畳鰯 young sardines packed in a sheet.

たたみかける 畳み掛ける (質問などを浴びせる) fire ㊀《☞ あびせる; やつぎばや》. ¶彼女は彼に*畳みかけて質問した(⇒矢継ぎ早に質問を浴びせた) She *fired* question after question at him.

たたみこむ 畳み込む (折り畳む) fold ... (in ...); (折り込む) tùrn ín ㊀; (三脚の脚などを入れ子式にはまり込ませて短くする) télescòpe ㊀.《☞ おりたたむ; おりこむ¹》. ¶へりはきちんと*畳み込みなさい *Turn in* the hem neatly. // 三脚は*畳み込めます You can *telescope* the tripod.

たたみじわ 畳み皺 crease (made when folded) Ⓒ ★通例複数形で.

たたみめ 畳目 (折り目) fold Ⓒ; (紙・布などのしわや折り目) crease Ⓒ.

たたむ 畳む **1** 《折る》: (折り曲げる) fold (up) ㊀; (2つに折る) double ㊀.《☞ おりたたむ; おる¹》. ¶私はハンカチを4つに*畳んだ I *folded* the handkerchief ⌈into [in] four. // 彼女は着物を*畳んだ She *folded up* her kimono. // 彼は毛布を2つに*畳んだ He *doubled* the blanket.
2 《閉める》: (開いているものを閉じる) shút (óff) ㊀; (店・施設などを閉鎖する) clóse [shút] dówn ㊀ 語法 close down は「完全に閉鎖する」意味で, shut down は「休業する」という意味になることもある.《☞ しめる³; へいさ》.
¶彼は自分の工場を*畳み, 東京へ来た He ⌈*closed* [*shut*] *down* his factory and came to Tokyo. // 傘を*畳む *close* [*fold*] an umbrella // そのことは胸に*畳んでおいて下さい(⇒人に話さないでおく) Please *keep* it *to yourself.*

ただもの 只者 (普通の人) ordinary person Ⓒ. ¶君を簡単に打ち負かすとは彼は*只者ではない He is no *ordinary person* who beat you easily.

ただよう 漂う **1** 《ふわふわ浮く》: (流れに乗って漂流する) drift (about) ㊂, be adrift ★後者のほうがやや格式ばった言い方; (水面や空中に浮く) float ㊂; (雲・煙・危険などが上にかかる) hang (over ...) ㊂.《☞ うかぶ; ひょうりゅう》.
¶船は(海上に) 3日間*漂い続けた The ship ⌈*drifted about* [*was adrift*] for three days (on the sea). // 赤い風船が空中に*漂っていた A red balloon *was floating* in the air. // その国には緊迫した空気が*漂っていた(⇒その国には緊迫した雰囲気があった) The country *had* a ⌈strained [tense] atmosphere.
2 《(雰囲気が)満ちる》: (...でいっぱいである) be filled with ... ¶部屋の中にはばらの甘い香りが*漂っていた(⇒甘い香りで満ちていた) The room *was filled with* the sweet fragrance of roses.

ただよわす 漂わす (香り・煙を発する) give off ㊀; (表情などを浮かべる) wear ㊀. ¶そのバラは甘い香りを*漂わせていた The roses *gave off* a sweet smell. // 悲しそうな表情を*漂わせた女性 a woman *with* a sad look

たたら 踏鞴 (足踏みのふいご) foot bellows ★複数形で用いる. **たたらを踏む** totter to *one's* feet.

たたり 祟り (のろい・ばち) curse Ⓒ. ¶彼の一家には*たたりがある There is a *curse* on his family. // これは悪魔の*たたり(⇒影響のもと)で起こったと彼らは考えた They thought this had taken place *under the influence of evil spirits.* // 触らぬ神に*たたりなし Let sleeping dogs lie.《ことわざ: 眠っている犬はそのままにしておけ》 **祟り目** the time when things go bad《☞ よわりめ》.

たたる 祟る (不吉なまじないをかける) cast ⌈a [an evil] spell (on ...; over ...); (のろわれている) be under a curse.
¶私たちは*たたられているのではなかろうか I wonder if ⌈we *are under a curse* [*there is a curse on* us]. // 無理をすると後が*たたる(⇒過労は後で影響する) The strain will *tell on* ⌈me [you] later. 語法 you を用いると一般的な言い方になる. // 不勉強が*たたって(⇒不勉強のせいで)試験に落ちた I failed the examination *because* I didn't study enough.

ただれ 爛れ (皮膚や組織が炎症などを起こして痛む箇所) sore Ⓒ.

ただれめ 爛れ目 〖医〗(眼瞼炎) blepharitis /blèfəráɪtɪs/ Ⓒ, palpebritis /pælpəbráɪtɪs/ Ⓒ.

ただれる 爛れる (炎症を起こして痛む) become sore; (目がただれる) be bleary-eyed ★人を主語にして.《☞ えんしょう²; かのう²; うむ²》. ¶汗で赤ん坊の柔らかな皮膚が*ただれてしまった The tender skin of the baby *has become sore* from sweat(ing).

たたん 多端 ¶業務*多端で休暇も取れない I can't afford a holiday with *so much work to do.*

ただんしきロケット 多段式ロケット multi-stage rocket Ⓒ.《☞ だん¹》.

たち¹ 質 (生まれつきの性質) nature Ⓤ; (感情などの気性) temper Ⓒ; (気質) temperament Ⓒ; (人間の性格上の傾向) disposition Ⓒ.《☞ せいしつ¹ (類義語); きしょう¹; しょうぶん》.
¶彼女は(生まれつき)快活な*たちです She is cheerful *by nature.* / She has a cheerful *disposition.* // 彼は怒りっぽい*たちだ He has a hot ⌈*temper* [*temperament*]. 語法 [ ]内は「怒りが彼の行動や考え方の基調になっている」というニュアンスがある. // 私は生まれつきこういう*たちです(⇒私はこのように生まれついている) I *was born this way.* // 私は風邪を引きやすい*たちです I (*tend to*) catch cold easily. // *たちの悪い(⇒悪性の[やっかいな])風邪を引いてしまった I've caught a ⌈*bad* [*nasty*] cold. // 彼は1つのことに熱中する*たちではない(⇒...という型の人ではない) He is not the *type* to devote himself to one thing.

たち² 太刀 sword /sɔ́əd/ Ⓒ《☞ かたな》. **太刀銘** sword signature Ⓒ.

-たち ...達 日英比較 日本語の「...たち」は, 英語では複数形で表す.
¶私*たちの計画はうまくいった *Our* plan worked well. // 子供*たちが大勢公園で遊んでいる Many *children* are playing in the park.

たちあい 立ち会い **1** 《立ち会うこと》: (その場にいること) presence Ⓤ; (出席) attendance Ⓤ.《☞ たちあう》. ¶佐藤氏*立ち会いの下に測量しました We measured the place ⌈*in the presence of* Mr. Sato [*with* Mr. Sato *in attendance*].
2 《株券売買取引》: session Ⓒ.
立会演説会 joint campaign-speech meeting Ⓒ **立会場** (証券取引所の) the floor; 《米》 board-room Ⓒ **立会停止** 〖株〗 suspension of a session

Ⓤ 立会人 (正式代表でなく, 採決に加わらない人) observer Ⓒ; (証人) witness Ⓒ.

たちあう 立ち会う (出席する) attend 〈他〉; (その場にいる) be present (at …); (証人・参考人として) witness 〈他〉, act [serve] as a witness.
¶私は彼らの会見に*立ち会った I ⸢*was present at* [*attended*] their meeting. // 投票所で*立ち会う人が数人必要だ We need several people to ⸢*witness* the voting [*act as witnesses*] at the polling station.

たちあおい 立葵 〖植〗 hollyhock Ⓒ.

たちあがり 立ち上がり ¶上原は*立ち上がり (⇒ 1 回(の表)) に 3 点取られた Uehara gave up three runs in (*the top of*) *the first inning*.

たちあがる 立ち上がる **1** «起立する»: stand [get] up 〈自〉 [語法] (1) get up は「起き上がる」の意味にも用いる. 《☞ おきる; おきあがる》. ¶彼女はいすから*立ち上がった She ⸢*got* [*stood*] *up* from her chair. // 彼はぱっと*立ち上がった He ⸢*jumped* [*sprang*] *to his feet*. [語法] (2) [ ] 内のほうが「突然」のニュアンスが強い.
2 «行動を始める»: (始める) start (to *do* …; *doing* …) 〈他〉; (反抗して) rise (up) (against …) 〈自〉. 《☞ たつ¹》. ¶彼らは募金に*立ち上がった (⇒ 募金を開始した) They *started* to collect money. // 市民たちは武器を取って*立ち上がった The citizens *rose* (*up*) in arms.

たちあげ 立ち上げ (コンピューターの起動) boot Ⓒ ★電源を切った状態からの立ち上げを cold boot, 使用中の再起動を warm boot という. 《☞ コンピューター(囲み)》.

たちあげる 立ち上げる (コンピューターを) boot (up) 〈他〉.

たちい 立ち居 (日常のふるまい) actions ★複数形で; (品行・態度) behavior Ⓤ; (動作) *one's* movement Ⓒ.

たちいた 裁ち板 cutting board Ⓒ.

たちいたる 立ち至る ¶わが国の財政危機は憂慮すべき事態に*立ち至っている Our nation's financial crisis *has* ⸢*arrived at* a truly dismaying state of affairs [*come to* an alarming pass]. // 無謀な投資でその会社は破産宣告を受けるに*立ち至った Reckless investment *landed* the company *in* the bankruptcy court.

たちいふるまい 立ち居振舞い (振舞い) bearing ★a ～ または Ⓤ; (身のこなし) carriage ★a ～ または Ⓤ; (行儀) behavior Ⓤ (《英》 behaviour), deportment Ⓤ ★後者は若い女性についていうことが多い; (礼儀作法) manners ★複数形で. manners 以外はすべて格式ばった語. ¶彼女は*立ち居振舞いがしとやかだ She has ⸢an elegant *carriage* [graceful *manners*].

たちいり 立ち入り ¶許可証がなければこの実験室への*立ち入りはできない (⇒ 入ることを許されていない) No one *is admitted* to this laboratory without a permit.

「立入禁止」の掲示

立入禁止 (入るな) Do Not Enter ★口語的; (入場を許可しない) No ⸢Admittance [Entrance; Entry] ★この順に口語的になる; (近寄るな) Keep ⸢Off [Out] ★口語的; (無断でこの土地に侵入するな) No Trespassing ★格式ばった言い方. 立ち入り検査 inspection Ⓒ. ¶*立ち入り検査のために来た We are here to *make an* (*on-the-spot*) *inspection*.

たちいる 立ち入る **1** «中へ入る»: (入る) enter 〈他〉; (他人の土地などへ侵入する) tréspass (on …) 〈自〉 ★格式ばった語. 《☞ はいる》.
¶芝生内に*立ち入るな (⇒ 芝生から離れていなさい) *Keep off* the grass. / (⇒ 芝生に足を踏み入れないで下さい) Don't *step on* the grass.
2 «深いところまでかかわる»: (干渉する) meddle in …; (他人のことをせんさくする) pry into … 《☞ かんしょう¹; せんさく》. ¶人の事には*立ち入りたくない I don't like to ⸢*meddle in* [*pry into*] other people's affairs. // 「*立ち入ったことを聞くようですが (⇒ せんさくしすぎなら [個人的すぎるなら] 許していただきたいのですが), あなたは独身ですか」「はい, そうです」 "Excuse me if I'm too ⸢*inquisitive* [*personal*], but are you single?" "Yes, I am."

たちうお 太刀魚 〖魚〗 hairtail Ⓒ, 《米》 cutlass fish Ⓒ.

たちうち 太刀打ち ¶数学では彼にとても*太刀打ちできない (⇒ 相手にならない[競争できない]) I'*m no match for* [I *can hardly compete with*] him in mathematics. 《☞ かなう¹》

たちうり 立ち売り ―[動] (路上で売る) sell … on the street; (行商する) hawk 〈他〉 ★しばしば強引さを暗示する. ―[名] (人) (露店などの) vendor Ⓒ; (行商人) hawker Ⓒ.

たちえり 立ち襟 stand-up collar Ⓒ.

たちおうじょう 立往生 ―[動] (交通などが止められる) be held up; (にっちもさっちもゆかなくなる) be [get] stuck. ―[名] (交渉などの膠着(こうちゃく)状態) deadlock Ⓒ. 《☞ ゆきづまり》.
¶停電のため列車は 30 分間*立往生した (⇒ 止められた) The train *was held up* for half an hour because of the power failure. // 彼の車は泥の中で*立往生している His car *is stuck* in the mud.

たちおくれ 立ち遅れ ¶スタートでの*立ち遅れ (⇒ 不調) が致命的だった The *poor performance* at the start was fatal. // ホテル建設の*立ち遅れが目立つ (⇒ 予定より大変遅れている) The construction of the hotel is far *behind schedule*.

たちおくれる 立ち遅れる (出発が遅れる) get a late start; (遅れを取る) lag [fall] behind … [語法] fall は一般的な語, lag は「動きが遅すぎてついて行けなくなる」という意味. 《☞ おくれ; おくれる》.
¶彼は万事に*立ち遅れる (⇒ 始めるのが遅い) He always *gets a late start*. // 社会福祉の面では日本は英国にはるかに*立ち遅れている In social welfare, Japan ⸢*is* [*lags*; *falls*] far *behind* the United Kingdom.

たちおとし 裁ち落とし (裁断すること) cutting Ⓤ; (切り落とされたくず) waste piece of cut cloth Ⓒ; (切り端) scrap Ⓒ; (切り取られた断片) cuttings ★複数形で.

たちおとす 裁ち落とす (切り取る) cut off 〈他〉; (切って取り除く) cut out 〈他〉.

たちおよぎ 立ち泳ぎ ―[名] treading water Ⓤ. ―[動] tread /tréd/ water.

たちかえる 立ち返る (戻る) gò [còme] báck (to …) 〈自〉 ★一般的で平易な言い方. go, come の区別は ☞ かえる¹ (類義語); (元の場所・論点などへ戻る) return (to …) 〈自〉. 《☞ もどる; かえる¹ (類義語)》.

たちかた 裁ち方 (裁断) cutting Ⓤ.

たぢからおのみこと 手力男命 (日本神話の) Prince Tajikarao; (説明的には) the Japanese mythological god of great strength, who opened Amano Iwato (the Heavenly Cave

Door) and pulled out Amaterasu, the sun goddess. 《☞ あまのいわと》.

たちがれ 立ち枯れ ― 動 stand「dead [withered]. 立ち枯れ病 (植物の) blight Ⓤ.

たちき 立ち木 (naturally growing) tree Ⓒ.

たちぎえ 立ち消え ― 動 (消える・消滅する) gò óut 自 語法 (1) 火のような具体的なものにも, 制度などの抽象的なものにも広く使える; (火などがシューと消える) fizzle óut 自 語法 (2) 口語的な語で「あっけなく終わる」の意味にも用いる; (計画などが中途で中止になる) come to nothing. 《☞ ちゅうし[1]》. ¶ろうそくは*立ち消えた The candle *has gone out*. // あの計画は*立ち消えになった That plan *came to nothing*. // 捜査を*立ち消えにしてほしくない I don't want the investigation to「*burn* [*fizzle*] *out*. / (⇒ 中途半端で終わらせたくない) I don't want the investigation to *be*「*abandoned* [*left off*] *in the middle*.

たちぎき 立ち聞き ― 動 (意識的に他人の話をこっそり聞き取る) eavesdrop /íːvzdràp/ (on …) 自; (偶然人の話を聞いてしまう) òverhéar 他. 《☞ ぬすみぎき》.
¶あなたの話を*立ち聞きするつもりはありませんでした I didn't mean to「*eavesdrop on* [*overhear*] your talk. // *立ち聞きをする人 an *eavesdropper*

たちきる[1] 断ち切る (切る) cút (óff) 他; (特に関係などを) sever /sévə/ 他 ★ 格式ばった語 (接続を断つ) disconnect 他; (遮断する) block 他. 《☞ たつ[3]; きる[1]》. ¶あのグループとの関係は*断ち切るべきだ You should「*cut off* [*sever*] your connections with that group. // 敵の補給路を*断ち切る *cut off* [*block*] the enemy's supply route

たちきる[2] 裁ち切る (切り離す) cut off 他.

たちぐい 立ち食い ― 動 (立ったまま食べる) eat (…) standing. ― 名 (立食) stand-up meal Ⓒ. ¶昔は*立ち食いは行儀が悪いとされていた It used to be considered to be「against [a violation of] good manners to *eat standing*. // すぐそこでそばを*立ち食いしてきた (⇒ 屋台で食べた) I *had* a bowl of noodles at a street「stand [《英》 stall] nearby.

たちぐされ 立ち腐れ ― 動 (建物などが朽ちる) fall into decay; (作物が立ったまま腐る) rot while standing.

たちくず 裁ち屑 (布[紙]の切りくず) waste pieces of cut「cloth [paper] ★ 複数形で; (残りくず) shred Ⓒ ★ しばしば複数形で; (切り取った物) cutting Ⓒ. 《☞ たちおとし》.

たちくらみ 立ち暗み ― 動 feel「giddy [dizzy] when *one* stands up 《☞ めまい》.

たちげいこ 立ち稽古 ― 名 rehearsal /rɪhə́ːsl/ Ⓒ; (本番どおりの本稽古) dress rehearsal Ⓒ. ― 動 rehearse 自 他.

たちこめる 立ち込める (煙・霧などが包む) envélop 他 ★ 最も一般的な語; (布で覆うように隠す) wrap 他, shroud 他 ★ 後者のほうが重苦しいニュアンスがある; (覆い隠す) veil 他 ★ 格式ばった語; (…の上にかかる) hang (over …) 自. 《☞ つつむ; おおう》.
¶港は霧が*立ち込めていた (⇒ 港は霧に包まれていた) The port *was*「*enveloped* [*wrapped*; *veiled*; *shrouded*] in mist. / (⇒ 厚い霧がかかっていた) A thick mist *hung over* the port.

たちさき 太刀先 tip of a sword Ⓒ 《☞ きっさき》.

たちさばき 太刀捌き swordplay Ⓤ.

たちさる 立ち去る (離れる) leave 他 自 《過去・過分 left》; (行ってしまう) gò awáy (from …) 自; (出て行く) gèt óut (of …) 自. 《☞ さる[1]; たちのく》.
¶彼らはここから*立ち去りました. 戻ってくることはないでしょう They *have*「*left* [*gone away from*; *quit*] here, perhaps for good. // 私たちは説明もなく*立ち去れと命じられた We *were*「*ordered away* [*told to leave*] without (being given) any explanation.

たちさわぐ 立ち騒ぐ (騒ぎ立てる) raise a clamor ★ 格式ばった表現; (大騒ぎする) make a great fuss (about …; over …); (立って大声を上げる) stand up and make (a) noise. 《☞ さわぐ》.

たちしょうべん 立小便 ― 動 (外で小便をする) urinate /jʊ́(ə)rənèɪt/ outdoors, 《卑》 piss outdoors. 《☞ しょうべん》.

たちすがた 立ち姿 *one's* standing「posture [pose] Ⓒ. ¶花嫁の*立ち姿を写真にとる take a photo of the bride in *her standing posture*

たちすくむ 立ちすくむ (恐怖・驚きなどで体が石のようになる) be [stand] petrified; (その場に根が生えたように動けなくなる) stand rooted to the spot. 《☞ すくむ》. ¶恐怖のあまり私はそこに*立ちすくんでしまった I *stood*「*petrified* there [*rooted to the spot*] with fear.

たちすじ 太刀筋 (剣術) swordsmanship Ⓤ; (太刀の使い方) swordplay Ⓤ. ¶*太刀筋がよい (⇒ 才能ある剣士だ) be a talented *swordsman*

たちせき 立ち席 (劇場などの) standing room Ⓤ. ¶*立ち席のみ *Standing room* only. ★ S.R.O. と略す.

たちだい 裁ち台 (裁断用の台) worktable for cutting fabric Ⓒ; (裁断用の板) cutting board Ⓒ ★ まな板の意味にもなる.

たちつくす 立ち尽くす (じっと立っている) stand still; (立ったままでいる) remain standing. 《☞ たちすくむ》.

たちつづける 立ち続ける continue to stand; (長い間立っている) keep standing for a long time.

たちづめ 立ち詰め ― 動 (立ったままでいる) keep standing. ¶東京からずっと*立ち詰めでした I've had to *keep standing* [(⇒ 座席がなくて) I'*ve been unable to get a seat*] all the way from Tokyo.

たちどおし 立ち通し ― 動 (…までずっと立っている) stand all the way to … 《☞ たちづめ》.

たちどころに 立ち所に (すぐその場で) on the spot; (すぐさま) outright; (すぐに) at once, immediately /ɪmíːdiətli/ ★ 後者のほうが強意的; (即時に) in a moment; (すぐにそこで) then and there ★ 順序を入れ替えても可. 《☞ すぐ (類義語); そくざ》. ¶彼は*たちどころに私の願いを聞き入れてくれた He granted my request「*on the spot* [*outright*; *then and there*].

たちどまる 立ち止まる (足を止める) stop 自; (何かしている途中で休止する) pause 自; (じっと止まっている) stand still 自. 《☞ とまる[1]》.
¶彼は*立ち止まって周りを見回した He「*stopped* [*paused*] and looked around. // 彼女は*立ち止まったまま動こうとしなかった She *stood still* and wouldn't move. // *立ち止まらないで下さい (⇒ どんどん進んで下さい) Please *move*「*on* [*along*].

たちなおり 立ち直り (回復) recovery ★ Ⓤ または a ~ として. ¶我々の会社は損失からの*立ち直りが早かった[遅かった] Our company made a「quick [slow] *recovery* from the loss.

たちなおる 立ち直る (悪い状態から持ち直す) recover (from …) 自; (元気・景気などが回復する) improve 自, pìck úp 自 ★ 後者のほうが口語的. 《☞ かいふく[1]; もちなおす》. ¶我々の会社はかなりの損失をこうむったが, 半年で*立ち直った Our company suffered a rather heavy loss, but *recovered from* it in six months. // 相場は*立ち直った The market *has*「*picked up* [*improved*].

たちならぶ 立ち並ぶ (並んで立つ) stand「in a row [side by side] 自; (1 列に並べる・…に沿って並

ぶ) line Ⓣ. 《☞ ならぶ》. ¶桜の木が小川のそばに*立ち並んでいた The cherry trees _stood in a row_ by the stream. // 高い建物が道路の両側に*立ち並んでいた Tall buildings _lined_ the street on both sides.

たちのき　立ち退き (移転) removal Ⓤ; (法律による) eviction Ⓤ ★ 格式ばった語; (避難) evacuation Ⓤ. 《☞ いてん》. ¶*立ち退き命令を受けた (⇒立ち去るように命じられた) We were ordered to _leave._ **立ち退き先** _one's_ new address Ⓒ **立ち退き料** compensatory /kəmpénsətɔ̀:ri/ payments [compensation] for eviction ★ 前者は複数形で. [ ] 内は Ⓤ.

たちのく　立ち退く (立ち去る) leave Ⓣ; (転居する) móve [gèt] óut (of …) Ⓘ ★「転居する」の意味では move out のほうが普通. 《☞ いてん; あけわたす; ひきはらう》.

¶この部屋はあした*立ち退きます I _leave_ this room tomorrow. // この家は来月*立ち退くつもりです We are to ˹_move_ [_get_] _out of_ this house next month.

たちのぼる　立ち上る gò úp Ⓘ, rise Ⓘ ★ 前者のほうが口語的. 《☞ のぼる; あがる¹; たつ¹》. ¶煙は空へまっすぐに*立ち上っている The smoke _is_ ˹_going up_ [_rising_] straight into the sky.

たちのみ　立ち飲み ── 名 stand-up drinking Ⓤ. ── 動 (立ったまま飲む) drink (…) standing (up). ¶駅の売店でジュースを*立ち飲みする _drink_ fruit juice _standing_ (_up_) at a kiosk 《☞ たちぐい》.

たちば　立場 **1** «立脚地»: (立っている基盤) ground Ⓤ; (置かれている相対的位置) position Ⓒ. ¶私たちは共通の*立場に立ってその問題を討議した We discussed the problem on common _ground._ // 私の*立場にも立ってみて下さい I want you to put yourself in my ˹_position_ [_place_].

2 «地位・境遇・条件など»: (人が置かれている状況) situation Ⓒ. ¶彼の*立場には同情する (⇒あの立場に置かれている彼に同情する) I feel sympathy for him in that _situation._

3 «物の見方»: (見地) standpoint Ⓒ; (観点) point of view Ⓒ ★ 以上 2 つは交換可能な場合も多い; (物を見る角度) angle Ⓒ. 《☞ かんてん¹; けんかい¹》. ¶彼女は消費者の*立場から意見を述べた She stated her opinion from the consumer's ˹_point of view_ [_standpoint_]. // *立場を変えて見ることも必要だ It is necessary to look at it from a different ˹_angle_ [_point of view_].

> **コロケーション**
>
> **立場を失う** lose (_one's_) ˹_ground_ [face] / **立場を変える** shift [change] _one's_ ˹_ground_ [_position_] / **(…な)立場をとる** take a (…) ˹_position_ [_stand_] / **立場を守る** hold [stand] _one's ground_ / **立場を明確にする** define [state] _one's standpoint_ // **困った立場** an embarrassing ˹_situation_ [_position_] / **深刻な立場** a serious _position_ / **中立的な立場** a neutral ˹_position_ [stance] / **同等の立場(で)** (on) equal _terms_ (with …); (on) an equal _footing_ / **微妙な立場** a delicate ˹_position_ [_situation_] / **不利な立場** a disadvantageous _position_ / **まずい立場** an awkward ˹_position_ [_situation_] / **難しい立場** a difficult ˹_situation_ [_position_] / **有利な立場** an advantageous _position_

たちばさみ　裁ち鋏 shears ★ 複数形で. 数えるときは a pair of shears のように言う.

たちはだかる　立ちはだかる (道をふさいで邪魔をする) stand in _a person's_ way; (道・通行などを妨げる) bar Ⓣ; (通路などをふさいで障害となる) block Ⓣ. 《☞ たちふさがる; ふさぐ; さえぎる》. ¶彼は私の前に*立ちはだかった He _stood in_ my _way._ // 大きな建物が*立ちはだかってよく見えなかった A large building _blocked_ our view.

たちはたらく　立ち働く (仕事に精を出す) go about _one's_ work 《☞ はたらく》.

たちばな　橘 〖植〗 tachibana Ⓒ; (柑橘類の植物) citrus (tree) Ⓒ.

たちばなし　立ち話 ── 動 (立ったまま話す) stand talking Ⓘ; (立ったままおしゃべりする) stand chatting (together) Ⓘ. 《☞ しゃべる》. ¶あの 2 人は 2 時間も*立ち話をしている The two _have stood_ ˹_chatting together_ [_talking_] for two hours now.

たちはばとび　立ち幅跳び standing [stationary] ˹long [《米》 broad] jump Ⓒ 《☞ はばとび》.

たちばん　立ち番 ── 名 (守衛) guard Ⓒ; (番兵) sentry Ⓒ. ── 動 be on sentry duty; stand guard (over …).

たちふさがる　立ちふさがる (道をふさいで邪魔をする) stand in _a person's_ way; (道・通行などを妨げる) bar Ⓣ; (通路などをふさいで障害となる) block Ⓣ. 《☞ たちはだかる; ふさぐ; さえぎる》. ¶我々の行く手にはその難問が*立ちふさがっていた The difficult problem _stood in_ our _way._ // 彼らは戸口に*立ちふさがった They _blocked_ (the way to) the door.

たちぼうちょう　裁ち包丁 tailor's knife Ⓒ.

たちまち (一瞬に) in a ˹moment [minute]; (ただちに) at once; (即座に) immediately ★ at once よりも格式ばった語. 《☞ すぐ (類義語); そくざ》. ¶切符は*たちまち売り切れた The tickets were sold out ˹_at once_ [_immediately_]. // 家は*たちまち全焼してしまった The house was burned down _in a minute._

たちまちづき　立ち待ち月 (陰暦 17 日の月) seventeen-day-old moon on the lunar calendar. Ⓒ

たちまわり　立ち回り (取っ組み合い) scuffle Ⓒ; (殴り合い) fight Ⓒ; (舞台での擬闘) mock fighting Ⓤ. 《☞ かくとう¹》. **立ち回り先** place where _one_ ˹moves around [drops in] Ⓒ.

たちまわる　立ち回る (振舞う)《格式》condúct _onesèlf_; (策略を用いる) maneuver (《英》 manoeuvre) /mənú:və/ Ⓘ ★ やや格式ばった語で, 元は軍事の専門用語. 《☞ ふるまう; こうどう¹》. ¶彼女は慎重に*立ち回った She _conducted herself_ carefully.

たちみ　立ち見 ── 動 (劇を立ったまま見る) stand (up) through a play. ¶一幕だけ*立ち見した I _stood through_ just one act. // *立ち見席以外満員《掲示》_Standing Room_ Only 《☞ まんいん》 **立ち見客** standee /stændí:/ Ⓒ.

たちむかう　立ち向かう (自信を持って直面する) face Ⓣ; (人が事件などに立ち向かう・人を事件などに直面させる) confrónt Ⓣ ★ face より格式ばった語; (恐れずに向かっていく) stand up to …; (戦う) fight (against …) Ⓘ ★ Ⓣ の用法もある. 《☞ ちょくめん》.

¶政府は難局に*立ち向かっている The government now ˹_faces_ [_is confronted with_] a difficult situation. // 彼に正面から*立ち向かうのは賢明ではない It's not wise to _confront_ him openly. // 少年たちは勇敢に敵に*立ち向かった The boys bravely ˹_stood up to_ [_fought_ (_against_)] the enemy.

たちもち　太刀持ち sword bearer Ⓒ; (相撲の) sumo wrestler who bears a sword for the grand champion in the ring-entering ceremony Ⓒ ★ 説明的な訳.

たちもどる　立ち戻る (元のところに返る) return Ⓘ, get back (to …) Ⓘ. 《☞ もどる; かえる¹》. ¶原案に*立ち戻ってみよう Let's ˹_return_ [_get back_] to the ˹original plan [starting point].

たちもの　断ち物 food [drink] that _one_ volun-

た

tarily abstains from Ⓒ 《☞ たつ[3]》.

たちものぼうちょう 裁ち物包丁 ☞ たちぼうちょう

たちやく 立ち役 〖歌舞伎〗(男の主役) male protagonist in a kabuki play Ⓒ.

たちゆく 立ち行く ¶ 不景気で店が*立ち行かない (⇒ 経営を続けていけない) We cannot *keep* our store ⌜*going* [*running*] because of the recession. 《☞ なりたつ》

だちょう 駝鳥 〖鳥〗 óstrich Ⓒ.

たちよみ 立ち読み 一(動)(本屋で本を拾い読みする) browse /bráuz/ in a bookstore ★ browse は図書館で読む場合も指す. 《☞ ひろいよみ》.

¶ 私はよく本屋で*立ち読みをする I often *browse in bookstores.* // 彼はその雑誌を本屋で*立ち読みした He ⌜*browsed through* [*skimmed* (through)] the magazine in a bookstore. [語法] browse は (自) なので browse the magazine とは言えない. skim は「急いでざっと読む」という意味.

たちよる 立ち寄る (たまたま訪れる・ちょっと寄る) 《略式》 dróp ⌜ín [bý] (自); (途中で短期間寄る) 《米略式》 stóp ⌜bý [ín; óff] (自); (旅行中移動を中止して, ちょっとの間訪問したり滞在したりする) stóp (óver) (自) ★ 以上すべて口語的な語; (訪問する) visit (他). 《☞ よる[3]; たずねる[2] (類義語); よりみち》.

¶ ときにはお*立ち寄り下さい Please *drop in* ⌜*on* me [*at* my house] sometime. [語法] on は「人」を, at は「家」をあとにとる. / Won't you ⌜*visit* me [*stop by*] once in a while? // 途中, 静岡に*立ち寄った I *stopped* (*over*) at Shizuoka.

たちわざ 立ち技 (柔道などの投げ技) standing throw Ⓒ; (総称) standing techniques ★ 通例複数形で.

たちわる 断ち割る (切って分ける) cut apart (他); (切って開く) cut open (他); (分割する) brèak úp (他). 《☞ きりはなす; きりひらく》.

だちん 駄賃 (ほうび) reward Ⓒ; (チップ) tip Ⓒ. 《☞ ほうび》.

たちんぼう 立ちん坊 ¶ そのチケットを買うのに 5 時間列に並んで*立ちん坊をした I ⌜*was kept standing* [had to *stand*] ⌜in [on] line for five hours to buy the tickets. 《☞ たちづめ》

たつ[1] 立つ **1** «人が足で立つ»: (直立する; 立っている) stand (自) 《過去・過分 stood》 [語法] (1) stand は「立ち上がる」という動作も, また「立っている」という状態も表す; (ある位置に立つ) take *one's* stand; (立ち上がる) stànd úp (自); (腰を上げる) rise (自) 《過去 rose; 過分 risen》 ★ stand up より格式ばった語. 《☞ たちあがる; おきる》.

¶ 彼はその場にじっと*立っていた He *stood* still on the spot. // 女の子が青信号を待ちながら*立っていた A girl *stood* waiting for a green light. // カーテンの後ろにだれかが*立っている Somebody *is standing* behind the curtain. [語法] (2) stand の進行形は主語が人や動物のときに限られる. また進行形のほうが口語的なニュアンスがある. // 彼は疲れて*立っていられなかった He was so tired that he could hardly *stand.* // 彼はいすから*立って私を迎えてくれた He ⌜*rose* from his chair [*stood up*] to welcome me.

2 «人が行動を起こす»: (立候補する) run (for ...) (自); (蜂起する) rise (自) ★ 格式ばった語. 《☞ たちあがる》. ¶ 彼は市長選に*立つだろう He will *run for* mayor. 《☞ りっこうほ》 // 彼らは圧制に反抗して*立った They *rose* (up) against ⌜oppression [their oppressors].

3 «物が直立している»: (まっすぐに立っている) stand (自) [語法] 物が主語の場合は stand は進行形をとらない. 《☞ たてる[2]》. ¶ 彼の家の前には松の木が*立っている A pine (tree) *stands* in front of his house. // 耳が*立った犬 a dog with ⌜*upward-pointing* ears [ears that ⌜*point* [*stick*] *up*]

4 «立ちのぼる»: (湯気が) steam (自); (上昇する) rise (自). 《☞ たちのぼる》. ¶ やかんから湯気が*立っている (⇒ やかんが蒸気を出している) The kettle *is steaming.* // 煙突から煙が*立っていた Smoke *was rising* from the chimney. // ほこりがもうもうと*立った The dust *rose* in clouds.

5 «波や風が»: (荒くなる) rise (自) 《☞ なみ[1]; かぜ[1]》. ¶ 波が*立ちはじめた The waves *are rising.* // 海は白波が*立っていた (⇒ 泡で白かった) The sea was white with foam.

6 «その他の慣用的表現» ¶ …といううわさが*立っている Rumor *has it that* ... // 席を*立つ *leave one's* seat // 気が*立つ *get* excited // 人目に*立つ *attract* attention // 明日は朝市が*立つ It's a morning market day tomorrow. // 大雪で野菜の入荷の予定が*立たない Because of the heavy snowfall, we can't *be sure* when the next supply of vegetables will come. // そうしたのは彼に義理を*立てたからだ I did it to ⌜discharge [fulfill] my obligations to him. // 顔が*立つ *save one's* face // 腹が*立つ *get* angry (at [with] ...) ★ at は物, with は人. // 筆が*立つ be a *good* writer

立っているものは親でも使え Ask [Use] anybody around you to help you when in urgent need.

立つ鳥跡を濁さず ☞ にごす 2 [参考]

立てば歩めの親心 It is parents' earnest hope for their child to ⌜start to walk soon after he or she can stand [(⇒ 着実に成長する) grow steadily].

立てば芍薬座れば牡丹歩く姿は百合の花 (She looks) as beautiful as a peony while standing, as elegant as a tree peony while seated, and as graceful as a lily while walking.

たつ[2] 経つ (時が過ぎ去る) páss bý (自), gò bý (自) ★ 後者のほうが口語的; (早く経つ) fly (自). 《☞ すぎさる; けいか》.

¶ 時はすぐ*たってしまう Time ⌜*passes* [*goes*] *by* quickly. / (⇒ 光陰矢の如し) Time *flies.* ★ 第 2 文は決まった言い方. // 1 時間も*たてば彼は帰ってきます He will be back *in* an hour('s time). ★ time を付けるのは《英》. // 時が*たつにつれて問題はさらに深刻になってきた As time *has passed* [With the *passage* of time], the problem has proved more serious. ★ [ ] 内のほうが格式ばった言い方. // 3 日*たってから返事が来た (⇒ 返事をもらったのは 3 日後だった) It was three days ⌜*later* [*afterward(s)*] that I received an answer.

たつ[3] 断つ, 絶つ **1** «絶やす»: (関係・連絡などを) cút [brèak] óff (他), sever /sévə/ (他) ★ 後者のほうが格式ばった語; (人との交際・慣習などを) break with ...; (中断する) interrúpt (他); (電流を) switch óff (他). 《☞ たちきる[1]》.

¶ 私たちは彼らとは関係を*断っている We *have* ⌜*broken* [*cut*] *off* relations with them. / We ⌜*have broken* [*are finished; are done*] *with* them. ★ be ⌜finished [done] は「仲が終わりになった」という意味. // 2 時間ほど前から雷雨のため連絡が*断たれている Communications *have been* ⌜*cut off* [*interrupted*] for two hours because of a thunderstorm. // 彼女はアメリカに行ったきり消息を*絶っている We *have heard nothing of* her since she ⌜left [《格式》 departed] for the United States. // …と国交を*絶つ *break* (*off*) [*sever*] diplomatic relations with ... // 問い合わせの電話があとを*絶たない (⇒ 次々にくる) Telephone inquiries have come *one after another.*

2 «習慣などをやめる»: (していたことをやめる) give úp (他); (意図的にやめる) quit (他); (慎む) abstain from

…; (止める) stop ㊥ 〔語法〕 最も口語的で広い意味を持つ表現は give up. quit は自分の意志でやめることが強調される. abstain from は「酒・たばこ」など, あるいは望ましくない習慣を慎む意味で, やや格式ばった言い方. (☞ やめる[1]).

¶ 酒は*断っています I've ⌈*given up* [*quit*; *stopped*] drinking.

3 «根絶する»: (撲滅する) stámp óut ㊥; (根こそぎにする) erádicàte ㊥ ★ 格式ばった語; (排除する) elíminate ㊥ ★ 格式ばった語. (☞ こんぜつ). ¶ すべての悪の根をこの際*断つべきだ We should now ⌈*stamp out* [*eliminate*; *eradicate*] the root of all evil. // 望みはすべて*絶たれた I *have lost* all hope. / (⇒ 打ち砕かれる) All my hopes *have been dashed*.

4 «生命を奪う» ¶ 自らの命を*絶つ *kill oneself*

たつ[4] 発つ, 立つ (場所から去る) leave ㊥; (出発する・動き出す) start (from …) ㊐ ★ 前者が一般的. (☞ しゅっぱつ 〔語法〕).

¶ その列車は8時に上野を*発った The train ⌈*left* [*started from*] Ueno Station at eight o'clock. // 彼はロンドンを*発ってニューヨークへ向かった He *left* London for New York. // 一行はハワイへの旅に*発った The party ⌈*went* [*started*; *set out*; *set off*] on a trip to Hawaii.

たつ[5] 建つ, 立つ (家などが造られる) be built; (像などが造られる) be set up, be erected ★ 前者のほうが口語的. (☞ たてる[1] (類義語); けんちく).

¶ この家は*建ってから10年になる (⇒ 10年前に建てられた) This house *was built* ten years ago. // 創業者を記念して銅像が*立った A bronze statue *was* ⌈*set up* [*erected*] in memory of the founder.

たつ[6] 裁つ (布を裁断する) cút (óut) ㊥. ¶ ドレスを*裁つ *cut out* a dress

たつ[7] 辰 (十二支の) the Dragon (☞ ね[4]).

だつ- 脱… de-. ¶ *脱近代化 *de*modernization // *脱大都市化 *de*metropolitanization // *脱水 *de*hydration

だつあにゅうおう 脱亜入欧 〔史〕《標語》 Out of Asia and Into Europe.

だつあろん 脱亜論 the theory of de-Asianization.

たつい 達意 ―形 (文体などが明快な) perspicuous; (明晰な) lucid; (わかりやすい) clear; (理解できる) intelligible. ¶ *達意の文を書く write ⌈*clearly* [*lucidly*]

だついじょう 脱衣場 (化粧室) dressing room Ⓒ; (海水浴場の) bathhouse Ⓒ; (体育館などの更衣室) locker room Ⓒ.

ダッカ ―名 ㊟ Dhaka, Dacca /dǽkə/ ★ バングラデシュの首都.

だっかい[1] 脱会 ―動 (身を引く) withdraw (from …) ㊐ ★ やや格式ばった語; (やめる) leave ㊥, quit ㊥, drop out of … (☞ だったい; やめる[2]).

¶ 私はその会を*脱会しました I've ⌈*withdrawn from* [*left*; *quit(ted)*; *dropped out of*] the society. // 昨年は15名の*脱会者があった There were fifteen *withdrawals* last year.

だっかい[2] 奪回 ―動 (再び得る) regain ㊥, wín báck ㊥ ★ 後者のほうが口語的. ¶ 彼はタイトルを*奪回した He ⌈*regained* [*won back*] the title. // 彼の党は政権を*奪回した (⇒ 再び政権についた) His party *came back* into power.

だっかつかんしつ 脱活乾漆 the dry-lacquer technique (of a sculpture); (説明的には) technique of coating lacquer over the several layers of hemp cloth covering a clay sculpture which is pulled out after lacquer is dry Ⓒ.

たっかん 達観 ―動 (長い目で見る) take a long-term view of …; (淡々とした見方をする) take a philosophical view of … (☞ さとる).

¶ 将来を*達観すれば希望も見えてこよう If you ⌈*take a long-term view of* [*see far into*] the future, you may be able to see some hope. ★ [ ] 内は「深く見通す」という意味.

たつがん 達眼 ―名 (洞察力) insight Ⓤ. ―形 insightful. ¶ *達眼の士 a man of *insight* / an *insightful* ⌈man [person]

だっかん 奪還 ―動 (奪い返す) regain ㊥ (☞ だっかい[2]; とりもどす).

だっかんしつ 脱乾漆 ☞ だっかつかんしつ

だっきゃく 脱却 ―動 (抜け出す) free *oneself* of …; (習慣などを断ち切る) shake *oneself* free ⌈from [of] … ¶ 固定観念から*脱却する必要がある We need to ⌈*free ourselves* [*shake ourselves free*] from fixed ideas.

たっきゅう 卓球 táble tènnis Ⓤ, píng-pòng Ⓤ. (☞ ラケット (挿絵)).

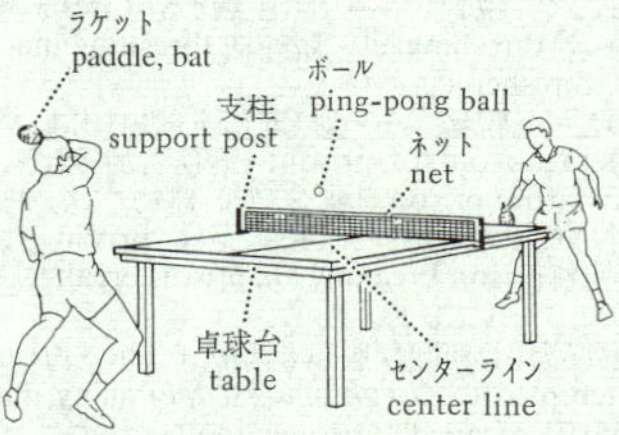

¶ 彼らは新しいラケットを使って*卓球をした They played ⌈*ping-pong* [*table tennis*] with their new ⌈paddles [bats]. **卓球台** ping-pong table Ⓒ.

だっきゅう 脱臼 ―名 〔医〕 dislocation Ⓤ. ―動 (脱臼させる) díslocàte ㊥. (☞ はずれる).

たっきゅうびん 宅急便 《商標》 ☞ たくはい

タッキング 〔ヨット〕 tacking Ⓤ.

ダッキング 〔ボク〕 ducking Ⓤ.

タック (縫いひだ) tuck Ⓒ. ¶ 袖口に*タックを入れる take a *tuck* in the cuffs

タッグ (札(ふだ)・データなどの目印) tag Ⓒ.

ダック (あひる・かも) duck Ⓒ (複 ~(s)). ¶ 北京*ダック Peking *duck* (☞ ペキン)

ダッグアウト 〔野〕 (野球場の) dúgòut Ⓒ 〔参考〕 dugout には「防空壕, 丸木舟」などの意もある.

タックイン 〔服〕 ―形 tuck-in. ¶ *タックインブラウス a *tuck-in* blouse

タックシール (あて名用のシール) (gummed) address label Ⓒ.

タックス (税金) tax Ⓒ (☞ ぜいきん). **タックスセービング** tax saving Ⓒ **タックスフリー** ―形 tax-free **タックスヘイブン** (外国企業に税の優遇制度のある国) tax haven Ⓒ **タックスヘイブン(対策)税制** (Japan's)tax-haven taxation system Ⓤ; (説明的には) system of rules for taxation of firms with assets transferred to subsidiaries in offshore tax havens Ⓤ **タックスペイヤー** taxpayer Ⓒ.

ダックスフント(犬) dachshund /dáːkshùnd/ Ⓒ (☞ いぬ[1]).

タックせいど タック[TAC]制度 (漁獲可能量) TAC system Ⓒ ★ TAC は Total Allowable Catch の頭字語.

タッグマッチ (プロレスの) tag match Ⓒ.

たづくり 田作り **1** «田を耕すこと»: rice field plowing Ⓤ. **2** «ごまめ»: small dried sardines; (説明的には) small dried sardines boiled in sugar and soy sauce and usually served as one of the New Year's dishes.

タックル 〘アメフト・ラグ〙 ―[名] tackle Ⓒ. ―[動] tackle (他) (自). ¶佐藤がいまセンターハーフに*タックルした Sato *has* just *tackled* the center half-back.

たっけい 磔刑 ☞たくけい

たっけん 卓見 (すぐれた考え) excellent idea Ⓒ.

だつげんぱつ 脱原発 breaking with nuclear power generation Ⓤ.

だっこ 抱っこ ―[動] (抱いて歩く) carry (他) 《☞だく[1]》. ¶幼児は「*だっこ」とせがんだ The child was crying, "*Carry me!*"

だっこう[1] 脱稿 ―[動] (書き終える) finish writing 《☞しあげる》.

だっこう[2] 脱肛 〘医〙 anal prolapse Ⓤ.

だつこうぎょうかしゃかい 脱工業化社会 (重工業依存終了後の社会) postindustrial society Ⓒ; (高度産業化・情報化社会) highly developed and information-oriented industrial society Ⓒ.

だっこく 脱穀 ―[動] (脱穀する) thresh (他) (自). ―[名] threshing Ⓤ. **脱穀機** threshing machine Ⓒ, thresher Ⓒ.

だつごく 脱獄 ―[動] (刑務所を脱け出す・牢を破る) break out of prison; (刑務所から逃げる) escape from prison [語法] (1) 建物でなく, 刑務所に投獄されているという意味のときは prison は Ⓤ. ―[名] prison breaking Ⓤ, prison break Ⓒ. 《☞だっそう; けいむしょ》.
¶囚人たちは何回も*脱獄を試みた The prisoners attempted to ⌜*break out* [*escape*] many times.
脱獄囚 escaped ⌜prisoner [cónvict] Ⓒ [語法] (2) [ ] 内ははっきり有罪になった者だけを指す; jail-breaker Ⓒ ★口語的.

だつサラ 脱サラ (会社をやめた人) córporate drópòut Ⓒ; (説明的には) self-employed person who formerly worked (full-time) for a company Ⓒ. ¶彼は*脱サラして (⇒会社をやめて) 喫茶店をはじめた He *quit the company* and opened a coffee shop.

だつさんぎょうしゃかい 脱産業社会 ☞だつこうぎょうかしゃかい

だつさんそざい 脱酸素剤 deoxidizer /dìːɑ́ksədàɪzə/ Ⓒ; (酸素吸収剤) oxygen absorber Ⓒ.

たっし 達し (公の[政府の]告示) official [government] notice Ⓒ; (命令) order Ⓒ. 《☞こくじ[1]; めいれい; つうたつ》.

だつじ 脱字 missing [omitted] ⌜letter [character] Ⓒ. **脱字記号** cáret Ⓒ 《☞脱字記号 (巻末)》.

だっしだいず 脱脂大豆 bean cake Ⓤ.

だっしにゅう 脱脂乳 skim milk Ⓒ.

だっしふんにゅう 脱脂粉乳 powdered skim milk Ⓤ, dehydrated skim milk Ⓤ.

だっしめん 脱脂綿 absorbent [sanitary] cotton Ⓤ ★前者のほうが普通, 《英》 cotton wool Ⓤ.

たっしゃ 達者 **1** «上手な»: ―[形] (巧みな) good (at ...); (完全に熟達した) éxpert (in ...; at ...); (堪能な) 《格式》 proficient (in ...) [語法] (1) 最も一般的なのは good (at ...). proficient は expert ほど完全ではない. 《☞じょうず; うまい》.
¶*彼女はタイプが*達者だ She is* ⌜*a good* [*an expert*] typist. / She is *good at* typing. // 英語の*達者な事務員を求めています We want a clerk ⌜*proficient in* [*with a good command of*] English. [語法] (2) [ ] 内は「英語が思いのままに使いこなせる」という意味. // 彼はフランス語を*達者に (⇒流暢(りゅうちょう)に) 話す He speaks French *fluently*. // 彼は口*達者な人 (⇒口先の器用な人)だ He is a glib talker. ★glib は軽蔑的. / (⇒雄弁な人) He is an eloquent speaker. / (⇒おしゃべりな人) He is a talkative man. 《☞くち》
2 «丈夫な»: (病気でない) well Ⓟ; (心身ともに健康な) healthy, in good health ★後者のほうがやや格式ばった言い方; (強い・頑健な) strong. 《☞けんこう[1]; げんき[1]》. ¶あの老人は足が*達者だ (⇒丈夫な足を持つ) That old man has *strong* legs.

だっしゅ 奪取 ―[動] (力ずくで手に入れる) capture (他); (奪い取る) seize (他). 《☞とる; うばう》.

ダッシュ **1** «記号»: dash Ⓒ ★(―) の記号のこと. 《☞ダッシュ (巻末)》; (プライム記号) prime Ⓒ ★A′ は A prime と読む. **2** «突進する» ―[動] dash (自). ―[名] dash Ⓒ. 《☞とっしん》. ¶走者はゴールに向けて*ダッシュした The runner ⌜*made a dash* [*dashed*] for the ⌜finish line [tape].

だっしゅう 脱臭 ―[動] (臭気を除く) deódorìze (他) 《☞におい》. **脱臭剤** deodorant /dìːóʊdərənt/ Ⓤ.

だっしゅつ 脱出 ―[動] (逃れる) escape (from ...) (自); (...から逃げ出る) 《略式》 gèt away (from ...) (自); (...から抜け出す) 《略式》 gèt óut of ... ―[名] escape Ⓤ. 《☞にげる; のがれる》. ¶彼らは沈みかけた船から無事に*脱出した They safely ⌜*escaped from* [*got out of*; *got away from*] the sinking ship.
脱出組 (連休などでの) the holiday exodus.

だっしゅつそくど 脱出速度 ☞うちゅう (宇宙速度)

ダッシュボード (自動車などの計器盤) dashboard Ⓒ.

だっしょう 脱硝 〘化〙 denitration Ⓤ.

だっしょく 脱色 ―[動] (色を抜く) remove the color; (漂白剤などを使って色を抜く) bleach (他). 《☞ひょうはく[1]》. **脱色剤** decolorant /dìːkʌ́lərənt/ Ⓒ.

たつじん 達人 ―[名] (熟練者) éxpert Ⓒ; (完全に技を習得した人) master Ⓒ; (名人) ádept Ⓒ. ―[形] (熟練した) éxpert (at ...; in ...), adépt (at ...; in ...) Ⓟ ★前者のほうが一般的. 《☞めいじん; うまい; じょうず》. ¶彼女はタイプの*達人だ She is an *expert* typist. // 彼は水泳の*達人だ He is *adept* ⌜*in* [*at*] swimming.

だっすい 脱水 ―[動] (脱水機で) spin-dry (他); (水分を取り除く・水分がなくなる) dehýdrate (他) (自) ★専門的な用語. ―[名] dehydration /dìːhaɪdréɪʃən/ Ⓤ. **脱水機** (洗濯機の) spin-dryer Ⓒ **脱水剤** dèhýdràtor Ⓒ **脱水症状** dehydration Ⓤ.

たっする 達する **1** «到達する»: reach (他), arrive (at ...; in ...) (自), get to ... [語法] get to が最も口語的. reach は arrive より積極的なニュアンスがある. arrive at と arrive in の区別は ☞つく[2]. 《☞とうたつ; つく[2]》. ¶彼の声は私たちの耳まで*達した His voice *reached* our ears. // 一行は昨日山頂に*達した The party ⌜*reached* [*arrived at*; *got to*] the mountaintop yesterday.
2 «数量が»: (及ぶ) reach (他); (総計…になる) amount (to ...) (自). 《☞およぶ; のぼる》.
¶彼らの損失は 100 万円に*達した Their losses ⌜*reached* [*amounted to*] one million yen. // 募金はまだ目標額に*達しない (⇒不足している) The amount donated ⌜still *falls short* [is still *short*] *of* the goal.
3 «仕遂げる»: (努力の結果, 希望や目的に到達する) attain (他) ★やや格式ばった語; (困難を乗り越えて達成する) achieve (他); (実現する) realize (他); (成し遂げる) accomplish (他) ★やや格式ばった語. 《☞たっせい (類義語)》. ¶彼らは目的を*達した They

have「attained [achieved; realized] their purpose.

だっする 脱する (抜け出す・逃れる) escape (from …) ⓐ; (…から抜け出す) gèt óut (of …) ⓐ ★ 中から外へ出ることをいう口語的表現; (自由になる) be freed (from …). ((☞ だっしゅつ; のがれる)). ¶危機をどうやら*脱したようだ We seem to *have*「*escaped from* [*gotten out of*] danger (at last). / Finally we *are out of* danger.

たつせ 立つ瀬 立つ瀬がない ¶それでは私の*立つ瀬がない (⇒それは私を苦境に置く) That would leave me「*in a fix* [*in an awkward position*]. / (⇒あなたは私を板ばさみの状態に置く) You are placing me *in a dilemma*. ★ 第1文は第2文より口語的.

たっせい 達成 ― 動 achieve ⓣ; attain ⓣ; accomplish ⓣ; fulfill ⓣ; (実行する) cárry [wórk] óut ⓣ; (実現する) realize ⓣ.

【類義語】障害などを乗り越えて業績や大望などを達成するのは **achieve**. 努力の末やっと到達する感じで達成するのが **attain**. 努力と忍耐をもって計画・任務などを達成するのは **accomplish**. *attain* と *accomplish* はやや格式ばった語. 約束したり, 期待されたりしていることを達成するのが **fulfill**. ((例) 約束したことを*達成する *fulfill* a promise). 「実行する」の意味の言い方が **carry** [**work**] **out**. *work* のほうが「物事がうまくいく」というニュアンスが強い. 夢などを実現するのは **realize** という. ((☞ なしとげる; しとげる; やりとげる)) ¶その目標は*達成しにくい That goal is hard to *attain*. // 私たちは計画の最初の段階もまだ*達成してはいない We *haven't accomplished* even the first stage of our plan yet.

だつぜい 脱税 ― 名 tax evasion Ⓤ. ― 動 evade (a) tax. ¶彼は*脱税で起訴された He was indicted for「*tax evasion* [*evading taxes*]. **脱税者** tax evader Ⓒ, tax dodger Ⓒ ★ 後者は口語的. **脱税犯** (脱税行為) tax evasion Ⓤ ★ やや専門的には納税に関する違法行為をまとめて tax fraud とも言う; (脱税者) tax evader Ⓒ.

たっせいどうき 達成動機 〔心〕 achievement「motive [motivation] Ⓤ.

タッセル (飾り房) tassel Ⓒ.

だっせん 脱線 ― 名 (列車の) derailment Ⓤ ★「脱線事故」の意味では Ⓒ; (方針・標準からの) deviation Ⓤ; (話などの) ((格式)) digression Ⓤ. ― 動 (列車が) run off [jump] the「rails [tracks], derail ⓐ, be derailed ★ 最初がいちばん口語的; (話などが横道にそれる) digress (from …) ⓐ, make a digression (from …), wander from [go off] the subject. ¶線路上の石のため, 列車は*脱線した The train「*ran off the rails* [*was derailed*] because of a rock on the rails. // (私の話は) どこで*脱線しましたっけ At what point did I「*digress from* [*go off*] *the subject*? ★ go off のほうが口語的. ((☞ よだん¹))

だっそ 脱疽 ☞ えそ

だっそう 脱走 ― 動 (逃れる) escape (from …) ⓐ; (危険を避けて逃げる) flee (from …) ⓐ; (兵隊が職場を放棄する) desért (from …) ⓐ. ― 名 escape Ⓤ; desertion Ⓤ. ((☞ だつごく)). ¶3人の兵士が陣営を*脱走した Three soldiers *deserted*. // 彼は刑務所を*脱走しようと計画した He attempted to *escape from* prison. **脱走者** escàpée Ⓒ; (逃亡者) rúnawày Ⓒ **脱走兵** deserter Ⓒ.

だつぞく 脱俗 ― 形 freed [delivered] from worldly affairs, aloof from the world ★ いずれも説明的訳; (世俗的でない) unworldly. ((☞ ちょうえつ; せぞく; せけん)).

たった (ただ…だけ) only; (ほんの・ちょうど) just; (特に数・量の少ないことを示して) no more than … ((☞ わずか; -だけ¹; -しか; ただ³)).

¶この町には高校が*たった1校しかありません There is *only* one senior high school in this town. // *たったこれだけしか買わなかったのですか Are these「*all* [the *only* ones] you bought? // *たった1人で (⇒まったく1人で[自分で]) これをやったのです I've accomplished this *all*「alone [by myself]. // *たった2分のところで列車に乗れなかった (⇒2分の差で乗りそこなった) I missed the train by *just* two minutes. // *たったいま来たところです I've *just* come. / I came here *just* now ★ just now は過去時制で用いるのが原則.

たつたあげ 竜田揚げ *tatsuta-age*; (説明的には) deep-fried「chicken [fish] marinated in soy sauce and sweet sake Ⓤ. ((☞ 料理の用語 (囲み))).

だったい 脱退 ― 動 (身を引く) withdraw (from …) ⓐ ★ やや格式ばった語; (去る) leave ⓣ. ― 名 withdrawal Ⓤ. ((☞ だっかい¹; やめる²)).

だったん 韃靼 ― 名 固 (歴史上の韃靼人) Tartar Ⓒ ★ 全体は the ~s; (韃靼語) Tartar Ⓤ; (現代ロシアの ((☞ タタールスタン)) Tatar Ⓒ; (タタール語) Tatar Ⓤ. **韃靼海峡** the Tatar Strait.

タッチ touch Ⓒ ((☞ ふれる¹)).

¶ピアニストは軽い*タッチで弾き始めた The pianist started playing with a light *touch*. // 私は*タッチの差で負けた I was defeated by a *touch*. ★ 特に水泳競技の表現. // こんなことには彼は*タッチしない (⇒近づかない) ほうがよいと思う I think he should「*keep* [*stay*] *out of* this.

タッチアウト〔野〕 ― 動 (タッチアウトにする) tag … out. ― 名 tagging out Ⓒ, tag Ⓒ. ¶ランナーは3塁で*タッチアウトになった The runner *was tagged out* on third. **タッチアップ** ― 名〔野〕 tág-ùp Ⓒ; (小さな修正) tóuch-ùp Ⓒ. ― 動 tág úp ⓐ; tóuch úp ⓣ **タッチアンドゴー**〔空〕 tóuch-and-gó Ⓒ **タッチケア**〔育児〕(新生児に対するケアの一つ) touch [massage] therapy Ⓒ **タッチスクリーン** touch screen Ⓒ **タッチセンサー** touch sensor Ⓒ **タッチタイピング** ― 名 (キーを見ずに打つこと) touch-typing Ⓤ. ― 動 touch-type ⓐ. ★ 日本語のブラインドタッチに相当する表現. 「ブラインドタッチ」は和製英語. **タッチダウン**〔ラグ・アメフト〕 tóuch-dòwn Ⓒ ★ 宇宙船などの着陸も表す. **タッチネット** ― 動 touch the net **タッチバック**〔アメフト〕 tóuchbàck Ⓒ **タッチパネル** touch panel Ⓒ **タッチ板**〔泳〕 touchpad Ⓒ **タッチフットボール**〔スポ〕 touch football Ⓤ **タッチライン**〔サッカー・ラグ〕 tóuchlìne Ⓒ **タッチラグビー**〔スポ〕 touch rugby Ⓤ.

ダッチ ― 形 (オランダの; オランダ人の) Dutch. ― 名 (オランダ語) Dutch Ⓤ **ダッチアカウント** ― 名 (割り勘) equal split Ⓒ; (割り勘の食事・会) Dutch treat Ⓒ. ★ ダッチアカウントは和製英語. ― 動 (割り勘にする) go Dutch **ダッチオークション** (逆ぜり) Dutch auction Ⓒ **ダッチオーブン** (鉄製の鍋) Dutch oven Ⓒ **ダッチロール**〔空〕 Dutch roll Ⓒ **ダッチワイフ** (等身大のセックス用女性代用人形) Dutch wife Ⓒ.

ダッチハーバー ― 名 固 (地名) Dutch Harbor.

だっちゃく 脱着 ― 動 (取り付けたり外したりする) attach and detach ⓣ; ((格式)) insert and remove ⓣ; (部品などの) put [push] in and「take [pull] out ⓣ; (身に付けたり外したりする) put on and take off ⓣ. ¶この部分は簡単に*脱着できます You can *put on and take off* these parts quite easily.

たっちゅう 塔頭, 塔中 minor [subordinate] temple attached to the main temple Ⓒ.

だっちょう 脱腸 〔医〕 hernia /hə́ːniə/ Ⓒ ((複

～s, -niae /-niìː/). 脱腸帯 truss Ⓒ.

たって ―副 (無理に) forcibly; (本当に) really. ―動 (強く主張する) insist (on …) ⓐ; (強制する) force ⓗ. 《☞ しいて》.
¶ *たってとおっしゃるなら, 私の考えを申します (⇒ もしあなたが強く言うならば) I'll give you my opinion, if you *insist*. // これは私の*たっての願いです (⇒ 本当に望むこと) This is *really* what I want. // *たってとは申しませんが (⇒ 強制しているのではないことを望みますが) I hope I'm not *forcing* you.

-たって (たとえ…しても) even ⌈if [though] …; (どんなに…しても) no matter ⌈how [what; where, etc.] … (may) …, however [whatever; wherever, etc.] … (may) … 《☞ -ても; たとえ¹; -しても》.
¶ いますぐ行っ*たって (⇒ たとえいますぐ出発しても) 会には間に合わないよ *Even* ⌈*if* [*though*] you leave home right away, you won't ⌈be [make it] in time for the meeting. // どんなに頑張っ*たって君は彼には追いつけない *No matter how* hard [*However* hard] you (*may*) try, you won't be able to catch up with him.

だって **1** «…でさえも»: even; (…もまた) also, too
[語 法] too のほうが口語的. 普通 also は動詞の前 (助動詞・be 動詞ならばその後) だが, too は文尾に置かれる; (特に否定の場合は) not … either, neither. 《☞ -でも; -も》.
¶ 猿*だってときには木から落ちる *Even* a monkey may sometimes fall ⌈from [off] a tree. // 私*だってそれには反対です I'm *also* against it. / I'm against it, *too*. // 彼は行かなかったし, 私*だって行きませんでした He didn't go and I did*n't* (go), *either*.
2 «それでも»: but, (and) yet ★ 後者はやや意味が強い. 《☞ しかし》. ¶ *だって, 遅れたのは私だけじゃない *But* I wasn't the only one who was late. // *だってまだわからないのです *But* [*And yet*] I still don't understand.
3 «理由»: because 《☞ なぜならば》. ¶ きょうは仕事に行きません. *だって休みをとったから I'm not going to work today, *because* I ⌈took [have taken] the day off.

だっと 脱兎 ¶ *脱兎のごとく飛び出す jump out like a *scared rabbit* // *脱兎の勢いで (⇒ 電光石火のごとく) with *lightning* speed 《☞ でんこう》

たっとい 尊い ☞ とうとい

だっとう 脱党 ―動 withdraw from [quit] a party 《☞ りとう²; だったい》.

たっとぶ 尊ぶ (尊重する) value ⓗ; (尊敬する) respect ⓗ; (敬う) honor ⓗ; (崇拝する) venerate ⓗ. 《☞ とうとぶ》. ¶ 仏陀の教えを*尊ぶ *respect* the teachings of (the) Buddha // 物質的豊かさを*尊ぶ *value* [*prize*] material riches

たづな 手綱 (馬の; または比喩的に) reins ★ 通例複数形で. ¶ 彼は馬の*手綱を取って先に立った He held the horse by the *reins* and led the way. // *手綱を引き締める keep a firm *rein* (*on* …) // *手綱をゆるめる slacken off a *rein* (*on* …) ★ 比喩的に用いる. 手綱さばき handling of the reins Ⓤ.

たつのおとしご 竜の落とし子 〖魚〗 sea horse Ⓒ.

タッパーウェア (プラスチック製の保存容器) 《商標》 Tupperware /tʌ́pəwɛ̀ə/; (一般的に) plastic *food* ⌈*container* [*box*] Ⓒ.

だっぱん 脱藩 ―名 defection [desertion] from *one's* (feudal) clan Ⓤ. ―動 (脱藩する) defect from [desert] *one's* feudal clan.

だっぴ 脱皮 ―動 (虫などが) shed [cast (off)] skin; (比喩的に, 伝統などから離れる) break (away) from …; (成長して) outgrow (*one's* old self).

たっぴつ 達筆 (上手な筆跡) a good hand, good handwriting Ⓤ. 《☞ うまい》. ¶ 彼女は*達筆だ She writes *a good hand*. / She is ⌈*good* [*skillful*] *at handwriting*.

タップ 〖電・機〗 tap Ⓒ ★ 中間差し込み口, 雌ねじ立てなど.

タップダンス ―名 táp dànce Ⓒ. ―動 tap-dance ⓐ. ¶ *タップダンサー a *tap dancer*

たっぷり ―副 (十分に) fully; (必要なだけ十分に) enough ★ 修飾する形容詞・副詞の後に置かれる. ―形 (十分な) enough; (まるまるの) good Ⓐ, full Ⓐ ★ a ⌈good [full] …の形で; (たくさんの) plenty of Ⓐ; (腹一杯になる) hearty Ⓐ. 《☞ じゅうぶん¹ (類義語); たくさん (類義語); ほうふ¹; ゆたか》.
¶ その仕事は*たっぷり 2 週間はかかる The job will take ⌈*fully* [*a good*] two weeks. // 一晩*たっぷりと眠った I've had *a good* night's sleep. // 食事を*たっぷりと取った I had a *hearty* meal. // 食べ物も飲み物も*たっぷりあります We have *plenty of* food and drink.

ダッフルコート (防寒用コート) duffel [duffle] coat Ⓒ.

ダッフルバッグ (布製の円筒型大型バッグ) duffel [duffle] bag Ⓒ.

たつぶん 達文 (意味のよくわかる文) clearly written composition Ⓒ 《☞ たつい》.

だつぶん 脱文 missing ⌈passage [phrase] Ⓒ.

だっぷん 脱糞 ―名 (排便) defecation Ⓤ; (排泄) evacuation Ⓤ. ―動 (排便する) empty [《格式》 evacuate] the bowels.

たつへん 立偏 (漢字の) stand(ing) radical on the left of kanji Ⓒ.

たつべん 達弁 ―名 eloquence Ⓤ. ―副 eloquently. ¶ 彼はその問題について*達弁をふるった He spoke *eloquently* on the subject.

だつぼう 脱帽 ―動 take *one's* hat off ★ 比喩的にも用いる. 《☞ かぶと; おそれいる》.
¶ *脱帽! *Hats off*! // 彼女の献身ぶりには*脱帽する I *take my hat off* to her for her self-sacrifice. / (⇒ 本当に敬服する) I really *admire* (her for) her self-sacrifice.

だっぽうこうい 脱法行為 evasion of the law Ⓒ.

だっぽうドラッグ 脱法ドラッグ illegal drug Ⓒ.

だっぽくしゃ 脱北者 rèfugée [defector] from North Korea Ⓒ.

たつまき 竜巻 tornado /tɔənéɪdoʊ/ Ⓒ 《複 ～es, ～s》, 《米》 twister Ⓒ; (つむじ風) whirlwind Ⓒ; (海上の竜巻) waterspout Ⓒ.

たつみ 巽, 辰巳 (南東) the southeast 《略 SE》 《☞ なんとう¹》.

だつもう 脱毛 (毛がなくなること) loss of hair Ⓤ; (美容で毛を抜くこと) removal of hair Ⓤ; (除毛, 特に動物の皮革の) depilation Ⓤ. 《☞ け¹; かみ³; ぬける》. 脱毛剤 depilatory Ⓒ 脱毛症〖医〗 alopecia /æ̀ləpíːʃiə/ Ⓤ, phalacrosis /pæ̀ləkróʊsɪs/ Ⓒ 《複 -ses》 脱毛症治療薬 alopecia remedy Ⓒ; (育毛剤) baldness remedy Ⓒ.

だつらく 脱落 ―動 (落後する) dróp óut ⓐ; (記入すべきことなどが抜かされる) be left out; (欠けている) be missing. 《☞ ぬける; らくご》. ¶ ここは 1 字*脱落しているのではないか A letter *is missing* here, isn't it? 脱落者 drópòut Ⓒ.

だつりゃく 奪略, 奪掠 ―名 (戦争中の) plunder Ⓤ; (暴動や火事などで) loot Ⓤ. ―動 plunder ⓗ; loot ⓗ. 《☞ りゃくだつ》.

だつりゅう 脱硫 〖化〗 ―名 dèsulfurizátion Ⓤ. ―動 desulfurize ⓗ. 脱硫装置 desulfurization equipment Ⓤ.

だつりょくかん 脱力感 (消耗した感じ) (a feeling of) exhaustion ★( )内を略せば Ⓤ. 《☞ ひろう²; つかれ》.

だつりん 脱輪 ¶ でこぼこの砂利道で右の前輪が*脱輪した (⇒ 車輪が車から外れた) The right front *wheel came off my car* on a bumpy gravel road. // 彼の車は*脱輪してみぞに落ちた (⇒ 路肩から踏み外して) His car *ran off the shoulder* into a ditch.

たて¹ 縦 ── 名 (長さ) length Ⓤ. ── 形 (縦の・垂直の) vertical. ── 副 (縦に) lengthwise ★ 縦・横に関する日本語と英語の発想の違いについては ☞ よこ 1 日英比較.
¶ *縦 3 センチ, 横 5 センチの長方形を書きなさい Draw a rectangle ⌈(which is) five centimeters by three [three centimeters in length and five *in width*]. ★ 前者のほうが一般的な言い方. // *縦の断面を見てみましょう Let's look at the *vertical* section. // 生徒は*縦に 1 列に並んでいた The pupils were standing *one behind another* in a line. // これを*縦に 3 つに切って下さい Please cut this *lengthwise* into three. // 彼女は首を*縦に振った (⇒ 賛成してうなずいた) She *nodded* in assent.
縦から見ても横から見ても. (あらゆる点で) in every ⌈way [respect]. **縦の物を横にもしない** (指 1 本動かさない) do not ⌈lift [raise] a finger; (怠惰な) be lazy. **縦糸** ☞ 見出し **縦社会** vertical society Ⓒ, society with a vertical structure Ⓒ.

たて² 盾 shield Ⓒ. **盾に取る** ¶ 不況を*盾に取って (⇒ 口実に) 経営者は 5 名を解雇した *Using* the recession *as an excuse*, the management fired five men. 《☞ こうじつ¹; いいわけ》 **盾を突く** ☞ たてつく

たて³ 殺陣 sword fight Ⓒ. **殺陣師** sword fighting instructor Ⓒ.

-たて (…したばかりの) fresh [hot] (from …) 語法 新鮮で,「ういういしい」という感じでは fresh,「作りたて」「でき上がったばかり」というときは hot. 《☞ できたて; ほやほや》. ¶ 生み*たての (⇒ 新鮮な) 卵がほしい I want some *fresh* eggs. // 大学を出*たての若者が 2 人加わった Two young men ⌈*fresh from* [*just out of*] college have joined us. // 焼き*たてのパンはいかがですか Won't you have some bread *hot from* the oven? // ペンキ塗り*たて《掲示》 *Wet* [*Fresh*] Paint 《☞ ペンキ》

たで 蓼 **たで食う虫も好き好き** There is no accounting for taste(s). 《ことわざ: 人の好みにはいちいち理由がつけられぬもの》

だて 伊達 ── 副 (見せびらかしに) for show; (体裁で) for ⌈appearance'(s) sake [the sake of appearances]. ¶ こんな事をするのは*だてや粋狂ではなく仕事だからだ I do this not *for show* or out of curiosity(,) but because it is my duty. // うちの秘書は*だてで眼鏡をかけている My secretary wears glasses *for appearance'(s) sake*.
伊達に ¶ 私は*だてに眼鏡をかけているわけではない (⇒ 外見上の理由で) I'm not wearing glasses *for* ⌈*appearance'(s) sake* [*the sake of appearances*]. // 彼は*だてにロシア語を勉強しているのではない (⇒ 目的なしで) He isn't studying Russian *for nothing*.
伊達の薄着 (説明的に) be lightly dressed even in cold weather in order to look fashionable.

-だて¹ …建て (建物の階層・造り) 《米》 -storied, 《英》 -storeyed. 《☞ -かい³; えんだて; ドル (ドル建て)》. ¶ 5 階*建ての建て物 a ⌈five-*storied* [five-*storeyed*] building / a ⌈five-*story* [*five-storey*] building // 一戸*建ての家 a (⌈single-family [*detached*]) house ★ 他の建物と接していない独立家屋. 《☞ いえ 日英比較; ながや》

-だて² …立て ¶ (映画の) 2 本*立て double *feature* // 4 [2] 頭*立ての馬車 a carriage ⌈*with* [*and*] ⌈*four* [*two*] *horses*

たてあな 縦穴, 竪穴 pit Ⓒ; 〖鉱山〗(縦坑) shaft Ⓒ. 《☞ あな》. **竪穴式住居(跡)** (site of a) pit dwelling Ⓒ.

たてあみ 建(て)網, 立(て)網 fixed shore net Ⓒ 《☞ ていちあみ》.

たていし 立石, 建石 (道標) milestone Ⓒ; (立ててある石) standing stone Ⓒ; 〖考古〗(メンヒル) menhir /ménhɪə/ Ⓒ.

たていた 立板 **立板に水** ¶ 彼女は*立板に水を流すように語った (⇒ 非常にすらすらと) She talked *very fluently*.

たていと 縦糸 the warp (↔ the weft).

たてうり 建売り (特に民間の住宅団地全体を指して) housing development Ⓒ, 《英》 (housing) estate Ⓒ. **建売り住宅** tract house Ⓒ 日英比較 英語にはぴったりの言葉がない. tract house は一定の敷地 (a tract of land) に建てられた似たような家という意味.「住宅団地の 1 軒」という意味で one of the houses in the housing development と言えば感じがでる.

だておとこ 伊達男 (服装が派手で目立つ) dandy Ⓒ; (若くて女性に親切な) gallant /gəlǽnt/ Ⓒ ★ 両方とも古風な語; (軽蔑的に) fop Ⓒ.

たてかえ¹ 立て替え **立て替え金** (…の代わりに支払われた金) money paid for …Ⓤ; (前金) advance Ⓒ; (前払い) advance payment Ⓤ; (公共料金の前払い) prepayment Ⓤ. 《☞ たてかえる¹; まえきん; まえばらい》.

たてかえ² 建て替え rebuilding Ⓤ; reconstruction Ⓤ ★ 後者はやや格式ばった語で大規模な感じ.

たてかえる¹ 立て替える (代わりに支払う) pay … for …; (貸す) lend ⑩. 《☞ かす¹》.

たてかえる² 建て替える rebuild ⑩; reconstruct ⑩ ★ 後者は大規模な感じ. 《☞ たてる³》.

たてがき 縦書き ── 名 vertical writing Ⓤ. ── 動 (縦に書く) write … ⌈from top to bottom [vertically].

たてかける 立て掛ける (寄りかからせる) lean … (against …) 語法 place, rest, put, set などを用いてもよい. 漠然と置く一般的な語は put, 配列して置くのは place, もたれかからせるのは rest, きちんと据えて置くのは set.
¶ 看板は壁に*立て掛けておきました I'*ve* ⌈*leaned* [*put*; *set*] the signboard *against* the wall.

たてがたき 立敵 〖歌舞伎〗(最も重い敵役) main villain in a kabuki ⌈drama [play] Ⓒ ★ 説明的な訳.

たてがみ mane Ⓒ.

たてかん(ばん) 立看(板) billboard Ⓒ.

たてぎょうじ 立行司 *tate-gyoji* Ⓒ; (説明的には) the highest-ranking sumo referee, who administers the grand champions' bouts. 《☞ すもう (挿絵)》.

たてぐ 建具 fixtures, 《英》 fittings ★ 複数形で. 日英比較 日本語の建具は戸・障子・ふすまなどの総称であるが, 英米の家屋ではこれに相当するのは主としてドアだけで, これを「建具」のようにまとめて呼ぶ語はない. 上にあげた訳語も照明器具とかその他の移動不可能な屋内設備を含み, 日本語の建具とは意味がずれる. 《☞ と¹; ふすま²; しょうじ³》. **建具屋** (一般的な) joiner Ⓒ; (戸・障子の) door carpenter Ⓒ.

たてぐみ 縦組み 〖印〗 vertical typesetting Ⓤ. ¶ この植字機なら文字は*縦組みでも横組みでも組むことができます You can set characters either *vertically* or horizontally with this typesetting machine.

たてこう 立坑 shaft Ⓒ 《☞ こうどう⁴》.

たてごと 竪琴 〘楽器〙harp Ⓒ《☞ ハープ》.

たてこむ[1] 立て込む (…で忙しい) be ˹busy [pressed] with … ★[ ] 内のほうがあせっている感じが強い.《☞ いそがしい》.

¶ 悪いけれど, いま用事が*立て込んでいますので I'm sorry, (but) I'm ˹*busy* [*pressed*] ˹*with* [*at*] work now. // 予定が*立て込んでいてこれ以上どうにもなりません I can't accept any more, as my schedule *is full* (*up*).

たてこむ[2] 建て込む ━形 (家などが密集して立ち並ぶ地域について) built-up. ━副 (家などが互いに接近して) close /klóus/ together.《☞ みっしゅう[1]》. ¶ このあたりは家が*建て込んでいる This is a *built-up* area. / The houses are built *close together* in this area. / This ˹area [neighborhood] is *crowded with houses*.

たてこもる 立て籠もる (城・陣地を守る) hold ⊕; (建物・部屋などに) barricade *oneself* (in …).《☞ ろうじょう; とじこもる》.

たてざ 楯座 〘天〙the Shield, Scutum /skjúːtəm/.

たてざん 竪桟, 縦桟 〘建〙muntin /mʌ́nt(ə)n/ Ⓒ.

たてじく 縦軸 (機械の) vertical axis Ⓒ; (図表の) vertical line Ⓒ.

たてじま 縦縞 vertical stripes ★ 通例複数形で.《☞ しま[2]》.

たてじょうかざん 楯状火山 〘地〙shield volcano Ⓒ.

たでず 蓼酢 (説明的に) vinegar mixed with mashed knotweed leaves Ⓤ.

たてぞめせんりょう 建染染料 vat dye Ⓤ.

たてつく 盾突く (反対する) oppose ⊕; (反抗的な態度をとる) defy ⊕.《☞ はんこう[2]; さからう》. ¶ 彼は上役に正面から*盾突いた He *defied* his boss openly.

たてつけ 建て付け fitting Ⓤ. ¶ この*立て付けの悪いドアを何とかして下さいませんか Won't you do something ˹to [about] this *ill-fitting* door?

たてつづけ 立て続け ━副 (続けざまに・連続して) continuously, in succession, in a row ★ 最後のが最も口語的; (休みなく) without stopping, without a break; (一気に) at a stretch; (ある時間ずっと) on end. ━形 straight.《☞ つづけざま》. ¶ 彼は 30 分も*立て続けにしゃべった He talked for thirty minutes ˹*continuously* [*without stopping*; *without a break*; *on end*; *at a stretch*]. // そのチームは*立て続けに 4 度勝った The team ˹won four *straight* games [had four victories *in a row*].

たてつぼ 建坪 floor space Ⓤ, (building) area Ⓤ 〖語法〗後者は一般的に「面積」を, 前者は特に「床面積」を表す.

たてどい 縦樋 〘建〙downspout Ⓒ.

たてなおし[1] 立て直し (組織の再編成) reorganization Ⓤ; (財政などの) rehabilitation /rìː(h)əbìlətéɪʃən/ Ⓤ; (人事などの) reshuffle Ⓒ. ¶ 国の経済の*立て直しが緊急の課題だ The urgent issue is how to ˹*rehabilitate* [*revive*] the national economy.

たてなおし[2] 建て直し (家などの) rebuilding Ⓤ; (大建造物などの) reconstruction Ⓤ; (再興) reestablishment Ⓤ.

たてなおす[1] 立て直す (再編成する) reorganize ⊕; (特に人事面の) reshuffle ⊕. ¶ まず組織の機構を*立て直すことから始めます We'll ˹begin [start] by *reorganizing* the management system of the institution.

たてなおす[2] 建て直す build … again, rebuild ⊕ ★ 後者のほうがやや格式ばった語.《☞ さいけん[1]》.

たてなが 縦長 ━形 (長方形の) oblong.

たてなみ 縦波 (地震波の) lóngitùdinal wáve Ⓒ (↔ transverse wave); push-pull wave Ⓒ ★ 前者は専門語で一般には後者が用いられる.

たてね 建値 (取引相場の) official (market) quotations; (為替相場の) exchange rates; (市場販売価格) market prices ★ いずれも複数形で.

たてはちょう 立羽蝶 〘昆〙brush-footed butterfly Ⓒ; (立羽蝶科の蝶) nymphalid /nímfəlɪd/ Ⓒ.

たてひざ 立て膝 ¶ 男の子は*立てひざで (⇒ 片ひざを立てて) 座った The boy sat *with one knee* ˹*drawn* [*pulled*] *up*.

たてぶえ 縦笛 recorder Ⓒ.

たてふだ 立札 búlletin bòard Ⓒ, 《英》notice board Ⓒ.

たてぼう 縦棒 (縦方向に取り付けた棒) vertical ˹bar [stick] Ⓒ; (漢字の縦に引いた線) vertical line Ⓒ.

たてまえ 建て前 **1** 《表向きの原則》: (理論) theory Ⓤ; (根本の原理・原則) principle Ⓒ; (公然の意見) overt opinion Ⓒ.

¶ 彼の考えは*建て前は立派だ His idea is very good *in* ˹*theory* [*principle*]. // *建て前と本音はしばしば相違する One's *overt opinions* and one's real intentions often differ.

2 《建築の》: (棟上げの儀式) the completion-of-the-framework ceremony ★ 説明的な訳.《☞ むねあげ》.

だてまき 伊達巻 (帯の) úndersàsh Ⓒ; (卵料理) *datemaki* Ⓒ; (説明的には) rolled omelet (mixed with fish paste) Ⓒ ★ 前者は単複同形.

だてまさむね 伊達正宗 ━名 ⓖ Date Masamune, 1567–1636; (説明的には) the feudal lord of the Sendai clan in the Azuchi Momoyama and the early Edo period.

たてまし 建て増し ━動 build an extension (to …); (拡張する) extend ⊕. ━名 extension Ⓤ ★「建て増し部分」の意味では Ⓒ.《☞ ぞうちく》. ¶ 彼は近々家を*建て増しする予定です He is going to *build an extension to* his house.

たてまつる 奉る (神殿に祭る) enshrine ⊕; (人を…としてあがめる) revere *a person* as … ¶ 彼は名誉会長として*奉られている He *is revered as* the honorary president.

たてみつ 縦褌 〘相撲〙vertical part of sumo wrestler's loincloth Ⓒ.

たてむすび 縦結び granny [lubber's] knot Ⓒ 《☞ むすぶ; むすびめ》.

だてめがね 伊達眼鏡 ☞ だて (伊達に)

たてめんせき 建て面積 ☞ けんちく (建築面積)

たてもの 建物 (一般に建造物) building Ⓒ.

> **コロケーション**
> 建物を改築[増築]する renovate [extend] a *building* / 建物を建てる construct [put up; erect] a *building* / 建物を取り壊す tear down [demolish] a *building* / 建物を破壊する destroy a *building*

たてやくしゃ 立役者 ¶ 彼はその運動の*立役者 (⇒ 指導者) だった He was the *leader* of the movement.

たてゆれ 縦揺れ ━名 (船などの) pitch Ⓤ, pitching Ⓤ; (地震の) vertical shake Ⓒ (↔ horizontal shake). ━動 pitch ⓐ; (地震で) quake vertically ⓐ, shake vertically ⓐ.《☞ ゆれる (挿絵)》. ¶ 船はひどく*縦揺れした The ship *pitched* ˹violently [badly]. // 激しい地震で, 初めに*縦揺れが, それから横揺れが約 30 秒間続いた I felt the earth *shake* violently, first *vertically*, then horizontally, for about thirty seconds.

たてよこ 縦横 （縦と横）length and「width [breadth] ★ breadth のほうがやや格式ばった語. 《☞よこ [日英比較]; じゅうおう》. ¶道は*縦横十文字に幾つも通っています The streets run *crosswise*.

-だてら ☞-くせに

たてる[1] 建てる build (他)《過去・過分 built》★最も一般的な語;（建設する）construct (他);（高い建物などを）erect (他) ★以上2語は build より格式ばった語; pùt úp (他) ★口語的.

【類義語】いろいろな部品を組み合わせてある建造物を作り上げるのが ***build***. 建てる作業よりも, あるプランに従って建造物を作り上げることを強調し, 特に大きな建造物を建てることを意味する言葉が ***construct***. もとは高い物を打ち立てるという意味で使われたが, 現在では単に建てるという意味でも広く使われる語が ***erect*** で, 作る過程より建設される事実に重点がある. 口語的なくだけた語が ***put up***. 《☞たつ[5]》

¶彼は自分の家を*建てた He *built* his own house. [語法] (1) 自分自身の家を自分の手で建てたか, または建築家などに建ててもらった. / He *had* a house *built*. [語法] (2) この <have +O + 過分> の形を使うと明瞭に自分の家を建築家などに建ててもらったという意味になる. しかし, 日常の表現では前後関係でわかれば He *built* a new house. のような表現が多く用いられる. // この塔を*建てたのはだれですか Who *constructed* this tower? // 彼らは故社長の記念碑を*建てた They「*erected* [*put up*] a monument to the late president.

たてる[2] 立てる **1**《設置する》:（まっすぐに立てる）sèt úp (他), pùt úp (他) [語法] 前者は「きちんと据えて立てる」, 後者は一般的な語で「漠然と立てる」という意味;（立てて置く）stand (他). 《☞たつ[1]》.

¶部屋の中に小さなクリスマスツリーを*立てた We「*set* [*put*] *up* a small Christmas tree in the room. // この角に交通標識を*立ててもらいたい We want a road sign *set up* at this corner. // 彼女はその瓶を取ってテーブルの上に*立てた She picked up the bottle and *stood* it on the table. // 昔は祭日にはどの家も戸口に旗を*立てた（⇒出した）ものだ On national holidays every house used to *display* a flag at the door.

2《発生する・出す》:（声などを大きく出す）raise (他);（音などを出す）make (他). 《☞だす; こえ[1]; おおごえ》.

¶彼女は大きな声を*立てた She *raised* a loud cry. // 声を*立てるな（⇒静かに）Be quiet! // この車は変な音を*立てる This car *makes* a strange noise. // 足音を*立てる *make*「sound [noise] while walking / walk *noisily* // 湯気を*立てる *get up* steam

3《作る・設定する》:（計画・予定などを）make (他). ¶冬休みの計画は*立てましたか *Have* you *made* any plans for the winter vacation? / *Have* you *planned* your Christmas vacation? // 仮説を*立てる *establish* [*build* [*set*] *up*] a hypothesis

4《慣用的表現》 ¶猫が…に爪を*立てた The cat *fastened* its claws in .... // 目くじらを*立てる raise *one's* eyebrows // うわさを*立てる *start* a rumor // 役に*立てる *make* (effective) use of ... // 顔を*立てる *save a person's* face // 身を*立てる *rise* in the world // 誓いを*立てる *take* [*swear*] an oath (that ...)

たてる[3] 点てる （茶を入れる）make [brew] tea 《☞ちゃ》.

たてろ 立炉 （直立型の製錬炉; 実質的には高炉・溶鉱炉と同義）shaft furnace Ⓒ.

たてわり 縦割り ―[動] divide ...「lengthwise [vertically]《☞たて[1]; わる[1]》. **縦割り行政** the「vertical [hierarchical /hàɪərάəkɪk(ə)l/] structure of the adminìstrátion.

だてん 打点 〘野〙run batted in Ⓒ ★ RBI と略す;（得点）run Ⓒ.

だでん 打電 ―[動] telegraph (自), send a wire, 《略式》wire (自). 《☞でんぽう》.

だとう[1] 妥当 ―[形]（処置・扱い方などが適切な）appropriate /əpróupriət/ ★やや格式ばった語;（社会的・道徳的基準に合っている）proper;（値段などが手ごろな）reasonable;（判断などの妥当な）sound;（確実な根拠のある）valid ★やや格式ばった語. ―[名]（妥当性）（根拠・正当性があること）validity Ⓤ;（目的・条件に対する適切さ）appropriateness Ⓤ;（目的・条件を十分に満たすこと）ádequacy Ⓤ. 《☞てきとう; てきせつ》.

¶あなたのとった処置は*妥当なものだった The measures you took were *appropriate*. // その値段はほぼ*妥当なところでしょう The price is「*reasonable* [*about right*], I think. // 彼らの判断は*妥当であった Their judgment was *sound*. // 彼の論法にはいつも*妥当性がある His logic is always *valid*.

だとう[2] 打倒 ―[動]（政府などを転覆させる）overthrow (他);（打ち負かす）defeat (他). 《☞たおす[1]》.

¶彼らはついに政府の*打倒に成功した They finally succeeded in *overthrowing* the government. // 帝国主義*打倒 *Down with* imperialism! ★スローガンなど.

タトゥー （入れ墨）tattoo Ⓒ.

たとうがみ 畳紙 （和服を包んでおく紙）wrapping paper for kimono Ⓤ《☞かいし[4]》.

たどうし 他動詞 〘文法〙transitive verb Ⓒ.

たどうしょうこうぐん 多動症候群 〘心・医〙the hyperkinetic syndrome;（注意欠陥障害）atténtion dèficit disòrder Ⓤ《略 ADD》. 《☞ちゅうい[1]（注意欠陥多動性障害）》.

たとうせいじ 多頭政治 pólyàrchy Ⓤ (↔ oligarchy).

たとうるい 多糖類 〘化〙pòlysáccharide Ⓤ.

たとえ[1] （もし仮に…だとしても）even「if [though] ...;（…ということを考慮しても）granted [granting] (that) ...;（どんなに [どれを, どちらを, どこへ]…しようとも）no matter「how [what; which; where] ... (may) ..., however [whatever; whichever; wherever] ...(may) ... [語法] (1) no matter ...のほうが強調の度合いが強い. あとにどの語がくるかは文の意味で決まる. 口語では may を省略. 《☞もし[1]; かりに; -でも; -ても》.

¶*たとえ雨が降っても私は行くつもりだ I'll go *even*「*if* [*though*] it rains. // *たとえ彼が頼んできても引き受けるつもりはない *Even if* he asked me, I wouldn't grant his request. [語法] (2) このように過去形の仮定法動詞を用いると非常に可能性の少ないことを表す. // *たとえ何事が起こってもあなたの責任だ You'll have to be responsible for *whatever* happens. // *たとえどんなに忙しくても彼はきっと助けてくれる He will surely help us「*no matter how* busy he is [*even if* he is very busy]. // *たとえ冗談でもそんなことは言うな You shouldn't say such a thing *even*「as a joke [in jest].

たとえ[2] 譬え （直喩・明喩）simile /síməli:/ Ⓒ;（隠喩）metaphor /métəfɔ̀ə/ Ⓒ [参考] simile は「りんごのようなほお」というように,「…のような」(like, as, etc.) という語を用いる間接的なたとえ. metaphor は「人生は航海だ」のように,「…のような」という言葉を用いない直接的なたとえ;（例）example Ⓒ;（ことわざ）proverb Ⓒ;（言いならわし）saying Ⓒ. 《☞れい[1]; ことわざ; 比喩（巻末）》. ¶著者はここで巧みに*たとえを用いている Here the writer uses「*similes* [*metaphors*] skillfully. // *たとえを1つ挙げましょう Let me give you an *example*. // *たとえに言うように, 百聞は一見にしかずであった Seeing really was believing, as the ⌈*proverb* says [*saying* goes].
たとえ話 (教訓的な) állegòry Ⓒ; (動物を擬人化した) fable Ⓒ; (宗教的な) párable Ⓒ.

たとえば 例えば (代表例としては) for example ★略字として e.g. を用い, /fərɪgzǽmpl/ あるいは /íːdʒíː/ と読む. 《☞ 略語 (巻末)》; (具体例として) for instance; (実例の補足・羅列として) such as …
¶京都には有名な古い建造物がたくさんある. *例えば京都御所, 二条城など There are many famous old buildings in Kyoto, ⌈*for instance* [*for example*], (the) Kyoto Imperial Palace, Nijo Castle and so forth. // *例えばあなた方のような若い人たちがこの仕事には必要だ Young people *such as* you are needed for this work. // 英語には日本語から入った語がいくつかある. *例えば,「たたみ」「きもの」「つなみ」など In English there are some words borrowed from Japanese, *e.g.*, tatami, kimono, and tsunami.

たとえようもない ━ 形 incomparable /ìnkámp(ə)rəbl/. ¶彼女の美しさは*たとえようもない Her beauty is *incomparable*.

たとえる 譬える, 例える (2つの物を比べる) compare [liken] … to … ★ liken は格式ばった語; (比喩を用いる) use a ⌈simile [metaphor] ★前者は直喩, 後者は陰喩を指す. 《☞ たとえ[2] 参考; ひゆ[1]》.
¶人生はしばしば航海に*たとえられる Life *is* often ⌈*compared* [*likened*] *to* a voyage. // 何かに*たとえられないでしょうか Can't we use ⌈a [some] ⌈*simile* [*metaphor*] here?

たどく 多読 ━ 動 (たくさん読む) read a great deal; (広く) read ⌈widely [extensively] 語法 後者のほうが読む範囲・量ともに大きい. 前者は一般的な言い方. ━ 名 extensive reading Ⓤ ★精読は intensive reading.

たどたどしい ━ 形 (歩き方・話し方が滑らかでない) faltering /fɔ́ːlt(ə)rɪŋ/; (よろめくような) tottering; (危なげな) unsteady; (話し方などがつかえつかえの) halting. ━ 副 falteringly; totteringly; unsteadily; haltingly.
¶老人が*たどたどしい足取りで歩いて来た An old man came *tottering along*.

たどりつく 辿り着く (何とかして…へ行く) find *one's* way to … (at last); (どうにか到着する) manage to arrive ⌈at [in] … ★ at と in の区別は ☞ とうちゃく 語法. ¶夜になってやっと山のふもとへ*たどりついた Late in the evening we *found our way to* the foot of the mountain *at last*.

たどる 辿る (道を) follow (他); (跡をたどる) trace (他); (追求する) search (他); (手がかりなどを) fóllow úp (他).
¶私たちは細い道を10分ばかり*たどって行った We ⌈*followed* [*went along*] a narrow path for about ten minutes. ★[ ] 内のほうが口語的. // 私は川の水源まで何とか*たどって行った I managed to *trace* the river to its source. // 家路を*たどる (⇒道に沿って家に帰る) 人々の群があった There was a crowd of people ⌈*going home* [*making their way home*] along the road. ★前者のほうが口語的. // 警察は殺人犯の足取りを*たどっている The police *are tracing* the murderer's movements. // 記憶を*たどって子供のころのことを書いてみた I wrote about my childhood, *searching* my memory. // 戦いは激化の一途を*たどった (⇒どんどん激しくなっていった) The fighting *grew* more and more intense. // 我が社の売り上げ高は下降線を*たどっている The sales of our company *are* ⌈*on the decline* [*declining*].

たどん 炭団 chárcoal briquet(te) /brɪkét/ Ⓒ, charcoal ball Ⓒ ★両方とも説明的訳. briquet(te) は本来は石炭の粉などを固めたもの.

たな 棚 (板状の) shelf Ⓒ《複 shelves》.
¶その箱はあの*棚に載せて下さい Please put the box on that *shelf*. // 彼は壁に*棚を取り付けた He fixed a *shelf* to the wall. **棚からぼた餅** ☞ たなぼた
棚に上げる ¶彼は自分のことは*棚に上げて人のことを言う He cannot see the beam in his own eye. 《聖書の言葉: 自分の目にある梁(はり) (＝大きな欠点) は見えない》

たなあげ 棚上げ ━ 動 shelve (他)《☞ ほりゅう[1]》.
¶法案は*棚上げされてしまった The bill *has been shelved*.

たないた 棚板 shelf Ⓒ.

たなおろし 店卸し, 棚卸し ━ 名 (商店の) stocktaking Ⓤ. ━ 動 (商店の) take stock.

たなこ 店子 tenant Ⓒ《☞ しゃくや; テナント》.

たなご 〔魚〕 Japanese bitterling Ⓒ, broadstriped [green-striped] bitterling Ⓒ.

たなごころ 掌 palm Ⓒ《☞ てのひら》. ¶その店主は彼女が金持ちであることがわかると*たなごころを反すように (⇒急に) いんぎんになった The storekeeper *suddenly* ⌈*became* [*got*] very polite to her after he found (out) that she was wealthy. // 彼女はニューヨークを*たなごころを指すように (⇒隅から隅まで) 知っている She knows *every inch of* New York (City).

たなざらえ 棚ざらえ clearance (sale) Ⓒ. ¶*棚ざらえ大売り出し《掲示》 *Clearance Sale*《☞ セール》

たなざらし 店ざらし ━ 名 (陳列されたままの古びた商品) shopworn article Ⓒ. ━ 形 shopworn, 《英》 shopsoiled.

たなだ 棚田 terraced ⌈paddy [rice] field Ⓒ ★普通複数形で.

たなちん 店賃 ☞ やちん

タナトロジー (死亡学) thanatology /θæ̀nətάlədʒi/ Ⓤ.

たなばた 七夕 (7月7日) the seventh (night) of July; (7の重なる日) the double-seven day; (織女星の祭) the festival of Vega /víːgə/, the Star Festival.

たなびく 棚引く (尾を引く) trail (自); (…にかかる) hang [lie] (over …) (自). ¶山々にかすみが*たなびいていた A haze ⌈*hung* [*lay*] *over* the mountains.

たなぼた 棚ぼた (予期せぬ幸運) unexpected piece of good luck Ⓒ, windfall Ⓒ, godsend Ⓒ 語法 最初のものは説明的. windfall は「風で落ちた果物」が元の意味で,「思いがけない授かりもの (特にお金)」を指し, godsend は「ちょうど必要なときにころがりこむもの」を意味する. 《☞ ぼたもち》.
¶それはまさしく*棚ぼただ It's really a ⌈*godsend* [*windfall*]. // *棚ぼたなんていうものはありえない Nothing can be accomplished *without pain*. / No pain, no gain. 《ことわざ: 苦労がなければ利益もない》

たなん 多難 ¶前途*多難な (⇒困難がいっぱいある) ようだ The future seems to be *full of* ⌈*difficulty* [*difficulties*]. / (⇒見通しは暗い) The outlook is *bleak*. // 私たちの時代はまさに*多難だ (⇒我々は大変な世の中で生活している) We live in a *hard* world. / It's a ⌈*rough* [*tough*] world.

たに 谷 (川沿いの盆地状の) valley Ⓒ (↔ hill); (峡谷) gorge Ⓒ, ravine /rəvíːn/ Ⓒ ★前者が一般的; (気圧の) trough /trɔ́ːf/ Ⓒ. 《☞ きょうこく[1]》.
¶*谷間には2軒の家があった There were two houses in the *valley*. // 川の水は*谷を流れ落ちていた The river ran through the ⌈*gorge* [*ravine*]. // 気圧の*谷が九州に近づいている An atmospheric *trough* is approaching Kyushu.

valley

だに 〘動〙mite Ⓒ; (特に吸血性の) tick Ⓒ; (比喩として, やっかい者) hánger-òn Ⓒ《複 hangers-on》; (社会の害虫) vermin ★ 複数扱い.

gorge

たにあい 谷間 (小峡谷) gorge Ⓒ; (広い平地のある谷) valley Ⓒ. 《☞ たに; けいこく²》.

たにあし 谷足 (スキーの) the ˹downhill [downslope] ˹foot [boot].

たにおり 谷折り 〘折り紙〙 valley fold Ⓒ《☞ やまおり》.

たにかぜ 谷風 (谷間の風) valley wind Ⓒ; (谷からの) wind from the valley Ⓒ. 《☞ かぜ¹》.

たにがわ 谷川 mountain stream Ⓒ《☞ ながれ; かわ¹》.

たにくか 多肉果 fleshy [succulent] fruit Ⓒ.

たにくしょくぶつ 多肉植物 fleshy [succulent] plant Ⓒ, succulent Ⓒ.

たにし 田螺 〘貝〙mud [pond] snail Ⓒ.

たにそこ 谷底 the bottom of a ravine /rəvíːn/ ★ the を付けて.

たにま 谷間 (川沿いの盆地状の) valley Ⓒ; (狭谷) gorge Ⓒ; (気圧の) trough /trɔ́ːf/ Ⓒ; (女性の胸の) cleavage Ⓒ. 《☞ たに》. ¶ 彼らはビルの*谷間で生活をしている (⇒ 高層ビルの陰で) They live *in the shadow(s)* of skyscrapers.

たにまち 谷町 〘相撲〙patron of a sumo wrestler Ⓒ.

ダニューブがわ ダニューブ川 ☞ ドナウがわ

たにょう(しょう) 多尿(症) 〘医〙 polyuria /pàlijú(ə)riə/ Ⓤ.

たにわたり 谷渡り (谷から谷へと渡ること) going from one valley to another Ⓤ; (特に鶯などの) flying from valley to valley Ⓤ; (鶯の鳴き声) song of a bush warbler flying from valley to valley Ⓒ. 《☞ うぐいす》.

たにん 他人 (自分以外の人たち) others, other people; (他の誰か) someone else, some other person Ⓒ; (血縁関係のない人) person who is not a (blood) relative Ⓒ (↔ relative); (局外者) outsider Ⓒ; (知らない人) stranger Ⓒ. 《☞ よそもの》.
¶ あの 2 人は似ているが, 赤の*他人だ The two look alike, but they are *not related* (to each other).
他人の飯を食う (世間を知るため他人と生活する) live with other people to see the world.
他人扱い ¶ 彼はそこで*他人扱いを受けて腹を立てた He was angry, because he *was treated* ˹*as an outsider* [*like a stranger*] there. **他人行儀** standing on ˹formality [ceremony] Ⓤ《☞ けいしき; かたくるしい; きゅうくつ》. **他人事** other people's ˹business Ⓤ [affairs] ★ affairs はこの場合常に複数形で. **他人丼** bowl of rice with cooked meat other than chicken and eggs on top (of it) Ⓒ **他人の空似** ¶ これは*他人の空似 (⇒ 偶然の類似の一つの事例) だろうか Is this a case of ˹*accidental* [*chance*] *resemblance*?

たにんずう 多人数 (多数の人) a ˹great many [large number of] people ★ 前者のほうがやや意味が強い. 《☞ おおぜい》. ¶ 私の家族は*多人数です (⇒ 大きい) Ours is *a* ˹*large* [*big*] *family*.

たぬき 狸 〘動〙raccóon dog Ⓒ; (ずるい人) cunning person Ⓒ. **たぬき親父[じじい]** cunning [clever] old man Ⓒ **たぬき寝入り** ── 動 pretend to be asleep, 《略式》play possum ★ possum (= opossum) は北米のふくろねずみで, 危険が迫ると死んだふりをする. ── 名 feigned sleep Ⓤ.

たぬきうどん 狸うどん bowl of wheat noodles with bits of deep-fried tempura batter served in hot soup Ⓒ ★ 説明的な訳.

たぬきそば 狸そば bowl of buckwheat noodles with bits of deep-fried tempura batter served in hot soup Ⓒ ★ 説明的な訳.

たね 種 **1** «種子»: (植物の種子) seed Ⓒ; (梅・桃などの真中に 1 つある大きい) stone Ⓒ, 《米》pit Ⓒ; (レモン・りんごなどのいくつもある小さい) pip Ⓒ. 《☞ りんご (挿絵); たねなし》.
¶ 花の*種を庭にまいた I planted some flower *seeds* in the garden. // プラムの*種は大きい Plums have large ˹*pits* [*stones*]. // まいた*種は刈らねばならぬ As you *sow*, so shall you reap. 《ことわざ》/ You must reap what you *have sown*. // まかぬ*種は生えぬ No pain, no gain. 《ことわざ: 苦労がないともうけもない》/ Nothing comes of nothing. 《ことわざ: 無からは何物も生じない》
2 «血統を伝えるもの»: (血統) stock Ⓤ; (動植物の種族) breed Ⓒ. ¶ 良い*種の牛がほしい I want a cow of (a) good *stock*.
3 «原因・材料»: (原因) cause Ⓒ; (もと・起こり) source Ⓒ; (話の素材) subject Ⓒ, topic Ⓒ ★ 後者のほうが口語的; (心配の種) worry Ⓒ; (自慢の種) pride Ⓤ; (手品の) gimmick Ⓒ.
¶ 5 分後には彼らの間で話の*種が尽きていた After five minutes, they ˹ran out of *topics* (of conversation) [(⇒ 話すことがもう何もなかった) had *nothing* more to talk about]. // 娘の病気は私たちの心配の*種です Our daughter's illness has been a great *worry* to us. // 新しい図書館は私たちの学校の自慢の*種です The new library is *the pride* of our school. // 彼は飯の*種に (⇒ 生計の手段として) 雑誌の写真を撮っている He takes photos for magazines as *a* ˹*means* of livelihood [*source* of income]. // *種も仕掛けもありません (⇒ 袖に何も隠していない) I have nothing up my sleeve.
種が割れる ¶ *種が割れた (⇒ 企みが暴かれた) からには諦めたほうがいい Now that *your plot has been* ˹*uncovered* [*disclosed*], you'd better give it up.
種を宿す (妊娠する) become pregnant 《☞ やどす; にんしん》.
種油 rape(seed) oil Ⓤ **種芋** seed potato Ⓒ **種牛** seed bull Ⓒ **種馬** stallion Ⓒ, 《米》studhorse Ⓒ **種菌** (しいたけなどの) seed fungus Ⓒ《複 fungi /fʌ́ndʒaɪ/》 **種麹** seed malt Ⓤ **種[胤]違い** ¶ *種違いのきょうだい a ˹brother [sister] *by a different father* / a *half* ˹brother [sister] ★ 後者は両親のいずれかが異なるきょうだいの総称. 《☞ はらちがい》 **種物** (種子) seed Ⓒ; (具入りのうどん・そば) bowl of noodles with some topping such as tempura, egg, deep-fried bean curd, etc. Ⓒ **種もみ** seed rice Ⓤ《☞ もみ²》 **種屋** (種苗会社) nursery company Ⓒ; (種苗店) garden center Ⓒ.

たねあかし 種明かし ── 動 (手品などの仕掛けを見せる) expose a trick; (秘密を明かす) give away a secret. ¶ *種明かしをすれば (⇒ 知ってしまえば [説明されれば]) ごく簡単なことなのです This is a simple trick ˹*if you know it* [*when it is explained*].

たねがしま 種子島 (火縄銃) matchlock (mus-

た

ket) Ⓒ.

たねがしまうちゅうセンター 種子島宇宙センター ―名 固 the Tanegashima Space Center.

たねぎれ 種切れ ―動 (…を使い果たす[不足する]) run ⌈out [short] (of …) (☞ たね).

¶ 材料は*種切れです We've *run* ⌈*out* [*short*] *of* materials. // もう*種切れです (⇒ 何もすることがない) We *have nothing more* to do.

たねつけ 種付け (動物の交配) service Ⓒ; (交尾) mating Ⓤ.

たねなし 種無し ―形 seedless. ¶ *種なしぶどう [すいか] *seedless* ⌈grapes [watermelons]

たねび 種火 (ガスコンロ・ストーブなどの) pilot ⌈burner [light] Ⓒ.

たねほん 種本 (情報・記事などの) source (book) Ⓒ. ¶ この記事はニューズウィークが*種本だ The *source* of this article is *Newsweek*.

たねまき 種蒔き ―名 sowing Ⓤ. ―動 (種まきをする) plant seeds, sow (seeds) ★ 前者のほうが普通; (…に種をまく) seed ㊀. (☞ たね; まく³).

種まき機 sowing [seeding] machine Ⓒ.

たねん 多年 many years. ¶ *多年の熱心な練習が実って彼女はピアノコンテストで一位になった As a result of hard practice for *many years*, she won first prize in a piano contest.

たねんせいしょくぶつ 多年生植物 perennial (plant) Ⓒ.

たねんそう 多年草 ☞ たねんせいしょくぶつ

たのう 多能 ―名 vèrsatílity Ⓤ. ―形 vérsatile. ¶ 多芸*多能の作家 a *versatile* writer // *多能工作機械 a *versatile* machine tool

たのかみ 田の神 (米の豊作をもたらす神) god that brings bumper rice crops Ⓒ; (田を守る神) god that protects rice fields Ⓒ.

たのしい 楽しい ―動 (楽しく過ごす) have a good time, enjoy *oneself*; (おもしろく遊び興じる) have fun 日英比較 「きょうは楽しかった」のような場合は, 日本語の「楽しい」はしばしば以上3つの英語表現に相当する. 「楽しい…」のように名詞を修飾する場合は以下の欄にあげる英語が相当する. ―形 (人に満足感を与えるような) enjoyable; (気分が明るくほがらかで楽しい・ほがらかにさせるような) cheerful; (陽気で心が浮き浮きするような) merry; (幸せな感じをもたらすような) happy; (余興などがおもしろい) entertaining. ―副 cheerfully; happily; merrily. (☞ たのしむ; ゆかい; おもしろい).

¶ きょうはとても*楽しかった I ⌈*had* [*have had*] *a* very *good time* today. 語法 すでにある程度の時間の経過があれば (例えば昼間のことを夜になって話すときなどは) had となり, 楽しかった行事・催し物などが終わった直後なら have had となる. / (⇒ 我々は楽しく遊び興じた) We ⌈*had* [*have had*] a lot of *fun* today. // 昨夜のパーティーはとても*楽しかった We *enjoyed ourselves* very much at the party ⌈last night [yesterday evening]. // そのパーティーはちっとも*楽しくなかった I didn't *enjoy* the party at all. // 野球をするのはなんて*楽しいことだろう What *fun* [How *enjoyable*] it is to play baseball! // 彼女はきょうはとても*楽しそうだ She looks very ⌈*happy* [*cheerful*] today. // 子供たちは*楽しそうに庭で遊んでいる The children are playing *happily* in the *garden*. // これは子供向けの*楽しい番組です This is an *entertaining* program for children. // *楽しくやりましょう Let's *have* some *fun*. // *楽しく過ごして下さい *Have a* ⌈*good* [*nice*] *time*. / Please *enjoy* ⌈*yourself* [*yourselves*]. ★ 第1文のほうが一般的. // 間もなく*楽しい正月だ (⇒ 正月が来るのを楽しみにしている) I'*m looking forward to* the New Year holidays.

たのしさ 楽しさ ☞ たのしい; たのしみ

たのしませる 楽しませる (歓待などをして) èntertáin ㊀; (喜ばせる) please ㊀ ㊁; (笑わせたりおもしろがらせたりする) amuse ㊀. (☞ たのしむ).

¶ そのサーカスは私たちをたいへん*楽しませてくれた The circus ⌈*entertained* [*amused*] us very much. // 彼は人を*楽しませようと一生懸命だ He is eager to *please*.

たのしみ 楽しみ **1** «愉快・趣味»: (愉快な気持ち) pleasure Ⓤ; (楽しさを味わうこと) enjoyment Ⓤ; (娯楽) amusement Ⓤ; (気晴らし) diversion Ⓤ ★ やや格式ばった語. 以上いずれも具体的なものを指すときは Ⓒ; (趣味) hobby Ⓒ. (☞ しゅみ; ごらく (類義語); きばらし).

¶ 読書は私の大きな*楽しみです (⇒ 私に楽しみを与えてくれる) Reading gives me great *pleasure*. / (⇒ 私は読書を楽しむ) I *enjoy* reading very much. ★ 第2文のほうが口語的. // 模型飛行機を作ることが彼の唯一の*楽しみです (⇒ 趣味です) Making model planes is his only *hobby*. // 父は老後の*楽しみに盆栽を育てています My father grows bonsai as a *consolation* of his old age.

2 «期待»: hope Ⓤ, expectation Ⓤ 語法 (1) いずれもしばしば複数形で. 後者のほうが期待の度合いが強い. (☞ こころまち; きたい¹ (類義語)).

¶ 夏休みにあなたがおいでになるのを*楽しみにしています I'*m looking forward to* your visit(ing) ⌈in [during] the summer vacation. 語法 (2) look forward to … には 名, 動 いずれも続くが, 動 の場合は …ing 形. // 彼女は息子の将来を大いに*楽しみにしている She has put her ⌈*hopes* [*expectations*] on her son. // *楽しみにしていたのに雨で遠足はお流れになった Contrary to my ⌈*expectations* [*hopes*], the excursion was canceled because of the rain.

楽しみ極まりて哀情多し (⇒ 過度の幸福はしばしば悲しさをもたらす) Too much happiness often results in a tragedy.

たのしむ 楽しむ (一般的な語として) enjoy ㊀; (楽しい思いをする) enjoy *oneself*; (おもしろく時を過ごす) have a good time, have fun ★ 後者は口語的表現; (…に喜びを感じる) take ⌈pleasure [delight] in … 語法 格式ばった言い方で, delight のほうが喜びの度合いが強い. (☞ たのしい; まんきつ; たんのう¹). ¶ 私たちは大いに*楽しんだ (⇒ おもしろかった) We *had a* very *good time*. / We *had* a lot of *fun*. / We all *enjoyed ourselves* very much. // 彼はその仕事を*楽しんでいる He *takes* great *pleasure in* (doing) that job.

たのみ 頼み request Ⓤ ★ 具体的な頼みは Ⓒ; (相手の好意に訴える願い事) favor (《英》 favour) Ⓒ. (☞ ようせい¹).

¶ あなたに*頼みがあるのですが Will you do me a *favor*? / Can I ask a *favor* (of you)? 語法 いずれも人に物を頼む場合の決まった表現だが, 前者のほうが使われる頻度が高い. // 私は彼の*頼みを聞いてあげた [断った] I have ⌈granted [refused] his *request*.

頼みがい ¶ 彼は*頼みがいがある[ない] (⇒ 頼りになる [ならない]) He is ⌈*reliable* [*unreliable*].

頼みの綱 ¶ あいつだけが*頼みの綱 (⇒ ただ一つの望み) だ He's my *one and only hope*. // これで私の*頼みの綱も切れた (⇒ 最後の望みがなくなった) My *last hope* is gone.

たのみこむ 頼み込む ask [request] *a person* earnestly for …

たのみて 頼み手 (頼む人) asker Ⓒ, requester Ⓒ; (やや説明的には) person who ⌈asks [requests] for … Ⓒ; (弁護士などの依頼人) client Ⓒ; (陳情などの) petitioner Ⓒ.

たのむ 頼む (人に物事を依頼する) ask (*a person*

to *do* …) ⊕ ★ 最も一般的な語で, 以下の語の代わりにも使われる; (腰を低くして頼む) beg ⊕; (要請する) request ⊕; (嘆願する) implore ⊕ ★ やや格式ばった語; (注文する) order ⊕. (☞ いらい; ようせい[1]).

¶ あなたに*頼みたいことがあります I have a favor to *ask* (of) you. / Could [Will] you *do* me *a favor*? 語法 第 2 文のほうが丁寧な言い方. will よりcould を用いるほうがさらに丁寧になる. // 私は彼女にすぐ来るように*頼んだ <S (人)+V (*ask*)+O (人)+*to* 不定詞> I *asked* her *to* come at once. // 彼女はどうか一緒に連れていって下さいと彼に*頼んだ She *implored* him to take her with him. // 彼は私にどうかお金を下さいと*頼んだ <S (人)+V (*beg*)+O (人)+*for* + 名> He *begged* me *for* some money. // 彼は彼女に*頼まれて一緒に出かけた He went out with her at her *request*. // 私は大阪で講演を*頼まれた I *was asked* to give some lectures in Osaka. //「何を*頼んだのですか」「コーヒーを 2 つ*頼みました」"What *have* you *ordered*?" "Two coffees." // 彼らは数を*頼んで法案を強行採決した *Relying on* [*By the sheer force of*] numbers, they rammed the bill through the Diet. (☞ たよる)

たのもしい 頼もしい (信頼できる) reliable; (すっかり任せても大丈夫な) trustworthy; (末頼もしい・将来有望な) promising, hopeful 語法 前者のほうが前途有望の度合いが強い. (☞ しょうらい[1]; ゆうぼう). ¶ 彼は*頼もしい人だ He is ⌈*reliable* [*trustworthy*]. / (⇒ 当てになる) He *can be depended upon*.

たのもしこう 頼母子講 (互いに金銭を融通し合う組織) mutual financing association Ⓒ (☞ むじん[2]).

たは 他派 (他の派閥) another faction (複 other factions); (他の流派) another school (複 other schools); (他の政党) another party (複 other parties).

たば 束 (大きな束) bundle Ⓒ; (花束など小さなもの) bunch Ⓒ, batch Ⓒ; (穀物・書類などの) sheaf /ʃíːf/ Ⓒ (複 sheaves /ʃíːvz/). (☞ たばねる).

¶ ばらの花*束 a ⌈*bunch* [*bouquet*] of roses // 数個の手紙の*束 several ⌈*batches* [*bundles*] of letters // いらない物は*束にしておいて下さい (⇒ ひとまとめにしなさい) *Bundle up* what you don't need. / (⇒ ひもなどでくくりなさい) *Tie up in bundles* [*Bundle together*] what(ever) you don't need.

束になってかかる (協力する) join forces; (人を大勢で攻撃する) attack *a person* all together. ¶ さあ, *束になってかかってこい Come on, *all of you* (*in a bunch*). / I'll take *you all* on! // 我々が*束になってかかってもあいつにはかなわない *All of us put together* can't beat him.

だは 打破 ― 動 (打ち砕く) brèak dówn ⊕; (くつがえす) overthrow ⊕; (廃止する) do away with …, abolish ⊕ ★ 後者のほうが格式ばった語. ¶ 彼らは因襲の*打破に立ち上がった They rose (up) to ⌈*break down* [*do away with*; *abolish*] the old conventions.

だば 駄馬 (荷を運ばせる馬) packhorse Ⓒ; (荷を引かせる馬) draft [(英) draught] horse Ⓒ; (年をとって役に立たなくなった馬) hack Ⓒ, jade Ⓒ.

たばこ 煙草 (紙巻きたばこ) cìgarétte Ⓒ, cigaret Ⓒ; (パイプ用の刻みたばこ) tobacco Ⓤ; (葉巻き) cigar /sɪgáɚ/ Ⓒ; (植物) tobacco plant Ⓒ.

¶ *たばこ 1 箱 a ⌈pack [packet] of *cigarettes* ★ pack は (米). // *たばこを一服したい I want to *smoke*. / I want to have a ⌈*smoke* [*puff*]. ★ puff は「ぷかぷか吹かす」という意味. //「*たばこはいかがですか」「いいえ結構です. 私は*たばこは吸いません」"How about a *cigarette*?" "No, thank you. I don't *smoke*." // 彼は*たばこをたくさん吸う He is a heavy *smoker*. // *たばこはやめました I ⌈gave up [quit] *smoking*. //「*たばこを吸ってよろしいですか」「ええ, どうぞ」"May I *smoke*?" "Yes, of course." / "Do you mind if I *smoke*?" "No, not at all." ★ 後者のほうが丁寧な言い方. // 彼はマッチをすって*たばこに火をつけた He struck a match to light (up) a *cigarette*. // *たばこの吸いがらは灰皿に入れて下さい Please put your *cigarette* butts in the ashtray. // 寝*たばこはしないで下さい Don't *smoke* in bed. // *たばこは健康に有害だ *Smoking* is ⌈harmful [injurious] to the health. // 軽い*たばこ a ⌈light [mild] *cigarette* // *たばこの害 damage from [harmfulness of] *smoking* // *たばこを控える refrain from *smoking* // *たばこの灰 *cigarette* ash // 歩き*たばこ *smoking* (a *cigarette*) while walking (along)

たばこ入れ (紙巻きたばこ用の) cigarette case Ⓒ; (きざみたばこの) tobacco pouch Ⓒ; (葉巻き入れ) cigar case Ⓒ **たばこ自動販売機** cigarétte machìne Ⓒ **たばこ銭** (少額のお金) a small amount of money Ⓤ; (たばこを買うための金) cigarette money Ⓤ **たばこ畑** tobacco plantation Ⓒ **たばこ盆** tobacco tray Ⓒ **タバコモザイク病** 〔植〕 tobácco mosaic /moʊzéɪɪk/ Ⓤ **たばこ屋** tobacco shop Ⓒ, (英) tobacconist's (shop) Ⓒ; (人) tobacconist Ⓒ.

―コロケーション―

たばこの火を消す put out [extinguish] a *cigarette* / **たばこを吸う** smoke (a *cigarette*); have a *smoke* / **たばこを勧める** offer a *cigarette* / **たばこをふかす** puff on a *cigarette* / **たばこ(を吸う量)を減らす** cut down on *smoking*

たばさむ 手挟む (手にはさみ持つ) hold … in *one's* hand; (わきにかかえ持つ) carry … under *one's* arm.

タパス (スペイン料理の前菜) tapas /tάːpəz/ ★ 通例この複数形で用い, 単数扱いになることもある.

タバスコ (商標) Tabásco (sauce) Ⓤ.

たはた 田畑 (農場) farm Ⓒ.

たはつ 多発 ¶ この交差点で交通事故が*多発している *A lot of* traffic accidents *have occurred* at this intersection. (☞ はっせい[1]; ひんぱん)

たはつせいこうかしょう 多発性硬化症 〔医〕 múltiple sclerósis /sklərόʊsɪs/ Ⓤ (略 M.S.).

たばねる 束ねる (束にする) bundle ⊕, tie up … in a bundle, bind … into a ⌈bundle [sheaf] ★ tie と bind の区別は ☞ しばる (類義語). sheaf は特に穀物・書類などの束を指す. (☞ たば; くくる). ¶ 私は枝を幾つかに*束ねた I'*ve tied up* the branches *in* several *bundles*. / I'*ve bound* the branches *into* several *bundles*. // 髪を*束ねる *tie up one's* hair into a knot

たび[1] 旅 ― 名 (一般的に, 旅行) trip Ⓒ; (長い旅) journey Ⓒ; (周遊旅行) tour Ⓒ; (パック旅行) package tour Ⓒ 日英比較 日本語のツアーは団体旅行 group [organized] tour のことを指すが, 英語の tour は一人旅でもよい; (かなりの旅行) travels ★ しばしば複数形で; (徒歩旅行) hike Ⓒ; (遠足) excursion Ⓒ. ― 動 travel ⓐ, go on [make] a ⌈trip [journey]. (☞ りょこう (類義語)).

¶ *旅に出ていました I *was away* (*from home*) *on a trip*. // 船の*旅はどうでしたか How did you like the ⌈*voyage* [*journey* by ship]? // 空の*旅は今度が初めてです This is my first ⌈*trip* by air [experience of air *travel*]. // 空の*旅は快適でしたか Did you have a good *flight*? // 私はバスの*旅はあまり好きではありません I don't like *traveling* by ⌈bus [coach]. ★ coach は (英) の遠距離用バス. / I don't like *riding* busses. // 彼はいままでにいろいろな所に (⇒ 広範囲にわたって)*旅をしている He *has traveled* ⌈extensively [widely]. / (⇒ 旅慣れている) He is well-*traveled*. // かわいい子には*旅をさせよ Spare the rod and spoil the child. 《ことわざ: むちを惜しんで子供をだめにする》

旅の恥はかき捨て (旅に出るときに羞恥心は家へ残しておく) When you travel, leave your sense of shame at home. / (国境を越えれば, 何をしてもよい) Once over the border, one may do anything.

旅は憂いもの辛いもの (旅行は心配事や苦難が多い) Traveling is filled with worries and hardships.

旅は情け人は心 A kindness done for a passing traveler; it's what is in a person's heart that counts.

旅は道連れ世は情け (道中では道連れが必要, 人生では親切が必要) On the road you need a companion; in life, kindness. / (旅でのよい道連れは一番の早道) Good company on the road is the shortest cut. / (2人で共有すれば喜びは2倍, 悲しみは半分になる) When shared, joy is doubled and sorrow halved. 《ことわざ》

旅鳥 (旅から旅へ渡り歩く人) bird of passage [C] **旅芸人** strolling player [C]; 《格式》 itinerant /aɪtínərənt/ ⌈pláyer [èntertáiner] [C] **旅心** (旅情) traveler's sentiment [C]; (旅に出たいと思う心) wanderlust [U]. 《☞ りょじょう》 **旅先** — [名] (行く先) destination [C]; (滞在地) the place where *one* is staying. — [副] (不案内の地で) in a strange land; (旅行中に) during *one's* journey; (家を離れて) away from home **旅路** (旅の道筋) the route of *one's* journey [C]; (旅) journey [C] **旅支度** — [名] (準備した物) preparations for a journey ★ 通例複数形で; (旅の服装) traveling outfit [C]. — [動] get ready for a ⌈trip [journey] **旅姿** (旅の装備) traveling outfit [C]; (旅の服装) traveling clothes ★ 複数形で. ¶ *旅姿で出かける go out in *one's traveling outfit* **旅疲れ** fatigue of travel [U] **旅日記** travel diary [C]; (旅行記) itinerary /aɪtínərèri/ [C] **旅の空** — [副] away from home. — [名] (知らない土地) strange land [C] **旅人** traveler [C] **旅人算** arithmetic problem using two travelers [C] **旅枕** (旅寝すること) sleeping away from home [U] **旅役者** itinerant entertainer [C].

> **コロケーション**
>
> 一等[二等]で旅をする *travel* ⌈first-class [second-class] / ただで旅をする *travel* free / ツーリストクラスで旅をする *travel* tourist-class / 身軽に旅をする (荷物を少なく) *travel* light

たび² **足袋** *tabi* [C] ★ 単複同形; (説明的には) Japanese socks with a cleft toe ★ 複数形で.

-たび **…度** **1** «…するごとに» — [接] every time …, whenever … ★ 前者のほうが口語的. 《☞ まいかい; いつも; -ごと¹》. ¶ 彼は来る*たびに息子の自慢をする *Every time* [*Whenever*] he comes here, he brags about his son. // 彼と話をする*たびにけんかになってしまう (⇒ けんかをしないで彼と話すことはない) I never talk with him *without* quarreling.

2 «度数»: times 《☞ -かい¹; ど》. ¶ 私はひと*たび決心したら計画は必ずやり遂げる *Once* I make up my mind, I always carry out my plan. 《☞ いちど》

だび **荼毘** — [名] (火葬) cremation [U]. — [動] (荼毘に付す) cremate (他).

タピオカ tapioca /tæ̀pióʊkə/ [U] ★ キャッサバ (cassáva) の根からとる食用のでんぷん.

たびかさなる **度重なる** — [形] (幾度も繰り返される) repeated; (しばしばの) frequent. ¶ *たび重なる失敗で自分に愛想が尽きた I failed *so many times* that I was disgusted ⌈with [at] myself. // *たび重なる事故の原因は何だろう What are the causes of these *repeated* accidents?

たびだち **旅立ち** (出発) departure [U]; (旅行に出ること) setting ⌈off [out] on a ⌈journey [trip] [U].

たびだつ **旅立つ** (旅に出る) start [go] on a ⌈trip [journey], set ⌈off [out] (自), 《格式》 embark (on …) (自) [語法] 以上は目的地に向かって動き出す動作に重点が置かれる; (去る・離れる) leave (for …) (自). 《☞ たび; たつ³; しゅっぱつ [語法]》. ¶ 間もなくアメリカへ*旅立ちます I'*m* ⌈*leaving* [*setting off*] *for* the United States pretty soon.

たびたび **度度** (何回も) many times; (しばしば) often, frequently ★ 後者のほうが少し格式ばった語; (繰り返し) repeatedly ★ やや格式ばった語. 《☞ しばしば (類義語)》. ¶ 彼はそのことを*たびたび言っていた He said that ⌈*repeatedly* [*many times*]. / He *repeated* it *many times*.

タヒチ — [名] (固) (南太平洋の島) Tahiti /təhíːti/. — [形] Tahitian /təhíːʃən/.

ダビデ — [名] (固) David ★ 紀元前10世紀のイスラエルの王で Solomon 王の父.

たびなれる **旅慣れる** be ⌈used [accustomed] to traveling. ¶ 彼女は*旅慣れている She is a *well-traveled* person.

たびまわり **旅回り** — [形] traveling. — [名] tour [C]. ¶ *旅回りの芸人[一座] a *traveling* ⌈entertainer [company]

たびょう **多病** — [形] (病気がちの) sickly; (体が弱い) weak. 《☞ びょうじゃく》.

たびらこ **田平子** 〘植〙 (ヤブタビラコ) nipplewort [C].

ダビング — [動] (録音・録画を別のテープなどに編集してまとめる) dub (他); (複製を作る) duplicate (他). — [名] (複製したテープ) duplicate [C]. ¶ ビデオテープを*ダビングする *duplicate* a video(tape)

ダビンチ — [名] (固) Leonardo da Vinci /lìːənáədoudəvíntʃi/, 1452–1519 ★ イタリアの画家・彫刻家・科学者.

たふ **多夫** (一妻多夫) polyandry [U] 《☞ いっさいたふ》.

タフ — [形] (粘り強い) tough /tʌ́f/; (体力が強い) strong. 《☞ がんじょう; つよい (類義語)》. ¶ 彼は*タフだから逆境に耐えられる He's *tough* enough to live through difficult conditions. **タフガイ** 《略式》 tough guy [C].

タブ¹ (浴槽) 《米》 tub [C], bathtub [C], 《英》 bath [C]; (つまんだりするための) tab [C]; (衣服の垂れ飾り) tab [C].

タブ² 〘コンピューター〙 (タブ文字) tab [C], tab character [C] ★ カーソルや印字位置などを設定した場所に移動させる文字. **タブキー** tab key [C] **タブストップ** tab stop [C].

ダフ — [動] 〘ゴルフ〙 (ボールを打ち損ねる) duff (他).

ダファー 〘ゴルフ〙 (下手なゴルファー) 《俗》 duffer [C]; (説明的に) poor golfer [C].

タフィー (砂糖とバターを煮つめたキャンディー) toffee [U], toffy [U], 《米》 taffy [U].

タブー — [名] tabóo [C], tabú [C] ★ 前者が普通. 以上2つとも [動] [形] としても用いられる. 《☞ きんく》. ¶ その話はここでは*タブーです The topic *is* ⌈*taboo* [*tabooed*] here. **タブー語** (禁句) tabóo wòrd [C].

たぶさ **髻** (もとどり) topknot [C].

だぶだぶ — [形] (大き過ぎる) too ⌈large [big]; (ゆるい) loose, 《略式》 baggy. 《☞ ぶかぶか; 擬声・擬態語 (囲み)》. ¶ 彼は*だぶだぶの上着を着ていた He wore a ⌈coat *too large for him* [*baggy* coat]. // このズボンは*だぶだぶだ These trousers are *too large*

(for me).
だぶつく ── 形 (多くて余る) òverabúndant, òversupplíed ★ 両者ともやや格式ばった語. ── 名 (商品の供給過剰) glut C.
¶ 衣料品が*だぶついている We have an *oversupply* of clothing. // 世界中で石油が*だぶついている There is a global oil *glut*.
ダフニス 〘ギ神〙 Daphnis ★ Sicily 島の羊飼いで牧歌の創始者.
ダフネ 〘ギ神〙 Daphne /dǽfni/ ★ アポロ (Apollo) に追われて月桂樹に化した妖精.
タフネス (粘り強さ) toughness U (☞ タフ).
たぶのき 椨 〘植〙 (説明的に) an evergreen tree of the laurel family, related to the avocado tree and used as wood.
だふや だふ屋 scalper C.
たぶらかす 誑かす (うそなどでだます) take in 他, deceive 他 ★ 前者の方が口語的. (☞ だます).
ダブり (重複) óverlàp U ★ 重複箇所の意味では C.
ダブリュー (アルファベットの第 23 字) W C, w C.
ダブリューエイチオー (世界保健機関) WHO ★ the *W*orld *H*ealth *O*rganization の略.
ダブリューシー (公衆便所) rest room C; (男[女]性用) men's [ladies'] room C; (家庭の) bathroom C 参考 WC は《英》 water closet の略語で古風な表現.
ダブリューダブリューダブリュー 〘コンピューター〙 (ワールドワイドウェッブ) WWW ★ *W*orld *W*ide *W*eb の略で, 情報検索システムの一つ.
ダブリューティーオー (世界貿易機関) WTO ★ the *W*orld *T*rade *O*rganization の略.
ダブリン ── 名 固 (アイルランド共和国の首都) Dublin.
ダフる 〘ゴルフ〙 (打ち損ねる) duff 他.
ダブる (二重になる) be ˹dóubled [dúplicàted]; (重なる・重ねる) overlap 自 他. (☞ かさなる).
¶ 2 つの画像が*ダブってしまった Two pictures *were* ˹*doubled* [*duplicated*]. / Two pictures *overlapped each other*. // 祭日が日曜に*ダブると (⇒ かち合うと) 月曜が休みになる When a holiday *falls on* Sunday, we have an extra holiday on Monday.
ダブル ── 形 double (↔ single) ★ 通例 A.
¶ ウィスキーを*ダブルで 1 杯くれ Give me a *double* whiskey. // 彼は*ダブルの上着を着ていた He had a *double-breasted* coat on. (☞ うわぎ (類義語)).
ダブルインカム ── 形 double-income ★ two-income ともいう. ダブルオーバーヘッドカムシャフト (自動車などのツインカム) double overhead camshaft C ★ DOHC と略す. ダブルクリック ── 名 dóuble clíck C. ── 動 dóuble-clíck 他 ダブルコース[トラック] (スピードスケートの) double track C ダブルスクール ── 動 attend two schools regularly ★「ダブルスクール」は和製英語. 2 つの学校に通う人は a student of two schools at the same time. ダブルスコア 〘球〙 (相手の倍の得点をあげること) scoring twice as many points as ˹*one's* opponent [the opposing team]. ¶ *ダブルスコアで試合に勝つ win a game with *double the score of the opponent* ダブルスタンダード double standard C ダブルスチール double steal C ダブルスペース ── 動 (行間に 1 行分をあける) double-space 他 自. ── 形 double-spaced. ダブルチェック ── 名 double check C. ── 動 double-check 他 ダブルデッカー (二階建てバス) double-decker C ダブルドリブル 〘バスケ〙 double dribble C ダブル幅 ── 名 (布地の) double width U. ── 形 double-width ダブルパンチ ¶ *ダブルパンチをくらう suffer a *double punch* ダブルフォールト 〘テニス〙 double fault C ダブルブッキング ── 名 double-booking U. ── 動 double-book 他 ダブルプレー double play C ダブルベース double bass C (☞ コントラバス) ダブルヘッダー double-header C ダブルベッド double bed C (☞ ベッド) ダブルボギー 〘ゴルフ〙 double bogey C.
ダブルス (試合) doubles /dʌ́blz/ (↔ singles).
¶ 女子*ダブルスの試合 women's *doubles* ダブルスコート 〘スポ〙 doubles court C.
ダブルメジャー (2 つの主専攻(を持つ学生)) 《米》 double major C.
タブレット (錠剤) tablet C; 〘コンピューター〙 tablet C ★ 入力装置の一種.
タブロイド ¶ *タブロイド版新聞 a *tabloid* 日英比較 英語の tabloid は元来商標名から出た語. 普通の半分のサイズの新聞をいう 形 名 で,「版」に当たる語は不要.
タブロー (絵画・活人画) tableau C /tǽbloʊ/ (複 tableaux /~z/, ~s).
たぶん[1] 多分 (恐らく) probably; (もしかすると) possibly, perhaps, 《略式》 máybe 語法 probably は可能性が大きくて, 大いにありそうなことを表し, possibly は可能性はあるが, 確実性は少ないことを表すやや格式ばった語で, perhaps と maybe は possibly とほぼ同意だが, perhaps は格式ばった語であるのに対して maybe は口語的. (☞ おそらく (類義語); -だろう).
¶ *多分彼女は来ます She will *probably* come. / *Maybe* she will come. // *多分そうかもしれないが, 私はどうも信じたくない *Maybe* [*Probably*] (it is) true, but I don't want to believe it. // *多分彼の主張は正しい His claim is *probably* right. // *多分あすの会には出られない (⇒ …と思います) *I'm afraid* I can't attend the meeting tomorrow.
たぶん[2] 他聞 (知れ渡っていること) publicity U.
¶ このことは*他聞をはばかる (⇒ 人に知られてはならない) People must not ˹*know* [*be informed of*] this. / (⇒ 内々のことだ) This is a *confidential* matter.
だぶん 駄文 (へたな文章) poor writing U; (くだらない書き物) 《略式》 twaddle U; (内容のない話) 《英略式》 waffle U; (自分の文章) my writing U ★ 英米ではへり下る表現を普通使わない.
たぶんかしゅぎ 多文化主義 multiculturalism U.
たべあきる 食べ飽きる ¶ 肉は*食べ飽きた I'm *tired of* meat.
たべあるき 食べ歩き ¶ 私の趣味は*食べ歩き One of the things I like to do is *try out different restaurants*.
たべあわせ 食べ合わせ ☞ くいあわせ
たべかけ 食べかけ ── 形 (途中まで食べた) half-eaten. ¶ *食べかけのケーキ a *half-eaten* cake // ご飯を*食べかけて (⇒ 食事の最中に) 席を立ってはいけない Don't leave the table *in the middle of your meal*.
たべかす 食べ滓 (残飯) scraps ★ 複数形で; (パンなどのくず) crumb C ★ 普通複数形で. (☞ たべのこし).
たべごろ 食べ頃 (果物などが熟している) be ripe; (出盛りである) be in season; (食べるのによい状態) be ˹good [just right] for eating ★ [ ] 内は「まさにぴったり」という意味. ¶ さくらんぼが*食べごろです Cherries *are in season* now. // このメロンは 2 日後が*食べごろです This melon will *be* ˹*ripe* [*good for eating*] in a couple of days.
たべざかり 食べ盛り ── 形 (成長期の) growing; (食欲の旺盛な) with a good appetite; (元気いっぱいの) full of energy.

たべすぎ 食べ過ぎ ―［名］ overeating [U]. ―［動］ eat too much, overeat (自) ★ 前者のほうが口語的. (☞ -すぎる［語法］). ¶*食べ過ぎると胃をこわします (⇒ 食べ過ぎは胃に悪い) *Overeating* is bad for the stomach.

たべずぎらい 食べず嫌い (…に偏見を持っている) have a prejudice [be prejudiced] against … (☞ くわずぎらい).

タペストリー (壁掛け) tápestry [C].

たべちらす 食べ散らす (食べ残す) leave … half-eaten; (中途半端に食べる) eat … halfway; (きたならしく食べる) eat … messily.

たべつける 食べつける be ˹used [accustomed] to eating … ¶その役人たちはとても高価なごちそうを*食べつけていた Those officials *were used to eating* very expensive dinners.

たべで 食べ出 ¶*食べ出のある (⇒ 量の多い) 料理 a *substantial* meal

たべのこし 食べ残し (後でまた利用するようなもの) léftòvers; (捨ててしまうようなもの) scraps ★ いずれも複数形で.

たべのこす 食べ残す leave … ˹unfinished [half-eaten].

たべほうだい 食べ放題 ☞ -ほうだい

たべもの 食べ物 food [U] ★ 種類をいうときは [C]. (☞ しょくもつ; たべる). ¶*食べ物を食べる eat *food* // *食べ物を噛む chew *food* // *食べ物を消化する digest *food* // この寮は*食べ物がよい This dormitory serves good *food.* // そのころ私たちは*食べ物がなくて栄養不良だった We were short of *food* and underfed in those days. // 犬に*食べ物をやるのを忘れた I forgot to *feed* the dog.

―コロケーション―

あっさりした食べ物 plain [simple] *food* / 脂っこい食べ物 oily [greasy; fatty] *food* / 甘い食べ物 sugary [sweet] *food* / 栄養価の高い食べ物 nourishing [nutritious] *food* / おいしい食べ物 delicious [tasty] *food* / おいしそうな食べ物 appetizing *food* / 塩辛い食べ物 salty *food* / しつこい食べ物 heavy *food* / スパイスのきいた食べ物 spicy [hot] *food* / 柔らかい食べ物 soft [tender] *food* // 食べ物の用意をする prepare [cook] *food* / 食べ物を温める heat *food* / 食べ物を出す serve *food*

たべる 食べる **1** «直接物を口にする»: (食器・手の指などを使って食べ物を食べる) eat (他) (自) (過去 ate /éɪt/; 過分 eaten /íːtn/); (食べ物・飲み物・菓子類など, 広く一般に飲食物をとる) have (他) ［語法］ (1) 前者は食べる動作に重点があり, 後者は食事をとる事実のほうに重点がある. また eat は普通固体の食物を対象とし, 液体の場合は drink を用いるが, スープのようにスプーンなどの食器を使って口に運ぶものは eat という; (やや格式ばって) take (他); (家畜などがえさとして) feed on ….

¶我々は生きるために*食べている We *eat* to live. // 急いで*食べる *eat* ˹hastily [in a hurry] // ゆっくりよくかんで*食べなさい *Eat* slowly and chew well. // 「朝食には何を*食べましたか」「果物とパンを*食べました」 "What did you ˹*eat* [*have*] for breakfast?" "I *had* some bread and some fruit." // けさから何も*食べていません I *haven't eaten* anything [I'*ve had* nothing to *eat*] since this morning. // これは*食べられない (⇒ 食べるのによくない[適していない]) This is not ˹*edible* [good to *eat*; fit to *eat*; fit to *be eaten*]. // これは生で*食べられますか Can I *eat* it raw? // 彼はよく*食べる人だ (⇒ 大食家だ) He's a big *eater*. / (⇒ いつもたくさん食べる) He always *eats* a lot. // がつがつ*食べる *eat* ˹hungrily [greedily; like a horse] // 軽く[いっぱい]*食べる *eat* ˹lightly [heavily] // 少し*食べる *eat* a ˹little [bit] // 少なめに*食べる *eat* sparingly // 今夜は外で*食べましょう Why don't we ˹*eat* [*dine*] out this evening? ［語法］ (2) dine は「ちゃんとしたディナーを食べる」という格式ばった語. // 家で*食べる *eat* in // たらふく*食べる *eat* heartily // もう腹一ぱい*食べました I'm *full.* / I'*ve had* enough. ［語法］ (3) 前者は単におなかがいっぱいだというのに対して, 後者は「もうたくさんだ」というニュアンスがある. 従って, 人にごちそうになったときは前者を言うほうがよい. // キャンディーは自由に取って*食べて下さい Please *help yourself to* the candy. // 日本人は米を*食べる The Japanese ˹*eat* rice [are a rice-*eating* people]. // 牛が牧場で草を*食べていた The cows *were feeding* in the pasture. / The cattle *were grazing* in the pasture. ［語法］ (4) graze は feed on grass (草を食べる) の意味. cow と cattle の区別は ☞ うし¹. // おなかがすいた. 何か*食べさせて I'm hungry. Can you give me something to *eat*? // この猫には何を*食べさせているのですか What do you *feed* this cat? ［語法］ (5) feed (他) を <S (人)+V (*feed*)+O (家畜など)+O (えさ)> の構文で用いるのは《米》.《英》では <S (人)+V (*feed*)+O (家畜など)+*on*+名 (えさ)> となる. 従ってこの例文は《米》で,《英》なら What do you *feed* this cat *on*? となる.

2 «生活する»: live (on …) (自) (☞ くらす).

¶家族4人で月20万円では*食べていけません A family of four cannot *live on* two hundred thousand yen a month. // 給料だけでは家族を*食べさせられません (⇒ サラリーは家族を扶養するのに十分ではない) My salary is not enough to *support* my family.

だべる 駄弁る (ぺちゃくちゃとしゃべる) chat (with …), have a chat (with …). (☞ おしゃべり; ざつだん).

たへん 田偏 (漢字の) rice-field radical on the left of kanji [C].

たべん 多弁 ―［形］ (口数の多い) talkative (☞ おしゃべり). ¶*多弁な人 a *talkative* person // *多弁を弄する *talk too much*

だべん 駄弁 (たわごと) nonsense /nɑ́nsèns/ [U], 《英》 rubbish [U]; (愚かなおしゃべり) silly talk [U]; (くだらない話) idle talk [U]. (☞ おしゃべり).

たへんけい 多辺形 ☞ たかくけい

たへんりょうかいせき 多変量解析 〔統〕 multivariate analysis [U].

だほ 拿捕 ―［動］ capture (他), seize /síːz/ (他). ―［名］ capture [U], seizure [U]. ¶3隻の漁船が外国の警備船に*だ捕された Three fishing boats *were* ˹*captured* [*seized*] by a foreign (coastal) patrol ˹boat [vessel].

だぼ 太枘 〔木工〕 dowel /dáʊəl/ [C].

たほう 他方 **1** «ほかの方面»: (ほかの面) other sides. **2** «もう一方では» ―［副］ on the other hand. ―［接］ but … (☞ いっぽう³).

たぼう 多忙 ―［形］ busy (☞ いそがしい).

だほう 打法 (バッティングの仕方) batting style [C]; (クラブ・バットの振り方) swing [C].

だぼう 打棒 〔野〕 ¶今シーズン彼のチームは*打棒大いに振るった[振るわなかった] His team *batted* ˹very well [badly] this season.

たほうめん 多方面 ―［名］ (多くの分野) many [various] fields ［語法］ many は数が, various は種類が多いこと; (広い範囲) wide range [C]. ―［形］ (さまざまの) various; (多くの) many; (多面的な) many-sided, multifaceted ★ 後者のほうが格式ばった語. (☞ たき²). ¶彼の研究は*多方面にわたっている (⇒ 多くの分野をカバーしている) His research covers *many fields.* / (⇒ 多くのテーマにわたっている) His studies range over *many* ⌈*subjects* [*areas*]. // 彼女は*多方面で活躍している She works in *various fields*.

だぼくしょう 打撲傷 bruise /brúːz/ Ⓒ《☞ きず (類義語)》. ¶ 脚(あし)に*打撲傷を受けた I got a *bruise* on the leg. / My leg *was bruised*.

だぼシャツ (だぶだぶのシャツ) baggy shirt Ⓒ; (ゆったりとしたシャツ) loose-fitting shirt Ⓒ. 《☞ シャツ》.

だぼだぼ ―形 (服などがゆったりした) loose-fitting; (だぶだぶの)《略式》baggy; (大きすぎる) too large. ―動 (液体がだぼだぼとゆれ動く)《略式》slop [slosh] ⌈around [about] ⓐ. 《☞ だぶだぶ》.

だぼはぜ 〘魚〙small goby Ⓒ.

だぼら 駄法螺 ¶*だぼらを吹く《米略式》(⇒ 大言壮語する) talk big / (⇒ 自慢する) brag ⌈of [about] ... 《☞ ほら²》

たま¹ 玉 (球状のもの) ball Ⓒ; (ガラスの小さい玉) bead Ⓒ; (パチンコの玉) *pachinko* ball Ⓒ; (うどん・そばの玉) small pile of soft noodles Ⓒ.

玉と砕ける (粉々に砕ける) be smashed to ⌈pieces [smithereens]; (勇ましい[名誉ある]死を遂げる) die a ⌈brave [honorable] death. 《☞ ぎょくさい》.

玉にきず ¶ この家は気に入っているが, 駅から遠いのが*玉にきずだ (⇒ 唯一の問題だ) I like this house; the *only problem* is that it is a long way from the (train) station. // 彼は頑固なのが*玉にきずだ (⇒ 頑固さが彼の唯一の欠点だ) Stubbornness is his *only* ⌈*fault* [*defect*]. **玉磨かざれば光なし** An uncut gem does not sparkle. 《ことわざ: 宝石も原石のままでは輝かない》. **玉を転がすような** ¶*玉を転がすような (⇒ 澄んだ旋律的な) 声で歌う sing in a *clear melodious* /məlóudiəs/ voice

玉石 (道路用の丸石) cobblestone Ⓒ; (海岸などの丸い小石) pebble Ⓒ, pebblestone Ⓒ; (巨大な丸石) boulder Ⓒ **玉なす** (玉になった) beaded. ¶*玉なす露[汗] (⇒ 露[汗]の玉) *globules* [*beads*] *of* ⌈dew [sweat] **玉鋼** (砂鉄をとかした鋼) (raw) steel made by fusing iron sand **玉偏** (漢字の) ball radical on the left of kanji Ⓒ.

たま² 球 (球技のボール・玉突きの玉) ball Ⓒ; (電球) (electric) light bulb Ⓒ. ¶ 彼の*球は速い (⇒ 彼は速い球を投げる) He throws a fast *ball*. // いい*球だ That was a good *throw*! // *球を打つ hit [bat] a *ball* // *球を落とす drop a *ball* // *球をける kick a *ball* // *球を転がす roll a *ball* // *球をとる catch a *ball* // *球をファンブルする fumble a *ball* // *球をパスする pass a *ball* // (電球の)*球が切れた The *bulb* has burned out. **球足** (打球の速さ) the speed of a batted ball. ¶*球足が伸びない have no *legs* ★ くだけた表現. **球筋** the line of the ball.

たま³ 弾 (小銃・拳銃などの) bullet Ⓒ; (散弾銃の) shot Ⓒ; (大砲の) shell Ⓒ. 《☞ だんがん》.

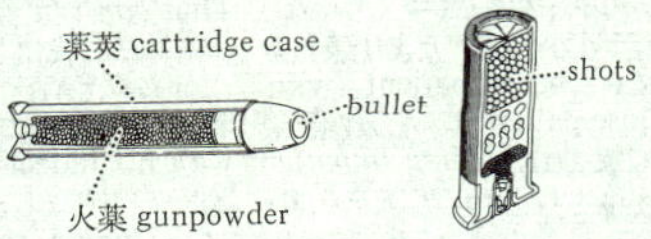

¶*弾の届く[届かない]所に within [out of] *gunshot* // 銃に*弾を込める *load* a gun // 銃から*弾を抜く *unload* a gun **弾傷** bullet wound Ⓒ; (弾痕) bullet mark Ⓒ.

たま⁴ 偶, 適 ―形 (まれな) rare; (めったに起こらない)《格式》infrequent; (時折の) occasional. ―副 rarely; infrequently; occasionally; (時々) sometimes. 《☞ まれ; ときおり》.

だま small lump of unmixed flour in the batter Ⓒ. ¶*だまにならないよう小麦粉はふるいにかけなさい Sift flour so that it won't form *lumps* in the batter.

たまいれ 玉入れ *tamaire* Ⓒ; (説明的には) field day event in which children compete in throwing red or white balls into a high basket Ⓒ.

たまう 給う 日英比較 この語は補助動詞として同輩または目下の人に対して命令文で用いられるのが普通であるが, 英語では訳出する必要はないと言えよう. ¶ この手紙を読んでみ*給え Read this letter. // そんなに悲しみ*給うな Don't feel so sad.

たまおくり 霊送り, 魂送り (先祖の霊を送ること) sending off the spirits of *one's* ancestors Ⓤ.

たまがけ 玉掛け (ワイヤーロープを荷に掛ける作業) slinging work Ⓤ.

だまかす 騙かす ☞ だます

たまがわじょうすい 玉川上水 ―名 ⓖ the Tamagawa Aqueduct; (説明的には) the aqueduct built by the Tamagawa brothers that supplied water to Edo from the Tama River.

たまきゅうりょう 多摩丘陵 ―名 ⓖ the Tama Hills; (説明的には) the group of hills stretching between southern Tokyo and northern Kanagawa Prefecture.

たまぐし 玉串 sprig of the sacred tree that is dedicated to the Shinto gods Ⓒ. **玉串料** money offering dedicated to the Shinto gods Ⓒ.

たまくら 手枕 ☞ てまくら

だまくらかす ☞ だます

たまげる be ⌈surprised [astonished; startled; flabbergasted] ★ 後のものほど驚きの程度が大きい. flabbergasted はくだけた語. 《☞ おどろく (類義語)》.

たまご 卵 **1** 《鳥類・魚類・昆虫の》: egg Ⓒ ★ 特に「鶏卵」を指す; (魚の卵で食用) roe Ⓤ.

¶*卵はどう料理しますか How would you like your *egg(s)*? // *卵を2個割り, よくかきまぜなさい Break two *eggs* and beat them. // このめんどりは*卵を生みはじめた The hen started *laying*. // *卵を抱く sit on [incubate] *eggs* / brood ★ やや専門的な語. // *卵をかえす hatch an *egg* // *卵の白身[黄身] the ⌈white [yolk; yellow] of an *egg* // *卵の殻 an *eggshell* // 生*卵 a raw *egg* // いり*卵 scrambled *eggs* // ゆで*卵 a boiled *egg* // かたゆで[半じゅく]の*卵 a ⌈hard-[soft-]boiled *egg*《☞ 料理の用語 (囲み)》// *卵を目玉焼きにする fry an *egg* // 腐った*卵 a bad [a rotten; an addled] *egg* ★ [ ] 内のほうが意味が強い. // コロンブスの*卵 (⇒ 簡単に成就されるまでは不可能に思える仕事) an achievement that seems impossible until it has been easily accomplished.

2 《一人前にならない人・物》 ¶ 彼はまだ医者の*卵 (⇒ 修業中の医者) です He is only a doctor *in the making*.

卵に目鼻 ¶ その女の子は*卵に目鼻という顔だちだった (⇒ 卵型できれいな色白の顔をしていた) The girl had a graceful oval countenance, delicate features, and a pale complexion. ★ 簡略に had a pretty oval face のような表現も可能.

卵色 (殻の色) eggshell Ⓤ; (黄味の色) pale yellow Ⓤ **卵形** ―形 oval **卵酒** a hot drink consisting of sake, egg and sugar ★ 説明的な訳; (砂糖, ミルク, ラム酒などの) Tom and Jerry Ⓤ (ゆで)**卵立て** eggcup Ⓒ **たまごっち** tamagocchi, a high-tech chicken-raising toy **卵豆腐** egg beaten, flavored and steamed Ⓤ **卵とじ** beaten egg cooked in soup or with other ingredients before it is set Ⓤ **卵焼き** (オムレツ) omelet(te) /ám(ə)lət/ Ⓒ《☞ めだま; だしまきたまご》.

たまごめ 弾込め ―名 (弾丸の装填) loading

Ⓤ. ── 動 (…に弾を込める) load … (☞ そうてん²).

たまさか 偶さか ── 副 (たまに) once in a while; (まれに) rarely; (たまたま) accidentally. ── 形 (たまの) occasional; (まれな) rare; (たまたまの) accidental.

たましい 魂 (宗教的な霊魂) soul Ⓤ; (肉体に対する魂) spirit Ⓤ. (☞ れいこん; こころ (類義語)).
¶ この作品は*魂を込めて作りました I put my *heart and soul* into this work. // 一寸の虫にも五分の*魂 Even a worm will turn. (ことわざ: 虫でさえも向き直ってくる) // 三つ子の*魂百まで The child is father ⌜of [to] the man. (ことわざ: 子供は大人の父である)
魂が抜ける ¶ その悲しい知らせを聞いて彼は*魂が抜けたようになった (⇒ すっかり意気消沈した) Hearing the sad news, he ⌜*completely lost heart* [*became completely disheartened*].
魂を入れ替える (改心する) reform ㊀, reform *oneself*; (素行を改める) mend *one's* ways; (心を入れ替えて生活を一新する) turn over a new leaf.

だましうち 騙し討ち ── 動 (不正な手段で人を負かす) defeat *a person* by ⌜underhanded [dirty] means. ── 名 (卑怯な行為) foul play Ⓤ.

だましえ 騙し絵 (錯覚を利用した美術) trick art Ⓤ; (実物と見まちがう程精細に描写した絵画) trompe l'oeil /trɔːmplə́ːi/ painting Ⓒ.

たましだ 玉羊歯 〘植〙 tube [sword] fern Ⓒ.

たまじゃり 玉砂利 (丸い小石) pebble Ⓒ.

だます 騙す (欺く) tàke ín ㊥, deceive ㊥ ★ 前者のほうが口語的; (ごまかす) cheat ㊥; (巧妙にだます) trick ㊥; (金銭をだまし取る) swindle ㊥.
【類義語】 うそなどで人を欺くのが *take in* で, 受身で用いることが多い. 事実を隠したりゆがめたりして相手に思い違いをさせる一般的な語が *deceive*. 不正手段を用いて自己の利益を計るのが *cheat*. 策略を用いて相手を欺くのが *trick*. 人をだまして金を巻き上げるのが *swindle*. (☞ ごまかす; おとしいれる)
¶ 私は彼女の約束に*だまされた I *was taken in* by her promise. // 私は彼女の様子に*だまされた I *was deceived* by her appearance. // 男は彼女を*だましてその金を取り上げた <S (人) + V (*cheat*; *trick*) + O (人) + *out of* + 名·代> The man ⌜*cheated* [*tricked*] her *out of* her money. // *だまされたと思って (⇒ 私のいうことをまともに受けとって) この本を読んでごらん. 絶対面白いから *Take my word* for it and read this. I'm sure you'll find it interesting.

ダマスカス ── 名 固 Damáscus ★ シリアの首都.

たますだれ 玉簾 (玉で飾ったすだれ) bead curtain Ⓒ; 〘植〙 fairy [zephyr /zéfə/] lily Ⓒ.

たまたま ── 副 (偶然に) by chance, àccidéntally ★ 後者のほうがやや格式ばった語; (予想していなかったのに) unexpectedly. ── 動 (たまたま…する) happen to *do* … (☞ ぐうぜん). ¶ 私は*たまたまその場に居合わせた I *happened* to be there (*by chance*). // 私はきのうバスで*たまたま旧友に会った I met an old friend of mine on the bus *unexpectedly* yesterday.

たまつき 玉突き ── 名 bílliards Ⓤ. ── 動 play billiards. (☞ ビリヤード).
玉突き衝突 (traffic) pileup Ⓒ, a chain collision ★ 通例 a を付けて. 前者のほうが口語的.

たまてばこ 玉手箱 the casket given to Urashima Taro by the Sea Princess ★ 説明的な訳.

たまに (まれに) rarely; (時々) once in a while. (☞ ときどき (類義語)).

たまねぎ 玉葱 〘植〙 onion /ʌ́njən/ Ⓒ (☞ 料理の用語 (囲み)).

たまのこし 玉の輿 ¶ 彼女は*玉の輿に乗った (⇒ 裕福な [地位のある] 男と結婚した) She *married a* ⌜*wealthy man* [*man of high standing*].

たまのはだ 玉の肌 (美しい皮膚) beautiful skin Ⓤ.

たまのり 玉乗り ── 名 walking [balancing] on a ball Ⓤ. ── 動 walk [balance] on a ball.

たまばえ 癭蠅 〘昆〙 gall ⌜midge [gnat] Ⓒ.

たまばち 癭蜂 〘昆〙 gall wasp Ⓒ.

たまひろい 球拾い (人) ball ⌜boy [girl] Ⓒ.

たまむし 玉虫 〘昆〙 (two-striped green) buprestid /bjupréstəd/ Ⓒ. **玉虫厨子** ── 名 固 *Tamamushi no Zushi*; (説明的には) the miniature temple with buprestids' wings used in the process of building, preserved in Horyuji Temple.

たまむしいろ 玉虫色 ── 形 (色彩が) (格式) iridescent /ìrədésnt/; (比喩的に, あいまいな) ambiguous /æmbígjuəs/, equivocal /ɪkwívək(ə)l/ ★ 後者のほうが格式ばった語. ¶ 首相の答弁は*玉虫色だった The Prime Minister's answer was ⌜*equivocal* [*ambiguous*].

たまもの 賜物 (結果) result Ⓒ; (努力や研究などの結実·結果) fruit Ⓒ ★ しばしば複数形で. (☞ けっか (類義語)). ¶ 彼女の成功は努力の*賜物だ Her success is the ⌜*result* [*fruit*] of her efforts. // 自然の*賜物 a *gift* from nature

たまや 玉屋 (花火屋の屋号) Tamaya, the name of a fireworks manufacturer in the Edo period.

たまよけ 弾除け ¶ 警官は*弾除けに (⇒ 弾丸から身を守るために) そのドアを使った The policemen used the door to *shield themselves from* the *bullets*.

だまらせる 黙らせる (静かにさせる) hush ㊥, silence ㊥ ★ 後者は格式ばった語; (口止めする) hush up ㊥; (口をつぐませる) make *a person* hold ⌜his [her] tongue. (☞ だまる).

たまらない ── 形 (耐えることのできないような) unbearable. ── 動 (…せざるを得ない; …しなくてはいられない) cannot help *doing* …; (どうしても…したい) be ⌜eager [dying] (to *do* …) ★ dying を用いるのは口語的; (苦痛などに耐えられない·我慢ができない) cannot ⌜stand [bear] … (☞ たえる¹; がまん (類義語)).
¶ この暑さはまったく*たまらない I simply *can't* ⌜*stand* [*bear*] this heat. // 私たちはおかしくて*たまらず, とうとうふき出してしまった We *couldn't help* bursting into laughter. // 彼女に会いたくて*たまらない I'*m dying to* see her. // 彼は悲しくて*たまらない (⇒ 悲しみに圧倒されている) と言った He said he *was* ⌜*overwhelmed* [*overcome*] *with* grief. // そんなことがあっては*たまらない (⇒ とても不可能だ) That's *impossible*. / (⇒ あり得ない) That *can't be true*.

たまりかねる たまり兼ねる (精神的に我慢ができない) be impatient (with …); (辛抱できなくなる) lose patience. ¶ 彼の優柔不断に*たまりかねて彼女は家を出た *Being impatient with* his indecision, she left him. // *たまりかねて私は泣き出してしまった (⇒ 自分の気持ちを抑えきれなくて) *Unable to restrain* myself, I began to cry.

だまりこくる 黙りこくる keep ⌜quiet [silent] ★ quiet のほうがやや口語的; (口を閉ざす) keep *one's* mouth ⌜shut [closed] ★ shut のほうが意味がやや強い, (俗) clam up ㊀. (☞ だまる). ¶ その女の子は意地を張って*黙りこくっていた That girl obstinately *kept* ⌜*quiet* [*silent*].

だまりこむ 黙り込む fall silent (☞ だまる).
¶ 彼は*黙り込んで一言も口をきこうとはしなかった He *fell silent* and wouldn't say a word.

たまりじょうゆ 溜まり醤油 （濃い醤油）thick soy sauce Ⓤ.

たまりば 溜り場 （人のよく行く場所）haunt Ⓒ 参考 動物の生息地をいう意味から出た語で，日本語の「巣窟」などのニュアンスがある;《略式》hangout Ⓒ;《俗》joint Ⓒ.

たまりみず 溜まり水 stagnant [standing] water Ⓤ《☞ よどむ》.

たまる 溜まる （集まる）collect ⓐ, gather ⓐ;（積もる）accúmulàte ⓐ, be accúmulàted ★ 両者ともやや格式ばった語.《☞ ためる¹; あつまる（類義語）; とどこおる》.

¶ 雨水が*たまって水たまりになった Rainwater *has collected,* forming several puddles. // 棚にほこりが*たまっている （⇒ 棚はほこりに覆われている） The shelf *is covered with* dust. // 小銭でも長い間にはかなり*たまる（⇒ かなり多額の金額になる）Even small change can *add up to* a fairly big sum. 語法 この意味での small change は Ⓤ. // 仕事がすっかり*たまってしまっている（⇒ するべき仕事がたくさんある）I *have a lot of work* ˹*to do* [*on my hands*]. ★ [ ] 内は「自分が責任を持たねばならない仕事がある」という意味. // あなたは家賃が 2 か月*たまっていますよ You're two months *behind* in your rent.

だまる 黙る **1**《しゃべったり泣くことをやめる》:（口をきかなくなる・静かになる）become [fall; be] ˹quiet [silent] ★ quiet のほうが silent より口語的;（話したり泣いたりするのをやめる）stop ˹speaking [talking; crying];（黙っている; 口を慎む）hold *one's* tongue;（黙らせる）silence ⓣ;（おしゃべりをやめる・やめさせる）shút úp ⓐ ⓣ.《☞ しずか; ちんもく; つぐむ》.

¶ *黙りなさい Be *quiet*! /（⇒ 話すのを止めなさい）*Stop talking*! / *Hold your tongue*! / *Shut up*! 語法 最後のはかなり強い口調. // 子供たちは悲しい知らせを聞いて*黙ってしまった The children *fell silent* at the sad news. // *黙って. あれは何の音だ *Hush*! [*Sh* /ʃ:/!] What's that sound?

2《口外・他言しない》:（沈黙を守る）keep [be; remain] silent (about ...), keep silence (about ...);（騒ぎ立てないでいる）keep quiet;（口をつぐんでいる・口を慎む）hold *one's* tongue ★ 普通は命令文で用いる;（何も口に出さない）say nothing;（秘密にしておく）keep ... a secret;（胸の中にとどめておく）keep ... to *oneself*.

¶ いまお聞きになったことは*黙っていて下さい Will you *keep quiet about* what you have just heard? / Will you *keep to yourself* what you have just heard? // なぜあなたはそのことを私に*黙っていたのだ（⇒ なぜ私に話さなかったのか） Why *haven't* you *told* me? // そのことは彼には*黙っていて下さい（⇒ 何も言わないで下さい） Please *don't say anything* about it to him.

3《文句を言わない》: keep silent;（怒りなどを我慢する）pùt úp with ... ★ 口語的;（大目に見る）páss óver ⓣ, òverlóok ⓣ.《☞ がまん; みのがす》.

¶ こんな仕打ちをされてはもう*黙っていられない （⇒ 我慢できない） I cannot *put up with* such unjust treatment. // 彼は部下の小さな過失は*黙って見逃した He ˹*passed over* [*overlooked*] his men's small misdeeds.

4《無断・無許可・無届で》:（何の通知もせずに）without notice;（無許可で）without permission.《☞ むだん》. ¶ *黙って欠席してはいけない Don't be absent from school *without* (*previous*) *notice*. // *黙って本を持ち出すのはよくない You must not take out (any) books *without permission*.

-たまるか ¶ 負けて*たまるか! I'*m damned* if I'll be beaten! // そんなことがあって*たまるか! Such a thing will happen (to me) over my dead body!

たまわる 賜る （授ける）bestow /bɪstóʊ/ ⓣ;（叶えてやる）grant ⓣ. ¶ 天皇に拝謁を*たまわる *be granted* an audience with the Emperor // ご協力を*たまわりお礼申し上げます （⇒ 私はあなたの協力を感謝します）I appreciate your cooperation.

たみ 民 ☞ じんみん

ダミー （モデル人形・模造品）dummy Ⓒ. **ダミー会社** dummy company Ⓒ.

だみごえ 濁声 hoarse voice Ⓒ《☞ しわがれる》.

タミル ― 名 ⓤ Támil ★ インド南部やスリランカに住む種族. **タミル人** Tamil Ⓒ《複 ～, ～s》 **タミル語** Tamil Ⓤ.

だみん 惰眠 **惰眠をむさぼる**（怠けてぶらぶら暮らす）laze around ⓐ《☞ なまける》.

たみんぞくこっか 多民族国家 （人種の面で）multiracial /mʌ́ltɪrèɪʃəl/ cóuntry Ⓒ;（言語・文化の面で）ethnically diverse country Ⓒ.《☞ みんぞく¹》.

ダム dam Ⓒ. ¶ 多目的*ダム a multipurpose *dam* // この川の上流に*ダムが建設中だ A *dam* is being ˹built [constructed] up this river. // *ダムが決壊した The *dam* ˹gave way [collapsed; broke]. **ダム湖** dam reservoir Ⓒ **ダムサイト**（ダム用地）dam-site Ⓒ **ダム式発電** the generation of electricity by dam, dam-type electric power generation Ⓤ.

たむけ（る） 手向け（る） ¶ *手向けの言葉（⇒ 別れのメッセージ）a *farewell* message // 亡き師の墓に花を*手向けた I *placed* the flowers on the grave of my deceased teacher.

たむし 田虫 〘医〙ringworm Ⓒ.

タムタム （平手で打つ胴長の太鼓）tom-tom Ⓒ;（どらに似た金属製打楽器）tam-tam Ⓒ.

ダムダムだん ダムダム弾 （命中すると破裂して傷を広げる小銃弾）dumdum (bullet) Ⓒ.

たむろする 屯する （集まる）gather (together) ⓐ 語法 この動詞を使わないで「一群の人がいる」There are a number of people ... のように訳したほうがよい場合が多い. どちらの表現も日本語にある悪い意味は含まない.《☞ あつまる》. ¶ 大勢の若者が公園の噴水の回りに*たむろしている（⇒ 噴水の回りに若い群衆がいる）*There is a* ˹*throng* [*crowd*] *of* young *people* around the fountain in the park.

ため 為 **1**《…の利益のため》 ― 前 for ... 語法 最も一般的な前置詞であるが，広い意味（目的・交換・理由など）で用いられるため，意味をはっきりさせたい場合は以下のように言う;（…の利益・目的・動機のための[に]）for the sake of ..., for ...'s sake;（…の幸福のための[に]）for the good of ...;（…の福祉のための[に]）for the welfare of ...;（…の得になるような[に]） for the ˹benefit [interest(s)] of ... ― 形（ためになる・教育的な）instructive.

¶ 子供の*ための遊び場 a playground *for* children // その大学は外国人留学生の*ための日本語講座を開講している The university offers Japanese language courses *for* students from abroad. // 親はいつも子供の*ためを思う Parents are always concerned ˹*for* [*about*] (*the welfare of*) their children. // 芸術の*ための芸術 art *for* art's *sake* // 彼は私の*ためにあらゆる尽力をしてくれた He took all ˹the [that] trouble *for* my *sake*. // すべてが彼の*ために都合よくいった Everything turned out ˹*for* his *good* [*to* his *advantage*]. // 彼らは祖国の*ために命を捧げた They gave their lives *for the sake of* their country. // 彼女は貧しい人々の*ために大いに尽くした She did much *for the welfare of* the poor. // 毎朝ジョギングをするのは体の*ためによい Jogging every morning is good ˹exercise [*for* the health]. // この本は*ためになる This book is *instructive*. // 彼には若いときの苦労が*ためになった（⇒ 彼は若いときの

苦しい経験から多くを学んだ) He has learned *a lot* from his hard experiences in his youth. // 情けは人の*ためならず Charity is a good investment.《慈善はよい投資》/ He who gives to another bestows on himself.《ことわざ: 人に与える者は自分自身に施しているのである》
2《目的》: (…するために, …を求めて) for …, to *do* … 語法 (1) 以上 2 つは最も一般的な言い方だが, あいまいさを避けるためには以下のようなはっきりした目的を表す表現を用いる; (…するために) in order to *do* …; (in order) that … may … ★ 少し格式ばった表現; (…することができるように) (so) that …「may [can; will; shall, etc.] …; (…という目的で) for the purpose of (*doing* …); (…するつもりで) with the「intention [view; idea; object] of (*doing* …); (…という意図で) with a view to (*doing* …); (…しようとして) in an attempt (to *do* …; at …); (主義・主張のために) for the cause of … 語法 (2) 具体性のある目的を表すには purpose. 意志・意向などやや抽象的な目的を表すには intention. 意図・計画には view. 着想には idea. 主に個人的な目標には object. 試み・企てには attempt. 主義・主張・社会的運動などの意味を表すには cause.
¶ 彼らは独立の*ために戦った They fought *for* independence. // ビザをもらう*ために領事館へ行かなければならない I have to go to the consulate *to* get a visa. // 彼は仕事の*ために東京へ出てきた He came to Tokyo *on* business. // 彼は一家を養う*ために大いに働いた He worked hard *to* support his family. //「あなたは何の*ために英語を習っているのですか」「外国の人と自由に話ができるようになる*ためです」"*For what purpose* are you studying English?" "I'm studying it (*in order*) *to* be able to talk freely with people from other countries." // 我々は正義と民主主義の*ために戦っている We are struggling *for the cause*(*s*) *of* justice and democracy. // 試合日程を忘れない*ために彼はそれを手帳に書き留めた He wrote down the schedule of games in his notebook *so that* he *would not* forget it. 語法 (3)「…しないために」と否定の場合には, 最も一般的な表現として so that … would not … を用いる. そのほか not to *do* …, より明確な表現が必要なときは so as not to *do* … を用いる.
3《原因・理由》 ── 接 (…の理由で) because …, since …, as … 語法 (1) 最も直接的な理由を表現し, また一般的な語は because. その次に直接的な語が since で, 文の始めに置くのが普通. 理由というよりもむしろ付帯的な状況を表すのが as である. ── 前 (…の原因・理由で) from …, through …, by …, with … ★ 以上 4 語はほぼ同意だが, 動詞や名詞との連語関係で用法が異なる (例文参照); (…のせいで) for …, because of …, on account of …, owing to …, due to … 語法 (2) 以上 5 つはほぼ同意で入れ替えて用いることができる. ただし, 最初の 3 つは理由を, 後の 2 つは原因を強調するニュアンスがある. また due to は本来は述語形容詞的に用いられるものとされているが, 実際にはあまりその区別も行われていない.
¶ 彼は勉強しなかった*ため試験に失敗した He failed the examination *because* he had not studied. // その事故は彼の不注意の*ために起こった The accident happened *through* his carelessness. // 彼はその本を書いた*ために刑務所に入れられた He was put in「jail [prison] *for* writing the book. // 彼は病気の*ため辞職した He resigned his post *on account of* (his) illness. // 悪天候の*ため飛行機は 3 時間延着した *Because of* [*Owing to*] (the) bad weather, the plane arrived three hours late. // 資金不足の*ため我々の計画は挫折した Our plan failed *because of* the shortage of funds. // 台風の*ために各地に被害が発生した (⇒ 台風が各地に被害を引き起こした) The typhoon *caused* damage in many areas.
4《結果》 ★《原因・理由》の表現でもほぼ同じ内容が言い表せる場合がある.《☞ 3》: (…の結果として) as a result of …, in consequence of … 語法 (1) 直接的因果関係を示すには result を, 比較的間接の因果関係を示すには consequence を用いる. また 2 つの節を接続詞 and で結び, その間の因果関係を示すこともある; (そのために) as a result; in consequence, consequently ★ いずれも前の文を受けて使う副詞句; (それで) and …; (それ故) so … 語法 (2) so は口語的で, 前にコンマを付けるのが普通.
¶ 彼は不注意の*ため途方もない失策をしてしまった *As a result of* [*Because of*] his carelessness, he made a serious mistake. // 貨車が脱線した*ため中央線は不通になった Some freight cars were derailed *and* services (were) suspended on the Chuo Line. // 彼は家賃をだいぶ滞納し, その*ためアパートを立ちのかされた He was way behind on his rent. *As a result*, he was evicted from his apartment. // 私は彼らの言葉を知らなかった. その*ため意志を伝えることができなかった I didn't know their language, *so* I couldn't make myself understood.
為にする (隠された動機から) from an ulterior motive; (ひそかな意図をもった) with a secret intention; (隠された目的のために) for an ulterior purpose. ¶ *為にする発言 remarks made「*for some ulterior purpose* [*from some ulterior motive*]

だめ 駄目 **1**《むだ・無益》 ── 形 (役に立たない) useless, no use P 語法 叙述的に用いる場合は入れ替え可能. 後者は特に it is …, there is …の構文が普通; no good P, no-good A ★ 以上 2 つは口語的.《☞ むだ; むえき》. ¶ そんなことはいくらやっても*だめだ It is「*no use* [*useless*]「trying [to try] such a thing. / There is *no use* trying to do such a thing. // それをやっても*だめだ (⇒ 利点はない) There is *no advantage* in doing it.
2《役に立たない・不適切・誤り・劣悪な状態》 ── 形 (役に立たない) no good P, no-good A ★ 以上 2 つは口語的; (人間がろくでなしの) good for nothing P, good-for-nothing A; (助けにならない) of no「service [help] (to …) P. ── 動 (当座の役に立たない) will not do ★ 口語的; (甘やかしてだめにする) spoil 他; (損害を与える) damage 他; (壊す) break 他; (取りやめになる) be「canceled [《英》cancelled], be called off; (行事などが台無しになる) be spoiled; (損害を受ける・壊れる) be「damaged [broken]; (食物がいたむ) go bad.《☞ いけない; だいなし; くさる》. ¶ それでは*だめです That's *no good*. // その計算は*だめです (⇒ 正しくない) The calculation is *incorrect*. // 彼は*だめな男だ He is *good for nothing*. // 彼のアドバイスはいつも*だめだ His advice has *never* been *of any*「*help* [*service*] *to* me. // そのやり方は*だめだ (⇒ 役に立たない) That (method)「*won't do* [*is no good*]. // 厳しくしないと子供を*だめにしてしまう You'll *spoil* your children unless you're strict with them. // ひょうで農作物が*だめになった (⇒ ひょうが農作物を台無しにした) The hailstorm *damaged* the crops. // その話は*だめになった (⇒ その交渉は失敗した) The negotiations *have failed*. 語法 (1) negotiation はしばしば複数形で用いる. // 雨で我々の遠足が*だめになった (⇒ 雨のため実施できなかった) Our picnic *was*「*canceled* [*called off*] because of the rain. / (⇒ 雨が遠足をだめにした) The rain「*spoiled* [*ruined*] our picnic. 語法 (2) これは出発後に降雨のため, 遠足が台無しになったような場合. // 冷蔵庫に入れておかないと肉

はすぐ*だめになる Meat will soon *go bad* unless it is kept in a refrigerator.
3《無能力・不可能》: (下手だ) be not good at ..., be poor at ...; (...することができない) cannot *do* ... ¶ 私は英語が*だめだ I'*m not good at* English. // どんなに頼まれても*だめです (⇒ 依頼を断らなければならない). できないものはできません I am sorry I *have to decline* your request. Some things are impossible. // その人と会うことはできるが土曜日の午後は*だめだ (⇒ 会うことができない). 先約がある I can see him, but *not* on Saturday afternoon. I have a previous engagement.
4《望みがないこと・絶望》 ── 形 (望みのない) hopeless. ── 動 (失敗する) fail (in ...) 自 ★ 他の用法もある. ¶ 病人はもう*だめだ. 助かりそうもない The patient's condition is *hopeless*; he has little chance of recovery. // 試験は*だめだった (⇒ 私は試験に失敗した) I *failed* the exam.
5《してはいけないこと・禁止事項》: (...してはならない) must not *do* ... ★ 強い禁止. 短縮形は mustn't /mʌ́snt/; (...するべきではない) should not *do* ... ★ 短縮形は shouldn't. (☞ いけない; -ならない).
¶ 教室の中を走っては*だめだ You *must not* run around in the classroom. // そんなことでくよくよしていては*だめだ. もっと元気を出しなさい You *shouldn't* worry about such a small thing. Keep up your spirits. // こんなことぐらいできなくては*だめだ (⇒ できるようにすべきだ) You *should be able to* do at least this much.
6《拒否・拒絶》 ── 動 (だめと言う) say no; (拒否する) refuse 他. ¶ 彼女は*だめという代わりに首を振った She shook her head instead of *saying no*. // 彼に手伝ってくれるよう頼んだら*だめだと言われた (⇒ 断られた) I asked for his help, but *was refused*.
7《囲碁》 ── 名 *dame* Ⓒ; (説明的には) discarded eye Ⓒ, eye that does not cónstitùte a territory Ⓒ.
だめでもともと (失うものは何もない) have nothing to lose; ((...だからといって)よりひどくなるわけではない) be none the worse (for ...) ★ いずれも「人」が主語; (わずかな可能性をあてにして) (just) on the off chance. ¶ *駄目でもともとだ. とにかくやってみよう Let's try anyway. We *have nothing to lose* (*even if we fail*). **だめを押す** dóuble-chéck 他, màke (it) dóubly súre. (☞ だめおし; ねん²).
だめを出す (リハーサル[撮影]のやり直しを要求する) call for ⌐another run-through [a retake]; (それではだめだと言う) tell *a person* it is no good; (欠点[誤り]を指摘する) point out ⌐a bad point [a mistake; an error].

ためいき 溜息 ── 名 sigh /sáɪ/ Ⓒ. ── 動 sigh 自, give [heave; draw] a sigh 語法 以上はほぼ同意だが, 後者は形容詞を伴って「...のため息をつく」という言い方によく用いられる. heave a sigh は特に大きなため息をつく意味.
¶ 彼は安堵(あんど)のため息をついた He *sighed* with relief. // 退屈な仕事をようやく仕上げたとき, 彼はほっとして*ため息をついた When he finally finished his tedious work, he *heaved a deep sigh* of relief. // 息子の通知表の成績が悪いのを見て, 母親はがっかりして*ため息をついた Looking at her son's poor school record, his mother *sighed* in disappointment.

ためいけ 溜池 (用水池・貯水池) reservoir /rézəvwɑ̀ə/ Ⓒ; (人工の池) pond Ⓒ ★ pond は lake よりも小さい自然の池を意味することもある; (農場の(用水)池) farm pond Ⓒ; (pond より小さい池) pool Ⓒ.

ダメージ damage /dǽmɪdʒ/ Ⓤ 日英比較 日英の発音の違いに注意. (☞ そんがい).

だめおし 駄目押し ── 名 double check Ⓒ. ── 動 (再点検する) double-check 他; (念を押す) make (it) doubly sure. (☞ ねん²). ¶ *だめ押しの1点〔野〕(⇒ 保険[保証]のための得点) an *insurance* run

ためぐち ため口 ¶ 彼女は目上の人によく*ため口をきく (⇒ まるで友達であるかのように話す) She often *speaks* with her superiors *as if they were her friends*. / (⇒ とてもくだけた調子で話す) She often *speaks too casually* with her superiors.

ためこむ 溜め込む (蓄える) stóre (úp) 他 ★ 最も一般的な語; (使わないでとっておく) láy bý 他; (節約してお金などを) sáve (úp) 他. (☞ ためる¹; たくわえる). ¶ 彼らは冬に備えて食料を*ため込んだ They *stored up* food for the winter. // その老人は生前かなりの額の金を*ため込んでいた The old man *saved* (*up*) a tidy sum of money in his lifetime.

ためし¹ 試し ── 名 (試み) try Ⓒ; (良否・性能を調べるための試運転・試用) trial Ⓒ; (実地の試み・実験) expériment Ⓒ; (試験) test Ⓒ. ── 動 (試しに使う・試しに...する) try 他. (☞ ためす; じっけん¹ (類義語); こころみ).
¶ *試しにその仕事を私にやらせて下さい Let me *have a try* at the job. / (⇒ その仕事ができるかどうか私を試して下さい) Please *try* me on the job. // 彼はそのオートバイに*試しに乗ってみたが気に入らなかった He took the motorcycle (out) on a *trial* run, but didn't like it. // この新しいカメラを*試しに使ってみよう I'll *try* (*out*) this new camera. // *試しにジョンソンさんに当たってみてごらんなさい. あの人ならよい知恵を貸してくれるかも知れません *Try* Mr. Johnson; he might give you good advice. // ものは*試しだ (⇒ 実際にやってみて確かめよう) *Try* ⌐*to* [*and*] *see* (what will happen). // 彼女はその帽子を*試しにかぶってみた She *tried* the hat *on*. (☞ しちゃく)
試し斬り ── 動 test *one's* sword (on ...)

ためし² 例 (先例) precedent /présəd(ə)nt/ Ⓒ (☞ れい¹).
¶ そのような*ためしはない (⇒ それには先例がない) There is no *precedent* for it. // いままでそのような若さで大統領に選ばれた*ためしはない No one has ever been elected president so young. // 彼はいままで何の事業をやっても成功した*ためしがない (⇒ 成功したことがない) He has never succeeded in any enterprise that he has undertaken.

ためす 試す (試みる) try 他; (試験する) test 他, put ... to the test; (真偽を試す) put ... to the proof; (実際に使ってみる) trý óut 他. (☞ ためし¹; テスト). ¶ 新しいゴルフクラブをあした*試してみよう I'll *try* my new golf clubs tomorrow. // 私はナイフの切れ味を*試してみた I *tested* the sharpness of my knife. // 彼女はフルーツケーキの新しい作り方を*試した She *tried out* a new recipe /résəpìː/ for fruitcake. 語法 I'll *try out* for the basketball team. のように自動詞的に用いられると, 米口語として「(チームのメンバーの選抜テストなどを) 腕試しに受ける」の意味になる. (☞ うでだめし)

だめだし 駄目出し ☞ だめ (だめを出す)

ためつすがめつ ¶ *ためつすがめつ眺める take a *good* look at ... / (⇒ 細部まで綿密に) scrutinize ... *carefully* ★ 格式ばった言い方.

だめもと 駄目元 ☞ だめ (だめでもともと)

ためらい hesitation Ⓤ. ¶ 何の*ためらいもなく without (any) *hesitation* // 彼女は*ためらいがちに答えた She answered ⌐*hesitantly* [*hesitatingly*] ★ 前者は「気乗りしない」こと. 後者は「口ごもりながら」の意が含まれる. // その提案を断るのに何の*ためら

いもなかった I had no *hesitation* ⌈in [about] turning down the proposal. **ためらい傷**（自殺をためらったための傷）hesitation cut [C].

ためらう（決断できず行動に移れない）hesitate (自); be hesitant ★ be hesitant は主に「ためらいがち」の心的傾向を示すのに用いる;（迷って一か所で足踏みする）pause (自);（疑い・心細さなどから）falter (自);（決めかねて迷う）waver (自).《☞ しりごみ》.

¶ 彼はドアをノックするのを*ためらった He ⌈*hesitated* [*was hesitant*] to knock ⌈at [on] the door. // 彼女は彼のプロポーズに応じるのをまだ*ためらっている She *is* still ⌈*hesitating* [showing *hesitation*] about ⌈accepting [whether to accept] his proposal. // 私は次に何と言おうか*ためらった I *hesitated* (about) what to say next. [語法] 口語ではしばしば about を省略する. // 彼は何事にも*ためらわない <S（人）+ V (*hesitate*) + *at* + 名・代> He *hesitates at* nothing. // 彼は決断の途中で*ためらった <S（人）+ V (*falter*) + *in* + 動名> He *faltered* midway *in* making a decision. // 彼は帰宅しようか居残って仕事を続けようか*ためらった <S（人）+V (*waver*)+*between*+動名> He *wavered between* going home *and* working on at the office. // 彼女は*ためらいながらその手紙を開けた She opened the letter *hesitantly*. // 私は*ためらわずに彼の依頼を引き受けた I granted his request without (the slightest) *hesitation*.

ためる¹ **溜める, 貯める** **1**《蓄える》:（貯蔵する）stóre úp (他);（使わずに節約して蓄える）sáve (úp) (他) ★ 以上 2 つは「物を蓄える」という意味では最も一般的な語;（次第に増やす）accúmulàte (他);（財産を）amass (他) ★ 以上 2 つは少し格式ばった語;（積み上げる）héap [píle] (úp) (他);（集める）gather (他), collect (他) ★ 後者は組織的に集めること.《☞ たまる; たくわえる; ためこむ》.

¶ 現地の人達は雨水を*ためて飲料水にしている（⇒ 飲むために雨水を集めて蓄えている）The local people *collect* and *store* rainwater to drink. // 彼は海外旅行のために金を*ためている He *is saving* (*up*) money for a trip abroad. // 彼は*ためた金（⇒ 貯金）を全部銀行に預けている He keeps all his *savings* in the bank. // こんなところに古新聞を*ためて（⇒ 積み上げて）おかないで下さい Don't *pile up* old newspapers here. // 彼女は目に涙をいっぱい*ためていた（⇒ 彼女の目は涙でいっぱいだった）Her eyes *were filled with* tears.

2《滞らせる》:（勘定や借金などを）rùn úp (他), accúmulàte (他) ★ 前者のほうが口語的;（滞納している）be in arrears /əríəz/.《☞ たまる; とどこおる; たいのう¹》.

¶ 彼は多額の借金を*ためてしまった He *has* ⌈*run up* [*accumulated*] large debts. // 彼は家賃をだいぶ*ためている（⇒ 家賃に関してだいぶ遅れている）He is way *behind* on his rent. / He *is in arrears with* his rent. ★ 第 2 文のほうが格式ばった表現. // 私は仕事をだいぶ*ためてしまった（⇒ まだなすべき仕事をたくさん持っている）I *still have a lot of work to do.*

ためる² **矯める**（曲げたりして形を整える）train (他);（矯正する）cure (他). ¶ 枝を*矯める *train* a branch // 悪癖を*矯める *cure* a bad habit

角を矯めて牛を殺す（⇒ 悪の矯正法は悪そのものより悪いことがある）The remedy is sometimes worse than the evil. /（⇒ 小さな欠点の矯正法は全体をだめにすることがある）The remedy for a small fault sometimes ruins the whole. /（⇒ 病気よりその薬がこわい The medicine is worse than the disease.

ためん¹ **多面** — [形]（多面的な）many-sided;（多くの側面をもつ）《格式》multifaceted /mʌ̀ltɪfǽsɪtɪd/;（様々の）diversified;（多芸の）vérsatile ★ いずれも格式ばった語.《☞ たかくてき》.

¶ 問題の*多面的研究法 a *many-sided* approach to the problem // 彼の*多面的な活躍 his ⌈*many-sided* [*versatile*] activities

多面性 multilateralness /mʌ̀ltilǽtərəlnəs/ [U]

多面体〘数〙polyhedron /pɑ̀ləhíːdrən/ [C]. ¶ 正*多面体 a regular *polyhedron* **多面的競争**〘商〙multi-point [multifaceted] competition [U].

ためん² **他面** — [名]（ほかの面）other sides;（ほかの様相）other aspects. — [副]（一方・他方）on the other hand.《☞ いっぽう¹》.

たも(あみ) **たも(網)** scoop net [C], landing net [C].

たもうさく **多毛作** multiple cropping [U].

たもうしょう **多毛症**〘医〙（毛髪過多症）hypertrichosis /hàɪpətrɪkóusɪs/ [U];（男性型多毛症）hirsutism /hə́ːsuːtìzm/ [U].

たもくてき **多目的** — [形] mùltipúrpose [A].

¶ *多目的ダム a *multipurpose* dam // *多目的ホール a *multipurpose* hall **多目的スポーツカー** sport-utility vehicle [C], SUV [C] ★ 後者は略語.

ダモクレス — [名] (固) Damocles /dǽməklìːz/.

¶ *ダモクレスの剣 the sword of *Damocles*

たもつ **保つ**（ある状態に）keep (他);（ある位置・場所に）hold (他) ★ 以上 2 語が最も一般的な語;（現状を維持する）preserve (他), maintain (他) ★ preserve は主に「（価値あるものを）失わずに保持する」の意味で, maintain は「現状を維持する」の意味で用いる.《☞ いじ²》. ¶ 私はサーフボードの上でバランスを*保つことができない I can't ⌈*keep* my balance [*balance* (myself)] on a surfboard. // 社会秩序[世界の平和]を*保つ *maintain* [*preserve*] ⌈good social order [world peace] // 首位（⇒ リード）を*保つ *maintain* [*hold*] the lead // メンツ（⇒ 面目）を*保つ *save* (*one's*) face // 名誉を*保つ *preserve one's* honor // 威厳を*保つ *maintain one's* dignity // 部屋の温度を摂氏 20 度に*保つ *keep* [*maintain*] the room at a temperature of twenty degrees C. // 夏には冷蔵庫でも食品の鮮度を長く*保つことはできない（⇒ 食品は新鮮な状態を保たない）In summer food doesn't *keep* fresh for a long time even in the refrigerator. ★ この keep は (自). // 健康[若さ]を*保つ秘訣 the secret of *maintaining one's* ⌈health [youthfulness]

たもと **袂**（衣服の）sleeve [C] ★ 1 着分のたもとは複数形となる;（橋の）the ⌈end of [approach to] a bridge.《☞ そで》. **たもとを分かつ** ¶ 彼は仲間と*たもとを分かち, 独立して新しい商売を始めた He ⌈*split* [*broke*] *with* his former partners and started a new business on his own.

たもんてん **多聞天** — [名] (固)〘仏教〙Tamonten, the guardian of the north.

たやす **絶やす**（根こそぎ絶やす）wípe [róot] óut (他);（絶滅させる）kìll óff (他);（生物を）exterminate (他) ★ 少し格式ばった語で意味も強く, 最大級の絶滅を意味する;（特に悪習などを）make an end of ...;（品物を切らす・なくなる）rùn óut of ... ★「人」を主語にする.

¶ 土地の開発が幾つかの貴重な生物を*絶やしてしまった（⇒ 幾つかの珍しい種の絶滅を招いた）Land development led to the *extermination* of several rare species of animals and plants. // 悪い風習は容易に*絶やすことができない We cannot easily ⌈*make an end of* [*put an end to*] bad social practices. // 彼はぶどう酒を*絶やしたことがない He *has* never *run out of* wine. // 火を*絶やさないで下さい Please *keep* the fire ⌈*alive* [*burning*].

たやすい（容易な）easy;（簡単で単純な）simple.《☞ かんたん¹; やさしい²》.

たゆう 太夫 (浄瑠璃の語り手) reciter [narrator] of a *joruri* Ⓒ; (歌舞伎の女方) female-role actor in kabuki Ⓒ.

たゆたう 揺蕩う rock ⓐ, sway ⓐ. ¶波間に*たゆたう小舟 a boat *rocking* on the waves

たゆまぬ (いつも一様でむらがなく着実な・絶えず行う) steady 《☞ どりょく》. ¶彼の*たゆまぬ努力が成功につながった His *steady* effort(s) led to his success.

たゆみない 弛みない (着実な) steady; (衰えることのない) unflagging; (ゆるむことのない) unrelenting; (飽くことのない) insatiable ★ 最後の 2 つは格式ばった語. 《☞ たゆまぬ》.

たゆむ 弛む (気がゆるむ) slack off ⓐ; (力を抜く) relax ⓐ; (怠ける) be lazy; (気力などが衰える) flag ⓐ. 《☞ ゆるむ; たるむ》. ¶君たちは*たゆむことなく (⇒ 着実に) 練習を続けなければならない You must keep practicing *steadily*.

たよう¹ 多様 ― 形 (いろいろな) various /vé(ə)riəs/ ★ 最も口語的だが, 日本語の「多様な」という少し堅苦しいニュアンスには次のような訳語が当たることも多い; (変化に富む) 《格式》 diverse /daɪvə́ːs/, divérsified, a diversity of ...; (多種類の) a variety of ...; (多数でしかも多種の) 《格式》 manifold /mǽnəfòʊld/. 語法 a ˹diversity [variety] of の後ろに来る名詞は a great ˹diversity [variety] of ˹*occupations* [*activities*] (多様な職業[活動])のように, 複数形の場合が多いが, a wide variety of *plant life* (多様な植物(生態)) のように, 単数形の場合もある. 《☞ たしゅたよう; いろいろ》.
¶*多様な民族 *various* [*a wide variety of*] ethnic groups // その島の野生の動植物はきわめて*多様である The wildlife on the island is extremely *diverse*. // アメリカ文化の特徴の一つは「*多様の中の統一」である One of the main characteristics of American culture is "unity in *diversity*."
多様化 ― 名 diversification Ⓤ. ― 動 (多様化する) diversify ⓐⓑ, become ˹diverse [diversified] ★ いずれも格式ばった表現. ¶工業製品の*多様化 the *diversification* of industrial products
多様性 (変化のあること) variety Ⓤ; (相違のあること) diversity Ⓤ ★ diversity は variety よりも個体間の相違を強調した語; (数の多いこと) multiplicity Ⓤ ★ 後の 2 語は格式ばった語. ¶文化の*多様性 cultural *diversity* **多様体** 〔数〕 manifold Ⓒ.

たよう² 多用 ― 形 busy 《☞ いそがしい》. ¶ご*多用中恐縮です I'm sorry to trouble you when you're so *busy*. // 外来語を*多用する *use many* foreign words

たようとりようまい 他用途利用米 rice used for ˹non-food [industrial and processing] purposes Ⓤ.

たより¹ 頼り ― 名 (信頼し, 寄り掛かること) reliance Ⓤ; (依存) dependence Ⓤ; (頼る物, または人) *reliance* Ⓒ; (頼る手段) 《格式》 recourse Ⓤ; (手づる・つて・縁故) connection Ⓒ. ― 形 (全面的に信用できる) trustworthy; (期待にこたえられる) reliable; (危急の場合でも頼れる) dependable. 《☞ たよる; しんよう》.
¶いざというときに*頼りになる友人 a *dependable* friend / a friend *to be depended on* in time of need / a friend in need ★ 後のものほど改まった言い方になる. // 私には本当に*頼りになる相談相手がいない I have no *trustworthy* confidant. // 彼は*頼りになる He is ˹a *reliable* person [a person to *be relied on*]. // あの男はいざというとき*頼りにならない (⇒ あなたが彼をいちばん必要とするときに彼はあなたの信頼を裏切るだろう) He will *fail* you when you need him most. // 砂漠の生活での唯一の*頼りは自分の腕と頭だけであった We had nothing but our own muscle and brain to *rely on* to survive in the desert. // 私が*頼りにする (⇒ 頼りにして助けを求める) のはあなただけだ I have no one but you to *turn to for help*. // 彼らは磁石だけを*頼りに砂漠を横断した (⇒ 羅針盤を唯一の道案内人として) They traveled across the desert with a compass as their only *guide*. // 我々は地図を*頼りにその村へたどり着いた (⇒ 地図を参照しながら) We found our way to the village by *consulting* our map. // 私はいつも辞書を*頼りに (⇒ 参照しながら) 外国の書物を読む Whenever I read a foreign book, I'*m* constantly ˹*referring to* [*consulting*] my dictionary.

たより² 便り (手紙) letter Ⓒ; (消息・音信・伝言) word Ⓤ; (知らせ) news Ⓤ 語法 (1) word はここでは無冠詞で単数扱い. news も常に単数として扱う. 《☞ てがみ; しらせ》. ¶久しく故郷から[彼から]*便りがない I *haven't heard from* ˹home [him] for a long time. 語法 (2) hear from で「…から便りをもらう」の意. // *便りのないのは良い*便り No *news* is good *news*. 《ことわざ》

-だより …便り ¶日本各地の花*便り *news* about the opening of cherry blossoms from various parts of Japan // ニューヨーク*便り *news* from New York 《☞ しらせ; たより²》

たよりがい 頼り甲斐 ― 形 (頼りになる) reliable; (信頼できる) trustworthy. 《☞ たより》. ¶あの男は*頼り甲斐がある He's *reliable*. / *He can be depended upon*.

たよりない 頼りない ― 形 (頼りにならない) unreliable; (はっきりしない) vague, indéfinite Ⓐ. ¶*頼りない返事 (⇒ 内容の不明確な) a *vague* [an *indefinite*] ˹answer [reply] // そこへ一人で行くのは*頼りないよ (⇒ 私を不安にする) Going there alone makes me *feel uneasy*.

たよる 頼る (…を信頼して頼りにする) rely ˹on [upon] ..., be reliant ˹on [upon] ...; (…に依存する) depend [be dependent] ˹on [upon] ...; (…を確信をもってあてにする) count ˹on [upon] ...; (最後の手段として…にすがる) fáll báck ˹on [upon] ...; (…に訴える) 《格式》 have ˹recourse [resort] to ...; (信頼する) trust ⓐⓑ. 《☞ たより¹; あて; いぞん¹》.
¶あなたはいかなる場合でも彼を*頼ることができる You can always ˹*rely* [*count*] *on* him. // 彼は一家が*頼る大黒柱だ (⇒ 彼の家族全員が暮らしのため彼を頼っている) All his family ˹*rely* [*depend*] ˹*on* [*upon*] him for their survival. // 我々はいつまでも親に*頼ることはできない We cannot *depend on* our parents forever. // その医者は最後には昔の治療法に*頼らざるを得なかった In the end the doctor had to *fall back on* the old cures. // 彼女は遠い親戚を*頼って渡米した She went (over) to the United States, *counting on* her distant relatives to ˹help [assist] her there.

たら 鱈 〔魚〕 cod Ⓒ 《複 ～(s)》, codfish Ⓒ 《複 ～(es)》.

-たら ― 接 (…の場合は) if ..., in case ... 語法 (1) if も in case も節が後に来る. その節が「万一の場合に備えて」を意味するならば助動詞 should を用いるが, 単に未来の不確定な事柄を意味する場合は直説法の動詞を用いる. この用法で in case を用いるのは口語的で, アメリカ英語に多い. なお <in case of + 名詞> の構文もある; (…したときに) when ...; (…そして) and (then) ... 《☞ もし¹; -なかったら》.
¶もし万一彼が訪ねて来*たら, 待っているように伝えて下さい *If* he *should* come to see me, please tell him to wait. // 困ったことがあっ*たら, 私に言って下さい (⇒ 困った場合には助けを求めて私の所へ来なさい) *If* [*In case*] you get into trouble, come to me for

help. / *In case of* trouble, come to me for help. // あなたの出発の日取りが確定し*たら知らせて下さい *When* the date of your departure is fixed, please let me know. // よく調べ*たらその報告はうそだということがわかった (⇒ 我々は入念に調査した. そしてその報告がうそだということを発見した) We made a thorough investigation *and* (*then*) found the report was false. // 新しい車をお買いになっ*たらどうですか *Why don't you* [*Why not*] buy a new car? 語法 (2) 相手に対する穏やかな提案・勧告を意味する口語表現として Why don't you [Why not] + 原形…? がしばしば用いられる.

たらい 盥 (洗濯用の) washtub Ⓒ; (おけ・風呂おけ) tub Ⓒ.

たらいまわし たらい回し ―動 (回す) rotate ㊀; (次から次へと別の所へ回す) send … from one (place) to another. ¶我々の請願は役所を次々と*たらい回しされた They *sent* our petition *from one bureau to another*.

ダライラマ the Dalai Lama /dáːlaɪ láːmə/.

だらかん だら幹 (堕落した指導者) corrupt leader Ⓒ.

だらく 堕落 ―名 (最も広い意味で, 堕落・腐敗) corruption Ⓤ ★ 特に汚職を意味することが多い; (特に, 精神的・道徳的な堕落) fall Ⓒ ★ この意味の fall は複数形にはしない. ―動 (堕落する・させる) corrupt ㊂ ㊀, fall ㊂. ―形 (堕落した) corrupt, fallen. (☞ ふはい¹; たいはい¹).
¶彼は市政の*堕落を暴露した He exposed (the) *corruption* in the city government. // 意志の強い人は*堕落しない (⇒ 堕落しにくい) A person of strong will is not subject to (moral) *corruption*.

-だらけ (…でいっぱい) be full of … ★ 最も一般的で, 以下の表現の代わりにも用いることができる; (充満する) bristle with …; (…で覆われている) be covered with …; (ごみで) be littered with ….
¶この本は間違い*だらけだ This book *is full of* mistakes. // この制度は欠陥*だらけだ This system *is bristling with* defects and drawbacks. // 彼女の顔はにきび*だらけだ Her face *is covered with* pimples. // その部屋は紙くず*だらけだった The room *was littered with* scraps of paper.

だらける (怠けたい気持ちになる) feel lazy; (気がゆるむ) sláck óff ㊂; (行動・服装などがきちんとしていない) be sloppy, be slovenly ★ 後者のほうが意味が強い. (☞ だれる). ¶蒸し暑いと心も体も*だらける (⇒ 暑くて湿度の高い天候は我々を怠惰にする) Hot and humid weather *makes* us *lazy*. // 長時間一生懸命仕事をした後はどうしても*だらけてくる (⇒ 我々は気がゆるむ傾向がある) We tend to *slack off* after many hours of hard work.

たらこ 鱈子 cod roe Ⓤ (☞ たまご).

たらしこむ 誑し込む wheedle ㊀, cajole /kəʤóul/ ㊀ ★ 後者のほうが格式ばった語. (☞ だます). ¶彼は金持ちの未亡人を*たらし込んで新車を買う約束をさせた He *wheedled* a promise to buy him a new car *out of* the rich widow. // 彼女は彼を*たらし込んで高価なダイヤの指輪を買わせた She *wheedled* him *into* buying her a very expensive diamond ring.

だらしない ―形 (姿・服装・態度・習慣などが) *slovenly, sloppy;* (身なり・服装・整頓状況などが) untidy 語法 服装などにはいずれも用いるが, slovenly はかなり程度がひどいニュアンスがある. sloppy がそれに次ぎ, untidy は単にきちんとしていないこと; (規律などについて) lax; (道徳面で) loose /lúːs/; (不注意な) careless. ―副 untidily; sloppily; loosely. ¶彼は服装が*だらしない He is 「*untidily* [*sloppily*] dressed. // 彼の部屋はいつも*だらしがない (⇒ 乱雑である) His room is always *untidy*. // 彼らは*だらしのない生活をしている They are leading a *loose* life. // *だらしない人[女] a *loose* 「person [woman] 日英比較 日本語のルーズは生活態度をいうが, 英語の loose は道徳的にふしだらであることを表す. 態度などがだらしない人は sloppy person という. // 彼は*だらしなく机にもたれ掛かっていた He was leaning *untidily* on the desk. // 彼はお金に*だらしない (⇒ 借りた金を返さない) He *won't pay back* the borrowed money. / (⇒ 金に関して公私のけじめがない) He *can't draw a line between* his own money and the public funds.

たらす 垂らす **1** «液体をしたたらす»: (水・汗・血などのしずくを) drip (with …) ㊂, drop ㊂; dribble ㊂ 語法 (1) drip も drop も「液体」を主語にする場合は多くの場合入れ替えて用いることができる. しかし,「人」または「液体をしたたらすもの」(例えば汗をしたたらす額など) を主語にすると drip しか用いられず <S (人・物) + V (*drip*) + *with* + 名 (液体)> の構文をとる. しかも多くの場合進行形となる.「極めてわずかずつたらす」の場合では dribble を用いる; (よだれを) drool ㊂; (鼻水を) have a runny nose ★ 口語的; (容器などから不注意にこぼす) spill ㊀. (☞ たれる).
¶彼は額から血を*たらしていた (⇒ 彼の額は血をたらしていた) His forehead *was dripping with* blood. / Blood *was dripping* from his forehead. // 彼は汗を (ぽたぽたと) *たらして (⇒ 汗をたらすほど骨を折って) 働いていた He was working so hard that he *was dripping with* sweat. // 彼は汗水*たらしてやっと妻子を養うに足る収入を得た He earned barely enough *by the sweat of his brow* to support his wife and children. 語法 (2)「汗水たらして」に相当する英語の成句として by the sweat of *one's* brow (旧約聖書「創世記」第3章, 第19節より) がしばしば用いられる. // その子は鼻水を*たらしている The child *has a runny nose*. / (⇒ 鼻水が流れている) The child's nose *is running*.
2 «物をぶら下げる»: hang (down) ㊀; (髪などをたらす) have … flow (down …) ★「人」を主語とする. (☞ たれる). ¶彼らは旗を2階の窓から外に*たらした They *hung out* a flag from an upstairs window. // 彼女は長い髪を背中に*たらしていた (⇒ たれさせておいた) She *had* her long hair *flowing down* her back. // 釣り糸を*たらす (⇒ (…を捕えようと) 釣りをする) angle (for …).

-たらず …足らず (…より少ない) less than … (☞ たった; -いない). ¶100ページ*足らずの小冊子 a small booklet with *less than* a hundred pages // 1マイル*足らずの距離 a distance of *less than* a mile.

タラソテラピー (海洋療法) thalassotherapy /θæləsouθérəpi/ Ⓤ ★ 海辺の環境や海水, 海藻などを使う自然療法.

たらたら **1** «液体の流れる様子» ―副 (しずくになって) in drops. ―動 (しずくや小さな流れとなってたれる) drip ㊂ 語法 最も一般的な語.「人」または「液体をたらすもの」を主語とすることもある (☞ たらす 語法 (1)); (ぽたぽたと流れ落ちる) trickle (down) ㊂. (☞ たれる; たらす; ぽたぽた; 擬声・擬態語 (囲み)).
¶蛇口(じゃぐち)から*たらたら水がたれている Water *is dripping* from the faucet. / The faucet *is dripping*. // 彼の額から血が*たらたらと流れ落ちた Blood *trickled down* his forehead. // 私は冷や汗*たらたらだった (⇒ 冷や汗をかいた) I was *in a cold sweat*.
2 «不平・お世辞などを言う様子»: (いつも) always (☞ おせじ; ふへい). ¶彼は不平*たらたらだった (⇒ 彼はいつも不平を言っていた) He was *always* 「com-

plaining [grumbling].
だらだら ―形(演説など長たらしい) lengthy; (動作が鈍くてのろい) sluggish; (遅い) slow; (不精でだらけている) slovenly; (斜面のゆるやかな様子) gentle. ―副 (ゆっくりと) slowly; (水などが) in drops. (☞ のろのろ; だらける; 擬声・擬態語 (囲み)).
¶ 会議は*だらだらと長びいた The conference *dragged on.* // *だらだらした (⇒ 長い) 演説 a *lengthy* speech // *だらだらするな Don't be so *slow.* / (⇒ 急いでやれ) Be quick! / Hurry up! // *だらだら坂 a *gentle* slope // 道は*だらだら下りになっていた The road sloped down *gently.* // 私は額から汗を*だらだら流しながら走った I ran with sweat *dripping down* my forehead.
たらちね 垂乳根 (母) mother Ⓒ (☞ はは; おや¹).
たらちり 鱈ちり cod(fish) stew Ⓤ, cod(fish) and vegetable hot pot Ⓒ.
タラップ (飛行機の) ramp Ⓒ; (船の) gángplànk Ⓒ ★「タラップ」はオランダ語より. ¶ 我々は*タラップを上がった [降りた] We went ⌈up [down] the *ramp.*
だらに 陀羅尼 〔仏教〕 mystical Buddhist formula Ⓒ, Buddhist magic words ★ 複数形で.
たらのき たらの木 〔植〕 fatsia /fǽtsiə/ Ⓒ, Japanese angelica tree Ⓒ.
たらのめ たらの芽 fatsia's /fǽtsiəz/ (edible) bud Ⓒ.
たらばがに 鱈場蟹 〔動〕 king crab Ⓒ.
たらふく 鱈腹 ―動 (…を腹いっぱい食べる) eat *one's* fill of … (☞ はら¹; 擬声・擬態語 (囲み)).
ダラライゼーション (通貨のドル建て化) dollarization Ⓤ.
だらりと (締まりなく) loosely; (力なく) languidly. (☞ ぶらりと; 擬声・擬態語 (囲み)).
だらりのおび だらりの帯 (押し込まれていない帯) untucked ⌈*obi* [kimono belt] Ⓒ; (だらりとたれた飾り帯) dangling sash Ⓒ.
タランチュラ 〔昆〕 tarántula Ⓒ ★ 毒ぐもの一種.
タランテラ tàrantélla Ⓒ ★ 南イタリアの踊りおよびその曲.
-たり (動作・状態の並列を表す) … and …; (時には…またあるときは…) now … now …, (now) … and then …; (原因・理由の並列を表す) what with … and … ★ 少し格式ばった表現で, 望ましくない原因・理由を表すためにしばしばこの言い方が用いられる; (一例を挙げてほかにも類似の例があることを暗示する) such … as …
¶ 私はテレビを見*たり, 弟とキャッチボールをし*たりして1日を過ごした I passed the day watching television *and* (*then*) playing catch with my younger brother. // 雨が1日中降っ*たり止ん*だりした (⇒ 雨が継続的に降った) It rained ⌈*off and on* [*on and off*] all day. // 疲れ*たり腹が空い*たりして彼は仕事をする気にならなかった *What with* fatigue *and* hunger, he did not feel like starting work.
ダリア 〔植〕 dahlia /dǽljə/ Ⓒ.
タリウム 〔化〕 thallium /θǽliəm/ Ⓤ (元素記号 Tl).
たりきほんがん 他力本願 ¶ 彼は何事も*他力本願だ (⇒ 常に他人の助けを求める) He always *turns to others for help.*
【参考語】 ―動 (他人に頼る) rely [count] ⌈on [upon] others for help, turn to others for help.
タリズマン (魔よけ) talisman Ⓒ (☞ おまもり).
たりつ 他律 ―名 〔哲〕 heteronomy /hètərɑ́nəmi/ Ⓤ. ―形 hèterónomous.
だりつ 打率 〔野〕 batting average Ⓒ (略 bat. avg.). ¶ 彼の*打率は2割3分7厘だ He has a *batting average* of .237. / He has a .237 *batting average.* 〔語法〕 この打率を示す数字は ⌈two-three [thirty]-seven と読む. .300 (3割) は three hundred と読む.
たりない 足りない **1** 《人・物に当然あるべき資質・性質などが》: lack ⑩, be lacking in … ★ 後者は古風な表現; (欠陥と見なされるほど不足して) be deficient in … ★ 以上の中では一番格式ばった表現. 〔語法〕「A に (は) B が足りない」の構文で以上の表現はいずれも A を主語とする. (☞ かける²; ふそく¹).
¶ 彼は常識が*足りない He *lacks* common sense. // 白米にはビタミン B が*足りない Polished rice *is deficient in* vitamin B. // とるに*足りないことで言い争う quarrel over *trifles*
2 《金銭・時間・数量などが》: (不足している) be short of … 〔語法〕 この場合 be short of と lack は入れ替えはできない. 例えば「彼は勇気が*足りない」の場合「勇気」は人に備わるべき資質の1つであるから He *lacks* courage. と言うが,「彼は時間が*足りない」の場合「時間」は人に備わるべき資質ではなく,「金銭」などと同様, 人の持つ物の一種と見なされるから short of を用いなければならない; (十分ではない) be not enough, be insufficient ★ 後者のほうが格式ばった語. (☞ ふそく¹; ふじゅうぶん).
¶ 我々は時間が*足りない We *are short of* time. // 資格のある教師が*足りない There is a *shortage of* qualified teachers. // 我々は燃料が*足りなかった (⇒ 我々は十分な燃料を持たなかった) We *didn't have enough* fuel. // 彼の収入は家族を養うには*足りない His income *is not* ⌈*enough* [*sufficient*] *to* support his family. // あなたの試験の成績は合格ラインに10点*足りない (⇒ 合格の10点下だ) Your score on the examination is ten points *below* passing.
タリバン ―名 ⓖ Taliban ★ アフガニスタンのイスラム原理主義勢力.
タリフ (関税) tariff Ⓒ.
たりゅうじあい 他流試合 ―名 (公然の競争) open competition Ⓒ. ―動 take part in an open competition; (スポーツなど, 他の学校 [流派] のメンバーと試合をする) play a game with team members from other schools. (☞ しあい).
たりょう 多量 ―形 (多量の) a large ⌈quantity [amount] of …, large ⌈quantities [amounts] of …, a ⌈great [good] deal of …, a huge amount of …, (略式) a lot of …, lots of …; (期待・標準などを上回る量の) abundant. ―副 (多量に・たくさん) in abundance, abundantly. (☞ たくさん (類義語); りょう¹ 日英比較).
¶ わが国は*多量の石油を輸入している We import *a* ⌈*huge amount* [*great deal*] *of* oil. // 我々には*多量の食料がある We have ⌈*an abundant supply of* food [*abundant* food]. // 柑橘(かんきつ)類はビタミン C を*多量に含む (⇒ ビタミン C が豊富である) Citrus fruits are *rich in* vitamin C. // けが人は出血*多量で (⇒ 多過ぎる出血のため) 危篤だ The wounded man is in critical condition because of *excessive* ⌈bleeding [loss of blood].
だりょく¹ 惰力 (惰性の力) inertia /ɪnə́ːʃə/ Ⓤ. ¶ 自転車はこぐのを止めてもしばらく*惰力で走る A bicycle can go some distance by *inertia* after you stop pedaling.
だりょく² 打力 〔野〕 batting strength Ⓤ.
たりる 足りる ―形 (必要を満たすのに十分な) enough (for …) ★ 数量についていう; sufficient for … ★ 格式ばった語で, 数量だけでなく, 程度についても用いられる. ―動 (間に合う・目的に一応かなう) do ⓐ. (☞ じゅうぶん¹ (類義語); たりない; まにあう).
¶ 本を買うのにお金がちょうど*足りた (⇒ 私はこの本を

買うためにちょうど十分なだけのお金を持っていた) I had just *enough* money *to* buy the book. // これだけの食料があれば*足りる (⇒この量の食料は我々の必要に対して十分だ) This amount of food will be *sufficient for* our needs. //「幾らあれば*足りるのですか (⇒あなたは幾ら必要とするのですか)」「5千円あれば*足りるでしょう」"How much do you *need*?" "Five thousand yen will *do*."

だりん 舵輪 wheel Ⓒ, helm Ⓒ.

たる¹ 樽 (大型で普通のもの) barrel Ⓒ; (酒だる) cask Ⓒ; (小だる) keg Ⓒ. ¶*樽づめのワイン *barreled* [*casked*; *bulk*] wine **樽柿** persimmon /pəsíːmən/ mellowed in a sake cask Ⓒ **樽酒** barreled [casked] sake Ⓤ **樽みこし** portable shrine made (out) of a sake ˹barrel [cask] Ⓒ《☞みこし》.

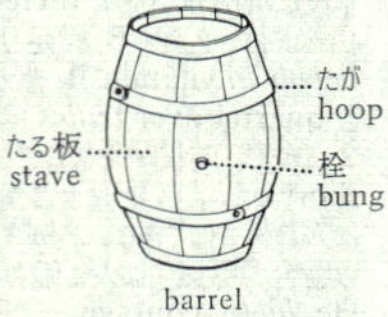

たる² 足る ― ［形］(十分である) enough, sufficient ★後者のほうが格式ばった語; (価値がある) worth (*doing* …) Ⓟ, worthy (of …) Ⓟ. ― ［動］(…に値する) deserve ㊀.《☞たりる》.
¶その問題はここで取り上げるに*足る重要なものだ The question is important *enough* to ˹take up [consider] here. ★この enough は［副］.

ダル (鈍い) dull; (退屈な) boring.《☞にぶい; たいくつ》.

だるい ― ［動］feel ˹tired [languid; weary].
【類義語】疲れていることを表す一般的な語が *tired*. 疲れて力や元気を失ったことを表すのが *languid*. 長時間の仕事などでぐったりしているのが *weary*.
¶きょうは体が*だるい I *feel tired* today. // 彼は*だるそうに歩いていた He was walking ˹*languidly* [*wearily*]. / (⇒疲れた重い足取りで歩いていた) He was walking ˹with *languid* steps [with *tired heavy* steps].

ダルエスサラーム ― ［名］㊉ Dar es Salaam /dàːre(s)səláːm/ ★タンザニア連合共和国の首都.

タルカムパウダー (化粧用パウダー) talcum powder Ⓤ, talc Ⓤ.

たるき 垂木 rafter Ⓒ.

タルク 〖鉱〗(滑石) talc Ⓤ.

タルタルステーキ tartar steak /táːtəstèɪk/ Ⓤ.

タルタルソース tartar sauce Ⓤ.

タルト (菓子の一種) tart Ⓒ.

だるま 達磨 (an image of) Bodhidharma /bòʊdɪdáːmə/; (玩具) self-righting Bodhidharma doll Ⓒ. **だるま落とし** Bodhidharma tumbler game Ⓒ **だるまストーブ** potbellied stove Ⓒ.

たるみ 弛み (ロープ・ひもなどの) slack Ⓤ ★特に「たるんだ箇所」という意味では the を付ける; (規律・風紀などの) laxity Ⓤ. ¶兵士の規律に*たるみがある There is some *laxity* in discipline among the soldiers.

たるむ 弛む (ロープ・ひもなどが) slacken ㊀; (たるんでいる) hang ˹slack [loose], be ˹slack [loose]; (筋肉が) get flabby; (精神などが) sláck (óff) ㊀, go soft. ¶ぴんと張ったロープが*たるんだ The tightly *stretched rope slackened*. //ロープがたるんでいるよ The rope *is* (*hanging*) *slack*. // 彼は腹の皮が*たるんでいる (⇒彼はたるんだ腹を持っている) He has a *flabby* belly. // このクラスはみんな*たるんでる All the pupils in this class ˹are *lazy* [*have been slacking off*].

タルムード the Talmud /tǽlmud/ ★ユダヤの律法とその解説.

ダルメシアン (犬) Dalmatian /dælméɪʃən/ Ⓒ.

たれ¹ 垂れ 〖料理〗basting Ⓤ; (説明的には) basting sauce made of soy sauce, sake, sugar and salt, with various seasonings, used for broiling eels, fish, chicken, etc. Ⓤ.

たれ² 垂れ (漢字の) radical at the top-left of kanji Ⓒ ★「垂れ」を細分した名称は, 例えば「がん(雁)垂れ」は wild-goose radical at the top-left of kanji,「やまい(病)垂れ」は illness radical at the top-left of kanji のようにいう.

だれ¹ 誰 **1**《(疑問文の) だれ》: who ★疑問代名詞の主格. ［語法］(1) 名前だけでなく, 職業・身分などを聞く疑問詞でもある.《☞どなた; どちら》.
¶「あの人は*だれですか」「佐藤さんです」"*Who*'s that man?" "He's Mr. Sato." //「エミ子って*だれ」「私のいとこ」"*Who*'s Emiko?" "My cousin." // 君は[あなたは]*だれ What's your name? ［語法］(2) 上がり調子ならいいが, 下がり調子だとぶっきらぼうな言い方になる. 丁寧な言い方では May I have your name? とする. Who are you? は失礼な言い方で, 会話では用いない. //《ドアのノックなどの答えとして》「*だあれ」「ぼくだよ」"*Who* is it?" "It's me." // *だれだ, そこにいるのは *Who*'s there? // *だれがそんなことを言ったのか *Who* said that? // ほかに*だれかこの質問に答えられる人はいないか *Who* else can answer this question? // 私が*だれだかわかりますか Can you tell *who* I am? // 次の大統領選挙に*だれが勝つと思いますか *Who* do you think will win the coming presidential election? ［語法］(3) do you think が疑問詞 who の後にあることに注意. // *だれが知るものか *Who* knows? ［語法］(4) これは Nobody knows. (だれも知らない) という意味の修辞疑問文.《☞修辞疑問(巻末)》// 新しいクラスで*だれが*だれだか覚えるのに2, 3週間かかった It took me a few weeks to remember *who was who* in my new class.

2《(疑問文の) だれの》: whose ★疑問代名詞の所有格. ［語法］名詞の前に付いて限定的に用いられる場合が多いが,「だれのもの」の意味で, 独立して所有代名詞としても用いられる. ¶これは*だれの本ですか *Whose* book is this?《☞代名詞(巻末)》

3《(疑問文の) だれを・だれに》: whom ★疑問代名詞の目的格; who ［語法］目的格 whom が文頭に来る場合, 口語では普通, 主格 who を代用する.
¶あなたは*だれを待っているのですか *Who* [*Whom*] are you waiting for? // あなたは*だれにその書類を渡したのだ *Who* [*Whom*] did you hand the papers to? // あなたは*だれに殴られたのだ (⇒だれがあなたを殴ったのだ) *Who* beat you?

4《(不特定の人を指して) だれか》:《肯定文で》somebody, someone;《疑問文・否定文, および if, whether に続く節で》anybody, anyone ［語法］(1) 疑問文の形をとっても, 話し手の真意としては肯定的な気持ちが強い場合や, 何かを依頼したり勧誘したりする場合は somebody, someone を用いる. なお, somebody, anybody のほうがそれぞれ someone, anyone よりも口語的.
¶*だれか来るぞ *Somebody* is coming. // きのう*だれか訪ねて来ましたか Did *anyone* call yesterday? / Did *someone* call yesterday? ［語法］(2) 前者は「人が訪ねて来たかどうか」わからないからする普通の質問であるのに対し, 後者は肯定的な答えを予想した質問で, Is it true that someone called yesterday? の意味になる. // *だれか来て手伝ってくれる人はいませんか Can *anybody* come and help me? / Can *any of you* come and help me? ［語法］(3) 後者は複数の人に直接問いかける場合に用いる. //「このカメラはあなたのですか」「いいえ, *だれかほかの人のです」"Is this your camera?" "No, it's *somebody*

else's." // この職に*だれか適当な人を推薦していただけますか Would you (kindly) recommend *some suitable person* for this position? 語法 (4) このような依頼を意味する文で kindly を用いるのは手紙の場合に限られ, 普通の会話では kindly を省いた形になる. // あなたは*だれかにそのことを話しましたか Did you tell (it to) *anybody*? 語法 (5) 会話文では前後関係からこの ( ) 内は省かれることが多い. // *だれかと思ったら私の父だった (⇒ それはほかでもない私の父だった) It was *none other than* my father. // *だれが何と言おうと (⇒ だれが私に反対しようとも) 私の気持ちは変わりません No matter *who* opposes me, I will not change my mind.

5 «(不特定の人を指して) だれでも・だれにも»: 《肯定文で》 anybody, anyone; (みんなが) everybody, everyone; (…する人はだれでも) who(so)ever; 《否定文で》 (だれも…でない) nobody, no one; none ★ 少し文語的.

¶ この仕事は*だれでもできる *Everybody and anybody* can do this work. // 私は助手が欲しい. *だれでもかまわない I want an assistant. *Anyone* will do. // *だれでも立派な教師になれるとは限らない *Not everybody* can be a good teacher. 語法 (1) not everybody …は部分否定を表す. // 我々の身の上がどうなるか*だれにもわからない *Nobody* can tell what will become of us. 語法 (2) anybody cannot tell …は誤り. // *だれもその家にいなかった There was *nobody* in the house. // 私は秘密を*だれにも打ち明けなかった I didn't tell my secret to *anybody*. // 人は*だれでも欠点がある (⇒ 欠点のない人はない) *Nobody* is ˹without faults [free from faults]. // 彼はテニスでは*だれにも負けない He is *second to none* in tennis. // 外国語を習得することは*だれにとっても難しい It is difficult for *anyone* to master a foreign language. // その事は*だれ知らぬ者もない (⇒ だれでも知っている) *Anybody* [*Everybody*] knows that. // *だれひとり彼に手を貸そうとしなかった *Nobody* would offer to help him.

だれ[2] (不活発) inactívity Ⓤ, slúggishness Ⓤ, dullness Ⓤ 《☞ だれる》.

だれかれ 誰彼 (あの人この人) this or that person Ⓒ; (様々な人) various people ★ 複数扱い. ¶ 彼は*だれかれかまわず[*だれかれの区別なく] (⇒ すべての人に) 援助を求めた He asked *everyone* for help.

だれぎみ だれ気味 ¶ 市場は*だれ気味だ The market is *rather* ˹*dull* [*slack*]. // 聴衆は*だれ気味になった (⇒ 退屈してきた) The audience became *rather bored*. 《☞ だらける》

たれこむ 垂れ込む ── 動 (密告する) inform ˹against [on] *a person* (to …), 《略式》 típ óff ⑱. ── 名 (secret) information Ⓤ, 《略式》 típ-òff Ⓒ. 《☞ みっこく》. ¶ 友人を警察に*たれこむ *inform* ˹*against* [*on*] *one's* friend to the police

たれこめる 垂れ籠める (霧などが) hang [lie] low (over …) 《☞ たちこめる》. ¶ その場所には深い霧が一面に*たれこめていた Dense fog [Very thick mist] *hung low* all over the place. // 低く*たれこめた雲 *low* (lying) clouds

たれさがる 垂れ下がる háng dówn ⓐ 《☞ たれる》.

だれしも 誰しも (だれもがみな) everybody, everyone; (どの人をとってみてもみな) anybody, anyone; (だれ一人として(…ない)) nobody, no one. 《☞ だれ[1]》. ¶ *誰しもあなたの提案に賛成するに違いない I'm sure *anyone* would agree to your suggestion.

だれそれ 誰某 (…とかいう人) a (certain) ˹Mr. [Miss; Mrs.; Ms.] …; (某氏) Mr. So-and so. 《☞ なにがし》.

タレットせんばん タレット旋盤 turret lathe /tə́ːrɪtlèɪð/ Ⓒ.

たれながし たれ流し (有害産業廃棄物の) 《格式》 éffluence Ⓤ. ¶ 製紙工場からの有害廃棄物の*たれ流し (the) *effluence* of poisonous waste from the paper mill // その工場は水銀を含んだ廃水を川に*たれ流していた (⇒ 法律に違反して流していた) The factory *was illegally discharging* ˹waste water [effluent /éfluːənt/] containing mercury /mə́ːkjʊri/ into the river.

たれまく 垂れ幕 (…から垂直に垂らした幕) banner hanging vertically (from …) Ⓒ 日英比較 banner は文字を書いた横幕だが, 日本語は縦に文字を書いて垂らすので説明的にならざるを得ない.

たれみみ 垂れ耳 drooping ears; (犬の) floppy ears.

たれめ 垂れ目 drooping eyes.

たれる 垂れる **1** «たれ下がる»: (下端がたれ下がる) hang ⓐ 《過去・過分 hung》; (だらりとたれ下がる) dangle ⓐ 語法 (1) 特に, たれ下がっている物の下部が揺れ動く状態を表すのに dangle を用いる; (しずくとなってしたたり落ちる) drip ⓐ, drop ⓐ, fall in drops ⓐ 語法 (2) drip と drop はほぼ同意で入れ替え可能だが, 「したたり落ちる」の意味では drip のほうがよく用いられる; (ちょろちょろ流れるように落ちる) trickle ⓐ; (木の枝などが) droop ⓐ; (頭・首などを) hang ⑱. 《☞ たらす 語法 (1); したたる》.

¶ 耳の*たれた犬 a dog with ˹*floppy* [*drooping*] ears 《☞ たれみみ》 // 入口に幕が*たれている There is a curtain (*hanging*) at the entrance. // 彼女の髪の毛は肩まで*たれている Her hair *falls* over her shoulders. // 水が蛇口から*たれている Water *is dripping from* the ˹faucet [《英》 tap]. // 道路上に点々と血が*たれていた (⇒ 血の滴りのあとがあった) There were *drops* of blood on the pavement. // 実がたくさんなって (⇒ 実の重みで) 枝が*たれている The branches *are drooping* under the weight of the fruit. // 山には雲が低く*たれていた Clouds *were* ˹*hanging* [*lying*] low over the mountains. 《☞ たれこめる》

2 «模範を示す» ¶ 範を*たれる *set* an example

だれる (動作などが不活発になる) become inactive, become [get] sluggish; (話や内容が面白くなくなる) become dull; (退屈する) become bored; (精神がたるむ) go soft. 《☞ だらける》. ¶ 暑いと人は*だれてくる (⇒ 暑い天候は我々を不活発にする) Hot weather makes us *languid*. // 彼の講義は*だれていておもしろくない His lectures are *dull*. // *だれた試合 a *dull* game // 聴衆が*だれてきている The audience ˹*is* [*are*] *becoming* ˹*bored* [*tired*].

タレント (テレビタレント) television [TV] personality Ⓒ. **タレントショップ** TV personality's shop Ⓒ.

タロいも タロ芋 〔植〕 taro /táːroʊ/ Ⓒ 《複 ～s》.

-だろう 日英比較 日本語の「…だろう」という表現は, 英語に訳すときは「未来」「推量」「可能性」などを表す助動詞を用いた表現,「多分」「恐らく」というような副詞を用いた表現,「…と思う」に当たる表現などに置き換えられる.

── 助 (単純な未来あるいは話し手の推量) will 《過去 would》 語法 (1) 米口語では人称にかかわらずすべて will でよいが, 書き言葉では 1 人称に限り単純未来であることを強調する意味で I shall … となることがある; (…かもしれない) may 《過去 might》. ── 副 (ことによると) 《略式》 perhaps, máybe ★ 後者は前者よりもっと口語的; (ひょっとすると) possibly; (恐らく) probably. ── 動 (…と思う) I think …; I suppose …, I guess …; I hope …; I am afraid …, I fear … 語法 (2) 客観的・理性的に思考して思うのが think で, 語感として無色な感じ. 主観的に推測して思うのは suppose. 同じ意味で, より口語的なのが guess. 希望的観測で実現性は問題とせず, そうであればよいのだがという願いの気持ちを表すのが hope. 逆に都合の悪いことで起こらないほうがよいことについての推測を表すのが be afraid. 少し格式ばっているのが fear. (☞ おそらく (類義語)).

¶ 彼はきょう来る*だろう (⇒ 来ると思う) I ⌈think [*suppose*; *guess*] he'll come today. / (⇒ 恐らく来るだろう) He *will probably* come today. // 「あしたのお天気はどう*だろうか」「多分雨*だろう」"How *will* the weather be tomorrow?" "*I'm afraid* it'll rain." 語法 (3) 雨が降ると困る場合である. 逆に日照り続きで雨を期待しているときなら I hope … となる. // 「彼は試験に受かる*だろうか」「多分受からない*だろう」"*Will* he pass the examination?" "*Maybe* not. / *Perhaps* not. / *I'm afraid* not." 語法 (4) 上記 3 つの回答の文において not は he won't pass the examination という節全体を代表する. // 「あの人が彼の婚約者かい」「そう*だろう」"Is she his fiancée?" "*I think* so." // 多分あなたの言うとおり*だろう *Probably* you are right. / (⇒ …と思う) *I* ⌈*guess* [*think*] you are right. / You *may* be right. 語法 (5) 可能性があるという意味でより口語的には *Maybe* you are right. とも言う. // 甘いものを食べすぎたから虫歯ができたの*だろう *I suppose* too much candy has caused the decayed teeth. // 彼女は 30 歳は越している*だろう *I should say* she is over thirty. 語法 (6) この should は控えめな意見を表す仮定法. // 1 時間前に出発したのだから, もう彼はそこに着いている*だろう He left one hour ago, so he ⌈*should* [*ought to*] have arrived there ⌈by now [already]. 語法 (7) この should および ought to は「当然…であるはずだ」というかなり確実性の高い推量を表す. // 彼の言っていることは誇張*だろう What he says *would* be an exaggeration. 語法 (8) この would は断言を避けた控えめな言い方. // 彼はなぜあんなに怒っているの*だろう I *wonder* why he is so angry. 語法 (9) 「なぜ…だろうか」「…かどうかしら」という意味を表すには wonder を用い, 疑問詞または whether, if で導かれる名詞節を目的にする. // そう言った*だろう I told you so, *didn't I*?

たろうかじゃ 太郎冠者 (狂言) Tarokaja; (説明的には) a manservant in ⌈*kyogen* [Noh farce].

タロット (占い用のカード一組) the tarot /tǽroʊ/ ★ the を付けて単数扱い. 発音に注意; (1 枚ずつの) tarot card Ⓒ. ¶ 彼女は*タロット占いで私の運勢を見た She read my future in *the tarot*.

タワー tower Ⓒ (☞ とう[2]). ¶ 東京*タワー Tokyo *Tower* タワークレーン tower crane Ⓒ.

たわいない (愚かでばかばかしい) silly, foolish ★ 以上 2 語は入れ替え可能だが, silly のほうがより口語的で意味も強い; (取るに足りない) trivial; (無邪気な・罪のない) innocent; (子供じみた) childish ★ 軽蔑の意がこもる; (簡単な) easy. (☞ くだらない; ばかげた; むじゃき).

¶ 彼はいつも*たわいないことを言っている He always ⌈says *silly things* [talks *nonsense*]. // 彼らは*たわいないことで口論した They had a quarrel over a *trivial* matter. // 彼は*たわいない (⇒ 罪のない) いたずらをするのが好きだ He likes playing *innocent* tricks. // 彼らは*たわいなく (⇒ 簡単に) 負けてしまった They were *easily* defeated.

たわけた 戯けた (ばかな) foolish, silly, stupid ★ この順で意味が強い; (嘲笑すべき) ridiculous; (ばかばかしい) absurd. (☞ ばか; ばかばかしい). ¶ まったく*たわけた奴だ He's really *stupid*. // *たわけたことを言うな Don't talk ⌈*nonsense* [《英》 *rubbish*].

たわけもの 戯け者 fool Ⓒ, idiot Ⓒ ★ 後者のほうが意味が強い. (☞ ばか).

たわける (ばかなまねをする) be a fool, be foolish. ¶ *たわけるな! Don't *be foolish*!

たわごと 戯言 (たわけた言葉) nonsense /nάnsens/ Ⓤ; (ばかげたおしゃべり) silly talk Ⓒ.

たわし scrub(bing) brush Ⓒ; (金属製の) steel wool Ⓒ.

たわみ 撓み (下方向への) sag Ⓤ ★ また a ～ として; (曲がること) bending Ⓤ; 〘工〙 deflection Ⓤ.

たわむ 撓む (普通の位置から下がる) ság (dówn) ⓐ; (重みで下がる) be weighed down; (しなう) bend ⓐ, be bent. (☞ たわわ; しなう). ¶ 枝も*たわむばかりに桃がなっている (⇒ 枝が桃の重みで下がっている) Those branches *sag* (*down*) *under* the weight of the peaches.

たわむれ 戯れ (おもしろ半分の遊び) fun Ⓤ; (冗談・笑い事) joke Ⓒ, jest Ⓒ ★ 後者のほうが格式ばった語. (☞ おもしろはんぶん).

たわむれる 戯れる (子供・動物などが遊ぶ) play ⓐ; (冗談を言う) joke ⓐ. (☞ あそぶ; ふざける).

たわめる 撓める bend ⓗ (☞ まげる).

たわやか ☞ たおやか

たわら 俵 straw bag Ⓒ.

たわわ ¶ 枝も*たわわにりんごの実がなっている The branches *are* ⌈*weighed down* [*laden*] with the apples. ★ laden は《文》. (☞ たわむ; 擬声・擬態語 (囲み))

たん[1] 痰 phlegm /flém/ Ⓤ. ¶ *たんを吐く cough out [bring up] *phlegm* たん壺 spittoon /spɪtúːn/ Ⓒ, 《米》 cuspidor /kʌ́spədɔ̀ə/ Ⓒ.

たん[2] 反 **1** 《土地の》: *tan* Ⓒ ★ 単複同形; quarter of an acre Ⓒ 参考 1 反 (300 坪: 993 m^2) は 1 エーカー (約 4047 m^2) のほぼ 1/4 に相当. ¶ *反当たりの収穫 the ⌈crop [yield] per *tan*

2 《反物の》: roll of cloth (about 12 yards in length) Ⓒ 参考 1 反は長さ約 11 m, 幅約 34 cm.

たん[3] 端 ¶ その革命は何に*端を発したのか (⇒ 何が引き金を引いたのか) What ⌈*triggered* [*set off*] the revolution? // 夫婦げんかはつまらない事に*端を発することが多い A quarrel between a couple often ⌈*originates* [*has its origin*] in trifles.

たん[4] 単 〘スポ〙 singles (☞ シングルス; たんしょう[3]).

たん[5] 丹 ☞ しんしゃ[3]

タン[1] 〘料理〙 tongue /tʌ́ŋ/ Ⓒ. タンシチュー tongue stew Ⓤ.

タン[2] 湯 (中国料理のスープ・だし) (Chinese) ⌈soup [broth] Ⓤ ★ 中国語のローマ字表記は tang. (☞ たんめん).

タン[3] (黄赤色) tan Ⓤ.

だん[1] 段 **1** 《階段など》: (階段の 1 段) step Ⓒ, stair Ⓒ; (階段のひと続き) a flight of ⌈steps [stairs] 語法 steps は普通屋外の, stairs は屋内の階段をいう; (はしごの 1 段) a rung of a ladder. (☞ かいだん[1] (挿絵); はしご).

¶ 私は一度に 2 *段ずつ階段を駆け登った I bounced up the stairs, two *steps* at a time. // 石の*段を登る [降りる] go ⌈up [down] the stone *steps*

2 《順に積み重ねたものの段》: (階層を成すものの段) deck Ⓒ; (平たく重ねたものの段) layer Ⓒ; (階段教室の床などのように順次高くなった段) tier Ⓒ; (ロケットの段) stage Ⓒ.

¶ 2 *段ベッド a bunk bed // 2 *段入りのチョコレートの箱 a two-*layer* box of chocolates // 5 *段重ねの重箱 a five-*tier* nest of lacquered boxes for cooked food // ロケットの第 1 *段 the first *stage* of a rocket // 多*段式ロケット a multi*stage* rocket

3 《等級》: (武道・碁・将棋などの) grade Ⓒ. ¶ 彼

た

は柔道五*段だ He is a judoist of the fifth *dan*.
4《新聞などの》: column /kɑ́ləm/ Ⓒ《☞ くく¹; あだん; だんぐみ》. ¶そのニュースは3*段抜きの見出しで報じられた The news was reported with a three-*column* headline.

だん² 団 (集団) group Ⓒ ★最も一般的な言葉; (一団)《略式》bunch Ⓒ; (統率者のいる一団) band Ⓒ; (仕事・競技の組) team Ⓒ; (悪者などのグループ) gang Ⓒ; (業務を委託された一団・調査団など) commission Ⓒ; (公式で組織的な一団) body Ⓒ ★国会内のグループ・委員会など; (外交団などの) corps /kɔ́ə/ Ⓒ《複 ～/kɔ́əz/》; (旅などの一行) party Ⓒ; (巡回芸能人などの一座) company Ⓒ, troupe Ⓒ.《☞ だんたい¹ (類義語)》.
¶調査*団が組織された An inquiry ⌈*group* [*commission*] has been formed. / An investigation *team* has been appointed. // 技術専門家の一*団 a *band* of technical experts // 代表*団 a *body* of delegates / a delegation // テロ*団 a terrorist ⌈*group* [*gang*] // 軍事顧問*団 a *corps* of military advisers // 新聞記者*団 a press *corps* // (裁判の)弁護*団 the defense *counsel* // 視察*団 an observation ⌈*party* [*group*] // バレエ*団 a ballet (*company*)

だん³ 談 (話) talk Ⓒ; (物語) account Ⓒ, story Ⓒ
[語法] 事柄の詳細について体験者・目撃者が自ら述べるという意味では account を, また事実の概略をしばしば話し手の主観・作為なども交えて述べることを表すには story を用いる.
¶目撃者の*談によれば according to ⌈the *account* of an eyewitness [an eyewitness *account*] // 彼は自分の体験*談をきかせてくれた He told me about his personal experiences.

だん⁴ 壇 (床面より高くなっている所) platform Ⓒ《☞ えんだん²》. ¶彼は演説をするため*壇に登った He ⌈mounted [ascended] the *platform* to deliver his speech.

だん⁵ 暖 暖をとる warm *oneself*《☞ あたたまる》.

だん⁶ 断 ¶*断を下す make a (*final*) *decision*

だんあつ 弾圧 ━動 (権力などで強引に抑えつける) oppress ⊕; (反対や反乱などを力で抑えつける) suppress ⊕. ━名 oppression Ⓤ; suppression Ⓤ.《☞ よくあつ; おさえる》.
¶*弾圧的政策 an *oppressive* measure // 自由主義者たちは当時, 官憲の*弾圧に苦しんだ Liberals suffered official *oppression* at that time. // 政府は言論の自由を*弾圧した The government *suppressed* freedom of speech.

たんい 単位 **1**《度量衡・貨幣などについて》: unit Ⓒ ★ただし「貨幣の単位呼称」の意味では denomination Ⓒ を用いることがある.《☞ 度量衡 (囲み)》. ¶メートルは長さの*単位である The meter is a *unit* of length. // あなたの計算は*単位が間違っている (⇒ 誤った単位を使って計算した) You calculated using the wrong *unit*. // 米はキログラム*単位で売買される Rice is sold *by* the kilogram. // この表の金額は100万*単位で示されている The amount of money in this table is ⌈shown [expressed] *in* millions.
2《事物の基本的構成要素》: unit Ⓒ. ¶家族は社会の基本*単位である The family is a basic *unit* of society.
3《大学・高校の学習量》:《米》credit Ⓒ [参考] アメリカの大学では週1時間の講義に1学期 (one semester: 普通15週) 出席した場合の学習量を1単位とし, それで学習量を具体的に数値で表す.《☞ 学校・教育 (囲み)》.
¶彼は心理学で総計20*単位を取った He earned a total of twenty *credits* in psychology. // 物理の*単位を落とした (⇒ 落第した) I *failed* in physics.
単位円 (半径1の円) unit circle Ⓒ **単位組合** affiliated company union Ⓒ **単位互換制度** credit ⌈transfer [exchange] system Ⓒ **単位制** credit [accrediting] system Ⓒ **単位制高校** credit-system high school Ⓒ.

だんい 段位 rank Ⓒ. ¶「あなたの*段位は?」「三段です」"What *rank* are you in?" "I'm a 3 *dan*."

だんいき 暖域 〖気象〗 warm sector Ⓒ.

たんいち 単一 (電池) "D" size battery Ⓒ《☞ でんち¹》.

たんいつ 単一 ━形 (たった1つの) single; (多種の要素を含みながらまとまっている) unitary. ━名 singleness Ⓤ; unity Ⓤ. **単一組合** single [independent] union Ⓒ **単(一)クローン(性)抗体** monoclonal antibody Ⓒ **単一言語** homogeneous language Ⓒ **単一国家** unitary state Ⓒ ★連邦性などでなく単一の主権で治められている国家. **単一事業企業** single business firm Ⓒ **単一文化** a homogeneous culture **単一民族** homogeneous race Ⓒ.

だんいほうしょく 暖衣飽食 ━動 (ぜいたくに暮らす) live in the lap of luxury.

だんいん 団員 member Ⓒ《☞ だん²》.

だんう 暖雨 warm rain Ⓒ.

たんおん¹ 単音 single sound Ⓒ.

たんおん² 短音 short sound Ⓒ. **短音記号** breve /bríːv/ Ⓒ ★「˘」の記号.

たんおんかい 短音階 〖楽〗 the minor scale (↔ the major scale).

たんか¹ 担架 stretcher Ⓒ《☞ いりょう¹ (挿絵)》.

たんか² 啖呵 ━名 (挑戦的な言葉) defiant words ★複数形で. ━動 (虚勢を張ってどなる) bluster ⓐ. ¶彼は上役に向かって*たんかを切った He *hurled defiant words* at his boss.

たんか³ 短歌 tanka Ⓒ ★単複同形; tanka poem Ⓒ; 31-syllable Japanese poem Ⓒ.《☞ わか; はいく》.

たんか⁴ 単価 unit price Ⓒ《☞ かかく¹; ねだん》. ¶このねじは*単価が10円だ (⇒1個につき) These screws cost ten yen *apiece*.

たんか⁵ 炭化 ━名 carbonization Ⓤ. ━動 carbonize ⊕. **炭化カルシウム** calcium carbide Ⓤ **炭化水素** hýdrocàrbon Ⓤ **炭化物** carbide Ⓤ.

だんか 檀家 supporting member of a Buddhist temple Ⓒ.

タンカー tanker Ⓒ [日英比較] 日本語でタンカーといえば船に限られるが, 英語の tanker は車・飛行機・列車を問わず, 石油などを輸送する交通手段のこと.

だんかい¹ 段階 ━名 (発展過程の) stage Ⓒ; (次へ進むための1歩) step Ⓒ. ━形 (段階的な・徐々の) gradual; (着実に1歩1歩進む) step-by-step. ━副 (段階的に・徐々に) gradually; (1歩1歩) step by step.
¶最終*段階 the final *stage* // それはまだ計画の*段階です It is still in the planning *stage*. // この病気は初期の*段階ではなかなか見つからない This disease cannot easily be ⌈recognized [detected] in its early *stage(s)*. // 算数は*段階を踏んで (⇒ 段階的な原則に基づいて) 教えるべき科目である Arithmetic is a subject to be taught *on a step-by-step basis*.

だんかい² 団塊 **団塊の世代** the baby boomers
¶*団塊ジュニアの世代 the *baby boomers'* children // *団塊JJ the *baby boomers'* grandchildren / third generation *baby boomers*

だんかい³ 暖海 warm sea Ⓒ. **暖海性魚類** warm-sea fish(es).

だんがい¹ 断崖 cliff Ⓒ ★最も一般的; (切り立っ

た崖)《格式》precipice /présəpɪs/ Ⓒ; (海や谷に落ち込んでいるような崖) bluff Ⓒ. 《☞ がけ》. 断崖絶壁 sheer cliff Ⓒ; (垂直に切り立った) precipitous cliff Ⓒ.

だんがい[2] 弾劾 ―動 impeach ㊀. ―名 impeachment Ⓤ. 弾劾裁判所 impeachment court Ⓒ.

たんかか 単花果 simple fruit Ⓒ.

たんかけいそ 炭化珪素 sílicon cárbide Ⓤ.

たんかすいそ 炭化水素 hỳdrocárbon Ⓤ.

たんかだいがく 単科大学 college Ⓒ《☞ だいがく[1] (類義語)》.

たんかっしょく 淡褐色 light brown Ⓤ.

だんカット 段カット (髪の) layered cut Ⓒ.

タンガニーカこ タンガニーカ湖 ―名 固 Lake Tanganyika /tæ̀ŋgənjíːkə/ ★タンザニア・コンゴ民主共和国国境の湖.

たんかぶつ 炭化物 carbide Ⓒ.

ダンガリー (布) dungaree /dʌ̀ŋgəríː/ Ⓤ; (ダンガリーのズボン) dungarees. 《☞ ジーンズ》.

たんかん[1] 胆管 〔解〕bile duct Ⓒ.

たんかん[2] 短観 ☞ にちぎん (日銀短観)

たんがん[1] 嘆願 ―動 (頼む) beg ㊀; (懇願する)《格式》entreat ㊀; (哀願する) implore ㊀. ―名 entreaty Ⓤ ★具体的には Ⓒ. 《☞ たのむ; せいがん[1]》.

¶彼女は王に助命を*嘆願した <S (人)+V (*beg*; *entreat*)+O (人)+*for*+名・代> She ˹*begged* [*entreated*] the king *for* her life. / <S (人)+V (*beg*; *entreat*) + O (人) + C (*to* 不定詞)> She ˹*begged* [*entreated*] the king *to* spare her life. // 彼はあらゆる*嘆願にまったく耳を貸さなかった He ˹was deaf [turned a deaf ear] to all *entreaties*.

たんがん[2] 単眼 (昆虫の) simple eye Ⓒ, ocellus /ouséləs/ Ⓒ (複 ocelli /ousélaɪ/) ★後者は専門用語. 単眼鏡 monócular Ⓒ 単眼顕微鏡 monocular microscope Ⓒ.

たんがん[3] 単願 ―動 (受験の時一校のみ志願する) apply to only one school《☞ へいがん》.

だんがん 弾丸 (銃弾) bullet /búlɪt/ Ⓒ; (散弾) shot Ⓒ ★この意味では単複同形; (砲弾) shell Ⓒ. 《☞ たま[3] (挿絵)》. ¶*弾丸が我々の耳元をひゅーひゅーとかすめた The *bullets* whizzed past our ears. // 一発の*弾丸が彼の胸を貫いた A *bullet* ˹went [passed] through his chest.

たんき[1] 短気 ―形 (気が短い) short-[quick-; hot-]tempered; (性急な・辛抱できない) impatient. ―名 (short) temper Ⓤ. 《☞ おこりっぽい》. ¶私の兄はとても*短気です My (older) brother is quite *short-tempered*. / (⇒すぐ怒る) My (older) brother *gets angry easily*. // *短気を起こしてはいけません Don't *lose your temper*. / Don't *be impatient*. / *Be patient*. 短気は損気 Haste makes waste. 《ことわざ: 急ぐとむだができる》

たんき[2] 短期 ―名 (少しの間) a short time (↔ a long time). ―形 (短期契約の) short-term Ⓐ (↔ long-term). 《☞ たんきかん》. ¶私たちの会社では銀行に*短期の貸し付けを申し込んだ Our company asked the bank for a *short-term* loan. 短期貸付 short-term [short] loan Ⓒ 短期金融市場 short-term money market Ⓒ 短期金利 *short-term interest rates* 短期経営計画 short-term ˹business [management] planning Ⓤ 短期講習 short course Ⓒ 短期国債 short-term national bond Ⓒ 短期資金 short-term funds 短期借入金 short-term loan payable Ⓒ 短期集中講座 crash course Ⓒ 短期大学 junior college Ⓒ 《☞ だいがく[1]》 短期賃貸借 short-term ˹renting [rental] Ⓤ 短期手形 short [short-term] bill Ⓒ 短期プライムレート short-term prime rate Ⓒ 短期予報 short-term forecast Ⓒ 短期留学 short-term study abroad Ⓤ 短期療法 short-term remedy Ⓒ.

たんき[3] 単記 (投票の) single entry Ⓤ《☞ れんき》. 単記制 (投票の) single ˹vote [ballot] system Ⓒ 単記無記名投票 (a) secret vote with single entry.

だんき 暖気 (気象の) warm air mass Ⓒ; (暖かい空気) warm air Ⓤ; (暖かみ) warmth Ⓤ. 暖気団 warm air mass Ⓒ.

だんぎ 談義 (お説教) sermon Ⓒ; (おしゃべり・雑談) chat ★a～として. 動は have. 《☞ ぎろん; はなし》. ¶あいつの例の*談義 (⇒長い説教) をきかされた I had to listen to that long *sermon* of his.

だんきうんてん 暖機運転 ―名 idling Ⓤ. ―動 idle ㊀ ㊁.

たんきかん 短期間 a short time 《☞ たんき[2]》. ¶*短期間で英語は習得できない You can't master English in *a short time*.

たんきゅう[1] 探求, 探究 ―動 (追い求める) pursue /pəsúː/ ㊀; (研究する) reséarch ㊀. ―名 (追求) pursuit /pəsúːt/ Ⓤ; (研究) research Ⓤ ★しばしば複数形で, または a を付けて. 《☞ ついきゅう[2]; もとめる》. ¶科学者は真理の*探求に従事している Scientists are engaged in the *pursuit* of truth. 探究心 inquiring mind Ⓒ.

たんきゅう[2] 単球 (白血球の一種) monocyte Ⓒ.

だんきゅう 段丘 terrace Ⓒ.

たんぎょく 単玉 single lens Ⓒ.

たんきょり 短距離 ―名 short distance Ⓒ (↔ long distance). ―形 short-distance Ⓐ. 《☞ きんきょり》. ¶この種のトラックは*短距離の運搬に使われる Trucks of this sort are used to carry loads *a short distance*. 語法 この a short distance は副詞的に用いられている. 短距離競走 short-distance race Ⓒ; dash Ⓒ ★100メートル競走 (one-hundred-meter dash) などの用語として用いられる. 短距離選手 sprinter Ⓒ 短距離離着陸(機) STOL /stɔ́ːl/ (air-craft) Ⓒ ★STOL は *s*hort *t*ake *o*ff and *l*anding の略.

たんきりあめ 痰切り飴 cough drop Ⓒ; (説明的に) candy which is effective in getting rid of phlegm Ⓒ

タンギング (管楽器の奏法) tonguing /tʌ́ŋɪŋ/ Ⓤ.

たんく 短躯 short stature Ⓤ.

タンク (液体やガスなどを貯蔵する大きな容器) tank Ⓒ; (戦車) tank Ⓒ. タンク車 tank car Ⓒ タンクローリー《米》tank truck Ⓒ, 《英》tanker Ⓒ ★「タンクローリー」は和製英語.

ダンクシュート ☞ ダンクショット

ダンクショット 〖バスケ〗 ―名 dunk (shot) Ⓒ. ―動 dunk ㊁ ㊀.

タングステン 〖化〗túngsten Ⓤ《元素記号 W》.

たんぐつ 短靴 shoe Ⓒ ★片方を指すとき以外は複数形で. 《☞ くつ》.

タンクトップ 《米》tank top Ⓒ.

だんぐみ 段組み column setting Ⓤ. ¶本文を2*段組みで入力する type the text *in two columns*

タングラム (正方形を7片に切った中国のパズル) tangram Ⓒ.

だんぐるま 段車 (ベルト伝導装置) cone pulley Ⓒ.

たんクローンせいこうたい 単クローン性抗体 ☞ たんいつ

ダンケ 《ドイツ語》(ありがとう) danke.

だんけい 男系 the male line. ¶*男系の相続 succession through *the male line*

たんげいすべからざる 端倪すべからざる (変幻

自在な)《文》protean /próutiən/; (予想できない) unpredictable. ¶ *端倪すべからざる人物 a *mystery* man // 事の成り行きは*端倪すべからざるものがある (⇒ 推測を許さない) How things will turn out *defies* ⌈*imagination* [*conjecture*].

だんけつ 団結 ― 動 unite (together) 自, 《略式》band together (against ...) 自 ★ 他 として受身の形で用いることもある. ― 名 union Ⓤ. 《☞ けっそく》. ¶ 私たちは*団結して難局にあたった We ⌈*all united* [*united together*] to deal with the difficulties. / (⇒ 一団となって) We coped with the difficulties *in a body*. // *団結は力なり *Union* is strength. 《ことわざ》// *団結して賃上げを獲得しよう Let us *unite* to get higher wages.

団結権 the right of organization **団結心** (協力精神) (a) spirit of cooperation; (個人の利益より仲間全体の利益に尽くす精神) (a) team spirit; 《格式》esprit de corps /ɪsprí: də kɔ́ə/ Ⓤ ★ フランス語より.

たんけっしょう 単結晶 single crystal Ⓒ.

ダンケルク ― 名 固 Dunkirk /dʌ́nkə:k/ ★ フランス北部の都市.

たんけん[1] 探検, 探険 ― 動 explore 他. ― 名 exploration Ⓤ; expedition Ⓤ 語法 exploration は未開の地への探検. expedition は探検や学術研究などの目的をもつ旅行.

¶ 宇宙飛行士は将来火星を*探検することだろう Astronauts will *explore* Mars someday. // 少年たちはほら穴の*探検に出かけた The boys went on an *expedition* into the cave. // アムンゼンが最初に南極*探検に成功した Amundsen /á:mənsn/ made the first successful *exploration* of the Antárctic.

探検家 explorer Ⓒ **探検隊** expedition Ⓒ, expeditionary party Ⓒ.

たんけん[2] 短剣 dagger Ⓒ 《☞ ナイフ》.

たんけん[3] 短見 shortsighted [narrow] view Ⓒ.

たんげん 単元 unit Ⓒ. **単元学習** unit learning Ⓤ **単元株** (議決権行使に必要な株式数(単元)を企業が定める制度) the (new) unit share system ★ 2001 年単位株に代えて導入. 株式取引は通例一単元単位なので (minimum) trading unit Ⓒ (売買単位)と同一視されることもある.

だんげん 断言 ― 動 (確かだということを請け合う) assure *a person* that ...; (確信をもって言う) affirm 他; (強く主張する) assert 他; (公式に言明する) declare 他. ― 名 affirmation Ⓤ; assertion Ⓤ.

【類義語】人にある事実を確かだと請け合って言うには, ***I assure you that*** ... という言い方をする. 日本語で「...だと断言するよ」などと相手に向かって言うときはこの言い方が近い. 自分の述べている事に確信があり, 何人も否定できないと言う気持ちを表すのが ***affirm***. 確信に基づき力説するのが ***assert***. 公に, また正式に言明して断言するのが ***declare***. 《☞ げんめい[1]; いいきる; だんてい》

¶ それは必ず起こる. *断言するよ *I assure you that* it will happen. // 彼の友人たちは彼が潔白であると*断言した His friends ⌈*affirmed* [*asserted*] that he was innocent. // *断言はできないけれど (⇒ 確信はないが) きっと彼女はまた失敗する I'*m not sure* but I think she is very likely to make another mistake. // 政府はその政策を遂行すると*断言した The government *declared* that it would carry out the policy.

たんご 単語 (個々の単語) word Ⓒ; (ある個人・著者・言語などで使われる単語の総体) vocabulary /voukǽbjʊlèri/ Ⓤ. 《☞ ことば; ご[1]》.

¶ その*単語はどういう意味ですか What is the meaning of the *word*? / What does the *word* mean? // 「listen という*単語はどうつづりますか」「l-i-s-t-e-n です」"How do you spell (the *word*) listen?" "l-i-s-t-e-n." // 「馬」にあたる英語の*単語は何ですか What is the English *word* for "uma"? // 私は英語の*単語力をつけたい I want to increase my English *vocabulary*. // 基本*単語 basic *words*

単語帳 wordbook Ⓒ **単語登録** word registration Ⓤ.

タンゴ 〔楽〕(ダンス・曲) tango Ⓒ 《複 ~s》.

だんこ 断固 ― 形 (決意の固い) decisive; (ある目的のために意を決した)《格式》résolùte; (ぐらつかない) firm; (特に拒否に使って) flat. ― 副 decisively; resolutely; firmly; flatly. 《☞ がんとして; きっぱり》.

¶ *断固とした対策 *decisive* measures // 彼は*断固として自分の意見を変えなかった (⇒ 意見が正しいと主張した) He *firmly* ⌈maintained [insisted] that his opinion was correct. // 彼女は*断固として彼の申し出を断った She *flatly* refused his offer. // 私たちは*断固戦いぬくつもりです We will *fight* it *out*.

だんご 団子 dumpling Ⓒ 参考 練り粉の塊をゆでたり蒸したりしたもの. シチューに入れたり, 肉料理に添えたりすることが多い. ¶ 花より*団子 *Dumpling* ⌈before [rather than] flowers. ★ 文字どおりの直訳. / *Pudding* before praise. 《ことわざ: ほめ言葉よりプディング》 **団子状** ¶ マラソン選手たちは*団子状 (⇒ グループ) になって走った The marathoners ran *in a group*. **団子虫** 〔昆〕pill bug Ⓒ.

だんごいか 団子烏賊 〔魚〕small bobtail squid Ⓒ.

たんこう[1] 炭鉱, 炭坑 coal mine Ⓒ; 《英》colliery Ⓒ ★ colliery は関係設備を含む.

炭鉱会社 coal-mining company Ⓒ **炭鉱労働者** coal miner Ⓒ.

たんこう[2] 短甲 〔史〕short metal body armor Ⓤ.

だんこう[1] 断行 ― 動 (遂行する) cárry óut 他. ¶ 我々の計画を*断行しよう Let's *carry out* our plan.

だんこう[2] 断交 ― 動 break off relations (with ...) 《☞ だんぜつ; こっこう》.

だんこう[3] 団交 collective bargaining Ⓤ.

だんごう 談合 ― 動 (入札値を操作する) rig a bid. ― 名 bid rigging Ⓤ; ((不正な) 値段の取り決め協定) (illegal) price-fixing agreement Ⓤ ★ 後者は説明的訳. **談合罪** bid rigging Ⓤ.

たんこうしき 単項式 〔数〕monomial /mɑnóumiəl/ (expréssion) Ⓒ 《☞ たこうしき》.

たんこうしょく[1] 淡紅色 ― 名 (ピンク色) pink Ⓤ; (薄いピンク色) light pink Ⓤ. ― 形 pink; light-pink.

たんこうしょく[2] 淡黄色 ― 名 light yellow Ⓤ. ― 形 light-yellow.

たんこうぼん 単行本 book Ⓒ 《☞ ほん》.

たんこうるい 単孔類 〔動〕Monotremata /mànoutrémətə/ Ⓤ ★ 時に複数扱い.

たんごのせっく 端午の節句 the Boys' Festival.

だんごばな 団子鼻 snub nose Ⓒ 《☞ はな[2]》.

たんこぶ たん瘤 ☞ こぶ[1]

だんこん[1] 弾痕 bullet /bʊ́lɪt/ màrk Ⓒ.

だんこん[2] 男根 ― 名 (一般的に) penis /pí:nɪs/ Ⓒ 《複 penes /-ni:z/》; (精神分析などで) phallus /fǽləs/ Ⓒ. ― 形 phallic. **男根崇拝** phallicism Ⓤ

たんさ 探査 ― 動 (徹底的に探り調べる) probe 他; (原因などを調べる) investigate 他; (組織的に調べる) inquire into ... ― 名 probe Ⓒ; investigation Ⓒ; inquiry Ⓤ. ¶ 宇宙*探査機 a (space) probe 探査車 rover Ⓒ. ¶火星*探査車 a Mars *rover*

たんざ[1] 単座 ¶*単座戦闘機 a *single-seated* fighter

たんざ[2] 端座 ☞ せいざ[2]

だんさ 段差 (道路などのでこぼこ) bump Ⓒ. ¶50 メートル先に*段差あり《標識》 *Bump* 50 Meters Ahead

ダンサー (職業としての) professional dancer Ⓒ (☞ おどりこ).

たんさい[1] 淡彩 ― [名] light ⌈coloring [《英》 colouring] Ⓤ. ― [形] light-⌈colored [《英》 coloured]. 淡彩画 light-colored picture Ⓒ.

たんさい[2] 単彩 ― [形] mònochromátic. 単彩画 monochrome Ⓒ 単彩画家 mònochrómist Ⓒ 単彩画法 mónochròme Ⓤ.

だんさい 段彩 (地図の) hypsometric [gradient] tints ★ 複数形で.

だんざい 断罪 **1**《有罪の宣告》 ― [名] conviction Ⓤ, condemnation Ⓤ. ― [動] convict (他), condemn (他). ¶彼は殺人の罪ありと*断罪された He *was convicted* of murder. **2**《斬首》 ― [名] beheading Ⓤ. ― [動] behead (他).

だんさいき 断裁機 cutter Ⓒ ★ 一般的な名称; (書類などを細かく切る) shredder Ⓒ.

たんさいぼう 単細胞 ― [形] (動植物が) ùnicéllular; (ばかな) simpleminded. ― [名] (単一の細胞) single cell Ⓒ; (考えが単純な人) simpleton Ⓒ, half-witted person Ⓒ ★ この 2 語は軽蔑的意味があるので注意. 単細胞生物〘生〙 monad Ⓒ.

たんさく[1] 探索 ― [動] (捜し求める) search for ...; (隠れているものを捜す) hùnt úp (他). ― [名] search Ⓤ; hunt Ⓒ. (☞ さがす; そうさく[2]). ¶2 人の警官が凶器の*探索にあたった Two policemen *searched for* the weapon.

たんさく[2] 単作 single crop Ⓒ.

たんざく 短冊 strip of paper (for writing poems on) Ⓒ.

タンザニア ― [名] [固] Tanzania /tæ̀nzəníːə/; (正式名; タンザニア連合共和国) the United Republic of Tanzania. ― [形] Tànzanían. タンザニア人 Tànzanían Ⓒ.

たんさん[1] 炭酸 carbónic ácid Ⓤ. 炭酸アンモニウム ammonium carbonate Ⓤ 炭酸飲料 carbonated drínk Ⓒ 炭酸ガス carbonic acid gas Ⓤ, 〘化〙 carbon dioxide /dàɪɑ́ksaɪd/ Ⓤ 炭酸カリウム potassium carbonate Ⓤ 炭酸カルシウム calcium carbonate Ⓤ 炭酸水 soda water Ⓤ 炭酸水素ナトリウム sodium /sóʊdiəm/ ⌈bicarbonate /bàɪkɑ́ːəbənèɪt/ [hydrogencarbonate /hàɪdrədʒənkɑ́ːəbənèɪt/] Ⓤ (☞ じゅうそう[2]) 炭酸泉 carbonic acid spring Ⓒ 炭酸同化作用 carbon dioxide assimilation Ⓤ 炭酸ナトリウム[ソーダ] sódium cárbonate Ⓤ 炭酸マグネシウム magnesium carbonate Ⓤ.

たんさん[2] 単産 local industrial union Ⓒ.

たんさん[3] 単三 (電池) "AA" size battery Ⓒ ★ AA は /dʌ́bléɪ/ と読む. (☞ でんち[1]).

たんし[1] 端子 〘電〙 terminal Ⓒ.

たんし[2] 短詩 short poem Ⓒ (☞ し[3]).

だんし 男子 (少年) boy Ⓒ; (成人の男) man Ⓒ; *male* Ⓒ ★ *male* は特に性別を区別するときに用いられる. (☞ おとこ (類義語)). ¶彼女は*男子学生に人気がある She is popular among the ⌈*male* [*boy*] students. 男子家を出れば七人の敵あり (敵をもたない人はない) No man is without enemies. (☞ おとこ (男は敷居を跨げば七人の敵あり)) 男子の一言 ¶*男子の一言. 約束は守るよ *I am a man of my word.* I'll keep the promise. 男子校 boys' school Ⓒ.

だんじ 男児 (男の子) boy Ⓒ; (男性) man Ⓒ. ¶九州*男児 a true Kyushu *man*

タンジール ― [名] [固] Tangier /tændʒíə/ ★ モロッコ北部の港町.

タンジェント 〘数〙 tangent Ⓒ (略 tan).

たんじかん 短時間 ― [副] (短い間[2, 3 時間] のうちに) in ⌈a short time [a few hours]; (短い間) for a short time.

だんじき 断食 ― [名] fast Ⓒ; fasting Ⓤ ★ 後者は断食をする行為をいう. ― [動] (断食する) fast (自). (☞ ぜっしょく). 断食スト ― [名] hunger strike Ⓒ. ― [動] go on a hunger strike. (☞ ストライキ) 断食月 (イスラム教の) Ramadan (☞ ラマダン) 断食日 day of fast(ing) Ⓒ 断食療法 hunger cure Ⓒ.

たんしきかざん 単式火山 simple volcano Ⓒ (☞ かざん).

たんしきぼき 単式簿記 bookkeeping by single entry Ⓤ; (方式・方法) single entry system (bookkeeping) Ⓒ. (☞ ぼき).

たんしきんるい 担子菌類 basidiomycota /bəsìdioʊmaɪkóʊtə/ Ⓒ ★ 単複同形.

たんじく 短軸 (楕円の) minor axis Ⓒ.

だんじこむ 談じ込む (抗議する) protést (自) (☞ こうぎ[1]). ¶私は賃金が低いといって所長に*談じこんだ I ⌈*protested* to my boss [*went to talk* with my boss in protest] over the low wages.

たんじじつ 短時日 ☞ たんきかん

たんししょく 淡紫色 light ⌈purple [violet] Ⓤ (☞ むらさき[1]).

タンシチュー ☞ タン[1]

たんじつげつ 短日月 (短期間) a short time; (数か月) a few months. ★「〜で」の意味の前置詞は共に in.

たんじつしょくぶつ 短日植物 short-day plant Ⓒ.

だんじて 断じて (絶対に) àbsolútely ★ 普通は ábsolùtely だが, この意味のときはこのアクセントのことが多い; (確かに) certainly; (not より強い否定として) never; (決して…ない) by no means, not ... by any means. (☞ ぜったい).
¶*断じてそんな事はあり得ない (⇒ 決して起こらないだろう) It will *never* happen. // 私は*断じて間違っていません (⇒ 間違っていないことを確信している) I'm *absolutely sure* that I'm not mistaken. // 彼には*断じて負けたくありません I do*n't* want to be beaten by him *by any means*.

たんしゃ 単車 mótorcỳcle Ⓒ (☞ オートバイ (挿絵)).

だんしゃく[1] 男爵 baron Ⓒ (☞ きぞく[2] 参考). 男爵夫人 baroness Ⓒ.

だんしゃく[2] 男爵 (ジャガイモ) Irish cobbler Ⓒ.

だんしゅ[1] 断酒 ☞ きんしゅ[1]

だんしゅ[2] 断種 ― [名] (不妊) stèrilizátion Ⓤ; (去勢) castrátion Ⓤ. ― [動] stérilìze (他); cástrate (他). 断種手術 sterilization Ⓒ; castration Ⓒ.

だんしゅ[3] 断首 ☞ ざんしゅ

たんしゅう 反収 crop production per *tan* Ⓒ (☞ しゅうかく[1]).

たんじゅう[1] 胆汁 bile Ⓤ. 胆汁酸 bile acid Ⓤ 胆汁質 bilious [choleric] temperament Ⓤ.

たんじゅう[2] 短銃 ☞ けんじゅう

だんしゅう 男囚 (男の囚人) male convict Ⓒ; (収監中の男の囚人) male ⌈prisoner [inmate] Ⓒ.

たんしゅく 短縮 ― [動] (長さ・期間などを) shorten (他); (切り詰める) cút (dówn) (他); (量などを減らす) reduce (他). ― [名] shortening Ⓤ; 《格式》

curtáilment Ⓤ; cut Ⓒ; reduction Ⓤ. 《☞ しょうりゃく(類義語); はぶく; しゅくしょう; ちぢめる; つめる》. ¶ 町へはこの道を行けばだいぶ時間の*短縮になります(⇒ もしもあなたが町へ行くのならこの道を行きなさい. そうすれば大いに時間が節約できるでしょう) If you are going to town, take this road. It will *save* you a lot of time. // 夏休み前には授業は*短縮になります School hours will *be shortened* before the summer vacation. // 不況で多くの工場は操業*短縮を余儀なくされている Many factories are forced to ⌈*cut down* [*reduce*] operations because of the recession. **短縮形**〘文法〙contracted form Ⓒ 《☞ 短縮形(巻末)》 **短縮授業** shortened school hours ★ 複数形で. ¶ 悪天候のため午後は*短縮授業になった Due to bad weather the school *cut short* afternoon *classes*.

たんじゅん 単純 ―形 (平易で簡単な) simple; (人間が素朴で単純な) simple-minded. ―名 simplicity Ⓤ. ―動 (単純にする・単純化する) simplify ⑩. 《☞ かんたん¹; やさしい²》. ¶ 彼女は*単純な人です She is a *simple-minded* person. // これは見かけほど*単純な問題ではない This problem isn't so *simple* as it appears. // 物事はそんなに*単純には運ばない Things do not go so *simply*. **単純再生産** simple reproduction Ⓤ **単純作業** simple work Ⓤ **単純泉** fresh-water spring Ⓒ **単純平均** simple average Ⓒ **単純平均株価**〘株〙simple average Ⓒ **単純労働** unskilled labor Ⓤ.

たんしょ¹ 短所 (欠点) shortcomings ★ 通例複数形で.「不足している点」という意味で, 欠点を言うのに中立的な感じの言葉; (弱点) weak point Ⓒ ★ 口語的で, 欠点を多少和らげて言う表現; (悪い点) demerit /dɪmérɪt/ Ⓒ (↔ merit) ★ 前 2 者より格式ばった語. 《☞ けってん(類義語); ちょうしょ¹》. ¶ 長所と*短所 mérits and *démerits* /díːmèrɪts/ / advántages and *disadvàntages* 日英比較 前者は人・物のよしあし, 後者は物事の有利な点・不利な点をいい, 日本語の「メリット」「デメリット」は後者のことが多い.

たんしょ² 端緒 ☞ たんちょ¹

だんじょ 男女 man and woman Ⓒ 《複 men and women》 ★ 冠詞は付けない; (男の子と女の子) boy and girl Ⓒ 《複 boys and girls》 ★ 冠詞は付けない; (男女一組・特に夫婦) couple Ⓒ; (男女両性) both sexes. 《☞ ひと》. ¶ 私たちの学校には*男女合わせて 300 人がいます There are three hundred *boys and girls* (in all) in our school. // 20 人の*男女がその事故で負傷した Twenty ⌈*men and women* [*people*] were injured in the accident. // *男女を問わず regardless of *sex* // このクラスは*男女同数です There are just as many *boys* as *girls* in this class. **男女関係** (異性間の関係, 総称として) relations between the sexes ★ 通例複数形で. ¶ 昔は*男女関係は厳しく律せられていた Previously there were strict rules governing *relations between the sexes*. **男女共学** coeducation Ⓤ 《☞ きょうがく》. ¶ この学校は*男女共学です This school is *coeducational*. **男女共同参画家庭** gender-equal family Ⓒ **男女雇用機会均等法** the Equal Employment Opportunity Law **男女差別** (性差別) sex discrimination Ⓤ, sexism Ⓤ **男女差別主義者** sexist Ⓒ 《☞ さべつ》 **男女同一賃金** equal pay for equal work for both sexes Ⓒ **男女同権** equal rights for ⌈both sexes [men and women] Ⓒ 《☞ どうけん¹》 **男女平等** equality of ⌈both sexes [men and women] Ⓤ.

たんしょう¹ 嘆賞, 歎称 ―動 (感心する) admire ⑩; (ほめる) praise ⑩. ―名 admiration Ⓤ; praise Ⓤ. 《☞ ほめる; しょうさん¹》.

たんしょう² 探勝 ―動 enjoy the scenic spots. ¶ 彼女は箱根*探勝の旅に出かけた She went on a trip to *enjoy the scenic spots* in Hakone.

たんしょう³ 単勝 ¶ マジックパワーは*単勝で 120 円の払い戻しだった Magic Power ⌈paid [returned] ¥120 *to win*. ★ win は「第 1 着」を意味する競馬用語. 《☞ たんしょうしき》

たんしょう⁴ 短小 ―形 short and small 《☞ ちいさい[な]》.

たんじょう 誕生 ―名 birth Ⓤ. ―動 be born. 《☞ うまれる; たんじょうび》. ¶ クリスマスはキリストの*誕生を祝う日です Christmas Day is the day we celebrate the *birth* of Jesus Christ. // *誕生祝いに何が欲しい What do you want for a *birthday* present? // *誕生パーティー a *birthday* party

だんしょう¹ 談笑 ―動 (楽しくおしゃべりする) have a pleasant ⌈chat [talk] (with ...) 《☞ しゃべる》.

だんしょう² 男娼 mále próstitùte Ⓒ; (若い男娼)《俗》rént bòy Ⓒ.

だんしょう³ 男妾 (young) lover kept by a rich woman Ⓒ; (ヒモ) gigolo Ⓒ 《複 ~s》, kept man Ⓒ.

だんしょう⁴ 断章 fragment (of writing) Ⓒ.

だんじょう 壇上 ¶ *壇上に立つ stand on [take] the *platform*

たんしょうしき 単勝式 ¶ *単勝式で賭ける bet (*one's* money) (on a horse) *to win* 《☞ たんしょう³》 **単勝式馬券** win(ning) ticket Ⓒ.

たんしようしょくぶつ 単子葉植物〘植〙monocotyledon /mànəkàtəlíːdn/ Ⓒ.

たんじょうせき 誕生石 birthstone Ⓒ.

1 月	garnet ざくろ石
2 月	amethyst /ǽməθɪst/ 紫水晶
3 月	aquamarine /æ̀kwəmərí:n/ 藍玉 blóodstòne 血石
4 月	díamond ダイヤモンド
5 月	émerald エメラルド
6 月	pearl 真珠 moonstone 月長石
7 月	ruby ルビー
8 月	sardónyx 赤しまめのう
9 月	sapphire /sǽfaɪə/ サファイア
10 月	ópal オパール tourmaline /túəməlɪn/ 電気石
11 月	tópaz トパーズ
12 月	turquoise /tə́:k(w)ɔɪz/ トルコ石 zircon /zə́:kɑn/ ジルコン

たんしょうとう 探照灯 searchlight Ⓒ.

たんじょうび 誕生日 birthday Ⓒ. ¶ *誕生日おめでとう Happy *birthday* (to you)! //「あなたの*誕生日はいつですか」「1 月 9 日です」"When is your *birthday*?" "It's (on) January 9." 《☞ 時刻・日付・曜日 (囲み)》 // おじは私の*誕生日のお祝いに時計をくれた My uncle gave me a watch for a *birthday* present. // *誕生日にどんなプレゼントをもらいましたか What did you get for your *birthday*? // きょうは母の 43 歳の*誕生日です It's my mother's forty-third *birthday* today. / Today is my mother's forty-third *birthday*. 《☞ 数字 (囲み)》

たんしょく¹ 単色 single [one] ⌈color [《英》colour] Ⓒ; (単色画・白黒写真) mónochròme Ⓒ.

たんしょく² 淡色 ―名 light ⌈color [《英》colour] Ⓒ. ―形 light-⌈colored [《英》coloured]. **淡色野菜** light-colored vegetable Ⓒ.

だんしょく[1] 暖色 warm ⌈color [《英》colour] Ⓒ.

だんしょく[2] 男色 male homosexuality Ⓤ.
男色家 gay Ⓒ, male homosexual Ⓒ ★ 前者のほうがくだけた語.

だんじょほう 断叙法 〘修辞〙 anacoluthon /ænəkəlúːθɑn/ Ⓤ《複 -tha, ~s》★ 句と句, 節と節の接続を断って破格構文になる場合の構文. 具体的な場合は Ⓒ. (☞ はかく(破格構文)).

ダンジョン dungeon Ⓒ (☞ ろう[2]; ろうごく).

だんじり 壇尻, 楽車 festival car Ⓒ, float (in a pageant) Ⓒ. (☞ だし[2]).

たんじる 嘆じる ☞ なげく

だんじる[1] 断じる (きっぱりと決める)《格式》conclude (他); (裁く) judge (他). (☞ だんてい; さばく[1]).

だんじる[2] 談じる (話す) talk (about ...) (自); (話し合う) talk (with ...) (自); (討論する) discuss (他); (談判する) negotiate (with ...) (自).

たんしん[1] 単身 (単独で) alone; (独力で) by *oneself*. (☞ ひとり; たんどく[1]). ¶彼は*単身ヨットで太平洋を横断した He sailed across the Pacific in a yacht *by himself*.
単身赴任 ¶彼は大阪に*単身赴任した He left for his new post in Osaka *alone* ⌈*without his family* [*leaving his family behind*].

たんしん[2] 短針 (時計の) hour hand Ⓒ (↔ minute hand) (☞ とけい).

たんしん[3] 短信 **1** «短い手紙»: (要件のみの) note Ⓒ; (一般的に) short [brief] letter Ⓒ ★ [ ] 内のほうが格式ばった語. (☞ てがみ).
2 «短いニュース»: short news Ⓤ (☞ ニュース).

たんしん[4] 探針 〘医〙 explorer Ⓒ, probe Ⓒ.

たんじん 炭塵 coal dust Ⓤ. 炭塵爆発 coal dust explosion Ⓒ.

たんしんかてい 単親家庭 single-parent family Ⓒ.

ダンシング dancing Ⓒ (☞ ダンス).

たんしんどう 単振動 〘物理〙 simple harmonic ⌈motion [oscillation] Ⓒ.

たんす 箪笥 (引き出しを複数個重ねた形の整理だんす)《米》dresser Ⓒ ★ 鏡付きのたんすの意でも用いられる. chest (of drawers) Ⓒ; (洋服だんす) wardrobe Ⓒ; (鏡付きの寝室用たんす)《米》bureau /bjú(ə)roʊ/ Ⓒ ★《英》では引き出し付きの大きい事務机を指す; (作り付けのたんす) built-in wardrobe Ⓒ. (☞ しんしつ[1] (挿絵)).

wardrobe

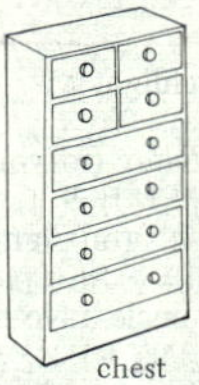
chest

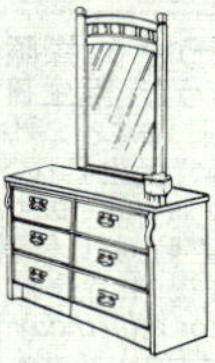
bureau, dresser

¶上着を洋服*だんすにしまいなさい Put your coat in *the wardrobe*. // ワイシャツは寝室の*たんすにあります I keep my shirts in a *bureau* in the bedroom.
箪笥預金 money (kept) ⌈in a drawer [under the mattress] Ⓤ.

ダンス ── 名 dance Ⓒ ★ 具体的な1回1回の踊り, または種類を言うとき; (踊ること) dancing Ⓤ.
── 動 (ダンスをする) dance (自). (☞ おどり).
¶私は彼女と*ダンスをした I *danced* with her. // 私はロックに合わせて*ダンスができる I can *dance* to rock'n'roll. // 社交 [タップ, フォーク] *ダンス a ⌈social [tap; folk] *dance*
ダンス音楽 dance music Ⓤ ダンス教師 dáncing ⌈teacher [instructor] Ⓒ ダンス教室 dancing ⌈school [academy] Ⓒ ★ [ ] 内はやや高級イメージがある. ダンススポーツ (競技ダンス) dancesport Ⓤ ★ Dancesport, Dance Sport とも書く. より一般的には competitive (ballroom) dancing Ⓤ のように呼ぶ. ダンスセラピー dance therapy Ⓤ ダンスパーティー dance Ⓒ; (正式で大がかりな舞踏会) ball Ⓒ; (大学・高校などで進学・卒業記念に行う舞踏会)《米》prom Ⓒ. ¶あすの夜彼女の家で*ダンスパーティーがあります There will be a *dance* at her home tomorrow evening. 〔日英比較〕 ダンスパーティーは普通単に dance という. ダンスホール dance hall Ⓒ; (ディスコ) disco Ⓒ.

たんすい 淡水 fresh water Ⓤ (↔ salt water).
淡水化装置 desalination facility Ⓒ 淡水化プラント desalination plant Ⓒ 淡水魚 freshwater fish Ⓒ ★ 種類についていう場合以外は単複同形. (☞ さかな) 淡水水母(くらげ) freshwater jellyfish Ⓒ 淡水湖 freshwater lake Ⓒ 淡水藻 fréshwàter alga /ǽlgə/ Ⓒ《複 ~ algae /ǽldʒiː/》 淡水の交わり pure and true friendship Ⓤ.

だんすい 断水 ── 動 (水を止める) cut off the water supply 〔語法〕「水が止まった」という意味では The water supply was cut off. という受身の言い方になる. ── 名 suspension of the water supply Ⓤ. (☞ きゅうすい[1]).
¶あしたは一日中*断水になります *The water supply will be cut off* for the whole day tomorrow. // 渇水のため市では1日15時間*断水することに決めた The city authorities decided on a 15 hour *suspension of* (*the*) *water supply* because of the water shortage.

たんすいかぶつ 炭水化物 〘化〙 càrbohýdrate Ⓒ.

だんすいプール 暖水プール 〘気象〙 warm pool Ⓒ.

たんすいろ 短水路 〘泳〙 short course Ⓒ. 短水路選手権 short course championship Ⓒ.

たんすう 単数 ── 名 singular (number) Ⓤ.
── 形 singular (↔ plural). ¶*単数名詞 a *singular* noun // 「『データ』という語の*単数形は何ですか」「datum です」"What is the *singular* form of the word 'data'?" "It's 'datum /déɪtəm/.'"

たんせい[1] 丹精 ── 動 (大事に育てる[作る]) raise [make] ......with (the) utmost care. ── 形 (丹精した・手の込んだ) eláborate. ── 名 (努力) efforts ★ 通例複数形で. ¶この盆栽は父が*丹精こめて作ったものです (⇒ 父はこの盆栽を大事に育てた) My father *has raised* this bonsai *with* (*the*) *utmost care*.

たんせい[2] 嘆声 (嘆息) sigh Ⓒ; (感嘆) admiration Ⓤ. (☞ ためいき). ¶*嘆声を漏らす utter a *sigh of admiration*

たんせい[3] 端正 ── 形 (容姿のよい) good-looking; (男性の) handsome; (輪郭のはっきりした) clear-cut. ¶彼は容姿が*端正だ He is ⌈*good-looking* [*handsome*].

だんせい[1] 男性 ── 名 (男) man Ⓒ《複 men》(↔ woman); (多少敬意をこめて言うとき) gentleman Ⓒ《複 -men》; (生物学的な表現) male Ⓒ (↔ female); (生物学的に, 男性全体を指して) the male sex (↔ the female sex) 〔語法〕一般的に「男の人」という意味では man を用い, 特に性別を言うときのみ male, the male sex という. また総称的に「男性は女性よりも…だ」などという表現では men, women

という複数形がよく用いられる; 〘文法〙 the masculine gender (↔ the feminine gender). ―形 (男性の) male ★ 性別を示すだけの客観的な語; (男性的な・男らしい) manly (↔ womanly); (男性の特徴を備えた・〘文法〙男性の) masculine (↔ feminine). (☞ おとこ (類義語); ひと).
¶ 一般に女性は*男性より長生きする Women live longer than *men,* in general. // (書類などで) 性別: *男性 SEX: *Male* // "widow" の*男性形は "widower" です The *masculine* equivalent of 'widow' is 'widower.' // 彼は非常に*男性的な男だった He was a very ⌈*masculine* man [*macho* guy]. ★ macho /mǽtʃou/ 形 は「男っぽく振舞おうとする」という意味の多少軽蔑的な語. // ラグビーは*男性的な (⇒ 男らしい) スポーツです Rugby is a *manly* sport.
男性語 masculine language Ⓤ;(個々には) masculine word Ⓒ **男性ホルモン** mále hórmone Ⓒ **男性優越主義** mále chauvinism /ʃóuvənìzm/ Ⓤ.

だんせい² 男声 male voice Ⓒ. **男声合唱** male chorus Ⓒ.

だんせい³ 弾性 ―名 elasticity Ⓤ. ―形 (伸び縮みする) elastic; (柔軟な) flexible. (☞ だんりょく). **弾性エネルギー** elastic energy Ⓤ **弾性限界** elastic limit Ⓒ **弾性ゴム** elastic gum Ⓒ **弾性繊維** elastic fiber Ⓤ **弾性組織** elastic tissue Ⓤ **弾性体** elastic body Ⓒ **弾性の法則** Hooke's Law **弾性率** modulus of elasticity Ⓒ **弾性力** elastic force Ⓒ.

たんせいか 単性花 unisexual [diclinous] flower Ⓒ.

たんせいかざん 単成火山 monogenetic volcano Ⓒ.

たんせいがっしょう 単声合唱 (男声) male [(女声) female] chorus Ⓒ.

たんせいせいしょく 単性生殖 〘生〙 parthenogenesis /pàərθənoudʒénəsis/ Ⓤ.

たんせき 胆石 gallstone /gɔ́:lstòun/ Ⓒ, 〘医〙 cholelith /kóuləlìθ/ Ⓒ. **胆石症** gallstone disease Ⓤ, 〘医〙 cholelithiasis /kòuləlɪθáɪəsɪs/ Ⓤ.

だんぜつ 断絶 ―動 (関係などを断つ) brèak [cút] óff ⊕; (種族などが死に絶える) díe óut ⊜. ―名 breaking off Ⓤ; (隔たり) gap Ⓒ.
¶ 世代間の*断絶 the generation *gap* // 親子の*断絶 (⇒ 親子間の意志の疎通の欠如) the *lack of communication* between parents and their children // 両国は外交関係を*断絶した The two nations ⌈*broke* [*cut*] *off* diplomatic relations.

たんせん 単線 single ⌈track [line] Ⓒ (↔ double track). ¶ 列車はその区間*単線運転です (⇒ 単線で走る) The train runs on a *single track* in that section. // この鉄道は*単線です This railroad *is single-tracked.*

たんぜん¹ 端然 ―形 (きちんとした) neat; (姿勢がまっすぐな) straight. (☞ きちんと).

たんぜん² 丹前 padded kimono Ⓒ. **丹前姿** a distinctive style of wearing a *tanzen,* popular among outlaws in the early Edo period ★ 説明的な訳.

だんせん 断線 ―動 (線がぷつりと切れる) be cut, break ⊜. ¶ 地震で地下ケーブルが*断線している The underground cable *has been cut* by the earthquake.

だんぜん 断然 (はるかに) by far ★ 比較級や最上級を強めるときに用いられる. ¶ 彼は泳ぎではクラスで*断然一番だ He is *by far* the best swimmer in his class.

たんそ¹ 炭素 〘化〙 carbon Ⓤ (元素記号 C). ¶ 一[二]酸化*炭素 *carbon* ⌈monoxide /mənɑ́ksaɪd/ [dioxide /daɪɑ́ksaɪd/] **炭素化合物** carbon compound Ⓒ **炭素鋼** carbon steel Ⓤ **炭素 14 年代測定法** carbon dating Ⓤ, radiocarbon dating Ⓤ **炭素税** carbon tax Ⓒ (☞ かんきょう¹ (環境税)) **炭素繊維** carbon ⌈fiber [(英) fibre] Ⓤ **炭素同化作用** ☞ たんさん¹ (炭酸同化作用)

たんそ² 単組 ☞ たんい (単位組合)

たんそう 炭層 cóal sèam Ⓒ.

たんぞう 鍛造 ―動 forge ⊕. ―名 forging Ⓤ. ―形 forged.

だんそう¹ 断層 〘地質〙 fault Ⓒ (☞ かつだんそう).
¶ 正*断層 a normal *fault* // 逆*断層 a reverse *fault* **断層運動** fault movement Ⓤ **断層崖** escarpment Ⓒ, (fault) scarp Ⓒ **断層海岸** fault coast Ⓒ **断層湖** fault lake Ⓒ **断層作用** faulting Ⓤ **断層撮影** 〘医〙 tomography Ⓤ **断層山地** fault mountains ★ 複数形で. **断層地震** dislocation [fault] earthquake Ⓒ **断層線** fault line Ⓒ **断層帯** fault zone Ⓒ **断層破砕帯** fault fracture zone Ⓒ **断層盆地** fault basin Ⓒ **断層面** fault plane Ⓒ **断層モデル** fault model Ⓒ.

だんそう² 男装 ―動 disguise *oneself* as a man; (男の洋服を着る) put on male clothes.

だんそう³ 弾倉 magazine Ⓒ.

だんそう⁴ 弾創 bullet wound Ⓒ.

たんそうこうりゅう 単相交流 single-phase alternating current Ⓒ.

たんそきん 炭疽菌 〘医〙 anthrax bacteria ★ 通例複数形で. 単数形は ~ bacterium.

たんそく¹ 嘆息 sigh Ⓒ (☞ ためいき).

たんそく² 探測 ―動 (音波を使って水深などを) sound ⊕; (一般的に) probe ⊕. **探測機** (宇宙探査用の) (space) probe Ⓒ **探測気球** sounding balloon Ⓒ **探測装置** sounding apparatus Ⓒ.

たんそく³ 短足 ―名 (短い足) short legs ★ 複数形で. ―形 short-legged.

だんぞく 断続 ―副 (時々とぎれながら) intermíttently; (不規則に) (略式) on and off. ―形 (断続的な・切れたり続いたりする) intermittent (↔ continuous). (☞ とぎれとぎれ). ¶ 午後*断続的に雨が降るでしょう There will be *intermittent* showers this afternoon. / It will rain *on and off* this afternoon. **断続器** interrúpter Ⓒ.

たんそびょう 炭疽病 〘医〙 anthrax Ⓤ.

だんそんじょひ 男尊女卑 (女性に対する男性の優位) predominance of men over women Ⓤ; (女性に対する男性の優越主義) male chauvinism /ʃóuvənìzm/ Ⓤ.

たんだ¹ 単打 〘野〙 single Ⓒ (☞ ヒット).

たんだ² 短打 〘野〙 ―名 (バットを短く持ち確実に打とうとする打法) choking up Ⓤ; (打者が一塁に達する安打) single Ⓒ. (☞ たんだ¹). ―動 (バットを短く持って打つ) choke up on the bat.

たんたい¹ 担体 〘化・物理〙 carrier Ⓒ.

たんたい² 単体 〘化〙 simple (substance) Ⓒ.

たんだい¹ 短大 junior college Ⓒ (☞ だいがく¹; 学校・教育 (囲み)).

たんだい² 探題 (鎌倉・室町幕府の職名) commissioner Ⓒ.

だんたい¹ 団体 (一団) party Ⓒ; (小集団) group Ⓒ; (組織体) organization Ⓒ.
【類義語】共通の目的のために短期間一緒にいて行動する集団が **party**. 偶然または意図的に集まった人の集まりをいう一般的な語が **group** で, 小人数の場合が多いが, 比較的大きい集団を表すこともある. 社会的・政治的・その他の組織団体を表すのが ***organization.***
¶ 15 名の*団体 a *party* of fifteen // 宗教*団体 a religious *group* // 30 人以上の*団体には運賃の割

引がある Reduced fares are available for a ⌈*party* [*group*] of thirty persons or more. // 政治的圧力*団体 pressure *groups* in politics
団体規制法 (無差別大量殺人行為を行った団体の規制に関する法律) the Subversive Organizations Control Law 団体客 group traveler Ⓒ 団体競技 team ⌈game [sport] Ⓒ 団体協約 collective agreement Ⓒ 団体交渉 collective bargaining Ⓤ 団体行動 ━名 group activity Ⓤ. ━動 act as a group 自 団体生活 group life Ⓒ 団体保険 group insurance Ⓤ 団体旅行 group tour Ⓒ 《☞ ツアー 日英比較; りょこう (類義語)》. ¶ *団体旅行を組織する organize a *group tour* 団体割引 reduced fares for a ⌈party [group].

だんたい² 弾帯 bandolier Ⓒ, bandoleer /bæ̀ndəlíə/ Ⓒ.

だんたいりん 暖帯林 ☞ しょうようじゅりん

だんだらもよう 段だら模様 parallel-striped pattern Ⓒ.

たんたん¹ 淡淡 ━形 (もの静かな) quiet; (冷静な) cool; (無関心な) indifferent. 《☞ へいぜん》. ¶ 彼は*淡々とした口調で話をした He talked in *quiet* tones. // 彼は何事にも*淡々としている (⇒ 無関心のようだ) He seems to be *indifferent* to everything. // 彼は負けても*淡々としていた (⇒ 負けても悪びれない人だった) He was a very good loser.

たんたん² 坦坦 ━形 (平らな) level; (単調な) monótonous. 《☞ たいら; たんちょう¹》.

だんだん 段段 (徐々に) gradually; (少しずつ) little by little ★ gradually のほうが格式ばった表現; (次々に) one after another; (ますます多く) more and more; (ますます少なく) less and less. 《☞ じょじょに; ますます》.
¶ 彼女は*だんだん病気が治ってきている She is *gradually* recovering from her illness. // 木の葉は*だんだん落ちていった The leaves fell *one after another*. // *だんだん寒くなってきている It is getting *colder and colder*. 語法 ＜比較級 ＋ and ＋ 比較級＞で「だんだん」「ますます」など, 程度が次第に増加することを表す. // 彼の話は*だんだんおもしろくなった His story became *more and more* interesting. // 老人は*だんだん食が細った The old man ate *less and less*.

だんだんばたけ 段段畑 terraced ⌈farm [field] Ⓒ.

タンタンメン 坦坦麵 Sichuan /sìtʃwá:n/ noodles ★ 複数形で; Dan Dan Mian /dá:ndà:n-miá:n/ ★ 中国語の音を英語表記にしたもの.

たんち 探知 ━名 (見つけ出すこと) detection Ⓤ. ━動 detect 他. ¶ このソナーで魚群が*探知できる We can *detect* a shoal of fish with this sonar (system). 探知機 detector Ⓒ 探知犬 (麻薬などの) sniffer dog Ⓒ.

だんち 団地 (公営またはそれに準じる住宅群) housing ⌈complex [development] Ⓒ. ¶ 私は*団地 (⇒ 団地内の一組の部屋) に住んでいます I live in an apartment in a *housing* ⌈*complex* [*development*]. 団地管理組合 housing complex management association Ⓒ 団地サイズ ━形 apartment-size 団地住民 residents of a housing complex ★ 複数形で; inhabitant of a housing complex Ⓒ 団地族 *residents of the Housing* (Supply) Corporation apartments in the late 1950s and the early 1960s ★ 複数形で, 説明的な訳.

だんちがい 段違い ━副 (はるかに・ずっと) by far 《☞ かくだん》. 段違い平行棒 uneven (parallel) bars ★ 複数形で.

だんちゃく 弾着 ☞ ちゃくだん

たんちょ¹ 端緒 (物事の始まり) beginning Ⓒ, start Ⓒ ★ ほぼ同意; (手がかり) clue Ⓒ. 《☞ いとぐち》. ¶ 問題解決への*端緒が開かれた (⇒ 我々は問題解決への糸口を見つけた) We have found the *clue* leading to the solution of the problem.

たんちょ² 単著 single authorship Ⓤ.

たんちょう¹ 単調 ━形 (変化に乏しい) monótonous; (活気がなくてつまらない) dull. ━名 monótony Ⓤ; dullness Ⓤ. 《☞ たいくつ》.

たんちょう² 短調 〘楽〙 minor (key) Ⓒ (↔ major (key)).

たんちょう³ 探鳥 (野鳥観察) bird-watching Ⓤ. 探鳥会 bird walk Ⓒ.

だんちょう¹ 団長 (長) the head; (グループを率いる人) the leader. 《☞ ちょう³ (類義語)》. ¶ 山田氏を*団長とした (⇒ 山田氏に統率された) 視察団が中国各地を訪問した An observation group ⌈*headed* [*led*] by Mr. Yamada made a tour of China.

だんちょう² 断腸 断腸の思い ━動 (心が痛む) *one's* heart breaks. ━形 (悲しみに暮れた) brokenhearted, heartbroken; (胸も張り裂けるような) heartbreaking.

たんちょうづる 丹頂鶴 〘鳥〙 red-crested white crane Ⓒ, Japanese crane Ⓒ ★ 前者は説明的な訳.

だんつう 緞通, 段通 (綿で作った敷物用の織物) cotton carpet Ⓒ; (黄麻で作った小型の敷物) jute rug Ⓒ.

たんつば 痰唾 spittle Ⓤ.

たんつぼ 痰壺 ☞ たん¹ (たん壺)

ダンテ ━名 固 Dante Alighieri /dá:nteɪ æ̀ləgjé(ə)ri/, 1265–1321. ★ イタリアの詩人. *The Divine Comedy* (神曲)の作者.

たんてい¹ 探偵 detective Ⓒ. ¶ 彼らは私立*探偵を雇ってその男の経歴を調べさせた They hired a private *detective* to rake up the man's past. 探偵小説 detective story Ⓒ.

たんてい² 端艇, 短艇 (小舟) boat Ⓒ 《☞ ボート》.

だんてい 断定 ━動 (結論を下す) conclude 他; (決定する) decide 他; (判断する) judge 他. ━名 conclusion Ⓤ; decision Ⓤ. 《☞ きめつける; だんげん》. ¶ 警察はその男が殺人犯であると*断定した The police *concluded* that the man was the murderer. // 彼らはその 2 人が同一人物であるかどうか*断定 (⇒ 決定) できなかった They could not *decide* whether or not the two persons were identical.

ダンディー ━名 (だて男) dandy Ⓒ 語法 あまり使われなくなっている. ━形 (しゃれた) stylish, foppish ★ 後者は特に男性について言う.

ダンディズム dandyism Ⓤ.

たんてき 端的 ━形 (率直な) frank; (はっきりした) plain; (直接的な) direct. 《☞ そっちょく; はっきり》.

たんでき 耽溺 ━動 (ふける) indulge in …; (習慣になる) be given to …; (夢中になる) give *oneself* up to … 《☞ おぼれる【参考語】; ふける¹》.

たんてつ 鍛鉄 ━動 〘冶金〙 (鉄を鍛える) forge iron. ━名 (錬鉄) wrought iron Ⓤ.

タンデム (二人乗りの自転車) tandem Ⓒ.

たんでん¹ 炭田 coalfield Ⓒ.

たんでん² 丹田 (東洋医学で) the solar plexus; (下腹部) abdomen Ⓒ. ¶ *丹田に力を込める concentrate *one's* whole strength in the *solar plexus*

だんと 壇徒 (壇家の人々) supporters of a (Buddhist) temple ★ 複数形で.

たんとう¹ 担当 ━動 (担当している) be in charge of …; (担当する) take charge of … ★ 前

者は「状態」，後者は「動作」を表す． ━名 charge Ⓤ.《☞たんにん; うけもち》.
¶その医師は数人の患者を*担当している The doctor *is in charge of* several patients. //「だれがその事件を*担当するのですか」「山本警視です」"Who will *take charge of* the case?" "Inspector Yamamoto." // 彼女は音楽を*担当している(⇒彼女は音楽を教えている) She *teaches* music. // その仕事は私の*担当ではない I am not「*in charge of* [(⇒私は責任がない) *responsible for*] the work.
担当教師 ¶数学の*担当教師 a math *teacher* / a *teacher* of math **担当者** the person in charge Ⓒ《☞かかり》.

たんとう² 短刀 (短剣) dagger Ⓒ; (ナイフ) knife Ⓒ.

たんとう³ 短頭 〖人類〗 brachycephaly /brӕkiséfəli/ Ⓤ, brachycephalism Ⓤ; (短頭の人) brachycephalic Ⓒ.

だんとう¹ 暖冬 (温和な冬) mild winter Ⓒ. ¶昨年は*暖冬異変だった (⇒異常に暖かい冬を持った) We had an abnormally *warm winter* last year.

だんとう² 弾頭 warhead Ⓒ. ¶核*弾頭 a nuclear *warhead*

だんどう 弾道 trajéctory Ⓒ. **弾道ミサイル** ballistic missile Ⓒ **弾道ミサイル拡散**〖軍〗ballistic missile proliferation Ⓤ **弾道ミサイル早期警戒衛星** ballistic missile early warning satellite Ⓒ **弾道ミサイル防衛** (米国の) ballistic missile defense Ⓤ ★ BMD と略す.

だんとうだい 断頭台 (ギロチン) guíllotìne Ⓒ.

だんどうだん 弾道弾 missile /mísl/ Ⓒ《☞ミサイル》. ¶大陸間*弾道弾 an intercontinental ballistic *missile*《略 ICBM》// 中距離*弾道弾 an intermediate range ballistic *missile*《略 IRBM》

たんとうちょくにゅう 単刀直入 ━副 (率直に言えば) frankly speaking; (直接に・回り道をしないで) directly.《☞そっちょく; あからさま》. ¶彼は*単刀直入にそのことについて質問してきた (⇒私に直接的な質問をした) He asked me a *direct* question about it.

たんとうるい 単糖類 〖化〗 monosaccharides /mɑ̀nousǽkəraɪdz/ ★ 複数形で.

タンドーリチキン (インド料理) tandoori /tɑːndʊ́(ə)ri/ chicken Ⓤ.

タンドール (インド料理に用いる粘土のかまど) tandoor /tɑːndʊ́ə/ Ⓒ《複 ~s, tandoori》.

たんどく¹ 単独 ━副 (1人で) alone; (独力で) by *oneself* 〔語法〕 alone は単に1人であることを表すが, by *oneself* は (1)「1人で」(2)「他人の助けを借りずに独力で」の2つの意味があり, 前後関係で決まる.《☞たんしん¹; ひとり》.
¶その山は*単独登山は危険です (⇒1人で登山することは危険です) It is dangerous to climb that mountain *alone.* // その冒険家は*単独で北極まで到達した The adventurer reached the Arctic「*all by himself* [*without any help*]. // この旅行中は*単独行動 (⇒勝手に行動すること) は慎んで下さい Don't act *independently* during this trip.
単独行 solo trip Ⓒ **単独行為** (個々の[独立した]) individual [independent] action Ⓒ **単独行動主義** the principle to act independently **単独講和** separate peace treaty Ⓒ **単独浄化槽** (細菌による下水の) simplex septic tank Ⓒ; (飲料水の) simplex water-purification tank Ⓒ **単独政権** single-party regime Ⓒ **単独相続** (たった一人の継承) single inheritance Ⓤ; (単独で後を継ぐこと) sole succession Ⓤ **単独相続人** sole successor Ⓒ **単独内閣** single-party cabinet Ⓒ **単独犯** offense committed by an individual Ⓒ **単独飛行** ━名 solo flight Ⓒ. ━動 make a solo flight, fly solo.

たんどく² 丹毒 〖医〗 erysipelas /èrəsípələs/ Ⓤ; (一般的に) the rose ★ 通例 the を付けて.

たんどく³ 耽読 ━動 (書物を読みふける) be「absorbed [lost; engrossed] in reading ★ engrossed は格式ばった語.《☞よみふける》.

だんトツ 断トツ ¶彼のテニスの腕前はクラスで*断トツだ (⇒飛び抜けて最高のプレイヤーだ) He is *by far the best* tennis player in his class.《☞トップ; さいこう¹》

だんどり 段取り (催し物などの手はず) arrangements; (下準備) preparations 〔語法〕 以上複数形で. arrangements は適当に物事が運ぶようにいろいろな手続きをして調整することに重点がある; (計画) plan Ⓒ.《☞てはず》.
¶彼が祝賀会の*段取りをした He made all the *arrangements* for the celebration. // 私の旅行の*段取りはすっかりできている My *preparations* for the journey are complete.

だんな 旦那 (夫) husband Ⓒ; (男性に対する呼びかけ) sir.

だんなでら 檀那寺 ☞ぼだい (菩提寺)

たんなる 単なる (ほんの) mere Ⓐ; (単純な) simple; (ただ…にすぎない) only.《☞ただ¹》. ¶それは*単なるお世辞だよ It's「a *mere* [*only* a] compliment. ★ 冠詞の位置に注意. // *単なる間違いからとんでもない事が起こった A *simple* mistake caused a lot of trouble. // それはあなたの*単なる空想に過ぎない It's *only* your imagination.

たんに¹ 単に (ただ) only, merely ★ merely は only より格式ばった語; (単純に) simply.
¶彼のことは*単に聞いたことがあるだけです I have「*only* [*merely*; *simply*] heard of him. // 彼女は*単に英語だけでなくフランス語やドイツ語も話します She speaks not「*only* [*merely*] English but (also) French and German. 〔語法〕 not only A but (also) B では B が強調される.

たんに² 単二 (電池) "C" size battery Ⓒ《☞でんち¹》.

たんにしょう 歎異抄 (書名) *Tannishō* (*Lamenting the*「*Deviations* [*Divergences*]); (説明的には) A collection of the sayings of Shinran (1173–1262), founder of the True Pure Land sect of Buddhism (*Jodo Shinshu*). It is believed to have been compiled several decades after his death by a disciple named Yui-en.

たんにん 担任 ━名 (クラス担任の教師) homeroom teacher Ⓒ 〔日英比較〕 英語の class は授業もしくは同年度の全生徒をいうのが普通で, 日本語の「クラス」に当たるのは homeroom である. ━動 (受け持つ[受け持っている]) take [be in] charge of …《☞うけもち; たんとう¹; クラス》.
¶上野先生が私たちのクラス*担任です Miss Ueno is our *homeroom teacher*. / Miss Ueno「*takes* [*is in*] *charge of* our homeroom.
担任学級 *one's* class, *one's* homeroom class.

タンニン 〖化〗 tánnin Ⓤ.

だんねつざい 断熱材 insulation Ⓤ.

たんねん 丹念 ━副 (注意深く) carefully; (念入りに) eláborately ★ 前者より格式ばった語; (綿密に) closely /klóusli/.《☞ねんいり》.
¶私はその本を*丹念に読んだ I read the book very *carefully*. // 彼らはその部屋を*丹念に飾りつけた They decorated the room *elaborately*. // その刑事は*丹念にその足跡を調べた The detective examined the footprints *closely*.

だんねん 断念 ━動 (あきらめてやめる) give úp ㊀; (必要上やむを得ず放棄する) abandon ㊀; (思い

とどまらせる) dissuade *a person* from … ing. 《☞ あきらめる; おもいとどまる》.

¶資金不足のため私たちはその計画を*断念した We *gave up* the plan for want of money. // 一行は荒天のため登山を*断念した The party *gave up* climbing because of bad weather. // 私たちは彼女が1人で旅行することを*断念させた We *dissuaded* her *from* traveling alone. // 政府は議会に法案を提出することを*断念した The government *abandoned* the intention to submit the bill to the Diet.

たんねんど 単年度 (会計年度の) single fiscal year Ⓒ; (学校の) single ⌐school [academic] year Ⓒ.

たんのう¹ 堪能 **1**《すぐれていること》 ━形(上手な) good; (熟達して上手な) proficient ★ 前者より格式ばった言葉. ━名 proficiency Ⓤ. 《☞ たっしゃ》. ¶彼は英語に*堪能だ He is *good* at English. // 彼女はピアノが*堪能だ She is a *good* pianist. / She is *proficient* at the piano.

2《満足》 ━動(十分楽しむ) enjoy … ⌐fully [to the full]; (十分満足させる) satisfy ⑩; (たらふく食べる[飲む]) have [drink] *one's* fill (of …). ━名 satisfaction Ⓤ. 《☞ まんきつ》.

¶私たちは美しい風景を*堪能した We *enjoyed* the beautiful scenery *to the full*. // 私は食事を*堪能した I *had my fill*. ★ of the meal は付けないのが普通. / (⇒ その食事は私を満足させた) The meal *satisfied* me.

たんのう² 胆嚢 〔解〕 gall /gɔ́ːl/ blàdder Ⓒ. **胆嚢炎** (一般的に) inflammation of the gall bladder Ⓒ **胆嚢癌** gall bladder cancer Ⓤ.

だんのうら 壇ノ浦 ━名 ⓖ Dannoura; (説明的には) the offshore battlefield where the Genji clan and the Heike clan fought their final battle.

たんぱ 短波 〔無線〕 shortwave Ⓒ. **短波受信機** shortwave receiver Ⓤ **短波放送** shortwave broadcasting Ⓤ.

ダンパー (緩衝器) damper Ⓒ.

たんぱい 炭肺 〔医〕 anthracosis /æ̀nθrəkóusɪs/ Ⓤ; 《略式》 coal miner's lung Ⓒ, black lung disease Ⓒ ★ 長期間石炭の粉塵を吸収することによって起こる病気.

たんぱく¹ 淡白 ━形 (味があっさりした) plain; (質素な) simple; (性格が率直な) frank; (金銭や名声などに無関心な) indifferent Ⓟ. 《☞ あっさり; さっぱり》.

¶*淡白な食事 *plain* [*light*; *simple*] food (↔ heavy food) // 彼は非常に*淡白な人だ He is very *frank*. // あなたのお父さんはお金にはまったく*淡白でした Your father was quite *indifferent* to money.

たんぱく² 蛋白 〔生化・医〕 (蛋白質) protein /próutiːn/ Ⓤ; (尿などの) albumin /ælbjúːmən/ Ⓤ ★ 以上は種類をいうときは Ⓒ. **たんぱく尿** proteinuria/pròutiːn(j)ʊ́(ə)riə/ Ⓤ, albuminuria /ælbjùːmɪn(j)ʊ́(ə)riə/ Ⓤ.

たんぱくしつ 蛋白質 〔生化〕 protein /próutiːn/ Ⓤ ★ 種類をいうときは Ⓒ. **蛋白質科学** 〔生化〕 protein science Ⓤ **蛋白質合成系** 〔生化〕 protein synthesis system Ⓒ **蛋白質性医薬品** *protein-based drug* Ⓒ **蛋白質分解酵素** 〔生化〕 protease /próutièɪs/ Ⓤ **蛋白質分析法** 〔化〕 protein chromatography Ⓤ.

だんばしご 段梯子 stepladder Ⓒ, 《英》 steps ★ 複数形で.

たんぱつ¹ 単発 ━形 single. **単発機** single-engine plane Ⓒ **単発銃** single-loader Ⓒ.

たんぱつ² 短髪 short hair Ⓤ; crop Ⓒ. ¶ずいぶん*短髪にしちゃったね You've had a close *crop*.

だんぱつしき 断髪式 *danpatsu* ceremony Ⓒ; (説明的には) professional sumo wrestler's retirement ceremony where he has his topknot cut Ⓒ.

タンバリン 〔楽器〕 tambourine /tæ̀mbəríːn/ Ⓒ.

タンパリング 〔野〕 tampering Ⓤ ★ 野球協約に保留選手の他球団との契約交渉禁止条項があり, その条項違反のこと. 一般的に「事前交渉の禁止違反」「違法な契約交渉」等のこと.

たんパン 短パン shorts.

だんぱん 談判 ━動(交渉する) negotiate (with …) ⓐ. ━名 negotiation Ⓒ ★ しばしば複数形で. 《☞ こうしょう³》.

たんび 耽美 ━形(耽美的な・耽美主義の) aesthetic /esθétɪk/. **耽美主義** aesthéticìsm Ⓤ **耽美主義者** aesthete /ésθiːt/ Ⓒ, aesthéticist Ⓒ. **耽美派** the aesthétic schóol.

だんぴつ 断筆 ━動 stop [quit; give up] writing.

たんぴょう¹ 短評 short [brief] comment (on …) Ⓒ 《☞ ひひょう》.

たんぴょう² 単表, 単票 single sheet Ⓒ, cut form Ⓒ ★ コンピューター用の単票.「連続紙」は a continuous form という.

たんぴん 単品 (セットになっている品物の1つ) item in a set Ⓒ. ¶この皿は*単品売りは (⇒ 個別に売ることは) しておりません We don't sell these saucers *separately*.

ダンピング ━名 dumping Ⓤ. ━動(外国市場で商品を投げ売りする) dump ⑩. **ダンピング関税** dumping tariff Ⓒ **ダンピング提訴** dumping suit Ⓒ, dumping petition Ⓒ **ダンピング防止** dumping protection Ⓤ, protection against dumping Ⓤ.

たんぶ 反歩 ☞ たん²

タンブーラ 〔楽器〕 tamboura Ⓒ, tambura Ⓒ.

ダンプカー dump truck Ⓒ, 《英》 dump lorry Ⓒ, dumper Ⓒ 日英比較 ダンプカーは和製英語. 《☞ トラック¹》.

たんぷく 単複 (単数形と複数形) singular and plural (forms). ¶fish は*単複同形である 'Fish' has the same form in both *the singular and the plural*.

タンブラー (大型コップ) tumbler Ⓒ.

タンブラースイッチ 〔電〕 tumbler switch Ⓒ ★ つまみの上下によって開閉を行なうスイッチ.

タンブラン tambourin Ⓒ ★ 南フランスのプロバンス地方で使われている細長い太鼓.

タンブリング 〔体操〕 tumbling Ⓤ.

ダンプリング (つけあわせの団子) dumpling Ⓤ.

たんぶん¹ 短文 short ⌐piece [sentence] Ⓒ 語法 1つの文が短い場合を short sentence, 全体が短い作品である時は short piece.

たんぶん² 単文 〔文法〕 simple sentence Ⓒ.

たんぺいきゅう 短兵急 ━形(性急な) hasty; (衝動的な) impetuous; (軽率でせっかちな) rash. 《☞ せいきゅう²; せっかち》. ¶*短兵急にことを運ぶ do things *rashly*

ダンベル (筋肉鍛練の用具) dumbbell Ⓒ 《☞ あれい》. **ダンベル体操** dumbbell exercises ★複数形で.

たんぺん 短編 (短編小説) short story Ⓒ; (小品) sketch Ⓒ; (超短編小説) short short (story) Ⓒ 語法 short story は novel より短く, 登場人物が2, 3人ぐらいの短い小説. sketch は短い話・寸劇 (skit) などを表す. short short story は普通雑誌の1ページ程度で終わる極めて短い話; (短編映画) short film Ⓒ. 《☞ しょうせつ¹》.

短編作家 short-story writer Ⓒ　短編集 collection of short stories Ⓒ.

だんぺん[1] **断片**　―名 (破片) fragment Ⓒ; (部分) (broken) piece Ⓒ　語法 前者は壊れてばらばらになった比較的小さな部分, また小説や音楽などの不完全な部分を表す. 後者は全体から切り離された一部.　―形 fragmentary.
¶*断片的な知識 *fragmentary* knowledge // 彼のノートには詩の*断片が書いてあった There were some *fragments* of a poem written in his notebook. // その人類学者は頭骸骨の*断片を発見した The anthropologist has found some *broken pieces* of a skull.

だんぺん[2] **弾片**　(拳銃[大砲]の弾の破片) bullet [shell] fragment Ⓒ.

たんぼ　田圃　(稲田) (rice) paddy Ⓒ, paddy (field) Ⓒ. (☞ た[1]).

たんぽ[1] **担保**　―名 (約束などを守ることを保証するために差し出すもの) security Ⓤ; (借金するための抵当, 特に不動産) mortgage /mɔ́ːɡɪdʒ/ Ⓒ ★ 後者のほうが専門的な語.　―動 (担保に入れる) mortgage ⓗ. (☞ ていとう).
¶この家は*担保に入っています This house *is* ˹*mortgaged* [*in mortgage*]. // 銀行は*担保無しには金を貸さない The bank won't lend money without *security*.　担保貸付 secured loan Ⓒ　担保責任 security responsibility Ⓤ　担保付公債 public loan with security Ⓒ　担保物件 security Ⓤ　担保物権 real right granted by way of security Ⓒ.

たんぽ[2]　(版にインクをつけるための) dabber Ⓒ; (槍の先に付ける) protector Ⓒ.

タンホイザー　―名 固 Tannhäuser /táːnhɔ̀ɪzə/ ★ ワグナー作曲の歌劇.

たんぼいん　短母音　〘音声〙 short vowel Ⓒ.

たんぼう　探訪　―動 (事実を知るために…へ出かける) visit … to learn the facts (about …). ¶その外国人記者は東京の下町を*探訪した The foreign reporter *visited* the old part of Tokyo *to learn the facts about* the place.

だんぼう　暖房　heating Ⓤ (☞ クーラー 日英比較).
¶この教室には*暖房がない This classroom has no *heating*. // この部屋は*暖房が強過ぎる This room *is* ˹*heated* too much [*overheated*]. // *暖房を入れて[切って]下さい (⇒ 暖房装置をつけて[切って]下さい) Please turn the *heater* ˹on [off].
暖房機[器]具 heater Ⓒ.

> **コロケーション**
> 暖房がついている the *heating* is on // 暖房をつけっぱなしにする leave the *heating* on / 暖房を強くする turn up the *heat*(*er*) / 暖房を弱くする turn down the *heat*(*er*)

だんボール　段ボール　(段ボール紙) corrugated ˹paper [cardboard] Ⓤ; (段ボール箱) cardboard box Ⓒ.

たんぽぽ　蒲公英　dandelion /dǽndəlàɪən/ Ⓒ.

タンポン　(生理用) tampon Ⓒ.

だんまく[1] **弾幕**　(artillery) barrage /bərάːʒ/ Ⓒ.

だんまく[2] **段幕**　curtain with horizontal stripes Ⓒ.

たんまつ　端末　〘コンピューター〙 terminal Ⓒ.

だんまつま　断末魔　(断末魔の苦しみ) 《文》 death throes ★ 複数形で. ¶彼は*断末魔の苦しみを味わった He was in his *death throes*.

たんまり　―名 (たくさん) plenty Ⓤ ★ 必要または期待以上にたくさんあることを意味する.　―形 (多大・多量の) a large sum of …, a lot of … (☞ たくさん (類義語)). ¶彼は*たんまりもうけた He ˹made [gained; got] ˹*plenty* [*a large sum*] of money.

だんまり　黙り　¶容疑者は*だんまりを決めこんだ The suspect *clammed up*. // 妹は*だんまり屋さんです My sister is a *clam*. (☞ むごん; だまる)

たんめい　短命　―動 (若死にする) die young.　―形 (短命の) short-lived. ¶モーツァルトやシューベルトは*短命でした (⇒ 若くして死んだ) Mozart and Schubert *died young*.

たんめん　湯麺　Chinese noodles topped with sautéed /sɔːtéɪd/ vegetables ★ sautéed の ´ は綴り本来のもの.

だんめん　断面　(cross) section Ⓒ　語法 cross section は「横断面」を表すが, 比喩的に用いられることが多い. (☞ そくめん; めん[1]). ¶この出来事は現代社会の一*断面を表している This ˹event [incident] reveals a *cross section* of modern society.　断面図 cross section Ⓒ　断面積 area of the (cross) section Ⓒ.

たんもの　反物　(着物用の生地) cloth for kimono Ⓤ; (織物類) dry goods (for kimono) ★ 主に《米》. 常に複数形で; drapery (for kimono) Ⓤ ★ 主に《英》.

だんやく　弾薬　ammunition /æ̀mjʊníʃən/ Ⓤ.
弾薬庫 (powder) magazine Ⓒ.

たんゆう　胆勇　―形 brave, courageous. (☞ ゆうかん[1]).

だんゆう　男優　actor Ⓒ (☞ はいゆう).

たんよう　単葉　(1 枚の葉) single leaf Ⓒ.　単葉機 monoplane Ⓒ　単葉植物 unifoliate plant Ⓒ.

たんよん　単四　(電池) "AAA" size battery Ⓒ ★ AAA は /trípléɪ/ と読む. (☞ でんち[1]).

たんらく　短絡　―名 〘電〙 (ショート) short (circuit) Ⓒ.　―動 short-circuit ⓗ ⓘ.　―形 (短絡的な) simplistic. ¶*短絡的な反応 *simplistic* reaction

だんらく　段落　(文章の) páragràph Ⓒ (☞ パラグラフ (巻末)).

だんらん　団欒　¶夕食を囲んで一家*団欒のときを過ごした (⇒ 家族全員が食卓につき, 楽しい夕べを過ごした) All the members of the family sat down to dinner and had a pleasant evening.

たんり　単利　simple interest Ⓤ (☞ きんり[1]).
¶*単利で計算する calculate at *simple interest*
単利法 the simple-interest method.

だんりゅう　暖流　warm current Ⓒ (↔ cold current).

たんりゅうこうぞう　単粒構造　single grain structure Ⓒ.

だんりゅうこうぞう　団粒構造　crumb structure Ⓒ.

たんりゅうしゅ　短粒種　japonica [short grain] rice Ⓤ.

たんりょ　短慮　―形 (思慮のない) thoughtless; (慎重さに欠ける) indiscreet; (軽率でせっかちな) rash; (気が短い) short- [quick-; hot-]tempered. (☞ あさはか; たんき[1]).

たんりょうたい　単量体　mónomer Ⓒ.

たんりょく　胆力　(大胆さ) boldness Ⓤ; (勇気) courage Ⓤ; (図太さ) nerve Ⓤ. (☞ どきょう[1]).

だんりょく　弾力　―形 (伸縮自在の) elastic; (柔軟で壊さないで曲げられる) flexible.　―名 elàstícity Ⓤ; flèxibílity Ⓤ. (☞ じゅうなん; しなやか). ¶ゴムは*弾力性がある Rubber is *elastic*. / Rubber has *elasticity*. // 竹は*弾力性に富む Bamboo is very *flexible*.

たんれい　端麗　―形 (美しい) beautiful; (優美な) graceful. (☞ うつくしい). ¶彼女は容姿*端麗だ She has a *beautiful* figure.

だんれつ　断裂　fracture Ⓒ, fissure Ⓒ.

たんれん　鍛練, 鍛錬　―動 (精神を鍛える) discipline (他); (心身を鍛える) train (他); (厳しく訓練して教え込む) drill (他). ━[名] discipline [U]; training [U]; drill [U]. 《☞ きたえる; くんれん; しゅうよう²》. ¶ 心身の*鍛練をする *train one's* mind and body

だんろ 暖炉 (壁炉) fireplace [C]; (炉辺) hearth [C] ★ やや古風; (ストーブ) stove [C].

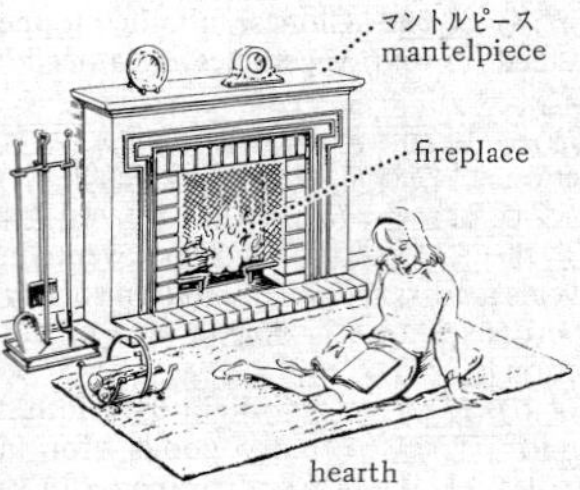

だんろん 談論 (会話) conversation [C]; (議論) discussion [C]. 《☞ かいわ; ぎろん》. **談論風発** (様々な意見が出て, 議論が活発に行われる様) animated [lively] ⌜discussion [conversation] [C] ★ animated のほうが格式ばった言い方. ¶ きのうの会議は*談論風発の観を呈した We had ⌜an *animated* [a *lively*] *discussion* at the meeting yesterday.

だんわ 談話 (打ち解けた話) talk [U]; (会話) conversation [U], discourse [C] ★ 3 番目が一番格式ばった語. ¶ 政府は次のような首相の*談話を発表した The government released the prime minister's *talk* as follows. **談話室** (ホテルなどの) lounge [C].

ち，チ

ち[1] 血　**1**《血液》　— [名] blood /blʌ́d/ [U]. — [動] (血が出る) bleed (自)《過去・過分 bled》. 《☞ けつえき; しゅっけつ[2]》.

¶ *血(⇒ 出血)がようやく止まった The *bleeding* stopped at last. / The *blood* stopped oozing at last. // 傷口から*血が出ている The cut *is bleeding*. // 床に*血の痕があった There were some spots of *blood* on the floor. // *血のついたナイフ a *blood-stained* knife // この戦場では多くの人の*血が流された A lot of *blood* was shed on this battlefield. // *血のかたまり a *blood* clot // 検査のため*血をとられた I had a sample taken for a *blood* test. // *血を吸うダニ a *bloodsucking* mite

2《血筋》: blood [U] 《☞ ちすじ; けつえん》.

¶ 冒険精神がその国民の*血に流れている An adventurous spirit runs in the *blood* of the nation. // あの 2 人は*血がつながっているとは思えない I can't imagine that they are「of the same *blood* [*blood* relatives]. // *血は争えないものだ *Blood* will tell. 《ことわざ: 血は物を言う》

血が通う　¶ *血が通った人間 (⇒ 生身の人間) *flesh and blood* // 私は*血の通った (⇒ 人情味のある) 福祉政策を実行します I will carry out a *humane* welfare policy.　**血が騒ぐ** (興奮して体がむずむずする) tingle with excitement.　**血が上る** (興奮する) get (all) excited; (気が動転する) get upset.　¶ 彼はそのとき頭に*血が上っていた His *blood was up* then.　**血で血を洗う** (殺傷に対して殺傷で報復する) draw [take; 《格式》 extract] blood for blood, retaliate a killing「by [with] a killing; (残酷な争いをする) wage a bloody war; (血族の者同士で争う) fight [quarrel] with *one's* blood「relatives [relations], have a quarrel among (blood) relatives.　**血と汗の結晶** the fruit of (*one's*) blood and sweat.　**血となり肉となる** (精神と肉体を豊かにする) enrich *one's* body and soul; (完全に…を自分のものにする) make … entirely *one's* own.　**血に飢える** thirst for blood, be bloodthirsty.　**血の汗を流す** (痛々しいほどの努力をする) make painful efforts.　**血の雨を降らす** cause bloodshed.　**血の出る[にじむ]ような** — [形] (死に物狂いの) désperate; (精力的な) strenuous /strénjuəs/.　¶ *血の出る[にじむ]ような努力 *desperate* [*strenuous*] efforts

血の巡り　¶ *血の巡りの悪い人 a *slow-witted* person　**血は水よりも濃い** Blood is thicker than water. 《ことわざ》　**血も凍る**　¶ *血も凍るような光景だった It was a「*bloodcurdling* [(⇒ 恐ろしい) *horrible*] sight. / (⇒ その光景は私をぞっとさせた) The sight made my *blood run cold*.　**血も涙もない**　¶ あいつは*血も涙もない (⇒ 冷血な) 男だ He is a「*cold-blooded* [(⇒ 心の冷たい) *coldhearted*] man.　**血湧き肉躍る** — [形] thrilling, exciting.　¶ *血湧き肉躍る冒険談 a *thrilling* adventure story　**血を引く** (血縁関係のある) be a blood relative (of …); (子孫である) be descended (from …).　¶ 彼は貴族の*血を引いている (⇒ 貴族の子孫だ) He *is descended from* a noble family.　**血を見る** (流血にまで達する) come to bloodshed.　¶ *血を見ずに解決する settle … *without bloodshed*　**血を沸かせる** — [形] (わくわくするような) exciting; (スリルのある) thrilling.　**血を分けた** — [形] of the same blood, by blood.　**血だらけ, 血なまぐさい, 血の海, 血の気, 血まみれ, 血迷う** 他「血」で始まる複合語 ☞ 見出し.

コロケーション

(傷口などの) 血が固まる[凝固する] *blood*「clots [coagulates] / 血が循環する *blood* circulates / 血が出る *bleed* (from …); *blood* pours out (of …) / 血が流れる *blood* flows / 血がにじみ出る *blood* oozes / 血が吹き出す *blood* spurts (from …) / 血を止める stanch [stop] (the flow of) *blood* / 血を採る draw *blood* / 血を流す shed [spill] *blood* / 血を吐き出す spit up *blood* / 血を吐く cough up *blood*

ち[2] 地　(地球・大地) the earth; (地面) the ground. 《☞ とち; じめん; だいち[1]》.

¶ 彼は足が*地に付いていない He does not keep his feet on *the ground*. // 彼らは安住の*地 (⇒ 場所) を求めてさまよった They wandered, searching for a *place* where they could live peacefully.

地に堕(*)ちる (なくなってしまっている) be gone, be lost. 《☞ だらく》.　¶ 近ごろ道徳心は*地に堕ちてしまった Morality *has disappeared* these days.

地の利 ☞ 見出し

ち[3] 治　(平和) peace; (統治) government [U], rule [U].　**治に居て乱を忘れず** (平和なときにも戦争のことを忘れてはいけない) In peace we must not forget war.

チアー　(声援) cheer [C].

ちあい 血合い　(魚の黒ずんだ肉) dark flesh of a fish [U].

チアガール　(応援をリードする人) cheerleader [C] ★ この語は女性に使うとは限らない.「チアガール」は和製英語. 《☞ おうえん》.

ちあつ 地圧　ground [earth; rock] pressure [C].

チアノーゼ　— [名]〘医〙 cyanosis /sàɪənóʊsɪs/ [U]. — [形] cỳanótic.

チアホーン　(応援の小型ラッパ) noisemaker [C].

チアリーダー　cheerleader [C].

ちあん 治安　(法(と秩序)) law (and order) [U]; (安全保障) security /sɪkjʊ́(ə)rəti/ [U].　¶ 警察は*治安維持に努めている The police are trying to maintain *the rule of law*. // その国ではしばしば*治安が乱される *Laws* are often broken in that country. // その国は*治安が悪い (⇒ 犯罪率が高い) The crime rate is high in that country. / (⇒ 犯罪が多い) There is a great deal of crime in that country. // この地域では*治安がよくなった (⇒ とり戻された) *Law and order* have been restored in this area.　**治安維持活動** security operation [C]　**治安維持法** (第二次大戦前の) the Maintenance of the Public Order Act　**治安出動** (自衛隊の) public security mobilization (of the Self-Defense Forces) [C]　**治安当局** the security police authorities ★ 複数形で.　**治安立法** public security legislation [U].

ちい 地位　place [C] ★ 地位や立場を表す意味の広い語; (職務上の) position [U] ★「職」の意では [C]; (社会的な身分) status /stéɪtəs/ [U]; (相対的な地位・階級) rank [U]. 《☞ くらい[2]; みぶん》.

¶ 彼は学界で重要な*地位を占めている He has an

important *place* in the academic world. // 彼の父親は会社で重要な*地位にある His father holds an important 「*position* [*place*] in his company. // 社会における女性の*地位はまだ低い The social *status* of women is still low.

地位協定 the Status of Forces Agreement (between the U.S. and Japan) **地位保全** the preservation of *one's* position.

コロケーション

地位を失う lose *one's* 「*place* [*position*] / **地位を得る** achieve *status*; attain a *rank*; rise to a 「*position* [*rank*] / **地位を向上させる** improve a *status* / **地位を占める** have [hold] a 「*rank* [*position*] / **地位を手放す** give up [relinquish] *one's place* / **地位を守る** keep [save] *one's place* / **地位を利用する** use [abuse] *one's position* // **指導的地位** a leading *position* / **社会的地位** social *status*; a social *position* / **従属的な地位** a subordinate *rank* / **責任のある地位** a responsible *position* / **高い地位** a high 「*position* [*rank*]; high *status* / **同等の地位** equal *status* / **低い地位** a low *rank*; low *status*

ちいき 地域 ―[名] area [C]; region [C]; (地帯) zone [C]; (行政上の区画) district [C]. ―[形] regional; (一地方の) local.

【類義語】ある地方を, ある種の特徴をもとにして漠然と幾つかに区分した場合の, 1つの地域を表す最も一般的な語が **area**. 実際の広さには直接関係はない. かなりの広さの地域で, 文化的・社会的・地理的特徴を共有するため, ほかの地方と区別される場合に用いるのが **region**. 特色別に分けられた地帯で, 地図上で囲んで示される範囲を表す場合には **zone** を用いる. また, 行政上の区画を指すには **district** を用いるが, この語は **region** とほぼ同意に用いられることもある.「ある特定の地域の」「局所的な」という意味の [形] が **local**. (☞ ちたい[1]; ちく; ちほう[1] [語法])

¶ *地域別に by 「*districts* [*regional groups*] // 広い*地域にわたって風邪が流行している Influenza is raging over a wide *area*. // 彼が*地域(の)代表だ He is the delegate of the 「*region* [*district*]. // このマスコミの時代においては*地域差は小さくなってきている *Regional* differences are diminishing in this age of mass communication.

地域医療 community medicine [U] **地域開発** regional development [U] **地域格差** regional differences. ¶ *地域格差を是正する redress the *regional differences* **地域研究** area study [C] **地域社会** community [C] **地域主義** regionalism [U] **地域団体** local [regional] group [C] **地域地区制度** zoning [U] **地域通貨** regional [community] currency [C] **地域手当** (首都圏労働者のための) cost-of-living allowance for a metropolitan-area employee [C]; 《英》 weighting allowance [C] **地域ネット** (住民運動などの) regional network [C] **地域紛争** regional dispute [C] **地域冷暖房** regional air conditioning [U].

ちいく 知育 (知的な訓練・教育) intellectual 「development [education] [U] (☞ きょういく). ¶ 彼らは*知育を偏重しすぎている They put too much emphasis on *intellectual* 「*development* [*education*].

チーク (チーク材) teak [U] ★ 木は [C].

チークダンス cheek-to-cheek dancing [U] ★「チークダンス」は和製英語. ¶ *チークダンスを踊る dance *cheek-to-cheek*

ちいさい[な] 小さい[な] (大きさが) small (↔ large); little [A] (↔ big); (極端に小さい) tiny; (ささいな) trivial; (声などが低い) low.

【類義語】大きさが普通よりも小さいことを客観的に述べるのが **small**. 小さいことを表すと同時に, かわいいとか, 嫌悪・軽蔑などの感情の要素を含むのが **little**. これらの両語は入れ換え可能なことも多いが, その場合にも, small は客観的で, little は感じのこもった語というニュアンスは保たれていると考えてよい. 例えば「小さい子」は a *little* 「boy [girl] とも a *small* child とも言える. しかし, 子供と大人を対比しているときなどはいずれでもよいが, 目の前にいる子供に言及するときなどは「あの小さな女の子はだれですか」 Who's that *little* girl? のように *little* を用いるのが普通である. ごく小さく, ちっぽけなことを表すのは **tiny**.「ささいでくだらない」のが **trivial**. (☞ こまかい; ささい; せまい)

¶ 彼らは*小さい家に住んでいる They live in a 「*small* [*little*] house. // 私は*小さいころここでよく遊んだものだ I used to play here when I was a *little* 「boy [girl]. // この上着は私には少し*小さすぎる This jacket is a 「little [bit] too *small* for me. // その木は*小さなつぼみをつけていた The tree was putting forth *tiny* buds. // そんな*小さなことでくよくよするな Don't worry about such *trivial* things. // 彼らは*小さな (⇒ 低い) 声で話した They spoke in *low* voices. **小さな政府** smaller government [C].

ちいさめ 小さ目 ―[形] (より小さい) smaller; (やや小さい) rather small. (☞ ちいさい[な]; -め)

¶ テレビの音をもう少し*小さ目にして下さい Please *turn down* the TV a little. // 玉ねぎはもっと*小さ目に切って下さいますか Will you cut the onion *into smaller pieces*?

ちいしょくぶつ 地衣植物 〘植〙 lichens /láɪk(ə)nz/ ★ 複数形で.

チーズ cheese [U] ★ 一定の形に固めたものは [C]. (☞ 可算・不可算名詞 (巻末)). ¶「写しますよ, はい, *チーズ!」 "Come on, everybody. Say *cheese*!" **チーズケーキ** cheesecake [U] (☞ ケーキ) **チーズトースト** toast with cheese on top [U] **チーズバーガー** cheeseburger [C] **チーズフォンデュ** cheese fondue [U].

チータ 〘動〙 cheetah /tʃíːtə/ [C].

チーフ (何人かの上に立つ人・長) chief [C], head [C] ★ 入れ換え可能な場合も多いが, 後者のほうがより一般的. (☞ ちょう[3]). **チーフアンパイア** head umpire [C] **チーフエグゼクティブオフィサー** (社長・取締役会長など) chief executive officer [C] (略 CEO).

チープ ―[形] (安価な) cheap (☞ やすい).

チープガバメント (機構縮小を目的とした金のかからない政府) cheap government [C].

チーム (一般的に) team [C]; (野球の) the nine; (サッカーの) the eleven; (ラグビーの) the fifteen. ¶ 彼は野球の*チームに入っている (⇒ チームの一員) He is a baseball *team* member. / He is on a baseball *team*. **チームカラー** characteristics of a team ★「チームカラー」は和製英語. the team's colors はユニフォームの色. **チームスピリット** (団体精神) team spirit [U] **チームティーチング** team teaching [U] **チームプレー** team play [C] **チームメート** teammate [C] **チームワーク** teamwork [U].

コロケーション

チームを解散する split up [disband] a *team* / **チームを指導する** coach a *team* / **チームを率いる** lead a *team* / **チームを編成する** organize a *team*

ちいるい 地衣類 ☞ ちいしょくぶつ

ちうみ 血膿 blóody pus /pʌ́s/ [U].

ちえ 知恵 ―[名] (賢いこと) wisdom [U]; (思慮・分別) sense [U]; (才覚) wit [U] ★ 複数形で単数扱いにすることもある; (頭脳) brain [C] ★ しばしば複数形で; (知能) intelligence [U]. ―[形] wise; sensible; intelligent (↔ stupid; silly).

【類義語】賢明で適切な選択・決定のできる知恵が **wisdom**. 思慮・分別・良識という意味での知恵が **sense** で, common [good] *sense* とも言う. 頭の回転の早いのが **wit**. 理解力や思考力という意味での知恵が **brain(s)**. 知能・物わかりのよさという意味の知恵が **intelligence**. (☞ ちのう; あたま; かしこい)

¶ 彼にはまさかの時に備えて金をためておく*知恵があった He had the *wisdom* to save money for a rainy day. // もっと*知恵を働かせなさい Use more *sense*. // 赤ん坊はどんどん*知恵がつく Babies rapidly develop in terms of *intelligence*. // 君に*知恵を借りに来た (⇒ 忠告を求めに) I've come to ask for your *advice*. // だれかが彼にそういう*知恵 (⇒ 考え) を授けたに違いない Somebody must have 「put [planted] such an *idea* in his head. // 彼は一生懸命に*知恵を絞った (⇒ 考えた) He thought hard.

知恵が回る ¶ よく*知恵が回る (⇒ 頭の回転の速い[賢い]) 子 a 「*smart* [*clever*] child // 彼は商売となるとよく*知恵が回る (⇒ 抜け目がない) He *is shrewd* when it comes to business. // 彼はそこまで*知恵が回らない (⇒ それくらいしか知恵がない) He doesn't *know any better*. **知恵を付ける** put an idea into *a person's* head. ¶ 私は彼にちょっとした*知恵を付けてやった (⇒ 知恵を与えた) I *gave* him 「*an idea* [*a suggestion*; *a wrinkle*] or two. ★ wrinkle は口語表現. (☞ そそのかす)

知恵遅れ ¶ *知恵遅れの子 a 「*cognitively challenged* [(*mentally*) *retarded*] child ★ (mentally) retarded は差別的な表現とされているので使わないほうがよい. **知恵比べ** contest [competition] of wits Ⓒ **知恵者** wise 「man [person] Ⓒ **知恵熱** (歯が生える頃に出る一時的な熱) teething fever Ⓒ **知恵の輪** puzzle rings **知恵歯** ☞ おやしらず **知恵袋** (知的指導者) brains ★ 複数形で; (仲間うちの知恵者) *one's* personal adviser Ⓒ.

チェア chair Ⓒ (☞ いす).

チェアパーソン (議長) chairperson Ⓒ (☞ チェアマン).

チェアマン (男性議長) chairman Ⓒ; (女性議長) chairwoman Ⓒ ★ 女性議長でも chairman を使える; (男女両性に共通の語として) chairperson Ⓒ, the chair ★ 通例 the を付けて単数形で. (☞ ぎちょう).

チェーサー (強い酒の後または間に飲むビールなど) chaser Ⓒ.

チェーホフ ―[名] (固) Anton Pavlovich Chekhov /ǽntɑn pævlóuvɪtʃ tʃékɔːf/, 1860–1904. ★ ロシアの劇作家・小説家.

チェーン chain Ⓒ. ¶ 自転車に乗っていたら*チェーンが切れた My bicycle *chain* 「broke [snapped] while I was riding it. // タイヤ*チェーン (snow) *chains*

チェーンストア cháin (stòre) Ⓒ, 《英》 múltiple (stòre) Ⓒ.

チェーンスモーカー ―[名] (続けざまにたばこを吸う人) cháin smòker Ⓒ. ―[動] chain-smoke Ⓘ.

チェーンソー (動力鋸) cháin sàw Ⓒ.

チェーンブロック 〔機〕(重量物を巻き上げる機械) chain block Ⓒ.

ちえきけん 地役権 〔法〕easement Ⓤ.

チェコ ―[名] (固) (チェコ共和国) the Czech /tʃék/ Republic. ―[形] Czech. **チェコ語** Czech Ⓤ **チェコ人** Czech Ⓒ.

チェコスロバキア ―[名] (固) Czechoslovakia ★ 1993 年にチェコ共和国 (the Czech Republic) とスロバキア共和国 (the Slovak Republic) に分離し, 個々に独立国家となった.

チェサピークわん チェサピーク湾 ―[名] (固) Chesapeake Bay ★ 米国東部, Maryland 州と Virginia 州に深く入り込んだ湾.

チェス chess Ⓤ. ¶ 彼は*チェスをやる He plays *chess*. // *チェス盤と駒(こま)一式 a *chess* set / a *chessboard* and a set of chessmen (☞ こま[1] [参考])

チェスト (小型整理だんす) chest Ⓒ.

チェダーチーズ Cheddar (cheese) Ⓤ.

チェチェン ―[名] (固) Chechnia, Chechnya; (正式名) the Chechen /tʃətʃén/ Repúblic. **チェチェン語** Chechen Ⓤ **チェチェン族** (集合的に) the Chechens; (個々の) Chechen Ⓒ **チェチェン紛争** the Chechen conflict.

ちぇっ tut, tut ★ /t/ を発音するときのように舌先を歯茎につけ, 口から息を吸い込むときに舌を離して発音する. 通例 2 回言う. 単語として読むときは /tʌ́t/ と発音する; 《米》 shucks /ʃʌ́ks/ ★ やや古風; (ちくしょう) damn it, dammit. (☞ したうち).

チェッカー **1** 《ゲーム》: checkers Ⓤ, 《英》 draughts /dráːfts/ Ⓤ.
2 《人》: (スーパーのレジ係) 《米》 checker Ⓒ, 《英》 cashier Ⓒ.

チェッカーフラッグ (自動車レースのスタート・ゴールの合図の旗) the checkered flag.

チェック[1] ―[動] (照合する) check ㊀ (☞ しょうごう[1]). ¶ 数を*チェックしなさい *Check* the 「total [numbers].

チェック[2] ―[形] (格子じまの) checked. ¶ *チェック模様 a 「*check(ed)* [*checkered*] pattern

チェックアウト ―[動] (勘定を払ってホテルを出る) chéck óut Ⓘ (↔ chéck ín). ―[名] chéck-òut Ⓒ.

チェックアンドバランス 〔政〕(抑制と均衡) checks and balances ★ 複数形で.

チェックイン ―[動] (宿泊や搭乗の手続きをする) chéck ín Ⓘ; (宿帳に記名する) register (at ...) Ⓘ ★ 空港では前者のみを用いる. ―[名] chéck-in Ⓒ. ¶ 出発予定時刻の 2 時間前までに*チェックインして下さい You are requested to *check in* at least two hours before the scheduled departure time.

チェックご チェック語 ☞ チェコ (チェコ語)

チェックブック (小切手帳) 《米》 checkbook Ⓒ, 《英》 chequebook Ⓒ.

チェックポイント (歩行者や車の検問所) checkpoint Ⓒ; (点検箇所) point to check Ⓒ.

チェックメイト 〖チェス〗checkmate Ⓒ.

チェックライター (小切手金額印字器) checkwriter Ⓒ.

チェックリスト (照合のためのリスト) checklist Ⓒ.

チェリー (さくらんぼ) cherry Ⓒ.

チェリートマト (一口大のミニトマト) cherry tomato Ⓒ.

チェリスト 〔楽〕cellist /tʃélɪst/ Ⓒ (☞ チェロ (チェロ奏者)).

チェルニー ―[名] (固) Karl Czerny /káəl tʃéəni/, 1791–1857. ★ ピアノ練習曲を残したオーストリアのピアニスト.

チェルノブイリ ―[名] (固) Chernobyl /tʃənóubl/ ★ 旧ソ連時代に原発事故が起きたウクライナの地域.

チェレスタ 〔楽器〕celesta /səléstə/ Ⓒ.

チェロ 〔楽器〕cello /tʃélou/ Ⓒ. **チェロ奏者** cellist /tʃélɪst/ Ⓒ.

チェロキー (北米先住民部族およびその言語) Chérokèe Ⓒ ★ 言語は Ⓤ.

ちえん[1] **遅延** ―[名] delay Ⓒ. ―[動] (遅延する) be delayed. (☞ おくれ; おくれる). **遅延賠償** (支払いの) late-payment fee Ⓒ **遅延利息** ☞ えんたい (延滞利子)

ちえん[2] **地縁** regional relationship Ⓒ (☞ けつえん). **地縁集団** regional community Ⓒ.

チェンジ 〔野〕change of sides Ⓒ. ¶ *チェンジに

ち

なった The teams *changed sides*.

チェンジアップ 〘野〙 chánge-ùp Ⓒ.

チェンジオブペース 〘野〙(☞ チェンジアップ) chánge-ùp Ⓒ, change of pace Ⓒ.

チェンジコート ☞ コート²(コートチェンジ)

チェンジレバー (自動車の) gearshift Ⓒ, 《英》 gear ˹lever [stick] Ⓒ ★「チェンジレバー」は和製英語.

チェンバーミュージック (室内楽) chámber mùsic Ⓤ.

チェンバレン ── 名 固 (Arthur) Neville Chamberlain /tʃéɪmbələn/, 1869–1940. ★ 英国の政治家.

チェンバロ 〘楽器〙 hárpsichòrd Ⓒ, cembalo /tʃémbəlòʊ/ Ⓒ ★ 前者が普通.

チェンマイ ── 名 固 Chiang Mai /dʒiáːŋmáɪ/ ★ タイ北西部の都市.

ちおん 地温 soil temperature Ⓒ.

ちか¹ 地下 ── 名 underground Ⓤ. ── 形 (地面の下の) underground Ⓐ ★「秘密の・隠れた」という比喩的な意味にも用いられる; (地中に埋まっている) 《格式》 subterranean /sʌ̀btəréɪniən/ Ⓐ (↔ surface). ── 副 underground. 《☞ ちちゅう》.
¶ *地下でトンネルを掘る仕事は危険だ Working *underground* on tunnels is dangerous. // *地下 1 [2] 階 the ˹first [second] *basement* 《☞ -かい³》
地下に眠る sleep [lie] in *one's* grave.
地下にもぐる (追手などを逃れて) go underground.
地下運動[活動] underground activities ★ 通例複数形で. **地下街** underground shopping area Ⓒ **地下核実験** underground nuclear test Ⓒ **地下銀行** underground [illegal] bank Ⓒ **地下茎** subterranean /sʌ̀btərèɪniən/ stém Ⓒ; (根茎) rhizome /ráɪzoʊm/ Ⓒ. 《☞ くき; くさ¹(挿絵)》 **地下経済** underground [black] economy Ⓤ **地下ケーブル** underground cable Ⓒ **地下結実** 〘植〙 geocarpy /dʒíːoʊkɑ̀ːpi/ Ⓤ **地下権** subsurface rights ★ 複数形で. **地下工作** secret [hidden] maneuver Ⓒ **地下資源** underground resources ★ 通例複数形で. 《☞ しげん¹》 **地下室** ☞ 見出し **地下水** gróundwàter Ⓤ **地下水汚染** groundwater ˹contamination [pollution] Ⓤ **地下政府** underground ˹government [cabinet] Ⓒ **地下組織** underground organization Ⓒ **地下足袋** ☞ じかたび **地下鉄** ☞ 見出し **地下道** ☞ 見出し

ちか² 地価 land price Ⓒ, the price of land; (評価額) the value of land. 《☞ じだい³; ちだい¹; ねだん》. ¶ 市街地の*地価はこの 2 年間で半分になった *Land prices* in cities have ˹come down [been reduced] fifty percent in the past two years. // *地価の高騰で一戸建ての家は買えない I can't buy a house because of the rise in *land prices*.
地価公示価格 officially announced land price Ⓒ
地価税 tax (based) on the land prices Ⓒ.

ちか³ 治下 under the rule (of …). ¶ チューダー朝*治下のイングランド England *under the rule of* the Tudors

ちかい¹ 近い **1** 《距離》: (そばの) near (↔ far, a long way off); (接近した) close /klóʊs/ ★ 後者のほうが接近の度合いが強い. 《☞ ちかく¹; そば¹ (類義語)》. ¶ 彼の家はバス停に*近い His house is ˹*close to* [*near*; *a stone's throw* from] the bus stop. ★ この near は 前. // 私は彼に駅までの一番*近い道を教えてあげた I showed him the *shortest* way to the station.
2 《時間・程度・関係など》 ── 形 (隔りがない) near; (ほとんど同じぐらいに接近した) close.
── 副 (ほとんど) nearly, almost ★ 後者のほうが一層接近していることを表すことが多い; (だいたい・約) about, around; (間もなく) soon, before long ★ 前者のほうが時間的に接近している. 《☞ ちかく¹ (類義語)》.
¶ 夏休みも終わりに*近い Summer vacation is *nearly* over. // 春はもう*近い Spring is ˹*almost* here [*just around the corner*]. // もう真夜中に*近い It's ˹*almost* [*nearly*] midnight. // *近い将来私はアメリカへ行きます I will go to the U.S. in the *near* future. // 彼は*近いうちに (⇒ 間もなく) 退院します He will get out of the hospital *before long*. / It will *not be long* before he gets out of the hospital. // これらの語は意味が非常に*近い These words are *close* in meaning. // 彼女は私の*近い親類の 1 人です She is one of my *close* relatives. // その建物は完成に*近い (⇒ ほとんど完成した) The building is *almost* completed. // 私は彼に 1 万円*近い (⇒ およそ 1 万円の) 借金がある I owe him *about* ten thousand yen. // 彼はもう 50 に*近いはずだ He must be *nearly* fifty. // トイレが*近くて (⇒ しばしばトイレに行かなければならないので) 困る It's quite embarrassing for me to have to *go* to the toilet *so often*.

ちかい² 誓い (神や聖書にかけて, 人に対してなされる宣誓) oath Ⓒ; (人と人の間の堅い約束) pledge Ⓒ; (神または自分に対する誓約) vow Ⓒ. 《☞ ちかう (類義語); せんせい²》. ¶ 彼は 2 度と盗みをしないという*誓いを立てた He swore an *oath* never to steal again. // 彼は禁酒[禁煙]の*誓いを立てている He is under a *vow* not to ˹drink [smoke]. // *誓いを守る[破る] keep [break] *one's vow* // 三三九度の*誓い wedding *oath* by the three-times-three exchange of nuptial cups

ちかい³ 地階 basement Ⓒ 《☞ -かい³》.

ちがい¹ 違い difference Ⓒ; distinction Ⓒ; divergence Ⓒ ★ 以上いずれも抽象的な意味では Ⓤ ともなる.
【類義語】あるものがほかと形・性質・状態などにおいて同一でないことを表す一般的な語が **difference**. *difference* より格式ばった語で, 類似の点があっても, ほかと明らかに異なる所があって, はっきり区別ができるような相違が **distinction**. もともとは同じ種類のものが, それぞれ細かい点が違っていろいろに分かれてしまったような違いが **divergence** で, この中で一番格式ばった語. 日英比較 日本語で「違い」という名詞が使われていても, 英文では different, distinctive などの 形 となることもあり, また distinguish 他 自, diverge 自 などの 動 が使われることもあるということに注意. 《☞ ちがう (類義語); そうい¹; くべつ (類義語)》
¶ 私にはその 2 つの間に大した*違いがあるとは思えません I can't see much *difference* between the two. // 類義語間の意味の*違いをはっきりと知ることは大切である It is important to know the *distinctions* between synonyms /sínənìmz/. // 私はラグビーとサッカーの*違いがわからない (⇒ 区別ができない) I can't *distinguish* ˹between rugby and soccer [rugby from soccer]. // 彼はこの 2 つの*違いがわからない He can't ˹tell the *difference* [make a *distinction*] between these two. // 姉妹の間には深刻な意見の*違いがあった There was a serious *divergence* of opinion between the sisters. // 意見に大きな*違いがあって彼らはその計画を承認しなかった They didn't approve the plan because their ideas were ˹*poles apart* [completely *different*]. ★ poles apart は「正反対である, まったくかけはなれている」の意. // 私には 3 つ*違いの(⇒ 私より 3 つ年上の) 兄がいる I have a brother three years *older than* me. 語法 この場合 than I とするより than me のほうが口語的. // 数分の*違い (⇒ 差) で電車に乗りそこなった I missed the train *by* a few minutes.

違い棚 (互い違いに配列された棚) staggered shelves ★ 複数形で.

ちがい[2] **稚貝** shellfish fry Ⓒ《複 ～》; (特にカキの) spat Ⓤ.

ちがいない 違いない ── 助 must 語法 (1) 過去の推量を表すときは「must have＋過去分詞」の形をとる.《☞ きっと[1]; はず[1]》.

¶ それは本当に*ちがいない It *must* be true. // 彼はそれを見たに*ちがいない He *must* have seen it. / (⇒ 見たと確信する) *I am sure* he saw it. // 彼はそれを見なかったに*ちがいない (⇒ 見たはずがない) He *can't* have seen it. 語法 (2)「ちがいない」という意味の must の否定は can't で表す. // 彼は来るに*ちがいない (⇒ 確かに[きっと]来る) He will ˹*certainly* [*surely*] come. / (⇒ 彼が来ると私は確信している) *I am sure* he will come. / (⇒ 彼はきっと来る) He is *sure* to come.

ちがいほうけん 治外法権 ── 名《格式》èxtratèrritoriálity Ⓤ. ── 形 èxtratèrritórial Ⓐ.

ちかう 誓う (神などにかけて) swear 他 自《過去 swore; 過分 sworn》; (宣誓する) swear [take] an oath; (誓約する) pledge 他 自; (何かをすることを) vow 他, make a vow; (約束する) promise 他 自, give *a person one's* word; (決心する) determine 他; (決定する) decide 他.

【類義語】神や聖書など, 神聖なものにかけて厳粛に誓うのが **swear** で, 堅く約束する場合などにも用いられる. ただし, **swear** には呪いの言葉を吐くという意味もあり, それとの混同を避けるために, ほぼ同意の **swear** [**take**] **an oath** が用いられることが多い. 保証を与えるという意味で何かを約束するのが **pledge**. かなり広い意味で, 何かを実行することを誓うのが **vow**.

¶ 彼は本当のことを言うと*誓った He *swore* ˹to [that he would] tell the truth. // 彼は永遠に彼女を愛すると*誓った He ˹*promised* [*vowed*] to love her forever. // 彼らは将来を*誓い合った仲だ They ˹*pledged* (*themselves*) [*promised* to each other] to marry in the future. // 私は過去のことは忘れようと心に*誓った (⇒ 決心している) I *am determined* never to think of my past again.

誓って ¶ 私は*誓ってそんなことはしていない I *swear* I never did such a thing. / *Upon my word of honor* I never did such a thing.

ちがう 違う **1**《相違する》── 動 (異なる) be different (from ...), differ (from ...) 自; (さまざまに異なる) vary 自; (一致しない) disagree (with ...) 自. ── 形 different; (似ていない) unlike Ⓟ; (類似していない) dissímilar (to ...).

【類義語】種類や性質・意見などの違うことを表す一般的な表現が **be different** および **differ**. 前者のほうが口語的. いろいろに変化するという意味で違うのが **vary**. 基本的には似たものの間に相違の見られる場合が **unlike** で, 似ていない, 類似のものではないことを強調する言葉が **dissimilar** だが, やや格式ばった語. 意見などがほかと違っていて一致しない場合などに用いるのが **disagree**.《☞ ちがい[1] (類義語); ことなる》

¶ 私の答えはあなたのと*違う My answer ˹*is different* [*differs*] *from* yours. // 彼は昔の彼とは*違う He *is* ˹*different from* [*not*] what he used to be. 語法《米》では He is *different than* he used to be. のような言い方が用いられることがある.《☞ ことなる 語法》// 出席者の間で意見が大幅に*違った Opinions *varied* greatly among the people present. // このかばんの値段はサイズによって*違います The prices of these bags *vary* with the size. // 私は妹とは*違って, パーティーが大好きだ *Unlike* my sister, I really enjoy parties. // 私の生き方は彼らとは*違っていた My lifestyle *disagreed with* theirs. // さすがに金持ちは*違うね (⇒ 金持ちであるということはなるほどたいしたものだ) To be rich is really something! // それでは約束が*違うよ (⇒ 約束違反だ) That ˹goes *against* [*violates*] the promise. // これは見本と*違う This is *not the same as* the sample.

2《間違っている》: (正しくない) be ˹wrong [incorrect] (↔ be ˹right [correct]); (思い違いをしている) be mistaken; (正確でない) be [stand] in error.

【類義語】一般的に正しくないことを表すのが **be wrong**. **wrong** は意味が広く, 道徳的に間違っていることも含むのに対して, 計算などはっきり基準が立てられる場合には **be incorrect** を用いることも多い. 不注意または思い違いのために正しくないのは **be mistaken**. 基準または正解から外れて誤っているのは **be** [**stand**] **in error**.《☞ まちがい; あやまり》

¶ 君の答えは*違うよ Your answer *is* ˹*wrong* [*incorrect*]. // あなたの言うことは*違っている You *are* ˹*wrong* [*mistaken*; *in error*].

3《別の》: another《☞ べつ》. ¶ そうなると話は*違うね That's *another* story. // それをただ持っていることと実際に使いこなすこととはたいへん*違ったことだ To own it is one thing, to actually use it is quite *another*.

ちがえる 違える (筋などを痛める・捻挫(ねんざ)する) sprain 他; (使いすぎて痛める) strain 他. ¶ 首筋を*違える (⇒ 背中を痛める) *strain one's* back ★ sprain はくるぶし・手首などには用いるが, 首・背中などには用いない. // 桁を*違えた (⇒ まちがった桁まで計算した) I calculated it *to a wrong place*.

ちかく[1] **近く** **1**《距離的に》── 形 (そばの) near; (くっつくほど近くの) close /klóus/. ── 前 (...の近くに) near ...; (...のわきに) by ... ★ 必ずしも横とは限らず, 近くならよい; (...の近隣に) in the neighborhood of ...,《格式》in the vicinity of ...《☞ ちかい[1]; あたり[1]; きんじょ; ふきん[1]; へん[2]; このへん; そば[1] (類義語)》.

¶「この*近くに郵便局はありますか」「ええ, あの角を曲がったところです」"Is there a post office *near* here?" "Yes. There's one just around the corner." //「一番*近くの銀行はどこですか」「駅の向かいにあります」"Where is the *nearest* bank?" "It's just across from the station." // もう目的地のかなり*近くに来ている We're pretty *close* to our destination. // もっと火の*近くに寄りなさい Please come ˹*nearer* [*closer*] to the fire.

2《時間的に》── 副 (すぐに) soon; (間もなく) shortly 語法 未来のことについて用い, soon よりも間隔が短い; (近いうちに) before long ★ ある程度の間隔がある含みがある; (近い将来に) in the near future.《☞ まもなく》.

¶ 彼は*近く結婚することになっている He's going to get married *soon*. // 彼は*近く昇進するだろう He will be promoted *before long*. // *近く出版される本 *forthcoming* books

3《ほとんど・およそ》── 副 nearly; almost; about; appróximately.

【類義語】近いがそこまでは達していないことを表すのが **nearly**. もう少しのところで及ばないとか足りない, ということを強調するのが **almost** で, **nearly** よりも接近の度合いが強い. 達していようがいまいが, およそのことを表す口語的な言葉が **about**. 少し改まった語が **approximately**.《☞ ほぼ[1]》

¶ 千人*近くの人がそのデモに参加した *About* [*Almost*; *Approximately*] one thousand people took part in the demonstration. // 彼女に最後に会ってから 2 年*近くになる It is ˹*nearly* [*almost*] two years since I saw her last.

ちかく[2] **知覚** ── 名 (認識を伴う知覚)《格式》(sensory) perception Ⓤ; (感じ・感覚) sensation

Ⓒ. ―形 (知覚できる) perceptible; (知覚する能力のある) perceptive; (感覚の) sensory. 《☞ かんかく²》. ¶弱い地震は*知覚できない Weak earthquakes are not *perceptible.* **知覚神経** sensory nerve Ⓒ **知覚心理学** the psychology of perception **知覚動詞**〘文法〙verb of perception Ⓒ **知覚麻痺**〘医〙anesthesia /æ̀nəsθíːʒə/ Ⓤ; (意識混濁) stupor Ⓤ ★ 後者は一般的な語.

ちかく³ 地殻〘地質〙crust Ⓒ. **地殻構造** crustal structure Ⓤ **地殻変動**〘地質〙diastrophism /daiǽstrəfizm/ Ⓤ; (比喩的に, 世界を揺るがすような変化) earthshaking change Ⓒ.

ちがく 地学 (自然地理学) phýsical geógraphy Ⓤ; (地質学) geólogy Ⓤ; (科目名) earth science Ⓤ.

ちかごろ 近頃 ―副 (最近) recently, lately, of late 語法 (1) of late は少し堅苦しい言い方. いずれも完了時制にも過去時制にも用いられる. 日英比較 日本語の「近ごろ」「最近」は (i) 近い過去, (ii) 現在, の2つの意味がある. それに対して英語の recently, lately は (i) の意味であり, 現在時制の動詞と一緒には普通は使われない. (ii) の意味に当たる英語は以下の3つである; (このごろ) these days; (昔と比べてこのごろは) nowadays, 《略式》now; (この数日間) the past few days. ―形 (最近の) recent, late Ⓐ. 《☞ さいきん¹; このごろ》.

¶「*近ごろいかがですか」「まあ, 元気です」"How have you been (*lately*)?" "I've been all right." 語法 (2) 英語では現在完了形が使われるため, lately は言わないほうが普通. // *近ごろは交通事故が多くなっている There has been an increase in the number of traffic accidents ˹*recently* [*lately*]. // *近ごろの (⇒ 今日の) 若い人は考え方が違う Young people (*of*) *today* [*Today's* young people] think differently.

ちかしい 近しい, 親しい (ごく親密な) close; (友好的な) friendly. 《☞ したしい》.

¶日本と米国は*近しい関係にある (⇒ 関係をもっている) Japan and the United States have ˹*close* relations [a *close* relationship]. ★《米》では [ ] 内のほうをよく使う.

ちかしつ 地下室 (建物の地階) basement Ⓒ; (食料品などを貯蔵しておく地下室) cellar Ⓒ.

ちがたな 血刀 bloody [bloodstained] sword Ⓒ.

ちかちか ―動 (ぴかぴか光る) glitter ⓐ; (きらめく) sparkle ⓐ; (目がひりひりと痛む) smart ⓐ. 《☞ 擬声・擬態語 (囲み)》.

ちかぢか 近近 soon, before long. 《☞ ちかく¹ (類義語); まもなく》.

ちかづき 近付き ―名 (面識) acquaintance Ⓤ; (友交) friendship Ⓤ. ―動 (友人になる) make friends with ...; (正式の紹介によって近づきになる) meet ⓗ ⓐ; (面識を得る) make *a person's* acquaintance ★ やや格式ばった表現.

¶「お*近づきになれてうれしく思います」「こちらこそ」"Glad [Nice] to *meet* you." "Glad [Nice] to *meet* yóu." 語法 別れるときは「お近づきになれてうれしかった」という意味で Glad [Nice] to *have met* you. のように完了形不定詞を用いる.

ちかづく 近付く **1**《近寄る》: (そばへ来る) come *near*; (すぐ近くまで来る) come close; (接近する) approach ⓗ ★ 交渉・交際のために近づくことも含む; (時間的に近づく) come soon; (だんだんと近づく) draw (near ...; to ...) ⓐ 語法 come soon は be coming soon という進行形でよく用いられ, 期待されるようなものが近づいていることを表す口語表現. draw (near) はより客観的な表現; (すぐそこまで来ている) be just around the corner. 《☞ せっきん; ちかい¹》. ¶彼は私に*近づいてきた He *came* ˹*closer* [*up*] to me. ★ 物理的に近くへ移動してくる意味. / He made *approaches* to me. ★ 取り入ろうと近づく意味. // あらしが町に*近づいていた The storm *was approaching* our town. // クリスマスが*近づいてきた Christmas *is coming soon.* // 試験が*近づいてきた The examination *is* ˹*coming soon* [*just around the corner*].

2《親しくなる》 ¶彼は*近づきやすい (⇒ だれにも友好的だ) He *is friendly* to everybody. / (⇒ 友人になりやすい) He is easy to *make friends with.* // あの男には*近づくな (⇒ 離れていろ) Keep away from him. 《☞ しりあう》

ちかづける 近付ける (物を) bring [put] ... ˹close [near] (to ...); (人を) allow *a person* to come near (...).

¶いすをそんなに*近づけないでくれ Don't ˹*bring* [*put*] the chair so ˹*close* [*near*] *to* me. // 彼は自分の子供を書斎に*近づけなかった (⇒ 子供が書斎に近づくことを許さなかった) He did not *allow* his children *to come near* his study. // ああいう男は*近づけないように (⇒ 避けなさい) *Avoid* [*Keep away from*] that kind of man. // マイクをもっと*近づけてお話し下さい Please speak with the microphone *closer to* your mouth.

ちがった 違った (異なる) different; (別の) another; (誤った) wrong. 《☞ ちがう (類義語); べつ》.

¶*違った観点から考えてみよう Let's consider it from ˹a *different* [*another*] point of view. // *違った電車に乗ってしまった I've taken the *wrong* train.

ちかてつ 地下鉄 《米》subway Ⓒ, 《英》underground (railway) Ⓒ 参考 《英》で subway というと「地下道」を意味し, 《米》の underpass にあたる; (俗称)《英》the tube.

ニューヨークの地下鉄の入口

ロンドンの地下鉄の入口

¶ 私は池袋から東京まで*地下鉄で行った I took the *subway* from Ikebukuro to Tokyo. / I went from Ikebukuro to Tokyo by *subway*.

地下鉄サリン事件 ── [名] (固) the Tokyo Subway Sarin (Gas) Attack.

ちかどう 地下道 《米》 úndérpàss [C], 《英》 subway [C].

《英》「歩行者用地下道」の掲示

チカノ (メキシコ系米国人) Chicano /tʃɪkáːnou/ [C].

ちかば 近場 ── [形] nearby. ¶ *近場のスキー場 a *nearby* ski area

ちかま 近間 neighborhood (《英》 neighbourhood) [C].

ちかまつもんざえもん 近松門左衛門 ── [名] (固) Chikamatsu Monzaemon, 1653–1724; (説明的には) a renowned playwright of the mid Edo period whose dramas were acted on both the puppet and kabuki stages.

ちかみち 近道 shortcut [C]; (一番近い行き方・道順) the shortest way. ¶ *近道をして駅へ行こう Let's take a *shortcut* to the station. // これが (バス停への) 一番の*近道です This is *the shortest way* (to the bus stop). // 成功への*近道などというものはない There is no *shortcut* to success.

ちかめ[1] 近目 ☞ きんがん

ちかめ[2] 近め ── [副] near. ¶ 投手は*近めのボールを投げた The pitcher threw the ball *inside*.

ちがや 茅 〔植〕 cogon /kougóun/ [C].

ちかよせる 近寄せる ¶ 机を窓に*近寄せる (⇒ 接近させる) *bring* a desk *close to* the window // あの男を*近寄せるな (⇒ 交際するな) Don't *associate with* that man. (☞ ちかづける)

ちかよる 近寄る (そばに来る) come 「near [close]; (接近する) approach (他). (☞ ちかづく). ¶ *近寄るな (掲示) Keep Off

ちから 力 **1** 《体力・物を動かす力》 ── [名] strength [U]; energy [U]; power [U]; force [U]; 《文》 might [U]. ── [形] powerful; strong; 《文》 mighty.

【類義語】 人の体力・軍隊の兵力などが ***strength***. 精力・元気という意味での力が ***energy***. 能力としての力が ***power*** で, これを示したり, 実際に行使して人や物を動かす場合に用いるのが ***force***. 文語として超人的なほど強い力を指すのは ***might***. (☞ ちからいっぱい; わんりょく)

¶ この仕事はかなり*力がいります This work requires a lot of 「*strength* [*energy*]. // 私はあらんかぎりの*力でその戸を押した I pushed the door as *forcefully* as I could. // 彼は*力をふりしぼった He exerted all his *strength*. // たくさん食べて*力をつけなさい (⇒ 丈夫になりなさい) Eat a lot and get *strong*. // このエンジンは*力が強い (⇒ 大きな力がある) This engine has a great deal of *power*. // *力は正義なり *Might* is right. (ことわざ)

2 《権力・威力》 ── [名] (権力・支配力) power [U]; (実際に行使される力) force [U]; (影響力) influence [U]. ── [形] powerful; influential. (☞ けんりょく). ¶ その国では政府の*力が強い The government has great *power* in that country. / They have a 「*strong* [*powerful*] government in that country. // 独裁者は*力によって国を統治した (⇒ 統治するのに力を用いた) The dictator used *force* to rule the country. // 彼は政界に*力がある (⇒ 影響力がある) He is *influential* in political circles.

3 《能力・実力》 ── [名] (一般的な能力) ability [U]; (潜在的な能力) capacity [U]; (実際にやれる力) capability [U]; (実力・堪能な力) 《格式》 proficiency [U]. ── [形] (能力のある) able; capable; (実力のある) 《格式》 proficient. (☞ のうりょく (類義語); じつりょく). ¶ *力の及ぶ限りそれをやってみます I'll do it to the best of my *ability*. // 彼の英語の*力はかなりのものだ (⇒ 英語がとても堪能だ) He *is* 「very *good at* [quite *proficient* in] English. // 私の*力では彼を助けることはできない It is not 「in [within] my *power* to help him.

4 《尽力・助力》 ── [名] (手助け) help [U]; (援助) aid [U] ★ 後者は公的な援助をいうことが多い; (側面からの援助) assistance [U]; (支援) support [U]. ── [動] help (他); aid (他); assist (他); (支援する) support (他), 《略式》 báck úp (他). (☞ たすける (類義語); えんじょ). ¶ 彼は父親の*力で就職した He found a job with the 「*help* [*aid*] of his father.

5 《努力》: effort [C]. ¶ 皆の*力を結集して頑張ったので大成功でした It was a great success through the combined *efforts* of all the members.

力およばず ¶ *力およばず (⇒ 努力が足りず) 彼は失敗した He failed *for lack of* 「*effort* [(⇒ 能力不足で) *ability*]. (☞ ちからぶそく) **力つきる** ¶ 10キロ走ったら*力つきて (⇒ 消耗して) レースを棄権した After running ten kilometers, I *was exhausted* and dropped out of the race. **力と頼む** ¶ *力と頼む彼に援助を断られた I 「*looked to* [*counted on*] him *for help*, but he turned me down. // *力と頼む人が亡くなった The person I *was relying on* died. **力になる** ¶ 彼の*力になってやろう Let's *help* him. / Let's *back* him *up*. **力を合わせる** (協力する) co-operate (with …) (自), pull together (自) ★ 後者は口語的表現; (提携する) join [combine] forces. ¶ 皆で*力を合わせれば選挙には勝てる We should be able to win the election if we all *pull together*. // 私たちは*力を合わせてその計画を完遂した We *joined forces* and 「brought off the project [executed the plan]. **力を入れる** (強調する) émphasìze (他); (努力を倍加する) redouble *one's* efforts. ¶ 私たちの学校は英語教育に*力を入れている Our school *is putting a great deal of effort* into the teaching of English. // 彼は不得意な科目を征服するために*力を入れて勉強した He *redoubled his efforts* to master his weaker subject. **力を落とす** (がっかりする) be disappointed; (勇気がくじける) be discouraged. **力を貸す** (援助する) support (他); (助ける) aid (他). (☞ たすける). ¶ 彼は私の仕事に*力を貸してくれた He 「*aided* [*helped*] me with my work.

ちからいっぱい 力一杯 ── [副] (できるだけ一生懸命) as hard as *one* can ★ 最も口語的な表現; (全力で) with all *one's* 「strength [energy; might] ★ might は文語的; 《略式》 for all *one* is worth. ── [動] (全力を尽くす) do *one's* best. (☞ ぜんりょく; いっしょうけんめい). ¶ 彼らは*力いっぱい (⇒ できるだけ一生懸命) その岩を押した They pushed the rock *as hard as they could*. // 私は*力いっぱい舟をこいだ I rowed the boat *with all my* 「*strength* [*energy*]. / I rowed the boat *for all I was worth*. // *力いっぱいやったが (⇒ 全力を尽くしたが) だめだった I *have done my* 「*best* [*utmost*], but in vain.

ちからうどん 力うどん (餅の入ったうどん) *udon* noodles with rice cakes.

ちからおとし 力落とし ¶ さぞお*力落としでしょう (⇒ がっかりしているに違いないと想像できる) I can well imagine how 「*disappointed* [*discouraged*]

you must「be [feel].

ちからがみ 力紙 (相撲で) power paper [U]; (説明的には) paper used by a sumo wrestler to wipe his mouth after drinking power water [U]. (☞ ちからみず).

ちからかんけい 力関係 power balance [C]. ¶労使の*力関係 the「*relative strength* [*power balance*] between labor and management

ちからくらべ 力競べ contest of strength [C].

ちからこぶ 力瘤 muscle mass [U]. ¶彼は腕を曲げて大きな*力こぶを作った He bent his arm to display his *muscle mass*.

ちからしごと 力仕事 (肉体労働) physical [manual] labor [U]; (重労働) heavy「labor [work] [U].

ちからじまん 力自慢 ── [動] boast of *one's* strength. ¶その大会には大勢の*力自慢が参加した Many *self-proclaimed strongmen* entered the contest.

ちからずく 力尽く ── [副] by force, forcibly. ── [動] (力ずくでする) force (他). (☞ -ずく; ごういん[1]; きょうせい[1]; じつりょく). ¶彼は彼女からそれを*力ずくで奪った He took it from her「*by force* [*forcibly*]. // 彼らは*力ずくで彼を外へ連れ出した They *forced* him out.

ちからずもう 力相撲 (技なしの相撲) sumo wrestling without tricks [U]; (単純な) straightforward sumo wrestling [U].

ちからぞえ 力添え ── [名] (助力) help [U]; (公的な援助) aid [U]. ── [動] help (他); aid (他); (人に手を貸す) give *a person* a hand ★ 口語的な言い方. (☞ じょりょく; たすけ; えんじょ).

ちからだめし 力試し ── [名] test of *one's*「strength [ability] [C] [語法] strength は腕力, ability は能力をいう. ── [動] test *one's*「strength [ability]. ¶彼は*力試しに (⇒ 自分の力を試すために) そのバーベルを持ち上げた He raised the barbell to「*try* [*test*] *his* (*own*) *strength*. // 彼は*力試しに (⇒ 実力をテストするために) その試験を受けてみた He「took [(英) sat for] the examination to *test his actual ability*.

ちからづける 力付ける (励ます) encourage /ɪnkə́ːrɪdʒ/ (他); (元気づける) chéer úp (他). (☞ はげます).

ちからづよい 力強い (力のある) powerful; (頼りになる) reliable; (安心させる) reassuring. (☞ こころづよい). ¶彼は*力強い味方となることだろう He will make quite a *reliable* friend. // 彼がいてくれることだけで*力強かった (⇒ 安心だった) His very presence was *reassuring*.

ちからない 力無い ── [形] (弱々しい) feeble.

ちからぶそく 力不足 lack [want] of ability [U]. ¶あの討論会では私は*力不足でした I *felt out of my depth* in that debate. ★ out of *one's* depth は「力量が及ばない」の意の成句.

ちからまかせ 力任せ ── [副] with all *one's* strength (☞ ちからいっぱい). ¶雑草の根を*力まかせに引き抜いた I pulled out the root of the weed *with all my strength*.

ちからまけ 力負け ── [動] (力の争いで負ける) be defeated in a battle of strength.

ちからみず 力水 (相撲の) power water [U]; (説明的には) water given by a sumo wrestler to another who has just entered the ring [U], water to raise the spirits of sumo wrestlers in the arena [U] ★ arena /əríːnə/ は競技場・土俵.

ちからもち 力持ち (力強い男) strong man [C], man of great strength [C]; (超人的な男) superman [C]; (女) superwoman [C]; (強力な選手) (略式) pówerhoùse [C].

ちからわざ 力業 (力を必要とする労働) heavy labor [C]; (自分の強い力を頼んでやる仕事) feat of strength [C].

ちかん[1] 置換 ── [名] (置き換え) replacement [U]; 〚化〛 sùbstitútion [U]; 〚数〛 permutation [C]. ── [動] replace (他); súbstitùte (他); permúte (他). (☞ おきかえる).

ちかん[2] 痴漢 (女性に性的ないたずら・乱暴をする人) (séxual) moléster [C]; (体にさわる人) groper [C]; (変質者) pérvert [C].

ちかん[3] 弛緩 ☞ しかん[3]

ちき[1] 知己 (友人) friend [C]; (知人) acquaintance [C]. (☞ ともだち; しりあい). ¶彼女は京都に*知己が多い She has many「*acquaintances* [*friends*] in Kyoto.

ちき[2] 稚気 (愛嬌のある子供っぽさ) (engaging) childishness [U].

ちき[3] 地気 (地から立ちのぼる水蒸気) ground「vapor [(英) vapour] [U]; (土中の空気) air in the soil [U].

ちぎ[1] 痴戯 lewd「behavior [(英) behaviour] [U].

ちぎ[2] 千木 〚建〛 (ornamental) crossbeams on the gable of a Shinto shrine ★ 複数形で.

ちきゅう[1] 地球 ── [名] (惑星の 1 つとしての地球) the earth ★ ときに大文字で; (人間の住む世界としての地球で, 特に丸いことを強調する) the globe. ── [形] (天空に対し地球の) terrestrial.

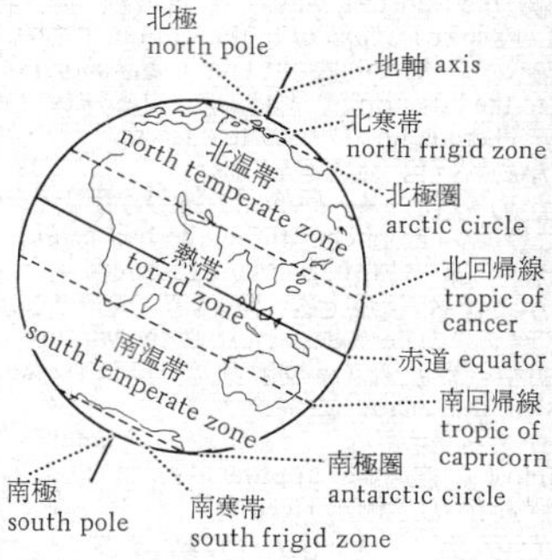

¶*地球は太陽の周りを回る *The earth* goes (a)round the sun. // *地球上のすべての民族 all the peoples「of [on] *the earth* [語法] the を付けずに on earth とすると「地上の」「この世の」という意味合いが強くなる. // *地球の自転 the rotation of *the earth* // *地球の引力 *terrestrial* gravitation // 国際*地球観測年 the International *Geophysical* Year (略 IGY) ★ geophysical は「地球物理学の」を意味する [形]. // *地球規模の災害 disasters on a *global* scale

地球温暖化(現象) global warming [U] **地球温暖化防止京都会議** the Third Conference of the Parties [COP3] to the UN Framework Convention on Climate Change in Kyoto in 1997 **地球温暖化防止行動計画** Action Program to Arrest Global Warming [C] **地球温暖化防止条約** the Global Warming Convention **地球外知的生命体** extraterrestrial「intelligence [U] [intelligent lifeform [C]] **地球外知的生命体[文明]探査** Search for Extraterrestrial Intelligence (略 SETI) **地球科学** earth science [U] ★ 個々の分野をいうときは [C]. **地球化学** geochemistry [U] **地球環境** the global environment **地球環境基金** (日

本の) the Japan Fund for Global Environment **地球環境ファシリティー** (地球環境資金制度) the Global Environment Facility 《略 GEF》 **地球観測衛星** earth survey satellite Ⓒ **地球儀** (terrestrial) globe Ⓒ **地球サミット** (the) Earth Summit ★ United Nations Conference on Environment and Development の通称. **地球磁場** the geomagnetic field 《☞ ちじき》 **地球シミュレーター** the Earth Simulator ★ 地球環境の変動などの予測に使われるスーパーコンピューター. **地球市民** global citizen Ⓒ **地球大気開発計画** Global Atmospheric Research Program **地球の日** Earth Day ★ 4 月 22 日. **地球物理学** gèophýsics Ⓤ.

ちきゅう[2] 恥丘 mons pubis /mánzpjú:bɪs/ Ⓒ 《複 montes /mánti:z/ pubis》; (女性の場合) móns véneris /-vénərɪs/ 《複 montes veneris》.

ちぎょ 稚魚 (孵化(ふか)して間もない魚) fry Ⓒ ★ 単複同形; (一般に幼魚) young fish Ⓒ ★ 単複同形; (特にさけ・ますの) fingerling Ⓒ.

ちきょう[1] 地峡 isthmus /ísməs/ Ⓒ.

ちきょう[2] 地境 ☞ じざかい

ちぎょう 知行 〖史〗(土地を支配すること) lordship over land Ⓤ; (家臣に封建的土地所有権を与えること) granting (of) feudal tenure to a vassal Ⓤ; (封土) fief Ⓒ. **知行国** (知行下賜) enfeoffment /ɪnfí:fmənt/ Ⓤ; (皇族・公家・寺社に授けられた領土) province given to imperial family members, court nobles, and shrines and temples Ⓒ **知行制** the system of granting feudal tenure.

ちきょうだい 乳兄弟 (同じ養い親に育てられた兄弟 [姉妹]) foster「brother [sister] Ⓒ 《☞ きょうだい[1]》.

ちぎり 契り (誓い) pledge Ⓒ, vow Ⓒ ★ いずれもやや格式ばった語. ¶ 夫婦の*契りを結ぶ (⇒ 結婚の誓言を交わす) exchange marriage *vows* / (⇒ 同衾する) sleep together

ちぎる[1] (引き破る) tear /téə/ ㊀ 《過去 tore; 過分 torn》; (引っ張ったり, はがしたりして取る) pluck ㊀. 《☞ やぶる; さく[2]; ちぎれる》. ¶ 彼は紙を細かく*ちぎった He *tore* a sheet of paper into small pieces.

ちぎる[2] 契る (誓う) pledge ㊀, vow ㊀ ★ いずれも格式ばった語; (肉体関係を結ぶ) share a bed. 《☞ ちぎり》.

ちぎれぐも ちぎれ雲 scattered clouds ★ 通例複数形で.

ちぎれる (何かの力でちぎれ取れる) be torn off; (ひとりでに) come off ㊁, come off ... 《☞ ちぎる[1]》. ¶ その地図は一番大切な箇所が*ちぎれてしまっていた The map *had* the most important part *torn off*. // 上着のボタンが*ちぎれた A button *came off* the jacket.

チキン (鶏肉) chicken Ⓤ 《☞ とり[1]》. ¶ ロースト [フライド]*チキン roast [fried] *chicken* **チキンカツ** chicken cutlet Ⓒ **チキンナゲット** chicken nugget Ⓒ **チキンライス** chicken「and [with] rice Ⓤ; chicken pilaf Ⓤ.

ちぎん 地銀 ☞ ちほう[1] (地方銀行)

ちく 地区 (行政上の区画・ある特徴を持つ地域) district Ⓒ; (特色別に分けられた地帯) zone Ⓒ; (漠然と区分した地域の 1 つ) area Ⓒ; (小さく分けた区域) section Ⓒ; (都市の中の住居区域) quarter Ⓒ. 《☞ ちいき (類義語); ちほう[1]; くいき》. ¶ ここがこの市の商業*地区です This is the commercial *district* of this city. // 都市にはたいてい住宅*地区と商業*地区がある There are residential and business「*zones* [*quarters*] in most cities. / Most towns are divided into uptown and downtown *areas*. **地区計画制度** district planning system Ⓒ.

ちぐ 痴愚 〖医〗 imbecílity Ⓤ; (ばか) stupídity Ⓤ. 《☞ ばか》.

ちくいち 逐一 (いちいち) one by one; (詳しく) in detail; (全部) fully. ¶ その子はその日の出来事を両親に*逐一報告した The child reported the day's happenings「*one by one* [*in detail*; *fully*] to his parents.

ちぐう 知遇 warm friendship Ⓒ. ¶ 人の*知遇を得る establish a *warm friendship* with *a person*

ちくおんき 蓄音機, 蓄音器 gramophone Ⓒ ★ 現在は record player が一般的. ¶ *蓄音機をかける play [turn on] a *gramophone*

ちくかん 竹簡 ☞ ちっかん

ちくけんとうろく 畜犬登録 the registration of pet dogs.

ちくごやく 逐語訳 ― 图 (文字どおりの訳) literal translation Ⓤ; (一語一語をたどった訳) word-for-word translation Ⓤ ★ いずれも「訳されたもの」の意では Ⓒ. ― 動 translate ...「literally [word for word]. 《☞ ほんやく; いやく[3]; 翻訳 (巻末)》.

ちぐさ 千草 varied grasses ★ 複数形で. ¶ 庭の*千草 the *varied grasses* in the garden

ちくざい 蓄財 ― 動 (金をためる) save (up) money, accumulate「wealth [*one's* fortune] ★ 後者は格式ばった表現. 《☞ ためる[1]》. **蓄財家** (金もうけのうまい人) moneymaker Ⓒ; (がめつい人) money-grubber Ⓒ.

ちくさん 畜産 stock raising Ⓤ. **畜産業者** stock raiser Ⓒ, stockbreeder Ⓒ **畜産試験場** National Institute of Animal Industry ★ 農林水産省の管轄のもの. **畜産振興事業団** Livestock Industry Promotion Corporation **畜産農家** rancher Ⓒ, livestock farmer Ⓒ **畜産物** livestock [stock farm] products ★ 複数形で.

ちくじ 逐次 (一つ一つ) one by one; (だんだんに) gradually. 《☞ だんだん》. **逐次刊行物** serial Ⓒ **逐次反応** 〖化〗 successive [consecutive] reaction Ⓒ.

ちくじつ 逐日 day by day.

ちくしゃ 畜舎 (livestock) barn Ⓒ, stable Ⓒ, shed for animals Ⓒ.

ちくじやく 逐字訳 ☞ ちくごやく

ちくしょう 畜生 (悪態の言葉) (God) damn (「it [you])!; (男に向かって) Son of a bitch! 〔語法〕 以上いずれも言ってはいけない言葉とされているため, 我々外国人が使うときは注意を要する.
畜生の浅ましさ (動物について) animal stupidity Ⓤ; (人について) *one's* animal instincts ★ 複数形で.
畜生道 (近親相姦) incest Ⓤ

ちくじょう[1] 逐条 **逐条審議** ¶ 彼らは議案を*逐条審議した They *discussed* the bill「*article by article* [*clause by clause*; *item by item*].

ちくじょう[2] 築城 ― 图 (城を築くこと) construction of a castle Ⓤ. ― 動 (城を築く) build [construct] a castle. 《☞ きずく》. **築城学** (the science of) fortification Ⓤ.

ちくせき 蓄積 ― 動 (積み重ねて増やす) accumulate ㊀; (蓄えて貯蔵する) store (up) ㊀. ― 图 accumulation Ⓤ ★「蓄積されたもの」の意では Ⓒ; (蓄え) store Ⓒ. ¶ 資本の*蓄積 the *accumulation* of capital **蓄積作用** cumulative action Ⓤ.

ちくぜんに 筑前煮 chicken and vegetable stew Ⓤ; (説明的には) local cuisine in northern Kyushu, consisting of chicken and vegetables boiled down in soy sauce Ⓤ.

ちくぞう[1] 築造 ― 動 (建造する) construct ㊀; (建てる) build ㊀, 《格式》 erect ㊀. ― 图 construction Ⓤ; building Ⓤ. 《☞ けんぞう; たてる¹》. ¶ 城を*築造する *build* [*erect*] a castle

ちくぞう² 蓄蔵 ― [動] (蓄えておく) store up (他); (蓄えてしまっておく) keep ... in stock. 《☞ たくわえる》. ¶ 冬に備えて食べ物を*蓄蔵する *store up* food for the winter

チクタク (時計の音) ticktack Ⓒ; (特に大きな時計の音) ticktock Ⓒ. ¶ 時計の*チクタクという音が聞こえる I hear ˹the *ticking* of the clock [the clock *ticking away*]. 《☞ 擬声・擬態語 (囲み)》

ちくちく ― [動] (ちくちくする・ちくちく痛む) prick (自), prickle (自) ★ 後者のほうがちくちくする程度が少し軽い. 《☞ 擬声・擬態語 (囲み)》.

ちくてい 築堤 (堤防を築くこと) embankment Ⓤ 《☞ ていぼう¹》.

ちくてん 逐電 ― [動] (逃亡する) abscond (自).

ちくでん¹ 逐電 ☞ ちくてん

ちくでん² 蓄電 〘電〙 ― [名] storage Ⓤ. ― [動] store (他).

ちくでんき 蓄電器 ☞ コンデンサー

ちくでんち 蓄電池 stórage bàttery Ⓒ.

ちくにく 畜肉 (家畜の肉) meat (of domestic animals) Ⓤ 《☞ にく》.

ちくねつき 蓄熱器 〘機〙 regéneràtor Ⓒ.

ちくねん 逐年 year by year, annually.

ちくのうしょう 蓄膿症 〘医〙 empyema /èmpaɪíːmə/ Ⓒ 《複 empyemata, ~s》.

ちぐはぐ ― [形] (不ぞろいな) irregular; (首尾一貫しない) inconsistent, incoherent /ìnkoʊhí(ə)rənt/. 《☞ 擬声・擬態語 (囲み)》.
¶ 彼は靴下が*ちぐはぐだった He was wearing socks that *didn't match*. // 彼は言うこととやることが*ちぐはぐだ (⇒ 首尾一貫しない) His words and deeds are *inconsistent*. / (⇒ 一致しない) His words *do not agree with* his deeds.

ちくばのとも 竹馬の友 (子供のころからの友達) old ˹friend [playmate] Ⓒ 《☞ おさななじみ》.

ちくび 乳首 (人間の) nipple Ⓒ; (動物の) teat Ⓒ; (哺乳瓶の乳首) 《米》 nipple Ⓒ, 《英》 teat Ⓒ.

ちくよう 畜養 ― [動] (飼育する) breed (他). ― [名] breeding Ⓤ. 《☞ しいく; かう²》. ¶ 市場に出すために牛を*畜養する *breed* cattle for market

チグリス ― [名] (固) the Tigris /táɪgrɪs/ ★ ペルシャ湾に注ぐイラクの川.

ちくりと ― [副] prickingly. ― [動] prick (他); (蚊・のみが) bite (自) (他); (はちなどが) sting (自) (他). 《☞ さす²; 擬声・擬態語 (囲み)》. ¶ 彼女はピンで*ちくりと指を刺してしまった She *pricked* her finger ˹on [with] a pin. // *ちくりと皮肉をいう make a *biting* remark

ちくりょく 畜力 ― [名] the power of domestic animals. ― [形] (動物の力で動かされる) animal-driven.

ちくりん 竹林 bamboo grove Ⓒ. **竹林の七賢** the seven sages in a bamboo grove.

ちくる (告げ口をする) tell on ... ★ 子供が先生や親などに密告する意味. 《☞ いいつける; つげぐち》. ¶ 「ぼくのことを先生に*ちくっただろう」「*ちくってなんかいないよ」"You *told on* me to the teacher, didn't you?" "I didn't *tell on* you at all."

ちくるい 畜類 (家畜) domestic animal Ⓒ; (けだもの) beast Ⓒ.

チクロ 〘化〙 (人工甘味料) cyclamate /sáɪkləmèɪt/ Ⓤ.

ちくわ 竹輪 *chikuwa* Ⓒ; (説明的には) tube of Japanese fish paste cooked in a bamboo-like shape Ⓒ. **竹輪麩**(ぶ) tube of steamed wheat-flour dough (with a bamboo-like shape) Ⓒ.

チゲ *chigae* /tʃíːgeɪ/ Ⓤ; (説明的には) Korean dish of vegetables and meat or fish cooked in a pot Ⓒ.

ちけい 地形 (広い意味での地面の形) landform Ⓒ ★ 最も一般的な語; (地表の形状) configuration (of the ground) Ⓒ; (ある地域の土地の形状) topógraphy Ⓒ ★ 専門用語. 通例単数形で; (自然の地形) natural features ★ 通例複数形で. **地形学** topógraphy Ⓤ, gèomorphólogy Ⓤ **地形図** tópogràphical máp Ⓒ; (等高線を示した地図) contour map Ⓒ **地形輪廻**(りんね) geographical [geomorphic] cycle Ⓒ.

チケット ticket Ⓒ 《☞ きっぷ¹》. **チケットショップ** (切符割引販売店) ticket discount ˹store [shop] Ⓒ.

ちけむり 血煙 a spray of blood ★ 通例 a を付けて. ¶ 彼は*血煙を立てて倒れた He fell in *a spray of blood*.

ちけん¹ 知見 (知識) knowledge Ⓤ; (情報による知識) information Ⓤ; (意見) opinion Ⓒ. 《☞ ちしき》. ¶ *知見を広める extend *one's knowledge*

ちけん² 地検 ☞ ちほう¹ (地方検察庁)

ちけん³ 治験 〘薬〙 clinical testing Ⓤ. **治験審査委員会** the Institutional Review Board 《略 IRB》 **治験薬** new drug ˹under research [in the testing stages] Ⓒ.

ちけんしゃ 地権者 landowner Ⓒ.

ちご 稚児 (幼児) infant Ⓒ; (小姓) page Ⓒ.

ちこう¹ 地溝 〘地理〙 (断層の間の細長い低地) rift valley Ⓒ, graben /grάːb(ə)n/ Ⓒ; (大きな溝状の地形) trough /trɔ́ːf/ Ⓒ.

ちこう² 恥垢 〘生理〙 smegma Ⓤ.

ちこう³ 遅効 delayed effect Ⓒ. **遅効性肥料** slow-acting fertilizer Ⓤ.

ちこう⁴ 治効 therapeutic effect Ⓤ.

ちこうごういつせつ 知行合一説 (陽明学の) the thesis that cognition and action are one and inseparable.

ちこく¹ 遅刻 ― [動] (遅刻する) be late for ... (↔ be in time for ...) ★ 時に to ... のこともある; (遅刻して来る) come late (to ...) ★ 前者は「行為」, 後者は「動作」に重点がある. 《☞ おくれる》.
¶ きょうは学校に*遅刻した I *was late for* ˹school [class] today. // 彼はよく会社に*遅刻して来る He often *comes late to* the office. // *遅刻するな Don't be *tardy*. / No *tardiness*.
遅刻者 latecomer Ⓒ **遅刻届** tardiness report Ⓒ, report of *one's* ˹being late [tardy arrival] Ⓒ.

ちこく² 治国 **治国平天下** governing the land and bringing tranquility to the people Ⓤ.

ちこつ 恥骨 〘解〙 pubis /pjúːbɪs/ Ⓒ 《複 pubes /-biːz/》, pubic bone Ⓒ.

ちごまげ 稚児髷 coiffure, formerly worn by girls in early puberty, distinguished by two loops of hair standing on the crown of the head Ⓒ ★ 説明的な訳.

チコリー 〘植〙 chicory Ⓒ.

ちさ 萵苣 ☞ ちしゃ³

ちさい 地裁 ☞ ちほう¹ (地方裁判所)

ちさんちすい 治山治水 forestry conservancy and river improvement.

ちし¹ 致死 ― [形] (死に至る) fatal; (一命にかかわるような) deadly ★ 死に至るとは限らない; (薬などが致死性の) lethal /líːθ(ə)l/. ¶ 過失*致死 (involuntary) *manslaughter* **致死率** the ˹death [mortality; fatality] rate 《☞ しぼう² (死亡率)》. ¶ この病気の*致死率はどのくらいですか What is the ˹*death* [*mortality*; *fatality*] *rate* for this disease? **致死量** léthal dose /dóʊs/ Ⓒ. ¶ 彼女は*致死量の睡眠薬を飲んだ She took a *lethal dose* of sleeping pills.

ちし² 地誌 （地理学的に記した書物）geographical description Ⓒ;（一地方の地形図）(local) topography Ⓒ.《☞ちけい》. **地誌学**（地形学）topography Ⓤ.

ちし³ 地史 gèohístory Ⓤ.

ちし⁴ 致仕 ―图（辞職）resignation Ⓤ;（退職）retirement Ⓤ;（70 歳）seventy years of age ★ 70 歳が退官年齢であった中国の故事から. ―動（致仕する）resign [retire from] *one's* office, give up *one's* ⌈post [appointment].

ちじ 知事 （都道府県の）governor Ⓒ.

ちしお 血潮 blood Ⓤ《☞ち¹》.

ちしき 知識 （一般的に）knowledge Ⓤ;（情報）information Ⓤ;（学んで得た学識）learning Ⓤ;（技術についての実際的知識）know-how Ⓤ. ¶彼には電子工学の*知識がかなりある He has a considerable *knowledge* of electronics. // この仕事には英語の*知識が絶対不可欠である (A) *knowledge* of English is an absolute essential for this job. // 辞書は語句についての*知識を与えてくれる A dictionary gives us *information* about words and phrases. // 彼は広範囲に及ぶ*知識をもっていた He had a wide range of *learning*. // この本は経済の*知識を得るのに役立つ This book helps you ⌈acquire [gain; obtain] *knowledge* of economics. // *知識を伝える impart [communicate] *knowledge* // 役に立たない*知識 useless *knowledge*

知識階級 intelléctuals, the intelligentsia /ɪntèlədʒéntsiə/ ★ 後者のほうが格式ばった言い方. もとラテン語で, ロシア語を通して英語に入った. **知識工学** knowledge engineering Ⓤ **知識産業** knowledge industry Ⓒ **知識集約型産業** knowledge-intensive industry Ⓒ **知識情報処理** knowledge information processing Ⓤ **知識人** intellectual Ⓒ《☞インテリ》 **知識層** ☞知識階級 **知識欲** a thirst for knowledge;（学習意欲）a desire to learn ★ いずれも a を付けて. ¶彼は*知識欲が旺盛だ He has *an* insatiable *thirst for knowledge*.

―コロケーション―

大ざっぱな知識 sketchy *knowledge* / 完璧な知識 thorough *knowledge* (about …; of …) / 詳しい知識 intimate *knowledge* / 高度な知識 advanced *knowledge* / 初歩的な[基本的な]知識 rudimentary [basic; fundamental] *knowledge* / 浅薄な知識 superficial *knowledge* / 専門的な知識 expert *knowledge* / 幅広い知識 extensive *knowledge* / 不完全な知識 imperfect [incomplete] *knowledge* / わずかな知識 slight *knowledge* // 知識を活用する use [apply] *one's knowledge* / 知識を吸収する absorb *knowledge* / 知識をひけらかす show off [parade] *one's knowledge* / 知識を披露する show [display] *knowledge* / 知識を広げる broaden *one's knowledge* / 知識を深める deepen *one's knowledge* / 知識を増す add to *one's knowledge*

ちじき 地磁気 ―图 terrestrial /təréstriəl/ mágnetism Ⓤ, gèomágnetism Ⓤ. ―形 gèomagnétic. **地磁気極** géomagnètic póle Ⓒ.

ちじく 地軸 the earth's axis《☞じく¹; ちきゅう¹ (挿絵)》.

ちしつ¹ 地質 geólogy Ⓤ;（地質の特徴）géològic [géològical] féatures ★ 複数形で;（土質）the nature of the soil. **地質学** geology Ⓤ **地質学者** geólogist Ⓒ **地質構造** geologic(al) structure Ⓒ **地質時代** geologic age Ⓒ **地質図** geologic map Ⓒ **地質調査** geological survey Ⓒ.

ちしつ² 知悉 ―動（知り尽くしている）have a ⌈complete [full; thorough] knowledge (of …), know … ⌈completely [thoroughly]. ¶彼は英文法を*知悉している He *has a* ⌈*complete* [*perfect*; *thorough*] *knowledge* of English grammar.

ちしま 千島 （千島列島）the Kuril(e) /kjúː(ə)riːl/ Islands, the Kuril(e)s. **千島海峡** the Kuril(e) Strait **千島海流** the Kúril(e) Cúrrent **千島火山帯** the ⌈Chishima [Kuril] Volcanic Zone.

ちしまぎきょう 千島桔梗 〘植〙 hairyflower bellflower Ⓒ.

ちしゃ¹ 知者 wise man Ⓒ. **知者の一失愚者の一得** Even a wise person may make a mistake, while even a fool may occasionally have a good idea. **知者も千慮に一失** Even Homer sometimes nods.《ことわざ: ホメロスでもときにはへまをする》

ちしゃ² 治者 （統治者）ruler Ⓒ.

ちしゃ³ 萵苣 〘植〙 lettuce Ⓒ.

ちしゃのき 萵苣の木 ☞えごのき

ちじゅつ 治術 （国家を治める方法）governing [ruling] strategy Ⓒ;（病気の治療）cure Ⓒ, remedy Ⓒ, medical treatment Ⓤ.

ちしょう¹ 知将 resourceful general Ⓒ.

ちしょう² 地象 terrestrial phenomenon Ⓒ《複 ～ phenomena》.

ちしょう³ 致傷 inflicting ⌈a wound [an injury] Ⓤ.

ちじょう¹ 地上 ―图（地面）the ground;（地球の表面）the surface of the earth;（地球・大地）the earth. ―副（地上で）on the ground;（地上から）above the ground. ―形（土地の）《格式》terréstrial (↔ celestial);（地表の）surface Ⓐ;（この世の）earthly Ⓐ (↔ heavenly, spiritual).《☞この よ》. ¶へびは*地上をはう Snakes move along *the ground*. // *地上にはさまざまな生物が生息している A great variety of creatures live *on* (*the surface of*) *the earth*. // 空の旅より*地上の旅のほうが安全だろうか Is *surface* travel safer than air travel? // 私はそこに*地上の楽園を見た I saw an *earthly* paradise there. // このビルは*地上 35 階地下 3 階だ This building has thirty-five stories *above the ground* and three below. **地上勤務員[整備員]**（飛行機の整備や維持をする機械工や技術者）ground crew member Ⓒ;（集合的に）the ground crew **地上茎** 〘植〙 terréstrial [epigeal /èpədʒìːəl/] stém Ⓒ **地上権** surface rights ★ 複数形で. **地上波** 〘通〙 ground wave Ⓒ;（衛星放送に対して）terrestrial (broadcast) signal Ⓒ **地上(波)デジタル放送** digital terrestrial [terrestrial digital] broadcasting Ⓤ **地上放送デジタル化** digitization of terrestrial broadcasting Ⓤ.

ちじょう² 痴情 （色情）lust Ⓤ;（情欲）sexual passion Ⓤ.《☞しきじょう³》. ¶彼は*痴情に目がくらんでいた He was blind with ⌈*lust* [*sexual passion(s)*].

ちじょうい 知情意 intellect, emotion and volition Ⓤ.

ちじょく 恥辱 （恥）shame Ⓤ;（個人の尊厳を犯された恥）indignity Ⓤ ★ 前者より格式ばった語;（はずかしめを受けて悔しい気持ち）humiliation Ⓤ;（不名誉）disgrace Ⓤ;（名誉の喪失）dishonor《英》dishonour) Ⓤ.《☞はじ²; ぶじょく》. ¶彼はひどい*恥辱を受けた He suffered a great ⌈*indignity* [*humiliation*].

ちしりょう 致死量 ☞ちし¹（致死量）

ちじん¹ 知人 acquaintance Ⓒ《☞しりあい》.

ちじん² 痴人 （馬鹿げたことをする人）fool Ⓒ;（知

能の低い人) idiot Ⓒ. (☞ ばか (類義語)).
ちしんじ 遅進児 slow learner Ⓒ.
ちず 地図 map Ⓒ; chart Ⓒ; átlas Ⓒ.
【類義語】通例地球の表面やその一部, その上の建造物などを表すのが *map*. ただし, *map* は日本語の「地図」より意味領域が広く, 天体図や地球以外の惑星の表面図などにも用いられる.航空あるいは航海用のものが *chart*. *map* や *chart* を幾つか綴(と)じ合わせて 1 冊にしたのが *atlas*.
¶あなたは*地図の見方を知っていますか Do you know how to ⌈read [use] a *map*? / Can you read a *map*? // 彼はその町の*地図をかいた[作った] He ⌈drew [made] a *map* of the town. // 彼は急いでその近辺の*地図を描いてくれた He drew me a quick *map* of the neighborhood. // 早速そこを*地図で捜してみた I immediately looked for it on ⌈the [a] *map*. // この山[村]は*地図に出ていない This ⌈mountain [village] is not ⌈shown [marked] on the *map*. // 掛け[折り]*地図 a ⌈wall [folding] *map* // 市街*地図 a city ⌈*map* [*plan*] // 道路*地図 (⇒ 1 枚の) a road *map* / (⇒ 地図帳式の) a road *atlas* // 世界*地図 a world *map* / (⇒ 地図帳式の) a world *atlas* // 日本の*地図 a *map* of Japan // 5 千分の 1 の*地図 a *map* with a scale of 1 to 5,000
地図情報 information from a map Ⓤ **地図帳** atlas Ⓒ **地図投影法** map projection Ⓤ.
ちすい 治水 (川の改良) river improvement Ⓤ; (洪水を防ぐこと) flood control Ⓤ. **治水工事** river improvement [flood control] project Ⓒ.
ちすいかふう 地水火風 (仏教用語) the four elements; (説明的には) earth, water, fire and wind Ⓤ.
ちすいこうもり 血吸蝙蝠 〔動〕vampire (bat) Ⓒ, bloodsucking bat Ⓒ.
ちすいびる 血吸蛭 〔動〕bloodsucking leech Ⓒ.
ちすじ 血筋 (祖先との直接のつながり) (格式) lineage /líniɪdʒ/ Ⓤ; (祖先の民族的な特徴) descent /dɪsént/ Ⓤ; (先祖のタイプ) stock Ⓤ. (☞ ち¹; けっとう¹). ¶彼は日本人の*血筋を引くアメリカ人です He is an American of Japanese *descent*. // 彼女は*血筋がよい She comes from good ⌈*lineage* [*stock*]. // *血筋は争えないものだ Like father, like son. (ことわざ: 似た父親に似た息子)
ちせい¹ 知性 ―名 (知力・論理的思考) íntellect Ⓤ; (知力を使って発揮される頭の働き・知能) intélligence Ⓤ 〔語法〕intellect よりも意味が広く, 理解力・学習能力などを強調する. ―形 (知的な・教育[教養]のある) intelléctual; (知能の高い・頭のよく働く) intélligent (↔ stupid; silly). (☞ ちのう; ちてき; りち). ¶彼は*知性が低い[高い] He is a man of ⌈low [high] ⌈*intellect* [*intelligence*]. // この仕事は*知性をまったく必要としない This task doesn't require any *intelligence*. // 彼は*知性的な顔をしている He looks *intelligent*.
ちせい² 治世 (国王・皇帝などの統治) reign Ⓒ; (権力者による統治) rule Ⓤ. (☞ とうち²).
ちせい³ 地勢 (地理的な特徴) geographical feature Ⓒ; (自然の地形) natural features ★ 通例複数形で; (地形) the ⌈lay [(主に英) lie] of the land; (一地方の地形) the topógraphy. (☞ ちけい).
ちせい⁴ 治政 (行政) administration Ⓤ, government Ⓤ.
ちせいがく 地政学 geopolitics Ⓤ.
ちせき¹ 地籍 land register Ⓒ. **地籍台帳** land register book Ⓒ.
ちせき² 地積 (土地の面積) acreage /éɪk(ə)rɪdʒ/ Ⓤ.
ちせき³ 治績 (政治上の功績) performance [results] (of an administration) ★ performance (功績) は Ⓤ, results は複数形で.
ちせつ 稚拙 ―形 (下手な) poor; (幼稚で子供っぽい) naive; (子供っぽい) childish; (未成熟な) immature /ìmət(j)ʊ́ə/. (☞ ようち¹).
ちそう¹ 地層 (重なった中の 1 つの層) stratum /stréɪtəm/ Ⓒ (複 strata).
ちそう² 馳走 ☞ ごちそう
ちそう³ 地相 (土地の形状) topography Ⓒ, configuration of the ground Ⓒ.
ちそかいせい 地租改正 land-tax reform Ⓒ.
ちぞめ 血染め ―形 bloodstained.
チター (チロル地方の弦楽器) zither /zíðə/ Ⓒ.
ちたい¹ 地帯 (特色別に分けられた地帯) zone Ⓒ; (いくつかに分けた地区の 1 つ) area Ⓒ; (ほかと区別される特徴を持つ地理的な地域) region Ⓒ; (農産物・動植物などによって分けられた地帯) belt Ⓒ. (☞ ちいき (類義語); ちく).
¶京浜工業*地帯 the Keihin industrial ⌈*zone* [*area*] // (車道の) 安全*地帯 a ⌈safety [traffic] *island* ★ 単に an island ともいう / (英) a réfuge. // 無法*地帯 a lawless *area*
ちたい² 遅滞 ―名 (遅れること) delay Ⓤ ★ 具体的には Ⓒ; (支払い・仕事などの遅れ) arrears ★ 複数形で. ―動 (遅れる) delay ㊥ ㊀. ―副 (滞って) in arrears. (☞ みのう; とどこおる). ¶*遅滞なく without *delay* // 部屋代の*遅滞 *arrears* of rent **遅滞金** arrears ★ 複数形で. **遅滞日数** (the number of) days ⌈in arrears [overdue].
ちたい³ 痴態 foolery Ⓒ. ¶*痴態を演ずる make *a disgraceful scene*
ちだい¹ 地代 (借地料) rent Ⓒ; (地価) land price Ⓒ.
ちだい² 血鯛 〔魚〕crimson sea bream Ⓒ.
ちたいくうミサイル 地対空ミサイル surface-to-air missile Ⓒ (略 SAM).
ちたいちミサイル 地対地ミサイル surface-to-surface missile Ⓒ (略 SSM), ground-to-ground missile.
チタニウム ☞ チタン
ちだらけ 血だらけ ―形 (血まみれの) bloody; (血によごれた) stained [smeared] with blood. (☞ ちまみれ). ¶*血だらけの包帯 a *bloody* bandage // *血だらけの手 a ⌈*bloody* [*bleeding*] hand // 部屋の中で発見された時彼の両手は*血だらけだった When he was found in the room, his hands *were* ⌈*red* [*covered*] *with blood*.
ちだるま 血達磨 ¶*血だるまになる be ⌈covered [smeared] with *blood all over*
チタン 〔化〕titanium /taɪtéɪniəm/ Ⓤ (元素記号 Ti). **チタン合金** titanium alloy Ⓒ **チタン白** titanium white Ⓤ.
ちち¹ 父 ―名 father Ⓒ. ―形 (父の・父親らしい) fatherly, paternal Ⓐ ★ 後者のほうが格式ばった語; (父方の) on *one's* father's side, paternal Ⓐ. (☞ おとうさん 〔語法〕; 親族関係 (囲み)).
¶私の*父は技師です My *father* is an engineer. // この*父にしてこの子あり Like *father*, like son. (ことわざ) // 彼は陶芸の*父と呼ばれた He was called the *father* of ceramic art.
父の恩は山よりも高し The debt of gratitude that one owes to one's father is greater than a mountain. **父上** (自分の父への呼びかけ) Father; (相手の父親) your father. ¶*父上, お変わりはありませんか *Father*, how are you getting along? / *Father*, I hope you have been well. **父方** ―形 paternal Ⓐ, on *one's* father's side ★ 後者のほうが口語的. ¶あの人は*父方の祖父です He is my *paternal* grandfather. / He is my grandfather *on*

my father's side. **父君** (自分の父への呼びかけ) Father; (相手の父親) your father. ¶ 貴君の*父君はまだ郷里でご健在ですか Is *your father*, back in your hometown, in good health? **父と母** mom and dad, mother and father ★ 後者はやや格式ばった言い方; (幼児の用語) mommy and daddy. (☞ ふぼ; ちちはは) **父なし子** fatherless child Ⓒ **父の日** Father's Day.

ちち² 乳 ― 名 milk Ⓤ; (母乳) mother's milk Ⓤ; (牛乳) cow's milk Ⓤ; (乳房) breast Ⓒ. ― 動 (乳を搾る) milk ㊉ ㊀; (授乳する) nurse ㊉ ★「乳を吸う」の意味で ㊀ としても用いる. (☞ ぼにゅう).

¶ 赤ん坊が*乳を欲しがって泣いている The baby is crying for *milk*. // 彼女は赤ん坊に*乳を飲ませている She *is nursing* her baby. // 赤ん坊が母親の*乳を飲んでいる The baby is sucking *milk* from its mother's breast. / (⇒ 乳房に吸いついている) The baby *is* ⌈*nursing* [at its mother's *breast*]. // 母親の*乳はよく出た[出なかった] The mother had ⌈plenty of [little] *milk*. // 1 日 2 回牛の*乳をしぼらなければならない Cows must *be milked* twice a day. // この牛は*乳がよく出る This cow *milks* well. **乳臭い** (乳の臭いがする) smelling of milk; (子供っぽい) babyish; (未熟な) green, immature ★ 前者のほうが口語的. **乳首** ☞ ちくび **乳しぼり** ― 名 milking Ⓤ; (人) milker Ⓒ. ― 動 milk ㊉ **乳しぼり器** milker Ⓒ, milking machine Ⓒ **乳離れ** ☞ 見出し

ちち³ 遅遅 ¶ 彼の仕事は*遅々として進まなかった (⇒ ほとんど進展しなかった) His work made ⌈*little* [*almost no*] progress.

ちぢ 千千 ¶ *千々に砕ける (⇒ ばらばらにこわれる) be broken *into pieces* // 私の心は*千々に乱れている (⇒ 相反する気持ちで裂ける) My heart is torn with *conflicting emotions*.

ちちおや 父親 father Ⓒ (☞ ちち¹). ¶ 彼はその子供たちの*父親代わりだった He was a *father* to those children. // *父親らしい愛情 *fatherly* [*paternal*] love

チチカカこ チチカカ湖 ― 名 固 Lake Titicaca /tìtɪkɑ́ːkə/ ★ ペルーとボリビアの国境にある湖.

ちぢかむ 縮かむ (寒さで) be benumbed /bɪnʌ́md/ with cold.

ちちくりあう 乳繰り合う (互いに相手をいじり回す) paw (at) each other; (ひそかに交合する) make love secretly.

ちぢくれる 縮くれる ☞ ちぢれる

ちぢこまる 縮こまる (体を縮めて丸くする) cúrl úp ㊀; (うずくまる) crouch ㊀; (縮み上がる) shrink ㊀. ¶ 彼はベッドに*縮こまって眠った He *curled up* in bed and went to sleep. / (⇒ 胎児の格好で) He was in bed, asleep in a *fetal position*.

ちちばなれ 乳離れ ― 動 (離乳する) be weaned; (独り立ちする) be independent. (☞ りにゅう). ¶ この子は*乳離れしてから 1 週間になる (⇒ 1 週間前に乳離れした) This baby *was weaned* a week ago. // 彼は子供じゃないのにまだ*乳離れしていない (⇒ 独り立ちしていない) Though he is not a child, he *is* not yet quite *independent*.

ちちはは 父母 (*one's*) father and mother (☞ ふぼ).

ちぢまる 縮まる (小さくなる) shrink ㊀; (短くなる) shorten ㊀. (☞ ちぢむ).

ちぢみ 縮み (布地などの) shrinkage Ⓤ; (縮み織り) cotton crepe Ⓤ.

ちぢみあがる 縮み上がる (恐怖などのためにすくむ) cower ㊀; (たじろぐ) shrink (back) ㊀; (おびえる) be ⌈frightened [scared]. ¶ その少年は父親の怒った顔を見て*縮み上がった The boy ⌈*cowered* [*shrank back*] before his father's angry look. // 女の子は大きな雷の音に*縮み上がった The girl *was* ⌈*frightened* [*scared*] by the loud thunder. / (⇒ 雷の音がおびえさせた) The clap of thunder *scared* the girl.

ちぢむ 縮む (布地などが) shrink ㊀ (過去 shrank, shrunk; 過分 shrunk, shrunken) ★ 比喩的に「畏縮する」という意味でも使う; (収縮する) contráct ㊀; (短くなる[する]) shorten ㊀ ㊉; (しわがよって縮む) shrivel ㊀. (☞ しゅうしゅく).

¶ このシャツは洗っても*縮まない This shirt won't *shrink* in ⌈the wash [washing]. // ゴムは伸びたり*縮んだりする Rubber stretches and *contracts*. // 彼は過労のために寿命が*縮んだ Overwork *shortened* his life. // 命が*縮む *lose* a few years off *one's* life

ちぢめる 縮める (短縮する) shorten ㊉; (切って縮める) cut ... short; (衣服の寸法を詰める) tàke ín ㊉, tàke úp ㊉ 語法 前者はウエストなどの幅を, 後者は丈を詰める; (縮約する) abridge ㊉; (要約する) condense ㊉; (減少させる) reduce ㊉; (圧縮する) squeeze ㊉; (記録などを更新する) better ㊉; (首などをひょいと引っ込める) duck ㊉.

¶ 彼はロープを 50 センチ*縮めた He *shortened* the rope by fifty centimeters. // 喫煙は寿命を*縮める Smoking will *shorten* your life. // 私は休暇を 10 日から 1 週間に*縮めなければならなかった I had to *cut short* my vacation from 10 days to a week. // 彼はその本の内容を*縮めて雑誌の記事にした He *abridged* the book for a magazine article. // 彼はダッシュして先頭の走者との距離を*縮めた (⇒ 先頭走者のリード差を減じた) He upped his pace and *reduced* the gap behind the leader. // 私は体を*縮めてその小さな車に乗り込んだ ＜S (人)＋V (*squeeze*)(＋*oneself*)＋*into*＋名＞ I *squeezed* (*myself*) *into* the small car. // 彼は 100 メートル競走で世界記録を 0.2 秒*縮めた (⇒ 更新した) He *bettered* the world record for the hundred-meter dash by 0.2 seconds. ★ 0.2 は zero point two と読む.

ちちゅう 地中 ― 副 (地中に) in the earth; (地表下に) in the ground; (地下に) ùndergróund. (☞ ちか¹). ¶ この土器は*地中に埋もれていたものです This earthenware pot was buried *in the* ⌈*earth* [*ground*]. // 犬は*地中から骨を掘り出した The dog dug some bones out of *the ground*.

ちちゅうかい 地中海 the Mediterranean /mèdɪtəréɪniən/, the Méditerrànean Séa. **地中海気候** Mediterranean climate Ⓤ **地中海式農業** Mediterranean agriculture Ⓤ.

ちぢらす 縮らす (髪をウエーブにする) wave ㊉; (巻毛にする) curl ㊉; (小さい巻毛にする) frizz ㊉. (☞ ちぢれる).

ちぢれげ 縮れ毛 ― 名 wavy [curly; frizzy; kinky] hair Ⓤ 語法 波のようなのが wavy, 巻いているのが curly, 細かく巻いて縮れているのが frizzy, ちりちりに縮れているのが kinky. 2 番目と 3 番目は単に curl Ⓒ, frizz Ⓒ ともいう. ― 形 wavy; curly; frizzy; kinky. (☞ カール¹; パーマ; ウエーブ).

ちぢれる 縮れる (髪がウエーブする) wave ㊀; (巻き毛になる) curl ㊀; (小さい巻き毛になる) frizz ㊀.

¶ 彼女の髪は自然に*縮れている Her hair ⌈*waves* [*curls*] naturally. // 彼の髪は短く*縮れている (⇒ 短く縮れた髪を持つ) He has short ⌈*kinky* [*frizzy*] hair. (☞ ちぢれげ)

ちちんぷいぷい Ouchee /aʊtʃíː/!; Ouchee! Go away!; (説明的には) charm repeated by children while rubbing a bruise Ⓒ.

ちつ¹ 膣 〖解〗 vagina /vəʤáɪnə/ Ⓒ (複 vaginae

/-niː/, ～s》. **膣炎** vaginitis Ⓤ **膣前庭**〘解〙vestibule (of vagina) Ⓒ **膣トリコモナス症**〘医〙vaginal trichomoniasis Ⓤ.

ちつ² **帙** (厚紙製の本のおおい) folding cardboard case (for books) Ⓒ. **帙を繙**(ひもと)**く** open and read a book.

ちっかぶつ 窒化物〘化〙nitride Ⓒ.

ちっかん 竹簡 bamboo board on which records were kept in ancient China Ⓒ《☞ もっかん²》.

チッキ baggage check Ⓒ.

ちっきょ 蟄居 ━動 (家にいる) stay [remain] (at) home; (家に閉じこもる) shut *oneself* up in *one's* house.《☞ なんきん¹; とじこもる; きんしん²》.

チック (男性用固型整髪剤) stick pomade Ⓤ.

チック(しょう) チック(症) (顔面けいれん) tic Ⓤ.

ちっこう 築港 ━名 harbor [《英》harbour] construction Ⓤ. ━動 build [construct] a harbor ★ build のほうが口語的. **築港工事** harbor (construction) work Ⓤ.

ちつじょ 秩序 ━名 (治安) order Ⓤ, the peace ★ peace はこの意味では the を付けて; (秩序立った方法) system Ⓤ ★「体系」の意味では Ⓒ; (筋道) method Ⓤ ★「方法」の意では Ⓒ; (規律) discipline Ⓤ. ━形 (規律正しい) orderly; (整然とした) methodical.《☞ ちあん; きりつ¹》. ¶ *秩序あるサッカーの観衆 an *orderly* soccer crowd // *秩序立てて *methodically* // *秩序の乱れた (⇒ 無秩序の) disorderly / (⇒ 組織的でない) unsystematic / (⇒ でたらめな) unmethodical // *秩序が乱れている be in ˹disorder [a state of confusion] // 社会の*秩序を保つ maintain ˹public [social] *order* // 法と*秩序を乱す者 people who disturb law and *order* ★ law と order はしばしばこのように対句として使用される. // その国ではまだ*秩序が回復されていない *Order* has not yet been restored in the country. // 彼の研究方法は非常に*秩序立っている His research methods are very *systematic*.

ちっそ 窒素〘化〙nitrogen /náɪtrədʒən/ Ⓤ《元素記号 N》. **窒素工業** the nitrogen industry **窒素固定(法)** nitrogen fixation Ⓤ **窒素酸化物** nitrogen oxide Ⓒ **窒素循環** nitrogen cycle Ⓒ **窒素代謝** nitrogen metabolism Ⓤ **窒素同化作用** nitrogen assimilation Ⓤ **窒素肥料** nitrógenous fértilizer Ⓤ.

ちっそく 窒息 ━動 (窒息させる・窒息する) suffocate ㊥ ㊂; smother ㊥ ㊂; choke ㊥ 語法 はじめの 2 つには ㊂ 用法もあるが,「窒息する」に当たる表現は受身になることが多い. ━名 suffocation Ⓤ; choking Ⓒ.

【類義語】酸素がなくて呼吸できなくする[なる]のが *suffocate*. 覆うもののために十分な酸素がなくて息をつけなくする[息がつけなくなる]のが *smother*. 首を絞めるとか呼吸器官をふさぐとかして呼吸を妨げるのが *choke*.《☞ いき¹; いきぐるしい》

¶ 老人はもちがのどにつかえてもう少しで*窒息するところだった The rice cake stuck in the throat of the old man and ˹nearly [almost] *choked* him. // 彼は煙に巻かれて(⇒ 煙で)*窒息死した He *was suffocated* by the smoke. // 彼の死因は*窒息死だった (⇒ 彼は窒息で死んだ) He died ˹from [of] *suffocation*. **窒息性ガス**〘医〙asphyxiating /æsfíksièɪtɪŋ/ gás Ⓤ; (炭坑内の) blackdamp Ⓤ.

ちつづき 血続き blood relation Ⓤ.

ちっとも (not) at all,《略式》(not) a bit, (not) in the least 語法「少しも (…でない)」という否定の意味を強調する言い方. 後の 2 つのほうが not at all より強意的. 以上のほかに not や nothing だけで「ちっとも」を表すことができるし, 話し言葉では, not や not any などの否定語に強い強勢を置くことによっても「ちっとも」の意味を表すことができる.《☞ すこしも 語法; ぜんぜん》. ¶「くたびれませんか」「はい, *ちっとも」"Aren't you tired?" "No, *not* ˹*at all* [*a bit*]." // それ以来*ちっとも彼に会っていない I've seen *nothing* of him since then. // 私は*ちっともかまわない I don't care *a bit*. / I couldn't care *less*. // その映画は*ちっともよくなかった I found the movie *none too* good.

ちっとやそっと only a little. ¶ *ちっとやそっとの努力では駄目だ You can't make it with (*only*) *a little* effort. ★ make it は「うまくやりとげる」の意味.

チップ¹ ━名 (心づけ) tip Ⓒ,《格式》gratuity /grət(j)úːəti/ Ⓒ ★ 実際の額はともかくとして tip が少額であるのに対し, gratuity は金額的にも大きいというニュアンスがある. ━動 (チップをやる) tip ㊥. ¶ 私はボーイに*チップをはずんだ I gave the ˹bellboy [waiter;《米》bellhop] a ˹good [generous] *tip*. / (⇒ 気前よくチップをやった) I *tipped* the ˹bellboy [waiter] generously. ★「ホテルのボーイ」が bellboy,「レストランのボーイ」が waiter. // わずかな*チップ a small *tip* // 彼は私に 1 ドルの*チップをくれた He *tipped* me a dollar. // 彼は勘定を払い 15% の*チップを置いた He paid the bill and left a fifteen percent *tip*. // *チップはご辞退いたします《掲示》No ˹*Gratuities* [*Tips*] Accepted

チップ² 〘野〙━名 tip Ⓒ. ━動 tip ㊥. ¶ 彼はボールをファウル*チップした He *tipped* the ball foul.

チップ³ (集積回路) chip Ⓒ; (賭博の賭け札・木材のチップ) chip Ⓒ.

チップイン〘ゴルフ〙chip in ㊂. **チップインバーディー** chip-in birdie Ⓒ.

チップショット〘ゴルフ〙chip shot Ⓒ.

チップス (ヒント・秘訣) tip Ⓒ.

ちっぽけ ━形 (とても小さな) very small; (小さくてかわいらしい) little ★ little には very を付けないほうがよい; (きわめて小さい) tiny.《☞ ちいさい[な] (類義語)》. ¶ 川のそばに*ちっぽけな家があった There was a ˹*very small* [*little*] house beside the river.

ちてい 地底 (大地の奥深い所) the ˹depths [bowels] of the earth ★ 通例複数形で. [ ] 内は文語的.

ちてき 知的 ━形 (教育[教養]のある・知性を必要とする) intelléctual; (知能のある) intélligent (↔ stupid; silly) 語法 英語では intelligent (利口) であっても, intellectual (知的) でない人もあり得る; (精神的) mental (↔ physical; bodily).《☞ ちせい¹; ちのう》. ¶ 彼は*知的な人だ He is an *intellectual* person. // 囲碁は高度に*知的なゲームだ Go is a highly *intellectual* game. // この子は*知的な顔をしている (⇒ この子は利口に見える) This ˹boy [girl] looks *intelligent*. // 幼児の*知的発達 the *mental* development of infants // 彼は*知的好奇心が旺盛だ He is full of *intellectual* curiosity.
知的財産(権) (right to) intellectual property Ⓒ **知的障害** mental handicap Ⓤ **知的職業** intellectual occupation Ⓒ **知的所有権** intellectual property Ⓒ. ¶ 世界*知的所有権機関 the World *Intellectual Property* Organization《略 WIPO》 **知的水準** intelligence standard Ⓒ.

ちてん 地点 (一定の点としてとらえる) point Ⓒ; (特定の) spot Ⓒ; (一般的にある場所) place Ⓒ; (標識) mark Ⓒ.《☞ ところ》. ¶ 彼は 10 キロ*地点で競走から脱落した He dropped out of the race at the ten kilometer /kɪlάmətə/ ˹*point* [*mark*]. // ここがその事故のあった*地点です This is the very ˹*spot* [*place*] where the accident occurred.

ちでんりゅう 地電流 earth current Ⓒ.

ちとう 池塘 (湿原の小湖沼) small lake (in a marshland) Ⓒ. **池塘春草の夢** the fleeting dreams of youth.

ちどうせつ 地動説 (太陽中心の説) the heliocentric /hìːliousέntrɪk/ sỳstem (↔ the geocentric system); (コペルニクスの唱えた) the Copernican /kəpə́ːnɪkən/ ˹sỳstem [thèory] (↔ the Ptolemaic /tὰləméɪɪk/ sỳstem).

チトー — 名 ㊞ Tito /tíːtou/, 1892–1980. ★ 本名 Josip Broz /jóusɪp bráz/. しばしば Marshall～と呼ばれる. 旧ユーゴスラビアの政治家.

ちとく 知徳 knowledge and virtue Ⓤ.

ちとせあめ 千歳飴 Longévity Cándy Ⓤ; (説明的には) stick candy bearing the wish that the children will live a very long life Ⓤ.

ちとせらん 千歳蘭 〔植〕 sansevieria /sæ̀nsəví(ə)riə/ Ⓒ.

ちどめ 血止め (薬) styptic Ⓒ 《☞ しけつ》.

ちどめぐさ 血止め草 〔植〕 lawn (marsh) pennywort Ⓤ.

ちどり 千鳥 〔鳥〕 plover /plʌ́vɚ/ Ⓒ.

ちどりあし 千鳥足 — 動 (よろめく) reel ㊀; (ふらふらする) stagger ㊀; (よろよろ歩く) totter ㊀; (不安定な足取りで歩く) walk unsteadily. — 名 reeling [staggering; unsteady] steps ★ 通例複数形で. 《☞ ふらふら; よろよろ》. ¶ 酔っぱらいが*千鳥足で通りを歩いていった A ˹drunk [drunken man] ˹reeled [staggered] down the street.

ちどりごうし 千鳥格子 houndstooth check Ⓒ.

ちどりそう 千鳥草 〔植〕 delphinium Ⓒ.

ちどりはふ 千鳥破風 〔建〕 *Chidori* [plover] gable Ⓒ 《☞ はふ》.

ちどん 遅鈍 — 名 dullness Ⓤ. — 形 half-brained, slow-witted.

ちなまぐさい 血生臭い bloody 《☞ さつばつ》. ¶ その*血なまぐさい殺人事件は全市に衝撃を与えた The *bloody* murder shocked the whole town.

ちなみに 因に (参考のために) for your reference; (ところで) by the way ★ 話の途中で話題を変えるときの言葉; incidentally ★ 重要な話題を相手には重要ではないかのような印象を与えながら話題にするときの言葉. 《☞ ところで》.

ちなむ 因む ¶ 彼女はおばの名に*ちなんで良子と名づけられた She was named Yoshiko ˹*after* [*for*] her aunt. // 先生はその戦争に*ちなんだエピソードを話してくれた The teacher told us an episode *in connection with* the war. // この切手は午(うま)年に*ちなんで (⇒ 午年を祝って [記念して]) 発行されたものだ This (postage) stamp was issued *in* ˹*celebration* [*honor*] *of* the year of the horse.

ちにち 知日 ☞ しんにち **知日家** (日本学者・日本事情に詳しい人) Jàpanólogist Ⓒ.

ちぬ 茅渟 〔魚〕 black porgy Ⓒ 《☞ くろだい》.

ちぬき 血抜き (調理前に肉などの血を抜くこと) drawing the blood Ⓤ. ¶ レバーの*血抜きをする *draw the blood* from a piece of liver

ちぬる 血塗る ¶ *血塗られた歴史 *bloody* history

ちねつ 地熱 — 名 the internal heat of the earth. — 形 gèothérmal. **地熱発電** geothermal (electric) power generation Ⓤ **地熱発電所** geothermal (electric) power station Ⓒ.

チノ (カーキ色の木綿) chino /tʃíːnou/ Ⓤ. **チノクロス** chino cloth Ⓤ **チノパン(ツ)** chinos, chino pants ★ いずれも複数形で.

ちのあせ 血の汗 ☞ ち[1] (血の汗を流す)

ちのあめ 血の雨 ☞ ち[1] (血の雨を降らす)

ちのう 知能 — 名 (頭の働き) intélligence Ⓤ; (知力) íntellèct Ⓤ ★ 理解力・思考力など, 教育・訓練によって養われるものをいう. 従って「知能」により近い訳語は前者である; (知的能力) mental faculties ★ 複数形で. 説明的な言い方. — 形 intelligent; intellectual. 《☞ ずのう; ちせい[1]; ちてき》. ¶ 彼の*知能は普通です His *intelligence* is average. / He has average *intelligence*. // いるかは鯨よりも*知能が高い A dolphin ˹has more *intelligence* [is more *intelligent*] than a whale. // 彼女は*知能の遅れた子供たちの面倒を見ている She takes care of ˹*cognitively* challenged [(*mentally*) retarded] children ★ (mentally) retarded は差別的な表現とされているので使わないほうがよい.
知能検査 (IQ を調べる) IQ test Ⓒ; (一般に, 知能を調べる) intelligence test Ⓒ **知能指数** intélligence quotient /kwóuʃənt/ Ⓒ (略 IQ) **知能障害** intellectual disability Ⓒ **知能年齢** ☞ せいしん[1] (精神年齢) **知能犯** (犯罪) clever crime Ⓒ; (頭脳労働者的な) white-collar crime Ⓒ; (犯人) clever criminal Ⓒ **知能偏差値** intélligence dèviátion vàlue Ⓒ **知能ロボット** intélligent robot /róubɑt/ Ⓒ.

> **コロケーション**
> 正常な知能 normal *intelligence* / 高い知能 high *intelligence* / 抜群の知能 outstanding *intelligence* / 低い知能 low *intelligence*

ちのうみ 血の海 pool of blood Ⓒ. ¶ あたり一面*血の海だった (⇒ そこには血の海があった) There was a *pool of blood* there. / (⇒ 大量の血が事故の現場を覆っていた) *A lot of blood* covered the scene of the accident.

ちのけ 血の気 — 名 blood Ⓤ. — 形 (血気にはやる) hot-blooded; (激しやすい) quick-tempered; (活力にあふれた) vigorous; (威勢がいい) dashing; (向こう見ずな) rash. ¶ 彼は*血の気の多い男だ He is a *hot-blooded* man. // その知らせを聞いて彼女の顔から*血の気がなくなった The *blood* drained from her face when she heard the news. / (⇒ 青ざめた) She *turned pale* at the news.

ちのしお 地の塩 (世の腐敗を防ぐ健全分子) 〔聖〕 the salt of the earth ★『マタイによる福音書』5 章 13 節より.

ちのみご 乳飲み子 (赤ん坊) baby Ⓒ.

ちのみち 血の道 (女性特有のめまい) (female) light-headedness Ⓤ; (脳充血) congestion of the brain Ⓤ. ¶ *血の道を起こす (⇒ めまいを起こす) feel *light-headed* / get *dizzy*

ちのめぐり 血の巡り circulation of the blood Ⓤ. ¶ 彼は*血の巡りがよい[悪い] He is ˹quick [slow]-*witted*.

ちのり[1] 地の利 ¶ このスーパーは*地の利を得ている (⇒ よい場所にある) This supermarket *is* in a *good location*. / (⇒ 位置のために有利である) This supermarket has *an advantage due to its location*.

ちのり[2] 血糊 slimy /sláɪmi/ blóod Ⓤ.

ちのわ 茅の輪 ring of ˹cogon grass [imperata] Ⓒ; (説明的には) grass ring suspended from the gateway of a shrine and through which worshipers pass, cleansing themselves of defilement Ⓒ.

ちはい 遅配 (配達[配給, 給与の支払い]が遅れること) delayed ˹delivery [rationing; pay] Ⓤ 《☞ おくれる》.

ちばしる 血走る be bloodshot. ¶ 寝不足で彼の目は*血走っていた His eyes *were bloodshot* from lack of sleep. / He had *bloodshot* eyes because of lack of sleep.

ちはつ 遅発 delayed start Ⓤ. **遅発信管** delayed fuse Ⓒ.

ちばなれ　乳離れ　☞ ちちばなれ; りにゅう

ちはらい　遅払い　delayed payment Ⓤ.

ちばん　地番　lot number Ⓒ.

ちび　(子供) little ˹child [boy; girl] Ⓒ, 《略式》 kid Ⓒ; (大人が子供に愛情をこめて言う言い方として) little one Ⓒ; (背の低い人) shorty Ⓒ ★ 軽蔑的な口語. 《☞ ようじ²》. ¶ うちの*ちびたちはどこに行った Where are our *kids*? ∥ お*ちびさんたちはもう寝たよ The *little ones* are ˹in bed [asleep].

ちびき　血引　〘魚〙 Japanese rubyfish Ⓒ.

ちひしょくぶつ　地被植物　ground cover Ⓒ.

ちびちび　― 副 (少しずつ) little by little; (倹約して) sparingly; (少量に) in small quantities. 《☞ 擬声・擬態語(囲み)》. ¶ 彼はブランデーを*ちびちび飲んだ He *sipped* his brandy. / He drank his brandy ˹*little by little* [*in sips*].

ちひつ　遅筆　(筆が遅いこと) slow writing Ⓤ; (遅筆の人) slow writer Ⓒ.

ちびっこ　little ˹child [boy; girl] Ⓒ 《☞ ちび》.

ちひょう　地表　the surface of the earth, the earth's surface. 《☞ じめん; ちじょう¹》. **地表水** surface water Ⓤ.

ちびり　☞ ちびちび

ちびる　**1** 《すり減る》　― 動 (すり減らす・減る) wear ˹down [out] 他 自. ¶ *ちびた靴 *worn-out* shoes

2 《失禁する》: (尿を) wet *oneself*.

3 《けちけちする》: be stingy 《☞ けち》.

ちひろ　千尋　a thousand fathoms 《☞ ひろ》. ¶ *千尋の (⇒ 底知れない深さの) 海 the *fathomless* sea

ちぶ　恥部　(陰部) the private parts, the privates ★ いずれも複数形で. 婉曲的な表現; (比喩的に困ったこと) embarrassment Ⓒ; (困惑の元) source of embarrassment Ⓒ.

ちぶさ　乳房　breast Ⓒ ★ 両方を指す場合は breasts; 〘動〙 udder Ⓒ. 《☞ ちち²; むね¹ (類義語)》.

チフス　(腸チフス) typhoid /táɪfɔɪd/ (fèver) Ⓤ; (発疹チフス) typhus /táɪfəs/ Ⓤ; (パラチフス) paratyphoid /pæ̀rətáɪfɔɪd/ Ⓤ. **チフス菌** týphoid bacillus /bəsíləs/ Ⓒ (複 -cilli /-sílaɪ/)

ちへいきょり　地平距離　the horizon distance.

ちへいしさ　地平視差　horizontal parallax Ⓤ.

ちへいせん　地平線　the horizon /həráɪzn/. ¶ 飛行機が*地平線上に姿を現した An airplane appeared above *the horizon.* ∥ 私は太陽が*地平線からゆっくり上がってくるのを見た I watched the sun rise slowly above *the* distant *horizon.* / I saw the sun appear slowly from ˹below [beyond] *the horizon.* ∥ 太陽は*地平線下に沈んだ The sun disappeared below *the horizon.* ∥ *地平線上の太陽は美しかった The sun on *the horizon* was beautiful. 〔語法〕 on は接して, above は離れて上にある場合.

チベット　― 名 固 Tibét. ― 形 Tibétan. **チベット語** Tibétan Ⓤ **チベット高気圧** Tibetan anticyclone Ⓒ **チベット高原** the Tibetan Plateau, the Plateau of Tibet **チベット人** Tibétan Ⓒ **チベット仏教** Lamaism /lá:məɪzm/ Ⓤ, Tibetan Buddhism Ⓤ 《☞ ラマ² (ラマ教)》 **チベット文字** Tibetan character Ⓒ.

ちへど　血反吐　bloody vomit Ⓤ.

ちへん　地変　terréstrial ùphéaval Ⓒ.

ちほ　地歩　(足掛かり) footing Ⓒ; (地位) position Ⓤ; (身分) standing Ⓤ; (立場) ground Ⓤ. 《☞ あしがかり; ちい》. **地歩を固める** establish a firm footing. **地歩を占める** take a stand. ¶ 彼は政界に*地歩を占めた He *established himself* in politics.

ちほう¹　地方　**1** 《国内のある地域》　― 名 (行政上または特定の) district Ⓒ; (文化的・社会的・地理的特徴を共有する広い地域) region Ⓒ; (広さに関係なくいくつかに分けた地区の 1 つ) area Ⓒ 〔語法〕 region, district, area の順に広さ・大きさが小さくなるというニュアンスがある; (周囲との関連においてのある土地) locality Ⓒ; (国の部分) part of the country Ⓒ ★ 説明的な訳. ― 形 (その地方の) local ★ 主に Ⓐ; (ある特徴を共有する地区の) regional ★ 普通は Ⓐ. 《☞ ちいき (類義語); ちく; ちたい¹》. ¶ この果物はこの*地方の特産物です This fruit is the principal product in this *district.* ∥ 関東*地方に けさ地震があった We had an earthquake in the Kanto ˹*region* [*area*] this morning. ∥ *地方の方言 *regional* dialects ∥ 魚の名前は*地方によって異なることがある The names of fish sometimes vary according to the *locality.*

2 《田舎》　― 名 the country(side); the provinces ★ 後者は複数形で用いる. またしばしば軽蔑的なニュアンスを持つ. ― 形 country Ⓐ; províncial. 《☞ いなか》. ¶ 私の両親は*地方に住んでいる My parents live in *the country.*

地方官庁 local government Ⓒ **地方議会** local assembly Ⓒ **地方気象台** local meteorological observatory Ⓒ **地方行政** local administration Ⓤ **地方銀行** local bank Ⓒ **地方区** (参院選挙の) local constítuency Ⓒ **地方競馬** locally operated horse racing Ⓤ **地方検察庁** district public prosecutor's office Ⓒ 《☞ けんさつ¹》 **地方公共団体** local public body Ⓒ **地方交付税(交付金)** local allocation tax Ⓒ; (より詳しくは) the central government's subsidy to a local government **地方公務員** local government ˹employèe [worker; official], local public service worker Ⓒ 《☞ こうむいん》 **地方債** municipal bond Ⓒ **地方財政** local (government's) financing Ⓤ **地方裁判所** district court Ⓒ 《☞ さいばんしょ》 **地方自治** local government Ⓤ **地方自治体** local government Ⓒ **地方事務所** local (administrative) office Ⓒ **地方巡業** tour (in ...) Ⓒ 〔語法〕 provincial などの語を付けると軽蔑的に聞こえるので, 英語では巡業する場所を具体的に示すほうがよい. そうでない場合には tour across the nation (国内の巡業) のように言えばよい. **地方色** local color Ⓤ **地方新聞** local paper Ⓒ **地方税** 《米》 local taxes, 《英》 rates ★ いずれも複数形で. **地方選挙** local election Ⓒ **地方道路税** local road tax Ⓒ **地方の時代** the Age of Regionalism **地方版** (新聞の) local edition (of a newspaper) Ⓒ; (紙面) the local page (of a newspaper) **地方病** ☞ ふうど (風土病) **地方分権** (非中央集権化) decentralization (of power) Ⓤ **地方分権改革推進会議** the Council for Decentralization Reform.

ちほう²　痴呆　〘医〙 dementia /dɪménʃ(i)ə/ Ⓤ ★ 2004 年より「認知症」が正式名称となったが英語は同じ. ¶ 老人性*痴呆 senile /sí:naɪl/ *deméntia* **痴呆老人** senile elderly person Ⓒ.

ちぼう　知謀, 智謀　ingenuity Ⓤ, resourcefulness Ⓤ. ¶ *知謀に富んだ人 an *ingenious* person

チボリ　― 名 固 Tivoli /tí:vəli:/ ★ コペンハーゲンにある遊園地.

チマ　*chi'ma* Ⓒ; (説明的には) long skirt traditionally worn by Korean women Ⓒ. **チマチョゴリ** *chi'ma chogori* Ⓒ; (説明的には) the costume traditionally worn by Korean women.

ちまき　粽　rice cake wrapped in bámboo léaves Ⓒ ★ 説明的な訳.

ちまきざさ　粽笹　〘植〙 broad-leaved bamboo Ⓒ.

ちまた 巷 ¶その問題については*ちまたの声 (⇒ 世論) も分かれている *Public opinion* is divided on the issue.《☞ こうかん[7]》

ちまちま ―[形] (形などが小さい) smallish. ¶*ちまちました顔 a *small* face with *small* features // あの男は*ちまちましている (⇒ 細かいことに気を使う) That guy is *awfully particular about details.*

ちまつり 血祭り (血の捧げ物) blood offering [C]; (軍神へのいけにえ) sacrifice to the war god [C]. ¶出陣の*血祭りに上げる *kill an enemy* to encourage the soldiers before going into battle

ちまなこ 血眼 ¶彼はなくした書類を*血眼になって (⇒ 必死に) 探した He looked ˹*desperately* [*in a frenzy*] for the missing documents. / (⇒ 必死の捜索をした) He made a *desperate* search for the missing documents.

ちまみれ 血まみれ ―[形] (血だらけの) bloody; (血のついた) bloodstained. 《☞ ち[1]; ちだらけ》. ¶彼の手は*血まみれだった His hands were *bloody*. // *血まみれのハンカチ a *bloodstained* handkerchief // 犠牲者は*血まみれになって床に倒れていた (⇒ 血の海の中に横たわっていた) The victim was found lying on the floor *in a pool of blood.*

ちまめ 血豆 blood blister [C].

ちまよう 血迷う (気が狂う) go ˹insane [mad]; (理性を失う) lose *one's* ˹mind [senses]; (正気でなくなる) go out of *one's* mind; (自制を失う) lose *one's* self-control. 《☞ ぎゃくじょう》. ¶彼は何を*血迷ったか (⇒ 何を考えついたか知らないが) 私に殴りかかってきた I don't know *what got into his head*; he ˹struck me [swung at me]. // *血迷うな (⇒ 自制を失うな) Don't *lose your self-control.* / (⇒ あなたは分別をなくしたのか) *Have* you *lost your* ˹*mind* [*senses*]?

ちみ 地味 (the quality of) the soil. ¶このあたりは*地味が肥えている[やせている] *The soil* around here is ˹rich [poor].

ちみち 血道 血道を上げる ¶彼女は彼にすっかり*血道を上げている (⇒ 猛烈に恋している) She *is* ˹*madly* [*head over heels*] *in love with* him. / (⇒ 彼に夢中だ) She *is infatuated with* him. ★「うつつを抜かす」というニュアンスで, やや軽蔑的. 《☞ むちゅう; のぼせる[1]》

ちみつ 緻密 ―[形] (綿密な) close /klóus/; (慎重な) careful; (精密な) precise; (正確な) áccurate; (厳密な) exact. ―[名] precision [U]; áccuracy [U]. ―[副] closely; carefully; precisely; accurately. 《☞ めんみつ; せいみつ》. ¶彼は*緻密な観察によってすばらしい発見をした He made a great discovery after ˹*close* [*careful*] observation. // 彼は (何をするにも) *緻密な人だ He is *precise and accurate* (when doing everything). // あなたの研究は*緻密さが欠けている Your study is lacking in ˹*precision* [*accuracy*].

ちみどろ 血みどろ ―[形] (死にもの狂いの) desperate; (血だらけの) bloody. 《☞ ちまみれ》. ¶彼は一家を支えるために*血みどろの努力をした He made a *desperate* effort to support his family. // *血みどろの闘争 a *bloody* struggle

ちみもうりょう 魑魅魍魎 evil spirits of mountains and rivers.

チムール ―[名] (固) Timur /tɪmúə/, 1336?–1405. ★アジア西半の征服者. 別称タンブルレン Tamburlaine /tǽmbəlèɪn/, タメルラン Tamerlane /tǽməlèɪn/. チムール帝国 the Timur Empire.

チムニー chimney [C].

ちめい[1] 地名 place-name [C], the name of a place. **地名辞典** (独立した辞典) geographical dictionary [C]; (辞典形式の, または地図帳などの最後に付いている) gàzettéer [C] **地名伝説** toponymic legend [C].

ちめい[2] 知命 (天命を知ること) knowing *one's* destiny [U]; (50 歳) fifty years of age.

ちめいしょう 致命傷 fatal [mortal] ˹wound [injury] [C] ★死因となった傷をいう; 《格式》 lethal wound [C]; (致命的打撃) deathblow [C]. 《☞ きず (類義語); ちめいてき [日英比較]; いのちとり》. ¶彼は戦闘で*致命傷を受けた He *was fatally wounded* in battle.

ちめいじん 知名人 famous person [C], celébrity [C]. ¶この辺に住んでいる人は富裕な*知名人が多い Many people living around here are *rich and famous.*

ちめいてき 致命的 ―[形] (死を招く) fatal [語法] 結果的に死んだことを意味する; (命にかかわる) deadly; (死につながる)《格式》lethal. 《☞ いのちとり》. ¶彼はその事故で*致命的なけがをした He suffered *fatal* injuries /índʒəriz/ in the accident.
[日英比較] 日本語の「致命的」は「致命的なけがをしたが運よく助かった」などの表現が可能だが, 英語の fatal は死因となったけがをいうのが普通で, 結果的に助かった場合は serious /sí(ə)riəs/ を使うのが普通. // 彼は*致命的な (⇒ 取り返しのつかない) 失策をやった He made ˹a *fatal* [an *irreparable*] mistake. // *致命的な打撃 a ˹*fatal* [*deadly*] blow

ちめいど 知名度 ―[名] (世間に名が知れている度合) publícity [U]. ―[形] (有名な) famous, well-known, noted ★famous が最も一般的. noted はやや格式ばった語. 《☞ ゆうめい[1] (類義語); ちょめい》. ¶彼は日本で一番*知名度の高い作曲家だ He is the ˹*most famous* [*best-known*] composer in Japan. // その出来事で彼の*知名度は高まった (⇒ その出来事が多大な知名度をもたらした) The incident brought him a lot of *publicity*. / (⇒ 多大な知名度を得た) He got a lot of *publicity* from the incident.

ちめいりつ 致命率 lethality [U] 《☞ ちし[1] (致死率); しぼう[2] (死亡率)》.

ちもう 恥毛 pubic hair [U].

ちもく 地目 the classified use of land.

ちゃ 茶 1 《飲料》: tea [U] [語法] (1) 種類をいうときは [C] ((例) Several *teas* are sold here.) また, 普通は two cups of tea のように cup を用いて数えるが, 喫茶店などでお茶を注文するときには "Two *teas*, please." のように複数形を用いる. (2) 英米では tea と言えば普通「紅茶」(black tea) を指す.「日本茶」は green tea という; (茶の木) tea plant [C]; (茶の葉) tea leaf [C]; (茶の会) tea (party) [C]; (休憩) tea break [C]. 《☞ こうちゃ》.
¶お*茶をどうぞ Please have a cup of *tea.* //「お*茶をもう 1 杯いかがですか」「いただきます[いや, 結構です]」"How about another cup of *tea*?" "Thank you [No, thank you]." // お*茶をいただきたいのですが I'd like *tea*, please. / I prefer *tea*, please. / May I have *tea*, please? ★どんな飲み物がよいか尋ねられたときの返事. 2 番目は 2 つの中から選ぶ場合. // 彼女はお*茶を飲んでいた She was having *tea.* / She was sipping ˹*tea* [at her *tea*]. // 彼女は私にお*茶を入れてくれた She made *tea* for me. // 日本では客にたいていお*茶を勧めます In Japan we usually offer *tea* to our guests. / In Japan, it is a tradition to serve *tea* to a guest. //「さあ, お*茶にしようか」「そうしよう」"Now, how about having a *tea break*? / Let's have a *tea break*, shall we?" "That's a good idea." // 私はブラウンさん夫妻にお*茶に招待された I was invited to *tea* by Mr. & Mrs. Brown. [参考] 英国での tea は afternoon tea ともいい, イギリス人が午後 4 時から 5 時ごろの間

にとる軽食付きのお茶で，この時間にはよく人を招いたりする.

2 «茶の湯»: tea ceremony Ⓤ. ¶ 彼はお*茶[*茶の湯]を習っている He ｢takes [is taking] *tea-ceremony* lessons. ∥ お*茶をたてると心が休まる Making *ceremonial tea* relaxes me.

3 «茶色» — 图 形 brown ★ 图 では Ⓤ. (☞ ちゃいろ).

茶を濁す ¶ 適当にお*茶を濁しておいた (⇒ 間に合わせの仕事をした) I *did a token job* / (⇒ あいまいな返事をした) I *gave a noncommittal answer*. (☞ てきとう)

-ちゃ ☞ -ては; -たら

チャージ (料金) charge Ⓒ.

チャージャー (充電器) charger Ⓒ.

チャーシュー 叉焼 (焼き豚) roasted pork fillet Ⓤ. チャーシューめん Chinese noodles with roasted pork fillet.

チャージング 〘スポ〙 (相手に突進して体当たりすること) charging Ⓤ.

チャーター — 動 (飛行機・バスなどを借り切る) charter ㊀. — 图 (貸し切り契約) charter Ⓤ; (チャーターした乗り物) charter Ⓒ. — 形 (チャーターされた) charter, chartered. ¶ 修学旅行でバスを 3 台*チャーターした We *chartered* three buses for the school excursion. チャーター便 ¶ ハワイ行きの*チャーター便 a *charter flight* for Hawaii

チャータースクール charter school Ⓒ ★ アメリカの公立学校の一種.

チャーチ (教会) church Ⓒ.

チャーチル — 图 固 Winston (Leonard /lénəd/ Spencer) Chúrchill, 1874–1965. ★ イギリスの政治家.

チャート (図表) chart Ⓒ (☞ ず; ずひょう).

チャーハン 炒飯 Chinese fried rice with scrambled eggs, minced roast pork, shrimps, etc. ★ 説明的な訳.

チャービル (香草) chervil Ⓒ.

チャーミング — 形 charming 日英比較 日本語のチャーミングは普通は女性に用いられるが, 英語の charming は「魅力的な」の意で男性にも使える. (☞ みりょく (類義語); かわいい). ¶ 彼女の笑顔は*チャーミングだ She has a *charming* smile.

チャーム (魅力) charm Ⓤ.

チャームポイント charming point Ⓒ.

チャーリー (男性名) Charlie ★ Charles の愛称.

チャールズ (男性名) Charles ★ 愛称は Charlie, Chas /tʃǽz/, Chuck.

チャールストン (ダンス) the Charleston.

チャイコフスキー — 图 固 Pyotr Ilich Tchaikovsky /pjóutr(ə) ílɪtʃ tʃaɪkɔ́fski/, 1840–1893. ★ ロシアの作曲家. チャイコフスキー国際音楽コンクール Tchaikovsky International Music Contest.

チャイナシンドローム the China syndrome ★ 映画の *The China Syndrome* に由来する.

チャイナタウン Chinatown Ⓒ.

チャイナドレス Chinese dress Ⓒ.

チャイニーズ — 图 (中国語) Chinese Ⓤ; (中国人) Chinese Ⓒ ★ 単複同形. — 形 (中国の・中国語の・中国人の) Chinese.

チャイブ (野菜) chives ★ 複数形で.

チャイム chimes ★ 通例複数形で. (☞ ベル[1]). ¶ 玄関の*チャイム door *chimes*

チャイルドアビューズ (児童虐待) child abuse /əbjúːs/ Ⓤ.

チャイルドシート child safety seat Ⓒ.

チャイルドマインダー 《英》 childminder Ⓒ ★ 親が外で働く家庭の子供の世話をする人; 《米》 babysitter Ⓒ.

チャイルドロック childproof lock Ⓒ, child resistant (door) lock Ⓒ.

ちゃいれ 茶入れ tea container Ⓒ.

ちゃいろ 茶色 — 图 形 brown ★ 图 では Ⓤ. ¶ その男のコートは濃い[薄い]*茶色だった The man's coat was ｢dark [light] *brown*.

ちゃうけ 茶請け tea cake Ⓒ, between-meal refreshments. (☞ ちゃがし).

ちゃうす 茶臼 tea-grinding ｢mortar [hand mill] Ⓒ.

チャウダー chowder Ⓤ. ¶ クラム*チャウダー clam *chowder*

チャウチャウ (犬) chow chow Ⓒ.

ちゃえん 茶園 (茶農園) tea ｢garden [plantation] Ⓒ; (茶の販売店) tea shop Ⓒ.

チャオ (あいさつの言葉) ciao /tʃáu/ ★ イタリア語に由来.

ちゃか 茶菓 ☞ さか[2]

ちゃかい 茶会 tea party Ⓒ; (特に日本の) téa-cèremony party Ⓒ.

ちゃがし 茶菓子 tea cake Ⓒ 参考 米国ではクッキー (cookie), 英国では一種のホットケーキ (light flat cake) が普通. (☞ かし[1]).

ちゃかす 茶化す (冗談半分に人の言葉を曲げて解釈する) playfully twist *a person's* words. ¶ 彼は何でも*ちゃかしてしまう (⇒ 冗談にしてしまう) He *turns* everything *into a joke*.

ちゃかっしょく 茶褐色 — 图 形 dark brown ★ 图 では Ⓤ. (☞ ちゃいろ).

ちゃがま 茶釜 Japanese teakettle used for the tea ceremony Ⓒ ★ 説明的な訳.

ちゃがゆ 茶粥 tea gruel Ⓤ.

ちゃがら 茶殻 used tea leaves ★ 複数形で.

ちゃき[1] 茶器 ☞ ちゃどうぐ

ちゃき[2] 茶気 (茶道の心得) knowledge of the tea ceremony Ⓤ; (風流のたしなみ) refined taste Ⓤ; (茶目っ気) mischievousness Ⓤ. (☞ ちゃめっけ).

ちゃきちゃき — 形 (生粋の) trueborn; (純粋の) pure, genuine /dʒénjuɪn/ ★ 前者のほうが平易な語. (☞ 擬声・擬態語 (囲み)). ¶ 彼は*ちゃきちゃきの (⇒ 生粋の) 江戸っ子だ He is a *trueborn* Tokyoite. / (⇒ 骨の髄まで) He is an *Edokko through and through*.

ちゃきんしぼり 茶巾絞り chestnut [bean] paste shaped with a cloth Ⓤ.

ちゃきんずし 茶巾鮨 (説明的に) sushi wrapped in thin omelet Ⓤ.

-ちゃく …着 **1** «到着» ¶ 彼は上野*着午後 3 時の列車で上京する He is coming to Tokyo on the train (which is) *due* at Ueno at three p.m. ∥ その船のシドニー*着はいつですか When is the ship expected to *arrive at* Sydney?

2 «着順» ¶ 彼はその競走で 3 *着に入った He ｢*came in* [*finished*] third in the race. / (⇒ 到着したのは 3 番目だった) He was the third to *cross* the finish line in the race.

3 «衣服» ¶ 私は夏服を 3 *着持っている I have three summer *suits*. (☞ 数の数え方 (囲み))

ちゃぐ 茶具 ☞ ちゃどうぐ

ちゃくい 着衣 *one's* clothes ★ 複数形で. (☞ いふく[1]). ¶ 死体は*着衣の乱れはなかった (⇒ すべての衣服を身につけていた) The body was found ｢completely [(⇒ きちんと) neatly] *clothed*.

着衣水泳 swimming with *one's* clothes on Ⓤ.

ちゃくえき 着駅 ¶ 日本では*着駅ごとにアナウンスがある In Japan there is an announcement at every *station where the train stops*.

ちゃくがん[1] 着眼 — 图 (ねらい) aim Ⓤ; (観点)

point Ⓒ; (見地) viewpoint Ⓒ. ―【動】(…をねらう) aim at …; (…に留意する) take notice of …; (…に注意を払う [向ける]) pay [turn *one's*] attention to … ¶あなたの*着眼 (⇒ ねらい) はよい Your *aim* is right. // あなたの*着眼点は大きくずれている (⇒ 的からはずれている) Your 「*viewpoint* [*point of view*] is wide of the mark.

ちゃくがん[2] **着岸** ―【動】reach (the) shore.

ちゃくし 嫡子 (庶子に対して嫡出の子) legitimate chíld Ⓒ (↔ illegitimate child); (男の) legitimate son Ⓒ; (女の) legitimate daughter Ⓒ; (一般に後継ぎ) heir /éə/ Ⓒ.

ちゃくじつ 着実 ―【形】(一歩一歩確実な) steady; (しっかりした) solid; (堅実な) sound. ―【副】(着実に) steadily; (一歩一歩) step by step. ―【名】(着実さ) steadiness Ⓤ. 《☞ かくじつ[1]; けんじつ; てがたい; ちゃくちゃくと》.
¶彼女の英語は*着実に進歩している She is making *steady* progress in (the study of) English. // 私たちはその計画を*着実に進めた We put the plan into action *step by step*. // ゆっくりでも*着実なのが勝負に勝つ Slow but *steady* wins the race. 《ことわざ》

ちゃくしゅ 着手 ―【動】(始める) start (他), begin (他); (…に取りかかる) set about …; (特に仕事に) set [get] to (work); (事業などを起こす) launch (他). 《☞ はじめる; とりかかる》. ¶彼はすぐに仕事に*着手した He 「*started* [*began*] to work at once. / He 「*got* [*set*] *to work* at once.

ちゃくしゅつ 嫡出 ―【形】legitimate 《☞ ちゃくし》. **嫡出子** legitimate child Ⓒ.

ちゃくじゅん 着順 the order of arrival.

ちゃくしょう 着床 〘医〙 ―【名】(受精卵の子宮粘膜への定着) implantation Ⓤ. ―【動】implant (他) (自). **着床前遺伝子診断** pre-implantation genetic diagnosis Ⓤ 《略 PGD》 **着床前診断** (受精卵の) pre-implantation diagnosis Ⓤ.

ちゃくしょく 着色 ―【動】(一般に, 色づけする) color (《英》colour) (他); (染料で着色する) dye (他); (塗料などで着色する) paint (他). ―【名】(着色をすること) coloration (《英》colouration) Ⓤ; (着色方法・過程) coloring (《英》colouring) Ⓤ. 《☞ いろ; ぬる》. ¶人工*着色の食品 artificially *colored* food **着色ガラス** stained glass Ⓤ **着色剤** (食品の) food coloring Ⓤ **着色料** coloring agent Ⓒ.

ちゃくしん 着信 (電話の) incoming call Ⓒ; (電信など) arrival of a message Ⓒ; (郵便) arrival of (the) mail Ⓒ. **着信音** (携帯電話の) chime (of a cell phone) Ⓒ ★携帯電話の機種によって ringtone Ⓒ, ringer tone Ⓒ ともいう. **着信メロディー** ☞ ちゃくメロ

ちゃくすい 着水 ―【動】(飛行機が) land [alight] on the water; (宇宙船が) splásh dówn (自), make a splashdown. ―【名】landing on the water Ⓒ; (宇宙船の) spláshdòwn Ⓒ. 《☞ ちゃくりく》.

ちゃくせき 着席 ―【動】sit dówn (自), have [take] a seat ★後者のほうが格式ばった言い方; be seated ★「状態」も表す. 命令に用いると堅苦しい言い方. 《☞ すわる[1]》. ¶どうぞご*着席下さい Please 「*have* [*take*] *a seat*. / Please *be seated*.

ちゃくせつ 着雪 ¶男たちは電線に*着雪しないよう一生懸命働いていた The men were working hard to *keep the snow off* the electric cables.

ちゃくせん 着船 arrival of a ship Ⓒ.

ちゃくそう[1] **着想** idea Ⓒ, conception Ⓒ ★前者のほうが一般的な語. 《☞ おもいつき; かんがえ》. ¶この推理小説は*着想がよい (⇒ 巧みに考えられている) This detective story *is* cleverly *conceived*.

ちゃくそう[2] **着装** ☞ そうちゃく

ちゃくだつ 着脱 ¶このレンズは*着脱が簡単だ This lens can *be* easily *attached or removed*.

ちゃくだん 着弾 impact Ⓤ. **着弾距離** gunshot Ⓤ **着弾地点** impact area Ⓒ.

ちゃくち 着地 ―【動】land (自). ―【名】landing Ⓒ. 《☞ ちゃくりく》.

ちゃくちゃくと 着着と ―【副】(着実に) steadily; (すみやかに) rapidly; (徐々に) gradually; (一歩一歩) step by step. ―【形】(一歩一歩確実な) steady; (進行中で) under way. 《☞ ちゃくじつ》.
¶仕事は*着々と進行している We are making *steady* progress on the project. / The work is *steadily* progressing. // 捜査は*着々と進行中である The investigation is *well under way*.

ちゃくなん 嫡男 (後継ぎ) heir /éə/ Ⓒ.

ちゃくにん 着任 ―【動】arrive at *one's* new post 《☞ しゅうにん; つく[4]》. ¶私は1か月前に*着任した I *arrived at my new post* a month ago. // 彼が今度*着任した新しい (⇒ 新しく任命された) 支店長です He is the newly *appointed* manager of the branch office.

ちゃくばらい 着払い 《米》collect [cash] on delivery Ⓤ 《略 C.O.D.》. ¶この品物の代金は*着払いで結構です (⇒ 品物が配達されたときに代金を支払うことができます) You can *pay* for this article *on delivery*. / This article can be sent 「*collect on delivery*. [*C.O.D.*] 【語法】collect on delivery [C.O.D.] は副詞的な働きをしている.

ちゃくひょう 着氷 ―【動】(氷で覆う[覆われる]) ice up (他) (自). ¶船に*着氷した The ship got *iced up*.

ちゃくふく 着服 ―【動】(自分のものにする) pocket (他); (預かった金を使い込む・だまし取る) embezzle (他). 《☞ おうりょう; つかいこむ》. ¶彼は店の金を*着服した He *pocketed* the money belonging to the store.

ちゃくぼう 着帽 ―【動】put on [wear] a 「hat [cap] ★put on は「かぶる」動作, wear は「かぶっている」状態を示す. ¶*着帽のまま席に着く sit down *with one's hat on*

ちゃくみ 茶汲み ―【動】make and serve tea. ―【名】(人) tea server Ⓒ.

ちゃくメロ 着メロ (携帯電話の着信メロディー) musical ringing tone Ⓒ, tune used in place of a ring Ⓒ. ¶インターネットで*着メロをダウンロードする download a *musical ringing tone* from the Internet // そのとき突然だれかの*着メロが鳴った Then all of a sudden somebody's cell phone started to *play music*.

ちゃくもく 着目 ―【動】(ねらう) aim at …; (注意する) take notice of …; (注意を払う) pay attention to … 《☞ ちゃくがん[1]; ちゅうもく》.

ちゃくよう 着用 ―【動】(着ている) wear (他), 《略式》have … on. 《☞ きる[2]》. ¶学校では制服を*着用することになっている We are supposed to *wear* uniforms at school.

ちゃくりく 着陸 ―【動】(着陸する) land (自) (↔ tàke óff), make a landing; (着陸させる) land (他); (特に飛行機が) tóuch dówn (自) ★航空用語. ―【名】landing Ⓒ.
¶私たちは飛行機が*着陸したり離陸したりしているのを見た We watched the planes taking off and *landing*. ★「離陸する」(taking off) を先にもってくることに注意. // その飛行機は羽田に緊急*着陸した The plane *made* an emergency *landing* at Haneda. // 彼は大西洋無*着陸飛行をした最初のアメリカ人だった He was the first American to make a *nonstop* flight across the Atlantic Ocean. // *着陸のやり直しをする make a *go-around*

着陸装置 landing gear [U]　着陸態勢 ¶ *着陸態勢に入る stand by for *landing*　着陸点 landing site [C]. ¶ スペースシャトルの*着陸点 where the space shuttle ｢*lands* [*landed*]　着陸誘導装置〘空〙ground-controlled approach system [C].

チャコ (tailor's) chalk [U] ★ 文脈から明らかな場合は tailor's は省略可能. 数える場合には a piece of (tailor's) chalk, two pieces of (tailor's) chalk のようにいう. (☞ 数の数え方 (囲み)).

チャコール ── [名] (木炭) chárcòal [U]. ── [形] (木炭色) charcoal.

チャコールグレー charcoal ｢gray [(英) grey] [U].

チャコールフィルター charcoal filter [C].

ちゃこし 茶漉し tea strainer [C].

ちゃさじ 茶匙 teaspoon [C]; (1 杯分という分量を特に正確にいうためには) teaspoonful [C]. (☞ スプーン (挿絵)). ¶ *茶さじ 1 杯の砂糖 a *teaspoon* of sugar (☞ 数の数え方 (囲み))

ちゃじ 茶事 ☞ ちゃかい

ちゃしつ 茶室 tea-ceremony room [C].

ちゃしぶ 茶渋 tea incrustation [U]. ¶ *茶渋のついた茶碗 a *tea-stained* cup

ちゃしゃく 茶杓 tea scoop [C].

ちゃじゅ 茶寿 one hundred and eight years of age [U].

ちゃじん 茶人 (茶道の達人) expert in the tea ceremony [C]; (風流人) person of refined taste [C].

チャズ (男性名) Chas /tʃǽz/ ★ Charles の愛称.

ちゃせき 茶席 tea ceremony [C].

ちゃせん 茶筅 tea whisk [C], bamboo whisk for stirring tea [C].

ちゃそば 茶蕎麦 buckwheat noodles containing green tea.

ちゃだい 茶代 tip [C], (格式) gratuity [C].

ちゃたく 茶托 saucer [C].

ちゃだち 茶断ち abstinence from tea (drinking) [U].

ちゃだな 茶棚 shelf for tea things [C].

ちゃだんす 茶箪笥 (備え付けの食器棚) cupboard /kʌ́bəd/ [C]; (移動可能な食器棚) sideboard [C].

ちゃち ── [形] (安物の) cheap; (質の悪い) poor; (小さい) small. (☞ やすもの; やすっぽい). ¶ このおもちゃは*ちゃちな (⇒ 安物の) 部品でできている This toy is made of *cheap* parts. // この本の装丁は*ちゃちだ (⇒ 質が悪い) The binding of this book is of *poor* quality.

ちゃちゃ 茶茶 ちゃちゃを入れる (くだらない意見をいう) make frivolous comments (while *a person* is talking).

チャチャチャ (ラテン音楽) chá-chà(-chá) [C].

ちゃっか 着火 ── [動] ignite [自] [他]. ── [名] ignition [U]. 着火点 ignition point [C].

ちゃっかり ── [形] (すばしこい) sharp; (気のきいた) smart; (頭のよい) clever; (抜け目のない) shrewd; (ずるい) cunning; (打算的な) calculating. (☞ ぬけめ). ¶ 彼は何事にも*ちゃっかりしている (⇒ すばしこい) He is *sharp* at everything. // 彼はその機会を利用して*ちゃっかり稼いだ He took advantage of the opportunity and made money *shrewdly*.

チャック¹ ── [名] zipper [C], fastener /fǽsnə/ [C] ★ 後者のほうが格式ばった呼び名. 日英比較 「チャック」は和製カタカナ語の商標名. ── [動] (チャックを締める) zíp úp [他], zip ... shut; (チャックを開ける) zip ... open, ùnzíp [他]. ¶ かばんの*チャックを開けた [閉じた] I ｢*unzipped* [*zipped up*] my bag. / I *zipped* my bag ｢*open* [*shut*].

チャック² (男性名) Chuck ★ Charles の愛称.

チャック³ 〘機〙(旋盤などのつかみ) chuck [C].

ちゃづけ 茶漬け boiled rice in hot tea [U] ★ 説明的な訳. ¶ 彼はご飯をお*茶漬けにして漬け物で食べた He *poured hot tea over a bowl of rice* and ate it with some pickled vegetables.

ちゃっこう 着工 ── [動] start [begin; set] to work (☞ きこう⁷; はじめる; とりかかる). ¶ 新しいビルは今年中に*着工の予定です The construction of the new building will ｢*start* [*be started*] within this year.

ちゃづつ 茶筒 tea caddy [C].

チャット 〘コンピューター〙 ── [動] chat [自]. ── [名] chat [C].

チャツネ (インドの調味料) chutney [U].

チャップリン ── [名] [固] Charles Spencer Chaplin, 'Charlie' Chaplin, 1889–1977. ★ 英国出身の喜劇俳優・映画監督. チャップリン髭 Chaplin [Hitler] m(o)ustache [C].

ちゃつぼ 茶壺 tea jar [C].

ちゃつみ 茶摘み tea picking [U] (☞ つむ²). 茶摘み歌 tea-picking song [C].

チャド ── [名] [固] (the Republic of) Chad ★ アフリカ中北部の共和国. ── [形] Chadian /tʃǽdiən/. チャド人 Chadian [C].

ちゃどう 茶道 ☞ さどう²

ちゃどうぐ 茶道具 tea things ★ 複数形で; (その 1 組) tea ｢set [service] [C].

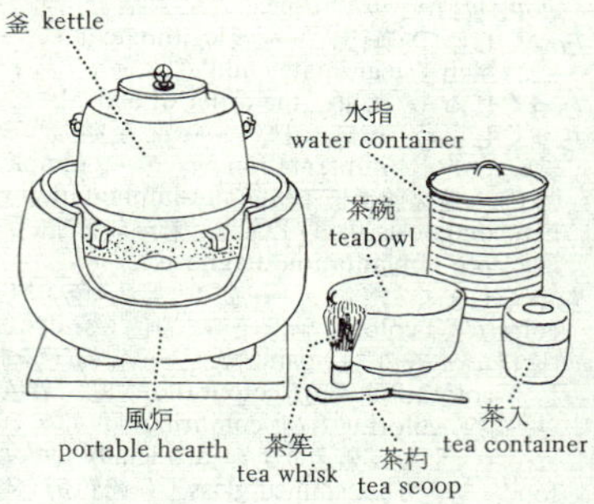

ちゃどくが 茶毒蛾 〔昆〕tea tussock moth [C].

ちゃどころ 茶所 (茶の産地) tea-｢producing [growing] district [C].

チャドル (イスラム女性の着衣) chador /tʃʌ́də/ [C].

チャネリング (霊界との交信) channeling [U].

ちゃのま 茶の間 (居間) living room [C], (主に英) sitting room [C]; (食堂) dining room [C] ★ 日本語の「茶の間」は居間・食堂を兼ねるので意味によって使い分ける.

ちゃのみぢゃわん 茶飲み茶碗 teacup [C].

ちゃのみともだち 茶飲み友達 (よい友人) good friend [C]; (老人の世話や話し相手をする住み込みの女性) companion (to an elderly person) [C].

ちゃのみばなし 茶飲み話 ── [名] chat over tea [C]; (世間話) gossip [C]. ── [形] (茶飲み話的な・雑談的な) cracker-barrel.

ちゃのゆ 茶の湯 téa cèremony [U] (☞ ちゃ).

ちゃばこ 茶箱 tea chest [C].

ちゃばしら 茶柱 tea ｢stalk [leaf] floating erect in *one*'s cup [C] ★ 英米にはないことなので説明的.

ちゃばたけ 茶畑 ☞ ちゃえん

ちゃぱつ 茶髪 dyed ｢blond [brown] hair [U]. ¶ 彼は*茶髪にした He ｢*dyed* [*bleached*] his hair *brown*.

チャパティー (インドのパン) chapati /tʃəpɑ́ːti/ [C]

《複 ~, ~es》.

ちゃばねごきぶり 茶翅ごきぶり 〘昆〙 German cockroach Ⓒ.

ちゃばら 茶腹 (茶を飲んでしのいだ空腹(感)) *one's* hunger alleviated with a cup of tea. 茶腹も一時(とき) A cup of tea may stave off hunger for a while.; (どんなものでも無いよりましだ) Anything is better than nothing.

ちゃばん 茶番 (ばからしいこと) farce Ⓒ. ¶その選挙は結局*茶番だった The election turned out to be a *farce*. 茶番劇 farce Ⓒ.

ちゃびん 茶瓶 teapot Ⓒ. 茶瓶頭 ☞ はげ (はげ頭)

チャプスイ 雑砕 (中国料理) chop suey /tʃàpsúːi/ Ⓤ.

チャプター chapter Ⓒ.

ちゃぶだい 卓袱台 (折りたたみ式の食卓) collapsible dining table Ⓒ ★説明的な訳.

チャペル (礼拝堂) chapel Ⓒ.

ちゃほ 茶舗 (茶の店) 《米》 tea store Ⓒ; 《英》 tea shop Ⓒ.

チャボ 〘鳥〙 (Japanese) bantam Ⓒ.

ちゃぼうず 茶坊主 (茶の給仕) shaven-headed tea server (formerly employed in a samurai residence) Ⓒ; (権力者へのおべっか使い) flatterer Ⓒ.

ちやほや —[動] (甘やかす) 《格式》 pamper (他); (世話をやきすぎる) pay excessive attention to …; (もてはやす) make much of …, make a fuss over …; (おべっかを使う) flatter (他). 《☞ あまやかす; もてはやす; 擬声・擬態語 (囲み)》.
¶彼は自分の息子を*ちやほやしすぎてだめにした He spoiled his son by *pampering* him. // 彼はその赤ちゃんを*ちやほやしすぎている He *dotes on* the baby. // 彼を*ちやほやする (⇒もてはやす) のは彼のためによくない It will not do him any good to ˹*make much of* [*make a fuss over*] him.

ちゃみせ 茶店 (roadside) teahouse Ⓒ.

ちゃめ 茶目 —[形] (ふざけたことをよくする) playful; (いたずら好きの) míschievous; (陽気で愉快な) jovial. —[動] (子供などがふざけていたずらをする) play ˹tricks [pranks; jokes] on …. 《☞ ひょうきん; いたずら》. 茶目っ気 ☞ 見出し

ちゃめし 茶飯 rice cooked and seasoned with soy sauce Ⓤ.

ちゃめっけ 茶目っ気 —[名] mischief Ⓤ. —[形] (茶目っ気のある) mischievous; (特に成人が) impish. —[副] mischievously; impishly. ¶少女は*茶目っ気たっぷりに笑った The girl giggled *mischievously*.

ちゃや 茶屋 (茶を売る店) tea ˹《米》 store [《英》 shop] Ⓒ; (茶を売買する人) tea dealer Ⓒ; (茶店) teahouse Ⓒ.

ちゃら ちゃらにする (金銭の貸借を清算する) settle *one's* debts [square accounts] with *a person*.

ちゃらちゃら —[名] (ちゃらちゃら鳴る音) jingle Ⓒ. —[動] jingle (他) (自). —[形] (派手な) flashy. 《☞ 擬声・擬態語 (囲み)》. ¶彼はポケットの中で硬貨を*ちゃらちゃら鳴らした He *jingled* some coins in his pocket. // 彼女はいつも*ちゃらちゃらした服を着ている She's always wearing *flashy* clothes.

ちゃらんぽらん —[形] (頼りにならない) unreliable, undependable, not ˹dependable [reliable]; (無頓着(むとんちゃく)な) careless; (無責任な) irresponsible; (いいかげんな) sloppy. —[動] (気にしない・無頓着でいる) don't care about … 《☞ いいかげん; むせきにん; 擬声・擬態語 (囲み)》. ¶彼は*ちゃらんぽらんだ He is *not* ˹*dependable* [*reliable*]. // 彼は仕事を*ちゃらんぽらんにやった He did *sloppy* work.

チャリ ☞ ちゃりんこ チャリ通 (自転車通学) —[名] biking to school Ⓤ. —[動] bike to school.

チャリオット (古代ギリシャ・ローマ・エジプトなどの一人乗り二輪戦車) chariot Ⓒ.

チャリティー (慈善) charity Ⓤ. チャリティーオークション charity auction Ⓒ チャリティーコンサート charity concert Ⓒ チャリティーショー charity show Ⓒ チャリティーバザー charity bazaar Ⓒ.

ちゃりん —[名] (音) clink Ⓒ. —[動] clink (自). 《☞ 擬声・擬態語 (囲み)》. ¶硬貨が歩道に落ちたとき*ちゃりんと音がした The coin *clinked* when it landed on the sidewalk.

ちゃりんこ 《略式》 bike Ⓒ.

チャルダッシュ (ハンガリーの民俗舞曲・舞踏) czardas /tʃάːədὰːʃ/ Ⓒ ★単複同形.

チャルメラ noodle vender's flute Ⓒ ★説明的な訳.

チャレンジ —[動] (挑戦する) chállenge (他)
[日英比較] 英語の challenge は人に挑戦することを言い, 日本語の「チャレンジ」のように物事を目的語とすることはない. 例えば「エベレストにチャレンジする」は (⇒エベレストに登ろうとする) try to climb ˹Mount [Mt.] Everest / (⇒エベレストを征服しようとする) try to conquer Mount Everest となり, challenge Mount Everest とは言わない; (試みる) try (他); (立ち向かう) face (他); (取り組む) tackle (他). 《☞ ちょうせん》. ¶私は難しい問題に*チャレンジした I *tackled* the difficult problem. / (⇒解決しようとした) I *tried to* solve the difficult problem. // エベレストは*チャレンジしたくなる山だ Mount Everest is very *challenging*. // もう一度*チャレンジしてみます Let me have another *try*. // 彼女は*チャレンジ精神 (⇒ファイト) に欠けているようだ I think she's lacking in *fight*.

チャレンジャー Chállenger ★1986 年に爆発事故を起こした米国のスペースシャトル.

ちゃわかい 茶話会 ☞ さわかい

ちゃわん 茶碗 (湯呑み) teacup Ⓒ; (茶の湯用の) teabowl Ⓒ; (ごはん用の) rice bowl Ⓒ. 茶碗酒 ¶*茶碗酒を飲む (⇒大きなカップから飲む) drink *sake from a large cup* 茶碗蒸し Japanese egg dish served in a bowl Ⓒ ★料理法の説明は Beaten eggs, broth, shrimp, mushrooms, gingko nuts and chicken are put in a bowl and steamed.

-ちゃん **1** 《名前に付ける場合》 ★英米の名にはそれぞれに幾つかの慣用的な愛称形 (日本語の「…ちゃん」に相当するもの) がある. 例えば James には Jamie, Jim, Jimmy; Margaret には Maggie, May, Meg など. 日本人の名を英語の中で「…ちゃん」の意味で使うときは, 形を変えずそのまま使っても, あるいは通称・愛称を使ってもよい. 《☞ -さん》.
¶太郎*ちゃん, どこにいるの *Taro*! Where are you? // ゆき*ちゃん, こんにちは Hello, *Yuki(-chan)*.
2 《家族内での場合》 ¶(お)父*ちゃん Dad / Daddy / Pop // (お)母*ちゃん Mom /Mommy / 《英》 Mum / 《英》 Mummy [語法] Pa や Ma はある程度残っているが Papa や Mama はほとんど使われない. // おじい*ちゃん Grandpa / Granddad // おばあ*ちゃん Grandma / Granny / Grannie // おじ*ちゃん Uncle // おば*ちゃん Aunt / Auntie // お兄*ちゃん, お姉*ちゃん ★名前またはその愛称形を用いる.

ちゃんこなべ ちゃんこ鍋 sumo wrestlers' traditional dish of fish, meat and vegetables cooked together in soup Ⓒ ★説明的な訳.

チャンス chance Ⓒ; opportunity Ⓒ [語法] chance には偶然性が含意されるが, opportunity にはない. ただし否定文ではほとんど同意に用いられる.
[日英比較] 日本語のチャンスが必ずしも英語の chance

には対応しないことに注意.《☞ きかい³ (類義語); こうき¹》. ¶試合に勝つ*チャンスはまだ十分にある We still stand a good *chance* of winning the game. // 私には英語を話す*チャンスがほとんどない I have few ⌈*chances* [*opportunities*] ⌈of speaking [to speak] English. // *チャンスがあればもう一度やってみたい If an *opportunity* arises, I want to try it again. // よい*チャンス a good *chance* // 私は絶好の*チャンスを逃してしまった I have ⌈missed [lost] a ⌈wonderful *chance* [golden *opportunity*]. // これは一生に一度の*チャンスだ This is the ⌈*chance* [*opportunity*] of a lifetime. / This is a once-in-a-lifetime ⌈*chance* [*opportunity*]. // いまが*チャンスだ Now is your *chance*.

チャンスメーカー héads-ùp pláyer Ⓒ.

コロケーション

チャンスを与える give ⌈a *chance* [an *opportunity*] / **チャンスを得る** get ⌈a *chance* [an *opportunity*] / **チャンスをつかむ** grab [seize; take] ⌈a *chance* [an *opportunity*] / **チャンスを待つ** wait for ⌈a *chance* [an *opportunity*] / **チャンスを見出す** find ⌈a *chance* [an *opportunity*] // **大きなチャンス** a great *opportunity* / **かなりのチャンス** a fair *chance* / **五分五分のチャンス** an even [a fifty-fifty] *chance* / **十分なチャンス** ample *opportunity* / **わずかなチャンス** a ⌈faint [small] *chance*

ち

ちゃんちゃらおかしい ― 形 (まったくばかげた) ridículous; (不合理でお笑いぐさの) absurd; (愚かな) silly. 《☞ ばかげた; ばかばかしい》. ¶*ちゃんちゃらおかしいや (⇒ なんとばかげたことか) How *ridiculous*! / (⇒ ばかげている) *Nonsense*!

ちゃんちゃんこ sleeveless Japanese coat Ⓒ ★ 説明的な訳.

ちゃんと ― 副 (整然と) neatly, tidily, in good order ★ 最後の句は少し格式ばった言い方; (正しく・決められているように) properly; (正確に) correctly; (ちょうど・正しく) exactly; (完全に) perfectly, completely; (上手に・よく) well; (無事に) safely; (確かに) surely, certainly; (ドアなどが閉まった状態に・ぴったりと) to ★ 動詞の後に付ける; (間違いなく) without fail ★ やや格式ばった表現; (すでに) already; (時間どおりに) punctually; (まじめに) earnestly, in earnest; (間違いなく・うまく) 《略式》 all right. ― 形 neat, tidy; proper; perfect, complete; (明確な・はっきり決まった) définite; punctual; (世間並みの; まずまずの) respectable; (評判のよい) reputable. 《☞ きちんと; しっかり; 擬声・擬態語 (囲み)》. ¶彼女は*ちゃんと(⇒ きちんと)した服装をしていた She was ⌈*neatly* [*properly*] dressed. // *ちゃんと (⇒ 正しく) 座りなさい Sit *properly*. / (⇒ 姿勢を伸ばして座りなさい) Sit up *straight*. // 時間を*ちゃんと守りなさい Be *punctual*. // 列車は 3 時に*ちゃんと (⇒ ちょうど 3 時に) 到着した The train arrived *exactly* at three. // 私は*ちゃんとドアに鍵をかけた (⇒ 鍵をかけたのは確かだ) I *am sure* (that) I locked the door. // 彼は*ちゃんと窓を閉めた He pulled the window *to*. ★ この to は副詞. // *ちゃんと(⇒ はっきり)した返事を下さい I want [Give me] a *definite* answer. // 彼はいまのところ*ちゃんとした (⇒ 一定の) 仕事を持っていない He has no *regular work now*. // 荷物は*ちゃんと (⇒ 無事に) 着きました The goods arrived ⌈*safely* [*in good condition*]. // 靴は*ちゃんと(⇒ よく)磨きましたか Have you polished your shoes *well*? // 彼女はアメリカで*ちゃんとやっているだろうか Is she doing *all right* in America? // 昨夜は夕食を*ちゃんと食べました (⇒ しっかりとした夕食を食べた) We had a *substantial* meal yesterday evening. // 彼女のご主人は*ちゃんとした所にお勤めです Her husband works for a *reputable* firm. / Her husband has a *good* job. // 彼は*ちゃんとした家族持ちだ He is a *respectable* family man.

チャンドラー ― 名 固 Ráymond Chándler, 1888–1959. ★ 米国の推理作家.

チャンネル channel Ⓒ 《☞ テレビ》. ¶1 *チャンネルでは何をやっていますか What's on *Channel* 1? ★ channel one と読む. 日英比較 日本語と違って数字が後にくることに注意. 《☞ 数字 (囲み)》 // その映画は昨夜 8 *チャンネルで放送された The movie was televised on *Channel* 8 last night. / (⇒ 私はその映画を 8 チャンネルで見た) I watched the movie on *Channel* 8 last night. // *チャンネルを切り替える change ⌈the *channel* [*channels*] // このテレビは 3 *チャンネルがよく映らない This TV doesn't pick up *Channel* 3 very well. // 子供たちは*チャンネルを奪いあった (⇒ どの番組を見るかで言い争った) The children quarreled ⌈about [over] which program to watch.

チャンネル広告 (流通広告) trade advertising Ⓤ.

ちゃんばら sword fight Ⓒ.

チャンピオン (優勝者) champion Ⓒ; (一番上手な選手) the best player 日英比較 日本語の「チャンピオン」は必ずしも英語の champion に当たらないことがあることに注意. ¶彼はうちの学校のテニス[水泳]の*チャンピオンだ He is the ⌈tennis [swimming] *champion* of our school. / He's *the* ⌈*best tennis player* [*fastest swimmer*] in our school.

チャンピオンシップ (選手権) championship Ⓤ; (選手権試合) championships ★ 通例複数形で. **チャンピオンフラッグ** championship flag Ⓒ **チャンピオンベルト** championship belt Ⓒ.

チャンプ (チャンピオン) champ Ⓒ.

ちゃんぷるう (沖縄料理) Okinawan dish made of fried vegetables and bean curd Ⓒ ★ 説明的な訳.

ちゃんぽん ― 名 (混ぜたもの) mixture Ⓒ; (料理の名) boiled noodles with fried pork, squid and fish-paste products. ― 副 (交互に) alternately /ɔ́ːltərnətli/ ; (次々に) one after the other; (一緒に) together; (同時に) at the same time. ― 動 (混ぜる) míx (úp) ⊕; (ごちゃ混ぜにする) júmble (úp) ⊕. 《☞ まぜこぜ》. ¶彼は日本語と英語を*ちゃんぽんに話した He ⌈spoke [talked] in a *mixture* of Japanese and English. // 私はビールとウィスキーを*ちゃんぽんに (⇒ かわるがわる) 飲んだ I *alternated between* beer and whisky.

ちゆ 治癒 ― 動 (傷が) héal (úp) ⓐ; (治療で病気が) cure ⓐ, be cured; (回復する) recover (from ...) ⓐ. ― 名 healing Ⓤ; cure Ⓤ; recovery Ⓤ. 《☞ なおる; なおす; かいふく²》.

ちゆう¹ 知勇 (知恵と勇気) wisdom and courage. **知勇兼備** ¶*知勇兼備の名将 a renowned battle commander *endowed with both wisdom and courage*

ちゆう² 知友 (親友) bosom ⌈friend [pal] Ⓒ.

ちゅう¹ 注 ― 名 note Ⓒ ★ 一般的な語; (注を付けること) 《格式》 annotation Ⓤ. ― 動 (注を付ける) 《格式》 ánnotàte ⊕. 《☞ きゃくちゅう》. ¶この本には*注がたくさんある This book has plenty of *notes*. // 語句の*注は各ページの下に出ている The (explanatory) *notes* on words and phrases are given at the bottom of each page. // 私はその本の*注の付いたものを捜している I am looking for an *annotated* edition of the book.

ちゅう² 宙 (空中) the air; (虚空) space Ⓤ. 《☞ くうちゅう; ちゅうぶらりん》. **宙に浮く** ¶何かが*宙に浮かんでいる There is something floating in *the* *air*. // その問題はまだ*宙に浮いたままだ (⇒ 未解決だ) The question ˹remains *unsettled* [is (still) *pending*].

ちゅう[3] 中 — 名 (平均) áverage Ⓒ, mean Ⓒ; (中位) medium Ⓒ; (中ぐらいの所) middle Ⓒ; (二流) second ˹class Ⓒ [quality Ⓤ]. — 形 (平均的な) average; (中ぐらいの) middle Ⓐ, mean Ⓐ, medium Ⓐ ★ 後のものほど格式ばった語となる. (☞ ちゅうぐらい; ちゅうかん[1]; なみ[2]).

¶ 彼の英語の成績はいつも*中以上[以下] (⇒ 平均以上[以下]) だ His grades in English are always ˹above [below] *average*.

ちゅう[4] 忠 loyalty (to ˹*one's* master [the monarch]) Ⓤ.

ちゅう[5] 誅 (刑罰) penalty Ⓒ; (処罰) punishment Ⓤ. (☞ てんちゅう). ¶ *誅を加える inflict ˹a *penalty* [*punishment*] (on …) / (⇒ 滅ぼす) *ruin a person* / (⇒ 殺す) *kill a person*

ちゅう- 駐… — 前 to … — 形 (配置されている) stationed (in …). (☞ ちゅうざい; ちゅうべい[2]).

¶ 彼はかつての*駐米大使である He is a ˹former [one-time] ambassador *to* the United States.

-ちゅう …中 1 《…の間; …以内》 — 前 (…の中で) in …; (…の間) during …; (…以内に) within …; (…の間中ずっと) through …; (…の間で) 《格式》 in the course of …. — 接 (…の間に) while … (☞ -じゅう[1]). ¶ あなたの留守*中にこの手紙が来ました This letter arrived ˹*in* [*during*] your absence. 語法 [ ] 内のほうが「ずっと続いている期間の (ある時)」という感じが強い. (☞ あいだ (類義語)) / I received this letter *while* you were away. // 休暇*中はあちこち旅行した I traveled from place to place *during* the vacation. // 私は今週*中 (⇒ 今週の終わりまで) に帰って来ます I will come back *by the end of* this week. // 午前*中はずっと家にいました I was at home all *through* the morning.

2 《…の状態にある》 語法 (1) 一般に動詞の進行形を用いれば「…中」の意味になる. — 前 (人が…に従事している・事柄が…の状態にある) at …, in …, on … 語法 (2) この場合の at, in, on はいずれも「…に従事中で」, 「…の状態で」, 「…中で」などを示し, 次に置かれる名詞と結びついて慣用句として用いられる; (物・事柄などがある状況下に置かれている) under … — 動 (事柄が進行中である) be going on, be under way.

¶ 私が訪ねたとき彼は食事*中だった He was having a meal when I visited him. // 彼は新しい小説を執筆*中だ He is *at* work on a new novel. // 彼らは授業*中です They are *in* class. // 社長はヨーロッパ旅行*中です Our president is *on* a trip to Europe. // 彼女は勤務*中は制服を着る She wears a uniform when she is *on* duty. // お話し*中失礼ですが (⇒ 話を邪魔して申し訳ありませんが) お電話です Excuse me [I'm sorry to interrupt you], but there's a telephone call for you. // 電話は話し*中です The line is busy. 語法 (3) 《英》では The number is engaged. // 調査は目下進行*中だ The investigation is now *in* progress. // その橋は現在建設*中です The bridge is now *under* construction.

3 《対比を示して》: (…の数の中で) out of …, of …; (…について; …に対して) to …

¶ 十*中八九彼は来ないだろう Ten *to* one, he won't come. (☞ じっちゅうはっく) // 5 人*中 3 人はその本を読んだ Three *out of* five read the book.

ちゅうい[1] 注意 1 《留意・注目》 — 名 (目・思考力を働かせての注意) attention Ⓤ; (注目) notice Ⓤ, note Ⓤ ★ 以上の中では attention が一番意味が強い; (関心) interest Ⓤ.

¶ 我々は彼の警告に*注意を払うべきだ We should pay *attention* to his warning. / We should take ˹*notice* [*note*] of his warning. // 仕事に*注意を集中する focus one's *attention* on *one's* work // 読書から*注意をそらす distract *a person's attention* from reading // 彼女は*注意を引くために大声を上げた She shouted to attract *attention*. // 彼の発言は聴衆の*注意 (⇒ 関心) を引いた His remark aroused the *interest* of the audience. // 彼女は先生の言うことにいつも*注意している She ˹*is* always *attentive* [always pays *attention*] to what the teacher says. // その事故は運転手の不*注意によるものだった The accident was due to the driver's ˹*carelessness* [lack of *attention*]. (☞ ふちゅうい)

2 《用心・警戒》 — 名 (用心) care Ⓤ; (警戒) caution Ⓤ; (予防措置) precaution Ⓤ ★ 以上は具体的なものを指すときは Ⓒ; (見張り) watch Ⓤ; (油断のないこと) watchfulness Ⓤ. — 動 (用心する) take care of …, be careful ˹about [of] …; (注意してよく見る) watch ⑩; (気を付ける) mind ⑩; (警戒する) watch [look] out (for …) ⓐ; (…に注意する) beware of … ★ 慣用的命令に用いる; (…になるように配慮する) see (to it) that …. — 形 (注意している) careful; (用心深い) watchful. — 副 carefully, with ˹care [caution]. (☞ ちゅういぶかい; ようじん[1]). ¶ 彼は体には十分*注意している He ˹*takes* good *care* [*is* very *careful*] *of* his health. // 通りを横断するときには*注意しなさい *Take care* when crossing the street. / *Be careful* when you cross the street. // 踏切を渡るときには列車に*注意しなさい *Watch out for* trains when you cross the tracks. // そのグラスを割らないように*注意しなさい *Take care* [*Be careful*] not to break that glass. / (⇒ そのグラスの扱いに注意しなさい) *Be careful* with the glasses. // 子供がストーブのそばへ寄らないように*注意しなさい (⇒ 配慮しなさい) *See* (*to it*) *that* the child does not go near the stove. 語法 (1) to it は口語では普通省略される. // 彼は旅行前に風邪を引かないように*注意した He took *precautions* so as not to catch cold before going on the trip. ★ 格式ばった表現. // 彼女はその花瓶を*注意して運んだ She carried the vase ˹*with* great *care* [very *carefully*]. // 足もとに*注意 *Watch* [*Mind*] your step. 語法 (2) [ ] 内は《英》でよく用いられる. (☞ あしもと) // 閉まるドアにご*注意下さい 《電車の車掌のことば》 *Mind* the door. // すりに*注意 *Lòok óut for* pìckpòckets. / *Beware of* pickpockets. // 犬に*注意 《掲示》 *Beware of* the Dog

「注意」の掲示

3 《忠告・警告》 — 動 (警告する) warn ⑩; (危険や, してはならないことについて注意を与える) caution ⑩ ★ warn ほど意味は強くない; (忠告・助言する) advise ⑩; (上の者が下の者に説諭する) 《格式》 admónish ⑩; (命じる) tell (*a person* to *do* …). — 名 warning Ⓤ; caution Ⓤ; advice Ⓤ; (柔道の) chui Ⓒ. (☞ ちゅうこく (類義語); けいこく[4]).

¶ 私は子供たちにその池で泳ぐなと*注意した I *warned* the children ˹not to swim [against swimming] in the pond. // 彼は彼女に仕事に遅れないようにと*注意した He ˹*told* [*admonished*] her not to be late for work.

注意書き (張り紙・掲示) notice Ⓒ; (使用法などの)

instructions ★ 複数形で. ¶ 使用上の*注意書き *instructions* for use 注意義務 legal obligation for precaution [C] 注意欠陥多動性障害 attention deficit hyperactivity disorder [U] 《略 ADHD》 ★ 具体的には [C]. 注意事項 matters that demand special attention ★ 通例複数形で; NB ★ ラテン語の nota bene (=note well) から. 注意人物 marked ⌈man [woman] [C] 注意報 ☞ 見出し 注意力 attentiveness [U]; (集中力) concentration [U].

ちゅうい² 中位 ―[名] medium [C]. ―[形] (中位の・並の) middling, mediocre; (平均の) average. ¶ *中位の成績 *average* [*mediocre*] school record 中位数 〘統〙 the median.

ちゅうい³ 中尉 (米陸軍・空軍の) first lieutenant /luːténənt/ [C]; (米海軍の) lieutenant junior grade [C]; (英陸軍の) lieutenant /lefténənt/ [C]; (英海軍の) sublieutenant [C]; (英空軍の) flying officer [C].

ちゅういがく 中医学 traditional Chinese medicine [U] ★ 現代の中国伝統医学.

ちゅういぶかい 注意深い ―[形] (慎重な) careful, cautious; (警戒を怠らない) watchful; (心の行き届いた) attentive. ―[副] carefully, cautiously; watchfully; attentively. 《☞ ちゅうい¹; しんちょう²》. ¶ 彼の運転はとても*注意深い He's a very ⌈*careful* [*cautious*] driver.

ちゅういほう 注意報 warning [C], alert [C] ★ 前者のほうが一般的. 《☞ けいほう¹》. ¶ 大雨洪水 [大雪]*注意報 a ⌈heavy rain and flood [snowstorm] ⌈alert [*warning*] // 波浪*注意報 a high wave *warning* // スモッグ*注意報 a smog *alert*

チューインガム chéwing gùm, gum [U]; (棒状の) stick of (chewing) gum [C]. 《☞ ガム》. ¶ 教室では*チューインガムをかむな Don't chew *gum* in the classroom.

ちゅうえい 中衛 〘スポ〙 ☞ ハーフバック

ちゅうえつ 中越 ―[形] Sino-Vietnamese. 中越紛争 Sino-Vietnamese disputes.

ちゅうえつじしん 中越地震 the Niigata Prefecture Chuetsu Earthquake.

ちゅうおう¹ 中央 ―[名] (中心) center (《英》 centre) [C]; (真ん中付近) the middle ★ ある程度の広がりがある; (核心) the heart. ―[形] central [A]; middle [A]. 《☞ ちゅうしん¹ (類義語); まんなか》. ¶ 彼らは部屋の*中央に大きなテーブルを置いた They placed a large table in the *center* of the room. // 学校は町の*中央にある The school is in the *center* of (the) town. // その車は道の*中央に止まっていた The car was stopped in *the middle* of the road. // 町の*中央が火事でやられた *The heart* of the town was destroyed by the fire.

中央アジア Central Asia 中央アフリカ共和国 the Central African Republic 中央アメリカ Central America 中央アルプス (木曽山脈の別称) the Central Alps 中央委員会 the central committee 中央卸売市場 the Central Wholesale Market 中央官庁 the central government 中央気象台 the Central Meteorological /mìːtiərəládʒɪkəl/ Obsérvatòry 中央教育審議会 the Central Council for Education 中央銀行 the *central bank* 中央競馬 *JRA horse racing* [U]; (個々のレース) JRA race [C] ★ JRA は the *J*apan *R*acing *A*ssociation (日本中央競馬会) の略. 中央構造線 (西日本を東西に走る大断層) the Median Tectonic Line 中央自動車道 the Chuo Expressway 中央集権 centralization (of power) [U] 中央省庁 central government offices and agencies 中央情報局 (米国の) the Central Intelligence Agency 《略 CIA》 中央処理装置 〘コンピューター〙 ☞ シーピーユー 中央政府 central government [C] (↔ local government) 中央線 (JR の) the Chuo Line; (道路の) center line [C] 中央揃え 〘印〙 centering [U], center ⌈justification [alignment] [U] 中央値 〘統〙 the median 中央分離帯 《米》 median strip [C], 《英》 central reservation [C] 中央郵便局 the Central Post Office 中央労働委員会 the Central Labor Relations Commission 中央労働基準審議会 the Central Labor Standards Council.

ちゅうおう² 中欧 Central Europe.

ちゅうか¹ 中夏 ☞ せいか⁸

ちゅうか² 仲夏 the month of May ⌈in [on] the lunar calendar.

ちゅうか³ 鋳貨 ―[名] minting [U]. ―[動] mint (他).

ちゅうかい¹ 仲介 ―[名] (調停) mediation [U] ★ 以下の動詞形も含めてやや格式ばった語だが, 「仲介」という日本語の改まった口調には近い; (仲介人) médiàtor [C], gó-betwèen [C]. ―[動] mediate (自)(他). 《☞ ちゅうさい; あっせん; せわ》. ¶ 弁護士が組合と会社の*仲介に立った The lawyer ⌈*mediated* [*acted as a mediator*] between the union and the company. // その紛争の解決に私が*仲介の労をとった (⇒ 私が仲介者として務めた) I acted as a *go-between* to settle the dispute.

仲介者 go-between [C], mediator [C] ★ 前者のほうが口語的. 仲介(手数)料 brokerage [U] 仲介貿易 intermediary trade [U].

ちゅうかい² 注解 annotation [C].

ちゅうがい 虫害 insect damage [U].

ちゅうがえり 宙返り somersault /sʌ́məsɔ̀ːlt/ [C]; (飛行機の) loop [C]. ¶ 彼は芝生の上で*宙返りをした He turned a *somersault* on the lawn. // あのジェット機は見事に*宙返りをした That jet plane turned *loops* beautifully.

ちゅうかがい 中華街 Chinatown [C].

ちゅうかく 中核 (最も重要な部分) kernel [C]; (中心部) core [C]; (核となるもの・中心的存在) nucleus /n(j)úːkliəs/ [C] 《複 nuclei /-kliàɪ/, ~es》. 《☞ かく⁴; かくしん³》. 中核能力 core competence [U] 中核派 Chukaku-ha; (英訳は) the Middle Core Faction.

ちゅうがく 中学 junior high school [C] 《☞ ちゅうがっこう; 学校・教育 (囲み)》. ¶ 娘は*中学 2 年生だ My daughter is ⌈in the eighth grade [an eighth grader]. [参考] 《米》では中学校 (ときには高校) までは小学校から通算で学年を数えるのが習慣となっている. / My daughter is ⌈in her second year of [a second-year student in] *junior high school*.

ちゅうがくせい 中学生 junior high school student [C] 《☞ ちゅうがっこう; 学校・教育 (囲み)》. ¶ 正夫は*中学生だ Masao ⌈*goes to* [*attends*] (*a*) *junior high school*. ★ [ ] 内は少し格式ばった言い方. / Masao is a *junior high school student*. ★ このほうが go to … を用いるより少し改まった感じの表現.

ちゅうがくねん 中学年 (小学校の) the middle grades (of elementary school).

ちゅうかしそう 中華思想 Sinocentrism /sàɪnouséntrɪzm/ [U].

ちゅうかじんみんきょうわこく 中華人民共和国 the People's Republic of China 《☞ ちゅうごく》.

ちゅうかそば 中華そば Chinese noodles with soup ★ 複数形で.

ちゅうがた 中型, 中形 ―[形] medium-sized. ―名 medium /míːdiəm/ [middle] size Ⓤ. ¶私は*中型の車を買った I bought a *medium-sized* car.

ちゅうかっこ 中括弧 (curly) braces ★{ }の形のもの. 通例複数形で.

ちゅうがっこう 中学校 junior high school Ⓒ, lower secondary school Ⓒ ★後者は日本の中学校を指す格式ばった呼称; (昔の) middle school Ⓒ 参考《米》では 6 年生から 8 年生までの学校を middle school と呼んでいる. (☞ちゅうがく; ちゅうがくせい; 学校・教育 (囲み)).
¶弟は*中学校に通っている My brother ˹goes to [attends] (a) *junior high school*. 語法 単に中学校であるというだけならば冠詞を付けないのが一般的. ただし, 例えばある町や市の中学という具体的な感じが含まれる場合には冠詞を付ける. attend は少し改まった言い方. // 私の妹は 1998 年に*中学校に入学[を卒業]しました My sister ˹entered [graduated from] (a) *junior high school* in 1998. // *中学校時代には大いに勉強した I ˹studied [worked] very hard while I was in *junior high school*. // 女子*中学校 a girls' *junior high school*

ちゅうかどん(ぶり) 中華丼 chop suey /tʃàp-súːi/ Ⓤ; (説明的には) bowl of rice with seafood and vegetables (cooked together ˹in (the) Chinese style [Chinese style]) Ⓒ.

ちゅうかなべ 中華鍋 wok Ⓒ, Chinese (frying) pan Ⓒ. (☞なべ).

ちゅうかまんじゅう 中華饅頭 Chinese-style steamed bun Ⓒ.

ちゅうかみんこく 中華民国 the Republic of China (☞たいわん).

ちゅうかりょうり 中華料理 (品) Chinese ˹dishes [food Ⓤ]; (料理法) Chinese ˹cooking [cuisine] Ⓤ. (☞りょうり). **中華料理店** Chinese restaurant Ⓒ.

ちゅうかん¹ 中間 ―名 the middle. ―形 (位置が真ん中の) middle Ⓐ; (程度が中ぐらいの) medium Ⓐ; (距離が) halfway Ⓐ, midway Ⓐ; (場所・程度が) intermediate; (時期が暫定的で) interim Ⓐ ★少し格式ばった語. (☞まんなか; なかほど). ¶その島は日本と中国の*中間にある The island is located ˹*halfway* [*midway*] between Japan and China. // 灰色は黒と白の*中間だ Gray is ˹a color [*intermediate*] between black and white. // 彼はいつも*中間の立場をとる He always ˹takes [holds] the *middle* position.
中間階級 the middle class **中間管理職** (集合的に) middle management Ⓤ **中間期** 〔生〕 interkinesis /ìntəkɪníːsɪs/ Ⓤ **中間業者** middleman Ⓒ **中間決算** interim (budget) result Ⓒ, midterm settlement of accounts Ⓒ **中間言語** 〔言〕 ínterlànguage Ⓤ **中間財** 〔経〕 intermediate goods, intermediate product Ⓒ **中間搾取** intermediary exploitation Ⓤ **中間子** 〔物理〕 (素粒子の一つ) meson /mézɑn/ Ⓒ **中間試験** mídtèrm examinátion Ⓒ, 《米略式》 midterm Ⓒ. (☞しけん¹) **中間施設** rehabilitation /rìː(h)əbìlətéɪʃən/ facility Ⓒ **中間宿主** 〔生〕 intermediate [intermediary] host Ⓒ **中間小説** light [middlebrow] novel Ⓒ **中間色** neutral tints ★通例複数形で. **中間生産物** 〔経〕 intermediate product Ⓒ **中間生成物** 〔化〕 intermediate Ⓒ **中間選挙** (米国の) off-year election Ⓒ **中間貯蔵** (使用済み核燃料の) intermediate storage Ⓤ **中間配当** midterm [interim] dividend Ⓒ **中間部** 〔楽〕 trio Ⓒ **中間報告** ínterim repórt Ⓒ **中間法人** intermediate corporation Ⓒ.

ちゅうかん² 昼間 daytime Ⓤ (☞ひる¹ (類義語)). **昼間人口** the daytime population.

ちゅうき¹ 中期 the middle (period) (☞しょき¹; こうき²). ¶江戸時代*中期に *in the middle of* the Edo period

ちゅうき² 注記 (一般的に) note Ⓒ; (脚注) footnote Ⓒ. (☞ちゅう¹).

ちゅうき³ 中気 ☞ちゅうぶう

ちゅうき⁴ 駐機 ―名 parking Ⓤ. ―動 park ㊀ ㊉. **駐機場** parking ˹apron [area] Ⓒ.

ちゅうぎ 忠義 (忠誠) loyalty Ⓤ; (忠実) faithfulness Ⓤ, 《格式》 fidelity Ⓤ; (献身) devotion Ⓤ. (☞ちゅうじつ).

ちゅうきこくさいファンド 中期国債ファンド Medium-term Government ˹Securities [Bond] Fund Ⓒ.

ちゅうきさい 中期債 medium-term bond Ⓒ.

ちゅうぎだて 忠義立て ―動 show *one's* loyalty (to *one's* master).

ちゅうきぼ 中規模 ―形 medium-scale. ―副 on a medium scale.

ちゅうきゅう¹ 中級 ―形 intermediate /ìntəmíːdiət/ (↔ advanced; elementary). ¶私はフランス語の*中級講座をとった I took the *intermediate* course in French. // この文法の本は*中級者向きだ This grammar is intended for *intermediate* students.

ちゅうきゅう² 誅求 ☞かれんちゅうきゅう

ちゅうきょう 中京 (名古屋市) (the city of) Nagoya; (直訳的には) the metropolis in the central part of Japan ★the を付けて. **中京工業地帯** the Nagoya industrial ˹zone [area] ★the を付けて.

ちゅうきよほう 中期予報 medium-range forecast Ⓒ.

ちゅうきょり 中距離 ―形 middle-distance Ⓐ (↔ long-distance; short-distance). **中距離競走** middle-distance race Ⓒ **中距離走者** middle-distance runner Ⓒ **中距離弾道弾** intermediate-range ballistic missile Ⓒ (略 IRBM).

ちゅうきん¹ 忠勤 loyalty Ⓤ (☞ちゅうじつ).
¶彼は上司に*忠勤を励んだ (⇒上司に対して常に忠実だった) He remained *loyal* to his superior.

ちゅうきん² 鋳金 ―名 casting Ⓤ. ―動 cast ㊉. **鋳金家** metalworker Ⓒ, caster Ⓒ **鋳金術** metalwork Ⓤ, (the craft of) casting Ⓤ.

ちゅうきんとう 中近東 ―名 ㊂ the Middle and Near East 語法 現在では the Middle East, the Mideast だけで「中近東」の意味に使われるのが普通. ―形 Middle Eastern, Mideastern.

ちゅうくう¹ 中空 ―副 (空中に) in midair, in the air; (空に) in [into] the sky. ―形 (中が空洞の) hollow. (☞くうちゅう; から¹).

ちゅうくう² 宙空 〔天〕 (outer) space and the atmosphere Ⓤ.

ちゅうぐう 中宮 (皇后) the empress; (皇后と同格の皇妃) the second consort of an emperor; (皇后の宮殿) the ˹palace [residence] of the empress.

ちゅうぐらい 中位 ―形 (大きさ・高さが) medium Ⓐ; (程度が中ぐらいの・極端でなく程よい) móderate; (ややけなした感じで, 並の) mediocre /mìːdióʊkə/; (平均的な) áverage; (普通の) órdinàry; (ありふれた) cómmonplàce. (☞ちゅう³; ちゅうかん¹; なみ²).
¶彼は*中ぐらいの背の高さだ He is of ˹*average* [*medium*] height. // *中ぐらいの大きさのじゃがいも *medium*-sized potatoes // 彼の成績は*中ぐらいだ (⇒よくも悪くもない) His grades are *neither good nor bad*. / His grades are *mediocre*. // ステーキは*中ぐらいに焼いて下さい I'd like my steak *medium*.

ちゅうくん 忠君 loyalty to the throne Ⓤ. 忠君愛国 loyalty and patriotism Ⓤ.

ちゅうけい 中継 ── [名] (中継放送) rélay Ⓒ; (放送網を結んでの中継) hóokùp Ⓒ; (放送網) network Ⓒ; (伝送) transmission Ⓤ. ── [動] (中継する) relay ㊀. (☞ ほうそう¹; テレビ; ラジオ).

¶ その場面は全国にテレビ*中継された (⇒ 全国放送網でテレビ放送された) The scene was telecast over a nationwide *network*. // そのタイトルマッチは衛星*中継で放送された The title match was broadcast (live) by satellite *transmission*. ★ live /láɪv/ は生放送の [で]. // テレビの舞台*中継 a stage performance *relayed* on TV / a live TV *broadcast* of a stage performance

中継基地 transit [relay] base Ⓒ **中継局** relay station Ⓒ **中継港** transit port Ⓒ, port of transit Ⓒ **中継貿易** entrepôt /ά:ntrəpòʊ/ trade Ⓤ **中継放送** relay broadcasting Ⓤ, relay Ⓒ. ¶ テレビの全国*中継放送で首相は所信を述べた Speaking to a nationwide TV audience [On a nationwide TV *hookup*], the prime minister made a speech on his general policy.

ちゅうけん¹ 中堅 (主力) backbone Ⓒ; (支えとなる人) pillar Ⓒ; (野球の) center (field) Ⓤ; (中堅手) center fielder Ⓒ. ¶ 40 代はこの会社の*中堅である Those in their forties ⌈are [form] the *backbone* of this company. **中堅幹部** (下級管理職) junior executive Ⓒ **中堅企業** middle-ranking [second-tier] enterprise Ⓒ.

ちゅうけん² 忠犬 faithful dog Ⓒ.

ちゅうげん¹ 中元 midyear gift Ⓒ. ¶ *中元大売り出し *midyear gift* sale / (⇒ 夏の) summer sale

ちゅうげん² 中間, 仲間 (召使い) footman Ⓒ.

ちゅうげん³ 忠言 honest [frank] ⌈advice [counsel] Ⓤ. **忠言耳に逆らう** Honest [Frank] advice sounds harsh to the ear.

ちゅうこ 中古 ── [形] used Ⓐ, secondhand ★《米》では used を使うことが多い. ── [副] secondhand. ¶ 私は蚤(のみ)の市で*中古のバイオリンを買った I bought a ⌈*used* [*secondhand*] violin at the flea market. / I bought a violin *secondhand* at the flea market. **中古車** used car Ⓒ **中古品** used article Ⓒ **中古文学** (日本の) Heian literature Ⓤ.

ちゅうこう¹ 昼光 daylight Ⓤ. **昼光色** daylight ⌈color [《英》colour] Ⓤ.

ちゅうこう² 中高 (中学と高校) lower and upper secondary schools, junior and senior high schools. **中高一貫教育** six-year secondary school system Ⓒ.

ちゅうこう³ 中興 (再び盛んにすること) restoration Ⓤ. **中興の祖** the restorer.

ちゅうこう⁴ 忠孝 loyalty and filial piety Ⓤ.

ちゅうこうせい 昼行性 〔動〕 ── [名] diurnality /dàɪəːnǽləti/. ── [形] diurnal (↔ nocturnal).

ちゅうこうそう 中高層 ¶ *中高層のビル群 a group of *mid- and high-rise* buildings

ちゅうこうねん 中高年 (the) middle-aged and elderly, middle-aged and elderly people ★ 集合的に; (婉曲的に) senior citizen Ⓒ.

ちゅうこく 忠告 ── [名] (助言) advice /ədváɪs/ Ⓤ; 《格式》 counsel Ⓤ; (戒め) 《格式》 admonition Ⓤ; (警告) warning Ⓒ. ── [動] advise /ədváɪz/ ㊀; 《格式》 counsel ㊀; 《格式》 admonish ㊀; warn ㊀.

【類義語】 忠告・助言の意味では, 個人的なものにしろ, 公のものにしろ, 最も普通に広く用いられるのは ***advice***. この語はどちらかというと個人的な, あるいは実際的な忠告を意味することが多く, また意味が広いので, 例えば「法律上の*助言」(legal *advice*) のように, 助言の種類を表す形容詞を伴うことが多い. それに対して, どちらかというと権威もしくは重要性のある忠告・助言, または公の立場での忠告・助言を意味することが多いのは ***counsel*** である. 目上の人が目下の人に軽く与える注意は ***admonition***. 以上 2 つは格式ばった語. 危険などに対する警告は ***warning***. (☞ じょげん; けいこく¹; ちゅうい¹)

¶ 彼は先生に*忠告を求めた He asked his teacher for *advice*. / (⇒ 忠告を求めて先生のところへ行った) He went to his teacher for *counsel*. ★ 第 2 文のほうがやや格式ばった言い方. // 君に一言*忠告をしておきたい Let me give you a piece of *advice*. [語法] (1)「1 つ, 2 つ…」と数えるときは a ⌈piece [bit] of advice, two pieces of advice のように言う. ただし, 漠然と some advice と some を付けることもある. // 彼は私によい*忠告をしてくれた He gave me good *advice*. [語法] (2) advice は形容詞が付いても不定冠詞が付かない. counsel は形容詞が付くと不定冠詞が付く. ((例) 貴重な*忠告 a valuable *counsel*) // 彼は私の*忠告を無視した He ⌈disregarded [paid no attention to] my ⌈*advice* [*warning*]. // 彼は私の*忠告に耳を貸さなかった (⇒ 聞こうとしなかった[聞こえない耳を向けた]) He ⌈wouldn't listen [turned a deaf ear] to my *advice*. // 彼は医者の*忠告に従ってたばこをやめた He ⌈stopped [gave up] smoking on his doctor's *advice*. // 私は彼に酒をやめるように*忠告した I *advised* him to ⌈stop [give up] drinking. / I *advised* him ⌈not to drink [against drinking].

―コロケーション―

忠告に従う follow *advice* // **賢明な忠告** wise *advice* / **実際的な忠告** sensible *advice* / **親切な忠告** friendly [kind] *advice* / **善意の忠告** well-meant *advice* / **妥当な忠告** sound *advice* / **無責任な忠告** irresponsible *advice* / **役に立たない忠告** worthless *advice* / **有益な忠告** useful *advice*

ちゅうごく 中国 ── [名] ㊥ China; (正式名) the People's Republic of China. ── [形] Chinése. **中国学** Sinology /saɪnάlədʒi/ Ⓤ **中国共産党** the Chinese Communist Party (略 CCP), the Communist Party of China (略 CPC) **中国共産党全国代表大会** the National Congress of the Communist Party of China **中国共産党中央委員会総会** the Plenary Session of the Central Committee of the Communist Party of China **中国語** Chinese Ⓤ, 《格式》 the Chinese language **中国国民党** the Kuomintang /kwóʊmìntǽŋ/, the Chinese Nationalist Party **中国残留孤児** war-displaced Japanese in China ★ 単複同形. **中国酒** Chínese liquor /líkɚ/ Ⓤ **中国人** Chinese Ⓒ ★ 単複同形; (中国人全体) the Chinese ★ 複数扱い. **中国茶** Chinese tea Ⓤ **中国服** Mandarin coat Ⓒ **中国野菜** Chinese vegetables **中国料理** Chinese cuisine Ⓤ (☞ ちゅうかりょうり).

ちゅうごくじどうしゃどう 中国自動車道 the Chugoku Expressway.

ちゅうごくちほう 中国地方 the Chugoku ⌈district [region]; (説明的には) the southwestern part of Honshu.

ちゅうごし 中腰 ── [名] (半分座り[立ち上がり]かけた姿勢) half⌈-sitting [-rising] stance Ⓒ; (半分身をかがめること) half crouch Ⓒ. ── [動] (腰を曲げる) stoop ㊁; (身を低くする) crouch ㊁. (☞ かがめる; しゃがむ (挿絵)).

¶ 彼は*中腰であたりを見回した He looked around in a *half-rising stance*. // 彼は*中腰になって車に乗

り込んだ (⇒ 車に乗るために身を低くかがめた) He ˹stooped low [crouched] to get into the car.

ちゅうこんひ 忠魂碑 monument ˹dedicated to [for] the war dead Ⓒ.

ちゅうさ 中佐 (米陸軍・空軍, 英陸軍の) lieutenant colonel Ⓒ; (米海軍, 英海軍の) commander Ⓒ; (英空軍の) wing commander Ⓒ.

ちゅうざ 中座 ━動 (…の最中に(部屋を)去る) leave (the room) in the middle of …; (会議の終わらないうちに退出する) leave before the meeting is over; (無断で) slip away ㊀, sneak ˹out [away] ㊀. ¶ 彼は会議の途中で*中座した (⇒ 会議の最中に退出した) He *left in the middle of* the meeting. //「ちょっと*中座いたします」「どうぞ」"*Excuse me.*" "Certainly." 語法 会話では中座するときにはこれでよい. ただし, 必要と考えるならば理由を付けるほうが丁寧である.

ちゅうさい 仲裁 ━名 (裁定) arbitration Ⓤ; (調停) mediation Ⓤ; (介入) intervention Ⓤ ★ 以上いずれも格式ばった語. ━動 árbitràte ㊀ ㊉; mediate /míːdièɪt/ ㊀ ㊉; intervéne ㊀.

【類義語】両者の言い分を聞いて決定を下すのが *arbitrate*. 両者が納得できるような妥協点を見つけ出すのが *mediate*. 問題解決のために間に入るのが *intervene*. (☞ ちょうてい[1]) ¶ 国連はその国境問題を*仲裁した The United Nations ˹*arbitrated* [*intervened*] in the border dispute. 語法 arbitrate の場合は in がなくてもよい. // そのけんかは彼の*仲裁でおさまった The quarrel was settled thanks to his ˹*arbitration* [*mediation*].

仲裁委員会 arbitration committee Ⓒ **仲裁契約** arbitration agreement Ⓒ **仲裁裁定** settlement by arbitration Ⓤ **仲裁裁判** arbitration Ⓤ **仲裁人** (正式に指名された仲裁人) árbitràtor Ⓒ; (調停者) médiàtor Ⓒ; (一般的な仲裁人) árbiter Ⓒ.

ちゅうざい 駐在 ━動 (配置されている) be stationed; (滞在する) stay ㊀.

¶ うちの会社の代表が何人かフランクフルトに*駐在している (⇒ 配置されている) Several representatives of our company *are stationed* in Frankfurt /frǽŋkfət/. // 彼は外交官としてフランスに*駐在したことがある He once *stayed* in France as a diplomat. // 日本*駐在の英国大使 the British ambassador *to* Japan

駐在員 representative of the local office Ⓒ; (全体) local staff Ⓒ. ¶ 彼はアメリカ商社の東京*駐在員だ (⇒ 東京にあるアメリカ商社の代表の 1 人だ) He is a *representative* of an American firm in Tokyo. **駐在巡査** policeman at a substation Ⓒ **駐在所** police substation Ⓒ **駐在武官** defense attaché /æ̀təʃéi/ Ⓒ ★ attaché の ´ は綴り本来のもの.

ちゅうさぎ 中鷺 〖鳥〗 intermediate egret Ⓒ.

ちゅうさつ 誅殺 ━動 punish a criminal with death, inflict the death penalty on a criminal.

ちゅうさんかいきゅう 中産階級 the middle class ★ しばしば複数形で; the bourgeoisie /bʊ́əʒwaːzíː/ ★ 単数または複数扱い. 時に軽蔑的. (☞ ちゅうりゅう[1]; かいきゅう[1]).

ちゅうし[1] 中止 ━動 (動作・行為などをやめる) stop ㊉ ★ 一般的な語; (計画していたことや行事などを取りやめる) call óff ㊉; (予定していたものを取り消す) cáncel ㊉ ★ call off と cancel は交換して用いられる場合が多い; (試合を) call ㊉; (断念する) give úp ㊉; (続けていたことをやめる) discontinue ㊉; (一時的に中断する) suspend ㊉; (権力で禁止する) suppress ㊉. ━名 stop Ⓤ; discontinuance Ⓤ, discontinuation Ⓤ ★ 以上 2 語は stop より格式ばった語; suspension Ⓤ. (☞ やめる[1]; うちきる; えんき[1]). ¶ 労組はストを*中止した The union *called off* the strike. // 彼は勉強を*中止して部屋から出て行った <S (人)+V (*stop*)+O (動名)> He *stopped* study*ing* and went out of the room. 語法 この場合 stop to study は誤り. // そのような動物虐待はただちに*中止すべきである We should ˹*stop* [*put a stop to*; *put an end to*] such cruelty to animals at once. // 彼らは計画を*中止した (⇒ 断念した) They *gave up* their plan. // その交流計画は資金難のために*中止された The exchange program *was discontinued* because of the shortage of funds. // 雨のため野球の試合は*中止された The ball game *was* ˹*called* (*off*) [*canceled*] ˹on account [because] of (the) rain. / The ball game *was rained out*. 語法 rained out は雨のため始めから中止されることを意味し (call off にもこの意味はあるが), 試合途中で中止される場合は call (off) を使う. // その工事は冬の間*中止される The construction work *is suspended* during the winter. // その雑誌は発行を*中止 (⇒ 禁止) させられた The magazine *was suppressed*. // 私は彼にその無謀な冒険を*中止させた (⇒ 説得してやめさせた) I *persuaded* him *out of* his reckless adventure.

ちゅうし[2] 注視 ━動 (驚いたり感心したりしてじっと見つめる) gaze (at …) ㊀; (動作や動きを見守る) watch … carefully; (観察する) observe … carefully; (慎重に見る) look closely at …; (目を注ぐ) fix *one's* eyes ˹on [upon] … ━名 gaze Ⓤ; (綿密な観察) close observation Ⓤ. (☞ ちゅうもく).

ちゅうじ 中耳 middle ear Ⓒ, 〚解〛 týmpanum Ⓒ (複 ~s, tympana). **中耳炎** inflammation of the middle ear Ⓤ, 〚医〛 tympanitis /tìmpənáɪtɪs/ Ⓤ, otitis media /oʊtáɪtɪs míːdiə/ Ⓤ.

ちゅうじき 中食 lunch Ⓤ (☞ ちゅうしょく).

ちゅうじく 中軸 (中心を貫く軸) axis Ⓒ; (中心選手) key player Ⓒ. ¶ *中軸バッター *the most powerful* batters // 彼女はその新しいプロジェクトで*中軸となるだろう (⇒ 指導的役割を果たすだろう) She will *take the leading role* in the new project.

ちゅうしつ 中質 medium quality Ⓤ. **中質紙** mass-produced (woodpulp) paper Ⓤ.

ちゅうじつ 忠実 ━形 (誠実な・事実に正確な) faithful; (裏切らない) true ★ 以上 2 語は交換して用いられることも多い; (献身的な) devoted; (君主や国家に忠誠を尽くす) loyal. ━名 faithfulness Ⓤ; truth Ⓤ; devotion Ⓤ; loyalty Ⓤ. (☞ せいじつ[1]). ¶ 彼は警官の任務に*忠実だった He was ˹*faithful* [*devoted*] to his duties as a policeman. // この本は史実に*忠実だ This book is ˹*faithful* [*true*] to historical facts. // 彼は私の命令を*忠実に実行した He carried out my orders *faithfully*.

ちゅうしゃ[1] 注射 ━名 injection Ⓒ, 《略式》 shot Ⓒ. ━動 inject ㊉; (人に注射する) give ˹a shot [an injection] to …

¶ その*注射で痛みがすぐに止まった The ˹*injection* [*shot*] killed the pain at once. // 医者は私の右腕に*注射を打った The doctor gave me a *shot* in the right arm. // 医者は患者に血清を*注射した The doctor *injected* the serum into the patient. / The doctor *injected* the patient with the serum. // 患者は 4 時間ごとに*注射を打っている The patient is *on injections* every four hours. // 皮下*注射 a hypodermic *injection* // コレラの予防*注射 (⇒ 接種) をしましたか *Have* you *been inoculated* against cholera?

注射液 injection Ⓒ **注射器** syringe /sɪríndʒ/ Ⓒ ★ 洗浄用スポイトの意味もある. 不明確な時はいわゆ

る皮下注射用の注射器ならば次のように言う; hypodermic /hàɪpədə́ːmɪk/ (syringe) Ⓒ. 《☞ いりょう¹ (挿絵)》 **注射針** (hypodermic) needle Ⓒ.

ちゅうしゃ² 駐車 ── [動] park (他) (自). ── [名] parking Ⓤ. ¶「どこに*駐車しようか」「あの建物の前にしたら」"Where shall we *park* (our car)?" "How about in front of that building?" // *駐車禁止《掲示》No *Parking* // この辺に*駐車する場所がありますか Is there any *parking* space around here? // 2 時間の*駐車料金は現在 400 円です The charge for two hours of *parking* is now ¥400. // 彼は*駐車違反で罰金を取られた He was fined for a *parking* violation. // 道路のわきに*駐車中の車があった (⇒ 車が駐車されていた) There *was* a car *parked* [A car *was parked*] on the side of the road. **駐車場** (露天の)《米》parking lot Ⓒ, 《英》car park Ⓒ; (建物内の)《米》parking ˹garage [structure] Ⓒ, 《英》car park Ⓒ.

ちゅうしゃく 注釈 note Ⓒ, 《格式》annotation Ⓤ. 《☞ ちゅう³》. **注釈者** annotator Ⓒ.

ちゅうしゅう¹ 中秋 (旧暦の 8 月 15 日(の夜)) (the night of) August 15 of the ˹old [lunar] calendar. **中秋の名月** the harvest moon ★「収穫時の月」の意.

ちゅうしゅう² 仲秋 (秋の半ば) midautumn Ⓤ, the middle of autumn; (旧暦の八月) the eighth month of the ˹old [lunar] calendar.

ちゅうしゅつ 抽出 ── [動] (機械力または化学的方法で抜き出す) extract (他); (分離する) abstract (他); (引き出す) draw (他) ★ 前の 2 語のほうが格式ばった語. ── [名] extraction Ⓤ; abstraction Ⓤ; (標本抽出) sampling Ⓤ. 《☞ とりだす; ぬきだす》. ¶ 彼はグループ全体の中から無作為に見本を*抽出した He *drew* samples at random from the total group. // 無作為*抽出(法) random *sampling* **抽出調査** sample survey Ⓒ **抽出法** sampling Ⓤ.

ちゅうしゅん 仲春 (春の半ば) midspring Ⓤ, the middle of spring; (旧暦の 2 月) the second month of the ˹old [lunar] calendar.

ちゅうじゅん 中旬 (月の中ごろ) the middle of the month; (月半ばの 10 日間) the ten days in the middle of the month ★ 説明的な訳. [参考] 英語では日本語のように 10 日区切りで月を分けて言う習慣がなく, 通例「第…週」のように週を用いるか, あるいは漠然と「月の中ごろ」のように言う.

¶ その船は 9 月*中旬に出航します The ship sails in ˹*the middle of* September [*mid*-September].

ちゅうしょう¹ 抽象 ── [名] abstraction Ⓤ. ── [形] (抽象的な) àbstráct (↔ concrete). ── [動] (抽象する) abstráct (他). ¶ *抽象的に話す speak *in general terms* // 子供たちにはそんな*抽象的な説明はわからない Children cannot understand such an *abstract* explanation. **抽象化** abstraction Ⓤ **抽象画** abstract ˹painting [picture] Ⓒ **抽象画家** abstract ˹painter [artist] Ⓒ **抽象芸術** abstract art Ⓤ **抽象主義** 〘美〙 abstractionism Ⓤ **抽象美術** ábstract árt Ⓤ **抽象表現主義** 〘美〙 abstract expressionism Ⓤ **抽象名詞** 〘文法〙 abstract noun Ⓒ **抽象論** abstract argument Ⓒ.

ちゅうしょう² 中傷 ── [動] (事実無根のことを言う) slander (他); (悪口を言う) say something nasty *about a person*; (名誉を傷つける) defame (他) ★ 格式ばった語. ── [名] slander Ⓤ ★ 具体的な言葉などは Ⓒ; 〘法〙 (名誉毀損) 《格式》 libel /láɪb(ə)l/ Ⓤ ★ slander は口頭によるもので libel は文書や写真などによるもの; 《格式》 defamation /dèfəméɪʃən/ Ⓤ. ── [形] slanderous; 《格式》 defamatory /dɪfǽmətɔ̀ːri/. 《☞ わるくち》. ¶ 彼は陰で彼女のことを*中傷した He *said* ˹*something nasty* [*nasty things*] *about* her behind her back. // 彼はよく相手側から*中傷された He *was* often *defamed* by his opponents. // その雑誌の記事はひどい*中傷だ That magazine article is gross *libel*. // *中傷的な記事 a ˹*defamatory* [*slanderous*] article

ちゅうしょう³ 中称 〘文法〙 demonstrative pronoun denoting something close to the listener Ⓒ.

ちゅうしょう⁴ 中小 ── [形] small and medium-size(d). **中小河川** small and medium-size(d) rivers **中小都市** small and medium-size(d) cities.

ちゅうじょう 中将 (米陸軍・空軍, 英陸軍) lieutenant /luːténənt/ géneral Ⓒ; (米海軍, 英海軍) vice admiral Ⓒ; (英空軍) air marshal Ⓒ.

ちゅうしょうきぎょう 中小企業 small and medium-size(d) ˹enterprises [businesses]; (小さな企業) minor [small] businesses. 《☞ きぎょう¹》. **中小企業基盤整備機構** the Organization for Small and Medium Enterprises and Regional Innovation, JAPAN **中小企業基本法** the Minor Enterprises Act **中小企業金融公庫** Japan Finance Corporation for Small and Medium Enterprise 《略 JASME》 ★ 旧称は Japan Finance Corporation for Small Business 《略 JFS》 **中小企業診断士** small and medium corporation doctor Ⓒ **中小企業庁** the Small and Medium-size(d) Enterprise Agency; 《米》 Small Business Administration 《略 SBA》 **中小企業等協同組合** cooperative association of small and medium enterprises Ⓒ.

ちゅうじょうグラフ 柱状グラフ histogram Ⓒ.

ちゅうじょうせつり 柱状節理 〘地質〙 columnar ˹jointing Ⓤ [joint Ⓒ].

ちゅうしょく 昼食 (通常の) lunch Ⓤ 《☞ ちょうしょく¹ [語法]》. ¶ もう*昼食は済みましたか Have you had *lunch* yet? // 私は軽い*昼食をとった I had a light *lunch*. // *昼食時間に during the *lunch* ˹period [hour] **昼食会** 《格式》 luncheon Ⓒ. ¶ スミス博士のために*昼食会が開かれた A *luncheon* was held in honor of Dr. Smith.

ちゅうしん¹ 中心 ── [名] (中心点) center (《英》 centre) Ⓒ; (中央・真ん中付近) the middle; (中心部・重要な所) the heart; (軸の中心となるもの) pivot Ⓒ ★「回転軸」が原意; (焦点) focus Ⓒ; (核心) core Ⓒ ★「果物の芯(しん)」が原意. ── [形] central Ⓐ; middle Ⓐ.

【類義語】全体の中の中心点が **center**. 両端から等距離にある中間部分が **middle**. 同じ中央といっても *middle* は漠然と中心点付近の部分を指し, 範囲も広いが, *center* のほうは範囲が狭く, 中心になる点をいう. 全体の中で最も重要な核心部が **heart** で, これは必ずしも中央にあるとは限らない. 比喩的な意味の「中心」には *center* を用いる. 活動の中心となる最も重要な部分が **pivot**. 人々の注意や興味が集まる一点が **focus**. 事物の中央にある堅い塊を指すのが **core**. 《☞ ちゅうおう¹; まんなか》

¶ 太陽は太陽系の*中心である The sun is the *center* of the solar system. // 母親は家庭生活の*中心である The mother is the ˹*center* [*pivot*] of family life. // ロンドンは世界の商業の*中心だった London used to be an international commercial *center*. // パンダは子供たちの興味の*中心だった Pandas were the ˹*center* [*focus*] of children's interest. // 彼はその運動の*中心人物だった (⇒ 指導者だった) He was the *leader* of the movement. // 彼はそのグループの*中心的存在 (⇒ 中心人物) だ He is the *central figure* ˹in [of] the group. // 彼の店は市の*中心にある His store is ˹at [in] the ˹*center* [*heart*]

of the city. // *中心に線を引きなさい Draw a line through *the middle*.
中心街 《米》 downtown [C], 《英》 city [town] centre [C]　**中心角** 〘数〙 central angle [C]　**中心気圧** the central (air) pressure　**中心線** 〘数〙 center line [C]　**中心地** the center　**中心的役割** key [leading] role [C]　**中心点** the ⌈center [central] point　**中心力** 〘物理〙 central force [U].

ちゅうしん[2]　衷心　― [形] (愛情のこもった) hearty; (心の底からの) deep; (真心からの) heartfelt.　― [副] deeply; from the bottom of *one's* heart.　¶ *衷心からの歓迎 a *hearty* welcome // *衷心からの同情 *sincerest* sympathy // *衷心からのお悔やみ *deepest* condolences /kəndóuləns ɪz/

ちゅうしん[3]　注進　― [動] (情報を伝える) inform (他); (告げる) tell (他). (☞ しらせる; ほうこく[1]).

ちゅうしん[4]　忠臣　loyal ⌈subject [retainer] [C] ★ subject は(立憲)君主国の「国民, 臣民」, retainer は封建制度下の「家来, 家臣」の意.
¶ *忠臣は二君に仕えず A *loyal retainer* will not serve a second master.

ちゅうしん[5]　中震　moderate [medium-size(d)] earthquake [C].

ちゅうしんぐら　忠臣蔵　(劇の名) *Chushingura*; *the Treasury of Loyal Retainers*; (説明的には) the dramatized story of forty-seven *ronin*, or masterless samurai, who took revenge for their former lord's dishonorable death.

ちゅうしんせい　中新世　〘地質〙 the Miocene /máɪəsìːn/ epoch ★ 新生代第三紀を二分した時の古いほうの時代.

ちゅうすい[1]　注水　― [動] pour water into …

ちゅうすい[2]　虫垂　〘解〙 appendix /əpéndɪks/ [C] (複 ~es, appendices /-dəsìːz/).　**虫垂炎** appendicitis /əpèndəsáɪtɪs/ [U].

ちゅうすいどう　中水道　treated water supply [U], wastewater reuse system [C].

ちゅうすう　中枢　― [名] (中心) center (《英》 centre) [C]; (コントロールの中心) control center [C]; (核心) nucleus /n(j)úːkliəs/ [C] (複 nuclei /-kliàɪ/, ~es).　― [形] central [A]. (☞ ちゅうしん[1] (類義語); かくしん[3]).　¶ (脳の)言語*中枢 the speech *center* // 脳は体の*中枢である The brain is the *control center* of the body.　**中枢神経** the central nerves　**中枢神経系** the central nervous system.

ちゅうせい[1]　中世　― [名] the Middle Ages
[参考] 日本史では普通鎌倉時代 (12 世紀末) から戦国時代 (16 世紀) まで, ヨーロッパ史では通例西ローマ帝国の衰退(5 世紀)から文芸復興の始まる 15 世紀までを指す; medieval period ★ 他の時代と並べて比較する表現に使うことが多い.　― [形] medieval /mìːdiíːv(ə)l/ [A].　¶ これはイングランドで最も大きい*中世の寺院です This is the largest *medieval* cathedral in England.
中世音楽 médièval músic [U]　**中世語** (日本語史で) medieval Japanese [U]　**中世都市** medieval ⌈town [city] [C]　**中世文学** medieval literature [U].

ちゅうせい[2]　中性　― [名] 〘文法〙 the neuter gender; 〘化〙 neutrality [U].　― [形] 〘文法〙 neuter; 〘化〙 neutral; (無性) sexless. (☞ ちゅうりつ; ちゅうわ).　**中性子** 〘物理〙 neutron [C]　**中性紙** neutralized paper [U]; (無酸紙) acid-free paper [U]　**中性子星** neutron star [C]　**中性子爆弾** neutron bomb [C]　**中性脂肪** triglyceride /traɪglísəràɪd/ [U]　**中性洗剤** (synthetic) detergent [U] ★ 製品は [C].　**中性土壌** neutral soil [U]　**中性肥料** neutral fertilizer [U].

ちゅうせい[3]　忠誠　(特に国家に対する) 《格式》 allegiance [U]; (個人・家族・国家などに対する) loyalty [U] ★ 後者のほうが意味が広く, 一般的な語. (☞ ちゅうじつ; せいじつ[1]).　¶ 彼は国家への*忠誠を誓った He ⌈pledged [swore] ⌈*allegiance* [*loyalty*] to his country.

ちゅうせい[4]　中正　― [形] (公平無私の) fair; (偏見のない) impartial, unbiased. (☞ こうせい[1]; こうへい[1] (類義語)).　¶ 穏健*中正な意見 a moderate and *impartial* opinion

ちゅうせい[5]　中生　**中生植物** mesophyte /mézoufàɪt/ [C]　**中生動物** mesozoan /mèzəzóuən/ [C].

ちゅうぜい　中背　☞ ちゅうにくちゅうぜい

ちゅうせいだい　中生代　〘地質〙 the Mesozoic era /mézəzòuɪk í(ə)rə/.

ちゅうせき[1]　沖積　**沖積層** alluvium /əlúːviəm/ [C] (複 -via /-viə/, ~s)　**沖積土** alluvial soil [U]　**沖積平野** alluvial plain [C].

ちゅうせき[2]　柱石　(支えとなる重要人物) pillar [C].　¶ 国家の*柱石 a *pillar* of the state

ちゅうせつ　忠節　(忠誠) loyalty [U] (☞ ちゅうせい[3]; ちゅうぎ).　¶ 主君に*忠節を尽くす *be loyal to one's* lord

ちゅうぜつ　中絶　― [名] (妊娠の) abortion [U].　― [動] have an abortion, abort (他).

ちゅうせっきじだい　中石器時代　the Middle Stone Age; the Mesolithic /mèzəlíθɪk/ ⌈age [era] ★ 後者は専門的な語.

ちゅうぜつぼいん　中舌母音　〘音声〙 central vowel [C].

ちゅうせん[1]　抽選　― [名] (くじ引き) drawing [U]; (くじ) lot [C].　― [動] (抽選する・くじ引きする) draw lots. (☞ くじ).
¶ 準決勝の組み合わせの*抽選を行う hold *the draw* for the semifinals // 私たちは*抽選で順番を決めた We decided turns *by* ⌈*lot* [*drawing lots*].　[語法] (1) 方法をいうときは a を付けずに by lot. / (⇒ 順番を決めるためにコインをはじいた) We *flipped* (a coin) to decide turns.　[語法] (2) flip (a coin) はコインを投げて裏表で決するもので英米ではよく行われる. 日本流のくじ引きを場合によってはこのように意訳するほうがわかりやすい場合もある. // 彼女は*抽選に当たった [はずれた] (⇒ 当たり[はずれ]番号を引いた) She *drew* a ⌈winning [losing] *number*.
抽選会 lottery [C]　**抽選券** lottery (ticket) [C]　**抽選番号** lottery ticket number [C].

ちゅうせん[2]　中線　〘数〙 median /míːdiən/ [C].

ちゅうせんきょくせい　中選挙区制　multi-seat constituency [C].

ちゅうそう　中層　¶ *中層の建物 a *mid-rise* building　**中層住宅** mid-rise residential building [C].

ちゅうぞう　鋳造　― [動] cast (他) (過去・過分 cast), found (他); (貨幣を) coin (他), mint (他) ★ 後者は元来は貨幣を作る場所を表す語で, 転じて動詞となったものだが, 動詞としては coin のほうが一般的.
¶ 活字[鐘, 像]を*鋳造する *cast* [*found*] ⌈type [a bell; a statue] // 貨幣は造幣局で*鋳造される Money *is coined* at the mint.
鋳造所 foundry [C].

ちゅうそううん　中層雲　(高積雲など) middle-level clouds ★ 複数形で. (☞ くも[1] (挿絵); こうせきうん).

ちゅうそつ　中卒　junior high school graduate [C].

チューター　(家庭教師) tutor [C]　[日英比較] 英語の tutor はこの他に 《英》 では大学の個別指導教員, 《米》 では大学の講師をいう. また住み込みの家庭教師をもいう.

チューダーちょう　チューダー朝　the House of

Tudor ★ 英国の王朝 (1485–1603).

ちゅうたい[1] 中退 ── 動 leave school (⌈halfway through [before graduating]) ★ 特に理由を付け加えなければ, 単に中途で退学するという中立的表現; (自分の意志で意図的にやめる) quit school ★ 口語的表現; (学校を自らあきらめてやめる) give up school; (学校を成績が悪くてやめる) dróp óut 自. (☞ たいがく[1]).

¶ 彼は経済上の理由で大学を*中退した He *left* the university for financial reasons. // 彼は 2 年前に*中退しました He *dropped out* two years ago.

中退者 (成績不良などによる) drópòut C.

ちゅうたい[2] 中隊 〖軍〗 company C. **中隊長** company commander C.

ちゅうたい[3] 紐帯 social ties ★ 通例複数形で.

ちゅうだん[1] 中断 ── 動 (やめる・やむ) stop 他 自 ★ 最も一般的な語; (続けていることをやめる) discontinue 他; (進行中のことに割り込んで途中でやめさせる) interrupt 他; (一時的に停止させる) suspend 他. ── 名 stoppage U; discontinuation U, discontinuance U; interruption U; suspension U ★ 以上はいずれも格式ばった語だが, 日本語の「中断」という改まった口調には近い.

¶ 彼はたばこを一服吸うために仕事を*中断した He *stopped* work to have a smoke. // 彼らは資金不足のため, やむを得ず研究を*中断した They were obliged to *discontinue* the research for want of funds. // 彼らは一方的に交渉を*中断した They *broke off* negotiations one-sidedly. // 彼の演説はたびたびの質問により*中断された His speech *was interrupted* by frequent questions.

ちゅうだん[2] 中段 (棚の) middle shelf C; (寝台車の) middle berth C; (階段の踊り場) landing C.

¶ 《剣道で》 *中段に構える hold a sword right in front of the adversary's eyes

ちゅうちゅう **1** 《音を出して吸う》 ── 動 suck noisily 他. ¶ 男の子はジュースをストローで*ちゅうちゅう吸っていた The boy *was noisily sucking* juice through a straw.

2 《動物の鳴き声》 ── 動 (鳥や虫が) chirp 自; (ねずみが) squeak 自. ── 名 (鳥や虫の鳴き声) chirp C; (ねずみの鳴き声) squeak C. (☞ ねずみ; 動物の鳴き声 (囲み)).

ちゅうちゅうたこかいな (説明的に) Japanese counting-out rhyme; (英語では) two, four, six, eight and ten.

ちゅうちょ 躊躇 ── 動 (ためらう) hesitate 自; (決めかねて迷う) waver 自. ── 名 hesitation U; (良心のとがめ) scruple /skrúːpl/ ★ 普通は複数形で単数扱い; (不決断) indecision U. ── 副 hesitatingly. (☞ ためらう; まよう; しりごみ (類義語)).

¶ なぜ*ちゅうちょしているのですか Why *are* you ⌈*hesitating* [so *hesitant*]? // 私なら*ちゅうちょなくその申し出を受けます I won't *hesitate* to accept the offer. / I'll accept the offer without *hesitation*. ★ 前者のほうが口語的.

ちゅうづり 宙吊り ── 動 (宙づりになる) hang [be suspended] in midair ★ hang は 自 他. (☞ つる[1]).

ちゅうてつ 鋳鉄 ── 名 cast iron U. ── 形 cast-iron.

ちゅうてん[1] 中点 〖数〗 *the middle* point.

ちゅうてん[2] 中天 (天の中心) the zenith; (中空) midair U. ¶ *中天にかかる月 the moon shining *high (up) in the sky*

ちゅうと 中途 ── 形 halfway, midway ★「中途半端な」という意味では midway は使えない; (未完の) unfinished. ── 副 halfway, midway. (☞ とちゅう; ちゅうとはんぱ). ¶ 仕事を*中途でやめてはいけない Don't leave your work *unfinished*.

中途採用 (定期とは限らず, その時現在の求職者から採用すること) hiring of a person currently in the job market U **中途退学** ☞ ちゅうたい[1]

ちゅうとう[1] 中東 ── 名 固 the Middle East, the Mideast. ── 形 Middle Eastern, Mideastern. (☞ ちゅうきんとう). ¶ *中東諸国 the countries in *the Middle East* / the *Mideastern* countries **中東戦争** (the) wars in the Middle East **中東紛争** Middle East(ern) [Mideast] ⌈Conflict [conflict] C **中東和平** Middle East peace U, peace in the Middle East U **中東和平会議** Middle East Peace Conference C **中東和平構想** Middle East peace plan C.

ちゅうとう[2] 中等 ── 形 (位置が中ぐらいの) middle; (程度が中ぐらいの) medium A; (二次的) secondary. **中等教育** secondary education U (☞ 学校・教育 (囲み)).

ちゅうとう[3] 柱頭 (柱の) capital C; (花の) stigma C (複 ~s, -mata).

ちゅうとう[4] 仲冬 (冬の半ば) midwinter U, the middle of winter; (旧暦の 11 月) the eleventh month of the ⌈old [lunar] calendar.

ちゅうどう 中道 ── 名 (中庸) the golden mean; (片寄らない道) the middle course. ── 形 (穏当な) moderate; (政党などがどちらにも片寄らない) middle-of-the-road; (特に政党が) centrist.

¶ 彼は*中道を歩む He is a *middle-of-the-roader*. / (⇒ 中道主義者だ) He is a *centrist*.

中道左[右]派 left-of-center [right-of-center] ⌈group [faction] C **中道政治** middle-of-the-road politics U **中道政党** centrist [middle-of-the-road] party C.

ちゅうとうがっこう 中等学校 secondary schools; (説明的には) the former collective term for middle schools, vocational schools, and girls' high schools.

ちゅうどく 中毒 ── 名 (毒物・ガスなどの) poisoning U; (麻薬などの常習癖) addiction U. ── 動 (中毒する) be poisoned (by ...); (中毒している) be addicted /ədíktɪd/ (to ...), be a ... addict /ǽdɪkt/ ★ addict は「中毒にかかった者」の意.「...」のところに「薬物」などの名を入れる.

¶ 彼は麻薬*中毒だ He *is a* drug *addict*. / He is suffering from ⌈narcotic *poisoning* [drug *addiction*]. // ガス*中毒で一家全滅した The whole family *was gassed* to death. ★ gas は 動 他 で「ガス中毒させる」. // 彼は*中毒症状が出た He has developed *toxic symptoms*. ★ toxic は格式語で,「中毒(性)の」意味. // 麻薬 [あへん]*中毒者 a drug [an opium] *addict* // 薬品*中毒 chemical *poisoning* // 一酸化炭素*中毒 carbon monoxide *poisoning* // 食*中毒 food *poisoning* // アルコール*中毒 *álcohòlism* // 仕事*中毒の人 a *workaholic* /wə̀ːkəhɔ́ːlɪk/

中毒患者 ((麻薬)常習者) áddict C; (毒物などの) poisoning victim C.

ちゅうとはんぱ 中途半端 ── 副 (中途で) halfway. ── 形 (半分やった状態で) half done; (未完成で) unfinished. (☞ ちゅうと; やりかけ).

¶ *中途半端にするならいっそのことやるな You had better not do it at all than do it *halfway*. // 物事を*中途半端にしておく leave things ⌈*half done* [*unfinished*] // この本は*中途半端な内容で (⇒ 真剣に書かれていないので) あまり感心しない I cannot recommend this book, because it is *not seriously* written.

チュートリアルソフトウェア 〖コンピューター〗 tutorial software U.

ちゅうとろ ☞ とろ[1]

ちゅうとん 駐屯 ― 動 (軍隊が) be stationed (ʳat [in] …). ¶ 歩兵 1 個連隊がその都市に*駐屯した One infantry regiment *was stationed* at the city. **駐屯地** station Ⓒ; (辺地の小部隊の) (army) post Ⓒ; (長期の) base Ⓒ. 《☞ きち¹》.

チュートン ― 名 (チュートン人・ゲルマン人) Teuton Ⓒ; (民族) the Teutons. ― 形 Teutonic. **チュートン語** Teutonic Ⓤ.

チューナー tuner Ⓒ.

ちゅうなごん 中納言 (日本の昔の官位) vice-council(l)or of state 《☞ だいなごん》.

ちゅうなんべい 中南米 South and Central America; (ラテンアメリカ) Latin America.

ちゅうにかい 中二階 mezzanine /mézənìːn/ Ⓒ.

ちゅうにくちゅうぜい 中肉中背 ― 形 (体が中ぐらいの大きさの) of medium ʳbuild [size]; (均整がよくとれている) physically well balanced. ¶ 彼は*中肉中背だ He is a man *of medium* ʳ*build* [*size*]. / (⇒ 体の均整がよくとれている) He is *physically well balanced.*

ちゅうにち¹ 中日 (彼岸の) the day of the equinox 《☞ ひがん¹》.

ちゅうにち² 駐日 ¶ *駐日アメリカ大使 the ʳUnited States [American] ambassador *to* ʳ*Japan* [*Tokyo*]

ちゅうにち³ 中日 ☞ にっちゅう²

ちゅうにゅう 注入 ― 動 (液体を) pour [put] … into …; (薬液などを) inject ⑩.

ちゅうにん 中人 (小・中学生) elementary or junior-high school student Ⓒ.

チューニング tuning Ⓤ ★ 放送局・番組などにダイヤルを合わせることは tune in という. ((例) NHKの番組を聞く tune in to NHK).

ちゅうねん 中年 ― 名 middle age Ⓤ. ― 形 middle-aged. ¶ *中年の夫婦 a *middle-aged* couple // このごろ少し*中年太りだ Recently I have developed a *middle-age(d)* spread.

ちゅうのう 中脳 the midbrain; 〘医〙 the mesencephalon /mèzenséfəlàn/ Ⓒ 《複 ~s, -la》.

ちゅうのうソース 中濃ソース medium rich sauce Ⓤ.

ちゅうのり 宙乗り wire stunt performed on the kabuki stage Ⓒ.

ちゅうは¹ 中波 〘無線〙 medium frequency Ⓒ, medium wave Ⓤ (↔ long wave; shortwave).

ちゅうは² 中破 ― 名 half-damage Ⓤ. ― 動 be half damaged. 《☞ たいは》.

チューバ 〘楽器〙 tuba Ⓒ.

ちゅうハイ 酎ハイ *shochu* and soda (water) Ⓤ 《☞ しょうちゅう¹》.

ちゅうばいか 虫媒花 〘植〙 èntomóphilous flówer Ⓒ.

ちゅうはいよう 中胚葉 〘生〙 ― 名 mesoderm /mézədə̀ːm/ Ⓒ. ― 形 mèsodérmal, mèsodérmic.

ちゅうはくとう 中白糖 light brown soft sugar Ⓤ.

ちゅうばつ 誅伐 (罪人を攻め討つこと) punitive expedition Ⓒ.

ちゅうばん 中盤 (勝負事の) the middle ʳstage [game]. **中盤戦** (選挙戦などの) the middle phase (of the election campaign).

ちゅうび 中火 moderate ʳheat [fire; temperature] Ⓤ ★ 不定冠詞が付くこともある. 《☞ よわび; 料理の用語 (囲み)》. ¶ *中火で煮る cook over *a moderate* ʳ*heat* [*fire*] / (⇒ 天火で) bake at *a moderate temperature*

ちゅうヒール 中ヒール (婦人靴) medium /míːdiəm/ high heels, Cuban heels ★ いずれも複数形で.

ちゅうびらき 中開き ☞ はんびらき

チュービング tubing Ⓤ ★ 管状材料; (タイヤを使った川下り・雪すべり) tubing Ⓤ.

ちゅうぶ 中部 (中心部分) the central part; (真ん中部分) the middle part, the center, the middle; (中核) the heart. 《☞ ちゅうおう¹; まんなか》. **中部アメリカ** Central America **中部国際空港** the Central Japan International Airport **中部地方** the ʳChubu [Central] District ★ この場合の「中部」は固有名詞. **中部日本** Central Japan.

チューブ tube Ⓒ; (自転車などのタイヤの) inner tube Ⓒ. 《☞ くだ》. ¶ *チューブ入りの絵の具 a *tube* of paint // *チューブ入りの練り歯みがき a *tube* of toothpaste // 練り歯みがきを*チューブから出す squeeze toothpaste out of the *tube*

ちゅうぶう 中風 ― 名 〘病理〙 (総称) ápoplèxy Ⓤ; (麻痺) paralysis /pərǽləsɪs/ Ⓤ; palsy /pɔ́ːlzi/ Ⓤ ★ 後者は手足のしびれ・震えなどの軽症のもの. ― 形 pàralýtic; palsied. ― 動 (中風にかかる) become paralyzed /pǽrəlàɪzd/. 《☞ まひ; しびれる》. ¶ 彼は 5 年前*中風にかかった He ʳ*became paralyzed* [was stricken with *paralysis*] five years ago. **中風患者** pàralýtic Ⓒ; patient suffering from paralysis Ⓒ.

ちゅうふく 中腹 ― 副 (中腹で) halfway ʳup [down] a mountain 語法 (1) 山を登ってゆく場合が up, 下ってゆく場合が down. ― 名 (山腹) side (of a mountain) Ⓒ 語法 (2) 山には side が四面にあるので山全体の中腹は the sides of a mountain; (丘の中腹) hillside Ⓒ. 《☞ さんぷく》. ¶ その神社はあの山の*中腹にある The shrine is on the *side of* that *mountain.* // 我々は山の*中腹でほかの登山者たちに追いついた We caught up with the other climbers *halfway up the mountain.*

ちゅうぶとり 中太り ― 形 (太りぎみの) slightly fat. ― 動 put on a bit of weight, get a little stout. 《☞ ふとる》.

ちゅうぶらりん 宙ぶらりん ― 副 (空中に) up in the air, in midair; (やりかけで) half done. ― 形 (どっちつかずの状態の) pending; (不安定で) poised. 《☞ ちゅうとはんぱ》. ¶ 私は相変わらず*宙ぶらりんの状態にいる (⇒ 身を固めていない) I'*m not settled* yet. / I'*m not established in life* yet. // 事を*宙ぶらりんのままにしてはいけない Don't leave the matter ʳ*pending* [*half done*].

ちゅうぶる 中古 ― 形 used /júːzd/ Ⓐ, secondhand. 《☞ ちゅうこ》.

チューブレスタイヤ tubeless ʳ《米》 tire [《英》 tyre] Ⓒ.

ちゅうへい 駐兵 ― 名 stationary troops ★ 複数形で. ― 動 (兵を駐屯させる) station [keep] troops. 《☞ ちゅうとん》. ¶ 彼らの軍隊はその国に*駐兵している Their forces *are stationed* in the country.

ちゅうべい¹ 中米 ― 名 Central America. ― 形 Central American. **中米共同市場** the Central American Common Market 《略 CACM》 **中米自由貿易協定** the Central America Free Trade Agreement 《略 CAFTA》 **中米紛争** conflict in Central America Ⓤ ★ あるいは複数形で.

ちゅうべい² 駐米 ¶ *駐米日本大使 the Japanese ambassador *to* ʳ*the United States* [*Washington*]

ちゅうへん 中編 (短い小説) short novel Ⓒ; (中程度の長さの小説) novélla Ⓒ, medium-length story Ⓒ ★ 後者は説明的; (3 つに分けたうちの第 2

の部分［巻］) the second「part [volume]; (真ん中の部分) the middle part. 《☞ ぜんぺん¹; こうへん》.

ちゅうぼう 厨房 kitchen Ⓒ 《☞ だいどころ》.
厨房用品 kitchen utensils ★ 複数形で.

ちゅうぼく 忠僕 (忠実な僕(しもべ)) faithful [dutiful] servant Ⓒ; (献身的な僕) devoted servant Ⓒ.

ちゅうぼそ 中細 ¶ *中細のペン a *medium-point(ed)* pen // *中細の毛糸 *medium-fine* woolen yarn

ちゅうみつ 稠密 ── 形 dense. ¶ その国は人口が*稠密だ The country *is densely populated*. // 人口の*稠密度 population *density*

ちゅうもく 注目 ── 名 (注意・注意力) attention Ⓤ; (観察) observation Ⓤ; (注意) notice Ⓤ. ── 動 (…に注意を払う) pay attention to …; (…に注目する) direct [turn] *one's* attention to …; (見守る) watch ⑩; (視線を注ぐ) keep *one's* eyes on ….
¶ その車は道行く人たちみんなの*注目を集めた The car drew the *attention* of everyone on the street. // これは*注目に値する事件だ This is a case worthy of「*notice* [*attention*]. // しばらく経済界の様子に*注目していよう Let's「*keep our eyes on* [*watch*] the economic situation for a while.
注目の的 the「center [focus] of attention. ¶ その事件は世界中の人々の*注目の的だ (⇒ 世界中の人たちがその事件を見守っている) People all over the world *are watching* the event. / (⇒ その事件は世界中の人たちの注目を集めた) The event has attracted the *attention* of people all over the world. ★ 後者のほうが前者より格式ばった言い方.

ちゅうもん 注文 **1**《あつらえ》 ── 名 order Ⓒ. ── 動 order ⑩, give … an order for …, place an order for … with … ★ for の次に「品物」, with の次に「人」が入る.
¶ 大口[小口]の*注文 a「large [small] *order* // 私は本屋にその小説を*注文した I *ordered* the novel *from* the bookstore. 語法 (1) *to* the bookstore とは言わない. / I *gave* the bookstore an *order for* the novel. / I *placed an order for* the novel *with* the bookstore. ★ 第 3 文は格式ばった表現. // その品を外国に*注文した I *ordered* the article *from* abroad. // その本は*注文してある The book is already *on order*. 語法 (2) on order は「注文中」. 定冠詞を付けないことに注意. // 彼からコーヒーの*注文を受けた I「got [received] his *order for* coffee. //「ご*注文は何になさいますか」「コーヒーを下さい」"May I「have [take] your *order*, please?" "Yes. (I'd like a cup of) coffee, please." // もうご*注文はなさいましたか《レストランで》 Have you been taken care of? // この背広は*注文だ (⇒ 注文に応じて作ったものである) This suit is made to *order*.
2《願い・頼み》 ── 名 request Ⓒ. ── 動 ask ⑩; request ⑩. 《☞ ねがい; たのむ》.
¶ スチュワーデスに水を 1 杯*注文した (⇒ 頼んだ) I *asked* the stewardess *for* a glass of water. // それは無理な*注文だ (⇒ 過大な要求だ) That's *asking* too much.
注文を付ける (特別な要求をする) make a special request; (特別な条件を加える) put specific conditions on ….
注文建築 house built to order Ⓒ, custom-built house Ⓒ **注文先** (注文した人) orderer Ⓒ **注文書** order for goods Ⓒ; (注文書およびその用紙) order「sheet [form] Ⓒ; (特に海外からの) 《英》 indént Ⓒ **注文生産** order production Ⓤ **注文取り** order taker Ⓒ 《☞ ごよう (御用聞き)》 **注文流れ** (注文を取り消すこと) cancel(l)ation of an order Ⓤ, order cancel(l)ation Ⓤ; (注文流れの品) cancel(l)ed article Ⓒ **注文品** (注文中の品) article [item] on order Ⓒ; (でき上がった品) article [item] made to order Ⓒ.

> **コロケーション**
> 注文を受け付ける accept an *order* / 注文を取り消す cancel an *order* / 注文を取る take an *order*

ちゅうや¹ 昼夜 night and day, day and night ★ 前者のほうが普通. 《☞ にちや; しろくじちゅう》.
¶ 一*昼夜 for twenty-four hours // 二*昼夜 two *days and nights* **昼夜兼行で[昼夜をおかず]** around [《英》 round] the clock. ¶ その建設の仕事は*昼夜兼行で続けられた The construction work was carried on「*around* [*round*] *the clock*. **昼夜の別なく[昼夜を分かたず]** ¶ 彼は*昼夜の別なく休まずに働いた He worked hard「*night and day* [*without stopping*; (⇒ 四六時中) *around the clock*].

ちゅうや² 中夜 ── 副 during the midnight hours, in the middle of the night; (時刻としては) from about 10 p.m. to 2 a.m.

ちゅうゆ 注油 ── 名《格式》 lubrication /lùːbrəkéɪʃən/ Ⓤ. ── 動 oil ⑩, 《格式》 lúbricàte ⑩ 語法 いずれも「油をさす」という意味だが, 後者には機械・部品などを滑らかにするという意味が含まれる. 《☞ あぶら》.

ちゅうゆう 忠勇 (忠義と勇気) loyalty and bravery Ⓤ 《☞ ちゅうぎ; ゆうき¹》.

ちゅうよう¹ 中庸 ── 名 (中道・中正の道) the golden mean; (中間の道) the middle course; (節度) moderation Ⓤ. ── 形 (穏健な) moderate; (合理的な) reasonable; (中道の) middle-of-the-road. 《☞ ちゅうどう》.

ちゅうよう² 中葉 the middle 《☞ なかごろ》.
¶ 昭和の*中葉に *around the middle* of the Showa period

ちゅうようとっき 虫様突起 ☞ ちゅうすい²

ちゅうりきこ 中力粉 medium-strength flour Ⓤ, general-purpose flour Ⓤ.

ちゅうりつ 中立 ── 名 neutrality Ⓤ. ── 形 neutral. ¶ その国は*中立を宣言した The country declared *neutrality*. // 非武装*中立 *neutrality* without armaments / unarmed *neutrality* // *中立を守る observe [maintain] *neutrality* / stand *neutral* ★ 前者には積極的な努力の意が含まれる.
中立国 neutral「country [state; power] Ⓒ. ¶ スイスは永世*中立国だ Switzerland is a permanently *neutral state*. **中立主義者** neutralist Ⓒ **中立政策[主義]** neutralism Ⓤ **中立地帯** neutral [demilitarized] zone Ⓒ.

チューリッヒ ── 名 固 Zurich /z(j)ʊ́(ə)rɪk/ ★ スイスの都市.

チューリップ 〔植〕 túlip Ⓒ.

ちゅうりゃく 中略 ── 動 omit part of a「sentence [passage; paragraph] 参考 中略の印はピリオド 3 つで示す.

ちゅうりゅう¹ 中流 **1**《社会の》 ── 名 the middle class ★ しばしば複数形で. (↔ the upper class; the lower class). ── 形 middle-class Ⓐ.
¶ 彼は*中流階級 (⇒ 中流の家庭) の出だ He is from a *middle-class* family. // 最近の日本人はほとんどが*中流意識を持っている Most Japanese think that they belong to *the middle class* these days.
2《川の》 ── 名 midstream Ⓤ, the middle (of a river). ── 副 halfway「up [down] the river ★ up は下流から, down は上流から見た場合. ¶ この川の*中流には橋があります There is a bridge *halfway*「*up* [*down*] *this river*.

ちゅうりゅう² 駐留 ―[動] (滞在する) stay (自); (特に軍隊などが) be stationed, be posted. ¶米軍は世界各地に*駐留している U.S. forces ⌈*are stationed* [*stay*] in many places around the world. // 在日米国*駐留軍 the U.S. forces (*stationed*) in Japan **駐留軍** (占領地の) occupying [occupation] forces.

ちゅうりん 駐輪 ―[動] (自転車をとめておく) park (他) (自). ―[名] parking Ⓤ. **駐輪場** bicycle parking lot Ⓒ, parking space for bicycles Ⓤ; (建物の場合) bicycle parking structure Ⓒ.

チューリング ―[名] (固) Alan Mathison Turing, 1912–54. ★英国の数学者. **チューリングテスト** 〖コンピューター〗 the Turing test.

チュール (網地の薄絹) tulle /tú:l/ Ⓤ. **チュールレース** tulle lace Ⓤ.

ちゅうれいとう 忠霊塔 monument to the war dead Ⓒ.

ちゅうロ¹ 駐ロ ¶*駐ロ日本大使 the Japanese ambassador *to* ⌈*Russia* [*Moscow*]

ちゅうロ² 中ロ ―[形] (中国とロシアとの) Sino-Russian /sàɪnourʌ́ʃən/. ¶*中ロ関係 *Sino-Russian* relations

ちゅうろう¹ 柱廊 〖建〗 còlonnáde Ⓒ; (教会入口前の) parvis(e) /páəvɪs/ Ⓒ.

ちゅうろう² 中臈 〖史〗 (平安時代の女官) court lady in the Heian period Ⓒ; (江戸時代の奥女中) maidservant in the Edo period Ⓒ.

ちゅうろうい 中労委 ☞ ちゅうおう¹ (中央労働委員会)

ちゅうわ 中和 〖化〗 ―[名] (酸でもアルカリでもなくすること) neutralization Ⓤ; (毒などの逆作用) counteraction Ⓤ. ―[形] (中和性の) neutral; counteractive. ―[動] neutralize /n(j)ú:trəlàɪz/ (他); counteract (他). ¶酸と塩基の*中和によって水ができる Water is formed by the *neutralization* of an acid with a base. // 我々は廃水を酸またはアルカリで*中和する We *neutralize* sewage /sú:ɪdʒ/ with either acids or alkalis /ǽlkəlàɪz/.
中和剤[薬] neutralizer Ⓒ, còunteráctive Ⓒ; (毒物に対する) ántidòte Ⓒ **中和点** 〖化〗 neutral point Ⓒ **中和熱** heat ⌈of [from] neutralization Ⓤ.

チューンアップ ―[名] 〖機〗 (エンジンなどの調整) túneùp Ⓒ. ―[動] túne ùp (他). ¶このエンジンは*チューンアップが必要だ This engine needs ⌈a *tuneup* [*tuning up*].

チュチェしそう チュチェ思想 (北朝鮮の「主体」思想) juche Ⓤ ★英語では self-reliance と訳される.

チュチュ (バレリーナの短いスカート) tutu /tú:tu:/ Ⓒ.

チュニジア ―[名] (固) Tunisia /tu:ní:ʒ(i)ə/; (正式名) Tunisian Republic ★北アフリカの共和国. 古代カルタゴの地. ―[形] Tunisian. **チュニジア人** Tunisian Ⓒ.

チュニス ―[名] (固) Tunis ★チュニジアの首都.

チュニック (コート風上着) tunic /t(j)ú:nɪk/ Ⓒ.

チュルクご チュルク語 Turkic /tə́:kɪk/ Ⓒ ★アルタイ諸語の一つ.

ちゅんちゅん ―[動] (小鳥がさえずる) sing (自) ★最も一般的な語で,「鳥が歌う」というニュアンスを含む; (鳥・虫が鳴く) chirp (自); (鳥がかん高い声で連続して鳴く) twitter (自). (☞ さえずる; 動物の鳴き声 (囲み); 擬声・擬態語 (囲み)).

ちよ 千代 (千年) a thousand years ★a を付けて. **千代に八千代に** (永遠に) forever; (いつまでも) eternally. ¶君が代は*千代に八千代に May your Reign last (for) *ten thousand years*!

ちょ 緒 **緒につく** ―[動] (始まる) start (自); (形を成し始める) begin to ⌈materialize [take shape]. ―[副] (進行中で) under way. ¶その計画は実現の*緒についた The plan *is beginning to* ⌈*materialize* [*take shape*].

-ちょ …著 ¶中田康夫*著『日本の歴史』Yasuo Nakada: *A History of Japan* [語法] 著書などの示し方では特に「著」に相当する表現はしない. 説明的には (written) by … としてもよい.

チョイス (選択) choice Ⓒ (☞ せんたく²).

ちょいちょい (たびたび) often, frequently ★後者のほうが格式ばった語; (時おり) (every) now and then. (☞ ときどき (類義語); しばしば (類義語); 擬声・擬態語 (囲み)).

ちょいやく ちょい役 small part Ⓒ (☞ はやく³).

ちょう¹ 蝶 〖昆〗 butterfly Ⓒ.
蝶よ花よと育てる bring up *one's* daughter with tender care and affection.

> **蝶のいろいろ**
> アゲハチョウ swallowtail, オオムラサキ giant purple butterfly, モンシロチョウ cabbage butterfly, small white, モンキチョウ yellow, シジミチョウ hairstreak, blue, コノハチョウ leaf butterfly

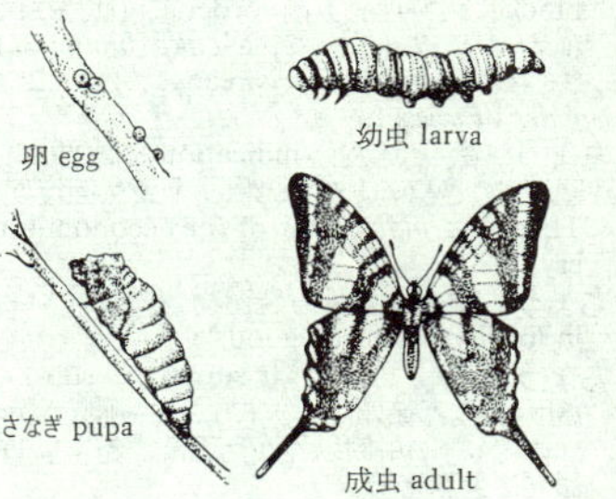

ちょう² 腸 ―[名] 〖医〗 (大・小腸) the intéstines; (腸の全体・内蔵) the bowels /báuəlz/ ★以上 the を付けて複数形で. ―[形] (腸の) intestinal. (☞ ないぞう¹ (挿絵)). ¶私は*腸が弱い (⇒ 弱い腸を持っている) I have weak *intestines*. // どうも*腸の具合が悪い I have ⌈*intestinal* [*bowel*] trouble. [参考] おなかの調子が悪いことを漠然と表したいときには, I have ⌈a little stomach trouble [a weak stomach]. というほうが一般的で, より上品な表現.
腸炎 inflammation of the intestines Ⓤ; 〖医〗 enteritis /èntəráɪtɪs/ Ⓤ **腸炎ビブリオ** (食中毒病原菌) Vibrio parah(a)emolyticus Ⓤ **腸カタル** ☞ 見出し **腸管** ☞ 見出し **腸がん** 〖医〗 colon cancer Ⓤ ★具体的には Ⓒ. colon は「結腸」. **腸狭窄** intestinal stenosis Ⓤ; 〖医〗 enterostenosis /èntəroustənóusɪs/ Ⓤ **腸結核** 〖医〗 intéstinal tubèrculósis Ⓤ **腸出血** intestinal hemorrhage Ⓤ; 〖医〗 enterorrhagia /èntərouréɪdʒ(i)ə/ Ⓤ **腸チフス** 〖医〗 typhoid (fever) Ⓤ **腸内細菌** ☞ 見出し **腸捻転** ☞ 見出し **腸粘膜** 〖解〗 intéstinal mucosa /mju:kóusə/ Ⓤ **腸閉塞** intestinal obstruction Ⓤ; 〖医〗 ileus /íliəs/ Ⓤ **腸壁** 〖解〗 intestinal wall Ⓒ.

ちょう³ 長 **1** «指導者»: (かしら・首位にある人) head Ⓒ; chief Ⓒ; leader Ⓒ.
【類義語】 集団などの長で, その集団に責任を持っている人を表すのは ***head*** で, 最も一般的な語. ほぼ同意だが, 権威や権力を持っているという含みがある語が ***chief***. 組織化された集団の長で, そのメンバーの支持を得ている指導的な立場に立つ人が *leader*.
¶一家の*長 the *head* of the family // その部族の*長 the ˹*chief* [*leader*; *head*] of the tribe // あの男は人の*長たる器ではない (⇒ 指導力がない) He is not *competent to lead others*. // 酒は百薬の*長 A drink is the *best* ˹cure [medicine].
2 «長所»: (長所·すぐれた点) strong point Ⓒ, merit Ⓒ; (すぐれていること) superiority Ⓤ. ¶絵の技法で彼は私より一日の*長がある (⇒ 彼の絵の技法は私のよりもすぐれている) His painting techniques *are superior to* mine.

ちょう⁴ 庁 (政府の機構の 1 つとして) agency Ⓒ [参考] 省 (ministry) より規模の小さい (とみなされる) 役所. ただし省の下部機構ではなく独立している. 最高責任者を「長官」といい, 一般に the director general と訳される. ¶気象*庁 the Meteorological *Agency*

ちょう⁵ 兆 《米》 trillion Ⓒ, 《英》 billion Ⓒ. (☞ 数字 (囲み)).

ちょう⁶ 町 (地方自治体) town Ⓒ; (固有名詞として…地区) cho Ⓒ. (☞ まち¹). ¶調布市富士見*町 Fujimi-*cho*, Chofu City 町会, 町長, 町内, 町民 ☞ 見出し

ちょう⁷ 丁 (さいころの目) even number Ⓒ; (書籍のページ, 裏表 2 ページ) leaf Ⓒ; (豆腐の数) cake Ⓒ, block Ⓒ; (料理一人前) order Ⓒ; (はさみ) pair Ⓒ. (☞ -こ¹). ¶とうふ一*丁 a ˹*cake* [*block*] of tofu // *一丁あがり The *order* is ready. // はさみ 2*丁 two *pairs* of scissors

ちょう⁸ 徴 (きざし) indication Ⓒ; (前ぶれ) sign Ⓒ. (☞ きざし; ぜんちょう¹). ¶景気回復の*徴あり There are *indications* of (an) economic recovery.

ちょう⁹ 調 〖史〗(地方特産物で納める税) tax paid in locally produced goods Ⓒ.

ちょう- 超… ── [接頭] super- (↔ sub-), ultra- /ʌ́ltrə/ (☞ 接頭辞 (巻末)). ── [副] extremely, very. ★ 下の用例以外の接頭辞「超…」の付いた語句は ☞ 見出し.
¶*超大型タンカー a *súper*tànker // *超高性能爆弾 a *super*bomb // *超高速道路 a *sùper*híghwày // *超現代的な《思想·技術などが》*ùltra*módern // *超短波の *ùltra*shórt // *超保守的な《特に政治の》*ultra*conservative // *超満員の *over*crowded / jammed // *超むずかしい数学の問題 an *extremely* [a *very*] difficult mathematics problem // 時給 1200 円もらえるなんて*超ラッキーじゃん You're ˹*extremely* [*very*] lucky to get ¥1,200 an hour.

-ちょう¹ …調 **1** «文体·口調»: style Ⓒ. ¶翻訳*調 a translation *style* // 哀願*調の演説 an imploring speech
2 «和歌の»: meter (《英》 metre) Ⓤ. ¶彼は七五*調でその劇を翻訳した He translated the play in the seven-five syllable *meter*.
3 «音楽»: key Ⓤ. ¶長[短]*調 a ˹major [minor] *key* // ハ長[短]*調で in C ˹major [minor] [語法] この場合には key を付けないのが普通.
4 «趣·風(ふう)»: mood Ⓤ. ¶復古*調 the revival *mood*

-ちょう² …朝 **1** «王朝»: dynasty /dáɪnəsti/ Ⓒ. ¶明*朝 the Ming *Dynasty*
2 «時代»: period /pí(ə)riəd/ Ⓒ; age Ⓒ [語法] 期間を表す最も一般的な語は period. ある支配者によって代表される時代には age を用いる. (☞ じだい¹ (類義語)). ¶平安*朝 the Heian *period* // エリザベス*朝 the Elizabethan /ɪlìzəbíːθ(ə)n/ *Áge* / (⇒ エリザベス女王の統治下) the *reign* of Queen Elizabeth

ちょうあい 寵愛 ── [名] (好意) favor (《英》 favour) Ⓤ; (愛情) love Ⓤ; (引き立て) patronage /pǽtrənɪʤ/ Ⓤ. ── [動] favor ㊀; (よくかわいがる) love … tenderly; (引き立てる) patronize /péɪtrənàɪz/ ㊀. ¶それ以来彼は王様の*寵愛を失った Since then he's found himself out of *favor* with the King.

ちょうあく 懲悪 punishing of évildòing Ⓤ (☞ かんぜんちょうあく).

ちょうあん 長安 ── [名] [固] Changan /ʧɑ̀ːŋɑ́ːn/ ★ 中国の都市西安 (Xian) の旧称.

ちょうい¹ 弔意 (遺族などに対して同情する気持ち) condolences /kəndóʊlənsɪz/ ★ 複数形で; (死者に対する哀悼の意) mourning Ⓤ. (☞ おくやみ).
¶*弔意を表す express [offer] *one's condolences*

ちょうい² 潮位 tide level Ⓒ; (潮汐点) tidemark Ⓒ. ¶異常*潮位 an abnormally high *tide* (*level*)

ちょうい³ 弔慰 弔慰金 condolence money Ⓤ.

ちょういちりゅうきぎょう 超一流企業 blúe-rìbbon firm Ⓒ (☞ いちりゅう).

ちょういん 調印 ── [動] (条約などに署名する) sign ㊀; (条約を結ぶ) conclude ㊀ ★ 以上 2 語はほぼ同意で用いられることも多いが, 後者のほうが格式ばった語. ── [名] (署名すること) signing Ⓤ. (☞ ていけつ; サイン¹). ¶その条約は両国の代表によって本日*調印された Today the treaty *was signed* by the representatives of the two nations today. 調印国 signatory (power) (to …) Ⓒ 調印式 the signing ceremony.

ちょうインフレ 超インフレ hýperinflátion Ⓤ.

ちょうウランげんそ 超ウラン元素 〖化〗 transuranium /trænsjʊ(ə)réɪniəm/ élement Ⓒ.

ちょうえい 町営 ¶*町営グラウンド a stadium /stéɪdiəm/ *run by the town*

ちょうえいぼらく 朝栄暮落 prosperity in the morning and ruin in the evening; (人生ははかない) Life is evanescent /èvənés(ə)nt/ (as the morning dew).

ちょうえき 懲役 penal /píːn(ə)l/ servitude Ⓤ; (禁固刑) imprisonment Ⓤ ★ 労役を伴うときは at hard labor を付ける. (☞ けい¹). ¶彼は 5 年の*懲役に服した He served a sentence of five years' *penal servitude*. / (⇒ 彼は 5 年間刑務所に入れられた) He *was imprisoned* for five years. ★ 第 2 文のほうが口語的. // 彼は 1 年の*懲役に処せられた He was sentenced to one year (of *imprisonment*) *at hard labor*. 懲役囚 convict Ⓒ.

ちょうえつ 超越 ── [動] (超越する·超然としている) stand aloof from … (☞ こえる¹; ちょうぜん).
¶彼は世間のことからまったく*超越している (⇒ まったくとらわれないで) He lives a quiet life quite *free from* worldly affairs. / He *is quite* ˹*aloof from* [*above*] the world.
超越関数 〖数〗 tránscendèntal fúnction Ⓒ 超越数 〖数〗 tránscendèntal númber Ⓒ, trànscendéntal Ⓒ.

ちょうエルエスアイ 超エルエスアイ 〖電工〗 VLSI Ⓒ ★ *v*ery *l*arge *s*cale *i*ntegration の略.

ちょうえん 長円 ☞ だえん

ちょうえんしんき 超遠心機 ultracentrifuge /ʌ̀ltrəséntrəfjùːʤ/ Ⓒ.

ちょうおん¹ 長音 (長く延びた音) prolonged sound Ⓒ; 〖音声〗(長母音) long vowel Ⓒ. 長音符 〖楽·音声〗 macron /méɪkrɑn/ Ⓒ. ¶母音に*長音符をつける put a *macron* over a vowel

ちょうおん² 聴音 〖楽〗 ¶*聴音書き取り *music dictation*

ちょうおん³ 調音 〖音声〗 articulátion Ⓤ. 調音音声学 artículatòry phonétics Ⓤ 調音点 〖音声〗 place of articulation Ⓒ.

ちょうおん⁴ 潮音 the sound of waves.
ちょうおんかい 長音階 〖楽〗 the major scale (↔ the minor scale).
ちょうおんき 聴音機 sóund ˹lòcater [lòcator] Ⓒ.
ちょうおんそく 超音速 ―形 sùpersónic. ―名 súpersònic spéed Ⓤ ★ 具体的に速度を指すときには Ⓒ. 《☞ おんそく》. ¶ *超音速輸送旅客機 a *súpersònic* tránsport // このロケットは*超音速で飛ぶ This rocket travels at *supersonic speed.* **超音速機** (総称あるいは個々の) supersonic aircraft Ⓒ ★ 単複同形; (個々の) supersonic plane Ⓒ; (ジェット機) supersonic jet (plane) Ⓒ **超音速流** supersonic flow Ⓤ.
ちょうおんてい 長音程 major interval Ⓒ.
ちょうおんぱ 超音波 súpersònic wáves ★ 通例複数形で. **超音波加工** ultrasonic machining Ⓤ **超音波検査** ultra sonography /soʊnάgrəfi/ Ⓤ **超音波顕微鏡** ultrasonic [acoustic] microscope Ⓒ **超音波診断(法)** echógraphy Ⓤ **超音波洗浄** últrasònic cléaning Ⓤ **超音波測探機** ultrasonic depth sounder Ⓒ **超音波治療** últrasònic thérapy Ⓤ **超音波内視鏡** éndoscòpe Ⓒ **超音波風速計** ùltrasónic ànemómeter Ⓒ **超音波モーター** ultrasonic motor Ⓒ.
ちょうか¹ 超過 ―名 excéss Ⓤ ★ しばしば an excess として用いる. ―接 over-. ―形 (余分の) extra Ⓐ; (超えた) excess. 《☞ こえる¹; うわまわる》. ¶ あなたの荷物は重量制限を 5 キロ*超過している (⇒ 5 キロ重量超過だ) Your luggage is *overweight* by five kilograms. // その国はこの 10 年間輸入*超過である Over the decade the country has suffered *an excess* in imports. // *超過料金を払って下さい Please pay the ˹*extra* [*excess*] fare. // 今度の旅行は予算を大幅に*超過した The cost of this trip *went* well *beyond* the estimate. / (⇒ 見込みよりずっと多く使った) During this trip we spent *much more than* we had estimated.
超過額 surplus Ⓒ **超過勤務** overtime (work) Ⓤ. ¶ 毎日 3 時間の*超過勤務をします I do three hours' *overtime* every working day. **超過勤務手当** overtime (pay) Ⓤ **超過負担** 〖経〗 excess burden Ⓤ.
ちょうか² 町家 (町の家) town house Ⓒ; (商人の家庭) merchant('s) family Ⓒ. ¶ 彼女は*町家の出だ She comes from a *merchant('s) family.*
ちょうか³ 弔花 funeral flowers ★ 複数形で; (花環) funeral wreath Ⓒ.
ちょうか⁴ 長靴 jackboots ★ 複数形で.
ちょうか⁵ 長夏 (盛夏) high summer Ⓤ; (旧暦の 6 月のこと) the sixth lunar month.
ちょうか⁶ 釣果 catch [haul] of fish Ⓒ. ¶ *釣果に恵まれる get a good ˹*catch* [*haul*] *of fish*
ちょうかい¹ 懲戒 disciplinary /dísəplənèri/ action Ⓤ 《☞ ちょうばつ; けんせき》. ¶ 彼は*懲戒処分を受けた He was subjected to *disciplinary action.* **懲戒解雇** disciplinary discharge Ⓤ **懲戒処分** disciplinary ˹action Ⓤ [measure Ⓒ] **懲戒免職** disciplinary dismissal Ⓤ. ¶ *懲戒免職になる be *dismissed* for *disciplinary* reasons
ちょうかい² 町会 (町内会) block meeting Ⓒ. **町会議員** member of a town ˹assembly [council] Ⓒ 《☞ ちょうぎかい》.
ちょうかい³ 潮解 ―名 〖化〗 deliquescence /dèlikwésns/ Ⓤ. ―動 (潮解する) deliquesce /dèlɪkwés/ 自.
ちょうかい⁴ 朝会 morning meeting Ⓒ 《☞ ちょうれい》.
ちょうがい 鳥害 damage from birds Ⓤ.
ちょうかいかざんたい 鳥海火山帯 *Chokai* Volcanic Zone.
ちょうかいきょう 跳開橋 (はね橋) bascule /bǽskju:l/ bridge Ⓒ; (可動橋) drawbridge Ⓒ.
ちょうかいぼへん 朝改暮変 ☞ ちょうれいぼかい
ちょうかく¹ 聴覚 the sense of hearing ★ 単に hearing Ⓤ とも言う; áuditòry sénse Ⓤ ★ やや格式ばった言い方. 《☞ みみ》. **聴覚器官** auditory organ Ⓒ **聴覚障害** hearing ˹impairments [difficulties] **聴覚障害者** hearing-impaired person Ⓒ **聴覚神経** the auditory nerves **聴覚中枢** áuditòry cènter Ⓒ.
ちょうかく² 頂角 〖数〗 vertical angle Ⓒ.
ちょうカタル 腸カタル intéstinal catarrh /kətάə/ Ⓤ; 〖医〗 enteritis /èntəráɪtɪs/ Ⓤ.
ちょうかん¹ 朝刊 morning ˹newspaper [paper] Ⓒ (↔ evening ˹newspaper [paper]); (夕刊に対して) morning edition Ⓤ. ¶ そのニュースはきのうの朝日の*朝刊の第 1 面に出ていた The news appeared on the front page of *the Asahi* yesterday morning.
ちょうかん² 長官 (官庁などの) director general Ⓒ; (アメリカの各省の大臣) Secretary Ⓒ. 《☞ だいじん¹ (類義語)》. ¶ アメリカ国務*長官 the U.S. *Secretary* of State // 最高裁判所*長官 the *Chief Justice* of the Supreme Court // 防衛庁*長官 the *Director General* of the Defense Agency
ちょうかん³ 腸管 the intestinal tracts. **腸管出血** 〖医〗 intéstinal hemorrhage /hém(ə)rɪʤ/ Ⓤ.
ちょうかんず 鳥瞰図 a bírd's-èye víew ★ a を付けて.
ちょうかんすう 超関数 〖数〗 distribution Ⓤ.
ちょうき¹ 長期 ―名 (長い間) a long time (↔ a short time). ―形 (長期契約の) long-term Ⓐ (↔ short-term).
¶ わが社はその会社と*長期契約を結んだ We have made a *long-term* contract with the company. // この交渉はかなり*長期にわたりそうです (⇒ 長い交渉になる) I'm afraid it will be quite a *long* negotiation. / It'll take quite *a long time* before the negotiations are concluded. // *長期的には in the *long* ˹*run* [*term*] / on a *long-term* basis
長期貸し付け long-term loan Ⓒ **長期記憶** 〖心〗 long-term memory Ⓤ **長期金利** long-term rate of interest Ⓒ **長期計画** long-range plan Ⓒ **長期欠席** long [prolonged] absence Ⓤ ★ 具体的な欠席回数の意では Ⓒ. **長期興行** long run Ⓒ **長期国債** long-term national bond Ⓒ **長期戦** prolonged war Ⓒ, long-running conflict Ⓒ **長期手形** 〖商〗 long-dated [long-term] bill Ⓒ **長期プライムレート** long-term prime rate Ⓒ **長期予報** long-range forecast Ⓒ.
ちょうき² 弔旗 mourning flag Ⓒ; (黒布をつけた国旗) flag draped in black Ⓒ; (半旗) flag at half-mast Ⓒ. ¶ *弔旗を掲げる hang [put up] a *flag draped in black* / (⇒ 半旗を掲げる) hang [hoist] a *flag at half-mast*
ちょうぎ 町議 ☞ ちょうぎかい (町議会議員)
ちょうぎかい 町議会 town ˹council [assembly] Ⓒ. **町議会議員** town ˹councilman [councilwoman] Ⓒ, 《英》 town council(l)or Ⓒ, member of a town assembly Ⓒ.
ちょうきかん 長期間 ☞ ちょうき¹
ちょうぎょ 釣魚 (魚釣り一般) fishing Ⓤ; (趣味・スポーツとしての) angling Ⓤ. ¶ *釣魚に出掛ける go *fishing* // 『*釣魚大全』 *The Compleat Angler* ★ アイザック・ウォールトンの随筆 (1653). 書名中の compleat は complete の古い綴り.

ちょうきょう 調教 ── [動] train (他). ── [名] training [U]. (☞ くんれん; かいならす).
調教師 trainer [C].

ちょうきょせい 超巨星 〔天〕 supergiant (star) [C].

ちょうきょり 長距離 ── [名] long distance [C] (↔ short distance); (射程などの) long range [C]. ── [形] long-distance [A], long-range [A].
長距離競走[レース] long-distance race [C] 長距離高速バス long-distance express ˹bus [(英) coach] [C] 長距離走者 long-distance runner [C] 長距離弾道弾 long-range ballistic missile [C] 長距離電話 long-distance call [C], (英) trunk call [C] 長距離飛行 long-distance flight [C] 長距離輸送機 long-distance air carrier [C] 長距離列車 long-distance train [C].

ちょうきん¹ 超勤 overtime (work) [U] (☞ ちょうか¹). 超勤手当 overtime pay [U].

ちょうきん² 彫金 chasing (in metals) [U], metal ˹engraving [carving] [U]. 彫金師 chaser [C].

ちょうく 長躯 tall figure [C] (☞ ちょうしん²).

ちょうけい 長兄 *one's* ˹eldest [oldest] brother [C] (☞ あに).

ちょうけし 帳消し ── [動] (帳消しにする・相殺する) cáncel (óut) (他) (自); (勘定などを埋め合わせる) óffsèt (他); (金銭を清算する) bálance (他); (埋め合わせをする) màke úp for … (☞ そうさい²).
¶ わが社の昨年度の利益は石油の値上がりで*帳消しになった Last year's corporate profit *was canceled* (*out*) by the rise in oil prices. // これで*帳消しだ (⇒ あいこにしよう) Let's *call* it *quits*. / We *are quits* now.

ちょうけつ 長欠 ☞ ちょうき¹ (長期欠席)

ちょうけん¹ 長剣 long sword [C].

ちょうけん² 朝見 audience with the Emperor [C]. ¶ 陛下は文化功労者たちに*朝見を賜った The Emperor ˹granted [gave] an *audience* to people of distinguished cultural achievement.

ちょうげんじつ 超現実 超現実主義 ── [名] surrealism /sərí:əlìzm/ [U]. ── [形] surrèalístic. 超現実主義者 surréalist [C].

ちょうこう¹ 長江 ── [名] (固) Chang Jiang /tʃà:ŋdʒiá:ŋ/ ★ 揚子江 (Yangzi Jiang) の中国での一般的な名称.

ちょうこう² 朝貢 ── [動] pay (a) tribute to the court. ¶ 彼らは絹を*朝貢した They *sent* silk *to the emperor as tribute*.

ちょうこう³ 徴候, 兆候 (前兆・兆し) sign [C] ★ 最も一般的な語; (しるし) indication [C]; (病気の) symptom [C]. (☞ きざし; ぜんちょう¹).
¶ 胆のうが悪いと普通どんな*徴候が出ますか What are the common *symptoms* of gallbladder trouble? // パーキンソン病の初期の*徴候 an early *sign* of Parkinson's disease // 景気回復の*徴候が現れた There is an *indication* of the market picking up.

> **コロケーション**
> 徴候が現れる a *symptom* ˹appears [develops; manifests itself] / 徴候が消える a *symptom* ˹disappears [goes away] // 徴候がある have *symptoms* (of …) / 徴候を示す show *symptoms* (of …) / 徴候を発現させる develop *symptoms* (of …) // 疑いようのない徴候 an unmistakable *symptom* / 主な徴候 a major *symptom* / 奇妙な徴候 a mysterious *symptom* / 典型的な徴候 a typical *symptom* / はっきりとした徴候 a clear [an obvious] *symptom*

ちょうこう⁴ 聴講 ── [動] (単位をもらわないで単に講義にだけ出る) (米) audit (他); (講義に出席する) attend (他). ── [名] (講義への出席) attendance (at lectures) [U].
¶ スミス先生の講義を*聴講したいと思いますが Could I *audit* Mr. Smith's lecture? / May I *attend* Mr. Smith's lecture *as an auditor*?
聴講生 (大学での) auditor [C] 聴講料 (会場での) admission fee [C]; (聴講生の) auditor's fee [C].

ちょうこう⁵ 長考 ── [動] think for a long time (自) (他); ponder (他) ★ 後者には様々な可能性を摸索するというニュアンスがある.

ちょうこう⁶ 調光 ── [名] adjustment of illumination [C]. ── [動] give proper illumination.
調光器 dimmer [C].

ちょうごう¹ 調合 ── [動] (薬局などで薬を) dispense (他); (調整する) prepare (他); (成分を混ぜ合わせる) (格式) compound (他). (☞ はいごう¹). 調合乳 (米) (infant) formula [U] (☞ ちょうせい¹ (調整粉乳)) 調合薬 phàrmacéutical [C].

ちょうごう² 調号 〔楽〕 kéy sìgnature [C].

ちょうこうあつ 超高圧 〔電〕 supervoltage [U].
超高圧送電 〔電〕 extra high voltage power transmission [U].

ちょうこうかんど 超高感度 hypersensitivity [U]. 超高感度フィルム hypersensitive film [C].

ちょうごうきん 超合金 sùperálloy [C] (☞ ごうきん).

ちょうこうごうきん 超硬合金 cemented carbide [U]; Carboloy ★ 米国での商標.

ちょうこうしんくう 超高真空 〔工〕 ultrahigh vacuum [U].

ちょうこうぜつ 長広舌 (長たらしい話) long [long-winded] speech [C]. ¶ *長広舌をふるう make [give] a *long-winded speech*

ちょうこうそうけんちく 超高層建築 ☞ ちょうこうそうビル

ちょうこうそうじゅうたく 超高層住宅 ☞ ちょうこうそうビル

ちょうこうそうたいき 超高層大気 upper atmosphere [U]. 超高層大気物理学 aeronomy /e(ə)ránəmi/ [U].

ちょうこうそうビル 超高層ビル ── [名] hígh rìse [C], skyscraper [C] ★ 後者はやや古めかしい語. ── [形] high-rise. ¶ *超高層ビルのアパート a *high-rise* apartment (☞ こうそうけんちく [語法])

ちょうこうそく 超高速 ── [形] súperspèed, últraspèed. (☞ こうそく²). ¶ *超高速のコンピューター an *ultrafast* computer 超高速インターネット ultrahigh-speed Internet [U] 超高速度撮影 ultrahigh-speed photography [U].

ちょうこうれいしゃかい 超高齢社会 superannuated society [C].

ちょうこがた 超小型 ── [形] (部品などの) microminiature /màikrəmíniətʃùə/; (カメラ・電気製品などの) sùbmíniature. ── [動] mìcromíniaturìze (他); subminiaturize (他). (☞ こがた). 超小型カメラ subminiature camera [C].

ちょうこく¹ 彫刻 ── [名] sculpture [U] ★ 作品の意のときは [C] となる. ── [動] carve (他), sculpture (他) ★ 前者のほうが口語的. (☞ ほる²). ¶ 大理石で像を*彫刻する *carve* marble into a statue // 大理石で*彫刻した像 a statue *carved* out of marble
彫刻家 sculptor [C] 彫刻刀 (のみ) chisel [C].

ちょうこく² 超克 ── [名] conquest [U]. ── [動] conquer (他), overcome (他). ¶ 悪癖を*超克する *overcome* [*conquer*] a bad habit (☞ こくふく)

ちょうこつ 長骨 long bone [C] (☞ ほね).

ちょうこっかしゅぎ 超国家主義 ultranationalism [U]. 超国家主義者 ultranationalist [C].

ちょうさ[1] 調査 ―[動] (測量・統計などで概観的に調べる) survey /sərvéɪ/ (他); (警察などが事実関係や原因などを捜査する) invéstigàte (他) ★ この語は警察などの「捜査」の訳語として一般的; (状態・性質などを検査して) examine (他); (照会などをして) inquire (他); (長期に科学的研究をする) research (自); (未知の土地の踏査) explore (他). ―[名] survey /sə́ːveɪ/ Ⓒ; investigation Ⓒ; examination Ⓤ; inquiry Ⓤ; research Ⓤ; exploration Ⓤ ★ 以上の Ⓤ の語はいずれも具体的なものを指すときは Ⓒ. (☞ しらべる; けんさ; そうさ[1]).

¶ 環境省の*調査によるとわが国の河川の汚染は昨年より改善されているとのことだ According to a *survey* taken by the Ministry of Environment, the rivers in our country are now less polluted than they were last year. // 警察はその火事の原因を*調査中です The police *are* ⌈*investigating* [conducting an *investigation* into] the cause of the fire. // *調査の結果, それはまさに真実であるとわかった On ⌈*inquiry* [*investigation*] it has turned out to be true, indeed. // 我々はこの問題を徹底的に*調査しなくてはならない We must conduct a thorough /θə́ːroʊ/ *investigation* into this problem. / (⇒ 真相を突き止めなくてはならない) We have to *get to the bottom of* this problem. ★ get to the bottom of で真相を突き止めるという成句. // 多くの科学者が地震のメカニズムを*調査している Many scientists are conducting *research* into the mechanism of earthquakes.

調査委員会 fáct-finding commíttee Ⓒ **調査員** investigator Ⓒ, examiner Ⓒ **調査書** (成績の) transcript (of *a person's* school record) Ⓒ **調査団** inquíry commìssion Ⓒ, súrvey gròup Ⓒ **調査費** research expenses ★ 複数形で. **調査部** the business research ⌈division [department], the information & research ⌈division [department]. (☞ 会社の組織と役職名 (囲み)) **調査報告** report on an investigation Ⓒ **調査用紙** (質問に答える形式の) questionnaire /kwèstʃənéə/ Ⓒ.

コロケーション

調査に乗り出す launch [embark on] ⌈a *survey* [an *investigation*] / (…の)調査を行う conduct [carry out; make] a *survey* (of …) // 科学的な調査 a scientific *survey*; scientific *research* / 正式な調査 a formal [an official] *survey* / 全国的な調査 a nationwide *survey* / 大規模な調査 an extensive *survey* / 体系的な調査 a systematic *survey* / 予備調査 a preliminary *survey*

ちょうさ[2] 潮差 tidal range Ⓒ.

ちょうざい 調剤 ―[動] prepare [make up] a medicine; (処方に従って) fill [make up] a prescription. **調剤師** pharmacist Ⓒ, 《米》 druggist Ⓒ, 《英》 chemist Ⓒ. (☞ やくざい (薬剤師)) **調剤薬局** ethical [dispensing] pharmacy Ⓒ.

ちょうさほげい 調査捕鯨 scientific research whaling Ⓤ.

ちょうざめ 蝶鮫 〔魚〕 sturgeon Ⓒ.

ちょうさん 逃散 〔史〕 flight of peasants from the extortionate exactions of landowners Ⓒ.

ちょうさんぼし 朝三暮四 (結局は同じ事) six of one and ⌈half-a-dozen [a half-dozen] of the other; (人をだますこと) trickery Ⓤ.

ちょうし[1] 調子 **1** 《具合》: (状態) condition Ⓤ; (人体・機械などのよい調子) order Ⓤ; (体の調子) 《略式》 shape Ⓤ. (☞ ぐあい; じょうたい[1]; コンディション). ¶ 私はどうもこのごろ*調子が悪い I'm not ⌈quite myself [in good *condition*; in good *shape*] these days. / (⇒ あまり気分がよくない) I'm not feeling very well these days. // エンジンの*調子がおかしい Something is wrong with the engine. / (⇒ エンジンが何か故障を起こした) The engine has developed some trouble. // エンジンは*調子がよい The engine is in top *condition*.

2 《やり方》: (方法) way Ⓒ; (独特の方法) manner Ⓒ ★ 前者のほうが口語的; (こつ) knack ★ 単数形で; (やり方・こつ) 《略式》 hang ★ 単数形で. ¶ こういう*調子でやってごらん Try it this *way*. // その*調子, その*調子 That's it. / That's the *way*. // 一度*調子 (⇒ こつ) を飲み込めばやさしいものだ Once you ⌈get the *hang* [catch the *knack*] of it, you'll find it quite easy.

3 《音や色の》: (音楽的な音の上がり下がり) tune Ⓒ; (音の高低) pitch Ⓒ; (言葉の表現上や色彩の調子) tone Ⓒ. ¶ オーケストラはいま*調子を合わせている The orchestra *is* now *tuning up*. // このピアノは*調子が合っている[外れている] This piano is ⌈in *tune* [out of *tune*]. ★ in [out of] tune は成句. // 彼の演説の全体の*調子は妥協的だった The general *tone* of his address was conciliatory.

調子にのる, 調子づく ☞ いいき; つけあがる; ず[1] (図に乗る) ¶ いったん*調子にのると[*調子づくと] 彼女の話はとめどがない (⇒ いったんねじが巻かれると彼女(の話)を止めるのは難しい) Once she *is wound up*, it is hard to stop her. **調子のいい** ¶ 彼はよく*調子のいいことを言うが, あまりあてにはならない He always talks like that, but you can't really rely on him. **調子はずれ** ¶ 彼女はいつも*調子はずれな歌い方をする She always sings *out of tune*. / (⇒ 音痴だ) She is *tone deaf*. **調子者** ☞ おちょうしもの **調子を合わせる** ¶ 彼はあなたに*調子を合わせているだけだ He *is* just *chiming in* with you. // 彼女はルームメイトとよく*調子を合わせているようだ (⇒ うまくやっているようだ) She seems to *be getting along nicely with* her roommate. **調子をとる** beat time. ¶ 彼は片足で*調子をとった He *beat time* with his foot.

ちょうし[2] 銚子 sake bottle Ⓒ.

ちょうし[3] 長子 (長男) the ⌈eldest [oldest] son (☞ ちょうなん). **長子相続** the eldest son's inheritance Ⓤ **長子相続権** primogeniture /pràɪmoʊdʒénətʃə/ Ⓤ.

ちょうじ[1] 弔辞 méssage of condólence Ⓒ; (公開の場での) funeral oration Ⓒ; (葬儀場での) funeral address Ⓒ. (☞ おくやみ).

¶ 多数の人が参列し*弔辞を述べた Many people attended the service to express their *condolences*. // 研究会を代表してその葬式で*弔辞を頼まれた I was asked to ⌈read the *message of condolence* [make a *memorial address*] at the funeral on behalf of the Society.

ちょうじ[2] 寵児 (人気のある人) popular person Ⓒ. ¶ 彼は一夜にして文壇の*寵児となった (⇒ 目をさますと流行の作家になっていた) He awoke to find himself a *popular writer*. // 時代の*寵児 a *hero* of the times

ちょうじ[3] 丁字 (香辛料) clove Ⓒ; (樹木) clove tree Ⓒ. **丁字油** clove oil Ⓤ.

ちょうじ[4] 弔事 unhappy event Ⓒ; (葬式) funeral Ⓒ.

ちょうじかん 長時間 ―[副] (何時間も) for many hours; (長い間) for a long time, long, for long [語法] 3 番目は主として否定文・疑問文で用いる. ¶ *長時間テレビを見るのは目によくない It is bad for the eyes to watch TV *for a long time*.

ちょうじく 長軸 〔数〕 (楕円の) the ⌈major [long] axis.

ちょうししゃ 聴視者 (テレビの) (TV) viewer Ⓒ; (全体として) the (TV) audience.

ちょうしぜん 超自然 ―形 sùpernátural《☞しぜん》. **超自然主義** supernaturalism Ⓤ **超自然主義者** supernaturalist Ⓒ.

ちょうじつしょくぶつ 長日植物 〔植〕 long-day plant Ⓒ.

ちょうしゃ[1] 庁舎 government office building Ⓒ.

ちょうしゃ[2] 聴者 (対話などの) hearer Ⓒ; (ラジオなどの) listener Ⓒ. 《☞ききて[1]》.

ちょうしゃ[3] 諜者 ☞かんじゃ[2]; かんちょう[9]

ちょうじゃ 長者 ¶ 億万*長者 a *billionaire* **長者番付** list of millionaires Ⓒ.

ちょうじゃく 長尺 (映画の) long ⌈picture [film] Ⓒ; (反物の) double Ⓤ.

ちょうしゅ 聴取 ¶ 彼は警察に事情*聴取された (⇒事情を説明することを頼まれた) He was asked by the police to explain the circumstances. **聴取者** radio listener Ⓒ; (全体として) the radio audience. 《☞ちょうししゃ》 **聴取書** transcript of the interrogation of a ⌈suspect [witness] Ⓒ **聴取率** (radio listener) ratings ★ 複数形で.

ちょうじゅ 長寿 (長い生涯) long life Ⓒ; (長命) 《格式》 longevity /lɑndʒévəti/ Ⓤ. 《☞ながいき》.
¶ 私の祖母は 90 歳の*長寿を保った (⇒90 歳まで生きた) My grandmother *lived to the* (*ripe old*) *age* of ninety. // 私の家は*長寿の家系です I come of a *long-lived* family. / (⇒私の先祖は皆長生きした) All of my forefathers enjoyed a *long life*.
長寿国 country where many people enjoy longevity Ⓒ **長寿社会** aged [gray] society Ⓤ **長寿番組** long-lived program Ⓒ **長寿番付** list of long-lived people Ⓒ.

ちょうしゅう[1] 聴衆 (1 か所に集まった聴衆・観衆) audience Ⓒ ★ 最も一般的; (会などに出席している人をまとめて) attendance Ⓒ; (聞き手) listener Ⓒ, hearer Ⓒ ★ 前者のほうが普通. 《☞かんきゃく[1]; かんしゅう[2]》.
¶ 今晩は*聴衆の集まりが少なかった[多かった] We had a very ⌈small [large] ⌈*attendance* [*audience*] this evening. // 数万人の*聴衆 an *audience* of tens of thousands // *聴衆は彼の演説にすっかり感動した The *audience* ⌈was [were] deeply impressed by his talk. 語法 《英》では聴衆の 1 人 1 人に重点を置くときは単数形でも複数として扱うことが多いが, 《米》では単数扱いが普通.

ちょうしゅう[2] 徴収 ―動 (徴収する) collect ㊀; (特に税金などを) 《格式》 levy /lévi/ ㊀. ―名 collection Ⓤ; levy Ⓤ. 《☞とりたてる》. ¶ 授業料の*徴収 (⇒支払い) はこの窓口で行います 《掲示》 *Payment* of school fees at this window. // 通行料はどこで*徴収していますか Where ⌈do you *collect* [can I *pay*] the *toll*? / Where is the tollgate?

ちょうしゅう[3] 徴集 ―名 (人の) recruitment Ⓤ; (物の) requisition Ⓤ. ―動 recruit ㊀; requisition ㊀. ¶ 彼らは現地で*徴集された They *were recruited* locally.

ちょうしゅう[4] 長州 Choshu, an alternative name for Nagato Province; (説明的には) a province situated at the western end of Honshu. **長州征伐** 〔史〕 the *Choshu* Expeditions.

ちょうじゅう 鳥獣 birds and beasts.
鳥獣戯画 Picture Scrolls of Frolicking Birds and Beasts; (説明的には) Four-volume picture scroll in monochrome; produced in the late Heian period, they are now preserved in Kozanji, a temple in Kyoto **鳥獣保護** wildlife ⌈conservation [preservation] Ⓤ **鳥獣保護区域** wíldlife sánctuàry Ⓒ.

ちょうしょ[1] 長所 (人よりすぐれている点) strong [good] point Ⓒ (↔ weak point); (称賛に値する点) merit Ⓒ (↔ demerit); (美点) virtue Ⓤ ★ 特に努力によって身についたような長所をいう; (有利な点) advantage Ⓒ (↔ disadvantage). 《☞とりえ[1]; とくちょう[2]; もちあじ》.
¶ 彼の*長所は何ですか What's his *strong point*? // だれでも*長所と短所がある Everybody has his *merits* and demerits /dí:mèrɪts/. // 操作が非常に簡単だというのがこの機械の*長所です The *advantage* of this machine is that it is very easy to operate. // *長所を生かす make use of *one's strong points*

ちょうしょ[2] 調書 (記録) récord Ⓒ; (文書にした証拠) written evidence Ⓒ. ¶ *調書をとる put ... on *record*

ちょうじょ 長女 the [*one's*] ⌈eldest [oldest] daughter; (娘が 2 人の場合) the [*one's*] ⌈elder [older] daughter ★ 《米》では older, oldest をよく用いるが, 「長女」は正確には eldest daughter という. 《☞親族関係 (囲み)》. ¶ *長女はいま北海道に住んでいます My *eldest daughter* now lives in Hokkaido.

ちょうしょう[1] 嘲笑 ―名 (物笑い) rídicùle Ⓤ; (ばかにしての) 《格式》 derision Ⓤ; (冷笑) sneer Ⓒ. ―動 (ばかにして笑う) laugh at ... ★ 最も日常的な表現; 《格式》 ridicule ㊀; 《格式》 deride ㊀; (冷笑する) sneer at ...; (動作のまねや身振りなどをまじえて) mock (at ...) ㊁ ★ ㊀の用法もある. 《☞あざわらう; わらう; れいしょう[1]》. ¶ 彼はみんなの*嘲笑を浴びた (⇒みんなに笑われた) He *was laughed at* by everyone. / (⇒軽蔑の対象となった) He was the *scorn* of all his friends.

ちょうしょう[2] 弔鐘 funeral bell Ⓒ.

ちょうじょう 頂上 (山の) top Ⓒ ★ 平易な日常語で, 以下の語の代わりにも使える; summit Ⓒ ★ 前者より格式ばった語; (周囲より一段と高い所) peak Ⓒ. 《☞いただき; やま (挿絵)》. ¶ あの丘の*頂上までどのくらいありますか How far is it from here to the *top* of that hill? // 苦労してやっと*頂上に着いた We reached the ⌈*top* [*summit*] of the mountain after a hard climb. // *頂上からの眺めはすばらしい The view from the *summit* is marvelous. // 富士山の*頂上は雪をかぶっている (⇒雪が頂上を覆う) Snow *tops* Mt. Fuji. / (⇒雪を頂上にいただいている) Mt. Fuji *is* ⌈*crowned* [*topped*] with snow.
頂上会談 summit conference Ⓒ.

ちょうじょうげんしょう 超常現象 supernatural phenomenon Ⓒ 《複 -mena》.

ちょうしょく[1] 朝食 breakfast Ⓤ 語法 breakfast が単独で用いられる場合には無冠詞が普通であるが, 「軽い」(light), 「たくさんの」(heavy), 「十分の」(good), 「遅い」(late) など形容詞が付くと, その前に不定冠詞 a [an] が付き, 例えば a light breakfast となることに注意. なお, lunch, dinner についても同様.
¶ 私は毎朝 7 時に*朝食を食べる I ⌈have [eat] *breakfast* at seven every morning. // *朝食を抜くのは健康によくない It's not good for your health to skip *breakfast*. // *朝食はもう済ませました I have already ⌈had [eaten] *breakfast*. // *朝食はゆで卵とオートミール, それからコーヒーを 1 杯飲みました I had a boiled egg, oatmeal, and a cup of coffee *for breakfast*. // けさは*朝食が早かったので (⇒早い朝食を食べたので), もうおなかがすきました Because I had *an* early *breakfast* this morning, I ⌈am [feel] hungry already.

ちょうしょく[2] 調色 (色の配合) mixing colors Ⓤ; 〔写〕 toning Ⓤ.

ちょうじり 帳尻 (勘定の収支) balance (of accounts) Ⓤ. ¶ 何とか*帳尻を合わせて (⇒勘定の収

支を釣り合わせて) おいた I managed to make the *accounts* balance. [語法] この balance は動詞で, 「(帳尻が) 合う」の意. // どうも*帳尻が合わない (⇒勘定が収支合致しない) I'm afraid ⌈the *accounts* don't balance [I can't make these come out right]. // *帳尻をごまかす juggle (with) the *accounts* (☞ しゅうし¹ [語法]).

ちょうじる 長じる (優れる) excel (in …) (自); (成長する) grow up (自). (☞ すぐれる; せいちょう¹; ねんちょう). ¶ 彼は数学に*長じている He *excels in* math.

ちょうしん¹ 長針 (時計の) minute [long] hand [C] (↔ hour hand) (☞ とけい (挿絵)).

ちょうしん² 長身 — [形] (背の高い) tall (☞ せい³; たかい¹).

ちょうしん³ 朝臣 courtier [C]; (集合的に) the court.

ちょうしん⁴ 聴診 〔医〕 — [名] auscultation [U]. — [動] auscultate (他). **聴診器** stethoscope /stéθəskòup/ [C] (☞ いりょう¹ (挿絵)).

ちょうしん⁵ 寵臣 court favorite [C], favorite retainer [C].

ちょうじん¹ 超人 — [名] superman [C] (複 -men). — [形] (超人的な) superhuman. ¶ 彼は*超人的な働き(⇒努力) をした He made *superhuman* efforts. / (⇒超人的な努力でそれを成し遂げた) He achieved it by a *superhuman* effort.

ちょうじん² 鳥人 (男性飛行士) airman [C]; (女性飛行士) airwoman [C]; (スキーのジャンプ競技者) ski jumper [C].

ちょうしんけい 聴神経 auditory [acoustic] nerve [C].

ちょうしんせい 超新星 〔天〕 supernova /sù:pənóuvə/ [C] (複 -novae /-vi:/, ～s).

ちょうしんりがく 超心理学 parapsychology [U].

ちょうすいろ 長水路 〔泳〕 long course [C].

ちょうずば 手水場 ☞ トイレ

ちょうずばち 手水鉢 washbowl [C]; washbasin [C].

ちょうする¹ 徴する (意見などを求める) ask for …, seek (他), solicit (他) ★ 後のものほど格式ばった語; (…によって判断する) judge from …; (参考にする) refer to …, consult (他). (☞ たずねる). ¶ この問題について首相は閣僚の意見を*徴した The prime minister ⌈*solicited* [*asked for*] the ⌈opinion [advice] of the cabinet members. // 前例に*徴して *in the light of* [*judging from*] precedents // *徴すべき参考資料がない There is no reference data to *consult*.

ちょうする² 弔する mourn (他).

ちょうずる 長ずる ☞ ちょうじる

ちょうせい¹ 調整 — [動] (必要に応じて適正にする) adjust (他); (維持・保守のために調子を整える) regulate (他); (エンジンなどを) túne úp (他); (意見などを) 《略式》 íron óut (他); (仕事・努力を) coordinate (他). — [名] adjustment [U]; regulation [U]; túning-ùp [U]; coordination [U]. (☞ ちょうせつ).
¶ もしもブレーキの調子が悪ければ*調整してもらいなさい If the brakes aren't working well, you'd better *get* them *adjusted*. // この装置がスピードを*調整します This device *regulates* the speed. // 先生たちのスケジュールの*調整に時間がかかった It took some time to *adjust* the schedules of the teachers. // その問題は目下*調整中です The matter *is being adjusted*. // 年末*調整で忙しい They are busy making year-end *adjustments*.
調整インフレ adjustment for inflation [C] **調整池** regulating reservoir [C].

ちょうせい² 町政 town administration [U].

ちょうせい³ 調製 — [名] (食品などの) preparation [U] ★「調製したもの」は [C]. — [動] prepare (他); (薬を調合する) dispense (他); (注文に応じて作る) make to order (他). (☞ つくる). ¶ これは私どもの*調製食品の一つです This is one of our *preparations*. // これがあの店で*調製した背広ですか Was this the suit *made to order* by that tailor?
調製粉乳 formulated milk powder [U].

ちょうせい⁴ 長征 long march [C]; (中国共産党の) the Long March.

ちょうせい⁵ 町勢 (統計上の) statistical survey of a town [C].

ちょうぜい¹ 徴税 — [動] (税を徴収する) collect taxes. — [名] collection of taxes [U]. **徴税令書** taxbill [C].

ちょうぜい² 町税 ☞ ちょうみん (町民税)

ちょうせき¹ 長石 〔鉱物〕 fèldspàr [U]. ¶ 正*長石 orthoclase /ɔ́əθəklèɪs/ // 斜*長石 plagioclase /pléɪʤ(i)əklèɪs/

ちょうせき² 潮汐 (潮) tide [C]; (干満) ebb and flow. **潮汐点** tide mark [C] **潮汐発電** tidal power generation [U] **潮汐表** tide table [C].

ちょうせき³ 朝夕 **1** «朝と夕方»: morning and evening (☞ あさばん).
2 «いつも»: all the time; (絶えず) constantly. (☞ いつも).

ちょうせつ 調節 — [動] (細かい範囲で適合させる) adjust (他); (正確に作動するように合わせる) regulate (他); (規制をする) contról (他); (音調などを合わせる) 《格式》 modulate (他). — [名] adjustment [U]; regulation [U]; control [U]; 《格式》 modulation [U]. (☞ ちょうせい¹; あわせる¹). ¶ エアコンは部屋の温度を*調節する The air-conditioner *regulates* the temperature of the room. / The air-conditioner *keeps* the room *at the proper temperature* /témp(ə)rətʃùə/. // 司会者はマイクを自分の高さに*調節した The M.C. /émsí:/ *adjusted* the microphone to his height. // このスピーカーは音量*調節ができません (⇒音量調節装置をもたない) This speaker has no volume *control*.
調節遺伝子 regulator [regulatory] gene [C] **調節酵素** 〔生化〕 regulatory enzyme /énzaɪm/ [C].

ちょうぜつ 超絶 — [形] (卓越した) transcéndent; (優れた) of supreme excellence. — [名] transcendence [U]. (☞ すぐれる; ちょうえつ).
¶ ベートーベンの交響曲の*超絶した美しさ the *transcendent* beauty of a Beethoven symphony **超絶技巧** transcendent technique [U].

ちょうせん¹ 挑戦 — [動] (試みる) try (他) ★ 後に [名] または to 不定詞を伴う; attempt (他) ★ try より格式ばった語; (人に挑戦する) challenge (他), make a challenge; (権力などに反抗して挑む) defy (他). — [形] (権力などに挑戦的な) defiant; (人を怒らせるような) provocative. — [名] challenge [C]; (相手を見くびっての) defiance [U]; (努力をしての) attempt [C]. (☞ チャレンジ; いどむ (類義語)). ¶ 彼はその難問に*挑戦した He ⌈*tried* [*attempted*] to solve the difficult problem. // 彼は日本スピード記録に*挑戦しようとしている He is going to make an *attempt* on the Japan speed record. // 彼は私にもう一勝負やろうと*挑戦してきた He *challenged* me to (have) one more game. // だれも彼の*挑戦に応じる者はいなかった No one took up his *challenge*. // 新政権はその国に対して*挑戦的な態度をとっている The new administration ⌈assumes [takes] a ⌈*defiant* [*provocative*] attitude toward(s) that country.
挑戦者 challenger [C] **挑戦状** ¶ *挑戦状を送る [受け取る] send [accept] a (*written*) *challenge*

ちょうせん[2] **朝鮮** —名 ⓖ(朝鮮半島とその周辺地域) Korea; (北朝鮮) North Korea ★ 正式には the Democratic People's Republic of Korea; (南朝鮮) South Korea ★ 正式には the Republic of Korea. —形 Korean. ⦅☞ かんこく[2]⦆. **朝鮮朝顔**〘植〙Hindu datura /híndu: dətú(ə)rə/ Ⓒ **朝鮮薊**〘植〙globe artichoke Ⓒ **朝鮮語** Korean Ⓤ, the Korean language ★ 後者のほうが格式ばった言い方. **朝鮮五葉**〘植〙Korean pine Ⓒ **朝鮮人強制連行** transportation of Koreans for forced labor in Japan during WWII **朝鮮戦争** the Korean War **朝鮮総督**〘史〙the Governor-General of ˹Chosen [Korea] **朝鮮総連** the General Association of Korean Residents in Japan; ⦅略式⦆ Chongryon. ⦅☞ ざいにほん⦆ **朝鮮通信使**〘史〙Korean Mission Ⓒ; (説明的には) a Korean goodwill mission to the shogunate **朝鮮人参** ginseng /dʒínseŋ/ Ⓒ **朝鮮半島** the Korean Peninsula **朝鮮半島エネルギー開発機構** the Korean Peninsula Energy Development Organization ⦅略 KEDO⦆ **朝鮮料理** Korean cooking Ⓤ; (料理法) Korean cuisine Ⓤ.

ちょうぜん **超然** —動 (超然としている) stand [keep; hold *oneself*] aloof. —形 (無頓着な) indifferent Ⓟ, nonchalant /nànʃəlá:nt/ ★「冷淡な」という意味も含む. ⦅☞ ちょうえつ⦆.
¶ 彼はみんなの中にあっていつも*超然としている He always ˹*stands* [*keeps*; *holds himself*] *aloof* from all the others. // 彼は金のことには*超然としている He is quite ˹*indifferent to* [*nonchalant about*] money.

ちょうせんたん **超先端** —形 (超現代的な) ultramodern; (流行の最先端を行く) ultrafashionable. ⦅☞ さいせんたん⦆. **超先端技術** ultrahigh technology Ⓤ.

ちょうそ **彫塑** (彫刻と塑像) carvings and sculptures; (塑像) model Ⓒ; (造形美術) the plastic arts.

ちょうそう **鳥葬** sky burial Ⓤ. ¶ 死者を*鳥葬する *leave* the dead *to birds*

ちょうぞう **彫像** (carved) statue Ⓒ.

ちょうそく[1] **長足** ¶ 第二次大戦後, 電子工学は*長足の進歩 (⇒ 速い進歩) を遂げた *Rapid* [*Fast*] *progress* has been made in electronics since the Second World War. ⦅☞ しんぽ⦆

ちょうそく[2] **長息** ☞ ちょうたんそく

ちょうぞく **超俗** —名 unworldliness Ⓤ. —形 unworldly. ¶ *超俗的な人 an *unworldly* person // 彼は*超俗的だ (⇒ 俗世間から超然としている) He *stands aloof from the world.*

ちょうそん **町村** towns and villages; (地方自治体) municipalities. ⦅☞ まち[1]; むら[2]⦆. **町村合併** consolidation of towns and villages Ⓤ **町村役場** (役所) town and village offices; (建物) tówn háll Ⓒ.

ちょうだ[1] **長打** 〘野〙extra-base hit Ⓒ 参考 「2塁打」,「3塁打」はそれぞれ double, triple. **長打者** long-ball hitter Ⓒ **長打力** the power to hit ˹long [the long ball].

ちょうだ[2] **長蛇** **長蛇の列** very long ˹line [⦅英⦆ queue] Ⓒ ⦅☞ れつ⦆. ¶ 切符売り場は*長蛇の列だった There was a *very long* ˹*line* [*queue*] at the ticket window. **長蛇を逸す** let a big one get away.

ちょうだい[1] **頂戴** **1** ⦅与える⦆: give ⓣ. ¶ それ*ちょうだい *Give* it (to) me. 語法 to を省くのは⦅英⦆に多い. // 何か食べるもの*ちょうだい *Give* me something to eat. // 結構な物を*ちょうだいし, ありがとうございました Thank you very much for the nice ˹present [gift]. ⦅☞ ください; いただく[1]⦆.
2 ⦅飲食する⦆: (飲む・食べる) have ⓣ ⦅☞ いただく[1]⦆.
3 ⦅…して下さい⦆: (どうか) please; (…してくれますか) Will you ...? ¶ ⦅食卓で⦆ ちょっと塩とって*ちょうだい Pass me the salt, *please*. // 卵買ってきて*ちょうだい Go and get some eggs, *will you*?
頂戴物 gift Ⓒ, present Ⓒ. ⦅☞ おくりもの⦆.

ちょうだい[2] **長大** —形 (大きな) big, large; (大規模な) large-scale Ⓐ; (長い) long; (立派な) great. ⦅☞ おおきい; ながい[1]⦆. ¶ *長大な報告書 a *very long* report

ちょうだい[3] **帳台** 〘史〙canopied platform Ⓒ; (説明的には) raised platform with posts at the four corners and curtains Ⓒ; covered with tatami mats, it served as a bedroom in the spacious apartments of Heian-period aristocrats.

ちょうたいこく **超大国** súperpòwer Ⓒ.

ちょうたつ **調達** —動 (必需品を) procure ⓣ; (手に入れる) obtain ⓣ ★ 前者のほうが格式ばった語; (買う) buy ⓣ ★ 平易な日常語; (資金を集める) raise ⓣ; (金を作る) make ⓣ. —名 (物資などの供給) supply Ⓤ; (食料などの用意) provision Ⓤ; (資金の) raising Ⓤ. ¶ 私はマンション購入資金の*調達で忙しい I'm busy *making* the money to buy a condominium /kàndəmíniəm/. // 滞在地で必要な物資は*調達できます You can *buy* the goods you need at the place where you'll stay.

ちょうだつ **超脱** —動 (抜きん出る) transcénd ⓣ; (超然としている) stand aloof ⓘ. —名 transcendence Ⓤ. ⦅☞ ぬきんでる; ちょうえつ⦆.

ちょうたん **長短** (長所と短所) mérits and demerits /dí:mèrɪts/ ★ 通例複数形で; (物の長さ) length Ⓤ. ⦅☞ いっちょういったん⦆. ¶ どの計画もそれぞれ*長短がある Every plan has its own *merits and demerits.*

ちょうたんそく **長嘆息** —名 long sigh Ⓒ. —動 give a long sigh. ⦅☞ ためいき⦆.

ちょうたんぱ **超短波** 〘無線〙últrashòrt wáves ★ 通例複数形で. **超短波受信機** ultrashort wave receiver Ⓒ.

ちょうちゃく **打擲** (打つこと) beating Ⓤ; (なぐること) thrashing Ⓒ. ⦅☞ おうだ; うつ[1]; なぐる; たたく⦆.

ちょうちょう[1] **町長** (自治体の長) mayor /méɪə/ Ⓒ 日英比較 mayor は日本語には普通「市長」と訳されているが, town の場合にも用いる.

ちょうちょう[2] **長調** 〘楽〙major (key) Ⓒ (↔ minor (key)). ¶ ハ*長調の交響曲 a symphony in C *major*

ちょうちょう[3] **蝶蝶** 〘昆〙butterfly Ⓒ.

ちょうちょううお **蝶蝶魚** 〘魚〙butterfly fish Ⓒ.

ちょうちょうはっし **丁丁発止** —動 (激しく議論する) argue violently ⓘ; (…と激論する) have a heated discussion with ...; (剣を交えることから比喩的に, …と渡り合う) cross swords with ... ¶ 彼はその代表と*丁々発止と渡り合った He *crossed swords with* the representative.

ちょうちょうふじん **蝶蝶夫人** Madame Butterfly ★ プッチーニ作曲による歌劇.

ちょうちん **提灯** (paper) lantern Ⓒ ★ Chinese lantern ともいう. ¶ *提灯を持つ (⇒ ほめそやす) sing (*a person's*) praises **提灯行列** lantern ˹procession [parade] Ⓒ **提灯に釣り鐘** (不釣り合いな組み合わせ) unequal match Ⓒ **提灯持ち** (提灯を持つ人) lantern carrier Ⓒ; (熱心な宣伝屋) booster Ⓒ; (おおげさにほめる人) puffer Ⓒ ★ くだけた語でやや古風; (人の宣伝係) publicity mànager Ⓒ.

ちょうちんあんこう 提灯鮟鱇 〘魚〙 angler [C], anglerfish [C].

ちょうつがい 蝶番 hinge [C]. ¶ *ちょうつがいで開閉する窓 a *hinged* window // このドアは*ちょうつがいが左に付いている This door *is hinged* on the left. // ドアの*ちょうつがいが外れている The door is off its *hinges*.

ちょうづめ 腸詰め ☞ ソーセージ

ちょうづら 帳面 balance of accounts 《☞ ちょうじり》.

ちょうてい¹ 調停 ━ 動 (仲裁する) mediate (between …) 自; (両者の要請で) árbitràte 他 自; (問題などを解決する) settle 他; (争いの中に割って入る) ìntervéne (in …; between …) 自. ━ 名 (仲裁) mediation /mìːdiéɪʃən/ [U]; arbitration [U]; intervention [U]. 《☞ ちゅうさい (類義語)》.

¶ 市当局はその地域の農民と工場側との*調停に乗り出した The city government started *mediating between* the local farmers and the factories concerned. // 国連による*調停は失敗に終わった U.N. efforts to *settle* the matter proved to be unsuccessful. / *Intervention* by the U.N. turned out to be a failure. // 両者はその争いを*調停に任せることに同意した The two parties agreed to ⌈refer [submit] the dispute to *arbitration*.

調停案 mediation [arbitration] proposal [C] **調停委員会** mediation committee [C] **調停者** arbitrator [C] **調停離婚** divorce arbitrated by ⌈the [a] family court [C].

ちょうてい² 朝廷 the Imperial Court.

ちょうていおん 超低温 ultralow temperature [U].

ちょうていきんり 超低金利 extremely low interest rate [C].

ちょうてき 朝敵 emperor's enemy [C]; (逆賊) rébel against the imperial /ɪmpí(ə)riəl/ góvernment [C].

ちょうてん 頂点 (一番高い所) 《格式》 apex /éɪpeks/ [C] 《複 ~es, apices /éɪpəsìːz/》; 〘幾〙 (円錐や三角形の) vertex /vəː́teks/ [C] 《複 ~es, vertices /vəː́təsìːz/》; (山などの一番高い所) summit [C]; (特にとがっている) peak [C]; (最高潮) the climax; (名声などの) the zenith /zíːnɪθ/; (一般的にてっぺんの意で) top [C]. 《☞ ちょうじょう; ピーク》.

¶ 三角形の*頂点 the *apex* of a triangle // この小説は彼の文学活動の*頂点を成すものといえる This novel, admittedly, is *the zenith* of his literary career. // 栄華の*頂点を極める reach *the zenith* of *one's* prosperity

ちょうでん 弔電 télegràm of condólence [C] 《☞ でんぽう》. ¶ 遺族に対して*弔電を打った I ⌈sent a *telegram of condolence* [(⇒ 悔やみの気持ちを電報で打った) *telegraphed my condolences*] to the bereaved family.

ちょうでんどう 超伝導, 超電導 〘物理〙 ━ 名 (超伝導性) sùperconductívity. ━ 形 sùpercondúctive. **超伝導磁石** superconducting magnet [C] **超伝導体** sùpercondúctor [C].

ちょうど¹ just 語法 (1) 口語的な語で,「いまちょうど」「まさに」「ぴたりと」などの日本語の意味に当たるが, 会話では軽い強意語として多用される; (特に数・程度などについて正確に …) exactly. 語法 (2) exactly を使うほうが just よりも強調的で, また多少改まった感じになる; (特に細かい数量までが正確なことを強調して) precisely. 《☞ まさに; ぴったり》.

¶ 学校に*ちょうど間に合った I was *just* in time for school. // 父は*ちょうど 40 歳です My father is *just* forty years old. // *ちょうど 5 時に出発します We'll leave ⌈*exactly* at five o'clock [at five o'clock *sharp*]. 語法 (3) この意味での sharp は時刻を示す語の後に置く. // いま*ちょうど 3 時 20 分です (⇒ 正確な時刻は) The *exact* time is twenty minutes past three. // *ちょうど 1 か月家を留守にしていた (⇒ たっぷり 1 か月間) I was away from home for a *full* month. // それは*ちょうど私が探していた本です That's the *very* book that I've been looking for. 《☞ まさに 語法 (1)》 // このセーターは私に*ちょうど (⇒ 完全に) 合います This sweater fits me *perfectly*. // 「*ちょうどいい時にはいと言って下さい」「はい, いいです」 "Please *say when*." "That's fine, thanks." 語法 (4) ビールなどを人のグラスに注ぐとき. ただし, 欧米では普通は人のグラスにお酌をする習慣はない.

ちょうど² 調度 (家具類) furniture [U]; (取り付けてある) fixtures ★ 通例複数形で. 《☞ かぐ¹》.

調度品 fittings ★ 複数形で. ¶ オフィスの*調度品 office *fittings*

ちょうとう 長刀 (長い刀) long sword [C]; (なぎなた) halberd [C].

ちょうどうけん 聴導犬 hearing dog (for deaf people) [C].

ちょうとうは 超党派 ━ 形 sùpra-pártisan. ━ 副 on a súpra-pàrtisan básis. **超党派外交** nonpartisan ⌈diplomacy [foreign policy] [U].

ちょうどきゅう 超弩級 ¶ *超弩級の (⇒ 並はずれた) 選手 an *extraordinary* player **超弩級戦艦** superdreadnought [C].

ちょうとっきゅう 超特急 (列車) superexpress (train) [C] 《☞ しんかんせん》.

ちょうな 手斧 adz, 《英》 adze /ǽdz/ [C].

ちょうない 町内 (通り) street [C]; (近所) neighborhood [U]; (道に囲まれた 1 街区) block [C]

日英比較 欧米の市内の行政区画は東西・南北に交差する街路 (street; avenue) で分けられていることが多い. またその他に … Place, … Hill などと呼ばれる区画もある. そこで日本語の「町内」を英訳する場合は通り (street) とか, 街区 (block) とか, 地域 (area) とかを実情に合わせて用いるのがよい. 《☞ まち¹》.

¶ 東京では彼と同じ*町内 (⇒ 彼の近所[街区]) に住んでいた When I was in Tokyo, I lived ⌈*in his neighborhood* [*on his block*]. // *町内あげて彼を歓迎した (⇒ その通り[街]に住む人全部が) *The whole* ⌈*street* [*town*] was there to greet him.

町内会 neighborhood association [C] 日英比較 上の訳は近隣の友好会のような意味であるが, 英米で日本の町内会にある意味で近いものにキリスト教の教区 (parish) がある. 各教会 (parish church) が受け持ち教区を持ち, 教区民 (the parish) を統括する. 《英》では教区が最小の自治単位となっており, 教区会議 (parish council) がある. 日本でも寺の檀家や神社の氏子が町内会と結んでいることが多いのと一脈通じるものがある.

ちょうないさいきん 腸内細菌 intestinal [enteric] bacteria ★ bacteria は bacterium の複数形; enterobacteria ★ enterobacterium の複数形. entero- は「腸の」. 《☞ さいきん》.

ちょうなん 長男 the [*one's*] ⌈eldest [oldest] son; (息子が 2 人の場合) the [*one's*] ⌈elder [older] son ★ 《米》では older, oldest をよく用いるが,「長男」は正確には eldest son という. 《☞ 親族関係 (囲み)》. ¶ 私の*長男は大学に通っています My ⌈*eldest* [*oldest*] *son* ⌈goes to college [is a university student].

ちょうにん 町人 〘日本史〙 (貴族や特権階級に対して平民) commoner [C]; (武士でない市民) civilian [C]; (商人) merchant [C]; (総称) townsfolk, townspeople ★ いずれも複数扱い.

町人気質 the spirit of townspeople **町人文化** (生活様式) townsfolk's lifestyle [U] **町人物** (文

学作品などで) works depicting the life of townspeople (in the Edo period).

ちょうネクタイ 蝶ネクタイ bow /bóʊ/ tie Ⓒ.

ちょうねんげつ 長年月 a long (period of) time ★ 不定冠詞を付けて.《☞ ねんげつ》. ¶ そのダムの建造には*長年月かかった It took *a long (period of) time* to construct the dam.

ちょうねんてん 腸捻転 〘医〙 volvulus Ⓒ《複 -vuli /-laɪ, -li/, ～es》《☞ ねんてん》.

ちょうねんまく 腸粘膜 ☞ ちょう²(腸粘膜)

ちょうのうりょく 超能力 (超自然的能力) supernatural power Ⓤ; (念力) telekinetic /tèləkɪnètɪk/ pówer Ⓤ.

ちょうは 長波 〘無線〙 long wave Ⓤ (↔ shortwave; medium wave).

ちょうば¹ 帳場 (旅館の) front desk Ⓒ, reception desk Ⓒ 日英比較 単にフロント (front) というのは和製英語.

ちょうば² 跳馬 〘スポ〙(種目) the vaulting horse; (器具) (vaulting) horse Ⓒ. ¶ *跳馬をする *vault* a *horse*

ちょうば³ 嘲罵 (罵倒) abuse /əbjúːs/ Ⓤ; (あざけり) taunt Ⓒ.《☞ ばとう; あざけり; ののしる》. ¶ 親方は彼に*嘲罵を浴びせた The boss ˹showered [heaped] *abuse* on him.

ちょうばいか 鳥媒花 〘植〙 ornithophilous /ɔ̀ənəθɑ́fələs/ flower Ⓒ.

ちょうはつ¹ 挑発 ── 動 (怒りなどを引き起こす) provoke ⑩. ── 名 provocation Ⓤ. ── 形 (挑発的な) provócative. ¶ 彼は*挑発にのってそんなことをした He did that under *provocation.* // 山田は私の行動に関して*挑発的なことを言った Yamada made *provocative* remarks about my conduct.

ちょうはつ² 長髪 long hair Ⓤ《☞ かみ³》. ¶ 本校の生徒は*長髪を禁止する *Long hair* is prohibited at this school. // 彼は*長髪だった He wore his *hair long.*

ちょうはつ³ 徴発 ── 動 (物資などを) rèquisítion ⑩; (建物・車などを) còmmandéer ⑩; (兵士などを) levy ⑩. ── 名 requisition Ⓤ; levy Ⓒ. ¶ 軍はその村から食糧を*徴発した The army *requisitioned* provisions from the village.

ちょうはつ⁴ 調髪 (散髪) haircut Ⓒ; (女性の) hairdressing Ⓤ.《☞ さんぱつ¹》.

ちょうばつ 懲罰 (罰) punishment Ⓤ; (規則などに従わせるための) discipline Ⓤ ★ 矯正しようとする意図が含まれる; (具体的な処置) disciplinàry méasure Ⓒ ★ しばしば複数形で.《☞ しょばつ; ちょうかい¹》. ¶ 被告は*懲罰に付されることになった It was decided that the defendant deserved *punishment.* **懲罰委員会** disciplinary committee Ⓒ **懲罰動議** motion for disciplinary measures Ⓒ.

ちょうはん 丁半 (さいころの目の偶数と奇数) odd and even numbers on dice; (ばくち) game of dice Ⓒ.《☞ さいころ》. ¶ *丁半の賭博をする gamble with *dice*

ちょうび 掉尾 (終わり) end Ⓒ; (結末) conclusion Ⓒ. ¶ *掉尾の勇を奮う make a *final* effort // 彼女の歌がその会の*掉尾を飾った Her singing brought the party to its culmination.

ちょうひょう 帳票 account books and vouchers.

ちょうびるい 長鼻類 〘動〙 Proboscidea /pròʊbəsídiə/ Ⓤ.

ちょうふ 貼付 ── 動 (貼る) affix ... to ...《☞ はる³》. ¶ 申込書の左の欄に写真を*貼付しなさい *Affix* a ˹photo(graph) [picture] of yourself *to* the left column of the application form.

ちょうぶ 町歩 (面積の単位) *cho* Ⓒ ★ 単複同形; (説明的には) a Japanese unit of field and forest measure, equal to 2.45 acres or 9,920 square meters. ¶ この畑は面積が 2 *町歩ある This field is two *cho* in area.

ちょうふく 重複 ── 動 (一部が重なる) overlap ⓐ ⑩; (繰り返す) repeat ⓐ ⑩. ── 名 overlap Ⓤ; repetition Ⓤ. ── 形 overlapping; (重複して余分な) redundant.《☞ かさなる; くりかえし》. ¶ この部分は*重複です. 取りなさい This part is *redundant.* Cut it. **重複立候補** duplicate candidacy /d(j)úːpləkət kǽndɪdəsi/ Ⓤ.

ちょうぶつ 長物 ☞ むよう

ちょうぶん¹ 長文 (長い文) long sentence Ⓒ; (長い一節) long passage Ⓒ.

ちょうぶん² 弔文 condolatory [funeral] address Ⓒ.

ちょうへい 徴兵 ── 名《米》the draft Ⓤ ★ the を付けて,《英》conscription Ⓤ. ── 動《米》draft ⑩,《英》conscript ⑩. ¶ 私は 20 歳のときに*徴兵された I *was* ˹*drafted* [*conscripted*] *into* the army when I was twenty. // *徴兵を免れる dodge [evade] *the draft*

徴兵忌避 draft [conscription] evasion Ⓤ **徴兵忌避者** draft evader Ⓒ; (良心的兵役拒否者) conscientious objector Ⓒ **徴兵検査** physical examination for ˹the draft [《英》 conscription] Ⓤ, pre-induction physical examination Ⓤ **徴兵制度** draft system Ⓒ **徴兵猶予** temporary exemption from ˹the draft [《英》 conscription] Ⓤ **徴兵令** the draft [《英》 conscription] law Ⓒ.

ちょうへいれつコンピューター 超並列コンピューター 〘コンピューター〙 superparallel computer Ⓒ.

ちょうへん 長編 ── 名 (詩・小説などの長い作品) long piece Ⓒ; (特に小説) long novel Ⓒ; (長編映画) feature-length film Ⓒ. ── 形 (省略なしの・通常の長さの) long, full-length ★ 後者のほうが格式ばった語.

ちょうぼ¹ 帳簿 (取り引きの記録などを記帳するもの) book Ⓒ ★ 会計簿など, 経理の記録を集合的に指すときは通例複数形で; (会計簿) account book Ⓒ; (元帳・台帳) ledger Ⓒ.《☞ だいちょう²》. ¶ *帳簿をつける keep (the) *books* // *帳簿上はいくらか利益になっている (⇒ 帳簿はわずかの利益を示している) The *books* show a slight profit. // 私は*帳簿に不正を発見した I found false entries in the *books.* // 私どもでは 3 月末に*帳簿を締める We close our *books* at the end of March. // *帳簿をごまかす juggle [falsify] *accounts* ★ juggle は細工すること, falsify は偽りの記載をすること. // 売り上げを*帳簿に記入する enter the proceeds in the *account book* **帳簿閲覧権** right to inspect the account books Ⓒ.

ちょうぼ² 徴募 ── 動 (兵として募集する) enlist ⑩; (特に補充・増強のため新人を募集する) recruit /rɪkrúːt/ ⑩. ── 名 enlistment Ⓤ; recruitment Ⓤ.《☞ ぼしゅう》. ¶ 軍隊を*徴募する *raise* an army

ちょうぼいん 長母音 〘音声〙 long vowel Ⓒ.

ちょうほう¹ 重宝 ── 形 (有用な) useful; (手助けになる・役に立つ) helpful; (取り扱いに便利な) handy; (便利で都合がよい) convenient.《☞ べんり》. ¶ この小箱は*重宝だ This small box is very ˹*useful* [*handy*]. // 彼はみんなから*重宝がられている He is considered to be a ˹*useful* [*helpful*] person. // 口は*重宝なもの Saying is one thing and doing another.《ことわざ: 言うことと行動とは別》/ A good tongue is a good weapon.《ことわざ: よい

舌はよい武器である》

ちょうほう[2] **諜報** (敵国などについての情報) intelligence [U]; (秘密の情報) secret information [U]. **諜報活動** espionage /éspiənàːʒ/ [U] **諜報機関** (仕事をも含めての) secret service [U]; (組織) intelligence ｢organization [agency] [C] **諜報部員** intelligence agent [C] (☞ スパイ).

ちょうほう[3] **弔砲** funeral salute [C], salute of minute guns [C].

ちょうぼう **眺望** view [C] (☞ けしき). **眺望権** 〔法〕 right to a view [C].

ちょうほうけい **長方形** ── [名] óblong [C]; (やや正式には) réctàngle [C]. ── [形] oblong; rectángular. (☞ しかく[2] (挿絵)).

ちょうほんにん **張本人** (悪事などの首謀者) ringleader [C]; (悪事などの発案者) author [C]. (☞ しゅぼうしゃ). ¶ だれがこの騒ぎの*張本人だ (⇒ だれがこの騒ぎを始めたのか) Who started the trouble? // 彼がそのいたずらの*張本人だ He is the *author* of the mischief.

ちょうまんいん **超満員** ── [形] overcrowded, jammed; (乗り物などの) packed like sardines; (部屋など) packed to the ceiling.

ちょうみ **調味** ── [名] seasoning [U] ★ 塩, こしょうなどによる味付けを指し, 一般に砂糖は含まない. ── [動] season [他].

ちょうみりょう **調味料** (塩・こしょうなどの) seasoning [C]; (香料などの) spice [C] ★ 以上いずれも量をいうときは [U]. ¶ 化学*調味料 monosodium glutamate /mánəsòudiəm glúːtəmèɪt/ [参考] 料理書などでは MSG と略して用いられる.

ちょうみん **町民** (ある特定の町の人々) the townspeople ★ the を付けて複数扱い; (居住者) resident of the town [C] ★ 町に居住権を持っている人という意味にもなる; (町全体の人) the whole town. (☞ しみん[1]; じゅうみん). **町民税** municipal [local] tax [C].

ちょうむすび **蝶結び** bow /bóu/ [C], bówknòt [C]. ¶ *蝶結びにして下さい Will you tie it in a *bow*?

-ちょうめ **…丁目** -chome (☞ あてな; 手紙の書き方 (囲み)). ¶ 調布市富士見町 4 *丁目 4-*chome*, Fujimi-cho, Chofu

ちょうめい[1] **長命** ── [名] (長く生きること) long life [C]; (長寿) 《格式》 longevity [U]; (長く続くこと) long existence [U]. ── [形] (長命の) long-lived; long-existing. (☞ ながいき; ちょうじゅ).

ちょうめい[2] **町名** the name of a town; (市街の) the name of a street.

ちょうめん **帳面** (筆記帳) notebook [C]; (帳簿) book [C]. (☞ ノート; ちょうぼ[1]).

ちょうもん[1] **弔問** ── [名] (弔意を述べに訪問すること) condolence /kəndóuləns/ call [C], call of condolence [C] ★ 後者のほうが改まった言い方. ── [動] (弔問に行く) make a condolatory /kəndóulətɔ̀ːri/ call. (☞ おくやみ). **弔問客** caller for condolence [C].

ちょうもん[2] **聴聞** ── [名] hearing [U], audience [U]. ── [動] hear [他]. **聴聞会** hearing [C].

ちょうもんのいっしん **頂門の一針** (痛烈な批難) piercing reproach [C].

ちょうや[1] **朝野** (政府と民間) the government and the people; (全国) the whole nation. ¶ *朝野をあげて彼らの結婚を祝った *The whole nation* celebrated their marriage.

ちょうや[2] **長夜** long night [C]. **長夜の夢を覚ます** awake from the long sleep of ignorance.

ちょうやく[1] **跳躍** ── [名] (跳ぶこと) jump [C] ★ 一般的な語; (大きく跳ぶこと) leap [C]; (ぴょんと跳び上がること) spring [C]; (馬などの) prance [C]. ── [動] jump [自]; leap [自]. (☞ ジャンプ; とぶ[2]; はねる[1] (類義語)). **跳躍競技** jumping [U] **跳躍上告** 〔法〕 jumping appeal [C] **跳躍台** springboard [C].

ちょうやく[2] **調薬** ☞ ちょうざい

ちょうゆう **町有** ── [形] (町有の) owned by a town, municipally owned. ¶ *町有林 a forest *owned by a town* // このビルは*町有のものだ This building *belongs to the* ｢*town* [*municipality*].

ちょうよう[1] **長幼** young and old. ¶ *長幼序あり Precedence /présəd(ə)ns/ should be given to those *older*. **長幼の序** the elder's precedence over the younger.

ちょうよう[2] **徴用** ── [動] (物を) còmmandéer [他]; (人を) draft [他], (英) conscript [他]. (☞ ちょうはつ[3]; ちょうへい). ¶ 軍は村にあるすべての車を*徴用した The military *commandeered* all the vehicles in the village.

ちょうよう[3] **重用** ☞ じゅうよう[2]

ちょうようのせっく **重陽の節句** the Chrysanthemum Festival.

ちょうらく **凋落** ── [動] (衰える) decline [自]; (没落する) fall [自]. ── [名] decline [C]; fall [U]. (☞ おとろえる; ぼつらく).

ちょうり **調理** ── [動] (ごく一般的な言葉として, …を作る) make [他]; (火を使って料理する) cook [他]; (火の使用に関係なく, 食事などを準備する) prepare [他]. ── [名] cooking [U]; (料理法) cookery [U]. (☞ りょうり). **調理師** (免許を与えられた料理人) licensed cook [C] **調理台** kitchen table [C] **調理場** kitchen [C] **調理法** (特定のものの作り方) recipe /résəpìː/ [C]. ¶ 羊の肉の*調理法 *how to cook* mutton // ビーフシチューの*調理法 a *recipe* for beef stew

ちょうりつ[1] **調律** ── [動] (楽器の音を正しく合わせる) tune [他]. ── [名] tuning [U]. ¶ 私は年に 1 度ピアノの*調律をしてもらう I have my piano *tuned* once a year. **調律師** (piano) tuner [C].

ちょうりつ[2] **町立** ── [形] (町の) town [A]; (市町自治体の) municipal [A] [語法] 日本の「町立」より広く,「市立」も含む; (町に援助されている) town-supported [A] ★ [P] ではハイフンが付かない. ¶ *町立図書館[美術館] a ｢*town* [*municipal*] ｢library [museum]

ちょうりゅう **潮流** (海流) (ocean) current [C] ★ current は時代や思想などの「流れ」という意味でも用いられる; (潮の干満による流れ) tide [C]. (☞ ながれ; じりゅう). **潮流発電** tidal power generation [U].

ちょうりゅうどう **超流動** 〔物理〕 superfluidity /sùːpəfluːídəti/ [U]. **超流動体** superfluid [C].

ちょうりゅうまい **長粒米** long-grain rice [U].

ちょうりょう **跳梁** ── [動] (はねまわる) jump around [自]; (勝手にふるまう) run wild. ── [形] (横行する) rampant. ── [名] rampancy [U]. ¶ *跳梁する犯罪 a *rampant* crime wave

ちょうりょく[1] **聴力** (sense of) hearing [U], audition [U] ★ 後者のほうが格式ばった語. ¶ 年をとるにつれて*聴力は落ちる As you grow older, your *hearing* ｢becomes [gets] weaker. **聴力計** àudiómeter [C].

ちょうりょく[2] **張力** 〔物理〕 tension [U]. ¶ 表面*張力 surface *tension*

ちょうりょく[3] **潮力** tidal power [U]. **潮力発電** tidal power generation [U] **潮力発電所** tidal power ｢plant [station] [C].

ちょうるい **鳥類** birds (☞ とり[1]). **鳥類学** òrnithólogy [U] **鳥類学者** òrnithólogist [C].

ちょうれい **朝礼** (朝の集まり) morning ｢assembly [gathering] Ⓒ.

ちょうれいぼかい 朝令暮改 (頻繁に規則を変えること) frequent ⌜change [alteration] of regulations Ⓒ.

ちょうれん 調練 military ⌜drill [training] Ⓤ.

ちょうろう¹ 長老 (組織内での) senior member Ⓒ; (先輩) elder Ⓒ. 《☞ せんぱい; ろうじん》.
長老教会 the Presbyterian /prèzbətí(ə)riən/ Church.

ちょうろう² 嘲弄 ── ［名］(からかい, 笑いものにすること) ridicule Ⓤ; (特徴をまねてからかうこと) mockery Ⓤ; (侮蔑や敵意をこめてあざけること) derision Ⓤ. ── ［動］ ridicule (他); mock (他); deride (他). 《☞ あざけり; あざける; からかう》.

ちょうわ 調和 ── ［動］(音・色・形などの釣り合いがよくとれる) harmonize (with …) (自); (調和させる) harmonize … with …; (調和している状態) be in harmony with …; (よく合う) 《略式》 match with …, match (他), go well with … ── ［名］ harmony Ⓤ; (釣り合い) balance Ⓤ, proportion Ⓤ ［語法］(1) 前者は重さ・重要性などの釣り合い, 後者は大きさ・数量などの割合いに重点がある. ── ［形］ harmonious (with …). 《☞ つりあう》.
¶ この壁紙とカーテンとは*調和していない This wallpaper does not ⌜*harmonize* [*match*; *go well*] *with* the curtains. ［語法］(2) match の場合は with を用いないことが多い. / This wallpaper *is* not ⌜*in harmony* [*harmonious*] *with* the curtains. // 全体の*調和 (⇒ 釣り合い) をとることが必要です It's important to have a good *balance* throughout.

チョーカー (首飾り) choker Ⓒ.

チョーク¹ chalk Ⓤ ［語法］数える必要のあるときは a ⌜piece [stick] of chalk, two ⌜pieces [sticks] of chalk のようにいうが, 普通名詞としても用いられる. 《☞ 数の数え方 (囲み)》.
¶ *チョークで書きなさい Write with a ⌜piece [stick] of *chalk*. / Write in *chalk*. // もう少し*チョークを持ってきて下さい Will you get me some more *chalk*, please? // 色のついた*チョーク colored *chalk(s)* // *チョークの粉 *chalk* dust

チョーク² (ガソリンエンジンの) choke Ⓒ.

チョーサー ── ［名］(固) Geoffrey /dʒéfri/ Chaucer, 1343?–1400. ★ 英国の詩人.

ちよがみ 千代紙 paper with colored patterns Ⓤ.

ちょき (じゃんけんの) scissors ★ 複数形で. 《☞ じゃんけん》.

ちょきちょき ── ［動］(ちょきんと切る) snip (他); (切り取る・刈り込む) clip (他). ── ［名］ snip Ⓒ. 《☞ ちょきんと; 擬声・擬態語 (囲み)》. ¶ 庭師は植木ばさみで生け垣を*ちょきちょき刈り込んだ The gardener ⌜*clipped* [*trimmed*] the hedge with the shears.

ちょきん 貯金 ── ［名］(蓄えた金) savings; (郵便貯金) postal savings ★ 以上いずれも複数形で; (銀行への預金) depósit Ⓒ. ── ［動］(蓄える) sáve (úp) (他); (銀行に預金する) depósit (他) ［日英比較］ 日本では郵便局では「貯金」, 銀行では「預金」と区別しているが, 英語では動詞としてはいずれにも deposit を用いるのがよい. 《☞ よきん》.
¶ いまどのくらい*貯金がありますか How much money *have* you *saved up* so far? // 私の*貯金は少ない My *savings* are small. // 私は郵便局に*貯金している I keep my *savings* in the post office. // 自動車を買うために 100 万円*貯金をおろした (⇒ 預金口座から) I withdrew one million yen from my *savings account* to buy a car. // *貯金を全部使い果たした I spent all my *savings*. // 彼らは*貯金の利子で暮らしている They live on the interest from their *savings*. **貯金通帳** (郵便局の) (post-office) passbook Ⓒ ★ 英米にはないので説明的な訳; (銀行の) bankbook Ⓒ **貯金箱** 《英》 moneybox Ⓒ; (陶器の) piggy bank Ⓒ ★ 子供用の貯金箱がしばしば子豚の形をしていることから.

ちょきんと with a snip 《☞ ちょきちょき; 擬声・擬態語 (囲み)》. ¶ 彼女は*ちょきんと花を切り取った She cut off the flower *with a snip*. / She ⌜*snipped* [*clipped*] the flower *off*.

ちょくえい 直営 ── ［形］(直接運営されている) (directly) operated; (直接の支配を受けている) under direct control. ¶ 妙高牧舎*直営のミルクスタンド a milk bar *operated* by Myoko Dairy // 政府*直営の交通機関 transportation *under direct* government *control* / transport *operated* by government(al) agencies

ちょくげき 直撃 ── ［動］ hit (他); (直撃される・大打撃を受ける) be hard hit ［日英比較］ 日本語の「直撃」の「直」は強調を表すことが多いので, directly などとしないほうがよい. 口語では hit … *right* in the center のように right を用いることもある. ── ［名］ direct hit Ⓒ. ¶ マグニチュード 7 の地震が東京を*直撃したらどうなるでしょう What (would happen) if Tokyo *were hard hit* by an earthquake of 7 on the Richter /ríktə/ scale?

ちょくげん 直言 ── ［動］(率直に話す) speak frankly (自); (飾らずありのままに) speak plainly (自); (遠慮せずに) speak without reserve (自). 《☞ そっちょく》.

ちょくご¹ 直後 right [immediately] after … ★ right を用いるほうが口語的; (その後すぐ) soon after … ★ 前者より時間の幅がある. 《☞ すぐ; あと¹》. ¶ その*直後に爆発があった A bomb went off ⌜*right* [*immediately*] *after* that.

ちょくご² 勅語 imperial rescript /ɪmpí(ə)riəl rí:skrɪpt/ Ⓒ 《☞ きょういく (教育勅語)》.

ちょくさい 直截 ── ［形］(回りくどくない) direct; (言葉を飾らない) plain; (率直な) frank; (正面きっての) stràightfórward. ── ［副］ directly; plainly; frankly; straightforwardly, in a straightforward manner. 《☞ そっちょく; たんとうちょくにゅう》.

ちょくし¹ 直視 ── ［動］(ありのままに受け入れる) accept [take] … as it is; (まともに見る) look straight at …; (困難などに直面する) face (他); (おくせず立ち向かう) face up to … ¶ 現実を*直視しなければいけない (⇒ 現実をありのままに受け入れる) You should *accept* reality *as it is*. / (⇒ 現実に直面することからしり込みするべきでない) You should not shy away from *facing* (*up to*) reality.

ちょくし² 勅使 imperial /ɪmpí(ə)riəl/ ⌜méssenger [énvoy] Ⓒ.

ちょくしゃ 直射 ¶ 夏は*直射日光に当たらないようにしなさい (⇒ 夏の日光に皮膚をさらさないように) Don't *expose* your skin to the summer sunlight. // この花は*直射日光に当てないこと (⇒ 直射日光から保護しなさい) Shelter this flower from *direct* sunlight.

ちょくじょうけいこう 直情径行 ── ［形］(単刀直入な) stràightfórward; (率直な) frank; (正直な) honest; (直接的な) direct. 《☞ そっちょく》.

ちょくしん 直進 ── ［動］ go straight ⌜on [ahead] 《☞ まっすぐ》. ¶ *直進車優先 *Through traffic* has the right-of-way.

ちょくせつ 直接 ── ［形］(間にほかの物が介在しない) direct (↔ indirect), immediate /ɪmí:diət/ Ⓐ; (真っすぐで率直な) straight; (本人自らの) personal Ⓐ; (じかの) firsthand. ── ［副］ direct(ly), immediately; straight; (本人自ら) personally, in person; firsthand, at first hand.
【類義語】「間に何も介せず直接に」の意味では *di-*

rect と *immediate* はほぼ同意で入れ替え可能だが, *direct* はある段階を経てつながっている場合があるのに対し, *immediate* はじかにつながっている点が異なる. ((例) *直接の原因 *direct* cause ★ 直接に結果を生じさせる原因. / *immediate* cause ★ 数ある原因のうち結果を生む最後の原因). 話などが率直で直接なのは ***straight***. 本人とじかに交渉を持つのは ***personal***. 資料などからじかに情報・知識などを得るのが ***firsthand***.

¶ 我々はその会社と*直接交渉を開始した We ˹opened [entered into] *direct* negotiations with the company. // 彼の*直接の死因は心不全だった The *immediate* cause of his death was heart failure. // あなたと*直接会ってお話ししたい I'd like to talk with you ˹*personally* [*in person*]. // その情報は確かな筋から*直接得たものだ The information was obtained ˹*firsthand* [*straight*] from a reliable source. // *直接的な効果 *direct* result

直接教授法 the direct method (of teaching foreign languages) **直接行動** direct action [C] **直接照明** direct lighting [U] **直接税** direct tax [C] **直接請求(権)** (right of) direct demand [U] **直接選挙** direct election [C] (↔ indirect election) **直接対決** head-to-head battle [C] **直接投資** direct investment [U] **直接取引** direct transaction [U] **直接民主制[主義]** direct democracy [U] **直接目的語** 〘文法〙 direct object [C] **直接話法** 〘文法〙 direct ˹narration [speech] [U] (☞ 話法 (巻末)).

ちょくせつほう 直説法 〘文法〙 the indícative móod.

ちょくせん[1] 直線 ── [名] straight line [C] (↔ curved line). ── [形] (直線的な) linear. (☞ いっちょくせん). **直線運動** ── [名] linear motion [C]; (一直線の) rectilinear motion [C]. ── [動] move in a straight line **直線距離** beeline distance [U] **直線コース** straight course [C]; (競走路の) straight [C], straightaway [C]; (2 点間の最短コース) beeline [C]. ¶*直線コースをとる make a *beeline* (for …) **直線美** linear beauty [U], beauty of line [U].

ちょくせん[2] 勅宣 message [official letter] from the emperor [C].

ちょくせん[3] 勅撰 ── [形] compíled by imperial /ɪmpí(ə)riəl/ commánd. **勅撰集** anthólogy compiled by imperial command [C] **勅撰和歌集** anthology of Japanese poetry collected at imperial command [C].

ちょくぜん 直前 ── [前] just [immediately] before … ★ just を用いるほうが口語的. (☞ すんぜん; まぎわ). ¶ 私は入試*直前にひどい風邪を引いた I caught a bad cold ˹*just* [*immediately*] *before* the entrance examination.

ちょくそう 直送 ── [動] (直接に配達する) deliver … directly; (直接に送る) send … directly. (☞ はいたつ; おくる[1]). ¶ これらの品は産地*直送品です (⇒ 生産者から直接送られた) These *were* ˹*delivered* [*sent*] *directly* from the producers.

ちょくぞく 直属 ── [形][副] (直接の管理下にある) under the ˹immediate [direct] control of …; (直接監督下にある) under the direct supervision of … (☞ ちょっかつ). ¶ 私の息子は彼の*直属の部下だ My son is *under* his ˹*immediate* [*direct*] *control*.

ちょくちょう 直腸 〘解〙 rectum [C] (複 ~s, recta) (☞ ないぞう[1] (挿絵)). **直腸炎** 〘医〙 rectítis [U] **直腸がん** 〘医〙 cancer of the rectum [U].

ちょくちょく (しばしば) often, frequently ★ 前者のほうが口語的; (時々) once in a while, occasionally ★ 前者のほうが口語的. (☞ しばしば; 擬声・擬態語 (囲み)).

ちょくつう 直通 ── [形] (乗り物が乗り換えなしで通しの) through [A]; (途中で止まらない) nonstop [A]; (電話が) direct. (☞ ノンストップ).

直通バスの掲示

直通電話 (交換台を通さない) direct dialing [U]; (直通の電話回線) direct telephone line [C]; (緊急用の) hot line [C]. (☞ がいせん[1]) **直通列車** (乗り換えなしの) through train [C]; (途中で止まらない) nonstop train [C]. ¶ 長野への*直通列車 a *through train* to Nagano

ちょくとう[1] 直刀 straight sword [C].

ちょくとう[2] 直登 vertical climbing [U].

ちょくどく 直読 ── [動] (漢文を返り点なしに音読する) read [recite] classical Chinese in the original order (without applying Japanese word order) ★ 説明的な訳.

ちょくどくちょっかい 直読直解 reading and understanding a sentence ˹in the linear order of [without rearranging] its units.

ちょくのう 直納 ☞ ちょくはい

ちょくはい 直配 ── [動] deliver … directly to … ── [名] direct delivery [U].

ちょくばい 直売 ── [動] (直接売る) sell … ˹directly [direct] to … ── [名] direct sales. (☞ ちょくせつ; ちょくそう). ¶ 産地*直売の野菜 (⇒ 生産者によって直接売られた野菜) を買った I bought some vegetables *sold* ˹*directly* [*direct*] *by* the growers. / I bought some vegetables *at direct sales*. **直売店** direct sales store [C].

ちょくはん 直販 ── [動] sell … directly to … ── [名] direct sale ★ 通例 a を付けて. (☞ ちょくばい).

ちょくひつ 直筆 ── [動] (ありのままを書く) write the ˹naked truth [bare facts]; (筆を直立して書く) hold a brush upright while writing.

ちょくふん 直噴 direct injection [U]. **直噴エンジン** (gasoline) direct-injection engine [C] **直噴ディーゼル** direct-injection diesel engine [C].

ちょくほうたい 直方体 rectangular parallelepiped /pæ̀rəlèləpáipəd/ [C].

ちょくめい 勅命 imperial /ɪmpí(ə)riəl/ commánd [C].

ちょくめん 直面 ── [動] (困難・問題などに直接ぶつかる) face [他], confront /kənfrʌ́nt/ [他] [語法] face より格式ばった語. いずれも be ˹faced [confronted] with … のように受身形で用いると, 直面している状態が強調される. (☞ たちむかう).

¶ 政府は現在多くの難しい問題に*直面している The government *is* now ˹*faced* [*confronted*] *with* various difficult problems. // 彼らは危険に*直面しても平静だった They remained calm *in* (*the*) *face of* danger.

ちょくやく 直訳 ── [名] (文字どおりの訳) literal translation [U]; (逐語訳) word-for-word translation [U]. ── [動] (字義どおりに訳す) translate … literally; (1 語 1 語訳す) translate … word for word. (☞ ほんやく; いやく[3]; ちくごやく; 翻訳 (巻末)).

ちょくゆ 直喩 〘修辞〙 simile /síməli/ [U] ★ as, like などを使った比喩, 具体的には [C]. (☞ めいゆ; 比喩 (巻末)).

ちょくゆしゅつ 直輸出 ── [動] (直接輸出する) export … ˹direct [directly] (to …). ── [名] direct export [U]. (☞ ゆしゅつ). ¶ 外国へ車を*直輸出す

る *export* cars *direct*(*ly*) *to* a foreign country

ちょくゆにゅう 直輸入 ── [動] (直接輸入する) import ...「direct [directly] (from ...). ── [名] direct import Ⓤ. (☞ ゆにゅう). ¶ 我々は英国からウイスキーを*直輸入する We *import* whiskey「*direct* [*directly*] *from* Britain.

ちょくりつ 直立 ── [形] (傾いていないで垂直の) úpright; (曲がっていないで真っすぐ立っている) erect. ── [動] (真っすぐに立つ) stand「straight [upright; erect] (自). (☞ まっすぐ; すいちょく). ¶ 彼は*直立不動の姿勢で(⇒ 気をつけの姿勢で)立った He stood *at attention*. **直立猿人** Pithecanthropus erectus /pìθɪkǽnθrəpəs ɪréktəs/ Ⓒ.

ちょくりゅう 直流 〘電〙 direct current Ⓤ 《略 DC, D.C., d.c.》 (↔ álternàting cúrrent). **直流回路** DC circuit Ⓒ **直流電動機** direct current motor Ⓒ **直流発電機** direct current「dynamo [generator] Ⓒ.

ちょくれい 勅令 imperial「ordinance [order, decree] Ⓒ.

ちょくれつ 直列 〘電〙 series Ⓒ 《複 ~》 (↔ parallel). ¶ その乾電池は*直列につないである The dry cells are connected *in series*. **直列機関** in-line engine Ⓒ.

ちょこ 猪口 sake cup Ⓒ.

チョコ ☞ チョコレート

ちょこざい 猪口才 ── [形] (特に目上の人に対して生意気な) impertinent; (子供などが悪気なく無礼な) 《略式》 saucy; (言動が無礼で挑戦的な) insolent. (☞ なまいき).

ち

ちょこちょこ ── [動] (せかせか歩く) trot (自); (赤ん坊がよちよち歩く) toddle (about) (自). (☞ ちょこまか; 擬声・擬態語 (囲み)). ¶ その子は母親の後を*ちょこちょこ追いかけて行った The child「*trotted* [*toddled*] after his mother.

チョコバー chocolate bar Ⓒ, bar of chocolate Ⓒ. (☞ いたチョコ).

ちょこまか ── [動] (せわしく動き回る) bustle「around [about] (自) (☞ ちょこちょこ; 擬声・擬態語 (囲み)). ¶ 彼は*ちょこまかしている (⇒ いつもせわしく動き回っている) He's always *bustling around*.

チョゴリ *chogori* Ⓒ; (説明的には) short jacket traditionally worn by Koreans Ⓒ. (☞ チマ).

チョコレート chocolate /tʃɑ́k(ə)lət/ Ⓤ ★ チョコレート菓子のときには Ⓒ. [参考] 「板チョコ」は a chocolate bar.

ちょこんと ¶ 舞台の上には子供が*ちょこんと座っていた (⇒ 小さく静かに座っているのが見えた) We saw a child sitting *small and quiet* on the stage. (☞ 擬声・擬態語 (囲み))

ちょさく 著作 ── [名] (書くこと) writing Ⓤ; (本) book Ⓒ; (作品) work Ⓒ; (文学作品) writings ★ 複数形で. ── [動] (著作する) write (他). (☞ ちょしょ; ほん; さくひん).
著作家 ☞ ちょじゅつ (著述家) **著作権** (版権) copyright Ⓤ (☞ はんけん[1]) **著作権侵害** infringement of copyright Ⓒ; (海賊版などの発行) (literary) piracy Ⓤ **著作権法** the Copyright Act **著作者** (作家) writer Ⓒ; (著者) author Ⓒ **著作物** (written) work Ⓒ; (出版物) publication Ⓒ **著作隣接権** copyright related to *one's* works Ⓤ; *copyright of music*, movies, etc.,「derived from [derivative of; derivative from] *one's* works Ⓤ.

ちょしゃ 著者 (本を書いた人) author Ⓒ; (執筆者) writer Ⓒ. ¶ 彼がこの小説の*著者です He's the *author* of this novel. / (⇒ 彼が書いた) He *wrote* this novel. **著者不明の** anonymous /ənɑ́nəməs/. ¶ *著者不明の評論 an *anonymous* essay

ちょじゅつ 著述 writing Ⓤ (☞ ちょさく). **著述家** (作家) writer Ⓒ; (著者) author Ⓒ **著述業** the literary profession.

ちょしょ 著書 (本) book Ⓒ; (作品) work Ⓒ; (文学作品) writings ★ 複数形で. [語法] 特定の個々の作品を意味するときは book を, また集合的に作品を意味するときには work や writings を用いる. (☞ ほん; ちょさく). ¶ 1990 年に彼は初めて*著書を出版した He published his first「*book* [*work*] in 1990.

ちょすいそう 貯水槽 water tank Ⓒ.

ちょすいち 貯水池 reservoir /rézəvwɑ̀ə/ Ⓒ (☞ ためいけ).

ちょすいりょう 貯水量 the (volume of) water kept in store.

ちょぞう 貯蔵 ── [動] (将来使うために物をある場所に蓄える) store (他); (食品などを腐らないように保存する) preserve (他). ── [名] storage Ⓤ; preservation Ⓤ. (☞ たくわえる; ほぞん). ¶ 地下室は品物の*貯蔵に使われる The cellar is used for *storing* goods. **貯蔵庫** store(house) Ⓒ **貯蔵根** 〘植〙 storage root Ⓒ **貯蔵室** storeroom Ⓒ **貯蔵所** storage Ⓤ **貯蔵葉** 〘植〙 storage leaf Ⓒ.

ちょちく 貯蓄 ── [動] (金をためる) sáve (úp) (他). ── [名] (貯金) savings ★ 複数形で. (☞ ちょきん; よきん; ためる[1]). **貯蓄性向** 〘経〙 propensity「to save [for saving] Ⓒ.

ちょっか 直下 ── [前] (…のすぐ下に) right under … (☞ した[1] (類義語); ました). ¶ その国は赤道*直下 (⇒ 赤道上) にある The country is *right*「*at* [*on*] the equator. // 急転*直下 (⇒ 突然) suddenly / all of a sudden **直下型地震** earthquake directly above the focus Ⓒ (☞ じしん[2]).

ちょっかい ── [動] (ちょっかいを出す・干渉する) meddle (in ...) (自); (せんさくする・口を出す) poke *one's* nose into ... (☞ くちだし; おせっかい).

ちょっかく[1] 直角 ── [名] right angle Ⓒ. ── [形] right-angled. ── [副] (直角に) at right angles (to ...). (☞ かく[6] (挿絵)). ¶ その 2 つの道路は*直角に交わっている The two roads「cross [meet] *at right angles*. // この 2 線は互いに*直角をなしている These two lines are *at right angles*. / (⇒ 互いに垂直になっている) These two lines are *mutually perpendicular*. // これはそれと*直角だ This makes a *right angle* with that. // 時計の針は 3 時を指すとき*直角になる The hands form a *right angle* at three o'clock. // 2 *直角 a *straight angle*
直角三角形 《米》 ríght tríàngle Ⓒ, 《英》 right-angled triangle Ⓒ. (☞ さんかく(けい)) **直角定規** square Ⓒ (☞ じょうぎ) **直角錐** right pyramid Ⓒ **直角二等辺三角形** equilateral right(-angled) triangle Ⓒ **直角プリズム** ríght-àngled prísm Ⓒ.

ちょっかく[2] 直覚 ☞ ちょっかん[1]; かん[2]

ちょっかつ 直轄 ── [形] [副] (直接監督下にある) under the「direct [immediate] supervision of ...; (管理下にある) under the direct control of ...; (支配下にある) under the direct rule of ... (☞ ちょくぞく). ¶ その工事は政府の*直轄事業だ The construction work is *under the*「*direct* [*immediate*] *supervision of* the government.

ちょっかっこう 直滑降 〘スキー〙 ── [名] (真っすぐな下降) straight descent Ⓒ; schuss /ʃʊ́s/ Ⓤ ★ 真っすぐなコースをスピードを出して降りること. ── [動] schuss (自) (他). ¶ 私はその斜面を*直滑降で降りた I *schussed* the slope. / I made a *straight descent* down the slope.

ちょっかん[1] 直観 ── [名] intuition /ìnt(j)uíʃən/ Ⓤ. ── [形] (直観的な) intuitive. (☞ かん[2]). ¶ 私の*直観では彼は殺人を犯していない My *intuition* tells me that he is not a murderer. / (⇒ 直

観によって知っている) I know by *intuition* that he is not a murderer. **直観主義** intuítionism Ⓤ.

ちょっかん[2] 直感 ── 動 (感じる) sense (他); (推量する) guess (他); (気付く) perceive (他). ── 名 intuition Ⓤ. (☞ かん[2]). ¶ 私は危険を*直感した (⇒ 感じた) I *sensed* danger. // 彼の*直感は当たった (⇒ 正しく推量した) He *guessed* right.

ちょっかんひりつ 直間比率 (国税収入における直接税と間接税の比率) the ratio of direct tax to indirect tax (in the (national) revenue).

ちょっき 直帰 ── 動 go straight home (without returning to the office).

チョッキ 《米》 vest Ⓒ, 《英》 waistcoat /wéɪs(t)kòʊt/ Ⓒ.

ちょっきゅう 直球 〔野〕 fastball Ⓒ.

ちょっきょ 勅許 imperial ⌜sanction [permission] Ⓤ.

ちょっきり ☞ きっかり

ちょっきん 直近 ── 形 (ごく最近の) most recent, latest; (まもなくの) just coming. ¶ *直近の会議 (⇒ 過去の) the *most recent* meeting / (⇒ 未来の) the meeting *just coming up*

ちょっけい[1] 直径 ── 名 diameter /daɪǽmətɚ/ Ⓒ. ── 副 (直径が…である) across, in diameter ★ 前者が口語的. (☞ えん[3] (挿絵)). ¶「その円の*直径はいくらですか」「10 センチです」 "What's the *diameter* of that circle?" "It's ten centimeters ⌜*across* [*in diameter*]."

ちょっけい[2] 直系 direct ⌜line [descent] Ⓒ; (直系の子孫) direct descendant Ⓒ. (☞ かけい[1]). ¶ 彼は貴族の家柄の*直系だ He is descended in a *direct line* from a noble family. / He is a *direct descendant of* a noble family. **直系姻族** (配偶者の直系血族) *one's* ⌜spouse's [wife's, husband's] relatives ★ 複数形で; (子・孫の配偶者) *one's* ⌜(grand)child's [(grand)son's, (grand-)daughter's] ⌜spouse [wife, husband] Ⓒ **直系家族** family and its parents Ⓒ **直系血族** lineal relation Ⓒ **直系親族** lineal relations (and their family members) **直系尊族** lineal ascendant Ⓒ **直系卑族** lineal descendant Ⓒ.

ちょっけつ 直結 ── 名 direct ⌜connection [link] Ⓒ ★ link は connection よりも意味が強い. ── 動 (直結している) be directly ⌜connected [linked] with … (☞ むすびつく). ¶ 国家の経済は我々の毎日の生活に*直結している The nation's economy *is directly connected with* our ⌜everyday [daily] life.

ちょっこう[1] 直行 ── 動 (真っすぐに[どこへも寄らずに]行く) go ⌜straight [direct] to … (☞ まっすぐ; ちょくせつ; ノンストップ). ¶ 私は急用で北海道へ*直行した I *went* ⌜*straight* [*direct*] *to* Hokkaido on urgent business. **直行便** (飛行機の) nonstop flight Ⓒ; (バスの) nonstop bus Ⓒ. ¶ 私たちはロンドンまで*直行便で行きます We fly *nonstop* to London. ★ この nonstop は 副.

ちょっこう[2] 直交 ── 動 (2 線が) meet [cross] at right angles; (1 線がもう 1 線と) intersect at right angles. **直交座標** rectangular coordinates ★ 複数形で.

ちょっと **1 《少し》** ── 副 (ほんの少し) just a little ★ 最も平易な表現; (わずか・かすかに) slightly, 《略式》 a bit; (幾分・やや) somewhat ★ やや格式ばった語. ── 形 a ⌜little [bit]; slight. (☞ やや; いくらか; たしょう[1] (類義語)).
¶ 先月物価が*ちょっと下がった Prices came down ⌜*just a little* [*a bit*; *slightly*] last month. // それについては*ちょっと知識がある I have *a little* knowledge about it. // 4 月に*ちょっと給料が上がった We had a *slight* increase in salary in April. // その表を*ちょっと見せてくれ Let me *have a look at* the list. // *ちょっと食べてごらん (⇒ 試食してごらん) *Just* try (and eat) it. // *ちょっとの事で大騒ぎをするな Don't make such a fuss over ⌜*little things* [*trivialities*]. // *ちょっとここに腰かけましょう Let's sit down here, *shall we*? 日英比較 前後関係にもよるが, 例えばこの文のように, 日本語の「ちょっと」が「少し」という意味ではなく, 言葉の調子を和らげるための消極的な表現として用いられることがある. そのような場合は意訳するしかないが, 翻訳が不可能で無視してよい場合もある. (☞ -でも 日英比較; 日本語の消極的表現 (巻末))
2 《少しの間》: (ほんの瞬間的に) just a ⌜minute [moment], for a ⌜moment [while]; (短い時間) for a short time ★ 前 2 者より長い時間で, 前後関係によってはかなりの時間も含むことがある. これは次のものについても同じ; (短い間に) in a short time. (☞ しばらく (類義語)). ¶ *ちょっと待っていて下さい Wait *a* ⌜*minute* [*moment*], please. / *Just a moment*, please. ★ 第 2 文のほうが丁寧な言い方. // *ちょっとの間に彼女はずいぶんやせた (⇒ 体重を失った) She has lost a lot of weight *in a short time*. // 私は帰りに本屋に*ちょっと立ち寄った I *dropped* ⌜by [*in* at] a bookstore on my way home. ★ drop ⌜by [in at] で「ちょっと寄る」の意.
3 《容易に》: (簡単に) easily; (すぐに) readily. ¶ 彼が何を考えているか*ちょっと見当がつかない We can't *easily* imagine what he has in mind. // その本は*ちょっと手に入りにくい The book is not *readily* available.
4 《呼びかけ》: (失礼します) Excuse me; (ねえ・もしもし) 《米略式》 Say, 《英略式》 I say, Hey ★ Hey はかなりぞんざいな呼びかけ. ¶ *ちょっと失礼 *Excuse me*. // *ちょっと, 淳ちゃん *Say*, Jun!
ちょっとやそっと(ではない) (not) so easily. ¶ 彼女は*ちょっとやそっとでは同意しないよ She *won't* agree *so easily*.

ちょっとした **1 《ささいな》**: ── 形 (たいしたことのない) minor; (取るに足りない) trivial; (重要でない) unimportant.
¶ *ちょっとしたけが *minor* injuries // *ちょっとした誤解 a ⌜*slight* [*trivial*] misunderstanding
2 《かなり》: ── 副 (どちらかといえば) rather; (かなりの程度に) pretty; (なかなか) quite. (☞ かなり).
¶ 彼はこの辺では*ちょっとした名士だ He is ⌜*rather* [*pretty*; *quite*] famous around here. // 彼は給料のほかに*ちょっとした収入 (⇒ かなりのもの[収入]) がある He has ⌜*something* [*some* /sʌ́m/ income] besides his salary. // 父は*ちょっとした日曜大工だ My father is *something of a* handyman. 語法 something of ⌜a [an] … は「かなり腕のよい」という意味の慣用句. 本職ではない人に用いる.

ちょっとみ ちょっと見 ── 副 at first (sight).

チョッパー (肉ひき器) mincer Ⓒ; (改造バイク) 《略式》 chopper Ⓒ.

ちょっぴり ── 副 a bit (☞ ちょっと).

チョップ (ポークチョップ) pork chop Ⓒ; (プロレスなどの) chop Ⓒ.

ちょとつもうしん 猪突猛進 ── 動 (無謀に突進する) rush recklessly (自); (結果を考えずに突進する) rush without thinking of the consequences (自). (☞ むこうみず).

ちょびひげ ちょび髭 small [short] m(o)ustache /mʌ́stæʃ/ Ⓒ ★ o が入るのは主に《英》; (歯ブラシのような形の) toothbrush m(o)ustache Ⓒ. (☞ ひげ[1]).

ちょぼくじょう 貯木場 《米》 lumberyard Ⓒ, 《英》 timber yard Ⓒ.

ちょま 苧麻 〔植〕 (からむし) false nettle Ⓒ.

チョムスキー ―名 固 Noam /nóu(ə)m/ Chómsky, 1928– . ★ 米国の言語学者. 生成文法を始める.

ちょめい 著名 ―形(有名な) famous; (よく知られた) well-known 【語法】 famous とほぼ同意のこともあるが, 悪い意味でも用いられる. なお以上 2 語が最も一般的で, 以下の語はこれらより格式ばった語; (ある分野で傑出して世間によく知られている) distinguished; (ある専門分野で知られた) noted; (傑出して, ある領域で特に知られている) prominent; (同じ分野の人たちの間でも特に抜きん出てすぐれている) eminent; (賞をもらったり立派な業績で名高い) célebràted. ―名 prominence Ⓤ; distinction Ⓤ. 《☞ ゆうめい[1] (類義語)》. **著名人** celébrity Ⓒ.

チョモランマ ―名 固 (山) Chomolungma /tʃòuməlúŋmə/ ★ エベレスト山のチベット語名.

チョリソー chorizo /tʃərí:zou/ Ⓒ ★ 香辛料のきいたポークソーセージ.

ちょろい (努力せずに容易にできる) easy; (複雑でなく簡単な) simple. 《☞ かんたん[1]; てぬるい》.

ちょろぎ 〔植〕 *chorogi* Ⓒ, Chinese [Japanese] artichoke Ⓒ.

ちょろちょろ ¶蛇口(じゃぐち)から水が*ちょろちょろ流れている The water *is trickling* from the tap. 《☞ たれる; 擬声・擬態語 (囲み)》

【参考語】 ―動 (水が少量流れる) trickle (自); (火が静かに燃える) burn quietly (自).

ちょろまかす (くすねる・ちょっとしたものを盗む) pilfer (他); (着服する) pocket (他); (公金などを使いこむ) embezzle (他). 《☞ ごまかす; ぬすむ (類義語)》.

ちょん **1** «点»: dot Ⓒ.
2 «終わり»: the end. ¶事はあっけなく*ちょんになった (⇒ 終わった) The matter came to an abrupt *end*. // やつは使い込みで*ちょんさ (⇒ くびになった) He *got* ⌈*fired* [*the sack*] due to his embezzlement.
3 «動作» ¶スズメは*ちょんと枝にとまった The sparrow landed *lightly* on a branch. // 枝を*ちょんと切る *chop* a branch off // 彼は彼女の肩を*ちょんと叩いた He gave her a *light* tap on the shoulder. 《☞ ちょきんと; ちょこんと; 擬声・擬態語 (囲み)》.

チョンガー (未婚男子) bachelor Ⓒ.

ちょんぎる ちょん切る (一般的に, 切る) cut (off) (他); (はさみなどでちょきんと切る) snip off (他); (おのや包丁などで切る) chop off (他); (解雇する) fire (他), 《英》 sack (他), dismiss (他) ★ 前の 2 語は略式語で最後の語は格式語. 《☞ きる[1]; せつだん; くび》.

ちょんぼ ―動 (へまをする) goof, make a goof ★ いずれも米略式語; (ばかな間違いをする) make a silly mistake. 《☞ しくじる》.

ちょんまげ 丁髷 topknot Ⓒ ★ 必要なら後に of a Japanese *samurai* などの説明を付ける.
¶*ちょんまげを結う wear a *topknot*

ちらかす 散らかす (まき散らす) scatter (他), scatter … ⌈around [《英》 about]; (ごみなどを散らかす) litter (自) (他); (部屋などを乱雑にしておく) leave … ⌈untidy [in disorder; in a mess] 【語法】 散らかった状態を表す最も一般的なのは untidy. 少し堅苦しく混乱状態を言うときは in disorder. 口語的で「めちゃくちゃ」に当たるのが in a mess.
¶子供たちは本を*散らかしたまま出て行った The boys went out leaving books *scattered* ⌈*around* [*about*]. // 子供たちは部屋に紙くずを*散らかした The children *littered* the room with ⌈scraps [pieces] of paper. // 《掲示で》 ごみを*散らかさないで下さい Don't *Litter*. / No *Litter* Please. / No *Littering* // 厨房を*散らかしておくなんて料理人の恥だ It is a disgrace for a cook to *leave* his kitchen ⌈*untidy* [*in disorder*].

NO
LITTERING
$50 FINE
STRICTLY
ENFORCED

ちらかる 散らかる (物が散乱している) be [lie] scattered ★ 物を主語とする; (紙くずなどが) be littered ★ 場所を主語とする; (片付いていない) be ⌈untidy [in disorder] ★ [ ] 内は少し堅苦しい言い方; (めちゃくちゃになっている) 《略式》 be (in) a mess. 《☞ さんらん[1]》. ¶部屋中におもちゃが*散らかっている Toys ⌈*are* [*lie*] *scattered* all over the room. / The room *is littered* with toys. // 道路にごみや紙くずがいっぱい*散らかっていた The road *was littered* with trash and scraps of paper.

ちらし[1] 散らし (ビラ) 《米》 flier Ⓒ; (手で配る) handbill Ⓒ; (折り込みの広告) leaflet Ⓒ. 《☞ ビラ》. ¶私たちは街頭で*ちらしをまいた We distributed ⌈*fliers* [*handbills*] on the street.

ちらし[2] 散らし (ちらし鮨) *chirashi zushi* Ⓤ; (説明的には) a bowl of vinegared rice with fish, vegetables, eggs, etc. on top of it.

ちらす 散らす (物や人を四散させる) scatter (他) ★ 最も一般的な語で, 物の場合は通常細かいものに用いる; (葉や花などを) strew (他) ★ やや文語的; (注意などを) divert (他). 《☞ ちる; おいちらす》. ¶風が庭一面に桜の花を*散らした The wind *scattered* cherry blossoms all over the garden.

ちらちら ¶朝早くから雪が*ちらちら (⇒ 軽やかに) 降っている It has been snowing *lightly* since early morning. // 光が木の葉隠れに*ちらちら見えた (⇒ 木の葉を通して時々光を見た) We saw light *on and off* through the leaves of the trees. 《☞ 擬声・擬態語 (囲み)》

ちらつかせる (目の前にぶら下げる) dangle … before *a person*; (目の前で振ってみせる) wave … before *a person's* eyes; (ほのめかす) drop a hint, hint at … ¶彼は札束を*ちらつかせてその土地を売ってくれと言った He *dangled* wads of money *before* me [He *waved* money *before* my *eyes*] to make me sell the land.

ちらつく (心に絶えずつきまとう) haunt (他); (明かりなどが) flicker (自). ¶父の怒った顔がしょっちゅう目の前に*ちらつく (⇒ 私につきまとう) The angry face of my father often *haunts* me. // 外は小雪が*ちらつく天気だった There were *snow flurries* outside. / It was snowing *lightly* outside.

チラナ ―名 固 Tirana /tɪrá:nə/ ★ アルバニアの首都.

チラノサウルス ☞ ティラノサウルス

ちらばる 散らばる (分散している状態) be [lie] scattered (⌈around [about]) ★ 物が主語になる; (紙くずなどが散らかっている) be littered (with …) ★ 場所が主語となる; (ばらばらになる) scatter (自). 《☞ ちらかす; ちる; ばらばら》. ¶私たちのクラブの会員は日本中に*散らばっている Our club members *are scattered* all over Japan. // 彼の机にくしゃくしゃになった原稿用紙が*散らばっていた His desk *was littered with* crumpled bits of manuscript.

ちらほら (ここかしこに) here and there 《☞ あちこち; 擬声・擬態語 (囲み)》. ¶春になると野の花が*ちらほら咲き始める In (the) spring wildflowers come out *here and there*. // 聴衆の中には知った顔も*ちらほら見えた (⇒ ぱらぱら程度) There was *a sprinkling of* familiar faces in the audience.

チラミン 〔生化〕 tyramine /tái(ə)rəmì:n/ Ⓤ.

ちらりと ¶飛行機の窓から富士山の頂上が*ちらりと見えた We ⌈*caught* [*got*] *a glimpse of* the top of Mt. Fuji from the window of our plane. // 彼は時計を*ちらりと見た He *glanced at* his watch. / He *took a glance at* his watch. // 彼らが婚約したことを*ちらりと耳にした (⇒ たまたま聞いた) I ˹*happened to hear* [*heard by chance*] *of* their engagement. 《☞ すこし; 擬声・擬態語 (囲み)》

ちり[1] 地理 ── [名] geógraphy Ⓤ. ── [形] gèográphical. ── [副] geographically. ¶ 私たちはいまフランスの*地理[世界*地理]を勉強しています We are studying ˹the *geography* of France [world *geography*] now. // 私はこの辺の*地理に暗い[明るい] I'm ˹*a stranger around here* [*familiar with this neighborhood*].
地理学 geography Ⓤ. ¶ 人文*地理(学) human *geography* // 自然*地理学 physical *geography*
地理学者 geógrapher Ⓒ.

ちり[2] 塵 (ほこり) dust Ⓤ 《☞ ほこり[1]; ごみ》.
¶ 彼女の部屋には*ちり一つ落ちていない There is not a speck of *dust* in her room. / (⇒ 全然汚れていない) Her room is *spotless*. // 私は家具の*ちりを払った I ˹*dusted* [wiped the *dust* from] the furniture.
ちりも積もれば山となる Many a little makes a mickle. 《ことわざ: たくさんの小さいものが大きいものになる》 **塵を切る** (相撲で) squat and stretch *one's* arms out (before a sumo bout to symbolize purification of hands).
塵だに house dust mite Ⓒ **塵除け** dustcover Ⓒ.

ちり(なべ) ちり(鍋) fish-and-vegetable stew (cooked at the table and eaten with bitter orange juice or a soy-based sauce) Ⓤ. ¶ ふぐ*ちり blowfish *stew* // たら*ちり cod(fish) *stew*

チリ[1] ── [名] (固) Chile /tʃíli/; (正式名) the Republic of Chile. ── [形] Chilean /tʃílian/. **チリ人** Chilean Ⓒ **チリ硝石** Chile saltpeter Ⓤ.

チリ[2] (香辛料) chili Ⓤ. **チリコンカルネ** (豆料理) chili con carne /tʃìlikɑnkɑ́ːni/ Ⓤ **チリソース** chili sauce Ⓤ **チリドッグ** (チリコンカルネをかけたホットドッグ) chili dog Ⓒ **チリバーガー** chiliburger Ⓒ **チリパウダー** chili powder Ⓤ **チリペッパー** (辛味の強い唐辛子の一種) chili pepper Ⓤ.

ちりあくた 塵芥 (ごみ) 《米》 trash Ⓤ, 《英》 rubbish Ⓤ; (生ごみ) garbage Ⓤ; (ほこり・汚い物) dirt Ⓤ. ¶ 人を*塵芥のように扱う treat *a person* ˹like *dirt* [(⇒ 軽蔑して) *with contempt*]

ちりかかる 散り掛かる (…の上に葉[花びら]を散らす) shed ˹leaves [petals] over …; (散り始める) (花・葉を主語に) begin [start] to fall.

ちりがみ 塵紙 (薄い鼻紙用の) tissue Ⓒ; (トイレ用の) toilet paper Ⓤ; (トイレ用の巻いてあるもの) roll of toilet paper Ⓒ, 《英》 toilet roll Ⓒ.
ちり紙交換 collection of old newspaper(s) in exchange for toilet paper Ⓤ ★「人」を表す場合には collector of … Ⓒ となる.

ちりぎわ 散り際 ¶ 桜は*散り際がもっとも美しい Cherry [The cherry] blossoms look most beautiful *just before they fall*. // 男は*散り際が大事だ As a man, it is important *how you die*.

ちりしく 散り敷く ¶ もみじの*散り敷く庭 a garden *strewn with* red leaves ★ strewn は strew (=scatter まき散らす) の過去分詞.

ちりちり ── [形] (髪の毛が細かく縮れている) frizzy, frizzly, kinky. 《☞ ちぢれる; カール[1]; 擬声・擬態語 (囲み)》. ¶ 彼女は*ちりちりの髪の毛をしている She has *frizzy* hair.

ちりぢり 散り散り ¶ 彼の家族は父親の突然の死で*ちりぢりになった (⇒ 解体した) His family *was broken up* after his father's sudden death. // デモの人々は*ちりぢりになって (⇒ 四方八方に) 逃げた The demonstrators /démənstrèitəz/ ran away *in all directions*. 《☞ ちる; ちらばる; ばらばら》

ちりとり 塵取り dustpan Ⓒ.

ちりばめる (はめ込む) set (他) ★ 最も平易な語; (象眼する) inlay (他); (宝石などを台にはめ込む) mount (他); (間隔を置いて飾りとしてはめ込む) stud (他); (宝石で飾る) gem (他). ¶ 私は金銀を*ちりばめたオルゴールを持っている I have a music box ˹*inlaid* [*set*] *with* gold and silver. // 彼女の結婚指輪には小さなダイヤが*ちりばめてあった Her wedding ring *was studded with* small diamonds. // この町の夜景はまるで宝石を*ちりばめたようだ The night view of this city looks as if it *were studded with* jewels.

ちりめん 縮緬 crape Ⓤ, crepe Ⓤ, crêpe Ⓤ ★ 以上いずれも /kréip/ と発音する. [日英比較] 日本の「ちりめん」と違い, 生糸以外に綿・羊毛などの繊維による織物も含む. **縮緬紙** crepe paper Ⓤ **縮緬じゃこ** dried young sardines **縮緬じわ** fine wrinkles.

ちりめんかえで 縮緬楓 〔植〕 *chirimen kaede* Ⓒ; (説明的には) a cultivar of the Japanese maple with deeply lobed leaves.

ちりゃく 知略 resources ★ 通常複数形で. 格式ばった語. ¶ *知略にすぐれた指導者 a *resourceful* leader

ちりょう 治療 ── [動] treat (他); (治す) cure (他) [語法] (1) treat が単に手当てをするだけであるのに対して, cure は病気を回復させることを意味する. ── [名] (medical) treatment Ⓤ, medical ˹care [attention] Ⓤ [語法] (2) 前者は医者の直接の治療, 後者は病院での手当全体を漠然と指す; cure Ⓤ ★ 治療法[薬]の意味では Ⓒ; (特に手術・薬によらない治療法) therapy Ⓤ.
¶ 彼は早急に*治療を受ける必要がある He must *be treated* immediately. / He is in need of prompt *medical* ˹*care* [*treatment*]. ★ 後者はやや格式ばった言い方. // 私は小川先生の*治療を受けている I *am being treated* by Dr. Ogawa. / I am *under the care* of Dr. Ogawa. // 私はひじが痛むので (⇒ 痛いひじを) *治療してもらった I *had* my sore elbow *treated*. // 予防は*治療に勝る Prevention is better than *cure*. 《ことわざ》
治療費 doctor's ˹fee [bill] Ⓒ **治療法** (病気の) cure Ⓒ; (病気やけがの) remedy Ⓒ. ¶ この病気にはよい*治療法がない There is no effective ˹*cure* [*remedy*] for this disease.

ちりょく[1] 知力 mental [intellectual] capacity Ⓒ ★ しばしば複数形で; (知性) intellect Ⓤ; (知能) intelligence Ⓤ; (頭脳) brain Ⓒ ★ しばしば複数形で. 《☞ ちのう; ずのう; ちせい[1]》.
¶ 年のせいで彼の*知力は衰えてきた His *brain* is failing with age. // 彼は*知力にすぐれている He is very *intelligent*. / He is quite an *intellectual* person.
[語法] 前者は「聡明だ・頭がいい」という意味で, 学識のあるなしは問題にしないが, 後者は「学識のある」という意味を含む.

ちりょく[2] 地力 soil ˹fertility [productivity] Ⓤ.

ちりれんげ 散り蓮華 china spoon Ⓒ.

ちりんちりん ── [動] (ちりんちりんと鳴る) tinkle (自). ── [名] (鳴る音) tinkle Ⓤ, tinkling sound Ⓒ. 《☞ 擬声・擬態語 (囲み)》. ¶ 風鈴が軒先で*ちりんちりんと鳴っている The wind chime *is tinkling* under the eaves.

ちる 散る (花・葉などが落ちる) fall (自); (散らばる) scatter (自), be scattered; (気が散る) be distracted. 《☞ ちらす; ちらばる; ちりぢり》.
¶ 木の葉が*散り始めた Leaves began to *fall*. // 桜の花が風に吹かれて*散った The cherry blossoms *scattered* before the wind. // テレビで気が*散った The television *distracted* my attention.

ちるい 地塁 〔地質〕 horst Ⓒ.

チルド ── [形] (冷蔵の) chilled. **チルド室** chiller

Ⓒ チルド食品 chilled food Ⓤ ★ 種類を表すときは Ⓒ. チルドビーフ chilled beef Ⓤ.

チルトハンドル tilt steering wheel Ⓒ.

ちれい 地霊 spirit (that lives) in the ground Ⓒ.

ちれき 地歴 geography and history Ⓤ.

ちれきか 地歴科 geography and history Ⓤ ★ 単数扱い.

ちろう[1] 遅漏 retarded [delayed] ejaculation Ⓤ.

ちろう[2] 地蠟 〖鉱物〗 ozokerite /oʊzóʊkəràɪt/ Ⓤ, ozocerite Ⓤ.

ちろうい 地労委 local labor relations ⌈committee [commission] Ⓒ.

チロキシン 〖生化〗 thyroxin(e) /θaɪráksiːn/ Ⓤ.

チロシン 〖生化〗 tyrosine /táɪ(ə)rəsìːn/ Ⓤ.

ちろり 銚釐 sake warmer Ⓒ; (説明的には) cylindrical metal container with an ear used to warm sake Ⓒ.

チロリアンハット (帽子) Tyrolean /tɪróʊliən/ hát Ⓒ.

チロル — [名] (固) Tyrol, Tirol /tɪróʊl/ ★ オーストリア西端部からイタリア北部にまたがる地方.

ちわげんか 痴話喧嘩 lovers' quarrel Ⓒ.

ちわり 地割り ☞ じわり

チワワ 〖動〗(犬の一種) chihuahua /tʃɪwáːwɑː/ Ⓒ.

ちん[1] 賃 (料金・手数料) charge ★ 通例 a を付けて; (労賃) wages ★ 通例複数形で; (借り賃・貸し賃) rent Ⓤ; (運び賃) 《米》 transport Ⓤ, 《英》 carriage Ⓤ; (特に長距離輸送の) freight Ⓤ. (☞ ちんがし; ちんがり; うんそう (運送費); うんちん).

ちん[2] 狆 〖動〗(犬の一種) Japanese spaniel Ⓒ.

ちん[3] 朕 — [代] (天子・王が自分を指しているという語) We, we ★ 所有格は Our, our, 目的格は Us, us, 再帰形は Ourself, ourself.

チン[1] (下あご) chin Ⓒ.

チン[2] — [動] (電子レンジで温める) heat up in the microwave (oven) (他).

ちんあげ 賃上げ 《米》 raise Ⓒ, 《英》 rise Ⓒ ★ 必ずしも「賃上げ」というようなニュアンスだけでなく, 昇給なども含む広い意味の語; (賃金の引き上げ) a ⌈raise [《英》 rise] in wages Ⓒ, pay ⌈raise [《英》 rise] Ⓒ; (新聞用語などで) 《米》 wage ⌈hike [increase] Ⓒ ★ [ ] 内のほうが新聞に限らず一般的で, しかも少し格式ばった表現. (☞ ちんぎん). ¶ 従業員は雇用主に*賃上げを要求した The employees asked their employer for a ⌈*pay raise* [*raise in wages*]. / The employees demanded ⌈a *wage increase* [*higher wages*] from their employer. // 彼らは*賃上げストに入った They went on strike for *higher wages*. 賃上げ闘争 fight [struggle] for ⌈a wage hike [higher wages] Ⓒ.

ちんあつ 鎮圧 — [動] (暴動などを抑える) pùt dówn (他), suppress (他) ★ 前者のほうが口語的. — [名] suppression Ⓤ. (☞ おさえる). ¶ その暴動の*鎮圧のため軍隊が派遣された Troops were sent to ⌈*put down* [*suppress*] the rioting.

ちんうつ 沈鬱 — [形] depressing (☞ ゆううつ; ふさぎこむ).

ちんか[1] 鎮火 — [動] (火事が消される) be pùt óut, be extinguished, be brought under control [語法] 1 番目が最も平易な表現で, 2 番目は格式ばった言い方. 3 番目は消防の活躍などを感じさせるような表現. (☞ かじ[1]). ¶ その山火事はやっとのことで*鎮火した The forest fire *was* finally ⌈*put out* [*extinguished*; *brought under control*].

ちんか[2] 沈下 — [動] (一般的に, 沈む) sink (自); (土地が低下する) 《格式》 subside /səbsáɪd/ (自); (土地や道路が下に傾く) dip (自). — [名] 《格式》 subsidence /səbsáɪdns/ Ⓤ. (☞ しずむ). ¶ その地区は徐々に地盤が*沈下している The land in the area *is* gradually ⌈*sinking* [*subsiding*]. // 地盤*沈下 ground *subsidence*

ちんがいやく 鎮咳薬 cough medicine Ⓤ; (咳どめドロップ) cough drop Ⓒ. (☞ せき[2] (せき止め)).

ちんがし 賃貸し — [動] (有料で貸す) rent (他), 《英》 hire (他); (特に貸すことを明らかにする場合) rént óut (他), 《英》 híre óut (他) [日英比較] 《英》でも hire のほかに rent も用いる. 日本語で単に「貸す」という場合でも英語では有料か無料 (lend) かの区別をはっきりさせることに注意. また特に out を用いるのは「賃借り」も rent, 《英》 hire を用いるからである. 《英》では特に家や部屋については let (out) を使う; (契約による賃貸し) lease (他). (☞ かす[1] [日英比較]).

ちんがり 賃借り — [動] (有料で借りる) rent (他), 《英》 hire (他); (契約などによって) lease (他) ★ 少し格式ばった言葉. [日英比較] 《英》でも hire のほかに rent も用いる. 英語では「賃貸し」と「賃借り」が同じ言葉であるのに注意. また, 日本語で単に「借りる」という場合でも英語では必ず有料か無料 (borrow) かの区別をはっきりさせることに注意. 《英》でも家または部屋を賃借りする場合は hire を用いずに rent を使う. (☞ かりる [日英比較]).

ちんき[1] 珍奇 — [形] (奇妙な) strange; (何だろうといぶかしく思える) peculiar; (まれであるため価値がある) rare; (一風変わっていて妙な感じの) odd, eccentric. (☞ きみょう; ふうがわり). ¶ *珍奇な事 a *novelty* // *珍奇な物 a ⌈*curiosity* [*rarity*]

ちんき[2] 沈毅 — [形] (落ち着いた) calm, composed; (動じない) imperturbable. (☞ おちつき).

チンキ 〖化〗 tincture Ⓤ.

チンギスハン — [名] (固) Genghis Khan /dʒéŋgɪskáːn/, 1162–1227. ★ 中央アジアを征服したモンゴルの王.

ちんきゃく 珍客 (予期しない来客) unexpected ⌈visitor [caller] Ⓒ. ¶ これはこれは*珍客のご到来だね It is certainly a happy surprise to have you with us.

ちんきん(ぼり) 沈金(彫り) gold(-inlaid) lacquerwork Ⓤ.

ちんぎん 賃金 (労賃) wages ★ 通例複数形で. [参考] この語は元来時給・日給など, 肉体的労働に支払われる賃金を指したが, 現在では日本語の「賃金」と同じく労働用語として, 給料の意味で広く使われる; (給料) pay Ⓤ ★「給料」という意味では最も一般的な語. (☞ きゅうりょう[1] (類義語); げっきゅう). ¶ 我々は生活に必要な*賃金を要求する権利がある We have the right to a living *wage*. // 低*賃金 low ⌈*wages* [*pay*] // 最低*賃金 minimum *wage* ★ この場合は単数が普通.

賃金格差 pay differential /dìfərénʃəl/ Ⓒ 賃金カット pay [wage] cut Ⓒ. ¶ 経営者側はスト参加者の*賃金カットを組合に通告した The management notified the union ⌈that it would *cut* the *wages* of [of the *wage cut* for] the strikers. 賃金形態 method [form] of (wage) payment Ⓒ 賃金コスト wage costs 賃金指数 pay [wage; salary] index Ⓒ 賃金水準 wage levels 賃金スライド制 sliding pay scale Ⓒ 賃金生活者 wage earner Ⓒ 賃金体系 wage ⌈structure [system] Ⓒ 賃金凍結 wage freeze Ⓒ 賃金闘争 wage struggle Ⓒ, struggle for a wage hike Ⓒ 賃金ベース base wage rates 賃金労働者 wage earner Ⓒ, 《米》 wageworker Ⓒ.

コロケーション

賃金を上げる raise [increase] *wages* / 賃金を受け取る get [receive] *wages* / 賃金を稼ぐ earn *wages* / 賃金を下げる lower [cut; reduce] *wages* / 賃金を払う pay *wages* // かなりの賃金 substantial *wages* / 高賃金 high *wages* / 実質

ち

賃金 real *wages* / 十分な賃金 adequate *wages* / 妥当な賃金 reasonable *wages* / まずまずの賃金 decent *wages* / 名目賃金 nominal *wages* // 賃金交渉 *wage* negotiation; *wage* bargaining

ちんくしゃ 狆くしゃ ugly face Ⓒ; (説明的には) face like that of a sneezing Japanese Spaniel Ⓒ.
チンクゆ チンク油 zinc ointment Ⓤ.
ちんぐるま 稚児車 〖植〗 Aleutian avens Ⓒ.
ちんげい 珍芸 unusual ⌈trick [feat] Ⓒ ★ [ ] 内は「離れわざ」を表す格式語.
チンゲンさい 青梗菜 Chinese rape (plant) Ⓒ.
ちんこう 沈降 ―動 (水面・地面・地平線の下に沈む) sink ⓐ; (水面下に沈む) 《格式》 submerge ⓐ; (溶液中で沈殿する) settle ⓐ; 〖化〗 precipitate ⓐ. ―名 sinkage Ⓤ; submergence Ⓤ; precipitation Ⓤ; (液体の底にたまること) sedimentation Ⓤ. 《☞ しずむ; ちんでん》.
沈降海岸 submerged shoreline Ⓒ 沈降速度 (赤血球などの) sedimentation rate Ⓒ 沈降反応 〖医〗 precipitation reaction Ⓒ.
ちんころ (狆) Japanese spaniel Ⓒ 《☞ ちん²》; (子犬) puppy Ⓒ.
ちんこんか 鎮魂歌 requiem /rékwiəm/ Ⓒ; (挽歌・死者を悼む歌) elegy Ⓒ; (葬送歌) dirge Ⓒ.
ちんこん(ミサ)きょく 鎮魂(ミサ)曲 〖カトリック・楽〗 requiem /rékwiəm/ Ⓒ.
ちんざ 鎮座 ―動 (祭られる) be enshrined; (快適な所にゆったりと身を置く) 《格式》 ensconce *oneself*, be ensconced; (座る・ある) sit ⓐ.
ちんさげ 賃下げ wage cut Ⓒ; cut in wages Ⓒ. 《☞ ちんぎん》.
ちんじ 珍事, 椿事 (思わぬ出来事) accident Ⓒ; (めったにない事) rare event Ⓒ.
ちんしごと 賃仕事 (出来高払いの) piecework Ⓒ; (半端な仕事) odd jobs ★ 複数形で.
ちんしもっこう 沈思黙考 ―動 (静かに深い考えに沈む) 《格式》 meditate ⓐ; (集中して考える) contemplate ⓐ; (色々な角度から思い測る) 《文》 ponder ⓐ; (物思いにふける) 《格式》 muse ⓐ. ―名 (deep) meditation Ⓤ; contemplation Ⓤ. 《☞ ものおもい; かんがえこむ》.
ちんしゃ 陳謝 ―動 (言い訳をしてわびる) apologize ⓐ; (許しを請う) beg *a person's* pardon. ―名 apology Ⓒ. 《☞ あやまる¹; わび¹》. ¶ 彼はお客にその間違いを*陳謝した He *apologized* to the customer for the error.
ちんしゃく 賃借 (有料で借りる) rent ⓣ; (契約して借りる) lease ⓣ. 《☞ ちんがり; かりる》. 賃借権 lease Ⓒ, the right of lease.
ちんしゅ 珍種 unusual species Ⓒ; rare kind Ⓒ.
ちんじゅ 鎮守 (村の神社) village shrine Ⓒ. 鎮守の森 the grove of the village shrine 鎮守府 (旧日本海軍の) naval ⌈station [depot] Ⓒ.
ちんじゅう 珍獣 rare animal Ⓒ.
ちんじゅつ 陳述 statement Ⓒ 《☞ のべる¹》. 陳述書 (written) statement Ⓒ.
ちんじょう 陳情 ―動 (正式に要求などを出して嘆願する) petition ⓣ; (実情などを説明して援助を訴える) appeal (to …) ⓐ. ―名 petition Ⓒ; appeal Ⓒ. 《☞ せいがん¹》.
¶ 我々は市議会に対し保育所建設を*陳情した We ⌈*petitioned* [made an *appeal* to] the city council for nursery schools. // 市長は我々の*陳情を認めた [はねつけた] The mayor ⌈granted [turned down; rejected] our *petition*. 陳情者 petitioner Ⓒ; (議会などへの) lobbyist Ⓒ 陳情書 petition Ⓒ 陳情団 (議会などへの) lobby Ⓒ. ¶ 農業団体の*陳情団 a *lobby* of farmers / the agricultural *lobby*

ちんすいかいがん 沈水海岸 submerged shoreline Ⓒ.
チンする ☞ チン²
ちんせい 沈静, 鎮静 ¶ 火山活動は*鎮静化に向かい (⇒ 静かになり) そうだ The volcanic activity is likely to ⌈*quiet down* [*subside*].
ちんせいざい 鎮静剤 〖医〗 sedative /sédətɪv/ Ⓒ ★ 興奮を鎮める薬; (精神安定剤) tránquilizer (《英》 tránquillizer) Ⓒ. 《☞ くすり》.
ちんせつ 珍説 (おかしな理論) odd [strange; unlikely] theory Ⓒ; (奇妙な話) strange [unlikely; improbable] story Ⓒ.
ちんせん¹ 沈潜 **1** 《水の底に沈む》: sink [settle] to the ⌈bottom [depths].
2 《物思いにふける》: be ⌈lost [engrossed] in thought.
ちんせん² 沈船 submerged [sunken] ⌈ship [vessel] Ⓒ.
ちんたい¹ 沈滞 ―形 (活気のない) dull; (動きがなく停滞している) stagnant. ―名 dullness Ⓤ; stagnation Ⓤ. ¶ *沈滞したムードを吹き飛ばそう Let's dispel our ⌈*dull* [*stagnant*] mood.
ちんたい² 賃貸 ☞ ちんがし; かす¹; かしや
賃貸契約 lease contract Ⓒ 賃貸権 lease Ⓒ, the right of lease 賃貸マンション rental apartment Ⓒ, 《英》 flat to let Ⓒ 賃貸料 rent Ⓤ.
ちんたいしゃく 賃貸借 ―名 renting Ⓤ. ―形 rental. 《☞ ちんがし; ちんがり》.
チンダルげんしょう チンダル現象 〖物理〗 the Tyndall effect.
ちんだん 珍談 (おかしい逸話) amusing anecdote Ⓒ; (途方もない話) extraordinary story Ⓒ.
ちんちくりん (背の低い人) shorty Ⓒ, shrimp Ⓒ ★ 侮蔑語だから使わないほうがいい.
ちんちゃく 沈着 ¶ 彼は危険に直面しても*沈着だった He remained *calm and collected* in the face of danger. 《☞ へいせい¹》
ちんちょう¹ 珍重 ¶ 日本の木版画は外国で*珍重されている (⇒ 高く評価されている) Japanese woodcuts *are highly* ⌈*prized* [*valued*] overseas.
ちんちょう² 珍鳥 rare bird Ⓒ.
ちんちょうげ 沈丁花 ☞ じんちょうげ
チンチラ 〖動〗 chinchílla Ⓒ.
チンチラうさぎ チンチラ兎 〖動〗 chinchilla (rabbit) Ⓒ.
ちんちろりん 〖昆〗 (松虫) *matsumushi* cricket Ⓒ 《☞ まつむし》; (さいころ賭博) gambling ⌈using [with] dice Ⓤ.
ちんちん **1** 《音》 ―動 (鈴などが鳴る) tinkle ⓐ; (湯沸かしが鳴る) sing ⓐ. ―名 (鈴などの鳴る音) tinkle Ⓒ. 《☞ 擬声・擬態語 (囲み)》. ¶ 湯沸かしが*ちんちん鳴っている The kettle *is singing*.
2 《犬の芸》 ―動 (後足で立つ) stand on …'s hind legs. ¶ *ちんちん, おすわり! *Up, up*, down!
ちんちんでんしゃ ちんちん電車 ☞ ろめん (路面電車)
ちんつう 沈痛 ―形 (悲しみに沈んだ) sad, sorrowful, mournful 語法 最も一般的なのは sad, 少し格式ばった語が sorrowful, 陰気さの意味が加わるのが mournful; (深刻そうな) grave; (厳粛な) serious /sí(ə)riəs/. 《☞ ひつう》.
¶ 彼は*沈痛な口調でその結果を発表した He announced the result in a ⌈*sad* [*grave*; *serious*] tone. // 彼は*沈痛な面持ちをしていた He looked ⌈*sad* [*sorrowful*; *mournful*; *grave*; *serious*].
ちんつうざい 鎮痛剤 〖医〗 anodyne /ǽnədàɪn/ Ⓒ; 〖医〗 (痛みを和らげるもの) lenitive /lénətɪv/ Ⓒ, 《略式》 painkiller Ⓒ. 《☞ くすり》.
ちんてい 鎮定 ―動 suppress ⓣ. ―名 sup-

pression Ⓤ. (☞ ちんあつ).
ちんでき 沈溺 ☞ おぼれる
ちんでん 沈殿 ―動 (かすなどが底に沈む[かすなどを沈ませる]) settle ⓐ ⓣ, deposit ⓐ ⓣ; 〖化〗 precipitate ⓐ ⓣ. ―名 〖化〗 (沈殿すること) precipitation Ⓤ; (沈殿物) depósit Ⓒ, sediment Ⓒ ★ 2 語はほぼ同意; precipitate Ⓒ. (☞ しずむ). ¶ 瓶の底に何か*沈殿している Something *has* ⌈*settled* [*been deposited*] at the bottom of the bottle. **沈殿剤** precípitant Ⓒ, precípitàtor Ⓒ **沈殿池** settling [depository] pond Ⓒ.
ちんとう 珍答 (途方もない, こっけい味もある答) absurd answer Ⓒ; (おかしい答) amusing answer Ⓒ.
ちんどんや ちんどん屋 (Japanese) musical sandwichman Ⓒ; (何人かで組になっている) (Japanese) ding-dong band for publicity Ⓒ, (Japanese) band of musical sandwichmen Ⓒ
日英比較 日本のちんどん屋と同じものは英米にはない.
ちんにゅうしゃ 闖入者 (呼ばれもしないのに勝手に入り込む者) intruder Ⓒ; (他人の土地や家に不法に侵入する者) trespasser Ⓒ.
チンネ (頂上のとがった峰) pointed rocky peak Ⓒ.
参考 「チンネ」はドイツ語の Zinne に由来する.
チンパンジー 〖動〗 chìmpanzée Ⓒ, 《略式》 chimp Ⓒ.
ちんぴら (取るに足らないやくざ者) petty ⌈gangster [thug] Ⓒ (☞ やくざ).
ちんぴん 珍品 (珍しい品物) rare article Ⓒ, rarity Ⓒ; (骨董(こっとう)品) curio Ⓒ. ¶ *珍品がたくさん売り物に出ている Many ⌈*rare articles* [*curios*] are now offered for sale.
ちんぷ 陳腐 ―形 (ありふれた) commonplace; (使い古した) hackneyed, trite; (創意に欠けた) banál ★ 格式ばった語; (固定化した) stéreotỳped. (☞ つきなみ). ¶ それは*陳腐な表現である It is a ⌈*commonplace* [*hackneyed*] expression. **陳腐化** ―動 (新鮮さを失う) lose *one's* freshness; (すたれる) become obsolete.
ちんぷんかんぷん ¶ それは私には*ちんぷんかんぷんだ (⇒ まったく理解できない) I *can't understand* it *at all*. / I *can't make head or tail of it*. ★ cannot make head or tail of … で「さっぱりわからない」という慣用表現. / (⇒ それは私にはまったくギリシャ語のようなものだ) It's *all Greek* to me. / It's *complete gibberish* /ʤíbərɪʃ/ to me. ★ gibberish は「わけのわからないおしゃべり」. (☞ 擬声・擬態語 (囲み))
ちんぽう 珍宝 rare treasure Ⓒ (☞ たから).
ちんぼつ 沈没 ―動 (水面下に沈む・沈没させる) sink ⓐ ⓣ 《過去 sank, 《米》 ではまた sunk; 過分 sunk》; (船が沈む) 《略式》 gò dówn ⓐ, go under ⓐ. (☞ しずむ). ¶ 船はゆっくりと*沈没していった The ship ⌈*sank* [*went down*; *went under*] slowly. // 船長は船を*沈没させた The captain *sank* the ship. **沈没船** sunken ship Ⓒ.
ちんぽん 珍本 rare book Ⓒ.
ちんまいこうほう 沈埋工法 〖土〗 the open-trench method.
ちんまり ―形 (小型で整った形の) compact.
ちんみ 珍味 (おいしい物) délicacy Ⓒ, dainties ★ 前者のほうが一般的. dainties は特に風味がよいという意味があり, 普通は複数形で用いる. ¶ 彼女は私に山海の*珍味をごちそうしてくれた She treated me to many kinds of *delicacies*.
ちんみょう 珍妙 ―形 (見たこともないような) strange; (普通とは違った・常識からはみ出した) odd; (とっぴで奇異な) fantastic. (☞ きみょう).
ちんむるい 珍無類 ―形 (尋常でない) most extraordinary; (めったになくて珍しい) rare; (とてもおかしな) funniest. (☞ めずらしい; まれ).
ちんもく 沈黙 silence Ⓤ; (無口) 《格式》 réticence Ⓤ. (☞ むごん; だまる).
¶ 彼らの間に重苦しい[気まずい]*沈黙が続いた An ⌈oppressive [awkward] *silence* continued between them. // 彼は*沈黙を破ってしゃべりだした He broke his *silence* and began to talk. // 部屋の中の者はみな突然*沈黙した All of a sudden everybody in the room fell *silent*. // その恋愛事件について彼女は*沈黙を守った (⇒ 黙っていた) She ⌈remained *silent* [*held her tongue*] about the love affair. / She was *reticent* about the love affair. **沈黙は金, 雄弁は銀** Silence is golden, speech is silver. 《ことわざ》

コロケーション

沈黙を続ける keep [maintain] *silence* // **息詰まるような沈黙** a stifling *silence* / **一瞬の沈黙** a momentary *silence*; a moment of *silence*; a moment's *silence* / **耐え難い沈黙** an ⌈unbearable [intolerable] *silence* / **長い沈黙** a prolonged *silence* / **不気味な沈黙** an ominous *silence*

ちんもん 珍問 (風変わりな質問) odd question Ⓒ; (おかしな質問) funny question Ⓒ; (意表を突く質問) unexpected question Ⓒ. (☞ しつもん).
ちんりょう 賃料 rent Ⓒ (☞ かりちん; やちん).
ちんれつ 陳列 ―動 (人に公開して見せる) exhibit /ɪgzíbɪt/ ⓣ; (見せるために並べる) display ⓣ
語法 前者が展覧会・博覧会などに使う語であるのに対して, 後者は店の陳列も含め, 前者の領域も含む広い意味の語; (展示する) 《略式》 put on show ⓣ. ―名 exhibition /èksəbíʃən/ Ⓤ; display Ⓤ ★ いずれも具体的には Ⓒ. (☞ てんじ). ¶ 彼らは会社の新製品をその部屋に*陳列した They ⌈*exhibited* [*displayed*] (the) new products of their company in the room. // ショーウインドーには買い気を誘うような (⇒ 客に魅力的な) さまざまの商品が*陳列してある Various articles which are attractive to shoppers *are displayed* in the (show) window. **陳列室** show [display] room Ⓒ **陳列台** display ⌈stand [counter] Ⓒ **陳列棚** (箱形の) showcase Ⓒ **陳列品** exhibit Ⓒ; (説明的には) article on ⌈show [display] Ⓒ.
ちんろうどう 賃労働 wage labor Ⓤ; (時間給の仕事) hourly work Ⓤ, work paid by the hour Ⓤ.

つ, ツ

ツアー (団体観光旅行) gróup [órganized] tour /túə/ Ⓒ; (パック旅行) páckage tòur Ⓒ 日英比較 日本語の「ツアー」は団体旅行を意味することが多いが, 英語の tour は「ぐるりと回って出発点に戻る旅行」という意味で, 人数には関係なく, 1人でもよい. (☞ りょこう (類義語)).
¶ イギリスには*ツアーで行きました I visited Britain on ˹a *group* [an *organized*] *tour*. // ハワイへの*ツアーに申し込む[参加する] apply for [join] ˹a *group* [an *organized*] *tour* of Hawaii
ツアーコンダクター tour conductor Ⓒ, (主に英) courier /kʊ́riə/ Ⓒ. (☞ てんじょういん).

ツァー (帝政ロシア皇帝) czar /zάə/ Ⓒ, tsar /zάə/ Ⓒ. **ツァーリズム** czarism Ⓤ.

ツァイトガイスト (時代精神) the Zeitgeist /tsáɪtgàɪst/, the spirit of the age ★ 前者はドイツ語から. 共に the を付けて.

ツァラツストラ Zoroaster /zɔ̀ːrouǽstə/, Zarathustra /zæ̀rəθúːstrə/ ★ 後者はドイツ名. 紀元前6–7世紀の古代ペルシャの宗教家で, ゾロアスター教の開祖. 『ツァラツストラはかく語りき』(書名) *Thus Spake Zarathustra.*

つい[1] **1** 《時間的・距離的に》: (ちょうど) just; (ほんの) only. (☞ ちょっと; ちょうど[1]).
¶*ついいましがた宿題が終わったところです I finished my homework *just* now. ★ just now は過去時制とともに用いられる. // 彼女の家が*つい目と鼻の先(⇒ 接近したところ) にあるとは知らなかった I didn't know that she ˹lived [lives] *so* close to me.
語法 「つい目と鼻の先(に)」 は状況に応じて just across the street, just around the corner などと言い換えられる. // 私はあの大地震を*ついきのうのことのようにはっきり覚えている I remember that big earthquake as clearly as if it had been *only* yesterday. // それは*つい2か月前に起こった It happened ˹*as* recently *as* [*only*] two months ago.
2 《うっかりして》 ― 副 (不注意にも) carelessly; (誤って) by mistake; (そういうつもりはなく) ùnintentionally; (無意識に) involuntarily /ìnvὰləntérəli/. (☞ うっかり; 擬声・擬態語 (囲み)).
¶*ついうっかりして(⇒ 不注意のために) 重大な間違いをやってしまった I (have) made a serious ˹mistake [error] *through carelessness*. // *ついうっかりして反対方向に行くバスに乗ってしまった *By mistake* [*Through carelessness*] I got on the bus going in the opposite direction. // ごめんなさい. 忙しかったので*つい電話をかけるのを忘れてしまったのです I'm sorry. I was so busy that I forgot to call you.
日英比較 日本語の「つい」はこのような場合, 英語の特定の語句に訳せないので, 文全体の感じに含めて訳す. (☞ 翻訳 (巻末))

つい[2] **対** ― 名 (2つで1組の) pair Ⓒ; (類似のもの2つ) couple Ⓒ. ― 形 (互いによく似た) twin; (よく釣り合った) matched. (☞ くみ). ¶ これらの湯飲み茶碗は*対になっている These teacups make a *pair*.

つい[3] **終** ― 形 (最終の) last. **終(つい)の住家(すみか)** *one's* last dwelling.

ツイーター (高音用スピーカー) tweeter Ⓒ.

ツイード tweed Ⓤ ★ 衣服の意味では tweeds.
¶ 彼はたいてい*ツイードを着ている He usually wears ˹a *tweed* jacket [*tweeds*].

ついえる[1] **潰える** (夢・計画などが) be destroyed; (失敗する) fail ⓐ ⓗ. (☞ つぶれる; くずれる; そうくずれ).

ついえる[2] **費える** (無駄になくなっていく) be wasted. ¶ 私は時が*費えていくのが我慢できなかった I couldn't stand time *being wasted*.

ついおく 追憶 ― 名 rèminíscence Ⓤ. ― 動 (追憶にふける) reminisce /rèmənís/ (about ...) ⓐ.
¶ その老人は*追憶の世界にひたっている (⇒ 過去に生きている) The old man *is living in the past*.

ついか 追加 ― 形 (ある物に加えて大きくする) additional; (補足して改善するために加える) sùppleméntary ★ 後者のほうが格式ばった語. ― 名 addition Ⓤ; súpplement Ⓒ. ― 動 add ⓗ; súpplemènt ⓗ. (☞ くわえる[1]).
¶*追加注文はございますか Do you wish to make an *additional* order? // その党は新たに10議席*追加した (⇒ 10の追加の議席を勝ち得た) The party gained ten *additional* seats. // *追加料金はいくらですか (⇒ あといくら支払わなければいけませんか) How much *more* do I have to pay? / What's the ˹*additional* [*extra*] charge?
追加予算 supplementary budget Ⓒ.

ついかんばん 椎間板 intervèrtebral ˹dísk [(英) dísc] Ⓒ. **椎間板ヘルニア** 〖医〗 disk herniation Ⓤ, herniated /hə́ːnièɪtɪd/ [ruptured] disk Ⓒ.

ついき 追記 postscript Ⓒ (☞ あとがき; ついしん).

ついきそ 追起訴 supplementary indictment /ɪndáɪtmənt/ Ⓒ (☞ きそ[2]).

ついきゅう[1] **追及** ― 動 (組織的に事件や原因を調査する) investigate ⓗ; (攻撃する) attack ⓗ. ― 名 (調査) investigation Ⓤ ★ 具体的な事例を指すときは Ⓒ; (尋問) question Ⓒ. (☞ ちょうさ[1]).
¶ 国会の委員会でそれらの問題が*追及された These issues *were investigated* by the Diet committee. / The Diet committee *investigated* these issues. // 彼らは地方政界の汚職を*追及した They *attacked* corruption in local government(s).

ついきゅう[2] **追求** ― 動 (目的・知識・快楽などを) pursue /pəsúː/ ⓗ; (捜し求める) search ˹for [after] ...; (手掛かりなどをどこまでも) fóllow úp ⓗ. ― 名 pursuit /pəsúːt/ Ⓤ; search Ⓒ. (☞ さがす; もとめる). ¶ 幸福の*追求 the *pursuit* of happiness // 警察は彼の行方を*追求し始めた The police began a *search* for him.

ついく 対句 (対照をなす語句) antithesis /æntíθəsɪs/ Ⓒ (複 antitheses /-sìːz/); (2行の対句) couplet Ⓒ. ¶ この2つの単語は*対句になっている These two words form an *antithesis* to each other. **対句法** antíthesis Ⓤ.

ついげき 追撃 ― 名 (逃げるものを追いかけること) chase Ⓤ; pursuit /pəsúːt/ Ⓤ ★ 後者のほうが格式ばった語. 比喩的な意味にも用いる. ― 動 chase ⓗ; pursúe ⓗ. (☞ おう[1]). ¶ 彼らは敵を*追撃した They ˹*chased* [*pursued*] the enemy. **追撃戦** running battle Ⓒ.

ついご 対語 (反意語) antonym Ⓒ; (対をなす語) pair of words Ⓒ. (☞ はんいご; ついく).

ついこつ 椎骨 〖解〗 vertebra /və́ːtəbrə/ Ⓒ (複 vertebrae /-brìː/, ～s) (☞ せきつい).

ついし[1] **墜死** —動 (落ちて死ぬ) fall and die, fall to *one's* death. 《☞ ついらく; おちる》.

ついし[2] **追試** ☞ ついしけん

ついじ **築地** roofed mud-wall Ⓒ.

ついしけん **追試験** supplementary examination Ⓒ, 《米》 máke‌ùp (ˈexamination [exam]) Ⓒ ★ makeup は「再試験」の意味にもなる. 《☞ しけん[1]》.

ついしゅ **堆朱** *tsuishu* Ⓤ; (説明的には) lacquerware coated a hundred or more times with red lacquer and carved in low relief Ⓤ.

ついじゅう **追従** ☞ ついずい; ついてゆく

ついしょう **追従** —名 (へつらい) flattery Ⓤ, 《米略式》 apple-polishing Ⓤ ★ やや古風な語. —動 flatter ⑯, curry favor with …, 《略式》 play up to …, 《米卑》 kiss (*a person's*) ass. —形 flattering. 《☞ おせじ; へつらう 参考》. **追従笑い** —名 flattering smile Ⓒ. —動 smile flatteringly ⓐ.

ついしょうめつ **対消滅** 〘物理〙 (pair) annihilation /ənàɪəléɪʃən/ Ⓤ.

ついしん **追伸** postscript Ⓒ ★ P.S. と略される. 《☞ あとがき》.

ついずい **追随** —動 (後に続く) follow ⑯ ⓐ 《☞ したがう》. ¶ 私の学校でテニスにかけては彼女は他の*追随を許さない (⇒ 飛び抜けていちばん上手だ) She is *by far the best* tennis player in our school. // わが国の外交政策はアメリカに*追随している Regarding foreign policy, our country *is* closely *following* in America's *footsteps*.

ツイスト (ダンスの) the twist; (パンの) twist Ⓒ.
¶ *ツイストを踊る dance [do] the *twist*

ついせいせい **対生成** 〘物理〙 pair ˈcreation [production] Ⓤ.

ついせき **追跡** —動 (捕えようとして) pursúe ⑯, chase ⑯ ★ 前者のほうが格式ばった語. 後者は逃げる者を追う動作を表す意味が強い; (人・動物・車の残した跡や進路などを追って) track ⑯; (どこまでも手掛かりなどを捜して) fóllow úp ⑯. —名 pursuit Ⓤ, chase Ⓤ. 《☞ おう[1]; おいかける》. **追跡者** pursuer Ⓒ, chaser Ⓒ **追跡調査** follow-up survey Ⓒ.

ついぜん **追善** memorial service (for …) Ⓒ 《☞ くよう; ついとう[1]》. ¶ 来月先代団十郎の*追善歌舞伎が行われる (⇒ …をしのんで歌舞伎が行われる) A kabuki play is going to be performed *in memory of* the last Danjuro.
追善供養 (Buddhist) memorial service Ⓒ **追善興行** memorial performance Ⓒ; performance in memory of … Ⓒ.

ついそ **追訴** supplementary suit Ⓒ.

ついぞ —副 (いままで…でない) never; (全然…ない) not … at all. 《☞ かつて》.

ついそう[1] **追想** —名 (思い出) recollection Ⓒ; (懐かしい思い出) rèminíscence Ⓒ ★ いずれもやや格式ばった語だが, 見出し語の「追想」の堅苦しさに近い. —動 (昔を振り返る) look back ⓐ; (思い出す) remember ⑯, recollect ⑯ ★ ほぼ同意だが, 後者のほうがやや格式ばった語; (言葉・出来事などをそのまま) recall ⑯; 《米》 rèminísce ⓐ ★ reminiscence から作られた語で, 懐かしい思い出を思い出すこと. 《☞ おもいで》.
¶ 彼はしばしば子供のころの(幸福な)*追想にふけった He often *looked back* ˈon [upon] his (happy) childhood. / He often indulged in *recollections* of his (happy) childhood.

ついそう[2] **追走** —動 run after … 《☞ おいかける; おう[1]》.

ついたいけん **追体験** (間接的な, 想像力などでの経験) vicarious /vaɪkéɪ(ə)riəs/ experience /ɪkspí(ə)riəns/ Ⓒ 《☞ たいけん[1]; けいけん[1]》.

ついたち **一日** the first day of the month 《☞ 時刻・日付・曜日 (囲み)》. ¶「きょうは何日ですか」「2月*1日です」"What day (of the month) is (it) today?" "It's February (*the*) *first*." ★ the を省略するのは主に《米》.

ついたて **衝立** (目隠しのための) screen Ⓒ ★ 紙製なら paper screen. また日本独特のものなら, 初めに Japanese を加える; (間仕切り) partition Ⓒ. 《☞ しきり》.

ついちょう[1] **追徴** —動 (追加して徴収する) collect … in addition, make an additional ˈcollection [charge] of …; (税金の差額を徴収する) collect the balance (of a tax). —名 (追加の取り立て) additional collection Ⓤ.
¶ 彼は10万円*追徴された He *was charged an additional* ¥100,000. / He *was made to pay* an *extra* ¥100,000.
追徴金 money collected in addition Ⓤ; (罰金) forfeit /fɔ́əfɪt/ Ⓒ **追徴税** penalty tax Ⓒ.

ついちょう[2] **追弔** —動 hold a memorial service for … 《☞ とむらう》.

ついつい ☞ つい[1] 2

ついて **就いて** —前 about …, of … ★ of のほうが少し意味が軽い; (論文や演説などで) on … ★ about に比べて限定的かつ格式ばっている; as for …, as to … 語法 以上2つはほぼ同意に用いられることが多いが, as for は既出の主題に関する新しい問題を持ち出す場合, 文の初めに用いられる. as to は文中にも用い, 次に疑問詞を伴う場合が多いが, 次に名詞などを伴う場合には about に換えるほうがよい場合が多い; (…に関して) as regards …, in [with] regard to …, concerning … ★ about より格式ばった言葉; (…に関連して) in relation to …, in connection with … 《☞ かんする[1] (類義語)》.
¶ 彼は徳川家康に*ついて研究した He studied (*about*) Tokugawa Ieyasu. // 日本の選挙制度に*ついてはあまり詳しくは知りません I'm afraid I really don't know much *about* the election system in Japan. // キリスト教に*ついての本 a book *on* Christianity // この問題に*ついてもう1つぜひ聞きたいことがあります (⇒ 聞かなければならないこと) There is one more question I must ask you *on* this subject. // その問題に*ついてあなたの意見を聞きたい I'd like to ask your opinion *concerning* the problem. // 彼は無事だったが (⇒ 無事に帰ってきたが), ほかの人に*ついてはわかりません He came back safely. *As for* the others, nothing is known yet. // 彼らはどちらを選ぶかに*ついて言い争った They quarreled *as to* which to choose. // 彼らはその問題に*ついて討議した They discussed the problem. ★ discuss は ⑯.

ついで[1] —名 (偶然の好機) chance Ⓒ. —副 (…をしているうちに・ついでに) in the course of …; (…の途中で) on ˈ*one's* [the] way to …; (都合のよいときに) at *one's* convenience; (それをして [話して] いる間に) while *one* is at it ★ it はその場の話題・行動を指す; (機会があったら) when you ˈhappen to [have a chance to] *do* … 語法 そのほか軽い意味での「ついでに」は前後関係によって, 適当に意訳する必要がある. 《☞ -がてら; きかい[3] (類義語); つごう》.
¶ *ついでにオイルも調べて下さい Check the oil too *while you're at it*, will you? // 話の*ついでに (⇒ 彼らと話すときに) そのことも言っておきます I'll tell them *when* I talk with them. // (話の)*ついでに触れる[言う] mention in passing 《☞ ちなみに》 // 駅へ行く*ついでに (⇒ 途中で) この手紙を出してあげますよ I'll ˈmail [《英》 post] this letter for you *on the way to* the station. // おつりは*ついでのとき (⇒ 都合のよいとき) で結構です Give me the change *at your con-*

venience. // お*ついでのおりに, どうぞお立ち寄り下さい *When you* ⌈*happen* [*have a chance*] *to come* this way again, please drop ⌈in [by] at my house.

ついで² 次いで — 前 (順序が…の次に) next to …; (…の後に) after … — 副 (第2に) secondly. 《☞ つぐ³; つぎ¹; にばん》.

¶「アラスカに*次いで大きな州はどこですか」「テキサスです」"What is the *next* largest state *after* Alaska?" "Texas." // この店ではカメラに*次いで時計がもっともよく売れる *Next to* [*After*] cameras, watches sell best in this store. // 社長に*次いで部長があいさつをした *After* the president, the head of the department made a speech.

ついていく ついて行く — 動 (一緒に) go [come] with … ★ 相手を尊重して丁寧に言うときはしばしば come となる; (人や物の後に) follow ⊛; (遅れないで) keep up with …; (同伴する) accompany ⊛. 《☞ ゆく¹ (類義語)》.

¶「あなたに*ついて行ってもいいかしら」「ええ, どうぞ」"May I *come with* you?" "Certainly." // 先に行って下さい. 後から*ついて行きます Please go first, and I'll *follow* you. // 私は英語の授業に*ついていくのにとても苦労した I had a hard time *keeping up with* the English classes. // 時代に遅れないで*ついていくために新聞を読んでいる I read newspapers to *keep up with* the times. // 最近は大学の入学式に子供に*ついて行く父母が多い Many parents *accompany* their sons and daughters to matriculation ceremonies these days.

ついている (運がよい) be lucky (↔ be unlucky) 《☞ うん¹ (類義語); こううん¹》. ¶ 私は*ついていた (⇒ 幸運だった) I *was lucky*. / (⇒ 幸運が私の側にいた) *Luck was* ⌈*with me* [*on my side*]. // 彼は*ついていなかった He *was unlucky*.

ついてくる ついて来る — 動 (…の後に来る) follow ⊛; (一緒に来る) come (along) with … 《☞ ついていく》. ¶ 私に*ついて来て下さい Please ⌈*follow* [*come with*] me.

ついでながら incidentally ★ 前の話に関連させて別の話題を持ち出す時のつなぎ語として用いる.

ついでに 序でに ☞ ついで¹

ついては 就いては so, therefore ★ 後者はやや格式ばった表現. ¶ ご相談したいことがあります. *ついては明朝10時に事務所にお出で下さい I have something to talk ⌈over [about] with you, *so* will you please visit my office at ten tomorrow morning?

ついてまわる 付いて回る (後をつける) trail ⊛, dog ⊛ ★ 後者は受身で用いられることが多い. 《☞ つけまわす; つきまとう》. ¶ 学歴は一生*ついて回る (⇒ 重要である) Your school diplomas *count* throughout your life.

ついとう¹ 追悼 — 形 (追悼の) memorial Ⓐ. — 名 (死を悲しむこと) mourning Ⓤ; (悔やみの言葉) condólence Ⓒ ★ 格式ばった語で, しばしば複数形で. 《☞ あいとう; いたむ²》. ¶ *追悼の辞を述べる give a *memorial* address **追悼会[式]** memorial service Ⓒ.

ついとう² 追討 — 動 (追い詰めて討伐する) track down and crush … **追討軍** hunt and kill unit Ⓒ; (遠征軍) expeditionary force Ⓤ.

ついとつ 追突 — 動 (…の後ろに衝突する) strike the rear of …; (後ろから…に衝突する) strike … from behind; 《俗》 rear-end ⊛. — 名 rear-end collision Ⓒ. 《☞ しょうとつ》. ¶ ダンプカーが彼の車に*追突した A dump truck ⌈*struck the rear of* [*rear-ended*] his car.

ついに 遂に, 終に — 副 (努力を重ねて) at last; (長い時間がたって) at length 語法 (1) 以上2つは何かを成し遂げたり, 成功した場合に用い, 失敗した場合には使わない; (最後には・ついには) finally ★《米》では広い意味で前の2つと同じように使われることが多い; (結局は・結末として) in the end; (長い目で見て結局) in the long run ★ 以上はすべて肯定文に用いる; (結局・とうとう) after all 語法 (2) 肯定文にも使えるが, 普通, 否定文もしくは不成功に終わったような場合に用いる. 《☞ とうとう¹; けっきょく》.

¶ *ついに山の頂上に着いた We ⌈got to [reached] the ⌈top [summit; peak] of the mountain *at last*. // 私の夢は*ついに実現した My dream has ⌈*finally* [*at last*] come true. // 彼は*ついに自分の誤りを認めた He admitted his mistakes *in the end*. // *ついに彼女はパーティーに姿を見せなかった She didn't ⌈show up at [come to] the party *after all*.

ついにん 追認 — 動 (仮決定を正式に認める) confirm ⊛. — 名 confirmation Ⓤ. 《☞ みとめる; しょうにん¹》.

ついばむ 啄む — 動 (鳥などがえさを) pick ⊛; (くちばしでつついて) peck (at …) ⊜. 《☞ つつく》.

¶ 鳩がパンくずを*ついばんでいた The pigeons *were pecking at* the breadcrumbs.

ついひ 追肥 additional ⌈fertilizer [manure] Ⓤ ★ 前者は化学肥料, 後者は有機肥料. 《☞ こやし; ひりょう》. ¶ ばらに*追肥をする put *additional fertilizer* on the roses

ついび 追尾 — 動 (後を追う) follow ⊛; (逃げるものを追う) 《格式》 pursue ⊛; (ミサイルなどが自動操縦で…を追って進む) home in on … 《☞ ついせき》.

ついふくきょく 追復曲 ☞ フーガ

ついぼ 追慕 — 動 cherish *a person's* memory; (なつかしく思う) yearn ⌈for [after] …; (記念する) comméморàte ⊛ ★ 最後の2つは格式ばった語.

ついほう 追放 — 動 (本国から) exile /égzaɪl/ ⊛; (権力によって国外に) banish ⊛ 語法 命令や流刑などで自国を去ったり, 自分の意志が入ることもあるのが exile, 刑罰などで強制的に退去させるのが banish; (好ましくない外国人や犯罪人を強制的に国外に) depórt ⊛; (党や国家の中で反対分子を現職から) purge ⊛; (学校・団体などから追い出したり除名したりする) expel ⊛; (好ましくない物または人を排除する) elíminàte ⊛; (いやなものを取り除く・やっかい払いをする) get rid of … ★ 口語表現; (締め出す) shút óut ⊛; (あたりから追い払う) sènd awáy ⊛, kick [throw] out ⊛. — 名 exile Ⓤ; banishment Ⓤ; expulsion Ⓤ; elimination Ⓤ. 《☞ おいだす》. ¶ 彼は母国から*追放された He *was* ⌈*exiled* [*expelled*] from his homeland. // 彼はその島に*追放され, そこで死んだ He *was* ⌈*exiled* [*banished*] to the island and died there. // 彼らは彼の*追放を要求した They called for his *expulsion*. // この地域から車を*追放することにした We decided to *keep* cars *out of* this area.

追放令 (除名などによる) expulsion decree Ⓒ; (国外への退去命令) deportation order Ⓒ; (政界などからの) purge directions ★ 複数形で.

ついやす 費やす (ある目的や行動のために時間やお金を) spend ⊛ (↔ save); (時間がかかる) take ⊛; (お金がかかる) cost ⊛ 語法 以上2語は it または「物・事」が主語になる; (むだに使う) waste ⊛. 《☞ つかう; かける¹ 7; かかる¹ 5; ろうひ》.

¶ 彼らは多くの金をその旅行で*費やした They *spent* a lot of money on the trip. // 彼らはそのダムを完成するのに10年を*費やした It *took* them ten years to complete the dam. / They *spent* ten years to build the dam. // そんなむだなことにこれ以上時間を*費やさないほうがいい You should not *waste* any more time on such useless things.

ついらく 墜落 — 動 (飛行機が) crash ⊜; (一

般的に人・物が) fall ⓐ. ―名 (墜落事故) crash Ⓒ. ((☞ おちる)). ¶飛行機[ヘリコプター]が山腹に*墜落した An airplane [A helicopter] *crashed* into ˹the mountainside [the side of the mountain]. // その*墜落事故で乗組員と乗客の全員が死亡した All the crew and (the) passengers were killed in the *crash.*

ツイル (綾織り) twill (weave) Ⓤ.

ツイン (双子; 対になるもの) twin Ⓒ ((☞ ふたご)); (ホテルの) ☞ ツインルーム.
¶ジョイは*ツインの 1 人です Joy is *a twin.*

ツインカム ―形 (エンジンがツインカムの) twin-cam.

ツインタワー twin towers; 固 the Twin Towers ★ ニューヨーク市にあった 2 つの超高層ビル ((☞ ワールドトレードセンター)).

ツインベッド twin beds 語法 シングルベッドが対になっているもので, 複数形で用いる. 一方だけを指す場合は a twin bed.

ツインルーム twin (room) Ⓒ, room with twin beds Ⓒ ★ 後者は説明的.

つう[1] **通** ―名 (専門家) éxpert Ⓒ; (その道の権威者) authority Ⓒ; (食べ物・ワインなどの) connoisseur /kɑ̀nəsə́ː/ Ⓒ. ―形 (熟練した) expert (in …; at …); (特定の問題や情報に通じた) well informed (about …). ¶彼は非常に米国*通である He is *well informed about* the United States.

つう[2] ¶*つうといえばかあ ☞ つうかあ

ツー ―代 形 (数の 2 (の)) two /túː/.

-つう …通 (書類など) copy Ⓒ 参考 手紙の数を数えるのに英語では「手紙…通」のような特別な言葉は用いない. ((☞ 数の数え方 (囲み)). ¶きのう手紙が 2*通届いた Two letters came yesterday. // 履歴書 2*通をお送り下さい Please send two *copies* of your ˹curriculum vitae [résumé].

つういん[1] **通院** ¶彼女は 1 日置きに*通院している She *goes to the hospital* every other day. ((☞ びょういん[1]))

つういん[2] **痛飲** ―動 (多量に酒を飲む) drink heavily ⓐ; (めちゃくちゃに飲む) drink hard ⓐ.

ツーウェイ ―形 twó-wày. ¶*ツーウェイ交通 *two-way* traffic

つううん **通運** transportation Ⓤ, ((英)) transport Ⓤ. ((☞ うんそう; ゆそう[1])).

つうえん **通園** ―動 go to [attend] kindergarten.

つうか[1] **通過** ―動 (人や物の前やそばを) pass ⓗ; (それと気付かずに) pass [go] by ⓐ ★ pass by …という使い方と, 後に名詞を従えない使い方とがある; (…を通り抜ける) pass [go] through …; (立ち止まらない) pass along …; (議会が議案を) pass ⓗ. ―名 passage Ⓤ. ((☞ とおる; とおりすぎる)).
¶電車は止まるべき駅を*通過してしまった The train *passed* (*by*) the station where it should have stopped. // 衆議院はその法案を*通過させた The House of Representatives *has passed* the bill.
通過駅 non-stopping station Ⓒ **通過貨物** transit goods ★ 複数形で. **通過儀礼** ríte of pássage Ⓒ **通過通航権** the right of transit passage.

つうか[2] **通貨** currency Ⓤ ★ 各国の通貨という意味では Ⓒ; (一般に金という意味で) money Ⓤ. ((☞ かね[1])). ¶国際*通貨基金 ((☞ こくさい[1])) は世界の*通貨安定のために設立された The IMF was established to stabilize the world's *currencies.* // 強い[弱い]*通貨 a ˹strong [weak] *currency* // *通貨を発行する issue *currency* // 基軸*通貨 a key *currency* **通貨オプション** currency option Ⓒ **通貨危機** monetary /mɑ́nətèri/ crísis Ⓒ **通貨偽造罪** (the crime of) counterfeiting money Ⓤ **通貨供給量** the money supply **通貨切り上げ[切り下げ]** ―名 revaluation [devaluation] Ⓤ. ―動 revaluate [devaluate] ⓗ. 日英比較 日本語で通貨切り下げをデノミネーションと言うのは和製英語 ((☞ デノミ; きりあげる; きりさげる)). **通貨政策** monetary policy Ⓒ **通貨制度** monetary system Ⓒ **通貨調節** cúrrency contròl Ⓤ **通貨統合** monetary unification Ⓤ **通貨ブロック** currency bloc Ⓒ.

つうかあ ¶彼と私は*つうかあの仲です (⇒ 息が合っている) We *are tuned in* to each other. / (⇒ 波長が合っている) We *are on the same wavelength.* ((☞ いしんでんしん; きごころ))

つうかい **痛快** ―形 (たいそう愉快な) very [awfully] pleasant ★ 述語用法では「事物」を主語として; (ものすごくうれしい) extremely delighted ★ 述語用法では「人」を主語として; extremely delightful ★ 述語用法では「事物」を主語にして; (胸がわくわくするような) exciting; (スリル満点でぞくぞくさせる) thrilling. ―名 ((略式)) (胸のすくような喜び) kick Ⓒ. ((☞ ゆかい)).
¶君が彼の高慢な鼻をへし折ってくれたことは実に*痛快だった I was *really delighted* to see you take him down a peg or two. / It was ˹*very pleasant* [*extremely delightful*] that you took him down a peg or two. ★ take … down a peg or two で「…をやりこめる」という慣用表現. // あの大西洋横断飛行はその年の最も*痛快なニュースだった That flight across the Atlantic was the most ˹*thrilling* [*exciting*] news of the year. // サーフィンは*痛快だよ I get a big *kick* out of surfing.

つうかく **痛覚** the sense of pain ((☞ いたみ)).

つうがく **通学** ―動 (通学する) go to school, attend school ★ 後者のほうが改まった言い方. ((☞ かよう[1]; とうこう[1])). ¶私は電車で*通学しています I *go to school* by train. / I *take* the train *to* ˹*school* [(*the*) *campus*].
通学区域 school ˹district [zone] Ⓒ **通学生** day student Ⓒ, commuting student Ⓒ.

つうがる **通がる** pretend to know everything about …; fancy *oneself* an authority on … ((☞ つう[1])).

つうかん[1] **痛感** ―動 (身にしみてわかる) keenly [fully] realize ⓗ; (真剣に考える) seriously [earnestly] think ⓗ. ((☞ かんじる; わかる)). ¶私たちは社会的責任を*痛感しています We *keenly realize* our social responsibility.

つうかん[2] **通関** customs clearance Ⓤ. **通関士** registered customs specialist Ⓒ **通関手続き** customs procedure Ⓒ **通関統計** customs clearance statistics Ⓤ **通関ベース** the customs(-clearance) basis.

つうかん[3] **通観** ―名 (全体的な検討) general survey Ⓒ; (全体を見通すこと) general view Ⓒ. ―動 survey ⓗ, take [make] a general survey. ((☞ がいかん[2])).

つうき **通気** ―名 ventilation Ⓤ. ―動 (空気を通す) ventilate ⓗ. ((☞ かんき[1]; かぜとおし)).
通気孔 vent Ⓒ, air hole Ⓒ **通気性** ventilation Ⓤ. ¶厚い綿の靴下は*通気性が悪い (⇒ 息をしない) Thick cotton socks don't *breathe* well. // この部屋は*通気性が悪い This room has poor *ventilation.*

つうぎょう **通暁** ―動 know … very well, be well versed in …

つうきん **通勤** ―動 (乗り物に乗って離れた 2 か所を定期的に往復する) commute ⓐ; (出勤する) go to *one's* office; (仕事に行く) go to work; (住み込みでなく通いの状態である) live out ⓐ (↔ live in). ―名 ((米)) commutation Ⓤ. ((☞ かよう[1])).

¶ 彼は所沢の家から大手町の会社に*通勤している He ⌈*commutes* [*goes to work*] from his home in Tokorozawa to his office in Otemachi. / He *commutes* between his home in Tokorozawa and his office in Otemachi. // 彼は*通勤にバスを使っている He takes the bus *to his office.* / He *commutes* by bus.

通勤客[者] commuter /kəmjúːtə/ [C] **通勤圏** commuter belt [C], the commutable area **通勤災害** accident while commuting [C] **通勤時間** ¶ *通勤時間はどのくらいかかりますか How long does it take you to ⌈come [go] to the office? **通勤証明書** commutation certificate [C] **通勤手当** commutation allowance [C] **通勤定期(券)** 《米》 commuter [train; bus] pass [C], commutation ticket [C], 《英》 season ticket [C] **通勤電車[列車]** commuter train [C] **通勤ラッシュ時** the rush hour.

つうく 痛苦 ☞ くつう

つうけい 通計 ☞ そうけい[1]

つうげき 痛撃 (激しい一撃) hard [heavy] blow [C]; (激しい攻撃) strong [severe] attack [C]. 《☞ だげき; つうだ; こうげき》.

つうこう 通行 ── [動] pass (自) (他). ── [名] passing [U], passage [U]; (乗り物などの往来) traffic [U].

¶ この通りは狭くて車の*通行はできません This road is too narrow for cars to *pass.* / This road is too narrow to allow the *passage* of cars. ★ 第 2 文のほうがより格式ばった言い方. // この通りは車の*通行が激しい There's ⌈a lot of [heavy] *traffic* on this road. // この通りは一方*通行です This is a *one-way* street. 《☞ いっぽう[1]》 // ここでは左側*通行です Keep to the left here.

通行権 the right of way ★ the を付けて. **通行税** toll [C]; (貨物の) transit duty [C] **通行手形** pass [C] **通行止め** 《掲示》 Road Closed; (通り抜けができなくて) No Thoroughfare **通行人** (ある場所・事件などにたまたま通りがかった人) passerby [C] 《複 passersby》; (歩行者) pedestrian [C] **通行料金** toll [C].

つうこうじょうやく 通交[通好]条約 (通商航海条約) ☞ つうしょう[1]; (通好条約) treaty of peace and ⌈friendship [amity] [C].

つうこく[1] 通告 ── [動] (一般的に, 文書または口頭で知らせる) inform (他); (正式に知らせる) notify (他), give notice of … ★ 前者のほうが格式ばった語; (公に発表する) announce (他). ── [名] (正式な) notice [U] ★「通知」の意では [C]; (通告すること) notification [U] ★ 後者のほうが格式ばった語; (告知) announcement [U]. 《☞ つうち》.

¶ 会社側は組合に 50 人の解雇を*通告してきた <S (人)+V (*inform*; *notify*)+O (人)+*of*+名> Management ⌈*informed* [*notified*] labor *of* its plan to dismiss fifty workers. // 彼らが処罰されたという*通告を受け取った We ⌈received (a) *notice* [*were informed*; *were notified*] that they had been punished.

通告処分 notification procedure [U].

つうこく[2] 痛哭 ── [動] (ひどく泣く) weep bitterly; (悲嘆にくれる) grieve over …, 《格式》 lament (自). 《☞ なげく》.

つうこん 痛恨 (とても残念な気持) great regret [U]; (強い悲しみの気持) grief [U], great sorrow [U]. 《☞ いかん[1]; ざんねん》.

¶ 彼の突然の逝去は*痛恨の極みである (⇒ 彼の急死より悲しいことはない) Nothing is more *sorrowful* than his sudden death. / It is most *regrettable* that his death was all too sudden.

ツーサイクルエンジン two-cycle engine [C].

つうさん 通算 ── [動] (合計する) súm [ádd] úp (他), total (他). ── [名] (合計) total [C]. 《☞ ごうけい; そうけい[1]》. ¶ 私は*通算 25 年以上ここで暮らしたことになる I have spent a *total* of over twenty-five years here.

つうさんしょう 通産省 (通商産業省) ★ 現在は経済産業省 《☞ けいざい》. the Ministry of International Trade and Industry ★ 新聞などでは MITI と略す. 《☞ 略語 (巻末)》.

つうさんだいじん 通産大臣 (通商産業大臣) ★ 現在は経済産業大臣 《☞ けいざい》. the Minister of International Trade and Industry.

つうし 通史 (complete) history [C].

つうじ[1] 通じ (便通) (bowel) movement [C]; (排便) evacuation [U], defecation [U]; (大便) stool [C] ★ しばしば複数形. 《☞ べんぴ》.

¶ 毎日*通じがありますか Do you have a (*bowel*) *movement* every day? / Do your *bowels move* every day? // *通じに血が混じる pass bloody *stools* // 私は*通じがありません (⇒ 便秘しています) I'm suffering from *constipation.* / I'*m constipated.*

つうじ[2] 通事, 通詞, 通辞 ¶ (江戸時代の) オランダ*通事 a Dutch(-Japanese) *interpreter* 《☞ つうやく》

つうじげんごがく 通時言語学 〔言〕 diachrónic [históricaI] linguístics [U].

つうじて 通じて **1** 《仲介》 ── [前] (…によって) through … ★ 一般的に手段・理由・原因・動機などを表す; (電話やラジオによって) over …

¶ その情報は新聞を*通じて知りました I got the information ⌈*through* [*from*] the newspapers. // 大統領はラジオ・テレビを*通じて全国民に呼びかけた The president appealed to the whole nation *over* (the) radio and TV. [語法] over the radio のみでは the が必要だが, この場合は TV と対になるため, over radio and TV, over the radio and TV, over the radio and on TV のいずれも可能.

2 《通して》 ── [前] (…の間中) throughout …

¶ この地方は一年を*通じて暖かい This area is warm ⌈*throughout* the year [all (the) year *round*].

つうじてき 通時的 diachrónic (↔ synchronic).

つうしょう[1] 通商 ── [名] (貿易) trade [U]; (大規模な商業) commerce [U]. ── [形] trade; commercial. 《☞ ぼうえき[1]》.

通商協定 trade agreement [C], agreement on commerce [C] **通商権** trade rights **通商航海条約** treaty of commerce and navigation [C] **通商産業省** ☞ つうさんしょう **通商条約** commercial treaty [C]. ¶ *通商条約を結ぶ conclude a *commercial treaty* **通商代表(部)** (アメリカの) (the Office of) the U. S. Trade Representative **通商法** commercial law [C] **通商法 301 条** Section 301 of the Trade Act ★ 米国が 1974 年に対外措置として新設したもの. **通商摩擦** trade friction [U].

つうしょう[2] 通称 (別名) alias /éɪliəs/ [C] 《☞ べつめい; あだな》. ¶ その泥棒の本当の名は「次郎吉」, *通称「ねずみ小僧」であった The thief's real name was Jirokichi, *alias* Nezumikozo.

つうじょう 通常 ── [副] (習慣としていつも) usually; (一般に) generally, in general ★ 後者のほうが格式ばった言い方; (普通) ordinarily; (概して) as a rule. ── [形] usual; general; ordinary; (当たり前の・正常な) normal. 《☞ ふつう[1]; ふだん[1]; いつも》.

通常会員 ordinary member [C] **通常国会** ordinary Diet session [C] **通常選挙** ordinary election Ⓒ　通常戦力 conventional forces ★複数形で.　通常総会 ordinary general meeting Ⓒ　通常はがき ordinary postcard Ⓒ　通常兵器 conventional weapons ★複数形で.　通常郵便物 ordinary mail Ⓤ.

ツーショット　(写真の) snapshot [photo(graph)] of ˹two people [a couple] Ⓒ; 〚テレビ〛(俳優が男女2人のシーン) twó-shòt Ⓒ.

つうじる　通じる　**1** «つながる»: (道などが) lead (to …) (自); (鉄道が通る) run (自); (2つのものをつなぐ) connect (他); (電話などが…へ通じる) get through (to …) (自); (電話で…と連絡をとる) reach (他). ¶この通りは公園に*通じている This street *leads to* the park. // すべての道はローマに*通ず All roads *lead to* Rome. 《ことわざ》 // その村へ*通じる (⇒村への) 大きな道路はない There is no main road *to* the village. // シカゴとシアトルの間には鉄道が*通じている (⇒鉄道で結ばれている) Chicago and Seattle *are connected* by railroad. / A railroad *runs* from Chicago to Seattle. // 彼に電話をかけたが*通じませんでした I ˹(tele)phoned [called] him but I couldn't *get through*. / I couldn't *reach* him by phone.
2 «了解される»: (一般的に, 理解される) be understood; (知らせる) communicate (自)(他); (意思をわからせる) make *oneself* understood. 《☞ わかる》.
¶この国ではフランス語は*通じない (⇒話されていない) French *isn't* ˹*spoken* [*understood*] in this country. // 私の言っている意味が相手に*通じなかった (⇒私は自分の意思をわからせることができなかった) I couldn't *make myself understood*. // 彼には私の冗談が*通じなかった He couldn't ˹*see* [*understand*] my joke.
3 «精通する»: (…について十分に知っている) be well informed ˹about [on] …; (…の専門家である) be an expert in … 《☞ せいつう》. ¶彼は外国事情によく*通じている He *is* ˹*well informed about* [*an expert in*] foreign affairs.

つうしん　通信　── 名 (文通) correspondence Ⓤ; (文通だけでなく電話や電信による交信) communication Ⓤ.　── 動 correspond (with …) (自); communicate (with …) (自). ¶20世紀には離れた所への*通信の方法としては郵便が最も一般的だった In the twentieth century, the mail was the commonest means of *communication* over long distances.
通信員 (新聞社などの) correspondent Ⓒ; (記者) reporter Ⓒ　通信衛星 communications satellite Ⓒ　通信カラオケ online [on-line] karaoke Ⓤ, karaoke-on-demand [karaoke on demand] Ⓤ　通信機器 communications ˹gear [equipment] Ⓤ, (tele)communications apparatus Ⓤ ★telecommunications は, 電話・電信・ラジオ・テレビなどの遠距離電気通信手段を表す.　通信教育 education by correspondence Ⓤ; (課程) correspondence course Ⓒ　通信工学 communications engineering Ⓤ　通信講座 correspondence course Ⓒ　通信士 (無線の) radio operator Ⓒ, (有線電信の) telegraph operator Ⓒ ★単に operator と言うと「無線通信士」または「電話交換手」を指す.　通信事業 communication(s) ˹enterprise [service] Ⓒ　通信社 news agency Ⓒ　通信ソフト communications software Ⓤ　通信販売 mail order Ⓒ; (通信販売で買うこと) shopping by mail Ⓤ　通信費 communications expenses ★複数形で.　通信部 the communications ˹division [department] 《☞ 会社の組織と役職名 (囲み)》　通信文 message Ⓒ, communication Ⓒ, correspondence Ⓒ　通信簿 report card Ⓒ　通信傍受法 〚法〛 the Wiretapping Law　通信網 communication(s) net Ⓒ　通信欄 (絵葉書などの) the space for a message; (雑誌などの) readers' column Ⓒ.

つうじん　通人　(遊び人) mán abòut tówn Ⓒ 《複 men about town》; (世慣れた人) man [woman] of the world Ⓒ. 《☞ つう¹; すいじん¹》.

つうすい　通水　── 動 let [pass, run] water (through …); (浸透する) permeate (自)(他).

ツーステップ　(ダンスの) the two-step.

つうせい　通性　**1** «共通の性質»: common ˹attribute [characteristic; trait] Ⓒ 《☞ しゅうせい²》. ¶早起きは老人の*通性 (⇒共通の習慣) ですか Is early rising a *collective trait* of the aged?
2 «文法用語»: the common gender 《☞ せい³》.

つうせき　痛惜　deep regret Ⓤ; great sorrow Ⓒ. 痛惜の念にたえない It is much to be regretted. / I *cannot but feel the deepest regret*.

つうせつ¹　痛切　── 副 (鋭く) keenly; (十分に) fully.　── 形 keen; (重大な) serious /sí(ə)riəs/. 《☞ せつじつ》. ¶数学の実力がないことを*痛切に感じた I *fully* realized my weakness in math.

つうせつ²　通説　── 名 (一般に信じられていること) common belief Ⓒ; (だれでも知っていること) common knowledge Ⓤ; (一般に認められた説) accepted theory Ⓒ; (一般的な意見) general [popular] opinion Ⓒ. ¶喫煙は肺がんの原因になるというのが*通説である It is the *accepted theory* that smoking can cause lung cancer.

つうそうていおん　通奏低音　〚楽〛 continuo /kəntínjuòu/ Ⓒ, figured [thorough] bass Ⓒ.

つうそく　通則　general rule Ⓒ.

つうぞく　通俗　── 形 (通俗的な・大衆向きの) popular; (ありふれた) common; (ありふれてつまらない) commonplace; (下品な) vulgar. ¶彼の考え方は*通俗的だ His way of thinking is *commonplace*.　通俗化 popularization Ⓤ　通俗小説 popular novel Ⓒ.

つうだ　痛打　(手痛い一撃) crushing blow Ⓒ; (痛烈なヒット) hard hit Ⓒ. 《☞ いたで; だげき; つうげき》. ¶*痛打を与える[受ける] give [take] a *crushing blow* // 彼は最終回にライトへ*痛打を放った He hit a *line drive* to right field in the last inning.

つうたつ　通達　── 名 (回覧・連絡) mèmorándum Ⓒ; (通知) notice Ⓒ ★「予告・通告」の意では Ⓤ; (通知すること) notification Ⓤ.　── 動 (通達を出す) issue a memorandum; (正式に通知する) notify (他). 《☞ つうち; つうこく¹》.
¶そういう趣旨の*通達が県の教育委員会から出された A *memorandum* to that effect has been issued by the prefectural board of education.

つうち　通知　── 動 (形式ばって, 正式に) notify (他); (一般的に, 人に手紙や口頭で) inform (他); (解雇や解約などを) give notice ˹of [that] … ★以上は以下のものより格式ばった言い方; (知らせる) let *a person* know …, let *a person* have knowledge of … ★前者のほうが一般的.　── 名 (公式の) notice Ⓒ ★「予告・通告」の意では Ⓤ; (通知すること) notification Ⓤ ★後者のほうが格式ばった語; (情報) information Ⓤ; (公式な報告) report Ⓒ; (通達) memorandum Ⓒ; (取り引き上の) advices ★通例複数形で. 《☞ しらせる; つうこく¹; つうたつ》.
¶私はそんな*通知は受けていません I have not received such (a) *notice*. // 彼は正式に合格*通知を受けた He ˹formally received (a) *notice* [*was* formally *notified*] that he had passed the exam. / <S (人)+V (*notify*)+O (人)+*of*+動名の受身> He *was* formally *notified of* having passed the exam. // 事前*通知が必要だ It is necessary to

give notice. / You need prior notification. ★ 後者のほうが格式ばった言い方. **通知状[書]** notice Ⓒ; 〖商〗(送荷・手形振り出しの) letter of advice Ⓒ **通知表[簿]** ☞ つうしん (通信簿)

つうちょう 通帳 (銀行の) bankbook Ⓒ, passbook Ⓒ.

つうつう ☞ つう2; つうかあ

つうてん 痛点 pain spot Ⓒ.

つうでん 通電 —動 (電気を通す) turn on the electricity; (電気を供給する) supply electricity 《☞ そうでん1》.

ツーテンジャック (トランプの) Two-Ten-Jack Ⓤ; (説明的には) Japanese card game in which the two, ten, and Jack of the trumps suite have high scores.

つうどく 通読 —動 (終わりまで読む) réad ⌈thróugh [óver] ㊀; (ざっと目を通す) lóok óver ㊀; (本の初めから終わりまで読む) read … from cover to cover. 《☞ よみとおす》. ¶ 私は彼の原稿を*通読した I've ⌈*read* [*gone*] *through* his manuscript.

ツートップ (サッカーの) two ⌈strikers [forwards].

ツートンカラー —形 two-tone Ⓐ. ¶ *ツートンカラーの水着 a *two-tone* swimsuit 《☞ いろ》

つうねん1 通年 —副 all (the) year round. —形 (一年間の) one-year; (一年間続く) yearlong Ⓐ; (季節に関係なく一年中の) year-round. ¶ *通年の (⇒ 一年間続く) 講義[科目] a *yearlong* ⌈lecture [course] **通年採用** year-round recruitment Ⓤ.

つうねん2 通念 (共通の考え方) common idea Ⓒ; (一般的に受け入れられている考え) generally accepted idea Ⓒ. 《☞ しゃかい》.

つうば 痛罵 —動 (ののしる) abuse /əbjúːz/ ㊀; (公然と非難する) denounce ㊀; (きびしく批判する) criticize severely ㊀. 《☞ ののしる; ひなん1; ひはん》.

ツーバイフォー 〖建〗(2 インチ×4 インチの材木) two-by-four Ⓒ. **ツーバイフォー工法** two-by-four woodframe construction Ⓤ.

つうはん 通販 ☞ つうしんはんばい

ツーピース (上着とスカート) jacket and skirt Ⓒ; (服) two-piece ⌈suit [outfit] Ⓒ 語法 「数詞+名詞」 がハイフンを付けて形容詞的に用いられた場合は名詞を単数形で用いることに注意. 《☞ ハイフン (巻末); ワンピース》.

¶ *ツーピースの水着 a *two-piece* bathing suit / (⇒ ビキニ) a bikini 日英比較 日本語では 「ツーピース」 で 「ツーピースの服」 を言うが, 英語では suit が必要.

ツービート 〖楽〗 —形 two-beat.

つうふう1 痛風 gout Ⓤ ★ 時に the を付けて. **通風結節** tophus Ⓒ 《複 tophi》, chalkstone Ⓒ.

つうふう2 通風 ventilation Ⓤ 《☞ つうき; かぜとおし》. **通風孔** vent Ⓒ **通風装置** ventilation apparatus Ⓒ, ventilator Ⓒ ★ 後者は簡単な物も指す.

つうぶる 通ぶる ☞ つうがる

つうふん 痛憤 ¶ …に対しては*痛憤の念に堪えない We are filled with *deep indignation* ⌈at [about] …. / We are *deeply indignant* that …. 《☞ ふんがい; いきどおり; おこる1》

つうぶん 通分 —動 〖数〗 reduce … to a common denominator, find the common denominator of … ¶ 1/2 と 2/3 を*通分しなさい *Reduce* 1/2 and 2/3 *to a common denominator.* ★ 1/2 は *one-half*, 2/3 は *two-thirds* と読む. 《☞ 数字 (囲み)》

ツーペ (男性用かつら) toupee, toupet /tuːpéɪ/ Ⓤ.

ツーペア (トランプのポーカーで) two pairs ★ 複数形で.

つうへい 通弊 (共通の欠点) common weakness Ⓒ; (共通の弊害) common evil Ⓒ. ¶ 田舎の人をばかにするのは都会人の*通弊です It is a *common weakness* of city people to make fun of rustics.

ツーベース(ヒット) 〖野〗 double Ⓒ, two-base hit Ⓒ. ¶ *ツーベース (ヒット) を打つ hit a *double* ★ double を動詞として 「ツーベース (ヒット) を打つ」 の意味にも用いる.

つうへき 通癖 ☞ かんしゅう1

つうほう 通報 —名 report Ⓒ. —動 report ㊀. 《☞ しらせる; つうち》.

¶ 火事の消防署への*通報が遅れた The *report* of the fire arrived late at the fire station. // その男を見かけたらすぐ警察に*通報しなさい If you happen to see the man, ⌈*report* it to the police at once [(⇒ すぐ警察を呼べ) *call* the police right away]. // 気象*通報 a weather *report*

つうや 通夜 ☞ つや2

つうやく 通訳 —動 intérpret ㊀ ㊐. —名 (通訳すること) intèrpretátion Ⓤ; (通訳する人) intérpreter Ⓒ. ¶ 私が*通訳してあげましょう I will [Let me] *interpret* for you. / I will *act as* an *interpreter* for you. // このフランス人の言っていることを*通訳してくれませんか Will you please *interpret* in Japanese what this Frenchman says? // 同時*通訳 simultaneous *interpretation* / 《人》 a simultaneous *interpreter*

通訳案内業 the interpretation guide business.

つうよう1 通用 —動 (受け入れられる) be accepted; (使われている) be ⌈used [in use]; (貨幣などが) be in currency (↔ be out of currency); (有効だ) be ⌈good [valid] ★ valid のほうが格式ばった語; (効力がある・適用される) hold ㊐; (…で通る) pass for … 《☞ とおる; つうじる》.

¶ アメリカのドルはカナダでも*通用する (⇒ 受け入れられる) U. S. dollars *are accepted* in Canada. / We *can use* U. S. dollars in Canada. // この貨幣はもう*通用しない (⇒ 使われていない) This coin *is* no longer ⌈*used* [*in use*] now. / This coin *is* ⌈no longer *in currency* [*out of currency*] now. // 英語は世界中で*通用する (⇒ 話される) English *is spoken* ⌈all over [throughout] the world. // そんな考え方はいまの若い人には*通用しない (⇒ 受け入れられない) Such a way of thinking won't *be accepted* by young people today. // そんなわがままは世間には*通用しない (⇒ そんなわがままな態度ではやっていけない) With such a selfish attitude, you will never *get along* in the world. // そんな子供だましは彼には*通用しない (⇒ 有効に働かない) A cheap trick like that won't *work on* him. // 彼の説はいまでも*通用する His theory still *holds true.* // *通用発売当日限り 《掲示》 *Valid* on the Day of Issue Only **通用期間** term of validity Ⓒ **通用口** back door Ⓒ, service entrance Ⓒ **通用門** side gate Ⓒ ★ 扉が 2 つの場合は複数形で.

つうよう2 痛痒 ¶ 彼女が結婚しようがしまいが私はまったく*痛痒を感じない (⇒ 気にかけない) I *don't care* [(⇒ 問題ではない) *It doesn't matter* (to me)] *at all* whether she gets married or not.

つうらん 通覧 —動 look over …, read through …

ツーラン 〖野〗(ツーランホームラン) 2-run [two-run] homer Ⓒ. ¶ *ツーランホームランを打つ slam [hit] a *2-run homer*

ツーリスト tourist /tʊ́(ə)rɪst/ Ⓒ. **ツーリストクラス** tourist class Ⓤ. ¶ *ツーリストクラスでいらっしゃいますか Do you travel *tourist class*? **ツーリストビューロー** tóurist ⌈bureau /bjʊ̀(ə)roʊ/ [àgency] Ⓒ.

ツーリング touring /tʊ́(ə)rɪŋ/ Ⓤ 《☞ りょこう》. **ツーリングカー** tóuring càr Ⓒ.

ツール (道具) tool Ⓒ. **ツールボックス** (道具箱)

tool box Ⓒ《☞ どうぐ》.

ツールドフランス the Tour de France /túədəfrɑ́ːns/ ★通例 the を付けて. フランス一周の自転車によるロードレース.

つうれい 通例 ―副 (いつもは・通例) usually; (一般に・普通) generally; (原則として・常に) as a rule 語法 以上 3 つはほぼ同意になることが多いが, usually は「時」, generally は「傾向」, as a rule は「規則性」を表すニュアンスがあるので, 文脈によっては入れ替え不可能なことがある. 《☞ いつも; ふつう¹》.

つうれつ 痛烈 ―形 (手厳しい) severe /səvíə/; (辛らつな) bitter; (特に打撃などが) hard. ―副 severely, bitterly. 《☞ とげ》. ¶*痛烈なライナーが三塁に飛んだ A *hard-hit* line drive went to third. // 新聞は政府を*痛烈に批判した The newspapers ˹*severely* [*bitterly*] criticized the government.

つうろ 通路 (建物の中の) passage Ⓒ; (座席の間の) aisle /áɪl/ Ⓒ; (小道) path Ⓒ; (…へ行く道) way Ⓒ. 《☞ とおりみち; ろうか¹》.
¶*通路に物を置かないで下さい Don't put things in the *passage*. // *通路をあけて下さい Please clear the ˹*way* [*passage*]. 語法 (1) clear the ˹way [passage] は障害物を除いて通路をあけることをいう. // 降りる人のため*通路をあけて下さい Please *make* ˹*way* [*room*] *for* the people who are getting off. 語法 (2) make ˹way [room] は自分が道を譲って通路をあけることをいう. // *通路には立たないで下さい Don't stand in the *aisle*. // 私は*通路側の席に座った I sat in an *aisle* seat.

つうろん 通論 (概論的な) outline Ⓒ; (入門向けの) introduction Ⓒ. 《☞ がいろん》.

つうわ 通話 ―名 (telephone [phone]) call Ⓒ. ―動 speak [talk] over the ˹telephone [phone].
¶市内*通話 a local *call* // 市外*通話 《米》 a long-distance *call* / 《英》 a trunk *call* // ダイヤル直通*通話 direct *dialing* // 料金受信人払い*通話 (コレクトコール) 《米》 a collect *call* / 《英》 a reverse-charge *call* **通話記録** record of calls Ⓒ, call log Ⓒ **通話度数** (the number of) ˹message [call] units **通話料** telephone charge Ⓒ.

つえ 杖 wálking stìck Ⓒ; (特に籐(とう)製のもの) cane Ⓒ. ¶彼は*つえをついて歩いていた He was walking with a ˹*stick* [*cane*].
杖とも柱とも ¶彼女は一人娘を*杖とも柱とも頼んでいた (⇒ 主たる [唯一の] 支えとして頼っていた) She relied on her only daughter as her ˹*chief prop* [*sole support*]. **杖にすがるとも人にすがるな** Cling to your cane, but not to people. **杖を曳く** (杖を手にして歩く) walk with a stick.

ツェツェばえ ツェツェ蝿 〔昆〕 tsetse /tsétsi/ Ⓒ 《複 ~, ~s》.

ツェッペリン ―名 固 Ferdinand von Zeppelin /zépələn/, 1838–1917. ★ドイツの軍人で硬式飛行船の考案者.

ツェルマット ―名 固 Zermatt /zə́ːmɑːt/ ★スイス南西部, マッターホルン麓の町. 保養地・登山基地.

つか¹ 塚 mound Ⓒ. ¶一里*塚 a milestone

つか² 柄 (刀の) hilt Ⓒ.

つか³ 束 〔製本〕 (本の厚み) the bulk of a book. **束見本** dummy Ⓒ, pattern volume Ⓒ.

つが 栂 〔植〕 (北米産の) hemlock Ⓒ; (日本産の) Japanese hemlock Ⓒ.

つかい 使い **1** «人»: (使者) messenger Ⓒ; (持参人) bearer Ⓒ. 《☞ つかいはしり》.
¶彼のところに*使いを出して下さい Please send a *messenger* to him. // *使いの者に手紙をもたせました I sent a letter by (a) *messenger*. // *使いの者 (⇒ この手紙の持参人) にご返事を下さい Let me have your answer via the *bearer* of this note. // 薬を取りに病院までだれか*使いの人 (⇒ だれか) をよこして下さい Please send *someone* to the hospital for the medicine.
2 «用事»: érrand Ⓒ 《☞ かいもの》.
¶ちょっとお*使いに行ってきてくれませんか Will you ˹do [run; go on] a little *errand* for me? // 娘を*使いにやりました I sent my daughter on an *errand*.

つがい 番 (鳥の) brace Ⓒ; (鳥・動物のつがいの片方) mate Ⓒ; (動物の雄雌の 1 対) pair Ⓒ.

つかいかけ 使いかけ ―形 partially used.
¶*使いかけの便せん a *partially used* writing pad

つかいかた 使い方 ¶この機械の*使い方を説明します Let me [I'll] show you *how to use* this machine. 《☞ ようほう¹》

つかいがって 使い勝手 ¶この掃除機は*使い勝手がいい This vacuum cleaner is ˹*handy* [*easy to use*].

つかいきる 使い切る (使い尽くす) use up ⑯, exhaust ★前者のほうが口語的. 《☞ つかいはたす》.
¶一年ではこれだけの量は*使い切れない This much is more than one can *spend* in a year.

つかいこなす 使いこなす (自由に使う力がある) have a good command of …; (うまく利用する) make good use of …; (人・機械などを) manage ⑯. ¶彼は英語とフランス語を自由に*使いこなす He *has a* ˹*good* [*perfect*] *command of* English and French. // 彼は部下を*使いこなすのがうまい He is good at *managing* his staff. // このカメラは*使いこなすのが難しい It is difficult to ˹*make good use of* [*use*] this camera.

つかいこみ 使い込み ☞ つかいこむ

つかいこむ 使い込む **1** «横領する» ―動 embezzle ⑯. ―名 embezzlement Ⓤ. 《☞ おうりょう; ちゃくふく》. ¶出納係は銀行のお金 200 万円を*使い込んだ (⇒ 銀行から 200 万円横領した) The teller *embezzled* ¥2,000,000 from the bank.
2 «長期間よく使う»: use … long and well. ¶よく*使いこんだ包丁 a ˹*tried-and-true* [*well-used*] knife

つかいさき 使い先 (お使いの行き先) the place where *one* is sent on an errand.

つかいすて 使い捨て ―形 thrówawày Ⓐ, disposable ★前者のほうが口語的. ―動 thrów awáy ⑯. ¶*使い捨ての紙ナプキン[おむつ] *throw-away* [*disposable*] paper ˹napkins [diapers]

つかいだて 使い立て ¶お*使い立てして申し訳ありませんが, これを 2 階に運んでいただけますか Would you do me *a favor* and carry this upstairs?

つかいて 使い手 (人・物を使う人) user Ⓒ; (名人) expert Ⓒ. 《☞ りよう¹; めいじん》.

つかいで 使いで ¶いまの千円は*使いでがない One thousand yen doesn't *go very far* these days. / (⇒ 以前よりも少なくしか買えない) One thousand yen buys less than it used to. // 昔の千円は*使いでがあった One thousand yen used to *go a long way*. // この石けんは*使いでがある This soap ˹*lasts long* [is *long lasting*].

つかいならす 使い慣らす ☞ つかいなれる

つかいなれる 使い慣れる get used to …; (動物・車などを使い慣らす) brèak ín ⑯. ¶自分の*使い慣れた (⇒ 気に入っている) 辞書 *one's favorite* dictionary / (⇒ 手あかで汚れた) *one's well-thumbed-through* dictionary // この道具は*使い慣れるととても便利です You'll find this tool very convenient when you *get used to* it.

つかいはしり 使い走り (人) errand boy Ⓒ; (用事) errand Ⓒ. 《☞ つかい》.

つかいはたす 使い果たす (使い尽くす) úse úp

㊀, spend all …; (金・体力・蓄えなどを) exhaust /ɪgzɔ́:st/ ㊀. (☞ つかう; なくなる¹). ¶ 旅行第 1 日目で金をすっかり*使い果たした I ˹*used up* [*spent all*] my money on the first day of my trip. // 彼は精力を*使い果たした He *has used up* all his energy. / (⇒ 疲れ果てている) He *is exhausted.*

つかいふるす 使い古す ―動 wéar óut ㊀. ―形 (使い古した・長い間使用された) much used; (使って方々がいたんできている) worn-out; (表現などが) trite. (☞ おふる).

つかいみち 使い道 use /jú:s/ Ⓒ (☞ 可算・不可算名詞 (巻末); ようと). ¶ この機械にはどんな*使い道があるのですか (⇒ 何に使われるのか) What *is* this machine *used* /jú:zd/ *for*? / What is the *use* of this machine? // これは*使い道の多い[広い]道具です This is a tool with ˹many [wide] *uses*. // この道具は*使い道がない This tool is ˹*useless* [*of no use*]. / (⇒ 役に立たない) This tool is *good for nothing*. // あなたは金の*使い道を知らない You don't know *how to use* /jú:z/ your money.

つかいもの¹ 使い物 ¶ これは*使い物にならない This is ˹*useless* [*of no use*]. // 今度入った連中はどいつもこいつも*使い物にならない Every one of the new staff members is *worse than useless*.

つかいもの² 遣い物 ☞ おくりもの

つかいわけ 使い分け ¶ that と which の*使い分け (⇒ 正しい使い方) the *proper use* of "that" and "which"

つかいわける 使い分ける ―動 (正しく使う) use … properly, make proper use of … ―名 (正しい使い方) proper use Ⓤ. ¶ 敬語を*使い分けるのは難しい (⇒ 正しい使い方をするのは) It is difficult to *make proper use of* honorific expressions.

つかう 使う, 遣う **1** 《物・道具を》: use /jú:z/ ㊀; make use /jú:s/ of …; employ ㊀.

【類義語】最も一般的な語は use. 利用するという広い意味では make use of … 現在使っていないものを有効に利用するという意味では employ を用いる. (☞ しよう¹)

¶「あなたは箸(はし)が*使えますか」「いいえ, でもいま*使い方を習っているところです」"Can you *use* chopsticks?" "No, but I'm learning how (to *use* them)." //「あなたはものを書くのに何を*使いますか」「私はボールペンを*使います」"What do you *use* for writing?" "I *use* a ballpoint pen." // これは何に*使うのですか <S (人) + V (*use*) + O (物) + *for* + 名 (物) の受身の疑問> What *is* this *used for*? // どうぞ私の車を*使って下さい Please *use* my car. // 彼はその空き地を駐車場に*使った He *employed* the open space as a parking lot. // 私は電卓を*使って問題を解いた I *used* my calculator to solve the problem. / (⇒ 電卓の助けを借りて) I solved the problem *with the* ˹*help* [*aid*] *of* my calculator. // この切符はまだ*使えますか (⇒ 有効ですか) Is this ticket still ˹*good* [*valid*]?

2 《消費する》: (金・時間を) spend ㊀ (過去・過分 spent); (利用する) make use /jú:s/ of …; (消耗品を) use /jú:z/ ㊀; (使い尽くす) 《格式》consume ㊀. (☞ かける¹ 7; ついやす).

¶ 彼女は大半の金を服に*使う She *spends* most of her money on clothing. // 時間はもっと有効に*使うべきです You should *make* better *use of* your time. // 時間をむだに*使ってはならない You must not *waste* your time. // 1 か月にどれくらい水を*使いますか How much water do you *use* a month?

3 《人を》: (雇う) employ ㊀; (取り扱う) handle ㊀. (☞ やとう¹). ¶ その店では幾人ものアルバイトを*使っている The store *employs* a number of part-time workers. // 彼は人を*使うのがうまい[下手だ] He is ˹good [poor] at *handling* people.

4 《話す》: speak ㊀ ㊐ (☞ はなす¹). ¶ ここでは英語を*使って下さい Please *speak* English here. // もっと丁寧な言葉を*使いなさい *Speak* more politely. / *Use* more polite language.

5 《精神的なものを》: use ㊀. ¶ 頭を*使いなさい *Use* your ˹head [brains]. // どうぞ気を*遣わないで下さい Please don't bother. / Don't let me bother you. // この仕事は神経を*遣う This work is nerve racking.

つがう 番う (対になる) make a pair, pair (off) ㊐; (交尾する) mate ㊐. (☞ つい²; こうび¹).

つかえ 支え ¶ これで胸の*つかえがすっかり取れる It ˹is [takes] a big *weight* off my mind.

つかえる¹ 支える **1** 《障害物がふさぐ》: (流れなどがせき止められる) be stopped (up), be blocked (up); (管などが) be clogged (up); (食物がのどに) be choked, be choking (on …) 語法「人」が主語. 前者はすでに窒息して息を引きとった場合, 後者はつかえている状態; (交通が渋滞する) be congested, 《略式》be jammed; (言葉が) stumble over … (☞ つまる).

¶ 先がまだ*つかえています (⇒ 私の前にまだ順番を待っている人がいる) There are some people before me still waiting their turn. // この先は*つかえて (⇒ 混雑して) います The road *is congested* ahead. // 言葉が*つかえて出てこなかった (⇒ 舌[言葉]が私の役に立たなかった) My tongue [Words; Speech] failed me. // 朗読の途中で*つかえる *stumble over* the words while doing a recitation

2 《物が引っ掛かる》: get ˹caught [stuck]; (大き[高, 厚]すぎて入らない) be too ˹big [tall; thick] to go into … ¶ お餅がのどに*つかえたらどうすればいいの What do I do if some rice cake *gets* ˹*caught* [*stuck*] in my throat? // ドアに*つかえてベッドが部屋の中に入らなかった (⇒ 部屋に入るにはベッドは大きすぎた) The bed *was too big to go into* the room. // 彼は背が高いので頭が天井に*つかえそうだった (⇒ もう少しで頭が天井に触れるところだった) He was so tall that his head almost *touched* the ceiling.

3 《用事などがたまる》 ¶ 仕事が*つかえてゆっくり寝る時間もない I *am too busy* to ˹have [get] a good night's sleep. / I *have so many things to do* that I cannot get enough sleep.

つかえる² 仕える serve ㊀ ㊐ (☞ はたらく).

つかえる³ 使える ―形 (使用可能な) usable; (使用に耐える) serviceable; (役に立つ) useful; (切符などが有効な) valid. (☞ つかう; じつよう).

¶ *使える (⇒ 実用的な) 英語 *practical* English // この鞄はまだ*使えます This bag is still *usable*. // このクレジットカードは来年の 5 月まで*使える (⇒ 有効である) This (credit) card is *valid* until May next year. // あなたの古いワープロはまだ*使えますか Is your old word processor still *serviceable*? // この電池はもう*使えません This battery *has gone dead*. // いろいろに*使える (⇒ 多くの用途のある) 箱 a box with many *uses* // 彼は*使える (⇒ 有能な人) He is a *capable* person.

つがえる 番える ¶ 矢を*つがえる *fit* [*fix*] an arrow *to the string*

つかさ 司, 官 (役所・官庁) government office Ⓒ; (官職) government [official] post Ⓒ; (役人) government official Ⓒ.

つがざくら 栂桜 〘植〙 mountain heath.

つかさどる 司る (…を担当する) be in [take] charge of …; (治める) rule ㊀; (管理する) manage ㊀. (☞ たんとう¹; おさめる²; かんり¹). ¶ 国政を*司る人 (⇒ 国政の長) the *head* of the national administration / those who *take charge of* the national government

つかす 尽かす ¶…にあいそを*尽かす *give up on* … / *be disgusted with* …

つかずはなれず 付かず離れず ¶彼とは*付かず離れずにしている (⇒ほどよい距離を置く) I keep him *at a proper distance.* // *付かず離れずの態度 (⇒中立の立場) をとる take a *neutral* attitude in …

つかつかと (真っすぐに) directly, straight; (すばやく) swiftly. (☞擬声・擬態語 (囲み)). ¶彼はその男に*つかつかと歩み寄った He walked *directly* up to the man. // 彼女は店の中に*つかつかと入って行った She walked *straight* into the store.

つかぬこと ¶*つかぬことを伺いますが (⇒唐突に聞こえるかもしれないが), あなたのお住まいはどちらですか I'm afraid it may sound rather abrupt, but may I ask where you live?

つかねる 束ねる ☞たばねる; こまぬく

つかのま 束の間 ── 形 (一時的な) mómentàry; (短期間の) shórt-lived /-lívd/. (☞はかない). ¶彼女は*つかの間の幸福に我を忘れた She lost herself in ⌈*momentary* [*short-lived*] happiness. // 太陽が顔をのぞかせたと思ったのも*つかの間, また雨が降りだした (⇒太陽が現れた. だが, またすぐに雨が降りだした) The sun appeared. But *soon* it started to rain again.

つかまえどころ 摑まえ所 ¶*つかまえ所のない人 a person *hard to* ⌈*understand* [*grapple with*] (☞つかみどころのない)

つかまえる 捕まえる catch (他) (過去・過分 caught), capture (他) ★前者が一般的で口語的; (力ずくでつかむ) seize (他); (しっかりとつかむ) catch [get; take] hold of … 語法 動いているものには catch, get を, 動いていないものには take を用いる傾向がある; (逮捕する) arrest (他); (タクシーなどを拾う) get (他). (☞つかむ; とらえる).

¶私はきれいなちょうを*つかまえた I *caught* a beautiful butterfly. // ロープをしっかり*つかまえろ *Catch hold of* the rope. // 警官は泥棒を*つかまえた (⇒逮捕した) The policeman *arrested* the thief. // ここでタクシーを*つかまえましょう Let's *get* a taxi here.

つかませる (わいろを贈る) bribe (他); (口止めのために買収する) 《略式》 pay off (他) ★いずれも「人」が目的語; (価値のないものをだまして受け取らせる) 《略式》 palm *a person* off with … (☞わいろ; ばいしゅう). ¶その美術収集家は偽のゴッホの絵を*つかませられた The art collector had a fake van Gogh *palmed off* on him.

つかまりだち 摑まり立ち ¶赤ちゃんがいすに*つかまり立ちをしているよ Look! The baby *is holding on to* the chair *and standing.*

つかまる 捕まる **1** «捕えられる»: (一般的に) be caught; (逮捕される) be arrested. ¶強盗はついに*つかまった The robber *was* ⌈*arrested* [*caught*] at last. // 彼はカンニングをしているところを*つかまった He *was caught* cheating on the exam. // 私はスピード違反でパトカーに*つかまった (⇒止められた) I *was stopped* by a ⌈police [patrol] car for speeding.

2 «しっかりとすがりつく»: hold on to …, take hold of … (☞つかむ). ¶つり革に*つかまりなさい *Hold on to* the strap.

-つかみ …摑み ── 名 handful Ⓒ. ¶一*つかみ [二*つかみ] の米 a *handful* [two *handfuls*] of rice

つかみあい 摑み合い ── 名 grapple Ⓒ, scuffle Ⓒ ★後者のほうが激しい. ── 動 (つかみあう) have a scuffle, grapple (自), scuffle (自). (☞とっくみあい). ¶僕は兄と*つかみあいのけんかをした My brother and I *had a scuffle.* / I *grappled with* my brother.

つかみかかる 摑み掛る (…に襲いかかる) fly at …; (奪取などを目的として) grab at …, make a grab at …; (…をつかもうとする) clutch at … (☞つかむ).

つかみだす 摑み出す (一握りの…をつかむ) take a handful of …; (…から…を取り出す) take … out of … (☞とりだす; つかむ). ¶彼は箱の中からボールのようなものを*つかみ出した He *took* something like a ball *out of* the box.

つかみどころのない 摑み所のない (要領を得ない) pointless; (あいまいな) vague; (のらりくらりと逃げ腰の) evasive; (どちらの意味にもとれる) ambiguous. (☞あいまい). ¶どうも*つかみ所のない話だ The story is rather *pointless.* / (⇒その話の要点がわからない) I *cannot see the point* of that story.

つかみどり 摑み取り ¶子供たちは魚の*つかみ取りをしている (⇒素手で魚を取っている) Children *are catching* fish *with their hands.* // 濡れ手で粟の*つかみ取り (⇒安易な利益を得る) make easy gains (☞ぬれて)

つかみとる 摑み取る (ひったくる) snatch off (他); (つかむ) grasp (他). (☞つかむ).

つかむ 摑む **1** «具体的な行為»: (つかまえるように) catch (他); (手に取る) take (他); (手につかまえている) hold (他), keep hold of … 語法 (1) 「状態」を表す. 「動作」(しっかりとつかまえる) にするには catch [take] hold of … とする. ただし, 動いているものには catch, 動いていないものには take を用いる傾向がある; (不意に力ずくで) seize (他); (手のひらで握るように) grasp (他); (握りしめるようにしっかりと) grip (他); (離れないようにぐっと) clutch (他); (奪い取るように) grab (他).

¶彼は私の腕を*つかんだ He ⌈*caught* [*took*] my arm. / <S (人)+V (*catch; take*)+O (人)+*by*+*the*+名 (物)> He ⌈*caught* [*took*] me *by the* arm. 語法 (2) 前の表現は「つかんだ腕」に重点を置き, 後の表現は「腕をつかまれた人」に重点を置く言い方. // 私はしっかりとロープを*つかんだ I ⌈*caught* [*took*] *hold of* the rope. // 彼はいきなり札束を*つかむと一目散に逃げた *Seizing* [*Grasping*] the roll of bills, he ran for his life. // その子は母親の手を*つかんで離さなかった The child ⌈*grasped* [*gripped*; *clutched*] ⌈his [her] mother's hand and didn't let it go. // 彼は銃を*つかんで立ち上がった He *grabbed* his gun and stood up. // おぼれる者はわらをも*つかむ A drowning man will *clutch at* ⌈a straw [straws]. 《ことわざ》 ★clutch at … は「…をつかもうとする」の意.

2 «比喩的な用法»: (手に入れる) get (他) ★口語で, 最も一般的な意味の広い語. 以下の動詞の代わりにも使える場合が多い; (把握する・理解する) grasp (他); (手掛かりなどを発見する) find (他); (人の心などをとらえる) capture (他). (☞はあく; とらえる).

¶彼は大金を*つかんだ He *got* a ⌈lot [great deal] of money. // 彼はチャンスを*つかんだ [*つかみそこなった] He ⌈*got* [*missed*] a good chance. // この文の意味が*つかめない I cannot ⌈*grasp* [*understand*; *make out*] the meaning of this sentence. // 警察はついに真相を*つかんだ At last the police *found* (*out*) the truth. // 何の手掛かりも*つかめなかった (⇒見つからなかった) No clue *was found.* // 彼 [彼の講演] は聴衆の心を*つかんだ He [His speech] *captured* ⌈the audience's attention [the attention of the audience].

つかる[1] 浸かる (洪水で) be flooded; (水面下に没している) be (submerged) under water ★submerged を使うと「水没する」という意味にもなる; (人が) be in the water.

¶町は水に*つかった The town *was flooded.* // 家は床[屋根]まで水に*つかった The houses *were* *flooded* ˹floor deep [roof deep]. // 線路は水に*つかっていた The track *was* (*submerged*) *under water*. // 彼はひざまで水に*つかっていた He ˹*was* [*stood*] knee deep *in the water*.

つかる² 漬かる ¶漬物はよく*漬かっている The pickles *are* (well) *seasoned*.

つがるかいきょう 津軽海峡 ―名 固 the Tsugaru Strait(s).

つがるじゃみせん 津軽三味線 (三味線) Tsugaru-jamisen Ⓒ; (奏法) the art of playing the Tsugaru-jamisen. 《☞ しゃみせん》.

つかれ 疲れ (疲れていること) tiredness Ⓤ; (過労などにより休息が必要な) fatigue /fətíːg/ Ⓤ; (体力・精神力を使い尽くしてぐったりするほどの) exhaustion Ⓤ ★ 後の 2 つは tiredness より格式ばった語. 日英比較 日本語では「疲れ」という名詞が用いられていても, 英語では be ˹tired [exhausted] などの動詞を用いるほうがよい場合があることに注意. 《☞ ひろう²》. ¶私は*疲れを感じた I *felt tired*. // 風呂に入ると*疲れがとれる (⇒ 風呂は我々を元気づける) A hot bath *refreshes* us. // このごろ私は*疲れがすぐにはとれない (⇒ 疲れから回復しない) I don't recover from *fatigue* quickly these days. // 仕事の*疲れが出てきた The (*fatigue* from) work has begun to tell upon me. // 我々は温泉で長旅の*疲れをいやした (⇒ 長旅の後温泉で休んだ) We ˹*rested* [*took a rest*] at the ˹hot spring [spa] after the long journey.

つかれきる 疲れ切る ☞ つかれる¹

つかれはてる 疲れ果てる ☞ つかれる¹

つかれめ 疲れ目 eyestrain Ⓤ. ¶この点眼薬は*疲れ目にきく These eye drops are good for *tired eyes*.

つかれる¹ 疲れる ―動 (疲れている) be tired; (疲れる) get tired 語法 (1) 以上 2 つは疲れの程度を問わず, 最も一般的に用いられる.「疲れる」という状態の変化を表す時には get を用いる. この点は以下についても同様; (へとへとに) be tired óut, be wórn óut, be exhausted 語法 (2) 前の 2 つは口語的. 3 番目は少し格式ばった言い方だが, 疲れの程度のひどいことをいうためには口語でも用いる; (過労や病気のため) be fatigued ★ be tired より格式ばった言い方; (仕事などが体(の部分)を疲れさせる) tire 他 語法 (3) 主語は「物・事」. また, 人が主語で「疲れる」という 自 としても用いられることもある. ―形 (疲れた) tired; (へとへとに) exhausted; (仕事などが疲れさせる) tiring. 《☞ つかれ; くたびれる; くたくた》.

¶「*疲れましたか (⇒ 疲れていますか)」「いいえ, 少しも」"*Are* you *tired*?" "No, not at all." // お*疲れでしょう (⇒ 疲れたに違いない) You must *be tired*. // 長旅で [一日中歩いて] *疲れました (⇒ 疲れています) I *am tired* from ˹the long journey [walking all day]. // 近ごろ*疲れやすい I ˹*get tired* [*tire*] easily these days. // テニスを 1 セットしただけでへとへとに*疲れた I *was* ˹*tired out* [*worn out*; *exhausted*] after just one set of tennis. // 彼は*疲れた様子で帰ってきた He came back with a *tired* look on his face. // この仕事はとても*疲れる (⇒ 疲れさせる) This work is very *tiring*.

つかれる² 憑かれる (悪霊・妄想などに取り付かれる) be ˹possessed [obsessed] ˹by [with] ... 《☞ つく⁶; とりつく》.

つかわす 遣わす send 他, 《格式》dispatch 他. 《☞ おくる¹》.

つき¹ 月 ―名 (天体の) the moon 語法 月が出ているかいないか, また満月 (full moon), 新月 (new moon) のように月のいろいろな形について言うときには a を付けることもある; (月の光) moonlight Ⓤ. ―形 (一般的に) of the moon; (主に専門用語として) lunar.

¶「もう*月は出ましたか」「はい, 今夜は*月がとてもきれいです」"Has *the moon* come up yet?" "Yes, *the moon* is very beautiful tonight." // 「今夜は*月は出ていますか」「はい, でもいまは雲に隠れています」"Is there *a moon* tonight?" "Yes, but it's behind the clouds now." // *月旅行のできる日が間もなく来るだろう The day will soon come when we can travel to *the moon*. // 私たちは*月の光を浴びて (⇒ 月の光の中を) 歩いた We walked in the *moonlight*. // *月の表面 *the moon's* surface // *月の裏側 the far side of *the moon* // *月の軌道 the *lunar* orbit // *月の暈 (かさ) the halo around *the moon* // 上弦の*月 a young [an early crescent] *moon* // 下弦の*月 a waning [an old] *moon*

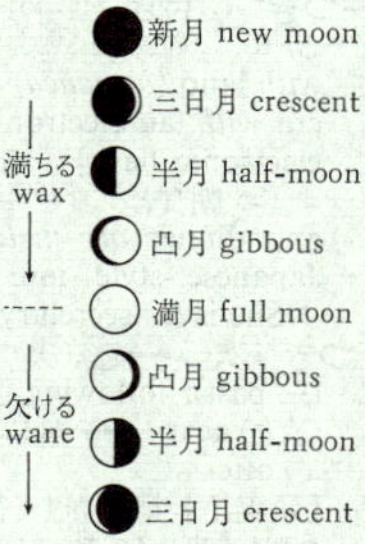

月の位相 (phases of the moon)

月が満ちる ¶月が*満ちてきている The moon *is waxing*. // 月が*満ちた The moon *is full*.

月とすっぽん ¶その 2 つは*月とすっぽんほどの違いがある (⇒ 昼間と夜ほどの違いがある) The two are *as different as day* ˹*and* [*from*] *night*. **月に叢雲 花に風** (⇒ この世で確実なことは何一つない) Nothing is certain in this world. ★ 直訳的には Beautiful moonlight may soon be darkened by clouds and cherry blossoms may be scattered by the wind at any time.

月着陸船 lunar (excursion) module /mádʒuːl/ Ⓒ **月の入り** moonset Ⓤ **月の出** moonrise Ⓤ **月の満ち欠け** ¶*月は満ち欠けする *The moon waxes and wanes*. **月偏** (漢字の) moon radical on the left of kanji Ⓒ **月ロケット** moon rocket Ⓒ.

つき² 月 ―名 (暦の上の) month Ⓒ. ―形 (毎月の) monthly. 《☞ 時刻・日付・曜日 (囲み)》.

¶私たちは*月に 1 回[2 回]集まります We meet ˹once [twice] a *month*. // 部屋代は*月に 3 万円です The rent is ¥30,000 ˹*per* [*a*] *month*. // 私は*月によって収入が違います My income varies *from month to month*. // *月の初め [半ば, 終わり] the ˹beginning [middle; end] of the *month*

月が満ちる ¶彼女は*月が満ちて女の子を産んだ She gave birth to a girl *at full term*.

月の物 *one's* period Ⓒ; 《略式》*one's* monthlies ★ 複数形で. 《☞ げっけい》

つき³ 突き (手や刀での) thrust Ⓒ; (フェンシングの) pass Ⓒ. ¶…を一*突きする give ... a *thrust*

つき⁴ (運) luck Ⓤ 《☞ うん¹ (類義語); ついている》. ¶*つきが回ってきた My *luck* ˹changed [took a turn] for the better. / Now I'm having a run of *luck*.

つき⁵ 付き ¶*付きのよい接着剤 (⇒ 強力な) *powerful* ˹adhesive [glue] // この薪は火の*付きが悪い This firewood won't (*catch*) *fire* easily.

つき⁶ 尽き ¶それは私にとって運の*尽きだった (⇒ その時に私の運は尽きた) I *ran out of* luck then. 《☞ つきる》

つき⁷ 搗き ¶7 分*搗きの米 70% *polished* rice 《☞ つく⁷》

-つき¹ 1 《単位》: (…ごとに) a ..., per ... 語法 per は技術・商業英語で使われる. その後に来る単数名詞には a が付かない; (…に対して) for ... ¶1 人 [1 週]につき 1 万円支払います We will pay ¥10,000 ˹*a* [*per*] ˹person [week]. // 申し込み 1 件

に*つき 100 円の手数料をいただきます One hundred yen will be charged as a processing fee *for* each application.
2 «に関して»: (…について) about …, with respect to … ★ 後者のほうが格式ばった言い方. (☞ かんする¹ (類義語)). ¶上記の件に*つきご報告いたします *With respect to* the aforementioned matter, we will send a report to you.

-つき² …付き (…の付いた) with …; (…に所属する) to … (☞ つく¹). ¶土地*付きの住宅 a house *with* land (*attached*) // ストロボ*付きカメラ a camera *with* ⌈an electronic flash *built in* [a *built-in* electronic flash] // 日本の旅館は朝夕2食*付きです (⇒ 朝食と夕食が料金に含まれている) Breakfast and dinner *are included in the charges* at a Japanese(-style) inn. // 彼女は社長*付きの秘書です She is (a) secretary *to* the president.

つぎ¹ 次 ―形 (次の) next (↔ last); coming Ⓐ (↔ past); following Ⓐ (↔ preceding). ―副 (次に) next. ―前 (…の次に) next to …; (…の後で) after …
【類義語】順序がすぐ後のという意味では一般的に **next**.「来たるべき」という意味では **coming**, またそれより少し格式ばった表現では **following** も用いられる.「以下に述べる」という意味では *following*. (☞ このつぎ; こんど)
¶*次の電車は何時に出ますか What time [When] does the *next* train leave? //「*次の日曜日に映画に行きましょう」「ええ, そうしましょう」"Let's go to the movies *next* Sunday." "OK." // 彼は日曜日に着いて, *次の日にはロンドンへ出発した He arrived here on Sunday and left for London *the next* day. [語 法] (1) 現在を基準に「次の…」のようにいうときには next に the を付けないが, 過去・未来のある時を基準として「その次の…」のようにいうときには the を付ける. // この*次の*次の日曜はおひまですか Will you be free (on) the Sunday *after next*? [語 法] (2) on を省略するのは主に《米》. //「*次の駅はどこ (⇒ 何) ですか」「京都です」"What's the *next* station?" "It's Kyoto." // *次の角(かど)を右に曲がりなさい Turn right at the *next* corner. / Take the *next* turn to the right. // *次の世代の人々 the *coming* generation // *次の質問に答えなさい Answer the *following* questions. // 結果は*次のとおり The results were *as follows*: [語 法] (3) as follows は成句で, その後はコロンを用いてその内容を説明するのが普通. (☞ コロン (巻末)) // *次の方, どうぞ *Next* (person), please. // ジョージワシントンの*次の大統領はだれですか Who was president *after* (George) Washington? // 彼の*次に (⇒ 彼の後で) 私がスピーチをした I made a speech *after* him. // クラスで私は彼の*次に背が高い I am the *next* tallest *to* him in our class. // この*次から (⇒ この次は) 注意しなさい Be (more) careful *next time*.
次から次へ ☞ つぎつぎ

つぎ² 継ぎ ―名 patch Ⓒ. ―動 (継ぎを当てる) pátch (úp) ⑩. ¶このシャツは*継ぎだらけだ This shirt is covered with *patches*. // 母はズボン(の穴)に*継ぎを当ててくれた My mother put a *patch* ⌈*on* [*over* the hole in] my trousers. / Mother *patched* (the hole in) my trousers.

つきあい 付き合い (友情のある交際) friendship Ⓤ; (親しい仲間の交際) fellowship Ⓤ; (仕事や共通の目的を通してできた交際) association Ⓤ; (面識) acquaintance Ⓤ ★ 知人の意味では Ⓒ. (☞ つきあう; こうさい¹).
¶彼とは長い*つきあいです I have long enjoyed his ⌈*friendship* [*fellowship*]. / (⇒ 長いこと知っている) I *have known* him for a long time. / (⇒ 長い間友人である) I *have been friends* with him for many years. ★ 最初の例は多少改まった表現. // 彼とはもう*つきあいがありません (⇒ 交際していない) I don't *associate with* him ⌈any longer [anymore]. // 彼は*つきあいが広い[狭い] (⇒ 知り合いが多い[少ない]) He *has* ⌈*a lot of* [*few*] *acquaintances*. // 彼女は近所*づきあいがよい[悪い] (⇒ 近所の人とよく交わる[交わらない]) She ⌈*mixes* [*doesn't mix*] *well* with her neighbors. / (⇒ つきあいのよい[悪い]人だ) She is a ⌈*good* [*poor*] *mixer* in her neighborhood. // 私は時々*つきあいで (⇒ 社交上の目的で) 酒を飲みます I sometimes drink ⌈*for social purposes* [*socially*].

つきあう 付き合う (交際する) associate with …; (交わりをもつ) keep company (with …); (交わって仲間になる) mix with … (☞ つきあい; こうさい¹).
¶彼はよい[悪い]友達と*つきあっている He *associates with* ⌈good [bad] people. [日英比較] この場合「友達」を英語の friend と置きかえることはできない. friend は互いに好意をもって理解し合う仲間の意で, good friend「親友」という結びつきはごく自然だが bad friend という結びつきは普通はあり得ない. また, good friend であればつきあっているのは当然で, 日本語でも「親友とつきあう」がおかしいのと同様に, associate with とはいっしょに使えない. / He *keeps* ⌈good [bad] *company*. // あんなやつとは*つきあうな (⇒ あんなやつに近寄るな) *Keep away from* a person like him. // *つきあう友人を見ればその人がわかる A man is known by the *company* he *keeps*. (ことわざ) // *つきあってみれば (⇒ もっと知り合いになれば) 彼はよい人だとわかりますよ You will find him a good person if you *get to know* him *better*. // 今度の日曜日にゴルフに*つきあわないか (⇒ ゴルフはどうですか) How about going golfing next Sunday? // あの人は*つきあいにくい [やすい] 人だ He [She] is ⌈difficult [easy] to *get along with*.

つきあかり 月明かり moonlight Ⓤ (☞ げっこう², つき¹). ¶*月明かりで彼の顔がはっきり見えた His face could be seen clearly *in the moonlight*. // *月明かりに照らされた公園の道 a *moonlit* park lane

つきあげ 突き上げ (圧力・強制) pressure Ⓤ (☞ あつりょく). ¶若手会員からの激しい*突き上げ heavy *pressure* from the younger members

つきあげる 突き上げる (上に向かってぐっと出す) thrúst úp ⑩; (…に圧力をかける) put [use] pressure on … (☞ つく³). ¶彼らはこぶしを*突き上げた They ⌈*raised* [*thrust up*] their fists.

つぎあし 継ぎ足 (器具などの継ぎ足した脚) extension leg Ⓒ.

つきあたり 突き当たり the end. ¶「駅へ行く道を教えて下さい」「この道を真っすぐ行けば, その*突き当たりです」"Could you tell me the way to the station?" "Go straight on, and you will find the station *at the end* of this street."

つきあたる 突き当たる (困難などに直面する) face ⑩, be faced with … (☞ ぶつかる; ちょくめん).
¶我々は難しい問題に*突き当たっている We ⌈*face* [*are faced with*] a difficult problem. // 話し合いは壁に*突き当たった The talks *ran up against* a wall.

つぎあて 継ぎ当て ―名 patching Ⓤ; (布) patch Ⓒ. ―動 patch ⑩. (☞ つぎ²). ¶ズボンの穴に*継ぎ当てをする *patch* a hole in the pants

つきあてる 突き当てる (…を…にぶつける) bump [knock] … against …; (さがして見つける) find out ⑩. (☞ ぶつける; みつける). ¶暗闇で頭を壁に*突きあててしまった I *bumped* my head *against* the wall in the dark.

つきあわせる 突き合わせる ―動 (比較対照す

る) compare ... ⌈with [to] ...; (確認のため照合して調べる) check ... ⌈with [against] ... ―名 (突き合わせ) checking Ⓤ; (対決) confronting Ⓤ. (☞ てらしあわせる; しょうごう¹). ¶翻訳を原文と*突き合わせてみなさい *Compare* [*Check*] the translation *with* the original. **顔を突き合わせる** ¶彼と*顔を突き合わせる (⇒ 会う) のはいやだ I don't want to ⌈*see* [*meet*] him. **ひざを突き合わせる** ¶彼女と私は*ひざを突き合わせて座った I sat *knee to knee* with her. 〔語法〕場合によっては肩を並べて横に座ることを意味する場合もある. (☞ ひざ)

つぎあわせる 継ぎ合わせる (つなぎ合わせる) join ... together; (縫い合わせる) sew ... together. (☞ つなぐ; ぬう).

つきいち 月一 (月に1度) once a month; (1か月1割の利息) interest rate of 10 percent ⌈a [per] month Ⓒ. ¶*月一で金を借りる borrow money at *10 percent monthly interest*

つきいれる 突き入れる push ... into ... (☞ おしこむ).

つきうす 搗き臼 mortar Ⓒ (☞ うす).

つきうま 付き馬 ☞ つけうま

つきおくれ 月遅れ ¶*月遅れの (⇒ 旧暦の) 正月 the New Year ⌈*by* [*according to*] *the lunar calendar* ∥ *月遅れの雑誌 a *back number* (of a magazine) / (⇒ 1月遅れの) a magazine *one month old*

つきおとし 突き落とし (相撲で) *tsukiotoshi* Ⓤ; (説明的には) thrust down Ⓤ.

つきおとす 突き落とす push ... over ... ¶彼は大きな岩を崖(がけ)から*突き落とした He *pushed* a big rock *over* the cliff.

つきかえす 突き返す (押し戻す) thrúst báck (他); (拒否する) reject (他), (略式) tùrn dówn (他); (受け取るのを断る) refuse to accept ... (☞ ことわる (類義語)). ¶彼は報告書を私に*突き返した He *thrust* the report *back* to me. ∥ 私は彼の贈り物を*突き返した I ⌈*rejected* [*refused to accept*] his gift.

つきかかる 突き掛る (フェンシングで) lunge (at ...) (自) (☞ つく³).

つきかげ 月影 (月の光) moonlight Ⓤ (☞ つきあかり; げっこう²).

つきがけ 月掛け ―名 monthly installment Ⓒ. ―副 by monthly installments. (☞ げっぷ¹). **月掛け貯金** monthly deposit /dɪpάzɪt/ Ⓒ, monthly savings ★複数形で. **月掛け保険** monthly installment insurance Ⓤ.

つきがさ 月暈 ring [halo] (a)round the moon Ⓒ.

つきがた 月形 (半円形) semicircle Ⓒ; (三日月形) crescent shape Ⓒ; 〔数〕lune Ⓒ.

つきかためる 突き固める (土などを) ram (down) (他). ¶私たちはシャベルで土を穴に入れ*突き固めた We shoveled some soil into the hole and *rammed* it *down*.

つきがわり 月代わり ¶明日から*月代わりで12月だ (⇒ 明日から12月が始まる) Tomorrow December begins. ∥ メニューは*月代わりだ (⇒ 月ごとに変わる) The menu *varies from month to month*.

つぎき 接ぎ木 ―動 graft (他). ―名 graft Ⓒ; (接ぎ木すること) grafting Ⓤ.

つききず 突き傷 stab Ⓒ, stáb wound /wùːnd/ Ⓒ. (☞ きず).

つきぎめ 月極め ―形 monthly. ―副 by the month. ¶*月極めの購読者 a *monthly* subscriber ∥ 駐車場を*月極めで借りている I rent the parking space *by the month*. ★ parking lot とすると駐車場全体になってしまう. **月極(め)駐車場** pay-by-the-month parking lot Ⓒ.

つききり 付ききり ―副 (患者などに絶えず付き添って) in constant attendance; (絶えず…のそばにいて) constantly at *a person's* side. (☞ つきそう). ¶*付ききりで (⇒ 手足となって) 看病をする nurse *a person hand and foot* ∥ 母親は*付ききりで (⇒ そばに座って) 息子の宿題を見た The mother *sat by* her son and helped him with his homework.

つききる 突き切る ☞ つっきる

つぎきれ 継ぎ切れ patch Ⓒ (☞ つぎ²).

つきくずす 突き崩す (盛り土などを平らにする) level (他), flatten (他); (敵の守備などを突破する) break through ...; (希望・計画などを打ち砕く) destroy (他). (☞ くずす; とっぱ).

つぎぐち 注ぎ口 (湯わかし・びんなどの) spout Ⓒ.

つきげ 月毛 (月毛の馬) cream-tinted dapple-gray horse Ⓒ.

つきごし 月越し (月越しの借り) loan standing past the end of the month Ⓒ.

つきごと 月毎 ―副 (毎月) every [each] month; (1か月につき) a [per] month. ―形 (毎月の) monthly. (☞ まいつき; つきづき).

つぎこむ 注ぎ込む (精力・金などを) put ... (⌈into [in] ...); (資産を投資する) invest ... (in ...). (☞ とうにゅう¹; とうし¹). ¶彼は貯金を全部株に*つぎ込んだ He *invested* all his savings *in* stocks. / He *put* all his savings ⌈*into* [*in*] stocks.

つきごめ 搗き米 polished rice Ⓤ. ¶7分*づき米 70-percent *polished rice* (☞ せいはく (精白米))

つきころす 突き殺す (刃物[槍]で) stab [spear] *a person* to death (☞ つく³).

つぎざお 継ぎ竿 (釣り用の) jointed fishing rod Ⓒ.

つきささる 突き刺さる (とがったものが) stick (in ...) (自); (ぐさりと) run (into ...) (自). (☞ さす²; ささる; つく³). ¶ピンが親指に*突き刺さった (⇒ ピンで親指を刺した) I *pricked* my thumb ⌈*on* [*with*] the pin.

つきさす 突き刺す ―動 (勢いよく刺す) stick (他) (過去・過分 stuck); (突き通す) pierce (他); thrust (他) (過去・過分 thrust), stab (他) 〔語法〕thrust は物を, stab は人を目的語にするのが普通. ―形 (寒気・風・まなざしなどが突き刺すような) piercing. (☞ つく³; さす²). ¶彼女はパイにフォークを*突き刺した She *stuck* her fork into the pie. ∥ 彼はその男をナイフで*突き刺した He *stabbed* the man with his knife. ∥ 彼女は*突き刺すような目で私を見た She looked at me with *piercing* eyes.

つきしたがう 付き従う follow (他), accompany (他). (☞ ついてゆく).

つきずえ 月末 ―副 (月末に) at the end of the month (☞ げつまつ; げじゅん).

つきすすむ 突き進む (どんどん進む) go on and on (自); (押しのけて) push *one's* way (through ...); (目標などに向かって) push forward (to ...) (自); (苦闘しながら) fight *one's* way (to ...). (☞ すすむ; ぜんしん¹; とっしん).

つきせぬ 尽きせぬ (尽きない) endless; (絶え間のない) everlasting.
¶*尽きせぬ思い *haunting* ⌈thought [memories]

つきそい 付き添い (付き添うこと) attendance Ⓤ; (付き添う人) attendant Ⓒ; (護衛する人) éscort Ⓒ. ¶この患者には四六時中*付き添いが必要だ This patient needs ⌈full-time *nursing* [to *be attended* day and night]. **付き添い看護師** nurse in attendance Ⓒ.

つきそう 付き添う (そばにいて世話をする) attend (他); (同行する) accompany /əkʌ́mp(ə)ni/ (他); (護衛する) escórt (他). (☞ どうはん). ¶その患者には数人の看護師が*付き添っていた Several nurses *were at-*

tending the patient. // その受験生は母親に*付き添われていた The applicant *was accompanied by* ｢his [her] mother.

つきたおし 突き倒し (相撲の) *tsukitaoshi* [U]; (説明的には) frontal thrust down [U].

つきたおす 突き倒す (押し倒す) púsh óver (他); (強く乱暴に) shóve dówn (他). ⟪☞ つきとばす⟫. ¶ 彼は私を*突き倒した He *pushed* me *over*. / He *shoved* me *down*. [語法] 目的語が名詞の場合は push over *a person*, shove down *a person* という語順も可能. ただし, 目的語が代名詞の場合は例文のような語順しかとれない.

つきだし 突き出し (酒のさかな) the first dish served with a drink; (相撲の) *tsukidashi* [U]; (説明的には) frontal thrust out [U].

つぎたし 継ぎ足し addition [U], extension [U]. ⟪☞ つぎたす[1]⟫.

つきだす 突き出す (棒・手などを) stíck óut (他) ⟪過去・過分 stuck out⟫ ★ 一般的な語; (勢いよく突き出す) thrúst óut (他) ⟪過去・過分 thrust out⟫; (犯人を警察へ) hánd óver (他). ¶ 少年は窓から首を (⇒ 頭を) *突き出した The boy *stuck* his head *out of* the window. // 我々はその男を警察へ*突き出した We *handed* him *over* to the police.

つぎたす[1] 継ぎ足す (加える) add … (to …); (延長する) fit an extension (to …). ⟪☞ たす; のばす⟫. ¶ *継ぎ足すためのコード an *extension* cord

つぎたす[2] 注ぎ足す (再び満たす) refill (他), fill up … again, replenish (他) ★ 最後は格式語; (注ぎ加える) pour [add] more … into … ¶ コーヒーをカップに*注ぎ足す *fill up* a cup with coffee *again*

つきたてる 突き立てる (ナイフなどをぐさりと) run (他), thrust (他), stab (他). ⟪☞ つきさす⟫.

つきたらず 月足らず ¶ *月足らずの子 (⇒ 早産の赤ん坊) a *premature* /prìːmət(j)ʊ́ə/ baby // 彼女の子は*月足らずで生まれた Her baby was born *prematurely* /prìːmət(j)ʊ́əli/.

つきづき 月々 — [副] every [each] month. — [形] monthly. ¶ 私は*月々 1 万円の小遣いをもらっている I get an allowance of ¥10,000 *every month*. / (⇒ 私の月々の小遣いは 1 万円だ) My *monthly* pocket money is ¥10,000.

つぎつぎ 次々 — [副] (次から次へと) one after another; (連続して) in succession, successively ★ 前者のほうが口語的. ⟪☞ あいついで; つぎ[1]; つづけざま⟫. ¶ 事故が*次々に起こった Accidents occurred ｢*one after another* [*in succession*].

つきっきり 付きっ切り ¶ 彼女は病床の夫に*付きっ切りで看病した She was *in constant attendance on* her sick husband. ⟪☞ つききり; つきそう⟫

つきつける 突き付ける (証拠・要求などを眼前に突き出す) thrust (他); (ピストルなどを人に向ける) point (他). ¶ 私は彼にその証拠を*突きつけた I *thrust* the evidence before him. // 強盗は私にピストルを*突きつけた The robber *pointed* a gun *at* me.

つきつめる 突き詰める (十分に究明する) investigate … thoroughly, make a thorough investigation (of …); (まじめに考え過ぎる) take … too seriously. ⟪☞ おもいつめる⟫. ¶ そんなに*突きつめて考えるなよ Don't *take* ｢it [the matter] *too seriously*. // それを*突きつめて行くとこうなる It *boils down* to this. ★ 煮つめるという表現の比喩的用法.

つぎて 継ぎ手 (パイプなどの) joint [C]; (車両などの) coupling [C]; (商売などの後継者) successor [C]. ⟪☞ つぎめ; つなぎめ; あととり⟫.

つきでる 突き出る project /prədʒékt/ (自), jút óut (自) ★ 後者のほうが口語的. ⟪☞ はりだす[2]; でっぱる⟫. ¶ その半島は日本海へぐっと*突き出ている The peninsula ｢*projects* [*juts out*] far into the Sea of Japan. // 中年になると腹が*突き出てくる When you reach middle age, you'll develop a potbelly.

つきとおす[1] 突き通す (貫く) pierce (他); (刺し通す) thrust through … ⟪☞ つきさす; つきぬける; つらぬく⟫.

つきとおす[2] 吐き通す ¶ うそを*つき通す (⇒ 自分のついたうそを守り通す) *stick* [*keep*] *to one's* lie / (⇒ うそをつき続ける) *continue telling* lies

つきとおる 突き通る run through … ★ 口語的; pierce (他) ★ 前者より格式ばった語. ⟪☞ つきぬける⟫.

つきとばす 突き飛ばす thrúst awáy (他); (突き飛ばして転ばす) knóck ｢dówn [óver] (他) [語法] この言い方はしばしば受身の形で用いられる. ⟪☞ つきたおす⟫. ¶ 彼は私を*突き飛ばした He *thrust* me *away*.

つきとめる 突き止める (跡をたどって出所・由来・原因などを) trace (他); (場所を探し当てる) locate (他). ⟪☞ みつける⟫. ¶ うわさの出所は*突き止めた We *traced* the rumor to its source. // 警察は彼の隠れ家を*突き止めることはできなかった The police couldn't *locate* his hideout.

つきなかば 月半ば — [副] (月半ばに) in the middle of ｢the [a] month.

つきなみ 月並 — [形] (ありきたりな) commonplace; (並で普通の) ordinary /ɔ́ədənèri/; (文句・比喩などが使い古された・陳腐な) hackneyed, trite. ⟪☞ ありふれた; へいぼん⟫. ¶ *月並な表現 a ｢*hackneyed* [*trite*] expression // 彼の言うことは*月並だ (⇒ 月並なことしか言わない) He makes only *commonplace* remarks.

つきぬける 突き抜ける run through … ★ 口語的; pierce (他) ★ 前者より格式ばった語. ⟪☞ つらぬく; かんつう[1]⟫. ¶ 弾丸が彼の心臓を*突き抜けた A bullet ｢*ran through* [*pierced*] his heart.

つきのける 突き除ける ☞ おしのける

つぎのま 次の間 (隣の部屋) the next room, adjoining room [C]; (控えの間) anteroom /ǽntɪrùːm/ [C].

つきのわぐま 月の輪熊 〔動〕 Asiatic black bear [C], moon bear [C].

つぎば 継ぎ歯 pivot tooth [C], post [pivot] crown [C].

つぎはぎ 継ぎはぎ (継ぎに当てた布) patch [C] ⟪☞ つぎ[2]⟫. **継ぎはぎ細工** patchwork [C].

つきはじめ 月初め — [副] (月初めに) at the beginning of ｢the [a] month ⟪☞ しょじゅん; じょうじゅん⟫.

つきはてる 尽き果てる be exhausted.

つきはなす 突き放す thrúst ｢awáy [óff] (他) ⟪☞ つきとばす⟫. ¶ *突き放した口調で (⇒ 冷淡に) 話す say … [talk] ｢*coldly* [*coolly*; *distantly*]

つきばらい 月払い (月ごとの支払い) monthly payment [U]; (月ごとの分割払い) monthly installment [C]. ⟪☞ げっぷ[1]⟫. ¶ うちの家賃は*月払いになっている (⇒ 毎月家賃を払う) I *pay* the rent ｢*every* [*each*] *month*.

つきばん 月番 (仕事) monthly duty [U]; (月番の人) person (who is) on ｢monthly duty [duty for the month] [C].

つきひ 月日 (時・時の流れ) time [U]; (年月) years ★ 複数形で; (日々) days. ⟪☞ さいげつ⟫. ¶ *月日のたつのは早いものだ *Time* flies. ⟪ことわざ: 時間は飛ぶように速く過ぎ去る⟫ // そのときからかなりの*月日がたった Many *years* have passed since then. // 彼の作品は*月日がたつとともに忘れられてしまった His works were forgotten ｢as the *years* went by [with the passage of *time*].

つきひざ 突き膝 ―動 (両ひざをつく) fall on [get to] *one's* knees.

つきびと 付き人 (付き添い人) attendant Ⓒ; (役者の衣装係) dresser Ⓒ; (助手) assistant Ⓒ.

つきべつ 月別 ―形 (月ごとの) monthly. ―副 (毎月) every month.

つぎほ 接ぎ穂 (接ぎ木用に切った) scion /sáiən/ Ⓒ; (接ぎ木された) graft Ⓒ. ¶話の*接ぎ穂 (⇒会話を続ける機会) を失う miss the *chance to go on with* the conversation

つきましては ☞ ついては

つきまぜる 搗き交ぜる (一緒にしてつく) pound together (他); (異種のものを一緒にする) mix together (他). 《☞ まぜる》.

つきまとい 付きまとい stalking Ⓤ 《☞ ストーキング》.

つきまとう 付きまとう (どこへでもついて行く) follow「around [about] (他); (しつこく人に) stalk (他); (荷札のようにくっついて離れない) tag along (with …) (自); (妄想などが始終心に浮かぶ) haunt (他) ★普通受身で用いられる.

¶その女の子はいつも母親に*つきまとって離れない The girl always *follows* her mother *around*. / The girl always *tags along with* her mother. // 元の夫が昼も夜も彼女に*つきまとった Her ex-husband *stalked* her day and night. // 逮捕されはしないかという恐怖が彼に*つきまとった He *was haunted* by the fear of arrest.

つきみ 月見 ―動 (月を眺め賞する) admire the moon 日英比較 英米では日本のように月見の宴を開いたりする習慣はないから,「月見」という名詞もない. 名詞形にする必要があれば to admire [admiring] the moon (in a Japanese way) のような不定詞か動名詞形を用いるしかない. **月見酒** sake enjoyed while viewing the moon Ⓤ **月見団子** dumplings offered to the moon.

つきみそう 月見草 〘植〙 evening primrose Ⓒ.

つぎめ 継ぎ目 joint Ⓒ, join Ⓒ ★前者が普通. また, 前者は「継ぎ手」の意味にもなる; (布・金属板などの) seam Ⓒ. 《☞ つぐ²》. ¶レールの*継ぎ目 the *joints* in the rails // *継ぎ目のない鋼管 a *seamless* steel tube

つきもどす 突き戻す ☞ つきかえす

つきもの¹ 付き物 ¶刺身にわさびは*付き物だ (⇒わさびは刺身に不可欠のものだ) *Wasabi* is *indispensable to* sashimi.

つきもの² 憑き物 (悪霊) evil spirit Ⓒ. ¶*つき物につかれる be「possessed by [in the grip of] an *evil spirit*

つぎもの 継ぎ物 ―動 (繕う) mend (他); (継ぎを当てる) patch (up) (他).

つきやとい 月雇い (月ぎめで雇うこと) hiring by the month Ⓤ; (月雇いの人) person hired「by the month [on a monthly contract] Ⓒ.

つきやぶる 突き破る break [crash] through … ★crash を用いたほうがいっそう激しい動作を連想させる. ¶落石がバスの屋根を*突き破った A falling rock「*broke* [*crashed*] *through* the roof of the bus.

つきやま 築山 artificial hill (in a Japanese garden) Ⓒ.

つきゆび 突き指 (状態) sprained finger Ⓒ. ¶*突き指をした My *finger* got *sprained*.

つきよ 月夜 moonlight [moonlit] night Ⓒ ★moonlit は詩的な語.

¶今夜は*月夜だ It is a *moonlight night*. / (⇒今夜は月が出ている) The moon is out tonight. / (⇒今夜は月が輝いている) The moon is shining tonight. / (⇒今夜は月がある) There is a moon tonight. 語法 このような there 構文は月が出ているか, 出ていないかを言うので, moon には不定冠詞が付く. 《☞ つき¹ 語法》 // いい*月夜ではありませんか (⇒月がきれいですね) Isn't it a lovely *moon*?

月夜に釜を抜かれる (ひどく油断している) be totally off *one's* guard; (不意を突かれる) be taken completely by surprise.

月夜に提灯 a lantern on a moonlight night; (無用の物) useless item Ⓒ.

つきる 尽きる (なくなる) rùn óut (自) ★「物」が主語; (使い果たす) run out of … ★「人」が主語となり, 尽きる物が out of の次に来る; (完全に使い尽くされる) be exhausted; (終わる) end (自), come to an end. 《☞ なくなる¹》. ¶食糧が*尽きた Our food *has run out*. / We *have run out of*「food [provisions]. // 万策*尽きた (⇒何もかもおしまいだ) It's all over for us. // 話は*尽きなかった (⇒終わることなく話し続けた) We talked and talked, never *coming to an end*. // 彼の死は残念の一語に*尽きる (⇒何物も彼の死に対して我々を慰めることはできない) Nothing can console us for his death.

つきわり 月割 ―副 (1か月につき) per month; (月賦で) by [in] monthly installments. 《☞ げっぷ》.

つきんぼう 突きん棒 (ロープのついた長い柄の銛(もり)) harpoon Ⓒ.

つく¹ 付く **1** 《付着する》: (くっつく) stick (to …) (自); (こびりつく) adhere (to …) (自); (しみがつく) be stained (with …). 《☞ くっつく》. ¶泥がズボンの折り返しに*付いた Mud *stuck to* the cuffs of my trousers. // このテープはよく*付かない This tape doesn't *stick* well. // 彼のシャツには血が*付いていた His shirt *was stained with* blood.

2 《付属する》: (持っている) have (他); (本体に付けている) carry (他) 語法 特に移動するものに付いているときに使う. 以上2語は付くものが目的語; (付属する) be attached (to …); (含む) include (他).

¶各室にクーラーが*付いています Each room *has* an air conditioner. // この本には索引が*付いていない This book *has* no index. // そのかばんには名札が*付いていた The bag「*had* [*carried*] a name tag. / There was a name tag *attached to* the bag. / A name tag *was attached to* the bag. // 定食にはライスかパンが*付く The set menu *includes* rice or bread. // あのドレスにはまだ値段が*付いていない That dress *is* not yet *priced*. // 学長には秘書が*付く (⇒提供される) A university president *is provided with* a secretary.

3 《従属する》: (味方する) take the side of …, side (with …) (自); (裏切って敵側につく) go over (to …) (自); (世話をする) attend (他), attend on …, look after …

¶あの男はいつも強いほうに*つく He always *sides with* the stronger party. // 彼は敵側に*ついた He *has gone over to* the enemy. // 心配するな. 私が*ついている (⇒すぐ後ろにいる) Don't worry. I'm *right behind you*. / (⇒私はいつもあなたの味方だ) Don't worry. I'm always *on your side*. // *つかず離れずに過ごす stay neither too *close* nor too far away / (⇒中立の立場をとる) take a neutral attitude (to …) 《☞ つかずはなれず》

4 《植物の実や根・利子などが》: (生み出す) bear (他) 《過去 bore; 過分 borne》; (もたらす) yield (他); (根がつく) take root. 《☞ なる³; みのる》.

¶今年は柿の実がたくさん*ついた (⇒柿の木がたくさんの実を生み出した) The persimmon tree「*bore* [*yielded*] a lot of fruit this year. // その社債は年6%の利子が*つく (⇒利子をもたらす) The bond「*yields* [*bears*] six percent interest a year.

5 «火・電気が»: (火がつく・引火する) catch fire ★「物」を主語として; (灯火が) gò ón ㊀; (マッチが) strike ㊀. 《☞ ひ²; でんき¹; あかり》.

¶ この木はすぐ火が*つく This wood *catches fire* easily. // このマッチはなかなか*つかない This match won't *strike*. // 風呂場の電気が*ついている The light *is on* in the bathroom.

つく² 着く 1 «ある場所に到達する»: get to ... ★ 口語的で一般的な表現; reach ㊀, arrive (at ...; in ...; on ...) ㊀; (列車などが時刻表に従って) be due. 《☞ とうちゃく 語法》.

¶ やっと目的地に*着いた At last we ˹*got to* [*have reached*] our destination. / At last we *have arrived at* our destination. // さあ*着きましたよ Here we are! // 我々は7時までにそこに*着かなければいけない We must *get* there by seven. 語法「努力の結果たどり着く」という場合は arrive は用いない. // 列車はここへ4時に*着きます The train ˹*will arrive* [*is due*] (here) at four. // 私の手紙は*着きましたか (⇒ 私の手紙を受け取りましたか) *Have* you *received* my letter? / *Has* my letter *reached* you?

2 «届いて触れる»: (届く) reach ㊀; (触れる) touch ㊀. 《☞ とどく¹》. ¶ 頭が天井に*つきそうだった My head almost ˹*touched* [*reached*] the ceiling.

3 «ある場所に身を置く»: (着席する) sit dówn ㊀, take [have] a seat, be seated ★ この順に格式ばった言い方になる; (テーブルなどに) sit (down) (at ...) ㊀. 《☞ すわる¹; せき¹》.

つく³ 突く, 撞く 1 «とがった物で»: (刃物で) stab ㊀; (針で) prick ㊀; (動物が角・牙(きば)で) gore ㊀. 《☞ つきさす; つつく》. ¶ 針で指を*突いてしまった I *pricked* my finger with a needle.

2 «たたく»: (鐘をゆっくりと鳴らす) toll ㊀; (鐘などを鳴らす) sound ㊀; (まりを弾ませる) bounce ㊀.

¶ あの寺では1日に3回鐘を*つく At that temple they ˹*toll* [*sound*] the bell three times a day. // あの女の子はまりを*つくのがとても上手だ The girl is very good at *bouncing* balls.

3 «ひざ・手などを» ¶ 彼はがっくりとひざを*突いた He *fell down* on his knees. // 彼はぼんやりとほおづえを*突いていた He absentmindedly *rested* his chin in his hands.

つく⁴ 就く 1 «職・地位などに»: (就任する) take ㊀; (取りかかる) 《格式》 enter on ...; (保持している) hold ㊀; (占有している) occupy ㊀ ★ hold より格式ばった語; (従事している) be engaged (in ...); (王位に) come [accede] (to the throne) ㊀ ★ accede のほうが格式ばった語, be crowned. 《☞ しゅうにん; ちゃくにん》.

¶ 彼は社長の地位に*就いた (⇒ 社長になった) He *became* (the) president of the company. / He *took* the post of president. ★ 後者のほうが格式ばった文. // 彼は公職に*就いている He *holds* a public ˹position [office]. // ブラウン氏はわが社の重要な地位に*就いている Mr. Brown ˹*holds* [*occupies*] an important position in our company. // 彼は定職に*就いていない He *is* not *engaged in* any fixed occupation. / (⇒ 定職を持っていない) He *has* no fixed job.

2 «教師に»: (人について学ぶ) study ... under *a person*; (先生から教授を受ける) take lessons from *a person*. 《☞ もと³》. ¶ 私は田中教授に*ついて社会学を勉強した I *studied* sociology *under* Professor Tanaka. // 彼女は偉い先生に*ついてピアノを習っている She ˹*takes* [*is taking*] piano *lessons from* an eminent teacher.

つく⁵ (決着がつく・合意に達する) come to an agreement ★「人」を主語として; (問題などの片がつく) be settled ★「物」を主語として. ¶ 話は*ついた (⇒ 私たちは合意に達した) We'*ve come to an agreement*. // その件の片が*つくには (⇒ その件を片づけるには) だいぶ時間がかかる It will take a long time to ˹*get* the matter *settled* [*settle* the matter]. // 彼女と結婚する決心が*ついた (⇒ 決心した) I *have decided* to marry her. 《☞ けっしん¹》

つく⁶ 憑く (悪霊などが) possess ㊀ ★ やや格式ばった語; (妄想などが) obsess ㊀, haunt ㊀ ★ 以上いずれも通例受身形で. 《☞ とりつく》. ¶ 彼には悪霊が*憑いているに違いない He must *be possessed* by an evil spirit. // 彼は*憑かれたようにしゃべり続けた He talked on and on like a man *possessed*.

つく⁷ 搗く (砕いてつぶす) pound ㊀; (殻・外皮を取り去る) hull ㊀. ¶ 餅を*つく *make* rice cakes // 米を*つく *hull* rice

つく⁸ 吐く ¶ ため息を*つく *sigh* / *utter* a sigh // 悪態を*つく (⇒ 人をののしる) *abuse a person*

つぐ¹ 注ぐ (水・液体をそそぐ) póur (óut) ㊀; (入れ物をいっぱいにする) fill ㊀. 《☞ そそぐ¹》.

¶ 彼は私にお茶を*ついでくれた <S (人)+V (*pour*)+O (代)+(*out*+) O (名)> He *poured* me (*out*) a cup of tea. 語法 これは茶を茶碗に注ぎ入れる動作を言う場合. 日本語で「茶を入れる」に当たる言い方は make tea (for ...) という. 《☞ ちゃ》 // 彼は(自分の)グラスにビールを*ついだ He *poured* beer *into* his glass. / (⇒ グラスをビールで満たした) He *filled* his glass *with* beer. // グラスにワインをなみなみ[半分]*注ぐ *fill* a glass ˹to the brim [half-full] with wine

つぐ² 継ぐ, 接ぐ 1 «受け継ぐ・引き継ぐ»: (人の後を継ぐ) succeed ㊀ ★ 目的語は「人」; (財産・地位・称号などを) succeed to ...; (遺産などを) inherit ㊀. 《☞ うけつぐ; ひきつぐ; けいしょう¹; そうぞく》.

¶ 田中氏が社長として清水氏の後を*継いだ Mr. Tanaka *succeeded* Mr. Shimizu as president. // 家業を*継ぐ *succeed to* the family business // 長男が全財産を*継いだ The eldest son ˹*inherited* [*succeeded to*] all the property.

2 «足す»: (続ける) continue ㊀ ㊀; (付け加える) add ㊀. 《☞ つけくわえる》. ¶ 彼は言葉を*ついで次のように言った (⇒ 次のように続けた) He *continued* as follows: ... 語法 as follows の次にはコロンを用いてその内容を説明するのが普通.

3 «つなぐ»: (接合する) join ㊀; (部分をつないで1つにする) put [piece] ... together; (接骨する) set (a broken bone). 《☞ つなぐ》.

つぐ³ 次ぐ — 前 (...の次の) next to ...; (...の後で) after ... — 動 (2位である) rank (as) second. 《☞ ついで²; つぎ¹; にばん》.

¶ 大阪は東京に*次ぐ大都会だ Osaka is the largest city ˹*next to* [*after*] Tokyo. // トムはジョンに*次ぐ好打者だ Tom is the *next* best batter *to* John. // この湖は大きさでは琵琶湖に*次ぐものだ This lake ˹*ranks* [*comes*] ˹*next* [*second*] *to* Lake Biwa in area /é(ə)riə/. // 失敗に*次ぐ失敗だった (⇒ 失敗が失敗に続いた) One failure *followed* another.

-つく ...付く ¶ がた*つくいす a shaky [an unsteady] chair // べた*つく紙 sticky paper 《☞ いちゃつく; もたつく》

-づく ...付く ¶ 調子*づく (⇒ ねじを巻かれる) be wound up / (⇒ (...によって)得意になる) be elated (with ...)

つくえ 机 desk Ⓒ ★ 書き物・勉強などのための机で, 普通引き出しのあるもの. ¶ 勉強*机 a *desk* // 私が訪ねたとき彼は*机に向かっていた He was *at his desk* when I arrived.

つくし 土筆 〔植〕 horsetail Ⓒ.

-づくし ...尽くし ¶ 花*づくし an enumeration of the names of flowers // 今夜のご飯は鳥*づくしよ

Every dish contains chicken this evening.

つくしがも 筑紫鴨 〘鳥〙 sheldrake Ⓒ; (雌) shelduck Ⓒ.

つくす 尽くす **1** «…し尽くす» ¶ 食糧は全部食べ*尽くしてしまった We have eaten ⌈*all* [*up*] our food. 語法 この例のように「all＋名詞」の形で「尽くす」の意味を表せることが多い. また, 動詞によっては「動詞＋up」の形で表現できることもある. // 手は*尽くした I have ⌈*tried* [*exhausted*] *every means*. / (⇒ できることは皆やった) I *did everything I could*. // 全力は*尽くすつもりです I will *do my best*. / (⇒ できることは皆やります) I will *do all I can*. // その問題はまだ論じ*尽くされていない (⇒ 十分に論じられていない) The subject has not been *fully* discussed. (☞ つきる; でつくす)
2 «献身する»: (一身を捧げる) devote *oneself* (to …); (国家などに奉仕する) serve ㊀. ¶ 彼女は夫によく*尽くした She *devoted herself to* her husband. / (⇒ 夫のために最善を尽くした) She *did her very best for* her husband.

つくだに 佃煮 *tsukudani*, preserved food boiled down in soy sauce Ⓤ.

つくづく —副 (まったく) quite, utterly ★ 後者のほうが格式ばった語; (痛切に) keenly; (子細に) closely; (一心に) intently. (☞ 擬声・擬態語 (囲み)). ¶ *つくづく自分に愛想が尽きた I am *utterly* disgusted with myself. // 健康に勝るものは何もないと彼は*つくづく思った He *keenly* realized that nothing ⌈was [is] more important than health. // 彼はその写真を*つくづくと眺めた He looked at the picture ⌈*closely* [*intently*].

つくつくぼうし つくつく法師 〘昆〙 *tsukutsukuboshi* cicada /sɪkéɪdə/ Ⓒ (☞ せみ).

つぐない 償い (補償) compensation Ⓤ; (弁償) (格式) récompènse Ⓤ. (☞ ほしょう³; つぐなう).
¶ 彼女は何の*償いも求めなかった She didn't ask for any ⌈*compensation* [*recompense*]. // この*償いはどうしてくれる (⇒ この償いとして何をしてくれる) What will you do *in compensation for* this? / (⇒ どうやって埋め合わせてくれる) How will you *make up for* this? ★ 第 2 文のほうが口語的.

つぐなう 償う (埋め合わせる) màke ⌈úp for [góod] …, cómpensàte ㊀ ㊁ ★ 前者のほうが口語的. (☞ ほしょう³; うめあわせ). ¶ 金で命は*償えない (⇒ 金は命を償わない) Money cannot ⌈*make up* [*compensate*] *for* loss of life. // 損失を*償う *make up* [*compensate*] *for* the loss

つくね 捏ね minced and kneaded ⌈fish [chicken] Ⓤ.

つくねいも 捏ね芋, 仏掌薯 〘植〙 Chinese yam Ⓒ.

つくねる 捏ねる (粉などをこねる) knead ㊀ (☞ こねる).

つくねんと (ぼんやりして) absentmindedly (☞ ぼんやり; ひとりぼっち).

つくばい 蹲い stone washbasin (in front of a tea-ceremony room) Ⓒ.

つくばね 衝羽根 (羽根つきの羽根) shuttlecock Ⓒ; 〘植〙 *tsukubane*; (説明的には) deciduous and parasitic Japanese shrub of the santalaceous family Ⓒ.

つくばねあさがお 衝羽根朝顔 〘植〙 petunia Ⓒ (☞ ペチュニア).

つくばねそう 衝羽根草 〘植〙 truelove Ⓒ.

つぐみ 鶫 〘鳥〙 thrush Ⓒ.

つぐむ 噤む (口を閉じる) shut [close] *one's* mouth; (話すのを控える) hold *one's* tongue; (黙っている) keep silent, stand mute 語法 前者は単に黙っている状態で, それがどういう原因によるのかは意味しないが, 後者は話すまいとする意志によって黙っていること. 法律的には黙秘することをいう. (☞ だまる; とざす). ¶ 彼はかたくなに口を*つぐんだままだった (⇒ 一言もしゃべろうとしなかった) He would *not say a word*. / (⇒ 沈黙していた) He obstinately *stood mute*. / (⇒ 口を閉じていた) He obstinately *kept his mouth shut*.

-づくめ ☞ -ずくめ

つくり¹ 作り, 造り (構造) structure Ⓤ; (建築様式・建て方) construction Ⓤ; (体の構造) build Ⓤ ★ 形容詞を伴って用いられるのが普通. (☞ こうぞう). ¶ この家は*造りが頑丈だ (⇒ 構造的に堅固だ) This house is *structurally* sound. / (⇒ 頑丈に建てられている) This house *is* solidly *built*. // きのう変わった*造りの建物を見た I saw a building of peculiar *construction* yesterday. // 彼はれんが*造りの家に住んでいる He lives in ⌈a brick house [a house *built of* brick]. // 緑の都市*づくり (⇒ 緑化しようというキャンペーン) a campaign to *make* your town greener

つくり² 旁 (漢字の) radical on the right of kanji Ⓒ (☞ へん³ 参考).

つくりあげる 作り上げる (完成させる) complete ㊀; (建てる) build ㊀; (苦労して作る) work out ㊀; (でっちあげる) make up ㊀. (☞ つくる; かんせい¹; しあげる).

つくりかえる 作り替える (改造する) màke óver (into …) ㊀; (建物・設備などを模様替えする) remodel ㊀ ★ 日本語ではこの意味で「リフォーム」というが, 英語の reform は制度などの改正や非行少年の更生などに用いる; (別のものに作り替える) convert (into …) ㊀ ★ いずれもやや格式ばった語. (☞ かいぞう¹). ¶ 彼女は自分の上着を娘のオーバーに*作り替えた She *made over* her jacket *into* an overcoat for her daughter. // 彼女はその部屋を*作り替えて書斎にした She ⌈*remodeled* [*converted*; *made over*] the room *into* a study.

つくりがお 作り顔 —名 forced look Ⓒ. —動 (作り顔をする) put on a forced look. (☞ かお; ポーカーフェース).

つくりかた 作り方 how to make …, the way of making …; (様式) style Ⓒ; (構造) structure Ⓤ; (料理法) recipe /résəpi/ Ⓒ. (☞ つくる).
¶ 彼女は私に人形の*作り方を教えてくれた She showed me *how to make* dolls. // このホテルは古風な*作り方だ This hotel is built in an archaic *style*. // この机は*作り方が雑だ (⇒ ぞんざいに出来ている) This desk *is* poorly *made*. // このシチューの*作り方 the *recipe* for this stew

つくりごえ 作り声 disguised [feigned] voice Ⓒ ★ 前者のほうが口語的. ¶ *作り声をする *disguise one's voice* // *作り声で話す talk in a *disguised voice*

つくりごと 作り事 (勝手に作り出したこと) invention Ⓒ (☞ つくりばなし; かくう).

つくりざかや 造り酒屋 (人) sake brewer /sá:kibrù:ə/ Ⓒ; (醸造所) sake brewery Ⓒ.

つくりだす 作り出す (一般的に作る) make ㊀; (生産する) produce ㊀; (発明する) invent ㊀; (創造する・芸術作品などを作る) create ㊀. (☞ つくる (類義語); かんがえだす; はつめい). ¶ 彼らはまったく新しいタイプのエンジンを*作り出した They *invented* an entirely new type of engine. // コナンドイルはすばらしい探偵を*作り出した Conan Doyle *created* a wonderful detective.

つくりたて 作り立て —形 (料理が熱い) hot (from …); (新鮮な・できたばかりの) fresh (from …). (☞ できたて).

つくりつけ 作り付け —形 (あらかじめ本体の中

に入れて作ってある) built-ìn. ―動 bùild ín ⑯. ¶*作り付けの家具 *built-in* furniture // 書棚は全部*作り付けになっている The bookshelves *are* all *built in.*

つくりなおす 作り直す (新たに作る) make ... ⌈anew [afresh] (☞ つくりかえる).

つくりなき 作り泣き ―名 pretending to cry Ⓤ. ―動 (作り泣きをする) shed [weep] crocodile tears. (☞ そらなみだ).

つくりばなし 作り話 máke-believe Ⓤ; made-up story Ⓒ; fiction Ⓒ; invention Ⓒ.
【類義語】 口語的で, 子供のごっこ遊びや お芝居のような作り話が **make-believe**. でっち上げの話という悪い意味にも, 単に創作した話の意味にも用いられるのが **made-up story**. 虚構の世界を描く文学形式の一つとしての小説をいい, やや格式ばった語が **fiction**. 人を欺いたりするために勝手に作り出したうその話が **invention**. (☞ かくう; でっちあげ) ¶彼女の言ったことは*作り話に違いない What she said must be a ⌈*make-believe* [*made-up story*; *fiction*]. / Her story must be of her own *invention.*

つくりもの 作り物 **1** «人工の物» ―形 (人間が作った) man-made; (本物の代用となる) artificial. (☞ じんこう²). ¶この花は*作り物には見えない This flower doesn't look *artificial.*
2 «似せたもの»: (模造品) imitation Ⓒ; (偽物) fake Ⓒ. (☞ にせ).
3 «農作物»: (作物) crop Ⓒ; (野菜などの農産物) farm produce Ⓤ. (☞ さくもつ).

つくりわらい 作り笑い forced ⌈smile [laugh] Ⓒ ★ 前者は微笑, 後者は声を立てて笑うこと.
¶*作り笑いをする put on a *forced smile*

つくる 作る, 造る **1** «製造する»: make ⑯ (過去・過分 made); (生産する) produce ⑯; (形作る) form ⑯; (具体的な形にする) shape ⑯; (加工生産する) manufacture ⑯; (建造する) build ⑯, construct ⑯; (創造する) create ⑯.
【類義語】 最も一般的で適用範囲の広いのは **make**. 以下の各語の代わりにもなる. *make* より格式ばった語で, 一般的に物を作り出すことを表すのが **produce**. 作ったものにはっきりした輪郭や形を与えることを示すのは **form**. 切ったり, 削ったりして作る過程に関心が向いているときは **shape**. *make* より格式ばった語で, 機械などを使って大がかりに作るのは **manufacture**. 建物や橋・船などを作るのが **build**. 設計などに従って建物・道路などを作るのは **construct** で, **build** より格式ばった語. 自然の力などが造るのは **create**. (☞ けいせい²; なす¹)
¶私は本箱を*作った I *made* a bookcase. // お父さんは私にいすを*作ってくれた <S (人)+V (*make*)+O (物)+*for*+人> Dad *made* a chair *for* me. / <S (人)+V (*make*)+O (人)+O (物)> Dad *made* me a chair. // 石油からいろいろなものを*作ります We ⌈*make* [*produce*] a great many things *from* petroleum /pətróuliəm/. / Large numbers of things *are* ⌈*made* [*produced*] *from* petroleum. / (⇒ 石油はいろいろなものに作られる) Petroleum *is made into* a great many things. 語法 make を用いる場合, 原料の質的変化なしに作る場合は of, 質的変化を伴う場合は from を原則として用いる. また受身で用いることが多い. (☞ -から 6 語法) // この花は紙で*作ってあります This flower *is made of* paper. // 少女は粘土で人形を*作った The girl *formed* a doll *out of* clay. // この工場はスポーツカーを*作っている This factory ⌈*manufactures* [*produces*] sports cars. // 神は天と地を*創った God *created* the heavens and the earth.
2 «文書・作品・番組などを作る»: (文・詩・曲などを書く) write ⑯, compose ⑯ ★ 前者のほうが口語的で一般的; (文書・案などを作る) make ⑯, dràw úp ⑯ ★ make のほうが一般的で広い意味の語; (番組などを) prepare ⑯; (映画などを) produce ⑯ ★ 以上 2 語の代わりに make も用いられる.
¶彼女は 13 歳のときにその詩を*作った She ⌈*wrote* [*composed*] the poem when she was thirteen years old. // この案を*作ったのはだれですか Who *made* this plan? // この番組は特に児童向けに*作られたものです This program *has been prepared* especially for children.
3 «栽培する・育てる»: (作物を) grow ⑯, raise ⑯ 語法 ほぼ同意だが, (英) (米) ともに grow のほうが普通; (植物を世話をして大事に育てる) cultivate ⑯ ★ 格式ばった語. (☞ うえる¹; さいばい).
¶ここでは小麦は*作りません We don't ⌈*grow* [*raise*] wheat here. // 彼は菊を*作ることにかけては名人だ He is an expert in ⌈*growing* [*cultivating*] chrysanthemums /krɪsǽnθəməmz/. // 30 歳になるまで子供は*作りません (⇒ 持たない) We are not going to ⌈*have* a child [*start* a family] until we reach the age of thirty. ★ [ ] 内の family は「子供」の意.
4 «形成する»: (組織する) form ⑯, organize ⑯ ★ 後者のほうが改まった語. (☞ けっせい¹).
¶別に委員会を*作ることになろう Another committee will *be* ⌈*formed* [*organized*]. // 幸せな家庭を*作って下さいね I hope you will *make* a happy home. // クラスで野球のチームを*作った Our class ⌈*formed* [*organized*] a baseball team.
5 «食物を調理する»: (火を使って料理する) cook ⑯; (火を使うか使わないかに関係なく, 食べ物を作る) make ⑯; (食事を用意する) get ... ready, prepare ⑯ 語法 (1) 後者のほうが格式ばった語. 一つ一つの品目よりも食事全体を作る意味で使われることが多い. (☞ 料理の用語 (囲み)).
¶「何を*作っているの」「シチューを*作っているんだ」 "What *are* you ⌈*cooking* [*making*]?" "I'*m* ⌈*cooking* [*making*] stew." // このサンドイッチはだれが*作ったのですか Who *made* these sandwiches? 語法 (2) サンドイッチは火を使わないので cook は使えない. // お母さんはいま朝食を*作っている Mom *is getting* breakfast *ready*. / Mom *is* ⌈*preparing* [(米) *fixing*] breakfast.

コロケーション
紙で人形を作る *make* a doll out of paper / ガラスで瓶を作る *make* glass into bottles / 機械で商品を作る *make* goods by machine(s) / (…という)状況を作る *create* a situation (where ...) / ゼロから一大企業帝国を作る *build* a business empire from scratch / トマトとレタスでサラダを作る *make* salad with tomato and lettuce / 人のために食事を作る *make* [*prepare*; *cook*] a meal for *a person*; *make* [*prepare*; *cook*] *a person* a meal / ぶどうからワインを作る *make* wine from grapes / よい関係を作る *establish* a good relationship

つくろい 繕い (繕うこと) mending Ⓤ; (継ぎ当て) patching (up) Ⓤ; (かがること) darning Ⓤ. (☞ つくろう; かがる; つぎ²).
繕い物 mending Ⓤ; darning Ⓤ.

つくろう 繕う **1** «修理をする»: (簡単に) mend ⑯; (米) fix ⑯; (靴下などを) darn ⑯; (継ぎを当てて) patch ⑯. (☞ なおす). ¶私は上着のかぎ裂きを*繕った I ⌈*mended* [*fixed*] the tear in my jacket.
2 «整える»: (体裁を) keep up appearances (☞ とりつくろう). ¶彼は体面を*繕うことだけ考えている (⇒ 繕うことに躍起だ) He is anxious to *keep up appearances.*

つ

つけ 付け ―― [名] (付け払い) 《米》 charge account [C], 《英》 credit account [C]. ―― [副] (付けで) on credit, 《米略式》 on the ˹tab [cuff]. 《☞ クレジット》. ¶この本屋では*付けで本が買える I can buy books *on credit* at this bookstore.

付けが回って来る ¶いずれ*付けが回ってくるよ (⇒ 最後にはその償いをしなければならない) You'll have to *pay for it* in the end.

-つけ ¶行き*つけの本屋 *one's* (*favorite*) bookstore // かかり*つけの歯科医 *one's family* dentist // 良きに*つけ悪しきに*つけアインシュタインは原子力時代を招来した *For better or worse*, Einstein fathered the atomic age.

つげ 黄楊, 柘植 〔植〕 box (tree) [C], boxwood [C] ★ 後者は「つげ材」の意味にもなる. その場合は [U].

-づけ[1] **…付け** ¶8月10日*付けの朝日新聞の夕刊 the evening edition of the *Asahi dated* Aug. 10. // 彼は12月10日*付けで (⇒ 12月10日から) ロンドン支店へ転勤になった He was transferred to our London branch *as of* Dec. 10. ★ as of は新聞などでよく使われる慣用表現. 《☞ ひづけ》

-づけ[2] **…漬け** **1** 《漬けたもの》 ¶魚のみそ*漬け fish *preserved* in miso // 塩*漬けのにしん *salted* herrings // 浅*漬けの白菜 lightly *pickled* Chinese cabbage 《☞ つけもの; つける[3]》

2 《上にかけたもの》 ¶お茶*漬け boiled rice *in* hot tea 《☞ ちゃづけ》

3 《専心すること》 ¶一夜*漬けの勉強 *all-night* cramming

4 《多量にあびること》 ¶彼女は薬*漬けだ (⇒ 過剰投与されている) She has been *over*medicated. / (⇒ 薬を飲み過ぎている) She has been taking *too much* medicine.

つけあがる 付け上がる (思い上がっている) be conceited; (うぬぼれている) 《略式》 be stuck-up; (厚かましくなる) gròw ímpudent. 《☞ ぞうちょう》. ¶彼はこのところ*つけ上がっているようだ He seems to *be* ˹*conceited* [*stuck up*; *impudent*] these days. // 親切にすると, 彼女はすぐ*つけ上がる (⇒ 親切につけ込む) She will soon *take advantage of* your kindness. [語法] この your は相手を含めた一般の人々を表す.

つけあわせ 付け合わせ (料理のつま) garnish [C]. ¶肉の*付け合わせに野菜を使う use vegetables as a *garnish* for the meat

つけあわせる 付け合わせる garnish (他). ¶魚にレモンとパセリを*付け合わせる *garnish* the fish *with* lemon and parsley

つけいる 付け入る take advantage of … 《☞ つけこむ[1]》.

つけうま 付け馬 bill collector who follows a customer home to get ˹him [her] to pay [C] ★ 説明的な訳.

つけおとし 付け落とし (帳簿などの) omission [C] 《☞ つけおとす》. ¶勘定書きにいくつか*付け落としをしてしまった I have made several *omissions* in the bill.

つけおとす 付け落とす (帳簿などに記入しそこなう) fail to enter … 《☞ つけおとし》. ¶その金額を請求書に*付け落としてしまった I *failed to enter* the sum in the accounts.

つけおび 付け帯 *tsuke-obi* [C], ready-made *obi* tied in a *taiko* bow [C] ★ 後者は説明的な訳.

つけかえる 付け替える (…を…と取り替える) change … (for …); (…を…と入れ替える) replace … (with …); (新しくする) renew (他). ¶この網戸を (新しいのに) *付け替えなさい *Replace* this screen (*with* a new one). / *Change* this screen (*for* a new one).

つけかた 付け方 (取り付け方) way of ˹fixing [installing] … [C], how to ˹fix [install] …; (書き方) way of writing [C], how to write. 《☞ つける[1]》.

つけぎ 付け木 spill [C].

つけぐすり 付け薬 (外用薬) medicine for external ˹use [application] [C]; (軟膏) ointment [C]. 《☞ くすり》.

つげぐち 告げ口 ―― [動] (人のことを告げ口する) tell on …; (一般的に告げ口をする, 秘密をばらす) tell tales. 《☞ いいつける》. ―― [形] (告げ口する) telltale. ¶彼女が私のことを先生に*告げ口したに違いない She must *have told on* me to our teacher. // *告げ口する人 《米》 tattletale / 《英》 telltale ★ 主として子供についていう.

つけくわえる 付け加える add (他) ★ 一般的な語; (書物・リストなどに補遺・補足として加える) 《格式》 append (他). ¶彼は自分もたいへん残念だと*付け加えた He *added* that he was also very sorry. // これもリストに*付け加えて下さい Please ˹*add* [*append*] this to the list.

つけげ 付け毛 (主にファッション用の) false hair [U], false hairpiece [C].

つけこむ[1] **付け込む** (弱味などに) take advantage of … ¶他人の弱味[失敗]に*つけ込むべきではない We should not *take advantage of* other people's ˹weaknesses [failures].

つけこむ[2] **漬け込む** pickle (他); (漬けて保存する) preserve (他). 《☞ つける[3]》.

つけじょうゆ 付け醤油 soy sauce dip [U].

つけじる 付け汁 dipping sauce [U].

つけたし 付け足し (追加) addition [C]; (補足) supplement [C]. 《☞ ほそく[1]; つけたり》. ¶それは単なる (⇒ 不要な) *付け足しだ That is an unnecessary *addition*.

つけだし 付け出し **1** 《勘定書》: bill [C] 《☞ せいきゅう[1]》. **2** 《相撲》 ¶その力士は幕下*付け出してデビューした The sumo wrestler made his debut as one *belonging to* the junior-grade division.

つけたす 付け足す add (他) 《☞ つけくわえる》.

つけたり 付け足り (付け加えた物) addition [C]; (付録) appendix [C] 《複 ~es, -dices》; (口実) pretext [C]. 《☞ ふろく; こうじつ[1]》.

つけっぱなし 点けっ放し ¶テレビを*つけっ放しにする *leave* the TV *on*

つけどこ 付け床 *tsukedoko* [C]; (説明的には) a small movable platform for a vase or the like.

つけどころ 付け所 (ねらい・焦点) focus [C] 《複 ~es, foci/fóusaɪ/》. ¶このレポートは目の*付け所がいい The *focus* of this paper is very good. // 彼女は目の*付け所がよかった (⇒ よい所に焦点をあてた) She *focused on* the right thing.

つけとどけ 付け届け (贈り物) gift [C], present [C]. 《☞ おくりもの (類義語)》.

つけね[1] **付け根** (根元) root [C]; (関節) joint [C]. 《☞ ね[1]》. ¶彼女は耳の*付け根まで赤くなった She blushed to the *roots* of her hair. [日英比較] 英語では「髪の根元まで」という. // 右腕の*付け根 *one's* right shoulder *joint*

つけね[2] **付け値** offered price [C]; (せりの) bid [C]. ¶骨董品の花びんに10万円の*付け値をする make a *bid* of a hundred thousand yen for an antique vase

つけねらう 付け狙う (後をつける) follow (他); (命をねらう) seek to kill *a person*. 《☞ ねらう》. ¶彼は右翼から命を*つけねらわれた (⇒ 右翼は彼の命をねらった) The rightists *sought to kill* him.

つけび 付け火 arson [U] 《☞ ほうか[1]》.

つけひげ 付け髭 false ˹mustache [beard] [C] 《☞ ひげ[1]》. ¶*付けひげをつける wear a *false* ˹*mus-*

つ

tache [*beard*]

つけびと　付け人　☞ つきびと

つけぶみ　付け文　love letter Ⓒ.

つけぼくろ　付けぼくろ　beauty spot Ⓒ.

つけまつげ　付け睫毛　false eyelashes ★ 複数形で.

つけまわす　付け回す　(人をしつこくつける) stalk [他]; (尾行する) shadow [他]. 《☞ おいまわす; つきまとう》.　¶ 彼はどこへ行っても警察に*付け回されていた Wherever he went, he *was shadowed* by the police.

つけめ　付け目　(目的) object Ⓒ; (ねらい所・的) aim Ⓒ; (つけ込む弱み) weakness Ⓒ.　¶ そこが彼らの*付け目なのだ That is their ｢*object* [*aim*]. / (⇒ それが彼らが利用しようとしている我々の弱味だ) That is our *weakness* they are trying to take advantage of.

つけめん　付け麺　noodles served with a separate sauce to dip them in ★ 複数形で.

つけもの　漬物　pickled vegetables ★ 通例複数形で.　日英比較　英米の漬物は日本の漬物と異なり, 酢または塩水と香料を入れたものにきゅうりを漬けた pickles が代表的である.　**漬物桶** pickle ｢tub [barrel] Ⓒ　**漬物器** pickle press Ⓒ.

> 漬物のいろいろ
>
> 白菜漬け pickled Chinese cabbage, 粕漬け(魚の) fish ｢preserved [pickled] in sake lees, 味噌漬け(魚[肉, 野菜]の) fish [meat; vegetables] ｢preserved [pickled] in miso, 糠漬け(野菜の) vegetables pickled in rice bran, 塩漬け(野菜の) salted vegetables

つけやき　付け焼き　broiling with soy sauce Ⓤ.　¶ いかを*付け焼きにする *broil* a squid *with soy sauce*

つけやきば　付け焼き刃　(借り物の知識) borrowed wisdom Ⓤ; (うわべの飾り) a (thin) veneer ★ a を付けて.　¶ *付け焼き刃は役に立たない *Borrowed wisdom* [(⇒ うわべだけの知識) *A veneer of wisdom*] does not work.

つける[1]　付ける　**1** «付着させる» ━ 動 (バターなどを塗る) spread [他] 《過去・過分 spread》; (薬品などを塗布する) apply [他]; (染みなどで汚す) stain [他]; (のりなどではり付ける) stick [他]; (荷札などをはり付ける) put ... on ..., attach [他] ★ 前者のほうが口語的. ━ 前 (…を付けて) with ... 《☞ くっつける》.

¶ トーストにはちみつをたっぷり*付けた I *spread* honey thickly *on* my toast. / <S(人)+V (*spread*)+O (付けられるもの)+*with*+名 (付けるもの)> I *spread* my toast thickly *with* honey. //「パンには何を*付けますか」「バターとジャムにして下さい」"What would you like *on* your bread? / What do you eat ｢*on* [*with*] your bread?" "Butter and jam." // 彼はトランクに荷札を 2 枚*付けた He ｢*attached* two tags *to* [*put* two tags *on*] his trunk.

2 «付属させる»: (しっかりと取り付ける) fix [他]; (備え付ける) install [他]; (小さなものを大きなものに) attach [他].　¶ 彼は壁に棚を*付けた He *fixed* the shelves *to* the wall. // うちでは新しい電話[太陽熱のセントラルヒーティング]を*付けた We *have installed* ｢a new telephone [a solar central heating system].

3 «記入する»: (書く) write [他]; (書き留める) write dówn [他], pùt dówn [他] ★ 後者のほうが口語的; (日記などを毎日書く) keep [他] ★ ある特定の日の日記を付けるのは write を用いる; (印を付ける) mark [他]; (色を付ける) color [他]; (塗料を塗る) paint [他]; (勘定などを) put down ... (in ...).　¶ 英語で日記を*付ける *keep* ｢a diary in English [an English diary] // 彼女は毎日家計簿を*つけている She *keeps* the household accounts every day. // その分は全部宣伝部に*つけておいて下さい Please *put* them all *down in* the Publicity Department.

4 «点灯・点火する»: (スイッチをひねって電灯・ガス・ラジオなどを) tùrn [swítch] ón [他] (↔ tùrn [swítch] óff); (たばこ・ろうそくなどに火を) light [他]; (放火する) set fire (to ...).　¶ 彼女は電気[テレビ]を*つけた She ｢*turned* [*switched*] *on* the ｢light [television]. // 電灯を*つけっ放しにしないで Don't leave the light (*switched*) *on*. // だれかがその家に火を*つけた Someone *set fire to* the house.

5 «尾行する»: (しっぽにくっついて行くように) 《略式》 tail [他]; (後ろからついて行く) follow [他] ★ 最も意味範囲の広い語; (よくない目的である人をつけ回す) stalk [他] 《☞ つけまわす》; (影のように付きまとって尾行する) shadow [他]. 《☞ びこう[1]》.　¶ 彼はだれかに*つけられていると思った He felt he *was being* ｢*followed* [*tailed*; *stalked*; *shadowed*].

6 «習得する»: acquire [他] ★ やや格式ばった語; (作り上げる) búild (úp) [他]; (習慣などを) form [他]; (より発達させる) develop [他]; (改善する) improve [他].

¶ 私はそのようにして英語の力を*つけた (⇒ 改善した) I *improved* my English that way. / (⇒ 英語力を習得した) I *acquired* my knowledge of English in that way. ★ 第 2 文は必ずしも「改善」の意味にはならない. // まず体力を*つけなさい First of all, *build up* your (physical) strength. // よい習慣を*つける *form* a good habit

つける[2]　着ける　**1** «身に装う»: (着用する) pùt ón [他] 《過去・過分 put on》; (着用している) wear [他] 《過去 wore; 過分 worn》 ★ 前者は「動作」を, 後者は「状態」を表す語. 《☞ きる[2]; はく[2]》.

¶ 彼は急いで服を身に*着けた He hurriedly *put on* his clothes. // 彼女はダイヤのブローチをブラウスに*着けていた She *wore* a diamond brooch on her blouse.

2 «乗り物を»: (車を運転して…まで行く) drive (a car) up to ...; (ある場所まで車を運転して行って止める) pull up to ...; (船を接岸させる) bring (a ship) alongside ...　¶ 彼は車を玄関に*着けた He ｢*drove* (his car) *up to* [*pulled up to*] the door.

つける[3]　浸ける, 漬ける　**1** «水などに浸す»: soak [他]; (柔らかくしたりよく溶かしたりするために液体の中につけたままにする) steep ... (in ...); (十分につける) 《格式》 immerse ... (in ...). 《☞ ひたす》.　¶ 洗濯物は最初水に*つけておいたほうがよく洗える Clothes will wash better if you *soak* them first (*in* water).

2 «漬物などを»: (漬ける) pickle [他]; (漬けて保存する) preserve [他]. 《☞ つけもの; -づけ[2]》.　¶ 白菜を*漬ける *pickle* Chinese cabbage

-つける　¶ やり*つけない (⇒ 慣れていない) 仕事 a job which *one is* ｢*not used to* [(⇒ なじみのない) not *familiar* with] // 食べ*つけない (⇒ 食べたことのない) もの what *one has never* ｢*tried* [*eaten*] before 《☞ -つけ; なれる[1]》

つげる　告げる　(内容を話す) tell [他] ★ 最も口語的で一般的な語; (知らせる) inform [他]. 《☞ しらせる; つたえる; はなす[1]》.　¶ 客は名前を*告げずに立ち去った The guest left without *giving* his name.

-づける　…付ける　¶ 彼を元気*づけてあげなさい *Encourage* him. / *Cheer* him *up*. // 解説者は汚職を風紀の乱れに関係*づけた The commentator ｢*related* the payoff scandal *to* [(⇒ 汚職を…のせいにした) *blamed* the payoff scandal *on*] the corruption of public morals. // 喫煙と肺ガンを関係*づける (⇒ 相互関係をもたせる) *correlate* smoking *with* lung cancer

-っこい　☞ -こい

つ

つごう 都合 **1**《事情・便宜》 ── 名 (事情) circumstances /sə́ːkəmstæ̀nsɪz/ ★ 通例複数形で; (理由) reason Ⓒ; (便宜・便利) convenience Ⓤ; (機会・好機) opportunity Ⓒ. ── 形 (都合のよい) convenient (↔ inconvenient).
¶ いつがご*都合がよろしいですか When will it be *convenient for* you? 語法 will you be convenient とするのは誤り. / (⇒ いつ体があきますか) When will you be「*available* [*free*]? // あなたのご*都合はそれでよろしいですか Is it *all right* with you? // あなたのご*都合がよろしければ (⇒ お暇なら) あす伺いたいのですが If you *are free*, may I come to see you tomorrow? // 一身上の*都合で (⇒ 個人的な理由で) 彼は辞職した He resigned *for* personal *reasons*. // ご*都合つき次第おいで下さい Please come at your earliest *convenience*. ★ at *one's* earliest convenience は話し相手に対するやや格式ばった慣用的表現. // *都合がつき次第電話します I'll call you (up)「*at the first opportunity* [(⇒ できるだけ早く) *as soon as I can*]. // 万事*都合よく (⇒ うまく) いった Everything *turned out*「*well* [*for the best*].
2《やりくり》 ── 動 (何とか…する) manage to *do* … (☞ やりくり).
¶ 彼らは何とか*都合してここにやってきた Somehow they *managed to* come here. // 10 万円ばかり*都合してくれないか (⇒ 私は 10 万円あなたから借りられるだろうか) Could I borrow one hundred thousand yen from you?
3《全部で》 ── 副 (合計で) in all, in total; (全部数えると) all told. (☞ ごうけい).

つごもり 晦(日) (みそか) the last day of the month. ¶ 大*つごもり New Year's Eve

つじ 辻 (四つ辻) crossing Ⓒ, crossroads ★ 後者は複数形だがしばしば単数扱い; (交差点) intersection Ⓒ ★ やや格式ばった語. (☞ じゅうじろ). **辻駕籠** street palanquin Ⓒ (☞ かご²) **辻強盗** mugger Ⓒ; (昔の) highwayman Ⓒ **辻堂** roadside [wayside] shrine Ⓒ **辻馬車** hansom Ⓒ ★ 二人乗り用の一頭立て二輪馬車.

つじあきない 辻商い ── 動 sell goods on the street. ── 名 (商人) street vendor Ⓒ.

つじうら 辻占 slip of paper telling *a person's* fortune Ⓒ; (前兆) omen Ⓒ.

つじがはな 辻が花 (染め物) tsujigahana dyeing Ⓤ; tie-dyeing in colorful designs Ⓤ ★ 後者は説明的な訳.

つじぎり 辻斬り ── 動 (通行人に切りかかる) attack a passerby with a sword (at night); (試し切りするために通行人を襲う) attack a passerby to test a new sword. ── 名 *tsujigiri* Ⓒ, street attacker Ⓒ; (説明的には) samurai who attacks a passerby to test a new sword Ⓒ.

つじげい 辻芸 street (corner) [sidewalk] performance Ⓒ.

つじげいにん 辻芸人 street (corner) [sidewalk] performer Ⓒ.

つじせっぽう 辻説法 ── 名 preaching the dharma at the crossroads Ⓤ; street ministry Ⓒ ★ 特にキリスト教の. ── 動 preach (the dharma) in the street(s).

つじつま 辻褄 つじつまが合う (首尾一貫している) be consistent, 《略式》 hang together (自). ¶ 彼は何とか*つじつまの合った説明をしようとした He tried hard to *make* his story *consistent*. / (⇒ 彼は説明が首尾一貫するように努めた) He tried hard to *be consistent* in his explanation. // 彼女の話は*つじつまが合わない Her story「*is inconsistent* [*is self-contradictory*; *doesn't hang together*].

つしま 対馬 ── 名 固 Tsushima. **対馬海峡** the Tsushima Strait(s) **対馬海流** the Tsushima Current.

つた 蔦 〔植〕 ivy Ⓤ (☞ つる⁵). ¶ *蔦に覆われた壁 *ivy*-covered walls

-づたい …伝い ── 前 (…に沿って) along … (☞ -ぞい; そう²). ¶ 谷*伝いに細い道があった A narrow path ran「*along* [*through*] the valley.

つたいあるき 伝い歩き ¶ 子供が*伝い歩きをするようになった Our baby has started to *walk holding onto furniture*.

つたう 伝う ¶ 泥棒は屋根を*伝って (⇒ 屋根から屋根へと) 逃げた The thief fled *from* roof *to* roof. (☞ そう²)

つたえきく 伝え聞く (伝説によると) tradition says (that) …, according to a legend; (他人の口から耳に入る) hear … from others; (うわさを聞いて知る) learn … by hearsay. ¶ *伝え聞くところによるとこの泉の水は薬効があるそうだ *Tradition says* [*According to a legend*,] the water in this spring has curative properties.

つたえる 伝える **1**《知らせる》: (内容を話す) tell (他) (過去・過分 told); (情報を知らせる) inform (他) ★ tell より格式ばった語; (情報・思想を伝達する) communicate (他); (文書により正式に知らせる) notify (他). (☞ しらせる).
¶ 私の意図はすでに彼に*伝えてある <S (人)＋V (*tell*)＋O (人)＋O (事)> I *have* already *told* him my intentions. / <S (人)＋V (*inform*)＋O (人)＋*of*＋名> I *have* already *informed* him *of* my intentions. // 学生たちには試験日の変更を*伝えてある <S (人)＋V (*notify*)＋O (人)＋*of*＋名の受身> Students *have been notified of* the change in the date of the examination. // 言語は我々の考えや感情を*伝える Language *communicates* our thoughts and feelings. // 何か彼女に*伝えること (⇒ 伝言) はありませんか Would you like to *leave a message* for her?
2《伝授・伝承する》: (教える) teach (他); (後世に代々伝える) hánd dówn (他); (導入する・取り入れる) introduce (他). (☞ つたわる).
¶ 大陸から来た人たちがこの技術を我々の祖先に*伝えた The people from the continent *taught* this art to our ancestors. // この風習は江戸時代から*伝えられている This custom *has been handed down* since the Edo period. // 仏教は紀元 552 年に中国からわが国へ*伝えられた Buddhism *was introduced into* our country *from* China in 552 A.D.
3《熱・音・光などを》: (導く) conduct (他); (送る) transmit (他). ¶ 水は音をよく*伝える Water easily「*conducts* [*transmits*] sound.

つたない 拙い (下手な) poor; (未熟な) unskillful (《英》 unskilful); (未成熟な) immature. (☞ みじゅく; ようち¹).

つたわる 伝わる **1**《知らせ・うわさなどが》: (広がる) spread (自); (巡って広がる) go around (自), circulate (自) ★ 後者のほうが格式ばった語; (先へ先へと伝わる) travel (自); (口から口へと) pass (自). (☞ ひろまる).
¶ そのうわさは至る所に*伝わっている The rumor *has*「*spread* [*circulated*] everywhere. // その話は口から口へと*伝わった The story *passed* (from) mouth to mouth.
2《伝承する》: (後世に伝わる) còme dówn (自); (代々伝えられる) be hánded dówn. (☞ つたえる; でんらい).
¶ この茶碗は数百年前朝鮮から日本に*伝わったものだ (⇒ 朝鮮から来た) This teacup「*came* to [(⇒ もたらされた) *was brought* to] Japan *from* Korea several hundred years ago. // この名器は祖先から*伝わったものです This curio *was*

つ

handed down by my ancestors. / This curio *has come down* to me *from* my ancestors.

3 «熱・音・光などが»: travel ⓐ (☞ つたえる).

¶ 光は音よりずっと速く*伝わる Light *travels* much faster than sound.

ツタンカーメン — 图 ⓐ Tutankhamen /tùːtæŋkáːmən/ ★ 紀元前 14 世紀のエジプトの王.

つち[1] 土 **1** «土壌»: (一般に) earth Ⓤ; (特に作物が生育する土壌) soil Ⓤ. ¶ 私たちは*土をバケツに入れて運んだ We carried *earth* in buckets. // 幸い*土は肥えていた Luckily we had ⌈rich [fertile] ⌈*soil* [*land*]. // 種の上に薄く*土をかけなさい Cover the seeds with a thin layer of ⌈*soil* [*earth*]. // その力士は今場所まだ*土付かずだ That sumo wrestler ⌈*has a clean record* [has *not been defeated yet*] in this grand tournament. (☞ 土がつく (成句)).

2 «大地»: (地面) the ground; (大地・地球) the earth, mother earth ★ 後者のほうが文語的. また無冠詞で用いる. (☞ だいち[1]).

¶ 10 年の放浪の後, 彼はやっと母国の*土を踏んだ After ten years of wandering, he finally ⌈set foot in [stood on *the ground* of] his homeland once again. / (⇒ 母国に帰った) After ten years of wandering, he finally ⌈returned to [reached] his ⌈homeland [mother country].

土がつく (相撲で負ける) take a tumble, be ⌈beaten [defeated] (☞ 1 用例). ¶ 横綱に*土がついた (⇒ 横綱が負けた) The Grand Champion (sumo wrestler) *was* ⌈*beaten* [*defeated*].

土となる (死ぬ) die; (葬られる) be buried in ….

土いじり ☞ 見出し　**土色** ☞ 見出し

コロケーション

アルカリ性の土 alkaline *soil* / 石の多い土 stony *soil* / 汚染された土 contaminated *soil* / 固い土 firm *soil* / 砂質の土 sandy *soil* / 酸性の土 acidic *soil* / 湿った土 moist *soil* / 粘土質の土 clay *soil* / もろい土 friable *soil* / 柔らかい土 soft *soil* / 有機質の土 organic *soil*

つち[2] 槌 (金づち) hammer Ⓒ; (木づち) mallet Ⓒ; (大づち) maul Ⓒ; (司会用の) gavel Ⓒ. (☞ だいく (挿絵); かなづち (挿絵)). **槌音** hammering sound Ⓒ.

つちあけび 土木通 〘植〙 *tsuchiakebi* Ⓒ; (説明的には) terrestrial orchid that bears fruits like an *akebi* Ⓒ.

つちあそび 土遊び ☞ どろ (泥遊び)

つちいきれ 土いきれ heat of the earth Ⓤ.

つちいじり 土いじり (庭の手入れ) gardening Ⓤ.

つちいっき 土一揆 peasant uprising (of the Muromachi period) Ⓒ (☞ いっき).

つちいろ 土色 — 图 earthlike color Ⓤ. — 形 (顔色などが) sallow.

つちかう 培う (才能・性質などを訓練によって養う) cultivate ⓐ; (能力などを伸ばす) devélop ⓐ; (助長して伸ばす) foster ⓐ. (☞ やしなう). ¶ 道義心を*培う *develop one's* moral sense

つちかべ 土壁 mud wall Ⓒ.

つちくさい 土臭い (粗野な) crude; (洗練されていない) unrefined.

つちくじら 槌鯨 〘動〙 Baird's beaked whale Ⓒ.

つちぐも 土蜘蛛 purse-web spider Ⓒ.

つちくれ 土塊 clod Ⓒ, lump (of earth) Ⓒ.

つちけいろ 土気色 — 形 (死んだように青白い) deathly pale; (血の気がなく蒼白な) ashy, ashen ★ 後者のほうが格式ばった語. (☞ そうはく).

つちけむり 土煙 cloud of dust Ⓒ.

ツチぞく ツチ族 (ブルンジとルワンダ一帯に住む一族) the Tutsi(s) /túːtsi(z)/.

つちつかず 土付かず ☞ つち[1] 1 用例

つちのえ 戊 (十干の第 5) the fifth of the ⌈Ten Celestial Signs [ten calendar signs].

つちのこ 槌の子 (想像上の動物) *tsuchinoko* Ⓒ; (説明的には) imaginary snake-like creature Ⓒ.

つちのと 己 (十干の第 6) the sixth of the ⌈Ten Celestial Signs [ten calendar signs].

つちぶた 土豚 〘動〙 aardvark Ⓒ, antbear Ⓒ.

つちふまず 土踏まず (足の) the arch of the foot (☞ あし[1] (挿絵)).

つちふるい 土篩 éarth sieve /sìv/ Ⓒ.

つちへん 土偏 (漢字の) earth radical on the left of kanji Ⓒ.

つちぼこり 土埃 dust Ⓤ. ¶ *土ぼこりをあげる raise a cloud of dust behind …

つつ 筒 (金属やセメントなどの) pipe Ⓒ; (ゴムやガラスなどの) tube Ⓒ; (円筒) cýlinder Ⓒ ★ 格式ばった語. (☞ くだ 語法).

-つつ (…する間に) while …, as … 語 法 このほか分詞構文で, 「…しながら…する」という意味を表すことができる. (☞ -ながら).

つつうらうら 津津浦浦 — 副 (北海道から沖縄まで全国で) from Hokkaido to Okinawa ★ なお《米》では from coast to coast (大西洋岸から太平洋岸まで), 《英》では from Land's End to John o'Groats が用いられる; (国の至る所で) everywhere in the country.

つっかいぼう 突っかい棒 — 图 (支柱) prop Ⓒ. — 動 (支柱などで支える) próp úp ⓐ. (☞ ささえる). ¶ 彼女は塀に*突っかい棒をした She *propped up* the fence with some poles.

つっかえす 突っ返す ☞ つきかえす

つっかえる 支える ¶ *つっかえながら言う stumble over *one's* words // *つっかえながら読む read aloud *with pauses and mistakes* (☞ つかえる[1]).

つっかかる 突っ掛かる (くってかかる) turn on …; (けんかを売る) pick a ⌈quarrel [fight] (with …). (☞ くってかかる). ¶ 彼は何もしないのに私に*突っかかってきた He *turned on* me for nothing. // あの男が*突っかかってきたのだ (⇒ 仕掛けてきたのはあの男だ) That's the man that *picked a quarrel with* me.

つっかけ 突っ掛け slip-on sandals ★ 通例複数形で. a pair of … として数える. (☞ 数の数え方 (囲み)).

つっかける 突っ掛ける (スリッパなどを無造作にはく) slip on … ¶ 彼女はサンダルを*突っかけて出て行った She *slipped on* some sandals and went out.

つつがなく 恙無く (無事に) safely; (健やかに) in good health. (☞ ぶじ; げんき[1]; へいおん).

つつがむし 恙虫 〘動〙 harvest mite Ⓒ; (幼虫) chigger Ⓒ. **恙虫病** scrub typhus Ⓤ, tsutsugamushi disease Ⓤ.

つづき 続き (継続) continuance Ⓤ; (再び続けること) continuation Ⓤ ★ 「続く部分」の意味では Ⓒ; (続篇) sequel /síːkwəl/ Ⓒ.

¶ 私は先週の番組の*続きを見そこなった I missed the *continuation* of last week's program. // この記事の*続きは 36 ページにあります This article *is continued* on page 36. // この前の*続きから (⇒ この前やめた所から) 読みましょう Let's start reading *where we left off* last time. // その*続きはないのですか (⇒ これで全部ですか) Is this all? / Isn't there *any more* (*to follow*)?

続き柄 family relationship Ⓤ, lineal relations ★ 後者は格式ばった言い方で, 血縁関係についての正式な語としても用いられる. 通例複数形で. ¶ 彼とはどういう*続き柄ですか How [In what way] are you *related to* him? **続き番号** consecutive numbers

《☞ とおし(通し番号)》 続き物 serial /sí(ə)riəl/ Ⓒ 《☞ れんぞく》. ¶ テレビ[新聞]の*続き物 a ˹television [newspaper] *serial* // *続き物の小説 a *serial* (story)

-つづき …続き ― 名 (一続き) series Ⓒ ★ 単複同形. 最も一般的; (連続) succession Ⓒ; (時間的な一続き) spell Ⓒ. ― 形 successive Ⓐ, consecutive 語法 前者は間隔があいている場合も含むが, 後者は間隔なしでの連続を表す. ― 副 (連続的に・立て続けに) in a row ★ 口語的表現; successively; consecutively; (数詞+複数名詞の後に) running. 《☞ れんぞく》.

¶ 彼は不幸*続きだ He has had ˹*a series of* [*a succession of*; *consecutive*] misfortunes. / He has had ˹*a spell of* bad luck [misfortunes *one after another*]. // 晴天*続きで幸いでした We were lucky to have *a spell of* fine weather. // 5 日*続きで for five days *in a row* // 3 年*続きの豊作 a good harvest three years *running*

つつきまわす 突き回す poke ˹about [around] 他 《☞ こづきまわす》.

つつぎり 筒切り thick round slice Ⓒ 《☞ わぎり》. ¶ さばを*筒切りにする cut a mackerel in *thick round slices*

つっきる 突っ切る (突破する) break through …; (横切って走る・突進する) run [dash] across … ★ ほかに go [cut] across … も用いられる; (横断する) cross 他 ★ 単に横切ることをいう一般的な語. 《☞ よこぎる; とっぱ》. ¶ 彼は人込みの中を*突っ切って行った He *broke through* the crowd. // オートバイが十字路を*突っ切って行った A motorcycle ˹*dashed* [*ran*; *went*; *cut*] *across* the intersection (*without stopping*).

つつく 突く (指・棒の先などで突く) poke 他; (先のとがった物で) pick 他; (鳥がくちばしで) peck (at …) 自 ★ 他 としても用いる; (注意を促すためにひじで) nudge 他.

¶ だれかが背中を*つつくのを感じて目が覚めた I woke up feeling someone *poking* me in the back. // 私の番になったとき彼女はひじで私を*つついた She *nudged* me when it was my turn. // 彼は氷を*つついて穴をあけた He *picked* a hole in the ice. // にわとりは私の手を*つついた The hen *pecked* my hand.

つづく 続く (継続する) continue 自; (ずっと…する) kèep [gò] ón 自 ★ やや口語的. 後に …ing 形が続くことが多い; (後に続く) come [go] after …; (順序として続く・従う) follow 他; (持続する) last 自; (道などが通じる) lead (to …) 自. 《☞ つづける; けいぞく[1]》.

¶ 雨は一週間も*続いた The rain *continued* [It *kept on* raining] for a week. / (⇒ 間断なく) It rained *continuously* for a week. // 3 日*続いて強い風だ It has blown hard ˹for three *consecutive* days [*continuously* for three days]. // このよい天気はどのくらい*続くだろうか How long will this fine weather *last*? // 戦争の後には社会不安が*続いた Social unrest ˹*followed* [*came after*] the war. // 私たちはみなリーダーに*続いた (⇒ リーダーに従った [リーダーの後から行った]) We all ˹*followed* [*went after*] the leader. // この森は何マイルも*続く This forest *continues* for miles. // この小道は大通りに*続いている This path ˹*leads* [*takes you*] *to* the main street. // 金が*続かなくて (⇒ 金がなくて) 計画をやめた I've given up the plan ˹for *lack of* money [because I *ran out of* money]. // *続く (⇒ 以下次号) To *be continued*. // この記事は 62 ページに[から]*続く This article ˹*is continued* [*continues*] ˹on [from] page 62.

つづけざま 続け様 ― 副 (次から次へと) one after another ★ 最も一般的; (連続して) in a row, in succession, successively, consecutively 語法 in a row はそれ以下の代わりにも使える口語的な表現, 第 2, 第 3 の表現は間隔があいている連続でもよいが, 最後の語は間隔なしでの連続のみをいう. 《☞ あいついで; つぎつぎ; たてつづけ; れんぞく》.

¶ 5 回も*続けざまに試合に負けた We lost five *consecutive* games. / We lost five games *in* ˹*a row* [*succession*]. // 彼は私に*続けざまに質問した He *shot* many questions at me. ★ shoot は質問などを「浴びせる」という意味. / He asked me many questions *in rapid succession*. ★ 第 1 文のほうが簡潔な言い方.

つづけじ 続け字 (草書体) a ˹cursive [running] hand; (筆使い) cursive handwriting Ⓤ. 《☞ そうしょ[2]》. ¶ *続け字で書く write *in a* ˹*cursive* [*running*] *hand*

つづけて 続けて ― 副 running 語法 数詞+複数名詞の後に続ける; in a row, consecutively ★ 前者のほうが口語的. ― 形 (連続した) consecutive. 《☞ つづけざま; たてつづけ》.

¶ 3 年*続けて物価が 2 けた台の上昇をした Prices have been rising in double digits for ˹three years *running* [three years *in a row*; three *consecutive* years]. // 私は 2 時間*続けて (⇒ 休憩なしに) 泳いだ I swam for two hours *without a break*.

つづける 続ける (継続する) continue 他 自 ★ 一般的な語. 一度中断した後再び始める場合にも用いられる; (…し続ける) kèep [gò; cárry; hòld; gèt] ón 自 ★ やや口語的. それぞれの動詞によってニュアンスの違いがある. 後に …ing 形が続くことが多い. 《☞ つづく》.

¶ 彼は旅を*続けた He *continued* his journey. // 物価は上がり*続けている Prices *are constantly* ˹going up [rising]. / Prices *continue* to rise. // 彼女は一日中本を読み*続けた She ˹*kept on* [*continued*] reading for the whole day. // 彼はまだ机の前に座り*続けている He *is* still *sitting* at his desk. // どうぞお仕事をお*続け下さい Please *go* ˹*on* [*ahead*] with your work. // 彼らはもう 3 時間も討論を*続けている (⇒ 絶え間なく [連続して討論している]) They have been debating the problem ˹*without a break* [*continuously*] for three hours.

つっけんどん ― 形 (ぶっきらぼうな) blunt; (そっけない) cold; (無愛想な) surly; (無礼な) rude. ― 副 bluntly. 《☞ ぶっきらぼう; そっけない》. ¶ 彼は*つっけんどんな返事をした He gave me a ˹*blunt* [*cold*] answer. / He answered me in a *surly* manner.

つっこみ 突っ込み (突進すること) dashing Ⓤ, rushing Ⓤ; (深く掘り下げること) digging Ⓤ 《☞ つっこむ》; (漫才の話を進める役) the ˹straight man [smart partner] of a comedy duo. 《☞ ぼけ[1]》.

¶ この記事はテーマに対する*突っ込みがやや足りない This article requires a little more *digging* into the subject matter.

つっこむ 突っ込む **1** 《突き入れる・突き入る》: (突進する) dash [run] (into …) 自; (水中に頭から飛び込む) dive (into …) 自; (急に・勢いよく飛び込む) plunge (into …) 自; (押し込む) thrust … (into …). 《☞ とっしん; とつにゅう》. ¶ 車は頭から水の中に*突っ込んだ The car ˹*dived* [*plunged*] right *into* the water. // 子供は手を穴の中に*突っ込んだ The child *thrust* his hand *into* the hole.

2 《鋭く質問する》 ― 動 (辛らつな質問をする) ask a ˹pointed [sharp] question; (問題などを掘り下げる) dig into … ― 形 (鋭く要点を突いた) 《格式》 incisive; (うがった) pénetràting.

¶ 彼は*突っ込んだ質問をした He *asked a* ˹*pointed*

[*sharp*; *penetrating*] *question*. // 彼はだいぶ*突っ込んで研究したようだが, 最重要点が抜けている He seems to *have dug into the subject* quite deeply, but he has missed the most important point.

つつじ 躑躅 〔植〕Japanese azalea /əzéɪljə/ Ⓒ.

つつしみ 慎み — [名] (謙遜(けんそん)・控えめ) modesty Ⓤ; (慎重さ・用心深さ) prudence Ⓤ; (思慮分別) discretion /dɪskréʃən/ Ⓤ ★ 以上 2 つは格式ばった語; (自制) self-control Ⓤ. — [形] (慎み深い・控えめな) modest (↔ proud); (慎重で用心深い) prudent (↔ imprudent); (思慮分別のある) discreet (↔ indiscreet). (☞ けんきょ¹; ひかえめ; しんちょう²).
¶ 彼女は*慎み深い人だ She is ⌈*modest* [*discreet*]. // 彼の*慎み深い態度 his ⌈*modest* [*prudent*] behavior // そんなことをするなんて彼は*慎みに欠けている It is *imprudent* of him to do something like that. / He is *imprudent*, doing something like that.

つつしむ 慎む **1** «気をつける»: (間違いのないよう気をつける) be careful (about …; of …) ★ 最も一般的な言い方; (言葉や行為が慎重な) be discreet; (分別がある) be prudent; (用心深い) be cautious. (☞ しんちょう²).
¶ 言葉を*慎むように心がけている I try to *be careful of* what I say. / I try to *be* ⌈*discreet* [*prudent*] when talking. ★ 第 2 文のほうが格式ばった表現.
2 «控える»: (衝動を抑えて我慢する) refrain (from …) (自) ★ 格式ばった言い方; (特に酒・たばこなどをやめる) stop ⌈drinking [smoking] ★ 一般的. たばこについては give up smoking という言い方もよく使われる. (☞ ひかえる).
¶ 君は酒[たばこ]を*慎んだほうがよい You should ⌈*stop drinking* [*give up smoking*]. / You should *refrain from* ⌈drinking [smoking].

つつしんで 謹んで — [副] (恭しく) respectfully. — [形] (心からの) sincere. 日英比較 英語では以上のような語をあまり用いず, 自分の誠実な気持ちを表す別の表現を, 前後関係によりいろいろな方法で表現するのが普通である. ¶ *謹んでお祝いを申し上げます Let me offer you my congratulations. 語法 かなり堅苦しい表現. 普通は Congratulations! でよい. // *謹んでお悔やみを申し上げます Let me express my *sincere* condolences.

つつそで 筒袖 tight sleeve (of a kimono) Ⓒ; (筒そでの着物) tight-sleeved kimono Ⓒ.

つったつ 突っ立つ (じっと立っている) stand still; (真っすぐ立っている) stand straight; (しっかり立っている) stand ⌈fast [firm]. (☞ たつ¹). ¶ ぼんやり*突っ立っていないで仕事をしなさい Don't just *stand around* idly. Get down to ⌈work [business]!

つったてる 突っ立てる ¶ 棒切れを*突っ立てる *put* a stick *straight up* (☞ たてる²)

つっつく 突っ突く ☞ つつく

つつどり 筒鳥 〔鳥〕 Oriental [Himalayan] cuckoo Ⓒ.

つつぬけ 筒抜け — [動] (秘密が漏れる) léak óut (自). ¶ 我々の秘密はいつも彼らに*筒抜けだ Our secrets always *leak out* to them somehow.

つっぱしる 突っ走る (突進する) dash (自); (勢いよく走る) rush (自); (疾走する) speed (自) (過去・過分 ~ed, sped). (☞ はしる (類義語); さきばしる).
¶ 数人が*突っ走って行った Several people ⌈*dashed* [*rushed*; *sped*] past us.

つっぱなす 突っ放す ☞ つきはなす

つっぱねる 突っぱねる (断固として退ける) reject (他); (要求などを強い調子で断る) refuse (他) (↔ accept); (はねつける) tùrn dówn (他). (☞ きょぜつ; きょひ¹). ¶ 社長は労働組合の要求を*突っぱねた The president (of the company) ⌈*rejected* [*refused*; *turned down*] the demands of the labor union.

つっぱり 突っ張り (相撲の) thrust Ⓒ; (非行少年) juvenile delinquent Ⓒ; (つっかい棒) prop Ⓒ. (☞ しちゅう¹; つっかいぼう; ひこう²).

つっぱる 突っ張る (相撲で) thrust (*one*'s opponent) (他); (非行少年になる) become a juvenile delinquent; (粗暴にふるまう) act tough. (☞ ひこう²).

つっぷす 突っ伏す fall on *one's* face, throw [hurl] *oneself* to the ground(,) face down. (☞ うつぶせ).

つつましい 慎ましい — [形] (慎み深く控えめな) modest; (自分を卑下して控えめな) humble; (遠慮がちな) reserved; (質素な) frugal ★ やや格式ばった語. — [副] modestly; humbly; frugally. (☞ ひかえめ; つつしみ).
¶ 彼女は*つつましい人でした She was ⌈*modest* [*humble*; *reserved*]. // 彼らは*つつましく (⇒ 質素に) 暮らしていた They lived ⌈*frugally* [a *frugal* life].

つつましやか 慎ましやか ☞ つつましい

つつみ¹ 包み (束ねたり包んだりした物) package Ⓒ; (包装してひもでしっかり結んだ小さな包み) parcel Ⓒ; (束) bundle Ⓒ. (☞ にもつ). ¶ 私はその*包みを解いた (⇒ 開いた) I ⌈opened [undid] the *package*. // 紙*包み a *package* wrapped in paper

つつみ² 堤 bank Ⓒ (☞ どて; ていぼう¹).

つづみ 鼓 〔楽器〕 Japanese hand drum Ⓒ, small shoulder drum for tapping with the fingertips Ⓒ ★ 後者は説明的表現.

つつみかくす 包み隠す ¶ 私は彼に*包み隠さず話した (⇒ すべてをざっくばらんに話した) I told him everything *frankly*. (☞ かくす)

つつみがまえ 包構え (漢字の) package radical at the top of kanji Ⓒ.

つつみがみ 包み紙 (包装紙) wrapping paper Ⓤ, wrapper Ⓒ.

つつみこむ 包み込む wrap (up) (他) (☞ つつむ).

つつみやき 包み焼き — [名] (焼いた料理) food baked in (tin)foil Ⓤ. — [動] bake in a wrapping of ⌈cooking paper [foil] (他).

つつむ 包む (紙・布・ラップなどでくるむ) wráp (úp) (他) ★ 最も一般的な語; (ベールで) veil … (in …) ★ やや文語的. しばしば受動態で; (完全に覆う) envélop (他); (覆い隠す) shroud (他) ★ 普通は受身で; (いっぱいにする) fill (他). (☞ くるむ; おおう).
¶ 品物はふろしきに*包んで下さい Please ⌈*wrap* [*tie*] *up* the things in a *furoshiki*. // プレゼントは美しい紙に*包んであった The present *was wrapped up* in beautiful paper. // 山々は霧に*包まれていた The hills *were* ⌈*veiled* [*enveloped*] *in* mist. // 家はたちまち炎に*包まれた In no time the house *was* (*enveloped*) *in flames*. // その事件はまったく謎に*包まれている The whole affair *is shrouded* in mystery. // 会場は熱気で*包まれていた The place *was filled with* excitement.

つつもたせ 美人局 bádger gàme Ⓒ ★ badger の [動]「しつこく悩ませる」から.

つづら 葛籠 vine (bamboo) clothes box Ⓒ.

つづらおり つづら折り ¶ 私たちは*つづら折りの道を上がっていった We went up a ⌈*winding* [*zigzag*] path. ★ winding はゆるやかなカーブ, zigzag は急なカーブ.

つづり 綴り (スペリング) spelling Ⓒ; (正しいつづり字法) «格式» orthography /ɔəθágrəfi/ Ⓤ.
¶ ナポレオンの*つづりを知っていますか Do you know *how to spell* Napoleon? // *つづりの間違い a *spelling* mistake / a mistake in *spelling* ★ 後の例で spelling は「つづり方」という意味で Ⓤ. // この語の*つづりはよく間違えられる (⇒ 誤ってつづられる) This word *is* often *misspelled*.

綴り方 (作文) composition Ⓒ《☞ さくぶん》 つづり字 spelling Ⓒ; orthography Ⓤ つづり字の切れ目 division of words Ⓤ《☞ 巻末》.

つづる 綴る (単語・字を) spell ⑩; (文章を書く) write ⑩.《☞ かく[1]》. ¶「laugh (という語) はどうつづりますか」「l-a-u-g-h です」"How do you *spell* 'laugh'?" "l-a-u-g-h." 参考 スペリングをいうときは文字を1つずつ区切って発音する. 《☞ ハイフン (巻末)》

つづれおり 綴れ織り tapestry (weave) Ⓒ.

つづれにしき 綴れ錦 ☞ つづれおり

つて (紹介者) introducer Ⓒ; (仲介者)《格式》intermédiàry Ⓒ; (コネ) connection Ⓒ; (縁故)《略式》pull Ⓤ.《☞ コネ; くちきき; えんこ[1]》. ¶ 彼は*つてを探している He is looking for an ⌈*introducer* [*intermediary*].

つと[1] (出し抜けに) abruptly; (急に) suddenly.《☞ とつぜん; きゅう[1]; ふい[1]》.

つと[2] 苞 (わらで包んだ物) straw package Ⓒ; (みやげ) present Ⓒ.

つど 都度 (…するときはいつでも) whenever; (…するたびごとに) each [every] time.《☞ -たび; -ごと[1]》.

つどい 集い (会合) meeting Ⓒ; (大勢の打ち解けた集まり) gathering Ⓒ,《略式》get-together Ⓒ.《☞ あつまり; かい[1] (類義語); しゅうかい》.

つどう 集う (集まる) meet ⓐ; (大勢が) gather ⓐ.《☞ あつまる (類義語)》.

つとに 夙に (ずっと以前に) long ago; (朝早く) early in the morning.《☞ いぜん[1]》.

¶ 私はそのことには*つとに気付いていた I noticed it *long ago*.

つとまる 勤まる (仕事に適任の) be fit for …; (仕事に耐えられる) be equal to … ¶ 彼にはその仕事は*勤まらない (⇒ 適任でない [耐えられない]) He *is* not ⌈*fit for* [*equal to*] the job.

つとめ[1] 勤め (仕事) work Ⓤ ★ 一般的な語; (勤め口) job Ⓒ ★ work より口語的な語.《☞ しごと (類義語)》.

¶ きのうは*勤めを休んだ I stayed away from *work* yesterday. //「あなたはどんなお*勤めですか」「エンジニアです」"What kind of *job* do you ⌈have [do]?" "I'm an engineer." 日英比較 英米では勤め先をたずねるよりも職種を話題にするのが普通.

勤め口 (職) job Ⓒ, position Ⓒ ★ 前者のほうが口語的. 勤め先 *one's* ⌈office [place of employment] 勤め人 office worker Ⓒ 語法 男女の区別は特に必要のある時以外はしない. 女性の勤め人は woman [female] office worker; (事務系労働者) white-collar worker Ⓒ 勤めぶり *one's* way of working; (態度) *one's* attitude on the job. ¶ 彼の*勤めぶりはよい (⇒ 見事に仕事をこなしている) He is doing an excellent job.

つとめ[2] 務め (職務) duty Ⓤ ★ しばしば複数形; (法律・道徳上の義務) obligation Ⓤ; (課せられた仕事) task Ⓒ.《☞ ぎむ; しごと》.

¶ そうするのが我々の*務めだと思う I feel it our *duty* to do so. // 彼は自分の*務めを立派に果たした He has fully performed his ⌈*duties* [*task*]. // 彼は警察官としての*務めを怠った He neglected his *duties* as a policeman.

つとめあげる 勤め上げる ¶ 彼は大きな失敗もなく8年間の任期を*勤め上げた He *has completed* his eight-year term of office without a serious mistake.

つとめて 努めて ― 動 (最善を尽くす) do *one's* best. ― 副 (できるだけ) as much as ⌈possible [*one* can]; (最大の努力をして) to the best of *one's* ability.《☞ きょくりょく; なるべく》. ¶ 私は*努めて冷静になろうとした I ⌈*did* [*tried*] *my best* to compose myself.

つとめる[1] 勤める, 務める (職についている) work ⓐ; (任期を勤める) serve ⓐ; (…として働く) act as …《☞ きんむ; はたらく》.

¶ 彼女は銀行に*勤めている She *works* ⌈*for* [*at*; *in*] a bank. / (⇒ 銀行に雇われている) She *is employed* ⌈in [by] a bank. // 彼は公務員として2年間*勤めた He *served* two years as a public official. // 彼女が我々のガイドを*務めた She *acted as* our guide.

つとめる[2] 努める (…しようとする) try ⑩ 語法 一般的な語で, この意味の場合は後に to 不定詞が続く. 試しにやってみるという意味で, 特に努力が大きいことは意味しないが, 前後関係でその意味になることもある. その意味をはっきり加えるには try … hard とする; (目的達成のために努力する) make ⌈an effort [efforts]; (強い決意で大いに努力する) endeavor (《英》endeavour) ⓐ ★ 以上2つはやや改まった表現; (一生懸命に努力する) exert *oneself* ★ 格式ばった語.《☞ どりょく; こころがける》.

¶ 私はいつも時間を守るように*努めています I always ⌈*try* [*make an effort*] to be punctual. // 私は涙を見せまい (⇒ 泣き出すまい) と*努めた I *tried* not to break into tears. // 彼は名声を得ようと*努めた He *endeavored* to achieve fame.

つな 綱 (太い) rope Ⓒ; (やや細い) cord Ⓒ.《☞ ひも; なわ》. ¶ この*綱は細すぎる. もっと太いのを下さい This *rope* is too thin. I want a thicker one. // 私はそれを*綱で縛った I tied it with a *rope*. // 彼は柱の間に*綱をぴんと張った He stretched a *cord* tight between the poles. // 道は*綱で遮断されていた The street *was roped off*. // *綱を繰り出す let out a *rope* // 君だけが頼みの*綱だ You are my only *hope*.《☞ たのみ》

綱打ち ― 名 (相撲で) *tsunauchi* Ⓤ, rope making Ⓤ. ― 動 make *yokozuna's* first ceremonial *tsuna*, a white ropelike belt ★ 説明的な訳.

綱打ち式 rope-making ceremony Ⓒ.

綱取り ¶ 今場所が彼にとって*綱取りのチャンスだ This tournament is a chance for him to *attain the rank of Grand Champion*.

綱引き tug of war Ⓒ. ¶ 子供たちはふた組に分かれて*綱引きをした The children split up (into two teams) and had a *tug of war*.

綱渡り ― 名 (動作) ropewalking Ⓒ; (人) tightrope walker Ⓒ. ― 動 walk (on) a tightrope; (比喩的に, 危ないことをする) take a risk.

コロケーション
綱の張りを強める tighten a *rope* / 綱をくくり付ける tie a *rope* / 綱をたぐる haul ⌈on [at] a *rope* / 綱をつかむ catch [take] hold of a *rope* / 綱を放す let go (of) a *rope* / 綱を引く pull a *rope* / 綱をゆるめる ease up on a *rope*

ツナ 〘魚〙 tuna /t(j)úːnə/ Ⓤ《☞ まぐろ》. ツナ缶 canned [《英》tinned] tuna Ⓤ ツナサンド tuna sandwich Ⓒ.

つながり 繋がり (血縁・親友など具体的な関係) relation Ⓤ; (抽象的な関係) relationship Ⓤ; (因果関係・仕事上の関係) connection Ⓤ; (結び付けるもの・関連) link Ⓒ; (語句の) collocation Ⓤ; (文脈・文意の) context Ⓒ.《☞ かんけい[1] (類義語); かんれん》.

¶ 私は鈴木さんと何の*つながりもない I don't have any ⌈*relation* [*connection*] with Mr. Suzuki. / (⇒ 無関係だ) I *have nothing to do with* Mr. Suzuki. // 彼はその件に*つながり (⇒ 関係) があるらしい He seems to *have something to do with* that affair. / (⇒ かかわり合っているらしい) He seems to *be involved in* that affair. ★ いずれも一般的な表

現だが, 第1文のほうがより口語的.

つながる 繋がる **1** «結ばれる»: (連結する・接続する) connect (他) (自) ★ (他) の場合は「つなげる物」が主語, 「つながれる物」が目的語; (結ばれる) be ⌈connected [linked]; (直接結合する) join (他); (連結する) link (自) (他) ★ (自) の場合は up を付けるのが普通; (電話が通じる) come through (自).

【類義語】つながり方の程度からいえば *connect* はやや弱い. くさりのように強くつながり, その結果一体感のあるものには *link* を用いる. 表面を接触させてつなげる意味では *join* を用いる. (☞ むすびつく; せつぞく)

¶ 青函トンネルで本州と北海道は*つながった (⇒ 青函トンネルが本州と北海道をつないだ) The Seikan Tunnel ⌈*connected* [*linked*] Honshu ⌈with [and] Hokkaido. [語法] linked を用いると, つながった結果, 本州と北海道が一体になったという響きがある. // その2つの町は橋で*つながっている The two towns *are connected* by a bridge. // この道は立川の先で高速道路に*つながっている This road *connects with* the expressway beyond Tachikawa. // このシャフトはピストンに*つながっている This shaft *links up* with a piston. // 電話がやっと*つながった The call *came through* at last. // 不注意な運転は事故に*つながる Careless driving often *leads to* accidents.

2 «関連がある»: (血縁関係がある) be related (to …; with …); (結びついている) be linked (with …). (☞ かんけい[1] (類義語)). ¶ 一郎は私のおじですが, 血は*つながっていない Ichiro is an uncle of mine, but *is* not *related to* me by blood.

つなぎ 繋ぎ **1** «連結・接触»: (結び付けるもの) link Ⓒ; (接触) contact Ⓤ. ¶ 諜報員と*つなぎをつける get in ⌈*contact* [*touch*] with an intelligence agent

2 «料理用語»: liaison Ⓒ; (そばなどの) thickening Ⓤ.

3 «あいた時間をうめるもの»: filler Ⓒ (☞ ばつなぎ).

4 «作業服»: overalls ★ 複数形で.

繋ぎ資金 (一時の穴埋めの) stopgap fund Ⓒ; (救済のための) relief fund Ⓒ; (緊急用の) emergency fund Ⓒ

繋ぎ融資 (家を買い替えるときなどの) bridge loan Ⓒ; (当座の) interim [short-term] loan Ⓒ.

つなぎあわせる 繋ぎ合わせる (ひも・ロープなどを) tie … together; (結合する) join [link] … together. (☞ むすぶ; つなぐ). ¶ 2本のパイプを*つなぎ合わせる *join* two pipes *together*

つなぎとめる 繋ぎ止める (しっかりと止める) fasten (他); (くさりで) chain (他); (保ち続ける) keep (up) (他), maintain (他), preserve (他). (☞ いじ[2]). ¶ 友情を*つなぎ止める努力をする make an effort to ⌈*maintain* (good) relations with …

つなぎめ 繋ぎ目 (2つの物または部分が接合している箇所) joint Ⓒ (☞ つぎめ). ¶ この水道管の*つなぎ目がゆるんでいる The *joint* in this water pipe has loosened.

つなぐ 繋ぐ **1** «ひもなどで結ぶ»: (ひもやロープで固定したものに縛り付ける) tie (他); (犬などを革ひも・鎖でつなぐ) leash (他); (しっかりとつなぎ留める) fasten (他); (くさりで) chain (他); (馬を) hitch (他); (船を) moor (他).

¶ 私は犬を柱に*つないだ I *tied* the dog to a pole. // 犬は*つないでおかなければならない You must *leash* your dog. // 私は馬を木に*つないだ I ⌈*hitched* [*tied*] the horse to a tree. // 多くのヨットが桟橋に*つながれていた Many yachts *were moored* at the pier.

2 «連結する»: (連結物を使ってつなぐ) connect (他) ★ 電話をつなぐ場合にも用いられる; (結び付ける) link (他) ★ 前者より一体感が強くなる; (車両などを) couple (他); (直接結合する) join (他); (電話をつなぐ) put … through (to …).

¶ 彼はトレーラーを車に*つないだ He *connected* the trailer to the car. // このホースを蛇口に*つないで下さい Please *connect* this hose to the faucet. // この橋が本土と島を*つないでいる This bridge *links* the island to the mainland. // 彼はロープの2つの端を*つないだ He *joined* the two ends of a rope. // 2人は手を*つないで歩いた The two walked *hand in hand*. ★「手に手をとって」の意. // 内線51番に*つないで下さい Give me [*Put* me *through to*] Extension 51, please. // 秘書に*つないで下さい《電話で》*Connect* me with the secretary.

つなげる 繋げる ☞ つなぐ

つなそ 綱麻 〖植〗jute Ⓤ.

つなみ 津波 tsunami /tsʊnɑ́ːmi/ Ⓒ ★ 日本語から英語に入った語; (地震・台風などによる) tidal wave Ⓒ. **津波警報** tsunami warning Ⓤ **津波地震** tsunami earthquake Ⓒ **津波注意報** tsunami watch(ing) Ⓤ **津波予報** tsunami forecast Ⓒ.

つね 常 ¶ それが世の*常だ That is the *way* ⌈of the world [the world goes; it is].

つねづね 常々 (いつも) always; (恒常的に) constantly. (☞ いつも).

つねに 常に (いつも) always; (どんなときでも) at all times; (永久に) forever; (習慣的に) habitually. (☞ いつも; たえず; しじゅう[1]).

つねひごろ 常日頃 (いつも) always; (普通) usually; (長いこと) long, for a long time. (☞ いつも; ひごろ).

つねる 抓る (親指と人差し指で) pinch (他); (急に強く) nip (他); give a ⌈pinch [nip].

¶ 彼女はその子のほおを*つねった She *pinched* the child's cheek. / She *gave* the child *a pinch* on the cheek. // わが身を*つねって人の痛さを知れ (⇒ 自分の気持ちで他人の気持ちを判断しなさい) Judge others' feelings by your own.

つの 角 (牛・羊・やぎなどの) horn Ⓒ ★ 材料のときは Ⓤ; (鹿の枝角) antler Ⓒ [参考] antler は切ってもまた生えてくるが, horn は生えない; (かたつむりなどの) antenna /æntérnə/ Ⓒ (複 antennae /-niː/).

¶ 牡牛には*角がある Bulls have *horns*. // かたつむりが*角を出した[引っ込めた] The snail ⌈put out [drew in] its ⌈*antennae* [*horns*].

角突き合わせる (けんかする) quarrel (with …); (互いに仲が悪い) be on very bad terms with … ★ 口語的. **角を出す** ☞ 角を生やす **角をためる** ¶ *角をためて牛を殺す The ⌈remedy [cure] may be worse than the disease. 《ことわざ: 治療が病気より悪いことがある》 **角を生やす** (やきもちを焼く) feel jealous (of …).

角隠し the bride's hood (at a wedding in a kimono style) **角細工** horn work Ⓤ **角笛** horn Ⓒ; (狩猟用) hunting horn Ⓒ **角偏** (漢字の) horn radical on the left of kanji Ⓒ.

つのがい 角貝 〖貝〗tooth [tusk] shell Ⓒ.

つのがえる 角蛙 〖動〗horned frog Ⓒ.

つのざめ 角鮫 〖魚〗spiny [piked] dogfish Ⓒ.

つのだる 角樽 two-handled keg Ⓒ.

つのつきあい 角突き合い ── 名 (口げんか) quarrel Ⓒ. ── 動 (口げんかする) quarrel (自); (仲が悪い) be on bad terms with …; (争っている) be at odds with … (☞ なか[2]; いがみあう; けんか[1]).

つのとかげ 角蜥蜴 〖動〗horned ⌈toad [lizard] Ⓒ.

つのめどり 角目鳥 〖鳥〗horned puffin Ⓒ.

つのる 募る **1** «激しくなる»: (いっそう激しくなる) grow [become] (more) intense; (気持ちなどが高じ

る) grow ⓐ. 《☞たかまる》. ¶嵐が近づくにつれ, 風はますます吹き*募った (⇒ますます激しく吹いた) As the storm approached, the wind「*blew* [*raged*] *harder*. // 恋心は日ごとに*募った My love *grew* as the days passed.

2《募集する》: (人・金を集める) gather ⓗ ★一般的な語; (新人・新会員などを) recruit ⓗ; (金・寄付・人を集める) raise ⓗ; (組織的に集める) collect ⓗ. 《☞ぼしゅう; あつめる》.

つば¹ 唾 —名 (唾液) saliva /səláɪvə/ Ⓤ; (吐き出されたつば) spit Ⓤ, spittle Ⓤ. —動 (つばを吐く) spit ⓐ 《過去・過分 spit, spat》; (つばを飛ばしてしゃべる) sputter ⓐ. 《☞だえき; よだれ》.

¶彼は猫に*つばをひっかけた He *spat* at the cat. // 道路に*つばを吐いてはいけない You shouldn't *spit* on the street. // 彼は*つばを飛ばしながら話し続けた He talked on, *sputtering*. // 天に*つばする The stone you throw will fall on your own head. 《ことわざ: あなたが投げる石はあなたの頭上に落ちる》

つばをつける (もらう権利がある) 《米略式》 have dibs on … ★dibs はもと「少額の金」の意で「もらう権利」の意. ¶その本には*つばをつけておいた I *have dibs on* that book.

つば² 鍔 (刀の) (sword) guard Ⓒ; (帽子の) brim Ⓒ.

ツパイ 〔動〕 tree shrew Ⓒ.

つばき¹ 椿 camellia /kəmíːljə/ Ⓒ, japonica /dʒəpánɪkə/ Ⓒ ★japonica は椿・木瓜(ぼけ)など日本産植物の通称.

つばき油 camellia [*tsubaki*] oil Ⓤ.

つばき² 唾 (吐き出されたつば) spittle Ⓤ, spit Ⓤ; (唾液) saliva /səláɪvə/ Ⓤ. 《☞つば¹》.

つばさ 翼 wing Ⓒ 《☞はね¹; ひこうき (挿絵)》. ¶かもめは*翼を広げて飛び立った The sea gulls, spreading their *wings*, flew off. // 飛行機の左の*翼 the left *wing* of an airplane

つばぜりあい 鍔迫り合い (接戦) close game Ⓒ; (激しい競争) keen [heated; intense] competition Ⓒ ★ただし Ⓤ でも用いられる. 《☞せっせん¹; せりあう》. ¶2人は*つばぜり合いを演じた There was *keen competition* between the two.

つばめ 燕 〔鳥〕 swallow Ⓒ. 燕返し 〔剣術〕 quickly reversed cut Ⓒ; 〔柔道〕 swallow counter Ⓒ 燕の巣 swallow's nest (used as an ingredient in Chinese cuisine) Ⓒ.

つばめうお 燕魚 〔魚〕 batfish Ⓒ.

つばめおもと 燕万年青 〔植〕 clintonia Ⓒ.

つばめずいせん 燕水仙 〔植〕 Jacobean lily Ⓒ.

つばめちどり 燕千鳥 〔鳥〕 pratincole /prǽt(ɪ)nkòʊl/ Ⓒ.

ツバル —名 ⓖ Tuvalu /tʊváːluː/ ★太平洋中南部の島国.

つぶ 粒 (穀粒) grain Ⓒ ★塩や砂などの粒も指す; (水滴) drop Ⓒ.

¶彼は床の上の米*粒を拾った He gathered up the *grains* of rice on the floor. // 砂*粒が目に入った I got a *grain* of sand in my eye. // 大*粒の雨が降ってきた Large [Heavy] *drops* of rain began to fall. / It started raining in large *drops*.

粒がそろう ¶この箱のりんごは*粒がそろっている (⇒大きさが同じだ) The apples in this box *are all the same size*. // 今年の新入生は*粒ぞろいだ (⇒みんな [一様に]よい) The freshmen this year *are*「*all* [*uniformly*] *good*. 粒餡 ☞つぶしあん 粒状 —形 granular; (粒状にした) granulated. —名 (粒状のもの) granule Ⓒ.

つぶさに (細かく) minutely /maɪn(j)úːtli/; (詳細に) in detail; (たっぷり) fully; (十分に詳しく) at full length; (漏れなく) exhaustively; (徹底的に) thoroughly /θə́ːroʊli/. ¶彼は真相を*つぶさに語った He told us the truth of the matter「*minutely* [*in detail*]. // *つぶさに調査する study「*exhaustively* [*thoroughly*]

つぶし つぶしがきく ¶彼の技術は*つぶしがきく (⇒広く応用できる) His skill *is widely applicable*. // 彼は機械に強いから*つぶしがきく (⇒いろいろな仕事に向く) He *is*「*qualified* [*fit*] *for many jobs* because he knows a lot about machinery. // 彼は専門のことしか知らないので*つぶしがきかない All he knows is a specialty that *has no other applications*.

つぶしあん 潰し餡 *tsubushi-an* Ⓤ, (説明的には) slightly crushed sweetened red-bean paste Ⓤ.

つぶす 潰す **1**《押しつぶす》: (力を加えて原形をとどめないように壊す) crush ⓗ; (ぺちゃんこにする) squash ⓗ; (急激な衝撃でぐしゃぐしゃにする) smash ⓗ; (固い物の形を瞬間的に壊す) break ⓗ ★一般的な広い意味の語で, 必ずしも「つぶす」に当たらないこともある; (じゃがいもなどを突きつぶす) mash ⓗ. 《☞おしつぶす》. ¶私は箱の上に乗って*つぶしてしまった I stepped on the box and「*crushed* [*squashed*; *broke*] it. // 彼女はじゃがいもをゆでて*つぶした She boiled some potatoes and *mashed* them. 《☞料理の用語 (囲み)》

2《あきを埋める》: (時間を) kill [pass] time. ¶彼は暇を*つぶすために散歩に出かけた He went for a walk to「*kill* [*pass*] *time*.

3《だめにする》 ¶彼女は私の顔を*つぶした (⇒私の面目を失わせた) She made me *lose face*. // 会議で私の提案は*つぶされた (⇒拒否された) My proposal *was*「*rejected* [*turned down*] at the meeting.

つぶぞろい 粒揃い ☞つぶ (粒がそろう)

つぶつぶ 粒々 (小さな塊) grains ★複数形で; (ジュースなどの中の果肉) pulp Ⓤ. ¶*粒々の薬 *granulated* medicine

つぶて (投げられた小石) small stone thrown (at …) Ⓒ; (紙つぶて) paper pellet Ⓒ, 《米》 spitball Ⓒ. ¶彼女からはなしの*つぶてだ (⇒便りがない) I have heard nothing from her.

つぶやき 呟き (低くぶつぶついう声) murmur Ⓒ; (不平・独り言) mutter Ⓒ; (ささやき) whisper Ⓒ. 《☞つぶやく; ひとりごと》.

つぶやく 呟く (聞き取れないほど低い声でぶつぶつ言う) murmur ⓐ; (不平や怒りを人に聞こえないようにこぼす) mutter ⓐ; (ささやく) whisper ⓐ.

¶彼が何か*つぶやくのを聞いた I heard him「*murmuring* [*muttering*]. // ぶつぶつ*つぶやいていないで (⇒1人で不平を言ってないで), はっきりと意見を言いなさい Don't *grumble to yourself*. Express your opinions.

つぶより 粒選り —形 (精選した) picked; (精選されて上等の) choice(st); (最上の) best ★最も一般的だが, 日本語の「粒より」には前2者のほうが近い. 《☞よりぬき》. ¶チームは*粒よりのメンバーで構成された The team was organized using the「*picked* [*best*] members. // 箱のりんごはすべて*粒よりのものです The apples in the box are all the *choicest* ones.

つぶら —形 (丸い) round 《☞まるい》. ¶*つぶらなひとみ (⇒かわいらしい目) *cute* eyes 日英比較 英語では round を用いると驚きの表情を連想させるので意訳するしかない.

つぶる 瞑る (目を) close [shut] (*one's* eyes); (見逃す) overlook ⓗ; (見て見ないふりをする) turn a blind eye to …; (…をそのまま通す) let … pass. 《☞とじる¹》.

¶彼は目を*つぶって眠ろうとした He「*closed* [*shut*] *his eyes* and tried to sleep. // 彼女は子供たちのいたずらには目を*つぶった She「*closed* [*shut*] *her eyes* to the children's mischief. // こんな不正行為に目を*つぶろうというのですか Are you going to ⌈*overlook* such an evil act [*let* such an evil act *pass*]?

つぶれる 潰れる **1**《壊れる》: (押しつぶされる) be ⌈crushed [squashed]; (急激な衝撃でめちゃめちゃになる) be smashed ★比喩的な意味でも用いられる; (壊れる) break (自); (建造物が破壊される) be destroyed; (瓦解する) collapse (自); (計画などが台無しになる) be ruined; (取りやめになる) be canceled. 《☞ つぶす; こわれる; ぺちゃんこ》.

¶その箱は輸送中に*つぶれてしまった The box *was crushed* in transit. // 地震で何軒かの家が*つぶれた Several houses ⌈*were destroyed* by [*collapsed in*] the earthquake. // 彼の会社は*つぶれた (⇒破産した) His company *went* ⌈*broke* [*bankrupt*]. 《☞ とうさん¹》 // 彼は酔い*つぶれた (⇒意識を失った) He *passed out*. // 彼の反対でその計画は*つぶれた The plan *was* ⌈*ruined* [*canceled*] because he was against it.

2《時間を失う》: (時間をとる) take up *a person's* time ★「物事」を主語にして; (失う) lose (*one's*) time. ¶その仕事で私の時間がだいぶ*つぶれた (⇒その仕事が私の時間をとった) The work *took up* much of my time. // 寝坊をして, 朝の貴重な時間が*つぶれてしまった (⇒私は朝の貴重な時間を失った) I overslept and *lost* the valuable morning hours.

つべこべ ¶*つべこべ言う (⇒口答えする) *answer back* / (⇒反対する) *raise objections* // *つべこべ言うな (⇒黙れ) *Shut up*! / *Hold your tongue*! 《☞ 擬声・擬態語 (囲み)》

ツベルクリン 〘医〙 tuberculin /t(j)ʊbə́ːkjʊlɪn/ Ⓤ; (テスト) tuberculin test Ⓒ; (ツベルクリン反応) tuberculin reaction Ⓒ.

つぼ 壺 **1**《容器》: (金属製または土製の) pot Ⓒ 語法 丸いつぼ状の入れ物一般を指す広い意味の語. 「砂糖つぼ」 などは sugar pot という; (土製またはガラス製で広口のもの) jar Ⓒ; (装飾用の) vase Ⓒ; (骨つぼ) urn Ⓒ.

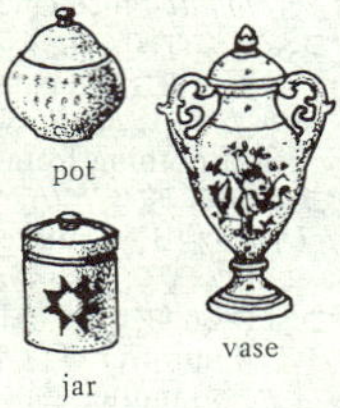

2《灸などの》: moxibustion /mɑ̀ksɪbʌ́stʃən/ [(鍼(はり)の) acupuncture /ǽkjʊpʌ̀ŋ(k)tʃɚ/] point Ⓒ.

3《急所》: (重要な点) key point Ⓒ; (楽器などの) position Ⓒ. **つぼにはまる** ¶彼の答えはいつも*つぼにはまっている His answers always *hit the nail on the head*. **つぼを押さえる** (肝心な点を押さえる) keep to the point.

壺漬け Japanese radish pickled in a pot Ⓒ **壺振り** dice ⌈thrower [roller] Ⓒ **壺焼き** ¶さざえの*壺焼き a *baked* turbo *with* ⌈*the* [*its* (*own*)] *shell*

-つぼ …坪 *tsubo* Ⓒ ★単複同形; 3.3 square meters. ¶30*坪の家 a house with a floor space of thirty *tsubo*

-っぽい ☞ -ぽい

つぼくさ 壺草 〘植〙 Indian pennywort Ⓤ.

つぼすみれ 壺菫 〘植〙 *tsubosumire* Ⓒ; (説明的には) white Japanese violet with purple veins Ⓒ.

つぼだい 壺鯛 〘魚〙 Japanese ⌈armorhead [boarfish] Ⓒ.

つぼにわ 坪庭 courtyard Ⓒ, court Ⓒ.

つぼね 局 (昔の日本の宮中で女官などの部屋) apartment of a court lady Ⓒ; (女官) court lady Ⓒ; (狭くしきった部屋) compartment Ⓒ.

つぼまる 窄まる (狭くなる) become narrower. ¶口の*つぼまった花びん a vase with a *narrow* neck

つぼみ 蕾 bud Ⓒ; flower bud Ⓒ ★「葉の芽」leaf bud に対して. 《☞ め²》. ¶ばらの*つぼみが出ている (⇒ばらがつぼみを出した) The roses have ⌈put [shot] out *buds*. / The roses are *in bud*. // 梅の*つぼみが大きくふくらんでいる The plum trees are *in* fat *bud*.

つぼむ 窄む (花びらを閉じる) close (他), shut (他). ¶この花は夕方花びらが*つぼみます These flowers *close* their petals in the evening.

つぼめる 窄める ¶傘を*つぼめる *close* (*up*) *one's* umbrella 《☞ すぼめる》

つま¹ 妻 wife Ⓒ 《複 wives》, 《略式》 *one's* better half. 《☞ 親族関係 (囲み)》.

¶私には*妻も子供もいる I have a *wife* and children. // 私には*妻はありません (⇒私は結婚していない) I'*m* not *married*. / (⇒私は独身だ) I'm single. / I am a *bachelor*. // 彼はアメリカ人を*妻に迎えた (⇒アメリカ人女性と結婚している) He *is married* to an American woman.

コロケーション

幼な妻 a teenage(d) *wife* / **夫を尻に敷く妻** a domineering *wife* / **虐待されている妻** an abused *wife* / **献身的な妻** a devoted *wife* / **最愛の妻** *one's* beloved *wife* / **嫉妬深い妻** a jealous *wife* / **従順な妻** a docile [an obedient] *wife* / **将来の妻** a ⌈prospective [future] *wife* / **つましい妻** a ⌈thrifty [frugal] *wife* / **貞淑な妻** a faithful *wife* / **内縁の妻** a common-law *wife* / **ひどい妻** a formidable *wife* / **不貞な妻** an unfaithful *wife* / **別居中の妻** an estranged *wife* / **前の妻[先妻]** *one's* ⌈*ex-wife* [former *wife*] / **理想の妻** an ideal *wife*

つま² (刺身などの) garnish Ⓒ 《☞ つけあわせ》.

つま³ 褄 (着物のすそ) hem (of a kimono) Ⓒ. **褄を取る** (着物のすそを持ち上げる) lift [hold] up the skirts (of *one's* kimono).

つまおと 爪音 (琴の音) the sound of a *koto*; (馬のひづめの音) hoofbeats ★複数形で.

つまかわ 爪革 (下駄の爪先に付ける) toe ⌈guard [cover] (of a *geta*) Ⓒ.

つまぐる 爪繰る (数珠(じゅず)・ロザリオなどを) tell (他), say (他), count (他); (指でもてあそぶ) finger (他).

つまさき 爪先 (足の指の先) the tip of a toe Ⓒ, tiptoe Ⓒ ★後者のほうが普通; (靴・靴下などの) toe Ⓒ. 《☞ あし¹ (挿絵); ゆび》. ¶彼はドアまで*つま先で歩いた He walked *on* ⌈*tiptoe* [*the tips of his toes*] to the door. / He *tiptoed* to the door. // 彼は頭のてっぺんから*つま先までびしょぬれだった He was wet (all over) from ⌈head to *foot* [top to *toe*]. ★「全身」の意味の成句. // この靴はきつすぎて*つま先が当たる These shoes are too tight, and they pinch ⌈my [at the] *toes*. **つま先上がり** ¶*つま先上がりの道 a (*gentle*) *uphill* ⌈slope [path] **つま先下がり** ¶*つま先下がりの道 a (*gentle*) *downhill* ⌈slope [path] **つま先立つ** stand on tiptoe (自).

つまされる (感動する) be ⌈moved [touched]; (同情して哀れに思う) have [take] compassion on …

¶彼の話に*つまされて涙が出た (⇒彼の話は私を感動させて涙を流させた) His story *moved* me to tears. // 彼女の身の上にだれもが身に*つまされた (⇒彼女に同情した) Everyone *took compassion on* her.

つましい 倹しい ―動(倹約する) be frugal with …, practice economy ★前者はつましさ, ささやかさの程度が強い. 《☞ けんやく; しっそ》. ¶彼は*つましい He *is frugal with* ⌈money [his expenses]. // 彼女は*つましく暮らしている She is living ⌈*frugally* [with *frugality*]. / She is leading a *frugal* life.

つまずき 躓き (失敗) failure Ⓒ.

つまずく 躓く (何かに足をとられてよろめく) trip ⓐ; (何かしている最中に足をとられて転びそうになる) stumble ⓐ; (失敗する) fail (in ...) ⓐ; (うまくいかない) go wrong; (計画・考えなどが実際にうまく機能しない) do not work ⓐ; (挫折する) be set back. 《☞ ころぶ; しっぱい; ざせつ》. ¶彼は木の根に*つまずいて転んだ He ⌈*tripped* [*stumbled*] ⌈*on* [*over*] a root and fell. // 彼は事業に*つまずいた (⇒ 失敗した) He *failed in* his business. // 彼らの計画は*つまずいた Their plan ⌈*went wrong* [*did not work*].

つまだつ 爪立つ (足の指先で立つ) stand on tiptoe.

つまだてる 爪立てる ¶*爪立てて歩く *tiptoe* / walk *on tiptoe*

つまどいこん 妻問婚 (夫婦が別々に住む結婚様式) duolocal /d(j)ú:əlòukəl/ marriage Ⓒ ★ 婿入婚 (uxorilocal /ʌksɔ́:rəlòukəl/ [matrilocal /méɪtrəlòukəl/] marriage) に対していう.

つまどりそう 褄取草 〔植〕 chickweed wintergreen Ⓒ.

つまどる 褄取る ☞ つま³ (褄を取る)

つまはじき 爪弾き ━動 (嫌って遠ざける) shun ⓣ; (ひどく嫌う) hate ⓣ. ━名 (一家・一族内のやっかい者) black sheep Ⓒ; (疫病神のようにやっかいな人) 《略式》 pest Ⓒ. ¶彼はクラスの者から*つまはじきにされている (⇒ 嫌われている) He *is* ⌈*hated* [*shunned*] by his classmates. // 彼は家族に*つまはじきにされていた (⇒ 家族のやっかい者だった) He was the *black sheep* of the family.

つまびき 爪弾き (弦楽器の弦を指ではじくこと) 《米》 picking Ⓤ, 《英》 plucking Ⓤ; (無造作な) strumming Ⓤ.

つまびく 爪弾く (指で弦楽器を弾く) 《米》 pick ⓣ, 《英》 pluck ⓣ ⓐ. 《☞ ひく²》.

つまびらか 詳らか ¶その真相を*つまびらかにする (⇒ 疑問点を明らかにする) 必要がある It is necessary to *clear up* the doubts.

つままれる ¶きつねに*つままれた (⇒ 魔法にかけられた) ようだ It seems that I *was bewitched by* a fox.

つまみ **1** 《器具の部品》: (テレビ・ラジオなどの丸いつまみ) knob Ⓒ. ¶*つまみを回す turn the *knob*
2 《おつまみ》: (前菜) hors d'oeuvre /ɔ̀ədə́:v/ Ⓒ 日英比較 英米では食事以外で酒を飲む場合はあまり食物をとらないので, 日本語の酒のつまみにぴったりの表現はない. やや近いものにビールのつまみによく出される塩味のビスケット pretzel Ⓒ がある.

-つまみ (つまんだ量) pinch Ⓒ 《☞ 数の数え方 (囲み)》. ¶彼は塩を1*つまみ入れた He put a *pinch* of salt in it.

つまみあらい つまみ洗い ━動 (汚れた部分を洗う) wash the stained part (of ...) 語法 stained は染みなどが付いた場合の汚れを表す. 泥よごれの場合は soiled, 単に汚いことを表す場合は dirty を用いる.

つまみぐい つまみ食い ━動 (...をこっそり食べる) sneak a bite of ...; (軽食をこっそり食べる) sneak a snack. ¶ポテトフライの*つまみ食いを母に見つかった Mother caught me *sneaking a bite of* french fries.

つまみだす つまみ出す (追い出す) thrów [tùrn] óut ⓣ. ¶彼はそのちんぴらを店から*つまみ出した (⇒ 追い出した) He ⌈*threw* [*turned*] the young punk *out* of the store.

つまみとる つまみ取る pick (up) ⓣ 《☞ つまむ》.

つまみな つまみ菜 young edible greens ★ 複数形で.

つまみぬい つまみ縫い ━名 tuck Ⓒ. ━動 tuck ⓣ.

つまむ (拾い上げる) pìck (úp) ⓣ 語法 正確に言えば pick (up) ⌈with [between] *one's* fingers (指にはさんで拾い上げる) だが, pick (up) だけで済ませられる場合が多い.
¶彼女はその虫を*つまんで捨てた She *picked* the worm (*up*) (*between her fingers*) and threw it away. // 彼はその団子を指で*つまんで食べた He ate the dumpling *with his fingers*.

つまようじ 爪楊子 (tooth)pick Ⓒ.

つまらない ━形 (平凡で退屈な) dull (↔ interesting); (飽き飽き・うんざりするような) boring; (興味をそそらず, おもしろくない) uninteresting; (些細で取るに足りない) trivial; (ばからしい) foolish, silly; (価値のない) worthless; (無意味な) meaningless. 日英比較 日本語の「つまらない」にはいろいろな意味が含まれているから, 前後関係によって訳語を選択しなくてはならない. 《☞ くだらない; たいくつ》.
¶そのパーティーは*つまらなかった (⇒ 退屈なパーティーだった) It was a *dull* party. // その本は*つまらなかった (⇒ おもしろくないとわかった) I found the book ⌈*uninteresting* [*dull*]. // 私は*つまらない (⇒ ばからしい) 間違いをしたことを悔やんでいる I regret having made a ⌈*foolish* [*silly*] mistake. // 彼は講師に*つまらない (⇒ 無意味な) 質問をした He put a *meaningless* question to the lecturer. // *つまらないものですが, どうぞ (⇒ すばらしいものではありませんが, お気に入ることを願っております) This is *nothing special*, but I hope you like it. 日英比較 人に物を差し出す場合, 英語では相手の気に入る物を選ぶように努力したことを含めるのが習慣である. 《☞ そしな》 // *つまらないことをするな Don't be so *silly*!

つまり (すなわち) that is (to say) ★ 改まった書き言葉では i.e. と書くことが多い; (手短に言うと) in short; (一言で言えば) in a word; (結局) after all. 《☞ すなわち 語法; ようするに》. ¶*つまり問題は金である (⇒ 金に関する事柄だ) *In short*, the problem is a matter of money. // *つまり (⇒ 一言で言えば) 彼の事業は失敗だった *In a word*, he failed in his ⌈business [undertaking]. // *つまりこうなのだ (⇒ これから言うように表現させて下さい) Well, let me *put* it this way.

つまる 詰まる **1** 《ふさがる》: (あいているべきところが物でふさがっている) be chóked úp, be clógged úp, be stópped úp; (管・道などが) be blócked (úp); (鼻が) be stúffed úp; (息が) be stifled. 《☞ ふさがる》.
¶このパイプは*詰まっている This pipe *is* ⌈*choked* [*clogged*; *blocked*] *up*. // 下水管が*詰まった The sewer *was stopped up*. // 私は鼻が*詰まっている My nose *is stuffed up*. / I have a *stuffed-up* nose. // 老人は食物がのどに*詰まって (⇒ 食物で息が詰まって) 死ぬことがよくある Old people ⌈often *choke* [*are* often *choked*] to death over their food. // 煙で息が*詰まった I *was stifled* by the smoke.
2 《充満する》: (...でいっぱいである) be filled (up) with ..., be full of ...; (ぎっしりと詰まっている) be packed with ... 《☞ ぎっしり》.
¶彼女はお金の*詰まった財布を見つけた She found a purse ⌈*filled with* [*full of*] money. // その車両は学生でぎっしり*詰まっていた The car *was packed with* students. // 今週は予定が*詰まっている I have a *tight* schedule this week. 《☞ ぎっしり 日英比較》
3 《行き詰まる》: (途方に暮れる) be at a loss; (行き詰まって困ってしまう) be stuck. ¶私は言葉に*詰まった (⇒ 何と言ってよいかわからなかった) I did *not know* what to say. / I ⌈*was at a loss* for words [*got stuck* (for words)]. ★ [ ] 内のほうが口語的.
4 《短くなる》: get ⌈short [shorter], shrink ⓐ.
¶このスカートはお湯で洗うと丈が*詰まる This skirt will *get shorter* when washed in hot water. // 1位と2位のランナーの差が次第に*詰まってきた The

distance between the first and the second runner *is* ⌐*getting shorter and shorter* [*shrinking*].

つまるところ 詰まるところ (結局) after all; (とうとう) in the end; (最後に) finally; (要するに) in short. 《☞ けっきょく 日英比較》.

つみ[1] 罪 (宗教・道徳上の) sin Ⓒ; (法律上の) crime Ⓒ; (比較的軽い罪・違反) offense (《英》 offence) Ⓒ; (罪悪感) guilt Ⓤ.

【類義語】英語では宗教上の罪と法律上の罪とを区別して表す. 宗教上の戒律を破るといった, 神に対する裏切りは ***sin***. これは普通, 道徳上の罪とも一致する. 人に対してうそをつくといった行為は一般に *sin* である. 一方, 法律を犯す罪は ***crime***. また, 規則・掟を破るという意味で, 法律上・宗教上・道徳上のいずれの罪も表す語が ***offense***. 犯罪を犯したという事実, またその罪悪感には ***guilt*** を用いる.

¶ 彼は恐ろしい*罪を犯した He ⌐committed [perpetrated] a horrible ⌐*sin* [*crime*]. // 彼は*罪を悔いている He has repented his ⌐*sin* [*crime*]. / He is sorry for his *wrongdoing*. // 重大な*罪 a ⌐grave [great] ⌐*sin* [*crime*] // 彼は*罪を自白した He confessed his ⌐*crime* [*guilt*]. // 彼女は*罪を司祭に告白した She confessed her *sins* to the priest. // 主よ, どうか私の*罪をお許し下さい O Lord, please forgive me my *sins*. // あなたの*罪を許します I will forgive you (for what you have done to me).

日英比較 他人が自分に対して犯した過ちなどを許す場合は日本語と違って, 特に sin とか crime とかは用いない. // 盗みは*罪だ Theft is a *crime*. // 殺人, 強盗などの*罪は重罪と呼ばれる Such *offenses* as murder and burglary are called felonies. // それはだれの*罪でもないよ (⇒ だれも責められるべきでない) Nobody is to blame for it. // 彼は強い*罪の意識に悩まされた (⇒ 強い罪の意識が彼を悩ませた) A strong sense of *guilt* haunted him. // 彼は窃盗の*罪に問われ, ただちにその*罪を認めた He *was* ⌐*accused of* [*charged with*] theft and pleaded *guilty* on the spot. // 彼は自分でその*罪を着た (⇒ 責任を取った) He took the *blame* (on) himself. // 彼らは失火の*罪 (⇒ 責任) を管理人に着せた They put the *blame* for the fire on the custodian. // 私のやったことは*罪にならないはずだ (⇒ 法に背いていない) I'm sure what I've done is not *against the law*.

罪が[の]ない (法的に無罪の) not guilty; (無邪気な) innocent; (無害な) harmless. ¶ *罪のない冗談 a *harmless* joke // *罪のないうそ《略式》a *white* lie

罪なことをする ¶ …するとは君も*罪なことをするもんだ It's ⌐*thoughtless* [*cruel*; *inconsiderate*] of you to *do* … 《☞ つみつくり》

罪を悪(に)んで人を悪まず Hate not the person but the vice. 《ことわざ》.

【参考語】— 形 (道徳上・宗教上, 罪深い) sinful; (犯罪上, 罪のある) criminal; (道徳上・宗教上・法律上, 罪を犯した) guilty. — 名 (罪人) sinner Ⓒ; criminal Ⓒ. — 動 (罪を犯す) sin 自; offend 自 ★ いずれもやや格式ばった語.

コロケーション

罪をあばく detect *crimes* / 罪を犯す commit ⌐a *crime* [a *sin*; an *offense*] / 罪を重ねる repeat ⌐an *offense* [a *crime*; a *sin*] / 罪を償う expiate a *sin* / 罪を罰する punish *crimes* / 罪を認める admit (to committing) *a crime* / 罪を許す forgive *a person's sin* // 恐ろしい罪 a horrible *crime* / 重い罪 a major *crime* / 軽い罪 a minor ⌐*crime* [*offense*] / 極悪非道の罪 a ⌐fiendish [monstrous] *crime* / ささいな罪 a petty ⌐*crime* [*offense*] / 残忍な罪 an atrocious /ətróuʃəs/ *crime* / 死に値する罪 a capital *crime* / 重大な罪 a serious /sí(ə)riəs/ *crime* / 許されない罪 an unforgivable *sin* / 許される罪 a ⌐pardonable [forgivable] *sin*

つみ[2] 詰み (将棋・チェスの) checkmate Ⓒ 《☞ つむ[3]》.

つみ[3] 雀鷂 〔鳥〕Japanese sparrow hawk Ⓒ.

つみあげる 積み上げる (山のように) píle (úp) 他; lay … in heaps 語法 前者は一つ一つきちんとした積み上げ方を暗示し, 後者は多少乱雑に山のように積み上げることを暗示する. なお, lie in heaps とすれば「積み上げてある」という状態を示す; (次々と上に乗せる) put [lay] one … ⌐on [upon] another.

¶ 彼は (次々に) 箱を*積み上げた He ⌐*laid* [*put*] *one* box *upon another*. // 本が山と*積み上げられていた Books *were piled* (*up*) high. / Books *lay in heaps*. // 庭には丸太が山と*積み上げてあった (⇒ 丸太の山積みがあった) There was a *pile* of logs in the yard.

つみいし 積み石 (積み重ねた石) piled stones ★ 複数形で; (建物の礎石) foundation stone Ⓒ; (隅石) cornerstone Ⓒ.

つみいれ 摘み入れ ☞ つみれ

つみおろし 積み降ろし — 動 load and unload 他 自. ¶ 荷物の*積み降ろしを手伝ってくれませんか Will you help me *load and unload* the goods? // 荷物の*積み降ろし禁止 No *Loading or Unloading*

つみかえ 積み替え (別の船・列車・トラックなどへの) transshipment /træn(s)ʃípmənt/ Ⓤ; (別の船への) reshipment Ⓤ.

つみかえる 積み替える (別の船・列車・トラックなどに) transship 他; (他の船に) reship 他.

つみかさなる 積み重なる (同種類のものがきちんと山積みに) pile up 自 他; (乱雑に) be heaped up; (知識・情報などが蓄積する) accumulate 自 他. 《☞ つみあげる; つみかさねる》. ¶ 彼の机には本が*積み重なっていた Many books *are piled up* on his desk. // *積み重なった書類 a *pile* of papers

つみかさね 積み重ね (蓄積) accumulation Ⓤ 《☞ ちくせき》. ¶ 努力の*積み重ねこそが成功への道だ (⇒ あなたを成功へと導く) It is the *accumulation* of your efforts that leads you to success. / (⇒ 不断の努力が) It is your ⌐*continual* [*constant*] efforts that lead you to success.

つみかさねる 積み重ねる (物を) píle (úp) 他; (力・財産・知識などを蓄積する) accumulate 他. 《☞ つみあげる; つむ[1]》. ¶ 彼は着実に業績を*積み重ねていった He steadily *accumulated* good results. // 努力を*積み重ねること (⇒ 断えざる努力) が必要です You need *constant* effort(s).

つみき 積み木 building block Ⓒ.

つみくさ 摘み草 herb-gathering Ⓤ.

つみこみ 積み込み (一般に荷物の) loading Ⓤ; (主に船への) shipping Ⓤ, 《英》 shipment Ⓤ. 《☞ つみこむ》.

つみこむ 積み込む (荷物を) load 他 語法 (1) 「荷」も, 荷を積み込む「車両・船舶」なども目的語になり得るが, 荷が何であるかを特に示す必要がない場合には第 1 番の例文のような言い方になる; (物を…の中に入れる) put (things) into … 《☞ つむ[1]; つみに》.

¶ 彼らはトラックに荷を*積み込んでいる They *are loading* the truck. // 私たちはトラックに干し草を*積み込んだ <S (人)+V (*load*)+O (荷)+*onto*+名・代 (車両・船舶など)> We *loaded* hay *onto* the truck. / <S (人)+V (*load*)+O (車両・船舶など)+*with*+名・代 (荷)> We *loaded* the truck *with* hay. // 彼らは私の身のまわり品を機内に*積み込んだ They *put* my personal effects *on board*. 語法 (2) on board を用いるのは飛行機・船などの場合.

つみだし 積み出し (一般に, 送ること) sending Ⓤ; (出荷) shipment Ⓤ ★ 船以外の輸送機関にも用いる.《☞ しゅっか²》. ¶これらの車はすぐに*積み出しできるようになっている These cars are ready for *shipment*. // *積み出し港 a port of *shipment*

つみだす 積み出す (送り出す) sènd óff (他); (輸送機関を使って出荷する) ship (他) ★ 船以外のものにも使う. 《☞ しゅっか²; ふなづみ》.

つみたて 積み立て (貯金) savings ★ 複数形で. **積み立て金** (とってある金) reserve fund Ⓒ **積み立て貯金** installment savings ★ 複数形で. **積み立て方式** (年金財政の) reserve financing Ⓤ.

つみたてる 積み立てる (貯金する) save (他); (使わずとっておく) put [lay] aside (他). 《☞ ためる¹; ちょきん》. ¶我々は旅行の費用を*積み立ててきた (⇒ 貯金してきた) We *have been saving* money for the trip. // 彼は息子の学費のため毎月少しずつ*積み立てている He ⌈*lays* [*puts*] *aside* a little money every month for his son's school expenses.

つみつくり 罪作り ━(形) (道徳上・宗教上罪深い) sinful; (思いやりのない) thoughtless, inconsiderate ★ 後者のほうが格式ばった語; (残酷な) cruel. 《☞ つみ¹; むじひ; おもいやり》.
¶君, そんなことを言うとは*罪作りな話だよ You are ⌈*cruel* [*thoughtless*; *inconsiderate*] to say such a thing. / It's ⌈*cruel* [*thoughtless*; *inconsiderate*] to say such a thing.

つみとが 罪科 (法律上の罪) crime Ⓒ 《☞ つみ¹》.
¶*罪科のない人生 a life free ⌈from [of] *crime* / a *crime*-free life

つみとばつ 罪と罰 ━(名) (固) *Crime and Punishment* ★ ドストエフスキーの小説.

つみとる 摘み取る (植物を) pick (他); (特に不要なものを引き抜く) pluck (他); (はさみ取る) nip (off) (他). 《☞ つむ²》. ¶いまは綿花の*摘み取り期だ It is the cotton *picking* season.

つみな 摘み菜 ☞ つまみな

つみに 積み荷 (荷物) load Ⓒ; (特に鉄道・道路などによる運送貨物) 《米》 freight /fréɪt/ Ⓤ, 《英》 goods ★ 複数形で; (船・飛行機による運送貨物) cargo Ⓒ 《複 ~es, ~s》 ★ 集合的に用いる場合は Ⓤ. 《☞ かもつ; にもつ》. ¶そのトラックの*積み荷は穀物だった The truck ⌈had a *load* of [*was loaded with*] grain. // トラックの*積み荷を下ろすのを手伝ってくれ Help us *unload* the truck.
積み荷保険 cargo [shipping] insurance Ⓤ.

つみのこし 積み残し (積み残された荷物) left-off cargo Ⓤ; (特に陸上輸送用の) left-off freight Ⓤ, 《英》 left-off goods ★ 複数形で. 《☞ かもつ; に¹》.
¶議論されないで*積み残しになっている問題 issues *left over* undebated / (⇒ 未解決の) *pending* issues

つみのこす 積み残す leave ... out of the shipment 《☞ つむ¹》.

つみびと 罪人 (宗教・道徳上の) 《文》 sinner Ⓒ; (犯罪者) criminal Ⓒ. 《☞ つみ¹》.

つみぶかい 罪深い sinful ★ 文語的. 《☞ つみ¹》.

つみほろぼし 罪滅ぼし ━(動) (悪行などの償いをする) atone (for ...) (自), make amends (for ...) ★ 前者のほうが格式ばった語. ¶私は自分の悪事の*罪滅ぼしをしたい I want to ⌈*atone* [*make amends*] *for* my wrongdoing.

つみれ *tsumire* Ⓒ; (説明的には) croquette /kroʊkét/ made from ground and spiced fish Ⓒ.

つむ¹ 積む 1《重ねておく》: (順に積み上げる) pile (úp) (他) ★ きちんとした積み方を暗示する; (こんもりと積み上げる) héap (úp) (他) ★ 多少乱雑な積み方を暗示する; (わらなどを束ね円錐形に積む) stack (他); (比喩的に, 経験などを) acquire (他). 《☞ つみあげる; つみかさねる》.
¶彼は庭の片隅に落葉を*積んだ He *heaped* the fallen leaves in a corner of the yard. // 廊下に箱がたくさん*積んであった Many boxes *were piled up* in the corridor. // その木の下に砂が*積んであった (⇒ 砂の山があった) There was a ⌈*pile* of sand [sand *pile*] under the tree. // 机の上には本がめちゃめちゃに*積んであった Books *were heaped up* in confusion on the desk. // どんなに金を*積んでも (⇒ 世界中の黄金を出しても) 幸福は買えない You ⌈cannot [couldn't] buy happiness *for all the gold* in the world.
2《荷を積む》: load (他) 《☞ つみこむ; つみに; のせる²》. ¶彼はトラックに米の袋を*積んだ <S (人)+V (*load*)+O (輸送機関)+*with*+名 (物)> He *loaded* the truck *with* bags of rice. / <S (人)+V (*load*)+O (物)+*onto*+名 (輸送機関)> He *loaded* bags of rice *onto* the truck. // 船には銃が*積んであった The boat *was loaded with* guns. // 船はこの港で荷を*積む The ship *takes* ⌈*in* [*on*] cargo at this port. 《☞ ふなづみ》

つむ² 摘む (植物を摘み取る) pick (他); (集める) gather (他); (指ではさんでつまみ取る) nip (off) (他). 《☞ つみとる》.
¶私たちは花を*摘んだ We ⌈*picked* [*gathered*] flowers. // あの女の人たちは茶を*摘んでいる The women *are picking* fresh tea leaves. / (⇒ 茶摘みに従事している) The women are engaged in tea *picking*. // 彼は虫食いの芽を*摘んだ He *nipped* the worm-eaten buds. // そのようなことは芽のうちに*摘んでおくべきだ A thing like that should *be nipped* in the bud. / We should *nip* such a thing in the bud. ★ 比喩的表現.

つむ³ 詰む (将棋・チェスで王手をかけられて負ける) be checkmated. ¶君はあと 2 手で*詰むよ I can *checkmate* you in two moves.
【参考語】━(名) (王手) checkmate Ⓒ.

つむぎ 紬 pongee /pàndʒíː/ Ⓤ. **紬糸** filament of irregular, wild silk Ⓒ; (説明的には) silk thread from inferior cocoons, woven into extremely durable fabric Ⓤ.

つむぎうた 紡ぎ唄 spinning song Ⓒ.

つむぐ 紡ぐ spin (他) (自) 《過去・過分 spun》 《☞ いと¹》. ¶彼女は糸を*紡いでいた She *was spinning* (thread). 日英比較 特に必要がなければ thread は用いなくてもよい.

つむじ 旋毛 hair ⌈whirl [whorl] Ⓒ.
つむじ曲がり contrary /kəntré(ə)ri/ [perverse] person Ⓒ ★「扱いにくい人」, あるいは「自説を押し通して他人の気持ちをくまない人」の意. ¶君はまったく*つむじ曲がりだね How ⌈*contrary* [*perverse*] you are! / You are all *perversity*. **つむじが曲がる** (ひねくれていて変人である) be cranky; (扱いにくい) be difficult; (ひねくれて片意地である) be ⌈perverse [contrary]. **つむじを曲げる** (機嫌が悪くなる) get ⌈bad-tempered [cross] ★ cross のほうが口語的; (頑固に断る) refuse ... obstinately. ¶あまり強引に押し通すな. 彼女は*つむじを曲げるかもしれない (⇒ 彼女をもっと頑固にする) Don't push it too hard. It will *make* her *more obstinate*.

つむじかぜ 旋風 whirlwind Ⓒ 《☞ かぜ¹》.

つむる 瞑る ☞ つぶる

つめ¹ 爪 (人の) nail Ⓒ 語法 単に nail といえば足のつめ (toenail) でなく, 手のつめ (fingernail) を指すのが普通なので, 足のつめということをはっきりさせたいときは toenail というのがよい; (鳥や動物の湾曲した鋭いつめ) claw Ⓒ ★ 特にワシやタカなど猛禽類のつめは talon Ⓒ という; (弦楽器を演奏する時の) plectrum Ⓒ, pick Ⓒ ★ 後者のほうが口語的.
¶*つめを切らなければいけないな Your *fingernails*

need cutting. // お母さんに*つめを切ってもらった I had my *fingernails* cut by my mother. // *つめが真っ黒じゃないか Your *nails* are dirty! // 子供の*つめはすぐ伸びる Children's *fingernails* grow fast. // *つめはいつも短く切りそろえておかなければいけません You must always keep your *nails* (cut) short.

爪に火をともす ¶これは*つめに火をともすようにして(⇒節約に心がけて)ためた金です This is the money that I have saved by *carefully* ⌈*economizing* [(⇒小銭を切りつめて) *pinching pennies*].

爪のあか ¶彼女の*つめのあかでもせんじて飲みなさい(⇒彼女から教訓を得なさい) You had better *take a lesson from* her. // あいつには誠実さなんて*つめのあかほどもない (⇒少しもない) He doesn't have a ⌈*shred* [*scrap*] of sincerity in him.

爪を隠す ¶能ある鷹は*爪を隠す A wise falcon *retracts its talons*. / (⇒有能な人は決して目立ちたがらない) A capable person doe*sn't flaunt his skills*. 爪を研ぐ (猫などが) sharpen its claws; (復讐の機会を待つ) plot *one's* [sharpen *one's* claws for] revenge.

爪痕 (ひっかいた跡) scratch Ⓒ; (つめを立てた跡) nail mark Ⓒ; (長く残る被害) scar Ⓒ. ¶大震災の*つめあと *scars* [*marks; damage*] left by the great earthquake 爪半月 (爪のつけ根の半月の部分) half-moon (of a nail) Ⓒ; 〔医〕 lunula /lúːnjʊlə/ Ⓒ《複 lunulae /-lìː/》.

コロケーション
爪を噛む bite [chew] *one's nails* / 爪を磨く polish *one's nails* / 爪を割る break [split] a *nail*

つめ² 詰め (最終段階) the final stage. ¶彼は*詰めを誤った He made an error ⌈*at* [*in*] *the final stage*. // *詰めが甘かったな (⇒最終段階での作戦で十分慎重でなかった) You were not ⌈careful [cautious] enough in *your tactics* ⌈*at* [*in*] *the final stage*.

-づめ …詰め 1《…を[に]詰めた》 ¶オレンジ 100 個*詰めの箱 a box ⌈*of* [*containing*] one hundred oranges // 近ごろはびん*詰めの生ビールが出回っている *Bottled* draft beer is available these days. // 400 字*詰めの原稿用紙 a sheet of 400-character manuscript paper
2《…し通し》: (ずっと…し続けている) keep …ing; have been …ing 〔語 法〕 完了進行形 (過去または現在) によってこの意味を表す. (☞ -どおし). ¶この 1 か月は働き*づめでした I *have been* work*ing* without any holidays for a month.

つめあわせ 詰め合わせ ―形 (種類の違う物を詰め合わせた) assorted. ¶クッキーの*詰め合わせ一箱 a box of *assorted* cookies

つめあわせる 詰め合わせる pack … with an assortment of … ¶箱にキャンディーを*詰め合わせる *pack* a box *with an assortment of* candies / *pack an assortment of* candies into a box

つめいん 爪印 ☞ ぼいん¹

つめえり 詰め襟 closed [stand-up] collar Ⓒ; (服) jacket with a closed collar Ⓒ.

つめかえる 詰め替える (再び満たす) refill ⑭; (荷物等を移し替える) repack ⑭. (☞ うつす¹; つめる).
¶ライターのガスを*詰め替える *refill* a cigarette lighter with gas // 荷物をもっと大きなバッグに*詰め替えなければならない I have to *repack* my belongings into a bigger bag.

つめかける 詰めかける (群衆がどっと包囲する) besíege ⑭; (押し合いへし合いして詰めかける) throng ⑭ ⑮; (所狭しと) crowd ⑭ ⑮ 〔語 法〕 後の 2 語は ⑮ の場合, 前置詞は群衆の動きや状態に応じて, to, around, through, into などを適当に用いる. (☞ おしかける; あつまる).
¶記者たちがその家に*詰めかけた Reporters *besieged* the house. / The house *was besieged* by reporters. // 音楽好きの人たちが新しいコンサートホールに*詰めかけた Music lovers *thronged* (*to*) the new concert hall. // 大勢の人が社長の話を聞きに*詰めかけた (⇒群集が集まった) A *throng gathered* to hear the president speak. // 買い物客がそのスーパーに*詰めかけた Shoppers ⌈*crowded* [*thronged*] *into* the supermarket.

つめきり¹ 爪切り nail clippers ★通例複数形で; (爪切りばさみ) nail scissors ★複数形で.

つめきり² 詰め切り ¶わたしたちはその日, 一日中*詰め切りで控え室に待機していた We *stood by* in the waiting room all day long that day.

つめくさ¹ 爪草 〔植〕 pearlwort Ⓒ.

つめくさ² 詰草 〔植〕 (白つめくさ) white [Dutch] clover Ⓒ; (赤つめくさ) red clover Ⓒ.

つめご 詰め碁 go ⌈problem [puzzle] Ⓒ.

つめこすり 爪擦り ―名 nail file Ⓒ. ―動 file *one's* nails.

つめこみ 詰め込み ―名 (詰め込み教育·勉強·主義) cramming Ⓤ; (暗記) rote learning Ⓤ.
―動 (詰め込み (主義) で勉強する·教える) 《略式》 cram ⑮ ⑭. (☞ いちやづけ). ¶*詰め込みで学年末試験の勉強をする *cram* for the final examination 詰め込み教育 education that stresses cramming Ⓤ. ¶*詰め込み教育には反対だ I'm against *rote learning*.

つめこむ 詰め込む (押し込む) cram ⑭; (詰める) pack ⑭; (いっぱいにする) crowd ⑭; stuff ⑭; (狭い所に押し込む) jam ⑭.
【類義語】 無理にでも押し込むのを **cram** というが, 口語では試験勉強などで詰め込むことにも用いる. 貯蔵や運搬のために包みや荷物として物を詰め込むのは **pack** であるが, これは乗り物に乗客などを詰め込むことにも用いる. 場所の大きさに比べて人や物の数が多すぎるという気持ちでは **crowd**. 詰め物をぎっしり入れたり, 食べ物をたらふく食べたりするのは **stuff**. 狭い所にぎゅうぎゅうに詰め込むのが **jam**. (☞ いちやづけ)
¶私は本をトランクに*詰め込んだ <S (人) + V (*cram*) + O (物) + *into* + 名 (場所)> I ⌈*crammed* [*packed*] books *into* my trunk. / <S (人) + V (*cram*) + O (場所) + *with* + 名 (物)> I ⌈*crammed* [*packed*] my trunk *with* books. // どの通勤列車にも乗客がぎゅうぎゅうに*詰め込まれていた Each commuter train *was* ⌈*jam-packed* [*overcrowded*] (with passengers). / The passengers *were packed in* like sardines in each commuter train. ★ packed (in) like sardines は「すし詰め」の状態をいう. // 私は腹いっぱい*詰め込んだ I *stuffed* myself with food.

つめしょ 詰め所 (一般に, 人が配置されている場所) station Ⓒ; (番人の) guardroom Ⓒ, guardhouse Ⓒ; (部局員の) staff room Ⓒ.
¶看護師*詰め所 a nurses' *station*

つめしょうぎ 詰め将棋 *shogi* ⌈problem [puzzle] Ⓒ.

つめそで 詰め袖 (和服の) *tsume-sode* Ⓒ; (説明的には) kimono with sewn-up underarms Ⓒ.

つめたい 冷たい 1《温度が》: cold (↔ warm) ★最も一般的な語. 〔日英比較〕 この訳語は日本語の「寒い」の訳語にもなる; (快く冷たい) cool; (冷たくて不快な) chilly; (凍るような) freezing; (氷のように冷たい) icy. (☞ さむい; ひえる).
¶あなたの手はなんて*冷たいのでしょう How *cold* your hands are! // *冷たい飲み物でもいかがですか Would you care for a ⌈*cool* [*cold*] drink? // *冷たい雨が降っていた *Icy* rain was falling. // *冷たい戦

争 a *cold* war

2 《態度などが》 ━形 (冷淡で不親切な) cold; (無愛想でよそよそしい) cool; (冷たさを強調して) chilly, frosty. ━副 coldly. 《☞ れいたん; そっけない》. ¶ *冷たい言葉 *cold* words // 私たちは*冷たい扱いを受けた We were treated *coldly*. / We received *cold* treatment. / (⇒ 冷たく迎えられた) We 「were received *coldly* [had a *chilly* reception]. // 老人は*冷たいまなざしを若者に向けた (⇒ 冷淡に若者を見た) The old man looked *coldly* at the young man.

冷たくなる ━動 (死ぬ) die 自; (息をひきとる) expire 自 ★ 後者は文語的. ━形 (死んだ) dead; expired.

つめだに 爪蜱 〔動〕 cheyletid Ⓒ.

つめばら 詰め腹 ¶ 彼は*詰め腹を切らされた (⇒ 強制的に辞職させられた) He *was forced* 「out (of office) [to resign (his post)].

つめもの 詰め物 (荷造り用) packing Ⓤ; (クッションの) pad Ⓒ, padding Ⓤ; (歯の) filling Ⓒ; (料理の) stuffing Ⓤ.

つめよる 詰め寄る (近寄る) come [draw] closer 自; (じりじりとにじり寄る) edge up (to ...) 自. ¶ 彼は謝罪を要求して私に*詰め寄って来た (⇒ じりじりとにじり寄って来た) He *edged up to* me, demanding an apology.

つめる 詰める 1 《押し込む》: (詰め込む) pack 他, stuff 他; (荷造りする) páck (úp) 自 他; (穴に栓などを詰める) plúg (úp) 他; (穴などをふさぐ) stóp (úp) 他; (歯などを) fill 他. 《☞ つめこむ (類義語)》.

¶ 彼は本を箱に*詰めた He 「*packed* [*stuffed*] his books 「into [in] a box. / He 「*packed* [*stuffed*] the box *with* his books. // 彼女はスーツケースに荷物を*詰めている She *is packing* (*up*) her suitcase. / She *is packing* her things 「into [in] her suitcase. // このホールはぎっしり*詰めると 200 人はいる (⇒ ぎりぎり 200 人の座席がある) This hall can seat two hundred people at the most. / (⇒ 200 人の収容能力を持つ) This hall has a seating *capacity* of two hundred. // 穴に何かを*詰めなければならない We must 「*plug* [*stop*] *up* the hole. / We must 「*plug* [*stop*] the hole *with* something. // 虫歯を*詰めてもらった I've had my (decayed) tooth *filled*.

2 《場所をつめる》: (横に移動して席などを) móve óver 自; (後の方へ) móve báck 自.

¶ 奥のほうへお*つめ願います *Move back*, please. // 少し*つめてくれませんか Could you *move over* a little, please? // もっと*つめて(字を)書きなさい Write more *closely*. / (⇒ 行間を) *Crowd* the lines.

3 《短縮する》: (短くする) shorten 他; (服の寸法などを) táke ín 他. 《☞ きりつめる; たんしゅく》.

¶ 私はスカートを 3 センチほど*つめてもらった I had my skirt 「*shortened* [*taken in*] about three centimeters. 語法 shorten は「丈」をつめることで tàke úp ともいう. take in は「幅」をつめること.

4 《集中してやる》 ¶ 根を*つめる *concentrate all one's* efforts (on ...)

5 《検討して結論を出す》 ¶ 話を*つめる *bring* the discussion *to a conclusion* after thorough deliberation(s)

-つめる 1 《続けてする》 ¶ 彼女は病院に通い*つめた (⇒ 始終行った) She 「*went to* [*visited*] the hospital *very often*. / (⇒ 一日も欠かさずに通った) She didn't miss one of her daily visits to the hospital. 《☞ かよいつめる》

2 《終局に達する》 ¶ そんなに思い*つめない (⇒ 深刻に考えない) ほうがよい You shouldn't *take it* so *seriously*. 《☞ おもいつめる》

3 《厳しくせまる》 ¶ 私たちはカンニングのことで彼女を問い*つめた We *questioned* her *closely* about her cheating 「in [on] the examination. 《☞ といつめる》

つめれんげ 爪蓮華 〔植〕 *tsumerenge* Ⓒ; (説明的には) hardy rock perennial of the stonecrop family often found on stone fences in the Central to Western part of Japan Ⓒ.

-つもり 1 《意図》: (予定である) be going to *do* ..., be planning to *do* ... ★ ほぼ同意だが, 後者は計画性がより強調される; (...したい; ...する意図がある) want to *do* ..., intend to *do* ... ★ 前者のほうが口語的. また be going to *do* ... が単なる未来の代わりであるのに対し, 意図・意志を強く表す; (...のつもりである; ...するつもりである) mean 他 語法 (1) 当初の意図が何であったかを, 後で振り返って言うときによく用いる表現. 《☞ よてい》.

¶ きょうは台所で母の手伝いをする*つもりです I'*m going to* help my mother in the kitchen today. // きょうは市立図書館へ行く*つもりです I'*m going to* the city library today. 語法 (2) 「往来」に関する動詞 (e.g. go, come, leave, etc.) は現在進行形で「...するつもり」という予定を表す. // 午後は買い物に行く*つもりです I'*m going* shopping in the afternoon. // あなたは大学へ行く*つもりですか *Are* you *planning to* go (on) to college? // ヨーロッパのどこへ行く*つもりですか Where in Europe *are* you *going* (*to*)? 語法 (3) 最後に to を付けるのは口語的. / Where in Europe do you *intend to* go? ★ やや格式ばった表現. // あの人の感情を傷つける*つもりはなかった I had no *intention* of hurting her feelings. / It was not my *intention* to hurt her feelings. // いまになって私の申し出を断るとはどういう*つもりだ What do you *mean* by declining my offer now? // 私はほんの 2, 3 日だけそこにいる*つもりでした I 「*intended* [*meant*] *to* stay there only for a few days. ★ mean を用いるほうが口語的. // あいつは冗談の*つもりで言ったのだから気にするな You shouldn't worry about what he said. He *meant* it 「as [for] a joke.

2 《判断》: (思う・みなす) think 他; (信じる) believe 他; (空想して...のつもりになる) make believe 他.

¶ あいつは自分が天才の*つもりだ He 「*thinks* [*believes*] he is a genius. // あの子は船長の*つもりだ The boy *is making believe* that he's a captain. // 彼は死んだ*つもりで (⇒ 力の及ぶかぎり) 勉強を頑張った He studied to the utmost of his power. // 鍵をポケットに入れた*つもりでいたが (⇒ 入れたと思っていたが), 机の上に置いてあった *I thought* I had the keys in my pocket, but I found that I had left them on the desk.

つもりちょきん 積もり貯金 money that is saved on the assumption that it is spent on something Ⓤ ★ 説明的な訳.

つもる 積もる (雪・ごみなどが) lie 自; (堆積する) accumulate 自 ★ やや格式ばった語; (山積みになる) be piled up; (総計...になる) add up to ..., amount to ...

¶ 雪がたくさん*積もっている The snow *is lying* deep on the ground. / (⇒ 地面は深い雪で覆われている) The ground *is covered with* deep snow. // 彼の借金は*積もり積もって, ついに 1 千万円を超えた His debts *have* 「*added up* [*amounted*] *to* over ten million yen. // *積もる話がある (⇒ 話すことがたくさんある) I have *a lot* to talk about.

つや[1] 艶 (光沢) gloss Ⓤ; (輝き) 《格式》 luster (《英》 lustre) Ⓤ; (床・家具・靴などのよく磨いて出るつや) polish Ⓤ ★ いずれもしばしば a を付けて. 《☞ こ

うたく)). ¶彼女の髪は*つやがある She has *glossy* hair. / Her hair has a fine *gloss*. // 彼の目は*つやを失った His eyes lost their *luster*. // このテーブルはよく*つやが出ている This table has a good *polish*. // よくこすると床に*つやが出る The floor gets a *polish* from hard rubbing. / Hard rubbing gives a *polish* to the floor. // すれて*つやがなくなった The *polish* has been ⌈worn [rubbed] off.

つや² 通夜 wake Ⓒ [参考] 英米でも埋葬の前夜には通夜を行う習慣がある. 飲食物を出す習慣のある地方もある. ¶*通夜に出席する attend a *wake* // *通夜は今夜6時からです The *wake* will be held from 6 p.m. this evening.

通夜振舞い ― [動] serve sake and food at a wake. ― [名] refreshments served at a wake.

つやけし 艶消し ¶あの人はきれいだが声の悪いのが*つや消しだ (⇒ キーキー声が彼女の魅力を損なっている) She's pretty but her squeaky voice *spoils* her charm. **つや消しガラス** frosted glass Ⓤ.

つやだし 艶出し ― [名] (磨き粉など) polish Ⓤ; (釉薬) glaze Ⓒ; (つやを出すこと) polishing Ⓤ. ― [動] (磨いてつや出しする) polish (他); (焼き物を釉薬で) glaze (他); (金属を) burnish (他); (紙・布などを) calender (他). ((☞ つや¹)).

つやっぽい 艶っぽい (セクシーな) sexy; (なまめかしい) ((格式)) amorous; (作品・話題などが性愛を扱った) erotic, ((略式)) steamy. ((☞ いろっぽい; いろけ)).

つやつや 艶艶 ― [形] (顔色などが輝いた) bright; (生き生きした) fresh. ¶彼はいつも*つやつやした顔をしている He always has a *bright* complexion. // *つやつやした肌 *lustrous* [(⇒ 健康な) *healthy*] skin

つやばなし 艶話 (官能的な話) stéamy [ámorous] stóry Ⓒ; (性愛についての) erotic [sexy] story Ⓒ.

つやぶき 艶拭き ― [動] polish (他).

つやめく 艶めく ― [形] (光沢のある) glossy; (色っぽい) sexy.

つややか 艶やか ― [形] (光沢のある) glossy ((☞ つや¹)).

つゆ¹ 露 dew Ⓤ; (露のしずく) dewdrop Ⓒ. ¶毎朝*露が降りる (The) *dew* falls every morning. // 芝生が*露にぬれていた The lawn was wet with *dew*. // 彼は草むらの*露を払いながら進んだ He moved along brushing against the *dewdrops* on the undergrowth. // そんなことは*露知らなかった (⇒ 少しも) I was not *in the least* aware of it.

露の命 (つかの間の命) ephémeral [évanèscent] lífe Ⓒ.

つゆ² 梅雨 (梅雨の季節) the rainy season [日英比較] 英米には梅雨はないので, 状況によってはさらに説明を加える必要がある. ((☞ ばいう)). ¶*梅雨に入った *The rainy season* has set in. // *梅雨が明けた *The rainy season* is over.

梅雨明け ― [副] (終わり頃には) at the end of the rainy season; (終わったあとで) after the rainy season. ¶今年の*梅雨明けはいつですか (⇒ いつ終わりますか) When will *the rainy season* ⌈be over [end] this year? **梅雨入り** ― [副] at the beginning of the rainy season. ¶今年の*梅雨入りはいつですか (⇒ いつ始まりますか) When will *the rainy season* set in this year? **梅雨型** (梅雨型の気圧配置) the (atmospheric) pressure pattern typical of the rainy season ((☞ きあつ)) **梅雨寒** cold weather during the rainy season Ⓤ **梅雨空** overcast sky peculiar to the rainy season Ⓒ **梅雨時** ― [副] at the rainy season; (…の間) during the rainy season **梅雨の長雨** the long rains of the rainy season ((☞ ながあめ)) **梅雨晴れ** (梅雨時の) short spell of fair weather during the rainy season Ⓒ; (梅雨明け後の) fair weather after the rainy season Ⓤ **梅雨冷え** low temperature(s) during the rainy season Ⓤ.

つゆ³ (澄ましスープ) clear soup Ⓤ; (果物の) juice Ⓤ. ((☞ しる²; えき²; スープ)).

つゆくさ 露草 〔植〕 dayflower Ⓒ; (紫露草) spiderwort Ⓒ.

つゆだく 汁だく ¶*つゆだくでお願いします Plenty of sauce, please.

つゆはらい 露払い (最初の演技者) opening performer Ⓒ; (相撲の) *tsuyuharai* Ⓒ; (説明的には) the sumo wrestler who enters the ring first at the *yokozuna's dohyoiri* ceremony. ((☞ ぜんざ)).

つゆほども 露程も not at all, not in the least. ((☞ すこしも)).

つゆむし 露虫 〔昆〕 bush cricket Ⓒ.

つよい 強い ― [形] (力のある) strong (↔ weak); (強力な) powerful; (頑丈な) sturdy; (耐久力のある) hardy; (丈夫で壊れにくい) tough; (度合いが強い) intense; (得意な) good (at …) (↔ poor (at …)), strong (in …) (↔ weak (at …)).

【類義語】最も一般的で意味の広いのは **strong**. 「力にあふれている」のは **powerful** で, 社会的地位や権力などを含めた意味でも用いられる. 頑丈でしっかりしているのは **sturdy** で, 身体について用いられることが多い. 丈夫で悪条件に耐えられるのは **hardy** または **tough** だが, 後者には精神力の強さも含まれることがある. 感情や光線などの程度が強烈であることには **intense** を用いる. ((☞ つよく))

¶田中も*強いが加藤はもっと*強い Tanaka is *strong* but Kato is *stronger* still. // にんにくはにおいが*強い Garlic has a *strong* smell. // あの子は意志の*強い子だ The ⌈boy [girl] has ⌈a *strong* will [*strong* willpower]. // ウォッカは*強すぎて飲めない Vodka /vádkə/ is too *strong* for me. // 彼女はおとなしいがしんは*強い She is quiet, but she has *strength* of character. // あの人は政界で*強い力をもっている He is *powerful* in the political world. // その学校は野球が*強いので有名だ The school is famous for its *powerful* baseball team. // 日ざしが*強いのでサングラスをかけなければならなかった The sunlight was so ⌈*intense* [*strong*] that I had to wear sunglasses. // きょうは風が*強い (⇒ 風が強く吹いている) The wind [It] is blowing *hard* today. // 彼は数学に*強い (⇒ 得意だ) He is ⌈*good at* [*strong in*] mathematics. / Mathematics is his *strong* point. ((☞ とくい¹)) // 彼は酒が*強い He drinks like a fish.

つよがり 強がり ― [動] (欲しい物を欲しくないと言ったりして負け惜しみを言う) cry sour grapes ★ イソップ物語から; (こけおどしを言う・強く見せるようなことを言って相手を脅す) bluff (自) (他); (困っているのに強がってみせる) whistle in the dark ★ 以上3つはそれぞれ使われる状況の違いに注意. ((☞ まけおしみ)).

つよき 強気 ― [形] (危険も顧みず大胆な) bold (↔ timid); (積極的な・攻撃的な) aggressive; (くじけない) not discouraged; (楽観的な) optimistic. ¶彼は非常に*強気の行動をとった He took an *aggressive* attitude. **強気市場** 〔証券〕 bull market Ⓒ **強気筋** 〔株〕 bull Ⓒ (↔ bear).

つよく 強く strongly; (断固として) firmly; (激しく) hard; (ぎゅっと) tight, tightly ★ 前者のほうが口語的. ((☞ つよい; つよまる)).

¶そのポストには青木氏を*強く推します I *strongly* recommend Mr. Aoki for the post. // 彼らはこの案に*強く反対している They are *firmly* opposed to this plan. // 彼は転んで, 柱で頭を*強く打った He fell and hit his head *hard* against the pillar. // 彼

は妻を*強く抱き締めた He held his wife「*tight* [*tightly*] in his arms.

つよごし 強腰 (強い態度) strong「attitude [stance] Ⓒ ★ strong の代わりに firm (断固とした), tough (強硬な), aggressive (攻撃的な) なども使える.《☞ つよき》. ¶…に対して*強腰にでる take [assume] an *aggressive stance* toward …

つよさ 強さ (力) strength Ⓤ; (能力としての) power Ⓤ.《☞ つよい; ちから (類義語)》.
¶チャンピオンの*強さには敬服するばかりだ I simply admire the champion's splendid「*strength* [*power*]. // 風の*強さはこの機械で測れます The「*strength* [*power*; *force*] of the wind can be measured by this instrument.

つよび 強火 (ガスレンジなどの) high flame Ⓒ (↔ low flame); (電気レンジなどの) high heat Ⓒ (↔ low heat).《☞ ちゅうび; よわび; 料理の用語 (囲み)》. ¶*強火にする *set* the「gas [heater; stove; range] (*on*) *high* / (⇒ 火力を増す) *increase the*「*flame* [*heat*] *to high* // *強火で野菜をいためて下さい Fry the vegetables over a *high flame*.

つよぶくみ 強含み 〖株〗 ¶相場は*強含みだ (⇒ 上がる気配を示す) The market is showing *signs of rising*. / *Bullish sentiment* prevails on the stock market.《☞ かい[7]》

つよまる 強まる become [grow]「strong [powerful; intense] 語法 (1) strong は一般的で, 力が強くなること. powerful は勢力や権力などが強くなること. intense は痛み・感情などの度合いが強くなること; (激しくなる) intensify ⓐ; (勢力や力が増す) increase in「power [force; strength] 語法 (2) power は精神的・肉体的な力. force は行使力・腕力・暴力. strength は作用力・抵抗力など.《☞ つよい; ちから (類義語)》.
¶北東の風が夜半から*強まるでしょう The northeast wind will「*become stronger* [(⇒ 強く吹く) blow *harder*] toward midnight. // 部下に対する彼の力は*強まった He *has increased* his *power* over his men. // 痛みがしだいに*強まってくる The pain *is becoming* more and more *intense*. // そのような傾向はますます*強まるだろう Such a tendency will「*become* [*grow*] *stronger*. / There is a *growing* tendency of that sort.

つよみ 強み (強い点・長所) strong point Ⓒ (↔ weak point); (有利な立場・利点) advantage Ⓒ.《☞ ちょうしょ[1]》. ¶彼の*強みは英語がよくできることです His「*strong point* [*advantage*] is that he is good at English.

つよめる 強める (力を強める) strengthen ⓗ; (度を強める) intensify ⓗ; (強調する) emphasize ⓗ.《☞ つよまる; つよい; きょうか[3]》. ¶政府は統制を*強めてきている The government *is strengthening* its control. //「彼とは結婚しないわよ」と彼女は語気を*強めた "I won't marry him," she said *emphatically*.

つら 面 face Ⓒ,《口》mug Ⓒ.《☞ かお》. ¶まずい*面だよなあ What an ugly *mug*! // でかい*面するな (⇒ 大物ぶるな) Stop acting like such a big shot. // どの*面下げて (⇒ よくもまあ) 金借りに来た *How dare* you come to me for money?

-づら …面 ¶紳士*面をする (⇒ 紳士のふりをする) *play* the gentleman / *pose as* a gentleman // 彼は学者*面をしている He「*sets himself up* [*poses*] *as* a scholar.

つらあて 面当て ¶あいつの言っていることは僕に対する*つら当てだ (⇒ 彼の意地悪な言葉は私に向けられている) His *spiteful remarks* are meant for me.《☞ あてつける》

つらい 辛い (仕事などが困難で易しくない) hard, tough; (苦痛を感じる・苦しい) painful; (悲痛で苦しい) bitter ★ 不愉快な経験・思い出などに使う; (我慢できないような) unbearable; (胸がはりさける思いの) heartbreaking; (ひどい仕打ちで厳しく当たる) hard (on …) Ⓟ ★「人」が主語.《☞ くるしい; きびしい》.
¶それはいままでで一番*つらい仕事でした It was the「*hardest* [*toughest*] work I have ever done. // 彼女が泣くのを見るのは*つらかった (⇒ 我慢できなかった) I *could not bear* to see her crying. / It was *painful* to see her crying. // 受験勉強は*つらかった I had a *hard* time preparing for the college entrance exams. // 私の母も戦争中は*つらい目にあいました (⇒ 経験をした) My mother also had a *bitter* experience during the war. // *つらいだろうが (⇒ あなたの気持ちはよくわかるが) 我慢しなさい I know *how you feel*, but you must be patient. // 姑 (しゅうとめ) は彼女に*つらく当たった Her mother-in-law was *hard on* her. // 彼らと別れるのが*つらかった (⇒ 胸がはりさける思いだった) It「was *heartbreaking* [*almost broke my heart*] to part with them. // 彼は*つらい (⇒ 困難な[困った]) 立場にある He is in「a *difficult* [an *awkward*] position.

-づらい …辛い (難しい) hard, difficult ★ 前者のほうが口語的.《☞ -にくい》. ¶そのことは人前では話し*づらい It is *hard* to speak about it in public. // 画面がぼけていて見*づらかった The photograph was blurred and *hard* to see.

つらがまえ 面構え ¶彼は大胆不敵な*面構えをしている He *has a* bold, daredevil *look on his face*.

つらさ 辛さ (苦しさ) bitterness Ⓤ; (悲しみ) sorrow Ⓤ; (心などの痛み) pain Ⓤ.《☞ くるしみ; つらい》. ¶別れの*辛さ the *sorrow* of parting // あの時の*辛さは忘れられない I'll never forget the *painful* experience /ɪkspí(ə)riəns/ at that time.

つらだましい 面魂 (豪胆・不屈の表情) bold and indomitable look Ⓒ《☞ つらがまえ》.

つらつき 面付き ☞ かおつき

つらつら (念入りに) closely; (一心に) intently.《☞ つくづく》. ¶そのことについて*つらつら (⇒ 何度もくり返し) 考える think about it *over and over again*

つらなる 連なる (土地などが広がる) stretch ⓐ; (延びる・及ぶ) run ⓐ. ¶アパラチア山脈は約 2400 キロにわたって*連なっている The Appalachians *stretch* for about 2,400 kilometers.

つらにくい 面憎い (胸くそ悪くなるような) disgusting; (しゃくにさわる) provoking; (腹立たしい) exasperating /ɪgzǽspərèɪtɪŋ/.《☞ しゃく[1]; にくたらしい; にくらしい》.

つらぬきとおす 貫き通す (貫通する) go through …, pierce ⓗ; (信念・計画などを) stick to …; (実行する) carry out ⓗ.《☞ つらぬく》. ¶彼女は自分の立場を*貫き通した (⇒ 首尾一貫[ひるむことなく]離れなかった) She *stuck*「consistently [*unwaveringly*] *to* her position.

つらぬく 貫く **1**《貫通する》: (川などが) run [pass; flow] through …; (弾丸などが) go through …, penetrate ⓗ ★ 後者のほうが格式ばった語; (先の鋭いものが) pierce ⓗ ★ 格式ばった語.《☞ かんつう[1]》. ¶セーヌ川はパリの中心部を*貫いて流れる The Seine「*runs* [*flows*] *through* the heart of Paris. // 矢が盾を*貫いた An arrow「*went through* [*pierced*; *penetrated*] the shield.
2《やり遂げる》: (終わりまでやり抜く) cárry thróugh ⓗ, cárry óut ⓗ.《☞ つらぬきとおす; かんてつ》.
¶彼は初志を*貫いた He *carried*「*through* [*out*] his original intentions.

つらねる 連ねる (…に沿って並ぶ) line ⓗ《☞ な

らぶ; れつ》. ¶たくさんの屋台店がその通りに軒を*連ねている A lot of stalls *line* the street. / (⇒ 列を作っている) A lot of stalls *form a line along* the street. // 会員名簿には有名人が大勢名を*連ねている Many famous names *are on the* membership *list*.

つらのかわ 面の皮 ☞ いいつらのかわ

面の皮が厚い (無神経な) thick-skinned ★ 鈍感で批判・悪口などを感じないことをいう; (恥知らずの) impudent; (ずうずうしい) brazen. ¶彼は*面の皮の厚い男だ He is a *thick-skinned* man. / (⇒ 神経が太い) He has *a lot of nerve*. 《☞ せんまいばり; こうがん[1]》

面の皮をはぐ (恥をかかせる) put *a person* to shame, shame ㊀; (面目を失わせる) make *a person* lose face; (人の正体をあばく) unmask *a person*. 《☞ はじ[1]; めんぼく; ばけのかわ》. ¶いつかやつの*面の皮をはいでやる (⇒ 罰を受けさせる) I'll *make* him *pay* some day.

つらみ 辛み ☞ うらみつらみ

つらよごし 面汚し (恥となるもの) disgrace Ⓒ. ¶彼女はわが家の*面汚しだ She is ⌈a *disgrace* to [the *black sheep* of] our family. / (⇒ 家名を汚した) She *disgraced* our family name.

つらら 氷柱 icicle /áɪsɪkl/ Ⓒ 《☞ こおり》. ¶軒先に*つららができた *Icicles* have formed on the edge of the eaves.

つられる 釣られる ¶笛の音に*つられて人々は踊り出した (⇒ 笛の音が誘った) The sound of a flute *tempted* people to dance. // 彼は欲に*つられてその陰謀に加わった (⇒ 金が手に入りそうなことに目がくらんで) *Blinded* by the prospect of money, he joined the plot. 《☞ つりこまれる; つりだす[1]; すいよせる (用例)》

つり[1] 釣り fishing Ⓤ, angling Ⓤ 〔語法〕(1) 前者が一般的だが, 他の方法で魚を捕える意味も含む. 後者はスポーツとしての釣りを強調する言い方で, やや格式ばった語. 《☞ つる[2]》.

¶私たちは湖へ*釣りに行きました We went *fishing* on the lake. 〔語法〕(2) これは湖にボートなどを浮かべて釣りをする場合に言う表現. 漠然と We went fishing in the lake. という言い方もできる. 川などでは fish *in* the river というのが普通. また,「釣りに行く」は take a fishing trip ともいう. // この川は*釣りによい This river is a good *fishing* ⌈place [spot]. // 彼は*釣りが趣味です *Fishing* is his hobby. // 彼は*釣りがうまい He is good at *fishing*. / He is a good *angler*. 〔語法〕(3) 普通は a good fisher とは言わない. fisher は古語. a good fisherman は可能だが, fisherman は趣味としての釣り人と職業的漁民の両方を意味するので, 場合によっては意味があいまいとなる. // ここで魚*釣り禁止《掲示》No *Fishing* // 磯*釣り surf *fishing* / (⇒ 投げ釣り) surf *casting* 《☞ いそ (磯釣り)》

釣り糸 fishing [fish] line Ⓒ ★ 単に line ともいう. **釣り餌** bait Ⓤ ★ 時に a ～ として. **釣り籠**(ご) ☞ びく; つり[1] (挿絵) **釣り具** ☞ **釣り道具** **釣り具店** fishing store Ⓒ **釣りざお** fishing ⌈rod [《米》pole] Ⓒ ★ 単に rod ともいう. ¶*釣りざおを肩にして with a *rod* and line on *one's* shoulder **釣り師** angler Ⓒ **釣り天狗** ¶彼は*釣り天狗だ (⇒ いつも腕前を自慢する) He always *brags about his skill at fishing*. **釣り道具** (一式) fishing ⌈tackle [gear] Ⓤ ★ 単に tackle ともいう; (釣りに必要な品や装備) fishing equipment Ⓤ **釣り仲間** fishing companion Ⓒ, fellow angler Ⓒ **釣り針** (fish)hook Ⓒ **釣り人** ☞ **釣り師** **釣り舟** fishing boat Ⓒ ★ 漁船の意味にもなる. **釣り堀** fishing pond Ⓒ **釣り宿** inn [hotel] for anglers Ⓒ.

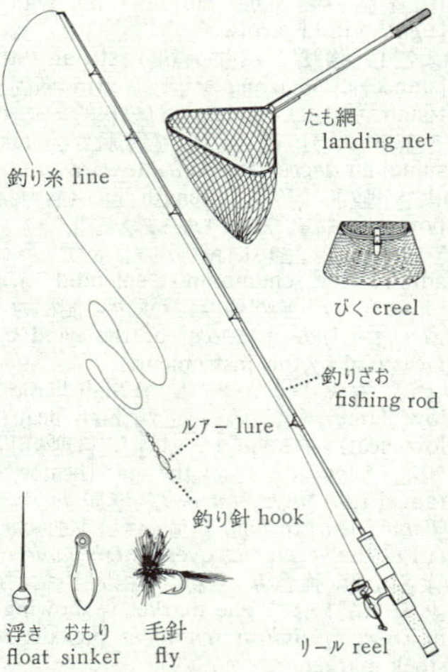

つり[2] 釣り (釣り銭) change Ⓤ.
¶「はい, お*つりです」「お*つりは取っておいて下さい」"Here's the *change*." "Please keep it." ★「つりはいりません」という日本語にも当たる. //「10 ドル札でお*つりがいただけますか」「かしこまりました. はい 8 ドル, 9 ドル, 10 ドル. ありがとうございました」"Could I have *change* for a ten-dollar bill?" "Certainly. Here you are. Eight, nine, ten. Thank you very much." 〔日英比較〕英米では一般につり銭を渡すとき, 品物の値段に足し算の形式で受け取った金額まで数えていくのが普通. 上の場合, 品物が 7 ドルあるいは 7 ドル代の値段で (例えば 7 ドル 50 セント), まず, 50 セント硬貨を渡して 8 ドルと言い, 次に 1 ドル紙幣を 1 枚ずつ渡しながら 9 ドル, 10 ドルと数えながらつり銭を渡したのである.

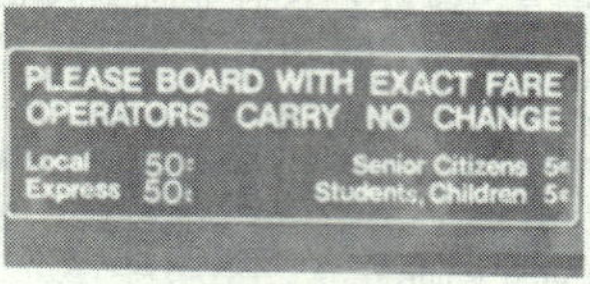

「ちょうどの料金でご乗車下さい. 運転手はつり銭を持っていません」というバスの掲示

コロケーション
つりを数えながら出す count out *change* / つりを数える count *one's change* / つりをごまかされる[少なくもらう] be *shortchanged* / つりをもらう get *one's change* / つりを渡す give *change*

つり[3] 吊り ―形 (吊り下げ用の) hanging; (吊り下げられた) suspended. ―名 (物を吊るもの) hanger Ⓒ; (吊り下げ用の綱) sling Ⓒ; (吊ること) suspension Ⓤ. ¶*吊り天井 a *suspended* ceiling // *吊り花かご a *hanging* basket

つりあい 釣り合い (均衡を保っていること) balance Ⓤ; (部分と全体との対比から生じる釣り合い) proportion Ⓤ ★ しばしば複数形で; (部分と全体が混ざり合って生じる調和) harmony Ⓤ; (よい組み合わせになっていること) match Ⓒ; (平衡)《格式》equilibrium /ìːkwəlíbriəm/ Ⓤ; (均整) symmetry Ⓤ. 《☞ ちょうわ; バランス; きんこう[1]》.

¶栄養の*釣り合いのとれた食事 a *balanced* diet // 彼らは*釣り合いのとれた夫婦だ (⇒ その夫婦はよい組み合わせだ) The couple are a good *match.* / (⇒ 彼らはうまく釣り合いのとれた夫婦だ) They are a well-*matched* couple.

つりあう 釣り合う ―【動】(均衡を保つ・保たせる) balance 自 他; (対比がよい) be in proportion; (調和がとれている) be in harmony; (組み合わせがよい) match 自 他. (☞ ちょうわ; バランス; きんこう[1]).
¶収入と支出額が*釣り合っていない Income and expenditures do not *balance.* // その建物の幅と高さは*釣り合っている The height and the width of the building *are in proportion.* / The height of the building *is in proportion* ⌈*to* [*with*] its width.
語法 英語では「幅と高さ」は height and width という語順でいう.

つりあがる 吊り上がる (目尻が) slant [turn] upward.

つりあげる[1] 吊り上げる (人為的に値段を上げる) raise ... by manipulation. ¶大企業は不当に価格を*つり上げている Large corporations *are raising* the prices ⌈*using* [*by*] *manipulation.*

つりあげる[2] 釣り上げる fish 他 (☞ つる[2]).

ツリー tree Ⓒ (☞ き[2]). ¶クリスマス*ツリー a Christmas *tree* **ツリー構造**〖コンピューター〗tree structure Ⓒ **ツリー図**〖言〗tree diagram Ⓒ ★ 樹状[形]図ともいう.

つりおとす 釣り落とす fail to land a fish.
¶もう少しのところで大きな魚を*釣り落とした (⇒ 魚が針から逃れた) I almost caught a big fish but it *wriggled off the hook* at the last moment.

つりがき 釣り書き (系図) family tree Ⓒ; (身上書) *one's* personal history and (family) background Ⓒ.

つりかご 吊り籠 (ロープウェイなどの) góndola Ⓒ.

つりがね 釣り鐘 (仏教寺院の鐘) Buddhist-temple bell Ⓒ.

つりがねそう 釣り鐘草 〖植〗bellflower Ⓒ, campánula Ⓒ ★ 前者が一般的.

つりがねむし 釣り鐘虫 〖動〗béll animálcule Ⓒ.

つりかわ 吊革 strap Ⓒ. ¶*つり革につかまる hold [hang] on to a *strap*

つりこうこく 吊り広告 《米》hanger Ⓒ; hanging poster Ⓒ.

つりこまれる 釣り込まれる ¶彼女に*釣り込まれて皆が笑った (⇒ 彼女の笑いは皆に移った) Her laughter was *infectious.*

つりさがる 吊り下がる (ぶら下がる) hang (down) 自 (☞ たれる; ぶらさがる).

つりさげる 吊り下げる (吊るす) hang 他; (宙ぶらりんにする)《格式》suspend 他; (ぶらぶらさせる) dangle 他. (☞ つる[1]; つるす; ぶらさげる).

つりせん 釣り銭 change Ⓤ (☞ つり[2]).

つりだし 吊り出し (相撲の) *tsuridashi* Ⓤ; (説明的には) lift out Ⓤ. (☞ すもう).

つりだす[1] 釣り出す (おびき寄せる) lure 他; (悪いことに誘い出す) entice 他. (☞ おびきだす; おびきよせる). ¶警察は愛人をえさに使って容疑者を隠れ家から*釣り出した The police used the suspect's girlfriend as bait to *lure* him out of his hiding place.

つりだす[2] 吊り出す (相撲で) lift ... out of the ring.

つりだな 吊棚 hanging shelf Ⓒ (複 ~ shelves).

つりて 吊り手 (物を吊るすもの) hanger Ⓒ; (吊り革) strap Ⓒ.

つりどうろう 釣り灯籠 hanging lantern Ⓒ.

つりとだな 吊り戸棚 suspended cupboard Ⓒ.

つりばし 吊橋, 釣橋 (山の谷間などにロープを渡した) rope bridge Ⓒ; (ケーブル・鉄骨を使った) suspension bridge Ⓒ. (☞ はし[1] (挿絵)).

つりばしご 吊り梯子 (縄ばしご) rope ladder Ⓒ.

つりばな 吊花 〖植〗Korean spindle tree Ⓒ.

つりめ 吊り目 ―【名】(目じりのつり上がった目) slanted [slanting] eyes ★ 複数形で; 《卑》slánt-èye(s) Ⓒ ★ 東洋人に対する軽蔑的な表現. ―【形】slant-eyed.

つりやね 吊り屋根 〖建〗suspended roof Ⓒ. **吊り屋根構造**〖建〗suspended roof structure Ⓤ.

つりわ 吊り輪 (体操の) the (flying) rings ★ the を付けて複数形で用いる.

つる[1] 吊る (掛ける・下げる) hang 他 自 《過去・過分 hung》★ 上を固定して, 下のほうが自由になっているような物をつるときに用いる; (上方からつるす) suspend 他 ★ 前者より格式ばった語; (つり包帯などで支える) support ... ⌈in [by] a sling; (ぶらぶらしている状態につるす) swing 他《過去・過分 swung》. (☞ つるす).
¶明かりが鎖で*つってある The lamp *is suspended* by a chain. // 彼は骨折して腕を*つっています His broken arm *is supported* ⌈*in* [*by*] *a sling.* // 彼女は 2 本の木の間にハンモックを*つった She ⌈*swung* [*slung*] the hammock between two trees. // ここに棚を*つって (⇒ 取り付けて) もいいですか Can I *fix* a shelf here? // その老人は首を*つった The old man *hanged* himself. 語法 hang は「首をつる」の意味では規則変化.

つる[2] 釣る (道具を使って川などで魚を捕える) fish 他 自 ★ 最も一般的な語; (釣り針と釣りざおを使って) angle 自; (魚を捕える) catch 他; (釣り針で釣り上げる) hook 他. (☞ つり[1]).
¶私たちは川でますを*釣った We *fished* for trout in the stream. // きのう川に魚を*釣りに行った I went *fishing* in the river yesterday. // ここは*釣れますか Is there good *fishing* here? // 「きのうは何匹*釣ったんだい」「たくさん*釣れたよ」"How many fish did you *catch* yesterday?" "I ⌈*caught* a lot [*had a* good *catch*; *made a* good *catch*]."

つる[3] 攣る (筋肉が急に収縮する) have (a) cramp ★ cramp は《米》では Ⓒ, 《英》では通例 Ⓤ. (☞ けいれん). ¶私は水泳中に脚が*つった I ⌈*had* [*got*; *was seized with*] (*a*) *cramp* in the leg while swimming.

つる[4] 鶴 〖鳥〗crane Ⓒ. **鶴の一声** ¶彼の言葉はまさに*鶴の一声だ (⇒ 掟(おきて)だ) His word is *law.* // その*鶴の一声で決まった (⇒ それがとどめの言葉だった) That was the *clincher.* **鶴は千年亀は万年** (長生きすることは祝福すべきことだ) Enjoying a long life is a matter for congratulation.

つる[5] 蔓 (一般に長く茎の伸びる植物) vine Ⓒ; (巻きひげ) tendril Ⓒ; (巻き付いて上がる) climber Ⓒ; (いちごなど根がでる) runner Ⓒ; (地面・壁などをはう) creeper Ⓒ. **蔓植物** (ぶどうなど木質の) vine Ⓒ; (主に熱帯雨林のつたなど) liana /liɑ́ːnə/ Ⓒ; (一般に) climbing plant Ⓒ.

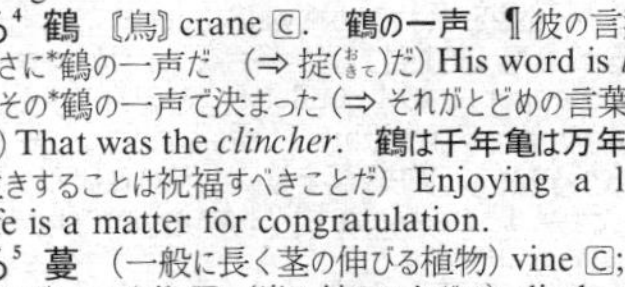

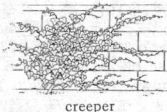

つる[6] 弦 (弓の) bówstring Ⓒ (☞ ゆみ (挿絵)).

つるかめ 鶴亀 ¶*鶴亀, 鶴亀 (⇒ そんなことのないように!) God forbid! **鶴亀算** arithmetic problem to obtain the respective numbers of cranes and tortoises from the total of their heads and

つ

legs Ⓒ ★説明的な訳.

つるぎ 剣 sword Ⓒ《☞ かたな》.

つるくさ 蔓草 〔植〕vine Ⓒ; (表面をはう植物) creeper Ⓒ; (はい登る植物) climber Ⓒ.《☞ つる[5]》.

ツルゲーネフ ── [名] (固) Ivan Sergeyevich Turgenev /ɪváːn seəgéɪɪvɪtʃ tuəgéɪnjef/, 1818–83. ★ロシアの小説家.

つるこけもも 蔓苔桃 〔植〕cranberry Ⓒ.

つるし 吊るし ── [形] (既製服など) off-the-rack, 《英》off-the-peg.

¶ *吊るしを買う buy *off-the-*ˈ*rack* [《英》*peg*] suits 《☞ きせい[2] (既製服)》

つるしあげ 吊るし上げ ── [名] (グループ内の仲間を私的に裁判すること) 《略式》kángaroo cóurt Ⓒ [参考] 審議がカンガルーの歩行のように不規則に飛躍して裁判が行われることから. ── [動] try (*a person*) in a kangaroo court. 《☞ リンチ》. ¶ 彼らは社長を5時間も*つるし上げた They *tried* the president *in a kangaroo court* for five long hours.

つるしがき 吊るし柿 (sun-)dried persimmon Ⓒ.

つるしぎり 吊るし切り ¶ あんこうを*吊るし切りする *cut* a *hanging* anglerfish

つるす 吊るす (掛ける・ぶら下げる) hang (他) 《☞ つる[1]; かける[1]; さげる》. ¶ 彼女は洗濯物を物干し綱に*つるしている She *is hanging* the ˈwash [washing] on the line.

つるせい 蔓性 ── [形] 〔植〕(ほふく性の) creeping; (巻いてのぼる) climbing, lianoid /liánɔɪd/. 《☞ つる[5]》. **蔓性植物** climbing plant Ⓒ; (木質の) vine Ⓒ; (主に熱帯の) liana /liáːnə/ Ⓒ.

つるつる ── [形] (水やぬれた表面のようにつるつると滑りやすい) slippery; (滑らかで光沢のある) slick; (油などでつるつるした) greasy; (頭髪のない) bald. 《☞ すべる[1]; 擬声・擬態語 (囲み)》.

つるな 蔓菜 〔植〕New Zealand spinach Ⓒ.

つるにんじん 蔓人参 〔植〕bonnet bellflower Ⓒ.

つるはし 鶴嘴 pick Ⓒ; (特に片端だけとがったもの) píckàx (《英》píckàxe) Ⓒ.

つるばら 蔓薔薇 〔植〕rambler (rose) Ⓒ, climbing [rambling] rose Ⓒ.

つるふじばかま 蔓藤袴 〔植〕*tsuru-fujibakama* Ⓒ; (説明的には) a species of wild perennial vetch native to Japan.

つるべ 釣瓶 (井戸の) (well) bucket Ⓒ.

つるべうち 釣瓶打ち ── [動] (…に弾丸を浴びせる) pepper … with bullets; (投手にヒットを浴びせる) pepper … with hits.

つるべおとし 釣瓶落とし ¶ 秋の日は*つるべ落とし だ (⇒ まったく早く沈む) The autumn sun ˈ*sinks* [*sets*] really *fast*.

つるまめ 蔓豆 〔植〕wild [reseeding] soybean Ⓒ.

つるむ[1] 連む go with …; (一緒に) go together. 《☞ つきあう》.

¶ *つるんで歩く stroll *together*

つるむ[2] 交尾む (交尾する) mate (自).

つるむらさき 蔓紫 〔植〕Indian Spinach Ⓒ.

つるやなんぼく 鶴屋南北 ── [名] (固) Tsuruya Nanboku IV, 1755–1829; (説明的には) a Japanese playwright of the late Edo period, best-known for *Tokaido Yotsuya-Kaidan* (1825) 《☞ とうかいどう (東海道四谷怪談)》.

つるりと ¶ 彼はバナナの皮を踏んで*つるりとすべった He *slipped* on a banana ˈpeel [skin]. 《☞ すべる[1]; 擬声・擬態語 (囲み)》.

つれ 連れ (旅などの) fellow traveler Ⓒ; (行動を共にする人) companion Ⓒ; (行動を共にすること) company Ⓤ. 《☞ なかま》.

¶ お*連れ様がお待ちです Your *companion* is waiting for you.

-づれ …連れ ── [前] (…と一緒に) with …

¶ 子供*づれ[家族*づれ]でピクニックに行った I went on a picnic *with* my ˈchildren [family]. / (⇒ 子供 [家族] をピクニックに連れて行った) I *took* my ˈchildren [family] ˈ*on* [*for*] a picnic. // 若い男女の2人*づれ a young *couple*

つれあい 連れ合い (夫から見て) *one's* wife Ⓒ; (妻から見て) *one's* husband Ⓒ; (配偶者) spouse Ⓒ.

つれあう 連れ合う (いっしょに行く) go with *a person*, go together; (…と結婚している) be married to *a person*. 《☞ つれそう》.

つれこ 連れ子 child of *a person's* former marriage Ⓒ.

つれこみやど[りょかん] 連れ込み宿[旅館] inn [hotel] for couples Ⓒ.

つれこむ 連れ込む (外から家の中へ連れて入る) take … into …; (家の中にいる人から見て, だれかが人を家の中へ連れてくる) bring … into … 《☞ つれてくる》.

つれさる 連れ去る tàke áway (他); (誘拐する) kidnap (他). ¶ 女の子が男に*連れ去られた (⇒ 誘拐された) A little girl *was* ˈ*taken away* [*kidnap(p)ed*] by a man.

つれしょうべん 連れ小便 ── [動] urinate /jʊ́(ə)rənèɪt/ ˈwith [alongside] …

つれそう 連れ添う (…と結婚する) be married to … 《☞ けっこん[1]》. ¶ 我々は25年間*連れ添っている We *have been married* for twenty-five years. // 50年*連れ添った妻 my wife of fifty years

つれだす 連れ出す tàke óut (他), táke … òut of …

¶ 私をここから*連れ出して下さい Please *take* me *out of* this place.

つれだって 連れ立って ── [前] (…と一緒に) with … ── [副] (一緒に) together. 《☞ いっしょ》.

つれづれ 徒然 ¶ 音楽を聴いて*つれづれを慰める (⇒ 退屈を軽減する) *relieve one's boredom* [(⇒ 気分転換する) *divert oneself*] by listening to music // 旅のつれづれに (⇒ 暇つぶしに) 俳句を作る compose haiku poems as a ˈ*pastime* [(⇒ 気分転換に) *diversion*] while traveling

つれづれぐさ 徒然草 ── [名] (固) *Tsurezure-gusa*; (英訳タイトル) *Essays in Idleness*. 《☞ イタリック体 (巻末)》.

-つれて ── [前] (…と同時に; …とともに) with …; (…に比例して) in proportion to …; (音楽などに合わせて) to … ── [接] (…するとともに) as … ★同時進行することを意味する. 《☞ したがって[1]》.

¶ 時がたつに*つれて, 悲しみは薄らぐ *As* time ˈgoes on [passes], grief fades away. / *With* the lapse of time, grief fades away. ★第2文のほうが格式ばった表現. // 年をとるに*つれて彼の髪は白くなった His hair became grey *as* he grew older. // 我々は年をとるに*つれて物覚えが悪くなる (⇒ 年をとればとるほど記憶力が弱くなる) *The older* we grow, *the weaker* our memory becomes.

つれている 連れている (…と一緒である) be with …; (同伴している) be accompanied by … 《☞ したがえる》. ¶ その男は小さな男の子を*連れていた The man *was with* a little boy. // 彼は秘書を*連れていた He *was accompanied by* his secretary.

つれてかえる 連れて帰る (自宅外の地点から見て) take … ˈhome [back]; (自宅にいる人から見て) bring … ˈhome [back]. 《☞ かえる[1] (類義語); もどる (挿絵); ゆく[1] (類義語)》.

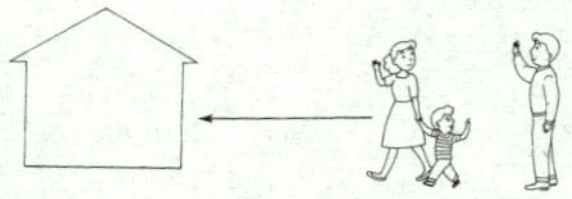

She *takes* her son home.

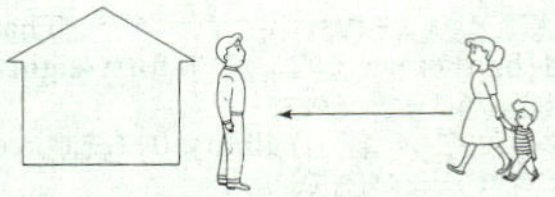

She *brings* her son home.

つれてくる 連れて来る bring (他) (↔ take).
¶彼は息子を一緒に*連れて来た He *brought* his son with him. //「今度は妹も*連れて来ていいですか」「もちろんいいですとも. ご両親もご一緒にどうぞ」"May I *bring* my sister next time?" "Of course. Why don't you *bring* your parents with you, too?"

つれてゆく 連れて行く take (他); (話し相手に向かって) bring (他). (☞ どうはん; つれにゆく).
¶きのう先生が私たちを博物館へ*連れて行ってくれた Our teacher *took* us *to* a museum yesterday. // 今度の日曜日にピクニックに*連れて行ってよ Will you *take* me ˹*on* [*for*] a picnic next Sunday? // どうか私も一緒に*連れて行って下さい Please *take* me *with* you. / (⇒ 私もあなたと一緒に行かせて下さい) Please *let* me *go with* you. // 子供たちをパーティーに*連れて行ってもよろしいですか May I *bring* my children to the party? // その子は知らない男に*連れて行かれた The child *was* ˹*taken away* [(⇒ 誘拐された) *kidnap(p)ed*] by a stranger.

つれない — [形] (人や行動に関して, 冷淡で親切心の欠如した) cold; (薄情な) heartless. (☞ れいたん). ¶彼女の妹は彼女に*つれない返事をした Her sister gave her a *cold* reply.

つれにくる 連れに来る come for ..., (やって来て連れ戻る) come ˹and [to] take ... ˹home [back].
¶お父さんが*連れに来てくれるからここで待ちなさい Wait here. Your father will ˹*come for* you [*come and take* you *home*].

つれにゆく 連れに行く go for ...; (相手のところへ) come for ...; (行って連れてくる) go ˹and [to] bring ... ˹home [back; here], fetch ... home.
¶私が彼を*連れに行って来ましょう I'll *go and bring* him *back*.

つれもどす 連れ戻す (ここへ) brìng báck (他); (あちらへ) tàke báck (他). (☞ つれてかえる).

つれられる 連れられる be accompanied by ...
¶その子は母親に*連れられて病院に行った The ˹boy [girl] went to the hospital *accompanied by* ˹his [her] mother.

つれる¹ 連れる (連れて行く) take (他); (連れて来る) bring (他); (…を同伴する) be accompanied by ...
¶彼は家族を*連れて伊豆に遊びに行った He *took* his family sightseeing in Izu. // 犬を*連れて散歩する take a walk *with one's* dog // 歌に*つれて人々は手拍子をとった (⇒ 歌が聴衆を手拍子を打つ気持ちにした) The song *tempted* the audience *to* beat time with their hands.

つれる² 攣れる, 吊れる **1** «筋肉が» have [get] (a) cramp ★ cramp は《米》では Ⓒ, 《英》では Ⓤ が普通. (☞ つる³; けいれん).
2 «目尻が» ¶怒りで彼の目が*つれた (⇒ 目尻の角がつり上がった) The corners of his eyes ˹*slanted* [*turned*] ˹*up* [*upward(s)*] with anger.
3 «物が引きつって縮む» ¶彼女のスカートの縫い目が*つれた A thread ˹on [from] the hem of her skirt got caught and *puckered up*.

つわぶき 石蕗 〔植〕Japanese silverleaf Ⓒ.

つわもの (剛の者) 《略式》tough guy Ⓒ.
¶あいつはなかなかの*つわものだ He's *quite a guy*. / (⇒ ガッツがある) He *has a lot of guts*. ★ いずれも口語的な表現.

つわり morning sickness Ⓤ.

ツングース — [名] (ツングース人) Tungus /tʊŋɡúːz/ Ⓒ 《複 ～, ～es》. — [形] Tungusic /tʊŋɡúːzɪk/. ツングース語 Tungus(ic) Ⓤ.

つんけん — [形] (優しさの欠けた) harsh; (ぶっきらぼうな) blunt. (☞ つんつん; 擬声・擬態語 (囲み)).
¶彼女は*つんけんした返事をした She gave me a ˹*harsh* [*blunt*] reply.

つんざく — [形] (空気を貫くような) piercing; (耳をつんざくような) earsplitting. ¶耳を*つんざくような金切り声が聞こえた A *piercing* [An *earsplitting*] shriek was heard.

つんつるてん ¶あの子のパジャマは*つんつるてんだ (⇒ 短すぎる) That boy's pajamas are *too short*.

つんつん — [形] (冷淡な) cold; (ぶっきらぼうな) blunt; (そっけない) curt; (不機嫌な) cross. (☞ ぶあいそう; 擬声・擬態語 (囲み)). ¶ウエートレスは*つんつんしていた The waitress had a ˹*blunt* [*curt*] manner.

つんと — [形] (生意気でうぬぼれた) stúck-úp ★ 口語的; (よそよそしくて) 《略式》 stàndóffish; (においが強い) sharp. (☞ 擬声・擬態語 (囲み)).
¶彼女は*つんとして昔の友達にも話しかけなかった She was too *stuck-up* to talk to her old friends. // アンモニアは*つんとしたにおいがする Ammonia has a *sharp* ˹odor [smell].

つんどく 積ん読 buying books without reading them Ⓤ.

ツンドラ (凍土帯) the tundra /tʌ́ndrə/.

つんのめる (前に転びそうになる) almost fall forward (自) (☞ ころぶ; つまずく; のめる¹). ¶電車が急停車したので私は*つんのめった The train stopped so suddenly that I *almost fell forward*.

て, テ

て 手 **1** 《人間・動物の手》: (手首から先の部分) hand Ⓒ; (腕) arm Ⓒ; (握りこぶし) fist Ⓒ. 《☞ うで (挿絵)》.

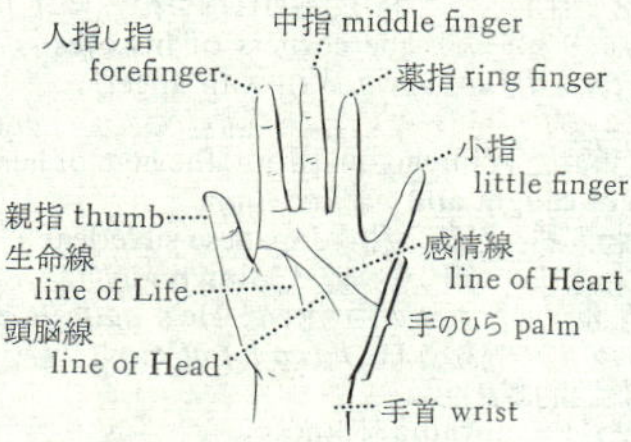

¶ 右*手が痛い I've got a pain in ˹my [the] right *hand*. [語法] (1)「腕」の意味なら hand の代わりに arm を使う. //「*手に何を持っているの」「500 円玉です」"What do you have in your *hand*?" "I have a 500-yen coin." // 子供たちは先生に*手を振った The children waved their *hands* to the teacher. // ピアノに*手を触れないで下さい Please ˹keep your *hands* off [don't touch] the piano. // *手を触れぬこと《掲示》Don't Touch // 彼は彼女と*手をつないで歩いていた He was walking *hand in hand* with her. [語法] (2) hand in hand のように前置詞を介して対句をなす慣用表現では冠詞が付かないことに注意. 《☞ 冠詞 (巻末)》// みんなは*手をたたいて喜んだ They all clapped their *hands* for joy. // ロープにしっかりつかまって, *手を離してはいけません Hold tight onto the rope. Don't let go (of your *hold*). // このセーターは*手で洗いなさい Wash this sweater by *hand*. [語法] (3) 前置詞 by の目的語のときは冠詞を付けない.

2 《労働力・人手・手間》: (人手) hand Ⓒ ★「手助け」の意では a を付けて; (手伝い・援助) help Ⓤ; (手数) trouble Ⓤ; (世話) care Ⓤ ★ しばしば a を付けて. ¶ 彼女は部屋の掃除に*手を貸してくれた She gave me a *hand* (˹in [at]) cleaning the room. / She *helped* me (to) clean the room. // いまは*手がふさがっています I have my *hands* full at the moment. / (⇒ 忙しい) I'*m very busy* right now. 《☞ ていっぱい》// ばらを育てるのは*手がかかる (⇒ 世話を必要とする) The ˹growing [cultivation] of roses requires great *care*. // *手が足りない We are ˹*shorthanded* [short-*staffed*]. // この新しい道具を使うとだいぶ*手が省ける This new tool will save you a lot of *trouble*. // きょうは忙しくて*手を休める (⇒ 休憩する) ことができない I'm too busy to ˹*take* [*have*] *a rest* today.

3 《手段・方法》: (手段) means ★ 単数または複数扱い; (広い意味でのやり方) way Ⓒ; (対策) *measures* ★ 複数形で; (将棋・チェスなどの) move Ⓒ. 《☞ しゅだん; ほうほう¹ (類義語)》.
¶ あらゆる*手を尽くしました I have tried every possible *means*. // それよりほかに*手はなかった There was no other *way* than that. / (⇒ 唯一の方法だった) That was the only *way*. // こうなってはもう*手の打ちようがない (⇒ 何もできない) Under these circumstances, nothing more can be done. // 《チェス・将棋などで》 それはいい[まずい]*手だ That's a ˹good [bad] *move*. // 四十八*手 forty-eight *tricks* 《☞ しじゅうはって; そのて》

4 《能力・支配》: (能力) ability Ⓤ; (統制) control Ⓤ. 《☞ のうりょく (類義語)》.
¶ この仕事は私の*手に負えません (⇒ 能力を超えている) This job is beyond ˹me [my *abilities*; my *powers*]. // このクラスは私の*手に余る (⇒ 私の統制能力を超えている) This class is beyond my *control*.

5 《所有》 ― [動] (得る) get (他), come by ...; (買う) buy (他). ― [名] (所有権) hands ★ 複数形で. ― [形] (入手できる) available. 《☞ にゅうしゅ; える¹; かくとく》. ¶ その本はどこで*手に入れましたか Where did you ˹*get* [*buy*] that book? // このレコードはいまは*手に入りません This record is not *available* now. // まずいことにその手紙は彼女の*手に渡った Unfortunately the letter came into her *hands*. // 彼女は大金を*手にした She *came by* a large sum of money.

6 《関係》 ― [名] connection Ⓤ ★ 具体的な関係は Ⓒ. ― [動] (関係を断つ) break with ...
¶ 私たちはその会社とは*手を切った We *broke with* the company. / We severed our *connections* with the firm. ★ 前者が口語的.

7 《種類》: (種類) kind Ⓒ; (銘柄) brand Ⓒ.
¶ この*手のものはほかにありますか Do you have any other items in ˹this [the same] *brand*?

8 《...する人》 ★ 普通, 動詞の語尾に -er を付けて示す. 《☞ 接尾辞 (巻末)》.
¶ 歌い*手 a *singer* // うちの働き*手は父です My father is the *breadwinner* (in the family). // 彼女はなかなかのやり*手 (⇒ 有能な人) です She is a *capable* woman.

その手の[は食わない] ☞ そのて **手が上がる** ― [動] (上達する) improve (自)(他), become more proficient in ...; (酒量が増える) become a good drinker, ˹increase [raise] *one's* ˹alcoholic tolerance [tolerance of alcohol]. **手が後ろに回る** ― [動] (警察につかまる) be arrested, be caught (by the police), (刑務所に入れられる) be ˹put [thrown] behind bars. **手がかかる** ― [形] (時間がいる) time-consuming; (面倒な) troublesome. ¶ 小さい子供は*手がかかる (⇒ 注意と配慮が必要です) Young children *need a lot of care and attention*. **手が切れる** 《☞ て 6》 ¶ 彼女とはもう*手が切れています (⇒ 別れている) I *have broken up* with her. **手が込む** ― [形] (入念な) eláborate. ― [副] (複雑に) in a cómplicàted wáy. ¶ この料理は*手が込んでいる This dish is *elaborately* prepared. **手がつく** ¶ その調査はまだ*手がついていません The investigation has not yet been *set about*. 《☞ 手をつける》 // 彼女は娘の病気が心配で研究に*手がつかない (⇒ 集中できない) She is too worried about her daughter's illness to *concentrate on* her research. **手が[の]つけられない** (どうしようもない) be helpless; (手に負えない) be unmanageable; (何もできない) can't do anything. ¶ 彼女の部屋は*手がつけられないほど (⇒ 完全に) 散らかっていた Her room was a *completely* [an *absolute*] mess. // 火事は勢いが強く消防士も*手がつけられなかった The fire was raging and the firefighters *could do nothing* to it. **手が出ない** (事柄が人の能力を超えている) be beyond …; (人が…の経済的余裕がない) cannot afford (to buy) … ¶この問題は難しくて私には*手が出ない This problem *is* 「too hard for me to solve [*beyond* me; *beyond* my powers]. // 新車にはとても*手がでない I *cannot afford* (*to buy*) a new car. **手が届く** (手を伸ばして…に届く) reach (他); (物などが人の手の届く [届かない] 所にある) be 「within [out of; beyond] *one's* reach; (自分の力で処理できる範囲内にある) be within *one's* ability; (年齢が近づいている) be close to … ¶一番上の棚まで*手が届きますか Can you *reach* the top shelf? // この瓶は子供たちの*手が届かない所へ置いておきなさい Keep this bottle 「*out of* the children's *reach* [*out of reach* of the children]. // 父は 70 に*手が届く My father *is close to* seventy. **手が入る** ¶…に警察の*手が入った (⇒ 警察が捜査を始めた) The police have 「launched an investigation of [begun to investigate] … // 原稿には彼の*手が入った (⇒ 原稿は彼によって校正された) The manuscript was proofread /prúːfrèd/ by him. **手が離れる** ¶子供たちは 3 人とももう*手が離れたのでひまはたっぷりあります My three children are *off my hands* now, so I have plenty of (free) time. **手が早い** (仕事で) be quick at …; (女性関係で) be quick to become involved with women; (暴力を振るいやすい) be quick to use violence. **手が回る** ── [動] (注意などが行き届く) be 「attentive [careful] about …, (…を追跡している) be on …'s trail. ¶そんなことまで*手が回らない I can't *look after* 「everything [all that]. // どうやらもう*手が回ったらしい The police seem to *be closing in.* **手とり足とり** ☞ 見出し **手に汗を握る** ── [形] (はっとするような) breathtaking ★ 瞬間的, またはごく短時間の場合; (わくわくするような) exciting. 《☞ はらはら; わくわく》. ¶それは*手に汗を握る場面だった It was a *breathtaking* scene. // 子供たちは*手に汗を握ってその試合を見ていた The children were watching the game, breathless *with excitement.* **手に余る[負えない]** (制御できない) uncontrollable 《☞ て 4》. ¶*手に負えない子供たち *uncontrollable* children **手に落ちる** (所有する) acquire (他); (支配する) control (他), rule (他). **手にかける** (世話をする) take good care of …; (殺す) kill (他). ¶殿様は家来を*手にかけた (⇒ 自分で殺した) The lord *killed* 「a retainer [one of his retainers] *with his own hands.* **手にする** ☞ て 5 **手につかない** cannot settle down to … **手に手に** ¶*手に手に旗を持って *each* 「carrying [having] a flag *in their hand* **手に手を取って** ¶彼らは*手に手を取って駆け落ちした They ran away 「*hand in hand* [*together*]. **手に取るように** ── [副] (はっきりと) clearly, distinctly. 《☞ はっきり》. ¶隣の部屋の人声が*手に取るように聞こえる I can hear the voices 「from [in] the next room *clearly.* **手に乗る** be deceived, be taken advantage of. **手の裏を返す** (露骨に[完全に]態度を変える) change *one's* attitude 「openly [completely] 《☞ てのひら》. **手の切れるような** ¶*手の切れるような 1 万円札 a *crisp* ten-thousand-yen note **手の施しようのない** (病気などが回復の見込みのない) hopeless. ¶医者は病状が*手の施しようのないものとして患者を見放した The doctor dismissed the patient as a *hopeless* case. **手の舞い足の踏む所を知らず** be beside *oneself* with joy. **手八丁, 口八丁** ¶彼は*手八丁口八丁だ He not only talks a great deal, but also accomplishes a great deal. / He is not only a man of words, but also a man of action. / He is not only eloquent but also efficient. **手も足もでない** (どうにもならない) be quite helpless ★「人」が主語; (難しすぎる) be too difficult ★「物」が主語. ¶そのような状況ではみんな*手も足もでなかった All of us *were quite helpless* in that kind of situation. // きょうのテストは難しくて*手も足もでなかった Today's 「exam [test] *was* 「*too difficult* for [*quite beyond*] me. **手もなく** ── [副] (簡単に) easily, with ease. **手を上げる** (挙手をする) raise *one's* hand; (あきらめる) give úp (他); (降参する) give ín (自); (なぐる) hit (他), spank (他). 《☞ おてあげ (挿絵)》. ¶*手を上げろ *Put* your *hands up*! / *Hands up*! ★ ピストルなどを突きつけた場合. // 質問があれば*手を上げて下さい If you have any questions, please *raise your hands.* // もう彼女にはお*手上げだ I've *given* her *up.* / (⇒ しようがないと思う) I found her *hopeless.* **手を合わせる** (両手の指を組み合わせて) clasp [join] *one's* hands (each other [one another]); (丁寧に頼む) beg (他); (哀願する) supplicate (他). **手を入れる** (ポケットなどに) put *one's* hand(s) in …; (修正・訂正の筆を入れる) correct (他); (改善する) improve (他). ¶ポケットに*手を入れて歩いてはいけません Don't walk with your *hands in* your pockets. // この作文はちょっと*手を入れる必要があります This composition needs some 「*correcting* [work on it]. **手を打つ** (処置をとる) take 「measures [steps; action]; make a move; (協定が成立する) reach (an) agreement; (合意する) shake (hands) on it. ¶政府はその問題についてすみやかに*手を打つべきだ The government should *take* swift *measures* to deal with the problem. // 買い手と売り手は 2 万円で*手を打った (⇒ 値段を決めた) The buyer and the seller *settled on a price of* twenty thousand yen. **手を替え品を替え** (あらゆる手段で) by all possible means. ¶*手を替え品を替えてやってみる try *every possible means* **手を切る** ☞ て 6 **手を下す** (自分で行う) do … *oneself.* **手をこまぬく** ☞ こまぬく **手を染める** (始める) start (他), begin (他). **手を出す** (手を伸ばす) stretch [put] out *one's* hand(s); (商売などを始める) start (他); (事業などの間口を広げる) branch out into …; (仕事などに関係する・かかわる) touch (他). 《☞ てだし》. ¶彼は*手を出して私に握手を求めた He *put out his hand* to me. // その会社は出版に*手を出した The company *has branched out into* publishing. // 彼はある事業に*手を出したが失敗した He *started* a business but bungled it. // ギャンブルには*手を出してはいけない (⇒ 離れていろ) *Stay away* from gambling. // そんな仕事には*手を出すな You should not *touch* a job like that. **手をつかねる** ¶彼女は*手をつかねて見ていることしかできなかった She could only 「look on *with her arms folded* [*stand idly by*]. **手をつける** (触れる) touch (他); (始める) start (他), set about … 《☞ ちゃくしゅ; はじめる》. ¶食欲がなくて朝食には全然*手をつけなかった I had no appetite and (I) didn't *touch* my breakfast at all. **手を取る** take *a person* by the hand. ¶*手を取って教える teach … *with care* 《☞ 手に手を取って》 **手を握る** (人の手を) take [hold] *a person's* hand; (握手する) shake hands (with …); (握りこぶしを作る) clench *one's* fist; (企業などが提携する) tie up (with …) (自). 《☞ にぎる; あくしゅ》. ¶A 社と B 社が近く*手を握るらしい They say (that) A company and B company will 「*tie up* (*together*) [(⇒ 合併する) *merge*] in the near future. **手を抜く** (必要な手間・経費などをかけない) 《略式》 cut corners ★ 曲り角を避けて近道をするという意味から. 《☞ てぬき》. ¶基礎工事は絶対に*手を抜いては (⇒ 資材をけちっては) いけない Don't *skimp* on the materials in laying the foundations. **手を離れる** ¶その仕事は私の*手を離れた（⇒私はもう担当していない）I *am no longer in charge of* that work. // 子供たちは*手を離れた（⇒自分のことは自分でできるようになった）The children *can take care of themselves* now. **手を引く**（手を取って連れて行く）lead ... by the hand;（やめる）《略式》quit ⑩;（関係などを切る）《略式》wash *one's* hands of ... ¶彼はそのおばあさんの*手を引いて道を渡った He took the old woman *by the hand* and led her across the road. // 私はその仕事から*手を引きたい I want to ˹*quit* [*wash my hands of*] that job. /（⇒もうこれ以上関係したくない）I *don't want to have anything more to do with* that job. **手を広げる** expand ⑩. **手を回す**（影響力を行使する）use *one's* influence;（処置を講じる）take steps. **手を結ぶ** join hands ⓐ（☞むすぶ 3）. **手をやく**（悩まされる）（手こずる）have ˹difficulties [trouble] ˹with [over] ...;（扱いが難しい）find ... difficult to deal with .... ¶両親はその男の子に*手をやいている（⇒男の子は両親にとって問題だ）The boy *has been a problem for* his parents. // 彼女には*手をやく I *find* her *difficult to deal with*.

コロケーション

手を降ろす[下げる] lower *one's hand* / **手を組む** fold *one's hands* / **手を差し出す** hold [put] out *one's hand* / **手をつかむ** grab *a person's hand* / **手を取り合う** hold *hands* (with ...) / **手を握りしめる** grasp [squeeze; press] *a person's hand* // **手が震える** *one's hands* tremble

て

で 出 **1**《出身・産地》 ¶彼女は名門の*出だ She *comes from* a good family. // 彼らはみんな北海道の*出だ All of them ˹*are* [*come*] *from* Hokkaido. // 大学*出の人 a ˹university [college] *graduate* // 外交官*出の人（⇒以前の）a *former* diplomat（☞うまれ; しゅっしん）
2《出る状態・度合》 ― 图（天体が空に昇ること）rising Ⓤ. ― 動（出てくる）còme óut ⓐ. ¶月[日]の*出 the *rising* of the ˹moon [sun] / the ˹*moonrise* [*sunrise*] // このボールペンはインクの*出が悪い（⇒うまく書けない）This ball-point pen does not write well. // ガスの*出が悪い The gas *flow* is not steady.

-で[1] **1**《場所》 ― 前 at ...; in ...; on ...
【類義語】狭い範囲の地点に用いるのは *at*. 多少とも「広がり」のあると思われる場所には *in* を用いる. ただし狭いか広いかは絶対的な面積によるのではなく, 話し手・書き手の感じ方による. 従って同じ場所についても地図の上の一点と感じれば *at* を用い, そこに広がりを感じれば *in* を用いる. *on* は *at* や *in* より頻度は低いが, 狭い地点のときに用いる. *in*, *at* を用いるか *on* を用いるかは慣用で決まることが多い. ((例) 農場*で *on* the farm). ★場所を示す副詞を用いることによって, 前置詞なしで日本語の「…で」を表すことができる場合もある. ((例) 上の階*で upstairs).
¶駅*でお会いしましょう I'll see you *at* the station. // 今年の夏休みは海岸*で過ごした We spent this summer vacation *at* the seaside. // 彼女はいまパリ[外国]*で暮らしている She now lives ˹*in* Paris [*abroad*]. // 私は銀座*で彼女に会った I met her ˹*on* [*in*] the Ginza. 語法 《米》on,《英》in が普通. // 外[ここ, 庭]*で遊ぼう Let's play ˹*outside* [*here*; *in* the garden].
2《時》: at ...;（…のうちに）in ...;（…以内に）within ...
【類義語】ある特定の一点の時間を示すのは *at* で, ある一定の長さの所要時間を示すには *in* を用いる. *in* とほぼ同意だが,「…以内に」ということを特に強調して明確に述べたい場合には *within* を用いる. ★時を示す副詞を用い, 前置詞なしで表すこともある. ((例) 後*で later).
¶店は6時*で閉店する The store closes *at* six. // その仕事は3日*でできた The job was ˹done [completed] *in* three days. // 30分*でこの問題を解きなさい Solve this problem *within* thirty minutes.
3《手段・方法》:（交通機関）by ..., in ..., on ...;（手段）by ..., with ..., by means of ..., in ..., on ..., over ..., through ...
【類義語】交通機関などの媒介を示すやや格式ばった一般的な語は *by* で, 冠詞を付けない. ((例) バス*で *by* bus). ただし *in* や *on* を用いるときには冠詞を付ける. ((例) 電車*で *on* [*in*] a train ★《米》は普通 on). 例外には foot や horseback がある. ((例) 徒歩*で *on* foot). また,「…で行く」は, 例えば「飛行機で行く」は fly,「タクシーで行く」take a taxi,「車で行く」drive のように go by ... を使わない言い方のほうが口語的である. 手段を示す一般的な語は *by* と *with* で, 行為・動作そのものに重点を置くときには *by*, 手段に重点を置くときには普通 *with* を用いる.「…の方法で」というときの一般的な語は *in* である. *by* を強調したいときには *by means of*. これは *by* より格式ばった言い方になる. テレビ・ラジオ・ピアノなどのときは *on*. ただし電話・ラジオには *over* を用いることがある. 望遠鏡・顕微鏡を通して見るときには *through* を用いる.
¶「大阪へは何*で行きましたか」「飛行機*で行きました」"*How* did you go to Osaka?" "I went *by* plane." // 駅までタクシー*で行きました I went to the station ˹*by* [*in* a] taxi. /（⇒タクシーに乗った）I took a taxi to the station. // 電話[手紙, ファックス]*で結果を知らせて下さい Let me know the result(s) *by* ˹(tele)phone [letter; fax], please. ★電話の場合は *over* the (tele)-phone ともいう. // 鉛筆*で書きなさい Write ˹*in* pencil [*with* a pencil]. 語法 in pencil の場合は冠詞を付けない. // この方法*でやって下さい Please do it this way. // 彼は英語*で話した He spoke *in* English. // このセーターはぬるま湯*で洗いなさい Wash this sweater *in* lukewarm /lúːkwɔ̀ːəm/ wáter. // このタオル*で手をふきなさい Dry your hands ˹*with* [*on*] this towel. ★on はかけてあるタオルでふくとき. // 私はその番組をテレビ*で見ていました I watched the program *on* television. // 彼はテレビ*でスペイン語を勉強している He is studying Spanish *through* television. // その人を人名辞典*で調べて下さい Will you look ˹him [her] up *in* *Who's Who*? // 彼はいつも大声*でしゃべる He always talks ˹loudly [*in* a loud voice].
4《原因・理由》:（…が原因で）of ..., from ... 語法 (1) 病気が原因で死ぬときは die of ..., その他の原因で死ぬときは die from ... を用いることが多いが, 厳密な区分ではない;（…によって）with ..., by ...;（…の理由で）through ..., for ... ★理由を軽く述べるとき; because of ..., on account of ... ★理由を明確に述べるとき. 後者のほうが格式ばった語;（…のために）owing to ..., due to ... 語法 (2) 病気・事故など外的原因について用いるのが普通で, 因果関係をはっきりさせるニュアンスがある. 後者のほうが口語的;（…のおかげで）thanks to .... ¶彼は胃がん*で死んだ He died *of* stomach /stʌ́mək/ cancer. // 彼女は過労[睡眠不足]*で倒れた She broke down *from* ˹overwork [lack of sleep]. // その家は火事*で焼けた The house was burnt down *in* a fire. // 彼女の顔は痛み[悲しみ]*でゆがんでいた Her face was twisted ˹*with* [*in*] ˹pain [grief]. // 彼は戦争*で妻子を失った He lost his wife and children *in* the war. // 彼はしばしばささいなこと*で怒る He often gets angry ˹*for* [*over*] nothing. // 私は雪*で出かけられない I can't go out ˹*because of* [*on account of*] the snow. // 彼女は病気*で寝ている She

is「sick [ill] in bed. // この暑さ*で食欲がなくなってしまった I have lost my appetite *in* this heat. // 彼女は交通事故[不注意]*で大けがをした She was badly injured「*in* a traffic accident [*through* carelessness]. // こういった偉大な発明*で (⇒ 発明のおかげで [発明とともに]) 生活はますます楽になってゆく *Thanks to* [*With*] these great inventions life is getting easier and easier. // 外見[歩き方]*で彼だとわかった I recognized him「*by* his appearance [*by* the way he walked].

5 «調子・状態»: in ..., with ..., at ... 語法 最も一般的な語は in であるが, どの語を用いるかは慣用で決まることが多い. ¶彼は重々しい口調*で話した He spoke *in* a serious tone. // 彼女は笑顔*であいさつした She greeted me *with* a smile. // 彼女は疲れた[悲しそうな]様子*で, 長い間そこに座っていた She sat there for a long time, *looking*「tired [sad]. // 彼はワイシャツ姿*で働いていた He was working *in* (his) shirtsleeves.

6 «価格・費用»: (代価を払って) for ...; (...の値段で) at ... ¶彼女はそのブラウスを5千円*で買った She bought the blouse *for* five thousand yen. / (⇒ そのブラウスに5千円払った) She *paid* five thousand yen for the blouse. // わが家は私の安い給料*で暮らしている Our family lives *on* my small salary.

7 «基準»: (単位) by ...; (度・割合) at ...; (人数が1人) by ...; (2人の間で) between ...; (3人以上の間で) among ... 語法 (1) between と among の区別は厳密なものではない. 特に3人以上のグループについてもその中での2者間の関係を個々に表すときは between を用いる. ((例) 3者の間*で合意が成立した Agreement was reached「*between* [*among*] the three.) ¶賃金は時給[日給]*で支払われる Wages are paid *by* the「hour [day]. // そのケーキをあなた方2人[5人]*で分けなさい Divide the cake「*between* the two of you [*among* the five of you]. 語法 (2) *between* you two [*among* you five] としてもよい. // 私は時速60キロ*で運転した I drove (my car) *at* 60 kilometers /kɪlάmətəz/「per [an] hour.

8 «年齢»: at (the age of) ..., in ... 語法「...歳」というときには at を,「...歳代」を示すときには in を用いる. ¶彼は65歳*で死んだ He died *at* (*the age of*) sixty-five. // 彼女は20代*で有名になった She became famous *in* her twenties.

9 «原料・材料»: from ...; of ...; out of ... 語法 最も一般的に用いられるのは from と of で, 成分や形が変化する加工されたものには from, 材料の質が変化しないものには of を用いることが多いが, 前者にも of を用いることがある. out of は of より意味が強い. (☞ -から 6 語法). ¶パンは小麦粉*で作られる Bread is made *from* flour. // このハンドバッグは革*でできている This handbag is made *of* leather.

10 «話題・論題»: (...について) about ..., over ..., on ... (☞ ついて; かんする (類義語)). ¶私たちはその問題*で数時間もやりあった (⇒ 激しい議論をした) We had a heated discussion *about* the matter for several hours.

-で² **1** «そして・その上に»: be ... and ...; (...のみでなく...も) be not only ... but (also) ... ¶彼女は美人*で頭もいい She *is* good-looking *and* intelligent. / She *is not only* good-looking *but* (*also*) intelligent.

2 «...なので» ― 接 because ..., as ... ★ はっきり理由を表すときは because が普通. ― 副 (あまり...なので...できない) too ... to *do* ... ¶彼は病気*で休んでいます He is absent, *because* he is ill. // 非常によい話*で断れない The offer *is too* good *to* refuse.

てあい 手合い **1** «同じような物・人» ¶ああいう*手合い (⇒ あのような人間) は信用するな Don't trust *people like that*. // そういう*手合いの本はありふれている (⇒ そういう種類の本は一山いくらだ) Books *of* that *kind* are a dime a dozen.

2 «囲碁・将棋などの試合»: match Ⓒ, game Ⓒ.

であい 出会い encounter Ⓒ, meeting Ⓒ ★ 偶然に会うときには encounter. ¶偶然の*出会いで彼女と知り合った I got to know her「by accident [through a chance *meeting*]. **出会い系サイト** on-line dating site Ⓒ.

であいがしら 出会い頭 ¶交差点でトラックと乗用車が*出会いがしらに衝突した (⇒ 違う方向からやってきたトラックと乗用車が衝突した) A truck and a car coming from different directions collided at the「crossroads [intersection].

であう 出会う (人に・人が) meet ⑭ ⓐ (過去・過分 met) 語法 人に偶然出会うこともいうが, 日時を決めて会う意味に使うことも多い. ☞ あう¹ (類義語); (ひょっこり人または事件などに出くわす) come [run] across ... ★ やや口語的; (人に思いがけなく会う) run [bump] into ... ★ 前者より口語的; (人または事件・危険などに思いがけなく出会う) encounter ⑭ ★ 前者より格式ばった語. (☞ あう¹ (類義語); でくわす). ¶私は路上で旧友にひょっこり*出会った I「*met* [*ran across*; *encountered*] an old friend (of mine) on the street. // 私たちは成田空港でひょっこり*出会った We「*ran* [*bumped*] *into* each other at Narita Airport.

てあか 手垢 ― 名 (汚ない指で触って付いた跡) finger marks ★ 通例複数形で. ― 形 (手あかで汚れた) well-thumbed; (使い古した) worn-out. ¶その辞書はとても古く*手あかで汚れていた The dictionary was very old and「discolored with *finger marks* [*well thumbed*].

てあき 手空き ― 形 (することがない・暇な) free, at leisure. (☞ ひま).

てあし 手足 arms and legs ★ 通例複数形で. なおこの場合 arm は hand も含めて手全体, leg も foot を含めて足全体をいう; (手の先と足の先) hands and feet 語法 この表現はごく普通に手と足を指すが,「手足もろとも」という慣用句では hand and foot と単数形を用いる; (四肢(し)) the limbs /límz/. ★ 前2者より格式ばった表現. ¶私は*手足が不自由です I have trouble in my *arms and legs*. // 彼らは捕虜の*手足をなわで縛った They tied the prisoner (up) *hand and foot*. // 彼は父親の*手足となって働いた (⇒ あらゆる仕事において手助けをした) He helped his father with all his work.

であし 出足 (スタート) start Ⓒ; (人出) turnout Ⓒ. ¶*出足は順調だ[悪い] (⇒ 我々はよい[悪い]スタートをした) We have「made [gotten off to] a「good [bad] *start*. // 雨の日はたいてい客の*出足が悪い[よい] There is usually a「poor {good} *turnout* on a rainy day. // この車は*出足がよい[よくない] This car gets off to a「fast [slow] *start*. // 彼女の選挙運動は*出足が遅れた She *started* her campaigning late.

てあしまとい 手足纏い ☞ あしでまとい

てあそび 手遊び (なぐさみもの) plaything Ⓒ; (ばくち) gambling Ⓤ. ¶これはほんの*手遊びです This is something I did in my spare time.

てあたりしだい 手当たり次第 (組織的・計画的でなく, めちゃくちゃに) at random; (行き当たりばったりに) haphazardly. ¶私は冬休み中, *手当たりしだいに日本の小説を読みあさった During the winter vacation I read「Japanese novels *at random* [*every* Japanese novel (*that*) *I could get my* *hands on*].

てあつい 手厚い (心からの) cordial; (温かい) warm; (もてなしのよい) hospitable; (注意深い) careful; (優しい思いやりのある) tender. 《☞ あつい³; しんせつ¹ (類義語)》.

¶ 私は彼らの*手厚いもてなしに感激した I was deeply moved by their *warm* hospitality. / I was deeply touched by their ˹*cordial* [*warm*; *hospitable*] reception. // 彼は病院で*手厚い (⇒ 思いやりのある[細心の注意を払った]) 看護を受けた He was treated *with* ˹*tender* [*loving*; *the utmost*] care in the hospital. // 事故の犠牲者は*手厚く葬られた (⇒ 犠牲者のための埋葬式が厳かに行われた) The funeral service for the accident victims was ˹*reverently* performed [performed *with all due reverence*].

てあて 手当 **1** 《治療》 ― [名] (medical) treatment Ⓤ. ― [動] treat (他). 《☞ ちりょう》.

¶ 父はすぐ入院して*手当を受けました My father *was* ˹taken to (the) hospital [hospitalized] and *treated* ˹right away [immediately]. ★《英》では taken to hospital. // 病院で傷の*手当をしてもらった I had my injury *treated* ˹at [in] the hospital.

2 《給与》: pay Ⓤ ★ 最も一般的な語; (定期的に支給される金) allowance /əláuəns/ Ⓒ ★ 給料とは限らず小遣いなども含む; (ボーナス) bonus Ⓒ. 《☞ きゅうりょう¹ (類義語); げっきゅう》.

¶ 時間外勤務には*手当がつきますか Will I get extra *pay* for overtime? // 年末*手当は思ったよりずっと少なかった The year-end *bonus* was much ˹less [smaller] than I had expected. // 家族[住宅, 通勤]*手当 a ˹family [housing; transportation] *allowance* // 諸*手当 various *allowances* ★ 複数形で. [参考] 現金の給付でないもの, 例えば年金, 健康保険料(の一部), 有給休暇, 会社の車の貸与などは fringe benefit Ⓒ, また, 現金(出張費など)や物品(無料の給食, 事務用品の給付など)を含めていうときは perk Ⓒ 《perquisite の略》ともいう.

テアトル (劇場) theater Ⓒ, 《英》 theatre Ⓒ [参考] 米でも劇場名としては theatre とつづることがある.「テアトル」は フランス語の théâtre /teá:tr/ からだが, 英語の中では固有名以外では用いられない.

てあぶり 手焙り small brazier Ⓒ, handwarmer Ⓒ.

てあみ 手編み ― [形] hand-knit(ted). ― [動] knit ... by hand. 《☞ けいと》. ¶ *手編みのセーターは値段が高い *Hand-knit(ted)* sweaters /swétəz/ [Sweaters *knitted by hand*] are expensive.

てあら 手荒 ― [形] (荒っぽい) rough, harsh; (不注意な) careless. ― [副] roughly, harshly; carelessly. 《☞ らんぼう》.

てあらい¹ 手洗い (公共の場所での) 《米》 rest room Ⓒ; 《米》 cómfort stàtion Ⓒ, 《主として英》 convenience Ⓒ; (男[女]用) men's [women's] room Ⓒ; (学校・駅などの) 《英》 lávatòry Ⓒ, 《米》 washroom Ⓒ; (個人宅での) bathroom Ⓒ ★ 浴室・洗面所を兼ねるのが普通; 《掲示》 (男子用) Gentlemen [Gents; Men]; (女子用) Ladies [Women]. 《☞ トイレ; 婉曲語法 (巻末)》.

てあらい² 手荒い ― [形] (乱暴な) rough; (暴力的な) violent; (不作法な) rude. ― [副] roughly; violently; rudely. 《☞ らんぼう; ひどい》.

-である [日英比較] 日本語の「である」は (i)「A は B である」, (ii)「…は…したのである」, (iii)「…である人 (物)」のような使い方があるが, このうち (i) の「A は B である」は英語では A *is* B. のように be 動詞で表されるのが普通. ただし,「である」の異形「だ」「です」が用いられる場合は少し事情が違う 《☞ -だ》. (ii) の場合は例えば「戦争はその年に終わったのである」The war ended (in) that year. のように, 日本語の「である」は英語にする必要がない. なぜなら「戦争はその年に終わった」でも, 英文の訳は同じでよいからである. ただし日本語の「…のである」は陳述全体に強調が加わるから, 前後関係によっては It was in that year that the war ended. のように英文も強調構文にするほうがよい場合がある. (iii) の場合は,「私の親友である B 君」(B, a good friend of mine) のように, 英語では同格構文になったり, あるいは B, who is a good friend of mine のように関係詞構文になったりする.

以上のように日本語の「である」はその文の前後関係を考えて意訳しなければならない.「である」「です」「だ」のような助動詞などはそのまま英語に置き換えられない場合が多いからである. 《☞ -だ; 語順 (巻末)》.

であるく 出歩く (外出する) gò óut (自); (目的もなくさまよい歩く) wander around (自). 《☞ ぶらつく》.

¶ 父はすることがないとよく*出歩く Father often ˹*goes out* [*wanders around*] when he has nothing to do.

であるたい である体 *de-a-ru* style Ⓤ; (説明的には) a Japanese style of formal and literary expression using, at the end of a sentence, *de-a-ru* instead of *de-su* or *da*.

てあわせ 手合わせ (試合) game Ⓒ 《☞ しあい》.

¶ 彼女と将棋の*手合わせをしたが, 負けました I had a *game* of *shogi* with her and I lost.

てい¹ 体, 態 ― [名] (様子) appearance Ⓤ.

¶ *体のいい逃口上 an elaborate excuse // *体のいい詐欺 fraud in disguise // 職人*体の (⇒ 職人のような)男 a man *looking like* a workman / a ˹workman [workingman] *in appearance*

てい² 艇 boat Ⓒ.

てい³ 鼎 ☞ かなえ

-てい¹ …邸 residence Ⓒ ★ やや格式ばった語.

¶ 鈴木*邸 the Suzuki [Mr. Suzuki's] *residence*

-てい² …亭 ★ たとえば寄席の末広亭なら Vaudeville Theater Suehiro, レストランの歓月亭なら Restaurant Kangetsu のようにするか, あるいは Vaudeville Theater Suehiro-tei, Restaurant Kangetsu-tei のように固有名詞の一部として組みこむかのいずれかである. 《☞ ていごう》.

ていあつ¹ 低圧 (低い圧力) low pressure Ⓤ; (低い電圧) low voltage Ⓤ.

低圧帯 low pressure belt Ⓒ.

ていあつ² 定圧 constant pressure Ⓤ.

ティアラ tiara /tiá:rə/ Ⓒ.

ていあん 提案 ― [名] (積極的な) proposal Ⓒ; (やや控えめな) suggestion Ⓒ; (会議などでの) motion Ⓒ. ― [動] propose (他); suggest (他); move (他). 《☞ はつあん》.

¶ その会合で新たな[よい; 有益な]*提案が出された A ˹new [good; helpful] *proposal* was ˹made [put forward] at the meeting. // 別の方法を*提案します I'd like to *suggest* ˹a different plan [doing it in a different way]. // 彼の*提案は採択[否決]された His *motion* was ˹adopted [rejected].

提案制度 proposal system Ⓒ.

―コロケーション―

提案に賛成する support [approve; second; agree to; vote for; be in favor of] a ˹*proposal* [*suggestion*; *motion*] / 提案に反対する oppose [vote against] a ˹*proposal* [*motion*; *suggestion*] / 提案を歓迎する welcome a *suggestion* / 提案を拒否する reject [turn down] a ˹*proposal* [*suggestion*] / 提案を考慮する consider [entertain] a ˹*proposal* [*suggestion*; *motion*] / 提案を受理する receive a *proposal* / 提案を提出する make [put forward] a ˹*proposal* [*suggestion*; *motion*]; offer a *suggestion*; *move* (that ...) /

提案を取り下げる withdraw a ʳ*proposal* [*motion*] // 現実的な提案 a practical *suggestion* / 建設的な提案 a constructive ʳ*proposal* [*suggestion*] / 具体的な提案 a concrete ʳ*proposal* [*suggestion*] / 妥当な提案 a reasonable *proposal* / 適切な提案 an appropriate *suggestion* / ばかげた提案 a ʳridiculous [preposterous] *suggestion* / 前向きの提案 a positive ʳ*proposal* [*suggestion*] / 無意味な提案 a pointless *suggestion* / 有益な提案 a useful *suggestion*

ていい[1] **低位** (低い位置[くらい]) low ʳposition [rank] Ⓒ.

ていい[2] **帝位** the imperial /ɪmpí(ə)riəl/ thróne, the crown.

ていい[3] **定位** 〘生〙orientation Ⓤ; 〘医〙(病変位置の確定) localization Ⓤ.

ティー[1] (紅茶) tea Ⓤ ★ 種類または喫茶店などで 1 人分の紅茶を示すときは Ⓒ. 参考 英語で tea といえば紅茶のことを指すのが普通で, 特に black tea と言わなくてよい. ただし, 緑茶は green tea と断らなければならない. ((☞ こうちゃ)). ¶*ティーを 3 つ下さい Three *teas*, please. // レモン[ミルク]*ティー *tea* with ʳ(a slice of) lemon [milk] (in it) ティーカップ teacup Ⓒ ティースプーン teaspoon Ⓒ ティーパーティー tea party Ⓒ ティーバッグ tea bag Ⓒ ティーポット teapot Ⓒ ティールーム tearoom Ⓒ.

ティー[2] 〘ゴルフ〙tee Ⓒ ((☞ ゴルフ (挿絵))). ティーアップ ― 動 (ボールをティーに置いて打つ準備をする) tée úp ㊙ ティーオフ ― 動 (ティーからボールを打つ) tée óff ㊐ ティーグラウンド teeing ground Ⓒ ティーショット tee shot Ⓒ.

ティー[3] (アルファベットの第 20 字) T Ⓒ, t Ⓒ.

ディー (アルファベットの第 4 字) D Ⓒ, d Ⓒ.

ディーエイチ 〘野〙(指名打者) DH Ⓒ ★ *d*ésignàted *h*ítter の略.

ティーエー TA Ⓒ ★ *t*eaching *a*ssistant の略. ((☞ ティーチングアシスタント)).

ディーエーティー DAT Ⓒ ★ *d*igital *a*udio *t*ape (recorder) の略.

ディーエス (ディスカウントストア) DS Ⓒ ★ *d*iscount *s*tore の略. ((☞ ディスカウント)).

ディーエヌエー (遺伝子の本体) DNA Ⓤ ★ *de*óxyribo*n*ucléic *á*cid (＝デオキシリボ核酸)の略. **DNA 鑑定法** DNA profiling Ⓤ **DNA 診断** gene diagnosis Ⓒ ((☞ いでんし)) **DNA チップ** DNA chip Ⓒ ★ 通例複数形で.

ティーエヌティー TNT Ⓤ ★ *t*ri*n*itro*t*óluene (＝トリニトロトルエン)の略.

ディーエム (ダイレクトメール) DM Ⓤ ★ *d*irect *m*ail の略.

ディーオーエイチシー 〘自動車〙DOHC Ⓒ, dohc Ⓒ ★ *d*ouble *o*ver*h*ead *c*amshaft の略.

ディーがたかんえん D 型肝炎 〘医〙hepatitis D Ⓤ.

ティーがたこう T 形鋼 T-shape steel Ⓤ.

ディーカフ (カフェインを除いたコーヒーなど) decaf /díːkæf/ Ⓤ.

ティーキューシー 〘経〙(総合的品質管理) TQC Ⓤ ★ *t*otal *q*uality *c*ontrol の略.

ディーケー kitchen with a dining area Ⓒ, kitchen-cum-dinette Ⓒ. ((☞ ダイニングキッチン)). ¶ 3*DK three rooms and a *kitchen with a dining area*

ティーケーオー 〘ボク〙TKO Ⓒ ★ *t*echnical *k*noc*k*out の略. ((☞ ノックアウト)).

ティーザーこうこく ティーザー広告 (じらし広告) teasing advertising Ⓤ; (個々の広告) teaser Ⓒ.

ティーシー (トラベラーズチェック) TC Ⓒ ★ *t*raveler's *c*heck の略.

ディーシー 〘電〙(直流) DC Ⓤ (↔ AC) ★ *d*irect *c*urrent の略.

ティーシーピーアイピー 〘コンピューター〙(インターネット接続プロトコル) TCP/IP Ⓤ ★ *T*ransmission *C*ontrol *P*rotocol/*I*nternet *P*rotocol の略.

ディーシーブランド DC ブランド designer and character brand Ⓒ ★ 有名デザイナーやメーカーの商標がついた服飾品. ¶*DC ブランドのメーカー makers of *designer and character brand* products

ディージェー DJ Ⓒ ★ *d*isc *j*ockey の略.

ティーシャツ T-shirt Ⓒ, tee shirt Ⓒ.

ティーじょうぎ T 定規 T square Ⓒ ((☞ じょうぎ)).

ティーじろ T 字路 ☞ ていじ[3] (丁字路)

ディーゼル ― 名 ㊞ Rudolf Diesel /díːzl/, 1858–1913. ★ ディーゼル機関を発明したドイツの技術者; (ディーゼル油) diesel (ʳoil [fuel]) Ⓤ. ディーゼルエンジン díesel èngine Ⓒ ディーゼルカー diesel car Ⓒ ★ ディーゼル車[機関]は単に diesel Ⓒ とも言う. ディーゼル車規制 diesel car restriction Ⓒ ディーゼル排気微粒子 diesel exhaust particles ★ 複数形で ((略 DEP)).

ていいち 定位置 (ある人がいる場所) *a person's* place Ⓒ; (ある人が占める位置) *a person's* position Ⓒ. ¶ 試合開始の前に審判は全員*定位置についた Before the game started, all the umpires took (up) *their positions*.

ティーチイン (教員と学生などによる政治・社会問題の討論集会) teach-in Ⓒ.

ティーチャー (教える人・教師) teacher Ⓒ.

ティーチングアシスタント ((米)) (教育助手) teaching assistant Ⓒ ((略 TA)).

ティーチングマシーン teaching machine Ⓒ.

ティーティーエルそっこう TTL 測光 〘写〙 through-the-lens metering Ⓤ.

ディーディーティー (殺虫剤) DDT Ⓤ ★ *d*ichlòro*d*iphényl*t*richlòroéthane の略.

ディーティーピー (デスクトップパブリッシング) DTP Ⓤ ★ *d*esk*t*op *p*ublishing の略.

ていいど 低緯度 low latitude Ⓒ. ¶*低緯度の地方 regions at *low latitudes*

ティーバック T-back Ⓒ. ¶*ティーバックの水着 a *T-back* swimsuit

ティーバッグ ☞ ティー[1] (ティーバッグ)

ティーバッティング (野球の打撃練習法) tee batting Ⓤ.

ディーピーアイ 〘コンピューター〙(プリンター解像度の単位) dpi ★ *d*ots *p*er *i*nch の略.

ディーピーイー (現像とプリント) developing and printing; (写真店) photo shop Ⓒ 日英比較 DPE は Developing (現像), Printing (焼き付け), Enlarging (引き伸ばし) の頭文字から成る和製英語だが, 本来 printing は enlarging も含んでいる.

ティーピーオー ¶*ティーピーオーに合った服 dress proper for the *occasion* 日英比較 T.P.O. は time, place, occasion の頭文字から成る和製英語.

ディーブイ (家庭内暴力) DV Ⓤ ★ *d*omestic *v*iolence の略.

ティーブイエー (米国テネシー川流域開発公社) the TVA ★ the *T*ennessee *V*alley *A*uthority の略.

ディーブイディー 〘コンピューター〙(デジタル多用途ディスク) DVD Ⓒ ★ *d*igital *v*ersatile *d*isc の略. 近年はデジタルビデオディスク (digital videodisc Ⓒ) を指すことも多い. ディーブイディーアール 〘コンピューター〙(書き込み可能な DVD) DVDR Ⓒ, DVD recordable Ⓒ　ディーブイディーアールダブリュー〘コンピューター〙(書き換え可能な DVD) DVD-RW Ⓒ, DVD rewritable Ⓒ　ディーブイディービデオ (映像メディアとして利用される DVD) DVD-Video Ⓒ　ディーブイディープレーヤー DVD player Ⓒ　ディーブイディーラム〘コンピューター〙(書き換え可能な DVD) DVD-RAM Ⓒ, DVD-random-access memory Ⓒ ★ DVD-RAM ドライブでしか読み出すことができない.　ディーブイディーロム〘コンピューター〙(読み出し専用の DVD) DVD-ROM Ⓒ, DVD-read-only memory.

ティーフォーメーション 〘アメフト〙T formation Ⓒ.

ディープキス deep kiss Ⓒ, French kiss Ⓒ.

ディープサウス (米国深南部) the Deep South ★ Georgia, Alabama, Mississippi, Louisiana, South Carolina の諸州.

ディープブルー ―[名][形] (濃い青) deep blue ★[名]では Ⓤ.

ティーボーンステーキ T-bone steak Ⓒ.

ティーム ☞ チーム

ディーラー dealer Ⓒ. ¶車の*ディーラー a car *dealer*

ディーラム 〘コンピューター〙(記憶保持動作が必要な随時読み出し書き込みメモリー) DRAM Ⓒ ★ *dy*namic *r*andom-*a*ccess *m*emory の略.

ディーリング ―[名] (為替や証券の取引) dealing Ⓤ.　―[動] deal (自).

ディーリングルーム (債券・為替の取引室) dealing room Ⓒ.

ティーリンパきゅう T リンパ球 〘医〙(T 細胞) T lymphocyte Ⓒ, T cell Ⓒ.

ていいん 定員 (収容力) (seating) capacity Ⓤ [語法] 後に具体的な数が示されるときは a capacity of ... となる; (採用人員などの定員数) the [a] ˹fixed [prescribed] number ★ capacity もこの意味で用いられる.
¶このバスの*定員は 60 名です (⇒ このバスは 60 人の乗客の収容力がある[60 人分の座席がある]) This bus has *a capacity of* sixty ˹passengers [persons]. / The *seating capacity* of this bus is sixty. // このエレベーターは*定員以上乗せている This elevator *is overloaded.* / This elevator is filled to more than *capacity*. // 応募者が*定員をはるかに超えた The number of applicants ˹was much greater than [far exceeded] *the number* of ˹openings [places]. // 応募者は*定員に満たなかった (⇒ 達しなかった) The number of applicants fell short of *the full number required*.

ティーンエージャー teenager Ⓒ, teenage(d) ˹boy [girl] Ⓒ ★ 語尾に -teen が付く数字 (thirteen から nineteen) で, 13-19 歳の少年・少女のことをいう. ⟪☞ じゅうだい[2]; ハイティーン; ローティーン⟫. ¶私の娘はまだ*ティーンエージャーです My daughter is still a *teenager*. / (⇒ 10 代である) My daughter is still *in her teens*.

ディインダストリアライゼーション (産業の空洞化) deindustrialization Ⓤ.

ていえん[1] 庭園 garden Ⓒ [参考] 花を主にした庭園は flower garden, 風景を主にしたものには landscape garden を用いる. ⟪☞ にわ [語法]⟫.

ていえん[2] 低塩 ―[形] low-salt. ¶*低塩醤油 *low-salt* soy sauce // *低塩食 a *low-salt* diet

ディエンビエンフー ―[名] (固) Dien Bien Phu ★ ベトナム北西部の町.

ていおう 帝王 (主権者・君主) sovereign Ⓒ, monarch Ⓒ; (皇帝・天皇) emperor Ⓒ. ⟪☞ おう[3]⟫.
帝王学 monarchic(al) studies ★ 複数形で.
¶*帝王学を身につける develop *the qualities of a monarch*

ていおうせっかい 帝王切開 〘医〙 Caesarean /sɪzé(ə)riən/ ˹section [operation] Ⓒ.

ディオール ―[名] (固) Christian Dior /diɔ́ːə/, 1905–57. ★ フランスの服飾デザイナー.

ていおん[1] 低音 (音・声の低い調子) low tone Ⓒ (↔ high tone); (ピッチの低い音) low-pitched sound Ⓒ (↔ high-pitched sound); (低い声) low voice Ⓒ (↔ high voice); (男声の低音域) bass /béɪs/ Ⓤ; (女声の) alto Ⓤ. ¶*低音歌手[楽器] a *bass* 低音部 bass Ⓤ 低音部記号 bass clef Ⓒ, F clef Ⓒ.

ていおん[2] 低温 low temperature /témp(ə)rətʃʊ̀ə/ Ⓒ (↔ high temperature) ⟪☞ おんど[1]⟫.
低温工学 low-temperature engineering Ⓤ 低温殺菌 (low-temperature) pasteurization /pæ̀stʃərɪzéɪʃən/ Ⓤ 低温物理学 low-temperature physics Ⓤ 低温麻酔 hypothermic [low-temperature; freezing] anesthesia Ⓤ 低温やけど low [moderate]-temperature burn Ⓒ.

ていおん[3] 定温 (一定の温度) fixed temperature Ⓒ, constant temperature Ⓒ; (一様でむらのない) even temperature Ⓒ. 定温動物 homòiothérmic ánimal Ⓒ ★ 恒温動物ともいう.

ていか[1] 低下 ―[動] (衰える) fáll óff (自), decline (自) ★ 後者のほうが格式ばった語; (落ちる) fall (自); (急にぐっと落ちる) drop (自); (力などが弱まる) fail (自); (品質などが悪くなる) deteriorate (自) ★ 格式ばった語; (減少する) diminish (自), lessen (自) ★ 前者のほうが格式ばった語; (低くなる・する) lower (自)(他).
―[名] decline Ⓒ; drop Ⓒ; deterioration /dɪtì(ə)riəréɪʃən/ Ⓤ; fállòff Ⓤ. ⟪☞ さがる; げんしょう[1]⟫.
¶夏になると食欲が*低下する Our appetite *falls off* in summer. // どうも視力が*低下してきている I'm afraid my (eye)sight is beginning to *fail*. // 一般的に言って, 大学生の学力は*低下している Generally speaking, the academic ˹level [ability] of university students *has* ˹*dropped* [*declined*]. // 気温が零度まで*低下した The temperature /témp(ə)rətʃʊ̀ə/ ˹*dropped* [*fell*] to freezing point.

> **コロケーション**
> 著しい低下 a marked *deterioration* / かなりの低下 considerable *deterioration* / 急激な低下 a sharp ˹*decline* [*drop*] / 深刻な低下 a serious ˹*decline* [*drop*] / 漸進的な低下 a gradual ˹*decline* [*drop*] / 突然の低下 a sudden [an abrupt] ˹*decline* [*drop*] / わずかな低下 a slight ˹*decline* [*drop*]

ていか[2] 定価 (一般的に値段) price Ⓒ [日英比較] 日本語では「定価」が漠然と「値段」と同意に用いられることが多いので, それに当たる; (決まった値段) fixed price Ⓒ; (正規の値段) regular price Ⓒ; (価格表に記載の) list price Ⓒ. ⟪☞ ねだん; かかく[1]⟫.
¶この本の*定価は 2 千円です (⇒ この本は 2 千円だ) This book *costs* two thousand yen. / The *price* of this book is two thousand yen. // この店では全商品を*定価の 2 割引きで売っている They sell all the goods in this store at a twenty percent discount off the ˹*regular* [*list*] *price*. / They ˹give [allow] a discount of twenty percent on all (the) goods in this store. // デパートではなんでも*定価で売る Department stores ˹sell everything at *fixed prices* [have *fixed prices* for everything]. // *定価を 10 パーセント上げます We will ˹put the *price* up [raise the *price*] (by) ten percent. ⟪☞ ねあげ⟫ // *定価を 1000 円から 800 円に下げる lower [reduce] the *price* from 1,000 yen to 800 yen ⟪☞ ねさげ⟫
定価表 price list Ⓒ.

ていかいはつこく 低開発国 ☞はってん(発展途上国)
ていかかずら 定家葛 〘植〙 *teikakazura* Ⓒ; (説明的には) an evergreen climbing plant of the apocynaceous family.
ていかく¹ 底角 〘幾〙 base angle Ⓒ.
ていかく² 定格 〘電〙 rating Ⓤ.
ていがく¹ 停学 ―[名] suspension from school Ⓤ. ―[動] (停学させる) suspend (他). ¶彼は1年間の[無期]*停学を命じられた He *was suspended from school* ⌈for a year [indefinitely].
ていがく² 低額 small ⌈amount [sum] (of money) Ⓒ. **低額所得者層** the lower income bracket 《☞しょとく》.
ていがく³ 定額 fixed amount Ⓒ. **定額小為替** postal money order for a fixed amount Ⓒ **定額貯金** fixed amount postal savings ★ 複数形で用いる. 《☞ちょきん》. **定額法** 〘会計〙 (減価償却の) stráight-lìne depreciation /dɪprìːʃiéɪʃən/ Ⓤ **定額保険** fixed ⌈amount [return] insurance Ⓤ.
ていがくねん 低学年 《米》 the lower grades 《☞学校・教育(囲み); がくねん》. ¶これは*低学年用の本です This is a book for ⌈children in *the lower grades* [young children].
ていかっしゃ 定滑車 〘物理〙 fixed pulley Ⓒ.
ていカロリー 低カロリー ―[形] low-caloried.
ていかん¹ 定款 the articles of association [語法] 《英》では会社などの, 《米》では法人ではない社団などの定款をいう.
ていかん² 諦観 ―[名] (甘受) resignation Ⓤ. ―[動] resign *oneself* (to ...). 《☞あきらめ; かんねん》.
ていかん³ 停刊 ―[動] (刊行を停止する) stop publishing.
でいがん 泥岩 mudstone Ⓤ.
ていかんし 定冠詞 〘文法〙 the definite article 《☞冠詞(巻末)》.
ていき¹ 定期 ―[形] (規則的な・決まった) regular; (決まった間隔を置いて行われる[発行される]) periodic /pì(ə)riádɪk/, pèriódical. ―[副] regularly; periodically.
¶彼らはプールの水を*定期的に検査する (⇒定期的な検査をする) They make *regular* tests of the water in the (swimming) pool. / They test the water in the (swimming) pool *regularly*. // 役員は*定期的に改選されることになっている Officers are to be reelected *periodically*.
定期市 regular market Ⓒ **定期入れ** commutation-ticket holder Ⓒ **定期刊行物** (新聞・雑誌など) periodical Ⓒ **定期刑** imprisonment for a ⌈fixed [set] ⌈period [term] Ⓤ **定期券** 《米》 commutation ticket Ⓒ, commuter pass Ⓒ, 《英》 season ticket Ⓒ ★ 口語では単に season Ⓒ とも言う. ¶6か月*定期券 a six-month *commutation ticket* **定期検診** regular ⌈health examination [medical checkup] Ⓒ **定期航空路** air route Ⓒ, airline Ⓒ **定期航路** regular ⌈line [service] Ⓒ **定期試験** (学期末の) term exam(ination) Ⓒ; 《英》 end-of-term exam Ⓒ; (学年末の) final exam(ination) Ⓒ **定期借地権** fixed-⌈period [term] (land) lease Ⓒ; fixed lease Ⓒ **定期借地権付き住宅** housing with a fixed period land lease Ⓒ **定期昇給** set [regular] annual pay ⌈《米》 raise [《英》 rise] Ⓒ **定期総会** regular general meeting Ⓒ **定期便** (飛行機の) regular flight Ⓒ; (バスの) regular bus service Ⓒ **定期保険** term insurance Ⓒ **定期預金** term [time] deposit Ⓒ.
ていき² 提起 ―[動] (問題・質問などを) brìng úp (他), raise (他). ¶彼は重大な問題を*提起した He *brought up* an important question.
ていぎ¹ 定義 ―[名] definition Ⓒ. ―[動] define (他). ¶この語を明確に*定義できますか Can you ⌈clearly *define* [give a clear *definition* of] this word?
ていぎ² 提義 ―[名] (積極的な) proposal Ⓒ; (やや控え目な) suggestion Ⓒ. ―[動] propose (他); suggest (他). 《☞ていあん》.
ていきあつ 低気圧 **1** 《気象》: lów (átmosphèric) préssure Ⓤ; depression Ⓒ; cyclone Ⓒ (↔ high (atmospheric) pressure; anticyclone). 《☞きあつ》. ¶熱帯*低気圧 a tropical *cyclone* // 温帯*低気圧 an extratropical *cyclone* // *低気圧が発達している The *atmospheric depression* is ⌈becoming stronger [growing].
2 《不機嫌》: bad [foul] temper Ⓒ ★ 普通単数形で. ¶彼女はいま*低気圧だ She is in a ⌈*bad* [*foul*] *temper*.
ディキシーランドジャズ Dixieland /díksilæ̀nd/ jázz Ⓤ.
ていきゅう¹ 低級 ―[形] (野卑で低俗な) vulgar, low-class; (安っぽい) cheap; (悪い・俗悪な) low, coarse; (内容が貧しくて劣った) poor. 《☞ていぞく; げひん》. ¶*低級な雑誌 *pulp* magazines // 彼の趣味は*低級だ (⇒彼は低級な趣味を持つ) He has ⌈*vulgar* [*low-class*] tastes. **低級アルコール** 〘化〙 lower alcohol Ⓒ.
ていきゅう² 庭球 tennis Ⓤ 《☞テニス》.
ていきゅうび 定休日 regular holiday Ⓒ; (商売の) fixed closing day Ⓒ. 《☞やすみ》. ¶この辺の美容院は火曜日が*定休日です (⇒火曜日に店が閉まる) The beauty parlors in this neighborhood *are closed* on Tuesdays.
ていきょう 提供 ―[動] (差し出す) offer (他); (与える) give (他); (必要・有益なものを供給する) provide (他); (不足しているものを) supply (他); (臓器・血液などを) donate (他); (広告主となる) sponsor (他). ―[名] offer Ⓒ; supply Ⓤ; donation Ⓤ. 《☞あたえる; きょうきゅう》.
¶彼は私のために時間や労力を*提供してくれた He *offered* me his time and energy. // 彼女はあらゆる情報を我々に*提供してくれた She ⌈*gave* us [*provided* us *with*] all kinds of information. // 彼は貴重な資料を*提供してくれた He *supplied* valuable data to us. / He *supplied* us *with* valuable data. // B社*提供の番組 the program *sponsored by* B company // 血液を*提供する *donate* blood
提供者 (臓器などの) donor Ⓒ.
ていぎん 低吟 ―[動] sing [chant] in a low voice.
ていきんり 低金利 low interest Ⓤ 《☞ていり²》. **低金利政策** cheap-money policy Ⓒ.
テイクアウト ―[動] 《米》 tàke óut (他), 《英》 tàke awáy (他). ―[名] (テイクアウトの食品) tákeòut Ⓒ, 《英》 tákeawày Ⓒ. 《☞もちかえる¹》. ¶ホットドッグ2つ*テイクアウトでお願いします Two hot dogs *to go*, please. ★ 《米》 to go は名詞の後につけて「持ち帰りの」を意味する.
ていくう 低空 (低い高度) low altitude Ⓒ. **低空飛行** ―[動] fly ⌈low [at a low altitude] ★ fly low は口語的.
テイクオフ ―[名] (離陸) tákeòff Ⓒ. ―[動] tàke óff (自). 《☞りりく》.
ディクテーション (書き取りのテスト) dictation Ⓒ 《☞かきとり》.
ディグリー (学位) (academic) degree Ⓒ 《☞がくい》.
デイケア (高齢者・身体障害者などの) ádult [sénior] dáy càre Ⓤ.

デイケアセンター adult day-care center Ⓒ.

ていけい[1] 提携 ——名 (協力) cooperation /kouɑ̀pəréɪʃən/ Ⓤ; (タイアップ) tíe-ùp Ⓒ. ——動 cooperate /kouɑ́pərèɪt/ (with ...) 自; tíe [be tíed] úp with ... ★ やや口語的. 《☞ きょうりょく[1]》.
¶ わが社はA社と*提携した We have entered into a *partnership* with Company A. / We *are tied up with* Company A. // 技術*提携 a technical *tie-up*

ていけい[2] 定形 (決まった形) fixed form Ⓒ; (標準の形) regular size Ⓒ.
定形外郵便物 nonstandard-sized mail Ⓤ **定形郵便物** standard-sized mail Ⓤ.

ていけい[3] 梯形 (台形) 《米》 trapezoid /trǽpəzɔ̀ɪd/ Ⓒ, 《英》 trapezium /trəpí:ziəm/ Ⓒ.

ていけい[4] 蹄形 ——形 U-shaped, horseshoe.
蹄形磁石 horseshoe magnet Ⓒ.

ていけいし 定型詩 versified poetry Ⓤ; (説明的には) traditional rhymed and metered poetry Ⓤ.

ていけつ[1] 締結 ——名 conclusion Ⓒ. ——動 conclude 他. 《☞ ちょういん》. ¶ 両国間で平和条約が*締結された A peace treaty *was concluded* between the two nations.

ていけつ[2] 貞潔 ——形 chaste and pure, virtuous.

ていけつあつ 低血圧 low blood pressure Ⓤ (↔ high blood pressure). **低血圧症** 〔医〕 hýpotènsion Ⓤ. 《☞ こうけつあつ; けつあつ》.

ていけっとう 低血糖 low blood sugar Ⓤ; (低血糖(症)) 〔医〕 hỳpoglycémia Ⓤ.

ていけん 定見 (しっかり定まった意見) fixed opinion Ⓒ; (明確な考え) definite views; (持論) firm convictions. ★ 後の2つは複数形で. ¶ 彼女は*定見のある人だ She has *firm convictions*.

ていげん[1] 提言 ☞ ていあん; ていぎ[2]

ていげん[2] 低減 ——名 gradual ⌈decrease [diminution; reduction; decline] Ⓤ. ——動 decrease [diminish] gradually. 《☞ ていか[1]; へる[1]》.

ディケンズ ——名 固 Charles Dickens, 1812–70. ★ 英国の小説家.

ていこ 艇庫 boathouse Ⓒ.

でいこ, でいご 梯姑 〔植〕 coral tree Ⓒ.

ていこう[1] 抵抗 ——名 (反抗) resistance Ⓤ; (反対) opposition Ⓤ; (病気に対する) ☞ 抵抗力 (成句); (電気の) electrical resistance Ⓤ; (空気の) air resistance Ⓤ. ——動 resist 他 自; (反対の立場をとる) stand against ...; (積極的に反対する) oppose 他; (戦う) fight (against ...) 自. 《☞ はんこう[2]; はんぱつ》.
¶ 彼らは我々にいっさい*抵抗しなかった They didn't *resist* us at all. / They ⌈put up [offered] no *resistance* ⌈to [against] us. // そこへ行くのは何となく*抵抗を感じます I feel a certain *resistance* to going there. / I'm rather *reluctant* to go there.
抵抗運動 resistance (movement) Ⓒ; (特に第二次大戦中のフランスの) the Resistance **抵抗器** resistor Ⓒ **抵抗性** resistance Ⓤ; resisting property Ⓤ **抵抗勢力** the resistance forces, opposition forces ★ 複数形で. **抵抗線** 〔経〕 (値上がり市場の) resistance (⌈level [area]) Ⓒ **抵抗溶接機** resistance welding machine Ⓒ **抵抗率** 〔電〕 resistivity Ⓤ **抵抗力** (power of) resistance Ⓤ; resistivity Ⓤ. ¶ 彼女は病気に対して*抵抗力がない She has little *resistance* to disease.

コロケーション
抵抗に合う encounter [meet with] *resistance* / 抵抗を抑える put down *resistance* / 抵抗を打破する smash [crush] *resistance* // 形だけの抵抗 *resistance* just for the sake of appearances / 消極的な抵抗 passive *resistance* / 断固たる抵抗 determined *resistance* / 強い抵抗 strong [stiff] *resistance* / 不屈の抵抗 stubborn *resistance* / 弱い抵抗 weak *resistance*

ていこう[2] 定項 〔論〕 constant Ⓒ.

ていごう 亭号 (落語家の「亭」の付く号) one of the popular stage names of comic storytellers, ending in '*tei*'. ★ 説明的な訳.

ていこうがいしゃ 低公害車 clean-running [low-pollution] car Ⓒ.

ていこく[1] 定刻 (指定の時刻) the appointed time; (予定どおりの時刻) the scheduled time. 《☞ ていじ[1]; じこく[1]》. ¶ 彼は*定刻にやって来た (⇒ 現れた) He showed up at *the appointed time*. // 音楽会は*定刻に始まらなかった The concert did not begin at *the scheduled time*. // 列車は*定刻に (⇒ 時間[予定] どおりに) 到着した The train arrived *on* ⌈*time* [*schedule* /skédʒu:l | ʃédju:l/]. // 列車は*定刻 (⇒ 予定) より10分遅れて発車した The train left 10 minutes behind *schedule*.

ていこく[2] 帝国 émpire Ⓒ. **帝国議会** 〔史〕 the Imperial Diet **帝国主義** ——名 imperialism /ɪmpí(ə)riəlìzm/ Ⓤ. ——形 (帝国の) imperial /ɪmpí(ə)riəl/; (帝国主義的な) imperialist(ic). ¶ 反*帝国主義 anti-*imperialism* **帝国主義者** imperialist Ⓒ. ¶ 反*帝国主義者 an anti-*imperialist* **帝国大学** (日本の第二次大戦前の) imperial university Ⓒ.

ていさ 艇差 ¶ そのボートは3*艇差で勝った The boat won by three *lengths*.

でいさ 泥砂 muddy sand Ⓤ.

デイサービス (高齢者のための) dáy càre Ⓤ
日英比較 「デイサービス」は和製英語. 《☞ デイケア》.

ていさい 体裁 (外見) appearance Ⓒ; (見せかけ) show Ⓤ. 《☞ かっこう[1]; がいけん》.
¶ この車は*体裁がいい (⇒ すてきに見える) This car *looks* nice. / This is a *beautiful* car. // あの家は*体裁がよい[悪い] That house has an ⌈attractive [ugly] *appearance*. / That house is ⌈*beautiful* [*ugly*]. // 彼は*体裁を気にしない He doesn't care about *appearances*. / (⇒ どんな風に見えるかを気にしない) He doesn't care *how he looks*. // けさは遅れて教室に入って, *体裁が悪かった (⇒ ばつの悪い思いをした) I *felt* ⌈*awkward* [*embarrassed*] this morning when I went into the classroom late. // *体裁などに構っている (⇒ みえをはっている) 場合ではない This is no ⌈time [occasion] for trying to keep up *appearances*.
体裁ぶる (気取る) be affected, put on airs.

ていさつ 偵察 ——名 (軍隊の偵察(隊)) reconnaissance /rɪkɑ́nəzns/ Ⓤ; (一般の偵察者) scout Ⓒ. ——動 reconnoiter /rì:kənɔ́ɪtə/ 他 自; scout 他 自 ★ 前者は術語, 後者が一般的な語.
¶ 敵のチームに*偵察を出した We sent (out) *scouts* to explore the opposing team. // その飛行機はわが国の基地を*偵察して航空写真をとった The plane *reconnoitered* the bases in this country and took aerial photos. // ちょっと様子を*偵察してくるよ (⇒ 何が起こっているか行って見てくる) I'll *go and see* what's happening.
偵察衛星 spy [reconnaissance] satellite Ⓒ **偵察機** reconnaissance plane Ⓒ **偵察飛行** reconnaissance flight Ⓒ. ¶ *偵察飛行をする make a *reconnaissance flight*

ていざんたい 低山帯 low mountain zone Ⓒ.

ていし 停止 ——動 (ある動作・行動が止まる[を止める]) stop 自 他; (資格・有効期間などを一時的に止める) suspend 他; (続いている状態・動作がやむ[を

止める]) cease 自 他; (一時的に止まる) halt 自 ★ 第2番目以降は格式ばった語. — [名] stoppage Ⓤ; suspension Ⓤ; 《格式》 cessation Ⓤ; a halt ★ 通例 a を付けて. 《☞ とめる¹; とまる¹ (類義語); ちゅうし¹》.

¶ 機械[列車]が*停止した The ⌈machine [train] ⌈*stopped* [came to *a halt*]. [語法] The ⌈machine [train] ceased. とはいえない. // 仕事は*停止することなく続けられた The work continued without ⌈*stoppage(s)* [*stopping*]. // そのレストランは1か月の営業*停止を食った (⇒ 命じられた) The restaurant was ordered to *suspend* business for one month. // 戦闘は間もなく*停止されるだろう Hostilities will soon *be suspended*. / (⇒ 停戦が間もなく交渉されるだろう) A *cease*-fire will be negotiated soon. // 作業の*停止 *cessation* of work // 《標識など》一時*停止 *Stop* / *Halt*

停止条件 〔法〕 condition precedent Ⓒ **停止信号** stop signal Ⓒ **停止線** stop line Ⓒ.

ていじ¹ 定時 (決まった時刻) the [a] fixed time, the appointed hour; (予定の時間) the scheduled time. 《☞ ていこく¹》.

¶ 彼は毎日*定時に出勤する He comes to work *on time* every day. / (⇒ 仕事に遅刻しない) He *is never late* for work. // 列車は*定時に (⇒ 予定[時間]どおりに) 発車した The train left *on* ⌈*schedule* /skéʤuːl | ʃédjuːl/ [*time*].

ていじ² 提示 — [動] (差し出す) presént 他 ★ やや格式ばった語; (ポケットなどから取り出す) produce 他; (見せる) show 他. 《☞ みせる》. ¶ 私は入口で身分証明書の*提示を求められた (⇒ 見せるように言われた) I was asked to ⌈*show* [*present*] my identification card at the gate. [語法] 単に「見せる」という意味では show, 「取り出して見せる」というニュアンスを表すのは present.

ていじ³ 丁字 — [形] (T字形の) T(-shaped).

丁字管 T(-shaped) pipe Ⓒ **丁字定規** (T定規) T square Ⓒ **丁字帯** T bandage Ⓒ **丁字路** T-junction Ⓒ.

ていじ⁴ 綴字 (つづり) spelling Ⓤ. **綴字法** ☞ 見出し

ていしき 定式 formula Ⓒ, prescribed form Ⓒ.

ていじげん 低次元 — [名] (低い水準) low level Ⓒ; (低い程度) low [poor] grade Ⓤ. — [形] low-level; low-grade; (下劣な) vulgar. 《☞ ていきゅう²; ていぞく; げひん》.

ていしせい 低姿勢 — [形] (自分を卑下して控えめな) humble. — [動] (低姿勢をとる) keep [maintain] a low profile. — [名] (謙虚な態度) modest attitude Ⓒ. 《☞ ひかえめ》. ¶ 彼は私の前ではいつも*低姿勢です He's always *reserved* [He always *holds back*] in front of me.

ていじせい 定時制 — [形] part-time. **定時制高校** part-time [evening] high school Ⓒ 《☞ 学校・教育 (囲み)》.

ディジタル ☞ デジタル

ていしつち 低湿地 (低く湿気の多い土地) low and damp place Ⓒ; (湿原) swamp Ⓒ.

ディシプリン (規律・しつけ) discipline Ⓤ; (学問分野) discipline Ⓒ.

ていじほう 綴字法 spelling rules ★ 複数形で. 《☞ つづり》.

ていしぼうにゅう 低脂肪乳 ☞ ローファットミルク

ていしゃ 停車 — [動] (止まる・止める) stop 自 他; (運転手が車を止める) púll úp 他 自 ★ 後者のほうがより口語的; (片側に寄せて止める・止まる) púll óver 他 自. — [名] stop Ⓒ. 《☞ とまる¹; とめる¹; ていし》. ¶ この列車は各駅に*停車します This train *stops* at every station. // 新大阪までの*停車駅は名古屋, 京都です The train will make a *brief stop* at Nagoya and Kyoto before arriving at Shin Osaka. // その車は校門の前に*停車した The car *pulled up* in front of the school gate. // その笛で車は道ばたに寄って*停車した At the sound of the whistle the car *pulled over* to the side of the street. // 列車は10分間*停車した The train made a ten-minute *stop*. // 次の*停車駅はどこですか What is the next *stop*? / Where do we *stop* (at) next? // *停車時間は何分ですか (⇒ 何分停車するか) How many minutes will the train *stop* (here)? // この列車は名古屋まで*停車しません We don't ⌈*make a stop* [*stop*] ⌈before [until] Nagoya. / This train goes *nonstop* to Nagoya. // 列車は急*停車した The train was brought to a sudden *stop*. / The train *stopped* suddenly. 《☞ きゅうていしゃ》 // 一時*停車 《標識など》 *Stop*

停車禁止 《標識など》 No ⌈Standing [《英》 Waiting]

停車場 (train) station Ⓒ, stop Ⓒ.

ていしゅ 亭主 husband Ⓒ; (店などの) ☞ しゅじん. **亭主関白** domineering husband Ⓒ **亭主持ち** (既婚女性) married woman Ⓒ.

ていしゅう 定収 ☞ ていしゅうにゅう

ていじゅう 定住 — [動] (ある場所に落ち着いて半永久的にそこに住む) séttle dówn 自 [語法] (1) この語は動作を表すので, I'm settling down. は「定住しかけている[する予定]」という意味であり, 「現在定住している」という状態は表さない; (ある場所に長く住む) live 自, be living [語法] (2) be living のほうが口語的で, 前後関係によってはごく短期間の居住を表すことがある; (永久に住む) reside permanently 自 ★ 格式ばった表現. 《☞ すむ¹; おちつく》.

¶ 私は将来はブラジルに*定住するつもりだ I'm planning to *settle down* in Brazil in the future. // 彼はその国に*定住している (⇒ 永久の居住者だ) He is a *permanent resident* ⌈of [in] that country.

定住地 fixed [permanent] home Ⓒ ★ 普通は *one's* ～ として用いる.

ていしゅうにゅう 定収入 fixed [regular] income Ⓒ 《☞ しゅうにゅう》.

ていしゅうは 低周波 〔電〕 low frequency Ⓒ 《☞ しゅうは²; こうしゅうは》.

低周波音 low-frequency ⌈sound [noise] Ⓒ **低周波公害** low-frequency pollution Ⓤ.

ていしゅく 貞淑 — [形] (純潔を守る) chaste; (夫婦間の道徳に反しない) virtuous /və́ːtʃuəs/; (夫・妻が貞節を守る) faithful. 《☞ ていせつ²; ていそう》. ¶ *貞淑な女性 a ⌈*chaste* [*virtuous*] woman

ていしゅつ 提出 — [動] (計画・提案・議案などを) presént 他 ★ やや格式ばった語; (比較的重要な書類などを) submit 他 ★ 格式ばった語; (願書・レポートなどの比較的軽い事務的な書類を) sènd ín 他; (レポートなどを) tùrn ín 他; (答案・辞表などを手渡す) hánd ín 他; (抗議・請願などを公的な場所に) file 他, lodge 他 ★ 前者のほうがより一般的な語; (法廷に証拠などを) exhibit 他, produce 他 ★ この意味で present も用いられる; (疑問・異議を) raise 他; (議案などを) introduce 他. — [名] presentation Ⓤ; submission Ⓤ. 《☞ だす》.

¶ 建築家は新しいビルの設計図を*提出した The architect *submitted* ⌈his [her] designs for the new building. // 「あなたはもう願書を*提出しましたか」「はい, きのう*提出しました」 "*Have* you *sent in* your application form yet?" "Yes, I have. I *sent* it *in* yesterday." // レポートを来週月曜日までに*提出しなさい *Turn* [*Hand*] *in* your paper by next Monday. // 住民は市役所に抗議文を*提出した The ⌈inhabitants [citizens] ⌈*filed* [*lodged*] a protest with the city government. // 弁護士は被告に有利な証拠を*提出した The lawyer ｢*presented* [*submitted*; *exhibited*; *produced*] evidence in favor of the accused. // 法案は衆議院に*提出された The bill *was* ｢*introduced* in [*laid before*; *submitted* to] the House of Representatives.

提出物 (これから提出すべきもの) what ｢is [has] to be ｢submitted [turned in]; (提出されたもの) what has been ｢submitted [turned in] 語法 提出物の種類によってレポート (paper), 報告書 (report), 書類 (documents) など, 具体的に述べるほうがよい.

ていじょ 貞女 virtuous [chaste] woman Ⓒ; (貞節を守る妻) faithful [good] wife Ⓒ.

ていしょう[1] 提唱 ── 動 ádvocàte ⑩; put forward ⑩. ── 名 ádvocacy Ⓤ. (☞ となえる). **提唱者** advocate Ⓒ.

ていしょう[2] 定昇 ☞ ていき[1] (定期昇給)

ていじょう[1] 呈上 ── 動 present ⑩, give ⑩. (☞ しんてい[1]).

ていじょう[2] 定常 ── 形 (安定した) steady; (一定の) constant; (固定された) fixed, stationary. **定常状態** 〖物理〗 steady [stationary] state Ⓒ **定常電流** 〖電〗 steady [stationary] (electric(al)) current Ⓒ.

ていしょうバス 低床バス low-floor bus Ⓒ.

ていしょく[1] 定食 regular [set] meal Ⓒ; (決まったメニュー) fixed menu Ⓒ; (レストランなどでの) table d'hôte /tá:bldóut/ Ⓒ (複 tables d'hôte) ★ もとはフランス語; (スープ・デザート付きの正餐) dinner Ⓤ. ¶「何になさいますか」「B *定食を下さい」"What would you like (to have), ｢sir [ma'am]?" "Give me ｢the B *dinner* [*dinner* B], please."

ていしょく[2] 定職 permanent job Ⓒ (↔ part-time [temporary] job) (☞ しょくぎょう (類義語)). ¶ 彼はなかなか*定職が見つからない (⇒ 彼は定職を見つけるのに苦労している) He is having a hard time getting a *permanent job*.

ていしょく[3] 抵触 ── 動 (違反する) be against …, be contrary to …; (法規に違反する) infringe ⑩; (相反する) be in conflict with …, conflict with … (☞ いはん[1]; はんする). **抵触規定** 〖法〗 regulations [stipulations] for deciding which country's laws will be applied in international civil cases ★ 説明的な訳.

ていしょく[4] 停職 ── 名 suspension Ⓤ. ── 動 (停職させる) suspend … from office. (☞ めんしょく[1]). ¶ 彼女は*停職を命じられた She *was suspended from office*.

ていしょくはんのう 呈色反応 ☞ はっしょく (発色反応)

ていしょとく 低所得 low income Ⓤ. **低所得者** person in the low-income bracket Ⓒ **低所得者層** the low-income bracket.

ていしん[1] 艇身 boat's length Ⓒ. ¶ W 大が 3 *艇身の差で勝った W. University won the race by three *lengths*.

ていしん[2] 挺身 ── 動 (自発的に行う) volunteer ⑩ ⓐ; (献身する) devote *oneself* to …. (☞ けんしん[2]).

でいすい 泥酔 ── 動 get ｢dead [blind] drunk; (酔って意識不明になる) 《略式》 páss óut ⓐ. (☞ ぐでんぐでん; よっぱらう). **泥酔者** drunken person Ⓒ, drunk Ⓒ ★ 後者には軽蔑的なニュアンスがある. (☞ よっぱらい).

ディスインフレーション ── 名 disinflation Ⓤ. ── 形 disinflationary /dìsɪnfléɪʃənèri/.

ていすう 定数 **1** 《決まった数》: (一定の数) fixed number Ⓒ; (会員などの定員) quota Ⓒ. (☞ ていそくすう; ていいん). ¶ 志願者が*定数になり次第締め切ります (⇒ 応募の受付を停止します) We will stop accepting applications as soon as the number of applicants reaches our *quota*.

2 《一定で変わらない数値》: 〖数〗 constant Ⓒ. **定数項** 〖数〗 constant term Ⓒ **定数是正** (議席の再割り当て) reapportionment of (Diet) seats Ⓤ.

ディスカウンター discounter Ⓒ, díscount ｢hòuse [stòre; shòp] Ⓒ.

ディスカウント (割引) díscount Ⓒ (☞ わりびき; ねびき[1]). **ディスカウントストアー[ショップ]** díscount ｢hòuse [stòre; shòp] Ⓒ, discounter Ⓒ **ディスカウントセール** díscount sàle Ⓒ **ディスカウントチケット** discount ticket Ⓒ.

ディスカス 〖スポ〗 (円盤投げ) the díscus (thròw); (円盤投げの円盤) discus Ⓒ; 〖魚〗 discus Ⓒ (複 ～es, disci).

ディスカッション ── 名 (討議) discussion Ⓒ. ── 動 discuss ⑩. (☞ とうぎ[1]; とうろん 日英比較; ぎろん). ¶ パネル*ディスカッション a panel *discussion*

ディスカバー ── 動 (発見する) discover ⓐ ⑩.

ディスカバリー (発見) discovery Ⓤ ★「発見されたもの」の意味では Ⓒ.

ディスク disk Ⓒ, disc Ⓒ ★ 一般的に円盤の意味では前者が普通だが, レコードや CD などには後者を用いる. (☞ コンパクト[1] (コンパクトディスク); ビデオ (ビデオディスク)). **ディスク装置** disk device Ⓒ **ディスクブレーキ** disk brake Ⓒ ★ 通例複数形で.

ディスクアクセス 〖コンピューター〗 dísk àccess Ⓒ.

ディスクオペレーティングシステム 〖コンピューター〗 disk-operating system Ⓒ (略 DOS).

ディスクジョッキー disc jockey Ⓒ.

ディスクドライブ 〖コンピューター〗 disk ｢drive [unit] Ⓒ.

ディスクロージャー (秘密の暴露・情報などの公開) disclosure Ⓒ.

ディスケット 〖コンピューター〗 dískette Ⓒ (☞ コンピューター (囲み)).

ディスコ disco /dískoʊ/ Ⓒ, discotheque /dískətèk/ Ⓒ. **ディスコサウンド** (ディスコ音楽) dísco sòund Ⓒ **ディスコミュージック** disco music Ⓤ.

ディスコグラフィー (曲目録) discography Ⓒ.

ディスコテーク ☞ ディスコ

ディスタンスラーニング (遠隔学習) distance learning Ⓤ.

ディスティラリー (蒸留所) distillery Ⓒ.

テイスト (味覚・好み) taste Ⓤ.

ディストリビューター (配給業者・エンジンの配電器) distríbutor Ⓒ.

ディズニー ── 名 固 Walt(er Elias) Disney, 1901–66. ★ 米の映画製作者. **ディズニーランド** ── 名 固 Dísneylànd **ディズニーワールド** ── 名 固 (Walt) Disney World.

ディスパッチャー (飛行機の運航管理者) dispatcher Ⓒ.

ディスプレー 〖コンピューター〗 monitor Ⓒ, display Ⓒ. (☞ コンピューター (囲み)). **ディスプレー装置** display device Ⓒ.

ディスペンサー (自動販売機) dispenser Ⓒ. ¶ キャッシュ*ディスペンサー a cash *dispenser*

ディスポーザー (流しの排水口に取り付ける生ごみ処理機) garbage disposal (unit) Ⓒ.

ディスポーザルバッグ (乗物などに備える汚物処理袋) disposal bag Ⓒ.

ていする[1] 呈する (有様などを示す) presént ⑩ ★ やや格式ばった語. ¶ それは恐ろしい様相 (⇒ 光景) を*呈していた It *presented* a terrifying sight. // 株式市場は活況を*呈している (⇒ とても活発だ) The stock market is very active.

ていする[2] 挺する **身を挺する** (進んでする) volun-

teer 自 他; (自らをささげる) offer *oneself*.
¶*身を挺して会社に尽くす do *one's* utmost for the betterment of *one's* company

ていせい[1] 訂正 ━動 correct 他. ━名 correction U ★具体的な個々の訂正をいうときは C. (☞ しゅうせい[1]; ぜせい; なおす; 訂正 (巻末)).
¶誤りがあれば*訂正しなさい *Correct* the errors, if any. ★問題文などによく見られる表現. // *訂正します *Correction.* 語法 (1) 普通こう言ってから正しいことを言う. // 1972 年, いや 1973 年と*訂正しますが … 1972, *or rather* 1973 … // 全部読んでしまってから*訂正して下さい Please make *corrections* after you have read it through. **訂正版** corrected version C; (改訂版) revised edition C.

ていせい[2] 帝政 imperial /ɪmpí(ə)riəl/ ˹rúle [góvernment] U (☞ おうせい[3]). ¶*帝政ロシア *Czarist* Russia

ていせいぶんせき 定性分析 〘化〙 quálitàtive análysis U.

ていせきぶん 定積分 〘数〙 definite integral C.

ていせつ[1] 定説 (学問的な) established theory C; (広く認められている考え) (widely-)accepted opinion C; (一般的な意見) general opinion C. (☞ つうせつ[2]).

ていせつ[2] 貞節 ━形 (忠実な) faithful; (特に女性が, 操の堅い) chaste. ━名 faithfulness U; chastity U. (☞ ていそう). ¶*貞節を守る妻 a *faithful* wife

ていせん[1] 停戦 cease-fire C ★軍隊用語; the cessation of hostilities; (両者の協定による一時的な休戦) truce C; (一定期間の休戦(協定)) armistice C. (☞ ていし; きゅうせん). ¶*停戦を取り決める arrange a *truce* / negotiate a *cease-fire* **停戦協定** cease-fire agreement C **停戦決議** cease-fire resolution C **停戦合意** ☞ 停戦協定 **停戦交渉** cease-fire negotiations ★しばしば複数形で. **停戦命令** cease-fire order C.

コロケーション
停戦に応じる agree on a *truce* / 停戦に調印する sign a *cease-fire* / 停戦の調停をする mediate a *cease-fire* / 停戦を延長する extend a *cease-fire* / 停戦を宣言する declare a ˹*truce* [*cease-fire*] / 停戦を破棄する denounce a *truce* / 停戦を守る observe [honor] a *cease-fire* / 停戦を無視する violate a ˹*truce* [*cease-fire*] // 一時的停戦 a temporary ˹*cease-fire* [*truce*] / 即時の停戦 an immediate *cease-fire*

ていせん[2] 停船 ¶我々は*停船を命じられた Our ship was ordered to *stop*.

ディセントラリゼーション (非中央集権化・地方分権化) dècèntralizátion U.

ていそ[1] 提訴 ━動 (裁判所へ告訴する) sue 他, file a suit [bring an action; go to law] (against …); (事件を裁判にかける) bring a case before the court; (援助などを求めて訴える) appeal (to …) 自. (☞ こくそ; うったえる). ¶彼はその事件を裁判所に*提訴した He *brought the case before the court*. / He *went to law*. // その国は国連に*提訴した The country *appealed to* the United Nations.

ていそ[2] 定礎 (礎石を置くこと) the laying of the ˹cornerstone [foundation stone]. **定礎式** the rites for laying the *foundation stone*.

ていそう 貞操 (特に女性が, 操を堅く守ること) chastity U, virtue U. (☞ ていせつ[2]; みさお). ¶彼女は*貞操を守った (⇒ 自分の夫に対して誠実だった) She remained *faithful* to her husband. / (⇒ 純潔を保った) She kept her *chastity*. **貞操帯** chástity bèlt C.

ていそうしつげん 低層湿原 low moor C, low-moor bog C.

ていそうじゅうたく 低層住宅 low-rise house C.

ていそうりゅう 底層流 bottom current C.

ていそく[1] 低速 low speed C (↔ high speed). ¶車は*低速で走った The car moved at a *low speed*.

ていそく[2] 定則 fixed [established] rule C.

ていぞく 低俗 ━形 (野卑な) vulgar; low-class; (下品な) coarse. (☞ ていきゅう[1]; げれつ; げひん). ¶このごろは*低俗なテレビ番組が多すぎる There are too many *vulgar* TV programs these days. // あいつの趣味は*低俗だ (⇒ 彼は俗悪な趣味を持つ) He has ˹*vulgar* [*low-class*] tastes.

ていそくすう 定足数 〘格式〙 quorum /kwɔ́ːrəm/ C (☞ ていすう). ¶まだ*定足数に達していない We are short of a *quorum*. // *定足数に達した We have a *quorum*. // この会の*定足数は会員の 3 分の 2 です (⇒ この会の会員の 3 分の 2 が会議のための定足数を作る) Two-thirds of the members of this society ˹constitutes [forms] a *quorum* for a meeting.

ていたい[1] 手痛い ━形 (ひどい) painful, severe, hard, heavy; (致命的な) fatal. ¶*手痛い打撃を受けた (⇒ 大損害をこうむった) We ˹suffered [received] a *severe* blow. / We suffered ˹*painful* [*heavy*] damage. 語法 blow は肉体的・精神的な打撃.

ていたい[2] 停滞 ━動 (遅れている) be delayed; (なかなか立ち去らない・消え去らない) linger 自; (仕事・景気・心などが沈滞する) stagnate 自, be stagnant. (☞ とどこおる). ¶郵便の配達が*停滞している The delivery of the mail *is delayed*. // 梅雨前線が四国沖に*停滞している The seasonal rain front *is* ˹*lingering* [*stationary*] off Shikoku. // 景気は*停滞している Business *is* ˹*stagnant* [*slow*; *slack*]. **停滞前線** stationary front C.

ていだい 帝大 ☞ ていこく[2] (帝国大学)

ていたいおんしょう 低体温症 〘医〙 hypothermia U.

ていたく 邸宅 (大きな屋敷) mansion C; (家・住まい) residence C 語法 home より少し改まって「家」の意味で用いられ, 大きな屋敷という意味はない. (☞ いえ (類義語)).

ディダクション (控除・差引) deduction C.

ていたらく ¶何という*ていたらくだ (⇒ みっともない) *Shame* on you! / (⇒ 何というみじめな状態だ) What *a miserable state* you are in! / (⇒ 何とだらしない) What *a mess* you are! / (⇒ 何てざまだ) What a *state* you are in! (☞ ありさま; ざま)

ていだん 鼎談 three cornered talk C, three-way discussion. (☞ たいだん).

でいたん 泥炭 〘地質〙 peat U.

ていち 低地 lowlands (↔ highlands) ★通例複数形で.

ていちあみ 定置網 fixed shore net C. **定置網漁業** fixed shore net fishing U.

ていちたい 低地帯 lowlands ★複数形で.

ていちゃく 定着 ━動 (永続的なものとなる) 〘略式〙 come to stay ★通例完了時制で用いられる; (根を張る) take root ★元来は植物が根を張ることをいう表現から出た比喩用法; (表現・習慣などが確立する) be [become] established.
¶民主主義は日本に*定着しただろうか Has democracy ˹*come* to Japan *to stay* [*become established* in Japan; *taken root* in Japan]? // キリスト教はヨーロッパに深く*定着している Christianity *has planted its roots* deeply *in* European soil. // どの

ようにして生徒にこの知識を*定着させるかが問題だ The problem is how we can ⌈fix this knowledge [*make* this knowledge *stick*] in the minds of the students. **定着液[剤]**〘写〙fixer Ⓒ **定着氷** fast ice Ⓤ **定着物**〘法〙fixture Ⓒ.

ていちゅう 泥中 in the ⌈mud [mire].
泥中の蓮(直訳的には) a lotus in the mire; (英語の慣用句では) a rose among ⌈thorns [nettles].

ていちょう¹ 丁重 ―形 (礼儀正しい) polite (↔ rude); (思いやりがあって丁寧な) courteous; (歓待するような) hospitable; (敬意をこめて丁寧な) respectful ★ やや格式ばった語. ―副 politely; courteously; hospitably; with respect, respectfully. 《☞ ていねい; れいぎ》. ¶ 彼らは私にとても*丁重だった They were very *polite* to me. // 彼らは*丁重なあいさつを交わした They exchanged *courteous* greetings. // 我々は*丁重に迎えられた We were *hospitably* received. // 彼らは私たちを*丁重に扱った They treated us with *respect*.

ていちょう² 低調 ―形 (不活発な) inactive (↔ active); (活動が緩慢な) slow; (なめくじのように遅い・停滞した) sluggish; (どこかゆるんでいて活気がない) slack. ―名 (活動・調子などの不調) slump Ⓒ. 《☞ ふけいき》. ¶ わが校の英語部(の活動)は*低調だ Our English Club is *not active*. // このごろ商売[売り上げ]は*低調だ Business is [Sales are] ⌈*slow* [*sluggish*; *slack*] these days.

ていちょう³ 艇長 (船の) captain Ⓒ; (ボートの) coxswain /kάksn/ Ⓒ, 《略式》cox Ⓒ.

ていちんぎん 低賃金 (低い賃金) low wages ★ 通例複数形で; (少ない給料) low pay Ⓤ. 《☞ ちんぎん》.

ティッシュ(ペーパー) tissue /tíʃuː/ Ⓒ
日英比較 英語の tissue paper Ⓤ は包装用の薄葉紙(うすようし). 《☞ ちりがみ》.

ていっぱい 手一杯 ―動 (忙しくて…できない) be too busy to *do* …; (…でとても忙しい) be fully occupied with … 《☞ いそがしい》.
¶ 私は仕事で*手一杯だ I'*m fully occupied with* my work. / (⇒ 仕事が私のすべての時間を取っている) My work *is taking all my time*. // 「手伝ってくれませんか」「申し訳ないが仕事が*手一杯なので (⇒ 忙しくて手伝えない)」"Will you help me?" "I'm sorry, but I'*m too busy* (*to* help you)."

ディップ (食品にかけたりつけたりする) dip Ⓒ.

ディップスイッチ〘コンピューター〙DIP switch Ⓒ.

ていてい 亭亭 亭々とそびえる stand tall ⓐ.

ディテール (細部) detail Ⓒ ★ しばしば複数形で.

ディテクティブ (刑事・探偵) detective Ⓒ.
ディテクティブストーリー (探偵小説) detective story Ⓒ.

ていてつ 蹄鉄 horseshoe Ⓒ. ¶ 馬に*蹄鉄を打つ *shoe* a horse **蹄鉄形** ―形 horseshoe-shaped, U-shaped.

ていでん 停電 (電灯が消えること) blackout Ⓒ; (電力供給が止まること) power failure Ⓒ, 《米》(power) outage Ⓒ; (ストライキ・節電のため電気を止めること) power cut Ⓒ. ¶ 昨夜は*停電があった We had a *blackout* last night. // 落雷で*停電し, 電車が止まった The trains stopped running owing to a *power failure* caused by lightning.

ていてんかんそく 定点観測〘気象〙fixed-point observation Ⓤ. **定点観測船** ocean weather ship Ⓒ.

ていと 帝都 imperial capital Ⓒ.

ていど 程度 (段階・度合) degree Ⓤ ★ 具体的な意味では Ⓒ; (範囲・限界) extént Ⓤ; (水準・高さ) level Ⓒ; (標準・基準) standard Ⓒ; (等級) grade Ⓒ.

【類義語】連続的なものを幾つかの段階に区切ったときの 1 つ 1 つの段階を *degree* という. あるものの能力・許容量などの範囲・限界を *extent* という. *extent* はもともと「広がり」を意味する言葉であるが, 前後関係によっては *degree* とほぼ同意となる. ((例) ある*程度まで to a certain *extent*). 人や物の知識・難易度などの高低をいうのは *level*. ((例) より高い*程度の on a higher *level*). 同種のものを比較検討するときの基準を表す語が *standard*. ((例) 生徒の学力の*程度 the intellectual *standard* of the students). 熟達・知能などの度合いをいうのが *grade*. 《☞ -くらい; すいじゅん》
¶ どの*程度まで彼は信用できますか To what *extent* [How *far*] can he be trusted? // その 2 人の学生の学力の*程度はほぼ同じです The two students are more or less at the same (scholastic) *level*. // そのテキストは大学*程度の学生用です (⇒ …のために書かれた) The textbook was written for ⌈students at college *level* [college-*level* students]. // 彼らの生活*程度は高い[低い] Their *standard* of living is ⌈high [low]. // 彼女の言ったことはある*程度本当だ (⇒ 彼女の言ったことにはいくらかの真実がある) There is *some* truth in what she said. / What she said is true to some *extent*. // 彼はやさしい本なら読める*程度の英語は知っている He knows *enough* English to be able to read easy books. // 彼の講義は*程度が高くて (⇒ 難しすぎて) ついていけなかった His lecture was *too difficult* for me *to* follow. // 物にはすべて*程度 (⇒ 限度) がある There's a *limit* to everything. ¶ それは*程度問題です It's a ⌈*matter* [*question*] *of degree*.

ていど 泥土 mud Ⓒ; 《文》mire Ⓤ. 《☞ どろ》.

ていとう 抵当 ―名 (不動産の) mortgage /mɔ́ːɡɪdʒ/ Ⓒ; (保証・担保) security Ⓤ ★ 前者のほうが専門的な語; (担保物件) collateral Ⓤ. ―動 (抵当に入れる) mortgage ⊕.
¶ 私の家は 1000 万円の*抵当に入っている My house *is mortgaged* for ten million yen. / There is a *mortgage* of ten million yen on my house. // 家を*抵当にして銀行から 1000 万円借りた I *mortgaged* my house to the bank for ten million yen. / I borrowed ten million yen from the bank with my home as *security*. // この土地は二重*抵当に入っている There is a ⌈second [double] *mortgage* on this lot. 語法 a second mortgage を使うと「もう 1 つ抵当がある」という言い方になる.
抵当貸し mortgage loan Ⓒ **抵当権** mortgage Ⓒ **抵当権者** mortgagee Ⓒ **抵当権設定者** mortgagor Ⓒ; mortgager Ⓒ **抵当証券** mortgage bond Ⓒ **抵当流れ**〘法〙(処分) foreclosure Ⓤ; (物件) mortgage forfeit Ⓒ.

ていどうし 定動詞〘文法〙finite verb Ⓒ.

ていとく 提督 (海軍将官) admiral Ⓒ.

ていとこうそくどこうつうえいだん 帝都高速度交通営団 ☞ えいだんちかてつ

ていとん 停頓 ―名 (動き・活動の止まった状態) a standstill ★ a を付けて; (交渉などが行き詰まること) deadlock ★ 単数形のみ. ―動 come to a standstill, reach deadlock. 《☞ とんざ; ていたい²; ゆきづまり》.

ディナー dinner /dínə/ Ⓤ 《☞ ゆうしょく¹》. ディナークルーズ dinner cruise Ⓒ ディナージャケット [スーツ] dinner jacket Ⓒ ディナーショー dinner with a floor show Ⓒ ディナーパーティー dinner party Ⓒ.

ディナール (通貨単位) dinar /dɪnάː/ Ⓒ ★ イラン, チュニジア, セルビアなどで用いられる.

ていない 邸内 (大邸宅の屋敷) the grounds; (家と屋敷) the premises. ¶ *邸内で on *the* ⌈*grounds*

[*premises*]

ていねい 丁寧 **1**《丁重な》 ―形 (礼儀正しい) polite (↔ impolite); (思いやりがあって礼儀正しい) courteous; (親切な) kind. ―副 politely; kindly. 《☞ ていちょう[1]; れいぎ; 丁寧な表現 (巻末)》.

¶ 彼は女性には*丁寧な口をきく (⇒ 丁寧な言葉で話す) He uses *polite* language when speaking to women. / (⇒ 丁寧に話をする) He speaks *politely* to women. // 彼は*丁寧におじぎをした (⇒ 丁寧な[深い]おじぎをした) He made a ⌈*courteous* [*deep*] bow. / (⇒ 低く[深く, 丁寧に]) He bowed ⌈*low* [*deeply*; *politely*]. // その老人はとても*丁寧に道を教えてくれた The old man very *kindly* showed me the way. // ご*丁寧なお手紙ありがとうございました Thank you very much for your *kind* letter. // 彼のばか*丁寧さはいやみだ His excessive *politeness* is repulsive.

2《注意深い》 ―形 careful; (調べ方などが綿密な) close /klóus/; (調べ方などが徹底的な) thorough /θə́ːroʊ | θʌ́rə/; (きちょうめんな) meticulous; (良心的な) conscientious /kὰnʃiénʃəs/. ―副 carefully, with care 語法 ほぼ同意だが, 後者は普通, 文末に置かれる; closely; thoroughly; conscientiously. 《☞ しんちょう[2]; ちみつ》.

¶ 彼はその標本を*丁寧に調べた (⇒ 注意深い[綿密な]調査をした) He made a ⌈*careful* [*close*] examination of the specimen. / He examined the specimen ⌈*carefully* [*closely*]. // その問題は*丁寧に分析してみる (⇒ 問題の徹底的な分析をする) 必要がある It is necessary to make a *thorough* analysis of the problem. // あの大工は仕事が*丁寧だ That carpenter is *conscientious* in his work.

丁寧語 polite language Ⓤ; (丁寧な表現) polite expression Ⓒ. 《☞ けいご[2]》.

でいねい 泥濘 (ぬかるみ) mud Ⓤ; 《文》 mire Ⓤ.

ていねん[1] 定年 (退職すべき年齢) retirement age Ⓤ; (勤務上の年齢制限) age limit Ⓒ. 《☞ たいしょく[1]》.

¶ 彼は今年*定年です (⇒ 彼は今年定年でやめることになっている) He is going to *retire* this year. 語法 普通, 定年退職は retire 動 自 のみで表されることが多い. // 父は去年*定年で退職しました My father *retired* (because he reached the *age limit*) last year. // *定年後は再就職しない (⇒ 職につかない) つもりです I don't want to get ⌈a [another] job after I *have retired*. // *定年は 65 歳まで延長すべきだと私は思う I think the *retirement age* should be extended to sixty-five. // *定年に達する reach the *retirement age*

定年延長 extension of the retirement age Ⓒ **定年制** age-limit system Ⓒ **定年制廃止** abolition of the ⌈age-limit [mandatory retirement; compulsory retirement] system Ⓤ **定年退職者** retired person Ⓒ, retirée Ⓒ; (総称) the retired.

ていねん[2] 諦念 (理解と受容) understanding and acceptance Ⓤ; (諦め) resignation Ⓤ.

ていねんれいじほいく 低年齢児保育 (child) care for the very young Ⓤ.

ていのう 低能 low intelligence Ⓤ

ていのうしゅくウラン 低濃縮ウラン 〘化〙 slightly enriched uranium Ⓤ.

ディバイダー (製図用具の) dividers ★ 数える時は a pair of ～, two pairs of ～.

ていはく 停泊 ―動 (船が錨(いかり)を降ろして泊まる) anchor 自 ★「停泊している」という状態は be [lie] at anchor で表す. 《☞ いかり[2]》. ¶ その船は神戸に*停泊した The ship *anchored* at Kobe. // 大きなイギリス船が港に*停泊している There is a big British ship *at anchor* in the harbor.

停泊地 anchorage /ǽŋkərɪdʒ/ Ⓒ.

ていはつ 剃髪 ―動 have *one's* head shaved. ―名 the shaving of *one's* head; (修道士の) the tonsure. **剃髪式** shaving [tonsuring] rites ★ 複数形で.

デイパック (小型のリュックサック) day pack Ⓒ.

ていばん 定番 (定番商品) standard article Ⓒ.

¶ *定番メニュー a *standard item* on a menu // 日本では職場の飲み会ではカラオケが*定番だ (⇒ 不可欠だ) Here in Japan karaoke is *indispensable* for an informal staff party.

でいばんがん 泥板岩 〘地質〙 shale Ⓤ.

ティピカル ―形 (典型的な) typical.

デイビッド (男性名) David ★ 愛称は Dave, Dav(e)y, Davie.

ていひょう 定評 ¶ あの高校は野球が強いので*定評がある (⇒ だれでもあの学校は強い野球チームを持っていることを知っている) *Everybody knows* (*that*) that high school has a strong baseball team. // あの会社は一流企業として*定評がある (⇒ 一般に一流企業として認められている) That company *is* ⌈*generally* [*widely*] *recognized as* one of the ⌈leading [top class] firms. 《☞ ゆうめい[1]》

ティフ 〘コンピューター〙 TIFF /tíf/ ★ 画像データ形式の一種. tagged image file format の略.

ていぶ 底部 bottom Ⓒ, base Ⓒ.

デイブ (男性名) Dave ★ David の愛称.

ティファニー ―名 固 (会社) Tiffany (& Co.); (店舗) Tiffany's; (女性名) Tiffany. **ティファニーグラス** Tiffany glass Ⓤ.

ディファレンシャルギア 〘機〙 (差動歯車(装置)) differential /dìfərénʃəl/ géar Ⓒ, differéntial Ⓒ.

ディフェンス defense Ⓤ (↔ offense) 語法 スポーツの守備側の意味では the を付けて集合的に扱う. ¶ 私たちのバスケットのチームは*ディフェンスが弱い Our basketball team is weak in *defense*.

ディフェンスライン 〘スポ〙 defensive line Ⓒ.

ディフェンダー 〘スポ〙 defender Ⓒ.

ディフェンディング 〘スポ〙 (守備) defense Ⓤ, defending Ⓤ. 《☞ ディフェンディングチャンピオン》.

ディフェンディングゾーン 〘スポ〙 defending zone Ⓒ ★ アイスホッケーの end zone で自軍のゴール側.

ディフェンディングチャンピオン (その座を守るべき立場のチャンピオン) defending champion Ⓒ.

ディプロマ (免状・卒業証書など) diplóma Ⓒ.

ディプロマット (外交官) díplomàt Ⓒ.

ていぶん 定文 (電報の定型文) standard form of [model sentence for] a telegraphic message Ⓒ.

ディベート ―名 (討論) debate Ⓒ. ―動 debate 自 他. 《☞ とうろん》.

ディベルトメント 〘楽〙 (嬉遊曲) divertimento /dɪvə̀ːtəméntou/ Ⓒ ★ 原語はイタリア語.

ディベロッパー ☞ デベロッパー

ていへん 底辺 (三角形の) base Ⓒ; (階層などの) the bottom. 《☞ さんかく(けい) (挿絵)》.

ていぼう[1] 堤防 (堤) (river)bank Ⓒ; (人工の) embankment Ⓒ; (特に洪水を防ぐための) lévee Ⓒ ★ 主に《米》. 《☞ どて 語法》. ¶ 洪水で川の*堤防が切れた (⇒ 洪水が堤防を壊した) The flood (waters) broke down the ⌈*riverbank* [*levee*]. // *堤防を築く build ⌈a *bank* [*an embankment*]

ていぼう[2] 丁卯 (干支の一つ) the fourth of the sexagenary cycle 《☞ えと; じっかん[2]》.

ディボース ☞ りこん[1]

デイホーム (高齢者の昼間介護施設) adult day(-care) center Ⓒ 日英比較 「デイホーム」は和

製英語.
ていぼく 低木 shrub Ⓒ, bush Ⓒ; (低木の植え込み) shrubbery Ⓒ ★ 総称の場合は Ⓤ.
デイホスピタル (外来専門病院) day hospital Ⓒ.
ていほん[1] 定本 the standard text.
ていほん[2] 底本 the original text.
ディマー (調光器) dimmer Ⓒ.
ていまい 弟妹 younger brothers and sisters 《☞ おとうと; いもうと; きょうだい》.
ディマンド ☞ デマンド
ディミヌエンド 〘楽〙 diminuéndo Ⓒ.
ていめい 低迷 ── 動 (さまよう) hover ⓐ. ── 形 (景気などが不活発な) sluggish, inactive. 《☞ ていちょう[2]》. ¶ 株価は 4000 円と 4100 円の間を*低迷している The price of the stock *is hovering* between 4,000 and 4,100 yen. // 市況は*低迷している (⇒ 不活発だ) The market is ˹*sluggish* [*inactive*].
ていめん 底面 the base.
ディメンション (次元) dimension Ⓒ.
ていめんせき 底面積 the area of the base.
ていもう 剃毛 (手術の準備として) preoperative shaving Ⓒ. ¶ 頭[脚, わきの下, 下腹部]の*剃毛をする *shave one's* ˹head [legs, armpits, lower abdomen]
ていやく[1] 定訳 (標準的訳) standard translation Ⓒ; (一般に受け入れられている訳) generally accepted translation Ⓒ.
ていやく[2] 締約 ── 名 conclusion Ⓒ. ── 動 conclude ⓗ. 《☞ ていけつ[1]》.
ていゆ 提喩 〘修辞〙 synecdoche /sınékdəki/ Ⓒ.
ていよう 提要 summary Ⓒ.
ていよく 体よく ── 副 (礼を失せず丁寧に) politely; (如才なく) tactfully; (婉曲に) in a roundabout way. 《☞ ていさい; てい[1]》.
¶ 私は彼の申し出を*体よく (⇒ 婉曲に [丁重に]) 断った I ˹refused [declined] his offer ˹*in a roundabout way* [*politely*]. // 私は*体よく追い払われた I was ˹*politely* [*tactfully*] ˹sent [turned] away. // 彼は*体よく会議に出席するのを断った (⇒ 出席しないもっともらしい理由を述べた) He gave a *plausible* excuse /ıkskjúːs/ for not attending the meeting. 語法 副詞の plausibly が使用されるのはごくまれである.
ていらく 低落 ── 名 fall Ⓒ; (衰退) decline Ⓒ. ── 動 fall ⓐ; decline ⓐ. ¶ 株価は*低落傾向にある Stock prices *are* ˹*going down* [*falling*].
ティラノサウルス 〘古生〙 (肉食恐竜) tyrannosaur /tərǽnəsɔ̀ə/ Ⓒ, tyrannosaurus /tərӕ̀nəsɔ́ːrəs/ Ⓒ. ティラノサウルス属 Tyrannosaurus Ⓤ.
ティラピア 〘魚〙 tilápia /təléıpiə/ Ⓒ.
ティラミス (イタリアのデザート) tiramisu /tìrəmíːsu/ Ⓤ.
ていり[1] 定理 〘数〙 theorem /θíːərəm/ Ⓒ.
ていり[2] 低利 low interest Ⓤ 《☞ りし》. ¶ 私は*低利で金を借りた I borrowed some money at ˹*low interest* [a *low rate of interest*].
ていり[3] 廷吏 (裁判所の) bailiff Ⓒ; 《英》 usher Ⓒ.
でいり 出入り ── 動 go [come] in and out ⓐ 語法 外部から見て言う場合は go, 内部から言う場合は come. ── 名 going [coming] in and out Ⓤ, entrance and exit Ⓤ ★ 後者のほうが格式ばった表現.
¶ 警察はその部屋に*出入りする人すべてを見張った The police watched everyone *going in and out* of the room. // このドアからの*出入りは禁じられている No *entrance* is allowed through this door. // あの家は人の*出入りが多い (⇒ 彼らは多くの来客を持つ) They have a lot of visitors. // *出入りの酒屋 (⇒ 定期的に注文を取りに来る食料品店の人) the grocer who *comes around regularly* to take orders from us 日英比較 英米には日本の御用聞きにあたる習慣がないので, これは説明的英訳にならざるを得ない. また日本の酒屋は乾物・調味料なども扱っており, 英米の酒屋 (liquor store) よりは食料品店 (grocery store) に近い.
デイリー ── 形 (日刊の) daily. ── 名 (日刊紙) daily Ⓒ.
でいりぐち 出入り口 (家や部屋の) door Ⓒ ★ 最も一般的な語; (入口兼出口) entrance (and exit) Ⓒ; (門の) gateway Ⓒ; (家・部屋などの出入り口の部分) doorway Ⓒ.
ていりつ[1] 低率 low rate Ⓒ. ¶ 1.5 パーセントの*低率で at the *low rate* of 1.5 percent
ていりつ[2] 定率 ── 名 fixed rate Ⓒ. ── 形 fixed. **定率法** 〘会計〙 (減価償却の) declining balance depreciation Ⓤ.
ていりつ[3] 鼎立 ── 名 (三者間の論争) contention among three parties Ⓤ; (三角関係の立場) triangular position Ⓒ. ── 動 contend among three parties, stand in a triangle.
ていりつ[4] 定立 〘哲〙 thesis /θíːsıs/ Ⓒ 《複 -ses /-siːz/》.
ていりゅう 底流 ── 名 úndercùrrent Ⓒ, únderflòw Ⓤ ★ 前者は比喩的にも用いる. 後者は流れの動きを強調する言葉. ── 形 undercurrent; (下部に存在する) ùnderlýing.
¶ この事件は*底流に政府の政策に対する強い反対があることを示している This incident shows (that there is) a strong *undercurrent* of opposition ˹to [toward(s)] the government's policies.
でいりゅう 泥流 mudflow Ⓒ.
ていりゅうじょ 停留所 stop Ⓒ; (バスの) bus stop Ⓒ; (市街電車の) streetcar stop Ⓒ. 《☞ えき[1]》. ¶ 私は次の*停留所で降ります I am getting off at the next *stop*. // 「それはここから幾つ目の*停留所ですか」「3 つ目です」 "How many *stops* is it from here?" "It's three *stops*." // 私はバスの運転手にその*停留所へ来たら降ろしてくれるように頼んだ I asked the (bus) driver to let me off when we got to the *bus stop*.
ていりょう 定量 fixed quantity Ⓒ.
定量分析 〘化〙 quántitàtive análysis Ⓤ.
ディル 〘植〙 (香草) dill Ⓤ.
ティルト ── 動 (傾ける) tilt ⓗ; (傾く) tilt ⓐ. ── 形 (傾いた) tilted. 《☞ かたむく; かたむける》.
ティルトハンドル tilt steering wheel Ⓒ.
ていれ 手入れ **1** 《世話》 ── 動 (世話・管理する) take care of ..., care for ... ★ 前者が普通; (切ったり刈ったりして) trim ⓗ. ── 名 care Ⓤ; trimming Ⓤ. 《☞ せわ》.
¶ 「庭の*手入れはだれがしますか」「父がします」 "Who ˹*takes care of* [*cares for*] the garden?" "My father does." // あなたの髪はもっと*手入れしなくちゃ Your hair needs better *care*. // その家は*手入れがよい (⇒ よい状態にある [よく管理されている]) The house is ˹in good condition [well kept].
2 《警察の》 ── 名 raid Ⓒ. ── 動 raid ⓗ.
¶ 警察が賭博(とばく)場の*手入れを行った The police ˹made a *raid* on [*raided*] the gambling den.
3 《修繕》 ── 動 (複雑で技術を要するものを直す) repair ⓗ; (簡単な修理や繕いをする) mend ⓗ, 《米略式》 fix ⓗ ★ repair の代わりにも使われる. ── 名 repair Ⓤ ★「修理作業」という意味ではしばしば複数形; mending Ⓤ. 《☞ しゅうり》.
ていれい 定例 ── 形 (定期的な) regular. ¶ *定例閣議は来月に予定されている A *regular* cabinet meeting is scheduled for next month. **定例会**

regular「gathering [meeting] Ⓒ.
ディレクター director Ⓒ.
ディレクターズチェア (軽量折畳式のひじ掛け椅子) director's chair Ⓒ.
ディレクトリー 〘コンピューター〙 directory Ⓒ.
ていれつ 低劣 ― 形 (質が悪い) trashy; (下劣な) base; (俗悪な) vulgar. (☞ げひん; げれつ).
ディレッタンティズム (趣味・道楽) dilettántism Ⓤ.
ディレッタント (素人芸術愛好家) dilettante /dìlətáːnt/ Ⓒ (複 dilettanti /-tiː/) 語法 しばしば軽蔑的なニュアンスをもつ.
ていレベル 低レベル ― 形 low-level. 低レベル放射性廃棄物 low-level radioactive waste Ⓤ.
ていれん 低廉 ― 形 (価格の安い) cheap; (品質に比べて安価な) inexpensive. (☞ やすい).
ディレンマ ☞ ジレンマ
でいろ 泥路 muddy path Ⓒ.
ディンギー (小型ヨット) dinghy Ⓒ.
ディンクス (共働きで子供のいない夫婦) dinks ★ 夫婦の一方を言う場合は a dink. *d*ouble [*d*ual] *i*ncome *n*o *k*ids の略.
ディンゴ 〘動〙 dingo Ⓒ (複 ~es) ★ オーストラリア産の野生のイヌ.
ティンパニ 〘楽〙 timpani ★ 複数または単数扱い; kettledrum Ⓒ ★ 後者が 2 つ以上セットになったものが前者. (☞ ドラム (挿絵)).
ディンプル 〘スポ〙 dimple Ⓒ ★ ゴルフボール表面の小さな窪み.
てうす 手薄 ― 形 (量などが足りない) short Ⓟ (☞ たりない; ふそく[1]). ¶ この店は*手薄だ This store is *short* of help. // 在庫が*手薄になってきている The stocks are running *short*.
デウス (神) Deus /déɪəs/ ★ キリシタンの用語; (一般的には) God.
てうち[1] 手打ち (契約などの成立) striking [closing] a「bargain [deal] Ⓤ; (和解) reconciliation Ⓤ.
てうち[2] 手打ち ― 形 (自家製の) homemade; (手製の) handmade. 手打ちそば handmade buckwheat noodles ★ 複数形で.
てうち[3] 手討ち ― 動 (武士が家来や町人などを斬り殺す) dispatch *a person* with (a stroke of) *one's* sword, kill *a person* by *one's* own hand (as punishment).
テークアウト ☞ テイクアウト
テークオーバー (企業などの乗っ取り) takeover Ⓒ (☞ のっとり). ¶ 会社を*テークオーバーしようとする attempt a *takeover* of a company テークオーバービッド (企業買収のための株式公開買い付け) takeover bid Ⓒ (略 TOB).
テークオフ ☞ テイクオフ
テークバック 〘スポ〙 ― 名 (クラブ・ラケット・バットなどを後ろに引いて打球に備えること) backswing Ⓒ. ― 動 (ゴルフで) go into *one's* backswing; take the club back; (テニスで) take the racket back.
デーケア ☞ デイケア
デーゲーム day game Ⓒ (↔ night game) (☞ ゲーム).
デーサービス ☞ デイケア; デイサービス
デージー 〘植〙 (雛菊) daisy Ⓒ.
デージーチェーン 〘コンピューター〙 daisy chain Ⓒ ★ 周辺機器を直列につなぐこと.
テースト ☞ テイスト
テーゼ 〘論〙 (定立) thesis /θíːsɪs/ Ⓒ (複 theses /-siːz/).
データ data Ⓤ 語法 元来は datum の複数形だが, 普通不可算名詞として扱われる; (情報) information Ⓤ 日英比較 日本語の「データ」がいつも data という英語に置き換わるのではない点に注意. (☞ しりょう[1]). ¶ もっと*データが欲しい We need more「*data* [*information*]. // *データを利用する use *data*
データ圧縮 〘コンピューター〙 data「compression [compaction] Ⓤ データ処理 〘コンピューター〙 data processing Ⓤ データ通信 〘コンピューター〙 data communication ★ Ⓤ または複数形で (略 DC). データバンク data bank Ⓒ データファイル data file Ⓒ データベース ☞ 見出し データ放送 〘コンピューター〙 data broadcasting Ⓤ.

コロケーション

データを集める collect [gather] *data* / データを改ざんする falsify *data* / データを検索する retrieve *data* / データを削除する delete *data* / データを処理する process *data* / データを蓄積する accumulate *data* / データを入力する input *data* / データをねつ造する fabricate *data* / データを呼び出す access *data* / データを利用する use *data* // データが流出する *data* leaks

データベース 〘コンピューター〙 dátabàse Ⓒ. ¶ *データベースから情報を検索する retrieve information from a *database* データベース管理システム 〘コンピューター〙 database management system Ⓒ (略 DBMS) データベースサービス database service Ⓒ データベースソフト database software Ⓤ.
データモデル 〘コンピューター〙 data model Ⓒ.
デーツ (ナツメヤシの実) date Ⓒ (☞ なつめやし).
デート ― 名 date Ⓒ. ― 動 (デートする) date (with ...) 自, have a date (with ...) ★ 以上いずれも口語的. 日英比較 日本語の「デート」は米語の date から来ているが, この語はもともと手紙や書類などの書かれた日時を意味し, それから一般に日付を意味するようになり, さらに米語では男女の社交的交際手段として日時を決めて会うことを言い, デートの相手をもいうようになった. 日本語はその一部の意味だけを借用したのである. なお, 現在ではイギリス英語でも男女の会合の意味で用いられる. (☞ 借用語 (巻末)).
¶ 彼はいまよし子さんと*デート中だよ He *is on a date with* Yoshiko now. / He *is*「*dating* [*having a date*] *with* Yoshiko now.
デートクラブ dating club (where male customers pick up hostesses) Ⓒ デートコース route for a date Ⓒ, course of activities for dating couples Ⓒ ★「デートコース」は和製英語. デートスポット good place to take a date Ⓒ, popular dating place Ⓒ.
テートギャラリー ― 名 固 the Tate Gallery ★ ロンドンにある国立美術館.
テーパー (先細りになること) taper Ⓒ ★ 通例単数形で用いる. ¶ *テーパーゲージ a *taper* gauge // *テーパーピン a *taper* pin
テーピング ― 名 taping Ⓤ. ― 動 tape 他.
テープ ― 名 (録音・録画などの) tape Ⓤ ★ 具体的なものを指すときは Ⓒ; (船の出航の際の見送りの) (paper) streamer Ⓒ. ― 動 (テープに録音[画]する) tape 他. (☞ テープレコーダー; ビデオ).
¶ *テープをかける play the *tape* // その番組は*テープにとりました I've「recorded [put] the program on *tape*. / I *taped* the program. (☞ ろくおん; ろくが)
テープを切る (ゴールインする) break the tape; (開通式などで) cut the ribbon. (☞ テープカット). ¶ 市長が開通式の*テープを切った The mayor *cut the ribbon* at the opening ceremony. テープ起こし tape transcription Ⓤ.

コロケーション

テープを入れる put [insert] a *tape* (in(to) ...) / テープをかける play [put on] a *tape* / テープを消す

erase a *tape* / テープを再生する play back a *tape* / テープを取り出す take out [remove] a *tape* (from ...) / テープを早送りする fast-forward a *tape* / テープを巻き戻す rewind a *tape*

テープカット ―名 ribbon-cutting ceremony Ⓒ. ―動 cut the ribbon. ¶彼女の*テープカットで展覧会が開幕した She *cut the ribbon* to open the exhibition.

テープデッキ tápe dèck Ⓒ.

テープライブラリー tape library Ⓒ.

テーブル table Ⓒ 日英比較 (1) 英語の table は食卓・台など，引き出しのない板に足のついた形のもの．形の上では書きもの机 (desk) とはっきり区別される．(☞ しょくたく¹). ¶彼らは*テーブルを囲んで座った They sat around the *table.* // キッチンには2人用の小さな*テーブルがあった In the kitchen there was a small *table* for two.
テーブルウエア (食卓用食器類) tableware Ⓤ　テーブルクロス (table)cloth Ⓒ　テーブルスピーチ (会食の際の) speech at a dinner Ⓒ; (会食後の) after-dinner speech Ⓒ 日英比較 (2)「テーブルスピーチ」は和製英語．(☞ スピーチ). ¶*テーブルスピーチは大の苦手です Making a *speech at a dinner* is my weakest point.　テーブルスプーン (料理を取り分ける大型スプーン・大さじ) tablespoon Ⓒ　テーブルセッティング ―動 (食卓の用意をする) lay [prepare; set] the table. ―名 laying the table Ⓤ. 日英比較 (3)「テーブルセッティング」は和製英語．　テーブルセンター doily Ⓒ 日英比較 (4)「テーブルセンター」は和製英語．　テーブルチャージ (席料・サービス料) cover charge Ⓒ 日英比較 (5)「テーブルチャージ」は和製英語．　テーブルマナー table manners ★ 複数形で．　テーブルワイン table wine Ⓒ.

テーブルテニス (卓球) table tennis Ⓤ.

テープレコーダー tape recorder Ⓒ (☞ テープ). ¶この*テープレコーダーをかけてもいいですか May I play this *tape recorder*? // あなたの話を*テープレコーダーに入れていいですか May I ⌈*tape*(*-record*) your speech [*record* your speech *on tape*]? (☞ ろくおん) // *テープレコーダーにテープ[カセット]を入れて下さい Please put a ⌈tape [cassette (tape)] into the *tape recorder*. // どうやってこの*テープレコーダーからテープ[カセット]を出すのですか How can I ⌈take out [remove] the ⌈tape [cassette (tape)] from this *tape recorder*?

テーベー (結核) TB /tíːbíː/ Ⓤ (☞ けっかく¹) ★ ドイツ語 Tuberkulose の略語．英語では tuberculosis.

デーホーム ☞ デイホーム

デーホスピタル ☞ デイホスピタル

テーマ (作品などの) theme /θíːm/ Ⓒ; (一般的な主題) subject Ⓒ; (話題) topic Ⓒ. (☞ だい¹ (類義語); しゅだい; トピック).
¶人気のある*テーマ a popular *theme* // 卒業論文の*テーマは決まったかい Have you decided on a *theme* for your graduation thesis? // きょうの私たちの討論の*テーマは教育です The ⌈*subject* [*topic*] of our discussion today is education.
テーマ音楽 théme mùsic Ⓤ; (放送開始・終了時などの) sígnature (tùne) Ⓒ　テーマ小説 novel with a *purpose* Ⓒ, idéological novel Ⓒ　テーマソング théme sòng Ⓒ　テーマパーク théme pàrk Ⓒ　テーマレストラン théme rèstaurant Ⓒ.

―コロケーション―
斬新なテーマ an innovative *theme* / 陳腐なテーマ a trite *theme* / 独創的なテーマ an original *theme* / 馴染みのテーマ a familiar *theme* / 昔からのテーマ an age-old *theme* / よくあるテーマ a common *theme*

テームズ ☞ テムズがわ

デーモン (悪魔) demon /díːmən/ Ⓒ.

テーラー (洋服仕立屋) tailor Ⓒ.

テーラード ―形 (注文仕立ての) tailored. ¶*テーラードスーツ a ⌈*tailored* [*tailor-made*] suit　テーラードカラー (背広のような襟) tailored collar Ⓒ.

デーリー ☞ デイリー

テール テールエンド (物の末尾) tail end Ⓒ ★ 普通は the ～ として．　テールフィン tail fin Ⓒ (☞ ひこうき)　テールライト[ランプ] taillight Ⓒ, tail lamp Ⓒ.

デーンじん デーン人 (総称) the Danes.

ておい 手負い ―形 wounded /wúːndɪd/ (☞ けが).

デオキシリボかくさん デオキシリボ核酸 〘生化〙 deoxyribonucleic /diːɑ́ksɪràɪbou̇n(j)uːklíːɪk/ ácid Ⓤ (略 DNA).

ておくれ 手遅れ ―形 (遅すぎる) too late; (助からない) past saving. (☞ おくれる). ¶その患者は*手遅れだった The patient was *past saving.* // *手遅れにならないうちに医者にかかりなさい Go and see a doctor before it is *too late.*

でおくれる 出遅れる ―動 make [get] a late start, be behind in starting.

ておけ 手桶 (バケツ型の) bucket Ⓒ, pail Ⓒ; (片側に柄のついた) ladle Ⓒ. (☞ おけ; バケツ; ふろ (挿絵)).

ておしぐるま 手押し車 (スーパーマーケットなどの買い物用の) (shopping) cart; (行商人などが品物を運ぶ) pushcart Ⓒ; (農作業・土木作業用の) (wheel)barrow Ⓒ. (☞ カート²).

shopping cart

wheelbarrow

ておしポンプ 手押しポンプ hand pump Ⓒ.

ておち 手落ち ―名 (誤り・間違い) mistake Ⓒ; (ちょっとしたミス) slip Ⓒ. ―動 slíp úp ⓐ. (☞ まちがい). ¶彼の報告書には*手落ちがない There is no *mistake* in his report.

デオドラント (脱臭剤・におい消し) deódorant Ⓒ. デオドラント化粧品 deodorant cosmetics ★ 通例複数形で．

ておの 手斧 hatchet Ⓒ; (荒削り用の) adz (《英》 adze) /ǽdz/ Ⓒ. (☞ おの).

でか (刑事) detéctive Ⓒ ★ 私立探偵 (private detective) をいうこともある; 《俗》 dick Ⓒ; (私服刑事) pláinclóthesman Ⓒ. (☞ けいじ²).

デカ ―接頭 deca-, (略号) da.

てがい 手飼い ―形 pet. ¶これが我が家の*手飼いのおうむです This is our *pet* parrot.　手飼いの者 ☞ てした; こぶん¹

でかい ☞ おおきい

デカスロン 〘スポ〙 (十種競技) decathlon Ⓒ.

ており 手織り ―形 handwoven.

てかがみ 手鏡 hand mirror Ⓒ.

てがかり 手掛かり (事件などの糸口) clue Ⓒ; (問題などを解く鍵) key Ⓒ. ¶その謎を解く*手掛かりは何もなかった There was no ⌈*clue* [*key*] *to* the riddle. // 犯人は何か*手掛かりを残したのか Has the culprit left ⌈any *clue* [(⇒ 形跡) any *tracks*; (⇒ 我々が行動するための何か) *anything* for us *to go on*]?

コロケーション
手掛かりがある have a *clue* / 手掛かりを与える provide a *clue* / 手掛かりを追う follow up a *clue* / 手掛かりを発見する find [discover] a *clue* / 手掛かりを見逃す miss a *clue*

でかかる 出掛かる ━形 half out. ¶その名前はのどまで*出掛かっている (⇒ 舌の先まできている) The name is *on the tip of my tongue*.

てかぎ 手鉤 hook Ⓒ (☞ かぎ²).

てがき 手書き ━形 hándwrìtten (↔ typewritten). ━名 (手で書くこと・手で書いた物) handwriting Ⓤ.

でがけ 出掛け ¶*出掛けに来客があった I had a visitor *as I was going out*. // …への*出掛けに (⇒ …へ行く途中で) *on one's way to* ….

てがける 手掛ける (問題などを扱う) deal with …; (特に論文や討論などで) treat ㊀; (処理する・うまく扱う) handle ㊀ ★ 以上 3 語は入れ替え可能な場合も多い; (経験がある) have experience「in [with] … ¶彼は数年来この問題を*手掛けてきた He *has been*「*dealing with* [*treating*; *handling*] this problem for years. // 彼らは外国貿易は*手掛けていない (⇒ 経験がない) They *have* no *experience in* foreign trade.

でかける 出掛ける (外出する) gò óut ㊂; (外出していて不在である) be out; (去る・出る) leave (for …) ㊂; (出発する) start (for …) ㊂ ★ 動き出す動作に重点がある; (旅行などに出発する) depart ㊂ ★ 以上の中で一番格式ばった語. (☞ しゅっぱつ 語法; がいしゅつ).
¶彼らは散歩に*出かけた They *went out* for a walk. // あすの朝早く*出かけよう Let's「*go* [*leave*; *start*] early tomorrow morning. // 今夜はどこかへお*出かけですか *Are* you *going out*「tonight [this evening]? // 主人は仕事で*出かけています My husband *is out* on business.

てかげん 手加減 ━動 (…を斟酌(しんしゃく)する) make allowance(s) for … (☞ てごころ; しんしゃく). ¶母は私をしかるとき，子供だからといって*手加減しなかった (⇒ 私の年齢を斟酌しなかった) When Mother scolded me, she *made* no *allowance(s) for* my age.

てかず 手数 **1** «面倒»: trouble Ⓒ, pains ★ 複数形で. (☞ めんどう; てま).
2 «手の数»: (碁などで) the number of moves; (ボクシングで) the number of punches.

でかす ¶みごと*でかした! (⇒ よくやった) Well done! / Bravo! ★ ほめる叫び声.

てかせ 手枷 handcuffs ★ 複数形で. (☞ てじょう).

でかせぎ 出稼ぎ ━動 (家から離れて働く) work away from home. ¶彼の父親は東京へ*出かせぎに (⇒ 働きに) 行った His father went to *work* in Tokyo. **出稼ぎ労働者** (季節労働者) migrant worker Ⓒ.

てがた 手形 (為替手形) draft Ⓒ, bill (of exchange) Ⓒ 語法 (1) 前者は主として内国為替に，後者は外国為替に用いるとされているが，実際上は区別なく用いられている.
¶*手形で払います I'll pay it by *draft*. 語法 (2) 支払い手段を表す by の後では無冠詞. // 彼に 50 万円の*手形を振り出した I「drew [wrote (out)] a *draft* for ¥500,000 on him. // *手形を裏書きする endorse a *bill* // この*手形を割り引いて下さい Will you discount this *bill*? // 不渡り*手形 a dishonored *bill* (☞ ふわたり) // *手形を換金する cash a *draft* // この*手形はもう 20 日間有効です This *bill* has twenty days more to run. // 約束*手形 a promissory *note* **手形受取人[振出人]** payee /pèɪíː/ [drawer] (of a draft) Ⓒ **手形裏書き人** endorser (of a draft) Ⓒ **手形交換** clearing Ⓤ **手形交換所** clearinghouse Ⓒ **手形支払人** payer [drawee] (of a draft) Ⓒ **手形仲買人** bill broker Ⓒ **手形割引** ━名 discounting (of a bill) Ⓤ. ━動 discount ㊀.

でかた 出方 (態度) attitude Ⓒ; (処置) move Ⓒ. ¶相手の*出方によってこちらの*出方を決めよう *How I approach* them will depend on their *attitude* toward me.

てがたい 手堅い (信頼できる) reliable; (信用して任せられる) trustworthy; (堅実な) sound. (☞ けんじつ; ちゃくじつ). ¶彼は*手堅い人だ He is a「*reliable* [*trustworthy*] person. // 彼は*手堅い商売をしている He is carrying on a *sound* business.

てがたな 手刀 ¶力士は*手刀を切って賞を受ける A sumo wrestler *makes chopping motions with his hand* (to express his thanks) and receives a prize.

デカダン ━形 (頽廃的な) decadent /dékədnt/. ━名 (頽廃的な人) decadent Ⓒ.

デカダンス ━名 decadence /dékədns/ Ⓤ.

てかてか ━形 (光っている) shiny ★ 悪い意味では，布の表面などがすれたりして光っていることもいう; (表面につやのある) glossy. (☞ つやつや; 擬声・擬態語 (囲み)). ¶彼の鼻の頭は*てかてかしている His nose is *shiny*. // ズボンのおしりが*てかてか光ってきた The seat of my trousers has become *shiny*.

でかでか ¶新聞はその事件を*でかでかと書き立てた (⇒ 大ニュースとして) The press reported the incident「*as big news* [(⇒ 全段抜きの大きな見出しで) *with a banner headline*]. (☞ 擬声・擬態語 (囲み))

てがみ 手紙 ━名 letter Ⓒ; (用件のみの短い手紙) note Ⓒ 日英比較 日本の手紙は普通，時候のあいさつや無沙汰のわびなどから始まるが，英米では私信であっても要件や言いたいことを中心に書くのが普通. その中でも要件のみをずばり書いたのが note である; (郵便物) mail Ⓤ. ━動 (…へ手紙を書く) write (a letter) to … ★ a letter は言わないのが普通; (便りをよこす) drop … a line, drop a line to …; (文通する) correspond (with …) ㊂. (☞ 手紙の書き方 (囲み)).
¶私はいま*手紙を書いています I'm writing a *letter* now. // その*手紙には次のように書いてあります The *letter* says that …. // 向こうに着いたら必ず*手紙を下さい Please be sure to *write to* me when you arrive there. // きのうジョンに*手紙を書いた I *wrote* (*to*) John yesterday. 語法 to を省くのは米口語用法. // *手紙を受け取る get [receive] a *letter* // 彼は机の上に私あての*手紙を残していった He left a *note* for me on his desk. // きょうは何か*手紙はありましたか Is there any *mail* for me today? // 暇があったら*手紙を下さい Will you「*drop* me *a line* [*drop a line to* me] if you have time? // このことは母に*手紙で知らせました I've informed my mother of this fact by *letter*. // 彼は長い間アメリカの友人と*手紙をやりとりしている He *has been corresponding with* an American friend for a long time.
手紙文 (article written in) letter form Ⓒ; (書簡体) 《格式》 epistolary style Ⓒ.

コロケーション
手紙に署名する sign a *letter* / 手紙を《ポストに》入れる put [drop] a *letter* into 《a mailbox》 / 手紙を送る send a *letter* / 手紙を出す mail a *letter* / 手紙を転送する forward a *letter* / 手紙を配達する deliver a *letter*

手紙の書き方

手紙には，二つに大別すると，個人の間で交わすもの (personal letter) と，会社などの間のいわゆる商業通信文 (business letter) とがあるが，ここでは主として前者について説明する．個人間の手紙でも正式なものは形式においては商業通信文と大差はない．手紙の形式については次の事項に注意することが大切である．

1 住所と日付

(1) 差出人の住所

まず差出人の住所 (return address) を便せんの右上方に書く．例えば，「〒102-8152 東京都千代田区富士見 2-11-3」は次のとおり．

2-11-3, Fujimi
Chiyoda-ku, Tokyo 102-8152
Japan

参考 (1) 親しい間柄の私信ではこれは省略することが多い．(2) 外国へ出す場合は，最後に Japan または JAPAN を加える．(3) 行末にはコンマを付けない．(4) 日本の郵便番号は Tokyo の後に置くのがよい．

(2) 日付

日付 (date) は上記の住所の下に続けて書く．例えば，「2005 年 3 月 3 日」は次のとおり．

《米》March 3, 2005
《英》3(rd) March 2005

参考 (1)「月」の名称には短縮形があるが，きちんと全部書くほうが望ましい．(2)《米》では日付の数字は基数で書き，序数では書かないほうが普通．《英》では序数で書く人が多い．

(3) 受取人の住所

正式な手紙では，受取人の住所 (inside address) も書く (外国へ出す場合はもちろん国名も)．その箇所は，上記の差出人の住所・日付の次の行から始まり，便せんの左上方である．

Professor L. M. Myers
306 E. 15th Street
Phoenix, Arizona 85281
U.S.A.

参考 親しい間柄の私信では普通省略する．

2 本文

(1) 初めのあいさつ

次に手紙の本文が始まるが，日本語の「拝啓」にあたる言葉はない．その代わりに，書き出し (salutation) として，改まった場合には相手の姓 (surname, family name) を，親しい間柄では相手の名前 (first name, Christian name) を次のように用いる．

Dear Mr(.) Jones / Dear Ms(.) Jones / Dear Mrs(.) Jones / Dear Miss Jones ★ 以上は改まった場合．また，Ms(.) は Miss と Mrs(.) を合体して作られた語で，女性の未婚・既婚の区別を表さないので特に手紙では広く用いられている．

Dear John / *Dear Helen* / My dear Jack / My dear brother ★ 以上は親しい間柄の場合．

参考 (1) 商業通信文では《米》Gentlemen,《英》Dear Sirs が最も一般的．Dear Sir / Madam のような表現もある．(2) 個人的な手紙の場合は名前の後にコンマ (,) を付け，商業通信文では《米》ではコロン (:) を，《英》ではコンマを付ける．

(2) 本文

本文 (text) は，格式ばった場合には構文をきちんとして，文章全体のバランスをよく考え，言わんとするところを明晰に述べなければならない．なお，日本語の場合には，例えば「日ましに春めいてまいりましたが，お変わりはありませんでしょうか」などの時候のあいさつが入るが，英語の手紙ではそのような必要はない．いきなり用件に入ればよい．また，口語や俗語は避け，短縮形 (won't, I'll, there's など) も用いないほうがよい．

一方，親しい間柄の場合は，あまり複文は用いずに単文を連ねてもかまわないし，口語・俗語・短縮形を用いてもよい．要は自分と相手との間柄をよく見極めて，それにふさわしい文体を用いることである．

参考 パラグラフの書き出しは各パラグラフの初めを引っ込ませて (indented) 書く方式のほかに，ビジネスレターなどで，間に空欄を 1 行置くことによってパラグラフを分け，初めをまったく引っ込ませずに書き始めるブロック体 (block style) が広く行われている．

3 結び

(1) 結びの言葉

日本語の「敬具」などにあたる結びの言葉 (complimentary close) は，改まった場合は，Sincerely yours または Yours sincerely が最も無難である．親しい間柄では，Yours が普通．Affectionately yours, Yours affectionately などもあるが，これらは男性間では普通用いない．

参考 行末に必ずコンマが必要である．

(2) 署名

署名 (signature) は結びの言葉のすぐ下にする．英語の習慣では改まった場合には姓名を必ず書くが，親しい間柄では名前のほうだけでよい．しかし，日本人の場合は姓名を書くほうが誤解がなくてよいであろう．

参考 (1) タイプした手紙の場合でも手書きで署名する．(2) タイプした正式の手紙の場合は，手書きの署名の下にもう一度タイプで名前を打つ．その場合，出だしの位置は結びの言葉の出だしと同じ．(3) タイピストにタイプさせたビジネスレターの場合，左端に署名者の頭文字とタイピストの頭文字を並べて示す場合がある．その場合，署名者の頭文字は大文字で，タイピストの頭文字は小文字で打つ．(4) コピーであることを示すには最後に cc. と打つ．

★ 以上の各項目については文体上の一致が必要である．つまり，改まった場合にはすべての項目について改まった形式に，親しい間柄ではすべての項目についてくだけた形式に統一する．

4 封筒・葉書の宛名の書き方

原則的には **1** (1), (3) で示したものと同じ．ただし封筒・葉書では差出し人の住所の上に氏名を書く．その場合，性別などを示すために Mr., Ms., Mrs., Miss を付けることがある．

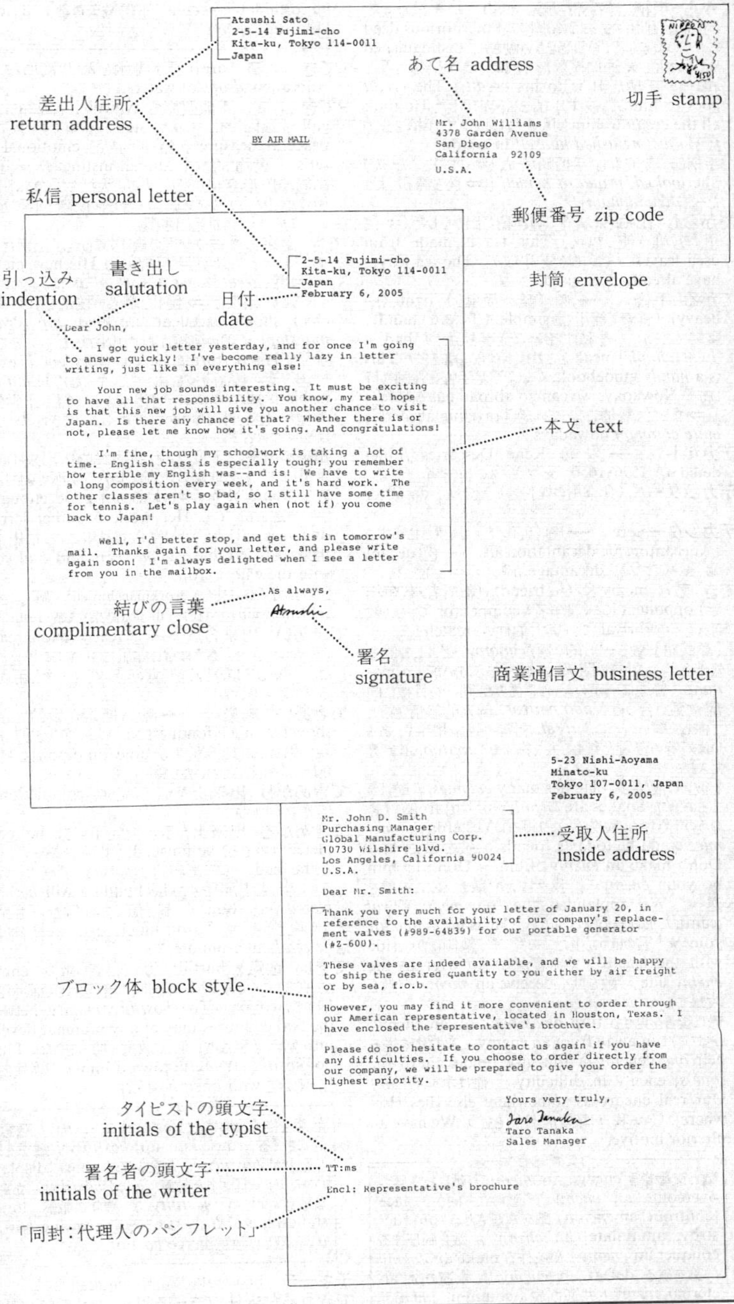
Atsushi Sato
2-5-14 Fujimi-cho
Kita-ku, Tokyo 114-0011
Japan
差出人住所
return address
BY AIR MAIL
あて名 address
NIPPON
切手 stamp
Mr. John Williams
4378 Garden Avenue
San Diego
California 92109
U.S.A.
郵便番号 zip code
封筒 envelope
私信 personal letter
引っ込み
indention
書き出し
salutation
日付
date
2-5-14 Fujimi-cho
Kita-ku, Tokyo 114-0011
Japan
February 6, 2005
Dear John,
I got your letter yesterday, and for once I'm going to answer quickly! I've become really lazy in letter writing, just like in everything else!
Your new job sounds interesting. It must be exciting to have all that responsibility. You know, my real hope is that this new job will give you another chance to visit Japan. Is there any chance of that? Whether there is or not, please let me know how it's going. And congratulations!
I'm fine, though my schoolwork is taking a lot of time. English class is especially tough; you remember how terrible my English was--and is! We have to write a long composition every week, and it's hard work. The other classes aren't so bad, so I still have some time for tennis. Let's play again when (not if) you come back to Japan!
Well, I'd better stop, and get this in tomorrow's mail. Thanks again for your letter, and please write again soon! I'm always delighted when I see a letter from you in the mailbox.
本文 text
結びの言葉
complimentary close
As always,
Atsushi
署名
signature
商業通信文 business letter
5-23 Nishi-Aoyama
Minato-ku
Tokyo 107-0011, Japan
February 6, 2005
Mr. John D. Smith
Purchasing Manager
Global Manufacturing Corp.
10730 Wilshire Blvd.
Los Angeles, California 90024
U.S.A.
受取人住所
inside address
Dear Mr. Smith:
Thank you very much for your letter of January 20, in reference to the availability of our company's replacement valves (#989-64839) for our portable generator (#Z-600).
These valves are indeed available, and we will be happy to ship the desired quantity to you either by air freight or by sea, f.o.b.
ブロック体 block style
However, you may find it more convenient to order through our American representative, located in Houston, Texas. I have enclosed the representative's brochure.
Please do not hesitate to contact us again if you have any difficulties. If you choose to order directly from our company, we will be prepared to give your order the highest priority.
Yours very truly,
Taro Tanaka
Taro Tanaka
Sales Manager
タイピストの頭文字
initials of the typist
署名者の頭文字
initials of the writer
TT:ms
Encl: Representative's brochure
「同封：代理人のパンフレット」

デカメロン —名 固 the Decámeron ★ボッカチオ作の短篇集.

てがら 手柄 (名誉・功績) credit U ★最も一般的な語; (価値のある行為)《格式》meritorious deed C; (軍隊などでの目ざましい働き) distinguished service C ★通例複数形で.《☞こうせき¹》. ¶それは彼の*手柄だ It is to his *credit*. / The *credit* goes to him. // 彼は*手柄を独り占めした He took all the *credit* to himself. // 彼は戦争で*手柄を立てた He *distinguished himself* in action.

手柄顔 ¶彼女は*手柄顔だった (⇒自慢そうだった) She *looked* ⌈*proud of herself* [(⇒勝ち誇ったようだった) *triumphant*].

でがらし 出涸らし ¶このお茶は*出がらしだ (⇒使用ずみの葉を使っている) This tea is made from used leaves. / (⇒もう使用ずみだ) The tea leaves have already been used.

てがる 手軽 —形 (軽い・簡単な) light (↔heavy); (質素で簡単な) simple; (手ごろな) handy.《☞てごろ》. ¶私は*手軽な食事をした I had a ⌈*light* [*simple*] meal. // これは*手軽な案内書だ This is a *handy* guidebook. // いまでは*手軽に外国へ行けます Nowadays we can go abroad *quite easily*. / (⇒まったく普通になっている) Traveling abroad is *quite common* nowadays.

デカルト —名 固 René Descartes /rənéɪ deɪkɑ́ət/, 1596–1650. ★フランスの哲学者.

デカンター (食卓用の栓付きガラスびん) decánter C.

デカンタージュ —名 (ワインをデカンターに移すこと) decanting U, decantation U. —動 decant 他 ★フランス語 décantage から.

てき 敵 enemy C (↔friend); (敵対者・競争相手) oppónent C; (競争者) compétitor C; (好敵手・ライバル) rival C; (実力伯仲の) match C.

【類義語】最も一般的な語が **enemy**. 必ずしも敵意を伴わず, 対立の関係にあることを示すのが **opponent**. 普通は一定のルールに従い, 同一の目標に向かって競い合うのが **competitor**. 個人的感情が絡んで激しく競い合うのが **rival**. 対等の競争相手や, あるいは対等の資質を有する人を指すのが **match**.《☞かたき》

¶彼には*敵が多い He has many *enemies*. // 蛇はかえるの*敵だ Snakes are *enemies* ⌈of [to] frogs. // きのうの*敵はきょうの友(となり得る) Yesterday's *enemies* could be today's friends. // 彼を*敵に回すな Don't make an *enemy* of him. / Don't let him be your *enemy*. // 我々は*敵[*敵チーム]に拍手を送った We applauded the ⌈*opponents* [*rival* team]. // 彼は君の*敵じゃないよ He is no *match* for you. ★「君のほうが上だ」の意. // *敵側につく side with the *enemy* / (⇒寝返る) go over to the *enemy* side // *敵を欺く deceive an *enemy* // *敵を攻撃する attack an *enemy*

敵に後ろを見せる turn *one's* back on an enemy; (逃げる) run away from an enemy. **敵に塩を送る** help *one's* enemy in difficulty; render aid to ⌈the [*one's*] enemy in difficulty. **敵は本能寺にあり** Our real enemy ⌈is somewhere else [lies elsewhere]. / (⇒我々は隠れた目的をもつ) We have an ulterior motive.

コロケーション

敵と交戦する engage an *enemy* / 敵に打ち勝つ overcome an *enemy* / 敵に立ち向かう face [confront] an *enemy* / 敵を壊滅させる rout [destroy; annihilate] an *enemy* / 敵を制圧する conquer an *enemy* / 敵を作る make an *enemy* / 敵を破る defeat an *enemy* // 永遠の敵 an eternal *enemy* / 共通の敵 a common *enemy* / 生涯の敵 a lifelong *enemy* / 政敵 a political *enemy* / 強い敵 a powerful *enemy* / 手ごわい敵 a formidable *enemy* / 不倶戴天の敵 a ⌈deadly [mortal] *enemy*

-てき¹ …滴 drop C. ¶水を 2, 3*滴加えなさい Add a few *drops* of water.

-てき² …的 ¶典型*的な typical // 合法*的に legally // 段階*的に step by step // 平和*的手段で by peaceful measures // 精神*的動揺 emotional upset(s) // 動物*的本能 animal instinct(s) ★通例, 副詞(句)・形容詞で表わされる. 大抵の場合, 名詞を引けば(上例の場合, 典型・合法・段階・平和など), 「… 的」の訳語が見出される.

でき 出来 ¶彼の今度の絵はすばらしい*出来だ (⇒すばらしい[すばらしい芸術作品だ]) His new picture is really ⌈*great* [*a great work of art*]. // このいすはすばらしい*出来だ (⇒優れた職人の技量を示す) This chair shows excellent ⌈*workmanship* [*craftsmanship*]. // 彼の演技はよい*出来だった (⇒とてもよかった) His performance was ⌈very *good* [*excellent*]. / (⇒彼は演技においてよくやった) He *did well* in his performance. // *出来のよい [悪い] 学生 a ⌈*bright* [*poor*] student《☞じょうでき; せいせき¹; けっか; できる²》

出来不出来 ¶彼女の仕事にはかなり*出来不出来があります (⇒彼女の仕事は十分に立派でないものもある) Some of her work is not good enough. / (⇒一定していない) Her work is rather ⌈erratic [inconsistent]. // 小麦の収穫は年によって*出来不出来がある We have *good* years and *bad* years with the wheat crop.

【参考語】(出来具合) workmanship U; (職人の技量) craftsmanship U; (技) skill C; (結果・成績) result C.

できあい¹ 出来合い —形 ready-made, ready-to-wear A ★後者は常に洋服についてのみ用いる. また, いずれも「既製服」の意の 名 C としても用いられる.《☞きせい²》.

できあい² 溺愛 —動 (極端な愛情を示す) show too much fondness to … ★多少説明的表現; (愚かしいほど盲愛する) dote ⌈on [upon] …《☞かわいがる; ねこかわいがり》.

できあがり 出来上がり (完成) completion U《☞かんせい¹》.

できあがる 出来上がる (完了する) be completed; (終わる) be finished; (用意が整う・すぐ使える) be ready.《☞できる²; かんせい¹》. ¶そのビルはもうすぐ*出来上がります The building will *be completed* very soon. // 「昼ご飯はまだですか」「もうすぐ*出来上がります」"Isn't lunch ready yet?" "It'll *be ready* in a minute."

てきい 敵意 hostility U; (根深い敵意) enmity U.《☞にくしみ》. ¶両国間の*敵意はいつ戦争に発展するかわからない The ⌈*hostility* [*enmity*] between the two countries may at any moment develop into war. // 私は彼に何の*敵意も持っていない I have no ⌈*hostility* [*enmity*] toward him. // *敵意をむき出しにして with open *hostility*

コロケーション

敵意を抱く have [entertain] *hostility* / 敵意を起こさせる arouse [stir up] *hostility* / 敵意を感じる feel *hostility* / 敵意を示す show [display] *hostility* // 隠された敵意 veiled *hostility* / かすかな敵意 slight *hostility* / 積年の敵意 long-standing *hostility* / つのる敵意 growing *hostility* / 激しい敵意 fierce *hostility*

テキーラ (メキシコの蒸留酒) tequila U.

できうるかぎり でき得る限り ☞できる¹ (できる

限り)

できうれば **でき得れば** ☞ できる[1] (できるなら(ば))

てきえい **敵影** sign of the enemy Ⓒ.

てきおう **適応** ―動(適応させる) adapt ㊙; (自分を適応させる・適応する) adapt *oneself* (to ...); adjust *oneself* (to ...); 《格式》accommodate *oneself* (to ...); (順応する) conform (to ...) ㊐. ―名 adaptation Ⓤ; adjustment Ⓤ; accommodation Ⓤ.

【類義語】柔軟性をもって，かつ進んで新しい状況などに合わせるのが **adapt**. 巧妙に計算によって調整し，機械の部品のようにぴったり合わせるのが **adjust**. なんとか曲がりなりにも適応させる感じを表す言葉が **accommodate**. 模範や規範に合わせるのが **conform**. (☞ じゅんのう)

¶ 彼はすんなりと新しい環境に*適応した He readily ⌈*adapted* [*adjusted*] *himself to* the new environment. // 彼女は何とかうまく日本での忙しい生活に*適応した She managed to *accommodate herself to* the busy life in Japan. // あなたは社会 (⇒ 世間のやり方) に*適応するよう努めるべきだ You should try to *conform to* the ways of the world.

適応機制 〚心〛 defense mechanism Ⓒ **適応症** ―名〚医〛(治療の対象となる症候) indication Ⓒ. ―形 (... に効用がある) effective against ... ¶ 《薬の説明書などで》この薬の*適応症は ... *Indications*: ... / This medicine is *effective against* .... **適応障害** 〚心〛 maladjustment Ⓤ, adjustment disorder Ⓒ **適応症候群** 〚医〛(general) adaptation syndrome Ⓒ ★ ふつうは単数形で. **適応性** adaptability Ⓤ. ¶ 彼女は新しい環境に驚くべき*適応性を示した She showed amazing *adaptability to* the new surroundings.

てきおん **適温** (中位の温度) moderate temperature /témp(ə)rətʃʊ̀ə/ Ⓤ; (適切な温度) proper temperature Ⓤ. (☞ てきど).

てきか[1] **摘花** 〚園〛 ―動 deflower ㊙. ―名 defloration /dìːflɔːréɪʃən/ Ⓤ.

てきか[2] **摘果** 〚園〛 ―動 thin out ㊙. ―名 thinning out Ⓤ.

てきがいしん **敵愾心** hostility Ⓤ, hostile /hástl/ feeling Ⓒ. (☞ てきい). ¶ *敵愾心を燃やす show *fight*

てきかく[1] **的確** ―形 (正確な) accurate /ǽkjurət/ ★ 努力・注意して正確を期すという意味がある; (ぴたりとそのとおりの) exact; (細部に渡って緻密(ちみつ)で正確な) precise. ―副 accurately; exactly; precisely. ―名 (的確さ) accuracy Ⓤ; exactness Ⓤ; precision Ⓤ. (☞ せいかく[1] (類義語)).

¶ 彼は*的確な説明をした He gave ⌈an *accurate* [a *precise*] explanation. / (⇒ 彼の説明は的確だった) His explanation was ⌈*accurate* [*precise*]. / (⇒ 的確さをもって) He explained with ⌈*accuracy* [*precision*]. / (⇒ 的確に) He explained *accurately*.

てきかく[2] **適格** ―形 (選ばれる資格がある) éligible; (ある条件に合う特定の資格を備えている) qualified. (☞ てきにん). ¶ 彼は大統領の職務に*適格である (⇒ 選ばれる資格がある) He is *eligible* for the presidency. // 彼は教師として十分*適格だと信じます I am certain that he *is well qualified* as a teacher.

てきかくたいしょくねんきん **適格退職年金** retirement annuity for qualified personnel Ⓒ.

てきがた **敵方** the ⌈enemy [opposing] side.

てきかん **敵艦** enemy ship Ⓒ.

てきき **敵機** enemy plane Ⓒ.

てきぎ **適宜** ―形(適切な) proper Ⓐ; (適当な・適した) suitable. (☞ てきせつ (類義語); てきとう). ¶ *適宜処置する take *proper* measures / (⇒ 自分の判断で) manage (a matter) *at one's discretion*

できぐあい **出来具合い** ☞ でき

てきぐん **敵軍** enemy troops ★ 複数形で.

てきごう **適合** ―動 (一致する) agree (with ...) ㊐; (調整して合うようにさせる) adapt ... to ...; (合わせる) fit ... ⌈to [for] ... ―名 agreement Ⓤ; adaptation Ⓤ; fit Ⓤ. (☞ あう[2]; てきおう). ¶ 彼は自分の案を新しい事態に*適合させた He *adapted* his plan *to* the new situation.

てきこく **敵国** hostile /hástl/ country Ⓒ, enemy Ⓒ.

できごころ **出来心** (衝動・心のはずみ) impulse Ⓤ ★ 具体的な事例は Ⓒ; (気まぐれ) whim Ⓒ. (☞ きまぐれ (類義語); しょうどう[1]). ¶ 彼は*出来心で盗みをしてしまった He committed the theft on *impulse*. / (⇒ 突然の衝動が彼を盗みに走らせた) A sudden *impulse* drove him to the theft.

できごと **出来事** (思いがけない出来事) happening Ⓒ, occurrence /əkɚ́ːrəns/ Ⓒ ★ 前者のほうが平易な語; (比較的小さい出来事) incident Ⓒ; (重要で注目に値する出来事) event Ⓒ; (挿話的な出来事) épisòde Ⓒ; (事故など偶然の出来事) accident Ⓒ. (☞ じけん (類義語)).

¶ 彼の出席は予想外の*出来事だった His attendance was an unexpected ⌈*occurrence* [*happening*]. // 旅行中に不思議な*出来事があった A strange *incident* happened during my trip. / (⇒ 不思議なことが起こった) Something strange *happened* during my trip. // 幸先のよい*出来事 an auspicious *event* // これは年間の最も重大な*出来事のうちに数えられるに違いない This must be counted among the most important *events* of the year. // 彼の学校時代には楽しい*出来事がたくさんあった His school days were full of happy *episodes*. // 目立った*出来事はいまのところ何もない Nothing noteworthy has happened so far.

―― コロケーション ――

一生に一度の出来事 a once-in-a-lifetime ⌈*event* [*happening*] / **大きな出来事** a ⌈major [big] *event* / **思いがけない出来事** (予測できない) an unpredictable *event* / **残念な出来事** a regrettable *event* / **重要な出来事** a significant *event* / **楽しい出来事** a ⌈joyous [joyful] *event* / **つらい出来事** a painful *event* / **悲惨な出来事** a disastrous *event* / **ひどい出来事** a ⌈horrible [terrible] *event* / **珍しい出来事** a rare *event* / **忘れ難い出来事** an unforgettable *event*

てきざいてきしょ **適材適所** the right man ⌈in the right place [for the right job].

テキサス ―名 ㊀ (米国の州) Texas (☞ アメリカ (表)). **テキサス人** Texan Ⓒ **テキサスヒット** Texas leaguer.

てきし **敵視** ―動 (...に敵対的である) be hostile to ... ―名 (敵意) hostility Ⓤ, enmity Ⓤ ★ 後者のほうが格式ばった語. (☞ てきい; てきたい). ¶ 彼は私を*敵視している He *is hostile to* me. / He shows ⌈*hostility* [*enmity*] toward me.

てきじ **適時** ―形 timely, opportune ★ 後者は格式ばった語.

できし **溺死** ―動 be drowned ★ 自動詞で単に drown ともいう. ―名 drowning Ⓤ. (☞ おぼれる; すいし). **溺死者** drowned person Ⓒ **溺死体** drowned body Ⓒ.

デキシーランド ☞ ディキシーランドジャズ

てきしつ **敵失** 〚野〛 ¶ *敵失による得点 points gained through an *error on the opponent's side*

てきしゃせいぞん **適者生存** the survival of

the fittest.

てきしゅ 敵手 (敵・対抗者) opponent Ⓒ; 《格式》 adversary Ⓒ; (力の拮抗した競争相手) antagonist Ⓒ; (敵の手) enemy hands ★ 複数形で. 《☞ こうてきしゅ》. ¶ *敵手に落ちる fall into *enemy hands*

てきしゅう 敵襲 attack (by the enemy) Ⓒ, enemy attack Ⓒ.

てきしゅつ 摘出 ―動 (抜き取る) extract ㊥; (取り除く) remove ㊥. ―名 extraction Ⓤ; removal Ⓤ. 《☞ ぬきとる》.

てきしょ 適所 the right place Ⓒ.

てきしょう 敵将 enemy general Ⓒ.

てきしょく 適職 (…に適した仕事) suitable work (for …) Ⓤ, fitting job (for …) Ⓒ.

てきしん 摘芯 ―動〘園〙 nip the main bud (to let the side bud grow).

てきじん 敵陣 the enemy lines ★ 複数形で.

てきず 手傷 wound Ⓒ 《☞ きず》.

できすぎ 出来過ぎ ―形 (あまりに良く出来すぎの) excessively well done; (料理が火を通しすぎの) overcooked. ―動 (今までになく良くやる) outdo *oneself*.

テキスタイル (織物) textile Ⓤ.
テキスタイルデザイン textile design Ⓒ **テキスタイルデザイナー** textile designer Ⓒ.

テキスト (教科書) textbook Ⓒ 日英比較 英語の text は「原文」「本文」という意味で, 普通は教科書の意味にはならないことに注意. ただし text が textbook の意味で用いられることもある. 《☞ きょうかしょ》. ¶ *テキストの 20 ページを開けて下さい Please open your *textbooks* to page 20.

テキストコンバーター 〘コンピューター〙 text converter Ⓒ.

テキストファイル 〘コンピューター〙 text file Ⓒ.

テキストブック textbook Ⓒ.

てきする 適する ―動 (…にふさわしい) be suitable for …; (…に[…するのに]適している) be ˹good [fit; suited] ˹for … [to *do* …]. ―形 (儀礼・道徳上適している) proper; (条件などにぴったり当てはまる) apprópriate. 《☞ てきせつ (類義語); てきとう; ふさわしい; てきにん》. ¶ この水は飲用に*適している This water *is* ˹*fit* [*good*] *to* drink. // 彼は医者になるのが一番*適している He *is* best *suited to* become a doctor. // 彼は指導者になるのに*適している (⇒ 資格がある) He *is qualified* ˹*to* become [*as*] a leader. // その時々に*適した服を着るようにしなさい Try to wear a dress ˹*proper for* [*appropriate to*; *suitable for*] the occasion.

てきせい[1] 適正 ―形 (儀礼・道徳, その他当然と思われる行為などの基準にあてはまった) proper; (正当な) right; (公正な) just; (公平な) fair; (道理にかなった・値段などが高くない・ほどよい) reasonable. 《☞ てきせつ》. ¶ 食物は*適正な量 (⇒ 適正な量の食物) をとることが望ましい It is desirable to take a ˹*proper* [*reasonable*] amount of food. // 財産の*適正な (⇒ 公正な) 配分は難しい It is difficult to make a ˹*just* [*fair*] distribution of property. // あの店は*適正価格で商売している That shop does business at the *right* price.
適正手続 〘法〙 due ˹process [course] (of law) Ⓤ.

てきせい[2] 適性 aptitude Ⓒ 《☞ そしつ》. ¶ 彼は*音楽に対する*適性がある* He has ˹musical *aptitude* [an *aptitude* for music]. **適性検査** aptitude test Ⓒ; (資格試験) qualifying examination Ⓒ.

てきせいこっか 敵性国家 enemy nation Ⓒ.

てきせつ 適切 ―形 suitable, good; apprópriate; proper; (当面の問題にぴったりの) relevant, pertinent; ádequate; (その時, またはその場に合った) timely, well-timed.

【類義語】 似つかわしくふさわしいという最も一般的な語は ***suitable***. もっと意味が広く基本的な日常語で, *suitable* の意味にも使われるのが ***good***. まさに目的・条件にかなっているのが ***appropriate***. 理性的判断による当然さを表すのが ***proper*** で, この語は社会道徳・慣習・儀礼などから見て基準にはずれていないというニュアンスがある. 以上の語は交換可能なことも多いが, *appropriate*, *proper* はやや格式ばった感じの語. ある問題に直接関連している故に妥当であることを表すのが ***relevant***, ***pertinent*** で, 後者は格式ばった語. ある目的に十分に当てはまるという適切さは ***adequate***. 時宜を得た適切さが ***timely***, ***well-timed***. 《☞ てきする》 ¶ この歌は結婚披露宴には*適切ではない This song is not ˹*suitable* [*good*; *appropriate*; *proper*] for a wedding reception. // 教師は常に学生に*適切な助言を与える心がまえが必要だ Teachers should always be ready to give ˹*pertinent* [*relevant*] advice to their students.

てきぜんじょうりく 敵前上陸 landing in the face of the enemy Ⓤ.

てきぜんとうぼう 敵前逃亡 ―動 run away from the enemy, show *one's* back to the enemy, 《軍俗》 búg óut. ―名 《軍俗》 búgoùt Ⓤ. ¶ *敵前逃亡罪に問われる be accused of *desertion in the face of the enemy*

できそこない 出来損ない ―名 (失敗作) failure Ⓒ; (人) good-for-nothing Ⓒ. ―形 (料理法がまずい) badly-cooked; (作り方の悪い) badly-made ★ 料理にも使える. ¶ このケーキは*できそこないだ This cake is a *failure*. // *できそこないの洋服 a *badly made* dress

てきたい 敵対 ―動 (…に敵意を抱く) be hostile /hástl/ to …; (…に対立する) be opposed to … ―名 hostility Ⓤ. 《☞ はんもく; てきし》. ¶ 親子が*敵対するのは悲しい It is a pity that parents and their children should *be* ˹*hostile* [*opposed*] *to* each other. **敵対行為** hostile act Ⓒ.

できだか 出来高 **1** 《収穫高》: (農作物などの) crop Ⓒ, yield Ⓒ ★ 前者のほうが一般的; (工場などの生産高) output Ⓒ, production Ⓤ 語法 前者は結果だけに注目した言い方. 後者は生産の過程もニュアンスに入っている. ¶ 今年の米の*出来高によっては (⇒ 不作なら) 食糧不足の可能性もある If this year's ˹rice *crop* [*yield* of rice] fails, there is a possibility of a food shortage.
2 《株式などの取引高》: a túrnòver ★ a を付けて.
出来高払い payment at piece rate Ⓤ.

できたて 出来立て ―形 (いまできたばかりの) just made; (できたてほやほやの) 《略式》 brand-new; (食べ物が) fresh, hot. 《☞ ほやほや; ほかほか》. ¶ *できたての (⇒ オーブンから出したばかりの) パン bread ˹*fresh* [*hot*] *from the oven* // 彼女は*できたての服を着てパーティーへ行った She wore a *brand-new* dress to the party.

てきだん 敵弾 énemy bullet /bʊ́lɪt/ Ⓒ. ¶ 彼らは*敵弾に倒れた They were ˹killed by *enemy fire* [*shot* dead *by the enemy*].

てきだんとう 擲弾筒 grenade /grənéɪd/ làuncher Ⓒ.

てきち[1] 適地 suitable land Ⓒ.

てきち[2] 敵地 enemy [enemy-occupied] ˹land [territory] Ⓤ.

できちゃったけっこん できちゃった結婚 shotgun ˹marriage [wedding] Ⓒ 《☞ ショットガンウェディング》.

てきちゅう 的中 ―動 (的に) hit the ˹mark [target]; (予言が当たる) come true; (推量が当たる) guess right. 《☞ めいちゅう; あたる》.

てきど 適度 ―形 (中位でほどよい) moderate;

(社会通念的な基準から見てそれに合っている・適切な) proper Ⓐ; (適当な) suitable. ━副 moderately; properly. 《☞ ほどよい》. ¶*適度の運動は健康に必要だ A ⌈*moderate* [*proper*; *suitable*] amount of exercise is necessary for good health.

てきとう 適当 1《適した》 ━形 (似つかわしく, ふさわしい) suitable (for ...), good (for ...) ★ suitable は最も一般的な語. good は意味の広い日常語; (ぴったり合った) fit (for ...; to *do* ...) Ⓟ, apprópriate (to ...) ★ 前者のほうが口語的; (社会通念から言ってふさわしい) proper (for ...) 語法 appropriate と交換可能なこともあるが, proper のほうが, より道徳的価値判断の意味を含むことが多い. 《☞ てきせつ (類義語); ふさわしい》.

¶この質問は子供には*適当ではない This question is not ⌈*suitable for* [*good for*] children. // この質問は学校の教科書に載せるには*適当ではありません It is not ⌈*proper* [*appropriate*] to use this question in a school textbook. // 欠員を埋めるのに*適当な人が見つからない We cannot find a *suitable* person to fill the vacant position. // (料理の) ボールを*適当なところに置いてスライスを受けるようにしなさい Be sure the bowl *is in position to* catch the slices.

2《いいかげんな》 ★ 前後関係によっていろいろな訳語が用いられる. ¶お互いに*適当にやろうよ (⇒ あまり張り切りすぎたり, 深刻になったりしないで) Let's *take it easy*. // どうか*適当な所に (⇒ 好きな所に) 座って下さい Please ⌈sit (down) [take a seat] *wherever you like*. ★ [ ] 内のほうが格式ばった表現. // *適当に答えておいた (⇒ あいまいな答えをした) I made a *vague* answer. 《☞ いいかげん》

できない 出来ない ━助 cannot (↔ can) 《過去 could not》; (短縮形) can't 《過去 couldn't》. ★ can't は cannot のくだけた言い方. ━動 (下手である・出来が悪い) be poor at ... ━形 (物覚えが悪い) slow. 《☞ できる[3]》.

¶彼は*できない (⇒ 成績の悪い) 学生だ He is a *poor* student. / (⇒ にぶい) He is a *slow* student.

出来ない相談 tall [large] order Ⓒ. ¶それは*できない相談だ (⇒ まったく不可能だ) That's ⌈quite *impossible* [(⇒ 問題外だ) *out of the question*].

てきにん 適任 ━動 (地位などに申し分ない) be perfect for ...; (...するのに向いている) be suited to ... 《☞ てきやく[1]; うってつけ》.

¶彼はその仕事に*適任だ He *is* ⌈*perfect for* [*suited to*] the job. / (⇒ ぴったりの男だ) He is the *right* man for the job.

できね 出来値 sale price Ⓒ.

できばえ 出来映え (仕上がり具合) workmanship Ⓤ 日英比較 普通は日本語の「できばえ」の持っている意味は英語では work (作品) というような名詞に含まれていると考えられるので, 特にそれを表す単語を使う必要がないことが多い. 《☞ でき》. ¶彼女の作品は見事な*できばえだ (⇒ 見事だ) Her work is marvelous. / Her work shows excellent *workmanship*. ★ 第 1 文のほうが口語的.

てきぱき (能率的に) efficiently; (すばやく・敏捷(びんしょう)に) quickly; (滑らかに速く) speedily. 《☞ びんしょう[1]》. ¶彼は*てきぱきと仕事をする He works *efficiently*. // もっと*てきぱきできないのか Can't you do things more *quickly*? // 彼女は家事を*てきぱきと片付ける She does the housework *speedily*. // 彼女の*てきぱきとした仕事ぶりには驚いた I was surprised at her *brisk, capable* way of doing things.

てきはつ 摘発 ━動 (暴露する) expose ㊀, lay ... bare; (隠されていたものを明らかにする) disclose ㊀. ━名 exposure Ⓤ; disclosure Ⓤ. 《☞ ばくろ》. ¶その政治家の悪事は*摘発された The wrongdoings of the politician *were* ⌈*exposed* [*laid bare*].

てきひ 適否 ━形 (適不適) proper or improper 《☞ てきせい[2]; てきする》. ¶まず最初にその手段の*適否を論じるべきだ First of all, we have to discuss whether the measure is *proper or improper*.

てきびしい 手厳しい (厳しい) severe; (残酷な) harsh; (辛らつな) sharp. 《☞ きびしい; しんらつ》.

¶*手厳しく批判する *severely* criticize / (⇒ 批判するときに手心を加えない) *do not pull one's punches* when *one* is criticizing ... ★ pull *one's* punches は慣用表現.

てきひょう 適評 (意見) appropriate [apt] comment Ⓒ; (批評) apt criticism Ⓤ. ¶*適評を下す make an *appropriate comment* on ...

てきふてき 適不適 ━形 (適切かどうか) proper or ⌈not [improper]; (適合しているかどうか) suitable or not. 《☞ てきひ》.

てきへい 敵兵 the enemy ★ 単数または複数扱い; enemy soldier Ⓒ.

てきほう 適法 ━形 (法にかなった) legal; (法に違反していない) lawful; (正当な) legitimate. ━名 legality Ⓤ. 《☞ ごうほう[1]》. ¶*適法行為 a *legal* act

てきマーク 適マーク mark used to show the ⌈product [building] concerned meets specific standards Ⓒ.

てきめん 覿面 ¶この薬は*てき面によく効く (⇒ 即座に痛みなどを除く) This medicine gives you ⌈*instant* [*immediate* /ɪmíːdiət/] relief. / This medicine works ⌈*instantly* [*immediately*].

できもの 出来物 (おでき) boil Ⓒ; (吹出物) eruption Ⓒ; (ただれ・はれもの) sore Ⓒ. 《☞ はれもの; しゅよう[2]》. ¶背中に*できものができた I have a *boil* on my back.

てきや 的屋 (いかさま師) impostor [imposter] Ⓒ, fake(r) Ⓒ; (ぺてん師) mountebank Ⓒ ★ 最後のものは古風.

てきやく[1] 適役 suitable [right] role Ⓒ 《☞ てきにん; はまりやく》.

てきやく[2] 適訳 (正確な訳) exact translation Ⓒ; (最も適した訳) the most appropriate translation. 《☞ ほんやく》.

てきよう[1] 適用 ━動 (...に...を当てはめる) apply ... to ... ★ 主語は「人」; (規則などが...に当てはまる) apply (to ...) ㊁ 語法 主語は「規則」など. なお前置詞は場合によって in も用いる.

━名 application Ⓤ. ━形 (適用できる) ápplicable. 《☞ あてはまる; あてはめる》.

¶この件にはその規則は*適用できない We cannot *apply* the rule ⌈*to* [*in*] this case. / The rule does not *apply* ⌈*to* [*in*] this case. / The rule is ⌈not *applicable* [*inapplicable*] ⌈*to* [*in*] this case. // *適用範囲が広い be ⌈*applicable* on a wide scale [widely *applied*]

てきよう[2] 摘要 (要約) summary Ⓒ; (概略) outline Ⓒ. 《☞ ようやく[2]; ようこう[2]》.

でぎらい 出嫌い (出無精者) stay-at-home Ⓒ.

てきりょう 適量 (適当な) suitable ⌈quantity [amount] Ⓒ, proper quantity Ⓒ ★ 後者は基準に合っているというニュアンスがある. 《☞ てきせつ (類義語); てきど》. ¶お酒を飲むときは*適量を過ごさないように (⇒ 過度に飲むな) Don't drink to excess. / (⇒ ほどよく飲むように努めよ) Try to drink *moderately*. // 次に*適量の水を加えます Then add a ⌈*suitable* [*proper*] *amount* of water. // 自分の*適量 (⇒ どのくらいが適切か) を知っているとよい You should know *how much is good for* you.

できる[1] **出来る** —助 can (↔ cannot, 短縮形 can't)《過去 could (↔ could not, 短縮形 couldn't)》. —動 be able to *do* … 語法 (1)「人」が主語で後に動詞が続く. can とほぼ同意で現在時制でも用いられるが, 未来・過去などで can の用いられない場合にはその代わりに用いられる; (…する能力・資格がある) be capable of … ★「人」も「物」も主語となる. 特定のことについての有能さなどを表す; (可能性がある) be possible (↔ be impossible) ★「事柄」が主語となる.《☞ かのう[1] (類義語)》.

¶「あなたはスキーが*できますか」「ええ, 少しなら」"*Can* you ski?" "Yes, a little." 語法 (2) Can you …? と聞かれたときの典型的な答えは Yes, I can. あるいは No, I can't. である. // 彼女はフランス語を話すことが*できる She *can* speak French. 日英比較 より口語的な日本語では「彼女はフランス語が話せる」のように言い,「できる」という表現は含まれないが, 英訳としては同じになることに注意. また「彼は英語ができる」という日本語を英訳する場合には前後関係によって,「彼は英語が話せる」He can speak English. あるいは「英語を知っている」He knows English. のように単に知識があることを言う場合と,「彼は英語が上手だ」He is good at English. のように英語が得意であることを言う場合との 2 つがあることにも注意する必要がある.《☞ できる[3]》// 私にはそんなことは*できません I *can't* do a thing like that. 語法 (3) 能力がなくてできないのかほかの理由によるのかは不明だが, 会話ではこれが最も普通. / I'*m* not *capable of* doing such a thing. ★ 能力不足を表す. / It'*s impossible for* me *to* do a thing like that. 語法 (4) 前の文とほぼ同意で, 格式ばった表現. // このエレベーターには 30 人乗ることが*できる This elevator ˹*can* carry [*is capable of* carrying] thirty people. // 私は午前 10 時の列車に乗ることが*できた I *was able to* catch the 10 a.m. train. 語法 (5) 結果として可能であった場合には could は用いないで be able to を使うのが普通. // 私は学生のころは 100 メートルを 11 秒で走ることが*できた I ˹*could* [*was able to*] run 100 meters in 11 seconds when I was in school. 語法 (6) このように過去の能力をいうときは could を用いてよい. // 彼の援助でその仕事を仕上げることが*できた I *was able to* finish the work with his help. // そんなもったいないことは私には*できません (⇒ 浪費をする余裕はない) I *can't afford* such waste.

できない相談 ☞ できない **できるだけ[限り]** as … as ˹possible [*one* can]. ¶*できるだけ早く来て下さい Please get here *as* soon *as possible*. // *できるだけやってみましょう I'll work *as* hard *as* ˹*I can* [*possible*]. / (⇒ 最善を尽くしましょう) I'll *do my best*. // 医者たちは被害者を救うために*できる限りの手をつくした Doctors ˹did *everything they could* [took *every possible* measure] to save the victim.《☞ なるべく; きょくりょく》 **できるなら(ば), できれば** if ˹(at all) possible [*one* can]《☞ なるべく》. ¶*できれば日曜日の午後にお会いしたい I'd like to meet you on Sunday afternoon *if* ˹*possible* [*I can*].

できる[2] **出来る** **1** 《作られる》: be made ★ 一般的な表現; (工場などで加工して) be manufactured; (建てられる) be built, be constructed ★ 後者のほうが格式ばった言葉.《☞ つくる (類義語)》.

¶この人形は紙で*できている This doll *is made of* paper. // このぶどう酒は最高のぶどうで*できている This wine *was made from* the finest grapes.《☞ -で[1] 9 語法》// このレースはオランダで*できたものです This lace *was* ˹*manufactured* [*made*] in Holland. // 村の端に橋が*できた A bridge *has been* ˹*built* [*constructed*] at the edge of the village. // 駅前にデパートが*できた (⇒ 開店した) A department store *has opened* in front of the station.

2 《完成する》: (仕上がる) be done, be finished, be completed ★ 第 1 番目はくだけた口語表現. 以下この順で格式ばった調子になり,「完了」の意味が強くなる; (用意が) be ready.《☞ かんせい[1]; できあがる》.

¶「もう宿題は*できましたか」「はい, *できました」"*Have* you ˹*done* [*finished*] your homework yet?" "Yes, I have." // ローストビーフが*できた The roast beef *is done*. // 新しい校舎は来年 3 月には*できるでしょう Our new school building will *be completed* next March. // 出かける用意は*できたかい *Are* you *ready* to go out? // お弁当*できてる *Is* my lunch box *ready*?

3 《生産される・育つ》: (植物が育つ・植物を栽培する) grow 自 他 ★ 自 の場合は「植物」が, 他 では「人」が主語; (生産される) be produced ★ やや格式ばった言い方.

¶この土地はぶどうがよく*できる Grapes *grow* well here. // 今年はさつまいもがよく*できた (⇒ 収穫が多かった) We had *a* good *crop of* sweet potatoes this year. // 日本ではいろいろな果物が*できる Various kinds of fruit *are* ˹*produced* [*grown*] in Japan. / Japan *produces* a large variety of fruit.

4 《組織が》: be formed, be organized 語法 前者は漠然とある組織体ができることをいう一般的な表現. 後者は前者よりも格式ばった言い方で, 規模の大小を問わず, しっかりした組織のものであることを強調するニュアンスがある; (恒常的なものとして設立される) be set up, be established ★ 後者のほうが格式ばった表現. ¶今度学校にオーケストラが*できた An orchestra *has been organized* in our school recently. // そのために委員会が*できた A committee *was* ˹*formed* [*organized*] for the purpose. // 党の大阪支部が*できた The Osaka branch of the party *has been* ˹*set up* [*established*].

5 《自然に形ができる》: (現れる) appear 自; (形成される) form 自. ¶地震のときに道に割れ目が*できた A crack *appeared* in the road during the earthquake. // 鼻の頭ににきびが*できた I *have* a pimple on the tip of my nose.

6 《生まれる》: be born; (存在するようになる) come into ˹being [existence] ★ [ ] 内のほうが格式ばった言い方; (妊娠する) become pregnant.

¶その共和国はこのようにして*できた The Republic *was born* (in) this way. / This is the way the Republic *came into being*. // 彼女は赤ちゃんが*できた She is going to *have a baby*. ★ 間もなく生まれるという意味にも使う. / She is going to *be a mother*. ★ 婉曲な表現. 普通は第 1 子の場合にのみ用いる. / She *is pregnant*. ★ 妊娠したことを直接に言う表現.

7 《起こる》: còme úp 自 ★ やや口語的.《☞ しょうじる》. ¶用事が*できて行けない Something *has come up* and I can't go.

8 《いい仲になる》: become intimate. ¶あの二人は*できている Those two are on *intimate* terms.

できる[3] **出来る** **1** 《上手だ・才能がある》 —動 (上手である) be good at … (↔ be ˹poor [no good] at …); (技術的に熟練して巧みである) be ˹skillful [《英》skilful] at …; (上手にこなす) do well in … —形 (すぐれた) excellent; (物覚えが速い) quick (↔ slow).《☞ じょうず; すぐれる》.

¶彼は英語がたいへんよく*できる He *is* very *good at* English. // 彼女は英語は*できるが数学は*できない She ˹*is good at* [*does well in*] English but (*is*) ˹*no good* [*poor*] *at* math. 語法 does well を使う場合には後半の but の次に is が必要. // 渡辺君は (勉

強が) よく*できる Watanabe is an *excellent* student. / Watanabe is a very *quick* learner. // *できる生徒と*できない生徒 *quick* students and *slow* ones
2 《人間が練れている》 — 形 (知力・思考力が十分発達し, 均整のとれた) mature and well-balanced. ¶山田氏はよく*できた人だ Mr. Yamada is a *mature and well-balanced* person. (☞ねれた)

できる[4] **出切る** ¶瓶の中身は*出切ってしまった (⇒何も残っていない) *There is nothing left* in the bottle. (☞でる)

てきれい 適例 (良い例) good example Ⓒ; (適切な例) appropriate example Ⓒ. (☞れい[1]).
¶*適例として as a *case in point*

てきれいき 適齢期 — 形 (結婚する年ごろである) old enough to get married; (結婚できる) marriageable ★特に女性に用いる. — 名 (結婚適齢期) marriageable age Ⓤ.

てぎれきん 手切れ金 consolation money Ⓤ (☞いしゃりょう).

できれば ☞できる[1] (できるなら(ば))

てきろく 摘録 résumé Ⓒ ★ ´ は綴り本来のもの, summary Ⓒ, outline Ⓒ. (☞てきよう[2]).

てぎわ 手際 — 名 (熟練) skill Ⓤ; (職人の技能・熟練) craftsmanship Ⓤ; (できばえ・仕上がり) workmanship Ⓤ. — 形 (手際のよい) skillful (《英》skilful) (↔ clumsy).
¶彼は*手際よく仕事を片付けた He performed the work with great *skill*. // この作品は*手際がよい [悪い] This work is done ˹*skillfully* [*clumsily*]. / This shows ˹good [bad] *workmanship*.

できわ 出際 ☞でしな

てきん 手金 (手付け金) earnest (money) Ⓤ; (頭金) depósit Ⓒ. (☞てつけ).

でく 木偶 (木彫りの人形) wooden ˹figure [doll] Ⓒ; (繰り人形) dummy Ⓒ, puppet Ⓒ ★比喩的にも用いる; (役立たずの人・でくのぼう) good-for-nothing Ⓒ. (☞でくのぼう).

テクシー ¶*テクシーで (⇒歩いて) 行く foot it / (⇒てくてく歩いて行く) ride [go] on shanks' ˹mare [《英》pony]

テグシガルパ — 名 固 Tegucigalpa /təgùːsəgǽlpɑː/ ★ホンジュラスの首都.

てぐす (釣り糸用の) (fishing) gut Ⓤ.

テクスタイル ☞テキスタイル

テクスチャー (織り方・生地・質感) texture Ⓤ.

テクスト ☞テキスト

てぐすね てぐすね(を)引く ¶私たちは彼が帰ってくるのを*てぐすね引いて待っている (⇒十分に用意して) We *are quite prepared* for his return.

てくせ 手癖 — 形 (手癖の悪い) 《略式》light-fingered. — 名 〘医〙(盗癖のある人) kleptomaniac /klèptəméɪniæ̀k/ Ⓒ.
手癖が悪い ¶あいつは*手癖が悪い (⇒盗癖がある) He *is light-fingered*.

でぐせ 出癖 (外出する習慣) habit of going out. ¶彼女に*出癖がついてしまった She's got the *habit of going out*.

てくだ 手管 trick Ⓒ, wiles ★後者は通例複数形で, 格式ばった語. (☞てれんてくだ).

てぐち 手口 (方法) method Ⓒ; (技術) techníque Ⓒ; (仕事・犯罪などのやりかた) módus òperándi Ⓒ (複 modi —), (略 MO). (☞やりかた). ¶この犯罪の*手口は素人(しろうと)っぽい The *method* used in this crime is amateurish. // これは彼のいつもの*手口だ (⇒彼はいつもこんな風にやる) He always *does things* like this.

でぐち 出口 way out Ⓒ, exit Ⓒ ★前者のほうが口語的. 掲示などには《英》では前者が, 《米》では後者が普通; (水などのはけ口) outlet Ⓒ.

《米》の掲示

《英》の掲示

¶*出口はあちらです The ˹*exit* [*way out*] is there. / (⇒ドアはあそこにある) The *door* is over there. // *出口を教えて下さい Can you please show me the *way out*? // このベランダには雨水の*出口がない There is no *outlet* for rainwater on this balcony. **出口調査** éxit pòll Ⓒ.

てくてく ¶私は隣町から*てくてくと (⇒全行程を) 歩いてきました I *have walked all the way* here from the next town. (☞擬声・擬態語 (囲み))

テクトニクス (構造地質学) tectónics Ⓤ.

テクニカラー 〘映〙Technicolor Ⓤ ★色彩映画方式の一種. 商標.

テクニカル — 形 (工業技術関係の) technical. テクニカルスキル (専門的技術) technical skill Ⓤ テクニカルスクール (中等実業学校) technical school Ⓒ テクニカルターム (術語) technical term Ⓒ テクニカルディレクター technical director Ⓒ テクニカルノックアウト (ボクシングの) technical knockout Ⓒ テクニカルメリット (フィギュアスケートの) technical merit Ⓤ テクニカルライター technical writer Ⓒ ★テクニカルライティングの専門家. テクニカルライティング (工業技術関係の文書(作成)) technical writing Ⓤ.

テクニシャン (技巧家) techníciàn Ⓒ 日英比較 英語では「技術者」「専門家」の意味で用いることも多い.

テクニック (技術) technique /tekníːk/ Ⓤ ★個々の技法の意味では Ⓒ. 日英比較 英語の technique は普通専門技術を表すので, 軽い意味では他の語で英訳したほうがよい場合がある; (特殊な技能) skill Ⓒ; (こつ) knack ★通例単数形で用いる. (☞ぎじゅつ; わざ; こつ). ¶そのドアは開けるのに*テクニックがいる (⇒こつがある) There is *a knack* in opening that door.

テクノ — 名 (電子楽器によるテクノ音楽) téchno Ⓤ. — 接頭 (技術・工芸・応用の意) techno-.

テクノアート (コンピューターなどの技術を用いる芸術) techno-art Ⓤ.

テクノカット technocut Ⓒ ★もみ上げを斜めに短くカットする髪型.

テクノクラート (技術官僚) téchnocràt Ⓒ.

テクノクラシー (技術主義) technócracy Ⓤ.

テクノサウンド techno sound Ⓒ (☞テクノ).

テクノストレス (コンピューターなどを扱うことから来るストレス) technostress Ⓤ.

テクノそざい テクノ素材 technology [chemical; High Tech] fabric Ⓤ ★化学繊維を用いた素材の総称.

でくのぼう でくの坊 (役に立たない人) good-for-nothing (person) Ⓒ; (かかし的な人間) dummy Ⓒ.

テクノポップ 〘楽〙technopop Ⓤ (☞テクノ).

テクノポリス (高度技術集積都市) technópolis Ⓒ.

テクノライター téchno-writer Ⓒ.

テクノロジー technólogy Ⓤ (☞ぎじゅつ (類義語)). テクノロジーギャップ (技術格差) technology gap Ⓒ.

デクパージュ (紙の切り抜きで作る貼り絵(の技法))

decoupage /dèɪku:pá:ʒ/ [U].

てくばり 手配り (人員配置などの準備) disposition [C]; (手はず) arrangements ★ 通例複数形で. (☞ てはい; てはず).

てくび 手首 wrist [C] (☞ て; うで (挿絵)).

てくらがり 手暗がり ¶ *手暗がりになっている (⇒ スタンドが書きものをしている場所に手の影を落としている) The desk lamp *is casting the shadow of* my *hand* right where I am writing.

てぐるま 手車 (小型の手押し車) handcart [C]; (二輪の) handbarrow [C]; (一輪の) wheelbarrow [C]; (昔の) two-wheeled covered wagon pulled by men [C] ★ 昔宮中で皇族, 大臣などに許された手引きの車. 輦(れん)車とも言う.

デクレッシェンド 〚楽〛 ― [名] decrescendo /dì:krəʃéndoʊ/ [C] (↔ crescendo) ★ 次第に弱く演奏する[歌う]部分. ― [形] [副] (次第に弱い[弱く]) decrescendo.

でくわす 出くわす (物事・事件などにばったり出くわす) come ˹across [upon] …; (人にばったり行き合う) run [bump] into … (☞ あう¹; であう). ¶ 街角で彼とばったり*出くわした I ˹*ran* [*bumped*] *into* him on the corner.

でげいこ 出稽古 ― [動] (先生が行く) go to a pupil's house to give lessons. ¶ 三味線の*出稽古をしてくださいますか (⇒ 来てくれますか) Could you *come over to my house to give* samisen *lessons*?

てこ 梃 lever [C]. ¶ *てこの原理を使えばうまくいくよ Use the principles of the *lever* and it will work. てこでも動かない ¶ 彼は何と言おうが*てこでも動かない (⇒ 1 インチも動こうとしない) Whatever we may say to him, he wo*n't budge an inch*.

デコイ (狩猟用の模型の鳥) decoy /dí:kɔɪ/ [C].

てこいれ 梃入れ ― [動] (支柱で支える) shóre [próp] úp (他). ¶ その会社は政府の*てこ入れが必要だ The company needs ˹*shoring* [*propping*] *up* by the Government.

でごうし 出格子 projecting lattice /lǽtɪs/ [C], latticed bay window [C].

デコーダー (解読器) decoder /dɪkóʊdə/ [C].

デコーディング 〚コンピューター〛 (復号) decoding [U] (↔ encoding) (☞ デコード).

デコード ― [動] (記号化されたデータを復元・解読する) decóde (他).

てごころ 手心 (考慮) consideration [U]; (斟酌(しんしゃく)) allowance [U] ★ または複数形で. (☞ てかげん; しんしゃく).
¶ あの人は年なんだから*手心を加えたほうがよい (⇒ あの人の年を考慮に入れるべきだ) You should take his old age into ˹*consideration* [*account*]. / You should make *allowance(s)* for his old age. // あの役人は特定の業者に*手心を加えている (⇒ 便宜をはかっている) That official *favors* a specific dealer. // 彼女は決して*手心を加えない She never *pulls her punches*. ★ pull *one's* punches で「(批判などで) 手心を加える」の意. 通例否定文で.

てこずる (…の扱いに困る) have trouble with …; (苦労する) have a hard time ★ 前者より口語的; (どうしてよいかわからない) do not know what to do with … (☞ もてあます).
¶ うちの子供には*てこずってしまう I *don't know what to do with* my children. // この問題はさすがの彼をも*てこずらせた This problem *gave trouble* even *to* him. // この問題は難しくて (⇒ この難しい問題には) *てこずった I *had trouble with* this difficult problem. / I *had a hard time* solving this difficult problem.

てごたえ 手答え, 手応え ― [名] (反応) response [C]; (効果) effect [C]. ― [形] (手ごたえのある) responsive. (☞ はんのう¹).
¶ 今年の学生たちは*手ごたえがある The students this year are *responsive*. // あいつは何を言っても*手ごたえのないやつだ (⇒ 私の言うことは皆, 頭の上を素通りする) Everything I say just *goes over his head*. // きょうの私の演説は*手ごたえがあった I feel my speech today *had an effect on* the audience.

デコパージュ ☞ デクパージュ

でこぼこ 凸凹 ― [形] (道路がでこぼこで車ががたがたするような) bumpy; (平らでない) uneven; (滑らかでない) rough; (ごつごつした) rugged /rʌ́gɪd/. ― [名] (不平等な点) inequality [C]. (☞ おうとつ; きふく¹; ごつごつ). ¶ *でこぼこな道路 a *bumpy* road // 私たちは*でこぼこな山道をたどった We followed a ˹*rough* [*rugged*] path up the mountain. // 給与の*でこぼこをならす必要がある We are required to smooth out any *inequalities* in pay.

てごま 手駒 ☞ もちごま

てごめ 手込め ― [名] (強姦) rape [U] ★ 具体的事例を指す場合は [C]. ― [動] (強姦する) rape (他).

でこもの 出庫物 goods for a clearance sale ★ 複数形で.

デコラ Decola ★ メラミン樹脂を表面に張った合板の日本の商標名. ¶ *デコラのテーブル a table *with a melamine laminate* ★ 説明的な訳.

デコラティブアート decorative art [U].

デコラティブペインティング decorative painting [U] ★ 家具, 日用品に装飾用の絵を描くこと.

デコルテ 〚服〛 (襟の大きく開いた正装用ドレス) (robe) décolletée /deɪkɑ̀lətéɪ/ [C] ★ décolletée の ´ は綴り本来のもの. (☞ イブニングドレス).

デコレーション (装飾) decoration [U].
デコレーションケーキ [語 法] 英語では場合に応じて, wedding cake, birthday cake, Valentine cake などと言うのが普通. 飾りつけのついたケーキという意味なら decorated cake という言い方はするが, decoration cake という英語はない.

デコレーター (装飾家) décoràtor [C].

てごろ 手頃 ― [形] (ほぼ適切な) just about right ★ 口語的; (値段が) reasonable, fair; (使いやすい) handy; (便利な・都合のいい) convenient. (☞ てがる). ¶ 値段は*手ごろだった The price was ˹*just about right* [*reasonable*; *fair*]. // このかばんは持ち運びに*手ごろだ This bag is *handy* (to carry).

てごわい 手強い ― [形] (なかなかへこたれない) tough; (頑強な) stubborn; (恐るべき) formidable ★ 格式ばった語. ¶ あいつは*手ごわいやつだ He is a *tough* customer. ★ customer は口語で「やつ」の意. 前に修飾語を付けて用いる. / (⇒ 扱いにくい) He's *hard to deal with*. // 今度の相手は*手ごわいぞ (⇒ 粘り強い戦いをするだろう) Our next opponent will *put up a stiff fight*.

テコンドー (跆拳道) tae kwon do /táɪkwɑ̀ndóʊ/ [U] ★ 朝鮮の格闘技.

デザート dessert /dɪzə́:t/ [U]. ¶ *デザートは何になさいますか What would you like for *dessert*?

てざいく 手細工 (手仕事) handiwork [U]; (手工芸品) handicrafts ★ 通例複数形で. ¶ *手細工の小物入れ a *handmade* accessory case

デザイナー designer [C]. ¶ 服飾[工業]*デザイナー a fashion [an industrial] *designer*

デザイナーブランド ― [名] designer ˹brand [label] [C]. ― [形] designer.

デザイナーベビー designer baby [C] ★ 遺伝子操作され, 丈夫で知能の高い子供.

デザイン ― [名] design [C]. ― [動] design (他). (☞ がら¹; せっけい¹). ¶ 彼女は若い女性用の服を*デ

ザインしている She *designs* dresses for young women. // このじゅうたんは彼女の*デザインによるものです This carpet *was designed* by her. **デザインホテル** design hotel Ⓒ ★ インテリア等が洗練され AV 機器なども備えたホテル. **デザイン料** design fee Ⓒ.

でさかり 出盛り (季節) season Ⓒ; (混雑) the peak of congestion. 《☞ しゅん¹》. ¶ *出盛りのいちご strawberries *in season* // 人の*出盛りの昼ごろ around noon when the place is ⌈*most crowded* [*at the peak of congestion*]

でさかる 出盛る (果物などが旬である) be in season; (人出が多い) be crowded.

てさき 手先 **1** 《手の先》: (指) finger Ⓒ; (手) hand Ⓒ. ¶ 彼は*手先が器用だ He is ⌈good [deft] with his ⌈*fingers* [*hands*]. // 彼は*手先が不器用だ He is clumsy with his *hands*. / He is all thumbs. ★ 慣用表現.
2 《手下》: (代理人・出先) agent Ⓒ; (道具に使われる者) tool Ⓒ. ¶ 彼は暴力団の*手先だ He is an *agent* of an underworld group. // 私はあいつの*手先に使われた He used me as a *tool*.

でさき 出先 ── 名 (自宅外の所) place outside *one's* home Ⓒ; (これから行く所) (place) where *one* is going ★ 現在いる所なら where *one* is.
¶ いま*出先から電話をかけているのですが I'm calling from *outside*. // 出かけるときには*出先を (⇒ どこへ行くのかを) 言って行きなさい When going out, be sure to tell us *where you're going*. **出先機関** local [overseas] agency (of the government) Ⓒ ★ [ ] 内は海外にある場合, regional office (of the government) Ⓒ. ¶ 官庁の*出先機関 a ⌈*local agency* [*branch office*] of the government

てさぎょう 手作業 (機械に対して) handwork Ⓤ. ¶ *手作業の仕事 work *done by hand*

てさぐり 手探り ── 動 (あちこちやたらと手探りで捜す) grope (for ...) 自; (手探りで進む) grope *one's* way; (手で触りながら捜す) feel (for ...) 自; (もぞもぞと手探りで捜す) fumble (for ...) 自. 《☞ さぐる; さがす》.
¶ 私たちは暗闇の中を*手探りで進んだ We *groped our way* ⌈through [in] the dark. // 彼は*手探りでマッチを取り出した He *fumbled around* and took out a box of matches. // 仕事はまだ*手探りの段階です (⇒ 仕事をする最良の方法を捜している) We *are* still *groping for* the best way to do the job.

てさげ 手提げ bag Ⓒ 《☞ かばん; ふくろ¹》. ¶ 少女は*手さげに本を入れていた The girl carried a book in her *bag*. **手さげかばん** (一般に手で持ち運ぶかばん) hand-carried bag Ⓒ, bag with a handle Ⓒ; (書類用の) briefcase Ⓒ, attaché /ætəʃéɪ/ case Ⓒ ★ attaché の ´ は綴り本来のもの; (比較的大型の) 《米》 carryall Ⓒ, 《英》 holdall Ⓒ; (トートバッグ) 《米》 tote bag Ⓒ **手さげ金庫** portable safe Ⓒ, portable cashbox Ⓒ.

てざし 手差し ── 名 (プリンター・コピー機などで) manual (paper) feed Ⓤ. ── 動 feed ... manually.

てさばき 手捌き the way *one* handles .... ¶ 交通巡査の*手さばき (⇒ 巡査が交通を統制するやり方) はすばらしかった *The way* the policeman *controlled* the traffic was wonderful. // 観衆は手品師の*手さばきに見とれていた The audience ⌈was [were] absorbed in watching the magician *perform* his tricks.

てざわり 手触り ── 名 (触った感じ) feel Ⓤ, touch Ⓤ. ── 動 (手触りが...だ) feel 自 ★「物」が主語. 《☞ かんじ¹; はだざわり》.
¶ この布は*手触りがよい[悪い] (⇒ 柔かい[粗い]) This cloth is ⌈soft [rough]. / <S (物) +V (*feel*) +C (形)> This cloth *feels* ⌈soft [rough]. // この紙は絹のような*手触りだ This paper *feels* like silk. / This paper has a silky ⌈*touch* [*feel*].

でし 弟子 pupil Ⓒ ★ この語は通例小学生を指すが, 芸術家などの個人的な教え子という意味では年齢に関係なく使う; (高校・大学の学生) student Ⓒ; (特にある先生または学説についての) disciple /dɪsáɪpl/ Ⓒ ★ 多少文語的; (仕事・技術を習得するための徒弟) apprentice Ⓒ. ¶ 彼は田中教授のまな*弟子だ He is a favorite *student* of Professor Tanaka. // あの音楽巨匠は*弟子を取らない That maestro does not take private *pupils*.
弟子入り ¶ 彼は大工に*弟子入りした He *became an apprentice* to a carpenter. 《☞ にゅうもん》

デシ- ── 接頭 deci- /désə/ ★「10 分の 1」を表わす. 《☞ デシベル; デシメートル; デシリットル》.

てしお 手塩 **手塩にかける** ¶ 彼女は*手塩にかけた (⇒ 愛情をもって育てた) 子供に見捨てられた She was forsaken by her child, whom she *had brought up with affection*. **手塩皿** small plate Ⓒ.

デジカメ ☞ デジタル (デジタルカメラ)

デシケーター (乾燥器) désiccàtor Ⓒ.

てしごと 手仕事 handwork Ⓤ 《☞ てさぎょう》.

デシジョンメーキング ── 名 (意志決定) decision making Ⓤ. ── 形 (意志決定の) decision-making.

てした 手下 (部下) subordinate Ⓒ, *one's* staff (members) ★ 前者のほうが格式ばった語. 後者は集合的. 《☞ ぶか》.

デジタイザー 〘コンピューター〙 (アナログ数量を数値化する入力装置) dígitìzer Ⓒ.

デジタイズ ── 動 (デジタル化する) dígitìze 他. ── 名 digitization Ⓤ.

デジタル ── 形 digital /díʤətl/ 《☞ アナログ》.
デジタルアーカイブ digital archive Ⓒ **デジタルウォッチ** digital watch Ⓒ 《☞ とけい (挿絵)》 **デジタルオーディオディスク** digital audiodisk Ⓒ 《略 DAD》 **デジタルオーディオテープ** digital audio tape Ⓒ 《略 DAT》 **デジタル回路** 〘電〙 digital circuit Ⓒ **デジタル革命** digital revolution Ⓒ **デジタル加入者線** 〘通〙 digital subscriber line Ⓒ 《略 DSL》 **デジタルカメラ** digital camera Ⓒ **デジタル計算機** digital (pocket) calculator Ⓒ **デジタルコンピューター** digital computer Ⓒ **デジタル信号** digital signal Ⓒ **デジタル通信** digital communications **デジタルデ(ィ)バイド** (the) digital divide Ⓒ **デジタル時計** digital ⌈watch [clock] Ⓒ **デジタルネットワーク** digital network Ⓒ ★ デジタル技術で統合された双方向通信システム. **デジタルハイビジョン放送** digital high definition television broadcasting Ⓤ **デジタルビデオカメラ** digital video camera Ⓒ **デジタル表示** digital display Ⓤ **デジタル放送** digital broadcasting Ⓤ **デジタルマップ** digital map Ⓒ **デジタル録音** digital recording Ⓤ.

てじな 手品 ── 名 conjuring [magic] trick Ⓒ; (魔法) magic Ⓤ. ── 動 (手品をする・手品を使って...を出す) conjure 自 他.
¶ 彼は*手品がうまい He is good at *conjuring* (*tricks*). // さて, ではこれから*手品をご覧に入れましょう Now, I'm going to ⌈perform [show you] some *magic*. // 彼は*手品でポケットからはとを出してみせた He *conjured* a pigeon out of his pocket.
手品師 magician Ⓒ, conjurer Ⓒ 〔語法〕 前者には元来は魔法使いの意味があるが, 手品師の意味に使うことが多い.

でしな 出しな ¶ *出しなに (⇒ ちょうど出かけようとした時に) 電話がかかってきた I got a phone call *just as I was going out*.

デシベル 〘物理〙decibel Ⓒ《略 dB, db》.

でじま 出島 ―名 固 Dejima; (説明的には) the artificial island in the bay of Nagasaki where the Dutch traders resided in the Edo period.

てじまい 手仕舞い ―動 (帳尻を合わせる) even (up) accounts; (負債などを処理して) liquidate 他. ―名 evening up Ⓤ; liquidation Ⓤ.

デシマル ―形 (十進法の) decimal. 《☞ じゅっしんほう》. **デシマルポイント** (小数点) decimal point Ⓒ.

てじめ 手締め traditional [ceremonial] handclapping Ⓤ. ¶ *手締めで終わりにしよう Let's close with *handclapping*.

デシメートル décimèter Ⓒ《略 dm》.

デジャビュ, デジャブ 〘心〙(既視感) déjà vu /dèɪʒɑ:v(j)ú:/ Ⓤ ★ déjà の ´ および ` はいずれも綴り本来のもの.

てじゃく 手酌 ―動 (手酌で酒を飲む) help *oneself* to sake 《☞ しゃく[2]》.

でしゃばり 出しゃばり ―名 (おせっかいな人) meddler Ⓒ, busybody Ⓒ ★ いずれも軽蔑的に用いる; 《格式》interloper /ínt*ə*lòup*ə*/ Ⓒ; (でしゃばりな態度・行為) forwardness Ⓤ. ―形 (でしゃばりな) forward. 《☞ おせっかい (類義語); くちだし》. ¶ 彼は*でしゃばりだ He is too *forward*. / He is a *busybody*.

でしゃばる 出しゃばる ―動 (好奇心からおせっかいをやく) 《略式》poke *one's* nose ⌜in [into] ...; (立ち入る) intrude 自. 《☞ おせっかい (類義語); くちだし; かんしょう》. ¶ 用もない所に*でしゃばるな Don't *intrude* where you have no business. // *でしゃばらなきゃよかった I shouldn't *have poked my nose in* that.

てじゅん 手順 (段取り・手はず) arrangements ★ 通例複数形で; (作るときの工程) process Ⓒ; (物事の進行の順序) procedure Ⓒ; (ある目的に達するまでの段階) step Ⓒ. 《☞ じゅんじょ; てはず》. ¶ 彼は仕事の*手順が悪い His work *is* badly ⌜*arranged* [*planned*]. // 車を組み立てる*手順は次のとおりだ The *procedure* for assembling a car is as follows. // 次の*手順に従って仕事をしなさい Follow these *steps* when doing the work.

てじょう 手錠 ―名 handcuffs, 《略式》cuffs ★ いずれも通例複数形で. ―動 (手錠をかける) handcuff 他. ¶ 警官はすりに*手錠をかけた The policeman ⌜put *handcuffs* on [*handcuffed*] the pickpocket. // 彼は*手錠をかけたまま脱獄した He broke out of prison with *handcuffs* on. // 彼は*手錠をかけられていた He was in *handcuffs*.

-でしょう 日英比較 日本語の「…でしょう」はおおむね推量を表し, 英語では will を用いて表すことができる場合が多い. しかしまた, 「…でしょう」は内容からいえば「…と思う」という感じのこともある. そのような場合には think, guess, hope, be afraid など, 「思う」に当たるいろいろな英語の表現をあてることができる. また日本語の「-でしょう」は日本語独特の消極的表現であって, 特に訳さなくてもよい場合もある. ((例) それでいいでしょう That's good.). 《☞ おそらく (類義語); 日本語の消極的表現 (巻末); -だろう; おもう》. 確認の用法については ☞ -じゃないですか; -だろう (最後の用例); -です (最後の用例)

デシリットル deciliter (《英》decilitre) /désəlì:tə/ Ⓒ《略 dl》.

でじろ 出城 óuter cítadel Ⓒ.

デシン (クレープデシン) crêpe de Chine /kréɪpdəʃí:n/ Ⓤ ★ 柔らかい薄地の絹の織物.

てしんごう 手信号 hand signal Ⓒ.

-です be 日英比較 日本語で「…です」とあるのがすべて英語で be 動詞になるとは限らない点に注意. ((例) 私は卵はきらい*です I don't like eggs. // 「ご注文は」「私はコーヒー*です」"May I ⌜have [take] your order, please?" "Coffee, please.") また, 日本語では「…です」とあっても, 英語では過去形を用いなくてはならない場合もある. 《☞ -である; -だ》.
¶ 彼は歯科医*です He *is* a dentist. // あしたは日曜*です Tomorrow ⌜will *be* [*is*] Sunday. // 教員室は2階*です The teachers' room *is* on the second floor. // 彼に会ったのはロンドン*です It *was* in London that I met him. // 「あなたが花瓶を割ったの*ですね」「そう*です」"You broke the vase, didn't you?" "Yes, I *did*."

てすう 手数 ―名 (面倒・やっかい) trouble Ⓤ. ―動 (面倒をかける) trouble 他. 《☞ めんどう》. ¶ それを見つけるのに*手数はかからなかった I had no *trouble* (in) finding it. // お*手数ですが (⇒ 面倒をかけてすみませんが) この手紙をタイプしてくれませんか I am sorry to *trouble* you, but will you type this letter? / May I *trouble* you to type this letter? // 子供たちのためにお*手数をかけて申し訳ありません (⇒ あなたが子供たちのために引き受けなければならなかった面倒に対して申し訳なく思っています) I am sorry for the *trouble* you had to take for my children. // そんなにお*手数をおかけしたくありません I don't like to ⌜give you [put you to] so much *trouble*. // この複写機は大いに*手数を省いてくれる This duplicator saves us a lot of *trouble*.

てすうりょう 手数料 (口銭) commission Ⓤ; (専門的職業の人に対する報酬) fee Ⓒ; (料金) charge Ⓒ. 《☞ しゃれい》. ¶ 私は彼に 10 パーセントの*手数料を払った I paid him ten percent *commission*.

てずから 手ずから (自分の手で) with *one's* own hand(s); (自分自身で) *oneself*; (自分から直々に) in person. 《☞ みずから》.

ですから ☞ だから

てすき[1] 手すき ¶ それは*手すきの (⇒ 暇な) ときにやればよい You may do it ⌜at your *leisure* [when you have *time*]. // お*手すきでしたらこの仕事を手伝って下さい (⇒ 暇だったら) If you ⌜are *free* [(⇒ 特にやることがなければ) *have nothing* (*in*) *particular to do*], please help me with this work. 《☞ ひま》

てすき[2] 手漉き ¶ *手漉きの和紙 *handmade* Japanese paper

でずぎ 出過ぎ (度を超えて出ること) protrusion Ⓤ; (でしゃばり) forwardness Ⓤ.

でずき 出好き (外出好きの人) gádabòut Ⓒ ★ 通例悪い意味で. 普通には次の用例のようにいう. ¶ 彼女の母親は*出好きだ (⇒ 外出を好む) Her mother *is fond of going out*.

ですぎる 出過ぎる ¶ *出過ぎたことはするな (⇒ でしゃばるな) Don't *be too forward*. / (⇒ 自分のことだけを気にしていろ) Mind your own business! 《☞ でしゃばる; さしでがましい》

デスク (机) desk Ⓒ; (新聞社の編集部) 《米》the desk ★ the を付けて. 《☞ つくえ》. ¶ 東西新聞の社会部の*デスク *the* local news *desk* of the *Tozai Shimbun*

デスクトップ ―名 (卓上型コンピューター) désktòp compúter Ⓒ; 〘コンピューター〙(グラフィック環境の) desktop Ⓒ ★ 画面上に実現された, ごみ箱, 書類ばさみなどを始めとする事務机周辺の環境. ―形 (卓上型の) desktop.
デスクトップコンピューター désktop compúter Ⓒ
デスクトップパソコン désktop pérsonal compùter Ⓒ
デスクトップパブリッシング (パソコンを用いて行う出版方式) désktop públishing Ⓤ《略 DTP》 **デスクトップビデオ** desktop video Ⓤ《略 DTV》.

デスクプラン (机上の空論) páper plàn Ⓒ; (非現

実的な計画) únrealìstic plán Ⓒ.
デスクワーク desk work Ⓤ.
てすさび 手遊び (暇つぶしの娯楽) pastime Ⓒ.
てすじ 手筋 ¶*手筋のいい (⇒ 才能のある) 子 a *talented* child // 《将棋・チェスなどで》相手の*手筋を読む read [see] an opponent's *move* (☞ さいのう¹)
テスター (電圧・電流などを調べる機械) multimeter /mʌltímətə/ Ⓒ ★ 商標名; (検流計) gàlvanómeter Ⓒ.
ですたい です体 ☞ ですますたい
テスタメント (聖書) the Testament (☞ せいしょ¹).
でずっぱり 出突っ張り ¶彼はその芝居に*出突っ張りだ (⇒ すべての幕[場面]に出ている) He *is in every* ˹*act* [*scene*] in that play.
テスティング testing Ⓤ.
テスト —名 (学校などの試験・性能などのテスト) test Ⓒ ★ 一般的な語; (試運転) trial (run) Ⓒ; (学校の試験)《略式》exam Ⓒ, examination Ⓒ; (短いテスト) quiz Ⓒ. —動 test ㊕. (☞ しけん¹ (類義語); けんさ (類義語)). ¶彼は物理の*テストを受けた[に通った] He ˹took [passed] ˹a *test* [an *exam*] in physics. // きょうは歴史の小*テストがあった We had a ˹small *test* in history [history *quiz*] today. // 運転手はエンジンの*テストをした The driver *tested* the engine. / The driver gave the engine a *trial run*. // 客観*テスト an objective *test*
テストキャンペーン test campaign Ⓒ テストケース test case Ⓒ テストパイロット test pilot Ⓒ テストパターン test pattern Ⓒ テストマッチ《英》(ラグビー・クリケットなどの) test match Ⓒ.

> **—コロケーション—**
> テストに落ちる fail ˹a *test* [an *exam*] / テストの監督をする proctor [supervise] ˹a *test* [an *exam*] / テストの採点をする mark a *test* / テストをする give ˹a *test* [an *exam*] / テストを作る make up [prepare] ˹a *test* [an *exam*] // テストのできがよい[悪い] do [do not do] well on a *test* // 完成(法)テスト a completion *test* / 空所補充テスト a cloze *test* / クラス分けテスト a placement ˹*test* [*exam*] / 主観テスト a subjective *test* / 多肢選択テスト a multiple-choice ˹*test* [*exam*] / まるばつテスト a ˹true-false [true-and-false] ˹*test* [*exam*] / (教科書など)持ち込み可のテスト an open-book *exam* / 論述式テスト an essay *exam*
> (☞ しけん¹ (コロケーション))

テストステロン 〔生化〕 testosterone /testástəròun/ Ⓤ ★ 男性ホルモンの一種.
デストロイヤー (破壊者・駆逐艦) destroyer Ⓒ.
デスマスク death mask Ⓒ.
ですますたい ですます体 (敬体) the polite form; (説明的には) the style in which each sentence ends with a *desu*/*masu* verb.
デスマッチ (プロレスの) death match Ⓒ; (勝負がつくまで闘うこと) fight to the finish Ⓒ; (命懸けの争い) life-and-death battle Ⓒ.
てすり 手摺り (横木の部分) handrail Ⓒ ★ エスカレーターなどの手すりも言う; (一連の縦の棒に横木を取り付けたもの全体) bánisters, bálustràde Ⓒ ★ 前者はしばしば複数形で. (☞ かいだん¹ (挿絵)). ¶*手すりにつかまりなさい Hold on to the *handrail*.
手摺り舞台 (人形浄瑠璃の) *tesuri*-screened stage Ⓒ; (説明的には) stage with a screen to hide the lower bodies of puppet operators Ⓒ.
てずり 手刷り —名 hand printing Ⓤ. —形 hand printed, printed by hand.
てずれ 手擦れ —動 (手が触れてすりへる) be worn by handling.
てせい 手製 —形 (手作りの) handmade; (自家製の) homemade; (手で織った・手で編んだ) handknit. (☞ てづくり).
¶このテーブルは*手製です This is a ˹*handmade* [*homemade*] table. 語法 handmade は機械で作ったのではないことを, homemade は市販のものを買ったのではないことを意味する. // この服はあなたの*手製ですか (⇒ あなたはこの服を自分自身で作ったのか) Did you *make* this dress (*by*) *yourself*?
てぜい 手勢 (手下の軍勢) *one's* staff (members).
てぜま 手狭 —形 (小さい) small; (限られた) confined. (☞ せまい 日英比較; きゅうくつ). ¶5人家族にはこの家は*手狭だ (⇒ 小さすぎる) This house is too *small* for a family of five.
てそう 手相 the lines ˹of [on] the ˹hand [palm]. ¶あなたは*手相がよい[悪い] (⇒ 運のよい[悪い]手相を持っている) You have ˹lucky [unlucky] *lines on your* ˹*hand* [*palm*]. // 私は*手相を見る (⇒ 手相で運を占う) ことができる I can ˹tell [read] your fortune by *the lines* ˹*of* [*on*] *your* ˹*hand* [*palm*].
手相占い palmistry /pá:mɪstri/ Ⓤ 手相学 chirognomy /kaɪrágnəmi/ Ⓤ 手相見 palmist /pá:mɪst/ Ⓒ. ¶私は*手相見に手相を見てもらった I had my palm ˹read [examined] by a *palmist*.
てぞめ 手染め —名 hand(-)dyeing Ⓤ. —形 hand(-)dyed.
でぞめしき 出初め式 the New Year demonstration by fire brigades.
でそろう 出揃う —動 (みな出席している) be all present; (花が咲きそろう) be all out. ¶関係者は一同*出そろった (⇒ 全員出席している) *All* the persons concerned *are* ˹*present* [*here*]. // もう桜が*出そろってもよいころだ It is about time the cherry trees *were in full bloom*.
てだい 手代 (商家の使用人) salesclerk Ⓒ; (主人の代理人)《英》shop assistant Ⓒ.
でたがり 出たがり —形 (目立ちたがる) eager to ˹seek [attract] attention; (前面に出たがる) eager to thrust *oneself* to the fore. ¶有名人というものは*出たがり屋だ Celebrities are ˹*eager to thrust themselves to the fore* [*attention-seekers*].
てだし 手出し —動 (関係する・加わる) have a hand in ...; (関与する) concern *oneself* with ...; (干渉する) meddle in ..., interfere in ...; (おもしろ半分に手を出す) dabble in ... (☞ かんよ; かんしょう¹; しかける). ¶彼はその計画に*手出しをしなかった (⇒ 関係しなかった) He didn't *have a hand in* the scheme. / He didn't *concern himself with* the scheme. // 彼は株に*手出しをしたことを後悔している He regrets *having dabbled in* stocks.
でだし 出だし —名 (初め) beginning Ⓒ, the outset ★ 後者のほうが格式ばった語で, at や from と共に用いることが多い; (開会・冒頭) opening Ⓤ; (第1番目・最初) the first; (開始) start Ⓒ. —形 first; opening Ⓐ. (☞ はじめ 語法; さいしょ¹; すべりだし).
¶彼は*出だしから失敗した He failed from the ˹*beginning* [*outset*]. // 何事も*出だしが大切だ (⇒ よい出だしをするべきだ) When doing something, you should make a good ˹*start* [*beginning*]. // その詩の*出だしの言葉は何だったっけ What are the ˹*opening* [*first*] words of the poem, I wonder?
てだすけ 手助け —動 (助ける・力を貸す) help ㊕ ★ 一般的な語; (補助的に手伝う) assist ㊕ ★ help より格式ばった語. —名 help Ⓤ ★「助けになる人」の意では Ⓒ; assistance Ⓤ. (☞ たすける (類義語); てつだい).

¶いつでも喜んであなたの*手助けをしますよ I am always「willing [ready] to *help* you. 語法 このように相手に向かって言う場合には assist は使わないのが普通. // 私は彼女の宿題の*手助けをしてやった I「*helped* [*assisted*] her *with* her homework. // 彼は親切にも私の事務所の*手助けをしてくれた (⇒ 手を貸してくれた) He was kind enough to *lend a* (*helping*) *hand*「*in* [*at*] my office.

てだて 手立て means Ⓒ ★単複同形.《☞ ほうほう[1] (類義語); しゅだん》.

でたて 出立て ── 形 fresh「from [out of] …

¶彼女は大学*出たてだ She's *fresh from*「college [the university].

でたとこしょうぶ 出たとこ勝負 ¶*出たとこ勝負でいこう (⇒ 運に任せよう) Let's *leave it to chance.* / (⇒ 行き当たりばったりでいこう) Let's *take things as they come.* / Let's *play it by ear.* ★暗譜で演奏することから. 口語的表現. / (⇒ 即興的にやろう) Let's *ad-lib.*《☞ いきあたりばったり》

てだま 手玉 **手玉に取る** ¶彼は警察を*手玉に取った (⇒ からかった・笑いものにした) He *made a monkey* (*out*) *of* the police. 語法 make a monkey (out) of … は「…をばかにする」「…をからかう」の意の口語的表現. // 彼女は夫を*手玉に取っている (⇒ 思いのままに操っている) She「*is twisting* [*has*] her husband (*a*)*round her* (*little*) *finger*.

でたらめ 出鱈目 ── 名 (ばかげた考え) nonsense Ⓤ; (たわごと)《俗》rot Ⓤ; (悪意のあるうそ) lie Ⓒ. ── 形 (手当たりしだいの) random Ⓐ; (行き当たりばったりの) haphazard /hæ̀phǽzərd/; (無責任な) irresponsible; (頼りにならない) unreliable; (真実からかけ離れている) far from the truth. ── 副 (手当たりしだいに) at random.《☞ いいかげん》.

¶彼の言うことはみんな*でたらめだ (⇒ たわごとだ) What he says is all「*nonsense* [*rot*]. / (⇒ うそだ) What he says is a *lie*. // この記事は*でたらめだ (⇒ 真実からほど遠い) This article is *far from the truth.* // 彼の仕事のやり方は*でたらめだ (⇒ 彼はでたらめなやり方で仕事をする) He does his work in a *haphazard* way. // *でたらめ (⇒ ばかなこと) を言うな Don't talk *nonsense.* // *でたらめに選んだら 1 等が当たった I made a *random* selection and won (the) first prize. // あいつは*でたらめ (⇒ 頼りにならない[無責任]) な男だ He is an「*unreliable* [*irresponsible*] person.

てだれ 手足れ ── 名 (熟練していること) skillfulness Ⓤ; (熟練者) worker of (great) skill Ⓒ; (名人) master Ⓒ. ── 形 skillful.

デタント (緊張緩和) détente /deɪtɑ́ːnt/ Ⓤ, detente Ⓤ.

てぢか 手近 ── 形 (すぐ近くの) at hand; (手の届く所の) within reach; (近くの) nearby Ⓐ; (便利な) handy. ── 副 (手もとに) at [to] hand; (すぐそばに) close by, near ★close by のほうが接近の度合が強い.《☞ てもと》.

¶彼はいつも*手近に小さなノートを置いている He always「keeps [has] a small notebook *at hand.* // 彼女は*手近にある代用品で間に合わせた She managed with a substitute「*near* [*close*] *at hand.* // 彼女は調味料を*手近な (⇒ 便利な) 所に置いた She kept seasonings in a *handy* place.

てちがい 手違い (間違い) mistake Ⓒ; (誤り・落ち度) fault Ⓒ; (偶発事件・事故) accident Ⓒ; (ちょっとした軽い間違い)《略式》slip(up) Ⓒ.《☞ まちがい; あやまち; ミス[1]》.

¶それは私どもの*手違いです It was our「*fault* [*mistake*]. ★our に強い強勢を置いて言う. // *手違いがあって手配が遅れた There was a *slipup* and the arrangements were delayed. // 何かの*手違い (⇒ 間違い[事故]) で, その荷物はまだ受け取っていません We have not received the goods yet「due [owing] to「a *mistake* [an *accident*].

てちょう 手帳 (small) notebook Ⓒ,《英》pocketbook Ⓒ.

てつ[1] 鉄 iron Ⓤ《元素記号 Fe》; (鋼鉄) steel Ⓤ.《☞ スチール[1]》. ¶*鉄は最も有用な金属だ *Iron* is the most useful metal. // *鉄のように堅い意志 an *iron* will **鉄は熱いうちに打て** Strike while the iron is hot.《ことわざ:「善は急げ」の意》

鉄亜鈴 iron dumbbell Ⓒ **鉄くず** scrap iron Ⓤ **鉄材** iron [steel] material /mətí(ə)riəl/ Ⓤ **鉄錆** iron rust Ⓤ **鉄のカーテン** the Iron Curtain ★共産主義国と自由主義国との間の壁. **鉄板** ☞ 見出し **鉄瓶** ☞ 見出し

てつ[2] 轍 (わだち) rut Ⓒ. **轍を踏む** (…と同じ失敗をする) make the same mistake as …

てっか 鉄火 (真っ赤に焼いた鉄) red-hot iron Ⓤ. **鉄火丼** bowl of vinegared rice topped with slices of raw tuna Ⓒ **鉄火場** (賭場) gambling house Ⓒ **鉄火巻き** *norimaki* sushi with raw tuna in the center Ⓤ《☞ のりまき》 **鉄火味噌** fried miso with peas and vegetables Ⓤ.

てっかい 撤回 ── 動 (前言・申し出・要求などを引っ込める) withdraw (他), tàke báck (他) ★後者のほうが口語的. ── 名 withdrawal Ⓤ.《☞ とりけす; とりさげる; ひっこめる》.

¶私は辞表を*撤回することにした I decided to *withdraw* my resignation. // あなたが言ったことを*撤回するなら私もするよ If you *take back* what you said, I will do the same.

でっかい ☞ おおきい

てづかおさむ 手塚治虫 ── 名 (固) Tezuka Osamu, 1929–1989; (説明的には) a Japan's pioneer animator who created Astro Boy.

てっかく[1] 的確 ☞ てきかく[1]

てっかく[2] 適格 ☞ てきかく[2]

てつがく 哲学 ── 名 philosophy Ⓤ. ── 形 philosophical.《☞ りねん》. ¶彼は楽観的な人生*哲学を持っている He has an optimistic *philosophy* of life. **哲学者** philosopher Ⓒ **哲学書** philosophy book Ⓒ **哲学博士** doctor of philosophy Ⓒ ★学位[号]は doctorate in philosophy Ⓒ, Ph. D. Ⓒ.《☞ がくい》.

てつかず 手付かず ── 形 (手を触れてない) untouched; (未使用の) unused. ¶彼はその金を*手付かずのままにしておいた He kept the money *untouched.* // 仕事はまだ*手付かずだ (⇒ その仕事はまだ始めていない) We *have not started* the work yet.

てっかどん[ば] 鉄火丼[場] ☞ てっか

てつかぶと 鉄兜 steel helmet Ⓒ.

てっかまき 鉄火巻 ☞ てっか

てづかみ 手づかみ ¶彼はハンバーグを*手づかみで (⇒ 指で) 食べた He ate the hamburger *with his fingers.* // この小川では魚が*手づかみで (⇒ 手で) 取れる You can catch fish *with your hands* in this brook.

てっかん 鉄管 (細い) iron tube Ⓒ; (太い) iron pipe Ⓒ.《☞ くだ》.

てつき 手つき ¶彼はまだナイフとフォークを扱う*手つきがぎこちない (⇒ ナイフとフォークの扱いが不器用だ) He is still *awkward* with a knife and fork. 語法「一そろいのナイフとフォーク」で不定冠詞は 1 つ.《☞ 冠詞 (巻末)》// 彼は不器用な*手つきで鉛筆を削った He sharpened the pencil「with clumsy *hands* [*clumsily*]. // 彼女は巧みな*手つきで (⇒ 巧みに) バイオリンを弾いた She played the violin *deftly.*

てっき[1] 鉄器 ironware Ⓤ; (金物類) hardware Ⓤ. **鉄器時代** the Iron Age.

てっき[2] **敵機** enemy plane Ⓒ.
デッキ (船の) deck Ⓒ; (列車の乗降口のスペース) platform Ⓒ, 《米》 vestibule Ⓒ; (テープデッキ) (tape) deck Ⓒ. 《☞ ふね (挿絵)》. ¶ *デッキに出る go (out) on *deck* // *デッキを歩く walk the *deck*
デッキチェア deck chair Ⓒ.
てっきょ 撤去 ── [動] (除去する) remove (他); (設備などを取り壊して) dismántle (他). ── [名] removal Ⓤ. 《☞ とりこわし》. ¶ 彼らはその施設の*撤去を強く要求している They insist on the *removal* of the facilities. // 彼らは古い工場を*撤去して新しい工場を建てることにした They decided to *dismantle* the old factory to build a new one.
てつぎょ 鉄魚 〘魚〙 *tetsugyo* Ⓒ; (説明的には) a variety of crucian carp.
てっきょう 鉄橋 (鉄製の橋) iron bridge Ⓒ; (鉄道の橋) railroad [《英》 railway] bridge Ⓒ. 《☞ はし[1]》. ¶ 川に*鉄橋をかける build [construct] a *railroad bridge* over a river
てっきり ── [副] (確かに) surely, certainly; (疑いなく) no doubt, beyond doubt. ── [形] (確信して) sure Ⓟ, certain Ⓟ. 《☞ きっと[1]》.
¶ 彼は*てっきり (⇒ 確かに) 来ると思った I thought he would ⌈*surely* [*certainly*] come. / (⇒ 彼が来ることを確信していた) I ⌈*felt* [*was*] *quite* ⌈*sure* [*certain*] that he would come. / (⇒ 彼が来ることに疑いを持っていなかった) I *had no doubt* that he would come. // 悪いのは*てっきり彼だと思った (⇒ 彼が悪いと断定を下した) I *concluded* that he was wrong.
てっきん[1] **鉄筋** steel ⌈rod [bar] Ⓒ. **鉄筋コンクリート** ferroconcrete /fèroʊkánkri:t/ Ⓤ. ¶ *鉄筋コンクリートの建物 a *ferroconcrete* building
てっきん[2] **鉄琴** glockenspiel /glákənspì:l/ Ⓒ; (反響筒の付いた) vibraphone /váibrəfòun/ Ⓒ; (行進用の) bell lyra /láɪ(ə)rə/ Ⓒ.
テック -tec, -tech ★ 商標・企業名などの語尾.
テックス (繊維板) fiberboard Ⓒ.
でつくす 出尽くす (…がなくなる) rùn óut (自) [語 法] 人を主語にすると run out of … となる. 《☞ つくす》. ¶ もうアイディアは*出尽くしました We've *run out of* new ideas. // この件に関して意見は*出尽くした (⇒ 言われないことは何もなかった) Nothing has been left unsaid about this matter.
てづくり 手作り ── [名] (陶芸などの手工芸品) handicraft Ⓒ. ── [形] (手で作った) handmade; (自家製の) homemade. 《☞ てせい》. ¶ 私は彼女に*手作りのペンダントをあげた I gave her a *handmade* pendant. // この服は彼女の*手作りだ (⇒ 彼女は自分でこの服を作った) She *made* this dress *(by) herself*. // *手作り (⇒ 自家製) のワイン *homemade* wine
てつけ(きん) 手付け(金) earnest (money) Ⓤ; (頭金) depósit Ⓒ. 《☞ あたま (頭金)》. ¶ その車を買うのに 10 万円の*手付けを打った I've made a *deposit* of ¥100,000 on the car. **手付け流れ** forfeiture of a deposit Ⓤ.
てっけつ 鉄血 (軍事力) blood and iron ★ ドイツのビスマルクの言葉 (Blut und Eisen) の訳. **鉄血宰相** the Iron Chancellor ★ ビスマルクのあだ名.
てっけん 鉄拳 (clenched) fist Ⓒ. ¶ *鉄拳を見舞う strike … with *one's* (*clenched*) *fists*
鉄拳制裁 punishment by ⌈beating [striking] with fists Ⓤ 《☞ げんこつ》.
てっこう[1] **鉄鉱** iron ore Ⓤ ★ 1 個は a piece of iron ore.
てっこう[2] **鉄鋼** steel Ⓤ 《☞ スチール[1]》.
鉄鋼業(界) the steel industry.
てつごうし 鉄格子 iron grille Ⓒ.
てっこうじょ 鉄工所 ironworks ★ 単複同形; (鋳造所) foundry Ⓒ.
てっこく 敵国 ☞ てきこく
てっこつ 鉄骨 steel [iron] ⌈frame [skeleton] Ⓒ.
てつざい[1] **鉄材** ☞ てつ[1]
てつざい[2] **鉄剤** (鉄分を含む薬剤) chalybeate /kəlíbiət/ Ⓤ.
てっさく[1] **鉄柵** iron fence Ⓒ.
てっさく[2] **鉄索** steel cable Ⓒ, wire rope Ⓒ.
デッサン (下絵) sketch Ⓒ; (鉛筆・ペンなどで描いた概略的な絵) rough drawing Ⓒ [参 考] 日本語の「デッサン」はフランス語の dessin からきたもの. 《☞ スケッチ; したえ》. ¶ 花の*デッサンをする make [draw] a *sketch* of a flower
てつじ 綴字 ☞ ていじ[4]
てっしゅう 撤収 ¶ テントを*撤収する *dismantle* a tent // 基地から*撤収する *withdraw from* [*evacuate* (*from*); *pull out of*] the base 《☞ とりはずす; てったい》
てつじょうもう 鉄条網 barbed wire fence Ⓒ.
¶ その建物の周りには*鉄条網がはりめぐらされていた A *barbed wire fence* was erected all around the building.
てつじん[1] **哲人** (賢者) person of (great) wisdom Ⓒ; (哲学者) philosopher Ⓒ. **哲人政治** the rule of the philosopher-king ★ プラトンが理想とした政治形態.
てつじん[2] **鉄人** iron man Ⓒ; (トライアスロンの選手) triáthlete Ⓒ. **鉄人レース** (トライアスロン) triathlon /traɪǽθlən/ Ⓒ.
てっしんせきちょう 鉄心石腸 ¶ 首相は*鉄心石腸な (⇒ きわめて堅固な意志を持った) 人だ The prime minister *has a will of iron*. / The prime minister is *a man of iron will*.
てっする 徹する [日英比較] この語は日本文の前後関係によって, いろいろに意訳する必要がある.
¶ 私は彼と夜を*徹して (⇒ 一晩中) 語り合った I talked with him *all* ⌈*night* (*long*) [*through the night*]. 《☞ てつや》 // 彼は仕事に*徹している (⇒ 心を打ち込んでいる) He *puts his heart and soul into* his work. // 彼らは試合の後半は守りに*徹した (⇒ 最善を尽くした) In the second half of the game, they *did their best* to defend their side of the field. 《☞ てってい》
てつせい 鉄製 ── [形] (鉄製の) iron.
てつせきえい 鉄石英 〘鉱物〙 ferruginous quartz /fərú:dʒənəs kwɔ́:ts/ Ⓤ.
てっせきしん 鉄石心 ☞ てっしんせきちょう
てっせん[1] **鉄線** (鋼鉄の) steel wire Ⓤ ★ 個々に言うときは Ⓒ; (植物の) clématis Ⓒ. ¶ 有刺*鉄線 barbed *wire*
てっせん[2] **鉄泉** iron spring Ⓒ.
てっせん[3] **鉄扇** (骨が鉄の扇) iron-ribbed fan Ⓒ; (たたんだ扇の形の鉄製品) iron product in the shape of a folded fan Ⓒ.
てっせん[4] **鉄銭** iron coin Ⓒ.
てっせんびょう 鉄線描 〘美〙 the wire line drawing; (説明的には) the drawing technique of oriental painting in which uniform lines are used.
てっそう 鉄窓 iron-[steel-]barred window Ⓒ; (監獄) prison Ⓒ.
てっそく 鉄則 iron [ironbound] rule Ⓒ; (たいへん厳しい規則) hard-and-fast rule Ⓒ. 《☞ げんそく[1]》. ¶ 多数決は民主主義の*鉄則だ Decision by the majority is an *iron rule* of democracy.
てつぞく 鉄鏃 iron arrowhead Ⓒ.
てったい 撤退 ── [動] (引き下がる) withdraw (from …) (自); (場所から立ち退く) púll óut (of …) (自), evacuate (他) ★ 前者のほうが口語的. なお前者

は「(軍隊などを) 撤退させる」の意の (他) としても用いられる; (軍隊などが敵に追われて退却する) retreat (from ...) (自). ── [名] withdrawal Ⓤ; evacuation Ⓤ; retreat Ⓤ ★ いずれも具体的な事例を言う場合は Ⓒ. (☞ たいきゃく). ¶ 軍隊は町から*撤退した The troops ⌈*withdrew from* [*pulled out of*; *evacuated*; *retreated from*] the town.

撤退命令 evacuation order Ⓒ.

てつだい 手伝い **1** «行為»: (手助け) help Ⓤ; (脇役的な助力) assistance Ⓤ; (公式な援助) aid Ⓤ ★ 後の 2 語は help より格式ばった語. (☞ てだすけ; えんじょ).

¶ あなたにぜひお*手伝いを願いたいのです I need your ⌈*help* [*assistance*]. // 彼らはよく母親の家事の*手伝いをする They often *help* their mother with the housework. // 何かお*手伝いすることがありますか (⇒ あなたのために何かすることができますか) Can I do anything for you? / (⇒ あなたのために私ができることはありますか) Is there anything I can do for you? / Can I be of any *help* to you?

2 «人»: (助けとなる人) help(er) Ⓒ ★ いろいろな手伝いをする人一般に広く使える言葉; (助手) assistant Ⓒ ★ 格式ばった呼称としても使われる; (人手) hand Ⓒ ★ hands という複数形か, farm hand (農業の手伝い) などの複合語の一部として使われる; (お手伝いさん) helper Ⓒ, (house)maid Ⓒ.

¶ 私はお*手伝いさんを雇わなければならない I have to hire ⌈a *helper* [some *help*].

てつだう 手伝う help (他) ★ 最も一般的な語; (補助的に力を貸す) assist (他); (公式な・財政的な援助をする) aid (他) ★ 以上 2 語はやや格式ばった語; (手を貸す) lend [give] (*a person*) a (helping) hand. (☞ たすける (類義語)).

¶ 私は彼の宿題を*手伝った <S (人)+V (*help*)+O (人)+*with*+名 (宿題)> I *helped* him *with* his homework. [語法] (1) これを I helped his homework. とするのは誤り. help の目的語は「人」. // 私は彼女が荷物を運ぶのを*手伝った <S (人)+V (*help*)+O (人)+⌈*to* [原形] 不定詞> I *helped* her (*to*) carry the parcels. [語法] (2) 《米》では通常, 動詞の原形を用いる. // 彼女は皿洗いを*手伝った <S (人)+V (*help*)+⌈*to* [原形] 不定詞> She *helped* (*to*) do the dishes. // 何か*手伝う (⇒ お役に立つ) ことがありますか (⇒ あなたのために何かすることができますか) Can I do anything for you? / Can I *be of any* ⌈*help* [*assistance*] (to you)? // 彼は私の商売を*手伝ってくれた He *aided* me ⌈in [with] my business. // このスーツケースを運ぶのを*手伝って下さい (⇒ このスーツケースに手を貸して下さい) Please *give* me *a hand* with this suitcase. // 彼はあなたの事業を*手伝って (⇒ 事業に手を貸して) もよいと言っている He says he can *lend a hand* ⌈in [with] your business.

でっち 丁稚 apprentice Ⓒ.

丁稚奉公 apprenticeship Ⓤ.

でっちあげ でっち上げ ── [名] (作り事・うそ) fabrication Ⓒ; (作り話) fiction Ⓒ; (人を陥れるために仕組んだわな) 《略式》 fráme-úp Ⓒ. ── [動] (でっち上げる・架空のことを作り上げる) invent (他), 《略式》 màke úp (他), cóok úp (他) ★ この順に口語的となる. ── [形] trumped-up. (☞ つくりばなし).

¶ それはまったくの*でっち上げだ It's a pure ⌈*fiction* [*fabrication*]. // その話は彼が*でっち上げたものだ (⇒ 彼によって作られた) The story *was* ⌈*made up* [*invented*] by him.

てっちゅう 鉄柱 steel pole Ⓒ (☞ はしら).

てっちり 鉄ちり (ふぐちり) globefish stew Ⓤ.

てづつ 手筒 handgun Ⓒ.

てっつい 鉄槌 (大きなかなづち) iron sledgehammer Ⓒ. **鉄槌を下す** (厳しく罰する) punish ... severely (☞ げんばつ; かなづち). ¶ 我々は不逞の輩に*鉄槌を下さなければならない We must *punish* lawless people *severely*.

てつづき 手続き ── [名] (手順) procedure /prəsíːdʒə/ Ⓒ; (出入国の手続きのような, 法律・規則上必要な手続き) formalities ★ 複数形で. procedure と入れ替え可能な場合もあるが, procedure のほうが用法が広い; (訴訟などの) proceedings ★ 複数形で. ── [形] (手続き上の) procedural.

¶ 空港で入国*手続きをしなくてはなりません You have to go through the ⌈entry *procedures* [*formalities*] at the airport. // パスポートをとるにはどんな*手続きが必要ですか What ⌈are the *procedures* [*procedures* are necessary] for obtaining a passport? / (⇒ どんな手続きに従うべきか) What *procedures* should I follow to get a passport? // 入学[入社]*手続き the entrance ⌈*formalities* [*procedures*] at a ⌈school [company] // 訴訟[輸出]*手続き legal [export] *procedure*(*s*) // 離婚の*手続きをとる institute divorce *proceedings* // そのクラブに入る*手続き (⇒ 入会方法) を教えて下さい Please tell me *how to* join the club.

コロケーション

一定の手続き a set *procedure* / **簡単な手続き** a simple *procedure* / **通常の手続き** a ⌈normal [standard; regular] *procedure* / **複雑な手続き** a complicated *procedure* / **法的な手続き** legal *procedures*

てってい 徹底 ── [形] (十分な・細かい点に至るまで完全な) thorough /θə́ːroʊ/, thóroughgóing; (まったくの) out-and-out Ⓐ ★ 前者より口語的; (完全な・欠けるところのない) complete; (余す所のない・網羅的な) exhaustive /ɪgzɔ́ːstɪv/; (申し分のない・完璧な) perfect ★ complete と交換可能な場合もある; (思い切った) drastic. ── [副] thoroughly; completely; exhaustively; perfectly; (最後まで) to the end. ── [動] (知識などを徹底的にたたき込む) drive ... home.

¶ 彼の調査は*徹底していた His investigation was *thoroughgoing*. / (⇒ 徹底的な調査をした) He made ⌈a *thorough*(*going*) [an *exhaustive*] investigation. // 彼は*徹底した平和主義者だ He is a ⌈*thoroughgoing* [*complete*] pacifist. / He is an *out-and-out* pacifist. // その命令は*徹底しなかった (⇒ 完全には実施されなかった) The order was not ⌈*completely* [*fully*] carried out. (☞ ふてってい) // 彼は自分の気持ちを相手に*徹底させることが (⇒ 自分自身を不完全に理解してもらうことしか) できなかった He could make himself understood only *imperfectly*. // 彼は何でも*徹底的にやらないと気が済まない He is not satisfied with anything unless he does it *thoroughly*. // 私たちは*徹底的に戦う[やり抜く]つもりだ We are ready to fight it out *to the end*. // 彼は大学入試制度の*徹底的な改革を提案した He proposed (a) *drastic* reform of the college entrance examination system. // 先生はその規則を生徒に*徹底させようとした The teacher tried to *drive* the rules *home* to his pupils.

デッド ── [形] (球技が中止した状態の) dead (☞ デッドボール).

てっとう[1] 鉄塔 steel tower Ⓒ; (高圧線の) pylon Ⓒ.

てっとう[2] 鉄桶 steel [iron] tub Ⓒ. ¶ *鉄桶の (⇒ 鉄壁の) 陣 an *impregnable* position **鉄桶水を漏らさず** ¶ *鉄桶水を漏らさぬ (⇒ きわめて堅固な) 団結こそが今必要なのである All we need now is our *impenetrable* unity.

て

てつどう 鉄道 (鉄道線路)《米》railroad Ⓒ,《英》railway Ⓒ; (鉄道の便)《米》railroad [《英》railway] service Ⓤ 参考 英国の旧国有鉄道は British Rail《略 BR》と呼ばれたが現在は分割民営化された. また米国には半官半民の Amtrak /ǽmtræk/ という鉄道網がある. (☞ れっしゃ; せんろ).
¶ここからその市まで*鉄道が通じている A *railroad* runs from here to the city. // 彼らは両市の間に*鉄道を敷くことを計画中である They are planning to 「lay [construct; build] a *railroad* between the two cities. // 大雪のため*鉄道が不通になった *Railroad* services were suspended due to (the) heavy snowfall. // その品物は*鉄道便で送りました I sent the goods *by rail*.
鉄道員《米》railroad [《英》railway] worker Ⓒ, 《米》railroader Ⓒ,《英》railwayman Ⓒ **鉄道運賃**《米》railroad [《英》railway] fare Ⓒ **鉄道会社** railroad company Ⓒ ★単に railroad Ⓒ《略 RR》とも言う. **鉄道警察** the 「railroad [railway] police **鉄道警察官**《米》railroad policeman Ⓒ, railroad security officer Ⓒ **鉄道弘済会** the Railway Welfare Association **鉄道工事** railway work Ⓤ **鉄道コンテナ** freight container Ⓒ **鉄道作業員** (線路の保線係)《米》tracklayer Ⓒ, 《英》platelayer Ⓒ **鉄道自殺** throwing *oneself* on the (train) tracks Ⓤ, suicide by jumping in front of a train Ⓒ **鉄道唱歌** (全体) a collection of songs about scenes along the local railroad lines; (個々の歌) railroad song Ⓒ **鉄道馬車** horsecar Ⓒ **鉄道網** rail(road) 「system [network] Ⓒ **鉄道連絡船** railroad [railway] ferry Ⓒ.

てっとうてつび 徹頭徹尾 ― 副 (初めから終わりまで・終始) from beginning to end, from start to finish. ¶彼はその計画に*徹頭徹尾反対した He was against the plan *from beginning to end*. / He *consistently* opposed the plan.

デッドエンド ― 名 (行き詰まり) dead end Ⓒ. ― 形 (行き詰まった) dead-end. (☞ ふくろこうじ).

デッドコピー (完全な模造品) exáct réplica Ⓒ; (偽造品) imitation Ⓒ.

デッドストック (売れ残り品) déad stòck Ⓒ (☞ うれのこり).

デッドスペース (利用されていない空間) dead space Ⓤ.

デッドヒート (接戦) clóse /klóus/ ráce Ⓒ, neck-to-neck race Ⓒ; (熱戦) heated race Ⓒ ★英語の dead heat Ⓒ は2人以上の競争者が同着となったレースのこと. (☞ せりあう; せっせん[1]).

デッドボール 〔野〕 日英比較 dead ball はファウルなどでプレーが中断されて, 文字どおり死んでいる球のことで, 日本語の「デッドボール」とは意味が違う. ¶彼は*デッドボールを受けて1塁へ出た[退場した] He *was hit by a* 「*pitch* [*pitched ball*] and 「got to first (base) [left the game]. // *デッドボールを与える *hit a batter*

デッドマン ― 名 〔登山〕 (雪の中に埋めてロープなどを固定する道具) deadman Ⓒ. ― 形 〔機〕 deadman ★オペレーターが手や足を離すと自動的にスイッチが切れるなどの安全装置が働く方式の.
デッドマンハンドル deadman handle Ⓒ.

デッドライン (締め切り) deadline Ⓒ (☞ しめきり[1]). ¶*デッドラインに間に合う make [meet] a *deadline*

てっとりばやい 手っ取り早い ― 形 (時間のかからない) quick; (単純な) simple; (易しい) easy. (☞ てがる; かんたん[1]).
¶通訳になるならこの学校へ入るのが一番*手っ取り早い (⇒ 通訳になる一番早くて簡単な方法はこの学校へ入ることだ) The *quickest and easiest* way to become an interpreter is to enter this school. // *手っ取り早く言えば彼は詐欺師だ *In short* [*To put it simply*], he is a swindler.

デッドロック (意見の不一致などによる行き詰まり) deadlock Ⓤ ★しばしば a を付けて. (☞ ゆきづまり; あんしょう[1]). ¶2国間の交渉は*デッドロックに乗り上げた Talks between the two nations 「have come to *a deadlock* [(⇒ 行き詰まり状態で終わった) ended in *deadlock*]. 日英比較 日本語の表現は「ロック」を rock (暗礁) と誤解して用いられるようになったもの.

てつのはい 鉄の肺 (人工呼吸器) iron lung Ⓒ.

でっぱ 出っ歯 (一般の通称として) buckteeth, protruding [projecting] front teeth ★通例複数形で. 後者は説明的表現.

てっぱい 撤廃 ― 動 (廃止する) abolish ⊕; (取り去る) remove ⊕; (制限などを解除する) lift ⊕; (除く) do away with … ★以上の中では最も口語的. ― 名 abolition Ⓤ; removal Ⓤ. (☞ はいし (類義語)). ¶差別待遇は*撤廃すべきだ We should 「*abolish* [*do away with*] discrimination. // 輸入制限は近いうちに*撤廃されるだろう Import restrictions will *be* 「*lifted* [*removed*] in the near future.

でっぱなし 出っ放し ¶水が*出っ放しだ The water *has been left running*.

でっぱり 出っ張り (突き出たもの) projection Ⓒ (☞ でっぱる).

でっぱる 出っ張る (突き出る) stíck óut ⊜; (鋭い角度で) project ⊜; (余分にまたは不格好に) protrude ⊜ ★この順に格式ばった語となる. (☞ はりだす[2]; つきでる). ¶この棚は少し*出っ張りすぎている This shelf *sticks out* a little too far.

てっぱん 鉄板 iron [steel] plate Ⓒ; (薄い板) sheet of iron Ⓒ. (☞ てつ[1]). **鉄板焼き** meat [seafood; vegetables] roasted on a hot iron plate ★meat, seafood は Ⓤ. ¶*鉄板焼きをする grill … on 「an *iron plate* [a *hot plate*]

てっぴ 鉄扉 iron door Ⓒ.

てっぴつ 鉄筆 (謄写版用の) stylus /stáɪləs/ Ⓒ 《複 -li /-laɪ/; ～es》.

てつびん 鉄瓶 iron kettle Ⓒ.

でっぷり ― 形 (脂肪がついて太った) fat; (太っているが引き締まっている) stout; (かっぷくのよい) portly 語法 後の2語は fat の婉曲語としても用いられる. (☞ ふとる; かっぷく). ¶*でっぷりした老婦人 a *stout* old lady

てつぶん 鉄分 iron Ⓤ. ¶ほうれんそうは*鉄分が多い Spinach is rich in *iron*.

てっぷん 鉄粉 iron powder Ⓤ; (やすりの削りくず) iron filings ★複数形で.

てっぺい 撤兵 ― 動 (軍隊を引き上げる) pull out [withdraw] troops ★前者のほうが口語的. ― 名 withdrawal Ⓤ; evacuation Ⓤ. (☞ てったい).

てっぺいせき 鉄平石 (石材) *teppeiseki* rock Ⓤ, platy andesite Ⓤ.

てっぺき 鉄壁 ― 名 (鉄の壁) iron wall Ⓒ. ― 形 (守りの堅固な) impregnable. **鉄壁の陣** impregnable position Ⓒ. ¶*鉄壁の陣を張る take up an *impregnable position*

てっぺん[1] 天辺 (一番上) the top (☞ いただき; ちょうじょう). ¶私たちは丘の*てっぺんまで歩いた We walked (up) to *the top* of the hill. // 木の*てっぺんにいるあの鳥が何か知っていますか Do you know what kind of bird that is in the *treetop*?

てっぺん[2] 鉄片 piece [scrap] of iron Ⓒ.

てつぼう 鉄棒 (一般的に) iron bar Ⓒ; (器械体操用の) horizontal bar Ⓒ. ¶*鉄棒による体操

horizontal bar exercise

てっぽう 鉄砲 gun Ⓒ; (相撲の) thrust with both hands Ⓒ. ¶ 彼は私たちに向けて*鉄砲を撃った He fired his *gun* at us. **鉄砲足軽**〖史〗musketeer /mʌ̀skətíə/ Ⓒ; (説明的には) lower-grade warrior equipped with a gun Ⓒ **鉄砲魚**〖魚〗archerfish Ⓒ《複 ～; 種類のときは ～es》. **鉄砲鍛冶** gunsmith Ⓒ **鉄砲汁** globefish soup Ⓤ **鉄砲袖** tight sleeve (of a kimono) Ⓒ **鉄砲玉** bullet Ⓒ **鉄砲奉行**〖史〗commissioner of ⌈firearms [guns] Ⓒ **鉄砲巻き** gourd roll Ⓒ; (説明的には) rolled sushi with gourd strips in the center Ⓤ **鉄砲水** flash flood Ⓒ **鉄砲虫** (かみきりむしの幼虫) larva of longicorn /lɑ́ndʒəkɔ̀ən/ Ⓒ《複 larvae /lɑ́əviː/ —, larvas —》 **鉄砲焼き** grilled chicken or fish meat with ⌈miso [soybean paste] and hot red pepper spread on it Ⓤ ★ 説明的な訳. **鉄砲百合**〖植〗Easter lily Ⓒ.

てづまり 手詰まり ── 動 (停頓(ていとん)している) be ⌈in [at] a ⌈deadlock [standstill]; (金に窮した) be pinched for money; (将棋・チェスなどで) be ⌈in [at] a stalemate.《☞ ゆきづまり》.

てつむぎ 手紬 handwoven pongee /pàndʒíː/ Ⓤ.

てつめんぴ 鉄面皮 ── 形 (恥を知らない) shameless; (恥知らずでずうずうしい) brazen(-faced).《☞ こうがん¹; あつかましい》.

てづもり 手積もり hand measurement Ⓤ.

てつや 徹夜 ── 動 stay ⌈up [awake] all night. ── 形 all-night Ⓐ. ── 副 through(out) the night.

¶ 私は昨晩*徹夜をした I *stayed up all night* last night. / (⇒ 昨夜は一睡もしなかった) I *didn't sleep at all* last night. // 我々はそれについて*徹夜で討論した We had an *all-night* discussion about it. / We discussed it ⌈*through* [*throughout*] *the night*. / (⇒ それを討論して夜中過ごした) We spent *the whole night* discussing it.

てづよい 手強い (手きびしい) severe; (手ごわい) tough.《☞ てきびしい; てごわい》.

てつり 哲理 (哲学的原理・道理) philosophy Ⓒ《☞ げんり》.

てづり 手釣り ── 名 handline fishing Ⓤ. ── 動 catch fish ⌈using [with] a handline.

てづる 手蔓 (縁故者・コネ) connection Ⓒ,《略式》pull Ⓤ.《☞ コネ; つて》.

てつわん 鉄腕 (強い腕) strong arm Ⓒ; (鉄の) arm of steel Ⓒ ★ 比喩的にも用いる. **鉄腕アトム** (手塚治虫の) Astro Boy **鉄腕投手** pitcher with an arm of steel Ⓒ.

テディーベア téddy (bèar) Ⓒ.

ておや 父親 ☞ ちちおや; ちち¹

てなしご 父無し子 fatherless child Ⓒ.

でどき 出時 ¶ あなたのお話の*出どきだ (⇒ 今こそあなたのお話をする好機だ) Now is *the time* to make your speech.

でどころ 出所 (情報などの) source Ⓒ; (一番のもと・起源) órigin Ⓒ.《☞ しゅっしょ》.

¶ そのうわさの*出どころがわからない I don't know the *source* of the rumor. / (⇒ だれがその話について責任があるか) I don't know who is responsible for the story. // 金の*出どころはどこですか (⇒ どのようにして金を得たか) How did you get the money?

テトラポッド tétrapòd Ⓒ ★「テトラポッド」は日本では商標.

てどり 手取り ── 名 (純益) net profit Ⓒ; (給料の) take-home [net] pay Ⓤ; (実質的な収入) net [real; actual] income Ⓒ; (税引き後の) after-tax income Ⓤ, income after taxes Ⓤ. ── 形 (正味の) net Ⓐ. ¶ 初任給は*手取り約 15 万円です The starting salary is ⌈about [roughly] ¥150,000 *net*.

てとりあしとり 手取り足取り ¶ 私たちのサッカーのコーチは*手取り足取りして私たちを教えてくれる (⇒ 辛抱強く一歩一歩) Our soccer coach teaches us *patiently, step by step*.

デトロイト ── 名 固 Detroit ★ 米国ミシガン州南東部の工業都市.

テトロドトキシン 〖生化〗(フグ毒の成分) tetrodotoxin /tetròudətɑ́ksɪn/ Ⓤ.

テトロン Tetoron Ⓤ, polyester /pɑ́lièstə/ Ⓤ ★「テトロン」はポリエステル繊維の日本の商標名.

テナー 〖楽〗☞ テノール

テナーサックス 〖楽器〗ténor ⌈sáx [sáxophòne] Ⓒ. **テナーサックス奏者** ténor sáxophònist Ⓒ.

てないしょく 手内職 (パートの手仕事) part-time manual(-labor) job (at home) Ⓒ; (副業の手仕事) manual(-labor) side job Ⓒ.《☞ ないしょく》.

てなおし 手直し ── 名 (部分的な変更) modification Ⓤ; (改善) improvement Ⓤ; (全体的な改訂・訂正) revision Ⓤ; (細かな再調整) readjustment Ⓤ ★ いずれも個々の事例を指す場合は Ⓒ. ── 動 modify 他; improve 他; revise 他; readjust 他.《☞ しゅうせい¹》. ¶ この計画は*手直しがいる This plan needs some ⌈*modification* [*improvement*; *revision*]. / This plan must *be* ⌈*modified* [*improved*; *revised*].

でなおし 出直し a fresh start ★ 通例 a を付けて.

でなおす 出直す (再び来る) come again 自; (再び訪問する) visit [call] ... again; (再出発する) make a fresh start (in ...); (初めからもう一度する) do ... (all) over again.

¶ 午後*出直します (⇒ 再びここへ戻ってきます) I'll ⌈*be back* (*here*) *again* [*return*; *come again*] in the afternoon. // 最初から*出直したほうがよさそうだ (⇒ 新しい出発をするほうがよい) I think I'd better ⌈*make a fresh start* [(⇒ 初めからもう一度する) *do* it *over again* from the beginning].

てながえび 手長海老 〖動〗prawn Ⓒ.

てながざる 手長猿 〖動〗gibbon Ⓒ.

てなぐさみ 手慰み ¶ 彼女は*手なぐさみに (⇒ 楽しみのために) 編み物をしている She does knitting just *for fun*. // 彼は考えごとをするとき, よくボールペンを*手なぐさみにする (⇒ もてあそぶ) He often *plays with* a ballpoint pen when he has something to think over.

てなげだん 手投げ弾 grenade /grənéɪd/ Ⓒ.

てなずける 手なずける (親しくなる) make friends with ...; (味方に引き入れる) wín óver 他; (動物などを) tame 他; (時に家畜として) domesticate 他 ★ 後者のほうが格式ばった語.《☞ かいならす》. ¶ あの男は近所の子供たちを*手なずけるのがうまい (⇒ 容易に友達になる) That man easily *makes friends with* the kids in the neighborhood.

てなべ 手鍋 (取っ手のあるなべ) pan Ⓒ. **手鍋暮らし** ¶ 昔はわれわれも*手鍋暮らしだった We used to *live in poverty*. **手鍋を下げる** (貧乏暮らしをする) live in poverty. ¶ *手なべ下げても彼と一緒になりたい I want to marry him, even if we have to *live in poverty*.

てなみ 手並み (技量) skill Ⓤ; (能力) ability Ⓤ; (演技) performance Ⓒ. ¶ 彼のお*手並みを拝見しましょう (⇒ 彼がいかにうまくやるか見ましょう) Let's see *how well he can do* it.

てならい 手習い (学ぶこと) learning Ⓤ; (習字) penmanship Ⓤ. **六十の手習い** Never too ⌈old

[late] to learn.《ことわざ: 物を覚えるのに年を取りすぎ [遅すぎる] ということはない》

てならし 手慣らし —名 (練習) practice Ⓤ ★ 個々の練習は Ⓒ. —動 practice ⓗ ⓐ.《☞ れんしゅう》.

てなれた 手慣れた (…に熟達している) be quite at home ˹in [with] …; (…の経験を積んでいる) be experienced in …; (…に慣れている) be ˹used [accustomed] to … ★ used のほうが口語的. ¶この仕事なら彼は*手慣れたものだ (⇒ 熟達している) He's *quite at home with* work of this kind. / (⇒ 十分経験を積んでいる) He *is* ˹very [highly] *experienced in* doing such jobs. // *手慣れた道具 a tool *one is* ˹*used* [*accustomed*] *to*

テナント tenant Ⓒ 日英比較 日本語では特にビルなどの借用者をいうが, 英語では広く一般の土地・家・ビルの賃借人をいう.

デニール (繊維の太さの単位) denier /dénjə/ Ⓤ.

テニス tennis Ⓤ. ¶彼は*テニスがうまい[下手だ] He is a ˹good [poor] *tennis* player. / He is ˹good [poor] at *tennis*. // *テニスをしよう Let's play *tennis*. // 軟式*テニス soft-ball *tennis* 日英比較 軟式テニスは日本で発明されたもので欧米では一般的でなく, 単に tennis といえば硬式テニスを意味する.
テニスコート tennis court Ⓒ **テニスエルボー** ☞ テニス肘 **テニス肘** tennis elbow Ⓤ.

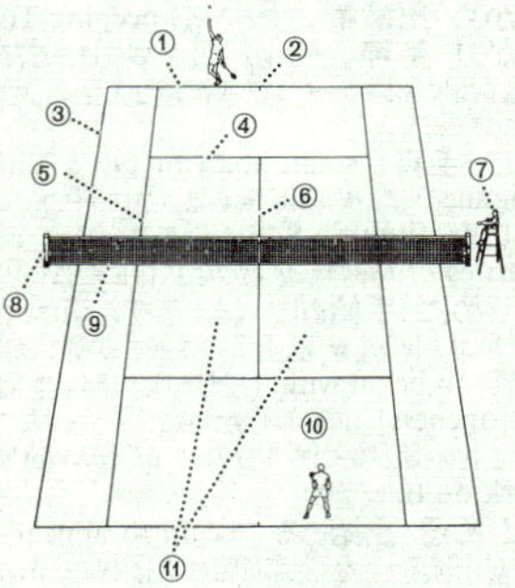

① ベースライン base line ② センターマーク center mark ③ ダブルス用サイドライン doubles sideline ④ サービスライン service line ⑤ シングルス用サイドライン singles sideline ⑥ センターライン center line ⑦ 審判 umpire ⑧ ポスト post ⑨ ネット net ⑩ バックコート back court ⑪ フォアコート fore court

テニソン —名 ⓖ Alfred Tennyson, 1809–92. ★ 英国の詩人.

デニッシュ (菓子パン) Danish pastry Ⓒ, Danish Ⓒ ★ 後者の方がくだけた表現.

デニム denim Ⓤ. ¶*デニムのスカート a *denim* skirt

てにもつ 手荷物 hand ˹baggage [《英》luggage] Ⓤ; baggage Ⓤ, 《英》luggage Ⓤ 語法 bag, suitcase, trunk などの総称. なお《米》でも上品さを含める意味合いで luggage を使うこともある. またいずれも集合的に用いるので, 個々には a piece [two pieces] of ˹baggage [luggage] のようにいう.《☞ にもつ》. ¶私は*手荷物を2個預けた I have two pieces of *baggage* checked.
手荷物(一時)預かり所 《米》baggage room Ⓒ, 《米》checkroom Ⓒ, 《英》left luggage office Ⓒ **手荷物預かり証** claim tag Ⓒ **手荷物引き取り台** the baggage collection counter.

テニュア (終身身分保障) tenure Ⓤ.

てにをは (Japanese postpositional) particles. ¶彼は*てにをはが (⇒ てにをはの使い方が) わかっていない He doesn't know how to use *particles*. / (⇒ 文法を知らない) He doesn't know *grammar*. // *てにをはが合っていない be *ungrammatical*

てぬい 手縫い —形 hand-sewn, sewn by hand.

テヌート 〘楽〙(持続記号) tenuto Ⓒ《複 ~s, tenuti /tənúːti/》.

てぬかり 手抜かり (誤り) mistake Ⓒ; (落ち度) fault Ⓒ; (ささいな落ち度) slip(up) Ⓒ ★ 前2者より口語的; (うっかりミス) óversìght Ⓒ.《☞ ておち; てちがい; ぬかり》.

てぬき 手抜き —名 (省略) omission Ⓤ ★ 具体的な場合は Ⓒ. —動 (手を抜く・略式にする)《略式》cut corners. ¶その建物は基礎工事に*手抜きがあった (⇒ 土建業者が建物の基礎工事で手を抜いた) ことが判明した It was found that the ˹contractors [builders] *had cut corners* in constructing the foundation of the building. **手抜き工事** construction (work) cutting corners Ⓤ.

てぬぐい 手拭い hand towel Ⓒ 日英比較 日本では体を洗うためのものも 「タオル」 と呼ぶが, hand towel は手や顔をふいて乾かすためのもの. 体を洗うためのものには以下の語を使う; (体や顔を洗うための小型の)《米》washcloth Ⓒ, 《英》facecloth Ⓒ, 《英》(face) flannel Ⓒ.《☞ タオル》. **手拭い掛け** (1本の) towel rail Ⓒ; (何本かの) towel rack Ⓒ.

てぬるい 手緩い —形 (厳しくない) easy; (寛大な)《格式》lenient /líːniənt/; (甘やかせて) indúlgent.《☞ あまい》. ¶このごろの親は子供の扱いが*手ぬるい These days parents are too *lenient* with their children.

テネシー —名 ⓖ (米国の州) Tennessee《略 Tenn.》《☞ アメリカ (表)》.

てのうち 手の内 (技量) skill Ⓤ; (意図) intention Ⓒ; (比喩的に, 持ち札) hand Ⓒ, cards ★ 後者は複数形で用いられる. ¶相手に*手の内を見せるのはうまくない It is unwise to ˹show your *hand* (*of cards*) to your opponents [put your *cards* on the table]. // *手の内を読む see through *one's intentions*

てのうら 手の裏 ☞ て

テノール 〘楽〙tenor Ⓤ ★ 歌手の意味では Ⓒ. 形 としても用いる.

てのくぼ 手の窪 the hollow of the hand.

てのこう 手の甲 the back of the hand.

デノテーション (語の明示的意味) denotation /dìːnoutéɪʃən/ Ⓒ.

てのひら 手のひら, 掌 the flat of the hand, palm /pάːm/ Ⓒ ★ 後者のほうが格式ばった語.《☞ て (挿絵)》. **手のひらを返す** change (*one's* attitude) completely. ¶あれ以降彼は*手のひらを返すように冷たくなった (⇒ まったく変わった) After that he *changed completely* and cooled off toward me.

デノミ(ネーション) —名 (通貨単位の変更) change in the denominations of monetary units; (平価の切り下げ) devaluation Ⓤ. —動 devalue ⓗ. 日英比較 英語の denomination は通貨などの種類の呼称で, 平価切り下げの意味の「デノミネーション」は和製英語.

てのもの[1] 手のもの ☞ おてのもの

てのもの[2] 手の者 (部下) subordinate Ⓒ; (家来) follower Ⓒ.

-ては 1《仮定・提案を表す文で》 ¶そんなに言うのなら自分でやってみ*てはどうですか If it means so much to you, why don't you do it yourself? // そ

の仕事は彼女にやらせ*てはどうか Why don't we give that job to her?
2 《否定文で》 ¶決してこの部屋に入っ*てはいけない Don't ever enter this room. / You must never enter this room. ★ 後者は格式ばった表現. (☞ -たら)
3 《くり返しを表して》 ¶潮は満ち*ては引く The tide ebbs and flows.

てば 手羽 chicken wing Ⓒ. **手羽先** wing tip of a chicken Ⓒ.

では ―感 (えーと・それじゃあ) well; (さて・ところで) now; (よろしい・それでは) OK, all right ★ 前者のほうがより口語的. ―副 (それではいったい) then ★ 文尾に付くことが多い. 日英比較 日本語に「では…」とあるからといって, 英語の訳にもそれをそのまま入れるというように考えないほうがよい. 「ではまた会いましょう」の「では」は, これを Well と訳すよりも, 特に訳さず, 全体として I'll see you. / See you later. とすべきである. なお, 場合によっては Well を入れてもよいこともある. 日本語と英語を 1 対 1 で常に対応させないことが大切で, 「ではさようなら」を Well, good-bye. と訳さないようにすべきである. (☞ それでは; そうすると)
¶*では, もう時間もなくなりましたので, この辺で会を終わりにしたいと思います *Well*, the time is almost up. We would like to close the meeting. // *では次の話題に移りましょう *Now*, let's ⌈go to [talk about] the next topic. // 「これはラジオですか」「いいえ」「テープレコーダーですか」「いいえ」「*ではいったい何ですか」"Is this a radio?" "No, it isn't." "A tape recorder?" "No." "What is it, *then*?"

-では ★「…では」は主として特定の語句・内容を際立たせるために用いられるが, これに対するはっきりとした英語の語句をあげることは困難な場合が多い.
1 《関して》 ¶その点*では彼が正しい *In that respect*, he is right. // ホームランの数*では彼が一番です *As for* the number of home runs, he is number one. // 車の運転*では (⇒運転のこととなると), だれも彼にはかなわない *When it comes to* driving, no one can beat him.
2 《判断などのよりどころとして》 ¶私の考え*ではその計画はやめたほうがいいと思う *My idea is that* we should give up (on) that plan. // 天気予報*ではあしたは雨だ (⇒天気予報担当者はあした雨だと言っている) The weatherman says (that) it will rain tomorrow. / *According to* the weather ⌈forecast [report], it will be rainy tomorrow. ★ 第 2 文のほうが格式ばった言い方. // 私の聞いたところ*では彼はもう元気だそうだ *From* what I hear, he is quite well now.
3 《時間・場所を明示して》 ¶いつでもいいが日曜日*では困る (⇒日曜以外はいつでもいい) Anytime will do except (on) Sunday(s). // いまから*では遅すぎる It's too late now. // 東京*では 20 日も雨が降らない *In* the Tokyo area we have had no rain for as long as twenty days.
4 《対比・強調などを示して》 ★ この場合は否定語を伴うことが多い. ¶箸(はし)*では食べにくい. スプーンを使いなさい You can't eat it *with* chopsticks. Use a spoon instead. // これが千円*では安い This is very cheap *at* a thousand yen. // この手紙を書いたのは私*ではなく, 家内です *It was not* me *but* my wife *who* wrote this letter. // 「日本語で書いていいですか」「日本語*ではだめです. 英語で書きなさい」"May I write in Japanese?" "No, not *in* Japanese. Write in English, please."

でば 出刃 ☞ でばぼうちょう

デパーチャー (出発) departure Ⓤ.

デパート department store Ⓒ ★《英》では単に stores ともいう. (☞ デパちか). ¶母はいつも土曜日には新宿の*デパートへ買い物に行く My mother goes shopping at (the) *department stores* in Shinjuku every Saturday.

デパートメント (部門) department Ⓒ (☞ ぶ[1]; ぶもん[1]).

てはい 手配 ―名 (順序・手立てなどを組織的にする準備) arrangements ★ 通例複数形で; (警察などの捜索) search Ⓒ. ―動 (…の手配をする) arrange for …, make arrangements for …; (捜し求める) search for … (☞ ようい[1]; じゅんび).
¶彼に宿 (⇒宿泊) の*手配は頼んであります I've asked him to ⌈*make arrangements* [*arrange*] *for* accommodations. // その車は警察が*手配していたものだった It was the car the police *had been searching for*.
手配師 recruiter (of day laborers) Ⓒ **手配写真** wanted person's photo(graph) Ⓒ; (顔写真)《俗》mug shot Ⓒ; (ポスター) wanted ⌈sign [poster] Ⓒ **手配書** search instructions ★ 複数形で.

デはい デ杯 ☞ デビスカップ

デバイス 〘コンピューター〙 device Ⓒ. **デバイスドライバー** 〘コンピューター〙 device driver Ⓒ.

デバイド (相違, 格差) divide Ⓒ ★ 通例単数形で. ¶デジタル*デバイド ☞ デジタル

ではいり 出入り going [coming] in and out Ⓤ (☞ でいり).

でばかめ 出歯亀 (のぞき魔) peeping Tom Ⓒ.

てばかり 手秤 ―名 (貴金属をはかる秤) jeweler's scale Ⓒ. ―動 (手で重さを見る) weigh (by hand) ㊀.

てばこ 手箱 small box (for *one's* ⌈things [belongings]) Ⓒ ★ things のほうが口語的.

ではじめ 出始め ¶*出始めのさくらんぼう *the first* cherries *of the* ⌈*year* [*season*] (☞ はしり)

てはじめに 手始めに (まず最初に) first of all, in the first place ★ 以上 2 つが最も普通; (始めるに当たって) to begin with; (皮切りに)《略式》for ⌈starters [openers]. (☞ はじめ; さいしょ[1]; まず). ¶*手始めにこれから取りかかろう *First of all*, let's get to work on this.

ではじめる 出始める begin to appear (☞ は[2]; め[2] (用例)). ¶松茸が店に*出始めた *Matsutake* (mushrooms) *have begun to appear* in the stores.

でばしょ 出場所 ¶ここが幽霊の*出場所 (⇒現れる場所)だ This is *the place where* ghosts *appear*.

てはず 手筈 ―名 (計画) plan Ⓒ; (手配・準備) arrangements ★ 複数形で. ―動 (手はずを整える) make arrangements, arrange ㊀ ㊁. (☞ てじゅん). ¶*手はずが狂った (⇒計画はうまくいかなかった) My *plan* didn't work. // 私はあした出発する*手はずを整えた I *have* ⌈*made arrangements* [*arranged*] to start tomorrow. // 全部*手はずがついています Everything *has been arranged*.

ではずれる 出外れる ¶蛍は町を*出はずれた所にいる Fireflies live *on the outskirts* of the town. (☞ はずれ)

てばた[1] 手旗 (小旗) small flag Ⓒ, handflag Ⓒ; (手旗信号に用いる旗) semaphore flag Ⓒ.
手旗信号 sémaphòre Ⓤ. ¶*手旗信号で伝言を送る send a message by *semaphore*

てばた[2] 手機 handloom Ⓒ.

デパちか デパ地下 the food floor in the basement of a department store (where a wide variety of foods and dishes and demonstrations are offered).

デバッグ ―動 〘コンピューター〙 debug /dìːbʌ́g/ ㊀.

てばな 手鼻 ¶彼は*手鼻をかんだ He *blew* his *nose with* his *fingers*.

でばな[1] **出端** **出端を折る** dampen [kill] *one's* enthúsiàsm ★[ ]内は口語的. **出端をくじく** (計画・努力などをくじく) baffle (他); (先手を取る) get [have] the jump on … ★くだけた表現. (☞ くじく). ¶やろうとしたらとたんに (⇒ そもそも初めから) *出端をくじかれた I *was baffled* from the very start. // 私は彼に*出端をくじかれた (⇒ 彼は私の先手を取った) He「*got* [*had*] *the jump on* me. // 敵の*出端をくじく *crush* the enemy *at the outset*

でばな[2] **出花** (茶の最初の一煎) the first brew of tea (☞ おに (鬼も十八番茶も出花)).

てばなし 手放し ¶彼女はその知らせを聞いて*手放しで喜んだ (⇒ たいへん喜んだ) She *was overjoyed* at the news. // *手放しで (⇒ ハンドルを持たずに) 自転車に乗る ride a bicycle *without holding onto the handlebars*

てばなす 手放す (特に持ち物などを) part with …; (一般的に, 人手に渡す) gìve úp (他); (売り払う) sell (他). (☞ うる[1]; うりはらう).
¶彼女はしぶしぶ金の指輪を*手放した She「*parted with* [*gave up*] her gold ring reluctantly. // 彼はその絵を5万円で*手放した (⇒ 売った) He *sold* the picture for fifty thousand yen.

てばなれ 手離れ ── [動] (成長して親の世話をあまり必要としなくなる) grow (up) and need less parental care; (物事が完成して手を加える必要がなくなる) finish completely.

でばぼうちょう 出刃包丁 (料理用の包丁) kitchen knife Ⓒ [日英比較] 包丁の種類が日本と英米では異なっているので, ぴったりの訳語はない. 例えば a Japanese kitchen knife with à strong, sharp「edge [blade] for chopping fish のような説明によるほかない. (☞ ほうちょう (挿絵)).

てばやい 手早い quick.

てばやく 手早く (敏捷に) quickly (☞ はやい[1] (類義語); すばやい).

でばやし 出囃子 (歌舞伎の) performance given by on-stage musicians in a kabuki play Ⓒ ★説明的な訳; (寄席の) samisen musical accompaniment played when a comic storyteller appears on the stage Ⓒ ★説明的な訳.

ではらう 出払う (みんな外出中) be all out. ¶セールスの者はみんな*出払っています The salesmen *are all out*. // 事務所の者はみんな*出払っています (⇒ だれも残っていない) *There's no one left*「in [at] the office. (☞ でる)

てばり 手張り (自分で貼ること) pasting by hand Ⓤ; (自分で相場を張ること) trading on *one's* own account Ⓤ.

デバリュエーション (通貨価値の引き下げ) devaluation /dìːvæljuéɪʃən/ Ⓤ.

でばる 出張る (突き出る) project (自).

でばん 出番 (順番) *one's* turn Ⓒ (☞ じゅんばん). ¶さああなたの*出番だよ It's *your turn*. // 今度はだれの*出番だ *Whose turn* is it?

てびかえる 手控える (量を減らす) cut down (on …) (自); (度を越さないようにする) be moderate in … (☞ ひかえる).

てびき 手引き (案内となるもの) guide Ⓒ; (案内書) guide(book) Ⓒ. ¶この本は初心者にとってよい*手引きだ This book is a good *guide* for beginners. // その犯行は内部の者の*手引きによると思われる (⇒ 従業員の中に共犯者がいたようだ) It seems that there was an (inside) accomplice among the employees. **手引き書** manual Ⓒ.

デビスカップ 〖テニス〗 the Davis Cup. **デビスカップ戦** the Davis Cup (tournament).

デビットカード (預金の出し入れと代金の口座引落しができるカード) débit càrd Ⓒ.

てひどい 手酷い ── [形] (厳しい) severe; (情け容赦のない) harsh. ── [副] severely; harshly. (☞ ひどい; きびしい).

デビュー debut /deɪbjúː/ Ⓒ (☞ はつぶたい). ¶彼は去年歌手として*デビューした He made his *debut* as a singer last year.

てびょうし 手拍子 ── [動] beat time with *one's* hands (☞ ひょうし[2]). ¶みんなで*手拍子をとりながら歌った We sang, *beating time with our hands*.

てびらき 手開き ── [動] (魚を手で開く) split (and spread open) … by hand. ¶*手開きしたいわし a *hand-split* sardine

デビル (悪魔) devil Ⓒ. **デビルフィッシュ** 〖魚〗 (いとまきえい, たこ) devilfish Ⓒ (複 ~(es)).

てびろく 手広く ── [副] (広範囲にわたって) extensively; (大規模に) on a large scale. ── [形] extensive; large-scale Ⓐ. (☞ だいきぼ). ¶彼は大阪地区で*手広く商売をしている He is doing「business *on a large scale* [*extensive* business] in the Osaka area.

デファクト ── [形] (事実上の) de facto ★ラテン語から. **デファクトスタンダード** (業界標準) de facto standard Ⓒ.

デフィシット (赤字) déficit Ⓒ.

てふうきん 手風琴 〖楽器〗 accordion Ⓒ.

デフォー ── [名] (固) Daniel Defoe, 1660–1731. ★英国の小説家.

デフォルト 〖コンピューター〗 defáult Ⓤ.

デフォルメ ── [名] deformation Ⓤ. ── [動] deform (他) ★「デフォルメ」はフランス語 déformer /defɔrme/ から.

てふき 手拭き (ハンカチ) handkerchief Ⓒ; (タオル) towel Ⓒ.

てぶくろ 手袋 gloves /glʌ́vz/; (親指だけ分かれているもの) mittens ★いずれも通例複数形で. 数えるときは a pair of gloves, two pairs of gloves のようにいう. (☞ 数の数え方 (囲み)).

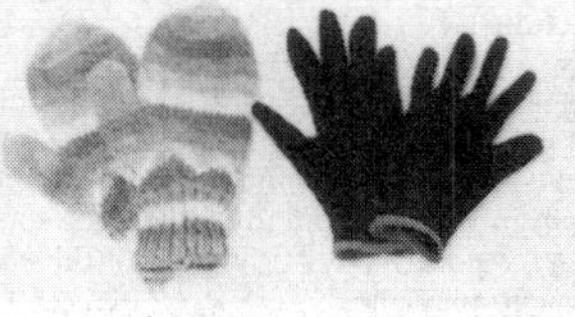

mittens gloves

¶彼女は白い*手袋をしていた She had white *gloves* on. // *手袋をはめなさい [ぬぎなさい] Put on [Take off] your *gloves*. // *手袋をしたまま握手をするのは失礼だ It is impolite to shake hands with *gloves* on.

でぶしょう 出不精, 出無精 (出不精の人) stay-at-home Ⓒ, homebody Ⓒ ★いずれも口語. ただし前者は軽蔑的な語. ¶うちの母は*出不精です (⇒ 外出するのを好まない) My mother「does*n't like going out* [is a *homebody*].

てぶそく 手不足 ── [形] shorthanded; (スタッフが足りない) understaffed. (☞ ひとで[1]).

てふだ 手札 (トランプの持ち札) hand Ⓒ. **手札判** [形] ¶*手札判[形]の写真 a「*tefuda-size*(*d*) [$3^1/_4 \times 4^1/_4$ *inch*] photograph [参考] 手札判は日本独特のサイズ.

でふね 出船 (出て行く船) departing ship Ⓒ, outgoing ship Ⓒ; (港を出ていくこと) departure from port Ⓤ. (☞ しゅっこう[1]; ふなで; しゅっぱん[2]).

てぶら 手ぶら ¶彼は*手ぶらで帰ってきた He returned「*empty handed* [*with empty hands*]. // 彼は私の家に来るときは*手ぶらで来る（⇒ 手みやげは持たない）He *never brings*「*anything* [*a present*] when he visits my home.《☞ てみやげ》

てぶり 手振り（しぐさ）gesture Ⓒ《☞ みぶり》.

てぶれ 手振れ（カメラの揺れ）camera shake Ⓤ.

¶ここは暗いから*手振れに気をつけなさい（⇒ カメラを揺らさないように）Be careful not to *shake the camera*, because it is dark here.

デフレ(ーション) deflation Ⓤ (↔ inflation).

デフレスパイラル deflationary spiral Ⓒ **デフレ政策** deflation policy Ⓒ.

デプレッション（不景気）depression Ⓒ.

デフロスター（車のウィンドーのくもり除去装置）defroster /diːfrɔ́ːstə/ Ⓒ,《英》demister /diːmístə/ Ⓒ 語法 冷蔵庫の霜取り装置の意味では英米とも defroster を用いる.

テフロン《商標》Teflon ★ polytetrafluoroethylene の商品名.

てぶんこ 手文庫（手紙や書類を入れる手箱）box for letters and papers Ⓒ.

でべそ 出臍 protruding navel Ⓒ.

テヘラン ── 名 固 Teh(e)ran /tèərǽn/ ★ イランの首都.

デベロッパー（宅地開発業者）devéloper Ⓒ.

てへん 手偏（漢字の）hand radical on the left of kanji Ⓒ.

てべんとう 手弁当 ── 名（自前の弁当）*one's* own lunch. ── 動（自己負担する）pay *one's* own expenses. ── 副（無報酬で）without any pay.

デポ（貯蔵所[庫]）depot /dépoʊ/ Ⓒ.

てぼうき 手箒 small broom (used in one hand) Ⓒ.

でほうだい 出放題 ¶水道の水が*出放題になっている The tap water *has been left running*. // 彼女は口から*出放題に（⇒ 思ったことを何でも）言う She says *whatever comes to* (*her*) *mind*.

デポ(ー)ざい デポ(ー)剤〔薬〕(長時間効果が持続する(注射)薬) depot /dépoʊ/ (「preparation [injection]) Ⓒ.

デポジット（預かり金）deposit Ⓒ.

てほどき 手解き（最初の教え）first lessons ★ 通例複数形で. ¶私は父から英語の*手ほどきを受けた（⇒ 最初の教えを受けた）I received my *first lessons* in English from my father. // チェスの*手ほどきをしてあげよう（⇒ やり方を示そう）I'll *show* you *how to* play chess. /（⇒ 基本を教えてあげよう）I'll *teach* you *the basics of* chess.

テポドン（北朝鮮の中距離弾道ミサイル）Taepodong (missile) Ⓒ. **テポドン1号[2号]** the Taepodong 1 [2].

てぼり¹ 手彫り ── 名 hand-carving Ⓤ. ── 形（手彫りの）hand-carved.

てぼり² 手掘り ── 形 hand-dug.

てほん 手本（模範）model Ⓒ;（忠実に見習う価値のある典型）pattern Ⓒ ★ 通例単数形で;（例）example Ⓒ;（手習いの本）copybook Ⓒ.《☞ もはん; みならう》.

¶これを*手本にして書きなさい Write「according to [in accordance with] this *model*. // 彼は自分の父を*手本にした He took his father as a *model*. / He followed the *pattern* of his father. // 彼は私たちによい*手本を示してくれた He set a good *example*「to [for] us.

デボンき デボン紀〔地質〕the Devonian /dɪvóʊniən/ pèriod.

てま 手間（時間）time Ⓤ;（手数・面倒）trouble Ⓤ;（労力）labor (《英》labour) Ⓤ.《☞ てすう; めんどう; てまどる》.

¶お*手間をとらせて申し訳ありません I'm sorry to *have troubled* you. /（⇒ 私を助けるために骨を折っていただいてありがとう）Thank you for all the *trouble* you've「taken [gone to] to help me.《☞ すみません》// これを作るのにはずいぶん*手間がかかる（⇒ 時間と労力を要する）It「takes [requires] a great deal of *time and labor* to make this. // この機械を使うと掃除の*手間がずいぶん省けます This appliance will save you a great deal of *trouble* cleaning. // 彼は*手間のかかる（⇒ やっかいな）人間だ He is a *troublesome* person.

手間仕事（手間賃をもらってする仕事）job Ⓒ, piecework Ⓤ;（手間のかかる仕事）time-consuming job Ⓒ **手間代[賃]**（賃金）wages ★ 通例複数形で;（一般的に報酬）pay Ⓤ.《☞ しゃれい》

手間ひま ¶*手間ひまをかける spend *a great deal of time and effort*

デマ（根拠のない[偽りの]うわさ）groundless [false]「rumor [《英》rumour] Ⓒ 日英比較 日本語の「デマ」はドイツ語の Demagogie の略. これに当たる英語の démagògy Ⓤ は, 政治的扇動を意味し, 日本語の「デマ」とは意味が違う.《☞ うわさ; りゅうげんひご》.

¶今年は大学入試がないという*デマが飛んでいる There is a *groundless rumor* that there will be no college entrance exams this year. // それは結局*デマだった（⇒ そのうわさはまったく根拠のないものとわかった）The *rumor* turned out (to be) *entirely groundless*. **デマメール**（嘘の情報を流すメール）false mail Ⓤ.

てまえ¹ 手前 1《こちら側》: this side;（絵などの前景）the foreground ★ the を付けて.《☞ まえ》.

¶「どちらがよろしいですか」「*手前の（⇒ こちら側の）を下さい」"Which would you like?" "The one on *this side*, please." // あの白い建物の*手前で左に曲がりなさい Turn (to the) left at *this side* of that white building. // この写真の*手前に座っているのが父です The man sitting in *the foreground* in this picture is my father.

2《体裁上》 ¶家族の*手前（⇒ 家族のことを考えて), ひとりで外遊することはやめた I gave up going abroad alone when I began to think of my family.

手前勝手 ── 形（自己本位の）selfish《☞ かって; りこ》 **手前ども** we. ¶*手前どもでは洋書は扱っておりません *We* don't deal in foreign books. **手前みそ** ¶*手前みそを並べる（⇒ 自分をほめる）flatter [praise] *oneself* /《略式》blow *one's* own「horn [《英》trumpet]《☞ じまん》

てまえ² 点前〔茶道〕(*o*)*temae* Ⓤ;（茶の湯の様式と作法）procedures and manners for making and serving tea in the tea ceremony;（説明的には）the process of putting powdered tea into a tea bowl, pouring in hot water from the kettle, whipping the tea into a froth and serving it.《☞ おてまえ》

でまえ 出前 ── 名（食べ物の）catering service Ⓤ;（配達）delivery service Ⓒ 日英比較 (1) 英米のレストランなどでは普通, 日本のような出前はしない. ── 動（仕出しをする）cater 自 他 日英比較 (2) 英米の catering は日本の出前ほど気楽にするサービスではなく, 結婚式・パーティーなどかなりの人数がまとまる場合の仕出しをいう;（配達する）deliver 他.

¶その店は*出前をする That restaurant *delivers* food. // すし屋に*出前を頼んだ（⇒ 配達用のすしを注文した）I ordered some sushi for *delivery* from the store. // 諸会合など*出前致します Parties *catered*.

出前持ち delivery boy Ⓒ, deliveryman Ⓒ.

「パーティー・宴会その他社交的な会合に出前します」という掲示

てまえがって 手前勝手 ☞てまえ[1]

でまかせ 出任せ ¶彼は口から*出まかせを言う (⇒彼の言うことは信頼できない) His statements are [What he says is] not reliable. / (⇒思いつくままに言う) He says whatever ˹pops into his mind [comes to mind]. 《☞でたらめ; いいかげん》

てまき 手巻き ―[形] hand-rolled. **手巻き寿司** hand-rolled sushi Ⓤ.

でまく 出幕 *one's* turn on stage 《☞でばん》.

てまくら 手枕 ¶*手枕で寝る sleep *with one's head cradled in one's arm(s)*

デマゴーグ (扇動政治家) démagòg(ue) Ⓒ.

デマゴギー demagogy Ⓤ 《☞デマ》.

でまど 出窓 (張り出し窓) bay (window) Ⓒ; (弓形の) bow window Ⓒ.

てまどる 手間取る (時間がかかる) take time ★事柄が主語になる; (多くの時間を費やす) spend a great deal of time; (遅れる) be delayed ★以上2つの言い方は人が主語になる. 《☞てま; てこずる》.

¶車の渋滞で*手間取った (⇒遅れた) I *was delayed* by a traffic jam. // その仕事は思ったよりも*手間取った (⇒予想以上に時間がかかった) The work *took* more *time* than I had expected.

てまね 手真似 (個々のしぐさ) gesture Ⓒ; (手まねをすること) gesticulation Ⓤ ★前者より格式ばった語. 《☞みぶり; しぐさ》.

てまねき 手招き ―[動] (手, 特に指で合図する) beckon (他); (身振りで示す) motion (他) (自). ―[名] beckoning Ⓤ. ¶彼は彼女にもっと近くへ来るように*手招きした He ˹*beckoned* [*motioned* (to)] her to come closer.

てまひま 手間隙[暇] ☞てま

てまめ 手忠実 ☞まめ[3]; きよう[1]

てまり 手毬 *te-mari* Ⓒ; (説明的には) small ball made of tightly-wound colorful thread Ⓒ.

¶*手まりをつく bounce a *ball* **手まり歌** ball-bouncing song Ⓒ.

てまわし 手回し ―[動] (…に備えて準備をする) prepare (for …) (自); (…の手はずを整える) arrange (他); (手で回す) operate … by hand. ―[名] *preparation* Ⓤ; *arrangements* ★通例複数形で. 《☞てはず; じゅんび; ようい[1]》.

¶彼は万事*手回しのいい男だ (⇒いつもよく用意ができている) He is always *well prepared*. / (⇒手はずを整えるのがうまい) He is always clever at *arranging* what he is going to do.

手回しごま top spun using the hands Ⓒ.

てまわりひん 手回り品 (所持品) *one's* things, *one's* belongings ★いずれも複数形で. 前者のほうが口語的; (衣類・化粧道具などの身の回り品) personal effects ★複数形で. やや格式ばった表現. 《☞もちもの; てにもつ》.

でまわる 出回る (手に入る) be available; (市場に現れる) be [appear] on the market; (果物・野菜などが) be in season; (店などで売られている) be sold. ¶9月には新米が*出回る (⇒市場に出る) In September new rice will *be on the market*. // 大量の偽物が*出回っている (⇒至る所にある) There *are* (a great) many imitations *everywhere*.

デマンド (要求) demand Ⓒ.

デミグラスソース ☞ドミグラスソース

てみじか 手短 ―[形] (文章などが短い) short; (簡潔な) brief ★short よりは格式ばった語. ―[副] (短く) briefly; shortly [語法] 副詞の shortly はほかに「間もなく」「ぶっきらぼうに」などの意味もあるので, briefly を使うほうが安全; (要するに) in ˹short [brief]. 《☞かいつまむ; かんたん[1]; かんけつ[2]》.

¶彼はその計画を*手短に説明した (⇒短い[簡潔な]説明をした) He gave a ˹*short* [*brief*] explanation of his plan. / He explained his plan *briefly*.

てみず 手水 (手を洗う水) water for hand-washing Ⓤ; (もちをつくときの) hand-wetting water Ⓤ. **手水舎**(てみずや) pavilion in the precincts of a shrine, where a washbasin is placed for purifying hands and mouth Ⓒ.

でみず 出水 ☞こうずい

でみせ 出店 (支店) branch Ⓒ; (屋台店・露店) (street) stall Ⓒ, booth Ⓒ. 《☞ろてん[2]; よみせ》.

デミタス démitàsse Ⓒ ★half-cup の意味のフランス語から.

てみやげ 手土産 present Ⓒ, gift Ⓒ ★後者のほうが格式ばった語. 《☞みやげ; おくりもの (類義語)》.

¶日本人は人を訪ねるときはよく*手みやげを持参する Japanese people often bring ˹*gifts* [*presents*] when they ˹visit [call on] others. [日英比較] 英米では他人の家を訪問するのに手みやげを持参するという習慣は特にない.

デミングしょう デミング賞 the Deming Prize ★日本で工業製品の品質管理向上に貢献した会社・個人に贈られる賞. 米国の統計学者 W. Edward Deming にちなむ.

てむかい 手向かい (反抗) resistance Ⓤ 《☞はんこう[2]》.

てむかう 手向かう (反抗する) resist (他); (反対する) oppose (他). 《☞はんこう[2]; たてつく》.

でむかえ 出迎え (歓迎) welcome Ⓒ 《☞かんげい; でむかえる》.

でむかえる 出迎える (出向いて会う) (come to) meet (他) ★最も一般的な語; (客を迎える) receive (他) ★meet より格式ばった語; (歓迎する) welcome (他); (丁重に迎える) greet (他). 《☞むかえる》.

¶バス停まで*出迎えに来て下さい Can you *meet* me at the bus stop? // ブラウン夫妻が門で*出迎えてくれた Mr. and Mrs. Brown ˹*welcomed* [*received*] me at the gate. // 首相は空港で大統領の*出迎えを受けた The prime minister *was greeted* by the president at the airport.

でむく 出向く go [come] to … ★話し相手の所へ行くときは come. 《☞でかける; ゆく[1]》.

¶私は指定の集合場所に*出向いた I *went to* the appointed meeting ˹place [spot]. // いずれそのうち私のほうから*出向きます (⇒私があなたに会いに行きます) I'll *come and see* you one of these days. [語法] I に強い強勢を置いて発音することで「私が」が強調され,「私のほうから」というニュアンスが出る.

テムズがわ テムズ川 ―[名] (固) the Thames /témz/ ★ロンドンを貫流して北海に注ぐ.

でめ 出目 bulging eyes.

でめきん 出目金 popeyed [telescope-eyed] goldfish Ⓒ ★単複同形.

デメリット (不利なこと・不利益) dìsadvántage Ⓒ; (欠点・短所) dráwbàck Ⓒ. 《☞けってん (類義語); たんしょ[1]》.

-ても (たとえ…しても) even ˹if [though] …; (いかに

…であっても) however … (may) … ★ may は口語ではよく省略する. 《☞ -しても; たとえ[1]; -でも》.
¶雨が降っ*ても行きます I will go *even if* it rains. // どんなに勉強し*ても彼女にはかなわないでしょう *However* hard you (*may*) study, you can't ⌈beat [get ahead of] her. // 何度電話をかけ*ても彼は留守だった (⇒何度も電話をかけたが出なかった) I tried to call him many times, *but* ⌈he didn't [there was no] answer. // 間違いがあるにし*ても, ごくわずかです There are very few mistakes, *if* any.

でも —接 (しかし) but …, however, … 語法 後者のほうが格式ばった語. 文中に入れるのが普通だが, 文頭に置くこともできる. 書くときはコンマで区切る. 《☞ しかし (類義語); だが》. ¶私はきょう彼とデートの約束がある. *でも母がどうしても外出を許してくれない I have a date with him today, *but* my mother won't let me go out. // その方法は正しいかもしれない. *でも私は反対だ The method may be right. I am, *however*, against it.

デモ —名 dèmonstrátion Ⓒ, 《英略式》 demo Ⓒ 《複 ～s》. —動 démonstràte 自.
¶我々は核実験反対の*デモをした We ⌈held a *demonstration* [*demonstrated*] against nuclear ⌈tests [testing]. // *デモを解散させる disperse a *demonstration* // 反戦*デモ an antiwar *demonstration*
デモ行進 ¶私はその*デモ行進に参加した I took part in the *demonstration*. **デモ隊** ¶*デモ隊は5時に日比谷公園で解散した The *demonstrators* broke up in Hibiya Park at five.

-でも **1** 《であっても》: (たとえ…であっても) even ⌈if [though] …; (どんなに…であっても) however … (may) … ★ may は口語では省略されることが多い; (…でさえ) even. 《☞ たとえ[1]; -ても》.
¶たとえ雨*でも行くつもりです We are going *even if* it rains. // いくら利口*でも, あんな人は好きでない I don't like that ⌈kind [type] of man, ⌈*however* clever he *may* be [*even though* he may be very clever]. // 一番長いはしご*でもそこには (⇒あの高さには) 届くまい *Even* the tallest ladder would not reach that high. // どうぞ何度*でも (⇒好きな回数だけ) お使い下さい Please use it *as* many times *as* you like. // 「どんな部屋がよいですか」「どんな部屋*でもいいです」 "What kind of room would you like?" "*Any* room will do."
2 《だけでも》: even, just. 《☞ すくなくとも》. ¶一度*でもよいから飛行機を操縦したい I want to ⌈fly [pilot] an airplane *just* once. // きょうはこの仕事だけ*でも (⇒少なくともこれだけの仕事を) 終えなくてはならない Today I have to finish this much work *at least*.
3 《例えば》 日英比較 日本語のこの意味での「でも」は表現をあいまいにして和らげるために用いられることが多い. 従って, 場合によっては直訳が不可能なので, 内容を汲んで意訳する必要がある. 《☞ 日本語の消極的表現 (巻末)》.
¶土曜の午後に*でも伺いましょう I will visit you, *say*, on Saturday afternoon. // 「お茶*でも飲みましょうか」「そうしましょう」 "Let's have tea, shall we?" "That's a good idea." // 「コーヒー*でもどうですか」「いいね」 "How about (having) a cup of coffee?" "Fine." // A*でも B*でもいいよ I don't *care whether it's A or B*.

デモクラシー (民主主義) democracy Ⓤ.
デモクラット (民主主義者) démocràt Ⓒ; (アメリカの民主党員) Democrat Ⓒ.
デモクラティック (民主的な) dèmocrátic.
デモグラフィー (人口統計学) demography Ⓤ.
デモクリトス —名 固 Democritus /dɪmɑ́krətəs/, 460?–?370 B.C. ★ 古代ギリシャの哲学者.

でもしかきょうし でもしか教師 ¶彼は*でもしか教師だ (⇒ほかの仕事に就けなかったので教師になった) He became a teacher because he was unable to get any other job.
デモステネス —名 固 Demosthenes /dɪmɑ́sθənìːz/, 384–322 B.C. ★ 古代アテネの政治家.
てもち 手持ち ¶私にはいま現金の*手持ちがない (⇒身につけて持っていない) I don't *have* any cash ⌈*with* [*on*] *me*. / (⇒手元に持っていない) I don't *have* any cash ⌈*on* [*in*] *hand*. **手持ち外貨** foreign currency holdings ★ この意味では holding は複数形で用いる.
てもちぶさた 手持ち無沙汰 ¶彼は*手持ちぶさたのようだ He seems to *have time on his hands*. ★ on *one's* hands で「持て余して」の意. // 今のところ*手持ちぶさただ (⇒することがない) I *have nothing to do* just now.
デモテープ (宣伝用の) demo (tape) Ⓒ.
てもと 手元 —副 (手近に) at hand; (すぐそばに) by ⌈*one* [*one's* side]; (持ち合わせて) on [in] hand. 《☞ てぢか》. ¶彼はいつも電卓を*手元に置いている He always ⌈keeps [has] a calculator ⌈*at hand* [*by him*; *by his side*]. // *手元の資料 the data ⌈*on hand* [*in hand*; (⇒手に入る) *available* to *one*] // *手元が狂って弾ははずれた (⇒弾は的に当たらなかった) The bullet missed the target. ★ 特に「手元が狂う」を訳す必要はない.
手元金 money [cash] on hand Ⓤ **手元不如意** (金に困っている) 《略式》 be hard up (for money).
でもどり 出戻り (離婚した女性) divorcée /dɪvɔəséɪ/ (living in her parents' home) Ⓒ ★ divorcée の ´ は綴り本来のもの.
てもなく 手も無く (たやすく) easily.
でもの 出物 (できもの) boil Ⓒ; (格安品) bargain Ⓒ, good buy Ⓒ ★ 後者のほうが口語的; (屁) fart Ⓒ. 《☞ できもの; かいどく[2]》. **出物腫物所嫌わず** Necessity knows no law. 《ことわざ: 必要の前には法も無力》.
てもり 手盛り ☞ おてもり
デモンストレーション —名 (実演) dèmonstrátion Ⓤ ★ 具体的には Ⓒ. —動 (実演する) démonstràte 他. 日英比較 demonstration には「示威運動」「デモ」の意味があるが, 日本語ではそれを普通「デモ」と呼び,「デモンストレーション」と区別する. 《☞ デモ》. ¶そのエンジニアはロボットがどのように動くか*デモンストレーションをしてみせた The engineer *demonstrated* how the robot worked. **デモンストレーション効果** 〖経〗 demonstration effect Ⓒ.
デモンストレーター (デモ参加者・実演者) démonstràtor Ⓒ.
てやき 手焼き —形 hand-baked, hand-grilled. ¶彼は自分の*手焼きの茶碗を私に見せた He showed me a teacup he *made himself*. 《☞ てづくり》 **手焼きせんべい** hand-grilled rice cracker Ⓒ.
てやすめ 手休め (休息) (short) rest Ⓒ 《☞ きゅうそく[2]》.
デュアリズム 〖哲〗 (二元論) dualism Ⓤ.
デュアル —形 (2つの・二重の) dual /d(j)úːəl/ Ⓐ. **デュアルシステム** 〖コンピューター〗 dual system Ⓒ.
デューイ —名 固 John Dewey /d(j)úːi/, 1859–1952. ★ アメリカの哲学者・教育学者.
デューティーフリー —形 (免税の) duty-free. **デューティーフリーショップ** duty-free (shop) Ⓒ.
デュエット 〖楽〗 duet /d(j)uːét/ Ⓒ 《☞ にじゅう[3] (二重唱)》.
デュオ 〖楽〗 (二重奏[唱], 芸能人などの二人組) duo Ⓒ 《☞ コンビ》.
デュッセルドルフ —名 固 Düsseldorf

/d(j)ú:səldɔ̀ːf/ ★ドイツ西部の工業都市.

デュプリケート ━動(複製する) dúplicàte 他.

デュマ ━名 固 Alexandre Dumas /ælɪgzǽndrə d(j)u:má/ ★フランスの小説家・劇作家の同名の父子 (父 (Dumas père) 1802–70, 子 (Dumas fils) 1824–95).

デュラス ━名 固 Marguerite Duras /màːgərí:t d(j)u:rá:s/, 1914–96. ★フランスの作家・脚本家・映画監督.

デュルケーム ━名 固 Émile Durkheim, 1858–1917. ★フランスの社会学者. ★É の ´ は綴り本来のもの.

でよう 出様 ☞でかた

てら 寺 (Buddhist) temple C 参考 temple はキリスト教以外の宗教の寺院を指す. 寺男 temple employee C 寺奉行 《史》 administrator of temples (in the Muromachi period) C 寺参り ━名 visit to a temple C. ━動 visit a temple 寺町 the temple quarter of a town 寺巡り pilgrimage to temples C.

テラ ━接頭 (10^{12}, 1兆) tera- /térə/. テラサイクル teracycle C テラヘルツ terahertz C.

てらい 衒い (気取り) affectation U; (見せかけ) pretension U, pretense (《英》 pretence) U ★前者のほうが格式ばった語. (☞きどる; きざ). ¶彼の態度には何の*てらいもなかった There was no sign of 「*affectation* [*pretension*; *pretense*] in his manners.

てらう 衒う (見せびらかす) make a 「show [display] of… ★display を使うほうが格式ばった表現, shów óff 他. (☞みせびらかす; もったいぶる; きどる). ¶彼は学問を*てらうような (⇒見せびらかすような) 男ではない He is not the kind of man 「who *makes* [to *make*] *a show of* his learning. // 奇を*てらう *make a display of one's* eccentricity

デラウェア **1** 《アメリカ東部の州》 ━名 固 Delaware (☞アメリカ (表)). **2** 《ぶどうの品種》: Delaware U.

てらこ 寺子 student who attended a private elementary school of the Edo period C ★説明的な訳. (☞てらこや).

テラコッタ ━名 tèrra-cótta C ★素焼きの塑像や器. ━形 terra-cotta A.

てらこや 寺子屋 temple school C, private elementary school of the Edo period C ★後者は説明的な訳. (☞てらこ).

てらしあわせる 照らし合わせる (比較する) compare … with …; (照合する) check … 「with [against] …. (☞てらす; しょうごう¹).
¶私は翻訳と原文を*照らし合わせてみた (⇒比較した) I *compared* the translation *with* the original. // 私は自分の答えと彼のを*照らし合わせた I *checked* my answers 「*with* [*against*] his.

てらしだす 照らし出す light (up) 他.

てらす 照らす **1** 《光などが》: (光を当てる) light (úp) 他 (過去・過分 lighted, lit) ★最も一般的; (明るくする) lighten 他; (照明する) illúminàte 他. (☞てる; しょうめい²).
¶私は道を懐中電灯で*照らした I 「*lighted* [*lit*] (*up*) my way with a flashlight. // その庭園は月で煌々(こうこう)と*照らされていた The garden *was* brightly 「*lighted* (*up*) by the moon [*moonlit*]. // その閃光(せんこう)が一瞬彼の顔を*照らした The spark 「*lightened* [*lit up*] his face (for) a second. // 通りはネオンサインで*照らされていた The street *was* 「*illuminated* [*lighted* (*up*); *lit* (*up*)] by neon signs.
2 《比較参照する》: (比較する) compare … with …; (照合する) check … 「with [against] …; (参照する) refer to …. (☞てらしあわせる; しょうごう¹).

テラス terrace C; (スペイン風に庭に面した石だたみで, テーブルなどの置いてある場所) pátio C. テラスハウス town house C, row house C, 《英》 terrace house C.

てらせん 寺銭 (賭場の貸主に払う金) the charge for a gambling house.

てらだとらひこ 寺田寅彦 ━名 固 Terada Torahiko, 1878–1935. ★必要があれば a physicist and essayist, who skillfully expounded science in plain words という説明を加えればよい.

デラックス ━形 deluxe /dɪlʌ́ks/ A ★名詞の直後にも用いる; (豪華な) gorgeous ★やや口語的; (一流の) first-class. (☞ごうか¹).
¶*デラックスなホテル a 「*deluxe* [*five-star*; *first-class*] hotel // 彼女はずいぶん*デラックスな家に住んでいる She lives in a *gorgeous* house.

テラピア 〖魚〗(熱帯魚の一種) tilapia /təléɪpiə/ C ★単複同形.

テラロッサ (赤色土壌) terra rossa U.

テランセラ 〖植〗 alternanthera C ★南米原産の観葉植物. joyweed や calico plant などとも言う.

てり 照り **1** 《日光》: sunshine U (☞ひざし; せいてん¹). **2** 《つや》: (輝き) luster (《英》 lustre) U; (光沢) gloss U. (☞つや¹; こうたく). **3** 《料理で》 ━名 glaze C. ━動 glaze 他. ¶たれをつけてうなぎに*照りを出す *glaze* a broiled eel with sauce

テリア (犬) terrier C.

デリー ━名 固 Delhi ★インド北部の都市. 南に隣接する首都ニューデリーに対し Old Delhi とも呼ばれる.

デリート ━動 (削除する) delete /dɪlí:t/ 他 (☞さくじょ). デリートキー 〖コンピューター〗 delete key C.

テリーヌ terrine /tərí:n/ U ★魚や鶏肉をペースト状にして調理した冷製の前菜.

てりかえし 照り返し (反射) reflection U; (反射した光) reflected light U; (反射した熱) reflected heat U. (☞はんしゃ).

てりかえす 照り返す (反射する) reflect 他; (光を) throw back light. (☞はんしゃ).

てりかがやく 照り輝く shine brightly.

デリカシー (繊細さ) délicacy U.

デリカテッセン (惣菜店) dèlicatéssen C, 《略式》 deli C.

デリケート ━形 (繊細な) delicate /délɪkət/; (過敏な) sensitive. ━名 (デリケートなこと) délicacy U; sensitivity U. 日英比較 日英のアクセントの違いに注意. また英語の delicate と sensitive は意味が似ているが, 前者は繊細な美しさ (従って壊れやすい) という点に重点があり, 後者は過敏で傷つきやすいというやや軽蔑的な点に重点がある. 日本語ではいずれにも「デリケート」を当てるが, 場合によっては交換可能だったり, 区別の必要があったり, また別の表現を用いるほうがよい場合もある. (☞せんさい¹; かびん²).
¶赤ん坊の肌は*デリケートだ Babies have 「*delicate* [*sensitive*] skin. // *デリケートな立場 a *delicate* situation // 彼には*デリケートなところがない He lacks *delicacy*. // *デリケートな女性 a *sensitive* woman // *デリケートな問題 a *delicate* problem / (⇒注意を要する問題) a problem *requiring great care*

てりこむ 照り込む (日光が差し込む) shine in 自, shine into …. ¶部屋に西日が*照り込んでいた The afternoon sun *was shining into* the room.

デリシャス (リンゴの品種) Delicious U.

デリック (船荷積み降ろし用のクレーン) derrick C (☞きじゅうき (挿絵)).

てりつける 照り付ける (ぎらぎら輝く) glare 自; (赤々と燃えるように輝く) blaze 自; (たたきつけるように輝く) beat down 「on [upon] …. (☞ぎらぎら; て

る》.

テリトリー territory Ⓒ《☞ なわばり》.

てりはえる 照り映える shine beautifully.

デリバティブ (金融派生商品) derivative Ⓒ.

デリバリー (配達) delivery Ⓤ《☞ たくはい; はいたつ》. ¶ ピザの*デリバリー pizza *delivery*

テリヤ ☞ テリア

てりやき 照り焼き teriyaki Ⓒ; (説明的には) fish [chicken; meat] broiled after being marinated in mirin and soy sauce Ⓒ. 《☞ 料理の用語 (囲み)》.

てりゅうだん 手榴弾 (hand) grenade Ⓒ.

てりょうり 手料理 (自家製の) homemade [home-cooked] dish Ⓒ; (…によって料理されたもの) dish ˹cooked [prepared] by … Ⓒ. 《☞ てせい; りょうり》. ¶ 母親の*手料理に勝るものはない There is nothing like (a) mother's *cooking*.

てりわたる 照り渡る shine over …

¶ 太陽が湖面に*照り渡っている The sun *is shining over* the lake.

デリンジャーげんしょう デリンジャー現象 〘物理〙 Déllinger fádeòut Ⓒ ★ 太陽の活動による通信電波の異常減衰.

てる 照る (輝く) shine ㊐; (ギラギラと強く照る) blaze ㊐. 《☞ てらす; かがやく》. ¶ 今夜は月が煌々(こうこう)と*照っている The moon *is shining* ˹bright [brightly] tonight. // 太陽が頭上にギラギラ*照っていた The sun *was blazing* overhead.

でる 出る **1** «外へ行く»: (出て行く) gò óut ㊐ (↔ còme ín); (場所から立ち去る) leave ㊀. 《☞ ゆく¹; たちさる》. ¶ 彼らはその家から*出て行った They *went out* of the house. // 庭へ*出ましょう Let's *go out* into the garden. // 私たちはもうすぐこの部屋を*出ます We will *leave* this room soon.

2 «出発する»: (ある場所を去る・乗り物が出発する) leave ㊀ ㊐ (↔ arrive); (動き出す) start ㊐; (人・乗り物が出発する) depart ㊐ ★ leave より格式ばった語. 《☞ しゅっぱつ 語法; はっしゃ¹ (類義語); でかける》. ¶ 彼女は朝早く*出ました She ˹*left* [*started*] early in the morning. // 私はあすロンドンを*出てニューヨークへ向かいます I *leave* London for New York tomorrow. // この列車[飛行機]は10時半に*出ます This ˹train [plane] ˹*leaves* [*departs*] at 10:30. 語法 ten thirty と読む. 飛行機では tàke óff ㊐ (離陸する) も使われる.

3 «姿を現す»: (隠れていたものが現れる) còme óut ㊐; (下から現れる) còme úp ㊐; (幽霊が出没する) haunt ㊀; (舞台などに立つ) appear ㊐. 《☞ あらわれる》.

¶ 月が*出た The moon *has* ˹*come up* [*risen*]. ★ risen はやや文語的. // その本は6月に*出る The book will ˹*come out* [(⇒ 出版される) *be published*] in June. ★ come out のほうが口語的. // この家には幽霊が*出るといううわさだ A ghost is said to *haunt* this house. / This house is said to *be haunted*. // 彼は来週の水曜日にテレビに*出る He will *appear on* TV next Wednesday. // ちょっと電話に*出てくれませんか《電話が鳴ったとき》Will you *answer* the phone? // 君のことが新聞に*出ているよ There'*s* something about you in the paper.

4 «液体が流れ出る»: (出血する) bleed ㊐《過去・過分 bled》; (水・鼻水などが) run ㊐. ¶ 傷口から血が*出ているよ (⇒ 傷口が出血している) Your cut *is bleeding*. // 風邪を引いたので鼻が*出る I've caught (a) cold, and my nose *is running*.

5 «外側へ出っ張る»: (突き出る) stick óut ㊐, protrude ㊐ ★ 後者のほうが格式ばった語. ¶ くぎが1本壁から*出ている A nail *is* ˹*sticking out* of [*protruding* from] the wall. // 彼は腹が*出てきたこと(⇒ 太くなっていく胴のこと) を気にしている He is concerned about his *thickening* ˹middle [waist].

6 «激しくなる»: (風が) rise ㊐《過去 rose; 過分 risen》《☞ かぜ¹》. ¶ 風が*出てきた The wind *is* ˹*coming up* [*rising*]. ★ coming up のほうが口語的.

7 «参加する»: (試合・競技に出る) play (in …) ㊐; (参加する) take part in …, partícipàte (in …) ㊐ ★ 後者のほうが格式ばった語; (出席する) be (present) at …, attend ㊀ ★ 前者のほうがより口語的; (立候補する) run (for …) ㊐. 《☞ しゅつじょう; しゅっせき; りっこうほ》.

¶ 彼はその試合に*出た He ˹*played* [*took part*] *in* the game. // 彼女はその会に*出なかった She *was* not (*present*) *at* the meeting. / She didn't *attend* the meeting. // 彼は市長選に*出ることにした He decided to *run for* mayor.

8 «食卓に供される»: be served. ¶ デザートにアイスクリームが*出た Ice cream *was served* for dessert /dɪzə́ːt/.

9 «卒業する»: graduate (from …) ㊐《☞ そつぎょう》. ¶ 彼はB大学を*出た He *graduated from* B University.

10 «売れる»: sell ㊐《過去・過分 sold》.

¶ この品はよく*出ます (⇒ 速く[よく]売れる) This article *sells* ˹fast [well].

11 «生み出す»: (産出する) produce ㊀; (利益などをもたらす) yield ㊀. ¶ この鉱山からは金が*出る (⇒ この鉱山は金を産出する) This mine *produces* gold.

12 «発生する»: (…から出ている) come from …; (源を発する)《格式》originate ㊐.

¶ これはフランス語から*出た語である This word ˹*came* [*comes*] *from* French. 語法 過去形にすれば歴史上の事実, 現在形なら出所についての事実をいう言い方となる. / This is a word of French *origin*. ★ 第1文のほうが口語的. // そのうわさはテレビのニュースから*出た The rumor *originated* from the TV news.

13 «至る»: (ある場所にやってくる) come to …; (道が通じる) lead (to …) ㊐; (到着する) reach ㊀. 《☞ つうじる》. ¶ 真っすぐ行けば桜通りに*出ます Go straight ˹on [ahead] and you will *come to* Sakura Street. // この道を行けば駅に*出る (⇒ この道は駅まで通じている) This road ˹*leads* [(⇒ あなたを連れて行く) will *take* you] *to* the station.

出る杭は打たれる ☞ くい¹ **出る所へ出る** ¶ *出る所へ出て (⇒ 裁判に持ち込み) 決着をつけようじゃないか Let's *bring this case to court* and get it settled. **出る幕** ¶ ここはお前の*出る幕じゃない (⇒ お前には関係ない) This is none of *your business*. / This *has* nothing *to do with* you.

テルアビブ — 名 固 Tel Aviv /tèləvíːv/ ★ イスラエルの都市.

デルタ (ギリシャ語アルファベットの第4字) delta Ⓒ ★ギリシャ文字は Δ, δ; (河口の三角洲) delta Ⓒ ★ ギリシャ文字の大文字から.

てるてるぼうず 照る照る坊主 Japanese paper doll hung outside in the hope of bringing good weather Ⓒ.

テルビウム 〘化〙 terbium Ⓤ《元素記号 Tb》.

デルフィニウム 〘植〙 rocket larkspur Ⓒ.

テルマ (女性名) Thelma /θélmə/.

テルミット 〘化〙 thermite /θə́ːmaɪt/ Ⓤ; 《商標》 Thermit /θə́ːmɪt/ ★ アルミニウム粉末と酸化鉄との混合物.

テルル 〘化〙 tellurium /telʊ́(ə)riəm/ Ⓤ《元素記号 Te》.

テレカ ☞ テレホンカード

てれかくし 照れ隠し ―動 (気まずさを隠す) hide [cover; 《格式》 conceal] *one's* embarrassment. ¶ 彼は*照れ隠しに大きな声で笑った (⇒ 気まずさを隠すために) He laughed loudly to ｢*hide* [*cover*; *conceal*] *his embarrassment*.

デレギュレーション ―名 (規制の撤廃・緩和) deregulation Ⓤ. ―動 deregulate ㊀.

てれくさい 照れ臭い ―形 (当惑してばつが悪い) embarrassed; (人と会うのを恥ずかしがる) shy; (子供・女性などがはにかみやの) bashful. ―副 (照れくさそうに) shyly; bashfully. (☞ てれる; はずかしい). ¶ みんなの前でほめられて*照れくさかった I felt *embarrassed* being praised in front of so many people. // その男の子と女の子は*照れくさそうに互いに自己紹介をした The boy and (the) girl introduced themselves to each other ｢*shyly* [*bashfully*].

テレクラ "telephone club" where men pay a fee to sit in a small cubicle and wait for calls from women Ⓒ.

テレグラフ (電報) telegraph Ⓤ.

デレゲーション (代表団) delegation Ⓒ.

テレコ ☞ テープレコーダー

テレコミュニケーション telecommunications ★ 通例複数形だが, Ⓤとして用いることもある.

テレコム télecòm Ⓤ ★ telecommunication(s) の短縮形.

テレサ (女性名) Theresa /tərí:sə/ ★ 愛称は Terry, Tess.

てれしょう 照れ性 ―形 (恥ずかしがり屋の) shy; (はにかみ屋の) bashful.

テレスコープ (望遠鏡) télescòpe Ⓒ.

テレタイプ 《商標》 Téletỳpe ★ teletypewriter の商品名.

テレックス ―名 télex Ⓤ. ―動 (テレックスで送る) telex ㊀ ㊁. ¶ *テレックスで情報を交換する exchange information by *telex*

でれっと ☞ でれでれ

でれでれ ¶ 夏休みを*でれでれと (⇒ 無為に) 過ごさないように Don't spend your summer vacation *idly*. // 彼はいつも女の子と*でれでれして (⇒ いちゃついて) ばかりいる He *is* always *flirting with* girls.

テレパシー (精神感応) telépathy Ⓤ.

テレビ ―名 (テレビ放送) télevìsion Ⓤ, 《略式》 TV /tí:ví:/ Ⓤ, 《米略式》 tele /téli/ Ⓤ, 《英略式》 telly Ⓤ ★ 通例無冠詞だが the が付くこともある. 以上いずれも受像機の意味ではⒸ. また受像機は特に改まったときは television set Ⓒ ともいう. ―動 (テレビで放送する) broadcast ... by ｢television [TV], telecast ㊀, televise ㊀ 語法 1 番目は説明的で, やや格式ばった言い方. 2 番目, 3 番目はテレビ用語としてよく使われるが, 3 番目には「実況放送する」「テレビ中継する」という意味が加わることがある. ―副 (テレビで) on ｢television [TV]. (☞ ほうそう'). ¶ 彼女は*テレビをつけた[消した] She ｢turned [switched] ｢on [off] the ｢*television* [*TV*]. // 宿題をやってしまうまでは*テレビを見てはいけません Don't watch *TV* before you finish your homework. // 今夜*テレビではどんな番組がありますか (⇒ 何があるか) What's on ｢*television* [*TV*] tonight? // 首相は*テレビで国民に演説した The prime minister spoke to the nation *on* ｢*television* [*TV*]. // 私は*テレビで野球を見た I ｢watched [saw] the baseball game *on* ｢*television* [*TV*]. // 昨夜*テレビでボクシングの世界選手権試合をやっていた (⇒ 私は…をテレビで見た) I saw the world boxing title match *on TV* last night. / (⇒ …がテレビで放送された) The world boxing championship match *was* ｢*televised* [*shown on TV*] last night. // 私は*テレビのチャンネルを 3 に合わせた I ｢tuned in [turned; switched] my *TV* to channel 3. // 最近の*テレビは (⇒ テレビ番組は) つまらない *TV* programs are boring these days. // 君は*テレビの見すぎだよ You watch *TV* too much. / (⇒ 中毒している) You are addicted to *TV*. // 彼女は先週*テレビに出た She ｢appeared [was] on *television* last week. // 彼は*テレビマニアだ He is a *TV* addict /ǽdɪkt/. // カラー[白黒]*テレビ a ｢color [black-and-white] ｢*television* [*TV*] // 高精細[高品位]*テレビ high-definition *TV* 《略 HDTV》

テレビアニメ TV cartoon Ⓒ **テレビ映画** télefilm Ⓒ, TV movie Ⓒ; (テレビ用に作られた映画) made-for-TV movie Ⓒ, TV movie Ⓒ **テレビ会議** videocónference Ⓒ **テレビカメラ** television [TV] camera Ⓒ **テレビ(放送)局** television [TV] station Ⓒ **テレビゲーム** video game Ⓒ **テレビ視聴者** televiewer Ⓒ; (集合的に) television [TV] audience Ⓒ **テレビ受像機** television [TV] (set) Ⓒ **テレビ通販** teleshopping Ⓤ, shopping on the TV Ⓤ **テレビディナー** (調理済み冷凍食品) T̀V̀ dínner Ⓒ **テレビ電話** vídeophòne Ⓒ **テレビ塔** television [TV] tower Ⓒ **テレビ討論会** television [TV] ｢debate [panel discussion] Ⓒ **テレビドラマ** television [TV] drama Ⓒ **テレビニュース** television [TV] news Ⓤ, telenews Ⓤ **テレビ番組** television [TV] program Ⓒ **テレビ放送** telecast Ⓒ **テレビ放送網** television [TV] network Ⓒ.

コロケーション

薄型テレビ a slim type *television set* / **衛星テレビ** satellite *television* / **液晶テレビ** liquid crystal *television* / **音声多重テレビ** *television* with a sound multiplex system / **壁掛けテレビ** a wall-mounted *television set* / **教育テレビ** educational *television* / **ケーブルテレビ[有線テレビ]** cable *television*; community antenna *television* 《略 CATV》 / **国営テレビ** state-run *television* / **大画面テレビ** a big screen *television* / **デジタルテレビ** a digital *television* / **ハイビジョンテレビ** a high-definition *television set* / **民放テレビ** commercial *television* / **有料テレビ** pay *television* / **ローカルテレビ** local *television*

テレビジョン ☞ テレビ

テレピンゆ テレピン油 turpentine /tɚ́:pəntàɪn/ Ⓤ.

テレフォン ☞ テレホン; でんわ

テレプリンター téleprìnter Ⓒ, 《米》 tèletýpewriter Ⓒ.

テレポーテーション (念力移動) teleportation Ⓤ.

テレポート ―名 (通信衛星を使って情報を受発信する情報通信基地) télepòrt Ⓒ; (念力で物を動かすこと) tèleportátion Ⓤ. ―動 (念力で物を動かす) teleport ㊀.

テレホン (電話) telephone Ⓒ.

テレホンカード télephone càrd Ⓒ 参考 イギリスでは phónecàrd と呼ばれ, 日本と同じようにカードを買って使用する prepaid system だが, アメリカでは電話会社の名前をつけた cálling càrd が一般的で, 使用料はあらかじめ登録された口座から落ちるようになり, クレジットカードと兼用されるものが多い.

テレホンクラブ ☞ テレクラ

テレホンサービス (電話情報サービス) télephone informátion sérvice Ⓒ.

テレマーク 〘スキー〙 telemark Ⓒ. **テレマーク姿勢** telemark position Ⓒ.

テレマーケティング (電話を用いた宣伝・販売) télemàrketing Ⓤ.

テレマン ―名 固 Georg Philipp Telemann,

1681–1767. ★ドイツの作曲家.
テレメーター (遠隔計測器) télemèter Ⓒ.
てれや 照れ屋 bashful [shy] person Ⓒ.
¶彼女は*照れ屋だ She *is* ˹*bashful* [*easily embarrassed*].
てれる 照れる (人前に出るのを恥ずかしがる) be [feel] shy; (特に子供·若い女性が人前でもじもじする) be [feel] bashful. (☞ はずかしい; はにかむ; てれくさい). ¶私のボーイフレンドは*照れ屋だ My boyfriend is a ˹*shy* [*bashful*] person.
てれんてくだ 手練手管 ¶彼は恋の*手練手管を心得ている (⇒ 女性に言い寄るための一切合切を知っている) He knows *the ins and outs* of playing up to women. / (⇒ 女性を誘惑するこつを) He has the *knack* of seducing women.
テロ térrorism Ⓤ. ¶自爆*テロ a suicide bombing (by a terrorist) **テロ支援国家** state sponsor of terrorism Ⓒ **テロ組織** terrorist organization Ⓒ **テロ対策** antiterrorism Ⓤ. ¶*テロ対策法案 an *antiterrorism* bill **テロ対策特別措置法** 〘法〙 the Antiterrorism Special Measures Law.
テロップ (テレビの字幕) subtitle Ⓒ ★「テロップ」はテレビ放送の初期に使われた機械の商品名. ¶ニュースの画面に*テロップを流す superimpose *subtitles* over a news segment
テロリスト terrorist Ⓒ.
テロリズム terrorism Ⓤ.
てわけ 手分け ── 動 (分割する) divide ⓗ; (負担などを分かち合う) share ⓗ.
¶その仕事はみんなで*手分けすれば 2 時間でできる If we *divide* the work among us [If everybody *shares* the work], we can finish it ˹in [within] two hours. 語法 within のほうが強調的. // 私たちは*手分けして (⇒ いくつかの集団になって) その男の子を捜した We went out *in several parties* to search for the boy.
てわたし 手渡し ── 動 (手渡しする) hand ⓗ, deliver ... by hand.
てわたす 手渡す hand (over) ⓗ (☞ わたす).
¶この書類を彼女に*手渡して下さい Please *hand* these papers (*over*) to her.
てん[1] 点 **1** «小さな印»: dot Ⓒ ★「点を打つ」という他動詞としても用いる; (記号としての) point Ⓒ ★例えば 3.51 は three point five one と読む. (☞ ピリオド (巻末)). ¶i の*点を打ちなさい Put a *dot* over the i. / *Dot* the i.
2 «成績»: (段階評価) grade Ⓒ; (点数) point Ⓒ, 《英》 mark Ⓒ; (特に 100 点満点での) percent Ⓤ 語法 grade は「優·良·可」あるいは A, B, C などで評価する場合に用いられ, point と mark は満点中の何点という点数をいう場合に使われる. また, 百分率の形で percent を用いる言い方もよく行われる. (☞ せいせき[1]).
¶高い[並の, 低い, 優秀な]*点 a high [an average; a low; an excellent] *grade* // 彼女は試験でよい*点[満*点]を取った She got ˹a good *grade* [full *marks*] on the exam. // 彼は物理の試験で 100 点満点で 95 *点を取った He got ˹95 *percent* [95 *points* out of 100] on the physics exam. //「英語の試験はどうだった」「全然だめさ」「何*点だったの」「40 *点だった」"How did you do in the English test? / How did your English test turn out?" "Very badly. / Miserable." "How much [What; What *percent*] did you get?" "Forty ˹*percent* [*points*]." // 私たちの先生は*点が甘い[辛い] (⇒ 生徒を評価することにおいて寛大だ[厳しい]) Our teacher is ˹lenient [strict] in evaluating his students.
3 «競技の»: (得点) point Ⓒ; (総得点) score Ⓒ; (野球·クリケットの) run Ⓒ. (☞ とくてん[1]). ¶私たちのチームは 7 回裏に 3 *点取った Our team ˹scored [earned] three ˹*runs* [*points*] in the bottom of the seventh (inning). //「いま何*点ですか」「3 対 2 で勝っています」"What's the *score*?" "It's 3 to 2 in our favor. / We are leading (by) 3 to 2."
4 «事柄·問題»: (問題の点) point Ⓒ; (特定の箇所) respect Ⓒ; (方面) way Ⓒ.
¶「この*点について何か質問がありますか」「いいえ, ありません」"Do you have any questions ˹on [concerning] this *point*?" "No, we don't." // それが問題*点だ That is the *point* at issue. / That is the ˹*point* [issue] in dispute. // あらゆる*点で彼は私より上だ (⇒ すぐれている) In every ˹*respect* [*way*] he is superior to me. // 学力の*点では彼は申し分のない学生だ (⇒ 学力に関する限り優秀な学生だ) *As far as* scholarship *is concerned*, he is an excellent student. / Academically, he is an excellent student. // 人間は話ができるという*点で (⇒ という理由で) 動物とは違う Human beings differ from animals *in that* they can speak.
てん[2] 天 **1** «空»: the sky (☞ そら[1]). ¶私は*天を仰いで深いため息をついた I sighed deeply, looking up at *the sky*.
2 «神または天意» ── 名 (神) God, Heaven 語法 これらはキリスト教で用いられる言葉. 大文字で書くのは一神教であるキリスト教の習慣. 従って日本語の「天」は gods のように小文字で複数形を使って訳してもよい; (神意) Heaven's will, the will of the gods. ── 形 (天の) heavenly Ⓐ; (神の) divine. (☞ かみ[1]; てんごく). ¶運を*天に任せよう (⇒ 偶然に任せよう) Let's leave it to *chance*.
天知る, 地知る, 我知る, 人知る Heaven knows, Earth knows, and you and I know too. / (⇒ 昼には目があり, 夜には耳がある) The day has eyes, the night has ears. **天高く馬肥ゆる秋** (秋空は澄んでいて馬も肥える) The autumn sky is clear and the horses grow fat. **天に唾する** (人を困らせようとして結局自分が災いをうける) The stone you throw will fall on your head. **天にも昇る** ¶彼からプロポーズされて, 私は*天にも昇る気持ちだった (⇒ 喜びで我を忘れた) I was *beside myself with joy* at his marriage proposal. **天の声** the voice of ˹Heaven [God]. **天の配剤** Heaven's dispensation Ⓤ, divine providence Ⓤ. **天は二物を与えず** Heaven ˹grants [gives] but one gift. **天は人の上に人を造らず, 人の下に人を造らずと云えり** It is said that Heaven creates no one person higher or lower than any other. **天は自ら助くるものを助く** Heaven helps those who help themselves. 《ことわざ》 **天を衝く** ── 形 (天に届くほど高い) towering.
てん[3] 貂 〘動〙 marten Ⓒ.
てん[4] 典 (儀式) céremòny Ⓒ. ¶華燭の*典をあげる hold ˹the [a] wedding *ceremony*
てん[5] 恬 恬として恥じない (全く恥を感じない) feel no shame at all.
-てん …展 exhibition /èksəbíʃən/ Ⓒ, show Ⓒ ★後者のほうが口語的. ¶新人*展 an *exhibition* of ˹young [up-and-coming] artists // 蘭*展 an orchid *show* / (⇒ 展示) a *display* of orchids
でん 伝 (やり方) way Ⓒ, manner Ⓒ. ¶いつもの*伝で in *one's* usual *way*
でん- 伝… ¶*伝写楽作 a work *attributed to* Sharaku
-でん …伝 (…の伝記) life of… Ⓒ; (伝記) biógraphy Ⓒ. (☞ でんき[2]). ¶『野口英世*伝』《書名》 *The Life of Hideyo Noguchi* (☞ イタリック体 (巻末))
でんあつ 電圧 voltage Ⓤ (☞ ボルト[2]). ¶その

*電圧は高い[低い] The *voltage* is ⌈high [low]. // *電圧を上げる[下げる] increase [decrease] the *voltage* 電圧計 vóltmèter Ⓒ.

てんあんもん 天安門 ―名 固 Tiananmen /tjá:na:nmèn/ ★ 北京の旧紫禁城の正門.
天安門事件 the Tiánanmèn íncident ★ 1989 年 6 月 4 日, 天安門広場で民主化デモの学生を人民解放軍が武力で鎮圧した事件. **天安門広場** Tiánanmèn Squáre.

てんい[1] 転移 ―動 (広がる) spread 自; (移る) transfer 自; (がんなどが) metástasìze 自. ―名 (細胞などの) metástasis Ⓒ 《複 -tases》. ¶ 胃がんが肺に*転移した The stomach cancer *has* ⌈*spread* [*metastasized*] to the lungs. **転移 RNA** 〘生化〙 transfer RNA Ⓤ **転移因子** 〘生化〙 transfer factor Ⓒ **転移酵素** 〘生化〙 transferase Ⓒ.

てんい[2] 天意 providence Ⓤ.

てんい[3] 転位 (位置が変わること) transposition Ⓤ.

てんい[4] 典医 ☞ ごてんい

でんい 電位 (eléctric) poténtial Ⓤ.
電位計 electrometer /ɪlèktrámətə/ Ⓒ **電位差** potential difference Ⓤ **電位差計** potentiometer /pətènʃiámətə/ Ⓒ.

てんいむほう 天衣無縫 ―形 (欠点のない) flawless; (自然のままの) artless.

てんいん[1] 店員 《米》(sales)clerk Ⓒ, 《英》(shop) assistant Ⓒ ★ 以上は男性・女性いずれをも指す; (男の販売係) salesman Ⓒ 《複 -men》 日英比較 日本語の「セールスマン」は外交販売員のみをいうが, 英語では店内の販売係もいうので, 日英の意味の違いに注意; (女の販売係) saleswoman Ⓒ 《複 -women》, 《米》 salesgirl Ⓒ, 《英》 shopgirl Ⓒ, 《丁寧》 saleslady Ⓒ ★ saleswoman が最も普通; (男女両方に用いて) salesperson Ⓒ 《複 -persons; -people》. 《☞ うりこ》. ¶ 彼は食料品店の (⇒ 食料品店で) *店員をしている He is a *clerk* in a grocery store.

てんいん[2] 転院 ―動 (移る[変わる]) transfer [change] (...) to another hospital ★ change のほうが口語的. ―名 transfer Ⓤ.

てんうん 天運 (運命) fate Ⓤ, destiny Ⓤ; (天命) fortune Ⓤ; (天体の運行) the movement of a heavenly body.

でんえん 田園 ―名 (田舎) the country; (都会との対照を強調して) the countryside ★ 両者とも通例 the を付けて; (田舎の地方) rural district Ⓒ. ―形 country Ⓐ; rural ★ rural は田舎の楽しい, のどかな面を強調する語. 《☞ いなか》.
田園交響曲 the Pastoral Symphony ★ ベートーベンの交響曲第 6 番. **田園詩** idyl(l) Ⓒ, pastoral poem Ⓒ **田園詩人** idyl(l)ist Ⓒ, pastoral poet Ⓒ **田園生活** country [rural] life Ⓤ **田園都市** (公園・緑地などを計画的に取り入れた都市) garden city Ⓒ.

てんおうせい 天王星 〘天〙 Uranus /jʊ́(ə)rənəs/.

てんおん 転音 change of sound Ⓒ, sound shift Ⓒ.

てんか[1] 天下 **1** «世の中»: (世界) the world; (全国) the whole country; (全世界) the whole world; (世間・一般大衆) the public.
¶ 彼は*天下にその名を知られている He is well known ⌈throughout [all over] *the world*. / He is *world*(-)famous. // 金は*天下の回りもの (⇒ 金は出たり入ったりする) Money comes and goes. / Money comes, money goes.
2 «思うままに振舞うこと» ¶ いまは彼の*天下だ (⇒ 何でも思いどおりになる) Now he *has everything his own way*. / Now he *has his own way in everything*. / (⇒ 権力の座にある) Now he *is in power*. // 彼の家はかかあ*天下だ (⇒ 彼は妻の尻(しり)に敷かれた夫だ) He is a *henpecked husband*. // かつては日本は軍閥の*天下だった (⇒ 軍閥が支配した) The military elite once *ruled* (*over*) Japan.
天下は回り持ち Every dog has ⌈his [its] day. 《ことわざ: だれにでも全盛期がある》 **天下晴れて** (おおっぴらに) openly. **天下分け目** ¶ *天下分け目の戦い (⇒ 決定的な) a *decisive* battle **天下を取る** ¶ 信長は戦国時代に*天下を取った (⇒ 全国を征服した) Nobunaga *conquered the whole country* during the period of the civil wars.
天下一 tops Ⓤ. ¶ 君は*天下一だ You're *tops*! **天下一品** ―形 (他に 2 つとない) unique; (群を抜いた) outstanding. ¶ それは*天下一品だ (⇒ 全世界にそのようなものはない) There is *nothing like* it *in the whole world*. **天下国家** the world and the nation. ¶ *天下国家を論じる (⇒ いかにして世の中を正すかを論じる) discuss how to set *the world* right **天下御免** ―形 (合法の) legitimate; (公認の) chartered. ¶ *天下御免のやり方[商売] a *legitimate* ⌈method [business] **天下泰平** peace throughout the world. ¶ わが家は [世界は] いまのところ*天下泰平だ (⇒ すべてがうまくいっている) *All is going well* with ⌈my family [the world]. **天下統一** ―名 unification of the whole country Ⓤ. ―動 unify the whole country **天下人** (天下をとった人) ruler of the whole country Ⓒ **天下無双** ―形 (比類のない) incomparable; (比べる相手のいない) peerless. ¶ *天下無双の相撲取り an *incomparable* sumo wrestler

てんか[2] 点火 ―動 (火をつける) light 他 《過去・過分 lighted, lit》; (エンジン・機関などに) ignite /ɪgnáɪt/ 他 ★ light より格式ばった語; (花火やロケットなどに) sèt óff 他. ―名 lighting Ⓤ; ignition Ⓤ ★ 後者のほうが格式ばった語.
¶ 彼女はガスに*点火した She *lit* the gas.
点火装置 ignition Ⓒ. ¶ このガスストーブには自動*点火装置が付いている This gas heater is equipped with automatic *ignition*. **点火プラグ** 《米》 spark plug Ⓒ, 《英》 sparking plug Ⓒ.

てんか[3] 転嫁 ―動 (責任や罪を移す) transfer 他, shift 他 ★ 前者のほうが格式ばった語; (...のせいにする) lay [throw] ... on ... 《☞ なすりつける》.
¶ 他人にあなたの責任を*転嫁してはいけない Do not ⌈*transfer* [*shift*] your responsibility to others. // 彼はその罪を私に*転嫁した He ⌈*laid* [*threw*] the blame *on* me.

てんか[4] 添加 ―動 (加える) add 他. ―名 addition Ⓤ. **添加物** áddítive Ⓒ.

てんか[5] 転科 change of *one's* courses Ⓒ.

てんか[6] 転化 ―名 (状態がかわること) change Ⓤ; (変形) transformation Ⓤ; 〘化〙 ínvert Ⓤ. ―動 change 自 他; transform 他; 〘化〙 invért 他 自. ¶ 彼女の愛情は次第に憎悪に*転化した Her love gradually *changed* ⌈to [into] hatred.

てんが 典雅 ―形 (しとやかで優美な) graceful; (洗練された) refined; (優雅な) elegant. 《☞ じょうひん》.

でんか[1] 殿下 (直接に呼びかけるとき) Your (Imperial /ɪmpí(ə)riəl/) Highness 語法 (1) 2 人称だが, 動詞は 3 人称として扱う. 大文字で書く; (間接に指すとき) His [Her] (Imperial) Highness Ⓒ 《略 H(I)H》 語法 (2) 男性の場合は His, 女性の場合は Her, 複数の場合は Their (Imperial) Highnesses とする. いずれも大文字で書き始める. 《☞ へいか[1]》. ¶ 皇太子*殿下 (*His Imperial Highness*) the Crown Prince 語法 (3) 英国以外の皇太子を指す. ( ) 内は敬意をこめて言うときに付ける. この言い方は呼びかけではなく, 3 人称として言う場合で, 呼びかけは単に Your Highness でよい. この点については以下同じ. // 皇太子妃*殿下 (*Her Imperial Highness*) the Crown Princess // 英国皇太子*殿下 (*His Royal Highness*) the Prince of Wales // 常陸宮両*殿下 *Their Imperial Highnesses* Prince and Princess Hitachi

でんか² 電化 ── 動 (電力を使うように設備する) eléctrifỳ ⑩; (電気器具を備え付ける) install electrical appliances. ── 名 elèctrificátion Ⓤ. 《☞ でんき¹》. ¶その線は数年前に*電化された The line *was electrified* several years ago. // 私は台所を*電化した (⇒ 台所に電気器具をたくさん備え付けてもらった) I *had many electrical appliances installed* in my kitchen.

電化製品 electrical appliances ★ 通例複数形で.

でんか³ 電荷 electric charge Ⓒ.

てんかい¹ 展開 ── 動 (隠れていたものなどがだんだん明らかになる) unfold ⓐ; (広がる) spréad óut ⓐ; (進展する) devélop ⓐ; (式などを) expand ⑩. ── 名 development Ⓤ; (式の) expansion Ⓤ; (音楽で) development Ⓤ. 《☞ くりひろげる; しんてん¹》. ¶美しい景色が目の前に*展開した Beautiful scenery ⌈*unfolded* [*spread out*] before my eyes. // 物語は思ったとおりに*展開した The story *unfolded* as I had expected. // 事件がどう*展開するかだれにもわからない Nobody knows how the matter will *develop*.

展開図〔数〕devélopment Ⓒ; (投影図) projection Ⓒ **展開図法** (地図作製の) development projection Ⓒ; (製図の) development drawing Ⓤ **展開部**〔楽〕the development (section) Ⓒ.

てんかい² 転回 (方向を変えること) turn Ⓒ 《☞ かいてん¹ (類義語); まわる》.

てんかい³ 天界 the ⌈heavenly [celestial] world.

てんがい 天蓋 canopy Ⓒ.

でんかい¹ 電解 〔化〕 ── 名 electrolysis /ɪlèktrάləsɪs/ Ⓤ. ── 動 eléctrolỳze (《英》 eléctrolỳse) ⑩. ── 形 elèctrolýtic. **電解液** electrolyte /ɪléktrəlàɪt/ Ⓤ **電解コンデンサー** elèctrolýtic condénser Ⓒ **電解質** electrolyte Ⓒ **電解精錬法** electrolytic refining Ⓤ **電解槽** (工業用の) elèctrolýtic báth Ⓒ; (小型の) electrolytic cell Ⓒ.

でんかい² 電界 electrical field Ⓒ.

てんがいこどく 天涯孤独 ── 動 be ⌈quite [all; absolutely] alone 《☞ こどく》.

てんかく 点画 the dots and strokes making up a ⌈Chinese character [kanji].

てんがく 転学 ☞ てんこう²

でんがく 田楽 (舞楽) *dengaku* Ⓤ; (説明的には) ritual music and dance performed at shrines or temples at agricultural festivals Ⓤ; (料理) ☞ 田楽豆腐. **田楽刺し** ── 動 (刺し貫く) transfix ⑩; (串で刺す) skewer ⑩ **田楽豆腐** *dengaku-tofu* Ⓤ; (説明的には) spit-roasted bean curd coated with miso Ⓤ.

てんかす 天滓 ☞ あげだま

でんかのほうとう 伝家の宝刀 ¶そろそろ*伝家の宝刀 (⇒ 切り札) を出すかな It's time to play my *trump card*. 《☞ きりふだ; おくのて》

てんかふん 天花粉 tálcum pòwder Ⓤ.

てんから (始めから) from the beginning; (少しも…でない) not ... at all.

テンガロンハット tén-gàllon hát Ⓒ.

てんかん¹ 転換 (急に切り換えること) switch Ⓒ; (政策や生産方法などの転換) changeover Ⓒ. 《☞ きりかえる》. ¶外交政策の抜本的*転換が必要だ A drastic ⌈*switch* [*changeover*] in foreign policy is necessary. **転換期** (変わり目) turning point Ⓒ; (過渡期) transition period Ⓒ. 《☞ てんき²》 **転換器** (回路や線路の) (electric [changeover]) switch Ⓒ,〔電〕converter Ⓒ. 《☞ ポイント; てんてつ》 **転換社債** convertible bond Ⓒ **転換点** turning point Ⓒ **転換炉** converter reactor Ⓒ.

てんかん² 癲癇 ── 名〔医〕épilèpsy Ⓤ. ── 形 èpiléptic. ¶*てんかんの発作を起こす have an *epileptic* fit

てんがん 点眼 ── 動 apply eye drops, put a drop of medicine in *one's* eye, drop ⌈medicine [lotion] in the eyes ★ 第一の表現は格式ばった言い方. **点眼剤[水]** eye drops ★ 複数形で; eyewash Ⓤ. 《☞ めぐすり》.

てんがんきょう 天眼鏡 (人相見の) physiognomist's /fìziά(g)nəmɪsts/ mágnifying glàss Ⓒ; (大きな拡大鏡) large magnifying glass Ⓒ.

てんき¹ 天気 weather Ⓤ 【語法】(1) 普通は無冠詞だが, 特定の日の天気をいうときには the が付く. 天気をいう文ではしばしば it を主語に立てる. 日本語で「天気」といっても, 必ずしも英語では weather が使われないことに注意.

¶きょうは*天気がよい *It*'s ⌈fine [clear] today. / *The weather* is ⌈good [nice; fine] today. / *It*'s a ⌈fine [lovely; beautiful] day today. 【語法】(2) fine は単に天気がよいという単純な言葉. clear は雲のない晴天. lovely や beautiful を使うとよく晴れた天気を喜ぶニュアンスが含まれる. // きのうは*天気が悪かった *The weather* was bad yesterday. //「いい*天気ですね」「そうですね」"Isn't *it* a lovely day?" "Yes, isn't it!" / "What a beautiful day!" "It ⌈sure [surely; certainly] is!" ★ sure は口語的. // なんていやな*天気でしょう What a *miserable* day! //「あすの*天気はどうでしょうか」「荒れ模様のようですね」"How will *the weather* be tomorrow?" "I'm afraid it's going to ⌈be stormy [storm]." // 秋は*天気が変わりやすい *The weather* is changeable in ⌈fall [autumn]. // *天気は次第によくなっている *The weather* is ⌈improving [changing for the better]. // 異常な*天気 abnormal *weather* // 風の強い*天気 windy *weather* // 湿気の多い天気 humid *weather*

天気雨 sun shower Ⓒ **天気概況** general weather conditions ★ 複数形で. **天気カメラ** TV camera showing the local weather Ⓒ. ¶お*天気カメラの映像 *weather camera's* video image **天気記号** weather symbol Ⓒ **天気図** weather ⌈map [chart] Ⓒ **天気相談所** the Weather Information Bureau **天気予報** wéather fòrecast Ⓒ, wéather repòrt Ⓒ ★ 前者のほうが格式ばった語. ラジオ・テレビなどではよく後者を使う. ¶*天気予報によればあしたは雨のち晴れだそうです The *weather* ⌈*report* [*forecast*] says [(⇒ 予報官の言うことには) The *weatherman* says] (that) it will rain tomorrow morning and clear up later in the day. / According to the *weather* ⌈*report* [*forecast*] the outlook for tomorrow is for rain in the early part of the day and later for fair skies. ★ fair は天気予報などで使う語. 天気予報では sky を通例複数形で用いる.

コロケーション

暖かい天気 warm *weather* / 暑い天気 hot *weather* / 怪しい天気 threatening *weather* / いやな天気 miserable [dismal] *weather* / うっとうしい天気 depressing *weather* / 変わりやすい天気 changeable [unsettled] *weather* / 曇りの天気 cloudy *weather* / 寒い天気 cold *weather* / すがすがしい天気 refreshing *weather* / 涼しい天気 cool *weather* / すばらしい天気 beautiful *weather* / どんよりした天気 gloomy *weather* / の

どかな天気 mild *weather* / 晴れた天気 clear [fair] *weather* / ひどい天気 bad [foul] *weather* / 不快な天気 disagreeable [unpleasant] *weather* / 蒸し暑い天気 muggy [sultry] *weather*

てんき[2] 転機 turning point Ⓒ ((☞ てんかん[1])). ¶日本経済はいま*転機に立っている The economy in Japan is now at a *turning point*.

てんき[3] 転記 ―動 (仕訳帳から元帳に記帳する) post ㊐; (株券などを書き換える) transfer ㊐; (一般的に) copy ㊐. ¶元帳にその全額を*転記する *post* the amount in the ledger // 別の勘定に*転記する *transfer* the amount into a separate account

てんぎ 転義 (意味の変化) transfer Ⓤ; (変化した意味) transferred meaning Ⓒ.

でんき[1] 電気 ―名 elèctrícity Ⓤ; (電灯) (eléctric) líght Ⓒ. ―形 (電気の) electric Ⓐ; (電気に関する) eléctrical. ((☞ あかり; ライト[1])). ¶この機械は*電気で動く This machine works by *electricity*. // この自動車は*電気で走る This automobile runs on *electricity*. // この電線には*電気が通っている This wire is charged with *electricity*. // このヒーターは*電気を食いすぎる This heater uses too much *electricity*. // 私はプラグを抜いて*電気を切った I turned off the *electricity* by pulling out the plug. // 彼女は部屋の*電気 (⇒ 電灯) をつけた [消した] She turned ⌈on [off] the *light* in the room. // 彼の部屋の*電気 (⇒ 電灯) がついている[消えている] The *light* is ⌈on [off] in his room. // 2階の*電気 (⇒ 電灯) がつけっ放しですよ (⇒ 消すのを忘れましたよ) You forgot to turn off the *light* upstairs.
電気アイロン electric (clothes) iron Ⓒ 電気あんか electric footwarmer Ⓒ 電気いす (処刑用の) electric chair Ⓒ 電気魚 electric fish Ⓒ 電気うなぎ electric eel Ⓒ 電気えい (しびれえい) electric ray Ⓒ 電気エネルギー electric energy Ⓤ 電気回路 electric(al) circuit Ⓒ 電気化学 electrochemistry Ⓤ 電気がま electric rice cooker Ⓒ 電気かみそり electric razor Ⓒ, shaver Ⓒ 電気機関車 electric locomotive Ⓒ 電気器具 electrical appliances ★ 通例複数形で. 電気器具店 electrical appliance store Ⓒ 電気くらげ (カツオノエボシ) Pórtuguèse màn-of-wár Ⓒ 電気計器 electricity measuring device Ⓒ 電気系統 electrical system Ⓒ. ¶故障は*電気系統 (⇒ 電気的なもの) だった The ⌈fault [trouble] was *electrical*. 語法 この場合 electric は使えない. 電気工学 electrotechnics Ⓤ, electrical engineering Ⓤ 電気ごたつ electric ⌈*kotatsu* [leg warmer] Ⓒ; (説明的には) electric heater with a wooden frame covered with a quilt to keep the legs warm Ⓒ. ((☞ こたつ)) 電気ごて electric soldering iron Ⓒ 電気こんろ electric ⌈cooking stove [hot plate] Ⓒ 電気事業 *electrical enterprise* Ⓒ 電気自動車 electric car Ⓒ 電気ショック electroshock Ⓤ, electric shock Ⓤ 電気推進 electric (ship) propulsion Ⓤ 電気炊飯器 electric rice cooker Ⓒ 電気スタンド (卓上) desk lamp Ⓒ; (床上) floor lamp Ⓒ 電気ストーブ electric heater Ⓒ 電気制動 electric brake Ⓒ 電気洗濯機 (electric) washing machine Ⓒ 電気掃除機 vacuum cleaner Ⓒ 電気代 electricity rates ★ 複数形で. 電気治療 electrotherapy Ⓒ 電気通信事業者 telecommunications [telecom] carrier Ⓒ 電気抵抗 electrical resistance Ⓤ 電気伝導 electrical conduction Ⓤ 電気時計 electric clock Ⓒ 電気ドリル electric drill Ⓒ 電気なまず electric catfish Ⓒ 電気分解 ―名 electrolysis /ɪlèktrɑ́ləsɪs/ Ⓤ. ―動 (電気分解する) eléctrolỳze ㊐ 電気メス radio knife Ⓒ 電気メッキ electroplating Ⓤ 電気毛布 electric blanket Ⓒ 電気溶接 electric welding Ⓤ 電気容量 electric capacity Ⓤ 電気力学 electrodynamics Ⓤ 電気料金 electric charge Ⓒ 電気冷蔵庫 (electric) refrigerator Ⓒ.

コロケーション
電気を節約する save *electricity* / 電気を使う use *electricity* / 電気を伝える conduct *electricity* / 電気を止める cut off [disconnect] the *electricity* / 電気を引く install *electricity*

でんき[2] 伝記 bíography Ⓒ, life (story) Ⓒ ★ 前者が正式な語. life は例えば書名などで *The Life of* … のように人名と共に用いる. ((☞ -でん)). ¶チャップリンの*伝記を読んで感動した I read a ⌈*biography* [*life*] of Charles Chaplin and was very impressed. 伝記作者[作家] biógrapher Ⓒ.

でんき[3] 伝奇 ―形 (伝奇的な) romantic. 伝奇小説 romance Ⓒ, romantic novel Ⓒ.

でんき[4] 電機 electrical machine Ⓒ; (集合的に) electrical machinery Ⓤ.

テンキー 〖コンピューター〗 numeric /n(j)uːmérɪk/ kéypàd Ⓒ ★ キーボード上で数字と算術演算記号キーの集まった部分, またはそれ単独の小型キーボード.

てんきぼ 点鬼簿 ☞ かこ[1] (過去帳)

てんきゅう[1] 天球 〖天〗 the celestial sphere. 天球儀 celestial globe Ⓒ 天球座標 (体系として) celestial coordinate system Ⓒ; (個々の座標) celestial coordinate Ⓒ.

てんきゅう[2] 天穹 ☞ おおぞら

でんきゅう 電球 (electric) light bulb Ⓒ, bulb Ⓒ. ¶台所の*電球が切れた The (*light*) *bulb* in the kitchen has burned out.

てんきょ[1] 転居 ―動 (家を移る) move (to …; into …) ㊎, remove (to …; into …) ㊎ ★ 後者は古風な語. ―名 move Ⓒ, removal Ⓒ. ((☞ いてん; ひっこし; ひっこす)). ¶このたび下記の住所に*転居しました We *have* recently *moved to* the following address. 転居先 (新しい住所) *one's* new address 転居届け removal notice Ⓒ.

てんきょ[2] 典拠 (権威があり, よりどころとなるもの) authority Ⓒ; (出典) source Ⓒ. ((☞ よりどころ; しゅってん[1]; こんきょ)).

てんぎょう 転業 ―動 (職業を変える) change *one's* occupation ((☞ てんしょく[1]; しょくぎょう (類義語))).

でんぎょうだいし 伝教大師 Dengyo-daishi, a posthumous title given to Saicho, founder of the Tendai sect of Buddhism ((☞ さいちょう[3])).

でんきょく 電極 electrode Ⓒ.

てんきよほう 天気予報 ☞ てんき[1] (天気予報)

てんきん[1] 転勤 ―動 be transférred to … ★ transfer は ㊎ ㊐ 共にあるが, ㊐ の受身表現にするのが普通. ―名 tránsfer Ⓒ, transference /trænsfə́ːrəns/ Ⓤ ★ 前者は具体的な転勤の事実を指す. ((☞ いどう[2])). ¶彼は最近シカゴ支店に*転勤になった He *has* recently *been transferred to* the Chicago branch (office).

てんきん[2] 天金 ¶*天金の本 (⇒ 上の小口に金箔をかぶせた) a book *with the tops of the pages gilded* // 本に*天金する *gild the top edges of the pages of* a book

てんく 転句 the third line of a Chinese quatrain, which slightly changes its theme ((☞ ごごんぜっく)).

てんぐ 天狗 Japanese long-nosed ⌈goblin [genie /dʒíːni/] Ⓒ ★ 説明的な訳; (高慢な人・自慢する人) boaster Ⓒ. ((☞ うぬぼれ)). ¶*天狗の面 a *long-nosed* mask　天狗になる ¶あいつはすぐ*天狗になる (⇒うぬぼれる) He easily *gets* ˹*puffed up* [*bigheaded*].

てんくう　天空　the sky, 《文》 the firmament.

てんぐさ　天草　〘植〙 agar-agar /á:gəá:gə/ Ⓤ.

てんぐざる　天狗猿　〘動〙 nose monkey Ⓒ, proboscis /prəbásis/ mónkey Ⓒ.

てんぐだけ　天狗茸　〘植〙 pánther fúngus Ⓒ 《複 ~ fungi》.

デングねつ　デング熱　〘医〙 dengue /déŋgi/ (fèver) Ⓤ.

てんグラフ　点グラフ　point graph Ⓒ.

でんぐりがえし　でんぐり返し　— 【名】 somersault /sʌ́məsɔ̀:lt/ Ⓒ.　— 【動】 do a somersault.

でんぐりがえす　でんぐり返す　turn ... ˹over [upside down].

でんぐりがえり　でんぐり返り　☞ でんぐりがえし

でんぐりがえる　でんぐり返る　(でんぐり返しをする) turn [do] a somersault; (頭から先にひっくり返る) turn head over heels; (ひっくり返る) topple over Ⓐ; (上下が逆さまになる) turn upside down.　¶彼の急死で家中は*でんぐり返るような騒ぎだった (⇒まったく混乱していた) The household *was in utter confusion* because of his sudden death.

てんけい[1]　典型　— 【名】 (代表的なもの) type Ⓒ; (見本・標本) specimen Ⓒ; (模範) model Ⓒ.　— 【形】 (典型的な) typical; (模範的な) model Ⓐ.　¶彼は*典型的なイギリス紳士だ He is a *typical* English gentleman. / (⇒イギリス紳士のよい見本) He is a fine *specimen* of an English gentleman.

てんけい[2]　天啓　(divine) revelation Ⓒ.　¶すばらしい考えが*天啓の如くひらめいた A splendid idea occurred to me, like a ˹(*divine*) *revelation* [*message from God*].

てんけい[3]　天恵　(神の恵み) blessing Ⓒ.　¶ここは*天恵豊かな地方です (⇒この地域の人々は豊かな天然資源を享受している) The people in this region ˹*enjoy* abundant *natural resources* [(⇒豊かな天然資源に恵まれている) *are blessed with* abundant *natural resources*].

てんけい[4]　点景　staffage /stəfá:ʒ/ Ⓤ ★フランス語より. 個々の点景物は Ⓒ.

てんけい[5]　天刑　divine [God's] punishment Ⓤ.

でんげき　電撃　(電気ショック) electric shock Ⓒ.　**電撃結婚** sudden marriage Ⓒ　**電撃作戦** blitz tactics ★複数形で; (突然の攻撃) sudden attack Ⓒ　**電撃戦** blitz Ⓒ.

てんけん　点検　— 【動】 (よい状態にあるか, 正しく動いているかどうか調べる) check ㊕, examine ㊕ ★前者のほうが口語的.　— 【名】 check Ⓒ, exàminátion Ⓤ. 《☞ しらべる; けんさ》.　¶整備士は車のエンジンを*点検した The mechanic ˹*checked* [*examined*] the car's engine.

てんげん　天元　(碁盤の中央の星) the center ˹star [mark] on the *go* board.

でんげん　電源　(電力) power Ⓤ; (電源装置) power supply Ⓒ ★「電力の供給」の意味では Ⓤ; (スイッチ) switch Ⓒ; (コンセント) 《米》 (electric) outlet Ⓒ, 《英》 (power) point Ⓒ, (wall) socket Ⓒ. 《☞ コンセント》.　¶*電源を切って[入れて]下さい Please ˹switch [turn] ˹off [on] the *power*. // この部屋に*電源 (⇒コンセント) はありますか Are there any (*electric*) *outlets* in this room?　**電源開発** development of power resources Ⓤ.

てんこ[1]　点呼　— 【名】 (出欠調べの) roll call Ⓒ ★単に call とも言う.　— 【動】 (出席を取る) call the roll. 《☞ しゅっけつ[1]》.　¶では*点呼を取ります Now I'll *call the roll.* // 彼は作業員の*点呼を取った He took ˹a [the] *roll call* of the workers.

点呼(式)投票 roll call Ⓒ.

てんこ[2]　典故　authentic precedent Ⓒ.

てんこう[1]　天候　weather Ⓤ 《☞ てんき[1]》.　**天候相場** weather-driven [weather-dependent] market Ⓤ　**天候デリバティブ** weather derivative Ⓒ ★しばしば複数形で.　**天候不順** (季節はずれの天候) unseasonable weather Ⓤ; (悪天候) bad weather Ⓤ.　¶今年の夏は*天候不順 (⇒不安定な[変わりやすい, 悪い]天候) で農作物が不作だ *Unsettled* [*Variable*; *Bad*] *weather* in this summer is the cause of poor crops. 《☞ ふじゅん[2]》

てんこう[2]　転校　— 【動】 (移る [変わる]) transfér [change] (to ...) ⓐ ★[　] 内のほうが口語的; (学校を変わる) change *one's* school.　— 【名】 tránsfer Ⓤ.　¶彼女は 13 歳のとき, 大阪の学校へ*転校した When she was thirteen, she ˹*changed* [*transferred*] *to a school* in Osaka.　**転校生** tránsfer (stùdent) Ⓒ.

てんこう[3]　転向　— 【動】 (考え方を改める) be converted (to ...); (変わって…になる) turn ⓐ ★後に無冠詞の単数名詞がくる. しばしばよくないものになるときに用いる. 《☞ かいしゅう[3]》.　¶彼はプロに*転向した (⇒なった) He *became* (a) professional.　**転向文学** conversion literature Ⓤ; (説明的には) literature by writers who are compelled to renounce their ˹communistic ideals [ideology] Ⓤ.

でんこう　電光　(稲光) lightning Ⓤ.　**電光掲示板** electronic bulletin board Ⓒ　**電光石火**　¶彼は*電光石火の速さで塀を跳び越えた He jumped over the fence ˹as quick as *lightning* [with *lightning* speed].　**電光ニュース** electronic news billboard Ⓒ.

てんこく　篆刻　— 【名】 seal carving Ⓤ.　— 【動】 carve [engrave] a seal.

てんごく　天国　(神の国) the kingdom of ˹Heaven [God], heaven Ⓤ (↔ hell) 【語法】 いずれもキリスト教の天国だが, 後者は口語では天国のような所という意味でもよく使われる; (楽園) paradise Ⓒ. 《☞ らくえん; ごくらく》.　¶多くの人々は死ぬと*天国に行くと信じている Many people believe that they will go to *heaven* when they die. // ここはこの世の*天国だ This place is an earthly *paradise*. // 歩行者*天国 a pedestrians' *paradise* / (⇒車の入って来ない商店街) 《米》 a car-free mall

てんこもり　てんこ盛り　☞ やまもり

でんごん　伝言　— 【名】 message /mésidʒ/ Ⓒ.　— 【動】 (…に伝言する) send [give] (*a person*) a message (that ...). 《☞ メッセージ; ことづけ》.　¶彼にこの*伝言を伝えて下さい Please ˹*send* [*give*] *this message* to him. //「何かご*伝言でも」「いいえ, 後で電話しますから結構です」"Would you like to leave a *message*? / May [Shall] I take a *message*?" "No, thank you. I'll call him later." // 私は彼の秘書に*伝言を頼んできた I left a *message* with his secretary.　**伝言板** message board Ⓒ.

てんさ　点差　(得点の差) the difference in points.　¶2*点差で試合に負ける lose the game *by* two *points* // *点差を広げる[縮める] widen [close] the *gap* // わずかな*点差で試合に負けた We lost the game by a narrow *margin*. / We *narrowly* missed winning the game. // A チームと B チームの*点差は 10 点にまで開いた The *gap between* (*the scores of*) team A and team B has ˹widened [increased] to ten points.

てんさい[1]　天才　(科学・芸術における創造的才能) genius Ⓤ ★「…に対する天才」のように限定される場合は a genius for ... とする. なお人を指すときは Ⓒ; (若者の) prodigy Ⓒ. 《☞ さいのう[1] (類義語)》.　¶彼は数学の*天才だ He is a *genius* in mathematics. // 彼女は*天才的な (⇒ 生まれつきの才能のある) ピアニストだ She is a *gifted* pianist. / (⇒ 生まれながらの) She is a *born* pianist. **天才教育** special education for gifted children Ⓤ《☞ えいさい (英才教育)》 **天才児** (神童) child 「genius [prodigy] Ⓒ; (天才の卵) budding genius Ⓒ; (才能に恵まれている) gifted child Ⓒ. 《☞ しんどう[2]》.

てんさい[2] 天災 natural disaster Ⓒ. ¶ この地方は*天災にたびたび見舞われた This district has often been visited by *natural disasters*. **天災は忘れたころにやって来る** (思いもかけない時に起こる) Natural disasters (tend to) 「hit [happen; occur] (just) when we least expect them. **天災地変** natural disasters and extraordinary events.

てんさい[3] 転載 ―[動] (文・記事などを変更しないで印刷する) reprint (他); (再生・複製する) reproduce (他) ★ 後者のほうが意味が広い. 《☞ のせる[2]》. ¶ この物語は著者の許可を得てその雑誌から*転載した This story *was reprinted* from the magazine by permission of the author. // 禁無断*転載 No part of this publication may *be* 「*reprinted* [*reproduced*] without permission.

てんさい[4] 甜菜 〘植〙 (sugar) beet Ⓒ. **甜菜糖** beet sugar Ⓤ.

てんざい 点在 ―[動] (点々とある) be dotted (with ...); (間隔を置いて散在する) be studded (with ...) ★ いずれの場合も「場所」が主語になる. 《☞ てんてんと[2]; さんざい[1]》. ¶ 海辺には小屋が*点在していた The seashore *was* 「*dotted* [*studded*] *with* small huts.

てんさく[1] 添削 ―[動] (誤りを直す) correct (他); (目を通す) lóok óver (他) ★ 言外に「添削」の意を含む. ―[名] correction Ⓤ. 《☞ なおす; ていせい[1]》. ¶ 昨日私は作文を彼に*添削してもらった I *had* my essay *corrected* by him yesterday.

てんさく[2] 転作 ―[動] (他の作物を栽培する) grow different crops. **転作奨励金** subsidy for growing crops other than rice Ⓤ.

てんざる 天ざる *tenzaru* (*soba*) Ⓤ; (説明的には) cool buckwheat noodles served on a bamboo plate with tempura Ⓤ.

でんさんき 電算機 ―[名] (電子計算機) computer Ⓒ. ―[動] (電算機で処理[管理]する) computerize (他). 《☞ コンピューター (囲み)》.

てんざんさんみゃく 天山山脈 ―[名] (固) the Tianshan /tià:nʃá:n/, the Tien Shan ★ 中央アジアにある大山脈.

でんさんしゃしょく 電算写植 compúterized phòtocomposítion Ⓤ.

てんざんなんろ 天山南路 (交通路) the route skirting the Tian Shan Mountains to the south; (天山山脈以南の地域) the region south of the Tian Shan Mountains.

てんざんほくろ 天山北路 (交通路) the route *skirting the* Tian Shan Mountains to the north; (天山山脈以北の地域) the region north of the Tian Shan Mountains.

てんし[1] 天使 ―[名] angel Ⓒ. ―[形] (天使のような) angelic(al) /ændʒélɪk(əl)/. ¶ その少年は*天使のような顔をしている The boy has an *angelic* face. // 白衣の*天使 (⇒ 看護師) a nurse

てんし[2] 天子 emperor Ⓒ.

てんじ[1] 展示 ―[動] (展示してある) be on 「show [display]; (展示する) put ... on 「show [display] ★ いずれも show のほうが口語的; (はっきり見えるように並べる) display (他); (正式に公開して見せる) exhibit /ɪgzíbɪt/ (他) ★ 両者とも受身で用いられることが多い. ―[名] display Ⓤ ★ 個々の事例は Ⓒ; exhibition /èksəbíʃən/ Ⓒ. 《☞ ちんれつ; しゅっぴん》. ¶ その博物館には古代中国の美術品がたくさん*展示してある Many works of art of ancient China *are* 「*on show* [*on display*; *exhibited*] in the museum /mju:zí:əm/. / There is a *display* of many works of art of ancient China in the museum. // 写真クラブの作品があしたから講堂に*展示される Works by the members of the photo club will *be* 「*(put) on show* [*displayed*; *exhibited*] in the auditorium /ɔ̀:dətɔ́:riəm/ from tomorrow. **展示会** show Ⓒ, exhibition Ⓒ ★ 前者のほうが口語的. 《☞ ショー; てんらんかい》. ¶ 花の*展示会 a flower *show* **展示場** exhibition Ⓒ; (その建物) exhibition hall Ⓒ ★ 展示の場所によって部屋なら room, 会場なら hall, 屋外なら site. **展示即売会** exhibition where exhibits are sold Ⓒ **展示品** exhibit Ⓒ.

てんじ[2] 点字 (表記法) braille /bréɪl/ Ⓤ ★ 個々の文字は Ⓒ. しばしば語頭は大文字で. ¶ *点字を読む read *braille* // *点字に訳す put into *braille* // *点字翻訳者 a *braille* transcriber **点字書** book in braille Ⓒ **点字図書館** braille /bréɪl/ library Ⓒ **点字ブロック** tactile /tǽktl/ tíle Ⓒ ★ tactile「触れられる, 触覚で確かめられる」.

でんし 電子 ―[名] eléctron Ⓒ. ―[形] (電子の・電子工学の・電子による) elèctrónic.
電子オルガン eléctronic órgan Ⓒ **電子音** electronic sound Ⓒ **電子音楽** eléctronic [eléctrophònic] músic Ⓤ **電子会議** electronic conference Ⓒ **電子楽器** electronic musical instrument Ⓒ **電子貨幣** electronic cash Ⓤ **電子カルテ** electronic medical record Ⓒ **電子管** electron(ic) tube Ⓒ **電子計算機** compúter Ⓒ 《☞ コンピューター (囲み)》 **電子掲示板** electronic bulletin board Ⓒ **電子芸術** electronic art Ⓤ **電子顕微鏡** electron microscope Ⓒ **電子工学** elèctrónics Ⓤ **電子光学** electron optics Ⓤ **電子財布** electronic wallet Ⓒ **電子(化)辞書** eléctronic díctionary Ⓒ **電子市場** electronic market Ⓒ **電子写真** (乾式複写機などの方式) electrophotography Ⓤ; (それによって作られた写真) eléctrophótograph Ⓒ; (デジタル写真技術) dígital photógraphy Ⓤ; (それによって作られた写真) digital photograph Ⓒ **電子銃** electron gun Ⓒ **電子出版** electronic publishing Ⓤ **電子商取引** electronic commerce Ⓤ **電子ショッピング** electronic shopping Ⓤ **電子署名** electronic signature Ⓒ **電子新聞** electronic newspaper Ⓒ **電子頭脳** electronic brain Ⓒ **電子政府** electronic government Ⓒ, e-government Ⓒ **電子線** electron 「beam [ray] Ⓒ **電子装置** electron [electronic] device Ⓒ **電子素子** electron device Ⓒ **電子タグ** electronic tag Ⓒ **電子チケット** electronic ticket Ⓒ, e-ticket Ⓒ **電子手帳** electronic organizer Ⓒ **電子投票** electronic voting Ⓤ, e-「voting [polling] Ⓤ; (票) electronic vote Ⓒ. ¶ *電子投票システム an *electronic voting* system **電子時計** electronic 「watch [clock] Ⓒ ★ watch は身につける時計. clock はそれ以外のもの; (水晶時計) quartz 「watch [clock] Ⓒ **電子図書館** digital library Ⓒ **電子取引** (売買) electronic trading Ⓤ, e-commerce Ⓤ **電子納税申告** electronic tax 「filing Ⓤ [return Ⓒ] ★ [ ] 内は申告書の意もある. **電子場** electron field Ⓒ **電子ビーム** ☞ でんし (電子線) **電子ブック** electronic book Ⓒ **電子兵器** electronic weapon Ⓒ **電子編集** electronic editing Ⓤ **電子望遠鏡** electron telescope Ⓒ **電子マネー** electronic money Ⓤ **電子メール[郵便]** electronic mail Ⓒ, e-mail Ⓒ 《☞ イーメール》. **電**

子レンジ microwave (oven) Ⓒ《☞ レンジ》 電子レンズ electron lens Ⓒ.

でんじかねつき 電磁加熱器 induction heater Ⓒ.

でんじき 電磁気 elèctromágnetism Ⓤ. 電磁気学 electromagnetics Ⓤ, electromagnetism Ⓤ.

てんじく 天竺 ─ 名 (固) (インド) India.

てんじくあおい 天竺葵 ☞ ゼラニウム

てんじくねずみ 天竺鼠 ☞ モルモット

てんじくぼたん 天竺牡丹 ☞ ダリア

てんじくもめん 天竺木綿 *Tenjiku* cotton (sheeting) Ⓤ; (説明的には) thick tough plain cotton cloth, used for sheets, *tabi* and so on Ⓤ.

でんじこうがく 電磁光学 electromagnetic optics Ⓤ.

でんじしゃく 電磁石 elèctromágnet Ⓒ.

でんじしゃへい 電磁遮蔽 electromagnetic wave shielding Ⓤ.

でんじちょうりき 電磁調理器 induction cooker Ⓒ.

でんじは 電磁波 electromagnetic wave Ⓒ.

でんじば 電磁場 electromagnetic field Ⓒ.

でんじポテンシャル 電磁ポテンシャル electromagnetic potential Ⓤ.

てんしゃ 転写 ─ 動 (文字·音声などを別の表記法に変える)《格式》transcribe (他); (コピーする) copy (他). ─ 名《格式》transcription Ⓤ; copy Ⓤ.

てんじゃ 点者 critic of *renga* and haiku Ⓒ.

でんしゃ[1] 電車 (車両を連結した) (electric) train Ⓒ ★ 現代ではほとんどの鉄道が電化されたのでことさら electric と断らない場合が多い; (1両だけの市街電車)《米》streetcar Ⓒ,《英》tram(car) Ⓒ.《☞ れっしゃ; てつどう》.

¶私は*電車で学校へ行く I take the *train* to school. / I go to school by *train*. // 彼は3番線(ホーム)から山手線の*電車に乗った He took a Yamanote Line *train* from track (No.) 3. // 横浜へ行くにはどの*電車に乗るのですか Which *train* ⌈do [should] I take for Yokohama? / (⇒ どの電車が横浜に行きますか) Which *train* goes to Yokohama? // 朝8時の*電車に乗り遅れた I missed the 8:00 A.M. *train*. // 私は毎日満員*電車で東京へ通勤しています I commute to Tokyo every day on a jam-packed *train*. // 通勤*電車 a commuter *train* // 通過*電車 a *train* passing through (the station) // *電車の運転士 a *motorman* // *電車の車掌《米》a *conductor* /《英》a *guard*

電車区 train ⌈operation [service] center Ⓒ; (説明的には) (electric) train depot, where maintenance and repair can be done Ⓒ 電車ごっこ playing trains Ⓤ; (説明的には) game of playing the roles of train drivers, conductors and passengers with a bottomless cardboard box as a train body or just using a rope as an imaginary train body Ⓒ 電車賃 fare Ⓒ 電車通り street with streetcar tracks Ⓒ 電車道 ─ 名 (路面電車の軌道)《米》streetcar track Ⓒ,《英》tramway Ⓒ. ─ 動 (相撲用語で) push *one's* opponent straight out of the ring.

> **コロケーション**
>
> 電車に乗る (乗りこむ) get [hop] on a *train*; (電車を利用する) *take a train* / 電車に間に合う catch [make; be in time for] a *train* / 電車を運転する drive a *train* / 電車を降りる get off a *train* / 電車を止める stop a *train* / 電車を乗り換える change *trains* (at ...) // 電車がスピードを上げる a *train* speeds up / 電車がスピードを落とす a *train* slows down / 電車が着く a *train* arrives / 電車が出る a *train* leaves / 電車が止まる (駅に停車する) a *train* stops (at a station); (運行が中断する) *train* service is suspended / 電車が走る a *train* runs / 電車の運行が復旧する *train* service returns to normal / 電車の運行が遅れる *train* service is delayed

でんしゃ[2] 殿舎 ☞ きゅうでん[1]; ごてん; やかた

てんしゃく 転借 ☞ またがり

てんしゃだい 転車台 〘鉄〙 turntable Ⓒ.

てんしゅ[1] 店主 《米》storekeeper Ⓒ,《英》shopkeeper Ⓒ; (店の持ち主) store [shop] owner Ⓒ, owner of a ⌈store [shop] Ⓒ.

てんしゅ[2] 天主 ☞ かみ[1]

てんじゅ[1] 天寿 *one's* natural term of life《☞ じゅみょう》. ¶*天寿を全うする (⇒ 老いて死ぬ) die of old age / (⇒ 自然死をする) die ⌈a natural death [of natural causes]

てんじゅ[2] 天授 ─ 形 (天が与えた) heaven-sent; (生まれつきの) natural, inborn; (天分に恵まれた) gifted, talented. ¶*天授の機会 a *heaven-sent* opportunity // *天授の才 ☞ てんぷ[3] (天賦の才)

でんじゅ[1] 伝授 ─ 動 (学問·芸などを教える) teach (他) ★ 一般的な語; (一定の方法論に基づいて具体的に指導する) give instruction (in ...).《☞ おしえる (類義語)》.

でんじゅ[2] 伝受 ─ 動 (教えられる) be taught, be given instruction (in ...).

てんじゅう 転住 ☞ てんきょ[1]

でんしゅう 伝習 ─ 動 (習う) learn (他); (訓練を受ける) be trained.《☞ ならう[1]》. ¶*伝習所 a (*training*) *school* // *伝習生 a *student*

てんしゅうごう 点集合 〘数〙 point set Ⓒ, set of points Ⓒ.

でんじゆうどう 電磁誘導 〘電〙 electromagnetic induction Ⓤ.

てんしゅかく 天守閣 castle tower Ⓒ; (城の本丸)《古語》donjon Ⓒ ★ dungeon ともいう.《☞ しろ[2] (挿絵)》.

てんしゅきょう 天主教 ☞ カトリック

てんしゅこうきょうかい 天主公教会 ☞ ローマ (ローマカトリック教会); カトリック

てんしゅつ 転出 ─ 動 (…に移る·引っ越す) móve óut (to ...) (自); (…に勤め先が変わる) be transferred (to ...).《☞ てんきょ[1]》.

転出先 new address Ⓒ.

てんしゅどう 天主堂 (Catholic) church Ⓒ《☞ きょうかい[1]》. ¶浦上*天主堂 the Urakami *Cathedral* ★ cathedral は「大聖堂」の意.

てんしょ[1] 添書 (添え状) accompanying [attached] letter Ⓒ; (履歴書などの) cover letter Ⓒ; (紹介状) letter of introduction Ⓒ; (添え書き) note Ⓒ, postscript Ⓒ.

てんしょ[2] 転所 ☞ てんきょ[1]

てんしょ[3] 篆書 *tensho* Ⓤ; (説明的には) ancient Chinese script traditionally used for carving official seals Ⓒ.

てんじょ 天助 Heaven's help Ⓤ.

てんじょう[1] 天井 (部屋の) ceiling /síːlɪŋ/ Ⓒ (↔ floor); (車·屋根裏部屋などの) roof Ⓒ.

¶この部屋は*天井が高い[低い] This room has a ⌈high [low] *ceiling*. // *天井から雨漏りがしている (⇒ 屋根が漏っている) The *roof* is leaking.

天井板 ceiling board Ⓒ 天井裏 ─ 形 (副) under the roof. ─ 名 (屋根裏部屋) attic Ⓒ 天井画 painting on the ceiling Ⓒ 天井川〘地理〙 raised-bed river Ⓒ; (説明的には) river whose bottom is higher than the neighboring land Ⓒ 天井桟敷 the upper gallery 天井知らず ¶*天井知らずの高値 (⇒ 急騰する価格) *skyrocketing* prices // 近ごろの物価は*天井知らずだ (⇒ 値上がりに限りがない) There seems to *be no limit to* the rise in prices. **天井走行起重機** gantry crane [C] **天井値** high [C] (↔ low).

てんじょう² 天上 — [名] heaven [U], 《文》 the heavens. — [形] (天国の) heavenly; (天体の) celestial. **天上界** the ⌈heavenly [celestial] realms **天上天下唯我独尊** Holy am I alone throughout heaven and earth. **天上の至福** celestial bliss [U]. ¶ その時私は*天上の至福に浸っていた At that time I was filled with *celestial bliss*.

てんじょう³ 添乗 ¶ 旅行団に*添乗する *escort* [*guide*] a ⌈tour group [group of tourists] **添乗員** tóur condúctor [C].

てんじょう⁴ 殿上 — [形] (殿上を許されている) admitted to the emperor's court. **殿上の間** room in the emperor's court which higher court officials are allowed to enter [C] **殿上人** (日本の昔の) higher court official of the Heian period who were authorized to enter the emperor's court [C].

でんしょう¹ 伝承 — [動] (代々伝える) hand down … from generation to generation. — [名] (言い伝え) tradition [U] ★ 具体的な事例は [C]. 《☞ いいつたえ》. **伝承文学** oral literature [U].

でんしょう² 伝誦 — [動] (語り伝える) pass [hand] … on (to the next generation) by word of mouth 《☞ でんしょう¹》.

でんしょうさいばい 電照栽培 artificial light culture [U].

てんじょうむきゅう 天壌無窮 (永遠に続くこと) eternity [U].

てんしょく¹ 転職 — [動] (職を変える) change *one's* ⌈occupation [job; employment; profession]; (別の職につく) take up another occupation. 《☞ しょくぎょう (類義語)》. ¶ 彼は会社員から教員へ*転職した (⇒ 会社員をやめて教員になった) He quit being an office worker and became a teacher. **転職率** the ⌈percentage [proportion] of persons who have changed their ⌈jobs [occupations].

てんしょく² 天職 vocation [C] ★ 自分の天性に合う仕事で特に社会のためにつくすような仕事を言う. 《☞ しょくぎょう (類義語)》. ¶ 医者は私の*天職だ Medicine is my *vocation*. // 生涯の*天職を見つける find *one's vocation* (in life)

でんしょく 電飾 decorative ⌈illumination [lighting] [U] ★ 単に複数形で illuminations, colored lights と言うこともできる. 《☞ イルミネーション》.

でんしょばと 伝書鳩 homing [carrier] pigeon [C] 《☞ はと》.

テンション (緊張) tension [U]. ¶ 彼の*テンションが上がってきた His *tension* was ⌈increasing [growing].

でんじりゅうたいりきがく 電磁流体力学 magnetohydrodynamics [U] 《略 MHD》.

でんじりょく 電磁力 〔電〕 electromagnetic force [C].

てんじる¹ 転じる (…から…に変わる) chánge óver (from … to …) (自); (所属などを) transfér (自) (他); (方向転換させる) turn (他) [語法] (自) として,「変わって…(よくないもの) になる」という使い方もある. その場合後に来る名詞は無冠詞. 《☞ てんこう³》.
¶ 彼はアマからプロ野球に*転じた He *transferred* from an amateur baseball team to a professional team. // 忠臣が*転じて謀反人となった The faithful follower suddenly *turned* traitor.

てんじる² 点じる ¶ 唇に朱を*点じる *apply* red lipstick ⌈on [to] the lips // 灯を*点じる *turn* [*put*; *switch*] *on* a light // 薄茶を一服*点じる *make and serve* a bowl of weak tea

てんしん¹ 転身 — [動] (いままでの仕事をやめて別の仕事をする) give up *one's* old job for another 《☞ てんしょく¹》.

てんしん² 天津 — [名] (固) Tianjin /tjáːndʒín/, Tientsin /tjéntsín/ ★ 中国北東部の河港工業都市. **天津甘栗** sweet roasted Chinese chestnut [C] **天津条約** the Tianjin Convention.

てんしん³ 点心 (禅家などの) simple meal [C], light lunch [C]; (茶会などの) sweet [C]; (中華料理の) dim sum [C], Chinese snack [C].

てんしん⁴ 転進 — [動] (進路や目的地を変える) change (*one's*) ⌈course [direction]; (退却する) retreat (自); (撤退する) withdraw (自).

てんしん⁵ 天心 (天の中心) the zenith /zíːnɪθ/.

てんじん 天神 (天の神々) the heavenly gods, the gods of heaven. **天神様** the deified spirit of Sugawara no Michizane 《☞ すがわらのみちざね; てんまんぐう》 **天神祭** (the) Tenjin Festival; (説明的には) festival held at Tenmangu shrine in Osaka City on July 25 [C].

でんしん 電信 (有線・無線による電信方法) telegraph [U]; (電信による通信) telegraphic communication [U]. 《☞ でんぽう》. ¶ 暴風雨のため現在*電信は不通です Because of the storm, *telegraphic communication* has been ⌈cut [interrupted] for the present. **電信回線** telegraph [telegraphic] circuit [C], telegraph-grade circuit [C] **電信為替** cable transfer [C], 《英》 telegraphic transfer [C] **電信機** telegraphic apparatus /æpərǽtəs/ [C] **電信技師** telegraph operator [C], telégrapher [C], telégraphist [C] **電信柱** telegraph pole [C] 《☞ でんちゅう¹》.

てんしんらんまん 天真爛漫 — [形] (子供などが汚れのない) ínnocent; (うぶで純真な) naive /nɑːíːv/ ★ naïve ともつづる. またこの言葉は大人に使われると「無学で知恵の足りない」ということを婉曲に表す. — [名] innocence [U]; naiveté /nɑːìːvətéɪ/ [U] ★ naïveté, naivete ともつづる. なお, naiveté の é の ´ は綴り本来のもの. 《☞ むじゃき; じゅんしん》.
¶ *天真らんまんな子供たち *innocent* children

テンス ☞ じせい²

てんすい 天水 rainwater [U]. **天水桶** rainwater tank (for firefighting) [C], rain barrel [C] **天水田** rainfed paddy field [C] **天水農地** rainfed farmland [U].

てんすう 点数 (評点) mark [C], point [C]; (段階評点) grade [C]. 《☞ てん¹》. **点数をかせぐ** (好意を得る) win [gain] *a person's* favor; (上の者に取り入る) score Brownie points. **点数制** (交通違反などの) the point system.

てんずる¹ 転ずる ☞ てんじる¹

てんずる² 点ずる ☞ てんじる²

てんせい¹ 天性 (本性・生まれつきの性質) nature [U]; (気質) disposition [C] ★ やや格式ばった語. 《☞ せいしつ¹ (類義語)》. ¶ 習慣は第 2 の*天性である Habit is second *nature*. 《ことわざ》

てんせい² 点睛 ☞ がりょうてんせい

てんせい³ 転生 — [名] (霊魂が別の身体に乗り移ること) transmigration [U], metempsychosis [U]; (霊魂が新しい身体に生まれ変わること) reincarnation [U]. — [動] transmigrate (自); be reincarnated. 《☞ うまれかわり; りんね》.

てんせい⁴ 転成 (変形・変態) transformation [U]; (変質・変性) transmutation [U]; (語の機能的変化) conversion [C], functional shift [U]. **転成語** converted word [C]; (説明的には) word formed by 「functional shift [conversion; zero derivation] Ⓒ.

でんせい 伝世 (後世に残すこと) bequeathing Ⓤ, handing down Ⓤ. (☞ でんらい). **伝世品** (先祖伝来のもの) heritage Ⓒ, legacy Ⓒ. (☞ いさん[1]; かほう[2]).

てんせき[1] 転籍 ― 動 (本籍を移す) transfer [change] *one's* 「legal [permanent] 「domicile [residence]; (学籍を移す) transfer *one's* school registration. **転籍地** the place to which *one's* 「legal [permanent] 「domicile [residence] is transferred ★ 説明的な訳.

てんせき[2] 典籍 book Ⓒ (☞ ほん).

てんせき[3] 転石 rolling stone Ⓒ. **転石苔を生ぜず** A rolling stone gathers no moss. (ことわざ; ☞ こけ[1])

でんせつ 伝説 ― 名 (真偽のほどは明らかでない古くから伝わる話) legend Ⓒ; (言い伝え) tradition Ⓤ ★ 具体的な言い伝えを指すときは Ⓒ; (民間伝承) folklore Ⓤ. ― 形 (伝説(上)の) legendary; (伝説に現れる) in legend. (☞ いいつたえ). ¶ ロビンフッドはイギリスの*伝説上の英雄です Robin Hood is a *legendary* English hero. // *伝説によれば *Tradition* says that [According to a *legend*] ….

テンセル (セルロース繊維の一種) (商標) Tencel /ténsl/.

てんせん[1] 点線 dotted line Ⓒ; (切り取り線) perforated /pə́ːfərèɪtɪd/ line Ⓒ. (☞ はせん). ¶ *点線を引く draw a *dotted line* // *点線の所から切り取って下さい To be detached [Tear the paper] along the *perforated line*.

てんせん[2] 転戦 ― 動 move from place to place in the battle.

てんぜん 恬然 ☞ へいぜん; へいき[1]; れいせい[1]

でんせん[1] 電線 ― 名 (一般に) electric(al) wire Ⓒ; (電灯線) electric (「light [lamp]) cord Ⓒ; (電信用の) telegraph 「wire [line] Ⓒ; (海底・地下の) cable Ⓒ. ― 動 (電線を引く) wire (他). ¶ 工事の人がその新築の家に*電線を引いている Technicians *are wiring* the new house. // 海底*電線を敷く lay a submarine *cable* // 強風のため各地で*電線が切れた Because of the strong wind, *electric wires* were 「broken [brought down] at many places.

でんせん[2] 伝染 ― 名 (空気感染による) infection Ⓤ; (接触による) contágion Ⓤ ★ やや格式ばった語. ― 形 (伝染性の) infectious; contagious; (略式) catching Ⓟ. ― 動 (病気がうつる) be transmitted (to …); (略式) catch (他) (自). (☞ うつる[1]; かんせん[1]). ¶ インフルエンザは非常に*伝染しやすい Influenza is highly *infectious*. // あくびは*伝染する Yawning is 「*infectious* [*catching*].
伝染性 infectivity Ⓤ; contagiousness Ⓤ **伝染性肝炎** infectious hepatitis Ⓤ **伝染性結膜炎** infectious conjunctivitis Ⓤ, (略式) pinkeye.

でんせん[3] 伝線 ― 名 (ストッキングの) run Ⓒ, (英) ladder Ⓒ. ― 動 run (自), (英) ladder (自).

でんせんびょう 伝染病 (空気伝染による) infectious disease Ⓒ; (接触による) contagious /kəntéɪdʒəs/ disease Ⓒ; (局地的な一時の流行病) epidemic Ⓒ. ¶ 法定*伝染病 a legally [an officially] designated *infectious disease* // *伝染病にかかる contract an *infectious disease*
伝染病患者 infectious [contagious] case Ⓒ **伝染病病院** infectious disease(s) hospital Ⓒ; (空港などの隔離病院) quarantine /kwɔ́ːrəntìːn/ hospital Ⓒ **伝染病予防法** the Infectious Diseases Prevention Law.

てんそう 転送 ― 動 (手紙などを) forward (他) (☞ かいそう[3]). ¶ *転送して下さい (封筒の上書) Please *forward*. ★ この場合は目的語を省略する. // 郵便は新しい住所へ*転送して下さい Please *forward* my mail to my new address. // 電話を*転送する *forward* a call **転送先** forwarding address Ⓒ **転送メール** forwarded mail Ⓒ.

でんそう[1] 電送 ― 動 (写真などを) send [transmit] … in facsimile /fæksíməli/; (テレタイプで通信文を送る) teletype (他); (テレックスで) telex (他). **電送写真** facsimile Ⓒ.

でんそう[2] 電槽 battery jar Ⓒ.

でんそう[3] 伝送 transmission Ⓤ. **伝送器** 〔電〕 transmitter Ⓒ.

でんそうひん 電装品 electrical parts.

てんそく 纏足 (慣習としての) foot binding Ⓤ; (てん足された足) bound feet ★ 複数形で.

てんぞく 転属 ¶ 彼は営業部から人事部へ*転属になった He *has* (*been*) *transferred* from the sales department to the personnel department.

でんそん 伝存 ― 動 (大昔から伝わる) be handed down from 「the far past [antiquity].

てんそんこうりん 天孫降臨 (日本の神話で) Ninigi no Mikoto's descent from 「heaven [the sky] to Mount Takachiho (in Japanese mythology).

てんだ 転舵 ― 動 (舵を切って…を別の方向へ向ける) steer … in a different direction.

テンダーオファー ☞ かぶしき (株式公開買付)

テンダーロイン (腰部の柔らかい肉) ténderlòin Ⓤ.

てんたい[1] 天体 ― 名 celestial /səléstʃəl/ [heavenly] body Ⓒ ★ celestial のほうが格式ばった語. ― 形 (格式) celestial; (天文・星に関する) astronomical.
天体観測 astronomic(al) observation Ⓒ, (略式) star 「watching [gazing] Ⓤ; (天文航法や GPS に役立てる) celestial observation Ⓤ. ¶ 私の趣味は*天体観測 (⇒ 天文学) です My favorite hobby is *astronomy*. // 電波望遠鏡は*天体観測に使われている A radio telescope is used for *astronomical* observation. **天体座標** ☞ てんきゅう[1] (天球座標) **天体写真** astrophoto Ⓒ, photograph of 「stars [heavenly bodies; celestial objects] Ⓒ **天体図** celestial map Ⓒ; (星図) star chart Ⓒ **天体物理学** àstrophýsics Ⓤ **天体望遠鏡** ástronòmical télescòpe Ⓒ **天体力学** àstrodynámics Ⓤ **天体暦** ephemeris /ɪféməris/ Ⓒ (複 ephemerides /èfəmérədìːz/).

てんたい[2] 転貸 ☞ またがし

てんだいさん 天台山 ― 名 (固) Tiantai [T'ien-t'ai] Shan /tiéntàiʃáːn/ ★ 中国の浙江省東部にある天台宗発祥の地.

てんたいしゃく 転貸借 ☞ またがし; またがり

てんだいしゅう 天台宗 Tendai Buddhism, the Tendai Buddhist Denomination.

てんたいしょう 点対称 〔数〕 point symmetry Ⓤ. ¶ *点対称の図形 a figure with *point symmetry*

てんたく 転宅 ☞ てんきょ[1]

でんたく 電卓 pócket [désk] càlculator Ⓒ.

でんたつ 伝達 ― 動 (情報などを) commúnicàte (他); (考えなどを伝える) convey (他); (メッセージ・考え・報道など, 一般的に伝える) transmit (他). (☞ つたえる). ¶ 我々は言語を用いて思想や感情を*伝達する We *communicate* ideas and feelings by (means of) language. **伝達手段** means of communication Ⓒ ★ means は単複同形.

デンタルクリニック (歯科医院) dental clinic Ⓒ.

デンタルケア dental care Ⓤ.

デンタルフロス (歯の間を掃除するためのナイロン糸) dental floss Ⓤ.

てんたん 恬淡, 恬澹 ── [形] (私心のない) disinterested; (利己的でない) unselfish; (無関心な) indifferent. (☞ むよく; むかんしん).

てんち[1] 天地 **1** 《天と地》: heaven and earth ★ 対句として用いる場合は無冠詞. ¶ 神は*天地を創造した God created *heaven and earth*.
2 《世界・場所》: (世界) world Ⓒ; (国・土地) land Ⓒ. ¶ 新*天地 a new *world* // 自由の*天地 a *land* of freedom // ここはスキーヤーにとっては別*天地です (⇒ 天国です) This place is a ⌈skiers' [skier's] *paradise*.
天地開闢(かいびゃく)以来 since the beginning of ⌈the world [time] **天地神明に誓って** (名誉にかけて) on *one's* honor **天地創造** the Creation **天地の差** ¶ *天地の差がある be *poles apart* // 聞くと見るとでは*天地の差がある There is *a great difference* between hearing and seeing. **天地無用** 《掲示》 This Side Up; Do Not Turn Over.

てんち[2] 転置 ── [名] (置き換え) transposition Ⓤ; (倒置) inversion Ⓤ; 〖言〗 (転置法) hyperbaton /haɪpə́ːbətɑ̀n/ Ⓒ ★ ある語を強めるためにその語を先頭に置くこと. ── [動] (もの・語句の位置を入れ換える) transpose ㊀; (逆にする) invert ㊀.

でんち[1] 電池 battery Ⓒ, cell Ⓒ ★ 特に cell が幾つか集まったものを battery という. (☞ バッテリー). ¶ 乾*電池 a dry ⌈*battery* [*cell*] // 蓄*電池 a stórage *bàttery* // リチウム*電池 a lithium /líθiəm/ *battery* // アルカリ*電池 an alkaline *battery* // 太陽*電池 a solar *battery* // *電池が切れた The *battery* has run down. // 懐中電灯には 1 週間前に新しい*電池を入れました I put ⌈fresh [new] *batteries* in the flashlight a week ago. // この機械は*電池で動きます This machine runs on *batteries*. // 単 1 [2, 3, 4] *電池 a "D" [a "C"; an "AA"; a "AAA" /trípléi/] size ⌈*battery* [*cell*]

でんち[2] 田地 ☞ た[1]

てんちじん 天地人 heaven, earth, and man Ⓤ; (宇宙の万物) everything [all things] in the universe.

てんちゃ 点茶 ── [動] make a cup of whipped powdered green tea.

でんちゃくとそう 電着塗装 electropainting Ⓤ.

てんちゅう 天誅 (天罰) divine punishment Ⓤ, the punishment of heaven; (天の復讐) heaven's vengeance Ⓤ; (天の怒り) heaven's wrath Ⓤ. (☞ てんばつ). ¶ 彼らには*天誅が加わるであろう *Divine punishment* [*The punishment of heaven*] will be inflicted ⌈on [upon] them.

でんちゅう[1] 電柱 (電気・電話などの電柱を総括的に) utility pole Ⓒ; (電話線用の) telephone pole Ⓒ; (電信柱) telegraph pole Ⓒ.

でんちゅう[2] 殿中 ── [副] within the shogun's living quarters.

てんちゅうせつ 天中節 paper charm posted on a gatepost before sunrise on August 1 of the lunar calendar as a protection against fires, thefts, plagues, etc. Ⓒ.

てんちょう[1] 店長 manager Ⓒ. ¶ コンビニの*店長 a convenience store *manager*

てんちょう[2] 転調 ── [名] 〖楽〗 modulation Ⓒ, change of keys Ⓒ. ── [動] modulate ㊀ ㊁, change keys. ¶ ここで*転調します We *change keys* here.

てんちょうぎ 天頂儀 〖天〗 zenith ⌈telescope [tube] Ⓒ.

てんちりょうよう 転地療養 a change of air ★ a を付けて. (☞ りょうよう[1]).

てんつけ 点付け (成績の) grading Ⓤ; (スポーツなどの得点記入) scoring Ⓤ; (競技などの判定の) giving points Ⓤ. (☞ さいてん[1]).

てんつゆ 天つゆ tempura dipping sauce Ⓤ.

てんで てんで役に立たない completely [totally; utterly] useless (☞ まったく).

てんてい 天帝 the Lord of heaven, God. (☞ てん[2]; かみ[1]).

でんてい 電停 (電車の停留場) 《米》 streetcar stop Ⓒ, 《英》 tram stop Ⓒ. (☞ ていりゅうじょ).

てんてき[1] 点滴 (水のしたたり) dripping water Ⓤ; 〖医〗 (intravenous /ìntrəvíːnəs/) drip (injection) Ⓒ, IV drip Ⓒ. ¶ 患者に*点滴をする put a patient on an *intravenous drip* // 彼女は*点滴を受けていた She was put on ⌈a [an *intravenous*] *drip*. **点滴石をもうがつ** A constant drip wears away a stone.

てんてき[2] 天敵 natural enemy Ⓒ.

てんてこまい (たいへん忙しい) be ⌈very [extremely] busy ★ [ ] 内のほうが強意的; (忙しく走り[動き]回る) run [bustle] about busily. (☞ いそがしい; きりきりまい).

てんてつ 転轍 ── [動] 《米》 switch ㊀, 《英》 shunt ㊀. **転轍器** 《米》 switch Ⓒ, 《英》 shunt Ⓒ.

でんてつ 電鉄 (電気鉄道会社) electric railroad company Ⓒ.

てんでに 手ん手に ☞ それぞれ; べつべつ

テンデンシー (傾向・風潮) tendency Ⓒ.

でんでんだいこ でんでん太鼓 (説明的に) small toy drum with a handle and two small bells on strings as beaters Ⓒ.

てんてんと[1] 転転と ── [副] (次から次へと場所を変えて) from one place to another, from place to place. ¶ 彼は各地を*転々とした (⇒ さまよった) He *wandered from place to place*. // 彼は*転々と仕事を変えた (⇒ 何度も転職した) He changed jobs *many times*.

てんてんと[2] 点点と ── [副] (あちこちに) here and there 【日英比較】 日本語とは語順が反対. ── [動] (点々と散らばる) dot ㊀ 【語法】「場所」を表す言葉が目的語となる; (斑点・しみなどをつける) spot ㊀. (☞ てんざい).
¶ 平原には小さな家が*点々とある Small houses stand *here and there* in the plain. // 海には漁船の明かりが*点々と見えた The lights of the fishing boats *dotted* the surface of the ocean. // 床に*点々と血が落ちていた (⇒ 床は点々と血でしみがついていた) The floor *was spotted with* blood.

てんでんばらばら ── [形] (多くの異なった) different Ⓐ; (多種の) various /vé(ə)riəs/. ── [動] (方々に散る・散らす) scatter (...) in all directions. (☞ ばらばら; 擬声・擬態語 (囲み)).
¶ *てんでんばらばらの意見 *many different* opinions

でんでんむし 蝸牛 ☞ かたつむり

てんと 転都 relocation of the capital Ⓤ, capital relocation Ⓤ.

テント tent Ⓒ (☞ キャンプ (挿絵)). ¶ 湖畔に*テントを張った We ⌈pitched [set up] our *tent* by the lake. // *テントをたたむ take down a *tent* // *テント生活 (⇒ キャンプ) は楽しい *Camping* (*out*) is fun. **テント村** camp Ⓒ.

でんと ── [形] (落ち着いた) self-composed; (堂々とした) imposing. (☞ どうどう[1]; 擬声・擬態語 (囲み)). ¶ 彼はいつも*でんと構えている (⇒ 落ち着いている) He is always *self-composed*. // その部屋には大きなグランドピアノが*でんと置いてある (⇒ 大きく堂々としたグランドピアノがある) There is a big, *imposing* grand piano in the room.

てんとう[1] 店頭 (店)《米》store Ⓒ,《英》shop Ⓒ ★日本語の「店頭」は多くの場合「店」と同じ意味であることに注意; (ショーウインドー) (show) window Ⓒ,《英》shopwindow Ⓒ ★単に window とも言う.《☞ みせ》. ¶*店頭には季節の果物が山と積まれている There are heaps of in-season fruit(s) ⌐at the *store* [in the *shop*]. // *店頭には美しいドレスが飾ってある Beautiful dresses are displayed in the *show window*. // その本はまだ*店頭に出ていません (⇒ 売り出していない) The book is not yet on sale. / (⇒ 本屋で手に入らない) The book is not yet available ⌐at [in] *bookstores*. **店頭株** over-the-counter [OTC] stock Ⓒ **店頭市場** over-the-counter [OTC] market Ⓒ **店頭登録銘柄** over-the-counter [OTC] registered stock Ⓒ **店頭取引** over-the-counter [OTC] trading Ⓤ.

てんとう[2] 転倒 ―[動] (転んで倒れる) fall (to the ground) ㊀ [語法] fall は落下することにも言うので, はっきりと地面に倒れたということを表したいときには to the ground をつける; (つまずいて倒れる) tumble (down) ㊀.《☞ ころぶ; たおれる[1]; つまずく》.
¶走者が*転倒した The runner *fell to the ground*. / (⇒ つまずいて) The runner *tumbled down*. // 彼女は気が*転倒して (⇒ 心を乱して [ショックを受けて]) 口もきけなかった She was so ⌐*upset* [*shocked*] that she could not ⌐speak [utter a word].

てんとう[3] 点灯 ―[動] (スイッチをひねって) tùrn [swítch] ón ㊉; (明かりをつける) light ㊉.《☞ つける[1]; つく[1]; あかり》. ¶この街灯は暗くなると自動的に*点灯します These ⌐streetlights [street lamps] *are* automatically ⌐*turned on* [*lighted*] when it gets dark. **点灯管** ☞ グローランプ **点灯飼育** lighted raising Ⓤ, raising under artificial lights Ⓤ **点灯時間** lighting-up hours ★複数形で. **点灯式** lighting-up ceremony Ⓒ.

てんとう[4] 天道 (天) Heaven; (太陽) the sun; (天の道理) the way(s) of Heaven.

てんどう 天道 ☞ てんとう[4]

でんとう[1] 伝統 ―[名] (先祖伝来の社会的慣習) tradition Ⓒ ★しばしば複数形で; (価値ある文化的・社会的遺産) heritage Ⓒ; (個々の歴史) history Ⓒ. ―[形] (伝統的な) traditional.
¶彼らは民族の*伝統を維持しようとしている They try to ⌐keep up [maintain; preserve] the *traditions* of their people. // *伝統を重んじる value *traditions* // *伝統を破る break (with) (a) *tradition* // 豊かな語彙こそ日本語の*伝統である A rich vocabulary is the true *heritage* of the Japanese language. // この大学は100年の*伝統がある This university has a hundred-year *history*. // この学校は*伝統が誇りだ This school is proud of its *history*. // *伝統に固執する cling to *tradition(s)* // あの家は*伝統にしばられている That house is *tradition*-bound. **伝統芸術** traditional art Ⓤ **伝統工芸** traditional craft Ⓒ **伝統主義** traditionalism Ⓤ; conventionalism Ⓤ ★後者は因襲に囚われている意味あいがある.

コロケーション

伝統に逆らう defy (a) *tradition* / 伝統に従う follow (a) *tradition* / 伝統を確立する establish (a) *tradition* / 伝統を大切にする cherish (a) *tradition* / 伝統を伝える hand down (a) *tradition* (to ...) / 伝統を無視する ignore (a) *tradition*

でんとう[2] 電灯, 電燈 electric light Ⓒ《☞ でんき[1]; あかり》.

でんどう[1] 伝道 ―[動] (説教する) preach ㊉ ㊀; (宣教師の仕事をする) be engaged in missionary /míʃənèri/ work. ―[名] (伝道の仕事) missionary work Ⓤ; (説教) preaching Ⓤ. ¶彼は日本各地でキリスト教を*伝道して歩いた He *preached* Christianity throughout Japan. **伝道者[師]** missionary Ⓒ ★最も一般的な語; (説教する人) preacher Ⓒ **伝道の書** 〘聖〙 Ecclesiastes /ɪklì:ziǽsti:z/ (《略 Eccles.》).

でんどう[2] 伝導 ―[名] (熱・電気の) conduction Ⓤ. ―[動] conduct ㊉.《☞ ちょうでんどう; つたえる》. **伝導体** conductor Ⓒ.

でんどう[3] 電動 ―[形] (電気で動く) electrically powered《☞ でんき[1]》. ¶この機械は*電動(式)です This machine is ⌐*electrically powered* [*powered by electricity*]. **電動機** electric(al) ⌐motor [engine] Ⓒ **電動工具** power tool Ⓒ **電動自転車** electric bicycle Ⓒ **電動タイプライター** electric typewriter Ⓒ **電動のこぎり** power saw Ⓒ **電動歯ブラシ** electric toothbrush Ⓒ.

でんどう[4] 殿堂 (立派な建物) palace Ⓒ; (会館) hall Ⓒ; (聖なる場所) sanctuary /sǽŋ(k)tʃuèri/ Ⓒ; (神を祭る) shrine Ⓒ; (仏を祭る) temple Ⓒ. ¶ガラスの*殿堂 the glass *palace* // 栄誉の*殿堂 the *Hall* of Fame // 野球の*殿堂 the Baseball *Hall* of Fame **殿堂入り** ―[動] be admitted to [enter] the ... Hall of Fame. ¶ベーブ・ルースは1936年に*殿堂入りした (⇒ 野球の殿堂へ選ばれた) Babe Ruth *was elected to the Baseball Hall of Fame* in 1936.

でんどう[5] 伝動 gearing Ⓤ, transmission Ⓤ. **伝動装置** gear Ⓒ, transmission Ⓒ, drive Ⓒ.《☞ ギア》.

てんどうせつ 天動説 (地球中心の) the gèocéntric sỳstem (↔ the hèliocéntric sỳstem); (プトレマイオスの) the Ptolemaic /tɑ̀ləméɪɪk/ sỳstem (↔ the Copernican /kəpə́:nɪk(ə)n/ sỳstem) ★いずれも the を付けて.

てんとうむし 天道虫 〘昆〙《米》ladybug Ⓒ,《英》ladybird Ⓒ.

てんとじ 天綴じ tempura noodles with egg topping ★複数形で.

てんとり 点取り (学校で) competition for marks Ⓤ; (競技で) point scoring Ⓤ. **点取り合戦** point scoring match Ⓒ **点取りゲーム** point scoring game Ⓒ **点取り虫** 《米略式》grind /gráɪnd/ Ⓒ,《英略式》swot Ⓒ.

デンドロビウム 〘植〙 dendrobium /dendróubiəm/ Ⓒ.

てんどん 天丼 bowl of rice topped with shrimp tempura Ⓒ.

てんなんばん 天南蛮 bowl of noodles in hot soup with chopped scallions and tempura Ⓒ ★説明的な訳.

てんにゅう 転入 ―[動] (...へ移り住む) move into ... (from ...)《☞ ひっこす》. **転入届け** moving-in notification Ⓒ ★説明的.

てんにょ 天女 celestial [heavenly] maiden Ⓒ.

てんにん[1] 転任 ―[動] (転任する) be transférred (to ...); (転任させる) transfer ㊉. ―[名] transference /trænsfə́:rəns/ Ⓤ.《☞ てんきん[1]》.

てんにん[2] 天人 heavenly being Ⓒ.

でんねつ 電熱 electric heat Ⓤ. **電熱器** (炊事用)《米》electric stove Ⓒ,《英》electric cooker Ⓒ.

てんねん 天然 ―[形] natural (↔ artificial)《☞ しぜん》. **天然ガス** natural gas Ⓤ **天然記念物** natural monument Ⓒ **天然ゴム** natural [crude; raw; unprocessed] rubber Ⓤ **天然資源** natural resources ★複数形で. **天然色** (自然の色) natural color Ⓒ《☞ カラー[1]》 **天然水** natural water Ⓤ　天然繊維 natural fiber Ⓤ　天然染料 natural dye Ⓒ　天然土 natural soil Ⓤ　天然パーマ naturally ｢wavy [curly] hair Ⓤ　天然肥料 natural fertilizer Ⓤ　天然林 natural forest Ⓒ.

てんねんかじつ 天然果実〔法〕natural fruits, natural produce Ⓤ.

てんねんとう 天然痘 smallpox Ⓤ.

てんのう 天皇 emperor Ⓒ 〔語法〕皇帝も emperor と呼ぶ. 我々が現在の日本の天皇を指して言うときには大文字.「天皇陛下」のように敬って言うときには His Majesty the Emperor, His Imperial Majesty また直接に呼びかけるときは Your Majesty と言う.《☞ へいか[1]》. ¶明治*天皇 *Emperor* Meiji　天皇機関説〔史〕the emperor-as-an-organ-of-the-state theory　天皇皇后両陛下 Their Majesties the Emperor and Empress, Their Imperial Majesties　天皇賞（競馬の）the *Tenno-sho*, the Emperor's Cup　天皇制 the emperor system　天皇誕生日 the Emperor's Birthday《☞ しゅくじつ（表）》　天皇杯 the Emperor's ｢Trophy [Prize].《☞〔語法〕》.

てんのうざん 天王山（決定的な戦闘・試合）the decisive ｢battle [game];（決定的な時・正念場）the moment of truth;（危急存亡のとき）the critical point;（極めて重大な決定）crucial decision Ⓒ.《☞ わかれめ; わけめ》.

てんのうせい 天王星 ☞ てんおうせい

てんば 天馬（天を行く馬）the Heavenly Horse;（駿馬）swift horse Ⓒ;（ペガサス）〔ギ神〕Pegasus.
天馬空を行く ━形（限界のない）unbounded;（抑制されていない）unrestrained. ¶彼の振舞いは*天馬空を行く(⇒ 妨げるものが何もない)がごとくだった He behaved as if *nothing stands in his way*.

てんぱ 点播 sowing seeds with spaces between Ⓤ, sowing seeds spottedly Ⓤ.　点播機 machine to sow seeds in clusters Ⓒ.

でんば 電場〔物理〕electric field Ⓒ.

でんぱ[1] 電波 radio wave Ⓒ.　電波干渉計〔天〕radio (wave) interferometer Ⓒ　電波高度計 radio altimeter Ⓒ　電波航法 radio navigation Ⓤ　電波障害 radio interference Ⓤ　電波探知機 radar Ⓒ《☞ レーダー》　電波天体 radio source Ⓒ　電波天文学 radio astronomy Ⓤ　電波時計 radio(-controlled) ｢clock [watch]　電波兵器 military radio equipment Ⓤ　電波法 the Radio Law　電波望遠鏡 radio telescope Ⓒ　電波妨害 jamming Ⓤ.

でんぱ[2] 伝播 ━動（広める・広まる）spread ㊎ ㊍;（広く行きわたっている）be widespread;（よく普及する）prevail ㊍;（考え・知識などを普及させる・普及する）《格式》própagàte ㊎ ㊍.《☞ ひろまる; つたわる》.

デンバー ━名 ㊂ Denver ★ 米国コロラド州の州都.

てんばい[1] 転売 ━動 rèséll ㊎. ━名 résàle Ⓤ.

てんばい[2] 店売 ¶この化粧品は*店売されていない These cosmetics *are* not *sold in stores*.

でんぱた 田畑 ☞ たはた

てんばつ 天罰 ¶彼にとってそれは*天罰だった (⇒ 彼は相応の罰を受けた) He received suitable *punishment*. / It served him right. ★ 慣用的な口語表現.《☞ ばち[1]; てんちゅう; たたり》　天罰てき面（神は欺かれない）God is not mocked.

てんぱん 典範〔法〕law Ⓒ, code Ⓒ ¶皇室*典範 the Imperial Household *Law*

でんぱん 伝搬〔電・物理〕propagation Ⓤ《☞ でんぱ[2]》.

てんぴ[1] 天日 the sun, sunlight Ⓤ.《☞ ひなた; にっこう》. ¶種を*天日で干した I dried the seeds in *the* ｢*sun* [*sunlight*].　天日乾燥 sun drying Ⓤ　天日塩 sea salt Ⓤ　天日製塩 salt production by seawater evaporation Ⓤ.

てんぴ[2] 天火 oven /ʌ́v(ə)n/ Ⓒ《☞ オーブン》.

てんびき 天引き ━動 deduct ... (from ...). ━名 deduction Ⓤ.《☞ さしひく》.

てんびょう 点描（点描法）pointillism /pwǽntəlìzm/ Ⓤ, stippling Ⓤ;（描写）sketch Ⓒ.　点描画 pointillistic painting Ⓒ　点描画家 pointillist Ⓒ.

でんぴょう 伝票（商店などで取り引き内容を簡単に記したもの）slip Ⓒ;（飲食店などでの請求伝票）《米》check Ⓒ, bill Ⓒ ★ レストランなどでは《米》では check を用いるのが普通. ¶*伝票を下さい《レストランで》May I have the *check*, please? // *伝票を切る issue a *slip* 〔語法〕issue の代わりに, 事項などを書き込むのは write out, 相手に渡すのは give, 署名をするのは sign などを用いることもある.

てんぴょうじだい 天平時代（日本文化史上の時代区分）the Tempyo era, 710–794. ★ 奈良時代とほぼ重なる.

てんぴょうぶんか 天平文化 the Tempyo culture.

てんびん 天秤（はかりの器具）balance Ⓒ;（はかりの皿）scale Ⓒ ★ 器具を言う時は (a pair of) scales という. なお, 現在は一般に体重計・重量計をいう.《☞ はかり》.　天秤にかける ━動（重要度などを比較して熟考する）weigh ... against ... ¶彼はよい給料を取るかよい地位を取るか*天秤にかけた He *weighed* a good salary *against* a good position.　天秤座[宮] Libra /líːbrə/, the Balance.《☞ せいざ[1]》　天秤棒 carrying pole Ⓒ.

てんぶ 転部 ━名（学部[クラブ]の）change of ｢departments [clubs] Ⓒ. ━動 change ｢departments [clubs], transfer from one ｢department [club] to another ★ 後者のほうが格式ばった言い方. ¶彼は*転部して法学部に入った He *changed departments* and became a law major.

てんぷ[1] 添付 ━動（添える）《格式》append ㊎;（付ける）attach ㊎.《☞ そえる》.　添付書類 appended papers, accompanying [attached] documents;（コンピューターの添付ファイルによる）(file [e-mail]) attachment Ⓒ. ¶*添付書類はいりません We need no ｢*attached* [*appended*] *papers*.　添付ファイル appended file Ⓒ;（E メールの）(file [e-mail]) attachment Ⓒ.《☞ インターネットと E メール（囲み）》.

てんぷ[2] 貼付 ━動（貼る）affix ... to ...《☞ はる[3]》. ¶申込書の右の欄に写真を*貼付のこと *Affix* a ｢photo(graph) [picture] of yourself *to* the right column of the application form.

てんぷ[3] 天賦 天賦の才(能) (natural) gift Ⓒ《☞ さいのう[1]; せんてんてき》. ¶彼女は絵をかくことにかけては*天賦の才能を持っている She has a *gift* for painting. / (⇒ 生まれながらの画家だ) She is a *born* ｢painter [artist].

てんぷ[4] 天府（機械時計の）balance wheel Ⓒ.

でんぶ[1] 田麩 *denbu* Ⓤ;（説明的には）fishmeat, crumbled and seasoned with soy sauce and sugar, then roasted Ⓤ.

でんぶ[2] 臀部 the hips and buttocks ★ 複数形で;《略式》the bottom.《☞ しり[1]》.

てんぷう 天風 heavenly winds.

てんぷく 転覆 1《船・車両などが》━動（ひっくり返す・返る）capsize ㊎ ㊍, overturn ㊎ ㊍ ★ 前者は船に限る. 両者とも受身形で用いることが多い. ¶我々のボートは強風を受けて*転覆した Our boat *was* ｢*capsized* [*overturned*] by a strong wind. //

列車は脱線して前の 2 両が*転覆した The train ran off the rails and the first two cars (*were*) *overturned*.

2 《政権・政府などを》 ―動(転覆させる) overthrow ⑩, overturn ⑩ ★ 前者のほうが普通. (☞ だとう²) ¶反乱軍は政府を*転覆した The rebels ⌈*overthrew* [*overturned*] the government.

てんぶくろ 天袋 storage space above a built-in Japanese-style closet Ⓤ.

でんぷやじん 田夫野人 rude and rough person Ⓒ.

てんぷら 天ぷら tempura /témpərə/ Ⓤ; (説明的には) Japanese batter-fried food Ⓤ.

天ぷらそば tempura *soba* Ⓤ ★ 数えるときは a bowl of ～ として; (説明的には) hot buckwheat noodles with tempura topping ★ 複数形で.

テンプル (こめかみ) temple Ⓒ.

テンプレート 〘コンピューター〙 template /témplət/ Ⓒ ★「型板」「定規」なども同じ.

てんぶん 天分 ―名 (天賦の才) (natural) gift Ⓒ; (高度に発達した) talent Ⓒ. ―形 (天分のある) gifted; talented. (☞ さいのう¹ (類義語)). ¶*天分のある作家 a ⌈*gifted* [*talented*] author

でんぶん¹ 電文 (電報) telegram Ⓒ; (電報による通信文) telegraphic message Ⓒ. (☞ でんぽう).

でんぶん² 伝聞 (伝え聞き) héarsày Ⓤ; (うわさ) rumor Ⓒ. (☞ うわさ). **伝聞証拠** 〘法〙 hearsay evidence Ⓤ.

でんぷん 澱粉 ―名 starch Ⓤ. ―形 (澱粉質の) starchy. **澱粉質** starch Ⓤ, starchiness Ⓤ **澱粉糖** starch sugar Ⓤ.

テンペラ (絵の具) témpera Ⓤ; (テンペラ画) tém-pera Ⓒ.

てんぺん 転変 ☞ういてんぺん

てんぺんちい 天変地異 natural disaster Ⓒ (☞ さいがい; てんさい²). **天変地異説** catastrophism Ⓤ.

てんぽ¹ 店舗 《米》 store Ⓒ, 《英》 shop Ⓒ **語 法** 《米》で使う shop は品物の在庫とは関係のない店で, 例えば修理店など. (☞ みせ).

てんぽ² 塡補 (不足を補うこと) supplementation Ⓤ; (補償) compensation Ⓤ. **塡補賠償** compensatory damages ★ 通例複数形で.

テンポ (演奏の速さ) tempo /témpoʊ/ Ⓒ (複 tempi /-piː/, ～s) ★ 比喩的にも用いられる; (速さ・ペース) pace Ⓒ; (スピード) speed Ⓤ **日英比較** 日本語の「テンポ」がいつも英語の tempo に置き換わるとは限らないことに注意. (☞ ペース). ¶私は*テンポの速い[遅い]曲が好きだ I prefer tunes ⌈in [with a] ⌈fast [slow] *tempo*. **テンポが合う** ¶私は彼とは*テンポが合う[合わない] I ⌈can [can't] keep *pace* with him. ★ keep pace with は決まった言い方.「彼のテンポについて行ける[行けない]」という日本語にも当たる. (☞ うま¹ (うまが合う))

てんぼう 展望 (見晴らし) view Ⓒ; (成功・利益などの見込み) prospects ★ 通例複数形で. やや格式ばった語. (☞ みはらし; みとおし). ¶あの山頂からの*展望はすばらしい (⇒ すばらしい見晴らしが得られる) We can get a fine *view* from the top of that mountain. / That summit ⌈commands [affords] a fine *view*. ★ 第 1 文のほうが口語的. // 将来の*展望は明るい *The future prospects* will be good.

展望車 observation car Ⓒ **展望台** observation ⌈platform [tower] Ⓒ.

でんぽう 電報 ―名 (電文) telegram Ⓒ ★ 最も一般的; (電報による通信文) telegraphic message Ⓒ ★ 説明的, 《米略式》 wire Ⓒ; (通信手段としての電報) telegraph Ⓤ. ―動 (電報を打つ) telegraph ⑩ ⓐ, send *a person* a telegram, 《米略式》 wire ⑩ ⓐ, send *a person* a wire. ¶彼女にお祝いの[お悔やみの]*電報を打った We *sent* her a *telegram* of ⌈congratulations [condolence].

電報為替 tèlegráphic ⌈tránsfer [remíttance] Ⓒ **電報局** telegraph office Ⓒ **電報用紙** telegraph blank Ⓒ **電報料** telegram fee Ⓒ.

てんぽうのかいかく 天保の改革 〘史〙 the Tempo Reforms; (説明的には) the reforms undertaken during the Tempo era (1831–45).

てんぽうのききん 天保の飢饉 the Tempo Famine; (説明的には) the nationwide famine between 1833 and 1836 (Tempo 4–7) in the Tempo era (1831–45).

テンポラリーファイル 〘コンピューター〙 temporary file Ⓒ.

テンポラリーワーカー (一時雇い) temporary worker Ⓒ, 《略式》 temp Ⓒ.

でんぽん 伝本 existing manuscript Ⓒ.

デンマーク ―名 固 Denmark; (正式名; デンマーク王国) the Kingdom of Denmark. ―形 (デンマークの) Danish /déɪnɪʃ/. **デンマーク語** Danish Ⓤ **デンマーク人** Dane Ⓒ; (全体) the Danish. **デンマーク体操** Danish gymnastics Ⓤ.

てんまく 天幕 (テント) tent Ⓒ; (サーカスなどの大テント) marquee /maəkíː/ Ⓒ. (☞ テント).

てんません 伝馬船 (はしけ) lighter Ⓒ; (特に平底の) barge Ⓒ.

てんまちょう 伝馬町 ―名 固 Tenmacho, a wholesale district in the Edo period.

てんまつ 顛末 (一部始終) everything (about …); (全体の次第) the whole story; (詳細) details ★ 複数形で.

てんまど 天窓 skylight Ⓒ.

てんまんぐう 天満宮 ―名 固 Tenmangu; (説明的には) shrine dedicated to Sugawara no Michizane, the patron saint of scholarship Ⓒ. (☞ てんじん).

てんめい¹ 天命 (運命) fate Ⓤ (☞ うんめい). ¶人事を尽くして*天命を待つ (⇒ 最善を尽くして後は運命[天]に任せろ) Do your best and leave the rest to ⌈*fate* [*heaven*]. **天命を知る** (50 歳になる) turn [reach the age of] 50 (☞ ちめい²).

てんめい² 店名 store [shop] name Ⓒ.

てんめいのききん 天明の飢饉 the Temmei Famine; (説明的には) the nationwide famine between 1782 and 1788 (Temmei 2–7) in the Temmei era (1781–89).

てんめいのたいか 天明の大火 the Great Fire of Temmei; (説明的には) the fire that burned down the central part of Kyoto City in Temmei 8, 1788.

てんめつ 点滅 ―動 (光が) go on and off; (信号灯など, 点滅する・点滅させる) 《米》 blink ⓐ ⑩, 《英》 wink ⓐ ⑩. **点滅器** switch Ⓒ.

てんめん 纏綿 ¶情緒*纏綿 *be* ⌈*full of* [*filled with*; *possessed of*] *delicate* emotions (☞ からまる)

てんもう 天網 **天網恢々疎にして漏らさず** God's mill grinds slow but sure. 《ことわざ: 神のひき臼はゆっくり確実に粉をひく》 / Heaven's vengeance is slow but sure. 《ことわざ: 天罰はゆっくりだが, 必ず来る》

てんもくぢゃわん 天目茶碗 *temmoku* teabowl; (説明的に) dark conical teabowl of Chinese origin Ⓒ.

てんもり 天盛り buckwheat noodles with tempura served on a bamboo tray.

てんもん 天文 **天文衛星** astronomical satellite Ⓒ **天文学** ☞ 見出し **天文航法** astronomical navigation Ⓤ　天文時(間) astronomical time Ⓤ　天文台 ☞ 見出し　天文単位 astronomical unit Ⓒ　天文時計 astronomical clock Ⓒ.

てんもんがく 天文学　astrónomy Ⓤ.　天文学者 astrónomer Ⓒ　天文学的数字 astronomical figures.

てんもんだい 天文台　àstronómical observatory /əbzə́ːvətɔ̀ːri/ Ⓒ.

でんや 田野　fields and plains; (いなか) the country(side).

てんやく¹ 点訳　―動 (…を点字にする) put … into ˹braille [Braille], transcribe … in braille ★ 前者のほうが口語的. (☞ てんじ²).　点訳者 braille transcriber Ⓒ.

てんやく² 点薬　―名 (目薬) eyewash Ⓤ. ―動 apply eyewash. (☞ てんがん).

てんやもの 店屋物　¶*店屋物を取る (⇒ 仕出し屋に料理を注文する) order food from a restaurant　日英比較 英米では日本のように気軽に頼むような出前の習慣がない. 従って説明的な訳以外に, ぴたりとした訳はできない. (☞ でまえ)

てんやわんや　―名 (大混乱) utter confusion Ⓤ (☞ おおさわぎ; 擬声・擬態語 (囲み)).　¶家中が*てんやわんやになった (⇒ 大混乱に陥った) The whole household was thrown into (*utter*) *confusion*.

てんゆう 天佑　(天の恵み) heavenly grace Ⓤ; (神から授けられた助け) divine assistance Ⓤ; (神意による助け) providential help Ⓤ.

てんよ 天与　―形 (天から送られた) heaven-sent; (神の) divine; (神意の) providential. (☞ てんぷ³).　¶彼女には*天与の音楽的才能がある She has a *divine* gift of music. ★ gift (才能) という語そのものにも「天与の贈り物」の意味が含まれている.

てんよう 転用　―動 divert … to another purpose. ―名 diversion Ⓤ. (☞ りゅうよう).　¶彼はその金をほかの目的に*転用した He *diverted* the ˹money [funds] *to another purpose*.

てんらい 天来　―形 (天の) heavenly; (神の) divine.

でんらい 伝来　―動 (先祖から伝わる) be handed down (from …); (導入される) be introduced (from …). ―名 (導入・渡来) introduction Ⓤ. (☞ つたえる; つたわる; とらい).　¶これは先祖*伝来の宝だ This is the treasure *handed down from* my ancestors. / (⇒ 家宝だ) This is ˹an *heirloom* [a *family treasure*].

てんらく 転落　―動 (落ちる) fall ㊀. ―名 fall Ⓒ; (急激な) downfall Ⓒ; (人間の堕落) degradation Ⓤ. (☞ おちる).　¶その酔っ払いは階段から*転落した (⇒ 転げ落ちた) The drunk *tumbled down* the stairs.

てんらん 天覧　imperial [emperor's] inspection Ⓒ.　天覧試合 game [match] held in the presence of the emperor Ⓒ　天覧相撲 sumo match *held in the presence* of the emperor Ⓒ.

てんらんかい 展覧会　exhibition /èksəbíʃən/ Ⓒ, show Ⓒ ★ 後者のほうが口語的.
¶あのデパートではピカソの*展覧会を開いている　That department store is ˹holding [having] a Picasso *exhibition*.　展覧会場 exhibition hall Ⓒ.

てんり 天理　natural laws, the laws of ˹nature [Heaven].

でんりけん 電離圏　the ionosphere /aɪánəsfìə/.

でんりそう 電離層　☞ でんりけん

でんりゅう 電流　(電気の流れ) electric(al) current Ⓒ ★ 単に current ともいう.
¶*電流は直流と交流の 2 種類がある There are two kinds of *electric current(s)*: direct current and alternating current. // この電線には*電流が流れている This wire is *live* /láɪv/. // *電流を通じる (⇒ スイッチを入れる) turn the ˹*power* [*electricity*] on　電流計 ammeter Ⓒ.

てんりょう 天領　(日本の封建時代の幕府の領地) shogun's ˹demesne /dɪméɪn/ [land; territory; domain] Ⓒ.

でんりょく 電力　(electric) power Ⓤ (☞ でんき¹).　¶夏は*電力の供給が十分でない The ˹supply of *electric power* [*power* supply] is insufficient in (the) summer.　電力化 electrification Ⓤ　電力会社 (electric) power company Ⓒ, electric utility company Ⓒ　電力危機 (electric) power crisis Ⓤ　電力供給 power supply Ⓤ　電力計 wattmeter Ⓒ　電力小売り自由化 liberalization of power retailing Ⓤ　電力資源 (electric) power resources ★ 複数形で.　電力事情 the (electric) power situation Ⓤ　電力需要 power demand Ⓤ　電力消費量 power consumption Ⓤ　電力不足 power shortage Ⓤ　電力輸送 power [electric] transmission Ⓤ　電力料金 power rate Ⓒ.

てんりん 天倫　☞ てんり

てんれい¹ 典礼　☞ ぎしき

てんれい² 典例　exemplar Ⓒ, authoritative precedent Ⓒ.

でんれい 伝令　(軍隊の伝令兵) orderly Ⓒ; (使者) messenger Ⓒ.

でんろ 電路　electric circuit Ⓒ.

てんろれきてい 天路歴程　*The Pilgrim's Progress* ★ ジョン・バニヤン (1628–1688) 作の寓意物語.

でんわ 電話　―名 (電話機・通話) (略式) phone Ⓒ, telephone Ⓒ　語法 (1) いずれも通信手段としての電話の意では Ⓤ. phone はもともと telephone の略であるが, 現在の口語では phone のほうが普通; (携帯電話) cell [cellular] phone Ⓒ (☞ けいたい¹ (携帯(電話))); (電話をかけること・通話) call Ⓒ, phone call Ⓒ ★ 後者はより正式な言い方; (英) ring Ⓒ. ―動 (電話する) (米) cáll (úp) ㊀, (英) ríng (úp) ㊀　語法 (2) call, ring は ㊀ として用いることもある. 以上は「(人に) 電話をかける」という場合には最も口語的で一般的な表現. なお call には「呼ぶ」などの意味もあるため, 意味を明確にするためには call … on the phone とすることもある. ring (up) では on the phone を付けることはない; phone ㊀ ㊀, telephone ㊀ ㊀　語法 (3) call などとほぼ同じ意味であるが, やや格式ばった言い方となる. 特に telephone はそうである; (電話で通話をする) make a phone call (to …)　語法 (4) 特に「彼はいま電話をかけている」He's making a phone call. などのように単に動作を言うときにはこの表現を用いる; (ダイヤルを回して) dial ㊀ ㊀.
¶今夜*電話を下さい Please ˹*call* [*ring*] me (*up*) tonight. // すぐに警察に*電話しろ *Call* [*Dial*] the police immediately! // ここからロンドンへ*電話がかけられますか Can I ˹*telephone* [*phone*; *call*] London from here? ★ 後のものほどくだけた言い方となる. // あとでまた*電話します I'll *call* you again. / I'll give you another *call*. // あとでこちらから*電話します I'll *call* you back. ★ 電話をもらった相手にかけ直す場合. // お*電話ありがとう Thank you for *calling*. // うちの娘の長*電話には困る (⇒ 私をいらいらさせる) My daughter's ˹lengthy [long] ˹*telephone* [*phone*] ˹*conversations* [*calls*] ˹irritate [annoy] me. // その件についてはあとで*電話でお話ししましょう Let's talk ˹it [the matter] over ˹on the *phone* [by *phone*; over the *phone*] later. // 山田さん, *電話ですよ Mr. Yamada, you're wanted on the *phone*. ★ 家族同士では Taro, telephone! のような言い方もする. // 彼は*電話中です He *is making a phone call*. // 彼女はいま別の*電話に出ています She's on

another「phone [line]. ‖「*電話が鳴っている」「私がとりましょう」“The「telephone [phone] is ringing.” “I'll get it.” ‖「この*電話お借りしてよろしいですか」「ええ, どうぞ」“May I「use [borrow] this phone?” “Certainly.” ‖ *電話が切れた I've been「disconnected [cut off]. / I [I've] lost my connection. ‖ *電話をひき[付け]たいのですが I want to have a phone「put in [installed]. ‖ この*電話は不通[故障]です This telephone is out of order. / This phone is dead. ★ 第 2 文のほうが口語的. ‖ *電話による会議 a conference call ‖ 日本電信*電話株式会社 Nippon Telegraph and Telephone Corporation《略 NTT》

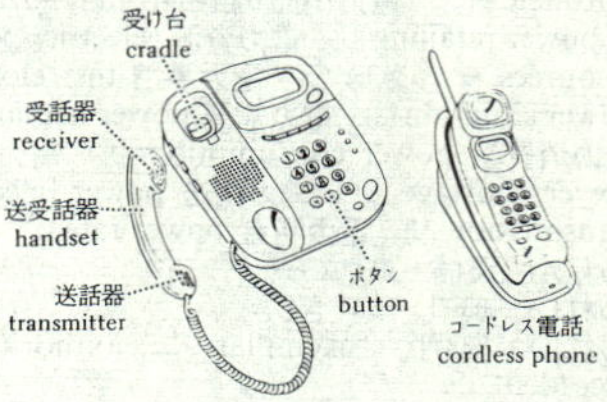

電話のいろいろ
卓上電話 desk phone, 共同電話 party line, 緊急電話 emergency call [参考] 日本の 110 番, 119 番に相当する「緊急電話番号」(emergency numbers) は,《米》では地方によって異なり, 電話帳の最初のページに出ている.《英》では 999 /náɪn-nàɪn-náɪn/. 公衆電話 public telephone, pay phone, コードレス電話 cordless (tele-)phone, 国際電話 (通話) international call; (組織) international telephone service, 携帯電話 cell [cellular] (tele)phone, 移動電話 mobile (tele)phone, 市内電話 local call, 長距離[市外]電話《米》long-distance [out-of-city] call,《英》trunk call, 迷惑[いやがらせ]電話 crank [harassing] call, 留守番電話 (telephone-) answering machine, プッシュホン push-button telephone

電話加入者 telephone subscriber Ⓒ **電話勧誘販売** cold call Ⓒ **電話機** (tele)phone Ⓒ《☞ 語法 (1)》 **電話局** telephone company office Ⓒ **電話口** ¶ *電話口を離れる leave the phone **電話交換機** (telephone) switchboard Ⓒ **電話交換局** (telephone) exchange Ⓒ **電話交換手** (telephone) operator Ⓒ **電話交換台** switchboard Ⓒ **電話線** telephone「wire [line] Ⓒ **電話帳** (telephone book Ⓒ, telephone directory Ⓒ ★ 前者のほうが口語的. ¶ *電話帳を調べる consult the (tele)phone「book [directory] ‖ *電話帳に載っている be (listed) in the phone book **電話番号** (telephone number Ⓒ. ¶ *電話番号をダイヤルする dial the ((tele)phone) number **電話番号案内** information Ⓤ, directory assistance Ⓤ **電話ボックス** (tele)phone booth Ⓒ **電話料金** telephone「charges [bill Ⓒ] **電話連絡** ── 動 contact a person by phone, call (up) ㊐.

コロケーション
電話に出る answer a phone / 電話をがちゃんと切る slam down the「phone [receiver] / 電話を切る hang up (the phone); put down the phone / 電話を盗聴する tap a telephone / 電話を取り付ける[引く] install [hook up] a telephone

と, ト

と¹ 戸 door [C] 日英比較 引き戸は sliding door [C], 開き戸は hinged door [C] という説明的表現もあるが, 元来日本家屋は障子・ふすまなどの建具が多く, これらも英語では door と訳す以外はない. これらをひっくるめて Japanese-style door, それに対して西洋式の戸を Western-style door と呼ぶこともできる. また, 西洋式開き戸は内側に開くのが原則. (☞ とぐち).

¶ *戸を開けて[閉めて]下さい Please ⌈open [close; shut] the *door*. // だれかが*戸をたたいている Someone is knocking ⌈at [on] the *door*. 語法 at, on はいずれでもよいが, ドアのたたき方に重点があるときは on を用いることが多い. 従って「軽く」lightly,「激しく」hard などの副詞を伴うときは on のほうが普通. // 彼は*戸をばたんと閉めて出て行った He slammed the *door* behind him. // *戸には鍵が掛かっている The *door* is ⌈locked [bolted]. // 居間の*戸 a sitting-room *door* / (⇒ 居間へ通じる戸) the *door* to the sitting room

―コロケーション―

戸が開く a *door* opens / 戸がきしむ a *door* ⌈creaks [squeaks] / 戸がさっと開く a *door* flies open / 戸が閉まる a *door* ⌈closes [shuts] / 戸がばたんと閉まる a *door* slams shut // 戸に鍵をかける lock a *door* / 戸の鍵を開ける unlock a *door* / 戸を蹴破る kick ⌈down [in] a *door* / 戸をこじ開ける force a *door* open / 戸をどんどん叩く hammer ⌈at [on] a *door*

と² 都 ―名 (行政区画としての東京都) Greater Tokyo 語法 "Greater ..." はある都市とその周辺の地区を包含した地域に対する行政区画上の名称 (☞ とどうふけん); (自治体としての東京都庁) the Tókyo Mètropòlitan Góvernment. ―形 (東京都の) Mètropólitan ★ 大文字で始める.

¶ 彼女は*都の職員です She works for *the Tokyo Metropolitan Government*.

都議会 the Metropolitan Assembly **都議会議員** member of the Metropolitan Assembly [C] **都議選** Tokyo metropolitan election [C] **都交通局** the Metropolitan Transport Bureau **都知事** the Governor of Tokyo (Metropolis). ¶ 東京*都知事選挙 *the Tokyo gubernatorial* /g(j)ùːbənətɔ̀ːriəl/ election **都庁** (自治体としての) the Tokyo Metropolitan Government; (実務をする役所) the Tokyo Metropolitan Government Offices **都電** Metropolitan [Tokyo Municipal /mjuːnís(ə)pəl/] streetcar [C] **都道** Tokyo municipal road [C] **都バス** Metropolitan [Tokyo Municipal] bus [C] **都営, 都心, 都内, 都民, 都立** ☞ 見出し.

と³ 斗 (容積の単位) *to* [C]; (説明的に) an old Japanese unit of capacity equal to 18.039 liters.

と⁴ 徒 ¶ 無頼の*徒 a *bunch* of ⌈rascals [rogues] (☞ やから)

と⁵ 途 ¶ 彼らは帰国の*途についた They ⌈*left for* [*started on their way; started for*] home. (☞ みち¹)

と⁶ 兎 (家うさぎ) rabbit [C]; (野うさぎ) hare [C]. (☞ うさぎ). **二兎を追う者は一兎をも得ず** ☞ にと

ト 〘楽〙(音名) G [U]. ¶ *ト長[短]調のソナタ a sonata in *G* ⌈major [minor] **ト音記号** G clef [C], treble clef [C].

-と 日英比較 日本語の「…と」に当たる英語を, いつも独立の語で訳し出せるとは限らない. 例えば「私はあした彼*と会うことになっている」I'm going to ⌈see [meet] *him* tomorrow.「私はその猫をミー*と名付けた」I ⌈named [called] the cat '*Mii.*' のように, 英語でそれぞれ see [meet], name [call] のような他動詞が用いられる場合には, 日本語で「…と」の前にある名詞は英語の動詞の目的語, または補語に当たるものであるから, 前置詞その他はいっさい不要である. このような日英の文構造の違いをまず認識することが必要である.

1 《列挙を示して》 ―接 ... and ... 語法 (1) and は複数の事柄を対等に列挙する場合. 3つ以上並記するとき, すなわち A, B, C(,) and D の形のときは最後の名詞の前に and を付け (付けないこともある), and の前のコンマはあってもなくてもよいが, コンマを打つほうが格式ばった使い方とされる; ... or ... 語法 (2) 列挙の場合でも二者択一を示すときは or を用いる. (☞ コンマ (巻末)).

¶ 私は英語*と国語が好きです I like (both) English *and* Japanese. 語法 (3) 2つのもので特に両方を強調するときは both ... and ...を使う. // 私は朝食にトースト*とコーヒー*と卵 (1個) *と果物を食べます I ⌈have [eat] toast, coffee, an egg(,) *and* fruit for breakfast. // りんご*とみかん*とどちらがお好きですか Which do you prefer, apples *or* oranges? 語法 (4) イントネーションは Which do you prefer ↘, apples ↗ or oranges ↘? となる.

2 《一緒に・相手にして》 ―前 with ...; (対抗して) against ... (☞ ともに; いっしょ). ¶ 彼女はお父さん*と出かけました She went out *with* her father. // 第二次大戦では日本はアメリカ*と戦った Japan fought *against* the U.S. in World War II /túː/.

3 《…の時》 ―接 (ちょうどそのとき) when ..., (just) as ..., as soon as ...; (もし…すると) if ..., when ...; (…するときはいつも) whenever ..., every time .... ¶ 彼女は私を見る*と逃げ出した She ran away *when* she saw me. // 一生懸命勉強しない*と試験に落ちますよ *If* you don't study hard [(⇒ 一生懸命勉強しなさい. さもないと) Study hard *or*] you'll fail the exam. // 彼女のことを思う*といつも悲しくなる I feel sad *whenever* I think of her.

4 《…ということ》 ―接 that ... 語法 従属文であることを示すもので, 省略可能. 従属文の内容が疑問文のときは疑問詞を代わりに用いる, また命令文では直接話法の場合は命令形が, 間接話法では to 不定詞が用いられる. (☞ 話法 (巻末)).

¶ 彼女は私にその会には出られない*と言った She told me *that* she was unable to attend the meeting. / She said to me, "I can't attend the meeting." // 私は彼女にいつ暇ですか*と尋ねた I asked her *when* she would be free. // 私は彼にやめなさい*と言った I told him *to* stop.

ど 度 **1** 《計量の単位》: (角度・温度・経緯度・音程など) degree [C] (☞ 度量衡 (囲み)).

¶ この角は30*度です This angle is thirty *degrees*. 参考 (1) 30° と書いてもよい. //「熱は何*度ありますか」「38*度です」"What's your temperature?" "It's thirty-eight *degrees*." 参考 (2) 英米では体温は華氏 (Fahrenheit) で示し, 98.6 度が平熱と

されている. // 東京は北緯 35 *度 41 分, 東経 139 *度 45 分です The latitude of Tokyo is 35°41′ N., and its longitude is 139°45′ E. ★ それぞれ thirty-five degrees forty-one minutes north, one hundred (《英》 and) thirty-nine degrees forty-five minutes east と読む. // 彼は*度の強い眼鏡をかけている He wears ⌈strong [(⇒ 厚い) thick] ⌈glasses [glasses with thick lenses]. // この眼鏡は*度が合わないな (⇒ このレンズは目に合わない) I'm afraid these lenses aren't suitable for my eyes. // 35 *度の焼酎 *shochu* containing 35% alcohol

2 《回数》: time Ⓒ 《☞ -かい[1]; いちど; にど》. ¶「月に何*度ぐらい大阪へ行きますか」「1, 2 *度 [2, 3 *度] です」"How many *times* a month do you visit Osaka?" "*Once* or *twice* [Two or three *times*]." // 2 *度あることは 3 *度ある Misfortunes never come singly. 《ことわざ: 不幸は 1 つではやって来ない》 // あんなことは 2 *度としません I'll never do that *again*.

3 《程度・限度》: (程度) degree Ⓒ; (限度) limit Ⓒ; (節度) moderation Ⓤ. 《☞ すごす》.

度が過ぎる ¶ 彼女の冗談は*度が過ぎた I'm afraid she *has carried* her joke *too far*. // コーヒーは*度が過ぎなければ (⇒ 適度に飲めば) 有害ではない Coffee isn't harmful if it's taken *in moderation*.

度を失う lose *one's* composure, be (very) upset ★ 前者はやや格式ばった表現. **度を超す** ¶ 運動も*度を超すと体に悪い (⇒ 過度の運動はあなたに害を及ぼす) *Too much* exercise is bad for you.

ド 〘楽〙 doh, do /dóʊ/ Ⓒ.

ど- 日英比較 名詞・形容詞を強調する「ど」は, 英語にはそのまま当てはまる言葉がないので, 日本語の内容をくんで意訳しなくてはならない. ¶ *どぎつい色 (⇒ けばけばしい色) *loud* colors (↔ quiet colors) // *どけち a skinflint // 東京の*ど真ん中 (⇒ 中心部) the *heart* of Tokyo / (⇒ ちょうど真ん中で) *right* in the center of Tokyo

ドア door Ⓒ 《☞ と[1]; とぐち》. ¶ *ドアの取っ手 a *doorknob* **ドアストッパー** doorstop Ⓒ **ドアチェーン** door chain Ⓒ **ドアチェック** door ⌈check [closer] Ⓒ **ドアツードア** ¶ 私の家から会社までは*ドアツードア (⇒ 全部) で 45 分かかる It takes forty-five minutes from my house to my office *altogether*. 日英比較 日本語の「ドアツードア」は「出発点から目的地到着まで」の意だが, 英語の (from) door to door は「一軒ごとに, 戸別に」の意がもっとも一般的. ただし, 日本語と同じ意味でもちいられることもある. **ドアボーイ** doorman Ⓒ 《複 doormen》 日英比較「ドアボーイ」は和製英語. **ドアホン** íntercòm Ⓒ 日英比較「ドアホン」は和製英語. **ドアマット** doormat Ⓒ **ドアマン** doorman Ⓒ.

どあい 度合い degree Ⓒ; (限度) extent Ⓤ. 《☞ ていど (類義語)》.

とあみ 投網 cast(ing) net Ⓒ. ¶ *投網を打つ cast a *net*

とある a certain ★ 場所などがわかっていても言いたくない場合に用いる. 《☞ ある[2]》. ¶ *とある場所で at *a certain* place

とい[1] 問い question Ⓒ 《☞ しつもん; もんだい》. ¶ 次の*問いに答えよ Answer the following *questions*.

とい[2] 樋 *(屋根についている水平な) gutter* Ⓒ; (縦の) drainpipe Ⓒ.

といあわせ 問い合わせ (質問) inquiry Ⓒ; (特に身元・信用などの) reference Ⓒ ★ 推薦・照会などの問い合わせ先をも示す. 《☞ しょうかい[2]; といあわせる》. ¶ *問い合わせの手紙を出す send a letter of *inquiry* // 電話で*問い合わせをする make ⌈an *inquiry* [*inquiries*] by telephone

といあわせる 問い合わせる 《格式》 inquire ㊀, make ⌈an inquiry [inquiries] 《☞ といあわせ》. ¶ 彼女の人柄について私は前の雇い主に*問い合わせた I *have referred to* her former employer concerning her character.

-という (…とかいう) a 語法 (1) 人の名前に付けて,「…という人」の意味となる. 《☞ 冠詞 (巻末)》; (…という名前の) named, called 語法 (2)「…という名の人」なら a person ⌈named [called] … のような言い方となる. named のほうが名前を言うには, より普通の言い方. 語法 (3) 総称的に「…というもの」という表現については ☞ 総称用法 (巻末).
¶ 佐藤さん*という方がお見えになっています *A* Mr. Sato has come to see you. // T *という小さな村 a small village *called* T // 洋一*という少年 a boy *named* Yoichi // コリンズ*という (名前の) 会社 a firm *by the name of* Collins // 彼女は明子*という名だ Her *name* is Akiko. // 私は彼女を援助できない*という意味の手紙を送った I sent her a letter ⌈*to the effect* [*saying*] *that* I could not help her. ★ to the effect that … で「…という趣旨の」という慣用表現. // 犬*というものは利口な動物である Dogs are clever animals.

-というのに ¶ 9 時だ*というのにまだ寝ている It's nine in the morning *and* (*yet*) he's still in bed! // 彼はロンドンに 5 年いた*というのに (⇒ いたけれども) 英語がしゃべれない *Though* he was in London for five years, he can't speak English.

というのは ― 接 (なぜなら) because … 《☞ なぜならば》.

といかえす 問い返す (もう一度聞き直す) ask … again; (逆に反問する) ásk báck ㊀. 《☞ はんもん[1]; ききかえす》.

といかける 問い掛ける (質問する) ask ㊀, put a question (to …) ★ 後者のほうが格式ばった表現. 《☞ たずねる[1]》.

といき 吐息 (ため息) sigh /sáɪ/ Ⓒ, long breath Ⓒ. 《☞ ためいき》.

といし 砥石 whetstone Ⓒ; (グラインダー用の丸砥石) grindstone Ⓒ. 《☞ だいく (挿絵)》. ¶ 包丁を*砥石で研ぐ sharpen a (kitchen) knife on a *whetstone* **砥石車** grinding [emery] wheel Ⓒ.

といた 戸板 sliding door (to carry things) Ⓒ.

といただす 問い質す (尋問する) question ㊀; (情報を得るために尋ねる) inquire ㊀ ★ 前者より格式ばった語. 《☞ ただす[2]; たずねる[1]; じんもん[1]》.

といち 十一 (10 日で 1 割の利息) 10 percent interest for 10 days Ⓤ. **十一金融** loan at the rate of 10 percent every 10 days Ⓒ.

どいつ 何奴 **どいつもこいつも** ¶ 奴らは*どいつもこいつも怠け者ばかりだ They're *all* [*All* of them are] lazy.

ドイツ ― 名 固 Germany; (正式名) the Federal Republic of Germany. ― 形 (ドイツの) German. ¶ *ドイツ製の車 a *German*-made car / a car of *German* make / a car made in *Germany* // 東西*ドイツは 1990 年 10 月に統一された (⇒ 再統合された) East and West *Germany* were reunified in October 1990. // 統一*ドイツ (⇒ 再統合されたドイツ) reunified *Germany* **ドイツ観念論** German idealism Ⓤ **ドイツ語** German Ⓤ, the German language ★ 後者のほうが格式ばった言い方. **ドイツ人** German Ⓒ **ドイツ文字** black letter Ⓒ ★ 太いひげ文字.

といつめる 問い詰める (厳しく質問する) question … closely; (圧力を加えて答えを迫る) press … for an answer. 《☞ しつもん》.

といまる 問丸 〘史〙 shipping agent in the Kamakura and Muromachi periods.

ドイモイ doi moi Ⓤ ★ ベトナム語で「刷新」を意味するベトナム共産党の指導する路線.
ドイリー (小型の卓上用敷物) doily Ⓒ.
ドイル ── 名 ㊚ Sir Arthur Conan /kóunən/ Doyle, 1859–1930. ★ 英国の推理小説家.
トイレ (個人宅の) 《米》 bathroom Ⓒ, 《英》 lávatòry Ⓒ 参考 bathroom は本来浴室のことだが, 個人の家のトイレは浴室と同じ部屋にあるのでこのように呼ばれる; (ホテル・レストランなど公共の場所の) 《米》 rest room Ⓒ, men's [women's] room Ⓒ, 《英》 cloakroom Ⓒ ★ 以上のようにトイレは遠回しに… room で表すことが多い; (化粧室) toilet Ⓒ, 《英略式》 loo Ⓒ; (学校などの) lavatory Ⓒ; (手洗い) 《米》 washroom Ⓒ; (水洗便所) flush toilet Ⓒ. (☞ てあらい[1]).

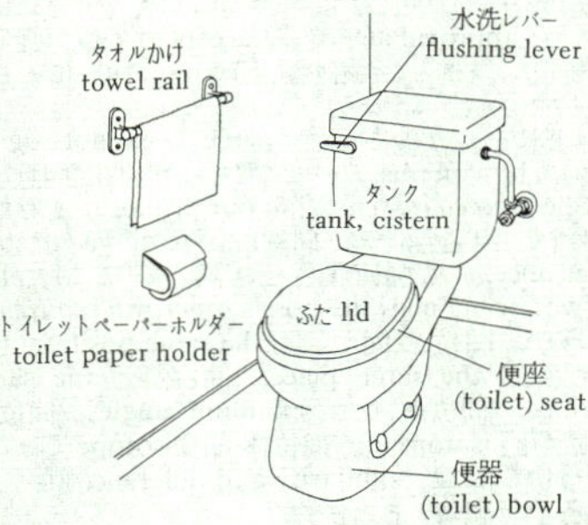

¶ 《個人宅で》「*トイレはどちらですか」「1 階の廊下の突き当たりです」 "Where's the ˹*bathroom* [《英》 *lavatory*], please?" "It's at the end of the hall." 語法 Where can I wash my hands? (どこで手が洗えるでしょうか) なども使われるが, このような表現は年輩の人が丁重に聞くとき以外には使われなくなってきている. 公共の場所では Where's the *rest room*? // 和式*トイレ a ˹Japanese-style [squat-style] *toilet*
トイレタリー (化粧品類) tóiletries ★ 複数形で.
トイレット ☞ トイレ
トイレットペーパー toilet paper Ⓤ ★ 数を勘定するときは a roll [two rolls] of …; (一巻きの) toilet roll Ⓒ.
とう[1] 問う 1 《尋ねる》: ask ㊀, inquire ㊀ ★ 後者のほうが格式ばった語. (☞ たずねる[1]).
2 《問題にする》: (気にする) care (about …) ㊁; (重要な問題である) matter ㊁ 語法 (1) 主に it を主語として否定文・疑問文で用いる; (告発する) accuse … (of …), charge … (with …) 語法 (2) 「人」を目的語にとり, of, with 以下の部分に「内容」がくる. ¶ 金額は*問いません *It* doesn't *matter* how much it costs. / I don't *care about* the price. // 彼は窃盗の罪に*問われた He *was* ˹*charged with* [*accused of*] theft. // その計画の真価がいま*問われている (⇒ 詳しく吟味されている) The merit of the plan *is* now *under scrutiny*. / (⇒ 計画はいま試されている) The plan *is* now *put to the test*.
問うに落ちず語るに落ちる Keeping a secret while being asked, letting it out while having a casual talk. **問うは一時の恥, 問わぬは末代の恥** To ask is a moment's embarrassment; not to ask, a lifelong embarrassment. (☞ きく[1]).
とう[2] 塔 tower Ⓒ; (東洋風のお寺の) pagóda Ⓒ; (教会などの尖(せん)塔) steeple Ⓒ; (方尖塔) óbelìsk Ⓒ. (☞ せんとう[4] (挿絵)). ¶ 高い[低い] *塔 a ˹high [low] *tower* // 「あの*塔は何ですか」「あれは大学の時計台です」 "What's that *tower*?" "It's [That's] a college clock *tower*." // 五重の*塔 a five-storied *pagoda* // 象牙の*塔 an ivory *tower* // エッフェル*塔 the Eiffel /áɪf(ə)l/ *Tower*
とう[3] 党 party Ⓒ. ¶ 彼らはその*党を脱退して新しい*党を結成した They left the *party* to form a new one. // 自由民主*党 the Liberal Democratic *Party* // 民主*党 the Democratic *Party* of Japan // 公明*党 New Komeito // 社会民主*党 the Social Democratic *Party* // 日本共産*党 the Japanese Communist *Party*
党員 party member Ⓒ, member of the party Ⓒ ★ 前者のほうが口語的. **党員集会** (米国の) caucus Ⓒ **党籍** (political) party membership Ⓤ. ¶ *党籍を離れる leave the *party* / lose *one's party membership* **党大会** party convention Ⓒ **党役員** party officer Ⓒ.
とう[4] 当 **当の本人** (問題になっている人) the person in question ★ 格式ばった表現; (まさにその人) the very person. (☞ とうにん).
¶ *当の本人は (⇒ 彼[彼女]自身は) それで満足しているように見えた He *himself* [She *herself*] looked quite satisfied. // *当の本人に聞いてみなさい Ask the ˹man *himself* [woman *herself*]. // その人は私が会いたいと思っていた*当の本人だった He [She] was *the very person* I had wanted to see.
当を得た ── 形 (適切な) proper; (正しい) right; (その目的・条件などにぴったりの) appropriate; (理にかなった) reasonable; (要領を得て適切な) to the point. (☞ てきせつ (類義語); てきとう). ¶ *当を得た発言 (⇒ 道理に合った発言) a *reasonable* remark **当を失する** ¶ 金持ちにも貧乏人にも同じように税金を払わせるのは*当を失している (⇒ 道理にかなっていない) It *is unreasonable* to tax rich and poor alike.
とう[5] 籐 cane Ⓤ. **籐いす** cane [rattan] chair Ⓒ **籐家具** cane [rattan] furniture Ⓤ **籐細工** cane work Ⓤ ★ 数えるときは a piece of ～.
とう[6] 糖 sugar Ⓤ (☞ とうぶん[2]). ¶ 血液中の*糖 blood *sugar*
とう[7] 薹 **とうが立つ** (野菜などが) go [run] to seed ★ 比喩的に「衰える」という意味にも用いられる; (人が盛りを過ぎる) be past *one's* prime; 《略式》 be over the hill.
とう[8] 唐 (中国史の) Tang /tá:ŋ/. **唐時代** the Tang period.
とう[9] 投 (投球) 〖野〗 pitch Ⓒ; (投げること) throw Ⓒ. ¶ 槍投げの第一*投 the first *throw* in the javelin **投打** ☞ 見出し
とう[10] 棟 building Ⓒ. ¶ 20 *棟からなる団地 a housing ˹complex [development] composed of 20 (apartment) *buildings* // 同じ*棟に住む live in the same (apartment) *building*
とう[11] 灯 (灯火) light Ⓒ (☞ あかり). **灯数** the number of electric lights.
-とう[1] …等 1 《等級》: (乗り物の等級・社会の階層) class Ⓒ; (品質や位階の等級) grade Ⓒ. (☞ いっとう[1]). ¶ 彼女は競走で 1 *等賞をとった She won (the) first *prize* in the race. // 彼は勲四*等をもらった He was awarded the Fourth *Order* of Merit.
2 《など》: and the like, and others; (同類のもの) and so ˹on [forth] 語法 同類のものを省略して書く時, 論文のように格式ばった文では etc. (＝et cetera /etsétrə/) を用いることがあるが, 日常の文では and so ˹on [forth] を用いる. また etc. は既知のもの, and so on は未知のものの省略を表す. (☞ とうとう[2]; -など).
-とう[2] …頭 (牛馬などの数の単位) head Ⓒ ★ 単複同形. 日英比較 英語では一般的には日本語のように「…匹」「…頭」のような単位を使わない. (☞ 数

の数え方（囲み)）. ¶牛50*頭 fifty cows / fifty *head* of cattle ★ 少し格式ばった言い方. 特に牛を cattle で呼ぶときに用いる.

どう[1]（何）what;（どういう風に）how, in what ˹way [manner] ★ 後者のほうが少し格式ばった言い方. 《☞ なに; どういう; いかが; どうにか; どうにも》. ¶*どうしたらよいだろう（⇒ 私は何をすべきか）*What* shall I do? // あれから彼は*どうなりましたか *What* has ˹become of [happened to] him since then? // あなたの名前は*どう発音するのですか *How* do you pronounce your name? // このごろ*どうですか（⇒ どういう風にして暮らしていますか）*How* are you getting along these days? // コーヒーを*どうですか *How* about (having) a cup of coffee? // パリは*どうでした *How* did you like Paris? //「この案を*どう思いますか」「結構ですね」"*What* do you think of this plan?" "It's very good." 日英比較 日本語に「どう」とあっても, この場合は How は用いない. // 彼に電話をしてみては*どうですか *Why* don't you call him now?

どうあっても ☞ どうしても　**どういたしまして** ☞ 見出し　**どう転んでも** ☞ ころぶ　**どうしようもない** There's no way out. ¶*どうしようもない人間 a ˹*hopeless* [*incurable*] person　**どう見ても** any way [no matter how] you look at it. ¶それは*どう見ても無理です（⇒ どういう見解からも不可能だ）It seems impossible *from every point of view*.　**どうもこうもない** There is no alternative option.

どう[2] **胴**（体の部分）body Ⓒ ★ 衣服の胴の部分についても言う;〘解〙（人間の胴体）trunk Ⓒ. 《☞ からだ（挿絵）》.　**胴回り** ☞ 見出し

どう[3] **銅** ── 名 copper Ⓤ《元素記号 Cu》. ── 形 copper. ¶*銅製のやかん a *copper* kettle　**銅山** copper mine Ⓒ　**銅線** copper wire Ⓤ　**銅銭** copper coin Ⓒ　**銅板** sheet copper Ⓤ　**銅メダル**（ブロンズの）bronze medal Ⓒ.

どう[4] **堂**（キリスト教以外の大きな寺院）temple Ⓒ;（小さな神殿）shrine Ⓒ;（会堂）hall Ⓒ.　**堂に入る** ☞ 見出し.

どう[5] **道** **1**《行政区画としての》: prefecture /príːfektʃə/ Ⓒ 語法 県も prefecture と訳すが英語では特に区別する言い方はない. ただし, 道は北海道だけなので, 普通は Hokkaido として固有名詞の一部として扱うのがよく, さらに必要なら Hokkaido *prefecture* のようにいう. 《☞ けん[2]》.
2《行いの道》:（方法）way Ⓒ;（精神）spirit Ⓒ. ¶相撲*道 the *spirit* of sumo

どう[6] **動**（物体の運動）motion Ⓤ;（物の動き）movement Ⓒ. ¶*動と静 *motion* and ˹cessation [rest]

ドウ（パン生地）dough /dóu/ Ⓤ.

どう- 同…（同一の…）the same …;（前述の…）the said …;（上述の…）the above(-mentioned) … ★ 後の 2 つは格式ばった言い方. 《☞ おなじ; ぜんじゅつ》. ¶*同日に on *the same* day // *同人物（⇒ 前述の人物）*the* ˹*said* [*above-named*] person

どうあげ 胴上げ ── 動 toss *a person* in the air (in celebration). ¶優勝監督を*胴上げする give the manager a victory *toss*

とうあつせん 等圧線〘気象〙isobar /áɪsəbɑ̀ə/ Ⓒ.

とうあん 答案（答案用紙）(examination) paper Ⓒ ★ paper のみの場合のほうが口語的. ¶*答案を出しなさい Hand in your *papers*. // *答案を調べる mark [grade] *examination papers* // 白紙の*答案 a blank *paper*

とうい[1] **等位** grade Ⓒ《☞ とうきゅう[1]》.　**等位節** coordinate clause Ⓒ　**等位接続詞** coordinate conjunction Ⓒ.

とうい[2] **当為**〘哲〙（あるべきこと）what should be;（なすべきこと）what one should do. ★ ドイツ語 Sollen の訳語.

とうい[3] **頭囲** the ˹circúmference [girth] of the head.

どうい[1] **同意** ── 動（意見が一致して賛成する）agree (with …; to …) 自 他 語法 (1) 人やその意見に賛成するときは with, 提案などに賛成するときは to;（意見などを受け入れる）《格式》assént (to …) 自 語法 (2) 人を表す名詞は普通続かない;（是認する・認可を与える）approve 他, approve (of …) 自 語法 (3) 人を表す名詞は続かない;（受け入れる）accept 他;（同じ意見である）be of the same opinion (as …);（…と同意見だ）be of *a person's* opinion. ── 名 agreement Ⓤ ★ 具体的な「同意事項」の意味では Ⓒ; assént Ⓤ ★ 少し格式ばった語; approval Ⓤ;（受諾）acceptance Ⓤ;（提案・要求などを進んで承諾すること）consént Ⓤ. 《☞ さんせい[1]; さんどう[1]; しょうだく》.
¶私はこの点で彼に*同意できない I cannot *agree with* him on this. // 彼女は私たちの提案に*同意した She ˹*agreed* [*assented*] *to* our proposal. // 私たちはすぐに出発することに*同意した We *agreed to* start at once. // 私の計画は主任の*同意を得た My plan ˹won [obtained] the boss's ˹*approval* [*consent*].

どうい[2] **同位**（同じ位置）the same position;（同じ順位）the same place;（同じ階級）the same rank.　**同位角** corresponding angles　**同位元素**〘化〙ísotòpe Ⓒ　**同位体**〘化〙ísotòpe Ⓒ.

どうい[3] **同異** similarity and difference Ⓤ.

どうい[4] **胴衣** ☞ どうぎ[3]

どういう（どういう訳で）why, for what reason;（どういう訳か）somehow, for some reason or other;（どういう風に）how, in what ˹way [manner] ★ 以上いずれも前者の語のほうが口語的;（どんな）what. 《☞ どう[1]; どんな》. ¶*どういう訳であなたは遅刻したのですか *Why* were you late? // 彼は*どういう（⇒ どんな感じの）人ですか *What* is he *like*? / *What sort of* man is he? // それは*どういうこと（⇒ 意味）ですか *What* do you mean by that? // 彼は*どういうつもりでそんなことをしたんだろう I wonder *why* he did such a thing. // *どういう訳か私は彼女が好きになれない（⇒ 好きではない）*Somehow* [*For some reason*] I don't like her.

どういう風の吹き回しか ☞ ふきまわし

どういご 同意語 ── 名 sýnonỳm Ⓒ (↔ antonym). ── 形 synónymous. 参考 まったく同じ意味の語はなく, 似ていてもどこかに意味の違いがあるのが普通なので, 本辞典をはじめ, 一般に「類義語」という呼び方をすることが多い. 《☞ 類義語（巻末）》.

とういじょう 糖衣錠 sugar-coated pill Ⓒ.

とういす 籐椅子 ☞ とう[5]

とういそくみょう 当意即妙 ── 名（個々のやりとり・答え）rèpartée Ⓒ ★ 能力を示すときは Ⓤ. ── 形 witty. 《☞ きてん[1]》. ¶彼の答えは*当意即妙だった He made a *quick, witty* reply.

どういたしまして（お礼の言葉に対する丁寧な答え）You're (quite) welcome.; Don't mention it.; Not ˹at all [a bit].; It's my pleasure. 語法《米》では最初の表現が最も普通. Not ˹at all [a bit]. は幾らか丁寧さが少ない;（お礼の言葉に対するくだけた答え）That's all right.;《米》No problem.

とういつ 統一 ── 動（1 つにまとめる）unify /júːnəfàɪ/ 他;（規格化する）standardize 他;（精神などを集中する）cóncentràte 他;（一致させる）harmonize 他. ── 名（単一性）unity Ⓤ;（単一化）unification Ⓤ;（均一）uniformity Ⓤ;（首尾一貫）consistency Ⓤ;（規格化）standardization Ⓤ;（集中）concentration Ⓤ. 《☞ とうごう[1]》.

¶国家を*統一する *unify* a nation / (⇒ 国を統一された支配の下に置く) bring a country under *unified* rule // 価格を*統一する *standardize* (the) prices // 彼らはその問題で意見の*統一を欠いた (⇒ 意見が分裂していた) They *were divided* on the issue. // 彼の議論は*統一を欠く His argument ˹lacks *consistency* [is *inconsistent*]. // 精神*統一 mental [psychic] *concentration*
統一会派 (国会の) joint ˹parliamentary [Diet] group Ⓒ **統一教会** (キリスト教の新宗教) the Unification Church **統一見解** ¶政府の*統一見解 the *collective* ˹*opinion* [*view*] of the ministries concerned **統一行動** united [concerted] action Ⓤ **統一公判** joint trial Ⓒ **統一国家** a unified nation **統一戦線** ¶*統一戦線を張る present [show] a *united front* **統一地方選挙** nationwide [unified] local elections.

どういつ 同一 ― ［形］ (同じ) the same; (まったく同じ) identical. 《☞ おなじ; きんいつ》. **同一原理** 〘論〙 the principle of identity **同一視** ¶AとBを*同一視する (⇒ 同じ部類に置く) *place* A and B *in the same category* / (⇒ 同じと考える) *think of* A and B *as being the same* **同一性** identity Ⓤ **同一体** identical bodies ★ 複数形で. 《☞ いったい³; どうたい⁴》 **同一点** common point Ⓒ **同一労働同一賃金** equal pay for equal work Ⓤ.

ドゥイットユアセルフ dò-it-yoursélf Ⓤ 《略 DIY》.

とういも 唐芋 ☞ さつまいも

とういん¹ 登院 ― ［動］ (議員が議会に出席する) attend the Diet. **登院停止** suspension of a Diet member Ⓤ.

とういん² 頭韻 ― ［名］ allìterátion Ⓤ. ― ［動］ (頭韻を踏む) allíteràte ㊂. ― ［形］ (頭韻の) allíteràtive.

とういん³ 党員 ☞ とう³ (党員)

どういん¹ 動員 ― ［動］ (軍隊・警官などを) mobilize ㊉, cáll óut ㊉ ★ 後者のほうが口語的; (観客を引きつける) draw ㊉. ― ［名］ mobilization Ⓤ. ¶暴動を鎮圧するために軍隊が*動員された The army *was* ˹*mobilized* [*called out*] to suppress the riot. // その映画は何万人もの観客を*動員した The film *drew* audiences (numbering) in the tens of thousands.

どういん² 導因 ☞ げんいん¹

どういん³ 動因 (動機) motive Ⓒ; 〘心〙 drive Ⓒ. ¶彼らが反乱を起こした主要な*動因は何だったのですか What was their main *motive* in rebelling against the government?

どういん⁴ 導引 (手引) guidance Ⓤ; (あんま) massage /məsáːʒ/ Ⓤ.

トゥインクルレース (夜間競馬) night race Ⓒ ★「トゥインクルレース」は和製英語.

どううら 胴裏 lining of the kimono body Ⓒ.

とううりょうせん 等雨量線 isohyet /àɪsəháɪət/ Ⓒ.

とうえい¹ 投影 ― ［名］ (物の姿を映すこと) projection Ⓤ; (映った姿) shadow Ⓒ. ― ［動］ projéct ㊉. **投影図[画]** projection ˹chart [drawing] Ⓒ **投影図法[画法]** the method of projections **投影法** 〘心〙 projective ˹test [technique] Ⓒ **投影面** projected plane Ⓒ.

とうえい² 冬営 ― ［動］ spend the winter in a tent.

とうえい³ 倒影 reflection Ⓒ. ¶富士の*倒影 the *reflection* of Mt. Fuji

とうえい⁴ 灯影 light Ⓒ 《☞ ともしび; ほかげ¹》.

トウェーン ☞ マーク トウェイン

トウェンティーワン 〘トラ〙 twenty-one Ⓤ, blackjack Ⓤ, 《英》 pontóon Ⓤ.

とうえんめい 陶淵明 ― ［名］ ㊒ T'ao Yüanming /táujuáːnmíŋ/, 365–427. ★ 中国東晋・宋の詩人で本名は陶潜, 字(あざな)は淵明.

とうおう 東欧 ― ［名］ ㊒ East [Eastern] Europe. ― ［形］ East European. **東欧革命** the East European Revolution (of 1989) **東欧諸国** Eastern European countries ★ 複数形で.

どうおう 堂奥 (堂の奥まったところ) the sanctuary, the ˹innermost part [most secluded room] of a ˹temple [shrine]; (奥義) the secrets. ¶茶道の*堂奥をきわめる master the *secrets* of the tea ceremony

とうおん¹ 唐音 Tang pronunciation of Chinese characters Ⓤ.

とうおん² 等温 the same temperature. **等温線** 〘気象〙 ísothèrm Ⓒ **等温層** the isothermal region **等温動物** ☞ ていおん³ (定温動物)

どうおん 同音 the same sound. **同音異義** ― ［名］ homónymy Ⓤ ― ［形］ homónymous **同音異義語** hómonỳm Ⓒ **同音語** hómophòne Ⓒ.

とうか¹ 投下 ― ［動］ (爆弾などを落とす) drop ㊉; (資本などをつぎ込む) invest ㊉. ¶ヘリコプターが救援物資を*投下した The helicopter *dropped* relief supplies.

とうか² 灯火 light Ⓒ; (ランプの) lamplight Ⓒ. 《☞ あかり》. **灯火親しむ** ¶*灯火親しむ候となった (⇒ 読書によい季節が来た) *The ideal season for reading* has come. **灯火管制** blackout Ⓒ.

とうか³ 透過 ― ［動］ (膜を通して物質が移動する) transmít ㊉; (液体・気体などが) pérmeàte ㊉; (光などが) pénetràte ㊉. ― ［名］ transmission Ⓤ; permeation Ⓤ; penetration Ⓤ. **透過色** transmitted color Ⓒ (↔ reflected color) **透過性** permeability Ⓤ.

とうか⁴ 等価 ― ［名］ (同じ価値) equal value Ⓤ; (同等) equivalence Ⓤ; (額・量・率などの点で同じ) parity Ⓤ. ― ［形］ equivalent. ¶これを*等価のものと交換したい I'd like to exchange this for an article of *equal value*. **等価交換** fair exchange Ⓒ, exchange of equal value Ⓒ **等価物** equivalent Ⓒ.

とうか⁵ 糖化 ― ［名］ saccharification /səkæ̀rəfɪkéɪʃən/ Ⓤ. ― ［動］ sacchárifỳ ㊉. ¶でんぷんを*糖化する *convert* starch *into sugar* **糖化酵素** 〘生化〙 diastatic enzyme Ⓤ.

とうか⁶ 灯下 ¶*灯下で恋文を認める pen a love letter *by lamplight*

とうか⁷ 桃花 peach blossom Ⓒ.

とうか⁸ 透化 ― ［名］ 〘化〙 vitrification Ⓤ. ― ［動］ (ガラス質に変える[変わる]) vitrify ㊉ ㊂.

とうが¹ 陶画 porcelain /pɔ́əs(ə)lən/ painting Ⓒ.

とうが² 灯蛾 moth attracted by the lamp Ⓒ.

とうが³ 唐画 (中国風の絵) Chinese painting Ⓒ; (唐代の絵画) painting produced in the Tang period Ⓒ.

とうが⁴ 冬芽 winter bud Ⓒ.

どうか¹ **1** 《依頼・希望》: (どうぞ) please 《☞ どうぞ》. ¶*どうか窓を開けて下さいませんか Will you *please* open the window? / *Would you mind* opening the window? ［語 法］ 後者のほうがより丁寧な表現. 《☞ 丁寧な表現 (巻末)》 // *どうかお幸せに (⇒ あなたに幸運を祈る) I wish you good luck.
2 《疑問》 ¶それが本当か*どうかわかりません I don't know ˹*whether* it is true (*or not*) [*if* it is true]. ★ if を用いるほうが口語的. // 彼が正直だと言うのは*どうかな I *wonder if* he is being honest. / (⇒ 彼の正直さを疑う) I *doubt* his honesty. // 「*ど

うかしましたか」「別に何でもありません」"Is there something「*wrong* [*the matter*]?" "No, not specially." // その考えはちょっと*どうかと思うね(⇒ 疑いを持っている) I have my *doubts* about the idea. // 彼女はきょうは*どうかしている(⇒ 正常ではない) She'*s not herself* today.

どうか² 銅貨 copper (coin) Ⓒ.

どうか³ 同化 ―動 assímilàte ⓗ. ―名 assìmilátion Ⓤ (↔ dissimilation). **同化作用** anábolìsm Ⓤ; assimilation Ⓤ ★ 前者は簡単な化合物から複雑な化合物を形成する作用を指す. 後者は生体が外界から取り入れた物質を化学反応によって有機物質に変える働きで, 炭酸同化作用などを指す. **同化政策** assimilationism Ⓤ **同化澱粉** assimilation starch Ⓤ.

どうか⁴ 銅戈 bronze halberd Ⓒ ★ 弥生時代の青銅製のほこ.

どうか⁵ 同価 ☞ とうか⁴

どうが¹ 動画 ànimátion Ⓒ, (ánimàted) càrtóon Ⓒ ★ 前者は「動画化すること」の意にもなる. その場合 Ⓤ.

どうが² 童画 (子供のための絵) picture for children Ⓒ; (子供が描いた絵) picture (drawn) by a child Ⓒ.

とうかい 倒壊 ―動 (倒れる) fáll dówn ⓐ; (つぶれる) collapse ⓐ ★ 前者のほうがより口語的. (☞ たおれる¹; くずれる). ¶ 地震で多くのビルが*倒壊した Many buildings「*fell down* [*collapsed*] in the earthquake. / (⇒ 破壊された) Many buildings *were destroyed*「by [in] the earthquake.

とうがい¹ 等外 (競技で等外の人) álso-ràn Ⓒ. ¶ 彼は最善を尽くしたが*等外に落ちた (⇒ 賞品を獲得できなかった) He did his best but「*failed to win a prize* [ended up as an *also-ran*; (米) *failed to place*]. ★ place は3位までに入賞する意味.

とうがい² 当該 ―形 concerned 語法 名詞の後に添える. 契約文書・条文など, 明確を期すものに用いられ, やや格式ばった語. **当該機関** the organization concerned.

とうがい³ 凍害 frost damage Ⓤ. ¶ *凍害を受ける be *damaged by frost*

とうがい⁴ 頭蓋 ☞ ずがいこつ

とうかいじしん 東海地震 Tokai earthquake Ⓒ.

とうかいちほう 東海地方 the Tokai Region.

とうかいどう 東海道 the Tokaido; (説明的に) one of the five highways that ran from Edo to Kyoto.
東海道五十三次 the fifty-three stations of the Tokaido; (説明的に) 53 way stations along the Tokaido that offered services to travelers during the Edo period **東海道新幹線** the New Tokaido Line **東海道本線** the (Japan Railways) Tokaido Main Line **東海道メガロポリス** the Tokaido mègalópolis; (説明的に) the region along the Pacific coast of Honshu extending west from Tokyo to Osaka and Kobe **東海道四谷怪談** ―名 ⓖ *Tokaido Yotsuya Kaidan*; (英訳題名) *Ghost Story at Yotsuya on the Tokaido* ★「東海道」 は題名にあるだけで筋とは無関係なので *Yotsuya Ghost Story* などの訳もある. (☞ つるやなんぼく).

とうかいどうちゅうひざくりげ 東海道中膝栗毛 ―名 ⓖ *Tokaidochu Hizakurige*; (英訳題名) *Shank's Mare: Japan's Great Comic Novel of Travel and Ribaldry* ★ shank's mare は直訳すると「脛の雌馬」で,「膝栗毛」と同じ発想で「徒歩」を意味する成句; (説明的には) the first of a multi-volume series of picaresque vignettes, by Jippensha Ikku (1765–1831), describing life on the highways of Japan. (☞ やじきた).

とうかく¹ 頭角 **頭角を現す** (他より際立って見える) stánd óut (above ...) ⓐ; (傑出する) become prominent; (優れていて目立つ) shine ⓐ. ¶ 彼は最近物理学者として*頭角を現してきた He has begun to *stand out* as a physicist recently.

とうかく² 倒閣 ―動 (内閣を倒す) overthrow the Cabinet.

とうかく³ 等角 ―名 equal angles. ―形 equiangular /ìːkwiǽŋgjʊlə/, 〖数〗 confórmal. **等角三角形** equiangular triangle Ⓒ **等角投影図** (等軸側投影図) isometric projection Ⓒ.

とうかく⁴ 当確 ☞ とうせん¹

どうかく 同格 (地位などが) the same rank; 〖文法〗 apposition Ⓤ. (☞ どうとう¹). ¶ 自分と*同格の人 *one's equal* // 今日女性は男性と*同格である (⇒ 対等の立場に立っている) Women today *are on an equal footing* with men. **同格語** 〖文法〗 appósitive Ⓒ **同格節** 〖文法〗 appositive clause Ⓒ **同格名詞** 〖文法〗 noun in apposition Ⓒ.

どうがく¹ 同額 (同じ金額) the same amount (of money); (同じ値段) the same price.

どうがく² 同学 ¶ 彼は*同学のよしみで, 私に仕事をくれた As *an* old *fellow student*, he offered me the job. (どうそう; どうもん)

どうがくしゃ 道学者 moralist Ⓒ (☞ じゅきょう; どうきょう²; どうとく). **道学者的** moralistic.

どうかせん 導火線 (ダイナマイトなどの) fuse Ⓒ; (事件などの原因) cause Ⓒ.

とうがたクレーン 塔型クレーン tower crane Ⓒ.

とうかつ¹ 統轄 ―動 (監督・命令する) control ⓗ; (仕事などの監督をする) supervise ⓗ; (…の担当である) be in charge of ... (☞ かんとく¹; かんかつ).

とうかつ² 統括 ―名 unification Ⓤ. ―動 unify ⓗ. ¶ われわれは販売業務部門と営業部門の*統括を行った We achieved the *unification* of the sales affairs department and the sales department. // 彼は陸海空軍を*統括した He *unified* the armed forces.

どうかつ 恫喝 ―動 (脅す) threaten ⓗ; intimidate ⓗ ★ 後者は格式ばった語. ―名 threat Ⓒ; intìmidátion Ⓤ. (☞ おどす).

どうかっしゃ 動滑車 〖機〗 running block Ⓒ; 〖物理〗 movable pulley Ⓒ.

どうかひ 同花被 〖植〗 **同花被花** homochlamydeous /hòʊmoʊkləmídiəs/ flower Ⓒ.

とうから ¶ 山田さん[そんな事]は*とうから (⇒ 長い間) 知っています I have known「Mr. Yamada [it] *for a long time*.

とうがらし 唐辛子 red [chili] pepper Ⓒ ★ 香辛料としての「とうがらし」は Ⓤ; (粉末) cayenne pepper Ⓤ.

どうがれびょう 胴枯れ病 〖植〗 blight Ⓤ. ¶ *胴枯れ病で栗の木は全滅した All the chestnut trees were「destroyed [killed] by *blight*.

とうかん¹ 投函 ―動 (手紙などを出す) (米) mail ⓗ, (英) post ⓗ; (ポストに入れる) drop (a letter) into a「(米) mailbox [(英) postbox] 語法 これはポストに入れる動作を説明的に言ったもので, 普通は mail または post と言えばよい. (☞ だす; ポスト¹).

とうかん² 等閑 (いいかげんにすること) negligence Ⓤ; (無視すること) neglect Ⓤ. (☞ なおざり; たいまん). **等閑視** disregard Ⓤ **等閑に付す** (放置する) neglect ⓗ; (軽視する) disregard ⓗ. ¶ 諸君は彼の警告を*等閑に付すべきではない You shouldn't *disregard* his warning.

とうかん³ 灯竿 beacon pole Ⓒ.

とうかん[4] 統監 (監督すること) sùpervísion Ⓤ; (監督者) súpervisor Ⓒ; 〘史〙(保護国の統轄長官) Resident-General Ⓒ.

とうがん[1] 冬瓜 〘植〙 wax [white] gourd Ⓒ.

とうがん[2] 東岸 (東部地方の海岸) the east coast; (東の方向にある海岸) the eastern coast. **東岸気候** east-coast climate Ⓒ.

どうかん[1] 同感 ―[動] (同意する) agree (with ...) (自); (...と同じ意見である) be of the same opinion as *a person*; (大賛成である) 《略式》 be all for ...; (共感する) sympathize (with ...) (自); (同じ気持ちである) feel the same way. 《☞ どうい[1]; さんせい[1]》.
¶ あなたの意見にまったく*同感です I quite *agree with* you. / I'*m all for* your idea. / I *have just the same opinion* (as you). // 私も彼と*同感です I *feel the same way* as he does.

どうかん[2] 導管 (導水管) conduit /kánd(j)uːɪt/ Ⓒ; (パイプ) pipe Ⓒ; (植物組織の) duct Ⓒ.

どうかん[3] 動感 movement Ⓤ. ¶ この絵は*動感にあふれている This picture is full of *movement*.

どうがん 童顔 ―[名] (あどけなさの残る顔) baby face Ⓒ; (子供っぽい) childish face Ⓒ. ―[形] baby-faced.

どうがんしんけい 動眼神経 〘解〙 oculomotor /àkjʊloʊmóʊtə/ nerve Ⓒ.

どうかんすう 導関数 〘数〙 derívative Ⓒ.

とうき[1] 陶器 (陶器・土器) earthenware Ⓤ; (陶器類) pottery Ⓤ [語 法] (1) Ⓤ では「陶器を造る技術」, Ⓒ では「陶器の工場」という意味でも使う; (陶磁器類の総称) ceramics ★ 複数扱い. やや格式ばった語; (陶磁器, 特に皿・茶碗など) china Ⓤ, chinaware Ⓤ [語 法] (2) 以上はどれも数えるときは a piece of ..., two pieces of ... のようにするのが普通. 《☞ 数の数え方 (囲み)》. ¶ 民芸の*陶器 folk *pottery* // 古い*陶器 antique ⌈*china*(*ware*) [*pottery*] **陶器製作者** potter Ⓒ **陶器製造業** ceramic industry Ⓤ **陶器製造所** pottery Ⓒ.

とうき[2] 投機 speculation Ⓤ 《☞ そうば》. ¶ 近ごろは何でも*投機の対象になる Nowadays everything is becoming the object of *speculation*. **投機購買** speculative buying Ⓤ **投機心** ☞ やまけ **投機取引** (投機売買) speculative ⌈trading [sales] Ⓤ **投機売却** speculative selling Ⓤ **投機抑制** ¶ 新税は土地*投機抑制のためのものだ The new taxes are designed to ⌈*curb* [*apply the brakes on*] land *speculation*.

とうき[3] 騰貴 ―[動] (物価が上がる) gò úp (自) (↔ come down), rise (自) (↔ fall) ★ go up のほうが口語的; (暴騰する) soar (自). ―[名] rise (in prices) Ⓒ. 《☞ ねあがり; こうとう[4]》.

とうき[4] 登記 ―[動] register (他). ―[名] registration Ⓤ. 《☞ とうろく》. ¶ 彼は新しく建てた家を*登記した He *registered* his newly-built house. **登記所** 《米》 register office Ⓒ, 《英》 registry office Ⓒ **登記済み証** (権利証) title deed Ⓒ, title Ⓒ, deed Ⓒ, registration certificate Ⓒ **登記簿** register (book) Ⓒ **登記法** 〘法〙 the Registration Law **登記名義** registered name (of the owner) Ⓒ **登記料** registration fee Ⓒ.

とうき[5] 投棄 ―[動] (捨てる) thrów ⌈awáy [óut] (他) ★ 一般的な語; (ごみなどを投げ捨てる) dump (他). 《☞ すてる》. ¶ ごみを不法*投棄する *dump* garbage illegally

とうき[6] 冬季, 冬期 winter (season) Ⓤ; wintertime Ⓤ ★ 前者のほうが普通. 形容詞的にも用いる. 《☞ ふゆ》. **冬季アジア大会** the Winter Asian Games **冬季オリンピック** the Winter Olympics **冬期休暇** the winter vacation.

とうき[7] 党規 party rules 《☞ きそく》.

とうき[8] 党紀 party discipline Ⓤ. ¶ *党紀を乱す violate *party discipline*

とうき[9] 当期 the current ⌈term [period]. **当期決算** the closing accounts of the current ⌈term [period], current term settlement Ⓤ.

とうき[10] 当季 the current season.

とうぎ[1] 討議 ―[動] (形式ばらない話し合い) discuss (他) [語 法] (1) 必ずしも賛否両論に分かれての議論ではない; (公開の席での討論) debate (他) (自) [語 法] (2) これは賛否両論に分かれた討論; (特に議会などで) 《格式》 deliberate (他). ―[名] discussion Ⓒ; debate Ⓒ; 《格式》 deliberation Ⓤ. 《☞ とうろん [日英比較]; ぎろん (類義語)》.
¶ *討議に入る (⇒ 討議を始める[開く]) begin [open] a ⌈*discussion* [*debate*] // 住宅問題を*討議する *debate* the problem of housing // 費用について*討議する *debate* ⌈about [on] the expense // *討議を打ち切る close [break off] a ⌈*discussion* [*debate*] // 本会議で*討議の末, 法案は通過した The bill was passed after *deliberation* at the plenary session. // その問題は*討議中です The problem is under *discussion*.

とうぎ[2] 党議 (決議) party decision Ⓒ; (会議) party conference Ⓒ. ¶ *党議に従う abide by the *party decision* // 問題を*党議にかける submit an issue to the *party conference*

とうぎ[3] 闘技 ☞ かくとう[1] (格闘技)
闘技場 arena /əríːnə/ Ⓒ.

どうき[1] 動機 (誘因) motive Ⓒ; (理由) reason Ⓒ. 《☞ りゆう (類義語)》.
¶ 警察は犯行の*動機を調べている The police are inquiring into the *motive* for the crime. // 彼が失踪した*動機は依然なぞです The *reason for* his disappearance is still a mystery. // あなたがマッチ箱の収集を始めた*動機を教えて下さい (⇒ 何があなたにマッチ箱集めを始めさせたか) Tell me *what made* you start collecting matchboxes. // 彼がそれをしたのはほんの個人的な*動機でした He only did it from personal *motives*. **動機付け** 〘心〙 motivation Ⓤ.
¶ 生徒には勉強の*動機付けが必要です The students need (the) *motivation* to study. // われわれは彼に仕事に対する効果的な*動機付けをしなければならない We must provide him with an effective *motivation* for working with us.

―コロケーション―
卑しい動機 base [mean] *motives* / **強い動機** strong *motives* / **不可解な動機** inexplicable *motives* / **不純な動機** impure *motives* / **本当の動機** real *motives* / **利己的な動機** selfish *motives* / **立派な動機** honorable *motives*

どうき[2] 同期 **1** 《同じ時期》: the same period.
¶ 今年の 1 月から 3 月まで (⇒ 最初の 3 か月) は昨年の*同期より自動車事故が多かった There were more car accidents in the first three months of this year than in *the same period* of last year.
2 《同じ年の卒業》 ―[動] be in the same class ★ 英語の class には同じ学年の者全部を指す意味がある; (同じ年に卒業する) graduate in the same year. 《☞ どうきゅう》.
¶ 彼と僕は高校が*同期です He and I *were in the same class* at high school. // 私たちは会社では*同期だ (⇒ 同じ年に入社した) We joined the company *in the same year*.
同期会 class reunion Ⓒ. ¶ 1972 年度*同期会 a *reunion* for the *Class* of ⌈1972 ['72] **同期生** (同級生) classmate Ⓒ.

どうき[3] 動悸 (心臓の鼓動) (heart)beat Ⓒ; (脈拍) pulse Ⓒ; (病気・運動などによる不規則で速い心

臓の鼓動)《格式》palpitations ★ 通例複数形で. (☞ こどう). ¶ 緊張すると*動悸が速くなる When you are nervous, your heart *beats* faster (than usual). / Nervousness ⌈speeds up [increases] the ⌈*heartbeat* [*pulse*]. // 私は時々ちょっとの間*動悸が激しくなる I sometimes suffer from short attacks of *palpitations*.

どうき[4] 銅器 cópper utensil /ju:ténsl/ Ⓒ, copperware Ⓤ ★ 前者は主に台所用品を言う. **銅器時代** the Copper Age.

どうぎ[1] 動議 ―[名] motion Ⓒ. ―[動] (動議を提出する) move (他).
¶ 幾つかの*動議が提出された A few *motions* were ⌈put forward [introduced]. ★ [ ] 内のほうが格式ばった言い方. // *動議は採択[否決]された The *motion* was ⌈adopted [rejected]. // 私は*動議に賛成[反対]の投票をした I voted ⌈for [against] the *motion*. // 議長, 議案を直ちに票決に付する*動議を提出します Mr. Chairman, [Madam chairman,] I *move* that the bill be ⌈put [submitted] to the vote immediately. ★ submitted のほうが格式ばった言い方. // 緊急*動議 an urgent *motion*

コロケーション
動議を支持する second a *motion* / **動議を棚上げする**《米》table a *motion* / **動議を提出する** make a *motion*;《英》table a *motion* / **動議を取り下げる** withdraw a *motion*

どうぎ[2] 道義 ―[名] morality Ⓤ. ―[形] (道義上の・道義的) moral Ⓐ. (☞ どうとく). ¶ *道義的責任を回避する evade *moral* responsibility **道義心** moral sense Ⓤ.

どうぎ[3] 胴着 padded vest Ⓒ.

どうぎ[4] 同義 ―[名] synónymy Ⓤ. ―[形] synónymous. (☞ ごぎ). **同義語** ☞ どういご

どうぎかい 道議会 the Hokkaido Assembly.

とうきび 唐黍 ☞ とうもろこし

とうきゃくさんかくけい 等脚三角形 ☞ にとうへんさんかくけい

とうきゃくだいけい 等脚台形 isosceles trapezoid /aɪsásəli:z trǽpəzɔ̀ɪd/ Ⓒ.

とうきゃくるい 等脚類 〔動〕(等脚類の動物) isopod /áɪsəpɑ̀d/ Ⓒ.

とうきゅう[1] 等級 grade Ⓒ; (階級) class Ⓒ; (階級上の地位) rank Ⓒ. (☞ かいきゅう[1]).

とうきゅう[2] 投球 ―[動] (ボールを投げる) throw (a ball) ★ 一般的な言い方; (野球で投手が) pitch (他)(自). ―[名] (野球での) pitch Ⓒ, pitching Ⓤ; (投げ方) delivery Ⓤ.

とうぎゅう 闘牛 bullfight Ⓒ; (闘牛の技術) bullfighting Ⓤ. **闘牛士** bullfighter Ⓒ; (主役の) matador /mǽtədɔ̀ə/ Ⓒ **闘牛場** bullring Ⓒ.

どうきゅう 同級 ―[動] (同級である) be in the same class (☞ どうき[2], どうそう). ¶ 私たちは*同級です We *are in the same class*. / We are *classmates*. **同級生** classmate Ⓒ.

とうぎょ 統御 (支配し思いどおりに扱う) control (他); (支配する) rule (他). ¶ 軍を*統御する *control* the army

どうきょ 同居 ―[動] (人と一緒に暮らす) live with *a person* (自). (☞ どうせい[2]). ¶ 私はおじの家に*同居しています (⇒ おじの家に住んでいる) I *live at* my uncle's. // 私たちは*同居して (⇒ 一緒に暮らして) います We *live together*. **同居人** (下宿人) lodger Ⓒ. ¶ 私の家には学生の*同居人がいます (⇒ 学生が同居している) A student lives with our *family*. ★ このように動詞で表すことが多い.

とうきょう 東京 ―[名]【固】Tokyo (☞ と[2]). **東京駅** Tokyo Station **東京オリンピック** the Tokyo ⌈Olympics [Olympic Games] **東京音頭** Tokyo *ondo*; (説明的には) a popular song in praise of Tokyo **東京外国為替市場** the Tokyo Foreign Exchange Market **東京語** Tokyo dialect Ⓒ **東京国際映画祭** the Tokyo International Film Festival **東京国際空港** Tokyo International Airport **東京コレクション** (ファッションショー) the Tokyo Collection **東京裁判** the Tokyo Trial ★ the Tokyo War Crimes Trial, the International Military Tribunal for the Far East ともいう. **東京証券取引所** the Tokyo Stock Exchange《略 TSE》 **東京大学** Tokyo University; (正式には) the University of Tokyo **東京大空襲** the Great Tokyo Air Raid (of March 10, 1945) **東京タワー** the Tokyo Tower **東京都知事** the Governor of Tokyo (Metropolis) **東京都庁** ☞ と[2] (都庁) **東京都民** citizen of Tokyo Ⓒ, Tokyoite Ⓒ **東京メトロ** Tokyo Metro (Co., Ltd.) ★ 正式名は東京地下鉄株式会社. **東京六大学** the Tokyo Big Six Universities **東京六大学野球** (連盟) the Tokyo Big-Six Baseball League; (リーグ戦総称) Tokyo Big-Six Baseball League Series Ⓒ; (個々の試合) Tokyo Big-Six Baseball League game Ⓒ **東京湾** Tokyo Bay **東京湾横断道路[アクアライン]** the Tokyo (Wan) Aqua-Line, the Trans-Tokyo Bay Highway.

どうきょう[1] 同郷 ―[動] (同じ町の出身である) be [come] from the same town. ¶ 私たちは*同郷です We ⌈*are* [*come*] *from the same town*.

どうきょう[2] 道教 Taoism /táuɪzm/ Ⓤ. **道教信者** Taoist Ⓒ.

どうきょう[3] 道鏡 ―[名]【固】Dokyo, ?–772; (説明的には) a Buddhist priest who failed in an attempt to usurp the Japanese throne.

どうぎょう[1] 同業 ―[動] (同業である) be in the same ⌈business [occupation; profession] (☞ しょくぎょう (類義語)).
同業者 (個人) person in the same ⌈line of business [profession] Ⓒ; (全体で) the ⌈trade [profession] Ⓤ. (☞ ぎょうしゃ) **同業者組合** trade [professional] association Ⓒ.

どうぎょう[2] 同行 (道連れ) fellow traveler Ⓒ, traveling companion Ⓒ; (遍路仲間) fellow pilgrim Ⓒ. **同行二人** (四国霊場めぐりの遍路の信条) Kobo Daishi [The Reverend Kobo] accompanies me throughout my pilgrimage.

とうきょうぶ 頭胸部 〔動〕(甲殻類などの) cephalothorax Ⓒ /sèfələθɔ́:ræks/ (複 ~es, -races /-rəsì:z/).

とうきょく 当局 the authorities ★ 複数形で. ¶ 市*当局 *the* municipal *authorities* // 学校*当局 *the* school *authorities* // 関係*当局 *the authorities* concerned

とうきょり 等距離 ―[名] equal distance Ⓒ. ―[形]《格式》equidistant. ¶ 所沢と浦和は都心から*等距離にある Tokorozawa and Urawa are ⌈at *equal distances* [*the same distance*] from the center of Tokyo. **等距離外交** equidistant diplomacy Ⓤ.

どうぎり 胴切り ☞ わぎり

どうきん 同衾 ―[動] (一緒に寝る) sleep together; (ベッドを共にする) share a bed (with …).

とうく[1] 投句 contribution of a haiku (to …) Ⓤ; (その俳句) haiku contributed (by a reader) Ⓒ. (☞ はいく).

とうく[2] 頭句 the first line of a *waka* poem (☞ ほっく).

とうく[3] 倒句 (強意のための) inversion of a phrase Ⓤ; (その句) inverted phrase Ⓒ. **倒句法**

☞ とうち[3] (倒置法)

どうく 童句 *doku* Ⓒ; (説明的に) a kind of haiku composed from childlike thoughts and emotions.

どうぐ 道具 (大工仕事などの) tool Ⓒ; (各種の器械・器具) instrument Ⓒ; (ある目的のための道具) implement Ⓒ ★しばしば複数形で; (家庭用品) utensil Ⓒ.

【類義語】最も一般的な語は ***tool*** で, 手仕事のための道具, 例えばのこぎりやハンマーなどをいう. この語はしばしば比喩的に用いられ, ある目的のために利用される人を軽蔑的にいうことがある. 科学的な器械・器具などは ***instrument***. 農機具・戦争のための道具など, 特別な目的のための道具は ***implement*** で, しばしば複数形で用い, やや格式ばった語. 鍋・かまなどの台所用品は ***utensil*** で格式ばった語.

¶大工*道具にはハンマー・のこぎり・かんななどがある A carpenter's *tools* include things like hammers, saws, and planes. // その男は少年たちを自分の利益を得るための*道具として使った The man used the boys as a *tool* for his own profit. // 顕微鏡は科学者が使う*道具です A microscope is an *instrument* used by scientists. // 園芸の*道具 gardening ˹*tools* [*implements*] // 台所*道具 kitchen *utensils*

道具市 (古道具市) flea market Ⓒ (☞ ふるどうぐ) **道具係** (芝居の) stagehand Ⓒ **道具方** (小道具) prop Ⓒ, propman Ⓒ, propwoman Ⓒ, prop ˹man [woman] Ⓒ, properties ˹handler [coordinator] Ⓒ; (背景のような大道具を扱う人) sceneshifter Ⓒ **道具立て** (準備) preparation Ⓒ ★普通複数形で用いる. **道具箱** toolbox Ⓒ, tool chest Ⓒ **道具屋** ☞ ふるどうぐ (古道具屋)

とうぐう 東宮 (日本の皇太子) the Crown Prince Ⓒ (☞ こうたいし). **東宮御所** the Crown Prince's Palace **東宮職** the Board of the Crown Prince's household.

とうくつ 盗掘 ¶墓を*盗掘する *rob* a tomb

どうくつ 洞窟 cave Ⓒ (☞ ほらあな). **洞窟遺跡** cave artifacts ★複数形で. **洞窟住居** cave dwelling Ⓒ **洞窟探検** 《米》spelunking Ⓤ **洞窟探検家** 《米》spelunker Ⓒ **洞窟動物** cave-dwelling [cavernicolous /kæ̀vəníkələs/] animal Ⓒ **洞窟美術** cave art Ⓤ.

とうけ 当家 **1** 《この家》 ¶*当家のこのしきたりは次の代にも受け継がれるでしょう This tradition in *our family* will be handed down to the next generation. // *当家の墓は金沢にあります The *family* grave is in Kanazawa.

2 《相手の家》 ¶御*当家のご繁栄とご多幸をお祈り申し上げます May *you and your family* have a happy, healthy, and prosperous year.

とうげ 峠 (山の道) (mountain) pass Ⓒ; (頂上) peak Ⓒ ★比喩的にも使う.

¶碓氷(うすい)*峠 the Usui *Pass* // 私たちは*峠を越えて車を走らせた We drove our car over the *mountain pass*. // 暑さはいまが*峠だ (⇒いまが一年で一番暑いときだ) It is *the hottest time* of the year now.

峠を越す ¶仕事は*峠を越した (⇒私たちは仕事の一番困難な所を終えた) We *have finished the hardest part* of the work. / We are *over the hump* with this job. ★over the hump で峠を越えたという略式表現. // 彼の病気はまだ重いが*峠はもう越した (⇒危険な時期は通過した) Although he is still very ˹sick [(《英》) ill], he *has* ˹*passed the crisis* [(⇒病状が好転した) *turned the corner*].

どうけ[1] 道化 clowning Ⓤ. **道化師** (サーカスなどの) clown Ⓒ (☞ ピエロ) **道化芝居** farce Ⓒ **道化者** ☞ おどけもの **道化役** ¶彼は*道化役を演じた He ˹played [acted] the *clown*. **道化役者** comedian Ⓒ; (女性の) comedienne Ⓒ; comic ˹actor [actress] Ⓒ. (☞ さんまいめ).

どうけ[2] 同家 (すでに話題にした家) that family; (同じ家柄) the same family.

とうけい[1] 統計 statistics ★複数扱い.

¶われわれは, その地震での死亡者数の*統計をとった We ˹collected [gathered] *statistics* on the number of deaths in the earthquake. // この*統計を表にしなさい Tabulate these *statistics*. // *統計によれば, その国の人口はこの 60 年間で 2 倍になった (⇒2倍になったことを統計が示している) *Statistics* show that the population of that country has doubled in the past sixty years. // *統計上, 今月の売り上げは減少した There has been a *statistically* significant drop in sales this month. // 気象庁の*統計では昨年はこの 50 年間で一番暑い夏でした According to the *statistics* of the Meteorological Agency, last summer was the hottest in fifty years.

統計学 statistics Ⓤ **統計学者** stàtistícian Ⓒ **統計局** the ˹Bureau [Department] of Statistics **統計図表** statistical ˹chart [graph] Ⓒ **統計年鑑** statistical yearbook Ⓒ **統計表** table of statistics Ⓒ **統計力学** statistical mechanics Ⓤ.

コロケーション

統計を改ざんする falsify *statistics* / **統計を操作する** manipulate *statistics* / **客観的な統計** hard [cold] *statistics* / **人口統計** vital [demographic] *statistics* / **信頼出来る統計** reliable *statistics* / **正確な統計** accurate *statistics* / **犯罪統計** crime *statistics* / **有効な統計** valid *statistics*

とうけい[2] 東経 ¶*東経 135° *longitude* /lándʒət(j)ù:d/ 135° *east* (☞ けいど[1]; ど; せいけい[2])

とうけい[3] 闘鶏 cockfight Ⓒ. **闘鶏場** cockpit Ⓒ.

とうけい[4] 頭形 〚人類〛(頭骨[蓋]指数) cranial /kréɪnɪəl/ índex Ⓒ ★頭蓋を上から見たときの長さと幅の比率.

とうげい 陶芸 cerámic árt Ⓤ (☞ とうき[1]). **陶芸家** ceramist Ⓒ, potter Ⓒ ★前者のほうが格式ばった語.

どうけい[1] 同系 ―形 (同起源の) cognate; (提携している) affiliated. (☞ どうぞく[1]). ¶この 2 つの民族はもともとは*同系です (⇒同じ種族の出である) These two races *are* originally *from the same stock*. **同系会社** affiliated company Ⓒ **同系交配** inbreeding Ⓤ (↔ outbreeding) **同系色** similar [related] color Ⓒ.

どうけい[2] 同形, 同型 ―動 (同じ形[型]である) be (of) the same ˹shape [type] 語法 the same shape は外形が同一であること, the same type は種類が同一であること. of のないほうがよく用いられる. (☞ おなじ). ¶この 2 つはまったく*同形です These two things *are* (*of*) exactly *the same shape*.

どうけい[3] 同慶 ¶御*同慶のいたりです (⇒私はたいへんうれしい) I am so *happy* to hear it.

どうけい[4] 憧憬 ☞ あこがれる

どうけい[5] 動径 〚数〛radius vector Ⓒ (複 radii vectores /réɪdiàɪ vektɔ́:ri:z/).

とうけつ 凍結 ―動 (物が凍る) freeze ⓐ; (財産などを) freeze ⓗ. ―名 freeze Ⓒ. (☞ すえおく).

¶公共料金は 1 年間*凍結されている Public utility charges *have been frozen* for one year. // 90 日間の賃金・物価の*凍結 a ninety-day *freeze* on wages and prices **凍結乾燥** ―動 freeze-dry ⓗ ¶*凍結乾燥(フリーズドライ)のコーヒー *freeze-dried* coffee **凍結資産** frozen assets ★複数形で. **凍**

結防止剤 antifreeze Ⓒ.

とうげつ 当月 this [the current] month《☞ こんげつ》.

どうけつ 同穴 同穴の契り ☞ かいろうどうけつ

どうげつ 同月 (同じ月) the same month; (前述した月) the ʳsaid [aforementioned] month. ¶ 彼らは*同月に結婚した They got married in *the same month.*

どうける 道化る ☞ おどける; ふざける; どうけ[1]

とうけん[1] 闘犬 dogfight Ⓒ 〔語法〕この語は比喩的に「大げんか」とか「空中戦」の意味で使われることが多い.

とうけん[2] 刀剣 sword Ⓒ. **刀剣商** dealer in swords Ⓒ.

とうげん 凍原 ☞ ツンドラ

どうけん[1] 同権 (同じ権利) the same rights; (平等の権利) equal rights ★ 以上 2 つは通例複数形で.《☞ どうとう[1]》. ¶ 男女*同権の社会 a society in which men and women have *equal rights*

どうけん[2] 銅剣 bronze sword Ⓒ.

どうけん[3] 洞見 (見抜くこと) insight Ⓤ; (先を見通す力) foresight Ⓤ; (洞察) penetration Ⓤ.《☞ どうさつ》. ¶ 未来を*洞見する *see* into the future

どうげん[1] 同源 the same origin. ¶ cattle (牛) と capital (財産・資本) は*同源のことばである 'Cattle' and 'capital' ʳare words with *the same origin* [are derived from *the same origin*; have *the same origin*]. ∥ 医食*同源 ☞ いしょくどうげん

どうげん[2] 道元 ―名 固 Dogen, 1200–1253; (説明的には) the founder of the Soto sect of Zen Buddhism in Japan.

とうげんきょう 桃源郷 (地上の楽園) paradise on earth Ⓒ; (理想郷) utopia Ⓒ; Shangri-la /ʃæ̀ŋgrəlɑ́ː/ Ⓒ ★ James Hilton の小説 *Lost Horizon* (1933) から.

どうげんたい 動原体 〔生〕 kinetochore /kɪnétəkɔ̀ə/ Ⓒ, centromere Ⓒ.

とうげんびょう 糖原病 〔医〕 glycogenosis /glàɪkədʒənóʊsɪs/ Ⓤ; glycogen /gláɪkədʒən/ storage disease Ⓤ.

とうご[1] 頭語 salutation Ⓒ《☞ 手紙の書き方(囲み)》.

とうご[2] 倒語 (逆読み俗語) back slang Ⓤ ★ police を ecilop, boy を yob と読むようなことばで, 日本語では種(たね)を「ネタ」というように逆さにしたことば.

とうご[3] 統語 〔言〕 ―形 syntactic. **統語関係** syntactic relationship Ⓒ **統語規制** syntactic rule Ⓒ **統語構造** syntactic ʳstructure [construction] Ⓒ **統語法[論]** 〔文法〕 syntax Ⓤ.

どうご 同語 the same word. **同語反復** ☞ 見出し

とうこう[1] 登校 ―動 (学校へ出かける) go to school; (学校に通う)《格式》attend school; (学校に着く) get to [arrive at] school; (学校に来る) come to school.

¶ 彼らは週に 5 日*登校する They *go to school* five days a week. ∥ *登校したら (⇒ 学校へ着いたら) すぐ窓を開けなさい Open the windows as soon as you ʳ*get* [*come*] *to school.* ∥ 彼女は*登校の途中その事故にあった She had the accident *on her way to school.* ∥ *登校下校の際は, 車に気をつけなさい *Watch out for cars on your way to school* and on your way home from school.

登校拒否(症) refusal to attend school Ⓤ; (無断欠席) truancy Ⓤ; (学校嫌い) school phobia Ⓤ 〔参考〕「症」を特に付ける必要のある場合は「神経症的症状として」as a neurotic symptom などを付ける. ¶ *登校拒否の生徒の数が増えている The number of ʳstudents who *are refusing to go to school* [*school refusers*] is on the increase. **登校日** (通常の授業のある日) school day Ⓒ; (特別な) day when students have to attend school (during the vacation) Ⓒ. ¶ 学校はいま夏休み中だが, あすは*登校日だ (⇒ あす全生徒が学校に出ることになっている) Although school is out for the summer vacation now, all the students *have to* ʳ*go to* [*attend*] *school* tomorrow.

とうこう[2] 投稿 ―動 contríbute (an article) to ..., write (an article) for ... ★ 後者のほうが口語的で平易な表現. ―名 contribution Ⓤ ★「原稿」の意では Ⓒ.《☞ きこう[3]》. ¶ 彼はよくその雑誌に*投稿している He often *contributes* (*articles*) *to* the magazine. / (⇒ しばしば投稿する投稿家だ) He is a frequent *contributor* to the magazine.

投稿家[者] contríbutor Ⓒ **投稿規定[規約]** the ʳrules [regulations] for ʳcontributions [contributors] **投稿欄** the reader's column Ⓒ.

とうこう[3] 投降 ―動 surrénder (to ...) 自. ―名 surrénder Ⓤ.《☞ こうふく[2]》. ¶ ゲリラのうち何名かは警察に*投降した Some of the guer(r)illas *surrendered to* the police. **投降兵** surrendered soldier Ⓒ.

とうこう[4] 陶工 (焼物師) potter Ⓒ; (陶芸家) ceramist Ⓒ ★ 後者のほうが格式ばった語.

とうこう[5] 刀工 ☞ かたな (刀かじ)

とうこう[6] 投光 lighting Ⓤ《☞ しょうめい[2]》. **投光器** floodlight (projector) Ⓒ; (探照灯) searchlight Ⓒ **投光照明** floodlighting Ⓤ.

とうこう[7] 党綱 party ʳplatform [manifesto] Ⓒ《☞ こうりょう[2]》.

とうごう[1] 統合 ―動 (集めて結束させる・集まって結束する) unite 他 自; (統一する) unify 他; (個々の関係を調整して結びつける) integràte 他; (同種または既存のものをより緊密・強固に結びつける) consolidate 他; (一緒にする) put together 他 ★ 前者より口語的; (能率的に合理化する) streamline 他. ―名 unity Ⓤ; unification Ⓤ; integration Ⓤ; consolidation Ⓤ.《☞ とういつ; へいごう》.

¶ 首相はいくつかの政府機関を 1 つに*統合するつもりだ The prime minister is planning to ʳ*integrate* [*consolidate*] a number of government agencies into one. / The prime minister is going to *put* some government agencies *together*. ★ 前者のほうが格式ばった表現.

統合教育 (障害のある子供を障害のない子供と一緒に教育する) integrated education Ⓤ, mainstreaming Ⓤ **統合参謀本部** 《米》 the Joint Chiefs of Staff《略 JCS》 **統合失調症** 〔医〕 integration dysfunction syndrome Ⓤ ★「精神分裂病」《☞ せいしん[1]》の新呼称. この英語は日本語を直訳した便宜的なもので, 国際的には従来通り schizophrenia /skìtsəfríːniə/ Ⓤ, 患者は schizophrenic /skìtsəfrénɪk/ Ⓒ と呼ぶ. **統合整理** streamlining Ⓤ. ¶ 特殊法人の*統合整理 *streamlining* of special public corporations **統合ソフト** suite /swíːt/ (of software) Ⓒ **統合幕僚会議** the Joint Staff Council.

とうごう[2] 等号 〔数〕 equal sign Ⓒ.

とうごう[3] 投合 ☞ いき[4] (意気投合)

どうこう[1] 動向 (傾向) trend Ⓒ; (事態の進展) devélopment Ⓒ.《☞ すうせい; うごき; どうせい》.

¶ 世論の*動向に注意する keep an eye on [pay attention to] public opinion *trends*

どうこう[2] 同行 ―動 (一緒に行く) go with ...; (旅行などについて行く)《格式》accompany 他.《☞ どうはん; つきそう》. ¶ 彼は警察署まで*同行を求められた (⇒ 連れていかれた) He *was taken to* the police station. **同行者** companion Ⓒ.

どうこう[3] 瞳孔 〘解〙 pupil Ⓒ《☞ め[1] (挿絵)》. **瞳孔反射[反応]** pupillary /pjúːpəlèri/ ˹réflex [reáction] Ⓒ.

どうこう[4] 同好 ☞ どうこうかい; どうこうのし

どうこう[5] 銅鉱 cópper ore /ɔ̀ə/ Ⓤ.

どうこう[6] 導坑 pilot tunnel Ⓒ.

どうこう[7] ☞ あれこれ; なにやかや; とやかく

どうこういきょく 同工異曲 ¶ 彼らの意見は*同工異曲だ (⇒ 実質的に同じだ) Their opinions *are practically the same.* // それは*同工異曲だ It is six of one and half a dozen of the other. ★ くだけた決まり文句.「一方の 6 と他方の半ダース」という意味.《☞ にたりよったり》

どうこうかい 同好会 club Ⓒ 日英比較 英語ではスポーツ・娯楽などの目的で作られる同好の人の集まりを club というので, 特に「同好」という訳語はいらない. しいて「しろうとの」という意味を加えるのなら amateur club Ⓒ (アマチュアクラブ) のようにいえばよい.《☞ クラブ》.
¶ 音楽*同好会 a music-lovers ˹*club* [*society*] [語法] society は「会」という意味で, 学会・協会など広く用いられる. // テニス*同好会 a tennis *club*

どうごうきん 銅合金 cópper álloy Ⓒ.

とうこうせいていがた 東高西低型 (気圧配置の) pattern of a high-pressure ˹zone [area] in the east and a low-pressure ˹zone [area] in the west Ⓒ《☞ きあつ》.

とうこうせん 等高線 〘地理〙 contour /kántʊə/ line Ⓒ.

どうこうのし 同好の士 (同じ趣味を持つ人) persons who share the same interest.

とうごうへいはちろう 東郷平八郎 ── [名] (固) Togo Heihachiro, 1847–1934; (説明的には) commander of the Japanese fleet that defeated the Russian Baltic Fleet in the Battle of Tsushima.

とうごく[1] 投獄 ── [名] imprisonment Ⓤ ★ 一般的な言い方; (監禁) confinement Ⓤ. ── [動] put ... in [send ... to] ˹prison [jail], imprison (他) ★ 前者のほうが口語的; jail (他).《☞ けいむしょ (類義語); こうりゅう[2]》.
¶ 独裁者の大統領は多くの反政府分子を*投獄した The strong-man president ˹*imprisoned* [*jailed*] many anti-government elements.

とうごく[2] 東国 (昔の日本で, 畿内から見て東方の地方) the area east of Kinai (Capital Provinces); (関東) the Kanto Provinces.

どうこく[1] 慟哭 ── [名] wail Ⓒ. ── [動] wail (自).
¶ 彼女の*慟哭の声が聞こえた Her *wail* (of grief) was heard. // 彼女は子供を失って*慟哭した She *wailed* for her lost child.

どうこく[2] 同国 (同じ国) the same country; (同郷) the same province; (前述の国) the ˹said [aforementioned] country. **同国人** *one's* compatriot Ⓒ, *one's* fellow ˹countryman [countrywoman] Ⓒ.

とうごせん 等語線 〘言〙 (言語的特徴の異なる地域を分ける想像上の線) isogloss /áɪsəglɑ̀s/ Ⓒ.

とうこつ 頭骨 skull Ⓒ, 〘解〙 cránial /kréɪniəl/ bónes ★ 複数形で.

どうごはんぷく 同語反復 tautology /tɔːtálədʒi/ Ⓤ. ¶ 話の中で, 彼は数回*同語反復を行った He ˹used [practiced] *tautology* several times in his speech.

とうこん[1] 闘魂 fighting spirit Ⓤ.

とうこん[2] 当今 the present time《☞ このごろ; ちかごろ; さいきん[1]》.

どうこん 同根 the same root. ¶ *同根から派生した語 words which derive from *the same root*

どうこんしき 銅婚式 bronze wedding anniversary Ⓒ.

とうさ[1] 踏査 ── [名] (全体的な調査) súrvey Ⓒ ★ 広い意味の語. 直接足を踏み入れない調査も含む; (探検) exploration Ⓤ; (実地研究) field stùdy Ⓤ, fieldwork Ⓤ; (軍事的調査) reconnaissance /rɪkánəzns/ Ⓤ. ── [動] survéy (他); explore (他); (捜査・調査する) invéstigàte (他); reconnoiter /rìːkənɔ́ɪtə/ (他).《☞ ちょうさ[1]》.

とうさ[2] 等差 ☞ とうさきゅうすう; とうさすうれつ

とうざ 当座 ── [副] (差し当たり・しばらくの間は) for the time being, for the present, for the moment, for a while [語法] (1) この順に平易な表現となる; (現在は) at the moment, at this moment [語法] (2) この 2 つはその前の 3 つと異なり, 時間的継続を暗示しない; (仮に・一時的に) tèmporárily. ── [形] (現在の) present Ⓐ, current; (いますぐの) immediate.《☞ しばらく (類義語)》.
¶ *当座はこの金を銀行口座に入れておこう Let's put this money in our bank account ˹*for the time being* [*temporarily*]. // これだけの人数があれば*当座は間に合うだろう This many people will ˹do [be enough; be sufficient] *for the moment.* [語法] (3) *do* は口語的. *sufficient* はやや格式ばった言い方. // *当座の費用に (⇒ 当座の必要[出費] に備えるために) 母から 5 万円借りてある I have borrowed fifty thousand yen from my mother to cover my *immediate* ˹needs [expenses]. // 東京へ来た*当座はよく銀座へ散歩に出かけたものでした (⇒ 初めて来たとき) I used to take a walk in the Ginza when I *first* came to Tokyo.
当座売り cash [spot] sale Ⓤ **当座買い** stopgap purchase Ⓒ **当座貸し** day-to-day loan Ⓒ **当座貸し越し** overdraft Ⓒ **当座借り** day-to-day money Ⓤ **当座借り越し** debt on short notice Ⓒ, overdraft Ⓒ **当座勘定** current account Ⓒ《略 a/c》 **当座小切手** (current account) ˹check [《英》 cheque] Ⓒ **当座しのぎ** (一時の穴うめ) stopgap Ⓒ; (程度の悪い代用物) makeshift Ⓒ; (一時的な代わり) temporary substitute Ⓒ.《☞ まにあわせ》 **当座預金** (口座) checking [《英》 current] account Ⓒ; (口座に入っているお金) balance in *one's* ˹checking [《英》 current] account Ⓒ.《☞ よきん》.
¶ 10 万円を*当座預金にする deposit 100,000 yen in a *checking account.*

どうさ 動作 (動き・行動) movement Ⓒ; (立居振舞い) manners ★ 複数形で; (手まね・身振り) gesture Ⓒ.《☞ みぶり; うごき》. ¶ 彼は*動作が敏捷(びんしょう)だ[緩慢だ] (⇒ すばやく[のろく] 動く) He *moves* ˹quickly [slowly]. / He is ˹quick [slow] in his *movements.* // 落ち着きのない*動作 a restless *movement* // 何気ない*動作 a casual *movement*

コロケーション
ぎこちない動作 an awkward [a wooden] *movement* / きびきびした動作 a brisk *movement* / 散漫な動作 a loose *movement* / のろい動作 a slow *movement* / 優雅な動作 a graceful *movement*

どうざ 同座 ☞ どうせき; れんざ

とうさい[1] 搭載 ── [動] (積んでいる) carry (他); (武器・設備などを備えている) be equipped with ...《☞ そうび》. ¶ 核弾頭を*搭載する *carry* a nuclear warhead // その船には最新式レーダーが*搭載されている The ship *is equipped with* the newest type of radar. **搭載砲** on-board gun Ⓒ.

とうさい[2] 登載 ☞ けいさい[1]; きさい[1]

とうさい[3] 盗採 ── [動] steal a protected plant.

とうさい[4] 当歳 the current year, this year.
¶ 彼は*当歳とって 30 歳だ He is thirty *this year.*
当歳馬 〘競馬〙 yearling Ⓒ.

とうざい 東西 ― 副 (東と西に) to the east and (the) west; (東から西へ) from east to west. ― 名 east and west Ⓤ. ¶京都は*東西にそれぞれ低い山脈をひかえている Kyoto has a range of low mountains *to the east and the west.* / There are low mountain ranges *on the east and the west sides* of Kyoto. // この道路は*東西に走っている This road runs *from east to west.* // このことは洋の*東西を問わない (⇒世界のどの部分についても真実である) This is true of ⌈*any part* [*all parts*] *of the world.* // 古今*東西 ☞ ここん
東西問題 east-west problem Ⓒ **東西両陣営** the Eastern and (the) Western camps. ¶*東西両陣営の対立は終わった The conflicts between *the Eastern and* (*the*) *Western camps* have ended.

どうざい 同罪 ― 形 (同じくらい罪がある) equally guilty. ¶山田と佐藤は*同罪である Yamada and Sato are *equally* ⌈*guilty* [(⇒同じくらい責めを負うべきだ) *to blame*]. 語法 blame を使った言い方は, 罪とまではいかないまでも, 広く一般に困ったことをした場合にも使える.

とうざいなんぼく 東西南北 ― 名 north, south, east, (and) west 日英比較 英語では日本語の方位の並べ方とは違ってこの順が普通; (磁石の4つの方位) the cardinal points (of the compass). ― 副 (四方に) in all directions. ¶この城には*東西南北に1つずつ門がある (⇒4つ門がある. 北に1つ, 南に1つ, 東に1つ, 西に1つ) This castle has four gates: one on the *north* side, one on the *south*, one on the *east* and one on the *west*.

とうさきゅうすう 等差級数 〔数〕 àrithmétic series /sí(ə)ri:z/ Ⓒ.

とうさく[1] 盗作 ― 名 (他人の文章・アイディアなどの無断使用・剽窃(ひょうせつ)) plagiarism /pléɪdʒərìzm/ Ⓤ ★盗作の作品を指す場合は Ⓒ; (盗用) 《略式》 crib Ⓒ; (文学 [芸術] 上の盗み) literary [artistic] theft Ⓤ ★説明的表現. ― 動 plagiarize /pléɪdʒəràɪz/ 他 自; 《略式》 crib 自 他. **盗作者** plagiarist Ⓒ.

とうさく[2] 倒錯 perversion /pəvə́:(:)ʒən/ Ⓤ. **倒錯者** pérvert Ⓒ.

とうさくるい 頭索類 〔動〕 Cephalochorda(ta) /sèfəloukɔ́ədə(tə)/ ★複数形.

とうさすうれつ 等差数列 〔数〕 àrithmétic progréssion Ⓒ.

とうさつ[1] 透察 ¶未来を*透察する *foresee* the future (☞ どうさつ)

とうさつ[2] 盗撮 ¶彼は彼女を*盗撮した He *photographed* her ⌈*secretly* [*without her knowledge*]. / He *took a sneak photograph* of her. (☞ かくしどり) **盗撮写真** sneak [candid] photo(graph) Ⓒ.

どうさつ 洞察 ― 名 (見抜く力・眼識) penetration Ⓤ; (物事の真相を深く理解する力) insight Ⓤ. ― 動 (見通す) see through (to …; into …) 自; (見抜く) penetrate 他. ― 形 penetrating. ¶彼のこの問題に対する*洞察はすばらしい His *insight* into this problem is remarkable. // 彼女はちゃんと我々の真意を*洞察していた She *saw through to* our real intentions. **洞察力** insight Ⓒ; 《格式》 discernment Ⓤ.

とうさん[1] 倒産 ― 動 (破産する) go {become} bankrupt. ― 名 (破産) bankruptcy Ⓒ. ¶今年に入って中小企業の*倒産が増加した There have been more *bankruptcies* of smaller firms this year. / More smaller businesses *have gone bankrupt* this year. // 昨年の企業*倒産は約1200件だった The number of business *bankruptcies* for last year was roughly 1,200. **倒産法** bankruptcy law Ⓤ.

とうさん[2] 父さん dad Ⓒ (☞ おとうさん).

どうさん 動産 movable property Ⓤ, movables ★通例複数形で. 前者が一般的. **動産質** pledge (of movables) Ⓒ **動産信託** movable property in trust Ⓤ **動産抵当** chattel mortgage Ⓒ **動産保険** property insurance Ⓤ.

どうざん 銅山 ☞ どう[3]

とうさんさい 唐三彩 Tang /tá:ŋ/ thrée-còlor wáre Ⓤ.

とうし[1] 投資 ― 動 (資金を) invest … (in …), make an investment of … (in …). ― 名 investment Ⓤ ★投資金額が続くときは Ⓒ として an を伴う. ¶私はその事業に1千万円*投資した I *invested* ten million yen *in* the business. / I *made an investment of* ten million yen *in* the business. // 公共[民間]*投資 public [private] *investment* // 設備*投資 *investment* in ⌈equipment expansion [plant and equipment] // 海外*投資 overseas *investment*
投資アナリスト investment analyst Ⓒ **投資家** investor Ⓒ. ¶一般*投資家 general *investors* **投資会社** investment company Ⓒ **投資銀行** investment bank Ⓒ **投資減税** investment tax ⌈credit [cut] Ⓒ **投資顧問業** investment counseling Ⓤ **投資信託** investment trust Ⓤ.

> **コロケーション**
> 安全な投資 a safe *investment* / 危険な投資 a risky *investment* / 堅実な投資 a ⌈sound [solid] *investment* / 積極的な投資 an active *investment* / 多額の投資 heavy *investment* / 不利な投資 a bad *investment* / もうかる投資 a profitable *investment* / 有利な投資 a good *investment*

とうし[2] 闘志 (闘う元気) fighting spirit Ⓤ; (闘う力量・ファイト) fight Ⓤ; (軍隊・チームなど集団の士気) fighting morale /mərǽl/ Ⓤ. ¶彼らには*闘志がない They lack ⌈*fighting spirit* [*fight*]. // *闘志を燃やして (⇒闘志を示して) 頑張れ Show some *fight* and hang in there!
闘志満々 ¶彼らは*闘志満々だ (⇒闘志をたくさん持っている [闘志に満ちている]) They ⌈have *plenty of* [are *full of*] *fighting spirit*.

とうし[3] 闘士 fighter Ⓒ ★最も一般的な語; (政治運動などの活動家) activist Ⓒ; (擁護者) champion Ⓒ, defender Ⓒ; (改革運動家) crùsáder Ⓒ 参考 十字軍戦士 Crusader から来た語. ¶彼は自由の*闘士だ He is a ⌈*fighter* for [*champion* of; *defender* of; *crusader* for] liberty. // 彼は労働組合の*闘士だ He is a labor union *activist*. **闘士型** 〔心〕 (体型) the athletic type.

とうし[4] 凍死 ― 動 (凍え死ぬ) freeze to death, be frozen to death 語法 (1) 前者のほうが普通. 両方とも「寒くて死ぬ思いをする」という意味にもなる; (寒さで死ぬ) die ⌈from [of] exposure 語法 (2) freeze to death が凍えることに重点があるのに対し, この言い方は死因をいう. ― 名 death from exposure Ⓒ. (☞ こごえる).
¶昨年はこの地域で10件の*凍死が記録された Ten *deaths from exposure* were recorded in this area last year. // 彼は山中で立ち往生して*凍死した He was stranded in the mountains and ⌈*died of exposure* [*froze to death*].
凍死者 person frozen to death Ⓒ.

とうし[5] 透視 (X線による) fluoroscopy /flʊ(ə)rɑ́skəpi/ Ⓤ. **透視図** perspective (⌈view [drawing]) Ⓒ **透視図法[画法]** perspective (⌈representation [drawing]) Ⓤ.

とうし[6] 唐詩 (唐代の詩) Tang /tɑ́ːŋ/ póetry Ⓤ; (中国古典詩) Chínese clássical póetry Ⓤ. **唐詩選** —名 固 *Selected Poems of the Tang Dynasty.*

とうし[7] 盗視 stealthy glance Ⓒ 《☞ ぬすみみる》.

とうじ[1] 当時 —副 then ★ 最も一般的な副詞で, 意味も広い. 次の言い方のほうが明確で強調的; (そのとき) at ˹the [that] time; (その時代) in those days 語法 以上は 形 としても用いられる. その場合 then は名詞の前に置き, その他の句は名詞の後に置く. 《☞ そのころ》.

¶ *当時, 私は子供だった I was a child ˹*then* [*at the time*; *in those days*]. // 終戦*当時 (⇒ 戦争が終わったとき[戦争の終わりには]) 彼は中国にいた He was in China ˹*when* the war ended [*at* the end of the war]. // この会社は創立*当時は (⇒ 創立時には) 従業員がわずか 10 人だった This company had a staff of only ten ˹*at the time of* its foundation [*when* it was founded]. // *当時最も人気のあった (⇒ そのとき[その時代に]最も人気のあった) ロックグループはおそらくビートルズだろう The most popular rock group ˹*at that time* [*in those days*] was probably the Beatles. // 彼らは同窓会を開き, 楽し[苦し]かった*当時をしのんだ (⇒ 当時の記憶を新たにした) They held a reunion and refreshed their memories *of those* ˹happy [tough] *times*. // *当時のことはみんな忘れました I forget [I've forgotten] everything *about those days*. // *当時の校長先生 the *then* principal of the school

とうじ[2] 湯治 —名 hot spring cure Ⓒ. —動 (温泉で療養する) take the cure at a hot spring 語法 (1) hot spring は 1 箇所でも複数形になることがある. 《☞ おんせん[1]》. ¶ 坐骨神経痛には*湯治が効く A *hot spring cure* ˹works well [is good] for sciatica /saɪǽtɪkə/. // 彼は草津で*湯治をした He *took the cure at* Kusatsu. / He went to Kusatsu to *take the cure*. 語法 (2) 草津が温泉場であることがわかっていれば hot springs はいらない. // 彼らは伊香保へ*湯治に (⇒ くつろぎと軽い病気の治療のために) 行きます They will go to Ikaho for *relaxation and a cure for certain disorders.*

湯治客 visitor to the hot springs Ⓒ **湯治場** hot springs ★ 複数形で; spa Ⓒ.

とうじ[3] 答辞 speech in reply Ⓒ. ¶ 彼は卒業生を代表して*答辞 (⇒ 別れのスピーチ) を述べた He made the ˹*farewell* [《米》 *valedictory*] *speech* representing all the graduating students.

とうじ[4] 冬至 the winter solstice. **冬至梅** Japanese apricot which blossoms at the time of the winter solstice Ⓒ **冬至点** 〚天〛 the winter solstitial /sɑlstíʃəl/ póint.

とうじ[5] 杜氏 overseer of sake-producing operations Ⓒ.

とうじ[6] 蕩児 (放蕩者) debauchee /dèbɔːʃíː/ Ⓒ; (性的にふしだらな人) libertine Ⓒ. 《☞ ほうとう[1]》.

とうじ[7] 悼辞 (哀悼のことば) condólences ★ 複数形で. 《☞ ちょうじ[1]》.

どうし[1] 同志 (仲間) companion Ⓒ 語法 (1) 同席している人, 同じ場所にいる人について用いる; (共に活動などを行う密接な同僚) comrade Ⓒ 語法 (2) 「(共産党) 党員」, 「同志党員」 の意味もあるので, そのほかの場合には避ける人が多い; (同類のメンバー) fellow member Ⓒ; (同じ志を持った人) like-minded person Ⓒ. 《☞ なかま (類義語); -どうし》.

¶ 彼はその政治運動における私の*同志だった He was ˹my *comrade* in [a *fellow member* of] that political movement. / (⇒ 彼と私はその政治運動の中で共に働いた[戦った]) He and I ˹*worked* [*fought*] *together* in that political movement.

どうし[2] 動詞 〚文法〛 —名 verb Ⓒ. —形 (動詞の・動詞的な) verbal.

どうし[3] 導師 officiating priest Ⓒ.

-どうし …同士 fellow Ⓒ ★ 他の名詞の前に添えて形容詞的に用いる. ¶ 学生 [同国人・同郷人] *同士 *fellow* ˹students [countrymen; country-women] // 兄弟*同士の (⇒ 兄弟の間の) けんか a quarrel *among* brothers // 彼らは恋人*同士だ (⇒ 恋をしている) They are in love. 日英比較 このように日本語の「同士」にこだわる必要のないことも多い. // 主婦たちは女*同士で悩み事の打ち明け話をした The housewives confided their troubles ˹*among themselves* [*to each other*].

どうじ[1] 同時 **1** 《時が同じ》 —形 (瞬間的に同時の) simultaneous /sàɪməltéɪniəs/; (時間的に並行して存在する・起こる) concurrent /kənkə́ːrənt/ ★ いずれもやや格式ばった語. —副 (同時に) at the same time, at once 語法 ほぼ同意だが, 前者が普通; simultaneously; concurrently. —接 (…するとすぐに) as soon as …; (…するとたんに) the moment … 《☞ いっせい[1]; いっしょ》.

¶ 地震と火山の噴火とは*同時だった (⇒ 同時に起こった) The earthquake and the volcanic eruption occurred ˹*at the same time* [*simultaneously*]. / (⇒ 地震は噴火と同時だった) The earthquake was *simultaneous with* the volcanic eruption. // みんなが*同時にしゃべった Everybody spoke *at once*. // 彼らはベルの音と*同時にベッドから飛び起きた (⇒ ベルの音とともに) They jumped out of bed *with* the sound of the bell.

2 《価値・重要度などが同じ》 —副 (…であると同時にまた) at the same time; (ところがもう一方では) on the other hand. —接 (…である一方) while …; (しかしまた) but … ¶ 鉄道の旅は経済的で, *同時に安全でもある Travel by rail is economical, and, *at the same time*, safe. / (⇒ 経済的であることと安全であることとの両方である) Travel by rail is *both* economical *and* safe. // 電話は便利だが, *同時に人々を筆不精にする (⇒ 便利だが, 一方) The telephone is convenient, but, *on the other hand*, [(⇒ 便利である一方) *While* the telephone is convenient,] it makes people lazy about writing.

同時多発テロ coordinated simultaneous terrorist attacks ★ 複数形で; (2001 年の) the September 11 Terror Attacks, the 11th of September, nine-eleven **同時通訳** ☞ 見出し **同時犯** crimes committed at the same time.

どうじ[2] 童子 ☞ こども

どうしうち 同士打ち (内部闘争) internal strife Ⓤ. ¶ 敵軍は*同士打ちとなった The enemy troops *fought* ˹*with each other* [*among themselves*]. // その派閥は*同士打ちで分裂した The faction was torn by *internal strife*.

とうしき 等式 〚数〛 equality Ⓒ (↔ inequality).

とうじき 陶磁器 cerámics ★ 複数形で. 陶器・磁器・土器を含む意味の広い語; (磁器) china(ware) Ⓤ 語法 ceramics が工芸品の意味で用いられるのに対し, china(ware) は実用品として使われることが多い. 《☞ とうき[1]; じき[3]》.

どうじく 同軸 **同軸ケーブル** coaxial /kòuǽksiəl/ cáble Ⓒ.

とうじご 頭字語 (連語の各語の頭文字をつないで作った語) ácronỳm Ⓒ ★ ÓPEC (＝*O*rganization of *P*etroleum *E*xporting *C*ountries), ÁIDS (＝*A*cquired *I*mmune *D*eficiency *S*yndrome) など.

とうじこく 当事国 country directly ˹concerned [involved] Ⓒ.

どうじしき 同次式 〚数〛 homogeneous expres-

sion Ⓒ.
とうししつ 糖脂質 〖生化〗 glycolipid /glàɪkoulípɪd/ Ⓤ.
とうじしゃ 当事者 （関係している人） person concerned Ⓒ; (関係している人·団体) party concerned Ⓒ 語法 1 人の人を指す場合もあれば, 立場を共にする人々の 1 群を指す場合もある; (利害関係者の 1 人または 1 群) interested party Ⓒ. (☞ とうにん). ¶結論は*当事者間の話し合いにゆだねられた It was left to the ⌈*persons* [*parties*] *concerned* to discuss the matter and come to a conclusion. **当事者主義** the adversary system **当事者能力** the capacity to be a party to a legal action.
とうじせい 等時性 〖物理〗 isochronism /aɪsákrənìzm/ Ⓤ.
どうじせんきょ 同時選挙 double election Ⓒ (☞ どうじつ (同日選挙)).
どうした ¶*どうしたの. そんな心配そうな顔をして *What's wrong*? You look so worried. // その足, *どうしたの *What's the matter* with your leg? // *どうしたら, そんなふうにできるの *How* can you do that? // 先月貸してあげた本は*どうした *What happened* to that book I lent you last month? / *What did* you *do* with that book I lent you last month? ★ 返すべきなのに, まだ返してもらっていないという含みがある. // *どうしたわけか, パソコンが立ち上がらない I can't boot up my PC *for some reason or other*. // *どうしたわけで, 彼女は会社を休んでいるの *Why* ⌈has she been absent [has she stayed away] from work? //「木村さん夫婦, 毎年海外旅行してるんだって」「それが*どうした」 "They say Mr. and Mrs. Kimura go on a tour abroad every year." "*So what*?" //「本当に頭にくるわ」「いったい*どうしたの」 "I'm really mad." "*What's the matter* (with you)?" //「彼はすっかり人が変わったね」「いったい*どうしたんでしょうね」 "He has really changed, hasn't he?" "I wonder *what's happened* to him." (☞ どう[1]; どういう; なぜ; なに)
どうじだい 同時代 ― 名 the same ⌈age [period]; (同時代の人·物) contémporàry Ⓒ. ― 形 contemporary. ¶紫式部は清少納言と*同時代の人だった Murasaki Shikibu was *contemporary* with Sei Shonagon. / Murasaki Shikibu and Sei Shonagon were *contemporaries*.
とうしつ[1] 等質 ☞ どうしつ[2]
とうしつ[2] 糖質 〖化〗 glucide /glúːsaɪd/ Ⓤ. **糖質コルチコイド** 〖生化〗 glucocorticoid Ⓒ.
とうじつ 当日 （約束の日） the appointed day; (…の日) the day ⌈for [of] …; (その日) that day 語法 日本語の意味をくんで意訳する必要がある. ¶*当日 (⇒ その日) は朝早くからいい天気だった On *that day* the weather was beautiful from early in the morning. // 卒業式の*当日 (⇒ まさにその日) に彼は交通事故にあった On *the very day of* the graduation ceremony, he had a traffic accident. // この切符は発売*当日限り有効《切符の表示》This ticket is only ⌈valid [good] for *the day of* issue. **当日券** (当日に売られる切符) ticket sold on the day of the ⌈performance [game; match] Ⓒ ★ performance は演劇など, [ ] 内はスポーツの試合.
どうしつ[1] 同室 ¶彼は私と*同室だ (⇒ 部屋[事務所]を共有している) *He shares* ⌈*a room* [*an office*] *with* me. / (⇒ 彼は私のルームメートだ) He is *my roommate*.
どうしつ[2] 同質 ― 形 (質が同じで) the same quality Ⓟ. ¶この 2 つの織物は色こそ違うが*同質だ These two textiles are of different colors but are *the same quality*.
どうじつ 同日 （同じ日） the [that] same day; (まさに同じ日) the [that] very same day ★ very は same を強調する. また, that のほうが強調的. ¶彼は午前 10 時に日本に着き, *同日午後 5 時にはヨーロッパに向けて発った He arrived in Japan at 10 a.m. and left for Europe at 5 p.m. on ⌈*the* [*that*] (*very*) *same day*. **同日選挙** simultaneous election Ⓒ (☞ どうじせんきょ).
どうじつうやく 同時通訳 （同時通訳の行為） simultaneous /sàɪməltéɪniəs/ interpretátion Ⓤ; (同時通訳者) simultaneous intérpreter Ⓒ. (☞ つうやく).
どうして **1** «なぜ»: why (☞ なぜ).
2 «どのようにして»: how. ¶彼はいまごろ*どうしているだろう I wonder *how* he is getting along now. // 私は*どうしてよいか (⇒ 何をすべきか) わからなかった I didn't know *what to do*. //「彼女は上役にはおとなしくて, 素直そうですね」「なかなか*どうして, 気が強い人なんです」 "She seems to be meek and obedient to her boss." "*Far from it*, she is a strong-willed person."
どうしても ¶エンジンが*どうしてもかからなかった The engine wouldn't start *no matter what*. / The engine ⌈*simply* [*just*] wouldn't start. // 彼を*どうしても説得して行かせることができなかった *Whatever we did*, we couldn't persuade him to go. // 窓が*どうしても開かない The window just *won't* open, however hard I try. // 私は*どうしても彼女の名前が思い出せない I can't, *for the life of me*, remember her name. 語法 for the life of me は否定構文を強調する口語的な熟語. // 彼は*どうしてもそれを買うと言って聞かなかった (⇒ 買うと言い張る) He *insisted on* buying it. // 私は*どうしてもそれが欲しい I ⌈want [need] it *badly*. // 私は*どうしても (⇒ 好むと好まざるとにかかわらず) 家を売らなくてはならない I have to sell my house *whether I like it or not*. //「どうしてそんなことをしなくてはならないのですか」「*どうしてもだ (⇒ やらなければならないからだ)」 "Why do we have to do such a thing?" "Because we *have to*."
【参考語】 ― 副 (全然…でない) not … at all; (単に·まったく) simply; (とても·ひどく) badly, desperately; (どんなにしても)《格式》by any means ★ 否定文で; (どんな犠牲を払っても) at all costs, at any cost; (いかなる危険を冒しても) at any risk, at all risks; (どうしても…できない) not … for the life of me. ― 動 (どうしても…すると言い張る) insist (on …) ⓐ. ― 助 (どうしても…しようとしない [しなかった]) will [would] not ★ 強い意志を表す; (…しなければならない) have to, must.
どうじめ 胴締め 〖レス〗 the scissors (hold).
とうしゃ[1] 投射 ― 名 (投影) projection Ⓤ ★ 具体的には Ⓒ. ― 動 project ⓗ. ¶スライドをスクリーンに*投射する *project* slides onto the screen **投射法** 〖心〗 projective technique Ⓤ.
とうしゃ[2] 透写 ― 名 tracing Ⓤ. ― 動 trace ⓗ. ¶地図を*透写する *trace* a map **透写紙** tracing paper Ⓤ.
とうしゃ[3] 当社 this [our] company. ¶*当社は 2 月に新製品を発売いたします *Our company* will launch a new product in February.
どうしゃ[1] 同車 the same car (☞ どうじょう[2]). ¶駅まで*同車する (⇒ 同じ車に乗る) drive in *the same car* as far as the station
どうしゃ[2] 同社 (同じ会社) the same company; (神社) the same shrine; (前述の会社) the ⌈said [aforementioned] firm.
とうしゃばん 謄写版 ― 名 mimeograph /mímiəgræ̀f/ Ⓒ, duplicator Ⓒ. ― 動 (謄写版で刷る) mimeograph /mímiəgræ̀f/ ⓗ, duplicate ⓗ. (☞ いんさつ; プリント).

とうしゅ[1] 投手 〔野〕 pitcher Ⓒ. ¶控えの*投手 a 「relief [substitute; backup] *pitcher* **投手戦** pitchers' battle Ⓒ.

とうしゅ[2] 党首 leader [head] of a political party Ⓒ 語法 実際の党首の正式の肩書きには, president, chairman などの語が用いられるのが普通; party「leader [head] Ⓒ ★ 略式な言い方. **党首会談** meeting of [talks between] party leaders ★ meeting は Ⓒ. talk は複数形で. **党首討論** debate between party leaders Ⓒ.

とうしゅ[3] 当主 ¶彼はその家の*当主である He is *the present head* of the family. // …の第 14 代*当主 a fourteenth-generation descendant of …

とうしゅ[4] 頭首 (集団の上に立つ人) chief Ⓒ; (親分) boss Ⓒ. 《☞ しゅりょう[2]; おやぶん》.

どうしゅ[1] 同種 the same kind 《☞ おなじ; しゅるい (類義語)》.

どうしゅ[2] 同趣 ━形 (同じ質の) of the same quality; (同じ印象の) conveying the same impression.

とうしゅう 踏襲 ━動 (…に従う) follow ⓗ; (…の足跡をたどる) follow in *a person's* footsteps. ¶新しい社長は前社長のやり方を*踏襲するだろう The new president will *follow in* the former president's *footsteps*. / (⇒ 前社長によって定められたコース[方針]を続けるだろう) The new president will *continue the*「*course* [*policy*] *set by* the former president.

どうしゅう 同舟 (同じ舟に乗っている人) people in the same boat 《☞ ごえつどうしゅう》. **同舟相救う** (災難は敵同士を団結させる) Woes unite foes. / (自分の利益になりそうなら人々は協力する) People who stand to benefit pull together.

とうしゅうさいしゃらく 東洲斎写楽 ━名 ⓖ Toshusai Sharaku, active 1794–95; (説明的には) obscure painter of kabuki actors' portraits for woodcut prints, whose impressionistic style has won him posthumous critical acclamation.

トウシューズ tóe shòes ★ 通例複数形で. 《☞ くつ》.

どうしゅうせい 道州制 *doshu* system Ⓒ; (説明的には) administrative system that is under the control of the local governments of seven or nine separate *doshu* (areas or prefectures) Ⓒ.

とうしゅく 投宿 ━動 stay (at …; in …) ⓐ 《☞ とまる[2]》.

どうしゅく 同宿 ━動 (同じ宿に泊まる) stay「at [in] the same「place [hotel; inn]; (同じ家に下宿する) put up「at [in] the same house. ¶私は彼と*同宿した I *stayed*「*at* [*in*] *the same*「*place* [*hotel*] *as* he did.

どうしゅつ 導出 ━動 (他のものから引き出す) derive ⓗ. ━名 derivation Ⓤ. ¶結論を*導出する *draw* a conclusion

とうしょ[1] 投書 ━名 letter Ⓒ; (編集者への手紙) letter to the editor Ⓒ 語法 前者は文脈からその手紙が投書であることが明らかである場合. ━動 (投書する) write (a letter) to the editor. ¶たくさんの*投書が読者から寄せられた We have received a lot of *letters* from our readers. // 彼はその新聞に*投書した He *wrote* (*a letter*) *to* (*the editor* of) the newspaper. // 匿名の*投書があった I [We] received an anonymous *letter*. **投書箱** suggestion box Ⓒ **投書欄** letters-to-the-editor column Ⓒ 参考 新聞・雑誌などの見出しとしてはよく 'Reader's Forum', 'To the Editor', 'Letters' などが用いられる.

とうしょ[2] 当初 ━名 (初め) beginning Ⓒ, start Ⓒ (↔ end). ━形 (もともとの) original Ⓐ; (初期の) initial Ⓐ. 《☞ はじめ; さいしょ[1]》. ¶その計画は*当初から失敗だった The plan was a failure right *from the*「*beginning* [*start*; *very first*]. // *当初の計画を遂行する carry out the *original* plan **当初予算** the「original [initial] budget.

とうしょ[3] 頭書 (章などの見出し) heading Ⓒ; (表題) title Ⓒ; (写真・新聞記事などの見出し) caption Ⓒ ★ 写真・挿絵の説明として上又は下に書かれたもの; (判決文の摘要) headnote Ⓒ. ¶*頭書の通り (⇒ 上に述べたとおり) as *mentioned above*

とうしょ[4] 島嶼 islands.

とうしょ[5] 当所 ━名 (この場所) this place ★ 文脈により place の代わりに city, office などの語が可能. ━副 here. ¶面接は*当所で行われる The interview will be held「*here* [*at this office*].

どうしょ[1] 同所 ━名 (同じ場所) the same place; (前に述べられた場所) the said place. ━副 (注釈の言葉で, 上記引用文中に) loc. cit. ★ ラテン語 loco citato の略; (前掲引用書中に) op. cit. ★ opere citato の略; (直前に触れた同じ箇所に) ibid. ★ ibidem の略.

どうしょ[2] 同書 ━名 (同じ本) the same book; (前に触れたその本) the [that] book (previously mentioned). ━副 (注釈で, 同書に) ibid. ★ ibidem の略.

どうじょ 童女 little girl Ⓒ.

とうしょう[1] 凍傷 ━名 frostbite Ⓤ. ━形 (凍傷にかかった) frostbitten. ¶その登山家の手は*凍傷にかかっていた The mountaineer's hands were *frostbitten*.

とうしょう[2] 東証 ☞ とうきょう (東京証券取引所) **東証株価指数** ☞ トピックス **東証平均株価** ☞ 見出し **東証マザーズ** TSE Mothers 《☞ マザーズ》.

とうしょう[3] 刀匠 swordsmith Ⓒ 《☞ かたな (刀かじ)》.

とうしょう[4] 闘将 (勇ましく戦う大将) brave [heroic] commander Ⓒ; (主義・主張のために戦う闘士) champion Ⓒ; (主戦力となって活躍する人) brave「leader [captain] Ⓒ.

とうじょう[1] 登場 ━動 (現れる) appear ⓐ, make an appearance; (芸能界などにデビューする) make *one's* debut /déɪbjuː/; (舞台に登場する) appear on the stage. ━名 appearance Ⓒ. 《☞ あらわれる》. ¶この劇の主人公は第 2 幕で*登場する The hero of this drama「*appears* [*makes his first appearance*] (*on stage*) in the second act. // 蒸気機関車は 19 世紀初頭に初めて*登場した Steam locomotives「*appeared* for the first time [*made their first appearance*] at the beginning of the 19th century. // ハムレット*登場 《芝居のト書きの文句》 *Enter* Hamlet. / Hamlet *enters*. // この事件には 3 名の高級官僚が*登場している (⇒ 巻き込まれている) Three high ranking government officials「*are involved* [*figure*] in this case. **登場人物** (劇・小説などの) character Ⓒ.

とうじょう[2] 搭乗 ━動 (飛行機・船に乗る) board ⓗ ⓐ, go on board (…), go [get] aboard (…); (乗り込む) get on (…) ★ 動作に主眼が置かれる口語的な言い方. ━名 boarding Ⓤ, embarkation Ⓤ ★ 後者のほうが格式ばった語. 《☞ のる[1] (類義語)》.
¶所持品検査 (⇒ 危険物検査) の後で飛行機に*搭乗した We「*boarded* [*went on board*; *went aboard*; *got aboard*; *got on*] the plane after the security「inspection [check]. // ご*搭乗のお客様は 5 番ゲートからご*搭乗下さい (⇒ 5 番ゲートを通って乗って下さい) All *passengers* will please *board* through gate No. 5. 《空港でのアナウンスの 1 例》

搭乗員 (乗組員) crew Ⓒ ★集合的に用いる; (個個の乗組員) crewmember Ⓒ, member of the crew Ⓒ　**搭乗券** boarding ⌈pass [card]⌉ Ⓒ　**搭乗者** (乗客) passenger Ⓒ　**搭乗者傷害保険** accident insurance for passengers Ⓤ　**搭乗者名簿** passenger [boarding] list Ⓒ　**搭乗手続き** boarding procedures ★複数形で. ¶*搭乗手続きをする go through *boarding procedures*

とうじょう³ 東上 ¶*東上する go up to Tokyo

とうじょう⁴ 頭状 ―形〘植〙(頭状の) capitate /kǽpətèɪt/. **頭状花序**〘植〙capitulum /kəpítʃuləm/ Ⓒ《複 capitula》.

どうしょう¹ 道床 〘鉄〙roadbed Ⓒ.

どうしょう² 銅賞 bronze prize Ⓒ.

どうじょう¹ 同情 ―名 sympathy Ⓤ; compassion Ⓤ; pity Ⓤ ★以上いずれも具体的な事実をいうときは Ⓒ. ―動 sympathize (with ...) ㊀; pity ㊉. ―形 (同情的な) sỳmpathétic.

【類義語】相手や他人の気持ち・苦しみ・悲しみなどを理解して, ともに苦しみ, 悲しむような感じでの同情は **sympathy**. 従って *sympathy* は日本語では「同情」のほかに,「同感」「共鳴」などに当たることもあることに注意. ((例) 私は彼の考えには*共鳴できない I am not in *sympathy* with his idea.). 強い同情を感じて, 積極的に助けてやろうというような気持ちが含まれる同情は **compassion**. また, 自分より弱い者・下の者に, 高い地位, 優越した立場から哀れみを持つ同情は *pity* という. 従って哀れな動物・子供・どうしようもない哀れな立場の人などに対する同情を表す. 《☞ おもいやり; あわれむ》 ¶私は貧しい人々に*同情する I feel ⌈*sympathy for* [*sympathetic to*] poor people. // 私たちは皆両親をなくしたその子に*同情した We all *sympathized with* the child who had lost his parents. / All of us felt *pity for* the child who had lost his parents. // 被災者に世間の*同情が集まった (⇒ 寄せられた) Public *sympathy* went to the victims. // 君に*同情するよ I feel for you. // あなたにご*同情申し上げます I *sympathize with* you. / (⇒ あなたは私の同情を受けている) You have my *sympathies*. 語法 このような場合には pity を用いてはならない. // *同情なんかして (⇒ 哀れんで) 欲しくない I don't want to *be pitied*. // その話は彼女に対する人々の*同情心をかき立てた The story aroused people's *sympathy* for her.

―コロケーション―
同情に値する command [deserve] *sympathy* / 同情を惜しまない lavish *sympathy* (on ...) / 同情を示す show [display] *sympathy* (for...) / 同情を寄せる extend *sympathy* (to ...) / 暖かい同情 warm *sympathy* / 恩着せがましい同情 condescending *sympathy* / 心からの同情 heartfelt [sincere] *sympathy* / 深い同情 deep [profound] *sympathy* / 優しい同情 genial *sympathy*

どうじょう² 同乗 ―動 (一緒に乗る) ride with ...; (車などに人を乗せてやる) give *a person* a ⌈lift [ride]⌉ 語法 lift を用いると, 歩いている人を拾って乗せてゆく意味が強くなる. 《☞ のる¹ (類義語); のせる¹ (類義語); あいのり》. ¶彼の車に*同乗させてもらった (⇒ 彼は私を乗せてくれた) He *gave me a* ⌈*lift* [*ride*]⌉ in his car. **同乗者** fellow passenger Ⓒ.

どうじょう³ 同上 ―代 (上と同じ) the same as (stated) above. ―名 (記号として) ditto Ⓒ《複 ~s; 略 do.》 参考 なお「同上」の記号としては (〃) も用いられ, これを ditto (mark) Ⓒ という. ―形 (同上の) above-mentioned Ⓐ.

どうじょう⁴ 道場 (柔道・空手などの) dojo Ⓒ; (練習場) practice hall Ⓒ; (学校) school Ⓒ; (体育館)《略式》gym Ⓒ, gymnasium /dʒɪmnéɪziəm/ Ⓒ《複 ~s, gymnasia /-ziə/》 参考 gym は gymnasium の略語. 日英比較 日本の武道などの修行に当たる考え方が英米にはないので, それを行う場所としての「道場」に対するぴたりとした訳語はない. ¶私は M *道場で柔道を学んだ I studied judo at M Judo School. **道場荒らし[破り]** ―動 make a challenge visit to a martial arts dojo and defeat all the members there.

どうしょういむ 同床異夢 ¶二人は何年間も*同床異夢の関係だった (⇒ 同じ行動をしたが違った考えだった) が, とうとうたもとを分かった They *behaved the same but thought differently* for many years, and finally they broke off relations.

とうしょうかぶかしすう 東証株価指数 ☞ トピックス

とうしょうぐう 東照宮 ―名 ⓖ Toshogu Shrine; (説明的には) a shrine dedicated to Tokugawa Ieyasu. There is a group of shrines with this name all over Japan, for example on Kunozan (Mt. Kuno) near Shizuoka City, but the most famous is that of Nikko 《☞ にっこう² (日光東照宮); とくがわいえやす》.

とうしょうだいじ 唐招提寺 ―名 ⓖ Toshodaiji Temple; (説明的には) Buddhist monastery of the Ritsu sect founded in 759 in Nara by the Chinese monk Jianzhen 《☞ がんじん》.

とうじょうひでき 東条英機 ―名 ⓖ Tojo Hideki, 1884–1948; (説明的には) army general and prime minister (1941–44), he was a primary figure in the development of Japan's military strategy during World War II.

とうしょうへい 鄧小平 ―名 ⓖ Deng Xiaoping /dʌ́ŋʃàupíŋ/, 1904–1998. ★中国の政治家.

とうしょうへいきんかぶか 東証平均株価 TSE stock price average Ⓒ ★TSE は *Tokyo Stock Exchange* の略.

どうしょく¹ 同色 the same color.

どうしょく² 銅色 ―名 copper color Ⓤ. ―形 copper-colored.

どうしょくぶつ 動植物 plants and animals ★複数形で. 日英比較 日本語と逆の語順が普通.

とうじる 投じる **1**《投げる・投げ込む》: (投げる) throw ㊉; (飛び込む) plunge (into ...) ㊀. 《☞ なげる (類義語)》. ¶彼は海中に身を*投じた He ⌈*threw* himself [*plunged*] *into* the ocean.
2《比喩的な意味で》: (票を投ずる) cast ㊉; (団体などに身を投じる・加わる) join ㊉. ¶彼は反逆者の群に身を*投じた (⇒ 加わった) He *joined* a group of rebels.
3《つぎ込む》: (使う・費す) spend ㊉; (支払う) pay ㊉. 《☞ つぎこむ》. ¶彼は大金を*投じてその土地を買った (⇒ 土地のために大金を支払った) He *paid* a great deal of money *for* the land. // 彼女は私財を*投じて (⇒ 自分の費用で) その町に図書館を作った She founded a library in the town at her own expense.

どうじる¹ 動じる ―動 (心を揺すぶられる) be shaken; (動転する) be upset; (心を乱される)《格式》be perturbed. ―形 (興奮しやすい) excitable. 《☞ どうよう³》. ¶彼は何事にも*動じない (⇒ いつも落ち着いて静かである) He is always *calm and quiet*. / (⇒ 何事にも心を乱されない) He *is* never ⌈*shaken* [*upset*; *perturbed*] by anything. // あの人は物事に*動じやすい人だ (⇒ すぐに興奮する人だ) He is a very *excitable* person.

どうじる² 同じる ¶私は全体の意見に*同じるつもりです I will *accept* the general opinion. 《☞ どう

い¹; さんせい¹》
とうしろう 藤四郎 ☞ しろうと
どうじろくおん 同時録音 synchronous /síŋkrənəs/ recórding Ⓤ.
とうじろん 統辞論 〘言〙 syntactics Ⓤ.
とうしん¹ 答申 ―图 (報告(書)) report Ⓒ. ―動 (報告する) report ⑩ ⓐ; (報告書を提出する) submit a report. ¶ 審議会はその問題について総理大臣に*答申した The council 「*reported* [*submitted a report*] on the issue to the Prime Minister. **答申案** draft of a report Ⓒ **答申書** report Ⓒ.
とうしん² 刀身 swórd /sɔ́əd/ blàde Ⓒ, the blade of a sword.
とうしん³ 灯心 wick Ⓒ.
とうしん⁴ 投信 ☞ とうし¹ (投資信託)
-とうしん¹ …等親 ¶ 1* 等親 (⇒ 1 親等の親族) a relative *in the* first *degree* / (⇒ 直接のつながりのある家族) immediate family ★ 複数扱い.
-とうしん² …頭身 ¶ 八*頭身 ☞ はっとうしん
とうじん¹ 党人 party member Ⓒ; (官僚出身でない生え抜きの党人) dyed-in-the-wool party member Ⓒ ★ しばしば軽蔑的に使う. 《☞ とう³》.
とうじん² 唐人 (中国人) Chinese Ⓒ; (外国人) foreigner Ⓒ. **唐人町** Chinatown (in the Edo period) Ⓒ **唐人屋敷** the Chinese settlement (in Nagasaki in the Edo period).
とうじん³ 蕩尽 ―動 (むだづかいする) squander ⑩; (散財する) dissipate ⑩. ―图 dissipation Ⓤ. ¶ 賭け事に金を*蕩尽する *squander* [*dissipate*] money in gambling
どうしん¹ 童心 (子供の無邪気さ) the innocence of a child; (子供時代の無邪気さ) the innocence of *one's* childhood. 《☞ てんしんらんまん》. ¶ *童心に帰ることができればよいのだが I wish I could regain *the innocence of my childhood.* // *童心を傷つける disillusion a *child*
どうしん² 同心 (江戸時代の町奉行所の) *doshin* Ⓒ; (説明的には) policeman of a city police force in the Edo period Ⓒ.
どうじん 同人 (文芸などの) (literary) coterie /kóʊtərìː/ Ⓒ ★ 格式ばった語. 排他的な意味があり, しばしば軽蔑的に用いられる; (グループ) group Ⓒ ★ 意味の広い一般的な語; (同人の 1 人) member of a 「(literary) coterie [group] Ⓒ.
¶ 文学*同人を結成する form a *literary* 「*group* [*coterie*] // 私は雑誌『ポエトリー』の*同人です (⇒ 雑誌『ポエトリー』を出版する同人の 1 人だ) I am a *member of a literary group* which publishes a magazine, *Poetry*.
同人雑誌 literary coterie magazine Ⓒ.
どうしんえん 同心円 concentric circle Ⓒ.
とうしんぐさ 灯心草 ☞ いぐさ
とうしんじさつ 投身自殺 ―動 (身投げする・入水(じゅすい)自殺する) drown *oneself*; (鉄道自殺する) throw *oneself* on the tracks.
とうしんせん 等深線 isobath /áɪsəbæθ/ Ⓒ.
とうしんだい 等身大 ―形 life-size(d). ¶ 王の*等身大の絵 a *life-size* picture of the king
とうすい¹ 陶酔 ―動 (…に心を奪われる) be fascinated (with [by] …); (酔ったように夢中になる) be intoxicated (with …); (…に魅了されている) be charmed (by …). 《☞ うっとり》. ¶ 私は景色の美しさに*陶酔した I *was fascinated* 「*with* [*by*] the beauty of the scenery. // 自己*陶酔 narcissism **陶酔境** ¶ *陶酔境に入る go into 「*ecstasies* [《英》 *raptures*]
とうすい² 統帥 ☞ とうそつ; ひきいる
統帥権 (the) supreme command Ⓤ **統帥権干犯問題** the dispute in 1930 between civil and military authorities over interpretation of Article 11 of the 1889 Constitution of Japan guaranteeing the right of the emperor to command the armed forces.
とうすい³ 透水 permeation Ⓤ. **透水性舗装** porous [water permeable] pavement Ⓤ **透水層** permeable layer Ⓒ.
どうすい 導水 water conveyance Ⓤ. **導水管[渠]** aqueduct /ǽkwədÀkt/ Ⓒ.
とうすう 頭数 head Ⓒ ★ 動物を数えるときの単位で単複同形; (数) the number of … 《☞ あたま; -とう²; 数の数え方 (囲み)》. ¶ 乳牛の*頭数を数えた We counted how many *head* of dairy cows we had. / We counted our cows.
どうすう 同数 the same number 《☞ おなじ》. ¶ A 組と B 組は生徒数が*同数だ (⇒ 同じ数の生徒がいる) There are *the same number* of students in classes A and B.
とうずる 投ずる ☞ とうじる
どうずる¹ 動ずる ☞ どうじる¹
どうずる² 同ずる ☞ どうじる²
とうぜ 党是 (党の政治綱領) party platform Ⓒ.
どうせ 日英比較 この日本語に当たる 1 語での適当な訳語はないことが多く, 普通は種々の構文によるニュアンスで表す. 《☞ けっきょく》.
¶ *どうせ行くなら (⇒ もし行きたいのなら) 早いほうがいいよ Start early *if* you want to go. // *どうせ受からないなら (⇒ もしも試験に合格する望みがないなら) 受験したくない I don't want to take the exam *if* there's no hope of passing (it). // 彼は*どうせ来ない (⇒ 結局は現れない) に決まっているさ I'm sure he won't show up *after all.* // 「君はずいぶんばかだな (⇒ 君は何てばかなんだ)」「*どうせ僕はばかだよ (⇒ 自分がばかなことを知っているよ)」 "What a fool you are!" "*I know* I'm a fool." / "How stupid you are!" "(⇒ 君が僕をばかだと思っても僕は気にしないよ) I'm not bothered *if* you think I'm stupid."
とうせい¹ 統制 ―图 (権力などを用いて抑制すること) control Ⓤ; (ある規制・基準を当てはめて取り締まること) regulation Ⓤ ★ 以上いずれも具体的なことを表す場合は Ⓒ. ―動 control ⑩; (統制を行う) exercise [impose; institute] control(s) (over …); regulate ⑩. 《☞ コントロール》.
¶ 政府の厳重な物価*統制が必要だ (⇒ 政府は厳重な物価の統制を行わなくてはならない) The government must *impose* strict price *controls.* // 戦時中は物価が厳しく*統制されていた Prices *were* strictly *regulated* during the war. // もう*統制を解除してもよい時期だ It's time to 「remove [ease; lift] the *controls.* // 戦争中は検閲によって思想の*統制が行われた Thought *control* was exercised during the war through censorship.
統制経済 controlled economy Ⓤ.
とうせい² 当世 ―形 (現在の・いまの) present Ⓐ; (今日の) today's, present-day Ⓐ; (近代の・現代の・現代的な) modern; (最新の・最近の) latest. 《☞ こんにち》. **当世風** current practice Ⓤ, contemporary style Ⓤ. ¶ それが*当世風なんですよ (⇒ いまのあり方だ) That's *the way it is.* / (⇒ 最近の風潮だ) That's the *latest fashion.* **当世向き[向け]** ¶ その会社は 30 代をターゲットにした*当世向け女性誌を発行している The company publishes a *trendy* women's magazine targeted at those in their thirties.
とうせい³ 党勢 ¶ *党勢を拡大する expand *the* 「*power* [*influence*] *of a party*
とうせい⁴ 陶製 ―形 ceramic. ¶ 夏の昼寝に*陶製の枕を使っています I use a *ceramic* pillow for a nap in summer.

と

とうせい[5] **東征** ¶ 彼は畿内地方への*東征を行った He made *an eastern expedition* into the Kinai region. **東征軍** the expeditionary force sent to the east.

-とうせい …**等星** 〔天〕star with a magnitude of … Ⓒ. ¶ シリウスは −1.5 *等星である Sirius /síriəs/ *has a magnitude of* −1.5. / Sirius is *a star with a magnitude of* −1.5. ★ −1.5 は minus one point five と読む.

どうせい[1] **動静** (情勢) situation Ⓒ; (物事の現状) the present state of things; (どのように物事が運んでいるか) how things are going (on); (動き) movement Ⓒ; (活動) activity Ⓒ. (☞ じょうせい[1]; うごき; どうこう[1]). ¶ その国の*動静 (⇒ 政治情勢) はわからない We have no information on the *political situation* in that country. // 革命家たちのその後の*動静 (⇒ どうなったか) は知られていない It is not known *what has become of* the revolutionaries. // 警察はその暴力団の*動静を監視し続けている The police are watching the *movements* of that group of gangsters.

どうせい[2] **同棲** ── 图 (未婚の男女の) cohabitation Ⓤ ★ 格式ばった語; (一般的に一緒に住むこと) living together Ⓤ. ── 動 cohabit (with …) ⓐ; live together ⓐ; 《米俗》 shack up with … ★ 前のものほど格式ばった語. (☞ すむ[1]). ¶ 若い男女の*同棲 *cohabitation* of young men and women // 彼は彼女と半年間*同棲した He ⌈*cohabited with* [*lived together with*; *shacked up with*] her for half a year. **同棲者** cohabitant Ⓒ.

どうせい[3] **同姓** (同じ姓) the same family name Ⓒ, the same surname Ⓒ. ¶ この学校には*同姓の人が多い There are a number of people who have *the same family names* in this school.
同姓同名 ¶ 彼女は私と*同姓同名なんです (⇒ 彼女は私のと同じ家族名と名前を持っている) She has *the same family name and the same given name* as mine.

どうせい[4] **同性** ── 形 (同性の) of the same sex. ¶ 女性は*同性に厳しいことがある Women are sometimes hard on other members *of their own sex*. **同性愛** ☞ 見出し

どうせい[5] **銅製** ☞ どう[3]

どうせいあい **同性愛** hómosèxual lóve Ⓤ, hòmosèxuálity Ⓤ 〔語法〕 男女両性に用いる; (女性の) lesbian /lézbiən/ lóve Ⓤ, lésbianism Ⓤ. ¶ *同性愛の人 a ⌈*homosexual* [*lesbian*] / (特に男性の) a gay

どうせいがっしょう **同声合唱** chorus of equal voices Ⓒ, unison /júːnəs(ə)n/ chórus Ⓒ.

とうせき[1] **投石** ── 動 throw a stone (at …).

とうせき[2] **透析** 〔医〕dialysis /daɪǽləsɪs/ Ⓤ ★ 個々の透析は Ⓒ 《複 dialyses /-sìːz/》. ¶ 人工*透析 artificial *dialysis* // 彼女は一日おきに*透析を受けなければならない She has to receive *dialysis* every other day. **透析療法** dialysis Ⓤ, dialytic /dáɪəlìtɪk/ tréatment Ⓤ.

とうせき[3] **党籍** party register Ⓒ. ¶ 彼は*党籍を離脱した (⇒ 離党した) He left his *party*. // 彼らは*党籍を剝奪された (⇒ 党を除名された) They were expelled from the *party*.

とうせき[4] *悼惜* ☞ *あいせき*[2]

どうせき **同席** ── 動 (…にいる・出席する) be (present) (at …); (…と一緒に会に出席する) attend a meeting with …; (…と一緒に座る) sit with …; (…の隣りに座る) sit next to … ── 图 (同席の人々) those present; (一緒にいること) company Ⓤ. (☞ あいせき[1]).
¶ 私も*同席しました (⇒ 私もそこにいました) I *was there, too*. // *同席の人の中には有名な学者もいました Among *those present* were some famous scholars. // 「あなたと*同席できてとても楽しかったです (⇒ 私はあなたと一緒にいるのをたいへん楽しみました)」「私もですよ」 "I enjoyed *your company* very much." "I enjoyed yours, too." 〔語法〕 同席して談笑した相手と別れるときによく使う言葉.

とうせつ **当節** ☞ このごろ; ちかごろ; さいきん[1]

とうせっこう **透石膏** selenite /sélənàɪt/ Ⓤ.

とうせん[1] **当選** **1** 《選挙で選ばれる》 ── 動 be elected; (選挙に勝つ) win an election (↔ lose an election); (国会議員に選ばれる) be returned (to the Diet). (☞ せんきょ[1]).
¶ 市長選挙で田中氏が*当選した (⇒ 市長に選ばれた) Mr. Tanaka *was elected* mayor. // 今度の総選挙では民主党の立候補者が*当選するだろう The democrat candidate will ⌈*be returned to the Diet* in [*win*] the coming general election. // 彼は*当選の見込みはない He has no chance of ⌈*being elected* [*winning the election*].
2 《懸賞に当たる》 ── 動 win a prize (☞ とうせん[2]; にゅうせん[1]). ¶ 彼女の作文が 1 等に*当選した Her essay *won* (the) first *prize*. // 彼はスピーチコンテストで 1 等に*当選した He ⌈*won* [*took*; *got*] (the) first *prize* in the speech contest.
当選確実 ¶ 彼は*当選確実だ (⇒ 見込みが高い) He has *a* ⌈*fair* [*good*] *chance of winning the election*. **当選圏** ¶ 彼女は*当選圏にある She is within *range of being elected*. / (⇒ 彼女が選挙に勝つ強い可能性がある) There is *a strong possibility of* her *winning the election*. **当選者** (選挙での) successful candidate Ⓒ; (選ばれた人) person who was elected Ⓒ; (懸賞の) prize winner Ⓒ **当選商法** prize scam Ⓒ.

とうせん[2] **当籤** ── 動 win a prize (☞ あたる; くじ). ¶ 彼は宝くじで 1 等に*当せんした He *won* (the) first *prize* in the public lottery. **当せん券** lucky [winning] ticket Ⓒ **当せん番号** ¶ 当せん番号は次のとおりです The ⌈*lucky* [*winning*] *numbers* are as follows.

とうせん[3] **投銭** ☞ なげせん

とうせん[4] **盗泉** **渇すれども盗泉の水を飲まず** ☞ かっする

とうせん[5] **灯船** ☞ とうだい[1] (灯台船).

とうぜん[1] **当然** ── 形 (当たり前の) natural; (理にかなった) reasonable; (予期していた) expected; (予測された) predicted. ── 副 (もちろん) of course; naturally; reasonably. (☞ あたりまえ; もちろん 〔語法〕). ¶ 彼があなたに腹を立てるのは*当然だ It's (*only*) *natural* for him to get angry with you. // 彼がそれを要求するのは*当然だ (⇒ 理にかなっている) It's *reasonable* ⌈that he (should) [for him to] demand it. / He's *reasonable in* his demand. // それは*当然の (⇒ 予期されたとおりの) 結果だ It's an *expected* result. // 「私は行かなくてはなりませんか」「*当然です」 "Do I have to go?" "Yes, *of course*, you do." // *当然彼はその金を払わなくてはならない *Of course* [*Naturally*] he must pay the money. // 現在では言論の自由は*当然のことと受け取られている Nowadays freedom of speech is taken as *a matter of course*. 〔語法〕 (1) a matter of course で「当然のこと」という意味. やや格式ばった表現. // 我々はその事実は*当然のことと思った We *took* the fact *for granted*. 〔語法〕 (2) take … for granted で「…を当然のことと思う」という慣用表現. // あなたにはその支払いを要求する*当然の権利がある (⇒ 十分な権利を持っている) You have the *full* right to demand the payment. // あいつは刑務所へ入れられて*当然だ (⇒ ふさわしい) He *de-*

serves to be sent to prison.
当然増経費〘財〙naturally increasing expenses.

とうぜん[2] **陶然** ¶私は一杯の酒で*陶然とした (⇒気持ちが安らかになった) I *felt relaxed over* a cup of sake. / (⇒少し酔った) I *got tipsy* on a cup of sake.

とうぜん[3] **蕩然** ¶*蕩然とした (⇒広大な) 砂漠 a *vast* expanse of desert

どうせん[1] **同船** ━ 動 board [get on; take] the same ship.

どうせん[2] **銅銭** ☞ どう[3]

どうせん[3] **導線** conductor Ⓒ 《☞ でんせん[1]》.

どうせん[4] **動線** (人や車の移動の軌跡) line of traffic Ⓒ.

どうぜん[1] **同然** ¶彼はこじき*同然だ He is *no better than* a beggar. // 彼の政治力は終わったも*同然だ His political power ┌*practically* [*virtually*] ended. // 彼は自分の誤りを認めたも*同然だ (⇒事実上認めた) He *practically* admitted his error. // 我々はもうその仕事を完成したも*同然だ (⇒ほとんど完成した) We have *almost* completed the work. // それはただ*同然だ (⇒ほとんどただである) It's *almost* for nothing. // この車は新品*同然だ (⇒新品と同じぐらいよい) This car is *as good as* a brand-new one. // その金を彼にやるのは捨てるのも*同然だ (⇒捨てたほうがましだ) You *might as well* throw away the money *as* give it to him. 《☞ どうよう[1]; おなじ》.

【参考語】(…と同様である・変わらない) no better than …; (ほとんど…) almost; ((ちょうど)…のように見える) look (just) like …; (あたかも…のようだ) look as ┌if [though] … 〔語法〕普通は as ┌if [though] 以下には仮定法動詞が用いられる; (…と同じぐらいよい) as good as …; (実質的に・事実上) practically, virtually, actually, in reality; (…と同じ) the same as …

どうぜん[2] **同前** ━ 代 (前と同じ) the same as (stated) before. ━ 名 ditto Ⓒ 《複 ～s, 略 do.》 〔参考〕記号は (〃) で, ditto (mark) Ⓒ という. ━ 形 (前述の) above, above-mentioned Ⓐ ★ 後者のほうがより格式ばった表現. 《☞ どうじょう[3]》.
¶*同前の理由により for the reason *given above*

とうせんかろ **冬扇夏炉** ☞ かろとうせん

どうぞ please 〔語法〕(1) 日本語の「どうぞ」が英語で please と訳せる場合が多いのは確かだが,「どうぞ…して下さい」という丁寧な表現は, please 以外の方法で表現するほうがよい場合がある (この後の 〔日英比較〕参照); (相手に対する返事として 「どうぞ」) Certainly.; Of course.; Sure. 〔語法〕(2) May I …? などによる許可を求める問いに対して用いる. 初めの 2 つは丁寧な答え方で, ほぼ同意. 3 番目は少しくだけた言い方; (相手にものを渡す時) Here you are.; 〘通〙 Over. 〔語法〕(3) 自分の伝言が一区切り終わったところで, 相手に発信の順番をゆずる信号として言う. 《☞ 丁寧な表現 (巻末); ぜひ[1]》.
¶*どうぞお入り下さい *Please* come in. / Come in, *please*. 〔語法〕(4) please は文尾に付けたときは上がり調子で言われるのが普通. 書く場合には please の前にコンマを付ける. // *どうぞおかけ下さい *Please* ┌sit down [take a seat]. 〔日英比較〕(1) 日本語の「どうぞ」は英語の please で表せることが多いが, 日本語の「どうぞ」と違って, 英語では please を付けたからと言って必ずしも丁寧になるとは限らない. 上の *Please* come in. / *Please* sit down. はそのよい例である. Come in. / Sit down. のような直接的な命令の口調は please によって和らげられてはいるが, 命令的であるのは変わらない. 従って日本語の「どうぞお入り下さい」「どうぞおかけ下さい」とはニュアンスが異なる. これらをもっと丁寧にするには間接的な表現, 例えば Would you mind coming in? などにするのがよい. 《☞ 丁寧な表現 (巻末)》 (2) 日本語では相手を勧誘したり, 何かを勧めたりするときにも「どうぞ」と言う. 例えば「サンドイッチをもう一つどうぞ」とか老人に席を譲って「どうぞおかけ下さい」と言う. 英語では, 状況にもよるが, こういう場合は please を使わないほうがよい. 単に " Have another sandwich. " とか " Sit down. " または " Won't you sit down? " のように言う. つまり相手の利益になることを勧めるには直接的な命令形でも少しも失礼にはならないのである. Please を使うとかえって命令調に聞こえることがある. さらに, Have a nice trip. / Enjoy your holiday. などの別れの挨拶にも日本人はよく「どうか」の意で please を付けるが, 英語ではそのようなことはしない. // 「*どうぞお茶を召し上がって下さい」「いただきます」" *Please* have a cup of tea. / *How about* having a cup of tea? " " Thank you. " ★ How about … のほうが間接的な表現. // *どうぞおかまいなく *Please* don't bother. // 「ラジオをかけましょうか」「*どうぞお願いします」" Shall I turn on the radio? " " Yes, *please* do. " ★ yes, please は相手の勧誘を受け入れ感謝する意の決まり文句. // *どうぞお先に *Please* go ahead. / (⇒あなたの後から行きます) After you. // 「これをちょっと見せていただけませんか」「ええ, *どうぞ」" May I have a look at this? " " *Certainly.* / *Of course.* / *Sure.* " // 「ちょっと失礼します」「*どうぞ」" Excuse me. " " *Certainly.* / *Of course.* / *Sure.* " 〔語法〕(5) 席をはずしたり, 会話を中断したりいろいろの場合の " Excuse me. " に答える場合に用いる. // 「ペンをお持ちですか」「ええ, *どうぞ」" Do you have a pen? " " Sure. *Here you are.* " // 今度の土曜日の晩のパーティーに*どうぞおいで下さい *Please* come to our party this Saturday evening. / *Will you* come to our party this Saturday evening? / *You are cordially invited* to our party this Saturday evening. 〔語法〕(6) Will you …? はここでは please とほぼ同じ. You are cordially invited … は印刷された招待状などの文句.

とうそう[1] **逃走** ━ 動 (逃げ去る) rùn awáy ⓐ; (攻撃や危険を避けて逃げる) take (to) flight, 《格式》 flee ⓐ 《過去・過分 fled》 〔語法〕(1) flee は現在形はあまり用いられず, 過去形・過去分詞形として用いられるのが普通. また現在形には代わりに fly ⓐ が用いられることがある; (…から逃れる・脱する) escape (from …) ⓐ. ━ 名 flight Ⓤ, escape Ⓒ ★ 前者のほうが格式ばった語; 《略式》 gétawày Ⓒ. 《☞ とうぼう; にげる》.
¶敵は*逃走した The enemy *ran away*. / The enemy *took* (*to*) *flight*. ★ 第 1 文のほうが口語的. // 囚人が*逃走を企てた The prisoners attempted to *escape* (*from* the prison). // *逃走用の車 a *getaway* car // 容疑者はまだ*逃走中である The suspect *is* still *at large*. 〔語法〕(2) be at large で「逃走中・まだ逮捕されていない」という意味.
逃走経路 escape route Ⓒ **逃走罪**〘法〙(脱獄) (crime of) jail breaking Ⓤ; (保釈中の逃亡) (crime of) jumping bail Ⓤ **逃走者** runaway Ⓒ, fugitive /fjúːʤətɪv/ Ⓒ ★ 後者は格式ばった語.

とうそう[2] **闘争** ━ 名 (戦い・争い) fight Ⓒ; (困難で激しい) struggle Ⓒ; (利害対立・不和などによる) strife Ⓤ; (労働者のストライキ) strike Ⓒ. ━ 動 fight ⓐ; struggle ⓐ. 《☞ たたかい》.
¶賃上げ*闘争 a *fight for* higher wages // 階級*闘争 the class *struggle* // 権力*闘争 a power *struggle* / a *struggle over* power // その騒ぎは武力*闘争に発展した The disturbance escalated into an armed *struggle*.
闘争委員会 strike committee Ⓒ **闘争資金** strike funds ★ 複数形で. **闘争心** combative spirit Ⓤ **闘争方針** strike policy Ⓒ **闘争本能**

fighting [combative] instinct Ⓒ. ¶ *闘争本能をかき立てる arouse ˹*fighting* [*combative*] *instincts*

コロケーション

イデオロギー闘争 an ideological *struggle* / 政治闘争 a political *struggle* / 生死を賭けた闘争 a life-and-death *struggle* / 絶え間のない闘争 a ceaseless [a relentless; an unrelenting] *struggle* / 激しい闘争 a bitter *struggle* / 果てしない闘争 an unending *struggle* / 必死の闘争 a desperate *struggle* / 無意味な闘争 a ˹futile [pointless] *struggle* / 容赦のない闘争 a ˹merciless [cruel] *struggle*

とうそう[3] 凍瘡 ☞ しもやけ; とうしょう[1]

とうそう[4] 唐僧 (中国の僧) Chinese priest Ⓒ; (唐代の僧) priest of the Tang dynasty Ⓒ.

とうそう[5] 痘瘡 ☞ てんねんとう

どうそう 同窓 ¶ 私と彼は*同窓です (⇒ 彼と私は同じ学校に通いました) He and I *went to the same school.* / (⇒ 同じ学校を卒業した) He and I *graduated from the same school.* (☞ どうきゅう)

同窓会 (組織) alumni /əlʌ́mnaɪ/ association Ⓒ; (会合) reunion /rìːjúːnjən/ Ⓒ ★ class, college, alumni などの語を付けて a class reunion のように, その内容を明示する. **同窓会館** alumni hall Ⓒ **同窓会費** alumni fee Ⓒ **同窓生** (男)《米》alumnus /əlʌ́mnəs/ Ⓒ《複 alumni》★ 複数形は男女両方を指すことが可能; (女)《米》alumna /-nə/ Ⓒ《複 alumnae /-niː/》; (学校友達) schoolmate Ⓒ ★ この語はあまり一般的ではない.

どうぞう 銅像 bronze statue Ⓒ. ¶ その将軍の*銅像が立てられた A *bronze statue* of the general was ˹erected [built].

とうそうがい 凍霜害 〘農〙 frost damage Ⓤ; damage caused by a frost Ⓤ.

とうそうはっか 唐宋八家 the eight great writers of the ˹Tang and Song [T'ang and Sung] dynasties.

とうそく[1] 党則 party ˹rules [regulations] ★ [ ] 内のほうが拘束力が強い. (☞ とう[3])

とうそく[2] 等速 〘物理〙 uniform velocity Ⓤ.

とうぞく 盗賊 (こっそり盗む人・泥棒) thief Ⓒ《複 thieves》; (暴力を用いて奪う人) robber Ⓒ; (夜盗) burglar Ⓒ. (☞ どろぼう)

どうぞく[1] 同族 ― [形] (同じ一族の) of the same family; (同系の・同一起源の) cognate. (☞ どうけい[1]) ¶ 彼らはもとは*同族だ They were originally *of the same family*. **同族会社** family corporation Ⓒ **同族元素** 〘化〙 homólogous element Ⓒ **同族体** 〘化〙 (炭素数の異なる) hómològ(ue) Ⓒ; (化学式の同じ) congener /kάndʒənə/ Ⓒ **同族目的語** 〘文法〙 cognate object Ⓒ.

どうぞく[2] 同属 ― [名] the same ˹kind [sort]. ― [形] 〘生〙 of the same genus.

とうぞくかもめ 盗賊鷗 〘鳥〙 jaeger /jéɪgə/ Ⓒ.

とうそくず 等測図 ísomètric dráwing Ⓒ.

とうそくどうんどう 等速度運動 〘物理〙 uniform motion Ⓤ.

とうそくるい 頭足類 〘動〙 the cephalopods /séfələpὰdz/ ★ 総称的.

どうそじん 道祖神 guardian of roads and village boundaries Ⓒ.

どうそたい 同素体 〘化〙 allotrope /ǽlətròup/ Ⓒ.

とうそつ 統率 ― [動] (権限をもって命令・指揮する) command (他), have command ˹of [over] ...; (指導的な立場で率いる) lead (他), have the leadership of ... ― [名] (指導力) leadership Ⓤ; (部下などの把握) grip Ⓤ. (☞ ひきいる)

統率力 leadership Ⓤ. ¶ 彼はなかなか*統率力がある He has shown strong *leadership.* / (⇒ とてもよいリーダーだ) He is a very good *leader.*

とうた 淘汰 ― [動] (選び出す) select (他); (引き抜く) weed out (他); (排除する) elíminàte (他). ― [名] selection Ⓤ; elimination Ⓤ. ¶ 弱者は自然に*淘汰される (⇒ 自然淘汰によって引き抜かれる [排除される]) The weak(er) *are* ˹*weeded out* [*eliminated*] by natural selection.

とうだ 投打 pitching and batting. ¶ *投打そろったチーム a team good at both *pitching and batting*

とうだい[1] 灯台 lighthouse Ⓒ. ¶ *灯台の無人化 making a *lighthouse* mechanically operated / automating a *lighthouse*

灯台下(もと)暗し The darkest place is under the candlestick. **灯台員** lighthouse keeper Ⓒ **灯台船** lightship Ⓒ **灯台守** lighthouse keeper Ⓒ.

とうだい[2] 当代 ☞ とうせい[2]; とうじ[1]

どうたい[1] 胴体 (体) body Ⓒ; (人間の胴の部分) trunk Ⓒ; (頭・手・足などが欠けている胴体) torso Ⓒ [語法] 石膏像などや, あるいは解剖などで手足・首のないものにのみ言う; (飛行機の) fuselage /fjúːsəlὰːʒ/ Ⓒ (☞ ひこうき (挿絵)). **胴体着陸** ― [名] (飛行機の) crash landing Ⓤ, 《略式》 belly landing Ⓤ. ― [動] crash-land (自)(他), 《略式》 belly-land (自)(他).

どうたい[2] 導体 (電気・熱などの) conductor Ⓒ.

どうたい[3] 動態 (動いている状態) movement Ⓤ; (動きや変化のありさま) dynamic state Ⓤ. **動態統計** dynamic statistics ★ 複数扱い (↔ static statistics).

どうたい[4] 同体 ― [名] 〘レス〙 (同時フォール) dog fall Ⓒ. ― [動] (相撲などで同時に倒れる) strike the ground at the same time. ¶ 一心*同体 ☞ いっしん[1] (一心同体)

どうたい[5] 動体 body in motion Ⓒ, moving body Ⓒ; (気体と液体の総称) fluid Ⓒ. **動体視力** kinetic vision Ⓤ.

とうだいぐさ 灯台草 〘植〙 sun spurge Ⓒ, wartweed Ⓒ.

とうだいじ 東大寺 ― [名] (固) Todaiji; (説明的には) the main temple of the *Kegon* sect of Buddhism; built in the eighth century in Nara, it is famous for its gigantic image of the Buddha.

どうたく 銅鐸 *dotaku* Ⓒ; (説明的には) bronze bell of the *Yayoi* period Ⓒ.

とうたつ 到達 ― [動] (ある点まで来る) come to ...; (ある点まで達する) reach (他), arrive at ... [語法] (1) reach のほうが積極的に到達するニュアンスがある; (努力して目的を達成する) attain (他), achieve (他) [語法] (2) 後者のほうが困難を乗り越えて到達する意味が強い. また, attain は (自) としても用いられる. ((例) 彼の絵は完成の域に*到達した His painting *attained* (*to*) perfection.) (☞ たっする; たっせい) ¶ 我々は同じ結論に*到達した We ˹*came to* [*reached*; *arrived at*] the same conclusion. // 両国は合意に*到達した The two countries *reached* (an) agreement. / (An) agreement *was reached* between the two countries.

到達度評価 (絶対評価) ☞ ぜったい (絶対評価) **到達人数** 〘広告〙 reach Ⓤ ★ 延べ到達人数を gross reach, 純到達人数を net reach とよぶ. **到達範囲** 〘広告〙 range of access Ⓒ **到達頻度** 〘広告〙 frequency Ⓤ **到達率** 〘広告〙 reach Ⓤ.

とうたん 東端 the eastern ˹end [extremity].

とうだん 登壇 ― [動] mount the ˹platform [rostrum] ★ [ ] 内は演説のためであることを強調. (☞ だん[4])

どうだん[1] **同断** ☞ どうぜん[1]; どうよう[1]
どうだん[2] **道断** ☞ ごんごどうだん
どうだんつつじ 灯台つつじ, 満天星 〘植〙 *dodan* azalea Ⓒ.
とうたんぱくしつ 糖蛋白質 〘生化〙 glycoprotein /glàɪkoupróuti:n/ Ⓤ.
とうち[1] **当地** （この場所）here;（この町[市, 国]）the ˹town [city; country], this ˹town [city; country] 日英比較 日本語では土地の名前を何度でも繰り返して差しつかえないが, 英語ではしばしば 2 度目からは代名詞, here, there などの副詞, あるいは定冠詞を伴う表現に置き換えられる. 特に「この…」ということを強調する必要のある場合を除き, this ではなく定冠詞を付けるほうが普通.《☞ 代名詞（巻末）; 省略（巻末）》. ¶「*当地にはいつらっしゃいましたか」「先週末です」"When did you come *here*?" "Last weekend." // 私は*当地には 10 年住んでいます I have lived ˹*here* [(⇒ この国には) *in this country*] for the past ten years.
とうち[2] **統治** ―名（支配）rule Ⓤ;（政治的な統治）government Ⓤ. ―動（支配する）rule ⑯ ⓐ;（治める）govern ⑯ ⓐ.《☞ しはい[1]（類義語）; おさめる[2]（類義語）; くんりん》. ¶ …の*統治下にある be under the *rule* of … **統治機関** government organ Ⓒ, organ of government Ⓒ **統治権**《格式》sovereignty /sɑ́v(ə)rənti/ Ⓤ **統治行為** act of state Ⓒ **統治者**（支配者）ruler Ⓒ;（主権者・君主）sovereign /sɑ́v(ə)rən/ Ⓒ ★ 後者のほうが格式ばった語.
とうち[3] **倒置** 〘文法〙 inversion Ⓤ. **倒置法** inversion Ⓤ ★ anástrophe ともいう.
とうち[4] **等値** ☞ どうち[2]
どうち[1] **同地** （同じ土地）the same land;（前に述べたその土地）the land mentioned earlier.
どうち[2] **同値** ―名〘論〙 equivalence Ⓤ. ―形 equivalent.
¶ p と q は*同値である P is *equivalent* to q.
とうちゃく 到着 ―動 arrive (at …; in …; on …) ⓐ 語法 (1) 駅や空港など, あまり広がりを感じない地点に到着するとき, あるいは都市や地域でも地図上の 1 点と主観的に感じられるときには at を用いるが, その場所に滞在する予定があるなど, 話者がある程度の広がりを感じる場所に到着するときには in を用いる. 大陸・島・岸・現場などに到着するときは on を用いる;（到達する・行きつく）get to …, reach ⑯ ★ 前者のほうがより口語的. ―名 arrival Ⓤ (↔ departure).《☞ つく[2]》.
¶ この列車は午前 10 時に大阪に*到着します This train [We] will *arrive* ˹*at* [*in*] Osaka at 10:00 A.M. 語法 (2) 列車の車掌や乗客などが話すときには we を用いることが多い. // 警官が現場に*到着したときは強盗はすでに逃げてしまっていた When the policemen *arrived on* the scene, the robbers had already escaped. // 私たちがホテルに*到着したのはもう暗くなってからでした It was some time after dark that we ˹*got to* [*reached*] the hotel. // *到着しだい as soon as *one arrives* / on *arrival*
到着時刻 arrival time Ⓤ (↔ departure time). ¶ もう*到着時刻を過ぎているのにまだ列車が来ない It's already well past the scheduled *arrival time*, but the train hasn't ˹come [pulled in] yet. **到着順** ¶ *到着順に in order of *arrival* **到着便** arrival Ⓒ (↔ departure). ¶ ニューヨークからの*到着便が 5 本あります There are five *arrivals* from New York. **到着ホーム** arrival platform Ⓒ (↔ departure platform) **到着ロビー**（空港などの）arrival lounge Ⓒ.
どうちゃく[1] **同着** ¶ レースは*同着だった The race [It] was a *dead heat*. // ゴールに*同着する reach [hit] the finish line *at the same instant*《☞ つく[2]; どうじ[1]》
どうちゃく[2] **撞着** ¶ 自己[自家]*撞着 self-*contradiction*《☞ むじゅん》
とうちゅう 頭注 headnote Ⓒ《☞ ちゅう[1]》.
どうちゅう 道中 （旅行）trip Ⓒ;（主に陸路の長距離の）journey Ⓒ;（巡回視察・周遊観光の旅行）tour Ⓒ.《☞ りょこう（類義語）》.
¶ *道中ご無事で Have a nice *trip*! ★ 旅に出る人に気軽に言う最も一般的な表現. / I wish you a pleasant *journey*. ★ 第 1 文より少し格式ばった調子. / Bon *voyage* /bɔ̀:nvwaɪɑ́:ʒ/! 参考 フランス語由来で, 元来は船旅に出る人に使ったものだが, 現在はどの旅行についても使う. // *道中が長いので退屈でした I was tired of the long *journey*.
道中駕籠 sedan (chair) Ⓒ **道中記** traveler's journal Ⓒ **道中双六** travel *sugoroku* Ⓤ;（説明的には）Japanese backgammon in which the players starting from Nihombashi in Edo advance their positions across a large sheet of paper divided into the 53 stations of the Tokaido and the player reaching Kyoto first wins Ⓤ.《☞ すごろく》 **道中奉行** commissioner of roads and inns Ⓒ.
とうちょう[1] **盗聴** ―動（電話を）tap [put a tap on] …, wiretap ⑯;（隠しマイクで）《略式》bug ⑯. ―名 (wire)tapping Ⓤ;《略式》bugging Ⓤ.
¶ 警察は容疑者の電話を*盗聴した The police *put a tap on* the suspect's telephone.
盗聴器（電話の）wiretap Ⓒ;（隠しマイク）concealed microphone Ⓒ,《略式》bug Ⓒ.
とうちょう[2] **登頂** ―動 reach [climb to] the ˹summit [top] (of the mountain). ¶ モンブランの初*登頂は 1786 年になされた The first *ascent* of Mont Blanc /mɔ̀:mblɑ́:ŋ/ was ˹made [accomplished] in 1786.
とうちょう[3] **登庁** ―動 go to ˹work [the office].
どうちょう[1] **同調** ―動（共感する）sympathize (with …) ⓐ;（先例に従う・先の人のまねをする）follow suit;（無線などに同調させる）tune in to …
¶ 私はあなた方の方針には*同調できない I cannot *sympathize with* your policy. // その少年が学校をさぼると, 彼の仲間も*同調した (⇒ まねした) The boy ˹was truant [played hook(e)y] and his playmates *followed suit*. // 彼は過激派に*同調した (⇒ 同調者になった) He became a *sympathizer* of the radicals. // この受信機は警察無線と*同調している This receiver *is tuned in to* the police radio frequency. **同調回路** 〘電〙 tuned circuit Ⓒ **同調者** sympathizer Ⓒ **同調性** 〘スポ〙（シンクロナイズドスイミングなどの）synchronization Ⓤ, synchronicity Ⓤ;（協調性）willingness to ˹conform [fit in with others] Ⓤ.
どうちょう[2] **道庁** （行政府）the Hokkaido Government;（事務所）the Hokkaido Government Office.
とうちょうこつ 頭頂骨 〘解〙 parietal /pəráɪətl/ bone Ⓒ.
とうちょうよう 頭頂葉 parietal lobe Ⓒ.
とうちょく 当直 ―動（当直中である）be on duty (↔ be off duty) 語法 警官・警備員などの公的任務に用いられ, 勤務中という広い意味で, 必ずしも夜や時間外の勤務は意味しない;（夜, 泊まり込みの当直である）stay over on night duty.《☞ しゅくちょく; やきん[1]》. ¶ 今夜は*当直だ I'*m on duty* tonight. / I have to *stay over on night duty* tonight. **当直医** night doctor Ⓒ, doctor on night duty Ⓒ **当直員** official on duty Ⓒ.

とうつう 疼痛 (ずきんずきんとうずく痛み) throbbing pain Ⓒ; (傷口などがずきずき·ひりひりする鋭い痛み) smart Ⓤ. (☞ いたみ; うずく). **疼痛治療** (痛みを緩和する治療) pain intervention Ⓤ.

とうてい 到底 ―副 (恐らく不可能) (cannot) possibly; (どうしても) (not) by any means, by no means ★ 後者は by any means に否定を合わせた形. 前者のほうが意味が強い; (まったく) (not) at all. [語法] by no means を除き, 否定の表現とともに用いる. (☞ とても).
¶ それは*到底私の力では及ばない (⇒ 私はとてもそれをすることができない) I *cannot possibly* do it. / (⇒ 私の力をはるかに[まったく]超えている) It's ｢*far* [*quite*] beyond my ｢power [means].

どうてい[1] 童貞 virginity Ⓤ; (人) virgin Ⓒ. [日英比較] 英語では日本語のように処女·童貞と男女を分けた言葉を使わず, 上記の語を男女共に使う. ただし, 使われる頻度は女性についてのほうが多い. ¶ 彼は*童貞を守っている[失った] He ｢is maintaining [lost] his *virginity*. **童貞生殖**〖生〗androgenesis Ⓤ.

どうてい[2] 道程 ☞ みちのり; こうてい[1]

どうてい[3] 同定 ―名 identification Ⓤ. ―動 identify (他).

とうてき 投擲 throw Ⓒ (☞ なげる). **投擲競技** throwing event Ⓒ.

どうてき 動的 ―形 dynamic (↔ static).

とうてつ 透徹 ―形 (筋道が通った) cohérent; (透き通った) transparent; (澄み切った) clear. ―名 coherence Ⓤ; transparency Ⓤ; clarity Ⓤ; clearness Ⓤ. (☞ すきとおる).

どうでも ☞ どうでもよい; どうしても

どうでもよい ―動 (気にかけない) do not care; (関心がない) be not interested in ..., be indifferent to ... ★ 以上 3 つは「人」が主語; (どちらでも変わりがない·重要でない) do not make any difference to ..., make no difference to ...; (重要な問題ではない) do not matter ★ 以上 3 つは「物」「事」が主語. ¶ 彼が何をしようと私には*どうでもよい (⇒ 重要ではない) Whatever he does ｢*makes no difference* [*doesn't make any difference*] *to* me. // 彼が行こうが行くまいが*どうでもよい (⇒ 私たちは気にかけない) We *don't care* whether he goes or stays. // 彼は俗事など*どうでもいいといった態度だった (⇒ 無関心な態度をした) He took an *indifferent* attitude toward worldly affairs.

とうてん[1] 当店 we; this [our] ｢store [shop]. [日英比較] 店の人が自分の店を指すとき, 日本語では「当店」というが, 英語では自分も含めて店で働く人たちを指して we と表すのが普通である. ¶ *当店では自然食品だけを売っております *We* sell only ｢natural [organic] foods. // *当店自慢の料理 *our* specialty

とうてん[2] 読点 (コンマ) comma Ⓒ; (日本語の「､」) *ten* Ⓒ; (説明的には) Japanese comma Ⓒ. (☞ くとうてん).

とうでん 盗電 stealing of electricity.

どうてん[1] 同点 ―名 (同一スコア) tie Ⓒ; (引き分け) draw Ⓒ. ―動 (...と同点になる; ...を同点にする) tie (他) (自). ―形 (同点になる) tying. (☞ タイ[2]; ひきわけ). ¶ 試合は 5 対 5 の*同点に終わった The game ended in a ｢*tie* [*draw*], 5 to 5. // 早稲田と慶応は第一試合は*同点だった Waseda and Keio *tied* in the first game. / Waseda *tied* Keio in the first game. // 彼の得点で試合は*同点になった (野球で) His run *tied* the game. **同点決勝** play-off Ⓒ **同点ホームラン** ¶ *同点ホームランを打つ hit a *game-tying homer*

どうてん[2] 動転 ―動 (...の気を転倒させる) upset (他); (...の気が転倒する) be upset. (☞ てんとう[2]). ¶ その知らせで気が*動転した The news *upset* me. / I *was upset* ｢at [by; over] the news.

どうてんきょうち 動天驚地 ☞ きょうてんどうち

とうてんこう 東天紅〖鳥〗totenko (fowl) Ⓒ.

とうど[1] 凍土 frozen ground Ⓤ; (凍土帯) the tundra /tʌ́ndrə/. (☞ ツンドラ).

とうど[2] 糖度 sugar content Ⓤ.

とうど[3] 陶土 potter's clay Ⓤ.

とうとい 尊い ―形 (貴重な·高価で大切な) precious; (価値の高い) valuable; (人が高貴な·気高い) noble; (神聖な) holy, sacred. ―名 preciousness Ⓤ. ¶ *尊い教え *sacred* teachings [語法] 神の教えを意味する. // 自由ほど*尊いものはない Nothing is more *precious* than freedom. // 生命の*尊さ the ｢*preciousness* [*dignity*] of life

とうとう[1] 到頭 (ついに) at last, at length ★ 否定文では用いない. 後者のほうが格式ばった語; (結局) after all [語法] 否定·肯定文のいずれにも用いられるが, 否定的な内容や, 不成功に終わったことを意味する場合が多い; (最後に) finally ★ 他の表現よりも「終わり」であることを強調する. (☞ ついに; やっと).
¶ 彼らは*とうとうエベレスト登頂に成功した *At last* they succeeded in reaching the summit of Mt. Everest. // 彼は*とうとう駅に現れなかった He didn't show up at the station *after all*. // 彼女は*とうとう僕のプロポーズを受け入れた She *finally* accepted my proposal. // その歌声はだんだんかすかになって, *とうとう聞こえなくなった The singing grew fainter and fainter, *till* it was heard no more.

とうとう[2] 等等 etc., etc. [参考] (1) ラテン語の略語で, et cetera, et cetera と読む; and so ｢on [forth] [参考] (2) 元来は口語ではこちらのほうが普通であったが, 現在ではいずれもよく用いられる. ただし, etc. を重ねて使うのは誤りであるという文法家, 語法家の意見もある. (☞ -とう[1]; -など; エトセトラ (巻末)). ¶ バター, チーズ, 卵, *等々 butter, cheese, eggs, *and so on*

とうとう[3] 蕩蕩 ―形 (広大な) broad; (壮大な) majestic; (水勢が激しい) rushing, roaring. ¶ *蕩蕩たる大河 a *broad and majestic* river

どうとう[1] 同等 ―形 (等しい) equal; (相当する·全体として...に見合う) equivalent. ―副 equally. (☞ たいとう[1]; びょうどう).
¶ ...と*同等の条件で on *equal* terms with ... // この会社では男女は*同等に扱われている In this firm men and women are treated *equally*. // 大学院への入学志願者は大学卒業の者, またはそれと*同等の学力を有する者でなければならない Applicants for admission to the graduate school must be university graduates or *the equivalent*.

どうとう[2] 堂塔 (仏堂や仏塔) temples and pagodas ★「いろいろの」という意味で複数形とする.

どうとう[3] 同党 the same party Ⓒ; the party mentioned before Ⓒ.

どうどう[1] 堂堂 ―形 (威厳がある) dignified; (威圧感を与えるような) imposing; (大きく立派な) grand, stately ★ 前者のほうが口語的; (壮麗な·雄大な) magnificent; (公明正大な) fair. ―副 in a dignified manner; grandly; magnificently; fair, fairly. (☞ いげん; りっぱ). ¶ *堂々とした大邸宅 a ｢*magnificent* [*grand*] mansion // *堂々とした老紳士 a *dignified-looking* old gentleman / an old gentleman *of imposing appearance* [語法] 後者のほうが文語的. // 彼らは*堂々と戦った They fought *fair* in the battle. / They played *fair*.

どうどう[2] 同道 ☞ どうこう[2]

どうどう[3] (馬を止めるかけ声) whoa /(h)wóʊ/ !

とうとうと 滔滔と 1 «流水が»: (堂々と) majestically. ¶その大きな川は*滔々と流れていた The great river was flowing *majestically.* 2《弁舌が》: (よどみなく流暢(りゅうちょう)に) fluently; (雄弁で説得力があって) éloquently. ¶彼はその問題を*滔々と論じた He spoke *eloquently* on the problem.

どうどうめぐり 堂堂巡り ―動 (考えなどが) go (a)round in circles. ―名 (議論などの) circularity Ⓤ. ¶議論が*堂々巡りしてはっきりした結論が出なかった The argument *went (a)round and (a)round in circles* and ⌈ended up going nowhere [we did not reach any definite conclusion].

とうどく 東独 East Germany (↔ West Germany).

どうとく 道徳 ―名 (品行・風紀) morals ★ 通例複数形で, 単数扱い; (社会的道義・道徳律) morality Ⓤ. ―形 moral Ⓐ (↔ immoral). ―副 morally. (☞ りんり).
¶公衆*道徳 public ⌈*morals* [*morality*] // 交通*道徳 driving *courtesy* // わが国の商業*道徳の水準はきわめて高い Commercial *ethical* standards are very high in our country.
道徳意識 moral consciousness Ⓤ 道徳家 virtuous person Ⓒ 道徳感覚[観念] moral sense Ⓤ 道徳教育 moral education Ⓤ 道徳堅固 ¶彼は*道徳堅固な人物だ He is a man of *strict morals.* 道徳心 sense of morality Ⓒ 道徳性 morality Ⓤ 道徳的価値 moral [ethical] values ★ 通例複数形で. 道徳律 moral code Ⓒ.

とうとつ 唐突 ―形 (不意の・突然の) abrupt, sudden 語法 前者は特に人の行為などについていうが, 後者はもっと意味が広く, 病気や自然の出来事などについても用いる; (思いがけない) unexpected. (☞ ふい[1]; とつぜん). ¶*唐突な変更 an *abrupt* change // その決定はあまりにも*唐突だった The decision was too *sudden.*

とうとぶ 尊ぶ, 貴ぶ (尊敬する) respect ⊕; (敬う) honor ⊕; (尊重する) value ⊕. (☞ そんけい; おもんじる).

とうどり 頭取 (銀行の代表者) (bank) president Ⓒ, head Ⓒ ★ 後者は広く「長」を表す一般的な言葉.

どうとんぼり 道頓堀 ―名 固 the Dotonbori area; (説明的には) the shopping and amusement area on the *Dotonbori* river in Osaka

とうない 党内 党内右[左]派 the ⌈rightist [leftist] faction (in the party) 党内派閥 intraparty faction Ⓒ, faction in the party Ⓒ. ¶*党内派閥争い *intraparty* factionalism (☞ とう[3])

どうなが 胴長 (頭や手足を除いた胴が長いこと) long trunk Ⓒ; (服の胴の部分が長いこと) long waist Ⓒ. 胴長短足 ¶私は*胴長短足だ I have a *long trunk with short legs.* / I *am long-waisted and short-legged.*

とうなす 唐茄子 ☞ かぼちゃ

どうなりと 如何なりと any way you ⌈like [want]. ¶*どうなりと好きなようにやりなさい Do it *any way you like.*

とうなん[1] 盗難 ―名 (盗みの行為) theft Ⓤ; (強奪) robbery Ⓤ; (押し入り強盗) burglary Ⓤ ★ 以上いずれも個々の事件を指す場合は Ⓒ. ―動 (盗難にあう) 《米略式》 be burglarized; be robbed ★ 前者は「家」が, 後者は「人・家・場所」が主語. (☞ ぬすみ; どろぼう; ごうとう (類義語)).
¶彼の家は*盗難にあった His house *has been burglarized.* // この地域で車の*盗難が数件あった There have been several car *thefts* in this area. / Several cars *have been stolen* in this area. // 警察に*盗難の届けを出す report a ⌈*burglary* [*theft*] to the police
盗難警報装置 burglar alarm system Ⓒ 盗難事件 theft [burglary; robbery] case Ⓒ 盗難車 stolen car Ⓒ 盗難届け robbery report Ⓒ, theft report Ⓒ 盗難品 stolen ⌈articles [goods] ★ 複数形で. 盗難防止金庫 burglarproof safe Ⓒ 盗難防止システム anti-theft system Ⓒ 盗難保険 burglary [theft] insurance Ⓤ.

とうなん[2] 東南 ―名 (the) southeast 《略 SE》 日英比較 日本語と異なり英語では南・北を先に置くのが普通. ―形 副 southeast. (☞ なんとう).

とうなんアジア 東南アジア ―名 固 Southeast Asia. ―形 Southeast Asian. 東南アジア条約機構 the Southeast Asia Treaty Organization 《略 SEATO /síːtoʊ/》. 東南アジア諸国連合 the Association of Southeast Asian Nations 《略 ASEAN /ǽsiən/》. 東南アジア非核地域条約 the Southeast Asia Nuclear Weapon-Free Zone Treaty.

とうなんとう 東南東 (the) east-southeast 《略 ESE》.

とうに 疾うに (ずっと前に) long ago; (かなりの程度に) well. (☞ とっくに). ¶それは*とうに知っていた I knew it *long ago.* // 正午は*とうに (⇒ かなり) 過ぎていた It was *well* past noon.

どうにいる 堂に入る ¶彼の議長ぶりは*堂に入ったものだ (⇒ 彼は議長の職務に熟達している) He *is quite at home* ⌈*in* [*with*] the chairmanship. // 彼の英語は*堂に入ったものだ (⇒ 彼は英語を完璧に使いこなす) He *has a perfect command of* English.

どうにか ―副 (なんとかして) somehow, 《米》 someway, in some way (or other) ★ 以上いずれもほぼ同意で, 前の2つのほうが口語的; (かろうじて・やっと) barely ★ 肯定的に, かろうじてできたことを意味する. ―動 (工夫してどうにか…する) manage to *do* ... (☞ やっと; どうやら; なんとか; かろうじて).
¶*どうにか最終列車に間に合った I ⌈had *barely* [*barely* had] time to catch the last train. // 彼女は*どうにか生計を立てていくだろう She will *manage to* earn her (own) living.
どうにかこうにか ¶*どうにかこうにか家に帰れた I was able to get home *somehow.* どうにかして ¶*どうにかして彼女と近づきになりたいものだ I must *somehow* find a way to get close to her. どうにかする ¶このがらくたを*どうにかしないとな I've got to *do something* about this rubbish. // ほっといてくれ, *どうにかするよ Leave me alone. I'll ⌈*manage* [*get by*].
どうにかなる ¶心配するな, *どうにかなるさ Don't worry. *It will* ⌈*come out all right* [*take care of itself*]. // またへまやっちゃった, *どうにかならないかな (⇒ 助けてくれる方法はないか) I've goofed again. I wonder if there isn't *some way you could help me.* // めまいがする. 私*どうにかなっちゃったみたい (⇒ どこか具合が悪いみたい) I feel giddy. I'm afraid *something is wrong* with me.

どうにでも ¶そんなことは私の口一つで*どうにでもなる One word from me will settle it *one way or the other.* // あの時はもう*どうにでもなれという気持ちだった At that point I did*n't care anymore how it turned out.*

どうにも(こうにも) (全然…でない) not ... at all; (本当に) really. (☞ どうしても). ¶あの騒音は*どうにも我慢がならない I *really cannot* stand that noise! // *どうにもならない (⇒ 避けられない) We *can't help* it! / (⇒ それについては何も打つ手がない) *Nothing can be done* about it.

とうにゅう[1] 投入 ―動 (精力などを) put [throw] ... into ...; (資金を投資する) invest (money) in … (☞ つぎこむ; とうし[1]).

とうにゅう[2] 豆乳 soybean milk Ⓤ, soya milk Ⓤ.

とうにゅう[3] 糖乳 ☞ コンデンスミルク

どうにゅう 導入 ―動 introduce ⑱. ―名 introduction Ⓤ. (☞ とりいれる). ¶ 新型機械が工場に*導入された A new type of machine *was introduced* (in)to the factory. **導入部**〔楽〕introduction Ⓒ, introductory part Ⓒ.

どうにょう 導尿 ¶ *導尿にはカテーテルが用いられる A catheter /kǽθətə/ is used to *remove urine from the bladder*.

とうにょうびょう 糖尿病 〔医〕diabetes /dàɪəbíːtiːz/ Ⓤ. **糖尿病患者** diabetic /dàɪəbétɪk/ Ⓒ.

とうにん 当人 (その人自身) the person ⌈himself [herself]; (当該人物) 《格式》 the said person Ⓒ; (問題となっている人) the person in question Ⓒ; (関係している人) the person concerned Ⓒ ★ 少し格式ばった言い方で, 文書などで用いる. (☞ ほんにん; とうじしゃ). ¶ 私がその*当人です I am *the person in question*.

どうにん 同人 (同じ人) the same person; (当該人物) the said person, the person in question.

とうねん 当年 (今年) this [the current] year ★ [ ] 内のほうが格式ばった言い方. (☞ ことし).

どうねん 同年 (暦の上の同じ年) the same year; (同じ年齢) the same age. ¶ 彼は 1989 年 3 月に大学を卒業し, *同年 4 月に中学教員になった He graduated from college in March 1989 and became a teacher at a junior high school in April of *the same year*. // あの人と私は*同年です He and I are *the same age*. / (⇒ 彼は私と同じ年です) He is *as old as* I am.

どうねんぱい 同年配 the same age. ¶ あの 2 人はだいたい*同年配です The two are about *the same age*.

とうの 当の ¶ *当の本人がこの会に出席していない *He himsélf* [*She hersélf*] is not present at this meeting. / (⇒ 問題となっている人) The person *in question* is not present at this meeting.

どうのこうの ¶ そんなことに*どうのこうの言うな (⇒ 口出しするな) Don't *meddle in* such matters. / (⇒ 関心をもちすぎるな) Don't *take too much interest in* such matters.

どうのま 胴の間 central cabin of a Japanese boat Ⓒ ★ 説明的な訳.

とうのむかし とうの昔 ☞ とっくに; ずっと

とうは[1] 党派 (政党) party Ⓒ; (党中の派閥) faction Ⓒ. (☞ はばつ; ぱ[4]). ¶ *党派を組む form a ⌈*party* [*faction*] // *党派に分かれる split [be divided] into *factions* // *党派間の対立 a *sectarian* clash // 超*党派外交 supra-*party* diplomacy **党派心** party ⌈feeling [spirit] Ⓒ, partisanship Ⓤ **党派性** factionalism Ⓤ.

とうは[2] 踏破 ―動 (歩く) walk ⑱; (歩いて旅をする) travel (…) on foot; (横断する) cross ⑱. ¶ 彼は全行程 2 千キロを*踏破した (⇒ 2 千キロを歩き通した) He *walked* the entire distance of 2,000 kilometers.

とうは[3] 濤波 (海岸に打ちよせる波) surf Ⓤ; ((大海の)大波) bíllow Ⓒ.

とうば 塔婆 ☞ そとば

どうは 同派 (同じ派) the same ⌈faction [clique]; (当該の派) the said ⌈faction [clique], the ⌈faction [clique] in question.

どうはい 同輩 (同僚) colleague /kɑ́liːg/ Ⓒ (☞ どうりょう[1]).

とうばく[1] 倒幕 (日本の封建時代の) the overthrow of the shogunate.

とうばく[2] 討幕 〔史〕mounting an armed attack on the shogunate Ⓤ.

とうはつ 頭髪 hair Ⓤ, the hair of the head ★ 普通, 前後関係でわかれば特に of the head を付けなくてもよい. (☞ かみ[3]).

とうばつ[1] 討伐 ―動 subdue ⑱ (☞ せいばつ; せいあつ).

とうばつ[2] 党閥 faction Ⓒ; (軽蔑的に) clique Ⓒ.

とうばな 塔花 〔植〕slender wild basil Ⓒ.

とうはん 登攀 ―動 clímb (úp) ⑱. ―名 climbing Ⓤ. (☞ よじのぼる).

とうばん[1] 当番 (順番) turn Ⓒ; (義務・任務) duty Ⓤ. ¶ 日本の学校では放課後に生徒による教室の掃除*当番がある In Japanese schools students take *turns* (at) cleaning the (school) buildings after classes are over. // あすの掃除*当番は君だ It's your *turn* to clean the room tomorrow. **当番弁護士制度** the Attorney-on-Duty System.

とうばん[2] 登板 ―動〔野〕(マウンドに立つ) take the mound, go to the mound; (投球する) pitch ⓐ. ¶ 鈴木がリリーフとして*登板した Suzuki ⌈*took* [*went to*] *the mound* as relief pitcher. // 彼が今日の試合に*登板するかもしれない He may *pitch* in today's game.

どうはん 同伴 ―動 (…と一緒に行く) go with …; (…について行く・…と同行する) accompany /əkʌ́mp(ə)ni/ ⑱ ★ 後者のほうが格式ばった表現; (人を護衛・保護する意味で付き添う) escórt ⑱. (☞ つれてゆく; つれている; つきそう). ¶ 彼は家族*同伴で (⇒ 家族を連れて) アメリカへ行った He went to America, *taking* his family *with him*. // 社長は旅行に夫人を*同伴した The president *was accompanied* on the tour *by* his wife. **同伴者** *one's* companion Ⓒ. ¶ *同伴者なしの (⇒ だれにも付きそわれていない) 未成年者は入場できない They don't let *unescorted* minors in.

どうばん[1] 銅板 sheet copper Ⓤ, copper plate Ⓒ. **銅板ぶき** copper roofing Ⓤ

どうばん[2] 銅版 〔印〕(原版) copperplate Ⓒ. **銅版印刷** copperplate printing Ⓤ **銅版画** copperplate print Ⓒ.

トウバンジャン 豆板醤 (hot) fermented bean sauce Ⓤ.

とうひ[1] 当否 ―形 (是非) right or wrong; (適不適) proper or improper. (☞ てきひ). ¶ 彼の見解の*当否を判断するのは難しい It is difficult to judge whether his view is *right or wrong*.

とうひ[2] 逃避 ―動 (逃げる・逃れる) escape ⑱. ―名 escape Ⓒ. (☞ のがれる). ¶ 現実からの*逃避 an *escape* from reality / *escapism* **逃避行** escape (journey) Ⓒ **逃避主義** escapism Ⓤ.

とうひ[3] 党費 (党の出費) party expenses ★ 複数形で; (党への納入金) party membership fee Ⓒ.

とうひ[4] 橙皮 orange peel Ⓤ.

とうひ[5] 頭皮 the scalp.

とうび 掉尾 ☞ ちょうび

とうひきゅうすう 等比級数 ☞ きか[2] (幾何級数).

とうひすうれつ 等比数列 〔数〕geometric /ʤìːəmétrɪk/ ⌈séquence [progréssion] Ⓒ.

どうひつ 同筆 ¶ この 2 通のメモは*同筆 (⇒ 同じ筆跡) のようだ These two memos seem to *be in the same handwriting*.

とうひょう[1] 投票 ―動 (賛否の意思表示をする) vote ⓐ; poll ⓐ; ballot ⓐ; (投票の動作をする) cast a ⌈vote [ballot]; (…に投票する) give a vote to …, vote for … ―名 vote Ⓒ; poll Ⓒ; ballot Ⓒ; 《格式》 suffrage Ⓒ.

【類義語】一般的に挙手・起立・投票など，いろいろな手段によって決定することを表す語が *vote*. 従ってこの語は選挙，一般の投票など，広く用いられる．特に選挙の投票，あるいは意見の調査などの投票が *poll*. 投票用紙を使って無記名の秘密投票をするのが *ballot* で，「投票用紙」の意味にもなる．投票する動作に重点を置く言い方が *cast a* ˹*vote* [*ballot*]. 投票による意見の表明を意味するのが *suffrage*. なお，この語は「参政権・投票権」の意味でよく用いられる．その場合は Ⓤ. 《☞ せんきょ¹; とくひょう》

¶ 我々はその法案に賛成[反対]の*投票をした We ˹*voted* [*cast a vote*] ˹for [against] the bill. // その問題は*投票にかけることになった The question was to be put to a *vote*. // *投票の結果，賛成 12, 反対 8 だった The *vote* stood at twelve ayes and eight nays. // 青木氏が第 2 回の*投票で議長に選ばれた Mr. Aoki was elected chairman on the second *ballot*.

> 投票のいろいろ
> 無効投票 voided [invalid] vote; (落書きしたり破ったりした) spoilt vote, 記名投票 open vote, 無記名投票 secret vote, 決選投票 decisive [final] ballot, 信任投票 vote of confidence, 不信任投票 vote of nonconfidence

投票区 precinct Ⓒ, election district Ⓒ **投票権** (選挙権) suffrage Ⓤ, voting rights ★ 複数形で．後者のほうが口語的. **投票時間** voting hours **投票者** voter Ⓒ **投票所** polling place Ⓒ **投票(総)数** the (total) number of votes. ¶ 総選挙で小林氏が最高*投票数で当選した Mr. Kobayashi was at the top of the polls in the general election. **投票立合人** voting ˹observer [witness] Ⓒ **投票箱** ballot box Ⓒ **投票日** voting day Ⓒ **投票用紙** vote Ⓒ, ballot Ⓒ **投票率** voter turnout Ⓒ.

とうひょう² 灯標 (light) beacon Ⓒ.

とうびょう¹ 闘病 battle with illness Ⓒ《☞ たたかい》. **闘病生活** ¶ 彼は 2 年間の*闘病生活ののち元の仕事に復帰している He has returned to his former job after a two-year *battle with illness*.

とうびょう² 投錨 ── 動 drop anchor《☞ いかり²》.

とうびょう³ 痘苗 〘医〙 vaccine /væksíːn/ Ⓒ.

どうひょう 道標 (道路標識) guidepost Ⓒ; (里程標) milestone Ⓒ.

どうびょう 同病 **同病相憐(あわ)れむ** Fellow sufferers pity ˹each other [one another].

とうひん 盗品 stolen ˹goods [article Ⓒ].

とうふ 豆腐 tofu Ⓤ, soybean curd Ⓤ. ¶ *豆腐一丁 a block of *tofu* **豆腐にかすがい** ¶ 彼に意見しても*豆腐にかすがいだ (⇒ ことば[時間; 息]の無駄だ) It's a mere *waste of* ˹*words* [*time*; *breath*] giving him advice. / It's *no use* advising him. **豆腐屋** (人・店) tofu ˹maker [seller] Ⓒ.

とうぶ¹ 頭部 head Ⓒ《☞ あたま》.

とうぶ² 東部 ── 名 the east 語法 (1) 特定の国の東部の地方という意味では the East と大文字にすることがある; (東の地方) the eastern part Ⓒ. ── 形 eastern 語法 (2) 特定の国について言うときは大文字にすることがある.《☞ ひがし¹》. ¶ 広島県*東部の町 a town in *the east* of Hiroshima Prefecture

とうぶ³ 踏舞 dance with *one's* feet beating time Ⓒ.

どうぶ 胴部 trunk Ⓒ, torso Ⓒ.《☞ どうたい¹》.

とうふう¹ 東風 east [easterly] wind Ⓒ.

とうふう² 党風 party traditions ★ 複数形で.

どうふう 同封 ── 動 (同封する) enclose ㊀. ── 名 (同封物) enclosure Ⓒ.

¶ この手紙に私の写真を*同封します I *have enclosed* my photograph (in this letter).《☞ 手紙の書き方 (囲み)》// お手紙および*同封のもの受け取りました I have received your letter with its *enclosure*. // 彼の手紙には切手が*同封されていた A postage stamp *was enclosed* with his letter.

どうふく 同腹 ¶ *同腹の兄弟 brothers (and not step-brothers) 日英比較 日本語では異父母兄弟も一般に「兄弟」というが，英語では brother は同腹の兄弟のみに用いる.

どうふけんぜい 道府県税 prefectural /príːfektʃərəl/ táx Ⓒ.

どうふけんみんぜい 道府県民税 prefectural ˹citizen [resident(s); local] tax Ⓒ.

どうぶつ 動物 ── 名 animal Ⓒ 語法 (1) 植物に対して，すべての動物に用いられる．ただし，場合によっては四つ足の哺乳類だけを指すこともある; (特に四つ足のけだものという意味で) beast Ⓒ; (生き物) (living) creature Ⓒ. ── 形 (動物的な・動物性の) animal Ⓐ.《☞ 動物の鳴き声 (囲み)》.

¶ 危険な*動物 a dangerous *animal* // 人間は社会的な [理性を持った] *動物である Man is a ˹social *animal* [rational *creature*]. // 自然界はすべて*動物・植物・鉱物の 3 つに分けられる All nature is divided into three kingdoms: *animal*, ˹vegetable [plant], and mineral. 参考 (1) kingdom は博物学で「…界」を意味し，「動物界」を the animal kingdom という. // *動物を愛護しよう Be kind to *animals*. // *動物にえさをやらないで下さい Do not feed the *animals*. // 愛玩*動物 a *pet* // 鯨は四つ足の*動物ではないが，人間と同じように哺乳動物である Whales are not ˹four-footed [four-legged] *animals*, but they are mammals like human beings. 参考 (2)「四つ足動物」は quadruped /kwɑ́drʊpèd/ Ⓒ ともいう. // その地域には*動物は割合少ない There is comparatively little *animal life* in the district. / Comparatively little *animal life* is found in the area. 語法 (2) animal life は総体的な言い方. // 下等[高等]*動物 the ˹lower [higher] *animals*《☞ 次頁コロケーション (囲み)》

動物愛護 protection [preservation; conservation] of animals Ⓤ, animal welfare Ⓤ **動物愛護協会** the Society for the Prevention of Cruelty to Animals ★ SPCA と略すことがある. **動物愛護週間** Be Kind to Animals Week **動物園** ☞ 見出し **動物界** the animal ˹kingdom [world], Animalia /æ̀nəméɪliə/ **動物学** zoology /zoʊɑ́lədʒi/ Ⓤ **動物学者** zoólogist Ⓒ **動物検疫** animal quarantine Ⓤ **動物行動学** ethology Ⓤ **動物質** animal matter Ⓤ **動物実験** test [experiment] using animals Ⓒ **動物社会** animal society Ⓤ **動物社会学** animal sociology Ⓤ **動物心理学** animal psychology Ⓤ **動物崇拝** animal worship Ⓤ, zoolatry /zoʊɑ́lətri/ Ⓤ **動物性** ── 名 animal nature Ⓤ, animality Ⓤ. ── 形 animal Ⓐ **動物性食物** animal food Ⓤ **動物性染料** animal dye Ⓤ **動物生態学** animal ecology Ⓤ **動物性タンパク** animal protein /próʊtiːn/ Ⓤ **動物生理学** ánimal phỳsiólogy Ⓤ **動物繊維** animal fiber Ⓤ **動物相** fauna Ⓒ《複 ～s, -nae》 **動物体** (体) animal body Ⓒ; (個体) ☞ どうぶつ 名; こたい² **動物地理学** zoogeography /zòʊədʒiɑ́grəfi/ Ⓤ **動物地理区** zoogeographic region Ⓒ **動物的本能** animal instinct Ⓒ **動物病院** veterinary /vét(ə)rənèri/ ˹clinic [hospital] Ⓒ **動物プランクトン** zooplankton /zòʊəplǽŋ(k)tən/ Ⓤ **動物ホルモン** animal hormone Ⓒ **動物油脂** animal oil Ⓤ, animal fats.

コロケーション

動物を飼いならす domesticate [tame] an *animal* / 動物を飼う keep [have] an *animal* / 動物を狩る hunt *animals* / 動物を訓練する train an *animal* / 動物を飼育する raise *animals* / 動物を剥製にする stuff an *animal* / 動物を保護する protect *animals* / 臆病な動物 a timid *animal* / おとなしい動物 a docile *animal* / 凶暴な動物 a feral *animal* / 恒温[温血]動物 a warm-blooded *animal* / 興奮しやすい動物 an excitable *animal* / すばしこい動物 an agile *animal* / 絶滅した動物 an extinct *animal* / 肉食[草食]動物 a ⌈carnivorous [herbivorous] *animal* / 変温[冷血]動物 a cold-blooded *animal* / 珍しい動物 a rare *animal* / 夜行性動物 a nocturnal *animal* / 野生動物 a wild *animal* / りこうな動物 an intelligent *animal*

どうぶつえん 動物園 zoo Ⓒ, 《格式》 zoological /zóuəlɑ̀dʒɪk(ə)l/ gárden Ⓒ 〔語法〕 口語では短縮形の zoo を用いるほうが普通. ¶ 上野*動物園 Ueno *Zoological Gardens*

とうふひょう 灯浮標 líght buoy /bù:i/ Ⓒ, floating light Ⓒ.

とうぶん¹ 当分 ―〔副〕(当分の間) for the time being ★ やや格式ばった言い方; (しばらくの間) for some time; (ちょっとの間) for a while. 《☞ しばらく (類義語)》.
¶ *当分私の代理を務めてもらいます (⇒ あなたは私の代理である) You will be my substitute *for the time being*. // この上天気は*当分続くだろう This lovely weather will last *for some time*.

とうぶん² 糖分 (the amount of) sugar Ⓤ. ¶ あなたは*糖分を取りすぎる You ⌈eat [use] too much *sugar*. // 医者に*糖分を控えるように言われた The doctor told me to cut down ⌈on *sweets* [(on) my *sugar* intake].

とうぶん³ 等分 ―〔動〕(等しく分ける) divide ... ⌈equally [in equal parts] 《☞ にとうぶん; やまわけ》. ¶ 彼女はケーキを 2 [3] *等分した She *divided* the cake *into* ⌈two [three] (*equal*) *parts*.

どうぶん 同文 ¶ 以下*同文 (⇒ 文章が同じ) (The following sentences say) *the same as above*. // 両国は*同文である (⇒ 同一の文字を使う) Both countries use *the same script*.

どうぶんぼ 同分母 〔数〕 the same denominator.

とうへい 党弊 party evils ★ 通例複数形で.

とうへき 盗癖 thieving [thievish] habit Ⓒ, 〔医〕 kleptomania /klèptəméɪniə/ Ⓤ. ¶ *盗癖のある人 a *kleptomaniac* /klèptəméɪniæk/

とうへん 等辺 ―〔形〕 equilateral /ì:kwəlǽtərəl/. ¶ 二*等辺三角形 an *isosceles* /aɪsɑ́səli:z/ triangle 《☞ さんかく(けい) (囲み)》 **等辺三角形** 〔数〕 equilateral triangle Ⓒ **等辺多角形** equilateral polygon Ⓒ.

とうべん 答弁 ―〔名〕(答え) answer Ⓒ, reply Ⓒ ★ 後者のほうが格式ばった語; (弁明) explanation Ⓤ. ―〔動〕 answer ㊀他, make ⌈an answer [a reply], reply (to ...) ㊀自. 《☞ こたえ (類義語)》.
¶ 彼の質問に大臣は*答弁に苦しんだ (⇒ 答弁するのがかなり難しかった) *The minister found it rather difficult to answer his question.*
答弁書 written ⌈answer [reply] Ⓒ; (反駁) written refutation Ⓒ; (弁明) defense, 《英》 defence Ⓤ.

とうへんぼく 唐変木 (まぬけ) fool Ⓒ, 《略式》 blockhead Ⓒ ★ 後者は主として男性に用いる; (偏屈な人) bigot Ⓒ. 《☞ まぬけ》.

とうほう¹ 東方 ―〔名〕 the east. ―〔形〕 east, eastern. ―〔副〕(東方に) to the east of ..., east of ... ★ ほぼ同意だが, 後者のほうがより口語的. 《☞ ひがし¹; とうぶ²》. ¶ その町の*東方 10 キロのところに小さな湖がある There is a small lake ten kilometers /kilɑ́mətəz/ (*to the*) *east of* the town.
東方貿易 〔史〕 the Levant trade.

とうほう² 当方 ―〔形〕(私の) my; (私どもの) our. ―〔名〕 our [my] part. ¶ それは*当方の落ち度ではございません That is not *our* fault. / That is not an error *on our part*. ★ ともに our に強勢がある. 第 1 文のほうがより口語的.

とうほう³ 投法 pitching delivery Ⓒ.

とうぼう 逃亡 ―〔動〕(逃れる・脱する) escape (from ...) ㊀自; (逃げ去る) rùn awáy ㊀自, 《格式》 flee ㊀自 他 《過去・過分 fled》 《☞ とうそう¹ 〔語法〕 (1)》; 《略式》 gèt awáy (from ...) ㊀自; (つかまっていない) be at large; (逃走中である) be on the run. ―〔名〕 escape Ⓒ, flight Ⓤ ★ 後者のほうが格式ばった語; 《略式》 gétawày Ⓒ. 《☞ とうそう¹; にげる》. ¶ *逃亡中の殺人犯 a murderer *on the run* **逃亡罪** charge of abscondence Ⓒ; (特に軍人の) desertion Ⓤ 《☞ てきぜんとうぼう》. ¶ *逃亡罪に問われる be accused of *abscondence* **逃亡者** fúgitive Ⓒ, rúnawày Ⓒ ★ 後者のほうが口語的. **逃亡犯罪人** fugitive from justice Ⓒ, fugitive criminal Ⓒ **逃亡犯罪人引渡法** the extradition law.

どうほう 同胞 (同国民) fellow ⌈countryman [citizen] Ⓒ. ¶ 海外の*同胞 (⇒ 海外に住んでいる日本人) a Japanese ⌈living abroad [overseas] ★ [ ] 内はより広い意味で, 旅行中の人も含む.

どうぼう 同房 (刑務所の) the same (prison) cell Ⓒ. ¶ *同房の仲間 a cellmate

とうほうきょうかい 東方教会 the Eastern Church.

とうほうけんぶんろく 東方見聞録 ―〔名〕固 *The Travels of Marco Polo* ★ マルコ・ポーロ著.

とうほうせい 等方性 〔物理〕 isotropy Ⓤ.

とうほうせいきょうかい 東方正教会 the Orthodox Eastern Church.

とうほうたい 等方体 isotropic /àɪsətrɑ̀pɪk/ bódy Ⓒ.

とうほく 東北 ―〔名〕(方角) the northeast 《略 NE》 〔日英比較〕 日本語と異なり英語では南・北を先に置くのが普通. ―〔形〕〔副〕 northeastern. 《☞ ほくとう》. **東北自動車道** the Tohoku Expressway **東北新幹線** the Tohoku Shinkansen (line) **東北地方** the Tohoku region **東北日本** (日本を二分した時の) the northeastern half of Japan; (日本の東北部) northeastern Japan **東北弁[方言]** the Tohoku dialect **東北本線** the Tohokuhonsen (line).

とうぼく 倒木 fallen tree Ⓒ.

とうほくとう 東北東 the east-northeast 《略 ENE》.

どうほこ 銅鉾 bronze halberd Ⓒ ★ halberd は昔のほこやり.

とうほん¹ 謄本 (certified) copy Ⓒ 《☞ こせき¹》.

とうほん² 逃奔 ―〔動〕 flee ㊀自.

とうほんせいそう 東奔西走 ―〔動〕(仕事などで走り回る) rùn aróund ㊀自; (忙しくする) busy *oneself* (with ...). 《☞ ほんそう¹; かけまわる》.

どうまき 胴巻き money belt Ⓒ ★ 金銭を中に入れることのできるベルト; (説明的に) (pocketed) waist band for carrying valuables while traveling Ⓒ.

どうまごえ 胴間声 ¶ *胴間声を張り上げる (⇒ 太い調子はずれの声で叫ぶ) yell in a *deep, raucous voice* 《☞ こえ¹》

とうまるかご 唐丸籠 (長鳴きどり用のかご) bamboo chicken cage Ⓒ; (罪人護送用のかご) bam-

動物の鳴き声

動物の鳴き方を表すのに, 犬ならば “bow-wow”, 猫は “mew”, または “meow”, 豚は “wee-wee-wee”, ろばは “hee-haw”, 牛は “moo”, おんどりは “cock-a-doodle-doo”, つぐみは “Did he do it? He did, he did, he did”, がちょうやあひるは “quack, quack” など, 擬音, またそれから連想して作られた擬声語を用いて表されることがある. ⦅☞ 擬声・擬態語 (囲み)⦆

しかしこれとは別に, その動物の鳴き方の様態・鳴き声をも合わせて, その動物に固有の鳴き方を示す「動詞」があり, これを使って, ある動物が鳴くことを表現することができる. その中には上にあげた mew, moo, quack などの擬声語をそのまま動詞として用いるものもある.

以下「動物」「鳥」「その他」に分けて, その鳴き声の様態を示す動詞をかかげる.

1 動物 (animals)

以下の表は (犬 dog (わんわんと) bark) とあれば, 「犬がわんわんと鳴く」は A dog barks. のように言うことを示す.

犬 dog	(わんわんと)	bark
	(うなって)	growl
	(くんくんと)	whine
	(きゃんきゃんと)	yap
	(〃)	yelp
	(獲物を追って)	bay
	(遠吠えで)	howl
	(かみつきそうにして)	snarl
牛 bull, cow, ox	(もーと)	moo
	(〃)	bellow
	(〃)	low ★文語的.
馬 horse	(ひひんと)	neigh
	(〃)	whinny
	(鼻を鳴らして)	snort
きつね fox	(こんこんと)	bark and yelp
さる monkey	(きゃっきゃと)	chatter
	(〃)	gibber
とら tiger	(がおーと)	growl
	(うおーと)	roar
猫 cat, kitten	(にゃあおと)	mew, meow
	(ごろごろと)	purr
ねずみ mouse	(ちゅうちゅうと)	squeak
羊 sheep	(めーと)	baa
	(〃)	bleat
豚 pig	(ぶうぶうと)	grunt
	(きーきーと)	squeal
ライオン lion	(うおーと)	roar
やぎ goat	(めーと)	baa
	(〃)	bleat

2 鳥 (birds)

動物の中でも特に小鳥の鳴き声は人々の関心を引くもので, それを示す表現も豊富である. 鳥の鳴き声は大きく分けて call と song の 2 つがある. call は通常短く鋭い音色で, 「警戒・ひなへの呼びかけ」であり, song は特有のメロディーを持った「さえずり」である.

また小鳥の鳴き声を示すものとしては次のようなものがある. (ちっちっと短く鋭い) clicking; (ちゅうちゅう・ちいーちいー) chirping; (きりきりきりとかん高い) jingling; (かたかたと) rattling; (さざめくような) rippling; (ひゅーひゅー) whistling; (つ, つ, つ・ちゅうちゅうと) twittering; (ひょろひょろと長く) warbling; (ちりちりと細く) trilling; (きーきーと) squeaking; (ほーほーと太くて低い) hooting; (うーうーと) purring; (くうーくうーと) cooing. これらの後に sound を付ければ「…のような鳴き声」ということを示す.

小鳥 (一般) bird	(歌うように)	sing
	(ちゅうちゅうと)	chirp
	(さえずって)	twitter
あひる duck	(があがあ, または くわっくわっと)	quack
おんどり rooster	(こけこっこーと)	crow
がちょう goose	(くわっくわっと)	quack
	(〃)	gabble
かもめ seagull	(ぎゃーと)	scream
からす crow	(かあーと)	caw
はと dove, pigeon	(くうーと)	coo
ひばり lark	(さえずって)	sing
	(声を震わせて)	quaver
	(〃)	warble
ひよこ chick	(ぴよぴよ)	peep
	(〃)	cheep
めんどり hen	(こけーこっこと)	cackle
	(こっこっこっこっと)	cluck
ふくろう owl	(ほーほー, または ふーふーと)	hoot
	(ぎゃーと)	screech
	(〃)	scream

3 その他 (other animals)

かえる	frog	(があがあと)	croak
きりぎりす	grasshopper	(ちーちーと)	chirp
こおろぎ	cricket	(ちーちーと)	chirp
はち	bee	(ぶーんと)	buzz
		(〃)	hum
へび	snake	(しゅーと)	hiss

用　例

¶ (犬の) スポットが門の所で盛んに鳴いている Spot *is barking* fiercely at the gate. // 羊が鳴くのを聞いたことがありますか Have you ever heard a sheep *bleat*? // 庭の木で鳥が楽しそうに鳴いている Birds *are singing* merrily among the trees in the garden. // はとはくーくーと鳴く Doves *sing*, ‘Cooo-coo, coo, coo, coo.’ // すずめはよくいっせいに鳴いてうるさい Sparrows often *sing* together in a noisy chorus.

---

boo cage for transporting a criminal (in the Edo period) Ⓒ.

どうまわり 胴回り (ウエストの寸法) ⦅格式⦆ girth Ⓒ; (ウエスト) waist (size) Ⓒ. ⦅☞ ウエスト[2]; からだ (挿絵)⦆.

どうみぎ 同右 the same as (on) the right ⦅☞ どうじょう[3]⦆.

とうみつ 糖蜜 ⦅米⦆ molásses Ⓤ, ⦅英⦆ treacle Ⓤ; (シロップ) syrup, sirup /sə́ːrəp, sírəp/ Ⓤ.

どうみゃく 動脈 〔解〕 artery Ⓒ (↔ vein) ⦅☞

けっかん²)》. ¶ 大*動脈 the [a] main *artery* **動脈血**〖生理〗arterial blood Ⓤ **動脈硬化** arteriosclerosis /ɑətì(ə)riouskləróusɪs/ Ⓤ, hardening of the árteries Ⓤ ★ 前者は医学用語. **動脈産業** raw material processing industry Ⓤ **動脈瘤**〖医〗aneurysm /ǽnjurìzm/ Ⓒ.

とうみょう 灯明 ¶ *灯明を上げる offer a *votive* ⌈*light* [*candle*] (to a god) on the altar

とうみん¹ 冬眠 ―［名］winter sleep Ⓤ ★ 一般的な表現; hibernation Ⓤ ★ 学術用語. ―［動］(冬眠する) hibernate /háɪbənèɪt/ (自). ¶ *冬眠している be *hibernating* / be in *hibernation* // *冬眠に入る go [enter] into *hibernation* // *冬眠からさめる come out of *hibernation*

冬眠動物 hibernant Ⓒ, hibernating animal Ⓒ.

とうみん² 島民 inhabitant ⌈of [on] an island Ⓒ, islander Ⓒ ★ 前者は住民かどうかに重点を置いた言い方.

どうみん 道民 inhabitant [citizen] of Hokkaido Ⓒ.

とうむ 党務 party affairs ★ 複数形で.

とうめい 透明 ―［形］(透き通った) transparent /trænspǽrənt/ (↔ opaque); (水などが澄んだ) clear. ―［名］(透明さ・透明度) transparency Ⓤ. 《☞ すきとおる》. ¶ 無色*透明な colorless and *transparent* // 半*透明な translucent // 不*透明な opaque /oupéɪk/ **透明紙** transparent paper Ⓤ **透明体** transparent body Ⓒ **透明度** (the degree of) transparency Ⓤ ¶ この湖は*透明度では日本一だ This lake ranks first in Japan in *transparency*. **透明人間** invisible ⌈man [woman] Ⓒ.

どうめい¹ 同盟 ―［名］alliance /əláɪəns/ Ⓤ ★ 具体的な同盟関係については Ⓒ. ―［動］(同盟を結ぶ) ally /əláɪ/ *oneself* with ..., be allied with ... ¶ 第二次大戦でドイツは日本と*同盟した Germany *was allied with* Japan in World War II /tú:/. // 軍事*同盟 a military *alliance*

同盟国 ally /ǽlaɪ/ Ⓒ, allied power Ⓒ.

どうめい² 同名 the same ⌈name [title]; (同名の人・もの) namesake Ⓒ. 《☞ どうせい³ (同姓同名)》. ¶ *同名作品の主人公(戯曲「リア王」に登場するリア王など) the eponymous hero(ine) **同名異人** different person with the same name Ⓒ; (ある人からみた同名の人) *one's* namesake.

とうめいこうそくどうろ 東名高速道路 the Tomei Expressway.

どうめいし 動名詞〖文法〗gerund Ⓒ.

とうめつ 討滅 ―［動］(全滅させる) annihilate /ənáɪəlèɪt/ (他); (打ち負かす) vanquish (他). ―［名］annihilation Ⓤ. 《☞ とうばつ¹》.

とうめん 当面 ―［形］(現在の) present Ⓐ; (差し迫った) urgent, pressing; (即時の) immediate. ―［副］(しばらくの間) for the time being. 《☞ とうざ; さしあたり》. ¶ *当面の問題 the *present* problem / the matter *at hand* // *当面の必要を満たすにはそれで十分だ That's enough to meet the ⌈*immediate* [*pressing*] need. // *当面はこれで大丈夫です This will do for *the time being*.

どうも 1 《非常に》 ―［副］(たいへん) very ★ 副詞・形容詞を修飾; very much ★ 動詞を修飾. ¶ *どうもありがとうございます Thank you *very much*. // お手数をかけて*どうも申し訳ありません I am *very* sorry to trouble you.

2 《話者の不確実・疑念などの気持ちを表して》 ―［副］(なんとなく) somehow; (見たところ…らしい) apparently; (どちらかというと) rather. 《☞ なんとなく》.

¶ クラシックは*どうも好きじゃない *Somehow* I don't like classical music. // 彼は*どうもうそをついているようだった (⇒ 多分…であると思う) I *suspect* that he lied to me. / (⇒ 見たところうそをついているらしかった) He was *apparently* telling a lie. // あの人のいうことは*どうも納得がいかない What he says is *not quite* convincing. ★ not quite で部分否定.

【参考語】(…ではないかと思う) I'm afraid (that ...); (疑う) I doubt (if ...; whether ...; that ...) ［語法］普通は if, whether. 否定の節が続くときは that が多い; (怪しいとにらむ) I suspect (that ...).

3 《あいさつ》 ¶ やあ, *どうも*どうも Hello there! // 《別れる時に》じゃあ, *どうも I'll be seeing you!

どうもう 獰猛 ―［形］(性質・行動などが荒々しい) fierce; (凶暴な) ferócious; (野蛮で粗暴な) savage. ―［名］fierceness Ⓤ; ferocity Ⓤ; sávageness Ⓤ. 《☞ きょうぼう²》.

とうもく 頭目 (集団の長) head Ⓒ; (悪事の) ringleader Ⓒ. 《☞ ちょう³ (類義語)》. ¶ 暴徒の*頭目 the *ringleader* of the riots

どうもく 瞠目 ―［動］(目を見開く) open *one's* eyes wide. ¶ *瞠目に値すること an *eye-opener*

どうもと 胴元 (賭博・ゲームの) banker Ⓒ. ¶ *胴元をつぶす break *the bank*

とうもろこし 《米・カナダ・オーストラリア》corn Ⓤ, 《英》maize Ⓤ, Indian corn Ⓤ ［参考］《英》で corn といえば小麦を指す.

どうもん 同門 (同じ仲間の生徒) fellow ⌈student [pupil] Ⓒ 《☞ どうそう》.

とうや¹ 陶冶 ―［名］cultivation Ⓤ. ―［動］cultivate (他). ¶ 人格を*陶冶する *cultivate one's* character **陶冶性** (教育の可能性) educability Ⓤ.

とうや² 当夜 (その夜) the [that] night; (今夜) tonight. ¶ *当夜襲撃することに決めた We decided to carry out the attack *tonight*.

どうや 同夜 (同じ夜) the same night; (前述の夜) the above-mentioned night.

とうやく 投薬 ―［動］(薬を投与する) give [administer] medicine; (薬を処方する) prescribe (他). 《☞ くすり; しょほう¹》.

とうやくりんどう 当薬竜胆〖植〗whitish gentian /ʤénʃən/ Ⓒ.

どうやら 1 《どうにかこうにか》 ―［副］(なんとか) somehow (or other); (やっとのことで) with difficulty, barely ★ 前者のほうが一般的. ―［動］(なんとか工夫して…する) manage to *do* ... 《☞ なんとか》. ¶ *どうやら難関は切り抜けた *Somehow or other* I got over the difficulty. / I *managed to* get over the difficulty. ★ 第 1 文のほうが口語的.

2 《どうも…らしい》 ¶ *どうやら彼はそのことを忘れているらしい He has *apparently* forgotten it. // *どうやら彼は勝ちそうだ He is *likely* to win. // *どうやら雨らしい (⇒ 雨が降る気配がする) It *looks like* rain. 《☞ どうも》

【参考語】―［副］(見たところ…らしい) apparently. ―［形］(起こり得る) likely. ―［動］(…らしい) seem (自), look like ...

どうやらこうやら ¶ *どうやらこうやら金は足りた I *barely* had enough money.

とうゆ 灯油 《米》kérosène Ⓤ, 《英》páraffin (oil) Ⓤ.

とうゆう 党友 (党の支持者) supporter of a political party Ⓒ; (同調者) party sympathizer Ⓒ.

どうゆう¹ 同憂 the same ⌈concern [fears; uneasiness] 《☞ しんぱい (類義語)》. ¶ 国の将来についての*同憂の士 those sharing *the same concerns* about the future of the country

どうゆう² 導誘 ☞ ゆうどう¹

とうゆうし 投融資 investment and lending Ⓤ. ¶ 財政*投融資 fiscal government *investment and*

lending

とうよ 投与 ¶患者に薬を*投与する *give* medicine to a patient / (⇒ 処方する) *prescribe* for a patient // 新薬を多量に*投与された患者 a patient on a high *dosage* of new medicine

とうよう[1] 東洋 ― 名 Asia; (アメリカから見て) the Orient (↔ the Occident); (イギリスから見て) the East (↔ the West) 語法 いずれも大文字で.《米》で the East といえば米国の東部を指す.《英》でも the Orient は用いられるが, やや気取った感じになる. ― 形 Asian; (東洋の) Oriental; Eastern.
東洋医学 Oriental [Chinese] medicine Ⓤ **東洋音楽** Asian music Ⓤ **東洋画** Oriental painting Ⓤ ★作品は Ⓒ. **東洋学** Oriental studies ★複数形で. **東洋史** Asian history Ⓤ **東洋諸国** (the) ⌈Oriental [Eastern] countries **東洋人** Asian Ⓒ; Oriental Ⓒ ★後者は差別的なので用いないほうがよい. また Asiatic Ⓒ も差別的. **東洋文明** Oriental [Asian] civilization Ⓤ.

とうよう[2] 登用 ― 動 (任命する) appoint ㊀; (昇格させる) promote ㊀. ― 名 appointment Ⓤ; promotion Ⓒ.《☞ にんめい; きよう[2]》.

とうよう[3] 盗用 ― 動 (他人の説・文章・アイディアなどを盗む) plagiarize /pléɪdʒəràɪz/ ㊀; (公金などを横領する) embézzle; (他人の金を着服する) misappropriate /mìsəpróupriènt/. ― 名 (盗作・剽窃(ひょうせつ)) plagiarism /pléɪdʒərìzm/ Ⓤ.《☞ とうさく[1]》. ¶彼は私の文章を*盗用した He *plagiarized* my essay.

とうよう[4] 当用 ― 形 (さしあたり必要な) necessary for the ⌈time being [present]; (日常使用の) for daily use. **当用漢字** Chinese characters for daily use (in Japan), currently-used Chinese characters (in Japan), *toyo kanji*.《☞ かんじ[2]》 **当用日記** (日記形式の覚え書き) memorandum [memo] in the form of a diary Ⓒ ★[ ] 内はくだけた形.

どうよう[1] 同様 ― 形 (似ている) similar (to ...); (よく似ている) alike Ⓟ; (同一の) same ★ the を付けて; (等しい) equal. ― 前 (...のように) like.《☞ おなじ; おなじく; どうぜん[1]》.
¶*同様にしてこの問題も解ける The problem can be solved in ⌈a *similar* [*the same*] way. // 彼らの意見はほぼ*同様のものだ Their opinions are very much *alike*. // その古い机は塗り替えたら新品*同様になった When the old desk was painted, it looked ⌈*like* [*as* good *as*] new. // おじは私を娘*同様にかわいがってくれた (⇒ 私が娘であるかのように) My uncle was as affectionate to me *as if* I were his daughter. // それは私に死ねというのも*同様だ It's *just like* telling me to die. / It's *as much as* to say that I must die. // 物価は去年*同様上がる一方だろう Prices will continue to rise, *just as* they did last year.

どうよう[2] 動揺 ― 動 (平静を失う) be shaken; (不安になる) be disturbed; (気が動転する) be upset. ― 名 shakiness Ⓤ; disturbance Ⓒ; (精神的・社会的な不安) unrest Ⓤ.《☞ うごく》.
¶村人たちはその知らせで*動揺した The villagers *were* ⌈*shaken* [*disturbed*] by the news. // 彼の信念は*動揺しなかった (⇒ 確固としていた) He was *firm* in his belief. // 彼の死は政治的な*動揺をもたらした His death led to political *unrest*. // 他の患者に*動揺を与えないように気をつけなさい Be careful not to give a *shock* to other patients.

どうよう[3] 童謡 (ごく一般的には) children's song Ⓒ; (特に英米に昔から伝わっている子供向けの詩歌)《米》Mother Goose rhyme Ⓒ,《英》nursery rhyme Ⓒ.

とうらい 到来 ― 動 (来る) come (to ...) ㊁; (到着する) arrive (at ...; in ...) ㊁. ― 名 coming Ⓤ; arrival Ⓤ.《☞ とうちゃく》.
¶いよいよ時節*到来だ The time *has come* at last. // 好機*到来だ (⇒ 好機が現れた) A good opportunity *has* ⌈*offered* [*presented*] *itself*.
到来物 present [gift] (received) Ⓒ.

とうらく[1] 当落 (選挙の結果) the result(s) of an election《☞ せんきょ[1]》. ¶*当落はあす正午までにはわかる *The result(s) of the election* will be ⌈clear [known; out] by noon tomorrow.

とうらく[2] 騰落 rise and fall, fluctuation Ⓒ.
騰落率 (株価の) the rate of ⌈rise and fall [fluctuation] in stock prices.

どうらく 道楽 **1** «遊興» ― 名 (放蕩)《格式》dissipation Ⓤ. ― 形《格式》díssipàted; (身持ちの悪い) fast. ¶彼は若いときは*道楽をしたものだ (⇒ 放蕩生活をした) He ⌈*led a dissipated life* [*lived a fast life*] when (he was) young.
2 «趣味»: (余暇を使ってする楽しみ) hobby Ⓒ; (暇つぶし・気晴らし) pastime Ⓒ.《☞ しゅみ; あそび》.
¶切手集めが私の唯一の*道楽です Collecting stamps is my only ⌈*hobby* [*pastime*]. // *道楽に (⇒ おもしろ半分に) 働いてるんじゃないよ I'm not working *for fun*. // 食*道楽 an *epicurean*
道楽息子 prodigal /prádɪg(ə)l/ son Ⓒ **道楽者** (遊び人) playboy Ⓒ; (放蕩者) libertine Ⓒ.

どうらん[1] 動乱 (戦争) war Ⓤ; (闘争) strife Ⓤ; (騒動) disturbance Ⓤ ★具体的には Ⓒ.《☞ せんそう[1]》. ¶*動乱の地域 *strife-torn* area

どうらん[2] 胴乱 (採集用ケース) vasculum Ⓒ《複 vascula, ~s》.

とうらんけい 倒卵形 ― 形 obovoid /ɑbóuvɔɪd/, obovate /ɑbóuveɪt/. ¶*倒卵形の果物 an *obovoid* fruit

とうり[1] 党利 party interests ★複数形で.
¶*党利を図る pursue *party interests* **党利党略** ¶*党利党略に走る play *partisan politics*

とうり[2] 桃李 **桃李もの言わざれども下自(おのずか)ら蹊(みち)を成す** (⇒ 徳のある人の周りには自然に信奉者が集まる) A virtuous man will naturally attract admirers. ★『史記』の言葉.

どうり 道理 (思慮・分別の結果としての物の道理) reason Ⓤ; (真理・真実) truth Ⓤ.《☞ りくつ》.
¶あの男はとんと*道理がわからない (⇒ 道理に耳を傾けようとしない) He will not listen to *reason*. // 彼はものの*道理をわきまえている (⇒ 何が何であるかわかっている) He knows *what's what*. // 彼の言うことはまことに*道理にかなっている What he says is quite *reasonable*. // あなたがそう言うのもまったく*道理だ (⇒ 正しい) You are quite *right* to say so. / (⇒ 立派な理由がある) You *have good reason* to say so. // 彼がびっくりするのも*道理だ (⇒ 当然だ) It is *natural* that [No wonder] he was surprised.
道理で ¶*道理であの男は金遣いが荒い (⇒ そのことがなぜ彼が金遣いが荒いかを説明する) *That explains* why he's so free with his money. / (⇒ なぜ金遣いが荒いのかわかった) Now *I understand* why he's so free with his money.

どうりきがく 動力学 dynamics Ⓤ, kinetics Ⓤ.

とうりつ 倒立 (腕を伸ばした) handstand Ⓒ; (頭をつけた) headstand Ⓒ.《☞ さかだち》.

どうりつ[1] 同率 the same ⌈rate [ratio; percentage] Ⓤ《☞ わりあい》. ¶両選手は*同率 (⇒ 同じ打率) で首位打者になった Both players became the leading hitter with *the same batting average*.

どうりつ[2] 道立 **道立高校** prefectural /priː-fektʃərəl/ (sénior) hígh schòol (in Hokkaido) Ⓒ.

とうりゃく 党略 (党の戦略) party tactics ★ 複数扱い; (党の政策) party policy Ⓒ. (☞ とうり[1] (党利党略); せいりゃく).

とうりゅう 逗留 ― [名] (滞在) stay Ⓒ; (一時的な滞在) sójourn Ⓒ [語法] 後者は文語で, stay のほうが日常的な語. ― [動] stay (at …) (自); sójourn (at …) (自). (☞ たいざい; とまる[2]).

とうりゅうもん 登竜門 (成功への道) the gate(way) to success. ¶ 芥川賞は作家への*登竜門だ The Akutagawa Prize is *the gateway to success* as a novelist.

とうりょう[1] 投了 ― [動] (負けを認める) 〘チェス〙 resign (自); (あきらめる) give up (自).

とうりょう[2] 棟梁 (大工の) master builder Ⓒ.

とうりょう[3] 等量 equal amount Ⓒ, the same quantity. (☞ りょう[1]).

とうりょう[4] 頭領 (指導者) leader Ⓒ; (親分) (略式) boss Ⓒ. (☞ おやぶん).

とうりょう[5] 当量 equivalent (weight) Ⓒ.

どうりょう[1] 同僚 (職場の) cólleague Ⓒ ★ 最も一般的な語; (仕事で結びついている) associate Ⓒ; (一緒に働いている) co-worker Ⓒ ★ 職場とは限らず, 共同作業をする相手; (仕事仲間) fellow worker Ⓒ ★ 仲間意識を強調する語. (☞ なかま (類義語)).

どうりょう[2] 同量 ☞ とうりょう[3]

とうりょく 投力 (投げる力) throwing [pitching] strength Ⓤ; (投げる能力) throwing ability Ⓤ.

どうりょく 動力 power Ⓤ. ¶ *動力芝刈り機 a *power* mower **動力計** dỳnamómeter Ⓒ **動力資源** energy resources **動力車** engine Ⓒ **動力線** 〘電〙 power line Ⓒ **動力炉** power reactor Ⓒ.

どうりん 動輪 (機関車の) driving [drive] wheel Ⓒ.

とうるい[1] 盗塁 ― [動] steal (a base). ― [名] (盗塁の動作) steal Ⓒ; (盗塁の事実) stolen base Ⓒ. ¶ ランナーは2塁に*盗塁した The runner *stole* second (base).

とうるい[2] 糖類 〘化〙 saccharide /sǽkəràɪd/ Ⓤ.

どうるい 同類 (同じ部類[種類]) the same ⌈class [kind]; (似た人・似たもの) (略式) the like(s). (☞ どうけい[1]; なかま). ¶ あんな(ひどい)連中の*同類とは思われたくない I don't want to be regarded as *one of those* ⌈disgusting [terrible] people. // やつらは皆*同類だ(⇒ お互いに結びついている) They *are* all *allied* ⌈*to* [*with*] one another. **同類意識** fellow feeling Ⓤ **同類項** 〘数〙 like [similar] term Ⓒ; (仲間) the like.

とうれい 答礼 ― [動] (あいさつを返す) return a salute. ― [名] return salute Ⓒ. (☞ へんれい[1]).

どうれい 同齢 ☞ どうねん; どうねんぱい

どうれつ 同列 (同じ水準[等級]) the same ⌈level [rank] (☞ どうとう[1]). ¶ 彼の業績は私のと*同列に置くことはできない You cannot place his achievement *on the same level* ⌈with [as] mine.

とうろ 凍露 〘気象〙 frozen [white] dew Ⓤ.

どうろ 道路 (郊外などの車道) road Ⓒ; (歩道のついている街路) street Ⓒ; (都市と都市を結ぶ公道) highway Ⓒ; (並木のある大通り) avenue Ⓒ. (☞ みち[1] (類義語); とおり).

¶ *道路を渡るときは気をつけなさい Take care when you cross a *road*. [語法] 町なかであれば street でもよい. // *道路はかちかちに凍っていた The *road* was frozen and hard as iron. // 危険な*道路 a dangerous *road* // 有料*道路 a toll *road* // 真っすぐな*道路 a straight ⌈*road* [*street*] // 行き止まりの*道路 a dead-end *street* // 午前中は*道路がすいていた There was not much traffic on the *street(s)* in the morning. // *道路が込んでいます The *streets* are congested. // 大雨のため*道路は閉鎖された The *road* was closed because of the heavy rain.

アメリカの道路標識

道路安全システム the Advanced Highway Safety System (略 AHSS) **道路運送事業** road transportation business Ⓒ **道路運送法** the Road Transportation Act **道路橋** road bridge Ⓒ **道路工事** (修理) road repair(-ing) Ⓤ; (建設・修理) road construction Ⓤ. (☞ こうじ[1]) **道路工事人** road construction worker Ⓒ **道路公団民営化** (the) privatization of the Japan Highway Public Corporation Ⓤ **道路交通情報** traffic information Ⓤ **道路交通法** the Road Traffic Act **道路清掃車** road-sweeping truck Ⓒ, street-cleaning truck Ⓒ, street cleaner Ⓒ **道路占用権** (the) right to use the road Ⓒ **道路地図** road map Ⓒ **道路特定財源** specific revenue for constructing roads Ⓤ **道路鋲** road tack Ⓒ **道路標示** traffic sign painted on the road Ⓒ **道路標識** road sign Ⓒ **道路法** the Road Law **道路里程標** milepost Ⓒ; (標石) milestone Ⓒ.

コロケーション

混雑した道路 a busy *road*; the crowded *streets* / 主要道路 a main *road* / すいている道路 an empty *road* / 滑りやすい道路 a slippery *road* / 狭い道路 a narrow ⌈*road* [*street*] / でこぼこな道路 a ⌈rough [bumpy] *road* / 広い道路 a wide ⌈*road* [*street*] / 舗装していない道路 an unpaved [a dirt; an unsurfaced] *road* / 舗装道路 a ⌈paved [surfaced] *road* / 曲がりくねった道路 a winding ⌈*road* [*street*] / 道路が狭くなる a *road* narrows / 道路が広くなる a *road* widens / 道路が曲がりくねる a *road* ⌈winds [meanders] / 道路が曲がる a *road* bends / 道路が分かれる a *road* ⌈forks [divides (into …)] / 道路を設計する design a *road* / 道路を作る construct a *road* / 道路を広げる widen a *road* / 道路を封鎖する block a ⌈*road* [*street*] / 道路を保守する maintain a *road* / 道路を舗装する pave a ⌈*road* [*street*]

とうろう[1] 灯籠 (庭の) garden lantern Ⓒ; (神殿の) dedicatory lantern Ⓒ. ¶ 石*灯籠 a stone *lantern* **灯籠流し** the floating of lighted lanterns on water as a Buddhist ceremony ★ 説明的な訳. **灯籠舟** miniature straw ship, with a lighted lantern, for floating spirits away at the close of the *Bon* Festival Ⓒ.

とうろう[2] 蟷螂 蟷螂の斧を振るう throw sand against a strong wind; (むだな抵抗をして傷つく) kick against the pricks. (☞ かまきり).

とうろく 登録 ― [名] (公式の帳簿に記録すること) registration Ⓤ; (名簿などへの記入) entry Ⓒ. ― [動] register (他) (自) [語法] 登録するものが自分の名前などのように状況からはっきりしていれば, 「名前を」は不要なので (自) となる. 前置詞は「場所」は at, 登録の「目的」には for, 登録を受け付ける「人」には with を用いる. (☞ とどける[1]).

¶ 投票する前に*登録しなければならない[*登録が必要だ] You must *register* [*Registration* is required] before you can vote. // 私は英会話のクラスに*登録

した I *registered for* an English conversation class. // 新年度の科目*登録は4月8日から始まる *Registration* for the new academic year will start on April 8. // 住民*登録 resident *registration* **登録意匠** registered design Ⓒ **登録型派遣** dispatch of temporary workers on the basis of registration Ⓤ **登録者** registrant Ⓒ **登録商標** registered trademark Ⓒ **登録済**《標記》Registered, ® **(事前)登録制** (advance) registration system Ⓒ **登録番号** registration number Ⓒ **登録料** registration fee Ⓒ.

とうろん 討論 ―名 (形式ばらない話し合い) discussion Ⓒ; (公式の場での) debate Ⓒ; (議論) argument Ⓤ. 日英比較 日本語で討論というと賛否両論に分かれての議論をいうが, 英語の discussion は問題をいろいろの角度から検討することを言い, 必ずしも賛否の議論は意味しない. debate は日本語の討論に近いが公開の場での討論をいう. argument は各人の主張を前面に出した討論である. ―動 discuss ㊎; debate ㊎ ㊍; argue ㊎ ㊍ 語法 discuss は ㊎ なので discuss about … のように前置詞を用いるのは誤り. debate, argue も ㊎ であるが,「…について」という多少漠然としたテーマをいう場合には ㊍ として debate ⌈on [upon] …, argue about … のように前置詞と共に用いる.《☞ ぎろん (類義語); とうぎ¹》.

¶ 委員会はその問題について*討論した The committee *discussed* the problem. // 私たちは将来構想について活発に*討論した We had a lively *discussion* ⌈about [as to] our future plans. // 熱心な*討論 an enthusiastic *discussion* // 先生たちはその問題を親たちと*討論した The teachers *debated* the problem with the parents. // *討論を打ち切る close the ⌈*discussion* [*debate*]

討論会 debate Ⓒ; (公開討論会) open forum Ⓒ《複 ~s, fora》. ¶ テレビ*討論会 a TV *debate* **討論者** debater Ⓒ; (シンポジウムなどの) discussant Ⓒ.

―コロケーション―

真剣な討論 a serious *discussion* / **知的な討論** an intellectual *debate* / **激しい討論** a heated ⌈*discussion* [*debate*] / **不毛な討論** a sterile *discussion* / **実りの多い討論** a fruitful *discussion*

どうろん 同論 (同じ意見) the same opinion.

どうわ¹ 童話 (おとぎ話) fairy tale Ⓒ; (おとぎ話だけでなく, 子供向きの話すべて) children's story Ⓒ; (伝承的な) nursery ⌈tale [story] Ⓒ; (少年少女向きの) juvenile /ʤúːvənàɪl/ story Ⓒ ★ やや格式ばった言い方.《☞ おとぎばなし》.

童話劇 juvenile play Ⓒ **童話作家** writer of ⌈children's [juvenile] stories Ⓒ.

どうわ² 同和 **同和教育** social integration education Ⓤ; education to eliminate social discrimination Ⓤ **同和対策** social integration measures ★ 通例複数形で.

とうわく 当惑 ―動 (ろうばいする) be confused; (途方に暮れる) be puzzled; (とまどう) be perplexed; (きまりが悪い) be embárrassed. ―名 confusion Ⓤ; puzzlement Ⓤ; perplexity Ⓤ; embarrassment Ⓤ.

【類義語】頭が混乱してまごつくのが **be confused** で, わけがわからず困るのが **be puzzled**. とまどってどうしてよいかわからないのは **be perplexed** で, 難題などで困る気持ちを表す. いわゆる「ばつが悪い」「きまり悪い」という感じで当惑するのが **be embarrassed**.《☞ こまる; とまどう; まごつく》

¶ 彼ががらりと態度を変えたのには*当惑した I *was* ⌈*confused* [*puzzled*] by his sudden change of attitude. // 彼女は*当惑した様子だった She looked ⌈*perplexed* [*embarrassed*]. // あの子は私が*当惑するような質問ばかりする (⇒ 人を当惑させるような質問ばかりする) He [She] always asks me *embarrassing* questions. ★ 内容が難しいのではなく, どう答えてよいかわからない, あるいは答えるといろいろな差し障りがあって答えられないような質問をいう.

とえい¹ 都営 ―形 Mètropólitan Ⓐ ★ 大文字で始める.《☞ と²》. ¶ *都営団地 a *Tókyo Métropòlitan* hóusing ⌈còmplex [pròject] **都営住宅** Métropòlitan hóusing Ⓤ **都営地下鉄[バス]** Metropolitan ⌈subway [bus] Ⓒ.

とえい² 渡英 ―動 go to Britain ★ 目的地に応じてより具体的に England, Scotland, Wales, Ireland などとするのがふつう.《☞ えいこく》.

とえはたえ 十重二十重 ¶ *十重二十重の見物人 *a thick wall of* spectators // その建物は群集に*十重二十重に囲まれた The building was surrounded by *great walls of* people.

どえらい ど偉い (大変な)《略式》(a) hell of a …; (莫大な) huge; (要求などが途方もない) exorbitant /ɪgzɔ́ɚbət(ə)nt/.《☞ とほう》. ¶ *どえらい目に会う have (*a*) *hell of a* hard time // 彼は*どえらい金をかせいだ He earned a *huge* sum of money.

とお 十 ―名形 ten《☞ じゅう¹; 数字 (囲み)》.

十で神童十五で才子二十過ぎれば只の人 A prodigy at ten, gifted at fifteen, like everyone else after twenty.

トー (つま先) toe Ⓒ. **トーキャップ** toe cap Ⓒ.

とおあさ 遠浅 ―形 (岸からある距離の間浅い) shallow for some distance from the shore. ―名 (浅い岸) shallow beach Ⓒ. ¶ 海は*遠浅で海水浴に適している The sea is *shallow for a good distance from the shore*, and so it is good for swimming.

とおあるき 遠歩き long walk Ⓒ.

とおい 遠い **1**《距離》 ―形 far; distant; remote; faraway Ⓐ; far-off Ⓐ. ―動 be a long way (off) ㊍.

【類義語】距離が遠いことを表す最も基本的な語は **far** であるが, 名詞の前に置いて用いる限定用法には **distant**, **remote** が普通で, **far**, **faraway**, **far-off** を用いるとやや文語的. また述語用法でも **far** は疑問文・否定文に用いるのが普通. 口語の肯定平叙文では代わりに **be a long way (off)** を用いる. ただし「真実とはほど遠い」*far from* the truth のように比喩的に用いられるときには上述の制限はない. *remote* は「辺鄙(へんぴ)・不便」の意味を暗示する.《☞ とおく》

¶ 駅はここから*遠い It's *a long way* to the station from here. 語法 この場合には off は付けない. / The station is ⌈*a long way* (*off*) [*far*] from here. ★ 前者のほうが口語的. // 「その博物館まではとても*遠いですか」「いいえ, あまり*遠くありませんよ. ここから歩いて5, 6分です」"Is it very *far* to the museum?" "No, it isn't. It's only a five- or six-minute walk from here." // 「君の家は駅から近いの」「いや, かなり*遠いんだよ」"Is your home near the station?" "No. It's ⌈*a long way off* [*quite a distance*]." // *遠い南の国からつばめがまたやってきた These swallows have come again from ⌈*distant* [*faraway*; *far-off*] countries in the south.

2《関係・程度》 ―形 (遠縁の) distant Ⓐ; (関係の薄い) remote Ⓐ ★ 遠く離れたことを強調する; (かけ離れた) far (from …).《☞ とおく》.

¶ 彼は私の*遠い親戚だ He is a ⌈*distant* [*remote*] relative of mine. // 彼の英語は完璧というにはほど*遠い His English is *far from* perfect. // 当たらずといえども*遠からずだ (⇒ 真実からあまり遠くない) It is not very *far from* the truth.

3《時間》 ―副 (ずっと以前に) long ago. ―形 (現在から遠く離れた) distant Ⓐ.

¶彼に会ったのは*遠い昔のことだ It was *long ago* that I last saw him. // がん征服も*遠い将来のことではない The time is not *distant* when we will conquer cancer.

4 《聴力》 ¶最近耳が*遠くなった（⇒聴力が悪くなった）My hearing is getting *worse.* // 電話の声が*遠くて聞こえません（⇒回線が悪い）The line is bad. I can't hear you.

遠くて近きは男女の仲 So distant yet so close are men and women.

トーイック （英語検定試験の一つ） TOEIC /tóuɪk/ ★ *T*est *of* *E*nglish for *I*nternational *C*ommunication（国際コミュニケーションのための英語テスト）の略.

トーイン （自動車の車輪の）tóe-ìn [U].

とおう 渡欧 — [動] go to Europe. ¶彼らはいま*渡欧の途にある They are now on *their way to Europe.*

とおえん 遠縁 — [形] distantly related. — [名]（遠縁の者）distant relative [C]. 《☞ とおい; しんせき[1]; 親族関係（囲み）》. ¶彼は私の*遠縁にあたる He is a *distant relative* of mine. / He is *distantly related to* me. ★第2文のほうが格式ばった言い方.

とおか 十日 1 《月の》: the tenth. ¶一月*十日 *the 10th* of January / January *10(th)*

2 《十日間》: ten days, ten day's time. ¶彼女が全快するまでにはまだ*十日はかかるだろう It will be *ten days* more before she gets well.

トーガ toga [C]《複 ~s, -gae》★古代ローマ市民が着たゆるやかな上着. またそれに類似の裁判官などの礼服.

とおからず 遠からず before long;（すぐ）soon;（遠からず…である）it will not be long before … ¶*遠からずまたお目にかかりましょう I'll see you again *soon.* // *遠からず新しい型が発売になる *It will not be long before* a new model is placed on the market.

トーキー （発声映画）talkie [C], talking ⌈picture [film] [C].

とおく 遠く — [副]（長い距離の所まで）far;（遠くの方に）in the distance. 《☞ とおい》.

¶我々はそんなに*遠くへは行かなかった We didn't go very *far.* // 彼は*遠くから私に会いにやって来た（⇒遠い道のりをやって来た）He came *a long way* to see me. // *遠くに富士山が見えた I saw Mt. Fuji *in the distance.* // ゴルフでは彼に*遠く及ばない（⇒彼ははるかに優れている）He is *far superior* to me *at* golf. /（⇒とても比べものにならない）I'm *no match* for him *at* golf.

遠くの親類より近くの他人 A good neighbor is better than a relative far away.

トーク[1] talk [C]. **トーク(ショー)[番組]** talk [《英》chat] show [C].

トーク[2] （つばなしの帽子の一種）toque [C].

トークン token [C]. **トークンリングネットワーク**〘コンピューター〙token ring network [C].

トーゴ — [名] (固) Togo;（正式名）the Republic of Togo ★アフリカ西部, ギニア湾北岸に臨む共和国.

とおごえ 遠声 ¶*遠声が聞こえる I hear *voices in the distance.*

とおざかる 遠ざかる *（離れて行く）gò awáy* (自) ★一般的な表現で, 船・車などについても使える;（特に船が）sáil awáy (自);（特に車が）dríve awáy (自);（音が）díe awáy (自);（外部にいる）stày óut (of …) (自). 《☞ とおのく》. ¶車はみるみるうちに*遠ざかっていった The car *drove* rapidly *away.* // 太鼓の音は次第に*遠ざかっていった The sound of drums *died* gradually *away.* // 彼はしばらく文壇から*遠ざかっていた He *stayed out of* the literary world for some time.

とおざける 遠ざける （人を近寄らせない）keep *a person* away;（避ける）avoid (他);（そばに寄らない）kèep awáy (from …) (自). 《☞ よせつける》. ¶あの男は*遠ざけたほうがよい You should *keep* him ⌈*away* [*at a distance*].

とおし 通し — [形]（連続的な）serial /sí(ə)riəl/;（切れ目のない）consecutive /kənsékjutiv/. — [名]（そっくりそのまま）entirety [U]. ¶番号は*通しになっている（⇒これらは通し番号だ）These are *serial* numbers. /（⇒番号は連続して続いている）The numbers follow *serially.* // ハムレットを*通して上演することにしています（⇒省略しないでそのままの形で上演する）We'll stage *Hamlet in its entirety.*

通し切符 through ticket [C] **通し狂言** presentation of a whole kabuki play [U] **通し柱** through pillar [C] **通し番号** serial [consecutive] numbers

[語 法] serial は1から始まって組織的・意図的な連続が感じられ, consecutive は単に連続している番号ということで, 全部が通しの場合にも, 部分的な連続にも使える. **通し矢** long-distance archery [U].

-どおし …通し （ずっと…する）keep (on) … ing ★やや口語的;（継続する）continue (自). ¶1週間, 雨が降り*通しだった It *kept (on) raining* [The rain *continued*] for a week. // 1月から働き*通しです I *have been* work*ing* hard without any holidays since January. 《☞ よどおし; たちどおし; -づめ》

とおす 通す 1 《案内する》:（人を部屋などに）shów ín (他), show … into …;（中に導く）úsher ín (他), usher … into … ★格式ばった語. 《☞ あんない》. ¶来客を中へお*通ししなさい *Show* [*Usher*] the visitor *in.* // 彼女は彼を部屋の中に*通した She *showed* him *into* the room. // 私は居間に*通された I *was* ⌈*shown* [*ushered*] *into* the living room.

2 《貫く》:（針に糸を）thread (他);（突き抜ける）pierce (他) ★後者のほうが格式ばった語.

¶彼女は針に糸を*通した She *threaded* the needle.

3 《ある物を通じて》 — [前] through … ¶薄いカーテンを*通して家の中が見えた I saw the inside of the house *through* a thin curtain.

4 《通過させる》:（中に入れる）lèt ín (他);（入ることを許す）admit (他). ¶この色ガラスは光をほとんど*通さない This tinted glass ⌈*lets in* [*admits*] very little light. // この布は水を*通さない（⇒防水加工がしてある）This cloth is *waterproof.*

5 《通行させる》:（通らせる）pass (through) (他) (自);（道をあける）make way (for …) (自). ¶すべての車は止まって消防自動車を*通した（⇒消防自動車に道をあけるために止まった）All the traffic stopped to *make way for* the fire engines.

6 《議案などを》:（可決する）pass (他);（通過させる）púsh thróugh (他). 《☞ つうか[1]》.

¶今会期中にその法案を*通すのは難しい It will be difficult to *push* the bill *through* during the current session.

7 《意志などを貫く》:（固執する）stick (to …) (自)《過去・過分 stuck》;（主張などを頑として変えない）persist (in …) (自). 《☞ おしとおす》. ¶彼は自分の意見を*通そうとした He ⌈*stuck to* [*persisted in*] his opinion. // 彼女はいつもわがままを*通す（⇒思いどおりにする）She always *has her (own) way.*

8 《…のままでいる》: remain (自).

¶彼は一生独身で*通した（⇒独身のままだった）He *remained* single all his life.

9 《仲立ちを経る》 — [前]（…によって）through … 《☞ つうじて; かいする[1]》. ¶その知らせは先日, 彼を*通して聞いた I heard the news *through* him the other day. // 私は彼の父親を*通して就職できた（⇒父親の好意で）I was able to get a job *through the*

good offices of his father.

トースター toaster Ⓒ.

トースト ―名 toast Ⓤ ★数えるときは a piece [two pieces] of toast のように言う. slice も使われるが piece のほうが普通. ―動 toast ⑩. (☞ 数の数え方 (囲み)).

とおせんぼう 通せん坊 ―動 (邪魔をする) bar [block] *a person's* way; (行く先に立ちふさがる) stand [get] in *a person's* way.

¶ いじめっ子が学校の帰りに*通せん坊をした When I was heading home from school, a bully ⌈*stood* [*got*] *in my way*.

ドーターボード 〖コンピューター〗 daughter board Ⓒ.

トータル the total ★通例 the を付けて. (☞ ごうけい; そうけい[1]). **トータルファッション[ルック]** (調和のとれた一揃いの衣服) ensemble Ⓒ. ¶ 彼女は黒いシルクの*トータルファッションで決めていた (⇒ すてきに見えた) She looked good in a black silk *ensemble*.

トーダンス toe dance Ⓒ.

トーチ (たいまつ) torch Ⓒ (☞ たいまつ).

トーチカ (小要塞) pillbox Ⓒ ★「トーチカ」はロシア語由来.

トーチランプ (溶接用などの) blowtorch Ⓒ.

とおで 遠出 (旅行) trip Ⓒ; (野外の遠出・ピクニック) outing Ⓒ. (☞ えんそく; りょこう (類義語)). ¶ 私たちはこれから車で*遠出するところです We are going on a ⌈*trip* by car [*long drive*].

ドーデ ―名 固 Alphonse Daudet /ɑːlfɔ́ːns doudéɪ/, 1840–97. ★フランスの作家.

ドーティ (インドの男性用腰布) dhoti /dóuti/ Ⓒ.

トーテミズム (トーテム崇拝) tótemìsm Ⓤ.

トーテム totem Ⓒ. **トーテムポール** totem pole Ⓒ.

トートロジー 〖修辞〗 tautology Ⓤ.

とおなき 遠鳴き ¶ 獣が*遠鳴きしているのを聞いた I heard an animal *howling in the distance*.

ドーナツ doughnut Ⓒ ★donut と書くこともある. **ドーナツ現象** (都心部の) the [a] hollowing-out effect 日英比較 英語では, 日本の大都市のドーナツ現象に類似した都市問題, 特に都心部のスラム化を inner-city problems, 昼間 (朝 9 時から夕方 5 時まで) のみ人口が集中する商業地を a nine-to-five business district と呼び, 周辺部に都市が膨張する現象は (urban) sprawl Ⓤ という. **ドーナツ盤** EP record Ⓒ ★EP は extended play の略.

トーナメント tournament /tʊ́ənəmənt/ Ⓒ (☞ しあい; きょうぎ[2]). ¶ 私は*トーナメントで 2 位でした I took second place in the *tournament*. **トーナメントプロ** tournament pro Ⓒ.

とおなり 遠鳴り ¶ 雷の*遠鳴り a *distant* ⌈*peal* [*rumble*; *roar*] of thunder // 潮の*遠鳴りが聞こえた We heard the *distant roar* of the ⌈(⇒ 海の) sea [(⇒ 風と波の) wind and waves].

とおね 遠音 distant sound Ⓒ.

とおのく 遠のく **1** 《遠ざかる》: (去って行く) gèt awáy ⓐ ★船なら sail, 車なら drive も使える; (音が) díe awáy ⓐ. (☞ とおざかる).

¶ 雷鳴が*遠のいて聞こえなくなった The thunder *died away in the distance*.

2 《間遠になる》: become ⌈less frequent [rarer] (☞ そえん). ¶ 彼の足はこのところ*遠のいている (⇒ 彼の来訪は間遠になっている) His visits *have become less frequent* recently.

とおのり 遠乗り (乗り物一般の) long [long-distance] ride Ⓒ; (車の) long [long-distance] drive Ⓒ. (☞ とおで). ¶ きのうは*遠乗りをした We ⌈*had a long ride* [*went for a long drive*; *drove a long way*] yesterday.

ドーハ ―名 固 Doha ★カタール (Qatar) の首都.

ドーバー ―名 固 Dover ★イングランド南東部のドーバー海峡に臨む海港市. **ドーバー海峡** the Strait(s) of Dover.

ドーパミン dopamine /dóupəmìːn/ Ⓤ ★脳内の神経伝達物質.

とおび 遠火 distant fire Ⓒ. ¶ *遠火で魚を焼く broil a fish *away from the flame*

ドーピング (運動選手などへの薬物投与) doping Ⓤ. **ドーピングコントロール** dóping contròl Ⓤ **ドーピングテスト** dope test Ⓒ, drug ⌈check [test] Ⓒ.

トーフル TOEFL /tóufəl/ ★*T*est *o*f *E*nglish as a *F*oreign *L*anguage の略. 米国・カナダで研究や仕事をしようとする外国人のための英語試験.

ドーベルマン(ピンシェル) (ドイツ原産の大型犬) Doberman /dóubərmən/ (pinscher /pínʃə/) Ⓒ.

とおぼえ 遠吠え ―名 (犬・狼などの遠ぼえの声) howl /hául/ Ⓒ. ―動 howl ⓐ. (☞ ほえる; 動物の鳴き声 (囲み)).

とおまき 遠巻き ―動 (距離を置いて囲む) surround ... at a distance (☞ かこむ).

トーマス ☞ トマス

とおまわし 遠回し ―名 (回りくどい言い方) 《格式》 circumlocution Ⓒ. ―動 (遠回しに言う) talk ⌈around [《英》 round] the subject; (それとなく言う; ほのめかす) hint ⑩, suggest ⑩. ―形 (言葉などが婉曲な) roundabout Ⓐ; (間接の) indirect Ⓐ ★前者のほうがより口語的. ―副 indirectly, in a roundabout way. ¶ 彼女はときどき*遠回しにものを言う She sometimes speaks *in a roundabout way*. // *遠回しに探ったが, 彼は何も言わなかった I ⌈*talked* (*a*)*round the subject* [(⇒ 間接的に打診したが) *sounded him out indirectly*], but he didn't say anything. // その場を去るべきだと私は*遠回しに言ったが (⇒ ほのめかしたが), 彼にはわからなかった I ⌈*hinted* [*suggested*] that we should leave, but he didn't take my hint.

とおまわり 遠回り (回り道) roundabout (way) Ⓒ; (迂回(うかい)路) détour Ⓒ. (☞ まわりみち; うかい[1]).

¶ 道路が工事中で*遠回りをしなければならなかった The road was under construction, so we had to ⌈*make a long detour* [*go a long way* (*a*)*round*]. // 「送って下さるのはありがたいのですが, ずいぶん*遠回りに (⇒ 道からだいぶはずれることに) なりませんか」「いいえ, そんなことはありません」 "It's kind of you to take me home, but won't it *take* you (*far*) *out of your way*?" "No, it won't."

ドーミトリー (寮) dormitory Ⓒ.

とおみみ 遠耳 (さとい耳) sharp ear Ⓒ. ¶ *遠耳が利く have *sharp ears*

ドーム dome Ⓒ. **ドーム球場** domed baseball stadium Ⓒ **ドームスタジアム** domed stadium Ⓒ.

とおめ[1] 遠目 ¶ その家は*遠目には (⇒ 遠くからは) 立派に見えた *From a distance*, the house looked ⌈magnificent [fine]. // 私はかなり*遠目がきく (⇒ 遠くまで見える) I *can see pretty far*.

とおめ[2] 遠め rather ⌈remote [distant; far-off] (☞ とおい 1 (類義語)). ¶ *遠めの球を (⇒ 外角に) 投げる throw an *outside* pitch

とおめがね 遠眼鏡 ☞ ほうえんきょう

トーラー (モーセ五書) the Tora(h).

ドーラン (俳優がメーキャップに用いる油性顔料) greasepaint Ⓤ 参考 ドイツの Dohran 社製のものが多く用いられたのでドーランという.

とおり 通り **1** 《人・車の通る道》: (両側に家並みのある街路) street Ⓒ 語法 (1) 《米》 では特に大都市で東西に走るものを指す. 通りの名称に付けるときは

St. と略す;(大通り) avenue Ⓒ 語法 (2)《米》では特に大都市で南北に走るものを指す. 通りの名称に付けるときは Ave., Av. と略す;(車道) road Ⓒ;(大通り) boulevard /búləvɑ̀ːd/ Ⓒ 語法 (3) 街路樹があり, 中央に植物の植えてある分離帯などがあるものを指す. 通りの名称に付けるときは Blvd. と略す.《☞ みち¹ (類義語); どうろ》.

¶この*通りは交通量が多い This *street* is busy. // 郵便局はこの*通りにある The post office is ⌈*on* [《英》*in*] this *street*. // バス*通り a bus route // 駅前*通り *street* ⌈leading to [in front of] the railroad station

ニューヨークの通りの標示

2 «人・車の往来»: traffic Ⓤ《☞ ひとどおり》.

¶この道路はいつも*通りが激しい *Traffic* is always heavy on this road.

3 «流通・伝達» ¶この部屋は風の*通りが悪い This room is stuffy. / (⇒ 換気が悪い) This room is poorly *ventilated*. // 彼女の声は*通りがよい (⇒ よく届く) Her voice *carries* well.《☞ とおる 8》

-とおり¹, -どおり …通り ━ 接 (…のように) as …, like … ━ 前 (…に従えば) according to …; (…にならって) after …《☞ そのとおり》.

¶私が言った*とおりにしなさい Do just ⌈*as* [*like*] I told you. 語法 like をこのように接続詞として使うのは口語的. // 彼が言った*とおりになった (⇒ 彼の言ったようになった) It has turned out just *as* he said it would. // いつもの*とおり (⇒ いつものように), 彼は遅れて来た He came late, *as* usual. // すべては計画[スケジュール]*どおりにいった Everything went *as* ⌈planned [scheduled]. // 計画*どおりにいけば (⇒ 計画によれば), 建物は来月完成するはずだ *According to* the plan, the building is to be completed next month. // 私の提案は次の*とおりである (⇒ 以下のようである) My proposal is *as follows*: // この手本*どおりにかいてごらんなさい Try to draw *after* this model drawing. // 時間*どおりに会を始めます We will start the meeting ⌈*on time* [*as* scheduled].

-とおり² (やり方) way Ⓒ《☞ ほうほう¹ (類義語); ふたとおり》.

とおりあめ 通り雨 (にわか雨) shower Ⓒ ★ 最も一般的な語; passing rain Ⓒ ★ 詩的な表現.《☞ あめ¹; ゆうだち》.

とおりあわせる 通り合わせる ☞ とおりかかる

とおりいっぺん 通り一遍 ━ 形 (形式だけの) formal; (表面だけの) sùperfícial; (おきまりの) convéntional; (おざなりの)《格式》perfúnctory.《☞ おざなり》.

¶*通り一遍の礼状 a ⌈*conventional* [*perfunctory*] thank-you note // *通り一遍の解釈では十分でない. もっと深く読みなさい A *superficial* interpretation is not enough. Try to read deeper.

トーリーとう トーリー党 〘英史〙 the Tory Party, the Tories.

とおりがかり 通り掛かり ━ 副 (…への途中で) on ⌈*one's* [the] way (to …); (道すがら) on the way 語法 後に何も続かない場合はこの形が普通で, on *one's* way とはならない. ━ 動 (そばを通る) páss bý ⓐ. ━ 形 (通過する) passing Ⓐ.《☞ とちゅう》. ¶私は*通りがかりに (⇒ 道すがら) 買い物をした I did some shopping *on the way*. // 私は*通りがかりに (⇒ 家に帰る途中で) 彼の事務所に立ち寄った I dropped by his office *on the way* home. // *通りがかりに彼らの言葉をちらりと聞いた I caught what they said when I happened to *pass by*. // *通りがかりの (⇒ 通過する) 車 a *passing* car // 彼女は*通りがかりの人に助けを求めた She ⌈asked [turned to] a *passerby* for help. ★ 通りがかりの人が複数の場合 passersby.

とおりかかる 通り掛かる (通過する) páss bý ⓐ.

¶彼は*通りかかった船に助けられた He was saved by a *passing* ship.

とおりがけ 通り掛け ☞ とおりがかり

とおりこす 通り越す ━ 前 (…を通り過ぎて) past …; (…を越えて) over …《☞ おいこす; つうか²》.

¶私は間違えて彼の家を*通り越してしまった I ⌈walked [went] *past* his house by mistake. // ボールは頭上を*通り越して窓ガラスに当たった The ball whizzed *over* my head and hit a window. // 私は悲しさを*通り越して (⇒ 悲しむというよりむしろ) あきれてしまった I was *more* amazed *than* grieved.

とおりことば 通り言葉 (一般に用いられている) common ⌈phrase [word] Ⓒ; (はやりの) popular ⌈phrase [word] Ⓒ; (特定の集団の中だけで通用する) jargon Ⓒ.

とおりすがり 通りすがり ━ 名 (通りがかりの人) passerby Ⓒ (複 passersby). ━ 形 (通りがかりの) passing Ⓐ.《☞ とおりがかり》. ¶*通りすがりの人が大勢その事故に巻き込まれた A lot of *passersby* were involved in the accident.

とおりすがる 通りすがる (そばを通り過ぎる) pass by ⓐ《☞ とおりかかる; とおりすがり》.

とおりすぎる 通り過ぎる ━ 動 pass ⓣ ⓐ. ━ 副 (過ぎて) past 語法 運動を示す動詞と共に用いて「通り過ぎる」という意味を表す.《☞ とおりこす》. ¶御殿場インターチェンジはもう*通り過ぎました We *have passed* the Gotenba Interchange. // 彼はあいさつもしないで急いで*通り過ぎて行った He hurried *past* without any greeting. // 私は彼らが車で*通り過ぎるのを見た I saw them drive *past*.

とおりそうば 通り相場 (現在の[一般に認められている]値段) current [accepted] price Ⓒ.

¶このあたりの地価は坪 10 万円が*通り相場だ The *current price* of land around here is ¥100,000 per *tsubo*. // 女性は男性にくらべて勘がいいというのが*通り相場だ (⇒ よく知られている) It *is proverbial* that women are more intuitive than men.

とおりな 通り名 (通称) common name Ⓒ; (あだ名) nickname Ⓒ; (偽名) assumed [fictitious] name Ⓒ; (ペンネーム) pseudonym /súːdənìm/ Ⓒ.

¶多くのジャーナリストが*通り名を使っている Many journalists write under *pseudonyms*.

とおりぬけ 通り抜け ¶この小道は*通り抜けができます This path leads to another. //《掲示》*通り抜け禁止 No *Thoroughfare* / No *Trespassing*

とおりぬける 通り抜ける go [pass] through … 語法 以上のほかにいろいろな運動を表す動詞に through を付けて用いる.《☞ ぬける; つうか²; くぐる》.

¶いくつかの町を*通り抜けた We *passed through* several towns.

とおりま 通り魔 random killer Ⓒ; (正体不明の攻撃) phantom assault Ⓒ; (人) phantom attacker Ⓒ; (通行人にナイフで切りつける狂った人) maniac /méɪniæ̀k/ who ⌈knifes [slashes] a passerby Ⓒ ★ 説明的な訳. **通り魔事件** phantom assault Ⓒ.

とおりみち 通り道 (通路) passage; (小道・車の通らない道) path Ⓒ; (ある所へ至る道) way Ⓒ.《☞ みち¹ (類義語); つうろ》. ¶*通り道に物を置いてはいけない Don't put things in the *passage*. // 私たちはシャベルで雪をかき*通り道を作った We shoveled a

と

path through the snow. // *通り道をあけて下さい Could you please *make way for* us? / Please clear the *way*. ★ 第 1 文のほうが丁寧な言い方.

とおる 通る 1 «場所を通過する»: (通り過ぎる) pass ㊀ ㊉; (歩いて行く) walk ㊀; (通過する) go through … (☞ つうか[1]; あるく).

¶ 私は毎日この道を*通ります I *walk* along this street every day. // 彼はさっきこの道を*通った He *walked* down this street a little while ago. // 家のそばを毎日トラックがたくさん*通る Many trucks ⌈*go* [*pass*] *by* our house every day. // 「もう品川は*通りましたか」「いや, まだです」 "Have we *passed* Shinagawa yet?" "No, not yet." // このバスは市役所を*通りますか (⇒ 市役所に行きますか) Does this bus *go* to the city hall? / (⇒ 市役所で止まりますか) Does this bus *stop* at the city hall? // 列車はいくつかのトンネルを*通る The train *goes through* several tunnels. // 私は森の近道を*通って来た I *took a* short *cut* through the woods. // 彼はハワイを*通って (⇒ 経由で) サンフランシスコへ行った He went to San Francisco ⌈*by way of* [*via*] Hawaii. (☞ けいゆ[1]) // この道は車は*通れない (⇒ 通行止めだ) This road *is closed* to all vehicles.

2 «行ったり来たりする»: (車が運行する) run ㊀ (☞ うんこう[1]). ¶ バスは 15 分毎に*通る The buses *run* every 15 minutes. // この通りはあまり車が*通らない (⇒ 交通量が少ない) *Traffic* is light on this street.

3 «物の中を通る»: (水などを導く) carry ㊉. ¶ このパイプには水が*通っている (⇒ このパイプは水を導く) This pipe *carries* water. // この線には電気が*通っている This wire *is charged* with electricity.

4 «制度を通過する»: pass ㊉ (☞ つうか[1]; ごうかく; とおす). ¶ 彼女は試験に*通った She ⌈*passed* [*succeeded* in] the examination.

5 «通用する»: (名前などが) go ㊀; (認められる) pass (as …) ㊀. (☞ つうよう[1]).

¶ 彼は「とらさん」の名前で*通っている He *goes* by the name of 'Tora-san.' // 彼は非常に名の*通った (⇒ よく知られている) 作家だ He is a very *well-known* writer. // 彼は変わり者で*通っている (⇒ 変人ということをみんなが認めている) *Everybody agrees* that he is eccentric.

6 «意味をなす»: make sense (☞ つうじる). ¶ この文は意味が*通らない This sentence does not *make sense*. // あなたの言っていることは筋が*通らない (⇒ 矛盾している) What you say *is inconsistent*.

7 «許される» ¶ そんな言い訳は*通らない (⇒ 言い訳にならない) That *is no* excuse. // ここではわがままは*通らない (⇒ 思いどおりにすることはできない) You *can't* ⌈get [have] your (own) way here.

8 «届く»: (音が) carry ㊀ (☞ つたわる).

¶ 彼女の声はよく*通る Her voice *carries* very well. / (⇒ 澄んだ声をしている) She has a *clear* voice. // 彼はよく*通る声でしゃべった He spoke in a *well-modulated* voice. // この肉の真ん中は火が*通っていない (⇒ 生焼けだ) This meat *is* ⌈*underdone* [still *raw*] in the middle.

トールキン ―名 ㊎ J(ohn) R(onald) R(euel) Tolkien /tóʊlkiːn/, 1892–1973. ★「指輪物語」で知られるイギリスの作家.

トールゲート tollgate Ⓒ. ¶ 全車両は*トールゲートで停車して通行料を払わねばならない All cars must stop at the *tollgate* and pay the tolls.

ドールハウス (玩具の(ような)家) dollhouse Ⓒ.

トーン (音や色の調子) tone Ⓒ (☞ ごちょう).

¶ もっと明るい*トーンの色がいい I prefer a color in brighter *tones*. // 声の*トーンを和らげる *tone* down *one's* voice

トーンアーム (レコードプレーヤーの) tonearm Ⓒ **トーンクラスター** 〔楽〕 tone cluster Ⓒ **トーンダウン** (調子·色合いなどを柔らげる) tone down ㊀ ㊉.

とおんきごう ト音記号 〔楽〕 treble clef Ⓒ, G clef Ⓒ.

とか[1] 都下 ―副 in Tokyo, in the metropolitan area; (23 区以外の) in the outer part of Tokyo. ¶ *都下の全救急病院 all the emergency hospitals *in the metropolitan area*

とか[2] 渡河 ―動 cross [ford] a river. ―名 crossing [fording] of a river Ⓤ. ¶ 兵士は闇にまぎれて*渡河に成功した (⇒ 成功裏に河を渡った) The soldiers ⌈*crossed* [*forded*] *the river* successfully under cover of darkness.

-とか ¶ お金*とかパスポートなど, 必要なものは持ちましたか Do you have money, your passport and other necessary things with you? (☞ -など) // 田中さん*とかいう人が留守中に尋ねてきました *A* Mr. Tanaka came to see you while you were away.

とが[1] 咎 (罪) charge Ⓒ (☞ かど[3]; つみ[1]). **咎人** (犯人) criminal Ⓒ, culprit Ⓒ; (既決囚) cónvict Ⓒ.

とが[2] 栂 ☞ つが

ドガ ―名 ㊎ Edgar Degas /edgɑ́ə dəgɑ́ː/, 1834–1917. ★ フランスの画家.

とかい[1] 都会 ―名 (行政権を持つ自治体の都市) city Ⓒ; (田舎に対する都市) town Ⓒ. ―形 (都市の) urban Ⓐ. 日英比較 日本語の「市」は city,「町」は town に相当するが, 一方, 特に口語では大きな都会に対しても田舎と対照して town を使うことがある. (☞ とし[2]; まち[1]). ¶ 東京は大*都会だ Tokyo is a ⌈large [big; huge] *city*. // 若者は*都会の生活にあこがれる Young people yearn for ⌈*city* [*urban*] life. / (⇒ 夢見る) Young people dream of living in a *city*.

都会化 ―動 úrbanìze ㊉, citify ㊉ ★ 後者のほうが口語的. ¶ この小さな町もだいぶ*都会化してきた This small town *has become* rather ⌈*urbanized* [*citified*]. **都会人** city [urban] dweller Ⓒ, (略式) urbanite Ⓒ; townspeople ★ 複数形. **都会育ち** ¶ 彼は*都会育ちだ (⇒ 都市で育った) He *was raised in a city*. **都会病** cíty disèase Ⓒ.

とかい[2] 渡海 ☞ こうかい[2]; とこう

どかい 土塊 ☞ つちくれ

どがいし 度外視 ―動 (考慮に入れない) take no account of …; (考慮外に置く) leave … out of consideration; (無視する) disregard ㊉. (☞ むし[2]). ¶ 我々は世論を*度外視するわけにはいかない (⇒ 考慮に入れなければならない) We have to *take* public opinion *into account*. // この値段は採算[利益]を*度外視してつけたものだ This price was set with profit *left out of consideration*.

とがき ト書き stage direction Ⓒ ★ 複数形で用いることが多い.

とかく 兎角 ―形 (…しがちな) apt (to …) Ⓟ, liable (to …) Ⓟ ★ 後者はよくないことや不利なことに用いられる. ―動 (…する傾向がある) tend to *do* … (☞ -がち). ¶ このごろ*とかく物事を忘れがちだ These days I am ⌈*apt* [*liable*] *to* forget things. // *とかく浮き世はままならぬ (⇒ 人生は悩みの種で満ちている) Life is full of vexations.

どかぐい どか食い ―動 eat to excess ㊀. ―名 excessive eating Ⓤ.

とかげ 蜥蜴 〔爬虫類〕 lizard /lízəd/ Ⓒ. **とかげの尻尾切り** ¶ 彼は平気で*とかげの尻尾切りをやる (⇒ 部下に責任をとらせる) He doesn't hesitate to *make* his subordinates *take the fall*. ★ take the fall は「罪をかぶって身代わりになる」.

とかす[1] 溶かす melt ㊉; dissolve /dɪzɑ́lv/ ㊉; liquefy /líkwəfàɪ/ ㊉; fuse ㊉; thaw ㊉.

【類義語】固体を液化するのは *melt* で，熱による場合が多い．固体を他の液体の中に入れて溶かすのが *dissolve*．一般的に液化することは *liquefy*．特に金属などを高温で溶かすことを *fuse*，凍ったものを溶かすのを *thaw* という．《☞ とける[1]; ようかい[1]; かいとう[4]》
¶ フライパンを火にかけてバターを*溶かしなさい *Melt* butter in a frying pan over the gas. // 私は砂糖を水に*溶かした I *dissolved* some sugar in water.

とかす[2]　梳かす　(髪をくしで) comb /kóum/ (他) 《☞ かみ[3]》． ¶ 彼女はいま髪を*とかしている She *is* ⌜*combing* [*doing*] her hair now. ★ doing のほうが口語的．

どかす　退かす　(移動させる) move (aside) (自), remove (他); (じゃまにならない場所へ) put [get] … out of the way. 《☞ うつす; どける》． ¶ このトランクをすぐ*どかしてください *Get* this trunk *out of the way* immediately.

どかた　土方　construction worker Ⓒ; 《英》 navvy Ⓒ.

どかっと　¶ 雪が*どかっと降った (⇒ 大雪が降った) We had a *heavy* snow(fall). // 彼は疲労こんぱいしていすに*どかっと腰をおろした He *flopped down* into the chair completely tired out. // スーツケースを*どかっと床におろす *plop one's* suitcase *down* on the floor

どかどか　¶ 数人の男が*どかどかと部屋に入ってきた (⇒ 殺到した) Several men ⌜*rushed* [*crowded*] into the room. 《☞ 擬声・擬態語 (囲み)》

どかべん　どか弁　very large tightly packed lunch Ⓒ; (非常に大きな弁当箱) very big lunch box Ⓒ.

とがま　利鎌　(鋭利な鎌) sharp sickle Ⓒ 《☞ かま[2]》．

どがま　土釜　earthenware cooking-pot Ⓒ.

とがめ　咎め　(責め) blame Ⓤ; (叱責) 《格式》 censure Ⓤ; (非難) 《格式》 rebuke Ⓤ. 《☞ とがめる》．
¶ 良心の*とがめ (⇒ 痛み) を感じる feel the *pangs* of conscience // その事件で彼は何の*とがめも受けなかった No *blame* was ⌜laid [put; placed] on him for the incident.

とがめだて　咎め立て　━ 動 (あら探しをする) find fault with …, carp at …　━ 名 faultfinding Ⓤ, carping Ⓤ.　¶ 母はいつもぼくの食べ方を*咎め立てするんだ Mother *is* always *finding fault with* the way I eat.

とがめる　咎める　(過ちや罪を非難する) blame (他); (しかる) reproach (他). 《☞ ひなん[1]》．
¶ 彼は私の失敗を*とがめた He *blamed* me *for* the failure. // 私はそのことで気が*とがめている (⇒ やましく思っている) I *feel guilty* about the matter.

どかゆき　どか雪　heavy snowfall Ⓒ 《☞ ゆき[1]》．

とがらす　尖らす　(物の先を) sharpen (他); (口先を) pout (自); (神経を) get [become] nervous.　¶ 彼女は口を*とがらして文句を言った She *pouted* and protested. // そんなに神経を*とがらせてはいけない．気楽にやりなさい Don't *get* so *nervous*. Take it easy.

とがりごえ　尖り声　(鋭い声) sharp [shrill] voice Ⓒ; (かん高い声) high(-pitched) voice Ⓒ.

とがる　尖る　━ 動 (物の先が) get [become] ⌜sharp [pointed]; (だんだんと先へ) come [taper off] to a point.　━ 形 sharp; pointed　語法 ほぼ同意だが，sharp は意味が広いので，明確にとがっていることを表すには pointed を使う．　¶ この鉛筆は*とがりすぎだ This pencil is too *sharp*.

トカレフ　(ロシア製のピストル) Tokarev /tóukərèf/ pistol Ⓒ.

どかん[1]　土管　(土製の管) earthen pipe Ⓒ; (排水管) drainpipe Ⓒ.

どかん[2]　━ 名 (どかんという音) bang Ⓒ.　━ 動 (どかんという音を立てる) bang (自). 《☞ 擬声・擬態語 (囲み)》．　¶ 遠くで花火の*どかんという音がした (⇒ どかんというのを聞いた) I heard some fireworks *bang* in the distance. // ダイナマイトが*どかんと爆発した *Bang* went the dynamite. / The dynamite exploded with a loud *bang*. ★ 第 1 文のほうが口語的．

とき[1]　時　(時間) time Ⓤ 《☞ じかん[1]》．
¶ きのうは実に楽しい*時を過ごした I had a very good *time* yesterday. // 私は*時がたつのも忘れていた (⇒ 気がつかなかった) I was unconscious of ⌜the passing of *time* [*time* passing]. // 物事は*時がたつにつれて変わる Things will change as *time* ⌜passes [goes on]. // *時がたてばどちらが正しいかわかるでしょう *Time* will tell ⌜who [which] is right. // そう言ったことを後悔する*時が来るでしょう The *time* will come when you will regret having said so. // その*時あなたは何をしていたのですか What were you doing at ⌜the [that] *time*? 《☞ そのとき》 // 私はその*時以来，彼女に会っていない I haven't seen her since *then*. 《☞ そのとき》 // 参加するかどうかわかりません．*時と場合によります I don't know if I'll join. *It depends*. ★ It [That] depends. で決まった表現．
時は金なり Time is money. 《ことわざ》　**時も時**　¶ *時も時 (⇒ ちょうどその時)，雨が降り出した *At that very moment*, it began to rain.　**時を争う** 《☞ いっこく》　¶ この手術は*時を争う *Not a moment should be lost* to carry out this operation.　**時を移さず** (ただちに) immediately; at once ★ 後者のほうが口語的．《☞ そくざ》．　**時を得る**　¶ *時を得た新製品 a *timely* new product　**時を稼ぐ** gain [save] time.　¶ 彼は*時をかせぐために返事を延ばした He delayed answering to *gain time*.　**時を作る**　¶ 鶏が時を作る (⇒ 夜明けを知らせる) Cocks crow the breaking dawn.　**時を見る** (好機を待つ) wait [watch] for ⌜a chance [an opportunity].
時の氏神 timely ⌜arbitrator [mediator] Ⓒ　**時の運** (運・幸運) luck Ⓤ 《☞ めぐりあわせ》．　¶ 勝負は*時の運 Whether you win or lose is all a matter of *luck*. / (⇒ 勝つときもあれば負けるときもある) Sometimes you win and sometimes you lose.　**時の鐘** hour bell Ⓒ　**時の記念日** Time Day　**時の人** the ⌜man [woman] of the ⌜day [hour; moment] Ⓒ; (話題の人) person in the news Ⓒ.

> **コロケーション**
> 時が過ぎる *time* ⌜passes [goes by] / 時が飛ぶように過ぎ去る *time* flies / 時がゆっくり過ぎる *time* drags // 時を過ごす spend [pass] *time* / 時を怠けて過ごす idle away *time* / 時を無駄に過ごす waste *time*

とき[2]　時　━ 接 (する時) when …; (…している間) while …; (…の時はいつでも) whenever … 《☞ そのとき; さいして》．
¶ お暇な*時に電話して下さい Call me (up) *when* you're free. // 彼の到着する*時がわかれば (⇒ いつ来るかがわかれば) 駅まで迎えに行くつもりです I would go to the station to meet him, if I knew *when* he's due to arrive. // 彼女は読書に熱中している*時には何も聞こえないようだ She doesn't seem to hear anything ⌜*while* [*when*] she's absorbed in reading. // 私の話がわからない*時は (⇒ わからないならば[わからない時はいつでも]) 手を上げて質問しなさい *If* you don't understand what I say [*Whenever* you find it difficult to understand what I'm saying], raise your hand and ask me to explain. // いざという*時は (⇒ 困った場合は)，彼に助けを求めなさい *In case of* trouble, ask for his help.

とき[3]　鴇，朱鷺　〔鳥〕(Japanese crested) ibis

/áɪbɪs/ Ⓒ《複 ～, ～es》. とき色 (pale) pink Ⓤ, (pale) rose Ⓤ.

とぎ 都議 ☞ とぎかい (都議会議員)

どき[1] 土器 (集合的に) earthenware Ⓤ; (土製の容器) earthen vessel Ⓒ. 《☞ とうき[1]》. ¶縄文式*土器 *Jomon ware*

どき[2] 怒気 anger Ⓤ. ¶彼は*怒気を含んで「うるさい」と言った He said 「*in an angry tone* [*angrily*], "Stop bothering me."

ときあかす[1] 説き明かす (説明する) explain ㊀ 《☞ せつめい》.

ときあかす[2] 解き明かす (解明する) make ... clear 《☞ かいめい[1]》.

とぎあげる 研ぎ上げる sharpen completely ㊀. ¶彼は刀を*研ぎ上げた He *sharpened* the sword *completely*.

ドギーバッグ (食べ残し持ち帰り袋) doggie bag Ⓒ.

ときいろ 鴇色 ☞ とき[3] (とき色)

ときおこす 説き起こす (説明を始める) begin *one's* 「explanation [lecture]. ¶問題の発端から*説き起こす *begin one's explanation* with the origins of the issue

ときおよぶ 説き及ぶ (言及する) refer to ...; (触れる) touch 「on [upon] ... ¶講演の中で彼は人類の破滅にまで*説き及んだ In his speech he even 「*referred to* [*touched upon*] the extinction of mankind.

ときおり 時折 (時たま) occasionally, 《略式》 once in a while; (時々) sometimes ★ 最も日常的で一般的な語; (おりにふれて) (every) now and then ★ 強調するときは every を付ける; (断続的に) on and off, off and on. 《☞ ときどき (類義語)》.

とぎかい 都議会 the Metropolitan Assembly. **都議会議員** member of the Metropolitan Assembly Ⓒ.

ときかた 解き方 way of solving Ⓒ. ¶この問題の*解き方を教えていただけませんか Could you tell me *how to solve* this problem?

ときがみ 解き髪 untied [unbound] hair Ⓤ.

ときかせる 説き聞かせる (教える) teach ㊀, instruct ㊀; (説明する) explain ㊀; (説得する) reason with ... ¶赤ん坊に*説き聞かせることはできないよ It is impossible for you to *reason with* a baby.

ときぐし 解き櫛 wide-toothed comb Ⓒ.

ときさとす 説き諭す (説得して...させる) persuade ㊀; (人に...を納得させる) convince *a person* of ...; (戒める) admonish ㊀; (小言をいう) reproach ㊀. ¶私はその少年にもっと健康に注意するように*説き諭した (⇒ 健康に注意していないことを戒めた) I *admonished* the boy for being careless about his health.

とぎし 研ぎ師 polisher of antique swords Ⓒ.

とぎじる 研ぎ汁 (米の) water in which rice has been washed Ⓤ.

ときすすめる 説き勧める (力説して...するよう促す) urge *a person* to *do* ... 《☞ ときかせる》. ¶先生が彼に海外留学を*説き勧めた His teacher *urged* him *to* study abroad.

とぎすます 研ぎ澄ます (鋭利にする) sharpen well ㊀; (磨く) polish well ㊀. 《☞ とぐ》. ¶*研ぎ澄ましたナイフ a *well-sharpened* knife / (⇒ 鋭いナイフ) a *sharp* knife // *研ぎ澄まされた知性の持ち主 a person of *keen* intellect

ときそう 鴇草 〔植〕 pogonia /pəgóuniə/ Ⓒ.

トキソプラズマ (寄生虫) toxoplasma /tàksəplǽzmə/ Ⓒ. **トキソプラズマ症** toxoplasmosis /tàksəplæzmóusɪs/ Ⓤ.

とぎたて 研ぎたて ¶*研ぎたてのナイフ a *newly* 「*sharpened* [*honed, whetted*] knife.

ときたま 時たま occasionally; (時々) sometimes. 《☞ ときどき (類義語); ときおり》.

ときたまご 溶き卵 (lightly) beaten egg Ⓒ.

どぎつい (デザイン・色がけばけばしい) loud ★ 最も一般的; (ごてごてとした) garish ★ 悪い意味で用いられる; (派手で俗っぽい) gaudy; (誇張した) exággeràted. 《☞ けばけばしい》. ¶このネクタイは*どぎつすぎる This tie is too 「*loud* [*garish*; *gaudy*]. // あの作家は*どぎつい表現が好きだ (⇒ 誇張が好きだ) That writer likes to use *exaggerations*.

どきっと ¶暗やみの中をだれか来るのに気づいて*どきっとした I *was* 「*startled* [*frightened*; *scared*; *shocked*] to find someone approaching in the dark. 《☞ はっと[1]; おどろく (類義語); 擬声・擬態語 (囲み)》

ときどき 時々 — 副 (ある間隔を置いて) sometimes; (おりおり) (every) now and then; (たびたび) from time to time; (時たま) occasionally, 《略式》 once in a while; (断続的に) on and off, off and on. — 形 occasional Ⓐ; (季節の) seasonal.

【類義語】 最も日常的で一般的な語は ***sometimes***. 不規則な間隔を置いて繰り返し起こるのが ***now and then***. 強調したいときには every を付ける. 多少定まった間隔を置いて起こるのが ***from time to time*** で, やや文語的. 忘れかけたころ, たまに起こることを表すのが ***occasionally*** で, それと同意のくだけた口語的表現が ***once in a while***. 《☞ 副詞の位置 (巻末)》

¶彼は*時々訪ねてくる He drops in 「*sometimes* [*once in a while*; *from time to time*]. 語法 sometimes の文中での位置は文頭, 動詞の前 (be 動詞の場合はその後) も可能. 最も典型的な位置は動詞の前であるが, 一般に度数・頻度を表す副詞は文中の位置が自由である. ただし, once in a while, from time to time のような少し長めの句の場合は, 口調の関係から文末が普通. 《☞ 副詞の位置 (巻末)》 // 彼は*時々学校に遅れる He is *sometimes* late for school. // 彼は電話を*時々かけてくるだけだ He 「calls me (up) [gives me a ring] only *occasionally*. // あすは*時々雨が降るでしょう We'll have *occasional* rain showers tomorrow. 《☞ 天候の表現 (囲み)》 // 昨年は (私たちは) *時々顔を合わせたが, 今年は一向に会わないね Last year we saw each other *now and then*, but this year we haven't met at all, have we?

どきどき — 動 (心臓が鼓動する) beat ㊁; (激しく鼓動する) pound ㊁; (動悸を打つ) throb ㊁. 《☞ こどう; わくわく; 擬声・擬態語 (囲み)》. ¶私はうれしさで胸が*どきどきした (⇒ 心臓が鼓動するのを感じた) I felt my heart *beating* with joy. // 私の心臓は興奮で*どきどきした My heart 「*pounded* [*throbbed*] with excitement.

ときとして 時として (ある場合には) in some cases; (時おり) on occasion 語法 やや格式ばった表現で, sometimes よりは日本語の「ときとして」の語感に近い; (時々) sometimes. 《☞ ときどき (類義語)》.

ときならぬ 時ならぬ (早過ぎて) untimely; (時期外れの) unseasonable; (予期しない) unexpected; (突然の) sudden.

ときに 時に (ところで) by the way ★ 話題を変えるときに用いる; (ついでながら) incidentally; (話を変えるわけではないが) not to change the subject but ... 《☞ ところで》. ¶「*時にきょうの午後は暇ですか」「ええ」"*By the way* [*Incidentally*], are you free this afternoon?" "Yes, I am."

ときには 時には (時々) sometimes; (時おり) at

times; (時たま) occasionally, 《略式》 once in a while [語法] sometimes は最も一般的な語だが, at times, occasionally よりやや回数が多い感じ. at times, occasionally は少し格式ばった言葉. 《☞ ときどき (類義語)》. ¶ *時には早く起きることもあります *Sometimes*, I get up early.

ときのこえ 鬨の声 war [battle] cry Ⓒ. ¶ *鬨の声を上げる raise a ˹*war* [*battle*] *cry*

ときはなす 解き放す (自由にする) free ⑩, set ... free ★ 後者のほうが口語的; (監禁状態・拘束から) release ⑩. 《☞ かいほう¹; しゃくほう》.

ときはなつ 解き放つ ☞ ときはなす

ときふせる 説き伏せる (論駁(ばく)する) refute ⑩; (理性や感情に直接訴えて説得する) persuade ⑩; (説いて納得させる) convince ⑩; (人に理を説いて...させる) reason (*a person* into *doing* ...) ⑩; (説いて思いとどまらせる) talk (*a person* out of *doing* ...) ⑩, 《格式》 dissuade ⑩; (説いて...させる) talk (*a person* into *doing* ...). 《☞ せっとく [日英比較]》.

¶ 彼はついに相手を*説き伏せた He *has* finally *refuted* his adversary in argument. // 彼らは*説き伏せられて, 会合に出席するそうだ I hear they *have been persuaded* to attend the meeting. // 彼女を*説き伏せて彼との結婚を思いとどまらせることは難しい It will be difficult to ˹*talk* her *out of* [*reason* her *out of*; *dissuade* her *from*] marrying him.

ときほぐす 解きほぐす (もつれ・謎などを) unravel ⑩ 《☞ とく¹; ほぐす》. ¶ 謎を*解きほぐす *unravel* a mystery

どぎまぎ — 動 (頭が混乱する) be confused ★ 考えがまとまらなかったり, どうしてよいかわからないときに使う; (狼狽(ろうばい)する) be upset ★ 口語的表現. 気分を害する意味にも使う; (ばつが悪い・きまりが悪い) be embarrassed; (驚いてまごつく) be bewildered ★ やや文語的で, 少しあきれたような感じを表す. 《☞ とうわく (類義語); まごつく; 擬声・擬態語 (囲み)》.

¶ *どぎまぎして何も言えなかった I ˹*got* [*was*] ˹*confused* [*upset*] and couldn't speak out. // 彼女の名前を忘れて*どぎまぎしてしまった I *felt embarrassed* when I forgot her name.

ときめかす ¶ 私は胸を*ときめかせて手紙を開封した I cut the letter open *with my heart* ˹*pounding rapidly* [*fluttering in excitement*].

ときめき (心臓がどきどきすること) throbbing Ⓤ; (興奮) excitement Ⓤ. 《☞ ときめく¹》. ¶ ...に心の*ときめきを感じる feel *excited* ˹about [over] ... / feel *excitement* ˹at [over] ... ★ 前者のほうがより一般的な表現.

ときめく¹ (心臓が速く鼓動する) beat fast ⓐ, throb ⓐ [語法] 前者のほうが口語的. いずれも心臓 (heart) を主語とする. 《☞ どきどき》.

ときめく² 時めく ☞ いま¹ (今をときめく)

とぎもの 研ぎ物 (鋭くすること) sharpening Ⓤ; (砥石で研ぐこと) honing Ⓤ, 《格式》 whetting Ⓤ; (研磨すること) grinding Ⓤ; (研ぐべき刃物) cutlery to be ˹sharpened [honed] Ⓤ. 《☞ とぐ》. **研ぎ物師** cutlery sharpener Ⓒ.

どぎもをぬく 度胆を抜く (びっくり仰天させる) astónish ⑩; (肝をつぶすほどびっくりさせる) astound ⑩, 《略式》 flábbergàst ⑩; (口もきけないほどびっくりさせる) strike (*a person*) dumb ★ 以上いずれも受身で用いられることが多い. 《☞ おどろく (類義語)》.

¶ 彼の様子には*度肝を抜かれた I *was* ˹*astounded* [*flabbergasted*; *struck dumb*] by his appearance. // *度肝を抜く離れわざ an ˹*astounding* [*astonishing*] feat

とぎゅう 屠牛 cattle slaughtering Ⓤ.

どきゅう 弩級 the ˹dreadnought [dreadnaught] class ★「弩」は英国の巨大戦艦ドレッドノート号の頭字の音訳. **弩級戦艦** dreadnought Ⓒ 《☞ ちょうどきゅう》.

ドキュメンタリー dòcuméntary Ⓒ. **ドキュメンタリー映画** dócumèntary film Ⓒ ★ 前後関係ではっきりしていれば, film は不要. **ドキュメンタリードラマ** docudrama Ⓒ.

ドキュメント document Ⓒ. ¶ *ドキュメントはフロッピーディスクに保存できます You can store *documents* on diskettes.

ときよ 時世 (時勢) the times ★ 複数形で. 《☞ じだい¹》. ¶ *時世とともに人々の好みも変わる Tastes change with *the times*. **時世時節** (人生の回り合わせ) the wheel of fortune.

どきょう¹ 度胸 — 名 (信念を持って困難・危険などに立ち向かう勇気) courage Ⓤ; (強い神経・図太さ) nerve Ⓤ ★ この語は厚かましさという意味での度胸にも使う; (大胆さ) boldness Ⓤ ★ courage に比べて, 向こうみずな勇気という意味が強い; (勇気・決断力) 《略式》 guts ★ 複数形で. — 形 (勇気のある) brave, courágeous ★ 前者は広い意味での勇気. 後者はより理性的な勇気; (大胆な) bold, daring ★ 後者のほうがより向こう見ずな感じが強い. 《☞ ゆうき¹ (類義語)》.

¶ 君には彼らと戦う*度胸があるか Do you have the *courage* to fight them? // 男は*度胸だ (⇒ 男は勇気で判断される) Man is judged by his *courage*. // 社長に口答えするとは彼も*度胸があるね Isn't it ˹*bold* [*daring*] of him to talk back to the president? // とてもそんなことをする*度胸はない I don't have ˹*the nerve* [*nerve enough*] to do that. // 彼は*度胸のある [ない] 男だ He has ˹a lot of [no] *guts*. // 試験場へ入ると*度胸がすわった (⇒ 気持ちが落ち着いた) Once (I was) inside the examination room, my *nerves* calmed down.

度胸だめし — 動 test *one's* bravery, 《俗》 play chicken ★ 車を対向して走らせてどちらが先に避けるかで度胸をはかるなど, 危ない遊びで度胸をためすこと.

> コロケーション
>
> **度胸がない** lack ˹*courage* [*nerve*] / **度胸をなくす** lose *one's nerve* / **度胸を見せる** display ˹*courage* [*nerve*]

どきょう² 読経 — 名 sutra /súːtrə/ recitation Ⓒ. — 動 recite [chant] a sutra.

ときょうそう 徒競走 footrace Ⓒ, race on foot Ⓒ. 《☞ きょうそう²》. ¶ 僕らは校門から公園まで*徒競走をした We had a *footrace* from the gate of our school to the park.

とぎらせる 途切らせる (途中でやめる) interrupt ⑩, break off; (一時的に停止させる) suspend ⑩. ¶ 彼女は感極まって泣き出し言葉を*途切らせた (⇒ 続けることができなかった) She was moved to tears and *could not* ˹*keep on talking* [*continue her conversation*].

とぎれがち 途切れ勝ち ☞ とぎれとぎれ

どきりと — 動 be startled 《☞ どきっと; 擬声・擬態語 (囲み)》.

とぎれとぎれ — 形 (とぎれがちの) broken, interrupted ★ 前者のほうが平易で, より日常的; (断続する) intermittent. — 副 brokenly, interruptedly; intermittently. 《☞ きれぎれ; だんぞく》. ¶ 老人は*とぎれとぎれに話した The old man spoke ˹in a *broken* manner [*brokenly*].

とぎれる 途切れる (邪魔が入ってさえぎられる) be interrupted; (障害・妨害などによって乱れる) be disrupted. 《☞ とだえる; ちゅうだん¹》.

¶ 私たちの会話はふと*とぎれた *There was a* momentary *pause* in our conversation. // 交信は*とぎれて

しまった Communications *were disrupted.*

ときわぎ 常磐木 ☞ じょうりょくじゅ

ときん 鍍金 (めっき) plating Ⓤ《☞ めっき》. **鍍金液** plating solution Ⓤ **鍍金工** plater Ⓒ **鍍金製品** plated ware Ⓒ.

とぎん 都銀 ☞ とし²(都市銀行)

とく¹ 解く **1**《ほどく》: (ひもなどを) untie ㊞; (ひも・小包みなどを) undo ㊞; (結び目をゆるめる) loosen ㊞.《☞ ほどく》. ¶ 荷物のひもを*解いて下さい *Untie* [*Undo*] the strings of the package. // ロープの結び目を解く *untie* [*undo*] the knot in the rope

2《任務などを解除する》: (解任する) dismiss … from …, discharge … from … 語法 (1) 前者は多少ぼかした言い方で, 後者のほうが意味は強い; (重荷・責任などから解放する) relieve … of … 語法 (2) 意味が広く, 必ずしも解雇とは限らない.《☞ かいにん¹》. ¶ 彼は昨年, 市の助役の任を*解かれた He *was* ˹*dismissed* [*discharged*] *from* his position as deputy mayor last year.

3《答えを出す》: (問題を解く) solve ㊞, wórk óut ㊞ ★ 後者は口語的表現; (答える) answer ㊞; (疑い・誤解などをぬぐい去る) dispel ㊞; (取り除く) remove ㊞. ¶ この問題がまだ*解けない I haven't been able to ˹*solve* [*work out*] this problem yet. // 彼の疑念はどうやったら*解けるだろう How can I ˹*dispel* [*remove*] his doubts? // なぞはすぐ*解けた I *solved* the riddle at once.

とく² 得 ― 图 (利益) profit Ⓤ, benefit Ⓤ ★ 前者は特に金銭的な利益; (有利) advántage Ⓤ ★ 以上具体的に利益や利点を指す場合は Ⓒ. ― 形 (利益のある) profitable; (有利な) àdvantágeous; (経済的な) èconómical. ― 動 (利益を得る) gain ㊞ ㊐, profit ㊐ 語法 (1) 後者は金銭的な利益を意味することが多い; (恩恵を受ける) benefit ㊐; (金を使わないですむ) save ㊞; (倹約する) economize ㊞ 語法 (2) 以上いずれも「人」を主語とする.《☞ りえき; ゆうり¹; もうける¹》.

¶ 円の上昇で幾つかの大会社が*得をした Some big companies ˹*profited* [*gained*] due to the rise of the yen. // 昨年買った土地を売って, 彼はすごく*得をした He *made a* huge *profit* on the sale of the land he bought last year. // この件に関しては彼は*得な地位にある As to this matter, he *is* ˹*at an advantage* [*in an advantageous position*]. // けんかしてもだれの*得にもならない Nobody *benefits* from a quarrel. // いまこれを買えば1割のお*得です You can *save* ten percent, if you buy this now.

得を取るより名を取れ Choose your ˹name [reputation] over ˹material gain [an actual profit].

とく³ 説く (人を説いて…させる) persuade (*a person* to *do* …) ㊞, talk (*a person* into …) ㊞ 語法 後者は口語的表現; (説いて…をやめさせる) talk (*a person* out of …); (宗教上の説教をする) preach ㊞.《☞ せっとく; ときふせる; せっきょう》.

¶ 彼は私たちに同調するよう*説いた He tried to *persuade* us *to* side with him. // 仏法を*説く *preach* Buddha's teachings

とく⁴ 徳 ― 图 virtue Ⓤ (↔ vice) ★「徳行」では Ⓒ; (徳性) morality Ⓤ. ― 形 virtuous.

¶ *徳の高い人 a *virtuous* ˹man [woman]

徳とする ¶ 彼は妻の献身的な支えを大いに*徳とした (⇒ 感謝した) He *was* deeply *grateful to* his wife for her self-sacrificing support. **徳をもって怨みに報ゆ** respond to resentment with gratitude.

とく⁵ 溶く (溶解する) dissolve /dɪzálv/ ㊞; (液体と混ぜる) mix … with … 日英比較 日本語では塩・砂糖など水などに溶解するものの他に, 小麦粉, そば粉など溶解するのではなく水などと混合する場合にも「溶く」というが, 英語では後者には mix … with … を用いる.《☞ とかす¹ (類義語); ときたまご》. ¶ 砂糖を水で*溶く *dissolve* some sugar in water // 彼は小麦粉を水で*溶いた He *mixed* some flour *with* water.

とく⁶ 梳く ☞ とかす²

とぐ 研ぐ **1**《刃物などを》: (鋭くする) sharpen ㊞; (砥石で研ぐ)《格式》whet ㊞, hone ㊞; (グラインダー用の丸砥石で研ぐ) grind /gráɪnd/ ㊞《過去・過分 ground》. ¶ ナイフを砥石で*研ぐ *whet* [*sharpen*] a knife on a whetstone

2《米を洗う》: wash ㊞《☞ こめ》.

どく¹ 毒 **1**《毒薬・毒物》 ― 图 poison Ⓤ ★ 一般的な語で次の語の代わりにもなる; (特に毒蛇などの) venom /vénəm/ Ⓤ. ― 形 (毒のある) poisonous; (動物の分泌する液について) vénomous.《☞ もうどく》.

¶ その男は*毒を飲んだ That man ˹took *poison* [*poisoned* himself]. // この実には*毒がある These berries are *poisonous.*

2《害悪》 ― 图 (害) harm Ⓤ. ― 形 (有害な) harmful (to …), injurious /ɪndʒʊ́(ə)riəs/ (to …), bad (for …) ★ 1番目より2番目のほうが格式ばった語. 3番目は広い意味の口語的な言葉.《☞ がい¹》.

¶ 喫煙は身体に*毒だ Smoking is ˹*harmful to* [*injurious to*; *bad for*] the health. / (⇒ 害になる) Smoking ˹*does* you *harm* [will *injure* your health].

毒にも薬にもならない ¶ 彼の著作は*毒にも薬にもならない His writings *do neither good nor harm.*

毒を食らわば皿まで One ˹may [might] as well be hanged for a sheep as a lamb.《ことわざ: 子羊を盗んで縛り首になるくらいなら親羊を盗んでなるほうがました》 **毒をもって毒を制す** Meet evil with evil.《ことわざ: 悪には悪を会わせよ》; Set a thief to catch a thief.《ことわざ: 泥棒に泥棒を捕まえさせよ》

毒を盛る ¶ 王は*毒を盛られた (⇒ 毒殺された) The king *was poisoned.* / (⇒ だれかが毒を王の食べ物に入れた) Someone *put poison* in the king's food.

毒入り ¶ *毒入りチョコレート *poisoned* chocolate

どく² 退く (邪魔にならないように) get out of the way ㊐; (場所をあける) make room (for …); (わきへ寄る) stép asíde ㊐; (後ろへ寄る) stép báck ㊐.《☞ さがる》. ¶ ちょっと*どいて下さい Please *get out of* ˹*the* [*my*] *way.* / Please *step aside.* / (⇒ 立ちふさがらないで下さい) Please *don't stand in my way.* / Please *make room for* me.

とくい¹ 得意 **1**《自慢》 ― 图 (満足感に満ちた気持ち) pride Ⓤ; (勝ち誇った気持ち) triumph Ⓤ ★ 前者が一般的. ― 形 (得意な) proud; triumphant.《☞ じまん; とくとくと¹》. ¶ 彼女は自分の作品に*得意になっている She ˹*is proud of* [*takes pride in*] her (own) work. ★ be proud of のほうが平易な言い方. // 彼は*得意になって話し続けた He kept talking ˹*triumphantly* [*proudly*].

2《上手》 ― 图 (上手な物・事) *one's* ˹spécialty [《英》 spèciálity] Ⓒ; (強み) *one's* strong point Ⓒ. ― 動 (上手である) be good at …, be strong in …, be a good …《☞ じょうず; うまい》.

¶ 彼は数学が*得意です He *is* ˹*good at* [*strong in*] math. / Mathematics is *his* ˹*strong point* [*specialty*]. ★ 前者のほうが口語的. // 彼はテニスが*得意だ He *is a good* tennis player. // *得意の (⇒ お気に入りの) 歌 *one's favorite* song // *得意の話題 *one's pet* topic

3《顧客》: customer Ⓒ; (常連) patron Ⓒ. ¶ あの方はうちのお*得意さんです He's one of our best *customers.*

得意中の得意 ¶ 英会話は彼の*得意中の得意だ English conversation is his *strongest point.*

得意の絶頂 ¶当時経営者として彼は*得意の絶頂にあった At that time, as a manager, he was *at the* ˹*summit* [*height*] *of his career*.
得意満面 ¶彼は*得意満面でトロフィーを受け取った He received the trophy ˹*with a triumphant air* [*triumphantly*]. // 彼は*得意満面だった (⇒ 得意な気持ちでいっぱいだった) He *was inflated with pride*. 得意顔 (a) look of triumph. ¶彼の*得意顔をごらんなさい Look at his ˹*proud* [*triumphant*] *face*. 《☞ したりがお》 得意気 ¶彼は賞をもらったことを*得意気に話した He boasted ˹*triumphantly* [*proudly*] of having won the prize. 得意先 customer Ⓒ 《☞ きゃく 2》 得意回り (得意先を回ること) going the rounds of *one's* customers; (注文を取りに回る人) order-taker Ⓒ.

とくい² 特異 ―形 (普通でない) unusual; (特有の) peculiar (to ...); (他に類のない) unique (to ...). 《☞ とくしゅ¹; どくとく》.
特異現象 (気象などの) (meteorological /mìːtiərəládʒɪkəl/) sìngulárity Ⓤ 特異性 (風変わりなこと) pecùliárity Ⓒ; (個人特有の) idiosyncrasy /ìdiousíŋkrəsi/ Ⓒ 特異体質 ¶あなたは*特異体質 (⇒ アレルギー体質) ではないでしょうね I hope you aren't *allergic to* anything. 特異日 (weather) singularity Ⓒ; (説明的には) day in the calendar year exhibiting a high statistical probability for a particular weather event Ⓒ. ¶晴れの*特異日 a day that is likely, statistically, to be fair

とくいく 徳育 (道徳教育[修養]) moral ˹education [culture] Ⓤ.

どぐう 土偶 clay ˹figure [doll] Ⓒ.

どくえい 独泳 ¶400 メートルは彼女の*独泳だった (⇒ 他の者を大きく引き離して泳いだ) She *swam far ahead of the others* in the 400-meter race.

どくえき 毒液 (生物が分泌する) venom Ⓤ; (一般に毒) poison Ⓤ. 《☞ どく¹》.

どくえん 独演 solo (performance) Ⓒ 《☞ どくそう³》. 独演会 one-man show Ⓒ.

どくが¹ 毒牙 (へびの) fang Ⓒ ★ 通例複数形で.
毒牙にかかる ¶...の*毒牙にかかる (⇒ えじきとなる) fall ˹prey [(a) victim] to ...

どくが² 毒蛾 poisonous moth Ⓒ.

どくが³ 独臥 ☞ ひとりね

とくがく 篤学 ―形 (勉強好きな) studious /st(j)úːdiəs/; (熱心な) devoted. ¶*篤学な青年 a *studious* young man // *篤学の士 a *devoted* scholar

どくがく 独学 ―名 self-education Ⓤ. ―形 (独学した) self-˹educated [taught]. ―動 (...を独りで習う) study [learn] ... by *oneself*, teach *oneself* ... ¶彼は*独学の人だ He is a *self-*˹*educated* [*taught*] man. // 私の英語は*独学です (⇒ 自分で[先生なしで; 独力で]学んだ) I *learned* English ˹*by myself* [*without a teacher*; *on my own*]. / (⇒ 自分自身に教えた) I *taught myself* English.

どくガス 毒ガス poison gas Ⓤ. 毒ガス弾 (爆弾) gas bomb Ⓒ; (砲弾) gas shell Ⓒ.

とくがわいえみつ 徳川家光 ―名 固 Tokugawa Iemitsu, 1604–1651; (説明的には) the 3rd shogun of the Tokugawa shogunate who consolidated the power of the shogunate.

とくがわいえやす 徳川家康 ―名 固 Tokugawa Ieyasu, 1542–1616; (説明的には) the first shogun of the Tokugawa shogunate who unified Japan in 1600.

とくがわじだい 徳川時代 the ˹Tokugawa [Edo] period. ¶この寺院は*徳川時代に建てられた This temple was built in *the* ˹*Tokugawa* [*Edo*] *period*.

とくがわつなよし 徳川綱吉 ―名 固 Tokugawa Tsunayoshi, 1646–1709; (説明的には) the 5th shogun of the Tokugawa shogunate, known as the "Dog Shogun" 《☞ いぬくぼう; しょうるいあわれみのれい》.

とくがわばくふ 徳川幕府 the Tokugawa shogunate. ¶*徳川幕府は 1603 年に樹立された *The Tokugawa shogunate* was founded in 1603.

とくがわみつくに 徳川光圀 ☞ こうもん⁴

とくがわよしのぶ 徳川慶喜 ―名 固 Tokugawa Yoshinobu, 1837–1913; (説明的には) the 15th and last shogun of the Tokugawa shogunate.

とくがわよしむね 徳川吉宗 ―名 固 Tokugawa Yoshimune, 1684–1751; (説明的には) the 8th shogun of the Tokugawa shogunate, known for the Kyoho Reforms he instituted.

とくぎ¹ 特技 *one's* ˹spécialty [(英) spèciálity] Ⓒ; (得手) *one's* forte Ⓒ; (才能) talent Ⓒ. 《☞ とくい¹》. ¶手品は彼女の*特技の 1 つです Magic is one of *her* ˹*specialties* [*fortes* /fɔ́əts/]. // 彼女は*特技を多く持っている (⇒ 多くの面で才能がある) She *is talented* in many ways.

とくぎ² 徳義 (道義) morality Ⓤ; (道徳) morals ★ 複数形で. 《☞ どうぎ²; どうとく》.

どくきのこ 毒茸 poisonous mushroom Ⓒ, toadstool Ⓒ.

どくぎょ 毒魚 poisonous fish Ⓒ.

どくぎん 独吟 solo ˹recitation [singing] Ⓤ.

どくぐも 毒蜘蛛 poisonous spider Ⓒ.

どくけ 毒気 ―名 (毒を含んだ気体) poisonous gas Ⓤ. ―形 (有毒な) poisonous; (意地の悪い) spiteful; (悪意のある) 《格式》 malicious.
¶*毒気のあることを言う make *malicious* remarks
毒気を抜かれる ¶私は彼の横柄な態度に*毒気を抜かれた (⇒ あっけにとられた) I *was taken aback* by his arrogant attitude.

どくけし 毒消し antidote Ⓒ.

どくげん 独言 ☞ どくご¹

どくご¹ 独語 ―名 (独り言) solíloquy Ⓒ. ―動 talk to *oneself*. 《☞ ひとりごと》.

どくご² 独語 (ドイツ語) German Ⓤ 《☞ ドイツ》.

どくごかん 読後感 *one's* impression(s) of ˹a book [an article] Ⓤ ★ [ ] 内は記事や論説など.

とくさ 砥草, 木賊 〘植〙 horsetail Ⓒ, scouring /skáu(ə)rɪŋ/ rùsh Ⓒ. 木賊色 ―名 (黒みがかった緑色) jasper Ⓤ. ―形 jasper.

どくざ 独座 (ひとりで座っていること) sitting ˹alone [by *oneself*] Ⓤ.

どくさい¹ 独裁 ―名 (1 人の権力者による支配) 《格式》 autócracy Ⓤ, dictátorshìp Ⓤ 語法 後者は軽蔑的な語感を伴う. ―動 (完全な権力を握る) hold absolute authority (over ...). ―形 àutocrátic, dictatórial. 《☞ せんせい³; ワンマン》.
独裁者 dictator Ⓒ, áutocràt Ⓒ. ¶うちの社長は*独裁者だ (⇒ 独裁的な人だ) Our president is an *autocratic* person. 独裁政治 dictatorship Ⓤ, autocracy Ⓤ.

どくさい² 毒菜 (農薬などに汚染された野菜) contaminated vegetable Ⓒ.

とくさく 得策 ―名 (最上の策) the best ˹policy [way]. ―形 (賢明な) wise (↔ unwise); (当を得た) advisable (↔ inadvisable); (好都合の) expedient (↔ inexpedient). 《☞ けんめい¹》. ¶いま出発するのが*得策だ It's ˹*wise* [*advisable*] for you to start at once.

とくさつ 特撮 (映画・テレビなどの) special effects ★ 複数形で. ¶*特撮する use *special effects*

どくさつ 毒殺 ―〔動〕poison (他), kill *a person* with poison.

とくさん 特産 (特産物) special product Ⓒ; (特製品) spécialty (《英》spèciálity) Ⓒ; (主要な産物) principal product Ⓒ. 《☞ めいさん; めいぶつ》.

¶ 梨はこの地方の*特産です Pears are *special products* of this district.

とくし 特使 spécial énvoy Ⓒ《☞ しせつ[2]》. ¶ 原田氏が首相の*特使として米国に派遣された Mr. Harada was sent to the U.S. as the premier's *special envoy*.

どくし[1] 毒死 death by poison Ⓒ.

どくし[2] 読史 (史書を読むこと) reading a history book Ⓤ.

どくじ[1] 独自 ―〔形〕(自分自身の) *one's* own; (独特の) unique; (独創的な) original; (個人的な) personal. 《☞ どくとく; どくそう[1]》.

¶ 彼は*独自の見解を表した He expressed *his* ⌈*own* [*personal*] views. // それは彼*独自の発想で, ほかからとったもの (⇒ 借りたもの) ではない It's his *original* idea, and not something he has borrowed.

独自性 ¶ 彼らの*独自性は尊重されるべきだ Their ⌈*originality* [*individuality*] should be respected.

どくじ[2] 読字 reading script Ⓤ. **読字障害** 〖医〗 dyslexia /dɪsléksiə/ Ⓤ.

とくしか 篤志家 (自発的に無料奉仕を申し出る人) vòluntéer Ⓒ; (慈善心のある人) charitable person Ⓒ.

とくしつ[1] 得失 (利益と損失) profits [gains] and losses; (長所と短所・功罪) mérits and démèrits; (利点と弱点) advantages and dísadvàntages ★ 以上いずれも複数形で. demerits, disadvantages の単独でのアクセントは dèmérits, dìsadvántages. 《☞ こうざい[1] 〔語法〕》.

とくしつ[2] 特質 (特徴) characteristic Ⓒ; (目立つ点) feature Ⓒ. 《☞ とくしょく[1]; とくちょう[1]》.

とくしつ[3] 篤疾 serious [severe, critical] ⌈illness [sickness] Ⓤ《☞ じゅうびょう》.

とくじつ 篤実 ―〔形〕(誠実な) sincere. ―〔名〕 sincerity Ⓤ. 《☞ せいじつ[1]》.

とくしゃ[1] 特赦 ―〔名〕ámnesty Ⓒ ★ 特に政治犯に対するもの; (特別の恩赦) special pardon Ⓒ. ―〔動〕grant [extend] an amnesty (to ...). 《☞ おんしゃ》. ¶ 彼は*特赦により釈放された He was released from prison *under an amnesty*.

とくしゃ[2] 特写 exclusive photograph Ⓒ. ¶ これは本紙の*特写です This is a *photo scoop* our paper got.

どくしゃ 読者 reader Ⓒ; (定期購読者) subscriber Ⓒ. 《☞ よむ[1]》.

¶ この雑誌は世界中に広く*読者を持っている (⇒ 広く読まれている[大きな発行部数を持つ]) This magazine ⌈*is widely read* [*has a large circulation*] all over the world. // 改訂版では*読者の声が反映されています *Readers'* comments and opinions are reflected in the revised edition.

読者層 the reading public ★ 集合的, readers ★ 複数形で. **読者欄** the ⌈readers' [reader's] column [forum] ★ 投書欄など.

どくじゃ 毒蛇 ☞ どくへび

どくしゃく 独酌 ¶ *独酌で飲む drink ⌈*alone* [*by oneself*]

とくしゅ[1] 特殊 ―〔形〕(特別な・普通でない) special (↔ common; ordinary); (独特な) partícular (↔ general); (ほかには類のない・普通とは違った) unique ★ 口語的には風変わりなというニュアンスがある. ―〔名〕(比類のないこと) uniqueness Ⓤ. 《☞ どくとく; とくべつ》.

¶ 彼は音楽に*特殊な才能がある He has a *special* talent for music. // こちらの*特殊な事情も理解して下さい Please take our *particular* situation into consideration. // *特殊な見解 *unique* ideas

特殊会社 special company Ⓒ; (特別な認可を得ている) chartered corporation Ⓒ **特殊学級** special class Ⓒ **特殊切手** special stamp Ⓒ ★ 記念切手 (commemorative stamp) も含めていう. **特殊教育** special education Ⓤ, education for the handicapped Ⓤ **特殊銀行** special [chartered] bank Ⓒ **特殊鋼** álloy stèel Ⓤ ★ alloy は「合金 (の)」. steel alloy という場合もある. **特殊効果** (映画・テレビ) special effects ★ 複数形で. **特殊撮影** ☞ とくさつ **特殊自動車** special purpose vehicle Ⓒ **特殊性** peculiarity Ⓒ. ¶ 君はこの問題の*特殊性を知る必要がある You need to know the ⌈*uniqueness* [*peculiarities*; *special characteristics*] of this problem. **特殊相対性理論** 〖物理〗 the special theory of relativity **特殊部隊** special forces ★ 複数形で. **特殊法人** special corporation Ⓒ.

とくしゅ[2] 特種 special ⌈kind [type] Ⓒ.

とくじゅ 特需 (連合軍 [占領軍, アメリカ軍] の) allied [occupation; American] forces' procurement demand Ⓒ ★ procurement は「調達」. **特需景気** occupation forces' procurement boom Ⓒ.

どくしゅ 毒手 **毒手にかかる** ¶ ...の*毒手にかかる fall a victim to ... / become a prey of ... 《☞ ぎせい[1]》

とくしゅう 特集 ―〔動〕(特集記事を載せる) feature (他). ¶ この号は不況問題を*特集している This number *features* articles on depression. **特集号** special ⌈issue [number] Ⓒ **特集記事** feature (article) Ⓒ.

どくしゅう 独習, 独修 ―〔名〕self-education Ⓤ. ―〔動〕study [learn] ... by *oneself*, teach *oneself* ... 《☞ どくがく; じしゅう[1]》. **独習書** teach-yourself book Ⓒ.

とくしゅつ 特出 ☞ けっしゅつ

どくしょ 読書 ―〔名〕reading Ⓤ. ―〔動〕read (a book) (自) (他). 《☞ よむ[1]; ほん》.

読書百遍義自ら見(あらわ)る Read it again and again and you will ⌈realize [get; understand] its meaning. / Repeated reading makes the meaning clear. ★ 魏書の言葉. **読書家** great [avid] reader Ⓒ **読書会** reading ⌈club [circle] Ⓒ **読書室** reading room Ⓒ **読書週間** Book Week Ⓤ **読書人** (本好き) booklover Ⓒ; (学問好きの人) bookman Ⓒ **読書力** reading ability Ⓤ. ¶ *読書力を養う develop *one's reading ability*

とくしょう 特賞 the grand prize, the highest prize; (グランプリ) the grand prix /grɑ́ːmpríː/ 《複 grands prix /～/》. 《☞ グランプリ; いっとう[1]》. ¶ 彼は*特賞を取った He ⌈won [was awarded] *the* ⌈*grand prize* [*grand prix*].

とくじょう 特上 ―〔形〕(特上の) superfine, the ⌈finest [choicest]. ¶ *特上肉 *the choicest* cuts of meat

どくしょう 独唱 ―〔名〕(vocal) solo /sóuloʊ/ Ⓒ《複 ～s, soli /-liː/》. ―〔動〕sing a solo, sing (a song) alone. 《☞ どくそう[3]》. ¶ 次は山本さんの*独唱です The next number [Next on the program] is a *solo* by Miss Yamamoto. **独唱会** (vocal) recital Ⓒ **独唱者** soloist Ⓒ.

とくしょく[1] 特色 chàracterístic Ⓒ; (人の目を引く目立った点) feature Ⓒ; (特に他と区別されるもの) distinction Ⓒ; (独特な性質) peculiarity Ⓒ. 《☞ とくちょう[1]》.

¶ これは西欧文明の*特色の 1 つである This is one of the ⌈*characteristics* [*features*] of Western civilization. // この地域の（地理的な）*特色は山が多いことである As a (geographical) *feature* of this region, we can mention that it is mountainous. // 彼の書き物の*特色は文体の簡潔さである The *distinction* of his writing ⌈is [lies] in the simplicity of style. 語法 [ ] 内のほうが格式ばった言い方. // このテレビは音質をよくすることで*特色を出している（⇒良い音質という特徴がある） This TV set *is characterized by* its excellent sound quality. // この種の風景が地域全体を*特色づけている This type of scenery *characterizes* the whole region.

とくしょく[2] 瀆職 corruption Ⓤ《☞おしょく》.
瀆職罪 bribery Ⓤ.

とくしん[1] 得心 ― 動（満足がいく）be satisfied (with ...); (納得がいく) be convinced (of ...; that ...); (了解する) understand ⊕.《☞なっとく》.
得心ずく ¶彼らは*得心ずくで別居したのではないんですか Didn't they separate from each other by *mutual* ⌈*agreement* [*consent*]?

とくしん[2] 特進（特別の昇進）special promotion Ⓤ. ¶2階級*特進して警部になる get [be given] a double *promotion* to captain

とくしん[3] 篤信 ― 名 devotion Ⓤ. ― 形（信心深い）devout.

とくしん[4] 篤心 ― 名（真心）cordiality Ⓤ. ― 形（誠心誠意の）cordial.

とくしん[5] 瀆神 ― 名（神への不敬）blasphemy Ⓤ. ― 形 blasphemous.

どくしん 独身 ― 形 single; (未婚の) unmarried. ― 名（男の独身者）bachelor Ⓒ; (女の) unmarried woman Ⓒ, spinster Ⓒ 語法 (1) 前者のほうが普通. 後者は法律用語でもあり, また一般には次の old maid の意味で, 多少軽蔑的な響きを持つので使うときには注意; (年輩の女性の) old maid Ⓒ 語法 (2) 軽蔑的な語感を含む.
¶「彼は結婚していますか」「いえ, まだ*独身です」"Is he married?" "No. He's *single*. / (⇒まだ結婚していない) No. He *isn't married* (yet)." // 彼は一生*独身だった He remained ⌈*single* [*unmarried*; a *bachelor*] for life.
独身貴族（金持ちで未婚の人）rich unmarried person Ⓒ; (説明的には) person who can live comfortably because ⌈he [she] is ⌈unmarried [single] Ⓒ **独身生活** single life Ⓒ; (宗教上の理由による) celibacy Ⓤ.

どくじん 毒刃 murderer's dagger Ⓒ.

どくしんじゅつ[1] 読唇術 lipreading Ⓤ.

どくしんじゅつ[2] 読心術 mind reading Ⓤ.

どくず 読図 ― 名 map reading Ⓤ. ― 動 read a map.

とくする 得する ☞とく[2]

どくする 毒する（…に害を与える）do harm to ...; (堕落させる) corrupt ⊕; (だめにする) spoil ⊕; (精神的に害する) poison ⊕.《☞どく[1]》.

とくせい[1] 特製 ― 形（特別に作られた）specially made, of special make; (豪華な) deluxe /dɪlʌ́ks/. ¶これは*特製版です This is a *deluxe* edition. // 杉田*特製 *Specially* ⌈*made* [*prepared*] by Sugita

とくせい[2] 特性 characteristic Ⓒ; (目立つ点) feature Ⓒ.《☞とくちょう[1]》.

とくせい[3] 徳性（道徳的な品性）moral character Ⓤ; (道徳性) morality Ⓤ.《☞とく[4]》. ¶*徳性の疑わしい人 a person of doubtful *morality*

とくせい[4] 徳政 benevolent ⌈government [administration] Ⓤ. **徳政令**〚史〛debt cancellation order Ⓒ.

どくせい 毒性 ― 名 toxicity /tɑksísəti/ Ⓤ. ― 形（毒性のある）poisonous, toxic ★前者のほうが一般的.《☞どく[1]; ゆうどく》. ¶*毒性のない物質 non-*poisonous* substance // 砒素は極めて*毒性が強い Arsenic is very *poisonous*. // 殺虫剤はいろいろ*毒性の異なるものがある Insecticides vary in their *toxic* effects.

とくせつ 特設 ¶この国際会議のために, 通訳用のブースを*特設します Booths for interpreters will *be* ⌈*set up* [*installed*; *furnished*] (*e*)*specially for* this international conference.《☞とくに（類義語）》
特設会場（…のための特別の空間 [部屋, 階]）special ⌈space [room; floor] for ... Ⓒ **特設スタンド** specially set-up stands ★複数形で. **特設電話** specially installed telephone Ⓒ.

どくぜつ 毒舌（きびしいことば）sharp tongue Ⓒ; (いじわるなことば) malicious tongue Ⓒ.
毒舌をふるう ¶彼は時々*毒舌をふるう（⇒痛烈なことをいう）He sometimes *speaks bitterly*. / (⇒意地の悪いことをいう) He sometimes *uses malicious language*.《☞とげ; しんらつ; あっこう[2]》
毒舌家 ¶彼女は*毒舌家だ She *has a* ⌈*bitter* [*barbed*; *sharp*] *tongue*.

とくせん[1] 特選 ― 名（特別賞）special prize Ⓒ; (最高の賞) highest ⌈honor [《英》honour] Ⓒ. ― 形（商品などが高級な）deluxe /dɪlʌ́ks/ Ⓐ.《☞とくしょう》. ¶彼女の作品は*特選となった Her work ⌈won [was awarded] the *highest honor*.
特選品 ¶*特選品の売り場 the ⌈*finer* [*deluxe*] *goods* department

とくせん[2] 特撰 ― 名（入念に選び出したもの）the best selection; (最高の品質) the best quality. ― 形（精選の）choicest; (最高の) finest.《☞とくせん[1]》.

とくせん[3] 特薦 special recommendation Ⓒ.
特薦品 specially recommended item Ⓒ.

どくせん[1] 独占 ― 動（市場を自分だけで支配する）monópolize ⊕; (独り占めにする) have ... to *oneself* ★前者のほうが格式ばった語で, 日本語の「独占」に近い; (一手販売する) make a monópoly of ... ― 名 monopoly Ⓒ.《☞ひとりじめ; せんゆう[1,2]》. ¶市場を*独占する *monopolize* the market // 彼女は居間を*独占している She *has* the living room *to herself*.
独占会見 exclusive interview (with ...) Ⓒ **独占価格** monópolistic príce Ⓒ **独占企業** monópolìstic ⌈énterprise [ùndertáking] Ⓒ **独占禁止法** the ⌈Ántitrùst [Ántimonòpoly] Láw **独占権**（専売権）monopoly (of ...; on ...) Ⓒ; (独占的な権利) exclusive [sole] right (to ...) Ⓒ **独占事業** monopoly Ⓒ, monópolìstic énterprìse Ⓒ **独占資本** monópolistic cápital Ⓤ **独占資本主義** monopoly capitalism Ⓤ **独占体（資本）** monopoly capital Ⓤ; (企業) monopolistic enterprise Ⓒ《☞カルテル; トラスト; コンツェルン》 **独占欲** desire for monopolization Ⓒ **独占利潤** monópolistic prófit Ⓒ.

どくせん[2] 毒腺 poison [venom] gland Ⓒ ★poison は広い意味で毒, venom は蛇などの毒.《☞どく[1]》.

どくぜん 独善（ひとりよがり）self-righteousness Ⓤ; (うぬぼれ) (self-)complacency Ⓤ. **独善主義** self-righteousness Ⓤ **独善的** ― 形（ひとりよがりの）self-righteous; (うぬぼれた) (self-)complacent; (自己満足の) self-satisfied; (自己中心的な) self-⌈centered [《英》centred]; (独断的な) dogmatic.《☞どくだん; ひとりよがり》. ¶彼は*独善的に振舞うことが多い He often behaves ⌈*self-righteously* [*complacently*; *in a self-centered manner*].

どくそ 毒素 toxin Ⓒ; (毒のある物質) poisonous matter Ⓤ ★説明的表現.

とくそう[1] **特捜** (特別の捜査) special investigation Ⓒ. **特捜部** the special investigation ⌈division [department] **特捜本部** the special investigation headquarters ★ 複数または単数扱い.

とくそう[2] **徳操** high moral character Ⓤ.

どくそう[1] **独創** ―形 (独創的な) original; (創造力に富む) creative ★ 新たに生み出す力を強調する. ―名 (独創性) originality Ⓤ; (創造性) creativity Ⓤ. ¶ これは実に*独創的なアイディアだ This is quite an *original* idea. // 彼女は*独創性に富む She is ⌈rich in [full of] ⌈*originality* [*creativity*; *creative energy*].

どくそう[2] **独走** ―動 (他をはるかに引き離す) leave others far behind; (楽勝する)《略式》have a walkover; (ほかと関係なく独りで行動する) have *one's* (own) way. ¶ 最後の 1 周は田中の*独走だった Tanaka *ran* the last lap *alone, leaving the other runners far behind.* // ほかの人のことを考えずに*独走しては困る You shouldn't *have your own way* while not paying attention to others. **独走態勢** ¶ 30 キロ地点から彼女は*独走態勢に入った (⇒ 30 km 地点ではすでに他の走者を大きく引き離していた) She *was already far ahead of* the other runners by the 30 km point.

どくそう[3] **独奏** ―名 solo /sóʊloʊ/ Ⓒ《複 ～s, soli /-liː/》. ―動 play [perform] a solo. 《☞ どくしょう》. ¶ 彼はトランペットを*独奏した He played a trumpet *solo*. **独奏会** recital Ⓒ **独奏楽器** solo instrument Ⓒ **独奏者** soloist Ⓒ.

どくそう[4] **毒草** poisonous ⌈plant [herb] Ⓒ.

とくそく **督促** (請求) demand Ⓒ《☞ さいそく[1]》. ¶ 金貸しが返済を厳しく*督促してきた (⇒ 私をせき立てた) The moneylender *urged* me to repay my debt. / (⇒ 私に強要した) The moneylender *pressed* me for repayment of my debt. **督促状** demand [reminder] for payment Ⓒ; (借金の) dun Ⓒ **督促手続き** summary proceedings for the enforcement of payment.

どくソせん **独ソ戦** the German-Soviet War ★ 1941–45.

どくソふかしんじょうやく **独ソ不可侵条約** German-Soviet Nonaggression Pact ★ 1939 年に調印.

どくそん **独尊** ☞ ゆいがどくそん

ドクター (博士) Ph.D. /píːèɪtʃdíː/ Ⓒ, doctor Ⓒ [語法] 後者は博士の学位を持っている人に呼びかける時に, 姓に冠して用いられる; (医者) doctor Ⓒ, physician Ⓒ. 《☞ はかせ; いしゃ》. **ドクターカー** ambulance (car) which carries a doctor and a nurse with medical equipment in an emergency Ⓒ **ドクターコース** doctoral course (of study) Ⓒ **ドクターストップ** 〘ボク〙 technical knockout by the order of the attending physician Ⓒ. ¶ *ドクターストップで試合は終了した The *doctor stopped* the fight. // 塩辛い食べ物は*ドクターストップなんです (⇒ 医者の勧告により食べられない) I ⌈shouldn't [can't; mustn't] eat any salty food. It's my *doctor's advice*. **ドクターヘリ** (医師・看護師を乗せる救急救命ヘリコプター) helicopter ambulance which carries a doctor and a nurse with medical equipment in an emergency Ⓒ.

とくだい **特大** ―形 extra-large, king-size(d) Ⓐ ★ 後者は口語的表現. ―名 (特大品) outsize Ⓒ ★ 特に衣服の. ¶ このシャツの*特大はありますか (⇒ 特大サイズのこのシャツはありますか) Do you have an *extra-large* size of this shirt? **特大号** (雑誌) enlarged special ⌈issue [number] Ⓒ.

とくたいせい **特待生** scholarship student Ⓒ 《☞ しょうがくきん》.

どくたけ **毒茸** (毒きのこ) poisonous mushroom Ⓒ.

とくだね **特種** (新聞の) scoop Ⓒ ★ 記事などには exclusive と書かれることがある. 《☞ スクープ》.

どくだみ 〘植〙 *dokudami* Ⓒ; (説明的には) a foul-smelling plant with heart-shaped leaves used as a medicinal herb.

とくだわら **徳俵** *tokudawara* Ⓒ; (説明的には) the four protruding parts of the sumo ring.

とくだん **特段** ―形 (特別な) special; (例外的な) exceptional; (並外れた) unusual. ―副 specially; exceptionally; unusually. 《☞ かくべつ; とくべつ》. ¶ 彼女の*特段の計らいで知事に面会を許された I was allowed to interview the governor through a *special* arrangement she ⌈made [organized].

どくだん **独断** ―名 (自分勝手な独り決め) arbitrary decision Ⓒ; (独断的な考え) dogmatic way of thinking Ⓒ; (独断的態度)《格式》dogmatism Ⓤ. ―形 (勝手な) arbitrary; (独断的な) dogmatic. ―動 (独断で決める) decide ⌈for *oneself* [arbitrarily; on *one's* own judgment] ⓐ. 《☞ どくぜん (独善的); ひとりよがり》.
¶ 彼は*独断で事を決めることが多い He often *decides* ⌈*for himself* [*arbitrarily*; *on his own judgment*]. **独断専行** ¶ *独断専行型のワンマン社長 a dictatorial president who *acts solely on his own authority*

どくだんじょう **独壇場** ¶ マラソンは彼の*独壇場だ (⇒ 彼はマラソン選手として競走相手を持たない) He is ⌈*unrivaled* [*unequaled*] as a marathon runner. // その試合は彼の*独壇場だった (⇒ その試合で彼はほかのすべての選手をしのいだ) He ⌈*outshone* [*surpassed*] all the other players in the game.

とくち **徳治** virtuous government Ⓤ. **徳治主義** the principle of virtuous government.

とぐち **戸口** door Ⓒ; doorway Ⓒ [語法] door は「とびら」で, その「とびら」が開いてできる空間 (space) が doorway. ただし door も doorway と同意で用いられることがある; (入口) entrance Ⓒ. 《☞ げんかん[1]; いりぐち》. ¶ *戸口に立たないで下さい Don't stand ⌈at the *door* [in the *doorway*]. ★ 前置詞が異なることに注意. // 私は彼女を*戸口まで送った I saw her to the *door*. // *戸口が開いていた The *door* was left open.

とくちゅう **特注** special order Ⓒ 《☞ ちゅうもん》. ¶ 家具店に*特注したたんす a dresser *specially ordered* from a furniture store **特注品** made-to-order [custom-made] article Ⓒ ★ 体の寸法に合わせた衣服や靴などは made-to-measure ⌈suit [shoes] などともいう.

とくちょう[1] **特徴** ―名 (他と区別される特色) characteristic Ⓒ; (目立つ点) feature Ⓒ; (特異な感じの特徴) peculiarity Ⓒ; (性格などの特性) trait Ⓒ ★ やや格式ばった語. ―形 (特徴のある) characteristic (of...); (ある人・物に特有の) peculiar (to ...); (他と区別するような) distinctive; (代表的な) typical; (際立った) striking; (注目すべき) remarkable. 《☞ とくしょく[1]》.
¶ ゴシック建築の*特徴は何ですか What are the *characteristics* of Gothic architecture? // 風車はオランダの*特徴だ Windmills are a *feature* of the Netherlands. // あの乱暴な態度は彼の*特徴だ (⇒ 彼の特徴を示すものだ) That rude behavior is *characteristic* of him. // あの話し方は関西地方の人の*特徴だ (⇒ 関西人に独特だ) That way of speaking is *peculiar* to people ⌈in [from] the Kansai district. [語法] in を用いると関西に住んでいる人, from を用いると関西出身の人. // ユーモアは

彼の持つ大きな*特徴の一つだ Humor is one of his outstanding *traits*. // この花は非常に*特徴のあるにおいがする This flower has a very *distinctive* smell. (☞ くせ)

コロケーション
著しい特徴 a ⌈marked [dominant] *characteristic* / 遺伝的特徴 a ⌈genetic [hereditary] *characteristic* / 顔の特徴 facial ⌈*features* [*characteristics*] / 身体的特徴 physical ⌈*characteristics* [*features*] / 典型的な特徴 a typical *feature* / 独特の特徴 a unique *characteristic* / 珍しい特徴 an unusual *feature* / 目立つ特徴 a notable *feature*

とくちょう² 特長 (得手) strong [good] point Ⓒ; (長所) forte Ⓒ ★ 前者のほうが口語的. 後者は普通単数形で所有格とともに使われる; (取り柄) merit Ⓒ. (☞ ちょうしょ¹; もちあじ). ¶ 自分の*特長を生かす make the ⌈most [best] of *one's* ⌈*strong point* [*forte*]

どくつ 土窟 cave in the earth Ⓒ.

どくづく 毒づく (ののしる) curse ㊍; (がみがみ言う) abuse ㊍. (☞ ののしる; どくぜつ; あくたい).

とくてい 特定 ── 形 (特殊の·ある条件に合った) specific; (はっきり指定された) specified; (特に具体的に決まっている) particular; (権限が与えられた) authorized. ── 動 (明示する) specify ㊍; (確定する) determine ㊍. (☞ とくべつ).
¶ その金は*特定の目的のためにとっておかれた The money was set aside for a *specific* purpose. // *特定の人しかこの部屋は利用できない (⇒ 指定された人だけがこの部屋を利用できる) Only ⌈*specified* [*authorized*] persons can make use of this room. // 彼女はいつも*特定の店で買い物をする She always does her shopping at some *particular* stores. // いまのところ彼の死因は*特定できない We cannot as yet *determine* the cause of his death.
特定遺贈 specific legacy Ⓒ **特定財産** specific property Ⓤ **特定疾患** ☞ なんびょう **特定重要港湾** specially designated port Ⓒ **特定銘柄** specified stock Ⓒ **特定郵便局** special post office Ⓒ. **特定料金** special ⌈charge [rate; fare] Ⓒ ★ 用法については ☞ りょうきん (類義語).

とくてん¹ 得点 (競技の) score Ⓒ 【語法】(1) バスケットボール·バレーボール·ラグビーなど, 大多数の競技の1点1点の得点は point Ⓒ, 野球は run Ⓒ, サッカー·ホッケーでは goal Ⓒ と言い, その point, run, goal などの総得点が score; (試験の) grade Ⓒ, 《英》 mark Ⓒ; score Ⓒ 【語法】(2) 一般にクラスで行うテストの得点は grade, 《英》 mark. センター試験などの標準化された統一テストの総得点は score. (☞ てん¹). ¶ いま*得点は何点ですか What's the *score* now? // *得点は3対1で私たちが勝っている We're leading by a *score* of 3 to 1. // 私たちのチームは10対0の*得点で勝った Our team won by a *score* of 10 to 0. // 彼女の*得点は98点だった (⇒ 彼女は98点獲得した) She ⌈*scored* [earned] ninety-eight *points*. // 我々は7回の裏にさらに2点*得点を重ねた We made another two *runs* in the bottom of the seventh inning. // そのピッチャーは相手チームを無*得点に抑えた The pitcher held the other team ⌈*scoreless* [*runless*]. / (⇒ シャットアウトした) The pitcher *shut out* the other team. (☞ むとくてん) // その試験の彼の*得点は100点満点中65点だった He ⌈got [received] 65 *points* out of 100 on the examination. **得点圏** 〖野〗 scoring position Ⓤ (☞ スコアリングポジション).

とくてん² 特典 (特権) privilege Ⓒ; (利点) advántage Ⓒ. (☞ とっけん). ¶ 会員にはどんな*特典がありますか What ⌈*privileges* [*advantages*] do members have?

とくと 篤と (よく) well; (注意深く·入念に) carefully; (十分に) thoroughly /θə́ːrouli/. (☞ よく¹; じゅうぶん¹; じっくり).

とくど 得度 ── 動 (得度する) enter the Buddhist /búːdɪst/ priesthood.

とくとう 特等 (特別の等級) special ⌈class [grade] Ⓒ; (最高の賞) the highest prize. (☞ とくしょう). ¶ 福引きの*特等はテレビだ *The highest prize* in the lottery is a television set.
特等席 ¶ その芝居の*特等席(の券) a *special seat* for the play

とくとうびょう 禿頭病 ☞ だつもう (脱毛症); はげ

どくとく 独特 ── 形 (固有の) peculiar (to ...); (特徴のある) characteristic (of ...); (他と区別できる) distinctive; (独自の) *one's* own; (他に類のない) unique (to ...). (☞ とくゆう; こゆう). ¶ それはこの地方*独特の習慣だ It is a custom *peculiar* to this district. // 彼は*独特のやり方でその問題を解決した He solved the problem in *his own* way. // この果物は*独特の香りがある This fruit has a ⌈*characteristic* [*distinctive*] smell. // だれもが彼女の*独特の才能を買っている (⇒ 認めている) Everybody appreciates her ⌈*special* [*unique*] ability.

どくどく ¶ 傷口から血が*どくどくと流れた (⇒ どんどん流れ出た) Blood ⌈*gushed* out [flowed *steadily*] from the wound. / (⇒ 絶え間のない流れとなって出た) Blood ran *in a steady stream* from the wound. (☞ 擬声·擬態語 (囲み))

どくどくしい 毒毒しい (毒のあるような) poisonous-looking; (色などが) gaudy; (気分が悪くなるような) sickening. (☞ けばけばしい; にくらしい).

とくとくと¹ 得得と ── 副 (誇らしげに) proudly; (勝ち誇って) triúmphantly, in tríumph. ── 形 proud; triumphant. (☞ とくい¹). ¶ 彼は*得々と2時間もしゃべった He spoke ⌈*proudly* [*triumphantly*] for two hours.

とくとくと² ¶ 酒を*とくとくとつぐ pour out the sake *glug-glug*

ドクトリン (教義·主義) doctrine Ⓒ.

とくに 特に (特別に) specially; especially; particularly.
【類義語】ある特別の目的·用途などのために「特に」という意味で使われるのが ***specially***. ほかのものと比べて, それらよりとりわけ程度が高いという意味を表すのが ***especially***. 以上の2語は英米人の間でも混同されることがあるようだが, 例えば「この本は*特に初歩の人のために書かれた」This book was written *specially* for beginners. では目的が主なので *specially* であり, 「この本の第2章は*特におもしろい」 The second chapter of this book is *especially* interesting. では第2章がほかの章と比べておもしろさの程度が高いということで *especially* が用いられる. しかし, 実際にはいずれでもよい場合もある. 幾つかある中から特定のものを選び出して 「特に」 というように特定化する言葉が ***particularly***. (☞ とくべつ)
¶ これはあなたのために*特に作ったケーキです This is a cake I made *specially for* you. // 私は京都が好きだ. *特に秋がいい I like Kyoto, *especially* in (the) fall. // これは*特に重要な点です This is ⌈a *specially* [an *especially*] important point. // 私はこの件の重要性を*特に強調したい I would like to ⌈emphasize [stress] *especially* the importance of this case. / I want to put ⌈*great* [*special*] emphasis on the importance of this case. ★ 第2文のほうが格式ばった言い方. // 彼は*特に数学がよくできた He was *particularly* good at mathematics. // 何か*特に付

け加えたいことはありませんか Don't you have anything ⌈*in particular* you'd [you'd *particularly*] like to add?// 彼はきょうは*特に（⇒いつもと違って）口数が多かった Today he was ⌈*unusually* talkative [*more* talkative than he usually is]. // *特にお話しすることはありません I have nothing (*in*) *particular* to tell you.

とくにん¹ 特認 ―名 special approval Ⓤ. ―形 specially approved. ¶*特認を得る obtain [gain] *one's special approval*

とくにん² 特任 （特別の任命）special appointment to an official position Ⓤ;（特別の任務）special mission Ⓒ. **特任教授**（定員外［特別任命］の教授）extraordinary professor Ⓒ.

どくにんじん 毒人参 〖植〗 hemlock Ⓒ.

とくのうか 篤農家 （よく働く）hard-working farmer Ⓒ;（熱心な）devoted farmer Ⓒ;（進歩的な）progressive farmer Ⓒ.

とくは 特派 ―動 send [dispatch] *a person* specially to ...《☞ とくし; はけん¹》. ¶使節を北京に*特派する（⇒特別の目的で［特別の任務で］）*send* [*dispatch*] an envoy to Beijing ⌈*for special purposes* [*on a special mission*]

どくは 読破 ¶小説を*読破する *read* a novel ⌈*through* [*from cover to cover*]

とくはい 特配 （配給）special [extra] ration Ⓒ;（配当）special [bonus] dividend Ⓒ. ¶援助物質を*特配する *distribute* [*ration*] relief goods *specially*

とくばい 特売 sale Ⓒ《☞ セール¹; やすうり; おおうりだし》. ¶あの店はよく子供服の*特売をやる They often have *sales* on children's clothes. // 私はそれを*特売で買った I bought it at ⌈a *sale* [the *sales*]. **特売価格** sale price Ⓒ **特売週間** bargain week Ⓒ **特売場** bargain counter Ⓒ;（デパートなどの）bargain floor Ⓒ **特売日** bargain (sale) day Ⓒ **特売品** bargain Ⓒ.

どくはい 毒杯 poisoned cup Ⓒ. ¶*毒杯をあおぐ gulp down a *poisoned cup*

とくはいん 特派員 （新聞・雑誌の）(special) correspondent Ⓒ.

どくはく 独白 ―名 mónològue Ⓒ,《米略式》monolog Ⓒ; soliloquy /səlíləkwi/ Ⓒ ★ monolog(ue) は演劇などで相手なしで一人で言うせりふ. soliloquy は登場人物の考えていることを観客に伝えるためのせりふで, 他の登場人物には聞こえないことになっている. ―動 monólog(u)ìze ㊀; solíloquìze ㊀ ㊁. **独白劇** mónològue Ⓒ,《米略式》mónològ Ⓒ;（一人芝居）mónodràma Ⓒ.

とくはたいし 特派大使 ambássador extraordinary /ɪkstrɔ́ədənèri/ Ⓒ.

とくはつ 特発 ―形（電車などが臨時の）special;（増便の）extra;（病気が特発性の）idiopathic. **特発性疾患**〖医〗idiopathy /ìdiɑ́pəsi/ Ⓒ **特発性心筋症**〖医〗idiopathic cardiomyopathy /ìdioʊpǽθɪk kɑ̀ədioʊmaɪɑ́pəθi/ Ⓤ.

どくばり 毒針 poisonous ⌈sting [prickle] Ⓒ.

とくばん 特番 ☞ とくべつ（特別番組）

とくひつ 特筆 ¶彼の行いは*特筆に値する（⇒特別に言及する価値がある）His conduct ⌈is worthy of [deserves] *special mention*. // それは今年の*特筆すべき（⇒最も忘れられない）出来事だった It was the most *memorable* event of this year. **特筆大書** ¶このことは*特筆大書すべきだ This should *be* ⌈*written* [*printed*] *in large letters*.

どくひつ 毒筆 （悪意のあることば）malicious words ★ 通例複数形で;（意地悪な［しんらつな］文章）spiteful [acid] pen Ⓒ ★ 普通は単数形で. ¶*毒筆をふるう（⇒筆を胆汁に浸す）dip *one's* pen *in gall*

とくひょう 得票 ―動（票を得る）poll ㊁《☞ とうひょう¹; せんきょ¹》. ¶彼の*得票は3千票だった（⇒彼は3千票獲得した）He ⌈*polled* [*got*; *obtained*; *gained*; *received*] three thousand *votes*. **得票数** the number of votes ⌈obtained [received];（得票総数）*one's* total (number of) votes;（集合的に）the vote ★ vote が個々の票を指すときは Ⓒ. ¶彼は95対90の*得票数で勝った He won ⌈by [on] a *vote* of 95 to 90. // 彼の*得票数は法定*得票数に達しなかった He ⌈did not [failed to] receive the legally required minimum number of *votes*. **得票率** the percentage of ⌈the [*one's*] votes against the total poll.

どくふ 毒婦 （性悪な女性）evil [wicked] woman Ⓒ;（妖婦）vamp Ⓒ ★ 古風な語.《☞ ようふ²》.

どくぶつ 毒物 （毒・毒薬）poison Ⓤ ★ 具体的には Ⓒ;（有毒物質）poisonous [toxic] substance Ⓒ.《☞ どく¹; どくせい》. **毒物学** tòxicólogy Ⓤ.

どくぶん 独文 （ドイツ語）German Ⓤ;（ドイツ文学）German literature Ⓤ.《☞ ドイツ》. **独文科** the department of German literature. **独文専攻** ¶私は*独文専攻です I *major in German literature*.

とくべつ 特別 ―副（ある特別の目的のために）specially;（ほかのものと比べて特に）especially;（ある特定のものについて）particularly. ―名（例外）exception Ⓒ.《☞ とくに（類義語）》.

¶これはあなたのために*特別にとっておきました I've kept this *specially* for you. // ここのコーヒーの味は*特別によい The coffee here is *particularly* good. // あの人は*特別だ（⇒例外だ）He's an *exception*. // 彼の辞任には何か*特別の事情があるにちがいない There must be some *special* reasons for his resignation.

特別扱い ¶彼女だけ*特別扱い（⇒例外にすること）はできない We can't make her an *exception*. **特別委員会** ad hoc [special] committee Ⓒ **特別委任** special entrustment Ⓤ **特別会計** special account Ⓒ **特別快速電車** special rapid train Ⓒ **特別活動**（教育の）extra-curricular activity Ⓒ **特別機**（特別便）special flight Ⓒ;（飛行機）special plane Ⓒ **特別急行** ☞ とっきゅう¹ **特別教室** special-purpose classroom Ⓒ **特別教書** special ⌈message [decree] Ⓒ **特別区** special ward Ⓒ **特別攻撃隊** ☞ とっこうたい; かみかぜ **特別高等警察** the Special Higher Police ★ 1945年に廃止. **特別国会** extraordinary session of the Diet Ⓒ **特別少年院** Special Juvenile Training School Ⓒ **特別職**（国家公務員の）special government position Ⓒ;（一般的に）special position Ⓒ, position by special appointment Ⓒ **特別席** special seat Ⓒ;（指定席）reserved seat Ⓒ **特別待遇** special treatment Ⓤ **特別地方公共団体** special local public entity Ⓒ **特別地方消費税** special local consumption tax Ⓒ **特別徴収** special collection Ⓤ **特別手当** special [extra] allowance Ⓒ;（ボーナス）bonus Ⓒ **特別任用** special appointment Ⓤ **特別配当** special [bonus] dividend Ⓒ **特別背任罪** (the crime of) special breach of trust Ⓒ **特別番組** special Ⓒ. ¶3時間のテレビ*特別番組 a three-hour television *special* **特別法** special law Ⓒ **特別養護老人ホーム** special nursing home for the aged Ⓒ **特別予算** special [extraordinary] budget Ⓒ **特別料金**（割り増し）extra charge Ⓒ;（割り引き）reduced rate Ⓒ.《☞ りょうきん; わりびき; わりまし》 **特別列車** special train Ⓒ.

どくへび 毒蛇 póisonous [vénomous] snáke

Ⓒ.

とくほう 特報 (news) flash Ⓒ《☞ そくほう¹; ニュース》.

どくぼう 独房 (solitary) cell Ⓒ《☞ かんきん¹; けいむしょ》.

とくほん 読本 (教科書) reader Ⓒ; (初歩の) primer Ⓒ.《☞ ほん; きょうかしょ》.

ドグマ (教条・独断的考え) dogma Ⓒ《複 ～s, dogmata》《☞ どくだん; きょうじょう¹》.

ドグマティズム (教条主義) dógmatism Ⓤ《☞ どくだん; きょうじょう¹》.

ドグマティック (教条主義的な) dogmátic《☞ どくだん; きょうじょう¹》. ¶ *ドグマティックな態度 a *dogmatic* attitude

どくみ 毒味 ── [動] (味を見る) have a taste《☞ あじ¹; ししょく》.

とくむ 特務 special ˹service [duty] Ⓤ. **特務機関** the Special Service ˹Agency [Organization] ★ 1945 年に廃止.

どくむし 毒虫 póisonous [vénomous] ínsect Ⓒ.

とくめい¹ 匿名 ── [名] (名前を出さないこと) ànonýmity Ⓤ. ── [形] (筆者不明の) anónymous; (名前・身分などが不明の) unidentified. ── [副] anonymously. ¶ 彼は*匿名を希望している He requests *anonymity*. // *匿名という条件で on condition of *anonymity* // 彼は時々*匿名で (⇒ 名前を出さずに)書評を書く He sometimes reviews books *anonymously*. // *匿名の投書があった I [We] received an *anonymous* letter.

匿名投票 secret ballot Ⓒ《☞ むきめい (無記名投票)》 **匿名批評** anonymous criticism Ⓤ **匿名報道主義** the principle of not revealing a crime suspect's identity in a news report.

とくめい² 特命 (特別の命令) special command Ⓒ; (特別の任務) special mission Ⓒ. ¶ 彼は*特命を受けて (⇒ 特別の任務で) ニューヨークへ行った He went to New York on a *special mission*.

特命全権大[公]使 ambassador [minister] extraordinary /ɪkstrɔ́ədənèri/ and plenipotentiary /plènəpəténʃ(ə)ri/ Ⓒ《☞ とくし》.

とくもく 徳目 virtue Ⓒ.

どくや 毒矢 poison(ed) arrow Ⓒ.

とくやく 特約 (特別の契約[協定]) special ˹contract [agreement] Ⓒ《☞ けいやく》.

¶ 私たちはその会社と*特約を結んだ We made a *special* ˹*contract* [*agreement*] with the company. / We entered into a *special* ˹*agreement* [*relationship*] with the company. **特約店** (代理店) (special) agency Ⓒ; (権限を与えられた業者) authorized dealer Ⓒ.《☞ だいり¹》.

どくやく 毒薬 poison Ⓒ. ¶ *毒薬を飲む take *poison* ★ この場合は無冠詞.《☞ どく¹》.

とくゆう 特有 ── [形] (独特の) peculiar (to ...); (特徴のある) characteristic (of ...).《☞ どくとく; こゆう》. ¶ この大根の漬物は日本*特有のものだ These pickled radishes are *peculiar to* Japan. // イギリス人*特有の辛口ユーモアのセンス a dry sense of humor *peculiar to* Englishmen // その祭りはこの地方*特有のものである (⇒ ほかの地方には類似したものがない) Their festival *does not have its like elsewhere*. // それは子供*特有の癖だ That habit is *characteristic of* children.

特有財産 separate property Ⓤ.

とくよう¹ 徳用 ── [形] (経済的な) economical; (値段より価値がある) worth more than the ˹cost [price]. **徳用型** economy size Ⓤ **徳用品** economical article Ⓒ; (徳用の包み[箱, びん]) economy ˹package [box; bottle] Ⓒ.

とくよう² 特養 ☞ とくべつ (特別養護老人ホーム)

とくよう³ 特用 special use Ⓤ. **特用作物** industrial crop Ⓒ.

どくよけ 毒除け (解毒剤) antidote Ⓒ.

とくり 徳利 sake bottle Ⓒ.

どくりつ 独立 ── [名] (自立) independence Ⓤ; (自活) self-support Ⓤ. ── [形] independent; self-supporting. ── [副] (独立して) independently; (自分で) for *oneself*; (独力で) on *one's* own.《☞ じりつ; ひとりだち; ひとりあるき》.

¶ アメリカ合衆国は 1783 年にイギリスから*独立した The United States became *independent* ˹of [from] England in 1783. / (⇒ 独立を獲得した) The United States ˹won [gained] *independence* from England in 1783. // *独立して生計を立てる (⇒ 自活する) *support oneself* [*earn one's own living*] // 彼は*独立して店を開いた He opened a store ˹*on his own* [*independently*].

独立家屋 detached house Ⓒ **独立機関** independent ˹agency [institution; organization] Ⓒ **独立記念日** Independence Day **独立行政法人** independent administrative ˹agency [corporation] Ⓒ. ¶ 博物館を*独立行政法人化する turn the museum into an *independent administrative corporation* **独立権** autonomy Ⓤ **独立語**〘文法〙freestanding [independent] word Ⓒ **独立国** independent ˹country [state] Ⓒ; (主権国家) sovereign /sáv(ə)rən/ ˹state [nation] Ⓒ **独立国家共同体** the Commonwealth of Independent States《略 CIS》★ ソビエト連邦崩壊後, 12 の構成共和国が形成. **独立採算制** the independent profit system **独立自尊** independence and self-respect Ⓤ **独立心** the spirit of independence **独立宣言** (米国の) the Declaration of Independence **独立戦争** war of independence Ⓒ [語法] 自国, またはある特定の国のものについては, the War of Independence のように, 固有名詞扱いにする. 米国の場合にはほかに the Revolutionary /rèvəlúːʃənèri/ War, the American Revolution ともいう. **独立独行[独歩]** self-reliance Ⓤ. ¶ 彼らは*独立独歩の気風に富んでいる They are full of *self-reliant* spirit. **独立不羈**(き) ¶ *独立不羈の精神 a *free and independent* spirit **独立プロ** independent film production company Ⓒ.

> **コロケーション**
>
> 独立を失う lose *one's independence* / 独立を承認する grant *independence* / 独立を宣言する declare *one's independence* / 独立を達成する achieve *independence*

どくりょう 読了 ── [動] (読み終わる) finish reading ...; (終わりまで読む) read through ⊕.《☞ よみおわる; よみきる; よみとおす》.

どくりょく 独力 ── [副] (独力で) by [for] *oneself* [語法] by *oneself* のほうが普通. for *oneself* は「自分の利益のために」という意味にもなるので混同を招きやすい; (自分自身の努力で) through *one's* own efforts; (助けを借りずに) without help (from others), single-handedly.《☞ じりき¹》.

¶ 彼は*独力でその問題を解いた He solved the problem *by himself*. | (⇒ 彼は助けを借りずにその問題を解いた) He solved the problem *without help* (*from others*). // 彼は*独力でその機械を発明した (⇒ 自分だけの手で) He invented the machine ˹*single-handedly* [*through his own efforts*].

トグル (ボタンの代わりに衣服を留める棒) toggle Ⓒ. **トグルスイッチ** toggle switch Ⓒ.

とぐるま 戸車 bottom roller (for sliding

doors) Ⓒ ★ 説明的な訳.

とくれい[1] **特例** (特別の場合[例]) special ⌈case [example] Ⓒ; (例外) exception Ⓒ. 《☞ れいがい[1]; とくべつ》.

とくれい[2] **督励** ── 動 (熱心に促す) urge ⊕; (拍車をかける) spur ⊕; (励ます) encourage /ɪnkə́ːrɪdʒ/ ⊕. ── 名 encouragement Ⓤ. 《☞ げきれい; はげます》. ¶ 彼はスタッフを*督励して仕事を急がせた He ⌈*urged* [*spurred*] his staff to push on with the work.

とぐろ **とぐろを巻く** ── 動 (蛇が) coil ⊜. ¶ あの喫茶店にはいつも若い者が*とぐろを巻いている (⇒ よく行く所) That coffee shop is a favorite *haunt* of young people.

どくろ **髑髏** skull Ⓒ 《☞ がいこつ》.

どくわ **独話** ☞ ひとりごと; どくはく

どくわじてん **独和辞典** Gérman-Jápanèse dictionàry Ⓒ 《☞ じしょ[2]》.

どくわじゅつ **読話術** (聴覚障害者の) spéechrèading Ⓤ, lípreàding Ⓤ ★ 読唇術ともいう. 《☞ どくしんじゅつ[1]》.

とげ **刺, 棘** **1** 《植物などの》 ── 名 (バラなどの) thorn Ⓒ; (植物の茎などの) prickle Ⓒ; (木・骨などの細片) splinter Ⓒ; (サボテン・ヤマアラシなどの) spine Ⓒ. ── 形 (とげのある) thorny; spiny; prickly.

¶ 指に*とげが刺さった I got a *splinter* in my finger. // *とげは簡単に抜けた I ⌈pulled [drew] out the ⌈*thorn* [*splinter*] easily. // バラの茎には*とげがある (⇒ バラはとげのある茎を持つ) Roses have ⌈*prickly* [*thorny*] stems.

2 《比喩的に, とげのある》 ── 形 (ちくりとするような) stinging; (痛烈な) bitter; (辛らつな) acid; (刺すように鋭い) sharp. ── 名 (いやみ) sting Ⓒ. 《☞ しんらつ; どくぜつ; とげとげしい》. ¶ 彼は時々*とげのある言葉をもらす (⇒ 辛らつな言葉を使う) He sometimes makes ⌈*stinging* [*bitter*; *acid*] comments. // 彼の話し方には*とげがある (⇒ 彼は辛らつな舌を持つ) He has a *sharp* tongue. // 彼女の冗談には*とげがあった Her joke had a *sting* to it.

とけあう[1] **溶け合う** (吸収されるように次第に1つになる) merge (into ...) ⊜; (溶け込む) melt (into ...) ⊜; (融合する) fuse ⊜ ★ melt より高熱が加わって溶ける; (溶けて1つになる) melt together ⊜ 語法 melt は熱が加わって徐々に溶けていく状態を示す; (混ざる) mix (with ...) ⊜. 《☞ まざる; とける[1]》. ¶ 2つの色は*溶け合って灰色になった The two colors *merged into* gray. // 油と水は*溶け合わない (⇒ 混ざらない) Oil and water don't *mix*. / (⇒ 油は水と混ざらない) Oil doesn't *mix with* water. // 銅と亜鉛が*溶け合って真ちゅうができる Copper and zinc *fuse* to make brass.

とけあう[2] **解け合う** (親しくなる) make friends with ... 《☞ うちとける》. ¶ 彼はすぐにほかの生徒と*解け合った (⇒ 親しくなった) He soon *made friends with* the other students.

とけい **時計** (掛け[置き]時計) clock Ⓒ; (腕[懐中]時計) watch Ⓒ; (総称) timepiece Ⓒ ★ 1番目, 2番目より格式ばった語で, 日常的には使わない. 日英比較 英語では時計を腕[懐中]時計と掛け[置き]時計の2つに分類しており, 日本語のように「時計」という総称が日常レベルの語にはないことに注意. 身につけて持ち歩く時計が *watch* で, 一定の場所に置いて使う時計が *clock*. 詳しく種類を言うときは wall [table] *clock* (掛け[置き]時計), *wristwatch* (腕時計) のように言う.

¶ あなたの*時計は何時ですか What ⌈time is it [is the time] by your *watch*? / What time do you have? ★ 第2文のほうがより口語的な言い方. 《☞ 時刻・日付・曜日 (囲み)》 // 私の*時計は合っています[合っていません] My *watch* is ⌈correct [wrong]. 語法 correct の代わりに right でもよい. // この*時計はどのくらい進んで[遅れて]いますか How ⌈fast [slow] is this *clock*? // あなたの*時計は5分進んでいる[遅れている] Your *watch* is five minutes ⌈fast [slow]. // この*時計は少し進む[遅れる] This *clock* goes a little too ⌈fast [slow]. // この*時計は1日に2分進む[遅れる] This *clock* ⌈gains [loses] two minutes a day. // *時計が時を刻む a *clock* keeps time // *時計が時を告げる a *clock* tells time // この*時計は正確です This *watch* keeps ⌈good [correct; perfect] time. // *時計は5時半を指していた The *clock* showed half past five. // 私の*時計は止まってしまった My *watch* has ⌈stopped [run down]. // この*時計は電気で動くが, その*時計は巻かなければならない This *clock* runs on electricity, but that *clock* has to be wound. ★ wound /wáʊnd/ は wind /wáɪnd/ ⊕ (巻く) の過去分詞. // *時計が3時を打った The *clock* struck three. // 壁の*時計がカチカチと鳴っていた The *clock* on the wall was ticking. // 彼はデジタル*時計をしている He is wearing a digital *watch*. // XYZ (社)の*時計が正午をお知らせします XYZ *clock* ⌈strikes [chimes] noon. 《☞ じほう》 // 私は*時計を時報に合わせた I set my *watch* by the time signal. // 私は*時計を5分遅らせた [進めた] I've ⌈set [put] the *clock* five minutes ⌈back [ahead; forward]. / I ⌈turned back [advanced] the *clock* five minutes. ★ 第2文のほうが格式ばった言い方. // *時計を逆戻りさせる turn back the *clock* 《☞ ぎゃくもどり》

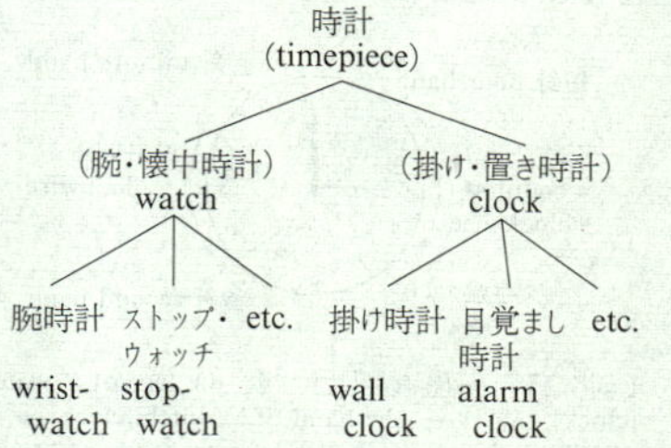

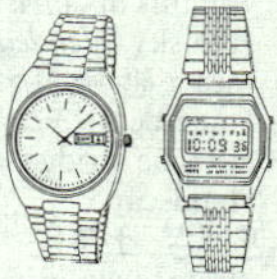

analog watch　digital watch

> **時計のいろいろ**
> 原子時計 atomic clock, 砂時計 hourglass, sandglass, デジタル時計 digital ⌈watch [clock], アナログ時計 analog ⌈watch [clock], クォーツ時計 quartz ⌈watch [clock], 生物[体内]時計 biological clock, 電気時計 electric clock, 電波時計 radio(-controlled) ⌈clock [watch], 目覚まし時計 alarm clock, はと時計 cuckoo clock, 日時計 sundial, 振り子時計 pendulum clock, ストップウォッチ stopwatch, からくり時計 mechanical clock

時計皿 watch glass Ⓒ **時計仕掛け** clockwork Ⓤ. ¶ *時計仕掛けで動くおもちゃ a *clockwork* toy / a toy which works by *clockwork* **時計台** clock tower Ⓒ **時計と反対回り** ¶ *時計と反対回りに回る[回す] turn [turn ...] *counterclockwise* **時計回り** ¶ *時計回りに回る[回す] turn [turn ...] *clockwise* **時計屋** (店) watchmaker's; (人) watchmaker Ⓒ 参考 watchmaker は時計の専門店. 日常のちょっとした修理などには時計を扱ってい

る jeweler (宝石店) へ持って行くことが多い.

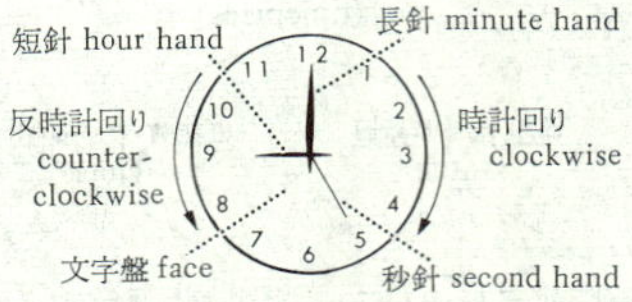

【参考語】 ―名 (時計の文字盤) the face of a ⌈watch [clock]; (時計の針) the hand of a ⌈watch [clock] ★ 短針は hour hand Ⓒ, 長針は minute hand Ⓒ, 秒針は second hand Ⓒ という. ―副形 (時計回りに[の]・右回りに[の]) clockwise; (反時計回りに[の]・左回りに[の]) 《米》 counterclockwise, 《英》 anticlockwise.

コロケーション

時計が動く a ⌈*clock* [*watch*] ⌈goes [runs] / 時計の掃除をする clean a *watch* / 時計を合わせる set [regulate] a ⌈*clock* [*watch*] / 時計を修理する repair a *watch* / 時計をする[はずす] put on [take off] *one's watch* / 時計を見る look [glance] at *one's* watch

とけいそう 時計草 〔植〕 passionflower Ⓒ.

とげうお 棘魚 〔魚〕 stickleback Ⓒ.

とけこむ 溶け込む (液体に溶解する) dissolve in … (自), dissolve … in …; (形・色・音などが他のものと区別できない程混ざり合う) blend [merge; melt] into … (自), blend [merge; melt] … into …; (なじんで一体となる) fit in (with …) (自); (新しい環境などに順応する) adapt [adjust] *oneself* to …; (調和する) blend in (with …) (自).
¶ 汚染物質には水に*溶け込むものがある Some pollutants *dissolve in* water. // 青い海に*溶け込んだ空 the sky ⌈*blended* [*merged*; *melted*] *into* the blue sea // 他の会員たちに*溶け込む *fit in with* the other members // その橋は田園風景に(よく)*溶け込んでいる The bridge *blends in* (well) *with* the rural landscape.

どげざ 土下座 ―動 (恐れ入ってひれ伏す) prostrate *oneself*. ¶ *土下座して謝る *throw oneself on the ground* to apologize

とけつ 吐血 ―名〔医〕(胃腸からの) hematemesis /hìːmətéməsɪs/ Ⓒ (複 -ses /-siːz/). ―動 vomit blood. 《☞ かっけつ》.

とげとげしい 刺々しい ―形 (不親切な) unfriendly; (敵意のある) hostile; (悪意のある) malicious; (言葉などが鋭い) sharp; (言葉などがきつい) harsh. 《☞ とげ; しんらつ》. ¶ 彼女の態度は*とげとげしかった (⇒ 彼女は不親切な態度をとった) She took ⌈an *unfriendly* [(⇒ 敵意のある) a *hostile*] attitude. // 彼の*とげとげしい言葉は彼女を傷つけた His ⌈*sharp* [*harsh*; *stinging*] words hurt her.

とげぬき とげ抜き tweezers ★ 複数形で. 数えるときは a pair of tweezers. **とげ抜き地蔵** ―名 固 Togenuki ("thorn-removing") *Jizo*; (説明的には) the stone image of *Jizo* believed to have miraculous healing power at Kogenji Temple in Sugamo, Tokyo.

とける¹ 溶ける (固体が熱で液体になる) melt (自) ★ 一般的な語で, 意味が広い; (凍った物が液体や柔らかい状態になる) thaw (自); (固体が液体に溶ける) dissolve (自); (金属が高熱で溶解する) fuse (自). 《☞ とかす¹ (類義語)》.
¶ 氷は日に当たって*溶けた The ice ⌈*melted* [*thawed*] in the sun. // この雪は4月末までには*溶けてなくなるだろう This snow will *melt* (*away*) by the end of April. // 砂糖は水に*溶ける Sugar *dissolves* in water. // 銅と亜鉛が*溶けて真ちゅうになる Copper and zinc *fuse* into brass.
【参考語】 ―形 (溶解しやすい) soluble; (金属が) fusible; (溶解しにくい) insoluble; infusible.

とける² 解ける (結んだものがゆるくなる) come [get] loose /lúːs/; (ほどける) come ⌈untied [undone]; (問題が) be solved; (計算をして) work out 語法 work out は (他) が普通であるが, 「問題」などを主語として, 「解ける」の意味で (自) として用いることもある. 口語的表現. 《☞ とく¹》.
¶ 結び目はすぐに*解けてしまった The knot soon *came loose*. // 歩いているうちに靴ひもが*解けた A shoelace *came untied* while I was walking. // 数学の問題はみんな*解けた (⇒ 私は全部の数学の問題を解いた) I ⌈*solved* [*worked out*] all the mathematics problems. // このパズル[方程式]は*解けない This ⌈puzzle [equation] doesn't *work out*.

とげる 遂げる (首尾よく成し遂げる) accomplish /əkámplɪʃ/ (他), attain (他) ★ 後者には「長いことかかってやっと達成する」というニュアンスがある; (困難を克服してある目的を達する) achieve (他); (実現する) realize (他). 《☞ はたす; なしとげる; たっせい (類義語)》. ¶ 彼は自分の望みを*遂げて画家になった He *has attained* his wish to become an artist. // 私は目的を*遂げるまで絶対にあきらめない I'll never give up until I ⌈*accomplish* [*achieve*] my purpose. // 彼は思いを*遂げる (⇒ 願望を実現する) ことができなかった He couldn't *realize* his wish. // 電子工学は20世紀にめざましい発展を*遂げた Electronics *has made* remarkable progress in the twentieth century. // 彼は非業の死を*遂げた (⇒ 思いもかけない悲惨な死に方をした) He *died* an unexpected tragic death. 《☞ ひごう》

どける 退ける (動かして取り除く) remove (他); (邪魔なものをどかす) put [get] … out of the way. 《☞ どく²》.

どけん 土建 (土木と建築) civil engineering and construction Ⓤ. **土建会社** civil engineering and construction company Ⓒ **土建業** civil engineering and construction ⌈industry [business] Ⓤ **土建業者[屋]** civil engineering constructor Ⓒ.

とこ 床 bed Ⓒ ★ 寝ている状態を表す時は Ⓤ. 《☞ ねどこ; ふとん》.
¶ 彼はもう*床についています He is in *bed* now. / He has gone to *bed*. // *床を敷きなさい Make your *bed*. 日英比較 英米のベッドには常に敷布団 (mattress) が敷いてあって, 毛布なども置いたままだから, 床を実際に敷くことはない. 普通はシーツ (sheet) の端を敷布団の下にきちんとはさみこみ, 毛布と敷布団用のシーツとの間にもう一枚上掛け用のシーツを入れて, その端も敷布団の下にはさみこんで寝るときの準備をするのが bedmaking; make the bed の内容である. これは寝る前でなく, 朝ベッドから起きたときか, 午前中の掃除のときにしておくのがよいとされる. 以上のことから, 「床を敷く」「床をあげる」という日本語の表現は英語の日常的な表現として相当するものがないことになる. しいて訳せば日本の場合は 「床を敷く」 は prepare the bed, 「床を上げる」は put away the futon(s) となる. // 彼は病気で*床についたきり2週間になる He has been ⌈sick [《英》 ill] in *bed* for two weeks. // *床についたのは2時過ぎだった It was past two o'clock when I went to *bed*.
床上げ ☞ 見出し **床入り** (ベッドに入る) going to bed; (新婚夫婦の) getting into the bridal bed **床擦れ** bedsore Ⓒ **床払い** ☞ とこあげ **床離れ** (ベッドから出る) getting out of bed; (病気が治る) recovery from illness Ⓤ. ¶ 彼は*床離れが悪い

He is reluctant to *get out of bed.*

-とこ ¶今着いた*とこだ I *just* ⌈now arrived [got here now]. 《☞ ところ》

どこ 何処 ―副 where. ―名（どの場所）what place Ⓒ. 《☞ どちら》.

¶ここは*どこですか（⇒ 私はどこにいるのか）*Where* am I? / （⇒ 私たちはどこにいるのか）*Where* are we now? 語法 (1) Where is here? や Where is this? とは言わない. // 郵便局は*どこですか *Where* is the post office? / （⇒ 郵便局はどこに見つけられますか）Can you tell me *where* I can find the post office? // この列車の行き先は*どこですか *Where* does this train go? / *Where* is this train bound (for)? ★ 後者のほうが格式ばった言い方. // *どこへ行くのですか *Where* are you going? 語法 (2) going to と to を付けるときもあるが，ないほうが普通. 日英比較 英語の習慣では特に必要な場合以外は，単にあいさつとしてどちらへ行くのか聞くことはプライバシーにも触れ，失礼になる．親しい間なら「どちらの方へいらっしゃるのですか」Which way are you ⌈going [heading]? と行く方角だけを聞けばよい. // 休みには*どこへ行きますか *Where* are you going for your vacation? // 「あなたは*どこのご出身ですか」「大阪です」"*Where* ⌈are you [do you come] from?" "(I'm [I come] from) Osaka." 語法 (3) 出身地を聞くときは現在形を用いる. 《☞ しゅっしん》 // 「アメリカの*どこ（の地方）のご出身ですか」「ニューヨーク市です」"*What part of* the United States are you from?" "(I'm from) New York City." // あなたは*どこから来たのですか *Where* ⌈have [did] you come from? 語法 (4) 普通は出身地ではなく，相手の出発点を聞く質問だが，前後関係では出身地を聞く質問になることもある. // *どこに行っていたのですか *Where* have you been? ★ それまでいた所を尋ねる言い方. // あなたは傘を*どこに置きましたか *Where* did you put your umbrella? // 私は彼女が*どこに住んでいるのか知りません I don't know ⌈*where* she lives [her address]. // *どこにお勤めですか（⇒ 何という会社に）*Which company* do you work for? // 《授業で》「きょうは*どこからですか」「20 ページの 5 行目からです」"*Where* [*What page*] are we supposed to begin today?" "At the fifth line on page 20." // 「スペインの首都は*どこですか」「マドリードです」"*What* is the capital of Spain?" "Madrid (is)." ★ *Where* is the capital of Spain? では「スペインの首都はどの辺にありますか」という意味になる. // *どこが痛むのですか *Where* do you feel pain? // 彼は*どこが悪いんですか（⇒ どうしたのか）*What* is the matter with him? // 彼女の*どこがいいのですか（⇒ 彼女にどんなよい点を見るのか）*What* good do you find in her? // 彼は*どこの学校に通っているのですか *What* school does he ⌈go to [attend]? // この時間は*どこも満員でしょう I'm afraid ⌈*everywhere* is [*all the places* are] packed at this time of the day. // 私は*どこへ行ったらよいかわからない I don't know *where* to go. // 道がたいへん混んでいるので*どこへ行くにも時間がかかる Because the traffic is so heavy, it takes a long time to get *anywhere*. // 彼らは*どこへ行っても歓迎された *Wherever* they went, they were warmly welcomed. 語法 (5) wherever は「…する所はどこでも」の意. // *どこへ行こうとあなたならきっと成功する *Wherever* [*No matter where*] you (may) go, you are sure to succeed. 語法 (6) no matter …を用いるほうが強調的. // *どこへでも好きな所へ行きなさい You ⌈can [may] go *anywhere* you like. 語法 (7) can のほうが調子が柔らかい. // その犬は彼の行く所は*どこへでもついて行く The dog follows him ⌈*wherever* [*everywhere*] he goes. // 私は夏休み中*どこにも行かなかった I didn't go *anywhere* during my summer vacation. // 彼は*どこにもいない（⇒ どこにも彼を見つけることができない）I can't find him *anywhere*. // それは*どこにでもある（⇒ いたる所で見つけることができる）You can find one *everywhere*. 語法 (8) one は「それと同じ種類のもの」の意の不定代名詞. // それは世界中*どこででも手に入ります It is available ⌈*in any place* [*everywhere*] throughout the world. // このホテルでは*どこの部屋にもテレビがある *Every* room in this hotel has a television set. // 彼女の*どこが気に入らないのですか（⇒ 何があなたを不満にさせるのか）*What* is it that makes you ⌈dissatisfied [displeased] with her?

どこからともなく ¶*どこからともなく船が 1 そう現れた A ship appeared *from nowhere*. **どこから見ても** ¶彼は*どこから見ても立派な紳士だ He is *every inch* a gentleman. 語法 (9) every inch は「どこから見ても」という意の熟語. // *どこから見ても彼の推理は申し分ない *To all appearances*, his reasoning is faultless. **どことなく** ☞ 見出し **どこの馬の骨かわからぬ奴** ☞ うま¹（馬の骨） **どこ吹く風** ¶彼は私の忠告に*どこ吹く風といったふうだった（⇒ 私の忠告を少しも気にかけなかった［耳を傾けなかった］）He ⌈*didn't care* a bit about [*turned a deaf ear to*] my advice. 語法 turn a deaf ear to … は慣用表現. **どこか, どこそこ, どことなく, どこまで, どこまでも** ☞ 見出し.

どご 土語（その土地で最もよく使われることば）vernacular Ⓒ;（土着の住民のことば）native language Ⓒ;（方言）dialect Ⓒ.

とこあげ 床上げ ―動（病気が回復する）recover from *one's* illness;（病床を離れる）leave *one's* ⌈bed [sickbed]. ¶*床上げを祝う celebrate *one's recovery* (*from illness*)

とこいた 床板 wooden alcove floor board Ⓒ.

とこう 渡航 ―動（外国に行く）go ⌈abroad [overseas];（船・飛行機などで旅行する）travel [make a voyage] to … 《☞ わたる¹; こうかい²》. **渡航先** destination Ⓒ **渡航者** passenger Ⓒ **渡航手続き** the formalities for going abroad. ¶*渡航手続きをする go through *the formalities for going abroad*

どごう¹ 怒号 roar Ⓒ. ¶群衆の*怒号で彼の声はかき消された（⇒ 群衆の怒号が彼の声を聞こえなくした）The *roar* of the crowd drowned (out) his voice.

どごう² 土豪 powerful local clan Ⓒ 《☞ ごうぞく》.

ドゴール ―名 固 Charles(-André-Joseph-Marie) de Gaulle /ʃáəl(ɑːndréɪʒoʊzéfmərìː) dəgɔ́ːl/, 1890–1970. ★ フランスの政治家. **ドゴール空港** ―名 固 Charles de Gaulle Airport **ドゴール広場** ―名 固 Place De Gaulle.

どこか 何処か（ある所）somewhere,《米略式》someplace;（疑問文で）anywhere,《米略式》anyplace 日英比較 以上のほかに，日本語で「どこか」と言う場合でも，「何か」に当たる something, anything を用いたり，あるいは日本語の意味をくんで意訳したりする必要のある点に注意. 《☞ どこ; どことなく》. ¶その本は*どこかこの辺にあった The book was *somewhere* around here. // 彼女は*どこかこの近くに住んでいる She lives *somewhere* near here. // 彼には*どこかで会ったことがある I've met him *somewhere* (before). / （⇒ 会ったことを覚えている）I remember meeting him *somewhere*. // 彼女はフランスの*どこかへ行った She's gone to *some place* in France. // 「きのうは*どこかへ行きましたか」「別にどこへも」"Did you go *anywhere* yesterday?" "No, I didn't (go anywhere)." 語法 この答え方が最も口語的. "Nowhere in particular." などのように nowhere を用いると文語的になる. // *どこか特に行きたい所はありますか Is there *any* particular *place* you'd like to visit? // *どこか悪いんですか Is *anything* ⌈the matter [wrong] with you? ★ 疑問文では anything を用いる. 《☞ なにか 語法》 // 彼は*どこかわからない所へ行ってしまった (⇒ だれも彼がどこに行ったかを知らない) No one knows *where* he has gone. // 彼の意見はあなたのと*どこか (⇒ 少し) 違う His opinion is *a little* different from yours. // この2人は*どこか似ている There is *some* resemblance between the two.

とこかざり 床飾り alcove [*tokonoma*] ornament Ⓒ 《☞ とこのま》.

ドコサヘキサエンさん ドコサヘキサエン酸 〘化〙 docosahexaenoic /dùkəsəhéksəɪnòuɪk/ ácid Ⓤ 《略 DHA》.

とこしえ 常しえ ―名 (永遠) eternity Ⓤ. ―形 (永遠の) everlasting. ―副 (永遠に) forever. 《☞ えいえん; えいきゅう》.
¶ 彼は彼女に*とこしえの愛を誓った (⇒ 永遠に愛すると誓った) He vowed to love her *forever*.

とこじらみ 床虱 〘昆〙 bedbug Ⓒ, cimex /sáɪmeks/ Ⓒ 《複 cimices /sáɪməsì:z/》. 《☞ なんきん[2] (南京虫)》.

とこずれ 床擦れ ☞ とこ (床擦れ)

どこそこ such and such (a place). ¶ 彼女はそれを*どこそこの店で安く買ったと言った She said (that) she had bought it on sale at *such and such* a store.

とこだな 床棚 side-alcove shelves ★ 複数形で.

とこつち 床土 soil for a seedbed Ⓤ.

とことこ ¶ 彼は*とことこ (⇒ 軽い足取りで) 歩き続けた He kept on walking *with light steps*. 《☞ あるく; 擬声・擬態語 (囲み)》

どことなく 何処となく somehow 《☞ なんとなく; どこか》. ¶ *どことなく彼は虫が好かない (⇒ どういうわけか私は彼が好きでない) *Somehow* I don't like him. // 彼は*どことなく変わっている (⇒ 彼には何か風変わりなところがある) There is *something* eccentric about him. // 彼は*どことなくチャーチルに似ている He bears *some* resemblance to Churchill.

とことん ―動 (徹底的にやる) 《略式》 go (the) whole hog. ―副 thoroughly /θə́:rouli/. 《☞ どこまでも; てってい; 擬声・擬態語 (囲み)》.

とこなつ 常夏 perpetual [endless] summer Ⓤ.
¶ ハワイは*常夏の島である Hawaii is an island of ⌈*perpetual* [*endless*] *summer*.

とこのま 床の間 alcove /ǽlkouv/ (in a Japanese house) Ⓒ, *tokonoma* Ⓒ 参考 日本の風俗について知らない外国人に対しては, *tokonoma*, an alcove in a Japanese house for the display of a flower arrangement or a hanging scroll of calligraphy /kəlígrəfi/ or painting のように説明しなくてはならない.

とこばしら 床柱 alcove [*tokonoma*] post Ⓒ.

とこばなれ 床離れ ☞ とこ (床離れ)

とこはる 常春 ¶ *常春の国 a land of ⌈*everlasting* [*eternal*] *spring*

とこぶし 常節 〘貝〙 abalone /æ̀bəlóuni/ Ⓒ ★ あわび・とこぶしなどミミガイ科の貝の総称.

どこまで 何処まで (どのくらいまで) how far, to what extent. 《☞ どこ》.
¶ 「*どこまで (⇒ どのくらい遠くまで) 行かれるのですか」「京都までです」 "*How far* are you going?" "As far as [I'm going to] Kyoto." // 「この前の授業では*どこまで進みましたか」「第2章の終わりまでです」 "*How far* did we go last time?" "We ⌈stopped at [got to] the end of Chapter Two." // *どこまで話しましたっけ *Where* were we? // 彼女は*どこまで信用できるかわからない I don't know ⌈*how far* [*to what extent*] ⌈she can be trusted [I can trust her].

どこまでも 何処までも (最後まで) to the ⌈end [last]; (際限なく) endlessly; (…限り) as far as …《☞ だんこ; がんとして; あくまで; はてしない》.
¶ 彼らは*どこまでも (⇒ 最後まで) 戦うつもりでいる They are prepared to fight *to the* ⌈*last* [*end*]. // その砂漠は*どこまでも (⇒ 果てしなく) 広がっていた The desert stretched *endlessly* before us. / (⇒ 目の届く限り延びていた) The desert extended *as far as the eye could* ⌈*reach* [*see*].

とこまんりき 床万力 vise [《英》 vice] fixed on a worktable Ⓒ.

どこも 何処も ¶ あなたは*どこも悪いところはありませんよ There is nothing wrong with you at all. // 店は*どこも閉まっていた *Every* store was [*All* the stores were] closed.

どこもかしこも 何処も彼処も ―副 everywhere, all over. ¶ *どこもかしこも人でいっぱいだ *Everywhere* there are crowds of people. // その地方は*どこもかしこも雪が降った Snow fell *all over* the region.

とこや 床屋 (店) barbershop Ⓒ, 《英》 barber's (shop) Ⓒ; (人) barber Ⓒ. 《☞ りはつてん》.
¶ 彼は昼休みに*床屋へ行った He went to the *barbershop* during lunchtime. // 私は2日前に*床屋へ行った (⇒ 髪を刈ってもらった) I *had a haircut* two days ago. / <S (人)+V (*have*)+O (髪)+C (過分)> I *had my hair cut* two days ago. 語法 have a haircut のほうが普通.

とこやま 床山 (力士の) hairdresser for sumo wrestlers Ⓒ; (俳優の) hairdresser for actors Ⓒ.

とこよのくに 常世の国 ☞ よみのくに

どこら 何処ら ¶ 彼とは*どこらあたりで会いました *Whereabouts* did you meet him? // 東京の*どこら辺で生まれたんですか *Whereabouts* in Tokyo were you born? 《☞ どのへん》

ところ 所 1 《場所・位置・余地》 ―名 (一般的に場所) place Ⓒ; (何かを建てたり, 行ったりする場所) site Ⓒ; (ある特定の狭い地点) spot Ⓒ; (事件などの現場) scene Ⓒ; (余地) room Ⓤ; (空間) space Ⓤ 語法 (1) room と space はほぼ同じ意味にも使うが, room のほうは何かを入れたり, 置いたりするのに足るだけの余地という場合に用いるのに対し, space は実際の空間やすき間を指していう言葉; (位置) location Ⓒ. ―副 (いたる所) all over, everywhere 語法 (2) 前者は全地域にわたってということを強調し, 後者はその地域内のどの地点でもということを強調する. ―接 (…のところでは) where …; (…のところはどこでも) wherever … 《☞ ばしょ; ば》.
¶ 札幌は冬非常に寒い*所だ Sapporo is ⌈a very cold *place* [very cold] in (the) winter. 日英比較 日本語に「所」とあるからといって英語でも place を入れる必要があるとは限らない. // ここが有名な戦闘のあった*所だ This is the ⌈*site* [*scene*] of the famous battle. // 家にはピアノを置く*所 (⇒ 余地) がない There is no *room* to put the piano in my house. // ここは私たちがよく野球をやった*所です This is (the *place*) *where* we used to play baseball. // 彼のオフィスは便利な*所にある His office is located in a convenient *place*. // 学校は家から歩いて10分の*所にある The school is ten minutes' walk from my house. / It is a ten-minute walk from my house to the school. ★ 第2文のほうが口語的. // どこでも好きな*所に座りなさい Sit *wherever* you like. // 大雨は国中いたる*所に被害をもたらした The heavy rain caused serious damage *all over* the

country. // 私は鉢植えを日の当たる*所へ移した I moved the potted plant to a sunny ｢*spot* [*place*]. // 彼女は私のいない*所で (⇒ 私の後ろで) 私の悪口を言った She ｢criticized [《略式》 bad-mouthed] me *behind* my back. // 先生は母親のいる*所で (⇒ 面前で) その少年をしかった The teacher scolded the boy *in the presence* of his mother. // その子は壁に*所かまわず (⇒ 一面に) 落書きをした The child scribbled *all over* the wall.

2 《家・住所》: (家屋) house Ⓒ; (家庭) home Ⓒ; (家) place Ⓒ [語法] 普通は my place (私の家), his place (彼の家) のように代名詞の所有格を付けて, 会話ではしばしば home の代わりに使われる; (住所) address Ⓒ. 《☞ いえ》.

¶ 彼の*所は駅に近い His *house* is near the station. // お*ところとお名前をここに記入して下さい Please fill in your name and *address* here. [日英比較] 日本語は「住所・氏名」の順番だが, 英語は「name and address」が通常の順序. // きのうは彼の*所でパーティがあった There was a party at *his place* yesterday. // 私は 3 日ばかり田舎のおじの*所へ行っていた (⇒ おじを訪れていた) I visited my uncle in the country for three days. // 彼女はおばの*所にいる (⇒ おばの家に滞在している) She is ｢staying [(⇒ 住んでいる) living] ｢with her aunt [at her aunt's *house*].

3 《時・場面》 ── 副 (ちょうどよいときに) at the right moment, 《略式》 in the nick of time; (もう少しで…となる) nearly, almost [語法] (1) いずれも結果としてはそうならなかったことをいう. ── 動 (…するつもり) be going to *do* … [語法] (2) go, come, leave などの動詞が続く場合は be ｢going [coming; leaving] などの進行形となるのが普通; (まさに…しようとするところだ) be (just) about to *do* …; (…へ行ってきたところだ) have been to …

¶ 私は買い物に行く*ところです I'*m going* shopping. [語法] (3) 前後関係で「行く途中」とも 「これから行くつもり」ともなる. // 私は空港へ彼を見送りに行ってきた*ところです I'*ve been to* the airport to see him off. // 彼女はちょっと前に帰宅した*ところだ She ｢got [came] home a few minutes ago. // 彼はまさに逃げようとしている*ところだった He *was just about to* run away. // その少年はもう少しで車にひかれる*ところだった The boy was ｢*nearly* [*almost*] run over by a car. // 彼はちょうどよい*ところに現れた He appeared *at the right moment*. // ちょうど出かけようとした*ところへ電話が鳴った *Just as* I was going out, the telephone rang. // 私は彼女がその部屋に入る*ところを見た I saw her entering the room. // 早速参上すべき*ところ病気のため失礼させていただきます I should come to see you immediately, *but* I would like to put it off due to my illness.

4 《点・部分・個所》: (点) point Ⓒ; (部分) part Ⓒ [日英比較] 日本語で「ところ」がついていても, 例えば「よいところ」が merit と訳せるように,「ところ」という日本語にひかれて, それに固執せずに, 意味をくんで全体として英語に置き換えるほうがよい場合が多い. 《☞ てん[1]; ぶぶん》.

¶ そこが彼の弱い*ところだ That is his weak *point*. 《☞ じゃくてん》 // そこの*ところがよく飲み込めない (⇒ 理解できない) I can't ｢understand [catch on to] that *point*. // 彼にもよい*ところがある He has his *merits*. // 彼にはいい*ところが少しもない I find no *good* in him. // ここの*ところ (⇒ 文章) はよく引用される This *passage* is often quoted. // この本には学ぶ*ところがたくさんある There is much to learn from this book. // そこがあなたの間違っている*ところだ That's *where* you are wrong. // ここが彼のスピーチの聞き*どころです (⇒ 最も重要な部分) This is the most important *part of* his speech. // 秋田は有数の米*どころです Akita is one of the leading *rice-producing districts*.

5 《様子・特徴》 ── 名 (特質) streak Ⓒ; (…の気味; …らしい点) smack Ⓒ. ── 代 (何か・いくらか) something. ¶ 彼には残忍な*ところがある He has a *streak* of cruelty. // 彼にはどこか風変わりな*ところがある There is *something* eccentric about him.

6 《程度・範囲》 ¶ 見た*ところ彼は元気そうだ He seems well. / (⇒ …の限りでは) *As far as* I can see, he is in good health. // いままでの*ところ彼からは何も便りがない *So far* [*Up to the present*] I haven't heard anything from him. // いまの*ところ彼女からの返事はありません I've received no answer from her *as yet*. // 聞く*ところによると彼はアメリカへ行くそうです (⇒ …と聞きます) I *hear* that he's going to America.

所構わず ☞ **所嫌わず** **所変われば品変わる** So many countries, so many customs. 《ことわざ: 国の数だけ慣習もある》 **所嫌わず** everywhere; all over ¶ 彼らは*所嫌わず彼をなぐった They beat him *all over*. // 出物はれ物*所嫌わず Necessity ｢has [knows] no law. 《ことわざ: 必要は法律を持たない》 **所狭しと** ¶ 彼の部屋には*所狭しと本が置いてある (⇒ 部屋は本でぎっしり詰まっている) His room *is* ｢*filled* [*packed*] *with* books. **所により** ¶ 天気予報では*所により (⇒ いくつかの所で) 雪が降ると言っている The weather forecast says that it will snow in some *parts* of the country. **所を得る** ¶ 彼も*所を得たようだ He seems to *have gained a proper* ｢*place* [*position*].

ところが (しかるに一方…は) while …; (しかし) but …, however, … ★ 後者のほうがやや格式ばった語; (それでもなお) and yet …; (それどころか・正反対に) on the cóntràry. 《☞ しかし (類義語)》.

¶ 彼女は金持ちだ. *ところが (⇒ 一方) 彼は文無しだ She is rich, *while* he is poor. // 彼はそのうわさを否定した. *ところがそれは本当だった He denied the rumor, *but* it turned out to be true. / He denied the rumor; *however*, it turned out to be true. ★ 第 2 文のほうが格式ばった言い方. // 私はさらによい条件を彼女に示した. *ところがそれでも彼女は満足しなかった I offered her better terms, *and yet* she still wasn't satisfied.

-どころか **1** 《反対に》 ── 形 (…からほど遠い) far from … ── 副 (決して…ではない) anything but; (まったく…ではない) nòt … at áll; (反対に) on the cóntràry. 《☞ それどころか》.

¶ 彼は病気*どころかとても元気だ *Far from* (being) ill, he is feeling fine. [語法] being は省略されることが多い. // 彼女は幸福*どころか, まったく不幸です (⇒ 決して幸福ではない) She is *anything but* happy. // 天気*どころか雨降りだった The weather wasn't fair; *on the contrary* it rained.

2 《言うまでもなく; …だけでなく…も》 ── 副 (…は言うまでもなく) not to mention …, to say nothing of …, not to speak of …; (まして…はもっとだめだ) much less … ── 接 (…のみならず…も) not only …, but (also) … 《☞ いうまでもない》.

¶ 彼女はフランス語*どころかスペイン語も話せる She can speak Spanish, *not to* ｢*mention* [*speak of*] French. // 私はロシア語はしゃべる*どころか読むこともできない (⇒ 読めないし, まして話すことはできない) I cannot read Russian, *much less* speak it. // 彼女*どころか (⇒ 彼女だけでなく) 彼女の両親も招待された *Not only* she, *but* (*also*) her parents were invited.

ところがき 所書き address Ⓒ 《☞ じゅうしょ》.

¶ この手紙は*所書きが違っている (⇒ 誤った住所をつけている) This letter has the wrong *address*.

ところがら 所柄 the character of a place 《☞ ばしょがら》.

ところせましと 所狭しと ☞ ところ (所狭しと)

ところで (さて) well, now [語法] (1) 前者は「そうですねー」「えー」に近い感じで, 後者は何か新しいことを言い始める気持ちが入る; (ついでに言うと) by the way [語法] (2) 話題が関連はあるが違っていることを言い出す場合; (それでは) then; (ついでながら) incidentally. 《☞ ときに》.

¶ *ところでコーヒーでも飲みませんか *Well* [*Now*], how about having a cup of coffee? // *ところであなたにはアメリカ人の友人がいますか *By the way*, do you have any American friends? // *ところで (⇒ それでは) あなたはどうするつもりですか *Then*, what will you do? / What will you do, *then*? [語法] (3) 文末につけると少し軽い感じで, このほうが普通. // *ところでその頃はどちらにお住まいでしたか *By the way*, where were you living ˹then [at that time]?

-ところで (たとえ…としても) (even) ˹if [though] … ★ even の付くほうが典型的; (どんなに…しても) however … [語法] 「どんなに速く走ったところで」は *However* fast you (*may*) run となり, however の後には [副] または [形] が続く. may は口語ではしばしば省かれる. 《☞ -しても; たとえ¹》.

¶ 彼に計画をやめろと説得した*ところで, やめないでしょう He won't change his mind *even* ˹*if* [*though*] you try to persuade him to give up his plan. // いまさら怒った*ところで仕方がない There's no use getting angry now.

ところてん 心太 *tokoroten* [U], agar /ɑ́ːgɚ/ [U] [参考] 日本の風俗を知らない外国人に対しては vegetable gelatin jelly, light refreshment for the summer のように説明する. **ところてん式** ━[副] (早くからいる者から) by seniority; (機械的に次々と) one after another mechanically. ¶ 彼らは*ところてん式に (⇒ エスカレーターに乗って運ばれるように) 卒業した They graduated *automatically, as if carried on an escalator*.

ところどころ 所所 (あちらこちらに) here and there [日英比較] 日本語と語順が逆になることに注意; (幾つかの所に) in [at] (several) places; (散在して) sporadically ★ 少し格式ばった語. 《☞ あちこち; あちらこちら; ほうぼう¹; ずいしょ》. ¶ この市の*ところどころに公園がある There are parks *here and there* in this city. // 顔ににきびが*ところどころ出てきた (⇒ 幾つかのにきびが) *Several* pimples came out on my face. // あなたの英語の答案は*ところどころ間違いがあるが, 大体よくできています Your English paper has *some* mistakes, but on the whole it's good. // きのうは*ところどころで雪が降った There were ˹*scattered* [*sporadic*] snow showers yesterday.

ところばんち 所番地 ☞ じゅうしょ

どこんじょう ど根性 (肝っ玉) 《略式》 grit [U]; (度胸) 《略式》 guts ★ 複数形で; (気力と勇気) spirit [U]. 《☞ きこつ; こんじょう¹》.

¶ *ど根性がある have ˹*a lot* [*plenty*] *of* ˹*grit* [*guts*]

とさ 土佐 ━[名] [固] Tosa; (高知県) Kochi Prefecture. **土佐犬** Tosa dog [C].

どざえもん 土左衛門 (溺死体) drowned body [C]; (溺死者) drowned person [C]. 《☞ したい¹; すいし》.

とさか 鶏冠 cockscomb /kɑ́kskòʊm/ [C], comb /kóʊm/ [C].

どさくさ (混乱) confusion [U]; (無秩序・大混乱) chaos [U]; (騒ぎ) bustle [U]; (紛争) trouble [U]. 《☞ こんらん; さわぎ》. ¶ 彼は戦争直後の*どさくさで大もうけした Soon after the war, he *fished in troubled waters* and made a great fortune. [語法] fish in troubled waters (荒波の中で魚を釣る) は「どさくさに紛れてうまいことをする」の意味.

どさくさに紛れる ¶ 彼は*どさくさに紛れて行方をくらました (⇒ 混乱中にいなくなった) He disappeared *in the confusion*. // その泥棒は火事の*どさくさに紛れて (⇒ 火事の混乱を利用して) 盗みを働いた The thief *took advantage of the chaos and confusion* of the fire to commit a theft. **どさくさ紛れ** ¶ *どさくさ紛れに (⇒ 混乱を利用して) 彼は逃げ出した He *took advantage of the confusion* and escaped.

とざす 閉ざす **1** 《口を閉ざす》: (閉じる) shut [他]; close [他] ★ 前者のほうが口語的; (黙っている) keep *one's* mouth ˹shut [closed]. 《☞ つぐむ; だまる》. ¶ 彼は怒って口を堅く*閉ざした He *kept his mouth* ˹*shut* [*closed*] in anger.

2 《通れなくする》 ━[形] (雪で閉ざされた) snowed ˹in [up]; (雪で動けなくなった) snowbound; (氷で閉ざされた) icebound. 《☞ とじこめる》. ¶ この村は毎年 12 月から 3 月まで雪で*閉ざされてしまう This village is *snowed up* from December to March every year. // 氷に*閉ざされた港 an *icebound* harbor // 彼には昇進の道は*閉ざされている The ˹path [way] to advancement is *closed* to him.

3 《戸や門を閉める》: (閉じる) close [他]; (ぴったり閉める) shut [他]. 《☞ しめる³; とじる¹》.

とさつ¹ 屠殺 ☞ とちく

とさつ² 塗擦 〘医〙 (軟膏・油などの) embrocation [U], inunction [U]. ¶ 傷口に軟膏を*塗擦する *rub* ointment into the wound **塗擦剤** embrocation [C], unguent [C].

どさっと with a ˹thud [plop] 《☞ どさりと; どっさり》. ¶ *どさっと (⇒ 大量の) 荷物が届いた *A whole bunch* of packages came.

とさに 土佐煮 fish (and vegetables) poached in soy broth seasoned with flakes of dried bonito [C] ★ 説明的な訳.

とさにっき 土佐日記 ━[名] [固] *The Tosa Diary*; (説明的には) the earliest extant poetic diary in *kana* (Japanese syllabic script); it was written by Kino Tsurayuki in 935 《☞ きのつらゆき》.

とざま 外様 (部外者・よそ者) outsider [C].

外様大名 daimyo who was not a hereditary vassal of the Tokugawa clan [C].

どさまわり どさ回り ━[名] (地方巡業) road show [C]; (どさ回りをする人) barnstormer [C]. ━[動] (田舎を回り歩く) go here and there in the countryside; (セールスマン・劇団など, 旅をして歩く) be on the road, 《米》 barnstorm [自].

どさりと ━[副] with a (heavy) thud. ━[動] (どさりと倒す・倒れる) flop [他] [自]. 《☞ 擬声・擬態語 (囲み); どしんと》. ¶ 彼は重い荷物を*どさりと下に置いた He set down the heavy parcel *with a thud*.

とざん 登山 ━[名] (mountain) climbing [U]; mòuntainéering [U] ★ 前者より格式ばった言い方. ━[動] (山に登る) climb [go up] a mountain ★ [ ] 内のほうがより平易な言葉; (スポーツとして) go mountain climbing. 《☞ キャンプ (挿絵); やま (挿絵)》. ¶ 冬山の*登山は危険だ *Mountain climbing* in winter is dangerous. // 昨年私は富士*登山をした I *climbed* Mount Fuji last year.

登山家 (登山する人) (mountain) climber [C] ★ 一般的な語; (本格的な登山家) mountaineer [C]; (特にアルプスなどのような高山に登る) alpinist [C] **登山口** approach to a mountain [C] **登山靴** mountaineering boots ★ 複数形で. **登山クラブ** mountaineering club [C] **登山シーズン** ¶ いまやまさに*登山シーズンだ It is just the peak of the ˹*mountain climbing* [*mountaineering*] *season*. **登山者** (mountain) climber [C] [語法] 登山家の

意味でも用いられる多少意味のあいまいな言葉. **登山鉄道** mountain railroad Ⓒ **登山道** path to a mountaintop Ⓒ **登山用具** (登山用の道具) climbing tool Ⓒ; (一式の) climbing gear Ⓤ; (広く登山用の装備) mountaineering equipment Ⓤ.

どさんこ 道産子 (北海道産の馬) horse foaled in Hokkaido Ⓒ; (北海道生まれの人) person born in Hokkaido Ⓒ, native of Hokkaido Ⓒ.

とし[1] 年 **1** «時の単位»: year Ⓒ《☞ としつき; ねん[1]》. ¶雪で*年が明けた The *year* began with snow. / (⇒新しい年の初めの日に雪が降った) It snowed on the first day of the ˹new *year* [New *Year*]. // *年が明けたらすぐニューヨークへ行きます (⇒年の初めに) I'll go to New York soon after ˹New *Year's* [the new *year*]. ★《米》New Year's = New Year's Day. //「どうぞよいお*年を(お迎え下さい)」「あなたもどうぞ」“(I wish you a) Happy New *Year*.” “The same to you.” 日英比較 この表現は「新年おめでとう」という意味でも用いられる. 英語では丸カッコの部分, すなわち, 「あなたにとって…を願う」が略されることが多いが, 内容的には来る年 (あるいは新しい年) がよい年でありますようにという祈願がこめられるので, 年内でも, また年が明けても使える. その点, 日本語の「新年おめでとう」は「年が明けたことがめでたい」ということなので当然年内には使えない. そこで「よいお年を」という別の表現が必要なわけで, この日英の表現内容の相違に注意.《☞ しんねん[2] 日英比較》// 私が上京した*年に大地震があった There was a big earthquake (in) the *year* (when) I moved to Tokyo.

2 «年齢»: age Ⓤ《☞ ねんれい; -さい; としうえ; としした; としごろ》. ¶「あなたは*年はいくつですか」「18 です」“How old are you?” “(I'm) eighteen (years old).” // 彼女は*年の割にはふけて見える She looks old for her *age*. // 母は*年には見えない My mother doesn't look her *age*. // 彼女は*年相応に見える She looks her *age*. // 彼と私は同じ*年だ He and I are the same *age*. / He is the same *age* as I am. / (⇒彼は私と同じだけ年を取っている) He is as *old* as I am. // 彼が*年若くして死んだのは残念だ It is a great pity that he died ˹*so young* [*at such an early age*]. // 私ももう*年です (⇒前ほど若くない) I'm not as young as I ˹was [used to be]. // いい*年をしてばかなことはやめるべきだ (⇒年齢にふさわしくないことはやめるべきだ) You should stop doing things unsuitable for your *age*. // 私も*年には勝てなくなってきた (⇒年がこたえはじめている) My *age* is beginning to tell on me. // 君たちの*年のころは私も希望に燃えていた When I was your *age*, I was full of hope. // *年の順に並びなさい Stand in line ˹in order of [by] *age*. // 彼は病気になってから急に*年を取った He *has aged* rapidly since his illness. / His illness *put years on* him. ★第 2 文のほうが口語的.《☞ ふける[2]》// *年を取るにしたがって, 新しい環境に慣れるのは難しくなる As a person ˹*becomes* [*gets*; *grows*] *older*, it is more difficult to adjust to new surroundings.

年が改まる ¶*年が改まった The new year has come round. **年がたつ** ¶*年がたつにつれて, その事件は人々の記憶から薄れていった People's memories of the incident became ˹hazier and hazier [fainter and fainter] *as* (*the*) *years* ˹*went by* [*passed*]. **年は争えない, 年には勝てない** You can't fight the advancing years. / (年がこたえはじめてきた) My age is beginning to tell on me. **年を食う** grow older; advance in age. ¶彼は*年を食っている He is an ˹*old* [*aged*] man. **年を越す** (年を送り出す) see the old year out. ¶彼は借金で*年を越せない (⇒難局を切り抜けて新年を迎えられない) Since he is deeply in debt, he is unable to *pull through into the new year*. **年を跨**(また)**ぐ** ¶彼の入院生活は*年を跨いだ (⇒去年から入院している) He has been in (the) hospital since last year.《☞ にゅういん》

年男[女] man [woman] born under the Oriental zodiac sign for that particular year(, who is qualified to ˹scatter [throw] lucky beans at the *Setsubun* ceremony) Ⓒ **年子** siblings born less than two years apart ★複数形で. **年の市** year-end fair Ⓒ **年の暮れ** ☞ねんまつ **年の功** the wisdom of age《☞ こう[1]》. ¶「ご昇任おめでとう」「ありがとう. でも*年の功ですよ (⇒年功序列制度のためです)」“Congratulations on your promotion.” “Thank you. But it was just because of *the seniority system*.” **年の瀬** — 名 the end of a year. — 形 year-end Ⓐ.《☞ くれ》 **年の始め** the beginning of a year; (元旦) New Year's Day.《☞ しんねん[2]》.

とし[2] 都市 — 名 (個別の) city Ⓒ; (田舎に対して, 都市を総称して) towns and cities. — 形 (都会的な) urban Ⓐ; (行政上での市の) municipal 語法 格式ばらない表現では city を用いることもある ((例) 都市居住者 *city* dweller Ⓒ).《☞ とかい[1]》. ¶ここは人口 113 万でわが国第 10 位の大*都市である This is the tenth largest *city* in our country, with a population of one million, one hundred (and) thirty thousand. // 学園*都市 a ˹university [college] *town* // 産業[工業]*都市 an industrial *city* // 中小*都市 small and medium-sized ˹*towns* [*cities*]

都市化 urbanization Ⓤ. ¶*都市化は自然を破壊する *Urbanization* destroys nature. **都市ガス** gas Ⓤ 日英比較 英語では日本語とは違って都市ガスを単に gas と言い, その他のガスは propane のように言って区別する. **都市基盤整備公団** the Urban Development Corporation **都市銀行** city bank Ⓒ **都市計画** urban planning Ⓤ, urban plan Ⓒ,《英》town planning Ⓤ **都市計画法** the City Planning Law **都市工学** city engineering Ⓤ **都市国家** city-state Ⓒ **都市社会学** urban sociology Ⓤ **都市人類学** urban anthropology Ⓤ **都市生活** city [urban] life Ⓤ **都市対抗(野球)** the National Intercity Non-Professional Baseball ˹Championship Series [Tournament] **都市同盟** 〘史〙 league of towns Ⓒ.

―コロケーション―
衛星都市 a satellite *city* / **巨大都市** a ˹huge [giant] *city* / **近代都市** a modern *city* / **国際都市** a cosmopolitan *city*; a cosmopolis / **古代都市** an ancient *city* / **自由都市** a free *city* / **主要都市** a major *city*; a metropolis / **人口過密都市** a densely populated *city* / **大都市** a big *city* / **地方都市** a provincial *city* / **中世都市** a medieval *city* / **田園都市** a garden *city* / **犯罪多発都市** a crime-ridden *city*

とし[3] 徒死 (無駄死に) useless death Ⓒ《☞ いぬじに》.

とじ[1] 綴じ (本の) binding Ⓤ ★「表装」の意では Ⓒ. ¶和[洋]*綴じの本 a book *bound* in ˹Japanese [European] style

とじ[2] 途次 (途中で) on *one's* way《☞ みちすがら; とちゅう》. ¶帰京の*途次大阪に立ち寄った *On my way* home *to* Tokyo, I stopped over in Osaka.

とじ[3] 刀自 (中年以上の婦人の敬称) Madame Ⓒ. ¶山下佳子*刀自 *Madame* Yamashita Yoshiko

どじ — 形 (どじな・ばかな) stupid《☞ ばか》. ¶おまえは*どじなやつだなあ What a *stupid* person you are! どじを踏む（へまをやる）make a mess of it《☞しっぱい》.

としあけ 年明け （新年になること）the beginning of the new year《☞しんねん²》. ¶彼らは*年明け早々に結婚した They got married early *in the new year*.

とじあわせる 綴じ合わせる （紙を）bind [stitch] together ㊗; （布を）sew ˹up [together] ㊗.《☞とじる²》. ¶ページを*綴じ合わせる *bind* the pages *together*

とじいと 綴じ糸 （本の）binding thread Ⓤ; （裁縫の）stitching thread Ⓤ.

としうえ 年上 ―― 形 older (↔ younger); （年上の・先輩の）senior (↔ junior) 語法 (1) この語は 形 としては氏名にそえて使う場合以外は地位・職などが上であることを表す. ―― 名 senior Ⓒ.《☞うえ¹》.

¶彼女は私より3歳*年上です She is three years *older than* me. 語法 (2) 最も口語的表現. than me の代わりに than I am ともいうが, 最近では前者のほうが多く使われる. / She is *older than* me by three years. / She is my *senior* by three years. / She is three years my *senior*. 語法 (3) 第2文以下は格式ばった表現. // 2人のうちどちらが*年上ですか Who [Which] is *the older* of the two? 語法 (4)「2人の中で…のほう」という場合には比較級にも the を付ける. //「山田さんとあなたとではどちらが*年上ですか」「山田さんです」"Who [Which] is *older*, you or Yamada?" "Yamada is (*older*)." // 3人[みんな]の中ではゆき子さんが一番*年上です Yukiko is the *oldest* of ˹the three [all].

としおいる 年老いる get [grow] old(er). ¶*年老いた母 my *aged* mother

としおとこ[おんな] 年男[女] ☞とし¹（年男[女]）

としがい 年甲斐 ¶私の父は*年がいもなく（⇒彼の年齢で）ロックに夢中だ My father is crazy about rock'n'roll, *at his age*. 語法 at *one's* age の前にコンマを付けるとよい. / (⇒年を忘れて) *Forgetting how old he is*, my father is crazy about rock'n'roll. // なんです, *年がいもない (⇒年相応にふるまいなさい) *Act your age*.

としかさ 年嵩 ―― 名 （年齢）age Ⓒ; （年長）seniority Ⓤ. ―― 形 （年かさの）older (in years); aged /éɪdʒɪd/.《☞としうえ》. ¶*年かさの女性 an *older* woman

どしがたい 度し難い （改善の余地がない）incorrigible /ìnkɔ́ːrɪdʒəbl/; （悪癖などが慢性になって直らない）inveterate /ɪnvét(ə)rət/; （救い難い）hopeless. ¶*度し難い(法律)違反者 an *incòrrigible* láwbrèaker // *度し難い嘘つき an ˹*incòrrigible* [*invéterate*] líar

としかっこう 年格好 ¶その男の人はどんな*年格好の人でしたか *How old* did he look? // 40歳ぐらいの*年格好の婦人 a lady of about forty *years of age* // 彼は*年格好60です He's 60*ish*.《☞としごろ; -がらみ》

としご 年子 ☞とし¹（年子）

としこし 年越し ―― 動 （年越しする）see the old year out. ―― 名 （大晦日）New Year's Eve Ⓒ. ¶多くの日本人は大晦日にそばを食べて*年越しする *Many Japanese eat buckwheat noodles on New Year's Eve*, as a wish for ˹long life [longevity]. 年越しそば buckwheat noodles [*soba*] eaten on New Year's Eve ★説明的な訳.

としごと 年毎 ¶東京の人口は*年ごとに増えている The population of Tokyo ˹goes on [is] increasing ˹*every year* [*year after year*; *year by year*; *from year to year*].《☞ねんねん》

とじこみ 綴じ込み file Ⓒ《☞とじる²》. 綴じ込み付録 bound-in supplement Ⓒ.

とじこむ 綴じ込む （書類などの整理のため）file ㊗; （とじ込んで保存する）keep ... on file; （とじ込んである）be on file ㊎.《☞とじる²》. ¶書類は*とじ込んでありますか *Are* the papers already *on file*?

とじこめる 閉じ込める （閉めきったところに）shút úp ㊗; （中に入れたままにしておく）shút ín ㊗; （鍵をかけて）lóck úp ㊗; （監禁する）confine ㊗; （雪で）snów ˹in [úp] ㊗ 語法 受身形で be snowed ˹in [up] として,「雪に閉じ込められる」という意味で用いる. be snowbound ともいう.《☞かんきん¹; とざす》.

¶私たちはエレベーターにほぼ1時間*閉じ込められた We *were* ˹*trapped* [*shut up*] in the elevator for about an hour. // 両親はいたずらっ子を押し入れに*閉じ込めた The parents *locked up* their naughty son in the closet.

とじこもり 閉じ籠り （外部との隔絶）seclusion Ⓤ; （閉じこもること）shutting *oneself* (up) in *one's* room Ⓤ.

とじこもる 閉じ籠もる （部屋などに）shut [lock] *oneself* up (in ...); （家から外に出ない）remain indoors ㊎, stay at home.《☞こもる》. ¶彼女は一日中自分の部屋に*閉じこもっていた She ˹*shut* [*locked*] *herself up in* her room all day.

とじごよみ 綴じ暦 book(-type) calendar Ⓒ.

としごろ 年頃 1 «一人前になりかかる年齢» ―― 形 （結婚適齢期の）marriageable; （青年期の）adolescent /ædəlésnt/.《☞てきれいき》. ¶彼には*年ごろの（⇒結婚適齢期の）娘がいる He has a *marriageable* daughter.

2 «およその年»: age Ⓤ《☞とし¹; ねんれい》. ¶この子は遊びたい*年ごろだ（⇒遊びが好きな年齢にいる）This child is at a playful *age*. // 彼は彼女と同じ*年ごろだ He is about her *age*. / He and she are about the same *age*. / He is about the same *age* as she (is). ★後のものほど格式ばった言い方.

としざかり 年盛り （働き盛り）the prime of *one's* life, *one's* prime.

としした 年下 ―― 形 younger (↔ older); （年下の・後輩の）junior (↔ senior) 語法 (1) この語は 形 としては氏名にそえて使う場合以外は地位・職などが下であることを表す. ―― 名 junior Ⓒ.《☞こうはい¹》.

¶彼女は私より5歳*年下です She is five years *younger than* me. 語法 (2) 最も口語的表現. than me の代わりに than I am ともいうが, 最近では前者のほうが多く使われる. / She is *younger than* me by five years. / She is five years my *junior*. 語法 (3) 第2文以下は格式ばった表現.

とじしろ 綴じ代 binding margin Ⓒ 参考 左右両ページの間ののどあき（余白）は gutter Ⓒ という. ¶端に2センチの*綴じ代を残す leave a two-centimeter *margin* on the edge *for binding*

-としたことが ¶おやおや, 私*としたことがそんな間違いをするとは Oh, no! I, *of all people*, have made such an error.《☞ふがいない》

としだま 年玉 ☞おとしだま

どしつ 土質 soil quality Ⓤ. 土質検査 soil survey Ⓒ 土質分析 soil analysis Ⓤ 土質力学〘土木〙soil mechanics Ⓤ.

としつき 年月 years ★複数形で; （時・時の流れ）time Ⓤ.《☞ねんげつ; さいげつ; つきひ》.

-として （…として; …のように）as ...; （…のために; …だとして）for ...; （…のしるしに）as a token of ...《☞-としては》. ¶彼は学者*として著名である He is well-known *as* a scholar. // 私はカメラをなくしたもの*としてあきらめた I gave up my camera *for* lost. // バス代*として300円彼に渡した I gave him three hundred yen *for* his bus fare. // 私たちは感謝のしるし*として彼女にアルバムを贈った We presented an album to her *as a token of* our gratitude. // それは学生*として恥ずべき行為だ (⇒ 学生に値しない) Such conduct is *not worthy of* a student. // だれ1人*としてその会に現れなかった *Not a single person* showed up for the meeting.

-としては (…として) as …; (…の割には) for …; (…に関しては) as for …; (…に関する限り) as far as … be concerned; (…の側から見て) for [on] *one's* part ★「私としては」の場合には for が普通. (☞ -しては).
¶ 彼は日本人*としてはけたはずれの人物だ *As* a Japanese, he is quite an extraordinary /ɪkstrɔ́ːədənèri/ person. // 彼女は中学生*としてはませている She is too forward *for* a junior high school girl. // 私*としてはこの結論には賛成しかねる *As for* me, I disagree with this conclusion. / (⇒ 私に関するかぎり) *As far as* I *am concerned*, I disagree with this conclusion. // 私*としては何も言うことはない *For my part*, I have nothing to say about it. // 我々*としてはこの際はっきりした返事が欲しい Now we need a definite answer *on our part*.

-としても (even) if (☞ -しても).

としどし 年年 ☞ としごと

どしどし (自由に) freely; (ちゅうちょすることなく) without hesitation [語法] 少し格式ばった言い方で, 口語では Don't hesitate ⌈in *doing* [to *do*] …のような否定の命令文の形をとることが多い; (精力的に) energetically. (☞ どんどん¹; 擬声・擬態語 (囲み)).
¶ *どしどし質問して下さい (⇒ 質問するのをちゅうちょしないで下さい) *Don't hesitate* ⌈*in* asking [*to* ask] questions. / (⇒ 自由に質問しなさい) Please *feel free to* ask questions.

としとり 年取り (年越しの行事) ceremony held on New Year's Eve celebrating *one's* becoming another year older Ⓒ.

としとる 年取る ── 動 get [grow] old(er). ── 形 (年取った) old; aged. (☞ としおいる).
¶ *年取った人 an ⌈*old* [*aged*; *elderly*] person

としなみ 年波 ¶ 寄る*年波には勝てない (⇒ 老齢は抗し難い) I cannot resist *old age*. / (⇒ 結局しだいに取ってゆく年を受け入れなければならない) After all I must accept my ⌈*increasing* [*advancing*] *age*.

としのうち 年の内 ☞ ねんない

としのこう 年の功 ☞ とし¹ (年の功)

としのせ 年の瀬 ☞ とし¹ (年の瀬)

としのせい 年のせい (老齢のために) due to *one's* age, because of *one's* age, with age. ¶ *年のせいですぐに疲れます I ⌈soon [easily] get tired *because* ⌈*of my age* [(⇒ もう若くないので) *I'm not young any more*].

としは 年端 ¶ *年端もいかない子供 a *very young* child / a child of *tender* ⌈*years* [*age*] ★ 後者は格式ばった言い方.

としはじめ 年始め ☞ とし¹ (年の始め)

とじひも 綴じ紐 binding ⌈string [thread] Ⓒ ★ string のほうが thread よりも太い.
¶ 書類を*綴じひもで綴じる fasten [bind] papers with *string* ★ この場合 string は無冠詞.

とじぶた 綴じ蓋 (修繕したふた) mended lid Ⓒ.
¶ 割れ鍋に*とじ蓋 Every Jack has his Jill. 《ことわざ: どんな男にもそれ相応の女がいるものだ》

とじほん 綴じ本 bound book Ⓒ.

としま 年増 (中年の女性) middle-aged woman Ⓒ.

とじまり 戸締まり ── 動 (錠をかける) lock (up) ⊕ ★ 最も一般的な語; (戸などをしっかり閉める) secure ⊕ ★ 少し格式ばった語. ¶ 家中の*戸締まりをちゃんとしてから外出するように Be sure to *lock up* the house when you go out. // 寝る前に*戸締まりをしなさい *Lock* [*Secure*] all the doors before you go to bed.

としまわり 年回り ¶ 彼は今年は*年回りが良い[悪い] This year, he is in ⌈a *lucky* [an *unlucky*] *year*.

とじめ 綴じ目 seam Ⓒ. ¶ 本の*綴じ目が割れてしまった The *seam* of the book has come apart.

としゃ 吐瀉 vomiting and diarrhea /dàɪəríːə/ Ⓤ (☞ おうと¹; げり). **吐瀉物** vómit and excrement /ékskrəmənt/ Ⓤ.

どしゃ 土砂 earth and sand Ⓤ. ¶ *土砂の流れ an avalanche of *earth and sand* **土砂崩れ** (地滑り) landslide Ⓒ; (洪水などによる流失) washout Ⓒ.

どしゃぶり 土砂降り ── 名 (大雨) heavy rain Ⓤ ★ 大量の雨を意味する一般的な表現; (ざあざあ降り) downpour Ⓒ; (突然ひどく降りだす雨) cloudburst Ⓒ. ── 動 (大量に降る) rain heavily ⓐ; (ざあざあ降る) pour (down) ⓐ; (滝のように) rain in torrents ⓐ; (めちゃくちゃに) rain cats and dogs ★ やや古い慣用表現. [語法] 以上は天候の it を主語として用いる. (☞ おおあめ; ざあざあ).
¶ いま*どしゃ降りだ It *is raining* ⌈*heavily* [*in torrents*]. / It *is pouring* (*down*).

としゅ 斗酒 **斗酒なお辞せず** (大酒飲みだ) be ready to drink barrels of ⌈alcohol [sake], drink like a fish. ¶ 彼は*斗酒なお辞せずだ He's *ready to drink barrels of* ⌈*sake* [*alcohol*]. / (⇒ 大酒飲みだ) He's a *hard drinker*.

としゅくうけん 徒手空拳 ── 形 (無一文の) penniless; (素手の) barehanded. ¶ 彼は*徒手空拳で事業を始めた (⇒ 事業を始めたとき無一文だった) He was *penniless* when he started the business. // 私は*徒手空拳で敵に立ち向かった I fought the enemy *barehanded*.

としゅせき 吐酒石 〘化〙 tartar emetic Ⓤ, antimony potassium tartrate Ⓤ.

としゅたいそう 徒手体操 gymnastic exercises without using apparatus /æ̀pərǽtəs/, calisthenics /kæ̀ləsθénɪks/ ★ 前者は通例複数形で, 後者は単数または複数扱いで, 美容体操・柔軟体操なども含む; (床運動) floor exercise Ⓒ.

としょ¹ 図書 book Ⓒ ★ 図書一般を指すときは複数形で. (☞ ほん). ¶ 参照*図書 réference bòoks ★ 辞書・百科事典の類. // 推薦*図書 recommended [suggested] ⌈*reading* [*books*] / a *reading* list
図書閲覧室 reading room Ⓒ **図書カード[券]** book ⌈voucher [coupon; 《英》 token] Ⓒ. ¶ 5千円の*図書カード a ¥5,000 *book voucher* **図書館** ☞ 見出し **図書室** library Ⓒ **図書費** (予算) book budget Ⓒ; (定期的に使える) bóok allowance /əlàʊəns/ Ⓒ **図書目録** catalog [《英》 catalogue] of books Ⓒ ★ 図書館の目録は library catalog Ⓒ.

としょ² 屠所 slaughterhouse Ⓒ. **屠所の羊** ¶ 彼は*屠所の羊だ (⇒ 死期が迫っている) His days are numbered. / (⇒ 気力を失っている) He is dispirited. (☞ ひつじ¹).

とじょう¹ 途上 ☞ とちゅう (発展)途上国 developing ⌈country [nation] Ⓒ.

とじょう² 登城 ── 動 attend (at) the castle.

どじょう¹ 泥鰌 〘魚〙 loach Ⓒ. **どじょう汁** loach soup Ⓤ **どじょう掬い** loach-scooping dance Ⓒ **どじょう鍋** loach chowder Ⓤ **どじょうひげ** thin ⌈mustache [《英》 moustache] Ⓒ.

どじょう² 土壌 soil Ⓤ (☞ とち; つち¹). ¶ 肥えた[やせた]*土壌 rich [poor] *soil* // 酸性*土壌 acid *soil* 土壌汚染 soil ˹pollution [contamination] Ⓤ 土壌改良剤 soil conditioner Ⓒ 土壌学 pedology Ⓤ, soil science Ⓤ 土壌侵食[流出] (soil) erosion Ⓤ.

どしょうぼね 土性骨 ¶*土性骨のある人 (⇒ 気骨のある人) a person with *backbone* / (⇒ 強い意志の力を持った人) a person with a *strong will* (☞ きこつ)

としょかん 図書館 library Ⓒ 参考「図書室」も library という. (☞ としょ¹).
¶学校*図書館 a school *library* // 国会*図書館 the National Diet *Library* / 《米》 the *Library* of Congress (☞ 冠詞 (巻末)) // *図書館で本を借りる borrow books from the *library*
図書館員[司書] librarian /laɪbré(ə)riən/ Ⓒ 図書館学 library science Ⓤ 図書館長 the chief librarian, the director of a library.

としょく 徒食 (怠惰な生活) idle life Ⓒ. ¶無為*徒食の日を送る lead [live] an *idle life*

としより 年寄り ―名 old ˹person [man; woman] Ⓒ; (総称) old people, the old ★ 前者のほうが一般的; older people ★ 若い世代に対して漠然という場合; (お年寄り) elderly ˹person [man; woman] Ⓒ ★ やや丁寧な感じで; (相撲の親方) stable master Ⓒ, (説明的には) retired wrestler who possesses one of 105 titled trusteeships in the Japan Sumo Association Ⓒ; 〘史〙 (幕府の重臣) senior councilor under the Tokugawa shogunate Ⓒ (☞ ろうじゅう; わかどしより; かろう²); (江戸時代の町役人) town [village] official under the Tokugawa shogunate Ⓒ. ―形 old. (☞ ろうじん; ねんぱい).
¶そのお*年寄りは独り暮らしだ The *old* ˹*man* [*woman*] is living by ˹himself [herself].
年寄りじみる ¶彼は*年寄りじみている (⇒ 年寄りのように見える) He *looks like an old man*. / (⇒ 年よりふけて見える) He *looks old* for his age.
年寄りの冷や水 ¶これは*年寄りの冷や水かもしれませんが, しないわけにはいかないのです (⇒ これは私のような老人のすることではないが) This is *not a thing for an old* ˹*man* [*woman*] *like me to do*, but I can't help doing it. 年寄株 one of the 105 titled trusteeships in the Japan Sumo Association ★ 説明的な訳. 年寄り子 child born of old parents Ⓒ; (溺愛された子供) doted-upon child Ⓒ.

としよる 年寄る ☞ おいる

とじる¹ 閉じる close (↔ open) ⓗ, shut ⓗ (過去・過分 shut) 語法 ほぼ同意に使われることもあるが, close のほうが一般的. (☞ しめる³). ¶目を*閉じなさい *Close* [*Shut*] your eyes. // 私は目を*閉じてあお向けになっていた I lay on my back with my eyes ˹*closed* [*shut*]. // 本を*閉じてこれをごらんなさい *Close* your books and have a look at this.

とじる² 綴じる (書類などを) bind ⓗ (過去・過分 bound); (紙などを整理しておく) keep … on file. (☞ とじこむ). ¶新聞を*とじておいて下さい (⇒ ファイルにして下さい) Please *keep* newspapers *on file*.

どじる (へまをする) blunder ⓐ; make a blunder. (☞ へま; しくじる). ¶彼はまた*どじった He ˹*blundered* [*made a blunder*] again.

としわすれ 年忘れ (宴会) year-end party Ⓒ (☞ ぼうねんかい).

としん¹ 都心 the heart of the city, the ˹center [《英》 centre] of the city 語法 都市の心臓部に当たる中心には heart を, 幾何学的な中心地には center を用いる; (特に東京を指す場合) the ˹center [heart] of Tokyo, downtown Tokyo ★ 後者は特に商業地区を指す. (☞ したまち 参考).
¶官庁はほとんど*都心にある Most government offices are (located) in *the* ˹*heart* [*center*] *of* ˹*Tokyo* [the Metropolis]. // 私は*都心 (⇒ 東京の商業地区) に住んでいる I live in *downtown Tokyo*. / I live *downtown*. / (⇒ 都心部に家がある) My house is located in *the central area of Tokyo*.

としん² 妬心 ☞ しっと

とじん 都塵 ¶彼女は*都塵を避けて (⇒ 都会の生活から離れるために) 郊外に住んでいる She lives in the suburbs to stay away from (*the bustle of*) *city life*.

どしんと ―副 (どしんと音を立てて) with a ˹thud [thump; bump] 語法 以上の 3 つは後のものほど音が大きくなる. ―動 (突き当たる) bump ⓗ; (どしんと落ちる) (略式) plump down ⓐ. (☞ 擬声・擬態語 (囲み); どさりと). ¶彼は*どしんと尻もちをついた He fell on his bottom *with a thud*.

トス ―名 toss Ⓒ. ―動 (トスをする) toss ⓗ.
トスバッティング〘野〙 pepper (game) Ⓒ ★「トスバッティング」は和製英語.

どす (短刀) dagger Ⓒ. どすのきいた ¶*どすのきいた声で in a *deep* ˹*menacing* [*threatening*] voice

どすう 度数 (回数) (the number of) times; (頻度) frequency Ⓤ. (☞ かいすう; ひんど). 度数計 (counting) register Ⓒ 度数制 (使用回数によって計算する電話料金制度) the message-rate system 度数分布〘統計〙 frequency distribution Ⓒ 度数分布表〘統計〙 table of frequency distribution Ⓒ 度数料金 (電話の) message rate(s) ★ 通例複数形で.

トスカナ ―名 ⓖ (イタリアの中部地方) Tuscany /tʌ́skəni/ ★ イタリア語では Toscana.

トスカニーニ ―名 ⓖ Arturo Toscanini, 1867–1957. ★ イタリアの指揮者.

ドスキン (毛織物) dóeskin Ⓤ.

どすぐろい どす黒い dark (☞ くろ). ¶*どす黒い血痕がじゅうたんの上についていた We saw a *dark* bloodstain on the carpet. // その男は*どす黒い顔色をしていた The man had a *dark* complexion.

どすけべえ ど助平 real lech Ⓒ (☞ すけべ(え)).

ドストエフスキー ―名 ⓖ Fyodor Mikhailovich Dostoyevsky /fjóʊdə mɪkáɪləvɪtʃ dɑ̀stəjéfski/, 1821–81. ★ ロシアの小説家.

ドスパソス ―名 ⓖ John (Roderigo) Dos Passos, 1896–1970. ★ 米国の作家.

ドスブイ 〘コンピューター〙 (オペレーティングシステムの一種) DOS/V /dɑ́svíː/ Ⓤ.

とする 賭する (金を) bet ⓗ; (金・生命を) stake ⓗ. (☞ かける³). ¶…に生命を*賭す *stake one's* life on …

(-)とすると ☞ (-)とすれば

(-)とすれば (それなら) then; (もしそうなら) if so; (もし … なら) if. ¶「彼にはアリバイがある」「*とすれば真犯人は他にいるはずだ」"He has an alibi." "*If* (that's) *so*, the real culprit is someone else."

どすんと ☞ どしんと

とせい¹ 都政 the metropolitan government, the government of Tokyo.

とせい² 渡世 (暮らし) living Ⓤ ★ a を付けて; (職業) trade Ⓒ. (☞ よわたり; くらし; かぎょう²). ¶*渡世 (⇒ 世の中で生計を立てること) は楽じゃない It is not easy to make *a living*. // 彼は大工を*渡世にしている He is a carpenter by trade. ★ この場合の trade は無冠詞.
渡世人 (ばくち打ち) gambler Ⓒ.

とぜい 都税 Tokyo mètropólitan tàx Ⓒ.

どせい¹ 土星 〘天〙 Saturn. 土星の輪 Saturn's rings ★ 通例複数形で.

どせい² 怒声 (怒った声) angry voice Ⓒ; (怒りの大声) roar Ⓒ. (☞ どごう¹). ¶*怒声をあげる *shout*

in anger
どせい³ 土製 ― [形] earthen [A].
どせきりゅう 土石流 mudflow [C], flood of rocks and mud [C].
とぜつ 途絶 ― [動] (止める・止まる) stop (他)(自), cease (他)(自) ★ 前者が一般的な語; (中断される) be interrupted; (麻痺する) be paralyzed; (切断される) be cut off, be broken off; (乗り物などが立ち往生する) be held up. ― [名] stoppage [C], cessation [U]; (中絶) interruption [C]. 《☞ とだえる》.
¶ 雪のため交通は*途絶した Traffic *was held up* by the snow.
とせん 渡船 ☞ わたし²
とそ 屠蘇 spiced sake for the celebration of the New Year [U] [参考] 説明的な訳. 前後関係などで, 状況がわかっているときは New Year's sake でもよい. **屠蘇機嫌** ― [動] be tipsy from drinking the New Year's sake **屠蘇散** spices for *toso*.
とそう 塗装 ― [名] (塗ること) painting [U]; (塗ったもの) paintwork [U]; (塗ってあるペンキ) paint [U]. ― [動] (ペンキを塗る) paint (他); (上塗りをする) coat ... with paint. 《☞ ぬる; ペンキ》. ¶ *塗装がはげた The *paint* ⌈came [wore] off. // *塗装を傷つけないようにしなさい Be careful not to scratch the *paintwork*. **塗装工** painter [C] **塗装材料** coating materials ★ 複数形で.
どそう¹ 土葬 ― [名] burial /bériəl/ [C], 《格式》 interment [U]. ― [動] bury (他). 《☞ ほうむる; かそう¹》.
どそう² 土倉 (土蔵) traditional Japanese storehouse [C]; 〖史〗(室町時代の高利貸し) moneylender of the Muromachi period [C].
どぞう 土蔵 traditional Japanese storehouse [C] ★ 説明的な訳. 《☞ くら¹》. **土蔵造り** the storehouse style. ¶ *土蔵造りの家 a *storehouse-style* house **土蔵破り** (人) storehouse thief [C]; (犯罪) storehouse theft [C].
どそく 土足 ― [副] (靴をはいたままで) with *one's* shoes on; (靴を脱がずに) without removing *one's* shoes. ¶ 校舎に*土足で入ってはいけない Don't enter the school building ⌈*with your shoes on* [*without removing your shoes*]. // *土足厳禁 (掲示) Shoes Off / No Shoes Allowed Here / Please remove your shoes before entering. ★ 第 3 文は丁寧な言い方.
どぞく 土俗 folk customs ★ 複数形で. 《☞ みんぞく²》. **土俗信仰** folk religious belief ★ [U] または a を付けて.
どだい¹ 土台 (建物などの) foundation [C]; (学問・技能などの抽象的な) groundwork [U]; (根底となるもの) base [C]. 《☞ きそ¹ (類義語); もと¹》.
¶ この建物は*土台がしっかりしている (⇒ しっかりした土台の上に建っている) This building stands on a firm *foundation*. // 私の人生観は主として体験を*土台にしている My philosophy *is* largely ⌈*founded* [*based*] *on* personal experience(s).
土台を築く lay [build] the foundation(s). ¶ 彼の家業の*土台を築いたのは彼の祖父です It was his grandfather who ⌈*laid* [*built*] *the foundation(s)* of his family business.
どだい² (もともと) from the start; (全く) utterly, simply ★ 後者は否定文で「全然…ない」という意味で用いられる. 《☞ もともと; がんらい; まったく》. ¶ *どだい彼はやる気がなかったんだ *From the start* he was not in the mood for it. // それは*どだい無理な話だ (⇒ 不可能だ) That's *simply* impossible.
とだえる 途絶える (止まる) stop (自); (中断される) be interrupted; (音信が) do not hear from ... [語法] (1)「音信をもらう人」を主語にする; (人通りが) be deserted [語法] (2)「通り」を主語にする. 《☞ とぎれる; たえる²; とまる¹; とぜつ》.
¶ この半年ほど, 彼女からの音信が*とだえている (⇒ 彼女から便りがない) I *haven't heard from* her for almost six months. // 通りは人通りが*とだえていた The streets *were deserted*.
ドタキャン ― [名] last-minute cancellation [C]. ― [動] cancel at the last ⌈minute [moment] (他). 《☞ どたんば; キャンセル》. ¶ 彼に会合を*ドタキャンされて頭にきた I got mad at him because he *canceled* the meeting *at the last* ⌈*minute* [*moment*].
どたぐつ どた靴 (一足分) clunky shoes.
どたどた ¶ 廊下を*どたどた歩く walk down the hallway *with a heavy tread* / *stump* down the hallway // 階段を*どたどたと降りる *clump* down the stairs 《☞ 擬声・擬態語 (囲み)》
とだな 戸棚 (衣類用) 《米》 closet [C]; (食器用) cupboard /kʌ́bərd/ [C]. 《☞ おしいれ》.
どたばた ― [副] (騒がしく) noisily; (荒々しく) violently. ― [動] (大きい音を立てる) make a lot of noise. ― [名] (どたばた喜劇) slapstick [U]. 《☞ 擬声・擬態語 (囲み)》. ¶ 2 階で*どたばたして母にしかられた We were scolded by Mom because we *made too much noise* upstairs. **どたばた喜劇** slapstick comedy [C].
とたん 途端 ― [接] (ちょうど…の時に) just as ...; (…するとすぐに) as soon as ..., no sooner ... than ... ★ 後者のほうが格式ばった言い方; (…すると同時に) the ⌈moment [minute] ... ― [副] (ちょうどその時) just then. 《☞ いなや; すぐ》.
¶ 部屋に入った*とたん, 彼女はくしゃみが止まらなくなった *Just as* she entered the room, she had a fit of sneezing. // 答案を出した*とたん, 計算の間違いに気がついた *The moment* [*As soon as*] I handed in my paper, I realized that I had made an error in calculation. // 家を出た*とたんに雨が降り出した I had *no sooner* [*No sooner* had I] left home than it began to rain. ★ 少し格式ばった言い方. // 立ち上がった*とたん(に)目まいがした I felt giddy *the moment* I stood up. // 彼はその少女を見た*とたんにだれであるかわかった He recognized the girl *instantly* when he saw her. / The *instant* he saw the girl, he recognized her. // 父が家を出ようとしたその*とたんに電話が鳴り出した My father *was about to* leave the house, *when* the telephone rang. / My father was leaving the house. *Just then* the telephone rang. ★ 第 2 文のほうが口語的.
トタン galvanized iron [U]. **トタン板** galvanized iron sheet [C]; (波形の鉄板) corrugated iron [U]. ¶ *トタン屋根の家 a house roofed with *corrugated iron* / a house with a *zinc* roof
とたんのくるしみ 塗炭の苦しみ (耐え難い苦しみ) unbearable agony [U] 《☞ くつう; くるしみ》.
どたんば 土壇場 (最後の瞬間) the last moment; (きわどいとき) the eleventh hour [語法] 「土壇場で」では at を付ける; (危機) the critical moment, crisis [C]; (決定的対決) 《略式》 showdown [C]. 《☞ ぎりぎり》.
¶ *土壇場になるまで決心がつかなかった I couldn't make up my mind till *the last moment*. // 国会は*土壇場でその法案を可決した The Diet passed the bill ⌈*at the eleventh hour* [*at the last moment*]. // *土壇場になって (⇒ 対決の時がきたとき), 私たちは勇気を奮い起こした When it came to the *showdown*, we mustered up all our courage.
とち 土地 1 《地面・地所》: (宅地・耕地など一般的に) land [U]; (小さい 1 区画の敷地など) lot [C]; (大きな地所) estáte [C]; (不動産) réal éstate [U]. 《☞ じめん; じしょ¹; ようち²》.

¶ 彼は東京の郊外に 200 平方メートルの*土地を持っている He owns two hundred square meters of *land* in the suburbs of Tokyo. // *土地つきの家はとても買えない We can't afford to buy a house with a *lot*. // *土地を借りる lease [rent] *land* // *土地を売買する deal in *real estate* (☞ ばいばい)

2 «地味・土»: (作物などを植える土壌) soil Ⓤ; (耕作地) land Ⓤ. (☞ つち¹). ¶ *土地を耕す cultivate [work] the ⌈*land* [*soil*] // この*土地は肥えている This ⌈*soil* [*land*] is ⌈rich [fertile]. // この*土地はやせている This ⌈*soil* [*land*] is poor. / (⇒ 不毛である) This ⌈*soil* [*land*] is barren.

3 «所・地方»: (場所) place Ⓒ; (国) land Ⓒ; (地域) district Ⓒ, region Ⓒ, area Ⓒ 語法 district は行政的, あるいは特性によって分けた地域. region は文化的・社会的・地理的特徴を共有する地域. area は幾つかに区切った場合の 1 地域で, 広いものから狭いものまで用いられる. ── 形 (その土地で生まれ育った) native ★ 差別語となる場合がある; (地元の) local. (☞ ちほう¹ 語法; ちいき (類義語); ところ).

¶ 私たちは知らない*土地に迷いこんだ We strayed into a strange *place*. // 辺鄙(へんぴ)な*土地の人たちはまだその古い慣習を守っている People in remote *regions* still keep (up) the old customs. // その*土地の案内人が探検についていった *Local* guides accompanied the expedition. // この*土地の名産は何ですか What is the *local* product here?

土地開発業者 land developer Ⓒ **土地改良** lánd impròvement Ⓤ **土地改良区** land improvement district Ⓒ **土地改良法** the Land Improvement Law **土地家屋** (不動産) réal éstate Ⓤ (☞ ふどうさん) **土地家屋鑑定士** land and house appraiser Ⓒ **土地家屋調査士** land and house investigator Ⓒ **土地価格** the value of land (☞ ちか²) **土地柄** the nature of the locality Ⓤ **土地鑑[勘]** ¶ *土地鑑がある know the *place* well / have a good knowledge of the *place* **土地基本調査** the Basic Land Survey **土地基本法** the Basic Land Law **土地区画整理** land readjustment Ⓤ **土地言葉** the vernacular; (方言) the local dialect **土地転がし** profiteering through land resale Ⓤ **土地収用** expropriation of land Ⓤ **土地収用法** the Land Expropriation Act **土地条例** local land ordinance Ⓒ **土地所有権** landownership Ⓤ **土地所有者** landowner Ⓒ **土地信託** land trust Ⓤ **土地台帳** land ⌈ledger [(英) register] **土地っ子** (その土地生まれの人) native (of the area) Ⓒ; (地元の人) local Ⓒ **土地登記簿** land register Ⓒ **土地訛り** provincial [local] accent Ⓒ **土地ブローカー** real estate agent Ⓒ **土地面積** land area Ⓤ.

コロケーション

石の多い土地 stony *land* / 乾燥した土地 arid *land* / 休閑中の土地 fallow *land* / 耕作に適した土地 arable *land* / 不毛の土地 poor [barren] *land* / 土地を埋め立てる reclaim (the) *land* / 土地を開発する develop (the) *land* / 土地を買う buy (some) *land*; buy a ⌈piece [plot] of *land* / 土地を灌漑する irrigate (the) *land* / 土地を切り開く clear (the) *land* / 土地を排水する drain (the) *land*

とちく 屠畜 ── 動 (食用のために殺す) slaughter ㊀; (畜殺して肉製品とする) butcher ㊀. ── 名 slaughter Ⓤ; butchery Ⓤ. **屠畜場** slaughterhouse Ⓒ.

とちのき 栃の木 〔植〕 horse chestnut Ⓒ.

とちもち 栃餅 cake made from steamed horse chestnuts pounded together with *mochi* rice Ⓒ ★ 説明的な訳.

どちゃく 土着 ── 形 (その土地で生まれた) native (↔ foreign, alien) ★ 差別語となる場合がある; (民族などについて, その土地固有の) indígenous (↔ naturalized) 語法 (1) 格式ばった語. 個人よりもむしろ民族や種族などについて用いられる; (原住民の) àboríginal 語法 (2) この語は元来オーストラリアの原住民を指すのに用いられたが, 差別的なニュアンスがあるので indigenous を用いるほうがよい.

土着民 the indìgenous péople, nátive Ⓒ, aborigines /æ̀bərídʒəniːz/ ★ 複数形で. なお, 最初の ★ および 語法 (2) 参照. 第 1 番が最も無難. (☞ げんじゅうみん).

とちゅう 途中 ── 副 (仕事などの中途で) halfway; (道のり, または過程の一部) part of the way. ── 前 (道の途中で) on ⌈the [*one's*] way to ... (from ...); (途上で) en route /ɑːnrúːt/ to ... ★ もとフランス語から入った格式ばった表現. (☞ ちゅうと; さいちゅう).

¶ 私は学校から家へ帰る*途中よく本屋に立ち寄る I often drop by a bookstore *on my way* home *from* school. // 病院へ行く*途中花を買った I bought some flowers ⌈*on the way to* [*en route to*] the hospital. // 彼は仕事の*途中で倒れた (⇒ 仕事を半分残して[未完のままで]病気になった) He fell ill, *leaving* the work ⌈*half done* [*unfinished*]. // *途中までご一緒いたしましょう I'll go *part of the way* with you. // 話の*途中で口をはさんではいけない (⇒ 話をしているときに) Don't interrupt others *while* they are talking. // お話の*途中で (⇒ 話を中断させて) 失礼ですが, もう時間です I'm sorry to *interrupt* you [Excuse me for *interrupting* you], but your time is up.

途中経過 ¶ ここで野球の試合の*途中経過をお知らせ致します Now, we will provide a *report* on baseball games *still in progress*. **途中計時** (ラップタイム) lap time Ⓤ **途中下車** ── 名 stópòver Ⓒ. ★ 航空機の途中降機にも用いる. ── 動 stóp óver (at ...) ㊀, make a stopover (at ...). 語法 後者のほうが格式ばった言い方. なお, 多少の期間滞在する時は at の代わりに in を用いる傾向がある. ¶ この切符で*途中下車ができますか Can I *stop over* with this ticket? // *途中下車前途無効 No *stopovers* are allowed on this ticket.

どちゅう 土中 ¶ その箱は*土中に埋められていた The box was buried ⌈*in the ground* [*underground*]. (☞ ちか¹)

とちゅうちゃ 杜仲茶 eucommia (leaf) tea Ⓤ.

とちょう 都庁 ☞ と² (都庁)

どちょう 怒張 (血管などがふくれあがること) engorgement Ⓤ. ¶ *怒張した静脈 a *varicose* vein

どちら 1 «どれ»: which; (どちらの…でも) whichever ★ 以上 2 語は疑問代名詞・疑問形容詞のいずれにも用いる; (どちらか一方) either; (どちらも両方) both 語法 (1) 以上 2 語はいずれも 形, 代 または 接 として用いられる. 前者は単数, 後者は複数としての扱いを受ける. 否定文では not ... either, neither は全部否定, not ... both は部分否定となる. (☞ どの; どれ¹).

¶ 「お茶とコーヒーとどちらにしますか」「コーヒーを下さい」"*Which* would you like, tea or coffee?" "Coffee, please." 語法 (2) 質問は tea ↗ or coffee ↘ のようなイントネーションになる. // 「アメリカ合衆国とカナダでは*どちらが大きいですか」「カナダのほうが少し大きいです」"*Which* is larger, the United States or Canada?" "Canada is a little larger." // *どちらの電車が先に出ますか *Which* train leaves first? // *どちらが勝ちました *Who* won? ★ チームなどを聞くときは who を使う. // 「この 2 台のカメラは*どちらがよく写りますか」「*どちらとも言えません. *どちらもとてもよく写ります」"*Which* of these two cameras takes better pictures?" "I can't say *which*. *Both* take quite good pictures." // *どちらでも好きなほうを取って下さい Please take *whichever* you like. // *どちらでもよい *Either* will do. [語法] (3) do は「間に合う」「役に立つ」の意. // この単語には2つの発音があるが, *どちらでもよい This word has two pronunciations. You can say it *either* way. // 2つの答えの*どちらも (⇒ 両方とも) 正解です *Both* (of the two) answers are correct. // *どちらもいりません I *don't* want *either*. [語法] (4) not ... either は「どちらも…でない」という全部否定の言い方. neither と同じだが, I want *neither*. は少し文語的. // その2人は*どちらもフランス語がわからない *Neither* of the two can understand French. // *どちらも欲しいというわけではない I do*n't* necessarily want *both*. [語法] (5) not ... both は部分否定となる. つまりどちらか一方でよいという意味. // あなたか私か*どちらかがそれをしなくてはならない *Either* you *or* I must do it. [語法] (6) either A or B は「A か B かどちらか」という言い方. 名詞・代名詞のほかに, 動詞や副詞・形容詞なども A, B の位置に来ることができる. また either A or B の A, B が主語になる場合は, 後に続く動詞の人称・数は B に呼応する. ((例) あなたか彼か*どちらかが行かなくてはならない *Either* you *or* he *has* to go.) // 答えは正しいか間違っているかの*どちらかです The answer must be *either* correct *or* incorrect. [語法] (7) either ... or ... の代わりに or のみですますこともあるが, either ... or ... を使うほうが, 2者択一の意味が強くなる. // 彼女は読み書き*どちらもできない She can *neither* read *nor* write. [語法] (8) neither A nor B は「A でも B でもない」という言い方. neither A nor B が主語になる場合は, 後に続く動詞の人称・数は B に呼応する. ((例) あなたも奥さんも*どちらも行かなくてよい *Neither* you *nor* your wife *has* to go.)

2 «どこ»: (どの場所) where; (どの方向) which way. (☞ どこ). ¶*どちらにお住まいですか *Where* do you live? // *どちらへお出かけですか *Where* [*Which way*] are you going? (☞ どこ [日英比較]).

3 «だれ»: who (☞ だれ[1]; どなた [日英比較]).

¶*どちら様でしょうか (⇒ お名前は何ですか) *What* is your name, please? [語法] (1) 少しぞんざいな聞き方. なお, Who are you? は「おまえはだれだ」という失礼な聞き方なので普通は用いない. / (⇒ 名前を聞いていいですか) May I have your name, please? [語法] (2) 相手の名前を聞く丁寧な表現. / (⇒ 何という名前を取り次いだらよいか) *What* name shall I say? ★ 取り次ぎのときなど. / (⇒ だれが話しているか) May I ask *who* is calling? / *Who* is calling, please? ★ 電話で. 前者のほうが丁寧な聞き方. / *Who* is it? ★ だれかがドアなどをノックしたような場合.

どちらかといえば (むしろ) rather (than ...); (どちらかといえば…したい) 'd rather ★ had rather, would rather の短縮形.

¶ これはホテルというより, *どちらかといえば宿屋だ This is an inn *rather than* a hotel. // *どちらかといえば今夜は(外に出るより)家にいたい I'*d rather* stay (at) home (than go out) tonight. [語法] 否定文は 'd rather *not* ... の形をとる.

どちらにしても (2つの場合の) either way; (どんな場合でも) in any case, anyway. (☞ どっちみち). ¶*どちらにしても私はあしたは学校へ行きます *In any case* I'll go to school tomorrow. // *どちらにしても同じことです (⇒ 違いはない) It makes no difference *either way*.

とちる (言い違いをする) make a slip in ... (☞ まちがえる).

とつおいつ ¶*とつおいつ思案する ponder *long and deeply* [over [on] ...

とっか[1] 特価 (特別価格) special price [C]; (割引きした値段) reduced price [C]; (安売り値段) bargain price [C]. (☞ わりびき; とくばい).

¶ 私はこのセーターを*特価で買った I bought this sweater *at a* [*special* [*reduced*; *bargain*] *price*. **特価販売** (bargain) sale [C] **特価品** special bargain [article [C] [item [C]; goods] ★ goods は複数扱いで.

とっか[2] 特化 specialization [U]. ¶*特化した製品を扱う deal in *specialized* products

どっか 読過 (読みとおすこと) reading through to the end [U]; (意味をとらずにざっと読むこと) skimming through without catching the meaning [U].

トッカータ 〘楽〙 toccata /təkáːtə/ [C].

とっかい 特快 ☞ とくべつ (特別快速電車)

どっかい 読解 reading and understanding [U]; (解釈) interpretation [U]; (理解力) comprehension [U].

どっかいりょく 読解力 (一般的には) reading comprehension [U]; (説明的には) ability to read and understand [U].

とっかえひっかえ 取っ替え引っ替え (代わる代わる) first one and then another. ¶ 彼女は色の違ったセーターを*取っ替え引っ替え試着してみた She tried on sweaters of [*one* color *after* [*first one* color *and then*] *another*.

とっかかり 取っ掛かり ¶ この問題は複雑すぎて*取っ掛かりがつかめない This problem is so complicated (that) I don't know *where to begin to work on* it. (☞ てがかり)

とつがく 突顎 projecting (lower and upper) jaws ★ 複数形で; 〘解〙 prognathism /prágnəθìzm/ [U].

とつがた 凸型 — [形] (凸型の) convéx. **凸型レンズ** cónvex léns [C].

どっかと — [副] (気持ちよく) comfortably (☞ 擬声・擬態語 (囲み)). ¶ 私はソファーに*どっかと (⇒ ゆったりと) 腰を下ろしていた I was sitting *comfortably* on the couch. // *どっかと (⇒ どさっと) いすに座る *flop* (*down*) into a chair ★ 疲れているような場合の表現.

とっかんこうじ 突貫工事 rush work [U]. ¶ その道路は*突貫工事で建設された The road was built *in* (*too much of*) *a rush*.

とっかんさぎょう 突貫作業 ☞ とっかんこうじ

とつかんすう 凸関数 〘数〙 convex function [C].

とっき[1] 突起 — [名] (突き出たもの) 《格式》 projection [C]; (ふくれて盛り上がったもの) 《格式》 protuberance /prot(j)úːb(ə)rəns/ [C]. — [動] (隆起する) rise (自); (突き出る) project (自). (☞ つきでる).

とっき[2] 特記 special [particular] mention [U] (☞ とくひつ). **特記事項** items worthy of special mention. ¶*特記事項なし Nothing *noteworthy to report*.

とつぎさき 嫁ぎ先 ¶ 娘の*嫁ぎ先 (⇒ 娘の義理の両親やきょうだい) my daughter's *in-laws* / (⇒ 婚家) *the family into which* my daughter *has married*

とつきとうか 十月十日 ten months and ten days; (妊娠期間) the period of pregnancy. ★ 英米では nine months とされている.

とっきゅう[1] 特急 limited express [C] (☞ きゅうこう[1]). **特急券** ticket for a limited express train [C] **特急列車** limited [special] express train [C].

とっきゅう[2] 特級 (最高のもの) the best; (最上級) the highest quality; (第1級) 《略式》 A one, A 1 /éɪ wʌ́n/ [語法] 以上はいずれも形容詞的にも使

われる. **特級品** the highest quality ˹item Ⓒ [article Ⓒ]; goods; brand Ⓒ].

とっきょ 特許 —〖名〗(専売の) patent /pǽt(ə)nt/ Ⓒ; (免許) license (《英》licence) Ⓒ. —〖動〗(特許を取る) patent (他). (☞ パテント).
¶ 私はその新薬で*特許を取った I ˹took out a *patent* on [*patented*] the new medicine. // *特許を取った錠 a *patent* lock // *特許出願中 (《標記として》) *Patent* pending. / *Patent* applied for. // *特許を申請する apply for a *patent*
特許権 patent (right) Ⓒ **特許権所有者** patent holder Ⓒ, pàtentée Ⓒ **特許使用料** patent royalty Ⓒ **特許庁** the Patent Office, the Patent Agency ★ agency は「庁」の訳語. **特許品** patent Ⓒ, patented article Ⓒ ★ 後者のほうが具体的. **特許部** the patent ˹division [department] (☞ 会社の組織と役職名 (囲み)) **特許法** the Patent Law.

どっきょ 独居 —〖名〗(ひとりでいること) solitude Ⓤ. —〖動〗(ひとりで住む) live ˹alone [by *oneself*]. (☞ ひとりぐらし). **独居生活** ¶ *独居生活をする live in *solitude* / lead *a life of solitude* **独居房** solitary cell Ⓒ (☞ どくぼう).

ドッキング —〖名〗docking Ⓤ. —〖動〗dock (自) (他). 〖語 法〗必ずしも「接合」は意味しないが 2 個以上の宇宙船が出会うのは rendezvous /rɑ́ːndɪvùː/ Ⓒ (複 ~) ともいう. ¶ 2 つの宇宙船の*ドッキング the *docking* of the two spacecraft

どっきんほう 独禁法 ☞ どくせん[1] (独占禁止法)

とつぐ 嫁ぐ marry (自) (他), be [get] married (to ...) 〖語 法〗be を使うと「状態」, get を使うと「動作」を表す. 単に結婚の事実をいうときは marry (自) だけでよい; (…家へ嫁ぐ) marry into (a family). (☞ けっこん[1]; よめ[1]).

どつく ど突く (打つ) hit (他); (なぐる) strike (他). (☞ こづく).

ドック —〖名〗dock Ⓒ. —〖動〗(ドックに入る[入れる]) dock (自) (他). ¶ その汽船はちょうど*ドック入りしたところです The ship *has* just *docked*. // 君は(人間)*ドックに入ったほうがいいよ (⇒ 徹底的な健康診断のために入院したほうがいい) You had better be hospitalized for a *thorough physical examination*.

ドッグ (犬) dog Ⓒ. **ドッグショー** dog show Ⓒ **ドッグスクール** (ペット犬の訓練校) (dog) obedience school Ⓒ; (盲導犬・警察犬などの) dog training school Ⓒ **ドッグファイト** (乱闘・空中戦) dogfight Ⓒ **ドッグフード** dog food Ⓤ **ドッグレース** dog racing Ⓤ ★ 個々のレースは dog race Ⓒ. なお《米》では greyhound 犬を使うため通例 greyhound racing という. **ドッグレッグ** 〚ゴルフ〛 dogleg Ⓒ.

どづく ど突く ☞ どつく

とっくに (ずっと前に) long ago, a long time ago 〖語 法〗後者のほうが格式ばった言い方.「ずっと昔」という意味と,「何時間も前に」程度の比較的短時間の意味との両方に使える; (すでに) already; (かなり越して) well ˹over [past] ... (☞ とうに).
¶ その事件は*とっくに解決がついている The matter was settled *a long time ago*. // 弁当なら*とっくに食べてしまった I've *already* eaten my box lunch. // 彼女は*とっくに60歳を過ぎている (⇒ かなり越している) She is *well* ˹*over* [*past*] sixty.

とっくのむかし とっくの昔 ¶ 私は*とっくの昔にその本を読んだ I read the book *long ago*.

とっくみあい 取っ組み合い —〖名〗(つかみ合い) grapple Ⓒ; (激しくもつれ合っての取っ組み合い) scuffle Ⓒ; (手のつかみ合い) hand-to-hand fight Ⓒ. —〖動〗grapple (自); scuffle (自). (☞ つかみあい; かくとう[1]; けんか[1]). ¶ その 2 人の男の子は*取っ組み合いのけんかをした The two boys *grappled with each other*.

とっくみあう 取っ組み合う (つかみ合う) grapple (自); (格闘する) tussle (自). (☞ とっくみあい). ¶ 彼は襲ってきた男と*取っ組み合った He ˹*grappled* [*tussled*] with his assailant.

とっくり 徳利 (酒の) sake bottle Ⓒ; (セーターの) turtleneck (sweater) Ⓒ.

とっくりと (十分に) thoroughly; (慎重に) carefully. (☞ とくと; じっくり). ¶ *とっくりと説明を聞かせてもらいます Let me have your *thorough* explanation about it.

とっくりばち 徳利蜂 〔昆〕 potter wasp Ⓒ.

とっくん 特訓 (特別の訓練) special training Ⓤ; (集中的な訓練) intensive training Ⓤ; (集中訓練のコース) intensive ˹course [lesson] Ⓒ; (短期間で急いで行う応急的な訓練) crash training Ⓤ; (短期達成コース) crash (training) course Ⓒ. (☞ くんれん). ¶ 彼は目下打撃の*特訓中です He is now ˹going through [undergoing] *special training* in batting. / (⇒ 特別に訓練されている) He *is* now being specially trained in batting. // 数学の*特訓を受ける receive [take] *intensive lessons* in mathematics // 英会話の*特訓を受ける take a *crash course* in English conversation

とつけい 凸形 convex shape Ⓒ.

とっけいかんぜい 特恵関税 preferential ˹tariff [duty] Ⓒ.

とっけいレート 特恵レート préferèntial táriff ràte Ⓒ.

とつげき 突撃 —〖名〗charge Ⓒ. —〖動〗charge (他). ¶ 彼らは敵陣に向かって*突撃した They *charged* the enemy. **突撃隊** storming party Ⓒ; (突撃専用部隊) shock troops ★ 複数形で.

とっけん 特権 (特別の恩典・利益) privilege /prív(ə)lɪdʒ/ Ⓒ (☞ しょっけん[1]; とくてん[2]). ¶ 私たちはその会議に出席する*特権を与えられた[拒否された] We were ˹given [denied] the *privilege* of attending the conference. // 会員の*特権 *privileges* to members **特権階級** the privileged class(es).

コロケーション

特権を享受する enjoy a *privilege* / 特権を行使する exercise a *privilege* / 特権を剥奪する revoke [withdraw] a *privilege*; strip *a person* of a *privilege* / 特権を放棄する give up [relinquish; renounce] a *privilege* / 特権を濫用する abuse a *privilege*

どっこい ¶ *どっこいそう思いどおりにいくもんか (⇒ 君が想像しているようにうまくはいかないだろう) *No*, you won't go as far as you imagine.

どっこいしょ (高い所へ登る人を押し上げたりするときの掛け声) oops-a-daisy /ʊ́ps ə dèɪzi/ 日英比較 英語にもいろいろな掛け声はあるが,「どっこいしょ」とそっくり入れ替わるものはない. oops-a-daisy は押し上げたりするときの掛け声で, いすに座ったりするときには使われない. 一般に日本語のほうが英語より掛け声が多い. (☞ よいしょ). ¶ 彼は*どっこいしょと荷物を持ち上げた (⇒ 全力で) He lifted the package (up) *with all his might*. / (⇒ 力強い持ち上げ) He gave the package *a mighty heave*.

どっこいどっこい —〖動〗(ほとんど同じ) be about the same (as ...). —〖形〗(五分五分の) fifty-fifty. (☞ ごぶ; ごかく). ¶ 私は技の点で彼と*どっこいどっこいだ My skill *is about the same as* his. // うまくいくかいかないか*どっこいどっこいだ The chances are *fifty-fifty*.

とっこう[1] 徳行 virtue Ⓤ. ¶ *徳行の士 a ˹person [man] of *virtue*

とっこう² 篤厚 (優しさ) benevolence Ⓤ; (誠実さ) probity Ⓤ.

とっこう³ 篤行 (人情に厚い行為) benevolent deed Ⓒ; (まじめで誠実な行為) conscientious act Ⓒ.

とっこう⁴ 特高 ☞ とくべつ (特別高等警察)

どっこう 独行 (独り旅) solitary journey Ⓒ; (自力による行動) self-reliance Ⓤ.

どっこうせん 独航船 independent fishing boat Ⓒ.

とっこうたい 特攻隊 ☞ かみかぜ; (特殊訓練を受けたゲリラなどの奇襲隊員) commándo Ⓒ《複 ~(e)s》.

とっこうやく 特効薬 specific (medicine) Ⓒ ★ 特定の病気(リューマチとかマラリアとか)に効く薬という意味.

とっさ 咄嗟 ― [副] (突然) suddenly, all of a sudden ★ 後者のほうが意味が強い; (すぐに) at once, immediately; (一瞬のうちに) in the twinkling of an eye; (本能的に) instinctively. ― [形] (予期しない) unexpected.
¶ それは*とっさの出来事だった (⇒ 急に起こった) It happened *all of a sudden*. / (⇒ 一瞬のうちに起こった) It happened *in the twinkling of an eye*. // 私は*とっさに右に身をかわした (⇒ ほとんど本能的に右によけた) I dodged to the right almost *instinctively*. // 私はその質問に*とっさに答えられなかった (⇒ すぐには) I could not answer the question ⌈*immediately* [*at once*]. // *とっさの質問 (⇒ 予期しない質問) で答えられなかった I was asked an *unexpected* question and could not answer it.

どっさり (たくさんの) a lot of ..., lots of ... [語法] 数にも量にも用いられる; (あり余るほど豊富な) plenty of ...; (あふれるほどの) a flood of ...《☞ たくさん (類義語); 擬声・擬態語 (囲み)》. ¶ 彼女は*どっさりファンレターをもらった She got ⌈*a lot of* [*a flood of*] fan letters.

ドッジボール 〔スポ〕 dodge ball Ⓤ ★ ボールの意味では Ⓒ.

とつしゅうごう 凸集合 〔数〕 convex set Ⓒ.

とっしゅつ 突出 ― [動] (抜きん出ている) stánd óut (自); (目立つ) be prominent; (突き出る) project (自). ― [名] prominence Ⓤ; (突起) projection Ⓒ.《☞ つきでる》.

とつじょ 突如 ― [副] (急に) suddenly; (予期しないときに) unexpectedly.《☞ とつぜん》.

どっしり ― [形] (人の態度などが威厳のある) dignified; (建造物・置物などが) massive. ― [副] in a dignified manner.《☞ 擬声・擬態語 (囲み)》.
¶ その男は*どっしりいすに腰を下ろしていた The man was sitting in a chair *in a dignified manner*.

とっしん 突進 ― [動] (勢いよく走る) rush (自); (急いでいる時などに突っ走る) dash (自), make a ⌈rush [dash]; (めちゃくちゃに走る) run wildly ⌈to [for; toward] ...《☞ はしる (類義語); つっこむ》. ¶ 私は非常口めがけて*突進した I ⌈*dashed* [*made a dash*] *toward* the emergency exit.

ドッジング (サッカー・ラグビーなどで) dodging Ⓤ.

とつぜん 突然 ― [副] suddenly, all of a sudden ★ 後者のほうが意味が強い; (あることに引き続いてすぐに) all at once; (予期しないときに) unexpectedly; (何の予告もせず出し抜けに) abruptly; (予告なしに) without giving (any) notice ★ 辞職など; (青天のへきれきのように) out of the blue, like a bolt ⌈from [out of] the blue ★ この表現は好ましくないことが起こる場合に用いる. ― [形] sudden; unexpected; abrupt.《☞ きゅう¹; とうとつ; だしぬけ》.
¶ 車が*突然止まった The car stopped *suddenly*. / The car came to a ⌈*quick* [*sudden*] stop. // *突然家が揺れ出した *Suddenly* [*All of a sudden*] the house began to shake. // 天候が*突然変わった There was a *sudden* change in the weather. // すると*突然強風が吹いてきた Then *all at once* there came a strong wind. // *突然質問されて (⇒ 予期していない質問をされたので) 答えられなかった Since it was an *unexpected* question, I was unable to answer it. / (⇒ 出し抜けに質問をされて) I was asked an *abrupt* question, and I did not know how to answer it. // 彼の訃(ふ)報は*突然のことだった The news of his death came ⌈*out of the blue* [*like a bolt out of the blue*]. // 彼女は*突然やって来た (⇒ 予期しないときに) She came to see us ⌈*unexpectedly* [(⇒ 約束なしに) *without making an appointment*]. **突然死** sudden death Ⓤ **突然変異** 〖生〗 ― [名] mutation Ⓤ ★ 具体的な事実をいうときは Ⓒ. ― [動] mutate (自) (他) **突然変異体** 〖生〗 mutant Ⓒ.

とったり (相撲の技) *tottari* Ⓤ; (説明的には) arm-bar throw Ⓤ.

とったん 突端 (端) tip Ⓒ; (とがった先端) point Ⓒ. ¶ その町は半島の*突端にある The town is at the *tip* of the peninsula.

どっち which《☞ どちら》. **どっちへ[に]転んでも** ¶ *どっちへ[に]転んでも (⇒ いずれの場合でも) 損はしない I have nothing to lose *either way*. // *どっちへ[に]転んでも大丈夫です *No matter how it turns out*, ⌈we'll [you'll] be all right.

どっちつかず ― [形] (多様な意味に取れてあいまいな) ambiguous; (立場・態度を明確にしなくて) noncommittal; (優柔不断で) indecisive; (言を左右にして) evasive; (中立的で) neutral.《☞ あいまい; ゆうじゅうふだん; にえきらない》.
¶ 彼は*どっちつかずの返事をした He gave an ⌈*ambiguous* [*indecisive*; *evasive*] answer. // これは*どっちつかずの(⇒ 境界線上の)ケースです This is a *borderline* case. // 私は*どっちつかずの立場を取ることにした I decided to take a *neutral* stand.

どっちみち (いずれにせよ) anyway, anyhow, in any way; (遅かれ早かれ) sooner or later; (好むと好まざるとにかかわらず) whether ... like(s) it or not.《☞ おそかれはやかれ; どちらにしても》. ¶ 私は*どっちみちそこに行かなくてはならないだろう I'll have to go there *anyway*. / I'll have to go there *whether I like it or not*. ★ 第 2 文のほうが格式ばった言い方. // *どっちみち (⇒ 遅かれ早かれ) 本当のことがわかるさ The truth will come out *sooner or later*.

とっちめる 取っちめる (ひどい目にあわせる)《略式》give it to *a person*; (しかる) scold (他).《☞ こらしめる; やっつける》. ¶ あいつはあとで*とっちめてやるぞ I'll *give it to* ⌈him [her] later.

どっちもどっち ¶ *どっちもどっちだ (⇒ 両者はほとんど同じだ) The two of them are pretty much the same. / There's not much to choose between the two of them.《☞ ごじっぽひゃっぽ》/ (⇒ どちらも悪い) They are both to blame.

とっちゃんぼうや 父っちゃん坊や grown man who has a boyish side Ⓒ.

とっつかまえる 取っ捕まえる catch (他); nab (他) ★ 後者は口語的.《☞ つかまえる》.

とっつかまる 取っ捕まる be [get] caught; be nabbed ★ 後者は口語的.《☞ つかまる》. ¶ そのすりは*取っ捕まった The pickpocket *was caught*. / (⇒ 現行犯で) The pickpocket *got caught* stealing.

とっつき 取っ付き ¶ 英語は*とっつきやすい (⇒ 英語は最初は習いやすい) English is easy to learn *at* ⌈*the beginning* [*first*]. // あの人は*とっつきやすい[にく

い]人だ(⇒愛想のよい[悪い]) He [She] is ⌈an *affable* [*not* an *affable*] person. / (⇒親しみやすい[にくい]) I find ⌈him [her] ⌈*approachable* [*unapproachable*].

とって 取っ手 (形・用途に関係なく, 最も広い意味での) handle Ⓒ; (握りこぶし状で, ドア・引き出しなどの) knob Ⓒ; (特に引っ張るための) pull Ⓒ; (保持するための) grip Ⓒ; (水差しなどの) ear Ⓒ; (L 字形の) crank Ⓒ. 《☞ え²(挿絵)》.

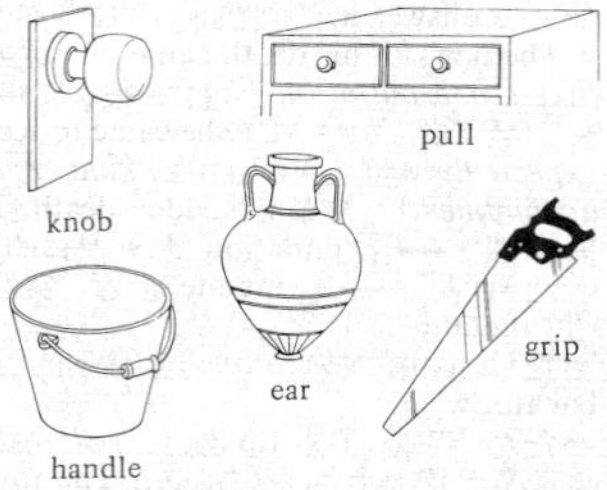

¶なべの*取っ手がとれた The *handle* of the pan came off. // 私はドアの*取っ手を回した I turned the *doorknob.* // (水洗便所の) 水を流すには右に*取っ手を回して下さい To flush, please turn the *handle* to the right. // 引き出しの*取っ手 a drawer *pull*

-とって (…には) to …; (…のためには) for …; (…に関しては) with … 《☞ -には [日英比較]; -としては》.
¶それは私に*とっては大して重要なことではありません It is not very important *to* me. // その問題は彼女に*とって難しすぎた The problem was too difficult *for* her (to solve).

とってい 突堤 (港などの外側に突き出た防波堤) jetty Ⓒ; (壁状の消波堤) breakwater Ⓒ; (船の上陸・荷揚げ用の桟橋) pier Ⓒ ★ 遊歩道・食事などの娯楽施設も含む.

とっておき 取って置き ―[形] (一番よい) best; (価値の高い) valuable; (大切にされている) treasured; (予備の) reserved for special occasions.
¶私は*取って置きの洋服(⇒一番よい服)を着て出かけた I went out in my *best* clothes. // これは*取って置きのウイスキーです (⇒このウイスキーは特別の場合のためにとっておいた) This whisky is *reserved for special occasions.* // 彼は*取って置きの手を使った He *played his trump card.* [参考] 「一番強い札を出す」というトランプの用語から. trump (card) は「切り札」.

とっておく 取って置く (保持する) keep (他) 《過去・過分 kept》; (後のために使わないでおく) set … aside; (商品などを売らないでおく) put … aside; (留保しておく) keep … in reserve ★ やや格式ばった表現; (たくわえる) save (他). 《☞ のこす》.
¶(それはあげますから) *取って置きなさい Please *keep* it. // 先に行ってあなたの隣に席を*取って置いて下さい Will you please go first and *get* me a seat next to yours? // この暑さではこの魚はあしたまで*取って置けませんよ This fish won't *keep* till tomorrow in this heat. [語法] この keep は (自) で「腐らないでもつ・大丈夫である」の意. // 帰りのバス代を*取って置かなくてはならない I have to *set aside* some money for the bus fare home. // 後で来ますから, この本を*取って置いて下さい(⇒別にして置いて) Please *put* this book *aside* for me. I'll come for it later. / (⇒ずっと持っていて) Please *keep* this book for me until I come back. // この段ボール箱は捨てないで*取って置きなさい Don't throw this cardboard box away. *Set* it *aside*.

とってかえす 取って返す (途中から戻る) turn back halfway (自); (折り返す) double back (自). 《☞ ひきかえす》.

とってかわる 取って代わる (…の代わりをする) take *a person's* place, take the place of *a person* ★ 後者のほうが格式ばった言い方; (A を B と入れ換える) replace (A with B). 《☞ かわる²; こうたい¹》.
¶コンピューターがタイプに*取って代わった The computer *has taken the place of* the typewriter. / The typewriter *was replaced by* the computer.

とってくる 取って来る get (他), bring (他), fetch (他), go and ⌈fetch [get] … ★ fetch は《米》ではあまり一般的ではない. 《☞ もってくる》. ¶台所からグラスを 1 つ*取ってきて下さい Please *get* me a glass from the kitchen. // 忘れ物を*取ってきます I'll *go and bring* (back) what I left behind.

とってつけたような 取って付けたような
―[形] (無理に作った) forced Ⓐ 《☞ ふしぜん》.
¶彼女は*取って付けたような笑い方をした She smiled a *forced* smile. / (⇒無理に笑った) She *forced* a smile.

とっても ☞ とても

どっと ―[副] (一気に・勢いよく) in a rush.
―[動] (急に…する) burst out … ing, burst into … 《☞ いっせい¹; 擬声・擬態語 (囲み)》. ¶皆が一斉に*どっと笑った Everybody *burst* ⌈*out* laugh*ing* [*into* laughter]. // 多くの人々が*どっと出てきた Many people came out *in a rush.*

ドット dot Ⓒ 《☞ てん¹》. **ドットプリンター** 〘コンピューター〙 dót-matrix /méɪtrɪks/ prìnter Ⓒ; dót prìnter Ⓒ **ドットマップ** (点地図) dot map Ⓒ.

ドットコム dot-com Ⓒ; Internet business Ⓒ.

とつとつ 訥訥と (ゆっくりと) slowly; (口ごもりながら) falteringly. 《☞ とつべん; 擬声・擬態語 (囲み)》. ¶彼は*とつとつとして語った He talked *slowly*. / (⇒彼は語り続けたが, しばしば途中で次に何を言おうかと考えるためにポーズを置いた) He continued talking but *often paused to think what to say next*.

とっとと (すぐに) right away; (いますぐ) right now ★ 両者とも口語的. 《☞ 擬声・擬態語 (囲み)》.
¶*とっとと出て行け Get out of here! [語法] 普通は特に「早く」の意味の語を使わなくても, この語調で「とっとと」が表される.

とつにゅう 突入 ―[動] (不意をついて全員で襲う) rush at …; (素早い動作で一気に突進する) dash into …; (突撃する) charge (自) (他); (ある状態にする・なる) plunge (他) (自).
¶兵士たちは敵陣に*突入した The soldiers ⌈*rushed at* [*dashed into*] the enemy lines. // 労組は明朝ストに*突入する The labor union will ⌈*go on strike* [*walk out*] tomorrow morning. // 世界は戦争に*突入した The world *was plunged into* war.

とっぱ 突破 ―[動] (切り抜けて進む) break through …; (困難・障害などに打ち勝つ) overcome (他), gèt óver … ★ 後者のほうが口語的; (ある点より増大する・上昇する) rise above …, gò úp above … ★ 後者のほうが口語的. 《☞ こえる¹; こす¹》.
¶彼らは敵陣を*突破した They *broke through* the enemy lines. // 私はあなたが見事入試の難関を*突破することを確信しています I'm sure that you will successfully *overcome* the barrier of the entrance examination. // 志願者の数が今年は 3 万人を*突破した The number of applicants *exceeded* thirty thousand this year. // この付近の土地の 1 平方メートル当たりの単価がついに 100 万円台を*突破した The price of land in this area *has risen above* one million yen per square meter.

突破口 breach Ⓒ ★ 攻撃するときに壁などにあけられた穴;(難問・研究などの) bréakthròugh Ⓒ.

トッパー (女性用のコート) topper Ⓒ, topcoat Ⓒ, half coat Ⓒ.

とっぱつ 突発 ― 動 break [burst] out ⓐ. 突発事故 unexpected [unforeseen] accident Ⓒ 突発性難聴 sudden deafness Ⓤ 突発性発疹〘医〙 exanthema subitum /ègzænθí:mə sú:bətəm/ Ⓤ 突発的 ― 形 (予期しない) unexpected, unforeseen; (予想できない) unpredictable; (突然の) sudden. ― 副 unexpectedly; suddenly, all of a sudden ★ 後者のほうが意味が強い. (☞ とつぜん).

¶ *突発的な (⇒ 衝動的な) 犯行 a *spur-of-the-moment* crime

とっぱな 突端 (最先端) tip Ⓒ; (最初) beginning Ⓒ; (開始) start Ⓒ. (☞ とったん; さいしょ¹).

¶ 彼は*とっぱなからその計画に反対した He was against the plan from the *beginning*.

とっぱらう 取っ払う (取り除く) get rid of...

¶ 男女間の差別を*取っ払う *get rid of* gender discrimination (☞ とりはらう)

とっぱん 凸版 〘印〙 (凸版印刷) letterpress Ⓤ (☞ かっぱん).

とっぴ 突飛 ― 形 (異常な) extraordinary /ɪkstrɔ́ədənèri/; (常軌を逸した) eccentric; (現実離れしている) fantastic; (無謀な) wild; (向こう見ずな) reckless. (☞ きばつ; かたやぶり; ふうがわり; とてつもない).

¶ 何という*突飛な考えだろう What a *fantastic* idea! // こんな*突飛な計画は考慮に値しない Such a ⌈*wild* [*reckless*] plan is not worth considering.

とっぴょうしもない 突拍子もない (突飛で異常な) extraordinary /ɪkstrɔ́ədənèri/; (ひどく空想的な) fantastic; (無謀な) wild, reckless; (ばかばかしい・狂ったような) crazy.

トッピング (食べ物の上にかける) topping Ⓒ.

¶ 生クリームの*トッピング a *topping* of whipped cream

トップ ― 图 (最高位・首位) top Ⓒ; (1番) the first; (レースなどの先頭者) leader Ⓒ. ― 形 (トップの) at the top (of...); (1番の) the first; (レースなどで先頭の) leading; (一流の) first-rate 日英比較 日本語の「トップ」がすべて英語の top と訳せるわけではないことに注意. (☞ せんとう¹; いちばん).

¶ 彼女はいつもクラスの*トップだった She was always *at the top of* her class. // ゴールではだれが*トップでしたか (⇒ だれが第1番にゴールに着いたか) Who reached the finish (line) *first*?

トップを切る ¶ 彼はレースで*トップを切っていた He was ⌈*leading* the race [*taking the lead* in the race]. // 彼は行列の*トップを切って歩いた He walked *at the head* of the procession.

トップアスリート top athlete Ⓒ トップ会談 summit conference Ⓒ トップギア《米》high gear Ⓤ;《英》top gear Ⓤ トップ記事 top story Ⓒ; (新聞の一面の) front-page news Ⓤ. (☞ トップニュース) トップクラス ¶ それは*トップクラスの (⇒ 一流の) 会社です It's a *first-rate* company. トップシークレット ― 形 top secret トップスピン (テニスなどの) topspin Ⓤ. ¶ *トップスピンの打球 a *topspin* ball トップダウン ― 形 top-down トップダウンマネージメント top-down management Ⓤ トップニュース lead story Ⓒ ★ 英語の新聞では最上段右側にのる. トップバッター leadoff (⌈man [woman]) Ⓒ トップマネージメント top management Ⓤ トップモード high style Ⓒ ★「トップモード」は和製英語. トップ屋 (特ダネ記者) scooper Ⓒ トップライト (天窓) skylight Ⓒ; (上方からの光) top light Ⓒ トップランナー leading runner Ⓒ トップレス ― 形 topless トップレディー (第一線で活躍する女性) the first lady トップレベル ― 形 top-level.

とっぷう 突風 gust (of wind) Ⓒ (☞ かぜ²).

トップコート topcoat Ⓒ.

ドップラーこうか ドップラー効果 〘物理〙 the Doppler effect Ⓤ.

とっぷり ¶ 日が*とっぷりと暮れた (⇒ たいへん暗くなった) It got *quite dark*. / (⇒ 夜が来た) Night ⌈*fell* [*closed in*]. 語法 「とっぷり」は「完全に」 completely,「たいへん暗くなる」become [get] quite dark などと訳せるが, 前後関係で特に英語に表さないほうがよいこともある. (☞ 擬声・擬態語 (囲み))

どっぷり ¶ 風呂に*どっぷりとつかる *soak* (*oneself*) in the bath (☞ つかる¹; 擬声・擬態語 (囲み))

とつべん 訥弁 ― 動 (ゆっくり話す) talk [speak] slowly ⓐ; (ゆっくりためらいながら) speak slowly and hesitantly ⓐ. ― 图 (話すのが遅い人) slow speaker Ⓒ; (おずおずと話す人) hesitant speaker Ⓒ. (☞ とつとつと; くちべた).

¶ 彼女は*訥弁だ (⇒ ゆっくり, ためらいながらしゃべる) She ⌈*talks* [*speaks*] *slowly and hesitantly*.

どっぽ 独歩 (ひとりで歩くこと) walking alone Ⓤ; (独立して事を行うこと) self-reliance Ⓤ. (☞ どくりつ (独立独歩)).

とっぽい (気取った) cocky; (きざな) la-di-da /là:didá:/. ¶ *とっぽい若者 a *cocky* young ⌈man [woman]

とつめん 凸面 convex surface Ⓒ. 凸面鏡 cónvex mírror Ⓒ (↔ concave mirror).

とつレンズ 凸レンズ cónvex léns Ⓒ (↔ concave lens) (☞ レンズ).

どて 土手 (堤) bank Ⓒ; (堤防) embankment Ⓒ 語法 以上2語はほぼ同意に用いることもあるが, bank は川・湖などの土手のほかに土の盛り上がったところなども意味する一般的な語であるのに対して, embankment は護岸のための土手のみを言う; (土手道) causeway Ⓒ. (☞ ていぼう¹).

とてい 徒弟 apprentice Ⓒ (☞ でし).

徒弟制度 apprenticeship Ⓤ.

どでかい (巨大な) gigantic; (特大の) jumbo. (☞ きょだい). ¶ *どでかい船 a *gigantic* ship

ドデカフォニー 〘楽〙 (十二音音楽) dodecaphony Ⓤ.

どてっぱら 土手っ腹 (わき腹) side Ⓒ; (腹部) belly Ⓒ. (☞ はら¹). ¶ *土手っ腹に風穴をあけてやるぞ I'll shoot a hole in your *belly*.

とてつもない 途轍もない (値段・要求などが法外な) exorbitant; (不当な) unreasonable; (大きさ・程度などが途方もない) colossal; (信じられない程の) incredible; (誤りの程度などが甚だしくひどい) terrible; (あきれる程の) outrageous /autréɪdʒəs/. (☞ とほう; とんでもない).

どてなべ 土手鍋 one-pot dish cooked with miso spread around the lip of the pot Ⓒ.

とても 1 《非常に》: very; so; really; extremely; terribly; awfully; truly.

【類義語】最も一般的な語は **very**. ほぼ同意だが **very** ほど一般的ではなく, 女性がよく用いる語が **so**. 日本語の 「本当に」 に対応するような意味の語が **really**. 「極度に」という意味で, 程度がかなり進んだ状態を表すやや大げさな語が **extremely**. 日本語の「恐ろしく」に似て, 主に寒さ・暑さ・忙しさなど好ましくない事柄の程度がひどいことを表す口語的な語が **terribly**. 日本語の「ものすごく」に近い意味で, 好ましい事柄にも好ましくない事柄にも用いられる口語的な語が **awfully**. 真実性を強調する語が **truly**. (☞ ひじょうに; じつに)

¶ 彼は*とてもいい人だ He's a *very* good man. // きょうは*とても寒い It's ⌈*awfully* [*so*; *very*; *terribly*]

cold today. // あなたのスピーチは*とてもよかった Your speech was *really* good. // この問題は*とても難しい This problem is ⌈*extremely* [*very*] difficult.

2 《到底》: (恐らく…でない) (cannot) possibly 《☞ とうてい》.

¶私にはそんなことは*とてもできない (⇒恐らくできないでしょう) I *cannot possibly* do such a thing. // *とても私たちが勝てる見込みはない There is ⌈*no* [*hardly any*] hope of our winning.

とてもじゃない ¶*とてもじゃないがそれは無理だ (⇒全く不可能だ) That's *absolutely* impossible. // そんなこと言ったって, *とてもじゃないよ You're asking *the impossible.*

とてもとても ¶*とてもとても, 私などその任じゃありません I'm not *at all* up to the job.

どてら 褞袍 padded dressing gown Ⓒ 《☞ たんぜん》.

とでん 都電 ☞ と² (都電)

どてんと ¶*どてんとひっくり返る topple down *with a thud* 《☞ 擬声・擬態語 (囲み)》

どでんと ☞ どてんと

トト toto Ⓤ ★ イタリアのトトカルチョ (totocalcio) をまねた日本のサッカーくじ. 《☞ トトカルチョ》.

とど 〖動〗 sea lion Ⓒ.

どどいつ 都都逸 *dodoitsu* song Ⓒ; (説明的には) a Japanese 26-syllable limerick sung to samisen accompaniment.

ととう 徒党 ―[名] (グループ) group Ⓒ; (政党内の排他的一派) clique Ⓒ; (特に犯罪に関係したグループ) gang Ⓒ. ―[動] (徒党を組む) form a group ★ 中立的な意味で, よいグループでも悪いグループでもよい; (特に悪事を働くための) gang together (自). ¶その男たちは*徒党を組んでいろいろ悪いことをした The men ⌈*formed a gang* [*ganged together*] and did various bad things.

どとう 怒濤 (高い[押し寄せる, 荒々しい]波) high [surging; violent] waves ★ 複数形で; (荒れた海) rough waters ★ 通例複数形で. 《☞ なみ¹》.

¶船は*怒濤渦巻く海へと乗り出した The ship made headway into *rough waters.* // 敵は*怒濤のように押し寄せた (⇒波のように押し寄せた) The enemy *surged upon* us.

とどうふけん 都道府県 (地区として) Tokyo, 1 *Do* (Hokkaido), 2 *Fu* (Kyoto and Osaka) and 43 Prefectures; (行政単位としての) the Mètropólitan and Prefectural /príːfektʃərəl/ Governments ★ 両者とも複数扱い. 下の成句のように the 47 prefectures (of Japan) と簡略化してもよい. 《☞ どう⁵ [語法]; と²; けん²》. **都道府県議会** Metropolitan and Prefectural Assemblies **都道府県議会議員** member of the Metropolitan and Prefectural Assemblies Ⓒ **都道府県公安委員会** the public safety commissions of the 47 prefectures **都道府県条例** Metropolitan and Prefectural Ordinances **都道府県税** Metropolitan and Prefectural taxes **都道府県選挙管理委員会** the election administration commissions of the 47 prefectures **都道府県知事** Metropolitan and Prefectural governors.

トトカルチョ (サッカー賭博) 《英》 the pools ★ the を付けて複数形で.「トトカルチョ」はイタリア語 *totocalcio* から. 《☞ かけ¹》. ¶*トトカルチョをする do *the pools* // *トトカルチョで1万ポンド当たる win £10,000 ⌈in [on] *the pools*

とどく¹ 届く **1** 《到着する・着く》: (受け取る) receive (他); (手にする) get (他) [語法] (1) 以上2語は受け取る「人」を主語にして. get のほうが口語的; (到着する) get to …, reach (他), arrive (at …) (自) [語法] (2) 以上3語は「物」を主語にして. 第1番が最も口語的; (配達される) be delivered (to …).

¶「私の手紙は*届きましたか (⇒あなたは受け取ったか)」「いいえ, まだです」 "*Have* you ⌈*received* [*gotten*; 《英》 *got*] my letter?" "No, not yet." // 彼女からの手紙がきのう*届きました I *got* her letter yesterday. / Her letter *reached* me yesterday. ★ 前者が口語的. // その小包みはまだ*届かない The parcel *has* not *arrived* yet. / (⇒配達されていない) The parcel *has* not *been delivered* (*to* me).

2 《至る・達する》: (手などが届く) reach (他) (自) [語法] 「手が届く」の意味のときは「人」を主語にする; (…にとどかない) fall short of … 《☞ たっする》.

¶「あの枝に手が*届くかい」「いや, あんなに高いところには*届かないよ」 "Can you *reach* that branch?" "No, I can't *reach* that high." // この本をあの棚に載せてくれませんか. 手が*届かないのです Will you please put this book on that shelf? I can't *reach* it. // それは私の手の*届くところ[*届かないところ]にある It's ⌈*within* [*out of*] *my reach.* ★ この reach は[名]で「手の届く範囲」という意味. // 私は忙しくて子供たちの勉強まで目が*届かない I'm too busy to help my children with their schoolwork. // 矢は的に*届かなかった (⇒矢は的の手前で落ちた) The arrow *fell short of* the mark.

とどく² 渡独 ―[名] visit [trip] to Germany Ⓒ. ―[動] go to [visit] Germany.

とどけ 届け (報告) report Ⓒ; (予告・通告) notice Ⓤ ★ 実際の通知状の場合は Ⓒ; (登録・記録) registration Ⓤ.

¶学校に欠席*届けを出した (⇒学校に欠席する理由を書いたものを出した) I sent in a *written excuse* for my absence from school. / (⇒欠席の報告を提出した) I sent in an absence *report* to the school. // 彼は1か月後に職をやめたいと雇い主に*届けを出した He gave his employer one month's *notice* (of his intention to quit). // 彼女は学校を無*届けで休んだ She was absent from school without ⌈*notice* [any *excuse*]. 《☞ むとどけ》 // 彼らは結婚*届けを出した (⇒結婚を登録してもらった) They had their marriage *registered.* ★ 結婚届けは marriage registration. // 赤ん坊の出生*届けを出した I *registered* our newborn baby. // 死亡*届け a death *notice*

届け先 the (receiver's) address. ¶この小包には*届け先が書いてない There's no *address* on this parcel. **届け済み** ¶その件は*届け済みです The matter *has been reported.* **届け物** (配達品) article to be delivered Ⓒ; (贈り物) gift Ⓒ, present Ⓒ. 《☞ おくりもの》. ¶(配達人のことば) *お届け物です I have a *delivery* for you.

とどけいで 届け出で ―[名] notification Ⓤ. ―[動] make [give] notification. 《☞ とどけで》.

届出伝染病 〖医〗 notifiable infectious disease Ⓒ.

とどけで 届け出 ―[名] (役所などへの) report (to the ⌈authorities [government office]) Ⓒ; (登録) registration Ⓤ. ―[動] (告訴などを提出する) file … with the authorities. 《☞ とどけ; とどける¹》.

とどけでる 届け出る ¶私はその拾い物を警察に*届け出た (⇒持って行った) I *took* the article (that) I found to the police. 《☞ とどける²; とどけ》

とどける¹ 届ける (報告する) report (他); (正式に通知する) notify (他), give … notice ★ 後者のほうが格式ばった言い方; (役所などに登録する) register (他).

¶その件について警察に*届けましたか Did you *report* this incident *to* the police? // 彼は雇い主に仕事をやめたいと*届けた (⇒通告した) He *gave* his employer *notice* (of his intention to quit).

とどける² 届ける (送る) send (他); (持って行く) take (他), bring (他) [語法] 後者は元来は「持ってくる」という意味の語であるが，相手を中心に考えること から「持って行く」に当たる；(配達する) delíver ⑭. 《☞ おくる¹; はいたつ》.
¶その本は郵便でお*届けします I'll *send* the book by mail. //「この手紙を田中さんに*届けてくれません か」「承知しました」"Will you *take* this ˹letter [note] to ˹Mr. [Ms.] Tanaka?" "Certainly." // できるだけ早くお*届けしましょう I'll *bring* it to you as soon as possible.

とどこおり 滞り (停滞) stagnation Ⓤ; (遅滞) delay Ⓒ; (支障) hitch Ⓒ; (支払いの) arrearage Ⓒ.
¶手順に*滞りがあってはならない There must be no *delay* in the procedure.
滞りなく ━副 (すらすらと) smoothly; (不測の事もなく) without a hitch. 《☞ ぶじ》. ¶すべてが*滞りなく運んだ Everything went ˹*smoothly* [*without a hitch*].

とどこおる 滞る ━動 (…が遅れている) be behind (with …; in …) ★「人」を主語とする; (期限が切れている) be overdue ★「料金・借金」などを主語とする; (滞納している) 《格式》 be in arrears /əríəz/. ━形 (遅れた・滞った) back Ⓐ; (未完の) unfinished; (未返済の) unpaid; (期限の過ぎた) overdue. 《☞ たまる; おくれる; ていたい²》.
¶彼は家賃が*滞っている He *is behind in* his rent. / (⇒ 家賃の支払い期限が切れている) His rent *is overdue.* / He *is in arrears with* the rent. // 私は*滞った家賃を支払った I paid my *back* rent.

ととのう 整う，調う ━動 (用意ができた) be ready, be prepared; ((準備が)完了している[した]) be completed; (取り決められる) be arranged. ━形 (服装などがきちんとした) neat; (ちゃんとした) décent; (さっぱりとしてこぎれいな) tidy.
¶すべて準備が*整った Everything *is ready.* / (⇒ すべて準備は完了した) All (the) preparations *have been completed.* // 田中さんと鈴木さんの縁談が*調った A marriage *has been arranged* between Mr. Tanaka and Miss Suzuki. // 彼女[彼]は顔立ちが*整っている (⇒ いい器量だ) She [He] is *good-looking.*

ととのえる 整える，調える (用意する) get … ready; (取り決める) arrange ⑭; (きちんとする) fix ⑭; (整頓する) put … in order. 《☞ ようい¹; じゅんび》. ¶金曜日までに必要な書類を*整えておいてください Please *get* the necessary papers *ready* by Friday. // 試合に備えて体調を*整える必要がある I have to *get in good shape* for the ˹match [game]. // 彼女の部屋はきちんと*整えてあった Her room *was in good order.*

とどのつまり (結局は・ついには) after all; (とうとう) finally; (一番最後の段階で・最後には) in the end. 《☞ けっきょく; ついに》.

とどまつ 椴松 white fir Ⓒ; abies /éɪbiːz/ Ⓒ. ★後者は専門語.

とどまる 止まる，留まる **1** 《残留する》: (同じ場所・地位などにそのままいる) stay ⓐ, remain ⓐ; (後に残る) stay behind ⓐ.
【類義語】ある場所にとどまることを表す一般的な語は **stay**. 特に，ほかは移動するのに，あるものだけが現状のままであることを表すのは **remain**. 後にとどまるという点では **remain** と同じ意味なのが **stay behind** である. 《☞ のこる》 ¶彼が戻ってくるまで，私はここに*とどまります I'll *stay* here until he comes back.
2 《限定する》 ¶そういうことを考えているのは彼一人に*とどまらない (⇒ 彼が唯一の人ではない) He's *not the only* ˹person [one] who thinks that way. // その火事ではわずか 1 軒が全焼したに*とどまった (⇒ その火事はたった 1 軒を全焼しただけだった) The fire ˹destroyed [burned down] *only* one house. // 台風の被害は家屋の倒壊に*とどまらず (⇒ だけでなく，さらに) 多数の負傷者を出した The typhoon *not only* destroyed houses *but* injured many people. // 彼女の野心は*とどまるところを知らなかった (⇒ 限度がなかった) She had *unlimited* ambition. / There was no *end* to her ambition. ★後者のほうが口語的. // 彼は惜しくも 3 位に*とどまった (⇒ 3 位に終わった) He ended up in third place.

とどめ 止め ━名 (相手の苦しみを止めるためのとどめの一撃) coup de grâce /kúːdəgráːs/ Ⓒ ★フランス語からの借用語. ━動 (息の根を止める) finish *a person* off. **とどめを刺す** ¶その兵士はその男に*とどめを刺した The soldier ˹*gave* the man the *coup de grâce* [*finished* the man *off*].

どどめ 土留め retaining wall Ⓒ. ¶*土留めを作る build a *retaining wall*

とどめる 止める，留める (ある状態にしておく) keep ⑭; (範囲を限る) limit ⑭; (持っている) have ⑭; (失わずに保持している) retain ⑭; (後に残す) leave ⑭.
¶彼は重要な問題点を指摘するに*とどめた (⇒ 重要な問題を指摘しただけだった) He *only* pointed out the important issues. // 彼女はいまだに子供のころの面影を*とどめている She still ˹*has* [*retains*] her childhood ˹looks [features]. // 我々は被害を最少限に*とどめる方策を講じた We took steps to *minimize* the damage. // いまは…と言うに*とどめたい *Suffice* it to say that … ★格式ばった表現. // コロンブスはアメリカの発見者として歴史にその名を*とどめた Columbus *left* his name in history as the discoverer of America. // 年会費は 2 千円程度に*とどめたい We would like to *keep* the annual membership fees *within* about 2,000 yen. // そういう話はここまでに*とどめましょう (⇒ ここまでにしましょう) *So much for* the topic for the moment. 《☞ うちわ¹》

とどろかす 轟かす ¶レーシングカーはごう音を*轟かせてサーキットを走った The racing cars *roared* around the circuit. // その作家は文学界に名を*轟かせた The writer's fame *spread* throughout the literary world. // 私は胸を*轟かせて発表を待った I waited for the announcement *with* (*a*) *pounding heart.* 《☞ なりひびく; ひびく》

とどろき 轟き (ごうっという音) roar Ⓒ, roaring sound Ⓒ. 《☞ ごうおん; とどろく》.

とどろく 轟く (砲声などが) roar ⓐ; (耳をつんざくほどの音を立てる) peal ⓐ; (雷鳴がゴロゴロと) rumble ⓐ. ¶彼は一流のピアニストとして名前が*轟いている (⇒ よく知られている) He *is well known* as a first-rate pianist.

ドドンパ buoyant Japanese song format adapted from a Latin rhythm Ⓒ ★説明的な訳.

トナー (コピー機などの) toner /tóunə/ Ⓒ.

ドナー (血液・臓器などの提供者) donor /dóunə/ Ⓒ. ドナーカード dónor càrd Ⓒ.

とない 都内 the Tokyo Metropolitan area 《☞ と²; としん¹》. ¶*都内 23 区 the 23 Wards in *the Tokyo Metropolitan area*

ドナウがわ ドナウ川 ━名 ⓐ the Danube /dǽnjuːb/, the Donau /dóunau/ ★後者はドイツ語より.

となえる¹ 唱える **1** 《誦する》: (暗誦する) recite ⑭; (繰り返して言う) repeat ⑭; (念仏などを) chant ⑭. ¶僧侶は念仏を*唱えた The monk *chanted* prayers.
2 《主張する》: (意見を主張する) ádvocàte ⑭; (意見を人の前に提唱する) advance ⑭; (反対などを) raise ⑭. ¶彼は新しい理論を*唱えた He *advocated* a new theory. // だれも反対を*唱える者はいな

かった Nobody *raised* any objection(s).

となえる² 称える (呼ぶ) call ㊥; (名付ける) name ㊥. (☞ しょうする¹). ¶ 東京が江戸と*称えられた時代 the period when Tokyo *was called* Edo

トナカイ 〘動〙 reindeer /réindiə/ Ⓒ (複 ~, ~s).

どなた ―代 who 日英比較 英語には日本語のように「だれ」「どなた」「どちらさま」のような単語の区別による敬語表現はなく，文の表現法で丁寧さを表す．(☞ だれ¹; どちら; 代名詞 (巻末)).

¶*どなた(様)ですか May I ˹have [ask] your name, please? 語法 (1) Who are you? はぞんざいで，「おまえはだれだ」のような感じ．(☞ 丁寧な表現 (巻末)) / (電話) *Who* is calling, please? / (電話) *Who(m)* am I talking to? 語法 (2) 前者のほうが少し丁寧な感じ．

どなべ 土鍋 earthen pot Ⓒ (☞ なべ).

となり 隣 ―名 (隣の家の人) next-door ˹neighbor [(英) neighbour] Ⓒ; (隣の家の人たち) the neighbors next door 語法 (1) 前後関係でわかれば next door は省略する．ただし，neighbor は「近所の人」という意味で，必ずしも隣の人とは限らない; (家) the house next door Ⓒ, the neighbor's house Ⓒ 語法 (2) ほぼ同意にも使うが，後者は隣だけでなく近所も含む; (席) the next seat; (隣りに座っている人) the person sitting next to … ―形 (隣の) next; (特に家が) next-door Ⓐ, neighboring Ⓐ ★ 後者は近所も含む; adjoining ★ 以上の中で最も格式ばった語．(☞ きんじょ).

¶ 私たちは*隣どうしです We are (*next-door*) *neighbors*. // 山田氏は私たちの*隣に住んでいる Mr. Yamada lives *next door to* us. / Mr. Yamada is our *next-door neighbor*. ★ 後者のほうが格式ばった言い方． // うちの右*隣はお医者さんです The *next door* ˹to [on] my right is a doctor's office. // 女の子たちはみな彼の*隣に座りたがった All the girls wanted to sit *next* to him. // うちの店にはありません．*隣の店に行ってみて下さい I'm sorry we don't have what you want. Please try the *next* store. **隣り合わせ** ¶ 彼らは*隣り合わせの家に住んでいる They live *next door to* each other. // 私は偶然彼女と*隣り合わせになった I happened to sit ˹*beside* her [*next to* her]. **隣近所** (場所・環境または近所の人全体を指して) the neighborhood Ⓤ; (人) neighbors ★ 複数形で． **隣組** (第二次世界大戦中の) neighborhood association Ⓒ **隣付き合い** neighborly relations. ¶ 彼は*隣付き合いをしない He does not *associate with the neighbors*. **隣部屋** the ˹next [adjoining] room **隣村** neighboring village Ⓒ.

となりあう 隣り合う ―形 adjacent, adjoining. ¶*隣り合った二部屋 two ˹*adjacent* [*adjoining*] rooms // *隣り合ってすわる sit ˹*side by side* [*next to each other*]

どなりごえ 怒鳴り声 (どなる大声) roar Ⓒ; (大声の叫び) shout Ⓒ. (☞ どごう¹). ¶ その部屋から*怒鳴り声が聞こえた An *angry roar* came from the room.

どなりこむ 怒鳴り込む (荒々しく入る) storm in …; (怒って苦情を言う) complain angrily ㊀.

¶ 彼はラジオの音がうるさいと私の部屋へ*どなり込んできた He came up to my room *angrily to complain* about the volume of my radio.

どなりたてる 怒鳴り立てる yell sharply (at …) ㊀, rave (at [against] …) ㊀.

どなりちらす 怒鳴り散らす rant and rave ㊀ (☞ どなる; わめく). ¶ 彼は私が彼の車にかすり傷をつけたら*怒鳴り散らした He *ranted and raved* when I made a scratch on his car.

どなりつける 怒鳴りつける (怒って大声でしかる) scold ㊥; (大声を上げる) yell at … (☞ どなる).

¶ 子どもを*怒鳴りつけるのはやめなさい Stop *yelling at* your child.

どなる 怒鳴る shout ㊀, shóut (óut) ㊥. (☞ さけぶ; おおごえ). ¶ そう*どならないで下さい Don't *shout at* me.

ドナルドダック ―名 固 Donald Duck ★ ディズニーのアニメに登場するあひるの名前．

とにかく (いずれにしても) (略式) anyway, (略式) anyhow; (事情はどうあれ) in any case; (どんなことがあっても・いずれにしろ) at any rate ★ 以上は交換可能な場合もある．(☞ なにしろ; とりあえず).

¶*とにかくできるだけのことはしましょう *Anyway*, I will do what I can. / I'll see what I can do. // *とにかく事態は好転している *Anyhow*, [*In any case*] the situation is getting better. // *とにかく私はそんなことはしませんよ I'm not going to do it *at any rate*. // *とにかくそれをやってみましょう *Now* let's try it, shall we? // *とにかく (⇒ まず最初に) 社長に会って下さい *First of all* I'd like you to meet our president.

とにち 渡日 ―動 come [go] (over) to Japan, visit Japan. (☞ らいにち).

どにち 土日 Saturday and Sunday. ¶ 今度の*土日 (⇒ 週末) は忙しくなりそうだ I will be busy this *weekend*.

トニック tonic Ⓒ. **トニックウォーター** tonic water Ⓤ.

とにもかくにも 兎にも角にも anyway, at any rate. (☞ とにかく).

とにゅう 吐乳 ―動 vomit [bring up] milk.

とねりこ 梣 (木) ash (tree) Ⓒ; (木材) ash Ⓤ.

との 殿 ☞ とのさま

どの **1** «疑問詞»: (どちらの) which 語法 限定された中のどれかを尋ねるとき; (だれ) who. (☞ どちら; どんな; だれ¹; 代名詞 (巻末)).

¶「*どの本が欲しいのですか」「これです」 "*Which* book do you want?" "I want this one." // 「窓ガラスを割ったのは*どの子だ」「僕です」 "*Which* boy [*Who*] broke the window?" "I did."

2 «どれでも»: (すべての) every Ⓐ, each, all 語法 every, each は後に単数形が続く．each は特に限定された数のものに使う． all は後に複数名詞が続く．every とほぼ同意だが，every を用いるほうがより口語的． ¶*どの列車も (⇒ すべての列車が) 満員だった *Every* train was [*All* the trains were] full. // このクラスでは*どの生徒も自分の CD プレーヤーを持っている *Each* student in this class has his or her own CD player.

-どの …殿 Mr.; Ms.; Mrs.; Miss 語法 (1)「…氏」に当たる．英語では日本語のように「さん」「氏」「殿」のような区別は一般にはせず，男性は Mr., 女性は Ms. が最も普通; (英) Esq. 語法 (2) かなり格式ばった男性への敬称で esquire の略．公文書など，堅苦しいものにしか使わない．John Brown, Esq. のように氏名の後に付ける．

どのう 土嚢 sandbag Ⓒ. ¶*土のうを積む lay [pile] *sandbags*

とのがた 殿方 (男の人たち) men, gentlemen. (☞ だんせい¹). ¶*殿方用の靴下 socks for *men* // *殿方用 (手洗いなどの掲示) *Gentlemen*

どのくらい ―副 (量・金額など) how much; (距離) how far; (長さ・期間) how long; (高さ) how tall, how high 語法 (1) 地上から連続して測れる高さ，例えば背丈・建物の高さなどでは前者，空中の高度，例えばジャンプした高さ・飛行機の高度などは後者．ただし，山の高さは後者が普通だが，前者も使われる; (幅) how wide; (大きさ) how ˹large [big]; (年齢) how old. 語法 (2) 以上のように，「どのくらい」という言い方は, how に程度の大きいことを表す形容詞, すなわち量であれば little ではなく much を, 長さであれば short ではなく long を加えて用いる. 以上あげたほかに, 種々の形容詞を使って how interesting (どのくらいおもしろいか), how strong (どのくらい強いか[丈夫か]) など, いろいろの表現が可能である. [語法] (3) これに対して, short や little のように程度の低いことを表す形容詞を用いて, *How short* is that bridge? (その橋はどのくらい短いか) のような質問をする場合には, 橋が短いことがすでにわかっていて,「短いとしてもどのくらいの短さか」ということを聞く質問になる. 従って, how little, how small, how low, how narrow などについてもその点を注意する必要がある. ── [形] (量・金額など) how much; (数) how many [語法] (4) これらの後に名詞を付けて用いる. ── [代] (量・金額など) how much; (数) how many; (量・額・重さなど) what. 《☞ なん-》.

¶「あなたの体重は*どのくらいですか」「60 キロです」"*How much* do you weigh?" "I weigh sixty kilograms." / "*What* is your weight?" "It's sixty kilograms." ★ 第一文のほうが口語的. [語法] (5) *How heavy* are you? も使われるが, 上記の表現のほうが普通. //「駅まで*どのくらい (の距離が) ありますか」「歩いて 2, 3 分です [約 300 メートルです]」"*How far* is the station?" "It's only ⌈a few minutes' walk [about three hundred meters] from here." //「東京から大阪まで*どのくらい(の時間が)かかりますか」「新幹線で 2 時間 30 分です」"*How long* does it take (you) to go from Tokyo to Osaka?" "It takes (you) two and a half hours by the ⌈New Tokaido Line [Shinkansen]." //「それは*どのくらいの費用がかかりましたか」「約 20 万円です」"*How much* did it cost you?" "About two hundred thousand yen." // あなたの背丈は*どのくらいですか *How tall* are you? / *What* is your height? ★ 第 1 文のほうが口語的. //「あの山の高さは*どのくらいでしょうか」「3 千メートル以上あります」"*How* ⌈*high* [*tall*] is that mountain?" "It's over three thousand meters ⌈high [tall]." //「あの建物の高さは*どのくらいでしょう」「100 メートルぐらいでしょう」"*How tall* is that building?" "I guess it's about one hundred meters tall." [語法] (6) この場合は high を使わないのが普通. //「あなたはいま*どのくらいお金を持っていますか」「えーと, 千円しかありません」"*How much* money ⌈do you have [have you got] with you?" "Let me see. I have [I've got] only one thousand yen." // あの図書館には*どのくらい本がありますか *How many* books ⌈are there [do they have] in that library? //「君は*どのくらい一生懸命試験勉強しましたか」「毎日 6 時間ずつ 1 週間しました」"*How hard* did you study for the exam?" "I studied six hours a day for a whole week." //「いったいそのラジオは*どのくらい小さいのですか」「ちょうどマッチ箱ぐらいです」"*How small is the radio?*" "It's as small as a matchbox." // そのほうが*どのくらいましかわかりません (⇒ ずっとよい) It's ⌈*much* [*far*] better. [語法] (7) far のほうが意味が強い.

とのこ 砥の粉 polishing powder [U].

とのさま 殿様 lord [C]; (呼びかけ) my lord /mɪ lɔ́ːd/. **殿様扱い** ¶*殿様扱いしてほしくないね I don't want to be *treated like a lord.* **殿様暮らし** ── [動] live like a ⌈lord [prince] [自] **殿様仕事** (しろうと仕事) dilettante work [U] **殿様商売** dilettantish business [U].

とのさまがえる 殿様蛙 〖動〗 leopard frog [C].

とのさまバッタ 殿様バッタ 〖昆〗 migratory locust [C].

どのへん 何の辺 ¶東京の*どの辺にお住まいですか *In what part* of Tokyo do you live? // 今ごろ彼女は*どの辺まで行ったかな *How far* has she gone by now? 《☞ へん²; あたり¹; どこら》

どのみち どの道 (いずれにしろ・とにかく) anyway, anyhow; (2 つのうちどちらになっても) in either case; (結局) after all. 《☞ どっちみち; おそかれはやかれ; どちらにしても》.

-とは ★ この日本語の表現は, その表す内容によって英語ではいろいろの違った表現で表される. ¶人生*とは何か What *is* life? // 彼がそんなことをする*とは驚いた It is surprising *that* he did a thing like that! // 彼女がフランス語を話せる*とは知らなかった I didn't know *that* she could speak French. // こんな少しの灯油では 1 時間*とはもつまい Such a small amount of kerosene won't last *as* ⌈*long* [*much*] *as* (*even*) an hour.

とば 賭場 gambling ⌈place [den] [C].

トパーズ 〖宝石〗 topaz /tóʊpæz/ [U].

ドバイ ── [名] [固] (アラブ首長国連邦を構成する国の一つ) Dubai /duːbáɪ/.

とはいうものの とは言うものの ☞ しかし; だが

とはいえ とは言え (しかし) but ..., however, ... [語法] (1) 後者のほうが格式ばった語. 文頭または文中に用いる; (...だけれども) though ..., although ... [語法] (2) 後者は文頭で多く用いられる. 《☞ しかし (類義語); だが [語法]》.

¶彼は年をとっている*とはいえ元気だ He is old *but* strong. / *Although* he is old, he is strong. ★ 第 1 文のほうが口語的. // *とはいえ, 放っておくわけにはいかない We can't, *however*, leave it as it is.

とばく 賭博 gambling [U] 《☞ かけ¹; ばくち》. **賭博罪** charge of illegal gambling [C] **賭博師** gambler [C] **賭博場** gambling ⌈place [den] [C], casino /kəsíːnoʊ/ [C] 《複 ~s》.

とばくち とば口 (入り口) entrance [C]; (物事の始め) the beginning.

とばし 飛ばし ── [名] stock shuffling [U]. ── [動] disguise losses by transferring depreciated securities among corporate customers (whose fiscal calendars differ) ★ 説明的な訳.

とばす 飛ばす **1** 《物を空中に》: (飛行機などを) fly [他]; (ボールやロケットを打ち上げる) send (up) [他]; (鉄砲の弾などを発射する) shoot [他]; (矢や石などを勢いよく放つ) let fly [他]; (水・泥などを飛散させる) splash [他]. 《☞ とぶ¹》. ¶最初に飛行機を*飛ばしたのはだれですか Who ⌈first *flew* [was the first to *fly*] an airplane? // 彼は遠くの木まで矢を*飛ばした He *shot* an arrow into a distant tree.

2 《車を飛ばす》: drive fast [自] 《☞ うんてん》. ¶事故を起こした時彼は時速 100 キロで車を*飛ばしていた (⇒ 運転していた) He *was driving* as *fast* as a hundred kilometers an hour when the accident occurred.

3 《ページ・行・章などを》: (行・ページなどをとばす) skip [他], skip (over ...) [自]; (意識的に省く) omit [他]. ¶このページは*とばしましょう Let's ⌈*skip* (*over*) [*omit*] this page. // 先生は重要でない章を幾つか*とばした The teacher *omitted* some unimportant chapters.

4 《冗談・デマ・野次などを》: (冗談を言う) make [他]; (こっけいなことを言う) 《略式》 crack [他]; (うわさなどを広げる) spread [他]; (人から人へ広める) circulate [他]. ¶彼は冗談を*飛ばした He ⌈*made* [*cracked*] a joke. // 何者かがデマを*飛ばした (⇒ 意図的に誤ったうわさを広めた) Somebody intentionally ⌈*spread* [*circulated*] the false rumor.

5 《左遷する》: demote (to ...) [他]. ¶彼は本社の支配人から支社の副支配人へ*飛ばされた He *was demoted to* assistant manager of one of the

branches from manager in the head office.
とバス 都バス ☞ とえい¹ (都営バス)
どはずれ 度外れ ―― 形 (度を越した) excessive; (途方もない) exorbitant; (極端な) extreme. ―― 名 excess Ⓤ; extreme Ⓒ. 《☞ けた (桁はずれ); なみはずれた》. ¶ *度外れた要求を出す make an *excessive* claim // *度外れた値段 an *exorbitant* price // そのダイヤの*度外れた大きさに驚いた I was surprised at the *gigantic* size of the diamond.
どはつ 怒髪 **怒髪天をつく** ―― 動 (怒りで煮えくり返る) boil with ⌈rage [anger]. ¶ 彼は*怒髪天をつく思いだった (⇒ かんかんに怒っていた) His *rage was boiling over.*
とばっちり ¶「君も彼らの仲間だろう」「とんでもない, それはとんだ*とばっちりだよ (⇒ 君はまったく思い違いをしている)」"You're a member of that group, aren't you?" "No. You're *completely mistaken.*"
とばっちりを食う (掛かり合いになる) be mixed up (in …) ★ この意味では受身が普通; (巻き添えを食う) get [be] involved (in …). 《☞ まきぞえ》. ¶ 彼はスキャンダルの*とばっちりを食った It turned out that he *was* ⌈*mixed up* [*involved*] *in* the scandal.
どばと 土鳩 〘鳥〙 (common) pigeon Ⓒ 《☞ はと》.
とばり 帳 (たれぎぬ) curtain Ⓒ, hangings ★ 複数形で. ¶ 町に夜の*とばりがおりた The *curtain* of night fell on the town.
とはん 登坂 **登坂車線** (climbing) lane for slower traffic Ⓒ **登坂力** hill climbing ability Ⓤ, gradability Ⓤ. 《☞ とうはん》
とび 鳶 〘鳥〙 kite Ⓒ 《☞ とんび》. **とびが鷹を生む** ¶ *とびが鷹を生むということがよくある (⇒ 天才は普通の両親に生まれる) Quite often, a genius is born to ordinary parents. **とびに油揚げをさらわれる** ☞ とんび **とび職** (建築の足場を作る人) scaffold constructor Ⓒ, 《英》 spiderman Ⓒ.
とびあがる 飛び上がる, 跳び上がる (一般に同じ場所で, または 1 つの場所から別の場所へ跳ぶ) jump (up) ⓐ; (大きく跳ぶ) leap (up) ⓐ; (驚いて) spring to *one's* feet. 《☞ とぶ²; はねる¹ (類義語)》.
¶ 彼女はうれしくて*飛び上がった She *jumped* ⌈*for* [*with*] joy. // 彼はその大きな音で*飛び上がった He *sprang to his feet* at the loud noise. // 彼は*飛び上がらんばかりに驚いた He *was astounded.* 語法 英語ではびっくりして本当に飛び上がる[起きる]以外には spring は使わない.
トピアリー (樹木を装飾的に刈り込むこと) tópiàry Ⓤ.
とびあるく 飛び歩く (仕事などで忙しく走り回る) be on the run; (あたふたと忙しそうに走り回る) bustle ⌈around [about] ⓐ 語法 特定の目的もないような場合をいうことが多い. 《☞ かけまわる; とびまわる; ほんそう¹》.
¶ 彼女はいつもボランティア活動で*飛び歩いている She *is* always *on the run* in connection with volunteer activities. // 彼女は 1 日中忙しく*飛び歩いていた She *was bustling* ⌈*around* [*about*] all day.
とびいし (飛び石) stepping stones ★ 複数形で. **飛び石連休** a series of holidays with one or two intervening workdays ★ 説明的な訳.
とびいた 飛び板 《スポ》 (水泳の飛び込みや体操の) springboard Ⓒ; (特に水泳の飛び込みの) diving board Ⓒ. **飛び板飛び込み** springboard diving Ⓤ.
とびいり 飛び入り ―― 形 (予定外の) unscheduled; (不意の) unexpected. ―― 名 (人) vòluntéer Ⓒ. ¶ *飛び入りで歌いたい方はいませんか Are there any *volunteers* to sing? // このコンテストは*飛び入り自由です (⇒ だれでも参加できる) This contest *is open* to all. // *飛び入り自由《掲示》 *Open* to the Public
とびいろ 鳶色 (赤褐色) reddish brown Ⓤ, auburn Ⓤ; (黄褐色) drab Ⓤ.
とびうお 飛び魚 〘魚〙 flying fish Ⓒ ★ 単複同形.
とびうさぎ 跳兎 〘動〙 (アフリカ産) jumping hare Ⓒ, springhaas /spríŋhɑ̀ːs/ Ⓒ 《複 ～, -hase /-hɑ̀ːzə/》.
とびうつる 飛び移る, 跳び移る jump [leap] from … ⌈to [into] … 《☞ とぶ²》. ¶ 彼は岸からボートに*飛び移った He ⌈*jumped* [*leaped*] *from* the shore *into* the boat.
とびおきる 飛び起きる (ベッドから) jump out of bed ⓐ; (立ち上がる) jump [spring] to *one's* feet. 《☞ はねおきる》.
とびおりじさつ 飛び降り自殺 ―― 動 jump to *one's* death.
とびおりる 飛び降りる, 跳び下りる júmp [léap] dówn (from …) ⓐ ★ leap のほうが大きく跳ぶ動作を表す. ¶ 彼は走っている電車から地面に*飛び降りた He *jumped from* the running train onto the ground. // 彼は 10 メートルの高さから*飛び降りた He ⌈*jumped* [*leaped*] *from* a height of ten meters.
とびかう 飛び交う (鳥・蜂・蝶などが飛び回る) flit [fly; flutter] ⌈about [around] ⓐ 《☞ とぶ¹》. ¶ 蝶が花園を*飛び交っていた Butterflies *were flitting about* in the flower garden. // 噂が*飛び交う Rumors *are flying back and forth.*
とびかかる 飛び掛かる jump [leap; spring] ⌈at [upon] …; (急に襲う) pounce ⌈on [upon] …; (一斉に突然襲いかかる) rush at …, rush ⓣ; (猛烈な勢いで攻める) hurl *oneself* ⌈upon [at] … 《☞ とびつく》.
¶ 犬は勇敢に熊に*飛びかかっていった The dog bravely ⌈*jumped* [*leaped*; *sprang*] *at* the bear. // 猫はねずみに*飛びかかった The cat *pounced on* the rat. // 警官たちはそのピストルを持った男にいっせいに*飛びかかった All at once the police ⌈*rushed* (*at*) [*hurled themselves at*] the man with the pistol.
とびきゅう 飛び級 ―― 名 (grade) skipping Ⓤ. ―― 動 skip ⓣ ⓐ. ¶ 彼女は 4 年から 6 年に*飛び級した (⇒ 5 年を飛び級した) She *skipped* the fifth grade. **飛び級入学制度** acceleration /æksèləréɪʃən/ sỳstem (for highly gifted children) Ⓒ.
とびきり 飛び切り ―― 副 (ずば抜けて) by far, much 語法 (1) 意味は前者のほうが少し強い. いずれも形容詞の最上級に付ける. 冠詞の位置に注意. ((例) by far *the* best, much *the* best); (まさに・本当に) very 語法 (2) by far や much がほかとの比較に重点があるのに対し, very は最上であることの真実性を強調するニュアンスがある. 冠詞が前に来ることに注意. ((例) *the* very best); (極めて) extremely; (例外と言っていいほどに) exceptionally ★ extremely より意味が強い. 《☞ ひじょうに》. ―― 形 ☞ ごくじょう; さいこう¹
¶ これはこの店のワインの中でも*飛び切り上等です This is ⌈*by far* [*much*] the best of all the wines in this store. / This is the *very* best wine in this store. ★ 第 1 文のほうが意味が強い. // あの映画は*飛び切りよかった That ⌈picture [movie; film] was ⌈*exceptionally* [*extremely*] good.
とびぐち 鳶口 fire hook Ⓒ.
とびこえる 飛び越える, 跳び越える (物の上を) jump [leap] over… 語法 leap のほうが大きく跳ぶ動作をいう; (障害物に触れずに) clear ⓣ. 《☞ とぶ²; ジャンプ》. ¶ 溝を*飛び越える *jump* [*leap*]

over the ditch // 彼はハードルをすべて*飛び越えた He *cleared* every hurdle.

とびこす 飛び越す jump over ... 《☞ とびこえる》.

とびこみ 飛び込み (水中への飛び込み, またその競技) dive Ⓒ, diving Ⓤ. ¶ 彼は*飛び込みが得意だ He is「good at *diving* [a good *diver*]. **飛び込み競技** diving competition Ⓒ **飛び込み自殺** ― 動 kill *oneself* [commit suicide] by jumping in front of a train **飛び込み台** diving board Ⓒ ★ springboard Ⓒ ともいう. 《☞ とびいた》.

とびこむ 飛び込む (身を躍らせて) jump into ... ★ 一般的な語で, 以下の語の代わりに使える場合も多い; (大きく跳ね上がって) leap into ...; (急にぱっと) plunge into ...; (… に身を投じる) throw *oneself* into ...; (頭から水中へ) dive into ...; (走り込む) run into ...; (勢いよく走り込む) rush into ...; (車などが) smash into ..., smásh úp ㊀ ★ 後者はめちゃくちゃに壊すことを表す; (鳥などが) fly into ... 《☞ とぶ[1]》.

¶ 彼女は水中に*飛び込んだ She「*jumped* [*dived*; *leaped*; *plunged*] *into* the water. 語法 この文は前後関係がはっきりしていないが, leap や plunge を使うと, 例えばプールなどでの飛び込みの意味にはならない. // 彼はその子供を救おうと火の中に*飛び込んだ He「*ran* [*plunged*; *rushed*] *into* the fire to save the child. // 彼女の家にトラックが*飛び込んだ A truck「*smashed into* [*smashed up*] her house. // きのう家の中にカナリヤが 1 羽*飛び込んできた A canary *flew into* my house yesterday. // 彼は紛争の中へ*飛び込んだ He *threw himself into* the dispute.

とびさる 飛び去る flý awáy ㊁ 《☞ とびたつ》. ¶ 鶴は西の空へ*飛び去った The crane *flew away* into the western sky.

とびしょく 鳶職 ☞ とび

とびだし 飛び出し ¶ *飛び出し注意《掲示》(⇒ 子供が遊んでいる) Children at play / (⇒ 子供に注意) Watch Out For Children 《☞ とびだす》

とびだしナイフ 飛び出しナイフ 《米》 switchblade Ⓒ, 《英》 flick knife Ⓒ.

とびだす 飛び出す (一般的に) júmp óut (of ...) ㊁; (走って) rùn óut (of ...) ㊁; (急いで騒々しく) rúsh óut (of ...) ㊁. ¶ 草むらから野うさぎが*飛び出した A hare *jumped out of* the bush(es). // 彼は(家から)通りへ*飛び出した He「*ran* [*rushed*] *out* (*of* the house) into the street. // 子供が横丁から*飛び出して車にはねられた A child *ran out*「*of* [*from*] the alley and was hit by a car.

とびたつ 飛び立つ (鳥などが飛んで行く) flý awáy ㊁; (飛行機が) tàke óff ㊁. 《☞ とぶ[1]》. ¶ こまどりの子供たちは巣から*飛び立っていった The young robins *flew away* from the nest. // その飛行機は定刻どおりに*飛び立った The plane *took off* on time.

とびち 飛び地 detached piece of land Ⓒ ★ 複数は pieces となる; (自国内に入り込んでいる他国の領土) enclave Ⓒ; (他国内にある自国領土) exclave Ⓒ.

とびちる 飛び散る (こっぱみじんに) fly「to bits [into pieces]; (液体がしぶきとなる) spray ㊁, splash ㊁. 《☞ しぶき》.

¶ 衝撃でガラスが*飛び散った The glass *flew*「*to bits* [*into pieces*] on impact. // ロック歌手は汗をあちこちに*飛び散らせながら舞台中を走り回っていた The rock vocalist was running all over the stage, *splashing* sweat everywhere. // 火花がぱっと*飛び散った Sparks *flew* up.

とびつく 飛び付く jump「at [to] ... ★ 一般的な表現. 以下の語の代わりに使われることもある; (飛び上がって) spring at ...; (勢いよく) pounce on ...; (申し出・機会などに) leap at ... 《☞ とびかかる》. ¶ かえるはしだれ柳に*飛びついた The frog *jumped up to* the weeping willow. // 彼は私の申し出に*飛びついた He「*leaped* [*jumped*] *at* my offer.

トピック (話題) topic Ⓒ; (主題) subject Ⓒ 語法 英語の topic は個人的, 非公式な話題というニュアンスがあり, ややくだけた感じがある. subject のほうはそれより少し格式ばっていて, 広く討論・議論などの主題をいう. 《☞ テーマ》. ¶ 彼はインフレを討論の*トピックにしようと提案した He suggested inflation as the「*topic* [*subject*] of discussion. **トピックニュース** topical news Ⓤ.

トピックス 〘株〙(東京証券取引所[東証]株価指数) TOPIX 《*To*kyo Stock *P*rice *I*nde*x* の略》 ★ 和製の頭字語(とうじご).

とびでる 飛び出る (飛び出す) júmp óut ㊁; (走って出る) rùn óut ㊁. 《☞ とびだす》. ¶ その宝石は目の玉が*飛び出るような値段だった (⇒ 途方もなく高い値段だった) The jewel was *exorbitantly* expensive.

とびどうぐ 飛び道具 missile /mísl/ Ⓒ ★ 矢・弾丸・石など.

とびとび 飛び飛び ― 副 (あちこちに) here and there; (一定の方法やシステムなしに) at random; (間を置いて) at íntervals. 《☞ ところどころ》.

¶ 農家が木の間に*とびとびに見えた Farmhouses could be seen *here and there* among the trees. // 先生は生徒を*とびとびにあてた The teacher called on the students *at random*.

とびにゅうがく 飛び入学 ― 動 enter a higher school by skipping a grade; enter a university without graduating from high school. 《☞ とびきゅう》.

とびぬけて 飛び抜けて (最上級を強めて) by far, much ★ 前者のほうがやや意味が強い; (群を抜いて) outstandingly. 《☞ とびきり; ずばぬける》. ¶ それは*飛び抜けて一番よい It's「*by far* [*much*] the best. // 彼女は*飛び抜けて数学ができる She is *outstandingly* good at mathematics.

とびのく 飛び退く (後[わき]へ) júmp「báck [asíde] ㊁ 《☞ よける; さける[1]》. ¶ 目の前を車が全速力で走ってきたので, 彼は思わず*飛びのいた He automatically *jumped back* when a car went speeding by in front of him.

とびのり 飛び乗り ¶ あのスタントマンは車への*飛び乗りが得意だ The stuntman is good at *jumping into* a moving car. // *飛び乗りはしないで下さい Don't *jump*「*in* [*into*] the moving train.

とびのる 飛び乗る jump「on [into] ... ¶ その男は馬[タクシー]に*飛び乗った The man *jumped*「*on*(*to*) a horse [*into* a taxi]. // 彼女は電車に*飛び乗った She *jumped on*(*to*) the train.

とびばこ 跳び箱 box horse Ⓒ.

とびはなれる 飛び離れる (飛びのく) jump「aside [away] ㊁ 《☞ とびのく; かけはなれる》.

とびはねる 跳びはねる (一般に) júmp úp and dówn ㊁; (子供などが跳んだり走り回ったりする) romp ㊁; (液体がはねる) splash ㊁. 《☞ とぶ[2]; はねる[1] (類義語)》. ¶ 子供たちは芝生の上で*跳びはねている The children *are romping* on the grass. // 料理の油が私の洋服に*とびはねた Cooking oil *splashed* on my clothes.

とびひ 飛び火 ― 動 (火事などが移る) leap to ...; (事件などが波及する) spread to ... ¶ 火事は川の向こう側へ*飛び火した The fire *leaped to* the other side of the river [*across* the river].

とびまわる 飛び回る (空中を) flý「aróund [abóut] ㊁; (頑張って走り回る) hústle「aróund [abóut] ㊁; (あたふたと駆け回る) bústle「aróund

[abóut] ⓐ; (仕事などで忙しく走り回る) be on the run. 《☞ かけまわる》.
¶ 蜂がうちの庭を*飛び回っている Bees *are flying* ˹*around* [*about*] in my garden. // 彼は金策に*飛び回っている He *is* ˹*hustling* [*bustling*] *around* to raise money. // 彼女はいつもあちこち*飛び回っている She *is* always *on the run*.

とびむし 飛び虫 〘昆〙 springtail Ⓒ.

ドビュッシー ── 名 ⓖ (Achille-)Claude Debussy /(ɑːʃíl) klóːd dèrbjusíː/, 1862–1918. ★ フランスの作曲家.

どひょう 土俵 (sumo wrestling) ring Ⓒ.
土俵を割る (土俵の外へ押し出される) be pushed out of the ring; (屈する) give in ⓐ.
土俵入り ¶ 横綱の*土俵入り the ˹*dohyoiri* [*ring entrance*] of the grand champion **土俵際** the edge of the ring; (土壇場) the last ˹minute [moment]. ¶ *土俵際に立たされる (⇒ 窮地に追い込まれる) be driven into a *corner* **土俵溜まり** the area around the sumo wrestling ring occupied by the referee, judges, and wrestlers.

とびら 扉 (戸・ドア) door Ⓒ; (本の題目などの印刷されたページ) title page Ⓒ. 《☞ と¹; ほん (挿絵)》.
¶ 門の*扉 the *door*(*s*) of the gate ★ 2 枚戸なら複数形で. **扉絵** (書物の) frontispiece Ⓒ; (厨子などの) picture on the door of a Buddhist household shrine Ⓒ.

どびん 土瓶 earthenware teapot Ⓒ. **土瓶蒸し** *dobin-mushi* Ⓤ; (説明的には) steamed ... in an earthenware teapot Ⓤ ★ ...の部分に材料名を入れる.

とふ 塗布 ── 動 (薬などをつける) apply ⓗ 《☞ ぬる》. ¶ 1 日 3 回*塗布すること *Apply* three times a day. **塗布剤** liniment Ⓒ.

とぶ¹ 飛ぶ **1** 《空中を》: (鳥・飛行機などが) fly ⓐ 《過去 flew; 過分 flown》 ★「飛行機で行く」の意にもなる; (鳥が空高く舞う・グライダーなどが滑空する) soar ⓐ. 《☞ ひこう¹》. ¶ だちょうは*飛べない Ostriches cannot *fly*. // 私たちはロンドン上空を*飛んだ We *flew* over London. // あした福岡へ*飛びます I'll *fly* to Fukuoka tomorrow.
2 《飛ぶように走る》: fly ⓐ; (急いで行く) rush ⓐ. 《☞ かけつける》. ¶ 彼は彼女の救助に*飛んで行った He *flew* to her rescue. // 彼女は現場に*飛んだ She *rushed* to the scene.
3 《欠けている》 ── 形 missing 《☞ ぬける》. ¶ この本は 4 ページ*飛んでいる (⇒ 欠けている) Four pages are *missing* ˹in [from] this book.
4 《移ってゆく》 ¶ 彼の話はいろいろなところへ*飛ぶ He frequently *jumps* from one topic to another while he is talking.
飛ぶ鳥を落とす勢い ¶ 彼は今や*飛ぶ鳥を落とす勢いだ (⇒ 力の絶頂である) He is now *at the height of his power*. **飛ぶように売れる** ¶ そのおもちゃは*飛ぶように売れた (⇒ ホットケーキのように売れた) The toys *sold like hot cakes*. ★ 慣用表現. **飛んで火に入る夏の虫** A fool hunts for misfortune. 《ことわざ: 愚か者は不幸を求める》 《☞ ひ² 2》

とぶ² 跳ぶ (跳び上がる) jump ⓐ, leap ⓐ 《過去・過分 leaped, leapt》 ★ jump が一般的. leap は跳び方が大きい; (人が片足で, またはカエルなどが両足をそろえてぴょんと跳ぶ) hop ⓐ; (身軽にひょいと跳ぶ) skip ⓐ. 《☞ とびあがる; はねる¹ (類義語); ジャンプ》.
¶ その子は片足で*跳んだ The ˹girl [boy] *hopped* on one foot.

どぶ (一般的に, 溝) (drainage) ditch Ⓒ; (道路沿いの, 主として雨水などの排水溝) gutter Ⓒ, drain Ⓒ. 《☞ みぞ》. ¶ 家の前の*どぶをさらわなければならない We have to clean (out) the ˹*ditch* [*gutter*] in front of our house. **どぶに金を捨てる** ¶ それは*どぶに金を捨てるようなものだ It's like *pouring money down the drain*.
どぶ板 ditch cover Ⓒ. ¶ 彼は*どぶ板区議だ He is a ward assemblyman *who* ˹*takes care of* [*pays attention to*] *ordinary people's lives*. **どぶ板政治** grassroots politics Ⓤ **どぶ川** ditch Ⓒ **どぶさらい** gutter cleaning Ⓤ **どぶ泥** silt Ⓤ.

トフィー (キャラメル風菓子) toffee Ⓒ 《☞ タフィー》.

とぶくろ 戸袋 Japanese box-like recess for stowing (away) shutters Ⓒ [日英比較] 英米の家には普通雨戸がないので戸袋もなく説明的な訳しかできない.

とぶすま 戸襖 sliding wooden door with *fusuma* paper on one side Ⓒ.

とふつ 渡仏 ── 名 visit [trip] to France Ⓒ. ── 動 visit [go to] France.

とぶつ 吐物 vomit Ⓤ, 《略式》 puke Ⓤ.

どぶねずみ 〘動〙 brown rat Ⓒ; (波止場を荒らす) wharf rat Ⓒ. 《☞ ねずみ》.

どぶろく 濁酒 unrefined sake Ⓤ 《☞ さけ¹》.

どふん 土墳 burial mound Ⓒ.

どぶん ── 副 with a ˹splash [plop] 《☞ ざぶん; 擬声・擬態語 (囲み)》. ¶ 彼は水の中へ*どぶんと飛び込んだ He dived into the water *with a* ˹*splash* [*plop*].

とべい 渡米 ── 名 visit [trip] to ˹America [the United States] Ⓒ. ── 動 visit ˹America [the United States], go (over) to ˹America [the United States] [語法] go (over) to のほうが口語的; (渡米の途につく) leave [start] for the U.S. ¶ 近日中に商用で*渡米する予定です I'm going to ˹*visit America* [*go to the United States*] on business in a few days. // 首相はいま*渡米中だ The Prime Minister is now *on a visit to the United States*.

どべい 土塀 mud wall Ⓒ 《☞ へい¹》.

とほ¹ 徒歩 ── 副 (歩いて) on foot [語法]「徒歩で行く」という言い方では walk を使うほうが口語的. 《☞ あるく》. ¶ そこまで*徒歩で約 10 分かかります It takes (you) about ten minutes to ˹*walk* there [go there *on foot*]. / A ten-minute *walk* gets you there. // 私は全行程を*徒歩で行った I *walked* the ˹entire [whole] distance. // 私は*徒歩で通学している I *walk* to school. / I go to school *on foot*. **徒歩旅行** walking tour Ⓒ. ¶ 私たちは*徒歩旅行に行った We ˹went on a *walking tour* [*traveled on foot*].

とほ² 杜甫 ── 名 ⓖ Tu Fu /tùːfúː/, 712–70. ★ 中国の詩人.

とほう 途方 **途方に暮れる** (どうしてよいかわからない) do not know [have no idea] what to do; (困ってしまう) be at a loss [語法] 前者がより一般的; (万策尽きる) be at *one's* wit's end. 《☞ おもいあまる》. ¶ 私は*途方に暮れた (⇒ どうしてよいかわからなかった) I ˹*didn't know* [*had no idea*] *what to do*. / I *was at a loss*. ★ 第 1 文のほうが口語的. // どうやってその費用を払ったらよいか, 彼は*途方に暮れた He *was at his wit's end* to meet the expenses.
途方もない ── 形 (とっぴな) extraórdinàry (↔ ordinary); (不合理な) absurd; (軽蔑するほどばかばかしい) ridiculous; (無謀な・でたらめな) wild; (程度のひどい) awful, terrible; (要求・値段などの法外な) exorbitant /ɪgzɔ́ːəbətnt/ ★ 少し格式ばった語; (信じられないくらいの) 《略式》 incredible. ── 副 (途方もなく) extraordinarily /ɪkstrɔ̀ːədənérəli/; absurdly; ridiculously; exorbitantly; incredibly. 《☞ とっぴ; ばかばかしい; べらぼう》.

¶ 彼女はよく*途方もないことを言う She often says ˹*extraordinary* [*ridiculous; absurd*] things. // 何て*途方もない考えだ What ˹a *wild* [an *absurd*; a *ridiculous*] idea! // 松茸は*途方もない値段だ *Matsutake* is sold at *exorbitant* prices.

トボガン tobóggan Ⓒ ★ 雪や氷の斜面を滑り降りるそり.

どぼく¹ 土木 (civil) engineering Ⓤ; (工事) engineering [public] works ★ 複数形で.
土木機械 earth-moving machine Ⓒ **土木技師** civil engineer Ⓒ **土木工学** civil engineering Ⓤ **土木工事** public [engineering] works ★ 複数形で. **土木作業員** construction worker Ⓒ.

どぼく² 奴僕 (男の召使) manservant Ⓒ《複 menservants》.

トポグラフィー (地形学) topography Ⓤ.

とぼけ 惚け (知らないふり) pretended [feigned] ignorance Ⓤ; (滑稽な言動) doing [saying] something silly Ⓤ; (もうろく) dotage Ⓤ. 《☞ おとぼけ》.
とぼけ顔 ¶ 私は彼女に*とぼけ顔で (⇒ 知らないふりをして) 尋ねた I asked her, *pretending I didn't know*. **とぼけ面** ☞ とぼけ顔

とぼける (知らないふりをする) pretend ˹not to know [ignorance]; (ばかなふりをする) play dumb. 《☞ しらばくれる》.

とぼしい 乏しい ━形 (貧しくて不足している) poor (in …); (必要な量より少ない・不足している) short (of …); (ほとんどない) little, few [語法] 前者は「量」の場合, 後者は「数」の場合. なお, 以上は口語的な語; (大事なものが欠陥と見なされるほど欠けている) deficient (in …) ★ やや格式ばった語.
━動 (欠けている) lack ㊀, be lacking in … ★ 前者のほうが口語的. 《☞ たりない; ふそく¹; かける²》.
¶ 日本は天然資源に*乏しい Japan ˹is *poor in* [has *few*] natural resources. // 日がたつにつれて金が*乏しくなった We ˹ran [got] *short of* money as the days passed. [語法] Money ˹ran [got] short … とは言わない. // ケーキ類はビタミンが*乏しい Cake ˹*lacks* [*is deficient in*] vitamins. ★ [ ] 内のほうが意味が強い.

とぼす 点す ☞ ともす

トポス (文学作品の主題) topos Ⓒ《複 topoi》★ 元はギリシャ語で「場所」を意味する.

とぼとぼ ¶ 向こうに雪の中を*とぼとぼと歩いて行く人がいる There is someone over there ˹*plodding on* [*plodding his way; trudging along*] in the snow. [語法] 足取り重くゆっくり歩くのが plod で, 疲れた足をひきずるように歩くのが trudge. 《☞ 擬声・擬態語 (囲み); よろよろ》

とほほ ¶ *とほほ, なんてばかなんだろう *Oh!* Aren't I the silly one! / *Oh!* How stupid of me!

とぼる 点る ☞ ともる

ドボルザーク ━名 ㊜ Antonín Dvořák /áːntounìːn (d)vɔ́ːʒɑːk/, 1841–1904. ★ チェコの作曲家.

トポロジー (地勢学・位相幾何学) topology Ⓤ.

どぼん ¶ 彼は大きな石を川に*どぼんと投げ込んだ He heaved a big rock and it went *kerplunk* into the river. 《☞ 擬声・擬態語 (囲み)》

とま 苫 woven thatch Ⓤ, woven rushes. **苫屋** hut roofed with woven ˹thatch [rushes] Ⓒ.

どま 土間 earth [(米) dirt] floor Ⓒ.

とます 斗枡 (一斗升) one-*to* measure Ⓒ; (説明的には) square measuring box containing one *to* or about 18 liters Ⓒ. 《☞ と³》.

トマス ━名 (男性名) Thomas /tɑ́məs/ ★ 愛称は Tom.

トマスアクィナス ━名 ㊜ (Saint) Thomas Aquinas /əkwáinəs/, 1225–74. ★ イタリアの神学者・聖人.

トマスモア ☞ モア

とまつ 塗抹 ━動 (塗りつける) smear ㊀; (塗りつぶす) paint out ㊀.

トマト tomato /təméɪtou/ Ⓒ《複 ~es》. **トマトケチャップ** (tomato) ˹ketchup [catsup] Ⓤ **トマトジュース** tomáto jùice Ⓤ **トマトソース** tomato sauce Ⓤ **トマトピューレ** tomato purée /pjuréɪ/ Ⓤ ★ purée の ´ は綴り本来のもの(つけない綴り方もある).

とまどい 戸惑い (ろうばい) confusion Ⓤ; (途方に暮れること) puzzlement Ⓤ, perplexity Ⓤ; (きまりの悪さ) embarrassment Ⓤ. 《☞ とうわく》. ¶ 彼は*とまどいを隠し切れなかった He couldn't conceal his *confusion*.

とまどう 戸惑う (どうしてよいかわからない) do not know what to do; (途方にくれる) be at a loss; (困惑する) be puzzled [語法] be at a loss とほぼ同意にも使う; (頭が混乱してろうばいする) be confused. 《☞ とうわく (類義語); とほう; うろたえる》.
¶ どうしてよいか*とまどってしまった We ˹*didn't know* [*had no idea*] *what to do*. // 彼はその質問に*とまどった He *was confused* by the question.

とまり 泊まり ¶「旅行は日帰りですか, お*泊まりですか」「ひと晩*泊まりです」"Are you coming back on the same day or *staying overnight*?" "I'll *stay overnight*." // 今夜は*泊まりです (⇒ 当直だ) I'm *on duty* tonight. 《☞ とまる²》 **泊まり明け** the day after night duty **泊まり客** overnight guest Ⓒ **泊まり賃** room rate Ⓒ **泊まり番** night duty Ⓤ.

-どまり …止まり ¶ この電車は上野*止まりです (⇒ 上野が終点です) Ueno is the ˹*terminus* [*final stop*] for this train. / (⇒ 上野行きです) This train is (*bound*) *for* Ueno. // 彼は部長*どまりだろう He'll be lucky if he makes it to chief director. 《☞ -ゆき; げんど》

とまりがけ 泊まりがけ ━副 (1 泊して) overnight. ━形 overnight.

とまりぎ 止まり木 (鳥の) perch Ⓒ; (カウンターの高いいす) bar stool Ⓒ.

とまりこみ 泊まり込み ━動 (一晩泊まる) stay overnight ㊁. ¶ 製品の納期に間に合わせるために私たちは 3 日間工場に*泊まり込みをした We *stayed* (*over*) *at* the factory for three days to meet the promised delivery date of our product.

とまりこむ 泊まり込む stay overnight ㊁. ¶ 原稿の締め切りが近いので, その漫画家は仕事場に*泊まり込んだ As ˹her [his] deadline was approaching, the cartoonist *spent the night* at the studio.

とまる¹ 止まる **1** «停止する»: (動いている物が) stop ㊁, come to a stop; (車が) púll úp ㊁; (駐車している) be parked; (時計が) rùn dówn ㊁.
【類義語】一般に動作が止まることを表すのが stop で, 特に自動車や馬車には pull up を用いることもある.「自然に止まる」という感じの言い方が come to a stop で, これをもとにして「がたっと揺れて止まる」jerk to a stop,「急に止まる」come to a sudden stop などの表現ができる.「駐車する」は park で,「駐車している」は be parked. 時計その他の機械が動力が切れて止まるのは run down. 《☞ とめる¹; ていし》
¶ この列車は各駅に*止まる This train *stops* at every station. // この電車は新宿まで*止まりません This train does not *stop* before Shinjuku. // 1 台の黒いリムジンがホテルの玄関に*止まった A black limousine *pulled up* at the ˹door [entrance] of the hotel. // そのタクシーは道の真ん中で突然*止まった The taxi *came to a* sudden *stop* in the middle of the road. // 私たちはガソリンスタンドに*止まって,

道を聞いた We *stopped* at a gas station to ask the way. // 黒いフォードのセダンが消火栓の横に*止まっていた A black Ford sedan *was parked* alongside the fireplug. [語法] (1) was parking とは言わない. (☞ ちゅうしゃ[2]) // 列車はホームに*止まっている The train is *standing* at the platform. [語法] (2) 止まっている状態には be stopping は使わない. // 時計が*止まった The clock *has* ⌈*stopped* [*run down*]. [語法] (3) stop を使う場合は, 止まった原因は不明だが, run down を使えばぜんまいが伸び切ったり, 電池がなくなったりして止まったことを意味する.

2 «やむ»: (続いていたことが) stop (自); (痛みなどが消える) gò (awáy) (自).

¶ 窓のがたがたいう音が*止まった The noise from the rattling window has ⌈*stopped* [*gone*]. // 痛みは*止まりましたか *Is* [*Has*] the pain *gone*? // 歯の痛みが*止まらない My toothache won't *go away*. / My tooth won't *stop* aching. // 涙が*止まらなかった (⇒ 止まることなく流れた) Tears flowed *without stopping*. // 息が*止まりそうだった (⇒ 息が切れそうだった) I was almost *out of* breath. // しばらくは笑いが*止まらなかった I couldn't *stop* laughing for a few minutes.

3 «通じなくなる»: (水・電気が) fail (自), be cut off (☞ だんすい; ていでん). ¶ 水道[電気]が*止まった The ⌈water supply [electricity] *failed*.

4 «鳥が»: (止まり木などに) perch (on …) (自); (降りて止まる) land (on …) (自); (降りて落ち着く) settle (on …) (自); (じっと静止している) sit (on …) (自).

¶ その鳥は彼女の肩に*止まった The bird *perched on* her shoulder. // すずめが 3 羽その枝に*止まった Three sparrows ⌈*landed* [*settled*] *on* the branch. // 黒い鳥が 1 羽あの岩に*止まっている There is a black bird *sitting on* that rock.

とまる[2] 泊まる (一時的に滞在する) stay (at …; in …; with …) (自) [語法] stay ⌈at [in] … はホテルの場合で, 人の家に泊まる場合は stay with が用いられる. (☞ -はく).

¶ 私はアスターホテルに*泊まるつもりです I'm going to *stay at* the Astor Hotel. // 彼女はおばさんのところに*泊まっている She *is staying with* her aunt. // 一番安く*泊まれるのは YMCA か YWCA です The cheapest place to *stay* is the YMCA or YWCA. // 彼はよそで*泊まったことはない He never *stays out* overnight. (☞ がいはく[1]) // 私は*泊まるあてもなかった (⇒ その夜を過ごす場所が思い浮かばなかった) I had no place in mind to *stay the night*. // 一隻の船がその港に*泊まっていた A ship *was at anchor* in the harbor. (☞ ていはく)

とまる[3] 留まる (鳥が木に) perch on …; (固定される) be fixed on …; (心に) remain (自). (☞ とまる[1]; とめる[1]). ¶ 1 匹の猫が目に*とまった (⇒ 私の注意を引いた) A cat *attracted* my attention.

とまれ(こうまれ) (ともかく) at any rate; in any case. (☞ ともかく(も)). ¶ *とまれこうまれ力を出し合おうではないか *In any case*, I think we'd best pool our efforts.

どまんじゅう 土饅頭 burial /bériəl/ mòund [C].

どまんなか ど真ん中 ¶ 繁華街の*ど真ん中 *right in the* ⌈*middle* [*heart*] *of* downtown (☞ まんなか)

とみ 富 (財産) wealth [U]; 《文》 riches ★ 後者は複数扱い; (莫大な財産) fortune [C]. (☞ ざいさん). ¶ 彼は四十代で*富を築いた He ⌈made a *fortune* [became *wealthy*; became *rich*] in his forties.

とみくじ 富くじ lottery [C].

ドミグラスソース démiglàce (sáuce) [U].

ドミトリー ☞ ドーミトリー

ドミナント 〖楽〗 (第 5 音) dominant [C].

とみに (突然に) suddenly; (速く) fast, rapidly ★ 前者がより口語的. ¶ 彼の病気は*とみに悪化した His illness ⌈*suddenly* took a turn for the worse [*rapidly* worsened].

ドミニオン (主権) dominion [U] ★ 領土の場合は [C]; (昔の英連邦の自治領) Dominion [C].

ドミニカ ── [名] (固) Dominica /dàməní:kə/; (ドミニカ国) the Commonwealth of Dominica; (ドミニカ共和国) the Dominican /dəmínɪk(ə)n/ Repúblic. ── [形] Dominican. **ドミニカ人** Domínican [C].

ドミニコしゅうどうかい ドミニコ修道会 the Dominican Order.

ドミノ dóminò [C]. ¶*ドミノをする play *dominoes* **ドミノ肝移植** domino liver transplant [C] **ドミノ効果** the domino effect **ドミノ倒し** ☞ しょうぎ[1] (将棋倒し) **ドミノ理論** the domino theory.

とみん 都民 citizen of Tokyo [C], Tokyoite /tóukiouàɪt/ [C] [語法] -ite は「…の住民」という意味で, Tokyoite は「江戸っ子」という日本語に近い. **都民税** Tokyo metropolitan residents tax [C].

どみん 土民 (土着民) the indigenous /ɪndídʒənəs/ people, native [C].

とむ 富む **1** «豊富である» ── [動] be rich (in …) ★ 最も一般的; (場所が…に富む) abound (in …; with …) (自). ── [形] (豊かな) rich. (☞ ほうふ[1]; ゆたか). ¶ この土地は鉱物資源に*富む This land ⌈*is rich* [*abounds*] *in* minerals. [語法] [ ] 内は格式ばった表現. // 彼女はいろいろな仕事の経験に*富んだ (⇒ 経験のある) 人だ She ⌈*is experienced* [*has a lot of experience*] *in* various fields.

2 «金持ちである» ── [形] (必要以上に金や財産がある) rich; (裕福な生活をしていて社会的にも勢力のある) wealthy. (☞ かねもち (類義語); ゆうふく). ¶ *富む者が幸福だとは限らない *The rich* are not always happy. [語法] 「the＋形容詞」で, その形容詞の性質を持つ人々全体を表す. (☞ 冠詞 (巻末))

トム ── [名] (男子名) Tom ★ Thomas の愛称.

トムソーヤー ── [名] (固) (マークトウェインの小説の主人公) Tom Sawyer. **トムソーヤーの冒険** *The Adventures of Tom Sawyer* ★ Mark Twain (1835–1910) 作の小説.

トムトム tom-tom [C] ★ 平手で打つ胴長の太鼓やスティックで打つジャズなどのドラム.

トムヤムクン (タイの代表的なスープ) Tom Yam Goong [U].

とむらい 弔い (葬式) funeral [C] (☞ そうぎ[1]). **弔い合戦** (復讐戦) avenging battle [C].

とむらう 弔う (葬式に出席する) attend a funeral; (葬式をする) hold a funeral; (冥福(めいふく)を祈る) pray (for …) (自). (☞ そうぎ[1]). ¶ 年 1 回, 原爆の犠牲者を*弔う (⇒ 犠牲者のために) ミサが行われる A mass is held once a year *for* the atom bomb victims.

ドメイン 〖コンピューター〗 domáin [C]. **ドメインネーム[名]** domain name [C] **ドメインネームサーバー** domain name server [C].

とめおき 留め置き **留め置き郵便** general delivery mail [U], 《英》 poste restante /póustrestá:nt/ [U] ★ フランス語から.

とめおく 留め置く (引き留める) detain (他); (一時停止させる) suspend (他); (書き留める) write down (他); (保管する) keep (他). ¶ 生徒たちは放課後*留め置かれた The students *were kept in* after school.

とめがき 留め書き (書き留めておいたもの) notes ★ 通例複数形で; (手紙の結びの言葉) complimentary close [U].

とめがね 留め金 (ベルト・ネックレス・ハンドバッグな

どの) clasp Ⓒ; (戸棚などの) catch Ⓒ. ¶ ネックレスの*留め金を留めて下さい Will you fasten the *clasp* ⌈of [on] my necklace? 《☞ かけがね (挿絵)》

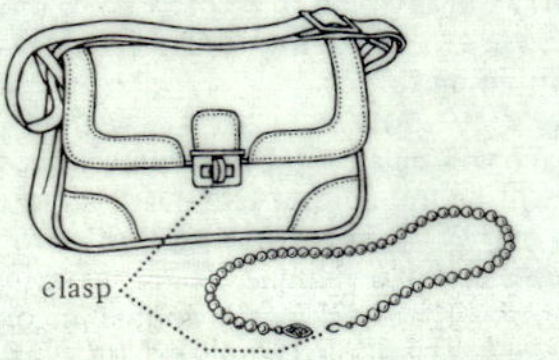

とめぐ 留め具 (戸・ふた・戸棚などの) catch Ⓒ; (ネックレス・バッグなどの) clasp Ⓒ; (ドアなどの) latch Ⓒ. 《☞ とめがね》.

ドメスティック doméstic. **ドメスティックサイエンス** (家政学・家庭科) domestic science Ⓤ **ドメスティックバイオレンス** (家庭内暴力) domestic violence Ⓤ 《略 DV》.

とめそうば 止め相場 (大引け値段) the closing ⌈price [quotation].

とめそで 留め袖 formal kimono (worn by married women on ceremonial occasions) Ⓒ.

とめだて 留め立て ¶ お*留め立てしてすみません I'm sorry to *have kept* you (for) so long. // 君が何をしようと*留め立てするつもりはない I have no intention to *stop* you *from* doing anything. 《☞ とめる¹; せいし³》

とめどなく 止めどなく (際限なく) endlessly, without end. [語法] 前者はやや軽蔑的な意味合いがある. ¶ 彼は*止めどなくしゃべる He talks ⌈*endlessly* [*without end*]. // 涙が*止めどなくあふれた (⇒止めることができなかった) I could not *keep back* the tears.

とめナット 止めナット locknut Ⓒ.

とめぬい 留め縫い making a knot at the end of a sewing thread Ⓤ ★ 説明的な訳.

とめばり 留め針 pin Ⓒ; (安全ピン) safety pin Ⓒ. 《☞ ピン; はり¹》.

とめる¹ 止める, 停める, 留める **1** 《動いているものを》: stop (他) ★ 一般的な語で, 以下の語の代わりにも用いられる; (運転手が車を) púll úp (他) (自); (命令によって) bring ... to a halt ★ やや格式ばった言い方; (停止の合図をする・手などを上げて車を止める) flág (dówn) (他); (駐車させる) park (他); (金品を奪うために強制的に) hòld úp (他); (特にエンジンなどを) kill (他), cut (他) ★ 前者はくだけた言い方. 《☞ とまる¹; ていしゃ》.

¶ 彼は門の所で車を*止めた He ⌈*stopped* his car [*pulled up*] at the gate. // 警官はそのトラックを*止めた (⇒停止させた) The ⌈policeman [policewoman] ⌈*stopped* the truck [*brought* the truck *to a halt*]. // 彼女は手を上げてタクシーを*止めた She *flagged* (*down*) a taxi. // ここに車を*止めてはいけない (⇒駐車してはいけない) Don't *park* your car here. [語法] park は「止めておく」という意味であるのに対して, stop は「止める」という瞬間的な動作なので, この場合には stop は用いない. // 彼らはその車を*止め, 金を奪って逃げた They *stopped* the car and ran away with the money. // 彼女はエンジンを*止めた She ⌈*stopped* [*killed; cut*] the engine.

2 《制止する》: (中止させる) stop (他); (息を) hold (他). 《☞ せいし³; ひきとめる》.

¶ 医者は痛みを*止める錠剤をくれた The doctor gave me some pills to *stop* the pain. // 君が行きたいなら私は*止めない If you want to go, I won't *stop* you. // 私ははっとして息を*止めた I *held* my breath in surprise. // 彼は客が帰ろうとするのを*止めた (⇒もっといるように説得した) He *persuaded* the guest to stay longer.

3 《禁止する》: (禁じる) forbid (他); (公に禁じる) prohibit (他). 《☞ きんし¹; きんじる》.

¶ この薬の使用は*止められている The use of this drug *is prohibited.*

4 《取り付ける》: (ピンで) pin (他); (釘で) nail (他); (テープで) tape (他); (固定する) fasten (他). ¶ 彼女はカレンダーを壁にピン[テープ]で*留めた She ⌈*pinned* [*taped*] the calendar on(to) the wall. // 私はその2枚の板をくぎで*留めた I *nailed* the two boards together.

5 《供給などを停止する》: (使えないように止める) cút óff (他); (スイッチ・栓などを回して) switch óff (他), tùrn óff (他). 《☞ けす》. ¶ ラジオを*止めなさい *Turn off* the radio. // ガスを*止めて下さい Please *turn off* the gas.

6 《記憶する・注意する》 ¶ このことを心に*留めておきなさい *Keep* this in mind. // それは気に*留めなくてよい Don't *worry about* it.

とめる² 泊める (宿を有料で貸す) lodge (他); (有料・無料の区別なく, 宿泊させる) pùt úp (他); (ホテルが客を) accómmodàte (他). 《☞ とまる²; しゅくはく; やど》. ¶ うちでは大学生しか*泊めません We *lodge* only college students. // 私たちは彼をその晩*泊めた We *put* him *up* for the night. // このホテルは 300 人*泊めることができる This hotel can *accommodate* three hundred guests.

とめわん 止め椀 closing bowl Ⓒ; (説明的には) the final course, usually miso soup, of an elegant Japanese party meal.

とも¹ 友 friend Ⓒ 《☞ ともだち; なかま (類義語)》. ¶ *友を得るには, よい友となることだ The best way to get a good *friend* is to be one. // 我々は竹馬の*友だ (⇒子供のころからの友人だ) We have been *friends* ⌈from [since] childhood. // 困っている時の*友が真の*友 A *friend* in need is a *friend* indeed. 《ことわざ》 [語法] まさかの時に頼りにならない友は a fair-weather friend. // 彼は私の心の*友だ He is my closest *friend*. **友の会** ¶ 彼は園芸の*友の会を作った He set up a gardeners' *society*. // 彼女は日本アレルギー*友の会の会員です She belongs to Japan Allergy Volunteer *Association*.

とも² 供 (付き添い人) attendant Ⓒ; (従者) follower Ⓒ; (随行員の一行) suite /swíːt/ Ⓒ. 《☞ ずいこう; つれ; つきそい》. ¶ 王子は一団の*供を連れていた The prince was accompanied by a group of ⌈*followers* [*attendants*]. // どこにでもお*供します (⇒あなたの行く所にはどこへでも喜んで同行します) I'll be glad to *accompany* you wherever you go.

とも³ 艫 (船尾) stern Ⓒ (↔ bow) 《☞ ふね (挿絵)》.

-とも¹ …共 **1** 《両方とも》: both, (both) ... and ..., 《否定》 neither ... nor ...; (一緒に) (along) with ... 《☞ ともに》. ¶ 両親*とも健在です My parents are *both* well. // 私は彼*とも彼の弟*とも付き合いはない (⇒彼も弟も両方とも知らない) I know *neither* him *nor* his brother. // 入賞者は3人*とも女性だった *All* three prizewinners were women.

2 《…を含めて》: including ..., inclusive of ... [語法] 後者のほうが格式ばった言い方で, 有効期間や日付など, 正確を期す場合に用いられる. 《☞ ふくむ¹; こみ》. ¶ 発行日*共, 3日間通用 Good for three days, ⌈*inclusive of* [*including*] the date of issue. // 送料*共5千円です It comes to five thousand yen, *including* (the) postage.

-とも² **1** 《たとえ…でも》: (どんなに…しても) however ..., no matter how ... [語法] no matter を使うほ

うが意味が強い．このほかにも，「事柄」に関しては whatever, no matter what,「場所」に関することなら wherever, no matter where,「時」に関することなら whenever, no matter when などを使う．また譲歩節には may が用いられることもあるが，口語では省略されることが多い；（たとえ…だとしても）though …, even ˹if [though] … ★ 後者のほうが意味が強い．《☞ たとえ[1]; -しても》.

¶ あなたがどんなに頼もう*とも，これをあげるわけにはいかない *No matter how* many times you ask me [*Even if* you beg me], I am not going to give this to you. // 何事が起ころう*とも，この案を放棄するつもりはない *Whatever* happens [*No matter what* happens], I won't give up this plan.

2《強意》:（よろしいです）certainly;（もちろん）of course;（実に・ほんとうに）indeed;（確かに）to be sure,《米略式》surely,《米略式》sure. 日英比較 日本語の「…(だ)とも」に当たるような 1 語の英語はないので，以上のような語を内容に応じて用いる．¶「この本を借りてもよいですか」「結構です*とも」"May I borrow this book?" "Yes, *of course.* / *Certainly.* / *Sure.*" 語法 Sure. はややくだけた言い方．// あなたのおっしゃるとおりです*とも *Certainly* [*To be sure*; *Surely*; *Indeed*], you are right. //「手伝ってくれるかい」「いい*とも」"Will you help me?" "*Sure* [*With pleasure*; *Certainly*; *By all means*]."

3《見積もり》 ¶ 手紙は遅く*とも 3 日後には着く *At the latest,* the letter will reach you in three days. // 少なく*とも 1 万円はお払いします I'll pay you *at least* ten thousand yen.

-ども[1] ¶ 行け*ども行け*ども（⇒ どんどん行ったが）森から出られなかった We went *on and on,* but ˹couldn't get out of [there was no end to] the forest. // 押せ*ども突け*ども（⇒ 押したり突いたりしたにもかかわらず）扉は開かなかった *For all* our pushing and shoving, the door wouldn't open.

【参考語】— 副（どんどん続けて）on and on. — 前（…にもかかわらず）for all …

-ども[2] ☞ -たち

ともあえ 共和え seafood dressed with its liver U ★ 説明的な訳.

ともあれ at any rate; in any case.《☞ とにかく》.
¶ 理由は*ともあれ… *Whatever* the reason, …

-ともあろうものが ¶ 市長*ともあろうものが（⇒ 彼[彼女]の社会的地位を考えれば），そんなことはするまい *Considering* ˹*his* [*her*] *social standing,* the mayor wouldn't do such a thing. // A 氏*ともあろうものが，答弁できないとは It's impossible to imagine that Mr. A, *of all people,* couldn't give the answer. ★ of all … は「よりによって」という意味の慣用句.

ともいと 共糸 thread of the same color C, same-color thread C.

ともうら 共裏 lining made of the same cloth as the outer material C.

ともえ 巴（模様）comma-shaped design C;（紋所）comma-shaped ˹crest [emblem] C.《☞ みつどもえ》. 巴戦（相撲の）three-way play-off C 巴投げ（柔道の技）*tomoe-nage* C, somersault throw C.

ともえり 共襟 collar made of the same material as the ˹kimono [dress] C.

ともがき 友垣 ☞ ともだち

ともかく(も)（いずれにしても）《略式》at any rate, anyway;（事情はどうあれ）in any case;（それでも）nevertheless;（…はともかく）… aside, apart.《☞ とにかく》. ¶ 雨降りだが*ともかくも僕らは球場に行ってみるつもりだ It's raining, but we'll go to the ball park ˹*nevertheless* [*anyway*]. // 人々が何と言おうと*ともかくも私は自分の計画を断行するつもりだ Whatever people may say, I will *nevertheless* carry out my plan. // 冗談は*ともかく（⇒ 別として）どうするつもりだ Joking ˹*apart* [*aside*], what are you going to do? // ここは夏は*ともかく（⇒ 夏は大丈夫だが）冬は寒くて住めたもんじゃないだろう This place will be all right in summer, *but* in winter it will be too cold to live here.《☞ とにかく》

ともかせぎ 共稼ぎ — 動 both work, work together for a living. — 名 working couple C;（共稼ぎの夫婦[家庭]）double income [two-paycheck] ˹couple [family] C.《☞ ともばたらき》. ★ 共稼ぎで子供のない夫婦を DINKS という (*D*ouble *I*ncome *N*o *K*ids の略).

ともがみ 共紙 the same type of paper.

ともがら 輩（仲間）comrades, buddies, fellows ★ 複数形で;（連中）group C; bunch ★ 通例単数形で.《☞ やから》. ¶ 僕はあんな下劣な*輩とはくみしない I am not one of that no-good *bunch.*

ともぎれ 共切れ（同じ布の 1 片）cut [piece] from the same cloth C;（余分に残っていた布）spare cloth U.

ともぐい 共食い — 動（動物などが互いに食べる）prey [feed] on each other. — 形（骨肉相食むような）dog-eat-dog A ★ 比喩的に我勝ちの激しい競争の意でよく用いられる. ¶ ざりがには*共食いする Crawfish ˹*prey* [*feed*] *on each other.* // *共食いの世の中 a *dog-eat-dog* world

ともくずれ 共崩れ — 動 collapse on all fronts 自; be ˹destroyed [ruined] together.

ともしび 灯火（明かり）light C;（たいまつ）torch C.《☞ あかり; ふうぜんのともしび》.
¶ 学問の*ともしびを彼らは燃やし続けた They kept the *torch* of scholarship burning.

ともしらが 共白髪 ¶ *共白髪の夫婦 a couple who *grow old together*

ともす 点す, 灯す（火・明かりをつける）light 他;（スイッチをひねって）tùrn [switch] ón 他.《☞ てんとう[3]; つける[1]》.

ともすると — 動（…しがちである）be ˹apt [liable] to *do* … 語法 liable はよくないことや不利なことに用いる. — 副（時々）sometimes;（多くの場合）in many cases, quite often.
¶ 私たちは*ともすると怠けたがる We *are* ˹*apt* [*liable*] *to* waste our time. // 冒険には*ともすると危険が伴う *Sometimes* [*In many cases; Quite often*] adventures ˹bring risks with them [are attended by risks]. ★ be attended by は格式ばった表現.

ともすれば ☞ ともすると

ともだおれ 共倒れ — 動（一緒に倒れる）go down [fall] together;（ともにだめになる）be ruined together. — 名 joint collapse U. ¶ 彼らは*共倒れになると思う I think they will ˹*go down* [*fall*] *together.* // こんなことをしていたら*共倒れになる（⇒ これは私たちの共倒れにつながるかもしれない）This might lead to *our joint* ˹*collapse* [*downfall*].

ともだち 友達（友人）friend C;（仲間）companion C;（仲のよい友人）《略式》pal C.《☞ とも[1]; なかま（類義語）; しりあい; なかよし》.
¶ 彼は私の*友達だ He is a *friend* of mine. / He is my *friend.* 語法 (1) 前者は不特定の友人を指す場合とか，その友人が初めて話題にのぼった時などに用いられる表現．後者を用いると，話し手も聞き手も了解している特定の友人を指すか，あるいは，「唯一の友人」,「私の味方」といったような意味合いになる．//「ここで何をしているのですか」「*友達を待っているのです」"What are you doing here?" "I'm waiting for a *friend of mine.*" // 彼にはたくさん*友達がいる

He has「a lot of [many] *friends*. / He has *friends* in abundance. ★ 第 2 文はやや文語的. // 男*友達 a (male) *friend* / a *boyfriend* ★ 後者は「恋人」の意となることが多い. // 女*友達 a (female) *friend* / a *girlfriend* ★ 後者は「恋人」の意となることが多いが, 女性から見た「女友達」を指すこともある. // 彼女はほとんど*友達がいない She has very few *friends*. // 彼は父の*友達だ He's a *friend* of my father's. // 彼女は僕とは長年の*友達だ She and I have been *friends* for a long time. / (⇒ 彼女は私の古い友達だ) She is an old *friend* of mine. // 彼と*友達になりたい I'd like to *make friends with* him. [語 法] (2) make friends with … は「親しくなる」という意味の成句. friend は相互関係を示して常に複数形を用いる. // 彼とは家族ぐるみの*友達だ He and his family are all good *friends* of ours. // 彼女とは学校*友達でした She was my「(⇒ 級友) *classmate* [(⇒ 学友) *schoolmate*]. // 私たちは子供のころの遊び*友達でした We *played together* when we were kids. // 彼らは飲み*友達だ They are drinking *buddies*.

友達甲斐 true friendship Ⓤ. ¶*友達甲斐のない友人 (⇒ 都合のよいときだけの友人) a *fair-weather* friend // 私が失業したとき彼の行動は*友達甲斐に欠けるものだった When I lost my job, he didn't *act the way a good friend should*. **友達づきあい** ¶あの人とはもう*友達づきあいをやめた I'*ve broken* (*off my friendship*) *with*「him [her]. // 彼女は多くの人と*友達づきあいをしている She「*is friends* [*is on friendly terms*] *with* many people. / She has a large *circle of friends*. **友達同士** ¶私たちは親しい*友達同士です We are「good [close] *friends*. / He [She] and I are good *friends*. / I am good *friends* with「him [her].

コロケーション
気の合う友達 a congenial *friend* / **共通の友達** a「common [mutual] *friend* / **高校のときの友達** a [an old] high-school *friend*; a *friend* from「high school [*one's* high-school days] / **終生の友達** a life-long *friend* / **真の友達** a true *friend* / **頼りになる友達** a dependable *friend*

ともづな 纜 (船尾索) stern line Ⓒ; (係船索) mooring line Ⓒ. **ともづなを解く** (錨(いかり)を上げる) raise the [weigh] anchor.

ともづり 友釣り sweetfish fishing using another sweetfish as a decoy Ⓤ.

-ともども 共共 together [along] (with …) (☞ -とも¹; ともに). ¶家内*ともどもお祝い申し上げます *We* [*My wife and I*] wish to offer our congratulations.

ともなう 伴う **1** «一緒に行く»: (連れて行く) take ⓗ; (連れてくる) bring ⓗ; (…を同伴する) be accompanied by … (☞ つれている; つれてゆく; どうはん). ¶彼は家族を*伴って旅行に出た He went on a trip *with* his family. / He went off on a trip, *taking* his family *with him*. // 私は妻を*伴ってその会合に行った I *took* my wife to the meeting.
2 «同時に起こる»: go「together [hand in hand]; (ついてまわる) involve ⓗ. ¶権利には責任が*伴うべきだ Rights and responsibilities should *go*「*together* [*hand in hand*]. // その実験は危険を*伴う The experiment *involves* danger.

-ともなく ¶私は見る*ともなく窓から外を見ていた (⇒ ぼんやりと見ていた) I looked *unthinkingly* out (of) the window. // 彼女はどこへ*ともなく立ち去った (⇒ だれもどこへか知らなかった) She was gone *no one knew where*. // 若い男性が一人どこから*ともなくやってきて私に話しかけた A young man came (up) from *nowhere* and spoke to me.

ともに 共に **1** «協力して»: (一緒に) together; (互いに) each other; (同様に) alike. (☞ いっしょ). ¶私は彼と*ともに働いた He and I worked *together*. // *ともに助け合おう Let's help *each other*. // 彼女は彼と苦楽を*ともにした (⇒ 共有した) She *shared* both troubles and joys with him. // ロンドンではずっと彼と行動を*ともにしていた During my stay in London, I was working *with* him all the time.
2 «両方とも»: (both) … and …; (否定) neither … nor …; (一緒に) (along) with … (☞ いっしょ; -とも¹; どうじ¹). ¶私はうれしさと*ともにもの悲しさを感じた I felt *both* happy *and* sad (*at the same time*). // 彼に教科書と*ともに辞書も送った I've sent him a dictionary *along with* the textbook. // それは自他*ともに認める事実である (⇒ 事実であると一般に認められている) It's generally admitted to be true.
3 «…につれて» ―[接] as … ―[前] with … (☞ -つれて; したがって¹). ¶年を取ると*ともに忘れっぽくなってきた *As* I've grown older [*With* the passing of the years], I've become more and more forgetful.
共に天を戴(いただ)かず cannot live in the same world together; be a「mortal [bitter] enemy.

ともぬの 共布 ☞ ともぎれ

ともね 共寝 ―[動] sleep together ⓐ. ¶昨夜彼女は彼と*共寝をした She *shared a bed with* him last night. ★ share his bed は彼のところで共寝をすること. (☞ どうきん)

ともばたらき 共働き ―[動] both work. ―[名] (二人とも働いている夫婦) working couple Ⓒ; (給料の小切手を 2 枚もらっている夫婦) two-paycheck couple Ⓒ ★ 口語的な表現; (共働きの家庭) two-paycheck family Ⓒ; (共働きで子供のいない夫婦) 《略式》DINKS [語 法] DINKS は *D*ouble *I*ncome *N*o *K*ids の頭字語.
¶その夫婦は*共働きだ The couple「*both work* [*both go to work*].

ともびき 友引 *tomobiki* day Ⓒ; (説明的には) day on the Japanese calendar when one's bad luck is believed to affect one's friends, and so funerals are usually avoided on this day Ⓒ.

ともぶた 共蓋 lid made of the same material as the main body Ⓒ; (そろいの蓋) matching lid Ⓒ.

どもり¹ 吃り (興奮などしてどもること) stammer Ⓒ; (習慣的にどもること) stutter Ⓒ; (どもる人) stammerer Ⓒ, stutterer Ⓒ.

どもり² 度盛り ―[名] (目盛り) graduation Ⓒ, calibration Ⓒ ★ いずれも 1 つの計器類の目盛り全体を指す場合は複数形で. ―[動] (度盛りをする) graduate ⓗ, calibrate ⓗ. ¶温度計の*度盛り *calibrations* on a thermometer

どもり³ 土盛り ―[名] raising the ground level Ⓤ. ―[動] (土盛りする) raise the ground level. ¶凹地を土砂で*土盛りする *fill* a sunken place with sand and earth

ともる 点る, 灯る (明かりが) be on ★ 状態をいう. (☞ つける¹). ¶部屋の中にはだれもいなかったが, 明かりが*ともっていた The light *was on*, though there was no one in the room.

どもる 吃る (言葉に詰まって) stammer ⓐ ⓗ; (習慣的に) stutter ⓐ ⓗ; (口ごもる) falter ⓐ ⓗ. (☞ くちごもる).

とや 鳥屋 (鳥小屋) (hen)coop Ⓒ, henhouse Ⓒ. **鳥屋に就く** (鳥が巣で卵を抱く) brood ⓐ, sit on eggs.

どやがい どや街 《米》flophouse district Ⓒ, 《英》

doss house district Ⓒ.

とやかく ¶どうか*とやかく言わないで (⇒私のことに干渉しようとしないで), 私のやりたいことをやらせて下さい Let me do what I want without trying to *meddle in my affairs.* // 彼は私が何をするにも*とやかく言う (⇒批判的である) He *is critical about* whatever I do. // 母は私の旅行計画について*とやかく言っていた (⇒いろいろ反対を唱えた) My mother *raised many objections* to my travel plans. (☞くちだし; あれこれ)

どやしつける yell [bark; shout] (at ...) (自) (☞どやす). ¶宿題を怠けたので先生は大声で少年を*どやしつけた His teacher ⌈*yelled at* the boy [(⇒厳しくしかった) *gave* the boy *a* harsh *dressing-down*] for neglecting his homework.

どやす (どなりつける) roar [thunder] (at ...) (自); (しかる) scold (他). (☞しかる; どなる). ¶彼は怒って弟を*どやした He got angry and *roared at* his brother. // 私はおやじに*どやされた I *was scolded* by my father.

どやどやと —[副] (騒がしく) noisily. —[動] (群がって押し寄せる) crowd (自); (人の波が流れ出る) pour (自). (☞擬声・擬態語 (囲み)).
¶幾組かの人たちが劇場へ*どやどやと入ってきた Several groups of people came *clattering* into the theater. // お客が*どやどやとホールに入ってきた The guests *crowded* into the hall. // 彼らは部屋から*どやどやと出て来た They *poured* out of the room.

とやまえび 富山海老 〔動〕 coonstripe(d) [humpback] shrimp Ⓒ.

とゆう 都有 —[形] (東京都の) Mètropólitan (☞と[2]). ¶*都有地 《掲示》 *Métropòlitan Próperty*

とよあしはら 豊葦原 (the Land of) Abundant Reed Plains ★日本の美称. **豊葦原の中つ国** the Middle Land of Abundant Reed Plains ★日本の美称. **豊葦原の瑞穂国** the Land of Abundant Reed Plains and Rice Fields ★日本の美称.

どよう 土用 the dog days ★複数形で; the *doyo* season; (盛夏) the hottest season. **土用鰻** broiled eel eaten in the ⌈hottest period [dog days] of summer Ⓤ ★英語にはこれに相当する表現がないので, 説明的な訳. 以下のものも同様. **土用波** high waves during the dog days **土用のうしの日** the hottest day of the summer **土用干し** summer airing (of clothes) Ⓤ.

どよう(び) 土曜(日) Saturday Ⓒ 《略 Sat.》 (☞時刻・日付・曜日 (囲み); 略語 (巻末); にちよう(び)).

とよとみひでよし 豊臣秀吉 —[名] (固) Toyotomi Hideyoshi, 1537–98 ★必要があれば Japanese warlord of low birth who achieved the temporary unification of Japan in 1590 という説明を加えるとよい.

どよめき (いままで静かだったところに生じる動揺) stir Ⓒ; (混乱に近い大騒ぎ) commotion Ⓤ. (☞どよめく). ¶その知らせを聞いて, 群衆の中に急に*どよめきが起こった There was a sudden *stir* in the crowd when they heard the news. / The news caused a sudden *stir* in the crowd. ★前者のほうが口語的.

どよめく **1** 《音が鳴り響く》: (長く尾を引いて) resound (自) (☞どっと). ¶劇場は観衆の笑い[拍手]で*どよめいた *The theater resounded with* ⌈the laughter of the audience [a storm of applause].
2 《ざわざわ騒ぐ》: (ある事がどよめきを起す) cause [create] a stir (☞どよめき). ¶バルコニーに王が現れると, 庭の人々は*どよめいた (⇒王のバルコニーへの出現が庭の人々をどよめかせた) The king's appearance on the balcony ⌈*caused* [*created*] *a* great *stir* among the people in the garden.

とら[1] 虎 **1** 《動物》: tiger Ⓒ; (雌) tigress Ⓒ. (☞めす [語法]; 動物の鳴き声 (囲み)).
2 《酔っ払い》: drunk Ⓒ (☞よっぱらい).
虎の威を借るきつね ¶彼は*虎の威を借るきつね (⇒ライオンの皮をかぶったろば) だ He is just *an ass in a lion's skin.* **虎の尾を踏む** step on the tiger's tail; (非常に危険なことをする) take [run] a very ⌈great [big] risk, risk deadly danger. **虎は死して皮を留め, 人は死して名を残す** (人の価値はその業績によって計られる) The value of a person is estimated by ⌈his [her] achievements. **虎は千里往って千里還る** A tiger can run a thousand leagues and return in a day. ★勢いが盛んであることのたとえ. **虎を画(えが)きて狗(いぬ)に類す** Try to be a tiger but look like a dog. / Aim high and shoot low. / **虎を千里の野に放つ** let a tiger run loose.

とら[2] 寅 (十二支の) the Tiger (☞ね[4]).

どら[1] 銅鑼 gong Ⓒ. ¶*どらが鳴って船は桟橋を離れた The *gong* sounded and the ship departed from the pier.

どら[2] (感嘆詞的に) all right, okay. (☞どれ[2]). ¶*どら, それを見せてごらん *All right* [*Okay*], let me see it.

とらい 渡来 —[動] (一般的に, やって来る) come to ...; (海を越えて来る) come ⌈across [over] the sea; (到達する) reach (他); (人が訪れる) visit (他); (導入される) be introduced (from abroad). —[名] coming Ⓤ; visit Ⓒ; (導入・伝来) introduction Ⓤ. (☞つたわる).
¶ポルトガル人たちは長い航海の末, 日本に*渡来した The Portuguese ⌈*came to* [*reached*] Japan after a long voyage. // 黒船の*渡来は日本人を脅かした The ⌈*coming* [*visit*] of the "black ships" was a shock to the Japanese. // キリスト教は16世紀に日本に*渡来した Christianity *was introduced* into Japan in the sixteenth century.
渡来人 ¶中国[朝鮮]からの*渡来人 a ⌈Chinese [Korean] that *settled in Japan* / (⇒帰化人) a *naturalized* ⌈Chinese [Korean]

トライ (ラグビーで) try Ⓒ.

ドライ —[形] (事務的な) businesslike; (現実的な) realistic; (実利的な) pragmatic; (非情・冷酷な) unfeeling, unsentimental, 《略式》 hard-boiled [日英比較] この意味でのドライには dry を用いないので注意すること. dry は「そっけない」という意味では用いられる. (☞わりきる).
¶彼は*ドライな人だ He is *hard-boiled.* // このようなことは*ドライに扱うのがよい It is best to treat these matters *in a businesslike way.*

ドライアイ 〔医〕 (乾燥性角結膜炎) drý éye Ⓤ.

ドライアイス dry ice Ⓤ.

トライアスロン 〔スポ〕 triathlon /traɪǽθlən/ Ⓒ. **トライアスロン選手** triathlete /traɪǽθliːt/ Ⓒ.

トライアル trial Ⓒ.

トライアルアンドエラー —[名] (試行錯誤) trial and error Ⓤ. —[形] trial-and-error.

トライアングル 〔楽器〕 triangle Ⓒ.

ドライカレー curried /kə́ːrid/ pilaf Ⓒ.

ドライクリーニング —[名] dry cleaning Ⓤ. —[動] dry-clean (他). (☞クリーニング). ¶スーツを*ドライクリーニングしてもらった I *had* my suit *dry-cleaned.*

トライシクル (三輪車) tricycle Ⓒ.

ドライスキン (荒れ性の肌) dry skin Ⓤ.

ドライデン —[名] (固) John Dryden, 1631–1700. ★英国の詩人・劇作家で最初の桂冠詩人.

ドライバー[1] (運転する人) driver Ⓒ; (自動車を運転して旅行する人) motorist Ⓒ. (☞うんてんしゅ).
¶この国の*ドライバーはマナーが悪い *Driving man-*

ners in this country are bad. // *ドライバーたちはたいていここで昼食をとる Most *motorists* ʳhave lunch here [come here for lunch].

ドライバー[2] (ねじまわし) screwdriver Ⓒ 日英比較 英語では単に driver とは言わない. 《☞ だいく (挿絵)》. ¶ プラス*ドライバー a Phillips *screwdriver* // マイナス*ドライバー a ʳflathead [common] *screwdriver*

ドライバー[3] (ゴルフの) driver Ⓒ.

トライバリズム (部族意識) tribalism Ⓤ.

ドライビングスクール dríving schòol Ⓒ.

ドライブ ―名 drive Ⓒ; (車で旅行すること) motoring Ⓤ; (車に乗ること・乗せること) ride Ⓒ. ―動 (車を運転する) drive ⓣ ⓘ; (遠くへ車で行く・ドライブする) go for a ʳdrive [ride]. ¶ きのう箱根まで*ドライブした Yesterday we ʳ*went for a drive* [*drove*] to Hakone. // 午後ちょっと*ドライブするつもりです I'm going to *go for a* short *drive* this afternoon. // 楽しい*ドライブでした It was a pleasant ʳ*drive* [*ride*].

ドライブイン (道路沿いのレストラン) roadside restaurant Ⓒ 日英比較 日本のドライブインは車から降りなくてはならないが, 英語の drive-in Ⓒ は車から降りずに用が足せる食堂, 銀行, 映画館などをいう.

ドライブインシアター dríve-in théater Ⓒ.

ドライブインレストラン dríve-in réstaurant Ⓒ ★ 沿道の車に乗ったままで食事のできる軽食堂.

ドライブウェー (高速道路) freeway Ⓒ, expressway Ⓒ, 《英》 motorway Ⓒ; (有料道路) toll road Ⓒ 日英比較 日本語のドライブウェーは自動車用道路の意味だが, 英語の driveway は公道から私邸に至る私道のこと.

ドライブスルー ―形 dríve-thròugh. ¶ *ドライブスルーの洗車場 a *drive-through* car wash

ドライブマップ road map Ⓒ ★ 運転手用の道路地図.

ドライフラワー dried flower Ⓒ.

ドライフルーツ (乾燥果実) dried fruit Ⓤ ★ 種類をいうときは Ⓒ.

ドライマティーニ dry martini Ⓤ ★ カクテルの一種.

ドライミルク (粉乳) dry [powdered] milk Ⓤ.

ドライヤー dryer Ⓒ, drier Ⓒ 語法 「乾燥させる道具・ヘアドライヤー」 などでは, 前者のほうが普通. ¶ *ドライヤーで髪をセットする set [do] *one's* hair with a (*hair*) *dryer*

ドライリハーサル 〖映・テレビ〗 (衣装を着けないで行うリハーサル) dry rehearsal Ⓒ.

トライリンガル ―形 (3か国語に通じた) trilingual. ¶ 彼女は英・独・仏の*トライリンガルです Able to speak English, German, and French, she is *trilingual*.

とらうつぼ 虎鱓 〖魚〗 dragon moray eel Ⓒ.

トラウマ 〖心〗 (心的外傷) trauma /trɔ́ːmə/ Ⓒ 《複 ～s, *-mata*》.

とらえどころ 捉え所 (要点) point Ⓒ. ¶ *とらえ所のない発表 a *pointless* presentation // 彼は*とらえ所のない人です He's *inscrutable*. ★ inscrutable は「計り知れない」の意.

とらえび 虎海老[蝦] 〖動〗 tora velvet shrimp Ⓒ.

とらえる 捕える, 捉える **1** 《捕まえる》: (追いかけて) catch ⓣ; (力ずくで) capture ⓣ ★ 後者のほうが格式ばった語; (逮捕する) arrest ⓣ. 《☞ つかまえる》. ¶ 少年は大きな魚を素手で*捕えた The boy ʳ*caught* [*captured*] a big fish with his bare hands. // 警察は泥棒を*捕えた The police ʳ*arrested* [*caught*] the thief. // 一隻の密航船が*捕えられた A smuggling boat *was caught*.

2 《視野・気持ちなどに入れる》: (見つける) catch sight of ...; (人の心に強く印象づける) impress ⓣ; (魅了する) charm ⓣ, win the heart of .... ¶ 私は遠くに彼の姿を*とらえた I *caught sight of* him in the distance. // 新しい指導者は国民の心を*とらえた (⇒ つかんだ) The new leader *won* the hearts *and minds of* the people. // 私はその機会を*とらえた[*とらえそこなった] I ʳ*seized* [*missed*] the opportunity.

とらがり[1] **虎刈り** ¶ *とら刈りの頭 (⇒ 不揃いに刈られた髪) *unevenly* [*badly*] *cropped* hair

とらがり[2] **虎狩り** tiger hunt Ⓒ. ¶ *虎狩りに行く go on a *tiger hunt*

とらぎす 虎鱚 〖魚〗 rosy sandperch Ⓒ.

ドラキュラ ―名 固 (怪奇小説の主人公の吸血鬼) Dracula /drǽkjulə/.

トラクター tractor Ⓒ.

ドラクマ (ギリシャの旧通貨単位) drachma /drǽkmə/ Ⓒ 《複 ～s, -mae /-miː/》 ★ 記号は d., D., dr., Dr. 《☞ ユーロ》

ドラクロア ―名 固 Ferdinand (Victor Eugène) Delacroix /fèədɪnáːŋ vɪktɔ́ə ɑːʒéɪn dèləkrwáː/, 1798–1863. ★ フランスロマン派の代表的な画家.

とらげ 虎毛 ☞ とらふ

どらごえ どら声 gruff [hoarse] voice Ⓒ.

トラコーマ 〖医〗 trachoma /trəkóʊmə/ Ⓤ 《☞ トラホーム》.

ドラゴン (竜) dragon Ⓒ.

トラジェディー (悲劇) tragedy Ⓒ 《☞ ひげき》.

トラジコメディー (悲喜劇) tragicomedy Ⓒ.

トラジック ―形 (悲劇的な) tragic.

トラス 〖建〗 truss Ⓒ ★ 橋・屋根などを支えるための三角形を単位とする構造. **トラス橋** truss bridge Ⓒ.

ドラスティック ―形 (徹底的な・抜本的な) drastic.

トラスト (企業合同) trust Ⓒ.

トラストファンド (信託資金) trust fund Ⓒ.

ドラセナ 〖植〗 dracaena /drəsíːnə/ Ⓒ.

とらせる 取らせる (目下の者に与える) let *a person* have .... ¶ ほうびを*取らせる *let a person have* a reward

トラッキング (映画撮影やビデオ再生などの) tracking Ⓤ.

トラック[1] (貨物自動車) 《米》 truck Ⓒ, 《英》 lorry Ⓒ.

【類義語】一般的に貨物自動車は 《米》 では ***truck***, 《英》 では ***lorry*** である. car は乗用車だけに用い, トラックには用いない. また日本で「バン」と言われている車のうち, 乗用車に近いタイプのものは 《米》 では (station) wagon, 《英》 では estate car と呼ばれる. 屋根の高い配達用トラックは delivery ʳtruck [《英》 van] という. 「無蓋小型トラック」は pickup (truck), 「軽量トラック」は light ʳtruck [《英》 van], 「油槽トラック」は tank truck, 《英》 tanker, 「牽引車付き大型トラック」は tractor and trailer, 「ダンプカー」は dump truck, 《英》 dumper (truck), tip(per) ʳtruck [lorry] という. ¶ 彼らは*トラックでそれを運び去った They carried it away ʳin a *truck* [by *truck*]. // 彼らは建築材料を運ぶため4トン*トラックを使う They use a 4-ton *truck* to carry building materials /mətí(ə)riəlz/. // *トラック2台分の石炭 two *truckloads* of coal // 彼は*トラックの運転手だ He ʳdrives a *truck* [is a *truck* driver].

トラック[2] (競走路) track Ⓒ. **トラック競技** track event Ⓒ.

ドラッグ[1] (麻薬) drug Ⓒ, narcótic Ⓒ; (薬) medicine Ⓤ. 《☞ くすり 1 (類義語); まやく》.

ドラッグ[2] 〔コンピューター〕 ── [動] drag [他]. ¶ マウスでウインドウを*ドラッグする *drag* a window with a mouse

トラックアンドフィールド ── [名] (陸上競技) track and field [U]. ── [形] track-and-field.

ドラッグストア 《米》 drugstore [C] 《☞ やっきょく》.

トラックターミナル (配送センター) distribution center [C].

ドラッグバント 〔野〕 drag bunt [C].

トラックボール 〔コンピューター〕 trackball [C].

とらつぐみ 虎つぐみ 〔鳥〕 White's ground thrush [C].

ドラッグレース (自動車・オートバイの加速性能を競う競走) drag racing [U]; (個々のレース) drag race [C].

トラッド ── [形] (伝統的な) traditional; 《英略式》 trad.

トラッピング 〔スポ〕 trapping [U].

トラップ (わな・排水管の防臭弁・クレー射出装置など) trap [C].

トラディショナル ── [形] (伝統的な) traditional.

トラディション (伝統) tradition [U] ★ 具体的には [C].

トラデスカンティア 〔植〕 tradescantia /trædeskǽnʃ(i)ə/ [C], spiderwort [C].

とらねこ 虎猫 (虎斑の猫) tabby (cat) [C]; (虎のような) tiger cat [C]; (茶猫) ginger cat [C].

どらねこ どら猫 (野良ねこ) stray cat [C].

とらのこ 虎の子 (大切な物) precious [valued] thing [C]; (貴重品) treasure [C]; (不時に備えて用意しておいた蓄え) nest egg [C]; (虎の子供) tiger cub [C]. ¶ 彼は*虎の子の貯金を使ってしまった He has used up his *precious* savings. // 彼女はその切手を*虎の子のように大事にしている She *treasures* the stamp.

とらのまき 虎の巻 《略式》 crib [C], 《米俗》 pony [C], trot [C]; (権威のある本) bible [C]. ¶ 彼はその英語の教科書の*虎の巻を持っている He has a *crib* to the English reader. // これは私の釣りの*虎の巻だ This is my *bible* of fishing.

トラバース ── [動] (斜面を横切って進む) traverse /trəvə́ːs/ [他].

トラバーユ ── [動] (転職する) change *one's* job, change jobs [参考] 「トラバーユ」 はフランス語の travail (仕事・職業) より. 《☞ てんしょく[1]》.

とらばさみ 虎挟み steel trap [C].

とらひげ 虎鬚 bristly moustache [C].

トラピスト 〔カトリック〕 Trappist [C].

とらふ 虎斑 ── [名] tiger's stripes ★ 複数形で; (ぶち・まだら) brindle [U]. ── [形] (まだらの) striped; brindle(d).

トラフ 〔海〕 (舟状海盆) trough /trɔ́ːf/ [C].

トラファルガーひろば トラファルガー広場 Trafalgar Square ★ ロンドン中心部の広場.

トラファルガル ── [名] [固] Trafalgar ★ スペイン南西端のジブラルタル海峡に面する岬. **トラファルガルの海戦** the Battle of Trafalgar.

トラフィック (交通・データの流れなど) traffic [U]. ¶ ネットワークの*トラフィックが多いと画面表示が遅くなります When network *traffic* is high, video display 「comes up slow [slows down].

トラフガーデン trough garden [C].

とらふぐ 虎河豚 (大型のふぐ) large 「puffer [globefish] [C] ★ 米英では食用にせず, 一般的な名称がないので, 説明的な訳.

ドラフト 〔野〕 draft [C]. ¶ 彼は*ドラフト 1 位(指名)でジャイアンツに入った He was picked (up) first in the *draft* to join the Giants. **ドラフト会議** (委員会) draft commission [C]; (会議) drafting session [C] **ドラフト制** draft system [C].

ドラフトビール (生ビール) draft beer [U].

トラブる (ごたごたを起こす) get into trouble (with ...); (騒ぎを起こす) cause trouble; (故障する) break (down) [自]. 《☞ トラブル》.

トラブル (ごたごた・いざこざ) trouble [U] 《☞ いざこざ》. ¶ 警察と*トラブルを起こす get into *trouble* with the police **トラブルメーカー** (いざこざをよく起こす人) troublemaker [C]; (やっかい者) black sheep [C] ★ 単複同形.

トラベラー 《格式》 traveler (《英》 traveller) [C] 《☞ りょこう (旅行者)》.

トラベラーズチェック traveler's check [C], 《英》 traveller's cheque [C]. 《☞ こぎって》.

トラベリング (バスケットボールの) travel(l)ing [U].

トラベル travel [U] 《☞ りょこう》.

トラベルローン travel loan [C].

トラホーム 〔医〕 trachoma /trəkóumə/ [U].

ドラマ drama [C], play [C] [語法] 前者のほうが意味が広く, 演劇に関すること (演劇を作ることも含めて) すべての総称としても用いる. ほぼ同意になることも多い. 《☞ えんげき; げき[1]》. ¶ 彼女の一生はすばらしい*ドラマだった Her life was a great *drama.* // ラジオ*ドラマ a radio *play* // テレビ*ドラマ a *teleplay* **ドラマ化** ¶ 彼はその小説を*ドラマ化した He turned the novel into a 「*drama* [*play*]. / He *dramatized* the novel. ★ 前者のほうが口語的.

ドラマー (ドラム奏者) drummer [C] [日英比較] 英語の drummer には《米略式》で「商品外交販売員」の意味がある.

とらまえる 捕まえる ☞ つかまえる; とらえる

とらまき 虎巻 (和菓子の一種) bean-paste roll cake [C].

ドラマチスト (劇作家) dramatist [C], playwright [C]. 《☞ きゃくほん (脚本家)》.

ドラマチック ── [形] (劇的な) dramatic; (思い切った) drastic. 《☞ げきてき》. ¶ 我々は*ドラマチックな勝利をおさめた We won a *dramatic* victory. // *ドラマチックな改革が必要である We need some *drastic* reforms.

ドラム 〔楽器〕 drum [C].

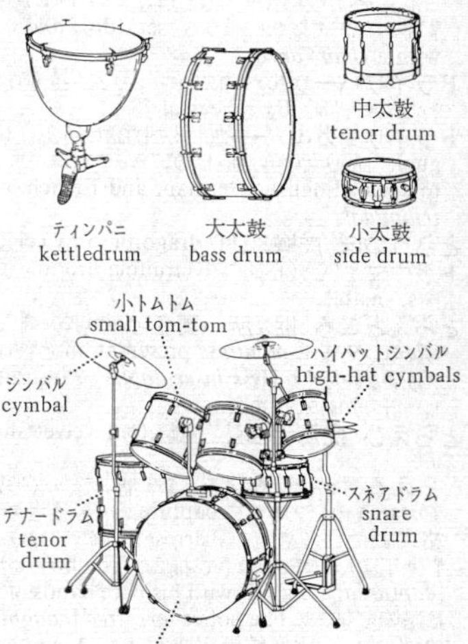

ドラムかん ドラム缶 (石油のドラム缶など) (oil) drum Ⓒ.

どらむすこ どら息子 (金を浪費する) prodigal son Ⓒ; (ごくつぶしで何の役にも立たない) good-for-nothing [shiftless] son Ⓒ; (甘やかされた子) spoiled child Ⓒ.

ドラムブレーキ (自動車などの) drúm bràke Ⓒ.

とらめいし 虎眼石 〔鉱物〕tigereye Ⓒ, tiger's-eye Ⓒ.

どらやき どら焼き *dora-yaki* Ⓒ; (説明的には) pair of round pancakes with sweet bean paste between them Ⓒ.

とらわれ 囚われ captivity Ⓤ (☞ ほりょ). **囚われの身** (捕虜) captive Ⓒ; (囚人) prisoner Ⓒ. ¶彼は2年間*囚われの身だった He was held *in captivity* for two years.

とらわれる 捕われる, 囚われる **1** «捕まる»: be ⌈caught [captured] ★[ ] 内のほうが格式ばった語; (逮捕される) be arrested; (捕虜になる) be taken prisoner. (☞ つかまる; たいほ[1]). ¶彼は敵に*捕われた (⇒ 捕まった) He *was captured* by the enemy. / (⇒ 捕虜になった) He *was taken prisoner* by the enemy.
2 «とりこになる»: (執着する) stick [adhere] to …; (とりこになる) be a slave to …; (先入観にとらわれる) 《格式》be prepossessed with …; (左右される) be ⌈swayed [influenced] by … (☞ こだわる).
¶彼は旧習に*とらわれている (⇒ 古い習慣にしがみついている) He (still) *sticks to* the old customs. / (⇒ 束縛されている) He *is bound* by the old customs. // あの子は悪い子だという先入観に彼女は*とらわれていた She *was prepossessed with* the idea that he was a bad boy. // あなたはあまりにも目先の利益に*とらわれている (⇒ 目先の利益の期待に左右されている) You *are* too much *swayed by* the prospect of an immediate profit. // 外見に*とらわれるな (⇒ 影響されるな) Don't *be influenced by* appearances. // 私は偏見[因習]に*とらわれない (⇒ 偏見[因習]から自由だ) I *am free from* ⌈prejudice [convention].

トランキライザー (鎮静剤) tránquilìzer (《英》tránquillizer) Ⓒ.

トランク **1** «かばん»: (大型の衣装箱) trunk Ⓒ; (携帯用旅行かばん) suitcase Ⓒ, 《英》case Ⓒ

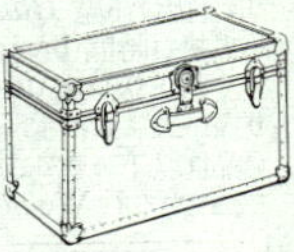

trunk

日英比較 trunk は箱型の旅行用大型かばんで, 1人では持ち歩けない. 日本語では suitcase のこともトランクという場合があることに注意.
2 «自動車の荷物入れ»: 《米》trunk Ⓒ, 《英》boot Ⓒ.

トランクス (運動用の) trunks ★複数形で; (下着の) shorts, boxer shorts ★ともに複数形で.

トランクルーム (自動車の荷物室の広さ) trunk ⌈space [room] Ⓤ; (保管所) depository Ⓒ.

トランシーバー transceiver /trænsíːvɚ/ Ⓒ.

トランジスター transistor Ⓒ. **トランジスターラジオ** transistor (radio) Ⓒ.

トランジット (飛行機の乗り継ぎ) transit Ⓤ.

トランス[1] (変圧器) transfórmer Ⓒ (☞ へんあつ).

トランス[2] (恍惚状態) trance Ⓒ (☞ こうこつ[1]).

トランスアミナーゼ 〔生化〕transaminase /trænsǽmənèɪs/ Ⓤ.

トランスファー (移転) tránsfer Ⓤ ★具体的には Ⓒ. (☞ いどう[1,2]; いてん).

トランスフォーメーション (変形) transformation Ⓤ.

トランスペアレンシー (OHP 用フィルム・写真のポジなど) transparency /trænspé(ə)rənsi/ Ⓒ.

トランスペアレント ━ 形 (透明な) transpárent.

トランスポーテーション (輸送) transportation Ⓤ.

トランスミッション transmission Ⓒ. ¶オートマチック*トランスミッション an automatic *transmission* **トランスミッションギア** transmission gear Ⓒ.

トランスミッター (送信機) transmitter Ⓒ.

トランスレーション (翻訳) translation Ⓤ.

トランスレーター (翻訳者) translator Ⓒ.

トランプ (トランプの札) (playing) card Ⓒ ★「トランプ遊び」の意味では複数形で使う; (一組) deck [《英》pack] of cards Ⓒ. 日英比較 英語の trump は「切り札」のこと. (☞ きりふだ). ¶*トランプをやろう Let's play ⌈*cards* [some *card* games]. // *トランプを切る shuffle the *cards* // 彼女が*トランプを配った She dealt the *cards*. // *トランプの手品 *card* tricks **トランプ占い** fortune-telling from cards Ⓤ.

トランペット 〔楽器〕trumpet Ⓒ. ¶*トランペットを吹く play the *trumpet* 語法 儀式などでけたたましく吹き鳴らすときは sound 他, blow 他 も用いる. **トランペット奏者** trumpet player Ⓒ, trúmpeter Ⓒ.

トランポリン 〔スポ〕trampoline /træ̀mpəlíːn/ Ⓒ.

とり[1] **鳥, 鶏** **1** «動物»: (一般的に) bird Ⓒ; (鶏) chicken Ⓒ, fowl Ⓒ; (家禽) poultry Ⓤ 語法 (1)「鶏・あひる・七面鳥」など, 食用に飼われる鳥の総称が poultry で, 複数扱い. fowl もこれらの鳥を指すが, 特に成長した「鶏」を指すことが多い. 語法 (2) 鳥が「飛ぶ」は一般的には fly. 飛び方によって (空高く舞い上がる) soar up; (空高く舞う) soar; (すばやく飛ぶ) dart; (軽やかに飛び回る) flit; (急降下して…を襲う) swoop down on …; (旋回する) wheel など. (☞ ことり; にわとり; 動物の鳴き声 (囲み)).

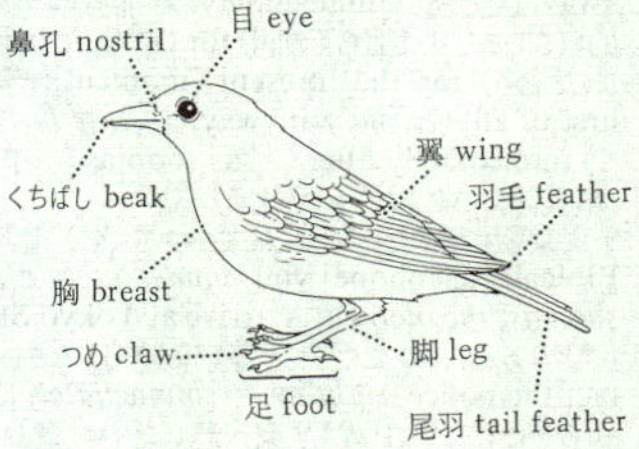

¶*鳥の中には飛べないものもいる Not all *birds* can fly. // *鳥が3羽木に止まっている There are three *birds* perched in the tree. // 彼女は卵を売るために*とり (⇒ 鶏) を飼っている She keeps ⌈*chickens* [*hens*] to sell the eggs.
2 «とり肉»: (鶏肉, 特に若どりの肉) chicken Ⓤ; (鶏以外も含めて) poultry Ⓤ. (☞ にく; チキン).
¶*とり肉はいまが安い *Poultry* is cheap now. // 私は夕食に*とり (⇒ 鶏肉) を食べた I ⌈had [ate] some *chicken* for supper.
鳥無き里のこうもり (つまらない人の間で偉く見える人) a Triton ⌈among [of] the minnows. **鳥インフルエンザ** ☞ 見出し **鳥の巣** (bird's) nest Ⓒ.

コロケーション
鳥がさえずる *birds* ⌈sing [chirp; twitter; warble] / 鳥がつつく a *bird* pecks (at) … / 鳥が飛び去る a *bird* flaps away / 鳥が飛び回る a *bird* flies about / 鳥が舞い上がる *birds* soar / 鳥が群れをなす *birds* flock together / 鳥が渡る some *birds* migrate // かごに入った鳥 a caged *bird*

とり[2] **酉** (十二支の) the Cock, 《米》 the Rooster. 《☞ ね[4]》. **酉の市** the Cock Fairs held in November at the Otori shrines in Tokyo ★ 説明的な訳. **酉の日** the Day of the ˹Cook [Rooster].

とり[3] (最後の(最も重要な)出演者) the last (and most important) performer of the day ★ 説明的な訳. ¶ *とりを取る be *the* ˹*last* [*featured*] *performer* 《☞ しゅやく》

ドリア dish of pilaf with a topping of white sauce and cheese, baked in the oven Ⓒ. ★ 説明的な訳. ドリアはイタリアの人名にちなみ, 本来は肉・魚料理に用いる語で, 日本語とは意味が違う.

とりあい 取り合い ── 名 scramble Ⓒ. ── 動 (…を奪い合う) scramble for … ¶ 子供たちはそのボールの*取り合いをした The children *scrambled for* the ball.

とりあう 取り合う 1 《互いに取る》 ¶ 彼らは手を*取り合って (⇒ お互い握手して) 成功を祝った They *shook each other's hands* and celebrated their success. // 私はあなた方みんなと手を*取り合って (⇒ 手に手を取って) やっていきたい I would like to work *hand in hand* with all of you. / (⇒ 協力したい) I would like to *cooperate* with all of you.
2 《奪い合う》: scramble for …; (競って) struggle for … ¶ 2 人の子供は席を*取り合った The two children ˹*scrambled* [*struggled*] *for* ˹a [the] seat.
3 《相手になる》 ¶ 彼は私の忠告を*取り合わなかった (⇒ 無視した) He ˹*ignored* [*disregarded*] my advice. 語法 disregard のほうが格式ばった語. / (⇒ 忠告に耳を貸さなかった) He ˹*turned a deaf ear* [*wouldn't listen*] *to* my advice. // 彼女の言うことは*取り合わない (⇒ 留意しない [かまわない]) つもりだ I won't ˹*pay any attention to* [*take any notice of*] what she says. 《☞ とりあげる》

とりあえず 取り敢えず ── 副 (いますぐ) right away; (ただちに) immediately ★ 前者のほうが口語的; (さしあたり・しばらくの間) for the time being; (いまのところ) for the ˹present [moment]; (第一に) first of all; (とにかく) anyway. ── 接 (…するとすぐ) immediately after …, as soon as … 《☞ すぐ (類義語); さしあたり; いちおう》.
¶ 東京駅に着いたら*とりあえず (⇒ すぐに) 電話します I'll ˹call [telephone] you ˹*immediately after* [*as soon as*; *the moment*] I arrive at Tokyo Station. // *とりあえず (⇒ ただちに) 警察に連絡しなさい Contact the police ˹*right away* [*immediately*]. // その知らせに私は*とりあえず家へ急いだ (⇒ 急いで家へ行った) I *rushed* home at the news. // *とりあえず (⇒ さしあたり) 独力でやってゆきます I will manage without help *for the time being*. // *とりあえず (⇒ まず第一に) 資金を調達しなければならない *First of all* we have to raise the funds.

とりあげる 取り上げる 1 《手に取る》: tàke [pìck] úp 他 《☞ とる》. ¶ 彼はペンを*取り上げて書類に署名した He *took up* his pen and signed the document.
2 《採用する》: (採用する) adopt 他; (承認する) approve 他; (聞き入れる) listen to …; (受け入れる) accept 他; (考慮する) consider 他; (記事にする) feature 他. 《☞ とりあう》.
¶ 委員会は彼の計画を*取り上げた (⇒ 採用[承認]した) The committee ˹*adopted* [*approved*] his plan. // 彼らは私の提案[忠告]を*取り上げなかった (⇒ 耳を貸さなかった) They didn't *listen to* my ˹proposal [advice]. / (⇒ 拒絶した) They ˹*turned down* [*rejected*] my ˹proposal [advice]. // 私たちはその問題を次の会で*取り上げる (⇒ 考慮する) ことにした We decided to ˹*consider* [*take up*] the problem at the next meeting. // その火事は新聞に大きく*取り上げられた (⇒ 記事にされた) The fire *was featured* in the newspapers. // それは特に*取り上げて言うほどのことではない It is nothing to *speak of*.
3 《奪い取る》: (取り去る) take away 他 ★ 最も口語的で一般的; (没収する) 《格式》 cónfiscàte 他; (奪い去る) deprive … of … ★ 以上 3 つは後のものほど格式ばった言い方; (つかみ取る) seize 他; (無効にする) cancel 他, revoke 他 ★ 前者のほうが口語的; (資格を奪う) disqualify 他. 《☞ うばう; ぼっしゅう》.
¶ 先生はその子からナイフを*取り上げた The teacher *took* the knife *away* from the boy. / (⇒ ナイフを没収した) The teacher *confiscated* the boy's knife. ★ 第 2 文のほうが格式ばった言い方. // その事故のために彼は運転免許証を*取り上げられた (⇒ 免許証を無効にされた) His driver's license *was* ˹*canceled* [*revoked*] because of the accident. // だれも彼女の権利を*取り上げる (⇒ 奪い去る) ことはできない <S (人) + V (*deprive*) + O (人) + *of* + 名> Nobody can *deprive* her *of* her rights. // 彼はコーチの資格を*取り上げられた (⇒ コーチとしての資格を剝奪された) He *was disqualified* as a coach.
4 《出産の介助をする》: deliver 他. ¶ 彼女は無事に男の子を*取りあげた She safely *delivered* the boy baby.

とりあつかい 取り扱い (待遇) treatment Ⓤ; (客の扱い) service Ⓤ; (人や品物の扱い) handling Ⓤ; (事務の管理) management Ⓤ; (業務の仕方) transaction Ⓒ. 《☞ とりあつかう; あつかう; しょり》.
¶ 彼女はとても親切な*取り扱いを受けた She ˹received [was given] very kind *treatment*. // 私は子供のような*取り扱いを受けた (⇒ 子供のように取り扱われた) I *was treated* like a child. // このホテルは客の*取り扱いがよい (⇒ よいサービスを提供する) This hotel offers good *service*. // この機械の*取り扱い (⇒ 操作の仕方) は彼が知っている He knows how to *handle* this machine. // 彼女は子供の*取り扱いに慣れている She is used to ˹*dealing with* [*handling*] children. // 彼は事務の*取り扱いに詳しい He is an expert in ˹*doing business* [business *transactions*]. // ここでは送金の*取り扱いはいたしません We do not *accept* any remittance here. // *取り扱い注意 *Handle* with Care
取り扱い時間 business [service] hours ★ 複数形で. **取り扱い店** dealer Ⓒ; (代理店) agency Ⓒ **取り扱い人** agent Ⓒ **取り扱い品** ¶ わが社の*取り扱い品は以下の通りです (⇒ 私たちは以下の品物を取り扱っています) We *deal in* the following articles: …

> **コロケーション**
> **寛大な取り扱い** lenient *treatment* / **厳しい取り扱い** severe [rigid] *treatment* / **公平な取り扱い** fair *treatment* / **残忍な取り扱い** atrocious [brutal] *treatment* / **慎重な取り扱い** kid-glove *treatment* / **特別な取り扱い** special *treatment* / **ひどい取り扱い** rough *treatment* / **平等な取り扱い** equal *treatment* / **不公平な取り扱い** unfair *treatment* / **優しい取り扱い** gentle *treatment*

とりあつかう 取り扱う (人や動物を) treat 他; (手で品物を) handle 他; (商品を商う) deal in …; (問題などを処理する) deal with …; (業務を行う) cárry ón 他; (受け付ける) accept 他. 《☞ あつかう; しょり; とりあつかい》.
¶ 彼は来客を丁重に*取り扱った (⇒ 遇した) He *treated* his guests courteously. // この花瓶は注意して*取り扱って下さい Please *handle* this vase with care. // この店では輸入品を*取り扱っている (⇒ 商っている) This shop ˹*deals in* [*handles*] imported articles. // この本は公害の問題を*取り扱っている

This book *deals with* the problems of pollution. // 私はこの問題をどう*取り扱ったら (⇒ どう処理して) よいかわからない I don't know how to *deal with* this problem. // ここでは事務は*取り扱っていません (⇒ 営業はしていない) We don't *carry on* business here.

コロケーション
寛大に取り扱う *treat* ... leniently / 厳しく取り扱う *treat* ... ⌈harshly [severely] / 公平に取り扱う *treat* ... fairly / 残酷に取り扱う *treat* ... cruelly / 上手に取り扱う *treat* ... well / 親切に取り扱う *treat* ... kindly / 丁寧に取り扱う *treat* ... politely / ひどく取り扱う *treat* ... ⌈badly [unkindly] / 不公平に[不当に]取り扱う *treat* ... ⌈unfairly [unjustly; shabbily] / 乱暴に取り扱う *treat* ... roughly

とりあみ 鳥網 fowling [fowler's] net Ⓒ.

とりあわせ[1] 取り合わせ (組み合わせること) combination Ⓤ; (寄せ集め) assortment Ⓒ; (選んだもの) selection Ⓒ; (配列) arrangement Ⓤ. (☞ くみあわせ; はいごう[1]). ¶日本風と西洋風の生活様式の*取り合わせがおもしろかった The *combination* of Japanese and Western styles of living was interesting to me. // 紺は赤と*取り合わせがよい (⇒ 赤とよく調和する) Navy blue *goes well* with red.

とりあわせ[2] 鶏合わせ ☞ とうけい[3]

とりあわせる 取り合わせる (組み合わせる) combine ⊕; (配列する) arrange ⊕; (混ぜ合わせる) mix ⊕.

ドリアン 〔植〕 (ドリアンの木・果実) durian /dú(ə)riən/ Ⓒ.

とりい 鳥居 torii Ⓒ ★ 単複同形; gateway at the entrance to a Shinto shrine Ⓒ ★ 説明的な訳.

とりいそぎ 取り急ぎ ¶*取り急ぎ荷物が無事に到着したことをお伝えします We *hasten* to ⌈advise [inform] you that the goods have arrived ⌈safely [in good condition]. (☞ いそぐ)

とりいそぐ 取り急ぐ ☞ いそぐ

とりいだす 取り出す ☞ とりだす

トリートメント hair treatment Ⓤ. ¶*トリートメントなさいますか Would you like *hair treatment*?

ドリーミー (空想的な) dreamy.

ドリーム (夢) dream Ⓒ (☞ ゆめ[1]). **ドリームチーム** (最強チーム) dream team Ⓒ.

とりいる 取り入る (好意を得る) win [gain] *a person's* favor; (巧みに取り入る) worm *oneself* into *a person's* favor; (へつらう) 《略式》 make [play] up to *a person*. (☞ へつらう; こびる).
¶彼は上役に*取り入ろうとした (⇒ 上役の好意を得ようとした) He tried to *win* his boss's *favor*. / He tried to *worm himself into* his superior's *favor*.

とりいれ 取り入れ harvest Ⓒ; (取り入れること) harvesting Ⓤ. (☞ かりいれ[1]; しゅうかく[1]).

とりいれぐち 取り入れ口 (水・空気などの) intàke Ⓒ.

とりいれる 取り入れる **1** «中に入れる»: tàke ín ⊕ (☞ とりこむ). ¶彼女は雨が降り出す前に洗濯物を*取り入れた (⇒ 中に入れた) She *took in* the washing before it began to rain.
2 «収穫する»: harvest ⊕ (☞ しゅうかく[1]; かりいれ[1]). ¶天気のよいうちに小麦を*取り入れよう Let's *harvest* the wheat while the weather is good.
3 «受け入れる»: (借用する) borrow ⊕; (導入する) introduce ⊕; (認める) accept ⊕; (採用する) adopt ⊕; (計画などに組み入れる) incorporate ⊕; (自国のものにする) naturalize ⊕. (☞ どうにゅう; さいよう).
¶日本は中国から多くの思想を*取り入れた (⇒ 借用した) Japan *borrowed* many ideas from China. // 彼女はいち早くその流行をわが国へ*取り入れた (⇒ 導入した) She was quick to *introduce* the fashion into our country. // 彼の新理論が一般に*取り入れられる (⇒ 認められる[採用される]) までには時間がかかるだろう It will take time before his new theory *is* ⌈*accepted* [*adopted*]. // 彼は私の提案を彼の計画に*取り入れた He *incorporated* my suggestions ⌈into [in] his plan. // この新語もすぐに日本語に*取り入れられるだろう (⇒ 日本語化するだろう) This new word will soon *become* ⌈*naturalized* in Japanese [Japanized].

とりインフルエンザ 鳥インフルエンザ 〔獣医〕 bird flu Ⓤ, avian influenza Ⓤ.

とりうちぼう 鳥打ち帽 sports [tweed; 《英》 cloth; flat] cap Ⓒ 日英比較 単に cap でもよい. へりのない帽子は鳥打ち帽・学生帽・運動帽などすべて cap である. 日本では鳥打ち帽をハンチングとも呼んでいるが, hunting cap はもっと深さがあり, ビロード製で狩猟用の帽子である. (☞ ぼうし[1]).

トリウム 〔化〕 thorium /θɔ́:riəm/ Ⓤ 《元素記号 Th》.

とりえ[1] 取り柄 (長所) merit Ⓒ (↔ demerit); (よい点) good [strong] point Ⓒ (↔ weak point) 語法 good [strong] point のほうが口語的; (利点) advantage Ⓒ; (徳目) virtue Ⓒ. (☞ ちょうしょ[1]; しんじょう[2]). ¶だれにでも*取り柄はある (⇒ 自分の長所を持っている) Everyone has ⌈his (or her) [their] own *good points*. // 彼は正直だけが*取り柄だ (⇒ 彼の唯一の長所は正直だ) His only ⌈*good* [*strong*] *point* is his honesty. / His ⌈*saving grace* [*redeeming feature*] is his honesty. ★ saving grace [redeeming feature] は欠点ばかりの中で唯一救い [補い] となる長所. // 彼は何一つ*取り柄がない (⇒ これといった長所を持っていない) He has no particular *merit*(*s*).

とりえ[2] 鳥餌 birdseed Ⓤ.

トリオ 〔楽〕 trio /trí:oʊ/ Ⓒ.

とりおい 鳥追い ━ 名 (かかし) scarecrow Ⓒ; (小正月の行事) traditional Japanese New Year's event, in which children go around the village singing songs to scare birds away ★ 説明的な訳. ━ 動 (鳥を追い払う) scare away birds.

とりおき 取り置き ━ 動 (取っておく) hold ⊕, keep ⊕, reserve ⊕; (貯えておく) store ⊕. (☞ ほかん[1]). ¶商品は1週間お*取り置きいたします We can *hold* your ⌈purchase [merchandise] for ⌈a [one] week.

とりおこなう 執り行う (行う) perform ⊕; (実行する) carry out ⊕; (催す) hold ⊕. (☞ おこなう; もよおす). ¶結婚式は神前で (⇒ 神式で) 厳粛に*執り行われた The wedding *was held* solemnly according to Shinto rites.

とりおさえる 取り押さえる (捕える) catch ⊕; (逮捕する) arrest ⊕; (犯人などを) apprehend ⊕, 《略式》 nab ⊕. (☞ つかまえる; とらえる; たいほ[1]).
¶犯人はその場で*取り押さえられた The robber *was arrested* on the spot. 語法 「犯人」に対応する英語は, robber, murderer など具体的に犯罪内容を示す語が一般的.

とりおどし 鳥威し (かかし) scarecrow Ⓒ (☞ とりおい).

とりおとす 取り落とす drop ⊕ (☞ おとす).

トリガー 〔電工・銃〕 trigger Ⓒ. **トリガープライス** 〔経〕 trigger price Ⓒ.

とりかい 鳥飼い bird breeder Ⓒ; (鳥の愛好家) bird fancier Ⓒ.

とりがい 鳥貝 〘貝〙Japanese cockle Ⓒ.

とりかえ 取り替え (交換) exchange Ⓒ, 《略式》 swap Ⓒ; (置き換え) replacement Ⓤ. (☞ とりかえる; こうかん¹). ¶彼らは消しゴムの*取り替えっこをした (⇒ 交換した) They ⌈exchanged [swapped] erasers. // この古タイヤは*取り替えが必要だ This worn-out tire needs *replacing*. // この品物はお*取り替えできません We cannot *exchange* this article for another. **取り替え期限** exchange time limit Ⓒ.

とりかえし 取り返し ¶私は*取り返しのつかない (⇒ 致命的な) 失敗をしてしまった I have made a *fatal* error. // 彼の死は*取り返しのつかない (⇒ 元に戻せない) 損失である His death is an *irreparable* loss. // 済んだことは*取り返しがつかない (⇒ 一度したことは元へ戻せない) What is done cannot *be undone*. // 泣いたって*取り返しはつかない (⇒ 泣くことが事態をよくはしない) Crying does not *mend matters*.

【参考語】 ―形 (償える) reparable; (償えない) irreparable; (回復できない) irretrievable /ìrɪtríːvəbl/; (取り返せない) irrecoverable; (取り戻せない) irredeemable; (致命的な) fatal; (絶望的な) hopeless.

とりかえす 取り返す (取り戻す) gèt báck ㊍; (失ったものを) recover ㊍, regain ㊍ ★後者はやや格式ばった語; (埋め合わせる) màke úp for …; (追いつく) cátch úp ⌈with [on] … (☞ とりもどす).

¶私はその本を彼から*取り返した (⇒ 取り戻した) I *got* the book *back* from him. // 彼らは失った領土を*取り返すことができるだろうか Will they be able to *recover* the territory they lost? // 彼女は財産を*取り返すために訴訟を起こした She sued to ⌈*recover* [*get back*] her property. // 彼は一生懸命に働いて, 競馬で失った金を*取り返そうとした He tried to ⌈*recover* [*regain*; (⇒ 埋め合わせしようと) *make good*] his losses ⌈on the turf [in horse racing] by hard work. // むだにした時間を*取り返す (⇒ 埋め合わせる) ために彼は全力を尽くした He did his best to *make up for* lost time. // 私は仕事の遅れを*取り返す (⇒ 仕事に追いつく) ために残業した I worked overtime to *catch up* ⌈*on* [*with*] my work.

とりかえっこ 取り替えっこ ―動 (交換する) exchange ㊍, swap ㊍. (☞ とりかえる).

とりかえる 取り替える (替える) change ㊍; (交換する) exchange ㊍, trade ㊍, 《略式》 swap ㊍ ★「取り替える」という意味では以上 3 語はほぼ同意だが, 後のものほど口語的となる; (置き換える) replace ㊍; (新しくする) renew ㊍. (☞ こうかん¹).

¶私は彼と席を*取り替えた <S (人)+V (*change*; *exchange*; *trade*; *swap*)+O (場所)+*with*+名 (人)> I ⌈*changed* [*exchanged*; *traded*; *swapped*] seats *with* him. 〔語法〕 この構文では目的語は複数になることに注意. // 女の子は汚れたタオルをきれいなものと*取り替えた <S (人)+V (*change*)+O (物)+*for*+名 (物)> The girl *changed* the dirty towel *for* a clean one. // 彼女は本をレコードと*取り替えた She *exchanged* the book *for* a record. // 彼は古いいすを新しいのと*取り替えた <S (人)+V (*replace*)+O (物)+*by* [*with*]+名 (物)> He *replaced* his old chair ⌈*by* [*with*] a new one. // 敷き物を新しいのと*取り替え (⇒ 新しくし) なければならない We have to *renew* the carpet. // 週に一度は水を*取り替えてください You should *change* the water once a week.

とりかかる 取り掛かる (始める) begin ㊍, start ㊍; (着手する) sèt abóut …; (仕事を始める) get [set] to work; (真剣に取りかかる) gèt dówn to … (☞ はじめる; ちゃくしゅ).

¶彼らはすぐにその仕事に*取りかかった They ⌈*began* [*started*] the work immediately. / They *got to work* immediately. // 彼は夕食後, 宿題に*取りかかった (⇒ 着手した) He *set about* his homework after supper. // これが済んだらすぐにそれに*取りかかります I will ⌈*get* [*set*] *to work* on that as soon as I finish this. 〔語法〕 休憩後, 再び取りかかるようなときは get back to work ともいう. // さあ仕事に*取りかかろう Now let's *get down to* work.

とりかご 鳥籠 birdcage Ⓒ.

とりかこむ 取り囲む (囲む) surround ㊍; (周りに集まる) gather [crowd] around … (☞ かこむ).
¶群衆が彼の車を*取り囲んだ A crowd ⌈*surrounded* [*gathered around*] his car.

とりかじ 取り舵 ―動 (左舷に向ける) port ㊀ ㊍ (↔ starboard). ¶*取り舵いっぱい! Hard to *port*!

とりかたづける 取り片付ける (整理整頓する) tídy úp ㊍; (きれいにする) cléar úp ㊍. (☞ かたづける).

とりかぶと 鳥兜 〘植〙 aconite /ǽkənàɪt/ Ⓒ, monkshood Ⓒ.

とりかわす 取り交わす (交換する) exchange ㊍ (☞ かわす¹; こうかん¹).
¶私たちは新しい友人達とあいさつ[贈り物, 意見]を*取り交わした We *exchanged* ⌈greetings [gifts; opinions] with our new friends. // 私たちはお互いに契約書を*取り交わした We *exchanged* written contracts. // 彼らの間に*取り交わされた手紙は本になって出版された (⇒ 彼らの間にやりとりのあった手紙は本の形で発行された) The letters which *passed between them* were published in book form.

とりきめ 取り決め (協定) agreement Ⓒ; (手はず) arrangement Ⓒ; (決定) decision Ⓤ. (☞ きょうてい¹; けってい). ¶彼らの間には暗黙の*取り決めがあった There was a tacit *agreement* between them. // ようやく休戦の*取り決めがなされた The *arrangements* for a truce have been made at last.

とりきめる 取り決める (日取りなどを決める) fix ㊍, settle ㊍ ★前者のほうが一般的; (選択・判断などについて決定する) decide on …; (手はずを整える) arrange ㊍; (合意する) agree (on …; to *do* …; that …) ㊀. (☞ きめる; けってい; やくそく).
¶彼らは次の会合の日時を*取り決めた (⇒ 定めた) They ⌈*fixed* [*settled*; *decided on*] the date for the next meeting.

とりくいぐも 鳥食蜘蛛 〘動〙 bird spider Ⓒ.

とりくずす 取り崩す (建物などを) púll down ㊍, téar dówn ㊍. ¶彼らは積立金を*取り崩した (⇒ 食い込んだ[使いつくした, 解約した]) They ⌈*ate into* [*ate up*; *cancel(l)ed*] their reserve fund.

とりくち 取り口 (技巧) technique /tekníːk/ Ⓒ.
¶この前の相撲の*取り口について (⇒ この前の試合について) 解説していただけますか Would you comment on the previous bout?

とりくみ 取組 (スポーツの試合) match Ⓒ; (すもう・レスリングなどの勝負) bout Ⓒ. (☞ くみあわせ; しあい). ¶好*取組 a good *match* / a feature *bout*

とりくむ 取り組む **1** 《運動・競技で》: (組みつく) wrestle [grapple] with …, come to grips with …; (対抗させる) match … (with …; against …), pit … against …. ¶両力士は*取り組む (⇒ 組みつく) 前に四股(しこ)を踏んだ The two wrestlers stamped in the ring before *coming to grips*. // A チームと B チームを*取り組ませたら (⇒ 対抗させたら) おもしろい It will be interesting to *match* A team ⌈*with* [*against*] B team.
2 《問題・研究などと》: (難問などと格闘する) wrestle [grapple] with …; (解決しようと努力する) tackle ㊍; (立ち向かう) face ㊍; (難局などにうまく対処する) cope with …; (従事する) be engaged in …

¶彼はいま難問に*取り組んでいる (⇒格闘している) He *is* ⌜*wrestling* [*grappling*] *with* a difficult problem. // 私はその問題[仕事]にどう*取り組んでよいかわからない (⇒ぶつかり方がわからない) I don't know how to *tackle* the ⌜problem [job]. // 私はその難局に*取り組む覚悟はできている I am prepared to *face* the difficulties. // 彼女はギリシャ語に*取り組んでいる (⇒ギリシャ語を勉強している) She *is studying* Greek. // 彼は大作に*取り組んでいる (⇒大作の執筆[制作]に従事している) He *is engaged in* ⌜writing [painting; producing] a major work.

トリクロロエチレン 〘化〙 trichlòroéthylene Ⓤ.

とりげ 鳥毛 ☞うもう

とりけし 取り消し (注文・予約などの) cancellation Ⓤ ★最も一般的な語; (撤回) withdrawal Ⓤ 日英比較 日本語で「取り消し」とあっても, 英語では「取り消す」という意味の動詞を用いることが多いことに注意; (命令・法律などの) 《格式》 revocation Ⓤ.

¶その予約の*取り消しはできますか Can I *cancel* the reservation? // 私たちは彼の発言の*取り消しを要求する We demand that he ⌜*take back* [*withdraw*] his words. ★that 以下は動詞の原形を用いる. // 免許の*取り消し the *revocation* of a license

取消処分 cancellation by legal process Ⓤ.

とりけす 取り消す (約束・決定したことなどを) cancel (他) 語法 (1) 一般に注文・予約・会合・催しなどにはこれを使う; (発言などを撤回する) tàke báck (他), withdraw (他) 語法 (2) 後者のほうが格式ばった語; (許可・承認したことなどを) 《格式》 revoke (他); (契約などから手を引く) 《略式》 back out of … (☞キャンセル; てっかい; とりさげる).

¶私はその本の注文を*取り消した I *canceled* my order for the book. // 私はホテルの予約を*取り消すのを忘れてしまった I forgot to *cancel* the hotel reservation. // 彼はしぶしぶ自分の発言を*取り消した He reluctantly ⌜*took back* [*withdrew*] his remarks. // 彼女は免許証を*取り消された She *had* her license *revoked*. // その会社はどたん場で契約を*取り消した The company *backed out of* the contract at the last moment.

トリケラトプス (恐竜) triceratops /traɪsérətàps/ Ⓒ.

とりこ 虜 (捕虜) prisoner Ⓒ; (監禁されている人) captive Ⓒ ★比喩的にも用いられる. (☞ほりょ).

¶彼は彼女の美しさの*とりこになった He became a *captive* to her beauty. / (⇒美しさに魅せられた) He *was* ⌜*captivated* [*charmed*] by her beauty.

とりこしぐろう 取り越し苦労 ── 名 (将来に対する不必要な心配) needless ⌜worry [worries] about the future. ── 動 (将来を心配する) worry about the future; (心配しすぎる) be overanxious. (☞しんぱい).

¶彼女は*取り越し苦労ばかりしている (⇒いつも将来のことを心配している) She'*s* always *worrying about the future*. // *取り越し苦労 (⇒必要以上に心配しすぎ) かもしれないが, 最悪の場合に備えておくべきだと思う I may *be overanxious*, but we should be prepared for the worst. // つまらないことで*取り越し苦労するな Don't *worry unnecessarily about* little things. / (⇒つまらないことを心配して苦労を先取りするな) Don't *anticipate trouble by worrying about* little things. // *取り越し苦労はやめなさい Don't cross a bridge until you come to it. 《ことわざ: 橋についてから渡りなさい》 / (⇒先のことは成り行きに任せなさい) Let the future take care of itself. **取り越し苦労は身の毒** Care killed the cat. 《ことわざ: 心配は猫も殺した》

トリコット 〘織〙 tricot /tríːkoʊ/ Ⓤ.

とりこぼし 取りこぼし (相撲などの) unexpected defeat through carelessness Ⓒ.

とりこぼす 取りこぼす lose an easy match.

¶彼らはその試合を*取りこぼしてしまった They *were unexpectedly defeated* in the match.

トリコマイシン (抗生物質) trichomycin /trìkəmáɪsn/ Ⓤ.

とりこみ 取り込み ¶いま*取り込み中 (⇒多忙) だから, のちほど電話します I *am very busy* right now. I'll call you later on. // あの店では何か*取り込み (⇒普通でないこと) があったようだ *Something unusual* seems to have happened at that store. **取り込み詐欺** ── 名 confidence ⌜game [《英》 trick] Ⓒ, 《略式》 con (game) Ⓒ. ── 動 《略式》 con (他).

とりこむ 取り込む **1** «ごたごたする»: (忙しい) be busy; (場所が混乱している) be in confusion; (もめ事がある) have trouble.

¶いまちょっと*取り込んでいるので, 後にして下さい (⇒いまたいへん忙しい) I'*m* rather *busy* now. Come (back) later, will you? / (⇒家庭内の困ったことがある) We *are having* some ⌜family [domestic] *trouble* at the moment. Please come some other time, will you?

2 «中に入れる»: tàke ín (他) (☞とりいれる). ¶洗濯物を*取り込む *take in* the washing

トリコモナス (病原虫の一種) trichomonad Ⓒ, trichomonas Ⓒ.

とりごや 鳥小屋 (鶏小屋) henhouse Ⓒ; (狭いもの) hencoop Ⓒ; (大型の鳥類飼育場) áviàry Ⓒ.

トリコロール (三色旗) tricolor /tráɪkʌ̀lə/ Ⓒ ★the Tricolor としてしばしばフランス・アイルランドの国旗をいう.

とりころす 取り殺す ¶村人たちはその男が悪霊に*取り殺された (⇒殺された) と信じていた The villagers believed that the man *had been* ⌜*killed* [*driven to his death*] by an evil spirit.

とりこわし 取り壊し (建物などの) púlling dówn Ⓤ, 《格式》 demolition Ⓤ. 日英比較 日本語で「取り壊し」とあっても, 英語では動詞で表すことも多い. (☞とりこわす). ¶古い校舎の*取り壊しが始まった They started to ⌜*pull down* [*demolish*] the old school building.

とりこわす 取り壊す (建物などを) púll [téar /téə/] dówn (他), demolish (他) ★demolish は前者より格式ばった語. (☞かいたい[1]; てっきょ; こわす (類義語)). ¶東京では高層ビルを建てるために古い建物が*取り壊されている In Tokyo they *are pulling down* old buildings to make room for (the) high rises.

とりさげ 取り下げ (撤回) withdrawal Ⓒ.

とりさげる 取り下げる (問題として取り上げることをやめる) drop (他); (訴訟などを) cáll óff (他); (撤回する) withdraw (他) (自). (☞とりけす; てっかい; ひっこめる). ¶私たちはその議題を*取り下げた We *dropped* the subject. // 訴訟を*取り下げる (⇒中止する) *call off* a suit / (⇒撤回する) *withdraw* a case

とりざた 取り沙汰 rumor (《英》 rumour) Ⓒ (☞うわさ). ¶彼の過去についてはいろいろと*取りざたされている People *talk* a lot *about* his past.

とりさばく 取り捌く (処理する) manage (他), settle (他); (裁断する) decide (他); (審理する) judge (他).

とりざら 取り皿 (small) plate Ⓒ (☞さら[1]).

とりさる 取り去る tàke awáy (他) (☞とる).

とりしきる 取り仕切る (責任者である) be in charge of …; (管理する) mánage (他). ¶彼はその店を*取り仕切っている He *is in charge of* the store. / (⇒その店の支配人である) He is the *manager* of the store.

とりしずめる 取り鎮める (コントロールする) bring … under control; (静かにさせる) quiet down (他).

《☞ しずめる¹; ちんあつ》. ¶ 警察は騒ぎを*取り鎮めた The police *brought* the riot *under control.*

とりしまり 取り締まり (権力を伴う) control Ⓤ; (規則に基づく) regulation Ⓤ; (警察などによる特に厳しい(一斉)取り締まり) 《略式》 cráckdòwn Ⓒ. 《☞ きせい⁵》.

¶ 警察による交通違反の*取り締まりが厳しい (⇒ 警察は交通違反者を厳しく取り締まっている) The police *are cracking down* on traffic offenders. / (⇒ 交通規則の遵守を厳しく監督している) The police maintain strict ˹*control* [*regulation*] over the observance of traffic rules. 語法 やや格式ばった言い方. // 駐車違反の(一斉)*取り締まり a *crackdown* on illegal parking 《☞ いっせいとりしまり》 // 市当局はデモ隊による騒ぎが起こらないように警官の*取り締まりを要請した (⇒ 警察に予防措置を取るように要請した) The city authorities asked the police to *take precautions against* possible trouble by the demonstrators. // 爆発物*取締法 an explosives *control* ˹act [law]

取締役 director Ⓒ 《☞ じゅうやく¹》. ¶ 常務*取締役 a managing *director* // 専務*取締役 a senior managing *director* / an executive *director* **取締役会** board of directors Ⓒ **取締役社長** the president Ⓒ 《☞ 会社の組織と役職名 (囲み)》.

とりしまる 取り締まる (規制する) control ⑯; (規律を行使する) exert discipline (over ...; among ...); (調べる) check ⑯ ⓐ; (労働・仕事を監督して) oversee ⑯. 《☞ かんとく¹; きせい⁵》.

¶ この学校ではもっと生徒を厳しく*取り締まるべきだ This school needs to *exert* more *discipline over* the students. // ここから 3 キロ先でスピード違反を*取り締まっている (⇒ スピード違反監視区間がある) There's a speed *trap* three kilometers ahead. / (⇒ 調べている) They'*re checking* for speeders three kilometers ahead. // 酔っ払い運転は厳しく*取り締まります Drunk drivers will *be* strictly *checked.*

とりしらべ 取り調べ (警察による) investigation Ⓤ ★ 具体的な事例は Ⓒ; (単なる問い合わせから公的な調査までをも含めた) inquiry Ⓒ; (尋問) questioning Ⓤ, interrogation Ⓒ ★ 後者のほうが格式ばった語. 日英比較 日本語で「取り調べ」とあっても, 英語では動詞で表現することも多いことに注意. 《☞ しらべ¹; ちょうさ¹; じんもん¹》.

¶ その男は警察で*取り調べを受けた The man *was* ˹*questioned* [*interrogated*] by the police. // その件は目下*取り調べ中である The case is under *investigation.* // その事件の*取り調べが進むにつれて彼女が関係していたことがはっきりしてきた Further ˹*investigation* [*inquiry*] into the matter has disclosed her involvement. // その容疑者は厳重な*取り調べを受けた The suspect was subjected to detailed *questioning.*

取り調べ室 interrogation room Ⓒ.

とりしらべる 取り調べる (警察が捜査する) investigate ⑯; (単なる問い合わせから公的な調査まで広い意味で) inquire into ...; (調べる) look into ... ★ くだけた広い意味の表現; (尋問する) question ⑯; (正式に・組織的に) intérrogàte ⑯ ★ question よりも格式ばった語. 《☞ しらべる; じんもん¹》. ¶ 警察はその男を*取り調べた The police ˹*questioned* [*interrogated*] the man.

ドリス ― 图 (女子名) Doris.

とりすがる 取り縋る cling to ... 《☞ すがる》.

ドリスしき ドリス式 〚建〛(列柱様式) the Doric order.

とりすます 取り澄ます ― 動 put on airs. ― 形 (気取った) smug. 《☞ きどる; すます²》. ¶ 彼女の*取り澄ました顔が窓ごしに見えた I saw her *smug* face through the window.

とりそこなう 取り損なう miss ⑯, fail to ˹take [catch] ... ★「とる」の意味によって, 取る, 捕る, 撮るなどとなる. 《☞ -そこなう》.

とりそろえる 取り揃える (必要な物を用意・提供する) provide ⑯; (用意してある) have ... available; (店にある) have ... in stock. 《☞ そろえる》.

¶ この図書室には各種辞書が*取りそろえてある (⇒ 図書室は各種辞書を読者の使用に供する) This reading room *provides* many kinds of dictionaries for the use of readers. // 自動車用品はいろいろと*取りそろえてあります We *have available* a large selection of automotive accessories.

とりだか 取り高 (収入) income Ⓒ; (年収) revenue Ⓤ; (分け前) share Ⓒ; (収穫高) crop Ⓒ.

とりだしぐち 取り出し口 óutlèt Ⓒ. ¶ 《自動販売機で》 缶が落ちた音は聞えたけれどどこが*取り出し口だろう (⇒ どこに缶があるのだろう) I heard the can drop, but where can I find it?

とりだす 取り出す (中から外へ) tàke óut ⑯; (特に提示などのために) produce ⑯ ★ take out より格式ばった語; (多数の中から選んで) pìck óut ⑯; (抽出して) extract ⑯. 《☞ だす》.

¶ 彼はポケットから手帳を*取り出した He ˹*took out* [*produced*] a notebook from his pocket. / He *took* a notebook *out of* his pocket.

とりたて¹ 取り立て (集金) 《格式》 collection Ⓤ; (税金・借金の強制取り立て) 《格式》 exaction Ⓤ; (公の機関による) levying Ⓤ 日英比較 日本語で「取り立て」とあっても英語では動詞を使うことが多いことに注意. 《☞ とりたてる》.

¶ 彼女は毎週金曜日に部屋代の*取り立てにやってくる She comes to *collect* the rent every Friday. // 彼は借金の*取り立てがたいへん厳しい He always *presses* for payment of debts. / (⇒ 強制取り立てに情け容赦がない) He is relentless in *exacting* payment from debtors.

取り立て委任 authorization for collection Ⓤ **取り立て金** money collected Ⓤ; (徴収金) exaction Ⓒ **取り立て債務** debt to be collected at the debtor's address Ⓒ **取り立て手形** collection ˹bill [note] Ⓒ.

とりたて² 取り立て ― 形 (新鮮な) fresh; (新しく摘(つ)んだ) freshly picked. 《☞ とれたて; -たて》.

¶ *取りたての魚 *fresh-caught* fish / fish *fresh from the sea* // *取りたてのいちご *fresh* strawberries / strawberries *fresh from the field* ★ いずれも後者のほうが意味が強い.

とりたてて 取り立てて (特別に) specially; (ほかのものと比べて特に) especially. 《☞ とくに (類義語)》. ¶ 彼の新しい著作は*取り立てて言うほどのものでもない (⇒ 特には良くない [特別の言及に値しない]) His new book is not ˹*especially* good [worthy of *special* mention].

とりたてる 取り立てる **1** 《金・物品などを》: (強制的に) 《格式》 exact ⑯; (公的に税金・金銭を) levy ⑯; (集める) collect ⑯. 《☞ とりたて¹; ちょうしゅう²》.

¶ 政府は金持ちからはもっと高い税金を*取り立てるべきだ The government should *levy* higher taxes on the rich. // 借金を*取り立てる *collect* [*exact*] payment from debtors

2 《人をある地位などに》: (任命する) appoint ⑯; (昇進させる) promote ⑯. 《☞ ばってき》.

トリチウム 〚化〛 tritium Ⓤ.

とりちがえ 取り違え (間違い) mistake Ⓒ; (新生児などの) mix-up Ⓒ; (誤解) misunderstanding Ⓒ.

¶ 赤ん坊*取り違え事件 a baby *mix-up*

とりちがえる 取り違える (違うものとして考える)

take ... for ...;（間違える）mistake ... for ...;（誤解する）misunderstand ㊀.（☞ まちがえる; おもいちがい; こんどう）.
¶ 私は問題の意味を*取り違えた I *misunderstood* the meaning of the question. // 彼女はそれを偽物と*取り違えた She *mistook* it *for* a counterfeit.

とりちらかす 取り散らかす（乱雑にしておく）keep ... untidy（☞ ちらかす）.

とりちらかる 取り散らかる be (in) a mess ★ 場所を主語にして.（☞ ちらかる）.

とりつ 都立 ―形 Mètropólitan ★ 大文字で始める.（☞ と[2]）. **都立高校** Tókyo Mètropòlitan hígh schòol Ⓒ（☞ 学校・教育（囲み））.

とりつかれる 取り憑かれる ☞ とりつく

とりつき 取り付き ☞ とっつき

とりつぎ 取り次ぎ（商売の取り次ぎをすること・仲立ち）agency Ⓤ;（取り次ぎ店・代理店）agency Ⓒ;（商売の取り次ぎ人）agent Ⓒ.（☞ とりつぐ）. **取り次ぎ店** agency Ⓒ;（代理人・取り次ぎ人）agent Ⓒ ★「代理店の経営者」ということから結局「取り次ぎ店」の意味になる;（販売・配布などをする）distríbutor Ⓒ.

トリッキー ―形 tricky.

とりつく 取り付く（考え・思い・悪霊などが）obsess ㊀,《格式》possess ㊀ 語法 いずれも普通受身形で.（☞ つく[6]）. ¶ 彼は妄想に*とりつかれている He *is obsessed*「with [by] a delusion. **とりつく島も[が]ない** ¶ 彼は*とりつく島も（⇒ うまく折り合う方法が）なかった There was no way to *get along with* him.

トリック trick Ⓒ,《略式》gimmick /gímɪk/ Ⓒ. **トリック映画** trick film Ⓒ **トリック撮影** trick shot Ⓒ **トリック写真** trick picture Ⓒ **トリックプレー**〘スポ〙trick play Ⓒ.

とりつぐ 取り次ぐ（仲介する）act as an agent;（電話・来客などを）answer ㊀ ㊁.（☞ ちゅうかい[1]）.
¶ その会社の注文はわが社が*取り次ぐことになっています（⇒ 私たちがその会社の代理人です）We「*act as the agent* [*are the agent*] for that company. // その件は校長先生に*取り次いでおきましょう（⇒ 話します）I'll *tell* the principal about that matter. // その事務所の受付で*取り次いでもらった（⇒ 受付に私の名前を告げた[名刺を差し出した]）I「*gave* my name [*presented* my card] at the reception desk of the office. // その電話はだれが*取り次ぎましたか Who *answered* the call?

とりつくす 取り尽くす exhaust ㊀.
¶ 大型のトロール船がこの島の周りの魚をほとんど*取り尽くしてしまった Big trawlers「*caught* [*exhausted*] nearly *all* the fish stocks around this island.

トリックスター trickster Ⓒ.

とりつくろう 取り繕う（つぎはぎをするように応急処置をして）pátch úp ㊀;（誤り・欠点などを隠して）gloss over ...;（体裁を）keep up appearances.
¶ 彼女は何とかその場を*取り繕おうとした She tried to *patch* things *up* for the moment. // 彼は自分の失敗を*取り繕ったりはしない He never *glosses over* his own faults. // 彼は体裁をうまく*取り繕った He succeeded in *keeping up appearances*. // 彼女は人前を*取り繕おう（⇒ 体面を維持しよう）とした She tried to *preserve* appearances.

とりつけ[1] 取り付け ―動（すえつける）install ㊀. ―名 installation Ⓤ.（☞ とりつける; すえつけ）. **取り付け工事** installation work Ⓤ. ¶ エアコンの*取り付け工事 the *installation* of an air conditioner

とりつけ[2] 取り付け **取り付け騒ぎ**（銀行の）run Ⓒ. ¶ その銀行で*取り付け騒ぎがあった There was a *run* on the bank.

とりつける 取り付ける **1**《備え付ける》:（機械などを）install ㊀;（道具・家具などを）furnish ㊀;（必要な品を）equip ㊀;（ぴったり取り付ける）fit ㊀;（固定して据えつける）fix ㊀;（本体に付属させる）attach ㊀.（☞ そなえつける; すえつける）.
¶ 私は部屋にクーラーを*取り付けた（⇒ 取り付けてもらった）I *had* an air conditioner *installed* in my room. // この教室には OHP が*取り付けられている This classroom *is*「*furnished* [*equipped*] with an overhead projector. // この窓にブラインドを*取り付けてもらいたい I'd like to *have* venetian blinds *fitted* on this window. // 車庫を*取り付けた We *attached* a garage to our house.
2《同意などを得る》: obtain ㊀（☞ える[1]）. ¶ 何とかその件について彼女の同意を*取り付けた I succeeded in *obtaining* her agreement on the matter.

とりっこ 取りっこ ¶ 子どもたちはそのおもちゃを*取りっこした The children *competed with one another* (*in trying*) *to get* the toy.

トリッピング〘スポ〙tripping Ⓤ.

トリップ（旅行）trip Ⓒ;（麻薬などによる幻覚体験）trip Ⓒ.

ドリップ **ドリップ(式)コーヒー** drip coffee Ⓤ.

とりつぶし 取り潰し ―名（江戸時代の大名や旗本の）deposition (of a「feudal lord [retainer] by the Edo government) Ⓒ ★ 説明的な訳. feudal lord は「大名」, retainer は「旗本」. ―動 depose ㊀.

とりつぶす 取り潰す（会社などを廃業させる）put ... out of business;（組織などを解散させる）dissolve ㊀.

とりで 砦 fort Ⓒ, fortress Ⓒ ★ 後者は大規模で永久的なもの;（要塞）stronghold Ⓒ.

とりてき 取的 ☞ ふんどし（ふんどし担ぎ）

とりどく 取り得 ¶ さあさあ, 好きなのを持ってけ, *取り得だよ（⇒ ただみたいなものだ）Come one, come all. Take what you like. They're *a steal at the price*.

とりとめのない 取り留めのない（考えや話がまとまりのない）rambling;（むだでくだらない）idle. ¶ 彼はいつも*とりとめのない話をする He always *rambles* when he talks. / He always talks *in a rambling manner*. / His talk is always *rambling*. // あの人たちはいつも*とりとめのないうわさ話に時を費している Those people are wasting their time in *idle* gossip every day.

とりとめる 取り留める ¶ 彼は一命を*取り留めた（⇒ 危険は脱した）He is *out of danger* now. /（⇒ 危ういところで死を免れた）He *narrowly escaped death*. / He *had a narrow escape from death*.

とりどり ¶ うちの庭には色*とりどりのバラが咲いている Roses *of various colors* are blooming in my garden.（☞ いろいろ）

トリトン〘物理〙triton /tráɪtn/ Ⓤ.

とりなおし 取り直し（相撲で取り直しすること）rematching Ⓤ;（取り直しの試合）rematch Ⓒ.

とりなおす[1] 取り直す（気を）pull *oneself* together. ¶ 気を*取り直し, 彼女は新たな気持ちで再出発をした She *pulled herself together* and made a fresh start. // その相撲は*取り直すことになった（⇒ もう一度取り組むことになった）It was decided that the sumo wrestlers should *meet in a second bout*.

とりなおす[2] 撮り直す（一般に）take ... again;〘映・テレビ〙retake ㊀. ¶ 彼の写真は*撮り直すことにしよう I'll *take* his picture *again*.

とりなおす[3] 採り直す（データなどを）collect ... again（☞ しゅうしゅう[2]）.

とりなし 執り成し (仲たがいなどの仲介・調停) mediation Ⓤ《☞ ちゅうかい¹》. ¶ 渡辺先生に*とりなし (⇒ 調停者になること) を頼んだ I asked Mr. Watanabe to be a *mediator* /míːdièɪtə/.
　とりなし顔 ¶ 彼女は*とりなし顔で (⇒ なだめるような調子を伴って) 口を出した *Adopting a conciliatory tone* she put in a few words.

とりなす 執り成す (両者間の仲介をして) mediate ˹in [between]… 《☞ ちゅうかい¹》. ¶ 交渉が行き詰まった時, 鈴木氏が労使を*とりなした Mr. Suzuki *mediated between* labor and management when their negotiations came to a deadlock.

とりなべ 鳥鍋 *torinabe* Ⓤ; (説明的には) chicken and vegetables cooked in a wok at the table.

とりにがす 取り逃がす (逮捕しそこなう) fail to arrest …; (捕えそこねる・見すごす) miss ⑯. 《☞ のがす; いっする》. ¶ 警察は容疑者を*取り逃がした (⇒ 逮捕に失敗した) The police *failed to arrest* the suspect. // またとない機会を*取り逃がした I'*ve* ˹*missed* [*let slip*] a rare opportunity.

とりにく 鳥肉 ☞ とり¹ 2

トリニダードトバゴ ━ 名 ⓖ Trinidad and Tobago /trínɪdæ̀dəntəbéɪgoʊ/; (正式名) the Republic of Trinidad and Tobago.

トリニティ 〘キ教〙(三位一体) the Trinity.

トリニトロトルエン 〘化〙 trinitrotoluene Ⓤ《略 TNT》, trotyl Ⓤ.

トリニトロフェノール 〘化〙 trinitrophenol Ⓤ 《☞ ピクリンさん》.

トリニトロベンゼン 〘化〙 trinitrobenzene /tràɪnàɪtroʊbénziːn/ Ⓤ《略 TNB》.

とりにやる 取りにやる send *a person* for …; (行って取ってこさせる) have *a person* pick up ….
¶ 息子に薬を*取りにやらせましょう I'll *send* my son *for* the medicine.

トリノ ━ 名 ⓖ Turin /t(j)ʊ́(ə)rən/ ★ イタリア北西部の都市. イタリア語では Torino.

とりのける 取り除ける remove ⑯《☞ とりのぞく》.

とりのこがみ 鳥の子紙 Jápanese véllum (páper) Ⓤ.

とりのこし 取り残し ━ 形 remaining, leftover. ¶ *取り残しのごみを始末してください Please ˹dispose [get rid] of the ˹*rest* of the [*remaining*; *leftover*] ˹garbage [trash; rubbish]. ★「生ごみ」は garbage, その他のごみは trash, rubbish.

とりのこす 取り残す (…を後に残す) leave … behind; (そのままにして) leave … alone. 《☞ のこす; おきざり》. ¶ その島は時勢からはるかに*取り残されていた (⇒ 時代の後に残されていた) The island *was left* far *behind* the times. // 彼女だけ田舎に*取り残された She *was left alone* in the country.

とりのぞく 取り除く (除去する) tàke awáy ⑯, remove ⑯ ★ 前者がより口語的; (きれいにするために) cléar awáy ⑯, clear ⑯ 〔語 法〕 前者は「取り除くもの」を目的語にするのに対し, 後者は clear … of … という形ではきれいにすべき「場所」を動詞の目的語とし, clear … from … という形では「取り除くもの」を目的語にする 2 つの言い方がある; (不安や心配などをぬぐい去る) dispel ⑯ ★ やや格式ばった語. 《☞ のぞく¹; じょきょ》.
¶ 線路から瓦礫を*取り除くのに 10 日かかる It will take ten days to ˹*take away* [*remove*; *clear* (*away*)] the debris *from* the line. / It will take ten days to *clear* the line *of* the debris. // 住民の不安を*取り除く *relieve* [*dispel*] the anxiety of the inhabitants

とりはからい 取り計らい (手配などをして) arrangement Ⓤ; (自由裁量) discretion /dɪskréʃən/ Ⓤ. 《☞ はからい; はいりょ》. ¶ 私たちは特別の*取り計らいをしてもらって入場した We were admitted by special *arrangement*.

とりはからう 取り計らう (手配などをして) arrange ⑯; (自由に裁量する) use *one's* discretion /dɪskréʃən/; (…するように配慮をする) see (to it) that … 《☞ はからう》. ¶ 彼女と会えるよう*取り計らってもらえますか Would you *arrange* an appointment with her? // この件は適当に*取り計らって下さい (⇒ あなたの自由裁量に任せます) I'll leave this to your *discretion*. // 万事うまく*取り計らっておきます (⇒ すべてがうまくゆくように配慮しておく) I'll *see* (*to it*) *that* everything is all right.

とりはこぶ 取り運ぶ make … ˹go forward [proceed] smoothly; (物事が…を容易にする・促進する) facilitate ⑯.

とりばし 取り箸 serving chopsticks ★ 通例複数形で. 数えるときは a pair [two pairs] of ~ のように言う.

とりはずし 取り外し ¶ この黒板は*取り外しができますか Is this blackboard ˹*movable* [*detachable*]? // 電話の*取り外し (⇒ 接続を断つこと) を頼んだ I asked to *have* the telephone *disconnected*. // この仕切りは*取り外しができません[できます] (⇒ 固定されている[動かせる]) This partition is ˹*fixed* [*removable*].
【参考語】 ━ 名 (除去すること) removal Ⓤ; (設備などの) dismantlement Ⓤ. ━ 形 (動かせる) movable; (取りはずし可能な) removable, detachable.

とりはずす 取り外す (除去する) tàke awáy ⑯, remove ⑯ ★ 前者が口語的; (設備などを) dismantle ⑯; (分解などをして) tàke … apárt. 《☞ はずす; とる》.
¶ 網戸を*取り外した I'*ve taken away* the window screens. // 夏の間はそのヒーターは*取り外しておきます (⇒ しまっておく) We *put away* that heater during the summer. // 整備士はキャブレターを*取り外した The mechanic *took* the carburetor *apart*.

とりはだ 鳥肌 gooseflesh Ⓤ, goose ˹bumps [《英》 pimples] ★ 後者は複数形で. ¶ それを見たら*鳥肌がたった I got ˹*gooseflesh* [*goose bumps*; *goose pimples*] all over at the sight. / The sight of it gave me ˹*gooseflesh* [*goose bumps*; *goose pimples*]. ★ 第 1 文のほうが口語的.

とりはらう 取り払う cléar awáy ⑯《☞ とりのぞく; てっぱい》.

トリハロメタン 〘化〙 trihalomethanes /tràɪhæ̀loʊmíːθeɪnz/ ★ 通例複数形で.

トリビアリズム (瑣末主義) trivialism Ⓤ.

トリビアル ━ 形 (ささいな・つまらない) trivial, trifling. 《☞ ささい》.

とりひき 取り引き ━ 名 (商売) business Ⓤ ★ 商売・仕事一般を指す意味の広い語; (取り引き売買) dealings ★ 複数形で; 《格式》 (business) transaction Ⓒ; (売買契約) bargain Ⓒ. ━ 動 (商取り引きをする) do business with …, deal with …; (駆け引きをする) make a deal with … 《☞ ばいばい; しょうばい》. ¶ あの会社とは数回, 羊毛製品の*取り引きをしたことがある We have had several *dealings* with that firm regarding woolen products. // 当社はその会社とは 20 年以上の*取り引きがあります We *have been* ˹*dealing* [*doing business*] *with* the firm for more than twenty years. // 我々はその会社と*取り引き (⇒ 売買の契約) を結んだ We struck a *bargain* with the company. // あの会社とは*取り引きをやめた (⇒ 商売上の関係を断った) We broke off *business* ˹*relations* [*connections*] with that company. // *取り引きしよう. 君が設計書のコ

ピーをくれれば 100 万円支払うよ Let's *make a deal* — give me a copy of the specifications and I'll pay ¥1,000,000 for it. // 大口*取り引き a big *deal* // 現金*取り引き cash *transactions*

取り引き額 transaction sum Ⓒ. ¶ *取り引き額は 200 万円に達した The 「*transaction* [*deal*] amounted to two million yen. **取り引き関係** business 「connections [relations] ★ 通例複数形で. **取り引き銀行** …'*s* bank Ⓒ **取り引きコスト** transaction cost Ⓒ **取り引き先** (顧客) customer Ⓒ; (取り引き関係者) business acquaintance Ⓒ; (集合的に) (business) connection Ⓒ. ¶ 当社は遺憾ながらその地方にこれといった*取り引き先がない Unfortunately we have no good *connections* in that area. **取り引き所** exchange Ⓒ.

とりぶえ 鳥笛 bírdcàll Ⓒ.

トリプシン 〘生化〙 trypsin Ⓤ.

とりふだ 取り札 (百人一首の) card on which the second half of a poem is printed Ⓒ ★ 説明的な訳.

トリプル — 形 triple. **トリプルエー** triple A ★ アメリカ自動車協会 (American Automobile Association《略 AAA》) のこと. また 形 として企業格付け最高位を表す. **トリプルクラウン** the Triple Crown《☞ さんかんおう》 **トリプルプレー** 〘野〙 triple play Ⓒ **トリプルボギー** 〘ゴルフ〙 triple bogey Ⓒ.

ドリブル 〘球〙 — 名 dribble Ⓒ. — 動 dribble 自.

トリプレット triplet Ⓒ.

とりぶん 取り分 (利益などの分け前) *one's* 「share [lot] Ⓒ; (自分の割り当て分) portion Ⓒ. 《☞ ぶん[1]; わけまえ》. ¶ その結果彼の*取り分は少なくなった As a result, he got a smaller *share*.

とりへん[1] 鳥偏 (漢字の) bird radical of kanji Ⓒ.

とりへん[2] 酉偏 (漢字の) cock radical on the left of kanji Ⓒ.

とりほうだい 取り放題 ¶ パンは*取り放題です *Take as much* bread *as you like*. // 彼らは現金を*取り放題盗んでいった (⇒ 持てるだけ現金を盗んだ) They stole *all* the cash (*that*) they *could carry*.

トリポッド (三脚) tripod /tráɪpɑd/ Ⓒ.

トリポリ — 名 固 Trípoli ★ リビアの首都.

トリマー (ペットの毛を刈り整える人) trimmer Ⓒ.

とりまえ 取り前 ☞ とりぶん

とりまき 取り巻き (信奉者) follower Ⓒ; (ギャング・政治家などの) henchman Ⓒ《複 -men》; (利益を求めての) hanger-on Ⓒ《複 hangers-on》 語法 henchman, hanger-on はいずれも軽蔑的に用いる. **取り巻き連(中)** hangers-on; (政治家の) cronies; (ギャングなどの) henchmen; (ロックグループなどの追っかけの少女たち) groupies.

とりまぎれる 取り紛れる ¶ 仕事に*取り紛れて (⇒ たいへん忙しかったので) あなたに電話をするのを忘れていた I *was so busy with* my work that I forgot to call you.

とりまく 取り巻く surround 他《☞ とりかこむ》.

とりまぜる 取り混ぜる mix … together. ¶ 私の部屋の本棚には大小*取りまぜて (⇒ さまざまな大きさの) 20 冊の英語の辞書がある On a shelf in my room, there are about twenty English dictionaries *of various* /vé(ə)riəs/ sizes. // ピンク, 赤, 白を*取りまぜてカーネーションの花束を作って下さい Could I have a bunch of carnations with pink, red and white *mixed together*?

とりまとめ 取り纏め (集めること) collecting Ⓤ, collection Ⓒ; (整理) arrangement Ⓒ. ¶ 票の*取りまとめをする (⇒ 票を集める[固める]) *collect* [*secure*] votes

とりまとめる 取りまとめる pùt togéther 他《☞ まとめる》. ¶ 彼は我々みんなの意見を*取りまとめて新しい案を考えた *Putting together* all our ideas, he worked out a new plan.

とりみだす 取り乱す (動転する) be upset, go to pieces ★ 後者のほうがより口語的で意味も強い; (喜怒などで自制心を失う) lose self-control. 《☞ うろたえる》. ¶ その知らせで彼女はすっかり*取り乱した She *was* really *upset* by the news. // 彼はまったく*取り乱した様子はなかった (⇒ 平静だった) He was quite 「calm and quiet [undisturbed].

トリミング — 名 trimming Ⓤ ★ 飾りの意味では通例複数形で; (調髪) a trim ★ a を付けて. — 動 trim 他. ¶ うちの犬は*トリミングが必要だ Our dog needs *a trim*. // 写真を*トリミングする *trim* a photo // レースの*トリミングのついたブラウス a blouse with lace *trimmings*

とりむすぶ 取り結ぶ (契約を) conclude 他《☞ むすぶ; ていけつ[1]》. ¶ その 2 国は関税に関する一般協定を*取り結んだ The two nations *concluded* a general agreement on the tariff. // 彼らは社長のご機嫌を*取り結ぶために新しい企画を出した They came up with a new project to *humor* the president. ★ humor は「機嫌をとる」の意.

とりめ 鳥目 — 名 night blindness Ⓤ. — 形 night-blind.

とりめし 鳥飯 chopped chicken and rice Ⓤ.

とりもち[1] 取り持ち (…の好意ある尽力[斡旋]) the 「good [kind] offices of …; (人の扱い) treatment Ⓤ. ¶ 原田氏の*取り持ちであの会社と取引を始めました We established business relations with the company 「by [through] *the* 「*good* [*kind*] *offices of* Mr. Harada. // スミス夫人は客の*取り持ちがうまい (⇒ よい女主人だ) Mrs. Smith is a good *hostess*.

とりもち[2] 鳥もち birdlime Ⓤ.

とりもつ 取り持つ (客をもてなす) entertain 他; (争い事などで両者の仲介をする) mediate /míːdièɪt/ 自. 《☞ ちゅうかい[1]》. ¶ 彼は客を*取り持つのがうまい He *entertains* his guests well. / (⇒ よいもてなし役だ) He's a good *host*. // 私があの 2 人の仲を*取り持ちました (⇒ 仲介人の役を果たしました) I *acted as a go-between* for that couple.

取り持つ縁 ¶ テニスの*取り持つ縁で 2 人は結婚した (⇒ テニスが道を開いた) Tennis *paved the way* to their marriage. 《☞ えん[1] 日英比較》

とりもどす 取り戻す gèt báck 他, recover 他; (特に状態を) regain 他 ★ 後の語ほど格式ばった語. 《☞ とりかえす; かいふく[1]》. ¶ 彼女に貸した本を*取り戻しに行った I went to her to *get back* the book I had lent her. // しばらくしてやっと彼は心の平静を*取り戻した It was some time before he *recovered* his 「peace of mind [composure]. // 数週間で彼女は急速に健康を*取り戻した She 「*regained* her health [*recovered*] rapidly, within a few weeks. // 意識を*取り戻す *come to oneself* // 彼は後れを*取り戻すためにがんばっている He's trying hard to *make up for* lost time.

とりもなおさず 取りも直さず ¶ 彼女の死は*とりもなおさずその家庭の崩壊であった (⇒ …を意味した) Her death *meant* the disintegration /dɪsìntəgréɪʃən/ of the family. // あなたの恥は*とりもなおさず私の恥です (⇒ 私の恥にほかならない) Your disgrace is *nothing but* my disgrace. 《☞ すなわち; つまり》

とりもの 捕り物 (検挙) arrest Ⓒ《☞ たいほ[1]》. ¶ 昨日新宿で大規模な*捕り物があった There was a mass *arrest* in Shinjuku yesterday.

捕り物帳 detective story Ⓒ.

とりや 鳥屋 (ペット用の鳥の店) bird shop Ⓒ;

(人) bird dealer Ⓒ; (鳥肉店) poultry shop Ⓒ.

とりやめ 取り止め ¶運動会は雨で*取り止めになった The athletic meet *was* ⌈*cancel(l)ed* because of the rain [*rained out*]. (☞ちゅうし[1])

とりやめる 取り止める (予定していたものを) cancel (他); (約束・命令などを) cáll óff (他). (☞ちゅうし[1]; とりけす). ¶あすの野球の試合は*取り止める We are going to ⌈*cancel* [*call off*] tomorrow's baseball game. // ストライキは*取り止めになった The strike *has been called off*.

トリュフ 〔植〕(フランスしょうろ) truffle /trʌ́fl/ Ⓒ ★ フランス料理で珍重されるきのこ.

とりょう[1] 塗料 paint Ⓤ (☞ペンキ). ¶水性[油性]*塗料 water [oil] *paint*

とりょう[2] 斗量 volumetric measurement by *to* Ⓤ ★ 説明的な訳. (☞と[3]).

どりょう 度量 ―[形] (度量の大きい) broad-minded; (太っ腹の) 《格式》 magnanimous /mægnǽnəməs/; (寛大な) generous; (度量の狭い) narrow [small]-minded. (☞きまえ; こころ).

どりょうこう 度量衡 weights and measures; (測定器) measuring instrument Ⓒ. (☞次頁囲み). **度量衡原器** standard Ⓒ **度量衡制** system of weights and measures Ⓒ **度量衡法** the law of weights and measures.

どりょく 努力 ―[名] effort Ⓤ ★ 具体的に, ある状況での努力は Ⓒ; endeavor (《英》endeavour) Ⓒ; (熱心に働く[勉強する]こと) hard work Ⓤ; (力を発揮すること) exertion Ⓤ; (苦労・骨折り) pains ★ この意味では常に複数形で. ―[動] make an ⌈effort [endeavor to *do* ...], 《格式》endeavor (自); work hard; 《格式》exert *oneself*.

【類義語】ある目的を達成するための努力を示し, 最も普通に用いられるのは ***effort***. 格式ばった語で, 持続的で懸命の努力であることを示すのは ***endeavor***. 口語的に, まじめで一生懸命に仕事や勉強をする努力は ***hard work***. 持てる力を出して頑張ることを意味する格式ばった語は ***exertion***. 肉体的・精神的な苦労・骨折りを意味するのは ***pains***. (☞くろう; つとめる[2])

¶彼は試験に合格するために 1 年間たいへんな*努力をした (⇒一生懸命に勉強した) He *studied very hard* for one year to pass the examination. // 彼女の新しい仕事は大した*努力を必要としない Her new job does not require much *effort*. // 彼はそれを得るためにはいかなる*努力も惜しまなかった He spared no ⌈*pains* [*effort*] to obtain it. / (⇒彼はあらゆる努力をした) He ⌈*made* every *effort* [*did his best*] to obtain it. // 彼女の成功は不断の*努力のたまものです Her success is the ⌈fruit [result] of her constant *efforts*. // 熱心な*努力 zealous *effort* // 彼の*努力は報いられなかった His *efforts* were not rewarded. // できるだけの*努力はします (⇒最善を尽くします) I will *do my best*. / (⇒できるだけ一生懸命やってみます) I'll *try* as *hard* as ⌈I can [possible]. / (⇒できるだけのことをやってみます) I'll do what I can. **努力家** (熱心な) hard worker Ⓒ, hard-working person Ⓒ; (勤勉な) industrious person Ⓒ **努力賞** ¶君は*努力賞ものだね You deserve *"A" for effort*.

―コロケーション―
かなりの努力 considerable *effort* / 根気強い努力 unremitting *effort* / 最小限の努力 minimal *effort* / 最大限の努力 maximum *effort* / 大変な努力 great *effort* / たゆまぬ努力 tireless [untiring] *effort* / 必死の努力 desperate *effort* / 無駄な努力 vain [useless] *effort*

とりよせ[1] 取り寄せ (注文) order Ⓒ. **取り寄せ商品** (注文商品) the ordered goods, item put on special order Ⓒ. (☞とりよせる).

とりよせ[2] 鳥寄せ ―[名] (鳥のまね声) birdcall Ⓒ; (鳥の模型) decoy Ⓒ. ―[動] attract birds by using decoys or imitating their calls ★ 説明的な訳.

とりよせる 取り寄せる (手に入れる) get (他) ★ 意味の広い平易な日常語; (注文する) order ... (from ...), send for ... ★ 後者のほうがより口語的.
¶私は本を直接イギリスから*取り寄せています I ⌈*get* [*order*] books directly from England. // 新潟から新米を*取り寄せよう I'll *send for* some new rice from Niigata. // 「この本を*取り寄せてもらえますか」「絶版なのでお*取り寄せできません」"Can I *place an order for* this book here?" "I'm sorry, but we can't *get* it for you. It's out of print."

トリリンガル ☞トライリンガル

トリル 〔楽〕 ―[名] trill Ⓒ. ―[動] (トリルで歌う[演奏する]) trill (自) (他).

ドリル **1** «きり» ―[名] drill Ⓒ. ―[動] drill (他). (☞だいく (挿絵)).

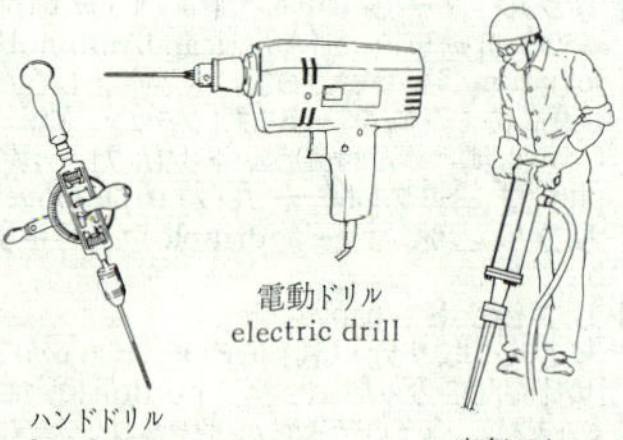

¶彼はコンクリートの壁に*ドリルで穴をあけた He *drilled* a hole *in* the concrete wall.
2 «練習»: drill Ⓒ. ¶漢字の*ドリル *drills* in Chinese characters

とりわけ 取り分け (中でも特に) especially; (ある目的のために特に) specially; (同類の中で, ある特定のものについて特に) particularly; (何にもまして) above all. (☞とくに (類義語)). ¶私はこの景色が好きだ. *とりわけ朝がよい I like this view, *especially* in the morning. // 彼は*とりわけ健康に注意している *Above all*, he takes good care of himself.

とりわける 取り分ける (食事で) serve (他); (サラダなどを皿に) dísh óut (他); (食事で肉などを切って分ける) cárve (úp) (他). (☞わける; ぶんぱい). ¶豆をこの皿に*取り分けて下さい Please *serve* the peas on these plates. // 彼女はジャガイモを皿に*取り分けた She *dished out* the potatoes.

ドリンク (飲み物) drink Ⓒ; (ドリンク剤) tonic Ⓒ.

とる 取る, 採る, 執る, 捕る, 撮る **1** «(手に) 取る»: (手に) take (他) 《過去 took; 過分 taken》; (人に取ってやる・自分で取る) get (他) 《過去 got; 過分 got, 《米》ではまた gotten》; (つかむ) take hold of ..., seize (他) ★ 前者のほうが口語的; (行って取って来る) go and get ..., fetch (他) [語法] (1) go and get ... のほうがより口語的. go to get ... (取りに行く) とするとやや格式ばった言い方となり, go get ... と and を省略するとさらにくだけた表現となる; (取って人に回す) pass (他) [語法] (2) 食卓で他人の前にあるものを取ってもらうときに使う語.
¶彼女は棚から本を*取った She *took* a book from the shelf. // 彼は私の腕を*取った (⇒ぎゅっとつかんだ) He ⌈*took hold of* [*seized*] my arm. / He *took* me by the arm. [参考] 私を捕えるために腕をつかんだのか, それとも親しい感じで腕を取ったのかは状況次第. // 私にいすを*取って下さい <S (人) + V (*get*)

度量衡

英米ではメートル法 (Metric System) と並んで, 伝統的な計量単位が広く用いられている.

メートル法では, 長さ (length) を示すメートル (《米》meter, 《英》metre), 容積 (capacity) を示すリットル (《米》liter, 《英》litre), 重さ (weight) を示すグラム (gram) の 3 つが基本となり, すべて 10 進法に従って, 次にあげる「接頭辞」を付けて用いる.

キロ-	(1000 倍)	kilo-
ヘクト-	(100 倍)	hecto-
デカ-	(10 倍)	deca-
ミリ-	(1/1000 倍)	milli-
センチ-	(1/100 倍)	centi-
デシ-	(1/10 倍)	deci-

これに対して, 伝統的な計量法は日常生活に基づいたものを単位とし, 名称もさまざまで, 10 進法はとっていない.

以下, 広く用いられている度量衡について, その単位・名称を表にして掲げる. ( ) 内はその略号. メートル法以外のものはメートル法に換算したもの. 略号の後にピリオドを付けることもある.

1 長さ (length)

メートル	1 meter (m)≒3.3 feet≒1.1 yards
センチメートル	1 céntimèter (cm)≒0.39 inches
ミリメートル	1 míllimèter (mm)≒0.04 inches
キロメートル	1 kilometer /kɪlámətə/ (km)≒0.6 miles
	*
インチ	1 inch (in)≒2.54 cm
フィート	1 foot (f, ft)=12 in≒0.3 m
ヤード	1 yard (y, yd)=3 ft≒0.9 m
ロッド《米》	1 rod=5.5 yds≒5.03 m
ファーロング, ハロン	1 furlong (fur)=1/8 mile≒201.17 m
マイル	1 mile (m, mi)=1760 yds≒1.6 km
	*
海里	1 nautical mile≒1.85 km

2 面積 (area)

平方メートル	1 square meter (m^2, sq m)≒11 ft^2≒1.2 yd^2
平方センチ	1 square centimeter (cm^2, sq cm)≒0.15 in^2
アール	1 are (a)=1/100 ha=100 m^2
ヘクタール	1 hectare (ha)=100 a≒2.5 acres
平方キロ	1 square kilometer (km^2, sq km)=100 ha
	*
平方インチ	1 square inch (in^2, sq in)≒6.5 cm^2
平方フィート	1 square foot (ft^2, sq ft)=144 in^2≒0.1 m^2
平方ヤード	1 square yard (yd^2, sq yd)=9 ft^2≒0.84 m^2
エーカー	1 acre (a)=4840 yd^2≒4050 m^2≒0.4 ha
平方マイル	1 square mile (sq mi)=640 acres≒260 ha

3 容積, 体積 (capacity, volume)

リットル	1 liter (l, lit)≒1.06 quart
ミリリットル	1 milliliter (ml)=1/1000 l
デシリットル	1 deciliter (dl)=1/10 l
キロリットル	1 kiloliter (kl)=1000 l
	*
立方センチ	1 cubic centimeter (cc, cm^3)≒0.061 in^3
立方メートル	1 cubic meter (m^3)≒1.31 yd^3
	*
立方インチ	1 cubic inch (in^3, cu in)≒16.4 cm^3
立方フィート	1 cubic foot (ft^3, cu ft)≒0.03 m^3
立方ヤード	1 cubic yard (yd^3, cu yd)≒0.76 m^3
	*
	《米国の液量 (liquid measure)》
パイント	1 pint /páɪnt/ (pt)=1/2 qt≒0.47 l
クォート	1 quart (qt)=2 pts≒0.95 l
ガロン	1 gallon (gal)=4 qts≒3.8 l
	*
	《米国の乾量 (dry measure)》
パイント	1 pint (pt)=1/2 qt≒0.55 l
クォート	1 quart (qt)=2 pts≒1.1 l
ペック	1 peck (pk)=8 qts≒8.8 l
ブッシェル	1 bushel (bu)=4 pks≒35 l
	*
	《英国の液量, 及び乾量》
パイント	1 pint (pt)=1/2 qt≒0.57 l
クォート	1 quart (qt)=2 pts≒1.13 l
ガロン	1 gallon (gal)=4 qts≒4.5 l
ペック	1 peck (pk)=2 gals≒9 l
ブッシェル	1 bushel (bu)=4 pks≒36 l

4 重さ (weight)

グラム	1 gram (g)≒0.035 oz
ミリグラム	1 milligram (mg)=1/1000 g
キログラム	1 kilogram (kg)≒2.2 lbs
トン	1 ton (t)=1000 kg
	*
オンス	1 ounce (oz)≒28.35 g
ポンド	1 pound (lb)=16 ozs≒0.45 kg
トン	1 ton (t)=《米》2000 lbs, 《英》2240 lbs

5 角度 (angular measure)

秒 1 second (″) 分 1 minute (′)=60 seconds
度 1 degree (°)=60 minutes

6 時間 (time)

秒	1 second (s, sec)
分	1 minute (mi, min)=60 sec
時	1 hour (h, hr) =60 min
日	1 day (d) =24 hrs
週	1 week (w, wk) =7 ds
月	1 month (m, mo) =4 wks
年	1 year (y, yr) =12 ms
世紀	1 century (c, cent) =100 yrs

7 温度 (temperature)

摂氏 (Celsius または Centigrade, C と略す) と華氏 (Fahrenheit, F と略す) があり, 単位はいずれも「度 (degree)」. 相互の換算は $F={}^{9}/_{5}\,C+32$, $C={}^{5}/_{9}\,(F-32)$ で行う.

100° C =	212° F	30° C =	86° F
40° C =	104° F	20° C =	68° F
39° C =	102.2° F	10° C =	50° F
38° C =	100.4° F	0° C =	32° F
37° C =	98.6° F	−10° C =	14° F
36° C =	96.8° F	−17.8° C =	0° F
35° C =	95° F	−20° C =	−4° F

英米では気温・体温ともに Fahrenheit を用いるのが普通で, 体温が 100° (one hundred degrees) 近くなると熱があるとされる.

用例

¶「君の身長はどのくらいですか」「1 メートル 73 [5 フィート 8 インチ] です」"How tall are you?" "I'm ｢one *meter* 73 *centimeters* tall [5 *feet* 8 *inches* tall]." 語法 (1) 答えの tall は省略可能で, その場合は I'm five eight. のように単位も省略可能. tall を付ければ単位も付けなくてはならない. 単位を略す言い方はくだけた表現. 書く場合は 1 *m* 73 *cm*, 1.73 *m*; 5 *ft* 8 *in*, 5′8″ などとすることもできる.
私はバスト 82 センチ [32 インチ], ウエスト 60 センチ [24 インチ], ヒップ 85 センチ [33 インチ] です I am ｢*82-60-85* [*32-24-33*]. 語法 (2) 数字をそのまま読む. このような場合はインチをそのまま使い, フィートに換算はしない. / I have a *32-24-33* figure.
「体重はどのくらいありますか」「60 キロ [132 ポンド] です」"How much do you weigh?" "I weigh ｢60 *kilos* [132 *pounds*]." 参考 (1) キログラムは kilo と略して用いられることが多い. ポンドの省略形は lb で, 金額のポンドは £ として区別する. 英国では特に体重は 14 pounds に相当する "stone" という単位が広く用いられている.
「あなたの学校までどのくらいありますか」「約 4 キロ [2 マイル半] です」"How far is it from here to your school?" "It's about ｢four *kilometers* [two and a half *miles*]."
この部屋は縦 8 メートル [26 フィート], 横 6 メートル [20 フィート] です This room is ｢8 *meters* by 6 [26 *feet* by 20]. 語法 (3) 縦横を示すのに long, wide を加えることもある. 書く場合には 8 *m* ×6 *m*, 26 *ft*×20 *ft* などとすることもできる. (☞ よこ 1 日英比較)
「あなたの部屋はどのくらいの広さですか」「約 15 平方メートルです」"How large is your room?" "It's about fifteen ｢*square meters* [*sq m*]."
「このコップにはどのくらい入りますか」「約 1/3 リットル入ります」"How much can this glass hold?" "It can hold about a third of a *liter*."
「ガソリンはリッターいくらですか」「リッター 100 円です」「満タンに入れて下さい」"How much is gas *a liter*?" "One hundred yen *a liter*, sir." "Fill it up, please."
35 ミリの 24 枚どりのフィルムを下さい Please give me a 24-exposure roll of 35 *mm.* film.
日本の国土は約 37 万平方キロです Japan has an area of 370,000 ｢*square kilometers* [*sq km*].
この角度は約 30 度です This angle is about 30°. ★thirty degrees と読む.
「彼女の熱はどのくらいですか」「39 度あります」"What is her temperature?" "It's ｢39° [102°]." 参考 (2) 102° は華氏の温度の近似値.

+O (人)+O (物)> Would you please *get* me a chair? // 私が*取ってあげましょう I'll *get* it for you. // 《電話が鳴ったとき》 私が*取ります I'll ｢*get* [*answer*] it. // 行ってカメラを*取って来ます I'll *go and get* my camera. (☞ とってくる) // 塩を*取って (⇒回して) 下さいませんか Could you *pass* (me) the salt, please?
2 《除く》: (身につけているものを取る・脱ぐ) tàke óff ㊐; (取り去る) tàke awáy ㊐, remove ㊐ ★ 前者のほうが口語的. ¶帽子をお*取り下さい Please *take off* your hat. // まず箱にかぶせてあるビニールカバーを*取って下さい First ｢*take* [*remove*] the plastic cover from the box. // 庭の草を*取る *weed* the garden ★ weed は「雑草をとる」の意味.
3 《受け取る》: (得る) get ㊐; (もらう) take ㊐; (受け取る) receive ㊐ ★ この順に格式ばった語となる; (努力して獲得する) obtain ㊐; (賞を) win ㊐. ¶彼はよい給料を*取っている He *gets* good pay. // 彼女は 1 等賞を*取った She ｢*won* [*took*] (the) first prize. // 彼は満点を*取った He ｢*obtained* [*got*] ｢100 percent [《英》 full marks]. // 彼はエール大学で Ph.D. の学位を取った He *earned* his Ph.D. at Yale University.
4 《買う》: (注文して) order ㊐; (定期刊行物などを) take ㊐. ¶どの新聞をお*取りですか What newspaper do you ｢*take* [*subscribe to*]? (☞ こうどく¹)
5 《摂取する》: (食べる) eat ㊐, have ㊐ 語法 後者は広く飲食物を取る意味で用いられる. (☞ たべる). ¶栄養のある物を*取らなくてはいけません You should ｢*eat* [*have*] nourishing food. // 普通, 1 日に 3 度食事を*取る We usually *have* three meals a day.
6 《選択する・採用する》: (選ぶ) choose ㊐; (意見・方法などを採る) take ㊐; (雇う) take ㊐, employ ㊐ ★ 前者のほうが口語的; (…よりもむしろ…を選ぶ) prefer ㊐. (☞ えらぶ). ¶どの方法を*採るべきか, まだ決定されていない Which method to ｢*take* [*choose*] has not yet been decided. // 私はこちらを*採る I ｢*prefer* [(will) *choose*] this. // その船は進路を北に*とった (⇒変えた) The ship *changed* its course northwards.
7 《捕獲する》: (つかまえる) catch ㊐; (手に入れる) get ㊐. (☞ つかまえる). ¶何匹*とれましたか How many *have* you *caught*? // この猫はよくねずみを*とる This cat is good at *catching* mice. / This cat is a good *mouser*.
8 《奪う》: (ひったくる) snatch ㊐; (力ずくで奪う) rob ㊐ ★「人」または「場所」が目的語; (こっそり盗む) steal ㊐ (過去 stole; 過分 stolen). (☞ ぬすむ; うばう). ¶宝石を全部*とられた All my jewels *were stolen*. / I *had* all my jewels *stolen*. ★ 第 2 文のほうは被害の気持ちが強い. // 彼女は若い男にハンドバッグを*とられた <S (人)+V (*rob*)+O (人)+*of*+名> A young man *robbed* her *of* her purse. / She *was robbed of* her purse by a young man. 語法 rob はこのように「人」または「場所」を目的語とし, 盗まれる「物」は目的語にならない. / (⇒若い男がハンドバッグをひったくった) A young man *snatched* her purse. ★ rob ... of ... の構文より口語的で普通の言い方.

9 «解する»: (解釈する) take (他); (よく考えてみてわかる) màke óut (他); (理解する) understand (他). 《☞ とれる》. ¶ この文の意味が*とれますか Can you 「*make out* [*understand*] what this sentence means? // 彼の言葉を悪く*とるな Don't *take* what he said 「badly [wrong].

10 «要する»: (場所を占める) tàke úp (他); (時間がかかる) take (他); (時間を費す) spend (他). 《☞ しめる[1]》. ¶ この本棚は場所を*とる This bookshelf *takes up* too much space. // 彼女はお化粧するのにずいぶん時間を*とる She *spends* a lot of time putting on her makeup. / It *takes* a lot of time for her to put on her makeup.

11 «記録する»: (写真を撮る) take (他); (書き留めて記録する) wríte [pùt; tàke] dówn (他), recórd (他) ★ 前者のほうが口語的; (テープにとる) tape (他), tápe-recòrd (他); (ビデオにとる) vídeotàpe (他). 《☞ しゃしん; ろくおん; ろくが》. ¶ 彼女は先生の言うことを何から何までノートに*とる She 「*writes* [*takes*; *puts*] *down* everything the teacher says in her notebook.

12 «要求する»: (料金を) charge (他); (当然のように要求する) demand (他). 《☞ せいきゅう[1]》. ¶ あのホテルは 1 泊 2 万円*とる That hotel *charges* twenty thousand yen per night. // その弁護士に法外な料金を*とられた The lawyer *demanded* an unreasonable fee. // その金の半分は税金に*取られます (⇒ 税金に行く) Half of the money *goes* to taxes.

取って返す ☞ 見出し **取って付けたような** ☞ 見出し **とらぬ狸の皮算用** Don't count your chickens before they're hatched. 《ことわざ: 卵がかえらぬうちにひなを数えるな》 **取るに足らない** ── [形] (重要でない) unimportant; (ささいな) trivial ★ 軽蔑的な意味で用いられる. 《☞ つまらない; ささい》. ¶ *取るに足らないこと *trivial* matters / *trivia* ★ 複数形. / *trivialities* ★ 複数形. **取るものも取りあえず** ¶ *取るものも取りあえず (⇒ 全てを放り出して) 大急ぎで家へ帰った I just *dropped everything* and rushed home.

ドル dollar [C] [参考] $, $ という記号を数字の前に付ける. ¶ この服は 30 *ドルする This dress 「costs [is] thirty *dollars*. // *ドルが 100 円に急に上がった [下がった] The *dollar* has sharply 「risen [fallen] to ¥100.
ドル買い dollar buying [U]. ¶ 日銀の*ドル買い介入 *dollar-buying* intervention by the Bank of Japan **ドル外交** dollar diplomacy [U] **ドル為替** dollar exchange [U] **ドル為替本位制** dollar exchange standard [C] **ドル為替レート** dollar exchange rate [C] **ドル危機** the dollar crisis **ドルシフト** switching to dollars [U] **ドル紙幣** dollar bill [C] **ドルショック** the economic shock that followed America's stoppage of dollar-gold conversion **ドルショップ** dollar shop [C] **ドル相場** the exchange rate(s) for the dollar, the dollar exchange rate(s) **ドル高[安]** appreciation [depreciation] of the dollar **ドル建て** ── [副] in dollars **ドル建て相場** the dollar exchange rate **ドル地域** the dollar area **ドル箱** (お金をもうけてくれる人・物) moneymaker [C], gold mine [C]; (収入源) revenue producer [C].

どるい 土塁 (古代ローマなどの) agger /ǽdʒɚ/ [C]; (塚・小山) mound [C].

ドルイドきょう ドルイド教 ── [名] (古代ケルト人が信仰した) Druidism [U], druidism [U]. ── [形] druidic(al).

トルーマン ── [名] (固) Harry S. Truman, 1884–1972. ★ 米国第 33 代大統領. **トルーマンドクトリン** the Truman Doctrine.

トルエン 〖化〗 toluene /tɑ́ljuìːn/ [U].

トルキスタン ── [名] (固) Turkestan /tə̀ːkəstǽn/ ★ 中央アジアのオアシス定住地帯.

トルク 〖物理〗 torque /tɔ́ɚk/ [U]. **トルクコンバーター** tórque convèrter [C].

トルクメニスタン ── [名] (固) Turkmenistan /təːkmènɪstǽn/ ★ 中央アジア南西部の共和国.

トルコ ── [名] (固) Turkey; (正式名) the Republic of Turkey. ── [形] Turkish. **トルコ石** turquoise [C], Turkey stone [C]. 《☞ ターコイズ》 **トルコ桔梗**(ききょう) 〖植〗 prairie-gentian /pré(ə)-ridʒénʃən/ [C] **トルコ語** Turkish [U] **トルコ行進曲** the Turkish March **トルココーヒー** Turkish coffee [U] **トルコ人** Turk [C] **トルコ帽** fez [C].

トルストイ ── [名] (固) Lev Nikolayevich Tolstoy /léf nìkəláɪɪvɪtʃ tɔːlstɔ́ɪ/, 1828–1910. ★ ロシアの小説家.

トルソー (人体の胴部) torso /tɔ́ɚsou/ [C] 《複 ～s, torsi /-siː/》 《☞ どうたい[1]》.

ドルチェ 〖楽〗 ── [名] dolce /dóultʃeɪ/ [C] 《複 dolci /-tʃiː/》. ── [形] [副] (甘美な[に]) dolce. ★ イタリア語より.

トルテ (洋菓子の一種) torte /tɔ́ɚt/ [C] 《複 tortes, torten》 ★ ドイツ語の Torte より.

トルティーヤ tortilla /tɔɚtíːjə/ [U] ★ メキシコで主食とする, とうもろこし粉の薄焼き.

トルネード (竜巻) tornado /tɔɚnéɪdou/ [C] 《複 ～es, ～s》.

ドルビーほうしき ドルビー方式 《商標》 Dolby System ★ オーディオの雑音を減少させる方式.

トルファン ── [名] (固) Turpan /tuɚpáːn/, Turfan /tuɚfáːn/ ★ 中国新疆(しんきょう)ウイグル自治区, 天山山脈南東の盆地.

ドルフィン 〖動〗 dolphin [C] 《☞ いるか》. **ドルフィンキック** (水泳の) dolphin kick [C].

ドルマンスリーブ 〖服〗 dolman sleeve [C].

どれ[1] (どれが・どれを・どの) which 《☞ どちら; どれも》. ¶ さて, *どれにしよう Well, *which* (*one*) should I take? // 一番安いのは*どれですか *Which* (*one*) is the cheapest? **どれか** ¶ *どれか 1 つを選ばなければならないなら, これを取る If I have to choose *one* of them, I'll take this one. **どれでも** (どちらでも; …するものはどれでも) whichever; (多くの中からどれをとっても) any (one). ¶ *どれでも好きなのをお取りなさい Take *whichever* you like. // 「どれがいいですか」「*どれでもいいです」"Which would you like?" "I'd like *any one* of them."

どれ[2] ── [間] (さて・さあ) now(,) then ★ この 2 語で 1 つの表現; all right. ¶ *どれ, 仕事を始めるとするか *Now, then*, let's get to work. // *どれ, 見せてごらん *All right*, 「show it to me [let me see it].

トレアドールパンツ (闘牛士のものをまねた女性用のズボン) toreador /tɔ́ɚriədɔ̀ɚ/ pánts ★ 複数形で.

トレイ ☞ トレー

どれい[1] 奴隷 slave [C]. ¶ 我々は習慣の*奴隷だ We are the *slaves* of habit. **奴隷解放** the emancipation of slaves **奴隷解放宣言** (米国の) the Emancipation Proclamation **奴隷制(度)** slavery [U] [語法] 奴隷制のほかに奴隷の身分・状態も表す. **奴隷貿易** slave trade [U] **奴隷労働** slave labor [U].

どれい[2] 土鈴 earthen bell [C].

トレー tray [C].

トレーサー tracer [C].

トレーサビリティー (追跡可能性) traceability [U].

トレーシングペーパー (透写紙) tracing paper [U].

トレース ―[名] (人・動物などの踏み跡) trace Ⓒ. ―[動] (透き写し・敷き写しする) trace (他). トレース紙 ☞ トレーシングペーパー
トレーダー trader Ⓒ.
トレード ―[動] (選手を交換する) trade (他).
トレードネーム (商標名) trade name Ⓒ.
トレードマーク (商標) trademark Ⓒ《略 TM》.
トレードマネー (プロスポーツの選手交換の費用) transfer fee Ⓒ.
トレーナー (人) trainer Ⓒ; (衣服) sweatshirt Ⓒ.
トレーニー (訓練を受ける人) trainee /treɪníː/ Ⓒ.
トレーニング training Ⓤ《☞ くんれん; れんしゅう [語法]》. ¶ 彼らは来シーズンに備えてすでに*トレーニングを始めた They have already ˹gone into [started] *training* for the coming season.
トレーニングウェア《米》sweatsuit Ⓒ,《英》track suit Ⓒ トレーニングシャツ sweatshirt Ⓒ トレーニングパンツ sweat pants ★ 複数形で; (上着と一緒にして) sweatsuit Ⓒ [日英比較] 英語の training pants は, 幼児がおしめをはずし始めて普通の下着に移るまでの間に用いる特製パンツのこと. トレーニングマシーン exercise machine Ⓒ.
ドレーピング 〘服〙(立体裁断・ドレープをつけること) draping Ⓤ.
ドレープ (布地のひだ) drapes ★ 通例複数形で.
トレーラー trailer Ⓒ.
トレーラーパーク tráiler pàrk Ⓒ ★ トレーラーハウスの駐車指定区域.
トレーラーハウス hóuse tràiler Ⓒ.
トレーン (衣類のもすそ) train Ⓒ.
ドレーン (排水管) drain Ⓒ. ドレーンコック drain ˹cock [valve] Ⓒ.
ドレス dress Ⓒ.
ドレスアップ ―[動] dréss úp (自)《☞ せいそう[1, 2]》.
ドレスシャツ 〘服〙dress shirt Ⓒ.
ドレススーツ 〘服〙dress suit Ⓒ.
ドレスダウン ―[動] (略装する) dress down (自)《☞ りゃくふく》.
ドレスデン ―[名] (固) Dresden /drézdən/ ★ ドイツ東部の都市.
ドレスメーカー (婦人服の洋裁師) dréssmàker Ⓒ; (店) dressmaker's shop Ⓒ.
ドレスメーキング dressmaking Ⓤ.
ドレスリハーサル (本番と同じ衣装をつけて行う舞台稽古) dréss rehéarsal Ⓒ.
とれだか 取れ高 (作物の収穫高) crop Ⓒ, harvest Ⓒ; (漁獲高) catch Ⓒ.《☞ しゅうかく[1]》. ¶ 今年の米の*取れ高は昨年よりずっと良い This year's rice ˹*crop* [*harvest*] is much better than last year's.
とれたて 取れ立て ―[形] fresh《☞ とりたて[2]》. ¶ この野菜は全部*取れ立て (⇒ 畑から来たばかり) です These vegetables are all *fresh from the field*.
トレッカー trekker Ⓒ.
トレッキング (徒歩旅行) trekking Ⓤ. トレッキングシューズ trekking shoes.
トレック ―[動] trek (自), go trekking.
ドレッサー (鏡付き化粧だんす・化粧台) dresser Ⓒ.
ドレッシー dressy. ¶ 彼女は*ドレッシーな服を着るのが好きだ She likes wearing *dressy* outfits. / (⇒ 盛装するのが) She likes *dressing up*. [日英比較] dressy は「あらたまった」(formal) と「派手な」の意味があり, 日本語の「女性の服装が優雅な」という意味とは異なる.
ドレッシング dressing Ⓒ《☞ ソース[1] [日英比較]》.
ドレッシングルーム (更衣室・化粧室) dressing room Ⓒ.
トレッドパターン (タイヤで地面についた模様) tread (pattern) Ⓒ.
トレッドミル (室内ランニング装置) treadmill Ⓒ.
どれどれ ―[間] (人を促して) come on, c'mon /kəmán/; (間を置くために) hmm, well, let me see, now.
トレニア 〘植〙torenia Ⓒ, wishbone flower Ⓒ.
トレパン ☞ トレーニング (トレーニングパンツ)
トレビのいずみ トレビの泉 the Trevi Fountain.
どれほど どれ程 (程度を表して) how《☞ どのくらい》. ¶ この本の値段は*どれほどですか *How* much is this book? // ここからお宅までの距離は*どれほどですか *How* far is it from here to your house?
トレミー ☞ プトレマイオス
ドレミファ 〘楽〙 ―[名] sol-fa /sòʊlfáː/ Ⓤ [参考] 音階名は do, re, mi, fa, so(l), la, and ˹ti [si]. ―[動] (ドレミファで歌う) sing sol-fa.
どれも (すべて) all, all of ...; (ことごとく) every.《☞ すべて》. ¶ *どれもこれもすばらしい *Every one* of them is wonderful.
トレモロ 〘楽〙trémolò Ⓒ.
とれる 取れる, 撮れる **1** «得られる»: (捕えられる) be caught; (生産される) be produced.《☞ つかまえる》. ¶ 先日珍しい魚がこの辺りで*とれた (⇒ 捕えられた) The other day a strange fish *was caught* near here. // この辺はみかんがたくさん*とれる (⇒ 生産される [栽培される]) Oranges *are* ˹*produced* [*grown*] around here in large quantities. // 国語の試験で満点はなかなか*とれない It's very hard to *get* ˹100 percent [《英》 full marks] on Japanese tests.
2 «離れる» ―[動] (はずれる) come off (自), come off ...; (取れている) be ˹off [away] ★ 状態をいう; (去る) leave (他) (自); (取り除かれる) be removed; (痛みなどがなくなる) go (自). ―[形] (なくなっている・見つからない) missing.《☞ はずれる; はがれる》.
¶ ふたがどうしても*とれなかった The lid would not *come off*. // 背広のボタンが*とれた A button on my suit *has come off*. / A button *has come off* my suit. // 背広のボタンが*とれていますよ There's a button ˹*off* [*missing from*] your suit. // 悪い癖はなかなか*とれない (⇒ 捨て去ることは難しい) A bad habit is not easy to *shake off*. / (⇒ 取り除くのが難しい) It is not easy to *get rid of* a bad habit. // 痛みが*とれた The pain *has left* me. / (⇒ なくなっている) My pain *has gone*.
3 «解釈できる»: (理解する) get (他), catch (他), understand (他) ★ get, catch は口語的な語; (解釈する) intérpret (他), take (他) ★ 後者のほうが口語的.《☞ かいしゃく[1]; りかい; とる》. ¶ その意味が*とれない (⇒ 理解できない) I can't ˹*catch* [*understand*] the meaning. // 私にはそれが冗談とは*とれなかった I couldn't *take* it as a joke. // このあいまいな表現はいろいろな意味に*とれる This vague expression may *be interpreted* in several ways.
4 «写真が»: còme óut (自), tùrn óut (自). ¶ その写真はよく*撮れている The picture ˹*came* [*turned*] *out* well. // 彼女はいつもよく*撮れている She always *photographs* well. / (⇒ 写真向きである) She is *photogenic*.
5 «録音が»: be recorded. ¶ 音がよく*とれている The sounds *were recorded* accurately.
トレンチコート trench coat Ⓒ.
トレンディー ―[形] (流行の先端を行く) fashionable,《略式》trendy ★ 後者は時に軽蔑的に用いられる; (流行を作り出す) trendsetting.
トレンド (傾向・動向) trend Ⓒ. トレンドウォッチャー trend watcher Ⓒ トレンドセッター trendsetter Ⓒ.

とろ[1] (まぐろの) fatty meat of tuna (often used for sushi) Ⓤ. ¶ 中*とろ medium-*fatty tuna meat* // 大*とろ *marbled white tuna meat*

とろ[2] **吐露** ── [動] (感情などを表す) express (他), reveal (他). ¶ 真情を*吐露する *reveal one's* true feelings / *speak* from 「*one's* [the] heart

どろ 泥 ── [名] (泥土) mud Ⓤ, dirt Ⓤ [語法] (1) 最も一般的な語は mud. 汚さを暗示するときには dirt. ── [形] (泥の・泥だらけの) muddy; (泥で汚れた) dirty (↔ clean) [語法] (2) この語は泥で汚れたのではない場合にも使う. (☞ どろんこ; どろまみれ).
¶ 部屋中*泥だらけだ (⇒ 床は泥で覆われている) The floor is covered with *mud*. / (⇒ 床のいたるところに泥がある) There is 「*mud* [*dirt*] all over the floor. // 靴の*泥を落とす scrape the *mud* from *one's* shoes
泥のように眠る sleep like a log (☞ じゅくすい).
泥をかぶる (仲間などの失策の責任を負う) take the responsibility for the blunder committed by *one's* colleague(s) **泥を塗る** (恥をかかせる) disgrace (他), bring disgrace on …; (評判を汚す) stain …'s 「reputation [good name]. ¶ 親の顔に*泥を塗るようなことをしてはいけない (⇒ 親の恥となるようなことをしてはいけない) You shouldn't do things to 「*disgrace* [*bring disgrace on*] your parents. // 彼はわが校の顔に*泥を塗った (⇒ わが校のよい評判に傷をつけた) He *stained* 「*the reputation* [*the good name*] *of* our school. **泥を吐く** ¶ 容疑者はとうとう*泥を吐いた (⇒ 罪を白状した) The suspect 「*confessed his crime* [*came clean*] at last. ★ [ ] 内は口語的. **泥遊び** ☞ どろんこ (泥んこ遊び) **泥絵** distemper painting Ⓒ **泥絵の具** distemper Ⓤ ★ 種類を言う時は Ⓒ. **泥落とし** (玄関の) doormat Ⓒ **泥靴** muddy 「boot [shoe] Ⓒ; (固まった泥のこびりついた靴) mud-caked 「boot [shoe] Ⓒ **泥人形** clay doll Ⓒ **泥船** (泥を運ぶ船) mud barge Ⓒ; (泥でできた船) boat made of mud Ⓒ **泥水** muddy water **泥道** muddy road Ⓒ **泥除け** (自転車・自動車の) mudguard Ⓒ, fender Ⓒ, 《英》 wing Ⓒ; (車輪の後ろに垂らす) mud flap Ⓒ. (☞ じてんしゃ (挿絵); オートバイ (挿絵))
泥くさい, 泥仕合, 泥沼, 泥まみれ, 泥んこ ☞ 見出し.

とろい (動作や頭の働きが鈍い) dull, stupid; (理解・動作などが遅い) slow. (☞ にぶい; のろい[1]).

トロイ ── [名] (固) (小アジア北西部の古代都市) Troy. ── [形] Trojan /tróuʤən/. **トロイ戦争** the Trojan War **トロイの木馬** 〖ギ神〗 the Trojan horse ★ 比喩的には Ⓒ で「内部にひそかに入り込んで工作する人」.

トロイオンス troy ounce Ⓒ.

トロイカ (ロシアの三頭立て馬車・そり) tróika Ⓒ. **トロイカ方式** troika (system) Ⓒ.

とろいせき 登呂遺跡 〖考古〗 the Toro 「ruins [site]; (説明的には) the prehistoric archeological site at Toro.

トロイポンド troy pound Ⓒ.

トロイメライ ── [名] (固) 〖楽〗 Träumerei /trɔ́ɪmərèɪ/ ★ シューマン作曲のピアノ曲.

とろう 徒労 ¶ 我々の努力はすべて*徒労に帰した (⇒ 実を結ばなかった) All our efforts *proved fruitless*. / (⇒ 結果として失敗に終わった) All our efforts *resulted in failure*. / (⇒ 何にもならなかった) All our efforts *came to nothing*. (☞ むだ)

ドロー (引き分け) draw Ⓒ. ¶ 試合の結果は*ドローだった (⇒ 試合は引き分けに終わった) The game ended in a *draw*. **ドローゲーム** (引き分けの試合) tie [drawn] game Ⓒ, tie Ⓒ, draw Ⓒ.

ドローイング drawing Ⓤ. **ドローイングペーパー** drawing paper Ⓤ.

トローチ (口内錠) troche /tróuki/ Ⓒ; (咳止めドロップ) lozenge /lɑ́znʤ/ Ⓒ.

ドローボール (ゴルフ) draw (ball) Ⓒ.

トローリング (流し釣り) trolling Ⓤ.

トロール (底びき網) trawl Ⓒ, trawlnet Ⓒ. **トロール網** trawl(net) Ⓒ, ground net Ⓒ **トロール漁業** trawling Ⓤ, trawl fishery Ⓤ **トロール船** trawler Ⓒ.

ドローンゲーム ☞ ドロー (ドローゲーム).

とろかす 蕩かす (固形物などを溶かす) melt (他); (人をうっとりさせる) charm (他); (人の心を和らげる) make *a person's* heart melt. ¶ 彼女は甘い言葉に心を*蕩かされた She *was charmed* by the sweet words.

とろくさい ☞ とろい

どろくさい 泥臭い ── [形] (洗練されていない) unrefined; (粗野な) crude. ¶ あの*泥くささが彼の売りものだ That *crude* behavior is his trademark.

とろける **1** «固形物が»: melt (自) (☞ とける[1]).
¶ チョコレートは口に入れると*とろける Chocolate *melts* in the mouth. // 舌に*とろけるように甘い *enchantingly* sweet
2 «心が»: (魂を奪われる) be fascinated; (魅惑される) be charmed. (☞ うっとり; うちょうてん). ¶ 彼女の優しい言葉に彼は身も心も*とろけた He *was* completely *fascinated* by her tender words.

どろじあい 泥仕合 (互いに中傷し合う) mudslinging Ⓤ; (汚い争い) dirty fight Ⓒ. ¶ 革新政党同士で*泥仕合を演じている (⇒ お互いを非難して泥をぶつけあっている) The reformist political parties *are* 「*throwing* [*slinging*; *flinging*] *mud at* each other.

トロツキー ── [名] (固) Leon Trotsky /léɪɑn trɑ́tski/, 1879–1940. ★ ロシアの革命家.

トロツキスト Trotskyist Ⓒ, Trotskyite Ⓒ.

トロツキズム Trotskyism Ⓤ.

トロッコ truck Ⓒ.

とろっと ☞ とろりと

トロット ── [名] (馬の速足) trot Ⓒ. ── [副] (トロットで) at a trot.

どろっと ── [形] (ねばねばする) sticky; (濃厚な) thick. (☞ どろどろ).

ドロップ (菓子) drop Ⓒ; 〖野〗 drop Ⓒ.

ドロップアウト ── [動] (落後・退学する) drop out (of …) (自). ── [名] (落後者・退学者) dropout Ⓒ.

ドロップキック ── [名] (ラグビーの) dropkick Ⓒ. ── [動] drop-kick (自) (他).

ドロップゴール (ラグビーで) drop(ped) goal Ⓒ.

ドロップショット (テニス・バドミントンなどの) dropshot Ⓒ.

ドロップハンドル (自転車の) drop bars ★ 通例複数形で.

とろとろ (弱火でぐつぐつ煮る) simmer over a 「low [slow] fire; (うとうと眠る) doze off (自). (☞ 擬声・擬態語 (囲み)). ¶ シチューを*とろとろ煮る leave the stew to *simmer* // 本を読みながら*とろとろと眠ってしまった I *dozed off* while reading.

どろどろ ── [形] (泥で) muddy; (水を含んでぐしゃぐしゃの) sloppy; (スープなどが濃厚な) thick; (果肉を煮溶かしたような) pulpy. (☞ どろんこ; ぬかる[1]; 擬声・擬態語 (囲み)).
¶ 雨が降るとこの道は*どろどろになる When it rains, this road becomes 「*muddy* [*sloppy*]. // スプーンで肉汁が*どろどろになるまでかき混ぜなさい Stir with a spoon until the gravy is *thick*.

どろなわ 泥縄 ¶ いまさら試験勉強したって*泥縄だね (⇒ 土壇場の詰め込みは役に立たない) Last-minute cramming *won't work*. / (⇒ いまから詰め

と

込み勉強してもむだだ. 遅すぎる) It's no use cramming for the examination. It's *too late.* (☞ どろぼう) **泥縄式に** (期限ぎりぎりの時に) at the eleventh hour.

どろぬま 泥沼 bog Ⓒ. **泥沼にはまる** ¶ 彼は細かいところで*泥沼にはまってしまった He *got bogged down in* details. **泥沼化** ― ［動］ bog down (自)(他), turn into a ˹bog [swamp; quagmire]. ¶ 戦争は*泥沼化した The war *bogged down.*

とろび とろ火 very ˹low [slow] heat Ⓤ, slow [low] fire Ⓒ ★ 前者のほうが一般的. (☞ よわび; 料理の用語 (囲み)). ¶ *とろ火で煮る simmer *slowly* / (⇒ とろ火にかけて) simmer over ˹*low* [*slow*] *heat*

トロピカル ― ［形］ tropical (☞ ねったい). **トロピカルドリンク** tropical drink Ⓒ **トロピカルフィッシュ** tropical fish Ⓒ **トロピカルプラント** tropical plant Ⓒ **トロピカルフルーツ** tropical fruit Ⓤ ★ 種類を指すときは Ⓒ. (☞ くだもの).

トロフィー trophy Ⓒ (☞ カップ).

どろぼう 泥棒 **1** «人»: (人に知られないように盗む者) thief Ⓒ (複 thieves); (強盗) robber Ⓒ; (特に夜の押し込み強盗) burglar Ⓒ; (特に昼間の押し込み強盗) housebreaker Ⓒ. (☞ ごうとう (類義語); あきす; こそどろ; ぬすむ (類義語)).

¶ 彼女は*泥棒に金を盗まれた She had her money stolen (by a *thief*). // *泥棒! (追いかける叫び声) Stop *thief*! / (物をとられて助けを求めるとき) Help! I'*ve been robbed*! // 彼の家は昨夜*泥棒に入られた His house *was* ˹*burgled* [*broken into*] last night. / (⇒ 住居侵入があった) There was a *break-in* at his house last night. // 人を見たら*泥棒と思え (⇒ だれも信用するな) Don't trust anybody.

2 «行為»: (盗み) theft Ⓒ, stealing Ⓤ; (強盗) robbery Ⓒ; (押し込み強盗) burglary Ⓒ. (☞ ぬすみ).

¶ 近ごろは*泥棒はあまりない Recently not many cases of *theft* have been reported.

泥棒に追い銭 ¶ それではまるで*泥棒に追い銭だ (⇒ 損をした上に損を重ねる) You're just throwing good money after bad. **泥棒にも三分の道理** Even a thief has ˹his [her] reasons. **泥棒を捕えて縄をなう** ¶ *泥棒を捕えて縄をなうのでは遅い It's too late to *lock the stable door after the horse has been stolen.* (ことわざ: 馬を盗まれてから馬小屋に鍵を掛けても手遅れだ) (☞ どろなわ)

泥棒根性 thievish spirit Ⓒ; (盗癖) kleptomania /klèptəméɪniə/ Ⓤ. (☞ とうへき) **泥棒猫** ¶ 台所でこそこそしないでちょうだい. *泥棒猫のようじゃないの Please don't sneak around the kitchen. You're like a *slinking cat*, aren't you? (☞ こそどろ)

ドロマイト 〘鉱物〙 dolomite Ⓤ.

どろまみれ 泥まみれ ― ［動］ (泥でおおわれている) be covered with mud. ― ［形］ (泥だらけの) muddy. (☞ どろ; どろんこ).

¶ 彼は全身*泥まみれだった He *was covered with mud* from head to toe. // *泥まみれの靴 *muddy* ˹boots [shoes] // 彼は*泥まみれになって働いた He worked *covered with mud.*

とろみ ¶ でんぷんでスープに*とろみを加える *thicken* the soup with starch

どろみず 泥水 ☞ どろ (泥水)

どろよけ 泥除け ☞ どろ (泥除け)

どろり ☞ どろどろ

トロリーバス trolleybus Ⓒ ★ 《英》 では単に trolley ともいう. (☞ バス[1]).

とろりと ― ［形］ (濃くクリーム状の) thick and creamy (☞ 擬声・擬態語 (囲み)). ¶ 弱火で中身の材料が*とろりとなるまで煮て下さい Simmer the mixture until *thick and creamy.*

とろろ grated yam Ⓤ. **とろろ芋** 〘植〙 (Chinese [Japanese]) yam Ⓒ **とろろ汁** yam soup Ⓒ **とろろ飯** rice and grated yam(s) Ⓤ.

とろろこんぶ とろろ昆布 tangle flakes ★ 複数形で.

どろん ― ［動］ (持ち逃げする) make off with …; (逃げ出す) gèt awáy (自); (姿を消す) disappear (自). (☞ もちにげ; 擬声・擬態語 (囲み)). ¶ 男はその金をふところにして*どろんした (⇒ 金を持って逃げた) The man *made off with* the money.

ドロンゲーム ☞ ドロー (ドローゲーム)

どろんこ 泥んこ ― ［名］ (泥) mud Ⓤ. ― ［形］ (泥だらけの) muddy. (☞ どろ 語法; どろまみれ). ¶ 私たちは*泥んこになって遊んだ We played covered with *mud.* // 体中*泥んこになる get *muddy* all over **泥んこ遊び** ― ［動］ (泥の中で遊ぶ) play in the mud; (泥をこねて遊ぶ) play with mud; (泥まんじゅう作りをする) make mud pies.

とろんと ― ［形］ (眠そうな) sleepy; (活気のない) dull. (☞ 擬声・擬態語 (囲み)). ¶ 彼女は眼が*とろんとしている Her eyes are *dull and heavy.* / (⇒ 眠そうに見える) She looks *sleepy.* // *とろんとした (⇒ 眠そうな) 目付き *sleepy* [*dull; drowsy*] eyes ★ 文字通り眠そうな目には sleepy を, すでにうとうとと眠りかけている場合には drowsy を, 焦点の合っていない目には dull を用いる.

トロント ― ［名］ (固) Torónto ★ カナダ南東部の都市.

トロンプルイユ 〘美〙 (だまし絵) trompe l'oeil /trɔ́ːmpləːi/ Ⓒ ★ フランス語から.

トロンボーン 〘楽器〙 trómbone Ⓒ. ¶ *トロンボーンを吹く blow a [(⇒ 演奏する) play the] *trombone* **トロンボーン奏者** trombonist Ⓒ.

とわ 永久 ― ［名］ eternity Ⓤ. ― ［形］ (とわの) eternal. ― ［副］ (とわに) forever. (☞ えいえん). **とわの眠りに就く** (死ぬ) take eternal rest, die (自) ★ 後者が一般的だが, 日本語の語感には前者が近い. (☞ えいみん) **とわの別れ** final parting Ⓒ. ¶ *とわの別れとなる *part never to meet again*

トワイライト (日没 [日の出] 前の薄明かり) twilight Ⓤ.

とわず 問わず ¶ 男女を*問わず *regardless of* sex / male or female // 何かあったら事のいかんを*問わず直ちに知らせて下さい (⇒ 何が起こっても) Please let me know immediately, *no matter what* may happen. (☞ かかわらず 2) **問わず語り** ¶ 彼女は*問わず語りに自分の生い立ちを話した She *voluntarily described* her early career. / *Without being asked*, she ˹*described* her early life [*talked about* how she grew up].

どわすれ 度忘れ ― ［動］ (一時的に忘れる) forget … for the moment; (記憶から消える) slip *a person's* ˹mind [memory], escape *a person's* memory ★「事柄」が主語となる. (☞ わすれる). ¶ 私はその英語の単語を*度忘れした (⇒ その瞬間忘れた) I *have forgotten* the English word *for the moment.* / (⇒ うっかり忘れた) The English word *has slipped my* ˹*mind* [*memory*].

トン ton /tʌ́n/ Ⓒ; (船の容積トン数) tonnage Ⓤ. (☞ 度量衡 (囲み)). ¶ 鉄 10*トン ten *tons* of iron // 5*トン積みのトラック a five-*ton* truck // 3 万*トンの船 a thirty-thousand *tonner* ★ …トンの船 [乗り物] を tonner という. / a ship of 30,000 *tons* **トン数** tonnage Ⓤ. ¶ 総*トン数 gross *tonnage*

どん[1] ― ［名］ (重い物がぶつかる音) thump Ⓒ; (重い物が落ちる音) thud Ⓒ; (大砲などの発射音) bang Ⓒ. ― ［副］ (大量に) in plenty. (☞ 擬声・擬態語 (囲み)). ¶ テーブルをげんこつで*どんと叩く *thump* the table with *one's* fist // 私の車は電柱に*どんとぶ

つかった My car *bumped* the utility pole. // 大砲が*どんと鳴った *Bang* went the gun. // 山のような郵便物が一度に*どんと来た An unexpectedly *huge amount of* postal matter was delivered at a time. // *どんと金が入ったそうだな I hear you've made *a pile of* money.
どんと構える (悠然としている) remain calm.
どんと来い (私に任せなさい) Leave it to me. / (準備万端である) I'm ready for anything.

どん² 鈍 ―[形] (頭の働きが鈍い) dull, thick-headed ★ 後者はけなした言い方; (動き・理解が遅い) slow; (馬鹿な) stupid, 《略式》 dumb. (☞ にぶい; のろい¹; どんする). ¶ *鈍な人間 a ⌈*dull* [*stupid*] person

どん³ ☞ ようい¹ (用意ドン!)

ドン¹ (名士・マフィアなどのボス) don [C]; (中心人物・親玉) kingpin [C]; (政界の有力な黒幕) kingmaker [C]; (暴力団などの首領) godfather [C].

ドン² (ベトナムの貨幣単位) dong [C] 《複 ~》.

-どん …丼 ☞ かつどん; てんどん; どんぶり

トンガ ―[名] 固 (the Kingdom of) Tonga. ―[形] Tongan. トンガ語 Tongan [U] トンガ諸島 the Tongan Islands トンガ人 Tongan [C].

どんか 鈍化 ―[動] (感覚などが鈍くなる) get [become] dull; (速度などが遅くなる [遅くする]) slow down 自 他. (☞ にぶる). ¶ 多くの国々は出生率を*鈍化させる必要がある Many countries need to *slow down* their birthrates.

どんかく 鈍角 obtuse /ɑbt(j)úːs/ angle [C] (↔ acute angle) (☞ かく⁶ (挿絵); さんか(けい); えいかく). 鈍角三角形 obtuse-angle triangle [C].

とんかち ☞ かなづち

とんカツ 豚カツ (deep-fried breaded) pork cutlet [C] (☞ 料理の用語 (囲み)). ¶ *とんカツを揚げる deep-fry a (*breaded*) *pork cutlet*

とんがり 尖り (sharp) point [C]; (尖った先) tip [C]. (☞ とがる). 尖り帽子 hat with a pointed crown [C], wizard's hat [C].

とんがる 尖る ☞ とがる

どんかん 鈍感 ―[形] (他人の感情に思いやりのない) insensitive (to …); (ものわかりの遅い) dull; (非難やあてこすりなどに無頓着な・厚顔な) thick-skinned ★ 時に軽蔑的. ―[名] insensitivity [U]; dullness [U]. (☞ にぶい).
¶ 彼は*鈍感で, 人の気持ちがわからない He is *insensitive to* other people's feelings. // 彼女は*鈍感だから人が何と言おうと平気だ She is too *thick-skinned* to care whatever they may say.

どんき 鈍器 blunt and heavy weapon [C].

ドンキー (ろば) donkey [C].

ドンキホーテ ―[名] (セルバンテス作の同名の小説の主人公) Don Quixote /dànki(h)óuti/; (現実と理想を区別できない人) (Don) Quixote [C]. ―[形] quixotic /kwɪksátɪk/, quixotical. ¶ *ドンキホーテ的な行動 [性格] a *quixotic* ⌈act [character]

とんきょう 頓狂 ¶ *頓狂な声で話す speak in a *wild and queer* voice 頓狂者 《略式》 harum-scarum /hé(ə)rəm-ské(ə)rəm/ [C].

トンキロ (貨物輸送量の単位) ton-kilometer [C].

トング (物をはさんで持ち上げる道具) tongs ★ 通例複数形で.

どんくさい 鈍臭い (行動がのろい) slow; (頭の回転がにぶい) slow-witted. (☞ のろい¹; にぶい).

どんぐり acorn [C]. どんぐりの背比べ ¶ 彼らは*どんぐりの背比べだ (⇒ だいたい同じレベルで, 特に飛び抜けた人はいない) They are *more or less on the same level, and no one is outstanding*. / (⇒ みんな同じようなものだ) They are *all alike*. どんぐり眼 (まなこ) big round eye [C].

どんけつ ☞ どんじり; びり

とんこう 敦煌 ―[名] 固 Dunhuang /dùnhwáːn/, Tunhuang /tùnhwáːn/ ★ 中国甘粛省の都市. 敦煌芸術 the Dunhuang art 敦煌文化 the Dunhuang culture.

どんこう 鈍行 (各駅停車の普通列車) local train [C] (↔ express (train)) (☞ かくえきていしゃ).

とんこつ 豚骨 simmered pork with bones flavored with sugar, sake and ⌈miso [soybean paste] [U]. 豚骨ラーメン Chinese(-style) noodles in soup stock made from pork bones ★ 複数形で.

とんコレラ 豚コレラ swine fever [U], 《米》 hog cholera [U].

とんざ 頓挫 ―[動] (行き詰まる) come [be brought] to a deadlock (☞ ゆきづまり; あんしょう¹). ¶ その計画は*頓挫したままだ The ⌈plan [project] *has come to a deadlock*.

どんさい 鈍才 ―[形] dull-witted [A]; (反応が遅い) slow-witted [A]. ★ [P] ではハイフンなし. ―[名] dull-witted [slow-witted] person [C].

とんし 頓死 ―[名] (突然の死) sudden death [C]. ―[動] (突然死ぬ) die suddenly. (☞ きゅうし²).

とんじ¹ 豚児 ¶ 日本人は自分の息子を*豚児と称して (⇒ 謙遜のために「私の愚かな息子」という表現を使って) 他の人に話すことがある For modesty's sake, Japanese sometimes use the phrase "*my stupid son*" when speaking to non-family members. ★ 欧米ではこのようなへりくだった言い方はしない.

とんじ² 遁辞 (言いわけ) excuse /ɪkskjúːs/ [C]; (口実) pretext [C]; (言い逃れ) evasion [C]. (☞ いいわけ). 遁辞を弄する give an evasive explanation; (…の口実を見つける) find a pretext for …

とんしゃ 豚舎 《米》 pigpen [C], hogpen [C], 《英》 pigsty /pígstàɪ/ [C]. (☞ ぶた (豚小屋)).

とんしゅ 頓首 ¶ *頓首再拝 Sincerely [Respectfully; Thankfully] yours / 《英》 Yours ⌈sincerely [respectfully; thankfully] ★ sincerely が最も普通に使われる. (☞ 手紙の書き方 (囲み) 3 結び)

ドンジュアン ☞ ドンファン; ドンジョバンニ

どんじゅう 鈍重 ―[形] (頭の鈍い) thick-headed, thick-witted. (☞ にぶい; のろい¹).

とんしょ 屯所 (軍隊の駐屯所) (military) ⌈post [camp] [C], garrison [C].

どんしょく 貪食 ―[動] (むさぼり食う) eat voraciously, gormandize 自. 貪食細胞 ☞ マクロ (マクロファージ)

ドンジョバンニ ―[名] 固 Don Giovanni /dàndʒouváːni/ ★ Don Juan のイタリア語の形. モーツァルトのオペラの題名にもなっている 17 世紀スペインの伝説的貴族.

どんじり どん尻 the tail end (☞ びり). ¶ 彼はいつもクラスの*どん尻にいた He was always *at the bottom* of his class.

とんじる 豚汁 miso soup with pork and vegetables [U], pork and vegetable soup flavored with miso [U] ★ a bowl of ~ のように数える.

どんす 緞子 (satin) dámask [U]. ¶ 金襴*緞子の帯 a *damask* sash with gold brocade / an *obi* made of gold-brocade *satin damask*

とんずら ―[名] (逃げること) 《米略式》 the lam. ―[動] take it on the lam. (☞ ずらかる).

どんする 鈍する become ⌈dull [insensitive] (☞ にぶる). ¶ 貧すれば*鈍する (⇒ 貧しさが善悪の分別を鈍くする) Poverty *dulls* the ⌈sense of right and wrong [moral sense].

とんせい 遁世 ―[動] (俗世間から離れる) seclude *oneself* away from the world; (仏門に入る)

enter the Buddhist priesthood. (☞ いんとん).

とんそう 遁走 ―動(負けたり, 危険を避けたりして逃げる) take flight (☞ にげる). **遁走曲** 〔楽〕 fugue Ⓒ.

とんそく 豚足 pig's legs; (豚・羊などの食用の足) trotters ★ いずれも複数形で.

とんぞく 遁俗 ☞ とんせい; いんとん

どんそく 鈍足 (走るのが遅い人) slow runner Ⓒ.

どんぞこ どん底 (一番深い所) the depths ★ 通例複数形で; (最悪の状態) the worst. ¶一家は悲嘆の*どん底にある The family ⌈is [are] *in the depths of* distress. // 今は不況の*どん底だ The business cycle has hit *bottom*. **どん底生活** poverty-stricken life Ⓒ.

とんだ ―形(ひどい・たいへんな) terrible, awful, horrible 〔語法〕 以上3語は口語的だが, この順に意味が強くなる; (予想もしない) unexpected; (ありそうもない) unlikely; (重大な) serious. ―副(まったく) quite. (☞ とんでもない).

¶*とんだ目にあった (⇒ ひどい経験をした) I had a ⌈*terrible* [*horrible*] experience. // *とんだ所で昔の友人に出会った (⇒ とてもあり得ないような場所で) I came across an old friend of mine in a *most unlikely* place. // 君は*とんだことをしてくれたね (⇒ ひどいへまをやった) You have made ⌈an *awful* [a *terrible*] mess of it. // もしそれが本当なら, *とんだ見当違いだ (⇒ あなたはまったく間違っている) If it is true, you are *quite* mistaken. // *とんだこと (⇒ 重大なこと) になったものだ Things have gotten very *serious*.

ドンタク (日曜日) Sunday Ⓤ; (休日) holiday Ⓒ. ★ オランダ語 zondag (英語の Sunday にあたる) から. ¶博多*ドンタク the *port festival* held in Hakata in May

とんち 頓智 wit Ⓤ (☞ きてん[1]). ¶*頓智のきく人 a person with a *ready wit* / a *witty* person **頓智くらべ** (2者で) duel of wits Ⓒ; (競争) contest of wits Ⓒ.

とんちき 頓痴気 (まぬけ) idiot Ⓒ; (あほう) blockhead Ⓒ. (☞ ばか). ¶この*とんちき! You *idiot*!

とんちゃく 頓着 ¶彼は世評などに*とん着しない (⇒ 人が彼について言うことに無関心である) He ⌈does*n't care* [is *indifferent to*] what people say about him. // 若者はほとんど家柄には*とん着しない (⇒ 気にかけない) Most young people *pay little regard to* their family background. (☞ むとんちゃく)

どんちゃんさわぎ どんちゃん騒ぎ ―名(酒の入った) 《略式》 binge Ⓒ; (無礼講のパーティー) wild party Ⓒ. ―動(どんちゃん騒ぎをする) hold a wild party.

どんちょう 緞帳 (厚地の幕) thick curtain Ⓒ; (垂れ幕) drop curtain Ⓒ. (☞ まく[4]).

とんちんかん ―形 (要点をはずれて) off ⌈the point [《米略式》 base]; (見当違いの) irrelevant ★ 後者のほうが格式ばった語. (☞ 擬声・擬態語 (囲み)). ¶ぼんやりしていて*とんちんかんなことを言った (⇒ 要点にはずれたことを言った) I was so careless that I said something *off* ⌈*the point* [*base*]. // 彼はわざと*とんちんかんな返事をした He intentionally made an ⌈*off-base* [*irrelevant*] answer.

どんつう 鈍痛 dull pain Ⓤ ★ 体の一部の痛みは Ⓒ. (☞ いたみ (類義語)).

どんづまり どん詰まり ¶よい考えが浮かばないや. 頭が*どん詰まりの状態だ I haven't hit on any good idea. I'*m stuck*. // 少年たちは路地の*どん詰まりに猫を追い込んだ The boys chased a cat into *the (dead) end* of the alley.

とんでもない **1** 《途方もない》: (たいへんな・ひどい) terrible, awful, horrible 〔語法〕 いずれも日常的な語で, この順に意味が強くなる; (はなはだしい) gross; (不法でけしからぬ) òutrágeous; (予想もしないような) unexpected. (☞ とんだ).

¶*とんでもない (⇒ たいへんな) ことが起こった A *terrible* [An *awful*] thing happened. / (⇒ 予期しないことが) An *unexpected* thing happened. // *とんでもない (⇒ ひどい) へまをしでかしてお恥ずかしい I'm ashamed of making an *awful* mess of it. // 世の中には*とんでもない人間がいるものだ (⇒ なんというけしからぬ人たちだろう) What *outrageous* people they are! // *とんでもない (⇒ 法外な) 値段 an *exorbitant* price (☞ ほうがい) // *とんでもない誤解 a *gross* misunderstanding // *とんでもない (⇒ 非常識な) 要求 a *preposterous* /prɪpάst(ə)rəs/ demand

2 《強い否定》 ¶私が彼女と結婚するって. *とんでもないよ (⇒ もちろん違うさ) I marry her? *Of course not*! / (⇒ それは馬鹿げている [ありえない]) I marry her? That's ⌈*ridiculous* [*impossible*]! // 「いろいろありがとうございました」「*とんでもございません (⇒ どういたしまして)」 "Thank you very much for your kindness." "*You're quite welcome*. [*Don't mention it*.; *Not at all*.]" ★ 前の2つのほうが丁寧な言い方.

どんてん 曇天 ―形(曇った) cloudy. ―名(曇っている天気) cloudy weather Ⓤ. (☞ くもり; どんより).

どんでんがえし どんでん返し (完全な逆転) complete reversal Ⓒ; (人をあっといわせる結末) surprise ending Ⓒ. ¶この話の最後には*どんでん返しがある At the end of the story there is a *complete reversal*. / The story has a *surprise ending*.

とんでんへい 屯田兵 farmer-⌈soldier [militiaman] Ⓒ; (説明的には) soldier recruited to colonize and defend Hokkaido after the Meiji Restoration Ⓒ.

とんと ―副(まったく) quite; ((否定形で) 全然…でない) not ... at all; (少しも…でない) not ... in the least. (☞ ぜんぜん; まったく; 擬声・擬態語 (囲み)). ¶彼は服装には*とんとおかまいなしだ (⇒ まったく無関心だ) He is *quite* unconcerned about his clothes. // 彼女から*とんと (⇒ 全然) 便りがない I've heard *nothing* from her *at all*. // 私にはその男がだれなのか*とんとわからない (⇒ いかなる見当ももっていない) I *have not the* ⌈*least* [*faintest*] *idea* who the man is.

どんと ☞ どん[1]

ドントほうしき ドント方式 the d'Hondt /dɔ́ːnt/ system (☞ ひれい[1] (比例代表制)).

どんどやき どんど焼き *dondo* bonfire Ⓒ; (説明的には) bonfire of *kadomatsu*, decorative pine branches and straw festoons for the New Year, as a festive ceremony performed on ⌈January 15 [the 15th of January] Ⓒ.

とんとん[1] ¶戸を*とんとんたたく音がした There was a ⌈*knock* [*tap*] *on* the door. / (⇒ だれかが戸をたたくのを聞いた) I heard someone *knock* ⌈*at* [*on*] the door. (☞ たたく; 擬声・擬態語 (囲み))

【参考語】 ―動(一般的にたたく) knock (at ...; on ...) ⓐ; (軽くたたく) tap (at ...; on ...) ⓐ 〔語法〕 いずれも ⓗ ともなる. また 名Ⓒ としても用いる.

とんとん[2] ―形(五分五分で) even, square Ⓟ, quits Ⓟ. ―動(収支を合わせる) make (both) ends meet; (五分五分になる) break even. (☞ ごぶ (五分五分); 擬声・擬態語 (囲み)).

¶昨年わが家の家計は*とんとんでした (⇒ かろうじて収支を合わせることができた) We could barely *make (both) ends meet* in our family budget last year. / (⇒ 収支が五分五分になった) We just about broke *even* in our family budget last year. // これで*とんとんだ(⇒ これが私たちを五分五分にする) This makes us ｢*even* [*quits*]. / (⇒ 私たちは今五分五分だ) We're ｢*even* [*quits*; *square*] now.

どんどん[1] (速く) fast, quickly, rapidly (↔ slowly) ★ fast が最も一般的; (着々と) steadily; (絶え間なく) continuously, on and on ★動作の連続・継続を表す口語的表現; (次々に) one after another; (すぐに続いて) in rapid succession ★ one after another よりも格式ばった表現; (勢いよく) vigorously; (遠慮なく) without ｢hesitation [reserve] ★[ ] 内のほうが格式ばった語; (自由に) freely. (☞ はやい[1] (類義語); どしどし; 擬声・擬態語 (囲み)). ¶私は彼に追いつくために*どんどん歩いた I walked ｢*fast* [*quickly*; *on and on*] to catch up with him. / (⇒ 歩みを早めた) I *quickened* my pace to catch up with him. // この国の人口は*どんどん増加している The population of this country is increasing ｢*rapidly* [*steadily*]. // その計画は*どんどん進んでいる (⇒ 着実な[急速な]進歩をしている) The project is making ｢*steady* [*rapid*] progress. // 月日が*どんどんたつ (⇒ 時間はまさに飛ぶように過ぎる) Time *really* flies. // 彼の傷口から血が*どんどん (⇒ 絶えまなく) 流れていた Blood was running *continuously* from his wound. // 私たちは*どんどん問題を処理していかねばならない (⇒ 次から次へと) We must deal with the problems *one after another*. // 彼は*どんどん仕事をやる (⇒ 精力的に) He works ｢*vigorously* [*energetically*]. // *どんどん意見を出して下さい (⇒ 自由に) Will you give your opinions *freely*? // 事態は*どんどん悪化した (⇒ ますます悪くなった) The situation *grew worse and worse*. 語法 比較級を and で結ぶと「ますます…になる」という意味になる.

どんどん[2] ¶真夜中にだれかが戸を*どんどんたたいているのが聞こえた I heard someone ｢*banging on* [*knocking loudly on*] the door of my house in the middle of the night. (☞ 擬声・擬態語 (囲み))

【参考語】 ―動 (大きな音を立てて打つ) bang (on ...) ⓐ; (太鼓などがどんどんと鳴る) roll ⓐ.

とんとんびょうし とんとん拍子 ―形 (速い) speedy, quick, rapid 語法 第 2 の語はややくだけた感じ, 最後の語はやや格式ばった語. ―副 (速く) speedily, quickly, rapidly; (すらすらと) smoothly; (支障なく) without a hitch.
¶かつて大学出は*とんとん拍子に出世したものだ (⇒ 早い昇進を与えられたものだった) College graduates used to be given *speedy* promotion(s). // 交渉は*とんとん拍子にまとまった (⇒ 円滑に素早く) We came to terms *smoothly and rapidly*. / (⇒ 支障なく) Our negotiations went off *without a hitch*.

どんな **1** «どのような»: (何の) what; (いずれの) which; (どんな種類の) what ｢kind [sort] of ... ★ sort のほうがくだけた感じの語; (どのような方法で) how. (☞ なんの; どういう).
¶あなたは*どんな色が一番好きですか *What* [*Which*] color do you like best? // 彼は*どんなことを言いましたか *What* did he say? // 彼は*どんな人ですか *What* ｢*kind* [*sort*] *of* man is he? 語法 (1) what ｢kind [sort] of の次にくる名詞は単数のときでも普通は冠詞が付かない. / (⇒ どんな感じの人ですか) *What* is he like? // あなたは*どんな本を読みますか *What* ｢*kind* [*sort*] *of* books do you read? 語法 (2) これは一般的なことについての質問. 次例を参照. // あなたは最近*どんな本を読みましたか *What* books have you read recently? 語法 (3) これは, 科学の本とか小説とかではなく, 「…著の…という本」というような具体的な答えを要求している質問. // 彼は*どんな医者ですか *What* ｢*kind* [*sort*] *of a* doctor is he? 語法 (4) このように不定冠詞を用いると医者の種類, つまり内科医, 外科医などではなく, 医者としての技量を尋ねる言い方となる. // *どんな答え方をしたらよいでしょうか *How* shall I answer the question?
2 «いかなる»: 《肯定》(いかなる…も) any ★任意の 1 つ[1 人]を指す; (すべての) every ★「人」の場合は everyone, everybody という不定代名詞を用いることが多い; (すべての) all; (どんな…でも) whatever ...; 《否定》(いかなる…も…でない) no ... ★「人」の場合は, no one, nobody を多く用いる. (☞ だれ[1]).
¶それは*どんな人でもできる *Anybody* [*Anyone*] can do it. // *どんな人だって死ぬのはいやに決まっている *Everybody* is certainly unwilling to die. / (⇒ 死にたいと思う人はだれもいない) *Nobody* is willing to die. // 彼の病気には*どんな薬も効かないだろう (⇒ 効く薬は 1 つもない) *No* medicine will cure his disease. // *どんなことをしても (⇒ ぜひとも) 私は約束を守ります I will keep my promise ｢*at all costs* [*by all means*]. // *どんなことが起こっても私はあしたここを発ちます *Whatever* happens [*No matter what* happens], I will leave ｢this place [here] tomorrow. // 金があれば*どんなことでもできるというわけではない (⇒ 金ですべての物が買えるわけではない) Money can't buy *everything*. ★ 部分否定になる.
どんなもんだ[ものだ] ¶*どんなもんだ (⇒ さあ, どうだ). とうとうできたぞ *There now*, I've at last made it.

どんなに ¶*どんなに速く走っても彼女には追いつけないでしょう *However* [*No matter how*] fast you (may) run, you won't be able to catch up with her. // *どんなにかお喜びのことでしょう (⇒ どんなに喜んでいるか十分想像できる) I can well imagine *how* happy you are. (☞ -しても; -ても)

【参考語】(どんなに…しても) however ..., no matter how ... ★ 後者のほうが強調の度合いが強い; (いかに) how.

トンネル **1** «地下・海底などの» ―名 tunnel /tʌ́nl/ Ⓒ. ―動 (トンネルを掘る) tunnel ⓣ ⓐ, dig [cut; bore; build] a tunnel (through a mountain). ¶丹那*トンネル the Tanna *Tunnel* (☞ 冠詞 (巻末)) // 海底*トンネル an undersea *tunnel* // 列車が*トンネルに入った The train went into a *tunnel*. // (… と … との間に) 海底*トンネルを作る計画 a plan to *tunnel* under the sea (between ... and ...)
2 «野球で» ―動 (両足の間をゴロを通過させる) let a grounder pass ｢through [between] *one's* legs.
トンネル会社 dummy company Ⓒ **トンネル効果** 〚物理〛 tunnel effect Ⓤ, tunneling Ⓤ **トンネル工事** tunnel construction Ⓤ, tunneling work Ⓤ.

どんぱち (戦闘) battle Ⓒ; (撃ち合い) shootout Ⓒ.

とんび 鳶 〚鳥〛 kite Ⓒ (☞ とび). **とんびに油揚げをさらわれる** feel betrayed at having something precious snatched away from under *one's* nose.
¶彼は*とんびに油揚げをさらわれたような顔をして (⇒ 驚いてぼうっとした表情で) そこに立っていた He stood there *with a stupid look of surprise*. **とんび凧** *tonbi* kite Ⓒ; (説明的には) kite that looks like a real live kite with spread wings Ⓒ.

どんぴしゃり ―副 (正確に) (just) right; (寸分たがわず) to a T. ―形 (正しい) (just) right. (☞ 擬声・擬態語 (囲み)). ¶あなたの想像は*どんぴしゃりでした You guessed (*just*) *right*. // お答えは*どんぴしゃりです Your answer is *just right*. // この役は君に*どんぴしゃりだ This role fits you *to a T*.

ドンファン (道楽者・女たらし) Don Juan /dɑ̀n(h)wɑ́n/ Ⓒ (☞ ドンジョバンニ).

とんぷくやく 頓服薬 one dose of medicine taken only when necessary Ⓒ. ¶解熱用の*頓服薬 a *dose* of an antipyretic *drug*

どんぶり 丼 bowl Ⓒ. ¶うなぎ*どんぶりを 2 つ注文した I've ordered two *bowls* of rice and broiled eel.

どんぶり勘定 (大ざっぱな計算) rough estimate Ⓒ; (行き当たりばったりの勘定) hit-or-miss accounting practices. ¶うちの会社はいまだに*どんぶり勘定だ *Hit-or-miss accounting practices* are still carried on in our company. **丼鉢** ceramic bowl Ⓒ **丼飯** rice served in a bowl Ⓤ **丼物** rice served in a bowl with a topping Ⓤ.

とんぼ 〖昆〗 dragonfly Ⓒ. **とんぼ釣り** catching dragonflies Ⓤ, dragonfly catching Ⓤ **とんぼ結び** dragonfly knot Ⓒ.

トンポーロウ 東坡肉 braised pork Ⓤ, Dongpo /dɔ́ːŋpoʊ/ pork Ⓤ ★ 後者はこの料理を好んだという東坡(☞そとうば)の部分の中国語音をアルファベット表記したもの; (説明的には) large chunks of pork ribs stewed in soy sauce and sake.

とんぼがえり とんぼ返り ―名 (宙返り) somersault /sʌ́məsɔ̀ːlt/ Ⓒ. ―動 (とんぼ返りをする) turn [do] a somersault; (大急ぎの旅行をする) make a quick trip. 《☞ ちゅうがえり》. ¶*とんぼ返りで神戸へ行ってきた I *made a quick trip* to Kobe.

[語法] trip には前後関係によっては行き・帰りの両方が含まれる.

とんま (頭の弱いやつ) blockhead Ⓒ 《☞ ばか (類義語)》. ¶この*とんま You *blockhead*!

どんま[1] 鈍麻 ―名 dullness Ⓤ. ―動 (感覚がにぶくなる) become ⌈sluggish [dull]; (麻痺する) become numb.

どんま[2] 鈍磨 ―名 dullness Ⓤ. ―動 (すりへって鋭くなくなる) become ⌈dull [blunt].

ドンマイ ¶気にするな, *ドンマイ, *ドンマイ *Never mind!* / *Don't worry* (about it)! [日英比較] 「ドンマイ」は Don't mind. から出ているが, 英語では失敗・失策した時に 「心配するな」 の意味では Don't mind! は用いない.

とんや 問屋 (店) wholesale store Ⓒ; (人) wholesaler Ⓒ, wholesale dealer Ⓒ; (職業) wholesaling business Ⓤ. 《☞ おろし》. ¶うちは電気器具の*問屋です (⇒ 卸して売っている) We *sell* electric goods *wholesale*.

問屋が卸さない ¶そうは*問屋が卸さない (⇒ それでは多くを期待しすぎている) That'*s expecting too much*. **問屋街** wholesale district Ⓒ.

どんよく 貪欲 ―形 (欲の深い) 《格式》 àvarícious; greedy (for ...); 《格式》 cóvetous (of ...). ―名 ávarice Ⓤ; greed Ⓤ; greediness Ⓤ; covetousness Ⓤ.

【類義語】 持っているものを放さず, 常に金銭・富を求め続けるほど欲が深いのは *avaricious* で, 格式ばった語. 金銭・富・利益などのほか, 知識・食物に対しても欲があることを意味する一般的な語が *greedy*. 従ってこの語は必ずしも悪い意味ばかりとは限らないが, 名 の *greed* は常に悪い意味になる. *greedy* の意味をそのまま受け継ぐ 名 は *greediness*. 他人の物をむやみに欲しがるという格式ばった語が *covetous*. 《☞ よく[2] (類義語); よくばり; いじきたない》 ¶彼は金銭に*貪欲だ He is ⌈*avaricious* [*greedy for* money]. // 彼女は知識に*貪欲だ She is *greedy for* knowledge.

どんより ―形 (鉛色の) leaden /lédn/; (重苦しい) heavy; (灰色の) gray; (陰気な) gloomy; (曇った) overcast; (目が生気のない) glassy, lackluster ★ 前者のほうが口語的. 《☞ うっとうしい; おもくるしい; 擬声・擬態語 (囲み)》.
¶頭上の空は*どんよりしていた There was a ⌈*heavy* [*leaden*; *gray*; *gloomy*; *overcast*] sky above us. // *どんよりした目 *glassy* [*lackluster*] eyes

どんらん 貪婪 ―名 《格式》 ávarice Ⓤ. ―形 àvarícious. 《☞ どんよく》.

どんわん 鈍腕 ―形 (能力が劣っている) incompetent.

な，ナ

な[1] **名** **1** 《名前》 ― 名 (人・動物・物の) name Ⓒ; (姓) family name Ⓒ, surname Ⓒ ★後者のほうが正式な言い方; (姓に対しての個人名) given [Christian; first] name Ⓒ. ― 動 (名前をつける) name ⊕. 《☞ なまえ[1] 日英比較; なのる; なづける》.
¶彼女の*名を知っていますか Do you know her *name*? // 子供には秀夫という*名をつけた We *named* the baby Hideo. // この犬に何という*名をつけるのですか What are you going to ˹*call* [*name*] this dog? // その本の*名 (⇒ 題) the *title* of the book
2 《名声》: fame Ⓤ, reputation Ⓤ 語法 前者はよいことで知られる名声. 後者は必ずしもよいこととは限らない. ((例) 悪名 bad *reputation*). 《☞ めいせい; ゆうめい[1]》. ¶彼女はここではかなり*名が知れている She is pretty ˹*famous* [*well-known*] here.
名ありて実なし ― 形 (名目上の) nominal; (表向きの) ostensible. ― 副 in name but not in deed, only in name. 《☞ 名ばかり》. **名が売れる** ¶彼は医者だがミステリー作家として*名が売れつつある He is a doctor, but he is becoming ˹*well-known* [*popular*] as a mystery writer. ★前者はよく知られる. 後者は人気があるの意. **名が通る** ¶彼女はピアニストとして世界中に*名が通っている She *is famous* as a pianist all over the world. **名が泣く** (名声を傷付ける) ruin …'s name ★(名声に反する) 悪いこと・悪行などが主語にくる. **名にし負う** well-reputed. **名に背かぬ** ¶息子には名家の*名に背かぬ人になってもらいたい I hope my son will become a person ˹*worthy of* [*deserving*; *meriting*] our good family *name*. **名の通った** ☞ ゆうめい[1] **名ばかり** ¶私は*名ばかりの会員です I'm a member in *name* only. / I'm ˹only a *nominal* [only *nominally* a] member. 《☞ ゆうめいむじつ》 // 春とは*名ばかりでまだまだ寒い Spring *belies its name*—only on the calendar; it is still cold. ★詩的表現. // 彼らが受け取った報酬は*名ばかりだった (⇒ 少しだった) The pay they received was *small*. 《☞ もうしわけ》 **名は体を表す** Names and natures do often agree. **名もない** (よく知られていない) unknown, obscure, nameless ★3番目は名前を持っていないの意もある. ¶*名もない (⇒ 名前もつけられていない) 草 a *nameless* grass // *名もないしがない旅芸人 an *unknown* [an *obscure*; a *nameless*] poor traveling entertainer **名をあげる** become famous, make ˹a [*one's*] name, 《文》 win [gain] fame (as …). **名を売る** ¶かなり*名の売れた女優 a *renowned* actress **名を惜しむ** (自分の評判を大切にする) value *one's* good reputation. **名を借りる** ¶協力の*名を借りて (⇒ 口実にして) 陰謀を企てた *Under the pretense of* cooperation, they framed a plot. **名を汚す** ¶彼は自分の*名を汚すことを好まなかった He didn't want to ˹*lose* [*blot*] his *reputation*. // これらの野球部員の不祥事が学校の*名を汚した These disgraceful affairs by members of the baseball club ˹*tainted* [*sullied*; *tarnished*] the ˹*name* [*reputation*] of the school. **名を捨てて実を取る** sacrifice *one's* reputation for profit **名を保つ** maintain [keep up] *one's* reputation. **名を連ねる** ¶多くの地元の名士が寄付者に*名を連ねている The names of many local dignitaries /dígnətèriz/ *are on the list of* contributors /kəntríbjutəz/. **名を遂げる** make [win] a name for *oneself* 《☞ こう[1] (功成り名遂ぐ)》. **名を留める** ☞ 名を残す **名を成す** ☞ 名をあげる **名を残す** leave *one's* name (in history). ¶その政治家は彼の外交手腕で後世まで*名を残すだろう That politician will *leave his name in history* because of his diplomatic ability. / (⇒ 彼の名前を不朽にするだろう) That politician will *make his name immortal* because of his diplomatic ability. **名を辱しめる** disgrace *a person's* ˹name [honor]; (名誉を汚す) dishonor ⊕. ¶老舗の主人は先代達の*名を辱しめないように店の伝統を維持しなければならない An owner of a long-established store has to maintain its tradition in order not to *disgrace his predecessors' names*. **名を馳せる** ¶その科学者は新しいウイルスの発見により世界中に*名を馳せた (⇒ 広く知られるようになった) The scientist *has become widely-known* due to the discovery of a new virus.

な[2] **菜** greens 語法 青物類全体を指すのにも用いられる. 複数形で. 《☞ やさい》.

な[3] ¶*な, そうだろう You think so, *don't you*? // 「面白い映画だった」「*な, 言ったとおりだろ」"It was an exciting movie." "*Wasn't it?* [I told you *so*]." 《☞ なあ》

-な 日英比較 禁止の命令を表す「…な」と直接置き換えられる英語はないが,「…するな」は英語の Don't …で, また「決して…するな」という強調の加わった表現は Never …で表すことができる.
¶しゃべる*な *Don't* talk! / (⇒ 静かにしろ) Be quiet! // 騒ぐ*な *Don't* be noisy. 語法 be 動詞を用いる禁止命令にも don't を用いる. // 決してうそを言う*な *Never* tell lies.

なあ (くだけた呼びかけとして) 《米》 Say!, 《英》 I say! 語法 日本語の「なあ」と呼びかけるのと同じ調子で, あまり丁寧ではない. ¶*なあ, ちょっと来てくれ *Say* [*I say*], come over here. 《☞ な[3]》

-なあ (願望) I wish … 語法 (1) 実現不可能な願いを表す場合は後に仮定法動詞が続く. 現在の願いは過去形 (ただし, be 動詞はすべて were) で, 過ぎ去ったことで,「あの時…だったらなあ」のように, いまさらどうにもならないことは過去完了形 (had＋過去分詞) で表す. この形は日本語の「なあ」だけに相当するのではなく,「…ならよいのに」, あるいは「…だったらよかったのに」にも当たる. このような表現については日本語と英語は表現法がまったく違うので, 意味を考えていろいろに意訳しなくてはならない; (未来への願い) I ˹hope [wish] … 語法 (2)「…であればよい」というこれから起きることについての強い希望を表す言葉. wish の後には仮定法動詞がくる; (同意を求めて) …, ˹don't you [didn't you; aren't you, etc.]? 語法 (3)「君も知ってるよ*なあ」You know that, *don't you*? のような付加疑問の場合; (感嘆を表して) how, what 語法 (4) 以上2語は感嘆文を作る言葉.
¶いま100万円持っていれば*なあ *I wish* I *had* ¥1,000,000. // 学生のときもっと英語を勉強していたら*なあ *I wish* I *had studied* English harder when I was a student. // 行けたらいいのに*なあ (*How*) *I wish* I *could* go. // あすは晴れるといいけど*なあ I ˹*hope* it will [*wish* it *would*] clear up tomorrow.

// 君も賛成するよ*なあ You agree with me, *don't you*? // いい気持ちだ*なあ *How* pleasant it is! // きれいだ*なあ *What* a beautiful sight (it is)! / *How* beautiful (it is)!

ナーサリー nursery Ⓒ《☞ たくじしょ; ほいく (保育所)》. **ナーサリーライム (童謡)** nursery rhyme Ⓒ.

ナーシングホーム nursing home Ⓒ《☞ ようご[3]; ろうじん (老人ホーム)》.

ナース nurse Ⓒ. **ナースコール (看護師の呼び出し装置)** nurse call button Ⓒ ★「ナースコール」だけでは和製英語. **ナースステーション** nurses' station Ⓒ **ナースバンク (看護職の再雇用を援助する機関)** nurse bank Ⓒ.

なあて 名宛 ¶ 編集長の*名宛となっている手紙が編集部に配達された The letter *addressed to* the chief editor was delivered to the editorial department. 《☞ あてな》 **名宛人** àddressée Ⓒ.

なあなあ ¶ *なあなあ (⇒ なれあい) で議案を通す *lógròll* a bill *through* // 彼等は仲間の失敗を*なあなあで済ませた (⇒ 知らないふりをした) They *winked at* their colleague's blunder. **なあなあ主義** logrolling Ⓤ.

ナーバス ―形 (神経質な) nervous. ¶ *ナーバスな患者 a *nervous* patient // その患者は明日の手術にとても*ナーバスになっている The patient is very *nervous* about undergoing an operation tomorrow.

ない[1] ―形 no. ―副 not, not ... any. 語法 (1) 英語では「...がない」「...でない」「...しない」などの否定表現にするには動詞を否定する場合と，名詞に否定語を付ける場合とがある. no は主として名詞に付けて使い，動詞には付かない. 例えば「私は金が*ない」というときは I *don't* have *any* money. / I have *no* money. の 2 通りが言える. 使い分けはその文の構造によって，あるいは強調の度合によって決まる. この場合は not ... any を使う前者のほうが意味が強い. 一般に not ... any を連関させて用いると否定の意味が強調される傾向がある. また「中にはだれもい*ない」は *Nobody* is in (there). であるが，このように主語を否定する表現は日本語にはないので，注意を要する. ―前 (...がない) out of ... ―動 (なくなる) be gone; (必要なものを欠く) lack ⑩; (失う) lose ⑩. ―形 (行方不明の) missing. 《☞ ちっとも 語法; すこしも 語法》.

¶ きょうは宿題が*ない There is [We have] *no* homework today. / There is*n't* [We *don't* have] *any* homework today. 語法 (2) 第 2 文のほうが否定の意味が強い. // 彼には子供が*ない He has *no* children. // きょうは何もすることが*ない I have *nothing* to do today. // 私はそうは思わ*ない I *don't* think so. // このあたりには銀行は*ない There is *no* bank around here. 語法 (3) There are *no banks* ... のように複数形になることもあるが，There is*n't* a bank around here. のような表現はあまり用いられない. // 彼女は学生では*ない She is*n't* a student. / She is *no* student. 語法 (4) このように be 動詞の文で no を用いて打ち消すと，「...なんかではない」というように，非常に強い否定になる. // それを知っている者はい*ない *Nobody* knows it. 語法 (5) この言い方が普通で，There is nobody who ... のような表現はあまりしない. anybody を主語に立てることはできない. // 砂糖が*ない (⇒ 切らしてしまった) We *ran out of* sugar. 語法 (6) There is *no* sugar in the pot. のように，There is ... を使うと場所を言う必要がある. また We have *no* sugar. は漠然としていて，状況によっていろいろな意味になる. それに比べて，run out of を使うと「使い切ってなくなる」という意味になる. // 彼女には音楽の才能が*ない She *lacks* musical ability. 語法 (7) She has *no* musical ability. でもよいが，これは単に音楽の才能がないことを言っているだけである. lack を用いると当然必要であるはずのものが欠けているというニュアンスが出る. // あ，僕の財布が*ない Oh [Hey]! My wallet *is gone* [*is missing*]! / (⇒ なくした) Oh [Hey]! I *lost* my wallet! // 君の作文はまったく誤りが*ない Your essay is quite *free of* [*from*] mistakes.

無い袖は振れぬ You can't make something out of nothing. / Nought will be nought. **無いよりはまし** ¶ 小銭でも少しあれば*ないよりはましだ A few pennies are *better than* nothing. **無きにしもあらず** ¶ 彼が一等になるのは*なきにしもあらずだ (⇒ ひょっとするとなるかもしれない) He *may possibly* win the first prize. / It is *just possible* that he will win the first prize. / (⇒ 彼が一等になるのは不可能ではない) It is *not impossible* for him to win the first prize. / It is *not impossible* that he will win the first prize. // 勝算は*なきにしもあらずだ We *are not entirely without* a chance of winning. // まだ望みは*なきにしもあらずだ (⇒ 全く望みがないわけではない) It *isn't quite* hopeless yet. ★ まだ望みがかなりある (= It is still rather hopeful.) ことを控え目にいう表現. **無くて七癖** Every man has his own peculiar habits.

ない[2] 亡い ―形 dead, 《格式》 deceased. 《☞ なき-》. ¶ 私の母はもう*亡い My mother is *dead* now.

-ない …内 ―前 (以内) within ...; (...の中で) in ..., inside ... 《☞ なか》.

¶ 芝生*内に入らないで下さい Keep off the grass. // 敷地*内で遊びなさい Play *inside* the fence. // 車*内は混んでいた The train [bus] was very crowded. // 教室*内では静かにしなさい Be quiet *in* the classroom. // 時間*内でこの問題を解きなさい Solve this problem *within* the given time.

ナイアガラ **ナイアガラの滝** Niagara /naɪǽg(ə)rə/ Falls ★ 単数扱い. 《英》 では the を付ける.

ないあつ(りょく) 内圧(力) 〘物理〙 internal pressure Ⓤ.

ないい 内意 (内々の意向) *one's* intention Ⓒ.

¶ この件についてのご*内意を伺いたい I would like to know *your intentions* concerning this.

ナイーブ ―形 naive, naïve/nɑːíːv/ 日英比較 日本語では「純真な・繊細な」というよい意味で用いられるが，英語では普通「(考え方などが) 単純な・未熟な」という悪い意味; (無邪気な) ínnocent. 《☞ じゅんしん》. ¶ 彼には*ナイーブなところがある (⇒ 純朴で正直なところがある) There's something *simple and honest* about him.

ないいん[1] 内因 internal cause Ⓒ.

ないいん[2] 内院 secluded room in a temple Ⓒ.

ないえん[1] 内縁 ―形 common-law Ⓐ. ¶ *内縁の夫 [妻] a *common-law* husband [wife] **内縁関係** common-law marriage Ⓒ.

ないえん[2] 内苑 inner garden Ⓒ. ¶ 皇居[明治神宮]*内苑 the Imperial Palace [Meiji Shrine] *Inner Garden* / the *Inner Garden* of the Imperial Palace [Meiji Shrine]

ないえん[3] 内炎 〘化〙 the inner flame.

ないおう 内奥 (心の奥) the recesses of *one's* mind 《☞ しんちゅう[1]》.

ないか 内科 (内科学) internal medicine Ⓤ; (病院の) the internal medicine department.

内科医 internist Ⓒ; (開業医) physician Ⓒ ★ 外科手術などを扱わない開業医のこと. 《☞ いしゃ》.

-ないか …無いか (勧誘を表して) Why don't you *do* ...?; (...しませんか) Let's ..., shall we? 《☞ -しませんか》 ¶ 行か*ないか *Why don't we* go out? / *Shall we* go out? // 車を洗うのを手伝ってくれ*ないか

Could you help me wash the car?

ないかい[1] 内海 inland sea Ⓒ.

ないかい[2] 内界 the internal world, the inner world.

ないがい 内外 **1** 《内と外》 — [形] (内部と外部の) internal and external; (国の内外の) domestic and foreign. — [副] (国内国外で) at home and ˹abroad [overseas]. — [前] (内側と外側で) inside and outside (of) … ¶ まず*内外の情勢の分析が必要だ We need to analyze ˹the *internal and external* conditions [*domestic and foreign* affairs] first of all. // 議長は議院の*内外から非難を受けた The chairman was criticized by those *inside and outside* (*of*) the Houses.
2 《およそ》: about 《☞ およそ; -いない》. ¶ 1 週間*内外で in ˹*about* a week [a week *or so*]
内外価格差 the price ˹difference [gap] between domestic and overseas markets **内外多事** ¶ 今年は*内外多事の年であった This has been an *eventful* year (*both*) *at home and abroad*.

ないかく[1] 内閣 cabinet Ⓒ [語法] 自国の現内閣, もしくは特定の国の内閣を指すときは, しばしば大文字で始める. 《☞ かくりょう; かくぎ[1]》.
¶ 中村*内閣 the Nakamura *Cabinet* // 連立*内閣 a coalition /kòuəlíʃən/ *cabinet* // *内閣を改造する reshuffle a *cabinet* 《☞ 内閣改造 (成句)》 // *内閣が総辞職した (⇒ ひとまとめに辞職した) The *Cabinet* resigned ˹en masse /ɑːŋmǽs/ [en bloc /ɑːŋblɑ́k/]. 《☞ 内閣総辞職》 // 次の*内閣はだれが組織するだろうか Who will ˹form [organize] the next *cabinet*? // 影の*内閣 the shadow *cabinet*
内閣改造 cabinet reshuffle Ⓒ **内閣閣僚** cabinet member Ⓒ **内閣官房** the Cabinet Secretariat /sèkrətɛ́(ə)riət/ **内閣官房長官** the Chief Cabinet Secretary **内閣支持率** the cabinet's poll ratings ★ 通例複数形で. 《☞ しじ[1]》 **内閣総辞職** the resignation of the (whole) cabinet 《☞ 用例》 **内閣総理大臣** the Prime Minister, the Premier. 《☞ しゅしょう[1] [語法]》 **内閣府** the Cabinet Office **内閣不信任案** ¶ *内閣不信任案を提出する call for a ˹*nonconfidence* vote [vote of *nonconfidence*] *in the Cabinet* 《☞ ふしんにん》 **内閣法制局** the Cabinet Legislation Bureau.

ないかく[2] 内角 〔数〕 interior angle Ⓒ; (野球の) inside Ⓒ. 《☞ がいかく[1]; かく[6] (挿絵)》. **内角低め** (野球の) — [形] down-and-in, low-and-inside. **内角球** 〔野〕 inside pitch Ⓒ.

ないかく[3] 内郭 (要塞・城などの) inner enclosure Ⓒ.

ないかく[4] 内核 〔地質〕 (地球の) the inner core.

ないがしろ — [動] (軽んじる) slight ㊥, make ˹light [little] of … ★ 後者のほうが口語的; (無視する) ignore ㊥. 《☞ かろんじる; けいし[1]》.

ないかん[1] 内観 〔心〕 introspection Ⓤ 《☞ ないせい[2]》.

ないかん[2] 内患(外憂) ☞ ないゆう (内憂外患)

ないき 内規 (地方公共団体などの規則) bylaw Ⓒ; (団体内での規定) private ˹rule [regulation] Ⓒ. 《☞ きそく》. ¶ 会社内には幾つかの*内規 (⇒ 内部業務を規定する規則) がある We have some *rules governing the internal affairs of* the company.

ないぎ 内儀 (人の妻) *a person's* wife Ⓒ.

ないきょく 内局 intra-ministerial /ìntrəmínɪstí(ə)riəl/ búreau Ⓒ.

ないきん 内勤 (事務職) office [desk] work Ⓤ (↔ outside duty) 《☞ がいきん》.

ないくう 内宮 the Inner Shrine (of Ise).

ないけい 内径 the inside diámeter; (筒や銃砲などの) caliber (《英》 calibre) Ⓒ.

ないこう[1] 内攻 〔医〕 — [名] rètrocéssion Ⓤ. — [動] rètrocéde ㊀.

ないこう[2] 内項 〔数〕 (比例式の) internal terms ★ 普通複数形で.

ないこう[3] 内向 (内向性) 〔心〕 introversion Ⓤ **内向的** 〔心〕 — [形] íntrovèrted (↔ extroverted), ìntrovérsive (↔ extroversive). — [名] (内向的な人) íntrovèrt Ⓒ (↔ extrovert). 《☞ うちき》. ¶ 彼女は*内向的だ She is ˹*introverted* [an *introvert*].

ないこう[4] 内港 inner harbor Ⓒ.

ないごうがいじゅう 内剛外柔 iron ˹hand [fist] in a velvet glove. ¶ 彼は*内剛外柔を心掛けている He tries to *be gentle to others* but *strict with himself*.

ないこうせん 内航船 coasting vessel Ⓒ (↔ ocean-going vessel).

ないこうてき 内向的 ☞ ないこう[3]

ないこく 内国 — [名] home Ⓤ. — [形] home Ⓐ, domestic Ⓐ. **内国貨物** 〔貿易〕 (輸入手続き済みの外国産貨物) foreign goods which have gone through import procedures; (輸出手続きの済まない内国産貨物) domestic goods ˹which haven't gone [yet to go] through export procedures ★ いずれも複数形で. **内国為替** domestic exchange Ⓤ **内国航空路** domestic airline Ⓒ **内国航路** domestic shipping line Ⓒ **内国債** domestic bond Ⓒ 《☞ ないさい[1]》 **内国産** — [形] (農産物が内国産の) homegrown; (家畜など) homebred; (工業製品など) homemade **内国市場** home [domestic] market Ⓒ **内国貿易** domestic trade Ⓤ **内国郵便** domestic mail Ⓤ.

ないこっかく 内骨格 〔解〕 endoskeleton Ⓒ.

ないさい[1] 内債 internal ˹loan [debt] Ⓒ; (内国債) domestic bond Ⓒ. ¶ *内債を発行する issue a *domestic bond*

ないさい[2] 内妻 common-law wife Ⓒ 《☞ ないえん[1]》.

ないざい 内在 〔哲〕 — [名] immanence Ⓤ. — [形] immanent, indwelling. ¶ 社会の変化に*内在する要素 *immanent* factors in social change **内在因** internal [intrinsic] cause Ⓒ.

ないし[1] 乃至 (…から…まで) from … to …; (あるいは) … or … 《☞ または》. ¶ 値段は 1000 円*ないし 1200 円です The price ranges ˹*from* ¥1,000 *to* ¥1,200 [*between* ¥1,000 and ¥1,200]. // それは 1 週間*ないし 2 週間で届きます It will reach you in ˹one *or* two weeks [a week *or* two].

ないし[2] 内侍 lady-in-waiting Ⓒ 《複 ladies-in-waiting》 《☞ じょかん》.

ないじ[1] 内示 — [動] notify … informally. — [名] informal announcement Ⓒ. ¶ ニューヨーク支店への転勤を*内示する *notify a person unofficially* that ˹he [she] is to be transferred to the New York branch // 《政府予算などの》 *内示 (額) the *preliminary notification* of the budget

ないじ[2] 内耳 the internal ear Ⓒ (↔ the external ear), the inner ear Ⓒ. **内耳炎** inflammation of the internal ear Ⓤ, 〔医〕 otitis interna /o(u)táɪtɪs ɪntə́ːnə/ Ⓤ **内耳神経** 〔医〕 vestibulocochlear /vestìbjuloukɑ́kliə/ nerve Ⓒ.

ないじ[3] 内事 (個人の) *one's* ˹private [personal] affairs; (国の) internal [domestic] affairs ★ いずれも複数形で.

ナイジェリア — [名] ㊀ Nigeria /naɪdʒí(ə)riə/; (正式名) the Federal Republic of Nigeria. — [形] (ナイジェリアの) Nigerian. **ナイジェリア人**

Nigerian Ⓒ.

ないしきょう 内視鏡 〘医〙 éndoscòpe Ⓒ. **内視鏡検査(法)** endóscopy /endáskəpi/ Ⓤ **内視鏡手術** èndoscópic /èndəskápɪk/ òperátion Ⓒ **内視鏡治療** endoscopic treatment Ⓤ.

ないじつ 内実 the truth. ¶ 彼の*内実は貧しかった *In truth* [*To tell the truth*,] he was poor.

ないしは 乃至は ☞ ないし¹; あるいは; または

ないじゅ 内需 domestic demand Ⓤ. **内需拡大** expansion of domestic demand Ⓤ.

ないしゅう 内周 ínner circúmference Ⓒ. ¶ *内周 400 m, 外周 495 m のトラック a race track with an *inner circumference* of 400 meters and an outer circumference of 495 meters

ないじゅうがいごう 内柔外剛 ¶ *内柔外剛の人 (⇒ 外見は強そうだが気が弱い人) a *lion in appearance* and a *mouse at heart*

ないしゅっけつ 内出血 ―名 internal bleeding Ⓤ, 〘医〙 internal hemorrhage /hémərɪʤ/ Ⓤ. ―動 bleed internally ⓐ. (☞ しゅっけつ²).

ないしゅひ 内種皮 〘植〙 inner seed coat Ⓒ, endothelium /èndəθíːliəm/ Ⓒ (複 -lia /-liə/).

ないしょ 内緒 ―名 (秘密) secrecy Ⓤ; (内緒事) secret Ⓒ. ―形 (秘密の) secret; (内々の・信頼している者同士の間だけの) confidential ★ secret とほぼ同意にもなる. ―副 secretly, in secret; confidentially. (☞ ひみつ; ないない).

¶ この件は*内緒にして下さい Please *keep* this matter ⌈*secret* [*to yourself*]. // *内緒の話だが (⇒ 2 人だけの間のことだが), 彼は近く辞職するそうだ *Between* ⌈*you and me* [*ourselves*], he is going to resign soon. // ここへ来たのは*内緒です I came here ⌈*secretly* [*in secret*].

内緒事 confidential [private] matter Ⓒ; (秘密) secret Ⓒ. ¶ *内緒事を…に打ち明ける confide *a secret* to *a person* **内緒話** private [confidential] talk Ⓒ. ¶ *内緒話をする (⇒ 声をひそめて話をする) *talk in a whisper*

ないじょ 内助 *one's* [a] wife's ⌈help [assistance] Ⓤ. **内助の功** ¶ 成功したのは妻の*内助の功のおかげです I *owe* my success *to my* ⌈*wife* [*wife's help*; *wife's assistance*].

ないじょう 内情 (内面) inside Ⓤ; (内幕) the inside story; (事の真相) the real state (of affairs). (☞ うちまく; じつじょう). ¶ 彼女はあの会社の*内情に通じている She ⌈knows *the inside story* of [has *inside information* on] that company. // あそこの*内情はこのごろどうもわからない I'm not familiar with *the real state of affairs* there.

ないしょく 内職 (副業) side job Ⓒ; (パートの仕事) part-time job Ⓒ; (家庭内での仕事) part-time job at home Ⓒ. (☞ アルバイト). ¶ 英語の授業中に*内職をして (⇒ 別のことをしていて) 叱られた I was scolded for doing *something else* in the English class.

ないしるい 内翅類 〘昆〙 Endopterygota /èndoutérigoùt/ Ⓤ; (内翅類の虫) endopterygote Ⓒ.

ないしん¹ 内心 **1** «心の内»: *one's* ⌈(innermost) heart [mind]; (真の意図) *one's* real intention(s). (☞ しんちゅう¹).

¶ *内心では私は怖かった I was afraid ⌈*in my heart* [*at heart*]. // *内心 (⇒ ひそかに) 心配しておりました I was *secretly* worried about you. // 人が*内心どんなことを考えているか決してわからない You will never be able to ⌈discover [understand] what a man really has *in mind*.

2 «幾何»: the inner center Ⓒ.

ないしん² 内診 〘医〙 gynecological /gàɪnɪkəláʤɪk(ə)l/ examination Ⓒ.

ないしん³ 内申 ―動 report confidentially ⓣ (☞ ないしんしょ).

ないじん 内陣 inner ⌈temple [shrine] Ⓒ; (教会堂の) chancel Ⓒ.

ないしんしょ 内申書 (学校の報告書) school report Ⓒ; (学業成績証明書) (academic) transcript Ⓒ.

ないしんのう 内親王 Imperial /ɪmpí(ə)riəl/ Princess Ⓒ. **内親王殿下** Her Imperial Highness (☞ でんか¹).

ナイス ―形 nice. ★ 以下の成句のように nice 以外の語を使う場合も多い. (☞ すばらしい). **ナイスガイ** (いいやつ) nice guy Ⓒ **ナイスキャッチ** nice [great] catch Ⓒ. ¶ *ナイスキャッチをする make a *nice catch* **ナイスショット** nice [beautiful] shot Ⓒ (☞ ショット) **ナイスバッティング** good [excellent] batting Ⓤ **ナイスバディ** (姿のよい体) shapely [lovely] body Ⓒ ★ nice body は性的な含みをもつ. (☞ グラマー¹) **ナイスミドル** attractive middle-aged man Ⓒ ★「ナイスミドル」は和製英語.

-ナイズ ―接尾 -nize (☞ -か²; ローマナイズ). ¶ アメリカ*ナイズ(アメリカ風にする) Ameri*canize*

ないすい 内水 the territorial waters; (国内の湖・河川など) inland waters ★ いずれも複数形で. (☞ りょうかい²).

ないせい¹ 内政 (国内の政治) home [domestic] administration Ⓤ; (国内の事) internal [home; domestic] affairs ★ 複数形で. ¶ 他国の*内政に干渉する interfere in the *domestic affairs* of another country **内政干渉** interference /ɪntəfí(ə)rəns/ in the ⌈domestic [internal] affairs of other nations Ⓤ **内政不干渉の原則** principle of ⌈noninterference [nonintervention] in the ⌈domestic [internal] affairs of another nation Ⓒ.

ないせい² 内省 ―名 introspéction Ⓤ. ―動 (反省する) reflect ⓐ. ―形 (内省的な) ìntrospéctive. (☞ はんせい¹).

ないせいき 内性器 internal sexual organs ★ 通例複数形で.

ないせき 内積 〘数〙 ínner próduct Ⓒ, scalar /skéɪlə/ próduct Ⓒ.

ないせつ 内接 〘数〙 inscription Ⓤ. ¶ 多角形を円に*内接させる *inscribe* a polygon in a circle **内接円** inscribed circle Ⓒ **内接多角形** inscribed polygon Ⓒ.

ないせん¹ 内線 (電話の) extension (number) Ⓒ (略 ext.). ¶ (電話で) *内線 201 をお願いします (Give me) *extension* 201, please.

ないせん² 内戦 civil war Ⓒ (☞ ないらん¹).

ないそう¹ 内装 (室内装飾) interior /ɪntí(ə)riə/ ⌈decoration [design] Ⓤ; (車の) upholstery /ʌphóulstəri/ Ⓤ. **内装工事** (室内の) interior furnishings ★ 複数形で. なお,「工事」にこだわらず上にあげた訳語を使ってもよい.

ないそう² 内層 (内部の層) inner layer Ⓒ; 〘地質〙 inlier Ⓒ.

ないぞう¹ 内臓 internal organs; (生命維持に重要な諸器官) vital organs ★ いずれも通例複数形で.

¶ 私は*内臓には悪い所はありません I have no problems with my *vital organs*. // *内臓を摘出する remove an *internal organ*

内臓学 splanchnólogy Ⓤ **内臓感覚** splánchnic sènsibílity Ⓤ, visceral /vísərəl/ sénse Ⓒ **内臓筋** visceral muscle Ⓒ **内臓疾患** internal ⌈disease [complaint] Ⓒ **内臓脂肪** visceral fat Ⓤ **内臓神経** splanchnic nerves ★ 複数形で. **内臓切開** 〘医〙 splanchnótomy **内臓摘出** evisceration /ɪvɪsəréɪʃən/ Ⓤ **内臓破裂** visceral cleft Ⓒ.

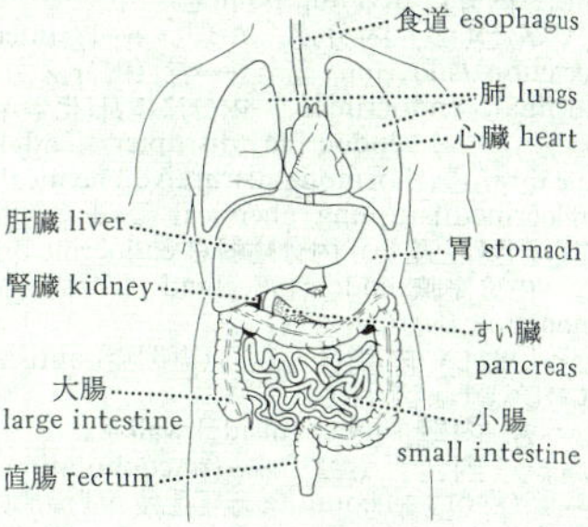

ないぞう[2] **内蔵** ━形 built-in Ⓐ. ¶この小さな機械はコンピューターを*内蔵しています This small machine has a ˹*built-in* computer [computer *built in*].

ナイター níght gàme Ⓒ ★「ナイター」は和製英語.

ないたいかく 内対角 〘数〙 interior opposite angle Ⓒ.

ないだいじん 内大臣 **1** 《奈良・平安期の》: inner minister Ⓒ.
2 《明治・大正・昭和初期の》: lord keeper of the privy seal Ⓒ.

ないだく 内諾 informal consent Ⓤ.

ないたつ 内達 (非公式の知らせ) unofficial notice Ⓒ 《☞ ないじ[1]》.

ないだん 内談 secret ˹talk [conference] Ⓒ; (二人だけの対談) tête-à-tête /téɪtətéɪt/ Ⓒ. 《☞ かいだん[2]》. ¶…と*内談する have a ˹*secret talk* [*tête-à-tête*] with …

ないち 内地 (本国) home Ⓤ; (奥地) the interior /ɪntí(ə)riə/; (内陸) inland Ⓒ; (本土) mainland Ⓒ. 《☞ おくち; ほんど; ないこく》. **内地米** homegrown rice Ⓤ **内地留学** short-term study at a university within the country Ⓤ.

ナイチンゲール[1] 〘鳥〙 níghtingàle Ⓒ.

ナイチンゲール[2] ━图 ㊐ Florence Nightingale, 1820–1910. ★ 近代看護学の確立に大きな功績を残した英国の看護師. **ナイチンゲール記章** the Florence Nightingale Medal.

ないつう 内通 ━图 (ひそかな連絡) secret communication (with …) Ⓤ; (裏切り) betrayal /bɪtréɪəl/ Ⓤ. ━動 communicate secretly (with …) ⓐ; betray … (to the enemy). ¶我々の中にだれか敵と*内通している者がいる Among us there is someone who *has been communicating secretly with* the enemy. **内通者** betrayer Ⓒ.

ないてい[1] **内定** ━图 (非公式の決定) unofficial [informal] decision Ⓒ; (就職の) promise of employment Ⓒ, informal employment contract Ⓒ; (相手先からの仕事の申し出) job offer Ⓒ. ━動 decide ˹unofficially [informally] ⓐ. 《☞ きめる》. ¶彼女は就職が*内定した She ˹got [obtained] a *promise of employment*. / (⇒その会社は彼女を採用することを内定した) The company *has unofficially decided* to employ her. ★ 第2文のほうが格式ばった表現. // 彼の後任は K 氏に*内定した It *has been informally arranged* that Mr. K will succeed him.
内定通知 offer letter Ⓒ **内定取消し** cancellation of ˹a promise of employment [an informal employment contract] Ⓤ.

ないてい[2] **内偵** ━图 (秘密の捜査) secret investigation Ⓒ; (内々での調査) private inquiry Ⓒ. ━動 (秘密で捜査する) investigate [inquire] … secretly. ¶警察がこの事件の*内偵を始めた The police started to *investigate* this case ˹*secretly* [*in secret*].

ないてい[3] **内庭** ☞ なかにわ

ないてき 内的 **1** 《内部の》: (内側の) inner; (内部の・内政の) internal. 《☞ なか[1] (類義語)》. ¶*内的要因 an *internal* factor
2 《本来備わっている》: intrinsic.
3 《精神的な》: (心の) mental; (精神の) spiritual; (自己の内部の) inner; (外からは見えない) internal. 《☞ こころ》. **内的葛藤** mental [internal] conflict Ⓒ **内的生活** *one's* inner life.

ないでん 内殿 (神殿の) penetralia ★ 複数扱い; innermost shrine Ⓒ; (宮中の) the inner ˹hall [chamber]. 《☞ ないじん》.

ないてんきん 内転筋 〘解〙 adductor Ⓒ.

ナイト[1] (夜) night Ⓤ.

ナイト[2] knight Ⓒ. ¶*ナイトに叙す dub *a person* a *knight*

ナイトウェア (寝巻き) níghtwèar Ⓤ, nightclothes ★ 複数形で. 後者のほうが普通.

ナイトガウン (婦人・子供の寝巻き) níghtgòwn Ⓒ; (パジャマの上に着る部屋着) dréssing gòwn Ⓒ. 《☞ ねまき (挿絵)》.

ナイトキャップ (寝るときにかぶるもの; 寝酒) níghtcàp Ⓒ ★ 口語的.

ナイトクラブ níghtclùb Ⓒ.

ナイトゲーム 〘野〙 night gàme Ⓒ.

ナイトショー night show Ⓒ.

ナイトスコープ (暗視鏡) night scope Ⓒ.

ナイトスポット nightspot Ⓒ 《☞ ナイトクラブ》.

ナイトテーブル (ベッドの脇に置く小型のテーブル) níght tàble Ⓒ ★ bedside table Ⓒ ともいう.

ナイトビジョンゴーグル night-vision goggles ★ 複数形で.

ナイトメア (悪夢) nightmare Ⓒ 《☞ あくむ》.

ないない 内内 ━副 (ひそかに・秘密で) secretly, in secret; (内密に) privately, in private ★ いずれも後者のほうが意味が強い; (非公式に) informally, unofficially. ━形 secret; private (↔ public); informal, unofficial. 《☞ ないしょ; ひみつ; うちわ[1]》. ¶*内々でお話し申し上げたい I would like to talk with you ˹*privately* [*in private*]. // これは*内々の知らせで公にできません This is only an ˹*unofficial* [*informal*] notice which can't be made public.

ないないづくし 無い無い尽くし ¶彼は金も家も身寄りもない. *無い無い尽くしだ (⇒全く何も持っていない) He has neither money, nor house, nor relatives; he has *nothing at all*. // 彼はこの夏電気もガスも水道も*無い無い尽くしの不便な生活を無人島で体験した He has experienced the inconvenience of life with no electricity, no gas, no water, and with *nothing more* on an uninhabited island this summer.

ないないてい 内内定 (就職の) informal promise of employment Ⓒ 《☞ ないてい[1]》.

ないねんきかん 内燃機関 internal-combustion engine Ⓒ, motor Ⓒ ★ 前者が正式名称. 後者は一般的で広く原動機一般を指すこともある.

ないはいよう 内胚葉 〘生〙 endoderm Ⓒ.

ないはつてき 内発的 spontaneous /spɑntéɪniəs/. **内発的動機(づけ)** 〘心〙 spontaneous motivation Ⓒ **内発的発展** spontaneous development Ⓤ **内発的欲求** spontaneous desire Ⓒ.

ないばつてき 内罰的 〘心〙 intropunitive.

ないはんそく 内反足 clúbfòot Ⓒ 《複 -feet》; (症状・病名) talipes (varus) Ⓤ.

ないひ 内皮 (植物の) èndodérmis Ⓤ; (動物の)

endothelium /èndəθíːliəm/ Ⓒ《複 -lia /-liə/》.

ナイフ knife Ⓒ《複 knives》; (食卓用) table knife Ⓒ; (折り畳み式) clasp knife Ⓒ ★ このうち大型のものを jackknife Ⓒ と言う; (小型の) pocketknife Ⓒ. 《☞ ほうちょう¹ (挿絵)》.

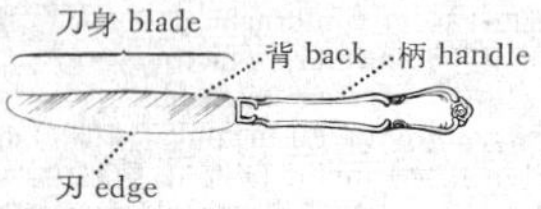

¶ この*ナイフは切れない This *knife* won't cut. // *ナイフで鉛筆が削れますか Can you sharpen a pencil with a *knife*? // *ナイフとフォークをちゃんと使えますか Can you use a *knife* and fork properly? [語法] 対になっている場合は冠詞は全体に 1 つ付ければよい. 《☞ 冠詞 (巻末)》 // *ナイフで人を刺す stab *a person* with a *knife* / stab a *knife* into *a person* // ウェディングケーキに*ナイフを入れる cut a wedding cake

コロケーション
ナイフを(折り)たたむ close a *knife* / ナイフを突き刺す plunge a *knife* (into ...) / ナイフをとぐ sharpen a *knife* / ナイフを抜く draw [pull] a *knife* / ナイフを開く open a *knife*

ないぶ 内部 ── [名] (物や物事の内側) the inside (↔ the outside); (建物・部屋などの内側) the interior /ɪntí(ə)riə/ (↔ the exterior) ★ やや格式ばった表現. ── [形] inside Ⓐ; interior Ⓐ; (外からは見えない) internal. 《☞ なか¹ (類義語); うちがわ》.

¶ 家の*内部も外側と同じように美しかった The 「inside [*interior*] of the house was as beautiful as the 「outside [exterior /ekstí(ə)riə/]. // *内部の紛争 an *internal* struggle // 盗難は*内部の犯行と考えられた The theft was regarded as an *inside* job. // …の*内部の事情に詳しい have a good *inside* knowledge of … // *内部から from 「*within* [*the inside*] **内部エネルギー** 〖物理〗 internal energy Ⓤ **内部感覚** inner sensation Ⓤ **内部環境** 〖生〗 internal environment Ⓒ **内部監査** intérnal áudit Ⓤ **内部記憶装置** 〖コンピューター〗 internal memory Ⓒ **内部寄生** 〖生〗 endoparasitism /èndoupǽrəsàɪtɪzm/ Ⓤ **内部寄生体** 〖生〗 èndopárasìte Ⓒ **内部工作** secret maneuvering /mən(j)úːv(ə)rɪŋ/ (inside an organization) Ⓤ **内部構造** (物の) inner [internal; interior] structure Ⓒ; (動物の体の) internal anatomy Ⓒ **内部告発** accusation from inside Ⓤ; 《俗》 whistle-blowing Ⓤ. 《☞ たれこむ》 **内部告発者** 《俗》 whistle-blower Ⓒ **内部抵抗** 〖電〗 internal resistance Ⓤ **内部摩擦** 〖物理〗 internal friction Ⓤ **内部留保** retained profit Ⓒ.

ないふく 内服 (薬を飲むこと) internal use Ⓤ. ¶ 薬を*内服する *take* medicine *orally* **内服薬** internal [oral] medicine Ⓤ (↔ external medicine), medicine for internal use Ⓤ ★ ともに種類をいうときは Ⓒ. 《☞ くすり》 **内服ワクチン** internal vaccine Ⓤ.

ないふん¹ 内紛 (内部のいざこざ) internal 「trouble [discord] Ⓒ; (内部抗争) ínfighting Ⓤ.

ないふん² 内憤 (内心の怒り) inner [inward] anger Ⓤ; (隠した怒り) hidden anger Ⓤ.

ないぶん¹ 内聞 ¶ この話はご*内聞に願います (⇒秘密にしておいて下さい) Please *keep* this 「*secret* [*to yourself*].

ないぶん² 内分 〖数〗 ¶ 線分 AB を 2: 1 に*内分しなさい *Divide* the line AB at the ratio of two to one. **内分点** dividing point Ⓒ.

ないぶんぴ(つ) 内分泌 〖生理〗 ── [名] internal secretion /sɪkríːʃən/ Ⓤ. ── [形] (内分泌の) endocrinal, endocrinic. **内分泌撹乱(化学)物質** (環境ホルモン) endocrine disrupter /éndəkrɪn dɪsrʌ́ptə/ Ⓒ, hormone-disruptive chemical Ⓒ, endocrine-disrupting chemical Ⓒ ★ 普通複数形で. EDC と略す. **内分泌器官** endocrine organ Ⓒ **内分泌腺** endocrine gland Ⓒ **内分泌物** endocrine Ⓤ.

ないへいせい 内閉性 〖心〗 (自閉症) autism Ⓤ 《☞ じへいしょう》.

ないへき 内壁 inner [inside] wall Ⓒ.

ないほう 内包 〖論〗 ── [名] connotation Ⓤ. ── [動] (内包する) connote (他). ¶ 彼の理論が*内包する矛盾 the contradiction his theory *involves*

ないまく 内膜 〖解〗 (内部の膜) inner [internal] 「membrane [lining] Ⓒ ★ 心内膜 (endocardium /èndoukɑ́ədiəm/), 子宮内膜 (èndométrium /-míːtriəm/), 骨内膜 (endosteum /èndɑ́stiəm/) など; (血管などの) intima /íntəmə/ Ⓒ《複 ~s, intimae /íntəmìː/》; 〖植〗 (花粉粒などの) intine /íntiːn/ Ⓒ, endosporium /èndəspɔ́ːriəm/ 《複 -sporia》 Ⓒ, endospore /éndəspɔ̀ə/ Ⓒ.

ないまぜ 綯い交ぜ ¶ 色々の糸を*ないまぜにする *entwine* [*interweave*] threads of various /vé(ə)riəs/ colors (into a string) // うそとまことを*ないまぜにして話す *weave* [*intertwine*] truth and falsehood into a story

ないまぜる 綯い交ぜる (からみ合わせる) entwine (他); (織り交ぜる) interweave (他); (糸をより合わせる) twist threads together; (混ぜ合わせる) compound (他).

ないみつ 内密 (秘密) secret Ⓒ; (秘密であること) secrecy Ⓤ. 《☞ ないしょ; ないない》.

ないむ 内務 (国内の政務) home [internal; domestic] affairs ★ 複数形で. **内務規定** 〖軍〗 (別命あるまで続く命令) standing order Ⓒ **内務省** (日本の明治から昭和初期の) the Home Ministry, the Ministry of Home Affairs; (米国の) the Department of the Interior; (英国の) the Home Office **内務大臣** (日本の内務省の) the Home Minister, the Minister for Home Affairs; (英国の) the Home Secretary, the Secretary of State for Home Affairs **内務長官** (米国の) the Secretary of the Interior.

ないめい 内命 secret order Ⓒ. ¶ (…から) *内命を受ける receive a *secret order* (from …)

ないめん 内面 the inside, the interior /ɪntí(ə)riə/. 《☞ ないぶ》. ¶ *内面の平穏を取り戻す regain *one's inner* calm // 事件の*内面 (⇒ 実情) the *real state* of the affair **内面生活** *one's* inner life **内面的** ── [形] inner; internal. ── [副] (内面的に) internally **内面描写** psychological description of a character Ⓤ.

ないもうこ 内蒙古 ── [名] [固] (地域名) Ínner Mongólia, Nei Monggol /néɪmɑ́ŋgoul/; (公式名) Ínner Mongólian Autónomous Région.

ないものねだり 無い物ねだり ── [動] (不可能なものを求める) ask for the impossible 《☞ ねだる》. ¶ 子供はよく*無い物ねだりをして親を困らせる Children often annoy their parents by *asking for the impossible*.

ないや 内野 the ínfield. **内野安打** infield hit Ⓒ **内野ゴロ** infield grounder Ⓒ **内野手** infielder Ⓒ; (塁手) baseman Ⓒ《複 -men》 **内野席** infield stands ★ 通常複数形で. **内野フライ** infield fly Ⓒ.

ないやく 内約 ── [動] make a secret 「contract

[agreement] with …

ないゆう 内憂 domestic [internal] troubles ★ 通例複数形で. **内憂外患こもごも至る** We are beset with troubles at home and abroad.

ないよう[1] 内容 (趣意・要旨) cóntent Ⓤ 〔語法〕 容器などの「内容物」の意味では複数形で用いる; (実質) súbstance Ⓤ; (詳細) details ★ 複数形で. 《☞ なかみ; じっしつ》.

¶ 彼の演説の題目はよかったが, *内容が気にくわなかった The title of his speech was good, but I didn't like the *content*. // その映画は*内容が乏しかった The movie lacked *content*. // その袋の*内容は何かと彼は私にたずねた He asked me what the *contents* of the bag were. // *内容のほうが形式より重要です *Substance* is more important than form. // 事件の*内容は次第に明らかにされた The *details* of the affair were brought to light one by one. // 職務の*内容 the *substance* of *one's* duties // *内容のある議論 a *substantial* argument // *内容のない演説 a speech of little *substance* / an *empty* speech **内容語** content word Ⓒ (↔ function word) **内容証明** certification of contents Ⓤ **内容証明郵便** contents-certified mail Ⓤ ★ 説明的な訳. 英米にはこの種の郵便制度はない. **内容美** 〔芸〕(内容の美しさ) substantial beauty Ⓤ, beauty in content (as opposed to form) Ⓤ. 《☞ けいしき[1] (形式美)》 **内容見本** (見本ページ) specimen page Ⓒ; (内容説明書) prospéctus Ⓒ.

> **コロケーション**
> 大まかな内容 a「rough [general] *outline*; the gist / 詳しい内容 full *details* / 細かな内容 minute *details*

ないよう[2] 内洋 ☞ ないかい[1]

ないようやく 内用薬 ☞ ないふく (内服薬)

ないらん[1] 内乱 (内戦) civil war Ⓒ 〔語法〕 the Civil War とすると, 例えばアメリカの南北戦争のように, 各国の特定の内乱を指す; (暴動) rebellion Ⓒ. 《☞ ぼうどう》. **内乱罪** ¶ テロ組織のリーダーが*内乱罪で (⇒ 内乱を起こしたかどで) 逮捕された The leader of the terrorist organization was arrested *on charges of causing an internal*「*rebellion* [*disturbance*]. ★ 前者は反乱, 後者は騒動の意.

ないらん[2] 内覧 (映画・芝居などの) preview Ⓒ. **内覧会** (美術展などの) private viewing Ⓒ. ¶ ピカソ展の*内覧会 a *private viewing* of the Picasso exhibition

ないり 名入り ¶ *名入りTシャツ a T-shirt *with a person's name*「*printed* [*stamped*] on it // 持ち主の*名入りブレスレット a bracelet *with the owner's name inscribed* on it // *名入り便箋 *headed* notepaper

ないりく 内陸 ── 名 inland Ⓒ; (大陸) continent Ⓒ. ── 形 inland Ⓐ. ¶ 首都から 100 マイルの*内陸に 100 miles *upcountry* from the capital **内陸運河** (川船用の) inland canal Ⓒ; (内陸水路) inland waterway Ⓒ **内陸河川** inland river Ⓒ, river in the interior Ⓒ **内陸工業地帯** inland industrial「zone [area] Ⓒ **内陸国** (陸地に囲まれた国) landlocked country Ⓒ; (海岸を持たない国) country without access to the sea Ⓒ **内陸(性)気候** inland [continental] climate Ⓒ **内陸地方** inland「area [district] Ⓒ.

ないりんざん 内輪山 (火口のふち) inner rim of a crater Ⓒ; (中央火口丘) volcanic cone within a crater Ⓒ.

ナイルがわ ナイル川 ── 名 ㊀ the Nile.

ナイルわに ナイル鰐 〔動〕(クロコダイル科のワニ) Nile crocodile Ⓒ.

ないれ 名入れ ¶ 当店ではお客様がお買い上げのタオル製品に刺繍で*名入れサービスを致します We will *embroider the owner's name* on the towels customers buy as a free service.

ナイロビ ── 名 ㊀ Nairobi ★ ケニアの首都.

ナイロン nylon Ⓤ. **ナイロン靴下** nylon stockings ★ 通例複数形で. 《☞ くつした》 **ナイロン製品** nylon goods, nylons ★ いずれも複数形で.

ないわくせい 内惑星 inferior [interior] /ɪnfí(ə)riə [ɪntí(ə)riə]/ plánet Ⓒ.

ないわん 内湾 (奥行のある湾) deep bay Ⓒ; (遠くの内陸までのびている湾) bay extending far inland Ⓒ; (陸地に囲まれた小内湾) basin Ⓒ.

ナイン (野球チーム) baseball team Ⓒ, nine Ⓒ ★ 前者のほうが一般的. ¶ ライオンズの*ナイン the Lions *nine*

なう (縄をなう) make [twist] (a rope).

ナウ(い) (今はやりの) in; (かっこいい) groovy. ¶ *ナウい服装 *groovy* clothes

なうての 名うての (悪名高い) notorious /noʊtó:riəs/ 《☞ ゆうめい[1] (類義語)》.

ナウマンぞう ナウマン象 〔古生〕 Naumann's /náʊmɑ:nz/ elephant Ⓒ; (説明的には) fossil elephant discovered by Naumann Ⓒ.

ナウル ── 名 ㊀ (the Republic of) Nauru /nɑ:ú:ru:/ ★ 南太平洋のナウル島を領土とする国. ── 形 (ナウルの) Naúruan. **ナウル語** Naúruan Ⓤ **ナウル人** Nauruan Ⓒ.

なえ 苗 (種子から育てた) seedling Ⓒ; (一般的に植物の苗) young「plant [tree] Ⓒ; (特に樹木の) sapling Ⓒ. ¶ *苗を植える plant a *seedling* **苗木** (1 m 以下のもの) seedling Ⓒ **苗床** seedbed Ⓒ.

なえる 萎える wither ㊁ 《☞ しおれる》.

なお 尚, 猶 (もっと突っ込んで) further; (さらに・いっそう) even, still ★ 比較級に付ける; (まして・なおさら) still [much] more … ★ 肯定文の場合; still [much] less … ★ 否定文の場合. 《☞ さらに》; (接続詞的な意味で「そして」) and 《☞ ついで》; (参考までに) for your information.

¶ それは*なおよく検討しなければならない We must study it *further*. // これは*なお悪い This is「*even* [*still*] worse. 〔語法〕 2 つのものがいずれも bad であるが, 一方が他方よりさらに悪いという状況のときにこの言い方となる. // *なお幸いなことに[困ったことに]部屋は急に真っ暗になった What was「*better* [*worse*] *still*, it suddenly became quite dark in the room. **なおいっそう** (…なのでなおさら) all the more「for [because] …; (さらに) still [even] more ★ 肯定文で; still [much] less ★ 否定文で. 《☞ なおさら; いっそう[1]》. ¶ 彼らは*なおいっそうの国際的な援助を訴えている They are appealing for「*still* [*even*] *more* international aid. **なおのこと** ¶ あなたが一緒にいてくれれば*なおのこと結構だ If you stay with us, (that is) *so much the better*. / (⇒ 都合がいい) If you stay with us, it would be (*all*) *the more* convenient to us. 《☞ いっそう[1]; なおさら》 **なおまた** (それに) besides; (…に加えて) in addition (to …) ★ 前者は重要な理由などの追加, 後者は関連したことがらの追加を表す; (さらにまた) moreover; furthermore ★ いずれも格式語. 《☞ また[1]》.

なおかつ 猶且つ **1** «それに»: besides; 《格式》 moreover; (なおそのうえ) furthermore ★ besides や moreover を使ったあとでさらに追加する場合; (また) also. 《☞ そのうえ》. ¶ あのレストランは料理が旨いし*なおかつ値段が安い That restaurant serves delicious dishes. *Besides* [*Moreover*], they are cheap.

2 «それでもまた»: still, and yet. 《☞ それでも; そのくせ》. ¶ 彼女は彼にひどく乱暴にされたのに*なおかつ彼を好いている She was so violently treated, ｢*still* [*and yet*] she likes him.

なおきしょう 直木賞 the Naoki Prize.

なおさら 尚更 (…だからなおさら) all the more ｢for [because] … 語法 more の位置には種々の比較級が入り, for の後には名詞, because の後には節が来る; (ましてなおさら…) still [much] more … ★ 肯定文で; still [much] less … ★ 否定文で. ((☞ いっそう[1])).
¶ 英語は難しいが, フランス語は*なおさらです English is hard to learn, and French is ｢*still* [*even*] *more* so. // それだから私は*なおさらその国が好きなのです I like the country *all the better* ｢*for* [*because of*] that. // だめだと言われると*なおさら欲しくなる We want something *all the more* when we are not allowed to have it. // 私は英語はしゃべれないし, 書くのは*なおさらだめです I can't speak English, *much less* write it.

なおざり ━(動) (仕事などを怠る) neglect (他); (軽んじる) make light of … ((☞ おろそか)). ¶ 仕事 [勉強] を*なおざりにする *neglect one's* ｢duties [studies] // この問題は*なおざりにできない This problem cannot *be left untouched.* / (⇒ 今すぐに対応する必要がある) This problem *demands* (*our*) *immediate attention.*

なおし 直し (技術を要する修繕) repair Ⓤ ★｢修理作業｣という意味ではしばしば複数形; (簡単な修理) mending Ⓤ; (手直し・寸法直し) alteration Ⓤ ★ 具体的な直しをいう場合は Ⓒ; (訂正) correction Ⓒ. ((☞ しゅうり; ていせい[1]; しゅうせい[1])). ¶ 君の自転車は使い古されてて, もう*直しはきかないよ. 長いこと使っていたからね Your bicycle is worn out and ｢*beyond repair* [*there is no way to repair* it]. You have used it for a very long time. // そのコートの*直しがきくかきかないかは, 素材の状態次第だ Whether the coat is able to *be mended* or not depends on the condition of the material. // 母の古い着物は*直しが必要だ My mother's old kimono needs *mending.*

なおす 直す, 治す **1** «修理・修繕»: (簡単な修理をする) mend (他); (少し複雑なもの・機械類などを修理する) repair (他), ((米略式)) fix (他). ((☞ しゅうり)).
¶ 彼は娘の壊れた人形をのりと紙で*直した He ｢*mended* [*fixed*] his daughter's broken doll with paste and paper. // 私はきのう車を*直してもらった I *had* my car ｢*repaired* [*fixed*] yesterday. // あなたはパンクしたタイヤを自分で*直せますか Can you *fix* a flat tire (by) yourself?
2 «訂正する»: correct (他) ((☞ ていせい[1])).
¶ 先生は私たちの作文を毎週*直してくれます Our teacher *corrects* our essays every week. // ｢私の英語の手紙の誤りを*直していただけませんか｣ ｢いいですとも｣ "Could you *correct* the mistakes in my English letter?" "All right."
3 «病気・けがを治す»: (病気・病人を) cure (他); (けがを) heal (他) 日英比較 日本語では病気・けがの区別なく｢なおす｣と言うが, 英語では区別があることに注意. なお,｢なおる｣についても同様のことが言える; (悪い習慣や欠点などを) remedy (他). ((☞ きょうせい[2])).
¶ 近い将来にがんは完全に*治せるようになるだろう We will be able to *cure* cancer completely in the near future. // けがを*治すには温泉がよい (⇒ 温泉はけがを早く治す) Hot spring water will *heal* your wound quickly.

ナオミ (女性名) Naomi /neɪóumɪ/.

なおも 尚も (さらにもっと) further; (いまもなお) still. ((☞ なお; いぜん[2])). ¶ レポーター達はその女優に*なおもインタビューしようとした The reporters tried to interview the actress *further.* // 雪は一週間降り*なおも降り続いている It has kept on snowing for a week and (it) is *still* snowing (now).

なおや 名親 〖キ教〗(名づけ親) godparent Ⓒ; (男性の) godfather Ⓒ; (女性の) godmother. ((☞ なづけおや)).

なおらい 直会 *naorai* Ⓒ; (説明的には) Shinto ceremony of communion with a god, in which participants partake of the food offerings with the god Ⓒ.

なおり 治り (病気・けがの) recovery Ⓤ ((☞ かいふく[1,2]; なおる)). ¶ 彼はインフルエンザ[膝の傷]の*治りが早かった[遅かった] He made a ｢quick [slow] *recovery* from ｢the flu [a knee injury]. / He *has* ｢quickly [slowly] *recovered* from ｢the flu [a knee injury].

なおりかけ 治り掛け ¶ *治り掛けに外出すると風邪がまたぶりかえすよ If you go out when you are ｢*getting over* [*recovering from*] your cold, you'll ｢have [suffer] a relapse. // そんな力仕事をしてはだめだ. *治り掛けが大事なんだよ (⇒ まだ回復期なのだから大事にしなくてはいけない) Don't do such strenuous work. You must take care of yourself while you *are* ｢still *convalescing* [*getting better after your illness*].

なおる 治る, 直る **1** «治癒する»: (病人がよくなる) get well (自) 語法 (1) 最も口語的で一般的. ただし, 一時的に気分が悪いのが治る意味にもなり, 多少漠然としている. この点は次の get better も同じ; (少しよくなる) get better (自); (病気を克服する) get over …; (元の健康状態に戻る) recover (from …) (自) 語法 (2) get over と入れ替え可能だが, やや格式ばった感じ; (主として外傷が) heal (自); (病気が) be cured; (病状が改善される) improve (自). ((☞ かいふく[1,2])).
¶ 彼は病気が*治った He ｢*got* [*has gotten*] *well.* 語法 (3) get well は単独に使い get well from the disease とは言わない. / He *has* ｢*recovered from* [*gotten over*] his illness. // 私の胃かいようは完全に*治った My stomach ulcer *has* ｢*been* completely *cured* [completely *healed*]. 語法 (4) ｢かいよう｣ は病気とも傷とも考えられるので, cure, heal のいずれでもよい. ((☞ なおす 日英比較)) // ちょっとした傷は清潔にしておけばすぐ*治る Small wounds *heal* quickly when they are kept clean. // 私は風邪を引くと何週間も*治らない (⇒ 持続する) When I catch (a) cold, it *hangs on* for weeks. // 医者は私の病気は*治らないと言った The doctor told me that my case is ｢*incurable* [*hopeless*].
2 «癖・故障などが直る»: (いやなものを取り除く) rid *oneself* (of …), get rid of …; (修理される) be ｢mended [repaired], ((米略式)) be fixed. ((☞ しゅうり)). ¶ 彼は悪い癖が*直った He *has* ｢*rid himself of* [*gotten rid of*] his bad habit. // 彼は機嫌が*直った (⇒ 再びよい機嫌になった) He is *in* (*a*) *good humor again.* // この靴はもう*直らないね These shoes ｢cannot *be repaired* [are beyond *repair*]. ★ [ ] 内のほうが格式ばった言い方.

なおれ[1] 名折れ disgrace Ⓤ; ((格式)) ínfamy Ⓤ.
¶ そんな行動は君の*名折れだ Such behavior would *disgrace your name.*

なおれ[2] 直れ ((号令)) (元へ) As you were!; (正面を向け) Eyes front! ((☞ きをつけ)).

なか[1] 中 **1** «位置としての中・内側» ━(前) (…の中に[で]) in … 語法 (1) ある広がりを持ったものの中に入っているという状態, またはその動きを表す; (…の中へ) into … 語法 (2) 入り込む動作の方向性を強く示す; (…の内部で; …の範囲内で) within …; (…の内側に [で]) inside … (↔ outside …). ━(副) (中のほうへ[に]) in (↔ out) 語法 (3) 動詞と結んで, 例えば come in (中へ入る) のように句動詞の一部として用いられることが多い; (内側に[て, は]) inside (↔ outside). ── 名 (内側) inside U (↔ outside); (壁などで囲まれているものの内側の表面) interior /ɪntí(ə)riə/ U (↔ exterior). ── 形 (内側の) inside A; (内部の) interior A; (中の奥のほうの) inner A; (中に閉ざされている) internal.

【類義語】《形 の場合について》 最も一般的な語は **inside** で, 何かの内部に入っているものを広く意味する. ((例) *中の席 an *inside* seat). 外部との状態・程度などとの対比というニュアンスを持って使われるのが **interior**. 例えば *interior* decoration は外観と対比した上での室内装飾をいう. ずっと奥深いほうに入った場所または中央のあたりを意味するのが **inner**. 従って比喩的に用いられることが多い. 例えば内的な自己は *inner* self である. 周囲を囲まれて視界が完全にさえぎられ, 中がまったく見えない場合の内部を意味するのが **internal** で, 例えば人間の内臓は *internal* organs of the body であり, 国内貿易は *internal* trade である. 《☞ ないぶ; うちがわ》

¶「その箱の*中には何が入っていますか」「本が 3 冊入っています」"What is *in* that box?" "There are three books in it." / (⇒ その箱の中にあなたは何を持っているのか) "What do you have *in* that box?" "Three books." // ノートをかばんの*中にしまいなさい Put the notebook ˹*in* [*into*] your bag. // 彼はかばんの*中から本を 1 冊取り出した He took a book *out of* his bag. // この部屋の*中にはだれもいません Nobody is *in* the room. // アリスはうさぎの穴の*中に落ちた Alice fell *into* a rabbit hole. // この部屋は*中から鍵がかかっている This room is locked from the *inside*. // 彼女と教会の*中で会うことにした I made an arrangement to see her *inside* the church. // その邸宅の*中を見せていただけますか May I have a look at the *interior* of the mansion? // 税関吏は包みの*中をあらためた (⇒ 内容を調べた) The customs officer ˹checked [inspected] the *contents* of the package. 語法 (4) contents は通例複数形で用いられる.

2 《…の間》 ── 前 (何人か[幾つか]の中で) of …; in … 語法 形容詞の最上級とともに用いられる場合で, 例えば「3 人の中で」のように数が明らかな場合, あるいは「すべての中で」という場合は of,「クラスの中で」とか「学校の中で」のように漠然とした数の中でという意味では in. 《☞ うち¹; なかでも; なかには》

¶ 秋山君は我々 5 人[クラス]の*中で一番背が高い Akiyama is the tallest (boy) ˹*of* us five [*in* our class]. // 彼は兄弟の*中で一番頭がいい He is the brightest *of* all the brothers. //「3 人の*中ではだれが一番年上ですか」「私です」"Who's the oldest *of* the three?" "I am." // 学生の*中には優秀な者もいる Some *of* the students are brilliant. // この*中から好きなハンカチを選びなさい You can choose any handkerchief you like *out of* these.

3 《最中》: (…の中を) in …, in the ˹middle [midst] of … 語法 前者は意味が広いので, 多少漠然としているが, 後者は「…の最中に」の意味が明らかである. なお, midst は文語的. 《☞ さいちゅう》

¶ 彼は雨の*中を出かけて行った He went out *in* the rain. // 彼は暗やみの*中で道に迷った He lost his way *in* the dark. // 船は嵐の*中を進んだ The ship continued on its way *in the middle of* the storm.

中に立つ[入る] (正式な機関が調停する) arbitrate 自 他; (権威者などが) mediate 自 他; (介入する) intervene 自; (仲介する) act as a go-between. 《☞ ちゅうかい¹; ちゅうさい (類義語)》 **中を取る** (中庸の道, 中道をとる) follow [take; steer] ˹a [the] middle ˹course [way] 《☞ ちゅうどう; ちゅうよう》.
¶ 4 万円と 5 万円の*中を取って (⇒ 平均をとって) 4 万 5 千円でいかがでしょう? How about forty-five thousand yen *by taking the average of* forty and fifty thousand yen?

なか² 仲 (関係) relation(ship) U; (交際の間柄) terms 語法 (1) 普通は複数形で, be on … terms (with …) ((…とは) …の間柄だ) という言い方で用いる. 《☞ かんけい¹ (類義語); あいだがら》

¶ あなたと渡辺さんとはどういう*仲 (⇒ 親戚関係) ですか What kind of *relationship* do you have with Mr. Watanabe? // よし子さんとまさ子さんは*仲がいい [悪い] (⇒ よい友人同士だ [互いに友好的ではない]) Yoshiko and Masako are ˹*good friends* [*unfriendly*]. / Yoshiko and Masako *are* ˹*on friendly terms* [not *on friendly terms*]. ★ 第 2 文のほうが格式ばった言い方. // 彼が私の恋人を奪ってから私は彼とは口もきかない*仲である I have not been *on* speaking *terms with* him since he stole my girlfriend. 語法 (2) この表現は普通否定文で使われる. // 私は彼と*仲よくなりたい (⇒ 友人になりたい) と思う I'd like to *make friends with* him. 語法 (3) make friends with … で「友人になる」という慣用表現. 相手と自分が友人同士になる意味なので friends と複数形になる. // 彼らは犬猿の*仲だ They fight like cats and dogs. / They're always at each other's throats.

仲を裂く (…と…の仲を裂く) come between … and …; (恋人たちの) part the lovers; (切り離す) separate 他; (引き離す) part 他.

コロケーション

行き来する仲である be on visiting *terms* / 会釈をし合う仲である be on nodding *terms* / 親しい仲である be on familiar *terms* / 冗談を言い合う仲である be on joking *terms* / 親密な仲である be on intimate *terms* / ファーストネームで呼び合う仲である be on first-name *terms* / 不仲である be on ˹bad [unfriendly] *terms*

ながあめ 長雨 long spell of rain C 《☞ あめ¹》.
¶ 10 月は*長雨が続いた We had a *long spell of rain* in October.

なかい 仲居 waitress (at a Japanese-style restaurant) C

ながい¹ 長い **1** 《長さ・距離》: long (↔ short) 《☞ ながく; ながさ》.
¶ あの橋はとても*長い That bridge is very *long*. // このほうがそれよりはるかに*長い This is much *longer* than that. // このロープはそれより 50 センチ*長い This rope is 50 centimeters *longer* than that. // 彼女は髪の毛が*長い She has *long* hair. // それは*長い道のりだ It's a *long* way to go.

2 《時間》 ── 形 long (↔ short); (長たらしい) lengthy. ── 副 (長く・長い間) long. 《☞ ながく》.
¶ 彼女は私たちのところに*長い間滞在した She stayed with us for a *long* time. // 彼はもう*長いことはない (⇒ 長くもたない) He will not last *long*. // *長い間懸案となっているその問題はいまでも解決されないままだ That *long*-pending question remains unsolved even now. // 彼はひどく*長い説教をした He gave us a *lengthy* sermon.

長い目で見る (先の事まで考える) take the ˹long [long-term] view. ¶ *長い目で見ればそれでいいんだ It'll be all right *in the long run*.

長い物には巻かれろ (⇒ 相手を打ち負かせないなら仲間になれ) If you can't beat them, join them. / (⇒ 時流とともに泳げ [流れろ, 行け] Swim [Drift; Go] with the ˹tide [current; stream].

ながい² 長居 ── 名 long ˹visit [stay] C. ── 動 stay for a long time; (長く居すぎる) stay too long.
¶ すっかり*長居をしてしまいました I'm afraid I *have*

stayed here *too long.* / (⇒もう少し早く去るべきだった) I'm afraid I should have left earlier. / (⇒あなたの時間を長く取り過ぎた) I'm afraid I have taken up too much of your time. ★ 後のものほど丁寧な表現になる.

ながいかふう 永井荷風 —[名] (固) Nagai Kafu, 1879–1959; (説明的には) a novelist and essayist who maintained a proud independence.

ながいき 長生き —[名] long life [U], longevity [U] ★ 後者は「長寿」に当たるやや格式ばった語. —[動] live long, live to a great age; (…より長く生きる) outlive (他). 《☞ ちょうじゅ》. ¶私の祖父は 90 まで*長生きをした My grandfather *lived to be* ninety (years old). // 一般に女は男より*長生きだ Women generally *outlive* men.

ながいす 長椅子 (2人以上の人のための) bench [C] [日英比較] 日本語のベンチは普通屋外用のものを指すが, 英語の bench にはその区別はない; (寝いす) couch [C]; (背もたれやひじ掛けのない) diván [C]; (ソファー) sofa [C]. 《☞ いす [日英比較]》.

ながいも 長芋 Chinese yam [C].

なかいり 中入り (相撲・歌舞伎などの途中休憩) intermission [C], 《英》 interval [C].

ながうた 長唄 *nagauta* [U] ★ 数えるときは a piece of を使う; (説明的には) lyrical song accompanied by samisen music as an accompaniment to kabuki dances [C].

ながえ 長柄 ¶*長柄の傘[スプーン] a *long-handle* ⌈umbrella [spoon] // *長柄の槍 a spear with a *long shaft* 《☞ え[2]》

ながおかきょう 長岡京 —[名] (固) Nagaokakyo; (説明的には) the imperial capital in the suburbs of Kyoto from 784 to 794.

なかおし 中押し **1** 《囲碁》: (大差での勝利) victory by a wide margin [C]. ¶*中押しで勝つ win (the go) by *a wide margin*
2 《野球》: (後半でリードを増やす加点) score that widens the lead in the ⌈second [latter] half [C].

なかおち 中落ち meat attached to the backbone of a fish after removing the fillets [U] ★ 説明的な訳. ¶マグロの*中落ち tuna *meat scraped from the backbone*

なかおび 中帯 (小袖の上にしめる帯) *obi* [belt] tied over a tight-sleeved kimono [C].

なかおれ(ぼうし) 中折れ(帽子) felt [soft] hat [C].

なかがい 仲買 brokerage [U]. **仲買人** broker [C]; (古物商などの仲買人) dealer (in secondhand goods) [C]; (株式仲買人) stockbroker [C].

ながかみしも 長裃 *nagakamishimo* [C] ★ 単複同形; (説明的には) formal long dress worn by the high-ranking warrior class in the Edo period [U]. 《☞ かみしも》.

なかがわ 中側 —[名] inside ★ 普通は the を付けて. —[形] inside [A]. —[副] inside. 《☞ うちがわ》. ¶《劇場などで》通路側の席と*中側の席とどちらがいいですか Which do you prefer, an aisle seat or an *inside* seat?

ながき 長き ¶*長きにわたる戦乱 a *long-lasting* war

なかぎり 中限 〘商〙 (翌月末日受け渡し) two-month delivery [U].

ながく 長く —[副] long; (長い間) for a long time; (かなり長い間) for ages ★ くだけた言い方. 《☞ ながい[1]; ながくする; ながくなる》.
¶私は*長く待たされた I was kept waiting *for a long time.* // 彼女は髪の毛を*長く伸ばしている She wears her hair *long.* // *長くかかりませんよ. すぐ帰ってきます I won't be *long.* I'll be back soon. // 彼はその状況を説明するのにかなり*長くかかった It took him a pretty *long time* to explain the situation. // 彼の名声は*長く続いた His fame lasted *for ages.*

ながくする 長くする (前よりもっと長くする) make … longer; (長さを延ばす) lengthen (他); (長さ・幅・時間などを元の点を越えて延ばす・延長する) extend (他). 《☞ のばす; ながくなる》. ¶私は母にスカートを*長くするように頼んだ I asked my mother to ⌈*make* my skirt *longer* [*lengthen* my skirt].

ながぐつ 長靴 (一般に) boots; (ゴム長) gumboots [語法] 普通は複数形で用い, 1足[2足]と数えるときは a pair [two pairs] of boots という. 《☞ くつ; 数の数え方 (囲み)》.

ながくなる 長くなる (長さが伸びる) get [become; grow] long(er) 《☞ のびる[1]; ながくする; ながびく》.
¶髪が*長くなった. 散髪しなくては My hair *has grown long.* I must have a haircut. // イギリスでの滞在が少し*長くなりそうだ My stay in England will last a little *longer.* // 日ごとに日が*長くなってきた The days *are getting longer and longer* every day. // それは話せば*長くなる It's a *long* story.

なかぐりばん 中刳盤 boring machine [C].

なかぐろ 中黒 〘印〙 centered dot [C].

ながこうじょう 長口上 ¶彼の*長口上(⇒長く続く話)は聴衆をうんざりさせただけだった His *long speech* only made the audience bored. 《☞ こうじょう[4]》

なかごろ 中頃 —[副] (…の中ごろ) about [around] the middle of … —[名] (真ん中あたりの部分) the middle part. 《☞ ちゅうじゅん; なかば》. ¶彼は来月の*中ごろ外遊する He will go abroad ⌈*about* [*around*] *the middle of* next month.

ながさ 長さ —[名] length [U] ★ 長さのある物という意味では [C]. —[形] (長さが…の[で]) … long. [日英比較] 日本語で「長さ」とあっても, 英語では必ずしも length という名詞形が使われるとは限らず, long という形容詞を使う場合がしばしばあることに注意. 《☞ ながい[1]; ながく; 度量衡 (囲み)》.
¶「その川の*長さはどのくらいですか」「200キロぐらいです」"How *long* is the river?" "It's about 200 kilometers /kɪlámətəz/ *long.*" ★ 長さを聞き, それに答える最も典型的な表現. / "What is the *length* of the river?" "About 200 kilometers." ★ 少し格式ばった質問. // 2メートルの*長さのひもが必要だ I want a two-meter-*long* string. / I need a string two meters ⌈*long* [in *length*]. // この竹を1メートルずつの*長さに切って下さい Please cut this bamboo into *lengths* of one meter each. // このロープはあれと同じ*長さです This rope is ⌈as *long* [the same *length*] as that one. // これは2センチだけ*長さが足りません (⇒短すぎる) This is two centimeters too short. / This is too short by two centimeters. [語法] 第1文は短いことを強調し, 第2文は2センチを強調.

ながざお 長竿 long rod [C].

ながさき 長崎 —[名] (固) (都市名) Nagasaki. **長崎奉行** (徳川幕府の) commissioner in Nagasaki [C], Nagasaki commissioner [C]; (説明的には) Tokugawa-shogunate official in charge of the foreign trade and the city administration of Nagasaki [C] **長崎貿易** Nagasaki trade [U]; (説明的には) overseas [foreign] trade at Dejima in Nagasaki Harbor under the national seclusion policy of the Tokugawa shogunate [U].

なかされる 泣かされる ¶人々はその病にひどく*泣かされた (⇒苦しんだ) People *suffered* terribly from the disease. // ピクニックは悪天候に*泣かされた (⇒悪天候がピクニックを台なしにした) The nasty weather *spoiled* the picnic. // 彼女の心温まる話には大いに*泣かされた I *was* very much *moved* by her heart-warming story. 《☞ なかせる》

なかし 仲仕 stevedore /stíːvədɔ̀ːr/ Ⓒ; 《米》(沖仲仕) longshoreman Ⓒ.

ながし[1] 流し (台所などの) (kitchen) sink Ⓒ.

ながし[2] 流し (流して歩く音楽家) strolling musician Ⓒ; (タクシーの) cruising cab Ⓒ. 流しそうめん (説明的に) boiled thin noodles carried in water down a trough, then caught with chopsticks and eaten 流し読み browsing Ⓤ 《☞ ひろいよみ》.

ながしあみ 流し網 drift net Ⓒ. 流し網漁業 drift-net fishing Ⓤ 流し網漁船 drifter Ⓒ.

ながしいた 流し板 (台所の水切り板) dráin bòard Ⓒ, dráining bòard Ⓒ. 《☞ すのこ》.

ながしうち 流し打ち ━動 (野球で) hit … to the opposite field.

ながしかく 長四角 ☞ ちょうほうけい

なかじき 中敷き (靴の) ínsòle Ⓒ; (室内の敷物) carpet Ⓒ. 《☞ じゅうたん》.

なかじきり 中仕切り partition Ⓒ.

ながしこむ 流し込む (型などに) pour [run] … into …; (急いで食べる) wash down (with …) 他. 《☞ ながす》. ¶ パンを牛乳で*流し込む *wash down* the bread *with* milk

ながしだい 流し台 (台所用流し台) kitchen sink Ⓒ, sink unit Ⓒ ★ 後者は流し・給水・排水設備が備わっている台所家具.

なかじたぼいん 中舌母音 〔音声〕 central vowel Ⓒ.

ながしづり 流し釣り ━名 trolling Ⓤ. ━動 troll 自.

ながしどり 流し撮り (写真の技法) panning Ⓤ. ¶ 彼は走る馬の*流し撮りをした He took a *panning* shot of a running horse.

ながしば 流し場 (流し) sink Ⓒ; (調理場に隣り合う食器洗い場) scullery /skʌ́l(ə)ri/ Ⓒ; (風呂場の) bathroom floor for washing Ⓒ.

ながしびな 流し雛 floating paper doll Ⓒ; (説明的には) (paper *hina*) doll floated away on a river or out to the sea on the evening of March 3rd Ⓒ.

なかじめ 中締め short break made around the middle or near the end of a Japanese-style party Ⓒ ★ 説明的な訳.

ながしめ 流し目 (横に見ること) side(long) ⌈glance [look] Ⓒ; (色目) ámorous [coquéttish] glánce Ⓒ. 《☞ いろめ》. ¶ 同僚の一人が私を*流し目に見た One of my colleagues gave me a *side(-long) glance.* // 彼女は私によく*流し目を送ってきた She often cast *coquettish glances* at me. / She often looked at me *amorously*. ★ 第 2 文のほうが口語的.

ながじゃく 長尺 Japanese ruler Ⓒ.

ながじゅばん 長襦袢 underkimono Ⓒ; (説明的には) Japanese long undergarment Ⓒ.

なかしょく 中食 (購入した総菜などで家で食事すること) home meal of dishes purchased at a food outlet Ⓤ; (その食品) home meal replacement Ⓒ.

ながじり 長尻 ¶ *長尻の訪問客 a visitor who is *staying* ⌈*too long* [*on and on*] / (⇒ 長く居すぎて嫌われる客) a visitor who is ⌈*outstaying* [*overstaying*] ⌈*his* [*her*] *welcome* 《☞ ながい[2]》

なかす[1] 中洲 (砂洲) (sand)bar Ⓒ; (河口などの三角洲) delta Ⓒ.

なかす[2] 泣かす ☞ なかせる

ながす 流す (どっと一度に流す) pour 他; (たまった水などをゆっくりと完全に) drain 他; (勢いよく流す) flush 他 自; (血や涙を) shed 他; (物を流失させる) wásh awáy 他; (水面に浮かべて流す) float 他. 《☞ ながれる; おしながす 語法》.
¶ 彼女は汚い水を*流した She *poured away* the dirty water. // トイレの水は*流して下さい Please *flush* the toilet. / 《掲示》 Please *Flush* // 涙[血]を*流す *shed* ⌈tears [blood] // その洪水で道路の一部が*流された The flood *washed away* part of the road. / Part of the road *was washed away* by the flood. // 情報を*流す (⇒ 広める) *spread* information / (⇒ 興味のあることなどを伝える) *spread* [*pass*] the word / (⇒ 放送する) *broadcast* information / (⇒ 新聞に提供する) *feed* information to the newspaper 流しっぱなし ¶ 水道の水 (⇒ 蛇口) を*流しっぱなしにしてはいけません Don't *leave* the tap *running*. 《☞ だしっぱなし》

ながすくじら 長須鯨 〔動〕 finback (whale) Ⓒ, rórqual Ⓒ.

なかずとばず 鳴かず飛ばず ¶ その女優は長いこと*鳴かず飛ばずだったが最新出演作で再び脚光を浴びている The actress is in the limelight again with her latest film after a long period of *inactivity*. // この歌手は 2 年前のヒット曲以来*鳴かず飛ばずだ This singer *has remained inactive* since he made a great hit with his song two years ago.

ながズボン 長ズボン trousers, slacks, 《米》 pants. 《☞ ズボン》.

-なかせ …泣かせ (嘆きの種) grief Ⓒ; (不愉快・迷惑な邪魔者) nuisance Ⓒ. ¶ 彼は親*泣かせだ He always causes his parents *grief*. // これはまったく人*泣かせだ (⇒ 我々にとってはやっかいな問題だ) This is really a ⌈*problem* [*nuisance*] for us.

なかせる 泣かせる ━動 make … cry; (感動させる) move … to tears. ━形 (感動的な) moving, touching. 《☞ なく[1] 語法; なかされる》. ¶ 彼女の小説はいつも読者を*泣かせる Her novels always *move* her readers *to tears*. // 世の中には*泣かせる話が実に多いものです The world is full of ⌈*touching* [*moving*] stories.

なかせんどう 中山道 the Nakasendo; (説明的には) one of the five main highways in the Edo period that started at Nihonbashi and ended at Kyoto.

ながそで 長袖 long sleeves ★ 複数形で. ¶ *長袖の衣服 a dress with *long sleeves* / a *long-sleeve(d)* dress

なかぞら 中空 ━副 in midair, in the air. 《☞ ちゅうくう; くうちゅう》.

なかだか 中高 ━形 convex.

なかたがい 仲違い ━名 (けんか) quarrel Ⓒ, fight Ⓒ. ━動 (仲違いをしている) be on bad terms with … 《☞ なか[2]; けんか[1]; あらそい; ふわ》.

なかだち 仲立ち (仲介) mediation /mìːdiéɪʃən/ Ⓤ; (調停人) médiàtor Ⓒ; (2 人の間を取り持つ人) go-between Ⓒ. 《☞ ちゅうかい[1]; ちゅうさい (類義語); ちょうてい[1]》. 仲立ち人 broker Ⓒ 《☞ なかがい; あっせん》.

ながたび 長旅 long ⌈journey [trip] Ⓒ; (船や宇宙船での) long voyage Ⓒ. 《☞ たび[1]; りょこう》.

ながたらしい 長たらしい ━形 (非常に長い) very long; (特に非難の意味をこめて) lengthy. 《☞ ながい[1]; ながながと》. ¶ *長たらしい話 a *lengthy* speech

なかだるみ 中弛み ━名 (不調) slump Ⓒ. ━動 (中だるみしている) be in a slump. 《☞ ふちょう[1]; スランプ》.

ながだんぎ 長談義 long boring talk Ⓒ, (long) tedious speech Ⓒ ★ 前者の方が口語的. ¶ *長談義をする人 a *long-winded* speaker

ながちょうば 長丁場 ¶ *長丁場の仕事 (⇒ 時間

のかかる仕事) *time-consuming* work

なかつぎ　中継ぎ, 中次ぎ　(次々に交替して続けること) relay Ⓒ; (仲介) (inter)mediation Ⓤ. 《☞ ちゅうかい¹; ちゅうけい》.

中継ぎ投手〘野〙middle reliever Ⓒ; (押さえ投手の登板直前の投手) set-up man Ⓒ　**中継ぎ貿易** (中継·仲介貿易) intermediary trade Ⓤ; (通過貿易) transit trade Ⓤ; (輸入した物を加工して再輸出する) entrepôt /ɑ́:ntrəpòʊ/ tráde Ⓤ.

ながつき　長月　(旧暦の九月) the ninth month of the lunar calendar; (現在の九月) September.

-なかったら　(もしも…がなければ) if there were no …, if it were not for …　[語法] (1) 後者は慣用的な表現で少し格式ばった感じ. いずれも仮定法過去を使った表現で, 現在の事実と反対の仮定を表し, 帰結の節には過去形の助動詞 (would, should, might など) が用いられる; (もしもあのとき…がなかったら) if there had been no …, if it had not been for …　[語法] (2) いずれも仮定法過去完了の形で, 過去の事実と反対の仮定, もしくは可能性が全然ない仮定を表す. 帰結の節には ＜過去の助動詞＋have ＋ 過去分詞＞ の形を用いるのが普通; (…を除くと) but [except] for …; (…ということでなかったら) except that …; (…なしでは) without … 《☞ -なければ; もし¹; -なら》.

¶もし空気が*なかったら人は生きてゆけない *If* ˹*there were no* [*it were not for*] air, human beings ˹could not [would not be able to] live. // もしあなたの助けが*なかったら私は事業に失敗していたでしょう *If it had not been for* [*But for*; *Without*] your help, I ˹would [《英》should] have failed in business. ★ 条件節は後のものほど口語的になる. // もしもあのとき金が*なかったら, とても困っただろう *If I had had no* money at that time, I would have been helpless. // 母親の必死の看病が*なかったら, 彼女はとっくに死んでいた She would have died long ago *except that* her mother desperately cared for her.

ながったらしい　☞ ながたらしい

ながっちり　長っ尻　☞ ながじり; ながい²

ながつづき　長続き　― 動 (長く持ちこたえる) last long ⓐ; (長く継続する) continue for a long time ⓐ. 《☞ ながもち¹; つづく; もつ¹》. ¶私はこの仕事が*長続きしてほしい I want this job to *continue for a long time*. // この雨も*長続きはしまい This rain will not *last long*.

なかづり　中吊り　(電車内の) poster hung in a train Ⓒ ★ 説明的な訳.

なかでも　中でも　¶*中でも彼がいちばん足が速い *Among* all the boys, he is the fastest runner. // この本が*中でも (⇒ 特に) いちばんおもしろかった This book was *especially* most exciting.

ながでんわ　長電話　long (tele)phone ˹conversation [call] Ⓒ 《☞ でんわ》.

ながとうりゅう　長逗留　― 名 long stay Ⓒ. ― 動 stay long. 《☞ とうりゅう; たいざい》. ¶*長逗留をする make *a long stay*

なかどおり　中通り　street between the main street and the back street Ⓒ.

なかとじ　中綴じ　〔製本〕sáddle stìtch Ⓒ.

なかとびら　中扉　(章の標題を表す頁) chapter title page Ⓒ.

なかなおり　仲直り　― 動 (再び友達となる) be friends again; (けんかの仲直りをする) patch up a quarrel, make up with …; (和解させる) 《格式》 reconcile /rékənsàɪl/ ⓗ. 《☞ わかい² [語法]; より¹》. ¶けんかはやめて*仲直りしなさい Stop quarreling! *Be friends again*! // 君は何よりも兄弟と*仲直りをしなさい You've got to *make up with* your brothers before anything else. // 新婚夫婦はすぐ*仲直りができる A newly married couple can easily *patch up their quarrels*.

なかなか　中中　**1** 《たいへん》: (非常に) very; (とても·てごわい) quite　[語法] (1) 後に不定冠詞 ＋ 単数名詞を伴い, ある人·物が並外れていることを表すこともある; (かなり) pretty, fairly　[語法] (2) 前者は好ましいこと, 好ましくないことのいずれにも使うが, 後者は好ましいことにのみ用いる. 《☞ かなり》.

¶あなたの英語は*なかなか (⇒ たいへん) うまい Your English is *very* good. // 彼女は*なかなかの女だ She is *quite a* woman. // 彼の仕事は*なかなかよくできている His work is *fairly* good.

2 《やすやすと》: easily, readily　[語法] 日本語では「なかなか…ではない」と普通は否定文で用いる. 否定を強調する by no means, never, will not なども使って, 前後関係を考えて意訳しなくてはならない.

¶彼女は*なかなかうんと言わなかった She did not *readily* say yes. / (⇒ うんと言うまでに長い時間を要した) A long time passed before she said yes. // *なかなか外国へ行くチャンスがありません (⇒ 一度も機会を持ったことがない) I have *never* had an opportunity to travel abroad. // この窓は*なかなか開かない This window *will not* open.

ながながと　長長と　― 副 (たいへん長く) very long; (いやになるほど長く) lengthily. 《☞ ながい¹; ながたらしい》. ¶彼女は私に*長々と手紙を書いてよこした (⇒ とても長い手紙を送ってきた) She sent me a ˹*very long* [*lengthy*] letter. // 彼はそのことについて*長々と述べた He ˹talked about [dwelt on] that point *for a long time*.

ながなす　長茄子　slim eggplant Ⓒ 《☞ なす³》.

なかには　中には　¶数学セミナーの参加者は大半が大学生だったが*中には高校生もいた Most of the participants of the mathematics seminar were college students; *some* (*of them*) were high school students. / There were *some* high school students *among* the participants of the mathematics seminar attended by many college students.

なかにわ　中庭　(建物や塀で囲まれた) courtyard Ⓒ, court Ⓒ; (特にスペイン風のもの) patio /pǽtiòʊ/ Ⓒ. 《☞ にわ [語法]》.

なかぬき　中抜き　― 名 (内部をくりぬくこと) hollowing out Ⓤ. ― 形 (直接の) direct 《☞ ちょくはん》

なかぬり　中塗り　(しっくいなどの仕上げ前の) brown coat Ⓒ; (下塗りと上塗りの間の) second coat Ⓒ.

なかね　中値　(高値と安値の中間) median price Ⓒ; (平均値) average price Ⓒ; (競売などで売り値と買い値が折り合った値段) bid-and-asked price Ⓒ.

ながねぎ　長葱　Welsh onion Ⓒ ★ 類似のものに leek, scallion, green [spring] onion などがある. 《☞ ねぎ》.

ながねん　長年, 永年　― 副 (何年間も) for years; (長い間) for a long time. ― 形 (古くからの) old. 《☞ ねんらい》.

¶彼は*長年にわたってよく頑張った He has been a very hard worker *for years*. // 彼女とは*長年つき合っています (⇒ 長い間の知り合いだ) I've known her *for a long time*. / (⇒ 旧友だ) She's an *old* friend of mine. // バラ作りについては私は*長年の経験があります I have *years of* experience (in) cultivating roses.

ながの　長の　(長い) long; (永久の) eternal. 《☞ えいきゅう》. ¶彼女は日本に*長の別れをつげた She left Japan *for good*.

なかのおおえのおうじ　中大兄皇子　― 名 ⓖ

Prince Naka no Oe, 626–671; (説明的には) Emperor Jomei's son, who led the Taika Reform in 645 and became Emperor Tenji in 668.

なかば 半ば 1 《真ん中》 ―［名］ the middle. ―［副］［形］ (中途で[の]) hálfwáy. (☞ なかほど; とちゅう; ちゅうかん[1]).

¶いまは9月の*半ばです We are now in *the middle* of September. / It is *mid*-September. // 50代の*半ばで in *one's mid*-fifties // 来週の*半ばごろは暇です I will be free ˹about [around] *the middle* of next week. // 彼女は試合*半ばで倒れてしまった She collapsed in *the middle* of the game.

2 《半分》 ―［副］ half (☞ はんぶん). ¶その仕事はちょうど*半ば終わった We're *half*(*way*) through the work now.

ながばおり 長羽織 long haori Ⓒ (☞ はおり).

ながばかま 長袴 trailing hakama Ⓒ (☞ はかま).

なかばすぎ 半ば過ぎ ¶新しいビルの建設工事は来月の*半ば過ぎまでかかるだろう The construction of a new building will continue until *the latter half* of next month. // 彼女は六十代*半ば過ぎのはずだが若く見える She is in her *late* sixties, I'm sure, but she looks younger. (☞ こうはん[1])

ながばなし 長話 ―［名］ long talk Ⓒ; (長くてあきあきする話) tedious [long and tiresome] talk Ⓒ; (長いおしゃべり) long chat Ⓒ. ―［動］ (長くおしゃべりする) have a long ˹talk [chat]. (☞ はなし).

なかはままんじろう 中浜万次郎 ☞ ジョンまんじろう

なかばり 中張り (裏張り) lining Ⓒ; (被覆による) inner coating Ⓤ.

なかび 中日 (相撲[歌舞伎]の) the midpoint of a ˹sumo tournament [series of kabuki shows].

ながびく 長引く (会議などが必要以上に) be long drawn out; (延長する) be prolonged; (予想以上に時間がかかる) take longer than expected. (☞ のびる[1]; ながくなる).

¶議論は夕方まで*長引いた The discussion *was long drawn out* and continued into (the) evening. // 風邪は案外*長引いた (⇒ 風邪が治るのにとても長くかかった) It *took* me *a very long time* to get over my cold.

ながひばち 長火鉢 oblong box-shaped Japanese brazier Ⓒ ★ 説明的な訳. (☞ ひばち).

なかぶた 中蓋 (箱などの) inner [inside] lid Ⓒ; (瓶などの) inner [inside] cap Ⓒ. (☞ ふた).

なかぶと 中太 ¶*中太のペン a pen with a *thick* barrel *in the middle* // *中太の (⇒ エンタシス様式の) 柱 an *entasis-shaped* column

ながぶろ 長風呂 ¶*長風呂に入る take [(英) have] a ˹*long* [*leisurely*] *bath* ★ leisurely はのんびり・ゆったりの意. // *長風呂でのぼせてしまった I felt dizzy after ˹*taking* [(英) *having*] *a long bath*. (☞ ながゆ; ふろ)

なかへだて 中隔 inside partition Ⓒ (☞ なかじきり).

ながへんじ 長返事 long slow reply Ⓒ.

ながほそい 長細い ☞ ほそながい

なかほど 中程 ―［名］ (真ん中) the middle. ―［形］［副］ (2点間の中間の[で]) hálfwáy. (☞ なかば; ちゅうかん[1]; まんなか).

¶ここは青森と仙台のちょうど*中ほどです We're just *halfway* between Aomori and Sendai now. // 2番ホームの*中ほどで待っています (⇒ あなたは2番ホームの真ん中で私に会うことができる) You can meet me *at the middle* of platform No. 2. // *中ほどへお詰め下さい (⇒ ずっと動いて下さい) Please *move* ˹*down* [*along*]!

なかま 仲間 (友達) friend Ⓒ; (男同士の仲間) fellow Ⓒ; (同志) comrade /kɑ́mræd/ Ⓒ; (同僚) colleague /kɑ́liːg/ Ⓒ; (集合的な仲間) company Ⓒ; (行動を共にする仲間) companion Ⓒ.

【類義語】友人という意味での仲間は **friend**. 男同士の仲間・同僚を指すのが **fellow** だが, この語は複数形では女性をも含む. 単独ではなく, 例えば「*仲間の会員」(a *fellow* member),「*仲間の学生」(*fellow* students),「音楽好きの*仲間」(a *fellow* music-lover) のように, 形容詞的に使うことが多い. その場合も女性を含む. 政党・友愛団体のように共通の活動・目的を持った同志という意味での仲間は **comrade**. この語は社会主義国での仲間について多く用いられる. 会社や職場の同僚は **colleague**. 特に同席したり, 道づれである人たちは **company** という. 仕事・旅行など行動を共にする親密な仲間が **companion**. (☞ ともだち; どうりょう[1])

¶ここへ来て*仲間に入りませんか (⇒ 我々に加わる) Will you come and *join* us? // 秋山さんは私の仕事*仲間です Ms. Akiyama is a *colleague* (of mine) at work. / Ms. Akiyama is a *co-worker* of mine. // 付き合っている*仲間を見れば, その人のことはわかる You can tell a person by the *company* ˹he [she] keeps. **仲間意識** fellow feeling Ⓤ, camaraderie Ⓤ. ¶この会社で働いている若い人たちには*仲間意識がない The young workers in this company lack a sense of *camaraderie*. **仲間入り** ¶この春社会人の*仲間入りをした This spring I *became a* working *member* of society. // 老人の*仲間入りをする (⇒ 高齢である) be advanced in years **仲間受け** ¶彼は*仲間受けがいい (⇒ 人気がある) He *is popular among friends*. / (⇒ よく思われている) He *is well thought of in his group*. **仲間取引** trader('s) transaction Ⓒ **仲間はずれ** ¶彼女はいつもクラスで*仲間はずれになっている She *is* always ˹*left out of* [*the odd one out* in] class activities. **仲間割れ** ¶そのグループは*仲間割れした (⇒ けんかした) The group *quarreled among themselves*.

なかみ 中身, 中味 (内容) cóntents ★ 複数形で; (実質) substance Ⓤ; (詰め物) filling Ⓒ. (☞ なか[1]; ないよう[1] 語法).

¶この箱の*中身はだれも知らない Nobody knows the *contents* of this box. // 彼の講演には実質的な*中身が何もない There is nothing *substantial* in his talk. / There is no *substance* at all ˹in [to] his lectures. // 封筒の*中身は何ですか (⇒ 何が入っているのか) What is ˹*in* [*inside* (*of*)] the envelope? // パイの*中身 a pie *filling*

なかみせ 仲見世, 仲店 shopping arcade along the approach to the main gate of a big shrine or temple Ⓒ ★ 説明的な訳. ¶浅草*仲見世通り Asakusa *Nakamise*-dori street // 新*仲見世商店街 Shin-*Nakamise* shopping arcade

なかみち 中道 (真ん中の道) middle road Ⓒ.

ながみち 長道 long way Ⓒ (☞ えんろ).

ながめ[1] 眺め (特定の場所からの景色) view Ⓒ; (ある限られた眺めで特に美しい場合は) scene Ⓒ. (☞ けしき). ¶この窓からの*眺めはすばらしい We have a wonderful *view* from this window. / This window commands a splendid *view*. ★ 第2文のほうが文語的.

コロケーション
美しい眺め a beautiful *view* / 素敵な眺め a marvelous *view* / 壮大な眺め a magnificent *view*

ながめ[2] 長め ―［形］ longish (☞ ながい[1]). ¶彼女の*長めの髪の毛はよく似合っている Her *longish* hair is very becoming to her.

な

ながめまわす　眺め回す　(見回す) look ⌈around [about] (自); look ⌈around [about] … ¶もの珍しそうに彼らは部屋の中を*眺め回していた They were curiously *looking ⌈around* [*about*] the room. // 山頂の展望台から四方を*眺め回すことができる The observatory at the top of the mountain ⌈*affords* [*offers*] *a view in all directions*.

ながめる　眺める　(静止しているものを見る) look at …; (窓などから外を眺める) lóok óut (自); (上から下を眺める) lóok dówn (自); (下から上を眺める) lóok úp (at …) (自); (動きのあるものを注意してみる) watch (他); (驚いたり, 感心したりしてじっと見つめる) gaze (at …) (自); (景色などを見る) view (他). 《☞ みる¹ (類義語)》.
¶彼女は窓の所に立って外を*眺めていた She was (standing) at the window *looking out*. // 彼はしばらく海岸でかもめを*眺めていた He *watched* the seagulls on the beach for a while. // 我々は感激してその景色を*眺めた We excitedly *viewed* the scenery.

ながもち¹　長持ち　── 動 (長く持ちこたえる) last long (自); (長く続く) continue long (自). ── 形 (機械類・衣服などが長持ちする) durable. 《☞ ながつづき; もつ¹; もちこたえる》. ¶このいい天気は*長持ちしないだろう This good weather will not *last long*. // 彼は*長持ちしまい (⇒ 長くは生きないと思う) I am afraid he will not *live long*.

ながもち²　長持　oblong, wooden chest Ⓒ.

ながもちうた　長持唄　*nagamochiuta* Ⓒ; (説明的には) folk song sung at the wedding ceremony wishing for a happy future Ⓒ.

ながや　長屋　《米》row /róu/ house Ⓒ, 《英》terraced house Ⓒ; (特に2軒続きの) 《米》duplex Ⓒ, 《英》semidetached house Ⓒ.

なかやしき　中屋敷　daimyo's second house Ⓒ.

なかやすみ　中休み　(休憩) rest Ⓒ; (短い休憩) break Ⓒ; (会議・仕事・授業などの) recess Ⓒ ★ やや格式ばった語. 《☞ きゅうけい¹》. ¶ちょっと*中休みをしましょう Let's *take a break*.

ながゆ　長湯　── 動 take [《英》have] a long bath, bathe [《英》bath] ⌈long [leisurely]. 《☞ ふろ》.

なかゆび　中指　middle finger Ⓒ 《☞ ゆび; て (挿絵)》.

ながよ　長夜　long night (in ⌈fall [autumn]) Ⓒ.

なかよく　仲良く　── 副 (平和に) peacefully; (楽しく) happily. ── 動 (友人になる) make [become] friends with …; (うまくやっている) get ⌈on [along] well with …; (よい間柄にある) be on good terms with …; (密接な関係を保つ) maintain ⌈close [good] relations with …; (よき隣人でいる) be good neighbors. 《☞ なか²》.
¶私は彼らと*仲よくなりたいと思う I want to *make friends with* them 《☞ なか², 語法 (3)》. // 彼女は級友と*仲よくやってゆけない (⇒ うまくやってゆけない) She can't *get along well with* her classmates. // 友達とは*仲よくしなさい Try to *be ⌈nice* [*good*] *to* your friends. // わが国は隣国と*仲よくしなくてはならない Our country should *maintain close relations with* our neighbors.

なかよし　仲良し　── 名 (友人) friend Ⓒ, 《略式》pal Ⓒ; (親しい[親密な]友人) good [close] friend Ⓒ, bosom /búzəm/ friend Ⓒ 語法 最後は慣用的表現. なお friend は日本語の友人より幅が広く, 敵意を抱いていない人から親しい愛情を抱く人まで含む. 従って「彼は私の*仲よしだ」というときでも He's a *friend* of mine. でよい. He's my *friend*. でもよいが, これは「仲よし」というより,「私の特定の友人」になる. なお, intimate friend は性関係を意味することがあるので注意. ── 動 (仲よしになる) make friends with …; (仲よしである) be friends with each other; (仲よしの関係である) be on friendly terms with … 《☞ なか²; ともだち; なかま (類義語); しんゆう¹》.
¶彼は私の*仲よしです He is a *good friend* of mine. // 彼と僕は大の*仲よしだ He and I are ⌈*very good* [*best*; *great*; *close*] *friends*. / He is my *closest friend*. // 私たちは子供のときからたいへん*仲よしです We've been *the best of friends* from childhood. // 私はとうとうその少年と*仲よしになった Eventually I *made friends with* the boy. // 彼はクラスのだれとでも*仲よしだった He *was on ⌈good* [*friendly*] *terms with* everybody in his class.
仲良し小好し 《略式》pal Ⓒ; (親友) close friend Ⓒ, chum Ⓒ ★ 後者は古風な語.

-ながら　**1** «とはいえ»　── 接 (…だけれども) though …, although … ★ 後者は普通文頭に用いる; (しかし・だが) … (,) but …　── 前 (…にもかかわらず) in spite of ….
¶悪いこととは知り*ながら, 私は彼女にうそをついた I told her a lie *though* I knew ⌈it's [it was] wrong (to do so). 語法 although を使うのならば *Although* I knew it was wrong to tell a lie, I lied to her. となる. // 彼は約束しておき*ながら現れなかった He promised to come, *but* he didn't (show up). // 残念*ながらそのパーティーには出られません I'm sorry, *but* I can't come to the party.
2 «…する間に»: (…しているとき) as …; (…である間に) while … 語法 (1) while のほうが動作の同時性をいう度合いが強い; (…しながら) with … 語法 (2) 以上のほかに, 下の最後の例文のように分詞構文を使って,「…しながら…する」という意味を表すことができる.
¶彼女はその知らせを聞き*ながら震えていた She was trembling *as* she listened to the news. // 人は教え*ながら教わるものだ We learn ⌈*while* [*as*] we teach. // 彼女は笑い*ながらそう言った She said it *with* a smile on her face. // 我々はビールを飲み*ながらそのことを話した We talked about that thing *over* a glass of beer. // 彼女は手を振り*ながら「さよなら」と言った *Waving* her hand, she said good-bye.

ながらえる　長らえる　(長生きする) live long (自); (他人より長く生き延びる) outlive (他). 《☞ ながいき》.

ながらく　長らく　long, for a long time. 《☞ ながく; ながい¹》. ¶*長らくご無沙汰いたしました (人に会って) I haven't seen you *for a long time*. / (手紙などで) *I* haven't written (to) you *for a long time*. // *長らく所在不明の彼の原稿が見つかった His *long*-lost manuscript was found.

ながらぞく　ながら族　¶彼は*ながら族だ (⇒ 彼はラジオを聞きながら [テレビを見ながら] 勉強 [仕事] をする人々の一人だ) He is one of those who ⌈study [work] while ⌈listening to the radio [watching TV]. 《☞ -ながら》

-なかれ　…勿れ　shall not …. ★ 文語的な言い方. 《☞ いけない》. ¶ゆめゆめこのことを忘れること*勿れ You *shall ⌈never* [*not*] forget this.

ながれ　流れ　(水・自動車などの流れ) flow Ⓒ ★ 単数形で用いる; (空気・電気・川・時勢の流れ) current Ⓒ; (社会・時代の趨勢) trend Ⓒ; (小川) stream Ⓒ 語法 特に小さな川とは限らず, river も含めて, 水の流れ一般を指すこともある; (山間の小さな流れ) brook Ⓒ. 《☞ ながれる》.
¶水の*流れ a ⌈*flow* [*stream*] of water // 通りの人の*流れ a *stream* of people along the street // この道路は車の*流れが絶えない There is a constant ⌈*flow* [*stream*] of traffic on this road. // 私は*流れにのって[逆らって]泳いだ I swam ⌈with [against] the ⌈*current* [*stream*]. // *流れを上る[下る] go ⌈*up-*

な

stream [downstream] // この川には*流れの強いところがある There is a strong *current* in this river. // 時の*流れ (⇒ 経過) the *passage* of time / (⇒ 時代の趨勢) the *trend* of the times

流れに棹さす ¶ 彼は*流れに棹さして (⇒ 時勢に順応して) 世渡りもうまくやっている He is *swimming with the tide* to make his life better.

流れを汲む ¶ 彼女は平安時代の名門貴族の*流れを汲む家の生まれだ She *is descended from* a distinguished aristocratic family of the Heian period. // これらの絵画は印象派の*流れを汲んでいると言われている These paintings are said to *come from* the Impressionist school.

流れ解散 ¶ デモ隊は広場に着くと*流れ解散をしていた The demonstrators were 「*dispersing* [*breaking up*] *one after another* as they arrived at the plaza. ★ 前者は格式語. **流れ作業** assembly line Ⓒ. ¶ 車は*流れ作業によって製造される Automobiles [Cars] are produced on the *assembly line*. **流れ質** forfeited pawn Ⓒ **流れ抵当** forfeited mortgage Ⓒ **流れ矢** stray [random] arrow Ⓒ.

ながれあるく 流れ歩く ¶ 彼は町から町を*流れ歩く流しのギター弾きだ He is a wandering guitarist *drifting* from town to town. 《☞ さすらう; さまよう》

ながれおちる 流れ落ちる run down ..., run down ㊀. 《☞ ながれる》. ¶ 一滴の涙が彼の頬を*流れ落ちた A tear *ran down* his cheek.

ながれこむ 流れ込む flow into ..., run into ...; (どっと) pour into ..., stream into .... 《☞ ながれる》. ¶ 難民は隣の国に*流れ込んだ The refugees 「*flowed* [*poured; ran; streamed*] *into* the neighboring country.

ながれず 流れ図 flówchàrt Ⓒ, flów dìagram Ⓒ.

ながれだす 流れ出す (水・液体が) flow out ㊀; (傷口から膿や血が) ooze (out) ㊀; (大量の液体・言葉がほとばしりでるように) gush (out) ㊀; (水門から) sluice ㊀. 《☞ ながれる》. ¶ 傷口から膿が*流れ出た Pus *oozed out* of the wound.

ながれだま 流れ弾 stray bullet Ⓒ.

ながれつく 流れ着く ¶ 岸[島]へ*流れ着く *drift* 「*ashore* [*to* an island] 《☞ ひょうりゅう》

ながれでる 流れ出る ☞ ながれだす

ながれぼし 流れ星 《略式》 shooting [falling] star Ⓒ; (隕石(いんせき)・流星) meteor /míːtiə/ Ⓒ. 《☞ りゅうせい[1]; ほし》.

ながれもの 流れ者 (よそ者) stranger Ⓒ; (浮浪人) tramp Ⓒ.

ながれる 流れる (水・液体が) flow ㊀; (川・涙などが) run ㊀ ★ run は flow と同意に用いられることもある; (どっと流れる) stream ㊀; (時が) pass ㊀; (橋などが流失する) be 「washed [carried] away; (試合などが取消しになる) be called off. 《☞ ながす; ながれ; りゅうしゅつ》.

¶ テムズ川はロンドンを*流れる (⇒ ロンドンを貫通して流れる) The Thames 「*flows* [*runs*] *through* London. // 彼女の目から涙が*流れた (⇒ 涙が彼女のほおを伝った) Tears 「*flowed* [*streamed*] down her cheeks. ★ 英語では「目から」という当たり前のことは普通言わない. // 血が彼の傷口から*流れた Blood *ran* from his wound. // 洪水で橋が*流れた (⇒ 流失した) The bridge *was* 「*washed* [*carried*] *away* by the flood. // 雨で試合は*流れた (⇒ 試合は中止された) The game *was called off* because of the rain. / (⇒ 試合は雨で中止された) The game *was rained out*. // 美しい曲が[コーヒーの香りが]階下の部屋から*流れてきた Sweet melodies [Aroma of coffee] came *drifting up* from the downstairs room. // 君のことで変な噂が社内に*流れている A strange rumor about you *is spreading* around our office.

ながわきざし 長脇差 long sword Ⓒ. 《☞ わきざし》.

ながわずらい 長患い long [lingering] illness Ⓒ [語法] lingering には治りそうで治らずにだらだらと長びくというニュアンスがある. 《☞ びょうき》.

なかわた 中綿 cotton wadding Ⓤ.

なかんずく (何よりもまず) above all, among other things; (特に) especially. 《☞ とくに (類義語); とりわけ》.

なき 泣き crying Ⓤ, weeping Ⓤ, sobbing Ⓤ. 《☞ なく[1] [語法]》. **泣き泣き** tearfully. ¶ 彼女は*泣き泣き身の上を語った She related her story 「*tearfully* [*with tears in her eyes*]. 《☞ なくなく》 **泣きを入れる** ¶ 後で*泣きを入れに (⇒ 泣いて許しを請いに) 来ても無駄だよ It is no use coming in tears *to beg* my *pardon* later. / (⇒ 泣いて情けを請いに) It is no use coming in tears to 「*beg* [*implore*] me *for mercy* later. ★ implore は格式語. 《☞ あいがん[1]》 **泣きを見る** ¶ 彼の言う通りにしたら*泣きを見るのは君だよ (⇒ 後悔するのは君だよ) If you follow 「him [what he says], it's you who will 「*regret* [*be sorry for*] it. / (⇒ その報いを受けるのは君だよ) If you follow 「him [what he says], it's you who will have to *pay for* it.

なき- 亡き... ── 形 (死んだ) dead, deceased /dɪsíːst/ [語法] (1) 後者は dead の格式ばった婉曲語で, 比較的最近に死んだ人に使う場合が多い; (故...) the late [語法] (2) 人名・職名・関係などを表す語などに付ける. 定冠詞を伴う. 《☞ こ-[1]; なきひと》.

¶ *亡き野口氏 *the late* Mr. Noguchi // *亡き母 my 「*dead* [*deceased*] mother // *亡き父にささぐ《本の献辞など》To the memory of my father.

なぎ[1] 凪 calm Ⓤ ★ または a ～ として. 《☞ なぐ[1]》.

¶ 朝[夕] *凪 a morning [an evening] *calm*

なぎ[2] 梛 〘植〙 *nagi* Ⓒ; (説明的には) a species of podocarpus evergreen tree with bamboo-like leaves Ⓒ.

なきあかす 泣き明かす cry all night long 《☞ あかす[1]》.

なきあわせ 鳴き合せ singing match between birds Ⓒ.

なきうさぎ 〘動〙 pika /páɪkə/ Ⓒ.

なきおとし 泣き落とし ¶ 彼女の*泣き落としにそう簡単に引っ掛かるものか I will not easily yield to her *tearful* 「*persuasion* [*entreaties*]. **泣き落とし戦術[作戦]** strategy of obtaining 「consent [help; cooperation] through tears Ⓒ.

なきおとす 泣き落とす (説得して援助・協力などを得る) obtain *a person's* 「help [cooperation] by persuasion; (お願いして味方に入ってもらう) win over *a person* by entreaties.

なきおんな 泣き女 professional female mourner Ⓒ.

なきがお 泣き顔 (涙ぐんだ顔) tearful face Ⓒ; (泣いている顔) crying [weeping] face Ⓒ. 《☞ べそ》.

¶ *泣き顔をする wear a 「*tearful* [*sad*] *face* // *泣き顔を隠す (⇒ 涙を隠す) hide *one's tears*

なきかなしむ 泣き悲しむ (声を上げて) wail ㊀ ㊉; (涙を流して) weep ㊀. 《☞ かなしむ; なく[1]》.

¶ 彼らは棺の囲りで*泣き悲しんでいた They *were* 「*weeping and wailing with grief* [*crying in sorrow*] around the coffin.

なきがら 亡骸 (死体) (dead) body Ⓒ; (人の死骸) corpse Ⓒ ★ 前者が一般的. 《☞ いたい[2]》.

なきかわす 鳴き交わす ¶ 2 羽の鳩がクークーと*鳴

き交わしている（⇒ クークーと互いに鳴いている）Two doves are *cooing to each other*. // 秋の夜は庭で虫たちが*鳴き交わしているのがよく聞こえる（⇒ 次から次へと鳴いているのがよく聞こえる）I easily hear crickets *chirping one after another* in the garden during the autumn nights.《☞ なく²; 動物の鳴き声（囲み）》

なきくずれる 泣き崩れる （自制心を失って泣く）break down and cry ㊀;（わっと泣き出す）burst into tears.《☞ なく¹; なきふす》.

なきくらす 泣き暮らす cry [weep] ⌈day in and day out [day and night] ★ 明けても暮れても毎日という感じ; spend *one's* days in tears, weep *one's* life away ★ 後者の方が期間が長く，泣いて一生を過ごすというニュアンスがある.

なきごえ¹ 泣き声 （人の泣く声）cry Ⓒ;（すすり泣き）sob Ⓒ;（泣きながらしゃべる時の声）tearful voice Ⓒ.《☞ なく¹ 語法》. ¶ 赤ん坊の*泣き声 a baby's *cry(ing)* // *泣き声で in a ⌈*tearful* [*shaky*] *voice* ★ shaky voice は「震え声」.

なきごえ² 鳴き声 （小鳥の調子のよいさえずり）song Ⓒ;（特徴のあるさえずり）note Ⓒ;（犬の）bark Ⓒ;（猫の）meow Ⓒ;（虫の）chirp Ⓒ;（かえるの）croak Ⓒ.《☞ 動物の鳴き声（囲み）》.

なきごと 泣き言 ── 名（不平不満）complaint Ⓒ;（口でぶつぶつ言うような不平）grumble Ⓒ;（つまらぬことのぐち）whine Ⓒ ★ 軽べつ的. ── 動（泣き言をいう）complain; grumble; whine.《☞ もんく; ぼやく; よわね》. ¶ 彼はよく仕事のことで*泣き言をいう He often *whines* about his job.

なぎさ 渚 （波打ち際）beach Ⓒ;（川・海・湖の水辺）waterside Ⓒ.《☞ はまべ》.

なきさけぶ 泣き叫ぶ cry ㊀;（金切り声をあげて）scream ㊀.《☞ さけぶ（類義語）》.

なきしきる 鳴き頻る ¶ 秋にはこおろぎが*鳴きしきる In the fall crickets ⌈*chirp* [*chirr*] ⌈*incessantly* [*in chorus*].

なきじゃくる 泣きじゃくる （すすり泣く）sob ㊀;（子供などが泣きながらしゃべる）blubber out ㊉.《☞ なく¹ 語法; なきごえ¹》. ¶ 彼女は*泣きじゃくりながら自分の不幸な身の上話をした She ⌈*sobbed* [*blubbered*] *out* the story of her misfortune.

なきじょうご 泣き上戸 ── 形（涙もろい）《格式》maudlin. ── 名（涙もろい酔っぱらい）sentimental drunk(ard) Ⓒ. ¶ 彼は*泣き上戸だ（⇒ 酔って涙もろくなる）He gets *maudlin* when he's in his cups. /（⇒ 酔うとすぐに涙をもよおす）He *is easily moved to tears when he gets drunk*.

なきすがる 泣き縋る ¶ 彼女は*泣きすがる子供たちをそのまま放っておくことはできなかった She could not leave her children ⌈*holding on to* [*clinging to*] her *in tears*.《☞ すがる》

なきすな 鳴き砂 singing sand Ⓤ, musical sand Ⓤ, sonorous /sənɔ́ːrəs/ sand Ⓤ.

なぎたおす 薙ぎ倒す mow /móu/ dówn ㊉.
¶ 彼は何人もの敵兵を*なぎ倒した He *mowed down* several enemy soldiers.

なきだす 泣き出す begin [start] to ⌈cry [weep; sob];（わっと泣き出す）burst ⌈into tears [out crying];（今にも泣き出しそう）be on the verge of tears, be ⌈close to tears [ready to cry].《☞ なく¹》
¶ その子は母親を見つけるとわっと*泣き出した The child *bursted into tears* when she found her mother. // 今にも*泣き出しそうな空模様だ It *looks* ⌈*like* [*as if it's going to*] *rain* (at) any moment. / The ⌈sky [weather] *looks threatening*. / It's *threatening to rain*.

なきつく 泣きつく （嘆願する）implore ㊉;（折り入って頼む）entreat ㊉ ★ 格式ばった語;（助け・同情を求める）appeal (to ...) ㊀;（頼む）beg ㊉.《☞ たんがん》. ¶ 彼女は助けてくれと彼に*泣きついた She ⌈*implored* [*entreated*] him to help her. // その子は母親に自転車を買ってくれと*泣きついた The boy ⌈*pleaded to* [*begged*] his mother for a bicycle.

なきっつら 泣きっ面 泣きっ面に蜂 Misfortunes never come singly.《ことわざ: 不幸は一つだけではやってこない》. ¶ それは彼にとって*泣きっ面に蜂だった（⇒ 傷口に塩をすり込むようなものだった）It was (a matter of) *rubbing salt into his wounds*.

なきどころ 泣き所 （傷つけられやすい点）weak [vulnerable] point Ⓒ《☞ じゃくてん; よわみ》.
¶ 弁慶の*泣き所（⇒ 向こうずね）*one's* [the] shin /《比喩的に》（⇒ 弱点）*one's* Achilles(') /əkíliːz/ heel 参考 ギリシャの英雄アキレスの唯一の弱点がかかとにあったことから.

なきどり 鳴き鳥 songbird Ⓒ, warbler Ⓒ ★ 後者は特にウグイスのような小鳥.

なぎなた 長刀，薙刀 Japanese halberd /hǽlbərd/ Ⓒ 参考 halberd は 15–16 世紀ごろに用いられた「ほこやり」;（説明的には）*naginata*, a Japanese sword with a long wooden handle Ⓒ.
長刀遣い fighter [warrior] armed with a Japanese halberd Ⓒ.

なきぬれる 泣き濡れる （顔中が涙でぬれる）have *one's* face covered with tears;（涙をいっぱい流して泣く）cry with tears running down *one's* cheeks.《☞ なく¹》.

なきねいり 泣き寝入り ¶ 私はその決定に*泣き寝入りしなくてはならなかった（⇒ その決定を我慢しなくてはならなかった）I had to *put up with* the decision. /（⇒ 受け入れざるをえなかった）I *was compelled to accept* the decision.《☞ あきらめる》// 暴力団に被害を受けたら*泣き寝入りしないで（⇒ 自分たちだけのことにしないで）すぐ警察に届けなさい If you're attacked by gangsters, don't *keep the matter to yourselves*, but call the police immediately. // 赤ん坊は*泣き寝入りした（⇒ 泣きながら寝入った）The baby *cried itself to sleep*.《☞ がまん》

なきのなみだ 泣きの涙 ── 副（泣きながら）with tears in *one's* eyes;（ひどく悲しんで）in bitter tears;（いやいや）with great reluctance, very unwillingly.《☞ なくなく》.

なぎはらう 薙ぎ払う （草などを）mow (down) ㊉, cut down ㊉;（人を切り殺してまわる）mow down ㊉. ¶ 草を刀で*なぎ払う *cut down* grass with a sword

なきはらす 泣き腫らす ¶ 彼女は*泣きはらした目をしていた（⇒ 目が泣いてはれていた）Her eyes *were swollen from crying*.《☞ なく¹》

なきひと 亡き人 dead [deceased; departed] person Ⓒ;（亡き人々）the ⌈dead [deceased; departed].《☞ なき-; こじん²》.

なきふす 泣き伏す （泣きくずれる）brèak dówn ㊀《☞ なく¹ 語法; なきくずれる》. ¶ その悲報を聞いて彼女はわっと*泣き伏した She *broke down* when she heard the sad news.

なきべそ 泣きべそ ¶ *泣きべそをかく（⇒ 泣きそうになる）be *going to cry* /（⇒ 泣く）*cry* /（⇒ 後悔する）be *sorry* ⌈*for* [*about*] ... // そのことで彼女は*泣きべそをかくことになった（⇒ それは彼女には高くついた）It *cost* her *dearly*.《☞ べそ》

なきぼくろ 泣き黒子 mole under *one's* eye Ⓒ.

なきまね¹ 泣き真似 ── 名（偽(にせ)の涙）false tears ★ 通例複数形で;（そら涙）crocodile tears 参考 わにはえさを食べながら涙を流すという言い伝えから. ── 動（泣くふりをする）pretend to be crying;（そら涙を流す）shed crocodile tears.《☞ なみだ》.

なきまね[2] **鳴き真似** imitating [mimicking] ｢a bird's [an animal's] call Ⓤ 《☞ まね》.

なきみそ 泣き味噌 ☞ なきむし

なきむし 泣き虫 crybaby Ⓒ ★ 幼児に限らず, 年長の子供や大人にも用いる. 《☞ よわむし》.

なきもの 無き者 dead person Ⓒ, the deceased /dɪsíːst/ ★ the を付けて単数または複数扱い. 格式語. 《☞ ししゃ[1]》. 無き者にする kill [murder; do away with] *a person* ★ 最後のものは略式で, 始末する, かたづけるという感じ. 《☞ ころす》.

なきやむ[1] **泣き止む** stop ｢crying [weeping] 《☞ なく[1]》.

なきやむ[2] **鳴き止む** stop [cease] ｢singing [calling; chirping] 《☞ なく[2]》.

なぎょう な行 the *na* column; (説明的には) the *na* column of the Japanese syllabary.

なきりぼうちょう 菜切り包丁 Japanese vegetable knife Ⓒ ★ 英米の vegetable knife は先が尖っている; (説明的には) Japanese kitchen knife with an elongated rectangular blade Ⓒ.

なきりゅう 鳴き竜 the roaring dragon; (説明的には) the dragon painted on the ceiling of Rinnoji Temple in Nikko, under which clapping sounds echo back in the hall as if the dragon was roaring.
鳴き竜(現象) (多重反響現象) flutter echo Ⓤ.

なきわかれ 泣き別れ ── 動 part (from ...) in tears ⓐ 《☞ わかれる[1]》.

なきわめく 泣き喚く bawl ⓐ ★ 特に子供や赤ん坊の鳴き声に. ¶ 女の子は母親を見失って*泣きわめいていた The girl was ｢*bawling* [*crying loudly; blubbering*] as she lost sight of her mother. ★ blubber はくだけた表現.

なきわらい 泣き笑い ── 名 tearful smile Ⓒ; (喜びと悲しみ) joys and sorrows 《☞ あいかん[1]》. ── 動 (泣いて笑う) cry and smile ⓐ. ¶ 彼女は*泣き笑いをしていた She *was* (*half*) *crying and* (*half*) *smiling*. / (⇒ 泣く合間に笑っていた) She *was smiling between sobs*. // 人生の*泣き笑い the *joys and sorrows* of life

なく[1] **泣く** cry ⓐ, weep ⓐ 《過去・過分 wept》
語法 前者が一般的な日常語で, 後者は文語的. cry は本来は声を出して泣くことに, weep は涙を流すことに重点があるが, 現在では cry は涙を流せば声は出ても出なくてもよく, 両者の違いは文体の違いだけと考えてよい; (すすり泣く) sob ⓐ; (涙を流す) shed tears 《過去・過分 shed》. 《☞ なきじゃくる; なきだす; なきふす; なかせる; なみだ; べそ; なきごえ[1]》.
¶ 赤ん坊が*泣いているよ The baby *is crying*. // 彼はうれし泣きに*泣いた He ｢*cried* [*wept*] for joy. // 私は*泣きたくなった I felt like *crying*. // 彼は*泣き出しそうだった He was close to *tears*. // 私は*泣くまいと歯をくいしばった I clenched my teeth to hold back the ｢*sobs* [*tears*].
ないた鳥がもう笑う ☞ いま[1] (今ないた鳥がもう笑う) 泣いて馬謖(ばしょく)を斬る ☞ ばしょく 泣いても笑っても (いやが応でも) like it or not; (いずれにしても) anyway, anyhow, at any rate; (事情はどうあれ) in any ｢case [event]; (何があろうとなかろうと) whatever [no matter what] may happen. 泣く子と地頭には勝てない You can't fight city hall. ★「市庁相手に戦うことはできない」という意味の口語的表現. / It is foolish to take on a battle you can't possibly win. 泣く子も黙る ¶ 彼の名を聞けば*泣く子も黙る Even a *crying child stops crying* at the mention of his name. / (⇒ 多くの人の心に恐怖心を起こさせる) His name strikes ｢terror [fear; a chill] into many hearts. 泣くに泣けない feel ｢mortified [vexed]. ¶ 父の形見の時計を失くしたときは*泣くに泣けない気持ちでした It was *more than I could stand* to realize that I had lost the watch my father had left me as a keepsake.

なく[2] **鳴く** (鳥がさえずる) sing ⓐ 《過去 sang; 過分 sung》; (鳥・動物が特徴のある声で鳴く) call ⓐ; (虫がちゅっちゅっと) chirp ⓐ; (かえるが) croak ⓐ; (羊・やぎが) bleat ⓐ, baa ⓐ. 日英比較 日本語では動物・昆虫などについてはすべて「鳴く」という語が当てられるが, 英語では鳴くもの, 鳴き声によって, それぞれ異なった語を用いる. 《☞ 動物の鳴き声 (囲み)》.
¶ 羊はめーと*鳴く A sheep ｢*bleats* [*baas*]. // 鳥が林の中で*鳴いている The birds [Birds] *are singing* in the trees. // どこかでかっこうが*鳴いていた Somewhere a cuckoo *was calling*. // かえる[こおろぎ]が*鳴いているのが聞こえる I hear ｢a frog *croaking* [a cricket *chirping*]. 鳴かず飛ばず ☞ 見出し 鳴かぬなら殺してしまえ時鳥(ほととぎす) If the little cuckoo doesn't sing, kill it. 鳴かぬなら鳴かせてみしょう時鳥(ほととぎす) If the little cuckoo doesn't sing, I'll find some way to make it sing for me. 鳴かぬなら鳴くまで待とう時鳥(ほととぎす) If the little cuckoo doesn't sing, I'll wait until it sings for itself.

なぐ[1] **凪ぐ** (海が静かになる) become ｢quiet [calm]
語法 quiet のほうが口語的だが, 海についてはよく calm も使う; (風がやむ) dróp (óff) ⓐ, díe awáy ⓐ. 《☞ しずまる》. ¶ 風が*なぎ, 波が静まった The wind ｢*dropped* (*off*) [*died away*] and the waves subsided.

なぐ[2] **薙ぐ** ☞ なぎはらう

なぐさみ 慰み (楽しみごと・娯楽) amusement Ⓒ; (暇つぶしの気晴らし) pastime Ⓒ; (趣味) hobby Ⓒ
語法 pastime と hobby は同じ意味に使われることもある. 《☞ ごらく (類義語); たのしみ; しゅみ; きばらし》.
慰みもの (おもちゃになるもの) pláything Ⓒ; (気をまぎらすもの) beguiling thing Ⓒ. ¶ 女を*慰みものとして扱う不誠実な男達もいる There are some unfaithful men who treat women as *playthings*.

なぐさむ 慰む ¶ きれいな花や音楽で心が*慰むようだ I *feel comforted* by beautiful flowers and music. 《☞ なごむ》

なぐさめ 慰め (勇気づけたり, 手を貸してやったりして楽にしてやること) comfort Ⓤ ★ 具体的な人や物を指すときは Ⓒ; (言葉などで悲しみや苦痛の気持ちを和らげること) consolation Ⓤ; (精神的な慰め) sólace Ⓤ ★ comfort とほぼ同意だが, やや格式ばった語. 《☞ なぐさめる; きやすめ》.
¶ 彼にとっては酒が唯一の*慰めだった Drinking [Alcohol] was his only *comfort*. // あなたがそばにいて下さるのは大きな*慰めです It is a great ｢*comfort* [*consolation*] to me that you are always there. / Your presence is a great ｢*comfort* [*consolation*] to me. // 私は彼に*慰めの言葉をかけた I spoke words of *comfort* to him.

なぐさめる 慰める (希望などを与えて力づける) comfort ⓣ; (悲しみや失望感を和らげる) consóle ⓣ 語法 後者のほうが格式ばった語で, 具体的な方法よりも精神的な慰めという感じが強い; (自らを...で慰める) find solace in ...; (元気づける) chéer úp ⓣ. 《☞ なぐさめ》.
¶ 私は彼女の悲しみを*慰めた I ｢*comforted* [*consoled*] her in her sorrow. // 彼は一生懸命に母親を*慰めようとした (⇒ 母親を元気づけようとした) He tried very hard to *cheer up* his mother.

なくしもの 無くし物 ¶ *無くし物は何ですか (⇒ 何を無くしたんですか) What *have you lost*? // *無くし物ですか *Have you lost something*? 《☞ いしつぶつ》

なくす[1] **無くす** (失う) lose ⓣ 《過去・過分 lost》 (↔ gain); (取り除く) get rid of ..., remove ⓣ, eliminate ㊀; (社会習慣・制度などを廃止する) abolish ㊀; (根絶する) eradicate ㊀, root [stamp, wipe] out ㊀; (不用なものなどを処分する) do away with …, give up ㊀. ((☞ うしなう; なくなる¹)). ¶ 私はその金を*なくしてしまった I *have lost* the money. // 悪い習慣は*なくすべきです We should 「*get rid of* [*abolish*] bad customs. // 貧困を*なくす運動 a campaign to 「*wipe out* [*eliminate*; *eradicate*] poverty // こういう形式的なことはすっかり*なくしてもらいたい These formalities should *be* 「*done away with* [*abolished*] altogether.

なくす² 亡くす (失う) lose ㊀; (死が家族や近親を奪う) ((格式)) bereave ㊀. ((☞ うしなう)). ¶ 彼女はその事故で一人息子を*亡くした She *lost* her only son in the accident. / (⇒ 事故が彼女から一人息子を奪った) The accident *bereaved* her *of* her only son. // 私は父をがんで*亡くした I *lost* my father *to* cancer.

なくする 無くする ☞ なくす¹

-なくて …無くて ── 接 (…ではなくて…) not … but … ── 前 (…なしでは) without … ((☞ -なしで; -なければ)). ¶ それは彼のでは*なくて私のです It's *not* his, it's mine. 語 法 このような短い発話では文を2つに切ってコンマでつなぐほうが, not … but … を用いるよりも普通である. // この家は売り家では*なくて貸し家です This house is *not* for sale *but* for rent. // 我々は水が*なくては生きてゆけない We cannot live *without* water. ((☞ -なければ))

なくなく 泣く泣く (いやいやながら) reluctantly, with reluctance ★ 後者のほうが格式ばった言い方; (しぶしぶ) unwillingly. ((☞ しぶしぶ 語法)). ¶ 私は*泣く泣く彼の提案に同意した I gave my consent to his proposal 「*reluctantly* [*with reluctance*]. / (⇒ 無理に同意させられた) I *was forced to* consent to his proposal.

なくなる¹ 無くなる **1** ((紛失する)): (失う) lose ㊀ ((過去・過分 lost)) 日英比較 日本語で「なくなる」とあっても, 英語では「人」を主語にして「私は…をなくした」のような表現をすることがある; (見当たらない) be missing; (消えてなくなる) be gone ★ 以上2つは「物」が主語で,「状態」を言う. ((☞ なくす¹; ふんしつ)). ¶ 私の時計が*なくなった (⇒ 見当たらない) My watch *is missing*. // 帰って来てみるとスーツケースが*なくなっていた When I came back, my suitcase *was gone*.

2 ((使ってなくなる)): (使い尽くす) run out of …; (不足する) run short of … 語 法 「人」を主語にする; (使い尽くされる) be used up; (使い果たして空になる) be exhausted ★ 前3者より格式ばった言い方. ((☞ つかいはたす)). ¶ 燃料と食料の蓄えが*なくなった We *ran out of* fuel and food. / (⇒ 使い果たされた) Our stores of fuel and food *have been* 「*used up* [*exhausted*]. // 金が*なくなった (⇒ 全部使った) I *spent* all my money. / (⇒ 使い尽くした) I *ran out of* money. // 紙が*なくなりかけている We are *running short of* paper.

なくなる² 亡くなる (死ぬ) die ㊁, páss awáy ㊁ 語 法 pass away は die の婉曲的表現. ((☞ しぬ (類義語); 婉曲語法 (巻末))).

なくもがな 無くもがな ¶ これらの台詞はそのシーンでは*無くもがなだ These lines are 「*unnecessary* [((格式)) *superfluous*] in the scene. / These lines *should be* 「*left out of* [*omitted from*] the scene.

なぐりあい 殴り合い ── 名 (けんか) fight Ⓒ 語 法 実力を使ってのけんかを言う.「口げんか」は quarrel Ⓒ; (殴打のやりとり) exchange of blows Ⓒ. ── 動 (殴り合いのけんかをする) fight ㊁, have a fight ★ 後者のほうが口語的; (互いに打ち合う) exchange blows ★ 以上の中で一番格式ばった言い方. ((☞ けんか¹; なぐる)).
¶ 彼らは*殴り合いをした They *had a fight*. / They *exchanged blows*. // 彼はジョンと*殴り合いを始めた He began to *fight with* John. / He and John *came to blows*. ★ 後者は慣用句.

なぐりかえす 殴り返す strike [punch] back (at …), return a 「blow [punch] (to …).

なぐりかかる 殴り掛かる strike at …, hit at … ★ 後者のほうが口語的.

なぐりがき なぐり書き ── 動 (急いでぞんざいに書く) scribble ㊀ ㊁; (みみずののたくったような字で書く) scrawl ㊀ ㊁. ── 名 scribble Ⓤ; scrawl Ⓤ. ((☞ はしりがき)).

なぐりこみ 殴り込み ── 名 (集団での不意の攻撃) raid Ⓒ. ── 動 raid ㊀. ((☞ おそう (類義語))).
¶ 暴力団員が対立している暴力団の所に*殴り込みをかけた A group of gangsters 「*made a raid on* [*raided*] their rival's place.

なぐりころす 殴り殺す beat … to death, strike … dead ★ 前者は続けざまに殴る意味. ((☞ なぐる)).

なぐりたおす 殴り倒す knóck dówn ㊀, stríke dówn ㊀. ((☞ なぐる)). ¶ 私は彼を*殴り倒した I *knocked* him *down*. // ボクサーは相手を一発で*殴り倒した The boxer *knocked* 「*down* his opponent [his opponent *down*] with one blow.

なぐりつける 殴り付ける ¶ 思いきり (⇒ できるだけ強く) そいつを*殴り付けてやったよ I 「*hit* [*struck*; *knocked*; *punched*; *slapped*] the fellow as hard as I could. ((☞ なぐる))

なぐりとばす 殴り飛ばす ¶ やつをいつか*殴り飛ばしてやりたいよ I would like to *hit* him *hard* someday.

なぐる 殴る (繰り返し) beat ㊀ ((過去 beat; 過分 beaten, ((米)) ではまた beat)); (ねらいをつけて) hit ㊀ ((過去・過分 hit)), strike ㊀ ((過去・過分 struck)) ★ hit のほうが口語的, いずれも回数には関係がない; (倒れるほど) knock ㊀; (握りこぶしで) punch ㊀; (平手で) slap ㊀. ((☞ うつ¹ (類義語); たたく; なぐりつける)).
¶ 彼は暴力団員にひどく*殴られた He *was beaten up* by a gangster. 語 法 beat up は口語で「ひどく殴る」こと. // 彼は私の頭を*殴った <S (人)+V (*hit*; *strike*)+O (人)+*on*+名 (殴る体の部分)> He 「*hit* [*struck*] me *on* the head. // 彼女は彼のほおを平手で*殴った She *slapped* him *on* the cheek. // 彼女は私をひどく*殴った She *hit* me hard.

なげ 投げ **1** ((相撲・柔道などで)): throw Ⓒ.
¶ *投げをうつ *throw* [*fling*] *one's* opponent down // 背負い*投げ a back *throw*
2 ((証券で)): shakeout Ⓒ.
3 ((放棄)): giving up Ⓤ.

なげあい 投げ合い (投手戦) pitching [pitchers'] duel Ⓒ; (投げ合うこと) throwing … at 「each other [one another]. ¶ スタンフォード大が UCLA に*投げ合いで勝った Stanford *outpitched* UCLA. // 両投手の*投げ合いで試合は延長戦になった The two *pitchers' duel* forced the game into extra innings.

なげあし 投げ足 ¶ 彼は壁に寄りかかり, 床の上に*投げ足で座った Leaning against the wall, he sat with his *legs stretched out* on the floor.

なげあたえる 投げ与える throw … to … ((☞ なげる; あたえる)).

なげあみ 投げ網 ☞ とあみ

なげいれ 投げ入れ (生け花) free-style 「flower [floral] arrangement Ⓤ; (説明的には) a style of flower arrangement without artifice.

なげいれる　投げ入れる　throw …「in [into] … ¶私はその箱に硬貨を*投げ入れた I *threw* several coins「*in* [*into*] the box.

なげうつ　擲つ，抛つ　¶彼は私財を*なげうってその病院を建てた (⇒私財を提供した) He *offered* his property to build the hospital.

なげうり　投げ売り　―[名] (見切り売り) sacrifice Ⓒ; (大安売り) bargain sale Ⓒ; (蔵払い) clearance (sale) Ⓒ.　―[動] sell … at a sacrifice. (☞ やすうり; とくばい; ダンピング). ¶彼らは在庫品を*投げ売りした They *sold* their stock *at a sacrifice*.

なげおろす　投げ下ろす，投げ降ろす　thrów dówn (他); (どさっと投げる) flóp dówn (他). ¶青年はかついでいた小麦の袋をどさっと*投げ下ろした The young man *flopped down* a sack of wheat from his shoulder.

なげかえす　投げ返す　thrów [húrl] báck (他) (☞ なげる). ¶観衆の1人がピッチャーにボールを*投げ返した One of the spectators *threw*「*back* the ball [the ball *back*] to the pitcher.

なげかける　投げ掛ける　(問題を提起する) pose (他); (引き起こす) cause (他). ¶この出来事は日本の財政政策に対して難しい問題を*投げ掛けている This incident *poses* difficult questions about the financial policies of Japan.

なげかわしい　嘆かわしい　―[形] (遺憾な) regrettable; (情けない) deplorable. (☞ なさけない).
¶責任ある地位にある人がそんなことをしたとは*嘆かわしい It is「*regrettable* [*deplorable*] that a man in such a responsible position should have done such a thing.

なげき　嘆き　(一般的な悲しみ) sorrow Ⓤ; (短期間の強い悲しみ) grief Ⓤ ★悲しみの原因を指すときはいずれも Ⓒ. (☞ かなしみ). ¶彼女の*嘆きは慰めようがなかった Her *sorrow* was inconsolable. // 彼は*嘆き悲しんでいた He was in deep *grief*.　**嘆きの壁** the Wailing Wall ★エルサレムのユダヤ教の遺跡.

なげきあかす　嘆き明かす　grieve「all night [the night away], spend a night in grief.

なげきくらす　嘆き暮らす　grieve away *one's* days, spend *one's* days in grief.

なげキッス　投げキッス　―[動] throw *a person* a kiss, throw a kiss to *a person*.

なげく　嘆く　(悲しむ) be [feel] sad (about …; at …; over …); (悲嘆に暮れる) grieve (about …; over…) (自); (残念に思う) deplore (他) ★後のものほど格式ばった語となる.
【類義語】最も一般的で平易な表現は *be* [*feel*] *sad* で，悲しみによる嘆きと，残念な思いの両方に用いることができる. 少し格式ばった語が *grieve*. 非難の気持ちを込めて残念に思うのが *deplore*. (☞ かなしむ)
¶彼女は夫の死を*嘆いた She「*was very sad* [*grieved*] *over* her husband's death. // 彼女は政界の腐敗を*嘆いた She *deplored* the「corruption [corrupt condition] of the political world.

なげくび　投げ首　☞ しあん[1]

なげこみ　投げ込み　throwing … in Ⓤ (☞ なげいれ).　**投げ込み広告** advertising flier Ⓒ ★ flyer ともつづる.

なげこむ　投げ込む　throw …「in [into] …; (力をこめて) fling …「in [into] …; (特にごみなどを) dump …「in [into] … (☞ なげる (類義語)). ¶がらくたを物置きに*投げ込んだ I *threw* the junk「*in* [*into*] the closet.

なげし　長押　〖建〗(柱と柱の間の横材) horizontal piece of timber between pillars Ⓒ; (横木) crosspiece Ⓒ.

なげすてる　投げ捨てる　thrów awáy (他); (ひょいと投げる) toss (他). (☞ なげる (類義語); すてる). ¶彼はたばこの吸いさしを*投げ捨てた He *threw away* his cigarette butt. // 彼女は紙くずをかごにぽんと*投げ捨てた She *tossed* (the) waste paper into the basket.

なげせん　投げ銭　¶見物客の*投げ銭は大道芸人の帽子で受け取られていた The *coins thrown* by the spectators were caught by the street performer in his hat.

なげだす　投げ出す　(外へ放り出す) thrów óut (他); (下に放り出す) thrów dówn (他); (職業などを放棄する) gìve úp (他); (職・地位などを断念する) quit (他). (☞ ほうりだす).
¶彼は壊れたいすを窓から*投げ出した He *threw* the broken chair *out* (*of*) the window. // 彼は仕事を*投げ出した He「*gave up* [*quit*] his job. // 私は畳の上に足を*投げ出した (⇒足を伸ばした) I *stretched out* my legs on the tatami.

なげつける　投げつける　(一般的に) throw … at …; (力を入れて投げる) fling … at …; (遠くまで投げる) hurl …at … (☞ なげる (類義語)). ¶彼は犬に石を*投げつけた He「*threw* [*flung*; *hurled*] a stone *at* the dog.

ナゲット　nugget Ⓒ.　¶チキン*ナゲット chicken *nuggets*

なげづり　投げ釣り　(海岸での) surf casting Ⓤ; fishing with a rod and reel Ⓤ ★後者は説明的な訳.

なげとばす　投げ飛ばす　fling「away [off] (他).

なけなし　(持っているわずかの…全部) what little … *one* has [語法] 可算名詞の場合は little が few になる.　¶彼は*なけなしの金をはたいて (⇒持っているわずかな金全部を使って) そのステレオを買った He spent *what little money he had* on the stereo.

なげなわ　投げ縄　lasso Ⓒ (複 ~(e)s) [参考] 牛や馬を捕えるためのもの.

なげに　投げ荷　〖海上保険〗―[名] jétsam Ⓤ.　―[動] jéttison (他).

なげぶみ　投げ文　¶窓からほうりこまれたこの*投げ文には名前が書かれていない This *letter which was thrown* through the window「was anonymous [had no name on it].

なげや　投げ矢　dart Ⓒ (☞ ダーツ[1]).

なげやり[1]　投げやり　―[形] (いいかげんな・怠慢な) négligent; (不注意な) careless.　―[動] (仕事・義務などを怠る) neglect (他).　―[名] (だらしないこと) negligence Ⓤ; (怠慢) neglect Ⓤ; carelessness Ⓤ. (☞ いいかげん). ¶彼は仕事が*投げやりだ He is *negligent* in his work. / (⇒仕事に不注意だ) He is *careless* about his work. // 彼は職務を*投げやりにするような人ではありません He isn't the kind of man who *neglects* his「duty [duties].

なげやり[2]　投げ槍　(競技に使う) javelin Ⓒ; (武器としての) lance Ⓒ.

なける　泣ける　(泣きたい気持ちになる) feel like crying (自); (感動して) be moved to tears. (☞ なかせる). ¶自分のふがいなさに*泣けた I was so ashamed of myself I *felt like crying*. // その話を聞くと*泣けてしかたがなかった (⇒涙を抑えられなかった) I *could not keep back my tears*, listening to the story.

なげる　投げる　(一般に) throw (他) (過去 threw; 過分 thrown); (力を入れて) fling (他) (過去・過分 flung); hurl (他); (ボールなどを) pitch (他); (ぽいと投げる) toss (他).
【類義語】最も一般的で，広い意味で投げることを表すのが *throw*. 力を入れて乱暴に投げるのが *fling*. かなり強く遠くへ物を投げるのが *hurl*. ボールなどを目標にねらいを定めて投げるのは *pitch*. 上方または横に軽く投げることを意味するのが *toss*. (☞ なげつける; なげすてる)

¶男の子たちは犬に石を*投げた The boys ⌈*threw* [*flung*] stones *at* the dog. 語法 何かを目がけて投げるときの前置詞は at. // 投手は打者に速球を*投げた The pitcher *pitched* a fast ball to the batter. // 走っている車から物を*投げてはいけない Don't *throw* things out of a moving car. // コインを*投げて勝ちを（⇒どちらがゲームに勝つか）占おう Let's ⌈*toss* [*flip*] a coin to guess who will win the game. // 勝負を*投げるな Don't *throw* the game. ★ 口語的な言い方. /（⇒あきらめるな）Don't *give up* the game.

-なければ …無ければ（…なしに）without …;（もし…しなければ）unless …, if … not …;（あり得ないことだがもし仮に…がないと仮定したら）if it were not for …;（…以外では）except …《☞ -なかったら; -なら; -なしで》. ¶祖父は眼鏡が*なければ新聞が読めない My grandfather can't read the paper ⌈*without* [*unless* he wears] glasses. // 我々は空気が*なければ生きてゆけない We cannot live *without* air. / We would not be able to live *if it were not for* air. 語法 前者は単なる事実としての表現. 後者は仮定の表現. // その仕事は君で*なければ（⇒君を除いては）できない Nobody ⌈*except* [*but*] you is able to do the work .

なげわざ 投げ技（個々の）throw Ⓒ;（総称して）throwing technique Ⓒ.《☞ なげ》.

なこうど 仲人（結婚の世話をする人）matchmaker Ⓒ;（仲を取り持つ人）go-between Ⓒ 語法 (1) 後者は結婚の仲人以外にも広く双方の仲立ちをする人を言う.《☞ ばいしゃく》.
¶彼らが結婚したとき, 私の父が*仲人を務めました My father acted as ⌈*matchmaker* [*go-between*] when they were married. 語法 (2) act as の次の名詞は通例無冠詞. // おばは*仲人（⇒結婚の世話）をするのが好きです My aunt is fond of *arranging marriages*. **仲人口** ¶彼のことを誉めすぎるよ. *仲人口みたいじゃないか You are saying all sorts of nice things about him. You *are acting like a matchmaker*, aren't you? // *仲人口は話半分に聞かなくてはいけない You must take a *matchmaker's story* with a grain of salt.

なごむ 和む（慰められる）be comforted;（心が和らぐ・心を和らげる）soften /sɔ́:f(ə)n/ ㊀ ㊉.《☞ やわらぐ》. ¶彼女の一言でその場の緊張した雰囲気が*和んだ（⇒彼女の言葉が雰囲気を和らげた）Her words *softened* the tense atmosphere /ǽtməsfɪə/ of the place. / Her words *broke the ice*. 語法 break the ice は「遠慮［堅苦しさ］を取り除く」の意の慣用句. 第 2 文のほうが口語的.

なごや 名古屋 ━名 固（都市名）Nagoya. **名古屋帯** Nagoya *obi* Ⓒ, Nagoya-style sash Ⓒ;（説明的には）sash for kimono invented in Nagoya Ⓒ **名古屋コーチン** Nagoya Cochin Ⓒ;（説明的には）cross [crossbreed] between a cochin and a Nagoya chicken Ⓒ **名古屋城** Nagoya Castle **名古屋弁** the Nagoya dialect;（なまり）Nagoya accent Ⓒ.

なごやか 和やか ━形（友好的な）friendly;（幸せな）happy. ¶会はとても*和やかな雰囲気でした The meeting was held in a *friendly* atmosphere. // 彼の家庭はとても*和やかだ His family is a *happy* one. /（⇒幸せな家庭の出だ）He comes from a *happy* family.

なごり 名残（過去の形跡）trace Ⓒ;（残された物の一部）remnant Ⓒ, remains ★ 複数形で.《☞ おもかげ; いぶつ¹》. ¶その町は過去の*名残をまったくとどめていない The town retains no *trace*(*s*) of the past. // 崩れた石垣だけが古城の*名残をとどめていた（⇒古城の跡として残ったものだ）Fallen [Crumbled] stone walls were the only ⌈*remnants* [*remains*] of the ancient castle.
名残惜しい ¶お*名残惜しいが別れのときがきた（⇒別れるのはいやだがもうお別れしなくてはならない）I really *hate to say goodby*(*e*), but I have to ⌈go [leave] now. // 彼女は*名残惜しそうに何度も手を振っていた（⇒しぶしぶ別れるように見えた）She waved her hand again and again and seemed quite *reluctant to leave* (us).
名残の月 the morning moon;（説明的には）the moon remaining in the sky at dawn.

ナサ（アメリカ航空宇宙局）NASA /nǽsə/ ★ *N*ational *A*eronautics and *S*pace *A*dministration の略.《☞ 略語（巻末）》.

なさい（動詞「なさる」の命令形）Do it. ¶早く*なさい *Do it* ⌈immediately [at once; right now; as soon as possible]. / Be quick! / Hurry up! / Get a move on!

なさけ 情け（同情）sympathy Ⓤ;（慈悲）mercy Ⓤ;（慈善）charity Ⓤ;（優しさ・親切）kindness Ⓤ.《☞ おもいやり; なさけぶかい; どうじょう¹》.
¶私は人の*情けで生きるのはいやだ I don't like to live on *charity*.
情けが仇 Pardon makes offenders.《ことわざ: 容赦が法の違反者を作る》. ¶君の情けが彼にとっては*仇となった Your *kindness turned out to be his ruin*. **情けが身に染みる** ¶彼の*情けが身にしみた（⇒彼の親切が私の心を打った）His *kindness touched my heart*. **情けは人のためならず** Kindness [Sympathy] is not merely for the sake of others. / One good turn deserves another.《ことわざ: 親切を施せば親切を受けるに値する》★ turn は「仕打ち, 行為」. **情け容赦のない** ¶彼は*情け容赦のない（⇒厳しい）先生だ He is a *stern* teacher. **情けを売る**（色を売る）prostitute *oneself*;（利益のために親切を施す）do an act of kindness for profit. **情けをかける** ¶判事はその被告に*情けをかけた The judge *showed* ⌈*sympathy* [*mercy*] to the accused. **情けを交わす**（愛し合う）love each other;（情愛を交わす）share deep affections ⌈for [with] each other;（性的関係をもつ）become intimate with each other. **情けを知る**（人情の機微を知る）know [learn] the subtlety of ⌈the human heart [human nature];（情事を体験する）experience [go through] a ⌈romance [love affair];（色恋の道に通じている）be ⌈versed [an expert] in love. **情けごかし**（情けをかける振り）feigned [pretended, phony, sham] sympathy Ⓤ **情け心**（同情）compassion Ⓤ, sympathy Ⓤ;（あわれみ）pity Ⓤ.

なさけしらず 情け知らず ━形（冷淡な）coldhearted;（冷酷な・薄情な）heartless;（同情心のない）unsympathetic;（慈悲心のない）merciless.《☞ れいたん; はくじょう¹》.

なさけない 情けない ━形（恥ずべき）shameful;（みじめな）miserable;（嘆かわしい）deplorable ★ やや格式ばった語;（不名誉な）disgraceful. ━動（恥である）be shameful;（恥ずかしい）be ashamed of … 語法 後者は人（話者）を主語とする.《☞ なげかわしい》.
¶何て*情けないことを言うんだ It was *shameful* of you to say such a thing. / You should *be ashamed of* saying such a thing. / What a *shameful* thing you said! // 犯罪が増えているとは*情けない It's *a shame* that ⌈the crime rate is rising [crime is on the increase]. // 僕は自分でやったことが*情けない I *am ashamed of* what I did.

なさけぶかい 情け深い（心の優しい）kindhearted, warmhearted, tenderhearted.《☞ なさけ; おもいやり; どうじょう¹》.

なざし 名指し ―[動]（人の名を呼ぶ）call [mention] *a person* by name. ―[副] by name. ¶彼は私を*名指しで非難した He criticized me, ｢*mentioning my name* [*mentioning me by name*]. **名指し人** designée /dèzɪgníː/ [C], designated person [C].《☞ しめい[2]》.

なざす 名指す name ㊀, call [mention] *a person* by name;（指名する）appoint ㊀《☞ しめい[2]》.

なさぬなか 生さぬ仲 ―[名] no blood ｢relation [relative] [C]. ―[動] be not *one's* ... by birth.《☞ ぎふ; ぎぼ; ようし[4]; ようふ[1]; ようぼ》. ¶息子とは*生さぬ仲です He *is not my son by birth.* /（⇒ まま子 [養子] である）He is my ｢*stepson* [*foster son*]. [語法] He's not my ｢own [real] son. のように言うと本人を傷つける意味が含まれる.

なさる 為さる ¶田中さんが*なさるそうです Mr. Tanaka says that he *will do* it. // お飲みものは何に*なさいますか What *would you like* to drink? // 昨日はいかが*なさいましたか. お休みのようでしたが What *happened* (to you) yesterday? I understand you were absent. // 今日の午後はどう*なさるおつもりですか What do you intend to *do* this afternoon? ★「する」の尊敬語.《☞ する[1]; なす[2]》

ナザレ ―[名] [固] Nazareth /nǽzərəθ/ ★キリストが幼・少年時代を過ごした地. **ナザレ人**(びと)（新約聖書のイエス・キリスト）the Nazarene, Jesus of Nazareth;（(特に異教徒から見た)キリスト教徒）Nazarene [C].

なされる 為される ¶お客様はもうおやすみ*なされました Our guest has already *gone* to bed. // ご病気からご回復*なされたこと心よりお祝い申し上げます I heartily congratulate you on your recovery from illness. // ご主人がお帰り*なされました The master of the house has returned.《☞ なさる; する[1]; なす[2]》

なし 梨 Japanese pear /péə/ [C] [日英比較] 英語でいう pear は日本の梨と少し違い, しもぶくれの形をしている. 「西洋なし」とも呼ばれる. **梨の礫**(つぶて) ¶彼女に手紙を何度も出したが*なしのつぶてだった I wrote to her again and again but I *heard nothing from* her.

pear

-なし …無し ―[接尾] -less [語法] (1) 名詞に付ける形容詞語尾.《☞ -なしで; なしとしない; 接尾辞（巻末）》.
¶彼は一文*なしだ（⇒ 彼は全然金を持ってない）He has no money at all. /（⇒ 無一文だ）He is *penniless.* / He's ｢dead-broke [flat broke;《英》stony broke]. [語法] (2) 無一文の状態を表す口語表現. // 彼は家が焼けて家族は宿*なしになった His house burned down and he and his family became *homeless.* // 種*なしすいか a *seedless* watermelon

なしくずし 済し崩し（少しずつ）little by little, bit by bit. ¶私はその借金を*なしくずしに（⇒ 少しずつ）払った I ｢paid back [repaid] the debt *bit by bit.*

-なしで …無しで ―[前] without ... ―[動]（…なしで済ます）do without ..., dispense with ... [語法] 後者のほうが格式ばった言い方で, いずれも主語は「人」.《☞ -なし》. ¶彼は地図*なしで旅行に出かけた He went on a journey *without* ｢a map [maps]. // アメリカでは車*なしではやっていけない You can't *do without* a car in America.

なしとげる 成し遂げる（計画や目的をうまく達成する）accomplish ㊀;（困難を克服して業績・目標などを）achieve ㊀;（計画などを実行する）cárry ｢óut [thróugh] ㊀ [語法] (1) through を使うと最後までやり通したという意味が強くなる;（する・行う）do ㊀ [語法] (2) 意味が広くて, 必ずしも「成し遂げる」という日本語に当たらないこともある.《☞ とげる; たっせい（類義語）》.
¶彼女は偉大な仕事を*成し遂げた She *has* ｢*accomplished* [*done*] a great thing. [語法] (3) do のほうが口語的. // それは一朝一夕に（⇒ 1 日では）*成し遂げられるものではない You can't *achieve* it in a single day. // 彼は約束したことを*成し遂げた He *carried out* what he had promised.

なしとしない 無しとしない（無いわけではない, 無いとは言えない）be not without ... ¶多少の危険は*無しとしない *There may possibly be* some risk (with it). / It'*s not without* some risk. // この病気は合併症のおそれ*無しとしない This disease *may* ｢*have* [*be* accompanied by] complications.

なじみ 馴染み ―[形]（よく知っている）familiar;（気に入りの）favorite (《英》favourite). ―[名]（旧友 [旧知の人]）old ｢friend [acquaintance] [C].《☞ かおなじみ; おさななじみ; しりあい》.
¶あれは私の*なじみの（⇒ 気に入りの）店です That's my *favorite* store.
馴染み客 regular customer [C];（ホテル・レストランなどの）patron /péɪtrən/ [C] **馴染み深い** ¶その公園は私にとって*なじみ深い場所です The park is *quite familiar* to me. /（⇒ よく知っている）I *know* the park *very well.* /（⇒ よく行ったことがある）I've *often been to* the park.

なじむ 馴染む（自然に慣れる）get used to ... ★口語的;（順応する）adapt *oneself* to ...;（合うように少し変更を加える）adjust *oneself* to ... ★以上 2 つはやや格式ばった言い方;（人と親しくなる）make friends with ... ★口語的.《☞ なれる[1]; てきおう》.
¶私はまだ新しい方法に*なじめない I *haven't gotten used to* the new method yet. // 子供は新しい環境にすぐ*なじむ Children ｢soon *get used* [*adapt themselves* quickly] *to* new surroundings. // アメリカの生活に*なじむのにまる 1 年かかった It took me a whole year to *adjust myself to* the American lifestyle. [語法] get used to も使えるが, adjust を使うと積極的な努力のニュアンスが出る. // あの人は*なじみにくい人だ（⇒ 親しくなるのが難しい）He is not easy to *make friends with.* /（⇒ つきあいにくい人だ）He is a difficult person to *get along with.* // この上着は着ているうちに*なじんできます（⇒ よく合うようになる）This coat will *fit better* after you wear it (awhile).

ナショナリスト nátionalist [C].

ナショナリズム（民族[国家]主義）nátionalism [U].

ナショナリゼーション nàtionalizátion [U].

ナショナリティー（国籍）nàtionálity [C].

ナショナル ―[形] nátional.

ナショナルアイデンティティー（国民一体意識）national identity [U].

ナショナルキャラクター（国民性）national characteristic [C].

ナショナルセキュリティー（国家安全保障）national security [U].

ナショナルチーム（国家代表チーム）national team [C].

ナショナルトラスト the National Trust ★英国の自然・名勝史跡保護団体.

ナショナルミニマム（国民生活最小限度の水準）national minimum standard of living [C].

ナショナルリーグ the Nátional Léague.

なじる 詰る（非難する）blame ㊀;（批判する）

な

criticize ⑩. ((☞ ひなん¹; とがめる)).

なす¹ 成す (作る) make ⑩; (形造る) form ⑩. ((☞ つくる (類義語))). ¶彼は一代で財を*成した He *built up* a fortune during his lifetime. // それは大きな円を*成している It *forms* a large circle. // 彼らは群れを*成してやって来た They came *in crowds*. // あなたの言うことは意味を*成さない What you say doesn't *make* sense.

なす² 為す (行う) do ⑩ ((☞ する¹)). ¶彼は*なすこともなくぶらぶらしていた He idled away his time, having nothing to *do*. **なすがまま** ¶敵の*なすがままになる (⇒ 翻弄される) be *at the mercy of one's* enemies / (⇒ 好きなようにさせる) *let one's* enemies *do as they like* **なすすべ** ¶あまりの恐ろしい光景に私は*なすすべを知らなかった (⇒ どうしたらよいかわからなかった) I ˹didn't know what to *do* [felt helpless] when I saw the horrible sight.

なす³ 茄子 (Japanese) eggplant Ⓒ, ((英)) aubergine /óʊbəʒìːn/ 参考 アメリカ産の eggplant は日本のものより大きい. ¶秋*茄子 an autumn *eggplant* // 長*茄子 a slim *eggplant* // 丸*茄子 a round *eggplant* **茄子紺** dark purple Ⓤ, ((米)) eggplant Ⓤ, ((英)) aubergine Ⓤ.

ナスカ ―名 固 (ペルーの町) Nazca /nɑ́ːskə/. **ナスカの地上絵** the Nazca ˹lines [figures] **ナスカ文化** the Nazca culture.

ナスダック NASDAQ ★ 米国のハイテク関連株店頭銘柄のコンピューターによる情報システム, the *N*ational *A*ssociation of *S*ecurities *D*ealers *A*utomated *Q*uotation の略.

なずな 〘植〙 shepherd's purse Ⓒ.

なすび 茄子 ☞ なす³

なずむ 泥む (拘泥する) cling to … ((☞ くれなずむ)).

なすりあい 擦り合い ―動 recríminàte (against …) ⓐ. ―名 recriminations ★ 通例複数形で. ((☞ なする)). ¶罪の*擦り合いで時間を無駄にするのはよそう Let's stop wasting our time on *recriminations* (against each other).

なすりつける 擦り付ける **1** «罪などを»: (人のせいにする) blame ⑩; (罪・責任などを負わせる) lay [put] the blame on …; (責任などを転嫁する) shift ⑩. ((☞ きせる; てんか³)).
¶彼らはその失敗の責任を私に*なすりつけた (⇒ 私のせいにした) They *blamed* the failure *on* me. / They ˹*laid* [*put*] *the blame* for the failure *on* me. // 彼はその責任[罪]を私に*なすりつけようとした He tried to *shift* the ˹responsibility [blame] ˹*to* [*onto*] me.
2 «塗る»: (塗りつける) daub ⑩ ((☞ ぬる)).
¶その子は壁に泥を*なすりつけた The boy *daubed* mud on the wall.

なする 擦る (こする) rub ⑩; (責任などを人になする) put [lay] the blame on … ((☞ なすりつける; ぬる)). ¶彼らは責任を*なすり合った They ˹*laid* [*put*] *the blame on* ˹each other [one another]. / (⇒ 互いに非難し合った) They *blamed* ˹*each other* [*one another*].

なぜ 何故 (どういう理由で) why ★ 最も一般的. 以下の表現の代わりに使える場合も多い; (どうしてそうなるのか) ((略式)) how come (…) 語法 (1) やや驚きの気持ちが加わる. 答えの文には普通 because は用いない; (…はどうしてか・どういう訳で…なのか) why [how] is it that … 語法 (2) how come とほぼ同意だが, やや格式ばった表現; (何のために・何の目的で) for what purpose ★ やや格式ばった表現; ((略式)) what for, what … for.
¶「*なぜそんなに早起きするの」「ジョギングのためだよ」 "*Why* do you get up so early?" "Because I want to go jogging." / "*What* do you get up so early *for*?" "To go jogging." 語法 (3) why を使う疑問文の答えには普通 because で答えるが, 不定詞やほかの語句を用いることもある. // 「彼は僕にひどく腹を立てているんだ」「*なぜ」「わからないんだ」 "He's very angry with me." "*How come*?" "I don't know." // 「*なぜ彼女は来なかったのですか」「わかりません」 "*How* [*Why*] *is it that* she didn't come?" "I don't know." // *なぜ (⇒ どういう目的で) アメリカへ行くのですか *For what purpose* are you going to America? / *What* are you going to America *for*? 語法 (4) 後者のほうが口語的で, 日常会話では普通後者のような言い方が多い. // 「*なぜあなたは笑ったのですか」「彼女の言い方がおかしかったからです」 "*What* made you laugh?" "Her way of saying it was funny." / "*Why* did you laugh?" "Because her way of saying it was funny." 語法 (5) 前者は直訳すれば「何があなたを笑わせたのか」という言い方である. このように what を用いて, 「何があなたを…させたのか」という表現は why で聞くよりも客観的で, 少なくとも表面上は単にあることをするに至った因果関係を聞いているというニュアンスがあるため, Why … ? ほど詰問調ではない. そこで, やわらかく理由を尋ねる表現としてよく用いられる. 例えば「*なぜここへ来たのか」は *What* brought you here? 「*なぜ怒ったのか」 *What* made you angry? など. ((☞ 発想 (巻末))) // 彼は*なぜあんなことをしたのだろう I wonder *why* he did such a thing. / 「*なぜ来なかったの」「*なぜだかわからないけれど, なんとなく行きたくなかったのです」 "*Why* didn't you come?" "I don't know *why*, but I didn't want to." ((☞ なぜか))

なぜか 何故か somehow, for some reason. ¶*なぜか彼女は不幸だと思った *Somehow* [*For some reason*] I felt she was unhappy. // *なぜか彼女は目をそらした (⇒ 彼女の目は私の目を避けた) *I don't know why*, but she ˹didn't want to look me in the eyes [avoided eye contact (with me)].

なぜだか 何故だか ☞ なぜ; なぜか

なぜなら(ば) 何故なら(ば) ―接 because …
語法 (1) 理由を述べる最も典型的な接続詞. 文頭にも主節の後にも置くことができるが, 主節の後のほうが普通; since … 語法 (2) because よりやや格式ばっていて, 意味はほぼ同じ. 文頭に置くことが多い; (…というのは) for … 語法 (3) やや文語的で, 理由というよりは状況説明をするというほうが近い感じの語で, 会話やくだけた文では用いない. 文頭には置かれず, 前の節とはコンマで区切るのが普通.
¶鯨は哺乳動物である. *なぜならば鯨は胎生だから The whale is classified as a mammal *because* it ˹bears its young alive [is viviparous /vaɪvíp(ə)rəs/]. // 夜の間に雨が降ったらしい. *なぜならば道路がぬれている It seems ˹it [to have] rained during the night, ˹*because* [*since*] the road is wet.

なぜに 何故に ☞ なぜ

ナセル¹ ―名 固 Gamal Abdel Nasser /gəmɑ́ːl ɑ́ːbdl nɑ́ːsə/, 1918–70. ★ エジプトの首相.

ナセル² (軽気球のつりかご・飛行機のエンジン収納筒) nacelle /nəsél/ Ⓒ.

なぜる 撫ぜる ☞ なでる

なぞ 謎 (不可解なこと) mystery Ⓒ; (不可解なもの[人]) enígma Ⓒ; (判じ物) puzzle Ⓒ; (なぞなぞ) riddle Ⓒ. ((☞ ふかかい)).
¶それは依然として*謎だ It remains a *mystery*. // 刑事はその*謎を解く手がかりを捜した The detective looked for a clue to (solve) the *mystery*. // それはアメリカ先史時代の*謎の1つだ It is one of the *enigmas* of American prehistory. // 君に*謎を出すよ I'll ˹ask [give] you a *riddle*. // 「あなたにこの*謎が解けますか」「やってみましょう」 "Can you ˹figure

out [solve] this ⌈*riddle* [*puzzle*]?" "I'll try." // *謎めかして言う speak in *riddles*

謎をかける give a riddle; (それとなくほのめかす) give [drop] a hint. ¶ 私は*謎をかけたが彼は気がつかなかった I *dropped a hint*, but he missed it.

謎言葉 rebus Ⓒ, puzzle Ⓒ.

なぞかけ 謎掛け ¶ *なぞ掛けっこをする *ask* each other *riddles* (☞ なぞ; なぞなぞ)

なぞとき 謎解き ―[動] solve [answer; work out] a ⌈riddle [puzzle].

なぞなぞ 謎謎 riddle Ⓒ. ¶ 彼は「穴だらけでありながら水をためるものはなんだ」という*なぞなぞを私に出した He asked me the *riddle*, "What is full of holes and yet holds water?" // その*なぞなぞの答えはスポンジだった The answer to the *riddle* was "A sponge."

なぞめく 謎めく ―[形] enigmatic. ¶ *謎めいた微笑 an *enigmatic* smile // 彼は*謎めいた事を言った He said something ⌈*mysterious* [*enigmatic*].

なぞらえる 準える (例える) compare [liken] ... to ... [語法] compare のほうが普通. liken は格式ばった語; (まねて作る) model [make] ... after ... (☞ たとえる). ¶ 人生はよく航海に*なぞらえられる Life is often ⌈*compared* [*likened*] *to* a voyage. // これは古い原型に*なぞらえて作ったものです We *made* this *after* an old model.

なぞる (透写する) trace (他) (☞ うつす[2]). ¶ 手本を*なぞって書道の練習をした We practiced calligraphy by *tracing* in a copybook.

なた 鉈 hatchet Ⓒ. 鉈を振るう ☞ おおなた

なだ 灘 open sea Ⓤ. ¶ 遠州*灘 *the Sea* of Enshu

なだい 名代 ―[形] (有名な) well-known, famous. (☞ ゆうめい[1]).

なだかい 名高い (よい意味で有名な) famous; (よく知られた) well-known; (専門分野で著名な) noted [語法] well-known, noted はよい悪いという点については中立的. (☞ ゆうめい[1] (類義語); ていひょう).

なだざけ 灘酒 ☞ なだのきいっぽん

なだたる 名立たる ―[形] (有名な) well-known, famous. (☞ ゆうめい[1]).

ナタデココ (フィリピンの食品) nata de coco /nάːtədəkóukou/ Ⓤ.

なたね 菜種 (あぶらなの種子) rapeseed Ⓒ; (あぶらな) rape Ⓤ. 菜種油 rape(seed) oil Ⓤ 菜種糟(かす) rapeseed lees ★ 複数形. 菜種梅雨 a long spell of rainy weather in early spring ★ a を付けて.

なだのきいっぽん 灘の生一本 pure Nada sake Ⓤ; (説明的には) fine-quality sake produced in Nada, a district of Kobe.

なたまめ 鉈豆 sword bean Ⓒ.

なだめすかす 宥め賺す (人をなだめすかして…させる) coax *a person* ⌈to *do* ... [into *doing* ...]; (人を説きふせて…させる) persuade *a person* to *do* ...

¶ 母親は*なだめすかして子供に野菜を食べさせた The mother *coaxed* her child *into* eating the vegetables. // *なだめすかして彼を外に出した I *persuaded* him *to* go outside.

なだめる 宥める (泣いている子などを) soothe /súːð/ (他); (静める) quiet (他), calm (他) ★ 前者のほうが口語的; (争いなどを治める) pacify (他) ★ 格式ばった語; (特に要求や条件などを受け入れて満足させる) appease (他); (うまくなだめすかす) coax /kóuks/ (他). (☞ あやす).

¶ 彼女は泣く子を*なだめた She ⌈*soothed* [*quieted*; *calmed*] the crying child. // 彼は彼女の怒りを*なだめようとした He tried to *appease* her anger.

なだらか ―[形] (傾斜がゆるやかな) gentle.

¶ 町全体は*なだらかな丘の斜面にあります The whole town is on the *gentle* slope of a hill.

なだれ 雪崩 avalanche /ǽvəlæ̀ntʃ/ Ⓒ. なだれを打って ¶ 群衆が*なだれを打って入ってきた (⇒ 押し寄せてきた) The crowd *surged* into the place.

なだれこむ 雪崩込む (波のように押し寄せる) surge into ...; (突進・突入する) rush into ... ★ 前者のほうが意味が強く, 後者のほうが口語的. (☞ さっとう). ¶ 暴徒はその建物に*なだれ込んだ The mob ⌈*surged* [*rushed*] *into* the building.

ナチ (人) Nazi /nάːtsi/ Ⓒ; (ナチズム) Nazism Ⓤ.

ナチス (国家社会主義ドイツ労働者党の通称) the Nazis; (党員) Nazi Ⓒ.

ナチズム Nazism Ⓤ.

ナチュラリスト (自然主義者) naturalist Ⓒ.

ナチュラル ―[形] (自然の) natural.

ナチュラルウォーター mineral water sterilized by heating Ⓤ.

ナチュラルサイエンス natural science Ⓤ.

ナチュラルサウンド natural sound Ⓤ.

ナチュラルチーズ natural cheese Ⓤ.

ナチュラルトーン natural tone Ⓤ.

ナチュラルフーズ natural foods.

なつ 夏 summer Ⓤ (☞ かき[4]).

¶ この花は*夏に咲く This flower comes out in (the) *summer*. (☞ はる[1] [語法] (4)) // 今年の*夏は北海道へ行きます I am going to Hokkaido this *summer*. [語法] this, last, next などが付くときは前置詞を伴わない. // 私は軽井沢で*夏を過ごした I spent the *summer* ⌈at [in] Karuizawa. // 彼は*夏中アルバイトに精を出した (⇒ 一生懸命働いた) He worked hard all through the *summer*.

夏の暮れ (晩夏) late summer Ⓤ; (夏の夕暮れ) summer evening Ⓒ 夏の月 the moon on a summer evening.

> **コロケーション**
> 夏が終わりに近づく *summer* wanes / 夏が終わる *summer* ⌈goes [is over] / 夏が来る *summer* comes / 夏が近づく *summer* approaches

なついん 捺印 ―[動] put the seal on ... ―[名] seal Ⓒ [日英比較] 欧米に日本のような印鑑はないので, 意訳である. 欧米で日本の印鑑の代わりをするのはサイン (署名) (signature) である. (☞ いんかん[1] [日英比較]; はん[1]).

なつおび 夏帯 *obi* for summer wear Ⓒ.

なつがけ 夏掛け (夏用の薄い掛け布団) (light) summer quilt Ⓒ (☞ なつぶとん).

なつかしい 懐かしい ―[動] (懐かしく思う) 《格式》 yearn ⌈for [after] ...; (思い焦がれる) long for ... ―[形] (いとしい) dear; (古きよき…) good old ...

¶ 私は故郷が*懐かしい I *yearn* ⌈*for* [*after*] my ⌈home [hometown]. / (⇒ 故郷に帰りたいと思う) I ⌈*long* [*feel a longing*] *for* (my) home. / (⇒ なんと懐かしく思うことか) How I ⌈*yearn after* [*long for*] (my) home! // 私は 20 年ぶりに*懐かしい故郷へ帰った I went back to my *dear old* hometown for the first time in twenty years. // この写真を見るといつもあの*懐かしい昔を思い出す (⇒ この写真がいつもあの古きよき日を思い出させる) This picture always reminds me of the *good old* days. // それは*懐かしい歌だ It's a *good old* ⌈song [melody]. // *懐かしい人々 (⇒ 昔なじみの顔) に会うのを楽しみにしている I'm looking forward to seeing the *old familiar* faces.

なつかしがる 懐かしがる (…がなくて寂しく思う) miss (他). ¶ 彼女はふるさとをとても*懐かしがっている She *misses* her hometown terribly. // 彼は子供の頃をしきりに*懐かしがった (⇒ 愛情をもって思い起こし

た) He「*recollected* [*recalled*] his childhood *with* great *fondness*.

なつかしむ 懐かしむ (なつかしく思う)《格式》 yearn「for [after] …; (思いあこがれる) long for … 《☞ なつかしい》.

なつがすみ 夏霞 summer mist Ⓒ《☞ かすみ》.

なつかぜ 夏風邪 summer cold Ⓒ《☞ かぜ²》.

なつがれ 夏枯れ (夏枯れ時) the slack summer season《☞ ふけいき》.

なつぎ 夏着 ☞ なつふく

なつぎく 夏菊 〔植〕summer chrysanthemum Ⓒ.

なつぎぬ 夏衣 ☞ なつふく

なつく 懐く ―[動] (…を好くようになる) take to …; (動物がおとなしくなれる) tame (自). ―[形] (動物が人になれた) tame. 《☞ なれる²》. ¶その子はすぐ新しい家庭教師に*なついた The child *took to* his new tutor quickly. // クラスの生徒はみんな先生に*なついている (⇒ 好きである) All the pupils in the class *like* their teacher very much. // この犬はさっぱり*なつかない This dog isn't *tame* at all.

なつくさ 夏草 summer grass Ⓤ.

なつぐみ 夏ぐみ 〔植〕cherry silverberry Ⓒ《☞ ぐみ》.

なつぐも 夏雲 (夏の雲) summer clouds ★ 複数形で; (入道雲) thunderhead Ⓒ; (気象用語で積乱雲) cumulonimbus /kjùːmjʊlounímbəs/ Ⓒ. 《☞ くも¹ (挿絵)》.

ナックルフォア 〘ボート〙coxed four Ⓒ.

ナックル(ボール) 〘野〙knuckleball Ⓒ.

なつげ 夏毛 (動物の) summer fur Ⓤ.

なづけ¹ 名付け (名をつけること) naming Ⓤ《☞ なづける; なづけおや》.

なづけ² 菜漬け greens pickled in salt ★ 複数形で. 《☞ な²》.

なづけおや 名付親 ¶おじさんが彼の*名付親です (⇒ 彼は (生後すぐ) おじさんに名前をもらった [選んでもらった]) He was given the name [His name was chosen] by his uncle (just after he was born).

なづける 名付ける (命名する) name (他); (称する) call (他) [語法] ほぼ同意だが, call のほうは「…を…と呼ぶ」という意味で, 必ずしも正式に名前を与えるということを意味しない場合もある. 《☞ よぶ; なまえ¹; めいめい²》.
¶両親はその子を太郎と*名付けた ＜S (人)＋V (*name*; *call*)＋O (人)＋C (固有名詞)＞ The parents「*named* [*called*] the baby Taro. // その島は発見した人にちなんで*名付けられた The island *was named* after the man who discovered it.

なつご 夏蚕 summer breed of silkworms Ⓒ.

なつこだち 夏木立 grove that provides (a) shelter from the summer heat Ⓒ.

なつこむぎ 夏小麦 ☞ ライむぎ

なつごろも 夏衣 summer wear Ⓤ《☞ なつふく》.

なつさく(もつ) 夏作(物) (夏に収穫する作物) summer crops ★ 複数形で; (夏に生育する作物) crops that grow in summer ★ 複数形で.

なつざぶとん 夏座布団 summer cushion Ⓒ.

なつじかん 夏時間 《米》daylight saving time Ⓤ, daylight saving Ⓤ; 《英》summer time Ⓤ. ¶*夏時間だから, まだ外は明るい It's *daylight saving time*, so it's still light outside.

ナッシュヴィル ―[名] (固) Nashville ★ 米国テネシー州の州都.

なつしろぎく 夏白菊 〔植〕feverfew Ⓒ.

ナッシング nothing. ¶オールオア*ナッシング的態度 an all-or-*nothing* attitude // ツー*ナッシング《野球》*No* balls and two strikes. ★ 日米でストライクとボールを数える順番が逆になることに注意.

なつずいせん 夏水仙 〔植〕hardy amaryllis Ⓒ.

なつすがた 夏姿 (夏らしい装い) summery style Ⓒ.

なつぜみ 夏蟬 summer cicada Ⓒ.

なっせん 捺染 ―[動] print (他). **捺染機** printing machine Ⓒ **捺染のり** printing paste Ⓤ.

ナッソー ―[名] (固) Nassau /nǽsɔː/ ★ バハマの首都.

なつだいこん 夏大根 Japanese summer mooli Ⓒ; (説明的には) daikon planted in early spring and harvested in summer Ⓒ.

ナッチョ nacho /nάːtʃoʊ/ Ⓒ ★ トルティーヤにチーズなどをのせて焼いたスナック.

ナッツ (殻の堅い木の実) nut Ⓒ ★ hazelnut (はしばみの実), walnut (くるみ), peanut (ピーナッツ) など. 《☞ み²》.

なつつばき 夏椿 〔植〕Japanese stewartia Ⓒ.

なってない ¶あいつの演技は*なってなかった (⇒ 下手だ) His performance was *very poor*. // 彼の論旨は*なってない His argument「*makes no sense* [*is senseless*; *is nonsensical*] . // あいつは*なってない (⇒ 絶望的だ) He's *hopeless*.

ナット nut Ⓒ. ¶*ナットでボルトを留める (⇒ ナットをボルトにはめてねじって留める) screw a *nut* onto a bolt

なっとう 納豆 *natto* Ⓤ; (説明的には) ferménted sóybèans. **納豆菌** *natto* bacilli ★ 複数形で. **納豆汁** miso soup containing chopped fermented soybeans Ⓤ.

ナットオイル (堅果油) nut oil Ⓤ.

なっとく 納得 ―[動] (理解・了解する) understand (他); (納得させる) convince (他); (納得する) be convinced (of …; that …); (承諾・同意する) consent (to …) (自); (満足する) be satisfied (with …). ―[名] (同意) consént Ⓤ; (了解) understanding Ⓤ. 《☞ しょうふく; しょうち¹; まんぞく》.
¶そんなばかげたことは*納得 (⇒ 理解[同意]) できない I can't「*understand* [*consent to*] such an absurdity. // それが本当であることを彼女に*納得させることができない I cannot *convince* her「*of* its truth [*that* it is true]. // その事は彼も*納得したと思った (⇒ それに対して彼が同意を与えたと思った) I thought that he *had given his consent to* it. // 少額の補償では彼らは*納得しない (⇒ 満足しない) だろう They won't *be satisfied with* a small amount of compensation.
納得ずく ¶こうした計画は皆の*納得ずくで (⇒ 相互の同意[理解]があって) 行うべきだ These plans should be carried out「with [by] *mutual*「*consent* [*understanding*].

ナットクラッカー (くるみ割り器) nutcracker Ⓒ.

なつどり 夏鳥 summer bird Ⓒ.

なつば 夏場 (夏) summer Ⓤ; (夏のシーズン) summertime Ⓤ ★ 前者のほうが普通. 形容詞的にも用いる. 《☞ なつ; かき⁴》.

なっぱ 菜っ葉 greens ★ 複数形で. **菜っ葉服** light-green overalls ★ 複数形で.

なつばおり 夏羽織 summer haori Ⓒ.

なつはぎ 夏萩 〔植〕Japanese bush clover Ⓒ.

なつばしょ 夏場所 (相撲の) the summer (sumo) grand tournament.

なつばて 夏ばて ¶彼はすっかり*夏ばてしている (⇒ 夏の暑さでぐったりだ) He *is* completely *exhausted from the summer heat*. // *夏ばてして (⇒ 夏の暑さが元気をなくさせて) しまった *The summer heat has* really「*worn* me *down* [*got* me *down*; *got* me *beat*]. ★ ほぼ同意だが, 後のものほど口語的となる. 最後は俗語に近い表現. // *夏ばて (⇒ 暑さからの疲れ）防止にうなぎを食べよう Let's eat eel to fight *heat exhaustion.*《☞ なつやせ》

なつび 夏日 （焼けつくような）burning summer sun Ⓤ；（うだるように暑い）sizzling hot summer sun Ⓤ ★ くだけた表現；（最高気温が 25°C を超える日）day on which the temperature goes above 25°C Ⓒ ★ 説明的な訳.《☞ まなつ（真夏日）》.

なつふく 夏服 summer ˹clothes [wear Ⓤ]；（スーツ）summer suit Ⓒ.

ナップザック knapsack Ⓒ.

なつふじ 夏藤 climbing leguminous shrub with white flowers, related to wisterias Ⓒ ★ 説明的な訳.

なつぶとん 夏布団 (light) summer futon Ⓒ; summer bedclothes ★ 複数形で. シーツやカバーを含む.《☞ ふとん；なつがけ》.

なつぼうし 夏帽子 summer hat Ⓒ.

なつぼし 夏干し airing clothes in summer Ⓤ.

なつまけ 夏負け ☞ なつばて

なつまつり 夏祭り summer festival Ⓒ.

なつみかん 夏蜜柑 Chinese citron Ⓒ.

なつむき 夏向き ¶ *夏向きの服 *summer* clothes / clothes *for summer use*

なつむし 夏虫 summer insect Ⓒ.

なつめ 棗 jujube Ⓒ.

なつめく 夏めく ¶ だんだん*夏めいてきた Little by little, it *is getting to be like summer.*《☞ -めく》

ナツメグ nutmeg Ⓤ ★ ナツメグの木を言う時には Ⓒ.

なつめそうせき 夏目漱石 ── [名] (固) Natsume Soseki, 1867–1916;（説明的には）a novelist in the Meiji era who brought the modern Japanese realistic novel to full maturity.

なつめやし なつめ椰子 date palm Ⓒ；（実）date Ⓒ.

なつメロ （個々の曲）old popular song Ⓒ；（よく知られた懐かしいメロディー）old familiar melody Ⓒ.

なつもの 夏物 ¶ *夏物バーゲン a *summer* sale // *夏物在庫一掃セール a clearance (sale) on all *summer goods*

なつやすみ 夏休み summer vacation Ⓒ,《英》summer holidays.《☞ やすみ；きゅうか¹》.

なつやせ 夏痩せ ── [名] loss of weight in summer Ⓤ. ── [動] lose weight in summer.《☞ なつばて；やせる》.

なつやま 夏山 （夏の山）summer mountain Ⓒ；（夏の登山）summer mountaineering Ⓤ.《☞ やま；とざん》. ¶ *夏山のシーズンは 7 月に始まる The *summer mountaineering* season begins in July.

なであげる 撫で上げる （髪をブラシで）brúsh úp (他)；（くしで）cómb úp (他). ¶ 彼女は髪をきれいに*なで上げた She ˹*brushed* [*combed*] *up* her hair beautifully.

なでおろす 撫で下ろす （胸を）be relieved, feel relieved ★ ほぼ同意だが，前者がより口語的.《☞ なでる》. ¶ 息子の無事を知って彼女は胸を*なでおろした She *was relieved* to know that her son was safe.

なでがた 撫で肩 sloping shoulders ★ 複数形で.

なでぎり 撫で斬り ── [動]（次々に切り倒す）cút dówn (one after another) (他)；（さっと切る）slash (他).《☞ きる¹》.

なでぐし 撫で櫛 smoothing comb Ⓒ.

なでしこ 撫子 〔植〕pink Ⓒ.

なでつけ 撫で付け smoothing down Ⓤ《☞ なでつける》. **撫で付け髪** hair that is smoothed down Ⓤ **撫で付け櫛** ☞ なでぐし

なでつける 撫で付ける （髪を）smóoth (dówn) (他)；（くしですいて）cómb dówn (他). ¶ 彼女は髪を*なでつけた She ˹*smoothed* [*combed*] *down* her hair.

なでぼとけ 撫で仏 ── [名] (固) Nadebotoke;（説明的には）another term for Pindola, a disciple of the Buddha, touching a part of whose statue is commonly believed to heal the corresponding diseased part of the person touching the statue.

なでまわす 撫で回す （やさしく撫でる）caréss (他)；（愛撫する）fondle (他). ¶ 彼女は花瓶を*なで回した She *caressed* the vase lovingly. // 彼女の恋人は彼女の肩を*撫でまわしていた Her boyfriend *was fondling* her shoulder.

なでる 撫でる （さする）stroke (他)；（動物などをかわいがって愛撫する）pet (他)；（繰り返しそっと手で）pat (他).《☞ さする》. ¶ 彼女は赤ん坊の頭を*なでた She *stroked* the baby's head. // 彼は手で自分の顔を*なでた He *ran a hand* across his face. // 少女は子猫を*なでてやった The girl *petted* her kitten.

-など …等 （同種のものがなお続く場合）and so ˹on [forth] [語法] (1) 最も一般的な言い方. forth はやや格式ばった表現; etc. /etsétərə, -trə/ [語法] (2) ラテン語の et cetera（＝and so on）の略字で，最後にはピリオドを打ち，前の語とはコンマで区切る. やや格式ばった言い方だが，話し言葉でも用いられる.《☞ エトセトラ（巻末）》；（および同種のもの）and the like;（その他のもの）and other things;（その他いろいろ）and what not [語法] (3) 細かいものなどをたくさん並べる必要のあるときに使う.
¶ 聴衆の中には学生，教師，会社員*などがいた Among the audience, there were students, teachers, office workers *and so* ˹*on* [*forth*]. // 彼は野球やテニス*などがうまい He is good at baseball, tennis *and the like.* // ロンドン，パリ*などヨーロッパの都市へ行ってみたい I want to go to London, Paris *and other cities* in Europe. // これ*などいかがでしょうか How about this?《☞ 日本語の消極的表現（巻末）》

ナトー （北大西洋条約機構）NATO /néɪtou/ [日英比較] 英語では発音が違うことに注意. ★ *N*orth *A*tlantic *T*reaty *O*rganization の略.《☞ 略語（巻末）》.

なとり 名取り ¶ 彼女は日本舞踊の*名取りだ（⇒免状を持っている）She has a diploma in traditional Japanese dance. /（⇒資格のある教師である）She is an *accredited instructor* ˹of [in] Japanese dance.

ナトリウム 〔化〕sodium /sóudiəm/ Ⓤ《元素記号 Na》★ ナトリウムはドイツ語から. ¶ 塩化*ナトリウム *sodium* chloride /klɔ́ːraɪd/ **ナトリウムランプ[灯]** sodium-vapor lamp Ⓒ.

なな 七 ☞ しち¹

なないろ 七色 ¶ 日本人はたいてい虹は*七色だと思っている Most Japanese think that a rainbow has *seven colors.*

ななえ 七重 **七重の膝を八重に折る**（幾重にもわびる）apologize most humbly;（深くわびる）apologize ˹deeply [profusely] **七重八重** ¶ 彼の頭は*七重八重に（⇒たっぷりと）包帯がしてあった His head was ˹*fully* [*heavily*] bandaged.

ななかまど 〔植〕mountain ash Ⓒ.

ななくさ 七草 （春の七草）the seven spring herbs;（秋の七草）the seven autumn flowers. **七草がゆ** spring-herb rice porridge Ⓤ；（説明的には）rice porridge mixed with the seven spring herbs Ⓤ.

ななころびやおき 七転び八起き （人生の浮き沈み）the ups and downs of life. ¶ 人生は*七転び八起きだ Life is full of *ups and downs.*

ななし 名無し ―形 nameless. **名無しの権兵衛** Mr. What's-his-name Ⓒ.

ななじゅう 七十 ☞しちじゅう

ななしゅきょうぎ 七種競技 heptathlon /heptǽθlən/ Ⓤ.

ななたび 七度 seven times; (多くの回数) many times. **七度尋ねて人を疑え** (人を疑う前に徹底的に捜せ) Make a thorough search before you suspect anyone of theft.

ななつ 七つ ―名 seven. ―形 (7つの) seven; (7つ目の) the seventh. 《☞数字 (囲み)》. **七つ道具** (大工などの道具の完全な一そろい) complete set of tools Ⓒ 《☞どうぐ》 **七つの海** the seven seas **七つの大罪** ☞たいざい[2]

ななはん 七半 ¶*ななはん (⇒排気量 750 cc) のオートバイ a motorcycle of *750 cc displacement*

ななひかり 七光 ¶彼は親の*七光で (⇒影響力で) 早く出世した He has won quick promotion *through the influence of* his parents. 《☞おや[1] (親の光は七光)》

ななふしぎ 七不思議 (世界の) the Seven Wonders of the World.

ななまがり 七曲がり ¶*七曲がりの道 a ⌈*winding* [*zigzag*]⌉ path [road] 《☞つづらおり》

ななめ 斜め ―形 (対角線のような) diagonal /daɪǽgənl/ ★やや格式ばった語だが, 明確に斜めを表す語; oblique /oʊblíːk/ 語法 (1) 前者より口語的だが,「斜めに曲がった」という意味から「婉曲な」のような比喩的意味でも使われる; slant ★ oblique とほぼ同意だが,「斜めに曲げる」という動詞から派生した形容詞. ―名 (傾斜) slant Ⓒ. ―副 diagonally; obliquely; slantingly, slantwise, slantways. 《☞かたむく; はす[2]》.
¶私は*斜めの縞のネクタイが好きだ I like ties with ⌈*diagonal* [*oblique*]⌉ stripes. // 道路を*斜めに横断してはだめだ Don't cross the road *diagonally*. // *斜めの線を引く draw ⌈a *diagonal* [an *oblique*; a *slanting*]⌉ line 語法 (2) 以上は斜めの長い線の場合に使うことが多い. 語と語の間の区切り, または… or … の意味で使う短い斜線 (/) (この辞書では言いかえ可能な用例の間に用いている) は slant Ⓒ という. // 父はご機嫌*斜めだ (⇒不機嫌だ) My father *is* now *in* ⌈*bad humor* [*a bad mood*]⌉.
斜め後ろ[向こう] ¶私の*斜め後ろ[向こう]に座っている人 the person sitting *diagonally* ⌈*behind* [*across from*]⌉ me **斜め前** ¶彼の家の*斜め前に木がある There is a tree *diagonally to the front of* his house.

なに[1] 何 what ★疑問詞で, 必ず文頭に置く; (…するものは何でも) whatever; (何でもみな) everything; (何も…でない) not … any …, not … anything, nothing 語法 否定文で「一つも…でない」という意味で使う. not … ⌈any … [anything]⌉ のほうが口語的で否定の意味も強い. 《☞なんの; なにか》.
¶「*何があったんですか」「事故です」 "*What* happened?" "It was an accident." //「ここで*何をしているんですか」「ただ書類を見ているだけです」 "*What* are you doing here?" "I am just looking at these papers." // *何. もう一度言ってみなさい *What*? Say that again. 《☞なに[2]》 // 私は*何をしていいのかわからない I don't know *what* ⌈I should do [to do]⌉. // 彼は*何をやってもだめだ (⇒彼のやることは何でも失敗に終わる) *Whatever* he tries ends in failure. 《☞なにも; なにもかも》 // *何年(なにどし)生まれ ☞うまれ **何するものぞ** (…なんてこわくない) Who's afraid (of …)? ¶巨人軍*何するものぞ *Who's afraid of* the Giants? // 彼らの反対*何するものぞと (⇒反対におかまいなく) その計画を押し進めた We carried on with our project *regardless of* their opposition. **何を隠そう** (率直に言えば) to be frank with you; (実を言うと) to tell the truth.

なに[2] 何 ¶「けがはなかった?」「*なに, 大したことはないよ」 "Weren't you hurt?" "*No*, not very much." //「試験だめだった」「*なに, 次があるさ」 "I failed the test." "*So what*. There's always a next time."

なにか 何か 《肯定平叙文で》 some, something; 《疑問文, if, whether に続く節で》 any, anything 語法 (1) some, any は後に名詞が続くのが普通だが, 名詞を省略して代名詞としても用いる. 日本語の「何か」に当たる場合は some は単数名詞が続き, any は単数名詞の場合も複数名詞の場合もある. 疑問文の any(thing) は「あるかないか」と有無を聞く意味となり, if, whether 節では「もしあるとすれば」の意味を表す. something, anything はいずれも単数扱い. また something, anything など, -thing の付く言葉を修飾する形容詞はその後に付く. 否定文の any については ☞なに[1].
¶向こうに*何か白い物が見えた I saw *something* white over there. // *何か食べる物を下さい Please give me *something* to eat. //「この箱の中には*何か大切な物が入っていますか」「いいえ, 大切な物はありません」 "Is there *anything* important in this box?" "No, there is nothing important." // *何か書く物を貸して下さい. 何でもかまいません May I borrow *something* to write with? *Anything* will do. 語法 (2) この something は疑問文で用いられているが, 有無を聞くのではなく, something to write with で「書く道具」というまとまった言葉として用いられている. また, anything が肯定文で用いられた場合は「何でも」という意味. // *何かの理由で彼は学校を欠席した For *some* reason he was absent from school. // *何か質問がありますか Do you have *any* questions? / *Any* questions? ★前者のほうが丁寧な言い方. // *何かご用でしょうか *What* can I do for you? 語法 (3) 受付などへ来た人に向かって言う. What do you want? は失礼だから使ってはならない. / Can [May] I help you? 語法 (4) これも前者と同じ状況でも使えるし, 店などで客に対しても使える. ただし, その場合は日本語の「いらっしゃいませ」に当たる. なお, can より may が丁寧とされるが, あまり大きな違いはない.

なにがし 某 ―名 (人) Mr. Só-and-sò; (…とかいう人) a (certain) Mr. … ―形 (いくらかの) some. 《☞ある[2]; -という; いくらか》.
¶鈴木*なにがしという人が訪ねてきました *A* (*certain*) *Mr.* Suzuki came to see you.

なにかしら 何かしら ―形 (何かの) some. ―代 (あるもの) something. 《☞なにか》.

なにかと 何かと ¶彼は*何かと (⇒あれやこれやで) 忙しい He is busy *with one thing or another*. // 私が上京したとき彼女は*何かと世話を焼いてくれた (⇒大いに助けてくれた) She helped me *a lot* when I went to Tokyo. // 駅のそばに住むのは*何かと (⇒いろいろな点で) 便利だ It is convenient *in many ways* to live near a (train) station. 《☞あれこれ; なにやかや; いろいろ》

なにかというと[いえば] 何かと言うと[言えば] ¶彼は*何かというと (⇒何か問題があるといつも) 私を頼る He asks me to help *whenever there's a problem*. // 彼は*何かというと倹約という He stresses economy *in everything*. // あいつは*何かといえば子供の自慢だ (⇒常に自慢のきっかけを探している) He's *always finding* ⌈*an occasion* [*a pretext*]⌉ to brag about his kids. // 彼は*何かといえば口を出す (⇒いつも会話に割り込む) He ⌈breaks [cuts]⌉ into a conversation *all the time*.

なにがなんでも 何が何でも (ぜひ) by all means; (どんな犠牲を払っても) at ⌈all costs [any cost]⌉. 《☞

ぜひ'; かならず; きっと')).

なにかにつけ 何かにつけ ── 名 (あれやこれや) one 「thing [way] or another. ── 副 (いろいろな点で) in 「many [various] ways. (☞ なにかと; なにやかや; いろいろ).

なにからなにまで 何から何まで ¶*何から何までうまくいった *Everything* went well. // パリのことなら*何から何まで知っている I know Paris *inside out*.

なにくそ 何糞 ¶*なにくそ. 絶対にあきらめないぞ *Damn it*! I'll never give it up. (☞ ちくしょう)) // 私は*なにくそと (⇒ ありったけの力で) その綱を引っ張った I pulled on the rope *with all my might*.

なにくれとなく 何くれとなく (いろいろな方法で) in various ways; (あれこれと) in one way or another. (☞ いろいろ; なにやかや).

なにくわぬかお 何食わぬ顔 ¶彼は*何食わぬ顔をしていた (⇒ 何も知らないふりをしていた) He *feigned ignorance*. / He *pretended that he knew nothing*. // 彼女は*何食わぬ顔で (⇒ 無関心な[罪のない]顔をして) 部屋に入って来た She entered the room *with an* 「*unconcerned* [*innocent*] *look*.

なにげない 何気ない ── 形 (ふと思いついたような) casual; (無関心な) indifferent. ¶彼女は*何気ない質問をした She asked a *casual* question. // 彼は*何気ないふうでそれを見ていた He was looking at it in an *indifferent* manner.

なにげに ☞ なにげなく; なにやら

なにげなく 何気なく ── 副 (特に注意もせずに・ふと) casually; (無意識に) unconsciously. ¶彼女は*何気なくページをめくった She *casually* turned the page(s). // 彼は*何気なく (⇒ たまたま) その本を取った He *happened to* pick up the book. // 私は*何気なく (⇒ 無意識に) 振り向いた I *unconsciously* turned around.

なにごと 何事 (何) what; (何か) anything ★ 疑問文・条件節で; (何も…ない) nothing. (☞ なに'; なにか). ¶これは*何事だ *What*'s this? // 「*何事ですか (⇒ 何が起こったか)」「何でもありませんよ」"*What* happened?" "Nothing (happened)." // *何事かあったら警察を呼んで下さい If *anything* happens, please call the police. // 人の部屋をのぞくとは*何事だ (⇒ よくもまあのぞけるものだ) How *dare* you peep into someone else's room? // 仕事は*何事もなく (⇒ 障害なく[円滑に]) 進んだ The work proceeded 「*without a hitch* [*smoothly*]. // *何事があろうとも彼は頑張るだろう *Whatever may happen*, he will persevere.

なにさま 何様 ¶*何様だと思っているんだ *Who in the world* do you think you are? // *何様でもあるまいし (⇒ 彼はいっぱしの名士気取りだ) As if he were some kind of celebrity!

なにしろ 何しろ **1** 《いずれにしろ》: (とにかく) at any rate; (どのようなことになるにしろ) in any case; (ともかく当面は) anyway; (とにかくどんな方法でもよいから) anyhow 語法 以上の語はいずれも口語において何かを促進したり, 提案・勧誘したりする際の前置きのつなぎの言葉としてよく用いられる. ほぼ同意で, 入れ換え可能な場合が多い. (☞ とにかく).
¶*なにしろ始めなくては *At any rate* we have to begin now. // *なにしろ (あなたは) もっと勉強しなくては *In any case* you have to study harder. // *なにしろやってみなければわからない *Anyway* [*Anyhow*], you never know what you can do till you try.
2 《なぜなら》: because ..., for ... 語法 口語では前者が普通. (☞ なぜならば). ¶「なぜ来なかったんですか」「*なにしろ忙しかったので」"Why didn't you come?" "*Because* I was very busy." // あいつがいつもぼやくのも無理はない, *なにしろ奥さんが自分勝手だからな (⇒ 奥さんが自分勝手であることを考えると) I can understand why he's always grumbling, 「*considering* [*seeing*] how selfish his wife is.

なにせ 何せ ¶*何せ彼は有能だからうまくやってのけるだろう He's sure to make it, *seeing* (that) he's so smart. // また今月も赤字になっちまった, *何せ家族が多いからな I know I've overspent again this month, *but just remember* I've got a lot of mouths to feed. // *何せ (⇒ 結局のところ) あいつは先生のお気に入りだからな *After all*, he's the teacher's pet.

なにとぞ 何卒 (どうか) please; (…でありますように) May ... 語法 May を文頭に置く.
¶*なにとぞご迷惑をかけたことをお許し下さい *Please* accept my apologies for 「the [any] inconvenience (I caused). ★ かなり格式ばった言い方. // *なにとぞ彼がうまく行きますように *May* he be successful.

なににしても 何にしても ¶*何にしても (⇒ どんなことがあっても) 嘘はいけない *Whatever happens*, you must never lie. // *何にしても出かける用意はしなきゃ *At any rate*, let's 「get ready to go [prepare to leave]. // *何にしても資金集めだ *Anyhow* we've got to raise some money.

なににせよ 何にせよ ☞ なににしても

なににもまして 何にも増して ¶健康は*何にも増して大切だ Good health is *more* important *than anything else*. // *何にも増して大切なのは (⇒ 最も大切なことは) 正直であることだ *The most* important thing is to be honest. // 私は*何にも増して名誉を尊ぶ I value honor *above all things*. // 彼の忠告は*何にも増して有難かった *Nothing was more* helpful *than* his advice.

なにはさておき 何はさておき (何事よりも前に) before 「everything [anything] (else); (まず第 1 に) first of all, above all. (☞ さておき).

なにはともあれ 何はともあれ in any case, anyway. (☞ いずれ; とにかく). ¶*何はともあれ無事でよかった *In any case*, I'm glad you're safe. // *何はともあれお茶にしよう *Anyway*, let's have a cup of tea.

なにはなくとも 何はなくとも ¶*何はなくとも我が家は幸せだ I *don't have a lot* (of money), *but* I do have a happy family. // *何はなくともまず一献 There's *only* wine, so let's enjoy it.

なにびと 何人 ¶*何人も入るべからず (掲示) No Entry to *the Public*

なにひとつ 何一つ ¶*何一つお手伝いできないでごめんなさい I'm sorry, I ca*n't* help you *at all*. // 部屋には*何一つ残っていなかった There was *nothing* left in the room. // 私は*何一つ恥ずべきところはない I have *nothing* to be ashamed of. (☞ すこしも; なにも)

なにふじゅうなく 何不自由なく ¶彼らは*なに不自由なく暮らしている (⇒ 十分な収入・財産がある) They are *well off*. / (⇒ 安楽に) They live 「*comfortably* [*in comfort*]. ★ 前者のほうがより口語的. // 彼は子供たちに*なに不自由ない生活をさせている (⇒ 十分より多くを与えている) He has provided *more than* 「*enough* [*sufficiently*] for his children. ★ enough のほうが口語的.

なにぶん 何分 **1** 《懇願・依頼》 ¶*何分よろしくお願いいたします (⇒ 助けていただければありがたいのですが) I would *be grateful for* your help. / (⇒ どんな助けでも大いに感謝いたします) Any help will *be greatly appreciated*. 日英比較 この日本語は英語にぴったりのものがない. 日本語の漠然とした言い方は英語では用いられず, 前後関係から何か具体的な願いとして意訳しなくてはならない. (☞ どうぞ; よろしく)
2 《理由》: (…なので) because ..., as ... 語法

because のほうが明確な理由. 《☞ -なので 語法; なにしろ》. ¶ *何分(にも)慣れないものでたくさん失敗するかもしれません *As* I am 「not used to [still green at] it, I'm afraid I'll make a lot of mistakes.

なにぼう 何某 (名前が思い出せないとき) what's-「his [her]-name Ⓒ; (名前を伏せたいとき) Mr. so-and-so. 《☞ ぼう²》. ¶ 彼は*何某とやらを訪ねに行った He's gone to visit *Mr. so-and-so.*

なにほど 何程 **1** 《どのくらい》: how 「much [many] 《☞ どのくらい》.

2 《たいしたことはない》 ¶ *何ほどの道のりでもない (⇒ たいして遠くない) It's *not very* far from here. // 台風は*何ほどのことはなかった (⇒ 思ったほど激しくなかった) The typhoon was *not so* violent as we expected.

なにも 何も **1** 《否定》: nothing 《☞ なに¹》. ¶ 私は彼について*何も知らない I know *nothing* about him. // これ以上*何も言うことはありません I have *nothing* further to say. // それとこれは*何も関係がない That has *nothing* to do with this. // 私は貴重品は*何も身につけていません I do*n't* have 「*any* valuables [*anything* valuable] with me. // 私はそのことについては*何も知りません I do*n't* know *anything* about it. / I know *nothing* about it. 語法 前者のほうが否定の意味が強い. / (⇒ 私にはわかりません) I have *no* idea (about it). ★ やや婉曲的な言い方.

2 《理由》 —副 (なぜ) why. —名 (理由) reason Ⓤ. 《☞ なぜ》. ¶ *何も謝らなくてもよい (⇒ なぜ謝るのか) *Why* should you make apologies? // *何もそんなにがっかりすることはない (⇒ がっかりする理由はない) You have no *reason* whatever to be so discouraged. // *何もわざわざそこまで行くことはない (⇒ 必要はない) *There is no need* to take the trouble to go there.

なにもかも 何もかも ¶ 彼らは地震で*何もかも失った They lost *everything* in the earthquake. / *Everything* they owned was destroyed 「in [by] the earthquake. // *何もかも (⇒ すべて) うまくいった *Everything* went well.

なにもの¹ 何者 ¶ やつは一体*何者だ *What* [*Who*] on earth is he? // *何者かが昨夜店に侵入した *Someone* broke into the store last night. // *何者がそんなことをしたのか Can you guess *who* did that?

なにもの² 何物 (他の何物) anything else 語法 打ち消し・疑問・比較の表現で. 《☞ なに¹》. ¶ 生命は*何物にも代えがたい (⇒ 生命は他の何よりも貴重である) Life is more precious than *anything else.*

なにやかや 何やかや ¶ *なにやかやと (⇒ あれやこれやで) 忙しい I 「am [keep] busy *with one thing or another.* // 入院費や*なにやかやで金がたいへんかかった It cost me a lot of money, including hospital charges *and whatnot.* ★ whatnot は口語で「何やかや」の意. 《☞ なにかと; あれこれ; いろいろ》

なにやつ 何奴 ☞ なにもの¹

なにやら 何やら ¶ *何やら (⇒ なぜだか知らないが) 気にかかる *I don't know why,* but I feel uneasy. // *何やら (⇒ 何かが) よいにおいがする *Something* smells good. 《☞ なんとなく; なにか》

なにゆえ 何故 ☞ なぜ

なにより 何より ¶ 元気で*何よりだ (⇒ …と聞いてうれしい) *I am glad to hear* that you are well. // *何よりの贈り物をありがとう (⇒ あなたのくれた贈り物は私が望める最高のものでした) The present you gave me was *the best I could have hoped for.* // 寒い夜には熱いスープが*何よりだ (⇒ 熱いスープほどよいものはない) *There is nothing nicer than* hot soup on a cold night. // この写真は*何よりの思い出になる (⇒ この写真は最高の思い出をよみがえらせてくれる) This photo will bring back *the nicest* memories. // *何よりも (⇒ まず一番初めに) 話を聞かせてくれ *Before anything else,* let me first hear your story. 《☞ なににもまして》

なにわぶし 浪花節 *naniwabushi* Ⓤ; (説明的には) a Japanese ballad based on accounts of historical events, traditional stories, etc., and intoned to samisen accompaniment. **浪花節的** ¶ *浪花節的な人 an old-fashioned person who strongly believes in the importance of personal relationships

なにをかいわんや 何をか言わんや ¶ 彼は私の忠告を無視した, *何をか言わんやだ (⇒ それ以上いうことがあろうか) He neglected my advice. 「*What more can I say?* [*What's (there) left to say?*]

なぬし 名主 village head(man) Ⓒ.

ナノ 〘単位〙 nano- /nǽnə/ ★ 10 億分の 1(10^{-9})を表す. 《略 n》. 《☞ 度量衡 (囲み)》. **ナノアンプ** nánoàmp Ⓒ 《略 na》 **ナノグラム** nanogram Ⓒ 《記号 ng》 **ナノコンピューター** nanocomputer Ⓒ ★ ナノテクノロジーを生かした(微小な)コンピューター. **ナノサージャリー** 〘医〙 nanosurgery Ⓤ ★ 電子顕微鏡やレーザーを使って行う微少部分の手術. **ナノサイエンス** nanoscience Ⓤ **ナノテクノロジー** (極小機械などを扱う分野) nanotechnology Ⓤ **ナノバイオロジー** (極小生命現象を研究する分野) nanobiology Ⓤ **ナノ秒[セカンド]** nánosècond Ⓒ 《略 ns》 **ナノメートル** nánomèter Ⓒ, 《英》 nánomètre Ⓒ 《略 nm》.

なのか 七日 (7 日間) seven days; (月の第七日) the seventh (of …). 《☞ 時刻・日付・曜日 (囲み)》. ¶ *7 日間 for *seven days* // 彼女の誕生日は 10 月 *7 日です Her birthday is on 「*the seventh of* October [October *7*]. ★ 前者のほうが格式ばった言い方.

-なのだ ★ 日本語の「…なのだ」は, 強く主張したり説得したりする気持ちを表すが, 英語ではこのようなニュアンスは, 口語ではイントネーションと強勢で表すことができる. ((例) それは本当*なのだ It *is* true.). この場合, is を強くまた高い調子で言う. 一般に be 動詞を含む陳述は be 動詞を強調することによって全体の陳述が強まる. また下の用例にあるような表現を用いても表現でき, いずれを用いるかは前後関係, 発話の状況などで決定される. 《☞ -だ》.

¶ それは本当*なのだ (⇒ …と確信してよい) *You may be sure* that it's true. // うまくいくかどうかはあなたの努力次第*なのだ (⇒ まったくあなたの努力にかかっている) Success depends *entirely* upon your efforts.

-なので —接 because …, since …, as … 語法 because が最も一般的. since は because よりも理由の表し方がやや弱く, 文頭に置かれることが多いが, 主節の後に置かれることもある. なお, as は明確な理由を述べる文では用いないほうがよい. 《☞ -ので》.

¶ 母が病気*なのできょうは早く帰らなくてはならない *Because* [*Since*] my mother is ill, I have to leave early today. // あしたは祝日*なので学校は休みです There will be no school tomorrow, *because* it is a national holiday.

なのはな 菜の花 rape blossoms ★ 通例複数形で. 参考 rape Ⓤ は「セイヨウアブラナ」. **菜の花畑** field of rape blossoms Ⓒ.

なのり 名乗り **名乗り出る** ¶ 彼の死後多くのにせ相続人が*名乗り出た (⇒ 相続権を主張した) After his death many impostors *appeared claiming the title.* **名乗りを上げる** ¶ 彼は知事選に*名乗りを上げた (⇒ 候補者になることを発表した) He *announced* his candidacy for (the post of) governor. 《☞ りっこうほ》

なのる 名乗る (自分の名前を言う[発表する]) give [announce] *one's* name; (称する) call (他). [語 法] call *oneself* … はあだ名または別名を言う場合. (☞ なまえ¹). ¶ 彼は名を*名乗ることをちゅうちょした He hesitated to ⌜*give* [*announce*] *his name*. // 彼は田中と*名乗っていた (⇒ 自分自身を田中と称していた) He *identified* himself *as* Tanaka.

ナパームだん ナパーム弾 napalm /néɪpɑːm/ bomb Ⓒ.

なびかす 靡かす ☞ なびかせる

なびかせる 靡かせる (風になびく) stream (自); (くどき落とす) wín óver (他). ¶ 髪を*なびかせて女は走った The woman ran with her hair *streaming in the wind*. // 彼女を*なびかせてみせる (⇒ くどき落としてみせる) I'll *win* her *over*. // 彼らをこちらに*なびかせよう (⇒ こちら側につかせよう) Let's *bring* them *over* to our side.

なびく 靡く 1 «物が»: (比較的大きく波のようになびく) wave (自); (長いものが流れるように) stream (自); (樹木などが風や嵐に倒れ伏す) bend (自); (おじぎをするように) bow (自). (☞ ひるがえる; はためく). ¶ 柳が風に*なびいている The willows *are* ⌜*bending* [*bowing*] before the wind. // 彼女が走ると長いリボンが*なびいた Her long ribbons *streamed* (behind) as she ran.

2 «人などが»: (相手の意志に従う) bend to …; (服従する) bow to … (☞ したがう; くっする).

ナビゲーション (航行・航空・航法) navigation Ⓤ.

ナビゲーションシステム (自動車・船舶・航空機などの地図情報表示装置・自動航行装置) navigation system Ⓒ.

ナビゲーター (自動車ラリーで道筋を指示する人) navigator Ⓒ.

ナビゲート ── [動] (操縦する・位置を確かめて進路を決める) navigate (他) (自).

なびろめ 名披露目 announcement of a new name Ⓒ (☞ しゅうめい). ¶ 間もなく彼の*名披露目が行われるでしょう *The announcement of his newly assumed name* will be soon made.

ナプキン (食事用の) napkin Ⓒ, (英) serviette /sɜ̀ːviét/ Ⓒ; (生理用品) ☞ せいり² (生理用ナプキン). ¶ *ナプキンをひざにかけなさい Put [Lay; Spread] your *napkin* across your lap.

ナフサ náphtha Ⓤ ★ 揮発油の類で石油化学工業の主要原料.

ナフタ ☞ ほくべい (北米自由貿易協定)

なふだ 名札 (かばん・荷物などにぶら下げて付ける荷札・名札) name tag Ⓒ, ID tag Ⓒ; (パーティーのときなど, 互いに名前がわかるように胸に付ける名札) nameplate Ⓒ, name ⌜card [badge] Ⓒ [参 考] nameplate が一番普通. ただし, nameplate は表札なども意味する. また name card は名刺のこともいう. (☞ ふだ; にふだ; めいし¹). ¶ この*名札を胸に付けてください Please pin this *name card* to your coat. // 彼女はスーツケースに*名札を付けた She attached ⌜a *name tag* [an *ID tag*] to her suitcase.

ナフタリン naphthalene /nǽfθəlìːn/ Ⓤ (☞ むしよけ).

なぶりごろし 嬲り殺し ── [動] (苦しめながら殺す) torture *a person* to death [参 考] 原意は「拷問して殺す」; (少しずつ殺す) kill *a person* by inches. (☞ ころす).

なぶりもの 嬲り者 (からかいの対象) object of ridicule Ⓒ; (物笑いの種) laughingstock Ⓒ. (☞ ものわらい). ¶ 私は*なぶりものにされるのはごめんだ I don't want to be (made) the ⌜*object of ridicule* [*laughingstock*].

なぶる 嬲る (からかう) tease (他); (笑いものにする) make fun of …; (困らせる) annoy (他); (弱い者をおどす) bully (他). (☞ からかう; いじめる).

なべ 鍋 (浅めの片手用柄つきのもの) pan Ⓒ; (深めの煮込み用) saucepan Ⓒ; (深めの両手なべ) pot Ⓒ [参 考] pot は他にどびん状のもの teapot, coffeepot などにも用いる; (両手つきの大型シチュー鍋) stewpot Ⓒ; (中華なべ) wok Ⓒ.

鍋釜 (煮たき用の総称として) pots and pans ★ 複数形で; (台所道具) kítchen utènsil Ⓒ **鍋敷き** pot stand Ⓒ **鍋尻[底]** the bottom of a ⌜pan [pot] **鍋底景気** ¶ 今や*鍋底景気だ Business is at *rock bottom*. **鍋つかみ** potholder Ⓒ **鍋弦(つる)** pot bail Ⓒ; the ⌜bail [handle] of a pot **鍋奉行** hot-pot director Ⓒ; (説明的には) person who is particular about how to cook and eat when cooking a pot at the table Ⓒ **鍋蓋** (鍋のふた) pot lid Ⓒ; (漢字の) lid radical at the top of kanji Ⓒ **鍋物(料理)** hot-pot dish Ⓒ; (説明的には) one-pot dish cooked right at the table Ⓒ, food [meal] served in a pot at the table Ⓒ **鍋焼き** ¶ *鍋焼きにする(キャセロール鍋で) cook in a casserole **鍋焼きうどん** *nabeyaki-udon* Ⓤ; (説明的には) *udon* noodles, boiled and served hot in an earthen pot **鍋料理** ☞ 鍋物

なべづる 鍋鶴 〘鳥〙 hooded crane Ⓒ.

なべて 並べて ¶ *なべて (⇒ 通常) この世は金次第 *As a general rule*, money is what matters. // *なべて人の定めは測り難い It is not *usually* possible to foretell a person's fate.

なへん 奈辺 ☞ どのへん; どこ

ナボコフ ── [名] (固) Vladimir Nabokov, 1899–1977. ★ ロシア生まれの米国の小説家.

ナホトカ ── [名] (固) Nakhodka /nəkɔ́ːtkə/ ★ シベリアの都市.

ナポリ ── [名] (固) Naples /néɪplz/ ★ イタリア南部の都市. イタリア語では Napoli. **ナポリ民謡祭** the Neapolitan Song Festival.

ナポリタン ── [形] (ナポリの) Neapolitan. ¶ スパゲッティー*ナポリタン spaghetti *Napolitana*

ナポレオン ── [名] (固) Napoleon /nəpóʊliən/ Bonaparte, 1769–1821. ★ フランス皇帝. **ナポレオン戦争** the Napoleonic Wars ★ the を付けて, 複数形で. **ナポレオン法典** the Napoleonic Code.

なま 生 ── [形] (魚・肉などに火を加えていない) raw, uncooked ★ ほぼ同意だが, raw のほうが意味が広い; (特に野菜が生の) fresh; (生煮えの) half-⌜cooked [done], underdone (↔ well-done) ★ underdone は肉類に使うことが多い. (☞ なまにえ; なまやけ; なまにく; なまやさい). ¶ 日本人は魚を*生で食べるのが好きだ The Japanese like to eat fish *raw*. // 豚肉を*生で食べるのは危険だ It is dangerous to eat ⌜*raw* [*uncooked*] pork. // このじゃがいもはまだ*生だ (⇒ 生煮えだ) These potatoes are still ⌜*half cooked* [*underdone*].

なまあくび 生欠伸 slight yawn Ⓒ 《☞ あくび》.

なまあげ 生揚げ **1** «豆腐の厚揚げ»: deep-fried ⌈bean curd [tofu] Ⓤ.
2 «揚げ方が不十分な» ―形 half-done. ¶このカツは*生揚げだ This cutlet is *half-done*.

なまあし 生脚 bare legs ★ 複数形で.

なまあたたかい 生暖かい (生ぬるい) lukewarm, tepid ★ 前者が一般的. 《☞ ぬるい 語法; なまぬるい》. ¶*生暖かい風が吹いてきた A *warm and humid* wind came up.

なまいき 生意気 ―形 (特に子供などが) cheeky, saucy ★ 前者のほうがより口語的. 後者は《米略式》では sassy ともいう; (ずうずうしい) impudent; (目上の人に対して無礼な) impértinent ★ 後の 2 語は最初の 2 語より格式ばった語.
―名 cheekiness Ⓤ, sauciness Ⓤ; impudence Ⓤ; impertinence Ⓤ ★ 後の 2 語は具体的な行為を指すときは Ⓒ. 《☞ ずうずうしい; さしでがましい》.
¶ 私はその*生意気な子供にお説教してやった I taught the ⌈*cheeky* [*saucy*] child a lesson. // 我々のしていることに口を出すなんて, あいつは*生意気だ It is *impudent* of him to cut in on what we are doing. // 彼女の*生意気な態度がしゃくに触わる I am offended by her *impertinent* manner. // 彼は*生意気にも先生に口答えをした (⇒ 敢えてした) He ⌈*had the impudence* [*dared*] to talk back to his teacher.
生意気盛り ¶*生意気盛りの男の子 a boy at his *cheekiest*

なまうお 生魚 raw fish Ⓤ.

なまえ[1] 名前 (人・動物・物の) name Ⓒ 日英比較
(1) 欧米では人の名前が John Fitzgerald Kennedy のように 3 つあることが多く, 最初の名前を first name, 真ん中の名前を middle name, 最後の名前を last name, または family name という. はじめの 2 つをまとめて given name (与えられた名), Christian [baptismal] name (洗礼名)というが, 特に最初の名前だけを指すことも多い. 以上のうち Christian [baptismal] name, surname は改まった言い方. 日本人の場合は名が姓の後にくるので first name と言えないし, キリスト教徒でない人はもとより, キリスト教徒であっても洗礼名と姓名とは別なので Christian [baptismal] name も使えない. したがって名は given name, 姓は family name を使うのがよい. 《☞ な[1]; なのる; なづける》. ¶私の*名前は斉藤かおりです My *name* is [I'm] Kaori Saito. 日英比較 (2) このように欧米流に姓名をひっくり返しにして言う必要はないという意見もあるが, 日本人が英語を話すときはこの順序で名を告げるのが習慣となっている. // 「お*名前は」「渡辺一郎です」"May I ⌈have [ask] your *name*, please?" "Watanabe. Ichiro Watanabe."
語法 (1) 名前の聞き方で最もよく使われる丁寧な表現. 答えはこのように姓をまず言い, それからフルに姓名を言う習慣が英米にある. なお, 答えの前に I am か, あるいは My name is を加えて言ってもよい. / "What's your *name*?" "Ichiro Watanabe."
語法 (2) この聞き方はかなりぞんざいで, 目上の者が目下の者に, あるいは気のおけない間柄と思われるような場合に使う. ただし, What's your name, please? と please をそえればいくらか丁寧になる. なお, Who are you? は詰問調で「おまえは何者か」という調子なので, 不審な者に尋ねたりする以外は使ってはならない. // 彼は息子に平和という*名前を付けた He *named* his son Hirakazu, which means "peace." // 彼女の*名前が思い出せない I can't remember her *name*. // 彼の*名前は知ってますが, まだ会ったことはありません I know his *name* but have not met him. / (⇒ 名前によってのみ彼を知っている) I know him by *name* only. 語法 (3) 2 番目の文は決まった言い方で, これだけで「会ったことがない」という意味が含まれる.
名前負け ¶あいつは*名前負けしている (⇒ 名前にふさわしくない) He's *not living up to* his *name*.

> **コロケーション**
> 名前を明かす disclose [reveal] *one's name* / 名前を変える change a *name* / 名前を貸す lend *one's name* (to ...) / 名前を借りる use *a person's name* / 名前を告げる give [tell] *one's name* / 名前を伏せる withhold a *name*; keep *a person's name* anonymous

なまえ[2] 生餌 ☞ いきえ

なまえんそう 生演奏 live /láɪv/ performance Ⓒ 《☞ えんそう》. ¶昨日の夜テレビで彼のバンドの*生演奏があった His band *played live* /láɪv/ on TV [*The performance* by his band was televised *live*] last night. ★ 前者のほうが口語的.

なまおぼえ 生覚え ☞ うろおぼえ

なまがき 生牡蠣 raw oyster Ⓒ 《☞ かき[2]》.

なまがくもん 生学問 superficial [imperfect] knowledge Ⓤ.

なまがし 生菓子 (和菓子の) unbaked Japanese sweet Ⓒ; (洋菓子の) cake Ⓒ.

なまかじり 生噛り ―形 (表面的な) superficial /sùːpəfíʃəl/. ―名 (生かじりの知識) smattering ★ 普通は a を付けて. 《☞ ききかじる》. ¶彼の知識はすべて*生かじりだ His knowledge is all *superficial*. // ラテン語はほんの*生かじりです I have only *a smattering* of Latin. // *生かじりの学問ほど怖いものはない A *little* learning is a dangerous thing. ★ この英文は「生兵法は大けがのもと」に相当することわざ. 《☞ なまびょうほう》

なまかべ 生壁 freshly-plastered wall Ⓒ.

なまかわ 生皮 (なめしていない皮) rawhide Ⓤ 《☞ かわ[2]》.

なまがわき 生乾き ―形 (まだ湿っている) still damp; (木などが) green; (半乾きの) half-dried.

なまき 生木 (立木) live tree Ⓒ; (未加工の材木・まき) unseasoned wood Ⓤ; (生乾きの [半乾きの] 材木・まき) green [half-dried] wood Ⓤ.
生木を裂く ¶2 人は*生木を裂くように (⇒ 無理に) 別れさせられた They *were torn apart forcibly*.

なまきず 生傷 (新しい傷) fresh ⌈injury [wound] Ⓒ; (切り傷や打撲傷) cuts and bruises /brúːzɪz/ ★ 両方複数形で. 《☞ きず (類義語)》. ¶彼は*生傷が絶えなかった He always had fresh *bruises* on him.

なまくさ 生草 green [undried] grass Ⓤ.

なまぐさい 生臭い (魚臭い) fishy; (血生臭い) bloody.

なまぐさぼうず 生臭坊主 (俗っぽい) worldly priest Ⓒ; (堕落した) corrupt priest Ⓒ ★ 悪事を行なっているというニュアンスがある.

なまぐさもの 生臭物 fish and meat Ⓤ.

なまくび 生首 freshly-severed head Ⓒ.

なまくら ―形 (切れ味が初めから鈍い) blunt; (使っているうちに切れなくなった) dull; (人間が怠け者の) lazy ★ 軽蔑的.

なまぐり 生栗 raw chestnut Ⓒ.

なまクリーム 生クリーム fresh cream Ⓤ; (脂肪分の多いホイップ用の濃厚クリーム) 《米》 heavy cream Ⓤ, 《英》 double cream Ⓤ.

なまけぐせ 怠け癖 ¶彼はこのところ*怠けくせがついている He's ⌈*taken to laziness* [*fallen into lazy habits*] lately.

なまけもの[1] 怠け者 lazy person Ⓒ, lazybones
語法 前者は悪い意味で. 後者は愛称的な多少親しみのこもる口語的な言い方. 複数形だが普通単数扱い. 《☞ なまける》. ¶彼らは*怠け者だ They are

lazy. 日英比較 このように日本語で「怠け者」とあっても，英語では形容詞を使うことも多いことに注意.

なまけもの² 〔動〕 sloth Ⓒ.

なまける 怠ける ── 動 be lazy;（ぶらぶらして時を過ごす）ídle awáy ⑭;（ぶらぶらしている）ídle abóut ⑭;（仕事を怠る）neglect ⑭. ── 形 lazy; idle.

【類義語】働くことを嫌い， 働く熱意がないという意味の語が *lazy* 形 で，仕事がなくぶらぶらしているという意味の語が *idle* 形 である. 前者は悪い意味だが，後者は必ずしも悪い意味とはならない. むだに時を過ごすのは *idle away*. ぶらぶら遊んでいるのは *idle about*. 当然なすべき仕事や義務などをおろそかにするのは *neglect*.《☞ たいだ（類義語）; サボる》

¶ *怠けてはいけない. もっと働きなさい[勉強しなさい] Don't *be lazy*. Work [Study] harder. // 勉強[職務]を*怠けてはいけない You must not *neglect* your ˹studies [duties]. // 忙しくて*怠けている暇がない I am too busy to *be idle*. // 夏休みは結局何もしないで*怠けて過ごしてしまった After all I just *idled* the summer vacation *away* doing nothing.

なまこ 海鼠 〔動〕 sea cucumber Ⓒ.

なまこいた 海鼠板 corrugated panel Ⓒ.

なまごみ 生ごみ (kitchen) ˹garbage [《英》 rubbish] Ⓤ.

なまゴム 生ゴム crude [raw] rubber Ⓤ.

なまごめ 生米 uncooked rice Ⓤ.

なまごろし 生殺し **1**《半殺しの》 ── 形 half-dead. ¶ *生殺しの蛇 a *half-dead* snake **2**《困った状態で放っておかれる》 ¶ 彼女は職場で*生殺しも同然の（⇒ 無視されるという）仕打ちを受けた She *has been* ˹*neglected* [*overlooked*] in her office. ★ 前者のほうが無視の度合いが強い / (⇒ 冷たくあしらわれた) She *has been* ˹*treated coldly* [*given the cold shoulder*] in her office. ★ [ ] 内は口語的.

なまコン(クリート) 生コン(クリート) paste cement Ⓤ.

なまざかな 生魚 raw fish Ⓤ.

なまざけ 生鮭 fresh salmon Ⓤ.

なまじ, なまじっか ¶ *なまじっかな勉強では（⇒ 不熱心な勉強法では）大学に入れませんよ Studying *in a halfhearted way* won't get you into university. // *なまじっか行かなければよかった（⇒ 行かなければよかったのに）I wish I had never gone.

なます 膾, 鱠 dish of finely chopped raw fish and vegetables ˹marinated in [seasoned with] vinegar Ⓒ ★ 説明的な訳. 前者は酢に漬けたもの, [ ] 内は酢で味つけしたもの. **膾を吹く** ☞ あつもの

なまず 鯰 catfish Ⓒ. **鯰髭** ¶ *鯰髭を生やしている wear [have; grow] *a slender drooping mustache*

なまだけ 生竹 ☞ あおだけ

なまたまご 生卵 raw egg Ⓒ.

なまち 生血 (新鮮な) fresh blood Ⓤ;（生きている動物の）the blood of a living animal.《☞ いきち》.

なまちゅうけい 生中継 live /láɪv/ relay broadcast Ⓒ《☞ なまほうそう》. ¶ そのコンサートはカーネギーホールから*生中継された The concert *was* ˹*relayed* [*broadcast*] *live* from Carnegie Hall.

なまっちょろい 生っちょろい ¶ *生っちょろい（⇒ 身が入らない）やり方 a *halfhearted* ˹way [attempt] / (⇒ 未熟な) an *inexperienced* way // *生っちょろい措置をとる take *halfway* measures // そんな*生っちょろい意見など聞きたくもない We don't want to hear such an ˹*immature* [*inexperienced*] ˹idea [opinion].《☞ なまはんか; あまっちょろい》

なまっちろい 生っ白い (血の気がない) pale, pasty;（病気などで青白い）pallid ★ 格式ばった語.《☞ かおいろ》.

なまつば 生唾 ── 名 saliva /səláɪvə/ Ⓤ. ── 動 (生つばを飲む) swallow ⓐ.《☞ つば¹》. ¶ 私はケーキをじっと見つめて*生つばを飲んだ I *swallowed* as I stared at the cake. **生唾を呑み込む** swallow *one's* saliva;（欲しくてたまらない）feel a strong desire for ….

なまづめ 生爪 nail Ⓒ《☞ つめ¹》. ¶ *生づめをはがす have *one's nail(s)* torn off **生爪に火をともす** lead a stingy life《☞ つめ¹（爪に火をともす）》.

なまテープ 生テープ blank tape Ⓒ.

なまなか 生半 ¶ 信頼のおける家政婦を見つけるのは*なまなかのことではない（⇒ 簡単なことではない）To find a reliable housekeeper is *no easy task*. // 彼女が所期の目的を達成するには*なまなかの努力ではなかったろう（⇒ かなり努力したはずだ）She must have made a *considerable* effort to achieve what she has.《☞ なまはんか; なまじっか》

なまなましい 生生しい (記憶・描写などが目に見えるような) vivid;（描写が絵を見るような）graphic;（記憶が新しい）fresh.《☞ にょじつ》. ¶ 新聞に地震の*生々しい記事が載っていた The newspaper carried a ˹*vivid* [*graphic*] description of the earthquake. // その事件の記憶はまだ*生々しい The memory of the incident is still ˹*vivid* [*fresh*] in my mind.

なまにえ 生煮え ── 形 (半分しか煮えていない) half-˹cooked [done]《☞ なま》.

なまにく 生肉 raw [uncooked] meat Ⓤ.

なまぬるい 生温い (温度が) lukewarm, tepid ★ 前者が一般的;（まだ十分温まっていない）not hot enough;（気力の乏しい）wishy-washy.《☞ ぬるい 語法; にえきらない》. ¶ このスープは*生ぬるい This soup is *lukewarm*. // 彼の*生ぬるい性格にはいつもいらいらさせられる（⇒ 彼はしっかりしたところがないのでいつも私をいらだたせる）He is so *wishy-washy* that he always irritates me.

なまのみこみ 生呑み込み ¶ 彼はしょっちゅう*生のみこみで（⇒ 結論を急いで）どじをふむ He often *jumps to conclusions* and makes a mess of things.

なまはげ 生剝げ *namahage* Ⓤ;（説明的には）a customary practice in northern Japan in January, when men costumed as scary demons make door-to-door visits, admonishing children to behave well.

なまハム 生ハム uncured ham Ⓤ.

なまはんか 生半可 ── 形 (いい加減の) halfhearted;（上っ面だけの）superficial /sùːpəfíʃəl/;（不完全な）《略式》 half-baked. ── 副 (中途半端に) by halves.《☞ ちゅうとはんぱ》. ¶ *生半可な努力では成功しませんよ（⇒ いい加減な努力はあなたに成功をもたらさない）A *halfhearted* effort will not bring you success. // *生半可な知識 *superficial* knowledge // *生半可な仕事はするな（⇒ 物事は中途半端にするな）Don't do things *by halves*.

なまビール 生ビール draft [《英》 draught] beer Ⓤ.

なまびょうほう 生兵法 (少しばかりの知識) a little learning. **生兵法は大けがのもと** A little learning is a dangerous thing.《ことわざ》

なまフィルム 生フィルム unexposed film Ⓤ.

なまぶし 生節 ☞ なまりぶし

なまへんじ 生返事 (あいまいな答え) vague answer Ⓒ;（確約を避ける答え）nóncommìttal ánswer Ⓒ;（気のない返事）halfhearted reply Ⓒ.《☞ こたえ（類義語）》.

なまほうそう 生放送 ── 名 live /láɪv/ ˹broadcast [telecast] Ⓤ ★ 後者は特にテレビ放送を指して;

（生放送の番組）live program Ⓒ. ── 形（生放送の）live (↔ recorded, taped, canned). ¶その模様はテレビで*生放送された The event was telecast *live.* ★ この live は副詞.

なまぼし 生干し ── 形 half-dried. ── 動 half-dry ⑩. ¶*生干しのいわし *half-dried* sardine

なまみ 生身（生きているもの）living thing Ⓒ;（いずれは死すべきもの）mortal Ⓒ ★ 文語的. ¶お互い*生身の人間だから（⇒ 我々生きものは）病気は避けられない We *living things* are susceptible to disease.

なまみず 生水 unboiled water Ⓤ.

なまみそ 生味噌 unprocessed ˹miso [soybean paste]˺ Ⓤ.

なまむぎ 生麦 (natural [unprocessed; uncooked]) barley [wheat] Ⓤ. **生麦生米生卵** 'Nama mugi, nama gome, nama tamago,' a well-known Japanese tongue-twister **生麦事件** 〘史〙 the Namamugi Incident, the Richardson ˹Affair [Incident]˺.

なまめかしい 艶めかしい（性的魅力のある）《略式》sexy;（肉感的な）voluptuous /vəlʌ́ptʃuəs/;（うわさなどが）ámorous. (☞ なやましい 語法).

なまめく 艶めく get amorous. ¶彼女はお酒が入ると*艶めいた感じになる She *gets* a little *amorous* when she's had a drink or two.

なまめん 生麺 uncooked noodles (before being boiled or dried) ★ 複数形で.

なまもの 生物（生の食品）uncooked food Ⓤ;（特に, 生魚）raw fish Ⓤ. (☞ なま).

なまやき 生焼き ☞ なまやけ

なまやけ 生焼け ── 形（パン・菓子などが）half-baked;（肉などが半分焼けた）half-roasted;（完全に焼けていない）underdone. (☞ なま).

なまやさい 生野菜 fresh [raw] vegetable Ⓒ 語法 raw を使うと cooked（調理した）との対照が強調される. (☞ なま; やさい).

なまやさしい 生易しい（易しい）easy;（簡単な）simple. (☞ なみたいてい). ¶それは*生易しい仕事ではない It is no ˹*easy* [*simple*]˺ ˹job [work]. 語法 be 動詞の文では no を付けると not より否定が強くなり,「…どころではない」の意となる.

なまゆで 生茹で ¶じゃが芋が*生ゆでだ The potatoes *are* ˹*half-boiled* [*underdone*]. / (⇒ ちゃんとゆだっていない) The potatoes *aren't cooked through.*

なまよい 生酔い ── 形（ほろ酔いの）tipsy. **生酔い本性に違わず**（⇒ 酒は人の本性を明らかにする）Drink [Getting drunk] reveals one's true character.

なまり¹ 訛（方言）dialect Ⓒ;（方言や外国語の口調）accent Ⓒ 語法 話し方のなまりについていう. 地名などとの組み合わせで a [an] … accent というように使える. (☞ なまる¹).

¶彼には関西*なまりがある He ˹has [talks with; speaks with] *a* Kansai *accent.* // 彼はドイツ語*なまりの英語を話す He speaks English with *a* German *accent.* // あなたの英語にはまったく*なまりがない (⇒ 完璧な英語だ) Your English is perfect. / (⇒ 外国なまりがない) You have no (foreign) *accent* when you speak English.

なまり² 鉛 lead /léd/ Ⓤ《元素記号 Pb》. **鉛色** ── 形 leaden **鉛ガラス** flint [lead] glass Ⓤ **鉛合金** lead alloy Ⓤ **鉛蓄電池** lead-acid battery Ⓒ **鉛中毒** lead poisoning Ⓤ

なまりぶし なまり節 steamed and half-dried bonito Ⓒ.

なまる¹ 訛る（方言の口調で話す）talk [speak] with ˹a [an] … accent (☞ なまり¹).

¶彼は興奮すると言葉が*なまる (⇒ もっと地方なまりが出る) He *talks more with a provincial accent* when he gets excited. // 日本語の「ワイシャツ」は英語の "white shirt" の*なまったものだ The Japanese *waishatsu comes from* the English "white shirt."

なまる² 鈍る（刃物・感覚などが）become ˹dull [blunt];（質が低下する）《格式》detériorate ⓐ. (☞ にぶる).

なまろくおん 生録音（そのまま録音したもの）live recording Ⓒ;（編集なしに録音すること）unedited recording Ⓤ.

なまワクチン 生ワクチン 〘医〙live vaccine Ⓤ.

なみ¹ 波 wave Ⓒ ★ 一般的な語. 波に関するほとんどの語の代わりに用いることができる;（さざ波）ripple Ⓒ;（うねる波）swell Ⓒ;（砕ける波）breaker Ⓒ;（岸に寄せる波）surf Ⓒ;（浜に打ち上げる波）wash Ⓒ. (☞ なみうつ; なみかぜ; なみのり).

¶*波が岩に当たって砕けた The *waves* broke (white) ˹against [on] the rocks. // きょうは*波が高いので水泳は禁止だ Because ˹the *waves* are high [(⇒ 海が荒れている) the sea is rough], swimming is prohibited today. // 夕方になると*波が静まった (⇒ 海が静かになった) Toward evening, the sea became ˹quieter [calmer]. / With the coming of the evening, the *waves* subsided. ★ 第2文のほうが格式ばった言い方. // 台風の接近によって海は*波が高いでしょう The approach of the typhoon will bring strong *swells and heavy seas.* 参考 heavy seas は「荒れた海の大波」を意味する. // その小舟は大きな*波にのまれた The small boat was swallowed up by the huge *waves.* // 私は激しい*波の音で一晩中眠れなかった The roar of the *waves* kept me awake all night. // ヨットは大*波をかぶった (⇒ 大波がヨットを洗った) Huge *waves* washed over the yacht. // 山のような*波 mountainous *waves*

波に乗る ¶人気の*波に乗って彼は一躍スターになった He shot to stardom *on a wave of* popularity.

波打ち際 beach Ⓒ **波音** the sound of waves **波頭** the crest of a wave **波しぶき** sea spray Ⓒ.

コロケーション

荒れ狂う波 raging *waves* / うねり寄せる波 surging *waves* / 砕け散る波 smashing *waves* / 激しい波 angry *waves* / 引いて行く波 receding *waves*

なみ² 並 ── 形（普通の・ありふれた）ordinary;（平均的な）áverage;（中ぐらいのサイズの）medium. (☞ ちゅう³; ふつう¹; ひょうじゅん). ¶私の成績はまあ*並でした My grades were about *average.* // *並のサイズの T シャツが欲しいのですが I'd like a *medium-size(d)* T-shirt.

-なみ …並 ¶彼女は家族*並に (⇒ 家族の一員として) 私を遇してくれた She treated me *like* a member of her family. // せめて世間*並の暮らしがしたい (⇒ 少なくとも普通の生活ができるとよいのだが) I wish I could at least live an *ordinary* life.

なみあし 並み足（人間の）walking pace Ⓤ;（馬の）walk Ⓒ. ¶*並み足で行進する march at *a walking pace* //（馬に乗って）*並み足で進む go at a *walk*

なみあと 波跡（波が打ち寄せた跡）wave marks (on the beach) ★ 複数形で;（航跡）wake Ⓒ.

なみいた 波板 ☞ なまこいた

なみいる 並み居る ¶彼は*並み居る人々をにらみつけた He glared at *all those present.*

なみうつ 波打つ（波立つ）wave ⓐ;（大きく）roll ⓐ ★ 以上の2語は比喩的にも使える. (☞ なみ¹; な

びく». ¶*波打つ草原が地平線まで続いていた *Rolling* meadows stretched to the horizon. // 稲穂が風に*波打っていた Ears of rice *were* ⌜*waving* [*swaying*] in the wind.

なみかぜ 波風 1 «波と風»: wind and wave Ⓒ (☞ なみ¹; かぜ¹). ¶今夜は*波風がひどい There are strong *winds and* high ⌜*waves* [*seas*] tonight.
2 «争い事»: (口げんか) quarrel Ⓒ; (ごたごた) trouble Ⓤ. (☞ もめごと). ¶*波風の立たぬ日は1日もなかった Not a day passed without some ⌜*quarrel* [*trouble*].

なみがた 波形 — 形 corrugated. ¶*波形の鉄板 a *corrugated* iron sheet 波形記号(「～」の記号) swung dash Ⓒ.

なみき 並木 row of trees Ⓒ. ¶日光の杉*並木は有名だ The *rows of Japan cedars* in Nikko are well known. 並木道(並木のある通り) treelined street Ⓒ; (並木のある大通り) avenue Ⓒ 参考 通りの名に付ける場合はこれを用いる.

なみけい 波罫 wavy line Ⓒ.

なみじ 波路 sea route Ⓒ. ¶*波路を越える cross *the sea*

なみせい 並製 — 形 ordinary.

なみだ 涙 tear /tíə/ Ⓒ ★複数形で用いられることが多い. (☞ なく¹ 語法; なみだぐむ; なみだもろい).
¶ひとしずくの*涙が彼のほおを伝って落ちた A *tear* ⌜fell [rolled; ran] down his cheek. // 彼女の目にはうれし*涙が浮かんでいた There were *tears* of joy in her eyes. // 目に*涙が湧いてきた *Tears* welled (up) in my eyes. // 私たちは*涙が出るほど笑いこけた We laughed until *tears* came to our eyes. // 煙が目に入って*涙が出た (⇒ 煙は私の目に涙を出させた) The smoke made my eyes *water*. // その知らせを聞いて皆が*涙を流した Everybody *shed tears* at the news. 語法 人を主語にするときの「(涙を) 流す」は shed が普通. // その写真は皆の*涙を誘った The photo moved everyone to *tears*. // 泣くのをやめて*涙をふきなさい Stop crying. Wipe away [Dry] your *tears*! // 彼らは*涙を浮かべてその歌に聞き入っていた They were listening to the song with *tears* in their eyes. // *涙を抑える keep [hold] back *one's tears* // 彼の目は*涙でうるんでいた His eyes were wet with *tears*. // お*涙ちょうだいもの a *tear*-jerker / a *sob* story ★前者は真に泣けるもの, 後者は皮肉った言い方でわざと同情を引くもの.
涙ながらに ¶彼女は*涙ながらに事故の様子を話した She told me the details of the accident *with tears running down* her cheeks. (☞ なき (泣き泣き)) 涙にくれる ¶彼女は*涙にくれていた I found her *all in tears*. / She *was drowned in tears*. ★第2文は誇張した言い方. 涙に咽ぶ ¶彼女は*涙にむせんで返事ができなかった She *was choked with tears*, so she couldn't answer. 涙をのむ ¶彼らは*涙をのんでその要求に屈した *Choking back tears*, they gave way to the demand. (☞ なくなく)
涙雨 a ⌜slight [sprinkling] rain 涙顔 tear-wet [tearful] face Ⓒ 涙金 (少額の慰めの金) a ⌜little bit [small sum] of consolation money; (離婚などのわずかな和解金) small settlement Ⓒ 涙声 ¶*涙声で話す speak in a *tearful voice*

コロケーション
涙が浮かぶ *tears* gather / 涙がしたたり落ちる *tears* trickle down / 涙が流れる *tears* flow // 涙をこぼす weep *tears*

なみたいてい 並大抵 ¶英語に熟達するのは*並たいてい (⇒ 容易なこと) ではない It is *no easy* ⌜*task* [*matter*] to master English. // 予算内でやっていくのは*並たいていではない (⇒ 困難だ) It *is hard* to get along on ⌜the [our] budget. // 彼女の苦労は*並たいていではなかった (⇒ 多くの辛酸をなめた) She *experienced many hardships*. (☞ やさしい²; かんたん¹)

なみだぐましい 涙ぐましい 1 «痛ましい»: (ほろりとさせる) touching; (哀れを誘う) pathetic.
2 «けなげな» ¶*涙ぐましいほどの努力をする make *pathetically sincere* efforts

なみだぐむ 涙ぐむ — 動 (心を動かされて涙を催す) be moved to tears. — 形 (涙ぐんだ) tearful. (☞ なみだ; べそ).
¶彼女はその話を聞いて*涙ぐんだ (⇒ その話は彼女に涙を催させた) The story *moved* her *to tears*. // 彼は*涙ぐんでいた (⇒ 目が涙でぬれていた) His eyes *were wet with tears*. // 彼女は*涙ぐんだ目で私を見た She looked at me with *tearful* eyes. // その子は*涙ぐんで (⇒ 目に涙をためて) 謝った The boy made his ⌜apologies [apology] *with tears in his eyes*.

なみだする 涙する (涙を流す) shed tears; (涙をさそわれる) be moved to tears.

なみだつ 波立つ (水面に三角波などが立って荒れる) be choppy; (海や大河が荒れる) run high. (☞ なみ¹; あれる).

なみだもろい 涙脆い ¶彼女は*涙もろい (⇒ 簡単に涙を流す) She'*s easily moved to tears*.

なみなみと — 副 (縁(ふち)まで) to the brim; (あふれんばかりに) overflowingly. ¶彼はコップに*なみなみと酒をついだ (⇒ 縁一杯に満たした) He filled the glass (full) *to the brim* with sake.

なみなみならぬ 並並ならぬ extraordinary.
¶*なみなみならぬ器量の人 a person of ⌜*extraordinary* [*no mean*] ability

なみのり 波乗り surfing Ⓤ.

なみはずれた 並外れた — 形 (よい意味にも悪い意味にも) extraórdinàry; (普通はよい意味で) uncommon; (普通ではない) unusual. — 副 (並外れて) extraòrdinárily; uncommonly; unusually; (例外的に) exceptionally. (☞ ひぼん; いじょう²).
¶彼は*並外れた大男だ He is an ⌜*unusually* [*extraordinarily*] big man. // 彼は*並外れた頭脳を持っている He is *exceptionally* clever. / He is an *uncommonly* clever person.

なみはずれる 並外れる be far above (the) average. ¶その選手のボールコントロールの技術は*並外れている That player's ball control technique *is exceptionally good*. (☞ なみはずれた)

なみはば 並幅 standard ⌜measure [width] Ⓤ.

ナミビア — 名 固 Namíbia; (正式名) the Repúblic of Namíbia ★アフリカ南西部の国.
— 形 (ナミビアの) Namíbian. ナミビア人 Namíbian Ⓒ.

なみま 波間 ¶*波間に漂う drift *on the waves* // *波間に沈む sink *under the waves*

なみまくら 波枕 (船旅) sea voyage Ⓒ. ¶*波枕も3週目になりました (⇒ 海上で3週目に入りました) This is my third week ⌜*at* [*on the*] *sea*. // *波枕も (⇒ 夜の波の音も) おつなものだ *The sound of waves at night* is beautiful.

なみよけ 波除け breakwater Ⓒ, seawall Ⓒ.

なむあみだ(ぶつ) 南無阿弥陀(仏) 〔仏教〕 Namu Amida (Butsu); (説明的には) Let me ⌜be a believer in [depend on] Amitabha (chanted by a Buddhist).

なむさん 南無三 God help us!

なむし 菜虫 (説明的に) worm [insect] harmful to ⌜greens [daikons, turnips or Chinese cabbages] Ⓒ.

なむみょうほうれんげきょう 南無妙法蓮華経 〔仏教〕 Namu Myoho Renge Kyo; (説明的には) Let me ⌜follow [believe in] the teaching of the Lotus Sutra (chanted by a follower of the Nichiren sect). 《☞ ほけきょう》.

ナムル 〘料理〙 *namul* /ná:mʊ́l/ Ⓤ; (説明的には) any of a variety of Korean vegetable dishes dressed with sesame oil.

なめくじ slug Ⓒ. **なめくじに塩** ¶ 彼は先生に叱られて*なめくじに塩のようだった (⇒ がっくりしたようだった) He looked *dejected* when he was scolded by the teacher. 《☞ あおな》

なめこ 滑子 *nameko* mushroom Ⓒ.

なめし 菜飯 (説明的に) rice cooked with ˹finely chopped [minced] greens Ⓤ.

なめしがわ 鞣皮, 鞣革 leather Ⓤ.

なめす 鞣す (皮を) tan (animal skin) ㊀.

なめたけ 滑茸 ☞ えのきだけ

なめまわす 舐め回す ¶ 犬は少年の顔を*なめ回した The dog *licked* the boy's face *all over*.

なめみそ 嘗め味噌 (説明的に) miso [soybean paste] mixed with fish, meat, or vegetables, served as a side dish Ⓤ.

なめらか 滑らか ― 形 smooth /smúːð/. ― 副 smoothly. 《☞ すべすべ》.

なめる 嘗める, 舐める **1** 《舌で》: (ぺろりと) lick ㊀ ★ 比喩的にも使う; (液状のものをぺちゃぺちゃとなめて飲む) lap ㊀; (味をみるために) taste ㊀; (あめなどを食べる) eat ㊀.

¶ 犬はその皿をきれいに*なめた <S (人・物)+V (*lick*)+O (物)+C (形)> The dog *licked* the plate clean. // 私は切手を*なめて(絵)葉書にはった I *licked* the stamp and stuck it on the (picture) postcard. // 小猫が皿のミルクを*なめている The kitten *is lapping* milk ˹out of [from] a plate.

2 《経験する》: (経験する) experience ㊀; (ある状況をくぐり抜ける) go through …; (苦しみなどを受けて耐える) endure ㊀ ★ やや格式ばった語. 《☞ けいけん¹》. ¶ 彼女はあらゆる苦難を*なめてきた She *has* ˹*gone through* [*endured*] all sorts of hardships. ★ gone through のほうが口語的.

3 《甘く見る》: (人をからかってばかにする) make a fool of *a person*, make a monkey (out) of *a person* ★ いずれも口語的; (軽く見る) make light of …; (見下す) look down ˹on [upon] … 《☞ みくびる; かろんじる》.

なめ尽くす ¶ 炎は一瞬のうちにその建物を*なめ尽くした The flames ˹*licked up* [*consumed*] the building in a moment.

なや 納屋 (小屋) shed Ⓒ; (特に農家の) barn Ⓒ. 《☞ のうじょう (挿絵)》.

なやましい 悩ましい (性的魅力のある) 《略式》 sexy 語法 (1) 特に女性について使うことが多いが, 男性にも使える. また「悩ましい衣服」*sexy* clothes のように,「物」に使うこともある; (恋愛に関する・なまめかしい) ámorous, 《略式》 steamy; (女性の身体が官能的・肉感的な) volúptuous.

¶ *悩ましい声 a ˹*sexy* [*voluptuous*] voice // *悩ましい笑い a *seductive* smile 語法 (2) 積極的に誘惑するニュアンスがある. // *悩ましい手紙 an *amorous* letter ★ ラブレターなど. // 彼女は*悩ましい歩き方をする She walks in a *sexy* way. / She has a *sexy* walk.

なやます 悩ます (不安などで) worry ㊀; (心配をかけて) trouble ㊀; (うるさく神経などを) annoy ㊀; (迷惑などをかけて) bother ㊀; (当惑させて) puzzle ㊀; (うるさくつきまとって悩ます) pérsecùte ㊀; (邪魔する) disturb ㊀. 《☞ くるしめる; なやむ》.

¶ そんなつまらないことで頭を*悩ますのはおよしなさい (⇒ 心配するな) Don't *worry* (*yourself*) *about* such an unimportant thing. 語法 (1) worry は ㊁ としてもよく用いられる. // 彼のことではずいぶん頭を*悩ました I *have been* very *worried about* him. / (⇒ 彼は常に私の悩みの種です) He is a constant source of *anxiety* for me. ★ 前者のほうが口語的. // この近所は騒音に*悩まされている We *are* ˹*annoyed* [*bothered*] by the noise in this neighborhood. // 彼は 3 番の問題で頭を*悩ました He ˹*puzzled* [*was puzzled*] *over* the third question. ★ 最初の puzzle は ㊁. // 彼はしょっちゅう借金取りに*悩まされている He *is* continuously *persecuted by* his creditors. // 昨夜は蚊に*悩まされた We *were* ˹*bothered* [*disturbed*] by mosquitoes last night. / We *had a terrible time with* mosquitoes last night. // 朝から歯痛に*悩まされている (⇒ 苦しんでいる) I *have been suffering from* (a) toothache since (the) morning. 語法 (2) a を省くのは《英》.

なやみ 悩み (心配) trouble Ⓤ; (気苦労) worry Ⓤ ★ いずれも具体的な事例を指す時は Ⓒ; (精神的な苦しみ) distréss Ⓤ; (耐え忍んでいる難儀) sufferings ★ 複数形で. 《☞ しんぱい (類義語)》.

¶ あなたの*悩みは何ですか What is your ˹*trouble* [*worry*]? / (⇒ 何があなたを心配させているのか) What *is* ˹*troubling* [*worrying*] you? 語法 第 2 文のほうが普通. 第 1 文は目下の者に対して使う表現で, 場合によっては「何か文句あるか」の意味になることもある. / What's on your mind? / 《俗》 What's eating you? // 彼は何か*悩みがあるようだ (⇒ 何かについて悩んでいるらしい) He seems *worried* about something. / (⇒ 心配そうな様子をしている) He looks *troubled* about something. ★ 前者のほうが普通.

悩みごと ¶ この世は*悩みごとが多い This world [Life] is full of ˹*worries* [*troubles*]. **悩みの種** ¶ 彼の学校の成績は両親にとって*悩みの種です (⇒ 大きな頭痛の種だ) His poor school record is a big *headache* for his parents. / (⇒ 成績のことで両親はたいへん心配している) His parents *are* very *worried* about his poor school record.

―コロケーション―

大きな悩み a ˹big [great] *worry* / 深刻な悩み serious *worry* / 精神的な悩み mental *worry* / 取るに足らない悩み a petty *worry*

なやむ 悩む (不安・心配があって) worry (about …) ㊁, be worried (about …) 語法 (1) 後者は「状態」. 前者は進行形にすると「状況」をいうことになる; (不安・病気などで) be troubled (about …; with …) 語法 (2)「不安で悩む」場合, この言い方は前の worry などよりやや格式ばった言い方で, 前置詞は about をとる.「病気などで悩む」場合は前置詞は with; (特に長期間にわたって病気で苦しむ) suffer from … 《☞ しんぱい (類義語); なやます; くるしむ》. ¶ 彼女は息子の教育[非行]のことで非常に*悩んでいる She *is* ˹*worried* [*troubled*] *about* her son's ˹education [bad behavior]. // ひどい頭痛に*悩んでいます I *am troubled with* a nasty headache. // 彼女はもう何年も心臓の病気で*悩んできた She *has suffered from* heart disease for years.

なやめる 悩める ☞ なやます; なやむ

なよたけ 弱竹 (細くしなやかな竹) pliable bamboo Ⓒ.

なよなよ ― 形 (体つきがほっそりとして) slender; (きゃしゃな) delicate; (男が女のような) womanish ★ 悪い意味.

なら¹ 楢 Japanese oak Ⓒ.

なら² 奈良 ― 名 固 Nara; (奈良県) Nara prefecture. **奈良公園** Nara Park **奈良時代** the Nara period **奈良漬け** vegetables pickled in sake lees **奈良の大仏** the huge statue of Buddha in Nara　**奈良の都** ☞ へいじょうきょう　**奈良奉行** magistrate of Nara (under the Tokugawa shogunate) Ⓒ　**奈良盆地** the「Nara [Yamato] Basin.

-なら (もしも) if…　[語法] (1) 仮定を表す最も一般的な語; (仮に…だと仮定しよう) suppose …　[語法] (2) 形の上では命令文となる.　口語的用法; supposing (that)…　[語法] (3) suppose とほぼ同意だが, suppose よりは少し格式ばった感じ; (…という条件で) provided that …, on condition that …　[語法] (4) いずれもかなり文語的で格式ばった言い方.　¶もしあした雨*なら出かけません (⇒家にいます) *If* it rains tomorrow, I'll stay at home. // 私*なら (⇒もしも私があなたなら) そんな事はしない I would not do a thing like that *if* I were you. ★ 仮定法過去を用いた表現. // もし電車に間に合わなかった*ならばどうしよう *Suppose* [*Supposing* (*that*)] we miss the train, what shall we do? // その事*なら (⇒そのことについては) あなたの議論はもう聞きたくありません *As for* that, I don't want to hear any more arguments from you.

ならい 習い (個人の習慣) habit Ⓒ; (世間一般の慣習) custom Ⓒ; (世間の常習) the way (of the world). (☞ しゅうかん[1]).
習い性となる Custom [Habit] is second nature. 《ことわざ: 習慣はもう一つの性質である》

ならいおぼえる 習い覚える learn ㊀. ¶彼女は子供の頃に英語を*習い覚えた She *learned* English when she was a child.

ならいごと 習い事 ── [名] (けいこ) lesson Ⓒ ★ 普通複数形で; (たしなみ事) accomplishment Ⓒ ★ しばしば複数形で.　── [動] take lessons (in …). (☞ けいこ).

ならう[1] 習う (学習して覚える・知識などを身につける) learn ㊀; (学校で科目として勉強する) study ㊀　[語法] (1) learn は結果として身につけることを意味するのに対し, study は結果は問題にしない; (継続的にレッスンを受ける) take lessons (in …); (繰り返し練習する) practice ㊀. (☞ まなぶ; べんきょう (類義語); おそわる).
¶私たちは学校で英語を*習います We「*learn* [*study*] English at school.　[語法] (2) learn は勉強して身につける意味だが, study は学校の科目として勉強するというだけの意味. // 学校時代英語はだれに*習いましたか (⇒だれが教えましたか) Who taught you English at school? / (⇒英語の先生はだれでしたか) Who was your English teacher at school? // 私の妹は佐藤先生からピアノを*習っている (⇒ピアノのレッスンを受けている) My sister *takes*「piano *lessons* [*lessons* on the piano] from Miss Sato.
習うより慣れよ Practice makes perfect. 《ことわざ: 練習は完全さを生み出す》

ならう[2] 倣う (…に従う) follow ㊀; (…を手本にする) make … *one's* model; (先例にならう) follow suit ㊁; (まねる) imitate ㊀; (そっくりまねる) copy ㊀; (…にならってまねる) copy after … (☞ まねる).
¶上に示した例に*ならって解答せよ Answer the questions *following* the example given above. // 親がやることをよく子供たちは右へ*ならえをする Children usually *make* their parents *their model.* // 先例に*ならう必要はない You don't have to *follow* a precedent.

ならく 奈落 (地獄) hell Ⓤ (☞ じごく).　**奈落の底** the abýss.

ならし 均し ¶この店の売り上げは*均して (⇒平均して) 1日20万円だ This store's sales are「two hundred thousand yen a day *on* (*the*) *average* [*an average of* ¥200,000 a day].

ならしうんてん 慣らし運転 ── [名] shakedown Ⓒ. ── [形] shakedown. ¶*慣らし運転の航海[飛行] a *shakedown*「cruise [flight]

ならす[1] 鳴らす (ベルを) ring ㊀ 《過去 rang; 過分 rung》; (音を出す) sound ㊀; (特に乗り物などの警笛を) blow ㊀ 《過去 blew; 過分 blown》; (笛をぴーっと) whistle ㊀; (金属を) clang ㊀; (ちゃりんと) jingle ㊀; (金属製のものをじゃんじゃん鳴らす) jangle ㊀.
【類義語】 広い意味で音を出すことは *sound*. 特にベルを鳴らすときは *ring*. 空気を送りこんで音を出すのは *blow*. その中でも笛のように特に高い音を鳴らしたりするときは *whistle*. 金属などをたたいて大きく鳴り響かせるのは *clang*. 同じ金属でも鈴・コインなどを軽やかに幾度も鳴らすのは *jingle*. 金属をじゃらじゃらと不快に鳴らすのは *jangle*.　[語法] 以上の動詞は目的語を付ける必要のないときは省いて ㊁ となることがある.
¶彼はベルを*鳴らして受付係を呼んだ He *rang* (the bell) for the receptionist. // 子供が車の前に飛び出してきたので彼はとっさに警笛を*鳴らした He promptly「*sounded* [*blew*] his horn when a child ran in front of his car. // ポケットの鍵束をじゃらじゃら*鳴らしながら守衛がやって来た The doorkeeper came up to me *jangling* a bunch of keys in his pocket.

ならす[2] 慣らす (訓練する) train ㊀; (繰り返し訓練して) practice ㊀. (☞ なれる[1]).
¶あなたの耳はもっと英語に*慣らす必要がある (⇒英語を聴く練習が必要だ) You need more *practice* (in) listening to English.

ならす[3] 均す (地面などを平らにする) level ㊀; make … level; (ローラーなどで圧して) roll ㊀. (☞ へいきん; たいら).　¶この地面は*ならす必要がある This ground needs to *be*「*leveled* [*rolled*]. // *ならせば (⇒平均) 1日に3時間は英語の勉強をします *On* (「*an* [*the*]) *average* I study English (for) three hours a day.

ならす[4] 馴らす (動物などを) tame ㊀, domesticate ㊀ ★ 後者は格式ばった語. (☞ かいならす; なれる[2]; かう[2]).

ならす[5] 生らす (実をつける) bear ㊀ 《過去 bore; 過分 borne》.　¶りんごの木はすべて良い実をたくさん*ならせた All the apple trees *bore* a lot of good fruit.

ならずもの ならず者 (暴力団員) gangster Ⓒ; (暴れん坊) rascal Ⓒ; (悪党) rogue Ⓒ; (犯罪を犯しての) outlaw Ⓒ. (☞ やくざ).

ならずものこっか ならず者国家 rogue「nation [state] Ⓒ.

ならたけ 楢茸 *nara* mushroom Ⓒ.

ならづけ 奈良漬け ☞ なら[2] (奈良漬け)

ならでは ¶これはまさにレンブラント*ならではの作品だ (⇒レンブラントだけがこのように描ける) *Only* Rembrandt *can* paint like this. / (⇒この絵は純粋にレンブラントの特質を表している) This painting is *pure* Rembrandt.

-ならない 1 《必要を示して》: (…しなくてはならない) must, have to　[語法] (1) must は話者が主観的に強く義務を主張する言葉. 従って平叙文で2, 3人称に使うと非常にきつい命令調になることがある.　それに対し have to は元来客観的で, 話者以外の人の主張または周囲の状況により, どうしてもしなくてはならないことを表したが, この区別は《米》では現在は守られておらず, 単に have to のほうが must より口語的で柔らかい表現とされている. また have to は, 疑問・否定には do を用い, Do you have to …? / I don't have to …　のような使い方をするのが普通; 《略式》 have got to　[語法] (2) have to とほぼ同意の口語表現. ただし「現時点で…しなくてはならない」ことを表し, 恒常的なことは含まれない; (特に何かの必要があることを示して) need to … [語法] (3) 否定および疑問では普通は助動詞としての need を用いる; (客観的な記述として, …する必要がある) it is necessary to …; (…ということになっている) be supposed to … [語法] (4)「…ならなかった」と単なる過去を示すときは had to …, needed to …, it was necessary to … などとする. must は被伝達部以外では had to で代用される. また「…しなくてはならないでしょう」という未来は will have to …, will need to …, it will be necessary などで表される. (☞ -ねばならない). ¶ (私は) すぐに出発しなければ*ならない I ˹*must* [*have to*; *have got to*] leave right away. // あなたはきょう中にそれを仕上げなくては*ならない You ˹*must* [*have to*] finish it today. [語法] (5) この文は非常に強い命令に聞こえる. / (⇒ 仕上げなくてはならないことになっています) You *are supposed to* finish it today. [語法] (6) 場合によっては隠やかにも皮肉にも聞こえる言い方. // もうおいとましなくては*ならないのです I'm afraid I *must* ˹say good-by(e) [be leaving; be going] now. [語法] (7) このように 1 人称に must が使われると, そうしなくてはならないのは自分の意志ではなく, 義務であるというニュアンスが出て, かえって丁寧に聞こえる. // もうお帰りにならなくては*ならないのですか *Must* you ˹go [leave] so soon? [語法] (8) このように 2 人称に使っても疑問文だと事情を尋ねているだけであり, もっといて欲しい気持ちが表されて, 失礼な聞き方にはならない. なお, You *must* stay a little longer. (もう少し長くいらして下さい) のような表現だと, 2 人称平叙文でも, お客を引きとめる主人の気持ちの表れとして, 丁寧な表現となる. // 私は新宿で乗り換えなくては*ならない I ˹*have to* [*have got to*; *must*] ˹change [transfer] at Shinjuku. [語法] (9) ほぼ同意だが, have to だと, いつも決まって乗り換えなくてはならないという意味にもとれる. have got to は, いつもかどうかは別として, 現在の時点では乗り換えなくてはならないという意味を持つ. // きのうは学校へ行かなければ*ならなかった I *had to* go to school yesterday. // 「この本を読まなくては*なりませんか」「ぜひとも読まなくては*なりません」"*Must* I read this book?" "Yes, you *must.*" / "Do I *have to* read this book?" "Yes, you ˹do [*have to*]." / "*Is it necessary* for me *to* read this book?" "Yes, it is." [語法] (10) Do I have to …? の答えで最も一般的なのは Yes, you do. で, Yes, you have to. は少し強調的.

2 《義務・当然の意を込めて》: (…すべき) should …, ought to … [語法] (1) ほぼ同意だが, should のほうが意味が弱い; be to (*do* …) [語法] (2) 格式ばった言い方で, 公的声明・通達などで用いられ, 命令的; be bound to … ★ 格式ばった表現.
¶ 隣人を愛さなければ*ならない You ˹*should* [*ought to*] love your neighbor. // 本校の生徒は登校時には制服を着用しなければ*ならない The students of this school ˹*ought* [(⇒ することになっている) *are supposed*] *to* wear their uniforms when they attend school. // あなたは間違っている. その答えはこうでなければ*ならない You're wrong. The answer *must be* like this.

3 《禁止の意で》: (…してはならない) must not … ★ 非常に強い禁止; (…すべきではない) be not to … ★ 格式ばった表現; should not …; (道義的に…してはならない) ought not to … [語法] (1) 最後の 2 つはいずれも穏やかな禁止の表現で, 忠告的なニュアンスを伴う. ¶ 授業中は席を離れては*ならない You *must not* leave your desk during the class. / Pupils *are not allowed to* leave their seats during the class. // そんなことをしては*ならない You ˹*should not* [*ought not to*] do a thing like that. / (⇒ …しないことになっている) You *are not supposed to* do a thing like that. [語法] (2) 前の文が忠告的なニュアンスを伴うのに対し, この文は客観的な言い方. 従って使い方しだいで, 穏やかにも皮肉にも聞こえることがある. // このレストランではたばこを吸っては*ならない (⇒ たばこは吸えない) You *cannot* smoke in this restaurant. / (⇒ 喫煙は禁止されている) Smoking *is prohibited* in this restaurant. [語法] (3) 第 2 文のほうが客観的な言い方.

ならぬ ¶ この世*ならぬ美しさ unearthly beauty // 神*ならぬ身だから (⇒ 私はただの人間だから) 間違いもするさ I'm only human. I make mistakes. **ならぬ堪忍するが堪忍** True patience lies in bearing the unbearable.

-ならば ☞ -なら

ならび 並び **1** 《並んだ状態・列》: row Ⓒ. ¶ 歯*並びが悪い[いい] have ˹an irregular [a regular] *set* of teeth (☞ はならび)
2 《道の同じ側》 ¶ 花屋は郵便局と同じ*並びにある The flower shop is on the same *side of the street* as the post office.
並び称する ¶ ゲーテはシェークスピアと*並び称される (⇒ 匹敵する [等しく偉大だ]) As writers, Goethe /gə́ːtə/ and Shakespeare are ˹*comparable* [*equally great*]. / (⇒ 同列に位する) Goethe *ranks with* Shakespeare as a writer. ★ 最後の文はやや口語的な表現. **並びない** ── 形 (例外的に優れた) exceptional; (匹敵するものがなく優れた) unrivaled; (規模や品質が並外れた) unequaled; (よくも悪くも比類のない) unparalleled. ── 副 exceptionally. ¶ *並びない達人 an *unparalleled* expert // 彼は他に*並びないつわものだ (⇒ 例外的に強い) He's an *exceptionally* tough guy.
並び家 (並び立っている家) a row of houses Ⓒ; (連続住宅) 《米》 town house Ⓒ, row house Ⓒ, 《英》 terraced house Ⓒ.

ならびたつ 並び立つ ¶ 彼はセザンヌと*並び立つ (⇒ 同格の) 画家だった He was an artist ˹*equal* to [*equally* admired as] Cézanne /seɪzáːn/. // 両雄*並び立たず When two mount the same horse, one must ride behind. (☞ ならぶ)

ならびに 並びに (…と…) … and …; (両方とも) both … and … ; (～と同様…も) … as well as ～. (☞ および; -と 1). ¶ 日本*ならびに中国 Japan *and* China / (⇒ 日本と中国両方) *both* Japan *and* China [語法] 後者のほうが強意的な表現.

ならぶ 並ぶ **1** 《整列する》: (縦に一列になる) stand in line (自); (列を作る) form a ˹line [《英》 queue]; (ずらりと並ぶ) line [《英》 queue] up (自); (横に一列になっている状態) be in a row; (縦に一列に立つ) stand one behind another; (横に一列に) stand side by side. (☞ れつ (写真); たちならぶ).
¶「バスに乗るにはどこに*並んだらいいですか」「ここに*並びなさい」"Where can I find the ˹*line* [*queue*] for the bus?" "*Line up* here." // 本棚には洋書がずらりと*並んでいる (⇒ 洋書が詰められている) The bookcase *is stuffed with* many foreign books. / (⇒ 洋書でいっぱいだ) The bookshelves *are full of* foreign books. // 2 学期は彼女と*並びたい (⇒ 彼女の隣の席が欲しい) I want a seat *next to* her in the second term. // 私のホテルの向かい側には銀行と教会が*並んでいる A bank and a church *stand side by side* just across the street from my hotel. // パレードを見ようと群衆が通りに*並んだ Crowds *lined* the streets to see the parade. [語法] この line は「…に沿って並ぶ」という意味

「タクシー / 反対側に並んでください」という《英》の掲示

で (他).

2 «匹敵する»: (…と同列に位する) rank with …; (…に等しい) be equal to …, equal (他). (☞ ひってき). ¶ 数学では彼に*並ぶ者はいない No one can ⌈*rank with* [*equal*] him in mathematics / (⇒ 同等の者をもたない) He has no *equal* in mathematics.

ならべかえ 並べ替え (再配置) rearrangement Ⓒ; (書類などの入れ替え) shuffle Ⓒ ★ 普通単数形で. ¶ 書架の雑誌の*並べ替え a *rearrangement* of the magazine on the stack

ならべかえる 並べ替える ¶ テーブルを*並べ替えた We ⌈*moved* the tables *around* [*rearranged* the tables]. // 席順を*並べ替えた We *changed* the seating *order*.

ならべたてる 並べ立てる (1つ1つ数え上げる) 《格式》enumerate (他); (表にする) list (他); (引用する) cite (他). (☞ れっきょ). ¶ 不審な点を*並べたてる *enumerate* [*cite*] doubtful points // うそ八百を*並べたてる *tell all sorts of* lies

ならべる 並べる (配置する) arrange (他); (横に並べる) put … side by side; (縦に一列に並べる) líne úp (他); (物を横に一列に) place … in a row; (商品などを陳列して) display (他). (☞ れつ (写真); ならぶ). ¶「どこにこのいすを置きましょうか」「ここへ一列に*並べて下さい」"Where shall I put these chairs?" "Please *put* them *side by side* in a row here." // 成績順にこの答案用紙を*並べて下さい Will you please *arrange* these exam papers in order of their ⌈marks [grades]? // 彼はテーブルの上にカップを*並べて次から次へとコーヒーをついだ He *lined* the cups *up* on the table and filled them with coffee one after another. // 身長順に生徒を*並べた The pupils *were lined up* according to height. // プランターをベランダに2列に*並べた I *lined up* the planters in two rows on the balcony. // 拓哉と僕は学校で机を*並べている Takuya and I sit *next to* each other at school. // ショーウインドーには新刊書が*並べてある New books *are displayed* in the show window.

ならわし 習わし (風習) custom Ⓒ; (慣例) practice Ⓒ; (伝統) tradition Ⓒ. (☞ かんしゅう[1] (類義語); しゅうかん[1]).

ならわす 習わす ¶ 人々はその町を「小京都」と呼び*ならわしていた People *used to* call the city 'Little Kyoto.'

なり[1] (外見) appearance Ⓤ ★ 服装だけでなく全体の様子を指す; (服装) dress Ⓤ. (☞ ふくそう[1]; みなり). ¶ もう少しちゃんとした*なりをしなさい (⇒ 服装にもっと気を付けよ) Be more careful about your ⌈*dress* [*clothes*; *clothing*]. / (⇒ もっときちんと見えるようにしなさい) Try to *look* more respectable. // 彼女はきちんとした*なりでやってきた (⇒ きちんとした服を着て) She came decently *dressed*.

なり[2] 鳴り 鳴りをひそめる ¶ この火山はいまのところ*鳴りをひそめている (⇒ 活動していない) This volcano ⌈*is inactive* [(⇒ 静かである) *remains quiet*] at present. // やつらは今のところ*鳴りをひそめている They'*re keeping a low profile* at present.

-なり **1** «どちらか»: (either) … or …. ¶ 自動車*なり電車*なり好きなほうにお乗りなさい You may go by *either* car *or* train. / You may travel *either* by car *or* by train.

2 «…するとすぐに»: as soon as … (☞ すぐ (類義語)). ¶ 彼は学校から帰る*なり野球をしに出かけていく *As soon as* he comes back from school, he goes out again to play baseball. // 警官の姿を見る*なり (⇒ 姿を見て) その男は逃げ出した The man ran away *at the sight of* a policeman.

なりあがり(もの) 成り上がり(者) upstart Ⓒ, parvenu /páəvən(j)ùː/ Ⓒ (☞ なりきん).

なりあがる 成り上がる (急に金持ち [権力者] になる) suddenly come into ⌈wealth [power]; (急に…から…へ出世する) quickly rise from … to …

ナリーグ ☞ ナショナルリーグ

ナリかつよう ナリ活用 *nari* conjugation Ⓤ; (説明的には) conjugation of an adjectival verb which ends in *-nari* in the dictionary form Ⓤ.

なりかわる 成り代わる — [動] (代理をする) take the place of … — [前] (…に成り代わって) on behalf of … (☞ かわる[2]).

なりきる ¶ アメリカの市民権はとったが, 彼はまだアメリカ人に*なりきっていない Though he got American citizenship, he *hasn't* ⌈*become* [*turned*] *completely* American yet. ★ [ ] 内のほうがやや口語的. // 彼女は魔女の役に*なりきった She *really got into* her role as a witch.

なりきん 成金 (急に金持ちになった人) párvenù Ⓒ, nouveau riche /núːvouríːʃ/ Ⓒ; (成り上がり者) upstart Ⓒ ★ 以上いずれも軽蔑的に用いる; (将棋で金になった駒) promoted piece Ⓒ; (駒が金になること) promotion of a piece Ⓤ.

なりさがる 成り下がる ¶ 彼は三流作家に*成り下がった He *was* ⌈*reduced* [*degraded*] *to* a third-rate writer. ★ [ ] 内のほうが格式ばった言い方.

なりすます 成りすます (外見を変える) disguise *oneself* (as …); (ふりをする) pretend (to be …) (自). ¶ 彼は医者に*なりすまして人々を治療していた He treated people, ⌈*disguising himself as* [*pretending to be*] a doctor.

なりた 成田 — [名] (固) Narita. **成田(国際)空港** Narita (International) Airport.

なりたち 成り立ち (起源) origin Ⓤ; (歴史) history Ⓤ. (☞ きげん[3]; れきし[1]). ¶ 彼は西洋文明の*成り立ちについて講義をした He ⌈lectured [gave a lecture] on the ⌈*origin* [*history*] of Western civilization.

なりたつ 成り立つ (構成されている) be made up of …, consist of … ★ 前者のほうが口語的; (やや複雑な仕組みで構成されている) be composed of …; (計画などが実現する) materialize (自), be realized; (説などが有効である) hold ⌈true [good] ★ [ ] 内は主に《英》. (☞ せいりつ; なる[1]).

¶ この大学は5つの学部から*成り立っている This university ⌈*is made up of* [*consists of*] five colleges. // 彼女がいないとこの計画は*成り立たない This plan will not ⌈*materialize* [*be realized*] without her help. / (⇒ 計画は進まない) This plan won't *work* without her. [語法] 第2文のほうが口語的. // この点についてはあなたの説は*成り立たない Your theory ⌈does not *hold true* [(⇒ 事実どおりではない) *is* not *true*] in this respect. // これでは私の商売は*成り立たない (⇒ これは私の商売を引き合わさせない) This will not *make* my business *pay* (*off*).

なりたて 成り立て ¶ 彼女は先生に*成り立てだ She'*s only just become* a teacher. / She'*s quite new* in the teaching profession.

ナリッシュメント (栄養物) nourishment Ⓤ.

なりて なり手 ¶ 議長の*なりてがない (⇒ だれもなりたい人がいない) No one wants to be the chair(-man). / (⇒ 立候補したい人がいない) There's no one who wishes to *run for* chairperson.

なりどし 生り年 ¶ 今年はりんごの*なり年だ The apple trees *have produced a lot of fruit this year*.

-なりに ¶ 彼は自分*なりに頑張った (⇒ 自分のやり方で) He made an effort *in his own way*. / (⇒ できるだけやってみた) He tried *as hard as he could*. //

二郎も子供*なりに家のことを考えている (⇒ 子供ながら心配している) _Although he is just a child,_ Jiro is worrying about the family.

なりはてる 成り果てる ¶ 彼は物乞いに*成り果てた He'_s been reduced to_ begging. // 彼女は哀れな姿に*成り果てた (⇒ 昔の面影はない) She'_s just a shadow_ of ˹her former self [what she used to be].

なりひびく 鳴り響く (楽器·物音が, または比喩的に) resound /rɪzáund/ (自) ★ 格式ばった語; (声や鐘が) ring (自); (反響して) echo (自). 《☞ ひびく; なる[2]; こだま》. ¶ 突然警報のベルが*鳴り響いた Suddenly, the warning bell _rang._ / Suddenly, the alarm _went off._ [語法] go off でセットしたものが作動すること. // オルガンの音が聖堂に*鳴り響いた The organ _resounded_ through(out) the cathedral. / (⇒ 聖堂がオルガンの音楽で反響した) The cathedral ˹_resounded_ [_echoed_] with the organ music. // その日本の水泳選手の名は世界中に*鳴り響いた (⇒ 世界中で有名になった) The Japanese swimmer _became_ ˹_famous_ all over the world [_world famous_].

なりふり (外見) appearance [U]; (着るもの) clothes ★ 複数形で; clothing [U] ★ 集合的に; (衣服) dress [U]. ¶ 彼女はあまり*なりふりをかまわない人だ She doesn't care much about her ˹_clothes_ [_clothing_; _appearance_].

なりもの[1] 鳴り物 (楽器) musical instrument [C]; (音楽) music [U].

なりもの[2] 生り物 (果実) fruit ★ [U] または複数形で; (農作物) farm products ★ 複数形で. 《☞ み[2]; しゅうかく[1]》.

なりものいり 鳴り物入り (大々的に) on a large scale; (大騒ぎで) with great fanfare; (人目を引くやり方で) in a sensational way. 《☞ だいだいてき》. ¶ その会社は*鳴り物入りで新車の宣伝をしている The company is advertising its new(-model) cars _with_ ˹_great_ [_a great deal of_] _fanfare._

なりゆき 成り行き (物事の経過) course [U]; (進展) devélopment [C]; (進行の具合) progress [U]; (結果) result [C]. 《☞ けいか; すいい[1]》.
¶ それは自然の*成り行きにまかせるのが一番だ (⇒ 放っておくのが最善だ) It is best to ˹_let_ [_leave_] it _be._ / The best thing to do is to _let_ it _take its own course._ // それは*成り行き (⇒ 物事の結果がどうなるか) 次第です That depends on _how things turn out._ // 当分は事の*成り行きを見ていましょう Let's watch ˹the _developments_ [_what develops_] for the time being.

なりわい 生業 occupation [C].

なりわたる 鳴り渡る resound /rɪzáund/ (自) 《☞ なりひびく; なる[2]》.

なる[1] 成る 1 《人がある身分·状態になる》: (…になる) become (自), get (自) [語法] (1) くだけた会話では get, 一般的には become が使われることが多い. 好ましくない状態になる場合は fall (自), go (自), turn (自) なども用いる; (将来…になる) be (自) [語法] (2) will, want to, intend to などの後で用いる; (なろうと努めればなれる) make (他). [参考] 1 の意味は 3, 4, 7 の意味と重なる場合が多いので注意.
¶ 彼は将来金持ちに*なるでしょう He will ˹_be_ [_become_] rich some day. / (⇒ 財産を作る) He will make a (large) fortune in the future. // 彼は病気に*なった He ˹_became_ ill [_got_ sick]. / He _fell_ ˹sick [ill]. / He _was taken_ ill. [語法] (3) 最初の表現が最も一般的. 2 番目, 3 番目は少し改まった感じ. // 裏切り者に*なる _turn_ traitor / _become_ [_be_] a traitor // 彼女は大きく*なって立派な学者に*なった She _grew up to be_ a great scholar. // 学校を卒業するとすぐに彼は銀行員に*なった After finishing school he _became_ a bank clerk. [語法] (4) 名詞が補語の場合は get は使えない. // 彼は子供好きだからいい先生に*なるでしょう He likes children, so he will _make_ an excellent teacher. // 彼は今度営業部長に*なった (⇒ 任命された) He _was_ recently _appointed_ sales manager.

2 《…になってくる》: (次第に…になる) come to _do_ …; (…をし始める) start [begin] to _do_ … ★ start のほうが口語的; (覚えて…になる) learn to _do_ …
¶ つき合っているうちに (⇒ お互いをよく知るにつれて) 彼女が好きに*なった I ˹_have come to_ love her [(⇒ 彼女に恋をした) _have fallen_ in love with her] as we have gotten to know each other better. // この仕事がいやに*なった I _have gotten_ tired of this work. // イギリスへ行けば半年で英語がしゃべれるように*なる If you ˹go to [(⇒ イギリスに滞在していれば) stay in] Britain, you will ˹_learn_ [_be able_] _to_ speak English in six months.

3 《…に変わる》: (変わって…になる) turn into …, change into … ★ 前者のほうがやや口語的. 内容的には 1 と重なる場合がしばしばある; (次第に発展して) grow into …, devélop into … ★ 前者のほうが口語的. ¶ 彼はそれを見て青く*なった He ˹_turned_ [_went_] pale at the sight. // 通りを半分渡ったところで信号が青から黄色に*なった The traffic light _changed_ from green _to_ yellow when I was just halfway across the street. // その小さな村は大都市に*なった The small village ˹_grew_ [_developed_] _into_ a big city. // その家は丸焼けに*なった (⇒ 燃えて地面だけになった[燃えて灰になった]) The house (_was_) _burned to_ ˹the ground [ashes]. / (⇒ その家は火事になり全焼した) The house caught fire and (_was_) _burned down._ // 《両替で》これこまかく*なりますか (⇒ これを硬貨に替えられますか) Could you _change_ this _into_ coins?

4 《結果としてある状態になる》: (事態が…の結果になる) turn out (to be …) (自) ★ 口語的表現; (結末が…になる) result [end] in …; (事態が人にとって…となる) become of _a person_; (結果として…であることがわかる) prove (to be …) (自).
¶「結果はどう*なりましたか」「よかったです」 "How did it _turn out_?" "It _turned out_ (_to be_) fine." / "What was the _result_?" "It was ˹good [OK]." // 彼の努力はまったくのむだと*なった All his efforts ˹_turned out_ [_proved_] _to be_ useless. / His efforts _ended in_ a total failure. / His efforts _came to_ nothing. // その生徒たちはどう*なったのだろう What _has become of_ the students? // この話の筋がどう*なるのか (⇒ この話がどこへ行きつくのか) だれも知らない No one knows _where this story is going._

5 《数量などが…になる》: (金額などが…に達する) come to …, amount to … ★ 前者がより口語的; (合計で…になる) total (up to …) (自) ★ (他) の用法もある; (計算すると…になる) make (他). 《☞ ごうけい; けい[2]; のぼる》.
¶ 7 と 4 で 11 に*なる (⇒ 7 と 4 は 11 です) Seven and four ˹_is_ [_are_] eleven. / Seven and four ˹_makes_ [_make_] eleven. [語法] この表現での動詞は単複いずれでもよいが, 単数形を用いるほうが一般的. 《☞ 数字 (囲み)》 //「それでいくらに*なりますか」「千円に*なります」 "How much _is_ it?" "One thousand yen, sir. / That'_ll be_ a thousand yen, sir." // 損害は 2 億円に*なった The damage _amounted to_ ¥200,000,000. // 本日の申し込み者は合計 100 人に*なった The applicants _totaled_ ˹a [one] hundred (for) today.

6 《時刻·季節·明暗などがある状態になる, 行事などが始まる》: (やってくる) come (自); (次第に…になる)

grow 自, get 自 ★後者がより口語的; (始まる) start 自; (特に季節などしばらく続くものが始まる) sèt ín 自.

¶ 1週間もすると秋に*なる Autumn will 「*come* [*be here*] in a week. // このごろは日が短く*なってきた The days *are* 「*getting* [*becoming*] 「shorter [short] now. // 来週から夏休みに*なる (⇒ 夏休みが始まる) The summer vacation *starts* next week. // 梅雨に*なった The rainy season *has set in*.

7 《年齢が…に達する》: (…歳になる) be 自 ★最も一般的; (…歳に達する) reach 他; (…歳に達してちょうどその年齢を越える) turn 他.

¶ 息子は今度の誕生日で3歳に*なります My son will *be* three (years old) on his next birthday. // 日本では6歳に*なったら学校へ行く In Japan you start school when you *are* six (years old). / (⇒ 6つの年齢で) In Japan you start going to school at the age of six. // 私は40歳に*なった I *have* 「*turned* [*reached*] forty.

8 《時が経過して…になる》: (経過する) pass 自

語法 (1) 口語では be を用いることが多い. また, 時の経過は英語では動詞の時制を使って示すことが多い.

¶ 父が亡くなってからもう5年に*なる Five years *have passed* since my father died. / It 「*has been* [*is*] five years since my father died. 語法 (2) It is を用いるのは主に《英》. / My father *has been* dead for five years. // 「あなたは英語を教えて何年に*なりますか (⇒ どのくらい長く英語を教えているか)」「ちょうど10年に*なります」"How long *have* you *been teaching* English?" "(For) exactly ten years." // 「この学校はできてからどのくらいに*なりますか (⇒ この学校はどれくらい古いか)」「200年ぐらいに*なります」"How old *is* this school?" "It's almost 200 years old."

9 《人が一時的に役目を務める・物が役目をする》: (演劇で…としての役をする) play (the role of) …; (…として役に立つ) serve 「as [for] …

¶ 彼女はジュリエット役に*なる She will *play* (*the role of*) Juliet. // このソファーは寝台に*なる This sofa *serves* 「*as* [*for*] a bed. / (⇒ このソファーはベッドとして使えます) You can use this sofa as a bed. / (⇒ ベッドに変わる) This sofa *converts into* a bed.

10 《構成される》: (…で成り立っている) consist of …, be made up of … ★後者のほうが口語的. (☞ なりたつ; こうせい²).

¶ 50人から*なる一団 (⇒ 50人の一団) a party *of* fifty (people) // イギリス議会は下院と上院から*なっている The British Parliament *consists of* the House of Commons and the House of Lords.

成らぬ堪忍するが堪忍 ☞ ならぬ

なる² 鳴る (一般に音が) sound 自 語法 (1) 「音がする」という意味では以下のほとんどの語の代わりに用いることができる; (ベル・鐘が) ring 自 《過去 rang; 過分 rung》; (時計が時を打って) strike 他 《過去・過分 struck》 語法 (2) 後に seven, ten などのちょうどの時刻を表す数が来る; (メロディーを奏でて鳴る) chime 自; (サイレン・警笛などが鳴る) blow 自, wail 自 語法 (3) 後者は長く物悲しい調子で鳴ること; (がたがたと音を立てる) rattle 自; (教会の鐘などがゆっくりと鳴る) toll 自. (☞ ならす¹ (類義語)).

¶ ベルが*鳴った The bell 「*sounded* [*rang*]. // 隣の部屋で電話が*鳴っています The telephone'*s ringing* in the next room. // 携帯電話が*鳴った My cell phone 「*chimed* [*rang*]. // 玄関でベルが*鳴っている (⇒ 誰かがドアベルを鳴らしている). だれだろう Someone *is ringing* the doorbell. I wonder who it is. // 遠くのほうでサイレンが*鳴っている I can hear the siren 「*blowing* [*wailing*] in the distance. // 急に目覚ましが*鳴りだした Suddenly, the alarm (clock) *went off*. 語法 (4) go off はセットしたものが作動すること. // 学校のベルが*鳴っている. 急ごう There *goes* the (school) bell! Let's hurry! // 何かが窓に当たってがたがた*鳴っているのを聞いた I heard something *rattling* against the window.

なる³ 生る (植物の実が) grow 自 《過去 grew; 過分 grown》 ★「実」を主語にする; (植物が実をつける) bear 他 《過去 bore; 過分 borne》; (実がなる) fruit 自; (実を生じる) bring fórth 他; (実がついている) be in fruit ★以上4つはすべて「植物」が主語. (☞ みのる; できる²).

¶ りんごは木に*なる Apples *grow* on trees. // バナナは房で*なる Bananas *grow* in a bunch. // この木は今年は実が*ならない This tree will not *bear* fruit this year. // これは実の*なる木です This is a 「fruit tree [fruit-*bearing* tree]. // いまごろは庭に何が*なっていますか What kinds of fruit *are* there *on the trees* in your garden now?

ナルキッソス ─名 固 (ギリシャ神話の) Narcissus /nɑəsísəs/.

なるこ 鳴子 noisemaker [clapper] (to scare birds away) C.

なるこゆり 鳴子百合 〔植〕 *naruko* lily C.

ナルコレプシー 〔医〕(居眠り病) narcolepsy U.

ナルシ(シ)スト (自己陶酔者) nárcissist C.

ナルシ(シ)ズム (自己愛・自己陶酔) nárcissìsm U.

なるたきじゅく 鳴滝塾 ─名 固 〔史〕 Narutaki Private School; (説明的には) a private school and clinic established by Philipp Franz von Siebold. (☞ シーボルト).

なるたけ ☞ なるべく

なるとまき 鳴門巻き *narutomaki* U; (説明的には) loaf of fish paste with a whirl pattern C.

なるべく ¶ *なるべく早く出かけましょう (⇒ 可能なかぎり) Let's start *as* early *as* 「*possible* [(⇒ 私たちにできるだけ) *we can*]. // この仕事は*なるべく今年中に終わらせます (⇒ 最善を尽くす) I'll *do* my *best* to finish this work by the end of 「this [the] year. (☞ きょくりょく) // *なるべく大きいのを (⇒ 見つけ得る最も大きいのを) 持っていきなさい Please take the biggest one *you can find*. // 私は*なるべくタクシーには乗らない (⇒ もしそれで済ませられれば) I don't take taxis *if* I *can help it*. **なるべくなら** would rather; (可能なら) if possible. ¶ *なるべくなら彼女と顔を合わせたくない I'*d rather* not see her.

なるほど (わかった・そうですか) I see; (確かに) indeed, to be sure; (非常に印象深い) Very impressive. ¶「こういう訳で私はそれをしたのです」「*なるほど (⇒ 了解した)」"That is the reason why I did it." "*I see.*" // *なるほどあの男は頭はいいが, どうもとっつきにくい He is clever, *to be sure*, but he is rather difficult to talk to. // 彼女の言うことを聞くと*なるほどと思う (⇒ 彼女の言うことは説得力がある) What she says is *convincing*.

なれ 慣れ ─名 (絶えずやっていること) practice U; (経験) experience /ɪkspí(ə)riəns/ U; (習慣) habit U. ─副 (慣れで) by practice; (経験から) from experience. (☞ なれる¹; しゅうかん¹).

なれあい 馴れ合い (前もってひそかに計画したこと・八百長) 《略式》 put-up job C; (ひそかに共同して悪事を働くこと) connivance /kənáɪv(ə)ns/ U ★格式ばった語. (☞ ぐる).

¶ それは警察との*馴れ合いで行われた It was done 「in *connivance* with [with the *connivance* of] the police. / They *connived* with the police to do it.

馴れ合い相場 the collusive /kəlú:sɪv/ 「market

[price]　馴れ合い夫婦 common-law couple Ⓒ.

なれあう　馴れ合う　1《親しくなる》: (友達になる) make friends (with ...); (仲よくやる) get along well (with ...).
2《ぐるになる》: (悪事を企らむ) conspire (自); (共謀する) be in collusion (with ...). (☞ なれあい; けったく).
3《密通する》: become intimate (with ...).

ナレーション　(語り) narration Ⓤ.

ナレーター　(語り手) nárrator Ⓒ.

なれずし　熟れ鮨　fermented sushi Ⓤ.

なれそめ　馴れ初め　¶ 二人の*なれ初めは通勤電車の中でした (⇒ 電車内で知り合った) They *got to know each other* on the commuter train. (☞ きっかけ).

なれそめる　馴れ初める　fall in love, start to have a close relationship with ....

なれっこ　慣れっこ　(慣れている) be accustomed to ... (☞ なれる[1]; ならす[2]).

なれなれしい　馴れ馴れしい　── [形] overly ｢familiar [friendly]. ── [副] (なれなれしく) in an overly ｢familiar [friendly] manner. (☞ あつかましい).

なれのはて　成れの果て　¶ あれは貴族の*成れの果てさ (⇒ 没落した貴族だ) He's a *ruined* aristocrat.

なれる[1]　慣れる　── [動] get [be] used to /júːstə/ ..., become [be] accustomed to ... [語法] get を用いるほうがより口語的. 「慣れている」というように状態を表すときは be 動詞を用いる. 以上いずれも to の後には名詞または ... ing 形がくる; (経験を積んでくる) become experienced in ... ── [形] (慣れた・いつものあの) accustomed; (人が経験を積んだ) experienced. (☞ なじむ; ならす[2]; みなれる).
¶ 私は車の運転には*慣れていない I'*m* not *used to* driving. / (⇒ 運転の十分な経験がない) I don't *have* much *experience* (*at*) driving. // 「私は英語をしゃべるのに*慣れていません」「すぐに*慣れますよ」 "I'*m* not *used to* speaking English." "You'll *get used to* it very soon." // 初心者を教えるのに*慣れた (⇒ 経験のある) 先生が欲しい We want an *experienced* teacher for the beginners. (☞ てなれた) // 新しい環境に*慣れる (⇒ 適応する) *adjust oneself to one's* new way of life

なれる[2]　馴れる　(動物が家畜として) becòme domésticàted; (動物が人に危害を加えなくなって) become [grow] tame. (☞ かいならす).
¶ おおかみは人に*馴れない Wolves can't *be tamed*. / Wolves don't *become tame*. / Wolves are impossible to *tame*. // この小鳥は人に*馴れている (⇒ 怖がらない) This bird *is not afraid* of people. // この犬はどうしても私に*馴れない (⇒ 友達にならない) This dog will not *become* my *friend*.

なれる[3]　熟れる　── [動] (食物が適当な味になる) become seasoned, mature (自). ¶ みそは*熟れるのに 3 年かかる Miso takes three years to *mature*.

なろうことなら　成ろうことなら　¶ *成ろうことならお力を貸していただきたいのですが I'd like you to help me, *if* (*it's*) *possible*. // *成ろうことならこちらをいただきたい I'll have this one, *if I may*. // *成ろうことならパリに住みたいものだ I *wish* I *could* live in Paris.

ナローゲージ　(鉄道の狭軌) narrow gauge Ⓤ (☞ きょうき[4]).

なわ　縄　rope Ⓒ; (細目の) cord Ⓒ. (☞ ひも; つな).
¶ 入口には*縄が張ってあった (⇒ 縄で仕切ってあった) The entrance *was roped off*.　**縄をかける** tie up [bind] ... with rope; (逮捕する) arrest (他). (☞ たいほ[1]).　¶ この大きな箱に*縄をかけて下さい *Tie up* [*Bind*] this large box *with rope*, please.　**縄跳び** (回す縄を跳ぶ) skipping rope Ⓤ; (張った縄を跳ぶ) jumping rope Ⓤ　**縄抜け** slipping out of *one's* bond Ⓤ; (逃亡) escape Ⓤ, flight Ⓤ. (☞ とうぼう; にげる).　**縄ばしご** rope ladder Ⓒ　**縄むしろ** mat woven of straw rope Ⓤ　**縄目** (結び目) knot Ⓒ. ¶ *縄目を受ける (⇒ 逮捕される) be arrested　**縄文字** 〖史〗 quipu /kíːpuː/ Ⓒ.

なわしろ(だ)　苗代(田)　rice nursery Ⓒ, bed for rice seedlings Ⓒ.

なわのれん　縄暖簾　(ひも状ののれん) rope curtain Ⓒ; (飲み屋) bar Ⓒ, 《主に英》 pub Ⓒ.

なわばり　縄張り　(勢力範囲) range [scope] of influence Ⓒ, domain Ⓒ ★ 後者はやや格式ばった表現; (動物・セールスマンなどの) territory Ⓤ; (官庁などの管轄) range [scope] of authority Ⓒ, jurisdiction Ⓤ ★ 後者のほうが格式ばった表現. (☞ りょうぶん; かんかつ).　¶ 彼は政界に大きな*縄張りを持っている He has a wide *range of influence* in political circles. // 野獣はそれぞれ自分の*縄張りを持っている Wild animals have their own *territory*. // ここはおれたちの*縄張りだ This is our *territory*. ★ やくざ, 顔役などが言う.
縄張り争い turf ｢war [battle] Ⓒ; (動物の) (territorial) aggression Ⓤ.　¶ その件については各省庁の間で激しい*縄張り争いが起こった That matter has brought about a hot *jurisdictional dispute* among the ministries concerned.

なん　難　(困難) difficulty Ⓒ; (危険) danger Ⓤ; (不足) shortage Ⓤ ★「...難」として用いる. (☞ こんなん; ふそく[1]).　¶ 就職*難 a job *shortage* / the *difficulty* of finding employment // 食糧*難 a food *shortage* // 住宅*難 a housing *shortage*
難を言えば　¶ その部屋はとてもいいが, *難を言えば窓がやや小さい (⇒ 窓がやや小さいことを除いてはとてもいい) I find this room very satisfactory *except that* the window is rather small.　**難を逃れる**　¶ 危ういところで*難を逃れた I narrowly *escaped danger*. / I *had* a narrow *escape*. // その一家は第二次大戦が始まると*難を逃れてアメリカに渡った (⇒ 安全のために) The family ｢*went* to America *for safety* [(⇒ 避難した) *took refuge in* America] when World War II broke out.

ナン　nan (bread) Ⓒ ★ インドの平たい発酵パン.

なん-　何...　1《なに》: what [語法] 名詞の前に付けて疑問を示す.
¶「きょうは*何日ですか」「6月10日です」 "*What* ｢day of the month [date] is it today? / *What's* today's date?" "It's June tenth." (☞ 時刻・日付・曜日 (囲み)) // きょうは*何曜日ですか *What* day (of the week) is it today? //「今年のクリスマスは*何曜日になりますか」「金曜日になります」 "On *what* day of the week does Christmas fall this year?" "It falls on a Friday." // あなたは昭和*何年生まれですか In *what* year of Showa were you born? // 《電話で》「*何番におかけになりましたか」「220-1542 です」 "*What* number did you call?" "220-1542." [参考] 220-1542 は two-two-o(h) /óʊ/, one-five-four-two と読む. (☞ 数字 (囲み)) //「ジェファソン大統領は*何代目の大統領ですか」「第3代大統領です」 "*What* number is Thomas Jefferson in the line of U.S. Presidents?" "He's the third president." //「あなたは*何年生ですか」「高校2年生です」 "*What* grade are you in?" "I'm ｢in the eleventh grade [a junior in high school]." (☞ 学校・教育 (囲み))
2《幾つ》: how many ... [語法] 名詞の前に付けて数量を尋ねる. (☞ どのくらい).
¶「*何日かかりますか」「3日ほどかかります」 "*How many* days will it take you to finish it?" "(It

will take me) about three days.” // 新幹線で東京から博多まで*何時間かかりますか *How* ˹long [*many* hours] does it take from Tokyo to Hakata by the ˹Shinkansen [bullet train]? // 一番下のお子さんは*何歳ですか *How* old is your youngest child? / *What* age is your youngest child?

3 《数詞と一緒に用いて多数または不定の数を示す》 ¶ 彼は 30 *何年も英語を教えている He has been teaching English for ˹*more than* [*over*] thirty years. 語法 (1) ほかに多少改まった for thirty-odd years という言い方もある. // 公園には*何万という人が集まった Tens of thousands of people ˹gathered [assembled] in the park. // もう*何時間も歩き続けている I have been walking for hour*s*. 語法 (2) 複数形で「何時間も」が表される. // 彼が来たのは 8 月*何日かだった It was *some* day in August ˹when [that] he came here.

4 《感嘆詞・強調などに用いて》 ¶ *何ですって *What*! // *何だ. 君か *Oh*. It's you. (☞ なんだ) // *何だって (⇒ なぜ) こんなことをしたんだ *Why* did you do such a thing? / (⇒ 何のために) *What* did you do such a thing *for*? / (⇒ 何が君にこんなことをさせたのか) *What* made you do such a thing?

なんア 南ア ☞ みなみ (南アフリカ共和国)

なんい¹ 南緯 ¶ いま私たちの船は*南緯 50 度の所にいます The *latitude* of our ship is 50 degrees *south*. / Our ship is sailing at about 50 degrees in *the southern latitudes*. // オーストラリアの首都キャンベラは*南緯 35 度にある Canberra, the capital of Australia, lies at *latitude* 35 degrees *south*. (☞ いど²; ほくい; ど)

なんい² 難易 (困難さ) difficulty Ⓤ. ¶ これらの問題の*難易は決めがたい (⇒ どちらの問題がより難しいか) You can't tell which problem is more *difficult*. **難易度** the degree of difficulty Ⓒ.

なんおう 南欧 ―名 固 southern Europe. ―形 southern European.

なんか¹ 軟化 ―動 (軟化する・させる) soften /sɔ́:f(ə)n/ 自 他. ¶ 彼の態度は突然*軟化した His attitude suddenly *softened*. / He suddenly *softened* his attitude.

なんか² 南下 ―動 (南下する) go ˹south [down].

なんか³ 難化 ―動 (より難しくなる) become more difficult (☞ むずかしい).

なんか⁴ 何か ☞ なにか; なんとなく

-なんか such as … like …. ¶ 紅茶かコーヒー*なんかの熱い飲み物が欲しい I'd like to have something hot to drink *such as* tea or coffee. // あんなやつ*なんか相手にするな Leave that *sort of* person alone. (☞ -よう¹; -など; -みたい)

なんが 南画 (中国の絵の一派) the Southern school (of Chinese painting); (絵) *Nanga*-style painting Ⓒ, Southern-school painting Ⓒ.

なんかい¹ 何回 (回数を尋ねるとき) how many times, how often; (幾たびも) over and over again, many times; (頻繁に) frequently. (☞ なん-; -かい¹).
¶「ここへ来たのは今度で*何回目ですか」「3 回目 [初めて] です」“*How many times* have you been here before?” “This is my ˹third [first] visit.” (☞ 数の数え方 (囲み)) // 1 週間に*何回電話をかけますか *How many times* a week do you make phone calls? 語法 How often a week … とは言わない (How often in a week … は可). // ベニスには*何回も行きました. *何回行ってもいいところです I've made *frequent* visits to Venice. I find the city wonderful *every time* I visit it. // 私はその手紙を*何回も*何回も書き直した I rewrote the letter ˹*over and over again* [*many times*].

なんかい² 難解 ―形 difficult [hard] (to understand) ★ hard のほうが口語的; (文体などが難しくて読みにくい) crabbed. (☞ むずかしい). ¶ この論文はとても*難解だ (⇒ 理解するのが難しい) This article is very *difficult to understand*. // 彼は*難解な文章を書く He writes in a *crabbed* style.

なんかい³ 南海 the South Seas; (熱帯地方の海) tropical seas. ★ いずれも複数形で. **南海諸島** the South China Sea Islands ★ 南シナ海にある 4 群島の総称. うち 2 つが ☞ なんさしょとう および ☞ せいさしょとう **南海トラフ** the Nankai Trough.

なんかん 難関 (困難) difficulty Ⓒ; (障害) obstacle Ⓒ; (克服しにくい障害) bárrier Ⓒ; (障害物) hurdle Ⓒ; (交渉などの行き詰まり) deadlock Ⓒ. (☞ しょうがい¹; しょうへき 語法).
¶ 交渉は*難関にぶつかった (⇒ 行き詰まった) The negotiations have come to a *deadlock*. // 彼はついにその*難関を乗り越えた At last he ˹overcame the *difficulty* [got over the *barrier*]. // 人生には幾多の*難関が待ち受けている You will have a lot of *hurdles* to get over in the course of your life.

なんがん 南岸 the southern shores ★ the を付けて複数形で.

なんぎ 難儀 (困難) difficulty Ⓤ; (苦難) hardship Ⓤ ★ 具体的な事を指すときは Ⓒ. しばしば複数形で用いることもある. (☞ こんなん; くるしみ; くろう).

なんきつ 難詰 ―動 censure 他, reproach bitterly 他, blame strongly 他.

なんきゅう¹ 軟球 rubber ball Ⓒ.

なんきゅう² 難球 ¶ *難球を打つ hit a ˹*tricky* [*difficult*] *ball* ★ 前者のほうが口語的.

なんぎょう 難行 (宗教上の禁欲生活) asceticism /əsétəsìzm/ Ⓤ. **難行苦行** ―副 (非常な困難を伴って) with great difficulty. ¶ *難行苦行してやっとそこに到達できた It was reached *with great difficulty*.

なんきょく¹ 南極 ―名 the South Pole (↔ the North Pole); (南極地方) the Antarctic (↔ the Arctic) ★ 南極大陸と南極海. 以上は the を付けて大文字で. ―形 (南極の) antarctic /æntάəktɪk/ (↔ arctic) ★ しばしば A―として.
南極海 the Antarctic Ocean **南極観測基地** antarctic observation base Ⓒ **南極観測隊** observation team at the South Pole Ⓒ **南極気団** 〘気象〙 the South Pole air mass Ⓒ **南極圏** the Antarctic Circle (☞ ちきゅう¹ (挿絵)) **南極条約** the Antarctic Treaty **南極星** the South Pole star ★ 竜骨座カノープス (Canopus) の別名. **南極大陸** the Antarctic Continent, Antarctica **南極探検** antarctic ˹exploration [expedition] Ⓒ **南極地方** the South Pole region **南極点** the South Pole, the geographical South Pole.

なんきょく² 難局 (困難な事態) difficult situation Ⓒ; (困難なこと) difficulty Ⓒ; (危機) crisis Ⓒ (複 crises /kráɪsi:z/). (☞ なんかん; こんなん; きょう). ¶ 何とかその*難局を打開した (⇒ 乗り越えた) We managed to ˹get [tide] over the ˹*crisis* [*difficulty*]. // どのような*難局にも対処する覚悟がある I'm fully prepared to ˹face any *difficulty* [deal with any *difficult situation*].

なんきょく³ 難曲 (難しい [複雑な]) difficult [complicated] piece of music Ⓒ (☞ きょく¹).

なんぎょく 軟玉 〘鉱物〙 kidney stone Ⓒ, nephrite Ⓒ.

なんきん¹ 軟禁 ―動 (自宅に閉じ込める) confine … to …'s own house; (非公式に監禁する) confine … informally. ―名 (非公式の監禁) informal confinement Ⓤ; (自宅拘束) house arrest [U]. (☞ かんきん¹) ¶ 彼女は自宅に*軟禁されていた She *was confined to her own house.* / (⇒ 自宅拘束の下にあった) She *was under house arrest.*

なんきん² 南京 ―[名][固] (中国の都市) Nanjing /nǽndʒíŋ/, Nanking /-kíŋ/. **南京錠** padlock [C] (☞ かぎ¹ (挿絵)) **南京袋** jute sack [C] **南京豆** peanut [C] **南京虫** bedbug [C].

なんく 難句 difficult phrase [C], hard-to-understand passage [C].

なんくせ 難癖 ¶ 彼はいつも人のやることに*難癖をつける (⇒ 文句を言う) He is always *critical* of others. / (⇒ 彼はいつも人のあら捜しをする) He *is* always *finding fault with* others. (☞ もんく)

なんげん 南限 the southern limit ★ the を付けて.

なんこ 何個 How many ...? ★ many の後には複数形の名詞がくる. ¶ 石けんは*何個残っていますか *How many cakes* of soap are left? // ケーキなら一度に*何個でも食べられます (⇒ たくさん) I can eat *a lot of* cake at a time.

なんご¹ 難語 difficult word [C], difficult-to-understand word [C].

なんご² 喃語 (男女のささやき) sweet words of love, lovers' talk [U] (☞ むつごと); (乳児の言葉) babble [U].

なんこう¹ 難航 ―[動] (遅く進む) make slow progress; (行き詰まる) come [be brought] to a ˹stalemate [deadlock]. ¶ 2 国間の紛争の調停は*難航している The mediation of the dispute between the two countries ˹*is making slow progress* [*has been brought to a stalemate*].

なんこう² 軟膏 ointment [U]; (特に傷の手当ての) salve /sǽ(l)v/ [U]. (☞ ぬりぐすり)

なんこう³ 軟鋼 soft steel [U].

なんこうがい 軟口蓋 〔解〕 the soft palate. **軟口蓋音** velar (sound) [C]

なんこうふらく 難攻不落 ―[形] (堅固な) impregnable; (非常に強い) very strong.
¶ *難攻不落の要塞 an *impregnable* fortress

なんこうほくていがた 南高北低型 ¶ *南高北低型の気圧配置 a pressure *pattern with the high in the south and the low in the north*

なんごく 南国 southern country [C].

なんこつ 軟骨 cártilage [U]. **軟骨魚類** cartilaginous fish [C], Chondrichthyes ★ 複数形. **軟骨組織** cartilaginous tissue [U] ★ 単に cartilage とも言う.

なんさしょとう[ぐんとう] 南沙諸島[群島] ―[名][固] the Spratlys, the Spratly Islands ★ いずれも複数形で. 南海諸島 (☞ なんかい³) の一つ.

なんざん 難産 (難しい出産) difficult delivery [C] (☞ おさん)

なんじ¹ 何時 what time (of (the) day) ..., when ... [語法] (1) 後者は時刻以外に「いつ」の意でも使うので, 明確な時刻を尋ねるときは前者が普通. (☞ 時刻・日付・曜日 (囲み))
¶「いま*何時ですか」「6 時 20 分です」"*What time* is it?" "It's twenty minutes past six." [語法] (2) 特に「いま」を強調するとき以外は, 現在時制がその意味をになうので now を付ける必要はない. / "*What*'s the time?" "It's 6:20 p.m." [語法] (3) six twenty p.m. /píːém/ と発音する. / "*What time* do you have?" "I have 6:20 p.m." ★ 時計を持っていると思われる人に向かっての質問. 次例も同様. / "Do you have the time?" "Yes. It's 6:20 p.m. (by my watch)." // 朝*何時に起きますか *What time* [*When*] do you get up in the morning? //「あすは*何時ごろおいで下さいますか」「*何時何分というわけにはいきませんが, お昼ごろに伺いたいと思います」"*When* should I expect you here tomorrow?" "I'm afraid I can't give you the *time to the minute*, but I hope to see you around noon."

なんじ² 汝 (なんじは[が]) thou, (複 you, ye), you; (なんじの) thy (複 your), your; (なんじを[に]) thee (複 you), you; (なんじのもの) thine (複 yours), yours; (なんじ自身) thyself (複 yourselves), yourself ★ 以上, thou, thy, thee, thine, thyself は古語. (☞ きみ¹; そなた) (おのれのごとく)なんじの隣人を愛せよ (新約聖書) Thou shalt love thy neighbour (as thyself). **なんじ自身を知れ** Know thyself. **なんじの敵を愛せよ** Love your enemies.

なんじ³ 難事 (困難な事柄) difficulty [C]; (困難な問題) difficult problem [C]. (☞ こんなん) ¶ 我々は結束してその*難事に当たらねばならない (⇒ 立ち向かう [格闘する] よう結束しなければならない) We have to unite to ˹face [struggle with] the *difficulty*.

なんじ⁴ 難治 ―[形] (病気などが治りにくい) intractable; (執拗で治りにくい) obstinate. (☞ ふち³; なんびょう) ¶ *難治の病 an ˹*intractable* [*obstinate*] disease

なんじ⁵ 難字 difficult (Chinese) character [C], (Chinese) character difficult to write or make out [C].

なんしき 軟式 **軟式テニス** softball tennis [U] (☞ テニス) **軟式野球** rubber-ball baseball [U].

なんしちょうちいき 難視聴地域 area of poor broadcast reception [C].

なんしつ 軟質 ―[形] soft (☞ やわらかい). **軟質ガラス** soft glass [U].

なんじゃく 軟弱 ―[形] (硬くない) not hard; (しっかりしていない) not firm; (柔らかい) soft; (弱い) weak. (☞ やわらかい; よわごし)
¶ この辺は地盤が*軟弱です The ground is *not* ˹*hard* [*firm*] here.

なんじゅう 難渋 ¶ 市当局は紛争の調停に*難渋している (⇒ 大変苦労している) The city government is *having great difficulty* mediating the dispute. // 一行はその山道に*難渋した (⇒ 苦労して登った) The party climbed the mountain path *with much difficulty*.

なんしょ 難所 (危険な場所) dangerous place [C]; (危険の多い山越えの道など) périlous páss [C] ★ 後者は文語的. (☞ なんかん)

なんしょう 難症 ☞ なんびょう

なんしょく 難色 ¶ 校長先生は我々の案に*難色を示した (⇒ 認めたがらなかった) Our principal *was unwilling to approve* our plan. / (⇒ あまり気に入らなかった) Our principal was *not* very ˹*happy about* [*pleased with*] our plan. (☞ しぶる)

なんじる 難じる ☞ なんずる

なんしん 南進 ―[動] proceed to the south [自], advance southward [自]. ―[形] (南行きの) southbound.

なんすい 軟水 soft water [U] (↔ hard water).

なんずる 難ずる (人をとがめる) blame [他]; (批判する) criticize [他]. ¶ 弟子の不注意を*難ずる *blame one's* pupil for ˹his [her] carelessness

なんせ 何せ ☞ なにせ

なんせい¹ 南西 ―[名] the sòuthwést (略 SW). ―[形][副] (南西の [へ, に]) southwest; (南西の [へ, に, からの]) southwestern, southwesterly; (南西のほうへ [の]) southwestward. ¶ *南西の風 a ˹*southwest* [*southwesterly*] wind **南西諸島** the Southwest Islands **南西諸島海溝** the Nansei-shoto Trench ★ 英語名は琉球海溝 (the Ryuku Trench) の方が普通.

なんせい² 軟性 softness [U]; (柔軟性) flexibility

Ⓤ. 《☞ なんしつ》.

なんせん　難船　shipwreck Ⓒ 《☞ なんぱ¹》.

ナンセンス　— 名 nónsènse Ⓤ ★ しばしば a を付けて; (くだらないこと) rubbish Ⓤ.　— 形 nònsénsical. 《☞ ばかばかしい》.　¶ 彼女はいつも*ナンセンスなことを言う She is always talking ˹*nonsense* [*rubbish*]. ∥ 《他人の発言などに対して》「*ナンセンス」"*Nonsense*!" / "*Rubbish*!"　**ナンセンス文学** nonsense literature Ⓤ.

なんせんほくば　南船北馬　— 動 (いつも旅行をしている) be constantly on the move; (たくさん旅行をしている) travel around a lot.

なんぞ　何ぞ　¶ *何ぞ私が知ろうか *Why* should I know? / (⇒ 私は知らない) I have no idea. ∥ 生命とは*何ぞや *What* is life? 《☞ なにか; なぜ》

なんそう　南宋　— 名 固 Southern Sung /súŋ/ ★ 中国の王朝.

なんそうさとみはっけんでん　南総里見八犬伝　☞ たきざわばきん

なんだ　¶ *なんだ, 和夫じゃないか *Why*! It's you, Kazuo! ∥ *なんだ, もう終わりか (⇒ それで全部か) *What*? Is that all?

-なんだ　¶ これはいったい何*なんだ What's this? 語法 this を特に強調して発音することによって強調を表すことができる. 《☞ -なのだ》

なんだい　難題　(無理な要求) unreasonable demand Ⓒ 《☞ なんもん; むり》.

なんたいどうぶつ　軟体動物　〖生〗 mollusk (《英》 mollusc) /máləsk/ Ⓒ.

なんだか　何だか　**1** 《疑問・否定を示して》: (何か) what 《☞ なに¹》.　¶ それ*何だかわかるかい Can you tell me *what* it is? ∥ あの楽器は*何だか (⇒ 楽器の名前を) 知っているかい Do you know *the name of* that instrument?
2 《なんとなく》: somehow 《☞ なんとなく》.

なんだか(ん)だ　何だ彼だ　¶ 旅行中は*なんだかんだとお金を使ってしまった I spent a lot of money for *one thing* ˹*or* [*and*] *another* during the trip. ∥ *なんだかんだ言ってる場合じゃない This is no time for complaining / (⇒ 文句を言っても無駄だ) It's no use complaining. ∥ 彼は*なんだかんだと言い訳ばかりしている (⇒ いつも言い訳している) He's *always* making excuses. 《☞ なにやかや; あれこれ》

なんだって　何だって　¶ *何だって (⇒ なぜ) こんなことをしたんだ *Why* (*on earth*) did you do such a thing? ∥ *何だって, もう一度言ってみろ *What*! Say that again! ∥ 食べられるものなら*何だっていいから私にください *Anything* eatable will do. Just give me something to eat. 《☞ なんでも》

なんたる　何たる　¶ *何たる様だ *What* a sight! ∥ 君は礼儀の*何たるかを (⇒ 礼儀の意味を) 分かっているのか Do you know *the meaning of* decent conduct?

なんたん　南端　(南の端の部分) the southernmost part (of …) ★ southernmost は《格式》; (南の一番先端) the southern ˹end [extremity] ★ [　] 内のほうが格式ばった表現.

なんちゃくりく　軟着陸　— 名 soft landing Ⓒ.　— 動 make a soft landing.

なんちゅう　南中　— 動 (天体が) cross the meridian, culminate 自.

なんちょう¹　難聴　¶ *難聴の人 a person who ˹has *difficulty in* [is *weak in*; is *hard of*] hearing　**難聴地域** area where reception is poor Ⓒ 《☞ なんしちょうちいき》.

なんちょう²　軟調　— 動 (株式取引で先行き不安である) be in a bearish mood (↔ be in a bullish mood).　— 形 (写真などのコントラストの弱い) low-contrast.

なんちょう³　南朝　(日本の南北朝時代の) the Southern Dynasty.

なんて　何て　¶ *何てこった! For ˹God's [heaven's; goodness(')] sake! ★ 困惑やいらいらを表す. 《☞ なんと》

-なんて　¶ 授業*なんてつまらない I've just found the class boring *in itself*. ∥ あいつが来ない*なんて考えられない (⇒ 想像できない) I can't imagine (that) he won't come.

なんで　何で　(なぜ) why 《☞ なぜ》.

なんでい　軟泥　sludge Ⓤ, ooze /úːz/ Ⓤ.

なんてき　難敵　《文》 formidable foe Ⓒ 《☞ きょうてき》.

なんてつ　軟鉄　soft iron Ⓤ.

なんでも　何でも　**1** 《何事でも》: (3 つ以上のものの中の 1 つ) any　語法 (1) 後に of… の形で限定句や関係詞を付けたり, 形容詞的に用いることが多い; (どんなものでも) anything; (何でもみんな) everything; (全部) all.
¶ *何でも欲しいものを買ってあげよう I'll buy you ˹*anything* [*whatever*] you like. ∥ わからないことは*何でも聞きなさい (⇒ どんな質問でもいい) *Any* question will ˹do [be OK]. ∥ 彼は一通り*何でもこなす (⇒ 何でも屋だ) He is a *jack-of-all-trades*. 語法 (2) 軽蔑的に用いることが多い. / He is an ˹*all*-rounder [*all*-(a)round person].
2 《否定の形で》　¶ このくらいの山を登るのは*何でもない It's *nothing* for me to climb such a mountain. ∥ 彼にとってはそんな金は*何でもない That money is *nothing* to him. 《☞ ない¹》

なんでもかんでも　何でもかんでも　everything, everything *one* can lay hands on.

なんでもや　何でも屋　jack-of-all trades Ⓒ.

なんてん¹　難点　(弱点) weak point Ⓒ; (欠点) fault Ⓒ. 《☞ けってん (類義語)》.

なんてん²　南天　〖植〗 nandin Ⓒ.

なんと　何と　**1** 《疑問》: what …; (どのように) how … 《☞ なに¹; どう¹》.
¶ いま*何とおっしゃいました *What* did you say? 語法 (1) 上がり調子で言うのが普通. 下がり調子にすると詰問調に聞こえるので注意. 丁寧さは中ぐらいの感じだが, 目上に使っても特に失礼というほどではない. 後に sir [ma'am] などを付ければもっと丁寧な感じになる. 次の I beg your pardon? のほうがより丁寧である. / *I beg your pardon*? / 《略式》 *Beg pardon*? / 《略式》 *Pardon*? / 《英略式》 *Sorry*?　語法 (2) 後のものほど丁寧さが減少していく. 最後の Pardon? と《英》 Sorry? は同じ程度で, 日本語では「何ですって」ぐらいの感じ. いずれも語尾を上げて, 一種の決まり文句として用いる. ∥ 日本語の「本」を英語では*何といいますか *What* is the English word for *hon*? / *How* do you say *hon* in English? / (⇒ 英語の対応するものは何か) *What* is the English equivalent ˹of [for] the Japanese *hon*? ∥ これは*何というものですか *What* do you call this? ∥ *何とお礼を言っていいかわかりません I don't know *how* ˹I can [to] express my thanks.
2 《感嘆》: how, what　語法 how は 形 副 に付け, what は 名 に付けて, 「何と…だろう」という感嘆文を作る.　¶ *何と暑いんでしょう *How* hot (it is)! / *Terribly* hot! ∥ *何とかわいい子犬だろう *What* a cute puppy (it is)!

なんど¹　何度　**1** 《回数を尋ねるとき》: how many times …, how often … 《☞ なんかい¹; いくど; ど》.
2 《幾度も》: over and over again, many times 《☞ なんかい¹》.
3 《度数を尋ねるとき》: how many degrees … 《☞ ど; 度量衡 (囲み)》.　¶ この角は*何度ですか *How many degrees* ˹is [are in] this angle? ∥ けさ熱は

*何度でしたか (⇒ あなたの体温はどれくらいだったか) *What* was your temperature this morning? // 「東京は北緯*何度ですか」「北緯 35 度 42 分です」 "*What* is the latitude of Tokyo?" "It is 35° 42′ N." ★ thirty-five degrees forty-two minutes north と読む.

なんど² **納戸** closet /klázɪt/ Ⓒ 《☞ おしいれ (挿絵)》.

なんど³ **難度** difficulty level Ⓒ.

なんという **何という** what, how. 《☞ なんと》.

なんといっても **何といっても** (結局) after all 《☞ けっきょく》.

なんとう¹ **南東** ―名 the sòuthéast 《略 SE》. ―形副 (南東の[へ, に]) southeast; (南東の[へ, に, からの]) southeastern, southeasterly; (南東のほうへ[の]) southeastward. 《☞ とうなん²》. ¶*南東の風 a ˹*southeast* [*southeasterly*] wind // 船は下田の*南東 25 マイルのところにいる The ship is (now) located twenty-five miles *southeast* of Shimoda.

なんとう² **軟投** ―動 (緩い球を投げる) pitch slow balls; (変化球を多用する) depend on ˹curveballs [screwballs].

なんとか **何とか** ―副 (どうにか) somehow; (何らかの方法で) in some way (or other). ―動 (何とか…する) manage to *do* … 《☞ どうにか; ぜひ¹; なんとかして》.

¶私は*何とか時間に間に合った I *managed to* get there in time. // 「どうですか景気は」「まあ, *何とかやっています」 "How is your business?" "I'm managing *somehow*." // その件は*何とかなりませんか (⇒ 何かよい処理案はないでしょうか) Do you have any ideas on how to deal with the problem? // 「あの人の名前何ていったっけ」「ロバート*何とかだったと思うけど」 "Do you remember his name?" "Robert *something*, I think."

なんとかかんとか **何とかかんとか** in one way or another.

なんとかして **何とかして** (ともかく) somehow; (どんな犠牲を払っても) at ˹any cost [all costs]. 《☞ なんとか; なんとしても》. ¶*何とかしてそれは今日じゅうに仕上げます We'll finish it today *somehow*. // *何とかして武力衝突は回避しなければならない We must avoid armed conflict *at* ˹*any cost* [*all costs*].

なんどき **何時** ¶いつ*なんどき災難が起こるか分からない *You never know when* disaster will strike. 《☞ いつ》

なんどく **難読** ―形 difficult to read.

なんとしても **何としても** (ぜひ) by all means; (どんな犠牲を払っても) at ˹any cost [all costs]. ¶*何としても勝ちたい We ˹want [wish] to win *at* ˹*any cost* [*all costs*]. // *何としても勝てない (⇒ どんなに努力しても) We can't win ˹*despite* [*for*] *all our efforts*. 《☞ なにがなんでも; どうしても》

なんとなく **何となく** ¶きょうは*何となく気分がすぐれない *Somehow* I'm not feeling well today. / (⇒ 理由はわからないが) I *don't know why*, but I don't feel well today. // あの男は*何となく気味が悪い There is *something* sinister about him. // *何となく (⇒ 直感的に) 彼女はうそをついているなと思った *Instinctively* I knew she was lying. 《☞ どことなく; なにやら; どうも》

なんとなれば **何となれば** ☞ なぜならば

なんと(は)なしに **何と(は)なしに** ☞ なんとなく

なんとも **何とも** **1** 《否定文中で, 少しも・ちっともの意》 ¶彼女は*何とも答えなかった She didn't give an answer. // 彼は*何とも言わないで部屋から出ていった He went out of the room without (saying) a word. // 「痛かったですか」「いや*何ともありません」 "Did I hurt you?" "No, *not at all*." 《☞ すこしも 語法; なんでも》

2 《本当に》: (たいへん) very, very much; (本当に) really, truly; (実に・まともに) indeed, 《略式》 awfully. ¶*何とも申し訳ございません I'm *awfully* sorry. // *何とも(はや)お恥ずかしい次第です I'm *very much* ashamed of myself.

なんともはや **何ともはや** ☞ なんとも **2**

なんとやら **何とやら** ¶うわさをすれば*何とやら Talk [Speak] of the devil. ★ ここでとめる. 「何とやら」は訳出する必要はない. 《☞ なんとなく; うわさ (うわさをすれば影)》 // そいつは「とらぬたぬきの*何とやら」だね That's like counting the proverbial chickens. 《☞ かわざんよう》

なんなく **難なく** (困難なしに) without ˹difficulty [trouble]; (容易に) (quite) easily, with ease. 《☞ かんたん¹; らくらく》. ¶第 1 問は*難なくできました I answered the first question *quite easily*. / (⇒ 第 1 問を解くのに困難はなかった) I *had no difficulty* (in) solving the first problem.

なんなら **何なら** ¶*なんなら(⇒ それでは) 私がやりましょうか Shall I do it for you, *then*? 日英比較 日本語の「なんなら」は全体のニュアンスで出し, 必ずしも部分的な訳として表さなくてもよい場合も多い. // *なんなら彼に行ってもらいます (⇒ 必要ならば) I'll ask him to go there *if necessary*. // *なんなら今晩出発したい (⇒ 可能ならば) I'd like to start this evening *if possible*. 《☞ それでは》

【参考語】 (あなたが望むならば) if you ˹wish [like]; (可能ならば) if possible, if … can; (もし都合がよければ) if (it is) convenient (for …); (あなたがかまわなければ) if you don't mind; (必要ならば) if necessary.

なんなりと **何なりと** ¶お好きなものを*何なりと持っていって下さい (⇒ 好きなものは何でも) Please take ˹*anything* [*whatever*] you like. 《☞ なんでも》

なんなんせい **南南西** the south-southwest 《略 SSW》 《☞ なんせい¹》.

なんなんとう **南南東** the south-southeast 《略 SSE》 《☞ なんとう¹》.

なんなんとする **垂んとする** ―形 (差し迫った) imminent; (ほとんど) well nigh; (近い) near, hard by. ―動 be near to … ¶もう大学を卒業してから 10 年に*なんなんとしている It is *well nigh* ten years since I graduated from college. // 今や世紀末に*なんなんとしている (⇒ 世紀末は近くだ) The end of the century is ˹*near* [*almost here*].

なんなんもんだい **南南問題** South-South problem Ⓒ.

なんにせよ **何にせよ** ☞ とにかく

なんにち **何日** ☞ なん-

なんにも **何にも** ☞ なにも

なんにん **何人** (いく人) how many people; (数人) several people. ¶彼を嫌っている人は*何人もいる There are *some people* who dislike him.

なんねん¹ **何年** (いつ) when; (どの年) what year; (数年) several years. ¶その事件から*何年もたった *Several years* passed since the incident.

なんねん² **難燃** ―形 fire-[heat-]resistant 《☞ たいねつ》. **難燃加工** ―形 fireproof. ―名 fireproofing Ⓤ.

なんの **何の** **1** 《疑問》: what 《☞ なに¹; どんな》. ¶そんなことをして*何の役に立つのだ *What's* the ˹use [good] of doing such a thing? // それは*何のことですか *What* are you talking about? / (⇒ あなたが意味していることはわからない) I cannot understand *what* you mean. // いま*何の勉強をしていますか *What* [*What subject*; *Which subject*] are you studying now? 語法 不特定のものから「何を」

と問うときは what, what subject. 限られた学科の中から「何を」と問うときは which subject とするのが原則であるが，学問の分野や学校の教科はほぼ決まっている感じがあるため，実際にはいずれを用いてもよい. // *何のご用ですか *What* can I do for you? 《☞ なにか 語法 (3)》

2 《否定文の中で》 ¶この本は*何の役にも立たない I've found this book *utterly* useless. / (⇒ 何の役にも立たないことがわかった) This book proved to be of *little* use. // *何の支障もなく終わりました It was finished *without* any trouble *at all*. // 彼からは*何の便りもない I haven't heard from him *at all*. / I haven't received *a single* letter from him. // だれもそのことについては*何の心配もしなかった *Nobody* worried about it *in the least*. // その時は*何の痛みもなかった It did*n't* hurt me *a bit* at that time.

何のことはない ¶彼の新作は，*何のことはない，『源氏物語』の焼き直しだ His new book is *nothing but The Tale of Genji* warmed over. / His recent work is *practically* a rehashed version of *The Tale of Genji*.

なんのか(ん)の 何の彼(ん)の ☞ なにやかや; なんだかんだ

なんのその 何の其の ¶両親の反対も*なんのその，彼はその計画を実行に移した He carried out his plan *despite* his parents' opposition. // 台風の接近など*なんのその，彼らは伊豆に海水浴にでかけた *In spite of* the typhoon approaching, they went ⌈swimming [bathing] at Izu.

なんぱ[1] **難破** ―名 shipwreck Ⓒ. ―動 be (ship)wrecked 語法 「船」が主語のときは ship を省くのが普通だが，「人」が主語のときには付ける. 《☞ そうなん》. ¶その船は[我々は]大島の沖合で*難破した The ship *was wrecked* [We *were shipwrecked*] off Oshima (Island).

難破船 wreck Ⓒ, wrecked ship Ⓒ; (危険に瀕している船) ship in distress Ⓒ.

なんぱ[2] **軟派** **1** 《穏健グループ》: (個人) moderate (person) Ⓒ, (団体) the moderates; (ハト派の個人) dove Ⓒ, (ハト派の団体) the doves.

2 《異性を誘惑する行為》 ¶彼らは海岸で女の子を*ナンパした (⇒ 行きずりにひっかけた) They *picked up* girls on the beach.

3 《新聞の》 ¶*軟派記者 (⇒ ゴシップ欄担当) a gossip columnist / (⇒ 社会ニュース担当) a social affairs journalist ★ 後者は婉曲な言い方.

ナンバー (番号) number Ⓒ; (自動車の) 《米》 license plate number, 《英》 (registration) number Ⓒ; (雑誌などの) number Ⓒ. 《☞ ばんごう; ばん[2]》. ¶彼は東京*ナンバーの車を運転していた He was driving a car with a Tokyo *license plate*. // この雑誌のバック*ナンバーが欲しい I'd like the back ⌈*numbers* [*issues*] of this magazine.

ナンバーエイト (ラグビー) number eight Ⓒ **ナンバースクール** numbered school Ⓒ; (説明的には) under the old system, one of the national high schools or public middle schools numbered according to the date each was founded, and generally considered to be prestigious **ナンバーディスプレイ** (calling) number display Ⓤ **ナンバープレート** 《米》 license plate Ⓒ, 《英》 number plate Ⓒ **ナンバーワン** ¶彼女は日本のテニス界の*ナンバーワンです She is the ⌈*top* [*number one*] tennis player in Japan. 《☞ いちばん; トップ》

ナンバリング (番号を付けること) numbering Ⓤ; (番号印字機・ナンバリングマシン) numbering machine Ⓒ.

なんばん 南蛮 (東南アジア諸国) Southeast Asian countries. **南蛮人** (ヨーロッパ人) European Ⓒ; (説明的には) Europeans who came to Japan in the Muromachi and Edo periods ★ 総称的. **南蛮船** (スペイン[ポルトガル]船) Spanish [Portuguese] ship Ⓒ **南蛮漬け** fried and marinated fish Ⓤ **南蛮美術** European-style fine arts in the sixteenth-century Japan **南蛮文化** European and Christian culture brought in by Portuguese visitors in the sixteenth century **南蛮貿易** *nanban* trade Ⓤ, foreign trade Ⓤ.

なんばんギセル 南蛮ギセル 〘植〙 *nanbangiseru* Ⓒ; (説明的には) parasite plant with a flower like the corona of a daffodil Ⓒ.

なんばんめ 何番目 ¶「エイブラハム・リンカーンはアメリカの*何番目の大統領でしたか」「16番目でした」 "*What number* was Abraham Lincoln in the line of U.S. presidents?" "He was the sixteenth president." // 「君の机は*何番目 (⇒ どれ) ですか?」「この列の右から5番目です」 "*Which* is your desk?" "It's the fifth from the right in this row." 《☞ なん-》

なんぴと 何人 ¶*何人といえども許せない I can't forgive him, *no matter who* he is.

なんびょう 難病 (不治の病気) incurable disease Ⓒ; (命にかかわる) serious /sí(ə)riəs/ disease Ⓒ; (悪性の病気) malignant /məlígnənt/ disease Ⓒ. 《☞ びょうき》.

なんぴょうよう 南氷洋 the Antárctic Ócean 《☞ なんきょく[1]》.

なんぶ[1] **南部** ―名 the south 語法 (1) 特定の国の南部地方という意味では the South と大文字にすることがある; (南の地方) the southern part. ―形 southern /sʌ́ðən/ 語法 (2) 特定の国について言うときは大文字にすることがある. 《☞ みなみ》. ¶台風10号は九州*南部に上陸するでしょう Typhoon No. 10 is expected to hit *the southern part* of Kyushu. // スミスさんは*南部出身だ Mr. Smith comes from *the South*.

なんぶ[2] **南部** (南部氏の旧領地) the Nanbu region. **南部馬** Nanbu horse Ⓒ **南部釜** Nanbu pot Ⓒ; (説明的には) iron pot produced in the Nanbu region Ⓒ **南部鉄瓶** Nanbu kettle Ⓒ; (説明的には) iron kettle produced in the Nanbu region Ⓒ **南部塗り** Nanbu lacquer ware Ⓤ.

なんぷう[1] **南風** south [southerly] wind Ⓒ; (夏のそよ風) summer breeze Ⓒ; (強い南風) souther /sáʊðə/ Ⓒ. 《☞ かぜ[1]》.

なんぷう[2] **軟風** 〘気象〙 gentle breeze Ⓒ.

なんぶつ 難物 (気難しい人) hard-to-please person Ⓒ; (やっかいな人・事柄) a hard [tough] nut to crack 参考 元は「割るのが難しい木の実」という意味. ¶彼女のお父さんは*難物だ I have found her father *hard to please*. / Her father is a ⌈*hard* [*tough*] *nut to crack*.

ナンプラー (タイ料理の調味料) nam pla /ná:m-plá:/ Ⓤ.

なんぶん 難文 difficult sentence [(文章・段落) passage] (to understand) Ⓒ.

なんぶんがく 軟文学 light literature Ⓤ; (恋愛物) love stories.

なんべい 南米 ―名 固 South America. ―形 South American. ¶*南米大陸 the *South American* continent // *南米諸国 the *South American* nations **南米共同市場** the Southern Cone Common Market ★ 通称 Mercosur /mə̀:kəsúə/ でスペイン語 Mercado Común de Sur (Southern Common Market) の略.

なんべん[1] **何遍** (疑問で) how many times, how often. 《☞ なんど[1]; なんかい[1]》.

なんべん[2] **軟便** (ゆるい便通) loose bowels ★ 複

数形で; loose bowel movement Ⓒ ★後者はより専門的; (ゆるい便) loose stools ★複数形で. 主に医者や看護師が使う. ¶今日は*軟便だった I had ⌈*loose bowels* [(⇒下痢ぎみだった) *a trace of diarrhea*] today.

なんぼ ¶*なんぼなんでもそれはひどい (⇒いかなる理由にせよそれはあんまりだ) That is too much *whatever the reason.* 《☞ いくら》

なんぽう 南方 ―名 the south. ―形 south, southern. ―副 (南方に) to the south of ..., south of ... ★ほぼ同意だが, 後者がより口語的. 《☞ みなみ; なんぶ》. **南方仏教** Southern Buddhism Ⓤ.

なんぼく 南北 ―名 north and south 日英比較 日本語との語順の違いに注意. この逆には言わない. ―副 (南と北に) on [to] the north and south; (南から北へ) from north to south.
¶チリは*南北に長い Chile is a country stretching *from north to south.*
南北アメリカ North and South America, both Americas. 《☞ アメリカ》 **南北戦争** (アメリカの) the (American) Civil War **南北朝** (日本の南北朝時代の) the Northern and Southern Dynasties **南北朝時代** the period of the Northern and Southern Dynasties **南北問題** north-south problem Ⓒ.

なんまいだ ☞ なむあみだぶつ

なんみん 難民 (避難をした人) refugee /rèfjuʤíː/ Ⓒ ★普通複数形で; (国際紛争などで居住地を奪われた人々) displaced people ★集合的に.
¶経済[政治]*難民 economic [political] *refugees*
難民キャンプ refugee camp Ⓒ **難民救済** refugee relief Ⓤ, aiding refugees Ⓤ **難民資格** refugee status Ⓤ **難民収容所** refugee reception center Ⓒ **難民条約** the Convention Relating to the Status of Refugees **難民認定** refugee status determination Ⓤ.

なんめん 南面 (南側) the southern side; (山の南向き斜面) the southern slope.

なんもん 難問 (難しい問題) difficult problem Ⓒ; (人をまごつかせるような質問) puzzling question Ⓒ; (やっかいな事柄) 《略式》 a hard [tough] nut to crack 語法 (1) a を付けて. 元は「割るのが難しい木の実」の意. 《☞ なんだい》.
¶生徒たちはその*難問と取り組んでいる The students are ⌈tackling [wrestling with] that *difficult question.* ‖ 彼女はその*難問を解いた She solved that *difficult problem.* ‖ 彼は*難問にぶつかったがあきらめなかった He hit a *difficult point*, but didn't give up. 語法 (2) この point は「問題となる点」という意味.

なんやく 難役 (役割) difficult role (to play) Ⓒ; (仕事) difficult ⌈job [task] Ⓒ.

なんよう 南洋 the South Seas. **南洋漁業** south-seas fisheries **南洋諸島[群島]** the Islands of the South Seas **南洋杉** 〚植〛 hoop pine Ⓒ.

なんら 何等 (何も…でない) nothing; (少しも…でない) not ... any, not ... in any way, not ... at all 語法 後のものほど意味が強くなる. 《☞ なにも; なんの》. ¶私はその男とは*何ら関係ありません I do*n't* have *anything* to do with the man. / I have *nothing at all* to do with the man.

なんらか 何等か some, something. 《☞ なにか》.
¶*何らかの援助をする give *some* ⌈help [assistance] / give *something* in the way of ⌈help [assistance]

なんろ 難路 rough road Ⓒ.

な

に, ニ

に[1] **荷** (積み荷) load Ⓒ ★ 最も一般的; (貨物) freight /fréɪt/ Ⓤ 語法 《米》では陸上および空輸の, 《英》では水上運送の貨物を指すことが多い; (特に船・飛行機の) cargo Ⓤ ★ 具体的な事例は Ⓒ 《複 〜(e)s》; (重荷) burden Ⓒ ★ 普通は比喩的に. 《☞ にもつ; かもつ (類義語); つみに》.

荷が重い ¶ その仕事は私には*荷が重すぎた (⇒ 難しすぎた) The work *was too* ⌈*much* [*hard*; *heavy*] for me. **荷が降[下]りる** ¶ 末の娘が結婚したので肩の*荷が降[下]りた My youngest daughter's marriage *took a load off* my shoulders. **荷が勝つ** (積み荷が重すぎる) be overloaded; (仕事などが…の手に余る) be too much for …; (人に…をこなす能力がない) be unequal to … **荷を降ろす** ¶ 彼が出発したとき私は肩の*荷を降ろしたような気持ちになった When he left, I felt *a* ⌈*weight* [*load*] *taken off* my shoulders.

に[2] **二, 2** ── 名 two. ── 形 (2 つの) two; (第 2 番目の) the second. 《☞ 数字 (囲み); だいに; にばん; ふたつ》.

ニ 〘楽〙(音名) D Ⓒ. **ニ短調** D minor Ⓤ **ニ長調** D major Ⓤ.

-に 日英比較 日本語の「て, に, を, は」に当たるものは, 英語では, 例えば 「彼*は私*にカメラ*をくれた」 He gave me a camera. という文を考えればわかるように, まず第 1 に語順, そして第 2 に he, me などの語形の変化で表される. また 「彼*は両親*と京都*に行った」 He went *to* Kyoto *with* his parents. のように前置詞を使う場合もある. 従って, 日本語の「て, に, を, は」がいずれの方法で英語に表されるかを意味の上から判断しなくてはならない. 従って, 以下にあげる場合も, 日本語の「に」を常に to や for などと置き換えられると思ってはならない. 《☞ 語順 (巻末)》.

1 《日時》 ── 前 (時刻) at …; (日・一定の朝・午後・夕方) on …; (朝・午後・夕方・月・年など) in … 《☞ 時刻・日付・曜日 (囲み)》.
¶ 5 時*にお会いしたい I'd like to meet you *at* five. // 月曜*に出かけます I'm leaving ⌈*on* [next] Monday. // 10 日の午後*にそれを配達して下さいますか Can you deliver it *on* the afternoon of the tenth? // この学校は 1900 年*に創立された This school was founded *in* (the year) 1900.

2 《場所・方向》: (地点・狭い場所) at …; (広い場所) in … 語法 (1) at と in の区別は必ずしも絶対的な面積の大小にはよらず, 話者の気持ちが左右する. すなわち, 話者の住んでいる所, あるいは話者が広がりを感じる所については in を, 地図上の 1 点と感じるような所には at を用いる; (…の上に) on … 語法 (2) on は 接触していることを表す前置詞で, on the wall「壁に」, on the ceiling「天井に」のように, 水平面上でなくても接触していれば使える; (番地に) at …; (道 (に面した所)に) on …; (…の方向へ) to …; (…の方角に) in …; (…に向かって; …を目的地として) for …; (…の方に) 《米》 toward …, 《英》 towards …; (…の中へと) into … ★ 特に「入りこむ」動作を表す. 語法 (3) 「…の方に」という意味では to, in, for, toward が用いられるが, to は一般に目的の場所, for は特に交通機関などの行先, in は direction (方向) という語と共に, toward は「…に向かって」と方向を示す. 《☞ -へ; ほう[1]》.
¶ いつ成田*にお着きですか When will you arrive *at* Narita? // だれか戸口*にいる There's someone *at* the door. // 彼女は温室*にいた She was *in* the greenhouse. // かばんを棚*にのせましょうか Shall I put the bag *on* the shelf? // 壁*にカレンダーがかかっている There is a calendar *on* the wall. // 私はワシントン通り 2040 番地*に住んでいる I live *at* 2040 Washington Street. 語法 (4) 番地をいうときは at で言うのが普通. 2040 は twenty-forty と読む. // 彼はワシントン通り*に住んだことがある He once lived *on* Washington Street. 語法 (5) 《米》では street につく 前 は on, 《英》では in. // 東京*に行きたくなかった I didn't want to go *to* Tokyo. // 彼は京都*に向かって出発した He left *for* Kyoto. // 彼はドア*に向かって 2, 3 歩進んだ He advanced two or three steps *toward* the door. // 家*に入りましょう Let's go *into* the house. // 川*に泳ぎに行こう (⇒ 川で泳ぎに出かけよう) Let's go swimming *in* the river.

3 《動作の及ぶ所》: to …, for … 語法 いずれを用いるかは動詞による. 目的語を 2 つ取る動詞では間接目的語の位置にくるものが「…に」の意味になる.
¶ きのう父*に手紙を出した I sent ⌈a letter *to* my father [my father a letter] yesterday. // 運転手*に話しかけてはいけない Don't speak *to* the driver. // 息子*に自転車を買ってやった I bought a bicycle *for* my son. / I bought my son a bicycle.

4 《起点》: in … ¶ 世界最古の文明の 1 つがここ*に始まった One of the oldest civilizations in the world originated *in* this region. // 荒川は源を秩父山中*に発する The Arakawa River has its source *in* the Chichibu Mountains.

5 《目的》: to …, for … 語法 (1) to は不定詞を作り, for は 名 あるいは動名詞と結ぶ.
¶ 彼はこのことを気休め*に言ったに違いない He must have told me this just *to* ⌈comfort me [ease my mind]. // この薬は頭痛*に効く This medicine is good *for* headaches. // きのうは魚釣り*に行った I went fishing yesterday. 語法 (2) go …ing は「…しに行く」の意.

6 《動作主》: by … ¶ 鶏が数羽きつね*に殺された Some hens were killed *by* a fox.

7 《原因》: (…で) with …; (…が原因で) because of … 《☞ -で[1]》. ¶ あまりのうれしさ*に, 少女は飛び上がった The girl jumped *with* joy. // あまりの驚き*に, ものも言えなかった *Because of* the great shock, I couldn't utter a word.

8 《…として》: as …, for … 《☞ -として》.
¶ おじさんがこれをお年玉*にくれた My uncle gave me this ⌈*as* [*for*] a New Year's gift.

9 《状態の変化》 日英比較 日本語の「…に」が時間・場所・方向などを表す場合には, 英語ではそれらを前置詞を使って表すが「A が B になる」のような場合の「に」は, B が動詞の補語であれば語順だけで示され, 特に別の語を使わない. 《☞ 語順 (巻末)》.
¶ 父は夕方, 急に病気*になった My father suddenly ⌈fell [became] ill in the evening. // 野原はすっかり緑*になった The fields have all turned green. // 蛙は王子*になった The frog has turned *into* a prince.

10 《割合》 ¶ 彼女は 2 か月*に一度ここに来る She comes here once *every* two months. // 50 センチ

*に 30 センチの紙がいる We need a sheet of paper fifty centimeters *by* thirty (centimeters). // 私は一度*に 2 つのことはできない I can't do two things ⌈*at* once [*at* the same time].

にあい 似合い ── 形 (似合いの) well-suited, well-matched. ¶彼らは*似合いの (⇒ 申し分のない) カップルだ They're a *perfect* couple. / They make a *wonderful* couple.

にあう 似合う ── 動 suit ⑩, become ⑩ ★ 後者のほうが格式ばった語; (釣り合う) match ⑩. ── 形 (似合う) becoming ★ 格式ばった語; (似合いの・釣り合った) well-matched Ⓐ. (☞ あう²; ぴったり). ¶このコートはあなたによく*似合う This coat *looks* very *good on* you. // 彼女は年に*似合わずませている (⇒ 彼女の年齢にしては) She is *too* smart *for* her age.

にあがる 煮上がる ── 動 (食物が煮える) be cooked; (十分に煮える) be well cooked.

にあげ 荷揚げ ── 動 unload ⓐ ⑩ ★ 一般的な語; (特に船の) discharge ⓐ ⑩. ── 名 unloading Ⓤ; discharge Ⓤ. ¶船はここで*荷揚げします The ship will *discharge* here. / They will ⌈*discharge* [*unload*] the ship here. 荷揚げ港 port of ⌈discharge [delivery] Ⓒ 荷揚げ人(足) lóngshóreman Ⓒ (複 -men), (英) docker Ⓒ 荷揚げ料 landing ⌈charges [rates] ★ 複数形で.

にあつかい 荷扱い ── 名 handling of freight Ⓤ. ── 動 handle ⌈freight [(英) goods]. ¶あの港では*荷扱いが荒い They *handle freight* roughly at that port. 荷扱い所 freight [(英) goods] office Ⓒ 荷扱い人 freight [(英) goods] agent Ⓒ.

ニアデス (臨死) near death Ⓤ (☞ りんしたいけん).

ニアピン ── 形〔ゴルフ〕close(st) to the pin. ニアピン賞 closest-to-the-pin prize Ⓒ.

ニアミス near miss Ⓒ. ¶2 機の飛行機が数百メートルの*ニアミスをした The two airplanes *came to within* several hundred meters of each other, *but narrowly escaped a collision.*

ニアメー ── 名 固 Niamey /niά:meɪ/ ★ ニジェールの首都.

にあわしい 似合わしい (…に適した・ふさわしい) be suited to …; (似合いの) be well-matched.

にい 二位 second place ★ 単数形で; (第 2 位の人) runner-up Ⓒ. (☞ にばん; にとう; じてん¹).
¶*2 位は鈴木さんだった Miss Suzuki was the *runner-up.* / Miss Suzuki ⌈ranked *second* [took *second place*]. // そのランナーは*2 位に終わった The runner ⌈came in [finished] *second.*

ニー (ひざ) knee Ⓒ. ニーサポーター (伸縮する布製のもの) knee guard Ⓒ, knee support Ⓒ; (両側に薄い金属板がついているもの) knee brace Ⓒ ニーパッド knee pad Ⓒ.

にいさん 兄さん (兄) *one's* ⌈older [elder] brother Ⓒ (↔ *one's* younger brother), *one's* big brother Ⓒ (↔ *one's* little brother) 語法 big brother は普通子供の間で用いられる. (☞ あに 語法; 親族関係 (囲み)).
¶君の*兄さんが来ているよ *Your* (⌈*older* [*big*; *elder*]) *brother* is here. 日英比較 (1) 英語では日本語と違って特に必要がなければ兄と弟の区別はせず, 「君の兄さん」も単に your brother とすることが多い. // *兄さん, 電話だよ *Bill,* it's for you! 日英比較 (2) 英語では弟や妹が兄に呼びかけるときは日本語と違って名を呼ぶのが普通. この文で Bill を用いたのは適当な名を入れたまでのことである.

ニース ── 名 固 Nice /ní:s/ ★ フランス南東部の避寒地.

ニーズ¹ (需要・要求) needs ★ 通例複数形で.
¶…の*ニーズを満たす meet the *needs* of …

ニーズ² (新興工業地域) NIEs /ní:s/ ★ *N*ewly *I*ndustrializing *E*conomies の略.

ニーチェ ── 名 固 Friedrich Wilhelm Nietzsche /frí:drɪk vílhelm ní:ʧə/, 1844–1900. ★ ドイツの哲学者.

にいづま 新妻 (新婚の) newly ⌈married [wedded] wife Ⓒ; (若い) young bride Ⓒ.

ニート NEET Ⓒ ★ 教育・技能訓練中でもなく, 雇用もされていない人. *n*ot in *e*ducation, *e*mployment or *t*raining の頭字語.

ニードル (針) needle Ⓒ (☞ はり¹).

にいなめさい 新嘗祭 the Harvest Festival ★ 現在の勤労感謝の日に当たる. (☞ きんろう).

にいにいぜみ にいにい蟬 small dappled cicada Ⓒ.

にいにいろくじけん 二・二六事件 ☞ ににろくじけん

にいぼとけ 新仏 the recently deceased ★ 単数または複数扱い.

にいぼん 新盆 the first Bon service for … ¶今年は祖父の*新盆だ We are going to have *the first Bon service for* my (deceased) grandfather this year.

ニーレングス ── 形 (膝丈の) knee-length.

にいんせいど 二院制度 bicameral [two-chamber] system Ⓒ 参考 「一院制度」は unicameral system.

にうけ 荷受け receipt of goods Ⓤ. 荷受け費 receiving charge Ⓒ 荷受け人 consignee /kὰnsaɪní:/ Ⓒ.

にうごき 荷動き cargo [freight] movement Ⓤ; (運送市況) freight market situation Ⓤ.

にえかえる 煮え返る (沸騰する) boil ⓐ; (腹がたつ) boil over ⓐ.

にえかげん 煮え加減 ¶じゃがいもの*煮え加減を見させてください Let me ⌈check [see] *how well* the potatoes *are cooked.*

にえきらない 煮え切らない (優柔不断な) indecisive; (態度がどっちつかずの) noncommittal. (☞ ゆうじゅうふだん; どっちつかず).

にえくりかえる 煮え繰り返る (腹がたつ) boil over ⓐ. ¶私は腹が*煮えくりかえった My anger *boiled over.* / (⇒ 怒りで煮えたった) I seethed with anger. / I *was boiling* with rage. / (⇒ 怒りで血が沸騰するのを感じた) I felt my blood boiling with rage.

にえたぎる 煮えたぎる boil ⓐ, be on the boil.

にえたつ 煮え立つ boil ⓐ, come to a boil.
¶なべのお湯が*煮え立つまで待ちなさい Wait till the water in the pot ⌈*boils* [*comes to a boil*].

にえゆ 煮え湯 boiling (hot) water Ⓤ (☞ ゆ 日英比較). 煮え湯を飲まされる ¶彼女は自分の息子に*煮え湯を飲まされた (⇒ ひどく裏切られた) She *was horribly betrayed* by her own son.

にえる 煮える boil ⓐ, be boiled; (火が通る) cook ⓐ, be cooked. (☞ にる²; にたつ; 料理の用語 (囲み)).
¶この豆はすぐ*煮える These beans *cook* quickly. // 肉はよく*煮えていて柔らかい The meat *is cooked* ⌈*well* [*nicely*] and tender. // ふたを取りなさい. スープが*煮えこぼれるといけない Take off the lid. The soup may *boil over.*

にえんきさん 二塩基酸 〔化〕dibasic acid Ⓤ.

におい 匂い, 臭い ── 名 (一般的に) smell Ⓒ; (いやなにおい) odor /óudə/ ((英) odour) Ⓒ; (ひどくいやなにおい) stink Ⓒ; (かすかなにおい) scent Ⓤ; (芳香) fragrance /fréɪgrəns/ Ⓤ; (強い芳香) perfume

/pə́ːfjuːm/ Ⓤ; (飲食物の) aroma /əróumə/ Ⓤ [語法] scent, aroma などは種類を表すときには Ⓒ として用いることがある. ── [動] smell (自) ★「…のにおいを感じる」の意味で人が主語のときは (他); (いやな臭いにおいがする) stink (自) (《過去 stank, stunk; 過分 stunk》).

【類義語】最も一般的な語は *smell* で, 以下の語と入れ換えることも可能. *smell* は形容詞を付けないと, 通例悪いにおいを意味する. 化学的特性のように強く発散するにおいは *odor*. 悪臭の意味で用いることが多い. ひどい悪臭は *stink*. かすかなにおいは *scent*. 花などのよいにおいは *fragrance*. その強いものが *perfume* で, 特に食欲をそそるようなにおいは *aroma*. (《☞ かおり; くさい (類義語); くさみ》)

¶ この生ぐさい*においは好きでない I don't like this fishy「*smell* [*odor*]. // 何か焦げる*においがする I can *smell* something burning. // 犬はかすかな*においでもたどることができる Dogs can follow even a faint「*smell* [*scent*]. // ゆりは*においが強い Lilies「are very *fragrant* [have a strong *fragrance*]. // このコーヒーの*においがたまらない (⇒ 我慢することができない) I can't resist this *aroma* of coffee. // ごみ入れはひどい*においだ The garbage can「*stinks* [*smells terrible*]. **匂い香** scent [fragrance] (left behind) Ⓤ **匂い紙** scented paper Ⓤ **匂い玉** scent ball Ⓒ **においい止め** (におい消し) deódorant Ⓒ; (特にスプレーなど) deodorizer Ⓒ **匂い袋** sachet /sæʃéɪ/ Ⓒ ★ 衣装だんすの引き出しなどに入れるもの; perfume [sweet-smelling] bag Ⓒ ★ 英語では日本のように身につけて持ち歩く匂い袋に当たるものはないので, 説明的な訳.

コロケーション

いい匂い a pleasant *smell* / 嫌な匂い a「bad [foul] *smell*; an unpleasant *odor* / おいしい匂い a delicious *smell* / 臭い匂い a rank *smell* / 強い匂い a strong *smell* / 独特の匂い a distinctive「*smell* [*odor*; *fragrance*] / 鼻をつく匂い an acrid [a pungent] *smell* / 不快な匂い an「unpleasant [offensive] *smell*

においあらせいとう 匂いあらせいとう 〖植〗 wallflower Ⓒ.

においたつ 匂い立つ ── [形] (美しい) beautiful; (香りのよい) fragrant. (《☞ かおり; におう¹》).

におう¹ 匂う, 臭う smell (of …) (自) [語法] この語は一般的な語で,「におう物」が主語となる.「…のにおいを感じる」の意味で人が主語の場合は (他); (よいにおいである) be fragrant; (悪臭を放つ) stink (自) (《過去 stank, stunk; 過分 stunk》). (《☞ くさい (類義語)》). ¶ ガスが*におう (⇒ ガスのにおいを感じる) I *smell* gas. / (⇒ ガスのにおいがある) There is a *smell* of gas. // このコートはどうも防虫剤が*におう This coat *smells of* mothballs. // ごみ捨て場が*におう The garbage dump *stinks*.

におう² 仁王 the two Deva /déɪvə/ kings. **仁王立ち** ── [動] (直立不動の姿勢をとる・誇らしげにぬっくと立つ) draw *oneself* up to *one's* full height, stand firm. **仁王門** Deva gate Ⓒ; (説明的には) gateway to a Buddhist temple with Deva kings on both sides Ⓒ.

におくり 荷送り shipment (of goods) Ⓤ; (託送品の荷送り) consignment /kənsáɪnmənt/ Ⓤ ★ 商業用語. **荷送り人** consignor Ⓒ, consigner /kànsáɪnə/ Ⓒ.

ニオビウム 〖化〗 niobium /naɪóubiəm/ Ⓤ (《元素記号 Nb》).

ニオベ ── [名] [固] (ギリシャ神話の) Niobe /náɪəbi/.

におろし 荷下ろし ── [名] unloading Ⓤ; (船からの) disembarkation Ⓤ. ── [動] unload (他); disembark (他).

におわす 匂わす **1** 《においを発する》: give off an odor (of …); (…のにおいがする) smell (of …) (自). ¶ 彼は安物のオーデコロンを*におわせていた He「*smelled* [*gave off the odor*] *of* cheap (eau de) cologne.

2 《それとなく知らせる》: hint (他), hint at …, give [drop] a hint; (…ではないかとそれとなく示唆する) suggest (他). (《☞ あんじ (類義語)》).

¶ 彼は少し遅れることを*におわせていた He *hinted* that he would be a bit late. // 彼女の態度は拒絶を*におわせているようだった Her attitude *suggested* refusal. // 彼は辞意を*におわせた He「*hinted at* [*dropped a hint of*] his intention to resign.

におわせる 匂わせる ☞ におわす

にか 二化 〖昆〗 ── [形] (特にカイコが二化性の) bivoltine /baɪvóultiːn/. ── [名] bivoltinism Ⓤ.

にかい¹ 二階, 2 階 ── [名] the second floor, (《英》) the first floor [語法] (《英》) では 1 階を the ground floor と言う. ── [副] (2 階で・2 階に) upstairs (↔ downstairs) ★ 2 階建ての家の場合. (《☞ -かい³》).

¶ 彼女は*2 階へ上がっていった She went *upstairs*. **二階から目薬** dispel fog with a fan ★ 英語は「うちわで霧を払う」意味で効果のないことをいう. **二階建て** two-storied [two-story] building Ⓒ **二階建てバス** double-decker (bus) Ⓒ **二階家** two-storied [two-story] house Ⓒ.

にかい² 二回, 2 回 two times, twice. (《☞ にど; -かい¹; ど》). ¶ 彼女はきょうここへ*2 回来た She came here「*twice* [*two times*] today. // この雑誌は年*2 回の発行です This journal is published「*twice a year* [*semiannually*; *biannually*]. **二回目(の)** ── [形] (the) second. ¶ 東京へ来たのは*2 回目です This is my *second* visit to Tokyo.

にがい 苦い **1** 《味》: bitter. ¶ この薬は*苦い This medicine tastes *bitter*. // 良薬は口に*苦し A good medicine「tastes *bitter* [is *bitter* to the taste]. (《ことわざ》)

2 《いやな》: (つらくてひどい) hard; (苦しい) trying; (無情でひどい) bitter [語法] 以上 3 語は入れ換え可能な場合もある; (不機嫌な) sour. (《☞ にがにがしい》). ¶ 私はいろいろと*苦い経験をしてきた I have had many「*hard* [*trying*; *bitter*] experiences. **苦い顔** ¶ *苦い顔をする make a *sour face*

にがうり 苦瓜 〖植物〗 balsam /bɔ́ːlsəm/「apple [pear] Ⓒ.

にかえし 煮返し ☞ にかえす

にかえす 煮返す warm [heat] over (他), cook again (他). ¶ あんまり*煮返すとまずくなる It becomes less tasty if you *warm* it *over* again and again.

にがおえ 似顔絵 portrait /pɔ́ətrət/ Ⓒ ★ 英語の portrait は写真を含む. (《☞ しょうぞう》).

にかこくごほうそう 二か国語放送 (simultaneous /sàɪm(ə)ltéɪniəs/) bilingual broadcasting Ⓤ.

にがす 逃がす (自由にする) set … free; (手を放す・止めないで行かせる) let … go; (捕らえそこねる・見すごす) miss (他); (機会を) let slip (他). (《☞ とりにがす; にげる; はなす² [語法]; のがす》).

¶ かぶと虫を*逃がしてやった I *set* the beetle *free*. / I *let* the beetle *go*. ★ 第 2 文のほうが普通. // 彼を駅までつけて行ったのだが, そこで*逃がしてしまった I followed him to the station, but *lost track of* him there. // このよい機会を*逃がすな Don't *let* this good opportunity *slip by*. **逃がした魚は大きい** The「fish you lost [one that got away] is always the biggest.

にかせい 二化性 ☞ にか

にかた 煮方 (料理法) how to cook; (副料理長) sous-chef /sú:ʃèf/ Ⓒ. ¶この野菜は*煮方がたりない (⇒十分煮えていない) These vegetables *are* not well *cooked.*

にがつ 二月 February /fébruèri/ (略 Feb.) ★語頭は必ず大文字. (☞いちがつ [語法]; 時刻・日付・曜日 (囲み); 略語 (巻末)). **二月革命** the February Revolution ★ロシアの二月革命は 1917 年, フランスの二月革命は 1848 年.

にかつぎ 荷担ぎ porter Ⓒ.

にがて 苦手 ―[名] (扱いにくい相手) difficult customer Ⓒ. ―[動] (苦手である) be ⌈weak in [poor at; bad at] … (↔ be good at …) ★「人」が主語. (☞へた¹; ふえて).
¶英語は*苦手だ I'*m* ⌈*not good at* [*weak in*] English. // 木村氏はどうも*苦手だ For some reason I do*n't get along with* Mr. Kimura. / I somehow find Mr. Kimura *difficult to deal with.* // 私たちはどうもあのチームは*苦手だ (⇒どういうわけか勝てない) Somehow we can't beat that team.
苦手意識 ¶彼女はその仕事に対して*苦手意識がある She *does not feel up to* doing the work. / She *feels unable to handle* the work.

にがにがしい 苦苦しい ―[形] (不愉快な) unpleasant, disgusting ★後者のほうが意味が強い. ―[動] (不愉快に思う) be disgusted (with …). (☞ふゆかい; いや¹). ¶私はそのことを実に*苦々しく感じた I felt it was most ⌈*unpleasant* [*disgusting*]. / I *was* thoroughly *disgusted with* it. // 彼は*苦々しげに私たちを見た He looked at us *with disgust.*

にがみ 苦み bitter taste Ⓒ; (苦さ) bitterness Ⓤ. (☞にがい).

にがみばしる 苦み走る ¶*にがみばしったいい男 (⇒厳しい顔つきの) a handsome man with a *stern face*

にがむし 苦虫 **苦虫をかみつぶす** ¶彼は*苦虫をかみつぶしたような顔をした (⇒不機嫌な顔をした) He *made a sour face.* / (⇒しかめっ面をした) He *frowned* (at us). ★後者のほうが普通.

にかよう 似通う (closely) resemble (他) (☞にる¹; るいじ¹).

ニカラグア ―[名][固] (the Republic of) Nicaragua /nìkərá:gwə/. ―[形] Nicaraguan. **ニカラグア人** Nicaraguan Ⓒ.

にがり 苦汁 〖化〗 bittern Ⓤ.

にがりきる 苦り切る ―[動] be completely disgusted (by …); (しかめっ面をする) frown (at …) (自), scowl (at …) (自). ¶部下の失態に彼は*苦り切っている He *is* utterly *disgusted by* the indiscretion of his subordinates. // 彼は*苦り切った顔をした He ⌈*looked sour* [*frowned; scowled*].

にかわ 膠 ―[名] glue Ⓤ. ―[動] (にかわでつける) glue (他).

にがわせ 荷為替 ―[名] documentary bill Ⓒ. ¶*荷為替を組む draw a *documentary bill*

にがわらい 苦笑い ―[名] bitter [wry] smile Ⓒ [語法] bitter は苦々しい気持ちを, wry は顔の形がゆがんだ無理な笑いをいう. ―[動] smile ⌈bitterly [wryly]. (☞くしょう; わらう). ¶彼は*苦笑いを浮かべた He *smiled* ⌈*bitterly* [*wryly*].

にがんレフ(カメラ) 二眼レフ(カメラ) twin-lens reflex /rí:fleks/ (camera) Ⓒ.

にき 二期 ―[名] two periods, two terms.
¶彼は*二期続けて知事の職にあった He served as governor for *two* (*consecutive*) *terms.*
二期作 double cropping Ⓤ **二期制** ¶この大学は*二期制だ This college has *two semesters* an academic year. ★二期制の場合は一期を semester といい, 四期制 (夏期学期を含む) の場合は一期を quarter と呼ぶことがある.

にぎてき 二義的 ―[形] secondary /sékəndèri/, of secondary ⌈significance [importance].

にぎにぎしい 賑賑しい prósperous, cheerful. (☞にぎやか).

にきばらい 二季払い half-yearly payment Ⓒ.

にきび pimple Ⓒ, 〖医〗 acne /ǽkni/ Ⓒ. ¶顔に*にきびができてしまった My face has broken out ⌈with [in] *pimples.* // 少年は*にきびだらけの顔をしていた The boy had a *pimply* face. // *にきびをつぶすな Don't squeeze (your) *pimples.*

にぎやか 賑やか ―[形] (人が多く, せわしげに動いている) busy, bustling ★前者のほうが平易な日常語; (込み合ってにぎやかな) crowded; (繁盛している) prosperous, thriving ★前者のほうが一般的; (元気のいい・楽しい) cheerful; (騒々しい) noisy. (☞にぎわう).
¶私たちは*にぎやかな通りを通って行った We went along a ⌈*busy* [*bustling*] street. // 道の両側の店は買い物客で*にぎやかだった The shops on both sides of the street *were crowded* with customers. // 家は子供たちの*にぎやかな笑い声で満ちた The house was filled with the *cheerful* voices of laughing children. // 昨夜は隣の家が*にぎやかすぎてよく眠れなかった Our next-door neighbors were so *noisy* last night that I could hardly sleep.

にきゅう 二級 second class, second grade. **二級河川** class B river (system) Ⓒ.

にきょく 二極 ―[形] bipolar /bàɪpóʊlə/.
二極管 diode (tube) Ⓒ **二極構造** bipolar structure Ⓒ **二極真空管** ☞ **二極管** **二極スイッチ** double-pole switch Ⓒ **二極性** bìpolárity Ⓤ **二極分化** bipolarization Ⓤ.

にぎらす 握らす ☞にぎらせる

にぎらせる 握らせる **1** 《つかまらせる》: make *a person* grip …, make *a person* hang on (to) … **2** 《賄賂を》: bribe *a person* (☞わいろ).
¶あいつに*握らせればなんとかなるよ Things will go smoothly if we ⌈*make* him *happy* [*bribe* him]. ★[ ] 内のように露骨に bribe を使うことはめったにない.

にぎり 握り (道具などの手で握る部分) grip Ⓒ; (柄状になっているもの) handle Ⓒ. (☞とって (挿絵); え² (挿絵); ひとにぎり).
握りこぶし (clenched) fist Ⓒ **握り寿司** (hand-rolled) sushi Ⓤ **握りばさみ** traditional Japanese scissors; (糸切りばさみ) thread snippers **握り箸** awkward [clumsy] way of ⌈holding [using] chopsticks Ⓒ **握り飯** rice ball Ⓒ ★「握り寿司」,「握り飯」はさらに説明が必要な場合も多い.

にぎりかためる 握り固める ¶雪玉[泥団子]を*にぎりかためる make a hard ⌈snowball [mud pie] in *one's* hand

にぎりしめる 握り締める grasp (他), clasp (他), grip (他) [語法] 後の語ほど力のこもった感じ; (手にしっかりと持つ) hold … tight(ly) (in *one's* hand); (こぶしを) clench (他). (☞にぎる).
¶私は母の手を*握り締めた I ⌈*gripped* [*grasped*] my mother's hand. // 子供は布切れを*握り締めていた The child *held* a piece of cloth *tight*(*ly*) *in his hand.* // 彼は怒ってこぶしを*握り締めた He *clenched* his fist(s) in anger.

にぎりつぶす 握り潰す crush … in *one's* hand(s); (棚上げする) shelve (他). (☞もみくちゃ; もみけす). ¶法案は*握りつぶされた The bill *was shelved.*

にきる 煮切る (アルコール分が蒸発するまで煮る) cook … until alcohol has evaporated.

にぎる 握る **1** 《つかむ》: (しっかりと) grasp (他),

clasp ⑩, grip ⑩ 〔語法〕 以上3語はほぼ同意だが, 後の語ほど力を入れてぎゅっと握る感じ; (押さえる・つかまえる) seize /síːz/ ⑩; (手に持つ) hold ⑩, take hold of ... (☞ つかむ; にぎりしめる).

¶ 彼女は私の手をしっかりと*握った She ⌈*clasped* [*grasped*; *gripped*] my hand firmly. // その子は私のそでを*握って行かせなかった The child ⌈*held* [*seized*; *took hold of*] my sleeve and wouldn't let (me) go. // 観客はみな白熱した試合に手に汗を*握った (⇒ 熱戦に興奮した) The whole crowd *was excited* by the hard-fought game.

2 《支配下に置く》: (支配する・統治する) dominate ⑩ ⑪, rule ⑩ ⑪ ★ 後者のほうが口語的; (統御する) control ⑩; (つかみ取る・力ずくで奪う) seize ⑩; (乗っ取る) take over ⑩. (☞ しはい[1] (類義語)).

¶ 彼らは権力を*握りたがっている They are trying to ⌈*seize* [*take over*] power. // 彼はここではすべてのことを*握っている He *controls* everything here. // 財布のひもを*握っているのは彼の奥さんだ His wife *holds* the purse strings. // 彼は殺人事件の鍵を*握っているようだ He seems to ⌈*hold* [*have*; *possess*] the key to the murder case.

3 《握り飯などを》: make ⑩.

にぎわい 賑わい (人出) crowd Ⓒ; (人が集まり, 動きが激しいこと) bustling Ⓤ; (雑踏) bustle Ⓤ; (繁栄) prosperity Ⓤ. (☞ にぎやか).

にぎわう 賑わう (人で混雑する) be crowded; (人の動きなどが活発である) be bustling; (生き生きしている) be ⌈alive [lively]; (繁栄する) be prosperous. (☞ にぎやか). ¶ 祭りの日にはその寺の境内は人々で*にぎわう On a festival day the temple grounds *are crowded* with people. // 市場は活気にあふれて*にぎわっていた The market *was bustling* with activity. // 店はこのところ*にぎわっている The shop *is prosperous* these days.

にぎわす 賑わす (活気をつける) make ... cheerful, enliven /ɪnláɪvən/ ⑩ ★ 後者のほうが格式ばった語; (新聞などが大きく報じる) splash ⑩.

¶ 彼のスキャンダルが新聞の第1面を*にぎわしている (The story of) his scandal *has been splashed* across the front pages. / (The story of) his scandal *has* ⌈*hit* [*made*] *the headlines*.

にぎわわす 賑わわす ☞ にぎわす

にく 肉 **1** 《体の肉》: (人・動物・果物の) flesh Ⓤ; (筋肉) muscle /mʌ́sl/ Ⓒ. ¶ 腹の*肉 (⇒ 腰の回りの重さ)が落ちた[ついた] I have ⌈lost [put on] (some) *weight* around ⌈my waist [the middle].

2 《食肉》: meat Ⓤ ★ 種類を言うときは Ⓒ; (魚の) fish Ⓤ; (鳥肉一般) fowl Ⓤ, poultry /póultri/ Ⓤ; (牛肉) beef Ⓤ; (豚肉) pork Ⓤ; (羊肉) mutton Ⓤ; (鶏肉) chicken Ⓤ. (☞ ぎゅうにく).

¶ 私は*肉が好きです I like *meat*. // この*肉は柔らかい[堅い] This *meat* is ⌈tender [tough]. // *肉の多い *meaty* // 私たちは*肉を鉄板で焼いた We grilled some *meat* on an iron plate.

肉を切らせて骨を断つ defeat the enemy by sustaining injuries oneself; (相当の代価を払って勝つ) win by paying a big price.

肉色 ── 形 flesh-colored, pinkish **肉エキス** meat ⌈extract [essence] Ⓤ **肉牛** beef cattle ★ 複数扱い. **肉切り包丁** butcher knife Ⓒ; (食卓で肉を切り分ける) carving knife Ⓒ, carver Ⓒ **肉骨粉** (飼料) meat-and-bone meal Ⓤ (略 MBM). **肉質** ── 名 (肉の品質) quality of meat Ⓤ, meat quality Ⓤ. ── 形 (葉などが分厚い) fleshy **肉ジャガ** 〖料理〗 boiled meat and potatoes with soy sauce and sugar Ⓤ **肉汁** meat juice Ⓤ; (煮出し汁) broth Ⓤ; (肉を焼く時に出る) gravy Ⓤ **肉製品** meat products ★ 複数形で. **肉だんご** meat ball Ⓒ **肉鍋** 〖料理〗 meat hotpot Ⓒ **肉南蛮** bowl of noodles with meat and leeks on the top Ⓒ **肉挽き機** meat grinder Ⓒ **肉片** piece [slice] of meat Ⓒ **肉屋** (人) butcher Ⓒ; (店) butcher shop Ⓒ, the butcher's 〔語法〕 後者は shop を省略した言い方. 《米》では前者のほうが普通. **肉料理** meat dish Ⓒ **肉類** (various types of) meat. ★ 上記以外の複合語は主見出し.

コロケーション

肉を油をひいて焼く fry *meat* / 肉を乾燥させる dry *meat* / 肉を切り分ける carve *meat* / 肉を切る cut *meat* / 肉を塩漬けにする salt *meat* / 肉をとろ火で煮る stew *meat* / 肉を煮る[ゆでる] boil *meat* / 肉を保存する cure [preserve] *meat* / 肉を丸焼きにする barbecue *meat* / 肉を焼き網で焼く broil *meat* / 肉を焼く roast *meat* / 肉を料理する cook *meat*

にくあつ 肉厚 ── 形 (一般に厚い) thick; (葉などが) fleshy; (手などが) meaty. (☞ あつい[3]).

にくい 憎い **1** 《いやな・憎らしい》: hateful (☞ にくらしい; にくむ). ¶ あの男が*憎い I ⌈*hate* [*loathe*; *detest*; *despise*] him.

2 《心にくい》: 《略式》 mean Ⓐ. ¶ 彼女のひくギターは*にくいね She plays a *mean* guitar.

-にくい (難しい; ...しにくい) hard, difficult (↔ easy) ★ 前者のほうが口語的. (☞ むずかしい; やりにくい; いいにくい). ¶ あの子は扱い*にくい That child is *hard* to ⌈manage [control]. // 彼の字はなかなか読み*にくい It is rather *hard* to read his handwriting. / I find his handwriting rather *hard* to read. // 言い*にくいんだが金はいまは[きょうは]払えない I *hate* to tell you, but I can't pay you ⌈now [today]. // このドアは閉め*にくい (⇒ 簡単に閉まらない) This door *doesn't* close *easily*.

にくうす 肉薄 ── 形 thin (☞ うすい).

にくが 肉芽 〖医〗 granulation Ⓒ. **肉芽腫** grànulóma (複 ～s, -mata) **肉芽組織** granulation tissue Ⓤ.

にくかい 肉塊 (動物の体の一部) lump of flesh Ⓒ; (食肉の) piece of meat Ⓒ.

にくからず 憎からず **憎からず思う** care for ..., have tender feelings for ..., love ⑩. (☞ あいする). ¶ 彼らは互いに*憎からず思っている They *have* ⌈*tender* [*friendly; warm*] *feelings for* each other.

にくかん 肉感 (肉欲) carnal desire Ⓤ. **肉感的** sensual, volúptuous ★ 後者のほうが格式ばった語で, よい意味で用いられる. ¶ あの女優は*肉感的な体つきをしている That actress has a *voluptuous* body.

にくがん 肉眼 the naked /néɪkɪd/ eye; (望遠鏡などを使わない) the unaided eye. ¶ その星は*肉眼では見えない You can't see that star with *the* ⌈*naked* [*unaided*] *eye*. / That star is invisible to *the naked eye*. 〔語法〕 前者のほうが口語的.

にくさ 憎さ hatred (☞ にくしみ). ¶ かわいさ余って*憎さ百倍 The greater the love, the deeper the *hatred*. // 知らん顔をする面*憎さ How *hateful* of him, pretending to know nothing.

にくしみ 憎しみ hatred Ⓤ, hate Ⓤ; (敵意) enmity Ⓤ. (☞ ぞうお; てきい; にくむ). ¶ 彼らは私たちに対して*憎しみを抱いている They ⌈have [bear] *hatred* toward us. // 小説の主なテーマは愛と*憎しみである Novels mainly deal with love and ⌈*hate* [*hatred*].

コロケーション

憎しみをかき立てる incite [arouse] *hatred* / 憎しみを感じる feel *hatred* / 憎しみを招く incur *hatred* / 異常な憎しみ obsessive *hatred* / うっ積し

た憎しみ pent-up *hatred* / くすぶり続ける憎しみ smoldering *hatred* / 執念深い憎しみ implacable *hatred* / 強い憎しみ intense *hatred* / 激しい憎しみ bitter [violent] *hatred*

にくしゅ 肉腫 (一般にできもの・腫瘍) tumor Ⓒ; 〘医〙 sarcóma Ⓒ 《複 ~s, sarcomata》. 《☞ しゅよう²》.

にくしょく 肉食 ── 動 (人が) eat meat; (動物が) eat flesh. ── 形 (肉食性の) meat-eating; (動物が) carnívorous; (鳥が) prédatory. ¶ アメリカ人は*肉食が多い The Americans are great *meat-eaters*.
肉食獣 carnivorous [flesh-eating] animal Ⓒ 肉食鳥 predatory bird Ⓒ; (猛禽) bird of prey Ⓒ 肉食動物 carnivore /kάːnəvɔ̀ːr/ Ⓒ.

にくしん 肉親 (血縁関係) (blood) relation Ⓤ; (血縁関係の人) (blood) ⌈relation [relative] Ⓒ; (人の家族・親類) *one's* people ★ 口語的な言い方で, 複数扱い. 《☞ かぞく¹; しんるい¹; 親族関係 (囲み)》. ¶ 彼は*肉親からも見放されてしまった His *own* ⌈*family* has [*relatives* have] given up on him. // 彼女の*肉親には数人のすぐれた学者がいる There are several outstanding scholars among her *blood* ⌈*relations* [*relatives*].

にくずく 肉木蔲 (木) nutmeg tree Ⓒ; (香料) nutmeg Ⓤ.

にくずれ¹ 荷崩れ ── 動 (船で積荷が移動する) shift 自; (荷が崩れ落ちる) collapse 自, fall down 自. ¶ 船の積荷が*荷崩れした The ship's cargo *shifted*. // 重さで*荷崩れした The piles of *cargo collapsed* under their own weight.

にくずれ² 煮崩れ ── 動 (煮崩れする) be boiled ⌈to pieces [down].

にくせい 肉声 (human) voice Ⓒ, (natural) voice Ⓒ 〔語法〕 特に機械を通した声や人工の声と対比するときだけ human voice, natural voice という言い方をし, そのほかは単に voice と訳せばよいことが多い. 《☞ こえ¹》. ¶ 彼女の*肉声は聞いたことがない I haven't heard her *voice*. // 彼女の*肉声はよいが, マイクにうまくのらない She has a pleasant *voice*, but it doesn't sound good through a microphone.

ニクソン ── 名 固 Richard Milhous /mílhaus/ Nixon, 1913–1994. ★ 米国第 37 代大統領.

にくたい 肉体 (身体) body Ⓒ; the flesh ★ 特に精神と対比して用いる語. 《☞ からだ》. ¶ いつも精神が*肉体を支配できようか Can the mind always control the *body*? 肉体関係 sexual relations Ⓒ. ¶ 彼らは*肉体関係を持った They had ⌈*sexual relations* [*sex*]. / They *slept together*. 肉体的 ── 形 (肉体の) physical, bodily; (肉感的な) sensual, voluptuous. ¶ *肉体的な衰えを感じます I feel that I have ⌈lost my *physical* strength [become *physically* weak]. 肉体美 physical beauty Ⓤ 肉体労働 physical [manual] labor Ⓤ.

にくたらしい 憎たらしい hateful; (意地悪な) spiteful; (しゃくにさわる) provocative; (生意気な) cheeky, saucy, impudent ★ 前 2 者のほうが口語的. 《☞ にくらしい》.

にくたれぐち 憎たれ口 ☞ にくまれぐち

にくだん 肉弾 human bomb Ⓒ, suicide attacker Ⓒ. 肉弾戦 hand-to-hand battle Ⓒ.

にくづき¹ 肉付き ── 形 (肉付きがよい) well-filled-out Ⓐ; (まるまると太って) plump; (太った) fat, stout; (がっしりした) strapping; (女性が豊胸の) buxom /bʌ́ksəm/, well-developed; (肉付きが悪い) thin, lean. 《☞ ふとる (類義語); やせる》.

にくづき² 肉月 (漢字の偏) moon radical on the left of kanji Ⓒ.

にくづけ 肉付け ¶ この論旨にもう少し*肉付けすれば立派な論文になる If you just *fill out* your theory, this will make a fine piece of research. // 登場人物の*肉付けが足りない The characters *are not well written out*.

にくてい 憎体 ── 形 (いまいましい) hateful; (なまいきな) impudent; (横柄な) insolent. 《☞ にくらしい》.

にくにくしい 憎憎しい (意地悪く執念深い) spiteful; (悪意のある) malícious. 《☞ にくらしい》. ¶ 彼は*憎々しげに笑った He smiled ⌈*spitefully* [*maliciously*].

にくはく 肉薄, 肉迫 ── 動 (追いつめる・押し寄せる) press ... hard. ¶ わが軍は敵の陣地に*肉薄した Our troops *pressed* the enemy's ⌈position [camp] *hard*.

にくばなれ 肉離れ ── 動 tear a muscle. ── 名 torn muscle Ⓒ, (略式) pull Ⓒ. ¶ テニスをしていて*肉離れをおこした I *tore a muscle* when I was playing tennis.

にくひつ 肉筆 *one's* own handwriting Ⓤ 《☞ じきひつ》.

にくぶと 肉太 ¶ *肉太の字を書く write in a *bold hand* 肉太活字 bold-faced type Ⓤ, thick type Ⓤ.

にくぼそ 肉細 ¶ *肉細の文字を書く write in a *light hand* 肉細活字 light-faced type Ⓤ.

にくまれぐち 憎まれ口 ── 動 (意地の悪いことを言う) say spiteful things; (憎まれ役を演じる) play the bad guy. 《☞ にくまれやく》.

にくまれっこ 憎まれっ子 (よくない子) bad ⌈boy [child] Ⓒ; (いたずらっ子) naughty ⌈boy [child] Ⓒ; (一つのグループや家族の中での持て余し者) black sheep Ⓒ. 憎まれっ子世にはばかる Ill weeds grow apace. 《ことわざ: 悪い雑草は伸びるのが早い》

にくまれやく 憎まれ役 ── 動 (憎まれ役を務める) play the ⌈villain [bad guy]. ¶ どうしていつも*憎まれ役をしなくてはならないのだろう I wonder why I always have to *play the* ⌈*villain* [*bad guy*].

にくまん(じゅう) 肉饅(頭) meat bun Ⓒ.

にくみあう 憎み合う ¶ あの兄弟は*憎み合っている The brothers *hate each other*.

にくむ 憎む hate 他 (↔ love), have (a) hatred (for ...) ★ 前者が一般的; (ひどく憎む) detest 他. 《☞ きらう (類義語)》.

にくめない 憎めない ¶ あいつは*憎めない奴だ It's *hard to dislike* him. / He's someone ⌈you just *can't dislike* [who's *impossible to hate*].

にくようしゅ 肉用種 animal raised for its meat Ⓒ; (牛) beef [meat] cow Ⓒ; (総称) beef [meat] cattle ★ 複数扱い; (鶏) meat chicken Ⓒ.

にくよく 肉欲 (carnal) desire Ⓤ, lust Ⓤ. 《☞ よくぼう》.

にくらしい 憎らしい hateful ★ 最も一般的; (意地悪な) spiteful; (人を怒らせるような) provocative; (生意気な) cheeky, saucy, impudent ★ 前 2 者のほうが口語的. 《☞ にくい》. ¶ 彼の顔を見るだけで*憎らしくなる The mere sight of him is *hateful* to me. // 何で*憎らしいことを言うやつだ How *spitefully* he talks!

にくりん 肉林 ☞ しゅちにくりん

にぐるま 荷車 cart Ⓒ 《☞ ておしぐるま》.

ニグロ Negro Ⓒ 《複 ~es》 ★ 差別語だから使わないほうがよい. 現在では Black ないし black が一般的. 《☞ こくじん》. ニグロスピリチュアル (黒人霊歌) Negro spiritual Ⓒ.

ニグロイド (黒人種) Negroid /níːgrɔɪd/ ★ 人

種の意味では Ⓤ, 個々の人の意味では Ⓒ.

ニクロム Nichrome /náɪkroum/ Ⓤ ★ 商標名. ニクロム線 Nichrome wire Ⓤ.

にクロムさんカリウム 二クロム酸カリウム 〘化〙 potássium ˹dichromate /dàikróumeɪt/ [bichrómate /bàɪ-/] Ⓤ.

にクロムさんナトリウム 二クロム酸ナトリウム 〘化〙 sodium ˹dichromate [bichromate] Ⓤ.

にぐん 二軍 farm (team) Ⓒ.

ニケ ── 名 固 〘ギ神〙 Nike /náɪki/ ★ 勝利の女神.

にげ 逃げ ¶ おれは*逃げも隠れもしないぞ I intend neither to *evade* nor *run away from* the problem. 《☞ にげる》 **逃げをうつ** (逃げようとする) try to escape (from …) 自; (言い訳してごまかそうとする) try to give excuses.

にげあし 逃げ足 (逃走) getaway Ⓒ. ¶ 彼らは*逃げ足が速かった They made a quick ˹*getaway* [*escape*].

にげあな 逃げ穴 hiding hole Ⓒ.

にげうせる 逃げ失せる ¶ 彼はどこかに*逃げ失せた He *has managed to* ˹*disappear* [*escape; get away*]. // 子供たちは一目散に*逃げ失せた The children quickly *ran away*.

にげうま 逃げ馬 〘競馬〙 runaway winner Ⓒ.

にげおおせる 逃げ果せる ¶ 彼はうまうまと*逃げおおせた (⇒ 成功裏に姿をくらました) He *disappeared successfully*. / He *made good* his *escape*.

にげおくれる 逃げ遅れる ¶ 彼は*逃げ遅れて敵につかまってしまった He *failed to* ˹*get away* [*escape*] and fell into the clutches of the enemy.

にげかえる 逃げ帰る run [rush] back 自.

にげかくれ 逃げ隠れ ── 動 (逃げ隠れる) run away [flee] and hide 自; (こそこそ逃げる) skulk about 自. ¶ *逃げ隠れしても無駄だ It's no use trying to *run away and hide*. **逃げ隠れしない** (運命を受け入れる) accept *one*'s fate; (自分の行動に対して甘んじて批判を受ける) face the music ★ 口語的表現.

にげきる 逃げ切る ── 動 (逃亡に成功する) be successful in *one's* escape; (競馬で) keep the lead.

にげぐち 逃げ口 (出口) exit Ⓒ; (非常口) emergency [fire] exit Ⓒ.

にげこうじょう 逃げ口上 (口実) excuse /ɪkskjúːs/ Ⓒ; (言い抜け) evasion Ⓒ; (口実, 特にでっち上げたうその言い訳) pretext /príːtekst/ Ⓒ. 《☞ いいのがれ; いいわけ; こうじつ[1]》.

にげごし 逃げ腰 ¶ 私の顔を見ると彼は*逃げ腰になった (⇒ 逃げる用意をした) He *got ready to* ˹*run away* [*turn tail*] when he saw me. 《☞ よわごし》

にげこむ 逃げ込む ¶ 犬は小屋に*逃げ込んだ The dog *ran into* the hut. // 逃亡者は教会に*逃げ込んだ The escapee *sought refuge in* the church.

にげじたく 逃げ支度 ── 動 prepare for flight, get ready to flee. ¶ その晩 2 人は*逃げ支度をした That night the two *got ready to* ˹*flee* [*run away*].

にげだす 逃げ出す ── 動 (逃げる) run away 自 make off 自, take flight ★ run away が最も一般的. 後のものほど格式ばった表現; (一目散に) take to *one's* heels; (こっそりと) sneak away 自, slip away 自. 《☞ にげる》.

にげのびる 逃げ延びる escape safely, 《略式》 make a (clean) getaway. 《☞ にげる》.

にげば 逃げ場 (避難口) escape Ⓒ; (出口) exit Ⓒ, 《英》 way out Ⓒ; (非常口) emergency exit Ⓒ; (火災のときの) fire escape Ⓒ. ¶ 数人が*逃げ場を失い (⇒ 断たれ) 死亡した Several people ˹had their *escape* cut off [were unable to find the *way out*] and died.

にげまどう 逃げ惑う ¶ 突然の攻撃を受けて人々は*逃げ惑った (⇒ 逃げ道を求めて半狂乱で走りまわった) In the sudden attack, people *ran about frantically trying to find a way of escape*.

にげまわる 逃げ回る ¶ あいつは借金取りから*逃げ回っている He *is sneaking around avoiding* his creditors. // 外国を*逃げ回る *flee from place to place* abroad

にげみず 逃げ水 (道の蜃気楼) (road) mirage /mɪrɑ́ːʒ/ of a pool of water Ⓒ.

にげみち 逃げ道 (channel [route; path; way] of) escape Ⓒ; (出口) exit Ⓒ, 《英》 way out Ⓒ. 《☞ ぬけみち》. ¶ *逃げ道はない There's no *escape route*. // 税金の*逃げ道はいくらでもある There are ˹many [numerous] *ways to evade* taxes.

にげる 逃げる rùn awáy 自 ★ 最も一般的; (特に悪事などを働いて) gèt awáy (from …; with …) 自 〔語法〕 (1) 口語的表現. from … で「…から逃げ出す」, with … で「…を持ち逃げする」となる; (脱する) escape (from …) 自; (危険・追跡などから) 《格式》 flee 自 他 《過去・過分 fled》; (動物がおりなどから) break [get] loose 自. 《☞ のがれる; ひなん[2]; にがす; とうそう[1] 〔語法〕》.

¶ *逃げるな! (⇒ 止まれ) Stop! / Freeze! // 早く*逃げろ *Run away* quick. // 彼は私の有り金全部をさらって*逃げた He *got away with* all my money. // 刑務所から囚人が 1 人*逃げた One of the inmates *has escaped from* the prison. // 犯人はすでに国外に*逃げた The culprit *has* already ˹*fled* the country [*run away* overseas]. 〔語法〕 (2) flee the country で「国外逃亡する」の意. この場合の flee は 他. // ライオンが*逃げたそうだ I hear a lion *has* ˹*broken* [*gotten*] *loose*. **逃げた魚は大きい** Every fish [The one] that gets away is always the biggest. **逃げるが勝ち** The race is not to the swift(, nor the battle to the strong). 《ことわざ: 競走は速い者のためにあるのではない (戦いも強い者のためにあるのではない)》 ★ 〘聖〙 伝道の書より.

にげん 二元 **二元的** dùalístic **二元放送** simultaneous /sàɪm(ə)ltéɪniəs/ broadcast from two stations Ⓤ **二元方程式** equation ˹with [in] two ˹unknowns [variables] Ⓒ **二元論** dúalism Ⓤ.

にげんごじてん 二言語辞典 bilingual dictionary Ⓒ.

にげんごしよう 二言語使用 ── 名 bilingualism /bàɪlíŋgwəlɪ̀zm/ Ⓤ; (標準的な言語と非標準的なものが共存している状態) 〘言〙 diglossia /dàɪglɔ́ːsiə/ Ⓤ. ── 形 bilingual. 《☞ げんご》. **二言語使用者** bilingual Ⓒ.

にこう 二項 **二項係数** binomial coefficient /baɪnóumiəl kouɪfíʃənt/ Ⓒ **二項式** binomial Ⓒ **二項定理** the binomial theorem /θíːərəm/ **二項分布** binomial distribution Ⓒ.

にごう 二号 mistress Ⓒ 《☞ めかけ》.

にこうていきかん 二行程機関 two-cycle engine Ⓒ.

にこくかん 二国間 ── 形 between two countries; (二者・二国の) bilateral. ¶ 日中の*二国間関係[問題] *bilateral* ˹relations [issues] between Japan and China **二国間協定** bilateral ˹agreement [arrangement; treaty] Ⓒ.

にこくごほうそう 二国語放送 ☞ にかこくごほうそう

にこごり 煮凝り jellied ˹food [soup] Ⓤ. ¶ 鳥の*煮凝り *jellied* chicken

ニコシア ── 名 固 (キプロスの首都) Nicosía.

にごしらえ 荷拵え ── 名 packing Ⓤ. ── 動 pack 他. 《☞ にづくり》.

にごす 濁す **1** 《言葉をあいまいにする》: speak ambiguously (自); (要点をあいまいにする) evade the point; (返事をあいまいにする) give a ｢vague [noncommittal; evasive] answer [語法] noncommittal は態度が明らかでなく, 当たり障りのないこと, evasive は言い逃れて回避する態度をいう. 《☞ あいまい》.

¶ 彼は言葉を*濁した He *spoke ambiguously*. / He ｢*evaded the point* [*gave a vague answer*].

2 《水などを濁らせる》: make … muddy, muddy (他); (液体を部分的に濁らせる) make … cloudy. 《☞ にごり; にごる》.

¶ 立つ鳥跡を*濁さず [参考] このことわざにぴったりの英語はなく, 直訳なら When a swimming bird takes flight, it does not muddy the water. 意訳なら I don't want to leave bad memories behind me. のようにすればよい. なお, 英語のことわざで It's an ill bird that soils its nest. は「自分の身近な者に害を加えるのは愚かである」の意で,「立つ鳥跡を濁さず」とは意味が違う.

ニコチン nicotine /níkətìːn/ Ⓤ. **ニコチン酸** 〘生化〙 nicotinic acid Ⓤ, niacin /náɪəsn/ Ⓤ **ニコチン中毒** nícotìnism Ⓤ, nicotine poisoning Ⓤ.

にこにこ ── (動) (笑みを浮かべる) smile (自); (満面の笑みをたたえる) beam (自). ── (副) with a smile. 《☞ にっこり [日英比較]; わらう; 擬声・擬態語 (囲み)》.

¶ 彼は*にこにこしていた He *was* ｢*smiling* [*all smiles*]. [語法] all smiles は強調した表現. // 彼女は*にこにこして私を見た She looked at me *with a smile*. / She *smiled* at me. **にこにこ顔** smiling [beaming] face Ⓒ.

にこぼす 煮零す (いったん煮汁を捨てる) drain (boiled food before boiling again to remove harshness); (煮こぼれさせる) (carelessly) let … boil over.

にこぼれる 煮零れる boil over (自).

にこみ 煮込み stew of various ingredients Ⓤ.
¶ 牛の*煮込み beef *cooked with vegetables* (*until tender*) **煮込みうどん** stewed (*udon*) noodles **煮込み野菜** vegetables cooked in broth.

にこむ 煮込む (十分に煮る) cook [boil] … (well); (弱火で時間をかけて煮る) stew (他). 《☞ にる[2]; 料理の用語 (囲み)》.

にこやか ☞ にこにこ

ニコライ (ロシアの男性名) Nikolai /nìːkəláɪ/; (英語表記) Nícholas. **ニコライ一世** Nicholas I, 1796–1855. ★ ロシア皇帝. **ニコライ二世** Nicholas II, 1868–1918. ★ 帝政ロシア最後の皇帝. **ニコライ堂** *Nikolai-do* Cathedral; (正式名; 東京復活大聖堂) Holy Resurrection Cathedral.

にごらす 濁らす ☞ にごす

にこり ¶ 彼女は*にこりともしないで私を迎えた She greeted me without *a smile*. 《☞ にっこり》

にごり 濁り (液体の) muddiness Ⓤ; (瓶の底などに浮いているもの) cloud Ⓒ; (全体的に濁っていること) cloudiness Ⓤ, opaqueness /oʊpéɪknəs/ Ⓤ, unclearness Ⓤ. **濁り酒** unrefined sake Ⓤ **濁り水** muddy water Ⓤ.

にごる 濁る **1** 《水などが》: become [get] ｢muddy [cloudy; turbid] [語法] cloudy, turbid は底の沈殿物をかきまぜたりして濁ること. 《☞ にごす》.

¶ 大雨の後, 井戸水が*濁った After the heavy rain, the well *got muddy*. // この水は*濁っている This water *is turbid*. // *濁っていない水の所で (⇒ 水が澄んできれいな所で) 泳ぎたい I want to swim ｢where the water is *clear* [in *clear* water].

2 《音が》: (濁音になる) be voiced.

にころがし 煮転がし root vegetables cooked in soup until dry ★ 説明的な訳.

にごん 二言 (言動に表裏のあること) duplicity Ⓤ; (前言を翻すこと) backtracking Ⓤ. ¶ 武士に*二言はない A samurai ｢(⇒ 約束を守る) *keeps* his *promise* [(⇒ 決して前言を撤回しない) will *never take back* his *word*].

にサイクルきかん 2 サイクル機関 two-cycle engine Ⓒ.

-にさいして …に際して ☞ さいして

にざかな 煮魚 fish cooked in broth Ⓤ.

にさばき 荷捌き (荷の仕分け) classification [sorting] of goods Ⓤ.

にさん 二三 ── (形) (2 つか 3 つの) two or three; (少ない数の) a few [語法] (1) 必ずしも 2, 3 という数にこだわらず, 数が少ないことを表す; (漠然と幾つかの) some; (2 つの) a couple of … [語法] (2) 元来は「2 つの」の意味だが, 必ずしも「2」にこだわらず「2, 3 の」の意味にも使われる. 《☞ たしょう[1] (類義語); いくつか (類義語)》. ¶ *2, 3 日待って下さいませんか Could you wait (for) ｢*a few* [*two or three*; *a couple of*] days? // 子供が*2, 3 人公園にいるのを見た I saw *some* children in the park.

にさんえんき 二酸塩基 〘化〙 diacid [diacidic] base Ⓒ.

にさんか- 二酸化… **二酸化硫黄** súlphur dioxide /daɪáksaɪd/ Ⓤ **二酸化珪素** 〘化〙 silicon dioxide Ⓤ **二酸化炭素** cárbon dioxide Ⓤ ¶ 大気中の*二酸化炭素の削減 the reduction of *carbon dioxide* in the atmosphere **二酸化窒素** nitrogen dioxide Ⓤ **二酸化鉛** 〘化〙 lead dioxide Ⓤ **二酸化物** dioxide Ⓤ **二酸化マンガン** manganese dioxide Ⓤ.

にし[1] 西 ── (名) the west. ── (形) (西の・西方の) west, western [語法] 境界がはっきりしていて「西部(地方)の」という意味の場合は west を, 漠然と「西方の」という意味のときは western を使う; (西寄りの) westerly. ── (副) (西へ) west, westward(s) ★ 後者は方向を示す意味が強い. 《☞ せいぶ[2]》.

¶ 太陽は*西の空に傾いた The sun is low in the *western* sky. // 船は*西へ向かって進んだ The ship sailed ｢*west* [*westward(s)*]. // その町はロンドンの*西 50 マイルのところにある The town ｢is [lies] fifty miles (to the) *west* of London. **西も東もわからない** ¶ この町では*西も東もわからない (⇒ どこへどう行くかもわからない) I *have no idea how to* ｢*get* [*go*] *anywhere* in this city. / (⇒ 地理に不案内な人だ) I'm quite a stranger in this city. **西明かり** (残照) afterglow Ⓒ ★ 通例複数形で.

にし[2] 二死 〘野〙 two outs. ¶ 九回裏*二死満塁で彼はホームランを打った In the bottom of the ninth inning, with bases loaded and *two outs*, he hit a ｢home run [homer].

にじ[1] 虹 rainbow Ⓒ. ¶ 夕立の後, 空に*虹が出た After the shower, a *rainbow* ｢appeared [formed] in the sky. **虹色** ── (名) rainbow [spectral] colors; iridescence /ìrədés(ə)ns/ Ⓤ. ★ 後者は格式語. ── (形) rainbow-colored; iridescent.

にじ[2] 二次 ── (形) (2 番目の) the second; (2 次的な) secondary. **二次宇宙線** 〘天〙 secondary cosmic rays **二次エネルギー** secondary energy Ⓤ **二次会** second party Ⓒ **二次回路** secondary circuit Ⓒ **二次関数** quadric Ⓒ **二次感染** secondary infection Ⓒ **二次曲線** quadratic curve Ⓒ **二次試験** second (entrance) examination Ⓒ **二次成[生]長** ☞ ひだい (肥大成長) **二次的** secondary 《☞ だいに; ふく[4]》 **二次的煙害** health problems caused by secondhand smoke **二次電子** secondary electron Ⓒ **二次電池** secondary ｢cell [battery] Ⓒ **二次電流** secondary current Ⓒ **二次方程式** quadratic equation Ⓒ **二**

次冷却水 secondary cooling water [U].

にしアジア 西アジア ── [名] (固) West Asia. ── [形] West Asian.

にしインドがいしゃ 西インド会社 〘史〙 (オランダの) the Dutch West India Company; (フランスの) the French West India Company.

にしインドしょとう 西インド諸島 ── [名] (固) the West Indies.

ニジェール ── [名] (固) (the Republic of) Niger /náɪdʒɚ/.

にしかいがん 西海岸 western coast [C]; (アメリカの) the West Coast.

にしかぜ 西風 west [westerly] wind [C] (☞ かぜ).

にしがわ 西側 the west(ern) side; (西欧圏) the West. **西側諸国** Western countries ★ 複数形で. **西側陣営** the Western ⌈bloc [camp].

にしき 錦 (織物) Jápanese brocáde [U]; (美しい着物) fine dress [U]. ¶ 山々はもみじの*にしきをつけて美しかった The mountains were beautiful with *glorious red and yellow leaves.*

にしきの御旗 (大義名分) just cause [C] **にしきを飾る** ¶ 彼は故郷に*にしきを飾った He returned home *in glory.* **にしき絵** colored woodblock print [C] **にしき鯉** colored carp [C] 《複 ~(s)》 **にしき卵** steamed roll made with egg yolk and white [C] **にしき蛇** (Indian) python /páɪθɑn/ [C] (☞ へび).

にじげん 二次元 ── [名] two dimensions ★ 複数形で; (第2次元) the second dimension. ── [形] two-dimensional. (☞ じげん¹).

にしサハラ 西サハラ ── [名] (固) Western Sahara ★ アフリカ北西部にある係争地域.

にしサモア 西サモア ── [名] (固) Western Samoa /səmóʊə/ ★ サモア国の旧称.

にしじんおり 西陣織 Nishijin brocade [U]; (説明的には) high-quality silk fabrics produced in the Nishijin district of Kyoto.

にじっせいき 二十世紀 the twentieth century; (梨) high-quality olive-green pear first produced in the twentieth century.

-にしては (…の割には) for …; (…を考えると) considering (that) …, seeing (that) … (☞ -しては; -としては). ¶ その男の子は年*にしてはあまりにも物腰が大人じみていた The boy's manner was too mature ⌈*for* [*considering*] his age.

にしドイツ 西ドイツ ── [名] (固) West Germany ★ 旧ドイツ連邦共和国の通称. (☞ ドイツ). ¶ 旧*西ドイツ the former *West Germany*

にしナイルねつ 西ナイル熱 〘医〙 West Nile fever [U]. **西ナイル熱ウイルス** West Nile fever virus [C].

にしにほん 西日本 Western Japan.

にしはんきゅう 西半球 the Western Hemisphere.

にしび 西日 the afternoon sun. ¶ この部屋は*西日が差し込む This room gets a lot of *the afternoon sun.*

にじます 虹鱒 rainbow trout [C] 《複 ~》.

にじみでる 滲み出る 1 《液体などが》: ooze out (自).
¶ 汁が袋から*にじみ出ている The juice *is oozing out* through the bag.
2 《自然に表れる》: reveal *oneself.*
¶ 彼の文章にはその温かい人柄が*にじみ出ている His warm personality *reveals itself* in what he writes. ∥ この手紙には彼の苦悩が*にじみ出ている (⇒ みてとることができる) His agony ⌈*can be detected* [is quite *visible*] in this letter.

にじむ 滲む (インクなど書くものが) run (自); (インクがにじんで散る) spread (自); (紙が) blot (自); (字などが) blur (自), be blurred.
¶ インクが*にじんで字が読めなくなった The ink ⌈*ran* [*spread*] and the letters became indistinct. ∥ *にじまない紙が欲しい I want the kind of paper that does not *blot.* ∥ 涙にぬれて字が*にじんだ The letters (*were*) *blurred* with teardrops. ∥ 血の*にじんだ包帯 a *blood-stained* bandage

にしむき 西向き facing (the) west. ¶ *西向きの家 a house *facing* (*the*) *west* ∥ *西向きの窓 a *west* window

にしめ 煮染め meat and vegetables cooked almost to dryness in soy sauce and water ★ 説明的訳.

にしめる 煮染める boil until the soy broth is well absorbed, boil … hard with soy sauce. ¶ *煮しめたような (⇒ 汚い) 手拭い a *very dirty* towel

にしゃたくいつ 二者択一 ── [動] choose one of the alternatives, choose between … and … (☞ せんたく²). ¶ 我々は*二者択一をせまられた We were forced to *choose one of the alternatives.* ∥ 死か降伏かの*二者択一しかなかった We had to *choose between* death *and* submission.

にじゅう¹ 二重 ── [形] (二重の) double, dual, twofold 〔語法〕 最も一般的で意味が広いのは double. 2つの部分から成り立つことをいうのが dual, 二重に重なっていることを表すのが twofold である. 従って例えば「2倍の」というような場合には double を用い, dual や twofold では置き換えられない; (2回) twice.
¶ この事件は私たちに*二重の利益をもたらした This incident brought us a ⌈*double* [*twofold*; *dual*] advantage. ∥ このテストは*二重の目的を持っている This test has a ⌈*double* [*dual*; *twofold*] purpose. ∥ どうもこの勘定は*二重に払ってしまったらしい I'm afraid I've paid this bill *twice* (*over*).

二重あご double chin [C] **二重写し** ── [名] 〘映・テレビ〙 (2つの映像を重ねること) superimposition [C]; (重なりながら次の映像に変わってゆくこと) dissolve [C]. ── [動] superimpose (他); dissolve (他) (自) **二重外交** dual diplomacy [U] **二重価格** dual [double] price [C] **二重価格制** dual-pricing [two-tier market] system [C] **二重価格表示** dual pricing [U] **二重(式)火山** double volcano [C] (☞ ふくしきかざん) **二重結婚** bigamy [U] **二重構造** dual [double] structure [C] **二重国籍** dual nationality [U] **二重差し押さえ** double attachment [U] **二重唱** duet [C], duo [C] **二重衝突** three-car collision [C] **二重人格** dual [split] personality [U] **二重人格者** (スチーブンソン作の小説の中のジキル博士のような人) a Dr. Jekyll /dʒékɪl/ and Mr. Hyde, a Jekyll and Hyde **二重スパイ** double agent [C] **二重生活** double ⌈life [existence] [C] **二重奏** duet [C], duo [C] **二重底** double [false] bottom [C] ¶ *二重底のかばん a *false-bottomed* suitcase **二重駐車** double parking [U] **二重帳簿** ── [名] dual bookkeeping (for illegal purposes) [U] ── [動] (不正に二重帳簿をつける) keep a secret account **二重抵当** double mortgage [C] **二重取り** double charge [C]; (年金と給料の二重取り) double-dipping [U]. ¶ 私は*二重取りされた I *was charged* ⌈*double* [*twice*]. **二重橋** the *Nijuubashi* Bridge ★ 原意の説明は the double bridge とすればよい. **二重否定** double negative [C] **二重蓋** double lid [C] **二重母音** diphthong [C] **二重窓** double-paned window [C] **二重丸** double circle [C] **二重螺旋** 〘生化〙 (DNA の) double helix [C] **二重螺旋構造** 〘生化〙 double-helix structure [C] **二重露光**[出] double exposure [C].

にじゅう[2] **二十, 20** ━名 形 twenty 語法 「第20(番目の)」, あるいは「第20(番目)のもの」の場合は the twentieth. (☞数字 (囲み)).

にじゅういっせいき 二十一世紀 the twenty-first century.

にじゅうさんや 二十三夜 the twenty-third night of August of the lunar calendar.

にじゅうしせっき 二十四節気 the twenty-four points in the old solar calendar.

にじゅうよじかん 二十四時間 twenty-four hours ★ 複数形で. ¶この店は*二十四時間営業している This store is open ⌈*around the clock* [*twenty-four hours a day*].

にじゅうよんきん 二十四金 24-karat gold Ⓤ.

にじょう 二乗 ━動 square (他). ━名 square Ⓒ. (☞じじょう[2]; 数字 (囲み)). **二乗根** square root Ⓒ. ¶4の*二乗根は2である The *square root* of four is two.

にじょうき 二畳紀 〘地質〙 the Permian (period).

にしょく 二色 two colors. **二色刷り** two-color printing Ⓤ.

にじりぐち 躙り口 (茶室の) the *nijiriguchi*; (説明的には) a small entry with a sliding door through which the guests crawl into the ⌈tea-house [tearoom].

にじりでる 躙り出る ¶彼は席から*にじり出た He *crawled* out of his place *on his knees*.

にじりよる 躙り寄る édge [sídle] úp (to ...) (自); (じりじりと近寄る) come [draw] closer (自); (ひざで詰め寄る) crawl on *one's* knees up (to ...). (☞つめよる).

にじる 煮汁 (肉・魚などで作る) broth Ⓤ; (野菜なども加えてスープのもととなるもの) stock Ⓤ; (肉などから自然にでたもの) juice Ⓤ.

にしローマていこく 西ローマ帝国 ━名 (固) the Western Roman Empire.

にしん[1] **鰊, 鯡** 〘魚〙 hérring Ⓒ 《複 ~(s)》. **にしん蕎麦** buckwheat noodles topped with a cooked herring ★ 複数形で.

にしん[2] **二伸** (手紙の) postscript Ⓒ ★ P.S. と略される. (☞ついしん).

にしん[3] **二審** second ⌈trial [instance] Ⓒ.

にしん[4] **二心** (不誠実) duplicity Ⓤ; (裏表のある言動) double-dealing Ⓤ. (☞ふたごころ). ¶*二心を抱く (⇒裏表がある) wear a *double* face / (⇒不誠実な振舞いをする) play a *double* game

にしんとう 二親等 consanguinity /kànsæŋgwínəti/ [relationship] of the second degree Ⓤ; (二親等の関係) relation in the second degree Ⓤ; (人) relative in the second degree Ⓒ.

にしんほう 二進法 binary ⌈scale [system] Ⓒ.

ニス ━名 varnish Ⓤ. ━動 (ニスを塗る) varnish (他). ¶床に*ニスを塗った I ⌈*varnished* [put *varnish* on] the floor.

にすい 二水 (漢字の偏) ice radical on the left of kanji Ⓒ.

にせ 偽, 贋 ━形 (模造の) imitation; (うその) false, sham; (偽造の) counterfeit /káuntəfit/, bogus, fake. ━名 imitation Ⓒ; sham Ⓒ; counterfeit Ⓒ; (偽造物) forgery Ⓒ.

【類義語】 装飾品などで本物に似せて作った物は *imitation*. 似せる似せないということよりも本物でないことを強調するのが *false*. 本物とそっくりで, 本物と思い込ませるようなという意味で, 「模擬の」という日本語に当たることもあるのが *sham*. 以上いずれも悪意によって人をだます目的があるかないかには関係がない. それに対して, 悪意から人をだます目的で偽造したものについていう言葉が *counterfeit* で, その口語的な言葉が *bogus*. 人・物を問わず, だます目的でいんちきなものを表すくだけた言葉が *fake* である. (☞ぎぞう; もぞう; いかさま)

¶私は*偽のダイヤをつかまされた I had ⌈an *imitation* [a *fake*] diamond palmed off on me. // 彼は*偽の署名をした He gave a *false* signature. / (⇒署名を偽造した) He *forged* a signature. // 彼らはその*偽の情報を信じた They believed the *false* information. // 彼は*偽刑事だ He is a ⌈*bogus* [*fake*] detective. // 彼はピカソの絵を買ったが, それは*偽 (⇒偽造物) だった He bought a Picasso, but it turned out to be a *forgery*.

偽印 forged seal Ⓒ **偽金** counterfeit [fake] money Ⓤ; (硬貨) counterfeit [false] coin Ⓒ; (偽札) counterfeit ⌈bank note [bill] Ⓒ **偽金造り** (人) counterfeiter Ⓒ **偽札** ☞偽金 **偽手形** counterfeit bill Ⓒ **偽ブランド品** fake brand-name goods ★ 複数形で. **偽物** (模造品) imitation Ⓒ; (貨幣やチケット・商品などの偽造品) counterfeit Ⓒ; (書類や絵画・紙幣などの違法な複製) forgery Ⓒ **偽者** (ぺてん師) impostor Ⓒ. ¶あの警官は*偽者だった The policeman was an *impostor*.

にせアカシア 贋アカシア 〘植〙 fálse acacia /əkéɪʃə/ Ⓒ, locust Ⓒ.

にせい 二世 **1** 《日系米国人の》: nisei /niːséɪ/ Ⓒ 《複 ~(s)》 ★ Nisei と大文字で始めることもある; second-generation Japanese-American Ⓒ ★ first generation を二世とすることもある. アメリカ以外の国の場合は, 例えばカナダの日系二世なら second-generation Japanese-Canadian のようにいう.

2 《二代目》: Junior 語法 (1) 父と同名の子の場合に氏名の後に付ける. Jr. と略されることもある. ¶ジョン D ロックフェラー*二世 John D. Rockefeller, *Junior* // ヘンリー*二世 Henry *II* 語法 (2) Henry the Second と読む. この表現は王・女王・皇帝などに限られる.

二世議員 second-generation ⌈politician [Diet member] Ⓒ ★ Diet member は日本の国会議員.

にせたいじゅうたく 二世帯住宅 two-family house Ⓒ, duplex house Ⓒ, 《英》 semidetached house Ⓒ. ¶土地が高価なので*二世帯住宅を建てるものが多い Due to the high cost of land, many families build *houses for two generations*.

にせる 似せる ━動 (手本にする) model (他); (まねる) imitàte (他); (正確にまねる) copy (他); (偽造する) forge (他), cóunterfèit (他). (☞にる[1]; まねる; にせ). ¶この塔はエッフェル塔に*似せて (⇒ならって) 作ってある This tower *is modeled* ⌈*after* [*on*] the Eiffel /áɪfəl/ Tower. // これは私のサイン [筆跡] ではない. だれかが*似せて書いた (⇒偽造した) ものだ This is not my ⌈signature [writing]. Someone *forged* it.

にそう 尼僧 (一般には) nun Ⓒ; (ローマカトリックの尼) sister Ⓒ.

にそく 二足 two pairs (of ...). **二足のわらじをはく** (同時に2つの仕事をもつ) have two jobs simultaneously; (2つの相容れない仕事をもつ) have two conflicting jobs; (2つの違った活動に関わる) be involved in two different activities, have *one's* finger in two pies ★ 後者は口語的.

にそくさんもん 二束三文 ━形 (とても安い) very cheap; (ばか安の) 《略式》 dirt-cheap. ━副 (とても安く) very cheap(ly); (ばか安で) 《略式》 dirt-cheap, 《略式》 for a song; (ただ同然で) for next to nothing. (☞やすい). ¶私はその古自転車を*二束三文で買った I bought the old bicycle ⌈*very cheap(ly)* [*dirt-cheap*; *for a song*].

にだい 荷台 carrier Ⓒ; (ダンプカーなどの) dump body Ⓒ.

にだいせいとうせい 二大政党制 two-party

system Ⓤ.

にだいめ 二代目 (世代の) the second generation; (父から見た息子) Junior. 《☞ にせい; だい[4]》. ¶ 第*二代目の大統領 the *second* president

にたき 煮炊き cooking Ⓤ 《☞ すいじ; りょうり; にる[2]; たく[1]》.

にだし(じる) 煮出し(汁) (スープを作るもの) soup stock Ⓤ; (肉や魚を煮出したもの) broth Ⓤ.

にだす 煮出す (煎じる) decoct ㊀.

にたたせる 煮立たせる boil ㊀.

にたつ 煮立つ boil (up) ㊁, come to a boil. 《☞ にえる; ふっとう; わきかえる》. ¶ なべ [湯] が*煮立っている The ˹pot [water] ˹*is boiling* [*has come to a boil*].

にたつく (にやにや笑う) smirk ㊁. ¶ 何を*にたついているんだ What are you *smirking* at? 《☞ にたにた》

にたっと ¶ 彼は訳知り顔に*にたっと笑った He *gave a* knowing *smirk*. 《☞ にたにた》

にたてる 煮立てる boil (up) ㊀, bring … to a boil. 《☞ にる[2]; 料理の用語 (囲み)》.

にたにた ―― 動 (にたにた笑う) smirk ㊁, give a smirk. 《☞ にやにや; わらう; 擬声・擬態語 (囲み)》. ¶ 彼は私の言い訳を聞いて*にたにたと笑った He *smirked* at my excuse.

にたもの 似た者 似た者同士 ¶ あの二人は*似た者同士だから仲がよい They *have much in common*. That's why they're such good friends. 似た者夫婦 (⇒ 夫婦は互いに似る) Husband and wife resemble each other. / Like husband, like wife.

にたり ―― 動 (満足して[鼻を高くして]笑う) grin with ˹satisfaction [arrogance]. ¶ 彼は勝ったとみて, *にたりと笑った He *grinned with satisfaction* when he saw he was winning.

にたりよったり 似たり寄ったり ¶ どちらも*似たり寄ったりだ (⇒ ほとんど同じだ) They are ˹*almost* [*nearly*; *practically*] *the same*. / (⇒ 両者の間には選ぶところ[違い]がほとんどない) There *is little* ˹*to choose from* [*difference*] between the two. 《☞ ごじっぽひゃっぽ》

にだんかつよう 二段活用 〘文法〙 the two-tier conjugation of a (Japanese) verb.

にだんがまえ 二段構え two strategies at the ready. ¶ 彼らは*二段構えで交渉に臨んだ They ˹started [entered into] negotiations with *two strategies at the ready*.

にだんぬき 二段抜き (新聞の) two-column ˹article [headline] Ⓒ.

にだんめ 二段目 ☞ じょにだん; まくした

-にち …日 day Ⓒ 《☞ なん-; 時刻・日付・曜日 (囲み)》. ¶「きょうは何*日ですか」「10月25*日です」"What's today's *date*?" "It's October 25."
[語法] 曜日を聞くときは What day is (it) today?

にちえい 日英 ―― 名 Japan and Britain. ―― 形 (日本と英国の間の) Anglo-Japanese. ¶ *日英比較 (⇒ 日本語と英語の比較) comparison between *Japanese and English*
日英同盟 Anglo-Japanese Alliance

にちかくさ 日較差 〘気象〙 the daily range of temperature.

にちぎん 日銀 the Bank of Japan.
日銀券 Bank of Japan note Ⓒ 日銀総裁 the Governor of the Bank of Japan 日銀短観 the Bank of Japan's quarterly Tankan survey, the Short-term Economic Survey of (All [Principal]) Enterprises in Japan ★ 通例 ( ) 内の All は「全国短観」, Principal は「主要短観」の訳に用いる. 単に the Tankan のように呼ぶことも多い. 日銀特融 (日本銀行特別融資) special loan by the Bank of Japan Ⓒ 日銀法 the Bank of Japan Law 日銀利率 the Bank of Japan interest rate.

にちげん 日限 fixed date Ⓒ, time limit Ⓒ.

にちじ 日時 the time (and date); (日付) the date. 《☞ ひどり; にってい; きじつ》. ¶ 会の*日時はまだ未定です *The time and date* of the meeting ˹are not yet [have not yet been] fixed.

にちじょう 日常 ―― 形 (毎日の) everyday Ⓐ; (日々の) daily Ⓐ; (日常決まってやらなくてはならない・決まりきった) routine /ruːtíːn/; (いつもの) usual; (普通の) ordinary. ―― 副 every day; daily; usually; (いつも) always. 《☞ ふだん[1]》. ¶ 彼女には*日常やらなければならないことがたくさんある She has lots of ˹*daily* chores [*routine* work] to do. // 彼の体は*日常の (⇒ 普通の) 勤務にはさしつかえない He's physically fit enough for *ordinary* work.
日常会話 ¶ 私は*日常会話に必要な単語を幾つか覚えた I learned several words necessary for ˹*daily* [*everyday*] conversation. 日常茶飯事 ¶ そんなけんかは*日常茶飯事 (⇒ 毎日起こること) だ Such a quarrel is an *everyday* ˹*occurrence* [*affair*]. ☞ ありふれた 日常生活 ¶ 水は我々の*日常生活に欠かせない Water is a necessity ˹in [for; of] our ˹*daily* [*everyday*] *life*.

にちどく 日独 ―― 名 Japan and Germany. ―― 形 (日独の) Japanese-German.

にちどくいさんごくどうめい 日独伊三国同盟 the Tripartite /trɑ̀ɪpάːətaɪt/ Pact.

にちにちそう 日日草 〘植〙 Madagascar periwinkle Ⓒ.

にちぶ 日舞 ☞ にほん (日本舞踊)

にちふつ 日仏 ―― 名 Japan and France. ―― 形 (日仏の) Franco-Japanese.

にちぶん 日文 (日本文学) Japanese literature Ⓤ 《☞ にほん》.

にちべい 日米 ―― 名 Japan and America. ―― 形 (日米の) Japanese-American, Japan-U.S., U.S.-Japan.
¶ 彼は*日米間の友好関係の促進に努力している He is making efforts to further friendly relations between *the United States and Japan*.
日米安全保障条約 the U.S.-Japan Security Treaty; (正式名) the Treaty of Mutual Cooperation and Security between Japan and the United States of America 日米安保体制 Japan-U.S. [U.S.-Japan] security ˹arrangements [relationship Ⓤ] 日米関係 relations between the United States and Japan, Japanese-American relations 日米構造問題協議 US-Japan [Japan-U.S.] Structural Impediments Initiative 《略 S.I.I.》 日米合同委員会 the Japan-U.S. Joint Committee 日米合同演習 Japan-U.S. joint ˹maneuvers [exercise Ⓒ] 日米財界人会議 Japan-U.S. Business Conference 日米修好通商条約 the United States-Japan Treaty of Amity and Commerce ★ Harris Treaty ともよばれる. 日米地位協定 the Status of Forces Agreement between Japan and the U.S. 日米通商航海条約 U.S.-Japanese Commercial and Nautical Treaty 日米防衛協力のための˹ガイドライン [指針] guidelines for Japan-U.S. defense cooperation 日米貿易摩擦 Japan-U.S. trade frictions 日米和親条約 Treaty of Peace and Amity between the United States of America and the Empire of Japan.

にちへんか 日変化 diurnal /daɪə́ːn(ə)l/ variation (in temperature, humidity, pressure, etc.) Ⓤ.

にちべんれん 日弁連 ☞にほん（日本弁護士連合会）

にちぼつ 日没 sunset [U], sundown [U] ★ 後者は特に《米》. 《☞ ひぐれ; ひので[語法]》. ¶ *日没でグラウンドは急に暗くなった The field suddenly became dark at *sundown*. // *日没後 after ˹*sunset* [*sundown*] **日没時** the time of sundown, sunset time [U]. ¶ *日没時に at *sunset*

にちや 日夜 ―[副]（昼間と夜）night and day, day and night;（常に）always;（絶えず）constantly. 《☞ ちゅうや[1]; いつも; まいにち》.

にちゃく 二着 （一着に続くもの）rúnner-úp [C] 《複 runners-up, ～s》;（第二番目）(the) second;（順番）(the) second place. 《☞ にい; にとう》. ¶ 彼女は*二着でした She finished *second*.

にちゃつく ―[形]（べとべとした）sticky;（ぬるぬるした）slimy;（脂ぎった）greasy.

にちゃにちゃ ¶ 彼はガムを*にちゃにちゃかんでいた（⇒ 音を立てて）He chewed his gum *noisily*. // 何か*にちゃにちゃしたものがテーブルについている Something ˹*sticky* [*gummy*] is stuck to the table.

にちよう 日用 ―[形] for daily use, used daily. **日用英語** everyday English [U] **日用雑貨** daily goods ★ 複数形で. **日用品** daily ˹necessities [necessaries] [語法] necessities のほうが necessaries よりも必要の程度が高い.

にちょうなげ 二丁投げ （相撲で）body drop throw [C].

にちよう(び) 日曜(日) Sunday 《略 Sun.》《☞ 時刻・日付・曜日（囲み）; 略語（巻末）》. ¶ きょうは*日曜日だ It's *Sunday* today. / Today is *Sunday*. // 彼らは*日曜に教会へ行く They go to church on *Sunday*. [語法] (1) 毎週行くという習慣を強調するときは複数形にして on *Sundays* とすることもできる. // 彼女はこの前の*日曜に誕生パーティーを開いた She had her birthday party ˹last *Sunday* [《英》 on *Sunday* last]. [語法] (2) on last Sunday とならないことに注意. // 私は来週の［今度の］*日曜日に箱根へ行きます I am going to Hakone ˹next *Sunday* [on *Sunday*; 《英》 on *Sunday* next]. [語法] (3) on Sunday のように単数形の場合は「今度の［来週の, この前の］日曜日」のように, 一番近くの特定の日曜日を指すのが普通. // 彼女は(ある)*日曜の朝私を訪ねて来た She came to see me on a *Sunday* morning.
日曜画家 Sunday [weekend] painter [C] **日曜学校** Sunday school [C] **日曜大工**（仕事）do-it-yourself [U], 《主に英》 DIY [U];（人）do-it-yourselfer [C], Sunday [weekend] carpenter [C].

にちようひん 日用品 ☞にちよう

にちりん 日輪 （太陽）the sun.

にちりんそう 日輪草 ☞ひまわり

にちれん 日蓮 ―[名][固] Nichiren, 1222–82;（説明的には）a Buddhist priest who founded the Nichiren sect. **日蓮宗** the ˹Nichiren [Hokke; Lotus] sect.

にちろ 日ロ, 日露 ―[名] Japan and Russia. ―[形]（日ロの）Russo-Japanese. **日ロ漁業協力協定** the Japan-Russia Fisheries Cooperation Agreement **日露修好通商条約** Treaty of Friendship and Commerce between Russia and Japan **日露戦争** the Russo-Japanese War **日露和親条約** Treaty of Peace and Amity between Russia and Japan.

-について about …; as to … 《☞ ついて; かんする[1]（類義語）》.

にっか[1] 日課 *one's* daily ˹work [U] [task [C]]; 〖教会〗 lesson [C] ★ 聖書の一節を読む朝夕の勤め. ¶ 彼は夏休み中の*日課を決めた He ˹worked [figured; mapped] out the schedule of his *daily* ˹*work* [*tasks*] for the summer vacation. // 毎朝散歩するのが彼の*日課だ（⇒ 習慣だ）He *makes a* ˹*practice* [*point*] *of* taking a walk every morning. / He *makes it a* ˹*rule* [*practice*] to take a walk every morning. ★ 第 1 文のほうが普通. **日課表**（毎日の）daily schedule [C];（学校の予定表）school timetable [C].

にっか[2] 日華 Japan and China 《☞ にっちゅう[2]》. **日華事変** ☞にっちゅう[2]（日中戦争）

ニッカー(ボッカー) knickerbòckers ★ 複数形で.

につかわしい 似つかわしい suitable, becoming ★ 後者のほうが格式ばった語. 《☞ にあう; ふさわしい》.

にっかん[1] 日刊 daily ˹issue [publication] [U] 《☞ げっかん[1]》. ¶ この新聞は*日刊です This paper *is* ˹*published daily* [a *daily*]. **日刊紙** daily (newspaper) [C].

にっかん[2] 日韓 ―[名] Japan and (the Republic of) Korea. ―[形]（日韓の）Korean-Japanese. **日韓会談** Japan-ROK talks ★ 複数形で. **日韓基本関係条約** the Treaty on Basic Relations between Japan and the Republic of Korea (1965) **日韓共同宣言** the Obuchi-Kim Joint Declaration **日韓協約** the Korean-Japanese Agreement (1904, 1905, 1907) **日韓漁業協定** the Japan-Korea Fisheries Agreement (1965) **日韓漁業交渉** Japan-South Korea fishery negotiations **日韓併合条約** the Treaty Regarding the Annexation of Korea to the Empire of Japan (1910).

にっかんてき 肉感的 ☞にくかん

-につき a …, per …; for … 《☞ -つき[1]》.

にっき 日記 diary [C]. ¶ 彼女は*日記をつけている She keeps a *diary*. // 私はそのことを*日記に書くのを忘れてしまった I forgot to write it down in my *diary*. **日記帳** diary [C] **日記文学**（文学形式）literary genre consisting of diaries [C];（日記体の物語）tale in the form of a diary [C].

ニッキ ☞にっけい[3]

にっきゅう 日給 daily wages ★ 通例複数形で. 《☞ きゅうりょう[1]（類義語）; にっとう; ひわり》. ¶ 大工は*日給です（⇒ 1 日幾らで働く）Carpenters work *by the day*. **日給月給** monthly payment of daily wages [U].

にっきょうそ 日教組 ☞にほん（日本教職員組合）

にっきん 日勤 day service [U], day shift [U], day work [U].

につく 似付く ☞にる[1]（似ても似つかない）

ニックネーム nícknàme [C] 《☞ あだな; つうしょう[2]》.

にづくり 荷造り ―[名] packing [U]. ―[動] páck (úp) [他]. ¶ *荷造りはもう済みましたか *Have* you *packed* your things yet? // この*荷造りは頑丈(がんじょう)だ[お粗末だ] This *is* ˹securely [poorly] *packed*. // 私は彼がケースの*荷造りを解くのを手伝った I helped him *unpack* his case.

につけ 煮付け ¶ 魚の*煮つけ fish *cooked and seasoned with soy sauce and sugar*

にっけい[1] 日系 ¶ 彼は*日系米人である He is (a) *Japanese*-American. / He is an American of *Japanese descent*. ★ 後者のほうが格式ばった言い方. 《☞ にせい》

にっけい[2] 日経 **日経(株価)指数** 〖株〗 Nikkei index [C] 《複 ～es, indices》 ★ 東京株式市場の主要銘柄指数. **日経平均** 〖株〗 Nikkei average [C] ★ 東京株式市場の平均株価. 《☞ ダウへいきん》.

にっけい[3] **肉桂** 〘植〙 cínnamon Ⓤ.

につける 煮付ける cook … with soy sauce and sugar.

ニッケル nickel Ⓤ《元素記号 Ni》. **ニッケルカドミウム電池** nickel-cadmium ˹battery [cell] Ⓒ, nícàd Ⓒ **ニッケルクロム鋼** nickel-chromium steel Ⓤ **ニッケル鋼** nickel steel Ⓤ **ニッケル水素電池** nickel metal hydride /háidraid/ ˹battery [cell] Ⓒ **ニッケルめっき** nickel plating Ⓤ.

にっこう[1] **日光** sunlight Ⓤ, sunshine Ⓤ; sun Ⓤ [語法] sunshine は太陽の光だけでなく, 暖かさも含む. sun, sunshine は in the sun(shine) の形で,「ひなた」の意味にも用いる.《☞ ひ[1]》.
¶あまり直射*日光に当たってはいけません Don't sit too long in ˹*the sun* [direct *sunlight*]. // 鉢植えの植物は毎日*日光に当てなさい Place potted plants *in the sun(light)* every day.
日光消毒 ―名 (日光で消毒すること) disinfection by sunlight Ⓤ; (日光にさらすこと) insolation Ⓤ. ―動 disinfect by sunlight ㊀; insolate ㊀. **日光浴** sunbathing Ⓤ. ¶*日光浴をしよう Let's ˹*sit* [*lie*] *in the sun(shine)*. / Let's *sunbathe*.

にっこう[2] **日光** ―名 ㊜ (都市名) Nikko.
¶*日光を見ぬうちは結構と言うな See Naples and die.《ことわざ: ナポリを見てから死ね》 **日光街道** the Nikko Highway **日光国立公園** the Nikko National Park **日光東照宮** the Nikko Toshogu Shrine; (説明的には) the shrine in Nikko, erected in honor of the first Shogun Ieyasu.《☞ とうしょうぐう》.

にっこうきすげ 日光黄菅 〘植〙 Nikko day lily Ⓒ.

にっこり ¶彼女は*にっこり笑った She *smiled*.
[日英比較]「にっこり笑う」が smile に当たる. 日本語では「笑う」に擬態語を付けて笑い方を区別するが, 英語では laugh (声を立てて笑う), smile, giggle (くすくす笑う) などのように別々の語でこれらを表す. もし, 笑うときの態度の形容が必要なら文脈に応じて happily (うれしそうに) や sweetly (愛らしく) のような語を付ける. / She broke into a *smile*. // 彼女は私たちに*にっこりとほほえんだ She *smiled* at us. // 先生は*にっこり笑ってうなずいた The teacher nodded *with a smile*.《☞ にこにこ; わらう (類義語); 擬声・擬態語 (囲み)》

にっさん[1] **日参** ―動 visit … ˹daily [every day], pay a daily visit to … ―名 daily visit Ⓒ.

にっさん[2] **日産** daily output Ⓤ [語法] output は Ⓤ だが, 前に形容詞が付いたり後に具体的な数を示す修飾語句が続くときは不定冠詞が付く.《☞ 可算・不可算名詞 (巻末); せいさん[1]》.
日産台数 ¶この工場の車の*日産台数は 1 千台だ The *daily output* of cars in this factory is ˹a [one] thousand units. / (⇒ この工場は 1 日に 1 千台の車を生産する) This factory *produces* ˹a [one] thousand cars ˹*a day* [*daily*]. / (⇒ この工場は 1 日に 1 千台の生産高を持つ) This factory has an *output* of ˹a [one] thousand cars ˹*a day* [*daily*].

にっし 日誌 journal Ⓒ.

にっしじへん 日支事変 ☞ にっちゅう[2] (日中戦争)

にっしゃ 日射 〘気象〙 insolation Ⓤ《☞ ひざし》.
日射病 sunstroke Ⓤ. ¶*日射病にかかる have [suffer from] *sunstroke*

にっしゅう 日収 daily income Ⓒ.

にっしゅううんどう 日周運動 (地球の自転のため天体が回るように見える現象) diurnal /daiə́ːn(ə)l/ mótion.

にっしょう 日照 daylight Ⓤ《☞ ひ[1]》. **日照権** the right to ˹sunshine [sunlight]. ¶新しいビルは我々の*日照権 (⇒ 日光) を奪った The new building deprived us of ˹*sunlight* [*sunshine*]. **日照時間** ¶冬になると*日照時間 (⇒ 日) が短くなる In winter the *days* get shorter. // *日照時間はたった 6 時間しかない We ˹have [enjoy] only six hours of *daylight*.

にっしょうき 日章旗 (the flag of) the Rising Sun《☞ ひのまる; こっき[1]; はた[1]》.

にっしょく 日食 solar eclipse Ⓒ, eclipse of the sun Ⓒ ★ 前者が正式な用語.《☞ げっしょく》.
¶皆既[部分]*日食 a ˹total [partial] *eclipse of the sun*

にっしんげっぽ 日進月歩 ―名 (急速な進歩) rapid progress Ⓤ; (着実な発展) steady advance Ⓒ. ―形 ever-advancing Ⓐ.《☞ しんぽ; はってん; はったつ》. ¶工業技術の発達は*日進月歩だ (⇒ 着々と発達している) Industrial technology is making *steady advances*.

にっしんせんそう 日清戦争 the Sino-Japanese War, 1894–95.

にっすう 日数 (the number of) days; (時) time Ⓤ.《☞ きかん[1]》. ¶どのくらいの*日数ここに滞在しますか How ˹many *days* [*long*] will you stay here? // この仕事は*日数がかかりそうだ I'm afraid this job will take (me) ˹a long *time* [quite a few *days*].

にっせき 日赤 ☞ にほん (日本赤十字社)

にっソ 日ソ ―名 Japan and the Soviet Union. ―形 Japanese-Soviet, Soviet-Japanese.《☞ にちろ》. **日ソ基本条約** the Soviet-Japanese Basic Convention (1925) **日ソ共同宣言** the Joint Declaration of the Government of Japan and the Government of the Union of Soviet Socialist Republics (1956); (略称は) the Soviet-Japanese Joint Declaration **日ソ漁業協力協定** the Japan(ese)-Soviet Fisheries Agreement (1978) **日ソ中立条約** the Treaty of Neutrality between the Empire of Japan and the Union of Soviet Socialist Republics (1941); (略称は) the Soviet-Japanese Neutrality Pact.

ニッチ 〘商〙 (市場の隙間) niche /níʧ/ Ⓒ. **ニッチ産業** niche industry Ⓤ **ニッチ商品** niche goods ★ 複数形で. **ニッチマーケット** niche market Ⓒ.

にっちもさっちも ¶彼らは*にっちもさっちも行かない状態に (⇒ すみっこに) 追い込まれた They *were driven into a corner*. // その交渉は*にっちもさっちも行かなかった (⇒ 行き詰まった) The negotiations ˹*came to a deadlock* [*were brought to a standstill*].《☞ ゆきづまり; きゅうち[1]; 擬声・擬態語 (囲み)》
【参考語】―動 (座礁する) be stranded; (困った立場にある) be in a ˹fix [tight place]; be driven ˹into a corner [to the wall]; be put into a helpless position, be caught between a rock and a hard place; (行き詰まる) come to a deadlock, be brought to a standstill.

にっちゅう[1] **日中** ―副 during the ˹day [daytime]《☞ ひる[1]》. ¶*日中はとても暖かだった It was pretty warm *during the day*.

にっちゅう[2] **日中** ―名 Japan and China. ―形 (日中の) Síno-Jàpanése /sáinou-/, Japanese-Chinese. **日中関係** Sino-Japanese ˹relationship Ⓤ [relations] **日中共同声明** Joint Communiqué of the Government of Japan and the Government of the People's Republic of China (1972); (略称は) the Japan-China Joint Communiqué **日中漁業協定** the Agreement on Fisheries between Japan and the People's Republic of China (1975); (略称は) the Japan-

China Fisheries Agreement 日中国交正常化 the resumption of diplomatic ｢ties [relations] between Japan and China 日中戦争 the Japanese-Chinese War, the Sino-Japanese War (1937–45) 日中文化交流協会 Japan-China Cultural Exchange Association 日中平和友好条約 the Treaty of Peace and Friendship between Japan and the People's Republic of China; (略称は) the Japanese-Chinese Treaty of Peace and Friendship (1978) 日中友好協会 Japan-China Friendship Association.

にっちょう 日朝 Japan and North Korea. 日朝国交正常化交渉 diplomatic normalization ｢negotiations [talks] between Japan and North Korea ★ 複数形で. 日朝平壌宣言 the Japan-DPRK Pyongyang /pjʌŋjáːn/ Declaration.

にっちょく 日直 day duty Ⓤ. ¶あしたは*日直です I'll ｢be on [have] *day duty* tomorrow.

にってい 日程 (day's) ｢schedule [program] Ⓒ [語法] program はある目的を達成するための予定で, schedule は特に時間ごとに区切られた予定を指す; (旅行日程)《格式》itinerary /aɪtínərèri/ Ⓒ. 《☞ よてい; スケジュール》. ¶彼の*日程は連日詰まっている He has a ｢booked-up [tight; crowded] *schedule* every day. // あすの*日程は未定です (⇒ まだ立っていない) The ｢*schedule* [*program*] for tomorrow has not been worked out yet. // 彼はいま旅行の*日程作りに忙しい He's busy making out the *itinerary* now. 《☞ りょてい》

—コロケーション—
日程に従う follow [stick to] a *schedule* / 日程を組む plan a *schedule* / 日程を調整する adjust a *schedule* / 日程を変更する change a *schedule*

にってん 日展 the Japan Fine Arts Exhibition 《略 JFAE》.

にっと — 動 (にっと笑う) smile showing *one's* teeth, grin ⓐ. 《☞ わらう》. ¶勝ち誇って男は*にっと笑った The man *grinned* with triumph.

ニット knítwèar Ⓤ ★ 毛糸で編んだ衣類の総称. ¶*ニットの服 a *knit*(*ted*) dress ニットウェア knitwear Ⓤ.

にっとう 日当 (1 日の手当) daily allowance Ⓒ; (日給) daily wages ★ 通例複数形で. 《☞ にっきゅう》.

ニッパー (工具) nipper Ⓒ.

にっぱち 二八 February and August. ¶一般的に言うと*二八は不景気な月だ Generally speaking, business is slack in *February and August*.

ニッパやし ニッパ椰子 〘植〙nipa /níːpə/ (palm) Ⓒ.

ニップル nipple Ⓒ ★ 哺乳びんの乳首, 〘機〙ニップルなど.

にっぽう 日報 daily report Ⓒ, daily bulletin Ⓒ; (新聞) daily (newspaper) Ⓒ.

にっぽじしょ 日葡辞書 (説明的に) Japanese-Portugese dictionary compiled by Jesuit missionaries in the 17th century ★ 日本最初の日本語とヨーロッパの言語との二言語辞書で, 原名は *Vocabulario da Lingoa de Iapam com a declaração em Portugues*, 1603–04 年刊.

にっぽん 日本 Japan 《☞ にほん》.

につまる 煮詰まる bóil ｢awáy [dówn] ⓐ, be boiled down.
¶スープが*煮詰まらないように火を細くしなさい Turn down the fire so that the soup won't *boil away*. // 議論は A にするか B にするかというところまで*煮詰まった The discussion *boiled down* to a choice between A and B. // 交渉は*煮詰まってきている (⇒ 終わりに近づいている) The negotiations *are drawing to* ｢*an end* [*a close*]. 《☞ いきづまる²》

につみ 荷積み loading Ⓤ. ¶労働者がその箱をトラックに*荷積みした Workers *loaded* the boxes into the truck. / Workers *loaded* the truck with the boxes.

につめる 煮詰める bóil dówn ⓣ. ¶私はその汁を*煮詰めて濃いシロップにした I *boiled down* the juice ｢to [into] a thick syrup.

-にて ¶同封の葉書*にてお知らせ下さい Please ｢let me know (your answer) [send your reply] *on* the enclosed postcard. 《☞ -で¹》

にディーケー 2 DK apartment with two rooms and a ｢kitchen with a dining area [kitchen-cum-dinette /-kʌmdaɪnét/] Ⓒ.

にてひなる 似て非なる alike [similar] but different; (まがいものの) sham; (本物と違う) spurious. 《☞ にる¹ (成句); えせ》.

にと 二兎 二兎を追う者は一兎をも得ず He who runs after two hares will catch neither. 《ことわざ》 / If you run after two hares, you will catch neither. 《ことわざ》 / Between two stools you fall to the ground. 《ことわざ: 2 つの腰掛けの間では落ちてしまう》

にど 二度 — 副 (2 回) twice, two times [語法] 入れ換え可能. ただし, 数学的計算などの場合は後者が普通; (もう一度) again. — 形 (二度目の) (the) second. 《☞ にかい²; ど; -かい¹》
¶私はこの本を*2 度読んだ I've read this book ｢*twice* [*two times*]. // 彼女は 1 週間に*2 度スーパーマーケットへ行く She goes to the supermarket *twice* a week. // そんなことは*二度としません I'll never do that *again*. // 彼がここへ来たのはこれで*二度目だ This is his *second* visit here. // 彼に注意したのはこれで*二度目だ This is *the second time* (that) I've warned him.
二度あることは三度ある Misfortune always comes in threes. 《ことわざ: 不幸は常に三度続く》 / Misfortunes never come singly. 《ことわざ: 不幸は 1 つではやってこない》 二度とない (まれな) rare; (絶好の) golden. ¶これは*二度とないチャンスだ This is a ｢*rare* [*golden*] opportunity. / (⇒ 生涯に一度の) This is the chance *of a lifetime*. 二度と再び never again. ¶同様の失敗は*二度と再び繰り返しません I will *never* make the same kind of mistake *again*.
二度咲き ☞ 見出し 二度手間 ¶間違いに気付くのが遅かったので, *二度手間になってしまった Because I didn't see my mistake for quite a while, I had to *do the whole thing* (*all*) *over again*.

にどいも 二度芋 ☞ じゃがいも

にとう 二等 — 名 (2 番目) the second; (客室などの等級の) second class Ⓤ ★ 無冠詞で. — 形 second; (2 級の) second｢-class[-rate]. 《☞ にばん; にい; じてん¹》. ¶彼は競走で*2 等だった He was *second* in the race. 二等車 second-class ｢car [《英》 carriage] Ⓒ 二等賞 ¶*2 等賞を獲得する win [take] (the) *second* prize 二等星 star of the second degree Ⓒ.

にとうだて 二頭立て — 形 (二頭立ての) pair-horse. — 名 (二頭立ての馬車) carriage and pair Ⓒ; (二頭立て二輪馬車) curricle Ⓒ.

にとうぶん 二等分 — 動 (2 等分する) divide [cut] ... into two [語法] 厳密な 2 等分なら後に equal parts を付ける; 〘数〙bisect /báɪsèkt/ ⓣ. — 名 bisection /baɪsékʃən/ Ⓤ. 《☞ はんぶん; とうぶん³; やまわけ》.
¶彼女はそのケーキを*2 等分した She ｢*divided* [*cut*] the cake *into two equal* ｢*parts* [*pieces*]. // 彼らは

利益を*2 等分した (⇒ 等しく分けた) They *divided* the profits *equally* between them. // 私はりんごを*2 等分にした (⇒ 半分に切った) I *cut* the apple *in* ⌈*half* [*two*]. / I *cut* the apple *into halves*. // 与えられた円[角]を*2 等分せよ *Bisect* a given ⌈circle [angle].

にとうへい 二等兵 Private Ⓒ《略 Pte., Pvt.; 通例名前につける》; (新兵) recruit Ⓒ; (英空軍の) leading aircraftman Ⓒ ★ 女性の場合は leading aircraftwoman.

にとうへんさんかくけい 二等辺三角形 isosceles /aɪsɑ́səlìːz/ triangle Ⓒ《☞ さんかく(けい)》.

にとうりゅう 二刀流 **1**《剣術の流儀》: fencing with a sword in each hand Ⓤ.
2《甘いものも酒も好きな人》 ¶ 彼は*二刀流です He likes both sweets and ⌈alcohol [hard liquor].

にどざき 二度咲き (再び開花すること) second blooming Ⓤ, reflowering Ⓤ.

-にとって to …; for …《☞ -とって》.

にとべいなぞう 新渡戸稲造 ── 名 固 Nitobe Inazo, 1862–1933; (説明的には) a Japanese educator, and civil servant, who is the author of *Bushido: the Soul of Japan*.

ニトロ 〚化〛 nitro /náɪtrou/ Ⓤ. **ニトロ化** ── 動 nitrate ⑩ **ニトロ化合物** nitro compound Ⓒ **ニトロ基**〚化〛nitro group Ⓒ **ニトログリセリン** nitroglycerin(e) /nàɪtrouglís(ə)rɪn/ Ⓤ **ニトロセルロース**〚化〛nitrocellulose Ⓤ, cellulose nitrate Ⓤ **ニトロベンゼン** nìtrobénzene Ⓤ.

にな 蜷 〚貝〛small elóngate snail Ⓒ. ¶ 川*にな a ⌈melanian [marsh] *snail* // 海*にな a *small elongate* sea *snail*

にないて 担い手 (荷物などの) bearer Ⓒ; (柱のように支えとなるもの) pillar Ⓒ. 《☞ になう》. ¶ 君たちは将来の日本の*担い手である (⇒ わが国の将来は君たちにかかっている) The ⌈future [destiny] of our country *depends* ⌈on [upon] you. // 民主主義の*担い手 a *pillar* of democracy

になう 担う (かつぐ) carry … on *one's* ⌈shoulders [back]; (引き受ける) take ⑩; (支える) bear ⑩. 《☞ かつぐ》. ¶ 彼はその会社の運命を双肩に*担っている He *bears* the fate of the company *on his shoulders*.

ににろくじけん 二・二六事件 〚史〛the February 26 Incident ★ 1936 年に起こったクーデター事件.

ににんさんきゃく 二人三脚 three-legged race Ⓒ; (目的を一つにしての協力) cooperation with (a) ⌈unity [unanimity] of purpose Ⓤ, unanimous cooperation Ⓤ. ¶ 彼らは*二人三脚の競走をした They ran a *three-legged race*.

ににんしょう 二人称 〚文法〛the second person.

にぬき 荷抜き ── 名 pilfering Ⓤ. ── 動 pilfer ⑩.

にぬし 荷主 (持ち主) owner of goods Ⓒ; (送り主) sender Ⓒ, shipper Ⓒ 〔語法〕 前者が一般的. shipper は《英》では船で荷物を積み出す人. 輸出者と同じ意味に用いられる. 《米》では陸・海・空など輸送機関に関係なく, 荷物の積み出し人を指す.

にねんせい 二年生 **1**《学校の》: (小学校の)《米》second grader Ⓒ 〔語法〕 日本の場合は second-year ⌈student [pupil] Ⓒ でもよい; (4 年制の大学・高校の)《米》sóphomòre Ⓒ 〔参考〕 3 年制の高校の 2 年生は junior. 《☞ 学校・教育 (囲み)》.
2《植物》 ── 形 biennial /baɪéniəl/《☞ いちねんせい 2》.

にねんせいしょくぶつ 二年生植物 biennial (plant) Ⓒ《☞ いちねんせいしょくぶつ; たねんせいしょくぶつ》.

にねんそう 二年草 ☞ にねんせいしょくぶつ

にのあし 二の足 **二の足を踏む** (ためらう) hesitate 自; (慎重に考える) have second thoughts; (熟慮する) think twice 自. 《☞ ためらう; しりごみ》.

にのうで 二の腕 upper arm Ⓒ《☞ うで (挿絵)》.

にのく 二の句 **二の句がつげない** ¶ 私はあきれて*二の句がつげなかった (⇒ 口がきけなかった) I *was struck dumb* with amazement. // 彼はその話を聞いたとき*二の句がつげなかった (⇒ 何と言ってよいかわからなかった) He ⌈*didn't know what to say* [(⇒ あぜんとした) *was dum(b)founded*] when he heard the story.

にのぜん 二の膳 the second course.

にのつぎ 二の次 ¶ この場合もうけは*二の次だ (⇒ 二番目に重要だ) Profits are *of secondary importance* in this instance. // その問題は*二の次だ (⇒ 延ばすことができる) The matter *can wait*. / We *can let* the matter *wait*. 《☞ あとまわし》

にのとり 二の酉 fair held on the second Day of the Cock in November Ⓒ.

にのまい 二の舞 ¶ 私は彼女の*二の舞を演じ (⇒ 彼女の失敗を繰り返し) たくない I don't want to *repeat her failure*. 《☞ ぜんしゃのてつ》

にのまる 二の丸 the second most important outwork(s) of a castle.

にのや 二の矢 (二番目の矢) second arrow Ⓒ; (二番目にとる手段) second step Ⓒ.

-には (…の割には; …にとっては) for …; (…に対して) to …; (場所を表して) in …, on …, at …; (…においては) at …, in … 〔日英比較〕 日本語の「…には」は英語では主に以上のような前置詞で表されるが, また「この単語*にはたくさんの意味がある」This word has many meanings. のように文全体を意訳する必要のある場合や,「私はその会合*には出席しない」I won't attend the meeting. のように動詞の目的語として表され, 特に「…には」に当たる語を必要としない場合もあることに注意. 《☞ -に; -とって》.
¶ 彼は年の割*には若い He looks young *for* his age. // この本はあなた*には難しいだろう This book would be difficult *for* you (to read). // 彼は他人*にはいつも親切だ He is always kind *to* others. // 通り*にはだれもいなかった There was nobody ⌈*on* [《英》*in*] the street. // 私はフランス語*には弱い I'm weak *in* French. // 天気のよい日*には散歩に出かけます I go for a walk *on* a nice day.

にばい 二倍 ── 副 twice [two times] as … as … ── 形 double. ── 動 (2 倍にする・2 倍になる) double ⑩ 自. ── 名 double Ⓒ. 《☞ ばい 〔語法〕》.
¶ これはそれの*2 倍長い[重い] This is ⌈*twice* [*two times*] *as* ⌈long [heavy] *as* that. // 彼は私の*2 倍の本を持っている He has ⌈*twice* [*two times*] *as* many books *as* I ⌈do [have]. // この箱の大きさはそれの*2 倍だ This box is *twice* the size of that (one). // 3 の*2 倍は 6 だ *Two times* three ⌈is [makes; equals] six. // 私は通常の謝礼の*2 倍払った I paid *double* the usual fee. // 本の値段は当時の*2 倍になっている Books cost *double* what they did then. // 当市の人口は 5 年で*2 倍になった The population of this city *doubled* in five years.

にはいず 二杯酢 (a mixture of) soy sauce and vinegar (in equal quantities).

にばしゃ 荷馬車 (主に四輪の) wagon Ⓒ; (主に二輪の) cart Ⓒ. ¶ *荷馬車で荷物を運ぶ carry goods on a ⌈*wagon* [*cart*]

にはちそば 二八蕎麦 noodles made from a mixture of wheat and buckwheat flour in the ratio of two to eight.

にばん 二番 ―― 名 the second, number two ★ 後者は冠詞を付けずに. ―― 副 形 second. 《☞ にい; にとう; ばん²; いちばん; 数字 (囲み)》.
¶ 彼は 100 メートル競走で*2 番だった He was *second* in the (one-)hundred-meter dash. // 彼女は*2 番に到着した She was *the second* (person) to arrive. // 彼はクラスで*2 番だ He is (*the*) *second* best in his class. // 左から*2 番目の人はだれですか Who is ˹*second* [*the second* person] from the left? // 後ろから*2 番目の列 *the second* row from the rear // 利根川は日本で*2 番目に長い川だ The Tone is *the second*-longest river in Japan. // 彼の*2 番目の兄[末から*2 番目の弟]は医者です His *second*-˹oldest [youngest] brother is a doctor. 日英比較 この英語は英米人の耳には不自然に響く. このような場合 One of his brothers is a doctor. というのが普通で, 長幼の順序を示すことはまれ.
二番煎じ (茶の) a second brew of tea; (作品などの改作) 《略式》 réhàsh Ⓒ ★ 軽蔑的に用いる; (亜流) imitator Ⓒ; (繰り返し) repeat Ⓒ. 《☞ やきなおし》.
¶ この番組は昨年放送されたものの*二番せんじだ This program is a *rehash* of a program (from) last year.

にびいろ 鈍色 ―― 名 (濃いねずみ色) dark gray Ⓤ. ―― 形 dark gray.

にびたし 煮浸し ¶ 魚の*煮びたし fish *cooked and left soaked in broth*

にひゃくかいりけいざいすいいき 二百海里経済水域 200-nautical-mile economic zone Ⓒ.

にひゃくとおか 二百十日 the 210th day (from the ˹first day [onset] of spring according to the lunar calendar) ★ 説明的な訳.

にひゃくはつか 二百二十日 the 220th day (from the ˹first day [onset] of spring according to the lunar calendar) ★ 説明的な訳.

にびょうし 二拍子 double time Ⓤ.

ニヒリスティック nihilistic /nàɪ(h)əlístɪk/.

ニヒリスト nihilist /náɪ(h)əlɪst/ Ⓒ.

ニヒリズム nihilism /náɪ(h)əlìzm/ Ⓤ 《☞ きょむ》.

ニヒル ―― 形 nihilistic /nàɪ(h)əlístɪk/; (冷たい感じの) cold. ¶ *ニヒルな男 (⇒ 冷やかで超然としている男) a man *with a cool aloofness*

にふ 二歩 ¶ そこは*二歩だよ (⇒ 君はその縦の筋に 2 番目の歩を置こうとしている) You are putting a *second pawn* on that file. 参考 チェスの用語を借りた訳. file はチェス盤の縦の列. 横の列は rank.

にぶ 二部 (2 つの部分) two parts; (2 冊) two copies; (第 2 の部分) the second part; (学校の夜間部) night school Ⓒ. 《☞ にぶがっしょう; にぶがっそう; にぶけいしき; にぶさく; にぶじゅぎょう》. ¶ この芝居は*2 部に (⇒ 2 幕に) 分かれている This play is divided into *two acts*. 参考 詩の場合は two stanzas.

にぶい 鈍い (切れ味・光・音・感覚・頭の働きなどが) dull; (光などがぼんやりした) dim; (理解などが遅い) slow; (ぼんくらな) thick(headed). 《☞ どんかん; のろい¹》. ¶ 何かがどすんという*鈍い音を立てて倒れた Something fell to the ground with a *dull* thud. // 私は背中に*鈍い痛みを感じた I felt a *dull* pain in my back. // 彼は*鈍い He is *slow*. / He's ˹rather [a bit] *thick*. / He is *thickheaded*.

にぶおんぷ 二分音符 〘楽〙《米》 half note Ⓒ, minim Ⓒ.

にぶがっしょう 二部合唱 chorus in two parts Ⓒ 《☞ がっしょう¹》. ¶ 私たちはその歌を*二部合唱で歌った We sang the song *in two parts*. // この合唱曲は*二部合唱として作曲されたものだ This choral music was written for *two-part harmony*.

にぶがっそう 二部合奏 duet Ⓒ, duo Ⓒ.

にふくめる 煮含める (とろ火でコトコト煮る) simmer ⓐ.

にぶけいしき 二部形式 〘楽〙 binary form Ⓤ.

にぶさく 二部作 ―― 名 work ˹in [consisting of] two parts Ⓒ. ―― 形 two-part.

にぶじゅぎょう 二部授業 double session Ⓒ. ¶ 私たちの学校では*二部授業です We have *double sessions* at school.

にふだ 荷札 (ひもなどで結び付ける) tag Ⓒ; (はり付ける) label /léɪb(ə)l/ Ⓒ. 《☞ ふだ》. ¶ 手荷物に*荷札を付ける attach *tags* to *one's* baggage / *tag one's* baggage

にぶつ 二物 ¶ 天は*二物を与えず (⇒ 1 つの才能だけ与える) God gives ˹one [a person] *only one* ˹*talent* [*gift*].

にぶる 鈍る (刃物・感覚などが) get [become] ˹dull [blunt]; (決心などがぐらつく) waver ⓐ, be shaken. 《☞ ぐらつく; ていか》.
¶ このかみそりは切れ味が*鈍った This razor *has* ˹*become dull* [*lost its edge*]. // 鼻かぜで嗅覚が*鈍ってしまった (⇒ 鼻かぜが嗅覚を鈍らせた) A [This] head cold *has dulled* my sense of smell. // あのピアニストは最近腕が*鈍った (⇒ 前ほど上手でない) That pianist is *not* ˹*as* [*so*] *good as* he used to be. // その話を聞いて彼の決心は*鈍った His resolution ˹*wavered* [*was shaken*] when he heard the story. // 彼の勘も*鈍ってしまった (⇒ もはやよい勘を持たない) He *no longer has* (a) good intuition.

にぶん 二分 ―― 動 divide ... into two (parts) ★ ⓐ としても用いられる. ―― 名 (二分割) division into two parts Ⓤ; (半分) half Ⓒ. 《☞ にとうぶん; はんぶん》. ¶ 先生は生徒を A グループと B グループに*二分した The teacher *divided* the students *into two groups*, A and B. 二分の一 half Ⓒ, one half Ⓤ 二分法 〘論〙 dichotomy /daɪkátəmi/ Ⓤ.

にぶんおんぷ 二分音符 ☞ にぶおんぷ

にべもない ―― 形 (そっけない) curt; (きっぱりした) flat; (冷たい) cold. ―― 副 curtly; flat(ly); coldly. 《☞ そっけない; つめたい》. ¶ 私は彼女の*にべもない (⇒ そっけのない) 返事にがっかりした I was disheartened by her *curt* answer. // 彼は私の依頼を*にべもなく断った He *flatly* refused my request.

にぼし 煮干し dried small sardine /sɑədíːn/ Ⓒ 《複 ~(s)》.

にほどき 荷解き unpacking Ⓤ. ¶ 彼女は台所用品の入った箱の*荷ほどきを始めた She began to *unpack* the box of kitchenware.

にほん 日本 ―― 名 固 Japan. ―― 形 (日本の) Japanese, Japan's 語法 Japanese は主に「日本的な・日本独特の」という意味での「日本の」であるが, Japan's は文の形に直せば Japan が主語になるような場合に用いられる. ¶ *日本の降伏 *Japan's* [the *Japanese*] surrender // *日本の国連における役割 *Japan's* role in the United Nations // 典型的な*日本の料理 typically *Japanese* food 《☞ 日本料理(複合語)》 日本アルプス the ˹Japanese [Japan] Alps 日本育英会 the Japan Scholarship Foundation ★ 2004 年日本学生支援機構となった. 日本医師会 the Japan Medical Association 《略 JMA》 日本英語検定協会 the Society for Testing English Proficiency 《略 STEP》 日本狼 Japanese wolf Ⓒ 《複 wolves》 日本オリンピック委員会 Japan Olympic Commission 《略 JOC》 日本音楽 Japanese music Ⓤ 日本画 Japanese painting Ⓒ 日本海 the Sea of Japan 日本海海戦 the Battle of Tsushima ★ 1905 年対馬沖の日露間の海戦. 日本海側気候 the climate along the coast of the Sea of Japan 日本海溝 the Japan Trench 日本海低気圧 atmospheric depression over the Sea of Japan Ⓒ 日本海流 ☞くろしお 日本科学技術情報センター the Japan Information Center of Science and Technology 《略 JICST》 日本学 Jàpanólogy Ⓤ 日本学士院 the Japan Academy 日本学者 Jàpanólogist Ⓒ 日本学術会議 the Japan Science Council 日本学生支援機構 the Japan Student Services Organization 《略 JASSO》 日本型[的]経営 Japanese-style management Ⓤ 日本株式会社 Japan, Inc. 日本髪 the traditional Japanese hairstyle. ¶お正月には*日本髪を結いたい I'd like to have my *hair* done (in (the)) *Japanese style* for New Year's Day. 日本紀 (六国(りっこく)史) *Six National Histories* (compiled in the Nara and early Heian periods) ★ 通例「六国史」を指すが, その最初である「日本書紀」を言う場合もある. 日本棋院 the Nihon Ki-in(, the leading organization of Japan's professional go players) 日本気象協会 the Japan Weather Association 《略 JWA》 日本共産党 the Japan Communist Party 《略 JCP》 日本教職員組合 (日教組) the Japan Teachers' Union 日本嫌い (人) Japánophòbe Ⓒ; (感情) Japànophóbia Ⓤ 日本キリスト教団 the United Church of Christ in Japan 日本銀行 the Bank of Japan 《☞ にちぎん》 日本熊 〔動〕 Japanese bear Ⓒ 日本経済団体連合会 the Japan Business Federation 日本芸術院 the Japan Art Academy 日本犬 Japanese dog Ⓒ 日本原子力研究所 the Japan Atomic Energy Research Institute 《略 JAERI》 日本語 Japanese Ⓤ, the Japanese language 《☞ 日本語の消極的表現 (巻末)》 日本工業規格 Japanese Industrial Standards 《略 JIS》 日本交通公社 the Japán Trável Bureau /bjʊ́(ə)roʊ/ 《略 JTB; 観光部門は JTB Corp. が正式名》 日本国憲法 the Japan(ese) Constitution, the Constitution of Japan 日本国民 the Japanese (people) 日本猿 Japanese ⌈monkey [macaque] Ⓒ 日本三景 the three most famous views in Japan 日本史 Japanese history Ⓤ 日本紙 Japanese paper Ⓤ 《☞ わし²》 日本鹿 〔動〕 Japanese deer Ⓒ 日本時間 Japan time Ⓤ; (標準時) Japan Standard Time 《略 JST》 日本式ローマ字つづり the classical system of romanization 日本酒 sake /sáːki/ Ⓤ 日本商工会議所 the Japan Chamber of Commerce and Industry 《略 JCCI》 日本書紀 the *Chronicles of Japan* 日本シリーズ the Japán Series /sí(ə)riːz/ 日本私立学校振興・共済事業団 the Promotion and Mutual Aid Corporation for Private Schools of Japan 日本人 Japanese Ⓒ ★ 単複同形; the Japanese ★ 日本人全体. 複数扱い. 日本人町 (米国やカナダの) Japantown Ⓒ ★ ロサンゼルスなどの日本人街は Little Tokyo と呼ばれる; (17世紀に東南アジアにできた) Japanese ⌈community [settlement] Ⓒ 日本相撲協会 the Japan Sumo Wrestling Association 日本製 made in Japan 《☞ 日本製品》. ¶この時計は*日本製です This watch ⌈was *made in Japan* [is a *Jápanèse máke*]. 日本聖公会 the Episcopal Church of Japan 日本製品 Japanese-made goods ★ 複数形で; Japanese product Ⓒ 日本赤十字社 the Japanese Red Cross Society 日本選手権 Japanese championship Ⓒ 《☞ ぜんにほん (全日本選手権)》 日本体育協会 the Japan Sports Association 《略 JSA》 日本茶 Japanese [green] tea Ⓤ 《☞ ちゃ [語法] (2)》 日本的経営 ☞ 日本型経営 日本的雇用制度 Japanese-style employment system Ⓒ 日本刀 Japanese sword Ⓒ 日本道路公団 the Japan Highway Public Corporation 日本脳炎 Japanese encephalitis /ɪnsèfəláɪtɪs/ Ⓤ 日本農林規格 Japanese Agricultural Standards 《略 JAS》 日本晴れ glorious weather Ⓤ 日本びいき pro-Japanese Ⓒ 日本標準時 Japan Standard Time 《略 JST》 日本風 Japanese style Ⓤ 日本舞踊 Japanese dance Ⓒ 日本プロサッカーリーグ the Japan Professional Football League; the J. League 《☞ ジェイリーグ》 日本文学 Japanese literature Ⓤ. ¶彼は*日本文学に精通している He is well read in *Jápanèse literature*. 日本ペンクラブ the Japan P. E. N. Club 日本弁護士連合会 the Japan Federation of Bar Associations 《略 JFBA》 日本貿易振興会 the Japan External Trade Organization 《略 JETRO》 日本放送協会 Japan Broadcasting Corporation Ⓤ ★ NHK も用いられる. 日本間 Japanese-style room Ⓒ 日本野球連盟 the Japan Amateur Baseball Association 日本薬局方 Japanese Pharmacop(o)eia Ⓒ 日本郵政公社 Japan Post 《☞ ゆうせい² (郵政事業庁)》 日本ライン the Japan Rhine 日本陸上競技連盟 the Japan Association of Athletics Federations 《略 JAAF》 日本料理 (食べ物) Japanese food Ⓤ; (料理法) Japanese ⌈cooking [cuisine] Ⓤ ★ 前者のほうが口語的. 日本列島 the Japanese Islands ★ 複数形で; the Japanese Archipelago /àəkəpéləgòʊ/ ★ 後者のほうが格式ばった表現.

にほんいち 日本一 the greatest in Japan ★ greatest の部分を適当な形容詞の最上級に置きかえて用いる. ¶*日本一の野球チーム the *number one* baseball team *in Japan* // 彼は*日本一の金持ちだ He is *the richest* man *in Japan*.

にほんざし 二本差し (両刀を差した武士) two-sworded samurai Ⓒ 《☞ もろざし》.

にほんだて 二本立て (映画の) double feature Ⓒ.

にまいおち 二枚落ち ¶彼女は*二枚落ちで (⇒飛車と角なしで) 相手に圧勝した She beat the opponent hands-down *without her ⌈castle and bishop* [*hisha and kaku*].

にまいおろし 二枚下ろし ―〔動〕 slice a fish into two pieces dividing at the center bone.

にまいがい 二枚貝 bivalve /báɪvælv/ Ⓒ.

にまいかんばん 二枚看板 ¶王と長嶋は長いことプロ球界の*二枚看板だった Oh and Nagashima were *the two ⌈greatest stars* [*representative players*] in the professional baseball world for a long time. // これらの連載小説はその雑誌の*二枚看板だ These serial novels are *the two distinctive features* of the magazine.

にまいげり 二枚蹴り (相撲の技) *nimaigeri* Ⓤ; (説明的には) ankle kicking twist down Ⓤ.

にまいごし 二枚腰 (相撲の) supple and powerful lower body Ⓒ.

にまいじた 二枚舌 ¶彼は*二枚舌 (⇒フォークのように先の割れた舌) を使う He speaks with *forked tongue*. / (⇒うそをつく) He *tells lies*. / (⇒裏表のある人だ) He's a *double-dealer*.

にまいめ 二枚目 (美男) good-looking [handsome] man Ⓒ.

にまめ 煮豆 cooked beans.

にめいほう 二名法 〔生〕 binominal nomenclature Ⓤ.

-にも (…もまた) also, too [語法] 後者がより口語的. 否定構文では共に either; (…も同様に) … as well; (…さえも) even …; (…にしても) no matter ⌈what [who; when; where; how] … 《☞ -も》.

に

¶私は彼女に会ったが彼女の母親*にも会った I met her and 「*also* her mother [her mother, *too*]. // その問題は先生*にもできない The question is too difficult *even* for the teacher. / The teacher can*not* solve the problem, *either*. // 何をやる*にも本気でやりなさい *Whatever* you (may) do, you should 「do [try] your best. / Do your best in everything. // 彼がそこで何をしたかだれ*にもわからない (⇒ だれも知らない) Nobody knows what he did there. // 彼女は親切*にも私にそれを見せてくれた *It was very kind of* her to let me have a look at it.

にもうさく 二毛作 double-cropping Ⓤ. ¶*二毛作をする grow *two crops a year*

にもかかわらず ☞ かかわらず

にもつ 荷物 (車などに積んだ重い) load Ⓒ; (旅行の手荷物) 《米》 baggage Ⓤ, 《英》 luggage Ⓤ; (所持品) *one's* things, *one's* belongings ★ いずれも複数形で. 前者のほうが口語的; (包みにした) package Ⓒ; (比喩的に, 重荷) burden Ⓒ; (足手まとい) drag Ⓒ. 《☞ てにもつ; つみに》.

¶「私の*荷物をホテルまで運んで下さい」「*荷物は全部で何個でしょうか」「5 個です」 "Will you take my 「*baggage* [*luggage*] to the hotel?" "How many pieces (of 「*baggage* [*luggage*] do you have) in all?" "Five." 〔語法〕 (1) baggage, luggage は Ⓤ なので, piece を用いて数える. // *荷物をどこに預けたらいいでしょうか Where can I 「《米》 check my *baggage* [《英》 leave my *luggage*]? // *列車から降りるときに荷物を忘れないように Don't forget any of *your things* when you get off the train. // 重い[軽い]*荷物 heavy [light] 「*baggage* [*luggage*] // *荷物は少なくして旅行しなさい (⇒ 身軽に) You should travel *light*. // *荷物を持って行く take 「*baggage* [*luggage*] // このトラックはずいぶん*荷物を積んでいる This truck is carrying a heavy *load*. // 20 kg までの手*荷物は無料です Twenty kilograms of personal 「*baggage* [*luggage*] may be checked through free of charge. // *荷物をまとめて玄関まで運ばせなさい Get *your* 「*things* [*belongings*] together and have them carried to the front door. // *荷物を送る[受け取る] send [receive; get] a *package* // 彼はみんなのお*荷物だった He was a 「*burden* [*drag*] on everyone.

荷物検査 (所持品の) baggage [luggage] 「check [search] Ⓒ **荷物取扱所** 《米》 baggage 「office [room] Ⓒ, checkroom Ⓒ, 《英》 left-luggage office Ⓒ.

> **コロケーション**
> 荷物を開ける unwrap a *package* / 荷物を配達する deliver a *package* / 怪しげな荷物 a suspicious *package* / かさばる荷物 a bulky *package*; bulky 「*baggage* [*luggage*] / 重量オーバーの荷物 excess 「*baggage* [*luggage*]

にもの 煮物 ― 名 (日本式の) vegetables [fish] cooked in stock with soy sauce and other seasoning(s). ― 動 (煮物をする) boil ㊀, cook ㊂ ㊀, braise ㊀.

にゃあ ― 名 (猫の鳴き声) meow /miáʊ/ Ⓒ, mew Ⓒ. ― 動 (猫がにゃあと鳴く) mew ㊂, meow ㊂. 《☞ 動物の鳴き声 (囲み)》. ¶猫は*にゃあと鳴く Cats 「*mew* [*meow*].

にやく 荷役 loading and unloading Ⓤ 《☞ にあげ; つみおろし》.

にやける ― 形 (男がおしゃれでにやけた) foppish. ― 名 (にやけ男) fop Ⓒ.

にやす 煮やす ☞ ごう[3] (業を煮やす)

にやにや ¶彼は*にやにやして私のほうを見ていた (⇒ 歯を出して笑った) He *was grinning at* me. / (⇒ 皮肉な笑みで) He was looking at me *with a sarcastic smile*. 《☞ わらう (類義語); にたにた; 擬声・擬態語 (囲み)》

にやりと ¶彼女は心の中で*にやりとした (⇒ 自分に笑った) She *smiled* to herself. 《☞ わらう (類義語); 擬声・擬態語 (囲み)》

ニュアンス (言葉などの微妙な相違や綾) shade of meaning Ⓒ, nuance /n(j)úːɑːns/ Ⓒ; (単語の言外の意味・含蓄) connotation Ⓤ ★ 例えば「13」は不吉など; (人の言葉の言外の含み) implication Ⓒ, óvertòne Ⓒ ★ しばしば複数形で. 《☞ ふくみ》.

¶正確な*ニュアンスを翻訳で表すことは不可能に近い It is almost impossible to convey precise 「*shades of meaning* [*nuances*] in a translation. 〔語法〕 nuance はフランス語からの借用語なので, どちらかというと shade of meaning のほうが多く使われる. // 彼の言っていることは私のと同じだが, *ニュアンスが違う He seems to be saying the same thing, but with 「*overtones* [*implications*] different from mine.

ニューイヤーズイブ (大晦日) New Year's Eve Ⓒ.

にゅういん 入院 ― 動 (入院する) be hospitalized, go to (the) hospital; (入院させる) hospitalize ㊀, take [send] ... to (the) hospital; (入院している) be in (the) hospital 〔語法〕 以上すべてについて the を省くのは 《英》. ― 名 hospitalization Ⓤ. ¶*入院を申し込む apply for *admission to a hospital* // 奥さんが*入院なさっているそうですね I hear your wife *is in* (*the*) *hospital*. // 彼はすぐ*入院させなければいけない We must 「*send* [*take*] him *to* (*the*) *hospital* immediately. / He must *be hospitalized* at once. **入院患者** inpatient Ⓒ **入院料** hospital charges ★ 複数形で.

ニューイングランド ― 名 ㊐ (米国の大西洋岸北東部の地域) Nèw Éngland ★ Maine, Vermont, New Hampshire, Massachusetts, Rhode Island, Connecticut の 6 州から成る.

にゅういんりょう 乳飲料 milk-based [lactic] drink Ⓒ.

ニューウェーブ (芸術などの新しい傾向) new wave Ⓒ, New Wave Ⓒ.

にゅうえい 入営 ☞ にゅうたい

ニューエイジ ― 形 New Age. ¶*ニューエイジミュージック *New Age* music

にゅうえき 乳液 (化粧用の) milky lotion Ⓤ; (植物の) milky liquid Ⓤ.

にゅうえん 入園 ― 動 enter [be admitted to] ... ★ 幼稚園, 植物園など. ― 名 entrance Ⓤ, admission Ⓤ. **入園料** (動物園などの) admission Ⓤ; (幼稚園などの) entrance fee Ⓒ. 《☞ にゅうじょう[1]; にゅうがく》.

ニューオーリンズ ― 名 ㊐ New Orleans /n(j)ùːɔ́əliənz/ ★ 米国ルイジアナ州の都市.

にゅうか[1] 入荷 ¶けさはトマトの*入荷はありません (⇒トマトの新しい供給はない) We don't have a fresh *supply* of tomatoes this morning. // その本はいつ*入荷しますか (⇒ 入手可能ですか) When will that book be available?

にゅうか[2] 乳化 〖化〗 ― 名 emùlsificátion Ⓤ. ― 動 emulsify /ɪmʌ́lsəfàɪ/ ㊀. **乳化剤** emulsifier Ⓒ.

にゅうかい 入会 ― 動 (会員になる) become a member of ...; (入会を許される) be admitted to ...; (加わる) join ㊀. ― 名 (受け入れ側が許可をするような) admission Ⓤ; (単に参加する) joining Ⓤ; (会などに入ること) entrance Ⓤ. 《☞ かにゅう; かいいん[1]》. ¶テニスクラブに*入会した (⇒ メンバーになった) I *have become a member of* the tennis club.

/ I *have joined* the tennis club. ★ 後者のほうが普通. // *入会の申し込みはどこですか Where can I apply for *membership*?
入会金 entrance fee Ⓒ.

にゅうかく 入閣 — 動 join the cabinet, become a cabinet member《☞ ないかく¹》.

にゅうがく 入学 — 動 enter [be admitted to; enroll in] school; (大学に) matriculate /mətríkjʊlèɪt/ (「at [in] ...) (自). — 名 entrance into [enrollment in] a school Ⓤ; (大学の) matrìculátion Ⓤ.《☞ はいる; 学校・教育 (囲み)》. ¶ 彼はこの学校に昨年の春*入学した He *entered* this school last spring.
入学願書 application for admission Ⓒ, application form Ⓒ. ¶ *入学願書は郵送のこと The *application* (*form*) should be sent in by 「mail [《英》 post]. 入学許可 ¶ この大学の*入学許可を得るにはどんな資格がいりますか What qualification(s) do I need to *be admitted to* this university? 入学金 entrance fee Ⓒ; (特に大学の) matriculation fee Ⓒ 入学資格 qualifications [requirements] for admission ★ どちらも複数形で. [ ] 内は「必要条件」.《☞ しかく¹》 入学志願者 (正式に申し込みをした者) ápplicant Ⓒ; (受験者) cándidàte Ⓒ 入学式 entrance ceremony Ⓒ; (大学の) matriculation ceremony Ⓒ 入学試験 entrance 「exam [examination] Ⓒ《☞ しけん¹》. ¶ 大学の*入学試験 college *entrance exams* // 東大の*入学試験 the *entrance examination for* Tokyo University 入学手続き (形式的な手続き) entrance formalities ★ 複数形で.

ニューカマー (新人) néwcòmer Ⓒ.

ニューカレドニア — 名 (固) Nèw Caledónia /kæ̀lədóʊniə/ ★ オーストラリア東方の島.

にゅうかん¹ 入館 — 名 entry Ⓤ. — 動 (入館する) enter (他).《☞ にゅうじょう¹; はいる》. ¶ 私はその図書館への*入館を許された I gained *entry* to the library. 入館者 visitor Ⓒ 入館料 admission 「fee [charge] Ⓒ.

にゅうかん² 入監 ☞ にゅうごく

にゅうかん³ 入棺 ☞ のうかん¹

にゅうがん 乳癌 breast cancer Ⓤ, cancer of the breast Ⓤ.《☞ がん¹》.

ニューギニア — 名 (固) Nèw Guinea /gíni/ ★ オーストラリア北方にある島.

にゅうぎゅう 乳牛 milch cow Ⓒ.

にゅうきょ¹ 入居 — 名 moving in Ⓤ. — 動 (移ってくる) móve ín (自); (アパートなどに) move into ...; (住み始める) start living in ...《☞ ひっこし; いてん》. ¶ 私たちは新しいアパートに*入居した We *moved into* a new apartment.
入居者 (居住者・借家人) tenant Ⓒ.

にゅうきょ² 入渠 — 動 enter [go into] dock. ¶ その船は*入渠中である The ship *is in dock*.《☞ ドック》

にゅうぎょ 入漁 — 動 fish in waters owned by someone else. 入漁権 piscary Ⓒ 入漁料 fishing fee Ⓒ.

にゅうぎょう 乳業 (産業) the dairy industry; (商売) the dairy business.

にゅうきん 入金 (金銭を受け取ること) receipt of money Ⓤ; (支払い) payment Ⓒ; (受け取った金) money Ⓤ [payment Ⓒ] received.
¶ 先月その会社からの*入金は2万円でした (⇒ 私は受け取った) I *received* twenty thousand yen from the company last month. // その金は3月1日に*入金しなければならない The *payment* is due (on) March 1. 入金伝票 deposit slip Ⓒ.

ニュークリア — 形 (核の) nuclear.

ニュークリティシズム the New Criticism.

にゅうこ 入庫 — 動 (仕入れる) stock (他); (倉庫に入れる) wárehòuse (他); (車などが車庫に入る) enter [drive into] a garage. — 名 warehousing Ⓤ. ¶ 新製品が*入庫しました The new product *has been* 「*stocked* [*warehoused*].

にゅうこう¹ 入港 — 動 (到着する) arrive 「at a port [in a harbor], enter [make] port, come [get] into port; (寄港する) call (自).《☞ きこう⁴》.
¶ クイーンエリザベス二世号はあす横浜へ*入港の予定です The QE II is *due* at Yokohama tomorrow. / The QE II is expected to 「*arrive* [*call*] at Yokohama tomorrow. 参考 正式には the Queen Elizabeth II だが, 普通は QE II /kjúːìːtúː/ という.

にゅうこう² 入稿 — 動 send a manuscript to a printer.

にゅうこう³ 乳香 fránkincènse Ⓤ.

にゅうこう⁴ 入貢 — 動 (貢物を送る [納める]) send [pay] (a) tribute to .... ¶ その王は日本に*入貢を強く求めた The king demanded that Japan (should) *send* (*a*) *tribute to* his court.

にゅうこう⁵ 入坑 — 動 enter [go down] a 「mine [pit] ★ pit は炭坑. ¶ *入坑しているのは何人ですか How many people are working *in the* 「*mine* [*pit*]?

にゅうこく 入国 — 名 entry (into a country) Ⓒ; (移民・移住) immigration Ⓤ. — 動 enter (他); (入国を許可される) be admitted 「to [into] ...
¶ 不法*入国 illegal *entry* // 移民として合法的にアメリカへ*入国する場合は多くの手続きが必要です There are many formalities to be gone through before you 「*are admitted into* [*enter*] the U.S. as a legal immigrant.
入国カード immigration card Ⓒ 入国管理官 immigration officer Ⓒ 入国管理局 the Immigration Bureau 入国管理事務所 the Immigration Office 入国許可 entry permit Ⓒ, permission to enter a country Ⓒ 入国査証 (ビザ) visa /víːzə/ Ⓒ《☞ ビザ》 入国手続き entry formalities (↔ departure formalities) ★ 複数形で.

にゅうごく 入獄 imprisonment Ⓤ. ¶ 彼は窃盗罪で*入獄した He *went to prison* for theft.

にゅうこん 入魂 ¶ これは彼の*入魂の (⇒ 全精神を込めた) 作品です This is a work into which he *put his whole heart and soul*. 入魂式 (神道の) consecration ceremony Ⓒ.

にゅうざい 乳剤 〖化〗emulsion /ɪmʌ́lʃən/ Ⓤ ★ 種類をいうときは Ⓒ.

ニューサウスウェールズ — 名 (固) Néw Sòuth Wáles ★ オーストラリア南東部の州.

にゅうさつ 入札 — 名 bid Ⓒ, tender Ⓒ. — 動 bid [tender] for ..., make a bid for ...
¶ 校舎建築の*入札が行われた *Bids* were invited for the construction of the school building. 入札価格 bid price Ⓒ 入札者 bidder Ⓒ, tenderer Ⓒ 入札制度 bid system Ⓒ.

にゅうさん 乳酸 〖化〗lactic acid Ⓤ. 乳酸(菌)飲料 lactic acid beverage Ⓒ 乳酸菌 lactic acid bacilli /bəsílaɪ/, lactobacilli /læ̀ktoʊbəsílaɪ/ ★ 以上2つは複数形. 乳酸発酵〖生化〗lactic (acid) fermentation Ⓤ.

にゅうざん 入山 — 名 (登山) móuntain clìmbing Ⓤ. — 動 (山に登る) climb a mountain; (山にこもる) go into retreat on a mountain; (僧院に入る) enter a mónastèry.《☞ とざん》.

にゅうし¹ 入試 entrance 「exam [examination] Ⓒ《☞ にゅうがく; しけん¹》.

にゅうし² 乳歯 baby [milk] tooth Ⓒ《複 baby [milk] teeth》《☞ は¹》.

にゅうじ 乳児 (一般的に赤ん坊) baby Ⓒ. **乳児期** infantile period Ⓒ, (period of) infancy ★ period は Ⓒ, infancy は Ⓤ. **乳児食** baby food Ⓤ.

ニュージーランド ―名 固 Nèw Zéaland. ―形 New Zealand. **ニュージーランド人** New Zealander Ⓒ.

にゅうしち 入質 pawnage Ⓤ (☞ しち[2]).

にゅうしつ[1] 入室 ―動 (部屋に入る) enter a room; (一員となる) become a member (of …). (☞ はいる).

にゅうしつ[2] 乳質 ―名 (乳の品質) the quality of milk. ―形 (乳のような) milky. (☞ ちち[2]).

ニューシネマ (新タイプの映画) new cinema ★ 集合的.

にゅうしぼう 乳脂肪 butterfat Ⓤ, milk fat Ⓤ.

にゅうしゃ[1] 入社 ―動 (会社に入る) join [get a job with] a company. ¶「あなたの*入社はいつでしたか」「この4月です」"When did you *join* ˹us [*this company*]?" "It was in April." **入社式** initiation ceremony Ⓒ, recruit ˹welcoming [welcome] ceremony Ⓒ. 日英比較 英米の企業は通例新卒者の大量採用をせず，必要な人材は時期を問わずそのつど採用するのでふつうは入社式を行わない. **入社試験** (採用試験) employment ˹exam [examination]; (面接試験) interview Ⓒ.

にゅうしゃ[2] 入射 〖物理〗 incidence Ⓤ. **入射角** incident angle Ⓒ **入射光線** incident ray Ⓒ.

ニュージャージー ―名 固 Nèw Jérsey ★ 米国北東部, 大西洋岸の州.

ニュージャーナリズム New Journalism Ⓤ.

にゅうじゃく[1] 入寂 (僧が死ぬこと) the death of a priest.

にゅうじゃく[2] 柔弱 ―形 (精神や体が弱い) weak; (めめしい) effeminate /ɪfémənət/; (意気地のない) weak-kneed. ―名 weakness Ⓤ; effeminacy Ⓤ. (☞ きょじゃく; よわい[1]; めめしい). ¶*柔弱な子 a *weak* child // *柔弱な男 an *effeminate* man // *柔弱な指導者はどうしてよいかわからなかった The *weak-kneed* leader was at his wit's end what to do.

にゅうしゅ 入手 ―動 (広い意味で手に入れる) get ㊀; (物が人の手に入る) come into *one's* possession; (人が…を手に入れる) come to possess … ―形 (入手可能な) available. ―名 (取得) àcquisítion Ⓤ ★ 格式ばった語. (☞ える[1]; しゅとく). ¶この本は日本では*入手できません This book is *unavailable* in Japan. // この絵は最近*入手したものです This picture is my latest *acquisition*. **入手経路** ¶警察は彼の銃の*入手経路を調べている (⇒ いかにして彼がその銃を所持することになったか [銃が彼の所有となったか]) The police are investigating *how* ˹he *came to possess* the gun [the gun *came into his possession*].

にゅうじゅく 入塾 ―動 enter a cram school (☞ じゅく).

にゅうしょ 入所 ―動 (研究所などに入る) enter [be admitted to] …; (刑務所へ) be put into prison, be imprisoned. (☞ けいむしょ). ¶彼は*入所中である (⇒ 刑務所にいる) He *is in prison*.

にゅうしょう 入賞 ―動 (賞を勝ち取る) win a prize (☞ にゅうせん[1]). ¶彼は100メートル競走で3位に*入賞した He finished third in the (one-) hundred-meter dash. **入賞者** prizewinner Ⓒ; (オリンピックなどの) medalist Ⓒ.

にゅうじょう[1] 入場 ―名 (特定の場所に入ること) entrance Ⓤ; (見物としての) admission Ⓤ, admittance Ⓤ ★ 後者はやや格式ばった語. ―動 enter ㊀; (見物として) be admitted ˹to [into] … ¶遅れて行ったので*入場できなかった As I was late, I ˹was unable to gain *admittance* [(⇒ 入場を拒絶された) was denied *admittance*]. // その寺は去年から一般の*入場ができるようになった (⇒ 門戸を開いた) The temple *opened* its *doors* to the public last year. // わが校のチームが*入場した Our school team *entered* the stadium. // 本券では特別室への*入場はできません (⇒ 認めない) This permit does not *admit* the holder to the special rooms. // *入場無料 *Admission* Free // *入場お断り No ˹*Entrance* [*Admittance*] // 券のない方は*入場できません (掲示) (⇒ 券を持っている人だけ入場が認められる) *Admission* to ticket holders only.
入場券 (admission) ticket Ⓒ; (駅の) platform ticket Ⓒ **入場行進** entrance ˹march [procession] Ⓒ **入場式** opening ceremony Ⓒ **入場者** (会場への) visitor Ⓒ; (観客) spectator Ⓒ; (聴衆の全体) audience Ⓒ; (出席者の総称) attendance Ⓒ. ¶この美術館には1日平均500人の*入場者があります (⇒ この美術館は普通の日には500人の訪問者をもつ) This museum has about five hundred *visitors* on an average day. // 今夜の*入場者は約800人でした There was an *attendance* of about eight hundred this evening. **入場料** (個々の) admission [entrance] fee Ⓒ; (入場料収入) gate receipts Ⓤ. ¶*入場料はいくらですか What is the *admission* (*fee*)? // *入場料500円 *Admission* ¥500

にゅうじょう[2] 乳状 ―形 (乳状の) milky, emulsified ★ 後者は専門用語.

にゅうじょう[3] 入城 entry into a ˹castle [fortress] Ⓒ. ¶彼らは意気揚々と*入城した They made a triumphant *entry into the castle*.

にゅうしょく 入植 ―名 settlement Ⓤ. ―動 settle ㊀ ㊀; (移民する・させる) immigrate ㊀ ㊀. (☞ いじゅう). **入植地** settlement Ⓒ.

にゅうしん[1] 入信 ―動 (信じるようになる) come to believe (in …); (信者になる) become a believer (in …). (☞ かいしゅう[3]; しんこう[2]). ¶彼はキリスト教に*入信した (⇒ キリスト教の信者になった) He *became a* ˹*believer in* Christianity /krìstʃiǽnəti/ [Chrístian].

にゅうしん[2] 入神 ¶コンサートでの彼の演奏は*入神の技(ぎ)であった (⇒ 信じられない[比類ない]ほどだった) His performance in the concert was ˹*beyond belief* [*incomparable*]. (☞ かみわざ)

ニュース news /njú:z/ Ⓤ 語法 (1) 個々のニュースを指すときは a bit of news, two pieces of news などという; (ラジオ・テレビのニュース放送) newscast Ⓒ. (☞ ほうどう; しらせ). ¶「きょうは何か*ニュースはありますか (⇒ きょうは何が新しいですか)」「特に何もありません」"What's *new* today?" "Nothing special." 語法 (2) What's new? または What's the news? は親しい間で「お変わりありませんか」の意味で，あいさつのように使う. //「7時のテレビの*ニュースを見ましたか」「ええ，いやな*ニュースばかりでした」"Did you watch the seven o'clock ˹*news* [*newscast*] on television this evening?" "Yes, I did. There was nothing but nasty *news* tonight." // ロンドンからの最新の*ニュースによると… (⇒ 最新のロンドンからのニュースは言う…) The latest *news* from London says … / According to the latest *news* from London, … // この新聞は海外*ニュースはあまり載せない This paper doesn't carry much ˹international [foreign] *news*. // 国内*ニュース domestic *news* // 7時の*ニュースです Here is the seven o'clock *news*.
ニュース映画 néwsrèel Ⓒ, néws film Ⓒ **ニュース解説** néws cȯmmentary Ⓤ **ニュース解説者** news

commentator Ⓒ ニュースキャスター (総合司会者的な) anchor Ⓒ, ánchorpèrson Ⓒ; (ニュースを読むだけの) néwscàster Ⓒ, ((主に英)) news reader Ⓒ. ((☞ キャスター 1)) ニュースショー néws shòw Ⓒ ニュースソース néws sòurce Ⓒ ニュース速報 breaking news Ⓤ, néwsflàsh Ⓒ ニュースバリュー néws vàlue Ⓤ ニュース番組 news Ⓤ, néwscàst Ⓒ, néws prògram Ⓒ ニュースフラッシュ ☞ ニュース速報 ニュースペーパー newspaper Ⓒ ニュース放送 néwscàst Ⓒ ニュースリリース néws [préss] relèase Ⓒ ★ 単に release ともいう. ニュースレター néwslètter Ⓒ.

コロケーション

誤ったニュース an incorrect *news* report; misinformation / うれしいニュース joyful [glad] *news* / 思いがけないニュース unexpected *news* / 各地のニュース local *news* / 暗いニュース grim [gloomy] *news* / 衝撃的なニュース shocking *news* / スポーツニュース sports *news* / 世界を揺るがすニュース world-shaking [earthshaking] *news* / センセーショナルなニュース sensational *news* / よい[悪い]ニュース good [bad] *news* / 歪曲されたニュース distorted *news* / ニュースを聞く hear [listen to] the *news* / ニュースを差し止める suppress (the) *news* / ニュースを報道する report the *news* / ニュースを読み上げる announce the *news*

にゅうすい 入水 ☞ じゅすい

ニュースタイル new style Ⓒ.

にゅうせいひん 乳製品 dairy /dé(ə)ri/ pròducts ★ 複数形で.

にゅうせき 入籍 (登録すること) registration Ⓤ ((☞ せき³)). ¶彼女はまだ*入籍をしていない (⇒ 結婚を届け出ていない) She *hasn't registered her marriage.*

ニューセラミックス new ceramics Ⓤ.

にゅうせん¹ 入選 ― 動 win ⌜the [a] prize ((☞ にゅうしょう; とうせん¹)). ¶彼は油絵で 1 等に*入選した He *has won (the) first prize* with his oil painting. 入選者 winner Ⓒ, successful competitor Ⓒ.

にゅうせん² 乳腺 mammary gland Ⓒ. 乳腺炎 mastitis /mæstáɪtɪs/ Ⓤ.

にゅうせん³ 入線 the arrival of a train at the ⌜departure [embarkation] platform. ¶その列車は 1 時に 3 番線に*入線します (⇒ 入って来ます) The train *comes in* at platform 3 at one o'clock. 入線時刻 the arrival time (of a train).

にゅうせん⁴ 入船 ― 名 (船が港に入ること) the arrival of a ship ((☞ いりふね)). ― 動 come into port, arrive in port, enter [make] port. ((☞ にゅうこう¹)).

にゅうたい 入隊 ― 動 (入隊する) join [enlist in] the army; (徴兵されて) be ⌜conscripted [drafted] into the army 【語法】 海軍・空軍には the army に代えてそれぞれ the navy, the air force を用いる.

ニュータウン (都市計画による) new town Ⓒ; (新しい住宅地) new housing development Ⓒ.

にゅうだくえき 乳濁液 〘化〙 emulsion Ⓒ.

にゅうだん 入団 ― 動 (入団する) join [enter] an organization. ¶彼はドラフト 1 位でジャイアンツに*入団した Picked first in the draft, he *joined* the Giants. 入団契約 ¶*入団契約を結ぶ sign a *contract to join a team* 入団式 joining ceremony to ⌜an organization [a team] Ⓒ.

にゅうちょう 入超 (貿易上の欠損) deficit in trade Ⓒ, trade deficit Ⓒ ★ 後者のほうが普通; (輸入超過) excess of imports (over exports) Ⓤ ★ しばしば an を付けて. ((☞ ゆにゅう; ちょうか¹)).

にゅうてい 入廷 ― 動 enter the courtroom; (出廷する) appear ⌜in the courtroom [in court].

ニューディール the New Deal ★ 米国の F.D. ルーズベルト大統領が採用した恐慌克服のための政策 (1933–39).

ニューテクノ 〘楽〙 (説明的に) a new type of technopop with female vocals.

ニューデリー ― 名 固 Nèw Delhi /déli/ ★ インドの首都.

にゅうでん 入電 ((受け取られた) 電報) telegram (received) Ⓒ ((☞ でんぽう)).

にゅうとう¹ 入党 ― 動 (政党に入る) join [become a member of] a political party ((☞ とう³)).

にゅうとう² 乳糖 milk sugar Ⓤ, lactose /lǽktous/ Ⓤ ★ 前者のほうが口語的.

にゅうとう³ 乳頭 nipple Ⓒ ((☞ ちくび)).

にゅうとう⁴ 入湯 ― 動 (風呂に入る) take a bath; (温泉に保養に行く) go to a spa. ((☞ ふろ; おんせん¹)). 入湯税 bath tax Ⓒ.

にゅうどうぐも 入道雲 thunderhead Ⓒ; (積乱雲) 〘気象〙 cumulonimbus /kjùːmjulounímbəs/ Ⓒ ((複 -nimbi /-baɪ/, ～es)). ((☞ くも¹ (挿絵))).

ニュートラ(ッド) ― 形 new traditional.

ニュートラリティー (中立) neutrality Ⓤ.

ニュートラル ― 形 (中立の) neutral. ― 名 (ギアの) neutral Ⓤ. ¶ギアを*ニュートラルに入れる shift (gears) into *neutral* ニュートラルゾーン (中立地帯) neutral zone Ⓒ.

ニュートリノ 〘物理〙 (素粒子の一) neutrino /n(j)uːtríːnou/ Ⓒ. ニュートリノ天文学 neutrino astronomy Ⓤ.

ニュートロン 〘物理〙 (中性子) neutron /n(j)úːtrɑn/ Ⓒ.

ニュートン¹ ― 名 固 Isaac /áɪzək/ Newton, 1642–1727. ★ 英国の物理学者. ニュートン環 〘光〙 Newton's rings. ★ 通例複数形で. ニュートン力学 Newtonian mechanics Ⓤ.

ニュートン² 〘物理〙 (力の単位) newton Ⓒ.

にゅうねん 入念 ― 形 (注意深い) careful; (手の込んだ) elaborate /ɪlǽbərət/. ― 副 carefully; elaborately. ((☞ ねんいり; ねん²)).

ニューハーフ (女装のホモ) drag queen Ⓒ.

にゅうばい 入梅 (雨期の始まり) the beginning of the rainy season ((☞ つゆ²)).

にゅうはくしょく 乳白色 ― 形 milky-white.

にゅうばち 乳鉢 mortar Ⓒ.

ニューハンプシャー ― 名 固 New Hampshire ★ 米国北東部の州.

にゅうぶ 入部 ― 動 join a club.

ニューファッション (新しい流行) new fashion Ⓒ ((☞ ファッション; モード¹)).

ニューファンドランド ― 名 固 Newfoundland /n(j)úːfən(d)lənd/ ★ カナダ大西洋岸の島.

ニューフェース (一般に新しくある場所に来たり, ある社会に入った人) néwcòmer Ⓒ; (新入生) freshman /-mən/ Ⓒ ((複 -men /-mən/)) ★ 男女両性に使う; (芸能界などの) new star Ⓒ. 【日英比較】 new face という英語は以上の意味では普通使われない.

にゅうぼう¹ 乳棒 pestle /pésl/ Ⓒ.

にゅうぼう² 乳房 breast Ⓒ. 乳房炎 〘獣医〙 mastitis /mæstáɪtɪs/ Ⓤ 乳房切除 〘医〙 mastectomy /mæstéktəmi/ Ⓤ.

にゅうまく 入幕 (相撲の) promotion to the top division Ⓤ.

ニューミュージック Japanese folk-pop Ⓤ 【日英比較】「ニューミュージック」は和製英語.

ニューメキシコ ― 名 固 (米国の州) New Mexico ((☞ アメリカ (表))).

にゅうめつ 入滅 (涅槃) Nirvana /nɪəvɑ́:nə/ Ⓤ; (高僧の死) the death of a high priest Ⓤ.
ニューメディア néw media /mí:diə/ ★ 複数形. (☞ マスメディア).
にゅうめん 煮麺, 入麺 boiled fine wheat noodles served in a hot soup ★ 複数形で.
ニューモード (新しい流行) new mode Ⓒ.
ニューモデル new model Ⓒ.
にゅうもん 入門 **1** «弟子入り» ¶ 私はあの人の所へ*入門したい (⇒ 彼の学派に入りたい) I'd like to *join* his ⌜*school* [*circle*; *group*]. / (⇒ 彼の指導の下に学びたい) I'd like to *study under* his *guidance*. / (⇒ 彼の生徒になりたい) I'd like to *be* his *student*.
2 «勉強などの初めの段階»: the [a] first step; (初心者[入門]コース) beginners' [introductory] course Ⓒ. (☞ しょほ; しょきゅう).
¶「英語の勉強はどうですか」「まだ*入門です」"How is your study of English coming along?" "(⇒ 始めたばかりです) Well, I'*ve just started* it." / "Are you making progress in your study of English?" "(⇒ まだ入門のコースをやっています) I'm still doing the *introductory course*."
入門書 primer /prímə/ Ⓒ, guide Ⓒ, introduction Ⓒ. ¶ チェスの*入門書 (⇒ 初心者のための本) a *beginning* [an *elementary*] *book* on chess
にゅうよう 入用 ── 動 (必要とする) need ㊍; (欲しい) want ㊍. ── 形 (必要な) necessary. ── 名 need Ⓒ; want Ⓤ ★ 必要品という意味では通例複数形で. (☞ ひつよう).
¶ お金はいくら*入用ですか How much money do you ⌜*need* [*want*]? // これらはぜひとも*入用な部品です These are absolutely *necessary* parts. // *入用なものはすべてすぐに取りそろえます All your *wants* will be immediately satisfied. // パートタイマー*入用《広告》Part-timers *wanted*.
にゅうようじ 乳幼児 babies and infants.
乳幼児突然死 crib [《英》cot] death Ⓤ, sudden infant death Ⓤ **乳幼児突然死症候群** sudden infant death syndrome Ⓤ (《略 SIDS》).
ニューヨーク ── 名 固 (米国の州) Nèw Yórk (《略 N.Y.》); (市) Néw Yòrk Cíty (《略 N.Y.C.》). ★ 愛称として the Big Apple という. (☞ アメリカ (表)). **ニューヨーク市民** New Yorker Ⓒ **ニューヨークダウ** the Dow(-Jones industrial average) at the New York Stock Exchange.
にゅうよく 入浴 ── 名 (入浴すること) bath Ⓒ, bathing /béɪðɪŋ/ Ⓤ. ── 動 take a bath /bǽθ/, bathe /béɪð/ ㊎. (☞ ふろ).
ニューライト (新保守層) the New Right (↔ the New Left).
ニューラルネットワーク 〘コンピューター〙(神経回路網) neural network Ⓤ.
ニューリッチ (新興成金) the ⌜newly [new] rich.
にゅうりょう¹ 入寮 ── 動 (入寮する) enter a dormitory. ¶ 彼は*入寮を許された He *was admitted* ⌜*in* [*into*] *a dormitory*.
にゅうりょう² 入漁 ☞ にゅうぎょ
にゅうりょく 入力 ── 名 (電気の) power input Ⓤ; (コンピューターの) input Ⓤ. ── 動 inpùt ㊍. (☞ コンピューター (囲み)).
入力情報 input Ⓤ **入力装置** input device Ⓒ.
ニュールック the ⌜new look [New Look].
ニュールンベルク ── 名 固 Nuremberg /n(j)ʊ́(ə)rəmbə̀:g/ ★ ドイツ南部の商工業都市.
ニューレフト (新左翼) the New Left (↔ the New Right).
にゅうろう 入牢 ── 名 imprisonment Ⓤ. ── 動 be sent to ⌜prison [jail], be imprisoned ★ 後者のほうが格式ばった表現. (☞ にゅうごく).
ニューロコンピューター 〘コンピューター〙 neurocomputer /n(j)ʊ̀(ə)roukəmpjú:tə/ Ⓒ.
ニューロサイエンス (神経科学) neuroscience Ⓤ.
ニューロン 〘生〙 neuron /n(j)ʊ́(ə)rɑn/ Ⓒ, neurone /-roun/ Ⓒ.
にゅうわ 柔和 ── 形 (上品で優しい) gentle; (おとなしい) meek. ── 名 gentleness Ⓤ; meekness Ⓤ. (☞ やさしい¹; おだやか).
にゅっと (突然) suddenly; (やぶから棒に) abruptly. (☞ 擬声・擬態語 (囲み)).
にょい 如意 〘仏教〙(僧侶の杖) Buddhist priest's staff Ⓒ. ¶ 手元不*如意 ☞ ふにょい
にょう 二様 (二通り) two ways. ¶ それは*二様に解釈できる It can be interpreted in *two ways*.
にょう¹ 尿 urine /jʊ́(ə)rɪn/ Ⓤ (☞ しょうべん).
¶ *尿の検査を受ける have *one's urine* ⌜examined [tested] **尿器** (室内便器) chamber pot Ⓒ; (男性用しびん) urinal /jʊ́(ə)rənl/ Ⓒ; (ベッドの中で使う) bedpan Ⓒ **尿結石** ☞ にょうろ (尿路結石)
にょう² 繞 (漢字の) left-bottom radical of kanji Ⓒ.
にょうい 尿意 ¶ *尿意を催す have a [feel the] *need to urinate* /jʊ́(ə)rənèɪt/
にょうかん 尿管 ureter /jʊ́(ə)rətə/ Ⓒ.
にょうご 女御 〘日本史〙 high-ranking lady-in-waiting at the court Ⓒ.
にょうさん 尿酸 uric /jʊ́(ə)rɪk/ acid Ⓤ.
にょうしっきん 尿失禁 the incóntinence of úrine.
にょうそ 尿素 urea /jurí:ə/ Ⓤ.
にょうどう 尿道 urethra /jʊ(ə)rí:θrə/ Ⓒ (複 ~s, urethrae /-θri:/). **尿道炎** urethritis /jʊ̀(ə)rɪθráɪtɪs/ Ⓤ.
にょうどくしょう 尿毒症 ur(a)emia /jʊ(ə)rí:miə/ Ⓤ.
にょうはち 鐃鈸 (仏教で使う打楽器) cymbals ★ 複数形で.
にょうへい(そく) 尿閉(塞) 〘医〙 anuresis /ænjurí:sɪs/ Ⓤ; retention of urine Ⓤ.
にょうぼう 女房 wife Ⓒ (☞ つま¹). **女房の妬くほど亭主もてもせず** It's a jealous wife's fancy to think her husband is attractive to women. **女房詞**(ことば) language of court ladies Ⓒ **女房持ち** married man Ⓒ **女房役** (片腕となる人) *one's* right-hand man Ⓒ; (忠実な補助者) *one's* faithful assistant Ⓒ.
にょうろ 尿路 urinary /jʊ́(ə)rənèri/ ⌜pássage [tráct] Ⓒ. **尿路結石** 〘医〙 urolithiasis /jʊ̀ərəlɪθáɪəsɪs/ Ⓤ.
にょきにょき ¶ 都心には高層ビルが*にょきにょきと建ちはじめた (⇒ 次々と建てられている) High-rise buildings are going up *one after another* in the heart of the city. / Tall buildings *have* ⌜*mushroomed* [*sprouted up*] all over the central part of ⌜town [the city]. (☞ 擬声・擬態語 (囲み))
ニョクマム (ベトナム料理の調味料) nuoc mam Ⓤ.
にょごがしま 女護が島 légendàry ⌜wómen's [mánless] ísland Ⓒ.
にょじつ 如実 ── 副 (生き生きと) vividly; (忠実に) faithfully; (正確に) exactly, accurately; (あるがままに) as it is, as they are; (見たままに) as *a person* sees ⌜it [them]. (☞ なまなましい).
¶ 彼の作品は東京の都会生活を*如実に写し出している His novel is a *faithful* description of urban life in Tokyo. / (⇒ そのままの姿を描写している) His work describes Tokyo city life *as it is*. / (⇒

生き生きとした記述を与えている) His work gives a *vivid account* of city life in Tokyo.

にょたい 女体 woman's body Ⓒ.

ニョッキ (イタリア料理のパスタの一種) gnocchi /njɔ́:ki/ ★ 単数・複数扱い.

にょっきり ―**動** (にょっきりと突き出る) stick out (自); (…を突き出す) stick … out (他). ((☞ にょきにょき; 擬声・擬態語(囲み)).

にょにん 女人 woman Ⓒ ((☞ おんな)).

女人禁制 no admittance of women. ¶ 土俵は*女人禁制である (⇒ 女性は土俵に入ることを禁じられている) *Women are forbidden to enter* the sumo ring. **女人高野** Nyonin Koya; (説明的には) another name for Muro Temple (in Nara Prefecture, which is not closed to women as Kongo Buji Temple on Mt. Koya).

にょぼさつ 如菩薩 ¶ 外面*如菩薩内面如夜叉 an *angel* without and fiend /fí:nd/ within / a demon at heart with a *merciful* exterior

にょらい 如来 Buddha /bú:də/ ((☞ ほとけ)).

にょろにょろ ―**動** (にょろにょろはう) wriggle (自), crawl (自), slither /slíðə/ (自) [語法] 体をくねらせよじらすのが wriggle, 地面をゆっくり体を引きずって動くのが crawl, 体をくねらせ滑るように動くのが slither. ((☞ はう(類義語); 擬声・擬態語(囲み)). ¶ へびは草むらを*にょろにょろはった A snake *slithered* through the grass.

にら 韮 leek Ⓒ [参考] 日本の種類とは違い, 白い部分が太くて短い西洋ねぎで, スープ・ソースなどに入れられる.

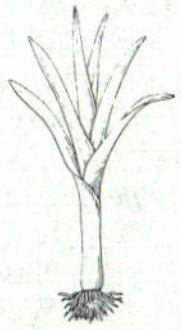
leek

にらみ 睨み **にらみがきく** ¶ 彼はこの業界に*にらみがきく (⇒ とても大きな影響力がある) He ⌈*has tremendous influence* [*is very influential*] *in* this trade. // 近ごろ父親は子供に対して*にらみがきかない (⇒ 権威を失った) Nowadays, fathers have lost (their) *authority over* their children. **にらみをきかせる** (…に権力を行使する) exercise *one's* authority over …; (…で影響力を及ぼす) influence *a person* by ….

にらみあい 睨み合い ¶ 国境付近で両国の軍隊が*にらみ合いとなった (⇒ 戦闘配置についた) Troops of both countries were deployed along the border, ready for combat.

にらみあう 睨み合う (互いに怒って目と目で) glare at each other; (互いに不和で) be at odds with each other; (互いに敵意を抱いて) be at daggers drawn with each other. ((☞ にらむ; にらみあい)). ¶ 彼らは*にらみ合って立っていた They stood *glaring at each other*.

にらみあわせる 睨み合わせる ¶ 新しい情報を*にらみ合わせて (⇒ 情報に照らして), 我々は計画を再考することに決めた *In* (*the*) *light of* the new information, we decided to reconsider our plan. // 資金を*にらみ合わせて (⇒ 考慮に入れて) 彼は小さな商売を始めた *Taking* the funds *into* ⌈*account* [*consideration*], he started a small business.

にらみすえる 睨み据える (じっと睨む) stare (at …) (他) (自). ¶ 彼は奥さんに*にらみ据えられて黙ってしまった His wife *stared* him into silence.

にらみつける 睨み付ける (怒りを含んで) glare at …; (苦い顔をして) scowl at … ((☞ にらむ)). ¶ 彼は怒って私のことを*にらみつけた He *glared at* me with resentment. // 母親はその子を*にらみつけた The mother *scowled at* the child.

にらむ 睨む **1** «にらみつける»: (怒って) glare (fiercely) at …; (じっとにらむ) stare (fixedly) (at …) (他) (自). ¶ 奥さんに*にらまれて彼は黙ってしまった (⇒ 奥さんは彼をにらんで黙らせた) His wife *stared* him into silence. // あそこで我々をすごい目でにらんでいるのはだれだい Who is that person over there *glaring* (so) *fiercely at* us?

2 «要注意人物などに眼をつける»: keep an eye on …, watch (他). ¶ ぼくらは木村先生に*にらまれてるようだ Mr. Kimura seems to *be keeping an eye on* us. / (⇒ 木村先生のブラックリストに載っているのではないかと思う) I'm afraid we're *on* Mr. Kimura's *blacklist*.

3 «見当をつける・疑う»: (…ではないかと思う) suspéct (他); (目星をつける) spot (他).
¶ 私は彼が犯人と*にらんでいる I *suspect* him to be the offender.

4 «考慮に入れる»: take … into ⌈account [consideration]. ¶ 彼等は合併を*にらんで人事を行った *Taking* the merger *into consideration*, they carried out personnel changes.

にらめっこ 睨めっこ staring game Ⓒ. ¶ *にらめっこをする play a *staring game*

にらんせいそうせいじ 二卵性双生児 (双子の1人) fraternal twin Ⓒ ((☞ ふたご)).

にりつはいはん 二律背反 〖哲〗 antínomy Ⓤ.

にりゅう 二流 ―**形** second-class, second-rate. ((☞ いちりゅう; かいきゅう[1])). ¶ *二流のホテル a *second-class* hotel

にりゅうか 二硫化 **二硫化炭素** cárbon ⌈disulfide [((英)) disulphide] /daɪsʌ́lfaɪd/ Ⓤ **二硫化物** disulfide Ⓒ.

にりん(しゃ) 二輪(車) (二輪の乗り物) two-wheeled vehicle /ví:(h)ɪkl/ Ⓒ ((☞ じてんしゃ; バイク; オートバイ)).

にりんそう 二輪草 〖植〗 twin-flowered anemone Ⓒ.

にる[1] 似る ―**動** (外見上の類似を強調して) resemble (他) [語法] (1) 受身・進行形にはならない; (似ている) be like … [語法] (2) like は **形** で目的語をとる. resemble より口語的; (類似している) be similar to … [語法] (3) 少し格式ばった言い方で, そっくりではなくても類似点のあることを強調する. ―**形** alike Ⓟ. ((☞ 形容詞の2用法(巻末); るいじ[1])).
¶ 彼女は母親に*似ている She *resembles* her mother. / She *is like* her mother. [語法] (4) 第1の文は姿形の似ていることが強調されるが, 第2の文は漠然とすべてにおいて(行動・習慣・考えなど)似ていることをいう. // 彼は父に*似て働き者だ He is hard-working *like* his father. // 彼は親に*似ず音楽の才能がある *Unlike* his parents, he has musical talent. // この2つの物は一見*似ていますが実はまったく異なっています These two things ⌈look [are superficially] *alike*, but in reality they are radically different. // 彼の考えは私の考えに*似ている His idea *is similar to* mine.

似て非なる similar but different; (形のみが似ている) alike only in appearance. ¶ 本革と模造革は*似て非なるものだ (⇒ 外見は似ているが本質は違う) Real and synthetic leather are *very much alike in appearance but quite different in nature*. **似ても似つかない** ¶ これら2つはまったく*似ても似つかない (⇒ 共通点がない) These two things ⌈*lack any common features* [*have nothing in common*]. / (⇒ 昼と夜ほどちがう) These two things are *as different as day and night*. **似れば似るもの** ¶ あの二人は*似れば似るものだ (⇒ 同じさやの豆のように似ている) Those two are *as like as two peas* (in a pod). ((☞ うり[2] (瓜二つ)).

似た者同士 ☞ にたもの **似た者夫婦** ☞ にたもの

にる[2] 煮る (沸騰させる) boil (他); (とろ火でぐつぐつ

煮る) simmer ⑯ ⓐ; (火を使い熱を加えて料理する) cook ⑯. 《☞ 料理の用語 (囲み); にえる; にたてる; につめる》. ¶ 母は台所でじゃがいもを*煮ています Mom *is* ⌈*boiling* [*cooking*] potatoes in the kitchen. // シチューを1時間ほど弱火で*煮なさい Let the stew *simmer* for about an hour. **煮て食おうと焼いて食おうと** ¶ おれのものは*煮て食おうと焼いて食おうとおれの勝手だ I can *do what I like* with ⌈my own things [what belongs to me]. **煮ても焼いても食えない** ¶ *煮ても焼いても食えないやつ (⇒ 扱いにくい人) a tough ⌈bird [customer] ★ どちらもくだけた言い方.

にるい 二塁 second base Ⓤ, second Ⓤ. 《☞ セカンド; いちるい》.

二塁手 second baseman Ⓒ, second (base) Ⓒ **二塁打** two-base hit Ⓒ, double Ⓒ.

ニルバーナ 〘仏教〙(涅槃) Nirvana /nɪəvάːnə/ 《☞ ねはん》.

にれ 楡 elm Ⓒ.

にれつ 二列 two rows; (縦の) double file Ⓒ; (横の) double line Ⓒ ★ double ⌈file [line] は2列一組になっているもの. 《☞ れつ》. ¶ *2列に並ぶ form ⌈*two rows* [a *double file*; a *double line*] // *2列になって進む march in a *double file* / (⇒ 二人並行して歩く) walk *two abreast* **二列縦隊** double file Ⓒ.

にわ 庭 (家などの回りの庭) yard Ⓒ; (花や樹木を植えた庭園) garden Ⓒ 語法 garden は庭作りや草花, 時には野菜などを植えた庭を意味する. 整備してない庭は garden とは言わない; (建物や塀で囲まれた中庭) court Ⓒ, courtyard Ⓒ. 《☞ なかにわ; うらにわ; ていえん[1] 参考》.

¶ 彼の家には広い*庭がある His house has a large *garden.* // 彼は毎日*庭に水をまく He waters the *garden* every day. // 彼は*庭の雑草を取った He weeded the *garden.* // 彼は*庭に木を植えた He planted trees in the *garden.* 《☞ うえる[1]》

庭石 garden rock Ⓒ **庭いじり** gardening Ⓤ **庭木** garden tree Ⓒ **庭木戸** garden gate Ⓒ **庭草** garden weed Ⓒ 《☞ くさ[1] 日英比較》 **庭先** in [around] the garden **庭先相場** (現場渡しの値段) loco [spot-sale] price Ⓒ **庭師** gardener Ⓒ **庭仕事** gardening Ⓤ **庭作り** (造園) landscape gardening Ⓤ; ☞ 庭いじり. 《☞ ぞうえん[1]》 **庭づたい** from garden to garden **庭続き** ¶ お隣りとは*庭続きだ There's no fence separating our garden from the next-door ⌈neighbor's [neighbors']. **庭番** garden keeper Ⓒ 《☞ おにわばん》 **庭回り** ¶ 子供達は*庭回りをきれいに掃いた The children swept the ground *around the garden* completely. **庭面**(にわも) ¶ *庭面の雪 the snow *in the garden*

にわか 俄か ── 形 (突然の) sudden; (不意の) abrupt; (予期しない) unexpected. 《☞ きゅう[5]; とつぜん》. **にわか雨** (sudden) shower Ⓒ 《☞ ゆうだち 日英比較; あめ[1]》 **にわかごしらえ** ☞ にわか作り **にわか仕込み[仕立て]** hasty preparation Ⓤ. ¶ *にわか仕込みのフランス語 *hastily acquired* French // 試験のためにわか仕込みをする *cram* for an examination **にわか作り** (即席にすること) improvisation Ⓤ. ¶ *にわか作りの舞台 a *hurriedly prepared* stage // *にわか作りの小屋 a *makeshift* shack **にわか成金** overnight [mushroom] millionaire Ⓒ **にわか普請** ¶ *にわか普請の建物 a *hastily constructed* building // *にわか普請の家 a *thrown-up* house **にわか雪** sudden snowfall Ⓒ.

にわかに (突然) suddenly; (出し抜けに) abruptly; (思いがけず) unexpectedly; (あわてて) hastily; (すぐさま) right away. 《☞ とつぜん; きゅう[5]》. ¶ 君のいうことは*にわかには信じ難い I can't believe you *right away.*

にわしどり 庭師鳥 〘鳥〙 bowerbird /báuəbə̀ːd/ Ⓒ.

にわとこ 接骨木 (木) elder (tree) Ⓒ; (実) elderberry Ⓒ.

にわとり 鶏 (若い鶏) chicken Ⓒ ★ 鶏一般も指す; (鶏肉) chicken Ⓤ; (成長した鶏) fowl Ⓒ 《複 ～(s)》 ★ 七面鳥などの家禽類も指す; (雄の) 《米》 rooster Ⓒ, cock Ⓒ; (雌の) hen Ⓒ. 《☞ めす[1] 語法; とり[1]》. ¶ 家の*鶏はまだ卵を生みません Our *chickens* aren't laying (eggs) yet. // 私は*鶏の鳴き声で目を覚ました I was awakened by the ⌈crow [crowing] of a *rooster.* 《☞ 動物の鳴き声 (囲み)》 // *鶏が先か卵が先か Which came first, the *chicken* or the egg? **鶏小屋** henhouse Ⓒ; (狭いもの) coop Ⓒ. 《☞ のうじょう (挿絵)》.

にわふじ 庭藤 〘植〙 Spanish clover Ⓒ, Chinese indigo Ⓒ.

にん[1] 任 (職) position Ⓒ; (官職) office Ⓤ; (高い地位) post Ⓒ; (責任) responsibility Ⓤ; (任務) duty Ⓒ. 《☞ にんむ; たいにん[1]》.

¶ だれがその*任に当たるのですか (⇒ だれが責任をもつのか) Who's going to be *responsible* for it? / (⇒ だれがその職につくのか) Who's going to take ⌈the *position* [over the *job*]? // 彼は立派にその*任 (⇒ 任務) を果たした He performed his *duties* perfectly.

にん[2] 忍 (忍耐) patience Ⓤ; (辛抱) endurance Ⓤ. 《☞ にんたい》. ¶ 我々はこの状況には*忍の一字で耐えるしかない We have to ⌈*endure* [*persevere*] *patiently* under the present circumstances.

-にん …人 ¶ うちの家族は5*人です There are five *people* in our family. // あなたのクラスには何*人の学生がいますか How many *students* are there in your class? // 私たちの学校には英語の先生が7*人います We have [There are] seven English *teachers* at our school. 日英比較 上例でもわかるように, 英語では日本語のように「…人」のような個数を表す言葉は必要としない. 例えば 「先生が7人」 なら seven teachers と, 名詞にいきなり数詞を付ければよい. 《☞ 数字 (囲み); 数の数え方 (囲み)》

にんい 任意 ── 形 (随意の) optional; (自発的な) vóluntàry; (規則などによらず勝手に決めた) árbitràry. ── 名 (選択の自由) option Ⓤ. 《☞ ずいい》.

¶ この旅行の参加は*任意です This is an *optional* tour. // 寄付は*任意であるべきで強制になってはいけない The contribution should be made *voluntarily,* not compulsorily. // 委員は会長によってまったく*任意に選ばれた The committee members were chosen *arbitrarily* by the president. 語法 「勝手気ままに」というニュアンスがあり, 非難の意を含む. // *任意の (⇒ どれでもよい) 2点を線で結ぶ draw a line between ⌈*any* (*random*) two [two *random*] points

任意出頭 voluntary appearance Ⓒ. ¶ 警察は彼に*任意出頭を求めた The police asked for his *voluntary appearance.* **任意捜査** ¶ 警察は彼の家を*任意捜査した The police *searched* his house *with his* ⌈*consent* [*permission*]. **任意退職** voluntary retirement Ⓤ, retirement option Ⓒ **任意団体** voluntary [private] organization Ⓒ **任意抽出** random sampling Ⓤ 《☞ むさくい (無作為抽出)》 **任意同行** ¶ 警察署まで*任意同行を求めます I ask you to *come with me voluntarily* to the police station for questioning. **任意保険** voluntary insurance Ⓤ; (オプションの) optional [extra] insurance Ⓤ. ¶ 私は車の*任意保険に入り

たい I want to buy some ｢*optional* [*extra*] áutomobile *insúrance*.

にんいん 認印 ☞ みとめ

にんか 認可 ━動 (許可する) permít ⑩; (賛成する) approve ⑩; (権限をもって認定する) authorize ⑩. ━名 permission U; approval U. 《☞ きょか¹ (類義語); しょうにん¹》.

¶ この道路は警察の*認可を受けた車以外は通行できません No ｢vehicle is [vehicles are] allowed on this road without police *permission*. // 政府はその計画を*認可した The government *approved* the plan. // 新しい病院の建設が厚生労働省によって*認可された The construction of the new hospital *was authorized* by the Ministry of Health, Labour and Welfare.

認可営業 licensed business U 《☞ えいぎょう (営業許可)》 **認可状** (領事などの) exequatur /èksəkwéɪtə/ C 《☞ きょか¹ (許可証)》.

にんかん 任官 ━動 (任官する) be appointed. ━名 appointment U ★ 任官した職の意味では C. 《☞ にんめい》. ¶ 彼は事務総長に*任官した He *was appointed* Secretary General.

にんき¹ 人気 ━形 popular (with ...; among ...) (↔ unpopular). ━名 popularity U.

¶ その歌手は若い女性たちに*人気がある That singer is *popular* ｢*among* [*with*] young women. // 広く*人気がある enjoy wide *popularity* // その俳優は最近*人気が出てきた That actor has been gaining in *popularity* lately. // その女優はスキャンダルで*人気を落とした That actress has lost her *popularity* through the scandal. // いまの首相は年配者に*人気がない The present prime minister is *unpopular* among the elderly. 《☞ ふにんき》

人気馬 the favorite **人気歌手** popular singer C 《☞ アイドル》 **人気株** active ｢stock [《英》 share] C **人気作家** popular writer C **人気商売** occupation dependent on public favor C **人気商品** hot item C **人気絶頂** ¶ その映画スターは*人気絶頂だ That movie star is at *the* ｢*height* [*summit*; *apex*; *zenith* /zíːnɪθ/] *of* his *popularity*. **人気相場** active market C **人気投票** popularity ｢vote [poll] C **人気取り** ¶ 彼は*人気取りをしている He *is grandstanding*. ★《米口語》 grandstand は正面観覧席のことで, その受けねらいの意. / (⇒ 大向こう[大衆]に受けようと演技する) He *is playing to the gallery*. ★ gallery は劇場の天井桟敷で最も安い席. **人気番組** popular program C **人気者** (お気に入り) favorite C; (人気のある人) popular person C. ¶ 小犬は家中の*人気者だ The puppy is everybody's *favorite* in our family. // クラスの*人気者 (⇒ おどけ者) a class *clown* / (⇒ 最もちやほやされる学生) *the most popular student* in the class

―コロケーション―

人気を維持する maintain *popularity* / 人気を失う lose *popularity* / 人気を得る win [gain; acquire] *popularity* / 人気を回復する regain *popularity* / 衰えない人気 enduring *popularity*

にんき² 任期 term of ｢office [service] C.

¶ 市長は*任期の満了を前に職を辞した The mayor resigned before his *term* (*of office*) expired. // その知事は*任期中大した仕事はしなかった That governor didn't work much during his *term of office*. // 彼は*任期いっぱい市長を務めた He served out *his term* as mayor.

任期満了 the expiration of *one's* term.

にんぎょ 人魚 mermaid C.

にんきょう 仁侠 chivalrous /ʃívəlrəs/ spirit C, chivalry U ★ 後者は格式ばった語. 《☞ ぎきょうしん》. ¶ *仁侠の男 a man with a *chivalrous spirit*

仁侠道 chivalry U, knighthood U; (やくざなどの) (idealized) ｢underworld [outlaw] ways.

にんぎょう 人形 doll C; (縫いぐるみの人形) rag doll C; (操り人形) puppet C. **人形劇** puppet show C **人形芝居** puppet ｢show [play] C 《☞ 人形劇》 **人形浄瑠璃** puppet ballad drama C 《☞ ぶんらく》 **人形遣い** puppet-showman C, puppeteer /pʌ̀pətíə/ C **人形回し** puppeteer C 《☞ 人形遣い》.

にんく 忍苦 (patient) endurance U 《☞ しんく¹》. ¶ 彼女は*忍苦の一生を送った She led a life of (*patient*) *endurance*.

にんげん¹ 人間 ━名 húman béing C, human C; man ★ 単数無冠詞で; (人類) mánkínd U, humankind U, the human race ★ the を付けて. ━形 (人間の・人間的な・人間らしい) human.

【類義語】 日本語の「人間」一人一人に当たる言葉が *human being* で, 少し格式ばった感じの言葉. それに対して *human* は多少口語的である. 男女を区別せず「人・人というもの」という意味で無冠詞・単数形で用いられるのが *man*. *human being* より多少文学的な感じの言葉. ((例) *人間は死ぬものだ *Man* is mortal.). 人類全体を表す少し格式ばった言葉が *mankind*. なお, 性差別廃止の立場から, 最近では *man*, *mankind* の代わりに ***humankind***, ***the human race*** または ***human*** (***being***) という語を用いる傾向が強い. 《☞ ひと; じんるい (類義語)》

¶ *人間は猿とは違う *Human beings* are not the same as apes. // *人間は話すことができる唯一の動物です *Man* is the only animal that can talk. // *人間は1本の葦にすぎない. 自然の中で一番弱い. しかし人間は考える葦である (Pascal の言葉) "*Man* is but a reed, the weakest in nature, but he is a thinking reed." // 癌(がん)は*人間に共通の敵の一つだ Cancer is one of the common enemies of all ｢*mankind* [*humankind*]. // その男はまったく*人間らしい気持ちを持っていないようだ The man seems to have no *human* feelings. // 彼には*人間的に (⇒ 彼の性格について) 問題がある There is some doubt *about his character*.

人間致る所に青山あり Fortune awaits you everywhere. 《ことわざ: 幸運は致る所で待っている》 ★ 原意は「墳墓の地はどこにでもある」だが, 「広く活動の場を求めよ」の意と解する.

人間万事塞翁が馬 A joyful evening may follow a sorrowful morning. 《ことわざ: 悲しみの朝の後に喜びの夕が訪れることもある》.

人間愛 human love U; (人情) humanity U **人間界** the (human) world, human society U **人間科学** the human sciences ★ 人類学・言語学・文学・心理学など広く人間に関わる研究分野の総称. **人間学** ànthropólogy U **人間環境宣言** the Declaration of the United Nations Conference on the Human Environment ★ 通称 Stockholm Declaration (1972), the Statement for Human Environmental Quality **人間関係** (社会・職場などでの) human relations ★ 単数扱い. **人間魚雷** human torpedo C, suicide sub(marine) C **人間嫌い** misanthropy /mɪsǽnθrəpi/ U; (人) misanthrope /mísənθròʊp/ C. ¶ あいつは*人間嫌いだ He ｢*doesn't like* [*hates*] *people*. **人間形成** character building U **人間工学** human engineering U, ergonomics /ə̀ːgənámɪks/ ★ 後者は複数形で, 専門的な語. **人間国宝** living national treasure C **人間性** (人間の本性) human nature U; (人間的な性質) humanity U 語法 後者はよい意味で使われることが多い. ¶ 歴史の研究は*人間性の研究である The study of history is the study of *human nature*. 人間像 *one's* image Ⓒ 人間ドック comprehensive ⌈physical examination [checkup] Ⓒ. ¶*人間ドックに入る go in for a *comprehensive checkup* 人間並 ¶犬を*人間並に扱う treat *one's* dog *like a human* // *人間並の知能を持った猿 an ape with *human-like* intelligence 人間離れ ━ 形 (超人間的な) superhuman; (奇跡的な) miraculous. ¶あいつは*人間離れのした力の持ち主だ He has got ⌈*superhuman* [*Herculean*] power. 人間味 ━ 形 (人間味のある) humane /hju:méɪn/; (心の温かい) warm-hearted. ¶戦争捕虜に対する*人間味のある[ない]扱い *humane* [*inhumane*; *heartless*] treatment of the war prisoners 人間わざ human ⌈capabilities [power]. ¶それはほとんど*人間わざとは思えない It's far beyond *human* ⌈*power* [*capabilities*]. / It's almost *miraculous*.

にんげん[2] **任限** ☞ にんき[2]

にんさんぷ 妊産婦 pregnant women and nursing mothers.

にんしき 認識 ━ 動 (…に気付いている) be aware of …; (知っている) know ⓗ; (理解する) understand ⓗ; (…と認める) recognize ⓗ. ━ 名 (知識) knowledge Ⓤ; (理解) understanding Ⓤ; (認知) recognition Ⓤ.
¶私はその事実の重要性をよく*認識している I ⌈*know* [*understand*] very well how important that fact is. / I *am* fully *aware of* the importance of that fact. ★ 前者のほうが口語的. // 私たちはそれが暫定的取り決めであると*認識している We *understand* that it is a provisional agreement. // 我々は幼児教育の重要性について*認識を新たにした We *saw* the importance of children's education in a new light. 認識番号〘軍〙ID [service] number Ⓒ 認識票〘軍〙identification [ID] tag Ⓒ 認識不足 ¶彼の答えはその事に対する*認識不足を如実に示した His answer clearly showed *a lack of* ⌈*understanding* of [*knowledge* about] that matter. 認識論〘哲〙epistemólogy Ⓤ.

にんじゃ 忍者 ninja Ⓒ, man engaged chiefly in espionage /éspiənà:ʒ/ activities using the art of ninjutsu Ⓒ.

にんじゅう 忍従 (おとなしく従うこと) submission Ⓤ; (あきらめて従うこと) resignation Ⓤ; (我慢) endurance Ⓤ. 《☞ ふくじゅう》. ¶当時の農民たちはお上への*忍従を強いられていた The peasants in those days were obliged to lead a life of *submission* to authority.

にんじゅつ 忍術 ninjutsu, a Japanese traditional art of stealing into an enemy's camp using various tricks ★ 説明的訳.

にんしょう[1] **人称** 〘文法〙person Ⓒ. ¶第三*人称 the third *person* 人称語尾 personal ending Ⓒ 人称代名詞 personal pronoun Ⓒ 《☞ 代名詞 (巻末)》 人称変化 personal inflection Ⓤ.

にんしょう[2] **認証** ━ 動 (文書で正式に証明する) certify ⓗ; (公の機関が署名して証明する) attest ⓗ. ━ 名 certification Ⓤ; attestation Ⓤ. ¶国務大臣の任免の*認証 the *attestation* of the appointment and dismissal of Ministers of State 認証官 attestation official Ⓒ 認証式 (imperial) attestation ceremony Ⓒ 認証書 certificate of attestation Ⓒ.

にんじょう 人情 日英比較 日本語の「人情」という考え方に，英語でぴたりと当てはまる言葉がないことに注意. この点は「義理」という言葉などと同じ. そこで，前後関係によって，いろいろに訳出しなくてはならない. 《☞ ぎり》.
¶彼は*人情がない He's ⌈*unkind* [*heartless*; *cold-hearted*]. // 親が自分の子供をかわいがるのは*人情だ (⇒ 当然だ) It's *natural* for parents to love their own children. // 彼は*人情 (⇒ 人間性) の機微がわかっている He knows the subtleties of *human nature*. // このごろは*人情が紙のように薄くなった (⇒ このごろは昔のように人々がお互いに親切でなくなった) These days people are not as ⌈*nice* [*kind*] to each other as they used to be.
人情家 kind-hearted [sympathetic] person Ⓒ. ¶彼は*人情家だ (⇒ 親切だ) He's *kind*. / (⇒ 心が温かい) He's *warmhearted*. 人情噺 heart-warming *rakugo* story Ⓒ, story about human nature Ⓒ 人情本 Edo period ⌈romantic [romance] novel Ⓒ 人情味 warm-heartedness Ⓤ.

にんじょうざた 刃傷沙汰 ¶そのけんかは*刃傷沙汰になった (⇒ 流血に発展した) The quarrel developed into *bloodshed*.

にんじる 任じる (任命する) appoint ⓗ; (主張する) claim ⓗ; (自称する) profess ⓗ; (つもりでいる) fancy *oneself*. 《☞ にんめい》. ¶彼は芸術家をもって*任じている He ⌈*claims* to be [*fancies himself* (as)] an artist.

にんしん 妊娠 ━ 動 (妊娠する) be [become; get] pregnant ★ be を用いると「妊娠している状態」を意味する; (赤ちゃんが生まれる予定である) be going to have a baby; (妊娠している) 《略式》 be expecting. ━ 名 pregnancy Ⓤ. 《☞ おめでた》.
¶彼女はまた*妊娠した She ⌈*is* [*got*] *pregnant* again. // 彼の妻は*妊娠 6 か月 (⇒ 24 週) です His wife *is* ⌈twenty-four weeks [six months] *pregnant*. / His wife is in the twenty-fourth week of *pregnancy*. 日英比較 英語では月ではなく週で言うことも多い. 妊娠診断薬 pregnancy test chemicals, diagnostic pregnancy test materials 妊娠中絶 abortion Ⓒ 妊娠中絶権擁護論者 abortionist Ⓒ, pro-choice ⌈advocate [activist] Ⓒ, 《略式》 pro-choicer Ⓒ 妊娠中絶反対論者 pro-life ⌈advocate [activist; crusader] Ⓒ, antiabortion activist Ⓒ, anti-abortion-rights ⌈advocate [activist; crusader] Ⓒ, anti-abortionist Ⓒ, 《略式》 pro-lifer Ⓒ 妊娠中毒 toxemia /tɑksí:miə/ of pregnancy Ⓤ.

にんじん 人参 (野菜の) carrot Ⓒ; (朝鮮人参) ginseng /dʒínseŋ/ Ⓤ. 人参エキス ginseng extract Ⓤ.

にんずう 人数 the number of persons 《☞ かず[1]; 数の数え方 (囲み)》. ¶あなたのグループの*人数は何人ですか How many *people* are there in your group? // そのことは限られた*人数の人しか知りません Only a limited *number of people* know (about) it. // 私の家族は小[大]*人数です Ours is a ⌈*small* [*big*; *large*] family.

にんずる 任ずる appoint ⓗ 《☞ にんめい》.

にんそう 人相 (全体的な容貌) looks ★ 普通は複数形で; (顔かたち・目鼻立ち) features ★ 複数形で; (外見) appearance Ⓒ. 《☞ かおだち; かお; かおつき》. ¶私たちは人を*人相で判断しがちだ We tend to judge a person by ⌈his [her] ⌈*looks* [*appearance*]. // *人相の悪い男が近づいてきた An evil-*looking* man was coming toward me.
人相書き description Ⓒ. ¶*人相書きに合った男 a man who fits *the description* 人相学 phỳsiógnomy Ⓤ 人相見 phỳsiógnomist Ⓒ.

にんそく 人足 (労働者) workman Ⓒ; (運搬人) carrier Ⓒ; (荷物運搬人) porter Ⓒ. 《☞ にんぷ[2]》.

にんたい 忍耐 ━ 名 (我慢・辛抱) patience Ⓤ ★ 最も一般的; (困難な目的の達成のために耐えてがんばること) perseverance Ⓤ ★ 格式ばった語; (特に長期にわたって耐えること) endurance Ⓤ ★ 格式

ばった語. ── 動 (我慢する) be patient (with ...) ★ 最も一般的; (苦痛・不快などに耐える) stand ⊕, bear ⊕ 語法 以上2語は否定・疑問・条件などの語とともに用いられるのが普通; (怒りなどを抑える) put up with ... ★ 口語的; (長期にわたって) endure ⊕ ★ 格式ばった語. 《☞ がまん (類義語); こんき[1]; しんぼう[1]; たえる[1]》. ¶ 彼は*忍耐強い人です He is a *patient* man. **忍耐力** ¶ *忍耐力がなければ何事も成し遂げられない You can't achieve anything without ⌈*patience* [*perseverance*].

にんち[1] 認知 ── 動 (法律的に...であることを認める) recognize ⊕. ── 名 recognition Ⓤ. 《☞ みとめる》. ¶ 男はようやくその子供を*認知した The man finally *recognized* the child as his own. **認知科学** cognitive /kάgnətɪv/ science Ⓤ **認知言語学** cognitive linguistics Ⓤ **認知症** ☞ ちほう[2] **認知心理学** cognitive psychology Ⓤ.

にんち[2] 任地 *one's* ⌈place of work [post] Ⓒ. ¶ 彼は新しい*任地へ赴いた He went to his new *place of work*.

にんてい 認定 ── 動 (正式に公的な機関が認める) authorize ⊕; (証明書を発行して認める) certificate ⊕; (許可を与える) approve ⊕; (法律的に確かに...であると認める) recognize ⊕. ── 名 authorization Ⓤ; approval Ⓤ; recognition Ⓤ. 《☞ にんか; こうにん[1]》. ¶ 資格*認定試験 a *qualifying* examination **認定講習** ¶ 教師の*認定講習 a *course of lectures for qualifying* teachers **認定証** (証明書) certificate Ⓒ.

にんにく 大蒜 garlic Ⓤ. ¶ *にんにくの一かけら a clove of *garlic*

にんぴ 認否 ── 名 (罪状認否) arraignment Ⓤ. ── 動 (被告に認否を問う) arraign /əréɪn/ ⊕.

にんぴにん 人非人 brute (of a man) Ⓒ.

ニンフ 〔ギ神〕 (妖精) nymph Ⓒ 《☞ ようせい[4]》.

にんぷ[1] 妊婦 pregnant woman Ⓒ. **妊婦服** maternity dress Ⓒ.

にんぷ[2] 人夫 laborer Ⓒ.

ニンフォマニア 〔医〕 (女性の色情症) nymphomania Ⓤ; (人) nympho(maniac) Ⓒ.

にんべつあらため 人別改め Edo period census Ⓒ.

にんべつちょう 人別帳 the records of an Edo period census.

にんべん 人偏 (漢字の) person radical on the left of kanji Ⓒ.

にんぽう 忍法 ☞ にんじゅつ

にんまり ── 動 (満足そうに笑う) smile complacently 《☞ わらう; にやりと; ほくそえむ; 擬声・擬態語 (囲み)》.

にんむ 任務 (義務) duty Ⓒ; (仕事) job Ⓒ; (課せられた職務) task Ⓒ; (派遣されるものの任務・使命) mission Ⓒ. 《☞ しょくむ; ぎむ; つとめ[2]》.
¶ *任務を遂行する carry out *one's task* // 彼らは特別な*任務で外国に行った They went abroad on a special *mission*.

> **コロケーション**
> **危険な任務** a ⌈dangerous [perilous] ⌈*task* [*mission*] / **困難な任務** a difficult *task* / **重大な任務** an important *task* / **大変な任務** a demanding ⌈*task* [*mission*] / **難しい任務** a delicate *job* / **任務を課す** set a *task* / **任務を完了する** complete a *task*; finish a *job* / **任務をこなす** cope with a *task* / **任務を引き受ける** undertake a ⌈*task* [*mission*] / **任務を割り当てる** assign a *task*

にんめい 任命 ── 動 appoint ⊕. ── 名 appointment Ⓤ. 《☞ しめい[2]; きよう[2]》. ¶ 首相は山本氏を財務大臣に*任命した The prime minister *appointed* Mr. Yamamoto (to be) (the) minister of finance.

にんめん 任免 appointment and ⌈dismissal [removal] Ⓤ 《☞ にんめい; かいにん[1]》. **任免権** the power to ⌈appoint and dismiss [hire and fire].

にんよう[1] 任用 ── 動 (任用する) appoint ⊕. ── 名 appointment Ⓤ. 《☞ にんめい》.

にんよう[2] 認容 ☞ ようにん[1]

ぬ，ヌ

ヌアクショット ―[名] (固) Nouakchott /nwɑːkʃɑ́t/ ★ モーリタニアの首都.

ぬいあわせる 縫い合わせる sew [stitch] ... together ★ stitch は一針一針縫うことを意味する. (☞ ぬう). ¶2 枚の布きれを*縫い合わせる *sew* [*stitch*] two pieces of cloth *together* // 傷口を*縫い合わせる *sew* [*stitch*] *up* the wound

ぬいいと 縫い糸 (sewing) thread Ⓤ (☞ いと[1]; ぬう). ¶木綿の*縫い糸 1 巻き a spool of ˹cotton thread [*sewing cotton*]

ぬいぐるみ 縫いぐるみ 《米》 stuffed ˹animal [toy] Ⓒ, 《英》 soft toy Ⓒ ★ stuffed [soft toy] polar bear (縫いぐるみの白くま)のように具体的な動物名などが使われることが多い; (動物などの形をした衣装) animal costume Ⓒ. (☞ きぐるみ). ¶何てかわいらしいくまの*縫いぐるみなんでしょう What a cute ˹*stuffed* [*teddy*] *bear*!

ぬいこ 縫い子 ☞ はりこ[2]

ぬいこみ 縫い込み (衣服の縫い上げ) tuck Ⓒ (☞ あげ[2]).

ぬいこむ 縫い込む sew (他); (一針一針縫う) stitch (他). ¶胸ポケットにお守り札を*縫い込む *sew* a paper charm ˹*in* [*into*] the breast pocket

ぬいし 縫い師 needle work professional Ⓒ.

ぬいしろ 縫い代 margin to sew up Ⓒ. ¶2 センチの*縫い代を残しておきなさい Leave a *margin* of two centimeters *to sew up*.

ぬいつける 縫い付ける (ボタンなどを) sew ... on ...; (飾りなどを) stitch up (他). (☞ ぬう). ¶シャツにゼッケンを*縫い付ける *sew one's* racing number *on* the shirt

ぬいとり 縫い取り ―[名] embróidery Ⓤ. ―[動] embroider (他). (☞ ししゅう[1]).

ぬいなおし 縫い直し resewing Ⓤ.

ぬいなおす 縫い直す sew again after undoing (他).

ぬいばり 縫い針 (sewing) needle Ⓒ (☞ はり[1]).

ぬいめ 縫い目 (縫い目の線) seam Ⓒ; (1 つ 1 つの針目) stitch Ⓒ; (傷の) suture /súːtʃə/ Ⓒ. (☞ さいほう[1] (挿絵)). ¶手袋の*縫い目がほころびた The *seam* of the glove has ripped open. // このストッキングは*縫い目がない These stockings are *seamless*. // あなたの*縫い目は粗すぎる Your *stitches* are too big.

ぬいもの 縫い物 ―[名] sewing /sóʊɪŋ/ Ⓤ; (針仕事・特に刺しゅう) needlework Ⓤ. ―[動] sew (他) (自), do needlework. (☞ さいほう[1]). ¶彼女は*縫い物で忙しい She is busy *sewing*. // 彼女は*縫い物が上手だ She is good at *needlework*. **縫い物師** ☞ ぬいし

ぬう 縫う **1** 《縫い物をする》: sew /sóʊ/ (他), stitch (他) [語法] 後者は一針一針縫うという動作が強調される. (☞ さいほう[1] (挿絵)).
¶「その服は手で*縫ったのですか」「いいえ, ミシンで*縫いました」 " Did you *sew* that dress by hand? " " No, I did it on a sewing machine. / No, I *sewed* it by machine. " // このほころびを*縫って下さい Please ˹*sew* [*stitch*] *up* this tear. // 医者は傷を 10 針も*縫わなくてはならなかった The doctor had to ˹*put* ten *stitches* in the wound [*sew up* the wound with ten stitches].

2 《人波をかき分ける》: thread [weave] *one's* way (through ...). ¶私たちは人込みを*縫って歩いた We ˹*threaded* [*wove*] *our way through* the crowd.

ヌー 〔動〕 (羚羊の一種) gnu /n(j)úː/ Ⓒ.

ぬうっと ―[副] (出し抜けに・思いがけなく) unexpectedly. ―[動] (暗闇(くらやみ)などからぼんやりと現れる) loom (through ...) (自). (☞ 擬声・擬態語 (囲み)).
¶船が霧の中から*ぬうっと現れた A ship *loomed* (*up*) *through* the fog.

ヌーディスト nudist Ⓒ. **ヌーディストキャンプ** nudist camp Ⓒ **ヌーディストクラブ** nudist club Ⓒ.

ヌード ―[名] nude Ⓒ. ―[形] (ヌードの) nude; (裸の) naked /néɪkɪd/ [語法] nude は元来芸術用語で, モデル・ダンサーなどに用いる. また naked ほど露骨でない婉曲表現としても用いられる. (☞ らたい; はだか).
ヌード写真 nude ˹picture [photo] Ⓒ **ヌードショー** striptease Ⓒ **ヌードモデル** nude model Ⓒ.

ヌートリア 〔動〕 nutria Ⓒ.

ヌードル (麺) noodles ★ 通例複数形で. **ヌードルスープ** noodle soup Ⓤ.

ヌーベルキュイジーヌ (現代風フランス料理) nouvelle cuisine /nuːvél kwɪzíːn/ Ⓤ.

ヌーベルバーグ nouvélle vague /vɑ́ːg/ ★ 1950 年代末フランス映画界の新しい動き; the New Wave.

ヌーボー[1] (当年産のワイン) newly produced wine Ⓤ, nouveau Ⓤ ★ 後者はフランス語から.

ヌーボー[2] ―[形] (とらえどころのない) inscrutable. ¶*ヌーボーとした男 an *inscrutable* man

ぬえ 鵺, 鵼 (空想上の怪物) fabulous monster like a Chimera /kaɪmí(ə)rə/ Ⓒ ★ Chimera はギリシャ神話の怪獣 (☞ キメラ); (正体不明の人・もの) enigma Ⓒ. ¶*ぬえ的人物 a *mysterious* /mɪstí(ə)riəs/ [an *enigmatic* /ènɪgmǽtɪk/] person

ぬか 糠 rice bran Ⓤ (☞ いね (挿絵)).
ぬかに釘 ¶*ぬかに釘だった It was *like plowing the sand*(*s*). 《ことわざ: 砂地を耕すようにむだ骨だった》 / (⇒ 彼には効果がなかった) It *had no effect* on him. / (⇒ 私の言うことは皆彼の頭の上を素通りした) Everything I said just went over his head. (☞ のれん) **糠油** rice-bran oil Ⓤ **糠漬け** vegetables pickled in salted rice-bran paste **糠床** ☞ ぬかみそ **糠袋** small rice-bran bag Ⓒ.

ヌガー (菓子) nougat /núːgət/ Ⓒ.

ぬかあめ 糠雨 drizzle Ⓤ, a fine misty rain ★ a を付けて. (☞ あめ[1]).
¶その日は一日*ぬか雨だった It *drizzled* all day.

ぬかえび 糠蝦, 糠海老 〔動〕 freshwater shrimp Ⓒ.

ぬかか 糠蚊 〔昆〕 biting midge Ⓒ.

ぬかす[1] 抜かす (意識的に省く) omit (他); (うっかり, あるいはわざと) léave óut (他), miss (他) ★ いずれも omit より口語的; (食事や本の部分などを) skip (他). (☞ しょうりゃく; とばす).
¶私たちはその劇の第 3 幕を*抜かして上演した We performed the play ˹with the third act *omitted* [*without* the third act]. / We performed the play *omitting* the third act. // 私たちは第 3 章を*抜かした We *omitted* the third chapter. // 1 行*抜かして

タイプしてしまった I ｢*left out* [*missed*] one line when I was typing (it). // 忙しくて昼食を*抜かした I *skipped* lunch because I was very busy. / (⇒ 忙しくて昼食を取らなかった) I was too busy to have lunch. // 腰を*抜かす (立てなくなる) be unable to stand up / (⇒ 恐怖で動けなくなる) be paralyzed with fright

ぬかす² 吐かす (口にする) say ⦅☞ はく⁴⦆. ¶ ばかなことを*ぬかすな Don't *say* such a foolish thing. // 生意気を*ぬかすな Don't be *saucy*. / None of your *cheek*.

ぬかずく 額ずく (深く礼をする) bow low ⦅☞ ひれふす⦆.

ぬがせる 脱がせる (服を) undress ㊐; (衣類･靴などを) help *a person* take off …; (衣服をはぐ) strip ㊐. ⦅☞ ぬぐ⦆. ¶ 彼女は赤ん坊の服を*脱がせた She *undressed* her baby. // 人のブーツを*脱がせる *help a person* ｢*take off* [*off with*] ｢his [her] boots

ぬかたのおおきみ 額田王 ── 名 ㊒ Nukata-no-ookimi; (説明的には) a woman poet of the late seventh century.

ぬかばたらき 糠働き ☞ とろう

ぬかみそ 糠味噌 salted rice-bran paste for pickling Ⓤ ⦅☞ ぬか⦆. **糠味噌が腐る** ¶ 私が歌うと*糠味噌が腐ります (⇒ 私のへたな歌は牛乳を酸っぱくする) I'm afraid my poor song will *turn the milk sour*. **糠味噌臭い** ¶ わが家の女房も*糠味噌臭くなった (⇒ 典型的な主婦になった) My wife became a *typical housewife*.

糠味噌漬け ☞ ぬか (糠漬け) **糠味噌女房** (やつれた[さえない]主婦) careworn [drab] housewife Ⓒ; (自分の妻) my old lady ⦅☞ かみさん⦆.

ぬかよろこび 糠喜び ── 名 premature /príːmət(j)ùə/ rejoicing Ⓤ. ── 動 celebrate prèmatúrely ㊐ ㊎. ¶ *糠喜びだった (⇒ 喜びはつかのまだった) My *joy was short-lived*.

ぬかり 抜かり 日英比較 この日本語には a careless mistake (不注意の誤り) という英語が一応対応するが, 日本語では「ぬかりなく」のように普通否定表現に使われるため, 前後関係でいろいろ意訳するのがよい.
¶ *ぬかりがないように (⇒ 念のために) もう一度確かめよう Let's check it again *to make sure*. // 万事*ぬかりなくやるように (⇒ すべてうまくいくように取り計らいなさい) See (to it) that everything goes well. // *ぬかりはないつもりだ (⇒ 万事うまくいっている) I'm sure everything is OK.

ぬかる¹ (地面がどろどろの) be muddy; (雪解けで) be slushy. ⦅☞ ぬかるみ⦆.

ぬかる² 抜かる (ちょっとしたしくじりをする) make a ｢slip [mistake]; (大失敗をする) blunder ㊎. ⦅☞ ゆだん; しっぱい; しくじる⦆. ¶ *抜かるな (⇒ 用心しろ) *Look sharp*!

ぬかるみ (泥んこ) mud Ⓤ; (ぬかるみの場所) muddy place Ⓒ. ⦅☞ ぬかる¹⦆. ¶ 車は*ぬかるみにはまってしまった The car got stuck in the *mud*.

ぬかるむ become ｢muddy [slushy] ⦅☞ ぬかる¹⦆.
¶ 雪解けで*ぬかるんだ道 a ｢*muddy* [*slushy*] road caused by thawing snow

ぬき¹ 貫 (柱の間をつなぐ横木) brace Ⓒ.

ぬき² 抜き 1 《抜かすこと》 ── 前 (…なしで) without … ⦅☞ -なしで; ぬかす¹⦆.
¶ 寝坊して, 朝飯*抜きで来た I overslept and came here *without* (having had) breakfast. // 固苦しいことは*抜きでいこう Let's *skip* all (the) formalities. // 損得は*抜きにして… (⇒ 考慮に入れないで) *without considering* gain or loss
2 《負かすこと》 ── 動 (負かす) beat ㊐.
¶ 相撲で 5 人*抜きの勝負をしよう Let's play *beat-five-in-a-row* sumo.

ぬきあし(さしあし) 抜き足(差し足) ── 副 (音を立てない足取りで) with stealthy steps; (こっそり) stealthily; (つま先で) on tiptoe. ── 名 (忍び足) stealthy footsteps. ¶ 私は*抜き足でその小屋に近づいた I *tiptoed stealthily* toward the hut.

ぬきいと 緯糸 (織物の横糸) the ｢weft [woof] (↔ the warp).

ぬきうち 抜き打ち ── 形 (不意の) surprise Ⓐ; (通告なしの) unannounced, snap. ── 副 (警告なしで) without ｢warning [notice].
¶ 先生は*抜き打ちに (⇒ 事前の予告なしで) 試験をした The teacher gave us ｢a test *with no prior warning*. **抜き打ち解散** surprise dissolution Ⓒ **抜き打ち検査** surprise inspection Ⓒ **抜き打ち試験[テスト]** unannounced test Ⓒ, pop quiz Ⓒ ★ 後者は学生用語.

ぬきうつし 抜き写し ☞ ぬきがき

ぬきがき 抜き書き (本などからの抜粋) éxtract Ⓒ ★ 一般的な語; (特定の目的のために慎重に選んだ) excerpt /éksəːpt/ Ⓒ. ⦅☞ ばっすい; メモ⦆.

ぬきがたい 抜き難い (根深い) deep-rooted; (強い) profound. ¶ *抜き難い不信感 a *profound* distrust

ぬきさしならない 抜き差しならない ¶ 私はいま*抜き差しならない状態にある (⇒ 困った立場[窮地]にいる) I'*m in a* ｢*fix* [*dilemma*]. ⦅☞ のっぴきならない⦆

ぬきさる 抜き去る (取り除く) pull … out ㊐; (追い越して行く) pass ㊐; (…の前に出る) pull ahead (of …) ㊎. ⦅☞ ぬく 2⦆.

ぬぎすて 脱ぎ捨て (衣類を) throwing off Ⓤ; (靴などを) kicking off Ⓒ. ⦅☞ ぬぎすてる⦆.

ぬぎすてる 脱ぎ捨てる (脱ぐ) tàke óff ㊐ ★ 最も一般的な語; (ぱっと脱ぎ捨てる) thrów óff ㊐; (靴などを) kick óff ㊐. ⦅☞ ぬぐ⦆. ¶ 彼女は靴を*脱ぎ捨てた She *kicked off* her shoes. // 私は服を*脱ぎ捨ててベッドに転がり込んだ I *threw* my clothes *off* and tumbled into bed.

ぬきずり 抜き刷り offprint Ⓒ.

ぬきだす 抜き出す (中から引っぱり出す) dràw [púll] óut ㊐, extract ㊐ ★ 後者のほうが格式ばった語; (選ぶ･選び出す) pick óut ㊐; (よいものを選び出す) select ㊐. ⦅☞ ちゅうしゅつ; えらぶ (類義語)⦆.
¶ 彼らは最もよい作品 2 つを*抜き出した They ｢*picked out* [*selected*] the best two works.

ぬぎっぱなし 脱ぎっ放し ¶ 戸口には靴が*脱ぎっ放しになっていた Some shoes had been *kicked off and lay scattered* at the door.

ぬきて 抜き手 overarm stroke(s) 語 法 泳ぎ方の名称としては複数形. 手を 1 回動かす動作なら単数形. ¶ 彼らは*抜き手を切って泳いだ They swam using *overarm strokes*.

ぬきでる 抜き出る ☞ ぬきんでる

ぬきとり 抜き取り ── 動 (盗み取る) steal ㊐ ㊎. **抜き取り検査** sampling inspection Ⓒ.

ぬきとる 抜き取る (中から引っぱり出す) púll [dràw] óut ㊐, extract ㊐ ★ 前者のほうが口語的; (取り出す) tàke óut ㊐; (盗み取る) steal ㊐ ㊎; (こそ泥する) pilfer ㊐ ㊎. ⦅☞ ぬすむ (類義語)⦆.
¶ 医師は傷口から弾丸を*抜き取った The doctor ｢*extracted* [*drew out*; *pulled out*] a bullet from the wound. // 彼らは荷物室の荷物から*抜き取って (⇒ 盗み取って) いるらしい They seem to *be* ｢*stealing* [*pilfering*] (things) in the baggage room. // サンプルを*抜き取って検査しよう Let's ｢*take out* [*remove*] some samples and test them.

ぬきに 抜き荷 (行為) pílferage Ⓤ; (品物) pilfered goods ★ 複数扱い.

ぬきみ 抜き身 drawn [naked /néɪkɪd/] sword Ⓒ. ¶ 彼は*抜き身をさげて私を脅した He threatened me with a *naked sword.*

ぬきんでる 抜きん出る ━[動] (技術・業績などが…に勝る)《格式》excel (他); ((…の面で) すぐれている) excel (in …) (自); (数・量・程度などが他よりすぐれている) surpáss (他). ━[形] outstanding, distinguished [語法] 両者はほぼ同意に用いられるが, 口語的に最も普通なのは outstanding. distinguished は尊敬の念が込められた感じ. (☞ ぐん; ばつぐん; ずばぬける). ¶ 彼は数学では*ぬきんでている He ⌜*excels* [is *outstanding*] in math. // 彼はチームの中でも*ぬきんでている He *surpasses* the other members of the team. // 彼女はピアニストとして*ぬきんでている She is a *distinguished* pianist.

ぬく 抜く 1 《引っぱり出す》: (引き抜く) púll [dràw] óut (他), extract (他) ★ 前者のほうが口語的; (瓶のコルク栓を) uncork (他); (王冠を取る) uncap (他). ¶ 親知らずを*抜いてもらった I *had* my wisdom tooth ⌜*pulled out* [*taken out*; *extracted*]. // 瓶の栓を*抜いて下さい Please ⌜*uncork* [*uncap*] the bottle. // このくぎはなかなか*抜けない (⇒ 出てこない) This nail won't *come out*.
2 《追い抜く》: (負かす) beat (他); (走って追い越す) outrun (他), outstrip (他). (☞ おいこす). ¶ ゴール直前で彼は 2 人*抜いた He ⌜*outran* [*outstripped*] two runners just before the finish (line). // 今度のテストでは, 彼女は 10 人*抜いてクラスのトップだった She was at the top of the class in the test this time, *having beaten* ⌜ten other students [the ten students who were (previously) ahead of her].
抜きつ抜かれつ ¶ *抜きつ抜かれつの競走 (⇒ 肩を並べるような) a *neck-and-neck* race

-ぬく …抜く ¶ 身体を鍛え*抜く *build up one's* body // その選手はつらい練習を耐え*抜いた (⇒ 最期まで耐えた) The player ⌜*endured* [*stood*] the hard training *till the last*. // 銃弾は厚板を撃ち*抜いた The bullet went *through* the plank.

ぬぐ 脱ぐ (衣服・帽子・靴などを) tàke óff (他)《過去 took off; 過分 taken off》; (ぱっと脱ぎ捨てる) thrów óff (他)《過去 threw off; 過分 thrown off》; (衣服を脱ぐ) get undressed.
¶ 上着[靴下, 帽子]を*脱いだ I *took off* my ⌜jacket [socks; hat]. / I *took* my ⌜jacket [socks; hat] *off*. [語法] take off のような「動詞＋副詞」の形をしたいわゆる 2 語動詞は, 目的語を間にはさむことも, また後に置くことも可能. ただし, 目的語が代名詞の場合は「それを脱ぎなさい」Take *it* off. のように間にはさむ言い方が普通. // さっさと服を*脱ぎなさい *Get undressed* quickly. / *Take off* your clothes quickly. // 子供が上着を*脱ぐのを手伝ってやった I helped the child ⌜*off with* [*out of*] his coat.

ヌクアロファ ━[名] (固) Nuku'alofa /nú:ku:əlóufə/ ★ トンガの首都.

ぬくい 温い ☞ あたたかい

ぬぐいさる 拭い去る (汚名などを) wipe ⌜off [out] (他); (取り除く) remove (他). (☞ ぬぐう). ¶ 汚辱を*ぬぐい去る *wipe* ⌜*off* [*out*] a disgrace // コンプレックスを*ぬぐい去る *remove* [*get rid of*] a complex

ぬぐいとる 拭い取る (汚れなどを) wipe ⌜off [out] (他) (☞ ぬぐう). ¶ 机からほこりを*ぬぐい取る *wipe* dust ⌜*off* [*from*] the desk

ぬぐう 拭う (軽くこすってふく) wipe (他); (モップでふくようにふき取る) mop (他). (☞ ふく^3). ¶ 彼は額の汗をハンカチで*ぬぐった He ⌜*wiped* [*mopped*] the sweat off his forehead with a handkerchief /hǽŋkərtʃɪf/. // 涙を*ぬぐう *dry* [*wipe away*] *one's* tears [語法] この場合の dry は布などを使って, ふいて水分を取ることをいう.

ぬくぬく ━[副] (心地よさそうに) snugly, comfortably [語法] 前者には「安心して居心地よく」のニュアンスがある. ¶ 猫が*ぬくぬくと日なたで眠っている The cat is sleeping ⌜*snugly* [*comfortably*] in the sun.

ぬくめる 温める ☞ あたためる

ぬくもり warmth Ⓤ (☞ あたたかみ).
¶ 炉にはまだかすかな*ぬくもりが残っていた There was still a slight *warmth* remaining in the fireplace. / (⇒ 炉がまだ温かいと感じた) I felt the fireplace (was) still slightly *warm*.

ぬくもる 温もる ☞ あたたまる

ぬけ 抜け (脱落) omission Ⓒ; (ちょっとした間違い) slip Ⓒ. (☞ おち). ¶ この名簿には*抜けがある There are some *omissions* in this list.

ぬけあな 抜け穴 (秘密の) secret ⌜passage [passageway] Ⓒ; (地下の) underground passage Ⓒ; (比喩的に) loophole Ⓒ. (☞ ぬけみち).
¶ 彼らは*抜け穴から逃げた They escaped through ⌜a *secret* [an *underground*] *passage*. // どんな規則にも*抜け穴があるものだ Every regulation has ⌜a *loophole* [(its) *loopholes*].

ぬけおちる 抜け落ちる ☞ ぬける

ぬけがけ 抜け駆け ━[動] (ひそかに出し抜く) steal a march ⌜on [upon] … (☞ だしぬく). **抜け駆けの功名** ━[動] (人を出し抜く) steal a march on *one's* rival.

ぬけがみ 抜け髪 ☞ ぬけげ

ぬけがら 抜け殻 (皮[殻]) cast-off ⌜skin [shell] Ⓒ; (蛇の) slough /slʌ́f/ Ⓒ.

ぬけかわる 抜け変わる (羽や毛などが) molt《英》moult) (自) ★ 鳥・犬・猫・蛇・昆虫など; (外皮・こうらなどを自然に落とす) shed (他).
¶ カナリヤは羽が*抜け変わっているところだ Canaries *are* now *molting*. // 蛇は皮が*抜け変わる The snake *sheds* its skin.

ぬけげ 抜け毛 fallen hair Ⓒ; (くしでけずったり, 抜き取ったりした毛) combings /kóumɪŋz/ ★ 複数形で. ¶ *抜け毛がひどい (⇒ 毛がひどく抜ける) My *hair is* ⌜*coming* [*falling*] *out* badly.

ぬけさく 抜け作 (愚かな人) fool Ⓒ,《略式》dimwit Ⓒ. (☞ ばか).

ぬけだす 抜け出す (出て行く) gò [gèt] ⌜awáy (from …) [out of …]; (そっと出て行く) slíp [snéak; stéal] ⌜awáy (from …) [out of …]. ¶ 彼女は私が気がつかないうちに部屋から*抜け出していた She *had* ⌜*slipped* [*sneaked*; *stolen*] ⌜*away from* [*out of*] the room before I noticed.

ぬけでる 抜け出る ☞ ぬけだす; ぬきんでる

ぬけに 抜け荷 (密貿易) smuggling Ⓤ; (密貿易品) smuggled goods ★ 複数扱い.

ぬけぬけと (恥知らずにも) shamelessly; (生意気に・ずうずうしくも) impudently. (☞ おくめん; あつかましい; ずうずうしい; 擬声・擬態語 (囲み)). ¶ 彼は*ぬけぬけとうそを言った (⇒ 恥知らずな[ずうずうしい]うそを言った) He told ⌜a *shameless* [an *impudent*] lie. / (⇒ 厚かましくも[生意気にも]うそをついた) He *had the* ⌜*impudence* [*cheek*] *to* tell a lie.

ぬけば 抜け歯 missing tooth Ⓒ (☞ は^1).

ぬけみち 抜け道 (小道) path Ⓒ; (近道) shortcut Ⓒ; (建物の中の秘密の通路) secret passage Ⓒ; (比喩的に) loophole Ⓒ; (口実) excuse Ⓒ. (☞ ぬけあな; にげみち).
¶ ここからは森を通る*抜け道がある There is a ⌜*path* [*shortcut*] from here through the woods. // 彼はその法律[契約書]の*抜け道を見つけた He found a *loophole* in the ⌜law [contract]. // 私にはうまい*抜け道 (⇒ 口実) がある I have a good *excuse*.

ぬけめ 抜け目 抜け目のない, 抜け目なく ━[形] shrewd, sharp, clever, smart, alert [語法] 以上

5 語はほぼ同意だが, sharp は「頭の切れる」「鋭敏な」という意味で, 必ずしも悪い意味は含まれない. また, shrewd は, 利己的なことにすばしこい意味で, しばしば悪い意味になる. clever, smart は「小才のきく」という悪い意味と,「頭のいい」というよい意味の両方に用いられる; (注意深い) cautious, careful. ―副 shrewdly, sharply, smartly, cleverly; cautiously, carefully. (☞ ちゃっかり).

¶ 彼は*抜け目のない男だ He is a ⌈*shrewd* [*sharp*] man. // 彼はいつも金もうけには*抜け目がない (⇒ 金もうけのチャンスに注意を怠らない) He is always *alert* to any chance to make money. // 彼女は何事も*抜け目ない (⇒ 注意深い) She is *careful* in everything.

ぬける 抜ける 1 《あったものがなくなる》: (落ちる) fáll (óut) 自; (はずれる・とれる) còme ⌈óff [óut] 自; (なくなってしまっている) be gone. ¶ かごの底が抜けた The bottom of the basket *fell out*. // 乳歯が1本*抜けた A ⌈milk [baby] tooth *came out*. // 香水の香りがすっかり*抜けてしまった The fragrance of the perfume *has* all *gone*. // このねじは*抜けそうだ (⇒ ゆるんでいる) This screw *is loose*.

2 《あるべきものがない》 ―形 (ない) missing.
―動 (記入すべきものなどがもれている) be left out.
¶ この本は4ページ*抜けている Four pages are *missing* ⌈in [from] this book. // 私の名前が名簿から*抜けていた My name *was* ⌈*left off* [*omitted from*] the list.

3 《通り過ぎる》: (…を通り抜ける) go through …; (…から出て来る) còme óut of … (☞ とおりぬける 語法).

4 《脱退する》: (意図的に) 《略式》 quit 他; (去る) leave 他; (身を引く) withdraw (from …) 自 ★ 最後が一番格式ばった語. (☞ やめる[2]; だっかい[1]).

5 《ぼんやりしている》: (飲み込みが悪い) slow-witted; (ばかな) stupid; (頭の悪い) weak-headed.
¶ あの男は少し*抜けている That man is a little ⌈*stupid* [*weak-headed*].

抜けるような (澄みきった) clear; (純粋な) pure.
¶ *抜けるような青空 a *clear* blue sky // 彼女は*抜けるような白い肌をしている (⇒ この上なく白い) Her skin *is as fair as can be*.

ぬげる 脱げる (はずれて取れる) còme óff 自; (するりと脱げる) slíp óff 自. (☞ ぬぐ).
¶ 大きすぎると靴は*脱げてしまう Shoes will ⌈*come* [*slip*] *off* if they are too big. // ブーツがなかなか*脱げない (⇒ 脱ぐことができない) I can't *take off* my boots easily.

ぬさ 幣 pendant paper strips in a Shinto shrine ★ 説明的な訳. (☞ ごへい[2]).

ぬし 主 (主人) master C; (持ち主) owner C; (池・沼などの守り神) guardian spirit C.

ぬすっと 盗人 ☞ どろぼう; ぬすびと

ぬすびと 盗人 (こそどろ) thief C; (夜盗) burglar C. (☞ どろぼう). 盗人猛猛(たけだけ)しい evildoer's audacity U ★ 格式ばった表現. ¶ *盗人猛々しいとはこのことだ This is an instance of *evildoer's audacity*. / (⇒ よくもそんなことが言えるね) What a nerve you have to say such a thing to me! / How dare you say such a thing to me? ★ 以上2つはくだけた表現. 盗人に追い銭 throw good money after bad ★ 損した金を取り戻そうとして損を重ねるの意; throw money down the drain. 盗人にも三分の理 Even a thief has his reasons. 盗人のうわまえを取る rake off from a ⌈thief [robber]; (犯罪者よりはるかに悪い) be far worse than criminals. 盗人の逆恨み unjustified resentment (by a robber) U. 盗人を捕えて見れば我が子なり The thief I caught turned out to be my son. ★ 直訳的. / (⇒ 自分以外はだれも信用できない) You can trust none but yourself.

盗人根性 (いやしい性質) mean nature U.

ぬすびとはぎ 盗人萩 〔植〕 tick-trefoil C.

ぬすみ 盗み (窃盗) theft U; (盗むこと・泥棒行為) stealing U; (こそどろ) pilferage U. (☞ ぬすむ (類義語); どろぼう). ¶ その男は*盗みをした The man committed *theft*.

ぬすみあし 盗み足 stealthy steps ★ 複数形で.
¶ *盗み足で歩く walk *stealthily*

ぬすみぎき 盗み聞き ―動 (聞くともなく聞いてしまう) òverhéar 他; (人の会話を意識的に聞く) eavesdrop /íːvzdràp/ (on …) 自; (通信・電話を傍受する) wíretàp 他. ―名 eavesdropping U; wiretapping U. (☞ たちぎき). ¶ 彼らの話を*盗み聞きするつもりはなかった I didn't mean to ⌈*eavesdrop on* [*overhear*] their conversation.

ぬすみぐい 盗み食い ―動 (こっそり食べる) eat … ⌈secretly [in secret] (☞ つまみぐい).

ぬすみだす 盗み出す steal 他; (持ち去る) take away 他. (☞ ぬすむ). ¶ だれかがその手紙を私の机から*盗み出した Someone ⌈*stole* [*took away*] the letter from my desk.

ぬすみどり 盗み撮り ―名 sneak ⌈shot [photo] C. ―動 secretly snap a picture of … 他.

ぬすみとる 盗み取る steal 他; (すり取る) pick 他. (☞ ぬすむ; する[4]). ¶ 懐中物を*盗み取られた I *had* my pocket *picked*.

ぬすみみ 盗み見 furtive [stealthy] glance C; (のぞき見) peep C. (☞ ぬすみみる).

ぬすみみる 盗み見る (ちらっと盗み見する) steal a glance (at …); (こっそり見る) look furtively (at …) 自; (のぞき見する) peep (at …) 自. (☞ みる[1]).

ぬすみよみ 盗み読み ¶ 人の日記を*盗み読みする *read a person's* diary *secretly*

ぬすみわらい 盗み笑い ―動 laugh ⌈in [up] *one's* sleeve 自.

ぬすむ 盗む steal 他 《過去 stole; 過分 stolen》; (強奪する) rob 他 《過去・過分 robbed》; (こそどろする) pilfer 他, filch 他.

【類義語】最も一般的な語は ***steal***. 暴力あるいはおどして奪うのは ***rob***. ***steal*** は「物を盗む」意であるから目的語には物が来るが, ***rob*** は「人または場所から奪う」意であるから, 常に rob *a* ⌈*person* [*place*] of … という形となり, 奪う物が目的語にはならないことに注意. 少額の金品を盗む, いわゆるこそどろをするのが ***pilfer*** で, ***filch*** もほぼ同じ意味であるが,「たいして価値のないものを人目を逃れてくすねる」というニュアンスがある. (☞ どろぼう; あきす; こそどろ)

¶ 泥棒が彼のカメラを*盗んだ A thief *stole* his camera. / A thief *stole* a camera *from* him. // 彼女はハンドバッグを*盗まれた <S (人)+V (*have*)+O (物)+C (過分)> She *had* her ⌈handbag [purse] *stolen*. 語法 She was stolen her handbag. という受身の言い方はできないことに注意. / <S (人)+V (*rob*)+O (人)+*of*+名(物)の受身> She *was robbed of* her ⌈handbag [purse]. / (⇒ 彼女のハンドバッグが盗まれた) Her ⌈handbag [purse] *was stolen*. / (⇒ 誰かが彼女のハンドバッグを盗んだ) Someone *stole* her handbag. // 2人の覆面をした男が銀行を襲い1千万円を*盗んで逃げた <S (人)+V (*rob*)+O (人・場所)> Two masked men *robbed* the bank and ran ⌈away [off] with ten million yen. / <S (人)+V (*rob*)+O (人・場所)+*of*+名(物)> Two masked men *robbed* the bank *of* ten million yen. // その子は店でキャンデーを*盗んだ The child ⌈*pilfered* [*filched*] candy ⌈in [from] the store. // 私は人の目を*盗んで (⇒ ひそかに) ここに来ま

した I have come here ｢*in secret* [*secretly*].

ぬた fish salad dressed with vinegar and ｢*miso* [soybean paste] Ⓤ ★説明的な訳.

ぬたくる 塗たくる ☞ ぬりたくる

ぬっと (出し抜けに) unexpectedly; (不意に) suddenly; (唐突に) abruptly. 《☞ ぬうっと; 擬声・擬態語 (囲み)》.

ぬの 布 cloth Ⓤ 《☞ きれ[1]; きじ[2]》.

ぬのきれ 布切れ piece of cloth Ⓒ 《☞ きれ[1]》. ¶床を*布切れでふく wipe the floor with a *piece of cloth*

ぬのごし 布漉し ── [動] strain ... with a piece of thin cloth.

ぬのじ 布地 (布) cloth Ⓤ; (生地) fabric Ⓤ.

ぬのしょうじ 布障子 cloth sliding door Ⓒ, cloth-fitted *shoji* Ⓒ.

ぬのびょうぶ 布屏風 cloth-covered folding screen Ⓒ.

ぬのめ 布目 texture Ⓤ 《☞ おり[3]》. ¶細かい[粗い]*布目 fine [loose] *texture*

ぬま 沼 (湖) lake Ⓒ; (湿地帯) marsh Ⓒ, swamp Ⓒ [日英比較] 日本語の沼にぴったりの 1 語の英語はない. なお, 日本語では「…沼」のように固有名詞に使われている場合が多く, それらは lake と訳したほうがよいものが多い. ¶手賀*沼 *Lake* Tega

ぬまえび 沼海老 〘動〙 *numaebi* Ⓒ; (説明的には) common freshwater shrimp that can be used as bait, found throughout Japan except Hokkaido Ⓒ.

ぬまがや 沼茅 〘植〙 *numagaya* Ⓒ; (説明的には) tall slender grass that grows in marshy places in Japan Ⓒ.

ぬまがれい 沼鰈 〘魚〙 starry flounder Ⓒ.

ぬまた 沼田 deep-mud paddy Ⓒ.

ぬまち 沼地 marshy [swampy] place Ⓒ.

ぬめり 滑り ── [名] (魚・なめくじなどの) slime Ⓤ. ── [形] slimy. ¶魚の*ぬめり the *mucous* /mjúːkəs/ *coating* on fish

ぬめる 塗める (ぬるぬるする) be slimy; (つるつるする) be slippery. 《☞ ぬるぬる; つるつる》. ¶岩が苔で*ぬめる The rock *is slimy* with lichen /láikən/. [参考] 岩の表面に生えて, ぬれるとぬるぬるする苔は lichen. その他の苔については ☞ こけ[1]

ぬらす 濡らす (一般的には) wet (他) 《過去・過分 wet, wetted》; (湿らす) moisten /mɔ́isn/ (他), dampen (他) [語法] 後者のほうがぬらし方が大きい; (かなりの時間水にひたす・びっしょりぬらす) soak (他); (ちょっとひたしてぬらす) dip (他). 《☞ ぬれる; しめる[2]; ひたす》. ¶コップの水をひっくり返して, テーブルクロスを*ぬらしてしまった I ｢knocked over [overturned] a glass of water and ｢*wet* [*wetted*] the tablecloth. // 彼女はアイロンをかける前にその布を*ぬらした She *dampened* the cloth before ironing it. // 私は両手をちょっと洗面器の中に入れて*ぬらした I *dipped* my hands in the basin.

ぬらぬら ── [形] (つるりと滑るような) slippery; (泥・粘液などでぬるぬるの) slimy; (油がついてねばっこい) greasy. 《☞ ぬるぬる; 擬声・擬態語 (囲み)》.

ぬらりくらり ── [形] (言い逃れの) evasive; (あいまいな) equivocal. 《☞ のらりくらり》. ¶*ぬらりくらりとした返事をする give an ｢*evasive* [*equivocal*] answer

ぬり 塗り (上に塗ってあるもの) coating Ⓤ; (漆の) lacquering Ⓤ; (ニスの) varnishing Ⓤ; (ペンキの) painting Ⓤ [日英比較] 日本語で「塗り」という言葉が使われていても, 英語では「塗る」という意味の動詞で表現されることがしばしばある. 《☞ ぬる; とそう》. ¶このお椀は*塗りがよい (⇒よく [見事に] 漆 [ニス] が塗ってある) This wooden bowl *is* ｢well [finely] ｢*lacquered* [*varnished*]. // 輪島*塗り Wajima *lacquer ware*

ぬりえ 塗り絵 line ｢figure [drawing] to be colored in Ⓒ ★ color in で「色を塗りこむ」の意; (塗り絵帳) coloring book Ⓒ.

ぬりかえ 塗り替え (ペンキなどの) repainting Ⓤ; (記録などの) rewriting Ⓤ.

ぬりかえる 塗り替える (塗り直す) repaint (他); (新しく塗る) paint ... again; (色を変える) change the color; (変化させる) change (他), alter (他) ★ 前者のほうが一般的. 後者は部分的に変えること; (記録などを更新する) break (他). 《☞ ぬる; こうしん[2]》. ¶屋根は*塗り替えなくてはならない The roof needs to *be* ｢*painted* (*again*) [*repainted*]. / The roof needs *repainting*. // 壁の色を白に*塗り替える *change the color* of the wall and paint it white // 100 メートル競走の世界記録を*塗り替える *break* [*better*] the world record for the 100 meter dash

ぬりかためる 塗り固める paint ... over, cover ... over. ¶その壁は白いしっくいで*塗り固めてある The walls *are covered over* with white plaster.

ぬりかべ 塗り壁 plastered wall Ⓒ.

ぬりぐすり 塗り薬 (軟膏(なんこう)) ointment Ⓒ; (筋肉痛などの塗布薬) liniment Ⓤ. 《☞ くすり》. ¶看護師は注意深く傷に*塗り薬をつけた The nurse carefully applied an *ointment* to the wound. // 私は痛む腕に*塗り薬をつけた I rubbed *liniment* on my sore arm.

ぬりこみ 塗り込み (しっくいで) sealing up (with plaster) Ⓤ; (おしろいで) dusting with powder Ⓤ 《☞ しろぬり》.

ぬりこめる 塗り込める seal up (他); (しっくいなどで) cover ... up (with plaster).

ぬりし 塗り師 lacquerer Ⓒ; lacquerware craftsman Ⓒ.

ぬりたくる 塗りたくる (厚く塗る) paint [coat] ... ｢heavily [thickly]; (べったり塗る) plaster (他). 《☞ ぬる》. ¶彼は壁にペンキを*塗りたくった He *coated* the wall ｢*heavily* [*thickly*] with paint. // おしろいを*塗りたくる *wear too much* makeup // 髪にポマードを*塗りたくってなでつける *plaster one's* hair down with pomade

ぬりたて 塗りたて ¶ペンキ*塗りたて《掲示》 *Wet* [《英》 *Fresh*] *Paint* 《☞ ペンキ (写真)》

ぬりたてる 塗り立てる (厚く塗る) paint ... ｢thickly [heavily]; (べたべた塗る) plaster (他). 《☞ ぬる》. ¶軟膏を*塗り立てる *apply too much* ointment to ...

ぬりつける 塗り付ける (塗料を) paint (他); (すり込むようにして) rub (他); (伸ばすように塗る) spread (他) 《過去・過分 spread》. 《☞ ぬる》.

ぬりつぶす 塗り潰す (ペンキで) páint óut (他); (黒く) bláck óut (他).

ぬりなおす 塗り直す ☞ ぬりかえる

ぬりばし 塗り箸 lacquered chopsticks ★ 複数形で. 《☞ はし[3]》.

ぬりぼん 塗り盆 lacquered tray Ⓒ.

ぬりもの 塗物 lacquer (ware) Ⓤ 《☞ うるし; しっき[1]》.

ぬりわん 塗り椀 lacquered bowl Ⓒ.

ぬる 塗る (塗料を) paint (他) ★ 最も一般的. 「塗られる物」が目的語; (伸ばすようにして) spread (他) 《過去・過分 spread》 ★「塗る物」が目的語; (しっくいなどを) plaster (他); (絵の具などを塗りたくる) daub (他); (薬やペンキなどを) apply ... (to ...); (すり込む) rub (他).

¶彼はその壁を茶色に*塗った ＜S(人)＋V(*paint*)＋O (物)＋C (色の形容詞)＞ He *painted* that wall brown. // 彼女はパンにバターを*塗った ＜S (人)＋

V(*spread*)＋O（塗る物）＋*on*＋名（塗られる物）＞ She *spread* (some) butter *on* the bread. / She buttered the toast. // この壁はしっくいが*塗ってある（⇒この壁はしっくいで塗られている） ＜S （人）＋V (*plaster*)＋O（物）の受身＞ This wall *is plastered*. // しもやけを防ぐにはこのクリームを手に*塗っておくとよい To prevent chilblains, *apply* this cream *to* your hands. // 彼女は肌にオリーブ油を*塗った（⇒すり込んだ）She *rubbed* olive oil *on* her skin.

ぬるい　温い　（なまぬるい）lukewarm /lú:kwɔ̀əm/, tépid [語法] より一般的で，口語的なのは前者．また lukewarm が中立的な意味でなまぬるい温度をいうのに対し，tepid は熱いものが冷めすぎたというニュアンスがある．《☞ なまぬるい》．　¶ コーヒーを入れるには*ぬるいお湯は使わないで下さい Don't use ⌈*tepid* water [*lukewarm* water; water (that *is*) *not hot enough*] to make coffee.

ぬるぬる　―― [形]（つるつるしてつかまえにくい）slippery;（泥・粘液などで）slimy /sláɪmi/;（油などで）greasy /grí:si/.《☞ 擬声・擬態語（囲み）》.
¶ うなぎは*ぬるぬるしている Eels are *slippery*.

ぬるまゆ　ぬるま湯　lukewarm /lú:kwɔ̀əm/ [tépid] water Ⓤ《☞ ぬるい》．　¶ *ぬるま湯のような（⇒味気ない）生活 an *insipid* life

ぬるむ　温む　（冷たさが減じる）become ⌈less cold [warmer].　¶ 小川の水も*ぬるんできた The water in the stream *has become* ⌈*less cold* [*warmer*].

ぬるゆ　温湯　lukewarm bath Ⓒ《☞ ぬるまゆ》.

ぬれいろ　濡れ色　―― [形]（光沢のある）shiny, glossy.

ぬれえん　濡れ縁　open veranda(h) Ⓒ.

ぬれがみ[1]　濡れ紙　damp paper Ⓤ.　**濡れ紙をはがすよう**　¶ 彼の健康状態は*濡れ紙をはがすように（⇒少しずつ）よくなった His health improved *little by little*.《☞ うすがみ》

ぬれがみ[2]　濡れ髪　newly-washed hair Ⓤ.

ぬれぎぬ　濡れ衣　（無実の[不当な]罪）false [unjust] charge Ⓒ;（根拠のない疑い）groundless [unfounded] suspicion Ⓤ.
ぬれぎぬを着せる　¶ 私は詐欺の*ぬれぎぬを着せられた（⇒詐欺を働いたと不当に[誤って]告発された）I *was* ⌈*unjustly* [*falsely*; *wrongly*] *accused of* swindling. / I *was falsely charged* with swindling.
ぬれぎぬを晴らす　¶ この*ぬれぎぬをなんとか晴らさなければならない I have to *clear myself of* these ⌈*groundless* [*unfounded*] *suspicions*.

ぬれごと　濡れ事　love affair Ⓒ《☞ じょうじ[2]》.

ぬれそぼつ　濡れそぼつ　―― [動] get sopping wet, get soaked to the skin.

ぬれて　濡れ手　**ぬれ手で[に]粟**　¶ 彼らは*ぬれ手で粟のもうけをした（⇒苦労せずに利益を得た）They *made some easy* ⌈*money* [*gains*]. /（⇒努力しないでもうけた）They *made some big profits* ⌈*without effort* [*effortlessly*].《☞ ぼろもうけ》

ぬれねずみ　濡れ鼠　―― [動]（ずぶぬれになる）get drenched《☞ ぬれる》．　¶ ひどい雨にあって私は*ぬれねずみになった I *got drenched to the skin* ⌈by [in] the heavy rain.

ぬれば　濡れ場　（ラブシーン）love scene Ⓒ.

ぬればいろ　濡れ羽色　（漆黒）jet-black Ⓤ;（つやのある黒）glossy black Ⓤ.　¶ *濡れ羽色の髪 *jet-black* hair

ぬれる　濡れる　―― [動] get [be] wet;（湿る）be ⌈damp [moistened] [語法] damp のほうがぬれ方が大きい．
―― [形]（ぬれた）wet.《☞ ぬらす; しめる[2]》.
¶ 私は雨ですっかり*ぬれた I *got* ⌈*wet* [*drenched*] to the skin in the rain. // 彼女は*ぬれた布でテーブルをふいた She wiped the table with a ⌈*wet* [*damp*] cloth. // 注意: 床が*ぬれています《掲示》Caution: *Wet* Floor

ヌンチャク　（沖縄の武器）*nunchaku* Ⓒ;（説明的には）traditional Okinawan weapon made up of a pair of hardwood sticks connected by rope or chain Ⓒ.

ぬ

ね, ネ

ね[1] 根 **1** «植物の地下にある部分»: root Ⓒ (☞ き[2] (挿絵); くさ (挿絵)). ¶この木の*根は深い (⇒ 深く根を張っている) This tree has ⌈put down deep *roots* [*rooted* deep]. // この植物はすぐに*根がつく <S (植物)+V (*root*)+副> This plant *roots* easily. / This plant *takes root* easily.

2 «比喩的な根»: root Ⓒ (☞ つけね[1]; ねもと).
¶我々は悪の*根を絶やさねばならない (⇒ 悪を根こそぎ引き抜かなくてはならない) We must *root out* the evil(s). / We must eradicate the *root(s)* of evil. // 彼らのその国に対する反感は*根が深い Their ill feeling against the country *is* ⌈deeply *rooted* [deep *rooted*]. (☞ ねぶかい)

3 «根源»: (性格的な本質) nature Ⓤ; (心の底) heart Ⓤ; (根拠) ground Ⓤ.
¶彼は*根は正直な人です (⇒ 性格的に誠実である) He is ⌈an honest man [honest] *by nature*. // 彼女は*根は優しい人だ (⇒ 心は優しい) She is kind *at heart*.

根が生える (植物が根づく・考え方などが定着する) take [strike] root; (植物が) root (自); (人が動かなくなる・立ちすくむ) be rooted. ¶彼はその場に*根が生えたように動かなかった He *was rooted* to the spot.
根こそぎ ☞ 見出し　**根だやし** ☞ 見出し　**根なし草** (どこにも所属していない人) rootless person Ⓒ, person without roots Ⓒ ★ roots は「祖先・故郷などとの結び付き」の意. **根に持つ** ¶あの男はまだあのことを*根に持っている (⇒ 私に対し恨みに思っている) He still *bears a grudge against* me over that matter. (☞ うらみ[1]; うらむ[1]) **根も葉もない** (根拠のない) groundless, unfounded. ¶*根も葉もないうわさ a completely ⌈*groundless* [*unfounded*] rumor **根を下ろす** put down roots; take root. ¶民主主義は本当に日本に*根を下ろしたのだろうか *Has* democracy really *taken root* in Japan? **根を生やす** ☞ 1 用例; 成句 (根が生える) ¶柳の挿し木はすぐ*根を生やす A planted willow cutting readily *takes root*. **根を張る** be rooted; send out [spread] roots. ¶この盆栽はしっかり*根を張っている This bonsai *is* firmly *rooted* in this pot.

ね[2] 音 (聞こえてくる音) sound Ⓤ ★ 最も一般的な語. 具体的な事例は Ⓒ として用いられることも多い; (楽器の) note Ⓒ; (ゆるやかな鐘の音) toll Ⓤ; (鳥などの鳴く声) chirp Ⓒ 日英比較 (1) 「…の音」という日本語を英語に訳す場合には必ずしも以上の訳語を用いるとは限らない. (☞ ねいろ; おと).
¶遠くから鐘の*音が聞こえてきた (⇒ 私は遠くで鐘が鳴っているのを聞いた) I heard a distant bell *tolling*. // 私は虫の*音に聞き入った I listened to the ⌈*chirps* [*chirping*] of insects. / (⇒ 鳴いている虫に耳を傾けた) I listened to the *chirping* insects.
日英比較 (2) 英米では日本と違って虫の音が風流であるというような考え方がない. 従ってこの文の表現する内容は日本人が受け取るのとは違った印象を英米人に与える. 特に「虫」の訳語 insect がハエとか蚊, さらにクモ・ダニ・ノミなど, 人間にとって好ましくないものを連想させる語であることに注意する必要がある. (☞ むし[1] 日英比較)
音を上げる ¶仕事の忙しさに*音を上げた (⇒ 私は激務に耐えられそうにないと思った) I thought I *could not stand* the strain of (my) work (any longer).

ね[3] 値 (値段) price Ⓒ; (費用) cost Ⓒ; (価値) value Ⓤ. (☞ ねだん (類義語)). ¶電気製品の*値が上がった[下がった] The *prices* of electric appliances have gone ⌈up [down]. (☞ ねあがり; ねさがり) // …に法外な*値を付ける put [set] an exorbitant *price* on…
値動き ☞ 見出し　**値幅** ☞ 見出し　**値が張る** ¶こちらのほうがそちらよりもやや*値が張ります (⇒ 値段が高い) This is a little more *expensive* than that.

ね[4] 子 (十二支の) the Rat. ¶私は*ね年生まれです I was born in the year of *the Rat*. (☞ うまれ (用例))

> **十 二 支**
> 子 (ね) the Rat, 丑 (うし) the Ox, 寅 (とら) the Tiger, 卯 (う) the ⌈Hare [Rabbit], 辰 (たつ) the Dragon, 巳 (み) the Serpent, 午 (うま) the Horse, 未 (ひつじ) the Sheep, 申 (さる) the Monkey, 酉 (とり) the Cock, 戌 (いぬ) the Dog, 亥 (い) the (Wild) Boar

ね[5] ¶*ね, *ね, ママ聞いて! Mommy, Mommy, listen to me! // あれ買って, *ね, いいでしょ? Buy that for me. *OK*? // 見て, *ね, 可愛いでしょ? Oh, look! *Isn't this* cute? ★ いずれの場合も, 英語では文全体の感じやイントネーションで表す.

-ね 日英比較 口語において相手に念を押す言い方. 一般に,「…ですね」という念を押す言い方は英語の付加疑問文に相当することが多い. しかし, 日本語の「-ね」を特定の英語に訳すことが不可能な場合も多く, そういう場合は日本語の「ね」に相当する感じを文体やイントネーションにこめて言うしかない. (☞ ねえ).
¶「これはあなたのペンです*ね」「ええ, そうです」"This is your pen, *isn't it*?" "Yes, it is." 語法 付加疑問の部分を上がり調子で言えば普通の疑問文と同じような感じになり, 下がり調子で言えば念を押す言い方になる. //「よくわからないんだ*ね」「ええ, わかりません」"You don't understand it, *do you*?" "No, I don't." //「わかったか*ね」「ええ, わかりました」"Did you get it?" "Yes, I did." //「本当です*ね」「そうです」"Are you sure?" "Yes, I'm (very) sure."

ねあか 根あか ― 形 (生来陽気な) cheerful by nature; (運まかせで気楽な) happy-go-lucky.
¶彼女は*ねあかだ She is *cheerful by nature*.

ねあがり 値上がり increase [rise] in prices Ⓒ, price ⌈increase [rise] Ⓒ, «米略式» price hike Ⓒ 語法 hike は元来は新聞用語. (☞ ねだん; あがる[1]; きゅうとう[1]; こうとう[4]).
¶野菜が*値上がりした The prices of vegetables *have* ⌈*gone up* [*risen*]. // 電気料金も*値上がりするだろう Electricity [Electric power] rates will also *rise*. // 牛肉がまた 1 割がた*値上がりした Beef is *up* again by about 10 percent. // 最近の物価の*値上がりはひどい The recent ⌈*increase* [*rise*] *in* commodity *prices* has been terrible. / The recent *price hikes* have been frightening. // 公共料金の*値上がりはほかの物価に大きく響く An *increase* [A *rise*] *in* public utility *charges* greatly affects other prices. // 生活費の急速な*値上がり the rapid ⌈*increase* [*rise*] *in the cost* of living

ねあげ 値上げ ― 名 (一般的に) raise Ⓒ, «英»

rise Ⓒ, increase Ⓒ ★ 最後は少し格式ばった語; (物価の) price ⌈rise [hike] Ⓒ ★ hike は《米略式》; (給料の) pay [wage] ⌈raise [hike] Ⓒ ★ 単に raise とも言う. ── 動 (値上げする) raise ㊎, incréase ㊎ ★ 後者は少し格式ばった語. 《☞ あげる³; ちんあげ》. ¶ 家賃が*値上げされた The (house) rent *was raised.* / They *raised* the (house) rent. // 給料の*値上げをしてもらいたい I want a *raise.* / (⇒ 我々はもっと高い給料を要求している) We are ⌈asking for [demanding] ⌈*higher wages* [*more pay*]. ★ 組合の要求などの格式ばった表現. // 地下鉄の運賃の2割*値上げが認められた A twenty percent ⌈*raise* [*hike*; *increase*] in subway fares has been approved.

ねあせ 寝汗 ── 名 nocturnal sweat Ⓤ. ── 動 sweat at night ㊏. 《☞ あせ》.

ネアンデルタールじん ネアンデルタール人 Neanderthal /niǽndərtɔ̀ːl/ màn Ⓤ ★ 個別にいうときは Ⓒ.

ねいあく 佞悪 ── 形 (意地の悪い) nasty; (心のねじ曲がった) perverse.

ネイオミ ☞ ナオミ

ねいかん 佞奸 ── 形 (陰険な) sly; (悪賢い) wily; (うわべはおとなしく内面は不実な) meek in appearance, (but) treacherous at heart.

ねいき 寝息 (寝ている人の息遣い) the breathing (sounds) of a sleeping person. ¶ 彼は安らかな*寝息を立てていた (⇒ 彼は安らかに眠っていた) He *was sleeping* peacefully. / (⇒ ぐっすりと眠っていた) He was *fast asleep.* // 隣のベッドの*寝息が聞こえる I (can) hear *the breathing of the person sleeping* in the next bed.

ネイサン (男性名) Nathan /néɪθən/ ★ 愛称は Nat.

ねいじつ 寧日 (平穏な日) peaceful day Ⓒ; (安らぎの日) day of rest Ⓒ; (無事で平和な日) quiet and uneventful day Ⓒ. ¶ 大忙しで*寧日無しの有様だ The situation is I'm so busy I don't have a *day of rest.*

ねいす 寝椅子 couch Ⓒ, divan /dɪvǽn/ (bed) Ⓒ ★ 前者は一方の端が高くなっているソファーの一種, 後者は背もたれやひじ掛けがなく壁ぎわに置くもの. 《☞ いす 日英比較》.

ねいせい 寧静 (平穏なこと) peace(fulness) Ⓤ, peace and tranquility Ⓤ.

ネイティブ ── 名 (本国人) native Ⓒ. ── 形 native. **ネイティブアメリカン** (アメリカ先住民) Native American Ⓒ **ネイティブスピーカー** ¶ 英語の*ネイティブスピーカー a *native speaker* of English **ネイティブチェック** ¶*ネイティブチェックする *consult a native speaker* 日英比較 「ネイティブチェック」は和製英語.

ねいべん 佞弁 (へつらい) treacherous flattery Ⓤ.

ネイリスト ☞ ネイル (ネイルアーチスト)

ねいりばな 寝入りばな ¶*寝入りばなに外の大きな音で起こされた A loud noise outside woke me up *just as I was falling asleep.*

ねいる 寝入る (眠った状態になる) fall asleep ㊏; (眠り始める) get to sleep ㊏. 《☞ ねつく; ねむる》.

ネイル (つめ) nail Ⓒ. **ネイルアーチスト[アーティスト]** nail artist Ⓒ **ネイルアート** nail art Ⓤ **ネイルエナメル** nail ⌈polish [《米》 enamel; 《英》 varnish] Ⓤ **ネイルサロン** nail salon Ⓒ **ネイルファイル** nail file Ⓒ.

ねいろ 音色 (楽器などの音) tone Ⓒ; (一般に音) sound Ⓒ. 《☞ ね²; おと》. ¶ 私はバイオリンのきれいな*音色が好きだ I like the clear *tones* of the violin. // このピアノは美しい*音色だ This piano *sounds* beautiful. / (⇒ このピアノは美しい音を出す) This piano ⌈makes [has] a beautiful *tone* (quality).

ねうごき 値動き movement in prices Ⓒ; (株価などの変動) fluctuation in prices Ⓒ. ¶ 株価の*値動き the *movement in* (the) stock *prices* // 株価ははげしい*値動きをした (The) stock prices *fluctuated* dramatically.

ねうち 値打ち (値段) price Ⓒ; (価値) value Ⓤ; (精神的な価値) worth Ⓤ. 《☞ ねだん; かち¹ (類義語)》.

¶「この絵の*値打ち (⇒ 値段) はどのくらいですか」「少なくとも1千万円はします」“*How much* is this ⌈picture [painting] (*worth*)?” “It ⌈will cost [is worth] at least ten million yen.” ★ この worth は 形. // この土地はたいへんな*値打ちがある This land has great *value.* // 2億円の*値打ちのある家 a house with a *value* of two hundred million yen // この宝石はたいへんな*値打ちの [大した*値打ちのない] ものだ This jewel is of ⌈great [little] *value.* // その町は訪れてみるだけの*値打ちがある That town is *worth* visiting. / It's *worth*(*while*) visiting that town. 語法 That town is worthwhile visiting. とは言えない. // これはそれよりも*値打ちがある This is *worth* more than that. / (⇒ 金銭的価値がある[値段が高い]) This is more ⌈*valuable* [*expensive*] than that. **値打ち物** (とても価値のあるもの) article [item] of great value Ⓒ; (値段相応の価値のあるもの) article [item] worth the price Ⓒ.

ねえ **1** 《相手の注意を喚起する言葉》 ¶「*ねえ, ジョン」「何だい」“John?” “Yes?” 語法 (1) このような場合の「ねえ」は英語では単に相手の名をしり上がりのイントネーションで呼ぶだけである. // *ねえ, いいかい Look! / Now, listen. 語法 (2) 相手に自分のほうへ注意を向けさせるときの言葉. // 「*ねえあなた, ちょっと手伝ってくれない」「いいとも」“Can you help me, *darling*?” “Sure.” 語法 (3)「ねえあなた」全体が darling で表される. //「*ねえ, 踊ろうか」「いいわ」“Shall we dance, ⌈*honey* [(*my*) *dear*]?” “All right, sweetheart.” 語法 (4) 妻または娘に向かって問いかけるときの言い方. // *ねえ, だんな *Sir.* // *ねえ, 奥さん[お嬢さん] *Ma'am.* 《☞ あのね》

【参考語】(呼びかけ) hey, say, I say; (丁寧に呼びかける言葉) Excuse me.; (注意を喚起する言葉) Look., Look here., Listen., Now, listen.; (わが親愛なる人) darling, dear, my dear, honey.

2 《感嘆などの感情を表す言葉》 日英比較 日本語のように文末などにつけて感嘆などを表すような単一の表現は英語にはないので, 感嘆文にするとか, 種々の表現を使って, 文全体の感じや言い方 (イントネーションなど) によってそのニュアンスを表す. 《☞ -ね》. ¶ きれいだ*ねえ *How* beautiful! // 長い橋だ*ねえ *What* a long bridge!

ねえさん 姉さん **1** 《姉》: *one's* ⌈older [elder] sister Ⓒ (↔ *one's* younger sister), *one's* big sister Ⓒ (↔ *one's* little sister). 語法 (1) big sister は普通子供の間で用いられる. 《☞ あね 語法; 親族関係 (囲み)》.

¶*姉さん, お母さんが呼んでいるよ *Akiko,* mom wants you. 語法 (2) 弟や妹が呼びかけるときは, 姉の名 (Helen, Masako など) を直接に言う.

2 《女性へのくだけた感じの呼びかけとして》: (レストランなどの女性従業員に対して, 注文のための呼びかけ) waitress 語法 (1) 呼びかけとして使うときは無冠詞で単数形. ただし, この語はぶっきらぼうな感じがあるのであまり使われない; (一般に若い女性に対する呼びかけとして) miss 語法 (2) 後に名前を付けずに用いる. この呼びかけは上品とはいえない. 女性に礼儀正しく呼びかけるには ma'am を用いる.

姉さん株 big sister Ⓒ, big-sister figure Ⓒ.

ネーション (国家) nation Ⓒ.

ネーチャー (自然) nature Ⓤ.

ネーデルラント ☞ オランダ

ネービー (海軍) the navy ★ 集合的; 単数または複数扱い. (☞ かいぐん).

ネービーブルー (濃紺色) navy blue Ⓤ. ¶*ネービーブルーのスーツ a *navy blue* suit

ネービールック (女性・子供用の服) sailor suit Ⓒ.

ネーブル navel orange Ⓒ.

ネーミング (命名) naming Ⓤ.

ネーム name Ⓒ (☞ な; なまえ¹).

ネームサーバー (インターネットの) name server Ⓒ.

ネームバリュー publicity value Ⓒ. ¶彼女は評論家として*ネームバリューがある (⇒ 有名である) She is (*quite*) ⌈*well known* [*famous*] as a critic.

ネームプレート nameplate Ⓒ (☞ なふだ).

ネール¹ ― 图 ⓐ Jawaharlal Nehru /ʤəwɑ́ː-həlɑ́ːl néruː/, 1889–1964. ★ インドの政治家.

ネール² ☞ ネイル

ネオインプレッショニズム ☞ しんいんしょうしゅぎ

ねおき 寝起き ¶彼は*寝起きが悪い (⇒ 彼は目が覚めてしばらくは機嫌が悪い) He ⌈is [stays] in a ⌈bad temper [fretful mood] for some time *after he wakes up*. / He's a bear in the morning. ★ bear は機嫌の悪い人の意.

ネオクラシシズム (新古典主義) nèoclássicism Ⓤ.

ネオクラシック ― 形 (新古典主義の) nèoclássic.

ネオコロニアリズム nèocolónialism Ⓤ.

ネオコン(サーバティズム) ― 图 (新保守主義) neoconservatism Ⓤ; (人) neocon(servative) Ⓒ. ― 形 neocon(servative).

ねおし 寝押し ¶彼はズボンに*寝押しをした He *pressed* his trousers *under his* ⌈*mattress* [*bedding*].

ネオダーウィニズム nèo-Dárwinism Ⓤ.

ネオナチ (新ナチ主義者) Nèo-Názi Ⓒ. **ネオナチ運動** Neo-Nazism Ⓤ.

ネオファシスト (新ファシズム主義者) neofascist /nìːoʊfǽʃɪst/ Ⓒ.

ネオプラトニズム Nèoplátonism Ⓤ.

ネオリアリズム nèoréalism Ⓤ.

ネオリベラリズム nèolíberalism Ⓤ.

ネオロマンチシズム nèorománticism Ⓤ.

ネオン (ネオンサイン) neon /níːɑn/ Ⓒ, neon sign Ⓒ [語法] 元素と混同のおそれがなければ単に neon ということが多い; (ネオン灯) neon ⌈lamp [light] Ⓒ; 〖化〗(ネオン) neon Ⓤ (元素記号 Ne).
¶通りには*ネオン(サイン)が輝いていた (⇒ いっぱいだった) The street was full of *neon signs*. // *ネオンで明るい街並み a *neon*-lit street **ネオン管** neon ⌈tube [lamp] Ⓒ **ネオンランプ** neon lamp Ⓒ.

ネガ (写真の) negative Ⓒ (↔ positive). **ネガカラーフィルム** color negative film Ⓒ [参考] カラースライドフィルムは color reversal film Ⓒ.

ねがい 願い (実現が難しい望み) wish Ⓒ; (懇願) appeal Ⓒ; (祈り) prayer Ⓒ; (依頼) request Ⓒ. (☞ ねがう; のぞみ; たのみ; がんぼう; ねんがん).
¶お*願いがあるのですが May I *ask a favor* of you? / Can you do me a *favor*? / I have a *favor to ask* (of) you. [語法] 人に頼みごとをするときの表現. 一般にあまり切実な頼みごとではない場合に使われる. // 私たちの*願いは聞き届けられた Our *prayers* ⌈are [have been] ⌈answered [heard]. / (⇒ 望みが実現した) Our *wishes* have come true. // 私たちの*願いは世界の平和です We are making an *appeal* for ⌈peace in the world [world peace]. // どうぞお*願いだから放して下さい Let me go, *for mercy's sake*.
願い出で[願い出] (申し込み) application Ⓒ; (依頼) request Ⓒ. (☞ ねがいでる) **願い事** wish Ⓒ; (祈り) prayer Ⓒ.

> **コロケーション**
> 願いを聞き届ける grant *a person's wish* / 願いを口にする express a *wish* / 願いを実現する realize [fulfill] a *wish* / 願いを手に入れる get *one's wish* / 願いを無視する disregard [disobey] *a person's wish* // 叶わぬ願い an unfulfilled *wish* / 積年の願い a long-held *wish* / たっての願い a fervent *wish* / 虫のいい願い a fond *wish*

ねがいさげ 願い下げ ¶そんな申し出はこちらから*願い下げにしたい (⇒ 体よく断りたい) I'd like to *give a polite refusal to* such an offer. // その役目は*願い下げにしていただきたい (⇒ 免除してもらいたい) I should like to be *excused* from that task. // そんなことはこっちから*願い下げだ (⇒ 断らせてもらいたい) Let me *beg off* from doing that. (☞ とりさげる)

ねがいでる 願い出る (申し出る) apply (to *a person* for …) ⓐ; (…を申し込む) make an application (for …); (書類などを整えて願い出る) file an application for …, file for … ★ 後者は前者を短縮した言い方; (辞表などを出す) turn [hand] in ⓗ, submit ⓗ ★ 最後は少し格式ばった語. (☞ もうしでる; しんせい¹). ¶彼は課長に 1 週間の休暇を*願い出た He ⌈*applied to* [*asked*] the head of the section *for* a week's ⌈leave [vacation]. // その施設を使用するには政府の特別許可を*願い出なくてはならない You must ⌈*make an application* [*apply*] *for* special permission from the government to use those facilities. // 彼女は辞職を*願い出た (⇒ 彼女は辞表を提出した) She ⌈*turned in* [*handed in*; *submitted*] her resignation.

ねがう 願う (望む) wish ⓗ; (強く望む) desire ⓗ; (祈願する) pray ⓗ; (依頼する) request ⓗ. (☞ ねがい; のぞむ¹; たのむ).
¶あなたのご成功を心から*願っております I heartily *wish* you success. // あなたはすべての人々の幸福を*願わないのですか Don't you ⌈*desire* [*hope for*; *wish for*] universal happiness? // (電話口で) 真理子さんをお*願いします May I talk to Mariko, *please*? // もっと大きな声でお*願いします *Please* speak a little ⌈louder [more loudly]. [日英比較] 日本語のこのような「願います」は多くの場合, please あるいはその他の丁寧な表現に意訳される. (☞ どうぞ) **願いましては** Now the sums! ★ そろばんを入れる時の開始の掛け声. ¶御破算で*願いましては Clear your abacuses, and *now the sums*! **願ったり叶ったり** ☞ 見出し **願ってもない** ¶それは*願ってもないことです (⇒ それ以上私にふさわしいことはない) Nothing suits me better than that. / (⇒ それはまさに私の欲していたことです) That is exactly what I wanted. / (⇒ それ以上のものは望めなかったであろう) I couldn't have asked for anything better.

ねがえり 寝返り ― 動 (ぐるりと向きを変える) tùrn (óver) ⓐ, roll ⓐ; (寝る姿勢を変える) change *one's* sleeping position; (転げ回る) tóss abóut (in *one's* bed) ⓐ. ¶寝つけなくて何度も*寝返りを打った I ⌈*turned over* [*rolled*; *tossed about*] in (my) bed many times, because I couldn't get to sleep.

ねがえる 寝返る (敵方につく) go over to the ⌈enemy [opposition] (camp); (俗) double-cross ⓗ; (裏切る) betray ⓗ; (反逆者となる) turn traitor (to …); (味方を捨てる) defect ⓗ. ¶彼らは敵(陣)に*寝返った They *went over to the* (*camp of the*) *enemy*. // 彼は*寝返った (⇒ 味方を捨てて敵陣に加わった) He became a *defector*.

ねがお 寝顔 *a person's* facial /féɪʃəl/ expression during sleep Ⓒ. ¶子供たちの無邪気な*寝顔(⇒寝ている子供たちの無邪気な顔)を見ているうちに心が和んできた I began to feel peaceful looking at the innocent *faces* of my *sleeping* children.

ねがさかぶ 値嵩株 high-priced stock Ⓒ.

ねかしつける 寝かし付ける (歌を歌って) lull [sing] ... to sleep (☞ ねかす).

ねかす 寝かす **1**《眠らせる》: (寝床に入らせる) send [put] ... to bed; (歌を歌って眠らせる) lull [sing] ... to sleep ★ sleep は名詞; (揺りかごなどを揺すって眠らせる) rock ... to sleep ★ sleep は名詞; (寝かせておく) let ... sleep. (☞ ねる¹; ねむる).
¶うちでは9時に子供を*寝かせます (⇒寝床に入れます) We *send* our children *to bed* at nine (o'clock). // この子は熱がある. *寝かせなくては The ˹child [boy] has a fever. We must *put* him *to bed.* // 私はいつも赤ん坊に歌を歌って*寝かせます I usually *sing* my baby *to sleep.* // 彼女はまだ*寝かせておきなさい (⇒彼女を起こさないで下さい) *Don't wake* her *up* yet. // この子は今夜はぐっすり*寝かせなさい (⇒十分な睡眠をとらせなさい) *Let* the child *have a good sleep* tonight.
2《使わずに手元に置いておく》: let ... lie idle; (寝かせたままにしておく) keep ... (lie) idle; (しまっておく) lóck úp ㊍. ¶金を銀行に*寝かしておくことはない You should not *let* your money *lie idle* in the bank. // 彼は銀行に金を*寝かせてある (⇒遊んでいる金を持っている) He has *idle* money in the bank. // 品物が棚に*寝かせてある (⇒寝ている) The goods *are lying idle* on the shelves.
3《酒などを一定の温度・環境で貯蔵する》: age ㊍; (発酵させる・する) ferment ㊍ ㊐. ¶ワインは*寝かせるほどよい The longer wine *is aged*, the better it tastes.

ねかせる 寝かせる ☞ ねかす

ねかた 根方 the foot (of ...). ¶柳の*根方に *beneath* a willow

ねがったりかなったり 願ったり叶ったり ¶そうなれば*願ったりかなったりだ (⇒それ以上には望めない) I can'*t hope for anything better than that.* / (⇒それがまさに私の望んでいることだ) That is *just what I want.*

ネガティブ ━形 (消極的な) negative. ¶*ネガティブな態度 a *negative* attitude ネガティブアプローチ (商品などにマイナス面もあることを訴えて信頼度を増す広告法) negative approach Ⓒ ネガティブオプション (商品を送りつけて購入するとみなし代金を請求する販売法) negative option Ⓒ ネガティブキャンペーン (選挙・販売合戦などの中傷主義) negative campaign Ⓒ.

ねかぶ 根株 ☞ きりかぶ

ねがわくは 願わくは I ˹pray [wish; hope].
¶*願わくは彼が回復しますように I ˹*pray* [*wish*; *hope*] that he will recover.

ねがわしい 願わしい desirable (☞ のぞましい 語法). ¶あなたにその会に出席していただくことが*願わしい It is *desirable* that you (should) attend the meeting. / It is *desirable* for you to attend the meeting.

ねかん 寝棺 coffin Ⓒ, (米) casket Ⓒ.

ねぎ 葱 (葉ねぎ) scallion Ⓒ, green [(英) spring] onion Ⓒ, (Japanese) bunching onion Ⓒ, Welsh onion Ⓒ; (太い西洋ねぎ) leek Ⓒ; (薬味用の) chives ★複数形で. 日本のねぎは元来アジア産の葉菜で, 欧米には同じものはないがこれら近縁種が食される. (☞ にら (挿絵); ながねぎ).
葱南蛮〘料理〙buckwheat noodles served with parboiled scallions and fried bean curd 葱坊主 flower head of a bunching onion Ⓒ 葱鮪(ねぎま)〘料理〙scallions and tuna cooked in a pot.

ねぎらい (感謝) thanks ★複数形で, appreciation Ⓤ ★後者はやや格式ばった語. ¶*ねぎらいの言葉をかける give *one's* words of ˹*thanks* [*appreciation*]

ねぎらう (評価する・ありがたく思う) appreciate /əpríːʃièɪt/ ㊍ (☞ いろう¹). ¶社長は秘書の労を*ねぎらった (⇒努力に深く感謝した) The president deeply *appreciated* the secretary's efforts.

ねきりむし 根切り虫 cutworm Ⓒ.

ねぎる 値切る (たたいて値を下げさせる) (略式) beat [knock; push; bargain] down the price; (人と交渉して…を値切る) bargain (for ...) (with *a person*) ㊐. (☞ まける; たたく).
¶私は*値切って千円にさせた I *beat down the price* to ˹a [one] thousand yen. // 私は果物を(果物売りと交渉して)*値切った I *bargained with* the fruit vendor. // 私は漁師に魚を*値切らせた I *bargained for* the fish *with* the fisherman.

ねぎわ 寝際 ☞ ねしな

ねぐさい 寝臭い ¶*寝臭い (⇒寝た臭みのある) 部屋 a room *smelling of sleep*

ねくさる 根腐る be rotten to the core (☞ くさる).

ねぐされびょう 根腐れ病 root rot Ⓤ.

ネクスト (次の) next.

ねくずれ 値崩れ (価格の下落) drop in prices Ⓒ; (暴落) price collapse Ⓒ. ¶株価は大幅に*値崩れした The stock prices *have collapsed.*

ねぐせ 寝癖 ¶彼女はソファーで昼寝して髪にへんな*寝癖がついた (⇒髪型が台なしになった) Her hairstyle *was messed up by the nap* she took on the sofa.

ネクター nectar Ⓤ ★もとはギリシャ神話の神々の酒.

ネクタイ tie Ⓒ, (米) necktie Ⓒ; (蝶ネクタイ) bow /bóʊ/ tie Ⓒ. ¶*ネクタイをしなさい Wear [Put on] a *tie.* // *ネクタイを結ぶ tie a *necktie* // *ネクタイをゆるめた I loosened my *tie.* // *ネクタイを取った I took my *tie* off. / I took off my *tie.* // きょうはすてきな*ネクタイをしていますね You're wearing a nice *tie* today. // *ネクタイが曲がっていますよ. 直してあげましょう Your *tie* is ˹crooked [hanging to one side]. Let me straighten it. // 細い[太い]*ネクタイ a ˹narrow [wide] *tie* // ひも*ネクタイ a string *tie* ネクタイ留め tie clasp Ⓒ ネクタイピン tiepin Ⓒ, tie tack Ⓒ.

ネクタリン 〘植〙(木) nectarine /nèktəríːn/ (trèe) Ⓒ; (果実) nectaríne Ⓒ.

ねくび 寝首 寝首をかく ¶その武士は*寝首をかかれた (⇒その侍は寝ている間に殺された) The samurai *was killed while* (*he was*) *asleep.* // 人の*寝首をかくようなことをしてはいけない (⇒だまし打ち[卑怯(ひきょう)なこと]をしてはいけない) Don't ˹*play foul with* [*play mean tricks on*] anybody.

ねくら 根暗 ━形 gloomy by nature.

ねぐら 塒 (一般に小鳥の巣) nest Ⓒ; (家禽類・特に鶏の小屋) roost Ⓒ; (人の家) home Ⓒ ★ home は副としても用いられる. (☞ す¹). ¶小鳥は夕方早く*ねぐらに帰る Birds fly home to *roost* early in the evening. ★ roost は「ねぐらにつく」の意味の動詞.

ネグリジェ nightgown Ⓒ, nightdress Ⓒ 参考 ネグリジェはフランス語からの借用語で, これに当たる言葉は negligee /nèɡləʒéɪ/ であるが, これは必ずしも寝巻きとは限らない. (☞ ねまき (挿絵)).

ネグる (無視する) neglect ㊍ (☞ むし²; おろそか).

ねぐるしい 寝苦しい (よく眠れない) cannot sleep well (☞ ねがえり).

ネグレクト ―― [名] (無視・怠慢) neglect Ⓤ; (育児放棄) (child) neglect Ⓤ, neglect of children Ⓤ. ―― [動] neglect (他).

ネグロイド (黒色人種) Negroid Ⓒ.

ネクローシス 〘医〙(壊死) necrósis Ⓤ ★ 具体的な壊死を指す場合は Ⓒ《複 necroses》.

ネクロフィリア (屍姦) nècrophília Ⓤ.

ネクロフォビア (死(体)恐怖症) nècrophóbia Ⓤ.

ねげしょう 寝化粧 bedtime makeup Ⓒ.

ねこ 猫 cat Ⓒ; (子猫) kitten Ⓒ; (ねこちゃん)《小児語》pussy(cat) Ⓒ; (雄猫) male cat Ⓒ, tomcat Ⓒ, (雌猫) female cat Ⓒ, tabby Ⓒ. 《☞ めす[1] [語法]; おす[3] (表)》. ¶ *猫はねずみをとる *Cats* catch ˹mice [rats]. // *猫がねずみを追いかけている A *cat* is chasing a mouse. // 私は*猫を 2 匹飼っています I keep two *cats*. // *猫がのどをごろごろ鳴らしている The *cat* is purring. [語法] 猫がのどを鳴らす擬声語を purr という. // *猫がつめをといでいる The *cat* is sharpening ˹his [her; its] claws. // *猫が私の手につめを立てた The *cat* fastened his claws on my hand. // *猫がにゃあにゃあと鳴いている The *cat* is mewing. 《☞ 動物の鳴き声 (囲み)》

借りて来た猫のよう ☞ かりる **猫にかつおぶし** ¶ それはまるで*猫にかつおぶしだ (⇒ 狼に羊の番をさせるようなものだ) It's like setting a wolf to watch the sheep. **猫に小判** ¶ *猫に小判だ To cast (*one's*) pearls before swine. 《ことわざ: 豚に真珠》 **猫の子一匹いない** ¶ 教会には*猫の子一匹いなかった (⇒ 人っ子一人いなかった) *There wasn't a soul* in the church. **猫の手** ¶ *猫の手も借りたいぐらいだ (⇒ とても人手が足りない) We are very short-handed. **猫の額** ¶ それは*猫の額ほどの土地です (⇒ とても小さな土地) It's a very small strip of land. 《☞ 誇張 (巻末)》 **猫の目** ¶ あなたの意見は*猫の目のように変わる You change your ˹views [opinions; positions] (so) *frivolously*. / You are *as fickle as a* ˹*weathervane* [*weathercock*]. **猫もしゃくしも** ¶ いまでは*猫もしゃくしも外国へ行きたがる *Every* Tom, Dick ˹and [or] Harry wants to go abroad nowadays. ★ 英米人によくある名前を並べたもの. **猫をかぶる** ¶ 彼女は*猫をかぶっているんですよ (⇒ 彼女は無邪気な[慎み深い]ふりをしているにすぎない) She *is* only *pretending to be* ˹*innocent* [*modest*].

ねこいらず 猫要らず rat poison Ⓒ.

ねこかぶり 猫被り (見せかけ)《米》pút-òn Ⓒ ★ くだけた語; (偽善) hypócrisy Ⓤ ★ 行為は Ⓒ; (偽善者) hýpocrite Ⓒ. 《☞ ねこ (猫をかぶる)》. ¶ 彼が従順なのは*猫かぶりだ His obedience is just a *put-on*.

ねこかわいがり 猫可愛がり ―― [動] (盲愛する) dote on ... 《☞ できあい[2]》. ¶ 私の母は孫を*猫かわいがりします My mother *dotes on* her grandchildren.

ねこぎ 根扱ぎ ―― [動] (根こそぎにする) ùpróot (他) 《☞ ねこそぎ》.

ねこぐるま 猫車 (一輪車) wheelbarrow Ⓒ.

ねごこち 寝心地 ¶ このベッドは*寝心地がよい [悪い] This bed is ˹*comfortable* [*uncomfortable*] *to sleep in*.

ネゴシエーション ―― [名] (交渉) negotiation Ⓤ ★ しばしば複数形で. ―― [動] conduct negotiations. 《こうしょう[1]》.

ネゴシエーター (交渉者) negotiator /nɪgóuʃièɪtə/ Ⓒ.

ねこじた 猫舌 ¶ 私は*猫舌です (⇒ 熱いものが食べられない) I cannot eat hot ˹things [food].

ねこじゃらし 猫じゃらし 〘植〙 foxtail Ⓒ ★ えのころ草・大麦などのきつねのしっぽに似た穂をもつ草.

ねこぜ 猫背 (前かがみの姿勢または体形) a slight stoop ★ a を付けて. ¶ 彼は*猫背だ He ˹has *a slight stoop* [*stoops slightly*; is *slightly stooped* (over)]. // *猫背になる develop *a slight stoop*

ねこそぎ 根こそぎ ―― [動] (根から引き抜く) púll ˹úp [óut] ... by the roots, róot óut (他), róot úp (他), ùpróot (他); (根絶する) erádicàte (他), extérminàte (他) ★ 最後の 2 語は格式ばった語. ―― [副] (完全に) completely, totally, entirely. ―― [形] (すべての) all; (全体の・まるごとの) the whole. ¶ 庭の雑草を*根こそぎ抜いた I *pulled* ˹*up* [*out*] the weeds in the garden *by the roots*. / I *rooted* ˹*up* [*out*] the weeds in the garden. // すべての悪は*根こそぎ絶やさなければならない All evil(s) must *be* ˹*rooted out* [*rooted up*; *eradicated*].

ねこだまし 猫騙し (相撲の技) "tricking the cat" Ⓤ; (説明的には) the tactic of clapping *one's* hands in front of *one's* opponent's face at the start of a sumo match.

ねこっかぶり 猫っ被り ☞ ねこかぶり

ねごと 寝言 ―― [名] talking in *one's* sleep Ⓤ, 《格式》somniloquy /sɑmníləkwi/ Ⓤ; (無意味なこと) nonsense Ⓤ. ―― [動] (寝言を言う) talk ˹while asleep [in *one's* sleep]; (ばかなことを言う) talk nonsense.

ねこなでごえ 猫撫で声 ¶ そんな*猫なで声で (⇒ なだめすかすような声で) 頼んでもだめですよ I won't be persuaded even if you ask me in such a *coaxing voice*.

ねこばば 猫糞 ―― [動] (ポケットに入れる・着服する) pocket (他) 《☞ ちゃくふく》. ¶ 彼は道で拾った金を*ねこばばした He *pocketed* the money he found on the street.

ねこまたぎ 猫跨ぎ (まずい魚) unpalatable fish Ⓒ.

ねこまんま 猫まんま ☞ ねこめし

ねこみ 寝込み **寝込みを襲う** ¶ 我々は敵の*寝込みを襲った We ˹*surprised* [*made a surprise attack* on] the enemy *while* ˹*they were* [*he was*] *asleep*. // 警察は隠れ家の容疑者の*寝込みを襲った The police *raided* the hideout *while suspects were asleep*.

ねこむ 寝込む **1** 《眠りに落ちる》: (眠り込む) fall asleep; (眠り始める) go [drop] off to sleep; (眠りにつく) get to sleep. 《☞ ねる[1]》. ¶ 彼女はぐっすり*寝込んでしまった She *fell* fast *asleep*. // 彼は酔って*寝込んでしまった (⇒ 酔って自分自身を寝かせた) He drank himself to *sleep*.

2 《病床につく》: (床にじっと寝ている) stay in bed; (床に閉じ込められる) be confined to (*one's*) bed ★ 後者のほうが格式ばった表現. ¶ それから私は風邪を引いて 1 週間*寝込んでしまった After that I got a cold and had to *stay in bed* for a week.

ねこめいし 猫目石 cat's-eye Ⓒ.

ねこめし 猫飯 boiled rice mixed with miso soup Ⓤ.

ねこやなぎ 猫柳 pussy /púsi/ willow Ⓒ.

ねごろ 値頃 ―― [名] (手ごろな値) reasonable price Ⓒ. ―― [形] reasonable. 《☞ てごろ; ねだん》.

ねころがる 寝転がる ☞ ねころぶ

ねころぶ 寝転ぶ lie down (自) 《過去 lay; 過分 lain》, throw *oneself* down (on ...) [語法] 後者は身を投げ出すようにして寝転ぶことをいう. 《☞ ねる[1]; ねそべる》. ¶ 私は芝生の上に*寝転んだ I ˹*lay down* [*threw myself down*] *on* the grass. // 彼は大の字に床の上に*寝転んだ He *stretched* himself *out* on the floor. // 彼は*寝転んでテレビを見ていた (⇒ テレビを見ながら寝転んでいた) He *was lying on the floor* watching TV.

ねさがり 値下がり ―― [名] fall [decline; drop] in

prices Ⓒ. ―[動]（値が下がる）gò [còme] dówn (自), drop (自), fall (自);（急に値が下がる）plunge (自). (☞ ねだん; さがる).
¶最近物価が少し*値下がりした Lately commodity prices *have* ⌈*gone* [*come*] *down* slightly. // このところずっとドルが*値下がりしている The U.S. dollar *has been* continuously *dropping*. // きのうの東京外為市場でドルはいままでの最低に*値下がりした The U.S. dollar *plunged* to a new low on the Tokyo foreign exchange market yesterday.

ねさげ 値下げ ―[名] price ⌈cut [reduction] Ⓒ, cut [reduction] in price Ⓒ ★[ ] 内のほうが格式ばった語. ―[動]（値下げする）cut the price of … ★最も平易な表現; lower the price of …, reduce the price of … [語法] この順に格式ばった表現となる. なお, reduce … in price という言い方もある. (☞ ねびき¹; ねだん). ¶旧型のものは*値下げになった The old models *were reduced in price*. // 5パーセントの*値下げ a *price* ⌈*cut* [*reduction*] of five percent 値下げ競争 price-cutting war Ⓒ, dumping [underpricing] contest Ⓒ.

ねざけ 寝酒 nightcap Ⓒ.

ねざす 根差す **1**《植物・考えが根をはる》: root (他) ★普通受け身で;（根がつく）take root. (☞ ね¹). ¶自由はアメリカ国民の心に深く*根ざしている Freedom *is* deeply *rooted* in the minds of the American people. // その木は地中に深く*根ざした The tree *took root* deep in the soil.
2《原因している》:（…から起こる）originate (in …) (自) (☞ もとづく). ¶その考えはキリスト教に*根ざしている That idea ⌈*originated* [*has its source*] *in* Christianity.

ねざめ 寝覚め ¶その出来事については*寝覚めが悪い（⇒良心にやましい感じがする）I *have a guilty conscience about* the incident. // 今度のことでは*寝覚めが悪い（⇒私のやったことに対して後悔している）I *feel sorry for* what I did.

ねざめる 寝覚める wake (up) (自) (☞ めざめる).

ねざや 値鞘 (profit) margin Ⓒ (☞ りざや).

ねじ screw Ⓒ. ¶*ねじをドライバーで板に固くねじ込んだ I ⌈drove [put] the *screw* into the board tightly with a screwdriver. // プラス*ねじ a Phillips (-head) *screw* // *ねじの頭 a screw head // *ねじを締める tighten a *screw* // 時計の*ねじを巻く *wind* (*up*) the clock ねじが緩む ¶夏休みを目の前にして生徒は*ねじが緩んでいる（⇒たるんでいる）With summer vacation just around the corner, the students *are a little lax*. (☞ たが) // 最近少し頭の*ねじが緩んできた These days my head *doesn't seem to be screwed on* quite right. ねじを巻く ¶もっと勉強するよう子供の*ねじを巻く（⇒子供を奮い立たせる）*rouse one's* child *into* studying harder ねじ切り（作業）screw-cutting Ⓤ;（道具）screw cutter Ⓒ ねじ回し screwdriver Ⓒ (☞ だいく（挿絵）) ねじ山 ☞ 見出し

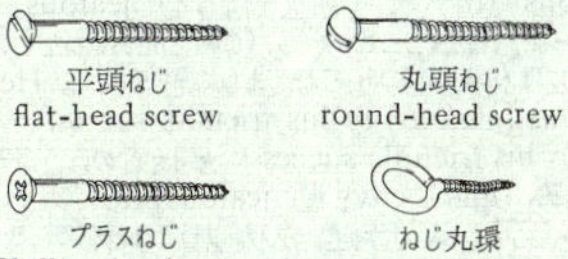

ねじあげる 捩じ上げる screw (他);（ひねる）twist (他). (☞ ねじる; ねじふせる). ¶一人の男がもう一人の男の腕を*ねじ上げた One man *twisted* the other's arm (*around*).

ねじあな ねじ穴 screw hole Ⓒ, tapped hole Ⓒ.

ねじぎり ねじ錐（ドリル）drill Ⓒ;（T字形の柄のついた小型の）gimlet Ⓒ;（木工・土木用の）auger Ⓒ.

ねじきる 捩じ切る（ねじって力を入れて引っぱり切る）wrénch óff (他);（ぐるぐる回して切る）twist óff (他).

ねじくぎ ねじ釘 screw Ⓒ;（木ねじ）screwnail Ⓒ, woodscrew Ⓒ. (☞ ねじ; くぎ).

ねじける 拗ける（ねじ曲げられる）be twisted;（心や判断などがゆがめられる）be warped;（ひねくれる）become ⌈crooked [perverse; perverted] [語法] crooked /krúkɪd/ が最も平易な語. perverse, perverted は格式ばった語. perverted を用いると「異常なまでに」というニュアンスになる. (☞ ひねくれる; ゆがむ). ¶彼は心が*ねじけている He *is* mentally *twisted*. // 彼女は不幸で心が*ねじけてしまった（⇒不幸が彼女の心をねじ曲げた）Misfortune ⌈*warped* [*twisted*; *perverted*] her ⌈mind [character].

ねじこむ 捩じ込む **1**《ねじって押し入れる》:（ねじなどを取り付ける）drive a screw into …;（突っ込む）thrust … into … ¶ねじをドライバーで板に*ねじ込んだ I *drove* the screw *into* the board with a screwdriver. // 男は私のポケットになにがしかの紙幣を*ねじ込もうとした The man tried to *thrust* some bills *into* my pocket.
2《文句を言う》: complain (自) (他);（抗議する）protest (自) (他). ¶店員たちは店長の決定を不服として*ねじ込んだ The salespeople objected to the store manager's decision and *complained* to him.

ねしずまる 寝静まる（ぐっすり眠っている）be fast asleep (☞ ねる¹). ¶その夜11時には家人はみな*寝静まっていた Everyone in the family *was fast asleep* ⌈at [by] eleven (o'clock) that night. // 町はみな*寝静まっていた Everybody in town *was asleep*.

ねじたく 寝支度 ―[名] getting ready for bed Ⓤ. ―[動] get ready to go to bed.

ねしな 寝しな ―[副]（寝る直前に）(just) before ⌈*a person* goes [going] to bed;（就寝するころに）at bedtime. (☞ ねいりばな).
¶*寝しなに物を食べてはいけません Don't eat ⌈(*just*) *before you go to bed* [*at bedtime*].

ねじびょう ねじ鋲 screw ⌈tack [rivet] Ⓒ.

ねじふせる 捩じ伏せる（腕をねじって倒す）twist *a person's* arm and throw ⌈him [her] (down) on the floor;（押し倒す）hold *a person* down. (☞ ねじる; ねじあげる).

ねじまげる 捩じ曲げる twist (他);（ねじって曲げる）bend … by twisting;（力ずくで曲げる）force … to bend. (☞ ねじる; まげる; わいきょく).
¶彼は鉄パイプを*ねじ曲げた He ⌈*bent* [*twisted*] the iron pipe.

ねしゃか 寝釈迦 recumbent (image of) Buddha ★image は Ⓒ.

ねじやま 螺子山（ねじの溝と溝との間）(screw) thread Ⓒ.

ねしょうが 根しょうが ginger root Ⓒ.

ねしょうがつ 寝正月 ¶「お正月はいかがお過ごしでしたか」「*寝正月でした」(⇒特に何もしないでぶらぶら過ごした) "How did you spend your New Year holidays?" "I *idled them away doing nothing special*."

ねしょうべん 寝小便 ―[名] béd-wètting Ⓤ. ―[動] wet ⌈*one's* [the] bed. ¶あの子は毎晩*寝小便をする The child *wets* ⌈*his* [*her*; *the*] *bed* every night. // *寝小便をする子供 a *bed-wetting* child // *寝小便をしなくなる become dry

ねじりあめ 捩り飴 stick of twisted candy Ⓒ.

ねじりはちまき 捩り鉢巻 ¶彼は毎晩*ねじり鉢巻で勉強している（⇒彼は毎晩一生懸命勉強する）He studies *very hard* every night. [語法] 最

も平易な表現. / (⇒ 勉強に専念している) He *devotes himself to* his studies every night. ★ 少し格式ばった表現. 日英比較 欧米ではねじり鉢巻の習慣がないので, 意訳するほかはない. 《☞ はちまき》
【参考語】(鉢巻を締めて) with a twisted towel tied around *one's* head; (一生懸命) very hard; (専念する) devote *oneself* to ..., be devoted to ...

ねじる 捩じる (糸やひもをよじるように…をよじる) twist ㊐, give a twist (to ...); (ねじを回すようにくるぐる回して) screw ㊐; (急に力を入れて) wrench ㊐; (手ぬぐいの水をしぼり出すようにぎゅっと) wring ㊐ 《過去・過分 wrung》. 《☞ ねじあげる; ねじきる; ねじまげる》. ¶ 彼は私の腕を*ねじった He「*twisted* [*gave a twist on*] my arm. // 警官はその男の手からナイフを*ねじり取った The policeman *wrenched* the knife「*out of* [*from*] the man's hand. // そのふたは*ねじって開けて[閉めて]下さい Please *screw* the cap「*off* [*on*]. / Please *screw*「*off* [*on*] the cap. // 赤ん坊は人形の首を*ねじり取った The baby *wrung*「*off* the doll's head [the doll's head *off*].

ねじれ 捩れ — 名 (ひねり) twist Ⓒ; (ゆがみ) distortion Ⓤ; (材木などの) warp Ⓒ. — 形 twisted; distorted. ¶ *ねじれの位置の 2 本の直線 two *skew* lines

ねじれる 捩じれる (よじれた状態になる) be twisted 《☞ ねじける》.

ねじろ 根城 (行動の拠点) base Ⓒ; (本部) headquarters 語法 複数形で用い, 複数または単数扱い; (しばしば行く所) haunt Ⓒ; (巣窟(そうくつ)) den Ⓒ. ¶ 私はこの喫茶店を*根城にしている I make this coffee shop my *haunt*.

ねず 杜松 〔植〕 needle juniper Ⓒ.

ねすがた 寝姿 (眠っている姿) *one's* appearance when asleep Ⓤ; (ねそべっている姿) *one's* recumbent form Ⓒ.

ねすぎる 寝過ぎる (度を超して寝る) sleep too much ㊀; (寝過ごす) oversleep ㊀.

ネスこ ネス湖 — 名 固 (スコットランド北西部の湖) Loch /lɑ́k/ Ness.

ねすごす 寝過ごす oversleep ㊀ 《☞ ねぼう》.
¶ あすの朝は*寝過ごさないように Don't *oversleep* tomorrow morning. // けさは 1 時間も*寝過ごしてしまった I *overslept* by one hour this morning. / I *woke up* one hour *late* this morning.

ネスト (巣) nest Ⓒ.

ネストテーブル (入れ子式テーブル) nest of tables Ⓒ, nesting [nested] tables.

ネストリウスは ネストリウス派 the Nestorians ★ キリスト教の一派.

ねず(の)ばん 寝ず(の)番 — 名 (警戒のための見張り) night watch Ⓤ; (見張りの人) night watchman Ⓒ. — 動 (見張りをする) keep (night) watch. 《☞ ふしんばん》.

ねずみ 鼠 (野ねずみ・どぶねずみ) rat Ⓒ; (はつかねずみ) mouse Ⓒ 《複 mice》; (ネズミ目の動物) rodent Ⓒ. 語法 家の中に出没するねずみは rat のことも mouse のこともある. これらを house rat, house mouse とも呼ぶ. mouse のほうが rat よりも小さい.
¶ *ねずみが床をかじっている A「*rat* [*mouse*] is gnawing /nɔ́:ɪŋ/ (on) the floor. // *ねずみが壁に穴をあけた *Rats* [*Mice*] gnawed a hole in the wall. // *ねずみが天井裏でちゅうちゅう鳴いている *Rats* [*Mice*] are squeaking in the ceiling. 《☞ 動物の鳴き声 (囲み)》 // ねこが*ねずみを取った A cat caught a *mouse*. // *ねずみによる伝染 a *rat*-borne [*mouse*-borne; *rodent*-borne] infection
ねずみ穴 rathole Ⓒ, mousehole Ⓒ　ねずみ入らず (ねずみが入れないように作った食器戸棚) mouse-proof cupboard Ⓒ; (肉をしまう金網張りの戸棚) 《英》 méat sàfe Ⓒ　ねずみ返し rat guard Ⓒ　ねずみ講 pyramid investment scheme Ⓤ　ねずみ算 gèométric(al) progréssion Ⓤ. ¶ *ねずみ算式に (⇒ うさぎのように) 増える multiply *like rabbits*　ねずみ取り mousetrap Ⓒ, rattrap Ⓒ. ¶ *ねずみ取りをかけた We set a「*mousetrap* [*rattrap*].　ねずみ花火 (freewheeling) pinwheel Ⓒ.

ねずみいろ 鼠色 — 名 (dark) gray Ⓤ. — 形 (ねずみ色の) (dark) gray; mouse-[rat-]colored.
¶ *ねずみ色のオーバー a *dark gray* overcoat

ねずみこぞう 鼠小僧 — 名 固 Nezumi-Kozo, a legendary Edo-period sneak thief who robbed the rich and aided the poor.

ねずみざめ 鼠鮫 〔魚〕 salmon shark Ⓒ.

ねせる 寝せる ☞ ねかす

ねぞう 寝相 ¶ 彼は*寝相が悪い (⇒ 彼は寝ている間にころげ回る) He *rolls around while asleep*. / He *tosses*「*around* [*about*] *in his sleep*. ★ 第 2 文のほうが普通.

ねそびれる 寝そびれる ¶ 昨夜は*寝そびれてしまった (⇒ 私は昨夜は眠れなかった) I *could not sleep* last night. / (⇒ 昨夜は眠りにつけなかった) I *could not get to sleep* last night.

ねそべる 寝そべる (横になる) líe dówn ㊀ 《過去 lay; 過分 lain》; (手足を広げて寝る) spráwl (óut) ㊀, be sprawled (out); strétch (óut) ㊀, stretch *oneself* (out) 語法 sprawl にはぶざまに[だらしなく], stretch には気持ちよさそうにというニュアンスが含まれる. 《☞ ねる¹; ねころぶ; よこたわる》.
¶ 私は芝生に*寝そべった I「*lay down* [*stretched myself* (*out*)] on the grass. // 彼はソファーに*寝そべっていた He *was sprawled* (*out*) on the sofa.

ねた (新聞記事などの材料) news Ⓤ, (news) item Ⓒ; (情報) information Ⓤ ★ 数えるときには a「piece [bit] of ... として; (原料) material Ⓒ; (証拠) evidence Ⓤ. 《☞ じょうほう》.
¶ 私はいま*ねたを集めている I'm now collecting *information*. // それは新聞にいい*ねただ That's a good *item* for a news story. // すしの*ねた sushi *toppings*
ねたが割れる ¶ 簡単にマジックの*ねたが割れてしまった (⇒ 仕掛けが見破られた) The *gimmick* of my magic trick *was* readily *seen through*. 《☞ たね》
ねた切れ ¶ アイディアが*ねた切れになる *run out of* ideas

ねだ 根太 (床板を支える梁(はり)) joist Ⓒ. ¶ *根太を張る fix *joists* / *joist* ★ 後の joist は 動 ㊐.　根太板 (床板) floorboard Ⓒ.

ねたきり 寝たきり — 形 bedridden. ¶ 父は*寝たきりです My father is *bedridden*. // *寝たきりの両親の世話 the care of *bedridden* parents
寝たきり老人 bedridden elderly person Ⓒ.

ねたばこ 寝煙草 ¶ *寝たばこはご遠慮下さい Kindly refrain from *smoking in bed*.

ねたましい 妬ましい — 形 (うらやましく思う) envious (of ...); (悪意を持って) jealous (of ...). — 動 (ねたむ) envy ㊐. 《☞ ねたみ; ねたむ; しっと》.
¶ 彼は友人の成功を*ねたましく思っている He is「*envious* [*jealous*] *of* his friend's success. / He *envies* his friend's success. ★ 後者のほうが普通.

ねたみ 妬み envy Ⓤ; jealousy Ⓤ.
【類義語】 人の幸運・成功・財産などをうらやましく思う気持ちからのねたみは **envy**. 特に悪意や怒りをこめてのねたみは **jealousy**. 《☞ しっと; ねたむ》
¶ 彼の成功に*ねたみを感じた I was *envious* for his success. / I felt *envy* of his success. // その女はいつも私の妻に*ねたみを抱いていた The woman *was always jealous of* my wife. // 彼女は*ねたみから犯罪を犯した She committed a crime out of *jealousy*.

コロケーション
つまらない妬み petty *jealousy* / 激しい妬み fierce *jealousy* / ひどい妬み bitter *jealousy*

ねたむ 妬む (うらやむ) be envious (of …), envy ⑩; (悪意を持って) be jealous (of …). 《☞ ねたましい; しっと》. ¶その女はメアリーの幸運を*ねたんでいた The woman *was jealous of* Mary's good fortune.

ねだめ 寝溜め ―動 (眠りをためておく) store ˹up [away] sleep; (できるだけ眠っておく) get as much sleep as possible.

ねだやし 根絶やし ―動 (根絶する) róot ˹óut [úp] ⑩ ★ 口語的; eradicate ⑩ ★ 少し格式ばった語. 《☞ こんぜつ; ねこそぎ》.

ねだり asking Ⓤ. ¶お*ねだり wheedling 《☞ ねだる》

ねだる (…してくれと頼む) ask [press] *a person* ˹to *do* … [for …]; (人にうまいことを言って…させる) wheedle (*a person* ˹to *do* … [into *do*ing …]) ⑩; (なだめすかして) coax *a person* into …; (しきりに…をくれと頼む) ask for … urgently; (何度も…をくれと頼む) ask for … repeatedly; (説得する) persuade ⑩ 語法 persuade *a person* to *do* … で「説得して…させる」つまり「ねだって…してもらう」となる. 《☞ せがむ; たのむ》.
¶その子は母親に人形を買ってくれと*ねだった The child *asked* her mother *to* buy a doll. / (⇒ ねだって買わせた) The child *wheedled* her mother *into* buying a doll. // 彼の息子はもっと小遣い (⇒ 金) をくれと*ねだった His son ˹*asked* [*pressed*] him *for* more money. // その少年は父親に*ねだって映画に連れて行ってもらった The boy *persuaded* his father *to* take him to the movies.

ねだん 値段 price Ⓒ; (原価) cost Ⓤ; (サービスなどの料金) rate Ⓒ, charge Ⓒ; (乗り物などの料金) fare Ⓒ; (実際に払う費用) expenses ★ 通例複数形で.
【類義語】商品の値段は **price** で,「値段」という日本語に当たる最も普通の語.「原価」は **cost** と言う. **expense** は **cost** とほぼ同じ意味に用いられることもあるが, 合計額を強調する意味が強い. いわゆる「料金」に当たる **rate**, **charge**, **fare** については ☞ りょうきん (類義語). 《☞ かかく[1]》
¶「この本の*値段はいかほどですか (⇒ この本はいくらですか)」「2 千円です」“*How much* is this book?” “(It's) ¥2,000.” // その*値段は高い (⇒ それは高過ぎる) It's too *expensive*. / The *price* is too high. // その*値段は安い (⇒ それは安い) It's ˹*cheap* [*inexpensive*]. 語法 品質が落ちることなく安いのが inexpensive. また通常の値段に比べて格段に安いのを cheap と言う. さらに cheap には大量に供給されていて安い, または品質がよくなくて安いという意味が加わることがある. / (⇒ その値段は手ごろだ) The *price* is reasonable. / It's a reasonable *price*. 《☞ やすい (類義語)》 // このライターは手ごろな*値段だ This lighter *is* ˹moderately [reasonably] *priced*. // *値段が上がった [下がった] The *price* has gone ˹up [down]. / The *price* has ˹risen [fallen]. / (⇒ 値上げ [値下げ] した) They ˹raised [reduced] the *price*. / The *price* was ˹raised [reduced]. ★ 最初の文が最も口語的. // 物の*値段がどんどん上がる *Prices* [*Commodity prices*] are ˹going up rapidly [soaring; skyrocketing]. 《☞ ぶっか》 // 古本にはよく法外な*値段のついていることがある (Some) secondhand books *are* often very much *overpriced*. // その絵は 5 億円という目玉の飛び出るような*値段で売れたそうだ I hear that the painting was sold at the staggering *price* of ¥500,000,000. // スーパーマーケットは物の*値段が安い Supermarkets sell things at low *prices*. / You can buy things cheap at a supermarket. // あそこのホテルのシングルルームの*値段はどれくらいですか What's the ˹*rate* [*charge*] for a single room in that hotel? / *How much* do they *charge* for a single room ˹at [in] that hotel? // *値段は印刷時のものです (⇒ 印刷時点で正しい) *Prices* are accurate at the time of ˹printing [publication]. **値段表** price list Ⓒ.

コロケーション
お買い得の値段 a ˹bargain [budget] *price* / 買えそうな値段 an affordable *price* / 高い値段 a ˹high [stiff] *price* / つい買いたくなる値段 a tempting *price* / 手が出ない値段 a prohibitive *price* / 不当な値段 an exorbitant *price* / 法外な値段 a steep [an outrageous] *price* / 安い値段 a low *price*; (他店と競合する) a competitive *price* / 割引の値段 a ˹reduced [discounted] *price* / 値段を上げる raise [increase] *prices* / 値段を決める fix [set] a *price* / 値段を下げる reduce [lower] *prices* / 値段をつける place [put] a *price* (on …) / 値段を低く抑える keep [hold] down *prices* / 値段を負けさせる bring down a *price* // 値段の交渉をする haggle over a *price*

ねたんぽ 根担保 revolving collateral Ⓤ.

ねちがえ 寝違え crick developed while sleeping Ⓒ 《☞ ねちがえる》.

ねちがえる 寝違える (寝ている間に筋違いをおこす) get a crick ˹in the night [while asleep].

ネチケット netiquette Ⓤ ★ ネットワーク上のエチケット.

ねちっこい ―形 (しつこい) persistent; (言い張ってきかない) insistent; (粘着性の) sticky; (執拗な) 《格式》 tenacious.

ねちねち ¶彼は*ねちねちした人だ (⇒ いらいらさせる人だ) He is an ˹*irritating* [*annoying*] person. / (⇒ うるさく小言を言う人だ) He is a *nagger*. 《☞ 擬声・擬態語 (囲み)》

ねつ 熱 **1** 《熱》: heat Ⓤ 《☞ ねっする》. ¶太陽*熱 solar *heat* // 水に*熱を加えると (⇒ 熱せられると) どうなるか What happens to water when it *is heated*?
2 《体温》 ―名 (温度) temperature /témp(ə)rətʃùə/ Ⓤ ★ 具体的な体温などをいうときには a を付けることがある; (病気などで平常より高い体温) fever Ⓤ ★ 具体的な熱の場合は a を付けて. ―形 (熱のある) feverish. 日英比較 日本語では体温のことを「熱」ともいう. 従って,「熱がある」「熱がない」「平熱」などの言い方があるが, 英語の fever は平常より高い熱のみを指す. そこで,「平熱」は normal (body) temperature といい, normal fever という言い方はしないことに注意.
¶きょうは*熱がある I have a ˹*fever* [*high temperature*] today. / I'm [I feel] *feverish* today. // きょうは*熱がない I have no *fever* today. / I'm not [I don't feel] *feverish* today. // *熱が少し上がった[下がった] My *temperature* has ˹risen [fallen] slightly. // あくる日になっても*熱は下がらなかった My *fever* did not ˹go down [abate] the following day. // *熱が正常に戻った My *temperature* returned to normal. // ぐっすり眠ったら*熱が引いた The *fever* ˹left me [disappeared] while I was having a good sleep. / After a good sleep, I found my *fever* gone. // *熱を計ったら 39 度あった When I took my *temperature*, it was thirty-nine degrees (centigrade). 参考 英米では体温をはじめ温度は普通華氏 (Fahrenheit) で計る. 39° C は約 102° F. 《☞ 度量衡 (囲み)》 // 息子はよく扁桃(へんとう)腺炎で 40 度の*熱を出す My son often runs a

temperature of forty degrees ˹centigrade [Celsius] because of tonsillitis /tὰnsəláɪtɪs/.

3《熱中》: (勢い) energy Ⓤ; (熱烈さ) heat Ⓤ; (熱情) passion Ⓤ; (長続きする熱心さ) fervor (《英》 fervour) Ⓤ ★ 他の語より格式ばった語; (異常な熱心さ) ardor (《英》 ardour) Ⓤ; (熱狂) enthusiasm /ɪnθ(j)úːziæ̀zm/ Ⓤ; (一時的な熱狂) craze Ⓒ. (☞ ねつい; じょうねつ; ねっちゅう; ねっきょう).

¶ 彼は*熱のないしゃべり方をした (⇒ 気乗りしないようすで話した) He spoke *halfheartedly*. // *熱の入った議論が続いた A *heated* discussion continued. // 討議の参加者はみな*熱を帯びてきた All the participants in the discussion ˹*warmed up* [*got excited*].

4《流行》: (大流行) mania /méɪniə/ Ⓒ; (一時的な流行) fad Ⓒ, craze Ⓒ; (熱望・熱狂) rage Ⓒ. (☞ りゅうこう; ねっきょう).

¶ 野球*熱は依然として盛んだ The baseball *mania* is still prevalent. // 健康食*熱は下火になった The health food *fad* has declined.

熱が冷める ¶ 彼の音楽への*熱は冷めた His ˹*passion* [*enthusiasm*] for music *has* ˹*left* him [*cooled down*; *been dampened*]. // 2 人の仲も*熱が冷めた They *cooled off*. // 彼女のその一言で彼の*熱も冷めた (⇒ 彼女のその一言が彼の情熱を冷ました) That one word from her *chilled* his *passionate love* (for her). **熱が入らない** ¶ 彼は仕事にちっとも*熱が入らないようだ He seems to *have no enthusiasm* for (his) work. **熱に浮かされる** (高熱のためうわごとを言う) be delirious with fever; (夢中になる) be beside *oneself* **熱を上げる** ¶ 彼女はその俳優に*熱を上げている (⇒ 熱中している) She *is crazy* about that actor. ★ 口語的. **熱を入れる** ¶ もっと*熱を入れて (⇒ もっと一生懸命) 仕事をやれ Work *harder*. / *Put* more *energy* into your work. **熱を吹く** ¶ 彼はいつも勝手な*熱を吹く (⇒ 好き勝手なことを言う) He always *says what he* ˹*likes* [*pleases*; *chooses*].

熱エネルギー heat [thermal] energy Ⓤ **熱化学** thèrmochémistry Ⓤ **熱学**〘物理〙theory of heat Ⓤ **熱拡散**〘化〙thermal diffusion Ⓤ **熱核反応** thermonuclear /θə̀ːmoʊn(j)úːkliə/ reáction Ⓤ **熱核融合** thermonuclear fusion Ⓤ **熱機関** héat èngine Ⓒ, thèrmomótor Ⓒ **熱気球** ☞ 見出し **熱器具** heating device Ⓒ; (発熱器) heater Ⓒ **熱交換器** héat exchànger Ⓒ **熱効率** thermal efficiency Ⓤ **熱冷まし** antifebrile /æ̀ntɪfébraɪl/ Ⓒ **熱処理** heat treatment Ⓤ **熱探知機** heat ˹detector [sensor] Ⓒ **熱電子**〘電〙thermion /θə́ːmiən/ Ⓒ;〘物理〙thèrmoeléctron Ⓒ **熱伝導** thermal conduction Ⓤ **熱伝導率** thérmal conductívity Ⓤ **熱電流**〘電〙thèrmocúrrent Ⓒ;〘物理〙thérmoelèctric cúrrent Ⓒ **熱の花** (熱の出た後で唇などにできる発疹) féver blìster Ⓒ, cóld sòre Ⓒ **熱病** fever Ⓒ **熱疲労**〘医〙heat exhaustion Ⓤ;〘工〙thermal fatigue Ⓤ **熱風** ☞ 見出し **熱輻射**〘物理〙thermal radiation Ⓤ **熱放射** ── 名 (熱の放射) radiation of heat Ⓤ. ── 動 radiate heat **熱膨張**〘物理〙thermal expansion Ⓒ **熱容量** heat [thermal] capacity Ⓤ **熱雷** ☞ 見出し **熱力学** thèrmodynámics ★ 通例複数形で単数扱い. **熱量** ☞ 見出し

> **コロケーション**
> 熱に耐える withstand *heat* / 熱を吸収する absorb (the) *heat* / 熱を伝える conduct *heat* / 熱を発する emit [give out; give off] *heat* / 熱を発生させる generate *heat*

ねつあい 熱愛

── 動 (情熱的に愛する) love … passionately, have passionate love for …; (情熱的に愛している) be passionately in love with …; (首ったけである)《略式》be everything to …, be head over heels (in love with …) ★ 前者の主語は愛する相手. (☞ ねつれつ; じょうねつ).

¶ 彼女はその青年を*熱愛している She *is passionately in love with* that young man. / (⇒ その青年は彼女にとってすべてである) That young man *is everything to* her.

ねつい 熱意

── 名 (熱心さ) eagerness Ⓤ; (あることに対する非常に強い興味) enthusiasm /ɪnθ(j)úːziæ̀zm/ Ⓤ; (熱烈な興味) zeal Ⓤ. ── 形 (熱意のある) eager; enthusiastic /ɪnθ(j)ùːziǽstɪk/; 《格式》zealous /zéləs/ (☞ ねっしん; ねつ; じょうねつ).

¶ 彼はフランス語の学習に*熱意を示している (⇒ 熱心である) He is *eager* to learn French. // 彼女は古典バレエに大いに*熱意がある She is *enthusiastic* about classical ballet. // 彼は仕事に*熱意を示さない He ˹is not at all *interested in* [shows no *zeal for*] his work. // 市民たちは環境保護運動にたいへんな*熱意を示した The citizens were *zealous* about the environmental movement.

> **コロケーション**
> 熱意にほだされる be impressed by *a person's enthusiasm* // 熱意を抱く feel *enthusiasm* / 熱意を失わせる dampen [dent] *a person's enthusiasm* / 熱意を起こさせる arouse *enthusiasm* / 熱意をなくす lose *enthusiasm* / 熱意を見せる show [display] *enthusiasm*

ねつえん 熱演

── 動 (上手に演じる) perform … skillfully; (熱心に演じる) perform … ènergétically. ── 名 (上手な演技・演奏) skillful performance Ⓒ; (熱気あふれる演技・演奏) fiery performance Ⓒ. (☞ ねつ; えんそう; えんぎ).

¶ 彼は*熱演した He gave an *energetic performance*. / (⇒ 彼の演技は熱にあふれていた) His *performance* was *full of fire*.

ネッカチーフ

neckerchief /nékətʃɪf/ Ⓒ, scarf Ⓒ.

ねっから 根っから

1《生まれつき》: by nature, naturally; (骨の髄まで) to the core. ¶ 彼は*根っからの怠け者だ He is an idle man ˹*by nature* [*to the core*]. / He is *naturally* an idle man. // 彼は*根っからの芸人だった He was a *born* entertainer.

2《全然…でない》: not ˹at all [in the least].

¶ 君は*根っからわかっちゃいないんだ You have *no* idea *at all*. // 彼を説得しようなんて*根っからだめだ It is *utterly impossible* to persuade him.

ねづかれ 寝疲れ

¶ 彼は*寝疲れのような顔をしていた (⇒ 寝過ぎてぼうっとしていた) He looked ˹*foggy* [*befuddled*] *from sleeping too much*.

ねつき 寝付き

¶ この子は*寝付きがよい (⇒ この子はベッドに入るとすぐ眠る) This child *falls asleep as soon as* ˹*he* [*she*] *gets into bed*. // 私は*寝付きが悪い (⇒ 容易には眠りにつけない) I *can't* ˹*fall asleep* [*go off to sleep*] *easily*.

ねっき 熱気

(温度が高い状態) heat Ⓤ ★ 比喩的に「感情の強烈な興奮」の意でも用いる; (熱いこと) hotness Ⓤ; (一般的な意味での興奮) excitement Ⓤ; (熱狂) fever Ⓤ; (非常な熱意) zeal Ⓤ; (非常に強い興味を持って熱心であること) enthúsiàsm Ⓤ. (☞ ねつ; ねつい).

¶ 会場は人の (⇒ 聴衆の) *熱気で暑くむんむんしていた The place was sultry and stifling with the *heat* ˹of [from] the audience. // 会場は*熱気に包まれていた The place was filled with *excitement*. // 討論はますます*熱気を帯びてきた The discussion was getting more and more *heated*.

ねつききゅう 熱気球 hot-air balloon [C].

ねっきょう 熱狂 ― [形] (熱狂的な・熱烈な) enthusiastic /ɪnθ(j)ù:ziǽstɪk/; (常識を超えた熱心さの・狂信的な) fanátic(al); (極端に興奮した) extremely excited. ― [動] (…に非常に熱心である) be enthusiastic ⌈over [about] …; (…に熱狂する) 《米略式》 enthuse (自) [語法] (1) (他) として「熱狂させる」の意味にも用いる. enthúsiàsm からの逆形成 (back-formation) でできた語; (手に負えないほど狂気じみる) be wild ⌈with [about] …, go wild with … ★ 前者は「状態」, 後者は「動作」を表す; (夢中である) 《略式》 be [go] crazy about … ★ be は「状態」, go は「動作」を表す; (たいへん興奮する) be extremely excited ⌈by [at; over] … [語法] (2) by を用いると直接に行為を受けたことを意味するが, at, over は「…を聞いて, 見て」のように原因・理由を述べる言い方となる; (常軌を逸して熱心である) be fanatic(al) about … ― [名] enthusiasm [U]; extreme excitement [U]; 《略式》 craziness [U]. 《☞ ねつれつ; ねっしん》.

¶ その若い歌手に*熱狂する女の子が多い Many young girls *are wild about* that young singer. // 全国民は彼の演説に*熱狂した The whole nation *was excited by* his speech. // 彼女はドラゴンズの*熱狂的なファンだ She is an *enthusiastic* fan of the Dragons. // 彼はクラシック音楽を*熱狂的に愛している He *is* ⌈*enthusiastic* [*crazy*] *about* classical music. ★[ ] 内のほうが口語的.

ネッキング ― [名] necking [U]. ― [動] neck (自).

ねつく 寝付く (眠り始める) get to sleep ★ 普通は否定形で; (眠りに落ちる) fall asleep. 《☞ ねむる; ねつき》. ¶ 昨夜はなかなか*寝つけなかった I could not (*get to*) *sleep* easily last night.

ネック[1] (比喩的に, 物事の進行を妨げるもの・場所) bottleneck [C]; (障害) obstruction [C]. 《☞ しょうがい[1]》.

ネック[2] (首・衣服の襟ぐり) neck [C]. **ネックライン** (襟ぐりの線) neckline [C].

ねづく 根付く (植物の根がつく) take [strike] root (in …) 《☞ ね[1]》.

ネックレス (首飾り) necklace /nékləs/ [C]. ¶ 彼女は*ネックレスをしている She is wearing a *necklace*. / She has a *necklace* on.

ねつけ[1] **根付** netsuke [C]; (説明的には) carved ornament (worn by Japanese men to suspend a tobacco pouch) [C].

ねつけ[2] **熱気** feverishness [U] 《☞ ねつ》. ¶ *熱気がある be *feverish* / have a *slight fever*

ねっけつ 熱血 hot [warm] blood [U]. **熱血漢** ¶ 彼は*熱血漢だ (⇒ 血気にはやる人だ) He is a *hot-blooded man*. [語法] 必ずしもよい意味とは限らず, 怒りっぽい人をも意味する. / (⇒ 彼は情熱的な性格である) He has a *passionate* nature.

ねつげん 熱源 (熱の供給源) heat source [C].

ねっこ 根っ子 (根) root [C]; (切り株) stump [C]. 《☞ ね[1]》.

ねっさ 熱砂 burning [hot] sand [U].

ネッシー ― [名] (固) Nessie ★ スコットランドのネス湖 (Loch Ness) にすむといわれる怪獣の愛称.

ねっしゃびょう 熱射病 heatstroke [U]; (日射病) sunstroke [U].

ねっしょう 熱唱 ― [動] (情熱を込めて歌う) sing enthusiastically (自) (他); (真心こめて歌う) sing with all *one's* heart (自) (他).

ねつじょう 熱情 (激しい感情) passion [U] ★ a を伴うことがある. 《☞ じょうねつ; ねつ; ねっしん》.

ねっしん 熱心 ― [形] (何かをしたくてしようがないような気持ちをもっている) eager (for …; about …; to *do* …); (一生懸命勉強したりまたは働いたりする) hardworking; (現在していることに対してまじめで真剣な) earnest ★ 以上 3 つは平易で日常的な語; (何かを追求するのに熱情的な) enthusiastic /ɪnθ(j)ù:ziǽstɪk/ (over …; about …); (献身的な) devoted; (信仰のあつい・敬虔(けいけん)な) 《格式》 devout /dɪváʊt/. ― [副] (一生懸命) hard, eagerly; (真剣に) earnestly; (献身的に) devotedly; (注意を集中して) attentively. ― [名] eagerness [U]; earnestness [U]; enthúsiàsm [U]; (異常なほどの熱心さ) ardor (《英》 ardour) [U]. 《☞ ねつい; ねつれつ; しんけん[1]》.

¶ 彼は*熱心な学生です (⇒ 学ぶことに一生懸命な学生だ) He is an *eager* student. / (⇒ 彼は一生懸命勉強する学生だ) He is a *hardworking* student. // あの子はあまり*熱心に勉強しない That child does not study very *hard*. // もっと*熱心に勉強しなさい Study *harder*. // 彼女は外国へ留学したいと*熱心に考えている She is *eager to* go abroad for study. // 彼女はクラシックバレエに*熱心です She is *enthusiastic* ⌈*over* [*about*] classical ballet. // 聴衆は彼女の演説に*熱心に聞き入った The audience listened to her speech *attentively*. // 彼女は*熱心に研究にとり組んでいる (⇒ 研究に専心している) She is *devoted* to her research. // 彼は*熱心な (⇒ 敬虔な) クリスチャンです He is a *devout* Christian.

ねっすい 熱水 (煮え湯) boiling water [U]; (熱い湯) very hot water [U]. 《☞ ねっとう[1]》. **熱水鉱床** hydrothermal deposit [C] **熱水溶液** hydrothermal solution [C].

ねっする 熱する (熱を加える) heat (他); (熱くなる) become hot, heat (自) ★ 前者のほうが一般的. 《☞ ねつ; あつい[1]》. ¶ その液体をガスバーナーで 90° C まで*熱して下さい *Heat* the liquid over a gas burner to ninety degrees ⌈centigrade [Celsius]. **熱しやすく冷めやすい** (人が) get excited easily but cool down soon.

ねっせい[1] **熱誠** (熱心さ) earnestness [U], ardor [U] (《英》 ardour [U]) ★ 後者は熱烈なほどにという意味で, 格式ばった語; (熱中) enthusiasm [U]; (誠実さ) sincerity [U].

ねっせい[2] **熱性** (激しやすい性質) excitable disposition [U]. **熱性痙攣**〘医〙febrile /fí:brəl/ convulsions.

ねっせん 熱戦 (接戦) close ⌈game [race; contest] [C]; (追いつ追われつのゲーム) seesaw game [C]; (激しい競争) hot contest [C]; (わくわくするようなゲーム) exciting game [C]. 《☞ せっせん[1]》. ¶ 両チームの間には*熱戦が展開されるだろう (⇒ 我々は両チームの間にわくわくするようなゲームを期待している) We are expecting an *exciting game* between the two teams.

ねつぞう 捏造 ― [動] (うそや偽りのものを作り出す) forge (他); (ないものを勝手に作り出す) invent (他). ― [名] forgery [U]; invention [U] ★ 以上 2 語は具体的な物を指す場合は [C]. 《☞ ぎぞう; でっちあげ》.

ねったい 熱帯 ― [名] the Torrid Zone, the tropics ★ 複数形で. [語法] the Torrid Zone は温帯・寒帯と比較して言うときの正式な呼称で小文字でもよい. the tropics も大文字で始める場合もある. ― [形] (熱帯の・熱帯性) tropical, tropic ★ 前者のほうが普通. 《☞ ちきゅう[1] (挿絵); あねったい》.

¶ *熱帯は北回帰線と南回帰線の間の地域である *The Torrid Zone* is the area between the tropic of Cancer and the tropic of Capricorn.

熱帯医学 tropical medicine [U] **熱帯雨林** tropical rain forest [C] **熱帯雨林気候** tropical rainforest climate [C] **熱帯気候** tropical climate [C] **熱帯気団**〘気象〙tropical air mass [C] **熱帯魚** tropical fish [C] ★ 単複同形. ただし, 種類を言うと

きは tropical fishes となる. **熱帯植物** tropical plant Ⓒ **熱帯地方** the tropics **熱帯鳥** tropical bird Ⓒ **熱帯低気圧** (tropical) cyclone Ⓒ **熱帯病** tropical disease Ⓒ **熱帯夜** tropical night Ⓒ **熱帯林** tropical forest Ⓒ.

ねっちゅう 熱中 ―動 (ある目的を熱情をもって追求する) be enthùsiástic ⌈over [about] … 語法 「動作」を言うときは be の代わりに become, get を用いる; (専心する) devote *oneself* to …; (異常なほど熱を上げる) have a mania for …; (注意を奪われて夢中になる)《格式》be absorbed in …; (興味・時間などを奪われて熱中する)《格式》be engrossed in …; (熱狂する)《略式》be crazy about … ―名 enthusiasm /ɪnθ(j)ú:ziæ̀zm/ Ⓤ; absorption Ⓤ; craze Ⓒ. (☞ ねっしん; むちゅう).
¶彼女はダンスに*熱中している She *is enthusiastic* ⌈*over* [*about*] dancing. / She *has a mania for* dancing. // 父はいつも仕事に*熱中しています My father always *devotes himself to* (his) work. // 彼は蝶の採集に*熱中している (⇒ 蝶の採集に多くの時間をあてる) He ⌈*devotes* [*gives*] *much of his time to* collecting butterflies. ★[ ] 内は口語的. // 私は読書に*熱中していたので玄関のベルが鳴ったのがわからなかった I *was* so *absorbed in* reading that I did not notice (that) the doorbell had rung.

ねっちゅうしょう 熱中症 〘医〙 heatstroke Ⓤ. ¶彼は*熱中症にかかった He went down with *heatstroke*.

ねつっぽい 熱っぽい **1** 《熱がある》: feverish. ¶今日は*熱っぽい I'm [I feel] *feverish* today.
2 《情熱的な》: passionate; (熱狂的な) enthusiastic; (熱烈な)《格式》fervent. ¶*熱っぽい調子で語る speak ⌈*passionately* [*fervently*] (about …)

ねつてんしゃプリンター 熱転写プリンター thermal transfer printer Ⓒ.

ネット[1] ―名 net Ⓒ. ―動 (ボールをネットに引っかける) net ⑩. ¶*ネットを張ってテニスをしよう Let's put up a *net* and play tennis. // ボールを*ネットに当ててしまった I *netted* the ball. / (⇒ ボールがネットに当たった) The ball hit the *net*.
ネットイン ―名 (テニスなど) netball Ⓒ 日英比較 「ネットイン」は和製英語. ―動 touch [hit] the net and fall ⌈in [on the opponent's side] **ネット裏** (バックネットの後ろの席) the seats behind the backstop ネットダッシュ ―動 (ネットへ突進する) rush the net, dash for the net ネットタッチ ―動 touch the net ネットプレー 〘テニス・卓球〙 (ネットぎわのプレー) net play Ⓤ, playing at the net Ⓤ ネットプレーヤー net player Ⓒ ネットボール (バスケットボールに似た女性の競技) netball Ⓤ.

ネット[2] ―形 (正味の) net. ―名 (ゴルフ) net Ⓒ ★総打数から自分のハンディ分を差し引いたスコア. ¶*ネットの収益 (＝正味の利益) a *net* profit
ネットプライス (正価) net price Ⓒ.

ネット[3] 〘コンピューター〙 (インターネット) the Net; the Internet; (通信網) network Ⓒ. (☞ ネットワーク).
★くだけた英語ではしばしば the Web も「インターネット」とほぼ同義で用いる (☞ ウェブ).
ネットオークション Internet [online] auction Ⓒ
ネットオーディション Internet [online] audition Ⓒ
ネットカフェ Internet [Net] cafe Ⓒ **ネット株取引** Internet [online] stock trading Ⓤ ネットサーフィン netsurfing Ⓤ **ネット証券会社** Internet [online] broker Ⓒ ネットスーパー Net supermarket Ⓒ ネットバブル the Internet bubble ネットバンク Internet [online] bank Ⓒ **ネット犯罪** Internet [Net; network] crime Ⓒ.

ネッド (男性名) Ned ★ Edward の愛称.

ねっとう[1] **熱湯** boiling (hot) water Ⓤ 語法 hot water は単に温度が高いというだけで, 必ずしも熱湯の意にはならない. (☞ ゆ).
¶ポットに茶さじ 2 杯の茶を入れ*熱湯を注いで下さい Put two teaspoonfuls of tea into the pot and pour in *boiling* (*hot*) *water*. // この湯は*熱湯ですよ This water is *boiling* (*hot*).

ねっとう[2] **熱闘** (激しい戦い) fierce [bitter] fight Ⓒ. ¶彼らは*熱闘を繰り広げたが結局は敗れた They (had) put up a *good fight* but were beaten in the end.

ねっとり ―形 (粘性のある・べとべとする) sticky; (冷たくべたつく) clammy. (☞ 擬声・擬態語 (囲み)).

ネットワーカー (コンピューターネットワークに加入している人) nétwòrker Ⓒ.

ネットワーキング 〘コンピューター〙 networking Ⓤ.

ネットワーク (放送網・通信網) network Ⓒ. ¶テレビの*ネットワーク a TV *network* ネットワークアドレス 〘コンピューター〙 network address Ⓒ ネットワークコンピューター network computer Ⓒ ネットワークシステム 〘コンピューター〙 network system Ⓒ ネットワークセキュリティー network security Ⓤ.

ねっぱ 熱波 (気象の) heat wave Ⓒ; (核爆発の) thermal wave Ⓒ. (☞ かんぱ[1]).

ねっぷう 熱風 hot wind Ⓒ; (焼け焦がすような熱い風) scorching wind Ⓒ. (☞ かぜ[1]). **熱風炉** 〘冶金〙 blast furnace Ⓒ.

ねつべん 熱弁 ¶彼は会議で*熱弁を振るった (⇒ 印象深い演説をした) He made an *impressive speech* at the conference.

ねつぼう 熱望 ―動 (…したいと強く願う) long ⌈for … [to *do* …] 語法 (1) やや文語的なニュアンスで「熱望する」という日本語の語感に近い; (熱心に…したいと希望する) be eager to *do* …; (事の成否に不安はあるがぜひ…であって欲しいと思う) be anxious ⌈to *do* … [for …; that …]. (☞ ねがう; せつぼう; かつぼう). ¶私はあなたにお会いすることを*熱望しています I *long* [*I'm longing*] *to* see you. 語法 (2) 進行形のほうが感情がこもっている. // 我々は平和を*熱望している We *long for* peace.

ねづまり 根詰まり ―形 potbound. ―動 be potbound.

ねづもり 値積もり ☞ ねぶみ

ねづよい 根強い ―形 (感情・偏見などが深く根ざした) deep-rooted, deeply rooted ★前者は Ⓟ の場合はハイフンなし. (☞ ね[1]; ねぶかい). ¶その国には*根強い人種偏見がある There is (a) ⌈*deep-rooted* [*deeply rooted*] racial prejudice in the country.

ねつらい 熱雷 〘気象〙 heat thunderstorm Ⓒ.

ねつりょう 熱量 the heat quantity, the amount of heat ★後者は特に全体量を指すときに; (単位) calorie Ⓒ 参考 calory ともつづるが, calorie が一般的. (☞ カロリー). **熱量計** calorímeter Ⓒ **熱量測定(法)** calorímetry Ⓤ.

ねつるい 熱涙 (感動して流す涙) hot [burning] tears ★複数扱い. ¶彼は*熱涙を流した He shed ⌈*hot* [*burning*] *tears*.

ねつれつ 熱烈 ―形 (燃えるような熱心さを持った) ardent; (持続的な熱情を内に秘めた) fervent ★他の訳語より格式ばった語; (情熱的な) passionate; (熱狂的な) enthusiastic /ɪnθ(j)ù:ziǽstɪk/. ―副 ardently; fervently; passionately; enthùsiástically. (☞ ねっしん; ねっきょう; じょうねつ).
¶彼は*熱烈な音楽愛好家だ He is a *great* fan of music. / He is an *ardent* lover of music. / He is *passionately* fond of music. ★第一文が最も口語的. // 彼は*熱烈な祈りを捧げた He offered a *fer-*

vent prayer. // 彼らは*熱烈に愛し合っていた They were *passionately* in love with each other. // 彼はその詩人の*熱烈な崇拝者だ He is an *enthusiastic* admirer of that poet.

ネディー (男性名) Neddy ★ Edward の愛称.

ねていとう 根抵当 revolving mortgage Ⓒ.

ねどき 寝時 time for bed Ⓤ.

ねどこ 寝床 bed Ⓒ 語法 成句では無冠詞になる場合が多い. (☞ とこ 日英比較; ベッド). ¶ 私は寝巻きも着ないで*寝床に入った I got into *bed* without (my) pajamas on.

ねとつく be sticky (☞ ねばねば).

ねとねと ― 形 (粘着性の) sticky; (冷たくじとじとした) clammy. (☞ ねばつく; 擬声・擬態語 (囲み)).

ねとぼける 寝惚ける ☞ ねぼける

ねとまり 寝泊まり ― 動 (滞在する) stay (at ...; with ...) 自 語法 at は「場所」, with は「人」が目的語. (☞ とまる² 語法; しゅくはく).

ねとる 寝取る (人の愛人を奪う) steal *a person's* lover; (こっけいまたは軽べつ的に) 《古風》 cuckold /kʌ́k(ə)ld/ 他.

ねなしぐさ 根無し草 1 《浮き草》: (一般に水に浮かぶ草) floating weed Ⓒ; (ウキクサ) 〘植〙 duckweed Ⓤ.

2 《不安定なもの》 ¶ *根無し草の (⇒ 根のない[放浪する]) 人生 a ⌈*rootless* [*wandering*] life

ネパール ― 名 固 (the Kingdom of) Nepal /nɪpɔ́ːl/. ― 形 Nepalese /nèpəlíːz/. **ネパール語** Nepalese Ⓤ, Nepali Ⓤ **ネパール人** Nepalese Ⓒ (複 ～), Nepali /nɪpɔ́ːli/ Ⓒ (複 ～s, ～).

ネバダ ― 名 固 (米国の州) Nevada /nəvǽdə/ (☞ アメリカ(表)).

ねばつく 粘つく ― 形 (ねばねばする) sticky; (にかわのように粘りが強い) gluey, 《格式》 glutinous. (☞ ねばる; べとべと; くっつく). ¶ 手が汗で*粘ついている My hands are *sticky* with perspiration.

ねばっこい 粘っこい (べたべたする) sticky; (根気強い) persistent. (☞ ねばつく; ねばりづよい). ¶ *粘っこい販売員 a *persistent* salesperson

ねばな 寝端 ☞ ねいりばな

-ねばならない must, have to, have got to.

【類義語】どうしてもしなくてはならないという強い義務を表すのは *must*. それよりも口語的で柔らかい表現が *have to* である. 元来 *have to* は話者の意志ではなく客観的な状況から何かをせざるを得ないことを表したが, 《米》 では現在 *must* よりも口語的な表現という区別しかされていない. なお, 2 人称に向かって, 平叙文で *must* を用いると, 話者の主観が強く感じられるので普通は避けたほうがよい. かなりくだけた口語的な感じで「…せねばならない」という表現が ***have got to*** である. *have to* よりもさらにくだけた感じの言葉である点を除けばほぼ同意であるが, 次のような相違が起こることがある点に注意. ((例) 私は東京で乗り換え*ねばならない I *have to* transfer at Tokyo (Station). ★ いつも決まって乗り換えるという意味になる. / I *have* [I'*ve*] *got to* transfer at Tokyo (Station). ★ いつもかどうかは別として, いまは乗り換えなくてはならないという意味.)

語法 (1) **疑問文**: must は助動詞で, 疑問文では主語の前に must を置く. ((例) 私は行か*ねばなりませんか *Must* I go?). それに対して, have to は do を用いて疑問文にする. ((例) あなたはそれをいま*せ*ねばなりませんか *Do* you *have to* do it now?). また have got to は疑問文においては have を主語の前に置く. ((例) あなたはそれをきょう仕上げ*ねばなりませんか *Have* you *got to* finish it today?)

(2) **否定文**: must の否定形は must not (短縮形は mustn't /mʌ́snt/), have to の否定形は don't have to, have got to の否定形は haven't got to である. must not は「…してはならない」という禁止の意味になり, don't have to, haven't got to はいずれも「…しなくてもよい」という意味になる. 否定の場合のこの意味の相違に注意.

(3) **過去形と未来形**: must には過去形がないので, 過去時制においては had to を代わりに用いるのが普通である. ((例) 私はそこに行か*ねばならなかった I *had to* go there.) さらに, 未来の意味を表す場合にも, must は will, shall と併用されないので have to が代わりに用いられる. ((例) あしたは学校を休まねばならないだろう I *will have to* ⌈be absent [absent myself] from school tomorrow.)

¶ 私は(どうしても)すぐに行か*ねばならない I *must* go at once. / I *have to* go right away. 語法 (4) 後者は特に 《米》 では, must を用いるよりも口語的な言い方とされる. //「もうお帰りになるんですか」「はい, もう行か*ねばなりません」"*Must* you go so early?" "Yes, I *must* ⌈be going [say good-by(e)] now."

語法 (5) 2 人称に対する疑問文に must を用いると, 相手の主観的な判断を聞いているので, 平叙文の場合とは違い, かえって丁寧な感じになる. //「あなたはどうしてもきょうそこへ行か*ねばなりませんか」「ええ, どうしても行かなくてはならないのです」"*Do* you *have to* go there today?" "Yes, I *have to.*" 語法 (6) Do you have to ...? の答えは Yes, I do. / Yes, I have to. のいずれでもよいが, 後者のほうが強調的. //「次の停留所で乗り換え*ねばなりませんか」「いいえ, 乗り換えなくてもいいんですよ」"*Do* I *have to* transfer at the next stop?" "No, you don't." 語法 (7) Do I have to ...? の答えで, 「…しなくてもよい」の場合は No, you don't. / No, you don't have to. のいずれでもよく, 意味はほとんど変わらない. // ちょっと待って下さい. 電話をかけ*ねばならないので Wait a minute, please. I'*ve got to* make a (phone) call.

ねばねば ― 形 (ねばねばした) sticky; (にかわのように粘る) gluey. (☞ ねばつく; べたべた; 擬声・擬態語 (囲み)).

ねはば 値幅 (範囲) price range Ⓤ; (変動) price ⌈changes [fluctuations] ★ どちらも通例複数形で. [ ] 内は固定しないで絶えず動くというニュアンス. ¶ この商品の*値幅は大きい[少ない] The *price range* of this article is ⌈large [narrow].

ねばり 粘り 1 《粘性》 ― 名 (ねばねばくっつくこと) stickiness Ⓤ; (粘着性) adhésiveness Ⓤ ★ 格式ばった語. ― 形 sticky; adhesive. (☞ ねばる; ねばつく). ¶ このりは*粘りがなくなった This ⌈starch [adhesive] has lost its *adhesiveness*.

2 《根気》: (不屈な粘り強さ) tenácity Ⓤ; (困難と取り組んでもくじけない忍耐力) perseverance /pə̀ːsəví(ə)rəns/ Ⓤ; (根性) 《略式》 guts ★ 複数形で. (☞ ねばりづよい). ¶ 彼には*粘りがない He is lacking in ⌈*tenacity* [*perseverance*]. / (⇒ 根性がない) He has no *guts*. ★ 口語的表現.

粘り勝ち ¶ 我々はその試合に*粘り勝ちした (⇒ あきらめずに[やり通して]最後に勝った) We ⌈didn't give up [stuck to] the (tough) game and ⌈gained [got; won] a final victory.

ねばりけ 粘り気 ― 名 stickiness Ⓤ, viscosity ★ 前者が平易な日常語. 後者はやや格式ばった語. ― 形 (ねばねばした) sticky, viscous; (にかわ質の) glutinous /glúːt(ə)nəs/. ¶ *粘り気のある米 *glutinous* rice // *粘り気のある液体 a *viscous* liquid

ねばりごし 粘り腰 1 《強い腰》: (強い下半身) strong lower part of the body Ⓒ. ¶ その力士は*粘り腰だ That sumo wrestler has a *strong lower part of the body*.

2 《根気》: (根気) patience Ⓤ; (粘り強さ) tenácity Ⓤ; (根気強さ) 《格式》 indefàtigabílity Ⓤ. ¶ 組合

は*粘り腰の交渉で賃上げを勝ちとった The labor union won the wage increase through「*patient* [*tenacious*] negotiations.

ねばりつく 粘り着く （物にくっつく）stick to …; （しっかりとくっつく）adhere to …（☞ ねばる）.

ねばりづよい 粘り強い ━ 形（粘り強い・しつこいほど追求する）persistent 語法 よい意味にも,「しつこい」という悪い意味にも使う;（着実で堅実な）steady;（頑固(がんこ)でなかなか折れない）stubborn /stʌ́bərn/;（行為・意見などについて執拗に固執する）《格式》tenacious /tənéɪʃəs/;（困難に取り組んでもくじけない）persevering /pə̀ːsəvɪ́(ə)rɪŋ/.（☞ こんき¹; にんたい）.

¶ 彼の*粘り強い努力はいつか実を結ぶだろう His「*persistent* [*steady*] efforts will bear fruit some day. // 英語の勉強は*粘り強く（⇒ こつこつと着実に）やらなくてはなりません You must study English *slowly*「*but* [*and*] *steadily*. // 我々は住民の*粘り強い抵抗にあった We met with「*stubborn* [*tenacious*] resistance from the residents.

ねばりぬく 粘り抜く （最後までがんばる）stick it out. ¶ 我々は目的貫徹まで*粘り抜いた We「*stuck it out* [（⇒ 決してあきらめなかった）*never gave up*] until we achieved our purpose.（☞ ねばる）

ねばる 粘る 1 《くっつく》:（一般的に）be sticky;（粘着性がある）《格式》be adhesive;（…にくっつく）adhere (to …) 自.（☞ ねばり; くっつく）. ¶ こののりはよく*粘る This paste *is* very *sticky*.

2 《根気よく続ける》:（仕事などにしがみついてあくまで頑張る）stick (to …) 自（過去・過分 stuck）;（…し続ける）keep on *doing* …（☞ ねばりづよい; こんき¹）. ¶ 私は真夜中まで*粘って仕事をした I「*stuck to* [*stayed at*] my work till midnight.

ねはん 涅槃 Nirvana /nɪəvάːnə/ U.

¶ *涅槃に入る attain [enter into] *Nirvana* 涅槃会 anniversary of the death of Buddha C 涅槃図 the picture of the dying Buddha surrounded by his disciples 涅槃像（釈迦の入滅の像）the image of the dying Buddha;（寝釈迦）recumbent (image of) Buddha ★ image は C.

ねびえ 寝冷え ━ 動（寝ている間に風邪を引く）catch (a) cold while「asleep [sleeping]（☞ かぜ²）.

ねびき¹ 値引き ━ 動（割り引く）discount 他, give a discount (on …);（価格を切り下げる[低くする, 減じる]）cut [lower; reduce]「a price [prices] 語法 表現としては cut を用いるほうが平易であるが, 店で一般に用いられる言葉は discount である. lower, reduce を使うと少し改まった表現.

━ 名 discount C, reduction C.（☞ わりびき; ねさげ; ねぎる; まける）. ¶ あのデパートでは夏物の*値引きをしている That department store *is discounting* all summer wear. // あの店では日曜日には*値引きする On Sundays they *cut prices* at that store. //「*値引きしてもらえますか」「はい, 現金なら全品 1 割*値引きいたします」“Could you *give* me *a discount*?” “Yes, sir. We *give a* ten percent *discount on* all cash purchases.” // このテレビは新しい型ができたので*値引きになっている These TVs *are* being sold *at reduced prices* to make way for (the) newer models.

ねびき² 根引き uprooting U（☞ ねこぎ）.

ネビュラ 〔天〕（星雲）nebula C（複 ～s, -lae）.

ねびらき 値開き price difference C, difference in prices C;（利ざや）margin C.

ねぶか 根深 ☞ ねぎ

ねぶかい 根深い ━ 形（心の中に深く根ざした）deep-rooted ★ P の場合はハイフンなし;（しっかりと定着している）firmly established.（☞ ね¹; ねづよい）.

ねぶくろ 寝袋 sleeping bag C（☞ キャンプ（挿絵））.

ねぶそく 寝不足 （睡眠が不足していること）lack [want] of sleep U. ¶ きょうは*寝不足で（⇒ 昨夜よく眠れなかったので）頭がぼんやりしている I feel drowsy today because I *did not*「*sleep well* [*get much sleep*] last night. // 彼は*寝不足で病気になった He「became [got] sick because of (a) *lack of sleep*.

ねふだ 値札 （ひもなどで付ける）price tag C;（はり付ける）label /léɪb(ə)l/ C.

ねぶた （青森市の祭り）Nebuta Festival;（説明的には）the Float Festival in Aomori City.（☞ ねぷた）.

ねぷた （弘前市の祭り）Neputa Festival;（説明的には）the Float Festival in Hirosaki City.（☞ ねぶた）.

ネプチューン ━ 名 固 1 《ローマ神話》: Néptune ★ 海神; ギリシア神話では Poseidon.
2 《海王星》: Neptune.

ねぶと 根太 （腫れ物）boil C（☞ はれもの）.

ねぶみ 値踏み ━ 動（…に値段をつける）set [put] a price「on [for] …;（宝石・不動産などの鑑定をする）《格式》appraise 他;（値段を見積もる）value 他.
━ 名《格式》appraisal U; valuation U.（☞ みつもる; かんてい¹）. ¶ この絵はどのくらいと*値踏みしますか（⇒ どのくらいの値をつけますか）What *price* would you *set for* this picture?

ネブラスカ ━ 名 固（米国の州）Nebráska（☞ アメリカ(表)）.

ネフローゼ 〔医〕nephrósis U.

ねぼう 寝坊 ━ 動（寝過ごす）oversleep 自;（遅く起きる）get up late 自.（☞ ねすごす; あさね）. ¶ けさは*寝坊して学校に遅刻した I *overslept* and was late「for [to] school this morning. // 彼は*寝坊だ（⇒ 遅く起きる人だ）He is a *late riser*.

ねぼけがお 寝惚け顔 ━ 名（眠そうな表情）sleepy look C. ━ 動（寝ぼけ顔をする）look sleepy.

ねぼけまなこ 寝惚け眼 （眠そうな目）sleepy eyes, eyes heavy with sleep;（眠そうな顔つき）drowsy look C.
¶ 彼は*寝ぼけまなこでベッドから出てきた He got out of his bed *sleepy*「*-eyed* [*-faced*]. // *寝ぼけまなこで見る look at … with *sleepy eyes*

ねぼける 寝惚ける （半分眠っている）be half-asleep;（完全には目が覚めていない）be not fully awake. ¶ 私は*寝ぼけていたので, 何が起こったのかわからなかった I did not understand what had happened because I *was*「*half-asleep* [*not fully awake*]. // *寝ぼけるな（⇒ 油断するな, しっかりと気をつけていろ）Look sharp!

ねほしょう 根保証 revolving guarantee U.

ねぼすけ 寝坊助 sleepyhead C.

ネポティズム （縁者びいき）nepotism U.

ねぼとけ 寝仏 ☞ ねはん（涅槃像）

ねほりはほり 根掘り葉掘り ¶ 彼は私たちの計画について*根掘り葉掘り尋ねた（⇒ 計画の詳細についてとても知りたがった）He *was* very「*eager* [*curious*] *to know the details* of our plan. /（⇒ 彼は好奇心から計画について多くの質問をした）Out of curiosity he *asked many questions about* our plan(s).（☞ せんさく）

ねま 寝間 （寝室）bedroom C（☞ しんしつ¹）.

ねまき 寝巻き, 寝間着 （総称的に）nightclothes ★ 複数形で;（パジャマ）pajamas（《英》pyjamas）★ 複数形で. 語法 数を数えるときは a pair of … を用いる. また形容詞的に用いるときは単数形となる.（（例）パジャマのズボン *pajama* trousers);（丈が長くゆ

る い婦人・子供用の寝巻き) nightgown Ⓒ, nightdress Ⓒ ★ 前者のほうが一般的. 《☞ パジャマ》.

¶ 私は*寝巻きに着替えた I put on ⌈*pajamas* [a *nightgown*].

pajamas nightgown

ねまわし 根回し ── 名 (移植の準備) preparations for transplanting ★ 複数形で; (裏工作) behind-the-scenes maneuver Ⓒ. ── 動 (移植の準備に小さな根を切断する) cut off small roots in preparation for transplanting; (木の根の回りを掘る) dig around the roots of a tree; (下地を作る) lay the ⌈groundwork [foundations] (for ...); (議会・会議などの議決を前に裏工作をする) lobby (自); (裏で工作する) maneuver behind the scenes (自). 《☞ こうさく³》.

¶ 彼は新しい法案の*根回しをしている He *is lobbying for* the new bill.

ねまわり 根回り (木の根のまわり) circumference of the ⌈tree [trunk] at ground level ★ 通例 the を付けて.

ねみみ 寝耳 寝耳に水 ¶ それはまったく*寝耳に水だった (⇒ 私はそれについては一度も聞いたことがなかった) I *had never heard of* it. / (⇒ 青天の霹靂(へきれき)だった) It was *a bolt* ⌈*from* [*out of*] *the blue*.

ねむい 眠い ── 形 sleepy; (眠気を起こさせるような) drowsy. 《☞ ねむる; ねむけ》. ¶ きょうは英語の時間にとても*眠かった I was very *sleepy* during English class today.

ねむけ 眠気 ── 名 (眠いこと) sleepiness Ⓤ; (眠くてぼんやりすること) drowsiness Ⓤ. 《☞ すいま; ねむい; ねむる》. ¶ この風邪薬を飲むと*眠気を催します (⇒ この風邪薬はあなたを眠くする) This cold pill will make you *sleepy*. // *眠気を催すような音楽だ It's ⌈*sleepy* [*soporific*] music. ★ [ ] 内は格式ばった語. // 彼の講義は*眠気を催す His lecture is ⌈*sleepy* [*dull*]. **眠気覚まし** ¶ 私は*眠気覚ましに (⇒ 眠気を払いのけるために) コーヒーを飲んだ I had a cup of coffee to *shake off* (my) *drowsiness*.

ねむたい 眠たい ── 形 (眠い) sleepy; (眠気をさそう) drowsy; (退屈な) dull. 《☞ ねむい》.

ねむつかり 寝憤り getting cross at bedtime Ⓤ.

ねむのき 合歓の木 〘植〙 silk tree Ⓒ.

ねむらす 眠らす ☞ ねむらせる

ねむらせる 眠らせる **1** 《眠りにつかせる》: put ... to sleep. ¶ 赤ん坊を*眠らせる *put* the baby *to sleep* **2** 《殺す》: (安楽死させる) put ... to sleep; (片付ける) do away with ..., kill (他) ★ 前者のほうが口語的. 《☞ ころす》.

ねむり 眠り (睡眠) sleep Ⓤ 《☞ すいみん》.

¶ 私は*眠りが浅い[深い] I *sleep* ⌈lightly [deeply]. / I *sleep* ⌈fitfully [soundly]. / (⇒ 浅く[深く] 眠る人だ) I am a ⌈light [heavy] *sleeper*. // 彼は深い*眠りに落ちた He fell into a ⌈deep [sound] *sleep*. / (⇒ ぐっすり眠ってしまった) He *fell* ⌈fast [sound] *asleep*. // 王は永遠の*眠りについた (⇒ 亡くなった) The king *went to sleep*. 語法 この場合の go to sleep は「死ぬ」という意味の婉曲的な表現. **眠り薬** sleeping pill Ⓒ **眠り病** sleeping sickness Ⓤ.

コロケーション

浅い眠り a ⌈light [fitful] *sleep* / 快適な眠り a comfortable *sleep* / 十分な眠り enough [sufficient] *sleep* / 死んだような眠り a deadly *sleep* / 不規則な眠り an irregular *sleep* / 安らかな眠り a ⌈restful [peaceful] *sleep*

ねむりこける 眠りこける (ぐっすりと眠る) sleep ⌈soundly [deeply] (自); (熟睡する) fall fast asleep; (泥のように眠る) sleep like a ⌈log [top]. 《☞ ねむる》.

ねむりこむ 眠り込む (寝入る) fall (fast) asleep.

ねむる 眠る ── 動 sleep (自) 《過去・過分 slept》 (↔ wake). ── 形 (眠って) asleep (↔ awake) Ⓟ. 《☞ 形容詞の 2 用法 (巻末)》. ── 名 sleep Ⓤ. 《☞ ねる¹; すいみん》.

¶ 私は 8 時間*眠る I *sleep* (for) eight hours (a ⌈night [day]). // 赤ん坊は揺りかごの中ですやすや*眠っている The baby *is sleeping* peacefully in the cradle. // 赤ん坊はやっと*眠った The baby fell *asleep* at last. // 彼はぐっすり*眠っている He is fast *asleep*. / (⇒ 熟睡している) He *is sleeping* like a ⌈log [top]. 《☞ じゅくすい》 // 昨夜はよく*眠れた [*眠れなかった] I *slept* ⌈well [badly] last night. // 彼女はなかなか*眠れなかった (⇒ 寝つかれなかった) She couldn't (*get to*) *sleep* easily. // 騒音で昨夜は*眠れなかった (⇒ 騒音が私を眠らせなかった) The noise kept me *awake* (all night (long)) last night.

ねむれる 眠れる ── 形 sleeping. ¶ *眠れる獅子 a *sleeping* lion // *眠れる森の美女 *The Sleeping Beauty*

ネメシス 〘ギ神〙 Nemesis ★ 復讐の女神.

ねめつける 睨め付ける ☞ にらみつける

ねもと 根元 root Ⓒ 《☞ ね¹; つけね¹》. ¶ その木は*根元から (⇒ 根元の近くで) 折れた The tree broke near the *roots*. // 私はその木を*根元から切り倒した I cut down the tree *at the roots*. // 私は雑草を*根元から引き抜いた I pulled out the weeds *by the roots*. / I *rooted* ⌈*out* [*up*] the weeds.

ねものがたり 寝物語 (夫婦の) talk in bed Ⓒ, píllow tàlk Ⓒ; (子供のためのおとぎ話) bedtime story Ⓒ.

ねや 閨 (寝間) bedroom Ⓒ.

ねゆき 根雪 (春まで溶けない雪) snow that remains unmelted until spring Ⓤ ★ 説明的な訳.

ねらい 狙い **1** 《目標》: aim Ⓤ; (的) mark Ⓒ, target Ⓒ. 《☞ まと; しょうじゅん》.

¶ ハンターはくまに*ねらいを定めた The hunter *took aim at* the bear. / (⇒ くまをねらった) The hunter *aimed at* the bear.

2 《目的》: aim Ⓒ 《☞ もくてき (類義語)》. ¶ 彼の*ねらいはもっとよい地位を手に入れることだ His *aim* is to get a better position. / (⇒ 彼はもっとよい地位を手に入れることをねらっている) He *is aiming at* getting a better position. // 彼は*ねらいが外れたらしい He seems to have missed his *aim*.

ねらいうち 狙い撃ち ── 動 (敵などを隠れた所からねらい撃ちする) snipe at ... 《☞ そげき》.

ねらいすます 狙い澄ます (十分に[しっかりと; 慎重に]ねらいを定める) take good [steady; careful] aim (at ...). ¶ 彼女はボールをシュートする前に慎重に*ねらいすました She *took careful aim* before shooting.

ねらいどころ 狙い所 (標的・目標) aim Ⓒ; (具体的な目標) objective Ⓒ.

ねらいめ 狙い目 ¶ そこが彼の*狙い目だ That's what he'*s aiming at*. // 海外へ行くなら今が*狙い目だ (⇒ その時だ) Now is *the perfect time* to go abroad.

ねらう 狙う **1** 《弓や銃で》: aim at ..., take aim at ... 《☞ まと; ねらい》. ¶ 私は的を*ねらった I ⌈*aimed* [*took aim*] *at* the ⌈mark [target]. // よく*ねらって撃ちなさい (⇒ 撃つ前によくねらいなさい) *Take* ⌈good [careful] *aim* before you shoot.

2《目当てとする》: (目指す) aim「at [for]… 【語法】「…を手に入れようとして」という意味では for を用いる, go「after [for]… ★ 後者のほうが口語的; (追い求める) be after …; (手に入れようとうかがう) watch for …; (目をつける) have an eye on … (☞ ねらい; めざす).

¶ 私は一等賞を*ねらっている (⇒ 一等賞を目指している) I *am aiming at* (getting) (the) first prize. / I *am going*「*after* [*for*] (the) first prize. // 私は命を*ねらわれている (⇒ だれかが私の命をねらっている) Somebody *is seeking* my life. / (⇒ 殺そうとしている) Somebody *is trying to kill* me. ★ 後者のほうが口語的. // 彼は逃亡の機会を*ねらっている He *is watching for* a chance to escape. // 彼は社長のいすを*ねらっている (⇒ 社長の地位に目をつけている) He *has an eye on* the presidency. // 猫が小鳥を*ねらっていた (⇒ いまにも飛びかかろうとしていた) The cat *was about to*「*jump* [*pounce*]「on [upon] the bird *at any moment*.

ねりあげる 練り上げる (十分にこねる) knead /níːd/ … elaborately; (作り上げる) wòrk óut ㊀. (☞ ねる[2]).

ねりあるく 練り歩く (整然と列をなして進む) parade ㊂ ㊀; (行進する) march (in procession) ㊂. (☞ ジグザグ; こうしん[1]). ¶ デモ隊は通りを*練り歩いた The demonstrators「*paraded* [*marched in procession*] through the street.

ねりあわせる 練り合わせる knead /níːd/ (together) ㊀.

ねりあん 練り餡 sweetened bean jam Ⓤ.

ネリー (女性名) Nellie, Nelly ★ ともに Nell, Helen の愛称; Nellie ★ Eleanor /élənə/ の愛称.

ねりいと 練り糸 degummed silk thread Ⓤ.

ねりうに 練り雲丹 paste of seasoned sea-urchin eggs Ⓤ.

ねりえ 練り餌 (小鳥などの) paste feed (for birds) Ⓤ; (釣り用の) paste bait (for fishing) Ⓤ.

ねりおしろい 練り白粉 paste powder Ⓤ.

ねりおりもの 練り織物 cloth [fabric] woven from degummed silk thread Ⓤ; glossed silk fabric Ⓤ.

ねりがし 練り菓子 sweets made from bean paste ★ 通例複数形で.

ねりぎぬ 練り絹 glossed silk (cloth) Ⓤ.

ねりぐすり 練り薬 (薬用・化粧用の軟膏) ointment Ⓒ; (肌荒れ・鎮痛用の) salve Ⓒ.

ねりせいひん 練り製品 food made from fish paste Ⓒ.

ねりなおす 練り直す (再考する) reconsider ㊀ (☞ ねる[2]; さいこう[2]; さいけんとう).

ネリネ 〘植〙 nerine /nəráɪni/ Ⓒ.

ねりはみがき 練り歯磨き toothpaste Ⓤ.

ねりまだいこん 練馬大根 daikon once widely cultivated at Nerima in Tokyo Ⓒ (☞ だいこん).

ねりみそ 練り味噌 thick sweetened miso sauce Ⓤ.

ねりもの 練り物 **1**《食品》: (一般に) paste Ⓤ; (練り菓子) kneaded sweet Ⓒ; (魚の) fish paste. (☞ ねりせいひん). **2**《人造宝石》: bauble Ⓒ; paste (gem) Ⓒ. **3**《行列》: procession Ⓒ.

ねりようかん 練り羊羹 sweet jellied bean paste Ⓤ.

ねる[1] 寝る **1**《床につく》: (一般的に) go to bed (☞ とこ; 冠詞 (巻末)).

¶「あなたは普通何時に*寝ますか」「11 時です」"What time [When] do you usually *go to bed*?" "At eleven (o'clock)." // 彼は*寝るのが早い[遅い] (⇒ 早く[遅く]寝る) He *goes to bed*「early [late]. / He *keeps*「*early* [*late*] *hours*. // そろそろ*寝る時間ですよ It's time (for you) to *go to bed* now. / It's time (that) you *went to bed*. 【語法】後者のほうが普通で, 口語では that を付けないことが多い. 従属節の動詞は仮定法過去形を用いる.

2《眠る》: (目を閉じて眠る) sleep ㊂ 《過去・過分 slept》; (寝入る[寝つく]) get to sleep 【語法】この sleep は名詞. (☞ ねむる).

¶ 昨夜はよく*寝られましたか Did you *sleep* well last night? / Did you *have* a good *sleep* last night? // 彼はまだ*寝ている He's still「*in bed* [*sleeping*]. // 彼女は病気の子を*寝ずに (⇒ 睡眠なしで) 看病した She looked after her sick child without *sleeping*. / (⇒ 病気の子の世話をするため一晩中起きていた) She「*sat* [*stayed*] *up* all night to look after her sick child. // 彼は*寝る間も惜しんで (⇒ 睡眠を切り詰め長時間) 勉強した He studied (for) a long time by cutting down on his *sleep*. // *寝ても覚めても彼女はそのことを考えていた She was thinking about it「both awake and *asleep* [(⇒ 日夜) day and night; (⇒ 1 日中) all day long]. / (⇒ それはいつも彼女の気にかかっていた) It was always on her mind.

3《病気で》: be「sick [ill] in bed 【語法】(1) 《米》では主に sick を, 《英》では ill を用いる; (…で寝込む) be laid up with … 【語法】(2) with の後には病名がくる. be sick in bed with … ともいう. (☞ びょうしょう[1]; ねこむ). ¶ 彼女は病気で*寝ています She *is*「*sick* [*ill*] *in bed*. // 彼は風邪で*寝ています He *is laid up with* a cold. // 医者は*寝ているようにと (⇒ 床の中にいるようにと) 私に言いました The doctor told me to *stay in bed*.

4《横になる》: lie (dówn) ㊂ 《過去 lay; 過分 lain》 (☞ ねそべる; ねころぶ). ¶ 私は草の上に*寝るのが好きだ I like to *lie* on the grass. // 彼は床にごろりと*寝た He *lay down* on the floor.

寝た子を起こす ¶ それは*寝た子を起こすようなものだ (⇒ 寝ているライオン[犬]を起こすようなものだ) It's just like *waking a sleeping*「*lion* [*dog*]. // *寝た子を起こすな (⇒ 眠っている犬は寝かしておけ) Let sleeping dogs lie. / (⇒よけいな干渉はするな) Leave [Let] well (enough) alone.

寝る子は育つ (⇒ 健康な赤ん坊はよく寝る) A healthy baby is a sound sleeper. / (⇒ 寝る子は育つ子だ) A sleeping child is a growing child.

ねる[2] 練る **1**《粉を》: knead /níːd/ ㊀ (☞ こねる). ¶ 彼女はパン生地をよく*練った She *kneaded* the dough thoroughly.

2《案・文章などを》: (慎重に考え出す) work out … carefully; (文章などを修正して改善する) revise ㊀; (細部まで入念に仕上げる) eláborate (on …) ㊂ ★ ㊀ の用法もある; (文章などにみがきをかけて完璧を期す) polish ㊀. ¶ 私たちは計画を*練った (⇒ 慎重に計画を立てた) We *carefully worked out*「a [our] plan. // 文章をよく*練るべきだ You should *revise* your expressions carefully.

ネル[1] flannel Ⓤ; (綿ネル) flànnelétte Ⓤ.

ネル[2] (女性名) Nell ★ Helen, Eleanor /élənə/ の愛称.

ネルー ☞ ネール[1]

ネルソン[1] ── 图 ㊍ Horatio /həréɪʃiòu/ Nélson, 1758–1805. ★ 英国の海軍提督.

ネルソン[2] 〘レス〙 (首固め) nelson Ⓒ.

ネルチンスク ── 图 ㊍ Nerchinsk /néəʧɪnsk/ ★ ロシアのシベリア鉄道沿線の都市. **ネルチンスク条約** the Treaty of Nerchinsk ★ ロシアと清との間で 1689 年に締結された条約.

ねれた 練れた ── 形 (円熟した) mature /mət(j)úə/, mellow; (洗練された) refined.

ネロ ―[名][固] Nero /ní(ə)roʊ/, 37–68. ★ローマ皇帝(在位 54–68); キリスト教徒迫害の暴君.

ねわけ 根分け ―[動] separate [part] the roots (of …) ★[ ]内のほうが格式ばった語. ¶移植のため菊の*根分けをする *separate the roots* of the chrysanthemums for transplanting

ねわざ 寝技 (柔道などの) *newaza* [U], ground-work techniques ★通例複数形で.

ねわざし 寝技師 (他の人を操縦したり裏工作が得意な人) behind-the-scenes manipulator [C], wire-puller [C]; (権謀術数の政治家) Màchiavéllian [C].

ねわら 寝藁 litter [U].

ねん[1] 年 **1**《1年》 ―[名] year [C]. ―[形] (1年1度の) annual, yearly [語法] (1) 後者のほうが平易な語だが, 公式用語には前者のほうがよく使われる.《☞ とし[1]; ねんかん[1]》.
¶私たちは3*年前に新しい家に引っ越しました We moved to our new house three *years* ago. // 新しい校舎は2*年後に完成します The new school building will be completed in two *years.* // 私たちは*年に1回[2回]東京に集まります We meet in Tokyo ⌈once [twice] *a year*. [語法] (2) 3回以上は three times a year のように言う. // オリンピックは4*年毎に開かれます The Olympic Games take place every four *years.* // これは*年に一度のお祭りです This is ⌈an *annual* [a *yearly*] festival. // 「あなた方は結婚してから何*年になりますか (⇒どのくらい[何年間] 結婚した状態でいますか)」「3*年になります」"*How* ⌈*long* [*many years*] have you been married?" "Three *years.*" // 父が亡くなってから3*年になります It is three *years* [Three *years* have passed] since my father died. / (⇒父は3年前に死んだ) My father died three *years* ago.
2《西暦や年号の》: year [C] [語法]「1990年」という場合, 特にその年を強調するときは in the year (of) 1990 のように言うが, 普通は in 1990 のように言う. 1990 は nineteen-ninety と読む. 2005 なら two thousand (and) five と読む.《☞ 時刻・日付・曜日 (囲み)》.
¶「あなたは何*年生まれですか (⇒いつ生まれましたか)」「1975[昭和50]*年生まれです」"When were you born?" "I was born *in* ⌈1975 [the fiftieth *year* of Showa; Showa 50]." // 鉄道が初めて敷かれたのは明治何*年ですか In what *year* of Meiji was the first railroad built?
3《学年》: year [C]; (主に小・中学校の)《米》grade [C] [語法] (1)「…年目の学年」という意味では《米》《英》ともに小学校から大学まで year が用いられる.《☞ 学校・教育 (囲み); いちねんせい; にねんせい》.
¶あなたは何*年生ですか What ⌈*grade* [*year*] are you in? // 私は高校1[2]*年生です I am in the ⌈first [second] *year* of high school. / I am in the ⌈tenth [eleventh] *grade.* / I am a high-school ⌈*freshman* [*junior*]. [語法] (2) 文脈から高校ということが明らかなときは high-school を略してもよい. // 彼らはみんな小学1*年生でした They were all in the first *grade.* / They were all first *graders.* [語法] (3) 同じように, 小学2, 3年生などは second *grader*, third *grader* とも言う. // 兄は慶応大学2*年生です My brother is a *sophomore* at Keio University.

ねん[2] 念 (観念) sense [C]; (感じ) feeling [C].
¶あなたには感謝の*念が欠けている You have no *sense* of gratitude. / You lack a *sense* of gratitude. ★前者のほうが普通. // 私は突然不安の*念にかられた (⇒不安な感じでいっぱいになった) I was suddenly filled with ⌈an uneasy *feeling* [a *feeling* of uneasiness]. // 彼女に対して尊敬の*念を抱いている人は多い Many people *respect* her. / Many people have *respect* for her. ★前者のほうが普通. **念が入る** (注意が行き届いている) ―[形] careful enough; (手が込んでいる) elábоrate. ―[動] (詳細に述べる) elábоràte (on …) [自]. ¶彼女の化粧はいつも*念が入っている She always wears *elaborate* make-up. **念には念を入れよ** (⇒二重に確かめるべきだ) You should make it doubly sure. / (⇒注意してもしすぎることはない) You cannot be too careful.《☞ ねんいり; ねんのため》 **念を入れる** ¶私たちは*念を入れて (⇒注意深く) 部屋を掃除した We cleaned the room *carefully.*《☞ ねんいり》 **念を押す** ¶その点については彼に*念を押しました (⇒思い出させた) I *reminded* him *of* that point.

ねんいり 念入り ―[形] (注意深い) careful; (手の込んだ) elábоrate. ―[副] (注意深く) carefully; elaborately.《☞ ねん[2]; たんねん》. ¶私たちはその件を*念入りに調査した We *carefully* investigated the matter. / (⇒念入りな調査をした) We made a *careful* investigation ⌈into [of] the matter.

ねんえき 粘液 ―[名] mucus [U]. ―[形] (粘液質の) mucous; (気質が) phlegmatic /flegmǽtɪk/. **粘液質** (人の気質が) phlegmatic temperament [U].

ねんが 年賀 (あいさつの言葉) New Year's greetings ★複数形で用いるのが普通; (訪問) New Year's ⌈visit [call] [C].《☞ ねんし[1]》. ¶*年賀のあいさつを交わす exchange *New Year's greetings* // *年賀に行く pay a *New Year's* ⌈*visit* [*call*] **年賀状** New Year's card [C]. ¶*年賀状を出す send a *New Year's card* **年賀はがき** New Year's (post)card [C]; postcard bearing New Year's greetings [C] ★説明的な訳. **年賀郵便** New Year's mail [U].

ねんかい 年会 (年に一度催される会合) annual ⌈convention [meeting] [C].

ねんがく 年額 annual ⌈amount [sum] [C]《☞ ねんかん[1]》. ¶「あなたの税金は*年額いくらですか」「約100万円です」"How much in taxes do you *pay each year*? / What is the *annual amount* of your taxes?" "About ¥1,000,000."

ねんがっぴ 年月日 (日付) date [C]《☞ ひづけ; 時刻・日付・曜日 (囲み)》. ¶書類に*年月日を書き込んで下さい Fill in the *date* on the ⌈paper [form], please.

ねんがらねんじゅう 年がら年中 (いつも) always; (年間を通して) throughout the year, all (the) year round.《☞ ねんじゅう》.

ねんかん[1] 年間 ―[副] (毎年) every year; (1年につき) a [per] year; (…年間) for … years [語法] 行為の継続期間を表す. なお「過去[向こう]…年間」の場合は for the ⌈past [next] … years の形になる; (過去…年間に) during the past … years; (向こう…年間に) within … years; (時代区分の) in the … ⌈period [era]. ―[形] (1年の) annual.
¶売り上げ高は*年間 (⇒1年につき) 100億円に達する (The) sales amount to ¥10,000,000,000 ⌈*a* [*per*] *year*. // 来年度の*年間計画を立てるべきです We should make a *one-year* plan (for the coming year). // あなたの*年間所得はいくらですか What is your *annual* income? // 私はこの3*年間お花を習っています I have been taking lessons in flower arrangement *for the past* three *years.* // *年間成長率 the *annual* growth rate // 宝永*年間 the Hoei ⌈*period* [*era*]

ねんかん[2] 年刊 ―[形] (年刊の) annual, yearly. ―[副] (1年毎に) annually, yearly. ―[名] annual publication [C].《☞ げっかん[1]》.
¶この雑誌は*年刊です (⇒毎年発行されます) This magazine is published ⌈*yearly* [*annually*]. / This

is ˹a *yearly* [an *annual*] *publication*. ★ 第 1 文のほうが普通.

ねんかん[3] **年鑑** yearbook Ⓒ. ¶ 科学[経済]*年鑑 a scientific [an economic] *yearbook*

ねんがん 念願 *one's* wish Ⓒ; (実現したい夢) dream Ⓒ. (☞ しゅくがん; ねがい; ゆめ[1]). ¶ 私の*念願がついにかなった (⇒ 夢がついに本当になった) *My* ˹*dream* has [*dreams* have] come true at last. / *My* ˹*wish* has [*wishes* have] been fulfilled at last. ★ やや改まった表現.

ねんき 年季 ¶ 彼は*年季の入った (⇒ 熟練した) 大工だ He is ˹a *skilled* [an *experienced* /ɪkspí(ə)riənst/; *a séasoned*] cárpenter. // 何事も*年季を入れなければうまくできない (⇒ どんなことでも上手になるには長年の経験がなければならない) You must have *many years' experience* to be good at anything. **年季明け** the expiration of *one's* term of service **年季奉公** apprenticeship Ⓤ ★ 具体的には Ⓒ. ¶ 3 年の*年季奉公をする serve a three-year *apprenticeship*

ねんきゅう[1] **年休** ―名 (年次有給休暇) annual paid ˹holiday [vacation] Ⓒ. ―動 (年休を取る) take an annual paid ˹vacation [leave]. ¶ 彼は 3 週間の*年休を与えられた He was allowed three weeks' *annual paid vacation*.

ねんきゅう[2] **年給** annual [yearly] salary Ⓒ (☞ ねんぽう[1]).

ねんきん 年金 (退職後や傷害などでもらう) pension Ⓒ; (一定の金額を納めておいて後でもらう年金) annuity /ən(j)úːəti/ Ⓒ. ¶ 私の両親は*年金で暮らしています My parents live on a *pension*. // *年金をもらえるのはいつからですか What is the ˹lowest [minimum] age for ˹receiving [getting] a *pension*? // 厚生*年金 a social security *pension* // 国民*年金 a national *annuity* // 終身*年金 a lifetime *annuity* // 老齢*年金 a retirement [an old-age] *pension* ★ retirement のほうが普通. // *年金の掛け金 *pension* premiums
年金改革 pension reform Ⓤ **年金会計** accounting for pensions Ⓤ **年金基金** pension fund Ⓒ **年金給付金** benefits ★ 通例複数形で. **年金資金運用基金** the Government Pension Investment Fund (略 GPIF) **年金受給者, 年金生活者** pensioner Ⓒ, annuitant /ən(j)úːətənt/ Ⓒ **年金受給年齢** pensionable age Ⓤ; (説明的に) the age when one becomes eligible for pension benefits **年金証書** annuity bond Ⓒ **年金スライド制** pension indexation Ⓤ **年金保険** annuity insurance Ⓤ.

> **コロケーション**
> **年金受給資格がある** be eligible for a *pension* // **年金に頼る** depend [rely] on a *pension* / **年金を受け取る** receive [draw] a *pension* / **年金を打ち切る** revoke a *pension* / **年金を給付する** grant [award] a *pension*

ねんぐ 年貢 tax levied on farmers in past times Ⓒ. **年貢の納め時** ¶ おまえもそろそろ*年貢の納め時だ (⇒ もうおまえもおしまいだ) *It's all over with* you.

ねんげつ 年月 (時間・時の流れ) time Ⓤ; (年) years ★ 複数形で. (☞ さいげつ; つきひ).

ねんけつたん 粘結炭 〖地質〗 coking [caking] coal Ⓤ.

ねんげみしょう 拈華微笑 silent transmission of the Buddhist doctrine Ⓤ.

ねんげん 年限 (期限のある期間) term Ⓒ; (ある期間) period Ⓒ. (☞ きかん[1]; きげん[2]). ¶ 私は 2 年の*年限で土地を借りた I leased the land for a ˹*term* [*period*] of two years.

ねんこう[1] **年功** (長い間の勤続) long service Ⓤ; (長年の経験) lóng experience /ɪkspí(ə)riəns/ Ⓤ. **年功序列 (制度)** seniority /siːnjɔ́ːrəti/ sỳstem Ⓒ. ¶ 昇進は*年功序列による Promotion ˹is made on the basis of [goes by] *seniority*.

ねんこう[2] **念校** extra-final proof Ⓒ; (製版直前の) foundry proof Ⓒ.

ねんこうさ 年較差 〖気象〗 the annual temperature range Ⓒ.

ねんごう 年号 name of an era /í(ə)rə/ Ⓒ.

ねんごろ 懇ろ ―形 (親切な) kind; (歓迎などが温かい) warm; (心からの) hearty; (もてなしのよい) hospitable; (男女が情を通じている) intimate. ―副 kindly; warmly; hospitably. (☞ しんせつ[1]; ていちょう[1]; あたたかい).

ねんさ 年差 〖天〗 annual equation Ⓒ.

ねんざ 捻挫 ―名 sprain Ⓒ. ―動 sprain ㊀. (☞ くじく). ¶ 彼はつまずいて足首を*捻挫した He tripped and *sprained* his ankle.

-ねんさい …年祭 anniversary Ⓒ (☞ -しゅうねん). ¶ 私たちは本校創立 50 *年祭をとり行った (⇒ 祝った) We celebrated the fiftieth *anniversary* of the founding of our school. 語法 「…年」は序数詞で表す. (☞ 数字 (囲み)).
100 年祭 centennial /senténiəl/ Ⓒ, (英) centenary /senténəri/ Ⓒ. ¶ アインシュタイン生誕*100 年祭 the ˹*centennial* [*centenary*] of the birth of Einstein **200 年祭** bicentennial /bàɪsenténiəl/ Ⓒ, bicentenary /bàɪsenténəri/ Ⓒ. ¶ アメリカ建国*200 年祭 the ˹*bicentennial* [*bicentenary*] of the American Revolution **300 年祭** tercentennial /tə̀ːsenténiəl/ Ⓒ, tercentenary /tə̀ːsenténəri/ Ⓒ **400 年祭** quàdricenténnial /kwɑ̀drɪ-/ Ⓒ **500 年祭** quìncenténnial /kwɪ̀n-/ Ⓒ, quìncenténary Ⓒ **600 年祭** sèxcenténary Ⓒ.

ねんさん 年産 annual [yearly] ˹output [production] Ⓒ ★ annual のほうが改まった語. ¶ この工場の (自動車の) *年産は 30 万台です (⇒ この工場は 1 年に 30 万台の車を生産する) This factory *produces* 300,000 ˹automobiles [cars] *a year*. / This factory has an *annual output* of 300,000 ˹automobiles [cars]. (☞ 数字 (囲み))

ねんし[1] **年始** ¶ *年始に行く pay a *New Year's call* // *年始回りをする make a round of *New Year's calls* (☞ ねんが)

ねんし[2] **撚糸** (糸を撚(よ)ること) thread twisting Ⓤ; (糸) twist Ⓤ. **撚糸機** thread-twisting machine Ⓒ.

ねんし[3] **念紙** *nenshi* Ⓤ ★ piece で数える; (説明的には) a kind of carbon paper used in traditional Japanese painting.

ねんじ 年次 ―形 (年 1 回の・例年の) annual, yearly 語法 後者が口語的だが, 公的な表現では普通前者が用いられる. ¶ 卒業*年次 the *year* of *one's* graduation **年次(有給)休暇** annual ˹leave [vacation] Ⓒ **年次計画** yearly plan Ⓒ **年次総会** annual convention Ⓒ **年次大会** annual [yearly] (general) meeting Ⓒ **年次報告** annual report Ⓒ **年次予算** annual budget Ⓒ.

-ねんしき …年式 ―名 (自動車などの型) model Ⓒ (☞ かた[2]). ¶ 2004*年式クラウン a 2004 *model* Crown / a Crown, 2004 *model*

ねんしゃ 念写 ―名 〖心〗 production of images on sensitized film by psychokinesis Ⓤ; (念写された字や図) image produced by psychokinesis Ⓒ. ―動 produce images on sensitized film by psychokinesis.

ねんしゅう 年収 annual [yearly] income Ⓒ (☞ しょとく).

¶「あなたの*年収はいくらですか」「600 万円です」"What is your *annual income*?" "Six million yen." / (⇒あなたは 1 年にいくら収入を得ますか) "How much do you *earn a year*?" "I *earn* ¥6,000,000 *a year*."

ねんじゅう 年中 (いつも) always; (1 年中) throughout the year, all (the) year round. 《☞ いつも; しじゅう[1]; たえず》. ¶母は*年中忙しい My mother is *always* busy. // *年中無休《掲示》Open *Throughout the Year* / *Always* Open

ねんしゅううんどう 年周運動 〘天〙 annual motion Ⓤ.

ねんしゅうしさ 年周視差 〘天〙 annual parallax Ⓒ.

ねんしゅつ 捻出 ―動 (金を) raise ⑩; (案を) wórk óut ⑩, contrive ⑩ ★前者のほうが口語的.《☞ くめん; やりくり》. ¶私たちは新しい事業の資金を*捻出しなくてはならない We must *raise* funds for the new project.

ねんしょ[1] 念書 (書面による約束) written promise Ⓒ; (法律上の文書) ínstrument Ⓒ. ¶私たちは彼から*念書を取るべきだ We should obtain a *written promise* from him.

ねんしょ[2] 年初 the beginning of the year Ⓒ.

ねんしょう[1] 年少 ―形 young (↔ old), juvenile 語法 前者が一般的. 後者は格式ばった語であり, また「子供向きの」という意味でも使う.《☞ としした》. **年少組** (幼稚園などの) the junior class **年少者** person of tender 「age [years] Ⓒ; (未成年者) underage person Ⓒ. ¶グループの最*年少者はだれですか Who is *the youngest* in the group? **年少人口** the young population **年少労働者** minor worker Ⓒ.

ねんしょう[2] 燃焼 ―名 combustion Ⓤ. ―動 burn ⓐ《過去・過分 burned; burnt》.《☞ もえる[1] 語法(1)》. ¶酸素がなければ*燃焼は起こらない Nothing can *burn* without oxygen. // 完全[不完全]*燃焼 perfect [imperfect] *combustion* //《比喩的に》完全*燃焼する *exert oneself* to the utmost **燃焼室** combustion chamber Ⓒ **燃焼度** (燃焼効率) combustion efficiency Ⓤ **燃焼熱** heat of combustion Ⓤ **燃焼率** burning rate Ⓒ **燃焼炉** combustion furnace Ⓒ.

ねんしょう[3] 年商 yearly [annual] turnover Ⓒ ★yearly のほうがやや口語的.

ねんじる 念じる pray ⓐ《☞ いのる》. ¶彼女は神に息子の安全を*念じた She *prayed* to God for her son's safety.

ねんすう 年数 (the number of) years; (多くの年) many years. ¶その橋の完成に要する*年数 *the number of years* to complete the bridge // *年数がたつにつれて as *years* went by / (⇒時の経過にともなって) with the lapse of *time* // 勤務*年数 the *years* of *one's* 「service [employment]

ねんずる 念ずる ☞ ねんじる

ねんせい[1] 粘性 viscósity Ⓤ. **粘性率** coefficient of viscosity Ⓒ **粘性流体**〘物理〙viscous fluid Ⓒ.

ねんせい[2] 稔性 〘生〙(受精能力) fertility Ⓤ. **稔性因子** F [fertility] factor Ⓒ.

ねんだい 年代 **1** 《世代》: generation Ⓒ《☞ せだい; じだい[1]》. ¶私たちの*年代は戦争のことは何も知りません Our *generation* knows nothing about the war. // あなたと私では*年代が違う (⇒私たちは違った世代に属している) We belong to different *generations*.

2 《…年代》★10 年ごとのちょうどの数を複数形にして表す.《☞ -だい[2] 語法》. ¶この歌は 1970 *年代前半[後半]に人気があった This song was popular in *the* 「early [late] *1970s*. ★nineteen-seventies と読む.《☞ 数字 (囲み)》

年代学 chronology Ⓤ **年代記** chronicle Ⓒ **年代順** ¶次の出来事を*年代順に並べなさい Arrange the following events *in chronological order*. **年代測定** age 「determination [dating] Ⓤ **年代測定法** age dating method Ⓒ **年代物** antique Ⓒ.

ねんちゃく 粘着 ―名 adhesion /ædhíːʒən/ Ⓤ. ―動 adhere (to ...) ⓐ. ―形 adhesive /ædhíːsɪv/.

粘着剤 adhesive Ⓤ ★具体的なものを指す場合は Ⓒ. **粘着質** (人の) tenacity Ⓤ; (物の) stickiness Ⓤ **粘着性** adhesiveness Ⓤ **粘着テープ** adhesive tape Ⓤ ★具体的なものを指す場合は Ⓒ. **粘着力** adhesive 「power [strength] Ⓤ.

ねんちゅうぎょうじ 年中行事 annual event Ⓒ. ¶日本の*年中行事 the *annual events* in Japan // 交通ストはいまや*年中行事だ (⇒毎年の慣例の一部になってしまった) Transportation strikes have now become part of our *yearly routine*.

ねんちゅうぐみ 年中組 (幼稚園などの) the middle class.

ねんちょう 年長 ―形 older (↔ younger), senior (↔ junior) 語法 前者のほうが口語的. 兄弟・姉妹の関係を表すときには elder を用いるが,《米》では older が代わりによく用いられる.《☞ としうえ; うえ[1]》. **年長組** (幼稚園などの) the senior class **年長者** senior Ⓒ, elder Ⓒ 語法 普通は複数形にし, 年長者・先輩をまとめて表すことが多い. ¶グループの最*年長者はだれですか Who is *the oldest* in the group?

ねんてん 捻転 twisting Ⓤ; 〘医〙torsion Ⓤ. ¶腸*捻転 a volvulus /válvjʊləs/《複 volvuli /-làɪ/, ~es》/ *twisting* of the bowel(s).

ねんど[1] 年度 (一般的に) year Ⓒ; (会計年度)《米》fiscal year Ⓒ,《英》financial year Ⓒ; (学校の) school [academic] year Ⓒ 語法 academic を使うほうが改まった言い方. ¶本[来]*年度の計画はもう立てましたか Have you made a program for 「this [next] *year*? // 来*年度[2000 *年度] 予算案が国会を通過した The budget (bill) for the next *fiscal year* [The *fiscal 2000* budget (bill)] passed the Diet. // 我が国の学校の*年度は 4 月に始まって 3 月に終わります Our 「*school* [*academic*] *year* begins in April and ends in March. // 1995 *年度アカデミー賞 the *1995* Academy Award(s)

年度始め (会計年度) the beginning of the 「fiscal [financial] year Ⓒ; (学年度) the beginning of the school year Ⓒ **年度末** (会計年度) the end of the 「fiscal [financial] year Ⓒ; (学年度) the end of the school year Ⓒ.

ねんど[2] 粘土 clay Ⓤ. **粘土鉱物** clay mineral Ⓒ **粘土細工** (粘土の焼き物) terra-cotta Ⓤ ★数える場合には a piece of を用いる.《☞ 数の数え方 (囲み)》. **粘土質** ―形 clayey.

ねんど[3] 粘度 ☞ ねんせい[1]

ねんとう[1] 念頭 ¶まずこのことを*念頭に置きなさい First of all, 「*keep* [*bear*] this *in mind*. // 彼の*念頭にはいつも世界平和があった World peace *was* always *on his mind*. // 年老いた両親のことがいつも私の*念頭を離れなかった (⇒私は決して年老いた両親のことを忘れなかった) I never forgot my aged parents. // 彼のことなど*念頭になかった I gave no *thought* to him.

ねんとう[2] 年頭 (年の初め) the beginning of the year; (新年) the New Year.《☞ しんねん[2]》. **年頭教書** (米国大統領の) the State of the Union message.

ねんどけい 粘度計 viscometer /vɪskámətə/ Ⓒ.
ねんない 年内 ―副 before the end of the year, within the year. ¶私はこの仕事を*年内に仕上げなくてはならない I must finish this work *before the end of the year*.
ねんね ¶さあ, *ねんねの時間ですよ It's time for *bed* now, (my) dear. // ねんねんころりよ, *ねんねしな Hushaby /hʌ́ʃəbàɪ/ baby. ★赤ん坊を寝かしつけるときの言葉. (☞ ねる¹; ねむる)
ねんねこ short, loose [short and loose] Japanese coat worn by a woman who carries a baby on her back Ⓒ ★日本固有のものなので説明的な訳.
ねんねん 年年 ―副 (毎年) every [each] year; (年ごとに) year ⌈by [after] year, from year to year. (☞ とし¹; まいねん 語法)
ねんねんさいさい 年年歳歳 ―副 (毎年毎年) year in, year out; year in and year out; from year to year; year after year; every year; (毎年少しずつ・年ごとに) year by year. (☞ ねんねん)
¶*年々歳々人同じからず Man never remains the same. / (⇒すべてのものは変ってゆく) All things are in (a state of) flux.
ねんのため 念のため ¶*念のためもう一度調べよう Let's check it *just to make sure*. // *念のため (⇒万一に備えて) 磁石を持っていた I carried a compass with me *just in case*.
ねんぱい 年配 **1** «かなりの年齢» ―形 (年配の) elderly 語法 old とはっきりいうのを避けるためによく使われる. ¶*年配の女性 an *elderly* woman **2** «年齢»: age Ⓤ (☞ ねんれい). ¶「彼はどのくらいの*年配ですか」「あなたと同*年配です」"How *old* is he?" "He's about your *age*."
ねんばらい 年払い annual payment Ⓒ. **年払い保険** insurance paid for in an annual lump sums Ⓤ.
ねんばんがん 粘板岩 slate Ⓤ.
ねんぴ 燃費 fuel expenses ★複数形で; ((1ガロン当たりの自動車の) 走行マイル数) mileage Ⓤ.
¶この車は*燃費がいい This car ⌈gets good *mileage* [(⇒経済的だ) is *economical*]. // *燃費の悪い車 a *gas-guzzler*
ねんぴょう 年表 chrónological táble Ⓒ. ¶世界史*年表 a *chronological table* of world history
ねんぷ¹ 年譜 bíographical skétch Ⓒ.
ねんぷ² 年賦 yearly [annual] installment Ⓒ (☞ げっぷ).
ねんぶつ 念仏 Buddhist invocation Ⓒ.
¶*念仏を唱える chant the *Buddhist invocation* // それは馬の耳に*念仏だ (⇒聞こえない耳に説教をするようなものである) It's like *preaching to a deaf ear*. **念仏踊り** religious dance praying to Amitabha Ⓒ **念仏三昧** ¶夫と死別したのち彼女は*念仏三昧の生活を送った After she lost her husband, she spent her days *praying to Amitabha*. **念仏宗** the Nenbutsu sect of Buddhism.
ねんぽう¹ 年俸 annual [yearly] ⌈salary [pay] Ⓤ (☞ ねんしゅう). **年俸制** annual [yearly] pay ⌈system [structure] Ⓤ ★yearly のほうが口語的. system は体系としての制度, structure は賃金構造からみた制度.
ねんぽう² 年報 annual Ⓒ, annual report Ⓒ.
ねんまく 粘膜 mucous /mjúːkəs/ membrane Ⓒ.
ねんまつ 年末 ―名 the end of the year. ―形 year-end. (☞ くれ; さいまつ).
年末一時金 year-end bonus Ⓒ **年末大売出し** year-end sale Ⓒ **年末帰省** going back [returning] to *one's* hometown at the end of the year **年末調整** (税金の) year-end income tax adjustment Ⓤ.
ねんよ 年余 ¶*年余 (⇒1年以上) におよぶ実験 a series of experiments *for* ⌈*more than* [*over*] *a year*
ねんらい 年来 ―形 (長年望んでいた) long-cherished; (長年懸案の) long-pending. ―副 (長い間) for a long time; (何年もの間) for years. (☞ ながねん).
¶私の*年来の夢[希望]がやっとかなえられた My *long-cherished* ⌈dream has come true [wish has been fulfilled] at last. (☞ ねんがん) // *年来の懸案がやっと解決した The *long-pending* problem has been solved at last. // 彼と私は20*年来の友人です He and I have been friends *for* twenty *years*. // けさの東京は20*年来の大雪です (⇒過去20年間で最大の降雪を持った) This morning Tokyo had its heaviest snowfall *in* twenty *years*.
ねんり 年利 annual interest Ⓒ (☞ りし). ¶*年利5分で彼に100万円貸した I lent him ¥1,000,000 at ⌈an *annual* (*interest*) *rate* of 5% [a five-percent *yearly* (*interest*) *rate*].
ねんりき 念力 the power of the mind, the force of *one's* will. ¶彼は*念力で物を動かすことができると称している He says he can move solid objects by *the power of his mind*. **念力岩をも通す** Where there is a will, there is a way. (ことわざ: 意志のあるところ道がある)
ねんりつ 年率 ¶*年率7分で金を貸す lend money at ⌈the *annual rate* of seven percent [the *rate of* seven percent *per annum*] ★[ ] 内は格式ばった言い方.
ねんりょ 念慮 ☞ しりょ
ねんりょう 燃料 fuel Ⓤ 語法 (1) 石炭・石油など種類を言うときは Ⓒ. (☞ 可算・不可算名詞 (巻末); きゅうゆ).
¶*燃料を節約する save *fuel* // *燃料が切れた We have run out of *fuel*. // この車は水素を*燃料としている (⇒水素で走る) This car *runs on* hydrogen. // その船は*燃料を補給しているところだ The ship *is being* ⌈*refueled* [(英) *refuelled*]. 語法 (2) この refuel は「燃料を補給する・積み込む」という他動詞. // 液体[固体]*燃料 liquid [solid] *fuel* // 化石*燃料 fossil *fuel*
燃料気化爆弾 fuel air explosive Ⓒ **燃料計** fuel gauge Ⓒ **燃料タンク** fuel tank Ⓒ **燃料電池** fuel cell Ⓒ **燃料電池車[電気自動車]** fuel cell(-powered) vehicle Ⓒ **燃料費** fuel expenses ★通例複数形で. **燃料噴射** fuel injection Ⓤ **燃料噴射装置** fuel injector Ⓒ **燃料棒** fuel rod Ⓒ **燃料補給** refueling ((英) refuelling) Ⓤ. ¶私たちは*燃料補給にハワイに立ち寄った We stopped over at Hawaii for *refueling*. **燃料油** fuel oil Ⓤ.
ねんりょく 粘力 (物質の) viscósity Ⓤ; (人の粘り強さ) tenácity Ⓤ.
ねんりりつ 年利率 ☞ ねんり
ねんりん 年輪 (木の) annual rings ★複数形で. **年輪年代学** dèndrochronólogy Ⓤ.
ねんれい 年齢 age Ⓤ (☞ とし¹; ねんだい). ¶この本はあらゆる*年齢の子供に適しています This book is good for children of all *ages*. 語法 age は個々の年齢を言うときは Ⓒ. // わがチームの選手の平均*年齢は24歳です The average *age* of the players on our team is twenty-four. // 60歳の*年齢制限を設ける (⇒年齢制限を60歳に決める) set the *age* limit at sixty // このコンテストには*年齢・性別を問わず, だれもが参加できます This contest is open to everybody, ⌈regardless [irrespective] of *age*

or sex. // 私たちは彼らを*年齢別に分類した We classified them by *age*. // *年齢別死亡率 the *age*-specific mortality rate // この 6 歳の少年の精神*年齢はもう 12 歳以上だ（⇒ 12 歳以上の精神年齢を持つ）This six-year-old boy already has a mental *age* of more than eleven.

年齢給 allowance based on seniority Ⓤ **年齢集団** ☞ **年齢層** **年齢層**（集団[階層]）age「group [bracket] Ⓒ. ¶ 18 歳から 25 歳までの*年齢層 the 18 to 25 *age*「*group* [*bracket*]

の, ノ

の 野 field Ⓒ. ¶*野の花 a wildflower // 後は*野となれ山となれ After ⌜us [me] the deluge. 《ことわざ: 我々[私]が死んだ後に大洪水よ起これ》/ (⇒ 後で何が起きようとかまわない) I don't care what happens afterward.

-の 1 《所有・所属を示す》: … 's, of … 語法 (1) 生物については -'s で所有格を作る. 無生物についても時間・距離などを表す語は -'s で所有格にするが, その他の無生物については -'s を付けるのはあまり普通ではない. of を用いると一般に格式ばった感じの表現となる. なお日本語で「…の」が使われていても英語では必ずしも …'s や of を使うとは限らない.
¶私*の父*の書斎 *my* father'*s* study 《☞ アポストロフィ (巻末)》//「これはだれ*の自転車ですか」「田中君*のものです」 " *Whose* bicycle is this?" " It's Tanaka'*s*." 《☞ 9; 代名詞 (巻末)》// 警官は私*の手を捕まえた The policeman took ⌜me by the hand [*my* hand]. 語法 (2) 前者は捕えられた人に重点を置き, take *a person's* hand は, 捕えた体の部分に重点を置く言い方. 従って前者は「捕える」という意味が表せるが, 後者は単に「手を取った」というだけで, 前後関係がなければ「捕える」のかどうかはっきりしない. // 彼は大学*の学生です He's a college student. // 佐藤さんは東大*の教授です Mr. Sato is a professor *at* Tokyo University. // 原さんは中学*の先生です (⇒ 中学校で教えている) Miss Hara teaches *at* a junior high school. // 私は M 商事*の田中です I'm Tanaka, *from* the M. Trading Company.

2 《対人関係を示す》 ★ 主として「私の」my,「あなたの」your,「彼の」his などの人称代名詞の所有格, …'s による名詞の所有格などで表される.
¶あなた*の先生 *your* teacher // スミスさんは彼*の秘書です Miss Smith is *his* secretary. // 彼は私*の友人です He is a friend *of mine*. // ジェーンは先生*のお気に入りの生徒です Jane is the teacher'*s* pet.

3 《内容を示す》 ━ 前 (…についての) in …, on …, about …; (…のための; …相当の) for …; (…の) of … 語法 以上のほかに,「名詞＋名詞」の形を用いる場合がかなりある.
¶日本史*の教科書 a textbook ⌜*of* [*on*] Japanese history // 英語*のテスト an English test / a test *in* English //「それは何*の (⇒ どんな種類の) 本ですか」「アメリカ史*の本です」 " What *kind of* book is that?" " It's a book ⌜*on* [*about*] American history." // お茶*の時間ですよ It's time *for* tea. / It's teatime.

4 《作者・起源を示す》: … 's; (…による) by …, written [composed; painted] by …; (…の) of …
¶モーツァルト*のソナタ a Mozart sonata / a sonata *by* Mozart // この美術館にはミレー*の絵が 2 点ある This museum /mjuːzíəm/ has two Millets /mɪléɪz/. // 鷗外*の作品 the works *of* Ogai ★ 全作品を示す. / a work *by* Ogai ★ 1 点を示す. // 彼*の手紙を受け取りましたか Have you received a letter *from* him? / Have you heard *from* him?

5 《目的語関係を示す》 ¶その問題*の解決 (⇒ 問題を解決すること) には時間がかかる It will take a great deal of time to solve the problem. // 校舎*の建設が始まった They started to build the schoolhouse. / The construction *of* the school building has started. ★ 前者のほうが普通.

6 《材料・手段を示す》 ━ 前 (…でできた) of …, from …; (…で書かれた) in … ¶紙*の箱 a paper box / a box made *of* paper // りんご*の酒 an alcoholic drink made ⌜*from* [*of*] apple juice 《☞ -から》// 私は彼女から英語*の手紙をもらった I've received a letter *in* English from her. / She wrote to me *in* English.

7 《場所・時間を示す》 ━ 前 (…の中の) in …; (…において) at …; (…の上にある) on … 語法 以上のほか, 複合名詞の形や, あるいは形容詞を使って表すことも多い.
¶この辞書*の用例 example ⌜sentences [illustrations] *in* this dictionary // 東京*の夏 summer *in* Tokyo // あの角*の喫茶店 the coffee shop ⌜*at* [*on*] that (street) corner // 春*の花 spring flowers / flowers *in* the springtime

8 《…の点で; …に関して》 ━ 前 (…の点で) in … ¶ あらゆるサイズ*のジーンズがございます We have jeans *in* all sizes. // しゃれたデザイン*の帽子 a hat chic *in* design

9 《もの》 ━ 代 one 語法 (1) 同種類の別のものを受けて言う言葉. ━ 接尾 …'s 語法 (2) 名詞の繰り返しを避けるために, 名詞の所有格だけで「…のもの」という意味を表す. なお, mine, yours などの所有代名詞で「私の(もの)」「あなたの(もの)」などの意を表すことができる.
¶「これはいかがでしょう」「もっと大きい*のを見せて下さい」 " How about this (one), sir?" " Will you show me a larger *one*?" //「この本はだれ*のだろう」「青木君[僕]*のだ」 " *Whose* book is this?" " It's ⌜Aoki'*s* [*mine*]."

10 《疑問を示す》 ★ 英語の疑問文は日本語の疑問文の作り方と異なっているので,「…の」に当たる特定の言葉はない. ¶どうした*の What's the matter with you? // あなたは何時ごろここへ来た*の What time did you arrive here?

ノア ━ 名 固 Noah /nóʊə/ ★ 旧約聖書中の人物. **ノアの箱舟**〘聖〙Noah's Ark.

のあざみ 野薊 〘植〙 common Japanese thistle /θísl/ Ⓒ 《☞ あざみ》.

のあそび 野遊び (行楽) picnic Ⓒ ★ 英語の picnic は戸外での食事に重点を置いた行楽をいう; (遠足) outing Ⓒ; (徒歩旅行) hiking Ⓤ.

のあらし 野荒し (動物による) crop damage Ⓤ; (人による) crop theft Ⓤ; (作物を荒らす動物) crop-damaging animal Ⓒ; (人) crop thief Ⓒ. ¶昨日*野荒しにあった (⇒ 作物をだめにされた[盗まれた]) We *had* some *crops* ⌜*damaged* [*stolen*] yesterday.

ノイズ (雑音) noise Ⓤ. **ノイズリダクション**〘機〙noise reduction Ⓤ.

のいちご 野苺 〘植〙 wild strawberry Ⓒ.

のいばら 野茨 〘植〙 multiflora rose Ⓒ; (いばら) briar Ⓒ.

ノイローゼ ━ 名 (神経症) neurosis /n(j)ʊróʊsɪs/ Ⓤ ★ 具体的には Ⓒ 《複 neuroses /-siːz/》; (神経衰弱) 《略式》 nervous breakdown Ⓒ 語法 前者は元来医学用語だが,「神経質」といった軽い意味にも用いられる. 後者は病気を指す. ━ 形 (ノイローゼの) neurotic /n(j)ʊrátɪk/. 《☞ しんけい》. ¶ 彼は*ノイローゼだ He's (a) *neurotic.* ★ a neurotic は「神経症患者」の意. / He's suffering from a *neurosis.*

のう[1] 脳 ―名 (生理学的な) brain Ⓒ ★ しばしば複数形で; (頭脳・知力) brains ★ 通例複数形で; (大脳) cerebrum /sərí:brəm/ Ⓒ 《複 ~s, cerébra》; (小脳) cèrebéllum Ⓒ 《複 ~s, cèrebélla》. ―形 (脳の) cerebral /sərí:brəl/. 《☞ ずのう》. ¶ 彼は*脳に異常がある He has a *brain* disorder. / He has something wrong 「in the [with his] *brain.* 脳圧 cerebral pressure Ⓒ 脳溢血(いっけつ) ☞ 脳出血 脳炎 encephalitis /ɪnsèfəláɪtɪs/ Ⓤ 脳下垂体 pituitary /pɪt(j)ú:ətèri/ glànd Ⓒ 脳幹〘解〙 the brain stem 脳幹死 the brain stem death 脳虚血 bráin ischemia /ɪskí:miə/ Ⓤ 脳外科 brain surgery Ⓤ 脳外科医 brain surgeon Ⓒ 脳血管 cerebrovascular vessel Ⓒ 脳血管性認知症 cerebrovascular dementia /sèrəbrouvǽskjulə dɪménʃiə/ Ⓤ 脳血栓 cerébral thrombósis Ⓤ 脳硬化(症) cerebrosclerosis Ⓤ 脳梗塞 cerébral infárction Ⓤ 脳細胞 brain cell Ⓒ 脳挫傷 brain contusion Ⓒ 脳死 ☞ 見出し 脳磁図 magnetoencephalogram /mægní:touensèfəlágrəm/ Ⓒ 脳室〘解〙 cerebral ventricle Ⓒ 脳充血 cerebral hyperemia Ⓤ 脳出血 cerébral hemorrhage /hém(ə)rɪdʒ/ Ⓒ, 《略式》 stroke Ⓒ 脳腫瘍(しゅよう) brain 「tumor [《英》 tumour] Ⓤ 脳循環 cerebral circulation Ⓒ 脳障害 brain 「damage [injury] Ⓒ 脳神経 cranial /kréɪniəl/ nérves ★ 通例複数形で. 脳神経外科 neurosurgery Ⓤ 脳震とう (brain) concussion Ⓒ 脳髄 brain Ⓒ ★ しばしば複数形で. 脳髄膜炎 cerebromeningitis /sərí:broumènɪndʒáɪtɪs/ Ⓤ 脳性麻痺(まひ) cerebral palsy /pɔ́:lzi/ Ⓤ 脳脊髄液 cerebrospinal /sərébrouspàɪnl/ flúid Ⓤ 脳脊髄神経 cerébrospìnal nérve Ⓤ 脳脊髄膜炎 ☞ ずいまく (髄膜炎) 脳塞栓 cerébral émbolìsm Ⓤ 脳卒中 cerébral apoplexy /ǽpəplèksi/ Ⓤ, stroke Ⓒ 脳損傷 brain 「damage [injury] Ⓤ 脳低温療法 brain hypothermia Ⓤ 脳ドック ☞ 見出し 脳軟化(症) encephalomalacia /ensèfəloumәléɪʃ(i)ə/ Ⓤ, softening of the brain Ⓤ ★ 後者は俗称. 脳波 brain waves ★ 通例複数形で. 脳梅毒 cerebral syphilis Ⓤ 脳波計 electroencephalograph /ɪlèktrouensέfələgræ̀f/ Ⓒ 脳波図 elèctroencéphalogràm Ⓒ 《略 EEG》 脳貧血 cerebral an(a)emia Ⓤ 脳浮腫 cerébral edema /ɪdí:mə/ Ⓤ 脳膜 ☞ 見出し 脳味噌 ☞ 見出し 脳梁 córpus callosum /kəlóusəm/ Ⓒ.

のう[2] 能 ¶ 彼は教えるよりほかに*能のない人です (⇒ 彼にできるすべては教えることである) *All he can do* is just (to) teach. 《☞ のうりょく》 能ある鷹はつめを隠す Still waters run deep. 《ことわざ: 流れの静かな川は深い》

のう[3] 能 (日本古来の芸能) No(h) /nóu/ Ⓒ ★ 単複同形; No(h) play Ⓒ. 能狂言 Noh farce Ⓒ 能装束 Noh costume Ⓤ 能囃子 Noh music Ⓤ 能舞台 Noh stage Ⓒ 能面 Noh mask Ⓒ. ¶ *能面の様な顔で (⇒ 平然として) impassively 《☞ むひょうじょう; ポーカーフェース》 能役者 Noh player Ⓒ.

のう[4] 膿 pus Ⓤ 《☞ うみ[2]》.

のう[5] 農 (農業) ágricùlture Ⓤ. ¶ 半*農半漁 (⇒ 農夫であり漁夫である人) a *farmer* and fisherman // 士*農工商 (⇒ 日本の封建時代の 4 階層制) the hierarchy of people in feudal Japan 《☞ しのうこうしょう》

のうあみ 能阿弥 ―名 固 Noami, 1397–1471; (説明的には) an aide to Shogun Ashikaga Yoshimasa, serving as painter, master of linked verse, and connoisseur.

のういん 能因 ―名 固 Noin, 988–?; (説明的には) a waka poet, critic, and scholar in the middle of the Heian period.

のうえん[1] 農園 farm Ⓒ 《☞ のうじょう》.

のうえん[2] 濃艶 ―形 (女性が肉感的な) voluptuous 《☞ ようえん》.

のうえんさん 濃塩酸 〘化〙 strong hydrochloric /háɪdroʊklɔ̀:rik/ acid Ⓤ 《☞ えんさん》.

のうか 農家 (農場を経営している人の家) farmhouse Ⓒ; (農民) farmer Ⓒ. 《☞ のうみん》. ¶ うちは*農家です We 「run [operate] a *farm.*

のうかい 納会 year-end meeting Ⓒ; (取引所の) the last session of the month. ¶ 《株式取引所の》 大*納会 *the last session* of the year

のうがき 能書 (薬などの効能を述べること) statement of virtues Ⓒ; (宣伝) àdvertísement Ⓒ; (自慢) boasting Ⓤ.

のうかく 能格 〘文法〙 ergative /ə́:gətɪv/ case Ⓒ.

のうがく[1] 農学 ágricùlture Ⓤ. 農学博士 (人) doctor of agriculture Ⓒ; (学位) Doctor of Agriculture Ⓤ 農学部 the 「college [school; faculty] of agriculture ★ 英米では学部に当たるものを department と呼ぶ大学もある. 《☞ がくぶ (類義語)》.

のうがく[2] 能楽 ☞ のう[3] 能楽師 Noh player Ⓒ 能楽堂 No(h) 「theater [《英》 theatre] Ⓒ.

のうがっこう 農学校 agricultural school Ⓒ.

のうかん[1] 納棺 ―動 (棺に入れる) place [put] … in a coffin.

のうかん[2] 納竿 ―動 stop fishing.

のうかん[3] 能管 Noh flute Ⓒ; (説明的には) flute with seven stops used in Noh music Ⓒ.

のうかんき 農閑期 the farmer's slack season (↔ the farmer's busiest season).

のうき[1] 納期 (金銭の) the 「due [fixed; final] date for payment; (物品の) the agreed date 「of [for] delivery, the time limit for delivery.

のうき[2] 農期 farming season Ⓒ.

のうきぐ 農機具 farm(ing) 「tools [implements] ★ 複数形で; (大がかりな機械類) farm machinery Ⓤ.

のうきょう[1] 農協 (農業協同組合) agricultural cooperative (association) Ⓒ.

のうきょう[2] 納経 ―動 offer a handwritten sutra /sú:trə/ (to a Buddhist temple).

のうぎょう 農業 ―名 ágricùlture Ⓤ; (牧畜・養鶏なども含めての) farming Ⓤ. ―形 (農業の) àgricúltural. 《☞ こうさく[2]》. ¶ このあたりは*農業が盛んです This is a heavily *agricultural* district. 農業委員会 àgricúltural commíttee Ⓒ 農業学校 agricultural school Ⓒ 農業機械 farm machinery Ⓤ; (個々の) farm machine Ⓒ 農業技術 àgricúltural technólogy Ⓒ 農業基本法 the Agricultural Basic Law ★ 1999 年「食料・農業・農村基本法」(the Basic Law on Food, Agriculture and Rural Areas; 通称 新農業基本法) となった. 農業(協同)組合 agricultural cooperative (association) Ⓒ 農業高校 ágricùltural hígh schòol Ⓒ 《☞ がっこう》 農業国 ágricùltural country Ⓒ 農業試験場 Régional Agricúltural Expérimental Stàtion Ⓒ 農業神 god of agriculture Ⓒ 農業人口 agricultural [farming] population Ⓒ 農業政策 agricultural policy Ⓒ 農業大学 ágricùltural cóllege Ⓒ 農業大国 ágricùltural big pówer Ⓒ 農業白書 ágricùltural whíte pàper Ⓒ 《☞ はくしょ》 農業保険

agricultural insurance Ⓤ　**農業用水** irrigation Ⓤ.

のうぎょうしゃねんきん　農業者年金　pension for farmers Ⓒ.

のうきん　納金　(支払うこと) payment Ⓤ; (納めた金) money paid Ⓤ; (納入すべき金) money due Ⓤ. (☞ おさめる¹).

のうぐ　農具　☞ のうきぐ

のうげい　農芸　agriculture Ⓤ.　**農芸化学** agricultural chemistry Ⓤ.

のうこう¹　濃厚　── [形] (スープなどが) thick; (密度などが) dense; (味などが濃すぎる) heavy; (栄養分などが豊かな) rich. (☞ こい¹). ¶ 彼が再選される気配が*濃厚になった (⇒ 有望になってきた) The prospects for his reelection have become very 「*hopeful* [*good*]. / (⇒ より強い可能性がある) There is a *stronger possibility* that he will be reelected. // *濃厚な (⇒ 熱烈な) ラブシーン a *passionate* love scene

のうこう²　農耕　ágricùlture Ⓤ; (家畜の飼育なども含めての) farming Ⓤ; (土地を耕すこと) cultivation Ⓤ. (☞ のうぎょう; こうさく³).　**農耕文化** agricultural culture Ⓤ　**農耕民族** agricultural [agrarian /əgré(ə)riən/] 「people [tribe] Ⓒ.

のうこつ　納骨　── [動] (納骨堂[墓]へお骨を納める) place the ashes of the dead in the 「charnel house [grave].

のうこん　濃紺　dark [navy] blue Ⓤ.

のうさい¹　納采　¶ *納采の儀 the rite of 「betrothal [engagement] of the Imperial /ɪmpí(ə)riəl/ Family ★ betrothal のほうが格式ばった語.

のうさい²　濃彩　strong coloring Ⓤ.

のうさぎ　野兎　hare Ⓒ; (北米西部の) jackrabbit Ⓒ.

のうさぎょう　農作業　farmwork Ⓤ.

のうさくぶつ　農作物　(作物) crop Ⓒ; (一地方・一季節の農作物全体) the crops; (特に野菜など) farm produce Ⓤ.

のうさつ¹　悩殺　── [動] (魅了する) enchant ㊀ ★ しばしば受身で; (うっとりさせる) bewitch ㊀; (とりこにする) captivate ㊀.　── [形] enchanting; captivating.

のうさつ²　納札　── [動] offer a pilgrimage card (to a Buddhist temple).

のうさんぶつ　農産物　farm [agricultural] 「products [produce Ⓤ]　[語法] agricultural を使うほうが格式ばった言い方. products は複数形で.　**農産物価格支持** agricultural price support Ⓤ, price support of agricultural commodities Ⓤ　**農産物輸入自由化** liberalization of the import of agricultural products Ⓤ.

のうし¹　脳死　── [名] brain [cerebral] death Ⓤ ★ [ ]内は専門的な語.　── [形] (脳死の) brain-dead.　**脳死移植** (脳死者からの臓器移植) órgan trànsplant from bráin-dèad donors /dóʊnəz/ Ⓒ　**脳死患者** brain-dead patient Ⓒ, brain-death case Ⓒ　**脳死判定** official judgment of brain death Ⓤ　**脳死判定基準** criteria for the judgment of brain death ★ 複数形で.

のうし²　直衣　*noshi* Ⓒ; (説明的には) ancient Japanese informal wear for noblemen Ⓤ.　**直衣装束** *noshi* costume Ⓒ.

のうじ¹　能事　(自分の仕事) *one's* work Ⓤ. ¶ *能事終われりとする (⇒ 自分の仕事が終わったと考える) consider *one's work* done

のうじ²　農事　agriculture Ⓤ; agricultural affairs ★ 普通は複数形で.　**農事暦** agricultural 「calendar [almanac] Ⓒ.

のうじしけんじょう　農事試験場　(日本の昔の) agricultural testing station Ⓒ ★ 現在の「農業試験場」に移行した. (☞ のうぎょう (農業試験場)).

のうしゃ　納車　delivery of a car to the purchaser Ⓤ.

のうしゅ　膿腫　〔医〕cystoma /sɪstóʊmə/ Ⓒ (複 ~s, cystomata /-mətə/) (☞ しゅよう²).

のうじゅ　納受　(受けとること) acceptance Ⓤ; (聞き届けること) grant Ⓤ; (神や仏が願いを聞き入れること) grant of prayers by 「a god [Buddha] Ⓤ.

のうじゅう　膿汁　pus Ⓤ (☞ うみ²).

のうしゅく　濃縮　── [名] còncentrátion Ⓤ, enrichment Ⓤ ★ 前者が専門的な用語.　── [動] cóncentràte ㊀, enrich ㊀. ¶ *濃縮ウラン *enriched* /ɪnrítʃt/ [*cóncentràted*] uranium /jʊréɪniəm/　**濃縮果汁還元** thinning of concentrated juice Ⓤ; (パッケージの表示) From Concentrate (↔ Not From Concentrate).

のうしょ　能書　(字が上手なこと) skillful penmanship Ⓤ; (字が上手な人) good penman Ⓒ. (☞ しょ¹). ¶ 彼女は*能書家だ She has *excellent handwriting*. / She writes a very *good hand*. ★ やや古風な表現.　**能書筆を択ばず** ☞ こうぼう⁴ (弘法筆を択ばず)

のうしょう¹　脳漿　(脳脊髄液) cerebrospinal fluid Ⓤ; (知力) brains ★ 複数形で. ¶ *脳漿をしぼる cudgel [rack] *one's brains*

のうしょう²　農相　☞ のうりん (農林水産大臣)

のうじょう　農場　farm Ⓒ; (茶・綿・砂糖など大規模な) plantation Ⓒ; (家畜・単一の作物などを生産する大規模農場) 《米》 ranch Ⓒ. ¶ 彼はカリフォルニアで*農場を経営している He runs a 「*farm* [*ranch*] in California.

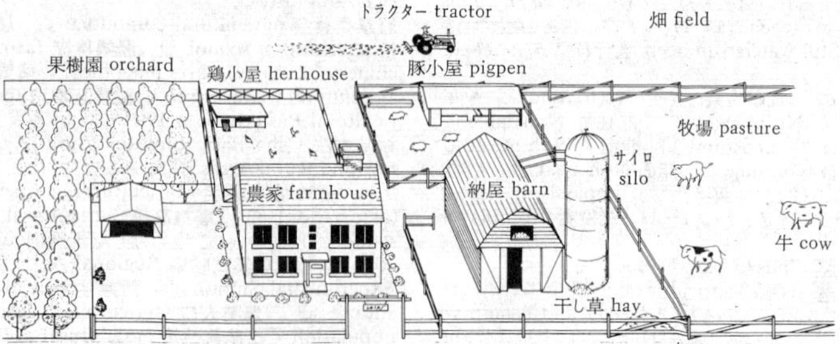

農場 farm

のうすいしょう 農水省 ☞ のうりん(農林水産省)

のうせい 農政 àgricúltural admìnistrátion Ⓤ.
農政学 ágricùltural pólitics Ⓤ.

のうぜい 納税 ―名 payment of taxes Ⓤ, tax payment Ⓤ. ―動(税を納める) pay taxes. (☞ぜいきん; おさめる[1]). ¶人はみな*納税の義務がある People should *pay* their *taxes*.
納税額 the amount of *one's* taxes; (行政区全体の) taxation Ⓤ 納税期日 the date on which taxes are due 納税忌避 tax evasion Ⓤ 納税者 taxpayer Ⓒ 納税者番号制度 taxpayer's ˹code [numbering] system Ⓤ 参考 《米》の「個人納税者番号」は Individual Taxpayer Identification Number《略 ITIN》 納税申告 ―名 (income) tax return Ⓒ. ―動 file ˹an income [a] tax return 納税貯蓄組合 tax savings association Ⓒ 納税通知書 tax notice Ⓒ 納税引当金 reserve for ˹tax payment [taxes] Ⓒ.

のうぜんかずら 凌霄花 〘植〙 trumpet creeper Ⓒ.

のうそん 農村 farm [farming] village Ⓒ; (農村地帯) farm [farming] district Ⓒ. (☞ むら[2]).
農村社会学 rural sociology Ⓤ.

のうたん 濃淡 ―名 (明かりと影) light and shade; (濃淡の度合い) shade Ⓒ. ―動(絵などに濃淡をつける) shade ㊕. 濃淡法 shading Ⓤ, chiaroscuro /kiɑ̀:rəsk(j)ʊ́(ə)roʊ/ Ⓤ ★後者は専門的な語.

のうち 農地 farmland Ⓤ, agricultural land Ⓤ ★後者のほうが格式ばった表現. (☞ こうち[1]). 農地改革 agricultural [agrarian] reform Ⓤ ★個別にはⒸ. 農地転用 conversion of farmland Ⓤ 農地法 the Agricultural Land Law.

のうちゅう[1] 脳中 ☞ のうり[1]

のうちゅう[2] 嚢中 ¶*嚢中無一物である(⇒財布の中は空) My pocket is empty. 嚢中の錐(才能のある人は現れる) Talent will show itself (like a gimlet in a pouch).

のうてん 脳天 (頭のてっぺん) crown of the head Ⓒ; (頭) head Ⓒ. (☞ あたま).

のうてんき 能天気 ―形 (のんきで楽天的な) happy-go-lucky (☞ のんき).

のうど[1] 濃度 (液体の) concentration Ⓤ; (密度) density Ⓤ. ¶この湖の塩分の*濃度はどのくらいですか What's the *concentration* of salt in the water in this lake? / (⇒どれだけ塩分を含むか) How much salt does the water in this lake contain? // *濃度の高い(⇒濃縮した)塩水 *concentrated* salt water 濃度規制 density restriction Ⓤ 濃度計 densitometer Ⓒ.

のうど[2] 農奴 (人) serf Ⓒ; (身分・制度) serfdom Ⓤ. 農奴解放 emancipation of serfs Ⓤ.

のうどう[1] 能動 ―形 (能動的な) active.
能動態〘文法〙 the active voice 能動輸送〘生化〙 active transport Ⓤ.

のうどう[2] 農道 farm road Ⓒ, (private) road between fields Ⓒ.

のうどくしょう 膿毒症 〘医〙 pyemia /paɪí:miə/ Ⓤ.

のうドック 脳ドック brain checkup Ⓒ.

のうなし 能無し ―形 good-for-nothing Ⓐ. ―名 (能なしの人) good-for-nothing Ⓒ.

のうにゅう 納入 ―動(金銭を) pay ㊕; (物品を) delíver ㊕. ―名 payment Ⓤ; delívery Ⓤ. (☞ おさめる[1]; のうひん).

のうのう ―副 (楽天的で気楽なやり方で) in a happy-go-lucky manner (☞ のんき). ¶*のうのうと暮らす(⇒気楽に構える) *take things easy*

ノウハウ (実際的な知識・技術) knów-hòw Ⓤ. ¶彼らはコンピューター設計の*ノウハウを持っている They have the *know-how* to design computers. // 我々はその*ノウハウをアメリカから学んだ We ˹got [acquired] the *know-how* from America.

のうはんき 農繁期 the farmer's busiest season (↔ the farmer's slack season). ¶今は*農繁期です This is *the busiest season for* (*the*) *farmers*.

のうひしょう 膿皮症 〘医〙 pyoderma /pàɪoʊdə́:mə/ Ⓤ.

のうひつ 能筆 ☞ のうしょ

のうひん 納品 ―名 (品物を納めること) delívery (of goods) Ⓤ; (納品された物品) delivered goods ★複数形で. ただし数詞や many などで修飾しない. ―動(納品する) delíver ㊕; (供給する) supply ㊕. (☞ のうにゅう; はいたつ).
納品書 delivery note Ⓒ.

のうふ[1] 農夫 (農場経営者) farmer Ⓒ; (雇われた農場労働者) farmhand Ⓒ. (☞ のうみん).

のうふ[2] 農婦 woman ˹farmhand [farmer] Ⓒ.

のうふ[3] 納付 ―名 (支払うこと) payment Ⓤ. ―動 pay ㊕ ㊀. (☞ おさめる[1]; はらう).
納付金 payment Ⓒ; (金額) the amount of payment.

のうへい 農兵 peasant soldier Ⓒ.

のうべん 能弁 ―形 éloquent. ―名 éloquence Ⓤ. (☞ ゆうべん; めいちょうし).

のうほう 膿疱 pustule /pʌ́stʃu:l/ Ⓒ. 膿疱疹 pustular eruption Ⓤ.

のうほん 納本 ―名 delivery of books Ⓤ. ―動 deliver books (to ...).

のうぼん 膿盆 (病院の) pus /pʌ́s/ bàsin Ⓒ.

のうほんしゅぎ 農本主義 (重農主義) physiocracy /fìziɑ́krəsi/ Ⓤ.

のうまく 脳膜 (髄膜) the meninges /mɪníndʒi:z/ ★the を付けて複数形で. 単数形は meninx /mí:nɪŋks/. 脳膜炎 ★髄膜炎の旧称 (☞ ずいまく(髄膜炎)).

のうみそ 脳味噌 brains ★複数形で. 転じて「頭脳」の意味にも用いられる; (頭脳) head Ⓤ. (☞ のう[1]; ずのう 語法). 脳味噌が足りない(頭が悪い) have no brains. ¶*脳味噌が足りない人 a *brainless* person 脳味噌を絞る rack [beat] *one's* brains

のうみつ 濃密 ―形 (手の込んだ) eláborate; (描写などが詳細な) detailed /dɪtéɪld/; (関係が親密な) intimate. 濃密雲〘気象〙 dense cirrus Ⓤ.

のうみん 農民 (一般には) farmer Ⓒ; (一地方などの全体の) farming population Ⓤ; (農場労働者) farm ˹laborer [worker] Ⓒ, farmhand Ⓒ; (昔の小作農民や発展途上国の貧しい農民) peasant Ⓒ. (☞ のうか). 農民一揆 peasant revolt Ⓒ 農民運動 peasant movement Ⓒ 農民組合 farmers' ˹association [union] Ⓒ 農民文学 farmer [peasant] literature Ⓤ.

のうむ[1] 濃霧 a ˹dense [heavy; thick] fog ★a を付けて用いる. (☞ きり[1]).

のうむ[2] 農務 agricultural affairs ★複数形で.
農務省《米》 the Department of Agriculture 農務長官《米》 the Secretary of Agriculture.

のうやく 農薬 agrochemicals, ágricùltural chémicals ★いずれも通例複数形で; (殺虫剤) inséctìcide Ⓒ. ¶トマトには*農薬をまかないこと Don't ˹treat [dust] tomatoes with *insecticides*. 農薬汚染 ágricùltural chémicals pollùtion Ⓤ 農薬公害 agrochemical contamination Ⓤ 農薬散布 (飛行機による)《米》 crop-dusting Ⓤ, 《英》 crop-spraying Ⓤ.

のうゆ 脳油 (鯨油) whále òil Ⓤ, spérm òil Ⓤ.

のうよう 膿瘍 〘医〙abscess Ⓒ.

のうらん 悩乱 （苦悩）anguish Ⓤ.

のうり[1] **脳裏** ¶彼女の顔が*脳裏から離れない（⇒彼女を忘れることができない）I *can never forget* her. / (⇒彼女の顔が私の心に刻まれている) Her face *is etched* ⌈*in* [*on*] *my mind.* ★ある特定の場面の顔. 《☞ ねんとう[1]; こころ; きおく》 **脳裏に焼き付く** ¶その光景は私の*脳裏に焼き付いています The scene *is deeply impressed on my mind.*

のうり[2] **能吏** （有能な役人）able official Ⓒ.

のうりつ 能率 efficiency Ⓤ《☞ こうりつ[2]》.

¶*能率を上げる [下げる] raise [lower] *efficiency* // きょうは暑くて*能率が上がらない（⇒多くの仕事ができない）It's so hot that I can't do much work today. // もう少し*能率よく仕事ができませんか Can't you do your work a little more *efficiently*? // この方法をとればうんと*能率が上がる（⇒この方法は高い能率を生み出す）This method will make for increased *efficiency*. / You could do it much more *efficiently* with this method.

【参考語】 ── 形（能率のよい）efficient;（効果的な）effective;（能率の悪い）inefficient.

能率化 ¶*能率化をはかる promote [enhance] *efficiency* / attempt to achieve greater *efficiency* **能率給** efficiency wages ★複数形で. **能率的** ── 形 efficient. ¶*能率的なやり方 an *efficient* ⌈way [method] // *能率的に仕事をする carry out work *efficiently*

のうりゅうさん 濃硫酸 〘化〙stróng sulfuric /sʌlfjʊ́(ə)rɪk/ ácid Ⓤ《☞ りゅうさん》.

のうりょう 納涼 ¶*納涼屋外コンサート a summer *evening* concert in the open air《☞ ゆうすずみ》 **納涼客** people going out to enjoy the evening cool ★集合的. **納涼船** pleasure boat to enjoy the cool of ⌈a river [the ocean] Ⓒ.

のうりょく 能力 ability Ⓤ; faculty Ⓒ;（潜在的な能力）capacity Ⓤ;（実際にやれる力）capability Ⓤ; talent Ⓤ 〔語法〕いずれの語もしばしば複数形で用いる.

【類義語】人があることを立派になしうる知的・肉体的能力が **ability**で, 最も一般的で意味が広い. 身に備わった才能で, それを行使するのに特別な努力のいらない知的な能力は **faculty**. 人および物についての潜在的な可能性を含めた能力, つまりやろうと思えばどのくらいできるかという意味での能力を表す言葉が **capacity**. ある特定のことを行うのに適する能力が **capability** で, 普通はかなり実際的な能力, 例えば経営・運動などについていうことが多い. 音楽・演劇などの特殊な分野で特に努力によって身につくすぐれた能力は **talent**. 《☞ ちから; さいのう[1]（類義語）; ゆうのう（類義語）》

¶私にはそれだけの支払い*能力はありません（⇒支払えない）I'm afraid I *can't* pay that much. // これが私の*能力の限界です（⇒私にできる最大のことです）This is the ⌈most [best] I *can* do. // 教師は生徒の*能力を伸ばしてやらなくてはならない Teachers should help their students (to) develop their ⌈*abilities* [*capabilities*]. // 君はもっといい成績をとる*能力がある You are *capable* of getting higher grades. // 生徒は*能力別に3つのクラスに分けられた The students were tracked into three groups by *ability*. ★track は「《米》能力別学級に分ける」. 《英》は stream. / The students were divided into ⌈three *ability* groups [three groups according to their *ability*]. // このホールの収容*能力は約千人です This hall *seats* about ⌈a [one] thousand. / This hall has a seating *capacity* of about ⌈a [one] thousand. ★前者のほうが普通. // この工場は月産8万台のテレビ生産*能力がある This factory has a productive *capacity* of eighty thousand television sets a month.

能力開発 potential development Ⓤ **能力給** wages based on merit ★複数形で; pay according to ability Ⓤ **能力主義** mérit sỳstem Ⓒ **能力主義社会** mèritócracy Ⓤ **能力テスト**（適性検査）aptitude test Ⓒ **能力別学級編成** ability grouping Ⓤ.

コロケーション

能力をいかす make (full) use [make the most] of *one's ability* / **能力を失う** lose the *ability* / **能力を発揮する** show ⌈*ability* to ... [(a) *talent* for ...] / **能力を評価する** evaluate *a person's ability* / **能力を認める** recognize *a person's ability* // **生まれつきの能力** natural [innate] ⌈*ability* [*talent*]; a (natural) ⌈*flair* [*gift*] / **かなりの能力** considerable *ability* / **後天的な能力** acquired *ability* / **素晴らしい能力** outstanding ⌈*ability* [*talent*] / **潜在的な能力** latent *ability* / **たぐい稀な能力** (a) rare *talent*; exceptional *ability* / **並の能力** (a) mediocre ⌈*ability* [*talent*] / **無限の能力** unlimited *ability*

のうりん 農林 agriculture and forestry Ⓤ. **農林漁業金融公庫** the Agriculture, Forestry and Fisheries Finance Corporation《略 AFC》 **農林水産省[大臣]** the ⌈Ministry [Minister] of Agriculture, Forestry and Fisheries **農林中央金庫** the Norinchukin Bank.

ノエル（男性・女性名）Noel /nóʊəl/.

ノー no Ⓒ. ¶「イエス」か「*ノー」かと言われれば「*ノー」だ If I have to answer (in terms of) "yes" or "*no*," my answer is ⌈"*no*" [*in the negative*]. ★[ ]内は格式ばった言い方.

ノーアイロン ── 形（アイロンかけ不要の）wash-and-wear Ⓐ, permanent press, nonironable. ¶*ノーアイロンのワイシャツ a *wash-and-wear* shirt

ノーアウト ── 副 with no outs.

ノーカーボンし ノーカーボン紙（感圧紙）pressure-sensitive paper Ⓤ 〔日英比較〕「ノーカーボン」は和製英語.

ノーカウント no count Ⓤ. ¶それは*ノーカウントだ That does*n't count*.

ノーカット ¶*ノーカットの（⇒検閲なしの）ポルノ映画 an *uncensored* porno(graphic) movie 〔語法〕「ノーカット」は和製英語. uncut film は用いられる.

ノーゲーム ¶試合は雨で*ノーゲームとなった The game was *rained* ⌈*out* [《英》*off*]. 《☞ ちゅうし[1]》

ノーコメント no comment Ⓤ. ¶政府高官はその件については*ノーコメントだった The high-ranking government official ⌈*made no comment* [(⇒コメントを拒否した) *refused to comment*] on the matter.

ノーコン 〘野〙no [poor] control Ⓤ《☞ コントロール》. ¶あの投手は*ノーコンだ That pitcher has ⌈*no* [*poor*] *control.*

ノーサイド 〘ラグ〙no side Ⓤ.

ノーショウ（予約したまま現れない人）no-show Ⓒ.

ノースカロライナ ── 名 固（米国の州）North Carolina《☞ アメリカ(表)》.

ノーズクリップ（シンクロナイズドスイミングの）nose clip Ⓒ.

ノーズダイブ（急降下）nósedive Ⓒ.

ノースダコタ ── 名 固（米国の州）North Dakota《☞ アメリカ(表)》.

ノースモーキング ¶*ノースモーキング《掲示》*No Smoking* // 席は*ノースモーキングにして下さい I'd like a seat in the *non-smoking* ⌈section [car]. ★それぞれ飛行機, 列車の場合. 《☞ きんえん[1]》

ノースリーブ ― 形 (袖のない) sleeveless.
¶*ノースリーブのワンピース a *sleeveless* one-piece
ノータイ ☞ ノーネクタイ
ノータイム (試合始め) Time in!
ノーダウン 〔野〕no outs ★ 複数形で. ¶*ノーダウン満塁だ The bases are loaded with *no outs*.
ノータッチ ¶前回は彼はその問題に*ノータッチだった (⇒ 言わなかった[触れなかった]) He did*n't* ˹*mention* [*touch on*] the issue last time. // 私は最初から*ノータッチです (⇒ 関係ない) I *have had nothing to do with* it from the beginning. // *ノータッチエースを決める《テニスで》score an *ace*
ノーチラスごう ノーチラス号 ― 名 固 the Náutilus ★ 米国の世界最初の原子力潜水艦.
ノート **1** «帳面»: notebook C. ¶あなたの*ノートをちょっと見せて下さい Please let me ˹see [have a look at] your *notebook*. // その文を*ノートに書きなさい Write the sentence in your *notebook*.
2 «筆記» ― 名 note C. ― 動 (ノートをとる) make note of ..., take notes on ...; (一般に書く・書き留める) wríte [nóte] dówn 他. (☞ メモ 日英比較). ¶いまから私の言うことを*ノートしておきなさい Please *write down* what I'm going to say. // 学生たちは講義の*ノートをとった The students *took notes on* the lecture.
ノート型パソコン notebook-size PC C ノートテーカー note-taker C ノートテーキング note-taking U ノートブック notebook C.
ノード 〔コンピューター〕node C.
ノートルダムじいん ノートルダム寺院 ― 名 固 Notre Dame de Paris /nóutr(ə)dáːm də pǽrɪs/ ★ パリの大聖堂.
ノーネクタイ ― 副 without (wearing) a tie.
ノーハウ ☞ ノウハウ
ノーバウンド ¶*ノーバウンドで捕球する catch a ball *direct*
ノーヒット ¶彼は三打席*ノーヒットだった He came up to bat three times *without any hit*.
ノーヒットノーラン ¶柴田はライオンズを相手に*ノーヒットノーランを達成した Shibata ˹pitched a *no-hit, no-run* game [recorded a *no-hitter*] against the Lions.
ノーフォーク ― 名 固 Norfolk ★ 米国バージニア州南東部の港湾都市; 英国南東部, 北海沿岸の州.
ノーブラ ¶彼女は*ノーブラだった She *was* ˹*braless* [*not wearing a brassiere*].
ノーブランドしょうひん ノーブランド商品 generics, generic ˹products [goods] ★ いずれも複数形で.
ノープレー ― 形 〔スポ〕out of play.
ノーベリウム 〔化〕nobelium《元素記号 No》.
ノーベル ― 名 固 Alfred Bernhard Nobel, 1833–96. ★ スウェーデンの化学技術者.
ノーベルしょう ノーベル賞 Nobel Prize C.
¶1994 年の*ノーベル文学賞は日本の作家に与えられた The *Nobel Prize* in Literature for 1994 was awarded to a Japanese writer. // 2004 年の*ノーベル賞受賞者 a 2004 *Nobel Prize* winner
ノーマ (女性名) Norma.
ノーマーク ¶彼は*ノーマークで (⇒ 相手ディフェンダーの注意を引かずに) うまいパスを決めた He made a fine pass *without the defender's marking*.
ノーマライゼーション (正常化・日常化) normalization U.
ノーマリゼーション ☞ ノーマライゼーション
ノーマル ― 形 (正常な) normal (↔ abnormal) (☞ せいじょう[1]).
ノーマン (男性名) Norman ★ 愛称は Norm.
ノーミス ― 名 no mistake U, no error U.
― 副 without ˹a mistake [an error]. (☞ ミス[1]).
ノーム (男性名) Norm ★ Norman の愛称.
ノーモア ― 形 (2 度と繰り返さない) no more ...
ノーモア広島 No More Hiroshimas.
ノーラ (女性名) Nora ★ Eleanor /élənə/ の愛称.
のがい 野飼い ☞ はなしがい
のがす 逃す (機会などをうっかり逃す) miss 他, let ... slip by 語法 前者のほうが普通で, 意味も広い. (☞ にがす; いっする). ¶彼は絶好の機会を*逃した He *missed* a ˹very good [golden] opportunity. / He *let* a good chance *slip by*.
のかぜ 野風 breeze sweeping over the field U ★ a～ となることもある. (☞ かぜ[1]).
のがれる 逃れる (危険などを免れる) escape 自 他; (逃げる) rùn awáy 自 語法 「免れる」意味ではなく, 動作として逃げることをいう; (ある場所・または所属を離れて逃げ出す) gèt awáy (from ...) 自; (いやなものを免れる) gèt óff 自; (ある状態から脱する) gèt óut of ...; (危険・追跡・不快さなどを避けるために急いで)《格式》flee 自 他《過去・過分 fled》; (やっかい払いをする・免れる) get rid of ...; (意識して避ける) avoid 他; (特に責任などを) shirk 他; (うまく回避する) evade 他. (☞ にげる; まぬがれる; さける[1]).
¶彼は国外に*逃れた He *ran away* and went abroad. / (⇒ 自国を脱した) He *fled* the country. // 何とか危険を*逃れた We managed to ˹*get out of* danger [*escape* from the danger]. // だれも運命からは*逃れられない No one can *avoid* ˹his [her; his or her; one's] destiny. // どうしたら借金取りから*逃れることができるだろう How can I *get rid of* the debt collectors? // 彼は何とか責任を*逃れようとした He tried and tried again to ˹*evade* [*shirk*] his responsibilities.
のがわ 野川 brook in the fields C (☞ かわ[1]).
のがん 野雁 〔鳥〕great bustard C.
のかんぞう 野萱草 〔植〕day lily C.
のき 軒 eaves ★ 複数形で. (☞ ひさし). ¶通りにはみやげ物屋が*軒を並べている Souvenir shops ˹*line* [*stand side by side* on] both sides of the street.
軒板 eaves board C 軒瓦 eaves tile C 軒先 ¶*軒先に (⇒ 家のすぐ前に) 植木鉢が並べてある There are rows of flower pots *just in front of the house*. 軒下 ― 副 under the eaves 軒丈 ¶彼は*軒丈まで木に登った He climbed up the tree *as far as the eaves*. 軒樋 gutter C 軒並み ¶その通りの商店は*軒並み泥棒にやられた (⇒ どの商店も) *All* the stores on the street were broken into by (the) burglars. 軒端 the edge of the eaves 軒回り the eaves assembly.
のぎ 芒 (麦などの) beard C, awn C ★ 後者は専門用語.
のぎく 野菊 wild chrysanthemum /krɪsǽnθəməm/ C.
のきしのぶ 軒忍 〔植〕weeping fern C.
ノギス 〔機〕(副尺付カリパス) vernier /vɚ́ːniɚ/ ˹cálipers [micrómeter C] ★ caliper は通例複数形で.
のぎへん ノ木偏 (漢字の) grain radical on the left of kanji C.
のく 退く (わきへ寄る) stép aside 自; (邪魔にならない所へ行く) get out of the way. (☞ どく[2]).
のぐさ 野草 (野生の草) wild grass U; 〔植〕(蚊帳吊草科の一種) (common) bog rush C. (☞ やそう).
のぐそ 野糞 ― 動 (野原で大便をする) relieve *oneself* in the field.

ノクターン 〔楽〕(夜想曲) nócturne [C].
のぐちげら 野口啄木鳥 〔鳥〕 Pryer's woodpecker [C].
ノクトビジョン (赤外線暗視装置) nóctovìsion [C].
のげいとう 野鶏頭 〔植〕 féather cockscomb /kákskòum/ [C].
のげし 野芥子 〔植〕(common) sow thistle [C].
のけぞる bend backwards (自).
のけもの 除け者 ―名 (社会から締め出された人) outcast [C], 《略式》 odd man out [C] 《複 odd men out》. ―動 (のけものにする・無視して仲間から外す) léave óut (他) [語法] かなり意味が広く, 必ずしも意図的でなくても, 抜かしたり, 取り残したりすることにも言う. ¶その少年はいつもクラスで*のけ者になっている (⇒ クラスの活動から仲間はずれにされている) The boy *is* always *left out* of class activities.
のける 除ける (わきの方へ動かす) móve asíde (他); (取り除く・どこかへ持って行ってしまう) pùt [tàke] awáy (他); (進路の邪魔になるものを) get ... out of the way; (数に入れないで除外する) cóunt óut (他); (仲間からはずす) léave óut (他). 《☞ のぞく¹; とりのぞく; じょがい》.
のこ(ぎり) 鋸 ―名 saw [C]. ―動 (のこぎりで切る) saw (他). 《☞ だいく (挿絵)》. ¶*のこぎりの歯 a tooth of a *saw* / a sawtooth 《複 sawteeth》 // 大工さんが板を*のこぎりで切っている The carpenter *is* ˹*sawing* the board [cutting the board with a *saw*]. // *のこぎり状の薄切り円盤 a *serrated* slicing disc **鋸引き** *nokogiribiki*, ancient capital punishment [U]; (説明的に, のこぎりによる斬首) beheading by means of a saw [U].

手のこぎり handsaw

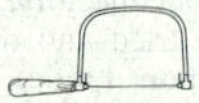
糸のこ coping saw

チェーンソー chain saw

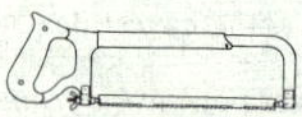
弓のこ hacksaw

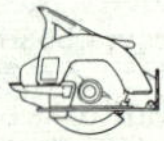
丸のこ circular saw

のこぎりくわがた 鋸鍬形 〔昆〕 *nokogiri* [saw] stag beetle [C].
のこぎりざめ 鋸鮫 〔魚〕 saw shark [C].
のこぎりそう 鋸草 〔植〕 yarrow [C].
のこくず 鋸屑 sawdust [U].
のこす 残す leave (他) 《過去・過分 left》 ★ 最も一般的で意味が広い; (後に残す) léave ... behínd; (保存する) preserve (他); conserve (他); (食物・材料などの一部を) léave óver (他); (とっておく) sét asíde (他); (予備に) pùt asíde (他), reserve (他) ★ 前者のほうが口語的; (節約して) save (他); (足止めする) kèep (in) (他). 《☞ のこる; とっておく》.
¶父が*残したのは借金だけだ My father *left* nothing but debts. // 二郎は宿題を*残して (⇒ やり終わらないで) 泳ぎに行った Jiro *left* his homework *unfinished* and went swimming. // 家族を日本に*残して彼はアメリカへ行った He went to America, *leaving* his family *behind* in Japan. // 彼は千円だけ*残して全部使った He spent all the money and had only ˹a [one] thousand yen *left over*. // 私達はその美しい原生林をそのまま*残すべきだ We should ˹*preserve* [*conserve*] the beautiful primeval forest as it is. // 台風は各地にそのつめあとを*残した The typhoon *has left* its scars in many places. // 彼は帰りの旅費として 2 万円を*残しておいた He *set* twenty thousand yen *aside* for his return fare. // 彼女のためにお菓子を少し*残しておこう Let's *save* some candy for her. // この金は将来のために*残しておきなさい You should ˹*put aside* [*reserve*] this money for the future. // 試験まであと 1 か月を*残すのみとなった There is only one month (˹*left* [《略式》 *to go*]) before the exam. // 彼は放課後教室に*残された He *was* ˹*kept* [*made to stay*] after school.
のこった 残った (相撲の行司の掛け声) *Nokotta!*; (説明的には) Not yet! ★「まだ終わっていない」の意. 《☞ すもう》.
のこのこ ―副 (平気で) unconcernedly; (厚かましく) shamelessly. 《☞ ずうずうしい; 擬声・擬態語 (囲み)》. ¶彼女は呼ばれてもいないのにそのパーティーに*のこのこやってきた (⇒ 厚かましくもやってきた) She *had the impudence to* come to the party without ˹being [having been] invited.
のこらず 残らず ―形 (全部の) all ★ 後に集合名詞, 抽象名詞, または複数形が続くが, 全体をひとまとめにして言う言葉. [代]にもなる; (全体) the whole. ―副 (例外なしに) without exception. 《☞ すっかり; ぜんぶ¹》.
¶彼はその金を*残らず使った (⇒ 全部) He spent *all* the money. / (⇒ 最後の 1 セントまで) He spent the money (down) *to the last cent*. // 私はそのことについて*残らず彼に話した I told him *all* about it.
のこり 残り (最も広い意味で) the remainder; (後に残ったもの) what is left behind; (列挙したり, 言及したりしたもの以外のもの) the rest; (食事などの) leftovers, the leavings, the remains [語法] いずれも複数形で. なお leavings は特に手をつけなかった食べ残しで, 後で再利用できるもの; (半端な残りもの) remnant [C]; (剰余) surplus [C]; (金額などの残り) balance [C]. 《☞ あまり¹》.
¶10 から 3 を引くと*残りは 7 です Three from ten *leaves* (you) seven. / Ten minus three ˹*is* [*equals*; *leaves*] seven. / Subtract three from ten and *the remainder* is seven. ★ 格式ばった言い方. // 500 円は私に下さい. *残りはあなたにあげます Give me five hundred yen (out) of it, and you can keep *the rest*. // 今年も*残り少なくなった (⇒ ほとんど終わった) This year is nearly over (now). // クラスで男子は 3 人だけ, *残りは女子です Only three students in our class are boys, and ˹*the rest* [*the others*] are girls. // *残りは犬にやりなさい 《食事の》 Give the *leftovers* to the dog.
残り香 lingering scent of *a* ˹*person* [*person's* perfume] [U] **残り梅雨** lingering rainy season [U] **残り火** (消え残った火) unextinguished [(still-) burning] fire [C] **残り物** ¶*残り物には福がある There is luck in *the last helping*. / There is good luck in *leftovers*.
のこる 残る (余って) be léft ˹óver [behínd]; (元のままで) remain (自); (人などがある場所に) stay (at ...; in ...) (自); (ぐずぐずしてなかなか去らない) linger (on) (自) ★ やや格式ばった語; (保存されている) be ˹preserved [conserved]; (生き残る) survive (他). 《☞ のこす; あまる; とどまる (類義語)》.
¶5 から 2 を取ると 3 *残る Two from five *leaves* three. / Five minus two ˹*equals* [*leaves*; *is*] three. // ここにしばらく*残っていて下さい Please ˹*remain* [*stay*] here a little while. // 痛みがまだ*残っている The pain still *lingers on*. // まだ少々仕事が*残っている (⇒ もう少しやるべき仕事がある) I've got a little more work to do. // 皿の上には何も*残って

いなかった There was nothing *left* on the plate. // 金沢には古い町並みが残っている Old rows of houses *are* ⌈*preserved* [*conserved*] in Kanazawa. // その火事でこの建物だけが*残った Only this building *survived* the fire. // いくら*残っていますか How much ⌈*is* [*was*] *left over*?

のこんぎく　野紺菊　〘植〙 *nokongiku* Ⓤ; (説明的には) wild aster with pale violet flowers Ⓒ.

のさばる　―動 (横柄に振舞う) act proud.　―形 (態度が傲慢(ごうまん)な) overbearing ★ 格式ばった軽蔑語. (☞ いばる; でしゃばる).

のざらし　野晒し　―形 (日光や雨に当てられて) exposed to the sun and rain; (風雨にさらされて古びた) weather-beaten. (☞ さらす).

のざわな　野沢菜　〘植〙 *nozawana* Ⓤ; (説明的には) a kind of cruciferous plant.　**野沢菜漬け** pickled *nozawana* Ⓤ.

のし[1]　熨斗　*noshi* decoration Ⓒ; (説明的には) emblematic thin strip of dried abalone wrapped in red and white paper Ⓒ.　**のし紙[袋]** wrapping paper [envelope] with an emblematic *noshi* decoration printed on it ★ paper は Ⓤ, envelope は Ⓒ.　**のし昆布** *noshi-kombu* Ⓒ; (説明的には) emblematic thin strip of dried *kombu* Ⓒ　**のしをつける** (無料進呈する) make a free gift of ...　¶ あんたの前の彼氏なんか*のしをつけて返してやる (⇒ 喜んでお返しする) I'*m quite willing to* give you back that old boyfriend of yours.

のし[2]　伸し　**のしいか** pressed dried squid Ⓒ　**のし梅** ume jelly Ⓤ; (説明的には) piece of hardened ume jelly wrapped in a bamboo sheath Ⓒ ★ bamboo sheath は「竹の皮」.　**のし餅** flattened rice cake Ⓤ.

のしあがる　伸し上がる　(努力して[人を押しのけて]進む) work [push] *one's* way (up) (☞ たたきあげる).　¶ 彼は最も低い地位から会社のトップに*のし上がった He started at the bottom and ⌈*worked* [*pushed*] *his way* (*up*) to the top (of the) management.

のしあるく　伸し歩く　swagger ⓐ.　¶ 通りを*のし歩く *swagger* down the street

のしかかる　伸し掛かる　(悩みなどが心に重圧を加える) weigh on ...　¶ 個人的な心配事が彼女の心に重く*のしかかっていた Her personal problems *weighed* heavily *on* her (mind).

のじこ　野路子　〘鳥〙 Japanese yellow bunting Ⓒ.

のじゅく　野宿　―動 (外で夜を過ごす) spend the night outdoors; (屋外で寝る) sleep (out) in the open (air). (☞ キャンプ).

のす　伸す　(伸ばす) stretch ⓗ; (殴り倒す) knóck dówn ⓗ. (☞ のばす; うちのめす).

のずえ　野末　the farthest corners of a field.

ノスタルジア　(過ぎ去った思い出に対する懐しみ) nostalgia /nɑstǽldʒə/ Ⓤ (☞ きょうしゅう[1]).

ノスタルジック　―形 (なつかしい気持ちを起こさせる) 《格式》 nostálgic.

ノストラダムス　―名 固 Nostradamus /nàstrədɑ́:məs/, 1503–66. ★ フランスの医者・占星術師.　**ノストラダムスの大預言** Nostradamus predictions.

のすり　鵟　〘鳥〙 (common) buzzard Ⓒ.

ノズル　(噴射口) nozzle Ⓒ.

のせる[1]　乗せる　**1** 《乗り物に》: give *a person* a ⌈ride [lift]; take on ⓗ (↔ let off ⓗ); load ⓐ (↔ unload ⓐ); pick úp ⓗ.

【類義語】 一般的な表現として, 親切から自動車 [またはその他の車両] に乗せることを意味するのが *give a person a* ⌈*ride* [*lift*]. 元来は荷物を積むことをいい, バスなどが客を乗せる動作をいうのが *take on*. 普通は ⓗ で荷物を積む意の *load* は ⓐ としてバスや電車が乗客を乗せる意味で用いる. またこの語は乗客を主語としてバスなどに乗り込む (load into ...) 意味にもなる. 途中で乗せたり, 相手の家まで迎えに行って乗せるのが *pick up*. (☞ のる[1] (類義語))

¶ *乗せてあげようか Shall [Can] I *give* you *a* ⌈*ride* [*lift*]? // 「駅まで*乗せて行ってくれませんか」「いいですとも」 " Will you *give* me *a* ⌈*ride* [*lift*] as far as the station? " " Certainly. " // バスが乗客を*乗せたり降ろしたりしているときは注意して通らなくてはならない While [When] a bus *is loading* and unloading, you must be very careful passing it. // 3 時半に来て*乗せてあげましょう I'll *pick* you *up* at half past three.

2 《軌道・計画に》 ¶ 探査機を軌道に*乗せる *put* a space probe *into* orbit // その投資計画に一口*乗せて (⇒ 参加させて) もらいたい I'd like to *take a share in* the investment project.

3 《計略・調子に》 ¶ 彼の口車に*乗せられないように (⇒ だまされるな) Don't *be taken in* by his honeyed words. // 今度の監督は選手を*乗せる (⇒ やる気にさせる) 手立てを知っている The new manager knows how to *motivate* his players. // ギターに*乗せて (⇒ 合わせて) 甘い調べを歌う sing a sweet melody *to* the guitar

のせる[2]　載せる　**1** 《上に置く》: (ある場所・位置に) put ... (on ...); (たくさん載せる) load ⓗ. (☞ おく[1]; つむ[1]).　¶ 彼はその包みを棚の上に*載せた He *put* the package *on* the shelf. // テーブルには果物がどっさり*載せてあった The table *was loaded* with fruit.

2 《掲載する》: (発表する) publish ⓗ; (広告する) ádvertise ⓗ. (☞ のる[2]; けいさい[1]; てんさい[3]).　¶ 私は自分の意見をその雑誌に*載せた I *published* my opinion in the magazine. // 彼らは新製品の広告を新聞に*載せることに決めた They decided to *advertise* the new product in the (news)papers.

のぞかせる　覗かせる　¶ 赤ちゃんは白い歯を*のぞかせてにっこりとした The baby smiled with some white teeth *showing*. (☞ みせる)

のぞき　覗き　(ちらっとのぞくこと) peep Ⓒ; (のぞき趣味の人) peeping Tom Ⓒ, voyeur Ⓒ ★ 後者のほうが格式ばった語. (☞ のぞく[2]).　**のぞき穴** peephole Ⓒ　**のぞきからくり[眼鏡]** peep show Ⓒ　**のぞき趣味** voyeurism Ⓤ　**のぞき窓** (ドアの) peephole Ⓒ, judas (⌈hole [window]) Ⓒ　**のぞき見** ¶ 壁の割れ目から*のぞき見をする *peep* through a crack of the wall (☞ のぞく[2])

のぞきこむ　覗き込む　☞ のぞく[2]

のぞく[1]　除く　―動 (取り除く) remove ⓗ; (いやな物を) get rid of ...; (除外する) exclude ⓗ; (線などを引いて消してしまう) cróss ⌈óut [óff] ⓗ.　―前 (...を除いては) except ...; (...があるのを除いては) except for ...　語法 except for を except と同じ意味に用いることもある. (☞ とりのぞく; じょがい; はいじょ).

¶ 私たちは邪魔になっている障害物を*除いた We ⌈*removed* [*got rid of*] the obstacles in our way. // 彼女の名前はそのリストから*除かれた Her name *was* ⌈*crossed off* [*omitted from*] the list. // 子供を*除いて全部で 5 人です There are five of us, *excluding* the children. // 君の作文は 2, 3 の文法上の誤りを*除けばよく書けている Your essay is very good *except for* the few grammatical mistakes.

のぞく[2]　覗く　(のぞき見する) peek ⓐ, peep ⓐ; (見る) look ⓐ; (見える) show ⓐ (☞ のぞかせる); (ちょっと立ち寄る) lóok ⌈dróp⌉ in ⓐ. (☞ みる[1] (類義語); かいまみる).

¶ 壁の穴から*のぞいて見た I *peeped* through a hole

in the wall. // 窓から中を*のぞき込んだ I ｢*peeked* [*looked*] in ｢at [through] the window. [語法] 穴や物を通してのぞくのが peek through ... で, 中などをのぞき込むのが peek in (through ...). // 途中で 2, 3 軒本屋を*のぞいた (⇒立ち寄った) On the way I ｢*looked in* at [*dropped by*; *dropped in* at] some bookstores.

コロケーション
鍵穴からのぞく *peep* through a keyhole / 書類をのぞく *peep* into the files / テーブルの下をのぞく *peep* under a table / ドアの陰からのぞく *peep* from behind a door / 箱の中をのぞく *peep* inside a box / 人の様子をのぞく *peep* at *a person* / 塀越しにのぞく *peep* over a fence

のそだち 野育ち ¶ 彼は*野育ちだ (⇒厳しく育てられていない) He has*n't been brought up strictly*. / (⇒しつけがよくない) He is*n't* (*well*) *disciplined*. 《☞ ほうにん》

のそのそ ── 副 (ゆっくりと) slowly; (物ぐさで動きが遅く) sluggishly. 《☞ のろのろ; 擬声・擬態語 (囲み)》.

のぞましい 望ましい (願わしい) desirable; (より好ましい) préferable ★ 比較の意を含む. 《☞ このましい; のぞむ¹》.
¶ 教師になるのなら心理学について勉強しておくことが*望ましい If you want to be a teacher, it is *desirable* to know something about psychology. // ストライキは一日も早く中止されることが*望ましい It *is hoped* that the strike will be called off as soon as possible. // 全員その会に出席することが*望ましい (⇒要求されている) All members *are required* to attend the meeting. [語法] 命令や要請のできる立場の人から言われた場合の表現. もっと客観的立場からなら It is *desirable* that ... という表現となる. // *望ましからざる人物 an *undesirable* person // 販売員募集: 英語の知識のある者が*望ましい Help Wanted: Sales Clerks. Some knowledge of English *preferred*.

のぞみ 望み **1** 《願望》 ── 名 (実現が難しい望み) wish Ⓒ; (強い望み) desire Ⓒ [語法] 会話ではあまり用いない.「性欲」の意味もあるので使い方に注意; (実現を願っている夢) dream Ⓒ; (希望) hope Ⓤ. ── 動 wish ⓗ; hope ⓗ; (欲しがる) want ⓗ. 《☞ ねがい; きぼう¹; のぞむ¹》.
¶ 私の*望みはアメリカへ行くことです My ｢*wish* [*dream*] is to go to America. // 私の*望みはかなえられた (⇒望みは真実となった) My ｢*wish* [*dream*] ｢came true [was realized]. ★ came true を用いたほうが口語的. // 彼は将来は立派な学者になる*望みを抱いていた He cherished the *hope* of ｢being [becoming] a great scholar someday. // どんなときにも*望みを失ってはいけない Don't ｢give up *hope* [*despair*] under any circumstances. // 万事*望みどおりになった (⇒あらゆることは私の期待どおりになった) Everything happened according to my *expectations*. / Everything turned out as I *had hoped*. ★ 後者のほうが普通. // もしお*望みならば私たちと一緒にいらっしゃい You can come with us if you ｢*want to* [*like*]. // 特別にお*望みのもの (⇒好みのもの) がありましたらお知らせ下さい Please let us know your (particular) *preferences*, if any. // 彼女は*望みが高すぎる (⇒彼女はあまりにも野心的です) She is too *ambitious*. / (⇒いつも高く目ざしすぎる) She *is* always *aiming* too high.
2 《見込み》: (公算) chance Ⓒ; (期待) hope Ⓤ; (ありそうな見込み) likelihood Ⓤ. 《☞ みこみ; かのうせい; こうさん¹》.
¶ 私たちが勝てる*望みは十分にある We have a good *chance* of winning. // 彼が試験に受かる*望みはない There's little *hope* that he will pass the examination. / (⇒試験に受かりそうもない) It's *unlikely* (that) he'll pass the exam. // 私たちはあなたに*望みをかけている (⇒あなたに多くを期待している) We *expect* much of you. // その件はもう*望みはない The situation is *hopeless*. / The situation is ｢beyond [past] *hope*. ★ 第 1 文のほうが普通.
望みの綱 the last hope 《☞ たのみ (頼みの綱)》. ¶ 彼は私の*望みの綱だ I have high *hopes* for him. // *望みの綱が切れた That's the end of my *hopes*. / (⇒希望はまったくなくなった) All *hope* is gone. **望みを託す** ¶ 我々は彼に*望みを託した We *pinned our hopes* on him. // 私たちは孫娘に*望みを託しています (⇒孫娘は私たちの望みとしている者です) The granddaughter is our *hope*.

コロケーション
以下の例の他には ☞ きぼう¹
望みにすがりつく cling to a *hope* / 望みを与える give *hope* / 望みを抱く cherish [entertain] a *hope* / 望みを打ち砕く crush [shatter] *a person's hopes* / 望みをかける place [put] *one's hopes* (on...) / 望みを捨てる give up [abandon] *hope* / 望みをなくす lose *hope* / 望みを見出す find *hope*

のぞみうす 望み薄 ¶ *望み薄だ There is *little hope* (*left*). // 彼の成功は*望み薄です There is *little hope* for his success. / The *chances* for his success *are slim*. / (⇒彼自身が望みをほとんど持っていない) He has *little hope* for success.

のぞむ¹ 望む **1** 《希望する》: (欲する) want ⓗ [語法] (1) 最も一般的な語. ただし相手に対する要求としてはぞんざいになる点に注意; (実現が難しいことを願う) wish ⓗ; (希望する) hope ⓗ [語法] (2) wish と hope は後に名詞がくるときは ⓘ で wish [hope] for ... となる; (楽しみに待つ) look forward to ... [語法] (3) 名詞・動名詞をとる; (強く望む) desire ⓗ ★ 格式ばった語. 会話ではあまり用いない. 《☞ ねがう; きぼう¹》.
¶ 両親は彼が大学へ入ることを*望んでいる <S (人) + V (*want*) + O (人・物) + *to*不定詞> His parents *want* him *to* go to ｢college [university]. [語法] (4) *hope* him *to go* とは言えない. // 私はあなた方が幸福な生活を送ることを*望みます <S (人) + V (*wish*) + O (人) + O (事柄)> I *wish* you a happy future. / I *hope* that you (will) lead a happy life. // これ以上のことは*望めない We cannot ｢*wish* [*hope*] *for* anything better than this. // 私たちは世界平和を*望んでいる We *wish for* world peace.
2 《好む》: (どちらかといえば...したい) prefer ... to ...; (...したいと決める) choose ⓗ ★ やや改まった語. 《☞ のぞましい》. ¶ 私は東京より田舎の暮らしのほうを*望む I *prefer* living in the ｢country [countryside] *to* living in Tokyo.
3 《見渡す》: (建物・場所が景色を) command ⓗ 《☞ みはらし; ながめる》. ¶ その丘から湾の全景が*望めるThe hill *commands* a view of the entire bay. // はるかに北アルプスを*望みながら (⇒北アルプスの遠景を楽しみながら) 一休みした We took a rest, *enjoying a distant view* of the northern (Japanese) Alps.

のぞむ² 臨む (出席する) attend ⓗ; (困難・災難などに) 直面する face ⓗ. 《☞ しゅっせき》. ¶ 首相は開会式に*臨んであいさつをした The prime minister *attended* the opening ceremony and made a speech. // 彼は何の恐れもなく死に*臨んだ He *faced* death with no fear. // 別れに*臨んで *on* parting //

湖に*臨むホテル a hotel *on* the lake
のぞむらくは 望むらくは ¶私は英国を訪れたい. *望むらくは英国の田舎を I want to visit England, *preferably* the English countryside.
のだいこ 野太鼓 (不器用なおどけ者) clumsy 「jester [buffoon] Ⓒ; (素人宴席芸人) amateur party comedian Ⓒ.
のたうちまわる のた打ち回る (ひどく苦しんで) writhe /ráɪð/ ㊀; (ころげ回る) toss about ㊀. ¶彼は苦しんで*のたうち回った He *writhed* in pain.
のたうつ のた打つ ☞ のたうちまわる
のたくる (蛇のように体をくねらせる) squirm ㊀; (みみずなどが這いまわる) wriggle 「around [about] ㊀; (人が字をなぐり書きする) scrawl ㊉ ㊀.
のだけ 野竹 〖植〗angélica Ⓒ.
のだて 野点 open-air tea ceremony Ⓒ.
のたりのたり (ゆっくりと) slowly; (ゆったりと) leisurely; (のろのろと) sluggishly; (だるそうに) listlessly. ¶春の海ひねもす*のたりのたりかな The waves of the spring sea *undulate slowly* all day long.
のたれじに のたれ死に ¶彼は*のたれ死にした (⇒犬のように死んだ) He *died like a dog*.
【参考語】 ―動 (道ばたで死ぬ) die by the roadside; (溝の中で死ぬ) die in 「the gutter [a ditch] ★「のたれ死にする」の意; (こじきとなって死ぬ) die a beggar; (悲惨な中に死ぬ) die 「in misery [miserably].
のち 後 ―前 (時間・順序が) after ... ―副 (後で) later; (その後) afterward, afterwards ★《英》では後者のみ. ―名 (将来) future Ⓤ. 《☞ あと¹; -ご; そのご》. ¶彼は夕食の*のちに外出した He went out *after* dinner. ∥《日記帳などで》晴れ*のち雨 Fair, *followed by* 「rain [showers]. ∥ *のちの彼岸 (⇒秋の彼岸) the *autumnal* equinox
後の世 (将来・未来) the future; (後の世代) future generations; (あの世) the next world.
のちぞい 後添い ☞ ごさい¹
のちのち 後後 ¶彼は決して*後々 (⇒遠い将来) のことなど考えない He never thinks about *the distant future*. 《☞ あとあと; しょうらい¹》
のちほど 後程 ¶また*後程お電話をいたします I'll call you *later*. 《☞ あと¹》
ノッカー (玄関のドアの) knocker Ⓒ, door-knocker Ⓒ.
ノッキング (エンジンの) knocking Ⓤ.
ノック¹ ―名 knock Ⓒ; (ノックの音) rap Ⓒ. ―動 (ノックする) knock (at ...; on ...) ㊀; (こつこつたたく) rap ㊀ ㊉. ¶私はドアを*ノックした I 「*knocked* [*rapped*] 「*at* [*on*] the door. ∥ 戸口で*ノックの音が聞こえた I heard someone 「*rap* [*rapping*] *on* the door. / There was a *knock* 「*at* [*on*] the door.
ノック² ―名 (野球の練習で) batting for fielding practice Ⓤ. ―動 hit a ball for fielding practice. 日英比較 「ノック」は和製英語. **ノックバット** (ノックに使うバット) fungo Ⓒ 《複 fungoes》, fungo bat Ⓒ 日英比較 「ノックバット」は和製英語.
ノックアウト ―名 knóckòut Ⓒ 《略 KO, K.O.》. ―動 (ノックアウトする) knóck óut ㊉. 《☞ うちのめす; ケーオー》. ¶テクニカル*ノックアウト a technical *knockout* ★ TKO と略す.
ノックアウトマウス (ある遺伝子を人工的に破壊した実験用ねずみ) knockout mouse Ⓒ 《複 〜 mice》.
ノックオン 〖ラグ〗knóck-ón Ⓒ.
ノックス NOx ★ nitrogen oxide (窒素酸化物) の総称.
ノックダウン ―動 (ボクシングなどで) knóck dówn ㊉. ―名 (ボクシングなどの) knóckdòwn Ⓒ. ―形 (組み立て式・現地組み立ての) knock-down. ¶そのボクサーは*ノックダウンされた The boxer *was knocked down*. ∥ *ノックダウン家具 *knockdown* furniture **ノックダウン輸出** knock-down exporting Ⓤ.
のっけ ☞ はじめ; さいしょ¹
のっける 乗っける ☞ のせる¹
のっこみ 乗っ込み (釣りの) *nokkomi* Ⓤ; (説明的には) migration of fish to the shallows for spawning Ⓤ ★ 魚が産卵のために浅瀬に来ること.
のっしのっし ¶象が*のっしのっしと (⇒重い歩みで) 歩いていた We saw an elephant walking *with heavy strides*. 《☞ 擬声・擬態語 (囲み)》
【参考語】 ―副 (重たげに) heavily; (ゆっくりと) slowly; (どすんどすんと音を立てて) with a thud. ―動 (重たげな足取りで歩く) walk with 「heavy strides [a heavy stride]; (重たげに歩く) pound ㊀, thump ㊀, plod ㊀.
のっそり ¶彼は*のっそりと立ち上がった (⇒ゆっくりと) He stood up *slowly*. / (⇒重苦しそうに) He lifted himself *heavily* to his feet. 《☞ 擬声・擬態語 (囲み)》
ノッチ (切りこみ・接点) notch Ⓒ.
ノッチトカラー (シャツなどのV字型襟) notched collar Ⓒ.
ノッチトラペル (V 字型の切れこみのある襟) notched lapel Ⓒ.
ノッチバック (車体後部に段がついている乗用車) notchback Ⓒ ★ 形式を指す場合は Ⓤ.
ノッティンガム ―名 ㊒ Nottingham /nátɪŋəm/ ★ 英国中部の工業都市.
ノット 〖海〗knot Ⓒ ★ 1 ノットは時速約 1,852 m. ¶速力 30 *ノットの船 a ship capable of (sailing at) thirty *knots*
のっとり 乗っ取り (会社などの) tákeòver Ⓒ; (乗り物などの) hijack Ⓒ; (航空機の) skyjacking Ⓤ. 《☞ のっとる¹; ハイジャック》.
乗っ取り犯 hijacker Ⓒ; skyjacker Ⓒ.
のっとる¹ 乗っ取る (会社などを) tàke óver ㊉; (飛行機などを) hijack ㊉, high-jack ㊉. 《☞ ハイジャック; のっとり》. ¶彼らはその小さな会社を*乗っ取った They *took over* the small firm. ∥ その飛行機は武装ゲリラの一隊によって*乗っ取られた The airplane *was hijacked* by a band of armed guerrillas.
のっとる² 則る ―動 (前例などに従う) follow ㊉; (規則などに一致する) conform (to ...) ㊀. ―名 (適合) 《格式》 conformity Ⓤ. 《☞ したがう》. ¶この点では彼らは厳密に法律に*則っている On this point they are *in* strict *conformity with* the law. ∥ その件は先例に*則って処理された The case was dealt with 「*following* [*according to*] (the) precedents.
のっぴきならない (避けられない) unavoidable; (緊急の) urgent. 《☞ やむをえない; きんきゅう; ぬきさしならない》. ¶*のっぴきならない事情で彼は仕事をやめた Owing to *unavoidable* circumstances, he resigned (from) his job. ∥ 彼女は*のっぴきならない (⇒緊急の) 用事で大阪へ行った She went to Osaka on *urgent* business. ∥ *のっぴきならない立場 (⇒苦境) にある be in a 「*corner* [*predicament*] ★ [ ] 内は格式語. 《☞ くきょう; きゅうち¹》
のっぺらぼう ¶化け物の*のっぺらぼうな顔 (⇒目も鼻も口もない) bogey's *eyeless, noseless, and mouthless* face ∥ *のっぺらぼうな声 (⇒一本調子の) a *monotonous* voice 《☞ 擬声・擬態語 (囲み)》
のっぺり ¶彼は*のっぺりした (⇒平板で表情のない) 顔をしている He has a *flat, expressionless* face. 《☞ 擬声・擬態語 (囲み)》
のっぽ ―名 tall person Ⓒ. ―形 (背が高い)

tall, long ★ 後者はややくだけた語で, 後に名前が続く. ¶*のっぽの太郎 *Long* Taro

のづみ 野積み ¶材木が野積みになっていた There was *a* ˹*pile* [*heap*] *of* lumber *in the open.* / Lumber was *left in a* ˹*pile* [*heap*] *outside.*

のづら 野面 field Ⓒ《☞ の》.

-ので ―接(…だから) because …; as … ―前(…が原因で) owing to …, due to …; (…の理由で) because of …; on account of …

【類義語】直接的な理由を表す接続詞が **because**. 理由よりも付帯的な状況を表すのは **as**. 明白に理由を表す場合は **because** を用い **as** は普通はあまり使われない. **because** は前置詞として **because of** の形でも用いられる. **because of** よりも格式ばっているのは **on account of**. 原因を表す前置詞は **owing to**, **due to**. 後者は 形 なので副詞句は導かないとする文法家の意見もあるが, 実際には **owing to** とほぼ同じ用いられ方をする.《☞ ため》

¶雨が降り出した*ので, 出かけなかった We didn't go out, ˹*because* [*as*] it had started raining. // 彼女はきれいな*ので人を引きつける People are attracted to her *because of* her beauty. // 歌手が病気になった*ので, コンサートは延期された The concert was postponed ˹*owing to* [*on account of*; *due to*] the singer's illness. // 霧がたいへん濃かった*ので方角がわからなくなってしまった The fog was *so* dense *that* we ˹lost our way [didn't know which way to go]. ★ so … that は結果を表す.

のてん 野天 the open air《☞ ろてん¹》. **野天風呂** open-air bath Ⓒ.

のど 喉 **1**《咽喉(いんこう)》: throat Ⓒ.

¶*のどが痛い (⇒ 痛いのどをもっている) I have a sore *throat.* / My *throat* is sore. // 魚の骨が*のどに引っかかった A fish bone stuck in my *throat.* // *のどがかわいた. 水を1杯下さい I'm *thirsty.* Would you give me a glass of water? // 心配で食事が*のどを通りません (⇒ 食欲がない) I'm so worried that I don't have any appetite. // その言葉は*のどまで (⇒ 舌の先まで) 出かかっていた The word *was* just *on the tip of my tongue.*

2《声》: voice Ⓒ《☞ こえ¹; のどじまん》. ¶君はいい*のどをしている (⇒ よい声をもっている) You have a sweet *voice.* / (⇒ 歌が上手だ) You're a very good singer.

喉が鳴る ¶焼肉のにおいで*のどが鳴った (⇒ 食欲をそそった) The smell of roast meat *whetted my appetite.* **喉から手が出る** ¶その本は*のどから手が出るほど欲しい I'd *give my eyeteeth* for that book. ★ give *one's* eyeteeth for … は「…のためにはどんな犠牲もおしまない」の意味の成句. **喉もと過ぎれば熱さを忘れる** Danger past, God forgotten.《ことわざ: 危険が過ぎれば神は忘れられる》; Once on shore, we pray no more.《ことわざ: 岸に着いてしまえばもう祈りはしない》. **喉を鳴らす** ¶猫が足もとで*のどを鳴らしている The cat *is purring* at my feet. **のどちんこ** (口蓋垂) uvula /júːvjʊlə/ Ⓒ《複 ~s, uvulae /-lìː/》 **のど彦** ☞ **のどちんこ** **のど笛** (気管) windpipe Ⓒ; (声門) glottis /glɑ́tɪs/ Ⓒ《複 ~es, glottides /glɑ́tədìːz/》 **のど仏** Adam's apple Ⓒ.

のどか ―形 (天気などが穏やかな) calm; (静かで平和な) peaceful.《☞ うららか; ぽっかてき》.

のどくび 喉頸 neck Ⓒ.

のどごし 喉越し ¶この酒は*喉越しが好い This sake *goes down well.*

ノドサウルス 〔古生〕nodosaur Ⓒ ★ 古生代白亜紀の恐竜.

のどじまん 喉自慢 (人) person who thinks ˹he [she] sings well Ⓒ. **喉自慢大会** amateur singing contest Ⓒ.

のどわ 喉輪 ¶*喉輪攻めをする thrust *one's* opponent away with the palm of *one's* hand to his throat

ノドン (北朝鮮の中距離弾道ミサイル) Nodong (missile) Ⓒ. ノドン1号[2号] the Nodong ˹1[2]《☞ テポドン》.

のなか 野中 ―形副 in (the middle of) a field.

-のに **1**《…だけれども》 ―接 though …, although … 語法 though は文頭・文中いずれにも用いるが, although は普通文頭だけに用いる. なお, although は though よりもやや文語的; (…なのに一方では) while … ―前 (…にもかかわらず) in spite of … ―副 (それでいてなお) (and) yet; (いまでも) still.《☞ -が; けれど(も); -というのに》.

¶雨が降っていた*のに彼らは出かけた *Though* [*Although*] it was raining, they went out. // たいへんな金持ちもいる*のに貧乏な人もいる Some are very rich, *while* others are poor. // こんなに寒い*のに子供たちは元気いっぱいだ The children are in high spirits *in spite of* this cold weather. // 100万円出すといった*のに彼はそれでも満足しなかった I offered him one million yen, *and yet* he was not satisfied. // あなたに断られた*のに彼はまだあなたに会いたがっています You didn't allow him to come, but *still* he wants to see you.

2《…のために》: for …; to *do* … ★ 不定詞を作る場合.《☞ ため》. ¶本を読む*のにスタンドがいる You need a desk lamp ˹*for* reading [*to* read books].

3《願望》 ★「…であればよいのに」という実現できない願望は I wish に続けて仮定法過去 (動詞の過去形を使う), および仮定法過去完了 (動詞の過去完了形すなわち had＋過去分詞) を使う. ¶あなたがここにいればいい*のに *I wish* you *were* here. // もっと英語を一生懸命勉強しておけばよかった*のに *I wish* I *had studied* English harder.

のねずみ 野鼠 field mouse Ⓒ《複 ~ mice》.

ののしる 罵る (悪態をつく) curse 他 自; (侮辱的なことを言って) call *a person* names; (しかったり, 文句を言って) abuse 他.《☞ あくたい; ばとう 語法》.

¶私は人前で彼に*ののしられた He *called* me *names* in public. // その男は私たちを口汚く*ののしった The man *abused* us ˹in [with] foul language.

-のは ★ 日本語の「…のは」は強調, 特定の語を取り立てて言う場合, 用言を体言化して主語にする場合など, いろいろな場合があるので, 前後関係に応じて意訳しなくてはならない.

¶悪い*のはあなただ (⇒ あなたに責任がある) You are to blame. / It's you who are to blame. // 遅れた*のは雨のためです I was late because of the rain. / The rain delayed me. // 彼がそう言う*のは無理もない He has a good reason to say so. / It's quite understandable that he should say so.

のばす 伸ばす, 延ばす **1**《長くする》: make … longer ★ 平易で日常的な表現; (長さを) lengthen 他; (伸縮するものを) strétch (óut) 他 自; (曲がっているものを真っすぐに) straighten 他; (何かをつかもうとして手・腕などを) réach óut 他 自.《☞ のびる¹; ながくする》.

¶彼女はドレスの丈を*伸ばした (⇒ すそを下ろした) She *lowered* the hem of her dress. // 彼は辞書を取ろうとして手を*伸ばした He *reached out* for the dictionary. // 私は曲がった針金を真っすぐに*伸ばした I *straightened* the bent wire. // 彼は髪を*伸ばしている (⇒ 長髪だ) He has *long* hair. / He *wears* his hair *long.* ★ 前者のほうが口語的.

2《期間などを延長する》: (いまある状態をそのまま延長する) extend 他; (予定の時間以上に引き延ばす) prolóng 他; (行事などを延期する) pùt óff 他, postpone (他) ★ 前者がより口語的; (遅らせる) delay (他); (やや意図的に) defer (他). 《☞ ひきのばす; えんちょう[1]; おくらせる》.

¶ 私はあと 1 週間滞在を*延ばしたい I'd like to ⌜*extend* [*prolong*] my stay for another week. // 道路を島の南端まで*延ばす *extend* the road to the southern end of the island // きょうできることをあすに*延ばすな Never *put off* till tomorrow what you can do today. 《ことわざ》 // 出発をこれ以上*延ばす (⇒ 遅らせる) ことはできない I can't ⌜*delay* [*defer*] the departure any longer.

3 《才能などを》: (発達させる) devélop (他); (進歩させる) improve (他); (さらによくする) better (他).

¶ 英語の力を*伸ばすように努力しなさい Make an effort to *improve* your English. // 自分の特殊な才能を*伸ばすようにしなさい Try to *develop* your special talent(s).

4 《しわを》: smóoth óut (他); (アイロンをかけて) íron óut (他). ¶ 彼女はスカートのしわを*伸ばした She *smoothed out* the wrinkles in the skirt. / (⇒ アイロンをかけて) She *ironed out* the creases in the skirt.

> **コロケーション**
> 大いに伸ばす *improve* ...⌜greatly [very much] / 急速に伸ばす *develop* [*improve*] ...rapidly / じっくりと伸ばす *develop* [*improve*] ...slowly / 十分に伸ばす *develop* ...fully / 徐々に伸ばす *improve* ...gradually

ノバスコシア ── [名] (固) Nova Scotia ★ カナダ南東部の州.

のばと 野鳩 oriental turtle dove [C] 《☞ はと》.

のばなし 野放し ── [動] (自由にさせておく) leave ... ⌜loose [free]; (取り締まらないでおく) leave ... ⌜uncontrolled [unchecked]. 《☞ ほうち[1]; ほったらかす》. ¶ 犬を*野放しにしてはいけません Don't *leave* your dog ⌜*loose* [*free*]. / Don't *let* your dog *run loose*. // このあたりでは不法駐車は*野放しです Illegal parking *is left uncontrolled* in this area.

のはなしょうぶ 野花菖蒲 〔植〕 Japanese iris [C]; (説明的には) wild iris native to East Asian wetlands [C]. 《☞ はなしょうぶ》.

のはら 野原 (立ち木がほとんどない) field [C].

のばら 野ばら wild rose [C].

のび[1] 伸び, 延び **1** 《生長・発展すること》: (大きさなどが) growth [U]; (進歩・発達) devélopment [U]. 《☞ せいちょう[1]; はってん; のびる[1]》. ¶ 日本経済の*伸び the *growth* of the Japanese economy // この木は*伸びが早い This tree *grows* ⌜fast [rapidly]. // 彼は今が*伸び盛りだ He's a *growing* boy.

2 《体を伸ばすこと》 ¶ 彼はベッドの上で*伸びをした He *stretched out* on the bed.

伸び率 growth rate [C].

のび[2] 野火 grass [brush] fire [C] ★ forest fire に対し草原, 灌木地などの火事. 《豪》 では bushfire [C] ともいう. 《☞ のやき》.

のびあがる 伸び上がる ¶ *伸び上がって (⇒ つま先立ちになって) 人垣の向こうをのぞく *stand on tiptoe* to see over the heads of people in a crowd

のびたき 野鶲 〔鳥〕 Japanese stonechat [C].

のびちぢみ 伸び縮み ── [動] (伸びたり縮んだりする) expánd and contráct (自). ── [名] expansion and contraction [U]; (伸縮性) elàstícity [U]. ── [形] (伸縮性のある) elastic. 《☞ しんしゅく; ちぢむ》.

のびなやむ 伸び悩む ── [動] (増加[成長]が遅い) increase [grow] slowly. ¶ 輸出が*伸び悩んでいる Exports *are* ⌜*increasing* [*growing*] *slowly*. / (⇒ 予期したほど増加しない) Our exports *aren't increasing as* ⌜*much* [*fast*] *as expected*.

のびのび[1] 伸び伸び ── [形] (自由な) free; (独立した) independent; (気楽な) relaxed. ── [動] (気分がくつろぐ) be ⌜relieved [relaxed]. 《☞ のんびり; くつろぐ; きらく》. ¶ 子供は*伸び伸びと育って欲しい (⇒ 自由に独立心を持って) I want my children to grow up *free and independent*.

のびのび[2] 延び延び ── [動] (繰り返し延期される) be repeatedly ⌜put off [postponed]; (長期間遅れる) be delayed for a long time. 《☞ のびる[1]; えんき[1]; じゅんえん[1]》. ¶ 会議は*延び延びになっていた The meeting *was repeatedly postponed*. // 返事が*延び延びになって (⇒ もっと早く書かなくて) 申し訳ありません I'm so sorry that I ⌜didn't write [haven't written] (to) you earlier.

のびやか 伸びやか ☞ のびのび[1]

のびる[1] 延びる, 伸びる **1** 《長くなる》: (日・時間が) lengthen (自); (引っ張って) stretch (自); (及ぶ) extend (自); (成長する) grow (自); (増加する) increase (自). 《☞ のばす; ながくなる》.

¶ 春になると日が*延びる The days *lengthen* in spring. // ゴムは*伸びる Rubber *stretches*. // その道は地平線の向こうまで*延びていた The road ⌜*ran* [*extended*] beyond the horizon. // ひげが早く*伸びる My beard *grows* quickly. // 売り上げは少しずつ*伸びている Sales *are increasing* little by little. // そばが*伸びてしまった The buckwheat noodles have gone *soft*.

2 《期間などが延長される》: (延期される) be pùt óff, be postponed ★ 前者のほうが口語的; (遅れる) be delayed. 《☞ えんき[1]; えんちょう[1]; おくらせる; じゅんえん[1]》. ¶ 彼の出発は 3 日*延びた (⇒ 遅れた) His departure *was delayed* for three days.

3 《才能・能力などが》: (上達する) improve (自); (進歩する) progréss (自), make prógress. 《☞ こうじょう[2]》. ¶ 彼の英語の力はぐんと*伸びた His English *has improved* a great deal. // 彼女の勉強は一向に*伸びない She *has made* no *progress* in her studies.

4 《液体・流体が広がる》: spread (自). ¶ バターは温かいトーストの上ではよく*伸びる Butter *spreads* well on hot toast.

5 《疲れて動けなくなる》: (へとへとになる) be worn out, be exhausted. ¶ 働きづめの一日のあと彼女はすっかり*伸びてしまった She *was* completely ⌜*worn out* [*exhausted*] after a hard day's work.

のびる[2] 野蒜 〔植〕 wild rocambole /rákəmbòul/ [C].

ノブ knob [C] 《☞ とって》. ¶ *ノブを回す turn a *knob* // ドア*ノブ a *doorknob*

ノブゴロド ── [名] (固) Novgorod ★ ロシア北西部の都市.

のぶし 野伏 (山野で修行する僧) wandering Buddhist monk [C]; (野武士・南北朝時代の武装農民) armed farmer [C].

のぶとい 野太い (ふてぶてしい) ímpudent; (図々しい) saucy. 《☞ ふてぶてしい; ずうずうしい》.

のぶどう 野葡萄 (実) wild grape [C]; (木) wild vine [C]. 《☞ ぶどう》.

のぶろ 野風炉 portable furnace (for outdoor tea ceremony) [C] 《☞ のだて》.

のべ[1] 延べ (総計) the total number 《☞ ごうけい; そうけい[1]》.

¶ *延べ建て坪数 (⇒ 総計の床面積) the *total* floor space // この仕事には*延べ 500 人が必要です This work requires five hundred man-days. // 入場者は*延べ (⇒ 入場者の総数は) 5 万に達した *The total number* of visitors reached fifty thousand.

延べ人員 the total number of man-days ★ 英語

では「延べ日数」も同じ. **延べ坪** the total floor space in *tsubo* **延べ日数** the total number of man-days ★ 英語では「延べ人員」も同じ. ¶ *延べ日数でいうと 50 日 50 *man-days* **延べ人数** ☞ **延べ人員** **延べ面積** the total floor area.

のべ² 野辺 the fields 《☞ の; のべ(の)おくり》.

のべいた 延べ板 (金属などの) plate Ⓒ.

のべがね 延べ金 sheet metal Ⓤ.

のべざお 延べ竿 jointless fishing rod Ⓒ.

のべたてる 述べ立てる ¶ 自説を*述べたてる *elaborate* [*enlarge eloquently*] *on one's* own opinion 《☞ のべる¹》

のべたら ☞ のべつ

のべつ ── 副 (いつも) always, all the time; (絶えず) forever. 《☞ たえず (類義語); いつも; ひっきりなし》. ¶ 彼女は*のべつまくなしにしゃべっている (⇒ しゃべるのをやめない) She *never stops* talking. / (⇒ しゃべり続ける) She keeps talking *all the time.* / She talks *on and on.*

のべ(の)おくり 野辺(の)送り (葬式) funeral Ⓒ ★ 原意は see off the coffin which is carried away for ˹burial [cremation]. 《☞ とむらい; まいそう》. ¶ *野辺の送りを済ます (⇒ 火葬[埋葬]を行う) *hold the* ˹*cremation* of [*burial service* for] *a person*

のべばらい 延べ払い ── 名 deferred payment Ⓤ. ── 副 on deferred payment. **延べ払い輸出** deferred-payment export Ⓤ.

のべぼう 延べ棒 metal bar Ⓒ; (特に金・銀の) bullion Ⓤ. ¶ 金の*延べ棒 a gold *bar* / gold *bullion* /búljən/

ノベライゼーション (小説化すること) novelization Ⓤ.

ノベリスト (小説家) novelist Ⓒ 《☞ しょうせつ¹》.

のべる¹ 述べる (意見などを言葉ではっきり言い表す) state ⊕; (気持ちを表現して) express ⊕; (特に言及する) mention ⊕; (意見を) observe (on ...; upon ...) ⓐ ★ 以上の中で一番改まった語. 《☞ いう (類義語)》.

¶ 彼は自分の意見を*述べた He ˹*stated* [*expressed*] his own opinion. // ...にお悔やみを*述べる ˹*express* [*offer*] *one's* condolences to ... // 上に*述べたように, その仮定は間違っている As ˹*mentioned* [*stated*] above, that assumption is wrong.

> ── コロケーション ──
> 遠慮せずに述べる *state* ˹unreservedly [candidly] / 率直に述べる *state* openly / 力強く述べる *express* forcefully / はっきりと述べる *say* flatly; (明瞭に) *state* [*express*] clearly

のべる² 伸べる, 延べる ☞ のばす

ノベル (小説) novel Ⓒ 《☞ しょうせつ¹》.

ノベルティー (宣伝のために無料で配る小物類) free present for advertisement Ⓒ ★ 英語の novelties (通例複数形) は目先の変わった品物.

のべわたし 延べ渡し forward delivery Ⓒ.

のほうず 野放図 ── 形 (制御しにくい) unruly; (無軌道な) wild. 《☞ むきどう》. ¶ 彼にはどこか*野放図なところがある There is something *unruly* about him.

ノボシビルスク ── 名 ㊞ Novosibirsk ★ ロシア連邦南西部のシベリア最大の都市.

のぼせあがる のぼせ上がる (かっとなる) lose ˹*one's* temper [control]; (人をうぬぼれさせる) go to *a person's* head; (うぬぼれる) 《略式》 have a ˹swelled [《英》 swollen] head. 《☞ のぼせる¹》.

¶ 成功したからといって*のぼせ上がるな Don't let the success *go to your head.*

のぼせる¹ (目まいがする) be [feel] dizzy; (夢中になる) lose *one's* head (over ...); (熱中する) be crazy about ... 《☞ めまい; むちゅう》. ¶ 熱い風呂で*のぼせてしまった (⇒ 熱い風呂が私をふらふらにした) The hot bath made me *dizzy.* // 彼は彼女に*のぼせている He *has lost his head over* her. / He *is crazy about* her.

のぼせる² 上せる ☞ のせる²

のぼたん 野牡丹 〚植〛 mélastòme Ⓒ.

のぼとけ 野仏 (道路わきの石仏) roadside stone Buddhist image Ⓒ.

のほほん ¶ *のほほんと暮らす (⇒ 心配事のない生活を送る) lead a *carefree* life // *のほほんとしている (⇒ 無関心でいる) 場合じゃない It's no time to be *nonchalant* /nànʃəlá:nt/. 《☞ のんき; のんびり》

のぼり¹ 上り, 登り ── 名 (坂道) ascent Ⓒ (↔ descent); (登山) climb Ⓒ; (列車の) up train Ⓒ (↔ down train) 日英比較 日本では東京を中心に考えてすべての列車は東京方向に向かうのが「上り」, 反対が「下り」である. 《英》 でもほぼ同様であるが, 必ずしもロンドンだけでなく, その他の中心的大都市から見てそこに向かうのが up train, 反対が down train である. 《米》 では up, down は地図の上, 下[北, 南]を意味し, up train は北行き, down train は南行きである. したがって日本の「上り」「下り」に対応する表現はない. ── 形 (交通機関が上りの) up Ⓐ (↔ down); (上り坂の) uphill Ⓐ; (上向きの) upward. 《☞ さか¹》.

¶ 道は学校の門まで急な[ゆるやかな]*上りとなっている The road makes a ˹steep [gentle] *ascent* to the school gate. // 今度の*上りは何時ですか When is the next *up train*?

上り坂 uphill [upward] ˹slope [path] Ⓒ. ¶ これから先*上り坂 《掲示》 Road *Up*

のぼり² 幟 (旗) flag Ⓒ; (吹き流し) streamer Ⓒ. 《☞ はた¹》.

のぼりあゆ 上り鮎 (川へ上ったあゆ) run ayu Ⓒ; (川を上っているあゆ) ayu running up a river Ⓒ.

のぼりおり 上り下り ¶ 階段を*上り下りする *go up and down* the stairs

のぼりがま 登り窯 connected (pottery) kilns built on a slope ★ 複数形で.

のぼりくだり 上り下り ¶ 東北新幹線の列車は*上り下りとも各 30 分の遅れです Both *up and down* trains of the Tohoku Shinkansen are ˹thirty minutes late [delayed thirty minutes]. // 中央道は*上り下り (⇒ 両方向) とも渋滞している The Chuodo Expressway is congested in *both directions.* 《☞ のぼり; くだり; のぼりおり》

のぼりくち 上り口, 登り口 ¶ 山の*登り口 the *starting point* of the ˹trail [path] to the mountaintop 《☞ とざん》 // 階段の*上り口で待っててね Wait for me at the ˹*foot* [*bottom*] of the stairs.

のぼりちょうし 上り調子 ¶ その店の売り上げは*上り調子だ (⇒ 次第に増えている) The store's sales *are* ˹*incréasing* [*on the increase*]. // 景気は*上り調子に転じた (⇒ 好転傾向を示している) Business is showing an *upturn.*

のぼりつめる 登り詰める ¶ 山頂に*登り詰める (⇒ 到達する) *reach* [*climb to*] the summit // 人生 (⇒ 社会的階級のはしご) を*登り詰める *go* [*come*] *up to the top of* the social ladder

のぼりふじ 昇り藤 〚植〛 lupine /lú:pɪn/ Ⓒ.

のぼりりゅう 昇り竜 rising dragon Ⓒ.

のぼる 上る, 登る, 昇る **1** 《人や動物が高い所へ移動する》: (手足を使い努力して) climb ⓐ ⊕; (上へ行く) gò úp ⓐ; (駆け上がる) rùn úp ... 《☞ あがる¹》. ¶ 彼はするすると木[はしご]に*登った He *climbed* the ˹tree [ladder] with ease. // 彼は階段を駆け足で*上った He *ran up* the stairs. // その山に*登るのは難しい It is difficult to *climb* (up) that mountain. // その丘に*登ると海が見える（⇒ 丘の頂上から）We can see the sea from the top of the hill. // この道を*上ると湖に出る（⇒ この上り道はあなたを湖に連れて行く）This uphill path will take you to the lake.

2 《物が上昇する》:（太陽などが昇る）còme úp ⓐ, rise ⓐ;（上に向かって上がる）gò úp ⓐ, ascend ⓐ ★ 後者のほうが格式ばった語.

¶ 太陽は東から*昇って西に沈む ＜S（天体）＋V（*come up*; *rise*）＋*in*＋名（方角）＞ The sun「*comes up* [*rises*] *in* the east and「goes down [sets] in the west. // 遠くに煙が*昇るのを見た I saw the smoke「*ascending* [*going up*] in the distance.

3 《川上の方へ進む》: gò úp .... ¶ この川を*上れる所まで行ってみよう Let's *go up* this river as far as we can.

4 《数などが達する》:（及ぶ）reach ⓗ;（総計…になる）amount to ...《☞ たっする; なる[1]; およぶ》.

¶ 会社の損失は数百万円に*上った（⇒ 総計数百万円になった）The company's losses「*reached* [*amounted to*] several million yen. // その事故による死者は 15 人に*上った（⇒ 総計 15 人がその事故で亡くなった）A *total* of fifteen people were killed in the accident.《☞ しぬ 日英比較》

のぼろぎく 野襤褸菊 〘植〙(common) groundsel Ⓒ.

のま 野馬 （放牧されている馬）grazing horse Ⓒ, grazer Ⓒ. **野馬追い** *Nomaoi* [wild horse chase] festival Ⓒ;（説明的には）traditional combat exercise of armored riders on horseback Ⓒ.

のませる 飲ませる （与える）give ⓗ;（動物に水を）water ⓗ;（薬を与える）《格式》administer ⓗ.《☞ のむ; のみこむ》. ¶ 彼には酒を*飲ませるな Don't *give* him a drink. // 水を 1 杯*飲ませて下さい（⇒ いただけますか）May I *have* a glass of water? // 看護師は病人に薬を*飲ませた The nurse「*gave* [*administered*] some medicine to the patient.

のまれる 飲まれる, 呑まれる （飲み込まれる）be swallowed up;（圧倒される）be overawed (by ...).《☞ のむ》. ¶ そのボートは波に*のまれた The boat *was swallowed up* by the waves.

のみ[1] 蚤 flea Ⓒ. ¶ *蚤の市 a *flea* market // *蚤の夫婦（⇒ 大きな妻をもった小男）a little man with a big wife / Jack Sprat and his wife ★ マザーグースの登場人物に由来. // ここを*蚤にくわれた I got bitten here by a *flea*. **蚤取り粉** flea powder Ⓤ.

のみ[2] 鑿 ── 名 chisel Ⓒ. ── 動（のみで彫る）chisel ⓗ.《☞ だいく（挿絵）》.

-のみ （ただ…だけ）only;（それだけ）alone 語法 alone は名詞・代名詞の後にのみ置かれる.《☞ -だけ[1]; -ばかり》. ¶ 後はただ結果を待つ*のみです（⇒ 待つ以外何もすることがない）There's *nothing to do but*「await [wait for] the result(s). // 人はパン*のみにて生くるにあらず Man cannot live on bread *alone*.《新約聖書の言葉》// 会員*のみ《掲示》Members *Only*

のみあかす 飲み明かす drink all night, drink the night away.

のみあるく 飲み歩く 《米略式》barhop ⓐ,《英略式》go on a pub-crawl.

のみかけ 飲み掛け ¶ *飲みかけのビール an *unfinished* glass of beer / beer *left in the glass* // 彼はお茶を*飲みかけのまま席を立った He left his seat *without finishing* his tea.

のみくい 飲み食い （食べることと飲むこと）eating and drinking Ⓤ;（食べ物と飲み物）food and drink Ⓤ.《☞ たべる; のむ》.

のみぐすり 飲み薬 medicine Ⓤ 参考 特に内服薬を説明したいときには medicine for internal use only と言う.《☞ くすり》. ¶ *飲み薬一瓶 a bottle of *medicine* // *飲み薬一回分 one dose of *medicine*

のみぐち 飲み口, 呑み口 （さかずきなどの）lip Ⓒ;（たるの）tap Ⓒ.

のみこうい 呑み行為 （競馬などの）bookmaking Ⓤ;（証券取引などの）bucketing Ⓤ.

のみこみ 飲み込み, 呑み込み ¶ 太郎は*飲み込みが早い（⇒ 早く覚える）Taro is a「*fast* [*quick*] *learner*. / Taro is *quick to learn*. ★ 前者のほうが普通.

のみこむ 飲み込む, 呑み込む **1** 《飲み下す》:（食物・液体・薬などを）swállow (úp) ⓗ ★ 比喩的にも使われる;（一息に）gúlp (dówn) ⓗ.《☞ のむ; のませる》. ¶ 彼はそれを丸ごと*飲み込んだ He *swallowed* it whole.

2 《頭で理解する》:（わかる）understand ⓗ;（覚える）learn ⓗ;（把握(はあく)する）grasp ⓗ;（すぐ悟る）tàke ín ⓗ.《☞ りかい; なっとく》. ¶ 彼の言うことがどうもよく*飲み込めない（⇒ 彼の意味することが理解できない[つかめない]）I can't fully「*understand* [*grasp*] what he means. // 彼はすぐにそのやり方を*飲み込んだ（⇒ 覚えた）He soon *learned* how to do it.

飲み込みにくい（薬などを）be「hard [difficult] to swallow;（理解しにくい）be「hard [difficult] to understand.

のみさし 飲み止し ☞ のみかけ

のみしろ 飲み代 drinking money Ⓤ.

のみすぎ 飲み過ぎ ¶ 昨夜は*飲みすぎた I *drank too much* last night.《☞ のむ; -すぎ》

のみすけ 飲み助 （酒飲み）《略式》tippler Ⓒ;（軽べつ的に）drunk Ⓒ;（大酒飲み）heavy drinker Ⓒ.《☞ のんべえ》.

のみたおす 飲み倒す （酒場の勘定を払わないでおく）leave *one's* bar bill unpaid;（酒代を支払わない）do not pay for *one's* drink.

のみち 野道 field path Ⓒ;（説明的には）path across a field Ⓒ.《☞ みち[1]（類義語）》.

のみつぶす 飲み潰す ¶ 彼は財産を*飲みつぶした He *spent* all he had *on drink*.

のみっぷり 飲みっ振り the way *a person* drinks. ¶ *飲みっ振りがいいね You *drink with gusto*, don't you! // 彼はジョッキ 1 杯のビールを*飲みっ振りよく飲んだ He *downed* a mug of beer.

のみつぶれる 飲み潰れる get [be]「dead [blind] drunk;（意識がなくなるまで飲む）drink *oneself* into unconsciousness.

のみで 飲み出 ¶ ここで出すカフェラッテは*飲み出がある（⇒ 量の多い飲み物である）The caffè latte served here is a *substantial drink*.

のみとりまなこ 蚤取り眼 ¶ *蚤取り眼で（⇒ 熱心に）…を探す look *eagerly* for ...

のみなおす 飲み直す ¶ パーティーのあと吉祥寺で*飲み直した After the party we *drank again* in Kichijoji.

のみなかま 飲み仲間 drinking「companion [friend] Ⓒ ★ friend のほうが「いっしょに飲む」行為を強調.

のみならず （ただ…だけでなく…もまた）not only ... but (also) ...;（…はもちろん…も同様）... as well as ... 語法 not only A but (also) B では B が強調され, A as well as B では A が普通強調される.《☞ -も; もとより》. ¶ 彼は英語*のみならず中国語も話せる He can speak *not only* English *but* Chinese. / He can speak Chinese *as well as* English. // 彼は日本*のみならずアメリカでも有名である He is well known *not only* in Japan *but also* in America. /（⇒ 日本でもアメリカでも）He is famous *both* in

Japan *and* in America.
ノミナリズム 〘哲〙(唯名論) nóminalìsm Ⓤ.
ノミナル ── 形 (名目上の・公称上の) nominal.
ノミナルプライス nominal price Ⓒ ノミナルレート nominal rate Ⓒ.
のみにげ 飲み逃げ ── 動 (支払いをせずに逃げる [急いで立ち去る]) run away from ... [skip out of ...] without paying. ⦅☞ のみたおす⦆.
ノミネーション (指名) nomination Ⓒ ⦅☞ しめい¹; にんめい⦆.
ノミネート ── 動 (候補にあげる) nóminàte ⓗ. ── 名 nòminátion Ⓤ. ⦅☞ こうほ¹; しめい²⦆. ¶ その俳優はアカデミー賞に*ノミネートされた The actor *was nominated* for an Academy Award. // *ノミネート作品 a *nominated* work
のみほうだい 飲み放題 ¶ 今晩は*飲み放題だ (⇒ 欲しいだけ飲むことができる) We can *drink as much as we want* tonight. // たった 2 千円でビール*飲み放題 You can *drink as much beer as you want* for only ¥2,000.
のみほす 飲み干す drink up ⓐ ⓗ, finish (ˈup [off]) ⓗ ★ 両者とも飲みかけの残りを全部飲むことを意味するが, 最初から全部を一気に飲むことも示すのは前者.
のみまわし 飲み回し passing round the sake cup Ⓤ.
のみみず 飲み水 (飲料水) drinking water Ⓤ ⦅☞ みず; いんりょう⦆. ¶ 彼らは*飲み水にも不自由している They are even short of *drinking water*. // これは*飲み水になりますか Is this water ˈ*good to drink* [*fit to drink*; *fit for drinking*; *potable*]?
のみもの 飲み物 (一般的に) drink Ⓤ ★ 種類をいうときは Ⓒ; beverage Ⓒ ★ drink より格式ばった語. 水・飲み薬などは含まない. ⦅☞ のむ⦆.
¶ 私の好きな*飲み物はレモネードだ My favorite *drink* is lemonade. // アルコール類の*飲み物 alcoholic *beverages* // 食べ物や*飲み物を図書館内に持ち込まないで下さい Please Do Not Bring Food or *Beverages* into the Library ⦅掲示⦆ // 何か冷たい*飲み物を下さい Give me *something* cold *to drink*, please. // ⦅給仕などが⦆ お*飲み物は何にしますか (⇒ 何を飲みますか) What would you like to *drink*?
のみや¹ 飲み屋 (バー) bar Ⓒ, ⦅英⦆ pub Ⓒ. ⦅☞ バー¹⦆.
のみや² 呑み屋 (株式売買の) búcketer Ⓒ; (場外の) street [outside] broker Ⓒ; (競馬などの) bóokmàker Ⓒ.
のみりょう 飲み料 ☞ のみもの; のみしろ
のむ 飲む, 呑む **1** «物を口から»: (液体を) drink ⓗ ⓐ ⦅過去 drank; 過分 drunk⦆ 語法 (1) ⓐ には「酒を飲む」という意味がある; have ⓗ 語法 (2) 会話では drink の代わりに用いられることが多い; (薬を) take ⓗ ⦅過去 took; 過分 taken⦆; (スープを皿から) eat ⓗ ⦅過去 ate; 過分 eaten⦆ 日英比較 eat は普通は日本語の「食べる」に当たるが, ナイフ・フォーク・スプーンなどの食器を使って飲食物をとることをいうので, スープをスプーンで飲むときには eat を用いる. ただし, スプーンを用いず直接 cup などから飲むときは drink soup とも言える; (飲み込む) swallow ⓗ; (たばこを吸う) smoke ⓗ. ⦅☞ のみこむ; のみもの; すう¹⦆.
¶ 彼はコーヒーを 2 杯*飲んだ He *drank* two cups of coffee. // 「もう 1 杯お茶を*飲みますか」「いいえ, もう結構です」“ Would you like (to *have*) another cup of tea? ” “ No, thank you. ” // 彼は酒を*飲まない He doesn't *drink*. // 彼は何種類も薬を*飲まなければならなかった He had to *take* several ˈmedicines [kinds of medicine]. 語法 (3) この場合 drink は使えない. ⦅☞ くすり⦆ // 私はまずスープを*飲んだ First I ˈ*ate* [*had*] (some) soup. ⦅☞ スープ⦆
2 «要求などを»: (受け入れる) accept ⓗ; (同意する) agree (to ...) ⓐ. ⦅☞ うけいれる⦆. ¶ その条件は*呑めない (⇒ 受け入れることはできない) We cannot *accept* the terms. // 彼らは我々の提案を*呑んだ (⇒ 提案に同意した) They *agreed to* our proposal.
3 «圧倒する»: overwhelm ⓗ; (飲み込む) swallow up ⓗ. ⦅☞ のまれる⦆.
-のめす ¶ あの男をたたき*のめしてやろう I'll *knock* him *down*. // しゃれ*のめす (⇒ 次々に冗談を言う) crack jokes *one after another*
のめのめと ¶ あんなことがあった後で今更*のめのめと (⇒ まるで何もなかったかのように) 帰れない After something like that I can't just go back *as if nothing had happened*. ⦅☞ おめおめと⦆
のめやうたえ 飲めや歌え ¶ *飲めや歌えの大騒ぎ an *orgy* ⦅☞ どんちゃんさわぎ⦆
のめりこむ のめり込む ¶ 悪の道に*のめり込む *fall into* evil ways ⦅☞ だらく⦆ // 彼は賭事に*のめり込んでいる He's *into* gambling. ⦅☞ ねっちゅう; むちゅう⦆
のめる¹ (物につまずいて) stumble ⓐ ⦅☞ つんのめる; ころぶ⦆.
のめる² 飲める (飲用に適する) be ˈall right [safe] to drink; (人が酒を) drink a lot. ⦅☞ いんよう²; のむ⦆. ¶ この水は*飲める This water *is drinkable*. // 私は*飲めません I *am not much of a drinker*. / I *am unable to drink*.
ノモグラム 〘数〙 nomogram Ⓒ, nomograph Ⓒ ★ 計算図表のこと. 一種の早見計算表.
ノモンハンじけん ノモンハン事件 〘史〙 the Nomonhan /nóumənhɑ̀ːn/ Íncident ★ 1939 年の日ソの交戦.
のやき 野焼き ── 動 burn off dead grass.
のやま 野山 (丘や野原) hills and fields; (丘や谷) hills and ˈvalleys [dales].
ノラ ☞ ノーラ
のらいぬ 野良犬 (家のない) stray dog Ⓒ; (持ち主のない犬) ownerless dog Ⓒ.
のらぎ 野良着 farm clothes ★ 複数形で; (ヨーロッパ風の仕事着) smock frock Ⓒ.
のらくら ── 動 (怠けて過ごす) ídle awáy ⓗ. ── 形 (ぶらぶらした) idle; (怠惰な) lazy ★ 軽蔑的. ⦅☞ ぶらぶら; 擬声・擬態語 (囲み)⦆.
のらしごと 野良仕事 ¶ 今日は一日中*野良仕事をしました I *worked out in the fields* all day.
のらねこ 野良猫 stray cat Ⓒ; (飼い主のいない猫) ownerless cat Ⓒ; (路地などを歩いている猫) alley cat Ⓒ.
のらりくらり **1** «のらくら» ── 動 (怠けて過ごす) ídle awáy ⓗ ⦅☞ ぶらぶら; 擬声・擬態語 (囲み)⦆.
2 «はっきりしない» ── 形 (意見・態度を明らかにしない) noncommittal; (言動・態度などがつかみどころのない) slippery. ⦅☞ どっちつかず⦆. ¶ 彼は*のらりくらりと返事をした He gave a *noncommittal* answer.
のり¹ 糊 ── 名 (でんぷんのりの類) paste Ⓤ; (衣服用の) starch Ⓤ; (にかわ・接着剤の) glue Ⓤ. ── 動 (のりではる) paste ⓗ; (のりをつけて堅くする) starch ⓗ; (にかわ・接着剤でつける) glue ⓗ.
¶ 私は写真をアルバムに*のりではった I ˈ*glued* [*pasted*] the photographs in my album. // この破片は*のりでは付かない We cannot stick these broken pieces together with *paste*. // *のりのきいたシャツ a well-*starched* shirt
のり² 海苔 *nori* (, a kind of edible seaweed) Ⓤ, laver /léivə/ Ⓤ; (乾かして食用に加工したもの) dried laver Ⓤ. ¶ 焼き*海苔 toasted *laver* // 味つ

け*海苔 seasoned *laver* 海苔茶漬け，海苔巻き ☞ 見出し

のり³ 乗り ¶今日は化粧の*乗りがよい（⇒ 肌が化粧をよく吸収する）My skin *is absorbing* the makeup well today.《☞ のる¹ 4; リズム》

のり⁴ 法，則 （法則）law Ⓒ;（ルール）rule Ⓒ;（規範）pattern Ⓒ.《☞ きまり; ほうそく; きはん¹》.

-のり …乗り ¶2 人*乗りの自動車[飛行機] a two-*seater* // 5 人*乗り自動車 a five-*passenger* car // 2 人*乗りの自転車 a tandem (bicycle) // 8 人*乗りの手漕ぎボート an eight // この飛行機は 380 人*乗りです（⇒ 380 人乗せることができる）This plane *can carry* 380 passengers. / This aircraft *has a maximum capacity of* 380 passengers.

のりあい 乗合 乗合自動車（バス）bus Ⓒ 乗合船 passenger ｢boat [ship] Ⓒ ★ boat のほうが小型. 乗合馬車 stagecoach Ⓒ.

のりあげる 乗り上げる （岸や浅瀬に）gó [rún] agróund《☞ ざしょう¹》. ¶ヨットが浜に*乗り上げた The yacht *ran aground.* // 和平交渉は暗礁に*乗り上げた（⇒ 行き詰まった）The peace negotiations *have*｢*come to* [*reached*; *arrived at*] *a deadlock.*《☞ あんしょう¹》

のりあわせる 乗り合わせる （たまたま同じ…に乗る）happen to ride in the same …《☞ あいのり》.

のりいれる 乗り入れる ― 動（車を乗り入れる）drive … into …;（馬を）ride … into …;（鉄道の線などを…へ延ばす）extend … into … ― 名（延長しての乗り入れ）extension Ⓤ;（接続して）link-up Ⓒ.《☞ のりつける; のびる¹》.
¶彼は運動場に車を*乗り入れた He *drove* the car *into* the playground. // 2005 年までにこの線は銀座に*乗り入れる This line will *be extended*｢*into* the Ginza [*to* (the) Ginza] by 2005. // 西武線は小竹向原で有楽町線に*乗り入れている The Seibu Line *joins* the Yurakucho Line at Kotake-mukaihara. // JR と他の鉄道の相互*乗り入れ *joint (railroad) service* by the JR and other railroad companies

のりうつぎ 糊空木 〔植〕panicle hydrangea Ⓒ.

のりうつる 乗り移る 1《ほかの乗り物に》:（違う乗り物に乗り移る）change (to …) 自;（乗り換える）transfer (to …) 自.《☞ のりかえる 語法》.
2《悪霊などがとりつく》: possess 他 ★ やや格式ばった語. 通例受身で.《☞ つく⁶》. ¶彼女は悪霊が*乗り移ったみたいだ She seems to *be possessed* by (evil) spirits.

のりおくれる 乗り遅れる miss 他, fail to catch …《☞ おくれる》. ¶午前 10 時の列車に*乗り遅れた I｢*missed* [*failed to catch*] the 10 a.m. train. // 急がないとバスに*乗り遅れますよ Hurry up or you will *miss* the bus.

のりおり 乗り降り ― 動（乗ったり降りたりする）gèt ón and óff …《☞ のる¹（類義語）; おりる》.
¶大きなスーツケースを持ってのバスの*乗り降りはたいへんです It's hard to *get on and off* the bus with a large suitcase.

のりかえ 乗り換え ― 動 change (to …) 自 ★ 他 の用法もある; transfer (to …) 自. ― 名 change Ⓒ; transfer Ⓒ 日英比較 日本語では「乗り換え」という名詞が使われていても，英語では動詞として表現されることが多い点に注意.《☞ のりかえる 語法》. ¶奈良方面*乗り換え *Change* [*Transfer*] here for Nara.《掲示》// 「どこかで*乗り換えの必要はありませんか」「ええ，ありません」"Do I have to ｢*change trains* [*transfer*] anywhere?" "No, you don't." // この列車は*乗り換えなしで（⇒ 真っすぐ）東京まで行きます This train *goes straight* to Tokyo. / (⇒ 直通列車です) This is a *through* train to Tokyo. 乗り換え駅 junction Ⓒ 乗り換え切符 transfer (ticket) Ⓒ.

のりかえる 乗り換える （乗り物を換える）change (to …) 自 語法 (1) 他 の用法もあり，その場合は change trains のような使い方となる; transfer (to …) 自 語法 (2) change は列車・車などを乗り移る意味で，transfer とほぼ同意に使われるが，意味の広い一般的な語なので，交通機関の用語では主として後者が使われる. 状況によって交通機関を変えることがわかっているときは to … なしで change または transfer だけでもよい. ¶新宿駅で電車を*乗り換えなければなりません You have to ｢*change* (*trains*) [*transfer*] at Shinjuku Station. // どこで*乗り換えるのですか Where do I have to *change trains*? // バスが故障して私たちはほかのバスに*乗り換えた The bus broke down and we *changed to* another one.

のりかかる 乗りかかる ¶もう*乗りかかった船だ（⇒ 我々はかなり行ったので引き返せない）We have gone too far to go back. / (⇒ 抜き差しならぬはめになった以上もう引き返せない) Now that *we are in for it*, we can't go back.《☞ ちゃくしゅ》

のりき 乗り気 ¶彼女は私の提案に対してすっかり*乗り気になった（⇒ 熱意を示した）She showed great *enthusiasm* for my proposal. / (⇒ 私の計画に熱心になった) She was *enthusiastic* about my plan. // 彼はすっかり*乗り気で私の話を聞いていた He was listening to me with a great deal of ｢*interest* [*eagerness*]. // 私はその計画には*乗り気ではない（⇒ 興味がない）I'*m* not *interested* in the plan. / (⇒ その計画は私にとって魅力的でない) The plan doesn't seem *attractive* to me.《☞ きのり; きょうみ; かんしん²》

のりきる 乗り切る （難局・危機などを）tide over …,《略式》come through …;（困難などを克服する）overcome 他.《☞ のりこえる; こくふく; きりぬける》.

のりくみいん 乗組員 （乗組員全体）crew Ⓒ 語法 1 人 1 人を指すときは複数扱いになる;（個別には）crewman《複 -men》, crewmember Ⓒ, member of the crew Ⓒ ★ この順に改まった言い方となる.《☞ じょうむいん》. ¶4 人の*乗組員 a *crew* of four // *乗組員は全員救助された All the *crew* were rescued. / The entire *crew* was saved.

のりくむ 乗り組む （船・飛行機に乗る）get [go; be] on board 語法 be を用いれば状態を表す;（勤務する）serve on board …《☞ のる¹（類義語）; のりこむ》. ¶そのパイロットはニューヨークからこの飛行機に*乗り組んできた（⇒ 乗組員に加わった）The pilot *joined the crew* at New York. // 彼は潜水艦に*乗り組んでいる（⇒ 乗務している）He *serves on board* a submarine.

のりこえる 乗り越える （越える）get over …;（登って越える）climb over …;（困難などを克服する）overcome 他.《☞ こえる¹; こくふく》. ¶彼は門を*乗り越えた He *climbed over* the gate. // 彼女はその難関を*乗り越えることができなかった She failed to *overcome* the difficulties. / (⇒ 障害を越えることができなかった) She could not ｢*get over* [*surmount*] the barrier.

のりごこち 乗り心地 ¶この車は*乗り心地がよい（⇒ 快適だ）This car is *comfortable* (to ride in). / This car *rides* well. / This car has a smooth *ride*. ★ 最初の文が最も普通.

のりこし 乗り越し ¶*乗り越し切符 a *fare adjustment* ｢ticket [slip] // *乗り越し（⇒ 超過）料金 the ｢*excess* [*extra*] fare

のりこす 乗り越す （電車などで）ride past …;（…まで行く）go on to … ¶私は一駅*乗り越した I *rode past* one station. // 私はうっかりして大阪で下車するのを忘れ，神戸まで*乗り越した I forgot to get off at Osaka and *went on to* Kobe.

のりこなす 乗りこなす ¶ 荒馬を*乗りこなす (⇒ うまく操る) *manage* a horse // 車を*乗りこなす *maneuver* [《英》 *manoeuvre*] /mən(j)úːvə/ a car ★ 格式ばった言い方.

のりこむ 乗り込む 1 《乗り物に》: (バス・列車・飛行機などに) gèt ón (自) (↔ gèt óff); (乗用車・タクシーに) gèt ín (自) (↔ gèt óff; gèt óut (of …)) ★ 以上いずれも get 「on [in] … の形でも用いられる; (特に中にという意味を強めて) get into …; (船・飛行機・列車に) go [get] 「on board [aboard] (…). 《☞ のる1 (類義語); のりくむ》. ¶ バスが来たので彼らは*乗り込んだ The bus arrived and they *got on.* // 私たちは彼の車に*乗り込んだ We *got* 「*in* [*into*] his car. // 私たちはタクシーを拾って (⇒ 呼びとめて) *乗り込んだ We flagged a taxi and *got in.* // 観光客は船[飛行機]に*乗り込んだ The tourists 「*went* [*got*] *on board* the 「ship [plane].

2 《場所に行く》: (姿を現す) shów úp (自); (到着する) arrive (at …; in …) (自); (堂々と歩いて進む) march (into …) (自). 《☞ くりこむ》. ¶ ファンが大挙してコンサートに*乗り込んだ A large number of fans *showed up* for the concert.

のりしろ 糊代 tab [margin] for sticking [C].

ノリス —[名] (固) Frank Norris, 1870–1902. ★ 米国の小説家 Benjamin Franklin Norris の筆名.

のりすごす 乗り過ごす ☞ のりこす

のりすてる 乗り捨てる (放って置く) leave (他); (棄てる) abandon (他). 《☞ ほうち1》. ¶ 駅の近くには自転車がたくさん*乗り捨ててある There are many bicycles (that have been) *left* near the station. // 盗まれた車はここに*乗り捨ててあった The stolen car *was abandoned* here.

のりする 糊する (生計を立てる) earn [make; get] a living. ¶ かろうじて口を*糊している (⇒ その日暮らしをしている) I *live from hand to mouth.*

のりぞめ1 乗り初め —[名] (新車に初めて乗ること) the first 「ride [drive] in *one's* new car. —[動] (初めて運転する) drive *one's* new car for the first time.

のりぞめ2 糊染め rice-paste dyeing (method) [U].

のりだす 乗り出す 1 《海へ》: (出帆する) sail (自) 《☞ しゅっぱん2; しゅっこう1》.

2 《進出・着手》: (取りかかる) set about …; (事業などに) 《格式》 embark (on …) (自); (一般的に物事を始める) start (他), begin (他). 《☞ はじめる; しんしゅつ》.

¶ 警察は犯人捜査に*乗り出した The police 「*began* to search [*set about* searching] for the criminal. // 私は新しい事業に*乗り出すつもりです I'm planning to *start* a new business. / I intend to *embark on* a new enterprise. ★ 第1文のほうが口語的. // 彼は40歳で政界に*乗り出した (⇒ 入った) He 「*went into* [*entered*] politics at forty.

3 《身を》: (体を曲げる) lean forward (自), lean out of … 《☞ もたれる》. ¶ 窓から体を*乗り出さないで下さい Don't *lean out of* the window. // 彼は前方へ身を*乗り出した He *leaned forward.*

のりちゃづけ 海苔茶漬け boiled rice in hot tea topped with laver [U].

のりつぎ 乗り継ぎ —[形] (接続する) connecting. 乗り継ぎカウンター (空港の) transit counter [C] 乗り継ぎ客 transit [interline] passenger [C] ★ [ ] 内は2つ以上の路線にまたがるという意味. 乗り継ぎ便 (飛行機の) connecting flight [C].

のりつぐ 乗り継ぐ ¶ 電車からバスに*乗り継ぐ *take* a bus *after getting off* the train // シカゴでボストン行きに*乗り継ぐ *make a connection* at Chicago for Boston / *catch a connecting flight* to Boston at Chicago // 私はマドリッドへ*乗り継ぎます (⇒ 行く途中である) *I'm on my way to* Madrid.

のりづけ 糊付け —[動] (貼る) stick (他) ★ 最も一般的な語; (でんぷんのりではる) paste (他); (接着剤でつける) glue (他); (洗濯した布にのりを付ける) starch (他). 《☞ のり1》. ¶ 壁にポスターを*糊付けする *stick* [*paste*] posters on the wall // シーツを*糊付けする *starch* a sheet

のりつける 乗りつける 1 《乗って, ある場所に到着する》: (乗り物に乗る) take (他); (…まで車を運転する) drive (up to …) (自). 《☞ のりいれる》. ¶ ホテルから空港までタクシーで*乗りつけた I *took* a taxi from the hotel to the airport. // 彼女は玄関まで車で*乗りつけた She *drove* right *up to* the door.

2 《乗り慣れる》: be used to 「riding [driving]. ¶ 私はバスには*乗りつけていない (⇒ めったに乗らない) I rarely *take* 「a bus [buses].

のりつぶす 乗り潰す (車をスクラップになるまで使う) use [drive] a car until it is ready for 「scrapping [the junkyard].

のりて 乗り手 (馬などの) rider [C]; (乗客) passenger [C]. 《☞ きしゅ3; じょうきゃく》.

のりと 祝詞 *norito* [U], ritual Shinto prayer [C] ★ 後者は説明的な訳. ¶ *祝詞をあげる read [recite] *norito*

のりならす 乗り馴らす break in (他). ¶ 馬[新車]を*乗り馴らす *break in* 「a horse [*one's* new car]

のりにげ 乗り逃げ —[動] (乗って行く) ride away (自); (車を) drive 「awáy [óff] (他) (自); (盗む) steal (他). ¶ 私は車を*乗り逃げされた I *had* my car *stolen.* / (⇒ だれかが私の車に乗って行ってしまった) Someone *drove away* (in) my car. // 彼は*乗り逃げした (⇒ 料金を払わずに逃げた) He *ran away without paying the fare.*

のりば 乗り場 (バスの停留所) bus stop [C]; (列車のプラットホーム) platform [C]; (タクシーの) taxi station [C], (taxi) stand [C], cabstand [C], 《英》 taxi rank [C]; (ボート・船などの浮き桟橋) landing stage [C], dock [C]. 《☞ ていりゅうじょ; ホーム1》.

「タクシー乗り場」の掲示

のりばり 糊張り ☞ のりづけ

のりまき 海苔巻き *norimaki* sushi [U]; (説明的には) vinegared rice rolled in a sheet of laver with various ingredients in the center [U].

のりまわす 乗り回す (車を運転する) drive (他); (自転車・馬で) ride 「around [《英》 about] (…) (自). ¶ 彼女は新車を*乗り回している (⇒ 運転している) She *drives* a new car. // 公園の中で自転車を*乗り回してはいけません 《掲示》 No *Cycling* in the Park.

のりまわる 乗り回る drive [ride] 「around [《英》 *about*] (…) (自). ¶ 車で*乗り回る *drive* 「*around* [*about*] in a car // 自転車[馬]で*乗り回る *ride* 「*around* [*about*] on a 「bicycle [horse]

のりもの 乗り物 (陸上の) vehicle /víː(h)ɪkl/ [C]; (海上の) vessel [C]; (空中の) aircraft [C]; (輸送機関) 《格式》 (public) conveyance [C]; (交通の手段) means of transportation ★ 単数または複数扱い; (遊園地などの) ride [C]. ¶ 子供たちは*乗り物が好きだ Children are fond of *vehicles* of all kinds. // この町ではバスが唯一の公共の*乗り物です Buses are the only public 「*means of transportation* [*conveyance*] in this city. 乗り物酔い motion sickness Ⓤ.

のる[1] **乗る**　**1**《乗り物に》: (行く方法として) take ⑯《過去 took; 過分 taken》, ride ⑯ ⓐ《過去 rode; 過分 ridden》 [語法] (1) ⓐ の場合, ride on ... のように用いる.《英》では on の代わりに ride in ... を用いる; (乗って行く) go [come; arrive, etc.] by ... [語法] (2) 後に続く乗り物は無冠詞. ただし, by の代わりに in, on などを用いれば冠詞が付く; (乗用車・タクシーなどに乗り込む) get in ⓐ, get in ... (↔ get off; get out (of ...)) [語法] (3) 特に「乗り込む」意味を強調すれば get into ... を用いる; (バス・電車・列車・飛行機に) get on ⓐ, get on ... (↔ get off); (船・飛行機・列車・バスなどに) get ⌐on board [aboard] (...), board ⑯ ⓐ [語法] (4) 前者のほうが普通で, また動作を明瞭に示す. get の代わりに be を用いれば「乗っている」という状態を表す; (タクシーなどをつかまえる) get ⑯, catch ⑯.

【類義語】どういう交通機関を使うかが話題となっているときに, 列車・電車・バス・タクシー・飛行機などに乗って行くのは一般的には *take* を使う. 交通の手段を強調すれば *go by* train, *come by* taxi, *arrive by* plane のように言う. ただし, *go by* ... のような言い方よりは *take* ... のほうが口語では普通. また, 乗り込む動作は乗り物によって *get on* (a ⌐bus [train; plane]), *get* ⌐*in* [*into*] (a ⌐car [taxi]), *get* ⌐*on board* [*aboard*] (a ⌐ship [plane; train; bus]) または *board* (a ⌐ship [plane; train; bus]) のように, 違った言い方をすることに注意. なお *get on*, *get in*, *get* ⌐*on board* [*aboard*] は後に乗り物名なしでも用いる. いかなる交通機関 (飛行機も含めて) にでも「乗る」という動作を表す言葉として使われるのが *ride*. タクシーなどをつかまえるという意味の語が *get* または *catch*. 《☞ のりこむ; じょうしゃ; とうじょう[2]; のせる[1] (類義語)》 ¶ あなたは自転車[馬]に*乗れますか Can you *ride* a ⌐bicycle [horse]? // 私は列車[自転車]に*乗って学校へ行ったものだ I used to ⌐*take* the train [*ride* my bicycle] to school. / (⇒ 列車[自転車]で通学したものだ) I used to *go* to school *by* ⌐train [bicycle]. // 毎朝 7 時になると太郎は自転車に*乗って学校へ行く Every morning at seven (o'clock) Taro ⌐*gets* [*jumps*] *on* his bicycle and *rides* to school. // 渋谷へ行くにはどのバスに*乗るのですか Which bus ⌐do [should] I *take* for Shibuya? / Could you tell me which bus to *take* for Shibuya? // 私はバスに*乗るのに長いこと待った I waited a long time to *get on* the bus. // 私は病院の前でタクシーに*乗った I ⌐*caught* [*took*] a taxi in front of the hospital. // 彼は妻の後からタクシーに*乗った He *got into* the taxi after his wife. // 彼は運転手つきのロールスロイスに*乗って仕事に行く He ⌐*rides* [goes] to work in a chauffeured Rolls-Royce. //「あなたは (この列車に) どこから*乗ったのですか」「横浜からです」" Where did you *get on* (this train)? " " At Yokohama. " //「みなさん, お*乗り下さい」と駅員は叫んだ " All *aboard*! " shouted the station employee. // 私はエレベーターに*乗って 21 階まで行った I *took* the elevator to ⌐21 [the 21st floor]. // あなたは飛行機に*乗ったことがありますか *Have* you ever ⌐*flown in* [*been on*; *ridden in*] a plane? ★ 飛行機の場合は flown in が最も普通. // 彼は香港行きの飛行機に*乗るために, 早めに家を出た He left home early to *board* a plane for Hong Kong. // その飛行機には 116 人の乗客と 8 人の乗務員が*乗っていた *On board* the plane were 116 passengers and a crew of eight. [語法] (5) on board は「...に乗って」という意味の複合前置詞. / The plane *carried* 116 passengers and a crew of eight. ★ 後者のほうが普通. 《☞ 発想 (巻末)》 // 日本人が*乗っていましたか Were there any Japanese *aboard*?

2《物の上に乗る》: (一般には) get on ...; (飛び乗る) jump on ...; (歩いて行って足をかけて乗る) step on ...; (馬などの上に乗る) mount ⑯.
¶ もっとよく見えるように彼は箱の上に*乗った He ⌐*jumped* [*stepped*] *on* a box to get a better view. // 彼はその馬に*乗って, 我々に手を振った He *mounted* the horse, and waved to us. // 彼女はぶらんこに*乗っていた (⇒ ぶらんこに座っていた) She *was sitting on* a swing.

3《応じる》 ¶ 彼はその件で相談に*乗ってくれた (⇒ 親切に助言してくれた) He was kind enough to *give* me *advice* on the matter.
彼女はその話に大いに*乗ってきた (⇒ 強い関心を示した) She *showed* a keen *interest in* the plan.
彼は誘惑に*乗りやすい (⇒ 簡単に誘惑される) He is *easily* tempted. 《☞ のりき》

4《はずみがつく》 ¶ 彼女の仕事はちょうど油が*乗っているところだ (⇒ 調子よく進行している) Her work *is* now *in full swing*. // 彼は成功して図に*乗っている (⇒ 得意になっている) He *is puffed up* with success. // 彼女は調子に*乗って (⇒ 遠慮なく) しゃべりまくった She talked on and on *without restraint*. // あのテレビタレントは今日は乗りに*乗っている That TV star is really *hot* today. // 人々は曲のリズムに*乗って身体を動かした People swayed *to* the rhythm of the music. 《☞ もりあがる》

のる[2] **載る**　(新聞などに出る) appear ⓐ; (載っている) be in ...; (掲載される) be carried; (地図などに示される) be shown. 《☞ のせる[2]; けいさい[1]》
¶ その広告はきょうの新聞に*載った The advertisement /ædvətáɪzmənt/ *appeared* in today's newspaper. // その記事はきのうの新聞に*載っていた The article *was in* yesterday's paper. // この雑誌にはよい記事が毎月*載っている (⇒ この雑誌はよい記事を毎月掲載する) This magazine *carries* good articles every month. // そんな小さな町は地図に*載っていない Such a small town *is* not shown on the map. // 彼の名前はその名簿に*載っている His name *is on* the list. / (⇒ その名簿は彼の名前をその一部に含む) The list *includes* his name. // その辞書には新語がたくさん*載っている (⇒ 辞書はたくさんの新語を収録している) The dictionary *contains* a lot of new words.

ノルアドレナリン　〘生化〙 noradrenaline /nɔ̀ːrədrénəlɪn/ Ⓤ ★ ホルモンの一種で血圧上昇に働く.

ノルウェー　**—** 名 ⓖ Norway; (正式名; ノルウェー王国) the Kingdom of Norway. **—** 形 Norwegian /nɔəwíːdʒən/. **ノルウェー語** Norwegian Ⓤ **ノルウェー人** Norwegian Ⓒ.

のるかそるか　伸るか反るか　¶ *のるかそるかやってみよう (⇒ 一か八かやってみる) I'll ⌐*take a chance* [(⇒ 私の運を試してみる) *try my luck*]. / (⇒ うまく行ってもだめでも) *Sink or swim* [*Hit or miss*], I will try. 《☞ いちかばちか; おもいきって》

ノルディック　**ノルディック種目**〔**競技**〕(スキー競技) Nordic event Ⓒ **ノルディック複合** Nordic combined Ⓤ.

ノルドご　ノルド語　(北欧語) Norse Ⓤ.

ノルドじん　ノルド人　Nordic Ⓒ.

ノルマ　assigned ⌐work [task] (for the day) Ⓤ; (生産・販売などの割り当て量) quota Ⓒ [参考] 「ノルマ」はロシア語の norma から. ¶ その*ノルマを達成するには 1 日 10 時間働かなければならない We have to work ten hours a day to ⌐finish [complete] the *assigned work*. // そのセールスマンは自分の*ノルマを果たす (⇒ 割り当て分を売る) ことができなかった The salesman failed to ⌐sell [meet] his *quota*.

ノルマン ノルマン人 Norman Ⓒ ノルマン征服 the Norman Conquest ノルマン朝 the Norman Dynasty ノルマンフランス語 Norman French Ⓤ ノルマン様式〔建〕Norman ⌈architecture [style] Ⓤ.

ノルマンディー ―― 图 固 Normandy ★フランス北西部の地方. ノルマンディー公国 the Duchy of Normandy ノルマンディー上陸作戦〔史〕the Normandy Invasion; (暗号名) Operation Overlord.

のれん 暖簾 (店頭にかける) shop curtain (at the entrance with the shop's logo printed on it) Ⓒ 日英比較 日本ののれんと同じようなものは英米にはない; (評判) reputation Ⓤ.
¶人に*のれんを分ける allow *a person* to be independent and set up a store which bears the same name as the store owner ★説明的訳. / (⇒ 同じ商売を始めるのに手を貸す) help *a person* start in the same business // この事件で店の*のれんに傷がついた This incident damaged our *reputation.* のれんに腕押し ¶それは*のれんに腕押しだ (⇒ 時間[労力]の浪費だ) It is *a waste of* ⌈*time* [*labor*]. / (⇒ それはまったくむだだ) It's *completely useless.* / (⇒ むだな努力だ) It's like *beating the air.* (☞ うでおし; ぬか)

のろ 〔動〕roe deer Ⓒ ★単複同形.

のろい[1] **鈍い** (理解・動作などが遅い) slow; (頭の働きなどが鈍い) dull. (☞ おそい; にぶい; どんかん).
¶私は本を読むのが*のろい (⇒ 遅い読者だ) I'm a *slow* reader. // 彼は反応が*のろい He's *slow* to react.

のろい[2] **呪い** curse Ⓒ; (呪いをかけること) cursing Ⓤ. (☞ たたり). ¶魔女は彼に*呪いをかけた The witch ⌈put [laid] a *curse* on him.

のろう 呪う curse 他 (☞ たたる). ¶彼は上司を*呪った He *cursed* his boss. // 人を*呪わば穴二つ *Curses* (, like chickens,) come home to roost. (ことわざ: 呪いは鶏がねぐらに帰ってくるように自分の身に帰ってくる)

のろくさい 鈍くさい ☞ のろのろ

のろけ 惚気 ―― 動 (自慢する) boast of ...; (吹聴する) play up 他. ¶妻[恋人]の*のろけ話をする *play up one's* ⌈wife [boyfriend; girlfriend]

のろける 惚気る (吹聴する) pláy úp 他; (...のことをいとしげに話す) speak fondly of ... ¶彼は奥さんのことを*のろけた He ⌈*played up* [*spoke fondly of*] his wife. // 彼は*のろけた (⇒ 自分の恋愛の話をした) He *talked about his own love affairs.*

のろし 烽火 (火の) signal fire Ⓒ; (煙の) smoke signal Ⓒ; (特に丘の上・塔の上などからの) beacon (fire) Ⓒ. ¶*のろしをあげる light a *signal fire* // 改革の*のろしをあげる (⇒ 改革運動を始める) *start* a reform campaign

のろのろ ―― 副 (ゆっくり) slowly ★一般的な語; (物ぐさで動きが遅く) sluggishly; (かたつむりのようにたいへんゆっくりと) at a snail's pace. (☞ おそい; ぐずぐず; 擬声・擬態語 (囲み)).
¶交通渋滞で車は*のろのろ進んだ Because of the traffic ⌈jam [congestion], vehicles were moving ⌈*at a snail's pace* [*very slowly*]. // 彼はいつも*のろのろと仕事をする He always does his work *sluggishly.*

のろま (うすのろの人) blockhead Ⓒ; (頭の回転の遅い[鈍い]人) slow [dull] person Ⓒ.

のろわしい 呪わしい ―― 形 cursed /kə́ːsɪd/, accursed /əkə́ːst/; (いまいましい) hateful; (憎むべき) 《格式》detestable. (☞ のろう). ¶*呪わしい日々 these *cursed* days

ノワール ―― 图 形 noir(e) /nwáə/ ★フランス語. これに相当する英語は black, dark.

のわき 野分き (秋から冬にかけて強く吹く風) wintry blast Ⓒ; (台風) typhóon Ⓒ.

ノンアルコール ―― 形 non-alcoholic /nànælkəhɔ́ːlɪk/. ―― 图 (アルコール分のない飲物) nón-alcohòlic drínk Ⓒ; (清涼飲料) soft drink Ⓒ.

ノンオイルドレッシング non-oil dressing Ⓤ.

のんき 暢気, 呑気 ―― 形 (気楽な) easy 語法 人を表す語は修飾できない; (気にかけない) easy-going; (運まかせでくったくのない) happy-go-lucky; (苦労のない) carefree; (動きなどがゆっくりした) leisurely; (楽天的な) optimistic. (☞ きらく; のんびり; らくてん(てき)).
¶彼は田舎で*のんきに暮らしている He is enjoying ⌈an *easy* [a *free and easy*] life in the country. // 彼は*のんきなやつだ He is a *happy-go-lucky* fellow. / (⇒ 何の苦労もない) He is quite *carefree.* // あなたは少し*のんきすぎる (⇒ 楽観的[気楽]すぎる) You are a little too ⌈*optimistic* [*easy-going*]. // まあ*のんきにやりなさい Take it *easy.*

ノンキャリア ―― 图 government employee who is not qualified for the position of a high-ranking official Ⓒ; (説明的には) government employee who has not passed the Class I Exam of the National Public Service Ⓒ.

ノンシャラン ―― 形 (無とんちゃくな) nonchalant /nànʃəlάːnt/.

ノンステップバス (無段差バス) low-floor bus Ⓒ (☞ ていしょうバス).

ノンストップ ―― 副 形 (ノンストップで [の]) nonstop ★ 形 は Ⓐ. (☞ ちょくつう). ¶私たちはロンドンまで*ノンストップで行きました《飛行機で》We flew *nonstop* to London. / We made a *nonstop* flight to London. ★第1文のほうが普通.

ノンセクション ―― 形 (分類などがどこにも属していない) miscellaneous /mìsəléɪniəs/.

ノンセクト ―― 形 (どこにも属さない) independent; (宗派・派閥に属さない) nonsectarian ★「ノンセクト」は和製英語.

ノンタイトル ¶*ノンタイトルマッチ (⇒ タイトルのかかっていない試合) a *non-title* match (☞ タイトル)

のんだくれ 飲んだくれ 《古風》drunkard Ⓒ, 《略式》drunk Ⓒ. (☞ よっぱらい).

のんだくれる 飲んだくれる get blind drunk (☞ のんだくれ; よっぱらう).

ノントロッポ 〔楽〕non troppo ★「度を過ごさないで」の意.

ノンバーバルコミュニケーション (言語以外による伝達) nòn-vérbal commùnicátion Ⓤ ★身ぶりなどによる.

ノンバンク (非銀行系金融機関) nonbank (bank) Ⓒ.

のんびり ―― 形 (静かな) quiet, calm ★後者は多少文語的; (自由な) free; (楽天的で気楽な) happy-go-lucky; (ゆうゆうとした) leisurely. (☞ のんき; ゆうゆう; きなが; くつろぐ). ¶田舎で*のんびりと暮らしたい (⇒ 静かな生活を送りたい) I'd like to lead a *quiet* life in the country. // 試験が終わって*のんびりしている With the examination over, I feel *free.* // 彼はあいかわらず*のんびりしている He is as *happy-go-lucky* as ever. // 彼女は犬を連れて公園を*のんびりと散歩していた I saw her taking a *leisurely* walk in the park with her dog.

ノンフィクション (小説・物語以外の散文文学) nonfiction Ⓤ.

ノンブル 〔印〕(ページを示す数字) pàginátion Ⓒ ★「ノンブル」は英語の number に相当するフランス語 nombre より.

ノンプロ ―― 形 nonprofessional; (素人の) amateur /ǽmətə̀ː/. ―― 图 (ノンプロの選手) nónproféssional pláyer Ⓒ; (アマチュア) amateur Ⓒ.

ノンプロフィットオーガニゼーション (非営利団体) nonprofit(-making) organization Ⓒ《略 NPO》.

のんべえ 《古風》drunkard Ⓒ, 《略式》drunk Ⓒ; (大酒飲み) heavy drinker Ⓒ. 《☞ よっぱらい》.

のんべんだらり ━形(何もしない) idle. ━副(無為に) idly; (何もしないで) doing nothing. ━動(時間などを怠けて費やす) idle away ⑩. 《☞ ぶらぶら; 擬声·擬態語 (囲み)》. ¶ 彼は*のんべんだらりと一生を送った He led an *idle* life. // 私は*のんべんだらりと過ごしたことを悔いている I regret *having idled* my time *away*.

ノンポリ ━名(ノンポリの学生) student who is not ⌈political-minded [interested in political activities] Ⓒ.

ノンレムすいみん ノンレム睡眠 non-REM /nánrèm/ sléep Ⓤ ★ REM は rapid eye movement の略.

は, ハ

は[1] 歯 — [名] (人間・動物・のこぎり・歯車・くしなどの) tooth [C] 《複 teeth》; (歯車の) cog [C]; (下駄(げた)の) support [C]. — [形] (歯の) dental [A]. 《☞ はいしゃ[1]》.

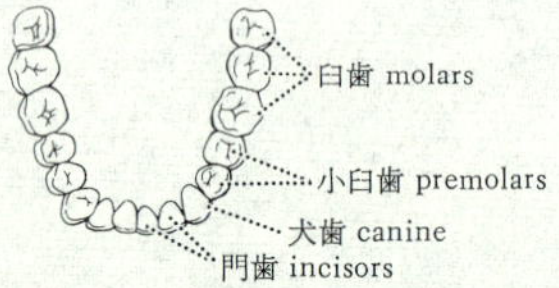

¶ 白く輝く*歯 (⇒ 真珠のように白い) pearly white *teeth* // *歯が痛い I have (a) *toothache.* / My *tooth* aches. // 私は*歯がよい[悪い] I have ˹good [bad] *teeth.* // 毎食後*歯を磨きなさい Brush [Clean] your *teeth* after each meal. // 前*歯[奥*歯]が 1 本抜けた My ˹front [back] *tooth* came out. / I lost a ˹front [back] *tooth.* // ピーナツを食べていたら*歯が欠けた My *tooth* broke while I was eating peanuts. // 痛む*歯を抜いてもらった I had my aching *tooth* ˹《米》 pulled [《英》 out; extracted]. [語 法] extract を使うのはやや格式ばった言い方. // その男は前の*歯が 2 本なかった (⇒ 前歯が 2 本欠けていた) Two of his front *teeth* were missing. // 赤ん坊に*歯が生えてきた The baby is beginning to cut ˹his [her] *teeth.* / The baby *is teething.* // うちの子はすっかり*歯が生えかわった Our child has got all ˹his [her] permanent *teeth.* // *歯の治療は金がかかる *Dental* treatment ˹costs a lot of money [is expensive]. // ライオンは*歯をむき出した The lion showed its *teeth.* // 寒くて*歯の根が合わなかった (⇒ 歯ががたがたした) My *teeth* chattered with cold. // 彼は*歯をくいしばって侮辱に耐えた He clenched his *teeth* and put up with the insult.
歯が立たない ¶ この問題は私には*歯が立たない (⇒ 難しすぎる) This problem is *too difficult* for me. / (⇒ 私の力が及ばない) This problem is *beyond* ˹*my power(s)* [*me*]. **歯に衣(きぬ)を着せない** ¶ 彼は*歯に衣を着せずにものを言う (⇒ 彼は率直にずけずけ言う人だ) He is a *frank*, *outspoken* person. / He *calls a spade a spade.* [語 法] 「鋤(すき)を鋤と言う」というのは, 「ありのままに率直にものを言う」という意味の慣用表現. **歯の浮くような** ¶ 彼女の*歯の浮くようなお世辞にはまいる (⇒ 彼女のお世辞は私の歯を浮かせる) Her flattering words *set my teeth on edge.* **歯を見せる** (ほほえみかける) smile (at ...); (愛想よくする) be ˹affable [friendly] (to ...).

コロケーション
歯にかぶせ物をする have a *tooth* ˹capped [crowned] / **歯に詰め物をする** fill a *tooth* / **歯を削る** drill *a person's tooth* / **歯をほじくる** pick *one's teeth*

は[2] 葉 — [名] leaf [C] 《複 leaves》 ★ 一般的な語で, 以下の語の代わりにも使える; (一本の木の葉の全体を総称して) 《格式》 foliage /fóʊliɪdʒ/ [U]; (草の葉) blade [C]; (針葉樹の) needle [C]. — [形] (葉の茂った) leafy. 《☞ くさ[1] [語法] (挿絵); き[2] (挿絵)》.
¶ 木の*葉は秋になると色が変わる *Leaves* ˹change color [turn (yellow)] in (the) fall. // 庭の木に*葉が出始めた The trees in my garden are ˹coming into *leaf* [putting forth *leaves*]. // この木は*葉がすっかり落ちている (⇒ 裸だ) This tree is bare. / The *leaves* have all dropped off this tree.

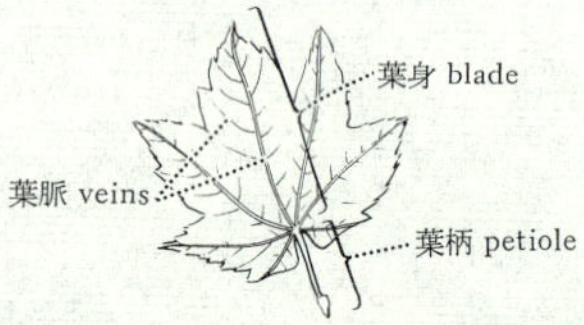

は[3] 刃 edge [C]; (刀・包丁など長いものの刃・刀身) blade [C]. 《☞ はもの[1]; ナイフ (挿絵)》.
¶ このかみそりの*刃はなまくらだ[よく切れる] This razor *blade* is ˹quite blunt [very sharp]. / This razor has a ˹dull [sharp] *edge.* // 包丁の*刃を研いでくれませんか Will you ˹*sharpen* [(⇒ 包丁の刃を立てて) put an *edge* on] the kitchen knife? // 包丁の*刃がこぼれた (⇒ 欠けた) The *edge* of the kitchen knife was nicked.

は[4] 派 (一般的にグループ) group [C]; (学派・流派) school [C]; (党派) party [C]; (派閥) faction [C] ★ グループ内の分派; (宗派) sect [C] ★ 宗派ばかりでなく派閥の意味でも用いられる.
¶ 古典[ロマン]*派 the ˹classical [romantic] *school* // 彼は反対*派だ[賛成*派だ] (⇒ 反対のグループ[支持グループ]に属している) He belongs to the ˹opposition *group* [supporting *group*]. // 戦後[戦前]*派 (⇒ 世代) the ˹postwar [prewar] *generation* // 保守*派 the conservatives // 急進*派 the radicals // 革新*派 the reformists // 中道*派 the centrists / the middle-of-the-roaders ★ 前者のほうが普通.

は[5] 端 edge [C] 《☞ はし[2]》. ¶ 山の*端 a mountain *ridge* (crest)

は[6] 覇 supremacy /sʊpréməsi/ [U]. ¶ *覇を唱える (⇒ 支配力がある) hold sway (over ...) / (⇒ 主権を主張する) assert *one's supremacy* // *覇を競う contend for *supremacy*

ハ 〖楽〗(音名) C [U]. ¶ *ハ長[短]調 *C* ˹major [minor]

ば 場 **1** «場所»: (一般的には) place [C] [語 法] 広い意味の語で, 何かを行う場所・住む所・家・座席なども言う; (特定の) spot [C]; (事件などの現場) scene [C]; (活動などの分野) field [C]; (余地) room [U]; (空間) space [U]. 《☞ ばしょ; ところ [語法] (1); よち[1]; げんば; やりば; そのば》.
¶ 私には行き*場がない (⇒ 私は行く場所を持っていない) I have no *place* to go to. // 私はたまたまその*場に居合わせた (⇒ そこにいた) I happened to be ˹*there* [(⇒ その現場に) *on the scene*]. // この部屋には荷物の置き*場もない (⇒ 場所を見つけることができない) I can't find any *place* for baggage in this room. // 私は新しい活動の*場を与えられた I was assigned to the new *field* of activities. // これはこの*場限りの話にしよう (⇒ 2 人だけの内緒にしよう) Let's *keep* this *between* ˹*ourselves* [*you and me*].
2 «場合»: (ある行事・行為などを行うための特定の機会) occasion [C].
¶ その*場の成り行きに任せなさい (⇒ その状況に自然

の経過をとらせなさい) Let the *case* take its natural course. // 彼はその*場にふさわしいことをしゃべった He said things suitable for the *occasion*. // そのニュースは公の*場で発表された The news was announced on a public *occasion*.

3 «劇の»: scene Ⓒ《略 sc.》. ¶ハムレット, 第3幕第2*場 *Hamlet* Act III, *Scene* ii 語法 *Hamlet* III, ii と省略するが, その場合も *Hamlet*, act three, scene two と読む. // 『ロミオとジュリエット』のバルコニーの*場 the balcony *scene* in *Romeo and Juliet*

4 «物理学の»: field Ⓒ. ¶磁*場 a magnetic *field*

場を外す leave the place; (そっと立ち去る) slip away. 《☞ はずす》.

はあ (肯定の相づち) yes; (そうですねえ・ええまあ) well; (わかりました) I see. ¶「準備はできましたか」「*はあ, だいたい」"Are you ready?" "*Well*, just about."

ばあ (子供などを驚かすときの声) boo; (いないいないばあ) pèekabóo. ¶彼は赤ちゃんに「*ばあ」と言った "*Peekaboo*!" he said to the baby.

バー[1] (酒場) bar Ⓒ 参考 bar は元来は横に長い木などのことで, つまりカウンターのことを言う; (ホテルなどの) (cocktail) lounge Ⓒ; 《米》(西部劇に出てくるような) saloon Ⓒ; (大衆的な酒場)《英》pub Ⓒ.

バー[2] (棒高跳びなどの横木) bar Ⓒ.

ぱあ **1** «じゃんけんの» —名 paper Ⓤ《☞ じゃんけん》.

2 «だめになる・なくなる» ¶もうけは*ぱあになって (⇒ 影も形もなく消えて) しまった The profit we had made *disappeared into thin air*. // この計画は*ぱあに (⇒ 中止に) なった The plan *has been canceled*.

パー (同等) par Ⓤ; (額面価格) par Ⓤ; (ゴルフの基準打数) par Ⓤ. ¶*パーで[スリーアンダー*パーで]コースを回る go round the course ⌈at *par* [in three below *par*] // 次の[最終]ホールは*パー 5 The ⌈next [last] hole is a *par* five. // 最終ホールを*パーで終える finish the last hole at *par*

ばあい 場合 —名 (時) time Ⓒ; (ふさわしい時) occasion Ⓒ; (事例) case Ⓒ; (状況) circumstances ★ 複数形で. —接 (もしも … ならば) if …, in case … 語法 (1) if が最も一般的であるが, 口語的でしかも「万一…なら」の含みを持つ言い方が in case …; (…のときは) when …

¶いまは議論をして[泣いて]いる*場合 (⇒ 時) ではない This is no *time* for ⌈argument [tears]. // この規則が当てはまらない*場合 (⇒ 事例) も多少ある There are a few *cases* ⌈where [in which] this rule does not apply. // それは時と*場合による That depends. / It all depends. 語法 (2) いずれも口語で次に on circumstances が省略された決まり文句. // 当日雨が降った*場合は試合は延期される The game will be postponed ⌈*in case of* rain [*if* it rains] that day. // 緊急の*場合にはこのドアは手で開けられます This door can be opened manually *in case of* emergency.

パーカ (フードのついたジャケット) parka Ⓒ.

バーガー burger Ⓒ ★ hamburger の短縮形. また, cheese*burger* のような合成語にもなる.

パーカッション (打楽器) percussion Ⓤ.

バーガンディー —名 固 Burgundy ★ フランス南東部のブルゴーニュの英名. その地方産のワインを指す時は Ⓤ.

パーキング parking Ⓤ. **パーキングエリア** parking area Ⓒ **パーキングチケット** parking ⌈lot [space] ticket Ⓒ ★ 英語の parking ticket は「駐車違反呼出し状」の意味になる. **パーキングメーター** parking ⌈meter [《英》metre] Ⓒ **パーキングライト** parking light Ⓒ, 《米》sidelight Ⓒ.

パーキンソンしょうこうぐん パーキンソン症候群 Párkinsonism Ⓤ, parkinsonian syndrome Ⓤ.

パーキンソンのほうそく パーキンソンの法則 Parkinson's law Ⓤ ★ イギリスの社会学者 C. N. パーキンソンの提唱した, 「公務員の人数は仕事の量などに関係なく, 増加していく」などの説.

パーキンソンびょう パーキンソン病 Parkinson's disease Ⓤ.

はあく 把握 —動 (つかむ・つかまえる) grasp 他; (理解する) understand 他. 《☞ りかい; つかむ; しょうあく》. ¶彼女には事態が*把握できなかった She failed to *grasp* the situation. // 私には彼女の真意が*把握できない I cannot *grasp* her real intention(s). / I cannot *understand* what she means.

ハーグ —名 固 the Hague /héɪg/ ★ オランダの都市. 常に the が付く.

パーク —名 (公園, 競技場) park Ⓒ. —動 (駐車する) park 他.

パークアベニュー —名 固 Park Avenue ★ ニューヨーク市の目抜き通り.

パークアンドライド park and ride Ⓤ ★ 自家用車で都市周辺まで行き, そこから公共交通機関で都心に向かう方法.

パークウェー parkway Ⓒ.

バークシャー —名 固 Berkshire ★ イングランド南部の旧州.

バーグマン —名 固 Ingrid Bergman, 1915–82. ★ スウェーデン生まれのアメリカの映画女優.

バークリウム 〘化〙 berkelium /bə́ːkliəm/ Ⓤ.

バークレー —名 固 Berkeley /bə́ːkli/ ★ 米国カリフォルニア州中部の都市, 大学町.

バーゲニング (商談・取引・交渉) bargaining Ⓤ.

ハーケン 〘登山〙 piton /píːtɑn/ Ⓒ ★「ハーケン」はドイツ語 Haken より. 《☞ やまのぼり》.

ハーケンクロイツ (ナチスドイツの紋章) swastika /swάstɪkə/ Ⓒ ★「ハーケンクロイツ」はドイツ語 Hakenkreuz より. 《☞ かぎじゅうじ》.

バーゲン (特売) sale Ⓒ《☞ とくばい; うりだし; セール》. **バーゲンセール** (bargain) sale Ⓒ 日英比較 英語では普通, 単に sale だけでよい. ¶春[夏]の*バーゲンセール a ⌈spring [summer] *sale*

バーコード bar code Ⓒ. **バーコードスキャナー[リーダー]** bar code ⌈scanner [reader] Ⓒ.

パーゴラ (格子に組んだ棚) pérgola Ⓒ.

パーコレーター pércolàtor Ⓒ.

パーサー (船・飛行機の事務長) purser Ⓒ.

ばあさん 祖母さん, 婆さん (祖母) grandmother Ⓒ, 《略式》grandma Ⓒ; (女の老人) old woman Ⓒ. 《☞ おばあさん》.

ばあじ 場味 〘株〙(取引立会場の気配) market sentiment Ⓤ.

パージ —名 (粛清・追放) purge Ⓒ. —動 purge 他.

パーシー (男性名) Percy.

バージニア[1] —名 固 (米国の州) Virgínia 《☞ アメリカ (表)》.

バージニア[2] (女性名) Virgínia ★ 愛称は Ginny.

パーシモン 〘植〙(柿) persimmon /pəsímən/ Ⓒ.

パーシャル —形 (一部分の) partial. **パーシャルフリージング** partial freezing Ⓤ.

バージョン (版) version Ⓒ.

バージョンアップ (プログラムなどの) úpgràde Ⓤ.

バージン (人) virgin Ⓒ; (状態) virginity Ⓤ. 日英比較 英語の virgin は男性の「童貞」の意味でも用いられる. 《☞ しょじょ》.

バージンしょとう バージン諸島 —名 固 the Virgin Islands.

は

バース (棚式寝台・(船の) 停泊所など) berth Ⓒ.
パース¹ (財布) purse Ⓒ.
パース² ―名 ⓐ Perth ★ オーストラリアの都市.
バーズアイビュー (鳥瞰(図)) bird's eye view Ⓒ.
バースコントロール (産児制限・受胎調節) birth control Ⓤ.
バースデー (誕生日) birthday Ⓒ ((☞ たんじょうび)). バースデーカード birthday card Ⓒ バースデーケーキ birthday cake Ⓒ バースデープレゼント birthday present Ⓒ.
バースト (タイヤ・パイプなどの破裂) burst Ⓒ.
パースニップ 〖植〗 parsnip Ⓒ ★ セリ科の植物で根は食用.
パースペクティブ (眺望) perspective Ⓒ.
パーセク (天体の距離を示す単位) 〖天〗 parsec /páəsèk/ Ⓒ.
パーセプションギャップ (認識の差) perception gap Ⓒ.
バーゼル ―名 ⓐ Basel /bá:z(ə)l/ ★ スイス北部の工業都市.
パーセンテージ percéntage Ⓒ ((☞ わりあい)).
¶ 空気中の酸素の*パーセンテージはどのくらいですか What is the *percentage* of oxygen in (the) air?
パーセント (百分率) percent Ⓒ, per cent Ⓒ ★ 単複同形. 参考 発音はいずれも /pəsént/. 記号では %, p.c., pc と略す; (割合) percéntage Ⓒ. ((☞ わり; りつ)).
¶ 人口の 10 *パーセント ten *percent* of the population // 割引率は 15 *パーセントです The discount rate is 15 ˹*percent* [*per cent*]. / (⇒ 私たちは 15 パーセントの割引きをします) We ˹give [make] a 15 *percent* discount. // このワインのアルコール含有量は何*パーセントですか What ˹*percentage* [*per cent*] of alcohol does this wine contain?
パーソナリティー (個性) personality Ⓒ; (タレント) personality Ⓒ. ((☞ こせい; タレント)).
パーソナル ―形 personal. パーソナルコール 〖電話〗 person-to-person call Ⓒ パーソナルコンピューター personal computer Ⓒ パーソナルファウル 〖バスケ〗 personal foul Ⓒ.
バーソロミュー (男性名) Bartholomew /baəθáləmjù:/ ★ 愛称はBart.
パーソン (人) person Ⓒ.
バーター (物々交換) barter Ⓤ ((☞ ぶつぶつこうかん)). バーター貿易 barter trade Ⓤ.
ばあたり 場当たり ―形 (その場の思いつきの) hàpházard; (無責任な) irrespónsible. ((☞ いきあたりばったり)).
パーチェス (購入) purchase Ⓒ.
パーチメント (羊皮紙) parchment Ⓤ. パーチメントペーパー (擬羊皮紙) parchment paper Ⓤ
バーチャル ―形 (仮想の) virtual Ⓐ.
バーチャルモール (ネットワーク上のショッピング街) virtual mall Ⓒ.
バーチャルリアリティー (擬似現実的空間) virtual reality Ⓤ ★ 具体的には Ⓒ.
バーツ (タイの貨幣単位) baht /bá:t/ Ⓒ (複 ~(s)).
パーツ (機械・器具の部品) parts ★ 通例複数形で. ((☞ ぶひん)).
ぱあっと ¶ そのデマは町中に*ぱあっと (⇒ 野火のように) 広がった The false rumor spread *like wildfire* through the whole town. // 彼はその金をぜんぶ*ぱあっと (⇒ あっという間に) 使ってしまった He used up all the money *before he knew it.* // 一杯飲んで*ぱあっとやりましょう (⇒ 楽しくやりましょう) Let's have a drink and *have fun.*
ハーディー ―名 ⓐ Thomas Hardy, 1840–1928. ★ 英国の小説家・詩人.
バーディー 〖ゴルフ〗 birdie Ⓒ. ¶ 彼は前半で 3 つの*バーディーを取った He carded three *birdies* on the front nine.
パーティー (会合・一団の人) party Ⓒ ((☞ えんかい¹; かい¹ (類義語))). ¶ダンス*パーティー a *dance* 語法 dance party とはあまり言わない. // 今度の土曜日の晩に私の家で*パーティーを開きます We're going to ˹have [hold; give; throw] a *party* at our home next Saturday evening. // 昨夜の*パーティーは楽しかった We ˹had a very good time at the *party* [enjoyed the *party*] last night. // *パーティー会場 the ˹location [site] of the *party*
パーティーオーガナイザー (パーティーの主催者) party ˹organizer [host] Ⓒ パーティー好き (人) ((略式)) party animal Ⓒ.

コロケーション
パーティーに押し掛ける crash a *party* / パーティーに出席する attend [go to] a *party* / パーティーを主催する host a *party* / パーティーを盛り上げる liven up a *party* / お別れパーティー a farewell *party* / サプライズ[不意打ち]パーティー a surprise *party* / 盛大なパーティー a magnificent *party* / 誕生日パーティー a birthday *party* / つまらないパーティー a dull *party* / 徹夜のパーティー an all-night *party* / にぎやかなパーティー a lively *party* / フォーマルなパーティー a formal *party* / 乱痴気パーティー a wild *party* / 料理持参のパーティー ((米)) a potluck *party*

パーティクルボード (建築用合板) particle-board Ⓒ.
パーティシペーション (参加) participation Ⓤ.
パーティション (隔壁) partítion Ⓒ.
バーテン ☞ バーテンダー
バーデン ―名 ⓐ **1** Baden /bá:dn/ ★ ドイツ南西部の, フランス・スイス国境付近の地方.
2 ☞ バーデンバーデン
バーテンダー ((米)) bartender Ⓒ, ((米)) barkeeper Ⓒ, ((英)) barman Ⓒ; (女性) barmaid Ⓒ.
バーデンバーデン ―名 ⓐ Baden-Baden ★ バーデン地方の, ローマ時代以来の温泉保養地.
ハート ―名 (心臓・心・心臓形のもの) heart Ⓒ. ―形 (ハート形の) heart-shaped. ¶ *ハートのクイーン the queen of *hearts* // 彼はついに彼女の*ハートを射止めた He finally won her *heart* .
ハード ☞ ハードウェア
バート¹ (男性名) Bert ★ Albert, Gilbert /gílbət/, Herbert, Hubert /hjú:bət/ の愛称; Bart ★ Bartholomew /baəθáləmjù:/ の愛称.
バート² BART ★ *B*ay *A*rea *R*apid *T*ransit (サンフランシスコ市の高速通勤用鉄道)の略.
パート¹ ―名 (パートの仕事) párt-time jób Ⓒ; (パートの仕事をする人) párt-timer Ⓒ, part-time worker Ⓒ ★ 前者のほうが口語的. ―形 part-time Ⓐ. ―副 (パートで) part-time, on a part-time basis ★ 後者のほうが格式ばった言い方. 日英比較 part だけでは日本語の「パート」の意味にならない. ((☞ アルバイト)).
¶ 彼女は*パート(の勤め口)を探している She is looking for a *part-time job.* // 彼は*パートを 2 人時給 1000 円で雇った He employed two ˹*part-timers* [*part-time workers*] for a thousand yen an hour. // 私はいまデパートで*パートをしている (⇒ パートで働いている) I'm now working ˹*part-time* [*on a part-time basis*] in a department store.
パート² 〖楽〗 (音部・声部) part Ⓒ. ¶ ソプラノ[アルト]の*パート the ˹soprano [alto] *part*
バードウィーク (愛鳥週間) Bird Week Ⓒ.
ハードウェア hardware Ⓤ (↔ software) ((☞ コンピューター (囲み))). ¶ コンピューターは*ハードウェアと

呼ばれ, コンピューターに入れるプログラムはソフトウェアと呼ばれる A computer is called *hardware*, while a program fed into it is called software.

バードウォッチャー (野鳥観察者) bírdwàtcher Ⓒ, birder Ⓒ.

バードウォッチング ━名 (野鳥観察) bírdwàtching Ⓤ, birding Ⓤ. ━動 (バードウォッチングをする) bird-watch ⓐ, watch wild birds.

ハードカバー (硬い表紙の本) hardcover Ⓒ, hardbound Ⓒ, clothbound Ⓒ, hardback Ⓒ (↔ paperback) ★ いずれも 形 としても用いられる.

ハードカレンシー 〖経〗(外貨と交換できる通貨) hard currency Ⓤ.

バードケージ (鳥かご) bird cage Ⓒ.

ハードコアポルノ (強烈なポルノ) hard-core pornography Ⓤ.

ハードコート (テニスの) hard court Ⓒ.

バードコール (鳥笛・鳥のまね声) birdcall Ⓒ.

ハードコピー 〖コンピューター〗hard copy Ⓒ ★ 紙など直接目に見える形で出力されたデータのコピー.

バードサンクチュアリ (野鳥類の保護区) bird sanctuary Ⓒ.

ハードスケジュール (ぎっしり詰まった[分量が多い, きつい, 困難度の高い, 手ごわい]) full [heavy; tight; hard; tough] schedule Ⓒ (☞ スケジュール). ¶ 来週は*ハードスケジュールだ (⇒ 予定がぎっしり詰まっている[きつい]) I have a ˈ*full* [*tight*] *schedule* (for) next week. ★ heavy, hard や tough も使える. // *ハードスケジュールのため彼との面会を断わった (⇒ 会うことができなかった) I was unable to meet him because of my *heavy schedule*.

ハードセール (強引な販売法)《略式》hard sell Ⓤ ★「ハードセール (hard sale)」は和製英語.

パートタイマー párt-tìmer Ⓒ.

パートタイム ☞ パート[1]

ハードディスク 〖コンピューター〗hard disk Ⓒ.

ハードトップ (車のタイプの一つ) hardtop Ⓒ.

ハードトレーニング ━名 (猛訓練) hard training Ⓤ. ━動 train hard ⓐ.

パートナー (ダンス・仕事などの相手) partner Ⓒ (☞ あいて; なかま). ¶ ダンス[テニス]の*パートナー *one's* ˈdance [tennis] *partner* パートナーシップ (協力関係) partnership Ⓤ パートナードッグ (介護犬) service dog Ⓒ; (盲導犬) guide dog Ⓒ.

ハートフォード ━名 固 Hartford ★ 米国コネチカット州の州都.

ハートフル ━形 (心からの) sincere, warm, heartful; (心の優しい) hearty.

ハードボイルド ━形 (文学の) hard-boiled. ¶ *ハードボイルドの推理小説 a *hard-boiled* mystery

ハードボード (硬質繊維板) hardboard Ⓒ.

ハードランディング (ロケットなどが逆噴射せずに高速で着地すること・経済環境の急激な下降) hard landing Ⓒ (↔ soft landing).

ハードリング (障害を飛び越すこと) hurdling Ⓤ.

ハードル 〖スポ〗hurdle Ⓒ ★ 日本語のハードルと同じく hurdle も「障害」「困難」の意でも用いる. ¶ 彼はすべての*ハードルをやすやすと飛び越えた He easily cleared every *hurdle*.
ハードル選手 hurdler Ⓒ ハードルレース (the) hurdles 語法 複数形で. 通例 the men's 400m hurdles (男子 400 メートルハードルレース) のように距離などの限定語句を伴う.

ハードロック (強烈なビートとサウンドのロック音楽) hard rock Ⓤ.

バーナー (ガス器具などの燃焼部) burner Ⓒ.

バーナード (男性名) Bernard ★ 愛称は Bernie.

バーナデット (女性名) Bèrnadétte.

バーナビー (男性名) Bárnaby ★ 愛称は Barney.

バーニー (男性名) Bernie ★ Bernard の愛称; Barney ★ Barnaby, Barnabas の愛称.

ハーネス (安全ベルト) harness Ⓒ.

はあはあ ━副 (息を切らせて) out of breath, breathlessly. ━動 (運動したり, 興奮して呼吸が荒くなる) pant ⓐ; (息苦しくなってあえぐ) gasp ⓐ. (☞ 擬声・擬態語 (囲み); あえぐ; いきぎれ). ¶ 彼は走った後で*はあはあ言っていた He was *out of breath* after running. // みんなは*はあはあ言いながら走っていた They *were panting* heavily as they ran.

ハーバー (港) harbor Ⓒ,《英》harbour Ⓒ. ¶ ヨットハーバー a yacht *harbo(u)r*

ハーバート (男性名) Herbert ★ 愛称は Bert, Herb.

ハーバードだいがく ハーバード大学 Harvard University ★ 米国最古の大学, 1636 年創立.

バーバラ (女性名) Barbara ★ 愛称は Babs.

バーバリー (レインコート) Burberry Ⓒ ★《英》の商標名, Burberry coat Ⓒ.

バーバリシープ 〖動〗Barbary sheep Ⓒ.

バーバリズム (野蛮な行為) barbarism Ⓤ.

ハーフ (半分) half Ⓒ ★「混血児」の意味では child [person] of racially mixed parentage Ⓒ.

ハーブ[1] (薬草・香草) herb /(h)ə́ːb/ Ⓒ. ハーブスパイス spicy herb Ⓒ ハーブティー herb tea Ⓤ.

ハーブ[2] (男性名) Herb ★ Herbert の愛称.

ハープ 〖楽器〗harp Ⓒ. ¶ *ハープ演奏家 a harpist

パーフェクトゲーム 〖野〗perfect game Ⓒ.

パーフォレーション (フィルムの縁にあけられた給送用の穴・切手のミシン目など) perforation Ⓒ.

ハーフコート half-length (coat) Ⓒ.

ハーフサイズ (半分の大きさ) half size Ⓤ. ハーフサイズカメラ half-frame camera Ⓒ.

ハープシコード 〖楽器〗hárpsichòrd Ⓒ. ¶ *ハープシコード演奏家 a harpsichordist

ハーフスイング ━動〖野〗(スイングを途中で止める) check *one's* swing.

ハーフタイム 〖球〗half time Ⓤ.

ハーフトーン 〖印〗(網版) halftone Ⓤ.

ハーフバック 〖スポ〗halfback ★ 選手の意味では Ⓒ, 守備位置のときは Ⓤ.

ハーフマラソン 〖スポ〗hálf-márathon Ⓒ.

ハーフミラー half-silvered mirror Ⓒ.

バーブラ (女性名) Barbra ★ 愛称は Babs. (☞ バーバラ)

バーベキュー ━名 (野外での焼肉料理) bárbecùe Ⓒ ★ バーベキューパーティーの意味にもなる. ━動 barbecue ⓣ ★ BBQ と略すことがある. (☞ 料理の用語 (囲み)).

バーベル 〖スポ〗bárbèll Ⓒ. ¶ 彼はその重い*バーベルを一気に持ち上げた He lifted the heavy *barbell* in one smooth movement.

バーボン (アメリカ製のウィスキー) bourbon /bə́ː-b(ə)n/ Ⓤ.

パーマ ━名 permanent wave Ⓒ,《米略式》permanent Ⓒ,《英略式》perm Ⓒ. ━動 perm ⓣ. (☞ カール[1]; ウエーブ). ¶ *パーマをかけた I had my hair *permed*.

パーマロイ 〖商標〗Permalloy /pə̀ːmǽlɔɪ/ Ⓤ ★ ニッケルと鉄を主成分とする磁性合金.

バーミセリー (細いパスタ) vermicelli /və̀ːmətʃéli/ Ⓤ.

バーミヤン ━名 固 Bamian /bàːmiáːn/ ★ アフガニスタン中央部の村. 仏教石窟で知られる.

バーミューダ ☞ バミューダ

バーミリオン (朱色) vermilion Ⓤ.

パーミル ━副 (千分の) per míll.

バーミンガム ━名 固 Birmingham /bə́ː-

mɪŋəm/ ★ イングランド中部の工業都市.

バーミングハム ―名 固 Birmingham /bə́ːmɪŋhæ̀m/ ★ 米国アラバマ州の工業都市.

パームオイル (やし油) palm oil Ⓤ.

パームトップコンピューター (手のひらにのる大きさのコンピューター) palmtop computer Ⓒ.

パームボール 〔野〕palm ball Ⓒ.

ハーモナイゼーション (調整・協調) harmonization Ⓤ.

ハーモニー (和音・調和) harmony Ⓤ (↔ disharmony).

ハーメルン ―名 固 Hamelin /hǽm(ə)lɪn/ ★ ドイツ北部の都市. 中世の「ハーメルンの笛吹き男」(Pied Piper of Hamelin) の伝説の舞台. ドイツ語名は Hameln.

ハーモニカ 〔楽器〕harmónica Ⓒ, mouth organ Ⓒ ★ 後者はややくだけた語. ¶彼は*ハーモニカで曲を吹いた He played a tune on the ˹*harmonica* [*mouth organ*].

バーモント ―名 固 (米国の州) Vermónt (☞ アメリカ (表)).

ばあや 婆や (乳母) nanny Ⓒ; (年とったメイド) elderly housekeeper Ⓒ.

パーラー ¶コーヒー*パーラー a coffee *shop* // フルーツ*パーラー (⇒ 軽い飲み物を出す店) a soda fountain / (⇒ 軽食堂) a luncheonette 日英比較 英語の parlor (《英》parlour) は個人の住宅の客間, あるいはホテル・クラブなどの談話室を意味し, 日本のように軽食喫茶店の意味には用いられない. また, 英語では funeral parlor (葬儀店), beauty parlor (美容院) など種々の店の意にも用いられる.

パーラメント Parliament Ⓒ ★ (英連邦構成国の) 議会.

はあり 羽蟻 〔昆〕winged ant Ⓒ.

パーリご パーリ語 Pali /pɑ́ːli/ Ⓤ ★ 古代インドの通俗語の一つ. 仏教経典などに用いられた.

バール[1] (かなてこ) crowbar Ⓒ.

バール[2] (圧力の単位) bar Ⓒ.

パール (真珠) pearl Ⓒ.

パールあみ パール編み purl stitch Ⓒ.

パールハーバー ―名 固 Pearl Harbor ★ 米国ハワイ州オアフ (Oahu) 島南部の軍港. 1941 年日本軍が奇襲を行った地として知られる. 真珠湾.

パールホワイト pearl white Ⓤ.

ハーレーダビッドソン 〔商標〕Harley-Davidson ★ 米国製のオートバイ.

バーレーン ―名 固 (the State of) Bahrain /bɑːréɪn/ ★ ペルシャ湾の島々からなる首長国. ―形 Bahraini /-réɪni/. **バーレーン人** Bahraini Ⓒ.

バーレスク (ストリップショーなどを含むバラエティーショー) burlésque Ⓒ.

ハーレム (イスラム教国の女性部屋) harem /hé(ə)rəm/ Ⓒ; (ニューヨークのマンハッタン北部地区の地名) Harlem. (☞ ハレム).

バーレル ☞ バレル

パーレン 〔印〕(丸かっこ) parenthesis /pərénθəsɪs/ Ⓒ (複 -ses /-sìːz/).

ハーン ―名 固 Lafcadio Hearn /læfkɑ́ːdiòʊ hə́ːn/, 1850–1904. ★ 日本に帰化したギリシャ生まれの作家. もとは英国人. 日本名は小泉八雲.

ばーん ―名 (ぶつかる音) bam Ⓒ, bang Ⓒ; (どかん) wham Ⓒ. ―動 (ぶつかる) bam (into ...) 自, bang (against ...) 自; wham (into ...) 自. (☞ どかん; どん; 擬声・擬態語 (囲み)). ¶彼は木に*ばーんとぶつかった He *banged against* a tree.

バーンアウトシンドローム (燃え尽き症候群) burnout (syndrome) Ⓤ.

バーンズ ―名 固 Robert Burns, 1759–96. ★ 英国スコットランドの詩人.

バーンスタイン ―名 固 Leonard Bernstein /lénəd bə́ːnstiːn/, 1918–90. ★ 米国の指揮者・作曲家.

はい[1] (相手の質問に対する答え) yes 語法 (1) 自分の答えの内容が肯定の場合に用いる. もし答えの内容が否定なら日本語で「はい」となっても英語では no を用いる; (名前を呼ばれて) yes 語法 (2) 親しい感じを与えたり, 丁寧な感じを出そうと思ったら Yes, Jim. / Yes, sir. / Yes, ma'am. などの呼びかけを付けるのが英語の習慣; (特に出欠の点検で) here, present, yes 語法 (3) 以上いずれも用いられるが, here が最も一般的; (相手が許可を求めたのに対して, 丁寧に, 「はい, どうぞ」という感じで) certainly, of course 語法 (4) ほぼ同意だが, 後者のほうが快諾の気持ちがより強い. Yes, of course. と yes を添えてもよい; (主人・目上の人の命令に対して「かしこまりました」の意で) very well 語法 (5) やや古風な感じ. 以上のほかに, くだけた返事としては O.K., all right も可能. yes の代わりに yeah /jǽː, jéə/ も使われるが, 日本語の「はい」よりは「うん」とか「いいよ」に当たる. (☞ うん[2]).

¶「あなたは学生ですか」「*はい, そうです」"Are you a student?" "*Yes*, I am." //「おなかがすいていませんか」「*はい, すいていません」"Aren't you hungry?" "*No*, I'm not." //「私の言ったことがわからなかったんでしょう」「*はい, わかりませんでした」"You didn't understand what I said, did you?" "*No*, I didn't." 語法 (6) このような付加疑問の場合は特に日本語の「はい」「いいえ」と英語の yes, no との食い違いが大きいので注意を要する. //「山田君」「*はい」"Yamada." "*Yes*, ˹*sir* [*ma'am*]." 語法 (7) この答え方は先生または目上の人に対するもの. 男性に対しては sir を, 女性に対しては ma'am を使う. / "Yamada." "*Here* (, ˹*sir* [*ma'am*])." (出席の点呼で) 語法 (8) 点呼のときは sir や ma'am は付けないことも多い. / "Yamada." "*Present*." //「ちょっと見せて下さい」「*はい, どうぞ」"May I have a look at it?" "*Certainly*. [*Of course*.]" //「食器を洗って, 部屋を掃除しておいて下さい」「*はい, かしこまりました」"Wash the dishes and clean the rooms." "*Very well*, ˹*sir* [*ma'am*]."

はい[2] **灰** (物質としての灰) ash Ⓤ; (燃えがら・燃えかす) ashes ★ 複数形で. ¶木を燃やして*灰を作った I made some *ash* by burning wood. // たばこの*灰 cigarette *ashes* // 核実験は世界に死の*灰を降らす Nuclear tests shower radioactive *fallout* all over the world. 語法「死の灰」を文字どおり lethal ash と言うこともできる. **灰になる** (焼けて灰になる) be burned to ˹ashes [cinders]; be reduced to ashes; (火葬にされる) be cremated.

はい[3] **肺** lung Ⓒ 語法 2 つの部分があるので普通は複数形で用いる. 一方を意味するときのみ単数形になる. (☞ ないぞう[1] (挿絵)). ¶彼は*肺が悪い His *lungs* are affected. **肺移植(手術)** lúng trànsplant Ⓒ **肺呼吸** púlmonary rèspirátion Ⓤ **肺循環** púlmonary circulátion Ⓤ **肺静脈** pulmonary vein Ⓒ **肺動脈** pulmonary artery Ⓒ.

はい[4] **胚** 〔生〕embryo /émbriòʊ/ Ⓒ (複 ~s) (☞ いね (挿絵)). **胚移植** embryo transfer Ⓤ ★ 個々の事例は Ⓒ.

はい[5] **杯, 盃** (さかずき) sake cup Ⓒ. ¶*杯[盃]を重ねる drink one *cup* after another / (⇒ 飲み続ける) continue *drinking*

ハイ ―形 (高さが高い) high; (高級な・洗練された) refined. ―形 副 (気分が高ぶった[て]) high. (☞ ハイセンス). ¶彼はたった一杯酒を飲んだだけで*ハイな気分になった He felt *high* after having (only) one drink.

-はい[1] …杯, …盃 (紅茶・コーヒー用の茶わん) cup Ⓒ; (ガラスのコップ) glass Ⓒ; (ご飯用のわん) bowl Ⓒ; (1 回分を盛りつけること) helping Ⓒ. 《☞いっぱい; 数の数え方 (囲み)》. ¶コーヒー 1 *杯 a *cup* of coffee // 水 2 *杯 two *glasses* of water // ご飯 2 *杯 two *bowls* of rice

-はい[2] …敗 (ゲームなどの負け) loss Ⓒ (↔ win), defeat Ⓤ (↔ victory) ★個々には Ⓒ で, 前者より格式ばった語. 《☞-しょう[3]》.

-はい[3] …拝 (手紙など) respectfully yours 《☞手紙の書き方 (囲み)》.

ばい 倍 **1** 《2 倍》 ―形 (2 倍の) double. ―副 (2 倍に) twice, two times. ―動 (2 倍にする・なる) double ⊕ ⓐ. 《☞にばい》.
¶私は元の額の*倍(以上)の金を払った I paid (more than) 「*double* [*twice*] the original price. 語法 double は定冠詞や所有格の前に置かれ, また次の例文のように what で始まる節の前にも置かれる. // 生徒数は以前の*倍に達している The number of students is *double* what it used to be. // 5 の*倍は 10 です *Two times* five is ten. // その国の自動車の台数はこの数年で*倍になるだろう The number of cars in the country will *double* in the next few years. // 試験に受かるためには*倍の努力をしなければならない I must *double* my efforts in order to pass the examination.
2 《…倍》: … times, … -fold 語法 (1) 基数を付けて. 例えば「5 倍」は five *times*, five*fold* のように言う. -fold は接尾辞. (2)「…の…倍」は ＜… times as＋形[副]＋as …＞ の構文を用いる.
¶彼は私の 2[3]*倍の金を稼いでいる He earns 「*twice* [three *times*] *as* much (money) *as* I do. 語法 (3) 量の比較には much を用いる. // 彼女は私の 5 *倍も洋服を持っている She has five *times as* many dresses *as* I do. 語法 (4) 数の比較には many を用いる. // その国はわが国の 10 *倍の広さだ (⇒ 大きさだ) That country is ten *times as* large *as* Japan. / That country is ten *times* the size of Japan. 語法 (5) このほか「長さ」… times as long as …,「高さ」… times as high as …,「強さ」… times as strong as … などの言い方がある. // この 2 *倍の長さのロープが必要だ We need a rope *twice as* long *as* this one. // 彼は私の何*倍も忙しい He is 「several *times* [many *times*] *as* busy *as* I am. // ついに 10 *倍の濃度の溶液が得られた A solution of ten*fold* concentration was finally obtained. // 800 *倍の (⇒ 倍率が 800 の) 顕微鏡 an 800-*power* microscope ★power はレンズの倍率の意味.

ぱい 牌 (麻雀の) mah-jongg /mɑ̀ːʒáŋ/ piece Ⓒ, tile Ⓒ.

パイ[1] pie Ⓒ 語法 パイの丸ごと 1 つは a pie だが, 切ったものは a piece of pie である; (果物入りパイ) 《英》 tart Ⓒ. 《☞数の数え方 (囲み)》.

パイ[2] (ギリシャ語アルファベットの第 16 字) pi Ⓒ ★ギリシャ文字は Π, π で後者の小文字は円周率の記号として用いる 《☞えんしゅう[2]》.

はいあがる 這い上がる cráwl úp ⓐ, créep úp ⓐ 語法 はいつくばった意味を強めたいときには crawl, のろのろ進む意味を強めたいときには creep. 《☞はう (類義語); よじのぼる》. ¶とかげが穴から*はい上がってきた A lizard 「*crawled* [*crept*] *up* out of the hole.

バイアグラ 〖医〗《商標》 Viágra Ⓤ ★性的不能の治療薬.

バイアス (布地裁断の) bias Ⓒ; (先入観・偏りの) bias Ⓒ. ¶この布地を*バイアスに裁ちなさい Cut this cloth *on the bias*. // *バイアステープでスカートの縁取りをしなさい Hem your skirt with a *bias* tape.

バイアスロン 〖スポ〗 biáthlon Ⓤ. **バイアスロン選手** biathlete Ⓒ

ハイアライ 〖球〗 jai alai /háɪ(ə)làɪ/ Ⓤ.

はいあん 廃案 ―名 (却下された法案) rejected bill Ⓒ. ―動 (却下する) reject ⊕; (途中で中止する) drop ⊕. 《☞きゃっか》. ¶その法案は*廃案になった The bill *has been* 「*rejected* [*dropped*]. / (⇒ 通らなかった) The bill *failed to pass*.

はいい 廃位 dethrónement Ⓤ.

はいいけつごう 配位結合 〖化〗 coordinate bond Ⓒ.

はいいろ 灰色 **1** 《色》 ―名 形 gray, 《英》 grey ★名 では Ⓤ. ¶明るい[暗い]*灰色 light [dark] *gray* // *灰色の空 a 「*cloudy* [*gray*] sky
2 《比喩的な用法》: (灰色の) gray, 《英》 grey; (陰気な) gloomy; (おもしろくない) joyless; (わびしい) cheerless. ¶私の人生は (⇒ 私にとって人生は) *灰色だ Life feels *gray and joyless* to me. // 大学受験で*灰色の日々 (⇒ 退屈で単調な日々) を過ごした I spent *dull and monotonous* days preparing for (my) college entrance examinations.

はいいろぐま 灰色熊 〖動〗 grizzly (bear) Ⓒ.

はいいん 敗因 the cause of *one's* defeat. ¶私たちは*敗因を明らかにする必要がある We have to work out *the cause of our defeat*. // 練習不足が*敗因だ Lack of practice is *the cause of our defeat*. / (⇒ 敗北は練習不足からきている) *Our defeat resulted from* lack of practice.

ばいう 梅雨 the rainy season 語法 the を付けて単数で用いる. 日英比較 英米には梅雨はないので, 日本の事情に暗い人にはさらに説明が必要である. 《☞つゆ[2]》. **梅雨前線** seasonal rain front Ⓒ.

ハイウェー (幹線道路) highway Ⓒ; (高速自動車道路) expressway Ⓒ, freeway Ⓒ, 《英》 motor way Ⓒ 日英比較 英語の highway は「幹線道路」の意味であって,「高速道路」の意味ではないが, 日本語では混同して用いられることがある.
ハイウェーカード charge card for expressways Ⓒ.

はいえい 背泳 (背泳ぎ) backstroke Ⓤ ★しばしば the を付けて. 《☞およぐ》. ¶*背泳で泳いだ I swam 「*the backstroke* [*on my back*]. // 彼は*背泳で優勝した He won *the backstroke*.
背泳選手 backstroke swimmer Ⓒ, backstroker Ⓒ ★後者のほうが口語的.

はいえき 廃液 waste Ⓤ, waste water Ⓤ 語法 前者のほうが普通だが, 液体とは限らない.

はいえそ 肺壊疽 〖医〗 pulmonary gangrene /gǽŋgriːn/ Ⓤ.

はいえつ 拝謁 audience Ⓒ. ¶女王に*拝謁を許される have [be granted] an *audience* with the Queen ★[ ] 内のほうが格式ばった言い方.

ハイエナ 〖動〗 hyena /haɪíːnə/ Ⓒ.

バイエル ―名 固 Ferdinand Beyer /báɪə/, 1803–63. ★ドイツの作曲家, ピアノ教則本で有名.

バイエルン ―名 固 Bavaria /bəvé(ə)riə/ ★ドイツ南東部の州. ドイツ語名は Bayern.

はいえん[1] 肺炎 pneumonia /n(j)uːmóʊnjə/ Ⓤ.
¶彼は流感がもとで*肺炎になった (⇒ 彼の流感は肺炎に発展した) His flu developed into *pneumonia*. // 急性*肺炎 acute *pneumonia*
肺炎球菌 pneumococcus /n(j)ùːmoʊkɑ́kəs/ Ⓒ 《複 pneumococci /-kɑ́k(s)aɪ/》 **肺炎ワクチン** pneumonia vaccine Ⓤ; (肺炎球菌ワクチン) pneumococcal vaccine Ⓤ.

はいえん[2] 排煙 **排煙装置** smoke extraction apparatus Ⓒ.

ばいえん[1] 煤煙 (煙) smoke Ⓤ; (すす) soot Ⓤ. 《☞すす》. **煤煙処理施設** sooty smoke treatment facility Ⓒ

ばいえん[2] 梅園 *ume* 「orchard [garden] Ⓒ

★ orchard は果樹園.

バイオ — 接頭 (生物の) bio- (☞ バイオテクノロジー).

バイオインダストリー (生物工学を応用した産業) bioíndustry Ⓒ.

バイオエコロジー (生物生態学) bìoecólogy Ⓤ.

バイオエシックス (生命倫理) bioéthics Ⓤ.

バイオエレクトロニクス (生物電子工学) bìo-elèctrónics Ⓤ.

バイオーム 〖生〗(生物群集の単位) biome Ⓒ.

はいおく 廃屋 (人の住んでいない家) deserted house Ⓒ; (荒れ果てた家) tumbledown house Ⓒ. (☞ あばらや).

ハイオク(タン) — 形 high-octane /háɪɑ́ktèɪn/. ¶ *ハイオク(タン)ガソリン *high-octane* gasoline

バイオケミストリー (生化学) bìochémistry Ⓤ.

バイオサイエンス (生物科学) bìoscíence Ⓤ.

バイオしょくひん バイオ食品 (生物工学を応用して作った食品) bioengineered [biotech] food Ⓒ ★ [ ] 内のほうがくだけた表現.「食用」の意味のときは Ⓤ.

バイオしょくぶつ バイオ植物 (生物工学を応用して作った植物) bioengineered [biotech] plant Ⓒ ★ [ ] 内のほうがくだけた表現.

バイオスフィア (生物圏) biosphere /báɪoʊsfɪə/ Ⓤ.

バイオセラミックス (生体用陶材) biocerámics Ⓤ ★ 歯や骨の欠損の補填材などに用いられる.

バイオセンサー (生理学的データ計測装置) bìosénsor Ⓒ.

バイオチップ (生物化学素子) biochip Ⓒ.

バイオテクノロジー (生物工学) biotechnólogy Ⓤ.

バイオトロン (生物環境調節実験装置) biotron /báɪətràn/ Ⓒ.

パイオニア (開拓者・先駆者) pìonéer Ⓒ. パイオニアスピリット the pioneer spirit

バイオニクス (生体工学) bionics Ⓤ.

バイオハザード (生物災害) bìoházard Ⓒ.

バイオプシー 〖医〗(生体組織検査) bíopsy Ⓒ.

バイオマス (生物量・生物体) bìomáss Ⓤ. バイオマス燃料 (生物体由来の燃料) biomass fuel Ⓤ, biofuel Ⓤ.

バイオマテリアル (生体機能材料) biomaterial Ⓒ.

バイオメカニクス (生体力学) biomechánics Ⓤ.

バイオやさい バイオ野菜 (生物工学を応用して作った野菜) bioengineered [biotech] vegetable Ⓒ ★ [ ] 内のほうがくだけた表現.

バイオリアクター (酵素や微生物を使う反応装置) bioreactor Ⓒ.

バイオリズム (生体リズム) bíorhỳthm Ⓤ.

バイオリニスト vìolínist Ⓒ.

バイオリン 〖楽器〗violin /vàɪəlín/ Ⓒ, (略式) fiddle Ⓒ 語法 後者は特にポピュラー音楽で使用されるときの呼称.

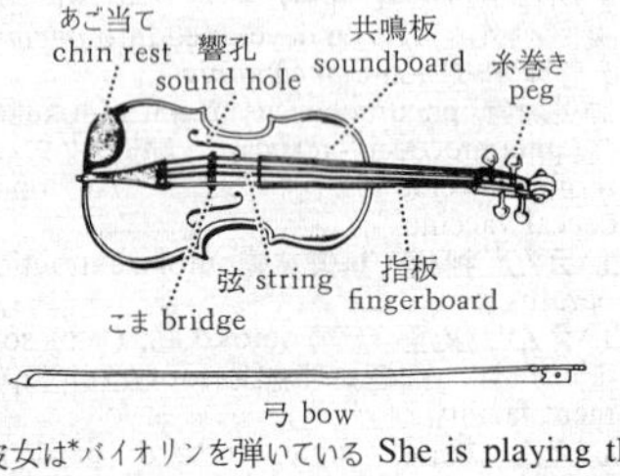

¶ 彼女は*バイオリンを弾いている She is playing the violin. // *バイオリンの調弦をする tune *one's violin* バイオリン奏者 vìolínist Ⓒ, (略式) fiddler Ⓒ.

バイオレーション (スポーツの反則) violation Ⓒ.

バイオレット¹ (すみれ色) violet Ⓤ.

バイオレット² (女性名) Violet.

バイオレメディエーション (微生物を用いた環境浄化) bioremediation Ⓤ.

バイオレンス (暴力) violence Ⓤ. ¶ *バイオレンス映画 *violent* movies

バイオロジー (生物学) biólogy Ⓤ.

ばいおん 倍音 〖楽〗harmónic Ⓒ, óvertòne Ⓒ, harmonic tone Ⓒ.

はいか¹ 配下 ¶ 私は当時その将軍の*配下にいた I was *under* ⌈the general [the general's *command*] in those days. (☞ ぶか)

はいか² 廃家 (廃屋) deserted house Ⓒ; (断絶した家系) extinct family line Ⓒ. (☞ はいおく).

はいが¹ 胚芽 〖植〗embryo /émbrioʊ/ Ⓒ, germ Ⓒ (☞ いね (挿絵)). 胚芽米 unpolished rice Ⓤ.

はいが² 俳画 haiku painting Ⓒ; (説明的には) sketchy picture done to accompany haiku poems Ⓒ.

ばいか¹ 倍加 — 動 (2倍にする・なる) double 他 自, be doubled; (一層強める・強まる) redouble 他 自. (☞ ばい; ばいぞう).

ばいか² 売価 selling price Ⓒ.

ばいか³ 買価 buying [purchase] price Ⓒ.

パイカ 〖印〗pica Ⓤ.

ハイカー hiker Ⓒ (☞ ハイキング).

はいかい¹ 徘徊 — 動 (目的なく歩き回る) wander 自, roam 自; (辺りをうろうろする) (略式) háng ⌈aróund [abóut]. (☞ うろつく; ぶらつく).

はいかい² 俳諧, 誹諧 *haikai* Ⓤ (☞ はいく). 俳諧師 *haikai* poet Ⓒ.

はいがい¹ 排外 — 形 (反外国の) antiforeign; (国粋主義の) nationalistic; (外国人嫌いの) xenophobic /zènəfóʊbɪk/. ¶ その国では*排外的な気運が起こりつつある *Antiforeign* sentiment is brewing in that country.

排外運動 antiforeign movement Ⓒ 排外思想 antiforeign idea Ⓒ 排外主義 antiforeignism Ⓤ.

はいがい² 拝外 — 形 (外国好きの) pro-foreign, xenophilous /zènɑ́fələs/ ★ 後者は格式ばった語.

ばいかい 媒介 — 動 (病原菌などを運ぶ) carry 他, convey 他 ★ 後者のほうが格式ばった語; (広げる) spread 他 (過去・過分 spread). — 前 (…の媒介で) through the medium /míːdiəm/ of … (☞ ばいたい).

¶ その細菌は蚊の*媒介によって広まる The microbes *are* ⌈*carried* [*conveyed*; *spread*] by mosquitoes. / (⇒ 蚊がその細菌の運び手である) Mosquitoes are the ⌈*carriers* of the microbes [microbe *carriers*].

媒介者 (病菌の) carrier Ⓒ; (商売などの) broker Ⓒ; (仲立ちする人) mediator Ⓒ 媒介動物 〖生〗vector Ⓒ 媒介変数 〖数〗parámeter Ⓒ.

はいかきょう 拝火教 (一般的に火を崇拝する宗教) fire worship Ⓤ; (ゾロアスター教) Zòroástrianism Ⓤ. 拝火教徒 fire ⌈worshiper [(英) worshipper] Ⓒ; Zoroastrian Ⓒ.

ばいがく 倍額 ¶ *倍額を支払う pay *double* (*the price*)

はいかぐら 灰神楽 cloud of ashes Ⓒ.

はいガス 排ガス exhaust /ɪgzɔ́ːst/ (gas) Ⓤ; exhaust fumes ★ 複数形で. ¶ 都会の大気は車の*排ガスで汚染されている City air has been ⌈poisoned [contaminated; polluted] by ⌈automobile *exhaust* [*exhaust fumes* from cars]. 排ガス規制 exhaust control Ⓤ.

はいかっしょく 灰褐色 gray-brown Ⓤ.

はいかつりょう 肺活量 vital capacity [U]. **肺活量計** spirómeter [C].

ハイカラ ━[形] (流行の先端の) fashionable; (今風で粋な) stylish; (現代風の) modern; (あかぬけした) smart. 《☞ しゃれた》.
¶ *ハイカラな帽子[服] a 「*fashionable* [*stylish*] 「hat [suit] // *ハイカラな家具 *modern* furniture

バイカルこ バイカル湖 ━[名] [固] Láke Baikal /baɪkáːl/ ★ シベリア南部の湖.

はいかん[1] 拝観 ━[動] (見る) see (他), look at ...; (神社・寺院などを訪れる) visit (他). ¶ この寺の仏像を*拝観したいのですが I'd like to 「*see* [*look at*] the Buddha statues in this temple. // 私たちはきのう宝物殿を*拝観した (⇒ 訪れた) We *visited* the treasure house yesterday.
拝観者 visitor [C] **拝観料** admission fee [C].

はいかん[2] 廃刊 ━[動] (雑誌などの発行を中止する) discontinue (他), stop (the) publication of ... ━[名] discontinuance (of publication) [U]. 《☞ きゅうかん[1]》. ¶ この雑誌は来る 3 月をもって*廃刊となります (⇒ 来年の 3 月に廃刊される) This magazine will 「*be discontinued* [*cease to be published*] next March.

はいかん[3] 配管 ━[名] piping [U], plumbing /plʌ́mɪŋ/ [U] [語法] 後者は特に建物内のガス・水道などの配管組織. ━[動] lay a pipe. **配管工** plumber /plʌ́mə/ [C] **配管工事** plumbing [U].

はいがん[1] 肺癌 lung cancer [U] 《☞ がん[1]》.

はいがん[2] 拝顔 ¶ *拝顔の栄に浴する (⇒ 会う歓びを持つ) have the pleasure *of seeing* ...

はいき[1] 廃棄 ━[動] (不用品を) scrap (他); (捨てる) dump (他). 《☞ はき[1]; はいし (類義語)》. ¶ 彼は古い書類を全部*廃棄処分にした (⇒ 廃棄した) He *scrapped* all of the old 「papers [documents].

はいき[2] 排気 exhaust /ɪgzɔ́ːst/ [U]; (換気) ventilation [U]. **排気ガス** exhaust (gas) [U], exhaust fumes ★ 複数形で. **排気ガス基準** exhaust standard [C] **排気管** exhaust pipe [C] **排気口** vent [C]; (換気窓) ventilator [C] **排気装置** exhaust [C] **排気弁** exhaust valve [C] **排気量** (engine) displacement [U]. ¶ *排気量 2000 cc の車 a car 「of [with a] 2,000 cc *displacement*

ハイキー ━[形] 〚写〛 high-key.

はいきしゅ 肺気腫 pulmonary emphysema /pʌ́lmənèri èmfəsíːmə/ [U].

はいきぶつ 廃棄物 waste [U] ★ しばしば複数形で. ¶ 産業*廃棄物 industrial *waste(s)* // *廃棄物を処理する dispose of 「*waste(s)* [*waste materials*] // *廃棄物処理場 a 「*garbage* [*refuse*] 「dump [《英》 tip] ★ dump [《英》 tip] は [名] で, ごみ捨て場の意味. / 《米》 a landfill // *廃棄物発電 generating electricity from *waste materials*
廃棄物固形燃料 solid fuel made from waste [C] **廃棄物処理法** the Waste Disposal (and Public 「Cleansing [Cleaning]) Law **廃棄物分別収集** sorted waste collection [C].

ばいきゃく 売却 ━[動] (売る) sell (他) (過去・過分 sold); (売って処分する) dispose of ... by sale ★ 前者は平易な日常語. ━[名] sale [U]; disposal (by sale) [U]. 《☞ うる[1]; うりはらう》.

はいきゅう[1] 配給 ━[名] (統制による) rationing /rǽʃ(ə)nɪŋ/ [U]; (一般に, 供給) supply [U]. ━[動] ration (他); supply (他). ¶ 戦争中は衣料品も*配給だった (⇒ 配給された) Clothing *was* also *rationed* during the war. // 彼らは地震の被災者に食糧の*配給をした (⇒ 食糧を供給した) They *supplied* food 「to [for] the earthquake victims.

はいきゅう[2] 配球 combination of 「pitches [deliveries] [C] ★ [ ] 内は特に投げ方を意味する.
¶ あの投手は*配球がうまい That pitcher is clever at *mixing* his *pitches*.

はいきゅう[3] 排球 ☞ バレーボール

ばいきゅう 倍旧 ━[動] (倍加する) redouble (他). ━[形] (いっそう増した) increased.
¶ *倍旧の努力をする *redouble one's* efforts // *倍旧のご愛顧をお願いいたします We would like to solicit your *increased* patronage.

はいきゅうちゅう 肺吸虫 lung fluke [C].
肺吸虫症 〚医〛 lung-fluke disease [U].

はいきょ 廃墟 (完全に壊れた) ruins; (部分的に崩れているが一部は残っている) remains [語法] 両方とも複数形で. 後者のほうが少し意味の広い言葉.
¶ ヨーロッパには*廃墟となった城がたくさんある There are many 「*ruined* castles [castles *in ruins*] in Europe. // その町はいまだに*廃墟のままになっている The town 「still lies [is still] *in ruins*.

はいぎょ 肺魚 lungfish [C] 《☞ さかな [語法]》.

はいきょう 背教 apóstasy [U] ★ 具体的には [C].
背教者 apostate [C].

はいぎょう 廃業 ━[動] (商売などをやめる) give up *one's* business, go out of business; (閉店する) shut up [close down] *one's* 「store [shop]; (医師・弁護士などが) give up *one's* practice; (リングから引退する) retire from the ring [語法] (1) 主語になるのは力士・ボクサーなど; (舞台から引退する) retire from the stage [語法] (2) 主語になるのは俳優・歌手など.
¶ 彼女はレストランを*廃業した (⇒ レストランをやめた) She 「*shut up* [*closed down*] her restaurant. // 彼は医者を*廃業して小説家になった He *gave up his* medical *practice* to become a novelist.

はいきん 背筋 back muscle [C] ★「背筋力」の意味では [U].

ばいきん 黴菌 germ [C]; (細菌) microbe [C]; (ウイルス) virus /váɪ(ə)rəs/ [C] [語法] 第 1 番目は日常的一般語で, 正確には第 2 番目以下を用いる. 《☞ きん[2]; さいきん[2]》.
¶ 傷口から*ばい菌が入った (⇒ 傷口が感染した) The wound *has become infected*. // 身体の抵抗力が弱まると*ばい菌に侵されやすくなる When the resistance of the body is reduced, we become susceptible to *germs*. // インフルエンザの*ばい菌 the flu 「*virus* [*bug*] ★ bug のほうがくだけた語.

ハイキング ━[名] (1 回の) hike [C]; (総称としての) hiking [U]. ━[動] (ハイキングに行く) go hiking, go on a hike; (ハイキングをする) hike (自). 《☞ えんそく》. ¶ 私たちは休暇中に*ハイキングに行った We *went* 「*hiking* [*on a hike*] during the vacation. // 伊豆へ*ハイキングに行こう Let's *go hiking in* Izu.
[語法] 前置詞の用法に注意. to とはしない.
ハイキングコース hiking 「path [trail] [C].

バイキング **1** 《バイキング料理》: smorgasbord /smɔ́ːgəsbɔ̀əd/ [U] [語法] 種類を言うときは [C]. なお, この意味では Viking は使えないことに注意.
2 《8-10 世紀ごろの北欧の海賊》: Viking [C].

はいきんしゅぎ 拝金主義 mámmonism [U].
拝金主義者 mammonist [C]; money 「worshiper [《英》 worshipper] [C] ★ 後者のほうが口語的.

はいく 俳句 haiku [C] ★ 単複同形; haiku poem [C]; (Japanese) seventeen-syllable poem [C] ★ 説明的な訳. 《☞ たんか[3]》. ¶ *俳句を作る compose *haiku poems*

ハイク hike [C] 《☞ ハイキング》.

はいぐ 拝具 ☞ けいぐ[1]

バイク (小型オートバイ) 《略式》 mótorbike [C]
[日英比較] 日本語ではバイクはオートバイのことを言うが, 英語の bike は普通は bicycle の略で, 自転車の意味. ただし, 《米》 では motorcycle の意味でも使われ

ることがある;（オートバイ）motorcycle Ⓒ.《☞オートバイ（挿絵）》.
¶ 彼女は*バイクに乗って買い物に行く She goes shopping「*on a motorbike* [*by motorbike*].
バイク便 delivery service by motorcycle Ⓤ.

パイグー　排骨　（骨付きばら肉）spareribs /spéəribz/ ★ 複数形で. パイグーは中国語.

はいぐうしゃ　配偶者　（夫）*one's* husband;（妻）*one's* wife;（夫または妻のいずれか）spouse /spáus/ Ⓒ [語法] 格式ばった語で, 書類などで使う. **配偶者(特別)控除** (special) deduction for *one's* spouse Ⓤ ★ 控除額のときは Ⓒ **配偶者手当** spouse allowance Ⓒ.

ハイクラス　— [形]（高級な）high-class Ⓐ;（一般の人には高すぎる）exclusive;（質のよい）of high(-est) quality.《☞こうきゅう¹》. ¶*ハイクラスのレストラン a *high-class* [an *exclusive*] restaurant

ハイグレード　— [形]（高性能な）high-quality.

はいぐん　敗軍　defeated army Ⓒ. ¶*敗軍の将, 兵を語らず A *defeated* general should not talk of the art of war.

はいけい¹　背景　— [名]（一般に）background Ⓒ (↔ foreground);（舞台の）scenery Ⓤ, setting Ⓒ, scene Ⓒ [語法] 全体として用いるときには scenery, 装置の意味には setting, 場面の意味には scene を用いる. — [前]（…を背景として; …と対照して）against ….《☞はいご¹; バック¹》.
¶ 社会的*背景 a social *background* // この事件の*背景には両家の憎しみが絡んでいる In the *background* of this incident is the hatred between the two families. // 国会議事堂を*背景に写真を撮ってもらった I had my picture taken with the Diet Building「in [as] the *background*. // 青い空を*背景にしてその白い建物がくっきり見える The white building can be seen clearly *against* the blue sky. **背景記事** background story Ⓒ **背景説明** background briefing Ⓒ.

—コロケーション—
宗教的背景 a religious *background* / 政治的背景 a political *background* / 文化的背景 a cultural *background* / 民族的背景 an ethnic *background* / 歴史的背景 a historical *background*

はいけい²　拝啓　Dear … [語法] (1) 相手に呼びかける形式で, 名前を添えた後にコンマまたはセミコロンを付けることに注意.《☞手紙の書き方（囲み）》.
¶*拝啓《スミスという男性あての場合》*Dear* Mr. Smith [語法] (2) Mr. の代わりに肩書きを付けてもよい.（(例) *Dear* Professor Brown, *Dear* Dr. Jones）/《トムという名の男性で親しい友人あての場合》*Dear* Tom [語法] (3) Mr. を付けずに個人の名で. /《スミスという既婚女性あての場合》*Dear* Mrs. Smith /《スミスという未婚女性あての場合》*Dear* Miss Smith /《スミスという相手の女性が Mrs. とか Miss と呼ばれるのを嫌うとき》*Dear* Ms. /mìz/ Smith [語法] (4) Ms. は米国で使うことが多い. この敬称は性差別廃止論から出たもので, 相手が自らこの敬称を自分に付けてその使用を促す場合にはそれに従うのがよい. /《メアリーという名の女性で親しい友人あての場合》*Dear* Mary /《主に公式な手紙または商業通信文などで, 格式ばった手紙の場合》Dear Sir / Madam ★ 性別が不明の場合. / *Dear* Sir ★ 男性の場合. / *Dear* Madam ★ 女性の場合. /《会社や団体などにあてた場合》《米》Gentlemen / *Dear* Sirs /《事務的文書などで, 不特定の相手に対する場合の決まり文句》(⇒関係する人へ) To whom it may concern

はいげき　排撃　— [名] rejection Ⓤ. — [動] reject (他).《☞はいせき》.

ばいけつ　売血　— [動] sell *one's* blood.

はいけっかく　肺結核　(pulmonary /pʌ́lmənèri/) tuberculosis /t(j)ubə̀ːkjulóusɪs/ Ⓤ《略 TB》.《☞けっかく¹》. ¶ 彼は*肺結核になった He contracted *tuberculosis*.

はいけつしょう　敗血症　blood poisoning Ⓤ.

はいけん　拝見　— [動]（見る）see (他), look at …, have [take] a look at … [日英比較] 英語では日本語のように「見る」と「拝見する」のような, 動詞そのものによる丁寧さの区別はなく, May I …? のような言い方を使うなど, 全体の言い回しによって丁寧さを表す点に注意.《☞みる¹; 丁寧な表現（巻末）》. ¶「パスポートを*拝見したいのですが」「ええ, どうぞ」"May I *see* your passport, please?" "Certainly. Here it is." // 切符を*拝見します Ticket, please.

はいご¹　背後　— [名] the back. — [前]（…の後ろに・後方に）behind … (↔ in front of …);（すぐ後ろに・後方に）at the back of …,《米略式》in back of … [語法] in the back of … とすると「…の後部に」で, 離れた後方は意味しない. — [副] behind.《☞うしろ [語法]; バック¹; うら》.
¶ 私は*背後から襲われた I was attacked「from *the back* [from *behind*]. // 彼がこの事件の*背後にいるに違いない I am sure he is *behind* this incident. // その政治家の*背後には有権者の強力な支持がある There is the strong support of the electorate「*behind* [*backing*] that politician. / (⇒その政治家は彼の背後に有権者の強力な支持を持っている) The politician has the strong support of the electorate「*behind* him [*backing* him *up*].
背後関係 background Ⓒ. ¶ 刑事はその殺人事件の*背後関係を洗った (⇒調べた) The detective inquired into the *background* of the murder case.

はいご²　廃語　obsolete word Ⓒ.

はいこう¹　廃校　— [動] close a school. ¶ その学校は生徒が集まらないので (⇒生徒不足で) *廃校となった The school *has been closed* because of「a [the] lack of students.

はいこう²　廃坑　（採掘をやめた鉱山）abandoned [disused] mine Ⓒ.

はいこう³　配光　lighting Ⓤ.

はいごう¹　配合　— [名]（組み合わせ）combination Ⓒ;（構成）scheme /skíːm/ Ⓒ;（調和）harmony Ⓤ;（特に薬品などの調合）compounding Ⓤ. — [動]（組み合わせる）combine (他);（調和させる）harmonize (他);（釣り合わせる）match (他);（混ぜる）mix (他);（調合する）compound (他).《☞とりあわせ¹; ちょうわ》.
¶ 私はあなたのスカートとブラウスの*配合が好きだ I like the color *combination* of your skirt and blouse. // この絵は色彩の*配合がすばらしい (⇒この絵はすばらしい色の配合を使っている) This picture uses a wonderful「color *scheme* [(⇒色の調和) color *harmony*]. // 薬剤師は数種類の薬剤を*配合してカプセルに入れた The pharmacist *compounded* several drugs and filled capsules.
配合飼料 compound [mixed] feed Ⓤ **配合肥料** compound [mixed] fertilizer Ⓤ.

はいごう²　俳号　haiku pen name Ⓒ.

はいごう³　廃合　abolition and amalgamation Ⓤ.

はいこうせい　背光性　〘植〙négative phototropism /foutátrəpìzm/ Ⓤ《☞はいじつせい》.

ばいこく　売国　（国家に対する反逆）treason Ⓤ;（祖国に対する背信行為）treachery against *one's* country Ⓤ.《☞うる³》. ¶ 彼のしたことは*売国行為だ What he did was a *treacherous act against his country*. **売国奴** traitor to *one's* country Ⓒ.

はいこむ 這い込む crawl [creep] into …, worm (*oneself*) into …
はいざい¹ 配剤 dispensation Ⓤ. ¶天の*配剤 Heaven's *dispensation*
はいざい² 廃材 scrap wood Ⓤ.
ばいざい 媒材 medium Ⓒ《複 ～s, -dia》.
はいさつ 拝察 ¶ご胸中*拝察申し上げます(⇒心から同情いたします) I *sincerely sympathize* with you. ∥ お元気のことと*拝察いたします(⇒確信します) I *trust* that you are getting along well.
はいざら 灰皿 ashtray Ⓒ.
はいざん 敗残 (負けて生き残ること) survival after defeat Ⓤ; (人生などの破滅) ruin Ⓤ. ¶彼は*敗残の身を嘆いた He regretted his *ruined life*. **敗残者** (失敗者) failure Ⓒ; (生存競争の敗北者) underdog Ⓒ **敗残兵** remnants of a defeated army ★複数形で; (落伍者) straggler Ⓒ.
ばいさん 陪餐 〚プロテスタント〛 receiving ˹Holy Communion [the Sacrament; the Eucharist] Ⓤ.
はいし 廃止 ―動 (習慣・制度・法律などを) abolish ⓗ; disuse /dìsjúːz/ ⓗ; discontinue ⓗ; abandon ⓗ; do away with …; (終わらせる) put an end to …; (法律・条約などを) repeal ⓗ,《格式》 ábrogàte ⓗ. ―名 abolition Ⓤ; disuse /dìsjúːs/ Ⓤ; discontinuance Ⓤ, discontinuation Ⓤ; repeal Ⓤ; abrogation Ⓤ.
【類義語】制度・習慣・法律などの廃止に最も一般的に用いられる語は ***abolish***. 使われなくなるのは ***disuse***. 中断するのは ***discontinue*** で, 以上はほぼ同意だが, *disuse, discontinue* は ***abolish*** より多少格式ばっている. 有害であったり, 見込みがなかったりして「捨て去る」のは ***abandon***. 口語的表現で「…なしで済ませる」の意味には ***do away with*** …「終わらせる」という感じのときは ***put an end to*** … 法律や条約等を「正式, あるいは公式に撤廃する」というときに用いられる格式ばった法律用語は ***repeal***, ***abrogate*** で, ほぼ同意.《☞ てっぱい; ぜんぱい¹; はき²》
¶学校の制服[死刑]は*廃止すべきだ School uniforms [The death penalty] should *be abolished*. / We should *do away with* ˹school uniforms [the death penalty]. ∥ そのバス路線は*廃止されました That bus route *was discontinued*. ∥ その慣行は*廃止になった The practice ˹*has been abolished* [(⇒使用されなくなった) *has fallen into disuse*]. ∥ この法規は 3 年以内に*廃止するものとする These laws will *be repealed* in three years or less. ∥ この条約の*廃止には法的措置が必要である Legislative measures are needed ˹to *abrogate* [for the *abrogation* of] this treaty.
はいじ¹ 廃寺 (荒れはてた寺) ruined temple Ⓒ.
はいじ² 拝辞 ☞ じする¹
バイシクルモトクロス (自転車競技) bícycle mótocròss Ⓒ
はいジストマ 肺ジストマ ☞ はいきゅうちゅう
ばいしつ 媒質 medium Ⓒ《複 ～s, -dia》.
はいじつせい 背日性 〚植〛 négative heliotropism /hìːliάtrəpìzm/ Ⓤ《☞ はいこうせい》.
はいしゃ¹ 歯医者 dentist Ⓒ;《格式》 dental surgeon Ⓒ.《☞ しか³; は¹; いしゃ》.
¶*歯医者にみてもらいなさい (⇒みてもらったほうがよい) You'd better ˹see [consult] a *dentist*. 語法 see のほうが口語的. ∥ 毎週*歯医者に通っています I go to the ˹*dentist* [*dentist's*] every week.
はいしゃ² 敗者 loser Ⓒ (↔ winner), defeated person Ⓒ ★前者のほうが口語的; (負けた人たち全体) the defeated.《☞ はいぼく; まける》. **敗者復活戦** revival series Ⓒ ★単複同形.
はいしゃ³ 配車 ―名 (車の運用) operation of cars Ⓤ; (車の割り当て) allocation of cars Ⓤ. ―動 operate (cars) ⓗ; állocàte (cars) ⓗ.
はいしゃ⁴ 廃車 (使われなくなった車) abandoned car Ⓒ; (廃棄された車) scrapped car Ⓒ. ¶*廃車処分にする *scrap a car*
はいしゃ⁵ 拝謝 ―動 express *one's* thanks《☞ かんしゃ¹》.
はいしゃ⁶ 背斜 〚地質〛 anticline /ǽntɪklàɪn/ Ⓒ. **背斜構造** anticlinal /ǽntɪklàɪn(ə)l/ strúcture Ⓒ.
バイシャ (インドのカーストの第 3 身分) Vaisya /váɪʃə/ Ⓒ.
はいしゃく 拝借 ―動 (借りる) borrow ⓗ; (借用する) use ⓗ 日英比較 英語では「借りる」「拝借する」という日本語のように動詞の違いで丁寧さを表すのではなく, May I …? などの言い回しによって丁寧さを表す点に注意.《☞ 丁寧な表現 (巻末); かりる 日英比較》.
¶「このペンを*拝借してもよろしいですか」「ええ, どうぞ」"*May I borrow* this pen?" "Certainly." ∥ お知恵を*拝借したいのですが (⇒あなたが忠告して下さることを望みます) I hope you'll *give* me some advice.
ばいしゃく 媒酌 ―名 matchmaking Ⓤ. ―動 (2 人の間を取り持つ) act as (a) go-between; (結婚の組み合わせをする) make a match [arrange a marriage] (between A and B).《☞ なこうど》.
¶だれが*媒酌をするのですか Who will *act as* (*a*) *go-between*? ∥ 私たちは鈴木教授の*媒酌で結婚した (⇒鈴木教授の世話で) We married ˹*through* [*by*] *the good offices of* Professor Suzuki.
媒酌人 (特に結婚の) matchmaker Ⓒ ★式ばかりでなく, 結婚の縁を取り持つ人という意味.
ハイジャック ―名 (総称として) híjàcking Ⓤ ★具体的には Ⓒ; (1 回の事件) hijack Ⓒ; (航空機の)《略式》 skýjàcking Ⓤ. ―動 híjàck ⓗ,《略式》 skyjack ⓗ ★前者が一般的.《☞ のっとる¹》.
¶近ごろは*ハイジャックが頻繁に起こる *Hijackings* occur frequently these days. ∥ K 航空の旅客機がけさ*ハイジャックにあった An airliner of K. Air Lines *was hijacked* this morning.
ハイジャック犯人 hijacker Ⓒ **ハイジャック防止条約** (the) Convention for the Suppression of Unlawful Seizure of Aircraft.
ハイジャンプ 〚スポ〛 the high jump.
はいしゅ 胚珠 ovule /άvjuːl/ Ⓒ.
はいじゅ 拝受 ―動 be in receipt of …, receive ⓗ《☞ うけとる》.
ばいしゅう 買収 **1**《金品などを贈る》 ―動 (人にわいろを贈る) bribe ⓗ, offer a bribe to … ★後者は説明的; (特に口止めのために金を払う)《略式》 páy óff ⓗ 語法 以上はすべて「人」が目的語. ―名 (わいろを贈ること・受け取ること) bribery Ⓤ,《略式》 páyòff Ⓤ ★個々の事例は Ⓒ.《☞ わいろ; ぞうわい; しゅうわい》.
¶彼は反対派を*買収して票を集めた He secured votes by ˹*bribing* [*offering bribes to*] the opposing faction. ∥ 彼女は証人を*買収しようとした She tried to ˹*bribe* [*pay off*] the witness. ∥ 彼は*買収容疑で逮捕された He was arrested on suspicion of *bribery*.
2《買い取る》 ―動 buy ⓗ, purchase /pə́ːtʃəs/ ⓗ 語法 後者のほうが格式ばった語で, ある程度値段の高いものを買うニュアンスがある.《☞ かう¹》.
買収合併 merger ˹by [through] purchase Ⓒ **買収罪** the crime of bribery.
はいしゅつ¹ 排出 ―動 (中にあるものを外に出す) discharge ⓗ; (空気・ガスなどを出す) exhaust /ɪgzɔ́ːst/ ⓗ; (排泄(はいせつ)する)《格式》 excrete /ɪkskríːt/ ⓗ.《☞ はいせつ¹》.
¶その汚水は下水に*排出される The filthy water *is*

discharged into the sewers. // 老廃物は体内から*排出する必要がある It is necessary to *excrete* waste matter from our bodies.
排出器官 excretory organ Ⓒ **排出基準** (排水の) effluent standard Ⓒ; (排気の) emission standard Ⓒ **排出口** outlet Ⓒ **排出物** (液体・気体の) discharge Ⓤ; (気体) exhaust Ⓤ; (火山などの) ejecta ★ 複数形.

はいしゅつ[2] 輩出 ― 動 (たくさん出る) appear in ⌈large [great] numbers; (たくさん生み出す) produce a ⌈large [great] number of ... ¶ この国からは立派な科学者が*輩出している This country *has produced a large number of* distinguished scientists.

はいしゅつけん 排出権 emission ⌈right [credit] Ⓒ. **排出権取引** emission(s) trading Ⓤ **排出権ビジネス** emission(s) business Ⓤ.

ばいしゅん[1] 売春 ― 名 prostitution Ⓤ. ― 動 (売春行為をする) próstitùte *onesèlf*.
売春あっせん業者 prostitution agent Ⓒ **売春婦** prostitute Ⓒ ★ 最も一般的. 改まった場でも使える; (街の女) 《略式》 street girl Ⓒ, streetwalker Ⓒ; (淫売) 《米俗》 hooker Ⓒ. 《☞ だんしょう[2]》 **売春防止法** the Prostitution Prevention Law **売春宿** brothel Ⓒ.

ばいしゅん[2] 買春 ― 動 (売春婦を買う) buy a prostitute; (雇う) engage a prostitute; (呼ぶ) call a prostitute. ★「かいしゅん」とも呼ばれる. **買春ツアー** prostitute-buying tour Ⓒ.

はいしょ 配所 place of exile Ⓒ.

はいじょ 排除 ― 動 (動かして取り除く) remove (他); (いまあるものを取り除く) eliminate (他); (きれいさっぱりと取り除く) cléar awáy (他) ★ 口語的な表現; (進路から邪魔物を取り除く) clear ... out of the way. ― 名 removal Ⓤ; elimination Ⓤ. 《☞ のぞく[1]; とりのぞく 語法; じょがい》.
¶ 機動隊が過激派学生を大学構内から*排除した The riot police *removed* the radical students from the university campus.

はいしょう[1] 拝誦 ― 動 read ... with thanks.

はいしょう[2] 敗将 defeated general Ⓒ.

はいしょう[3] 廃娼 abolition of licensed prostitution Ⓤ.

ばいしょう[1] 賠償 ― 名 (一般的に, 償い) compensation Ⓤ; (戦争などによる損害の国家間の賠償金) reparations ★ 複数形で. ― 動 compensate (*a person*) for ...; make reparations for ... 《☞ うめあわせ; つぐない; ほしょう[3]》.
¶ 彼は交通事故の*賠償として 100 万円を要求した He ⌈claimed [demanded] one million yen ⌈*in* [*by way of*] *compensation for* the traffic accident. // 戦争の*賠償問題はまだ片付いていない *Reparations for* the war have not yet been made. // 彼らは損害*賠償の提訴をした They have sued *for damages*. 語法 damages で損害賠償金の意.
賠償協定 reparations ⌈treaty [agreement] Ⓒ **賠償金** compensation Ⓤ; (特に損害の) damages; (戦争の) reparations ★ 後の 2 語は複数形で. ¶ *賠償金を支払う pay ⌈*compensation* [*damages*] **賠償責任** obligation to pay reparations Ⓒ **賠償責任保険** liabílity insùrance Ⓤ.

ばいしょう[2] 焙焼 ― 名 (鉱石の) tòrrefáction Ⓤ. ― 動 tórrefỳ (他).

ばいしょうふ 売笑婦 ☞ ばいしゅん[1] (売春婦)

はいしょく[1] 敗色 ¶ わが校のチームは*敗色が濃い (⇒ 負けそうだ) Our team *seems likely to lose the game*. 《☞ はいせん[1]》

はいしょく[2] 配色 (色の配合) color [《英》 colour] scheme Ⓒ 《☞ はいごう[1]》.

ばいしょく 陪食 ¶ 陛下と*陪食を仰せ付けられる have the honor of *dining with* ⌈His [Her] Majesty

はいしょくサービス 配食サービス meal delivery (for the elderly) Ⓒ 《☞ しょくじ[1] (食事宅配サービス)》.

はいしん[1] 背信 (裏切り) betrayal /bɪtréɪəl/ Ⓤ ★「背信行為」の意では Ⓒ; (信頼に背くこと) breach of faith Ⓒ.

はいしん[2] 配信 ― 動 (ニュースを) collect and distribute ⌈news [information].

はいしん[3] 背進 (後退) countermarch Ⓒ; (引き上げ) withdrawal Ⓒ.

はいしんきんしょう 肺真菌症 〘医〙 púlmonàry mycósis Ⓒ 《複 -mycoses /-siːz/》.

はいじん[1] 俳人 haiku poet Ⓒ 《☞ はいく》.

はいじん[2] 廃人 disabled person Ⓒ.

ばいしん[1] 陪審 jury /dʒʊ́(ə)ri/ Ⓒ ★ 集合的に用いるときは単数扱い. 構成員を指すときは複数扱い. **陪審員** (1 人の) juror /dʒʊ́(ə)rə/ Ⓒ; (男性の) juryman 《複 -men》; (女性の) jurywoman Ⓒ 《複 -women》 ★ 後の 2 つは男女の区別が必要な場合の言い方. **陪審裁判** trial by jury Ⓒ **陪審制度** the jury system 参考 陪審制度は日本の裁判では取り入れられていない. **陪審団** the jury Ⓤ.

ばいしん[2] 陪臣 lower vassal Ⓒ.

ばいじん 煤塵 soot and dust Ⓤ. **煤塵濃度** soot and dust concentration Ⓤ

はいしんじゅん 肺浸潤 infiltration of the lungs Ⓤ.

はいすい[1] 排水 ― 名 (一般に, 水はけ) drainage Ⓤ; (下水設備による) sewerage /súːərɪdʒ/ Ⓤ; (下水) sewage /súːɪdʒ/ Ⓤ; (ポンプによる) pumping out Ⓤ. ― 動 (一般に) drain (自) (他); (ポンプで) púmp óut (他). 《☞ げすい 語法》.
¶ この土地は*排水がよい[悪い] This land ⌈*drains* well [does not *drain* well; *drains* badly].
排水管 drainpipe Ⓒ, drain Ⓒ **排水基準** effluent standard Ⓒ **排水口** (汚水の排出口) drain Ⓒ; (あふれた水の) overflow Ⓒ **排水工事** drainage work Ⓤ **排水設備** drainage Ⓤ **排水トン数** displacement tonnage Ⓤ **排水ポンプ** drain pump Ⓒ **排水量** displacement Ⓒ. ¶ *排水量 1 万トンの旅客船 an ocean liner with a *displacement* of 10,000 tons **排水路[溝]** drain Ⓒ, drainage ditch Ⓒ. 《☞ どぶ》.

はいすい[2] 配水 ― 名 (水の供給) water supply Ⓤ. ― 動 supply water (to ...). 《☞ きゅうすい》.
配水管 (送水管) water pipe Ⓒ **配水路** water supply system Ⓒ.

はいすい[3] 廃水 wastewater Ⓤ. **廃水処理** wastewater treatment Ⓤ.

はいすいしゅ 肺水腫 pulmonary edema /idíːmə/ Ⓤ ★ 具体的には Ⓒ.

はいすいのじん 背水の陣 ¶ 私は*背水の陣で入試に備えた (⇒ もし失敗したら二度と試験は受けないと誓いながら) I prepared for the entrance exams vowing that in case of failure I'd never take them again.
【参考語】― 副 (背水の陣で・背中を壁際につけて) with *one's* back to the wall. ― 動 (背水の陣を敷く) burn *one's* ⌈boats [bridges] (behind *one*) ★ 背後のボート [橋] を燃やして, 自ら退路を断つの意.

はいすう 拝趨 ¶ *拝趨の上… (⇒ お会いするときに…) When I *see you*, ...

ばいすう 倍数 〘数〙 multiple Ⓒ 《☞ ばい》. ¶ 4 は 2 の*倍数である Four is a *multiple* of two. **倍数性** 〘生〙 pólyplòidy Ⓤ **倍数体** 〘生〙 polyploid Ⓒ **倍数比例の法則** 〘化〙 the law of multiple proportions.

ハイスクール high school Ⓒ《☞ 学校・教育(囲み)》.

ハイスピード ―形 (高速の) high-speed. ―名 high speed Ⓒ.

バイスプレジデント (副大統領・副総裁・副会長) vice president Ⓒ.

はいする[1] 排する (無視する) disregard ㊀; (排除する) cléar awáy ㊀. 《☞ とりのぞく; はいじょ》. ¶ 決定に当たっては私情を*排すべきだ We must *disregard* personal considerations when we make a decision.

はいする[2] 廃する (やめる) give úp ㊀; (中止する) discontinue ㊀; (廃止する) abolish ㊀. 《☞ はいし (類義語); やめる[1]》.

はいする[3] 配する (配列する) arrange ㊀; (配置する) post ㊀; (置く) place ㊀, put ㊀. 《☞ はいち[1]; はいれつ》. ¶ 彼女は水仙にシクラメンを*配して生けた She *arranged* some narcissuses *with* cyclamens. // 警察は要所に警官を*配した The police *posted* police officers at key places.

はいする[4] 拝する (礼拝する) worship ㊀; (拝受する) receive ㊀.

ばいする 倍する double ㊀. ¶ 旧に*倍して (⇒ これまで以上に) *more than* ever

はいせい 敗勢 adverse situation Ⓒ《☞ はいしょく[1]》.

はいせいかんさいぼう 胚性幹細胞 〘生〙 embryonic stem cell Ⓒ, ES cell Ⓒ.

はいせき 排斥 ―動 (集団で) bóycott ㊀; (…から遠ざかる) kèep awáy from …; (避ける) shun ㊀, avoid ㊀; (追放する) dríve óut ㊀, expel ㊀ ★ 後者のほうが格式ばった語. ―名 boycott Ⓒ. 《☞ ボイコット; ついほう》. ¶ 彼はみんなから*排斥されている Everyone *keeps away from* him. / He *is shunned* by everybody. // 校長*排斥運動が起こっている There's a movement to「*expel* [*drive out*] the principal.

ばいせき 陪席 ¶ 私は大使の歓迎会に*陪席した I *had the honor of attending* the reception for the ambassador. 《☞ しゅっせき》 **陪席裁判官[判事]** associate judge Ⓒ.

バイセクシュアル ―形 (両性の・両性愛の) bìséxual. ―名 (両性愛者) bisexual Ⓒ.

はいせつ[1] 排 泄 ―名 《格 式》 excretion /ɪkskríːʃən/ Ⓤ. ―動 《格式》 excrete /ɪkskríːt/ ㊁ ㊀. 《☞ はいしゅつ[1]》. **排泄物** (大小便・汗など) excreta ★ 複数形; (大便) éxcrement Ⓤ.

はいせつ[2] 排雪 snow「clearing [removal] Ⓤ.

はいぜつ 廃絶 ―名 (全廃) abolition Ⓤ; (絶滅) extinction Ⓤ. ―動 abolish ㊀. ―形 extinct. ¶ 核兵器の*廃絶 the *abolition* of nuclear weapons

はいせん[1] 敗戦 (一般的に, 敗北) defeat Ⓤ; (負け戦) lost battle Ⓒ. 《☞ はいぼく; まけ; まける》. ¶ 我々は初めて*敗戦の憂き目をみた (⇒ 初めて負けた) We「*were defeated* [suffered *defeat*] for the first time. **敗戦国** defeated nation Ⓒ **敗戦投手** losing pitcher Ⓒ.

はいせん[2] 配線 ―名 wiring Ⓤ. ―動 wire ㊀. ¶ テレビの*配線は実に複雑だ Television *wiring* is very complicated. // この家はもう電気[電話]の*配線は済んでいます This house *has* already *been wired* for「electricity [a telephone]. **配線工事** wiring work Ⓤ **配線図** wiring diagram Ⓒ.

はいせん[3] 配船 assignment of ships Ⓤ. ¶ 新造船は欧州航路に*配船された (⇒ 置かれた) The new ship *was put* on the European service.

はいせん[4] 廃船 (スクラップにされた) scrapped ship Ⓒ; (倉庫などに利用されている) hulk Ⓒ. ¶ 船を*廃船にする (⇒ 使用しない) *take* the *ship out of service* / (⇒ スクラップにする) *scrap* the *ship*

はいせん[5] 盃洗 small bowl for washing the offered「cup [*sakazuki*] when making a return offering of sake Ⓒ ★ 説明的な訳.

はいぜん[1] 配膳 ―動 (食卓の用意をする) lay [set] the table (for dinner). **配膳係** table setter Ⓒ.

はいぜん[2] 沛然 ¶ *沛然たる雨 a *heavy* downpour

ばいせん[1] 焙煎 ―動 roast ㊀.

ばいせん[2] 媒染 mórdanting Ⓤ. **媒染剤** mórdant Ⓒ **媒染染料** mordant dye Ⓒ.

はいせんいしょう 肺繊維症 〘医〙 púlmonàry fibrosis /faɪbróusɪs/ Ⓒ.

ハイセンス good taste Ⓤ ★ 文脈によって best, refined などの形容詞も使える. ¶ 彼女は何事も*ハイセンスだ She has *good taste* (in everything).

はいそ 敗訴 ―動 (裁判に負ける) lose a「suit [case] (↔ win a suit). ¶ 裁判は原告[被告]の*敗訴となった The「plaintiff [defendant] *lost the*「*suit* [*case*].

はいそう[1] 配送 ―動 (送る) delíver ㊀. ―名 delivery Ⓤ. 《☞ はいたつ》. **配送車** delivery「truck [van] Ⓒ.

はいそう[2] 敗走 ―動 (逃げる) 《格式》 flee ㊁ 《過去・過分 fled》, take (to) flight; (退却する) retreat ㊁. ―名 flight Ⓤ. 《☞ にげる; とうそう[1]》.

はいそう[3] 背走 ―動 run backward.

はいぞう 肺臓 ☞ はい[3]

ばいぞう 倍増 ―動 (倍になる・倍にする) double ㊁ ㊀ 《☞ ばい》. ¶ 2 年間で売り上げは*倍増した Sales *doubled* in two years.

はいぞく 配属 ―動 (割り当てる) assign ㊀; (所属させる) attach ㊀. ¶ 彼は人事課に*配属となった He *was*「*assigned* [*attached*] to the personnel section. **配属将校** military officer attached to a school Ⓒ.

ばいそく 倍速 ―形 double-speed. **倍速ドライブ** 〘コンピューター〙 double-speed drive Ⓒ. ¶ 8 *倍速ドライブ an eight-*speed* drive

はいそくせん 肺塞栓 〘医〙 pulmonary embolism Ⓤ 《☞ そくせんしょう》.

ハイソサエティー high society Ⓤ 《☞ じょうりゅう[1]》.

ハイソックス knee-high [knee-length] socks ★ 数えるときは a pair of ～.

バイソン 〘動〙 ☞ やぎゅう

はいた[1] 歯痛 toothache Ⓒ 《☞ は[1]》.

はいた[2] 排他 exclusion Ⓤ. **排他主義** exclusionism Ⓤ **排他的** ☞ 見出し

はいたい[1] 敗退 ―動 (競技で) lose a game, be「defeated [beaten] ★ 前者のほうが口語的; (軍隊などが) retreat ㊁. 《☞ まける; たいきゃく》.

はいたい[2] 胚胎 ―動 (みごもる) become pregnant; (…に根ざす) originate「from [in] …

はいたい[3] 廃頽 (衰え) decay Ⓤ; (悪化) deterioration Ⓤ; (堕落) degeneration Ⓤ.

ばいたい 媒体 medium Ⓒ 《複 ～s, media》 《☞ ばいかい》. ¶ 波は水を*媒体として伝わる (⇒ 水という媒体を通して) Waves travel through the *medium* of water.

はいたか 鷂 〘鳥〙 sparrow hawk Ⓒ.

はいだす 這い出す cráwl [créep] óut ㊁ 《☞ はう (類義語)》. ¶ 私は小さな穴からやっと*這い出した I managed to「*crawl* [*creep*] *out* through a small opening.

はいたつ 配達 ── 動 delíver ⑩. ── 名 delívery U. 《☞ くばる; のうひん》.
¶ 品物はいつ*配達してくれますか When can you *deliver* the goods to us? // それは*配達してもらえますか Can I have it *delivered*? // 郵便は 1 日に 2 回*配達される The ˹mail [《英》 post] *is delivered* twice a day. // 市内は*配達無料です The goods *are delivered* free within the city limits.
配達区域 delivery zone C; (新聞・牛乳などの) 《米》 route C **配達先** the destination; (受取人) the receiver **配達証明書** delivery note C **配達人** deliveryman C, delivery woman C, delivery person C, deliverer C. ¶ 新聞*配達(人) a ˹paperboy [papergirl] / a newspaper *delivery person* / a newspaper *deliverer* // 牛乳*配達 (人) a ˹milkman [milk woman; milk lady] / a milk *delivery* (*wo*)*man* **配達不能** ── 形 undeliverable. ¶ *配達不能の手紙 a *dead* letter **配達料** delivery charge C.

ハイタッチ ── 形 (人間的な触れ合いのある) high-touch. ── 名 (2 人で高く上げた手のひら同士を打ち合わすあいさつ) high five C 日英比較 この意味の「ハイタッチ」は和製英語. 参考 腰の高さで上向きに出した相手の手のひらを上から叩くのは low five.

はいたてき 排他的 ── 形 (高級で排他的な) exclusive; (非友好的な) unfriendly [not friendly] to …. ¶ あの村の人たちは*排他的だ (⇒ よそ者に対して友好的でない) The villagers are ˹*not friendly* [*unfriendly*] *to* strangers. **排他的経済水域** Exclusive Economic Zone C 《略 EEZ》.

バイタリティー ── 名 (活力) vitality U; (精力) énergy U. ── 形 (活力のある) vital; (精力のある) ènergétic. ¶ *バイタリティーのある男 a man full of *vitality*

バイタル ── 形 (活力のある・重要な) vital.

はいだん 俳壇 the haiku world.

はいち[1] **配置** ── 動 (配列する) arrange ⑩; (場所を割り当てる) place ⑩; (持ち場につかせる) post ⑩, station ⑩ 語法 後者は特に軍隊などの場合に使われ, 受身で用いられることが多い. ── 名 post C, station C. ¶ 机の*配置はどうしましょう How shall we ˹*arrange* [*place*] the desks? // ただちに*配置につけ Take up your *stations* at once. // 警官が沿道に*配置された Police *have been* ˹*stationed* [*posted*] along the route.
配置転換 (人員などの入れかえ) reshuffle /riːʃʌ́fl/ C; (再配置) reassignment U; (移動) tránsfer C.

はいち[2] **背馳** ── 名 contradiction C. ── 動 be contrary to …, be inconsistent with …

ハイチ ── 名 固 Haiti /héɪti/; (正式名) the Republic of Haiti. ── 形 Haitian /héɪʃən/. **ハイチ人** Haitian C.

ばいち 培地 ☞ ばいよう (培養基)

パイちゅうかんし パイ中間子 〘物理〙 pi-meson /páɪmézɑn/ C.

はいちゅうりつ 排中律 〘論〙 the law of the excluded middle.

はいちょう[1] **拝聴** ── 動 (聞く) listen (to …) ⓐ; (聞きに行く) hear ⑩ 日英比較 英語では, この動詞だけでは丁寧な表現とはならない. 丁寧さは文全体の言い回しで表す点に注意. 《☞ きく[1]; 丁寧な表現 (巻末)》. ¶ ご意見を*拝聴させて下さい We would like to *hear* your opinion.

はいちょう[2] **蠅帳** (はえよけの覆い) fly net (to cover food) C; (戸棚) fly-net cupboard C.

ハイツ heights ★ 高台の地名などで.

はいつくばう 這い蹲う (ひれ伏す) grovel ⓐ; (四つんばいになる) go down on all fours. ¶ その男は*はいつくばって慈悲を請うた The man *groveled* and begged for mercy. // 彼は土俵上で*はいつくばった He *went down on all fours* in the ring.

ハイティーン ── 名 late teens ★ 複数形で. ── 形 in *one's* late teens ★「ハイティーン」は和製英語. 《☞ ティーンエージャー》. ¶ あの俳優は*ハイティーンの少女たちに人気がある The actor is popular among girls *in their late teens*.

ハイテク(ノロジー) ── 名 high technólogy U. ── 形 hígh-téch, hí-téch ★ 後者は略式なつづり. **ハイテク汚染** high-tech pollution U **ハイテク機器** high-tech equipment U **ハイテク産業** hígh-tèch índustry U **ハイテク製品** high-tech product C **ハイテク旅客機** high-tech passenger aircraft C.

ハイデッガー ── 名 固 Martin Heidegger /háɪdegə/, 1889–1976. ★ ドイツの哲学者.

ハイデラバード ── 名 固 Hyderabad /háɪdərəbæ̀d/ ★ インド南部, デカン高原の中心都市.

はいでる 這い出る crawl [creep] out ⓐ ★ crawl は特に四つんばいになって進むときに使う. ¶ 壁の穴から*はい出る *crawl out* of the hole // その刑務所はありの*はい出るすきまもない (⇒ 厳重に守られている) The prison *is closely guarded*.

ハイデルベルク ── 名 固 Heidelberg /háɪdlbə̀ːg/ ★ ドイツ南西部の都市. **ハイデルベルク(原)人** 〘人類〙 Heidelberg man U.

はいてん[1] **配点** ── 名 allocation [allotment] of ˹grades [points; marks] U. ── 動 allocate ⑩, allot ⑩. ¶ 問題の*配点を変えなくてはならない We have to change the ˹*allocation* [*allotment*] *of* ˹*grades* [*points*; *marks*]. // 最初の問題への*配点は何点ですか How many points does the first question *carry*? / How many points *are* ˹*allotted* [*allocated*] to the first question? ★ 第 1 文のほうが普通.

はいてん[2] **配転** ☞ はいち[1] (配置転換)

はいでん[1] **配電** ── 動 supply (electricity), distribute (power). ── 名 electrical supply U.
配電所 power distribution station C **配電線** service wire C, distribution line C **配電盤** switchboard C, distribution board C.

はいでん[2] **拝殿** (神殿) shrine C; (礼拝所) place [house] of worship C.

ばいてん 売店 (駅・街頭などの) stand C, 《特に英》 stall C; (駅・駅前・広場などの) kiosk C; (店) store C; (病院などの) gift shop C. 《☞ みせ; えき[1] (挿絵)》. ¶ 新聞の*売店 a *newsstand* // 道端の*売店ですいかを買った I bought a watermelon at a roadside *stall*.

ハイテンポ quick [fast] tempo C. ¶ *ハイテンポで at a *quick tempo*

バイト[1] part-time job C 《☞ アルバイト; パート[1]》.

バイト[2] 〘コンピューター〙 byte C 参考 キロバイト kilobyte, KB; メガバイト megabyte, MB; ギガバイト gigabyte, GB.

バイト[3] (工作機械の切削用の刃) cutting tool C.

はいとう[1] **配当** ── 名 (特に株の) dividend C; (分け前) share C. ── 動 (配当金を払う) pay a dividend; (分配を受ける) share ⓐ. 《☞ わけまえ; はいぶん》. ¶ 利益を株主に*配当する *divide* the profits among the stockholders
配当落ち ex dividend U ★ ex div. と略す. **配当金** dividend C **配当所得** dividend income U **配当性向** payout ratio C **配当付き** cum dividend U ★ cum div. と略す. **配当率** dividend rate C **配当利回り** dividend return C.

はいとう[2] **佩刀** ── 動 wear a sword. ── 名 sword C. **佩刀禁止令** ☞ はいとうれい

はいどう 廃道 unused road C.

はいとうたい 配糖体 〘生化〙 glycoside /gláɪkə-

sàɪd/ C.
はいとうれい 廃刀令 the edict prohibiting the wearing of swords.
はいとく 背徳 ── 形 immoral. **背徳行為** immoral conduct C **背徳者** corrupt [immoral] person C.
はいどく 拝読 read (with ⌈pleasure [gratitude]) 他.
ばいどく 梅毒 syphilis /sífəlɪs/ U 《☞ せいびょう》. **梅毒患者** sỳphilític C, syphilis patient C.
ハイドパーク ── 名 固 Hyde Park ★ロンドン市中央にある公園.
ハイドランジア 〚植〛((西洋)あじさい) (bright-colored variety of cultivated garden) hydrangea C.
ハイドロフォイル (水中翼(船)) hýdrofòil C.
ハイドロプレーニング hydroplaning U ★自動車がぬれた道路を高速で走る時, タイヤが浮いてハンドルやブレーキがきかなくなる現象.
ハイドロプレーン (水中翼船) hýdroplàne C. **ハイドロプレーン現象** hydroplaning U 《☞ ハイドロプレーニング》.
ハイドロメーター (液体比重計) hydrómeter C.
ハイドン ── 名 固 Franz Joseph Haydn /háɪdn/, 1732–1809. ★オーストリアの作曲家.
パイナップル 〚植〛 píneàpple C. ¶*パイナップルの缶詰 (⇒ 缶詰にされたパイナップル) canned *pineapple*
バイナリー ── 形 (2進の) binary.
ハイナンとう ハイナン島 ☞ かいなんとう
ばいにく 梅肉 the soft fleshy part of ⌈pickled [salty] plums U, the flesh of *umeboshi* U.
はいにち 排日 ── 形 anti-Japanese. **排日運動** ánti-Japanèse móvement C.
はいにゅう 胚乳 albumen /ælbjúːmən/ U.
はいにょう 排尿 urination /jù(ə)rənéɪʃən/ U.
はいにん 背任 breach of trust U 《☞ うらぎる; そむく》. **背任罪** charge of breach of trust C.
ばいにん 売人 (麻薬や盗品の) peddler C, 《英》 pedlar C, street peddler C; (麻薬の) 《略式》 pusher C.
ハイネ ── 名 固 Heinrich Heine /háɪnrɪk háɪnə/, 1797–1856. ★ドイツの詩人・評論家.
ハイネック ── 形 (襟ぐりのラインの高い) high-necked; (タートルネックの) turtleneck, 《英》 poloneck.
はいのう[1] 背嚢 knapsack C, 《主に英》 rucksack /rʌ́ksæ̀k/ C.
はいのう[2] 胚嚢 〚植〛 embryo sac C.
はいのうよう 肺膿瘍 〚医〛 púlmonàry ábscess C.
はいのき 灰の木 〚植〛 sweetleaf C.
ハイパーインフレーション (超インフレ) hỳperinflátion U.
ハイパーソニック ── 形 (極超音速の) hỳpersónic.
ハイパーテキスト 〚コンピューター〛 hýpertèxt C.
ハイパーマーケット (大型スーパー) hýpermàrket C.
ハイパーメディア 〚コンピューター〛 hypermedia /háɪpəmìːdiə/ U.
はいはい 這い這い ── 動 crawl 《☞ はう (類義語); よつんばい》. ¶赤ん坊は私の方へ*はいはいしてきた The baby *crawled* toward(s) me.
ばいばい 売買 ── 名 (買ったり売ったりすること) buying and selling U 日英比較 日本語と語順が逆であることに注意; (取り引き) trade U, traffic U, transaction C 語法 trade は商売・取り引きなどを意味する一般的な語. traffic は貿易・交換などの意味を含む. transaction は取り引き(業務)を意味する格式ばった語. ── 動 buy and sell 他; traffic 自 他; (取り引きする) deal in … 《☞ とりひき; しょうばい》. ¶あの人は不動産の*売買をやっている (⇒ 扱っている) He [She] *deals in* real estate. // 彼は土地の*売買で大もうけした He has made a lot of money out of land *transactions*.
売買価格 sales price C **売買契約** trading contract C 《☞ けいやく》 **売買高** (出来高) trading ⌈volume [turnover] U; (売買代金) trading value U **売買手数料** broker's commission C.
バイバイ bye-bye, by-by 語法 元来は赤ん坊や小児に対して使う言葉. 大人でもくだけた感じを出すために使うこともあるが, むやみに使わないほうがよい; (ではまた) I'll see you. / See you. / Be seeing you. ★くだけた別れのあいさつ. 《☞ さようなら》.
バイパス bypass C 《☞ わきみち》. **バイパス手術** bypass operation C.
ハイパワー ── 形 high-powered. ¶*ハイパワーのエンジン[車] a *high-powered* ⌈engine [car]
ハイパワードマネー 〚金融〛 (民間保有の通貨量) high-powered money U.
はいはん 背叛 (謀反) rebellion C; (反乱) revolt C; (離脱) departure U.
はいばん[1] 廃盤 ── 名 (廃盤となったレコード [CD]) discontinued ⌈(phonograph) record [CD] C. ── 動 discontinue the production (of a ⌈(phonograph) record [CD]).
はいばん[2] 胚盤 〚生〛 blastodisc, -disk C.
はいはんじしょう 背反事象 mutually exclusive phenomena ★複数形.
はいはんちけん 廃藩置県 the abolition of feudal domains and establishment of prefectures.
はいび[1] 配備 ── 動 (警官・兵隊などを) station 他, post 他. 《☞ はいち[1] 語法》. ¶ビルの周りに警官が*配備された Policemen *were* ⌈*stationed* [*posted*] around the building.
はいび[2] 拝眉 ¶*拝眉の上で (⇒ お目にかかった時に) when I have *the pleasure of seeing you*
ハイヒール high heels, high-heeled shoes ★複数形で. 後者のほうが正式な言い方.
ハイビジョン ── 形 Hi-Vision ★日本独特の方式; (高解像度の) high-definition A.
¶*ハイビジョン方式のテレビ the *Hi-Vision* ⌈TV [television] system
ハイビスカス 〚植〛 hibíscus C.
ハイピッチ (進行が早いこと) fast [quick] pace C. ¶道路の拡張工事が*ハイピッチで行われている Roads are being widened and improved at a ⌈*fast* [*quick*] *pace*.
はいびょう 肺病 consumption U ★古い言い方. 《☞ はいけっかく》. **肺病患者** consumptive C.
はいひん 廃品 useless articles ★複数形で; (廃棄物) waste U; (くず) 《米》 trash U, 《英》 rubbish U; (がらくた) 《略式》 junk U 参考 本当の廃品ではなくて, できの悪い品物を junk と言うことがある. 《☞ くず[1] (類義語); がらくた》.
廃品回収 trash collection U; (リサイクルのための) collection of scrap for recycling U **廃品回収業者** trash collector C, trash hauler C, trash man C, ragman C, 《米》 junkman C.
ばいひん[1] 売品 goods ⌈for [on] sale ★複数扱い 《☞ しょうひん[1]》; (掲示) For Sale. ¶非*売品 《掲示》 Not *for Sale*. 《☞ ひばいひん; うりもの》.
ばいひん[2] 陪賓 companion guest C; (説明的には) a guest assigned to sit with the main guest.
パイピング (洋裁) piping U.
はいふ[1] 配布 ── 動 hánd óut 他, gìve óut 他

[語法] いずれも口語的表現. 前者は元来は「手渡して配る」の意; (配る) distríbute ㊝ ★ 前2者より格式ばった言葉. (☞ くばる). ¶ 先生は問題用紙を学生に*配布した The teacher ⌈handed [gave] out the examination papers to the students.

はいふ² 肺腑 (肺臓) lung Ⓒ (☞ はい³). ¶ *肺ふをえぐるような (⇒ ひどく痛ましい[胸が張り裂けそうな]) 光景 a ⌈heartrending [heartbreaking] sight

はいふ³ 配付 ―動 distríbute ㊝. ―名 distribútion Ⓤ.

はいぶ 背部 (背中) back Ⓒ; (後ろ) the back; (後部) the rear ★ やや格式ばった語. ¶ 敵の*背部を襲う attack the enemy ⌈in [from] *the rear*

パイプ pipe Ⓒ ★たばこ用・水道の管などに用いる; (パイプ役・調停者) mediator Ⓒ. (☞ くだ).
¶ 彼は*パイプに煙草を詰めた He ⌈filled [stuffed] his *pipe* (with tobacco). // *パイプに火をつける light *one's pipe* // *パイプをくゆらす smoke a *pipe* // *パイプが詰まった The *pipe* was stopped up. // 私が会社側と組合側の*パイプ役になりましょう I'll be the *mediator* between management and labor. // ビニール*パイプ a plastic *pipe*
パイプオルガン (pipe) organ Ⓒ **パイプカット** 〘医〙(精管切除手術) vasectomy /vəséktəmi/ Ⓒ; (断種・不妊化) sterilization Ⓤ **パイプ役** (調停役) mediator Ⓒ; (仲裁人) árbitràtor Ⓒ **パイプライン** pipeline Ⓒ.

ハイファ ―名 固 Haifa /háɪfə/ ★ イスラエル北西部の海港.

ハイファイ (機器) hi-fi /háɪfáɪ/ Ⓒ [語法] 再生の高忠実度の意味では Ⓤ. high fidelity の省略形.
ハイファイ装置 hi-fi Ⓒ, hi-fi ⌈set [equipment] Ⓒ **ハイファイビデオ** hi-fi ⌈video cassette recorder [VCR] Ⓒ.

ハイファッション high ⌈fashion [style] Ⓒ.

ハイフォン ―名 固 Haiphong /hàɪfɔ́:ŋ/ ★ ベトナム北東部の港市.

はいふき 灰吹き ash pot Ⓒ. **灰吹き法** 〘冶金〙 cupellation Ⓤ.

はいふく 拝復 Dear ... [語法] 「拝啓」と同じ形式でよい. (☞ はいけい²). それに続いて「…日付けのお手紙をありがとう」(Thank you for your letter of ...) という書き出しが内容的にこれに相当する. そのほかに「…日付けのお手紙の返事として」(In *reply* to your letter of ...) としてもよい. (☞ 手紙の書き方 (囲み)).

はいぶつ 廃物 waste Ⓤ, waste ⌈materials [articles] ★ 通例複数形で. (☞ はいひん). **廃物利用** recycling of waste Ⓤ.

はいぶつきしゃく 廃仏毀釈 the anti-Buddhist policy in the Meiji era that led to the destruction of Buddhist temples ★ 説明的な訳.

ハイフネーション (ハイフンでつなぐこと) hyphenation Ⓤ (☞ ハイフン (巻末)).

ハイブラウ ☞ ハイブロー

ハイブリッド ―名 hybrid Ⓒ. ―形 hybrid.
ハイブリッドエンジン hybrid engine Ⓒ **ハイブリッドカー** hybrid car Ⓒ **ハイブリッド材料** hybrid material Ⓒ **ハイブリッド米** hybrid rice Ⓤ **ハイブリッド炉** hybrid nuclear reactor Ⓒ.

ハイブリドーマ 〘生〙(雑種細胞) hybridoma Ⓒ.

バイブル (聖書) the Bible ★ the を付けて; (権威ある書) bible Ⓒ. (☞ せいしょ¹). ¶ その本は政治家たちの*バイブルとなった The book has become a *bible* ⌈for politicians [of politics].

バイブレーション (震動) vibration Ⓤ. ¶ *バイブレーションを起こす *vibrate*

バイブレーター (電気マッサージ器) víbrator Ⓒ.

バイプレーヤー (脇役) supporting ⌈player [actor; actress] Ⓒ.

ハイブロー ―形 (知識人の) highbrow /háɪbràʊ/. ―名 (知識人) highbrow Ⓒ.

ハイフン ―名 hyphen Ⓒ (☞ ハイフン (巻末)). ―動 (ハイフンでつなぐ) hýphenàte ㊝.

はいぶん 配分 ―名 (分け前として与えること) allotment Ⓤ; (特別の目的のために分けること) allocation Ⓤ; (分配) distribution Ⓤ; (分け前) share Ⓒ. ―動 (割り当てる) allot ㊝; állocàte ㊝; (配る) distríbute ㊝; (分ける) divide ㊝. (☞ わける; ぶんぱい; わりあて). ¶ 私も利益の*配分にあずかった I also had a *share* in the profits.

ばいぶん 売文 (仕事) literary hackwork Ⓤ; (人) hack (writer) Ⓒ.

ハイペース ¶ *ハイペースで at a *rapid pace*

はいべん 排便 ―名 (bowel) movement Ⓒ. ―動 (排便する) evacuate [move] the bowels. (☞ つうじ¹; べん²).

ハイポ 〘化〙(写真定着剤) hypo Ⓤ; (チオ硫酸ナトリウム) sodium thiosulfate /θàɪousʌ́lfeɪt/ Ⓤ.

はいほう 肺胞 〘解〙 alveolus /ælví:ələs/ Ⓒ (複 alveoli /-làɪ/).

はいぼう 敗亡 defeat Ⓒ.

ハイボール (米) highball Ⓒ, (英) whisky and soda Ⓒ.

はいぼく 敗北 defeat Ⓤ ★ 個々の敗北では Ⓒ. (☞ はいせん¹; まける). ¶ 我々は初めて*敗北を喫した We suffered our first *defeat*. / (⇒ 初めて負けた) We *were* ⌈*defeated* [*beaten*] for the first time. // 試合は我々の*敗北に終わった The game ended in our *defeat*. / We *lost* the game. **敗北主義** defeatism Ⓤ **敗北主義者** defeatist Ⓒ.

> **コロケーション**
> **敗北を受け入れる** accept *defeat* / **敗北を招く** invite *defeat* / **敗北を認める** admit [concede] *defeat* / **…を敗北させる** inflict a *defeat* on ... / **壊滅的な敗北** a crushing *defeat* / **完全な敗北** a total *defeat* / **屈辱的な敗北** an ignominious *defeat* / **決定的な敗北** a decisive *defeat* / **事実上の敗北** a virtual *defeat* / **全面的な敗北** an utter *defeat* / **大敗北** a ⌈major [stunning] *defeat* / **不名誉な敗北** a disgraceful *defeat*

はいほん 配本 ―名 distribution of books Ⓤ. ―動 (本を配る) distribute books. (☞ くばる).

はいまく 胚膜 〘動〙 embryonic membrane Ⓒ.

ばいまし 倍増し ―形 reduplicative. ―動 reduplicate ㊝.

はいまつ 這松 〘植〙 creeping pine Ⓒ.

はいまわる 這い回る cráwl ⌈aróund [abóut] ㊀ (☞ はう (類義語)).

ハイミス single, unmarried woman Ⓒ, old maid Ⓒ [日英比較] 「ハイミス」は和製英語. 後者には軽蔑的な響きがある.

ハイム (集合住宅) collective housing Ⓤ; (分譲マンション) condominium Ⓒ, condo Ⓒ ★「ハイム」はドイツ語の Heim から.

はいめい 拝命 ―動 (任ぜられる) be appointed.

ばいめい 売名 ―名 (自己宣伝) self-promotion Ⓤ, self-advertisement Ⓤ; (知名度を求めること) publicity Ⓤ. ―動 (自己宣伝をする) sell *oneself*, advertise *oneself* ★ 前者のほうが口語的; (有名になろうとする) seek publicity. (☞ うる¹; うりこむ). ¶ 彼は*売名のためなら何でもする He will do anything ⌈to *advertise himself* [for *publicity*; to *seek publicity*].
売名行為 publicity stunt Ⓒ.

バイメタル 〘機〙 bimetal Ⓤ. **バイメタル温度計** bimetal thermometer Ⓒ.

はいめん 背面 (後ろ) the back; (後部) the rear ★ やや格式ばった語.《☞ うしろ》. ¶*背面攻撃を受ける be attacked in *the rear* **背面跳び** (Fosbury) flop Ⓤ.

ばいも 貝母 〘植〙 fritillaria /frìtəléəriə/ Ⓒ, fritillary /frítəlèri/ Ⓒ ★ ユリ科の植物.

はいもん 肺門 〘解〙 the hilum /háɪləm/ of the (ˈright [left]) lung. **肺門肺炎** hilar pneumonia /háɪlɚ n(j)uːmóʊnjə/ Ⓤ **肺門リンパ節** hilar lymph node Ⓒ **肺門リンパ節結核** hílar lýmph nòde tuberculosis /t(j)ʊbɚːkjʊlóʊsɪs/ Ⓤ.

ハイヤー chauffeur-driven /ʃóʊfɚdrìv(ə)n/ ˈcár [limousine /límuzìːn/] Ⓒ 日英比較 英米では日本と同じようなハイヤーの制度はない.《☞ タクシー》.

バイヤー buyer Ⓒ; (外国からの) purchasing agent [buyer] from abroad Ⓒ.

はいやく 配役 (役を割り当てること) casting Ⓤ; (割り当てられた俳優たち) the cast ★ 集合的に 1 つの劇の全キャストを表す.《☞ キャスト》. ¶その芝居は*配役がいい The play *has been* well *cast.* ★ この cast は「配役する」という意味の 動 他 の過去分詞.

ばいやく¹ 売約 sales contract Ⓒ. **売約済み**《掲示》Sold.

ばいやく² 売薬 (薬屋で処方箋がなくても買える薬) nonprescription drug Ⓒ, over-the-counter drug Ⓒ《略 OTC》.《☞ しょほう¹ (処方薬)》.

はいゆ 廃油 waste oil Ⓤ. **廃油回収船** waste oil recovery ship Ⓒ **廃油処理** waste oil disposal Ⓤ **廃油ボール** waste-oil ˈclot [lump; blob] Ⓒ.

はいゆう 俳優 (男優) actor Ⓒ; (女優) actress Ⓒ. ¶彼女は*俳優志望だ (⇒ 女優になることを望んでいる) She wants to ˈbe [become] an *actress.* / She wants to *go on (the) stage.* // 舞台*俳優 a stage ˈ*actor* [*actress*] // 映画*俳優 a movie ˈ*actor* [*actress*]

はいよう¹ 肺葉 〘解〙 lobe of the (ˈright [left]) lung Ⓒ **肺葉切除** lobectomy /loʊbéktəmi/ (of the lung) Ⓤ.

はいよう² 胚葉 germ layer Ⓒ.

ばいよう 培養 ── 動 (細菌などを) culture 他; (卵などを) íncubàte 他. ── 名 culture Ⓤ; incubation Ⓤ. **培養液** culture (fluid) Ⓤ **培養基** cúlture medium /mìːdiəm/ Ⓒ《複 ~s, -dia》 **培養検査[試験]** culture ˈtest [examination] Ⓒ **培養皿** (浅い円筒状の) petri [culture] dish Ⓒ; (スライド状の) culture slide Ⓒ **培養土** compost Ⓤ.

ハイライト (最高潮の部分) highlight Ⓒ; (呼びもの番組) feature (program) Ⓒ.《☞ よびもの》.
¶今週のテレビ番組の*ハイライトをご紹介します And now, the *highlights* of this week's TV programming. **ハイライト版** 〘印〙 dropout Ⓒ, highlight halftone Ⓒ.

バイラテラリズム (双務主義・二国間主義) biláteralìsm Ⓤ.

バイラテラル ── 形 (双務的な・双方の) bìláteral.

ハイラル ── 名 固 Hailar /háɪlɑɚ/ ★ 中国の内モンゴル自治区の都市.

はいらん 排卵 ── 名 ovulation /oʊvjʊléɪʃən/ Ⓤ. ── 動 (排卵する) óvulàte 自. **排卵期** óvulatòry phase Ⓒ **排卵誘発** induction of ovulation Ⓤ **排卵誘発剤** fertility drug Ⓒ **排卵抑制剤** ovulation inhibitor Ⓒ, anovulant /ænávjʊlənt/ Ⓒ.

ハイランド (高地) highlands ★ 通例複数形で.

はいり¹ 背理 (不合理) irrationality Ⓒ; (反理) paralogism Ⓤ. **背理法** 〘論〙 reduction to absurdity Ⓤ, proof by contradiction Ⓤ.

はいり² 背離 (仲たがい) estrangement Ⓒ; (疎外) alienation Ⓒ.

はいりぐち 入り口 entrance Ⓒ.

はいりこむ 入り込む (外から中へ) gò ín 自; (入ってくる) còme ín 自; (つかつかと歩いて) wálk ín 自; enter 他 ★ やや格式ばった語; (こっそりと) stéal [slíp] ín 自.《☞ はいる; しのびこむ》. ¶彼はノックもしないで*入り込んできた He ˈ*came* [*walked*] *in* without knocking.

ハイリスク ── 名 (大きな危険) high risk Ⓤ. ── 形 high-risk. ¶*ハイリスクハイリターン *high risk*, high return

ばいりつ 倍率 〘光〙 magnification Ⓒ, power Ⓤ; (試験などの競争) còmpetítion Ⓤ.《☞ ばい》. ¶この望遠鏡は*倍率 20 だ This telescope has a ˈ*magnification* [*power*] of twenty. // あの大学は*倍率が高い (⇒ 競争が激しい) The entrance examination for that university is highly *competitive.*

はいりょ 配慮 ── 動 (よく考える) consider 他; (…を考慮に入れる) take … into consideration; (…をよく考えてみる) give … careful consideration (to …) ★ consideration を使ったものはやや格式ばった言い方. ── 名 (よく考えること・思いやり) consideration Ⓤ; (心遣い) regard Ⓤ.《☞ こうりょ; しんしゃく》.
¶私共のお願いによろしくご*配慮下さい Please *give* our request (your) *careful consideration.* / We ask (you) for your kind *consideration* of our request. // 彼女は他人への*配慮がない She has no ˈ*consideration* [*regard*] for others.

はいりょう 拝領 ── 動 be bestowed on by …

ばいりょう 倍量 double amount Ⓤ; 〘数〙 multiple Ⓒ. ¶ペンキを*倍量の油で薄める dilute the paint with the *double amount* of oil

ばいりん 梅林 *ume* grove Ⓒ.

バイリンガリズム (2 言語使用) bìlíngualism Ⓤ.

バイリンガル ── 形 bilingual /bàɪlíŋgwəl/. ── 名 (2 か国語を自由に話す人) bilingual Ⓒ.

はいる 入る **1**《外から中へ》: (中にいる人から見た場合) còme ín 自; (外の人から見た場合) gò ín 自; enter 他 自 ★ 前の 2 つより格式ばった語; (つかつかと歩いて入る) wálk ín 自; (こっそり入る) stéal [slíp] ín 自; (押し入る) brèak ín 自.《☞ はいりこむ》.
¶どうぞお*入り下さい《中の人が外の人に》 Please *come in.* / 《部屋の外で連れに》 Please *go in.* // 少女が部屋に*入ってきた A girl ˈ*came into* [*entered*] the room. // 少女は部屋に*入って行った The girl ˈ*went into* [*entered*] the room. // 彼は裏口から*入ってきた He *walked in* through the back door. // 彼は窓からこっそり*入った He ˈ*stole* [*slipped*] *in* through the window. // 列車が駅に*入ってきた The train ˈ*came* [*pulled*] *into* the station. // この店に昨夜泥棒が*入った ＜S (人)＋V (*break*)＋*into*＋名 の受身＞ The store *was broken into* last night. // 風が*入るように少し窓を開けておいた (⇒ 風を入れるために) I left the window slightly open to *let in* (some) air. // 私は毎晩風呂に*入る I *take* a bath every evening. // 彼の声が耳に*入った (⇒ 聞こえた) I *heard* his voice.

2《会などに入る・加わる》: get ˈin [into] … ★ 口語的表現; enter 他; (参加・入学を許される) be admitted to …; (加わる) join 他; (新しいことなどを始める) enter upon … ★ 格式ばった表現.《☞ にゅうがく; にゅうかい; かにゅう》.
¶この大学は*入るのが難しい This university is rather hard to ˈ*get into* [*enter*]. // 息子は K 大学に*入りました My son *was accepted* ˈ*by* [*at*] K. University. / My son ˈ*was admitted to* [*entered*]

K. University. // 彼は軍隊に*入った He ʻjoined [entered] the army. [語法] enter は徴兵・志願の別にはふれないが, join には志願して入るニュアンスがある. 徴兵される場合は be drafted into the army を使う. // 彼女は病院[刑務所]に*入っている She is *in* ʻthe hospital [prison]. ★ 病院の場合《英》では the を省き in hospital となる. // 彼の野心は政界に*入ることだ His ambition is to ʻ*enter* politics [*enter upon* a political career].

3 《含有している》: (中に含む) have (他) ★ 最も一般的; (成分として含む) contain (他) ★ 前者より格式ばった語; (全体の一部として含む) include (他). 《☞ ふくむ¹; こみ》.

¶ この飲み物にはアルコールは*入っていない This drink *contains* no alcohol. // 交通費も勘定に*入っている The transportation expenses *are included* in the account.

4 《収容する》: (入れものなどが) hold (他); (座席のある会場などが) seat (他). 《☞ しゅうよう¹》. ¶ この瓶には 2 リットル*入る This bottle *holds* two liters. // この部屋は 100 人くらい*入るだろう The room will *seat* about ʻone [a] hundred.

5 《ある状態になる》 ¶ 梅雨に*入った The rainy season *has set in.* // かきは最盛期に*入った Oysters *are* now *in season.* // 彼は 3 着以内に*入ると思う I hope he will ʻ*get* one of the first three places [*place* among the first three].

6 《手に入る・収入がある》: get (他), obtain (他) ★ 後者のほうが格式ばった語. ¶ 何か新しい情報が*入ったらすぐ知らせて下さい Let me know as soon as you ʻ*get* [*obtain*; *receive*] any new information. / Let me know as soon as you *have* ʻ*got* [*obtained*; *received*] any new information.

パイル (基礎として地中に打ち込むくい) pile Ⓒ.

パイルおり パイル織り pile weave ★ Ⓤ または a ~. ¶ 厚い*パイル織りの敷物 a thick *pile* carpet

はいれい 拝礼 ―[動] worship (他).

ハイレグ(カット) high-cut legs ★ 複数形で. ¶ *ハイレグの水着 a swimsuit with *high-cut legs* / a *high-cut* swimsuit

はいれつ 配列 ―[名] arrangement Ⓤ. ―[動] (配列する) arrange (他). 《☞ はいち¹; ならべる》. ¶ 単語をアルファベット順に*配列した We *arranged* the words ʻalphabetically [in alphabetical order].

パイレックスガラス Pyrex (glass) Ⓤ ★ 耐熱性ガラスの商標.

ハイレベル ―[名] high level Ⓒ. ―[形] high-level Ⓐ. ¶ *ハイレベルの医療 a *high-level* medical service

はいろ 廃炉 (原子炉の) decommissioning of ʻa [the] reactor Ⓤ.

バイロイト ―[名] (固) Bayreuth /báɪrɔɪt/ ★ ドイツ南東部の都市. **バイロイト音楽祭** the Bayreuth Músic Féstival.

パイロット pilot Ⓒ.

パイロットサーベイ (予備的検分) pilot survey Ⓒ.

パイロットショップ (実験的店舗) pilot shop Ⓒ.

パイロットファーム (実験農場) pilot farm Ⓒ.

パイロットプラント (試験用工場) pilot plant Ⓒ.

パイロットランプ pilot light Ⓒ.

パイロライト 〘地〙 pyrolite Ⓤ.

はいろん 俳論 essay on haiku Ⓒ.

バイロン ―[名] (固) Geórge Górdon Byron /báɪ(ə)rən/, 1788–1824. ★ 英国の詩人.

パイン (パイナップル) pineapple Ⓒ [日英比較] 英語の口語ではパイナップルのことを pine とも言うが, パインジュースは pineapple juice.

バインダー (綴じ込み用表紙) binder Ⓒ.

パイント (体積の単位) pint Ⓒ 《略 pt.》 《☞ 度量衡 (囲み)》.

はう 這う creep (自) 《過去・過分 crept》; crawl (around) (自); wriggle ʻaround [about] (自).

【類義語】 腹ばいのような格好でのろのろ進むのが ***creep***. 足のある虫などがはうのにも言う. 同じ腹ばいのような格好だが, 動物の場合はへび・いもむしなどの足のない長いものがはうのに使うのが ***crawl***. 人間に使う場合はいずれもほぼ同意であるが, *crawl* は特に四つんばいになって進むときに使う. みみずなどがのたくり, にょろにょろとはうのが ***wriggle***. 人間に使うとシャツを着るときや狭いすき間を通るときのように体を左右にくねらせる意. 《☞ はいはい; よつんばい; はらばい》

¶ 赤ん坊は芝生を*はい回った The baby *crawled* ʻ*around* [*about*] on the grass. // つたが壁を*はっていた Ivy ʻ*crept* [*was creeping*] *over* the wall. // 虫が背中を*はっているよ An insect *is crawling* on your back.

バウ (船首) bow /báʊ/ Ⓒ ★ しばしば複数形で.

ハウジング (住宅) housing Ⓤ; (機械などの外装) housing Ⓒ. 《☞ じゅうたく》.

ハウス (温室) hothouse Ⓒ; (ビニールハウス) plastic greenhouse Ⓒ. 《☞ おんしつ¹》. ¶ *ハウス栽培の野菜 vegetables grown in a *plastic greenhouse*

ハウスキーパー (家政婦) hóusekèeper Ⓒ.

ハウスキーピング (家政) hóusekèeping Ⓤ.

ハウスマヌカン salesgirl [saleswoman] in a fancy boutique Ⓒ ★ 婦人服店の女店員. 《☞ マヌカン》.

はうた¹ 端唄 *hauta* Ⓤ; (説明的には) popular song with samisen accompaniment that flourished in Edo in the 19th century Ⓒ.

はうた² 端歌 *hauta* Ⓤ; (説明的には) a variety of *jiuta* pieces which originated in the local songs of the Kyoto-Osaka region in the 17th century.

パウダー (粉) powder Ⓤ. **パウダーシュガー** pówdered sugar Ⓤ **パウダースノー** pówder [pówdery] snòw Ⓤ.

パウダールーム (女性用化粧室) pówder ròom Ⓒ.

バウチャー (引換券) voucher /váʊtʃə/ Ⓒ. **バウチャーシステム** vóucher sỳstem Ⓒ.

はうちわ 羽団扇 (Japanese) feather fan Ⓒ.

ハウツー ―[形] (実際的な技術を教える) hów-tó Ⓐ. **ハウツーもの** (手軽な案内書) how-to [instruction] (hand)book Ⓒ; (手引きの本) manual Ⓒ.

バウムクーヘン Baumkuchen /báʊmkù:xən/ Ⓒ ★ ドイツ語から. ただし英米人にはなじみが薄いので, 説明的に a German cake which has a cross section resembling tree rings などと訳すのがよい.

ハウリング (音響装置の) howl Ⓒ ★ 「ハウリング」は和製英語.

パウロ ―[名] (固) (聖パウロ) (Saint) Paul, St. Paul.

バウンド ―[名] (はずみ) bounce Ⓒ. ―[動] bounce (自). 《☞ はずむ》. ¶ 球をワン*バウンドで取った I caught the ball on the first *bounce.* // 球は*バウンドして 3 塁手の頭上を越えた The ball *bounced* over the third baseman's head.

パウンド ―[名] (固) Ezra Loomis Pound, 1885–1972. ★ 米国の詩人.

パウンドケーキ pound cake Ⓤ.

はえ¹ 蝿 fly Ⓒ 《複 flies》. ¶ 動物の死骸に*はえが真っ黒にたかっていた There was a cloud of *flies* over the dead animal. **はえたたき** fly swatter Ⓒ **はえ取り** (はえ取り器) flýtràp Ⓒ **はえ取り紙** flypaper Ⓒ.

はえ[2] **栄え** ¶*栄えある勝利 a *glorious* victory
はえ[3] **南風** ☞みなみ(南風)
はえあがる 生え上がる ¶10年ぶりに会ったら彼は額がすっかり*生え上がっていた (⇒生え際が後退して額が広くなっていた) When I saw him for the first time in ten years, *his forehead had become* ⌈*broader* [*wider*] *because of his receding hairline.*
パエーリャ (スペイン料理) paella /pɑːéljə/ Ⓤ.
はえかわる 生え変わる (動物・鳥などの毛や羽が) molt (《英》moult) ⓐ. ¶その男の子は歯が*生え変わるところだ (⇒乳歯が抜けて永久歯が出てきている) The little boy *is losing* his ⌈*milk* [*baby*] *teeth and the adult ones are coming in.* // うちの犬は毛が*生え変わるところだ My dog *is* ⌈*molting* [《英》*moulting*].
はえぎわ 生え際 hairline Ⓒ. ¶*生え際が年々後退していく My *hairline* is receding year by year.
はえじごく 蠅地獄 〔植〕(食虫植物) Venus('s) flytrap Ⓒ.
はえそろう 生え揃う ¶髪が*生え揃うまで (⇒伸びて適当な長さに戻るには) 何か月もかかるだろう It will take months for the hair to *grow back properly*. // 麦の芽が*生え揃った The sprouts of wheat are *all out*.
はえでる 生え出る ¶その赤ちゃんは歯が*生え出てきている The baby is *teething*. (☞はえる[1])
はえどくそう 蠅毒草 〔植〕lopseed Ⓤ.
はえとりぐも 蠅取り蜘蛛 〔動〕júmping spìder Ⓒ.
はえなわ 延縄 longline Ⓒ. **はえなわ漁業** long-line fishing Ⓤ, long-lining Ⓤ **はえなわ漁船** long-liner Ⓒ.
はえぬき 生え抜き ―形 (根っからの・徹底した) dyed-in-the-wool 参考「織る前に染めた」が元の意味で, 一貫して徹底していることを言う; (徹底的な) thoroughgoing; (生粋の) trueborn. ¶彼は*生え抜きの軍人だ He is a *dyed-in-the-wool* military man.
パエリア ☞パエーリャ
はえる[1] **生える** (成育する) grow ⓐ ★植物が生えることを言う一般的な言葉; (伸びて出る) sprout ⓐ; (草木が芽を出す) spríng úp ⓐ; (はびこる) overgrow ⓗ ★「場所」を主語にして受身形で; (歯が) cut ⓗ ★「人」が主語. (☞のびる[1]; そだつ).
¶私はひげがすぐ*生える My beard *grows* quickly. // 雑草がそこら中に*生え始めた Weeds *are springing up* everywhere. // 赤ん坊に歯が*生えた The baby *has cut* its teeth. (☞は[1]) // 庭は雑草がいっぱい*生えている (⇒はびこっている) The garden *is overgrown* with weeds.
はえる[2] **映える** (輝く) shine ⓐ; (赤々と燃える) glow ⓐ; (美しく見える) look beautiful. ¶富士山が夕日に*映えて美しかった Mt. Fuji *looked beautiful* in the setting sun. // 西の空が夕日に*映えた The western sky *glowed* with the splendor of the setting sun.
パオ 包 (モンゴル人などの移動住宅) yurt /júət/ Ⓒ ★「パオ」は中国語から.
はおく 破屋 dilápidàted [túmbledòwn] hóuse Ⓒ.
パオズ 包子 (点心の饅頭) Chínese bún Ⓒ.
はおと[1] **羽音** ―名 (蚊・蜂などのぶんぶんいう音) hum Ⓒ, buzz Ⓒ ★ほぼ同意だが前者には音がしつこく続くニュアンスがある; (鳥の羽ばたく音) flap Ⓒ. ―動 hum ⓐ, buzz ⓐ; flap *one's* wings.
¶蚊のうるさい*羽音で眠れなかった The high-pitched *hum* of mosquitoes kept me awake.
はおと[2] **葉音** the rustling of leaves.
パオトウ ―名 ㊀ Baotou /bàutóu/ ★中国の内モンゴル自治区中部の都市.
バオバブ 〔植〕baobab /béɪoʊbæb/ (trèe) Ⓒ.
はおり 羽織 *haori* Ⓒ, short Japanese overgarment Ⓒ. ¶彼は*羽織はかまで身を整えていた (⇒日本の正式な着物を着ていた) He was dressed in *formal Japanese* kimono.
はおる 羽織る pùt ón ⓗ (☞きる[2]).
ハおんきごう ハ音記号 C clef Ⓒ.
はか[1] **墓** (普通の墓) grave Ⓒ; (彫刻などのある大きな墓) tomb /túːm/ Ⓒ ★中に遺体安置室のあるようなもの; (墓地) cémetèry Ⓒ. (☞ぼち 日英比較). ¶*墓に花を供える put [place] flowers on the *grave* / leave flowers at the *grave* **墓穴** grave pit Ⓒ **墓石** gravestone Ⓒ, tombstone Ⓒ **墓場** graveyard Ⓒ **墓堀(人)** grávedigger Ⓒ **墓参り** ―動 visit the grave **墓守り** sexton Ⓒ; grave caretaker Ⓒ ★前者は教会の鐘を鳴らしたり, 墓を掘ったりする人. 後者は説明的な訳.

コロケーション
墓に埋める *bury* / **墓を暴く** dig up a *grave* / (大きな古墳を) excavate a *tomb* / **墓を汚す** desecrate a *grave* / **墓を掘る** dig a *grave*

はか[2] **捗** (進行・進み具合) progress Ⓤ **はかが行く** ☞はかどる
ばか 馬鹿 ―形 (愚かな) stupid; foolish; silly; idiotic; brainless; (特に男について) 《略式》blockheaded; (ばかげた・ばかばかしい) ridículous; absurd. ―名 (ばかな人) stupid [foolish; dumb; idiotic; brainless] person Ⓒ; fool Ⓒ; idiot Ⓒ; 《略式》silly Ⓒ ★子供に対して, あるいは子供がよく使う; (特に男について) 《略式》blockhead Ⓒ; (ばかなこと) folly Ⓤ ★愚行をいう時は Ⓒ; stupidity Ⓤ; (ばからしさ) absurdity Ⓤ; (ばかげた考え・言葉) nonsense Ⓤ.
【類義語】日本語の「ばか」は普通は知能が低いという意味ではなく,「愚かな」という意味で, 判断の誤りなどについていうのであるが, 上にあげた英語の訳語もすべてそういう意味のものばかりである. 元来は知力のないことを意味したが, 現在では主として口語において「愚かな」という意味を表すのが **stupid**. この語には「知力のない」というニュアンスがあるので, 意味が強い. もともと判断力の足りない愚かさをいう言葉が **foolish** で, *stupid* より格式ばった語であり, 人をののしる度合いもいくらか弱い. 元来は「罪のない」「神に祝福された」という意味で, 日本語の「おめでたい」と同じような意味でばかなことを表す形容詞が **silly**. この語は *stupid* と同じように口語的にも使われるが, 判断の誤りのほうに重点がある. 元来は「無知の人」という意味で, それから「知力の非常に劣った人」という意味になり, 現在では強くののしる言葉となったのが **idiot** (形 は *idiotic*). この語はののしる言葉としては *stupid* よりもさらに強い感じを持つ.「脳が空っぽの」という意味の言葉が **brainless**. この語は *stupid*, *silly*, *idiotic* などに比べると, 多少客観的な感じで, 語感はそれほど強くない. 主として男が男に向かって使い, 特に頭の働きが鈍いというニュアンスでかなり強い響きの言葉が **blockhead** (形 は **blockheaded**). 嘲笑に値するようなばかばかしいことを意味するのが **ridiculous**. 不合理で途方もない意味を表すのが **absurd**. (☞ばかに; ばか-)
¶お前は何て*ばかなんだ How *stupid* you are! / What a *fool* you are! 語法 (1) 前者のほうが意味が強い. // そんなことをするなんてお前は*ばかだ It's ⌈*stupid* [*foolish*; *silly*] of you to do such a thing. // *ばか. どうしてそんなことをしたんだ You *blockhead*! Why did you do such a thing? // 彼は手のつけられない (⇒完全な) *ばかだ He is a perfect *idiot*. /

He's ｢very *stupid* [*brainless*]. 〔語法〕 (2) 第1文は第2文より意味が強い. // 彼女の*ばかな行為が事態を悪くした Her *stupidity* made ｢matters [the situation] worse. // 何て*ばかな How ｢*ridiculous* [*absurd*]! // それは彼の*ばかの一つ覚えだ (⇒ 知っている唯一の歌だ) That's [He's repeating] the only song he knows. 《☞ ひとつおぼえ》 // *ばかとはさみは使いよう *Fools* and blunt scissors can be useful if you make wise use of them. // 彼らはいつも私を*ばかにしていた They *were* always *making a fool of* me. 〔語法〕 (3) make a fool of … で「…をばかにする」という言い方. // *ばかも休み休み言え! (⇒ そんなにふざけるな) Don't *joke* so much! / Don't be *silly*!

ばかにつける薬はない No medicine can cure a fool. **ばかにならない** ¶ 光熱費だって*ばかにならない (⇒ 無視できない) Lighting and heating expenses are by no means *negligible*. **ばかになる** ¶ この錠前が*ばかになってしまった (⇒ 働かない) This lock *doesn't work*. // このドアの取っ手が*ばかになってしまった (⇒ 回らない) This doorknob *doesn't turn*. **ばかは死ななきゃ治らない** A born fool is never cured until the end of his life. **ばかを言え** ¶ *ばかを言え! そんなこと信じられるもんか *Nonsense*! That's absolutely ｢incredible [unbelievable]! / *Don't be silly!* I cannot believe that by any means! **ばかを見る** ¶ 彼の言ったことを信じて*ばかを見た (⇒ 損をした) I *lost* by believing what he said. / (⇒ 時間[金]を無駄にした) I *wasted* ｢*time* [*money*] by believing what he said. / (⇒ ばかみたいだ) I *feel like a fool* for believing what he said. / (⇒ 自分自身を笑いものにした) I *made a fool of* myself because I believed him.

ばか当たり (大当たり・大ヒット) smash hit Ⓒ ★ 口語的. ¶ 誰もその映画が*ばか当たりすると思っていなかった No one expected that the film would be a *smash hit*. **ばか売れ** ―〔動〕 (飛ぶように売れる) fly off the shelves. ¶ その歌手のCDが今月は*ばか売れしている (⇒ 飛ぶように売れている) That singer's CD *is flying off the shelves* this month. **ばか面** foolish [silly] face Ⓒ; (顔つき) stupid [fatuous] look Ⓒ. ¶ そんな*ばか面をして何を読んでいるんだ What are you reading with such a *stupid look* on your face? **ばか話** silly ｢talk [conversation] Ⓒ; (むだ話) idle talk Ⓒ. ¶ 私たちは*ばか話をして多くの時間を無駄に過ごした We wasted a lot of time on a *silly talk*. **ばか者** fool Ⓒ 《☞ ばか (類義語)》. ¶ *ばか者! You *fool*! **ばか野郎** ¶ *ばか野郎! You ｢*idiot* [*fool*]! / *Idiot*!

ばか- 馬鹿… ―〔副〕 (あまり…すぎる) too …; (極端に) extremely; (度が過ぎて) excessively. ¶ 彼は*ばか正直だ (⇒ 素朴すぎる) He is *too* simple. // 彼女は*ばか丁寧な答えをした She made an *excessively* polite answer. // 昨夜は遅くまで*ばか騒ぎをした (⇒ 飲み騒いだ) We *went on a spree* till late last night. // *ばか笑いをする give a *horse laugh* / *laugh loudly* / *guffáw* (at …) // あいつは*ばか力がある He has ｢*enormous* [*brute*] *strength*.

はかい¹ 破壊 ―〔動〕 (壊す) break (他); (築き上げたものを打ち壊す) destroy (他); (台なしにする) ruin (他); (乗り物などをめちゃくちゃに壊す) wreck (他). ―〔形〕 (破壊的な) *destructive*. ―〔名〕 destruction Ⓤ. 《☞ こわす (類義語)》. ¶ 空襲で全市が*破壊された The whole city *was destroyed* ｢by [in] the air raid. // 組織的な*破壊 systematic *destruction* // 地震で広範囲にわたる*破壊が起こった The earthquake caused widespread *destruction*. // 町は*破壊しつくされていた (⇒ 廃墟になっていた) The town was ｢left in *ruins* [*devastated*].

破壊活動家 saboteur /sæ̀bətə́ː/ Ⓒ 《☞ サボタージュ 〔日英比較〕》 **破壊活動防止法** the Anti-Subversive (Activities) Law **破壊行為** vandalism Ⓤ **破壊工作** subversive activities ★ 複数形で. **破壊試験** 〔機〕 breaking test Ⓒ **破壊主義** destructionism Ⓤ **破壊主義者** destructionist Ⓒ **破壊分子** subversive (element) Ⓒ **破壊力** destructibility Ⓤ, destructive ｢power [capability] Ⓤ. ¶ この爆弾はすさまじい*破壊力を持っている This bomb has enormous *destructive power*.

―コロケーション―

恐ろしい破壊 terrible [《格式》 appalling] *destruction* / 環境破壊 environmental *destruction* / 完全破壊 complete [total] *destruction* / 心ない破壊 heartless *destruction* / 大量破壊 mass *destruction* / 取り返しのつかない破壊 irretrievable *destruction* / 無差別破壊 indiscriminate *destruction* / 無用な破壊 useless *destruction* / 容赦のない破壊 ruthless [pitiless] *destruction*

はかい² 破戒 transgression of the ｢commandments [(Buddhist) precepts] ★ [ ]内は仏教の規範. 《☞ かいりつ》. ¶ *破戒僧 an *apostate* priest / a priest *transgressing the precepts*

はがいじめ 羽交い締め ―〔名〕 full nelson Ⓒ. ¶ 警官は男を*羽交い締めにした The policeman *locked* the man's arms *in a full nelson*.

ばかがい 馬鹿貝 surf clam Ⓒ.

はがき 葉書 postcard Ⓒ 〔日英比較〕 絵はがきを除くと, 英米両国とも日本ほどはがきを使わない. 私信は簡単な内容でも封書にすることが多い. 《☞ てがみ; かんせいはがき 〔参考〕》. ¶ 私は母に*はがきを出した I sent a *postcard* to my mother. // 私は彼女から*はがきを受け取った I received a *postcard* from her. // 往復*はがき a double [rely-paid] *postcard*.

はかく 破格 ―〔形〕 (特別の) special; (例外の) exceptional; (先例のない) ùnprécedènted ★ 格式ばった語. ―〔副〕 specially; exceptionally. 《☞ とくべつ; れいがい》. ¶ 彼だけが*破格の待遇を受けた He alone enjoyed *exceptionally* good treatment. // *破格の値段で (⇒ 特別に割引いた値段で) at a *specially reduced* price / (⇒ 大割引きで) at a *great* bargain

破格構文 anacoluthia /æ̀nəkəlúːθiə/ Ⓒ.

ばかくさい 馬鹿臭い ¶ そんなことでくよくよするなんて*ばかくさい It's *ridiculous* to worry about such a thing. 《☞ ばかばかしい》

はがくれ 葉隠 *Hagakure: The Book of the Samurai*; (説明的には) A collection of anecdotes and reflections dictated by Yamamoto Tsunemoto, retainer of the daimyo of Hizen Province, it begins: "Bushido is a way of dying." 《☞ ぶし (武士道)》.

はかげ 葉陰 ¶ *葉陰に鳥らしきものがいる There is something like a bird ｢*under the leaves* [*in the shadows of the leaves*].

ばかげた 馬鹿げた (嘲笑すべき) ridículous; (判断力が欠けた) foolish; (常識はずれの) silly; (生まれつき理解力が乏しい) stupid ★ silly, stupid は口語的; (道理に合わない) absurd. 《☞ ばか (類義語); ばかばかしい》. ¶ 何て*ばかげた考えだろう What a *ridiculous* idea!

はかす 捌す (排水する) drain (away) (他); (売りつくす) clear out (他). 《☞ はける》. ¶ 流しの水を速く*捌すには排水口を大きくすればよい It is better to enlarge the plughole of the basin in order to *drain* the water quickly. // セールで在庫を全部*捌せたい I want to put all of the goods in stock on sale and *clear* them *out*.

はがす 剝がす téar /téə/ ⌈awáy [óff] (他), tear ... from ... 《過去 tore; 過分 torn》. 《☞ はぐ; はがれる》. ¶ポスターを全部*はがした I *tore* ⌈*away* [*off; down*] all the posters.

ばかす 化かす (魔法にかける) bewitch (他); (だます) play a trick (on ...). ¶きつねは人を*化かすと言われている (⇒ 人をだますと言われている) It is said that foxes *play tricks on* people. // 彼はきつねに*化かされた He *was bewitched* by a fox.

ばかず 場数 **場数を踏む** ¶彼は*場数を踏んでいる (⇒ 経験が豊富だ) He is *rich in experience*. / (⇒ 実際の経験を持っている) He *has* (*practical*) *experience*. 《☞ ばなれ》

はかせ 博士 doctor Ⓒ [語法] 氏名に付けるときは Dr. と略す. 《☞ はくし[2]》.

はかぜ 羽風 wind caused by a bird's wings Ⓤ.

はがた[1] 歯型 (歯医者の) impression of ...*'s* teeth Ⓒ; (犬などのかんだあと) teeth-mark Ⓒ.

はがた[2] 歯形 imprint of ...*'s* teeth Ⓒ. ¶りんごをかじったら*歯形が残った I took a bite out of an apple and left an *imprint of my teeth* in it.

はかたおび 博多帯 *Hakata obi* Ⓒ; (説明的には) *obi* [kimono belt] made of *Hakata* textile Ⓒ.

はかたおり 博多織り *Hakata* textile Ⓒ; (説明的には) glossy textile woven in the *Hakata* area in Kyushu Ⓒ.

はかたにんぎょう 博多人形 *Hakata* doll Ⓒ; (説明的には) colored clay doll produced in the *Hakata* area in Kyushu Ⓒ.

はがため 歯固め (乳児用の) teether /tíːðə/ Ⓒ 《☞ おしゃぶり》.

はかどる 捗る (うまく進む) get ⌈along [on] with ... ★ 口語的な語で,「人」が主語; (進行・進歩する) make prógress, progréss (自); (スピードを上げる) spéed úp (他). 《☞ すすむ; はかばかしい; しんこう[1]》.
¶仕事がなかなか*はかどらない I'*m* not *getting on* very fast ⌈*with* [*in*] my work. // 仕事の*はかどり具合はいかがですか How *are* you *getting along with* the work? / How *is* the work *progressing*? ★ 第1文のほうが口語的. // 彼の勉強はちっとも*はかどっていない He *is making* no *progress* in his studies.

はかない 儚い (つかの間の) transient; (短命の) short-lived; (空虚な) vain Ⓐ, empty ★ 前者のほうが格式ばった語. 《☞ むなしい; つかのま; むじょう[3]》.
¶彼ら[私たち]の恋は*はかない恋だった Their [Our] love was *short-lived*. // 人生は*はかない Life is *transient*. / (⇒ 人生は空虚な夢に過ぎない) Life is but an *empty* dream. // 私は一時, 成功の*はかない望みを持っていた I once had a *vain* hope of success. // 彼女の夢は*はかなく消えた (⇒ 朝日の中の霧のように) Her dream disappeared *like mist in the morning sun*.

はかなむ 儚む (絶望する) despair (of ...) (自); (まったく希望を失う) lose all hope. 《☞ しつぼう; ぜつぼう》. ¶彼は世を*はかなんで自殺した (⇒ 絶望のあまり) He killed himself *in despair*. / (⇒ 人生に絶望して) He *despaired of* life and killed himself. ★ 第1文のほうが普通.

ばかに 馬鹿に ━ [副] (とても) 《略式》 awfully; (ひどく) 《略式》 terribly; (たいへん) very ★ 前の2語より意味がやや弱い; (ばかげて) ridículously. ━ [形] (ばかげた) ridiculous. 《☞ ひどく; とても; ばか-》.
¶けさは*ばかに寒い It's ⌈*awfully* [*terribly*] cold this morning. // 値段が*ばかに高い (⇒ ばかげた値段だ) It's a *ridiculous* price. // 電車が*ばかに混んでいた The train was ⌈*very* [*terribly*; *awfully*] crowded.

パガニーニ ━ [名] [固] Niccolò Paganini /níkəlòu pæ̀gəníːni/, 1782–1840. ★ イタリアのバイオリニスト. Niccolò の ` は綴り本来のもの.

はがね 鋼 steel Ⓤ 《☞ スチール[1]》.

ぱかぱか (馬の足音) clip-clop Ⓒ. ¶馬が*ぱかぱか通るのが聞こえた I heard the *clip-clop* of a horse.

はかばかしい ━ [形] (速い) quick, rapid ★ 後者はやや格式ばった語; (多量の) much. ━ [副] (十分に速く) quickly enough; (調子よく) well. 《☞ はかどる; じゅんちょう》. ¶患者の回復は*はかばかしくない The patient is not ⌈recovering *quickly enough* [doing *well*]. // 彼の研究は*はかばかしく進んでいない He is not making *much* progress in his research.

ばかばかしい 馬鹿馬鹿しい ━ [形] (愚かでばかな) foolish; silly; stupid [語法] stupid が一番意味が強い. stupid, silly ともに口語的. foolish はそれらよりは格式ばった語; (ものすごくばかげた) idiotic; (嘲笑すべき) ridículous; (道理に合わずばかげた) absurd. ━ [副] (あまりにも) too. ━ [名] (ばかばかしいこと) nonsense Ⓤ ★ しばしば a を付けて. 《☞ ばか (類義語); くだらない》.
¶*ばかばかしい *Nónsènse*! / How ⌈*silly* [*absurd*]! // あなたも*ばかばかしいことをやったもんだ (⇒ そんなことをしたなんて, なんてばかだ) How ⌈*silly* [*foolish*] of you to have done such a thing! // 彼の計画というのはまったく*ばかばかしい His plan is quite *absurd*.

はかぶ 端株 〘株〙 ódd lót Ⓒ.

バガボンド (放浪者) vágabònd Ⓒ.

はかま 袴 *hakama* Ⓒ; (説明的には) pleated skirt-like Japanese garment Ⓒ **袴着** the ceremony in which children put on a *hakama* and wish for good health ★ 説明的な訳.

はがま 羽釜 flanged /flǽŋd/ iron pot Ⓒ; (説明的には) rice-cooking pot with a flange Ⓒ ★ flange は「出っ張った縁」.

はがみ 歯噛み ¶彼は激怒して*歯噛みをした He *gritted his teeth* in rage. 《☞ はぎしり》.

はがゆい 歯痒い ━ [動] (じれったく思う) be impatient with ...; (いらいらさせる) írritàte (他) [語法] 歯がゆくさせる「もの」または「人」が主語になる. 《☞ もどかしい; じれったい》.
¶この人たちはのみ込みが遅くて*歯がゆい (⇒ 私は...でいらいらする) I *am* rather *impatient with* these slow learners. / (⇒ このの み込みの遅い人たちは私をいらいらさせる) These slow learners *irritate* me.

バカラ (トランプ賭博の一種) baccarat /bàːkərάː/ Ⓤ.

はからい 計らい (分別ある慎重さ) discretion /dɪskréʃən/ Ⓤ; (斡旋(あっせん)・尽力) good offices ★ 通例複数形で; (配慮) consideration Ⓤ. 《☞ はいりょ; あっせん》. ¶田中さんの*計らいで万事うまく行った Everything went (⌈on [along]) well through the *good offices* of Mr. Tanaka.
計らい注文 open order Ⓒ.

はからう 計らう (手はずを決める) arrange (他); (...を準備する) arrange for ..., make ⌈an arrangement [arrangements] for ... ★ ほぼ同意だが, 前者のほうが平易な表現; (...であるように気をつける) see to ... 《☞ とりはからう; てはい》.

ばからしい 馬鹿らしい (愚かでばかな) foolish; silly; stupid ★ 後のものほど意味が強い. 《☞ ばか (類義語); ばかばかしい》.

はからずも 図らずも (偶然に) by chance, by accident [語法] 後者のほうが「偶然」というニュアンスが強い; (思いがけなく) unexpectedly. 《☞ ぐうぜん; おもいがけない》. ¶*図らずも私たちは同じような意見を述べた (⇒ たまたま述べた) We *happened to* express similar opinions. // 私は*図らずも彼女のお父さんにきのう会いました I *ran into* her father yesterday. ★ run into は「ばったり行き会う」の意.

日英比較 英語では必ずしも副詞を用いる必要はない.

はかり 秤 ―名 (目盛のあるもの・はかり) scale(s) 語法 しばしば複数形となるが単数扱い; (天びんばかり) balance Ⓒ. ―動 (はかりにかける) weigh ㊀. (☞ はかる¹; てんびん). ¶それを*はかりにかけてみましょう (⇒ 重さを計りましょう) Let's *weigh* it. // 彼は新しい地位につくのがいいかどうか, *はかりにかけて考えた He *weighed* the advantages ⌈against the [and] disadvantages of accepting the new post.
はかり竿 balance beam Ⓒ　はかり皿 scalepan Ⓒ.

-ばかり 1 《…のみ》 ―形 (唯一の) only Ⓐ, sole Ⓐ ★ 後者はやや格式ばった語; (単なる) mere Ⓐ ★ やや格式ばった語. ―副 (ただ…だけ) only, merely ★ 後者はやや文語的な語; (単純に) simply; (1 人だけ) alone. (☞ -だけ¹).
¶そう思ったのは私*ばかりではない I am not the *only* one who thought so. // あいつの顔を見た*ばかりにきょうは一日中気分が悪かった (⇒ 単に彼を見ることが私の気分を悪くした) The *mere* sight of him has made me sick all day. // 金もうけ*ばかりが私たちの目的ではない Moneymaking is not our ⌈*only* [*sole*] end. // 何でもするがこれ*ばかりはごめんだ (⇒ これ以外のことなら何でもする) I'll do *anything but* this. // 正直な人*ばかりではない (⇒ すべての人が正直だというわけではない) *Not* ⌈*all* people are [*everyone* is] honest. 語法 (1) not ⌈all [every] … は「すべての…が…だというわけではない」という部分否定になる. // 私*ばかりに用を言いつけないで下さい Please don't give orders to me *alone*. // 彼女は泣く*ばかりだった She *only* cried. // それ*ばかりじゃない (⇒ それがすべてではない) *That's not all.* / (⇒ それ以上のことがある) *There's more to it.* // 彼女は英語*ばかりかロシア語もしゃべる She speaks *not only* English *but* (*also*) Russian. / She speaks Russian *as well as* English. 語法 (2) not only A but (also) B で「A ばかりではなく B も」の意. A as well as B は「B のみでなく A も」の意. 前者は B に, 後者は A に重点を置いた言い方. (☞ のみならず)
2 《もっぱら》 ―副 (常に) always ★ 平易で日常的な語; (絶えず) constantly ★ やや格式ばった語. ―形 (すべての) all; (どの…もすべて) every Ⓐ ★ 単数名詞を伴う.
¶あの男は四六時中酒*ばかり飲んでいる (⇒ いつも酒を飲んでいる) He is *always* drinking. / (⇒ 酒を飲むこと以外何もしない) He does *nothing but* drink all day. // あの子は親に心配*ばかりかけている (⇒ 常に親の心配の種だ) He [She] is a *constant* source of anxiety to ⌈his [her] parents. // 私の友達は金持ち*ばかりだ *All* my friends are rich.
3 《およそ》 ―副 (およそ) about, around ★ ほぼ同意で, いずれも平易な日常語; (特に数字につけて, …ぐらい) some; (…かそこら) … or so; (おおざっぱに言って) appróximately ★ 以上の中で一番格式ばった語. (☞ -くらい; -ほど; ほぼ¹; やく³; おおよそ; 日本語の消極的表現 (巻末)).
¶1 週間*ばかり留守にします I'll be away for ⌈*about* a week [a week *or so*].
4 《たったいま》 ―副 (たったいま) just, just now; (新しく・最近) newly. ―形 (…から来た[出た] ばかり) fresh [new] (from …). ¶ここへはきのう着いた*ばかりだ I arrived here *only* yesterday. // 彼はいま出た*ばかりだ He left *just now*. ★ just now は普通, 過去形とともに用いる. / He *just* left. // 彼は大学を出た*ばかりだ He is *fresh from* ⌈college [(英) the university]. // 生まれた*ばかりの赤ん坊 a *newborn* baby // 建てた*ばかりの家 a *newly* built house
5 《ほとんど; …するばかりの》 ☞ いう (言わんばかり)
¶悲しみで胸がはり裂けん*ばかりだった My heart was *almost* bursting with grief. // 彼女はいまにも泣き出さん*ばかりだった She was ⌈*on the verge of* [*ready* to burst into] tears. 語法 on the verge of … は「いまにも…しそうで」, burst into tears は「わっと泣き出す」の意. // 2 人はいまにもつかみかからん*ばかりだった They were just *on the point of* fighting with each other.

はかりうり 計り売り ―動 (重量で) sell … by weight; (容量などで) sell … by volume. (☞ うる¹).

はかりごと 謀 (人をだましたりごまかしたりする計略) trick Ⓒ ★ 一般的な語; (よく練った策略) design Ⓒ ★ 前者より格式ばった語; (陰謀) plot Ⓒ, scheme Ⓒ ★ plot のほうが一般的. (☞ けいりゃく; いんぼう; たくらみ; けんぼうじゅっすう).
謀は密なるをもってよしとす Secrecy is the soul of strategy. / A plot must be carried out under the seal of secrecy.

はかりしれない 計り知れない ―形 (計算できないほどたくさんの) incalculable. ―副 incalculably, (格式) beyond measure. ¶彼には*計り知れないほどの恩を受けている I am indebted to him *beyond measure*.

はかる¹ 計る, 測る, 量る (長さ・大きさ・量などを) measure ㊀; (重さを) weigh ㊀; (所要時間を) time ㊀; (水深を) sound ㊀; (一般に計測する) gauge /géɪdʒ/ ㊀ ★ 改まった語. gage ともつづる; (評価する) éstimàte ㊀; (測定を行う) take ㊀.
¶慎重に距離を*測った I *measured* the distance carefully. // 息子の身長を*測った I *measured* my son's height. // 体重を*計ってみた I *weighed* myself. // 洋服屋は私のコートの寸法を*計った The tailor *took* my *measurements* for a coat. // これは風の強さを*計る器械です This instrument *gauges* the strength of the wind. // 赤ん坊の熱を*計った I *took* the baby's *temperature*. // 彼の 100 メートルレースの時間を*計った I *timed* him in the (one-)hundred-meter dash.

はかる² 計る, 謀る, 図る, 諮る (謀反などを企む) plot ㊀; (試みる) attempt ㊀; (計画する) plan ㊀ 語法 plan は何かを計画することで, 意味が広く, 悪事・善事などの区別はない; (だます) tàke ín ㊀, deceive ㊀ ★ take in のほうが口語的; (問い合わせる) refer … (to …). (☞ けいかく; たくらむ; きょうぎ²).
¶彼らは国王の殺害を*図った They ⌈*plotted* [*planned*] ⌈the murder of [to murder] the king. // 彼女は自殺を*図った She *attempted* suicide. // 彼に*謀られた I *was taken in* by him. // 私たちはこの件を委員会に*諮りました We *have referred* this matter *to* the committee.

バカルディ 〔商標〕 Bacardi /bəkɑ́ədi/ Ⓤ ★ ラム酒の銘柄.

はがれる 剝がれる còme óff (…) ㊀ (☞ はげる¹; とれる). ¶大雨で壁のペンキがだいぶ*はがれた A lot of paint *has come off* the wall owing to the heavy rain. // このラベルはなかなか*はがれない This label won't *come off*.

バカロレア (フランスなどの中等教育最終試験) baccalauréat /bɑ̀ːkəlɔ̀ːriɑ́ː/ ★ フランス語. é の ´ は綴り本来のもの.

はがんいっしょう 破顔一笑 ¶彼は*破顔一笑した (⇒ 顔をほころばせてにこやかに笑った) He *broke into a broad smile*.

バカンス (休暇) vacation Ⓒ, (英) holidays ★ 複数形で. 参考 「バカンス」はフランス語 vacances /vakɑ̃s/ より. (☞ きゅうか¹; やすみ).

はき¹ 破棄 ―動 (法律・制度などを) abólish ㊀; (法律・協定などを無効にする) repeal ㊀, annúl ㊀ ★ 以上 2 語はほぼ同意で, いずれも格式ばった語; (…なしで済ます) (略式) do away with …; (判決・決定などをくつがえす) reverse ㊀; (条約などの破棄を通告する)《格式》denounce ㊀. —名 repeal Ⓤ, annúlment Ⓤ, àbolítion Ⓤ; (取り消し) cancellation Ⓒ. (☞ はいし (類義語); とりけす).

¶ こんな法律は*破棄すべきだ Such a law ought to *be*「*abolished* [*done away with*]. // 一審の判決は*破棄された The decision in the first trial *has been reversed.*

はき² 覇気 —名 (野心) ambition Ⓤ, aspiration Ⓒ ★ 前者のほうが一般的. 後者はしばしば複数形で; (元気) spirit Ⓤ,《略式》pep Ⓤ; (根性)《略式》guts ★ 複数形で. —形 ambitious, (high-) spirited. ¶ 彼は*覇気に富んでいる He is full of「*ambition* [*pep*]. // 彼は*覇気がない He lacks *spirit*.

はぎ 萩 〔植〕bush clover Ⓒ, lespedeza /lèspədíːzə/ Ⓒ ★ 後者は総称.

はぎあわせる 接ぎ合わせる ¶ 小さな板を*接ぎ合わせて作られた掲示板 a bulletin board made by *joining* small boards *together* // パッチワークは様々な色や形の小さな布を*接ぎ合わせて作られた手芸品である A patchwork is a needlework made by *sewing together* small pieces of cloth with different colors and designs.

バギー (折りたたみ乳母車) stroller Ⓒ,《英》push chair Ⓒ; (砂地走行用の自動車) dune buggy Ⓒ.

バギーパンツ (だぶだぶズボン) baggy pants ★ 複数形で. (☞ ズボン).

バギオ —名 固 Baguio /bàːgióʊ/ ★ フィリピンのルソン島北西部の都市.

はきかえる 履き替える ¶ ここで靴を脱いでスリッパに*履き替えてください Please *change from* shoes *to* slippers here.

はききよめる 掃き清める ¶ 神社の境内はいつも*掃き清められている The precincts of a shrine *are* always「*swept* [*kept clean by sweeping*].

はきけ 吐き気 nausea /nɔ́ːziə/ Ⓤ (☞ はく¹; むかつく). ¶ *吐き気がする I feel *sick*「*at* [*to*] *my stomach.* / I have *nausea.* / I「feel [am] *nauseated.* ★ 第 1 文が最も口語的. // *吐き気を催させる光景だった It was a「*nauseating* [*sickening*; (⇒ 不愉快な) *disgusting*] sight.

はきごこち 履き心地 ☞ ここち

はぎしり 歯軋り —動 (歯ぎしりする) grind [grate; grit] *one's* teeth 語法 前の 2 つは実際にこすったときの不快音を指し, grit は怒りなどで歯をぎゅっとかみ締めるという意味.

パキスタン —名 固 Pakistan /pǽkɪstæ̀n/; (正式名) the Islamic Republic of Pakistan. —形 Pakistani /pæ̀kɪstǽni/. **パキスタン人** Pakistani Ⓒ.

はきすて 履き捨て ¶ *履き捨て用のスリッパ *disposable* slippers

はきすてる 吐き捨てる spit out ㊀ (☞ はきだす¹). ¶ 彼はその名前を*吐き捨てるように言うと部屋を出ていった He *spat* the name *out* (like an insult) and went out the room.

はきそうじ 掃き掃除 —動 (掃いてきれいにする) sweep ... clean. ¶ たまには*掃き掃除ぐらいしなさい You ought to *sweep* your room *clean* once in a while.

はきぞめ 履き初め ¶ 今日はこの靴の*履き初めにしよう (⇒ この靴を初めて履こう) I will *wear* these shoes today *for the first time* since I got them.

はきだしぐち 掃き出し口 opening to sweep the dirt out Ⓒ, dust outlet Ⓒ.

はきだしまど 掃き出し窓 window [opening] for sweeping the dust out Ⓒ (☞ はきだしぐち).

はきだす¹ 吐き出す (つばなど口の中の物を) spít (óut) ㊀《過去・過分 spit または spat》; (激しく吐き出す) belch ㊀, disgorge ㊀; (心の中のものを) spit out ㊀; (煙・においなどを) sénd fórth ㊀; (噴き出す) emit ㊀. (☞ はく¹).

¶ 彼はガムを床に*吐き出した He *spit* some chewing gum on the floor. // 煙突は 1 つ残らず黒い煙を*吐き出していた All the chimneys *were*「*sending forth* [*belching*] black smoke. //「出て行け」と彼は*吐き出すように言った "Get out of here!" He *spat* the words *out*. (☞ 引用符(号) (巻末))

はきだす² 掃き出す sweep out ㊀. ¶ 部屋からちりを*掃き出す *sweep* the dust *out* of the room

はきだめ 掃き溜め rubbish heap Ⓒ,《米》garbage heap Ⓒ ★ heap の代わりに mound, pile も使われる. **掃き溜めに鶴** (こやしの山の中の宝石) a jewel in a dunghill.

はきちがえ 履き違え ¶ 彼は民主主義の意味の*履き違えをしているようだ (⇒ 誤解しているようだ) He seems to *have misunderstood* the meaning of democracy. (☞ はきちがえる; おもいちがい)

はきちがえる 履き違える (履き物を) put on another person's shoes by mistake; (誤解する) take [mistake] ... for ...; (誤った考えを持つ) have a「wrong [mistaken] idea (of ...). (☞ まちがえる).

¶ だれかが私の靴を*はき違えて行った Someone has gone off「*in* [*with*] *my shoes by mistake.* // 彼は放縦を自由と*はき違えている He「*takes* [*mistakes*] liberty「*for* [*as meaning*] license. // 彼女は民主主義の意味を*はき違えている She *has a*「*wrong* [*mistaken*] *idea of* democracy.

はきちらす 吐き散らす (唾を) spit all around; (暴言を) spew [spit out; pour out] bad words; (食べた物を) vomit「out [up]. ¶ 自家中毒を起こしてその子は床一面に*吐き散らした The child *vomited* all over the floor when「he [she] was ill with autointoxication.

はきつぶす 履き潰す wear out ㊀ (☞ はく²).

はぎとる 剝ぎ取る tear /téə/ óff ㊀; (特に衣服や皮を) stríp óff ㊀; (衣服を脱がせる・権威などを奪う) divest *a person* of ... ★ 格式ばった表現. (☞ はぐ; はくだつ). ¶ その公務員は地位も権威も*はぎ取られた The official *was divested of* his position and authority.

はきはき —形 (活気のある) spirited; (活発で陽気な) lively /láɪvli/; (歯切れのいい) crisp. —副 spiritedly; crisply; (目から鼻へ抜けるように) smartly; (即座に) promptly. (☞ はぎれ¹; 擬声・擬態語 (囲み)). ¶ 少年は私の質問に*はきはきと答えた The boy answered my questions「*crisply* [*smartly*].

はきもの 履物 (靴) shoes ★ 複数形で; (はき物類を総称して) footwear Ⓤ. (☞ くつ). **履物売り場** footwear [shoe] department Ⓒ.

はぎやき 萩焼 Hagi ware Ⓤ.

ばきゃく 馬脚 ¶ 彼はじきに*馬脚を (⇒ 正体を) 現すだろう He will soon *give himself away*. / (⇒ 本性を) He will soon *reveal his true colors.*

はきゅう 波及 —動 (...に広がる) spread (to ...) ㊁ ★ 一般的な語; (...に範囲などが及ぶ) extend (to ...) ㊁; (影響する) influence ㊀, affect ㊀. (☞ えいきょう). ¶ スキャンダルは閣僚にまで*波及した The scandal *spread to* the Cabinet.

波及効果 ripple effect Ⓒ.

バキューム (真空) vacuum /vǽkjuəm/ Ⓤ. **バキュームカー** cesspool truck Ⓒ; (説明的には) tank truck with a vacuum pump for collecting night soil Ⓒ **バキュームクリーナー** (電気掃除機) vacuum「cleaner [sweeper] Ⓒ (☞ そうじ¹; しんくう).

はきょう 破鏡 (割れた鏡) broken mirror Ⓒ; (離

婚) divorce Ⓒ. **破鏡の嘆** ¶*破鏡の嘆に耐える endure a *painful divorce* **破鏡再び照らさず** A divorced couple are never reconciled just as a broken mirror is never restored.

はぎょう[1] 覇業 ¶徳川家康は天下再統一という*覇業を成し遂げた (⇒ 日本再統一の覇権を得た) Tokugawa Ieyasu *gained* his *hegemony* and reunified Japan.

はぎょう[2] は行 the *ha* column; (説明的には) the *ha* column of the Japanese syllabary.

はきょく 破局 (最後) end Ⓒ; (破滅) ruin Ⓤ; (悲劇の大詰め) catastrophe /kətǽstrəfi/ Ⓒ ★格式ばった語. (☞ はめつ; はたん). ¶2人の結婚生活は2年で*破局を迎えた Their married life came to a sad *end* after two years. / (⇒ 惨めに終わった) Their married life *ended miserably* after two years. // そんなことをしたら*破局だ That'll be the ⌜*end* [*ruin*] of us!

はきよせる 掃き寄せる ¶落ち葉を*掃き寄せる *sweep up* the fallen leaves (☞ はく[3] [語法])

はきりばち 葉切蜂 〔昆〕 leafcutter (bee) Ⓒ, leaf-cutting bee Ⓒ.

はぎれ[1] 歯切れ ¶彼の口調は*歯切れがいい (⇒ 彼は歯切れのいい話しぶりを持っている) He has a *crisp* way of speaking. / He speaks *crisply*. // 大臣の答弁は*歯切れが悪かった (⇒ 言い逃れの答弁をした) The minister gave an *evasive* reply. (☞ はきはき; きびきび)

はぎれ[2] 端切れ scrap of cloth Ⓒ; (特にぼろきれ) rag Ⓒ.

はく[1] 吐く **1** «吐き出す・胃の中のものを戻す»: (嘔吐する) 《略式》 thrów úp (自) (他), 《英》 brìng úp (自) (他), vómit (自) (他) ★ vomit が一番格式ばった語; (つばなど口の中の物を吐く) spit (úp) (自) (他) 《過去・過分 spit または spat》 ★ up を付けると vomit と同じ意味となる. (☞ はきけ; はきだす[1]).
¶*吐きたくなった I feel like I'm going to ⌜*throw up* [*vomit*]. // 海が荒れたのでみな*吐いていた Everyone was ⌜*throwing up* [*vomiting*] because the sea was rough. // 道路につばを*吐いてはいけません Don't *spit* on the street.

2 «煙・言葉を出す・意見などを述べる»: (勢いよく外に出す) sènd óut (他), emit (他) ★前者のほうが口語的; (気体を外に出す) belch (他) ★「げっぷをする」という意味にも使われる; (銃などが火を) spit (他) 《過去・過分 spit または spat》; (人が息を吐く) bréathe óut (自); (比喩的に言葉や意見を吐く) give (他) ★意味の広い語; (吐き出すように言う) spit (他) ★口語的; (白状する) confess (他) (自), 《略式》 ówn úp (自).
¶ビルの窓がもうもうと黒煙を*吐いていた The building *was* ⌜*sending out* [*emitting*; *belching*] an enormous amount of black smoke from its windows. // 彼はいつも激烈な意見を*吐く He always *gives* ⌜radical [extreme] opinions. // 彼女は私に無礼な言葉を*吐いた She *spat* (*out*) an insult at me.

はく[2] 履く, 穿く (動作を表して) pùt ón (他) 《過去・過分 put on》; (状態を表して, 身につけている・はいている) have … on, be in … [語法] 以上は口語的表現. on は「表面にまとう」の意味. in は「その中に身体が入る」の意. on は have 以外の動詞にも用い, また with … on などの表現でも用いる; (身につける) wear (他) ★一般的な語.
¶彼は黒い靴を*はいた He *put on* some black shoes. / He *put* some black shoes *on*. // 彼女は白い靴を*はいていた She *had* white shoes *on*. / She ⌜*wore* [*was wearing*] white shoes. // 彼女はブーツを*はいて出かけた She went out *in* boots. // 彼は靴を*はいたまま寝ていた He was asleep *with* his shoes *on*. // その靴[ズボン]を*はいてみていいですか May I *try* those ⌜shoes [trousers] *on*? ★ try on は「試着する」という意味. // 子供はすぐ靴を*はきつぶしてしまう Children ⌜*wear out* their shoes [*wear* their shoes *out*] very quickly.

はく[3] 掃く swéep (⌜awáy [óut; úp]) (他) 《過去・過分 swept》 [語法] 掃き取るの意味で一般的な語は sweep. 掃き出す・掃き捨てるのは sweep away, sweep out. 掃き寄せるのは sweep up. (☞ そうじ[1]).
¶姉は自分の部屋を毎朝*掃く My sister *sweeps* her room every morning. // 落葉を家のわきから*掃き捨てた I *swept away* the fallen leaves from the side of the house. // 家中*掃いてきれいにした <S(人)+V(*sweep*)+O(名)+C(形)> I *swept* the house clean. // 吸いがらを*掃き集めた I *swept up* the cigarette ⌜butts [ends].

はく[4] 箔 (厚手の) foil Ⓤ; (薄手の) leaf Ⓤ.
¶金*箔 gold *leaf* // アルミ*箔 aluminum *foil*
箔がつく ¶彼女は事業家としての*箔がついた (⇒ 名声を得た) She *has gained* a *reputation* as an entrepreneur. **箔をつける** ¶彼は*箔をつけるために (⇒ 帰国してから人が彼を尊敬するように) フランスで有名なシェフについて勉強した He studied under a famous chef in France in (the) hope that on his return *people would look up to him.*
箔押し gold [gilt] tooling Ⓤ ¶革表紙に金の*箔押しをする *tool* a leather book cover *in* gold *leaf*

はく[5] 拍 〔楽〕 beat Ⓒ (☞ ひょうし[2]).

-はく …泊 ¶松江で1*泊した I stayed *overnight* at Matsue. // 兄は信州へ3*泊4日の旅に出た My brother went on *a four-day trip* to Shinshu. // 京都に2*泊してから東京に帰ります Before coming back to Tokyo I'll *have a* two-*night stay* in Kyoto. (☞ いっぱく[1]; しゅくはく)

はぐ 剝ぐ (無理やりにはぎ取る) tear /téə/ óff (他) 《過去 tore; 過分 torn》 ★意味の広い一般的な語; (特に皮や衣服をはぐ) strip (他) [語法] 「皮」を目的語として strip the skin (of …) という言い方のほかに, strip the skin ⌜from [off] …, strip … of (the) skin という構文が可能; (動物の皮をはぐ) skin (他); (木の皮をはぐ) bark (他). (☞ はがす; はがれる; はぎとる).
¶我々は壁のはり紙を*はぐのに骨を折った We worked hard to *tear off* the bills posted on the walls. // ハンターは射止めた鹿の皮を*はいだ The hunter *skinned* the deer he (had) killed.

ばく[1] 縛 ¶*縛に就く (⇒ 逮捕される) be arrested

ばく[2] 貘 〔動〕 tapir /téɪpə/ Ⓒ.

ばく[3] 漠 ¶彼の話はいつも*漠としている His stories are always *vague*. (☞ ばくぜん; ぼうばく)

ばぐ 馬具 ― [名] harness Ⓤ. ― [動] (馬具をつける) harness (他). (☞ うま[1] (挿絵)).

バグ 〔コンピューター〕 bug Ⓒ. ¶プログラムの*バグを修正する de*bug* / eliminate *bugs* (☞ デバッグ)

パグ (犬の種類) pug Ⓒ.

はくあ 白亜 ― [名] chalk Ⓤ. ― [形] (白亜質の) chalky; (白い) white. ¶*白亜の殿堂 a *white* palace / an imposing *white* edifice ★ edifice は格式語. (☞ でんどう[4]) **白亜紀** 〔地質〕 the Cretaceous /krɪtéɪʃəs/ period.

はくあい 博愛 (人を愛する心) love ⌜for [of] people Ⓤ ★平易な言い方; (人間らしい優しい心) humanity Ⓤ; (人間愛) philanthropy /fɪlǽnθrəpi/ Ⓤ ★以上の中で最も格式ばった語; (慈善) charity Ⓤ. ¶彼の活動は*博愛の精神に基づいていた His activities were based on his *love* ⌜*for* [*of*] *people*. **博愛主義** philánthropy Ⓤ **博愛主義者** philánthropist Ⓒ.

はくい 白衣 ― [名] white ⌜dress [robe] Ⓒ [語法] dress のほうが一般的. robe は正装用のもの.

―[形] in white. ¶*白衣を着た看護師 a nurse *in white* //「*白衣の天使」は看護師の美称として用いられる表現です "An angel *in white*" is used as an eulogistic expression for nurses.

はくいんぼうしょう 博引旁証 ¶彼のレポートはまさに*博引旁証である (⇒彼は様々な情報源と参考資料に基づいてレポートを作成した) He has made a report *based on various sources and references*.

はくう 白雨 (夕立·にわか雨) shower [C], sudden short rain [C].

はくうん 白雲 white cloud [C].

はくえ 箔絵 lacquer painting superimposed with gold or silver leaf [U] ★説明的な訳. 個々のものは [C].

ばくえい 幕営 camp [C] 《☞キャンプ》.

はくえん 白煙 white smoke [U].

ばくおん 爆音 (爆発音) explosion [C]; (ゴーッというエンジン音) roar [C]. 《☞ばくはつ》.
¶大きな*爆音 (⇒爆発の音) が聞こえた I heard a loud *explosion*. // ジェット機の*爆音は我慢ができない I can't stand the *roar*(*ing*) of jet planes.

はくが 博雅 ―[形]《格式》érudite. ―[名]《格式》èrudítion [U]. 《☞はくがく; はくしき》. ¶*博雅の士 a man of *erudition*

ばくが 麦芽 malt /mɔ́:lt/ [U]. **麦芽糖** malt sugar [U], maltose [U].

はくがい 迫害 ―[名] (宗教的·政治的迫害) persecution [U]; (権力による弾圧) oppression [U].
―[動] (迫害する) pérsecùte (他); oppress (他). 《☞あっぱく》. ¶プロテスタントの信者はかつてカトリック教会から*迫害を受けた Protestants once「*were persecuted* [suffered *persecution*] by the Catholic Church. // 独裁者と彼の秘密警察が人民を*迫害した The despot and his secret police *oppressed* the people.

> ―コロケーション―
> **残忍な迫害** relentless *persecution* / **宗教的迫害** religious *persecution* / **人種的迫害** racial *persecution* / **政治的迫害** political *persecution* / **絶えざる迫害** incessant *persecution* / **激しい迫害** intense [fierce] *persecution* / **不当な迫害** unjust *persecution* / **容赦のない迫害** ruthless *persecution* / **迫害から逃れる** flee (from) *persecution* / **迫害にあう** face *persecution*

はくがく 博学 ―[形] (学問のある) learned /lə́:nɪd/; (博学の)《格式》erudite /ér(j)ʊdàɪt/.
―[名] (広範な学識) great [extensive] learning [U]; (たいへん深い知識) profound knowledge [U]. 《☞ものしり》. ¶彼は*博学だ (⇒学問がある) He is「*learned* [*erudite*]. / (⇒彼は非常な[広範な]学識のある人だ) He is a man of「*great* [*extensive*] *learning*. / (⇒彼は百科事典的な知識を持っている) He has *encyclopedic* /ɪnsàɪkləpí:dɪk/ *knowledge*. / (⇒彼は歩く百科事典[辞書]だ) He is a *walking*「*encyclopedia* [*dictionary*].

はくがん 白眼 ☞しろめ[1]; はくがんし

はくがんし 白眼視 ―[動] (冷たい目で見る) look coldly upon …; (眉をひそめる) frown「upon [at] …; (軽蔑の目で見る) regard … as contemptible.

はぐき 歯茎 (the) gums ★通例複数形で. **歯茎音**〖音声〗 ―[名] alveolar /ælví:ələ/ [C].
―[形] (歯茎音の) alveolar.

ばくぎゃく 莫逆 ¶彼らは*莫逆の友 (⇒親友) である They are *close* friends. // *莫逆の交わり *close*「friendship [companionship] ★friendship は友情のある付き合いで, companionship は仲間の付き合い.

はくきょい 白居易 ☞はくらくてん

はくぎん 白銀 (銀) silver [U]; (雪) snow [U]. 《☞ぎん; ぎんせかい》. ¶*白銀のゲレンデに私たちはわくわくした We were excited to see the ski slope covered with *silvery snow*.

はくぐう 薄遇 ☞れいぐう[1]

はぐくむ 育む (子供を養育する) brìng úp (他); (植物を) grow (他); (精神などを発達させる) devélop (他); (才能·習慣などを養う) cultivate (他); (かわいがって大事に育てる) cherish (他). 《☞そだてる》. ¶読書と思考が知性を*育む Reading and thinking *cultivate* the「intellect [mind].

はくげき 迫撃 ―[名] close attack [C]. ―[動] make a close attack on … (他). **迫撃砲** trench mortar [C].

ばくげき 爆撃 ―[名] bombing /bámɪŋ/ [U].
―[動] bomb (他). **爆撃機** bomber [C] /bámə/.

はくげつ 白月 (冬の月) the winter moon; (白く輝く月) the silvery moon.

はくけんでんき 箔検電器 leaf electroscope [C].

はくごうしゅぎ 白豪主義 white Australia /ɔ:stréɪljə/ pólicy [U] 《略 WAP》.

はくさ 白砂 silver sand [U]. **白砂青松** beautiful seaside with silver sand and green pines [C].

はくさい[1] 白菜 Chinese cabbage [C] ★食材としては [U].

はくさい[2] 薄才 ¶この仕事は*薄才の私には荷が重すぎます (⇒私の能力をはるかに超えています) This task is far *beyond my ability*.

はくさい[3] 舶載 ☞はくらい

ばくさい[1] 博才 talent for gambling [C].

ばくさい[2] 爆砕 ☞ばくは

はくし[1] 白紙 (白い紙) white paper [U]; (何も書いてない紙) blank sheet of paper [C].
¶私は数学の試験を*白紙で出した I left my answer sheet *blank* on the math exam. / (⇒数学の試験問題を 1 つも解答できなかった) I could not answer any of the questions on the math exam. / (⇒答案に何も書かなかった) I didn't write anything at all on the answer sheet for the math exam. // それについてはまだ*白紙の状態です (⇒何も確定していない) *Nothing is definite* about it.
白紙に戻す[返す] ¶すべて*白紙に戻してやりなおそう (⇒全部もう一度) Let's「*begin all over again* [(⇒新しく始める) *make a fresh start*; *start afresh*].
白紙委任 carte blanche /káətblá:nʃ/ [U] [語法] 個々の白紙委任状を表す場合は [C]. ¶…に*白紙委任する give *carte blanche* to …

はくし[2] 博士 doctor [C] [語法] 姓名に付けるときは Dr. と略す. 呼びかけなどで姓名なしで単に Doctor というのは医師に対する場合のみ; (博士の学位) Ph.D. [参考] doctor of philosophy の略で /pí:èɪtʃdí:/ と読む. なお理学博士は doctor of science《略 D.Sc.》, 工学博士は doctor of engineering《略 D.Eng.》という. 《☞学校·教育 (囲み)》.
¶鈴木*博士 *Dr.* Suzuki // 彼の*博士の学位は政治学です (⇒政治学で博士を取った) He took「(the degree of) *Ph.D.* [a *Ph.D.*] in political science.
博士課程 doctoral course [C] **博士号** (博士の学位) doctoral degree [C] **博士論文** (doctoral) dissertation [C], (doctoral) thesis [C] ★後者のほうがやや口語的.

はくし[3] 薄志 **1**《弱い意志》: weak will [U] 《☞いし[3]》. **2** ☞はくしゃ[2]; すんし
薄志弱行 ¶彼は*薄志弱行の人だ He *has a weak will and lacks drive*. / He *is weak-willed and incapable of action*. ★前者は怠け者, 後者はなかなか行動することができないの意.

は

はくじ 白磁 white porcelain /pɔ́əs(ə)lən/ Ⓤ.
ばくし 爆死 ── 動 (爆弾で死ぬ) be killed by a bomb.
はくしき 博識 wide [extensive] knowledge Ⓤ, 《格式》 erudition Ⓤ. (☞ はくがく; ものしり).
はくしつ 白質 (脳の) white matter Ⓤ.
はくじつ 白日 ¶すべてが*白日の下にさらされた (⇒明るみに出された) Everything *has been* ⌈*brought to light* [*exposed* (*to the public eye*)]. / Everything *has been brought out into the open.*
はくしゃ¹ 拍車 (騎手が靴のかかとにつけるもの) spur Ⓒ. **拍車をかける** ── 動 (促す) prompt ㊀; (悪化させる) ággravàte ㊀ ★ 格式ばった語. ¶工業化が農業の衰退に*拍車をかけた Industrialization ⌈*prompted* [*aggravated*] the decline of agriculture.
はくしゃ² 薄謝 small token of *one's* gratitude Ⓒ, small consideration Ⓒ. (☞ れい²). ¶その猫を見つけてくれた人に*薄謝 (⇒報奨金) を進呈します *A reward* will be offered to the finder of the cat.
はくしゃ³ 白砂 ☞ はくさ
はくしゃく 伯爵 count Ⓒ; (英国の) earl Ⓒ. (☞ きぞく² 参考). **伯爵夫人** countess Ⓒ 参考 夫人については《英》もこの語を使う.
はくじゃく 薄弱 ── 形 (弱い) weak (↔ strong) ★ 意味の広い一般的な語; (意志・性格などがもろい) frail; (優柔不断な) 《格式》 infirm; (根拠のはっきりしない) poorly grounded. (☞ よわい¹). ¶彼は意志*薄弱だ He has a *weak* will. / He is *weak*-willed. // あなたの主張は根拠が*薄弱だ Your argument is *poorly grounded.*
はくしゅ 拍手 ── 名 (手をたたくこと) handclap Ⓒ; (拍手喝采(かっさい)) applause Ⓤ. ── 動 clap hands; applaud ㊀ ㊂. (☞ かっさい). ¶聴衆は*拍手をして彼の演奏をたたえた The audience ⌈*applauded* [*clapped* in praise of] his performance. // 聴衆は万雷の*拍手で彼女を迎えた The audience greeted her with thunderous *applause.* // アンコールを求める(長く続く)*拍手 (sustained) *applause* for an encore **拍手喝采** ¶彼が退場した後も*拍手喝采が長く続いていた The *applause* lasted long after he left the stage.
【参考語】(たいへんな拍手) loud applause Ⓤ; (大喝采(かっさい)) (standing) ovation Ⓒ ★ 格式ばった語. standing を付けると聴衆が立ち上がって拍手を送ることで, 第一級の称賛を示す; (わっと起こる喝采) burst of applause Ⓒ; (嵐のような喝采) storm of applause Ⓒ.

> **コロケーション**
> 暖かい拍手 warm *applause* / おざなりの拍手 perfunctory *applause* / 気乗りのしない拍手 spiritless *applause* / 心からの拍手 hearty *applause* / 鳴り止まぬ拍手 lengthy [prolonged] *applause* / 熱狂的な拍手 enthusiastic *applause*

はくじゅ 白寿 *one's* ninety-ninth birthday.
はくしゅう 白秋 ☞ きたはらはくしゅう; あき¹
ばくしゅう 麦秋 (麦の刈り入れの季節) the ⌈wheat [barley] harvest season; (初夏) early summer Ⓤ.
はくしゅく 伯叔 (兄弟) brother Ⓒ; (伯父, 叔父) uncle Ⓒ.
はくしょ 白書 (政府機関の報告書) white ⌈paper [book] Ⓒ 語法 white book のほうが内容が豊かで重要な報告書. ¶政府は本年度の経済*白書を出した The government has just issued the economics *white paper* for the year.
ばくしょ 曝書 ¶*曝書 (⇒書物を風に当てる) 期間は図書館は休館です While *the books are being aired* [During the period of *airing the books*], the library is closed.
はくじょう¹ 薄情 ── 形 (冷淡な) cold; (心の冷たい) coldhearted; (優しい気持ちを欠いた) heartless; (不親切な) unkind; (残酷な) cruel. (☞ つめたい; れいたん). ¶彼は*薄情な男だ He is a ⌈*coldhearted* [*heartless*] man. // 彼女は*薄情にも親友を裏切った She *had the cruelty to* betray a close friend.
はくじょう² 白状 ── 名 confession Ⓤ ★ 個々の例を言う場合は Ⓒ. ── 動 confess ㊀ ㊂, ówn úp ㊂. (☞ うちあける; はく¹; じはく; じきょう). ¶彼はすっかり盗みを*白状した He made a full *confession* of the robbery. / He fully *confessed* the robbery. // いっさいを*白状します I'll ⌈*confess* everything [(⇒全部をお話します) *tell* you all about it].
はくじょう³ 白杖 white ⌈cane [stick] (used by a blind or visually impaired person) Ⓒ.
ばくしょう 爆笑 ── 動 (どっと笑いだす) burst ⌈into laughter [out laughing]; (大声で笑う) roar with laughter ㊂. ── 名 burst [roar] of laughter Ⓒ. (☞ わらう (類義語)). ¶聴衆は*爆笑した The audience ⌈*burst into laughter* [*burst out laughing*; *roared with laughter*]. / There was a ⌈*burst* [*roar*] *of laughter* from the audience. ★ 第 1 文のほうが普通.
はくしょく 白色 ── 名 white Ⓤ. ── 形 (白い) white; (白色をした) white-colored Ⓐ ★ Ⓟ のときはハイフンなし. (☞ しろ¹). **白色光** white light Ⓤ **白色セメント** white cement Ⓤ **白色レグホン** white leghorn /lég(h)ɔən/ Ⓒ **白色矮星** 〘天〙 white dwarf /dwɔ́əf/ Ⓒ.
はくしょくじんしゅ 白色人種 the Caucasoid race (☞ はくじん¹).
はくしょくたい 白色体 〘植〙 leucoplast Ⓒ.
はくしょん ── 感 (くしゃみの音) 《米》 ahchoo /ɑːtʃúː/, 《英》 atishoo /ətíʃuː/. (☞ くしゃみ; 擬声・擬態語 (囲み)). ¶彼女はハンカチを口に当てて (⇒ハンカチの中へ)*はくしょんとくしゃみをした She went, "*Ahchoo!*" into her handkerchief.
はくじら 歯鯨 〘動〙 toothed /túːθt/ whále Ⓒ.
はくしん 迫真 ── 形 (真に迫った) true to life; (生き生きした) vivid; (現実味のある) realistic. ¶彼のこの絵は*迫真の作だ This picture of his is *true to life.* // 彼の演技は*迫真の演技だった His acting was quite *realistic.*
はくじん¹ 白人 (一般的に) white (⌈man [woman; person]) Ⓒ; Caucasian /kɔːkéɪʒən/ Ⓒ. (☞ はくしょくじんしゅ). **白人優越主義[論]** whíte suprémacy Ⓤ **白人優越主義[論]者** whíte suprémacist Ⓒ.
はくじん² 白刃 ¶彼は*白刃を (⇒刀を) 振りかざした He raised a *sword* over his head.
ばくしん¹ 驀進 ── 動 (速く進む) rush ㊂, dash ㊂ ★ 後者のほうが動きが激しい.
ばくしん² 幕臣 vassal [retainer] of the shogunate /ʃóugənət/ Ⓒ.
ばくしん(ち) 爆心(地) (核爆発の) ground zero Ⓒ; 《格式》 hypocenter Ⓒ.
パクスアメリカーナ (アメリカ主導の平和) Pax Americana /pæks əmèrikáːnə/ Ⓤ ★ 冷戦終了後のアメリカ主導の世界平和.
ばくすい 爆睡 ── 動 sleep like a log ㊂.
はくすきのえ 白村江 ☞ はくそんこう
はくする 博する (名声・人気などを勝ち取る) win ㊀ (過去・過分 won); (獲得する) gain ㊀. ¶(…として)世界的な名声を*博する *win* [*gain*] a worldwide reputation (as …)

ばくする[1] **縛する** ☞ しばる
ばくする[2] **駁する** ☞ はんばく
ハクスレー, ハクスリー ―[名] (固) Aldous Leonard Huxley /ɔ́:ldəs lénərd hʌ́ksli/, 1894–1963. ★ 英国の作家.
パクスロマーナ (ローマの平和) Pax Romana /pæ̀ks rouméɪnə/ [U] ★ 紀元前 27 年から 200 年続いたローマ帝国の最盛期.
はくせい 剥製 ―[名] (剝製になった動物[鳥]) stuffed ⌈animal [bird] [C]. ―[動] (剝製にする) stuff (他).
ばくせい 幕政 shogunate ⌈government [administration] [U].
はくせきれい 白鶺鴒 〘鳥〙 white wagtail [C].
はくせつ[1] **拍節** 〘楽〙 meter (《英》 metre) [C].
はくせつ[2] **白雪** snow [U] (☞ ゆき[1]).
はくせん[1] **白線** white line [C]. ¶ (駅のアナウンスで) *白線の内側におさがりください Please stay behind the *white line*.
はくせん[2] **白癬** 〘医〙 tinea /tíniə/ [U].
はくせん[3] **白扇** white fan [C].
はくせん[4] **白銑** white pig iron [U].
はくぜん 白髯 white beard [C].
ばくぜん 漠然 ―[形] (はっきりしない) vague /véɪg/; (わかりにくい) obscure [語法] 意味や説明が正確さ, 精密さに欠けて不明瞭であることを表すのが vague, ぼやけてよく見えなかったり理解力が欠けているためにわからないことを表すのが obscure; (無目的な) aimless. ―[副] vaguely; obscurely; (目的なしに) aimlessly, with no purpose. (☞ ぼんやり; おぼろげ). ¶ 彼の言ったことは (⇒ 意味したことは) *漠然とわかっただけだ I have only a *vague* idea of what he meant. // この本は*漠然と読んだのではおもしろくないでしょう This book won't be interesting if you read it *aimlessly*.
はくそ 歯屎 ☞ しこう[6]
ばくそう 爆走 ―[動] roar (自).
はくそんこう 白村江 ―[名] (固) the Kum River ★ 朝鮮半島南西部の錦江の古名.
白村江の戦い the battle off the mouth of the Kum River between the Tang-Silla allied forces and the Japan-Paekche allied forces in 663.
バグダード ―[名] (固) Baghdad /bǽgdæd/ ★ イラクの首都.
ばくだい 莫大 ―[形] great ★ 大きいことに対して感嘆する気持ちが含まれる口語的な語; (巨大な) huge, enormous, tremendous, vast [語法] vast はやや格式ばった語. 初めの 3 語はほぼ同意だが, この順に強調が加わる. (☞ おおきい (類義語)).
¶ 彼女は父親から*莫大な遺産を相続した She inherited ⌈a *huge* [an *enormous*; a *vast*] fortune from her father. // *莫大な額の金がそのプロジェクトに注ぎ込まれた A *huge* [A *great*; An *enormous*] amount of money was put into the project.
はくだく 白濁 (角膜などの) nebula [C]. ¶ 尿の*白濁 a *nebula* in *one's* urine
はくだつ 剝奪 ―[動] (人から物を奪う) deprive *a person* of … ★ 格式ばった言い方. ―[名] deprivation [U]. (☞ とりあげる; はぎとる). ¶ 彼は市民権を*剝奪された He *was deprived of* his citizenship.
バグダッド ☞ バグダード
ばくだん 爆弾 bomb /bɑ́m/ [C]. ¶ 建物に*爆弾を仕掛けたという電話があった There was a phone call saying they'd ⌈planted [put; placed; left] a *bomb* in the building. // *爆弾を落とす drop a *bomb* // 原子*爆弾 an atomic *bomb* // 時限*爆弾 a time *bomb* **爆弾あられ** puffed rice [U] **爆弾事件** bombing incident [C] **爆弾処理** bomb disposal [C] **爆弾処理班** bomb (disposal) ⌈squad [unit] [C] **爆弾宣言** ―[動] make a bombshell announcement **爆弾動議** surprise motion [C]. ¶ それは議長にとっては*爆弾動議だった The motion came as a *bombshell* to the chairperson. **爆弾発言** bombshell [C]. ¶ 彼は会議で*爆弾発言をするやいなや部屋を出て行った As soon as he dropped his *bombshell* at the meeting, he left the room.

―コロケーション―
爆弾を投げつける throw a *bomb* (at …) / 爆弾を爆発させる detonate [set off; explode] a *bomb* / 爆弾を見つける detect a *bomb* / 爆弾が爆発する a *bomb* ⌈explodes [goes off]

はくち[1] **白痴** ―[名] (人) idiot [C]; (状態) idiocy [U] [語法] この語は現在では心理学上の知能程度を言うのではなく, 愚かさ加減を表す語として用いられることが多い. ―[形] idiotic. (☞ ばか (類義語)). **白痴美** empty-headed beauty [U].
はくち[2] **泊地** (錨地) anchorage /ǽŋkərɪdʒ/ [C]; (港内の停泊位置・場所) berth [C].
ばくち 博打, 博奕 ―[名] gambling [U]. ―[動] (ばくちを打つ) gamble (自) (他); (ばくちで失う) gámble awáy (他). (☞ かけ[1]). ¶ おじは*ばくちで身代をすってしまった My uncle *has gambled away* his entire fortune. **ばくち打ち** gambler [C].
ばくちく 爆竹 firecracker [C].
はくちず 白地図 báse màp [C].
はくちゅう[1] **白昼** ―[副] (日中) in [during] the daytime; (真っ昼間) in broad daylight. (☞ ひる[1]; まっぴるま). **白昼夢** ―[名] dáydrèam [C]. ―[動] (白昼夢をみる) daydream (自).
はくちゅう[2] **伯仲** ―[形] (等しい) equal; (均衡している) equally balanced. ¶ あの 2 人の実力は*伯仲している Those two (people) are ⌈*equal* [*equally balanced*] in ability.
パクチョイ 〘植〙 pak choi [C] (複 ~, ~s) ★ アブラナ科の中国野菜.
はくちょう 白鳥 〘鳥〙 swan [C]. **白鳥座** 〘天〙 the Swan, Cygnus /sígnəs/ **白鳥の湖** *Swan Lake* ★ チャイコフスキーのバレー音楽.
はくちょうげ 白丁花 〘植〙 *hakuchoge* [C]; (説明的には) a kind of evergreen shrub which has white flowers in May.
ばくちん 爆沈 ―[動] (沈む) sink by explosion (自); (沈める) blow up and sink (他). ―[名] sinking by explosion [U].
ぱくつく (がぶりと食いつくように食べる) bite ⌈at [into] …, take a bite of …; (むしゃむしゃ食う) munch (他).
はくてっこう 白鉄鉱 〘鉱〙 marcasite [U], white iron pyrites /paɪráɪti:z/ [U].
バクテリア bacteria /bæktí(ə)riə/ ★ 通例複数形で. 単数形は bacterium; (一般的に, 細菌) germ [C]. (☞ さいきん[2]).
バクテリオファージ 〘医〙 bacteriophage /bæktí(ə)riəfèɪdʒ/ [C].
はくど 白土 white earth [U], China clay [U]. (☞ カオリン).
ばくと 博徒 gambler [C].
はくとう[1] **白桃** 〘植〙 white peach [C].
はくとう[2] **白糖** white [refined] sugar [U] (☞ さとう[1]).
はくどう[1] **白銅** cupronickel /kjù:prouník(ə)l/ [U]. **白銅貨** nickel (coin) [C].
はくどう[2] **拍動** pulsation [U], beat [C].
はくどう[3] **白道** 〘天〙 the moon's path.
はくとうさん 白頭山 ―[名] (固) Mt. Paektu /pektú:/, Paektusan /pèktu:sɑ́:n/ ★ 中国と北朝鮮の境の山.

はくとうゆ　白灯油　☞ とうゆ

はくとうわし　白頭鷲　〘鳥〙 ⌈bald [white-headed] eagle [C] ★ アメリカ合衆国の国鳥.

はくとく　薄徳　¶ *薄徳の人 a person *lacking virtue* / a person *of little virtue* ★ 皮肉な表現. 《☞ とく[4]》

はくないしょう　白内障　〘医〙 cátaràct [U].

はくねつ　白熱　── [名] white heat [U].　── [形] (白熱した・熱の入った) heated; (競技が接戦の) close. 《☞ ねつ》.　¶ 何時間も*白熱した議論が続いた The *heated* discussion lasted for hours. // 試合が*白熱してきた The game is getting *close*.　**白熱電球** incandéscent ⌈líght [lámp] [C].

はくば　白馬　white horse [C].

ばくは　爆破　── [動] (一般に) blów úp (他) 《過去 blew; 過分 blown》; (特に岩石などを) blast (他).　── [名] blowing up [U]; blast [U]. 《☞ ばくはつ》.　**爆破薬** blasting powder [U]

はくばい　白梅　white ⌈*ume* [Japanese apricot /ǽprəkàt/] blossom [C] 《☞ うめ》.

バグパイプ　〘楽器〙 bagpipe [C] ★ しばしば複数形で.

ばくばく　漠漠　── [形] (広々とした) vast, boundless; (はっきりしない) vague. 《☞ ばく[3]; ぼうばく》.

ぱくぱく　── [動] (口を動かす) move *one's* lips; (息を切らしてあえぐ) gasp (自); (食いつくようにして食べる) bite at ..., take a bite of ...; (むしゃむしゃと食べる) munch (他). 《☞ 擬声・擬態語 (囲み)》.

はくはつ　白髪　── [名] white hair [U].　── [形] (髪が) white; (人が) white-[silver-]haired. 《☞ しらが》.　¶ *白髪の老人 a *silver-haired* old man　**白髪三千丈** ¶ *白髪三千丈の仙人 a legendary wizard with *extremely long white hair*

ばくはつ　爆発　── [動] (爆発物が) explode (自); (ボイラーなどが内圧で) burst (自) 《過去・過分 burst》 ★ 以上の 2 語は比喩的にも用いられる; (火山が) erupt (自).　── [名] explosion [C]; (火山の) eruption [U].　── [形] (爆発的な) explosive; (劇的に) eruptive. 《☞ ばくは; はれつ (類義語); ふんか》.　¶ 昨夜近所でガス*爆発があった There was a gas *explosion* in our neighborhood last night. // 圧力がかかりすぎてボイラーが*爆発した The boiler *burst* from the excessive pressure. // 町全体が火山の*爆発で埋まった The whole town was buried by the *eruption* of the volcano. // 彼の言葉を聞いて彼女は怒りを*爆発させた She *burst* into a rage at his words. / She ⌈*blew up* [*exploded*] at his words. // その国は*爆発的な人口増加に悩んでいる That country is suffering from a population *explosion*. // その本は*爆発的に売れた The book ⌈*sold* [*went*] *like hot cakes*. [語法] sell [go] like hot cakes は「飛ぶように売れる」という慣用句.　**爆発音** explosion [C] 《☞ ばくおん》　**爆発物** explosive [C]　**爆発力** explosive force [U].

はくはん　白斑　(白い斑点) white spot [C]; (太陽の斑点) facula /fǽkjʊlə/ [C] 《複 -lae /-lìː/》; (病気の) vitiligo /vìtəlíːgoʊ/ [C] 《複 ~s》.

ばくはんたいせい　幕藩体制　(日本の封建時代の) the shogunate and domain system; (説明的には) the feudal political system consisting of the shogunate and the daimyo, feudal lord, domains.

はくひ　薄皮　☞ うすかわ

はくび　白眉　(最高のもの) the best; (作品などの) *one's* masterpiece, *one's* magnum opus ★ 以上 2 つは単数形で.

はくびしん　白鼻心　〘動〙 masked palm civet [C].

はくひょう[1]　白票　blank ballot [C] 《☞ とうひょう[1]》.　¶ *白票を投じる cast a *blank ballot*

はくひょう[2]　薄氷　thin ice [U].　¶ さながら*薄氷を踏む (⇒ 薄氷の上でスケートをする) 思いだった I felt as if I were skating on *thin ice*. 《☞ ふむ》

はくびょうが　白描画　ink line painting [U] ★ 個々のものは [C].

ばくふ[1]　幕府　the shogunate /ʃóʊgənət/.

ばくふ[2]　瀑布　¶ *瀑布線 a *fáll* line 《☞ たき[1]》

ばくふう　爆風　blast (from an explosion) [U].

はくぶつがく　博物学　natural history [U].　**博物学者** naturalist [C].

はくぶつかん　博物館　museum /mjuːzíːəm/ [C].　¶ 私たちのクラスは国立*博物館を見学に行った Our class visited the National *Museum*. // このラジオはずいぶん古く, *博物館行きというところだ This radio is so old that it could be a *museum piece*.

> ── コロケーション ──
> 海洋博物館 an oceanographic *museum* / 科学博物館 a science *museum* / 建築博物館 an architectural *museum* / 交通博物館 a transportation *museum* / 戦争博物館 a war *museum* / 民俗博物館 a ⌈folk [folklore] *museum* / 民族博物館 an ⌈ethnographic [ethnic] *museum* / 歴史博物館 a history *museum*

はくぶつし　博物誌　natural history [C].

はくぶん　白文　unpunctuated Chinese ⌈text [composition] [C]; (説明的には) Chinese ⌈text [composition] without punctuation marks which show the word order to be read in Japanese [C].

はくぶんきょうき　博聞強記　¶ *博聞強記の人 a person *with broad knowledge and a good memory*

はくへいせん　白兵戦　hand-to-hand [close] combat [U].

はくへき　白璧　white gem [C].　**白璧の微瑕** flaw in a jewel [C] 《☞ たま[1] (玉にきず)》.

はくへん[1]　薄片　flake [C].

はくへん[2]　剝片　¶ 壁から落ちたペンキの*剝片が台所中に散乱していた *Flakes* of paint from the wall were scattered about all over the kitchen.

はくぼ　薄暮　(日没後, 空が暗くなりかけるころ) dusk [U] (↔ dawn); (まだ薄明るいころ) twilight [U]. 《☞ たそがれ; うすくらがり [語法]》.

はくほうじだい　白鳳時代　the Hakuho period(, which is the latter half of the seventh century, followed by the Nara period).

はくぼく　白墨　chalk [U] 《☞ チョーク[1]》.　¶ 1 本の*白墨 a piece of *chalk*

はくま　白魔　the white devil ★ 雪の異名.

はくまい　白米　polished rice [U].

ばくまつ　幕末　the twilight years of the Tokugawa shogunate.

はくめい[1]　薄命　¶ 佳人*薄命 The fairest flowers *soonest fade*. 《ことわざ: 最も美しい花は最も早くしぼむ》 ★ 現在ではあまり使われない表現. 《☞ かじん[2]; たんめい》

はくめい[2]　薄明　twilight [U] 《☞ うすあかり》.

ばくめいき　爆鳴気　〘化〙 detonating gas [U].

はくめん　白面　(素顔) face without makeup [C]; (白い肌の) fair complexion [C].　¶ *白面の青年 a young man with a *fair complexion* / a *fair-complexioned* young man

はくもくれん　白木蓮　〘植〙 white magnolia [C].

はくや　☞ びゃくや

ばくやく　爆薬　(爆発物) explosive [C].　¶ 車に*爆薬が仕掛けられていた *Explosives* were planted in the car.

はくようきゅう　白羊宮　☞ おひつじざ

はくらい 舶来 —形（輸入された）imported; (外国製の）foreign-made A ★ P のときはハイフンなし.《☞ ゆにゅう》. 舶来品（総称的に）imported [foreign-made] goods ★ 複数形で;（品物1つ）imported [foreign-made] article C.

ばくらい 爆雷 depth charge C.

はぐらかす（質問などをうまく避ける）evade ⑯;（言い抜ける）dodge ⑯.《☞ ごまかす》. ¶質問を*はぐらかすな Don't「*evade* [*dodge*] the question!

はくらく¹ 伯楽（馬の鑑定家）horse appraiser C《☞ かんてい¹》.

はくらく² 剝落 ¶壁の漆喰が所々*剝落している The mortar on the wall *has come off* in places.《☞ はがれる》

はくらくてん 白楽天 —名 固 Po Chü-i /bóu ʤúːíː/, 772–846. ★ 本名は白居易. 唐の詩人.

はくらんかい 博覧会（大規模な）exposition C《略 expo》;（見本市）fair C. ¶万国*博覧会が来年当市で開催される The world('s) *fair* is to be held in this city next year.

はくらんきょうき 博覧強記 ¶*博覧強記の人 a man of「*profound knowledge* [*great erudition*]

はくり¹ 剝離〘医〙exfoliation U.

はくり² 薄利 small profits ★ 複数形で. ¶*薄利で at *small profits* 薄利多売（少ない利益と早い見返り）small profits and quick returns ★ 複数形で.《略 S.P.Q.R.》.

はくりきこ 薄力粉 soft wheat flour U ★ 軟質小麦（soft wheat）から作られた粉.

ぱくりと —動 bite into …, take a (big) bite out of …;（犬などが食いつく）snap at …《☞ 擬声・擬態語（囲み）; ぱくつく》.

ぱくりや ぱくり屋（くすねる人）filcher C;（手形のごまかし屋）check swindler C.《☞ ぱくる》.

ばくりゅうしゅ 麦粒腫〘医〙（ものもらい）sty C.

ばくりょう¹ 幕僚（全体）the staff;（個々の）staff officer C. 幕僚監部（防衛庁長官の）the staff of the Director General of the Defense Agency 幕僚長 chief of staff C.

ばくりょう² 曝涼 ☞ むしぼし

はくりょく 迫力 —名（力強さ）power U;（激しさ）intensity U;（人の胸に訴える力）appeal U. —形（力強い）powerful;（印象的な）impressive;（胸に訴える）appealing. ¶レーシングカーの音は*迫力がある A racing car makes a *powerful* roar. // 大画面で見る映画は本当に*迫力がある Wide-screen movies are「really *impressive* [(⇒ たいへん興奮させる) quite *exciting*]. // 大統領の演説には*迫力があった（⇒ 訴えるものがあった）The president's address was very *appealing*.

はぐる（めくる）turn over ⑯;（ひっくり返す）turn up ⑯. ¶暦を*はぐる *turn over* (a page of) a calendar《☞ めくる》

ぱくる（かすめ取る・くすねる）filch ⑯, pilfer ⑯;（だまし取る）swindle ⑯;（逮捕する）《略式》nab ⑯.《☞ ぬすむ（類義語）; だます（類義語）; たいほ》.

はぐるま 歯車 gear C. 歯車装置 gear C 歯車の歯 cog C;（大きな組織の中にいる無力な個人）cog in the「wheel [machine] C.

ばくれつ 爆裂 —名 explosion C. —動 explode ⓐ.《☞ ばくはつ; はれつ（類義語）》. 爆裂火口 explosion crater C.

はぐれる（見失う）lose sight of …;（迷子になる）be [get] lost 語法 be は状態, get は動作を表す;（仲間にはぐれる）stray from … ★ 前者より格式ばった表現.《☞ まよう; みうしなう》. ¶私は混んだ駅で彼に*はぐれた I *lost sight of* him at the crowded station. // 少女たちは*はぐれないように手をつないで歩いた The little girls walked hand in hand so they wouldn't *get lost*.

はくれん 白蓮 ☞ びゃくれん

はくろ 白露（つゆ）white dew U;（二十四節気の一つ）the date showing a sign of autumn, one of the twenty-four points in the old solar calendar.

ばくろ 暴露 —動（暴(あば)く）expose ⑯; disclose ⑯; reveal ⑯; bring … to light;（明るみに出る）come to light ★ 以上いずれもやや格式ばった表現. —名 exposure U; disclosure U; revelation U.

【類義語】悪事を摘発したり, 悪人の正体を暴くのが ***expose***. 隠されているもの, 発表されていなかったものを明らかにするのが ***disclose***. 覆いを取り除くように, 隠れているもの・秘密などを明らかにすることが ***reveal***. 以上2語はほぼ同意. 秘密などを白日の下にさらすのが ***bring … to light***, 白日の下に出るのが ***come to light***.

¶その新聞記者は世間を驚かせるような汚職事件を*暴露した The (newspaper) reporter *exposed* a sensational bribery case. // 我々の中のだれかが秘密を*暴露したに違いない Someone among us must *have*「*disclosed* [*revealed*] our secret. // 彼女の逮捕がきっかけで政府高官のスキャンダルが*暴露した A scandal involving high government officials *came to light* after her arrest. / (⇒ 逮捕がスキャンダルを暴露した) Her arrest *brought to light* a government scandal involving high officials.

暴露記事（スキャンダルなどの）exposé /èkspouzéɪ/ C ★ exposé の ´ は綴り本来のもの.

はくろう 白蠟 white [refined] wax U.

ばくろう 馬喰（馬の売買人）horse-dealer C, horse-trader C.

はくろうびょう 白蠟病 vibration syndrome C.

はくロシア 白ロシア ☞ ベラルーシ

はぐろとんぼ 羽黒蜻蛉 ☞ おはぐろとんぼ

ばくろん 駁論 —名《格式》refutation U,《格式》disproof U —動 refute ⑯, disprove ⑯.《☞ はんばく》.

はくわぶんがく 白話文学 colloquial Chinese literature U.

はけ¹ 刷毛 brush C《☞ ブラシ》.

はけ² 捌け（排水）drainage U;（売れ行き）sale C;（需要）demand U.《☞ はけぐち; みずはけ》.

はげ 禿げ —名（はげていること）baldness U;（はげた部分）bald「spot [patch] C 語法 spot は特に形が丸くなっているものをいう. —形（はげの・はげた）bald;（はげ頭の）bald-headed. —動（はげる）become [get; go] bald, bald ⓐ ★ 最後の語は通例進行形で. ¶彼は*はげている He is *bald*. / He has a *bald* head. // 私の祖父はつるつるに（⇒ 卵のように）*はげている My grandfather is as *bald* as an egg. // 彼は生え際から*はげ始めた His hair started *receding* (from his forehead). // 若*はげ premature *baldness* はげ頭（はげた頭）bald head C;（頭のはげた人）bald(-headed) man C.

はげあがる 禿げ上がる ¶彼はどんどん*はげ上がってきている（⇒ 生え際が後退しつつある）His hairline *is receding* rapidly.

はけい 波形 wáveform C, wáveshàpe C.

はげいとう 葉鶏頭〘植〙ámaranth C.

バゲージ bággage U《☞ にもつ 語法》. バゲージクレーム（手荷物受け取り所）bággage clàim (àrea) C.

バケーション vacation /veɪkéɪʃən/ C《☞ きゅうか¹; やすみ》.

はげおちる 剝げ落ちる ¶ブローチの金メッキが所所*はげ落ちている The gold on this gold-plated brooch *is worn off* in places. // 看板のペンキが所

所*はげ落ちている The paint on the signboard has *flaked off* in places. (☞ はげる¹)

ばけがく 化学 ☞ かがく²

はけぐち 捌け口 (商品の) market Ⓒ; (感情の) vent Ⓒ; (水・精力などの) outlet Ⓒ.

¶その国では高価な宝石の*はけ口 (⇒ 市場) はありません There is no *market* for costly jewelry in that country. // 彼女は怒りの*はけ口を私にむけた She *vented* her anger on me. ★ やや格式ばった言い方. // 運動はエネルギーのよい*はけ口である Sports are a good *outlet* for our energies.

はげこう 禿鸛 〘鳥〙 adjutant (ˈbird [stark]) Ⓒ.

はげしい 激しい ―― 形 (勢いの強い) intense; (乱暴なほど猛烈で激烈な) violent; (厳しく激しい) severe; (痛みが鋭く刺すような) acute; (熱情的な) passionate; (雨・交通量などが多い) heavy; (雨の降り方, 人の動作の力の入れ方などが激しい) hard.
―― 副 (激しく) intensively; violently; severely; acutely; passionately; heavily, hard. (☞ もうれつ; ひどい).

¶彼女は気性が*激しい She has a *violent* temper. // *激しい台風が東海地方を襲った A *violent* typhoon hit the Tokai district. // 彼は腕に*激しい痛みを感じた He felt an *acute* pain in the arm. // 企業間の競争はいっそう*激しくなるだろう Business competition will become more *intense*. // 彼はドアを*激しくノックした He knocked *hard* on the door. // 雨が*激しく降り始めた It began to rain ˈ*heavily* [*hard*]. // 彼は彼女と*激しい恋に落ちた He fell ˈ*violently* [*passionately*] in love with her. // この道の交通は実に*激しい The traffic is very *heavy* on this road.

はげたか 禿鷹 vulture /vʌ́ltʃə/ Ⓒ ★ コンドル・はげたか・はげわしなど, 各種の猛禽を指す.

バケツ bucket Ⓒ, pail Ⓒ. ¶*バケツ一杯の水 a ˈ*bucket* [*pail*] of water

バゲット (フランスパンの一種) baguet(te) /bæɡét/ Ⓒ.

パケット 〘データ通信〙 pácket Ⓒ. **パケット交換** pácket swìtching Ⓤ **パケット交換網** pácket swìtching nètwork Ⓒ **パケット通信** packet telecommunications.

バケットシート bucket (seat) Ⓒ.

ばけねこ 化け猫 goblin cat Ⓒ.

ばけのかわ 化けの皮 **化けの皮がはがれる** ¶その男は遂に*化けの皮がはがれた (⇒ 正体を暴露した) The man *revealed his true character* at last. **化けの皮を現す** show *one's* (true) colors; show *oneself* in *one's* true colors. (☞ ほんしょう¹; しっぽ (しっぽを出す)). **化けの皮をはぐ** ―― 動 unmask ㊀; (…の仮面をはぎとる) rip away *a person's* mask.
¶あの偽善者の*化けの皮をはいでやる I will *unmask* that hypocrite. / I will *rip away* his hypocritical *mask*.

はげまし 励まし encouragement /ɪnkə́ːrɪdʒmənt/ Ⓤ ★ 励ましとなる物・事の場合は Ⓒ. (☞ はげます). ¶もし両親の*励ましがなかったならば私は成功しなかっただろう If my parents had not given me *encouragement*, I would not have succeeded.

はげます 励ます (声援を送ったりして元気づける) chéer úp ㊀; (勇気づけて…をさせる) encourage /ɪnkə́ːrɪdʒ/ *a person* (to *do* …). (☞ げきれい; せいえん¹; おうえん).

¶ピンチに立ったとき, 級友が私たちを*励ましてくれた Our classmates *cheered* us *up* when we were ˈin [(英) at] a pinch. // 先生はもっと勉強するようにと生徒を*励ました The teacher *encouraged* the students *to* study harder. // 先生は勉強中の私たちを*励ましてくれた Our teacher *encouraged* us *in* our studies. 語法 ＜*encourage*＋O (人)＋*to*不定詞＞はこれからすることを励まし, ＜*encourage*＋O (人)＋*in* …＞は今していることを励ます.

はげみ 励み (奨励) encouragement Ⓤ; (刺激) stimulus /stímjʊləs/ Ⓒ (複 stimuli /-làɪ/). (☞ はり³). ¶彼女の言葉が大いに*励みになった Her words were a great *encouragement* to me. 語法 「励みになること」の意味では encouragement は Ⓒ. / (⇒ 私を大いに励ましてくれた) Her words *encouraged* me very much.

はげむ 励む (懸命に働く) work hard; (努力する) (格式) strive (for …; to *do* …) ㊀ (過去 strove; 過分 striven); (専念する) devote *oneself* to … (☞ どりょく). ¶弟は学業に*励んでいる My brother ˈ*works* [*studies*] *hard*. // その科学者は研究に*励んだ The scientist *devoted himself to* his research.

はけめ 刷毛目 brush mark Ⓒ.

ばけもの 化け物 (怪物) monster Ⓒ; (幽霊) ghost /ɡóʊst/ Ⓒ; (お化け) (略式) spook Ⓒ. (☞ おばけ; ゆうれい). ¶その家は*化け物が出るといううわさだ They say (that) the house *is haunted*. / The house is said to *be haunted*. ★ 第1文のほうが口語的. **化け物屋敷** haunted house Ⓒ.
【参考語】―― 動 (化け物が出る) haunt /hɔ́ːnt/ ㊀ 語法 通例受身形で場所を表す語を主語とする.

はげやま 禿げ山 bare [bald] mountain Ⓒ.

はける 捌ける (売れる) sell ㊀; (需要がある) be in demand; (排水される) drain ㊀; (水が流れる) flów óut ㊀. (☞ うれる¹; はけぐち). ¶近ごろは中古車がよく*はける (⇒ 需要がある) Used cars *are in* great *demand* nowadays.

はげる¹ 剥げる (塗料がとれる) còme óff ㊀; (むけるようにはがれる) péel óff ㊀; (色あせる) fade ㊀. (☞ はがれる; あせる²). ¶家のペンキが*はげ始めた The paint on the house is beginning to ˈ*come* [*peel*] *off*.

はげる² 禿げる become [go] bald, bald ㊀ ★ 動の bald は通例進行形で. (☞ はげ).

ばける 化ける (…に変わる) change (*oneself*) into …; (…の形をとる) take the ˈform [shape] of …; (変装する) disguise *oneself* as … ¶スパイは地元住民に*化けた (⇒ 変装した) The spy *disguised himself as* a ˈlocal [native].

はげわし 禿げ鷲 vulture Ⓒ ★ コンドル・はげわしなど, 各種の猛禽を指す.

はけん¹ 派遣 ―― 動 dispatch ㊀ ★ despatch ともつづるが発音は同じ; send ㊀ (過去・過分 sent) ★ send のほうが口語的. ―― 名 dispatch Ⓤ, despatch Ⓤ. ¶事故現場へただちに救援隊を*派遣する必要がある We must ˈ*dispatch* [*send*] a rescue party to the accident site at once.
派遣社員 temporary office staff (member) Ⓒ, temporary office worker Ⓒ **派遣隊** (分遣隊・派遣団) contingent Ⓒ; detachment Ⓒ ★ 両者とも単数形で複数扱いをすることもある. 後者は軍隊.

はけん² 覇権 (政治的指導権) (格式) hegemony /hɪdʒéməni/ Ⓤ, supremacy Ⓤ; (選手権) championship Ⓒ. ¶(…への) *覇権を握る achieve [gain; obtain] ˈ*hegemony* [*supremacy*] (over …) / (⇒ 選手権を得る) win a *championship* // …の*覇権を握っている have [hold] *hegemony* over … // *覇権を争う struggle for ˈ*hegemony* [*supremacy*] / (⇒ 選手権を争う) compete for a *championship*
覇権主義 hegemonism Ⓤ.

ばけん 馬券 betting [pool] ticket Ⓒ ★ [ ] 内のほうが口語的. ¶当り[外れ]*馬券 a ˈwinning [losing] *betting ticket* **馬券売り場** betting ticket office Ⓒ.

ばげん 罵言 abuse /əbjúːs/ Ⓒ《☞ あくたい; ののしる; ばとう》.

はこ 箱 box Ⓒ; case Ⓒ [語法] box は箱を表す一般的な語で, 普通ふたの付いたもの. case は特定の物を入れる箱. ¶おもちゃを*箱に入れなさい Put your toys in the *box*. // チョコレート 1 *箱 a *box* of chocolates

はご 羽子 (羽根突きの羽) shuttlecock Ⓒ.

はごいた 羽子板 battledore Ⓒ [日英比較] battledore and shuttlecock というバドミントンに似た遊びのラケットであるが, 日本の羽子板とは異なる.

羽子板市 *hagoita* fair Ⓒ.

はこいりむすめ 箱入り娘 (大切に育てられた娘) girl brought up with tender care (in a good family) Ⓒ ★説明的な訳.

はこう¹ 波高 wave height Ⓤ.

はこう² 跛行 ―[動] (足を引きずって歩く) limp (自).

はこがき 箱書き note of authentication on a box containing works of art Ⓒ ★説明的な訳.

はごく 破獄 ―[名] prison breaking Ⓤ, jailbreak Ⓒ. ―[動] break out of ⌜prison [jail]. 《☞ だつごく》.

はこし 箱師 train ⌜pickpocket [thief] Ⓒ.

はこじょう 箱錠 box lock Ⓒ.

はこずし 箱寿司 Osaka-style sushi Ⓤ; (説明的には) sushi which is pressed in a rectangular box and cut into pieces Ⓤ.

パゴダ (寺などの塔) pagóda Ⓒ.

はごたえ 歯ごたえ ―[形] (肉などが堅い) tough; (せんべいなどぱりぱりした) crisp Ⓐ; (本など得るところがある) rewarding. ¶この肉は相当*歯ごたえがある This meat is quite *tough*. // 読んでみてその小説が*歯ごたえのあることがわかった I read the novel and found it *rewarding*.

はこづめ 箱詰め ―[動] (箱詰めにする) pack ... in a ⌜box [case]. ―[形] (箱詰めの) packed in a ⌜box [case]. ¶*箱詰めのりんご apples *packed in a box*

はこにわ 箱庭 miniature /míniətʃùə/ garden Ⓒ. 箱庭療法〔医〕(心理療法の) sand play therapy Ⓤ.

はこねうつぎ 箱根空木 〔植〕weigela /waɪgíːlə/ (with white flowers that later turn pink) Ⓒ.

はこねしだ 箱根羊歯 〔植〕(a species of) maidenhair (fern) Ⓒ.

パゴパゴ ―[名] (固) Pago Pago /páː(ŋ)gou páː(ŋ)gou/ ★南太平洋のアメリカ領サモアの都市.

はこび 運び (手はず) arrangements ★通例複数形で; (はかどり) prógress Ⓤ; (段階) stage Ⓒ. 《☞ てはず》. ¶仕事の*運び具合はいかがですか (⇒ 仕事はどのように進展してますか) How *is* the work ⌜*progressing* [*coming along*]? [参考] progréssing は名詞の prógress とのアクセントの違いに注意. / How *are* you ⌜*coming along* [*progressing*] with your work? ★come along を使うほうが口語的. // 建設工事は間もなく完成の*運びとなります (⇒ 最終段階に入ります) The construction will soon enter ⌜the [its] final *stage*(*s*).

はこびこむ 運び込む (…を…へ運び込む) carry ... into ... 《☞ はこぶ》. ¶救急隊員たちは負傷者を次々と病院へ*運び込んだ The paramedics *carried* the injured one after another *into* the hospital.

はこびだす 運び出す (…を…から運び出す) carry ... out of ... 《☞ はこぶ》. ¶金庫をここから一人で*運び出すのは無理だ You can't ⌜*carry* [*take*] the safe *out of* here by yourself.

はこびや 運び屋 (運ぶ人) carrier Ⓒ; (配送配達人) courier /kúriə/ Ⓒ.

はこぶ 運ぶ **1** 《運搬する》: (持って行く) carry (他) [語法] 最も一般的な語. 手または車のいずれを使う場合にも用いる; (輸送機関を使ってかなり大きなもの, 多量の物を運ぶ) transpórt (他). 《☞ ゆそう¹; うんそう; うんぱん》. ¶「このスーツケースを部屋まで*運んでくれませんか」「承知しました」"Will you please *carry* this suitcase to the room?" "Certainly." // この荷物は重すぎて私一人では*運べない This baggage is too heavy for me to *carry* ⌜alone [by myself]. // ジェット機の燃料は貨車で空港まで*運ばれる Jet fuel *is* ⌜*carried* [*transported*] to the airport by (freight) train. // 泥棒は事務所から金庫を*運び出した The burglar *carried* the safe out of the office.

2 《事が進行する》: go (自) ★平易な日常語; (進展する) progréss (自), màke prógress (自); (手はずを整える) arrange (他) (自), make arrangements for ... ¶万事うまく*運んでいます Everything *is going* ⌜all right [well]. // どのように事を*運んだらよいのか思案中です I'm thinking ⌜of [about] how to ⌜*arrange* [*make arrangements for*] things.

はこふぐ 箱河豚 〔魚〕(spotted) trunkfish Ⓒ, boxfish Ⓒ.

はこぶね 箱舟, 方舟 ark Ⓒ. ¶ノアの*箱舟 Noah's *Ark*

はこべ 〔植〕chickweed Ⓒ.

はこぼれ 刃毀れ ―[名] nick [chip] on a blade Ⓒ. ―[動] (刃こぼれする) be ⌜nicked [chipped]. ¶かみそりの*刃こぼれ *nicks* on a razor ⌜edge [blade]

はこまくら 箱枕 (箱形の木枕) box-shaped wooden pillow Ⓒ.

はこめがね 箱眼鏡 (水中を透視するための) water glass Ⓒ.

はこもの 箱物 (行政が作る建築物) public [community] facilities ★複数形で.

はこや 箱屋 (箱製造人) box maker Ⓒ; (芸者の三味線の入った箱持ち) samisen carrier Ⓒ.

はこやなぎ 箱柳 〔植〕Japanese aspen Ⓒ, (white) poplar Ⓒ.

はごろも 羽衣 (天の羽衣) legendary robe of feathers worn by a celestial nymph Ⓒ ★説明的な訳. 羽衣伝説 Robe of Feathers Legend Ⓒ.

はこん 破婚 divorce Ⓒ, marriage breakup Ⓒ. 《☞ りこん¹》.

はさ 稲架 rack for drying harvested rice (plants) Ⓒ ★説明的な訳.

バザー bazaar /bəzáːə/ Ⓒ. ¶教会は孤児のために*バザーを開いた The church held a *bazaar* for (the) orphans.

ハザード 〔ゴルフ〕hazard /hǽzəd/ Ⓒ. ハザードマップ (災害予測図) hazard map Ⓒ ハザードランプ (車の点滅警告灯) házard (wàrning) light Ⓒ.

バザール (西アジアの露天市場) bazáar Ⓒ.

はさい 破砕 ―[動] (粉々にする) break ... to pieces, break up (他); (打ち砕いて粉々にする) shatter (他), smash (他); (押しつぶして粉々にする) crush (他). 《☞ こわす; ふんさい》. 破砕帯 (地質の) shattered [crushed; fracture] zone Ⓒ.

はざかいき 端境期 the ⌜off [preharvest] season Ⓒ [語法] off season は作物だけでなく, 一般的に閑散期を指す.

はさき 刃先 tip [point] of a blade Ⓒ.

はざくら 葉桜 cherry tree sprouting leaves Ⓒ.

ばさし 馬刺し raw horsemeat Ⓤ.

はさつおん 破擦音 〔音声〕affricate /ǽfrɪkət/ Ⓒ.

ぱさつく get [go] dry. ¶ *ぱさついたご飯 *dried-out* rice // *ぱさついた髪 *dry* hair《☞ ぱさぱさ》

パサデナ ―名 ㊞ Pasadena /pæ̀sədíːnə/ ★ 米国カリフォルニア州南西部の都市.

ぱさぱさ ―形 (髪が) dry and loose《☞ 擬声・擬態語 (囲み)》. ¶ 彼女は髪が*ぱさぱさだ Her hair is *dry and loose*.

ぱさぱさ ¶ *ぱさぱさの髪 *dry and loose* hair // 日照りで土が*ぱさぱさしている The soil ⌈is [has] *dried up* because of the drought.《☞ 擬声・擬態語 (囲み)》

はざま 狭間 space between ... and ... Ⓤ; (城・砦の胸壁) battlements ★ 通例複数形で; (谷あい) gorge Ⓒ. ¶ 彼の家は 2 つの大きなビルの*狭間にある His house *is sandwiched* between two big buildings. // 生と死の*狭間 the *threshold* between life and death

はさまる 挟まる (挟まれる) be caught in ...; (痛いほどぎゅっと) be ⌈pinched [nipped] in ... ★ pinch のほうがつねる感じが強い; (間に押し込まれる) be ⌈sandwiched [caught] between ...; (間に入る) get between ...; (間にある) lie between ...《☞ はさむ》.

¶ ドアに指を*挟まれた My fingers *were* ⌈*caught* [*pinched*; *nipped*] *in* the door. // 砂浜で遊んでいたらカニに*挟まれた I *was nipped* by a crab while (I was) playing on the beach. // 泥棒は 2 人の警官に*挟まれて連行された *Sandwiched between* two policemen [*With a* policeman *on either* side (of him)], the ⌈thief [burglar] was taken to the (police) station. // 何かが歯に*挟まったみたいだ Something seems to have gotten *between* my teeth. // その小国は 2 つの大国に*挟まれている That small country *lies between* two big countries.

はさみ[1] 鋏 ―名 (普通の) scissors /sízəz/; (大ばさみ) shears ★ 以上は複数形で. はさみ 1 丁は a pair of ⌈scissors [shears] のように言う.《☞ 数の数え方 (囲み)》; (穴あけばさみ) punch Ⓒ; (カニの) claw Ⓒ. ―動 (はさみを入れる・はさみで切る) cut ... with scissors; (木や髪を刈り込む) trim ㊀; (切符などに穴をあける) punch ㊀.

scissors

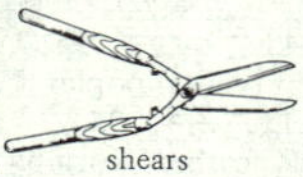

shears

¶ *はさみは紙や布を切るために使われる *Scissors* are used for cutting paper and cloth. // 彼女は封筒の端を*はさみでちょきんと切った She snipped off the edge(s) of the envelope with her *scissors*. // 父は庭の木に*はさみを入れています Father *is trimming* the trees in the garden.

はさみ[2] 挟み (はさむもの・クリップ) clip Ⓒ《☞ はさまる; はさむ》. ¶ 紙*挟み a *clip*bòard ★ 回覧板のようなもの // 書類*挟み a folder / a file ★ とじ込みのもの. **挟みゲージ** snap ⌈gage [gauge] Ⓒ.

はさみうち 挟み撃ち ―名 attack on both sides Ⓒ. ―動 (はさみ撃ちにする) attack ... ⌈from [on] both sides. ¶ 我々は敵の*はさみ撃ちにあった We *were attacked on both sides* by the enemy.

はさみきる 挟み切る snip off ㊀, clip off ㊀ ★ 共にはさみなどで切ることを表し, 前者は素早くちょきんと切る意味に, 後者は短く形を整えるために切る意味に用いる.《☞ きる[3]》. ¶ 布の端を*はさみ切る *snip* [*clip*] *off* the corner of the cloth

はさみこむ 挟み込む (間に入れる) put ... in ...; (挿入する) insert ㊀; (指などを…の間にはさむ) catch ... in ...《☞ はさむ》.

はさみしょうぎ 挟み将棋 (説明的に) checkers-like game played with shogi pieces Ⓒ.

はさみむし 鋏虫 〖昆〗 earwig Ⓒ.

はさみむすび 挟み結び (説明的に) a way to fasten the *obi* of a Japanese woman's kimono.

はさむ 挟む (間に差し入れる) put ... in ...; (挿入する) insert ㊀ ★ insert のほうが格式ばった語; (痛いほどぎゅっと挟む) pinch ㊀, nip ㊀ 〔語法〕 nip には挟み切ってしまうというニュアンスがある; (指などを…の間に挟む) catch ... in ...; (口出しする) put in ㊀; (人の話をさえぎる) interrupt ㊀ ★ put in より格式ばった語.《☞ はさまる; さしはさむ; つまむ》.

¶ 私は本にしおりを*挟んでおいた I ⌈*put* [*inserted*] a bookmark *in* the book. // ドアに指を*挟まれないよう気をつけなさい Be careful [Take care] not to ⌈*catch* [*pinch*; *nip*] your fingers *in* the door. // 「どうして」と彼は口を*挟んだ "Why?" he *put in*. // 彼はよく人の話に口を*挟む He often *interrupts* others while they are talking. // 警官隊と学生は道を*挟んで (⇒ 道路の反対側から) にらみ合った The police and the students glared at each other from opposite sides of the street.

ばさら 婆娑羅 ―形 (遠慮のない・勝手気ままな) unrestrained; (派手でけばけばしい) gaudy. ―名 unrestrainedness Ⓤ; gaudiness Ⓤ.

ばさりと (重く鈍い音を立てて) with a thud《☞ 擬声・擬態語 (囲み)》. ¶ 枝が*ばさりと地面に落ちた The branch fell to the ground *with a thud*.

バサロキック 〖泳〗 extended underwater dolphin kick Ⓒ ★ 説明的な訳. 「バサロキック」は米国の水泳選手 Jesse Vasallo /vəsǽloʊ/ の名前から.

バサロスタート ☞ バサロキック

はざわり 歯触り ¶ りんごの*歯触り *crunchiness* of apples // *歯触りのよい (⇒ ぱりぱりした) 食べ物 *crunchy* foods

はさん 破産 ―名 bánkruptcy Ⓤ. ―動 (破産する) go [become] bankrupt, (略式) go broke.《☞ とうさん[1]》. **破産管財人** trustée [assignee /æ̀səníː/] in bankrúptcy Ⓒ **破産債権** claim provable in bankruptcy Ⓒ **破産財団** estate in bankruptcy Ⓒ **破産申請** ―名 petition for bankruptcy Ⓒ. ―動 file a petition of bankruptcy, file for bankruptcy. **破産宣告** adjudication of bankruptcy Ⓒ. ¶ 彼は*破産宣告を受けた He has been *declared bankrupt*.

はし[1] 橋 ―名 bridge Ⓒ. ―動 (橋をかける) bridge ㊀, build a bridge.《☞ 次ページ挿絵》.

¶ その川には*橋がかかっていなかった (⇒ 川に渡した橋がなかった) There was no *bridge* across the river. // 村人たちは川に*橋をかけた The village people ⌈built a *bridge* across [*bridged*] the stream. // その*橋は歩いて渡るのに 10 分かかる It takes ten minutes to cross that *bridge* on foot.

はし[2] 端 (末端) end Ⓒ; (隅) corner Ⓒ; (縁) edge Ⓒ.《☞ さき[1]; へり[1]; ふち[1]; すみ[1]》.

¶ 彼は一番前の列の*端に座った He sat at the *end* of the front row. // 机の*端にはインクのしみがついていた There was an ink stain on the *corner* of the desk. // テーブルの*端に物を置いてはいけない Don't put anything on the *edge* of the table.

端から端まで from end to end.

はし[3] 箸 chopsticks ★ 通例複数形で. 箸 1 膳は a pair of chopsticks と言う.《☞ 数の数え方 (囲み)》. ¶ お*箸は使えますか Can you ⌈use [eat with] *chopsticks*?

箸が転んでも笑う laugh at anything. ¶ *箸が転んでも笑い出す女の子たち girls who *burst into giggles at the slightest provocation* **箸にも棒にもかからない** ¶ 彼は*箸にも棒にもかからない (⇒ まったく見込みがない) He is ⌈just *hopeless* [a *hopeless*

case]. **箸の上げ下ろし** ¶ 私の祖母は*箸の上げ下ろしにもうるさかった (⇒ 行儀作法にこだわる人であった) My grandmother was 「*strict on* [*a stickler for*] *good manners*. **箸より重い物を持ったことがない** ¶ 彼女はあまりにも大事に育てられている. もしかしたら*箸より重い物を持ったことがないのではないだろうか She has been brought up with too much care. I wonder if she *has never held anything heavier than* 「*chopsticks* [*a knife and fork*].

箸洗い simple soup served in a small cup (at a formal tea ceremony) Ⓤ **箸置き** chopstick rest Ⓒ **箸紙** *hashigami* Ⓤ; (説明的には) paper sheath (for chopsticks) Ⓒ **箸供養** memorial service for (old) chopsticks Ⓒ **箸立** chopstick stand Ⓒ **箸箱** chopstick case Ⓒ **箸休め** ☞ 見出し

はし[4] 嘴 ☞ くちばし; いすか

はじ[1] 恥 shame Ⓤ ★ 一般的な語で以下の語の代わりに使うこともできる; (屈辱(感)) humiliation Ⓤ ★ やや格式ばった語; (不名誉) disgrace Ⓤ

日英比較 日本語の「恥」と英語の shame とは一致している部分も多いが, 国民性や習慣の違いにより食い違っている部分もある. 例えば, 質問に答えられなくて「恥をかく」などは shame ではなく,「困惑する」(be embarrassed) に相当する. 一般に, 英語の shame は倫理・道徳上不名誉なことに限られる. 《☞ はずかしい; はじる》.

¶ 私は*恥をかいた (⇒ ばかなまねをした) I *made a fool of* myself. // 私は人前で*恥をかかされた I was put to *shame* in public. / I *was* 「*humiliated* in public [*shamed* publicly]. // 彼は*恥知らずだ He 「has no sense of [feels no] *shame*. / He is *shameless*. // 彼女のスキャンダルは一族の*恥になった (⇒ 一族に恥をもたらした) Her scandal brought 「*shame* [*disgrace*] 「on [to] her family. // そんな*恥をかかされては我慢できない I can't stand such *humiliation*. // 旅の*恥はかき捨て One can feel free to do all sorts of *shameful things* while on a trip.

恥の上塗り ¶ そんなことをすれば*恥の上塗りだ (⇒ それはあなたの恥を増加させるだろう) It will *add to your shame*. **恥も外聞もない** ¶ 私は動揺していて*恥も外聞もあったものではなかった (⇒ 恥をかくことも面目を失うことも構わなかった) I was so upset that I did*n't mind either being put to shame or losing face*. **恥を曝す** ¶ 誰が自分の*恥をさらすこと (⇒ 人前で恥をかくこと) を好むだろうか Who likes to 「*be put to shame* [*disgrace himself*; *make a fool of himself*] in public? **恥を知る** ¶ *恥を知れ *Shame on you*! / For *shame*! 語法 第 2 文のほうが大げさな言い方. **恥を雪ぐ** (汚名を晴らす) clear *one's* name; (名誉を取り戻す) vindicate *one's* honor. ¶ 彼は*恥をすすいだ He *removed the disgrace* that was brought on him.

恥知らず ☞ 見出し

はじ[2] 端 ☞ はし[2]

はしい 端居 ━動 cool *oneself* on a veranda(h) on a summer evening ★ 説明的な訳.

はじいる 恥じ入る be [feel] ashamed of ... 《☞ はじる》. ¶ 彼はすっかり*恥じ入っていた He *was* quite *ashamed of* himself.

バジェット (予算) budget /bʌ́dʒət/ Ⓒ ★ 形容詞的に用いて「格安の」の意味にも使われる.

はしか 麻疹 measles /míːzlz/ ★ 単数または複数扱い. ¶ 弟が*はしかにかかった My (younger) brother has 「caught [come down with] (the) *measles*.

はしがき 端書き (序文) preface /préfəs/ Ⓒ; (短い序文) foreword Ⓒ 語法 preface は著者が目的・準備の状態を述べたもの. foreword は特に著者以外の人が書いたもの. 《☞ じょぶん》.

はじき[1] 弾き **1** «弾くこと»: flip Ⓒ 《☞ はじく; はじける》. **2** «拳銃»: gun Ⓒ 《☞ ピストル》. **3** «おはじき» ☞ おはじき **弾き音** flap Ⓒ.

はじき[2] 土師器 (日本古代の土器) haji ware Ⓤ.

はじきだす 弾き出す (計算して見積もる) calculate ⑩; (値段などを大まかに見積もる) estimate ⑩; (追い出す) force ... out of ...; (追放する) expel ... from ... 《☞ けいさん[1]; みつもる》. ¶ 私はその費用を 10 万円と*はじき出した I 「*calculated* [*estimated*] the cost at 100,000 yen. // 地位争いから*はじき出される *be forced out of* a race for a position

はじく 弾く (指ではじく) fillip ⑩; (水などをはじく) repel ⑩. ¶ 少年はビー玉を*はじいた The boy *filliped* a marble. // この塗装は水を*はじく This coating *repels* water.

はしぐい 橋杭 (bridge) pier Ⓒ.

はしくれ 端くれ ¶ こんな金は受け取れない. 私はこれでも役人の*端くれだ (⇒ あまり重要な地位ではないが) I can't accept this kind of money. I am a public servant, *though not a very important one*.

はしけ 艀 lighter Ⓒ.

はしげた 橋桁 bridge girder Ⓒ.

はじける 弾ける (勢いよくはぜる) burst open ⓐ; (ぱちんとはぜる) crack open ⓐ; (さやなどが割れて開く) split open ⓐ; (ぽんとはぜる) pop ⓐ. ¶ 火の中で栗の実が*はじけた The chestnuts 「*burst* [*cracked*] *open* in the fire.

はしご 梯子 (一般の) ladder Ⓒ; (脚立(きゃたつ)式の) stepladder Ⓒ. 《☞ 次ページ挿絵》.

¶ 彼は*はしごを塀に立て掛けた He 「put [set] the *ladder* (up) against the wall. // 彼は*はしごを登った He 「climbed [went up] the *ladder*. // *はしごを降りる climb [come] down a *ladder* // 彼は*はしごに登って (⇒ はしごの上に立って) 天井のペンキを塗った He stood on the *stepladder* and painted the ceiling. // 彼は足を踏みはずして*はしごから落ちた He lost his footing and fell 「from [off] the *ladder*. //

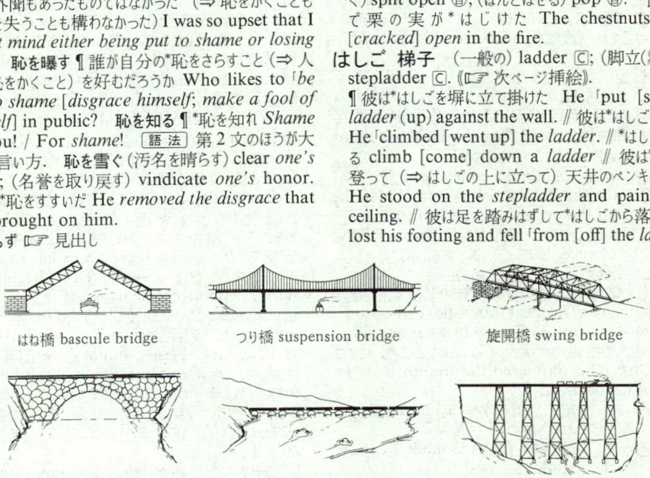

はね橋 bascule bridge　つり橋 suspension bridge　旋開橋 swing bridge

石橋 stone bridge　浮き橋 pontoon bridge　構脚橋 trestle bridge

橋 bridges

*はしごを押さえていて下さい Please steady the *ladder*. // なわ*ばしご a rope *ladder* // 避難*ばしご a fire escape

はしごを外す ¶ *はしごを外されたような気分だ I feel as if the *ladder were taken away from* under me. / (⇒ 仲間に裏切られたような気分だ) I feel as if I *was betrayed by* my *friends*.

ladder　stepladder

はしご酒 bárhòpping Ⓤ, 《英》 pub-crawl Ⓤ　はしご段 (手すりなどを含む) staircase Ⓒ; (屋内の) stairs ★ 複数形で.　はしご乗り acrobatic ｢performance [stunt] on a ladder Ⓒ.

はしこい ☞ はしっこい

はしごしゃ 梯子車 (消防用の) hook and ladder (truck) Ⓒ, ladder truck Ⓒ.

はじさらし 恥晒し (恥となる人・もの・こと) a disgrace ★ a を付けて. 《☞ はじ¹》. ¶ 彼女は一家の*恥さらしだ She is *a disgrace* to the family.

ハシシ (大麻) hashish, hasheesh /hǽʃiːʃ/ Ⓤ.

はじしらず 恥知らず ── 形 (ずうずうしくて行為に慎しみがない) shameless. ── 名 (卑劣な人間) wretch Ⓒ, shameless person Ⓒ. 《☞ はれんち》.

はした 端 はした金 small sum (of money) Ⓒ 《☞ はすう》.

はしたない (低級な) low; (卑しい) mean; (野卑な) vulgar; (不作法な) ill-mannered; (慎みのない) immodest ★ 他より格式ばった語.

ばしっ ── 名 (ばしっという音) whack Ⓒ, smack Ⓒ ★ 前者の方が強い音を表す. ── 動 (ばしっと打つ) whack 他, smack 他. 《☞ 擬声・擬態語 (囲み)》. ¶ 彼女は彼のほおを*ばしっとたたいた She ｢*smacked* him [gave him a *smack*] on the cheek.

ぱしっ ── 名 (ぱしっという音) crack Ⓒ, snap Ⓒ ★ 前者は固い物が割れるような音, 後者はふたなどが閉まる[開く]ような音; (平手でぱしっと打つこと) slap Ⓒ. ── 動 (ぱしっと音をさせる) crack 他, snap 他; (平手で打つ) slap 他. 《☞ 擬声・擬態語 (囲み)》. ¶ 頭を*ぱしっと打たれる get a ｢*crack* [*slap*] on the head // むちを*ぱしっと鳴らす *crack* [*snap*] a whip

はしっこ 端っこ ☞ はし²

はし(っ)こい (機敏な) quick, nimble. 《☞ すばやい》.

ハシッシュ ☞ ハシシ

はしどい 〘植〙 Japanese tree lilac Ⓒ.

ばじとうふう 馬耳東風 ¶ 彼は先生の忠告を*馬耳東風と聞き流した He *turned a deaf ear to* his teacher's advice. 《☞ ききながす》

はじとみ 半蔀 *hajitomi* wooden door Ⓒ; (説明的には) a wooden door which is separable in the middle, and the upper half can be lifted.

はしなくも 端なくも (思いがけず) unexpectedly; (偶然) by chance. 《☞ ぐうぜん; おもいがけない》.

はしぬい 端縫い ── 動 hem 自 他.

はしばし 端端 ¶ 彼は言葉の*端々に皮肉を込めた He used *a lot of* ｢cynical [sarcastic] expressions. / There was a touch of irony in what he said. // 彼らは新人の振舞いの*端々 (⇒ 細かいところ) にまでけちをつけた They criticized the freshman *in detail* for his behavior.

はしばみ 榛 〘植〙 (はしばみの木・実) hazel Ⓒ. ¶ *はしばみの実 *hazelnuts*

はしびろがも 嘴広鴨 〘鳥〙 spoonbill Ⓒ, shovel(l)er Ⓒ, shovelbill Ⓒ.

パシフィック ── 形 (太平洋の) Pacific.

パシフィックリーグ the Pacific League 《☞ パリーグ》.

はしぶとがらす 嘴太鴉 〘鳥〙 jungle crow Ⓒ 《☞ からす¹》.

はしぼそがらす 嘴細鴉 〘鳥〙 carrion [common] crow Ⓒ 《☞ からす¹》.

はじまり 始まり (開始) beginning Ⓒ, start Ⓒ; (開会) opening Ⓤ; (起源) origin Ⓒ; (原因) cause Ⓒ. 《☞ はじめ 語法; おこり¹》.
¶ 彼女はその会合の*始まりにあたって話をした She spoke at the ｢*opening* [*start*] of the meeting. // そのけんかの*始まりは何ですか What ｢was [is] the *cause* of the quarrel?

はじまる 始まる (開始する) start 自, begin 自, commence 自 ★ 前 2 者より格式ばった語; (会などが) open 自; (…から起こる) oríginàte in …; (ある年代から始まる) date from …; (ある年代にさかのぼる) dáte báck to …; gò báck to …; (季節などが) sèt ín 自; (突発する) brèak óut 自.

【類義語】 開始を示す語の中では **start**, **begin** が最も一般的な語で, 動作・行為・経過や存在などが始まる, または始めることをいう. **commence** は格式ばった場合に用いられる. 会などの開始, 店などの開店をいうのは **open**. 起源・原因を表すのは **originate in** … また物事の歴史的な開始の年月をいうのが **date from** … 過去にさかのぼることができるという意味では **date back to** … これとほぼ同意の口語的表現が **go back to** … 季節・期間などの長期にわたるものが始まるのは **set in**. 戦争・火事など好ましくないことが突然に始まるのは **break out** という.

¶ 「学校は何時から*始まるのですか」「8 時からです」 "When [What time] does your school ｢*start* [*begin*]? / What time does school *start* for you?" "It ｢*starts* [*begins*] at eight." 語法 (1) 前置詞は at であって, from ではない. // アメリカやヨーロッパでは新しい学年は 9 月から*始まります In America and Europe the new school year ｢*starts* [*begins*] in September. 語法 (2) 前置詞は in であって, from ではない. // 会議は議長の演説で*始まった The meeting ｢*opened* [*commenced*] with ｢the chairman's speech [a speech by the chair]. // この風習は 11 世紀に*始まった This custom ｢*dates from* [*dates back to*; *goes back to*] the eleventh century. // 日本では雨期は 6 月に*始まる In Japan the rainy season *sets in* in June. // 第一次大戦は 1914 年に*始まった World War I *broke out* in 1914. 参考 World War I は /wə́ːld-wɔ̀ə-wʌ́n/ と読む. // 授業はもう*始まって (⇒ 行われて) いますか *Is* school (already) *in session*? / Has school (already) *started*?

始まらない (とても…することはできない) there is no *doing* …; (…してもむだである) it is no use *doing* … ¶ いまさら泣き言を言っても*始まらない *It's no use* crying over spilt milk. 《ことわざ: こぼれた牛乳を嘆いても仕方がない》 ★ 過ぎ去ったことは元に戻らないことをいう. // 起こったことを悔やんでも*始まらない (⇒ むだである) *It's no use regretting* what happened.

はじめ 初め, 始め ── 名 (開始) beginning Ⓒ, start Ⓒ, commencement Ⓤ 語法 (1) 最初の 2 語はほぼ同意だが, 最後のは格式ばった語; (開会) opening Ⓤ; (起源) origin Ⓒ. ── 形 (一番最初の) (the) first; (冒頭の) initial Ⓐ ★ 前者より格式ばった語; (元の) original Ⓐ. ── 副 (初めは) at first; (元は) originally; (まず初めに) to ｢begin [start] with 語法 (2) 文頭に置くのが普通. 格式ばった言い方. 《☞ さいしょ¹; はじまり; ぼうとう¹; でだし; はじめて》.
¶ *初めが大切だ *Beginnings* are important. / It is important to make a good ｢*beginning* [*start*]. // 彼は今年の*初めにここへ来た He came here *at the beginning* of ｢this [the] year. ★ 前置詞 at を取る

ことに注意. // 私は会の*初めに全員に紹介された I was introduced to the entire membership _at the_ 「_opening_ [_beginning_] of the meeting. // 私は*初めから彼が怪しいと思っていた I have suspected him _from the beginning._ // 彼は*初めから終わりまで黙っていた He kept silent 「_from beginning to end_ [(⇒ ずっと通して) _throughout_]. // *初めから (⇒ 全部もう一度) やり直そう Let's do it _all over again._ // *初めの計画は変更された The 「_original_ [_first_] plan was changed. // その言葉の*初めの文字は何ですか What is the 「_initial_ [_first_] letter of the word? // 私は*初めは彼女が好きではなかった _At first_ I did not like her. // 校長を*はじめ (⇒ 含めて) 5 人の先生がその会に出席した Five teachers, _including_ the principal, attended the meeting.
始め有るものは必ず終わりあり (永久に続くものはない) There is nothing that lasts forever in the world. / Nothing lasts forever. **始めは処女の如く終りは脱兎の如し** start at a slow pace of a bashful maiden but finish with the speed of a hunted hare. **始め良ければ終り良し** A good beginning makes a good ending. / Well begun is half done. 《ことわざ》

はじめて 初めて (最初に) first; (第 1 回目に) for the first time.
¶ あなたが*初めてベティに会ったのはいつでしたか When did you _first_ meet Betty? // *初めて私は上京しました This is the _first_ time (that) I've 「been [come] to Tokyo. // 私はきのう生まれて*初めてスケートに行った I went skating _for the first time_ (in my life) yesterday. // 当地は*初めてです This is my _first_ visit 「to this place [here]. // 人は健康を失って*初めてそのありがたさを知る (⇒ 健康を失うまではありがたさがわからない) We do_n't_ realize the value of health _till_ we lose it. / _It is not until_ we lose our health _that_ we realize its value. ★ 2 番目の文は 1 番目を強調した言い方. // そんなことは*初めて聞いた I've heard 「it [such a thing] _for the first time._

はじめね 始め値 〖株〗 opening 「quotation [price] Ⓒ.

はじめまして 初めまして Hów do you /-dju:-/ dó?

はじめる 始める (開始する) start 他 自, begin 他 自, commence 他 ★ 前 2 者より格式ばった語; (会・店などを) open 他; (仕事などを) sèt abóut 他; (…に取りかかる) set [get] to … 《☞ はじまる (類義語); かいし¹; とりかかる; ちゃくしゅ; -だす》.
¶ すぐに宿題を*始めなさい _Start_ [_Begin_; _Set about_] (doing) your homework at once. // 雨が降り*始めた It (_has_) _started_ 「raining [to rain]. / It _began_ 「raining [to rain]. // 何から*始めましょうか What shall I _begin_ with? // 10 ページから*始めよう Let's _begin_ with page ten. // 彼は本通りでレストランを*始めた He _opened_ a restaurant on Main Street.

はしゃ 覇者 (競技の優勝者) the champion.

ばしゃ 馬車 (一般の 4 輪馬車) (horse) carriage /kǽrɪdʒ/ Ⓒ; (簡単な 2 輪の荷馬車) cart Ⓒ; (ほろ付き馬車) covered wagon Ⓒ.
馬車馬 (4 輪馬車用の) carriage horse Ⓒ; (荷馬車用の) cart horse Ⓒ. ¶ 彼は*馬車馬のように働いた (⇒ 一心に) He _devoted himself to_ his work. / (⇒ 奴隷のように) He worked like a _slave._ ★ horse を使う言い方もあるが「元気いっぱいに」の意味で好ましいニュアンスが含まれる. / (⇒ 馬車馬のように働く人だった) He was a _workhorse._

はしゃぐ (ふざけ騒ぐ) frolic 自 《過去・過分 frolicked; 現分 frolicking》; (子供などが飛び回る) rómp 「aróund [abóut] 自. ¶ 子供たちは雪の中で*はしゃぎ回っていた The children _were_ 「_frolicking_ [_romping around_] in the snow. // 第一次予選に通ったからといって*はしゃぎすぎてはいけない Don't _get_ too _excited_ just because you got through the first round of the eliminations.

はしやすめ 箸休め (つけあわせの料理) side dish Ⓒ; (添え料理) light dish served between (the) main courses Ⓒ.

ばしゃっ ── 名 (水がはねる音) splash Ⓒ. ── 動 (ばしゃっと水をはねる) splash 他 自. 《☞ 擬声・擬態語 (囲み)》. ¶ *ばしゃっと音を立てて with a _splash_

ぱしゃっ ── 名 (水の音) splash Ⓒ. ── 動 (ぱしゃっと水をはねる) splash 他 自. 《☞ 擬声・擬態語 (囲み)》.

ばしゃばしゃ ── 動 (水をはねる) splash 他 自. ── 名 (音) splash Ⓒ. 《☞ 擬声・擬態語 (囲み)》.
¶ 少年たちはプールで水を*ばしゃばしゃさせた The boys _splashed_ in the swimming pool.

ぱしゃぱしゃ (水をはねる) splash 他 自; (ぱしゃぱしゃ音をさせて歩く) squelch 自 ★ 副詞(句)を伴う. 《☞ 擬声・擬態語 (囲み)》. ¶ 私たちは泥んこ道を*ぱしゃぱしゃと歩いていった We _squelched_ up a muddy path.

パジャマ pajamas (《英》 pyjamas) /pədʒɑ́:məz/ ★ 複数形で. 《☞ ねまき (挿絵)》. ¶ *パジャマ 1 着 a pair of _pajamas_ // *パジャマはどこにあるの Where are my _pajamas_?

はしゅ 播種 ☞ たねまき

ばしゅ 馬主 owner of a horse Ⓒ.

ばじゅつ 馬術 (馬を乗りこなす技術) horsemanship Ⓤ; (競技種目名としての) equestrian /ɪkwéstriən/ event Ⓒ. 《☞ じょうば》. **馬術選手** horseman Ⓒ, (女性の) horsewoman Ⓒ.

はしゅつじょ 派出所 (警官の) police box Ⓒ 《☞ こうばん¹ 日英比較》.

はしゅつふ 派出婦 visiting housekeeper Ⓒ.

パシュトーご パシュトー語 Pashto /pʌ́ʃtoʊ/ Ⓤ ★ アフガニスタンの公用語の 1 つ.

パシュミナ pashmina /pʌʃmí:nə/ Ⓤ ★ 高級なカシミアの毛(糸)・織物. しばしば絹との混紡で用いる.

ばしょ 場所 **1** 《所》: place Ⓒ ★ 最も一般的で意味の広い語. 以下の語の代わりにも使える; (ある特定の場所) spot Ⓒ; (正確な地点) point Ⓒ. 《☞ ば; ところ》. ¶ オアシスとは砂漠の中で水のある*場所です An oasis is a 「_spot_ [_place_] in 「a [the] desert where water can be found. // その*場所に着いたらひと休みすることにしよう When we reach that 「_point_ [_place_], we will stop to rest.
2 《位置》: (物の存在している場所) location Ⓒ 《☞ いち²》. ¶ そのホテルのある*場所を知っていますか Do you know 「the _location_ of the hotel [(⇒ ホテルがどこにあるか) where the hotel is]? ★ [ ] 内のほうが口語的な言い方.
3 《空間》: (空間・場所などの余裕) room Ⓤ; (空いている場所) space Ⓤ. 《☞ スペース》.
¶ 折りたたみ式ベッドはあまり*場所をとらない A folding bed 「takes [requires] little 「_room_ [_space_]. // 駐車する*場所を見つけるのに骨が折れた We had a hard time finding a parking 「_space_ [_place_].
4 《座席》: seat Ⓒ 《☞ せき¹》. ¶ 座る*場所は全然なかった There were no _seats_ left. // 彼らは花見の*場所とりに早めに仕事を切りあげて公園に出かけた They left work early to go to the park _to keep a_ 「_place_ [_space_] for the picnic under the cherry blossoms.
5 《すもうの》: (sumo) grand tournament Ⓒ.
¶ 春[夏]*場所 the (sumo) 「spring [summer] _grand tournament_
場所を踏む (経験を積む) accumulate experience,

は

pass [go] through varied experiences《☞ ばかず》. **場所塞ぎ** something that only takes up space; (無用のもの) useless thing Ⓒ; (代わりに埋めるもの) filler Ⓒ.

ばしょう¹ 芭蕉 〘植〙 plantain /plǽntn/ Ⓒ, banana plant Ⓒ. **芭蕉布** (ばしょうの葉の繊維で織った布) plantain cloth Ⓤ.

ばしょう² 芭蕉 ☞ まつおばしょう

ばじょう 馬上 **馬上の人** a person on horseback. ¶*馬上の人となる (⇒ 馬に乗る) get on a horse / mount

ばしょうかじき 芭蕉梶木 〘魚〙 sailfish Ⓒ.

はじょうこうげき 波状攻撃 ― 動 (…に一連の攻撃をする) make a series of attacks ⌜against [on] …⌟.

はじょうスト 波状スト piston strike Ⓒ, strike in waves Ⓒ.

はしょうふう 破傷風 tétanus Ⓤ, lockjaw Ⓤ ★ 前者は専門語で, 後者は一般的な語. **破傷風菌** tetanus bacillus Ⓒ《複 ― bacilli》《☞ きん²》.

ばしょがら 場所柄 (状況) the situation. ¶彼は*場所柄もわきまえず大声で話した He ⌜talked [spoke] loudly, regardless of ⌜*the situation* [*where he was*]. ★ [ ] 内のほうが口語的.

はしょく 波蝕 (波の浸食作用) erosion (caused) by wave action Ⓤ; (海岸線の浸食) erosion along a coastline Ⓤ.

ばしょく 馬謖 ¶泣いて*馬謖を斬る (⇒ 公正のために心ならずも気に入りの人を罰する) administer severe punishment to those you favor against your will for the cause of justice

はしょる (切り詰める) cut … short; (短くする) make … short; (抜かす・飛ばす) skip ㊀. 《☞ とばす; しょうりゃく》. ¶それは長い話だが, *はしょって話しましょう It's a long story, but I will ⌜*cut* [*make*] it *short*.

ばしょわり 場所割り space allocation Ⓤ.

はしら 柱 (建築物の柱) pillar Ⓒ; (物を支える支柱) post Ⓒ; (テントの支柱・電柱など) pole Ⓒ; (組織を支える中心人物) pillar Ⓒ; (家族を扶養する人) support Ⓒ; 〘印〙 (本のページ上部の欄外見出し) running head Ⓒ; (特に辞書などの) guide word Ⓒ, alphabet guide Ⓒ ★ 後者はアルファベット表記; (死者の霊を数えることば) urn Ⓒ ★「骨つぼ」の意. 《☞ くい¹; ぼう¹》. ¶彼らは屋根を支える*柱を 6 本立てた They erected six *pillars* to support the roof. // 200 *柱の遺骨 the ashes of 200 persons / (⇒ 遺骨を入れた 200 の骨つぼ) 200 urns, containing the ashes of the dead
柱時計 wall clock Ⓒ《☞ とけい》.

はじらい 恥じらい (恥ずかしがること) shyness Ⓤ; (特に子供のはにかみ) bashfulness Ⓤ. 《☞ はにかむ》.

はじらう 恥じらう be shy; (特に子供が) be bashful. 《☞ はずかしい》. ¶彼女は花も*恥じらう (⇒ 魅力的な) 年ごろだ She is at ⌜a *sweet* [*an attractive*] age. / (⇒ 花よりも美しい) She is now *lovelier than* lovely flowers.

はしらかけ 柱掛け pillar tablet Ⓒ.

はしらす 走らす (走らせる) run ㊀; (車を) drive ㊀ ㊁《過去 drove; 過分 driven》; (馬を駆け足で) gallop ㊀; (船を) sail ㊀. ¶彼は駅まで車を*走らせた He *drove* (his car) to the station.

はじらみ 羽虱 〘昆〙 bird louse Ⓒ《複 ― lice》.

はしり 走り ¶これは*はしりの (⇒ シーズン最初の) たけのこです These are the *first* bamboo shoots *of the season*. 《☞ はつもの》 // *はしりのりんごは旬のものほどはおいしくない *Early* apples are not as good as those in season. // 彼女がミニスカートの流行の*はしりだった She was the *inventor* of the miniskirt fashion. 《☞ さきがけ》.

パシリ (使い走り) errand Ⓒ. ¶彼は彼女の*パシリをやっている He's running an *errand* for her.

はしりがき 走り書き ― 動 (急いで書く) write ⌜hurriedly [hastily] ㊀ ★ hurriedly のほうが口語的; (急いでぞんざいに書く) scribble ㊀; (みみずののたくったような字で書く) scrawl ㊀ ★ scrawl のほうが悪いニュアンスをもつ. ― 名 hurried note Ⓒ; scribble Ⓒ, scrawl Ⓒ. 《☞ なぐりがき; かきちらす》. ¶彼は友達に短い手紙を*走り書きした He *hurriedly wrote* (a note) to his friend. // 彼の*走り書きはほとんど読めない I can hardly read his ⌜*scribble* [*scribbling*; *scrawl*].

バジリコ (香辛料) basil /bǽzl/ Ⓤ《☞ バジル》.

はしりこむ 走り込む (駆け込む) run into …; (十分に走る) run a lot. 《☞ かけこむ》. ¶彼女は電話に出ようとして部屋に*走り込んできた She *ran into* the room to answer the phone. // 彼女は夏の陸上部の合宿で十分に*走り込んだ She *ran a lot* at the summer track and field camp.

はしりさる 走り去る run ⌜away [off]; (自動車で) drive off. ¶彼は警官を見ると*走り去った When he saw a policeman, he *ran* ⌜*away* [*off*].

はしりたかとび 走り高跳び the (running) high jump. **走り高跳び選手** high jumper Ⓒ.

はしりづかい 走り使い ― 動 (使い走りをする) run [go on] errands (for *a person*)《☞ つかい》.

はしりづゆ 走り梅雨 unsettled weather before the rainy season Ⓤ《☞ つゆ²》.

はしりどころ 走野老 〘植〙 *hashiridokoro* Ⓒ; (説明的には) a poisonous herb, a kind of solanum, with dark purple flowers.

はしりぬける 走り抜ける run through …

はしりはばとび 走り幅跳び the (running) ⌜long [《米》 broad] jump ★ long jump が正式名. **走り幅跳び選手** long [《米》 broad] jumper Ⓒ.

はしりまわる 走り回る (かけ回る) rùn ⌜aróund [《英》 abóut]; (忙しく立ち回る) be busy *doing* … 《☞ かけまわる》.

はしりもの 走り物 (季節の初物) the first of the season 語法 たけのこ, りんご, かつおなど具体的な産物を言うときは the first の後に入れる. 《☞ はしり; はつもの》.

はしりよみ 走り読み ― 動 (急いで読む) read ⌜hurriedly [hastily] ㊀ 語法 hurriedly のほうが口語的; (ざっと読む) skim ⌜over [through] …; (目を通す) run (*one's* eyes) ⌜through [over] … ¶朝は新聞を*走り読みする I ⌜*skim over* [*run* (*my eyes*) *through*] the newspapers in the morning.

はしる 走る run ㊁《過去 ran; 過分 run; 現分 running》; dash ㊁; rush ㊁; jog ㊁; sail ㊁.
【類義語】最も一般的なのは *run*. この語はほかの語の代わりに使うこともできる. また比喩的にある地点から別の地点に向かって継続的に続くこと, 例えば道の連続などにも使う. 比較的短距離を勢いよく走るのが *dash*. 勢いよく殺到するのが *rush*. 特に健康のためにゆっくり走るのは *jog*. 船が走るのは *sail* と言う.
¶彼はできるだけ速く*走った He *ran* as fast as he could. // 駅まで*走って 2, 3 分です It is a few minutes' *run* to the station. ★ この run は 名. // 急行列車はその駅を*走り過ぎた The express (train) *ran* past the station. // バス停まで*走ろう. 間に合うかもしれない Let's ⌜*dash* to the bus stop [make a *run* for the bus]. We might just make it. // 彼らは門の方へどっと*走って行った They ⌜*rushed* [*made a rush*] toward the gate. // 私は毎朝公園をひと回り*走ることにしている I make a point of *jogging* ⌜around [round] the park every morning. 《☞ ジョギング》 // ヨットが 1 艘滑るように湾の向こう側に

*走っていった A yacht *was sailing* swiftly across the bay. // その通りは東西に*走っている The street *runs* from east to west. // 悪寒が背筋を*走った A cold shiver *ran* down my spine. // 突如稲妻が*走った (⇒ぴかっと光った) Suddenly lightning *flashed*. // 悪事に*走る (⇒悪事をする習性がついた) 子供たち children who *have taken to* committing a crime // 彼女は全てを捨てて恋人のもとに*走った She left everything (and *went*) *to live with* her lover.

はじる 恥じる be [feel] ashamed of ... (↔ be proud of ...) 《☞ はじ[1] 日英比較; はずかしい》.
¶ あなたはあなた自身[自分の行為]を*恥じるべきだ You ought to *be ashamed of* ⌐yourself [your conduct]. // 彼はカンニングをしたことを*恥じていた He *was ashamed of* ⌐having cheated [cheating] on the exam. // 彼女は*恥じて顔を赤らめた She blushed *with shame*. // 彼女はその名声に*恥じない優れたピアニストだ She is a great pianist ⌐*worthy of* [*equal to*] her fame. // 我が野球部は名門の名に*恥じない活躍をした Our baseball team played well, *worthy of* its illustrious name.

バジル[1] 〘植〙 basil /bǽzl/ Ⓒ 《☞ バジリコ》.

バジル[2] (男性名) Basil /bǽzl/.

はしわたし 橋渡し ── 名 (仲介) 《格式》 mediation Ⓤ; (仲介者) mediator Ⓒ; (取り持ち役) go-between Ⓒ. ── 動 mediate ⓐ; act as a go-between. 《☞ ちゅうかい[1]; ちゅうさい》.

-ばしん …馬身 … (horse's) lengths.
¶ 本命の馬が*2 馬身差で勝った The favorite (horse) won by two *lengths*.

はす[1] 蓮 lotus Ⓒ. ¶ *はすの花[葉] a *lotus* ⌐flower [leaf] // *はす池 a *lotus* pond

はす[2] 斜 ── 形 (傾斜した) slanting; (斜めの・曲がった) askéw Ⓟ, oblíque; (対角線状の) diágonal ★ 通例 Ⓐ. ── 副 (斜めに) askew; obliquely; diagonally. 《☞ ななめ》. ¶ 絵が*はすになっている The picture hangs *askew*. // 彼は*はすに構えて立っていた (⇒左[右]の肩を前方にして) He was standing *with his* ⌐*left* [*right*] *shoulder forward*.

はす[3] 鰣 〘魚〙 three-lips Ⓒ, piscivorous /pɪsív(ə)rəs/ chub Ⓒ.

はず[1] 筈 **1** 《予定》: (…ということになっている) be supposed to *do* ...; (…する予定である) be to *do* ... ★ 前者のほうが口語的. 後者は公文書などで使われる格式ばった表現; (期限・時間などが決まっている) be due. 《☞ よてい》. ¶ 井上君は 3 時までにここに来る*はずだ Inoue *is supposed to* ⌐be [come] here by three. // 飛行機は 1 時 30 分に[30 分後に]到着する*はずです The plane *is due* ⌐at 1:30 [in thirty minutes].
2 《当然》: ought to *do* ...; should *do* ... 語法 (1) ought to が客観的な言い方であるのに対し, should のほうは話者の主観的な気持ちを表すという違いがある. ¶ あなたは習ったのだから英語は知っている*はずだ You *ought to* know English, since you have studied it. // 彼らはいまごろはもう家に着いている*はずだ They ⌐*ought to* [*should*] have ⌐arrived [gotten] home by this time.
はずがない cannot *do* .... ¶ このニュースが本当である*はずがない This news *cannot* be true. // 彼女はまだ駅に着いている*はずがない She *cannot* have arrived at the station yet. 語法 (2) 現在までの動作の完了および過去のことについての否定的推量は cannot have *done* ... の形で表す. // そんな*はずはない That's *impossible*! / That *can't* be so! ★ いずれの英文も決まった言い方.

はず[2] 巴豆 〘植〙 purging croton Ⓒ.

ハズ (夫) husband Ⓒ, 《略式》 hubby /hʌ́bi/ Ⓒ. 《☞ おっと[1]》.

バス[1] bus Ⓒ 《複 ~es, 《主に米》 busses》 語法 《英》 では市内バスのみをいう; (長距離・観光用の) 《英》 coach Ⓒ.

> バスのいろいろ
> 観光バス sightseeing bus, 長距離バス long-distance ⌐bus [coach], 通学[スクール]バス school bus, 二階バス double-decker, マイクロバス microbus, ミニバス mini-bus, ワンマンバス bus ⌐without a conductor [with a driver only], 空港送迎バス (airport) limousine

¶ 父は*バスで仕事に行く Father goes to work by *bus*. // *バスに乗ろう Let's take ⌐the [a] *bus*. // 彼はおばあさんが*バスに乗るのを助けた He helped an old woman get ⌐on [onto] the *bus*. // 私は学校の前で*バスを降りた I got off the *bus* in front of the school. // 私は*バスの中で加藤先生に会った I saw ⌐Mr. [Mrs.; Miss; Ms.] Kato on the *bus*. // この*バスは上野へ行きますか Does this *bus* go to Ueno? 参考 運転手などにきくときは Do you go to Ueno? ともいう. // その町は*バスの便がよい (⇒よいバスの便がある) There is a good *bus service* in that town. // 彼は*バスに乗り遅れて学校に遅刻した He *missed the bus* and was late for school. // *バスに乗り遅れるな (⇒時流に従え) *Conform to* the current of the times. / (⇒遅れないでついて行け) *Keep up with* the times. // 技術革新の*バスに乗り遅れる *fall behind in* technical innovations 日英比較 英語にも比喩的に miss the ⌐boat [bus] という表現があるがこれは日本語の「時流に遅れる」の意味ではなくチャンスを逃すことをいう.
バス会社 bus company Ⓒ **バスガイド** bus tour ⌐conductor [guide] Ⓒ **バスターミナル** bus terminal Ⓒ **バス代** bus fare Ⓒ **バス停留所** bus stop Ⓒ **バス旅行[ツアー]** bus tour Ⓒ **バスレーン** bus lane Ⓒ 《☞ ていりゅうじょ; えき[1]》 **バス路線** bus ⌐route [line] Ⓒ.

> コロケーション
> **バスに間に合う** catch a *bus* / **バスを運転する** drive a *bus* / **バスを利用する[使う]** take a *bus*

バス[2] (風呂) bath Ⓒ 《☞ ふろ (挿絵)》. ¶ *バストイレ付きの部屋 a room with a *bath* (and toilet) **バスタオル** bath towel Ⓒ **バスタブ** (浴槽) bathtub Ⓒ **バスマット** bath mat Ⓒ **バスルーム** bathroom Ⓒ **バスローブ** bathrobe Ⓒ.

バス[3] 〘楽〙 bass /béɪs/ Ⓤ ★ 歌手の意味では Ⓒ. 形 としても用いる. その場合は通例 Ⓐ.

パス[1] **1** 《定期券》: 《米》 commutation ticket Ⓒ, 《英》 season (ticket) Ⓒ; (無料入場券・乗車券) pass Ⓒ.
2 《合格する》 ── 動 pass ⓣ 《☞ ごうかく》.
3 《トランプなどで》 ── 動 pass ⓐ.
4 《送球する》 ── 動 pass ⓣ. ── 名 pass Ⓒ.
¶ 彼はフルバックにボールを*パスした He *passed* the ball to the fullback.

パス[2] 〘コンピューター〙 path Ⓒ.

はすい 破水 ¶ *破水した The waters have broken. ★ 出産時に羊水が出ること.

はすう 端数 〘数〙 fraction Ⓒ. ¶ *端数を切り捨てるとちょうど 50 になる If you omit *fractions*, you get exactly fifty.

バズーカほう バズーカ砲 bazooka Ⓒ.

バスーン 〘楽器〙 bassoon Ⓒ 日英比較 日本ではファゴット (fagotto Ⓒ) ともいうが英語では一般的になっていない.

ばすえ 場末 (町はずれ) the outskirts (of (a) town) ★ 複数形で.

はすかい 斜交い ―形 (斜めの) slanting 《☞ ななめ; はす²》.

はずかしい 恥ずかしい ―動 (恥じる) be [feel] ashamed; (当惑している) be [feel] embarrassed.
―形 (特に子供などがきまりが悪くて恥ずかしがる) abashed P, bashful 語法 前者は特定の場合について言い, 後者は通常の性格を表すのに使うことが多い; (引っ込み思案で恥ずかしがる) shy. ―副 (恥ずかしそうに) shyly 日英比較 (1) 日本語の「恥ずかしい」はかなり広い意味で使われるのに対して, 英語の be ashamed は倫理・道徳・良識の上で不名誉なことだけに使われる. 従って前後関係によって, 英語では以上のような訳語を使い分けなくてはならない. 《☞ はじ¹ 日英比較; はじる; てれくさい》.
¶ 私はこんな誤りを犯して*恥ずかしい I *am ashamed* ˹*of* having made [*that* I made] this (kind of) mistake. // 花嫁は*恥ずかしそうだった The bride looked ˹*bashful* [*shy*]. // 彼女は*恥ずかしそうに私に話しかけてきた She spoke to me *shyly*. // まあ, *恥ずかしいわ (⇒ 私は当惑した) I *am embarrassed*.
日英比較 (2) この意味の「恥ずかしい」は日本語独特の表現で, ぴったりの訳がない.
恥ずかしくない be not ashamed of ... ¶ 成人として*恥ずかしくない (⇒ ふさわしい) 行動をして欲しい I'd like you to ˹take action [do something] *worthy of* an adult. / (⇒ 大人として) I'd like you to conduct yourself (properly) as a ˹grown up [mature] person. // これは画家としてどこに出しても*恥ずかしくない作品だ This work would *do credit* to its painter wherever it ˹is [may be] displayed.

はずかしがりや 恥ずかしがり屋 shy [bashful] person C.

はずかしがる 恥ずかしがる be [feel] shy 《☞ はずかしい》. ¶ その子は友達の前で歌うのを*恥ずかしがった The boy was *shy* about singing in the presence of his friends.

はずかしさ 恥ずかしさ (恥ずかしい思い) shame U; (ばつの悪さ) embarrassment U. ¶ 彼は*恥ずかしさで赤面した He ˹blushed [turned red] with ˹*embarrassment* [*shame*]. // 彼女は*恥ずかしさで頭をたれた She hung her head in *shame*. / (⇒ 恥ずかしそうに目を伏せた) She looked down *shyly*.

はずかしめ 辱め ―名 (侮辱) insult C; (恥辱) shame U; (不面目) disgrace U ★ 以上 2 語は具体的には C. ―動 (辱めを受ける) be disgraced; be insúlted. 《☞ ぶじょく; ちじょく》.

はずかしめる 辱める (面目を失わせる) disgrace 他; (侮辱する) insúlt 他; (人に恥辱を与える) put ... to shame; (人前で恥をかかす) humiliate 他; (強姦(ごうかん)する) rape 他, assault 他 ★ 後者は婉曲的. 《☞ はじ¹; ちじょく》.
¶ 彼は盗みをして家名を*辱めた He *disgraced* his family (name) by stealing. // *辱めを受けるよりむしろ死んだほうがましだ I would rather die than ˹*be disgraced* [face *disgrace*; fall into *disgrace*].

パスカル (圧力の単位) pascál C; (コンピューターのプログラム言語) PASCAL /pæskǽl/ U ★ 以上いずれもフランスの哲学者・数学者 Blaise Pascal, 1623–1662 に因む. **パスカルの原理** 〘物理〙 Pascal's law C **パスカルの三角形** Pascal's triangle C **パスカルの定理** Pascal's theorem U.

ハスキー¹ ―形 (声が) husky, hoarse. ¶ *ハスキーボイス a *husky* voice

ハスキー² 〘動〙 (Siberian) husky C.

バスク ―名 固 the Basque /bǽsk/ Próvinces ★ スペインのピレネー山脈西部地方; (バスク人) Basque C. **バスク語** Basque U **バスク分離派** Basque separatist C.

バスケット (かご・ざる) basket C 《☞ かご¹》.

バスケットボール (競技) basketball U ★ ボールの意味なら C. 《☞ 挿絵》.

バスコダガマ ―名 固 Vasco da Gama /vǽskou də gǽmə/, 1469?–1524. ★ インド航路を開いたポルトガルの航海者.

はずす 外す **1** 《取りはずす》: (取り去る) tàke óff 他, remove 他 語法 (1) 前者のほうが口語的. 後者はまた比喩的にも使える; (服などのボタンを) unbutton 他, undo 他 語法 (2) undo は包みやひもなどをほどく意味にも使われる; (鎖から) unchain 他. 《☞ とりはずす; はずれる》.
¶ 彼は時計[眼鏡]を*はずして枕元に置いた He ˹*took off* [*removed*] his ˹watch [glasses] and put ˹it [them] at his bedside. // 彼はシャツのボタンを*はずした He *unbuttoned* his shirt. // このボタンが*はずれない. 手を貸して下さい I can't *undo* this button. Will you help me? // 彼女は犬を鎖から*はずした She *unchained* the dog.
2 《離れる》: (中座する) leave *one's* seat; (こっそり抜け出す) slip away from ... ¶ 彼は会議中に席を*はずした He *left his seat* during the ˹conference [meeting]. / (⇒ こっそりと) He *slipped out of* the meeting. // ちょっとの間座を*はずしてよいでしょうか Will you excuse me for a moment?
3 《的をそらす》: miss 他. ¶ その選手はシュートを*はずした The player *missed* a shot.
外される (取り除かれる) be removed, be dropped; (避けられる) be avoided; (省かれる) be omitted.
¶ 彼は一軍から*外された He *was dropped* from the first team. // 彼女は (⇒ 彼女の名前は) 候補者のリストから*外された Her name *was removed* from the list of the candidates.

バスストップ ☞ バス¹ (バス停留所)

パスタ (スパゲッティー・マカロニなど) pasta /pá:stə/ U.

バスター 〘野〙 (バントの構えからヒッティングに切りかえる打法) fake bunt C.

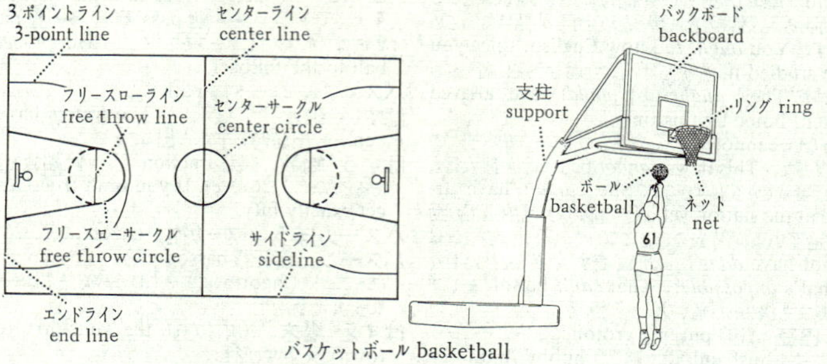

バスケットボール basketball

バスチーユ ☞ バスティーユ

パスツール ―名 固 Louis Pasteur /lúːi pæstə́ː/, 1822–95. ★ フランスの細菌学者.

はすっぱ 蓮っ葉 ―形 loose. ―名 (ふしだらな女) loose woman Ⓒ, flirt Ⓒ.

バスティーユ ―名 固 the Bastille /bæstíːl/ ★ フランス革命で破壊されたパリの監獄.

パステル pastel /pæstél/ Ⓤ. **パステル画** pastel (drawing) Ⓒ **パステル画家** pastel artist Ⓒ **パステルカラー** pastel color Ⓤ.

パステルナーク ―名 固 Boris (Leonidovich) Pasternak /pǽstərnæ̀k/, 1890–1960. ★ 旧ソ連の詩人・作家.

バスト (胸回り) bust Ⓒ (☞ きょうい³; むね¹).
¶「彼女の*バストはどのくらいありますか」「82 センチです」"What is her *bust* measurement?" "Eighty-two centimeters." // 彼女は*バストが 84, ウェストが 60, ヒップが 90 です Her ⌜measurements [vital statistics] are 84-60-90. ★ eighty-four, sixty, ninety と読む. (☞ 度量衡 (囲み)). **バストパッド** bra [bust] pad Ⓒ **バストポイント** 〖服〗 bust point Ⓒ **バストライン** (胸回りの線) bust line Ⓒ.

パストラル (田園詩) pastoral Ⓒ.

はすばはぐるま 斜歯歯車 〖機〗 helical gear Ⓒ.

ハズバンド (夫) husband Ⓒ.

パスポート passport Ⓒ (☞ りょけん).

> **コロケーション**
> パスポートを偽造する forge a *passport* / パスポートを携行する carry a *passport* / パスポートを更新する renew a *passport* / パスポートを申請する apply for a *passport* / パスポートを発行する issue a *passport* / パスポートを見せる show [produce] a *passport* / 偽造パスポート a ⌜false [fake; forged] *passport* / 日本のパスポート a Japanese *passport* / 有効なパスポート a valid *passport*

パスボール 〖野〗 passed ball Ⓒ.

はずませる 弾ませる (ボールなどを) bounce ⑩; (息を切らす) pant ⓐ; (激しく呼吸する) breathe hard. ¶ 彼らは息を*はずませながら山の頂上に駆け登った They ran *up panting* to the mountain top. // 彼女は心を*はずませて (⇒ 心に喜びを抱いて) 息子が宇宙船から出てくるのを見守っていた *With joy in her heart*, she watched her son come out of the spaceship.

はずみ 弾み ―名 (惰力) moméntum Ⓤ. ―副 (はずみで・偶然) by ⌜chance [accident].
¶ 岩石は丘を転がり落ちるにしたがって*はずみがつく A rock gains *momentum* as it rolls ⌜down a hill [downhill]. // 何かの*はずみで私たちが試合に勝つかもしれない We may win the game *by* ⌜*chance* [*accident*]. // 私は車をよけた*はずみに (⇒ 避けようとして) 足首をくじいた I twisted my ankle (*while*) trying to dodge a car. **はずみを食う** (⇒ とばっちりを受ける) *get an incidental blow*; (⇒ 突風を受ける) receive a blast. ¶ 彼らは爆発による爆風の*はずみを食って倒れた They were knocked down *by* the powerful *blast* of an explosion.
弾み車 flywheel Ⓒ.

はずむ 弾む **1** «はね返る»: (ボールなどが) bounce ⓐ, bound ⓐ, rebound ⓐ, leap ⓐ. (☞ はねる¹; バウンド; はねかえる). ¶ このテニスボールはとてもよく*弾む This tennis ball *bounces* very well. // 彼女の胸は期待に*はずんだ Her heart ⌜*leaped* [*leapt*; *pounded*] with expectation.
2 «活気づく»: become ⌜lively [ánimàted].
¶ 夜がふけるにつれて話が*はずんだ The talk ⌜*became* [*got*; *grew*] *lively* as the night went on. // 私たちは学校生活について話が*はずんだ (⇒ 活発な会話をした) We *had a lively conversation* about our school life.
3 «息が荒くなる»: (息切れする) be out of breath; (あえぐ) pant ⓐ.

はすむかい 斜向かい ¶ そのレストランは郵便局の*斜向かいにある (⇒ 立っている) The restaurant stands *diagonally across from* the post office. / (⇒ 通りの対角線上にある) The restaurant stands ⌜*catty-corner* [*cater corner*] to the post office. ★ catty-corner と cater corner は《米》用法.

バスラ ―名 固 (イラクの都市) Basra /bɑ́ːsrə/.

ハズリット ―名 固 William Hazlitt, 1778–1830. ★ 英国の評論家.

パズル puzzle Ⓒ. ¶ クロスワード*パズル a crossword *puzzle* // ジグソー*パズル a jigsaw *puzzle*

はずれ 外れ **1** «端»: (終わり) end Ⓒ; (へり・縁) edge Ⓒ; (郊外) outskirts ★ 通例複数形で. (☞ はし²). ¶ この通りの*はずれに 1 本の高い樫(かし)の木が立っている A tall oak tree stands *at the end of* this street. // 彼は森の*はずれに独りで住んでいた He lived alone ⌜*on* [*at*] *the edge of* the forest. // 町の*はずれの 1 軒の小屋 a hut *on the outskirts of* (the) town
2 «当たらないこと»: (空くじ) blank Ⓒ; (期待外れ) disappointment Ⓒ. ¶ 私が引いたくじは, *はずれだった I drew a *blank*. // その音楽会は期待*はずれだった The concert was a *disappointment* to me.

バスレーン ☞ バス¹ (バスレーン)

はずれる 外れる **1** «外へ抜け出る»: (物がはずれてとれる) be [còme] óff; (ドアが) be unhinged; (障子などが) slíp óut ⓐ; (ボタンが) be undone; (骨が) be dislocated; (関節がはずれている) be out of joint; (ロケットなどが軌道から) stráy óff (course). (☞ とれる).
¶ ドアの取っ手が*はずれそうだ The doorknob is ⌜about to *come off* [*coming loose*]. // 自転車のチェーンが*はずれた The chain on my bicycle ⌜*came* [*slipped*] *off*. // シャツのボタンが*はずれてますよ Your shirt buttons ⌜*are* [*have come*] *undone*. // 彼の肩の関節が*はずれた[*はずれている] His shoulder ⌜*was dislocated* [*is out of joint*]. // 気象衛星は地球を回る軌道を*はずれた The weather satellite *strayed* ⌜*out of* [*away from*] its orbit around the earth. // この障子は*はずれてばかりいる This (paper) sliding door *is* always *slipping out* (of place).
2 «当たらない»: (弾・矢が) miss ⑩; (もくろみが失敗する) fail ⓐ ⑩; (予報などが) prove wrong.
¶ 矢は的を*はずれた The arrow *missed* its ⌜mark [target]. // 目算が見事に*はずれた My scheme *has* completely *failed*. // けさの天気予報は*はずれた This morning's weather forecast ⌜*proved wrong* [*was not right*]. // 彼女が会に現れなかったので私は当てが*はずれた (⇒ がっかりした) As she failed to show up at the meeting, I *was disappointed*.
3 «逸脱する»: 《格式》 deviate (from ...) ⓐ (☞ いつだつ).

パスワーク 〖球〗 (味方同士のボールの送り合い) passing Ⓤ 日英比較 「パスワーク」は和製英語.

パスワード 〖コンピューター〗 password Ⓒ.

はぜ¹ 沙魚, 鯊 〖魚〗 goby Ⓒ (複 gobies).

はぜ² 櫨 ☞ はぜのき

はせい 派生 ―動 (派生する) come from ..., derive from ... ★ 前者のほうが口語的; (派生させる) derive ⑩. ―名 derivation Ⓤ. ¶「デモクラシー」という語はギリシャ語から*派生している The word "democracy" ⌜*comes* [*is derived*; *derives*] *from* Greek. **派生形** derivative Ⓒ **派生語** derivative Ⓒ.

ばせい 罵声 (非難・反対などの声) boo Ⓒ; (やじの叫び声) hoot Ⓒ; (あざけりの声) jeer Ⓒ. (☞ やじ).

¶ 群衆は演説者に*罵声を浴びせた The crowd *booed* the speaker.

はせつける 馳せ付ける ☞ かけつける

パセティック (悲劇的な) pathetic.

バセドーびょう バセドー病 〘医〙 Basedow's /bɑ́ːzədòuz/ disèase [U].

はぜのき 櫨の木 〘植〙 Japanese wax tree [C].

パセリ parsley [U].

はせる 馳せる ¶ 学生時代に思いを*馳せる (⇒ 思い起こす) *recollect one's* schooldays // 名声を*馳せる (⇒ 有名になる) be *widely known* / become *famous*

はぜる 爆ぜる (裂けて開く) burst open (自); (ぱんとはじける) pop (自). 《☞ はじける》.

はせん[1] 波線 wavy line [C] 《☞ せん[1]》.

はせん[2] 破線 broken line [C] 参考 実線は solid line [C], 点線は dotted line [C] 《☞ せん[1]》.
¶ *破線を引く draw a *broken line*

ばぞく 馬賊 mounted bandits ★ 複数形で.

パソコン personal computer [C], PC [C]. 《☞ コンピューター (囲み)》. **パソコン通信** personal computer communications ★ 複数形で. **パソコン通信サービス** on-line service [C].

ばそり 馬橇 (馬に引かせるそり) horse-drawn sleigh [C]; (小型馬そり) 《米・カナダ》 cutter [C].

はそん 破損 ― 動 (損傷を受ける) be damaged; (ばらばらに壊れる) be broken. ― 名 damage [U], breakage [U]. 《☞ いたむ[1]; こわれる; そんがい》. ¶ 自動車は事故で*破損した The car *was damaged* in the accident.

はた[1] 旗 flag [C] ★ 最も一般的; (横に長く, スローガンなどを書いたもの) 《文》 banner [C]; (軍旗などの儀式用) standard [C]; (細長く先のとがった小旗) pennant [C].

¶ 彼らは*旗を掲げた[下ろした] They ˹put up [took down] their *flag*. // *旗を振る wave a *flag*
旗を揚げる ☞ はたあげ
旗を振る (率先してやる) take the initiative. **旗を巻く** (降参する) surrender (自) 《☞ こうさん[2]; こうふく[2]; くっぷく》. **旗行列** flag ˹procession [parade] [C] **旗竿** ☞ 見出し **旗日** ☞ 見出し

はた[2] 機 ― 名 (織り機) loom [C]. ― 動 (機を織る) weave (他) (自). **機織り工場** textile mill [C] **機織り人** weaver [C].

はた[3] 傍 (外部の人) outsider [C]; (他人) others ★ 複数形で. 《☞ はためいわく; はため》. ¶ それは*はたで見るほど (⇒ ほかの人たちが予想するほど) 楽ではない It is not ˹so [as] easy as ˹*outsiders* [*others*] may expect.

はだ 肌, 膚 **1** «皮膚»: skin [U] 《☞ ひふ》.
¶ 彼女は*肌が白い She has (a) fair *skin*. // *肌を刺す寒さ *biting* cold // *肌色の *flesh*-colored
2 «気質»: (性向) turn of mind [C]; (性質) disposition [C] ★ 後者のほうが格式ばった語.
¶ 父は学者*肌の人だった My father had ˹a scholarly [an academic] *turn of mind*. // 私は彼らとは*肌が合わない (⇒ 彼らとうまく折り合っていけない) I cannot *get* ˹*along* [*on well*] *with* them.
肌で感じる ¶ 危険を*肌で感じる (⇒ 直接の経験を得る) get *firsthand experience* of danger
肌に粟を生ずる (鳥肌がたつ) get ˹gooseflesh [goose pimples] 《☞ とりはだ》. **肌を脱ぐ** (上半身裸になる) strip (*oneself*) to the waist (自); (服を脱ぐ) take off (他). 《☞ ひとはだ[1]》. **肌を許す** be intimate (with ...) ★ have sex の婉曲表現.

コロケーション
脂性の肌 oily *skin* / 荒れた肌 chapped [rough] *skin* / 乾燥した肌 dry *skin* / きれいな肌 clear [unblemished] *skin* / 健康的な肌 healthy *skin* / しっとりした肌 moist *skin* / しみのない肌 clear *skin* / 透き通るような肌 transparent *skin* / 繊細な肌 delicate *skin* / なめらかな肌 smooth *skin* / 敏感な肌 sensitive *skin* / 柔らかい肌 soft *skin* / 肌を若返らせる rejuvenate *one's* skin

バター ― 名 butter [U]. ― 動 (バターを塗る) butter (他). ¶ 彼はパンに*バターを塗った He spread ˹*butter* on the bread [the bread with *butter*]. // 僕は*バターをつけたトーストが好きだ I like *buttered* toast. **バターか大砲か** (either) butter or guns; (社会福祉[社会保障]か軍備(増強)か) (either) ˹social welfare [social security] or ˹armaments [military buildups]. **バター入れ** butter dish [C] **バタークリーム** (ケーキなどに使う) butter cream [U] **バターケーキ** butter cake [U] 《☞ ケーキ》 **バターナイフ** butter ˹knife [spreader] [C] **バターピーナッツ** salted and roasted peanuts ★ 複数形で. **バターミルク** (バター採取後の酸味のある牛乳) buttermilk [U] **バターライス** seasoned [spiced] rice [U] **バターロール** roll [C].

パター 〘ゴルフ〙 (パット用のクラブ) putter [C].

はだあい 肌合い (気質) disposition [C]; (特質) stamp [C] ★ 以上は普通単数形で用いる; (気性) temperament [U]. 《☞ はだ》. ¶ *肌合いの異なる人々 people of different ˹*disposition* [*stamp*]

はたあげ 旗揚げ ― 動 (挙兵する) raise an army; (武器を取って立ち上がる) rise up in arms, rise (up) against ...; (新しい事業を始める) start a new business.

ばたあし ばた足 (水泳の) flutter kick [C].

はだあれ 肌荒れ (皮膚の炎症) skin irritation; (かさかさ) roughness [U]. ¶ *肌荒れを防ぐ prevent *skin irritation*

パターン (行動などの決まった型) pattern /pǽtən/ [C] 日英比較 日英のアクセントの違いに注意. 日本語のパターンも英語とほぼ同じ意味で使われることもあるが, ややずれた使い方をされることもある. 日本語のパターンがいつも英語で pattern と訳されるとは限らない. 《☞ かた[2] (類義語)》. ¶ 彼の話はいつも*パターンが決まっている His talk(ing) always follows the same *pattern*. / (⇒ 型にはまった) He makes *stereotyped* speeches. // それが彼の考え方の*パターンです That's his *way* of thinking. // 彼の言うことはいつもワン*パターンだ (⇒ いつも同じことを繰り返している) He always *repeats* ˹*the same thing* [*himself*]. 《☞ ワンパターン》 **パターン認識** pattern recognition [U] **パターンブック** (柄見本帳) pattern book [C] **パターンプラクティス** (基本文型中心の外国語学習の一つ) pattern practice [U].

バターンはんとう バターン半島 ― 名 (固) (フィリピン・ルソン島西部の半島) Bataan, (the) Bataan Peninsula.

ばだい 場代 (売店の場所代) money paid for a place for a stall [U]; (席料) the charge for a seat; (レストランなどの席料) cover charge [C]. 《☞ りょうきん (類義語)》.

はたいろ 旗色 (勝負などの勝ち目) odds; (見込み) chances ★ 両者とも複数形で. 《☞ けいせい[1]; じょうせい[1]》. ¶ 私たちのほうが*旗色がよかった [悪かった] (⇒ 勝ち目は私たちに有利[不利]だった) The ˹*chances* [*odds*] were ˹in our favor [against us].

はだいろ 肌色 ― 名 flesh ˹color [《英》 colour] [U]; (具体的には) yellowish-pink to grayish-yellow color [U]. ― 形 flesh-colored.

はたうち 畑打ち ―動(畑の土を掘り起こす) dig up the soil.

はたおり 機織り ☞はた[2]

はたおりどり 機織鳥 〘鳥〙 weaverbird Ⓒ, weaver (finch) Ⓒ.

はだか 裸 ―形(人が衣服を着ていない) naked /néɪkɪd/ ★一般的な語; (特に女性が芸術的目的のために裸体の) nude; (物についてあるべき覆いがなく, むき出しの) bare. ―動(衣服を脱ぐ) take off *one's* clothes, undress 自 ★後者のほうが格式ばった語. ―名 nakedness Ⓤ; nudity Ⓤ.
¶彼は上半身(⇒腰まで)*裸だった He was ⌈*stripped* [*naked*] to the waist. // 彼らは*裸になって(⇒衣服を脱いで)川に飛び込んだ They ⌈*took off their clothes* [*undressed*] and jumped into the river. // 丸*裸 stark *naked*
裸一貫 ¶彼は*裸一貫で(⇒資金なしで)事業を起こした He started a business ⌈*with no capital* [(⇒ゼロから) *from nothing*]. **裸馬** ―名(鞍のおいてない馬) unsaddled horse Ⓒ. ―副(鞍をおかないで) bareback **裸電球** naked light bulb Ⓒ **裸電線** bare wire Ⓒ **裸のつきあい** ¶私たちは高校時代から*裸のつきあいをしてきた We *have* ⌈*been quite close* [*had a close relationship*] with each other since we were in senior high school. **裸祭り** seminaked festival Ⓒ; (説明的には) festival in which men with only loincloths on participate Ⓒ.

はだかいわし 裸鰯 〘魚〙 lantern fish Ⓒ.

はだかけ 肌掛け light(er) futon used as a covering Ⓒ ★説明的な訳. 《☞かけぶとん; ふとん》.

はたがしら 旗頭 (指導者) leader Ⓒ; (推進者) promoter Ⓒ. ¶保守派の*旗頭 the *leader* of the conservative faction // 政治改革の*旗頭 the chief *promoter* of political reform

はだかむぎ 裸麦 (大麦) barley Ⓤ ★裸麦は大麦の一種; (精白した食用の) pearl barley Ⓤ.

はたき 叩き ―名 duster Ⓒ. ―動(はたきをかける) dust 他. ¶彼女は本棚に*はたきをかけた She *dusted* the bookshelves.

はだぎ 肌着 (総称) únderwèar Ⓤ, únderclòthes ★複数形で; (肌着の1点) úndergàrment Ⓒ; (アンダーシャツ) úndershìrt Ⓒ. 《☞したぎ(挿絵)》.

はたきこみ 叩き込み (相撲の技) *hatakikomi* Ⓤ; (説明的には) slap down Ⓤ.

はたきこむ 叩き込む (はたいて倒す) slap down 他. ¶相手を*叩き込む *slap down one's* opponent

はたく 叩く (物についたほこりを) dúst (óff) 他; (財布を) empty 他; (平手で) slap 他. 《☞たたく》.
¶彼はその本のほこりを*はたいた He *dusted* the book (*off*). // 彼女は財布(の底)を*はたいてそのオーバーを買った She ⌈*spent all the money she had* [*emptied* her purse (to the last penny)] to buy the overcoat.

バタくさい バタ臭い (欧米風の) Western; (西洋かぶれした) westernized.

はたけ[1] 畑 **1** 《耕作地》: field Ⓒ 《☞こうち[1]; のうじょう》. ¶彼らは朝から晩まで*畑を耕した They plowed their *fields* from morning till night. // キャベツ*畑 a cabbage ⌈*field* [*patch*]
2 《専門》: (専攻) spécialty Ⓒ, 《英》 spèciálity Ⓒ; (専攻分野) (special) field Ⓒ.
畑違い ―形 outside *one's* field.

はたけ[2] 乾瘡, 疥 (疥癬) scabies /skéɪbìːz/ Ⓤ; (乾癬) psoriasis /sərάɪəsɪs/ Ⓤ.

はたけしごと 畑仕事 (農作業) farmwork Ⓤ, work in the fields Ⓤ.

はだける (露出する) bare 他. ¶彼は胸を*はだけたままで寝ていた He was sleeping with his chest *bared*.

はたご(や) 旅篭(屋) (旅館) inn Ⓒ 《☞りょかん》.

パタゴニア ―名 固 (地名) Pàtagónia ★アルゼンチンおよびチリ南部の台地地方.

はたざお 旗竿 flagpole Ⓒ, flagstaff Ⓒ.

はたさく 畑作 dry field farming Ⓤ.

はたさしもの 旗指物 (昔背中につけた旗印) colors (on *one's* back) ★複数形で.

はださむい 肌寒い chilly 《☞さむい(類義語)》.

はだざわり 肌触り ―名(感触) touch Ⓤ, feel Ⓤ 語法 (1) 以上2語は通例 the を付けて. ほぼ同意で入れ換えて用いられるが, touch が「触る動作」を, feel が「触った後に生じる感覚」を強調する.
―動(…の肌触りがする) feel 自 語法 (2) 物が主語で, 形容詞を補語として. 《☞てざわり; かんしょく[1]》. ¶この毛布は*肌触りがよい[悪い] This blanket is ⌈agreeable [rough] to the ⌈*touch* [*feel*]. / This blanket *feels* ⌈soft [rough]. ★第2文のほうが口語的.

はだし 裸足 ―名 bare foot Ⓒ. ―副(はだしで) barefoot(ed). 《☞すあし》. ¶*はだしで歩いてはいけません Don't walk *with bare feet*. // 子供たちは*はだしで砂浜を走り回った The children ran about on the beach *barefoot*(*ed*).

-はだし …裸足 ¶彼の写真は玄人*はだしである(⇒プロよりうまい) His skill in photography is *even better than* that of professionals. / (⇒プロに恥をかかせる) His skill in photography *puts* professionals *to shame*.

はたしあい 果たし合い (決闘) duel Ⓒ 《☞けっとう[1]》. ¶*果たし合いをする fight a *duel*

はたしごと 畑仕事 ☞はたけしごと

はたしじょう 果たし状 (決闘状) (letter of) challenge Ⓒ, challenge to a duel Ⓒ.

はだしたび 跣足袋 ☞じかたび

はたして 果たして (本当に) really; (思った[予期した]とおりに) just as *one* ⌈thought [expected], 《略式》 sure enough. 《☞あんのじょう》. ¶*果たして本当だろうか Is it *really* true? / *Can* it *be* true? // *果たしてそのチームは初優勝を飾った The team won its first championship *as we had expected*.

はだじゅばん 肌襦袢 traditional Japanese underwear worn next to the skin Ⓤ 《☞じゅばん》.

はたじるし 旗印 (旗につけた紋所) flag mark Ⓒ; (理念・目標) slogan Ⓒ; (大義名分) cause Ⓒ.
¶彼らは自由の*旗印のもとに武器を取った They rose up in arms ⌈*under the slogan* [*in the cause*] *of* freedom.

はたす 果たす (任務などを実行する・遂行する) cárry óut 他, perform 他, discharge 他 語法 (1) 後のものほど格式ばった語になる; (使命などを完遂する) accomplish 他 ★格式ばった語; (目的などを実現する) realize 他, achieve 他, attain 他 語法 (2) realize が一番口語的. achieve はかなり困難でしかも意義ある目的を達するというニュアンスがある. attain は格式ばった語で, 通例目標そのものが高い; (約束や義務を守る) keep 他; (まっとうする) 《米》 fulfill 他, 《英》 fulfil 他 ★keep より格式ばった語. 《☞とげる》.
¶彼は全力をあげて任務を*果たした He ⌈*carried out* [*performed*; *accomplished*; *discharged*] his ⌈duty [mission] to the best of his ability. 語法 (3) duty は広い意味での任務だが, mission は特定の与えられた任務・使命のこと. // 私はきっと約束は*果たします I'll *do* exactly as I promised. / I'll *keep* my word to the letter.

はたせるかな 果たせるかな (予期したとおりに)

just as *one* expected《☞ はたして》. ¶ *果たせるかなそのテレビドラマは大ヒットした The TV drama turned out to be a great hit, *just as we had expected.*

はたち 二十歳 ― [形] twenty (years old). ― [名] twenty (years of age). ¶ 彼女は*二十歳です She is *twenty (years old).* // 妹はまだ*二十歳前(⇒まだ10代)です My sister is still in her teens. // 彼女は*二十歳代です She is *in her twenties.*

ばたち 場立ち (証券取引所で売買を扱う人) floor representative Ⓒ.

ばたつかせる flutter (他)《☞ ばたばた》.

ばたつく (ばたばたと音をたてる) flutter (自); (落ち着きなく忙しく動き回る) rush around (自).《☞ ばたばた; ばたつかせる; 擬声・擬態語 (囲み)》.

ばたっと ¶ 彼は意識を失って*ばたっと倒れた (⇒卒倒した) He lost consciousness and *collapsed.* // 客足が*ばたっととだえた (⇒客を失った) We *have lost* customers recently.《☞ 擬声・擬態語 (囲み); ばったり》

はたと (急に) suddenly; (まったく) completely.《☞ 擬声・擬態語 (囲み)》. ¶ *はたといい考えに思い当たった *Suddenly* I hit upon a good idea. // 彼は*はたと返答に窮した (⇒当惑した) He was *completely* ⌈at a loss [(⇒つっかえた) stuck] for an answer.

はだに 葉壁蝨 〔動〕 spider mite Ⓒ, red spider Ⓒ.

はたねずみ 畑鼠 〔動〕 vole Ⓒ.

はたばこ 葉煙草 leaf tobacco Ⓤ《☞ たばこ》.

はたはた[1] ― [副] (はたはたと) flutteringly《☞ はためく; ひるがえる; 擬声・擬態語 (囲み)》. ¶ 旗が風に*はたはたと揺れていた Flags *were fluttering* in the wind.

はたはた[2] 鰰 〔魚〕 sandfish Ⓒ.

ばたばた ― [名] (羽など平たい物の当たる音) flap Ⓤ; (固体のぶつかる音) rattle Ⓤ, rattling sound Ⓤ; (駆ける足音など) clatter Ⓤ, clattering sound Ⓤ. ― [副] (うるさい音を立てて) noisily; (次々に) one after another. ― [動] flap (自); rattle (自); clatter (自).《☞ 擬声・擬態語 (囲み)》.
¶ カーテンが風で*ばたばたしていた The curtains *were flapping* in the wind. // 嵐の間中, 庭の戸が*ばたばたいうのが聞こえた I heard the garden gate *rattling* throughout the storm. // 子供たちは階段を*ばたばたと駆け降りた The children ⌈ran down the stairs *noisily* [*clattered* down the stairs]. // 不景気で多くの会社が*ばたばた倒れた (⇒次々と倒産した) Owing to the recession, companies went bankrupt *one after another.* // 先生方は学年末のため皆*ばたばたして (⇒落ち着かないで) います All of the teachers *are* now ⌈*rushing around* [*terribly busy*] at the end of a school year.

ぱたぱた ― [名] (音) patter Ⓤ, pattering sound Ⓤ. ― [動] (ぱたぱたする) patter (自).《☞ 擬声・擬態語 (囲み)》.

はたび 旗日 (祝祭日) national holiday Ⓒ; (法定祝日)《米》 legal holiday Ⓒ; (暦に赤字で印刷されている特別な日) red-letter day Ⓒ.

はたびらき 旗開き (労働組合の新年会) the New Year's party of a labor union.

バタフライ (水泳の) butterfly (stroke) Ⓤ ★ しばしば the を付けて.《☞ およぐ》.

はたふりやく 旗振り役 (指導者) leader Ⓒ; (首唱者) initiator Ⓒ; (推進者) promoter Ⓒ.
¶ 山田氏は政治改革運動の*旗振り役の一人です Mr. Yamada is one of the ⌈*leaders* [*promoters*] of the movement for political reform. // *旗振り役を務める *take the initiative* (in *doing* ...)

はだみ 肌身 ¶ 彼は旅行中貴重品を*肌身につけていた He *carried* his valuables *next to his skin* during his travels. **肌身離さず持つ** ¶ このお守りを*肌身離さず持っていなさい (⇒身につけて持つ) Always ⌈*keep* [*carry*] this talisman /tǽlɪsmən/ ⌈*on* [*with*] you.

はたむすび 機結び weaver's ⌈knot [hitch] Ⓒ.

はため 傍目 ¶ それは*はた目にも (⇒見るも) 痛ましいありさまだった It was a most pitiful sight *to see.* // 彼らの喜びは*はた目 (⇒他人) にも明らかであった Their joy was plain *even to others.*《☞ よそめにも》

はためいわく 傍迷惑 (他人に迷惑なこと) nuisance to others Ⓒ《☞ めいわく》.
¶ *はた迷惑にならないよう気をつけなさい Be careful not to *make* ⌈*yourself a nuisance to others* [*a nuisance of yourself*]. // 彼女は*はた迷惑もかえりみず (⇒ほかの人たちの都合など無視して) 勝手なことばかりする She always has her own way, *ignoring others' convenience.*

はためく (はたはたと) flutter (自); (翻る) wave (自).《☞ ひるがえる》. ¶ 旗が風に*はためいていた The flag ⌈*fluttered* [*waved*] in the wind.

はたもと 旗本 direct retainer of the shogun Ⓒ.

ばたや ばた屋 ragpicker Ⓒ《☞ くず[1] (くず拾い)》.

はたやき 畑焼き ― [名] (枯れ草を焼くこと) burning the field Ⓤ. ― [動] burn the field.

はたらかせる 働かせる (人を) work (他), make *a person* work; (頭を) use (他). ¶ 彼は従業員を朝から晩まで*働かせた He ⌈*worked* his employees [*made* his employees *work*] from morning till night. // 頭を*働かせろ *Use* your ⌈head [brain(s)].

はたらき 働き (仕事) work Ⓤ [語法] 努力を要する仕事を表す一般的な語. 以下の訳語の代わりにも使える広い意味の言葉; (社会や国家に対する) service Ⓒ; (機械などの機能) function Ⓒ; (作用) operation Ⓤ.《☞ しごと; きのう[2]; さよう》.
¶ 彼は目覚ましい*働きをした He did some marvelous *work.* // 脳は非常に重要な*働きをする (⇒重大な機能を持つ[果たす]) The brain ⌈has [performs] a very important *function.* // この薬は消化器官の*働き (⇒作用) を促進する This medicine ⌈aids [facilitates] the ⌈*operation* of the digestive organs [digestion]. // うちの主人は*働きが悪い (⇒収入が少ない) My husband earns a small *income.*
働きが無い (収入がない) earn nothing (自), have [receive] no income (自) **働き口**《略式》 job Ⓒ ★ 最も口語的で一般的; position Ⓒ, situation Ⓒ ★ 以上2つはやや格式ばった語. 後者はやや古風だが専門用語として用いられる. ¶ 彼は*働き口が見つかった He has found a ⌈*job* [*position*]. **働き盛り** prime Ⓤ. ¶ 彼はいまが*働き盛りだ He is in his *prime* now. **働き手** worker Ⓒ; (生計を支える人) breadwinner Ⓒ ★ 通例は the を付けて. **働き者** hard worker Ⓒ.

はたらきあり 働き蟻 〔昆〕 worker ant Ⓒ, worker Ⓒ.

はたらきかけ 働き掛け ¶ 彼は父母からの*働きかけ (⇒圧力) で計画全体を変更せざるをえなかった Parental *pressure* forced him to change his whole plan. / He was forced to change his whole plan under parental *pressure.* // 彼らは公共料金の引き下げの*働きかけ (⇒訴えかけ) をした They made an *appeal* for reduced public utility charges.

はたらきかける 働き掛ける (説得する) work ⌈on [upon] ...; (心などに訴える) appeal to ...《☞ うったえる》. ¶ 私たちは彼に国会議員に立候補するよう*働きかけた We ⌈*worked on* [(⇒頼んだ) *asked*] him to run for the Diet.

はたらきばち 働き蜂 〘昆〙 worker bee Ⓒ, worker Ⓒ. ¶ *働き蜂は女王蜂のために食べ物を供給する *Worker bees* provide food for the queen bee. // 彼女は*働き蜂のように (⇒ こつこつ精を出して) 働いている She *is plugging away* at her work. / (⇒ こつこつ働く人だ) She's a real *drudge*. / (⇒ 大変な働き者だ) She's a busy *bee*.

はたらく 働く (仕事をする・勤める) work ㊀; labor (《英》labour) ㊀; (仕える) serve ㊉ ㊀; (機能を果たす) function ㊀; (悪事を) commit ㊉.

【類義語】何か努力を要する仕事をするという意味の一般的な語が ***work*** で, 上にあげたほかの語の代わりにも用いることのできる広い意味の言葉. ある勤務に従事するという意味でも使われる. 肉体労働をすることを表すのが ***labor***. この語は比喩的に, 苦しい思いをして努力をするという意味でもよく使われる. 他人に奉仕し, 特に使用人として働くのが ***serve***. 機械や特定の機能を持った物がその機能を果たす意味を表すのが ***function***. 悪事を働くのが ***commit***. (☞ はたらき; はたらかせる; しごと; つとめる[1])

¶ 彼女は一生懸命*働く She *works* very hard. / (⇒ 勤勉な働き者だ) She is a hard *worker*. // 父は工場で*働いています My father *works* ˹in [at] a factory. // 私は週 5 日*働く I *work* five days a week. // 日本人は*働き過ぎる (The) Japanese people *work* too much. / (The) Japanese *overwork* themselves. / (⇒ 仕事中毒だ) (The) Japanese are *workaholics*. // そのお手伝いさんはわが家のために 20 年も*働いてくれた The maid ˹*served* [*worked for*] our family for twenty years. // ブレーキがうまく*働かなかった The brakes didn't ˹*function* [*work*] well. ★ work のほうが口語的. // 彼はたいへんな悪事を*働いた (⇒ 犯した) He *committed* a serious /sí(ə)riəs/ crime.

ばたり (ドアの閉じる音) bang Ⓒ; (物が落ちる音) thud Ⓒ. (☞ 擬声・擬態語 (囲み)). ¶ ドアが*ばたりと閉まった The door shut with a *bang*. / The door *banged* shut.

ぱたり (ぱたりと倒れる音) flop Ⓒ (☞ 擬声・擬態語 (囲み)). ¶ (物が)*ぱたりと倒れる fall down with a *flop* // 雨は*ぱたりと止んだ It stopped raining ˹*suddenly* [*all of a sudden*].

はたん 破綻 ― 名 (計画などの失敗) failure /féɪljə/ Ⓒ; (友好関係などの決裂) 《格式》 rupture Ⓒ; (財政上の破産) bánkruptcy Ⓤ. ― 動 fail ㊀; rupture ㊀; become [go] bankrupt. (☞ はめつ; はきょく). ¶ その運動は完全に*破綻した The campaign *failed* completely. / The campaign was a complete *failure*.

はだん 破談 ― 動 (契約・約束などを取り消す) cancel ㊉ (☞ かいしょう[1]).

ばたん[1] ― 名 (音) bang Ⓒ; thud Ⓒ 語法 (1) 共に物がぶつかる音であるが, bang は突然激しくぶつかる音で, thud のほうがやや鈍く重い感じ. ― 副 (ばたんと) with a ˹bang [thud]. ― 動 (ばたんと閉める・閉まる) slam ㊉ ㊀, bang ㊉ ㊀ 語法 (2) slam は「ぴしゃっと閉める」にも代用できる; (ばたんと音を立てる) thud ㊀. (☞ 擬声・擬態語 (囲み)).

¶ 彼が床に倒れたとき*ばたんという音がした We heard the *thud* as he fell to the floor. // 彼はドアを*ばたんと閉めた He ˹*slammed* [*banged*] the door. / He shut the door *with a bang*. // ドアが風で*ばたんと閉まった The door ˹*banged* shut [*slammed* (*to*)] in the wind. ★ slam to ㊀ は「勢いよく閉まる」の意.

ばたん[2] 巴旦 〘鳥〙 cockatoo /kákətù:/ Ⓒ ★ 大(おお)巴旦 (Moluccan [salmon-crested] cockatoo), 小(こ)巴旦 (lesser sulphur-crested cockatoo), 黄(き)巴旦 (greater sulphur-crested cockatoo) など各種おうむの総称.

パダン ― 名 固 (インドネシア, スマトラ島の都市) Padang /pá:dæŋ/.

はたんきょう 巴旦杏 〘植〙 (アーモンド) almond /á:mənd/ Ⓒ; (すもも) plum Ⓒ.

ぱたんと with a snap (☞ ぱたん'; 擬声・擬態語 (囲み)). ¶ 彼は箱のふたを*ぱたんと閉めた He closed the lid of the box *with a snap*.

パタンナー (図案作成者) pátternmàker Ⓒ
日英比較 「パタンナー」は和製英語.

はち[1] 蜂 〘昆〙 (みつばち) bee Ⓒ, honeybee Ⓒ; (すずめばち) wasp Ⓒ; (大型のすずめばち) hornet Ⓒ.
¶ 彼女は腕を*蜂にさされた She was stung on the arm by a *bee*. / A *bee* stung her on the arm. // 巣箱の回りで*はちがぶんぶんいっていた The *bees* were ˹humming [buzzing] ˹around [round] the hive. // *はちが人を刺すのは自らを守るときだけだ *Bees* sting people only to protect themselves.

【参考語】(女王ばち) queen (bee) Ⓒ; (働きばち) worker (bee) Ⓒ; (雄ばち) drone Ⓒ; (はちの巣・蜜をたくわえる場所) hive Ⓒ; (巣室・六角形の 1 つ) cell Ⓒ; (巣・六角形の cell の集まったもの) honeycomb Ⓒ; (蜜をとるための巣箱) standard hive Ⓒ; (はちを飼うこと) beekeeping Ⓤ; (養蜂業・大規模のもの) apiculture Ⓤ, (その人) beekeeper Ⓒ, apiarist Ⓒ, (飼う場所) bee yard Ⓒ, apiary Ⓒ.

はち[2] 八, 8 ― 名 形 eight 語法 「第 8 (番目) の」, あるいは 「第 8 (番目) のもの」 の場合は the eighth /éɪtθ/. (☞ 数字 (囲み)). ¶ 彼は額に*八の字を寄せて (⇒ 眉をひそめて) いた His *brows knitted*.

はち[3] 鉢 (一般的に容器) container Ⓒ; (どんぶり鉢・サラダなどのボール) bowl Ⓒ; (植木鉢) pot Ⓒ, flowerpot Ⓒ. ¶ 彼女はばらを*鉢に植えた She planted a rose in a *pot*. / She *potted* a rose.

ばち[1] 罰 ― 名 (天罰) judgment Ⓒ; (懲罰) punishment Ⓒ. ― 動 (罰が当たる) be punished, 《略式》 get it. (☞ ばつ[1]).
¶ 私は何かの*罰が当たって委員長に選ばれてしまった I was elected committee chairman *for my sins*. ★ for *one's* sins で「何かの罰で」の意. // いい気味だ. *罰が当たったんだ *It serves you right*. ★ この文は慣用的な表現で, 「ざまをみろ」というニュアンス.
罰当たり (地獄に落ちた人々) the damned; (いまいましい人) cursed fellow Ⓒ. ¶ この*罰当たりめ (⇒ 恩知らずめ) You *ungrateful* ˹*dog* [*swine*]! / (⇒ くたばってしまえ) *Go to the devil!* // それは*罰当たりな行いだ That's a sacrilegious /sækrəlídʒəs/ act. ★ sacrilegious は本来「教会泥棒の」の意から「罰当たりな」「不敬この上ない」の意になる. 主に行為に用いる. 発言や物事が罰当たりなのは blásphemous.

ばち[2] 撥 (三味線・マンドリンなどの) plectrum Ⓒ (複 plectra); (太鼓などの) (drum)stick Ⓒ. 撥さばき (ばちの操作) the handling of a plectrum.

はちあわせ 鉢合わせ ― 動 (互いにぶつかる) bump ˹into [against] each other; (衝突する) collide with ...; (出くわす) come [run] across ㊉, run into ... (☞ ぶつかる; でくわす).

はちうえ 鉢植え (鉢植えの植物) potted plant Ⓒ.

バチェラー (学士) bachelor Ⓒ (☞ がくし[1]).

ばちがい 場違い ― 形 (その場の状況に合わない) out of place Ⓟ, out-of-place Ⓐ; (礼儀にかなわず不適切な) improper. (☞ ば). ¶ 彼はよく*場違いな発言をする (⇒ 彼の発言はしばしば場違いである) His remarks are often *out of place*.

はちがけ 八掛け (2 割引き) twenty percent discount Ⓒ. ¶ *八掛けで卸す wholesale at a *20% discount*

はちがしら 八頭 (漢字の) "eight" radical at

the top of kanji Ⓒ.

はちがつ 八月 August《略 Aug.》★ 語頭は必ず大文字.《☞ いちがつ 語法; 時刻・日付・曜日 (囲み); 略語 (巻末)》.

バチカン ―名 固 (バチカン宮殿) the Vátican; (バチカン市国) Vatican City.

はちぎゃく 八虐 〔史〕(律令制下の重罪) the eight「serious crimes [felonies] under the *ritsuryo* system in ancient Japan ★ 説明的な訳.

はちきれる はち切れる (いっぱいになる) burst 自 ★ 比喩的にも用いる; (破れて口が開く) burst open 自. ¶ 袋はオレンジで*はち切れそうだった The bag *was bursting* with oranges. // その少女は健康で*はち切れそうだった The girl「*was bursting with* [(⇒ 満ちあふれていた) *was full of*] health.

はちく 淡竹 〔植〕henon bamboo Ⓒ, hachiku Ⓒ.

はちくい 蜂食 〔鳥〕bee-eater Ⓒ.

はちくのいきおい 破竹の勢い ―動 (破竹の勢いで進む) sweep「all [everything] before *one*(-*self*). ¶ そのチームは*破竹の勢いで勝ち進んだ The team *swept all before it*.

ぱちくり ―動 (まばたきする) blink 他 自《☞ 擬声・擬態語 (囲み)》. ¶ 彼女は驚いて目を*ぱちくりさせた She *blinked* (her eyes) in surprise.

はちじゅう 八十, 80 ―名 形 eighty 語法「第 80 (番目) の」, あるいは「第 80 (番目) のもの」の場合は the eightieth /éɪtiɪθ/.《☞ 数字 (囲み)》.

はちじゅうそう[しょう] 八重奏[唱] octet(te) Ⓒ.

はちじゅうはちや 八十八夜 the eighty-eighth day from the setting-in of spring ★ 説明的な訳.

はちじゅうはっかしょ 八十八箇所 (四国霊場) the eighty-eight holy places of Shikoku.

バチスカーフ (深海用潜水艇) bathyscaph(e) /bǽθɪskæ̀f/ Ⓒ.

パチスロ pachinko slot machine Ⓒ.

はちどり 蜂鳥 〔鳥〕hummingbird Ⓒ.

はちのこ 蜂の子 bee [wasp] larva Ⓒ《複 bee [wasp] larvae /lɑ́ːəviː/》.

はちのす 蜂の巣 (はちが作った) honeycomb Ⓒ; (養蜂のための巣箱) (bee)hive Ⓒ.《☞ はち¹》.

¶ 一発の銃声で場内は*はちの巣をつついたような騒ぎになった (⇒ 銃声が聴衆を大混乱に陥れた) A (gun-) shot *threw* the audience *into utter confusion*. // 銃撃でその壁は*はちの巣のようになった (⇒ 穴だらけにされた) After the attack, the walls were riddled with (bullet) holes.

ぱちぱち ―名 (木や堅いものが割れる音) crackle Ⓤ; (手をたたく音) clap Ⓒ. ―動 (ぱちぱちと音をたてる) crackle 自; (手をたたく) clap 他 自, applaud 他 自 語法 後者のほうが格式ばった語で, 称賛を表すというニュアンスが強い; (目をぱちぱちさせる) blink 自 他.《☞ 擬声・擬態語 (囲み)》.

¶ まき[火]が暖炉で*ぱちぱちと燃えていた The「wood [fire] *was crackling* in the fireplace. // 聴衆は歌手に対して*ぱちぱちと拍手を送った The audience「*clapped for* [*applauded*] the singer. 語法 前者は聴衆の前にもう一度姿を見せるように促す拍手.

はちひんし 八品詞 eight parts of speech ★ 名詞, 代名詞, 動詞, 形容詞, 副詞, 接続詞, 前置詞, 感嘆詞.

はちぶ 八分 (10 分の 8) eight-tenths; (1 割の 10 分の 8) eight-hundredths.《☞ はちぶんめ》. ¶ 工事は*八分通り終った (⇒ 約 80 パーセント) The work is about *eighty percent* finished.

はちぶおんぷ 八分音符 〔楽〕《米》eighth note Ⓒ,《英》quaver Ⓒ.

はちぶきゅうしふ 八分休止符 〔楽〕《米》eighth rest Ⓒ,《英》quaver rest Ⓒ.

はちぶんめ 八分目 (10 分の 8) eight-tenths.

¶ 腹*八分目にしておきなさいよ (⇒ 満腹になるまえに食べるのをやめなさい) You should *stop eating before you are full*.《☞ はら¹ 1 用例》.

はちまき 鉢巻き headband Ⓒ ★ headband は英・米では髪の乱れをふせいだり装飾品として使われる.《☞ ねじりはちまき》. ¶ 彼らは手ぬぐいで*鉢巻きをしていた They wore *hand towels around their heads*. // 生徒たちは運動会で*鉢巻きをしめる Schoolchildren tie *headbands* around their heads on the school sports day.

はちまんせん 八幡船 ☞ ばはんせん

はちみつ 蜂蜜 honey /hʌ́ni/ Ⓤ.

はちミリ 8ミリ **8ミリ映画** 8-mm movie Ⓒ ★ mm は míllimeter と読む. **8ミリ映写機** 8-mm projector Ⓒ **8ミリカメラ** 8-mm movie camera Ⓒ **8ミリビデオ** 8-mm video Ⓤ ★ ビデオカメラの意味では Ⓒ. **8ミリビデオカセット** 8-mm video cassette Ⓒ **8ミリビデオデッキ** 8-mm video deck Ⓒ **8ミリフィルム** 8-mm film Ⓤ.

はちめんたい 八面体 octahedron /ɑ̀ktəhíːdrən/ Ⓒ.

はちめんれいろう 八面玲瓏 ¶ 富士山は*八面玲瓏 (⇒ どこから見ても美しい) とよく言われる It is often said that Mt. Fuji is *graceful*, *seen from anywhere*. // 彼は*八面玲瓏な (⇒ 愛想のよい) 人物だ He is an *affable* person.

はちめんろっぴ 八面六臂 ¶ 彼は*八面六臂の活躍をした (⇒ 多彩な能力を十分発揮した) He gave full play to his *many talents*. / (⇒ 多方面で多大な能力を示した) He showed great ability in *various fields*.

はちもの 鉢物 (鉢植え) potted [pot] plant Ⓒ; (鉢に盛って出す料理) food served in a bowl Ⓤ.

ばちゃばちゃ ―名 (水の音) splash Ⓒ ★「ぱちゃぱちゃ」にも代用できる. ―動 (ばちゃばちゃ[ぱちゃぱちゃ]と水をはねる) splash 他 自.《☞ 擬声・擬態語 (囲み)》. ¶ プールで子供たちが (水を) *ばちゃばちゃやっている The children *are splashing* (water) in the swimming pool.

ばちゃんと with a splash《☞ 擬声・擬態語 (囲み)》.

はちゅうるい 爬虫類 reptile Ⓒ.

はちょう 波長 wavelength Ⓒ. **波長計** wavemeter Ⓒ.

ぱちり ―動 (ぱちりと閉める) snap 他; (スナップ写真をとる) snap 他.《☞ 擬声・擬態語 (囲み)》. ¶ 彼は*ぱちりとふたを閉めた He *snapped down* the lid. / He *snapped* the lid shut. // 私はその場面を*ぱちりとカメラに収めた I *snapped* the scene.

バチルス (桿菌・細菌) bacíllus Ⓒ ★ 日本語はドイツ語 Bazillus から.

ぱちん ―名 snap Ⓒ; (スイッチなどの軽い音) click Ⓒ. ―動 (ぱちんと音を立てる) snap 他 自; click 他 自.《☞ 擬声・擬態語 (囲み)》. ¶ 彼は本を*ぱちんと閉じた He *snapped* the book shut. // 突然枝が*ぱちんと折れた The branch suddenly「broke (off) *with a snap* [*snapped* (*off*)].

パチンコ (ゲームの) pachínko Ⓤ ★ 機械の意味では Ⓒ; (機械) pachinko machine Ⓒ, vertical pinball machine Ⓒ ★ 後者は説明的な訳し方; (石などを飛ばす)《米》slingshot Ⓒ,《英》catapult Ⓒ. ¶ *パチンコをしよう Let's play *pachinko*. // *パチンコの玉 a *pachinko* ball **パチンコ屋** *pachinko* parlor Ⓒ.

はつ 初 ―形 (最初の) first《☞ はじめて》.

¶ お*初にお目にかかります (⇒ はじめまして) How do you do? // これは私の*初の海外旅行です This is my *first* trip abroad.

-はつ …発 ¶10時20分*発の急行 the 10:20 express [参考] /ðə tén twènti ɪksprés/ と発音する. / (⇒10時20分に発車する急行) the express (train) *leaving at* 10:20 // このニュースはロンドン*発 (⇒ロンドンから) です This news is *from* London./ (⇒ニュースの源はロンドンです) The news *source* is London. 《☞ はっしゃ¹ (類義語)》

【参考語】(…時発車の) leaving at …; (…時出帆の) sailing at …; (…時離陸の) taking off at … [語法] 列車・船・飛行機の3つとも leaving at … でもよい; (新聞・雑誌などの記事に発信の日付・場所などを入れる) dateline ㊀ [語法] 「1月10日ロンドン発の通信」は a message *datelined* Jan. 10, London となる; (ニュースなどの源) news source Ⓒ.

ハツ (焼き鳥用の牛・豚・鶏などの心臓) heart Ⓒ.

ばつ¹ 罰 (一般的に処罰) punishment Ⓤ; (罰金など具体的な刑罰) pénalty Ⓒ. 《☞ ばっする; けい¹》.
¶それはその罪に対する当然の*罰である It's ⌜due [just] *punishment* for the crime. // 罪と*罰という概念 the ⌜idea [concept] of crime and *punishment* // 法律を破ったら*罰を受けなければならない If you break the law, you must pay the ⌜*penalty* [price]. ★ pay the ⌜penalty [price] は慣用的表現. / (⇒罰を免れることはできない) If you break the law, you cannot escape the *punishment*. // このような犯罪に対してはもっと重い*罰が科せられるべきです Severer ⌜*punishment* [*penalties*] should be ⌜imposed [inflicted] for such crimes. ★ 格式ばった言い方. // この国では酔っ払い運転の*罰は重い[軽い] The ⌜*penalty* [*punishment*] for drunk(en) driving is ⌜heavy [light] in this country. // 彼は校則を破った*罰として1週間の停学を命じられた He was suspended from school for a week as (a) *punishment* for violating the school regulations.

> コロケーション
> **重い罰** a heavy *penalty* / **苛酷な罰** cruel *punishment* / **軽い罰** light *punishment*; a light *penalty* / **寛大な罰** mild *punishment*; a mild *penalty*

ばつ² ばつが悪い ── 動 (気持ちが乱れて当惑する) be embárrassed (at …); (間の悪い思いをする) feel awkward; (そわそわして落ち着かない) be ill at ease; (居心地がよくない) feel uncomfortable. 《☞ きまずい》. ¶私はどうしてよいかわからなくて*ばつが悪かった I *was embarrassed* because I didn't know what to do. // きれいなご婦人のたくさんいるところに出て*ばつが悪かった I *felt awkward* in the presence of so many beautiful ladies.

ばつ³ ── 名 (ばっ点) *x* Ⓒ, ex Ⓒ, cross Ⓒ [日英比較] × に対して答えなどの正しいものは日本では ○ をつけるが, 英米では ✓ (check) をつける. ── 動 (ばつをつける) mark … with ⌜an *x* [an *ex*; a *cross*]. 《ばってん》. ¶先生はその答えに*ばつをつけた The teacher *marked* the answer *with* an *x*. / (⇒誤答として印をつけた) The teacher *marked* the answer *as incorrect*.

ばつ⁴ 閥 (排他的なグループ) clique /klíːk/ Ⓒ; (党派などの派閥) faction Ⓒ. 《☞ ば⁴; はばつ》. ¶*閥を作る form ⌜*cliques* [*factions*]

ばつ⁵ 跋 (書物のあと書き) postscript Ⓒ.

はつあん 発案 ── 名 (考え) idea Ⓒ, concept Ⓒ ★ 前者のほうが口語的; (案) plan Ⓒ; (やや控えめな提議・提案) suggestion Ⓒ. ── 動 (発案する) make a suggestion; (提案する) suggest ㊀, propose ㊀ [語法] 前者はやや控えめな提案. 後者のほうが積極的なニュアンスをもつ. 《☞ ていあん》.
¶「それはだれの*発案ですか」「私の*発案です」"Whose ⌜*idea* [*plan*] is it?" "It's mine." // その旅行は私の*発案で行われた The trip was made at my *suggestion*. // その計画は田中氏の*発案です (⇒計画を作った) Mr. Tanaka *made the plan*.
発案権 (法案などの) the initiative **発案者** proposer Ⓒ; (動議の) mover Ⓒ.

はつい 発意 suggestion Ⓒ 《☞ はつあん》.

はついく 発育 ── 名 (成長) growth Ⓤ; (発展) devélopment Ⓤ. ── 動 (発育する) grow ㊁ ★ 一般的な語; devélop ㊁ ★ 前者より格式ばった語で, 「発育して完全な状態に近づく」という意味も含む. 《☞ せいちょう¹; はってん》.
¶この子は*発育がよい (⇒本当によく育つ) This child *is really growing*. / This child *has been growing* well. // 私の子供は皆*発育ざかりです (⇒まだ小さくてぐんぐん成長しつつある) All my children are *still young and growing*. // それは子供の*発育を助ける [妨げる] It will ⌜promote [retard] the ⌜*growth* [*development*] of a child.
発育期 the period of growth **発育不全** ── 形 (physically) underdeveloped. ── 名 (physical) underdevelopment Ⓤ, incomplete development Ⓤ; 〖医〗 ateliosis /ətìːlióusɪs/ Ⓤ.

はついち 初市 the first market of the New Year.

はつうり 初売り the first sale of the New Year.

はつえき 発駅 terminal Ⓒ ★ 終着駅[地]にもなる. 《☞ しはつ》. ¶この列車の*発駅はどこですか Where does this train *start from*?

はつえんとう 発煙筒 (信号用の) smoke marker Ⓒ; (戦闘用の) smoke bomb Ⓒ.

はつえんりゅうさん 発煙硫酸 〖化〗 fuming sulfuric acid Ⓤ.

はつおん¹ 発音 ── 動 (発音する) pronounce ㊀. ── 名 pronunciation Ⓤ ★ 個々の具体的な発音の事例をいう場合は Ⓒ.
¶「'l-i-s-t-e-n' はどう*発音しますか」「/lísn/ と*発音します」"How do you *pronounce* 'l-i-s-t-e-n'?" "You *pronounce* it (as) /lísn/." ★ 答えは主語の付いた命令文で 「…と発音しなさい」 という意味. 《☞ ハイフン (巻末); 引用符(号) (巻末)》 // 私はその語を間違って*発音してしまった I *pronounced* the word wrongly. / I *mispronounced* the word. // この語には2つの(違った)*発音があります This word has two (different) *pronunciations*. // 彼の英語の*発音はたいへんよい[悪い] His ⌜English *pronunciation* [*pronunciation* of English] is very ⌜good [bad]. // この語の*発音は難しい (⇒この語は発音するのが難しい) This word is difficult to *pronounce*.
発音器官 speech [vocal] organ Ⓒ **発音記号** phonétic ⌜symbol [sign] Ⓒ; (音標文字) phonetic alphabet Ⓒ **発音辞典** pronouncing [pronunciation] dictionary Ⓒ.

はつおん² 撥音 〖音声〗 the syllabic nasal (in Japanese) ★ 日本語で「ん・ン」と表記する音.

はつおんびん 撥音便 〖音声〗 assimilation ⌜into [forming] a syllabic nasal Ⓤ ★ 日本語の語中・語尾の「み」「び」「に」「り」などが「ん」に変化すること.

はつか 二十日 (日数) twenty days; (第20日) (the) twentieth. 《☞ 数字 (囲み); 時刻・日付・曜日 (囲み)》.

はっか¹ 発火 ── 動 (燃え始める) start burning; (火がつく) catch fire, ignite ㊁ ★ 後者のほうがより格式ばった語. ── 名 (点火) ignition Ⓤ; (燃焼) combustion Ⓤ ★ 格式ばった語.
¶硫黄は比較的低い温度で*発火する Sulphur ⌜*ignites* [*burns*] at a relatively low temperature. // 自然*発火 spontaneous *combustion*
発火点 combustion [ignition] point Ⓒ.

はっか² 薄荷 〖植〗 peppermint Ⓤ. **薄荷油** peppermint oil Ⓤ.

はつが 発芽 —動 (種が) germinate (自) (他); (植物が) sprout (自) (他). —名 germination Ⓤ; sprouting Ⓤ. ((☞ め²)). ¶春の雨で種が*発芽した (⇒ 春の雨が種を発芽させた) The spring rain *germinated* the seeds.

ハッカー 〘コンピューター〙 hacker Ⓒ.

はっかい 発会 (会の発足) inauguration Ⓤ ★ 具体的には Ⓒ; (取引所で月初めの立ち会い) the first session of the month. ¶日英協会の*発会 the *inauguration* of the Japan-British Society // 大*発会〘株〙 *the first session* of the year

発会式 opening [inaugural] ceremony Ⓒ.

はつがお 初顔 (会合などの初めての参加者) newcomer Ⓒ ((☞ しんがお; はつかおあわせ)).

はつかおあわせ 初顔合わせ the first meeting. ¶月曜日にスタッフの*初顔合わせをします We'll have *the first meeting* of ⌈the [our] staff on Monday. // この取り組みが両力士の*初顔合わせです (⇒ これが両力士にとって最初の試合です) This is *the first match* for the two sumo wrestlers.

はっかく¹ 発覚 —動 (見破られる) be found out ★ 最も一般的な表現; (暴露される) be uncovered ★ 比喩的な語; (摘発される) be disclosed. —名 disclosure Ⓤ. ((☞ ろけん; ばれる)). ¶彼らの悪だくみはすぐに*発覚した Their evil plot *was* soon ⌈*found out* [*uncovered*].

はっかく² 八角 —名 (八角形) óctagòn Ⓒ; 〘植〙(香辛料) star anise Ⓒ. —形 (八角形の) octágonal.

ばっかく¹ 幕閣 (幕府の最高首脳部) the top ⌈leaders [executives] of the shogunate ⌈government [regime].

ばっかく² 麦角 〘菌類・医〙 ergot Ⓤ.

バッカス —名 固 〘ロ神〙(酒の神) Bacchus /bǽkəs/ ★ ギリシア神話のディオニュソスに相当する.

はつかだいこん 二十日大根 〘植〙 rádish Ⓒ ((☞ だいこん 日英比較)).

はつがつお 初鰹 the first bonito of the season ((☞ かつお)).

はつかねずみ 二十日鼠 〘動〙 mouse Ⓒ (複 mice) ((☞ ねずみ)).

はつがま 初釜 the first tea ceremony of the New Year.

はつかり 初雁 the first wild goose of the season.

はっかん¹ 発刊 —動 publish (他), issue (他)
語法 ほぼ同意で入れ換え可能だが, 前者のほうが一般的. 後者は「出す」という意味に重点がある.
—名 publication Ⓤ, issue Ⓤ. ((☞ はっこう¹ 語法; しゅっぱん¹)). ¶その本は来月*発刊になります The book will *be* ⌈*published* [*issued*] next month. // 私たちは彼女の新しい小説の*発刊を祝った We celebrated the *publication* of her new novel.

はっかん² 発汗 —名 perspiration Ⓤ; sweating Ⓤ ★ 前者のほうが上品な言葉とされる. —動 (汗をかく) perspire (自); sweat (自). ((☞ あせ)). **発汗作用** (遠回しに) ((格式)) perspiration Ⓤ; (一般に) sweating Ⓤ.

はっかん³ 白鷴 〘鳥〙 silver pheasant Ⓒ.

はつがん 発癌 —形 (発癌性の) cancer-⌈causing [producing; inducing], carcinogenic /kɑ̀ːəsənoudʒénɪk/ ★ 後者は専門的な語.

発癌(性)物質 carcinogenic ⌈agent [substance] Ⓒ, cancer-⌈causing [producing; inducing] agent Ⓒ 語法 substance は「物」を表す一般的な語だが, agent には「作用を起こす」という積極的なニュアンスがある.

はっき 発揮 —動 (見せる) show (他) ★ 一般的で平易な語; (能力などを表す) display (他); (公衆の面前で示す) exhibit /ɪgzíbɪt/ (他). —名 display Ⓤ; ((格式)) exertion /ɪgzə́ːʃən/ Ⓤ. ¶その選手は試合で本領を*発揮した The player *showed* his real ability during the game. // 彼は絵画に非常な才能を*発揮した He ⌈*showed* [*displayed*; *exhibited*] great talent for painting.

はつぎ 発議 —動 (提案する) propose (他), suggest (他) ★ 前者のほうが正式な言葉. —名 (提案) proposal Ⓤ, suggestion /sə(g)dʒéstʃən/ Ⓤ. ((☞ はつあん; ていあん)). **発議権** ☞ はつあん (発案権)

はづき 葉月 (旧暦の八月) the eighth month of the lunar calendar; (現在の八月) August.

はっきゅう¹ 薄給 small [low] salary Ⓒ, small [low] pay Ⓤ, low wages ★ 複数形で. ((☞ きゅうりょう¹ (類義語))). ¶家族は何とか私の*薄給で暮らしている My family manages to live on my *small* ⌈*salary* [*pay*]. // 我々は*薄給だ (⇒ 不十分に支払われている) We *are poorly paid*.

はっきゅう² 発給 —動 issue (他). ¶パスポートを*発給する *issue* a passport

はっきゅう³ 白球 (野球の) baseball Ⓒ; (ゴルフの) golf ball Ⓒ.

はっきょう 発狂 —動 (発狂する) go mad
語法 (1) 一般的な言い方だが, 「怒る」の意味にもなるので多少あいまい; (精神障害を起こす) become insane ★ やや格式ばった言い方; (発狂させる) drive *a person* mad 語法 (2) 「怒らせる」の意味にもなるので, 明確にするには make *a person* insane を使う. ((☞ くるう)). ¶彼は極度の恐怖から*発狂した He ⌈*went mad* [*became insane*] ⌈because of [out of] extreme fear. / (⇒ 恐怖が彼を狂気に追いやった) Extreme fear ⌈*drove* him *mad* [*made* him *insane*]. ★ 第1文のほうが口語的.

はっきり —形 (明瞭な) clear; (違いが明らかな) distinct; (簡単で明白な) plain; (記憶・印象が鮮やかな) vivid; (目で見てもすぐわかる) óbvious; (不明・不確実なところのない) définite; (正確な) exact Ⓐ.
—副 clearly; distinctly; plainly; vividly; obviously; definitely; exactly. —動 clear (他); make ... clear; (特に意味などを) clarify (他) ★ 前2者より格式ばった語.

【類義語】最も一般的で格式ばらない語が **clear** で, 真実をぼかすようなあいまいなところがなく, すべてを見通し, 理解できるほど明らかであることを意味する. ほかのものからは明確に区別できて目立つことを表すのが **distinct**. 単純でわかりやすく明白なことを表すのが **plain**. 記憶や印象が生々しく鮮やかであることを表すのが **vivid**. 見てすぐわかるような, だれの目にも明らかであることを表すのが **obvious**. 予定・態度などがすでに定まっており, 変更の余地のないことを表すのが **definite**. 微細な点まで正確に明らかなことを表すのが **exact**. ¶彼が勝つことは*はっきりしているように思えた It seemed *clear* that he would win. // 彼女はみんなにわかるように*はっきりと話した She spoke *clearly* so that everyone could understand her. // 両者の間には*はっきりした違いがある There is a *distinct* difference between the two. // 私の声が*はっきり聞こえますか Can you hear me *distinctly*? // その問題は実に*はっきりしている The problem is quite *plain*. // 子供のころのことは*はっきり覚えています I remember my childhood *vividly*. / I have *vivid* memories of my childhood. // 彼女が正しいことは*はっきりしている It is *obvious* that she is right. / *Obviously* she is right. // 彼は*はっきりした (⇒ 確定的な) 返事はしなかった He didn't make a *definite* reply. / He didn't reply *definitely*. // その会の*はっきりした (⇒ 正確な) 会員数を知っていますか

Do you know the *exact* number of members in the club? // *はっきりとは知りませんが, 彼女は先生になったとのことです I don't know *exactly*, but I hear (that) she became a teacher. // 春先は天気が*はっきりしない (⇒ 定まらない) In early spring the weather is still *unsettled*. // あなたの提案をもっと*はっきりさせて下さい Will you please *clarify* your proposal? // 君に私の考えをこの際*はっきり (⇒ 明確に) 言っておきたい I want to tell you my ideas 「*definitely* [*definitively*; *clearly*] right now.

はっきん[1] 発禁 ── [動] (販売を禁止する) ban the sale (of ...) 《☞ きんし[1]; きんじる》. ¶ この種の本は*発禁にすべきだ (The *sale* of) books of this kind should *be banned*. **発禁本** banned book [C].

はっきん[2] 白金 plátinum [U] 《元素記号 Pt》.

ばっきん 罰金 ── [名] (科料) fine [C]; (反則金) pénalty [C] [語法] fine のほうが正式な語で, 法律で定まった科料を意味する. ── [動] (罰金を科す) fine (他). ¶ スピード違反で 1 万円の*罰金になった I *was fined* ten thousand yen for speeding. **罰金刑** pecuniary penalty [C].

> ── コロケーション ──
> 罰金を科す impose [levy] a *fine* on ... / 罰金を払う pay a *fine* / 重い罰金 a heavy *fine* / 寛大な罰金 a lenient *fine* / 正当な罰金 a fair *fine* / 高い罰金 a big *fine* / 不当な罰金 an unjust *fine* / わずかな罰金 a small *fine*

バッキンガムきゅうでん バッキンガム宮殿 ── [名] (固) (ロンドンにある英国(女)王の宮殿) Buckingham /bʌ́kɪŋəm/ Pálace.

パッキング ── [名] (荷作り・荷作りに使う詰め物) packing [U]; (継手などのすき間を埋めるための詰め物) gasket [C]. ── [動] (荷作りをする) páck (úp) (他). 《☞ にづくり》. **パッキングケース** (荷作り用の箱) packing 「box [case] [C] ★ 一般に木製; (段ボール箱) corrugated box [C].

はっきんぞくげんそ 白金族元素 〘化〙 platinum(-)group element [C].

バック[1] ── [動] (車を後退させる) back (他), báck úp (自); (一般に, 後戻りする) go backward(s) (自). ── [名] (背景) the background; (後援者) supporter [C]; (水泳の) backstroke [U]; (テニスのバックハンド) backhand [U]. 《☞ うしろ; はいご[1]; はいけい[1]》. ¶ 車を門の所まで*バックさせなさい *Back up* [*Back* your car *up*] to the gate. // 湖を*バックに写真をとろう Let's take some pictures with the lake as *the background*. // あの政治家は財界を*バックにしている (⇒ 財界に多くの支持者を持っている) That politician has many *supporters* in business circles.

バック[2] ── [名] (固) Pearl Buck, 1892–1973. ★ 米国の女流作家.

バッグ bag [C] 《☞ かばん; ふくろ[1]》.

パック (一包みにしたもの) pack [C]; (小さいものの一包み) packet [C] ★ 後者のほうが小さめ; (美顔用の) (「face [facial]) pack [C]; (アイスホッケーの) puck [C]. 《☞ つつみ[1]》. ¶ 真空*パックの食物 vacuum-*packed* food ★ このように [形] として用いる. **パック旅行** package tour [C].

バックアタック (バレーボールで) backrow attack [C].

バックアップ ── [動] (支援する) support (他), báck úp (他) ★ 後者のほうが口語的; (コンピューターのデータの) back up (他). ── [名] support [U], backùp [C]. 《☞ おうえん》.

バックアップコピー ── [名] 〘コンピューター〙 (予備のためにコピーしたプログラムやファイル) báckùp [C]. ── [動] backup (他).

バックオフィス (事務処理部門) back office [C].

バックカントリー (人里離れた奥地) 《主に米・豪》 the backcountry.

バックギア reverse (gear) [U] [日英比較] 「バックギア」は和製英語.

バックギャモン (ゲーム) backgammon [U].

バックグラウンド (背景) background [C].

バックグラウンドミュージック báckgròund (mùsic) [U].

バックシート (後部座席) báckséat [C].

バック(ス) 〘スポ〙 (後衛) back [C] ★ 守備位置のときは [U]. 総称は the backs.

パックスアメリカーナ ☞ パクスアメリカーナ

バックスイング 〘球〙 backswing [C].

バックスキン (鹿皮・羊皮) buckskin [U].

バックスクリーン 〘野〙 batter's eye screen [C], centerfield screen [C]. [日英比較] 「バックスクリーン」は和製英語.

バックステージ (舞台裏) backstage [C].

バックストレッチ (ゴールの反対側の直線走路) backstretch [C] (↔ homestretch).

バックストローク (背泳) backstroke [U], back crawl [U]. ¶ *バックストロークで泳ぐ do the *backstroke*

バックスピン 〘球〙 (逆回転) báckspìn [C]. ¶ 彼女はボールに*バックスピンをかけた She put a *backspin* on the ball.

バックスペース 〘コンピューター〙 (キーボードの) backspace (key) [C].

パックスロマーナ ☞ パクスロマーナ

はっくつ 発掘 ── [動] (一般的に, 掘る) díg úp (他); (考古学で遺跡などを) éxcavàte (他) ★ 前者より格式ばった語; (比喩的に, 人材などを) discover (他). ── [名] digging [U]; excavation [U]. 《☞ ほりだす》. ¶ 考古学者たちは最近その古墳を*発掘した The archeologists recently *excavated* that ancient tomb. **発掘現場** excavation site [C] **発掘品** excavated article [C].

パックツアー (パック旅行) package tour [C].

バックドロップ (プロレスの技) (belly-to-)back suplex [C].

バックナンバー (雑誌などの古い号) báck númber [C], báck íssue [C] ★ 前者のほうが普通.

バックネット backstop [C] [日英比較] 「バックネット」は和製英語.

バックパッキング (バックパックを背負った徒歩旅行) backpacking [U].

バックパック (一般にフレーム付きの大型リュックサック) backpack [C] 《☞ リュックサック》.

バックハンド ── [名] 〘球〙 backhand (stroke) [C] (↔forehand). ── [形] backhand(ed). ── [動] (バックハンドで打つ) backhand (他).

バックファイアー ── [名] (内燃機関の逆火) backfire [C]. ── [動] (逆火を起こす) backfire (自).

バックホーム ── [名] 〘野〙 (本塁への送球) throw [peg] to the plate [C] ★ peg は口語的. ── [動] (本塁へ投げる) throw ... to the plate, throw ... home. ¶ レフトが*バックホーム! The left fielder *threw the ball home*.

バックボーン (気骨) backbone [U] ★ 英語では「背骨」が本来の意味.

バックミラー rearview /ríəvjùː/ mírror [C] [日英比較] 「バックミラー」は和製英語.

バックヤード (裏庭) backyard [C] (↔ front yard).

バックライト 〘映・テレビ〙 báckl̀ight [C]; (車の後退表示用ライト) 《米》 báckup [backing] light [C], 《英》 reversing light [C].

ぱっくり ── [動] (傷口・地面などがぱっくり開いてい

る) gape (自), be wide open ★ 後者のほうが口語的. 《☞ 擬声・擬態語 (囲み)》. ¶ 彼の足にはナイフの傷口がぱっくりと開いていた There was [He had] a *gaping* knife wound in his leg.

バックル buckle Ⓒ 《☞ ベルト (挿絵)》.

ハックルベリーフィンのぼうけん ハックルベリーフィンの冒険 *The Adventures of Huckleberry* /hʌ́klbèri/ *Finn* ★ マーク トウェインの小説.

はづくろい 羽繕い ¶ (鳥が) *羽繕いする *preen* ˹*itself* [*its feathers*]

ばつぐん 抜群 ── 形 (飛び抜けてよい) outstanding; (競争相手のない) unrivaled (《英》 unrivalled) ★ やや格式ばった語. 《☞ ずばぬける》. ¶ 彼らのチームは試合で*抜群の強さを発揮した Their team displayed *outstanding* strength in the ˹game [match]. // 彼女は数学が*抜群だ She is ˹*outstanding* [*unrivaled*] in mathematics.

はっけ 八卦 (占い) fortune-telling Ⓤ, 《格式》 divination Ⓤ. 《☞ うらない》. ¶ 当たるも*八卦, 当たらぬも*八卦 (⇒ 易は本当になるかもしれないし, そうでないかもしれない) *Fortune-telling* may or may not ˹come true [be fulfilled]. / *Fortune-telling* is a hit-or-miss sort of thing.

はっけい 八景 the eight scenic spots. ¶ 金沢*八景 *the eight scenic spots* in Kanazawa

はっけいロシアじん 白系ロシア人 (政治亡命した白系露人) White Russian (émigré /émɪgrèɪ/) Ⓒ ★ émigré の ´ は綴り本来のもの.

パッケージ (包み・包装) package Ⓒ. **パッケージソフト** packaged software Ⓤ **パッケージツアー** (セットされた団体旅行) package tour Ⓒ 《☞ ツアー》.

はっけっきゅう 白血球 white (blood) cell Ⓒ, white corpuscle /kɔ́ːpʌsl/ Ⓒ ★ 後者は専門用語. **白血球減少症** leukopenia /lùːkəpíːniə/ Ⓤ **白血球増多症** leukocytosis /lùːkousaɪtóusɪs/ Ⓤ.

はっけつびょう 白血病 〘医〙 leukemia (《英》 leukaemia) /luːkíːmiə/ Ⓤ. **白血病患者** leukemia ˹victim [patient] Ⓒ.

はっけみ 八卦見 ☞ えきしゃ

はっけよい ── 感 (相撲で) Come on! ★ 動きの止まった力士を促す掛け声.

はっけん[1] 発見 ── 動 discover (他); (見つける) find (他) ★ 一般的な語. ── 名 discovery Ⓤ ★ 具体的な発見物の意では Ⓒ. 《☞ みつける》. ¶「だれが引力の法則を*発見しましたか」「ニュートンです」"Who *discovered* the law of ˹gravitation [gravity]?" "Newton (did)." // それはたいへんな*発見だった It was a great *discovery*. // 重要な*発見 an important *discovery* // 素晴らしい*発見 a wonderful *discovery* **発見者** discoverer Ⓒ.

> **コロケーション**
> 医学上の発見 a medical *discovery* / 科学的発見 a scientific *discovery* / 貴重な発見 a valuable *discovery* / 偶然の発見 a chance [an accidental] *discovery* / 考古学上の発見 an archaeological *discovery* / 世界を驚かせる発見 a world-shaking *discovery* / 歴史上の発見 a historical *discovery* / 歴史に残る発見 a historic *discovery*

はっけん[2] 白鍵 white key Ⓒ.

はっけん[3] 発券 ── 名 the issue (of ...) Ⓤ. ── 動 issue (他). 《☞ はっこう[1]》. **発券銀行** bank of issue Ⓒ, note-issuing bank Ⓒ.

はつげん[1] 発言 ── 動 (話す) speak (他) (自); (言葉を言う) say [utter] a word ★ utter は格式ばった語; (少し話す) say a few words. ── 名 (話) speech Ⓤ; (意見) remark Ⓒ. ¶ あなたは*発言を許されていない You are not allowed to *speak*. // 彼はいつも示唆に富む*発言をする He always makes suggestive *remarks*. // 彼女は会合では一言も*発言しなかった She didn't ˹*say anything* [*say a word*; *utter a word*] at the meeting. // (この事について) ちょっと*発言してもいいでしょうか May I *say a few words* (˹*on* [*about*] this matter)?
発言権 voice, say 〔語法〕 後者は「言い分」という口語的な語. いずれも a または *one's* を付けて; the right to speak ★ 説明的な表現. ¶ その会議ではわが国は*発言権がある[ない] Our country has ˹*a voice* [no *voice*] at the conference. // 彼にも*発言権を与えてやりなさい Let him have *his say*. **発言者** speaker Ⓒ **発言力** (影響力のある発言) influential voice Ⓒ; (強力な意見) powerful voice Ⓒ.

はつげん[2] 発現 manifestation Ⓤ. ¶ 騎士道精神の*発現 the *manifestation* of chivalry

はつご[1] 発語 (発言) 《格式》 utterance Ⓤ; (話すこと) speaking Ⓤ. 《☞ はつわ》. **発語行為** 〘哲〙 locutionary act Ⓒ **発語内行為** 〘哲〙 illocutionary act Ⓒ **発語不能(症)** 〘医〙 alalia /eɪléɪliə/ Ⓤ.

はつご[2] 初子 *one's* first child.

ばっこ 跋扈 ── 動 (はびこる) be rampant; (広く認められる) 《格式》 be prevalent; (栄える) thrive (自); (横行する) infest (他) ★ 軽べつ的. ¶ その当時は軍国主義が*跋扈していた Militarism *was rampant* in those days. // その海峡には海賊が*跋扈していた The Straits *was infested* ˹with [by] pirates. ★ the Straits は複数形でしばしば単数扱い.

はつこい 初恋 *one's* first love 《☞ こい[2]》.

はっこう[1] 発行 ── 動 publish (他); issue (他) 〔語法〕 ほぼ同意で入れ換え可能なこともあるが, 前者のほうが一般的で意味が広く,「公にする」ということに重点がある. 免許証などは issue. ── 名 publication Ⓤ; issue Ⓤ. 《☞ しゅっぱん[1]; はっかん[1]》. ¶ この雑誌は毎週[毎月, 年 1 回, 年 4 回]*発行されている This magazine *is* ˹*published* [*issued*] ˹weekly [monthly; annually; quarterly].
発行価格 (株などの) issue price Ⓒ **発行所** publishing ˹house [company] Ⓒ **発行人** publisher Ⓒ **発行部数** circulation Ⓒ. ¶ 最大の*発行部数 the largest *circulation* // その新聞は*発行部数 200 万です The newspaper has a *circulation* of two million.

はっこう[2] 発効 ── 動 (実施される) go into effect; (有効となる) become effective. 《☞ しこう[1]》. ¶ 条約は来年の 1 月に*発効する The treaty will ˹*go into effect* [*become effective*] next January.

はっこう[3] 発光 ── 動 (光を発する) emit [give out] light; (光を放射する) radiate light ★ 後者のほうが格式ばった言い方. ── 名 radiation (of light) Ⓤ. 《☞ ひかり》. **発光器(官)** luminous /lúːmənəs/ [phótogènic] órgan Ⓒ **発光細菌** luminous [photogenic] bacteria ★ bacterium の複数形. **発光材料** luminescent materials ★ 複数形で. **発光星雲** 〘天〙 emission nebula Ⓒ 《複 ── ～s, ── nebulae /nébjʊlìː/》 **発光生物** luminous organism Ⓒ **発光体** lúminous bódy Ⓒ **発光ダイオード** light-emitting diode Ⓒ 《略 LED》. ¶ 青色*発光ダイオード a blue *LED* **発光動[植]物** photogenic [luminous] animal [plant] Ⓒ **発光塗料** luminous paint Ⓤ **発光プランクトン** luminous plankton Ⓤ.

はっこう[4] 発酵 ── 動 ferménṫ (自) (他). ── 名 fermentation Ⓤ. **発酵菌** (発酵作用がある微生物) férment bacíllus Ⓒ 《複 bacilli》; (かび・きのこなどの細菌) férment fúngus Ⓒ 《複 fungi》 **発酵乳** fermented milk Ⓤ 《☞ ヨーグルト》.

はっこう[5] 薄幸 ── 形 (不幸な) unhappy; (不運

な) unfortunate.

はっこう[6] **白虹** white rainbow Ⓒ.

はっこういちう 八紘一宇 the whole world under one roof ★ 第二次世界大戦中の日本のスローガン.

はつこうかい 初公開 the first ⌈public showing [exhibition] (of ...).

はつごおり 初氷 the first freeze (of the year).

はっこつ 白骨 bleached bone Ⓒ.

ばっさい 伐採 ―動 (木を切り倒す) cút dówn ㊐, fell ㊐ ★ 前者がより平易な語; (森林を切り払う) deforest ㊐ ★ 前 2 者より格式ばった語. ―名 deforestation Ⓤ. 《☞ らんばつ》. ¶ 過度の森林*伐採は洪水の原因となる Too much *deforestation* causes floods.

パッサカリア 〘楽〙 passacaglia /pɑ̀ːsəkάːljə/ Ⓒ.

はっさく 八朔 〘植〙 *hassaku* orange Ⓒ; (説明的には) thick-skinned grapefruit-like fruit Ⓒ.

ばっさり(と) (徹底的に) drastically; (完全に) completely. 《☞ 擬声・擬態語 (囲み)》. ¶ 新しい市長は予算を*ばっさり削った The new mayor ⌈reduced [cut (down)] the budget *drastically*. ★ cut down のほうが口語的.

はっさん 発散 ―動 (熱・光・香り・音などを) sènd [gìve] óut ㊐, emit ㊐ ★ 前者のほうが口語的; (精力などを) release ㊐. ―名 emission Ⓤ. 《☞ はなつ》.
¶ ばらの花はうっとりするような芳香を*発散させていた The roses *were emitting* an intoxicating fragrance. // 子供たちは運動場を走り回ってエネルギーを*発散させている The children ⌈*are releasing* their energy [*are letting off steam*] by running around in the playground. ★ let off steam は「余った精力をはき出す」という意味の口語.

ばっし[1] **抜歯** ―動 pull out [extract] a tooth ★ [ ] 内のほうが格式ばった言い方. 《☞ ぬく; は[1]》.

ばっし[2] **抜糸** ―動 〘医〙 take out the stitches.

ばっし[3] **末子** (末っ子) the youngest child.

バッジ (記章) badge Ⓒ. ¶ 学校の*バッジをつける wear a school *badge*

はつしぐれ 初時雨 the first ⌈rain [shower] in late fall; (秋雨のはじまり) the start of the fall rainy season. 《☞ しぐれ》.

バッジシステム the (Japanese) BADGE system ★ 航空自衛隊基地防空警戒組織. BADGE は *B*ase *A*ir *D*efense *G*round *E*nvironment の略.

はっしと ¶ ボールを*はっしと (⇒ ファインプレーで) 受けとめる *catch* a ball *with a fine play* // バッターは*はっしと (⇒ かちんと音を立てて) ボールを叩いた The batter hit the ball *with a sharp crack*. 《☞ 擬声・擬態語 (囲み)》

パッシブ ―形 (受身の) passive (↔ active). パッシブスモーキング passive smoking Ⓤ.

はつしも 初霜 the first frost (of the year).

はっしゃ[1] **発車** ―動 (発車する) leave ㊐ ㊐; depart (from ...) ㊐; start (from ...) ㊐; púll óut (of ...) ㊐. ―名 departure Ⓤ.
【類義語】すべての交通機関について出発を表すのが *leave*. この語は口語的でもあり, 最も広く用いられる. ほぼ同意だが, より格式ばった語が *depart*. 列車などが実際に動き出す動作をいうのが *start*. 特に列車については *pull out* を使うと口語的. 《☞ しゅっぱつ 語法; -はつ》 ¶ 私たちの列車は 10 時に*発車します Our train *leaves* at ten (o'clock). // 「次の電車はいつ*発車しますか」「10 時です」"When [What time] does the next train *leave*?" "At 10 (o'clock)." // その列車はダイヤどおりに京都駅を*発車した The train ⌈*left* [*departed from*] Kyoto Station right on schedule. // *発車間際の電車に飛び乗る jump into a train when it is about to *leave* // *発車予定時刻は 5 時 25 分です The scheduled *departure* is 5:25. // 列車はベルが鳴り終わると*発車した Our train *started* as soon as the ⌈bell [buzzer] stopped. // ほら, *発車のベルだ. 急ごう There goes the bell. Let's hurry.

はっしゃ[2] **発射** ―動 (銃弾などを) fire ㊐, discharge ㊐ ★ 後者のほうが格式ばった語; (ロケット・ミサイルなどを) launch /lɔ́ːntʃ/ ㊐. ―名 firing Ⓤ, discharge Ⓤ; launching Ⓤ. 《☞ うつ[2]; うちあげる》. ¶ 銃を*発射する *fire* a gun // そのロケットはあす*発射される予定だ The rocket is to *be launched* tomorrow. **発射機** (ミサイルなどの発射装置) launcher Ⓒ **発射台** (ロケット・ミサイルなどの) launchpad Ⓒ, launching ⌈pad [site] Ⓒ 語法 site は発射場という意味で, より広い場所を指す. **発射薬** propellant Ⓤ.

ハッシュドビーフ 〘料理〙 hashed /hǽʃt/ béef Ⓤ.

はっしょう[1] **発祥** (起源) órigin Ⓒ 《☞ きげん[3]》. **発祥地** (揺籃の地) cradle Ⓒ. ¶ インドは仏教の*発祥地だ India was the *cradle* of Buddhism.

はっしょう[2] **発症** ―名 (病気の症状が現れること) manifestation of ... Ⓤ. ―動 (症状が現れる) manifest itself; (発病する) develop ㊐ ★ 両者とも病気が主語. ¶ 余病の*発症を防ぐ prevent complications from *developing*

はつじょう 発情 (性的な興奮) sexual excitement Ⓤ. **発情期** (動物の交尾期) the mating season.

ばっしょう 跋渉 ―動 (あてもなく歩き回る) wander (about ...; over ...; through ...) ㊐, roam (about ...; over ...; through ...) ㊐. ¶ 山野を*跋渉する *wander over* the fields and hills

はっしょく 発色 ¶ 《フィルムなど》 *発色がよい The *color comes out* well (on this film). **発色剤** (カラー写真の) coupler Ⓒ; (食品添加物の) coloring agent Ⓒ **発色反応** color reaction Ⓤ.

パッション (情熱) passion Ⓤ.

パッションフルーツ 〘植〙 (とけいそうの果実) passion fruit Ⓒ ★ 食用.

はっしん[1] **発信** ―動 (電波・電報などを送る) send ㊐ (↔ receive); (電報などを急送する) dispatch ㊐ ★ send より格式ばった語. ―名 dispatch Ⓤ. ¶ 我々は本土に向けてエスオーエスを*発信した We *sent* an SOS to the mainland. **発信局** sending office Ⓒ **発信地** place of dispatch Ⓒ **発信人** sender Ⓒ.

はっしん[2] **発疹** 〘医〙 eruption Ⓒ; (一般に吹き出物) rash ★ a を付けて. 《☞ ふきでもの; ぶつぶつ[2]》. **発疹チフス** typhus /táɪfəs/ Ⓤ.

はっしん[3] **発進** ―動 (動き出す) start ㊐; (列車・車などが) move off ㊐; (ロケットが) lift off ㊐. ―名 start Ⓒ; (出発) departure Ⓒ; (ロケットの) lift-off Ⓒ. ¶ 車はゆるやかに*発進した The car *moved off* slowly. // 緊急*発進 ☞ きんきゅう // *発進! 《命令》 *Go!*

はっしんき 発振器 〘電〙 oscillator Ⓒ.

バッシング (痛めつけること) bashing Ⓤ. ¶ 不当なジャパン*バッシング unreasonable Japan-*bashing*

パッシング (通過) passing Ⓤ.

パッシングショット 〘テニス〙 passing ⌈shot [stroke] Ⓒ.

ばっすい 抜粋 ―動 (本などから一部を抜き出す) extráct ㊐, excérpt ㊐; (大切な部分だけを抜き出す) abstráct ㊐. ―名 éxtract Ⓒ, éxcerpt Ⓒ; (摘要) ábstract Ⓒ; (選集) selection Ⓒ. 《☞ ぬきがき; ぬきだす; ぬきずり》. ¶ この 1 節は聖書からの*抜粋です This passage is an ⌈*extract* [*excerpt*] from the Bible.

はつすがた 初姿 ¶*初姿で (⇒ 初めて盛装して) (formally) dressed up for the first time / (⇒ 正月のために盛装で) dressed up for the New Year

はっする 発する **1** «光・熱・香りなどを»: sènd [gìve] óut (他), emit (他) ★ 前者のほうが平易な日常語. (☞ はっさん; はなつ). ¶悪臭を*発する *give* ⌈*off* [*out*] a ⌈bad [foul] smell
2 «音・声を»: give (他), utter (他) ★ 前者のほうが平易な日常語. (☞ あげる¹; だす). ¶警告を*発する *give* [*issue*] a warning to *a person*
3 «源をもつ»: (川などが生じる) rise (from ...; in ...; among ...) (自); (事故などが起こる) occur (自). ¶この川はアルプス⌈[その湖]に源を*発する This river *rises* ⌈*in* the Alps [*from* the lake].

ハッスル ¶彼はこの 2 年間ずい分*ハッスルして (⇒ 非常に頑張って) 勉強している He has been working *very hard* (for) the last two years. // そんなに*ハッスルしないで Don't be so *excited*! / Take it easy. 【日英比較】「ハッスル」は《略式》hustle (自) (頑張る) からの借用だが, 多くの場合意訳したほうがよい.

ばっする 罰する punish (他), give punishment ★ 前者のほうが平易な言い方. (☞ ばつ¹; しょばつ; こらしめる).

はっすん 八寸 〘料理〙 *hassun* Ⓒ; (説明的には) dish of several small portions on a ⌈*hassun* [8-inch] tray Ⓒ.

はっせい¹ 発生 ― 動 (事件が起こる) occur (自) 【日英比較】 happen より改まった語で, 日本語の「発生」の語感に近い; (事件・疫病などが突発する) brèak óut (自). ― 名 occurrence /əkə́ːrəns/ Ⓤ; outbreak Ⓒ. (☞ おこる²).
¶けさ恐ろしい事件が*発生した A terrible accident *occurred* this morning. // その国にコレラが*発生した Cholera *has broken out* in the country.
発生遺伝学 developmental genetics Ⓤ **発生学** embryology /èmbriɑ́lədʒi/ Ⓤ **発生工学** (生物[生命]工学) biotechnology Ⓤ; (生物発生工学) biogenetic(al) technology Ⓤ **発生生物学** developmental biology Ⓤ **発生時計** 〘生〙 developmental clock Ⓒ **発生率** incidence Ⓤ. ¶その国の肺がん*発生率はかなり高い The *incidence* of lung cancer is rather high in that country.

はっせい² 発声 ― 動 (声・言葉を発する) utter (他). ― 名 utterance Ⓤ. **発声器官** vocal organ Ⓒ **発声採決** voice vote Ⓒ; (声または拍手で) voting by acclamation Ⓤ **発声法** vocalization Ⓤ **発声練習** practice in vocalization Ⓤ.

ばっせき 末席 ☞ まっせき

はつぜっく 初節句 *one's* first ⌈Boy's [Girl's] Festival.

パッセンジャー (乗客) passenger Ⓒ.

はっそう¹ 発送 ― 動 sènd (óff) (他), dispatch (他) ★ 前者のほうが口語的; (郵便物を) 《米》 mail (他), 《英》 post (他); (貨物などを送る) ship (他). (☞ おくる¹; ゆうそう¹).
¶私は航空便でその本を*発送します I will *send* the book (*off*) by airmail. // 私どもの会社は既に貨物を東京に向けて*発送致しました Our company *has* already *shipped* the cargo for Tokyo.
発送係 (郵便物の) mail clerk Ⓒ; (貨物の) shipping clerk Ⓒ **発送部** the dispatch ⌈division [*department*] (☞ 会社の組織と役職名 (囲み)).

はっそう² 発想 (考え方) way of thinking Ⓒ; (表現法) way [manner] of expression Ⓒ; (考え・思いつき) idea Ⓒ. (☞ 発想 (巻末)).
¶それは極めてアメリカ的*発想だ That's a typical American *way of thinking*. // 日本語と英語は同じことを言うのに違った*発想 (⇒ 表現法) を用いる Japanese and English use different *ways of expression* to say the same thing. // 彼の*発想はいつも奇抜だ He always has eccentric ⌈*ideas* [*thoughts*; *opinions*].
発想記号[標語] 〘楽〙 expression mark Ⓒ **発想支援** 〘コンピューター〙 idea processing Ⓤ **発想法** (言語における) way of expression Ⓒ.

はっそう³ 発走 ― 動 start (自). ― 名 start Ⓒ.
¶レースの*発走 the *start* of the race

はっそく 発足 ― 動 start (自) (☞ ほっそく).

ばっそく 罰則 penal code Ⓒ; (競技の) pénalty Ⓒ. (☞ ばつ¹). **罰則なし** The regulation does not carry a penalty.

ばつぞく 閥族 clan Ⓒ, clique Ⓒ.

ばった 〘昆〙 grasshopper Ⓒ (☞ こんちゅう (挿絵)).

バッター 〘スポ〙 batter Ⓒ (☞ だしゃ). ¶左[右]*バッター a ⌈left-[right-]handed *batter* **バッターボックス** batter's box Ⓒ.

はつたけ 初茸 *hatsutake* mushroom Ⓒ.

はったつ 発達 ― 動 (発達する・させる) devélop (自) (他); (成長する・させる) grow (自) (他) 【語法】 一般的な語で意味が広く必ずしも日本語の「発達」という言葉と一致しないこともある. ― 名 devélopment Ⓤ; (成長) growth Ⓤ. (☞ はってん; しんぽ).
¶近年の科学技術の*発達は目覚ましい Technological *development* has been quite remarkable in recent years. / Technology *has developed* quite remarkably in recent years. // 日本は高度に重工業を*発達させた Japan *has developed* its heavy industries to a high degree. // 心身の*発達 the *growth* of (the) mind and body
発達課題 〘教育〙 developmental tasks ★ 複数形で. **発達心理学** developmental psychology Ⓤ **発達段階** developmental stage Ⓒ.

コロケーション

急速に発達する *develop* rapidly / 十分に発達する *develop* fully / 順調に発達する *develop* ⌈as expected [satisfactorily] / 徐々に発達する *develop* gradually / ゆっくりと発達する *develop* slowly / 異常な発達 an extraordinary *development* / 急速な発達 a rapid *development* / 経済の発達 economic *development* / 社会の発達 social *development* / 身体の発達 physical *development* / 正常な発達 a normal *development* / 精神の発達 mental *development* / 知能の発達 intellectual *development* / 着実な発達 a steady *development*

はったと ¶人を*はったとにらみつける (⇒ 挑戦的ににらむ) glare *defiance at a person*

ばったや ばった屋 seller of illicit goods (at bargain prices) Ⓒ.

はったり ― 名 (実際よりも誇大に言ったり振舞ったりすること) bluff Ⓤ ★ 具体的には Ⓒ. ― 動 bluff (自); (偉ぶる) put up a (false) front. (☞ こけおどし; きょせい¹). ¶あれはただの*はったりさ It's all *bluff*.

ばったり ¶彼からの手紙が*ばったり (⇒ 突然) 来なくなった The letters from him *suddenly* stopped coming. // 駅で*ばったり (⇒ 偶然) 旧友に出会った I ⌈*ran into* [*happened to* meet] an old friend of mine at the station. ★ ran into を使うほうが口語的. // 男は*ばったりと倒れた The man *fell flat* on his face. (☞ 擬声・擬態語 (囲み))

ぱったり (突然) suddenly (☞ ばったり; ふっつり; 擬声・擬態語 (囲み)).

ハッチ (飛行機・船などの入口) hatch(way) Ⓒ.

バッチ 〘コンピューター〙 batch Ⓒ ★ 同一プログラムで一括処理される作業. **バッチ処理** batch processing Ⓤ　バッチファイル batch file Ⓒ.

パッチ　(長ズボン下) long underpants ★ 複数形で; (つぎはぎ布) patch Ⓒ.

ハッチバック　(ハッチバック式ドア・車) hatchback Ⓒ.

はっちゃく　発着　arrival and departure Ⓤ ★ 順序の相違に注意.　**発着時刻** arrival and departure times of trains ★ 複数形で.　**発着時刻表** timetable Ⓒ, 《米》 schedule Ⓒ.

はっちゅう　発注　— [動] order (他), place an order (for …) ★ 前者のほうが口語的. 《☞ ちゅうもん》.　¶ 私は英国の出版社にその本を*発注した I *ordered* the book *from* ｢the [its] British publisher.

はっちょうとんぼ　八丁蜻蛉　〖昆〗 *haccho* dragonfly Ⓒ; (説明的には) pygmy dragonfly Ⓒ.

はっちょうみそ　八丁味噌　*haccho* miso; (説明的には) soy-bean paste produced in Aichi Prefecture Ⓤ.

ばっちり　¶ シュートを*ばっちり決める (⇒ すばらしいシュートをする) 《バスケットボールなど》 make a *beautiful* shot / 《サッカーなど》 shoot a *beautiful* goal // *ばっちり正解だった (⇒ 完ぺきな答えだった) It was a *perfect* answer. 《☞ 擬声・擬態語 (囲み)》

ぱっちり　¶ その赤ちゃんは*ぱっちりした (⇒ 輝いて澄んだ) 目をしている The baby has *bright, clear* eyes. 《☞ 擬声・擬態語 (囲み)》

パッチワーク　patchwork Ⓤ ★ 作品は Ⓒ.

バッティング　(打撃) batting Ⓤ; (ボクシングの) butting Ⓤ.　¶ 彼は*バッティングがいい (⇒ よいバッターだ) He is a good *batter*.　**バッティングアベレージ** 〖野〗 batting average Ⓒ　**バッティングオーダー** 〖野〗 the batting order　**バッティングセンター** batting practice facility Ⓒ　**バッティングピッチャー** batting practice pitcher Ⓒ.

ばってき　抜擢　— [動] (よく考えて選ぶ) select (他) ★ 一般的な語; (多くの中から 1 つだけえり抜く) síngle óut (他); (自分の意志で選び出す) choose (他) ★ select ほど慎重ではないニュアンスがある口語的な語; (昇進させる) promote (他).　— [名] selection Ⓤ; choice Ⓤ. 《☞ えらぶ (類義語); きよう[2]》.
¶ 多くの人々の中から彼が課長に*抜擢された From (among) a great many ｢people [candidates], he *was* ｢*selected* to be [*chosen* as] the head of the department. // 若い新人の女性が映画のヒロインに*抜擢された A young amateur *was singled out* to be the heroine of the movie. // 彼は今度副社長に*抜擢された He *was promoted* to executive vice-president recently.

バッテラ　sushi topped with vinegared mackerel Ⓤ ★ 説明的な訳.「バッテラ」はポルトガル語 bateira (=boat) から.

バッテリー　(電池) báttery Ⓒ; (投手と捕手) báttery Ⓒ. 《☞ でんち[1]》.　¶ *バッテリーが上がっている The *battery* is dead.　**バッテリーパック** (着脱式の充電池) battery pack Ⓒ.

はってん　発展　— [動] (発達する・させる) devélop (自) (他); (成長する・させる) grow (自) (他); (進歩する) máke prógress; (目標に向かって前進する・させる) advance (自) (他)　[語法] progress は単に前進と後退の 2 つのうちで，前進を意味する語であるが，advance は，例えば学習のように具体的な目標の設定されている場合に用いる語; (広がる・広げる) expand (自) (他).　— [名] (発達) devélopment Ⓤ; (成長) growth Ⓤ; (進歩) progress Ⓤ; advance Ⓒ; (拡大) expansion Ⓤ. 《☞ はったつ; しんぽ》.
¶ 彼の後継者が事業を*発展させた His successor *has* ｢*developed* [*expanded*] the business. // 横浜は世界最大の港町の 1 つに*発展した Yokohama *has* ｢*grown* [*developed*] into one of the largest port cities in the world. // 物理学の研究は最近著しい*発展を遂げた Recently there has been remarkable *progress* in physics (research).
発展家 (遊び人) playboy Ⓒ, playgirl Ⓒ　**発展的解消** — [動] be dissolved in favor of a new grouping; (再編成される) be ｢regrouped [reorganized]　**発展途上国** developing ｢country [nation] Ⓒ (↔ developed ｢country [nation]); (第 3 世界の国) third-world ｢country [nation] Ⓒ.

はつでん　発電　— [動] generate electricity.　— [名] the generation of electricity, electric(al) power generation Ⓤ.　¶ この巨大なタービンの*発電量は 880 メガワットだ (⇒ 880 メガワットの電気を発電する) This huge turbine *generates* 880 megawatts of ｢*electricity* [(*electric*(*al*)) *power*].
発電機 generator Ⓒ　**発電所** power ｢plant [station] Ⓒ ★ 前者は主に《米》.　¶ 水力[火力]*発電所 a ｢hydroelectric [thermal] *power plant* // 原子力*発電所 a nuclear *power plant*

ばってん　罰点　— [名] cross Ⓒ, *x* Ⓒ.　— [動] (罰点を付けて消す) cross out (他).　¶ 誤り[間違った答え]に*罰点を付ける *cross out* the ｢mistakes [wrong answers] 《☞ ばつ[3]》

はつでんぎょ　発電魚　electric fish Ⓒ.

はっと[1]　— [動] (はっと驚く) be ｢startled [surprised] at … ★ startled のほうが驚きの程度が強い; (びくっとする) start (at …) (自) ★ 突然飛び上がる動作を伴う; (驚かす) startle (他). 《☞ おどろく (類義語); びくっと; ぎょっと; 擬声・擬態語 (囲み)》.
¶ 奇妙な足音で，私は*はっとして目を覚ました (⇒ 奇妙な足音が私を眠りから覚ました) The strange footsteps *startled* me out of my sleep. // 彼は*はっとして振り返った He turned *with a start*. // 彼女は私を見て*はっといすから飛び上がった She *started* up from her chair *at* the (very) sight of me. // 恐ろしい事故に*はっと息をのんだ I *caught my breath* when I saw the horrible accident.

はっと[2]　法度　☞ ごはっと

ハット　(帽子) hat Ⓒ 《☞ ぼうし[1]》.

バット[1]　bat Ⓒ.　¶ *バットを振る swing a *bat*

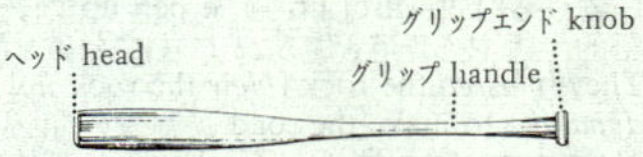

バット[2]　vat Ⓒ ★ 染物などに用いる大型容器.

ぱっと　— [副] (突然) suddenly; (たちまち) all at once; (急速に) quickly; (すばやく) swiftly.　— [動] (光がぱっと輝く) flash (自); (明るくなる・明るくする) light up suddenly (自) (他); (炎が燃える) bláze [fláre; fláme] úp (自)　[語法] blaze は強い炎，flare は一時的に突然ぱっと立つ炎，flame はゆらゆら燃える炎; (突然燃え上がる) burst into flames; (ドアなどぱっと開く) burst open (自) (他). 《☞ 擬声・擬態語 (囲み)》.
¶ そのうわさは*ぱっと広がった The rumor spread *quickly*. // よい考えが*ぱっと心にひらめいた A bright idea *flashed* into my mind. // 突然その部屋に*ぱっと明かりがついた The room (*was*) *lighted up suddenly*. // 枯草から火が*ぱっと燃え上がった The fire ｢*blazed* [*burned*] *up* from the dry grass. ★ blazed のほうが炎が強烈. // 彼女がガスに火をつけると，突然*ぱっと燃え上がった When she lit the gas, it suddenly *flared up*. // 家全体が*ぱっと燃え上がった The whole house *burst into flames*.
ぱっとしない　¶ 彼はあまり*ぱっとしない学生だった (⇒ あまりできのよい学生ではなかった) He was ｢*not a very quick* student [rather *slow* to learn].

パット[1]　〖ゴルフ〗 — [名] putt Ⓒ.　— [動] putt (自) (他).　¶ 彼は*パットがうまい He's ｢good at *putting* [a good *putter*].

パット[2] (男性名) Pat ★ Patrick の愛称.

パット[3] (女性名) Pat ★ Patricia /pətríʃə/ の愛称.

パッド (体型を整えるための詰め物) pad C.

はつどう 発動 —動 (権力を) exercise 他; (法を) invoke 他 ★ 両者とも格式ばった語. ¶ 拒否権を*発動する *exercise one's* veto (against …)

ばっとう 抜刀 —動 draw *one's* sword. —名 (抜いた刀) drawn sword C; (抜身の刀) naked sword C.

はつどうき 発動機 (モーター) motor C; (エンジン) engine C.

はっとうしん 八頭身 ¶*八頭身の (⇒ 均整のとれた) 美人 a beauty with a *well-proportioned figure*

ハットトリック 〔球〕 hát trìck C ★ サッカーなどで 1 人の選手が 1 試合で 3 点を取ること.

バットレス 〔建〕 (控え壁) buttress C.

はづな 端綱 (牛・馬の) halter C.

ばつなぎ 場繋ぎ stopgap C. ¶ 何かもっといい物が見つかるまでこれを*場つなぎに使ってなさい Use this as a *stopgap* (measure) until something better can be found.

はつなり 初生り the first ˹produce [fruits].

はつに 初荷 the first cargo of the New Year ★ 説明的な訳.

はつね 初音 the first song (of a bush warbler).

はつねつ 発熱 —動 (発熱する) become feverish. —名 attack of fever C. (☞ ねつ). ¶ 急に*発熱した I had a sudden *attack of fever*. / I suddenly ˹*became feverish* [*developed a fever*]. **発熱量** cálorìfic válue U.

はつのり 初乗り —動 ride on the first train. ¶ 新線が開通すると僕はいつも*初乗りするんだ Every time they start a new rail service, I try to *ride on the very first train*. **初乗り運賃** the base fare.

はっぱ 発破 —動 (ダイナマイトで爆破する) blast 他, blow … up with dynamite 〔語法〕 後者のほうが一般的. 前者は特に岩石などを爆破すること; (奮い立たせる) pép [fíre] úp 他 ★ pep up のほうが口語的. ¶ 彼らは道を作るために岩に*発破をかけた They ˹*blasted* the rock [*blew* the rock *up*] *with dynamite* to make the road. // 試験の前に先生は私たちに*はっぱをかけた Our teacher ˹*pepped* [*fired*] us *up* before the exam.

バッハ —名 固 Johann Sebastian Bach /joʊhɑ́ːn sɪbǽstʃən bɑ́ːk/, 1685–1750. ★ ドイツの作曲家.

はつばい 発売 —動 (売る) sell 他 《過去・過分 sold》; (売られている) be on ˹sale [the market]; (売りに出す) put … on sale. —名 sale C. (☞ うる[1]; うりだす). ¶ その商品はもう*発売されていません The article *is* not *sold* anymore. // この週刊誌は水曜日に*発売になる This weekly magazine ˹*goes* [*is put*] *on sale* every Wednesday. // 新型車が*発売になっている The new-model cars *are* now *on* ˹*sale* [*the market*].
発売禁止 —動 ban 他 (☞ はっきん[1]) **発売中** be on sale **発売部数** circulation C. ¶ この新聞の*発売部数は日本最高だ This newspaper has *the largest circulation* in Japan. **発売元** sales agency C.

はっぱく 八白 *Happaku*; (説明的には) one of the nine stars in yin-yang fortune-telling.

はつばしょ 初場所 (相撲の) the New Year's Grand Sumo Tournament (☞ すもう).

ぱっぱと ¶ あいつは*ぱっぱと (⇒ 水のように) 金を使う He spends money *like water*. // 彼女は*ぱっぱと部屋を片づけた She tidied her room *quickly*. (☞ 擬声・擬態語 (囲み))

はつはな 初花 (その年の) the first blossom (of the season); (生えてから初の) plant's first flower C.

はつはる 初春 (新年) the New Year; (早春) early spring U. (☞ はる[1]).

はつひ 初日 the first sunrise of the year. **初日の出** (the) sunrise on New Year's Day ★ 説明的な訳.

はっぴ 法被 *happi* coat C.

ハッピー —形 happy.

ハッピーエンド happy ending C.

はっぴゃくやちょう 八百八町 the whole extent of Edo.

はつびょう 発病 —動 get [become] sick, 《英》 get [become; fall] ill ★ 以上は口語的で一般的な表現; be taken ill 〔語法〕 前 2 者より格式ばった言い方. —名 (突然の発病) attack C. ¶ 彼は*発病後わずか 1 日で亡くなった He died only one day after he ˹*got sick* [*fell ill*].

はっぴょう 発表 —動 (公にする) announce 他, make … public ★ 後者のほうが平易な言い方; (情報などを公開する) release 他; (印刷して) publish 他; (学会などで口頭発表する) read a paper. —名 announcement U; (説明・解説) presentation C. (☞ こうひょう[1]).
¶ 婚約を*発表する *announce one's* engagement // 試験の結果が*発表された The results of the examination *have been* ˹*announced* [*made public*]. // 彼がその雑誌に*発表した論文は注目に値する The paper he *published* in the periodical is worthy of notice. // ゼミの時間に*発表する make a ˹*presentation* in a seminar [seminar *presentation*]
発表会 (新車の) auto show for new models C; (習いごとの) pupils' recital C.

—コロケーション—
公式の発表 an official *announcement* / 重大な発表 a weighty *announcement* / 衝撃的な発表 a shocking *announcement* / 正式な発表 a formal *announcement* / 非公式の発表 an unofficial *announcement* / びっくりするような発表 a stunning *announcement*

ばつびょう 抜錨 —動 (錨を上げる) weigh anchor; (出帆する) set sail. (☞ いかり[2]).

はっぷ 発布 —動 (一般的には) issue 他; (法令などを) prómulgàte 他 ★ 格式ばった語. ¶ 革命政府は新憲法を*発布した The revolutionary government ˹*promulgated* [*issued*] a new constitution.

バップ 〔楽〕 bop U, bebop U ★ モダンジャズの初期の形式.

バッファー (緩衝装置[剤]) buffer C. **バッファーメモリー** 〔コンピューター〕 buffer memory C.

バッファロー 〔動〕 (水牛・アメリカ野牛) buffalo C 《複 ~(e)s; ~》.

パップざい パップ剤 (湿布剤) poultice C.

はつぶたい 初舞台 *one's* first appearance on (the) stage; (デビュー) debut /deɪbjúː/ C. (☞ デビュー). ¶ 彼は喜劇役者として*初舞台を踏んだ He made *his* ˹*first appearance on* (*the*) *stage* [*debut*] as a comedian.

はつふゆ 初冬 ☞ しょとう[4]

ハッブル —名 固 Edwin Powell Hubble /hʌ́bl/, 1889–1953. ★ 米国の天文学者.

ハッブルうちゅうぼうえんきょう ハッブル宇宙望遠鏡 〔天〕 the Hubble Spáce Tèlescope.

ハッブルのほうそく ハッブルの法則 〔天〕 Hubble('s) law ★ ハッブルが発見した銀河の動きに関する法則.

はっぷん 発奮, 発憤 —動 (鼓舞される) be inspired; (刺激を受ける) be stimulated; (感情をかき立てられる) be (a)roused. 《☞ ふんき¹》. ¶私たちは先生の言葉に*発奮して一生懸命勉強した We studied hard, *inspired* by our teacher. // 彼は友人の成功に大いに*発奮した He *was* greatly 「*stimulated* [*(a)roused*] by his friend's success.

ばつぶん 跋文 ☞ あとがき

はつほ 初穂 the first crop of rice of the year (dedicated to the gods).

はっぽう¹ 八方 —副 (あらゆる方向で) in all directions, in every direction; (すべての側で) on all sides, on every side. 《☞ しほう¹》. ¶*八方手を尽くしたが (⇒ できることはすべてやったが), 彼の生命を救えなかった We 「*did everything possible* [tried *all possible means*], but we couldn't save his life. **八方睨み** (四方に目を向けること) watching all sides Ⓤ. ¶この人物像は*八方にらみだ The person in this portrait is *staring in all directions*. **八方美人** everybody's friend Ⓒ. ¶*八方美人的な (⇒ すべての人の気に入るような) やり方 *please-everyone* policies **八方塞がり** (困った立場で) be in a (real) fix. ¶*八方ふさがりだ (⇒ 逃げ出す方法がない) There's *no way out*. **八方破れ** ¶*八方破れの態度 a 「*reckless* [*devil-may-care*] attitude

はっぽう² 発砲 —動 (銃弾などを) fire ⊕ ⊜; (砲撃を始める) open fire. 《☞ うつ²》. ¶その男は警官をねらって*発砲した The man *fired* (his *gun*) at the policeman.

はっぽうさい 八宝菜 (説明的に) a Chinese dish of assorted vegetables in a thick clear sauce.

はっぽうざい 発泡剤 blowing [foaming] agent Ⓒ.

はっぽうしゅ 発泡酒 (発泡性ワイン) sparkling wine Ⓤ; (シャンパン) champagne /ʃæmpéɪn/ Ⓤ; (ビール類) low-malt beer Ⓤ.

はっぽうスチロール 発泡スチロール Styrofoam /stáɪrəfòʊm/ Ⓤ ★ 商標名.

ばつぼく 伐木 (特定の地域の木の) logging Ⓤ; (木を切り倒すこと) felling Ⓤ. 《☞ ばっさい》.

ばっぽんてき 抜本的 —形 (根本的) radical ★ 通例 Ⓐ; (思い切った) drastic ★ 前者より格式ばった語. 《☞ こんぽん》.

はつまいり 初参り ☞ はつもうで

はつまご 初孫 *one's* first grandchild.

はつみみ 初耳 ¶それは*初耳だ (⇒ それは知らなかった) I *didn't know* that. / (⇒ そんな事はいままで聞いたこともない) I (*have*) *never heard* of 「that [it]. / This is *the first time* I'*ve heard* about 「that [it]. ★ 後のものほど丁寧な表現. // 彼が死んだなんて*初耳だ (⇒ 私には新しい情報だ) His death 「is [was] *news* to me.

はつめい 発明 —動 invent ⊕. —名 invention Ⓤ ★ 発明品を指す場合は Ⓒ. —形 (頭がいい) bright; (発明の才がある) inventive.
¶タイプライターを*発明したのはだれですか Who *invented* the typewriter? / Who *was* the typewriter *invented* by? 語法 口語では By whom *was* the typewriter *invented*? よりこのほうが普通. // エジソンは多くの大*発明をした Edison made many great *inventions*. // 必要は*発明の母 Necessity is the mother of *invention*. 《ことわざ》
発明家 inventor Ⓒ.

はつもうざい 発毛剤 (増毛剤) hair restorer Ⓒ; (養毛剤) (hair) tonic Ⓒ.

はつもうで 初詣 —動 pay *one's* first visit of the year to the shrine ★ 説明的な訳.

はつもの 初物 (農作物) the first fruits of the season.

はつゆき 初雪 the first 「snow [snowfall] of the 「year [season].

はつゆめ 初夢 the first dream 「of [in; during] the New Year 日英比較 欧米では初夢にまつわる言い習わしがないので, このように英語に訳したとしても, 日本で初夢がどう考えられているのかを説明しなければ, その意味を理解してもらえない.

はつよう 発揚 —名 (高揚) enhancement Ⓤ. —動 (力・質などを高める) enhance ⊕. ¶国威を*発揚する *enhance* the national prestige

はつらつ 溌剌 —形 (活発で元気な) lively /láɪvli/, full of life Ⓟ; (生き生きとした) vivid; (精力的で力強い) vigorous, full of vigor Ⓟ. 《☞ げんき¹; かっぱつ》. ¶少年は希望で*はつらつとしていた The boy was *alive* with hope. // 子供たちの*はつらつとした声 the *lively* voices of children // その若者はいつも*はつらつとしている That young man is always 「*full of vigor* [*vigorous*].

はつれい 発令 —動 (公式に発表する) announce (officially) ⊕; (命令などを公布する) issue ⊕. —名 (official) announcement Ⓤ. 《☞ はっぷ》. ¶会社は4月1日付で人事異動を*発令した Our company *announced* personnel changes on April 1. // 暴風雨警報が*発令された A storm warning has been *issued*.

はつろ 発露 expression Ⓤ, 《格式》 manifestation Ⓤ. 《☞ あらわれ》.

はつわ 発話 〔言〕utterance Ⓤ.

はて¹ 果て (終わり) end Ⓒ; (限界) limit Ⓒ. 《☞ おわり (類義語); はてしない》. ¶私は北海道の北の*果てまで旅行した I traveled Hokkaido to its northern *end*. / I traveled to *northernmost* Hokkaido. ★ 第2文のほうが格式ばった表現. // 宇宙は*果てがないように思える The universe seems (to be) 「*endless* [*boundless*]. 語法 boundless は特に「広さの限りなさ」を表す. // 彼の欲望には*果てがない There is no *limit* to his desire. / His desire knows no *limits*. ★ 第1文のほうが一般的. // なれの*果て ☞ 見出し

はて² —感 (驚きを表して) oh, boy; dear me; oh dear ★ dear を含む表現は女性がよく使う; (考えるとき) well, let me see 語法 (1) well は相手の言葉を受けて考えるとき, let me see は答えがとっさに出ない場合などに用いる; (...かしら) I wonder ★ 思いいぶかるときの言葉. ¶*はて, 君の考えが正しいのかもしれない *Well*, perhaps you are right. // *はて, それを思い出せない *Let me see*. I can't really remember (it). // *はて, これはいったいなんだろう I *wonder* what on earth this is. 語法 (2) on earth は疑問詞を強調する口語的な言い方.

はで 派手 —形 (けばけばしく人目を引く) showy; (俗っぽくて派手な) gaudy; (デザイン・色が下品でけばけばしい) loud ★ 口語的; (惜しげもない) lavish. 《☞ けばけばしい》.
¶*派手なドレス a *showy* dress // このドレス[柄]は私には少し*派手すぎる This 「dress [pattern] is a little too *loud* for me. // 彼女は金づかいが*派手だ (⇒ 惜しげもなく使う) She spends money 「*freely* [*lavishly*]. ★ freely のほうが口語的. / She is *lavish* with money. ★ 第1文のほうが普通. **派手好き** ¶彼は*派手好きだ He *is fond of* 「*show* [*display*].

パテ —名 (窓ガラスの固定用などの) putty /pʌ́ti/ Ⓤ; (レバーなどをペースト状にした) pâté /pɑːtéɪ/ Ⓤ pâté の ˆ と ´ は綴り本来のもの. —動 (ガラスをパテでとめる) putty ⊕.

ばてい¹ 馬蹄 —名 hoof Ⓒ 《複 ~s, hooves》.

―― [形] (馬蹄形の) horseshoe-shaped, U-shaped. 馬蹄形磁石 horseshoe magnet Ⓒ.

ばてい² 馬丁 groom Ⓒ, stableman Ⓒ.

ハティー (女性名) Hattie ★ Harriet の愛称.

パティー (女性名) Patti, Pattie, Patty ★ いずれも Patricia /pətríʃə/ の愛称.

パディー (男性名) Paddy ★ Patrick の愛称.

パティオ (スペイン風の中庭) patio /pǽtiòu/ Ⓒ.

パティシエ (洋菓子職人) patissier Ⓒ.

パティスリー ☞ ペストリー ★ フランス語の pâtisserie (＝pastry) より. 英語化して patisserie をそのまま使うこともある.

はてさて ¶ *はてさて, あきれた奴だ *What* a guy (he is)! // *はてさて, どうしたものか *Well*, what should we do?

はてしない 果てしない endless; (広さが) boundless; (いつまでも続く) everlasting; (無制限の) limitless; (無限の) ínfinite. (☞ はて¹; むげん¹). ¶ *果てしなく広がる砂漠 an *endless* [a *boundless*] desert

はてな (とっさに思い出せない時などに) let me see, let's see; (疑問に思った時に) I wonder ..., ... I wonder ★ 後者は普通疑問文の後に付け足す. ¶ *はてな. 眼鏡をどこに置いたかな Where did I put my glasses, *I wonder*?

はでやか 派手やか colorful (《英》colourful). ¶ *派手やかな民族衣装 a *colorful* ethnic costume

はてる 果てる ¶ 彼らの議論はいつ*果てるともしれなかった (⇒ 終わりを持っていない) Their argument seemed ˹to have no *end* [*endless*]. // その詩人は異国の地で*果てた (⇒ 死んだ) The poet *died* in a foreign land. // 彼は疲れ*果てた様子だった He seemed *tired out*. // 私は困り*果てた (⇒ 途方に暮れた) I *was at my wit's end*.

ばてる (疲れ果てる) be tíred óut, be wórn óut ★ 後者のほうがくだけた言い方. (☞ つかれる¹; へたばる; くたくた; ぐったり).

バテレン (宣教師) Christian missionary in the Edo period Ⓒ; (キリスト教) Christianity Ⓤ; (キリスト教徒) Christian Ⓒ. ★「バテレン」はポルトガル語 *padre* (＝father) から.

はてんこう 破天荒 ―― [形] (記録破りの) récord-brèaking Ⓐ, récord brèaking Ⓟ; (先例のない) 《格式》ùnprécedènted; (前代未聞の) ùnhéard-of Ⓐ, ùnhéard òf Ⓟ.

パテント patent /pǽtnt/ Ⓒ ★ patent right(s) とも言う. (☞ とっきょ). ¶ その科学者は発明の*パテントを 100 以上も取っている The scientist has taken out more than ˹a [one] hundred *patents* ˹for [on] his inventions.

はと 鳩 (普通の) pigeon Ⓒ; (特に小型の) dove /dʌ́v/ Ⓒ [参考] 平和の象徴とされる「はと」は dove. (☞ 動物の鳴き声 (囲み)). ¶ 伝書*ばと a ˹carrier [homing] *pigeon* ★ homing は「帰巣性のある」という意味. // *はとはくうくうと鳴く A ˹*dove* [*pigeon*] coos. **鳩が豆鉄砲を食ったような** ¶ 彼は*はとが豆鉄砲を食ったような様子だった (⇒ ひどく困った様子をした) He looked *deeply puzzled*.

はと小屋 dovecot(e) Ⓒ, pigeon house Ⓒ **はと時計** cuckoo clock Ⓒ **ハト派** dove Ⓒ (↔ hawk). ¶ 党内の*ハト派政治家の 1 人 one of the *doves* in the party **はと笛** pigeon ˹call [pipe] Ⓒ **はと胸** *pigeon breast* Ⓒ.

バド (男性名) Bud.

はとう 波頭 (なみがしら) crest (of a wave) Ⓒ.

はどう 波動 wave motion Ⓒ; 〘物理〙 undulation Ⓤ. **波動関数** wave function Ⓒ **波動計** kymograph Ⓒ /káɪməgræ̀f/ **波動説** (光の) wave theory Ⓒ ★ undulatory theory Ⓒ ともいう. **波動力学** wave mechanics Ⓤ.

ばとう 罵倒 ―― [動] (侮辱的なことを言う) call *a person* names; (しかったり, 文句を言って) abuse /əbjúːz/ (他) ★ 前者より格式ばった語; (公然と非難する) 《格式》denounce (他); (ののしりの言葉を使って毒づく) swear at ... [語法] Damn you! Go to hell! などの呪いの言葉を用いてののしること. abuse よりののしりの程度が強い. ―― [名] abuse /əbjúːs/ Ⓤ; denunciation Ⓤ. (☞ ののしる). ¶ 彼は公衆の面前で私を*罵倒した He *called* me *names* in public.

ばとうせいうん 馬頭星雲 〘天〙 the Horsehead Nebula ★ オリオン座にある暗黒星雲.

パトカー police [patrol] car Ⓒ, 《米》squad car Ⓒ, 《略式》prowl car Ⓒ. (☞ パトロール).

はとこ 再従兄弟, 再従姉妹 (second) cousin Ⓒ ★ 正式には second cousin と言うが普通は単に cousin と言う. (☞ 親族関係 (囲み)).

パトス 〘哲〙 (情念) pathos /péɪθɑs/ Ⓤ (☞ ペーソス).

ハドソンがわ ハドソン川 ―― [名] (固) the Hudson (River) ★ 米国ニューヨーク州東部の川.

ハドソンわん ハドソン湾 ―― [名] (固) Hudson Bay ★ カナダ北東部の広大な湾.

パドック (小牧場・レースの出走前に馬, 車を見せる所) paddock Ⓒ.

はとば 波止場 (船の発着の設備のある埠頭) wharf Ⓒ ★ 最も一般的な語; (遊歩道も兼ねた桟橋状の埠頭) pier Ⓒ. (☞ さんばし).

バドミントン 〘スポ〙 bádminton Ⓤ.

はとむぎ 鳩麦 〘植〙 Job's tears ★ 複数形で.

はとむね 鳩胸 ☞ はと (はと胸)

はとめ 鳩目 eyelet Ⓒ.

はどめ 歯止め ―― [名] (ブレーキ) brake Ⓒ. ―― [動] (歯止めをかける) apply the brakes to ..., put the brakes on ... ★ 前者のほうが格式ばった言い方. ¶ 政府は物価の上昇に*歯止めをかけるべきだ The government should ˹*apply the brakes to* [*put the brakes on*] the rising prices. **歯止め効果** 〘経〙 ratchet effect Ⓒ.

パトリオットミサイル 〘軍〙 Patriot missile Ⓒ ★ 米国の地対空ミサイル.

パトリシア (女性名) Patricia /pətríʃə/ ★ 愛称は Pat, Patty, Pattie, Patsy, Tricia.

パトリック (男性名) Patrick ★ 愛称は Pat, Paddy.

バトル (戦闘) battle Ⓒ (☞ たたかい).

パドル (カヌーの櫂・卓球のラケット) paddle Ⓒ.

パドルテニス paddle tennis Ⓤ ★ 小型のラケットでゴムの球を打ち合うテニスに似た競技.

バトルロイヤル (大乱戦) battle royal Ⓒ 《複 battles royal, battle royals》.

パトローネ (ロールフィルムの容器) (film) cartridge Ⓒ ★ 日本語はドイツ語の Patrone から.

パトロール ―― [動] patrol (自) (他). ―― [名] patrol Ⓤ. (☞ じゅんかい; みまわる). ¶ *パトロール中の警官が泥棒を捕まえた The ˹policeman [policewoman] on *patrol* caught a thief. / The ˹*patrolman* [*patrolwoman*] caught a thief. **パトロールカー** police [patrol] car Ⓒ, 《米》squad car Ⓒ.

パトロン (後援者) ―― [名] (男性の) patron /péɪtrən/ Ⓒ; (女性の) patroness Ⓒ; (援助者) supporter Ⓒ. ―― [動] (パトロンとして…を後援する) patronize (他); (援助する) support (他).

ハトロンし ハトロン紙 brown paper Ⓤ.

バトン (リレー競技の) baton /bətɑ́n/ Ⓒ. ¶ 走者は*バトンを落とした The runner dropped his *baton*. // 次の走者に*バトンを渡す pass [hand over] the *baton* to the next runner

バトンタッチ ¶ 彼からその仕事を*バトンタッチする (⇒

引き継ぐ) のはだれだろう Who *is taking over* the job *from* him? / To whom is he passing (on) the *baton*? バトントワラー[ガール] batón twìrler Ⓒ, (drum) majorette /mèɪdʒərét/ Ⓒ 語法 後者は特に「行進する軍楽隊のバトントワラー」を指す. バトントワリング batón twìrling Ⓤ.

はな[1] 花, 華 1 《草木の》 ── 名 flower Ⓒ; (果樹などの) blossom Ⓒ, bloom Ⓒ. ── 形 floral ★ やや格式ばった語. ── 動 flower 自; blossom 自; bloom 自.

【類義語】必ずしも植物学的な分類にはよらないが, 常識的に草花と考えられているものには ***flower*** を, 桜・梅など木と考えられているものの花には ***blossom***, ***bloom*** を用いる. 特に観賞用の花と考えられる場合には *bloom* を用いる. しかし, *flower* と *blossom*, *bloom* との区別は厳密ではなく, *flower* はすべてに代用できる.

¶ 珍しい*花 rare *flowers* // 私は野に咲く*花が好きだ I like *wildflowers*. // この*花は夕方咲く This *flower* ⌈comes out [opens] in the evening. ★ come out のほうが口語的. // この木は秋に*花が咲く This tree ⌈*blooms* [*blossoms*; *flowers*] in the fall. // 杏(あんず)の*花が咲いていた The apricot trees were in ⌈*blossom* [*bloom*; *flower*]. (⇒ さく[1]) // *花を摘んであげよう I'll pick you some *flowers*. // その*花はすぐに散ってしまう The *blossoms* will soon be gone.

2 《生け花》: flower arrangement Ⓤ. ¶ お*花を習っています I'm taking lessons in *flower arrangement*.

3 《比喩的に》 ¶ 彼女もあのころが*花だった (⇒ あのころが彼女の最盛期だった) Those were *her best days*. // それは言わぬが*花だ (⇒ 言わずにおいたほうがよい) (You had) *better* leave it unsaid.

花は桜木, 人は武士 As the cherry blossom is first among flowers, so is the samurai first among men. **花も恥じらう年頃** (花の 16 歳) sweet sixteen ★ 英語の慣用表現. **花も実もある** (⇒ 面白くまた教育的な) interesting and instructive; (⇒ 美しいだけでなく親切な) not only beautiful but (also) kind. (☞ はなみ[2]). ¶ 彼女は*花も実もある素晴らしい女性だ She is a wonderful woman, *not only beautiful but also kind*. // *花も実もある (⇒ まわりのことをよく考えた) 解決法 a very *considerate* solution **花より団子** Bread is better than the songs of birds. 《ことわざ: 鳥の歌よりパン》 **花を咲かせる** ¶ 彼はチャンピオンとして最後の*花を咲かせたかった He hoped to *crown his career* as a champion. (☞ ひとはな) // 話に*花を咲かせ[が咲い]て (⇒ あれやこれや話して), 2 時間はすぐに過ぎ去った Two hours passed very quickly while we ⌈*talked* [*chatted*] *about this and that*. **花を添える** ¶ 彼女の出席がそのパーティーに*花を添えた Her presence *added a colorful touch* to the party. // 錦上さらに*花を添える *give added luster* to … **花を持たせる** ¶ 人に*花をもたせる (⇒ 人の手柄とする) let *a person* ⌈*have* [*get*] *the credit* for …

花売り flower seller Ⓒ **花籠** flower basket Ⓒ **花かんざし** floral hairpin Ⓒ **花キャベツ** cauliflower /kɔ́:lɪflàʊə/ Ⓒ 語法 食卓に出る料理の材料としては Ⓤ. **花曇り** hazy ⌈sky in (the) springtime [spring sky] Ⓒ **花言葉** the language of flowers **花園** flower garden Ⓒ **花束** bouquet /boʊkéɪ/ Ⓒ **花だより** ☞ 見出し **花電車** streetcar decorated with flowers for a celebration Ⓒ **花時計** flower clock Ⓒ **花の都** ¶ *花の都パリ the *beautiful city* of Paris **花ばさみ** flower scissors ★ 複数形で. **花畑** flower field Ⓒ **花冷え** chill [chilliness] during the cherry blossom season Ⓤ **花吹雪** (桜の花の) shower of cherry blossoms Ⓒ; (風に落ちる花) flowers falling in the wind **花筵** ☞ はなござ **花毛氈** flower-patterned carpet Ⓒ **花物** flowering plant Ⓒ **花模様** floral ⌈pattern [design] Ⓒ 語法 前者は幾何学的な模様, [ ] 内は形・色を含めた全体的な模様を表す. **花屋** (店) flower [floral] shop Ⓒ 語法 前者のほうが一般的. [ ]内にはやや高級というニュアンスがある; (人) florist Ⓒ **花輪** (首にかけたりする) lei Ⓒ; (墓に供えたりする) wreath /rí:θ/ Ⓒ 参考 葬式の花輪は a funeral wreath と言う; (日本式の開店披露などの) flower decoration Ⓒ.

> **コロケーション**
>
> **花に水をやる** water *flowers* / **花をいける** arrange *flowers* / **花を植える** plant *flowers* / **花を飾る** display *flowers* / **花を育てる** grow *flowers* / **花をめでる** appreciate [enjoy] *flowers* / **香りのよい花** fragrant *flowers* / **きれいな花** beautiful *flowers* / **とげのある花** thorny *flowers* / **野生の花** wild *flowers* / **夜咲く花** nocturnal *flowers*

はな[2] 鼻 ── 名 nose Ⓒ; (犬・きつね・猫などの鼻と口の部分) muzzle Ⓒ; (象の) trunk Ⓒ; (豚などの) snout /snáʊt/ Ⓒ. ── 形 (鼻にかかった・鼻の) nasal /néɪzəl/. (☞ いぬ[1] (挿絵)).

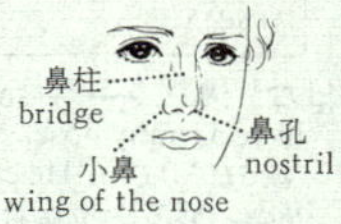

¶ 彼の*鼻は大きい[小さい] (⇒ 持っている) He has a ⌈large [small] *nose*. // 彼女は*鼻が高い She has a ⌈long [prominent] *nose*. 日英比較 鼻が高い[低い]にそのまま high や low を使わないことに注意. 高さを問題にしたいときには a high-bridged nose と言う. 英米人は日本人ほど鼻の高低に言及しない. // 彼は*鼻が低い (⇒ 平たい[小さい]鼻を持っている) He has a ⌈flat [small] *nose*. // *鼻がつまった I have a stuffy *nose*. // *鼻をかんだ I blew my *nose*. // 馬はぶるんと*鼻を鳴らした The horse *snorted*. (☞ 動物の鳴き声 (囲み)) // 犬は*鼻をくんくんさせて靴のにおいをかいだ The dog *sniffed* at the shoe. // あまりの悪臭に私は*鼻をつまんだ The smell was so bad that I held my *nose*. // *鼻をつままれてもわからないくらい真っ暗だった It was *pitch-dark*. // *鼻をほじる pick *one's nose* // わし[かぎ]*鼻 a hooked *nose* // しし*鼻 a snub *nose* // 彼は木で*鼻をくくったような返事をした (⇒ そっけない返事をした) He made a ⌈*blunt* [*curt*] reply.

鼻がきく ¶ 犬は*鼻がきく (⇒ よい鼻を持っている) Dogs have good *noses*. // 彼女は*鼻がきく[いい] She *has a good sense of smell*. / She *has a sensitive nose*. **鼻が高い** ¶ 息子が出来がよいので父親も*鼻が高かろう (⇒ 誇りに思っているに違いない) The father must *be proud of* his brilliant son. **鼻が曲がる** ¶ *鼻が曲がるほどひどいにおいだ The stench is bad enough to *make your nose curl*. **鼻高々** proudly (☞ じまん). ¶ 彼は試合に勝って*鼻高々で (⇒ 勝ち誇って) 帰って来た He came back *triumphantly* because he won the game. **鼻であしらう** ¶ 彼は私の申し出を*鼻であしらった (⇒ 鼻を上に向けた) He *turned up his nose* at my offer. **鼻にかける** ¶ 彼女は美貌(びぼう)を*鼻にかけている She *is proud of* her good looks. / She *prides herself on* her good looks. ★ 第 2 文のほうが格式ばった表現. **鼻につく** ¶ 彼の成功談も*鼻についた (⇒ うんざりした) I *am sick and tired of* his success story. / (⇒ 彼の成功談は私をうんざりさせる) His success story makes me *sick*. ★ 第 1 文のほうがより口語的. // *鼻につくにおい an *acrid smell* **鼻の下が長い** (女に甘い) be soft on women. ¶ 彼は女にほほえみかけられるとすぐに*鼻の下を長くする

When a woman smiles at him he always *becomes amorous.* **鼻をあかす** ¶ どうにかしてあいつの*鼻をあかしてやりたい (⇒ 出し抜きたい) I want to *outwit* him by all means. **鼻を折る** ¶ 自慢の*鼻を折る (⇒ やりこめる, 鼻柱を折る) take *a person* down a peg (or two) **鼻を高くする** ¶ 彼は新しい企画が大成功だったので*鼻を高くしている He *is puffed up with pride* at his great success in the new project. **鼻を突く** ¶ *鼻を突くようなにおい an *unpleasant* [a *nasty*] smell // 悪臭が*鼻 (⇒ 鼻の穴) をついた A bad smell assailed my *nostrils.*
鼻あぶら grease about the nostrils Ⓤ **鼻アレルギー** nasal allergy Ⓒ **鼻くそ** ☞ 見出し **鼻毛** ☞ 見出し **鼻声** nasal voice Ⓒ; (鼻にかかる音) twang Ⓒ **鼻先** ☞ 見出し **鼻の穴** nostril Ⓒ **鼻柱** (鼻の障子) the septum of a nose; (鼻を隆起させている骨) the nose bridge 《☞ はなっぱしら》 **鼻水[汁]** snivel Ⓤ 《☞ はな³》. ¶ *鼻水がたれている You have a *runny nose.* / Your *nose is running.*

> **コロケーション**
> **鼻をこする** rub *one's nose* / **鼻をふく** wipe *one's nose*

はな³ 洟 ―名 snivel Ⓤ. ―動 (洟をたらす) have a runny nose, snivel ⓐ. ¶ 彼は風邪をひいて*洟をたらしていた He caught cold and *had a runny nose.* **洟もひっかけない** ¶ 彼には誰も*洟もひっかけない (⇒ 構ってやらない) Nobody *cares for* him. / (⇒ 注意を払わない) Nobody *pays attention* to him. // 彼女は私に*洟もひっかけない (⇒ 興味を示さない) She *isn't interested* in me. **洟垂らし** sniveling [snotty] child Ⓒ; (青二才) ☞ 洟たれ小僧 **洟たれ小僧** (青二才) fledgling Ⓒ, greenhorn Ⓒ.

はな⁴ 端 (始まり) the beginning; (出発点) the start; (最初) the first. ¶ そんなことは*はなから知っていた I knew it from *the beginning.*

ハナ (女性名) Hannah /hǽnə/.

はなあかり 花明かり dim light diffused by cherry blossoms Ⓤ.

はなあぶ 花虻 〘昆〙 syrphid /sə́ːfəd/ (fly) Ⓒ, syrphus /sə́ːfəs/ fly Ⓒ.

はなあらし 花嵐 (桜のシーズンに吹く強風) gale that blows during the cherry-blossom season Ⓒ; (風に吹かれて散る桜の花) storm of cherry blossoms Ⓒ.

はなあわせ 花合わせ (花札) Jápanèse pláying càrds.

はないかだ 花筏 **1** 《筏状の花の列》: raft-like chain of fallen cherry blossoms on the water Ⓒ. **2** 〘植〙 Japanese dogwood Ⓒ.

はないき 鼻息 (自信) self-confidence Ⓤ; (意気込み) 《格式》 zeal Ⓤ. ¶ 彼のあの*鼻息にはだれも恐れをなす Anyone would be frightened by that great *self-confidence* of his. // 事業で成功したので, あの男はこのところ*鼻息が荒い (⇒ 傲慢(ごうまん)だ) Having succeeded in business, he is ˹*arrogant* [*proud*; *haughty*] nowadays. // 上役の*鼻息をうかがう (⇒ 怒らせないように気を使う) take care not to hurt *one's* boss's feelings / (⇒ へつらう) *flatter one's* boss

はないけ 花生け flower vase Ⓒ.

はないちもんめ 花一匁 *hanaichimonme*; (説明的には) a children's game in which one group of children tries to win friends from the opposing group by means of a *janken* (, "rock-paper-scissors").

パナイとう パナイ島 ―名 ⓖ Panay /pənáɪ/ (Island) ★ フィリピン群島の島.

はないろ 花色 (薄い藍色) light indigo blue Ⓤ.

はなうた 鼻歌 humming Ⓤ 《☞ くちずさむ》. ¶ *鼻歌を歌う *hum a* ˹*tune* [*song*] // *鼻歌まじりで仕事をするな (⇒ 本腰を入れて仕事をしなさい) Do your work in earnest.

はなお 鼻緒 (clog) thong Ⓒ 参考 thong は普通革ひものこと. 従って, 日本独特のものである下駄(げた)の鼻緒のことを外国人に理解させるには下駄の説明をする必要がある.

はなおこぜ 花虎魚 〘魚〙 sargassum /sɑːgǽsəm/ fish Ⓒ.

はながさ 花笠 hat adorned with flowers Ⓒ.

はなかぜ 鼻風邪 head cold Ⓒ; (洟をすするような風邪) the sniffles ★ 複数形で. 《☞ かぜ²》.

はながた 花形 (スター) star Ⓒ. ¶ 彼女は*花形選手です She is a *star* player.

はながつお 花鰹 shavings of dried bonito.

はながみ 鼻紙 tissue Ⓒ 《☞ ちりがみ》.

はなかみきり 花天牛 〘昆〙 longicorn [long-horned] beetle Ⓒ.

はながら 花柄 ―名 (花模様) floral pattern Ⓒ. ―形 floral ★ 普通 Ⓐ. ¶ *花柄のドレス a *floral* dress

はなかんざし 花簪 ☞ はな¹ (花かんざし)

はなぐすり 鼻薬 (わいろ) bribe Ⓒ 《☞ わいろ》. **鼻薬を嗅がせる** (買収する) bribe [sop] *a person.*

はなくそ 鼻くそ ―名 (dried) nasal mucus Ⓤ; 《俗》 booger Ⓤ. ―動 (鼻くそをほじくる) pick *one's* nose.

はなぐもり 花曇り ☞ はな¹ (花曇り)

はなげ 鼻毛 the hairs in the ˹nostrils [nose], nose hair Ⓤ. ¶ *鼻毛を抜かれる (⇒ 出し抜かれる) be ˹*outwitted* [*outsmarted*]

はなごえ 鼻声 ☞ はな² (鼻声)

はなごけ 花苔 〘植〙 reindeer moss Ⓒ.

はなござ 花茣蓙 fancy [figured] mat Ⓒ.

はなことば 花言葉 ☞ はな¹ (花言葉)

はなごよみ 花暦 floral calendar Ⓒ.

はなさかじじい 花咲か爺 *Hanasakajijii*; (説明的には) the tale of a good old man who scattered ashes around some cherry trees, which then brought forth blossoms out of season.

はなざかり 花盛り ―形 (満開で) in full bloom; (最盛期で) at *one's* best. 《☞ まんかい》. ¶ いまはバラが*花盛りだ The roses are ˹*in full bloom* [*at their best*] now. // パソコン教室は*花盛りです Personal computer classes are *flourishing.*

はなさき 鼻先 ―副 (…の面前に[で]) in *one's* face, in the face of *one.* 《☞ めんぜん》. ¶ 大男はピストルを私の*鼻先に突きつけた The big man thrust a gun *in my face.* // 弾は*鼻先をかすめた The bullet ˹passed *right in front of* [just missed] me. **鼻先であしらう** 彼女は私の企画を*鼻先であしらった (⇒ 嘲笑した) She ˹*laughed at* [*mocked*] my proposal. / (⇒ 軽蔑した) She *turned up her nose at* my proposal. **鼻先でせせら笑う** ¶ 彼は私の失敗を見て*鼻先でせせら笑った He *sneered* at my blunder.

はなさきがに 花咲蟹 〘動〙 *hanasaki* crab Ⓒ, (a kind of) king crab Ⓒ.

はなし 話 **1** 《談話》: talk Ⓒ ★ 最も一般的で格式ばらない語; (会話) conversation Ⓤ; (おしゃべり・雑談) chat Ⓒ; (スピーチ) speech Ⓒ, address Ⓒ ★ 後者のほうが格式ばった語; (講義) lecture Ⓒ. 《☞ はなす¹》.
¶ 私たちは長い間*話をした We had a long *talk.* / We *talked* for a long time. // ちょっと彼に*話がある I have something to ˹*talk* about with him [*talk* to him about]. // 今晩の彼女の*話はおもしろかった Her ˹*speech* [*lecture*; *talk*] this evening was

interesting. // 彼は*話が上手だ He is a good *talker*. / (⇒ 上手に話す) He *talks* well. 《☞ 話し上手》// 彼の*話 (⇒ 言ったこと) は本当かもしれない *What he said* may be true. // お*話し中 (⇒ 話をさえぎって) 申し訳ありませんが, もう帰ってもいいでしょうか Excuse me for *interrupting* you, but may I ⌈go [leave] now? // *話の仲間に入れてくれませんか May I join (in) your *conversation*? // 女の子たちは流行についてがやがやと*話をしていた The girls *were chatting* about fashion(s). // ここだけの*話だよ This is just *between you and me*. // ここだけの*話だが (⇒ 言い触らさないでもらいたいが) あいつは間もなく首になるかもしれない *Don't spread it around*, but he may soon be fired.

2 «話の内容»: (話題) topic Ⓒ, subject Ⓒ ★ 前者のほうが口語的; (うわさ) rumor (《英》 rumour) Ⓒ; (交渉) negotiations ★ 通例複数形で; (合意) agreement Ⓒ; (了解) understanding Ⓒ.
¶ 彼女は*話をそらそうとした (⇒ 変えようとした) She tried to change the ⌈*topic* [*subject*]. // 彼は首になったという*話だ *They say* [*I hear*] that he has been fired. / There is a *rumor* that he has been fired. // まだ*話はついていない (⇒ まだ交渉中である) We are still carrying on *negotiations*. // この件については, もう校長と*話がついた (⇒ 合意[了解]に達した) We'*ve* ⌈*reached an agreement* [*arrived at an understanding*] with the principal about this matter. // この*話はだれのところへ持って行けばいいだろう (⇒ だれと相談すべきだろう) Who should I consult about this *matter*? // 彼らの提案は*話にならない (⇒ 問題にならない) Their proposal *is out of the question*. / (⇒ 話題に[考慮]する価値がない) Their proposal is *not worth* ⌈*talking about* [*considering*]. // これは*話がうますぎませんか (⇒ 本当にしてはよすぎる) Isn't ⌈this [it] too good to be true? // *話は違うけど, よし子さんは結婚するそうだよ Changing [To change] the *subject*, I hear Yoshiko is going to get married. // ボストンの*話だけど, 今年の夏はとても暑いらしいよ *Speaking of* Boston, I hear it's very hot this summer there.

3 «物語»: story Ⓒ ★ 一般的な語で「実際の話」「架空の話」いずれにも用いる; tale Ⓒ ★ やや古めかしい語で, 主として架空の話に用いる. 《☞ ものがたり》.
¶ 祖母はよく私たちに*話をしてくれた My grandmother often told us ⌈*stories* [*tales*].

話が合う 彼らは*話が合う (⇒ 互いに一緒にいることが楽しい[共通に関心のある話題を持っている]) ようだ They seem to *have* ⌈*found each other's company enjoyable* [*topics of common interest*]. **話が落ちる** ¶ 彼の*話はよく落ちる His *talk* often *becomes vulgar*. **話がはずむ** ¶ 飲むにつれて*話がはずんだ As we drank more, our *conversation became more lively*. **話に尾鰭が付く** (尾鰭を付ける) embellish *one's* talk. **話に乗る** ¶ そんな*話には乗れない (⇒ 提案は受け入れられない) I can't *accept a proposal* like that. **話に花が咲く** ☞ はな¹ (花を咲かせる) **話に実が入る** (話に興味を持つようになる) get interested in conversation; (だんだんと話が活発になる) have more and more lively conversation. **話の腰を折る** ☞ こし¹ **話の接ぎ穂** ¶ *話の接ぎ穂を失う fail to *keep the conversation going* 《☞ つぎほ》 **話の[が]わかる** ¶ あの教授は*話がわかる (⇒ 思いやりがある) That professor is very *thoughtful* of us. / (⇒ 寛大で甘い) That professor is ⌈*lenient* [*easy*; *easygoing*]. 《☞ はなせる》
話し相手 someone to talk ⌈to [with] **話し方** (話し振り) *one's* ⌈manner [way] of speaking; (話法) how to speak **話し声** voice Ⓤ **話し言葉** spoken language Ⓤ, speech Ⓤ ★ 前者のほうが普通. **話し上手** good ⌈talker [conversationalist] Ⓒ ¶ *話し上手は聞き上手 A *good talker* is a good listener. **話し手** speaker Ⓒ **話の種** topic (of conversation) Ⓒ. ¶ それはよい*話の種だ It's a good *topic for conversation*. **話半分** ¶ あいつの言うことは*話半分に聞いておいたほうがいい (⇒ 彼の話を全部は信じるな) Do*n't believe all* (*of*) *his stories*. / (⇒ 割引して聞け) You should take his stories *with a* ⌈*grain* [*pinch*] *of salt*. **話し下手** poor speaker Ⓒ 《☞ くちべた》.

はなしあい 話し合い (会議) talks ★ 複数形で; conference Ⓒ ★ 前者のほうが口語的; (相談) consultation Ⓤ; (交渉) negotiations ★ 複数形で. 《☞ きょうぎ¹; かいだん² (類義語)》. ¶ この件について両国首脳間で*話し合いが行われた Summit *talks* were [A summit *conference* was] held between the two nations about this matter. // *話し合いによる解決 settlement of the problem by *negotiations*

はなしあう 話し合う talk (with ...) ⓐ; discuss ⓗ ★ 前者のほうが口語的; (相談する) consult (with ...) ⓐ. 《☞ そうだん; きょうぎ¹》. ¶ この問題についてはまだ十分*話し合っていない We *haven't* ⌈*talked about* [*discussed*] this problem thoroughly enough.

バナジウム 〘化〙 vanadium /vənéɪdiəm/ Ⓤ 《元素記号 V》.

はなしか 噺家, 咄家 (comic) storyteller Ⓒ 《☞ らくご²》.

はなしがい 放し飼い ── 動 (放牧する) pasture ⓗ, graze ⓗ 〔語法〕 後者は「草を食べさせる」という意味の平易な語. ── 名 pasturing Ⓤ, grazing Ⓤ. 《☞ ほうぼく》. ¶ 夏の間, 牛は*放し飼いにします We ⌈*pasture* [*graze*] the cattle in summer. / The cattle *are put* (*out*) *to pasture* in summer. ★ 第1文のほうが平易な表現.

はなしかける 話し掛ける talk (to ...) ⓐ, speak (to ...) ⓐ ★ 前者のほうが口語的; (講演などで話をする) address ⓗ ★ 前2者より格式ばった語. 《☞ はなす¹》. ¶ 見知らぬ人が私に*話しかけてきた A stranger ⌈*talked* [*spoke*] *to* me. // 話し手は熱心に聴衆に*話しかけた The speaker ⌈*addressed* [*talked to*] the audience enthusiastically.

はなしかた 話し方 ☞ はなし (話し方)

はなしことば 話し言葉 ☞ はなし (話し言葉)

はなしこむ 話し込む (長い間話す) talk [chat] for a long time ★ chat は「雑談する」という意味; (話に夢中になる) be lost in ⌈conversation [talk] ★ talk のほうが平易な語. ¶ 私たちは夜遅くまで*話し込んだ We *talked* ⌈far [deep] into the night. // すっかり*話し込んで, 夕方になったのもわからなかった We *were lost in* ⌈*conversation* [*talk*] and didn't realize it had become evening.

はなしずき 話し好き ── 形 (よくしゃべる) talkative 《☞ おしゃべり》.

はなしちゅう 話し中 ¶ 《交換手などが》お*話し中です I'm sorry, ⌈sir [ma'am]; the line is ⌈*busy* [《英》 *engaged*].

はなして 話し手 ☞ はなし (話し手)

はなしぶり 話し振り (しゃべり方) the way *one* talks, *one's* way of talking. 《☞ くちぶり》.

はなしょうぶ 花菖蒲 〘植〙 iris Ⓒ.

はなじろむ 鼻白む (当惑した顔をする) look embarrassed; (がっかりする) be disappointed.
¶ 彼の自慢話にみんなが*鼻白んだ (⇒ うんざりした) Everyone *was disgusted* at his boastful account.

はなす¹ 話す (打ち解けてしゃべる) talk (to ...; with ...) ⓐ; (...の話をする) talk (about ...; over ...) ⓐ; (言葉をしゃべる) speak ⓐ 《過去 spoke; 過

分 spoken》★ talk のほうが口語的; (ある言語をしゃべる) speak ㊍; (告げる) tell ㊍ 《過去・過分 told》 ★ 通例「だれだれに」という間接目的語を伴う. 《☞ いう (類義語); はなし; しゃべる; かたる¹》.

¶ 彼女と*話しても退屈だ She's a boring person to *talk* ˹*to* [*with*]. // あの人たちは何を*話しているのですか What *are* they *talking about*? // 私は人前で*話すのは好きではない I don't like *speaking* in public. // 彼は自分の経験を*話してくれた He ˹*talked* [*spoke*] ˹*with* [*to*] me *about* his experience(s). // 仕事中は*話しかけないでくれ Don't ˹*talk* [*speak*] *to* me while I'm working, please. 《☞ はなしかける》 // そのニュースを彼女に*話しましたか Did you *tell* her the news? // あなたは日本語が*話せますか Do [Can] you *speak* Japanese? 語法 日本語で「話せますか」と言う場合でも, 英語としては Do you ...? のほうが丁寧. // 英語で*話そう Let's *speak* English. // あなたがこの間*話していたのはこの本ですか Is this the book you *told* me *about* the other day? // 先生に*話して (⇒ 医師に相談して) みましたか Did you ˹*consult* [*talk to*] your doctor?

コロケーション

遠慮なく話す *talk* freely / **大声で話す** *talk* loudly / **静かに話す** *talk* quietly / **率直に話す** *talk* ˹candidly [frankly] / **長々と話す** *talk* at length / **ぶっきらぼうに話す** *talk* bluntly / **優しく話す** *talk* softly

はなす² 離す, 放す **1** 《分ける・分離する》: part ㊍, séparàte ㊍ ★ 前者のほうが口語的; (引き離しておく) keep ... ˹apart [away] from ...; (隔離する) isolate ㊍.

¶ あの 2 人はしばらく*離しておいたほうがいい It's preferable to *separate* those two for a while. // 病気の猿はほかから*離すべきだ We should *keep* the sick monkeys ˹*apart* [*away*] *from* the others. / The sick monkeys should *be isolated from* the others. ★ 第 2 文のほうが格式ばった表現. // この件はほかと*離して討議しよう Let's discuss this problem *separately* (*from* the others). // 彼は片時も辞書を手元から*離さない (⇒ いつも身近に持っている) He always *has* a dictionary ˹*near* [*around*; *with*] him. // 子供たちから目を*離すな *Keep* your eyes *on* the children. // テレビは壁から 5 センチ以上*離して下さい Be [Make] sure to leave a space of at least five centimeters from the wall when you ˹set [place] the ˹television [TV].

2 《放す》: (手を放す・逃がす) let ... go; (自由にする) set ... free, turn [let] ... loose 語法 (1) いずれもある状態から放す意味で用いる.

¶ 手を*放しなさい *Let* it *go*. // 警察犬が*放された The police dogs *were* ˹*turned* [*let*] *loose*. // 小さな魚は川に*放した (⇒ 戻した) We *put* the small fish *back* into the river. // どうか*放して下さい Do [Please; Please do] *let* me *go*. 語法 (2) Do を用いるのは強調した言い方で, なかなか放してくれない相手に向かって言う. // 犬は*放しておいてはいけない You shouldn't *let* a dog *loose*.

はなずおう 花蘇芳 〘植〙 cercis Ⓒ, Judas tree Ⓒ.

はなすじ 鼻筋 the bridge of the nose. ¶ 彼は*鼻筋の通ったいい男だ (⇒ 彼は美男子だ) He is *good-looking*. 日英比較 「鼻筋の通った」は with a shapely nose と直訳できるが, 英語では日本語ほど鼻のことを言わないので, 無視したほうがよい.

はなずもう 花相撲 sumo performance other than the regular tournaments Ⓒ ★ 説明的な訳.

はなせる 話せる ── 形 (物のわかった) sensible; (気前がいい) generous; (思いやりのある) considerate, thoughtful. ¶ 彼は*話せる人だ He has *good sense*. // 毎月 5 万円小遣いをくれるなんて*話せるお父さんですね It's *generous* of your father to give you a monthly allowance of 50,000 yen.

はなぞの 花園 flower garden Ⓒ. ¶ ばらの*花園 a rose *garden*

はなだい¹ 花鯛 〘魚〙 crimson sea bream Ⓒ.

はなだい² 花代 (花の代金) the price of a ˹flower [bouquet]; (芸妓などに払う代金) geisha('s) ˹charge [fee] Ⓒ.

はなだいろ 縹色 pale blue Ⓤ.

はなたけ 鼻茸 〘医〙 nasal polyp Ⓒ.

はなたて 花立て flower vase Ⓒ.

はなたば 花束 ☞ はな¹ (花束)

はなだより 花便り news about the cherry blossoms Ⓤ.

はなたれこぞう 洟たれ小僧 ☞ はな³ (洟たれ小僧)

はなぢ 鼻血 nosebleed Ⓒ 《☞ しゅっけつ²》. ¶ あの子は*鼻血が出ている The child *is bleeding from the nose*. / His *nose is bleeding*. ★ 後者のほうが平易な言い方. // 私は朝よく*鼻血が出る I often ˹have [get] *a nosebleed* in the morning.

鼻血も出ない ¶ 金をすべて失った. もうさかさにしても*鼻血も出ない (⇒ 1 ペニーも残っていない) I have lost all my money and now ˹*don't have even a penny left* [*am penniless*].

はなつ 放つ (におい・音・光などを) give óut ㊍, emit ㊍ ★ 後者のほうが格式ばった語. ¶ ゆりは強い香りを部屋中に*放っていた The lilies *were* ˹*giving out* [*emitting*] a strong fragrance in the room. // だれかが物置き小屋に火を*放った Someone *set* fire to the shed.

はなづな 鼻綱 (牛の) halter Ⓒ.

はなっぱし(ら) 鼻っ柱, 鼻っぱし ¶ 彼は*鼻っ柱が強い He's *hard-nosed*. / (⇒ 攻撃的だ) He's *aggressive*. 《☞ まけんき; はな² (鼻柱)》

鼻っ柱をへし折る take ... down a peg (or two).

はなつまみ 鼻摘み (嫌われ者・やっかい者) nuisance /n(j)úːsns/ Ⓒ, 《略式》 pest Ⓒ.

はなづまり 鼻詰まり ── 名 the sniffles; 〘医〙 (nasal) congestion Ⓤ. ── 形 (鼻が詰まった) stuffy.

はなつみ 花摘み ── 名 flower ˹gathering [picking] Ⓤ. ── 動 gather [pick] flowers.

はなづら 鼻面 (犬・猫・馬などの) muzzle Ⓒ; (豚などの) snout Ⓒ. **鼻面を引き回す** lead *a person* by the nose.

はなでんしゃ 花電車 ☞ はな¹ (花電車)

はなどき 花時 the cherry blossom season.

バナナ 〘植〙 banána Ⓒ. ¶ *バナナ 1[2]房 a bunch [two bunches] of *bananas*

はなにら 花韮 〘植〙 spring starflower Ⓒ.

はなのき 花の木 〘植〙 (カエデ属の(アメリカ)ハナノキ) red maple Ⓒ; (シキミ) Japanese star anise Ⓒ.

はなばさみ 花鋏 flower scissors ★ 複数形で 《☞ はさみ¹》.

はなはだ 甚だ very, greatly, extremely ★ very が最も一般的. 後のものほど格式ばった語になる. 《☞ とても (類義語); ひじょうに》.

はなばたけ 花畑 ☞ はな¹ (花畑)

はなはだしい 甚だしい (重大な) serious; (ひどい) gross Ⓐ. 《☞ ひどい》. ¶ *はなはだしい侮辱 a *gross* insult // 彼は誤解も*はなはだしい I'm afraid he *seriously* misunderstood.

はなばち 花蜂 〘昆〙 (ミツ[ハナ]バチ上科の蜂の総称) bee Ⓒ ★ 丸花蜂 (bumblebee), 蜜蜂 ((honey)bee), 熊蜂 (carpenter bee) などを含む. 《☞ はち³》.

はなばなしい 華華しい, 花花しい (輝かしい) brilliant; (活発な) active. (☞ はなやか). ¶ 彼女は記者として*華々しい活躍をしている She is now leading 「a *brilliant* [an *active*] career as a journalist.

はなび 花火 fireworks ★ 複数形で. ¶ 今夜は海岸で*花火が上がる There is a 「display of *fireworks* [*fireworks* display] on the beach this evening. // *花火を上げよう Let's 「set [let] off some *fireworks*. // *花火見物に行く go to see (the) *fireworks* // 打上げ*花火 a mine // 線香*花火 ☞ せんこう[6] (線香花火) **花火工場** fireworks factory Ⓒ **花火師** pyrotechnist Ⓒ **花火大会** fireworks display Ⓒ.

はなびえ 花冷え ☞ はな[1] (花冷え)

はなびし 花菱 flower-shaped lozenge Ⓒ.

はなびしそう 花菱草 〘植〙 California poppy Ⓒ.

はなびら 花びら petal Ⓒ.

はなぶえ 鼻笛 (タイ, ミクロネシアなどの) nose flute Ⓒ; (呼び子) whistle Ⓒ. **鼻笛を吹く** (鼻歌を歌う) hum a 「tune [song]; (得意になる) be proud. (☞ はなうた; とくい[1]).

はなふだ 花札 Japanese playing cards ★ 複数形で.

はなふぶき 花吹雪 ☞ はな[1] (花吹雪)

パナマ ── 名 固 (国名) Panama; (正式名) the Republic of Panama; (首都) Panama (City). **パナマ運河** the Pánama Canál **パナマ(帽)** panama Ⓒ, Panama hat Ⓒ.

はなまがり 鼻曲がり (曲がった鼻) crooked nose Ⓒ; (つむじ曲がり) perverse person Ⓒ.

パナマそう パナマ草 〘植〙 Panama hat 「plant [palm] Ⓒ, jipijapa /hìːpihάːpə/ Ⓒ.

はなまち 花街 (色町) red-light district Ⓒ.

はなまつり 花祭り the Buddha's birthday festival; Buddha's birthday.

はなみ[1] 花見 (季節の花を見ること) flower viewing Ⓤ; (特に桜の花の) cherry blossom viewing Ⓤ; (花見の宴) party under the cherry blossoms Ⓒ. ¶ 私たちはきょう*花見に行く We are going to *see the cherry blossoms* today.

花見客 visitor to see the cherry blossoms Ⓒ, cherry blossom viewer Ⓒ **花見酒** (花見の宴) sake-drinking party under a cherry tree Ⓒ.

はなみ[2] 花実 (花と実) flower and fruit Ⓒ; (名と実(じつ)) name and reality Ⓤ. **花実が咲く** ¶ 死んで*花実が咲くものか (⇒ 命があれば望みもある) While there's life, there's hope.

はなみ[3] 歯並み ☞ はならび

はなみず 鼻水 ☞ はな[2] (鼻水)

はなみずき 花水木 〘植〙 (flowering) dogwood Ⓒ.

はなみち 花道 (劇場の) (elevated) walkway leading to the stage Ⓒ ★ 説明的な訳. ¶ 引退の*花道を飾る *do* ... to 「adorn [glorify] the last days of *one's* career

はなむぐり 花潜 〘昆〙 flower [rose] beetle Ⓒ.

はなむけ[1] 餞 farewell [parting] 「gift [present] Ⓒ 語法 gift のほうが格式ばった語. (☞ せんべつ[1]; おくりもの (類義語)). ¶ *はなむけの (⇒ 幸運を祈る) 言葉 *well-wishing* words

はなむけ[2] 鼻向け turning *one's* nose towards a smell Ⓤ. **鼻向けもならぬ** ☞ はなもちならない

はなむこ 花婿 bridegroom Ⓒ, groom Ⓒ. (☞ むこ[1]; しんろう[1]).

はなむすび 花結び (リボンなどの) rosette Ⓒ.

はなめがね 鼻眼鏡 (鼻の根もとに固定する) (a pair of) pince-nez /pænsnéɪ/ Ⓒ (複 ~ /~z/); (鼻先にずり落ちた眼鏡) glasses which have slipped down low on *one's* nose. ¶ 彼は*鼻眼鏡の眼鏡越しに私を見た He looked at me over *glasses on the tip of his nose*.

はなもじ 花文字 (アルファベットの飾り大文字) májuscùle Ⓒ.

はなもちならない 鼻持ちならない ── 形 (いやで我慢ならない) intolerable; (いやな) detestable; (吐き気のするほどいやな) disgusting ★ 以上ニュアンスの違いはあっても入れ替え可能. (☞ ふゆかい).

はなやか 華やか, 花やか ── 形 (派手な) bright; (目立つ) showy; (輝かしい) brilliant; (立派な) splendid; (豪華な) gorgeous. (☞ かれい[1]). ¶ 彼女は*華やかに装っていた She was 「*brightly* [*gorgeously*] dressed. // 彼女は私たちの間でいつも*華やかな存在でした She has always been a *brilliant* figure among us.

はなやぐ 華やぐ, 花やぐ ¶ 会場は大勢の若い女性たちで*華やいだ (⇒ 陽気で楽しい) 雰囲気だった The hall had a *merry and cheerful* atmosphere with the presence of many young girls.

はなやさい 花椰菜 ☞ カリフラワー

はなよめ 花嫁 bride Ⓒ. **花嫁衣裳** wedding dress Ⓒ **花嫁学校** finishing school Ⓒ **花嫁修業** domestic training Ⓤ, training 「for homemaking [as a homemaker] Ⓤ.

はならび 歯並び set [row] of teeth Ⓒ (☞ は[1]). ¶ 彼女は*歯並びがよい She has 「even *teeth* [a regular *set of teeth*]. ★ 前者のほうが一般的.

はなれ 離れ (離れた部屋) detached room Ⓒ; (離れ家) detached building Ⓒ; (別館) annex Ⓒ.

ばなれ 場慣れ ── 動 (経験がある) be experienced in ...; (慣れている) be used to ... 語法 名 動 いずれも続くが, 動 の場合は ... ing 形; (...に詳しい) 《略式》 be at home (in ...) ★「気楽な気持ちでいられる」という意味から発展した用法. 以上 3 つは入れ替え可能なことも多い. (☞ なれる[1]; ばかず).

¶ あの若い女優はよく*場慣れしている That young actress *is* 「well *experienced* [quite *used to the stage*; quite *at home on the stage*].

-ばなれ ...離れ ¶ 金*離れのよい (⇒ 気前のよい) be 「generous [free] with *one's* money // 金*離れの悪い (⇒ けちな) be 「tightfisted [stingy] // 親*離れしていない (⇒ 親に依存している) be still dependent on *one's* parents / (⇒ 親から独立していない) be not independent of *one's* parents // 彼女は日本人*離れした (⇒ 日本人としては例外の) 流暢な英語を話す For a Japanese, she is an exceptionally fluent speaker of English. // 現実*離れした (⇒ 非現実的な) unrealistic // 活字*離れの aliterate // 子*離れ ☞ 見出し // 肉*離れ ☞ 見出し

はなれざしき 離れ座敷 detached room Ⓒ (☞ はなれ).

はなれじま 離れ島 solitary [isolated] island Ⓒ (☞ りとう[1]; ことう[1]).

はなればなれ 離れ離れ ── 動 (...から引き離す) separate ... (from ...); (離散する・させる) brèak úp 自 他. ── 形 separated. ── 副 separately. (☞ わかれわかれ). ¶ 戦争で一家は*離ればなれになってしまった The war 「*separated* [*broke up*] the family. // 兄弟はみんな大きくなって*離ればなれに住んでいる The brothers have grown up and live 「*apart* [*away*] *from one another*. 語法 apart は「別々に」, away は「距離が離れて」を表す.

はなれや 離れ家 ☞ はなれ

はなれる[1] 離れる (離れる) separate (from ...) 自; (引き離される) be separated (from ...); (...を去る) leave 他, gò awáy (from ...).

¶ 私は家族と*離れて東京で暮らしている I live in Tokyo, ⌈*apart* [*away*] *from* my family. // 故郷を*離れて 10 年になる It's been ten years since I *left* my hometown. // 君と*離れて暮らすのは辛い I find it hard to live *separated from* you. // *離れないでついて来なさい (⇒すぐ近くにいなさい) *Keep close* to me. / (⇒すぐ後ろについてきなさい) *Follow close* behind me. ★ 第 1 文のほうがより平易な表現. // ここを*離れたくない I don't want to *leave* this place. // 列を*離れないで下さい Please ⌈don't *get out of* [*stay in*] (the) line. // 駅はここからだいぶ*離れている (⇒かなりの道のりだ) The station is *a long way* (*off*) from here. // あの 2 人は年がかなり*離れている There is *a big difference* in age between the two of them. // 彼女のことが頭から*離れない (⇒心から追い出すことができない) I can't *put* her *out of* my mind.

はなれる² 放れる (自由になる) become free (from ...) (自). ¶ 犬が鎖から*放れた The dog *got free* of the chain.

はなれわざ 離れ業 (技術を見せる) feat Ⓒ; (危険を伴う) stunt Ⓒ. 《☞ げいとう》. ¶ 彼は史上初めて宙返り飛行の*離れわざを演じた He became the first ever to ⌈perform [do] the ⌈*feat* [*stunt*] of looping. ★ do のほうが口語的.

はなわ 鼻輪 nose ring Ⓒ.

バニーガール (ウサギ姿の接客係) bunny (girl) Ⓒ.

はにかむ ― 動 (人前に出たがらず, 引っこみ思案である) be shy ★ しばしば性格的なものを言う; (特に子供などが人前で赤面したりして恥ずかしがる) be bashful. ― 名 shyness Ⓤ; bashfulness Ⓤ. 《☞ うちき; てれる; はずかしい》. ¶ 彼女は男の子の前で*はにかむ She *is shy* ⌈*with* [*around*] boys. // 彼とは初対面なのでその女の子は*はにかんでいた The little girl *was bashful* because she was meeting him for the first time. **はにかみ屋** bashful person Ⓒ.

ばにく 馬肉 horse meat Ⓤ, horseflesh Ⓤ 日英比較 ヨーロッパ大陸の諸国では一般に食用にするが, 英米人は食用にしない.

バニシングクリーム (化粧用の) vanishing cream Ⓤ.

パニック (大混乱) panic Ⓤ ★ 具体的にはⒸ. なお経済恐慌の意味では Ⓒ. **パニック映画** disaster ⌈movie [film] Ⓒ **パニック障害** 〖心〗 panic disorder Ⓤ.

バニティーケース (携帯用化粧品入れ) vanity ⌈case [bag] Ⓒ.

はにゅう 埴生 humble house Ⓒ, hut Ⓒ. **埴生の宿** (曲名) *Home, Sweet Home* ★ J. H. ペイン作詞, H. ビショップ作曲; (質素な家) small, humble house Ⓒ.

バニラ (香料) vanilla /vənílə/ Ⓤ ★ 植物を指す場合は Ⓒ. ¶「アイスクリームはどんな種類がありますか」「*バニラ, ストロベリー, チョコレートです」"What kind of ice cream do you have?" "We have *vanilla*, strawberry, and chocolate." **バニラエッセンス** vanilla (extract) Ⓤ.

バニリン 〖化〗 vanillin Ⓤ ★ 食品の香料に用いられる.

はにわ 埴輪 ancient Japanese clay ⌈image [figure] Ⓒ 語法 image のほうがやや格式ばった語. figure は人間の形をしたものに使うことが多い.

バヌアツ ― 名 (固) Vanuatu /vàːnuáːtuː/; (正式名) the Republic of Vanuatu ★ 南太平洋ニューヘブリディーズ諸島にある共和国.

はね¹ 羽, 羽根 **1** 《翼》: wing Ⓒ 《☞ つばさ; とり¹ (挿絵); こんちゅう (挿絵)》. ¶ 鶴は*羽を広げて飛び立った The crane spread its *wings* and flew away. // くじゃくが*羽を拡げた[畳んだ] The peacock ⌈spread [folded] its *tail feathers*.

2 《回転する》: (扇風機・タービン・スクリュー・プロペラなどの) blade Ⓒ; (風車などの) vane Ⓒ.

3 《羽毛》: (一般的に) feather Ⓒ; (特に大きくてきれいなもの) plume Ⓒ; (全体) plumage Ⓤ; (鳥の綿毛) down Ⓤ. ¶ きじはきれいな*羽をしている A pheasant has bright ⌈*feathers* [*plumage*]. // ひな鳥は間もなく*羽がはえそろう The chicks will soon *be in full feather*. // *羽ぶとん a *down* quilt // 赤い*羽根募金運動 Red *Feather campaign*

4 《遊具》: (バドミントンなどの) shuttlecock Ⓒ. ¶ お正月には子供たちは*羽根をついて遊びます In the New Year season, children *play battledore and shuttlecock*.

羽が生えたように ¶ その新製品は*羽が生えたように (⇒ホットケーキのように) 売れた The new product sold *like hot cakes*. **羽を伸ばす** ¶ 両親が海外に行っているので, 彼は*羽を伸ばしている (⇒楽しんでいる) He *is* ⌈*having a good time* [*enjoying himself*], while his parents are abroad.

はね² 跳ね (泥の跳ね上がり) splash of mud Ⓒ, mud spatter Ⓒ 語法 前者は「ばちゃん」と跳ねが上がる感じで, 後者は「ぱたぱた」とくっつくニュアンスがある. 《☞ はねかける》. ¶ 塀には泥の*跳ねが方々に上がっていた There were many ⌈*splashes of mud* [*mud spatters*] on the wall.

はね³ 撥ね ― 名 (漢字のはねる書き方) the upward stroke in Chinese characters. ― 動 (はねる) make an upward stroke.

ばね 発条, 撥条 spring Ⓒ ★ 弾力という意味では Ⓤ; (反発力) bounce Ⓤ. **ばね仕掛け** ¶ *ばね仕掛けで by means of a *spring* **ばね秤** spring balance Ⓒ.

はねあがり 跳ね上がり (物価などの急上昇) sudden rise (in ...) Ⓒ; (行き過ぎた行動をとること) going too far Ⓤ. **跳ね上がり者** (過激な行動をとる人) radical Ⓒ, extremist Ⓒ; (自分勝手な人) selfish ⌈man [woman] Ⓒ.

はねあがる 跳ね上がる júmp [léap; spríng] úp (自) 語法 jump は一般的な語. leap は大きく跳ぶこと, spring は急に飛び上がること. 《☞ とびあがる》.

はねあげる 撥ね上げる (水・泥などを) splash (他) 《☞ はねかける》.

はねあり 羽蟻 ☞ はあり

はねおきる 跳ね起きる (びっくりして) spring [leap; start] to *one's* feet (自) 語法 spring は「急に飛び起きること」, leap は飛び起きる動作が大きいこと, start は「びっくりして飛び起きる」という格式ばった語; (ベッドから) jump [spring] out of bed (自) ★ jump が一般的. 《☞ とびおきる》. ¶ 目覚ましが 6 時に鳴ると, 子供たちは*跳ね起きた When the alarm rang at six, the children ⌈*jumped* [*sprang*] *out of their beds*.

はねかえす 跳ね返す (撃退する・はねつける) dríve báck (他) ★ 口語的; 《格式》 repulse (他), 《格式》 repel (他).

はねかえり 跳ね返り (影響) ínfluence Ⓤ; (変化を与えるような影響) ímpact Ⓤ 語法 impact のほうが影響の度合いが強い; (おてんば娘) tomboy Ⓒ. 《☞ えいきょう》. ¶ 運賃値上げで物価への*跳ね返りがあるだろう The rise in train fares will ⌈*affect* [*influence*] the prices (of commodities).

はねかえる 跳ね返る (はね上がる・はずむ) bounce (自); (はね返ってくる) rebound (from ...) (自); (影響が元へ戻る) rebound (on ...; upon ...) (自). 《☞ バウンド; はずむ; はねる¹》.
¶ レフトはフェンスに*跳ね返ったボールを捕りそこなった The left fielder missed the ball that *rebounded from* the wall. // あまり多くを要求すると, 後であなたに*跳ね返りますよ If you ask too much now, it

will *rebound* ⌈*on* [*upon*] you later.

はねかかる 撥ねかかる (水・泥が) splash (自).
¶泥が私のドレスに*撥ねかかった Mud has *splashed* on my dress.

はねかける 撥ねかける splash (他) (☞ はね²).
¶シャワーを使うときは水を*撥ねかけないように気をつけなさい Be careful not to *splash* water (around), when you take a shower. // 車が泥を*撥ねかけていった A passing car *splashed* ⌈mud on me [me with mud].

はねかくし 羽隠 〘昆〙 rove beetle [C].

はねかす 撥ねかす splash (他). ¶泥を*撥ねかさないでよ Don't *splash* ⌈mud on me [me with mud]!

はねぐるま 羽根車 (タービンなどの) impéller [C].

はねごし 跳ね腰 (柔道の技) *hanegoshi* [U]; (説明的には) spring hip [U].

はねつき 羽根突き Japanese badminton [U], battledore and shuttlecock [U]. (☞ はね¹).

はねつける 撥ね付ける (提案などを取り上げない) tùrn dówn (他), reject (他) ★ 前者がより口語的. (☞ きょぜつ; いっしゅう²; ことわる (類義語)). ¶彼は私たちの提案を*はねつけた He ⌈*turned down* [*rejected*] our proposal.

バネッサ (女性名) Vanéssa.

パネットーネ (イタリアの菓子パン) panettone /pæ̀nətóuni/ [C] (複 ~s, -ni).

はねとばす¹ 跳ね飛ばす ☞ はねる¹ **1**

はねとばす² 撥ね飛ばす ☞ はねる² **1**

はねのける 撥ね除ける púsh [thrúst] ... asíde.
¶少年は掛け布団を*撥ねのけて飛び起きた The boy jumped up, ⌈*pushing* [*thrusting*] the quilt *aside*.

ばねばかり 発条秤 ☞ ばね (ばね秤)

はねばし 跳ね橋 (城の入り口などにある) drawbridge [C]; (船の通過のときなどに上がる) bascule bridge [C]. (☞ はし¹ (挿絵)).

はねぶとん 羽布団 feather [down] quilt [C] (☞ ふとん).

はねぼうき 羽箒 feather ⌈duster [brush] [C].

はねまわる 跳ね回る (跳びはねる) jump ⌈around [about] (自); (遊んで) romp ⌈around [about] (自). (☞ はねる¹). ¶子供たちは運動場で*跳ね回っている The children *are romping* ⌈*around* [*about*] in the playground.

ハネムーン ── [名] (新婚旅行・蜜月) hóneymòon [C]. ── [動] go on a honeymoon, honeymoon (自). (☞ しんこん¹). **ハネムーンベビー** honeymoon baby [C].

パネラー (公開討論の問題提起者・クイズ番組の解答者) panelist (《英》 panellist) [C] ★「パネラー」は和製英語.

パネリスト (公開討論の参加者) panelist [C].

はねる¹ 跳ねる **1** «飛び上がる»: jump (自); leap (自) (過去・過分 leaped または leapt); spring (up) (自) (過去 sprang, sprung; 過分 sprung); hop (自); skip (自); bounce (自); bound (自); (馬が背を曲げて) buck (自); (魚が水面に) break the water; (水・泥が) splash (自).

【類義語】最も一般的な語で, ある表面から跳んで離れることを意味するのは **jump**. かなりの距離を大きく跳ぶのは **leap**. 突然に跳ぶ動作をするのは **spring**. 片足で, または両足をそろえて跳ぶのは **hop**. 小刻みにぴょんぴょん跳ぶのは **skip**. ボールなどが表面に当たって1回跳ね返るのが **bounce**. 連続してポンポンと跳ねながら移動するのが **bound**. (☞ とぶ²; はねかえる)

¶子供たちがトランポリンの上で*跳ねている Children *are* ⌈*jumping* [*bouncing*] on the trampoline. // ここで*跳ね回ってはいけない Don't ⌈*jump* [*hop*; *skip*] around here. // ボールは*跳ねて隣の庭に入ってしまった The ball ⌈*bounded* [*bounced*] *away* into the neighbor's garden. // 馬が突然*跳ねた The horse suddenly *bucked*. // 鯉が2, 3回*跳ねた A carp *broke the water* two or three times. // 泥が私のズボンに*跳ねた The mud *splashed* on my trousers.

2 «その日の興行が»: (終わる) be over, end (自), come to an end, close (自), finish (自) (他) ★ 最も口語的な表現は be over. (☞ おわる (類義語)).

はねる² 撥ねる **1** «自動車が»: hit (他) (過去・過分 hit), knóck dówn (他) ★ 前者のほうが意味が広い. (☞ ひく³). ¶彼は自動車に*はねられた He *was* ⌈*hit* [*knocked down*] by a car.

2 «除去する»: (受け入れることを拒否する) reject (他); (除外する) exclude (他) ★ 前者より格式ばった語; (名前などを消す・削除する) strike (他) ★ 口語的表現; (特に望ましくないものを除去する) elíminàte (他) ★ 前者より格式ばった語.
¶候補者の約半分は第1次審査で*はねられた About half of the candidates *were* ⌈*rejected* [*eliminated*] in the first examination.

はねる³ 刎ねる ¶首を*はねる *cut off a person's* head / *behead* [*decapitate*] *a person* ★ 後のものほど格式ばった言い方. (☞ きる¹; くび)

パネル (羽目板) panel [C]. **パネル柄** panel pattern [U] **パネル工法** panel construction [U] **パネルディスカッション** (公開討論) panel discussion [C] **パネルヒーター** (放射熱利用の暖房器具) panel radiator [C] **パネルヒーティング** panel heating [U].

ハノイ ── [名] (固) Hanoi /hænɔ́ı/ ★ ベトナムの首都.

ハノーバー ── [名] (固) Hanover /hǽnouvə/ ★ ドイツ中北部の都市. ドイツ語では Hannover.

パノラマ ── [名] panorama /pæ̀nərǽmə/ [C]. ── [形] pànorámic. ¶それは*パノラマのような景色だった It was a *panoramic* view. **パノラマカメラ** pánoràmic cámera [C] **パノラマ写真** panoramic ⌈picture [photo, photograph] [C].

はは 母 ── [名] mother [C]. ── [形] (母の・母親らしい) motherly, maternal ★ 後者のほうが格式ばった語; (母方の) maternal [A], on *one's* mother's side ★ 後者のほうが口語的. (☞ おかあさん [語法]; 親族関係 (囲み); ははおや).
¶*母の愛 *maternal* ⌈love [affection] // 彼女は2人の子の*母として忙しく暮らしている She is living a busy life as the *mother* of two children. // 彼女は間もなく*母となる (⇒ 彼女は赤ちゃんを生む予定だ) She is going to have a baby. / (⇒ 彼女は妊娠中だ) She is *expecting*. // 未婚の*母 an unmarried [a single] *mother* // *母のない子 a *motherless* child // 必要は発明の*母 Necessity is the *mother* of invention. (ことわざ) // 私は孤児たちに対する彼女の*母親のような愛情に打たれた I was ⌈impressed [struck] ⌈with [by] her *motherly* love towards the orphans. [語法] ほぼ同じだが, be struck には「感動が突然で強い」というニュアンスがある. // ジョンは私の*母方のいとこです John is ⌈a cousin of mine [one of my cousins] *on my mother's side*. / John is my *maternal* cousin. (☞ ははかた) // *母なる大地 *Mother* Earth
母の日 Móther's Dày **母物** sentimental ⌈story [play, film] dealing with maternal affection [C].

はば 幅 ── [名] width [U], breadth [U] [語法] ほぼ同意だが, width は「端から端までの長さ」, breadth は width よりは格式ばった語で,「広がり」に重点が置かれる. ── [形] (幅が…の[で]) wide, broad; (端から端まで) across. (☞ よこ 1 [日英比較]).
¶「この道路の*幅はいくらありますか」「20メートルです」"How *wide* is this street?" "It is twenty meters ⌈*wide* [*across*]." / "What is the *width* of this street?" "It has a ⌈*width* [*breadth*] of

twenty meters.” ★ 前者のほうが口語的. // この板は長さ 90 センチ, *幅 15 センチだ This board is 90 centimeters ˹long [in length] and 15 centimeters ˹*wide* [*broad*; *in width*; *in breadth*]. ★ long, wide を使うほうが口語的. // 彼は肩*幅が広い He has *broad* shoulders. // 道路の*幅 (⇒ 道路) がだんだん狭くなってきた The road became *narrower*.

幅をきかせる, 幅がきく ¶ 彼はこのあたりではかなり*幅がきく (⇒ 勢力 [権力] がある) He *is* quite ˹*influential* [*powerful*] around here.

幅を取る (広い場所を独り占めする) have a large space to *oneself* (☞ 幅をきかせる).

ばば 馬場 riding grounds ★ 複数形で.

パパ dad Ⓒ, daddy Ⓒ, father Ⓒ, papa Ⓒ 語法 子供が父親を親しく呼ぶ場合は dad が最も普通. daddy はかなり小さい子の呼び方. papa は dad ほど用いられない. 大きくなると father も使うようになる. (☞ おとうさん 語法; 親族関係 (囲み)).

¶ *パパ, 9 時までには帰ります *Dad* [*Daddy*], I'll be back by nine. // 坊やの*パパはどこへ行ったの Where's your *daddy* gone?

ははあ (そうね) well; (わかった) I see; (やっと) now; (ああ, そうか) oh. ¶ *ははあ, それからどうした *Well* [*I see*]. Then what (did you do)? // *ははあ, それでわかった *Now* I understand. / *Oh*, I see.

バハーイきょう バハーイ教 〔宗〕 Bahaism Ⓤ ★ 19 世紀中葉, イランで起こったバーブ教から発展した新宗教.

パパイヤ 〔植〕 papaya /pəpáɪə/ Ⓒ.

ははおや 母親 ☞ はは **母親学級** class for expectant mothers Ⓒ **母親殺し** matricide Ⓤ ★ 犯人は Ⓒ.

ははかた 母方 ― 名 *one's* mother's side. ― 形 (母方の) maternal (↔paternal). ¶ 彼の*母方のおじ an uncle on his *mother's side* / a *maternal* uncle of his

はばかりさま 憚り様 (謝意をあらわして) Thank you for your trouble.; (同情をあらわして) What a pity.

はばかりながら 憚りながら (恐れ入りますが) I'm sorry to trouble you, but … 語法 人に依頼する時の表現. 他に Would you mind … ing? のような依頼を表す疑問文も用いられる; (失礼ですが…させて下さい) allow me to …; (生意気なことを言うようですが) It may sound impudent if I say this, but …. ¶ *はばかりながら自己紹介させていただきます *Allow me to* introduce myself.

はばかる ¶ 彼は人前も*はばからず (⇒ 気にしないで) 大声でしゃべった He spoke in a loud voice ˹*with no* [*without*] *concern for* the people around him. // 2 人は婚約を破棄したことを公言して*はばからなかった (⇒ ちゅうちょしなかった) They didn't *hesitate* to declare that they had broken off their engagement. // 過って改むるに*はばかることなかれ It's never too late to change. (ことわざ: 行いを改めるのに遅すぎることはない)

はばきき 幅利き person of influence Ⓒ (☞ はば (幅をきかせる, 幅がきく)).

ははこぐさ 母子草 〔植〕 cudweed /kʌ́dwìːd/ Ⓒ.

はばたき 羽ばたき (ゆっくりした) flap Ⓒ; (せわしい) flutter Ⓒ; flapping [fluttering] of the wings Ⓤ.

¶ 彼らは白鳥の*羽ばたきにびっくりした They were frightened by the ˹*flapping* [*fluttering*] of the swans.

はばたく 羽ばたく (翼を動かす) flap [beat] the wings 語法 flap は「ゆっくりと」, beat は「バタバタ」動かす; (せわしく) flutter 自 他; (ゆっくりと) flap 自 他. ¶ 鷲(わし)は枝の上で*羽ばたいていた The eagle *was* ˹*flapping* [*beating*] its *wings*, perched on a branch. // 一羽のかもめが*羽ばたいて飛び去った A (sea) gull *flapped away*.

はばち 葉蜂 〔昆〕 sawfly Ⓒ.

はばつ 派閥 faction Ⓒ (☞ は[4]; ばつ[4]). ¶ 党内の*派閥は解消したはずだ The *factions* in the party are supposed to have disbanded. // *派閥間の争い (*inter*)*factional* strife // *派閥の領袖 the ˹boss [leader] of *a faction*

はばとび 幅跳び, 幅飛び the ˹long [(米) broad] jump (☞ はしりはばとび).

ハバナ ― 名 固 Havana /həvǽnə/ ★ キューバの首都.

ばばぬき ばば抜き (トランプの) old maid Ⓤ.

¶ *ばば抜きをしよう Let's play *old maid*.

ハバネラ 〔楽〕 habanera Ⓤ /hàːbənéɪ(ə)rə/ ★ キューバの舞踊(曲).

ははのひ 母の日 ☞ はは (母の日)

はばのり 幅海苔 *habanori* Ⓤ; (説明的には) a kind of edible seaweed.

はばひろい 幅広い (横幅が広い) wide; (広々とした) broad ★ いずれも比喩的にも用いられる. ¶ *幅広い通り a ˹*wide* [*broad*] street // *幅広い教養を身につけた人 a man of *broad* culture // *幅広い知識 *wide* knowledge // あの人は事業を*幅広く (⇒ いろいろな分野で) 行なっている He carries on his business in *various areas*.

はばへん 巾偏 (漢字の) cloth radical on the left of kanji Ⓒ.

バハマ ― 名 固 (国名) (the Commonwealth of) The Bahamas /bəhɑ́ːməz/; (諸島) the Baháma Íslands, the Bahamas ★ 複数扱い. ― 形 Bahamian /bəhéɪmiən/.

バハマ人 Bahamian Ⓒ.

はばむ 阻む (未然に阻止する) keep … from …, prevent … (from …) 語法 前者のほうが口語的. from の次には 名, または …ing 形がくる. 以上 2 つは最も一般的な表現; (行動を制限したり遅らせる) hinder 他; (阻止する) check 他; (進行・発達などを妨げる) (格式) arrest 他; (計画などをくじく) (格式) thwart 他. (☞ そし[1]; さまたげる; ふせぐ).

¶ 彼の再選を*阻みたい I want to *prevent* him *from* being reelected. // 大雨に*阻まれて私たちは川を渡れなかった (⇒ 大雨が私たちが川を渡るのを阻んだ) A heavy rain ˹*kept* [*prevented*; *hindered*] us *from* crossing the river. // 伝統は時に進歩を*阻む Tradition sometimes ˹*checks* [*arrests*] progress.

はばよせ 幅寄せ ¶ 車を*幅寄せする *move one's* car *sideways* / (⇒ 道の片側に寄せる) *pull over*

パパラッチ paparazzi /pàːpərɑ́ːtsiː/ ★ 有名人を追い回すカメラマン paparazzo /-rɑ́ːtsoʊ/ の複数形.

ババロア (冷菓) Bavarian /bəvé(ə)riən/ créam Ⓤ ★「ババロア」はフランス語 bavarois から.

ハバロフスク ― 名 固 Khabarovsk /kəbɑ́ːrəfsk/ ★ ロシア極東の都市.

ばはんせん 八幡船 (13 世紀から 17 世紀にかけての日本の海賊船) *bahansen* Ⓒ; (説明的には) Japanese pirate ship plundering the coasts of China and Korea from the 13th century into the 17th century Ⓒ. (☞ わこう).

はびこる (草木が) grow thick 自; (雑草などが一面にはえる) be overgrown ★「場所」を主語にして; (草木とは限らず虫なども含めて一面にはびこる) overrun 他 ★ 通例受身形で; (のさばる) thrive 自; (流行する・一帯に普及する) (格式) prevail 自; (病気・害悪・植物などが) be ˹prevalent [rampant] ★ prevalent のほうが格式ばった語.

¶ 庭には雑草が*はびこっていた The garden *was* ˹*overgrown* [*overrun*] *with* weeds. // この地区では

2, 3 年前まで伝染病が*はびこっていた Infectious diseases *were* ˹*prevalent* [*rampant*] in this district until a few years ago. // 大都会では悪が*はびこる Vice *flourishes* in a big city.

ハビタット (動植物の生息地) hábitàt Ⓒ (☞ せいそく¹).

ハビテーション (居住) habitation Ⓤ ★ 住みか・家の意味では Ⓒ.

パビリオン (博覧会などの展示館) pavílion Ⓒ.

バビルサ 〖動〗 babirusa /bæ̀bərúːsə/ Ⓒ ★ イノシシ科の動物.

パピルス (植物のパピルスから作った紙) papyrus /pəpáɪ(ə)rəs/ Ⓤ.

バビロニア ── 名 固 Bàbylónia ★ イラク南部のチグリス, ユーフラテス両川の下流沿岸の古名. ── 形 Babylonian. **バビロニア語** Babylonian Ⓤ **バビロニア人** Babylonian Ⓒ.

バビロン ── 名 固 Babylon ★ イラクの古代都市. **バビロン捕囚** Babylonian captivity ★ 597–538 B.C.

はふ 破風 〖建〗 ── 名 gable Ⓒ. ── 形 (破風作りの) gabled. **破風造り** gabled house Ⓒ.

はぶ 〖動〗 *habu* Ⓒ 《複 ～s》; (説明的には) poisonous snake common in Okinawa Ⓒ.

ハブ (中心・中枢) hub Ⓒ. **ハブ空港** hub [nexus] airport Ⓒ. ¶国内定期航空機の*ハブ空港 the *hub* for domestic airlines

パフ (化粧用の) (powder) puff Ⓒ (☞ けしょう (挿絵)).

パブ (居酒屋) pub Ⓒ ★ public house の短縮形.

パプアニューギニア ── 名 固 (国名) Papua /pǽpjuə/ Nèw Guinea /gíni/. ── 形 Papua New Guinean; Papuan. **パプアニューギニア語** Papuan Ⓤ **パプアニューギニア人** Papuan Ⓒ.

パフェ (冷菓の一つ) parfait /pɑɚféɪ/ Ⓒ. ¶ストロベリー*パフェ a strawberry *parfait*

パフォーマー (演奏者・役者) performer Ⓒ.

パフォーマンス (演奏・演技) performance Ⓒ; (一般の人々の歓心を買うための演技) playing to the gallery Ⓤ.

パブきじ パブ記事 magazine article sponsored by a client of the magazine Ⓒ, publicity article Ⓒ.

はぶく 省く (切り詰める) cút dówn 自, 《格式》 curtáil 他; (減らす) reduce 他; (手間・余分な経費などを省く) save 他, economize 自 他 ★ 前者が口語的; (除く・省略する) omit 他, léave óut 他 ★ 後者のほうが口語的. (☞ しょうりゃく (類義語)). ¶経費を*省く必要がある We need to ˹*cut down on* [*curtail*] (our) expenses. // 手間を*省くために書類はゼロックスにしました I xeroxed the papers to *save* trouble. // この文は*省いたほうがよい It ˹is [would be] better to ˹*leave out* [*omit*] this sentence.
語法 would be を使うほうが控えめな言い方.

バブズ (女性名) Babs ★ Barbara, Barbra の愛称.

ハプスブルク ── 名 固 Hapsburg, Habsburg /hǽpsbəːg/ ★ 15 世紀から 1918 年まで続いたオーストリアの王家.

パフスリーブ 〖服〗 puffed sleeve Ⓒ ★ しばしば複数形で用いる.

はぶそう 波皮草 〖植〗 swordweed Ⓒ.

はぶたえ 羽二重 *habutae* silk cloth Ⓤ.

はぶちゃ 波皮茶 senna tea Ⓤ.

バプテスト (浸礼教会員) Báptist Ⓒ. **バプテスト教会** (宗教団体としての) Baptist Church; (個々の教会) Baptist church Ⓒ.

バプテスマ 〖キ教〗 (洗礼) báptism Ⓒ (☞ せんれい²).

ハフニウム 〖化〗 hafnium Ⓤ 《元素記号 Hf》.

はぶにする exclude *a person* from ... (☞ しめだす).

ハプニング (ショーなどでの意表をついた演出) happening Ⓒ; (偶発的な事故) accident Ⓒ.

パフューム (香水・香料) pérfume Ⓤ ★ 種類をいう時は Ⓒ. (☞ こうすい¹).

はブラシ 歯ブラシ toothbrush Ⓒ.

はぶり 羽振り **羽振りがよい** ¶彼はこのごろ*羽振りがよい (⇒ 金回りがよい) He's *prosperous* these days. / (⇒ 勢力を得つつある) He's *gaining power* these days. **羽振りを利かせる** ¶彼は政界で*羽振りを利かせた He ˹*exercised* [*wielded*] *his influence* in the political world.

パプリカ (香辛料) paprika /pəpríːkə/ Ⓤ.

パブリケーション (出版・公表) publication Ⓤ ★ 出版物の意味では Ⓒ.

パブリシティ (宣伝・広告活動) publicity Ⓤ.

パブリック ── 形 (公共の) public. ── 名 (公衆・世間) the public. **パブリックアクセス** (情報・メディアの開放) public access Ⓤ **パブリックインボルブメント** (都市計画への市民参加) public involvement Ⓤ 《略 PI》 **パブリックオピニオン** (世論) public opinion Ⓤ **パブリックスクール** public school Ⓒ ★ 《米》 では公立学校, 《英》 では全寮制の私立学校. 現在 《英》 では independent school と呼ばれることが多い. **パブリックセクター** 〖経〗 (公共部門) public sector Ⓒ **パブリックリレーションズ** (宣伝・広報活動) public relations ★ 単数扱い. 《略 PR》.

パブリッシャー (出版社・出版業者) publisher Ⓒ.

バブル (泡) bubble (☞ あわ¹). **バブルガム** (風船ガム) bubble gum Ⓤ **バブル経済** the bubble economy. ¶*バブル経済の崩壊 the collapse of *the bubble economy* **バブル現象** bubble phenomenon Ⓒ 《複 — phenomena》.

バブルジェットプリンター bubble-jet printer Ⓒ ★ インクジェットプリンターの一種.

パブロフ ── 名 固 Ivan Petrovich Pavlov /iːváːn pɪtróuvɪtʃ páːvlɔːf/, 1849–1936. ★ ロシアの生理学者. 条件反射の研究者.

ばふん 馬糞 horse ˹dung Ⓤ [droppings]; (肥料) horse manure Ⓤ.

ばふんうに 馬糞海胆 〖動〗 green sea urchin Ⓒ.

ばふんし 馬糞紙 strawboard Ⓤ.

はへい 派兵 ── 動 (軍隊を送る) send [dispatch] troops ★ send のほうが口語的. ¶海外*派兵は憲法で禁止されている The Constitution forbids *sending troops* overseas.

はべる 侍る (そばに仕える) wait on *a person* by ˹his [her] side. ¶多くの女性が彼に*侍った Many women *waited on him by his side*.

バベルのとう バベルの塔 (旧約聖書の) the Tówer of Babel /béɪb(ə)l/.

はへん 破片 broken piece Ⓒ, fragment Ⓒ
語法 前者は「全体から切り離された一部」を, 後者は「ばらばらになった比較的小さな部分」を指す. (☞ だんぺん¹).

はぼうほう 破防法 ☞ はかい¹ (破壊活動防止法)

はぼたん 葉牡丹 〖植〗 órnamèntal cábbage Ⓒ.

ハボローネ ── 名 固 Gaborone /gɑ̀ːbəróuneɪ/ ★ アフリカ南部, ボツワナ共和国の首都.

はほん 端本 (欠本のある 1 組) incomplete set Ⓒ; (1 組のうちの 1 冊) odd volume Ⓒ.

はま 浜 ☞ はまべ

はまうつぼ 浜空穂 〖植〗 broomrape Ⓒ.

はまえんどう 浜豌豆 〖植〗 beach pea Ⓒ.

はまかぜ 浜風 beach wind Ⓒ (☞ かぜ¹).

はまき 葉巻 cigar /sɪgɑ́ɚ/ Ⓒ.

はまぎく　浜菊　〔植〕 Nippon daisy Ⓒ.
はまきむし　葉巻虫　〔昆〕 leaf roller Ⓒ.
はまぐり　蛤　clam Ⓒ.
バマコ　―【名】(固) Bamako /bæ̀məkóu/ ★ 西アフリカ, マリ共和国の首都.
はまごう　蔓荊　〔植〕 vitex Ⓒ.
はましぎ　浜鷸　〔鳥〕 dunlin /dʌ́nlɪn/ Ⓒ, red-backed sandpiper Ⓒ.
ハマス　―【名】(固) Hamas /hɑːmɑ́ːs/ ★ イスラム原理主義過激派組織.
はまぜり　浜芹　〔植〕 *hamazeri* Ⓒ; (説明的には) a plant of a parsley family.
はまだい　浜鯛　〔魚〕 ruby snapper Ⓒ.
はまだらか　羽斑蚊　〔昆〕 (マラリアを媒介する蚊) Anopheles /ənǽfəlìːz/ mosquíto Ⓒ.
はまち　魬　〔魚〕 young yellowtail Ⓒ.
はまちどり　浜千鳥　〔鳥〕 shore plover Ⓒ 《複 ～, ～s》.
はまなす　浜茄子　〔植〕 sweetbrier Ⓒ, sweetbriar Ⓒ.
はまひるがお　浜昼顔　〔植〕 sea bells ★ 複数形だが時に単数扱い.
はまべ　浜辺　(水泳のできるような平らな浜) beach Ⓒ; (一般的に岸辺) (sea)shore Ⓒ 【語法】 beach は湖・川にも用いられる; (砂浜) sands ★ 複数形で. 《☞ かいがん[1] (類義語)》. ¶ *浜辺で子供たちが遊んでいた There were some children playing on the ⌈beach [seashore].
はまぼうふう　浜防風　〔植〕 American silvertop Ⓒ.
はまや　破魔矢　(正月に飾る矢) lucky arrow Ⓒ; (魔よけ) exorcising arrow with white feathers Ⓒ.
はまやき　浜焼き　fish broiled whole with salt Ⓒ.　¶ *浜焼きの鯛 a sea bream *broiled whole with salt*
はまゆう　浜木綿　〔植〕 crinum Ⓒ /kráɪnəm/.
はまりやく　嵌り役　¶ その仕事は田中さんが*はまり役だ (⇒ うってつけの人だ) Mr. Tanaka is *the right person for* the job. 《☞ てきやく[1]; てきにん》
はまる　嵌まる　**1** 《ぴったり合う》: fit (into …; in …) (自) (過去・過分 fitted, 《米》ではまた fit) 《☞ はめる; おさまる》.　¶ 雨戸はうまく*はまった The sliding shutter ⌈*has fitted* [*fits now*]. // ふたはうまく*はまりますか Does the lid *fit*?
2 《落ち込む》: (穴・わななどに) fall into …; (はまり込む) get ⌈stuck [caught] in … 【語法】 前者には「突っ込んで動けない」, 後者には「わななどにかかった」というニュアンスがある.
¶ 暗やみで穴に*はまってしまった I *fell into* a hole in the dark. // 車が泥に*はまって動きが取れなくなった The car *got* ⌈*stuck* [*caught*] *in* the mud. // テレビゲームに*はまる *get stuck in* a video game
はみ　馬銜　(馬のくつわの口にくわえさせる部分) bit Ⓒ.　¶ 馬に*はみをかませる put a *bit* in the mouth of a horse
パミールこうげん　パミール高原　―【名】(固) the Pamirs /pəmíəz/ ★ 中央アジア南部の高原.
はみがき　歯磨き　(練り状の) toothpaste Ⓤ.
はみだす　はみ出す　(押し出される) be ⌈púshed [préssed] óut 【語法】 [　] 内のほうが押す強さが大きい; (場所がなくて入れない) be crówded óut.
¶ パーティーは大盛況で部屋から人が*はみ出してしまった There were so many people at the party that some (of them) *were* ⌈*crowded* [*pushed*] *out of* the room. // 彼のズボンからシャツが*はみ出している (⇒ ぶら下がっている) His shirttail *is hanging out* (*of* his trousers).
はみでる　はみ出る　(押されて) be pressed out; (大きくなって) swell out (自) (他).　¶ サンドイッチから玉子が*はみ出た Egg *was pressed out* of the sandwiches. // 彼の大きなお腹はシャツから*はみ出ていた His big belly *was* ⌈*swelling* [*bulging*] *out* of his shirt.
バミューダさんかくすいいき　バミューダ三角水域　(大西洋西インド諸島近海の事故の多い水域) the Bermúda Tríangle.
バミューダしょとう　バミューダ諸島　―【名】(固) Bermuda Islands ★ 大西洋西部の英国領.
バミューダパンツ　Bermuda shorts ★ 複数形で.
ハミング　―【名】 humming Ⓤ.　―【動】 hum (自) (他).
ハム[1]　(塩漬け肉) ham Ⓤ.　¶ *ハムエッグ *ham* and eggs // *ハムサラダ *ham* salad // *ハムサンド a *ham* sandwich
ハム[2]　(アマチュア無線家) (radio) ham Ⓒ.
パム　(女性名) Pam ★ Pámela の愛称.
はむかう　刃向かう, 歯向かう　fight báck (自); (動物などが歯をむき出して) snap (at …) (自); (上からの圧力に対して) revolt (against …) (自); (抵抗する・反抗する) resist (他), stand [fight] (against …) (自) ★ 後者のほうが口語的. 《☞ はんこう[2]; たてつく》.
¶ その犬は突然*歯向かってきた The dog suddenly started *snapping at* me. // 彼に*刃向かう者はいなかった There was no one to ⌈*stand* [*fight*] *against* him. // 農民たちは領主に*刃向かった The peasants *revolted against* the landlord.
はむし[1]　羽虫　(飛ぶ虫) fly Ⓒ; (昆虫) insect Ⓒ.
はむし[2]　葉虫　〔昆〕 leaf beetle Ⓒ.
ハムスター　〔動〕 hamster Ⓒ.
ハムラビほうてん　ハムラビ法典　Códe of Hammurabi /hæ̀mərɑ́ːbi/ ★ 紀元前 18 世紀バビロニア王ハムラビが制定した現存する最古の成文法典.
ハムレット　―【名】(固) Hamlet ★ シェークスピアの四大悲劇の一つ『ハムレット』の主人公.　¶ *ハムレット型の人 a *Hamletlike* [*Hamlet-type*] person
はめ　羽目　(困った状態) difficult situation Ⓒ.
¶ 困った*はめになった (⇒ 難しい状況に置かれている) I'm in a *difficult situation*. // 私は仕事に失敗して苦しい*はめに陥った I failed in business and got myself into *a fix*.　**羽目をはずす** (どんちゃん騒ぎをする) have a wild time.　¶ 仕事が終わったあと, *羽目をはずして騒いだ After the job was finished, we *had a wild time*. // 騒ぐのはよいが*羽目をはずして (⇒ やりすぎて) はいけない It's all right to have a good time but don't *overdo it*.
はめいた　羽目板　(腰板) wainscot /wéɪnskət/ Ⓒ; (装飾用の) panel Ⓒ.
はめきざいく　嵌め木細工　(はめ込んだ) inlaid woodwork Ⓤ; (モザイク模様の) wooden mosaic Ⓤ.
はめこみ　嵌め込み　―【名】 (はめ込むこと) inláying Ⓤ; (挿入) 《格式》 insertion Ⓤ; (はめ込み細工) ínlày Ⓤ; (図・写真の挿入画) ínsèt Ⓒ.　―【形】 ìnláid.
はめこむ　嵌め込む　(合わせて入れる) fit (他); (挿入する) insert (他); (宝石などを) set (他).　¶ 指輪には大きなダイヤが*はめ込まれていた The ring *was set* with a large diamond.
はめころし　嵌め殺し　〔建〕 fixed fitting Ⓒ.　¶ *はめ殺しの障子 a *fixed* paper sliding door
はめつ　破滅　―【動】 (台なしになる) be ruined; (破壊される) be destroyed; (計画や予定したこと, 身代などがだめになる) be wrecked.　―【名】 ruin Ⓒ; destruction Ⓤ. 《☞ はたん; かいめつ》.　¶ そんなことをしたら身の*破滅だ I'll *be ruined* if I do that. / (⇒ そんなことは私を破滅させる) That'll *ruin* me.
はめて　嵌め手　(計略) trap Ⓒ.　¶ *はめ手にかかる

be caught in [fall into] a *trap*
パメラ (女性名) Pámela ★ 愛称は Pam.
はめる 嵌める **1** «身につける»: pùt ón (他), have ... on ★ 前者は「動作」を, 後者は「状態」を示す; (身につけている) wear (他); (手袋を) púll ón (他) ★ put on でもよい; (ボタンを) button (up) (他).
¶ 彼は黒い手袋を*はめていた He *had* black gloves *on.* / He ⌜*wore* [*was wearing*] black gloves. // 彼女はうれしそうに結婚指輪を*はめた She *put on* her wedding ring with joy. // その子はまだシャツのボタンをちゃんと*はめられない The boy can't *button* (*up*) his shirt properly yet.
2 «はめ込む»: fit (他), put (他) [語法] put は一般的な語. fit は「合わせて入れる」という意味. (☞ はまる). ¶ この窓枠にガラスを*はめて下さい Please ⌜*fit* [*put*] a pane ⌜in [into] this frame.
3 «だます»: deceive (他), tàke ín (他) ★ 後者のほうが口語的; (わなにかける) frame (他), 《格式》 entrap (他). (☞ だます). ¶ 君は*はめられたんだ You'*ve been taken in.*
ばめん 場面 (芝居などの) scene Ⓒ; (背景) setting Ⓤ; (目に映った光景) sight Ⓒ. (☞ シーン). ¶ その劇の*場面は居酒屋だ The *setting* of the play is a pub. // それは感動的な*場面だった It was a touching *sight.*

コロケーション
恐ろしい場面 a scary *scene* / **悲しい場面** a tragic *scene* / **ぞっとする場面** a gruesome *scene* / **生々しい場面** a vivid *scene* / **はらはらする場面** a thrilling *scene* / **悲惨な場面** a distressing *scene* / **よくある場面** a familiar *scene* / **露骨な場面** an explicit *scene* / **忘れられない場面** an unforgettable *scene*

はも 鱧 〖魚〗 sharp-toothed sea eel Ⓒ.
はもの[1] 刃物 (刃のついた道具) edged tool Ⓒ; (集合的に) cutlery Ⓤ.
はもの[2] 葉物 (青野菜) green vegetables ★ 普通は複数形で; (観葉植物) foliage plant Ⓒ.
はもの[3] 端物 (半端なもの) odd thing Ⓒ (☞ はんぱ).
はもん[1] 波紋 (さざ波) ripple Ⓒ; (騒ぎ) sensation Ⓤ. ¶ 石の落ちたところに*波紋が広がった *Ripples* spread out from where the stone had fallen. // 彼の発言は政界に大きな*波紋を引き起こした His statement ⌜caused [created] a great *sensation* in political circles. ★ [ ]内のほうが格式ばった言い方.
はもん[2] 破門 ― [名] (宗教の) èxcommùnicátion Ⓒ. ― [動] (破門する) èxcommúnicàte (他); (追放する) expel (他). ¶ 彼は先生に*破門された (⇒ 先生はこれ以上彼に会うことを拒んだ) His teacher *refused to see* him anymore. / (⇒ 彼はその一門から追放された) He *was expelled* from the school.
ハモンドオルガン 〖楽器〗 Hámmond órgan Ⓒ ★ 商標名. (☞ オルガン).
はや[1] 鮠 〖魚〗 minnow Ⓒ ★ コイ科の淡水小魚の総称.
はや[2] 早 ☞ はやくも
はやあし 早足, 速足 (速い歩調) quick ⌜pace [step] Ⓒ [語法] pace は「歩く速度」に, step は「歩き方」に重点が置かれる; (馬の) trot Ⓒ. (☞ あしばや). ¶ *速足で with *quick steps*
はやあるき 早歩き ― [動] walk ⌜quickly [fast] (自). ― [名] walking ⌜quickly [fast] Ⓤ. ¶ *早歩きで 15 分かかる It'll take fifteen minutes *walking fast.*
はやい[1] 速い [日英比較] 日本語では動きについても時についても同じ「はやい, はやく」を用いるのに対して, 英語ではこれを区別する. ここでは動きについての表現をまとめる. なお, 日本語でも漢字では動きについては「速」, 時については「早」と区別することが多いが, 動きについても「早」が用いられることがある. ― [形] fast (↔slow); quick; rapid; speedy; swift. ― [副] (速く) fast; quickly; rapidly; speedily; swiftly.
【類義語】最も一般的な言葉は **fast**. この語はほかのいずれの語の代わりにも使える. 動作が敏捷(びんしょう)なことをいうのは ***quick***. それよりも格式ばった語で, 動きの速さをいうのが ***rapid***. 実際のスピードよりもむしろ比喩的に仕事の処理や回復などの速さをいうのが ***speedy***. 少し文語的なニュアンスのある語が ***swift***. (☞ はやい[2])
¶ 彼は走るのが*速い He runs very ⌜*fast* [*quickly*]. / He is a *fast* runner. ★ 後者のほうが普通. // この電車は世界一*速い This is the *fastest* train in the world. // 彼女は計算が*速い She is *quick* at figures. // 彼は飲み込みが*早い He is *quick* to understand things. // このあたりは流れが*速い The current is ⌜*rapid* [*swift*] around here. // 彼女は仕事が*速い She does her work ⌜*speedily* [very *fast*; very *quickly*]. // 彼の回復の*速いのには驚いた (⇒ 彼の速い回復は私たちを驚かせた) His *speedy* recovery surprised us.
はやい[2] 早い ― [形] (時刻が早い・初めのころの・初期の) early (↔ late). ― [副] (早く) early; (時期が早く) soon. [日英比較] 日本語では「早い」「速い」と違う字を使うが, 音は同じである. そこで fast, quick などと混同しないように注意を要する. (☞ はやい[1] [日英比較]).
¶ まだ朝は*早い It's still *early* (in the) morning. // 私はいつも朝*早く起きます I always get up *early* in the morning. // 今夜は*早く帰ってきて下さい Come back *early* tonight, will you? // りんごの花は春*早く咲く Apple trees blossom *early* in the spring. // 結果を判断するにはまだ*早い It is too *early* to judge the results. // 今年は桜が*早いね The cherry blossoms ⌜are [have come] *early* this year. ★ 前者のほうが一般的. have come は「いま咲いたばかり」というニュアンスが強い. // もっと*早いうちに医者と相談すべきだった You should have consulted a doctor *earlier*. // 「いつ伺いましょうか」「*早ければ*早いほどよい」"When shall I come?" "The *sooner*(,) the better." // 一刻も*早く君に会いたい I want to see you as *soon* as possible. // *早く春になるといいな I hope spring will ⌜be here [come] *soon.* ★ be here のほうが普通. **早いとこ** ¶ *早いとこ仕事を片付けよう Let's finish the job *quickly*. **早い話が** ¶ *早い話が (⇒ 要するに) 彼は金が欲しいんだ *In short*, he needs (some) money. **早い者勝ち** First come, first served. 《ことわざ: 最初に来たものが最初にもてなしを受ける》 **早かろう悪かろう** Quick in preparation, poor in quality.
はやうち[1] 早撃ち (射撃の早い人) quick shooter Ⓒ; (すばやく撃つこと) quick shooting Ⓤ; (速射) rapid fire Ⓒ. ¶ 彼は*早撃ちだ He *is* ⌜*fast with a gun* [*quick on the draw*].
はやうち[2] 早打ち fast ⌜drumming [beating] Ⓤ; (碁で) fast playing Ⓤ.
はやうま 早馬 (昔, 緊急な情報を伝えるための馬による使者) mounted messenger for emergency deliveries (in old times) Ⓒ.
はやうまれ 早生まれ ¶ 彼は*早生まれだ He *was born* ⌜*sometime during the first three months of the year* [*between January 1 and April 1*].
はやおき 早起き ― [動] get up early, rise early ★ 前者のほうが口語的. ― [名] (早起きすること) early rising Ⓤ; (早起きの人) early riser Ⓒ.
¶ 彼はいつも*早起きだ He is an *early riser*. / He

always *gets up early* in the morning. // 彼は早寝*早起きだ He *keeps early hours.* // *早起きは三文の得 The *early bird* ⌈catches [gets] the worm. 《ことわざ: 早起きの鳥は虫をつかまえる》

はやおくり 早送り ―名 (テープの) fast-forward Ⓤ ★ 早送りボタンの意にもなる. ―動 (早送りする) fast-forward ⑩ ⓐ. ¶ テープを*早送りする *fast-forward* a tape / *advance* a tape *rapidly*

はやがえり 早帰り returning earlier than usual Ⓤ 《☞ あさがえり》.

はやがてん 早合点 ―動 (一足とびに結論を出す) jump to a conclusion; (せっかちに決定を下す) make a hasty decision ★ 前者より格式ばった言い方. 《☞ ひとりがてん》.

はやがね 早鐘 ¶ 私の心臓は*早鐘のように打っていた (⇒ 激しく脈打っていた) My heart *was* ⌈*pounding* [*beating furiously*]. 《☞ こどう》

はやがわり 早変わり quick change Ⓒ. ¶ その役者は女形に*早変わりした The actor *quickly transformed himself into* a woman. // そのどろぼうは密告者に*早変わりした The thief *turned into* an informer.

はやく[1] 速く ☞ はやい[1]

はやく[2] 早く ☞ はやい[2]

はやく[3] 端役 small [minor] part Ⓒ 語法 small は「ちょっとした役」を, minor は「主役ではないこと」を表す.

はやく[4] 破約 (契約不履行) breach of contract Ⓤ; (婚約不履行) breach of promise Ⓤ; (契約の解消) discharge of contract Ⓤ; (約束などの取り消し) cancellation Ⓤ.

はやぐい 早食い ―動 (急いで食べる) eat quickly ⑩ ⓐ. ―名 (早食いの人) quick feeder Ⓒ.

はやくち 早口 ¶ 彼は*早口だ (⇒ 早く話す) He ⌈*talks* [*speaks*] ⌈*fast* [*quickly*]. ★ talk のほうが口語的. **早口言葉** tongue-twister Ⓒ ★ 英語では Peter Piper picked a peck of pickled pepper … で始まる早口ことばなどがある.

はやくも 早くも (すでに) already; (早く) quickly, swiftly ★ 前者のほうが口語的. 《☞ はやい[2]》.
¶ 父が亡くなって*早くも 3 年の月日が流れた Three years have *swiftly* passed since my father died.

はやさ 速さ (速度) speed Ⓤ; 《格式》 velocity Ⓤ; (すばやさ) quickness Ⓤ. 《☞ そくど》.
¶ 光の*速さ the ⌈*speed* [*velocity*] of light // 空気中の音の*速さは秒速 340 メートルです (⇒ 音は 1 秒間に 340 メートルで伝わる) Sound travels at 340 meters per second in air. // レーシングカーは目にもとまらぬ*速さで走り去った The racing car went by ⌈at [with] lightning *speed.*

はやざき 早咲き ―形 (普通の花が) early Ⓐ, early-flowering; (特に鑑賞用の花が) early-blooming. ―名 (早咲きの花) early bloomer Ⓒ. ¶ *早咲きのバラ *early* roses

はやし[1] 林 wood Ⓒ 語法 複数形で用いることが多い. なお, 人里離れた大きな森は forest という; grove Ⓒ ★ wood よりも小さい. ¶ 私たちは*林へ散歩に行った We went for a walk in the *woods.* // この松*林は美しい This pine *grove* is beautiful.

はやし[2] 囃子 musical accompaniment in Japanese classical or folk music Ⓒ ★ 説明的な訳. ¶ 祭*ばやし festival *music* **囃子詞** meaningless ⌈words [phrases] added to a song for rhythmical effect Ⓒ ★ 説明的な訳. **囃子物** music accompanied by small and big hand drums Ⓤ.

はやしたてる 囃し立てる (拍手してほめる) applaud ⑩; (かっさいする) cheer ⑩; (からかう) make fun of … 《☞ はやす[2]》. ¶ 私たちは彼の物まねを*はやし立てた We *gave* him *loud praise* for his mimicry. // その子がすべってころぶのを見てみんなが*はやし立てた Seeing the boy slip and fall, they *made fun of* him.

はやじに 早死に ―動 (若死にする) die young. ―名 early [premature] death Ⓒ ★ 前者のほうが口語的. ¶ 彼は*早死にした He *died young.* / He died ⌈an *early* [a *premature*] *death.* ★ 第 1 文のほうが口語的.

はやじまい 早仕舞い early closing Ⓤ. ¶ 店を*早じまいにする *close* the store *earlier* than usual

はやじも 早霜 early frost Ⓒ.

ハヤシライス hashed beef rice Ⓤ.

はやす[1] 生やす (草などを生えさせておく) let … grow; (ひげを) grow ⑩ 《過去 grew; 過分 grown》, wear ⑩ 《過去 wore; 過分 worn》 ★ 前者は「行為」を, 後者は「状態」を表す. ¶ あんなに雑草を*生やしておいてはいけないな Don't *let* the weeds *grow* like that. // このごろ彼は口ひげを*生やしはじめた He *is growing* a mustache now.

はやす[2] 囃す (冷やかす) jeer ⓐ ⑩; (手をたたいてほめる) applaud ⑩; (かっさいする) cheer ⑩; (伴奏する) accompany ⑩; (拍子をとる) beat time. 《☞ はやしたてる》. ¶ みんな彼の間違いを*はやした They *jeered* at his mistake.

はやせ 早瀬 (急流) rapids ★ 複数形で; (激流) torrent Ⓒ.

はやだし 早出し (農作物の) early marketing of crops Ⓤ. ¶ *早出しのりんご *early* apples

はやだち 早立ち ―名 early morning ⌈departure [start] Ⓒ. ―動 leave [start] early (in the morning).

はやて 疾風 (一陣の強風) gale Ⓒ; (強い風) strong wind Ⓒ. 《☞ かぜ[1]》.

はやで 早出 ¶ あしたは*早出だ (⇒ 勤務先に早く行かなくてはならない) I have to be at the office *early* tomorrow.

はやてまわし 早手回し ¶ *早手回しにしておこう (⇒ 早く用意しておこう) Let's ⌈*get ready early* [*make* our *preparations early*].

はやとうり 隼人瓜 〔植〕 chayote /tʃaɪóuti/ Ⓒ.

はやとちり 早とちり ☞ はやがてん

はやね 早寝 ―動 go to bed early. ¶ *早寝早起きを習慣にしなさい Make it a habit to *keep* ⌈*early* [(⇒ 規則正しい) *regular*] *hours.* // *早寝早起きは健康のもと *Early to bed* and early to rise makes a man healthy, wealthy, and wise. 《ことわざ》 / *Keeping* ⌈*regular* [*early*] *hours* is good for the health.

はやのみこみ 早呑み込み ―動 (早合点する) make a hasty conclusion 《☞ はやがてん》.

はやばまい 早場米 (米) early rice Ⓤ; (収穫) early crop of rice Ⓒ.

はやばやと 早早と (早く) early; (そんなに早く) so early; (直ちに) promptly; (時間どおりに) punctually. 日英比較 日本語では「早々と」とか「早速に」などがあまり意味なく使われる場合が多い. そのような場合は英語に直す時には省いたほうがよい.

はやばん 早番 (早く来る番) *one's* turn to come early; (交替制の) the morning shift. ¶ あすはあなたが*早番だ Tomorrow is *your turn to come early.*

はやびけ 早引け ―動 (早く帰宅する) go home early; (授業を早退する) leave school early. 《☞ そうたい[1]》.

はやひる 早昼 (早い昼食) early lunch Ⓤ.

はやぶさ 隼 〔鳥〕 peregrine falcon Ⓒ.

はやまき 早蒔き early sowing Ⓤ.

はやまる 早まる, 速まる **1** 《早くなる》: (時刻が)

be made earlier; (予定などが繰り上げられる) be brought forward, be advanced ★ 前者のほうが口語的. ¶ 会合の時間が*早まった The time of the meeting *has been brought forward*.

2 «速くなる»: (速度が) spéed úp (自), gather speed ★ 後者は「次第に」の意味が加わる. 《☞ はやめる》. ¶ 列車の速度が*速まった The train *speeded up*. / The train ˹*gathered* [*increased*] *speed*.

3 «早合点で物事をする»: (せっかちにする) be hasty ★ やや格式ばった語; (向こう見ずにやる) be rash. ¶ *早まってはいけない Don't *be* ˹*hasty* [*rash*]. // *早まったことをする do a *rash* thing / act *rashly* / commit a *rash* act

はやみち 早道 shortcut Ⓒ 《☞ ちかみち》.

はやみひょう 早見表 ready reckoner Ⓒ.

はやみみ 早耳 ── [形] sharp-eared. ── [動] (かぎつける勘がある) have a nose for news.

はやめ 早め, 速め ── [副] (前もって) in advance; (できるだけ早く) as early as possible; (予定の時刻より早く) ahead of schedule; (いつもより早く) earlier (than usual). 《☞ -め》.

¶ *早め早めに (⇒ 前もって) 仕事をしなさい Try to get things done *in advance*. // きょうは*早めに帰ろうと思う I want to leave *earlier* (*than usual*) today. // 会議は少し*早めに始まった The meeting (was) opened a little *ahead of schedule*. // *速めに歩く walk a little *quickly*

はやめし 早飯 (早めの食事) early meal Ⓒ; (急いで食べること) eating quickly Ⓤ. 《☞ はやぐい》.

はやめる 早める, 速める **1** «速度を加える»: (速くする) hasten (他) ★ やや格式ばった語; (特に動作を) quicken (他); (スピードを上げる) spéed úp (自) (他). 《☞ はやまる》. ¶ 酒の飲み過ぎが彼の死を*早めた His heavy drinking *hastened* his death. // 暗くなってきたので彼女は足を*速めた As it was getting dark, she *quickened* her pace. // 車は速度を*速めた The car ˹*speeded up* [*increased* its *speed*]. ★ 前者のほうが平易な表現.

2 «期日などを繰り上げる»: (予定などを繰り上げる) bring forward (他), advance (他) ★ 前者のほうが口語的. 《☞ くりあげる》. ¶ 結婚式の日取りを*早めた The wedding date *has been* ˹*brought forward* [*advanced*].

はやらせる 流行らせる make … popular, popularize (他); (…を流行させる) bring … into fashion. 《☞ はやる[1]; りゅうこう》.

¶ ビートルズはロックを世界中に*はやらせた The Beatles ˹*made* rock music *popular* [*popularized* rock music] all over the world. // そのデザイナーはロングスカートを*はやらせた The designer *brought* long skirts *into fashion*.

はやり 流行り (一般的に) fashion Ⓤ; (短く一時的なもの) fad Ⓒ; (一般に広く行き渡った流行) 《格式》 vogue Ⓒ; (病気の突発的流行) epidémic Ⓒ. 《☞ はやる[1]; りゅうこう》. ¶ 長髪が当時の*はやりだった Long hair [(⇒ 髪を長く生やすことが) Wearing (the) hair long] was *fashionable* in those days. 流行り物 thing in ˹vogue [fashion] Ⓒ.

はやりうた 流行り歌 ☞ りゅうこう (流行歌)

はやりかぜ 流行り風邪 ìnfluénza Ⓤ ★ 口語では略して flu Ⓤ. 《☞ インフルエンザ》.

はやりぎ 逸り気 (性急) impetuousness Ⓤ; (じれったさ) impatience Ⓤ; (熱望) eagerness Ⓤ. ¶ *逸り気を抑える restrain *oneself* / control *one's impatience* 《☞ はやる[2]》

はやりことば 流行り言葉 ☞ りゅうこう (流行語)

はやりすたり 流行り廃り ¶ 衣服には*はやりすたりがある Clothes *go in and out of fashion* with the times.

はやりめ 流行り目 (流行性結膜炎) pínkèye Ⓤ; 〘医〙 (結膜炎) conjunctivitis /kəndʒʌ̀ŋ(k)tɪváɪtɪs/ Ⓤ.

はやりやまい 流行り病 ☞ でんせんびょう

はやる[1] 流行る **1** «流行する・人気がある»: be in ˹style [fashion], be fashionable; (人気がある) be popular. 《☞ はやらせる; はやり; りゅうこう》.

¶ ミニスカートがいま*はやっている Míniskirts *are* now *in* ˹*style* [*fashion*]. / It *is fashionable* to wear miniskirts nowadays. ★ 第 1 文のほうが普通. // ロングスカートはもう*はやらなくなった Long skirts *are* now *out of* ˹*style* [*fashion*].

2 «繁盛する»: (商売がうまくいっている) do good business; (繁栄する) prosper (自). ★ 前者のほうが口語的. ¶ あの店は近ごろ*はやっている That shop *is* [They *are*] *doing good business*. / (⇒ たくさんの客を引きつけた) That shop ˹*has attracted* [*attracts*] *a large number of customers*.

3 «病気が»: (一時的に流行する) be raging; (広がっている) be prevalent ★ やや格式ばった言い方. ¶ 東京で流感が*はやっている Flu [The flu] *is raging* in Tokyo. / Influenza *is prevalent* in Tokyo.

はやる[2] 逸る (興奮する) be [get; feel] excited [語法] be は「状態」, get と feel は「心の動き」を表す; (我慢できない) be impatient. ¶ あしたのことを考えると心が*はやる I *feel excited* when I think of tomorrow.

はやわかり 早分かり (理解が早いこと) quick understanding Ⓤ; (手引き) handbook Ⓒ; (案内) guide Ⓒ. ¶ 彼は*早分かりする人だ (⇒ 理解が早い) He *is quick to understand things*. // 《書名で》『年金*早分かり』*A Quick Guide to a Pension* 《☞ イタリック体 (巻末)》

はやわざ 早業 quick work Ⓒ; (離れわざ) feat Ⓒ ★ 後者のほうが格式ばった語. ¶ もうやってしまったの. 何て*早わざなんでしょう Have you finished it already? How *quick* (you are)! // 彼はその問題を 1 分で解いてしまいました. たいした*早わざでした He solved the problem in one minute. It was quite a *feat*.

はら[1] 腹 **1** «腹部»: stomach Ⓒ, belly Ⓒ, ábdomen Ⓒ.

【類義語】最も一般的な語は **stomach**. 腹部を指す学術的な語は **abdomen**. やや下品とみなされている語は **belly**. この語はなるべく避けたほうがよい. 《☞ おなか; からだ (挿絵)》

¶ *腹がぺこぺこだ I'm ˹awfully [terribly] *hungry*. // もう*腹がいっぱいだ I'm [My *stomach* is] full. / (⇒ 十分食べた) I've had enough. 《☞ はらいっぱい》 // *腹をこわした (⇒ 少し腹具合が悪い) I have a little *stomach* trouble. / (⇒ 下痢をしている) I have diarrhea /dàɪəríːə/. // *腹が痛い I have a *stomachache*. // 肉は*腹にもたれる Meat sits heavy ˹on [in] the *stomach*. // *腹の皮がよじれるほど笑った (⇒ 横っ腹が裂けるほど) I ˹*burst* [*split*] *my sides* ˹laughing [with laughter]. 《☞ はらすじ》 // *腹をかかえて笑った I *held my sides* [I *shook*] with laughter. // 彼は*腹が出ている He has a *potbelly*. // 彼は*腹が出てきたのを気にしている He is concerned about his *thickening middle*. // *腹がへってはいくさができぬ You [One] can't do anything on an empty *stomach*. // *腹八分に (⇒ 適度の食べ方は) 医者いらず *Moderate eating* keeps the doctor away. / Many dishes make many diseases. 《ことわざ: 多くの料理は多くの病気を作る》 《☞ はちぶんめ》

2 «比喩的»: (心・頭・冷静に考える心) mind Ⓒ; (感情の宿る心) heart Ⓤ; (本心・心中) *one's* ˹real [true] intention(s).

¶ 彼は決して自分の*腹の中を見せなかった He ˹never confided [entirely concealed] *his true intentions*. // 彼の上司は口やかましいが*腹の中は親切な人だった His boss was nagging but a kind man *at heart*. // 彼女は*腹の中で彼を軽蔑していた She despised him ˹*at* [*in her*] *heart*. // 彼は*腹の中で笑った He *laughed* ˹*in* [*up*] *his sleeve*. 語法 laugh ˹in [up] *one's* sleeve で「ほくそえむ」という成句. // 彼女は*腹の中で何を考えているかわからない (⇒ 彼女の心が読めない) I can't read her *mind*.
腹が痛む (身銭を切る) pay (for …) out of *one's* own pocket. ¶ 彼らは自分の*腹が痛む訳ではないので接待にいくら金がかかっても構いなしだ They don't care a bit how much the reception ˹costs [will cost] because ˹they won't have to *pay for* it *out of their own pocket* [it won't be *at their own expense*]. **腹が治まらない** (満足しない) be not satisfied; (怒りを和らげない) not mollify *one's* anger. ¶ あいつに謝まってもらわないことには*腹が治まらない I *won't be satisfied* until he apologizes. **腹が決まる[腹を決める]** ¶ 私の*腹は決まっている (⇒ 決心した) I'*ve made up my mind*. / (⇒ 自分の心がわかっている) I *know my own mind*. **腹が下る** have loose bowels, suffer from diarrhea /dàɪəríːə/. (☞ はらくだし). **腹が黒い** (邪悪な) wicked, evil-minded, black-hearted; (策動的な) scheming. **腹が据わる** ¶ 彼は*腹のすわった男だ (⇒ ガッツがある) He *has plenty of guts*. ★ 口語的表現. **腹が立つ** ☞ 腹を立てる **腹ができる** **1** «満腹になる» ¶ *腹ができたら彼は眠くなった When *his stomach got full*, he became sleepy. **2** «覚悟ができる» ¶ どんな事が起ころうと*腹ができている I'*m prepared* for whatever happens. **腹が張る** *one's* stomach feels ˹heavy [bloated, gassy]. ¶ *腹が張ってるんだ I *feel heavy in the stomach*. **腹が太い** ― 形 (度量が大きい) broad-minded Ⓐ ★ Ⓟ の場合はハイフンなし; (寛容な) tolerant. (☞ ふとっぱら). **腹に一物** ¶ 彼は*腹に一物ある (⇒ 何かたくらんでいる) He *is up to something*. 語法 be up to … で「…をしようとしている」という成句. **腹に据えかねる** ¶ 彼の厚かましさは*腹にすえかねた (⇒ 我慢できなかった) I couldn't *put up with* his impudence. ★ 口語的表現. **腹も身の内** Gluttony kills more (people) than the sword. ★ 暴食をいましめたことわざで「大食は剣より多く人を殺す」という意味. **腹を痛める** ¶ あの男の子は彼女が自分の*腹を痛めた (⇒ 彼女自身の) 子ではない That boy is not *her own child*. **腹を切る** (責任を取って辞任する) take responsibility and resign; (割腹する) commit harakiri. (☞ つめばら). ¶ 失敗したら*腹を切らなければならないだろう I'll have to *take responsibility and resign* if I fail. **腹を括る** (堅く決心している) be determined; (覚悟を決めている) be prepared; (あきらめている) be resigned. ¶ 首相は*腹を括って金融制度の改革を行うべきだ The prime minister should *be determined* to reform the financial system. **腹を探る** probe [try to find out] *a person's* ˹real [true] intentions. ¶ 痛くもない*腹を探られる *be suspected* without any ˹reason [cause] // *腹の探り合いをする try to *sound* each other *out* **腹を据える** ¶ この問題は*腹をすえてかからねばならない (⇒ 勇気を出して事に当たらなければならない) We must *pluck up our courage* ˹to [and] face it. **腹を立てる, 腹が立つ** get angry (at …; with …) 語法 at は「行為」, with は「人」を目的語とする. この表現は最も一般的で, 以下の語句の代わりにも使える; 《略式》 get mad (at …; with …); (不機嫌な態度をする) show signs of temper ★ やや格式ばった言い方; (感情を害する) take offense (at …) ★ やや格式ばった言い方; (かっとなって怒る) lose *one's* temper. (☞ おこる¹). ¶ 彼はめったに*腹を立てない He rarely *gets angry*. // 彼は私の言葉に*腹を立てた He *took offense at* my words. // 彼の無神経には*腹が立つ I *am angry at* his insensitivity. / His insensitivity makes me *angry*. **腹を読む** ¶ 彼の*腹は読めた (⇒ 何を考えているか[何をしようとしているか]わかる) I can see *what he is* ˹*thinking about* [*up to*]. **腹を割る** ¶ *腹を割って (⇒ 率直に[隠し立てをしないで]) 話そうじゃないか Let's talk about the matter ˹*frankly* [*openly*].
腹拵え ☞ 見出し **腹ごなし** ☞ 見出し **腹立ち** ☞ 見出し **腹鼓** ☞ 見出し **腹積もり** ☞ 見出し **腹時計** ☞ 見出し **腹の足し** ☞ 見出し **腹の虫** ¶ *腹の虫が治まらない (⇒ 怒りを抑えられない) I can't ˹repress [control] *my anger*. (☞ むし¹ 2 用例) **腹巻き** ☞ 見出し

はら² 原 (平野) plain Ⓒ; (野原) field Ⓒ; (大草原) prairie Ⓒ.

ばら¹ 薔薇 〔植〕 rose Ⓒ. ¶ 私の趣味は*ばら造りです My hobby is growing *roses*. // 彼女の唇は*ばらのように赤い Her lips are *rose*-red.
ばら色 ― 名 rose-color Ⓤ, rose-tint Ⓤ 語法 (1) 前者のほうが一般的な語. 後者はやや明るいバラ色を表す. ― 形 rose-colored, rosy 語法 (2) 前者のほうが一般的な語. 後者は人の肌の色についていうことが多い. ¶ 人生はいつも*ばら色じゃないよ Life is not a bed of *roses*. ★ a bed of roses (バラの花壇) は成句. 語法 (3) 日本語の「いつも」は意味を和らげる働きの語で訳出しなくてよい. **薔薇戦争** the Wars of the Roses, 1455–85. ★ イングランドの王位継承に関する戦い.

ばら² ― 副 形 (ばらで [の]) loose. ¶ *ばらで売る [買う] sell [buy] *separately* // 彼は*ばらで小銭をポケットに入れて歩く He carries *loose* change in his pocket. (☞ ばらうり)

はらあて 腹当て (胴甲) breast-pad Ⓒ; (腹巻き) belly band Ⓒ.

バラード (物語詩) ballad /bǽləd/ Ⓒ; (詩形・音楽) ballade /bəlάːd/ Ⓒ.

はらい¹ 払い (支払い) payment Ⓤ; (請求書) bill Ⓒ. (☞ はらう; しはらい).
¶ 今月は洗濯屋の*払いが多い (⇒ たくさん払わなければならない) I have to *pay* a lot to the laundry this month. / (⇒ 請求が大きい) The *bill* from the laundry is big this month. // あの客は*払いが悪い [よい] He is a ˹bad [(⇒ 期日を守る) punctual] *payer*. // やっと家の*払いを済ませた I have finished *paying* for the house at last.

はらい² 祓い ☞ おはらい

はらいおとす 払い落とす (振って) shake off ㊎; (ブラシをかけてまたは手で) brush ˹off [out] ㊎.
¶ 彼女はスカートの雪を*払い落とした She *shook* the snow *off* her skirt. // 彼は手で上着のほこりを*払い落とした He *brushed* the dirt *off* the jacket with his hand.

はらいごし 払い腰 〔柔道〕 *haraigoshi* Ⓤ; (説明的には) sweeping ˹loin [hip] throw Ⓤ.

はらいこみ 払い込み payment Ⓤ. **払い込み資本** paid-in [paid-up] capital Ⓤ **払い込み手数料** (bank) charge for the payment Ⓒ.

はらいこむ 払い込む (支払う) pay ㊎; (銀行などに預金する) depósit ㊎. (☞ はらう; ふりこむ¹).
¶ 会費はもう*払い込んだ I'*ve* already *paid* the fee. // 金は君の口座に*払い込んだ I ˹*paid* [*deposited*] the money into your account.

はらいさげ 払い下げ disposal Ⓒ ★ 格式ばった語. ¶ この車は政府の*払い下げ品です This car *was* ˹*disposed of* [*sold*] by the government.

★ sold のほうが口語的.

はらいさげる 払い下げる (売る) sell ⓗ; (処分する) dispose of ... ★ 後者のほうが格式ばった語; (安く売り渡す) séll óff ⓗ. (☞ うる¹). ¶ その米軍基地の敷地は民間 (⇒ 私企業) に*払い下げられた The site of the US base *was sold off* to private interests.

はらいせ 腹癒せ ¶ 彼は*腹いせに石をけとばした (⇒ 怒りのはけ口にした) He 「*vented his rage* [*gave vent to his rage*] by kicking a stone. // *腹いせにやつの秘密をばらしてやった (⇒ 秘密をばらして仕返ししてやった) I *paid* him *back* by blowing his secret wide open. (☞ くやしまぎれ)

はらいた 腹痛 ☞ ふくつう

はらいだす 払い出す (支払う) pay ⓗ; (費やす) spend. ¶ 我々は医療に多額の金を*払い出している We *spend* large sums of money on medical care. // 身分証明書がなければ*払い出すことはできかねます We can't *pay* you unless you show us your ID.

はらいっぱい 腹一杯 ── 名 (満腹) full stomach Ⓒ. ── 副 (思う存分) heartily, to *one's* heart's content. ¶ *腹いっぱいだ I'm *full*. / I've eaten my *fill*. / I have had *enough*. // *腹いっぱい食べる eat 「*heartily* [*to one's heart's content*] / have a *hearty* meal

はらいのける 払い除ける (ほこりなどを…から) brush ... off ...; (ぱっと捨てるように払いのける) thrów óff ⓗ, flíng óff ⓗ 語法 前者は一般的. 後者には「力を入れていきなり乱暴に払いのける」というニュアンスがある. ¶ 彼は棚の上のほこりを*払いのけた He *brushed* the dust *off* the shelf. // 彼は私の手を*払いのけた He 「*threw* [*flung*] *off* my hand.

はらいもどし 払い戻し (払い戻すこと) refunding Ⓤ ★ 格式ばった語; (払い戻す額・金) réfund Ⓒ; (割引しての払い戻し (金)) rébate Ⓒ. ¶ 急行券の*払い戻しをしてもらった I got a *refund* on the express ticket. / I had the express ticket *refunded*. ★ 第 2 文のほうが格式ばった表現. // 銀行は預金の*払い戻しを停止した The bank suspended *refunding* deposits.

はらいもどす 払い戻す páy báck ⓗ, refund ⓗ 語法 前者は広い意味の一般的な語で, 借りを払うのにも使う. 後者は狭い意味の「払い戻し」に当たる格式ばった語. ¶ 家の手付金を*払い戻してくれた They *refunded* 「(me) the deposit [my deposit] on the house. // 銀行から預金を全部*払い戻してきた (⇒ 引き出した) I *withdrew* all my savings from the bank.

はらいもの 払い物 (不用品) discarded [disused] article Ⓒ.

はらう 払う **1** 《支払う》: pay ⓗ ⓐ 《過去・過分 paid》 語法 副詞を付けてさまざまなニュアンスを表す. 借金などを返済するという意味の口語的表現は páy báck ⓗ. ほぼ同意でやや格式ばった語が repay ⓗ. 借金などを全部返して清算するのが páy óff ⓐ ⓗ で, また clear ⓗ ともいう. しぶしぶ何度も払わなければならないのは páy óut ⓐ ⓗ. 余儀なく速やかに全部払うのは páy úp ⓐ ⓗ. (☞ おさめる¹).
¶ すみませんがいますぐには*払えません I'm afraid I can't *pay* (you) now. // 私はこの絵に 50 万円*払った I *paid* five hundred thousand yen *for* this painting. // 私は彼に 5 千円*払った I *paid* him five thousand yen. // いますぐ借金を*払ってもらおう I want you to *pay* 「*back* [*up*] what you owe me right now.
2 《示す》: (注意を) pay ⓗ; (敬意を) show ⓗ.
¶ 彼の言うことにもっと注意を*払いなさい *Pay* more attention to what he says. // 敬意を*払う *show* respect (to ...) // 大変な犠牲を*払う *make* great sacrifices
3 《除く》: (枝を切り取る) lóp óff ⓗ; (売り払う) sell ⓗ; (処分する) dispose of ... ★ 格式ばった語.
¶ 家具のほこりを*払う *dust* (*off*) (the) furniture

コロケーション
クレジットカードで払う *pay* by credit card / 現金で払う *pay* in cash / 小切手で払う *pay* by check / 時給で払う *pay* by the hour / 自腹を切って払う *pay* out of *one's* own pocket / 分割で払う *pay* 「in [by] installments / 本の代金を払う *pay* for the book // 気前よく払う *pay* generously

ばらうり 散売り ── 動 sell (things) 「separately [loose /lúːs/]. (☞ ばら²). ¶ 絵の具を*ばら売りする *sell* 「paints [colors] 「*loose* [*separately*]

バラエティー (多様性) variety /vəráɪəti/ Ⓤ ★「種類」の意味では Ⓒ; (いろいろな種類) various /vé(ə)riəs/ kinds (of ...), a 「great [wide] variety (of ...) ★ 前者のほうが口語的.
¶ この店の品物は*バラエティーがある They sell [This store sells] 「*various kinds of* [*a great variety of*] articles. // ここの景色は*バラエティーに富む We can enjoy a rich *variety* of scenery here.
バラエティーショー[番組] variety show Ⓒ.

パラオ ── 名 固 (国名) Palau /pəláu/; (正式名) the Republic of Palau.

はらおび 腹帯 (妊婦の) matérnity bèlt Ⓒ; (腹巻き) belly band Ⓒ.

はらかけ 腹掛け (職人の) workman's apron Ⓒ.

はらがまえ 腹構え (決意) determination Ⓤ.

はらから 同胞 ☞ きょうだい¹; どうほう

ばらきせき 薔薇輝石 〘鉱物〙 rhodonite Ⓤ, manganese spar Ⓤ.

はらぎたない 腹汚い (下劣な) mean, nasty, dirty; (ねじけた) perverted. ¶ それはよくある*腹汚い企みだ That's an old 「*dirty* [*mean, nasty*] trick.

はらぐあい 腹具合 ¶ *腹具合が悪い have *stomach* trouble // 今日は少し*腹具合が悪い I have a little trouble with my 「*stomach* [*bowels*]. ★ 胃の場合は stomach, 腸の場合は bowels.

パラグアイ ── 名 固 Paraguay /pǽrəgwàɪ/; (正式名) the Republic of Paraguay. ── 形 Pàraguáyan. パラグアイ人 Paraguayan Ⓒ.

はらくだし 腹下し (下痢) loose bowels, diarrhea /dàɪəríːə/ Ⓤ; (下剤) laxative Ⓒ, purgative Ⓒ. ¶ *腹下しをする have 「*diarrhea* [*loose bowels*; *intestinal trouble*]

パラグライダー (空中を滑空するためのパラシュート) paraglider Ⓒ.

パラグライディング (スポーツの) paragliding Ⓤ.

パラグラフ (文章の段落) páragràph Ⓒ (☞ パラグラフ (巻末)).

はらぐろい 腹黒い evil-minded (☞ じゃあく; よこしま).

はらげい 腹芸 (暗黙の相互理解) implicit mutual understanding Ⓤ ★ 説明的な訳. 日英比較 英米人は原則として言葉によるコミュニケーションのほうを重視するので, この語がもつニュアンスを理解してもらうには説明が必要な場合がある.

ばらける 散ける (ばらばらになる) còme loose /lúːs/ ⓐ; (ばらばらに崩れる) fall apart ⓐ.
¶ 厚いペーパーバック版の辞書は*ばらけることがよくある A thick paperback dictionary often *comes loose*.

はらこ 腹子 (hard) roe Ⓤ, fish eggs ★ 通例複数形で.

はらごしらえ 腹拵え ¶ *腹ごしらえをする (⇒ 食事をする) *have* [*take*; *eat*] *a meal* / (⇒ 何か食べる)

eat something // 私たちは仕事にかかる前ににぎり飯で*腹ごしらえをした We *ate* rice balls before we got to work. // まず*腹ごしらえをしてから出かけよう (⇒出かける前に何か食べよう) Let's *eat something* before we set out.

はらごたえ 腹応え ―形 (量の多い) substantial; (食べごたえのある) filling; (満足のいく) satisfying. ¶*腹応えのある食事 a *substantial* meal

はらごなし 腹ごなし ¶*腹ごなしに (⇒消化を助けるために) 散歩した I took a walk to ˹*help* [*aid*] *my digestion*.

パラゴムのき パラゴムの木 〘植〙 Para [Brazilian] rubber tree Ⓒ ★南米産のゴムの木.

パラサイトシングル (親のすねをかじる独身者) unmarried adult who is supported at home by ˹his [her] parents Ⓒ ★「独身の寄生虫」の意.

パラジウム 〘化〙 palladium /pəléɪdiəm/ Ⓤ 《元素記号 Pd》.

パラシュート parachute /pǽrəʃùːt/ Ⓒ.

はらす¹ 晴らす ¶どうしても彼女の疑いを*晴らす (⇒一掃する) ことはできなかった Nothing could ˹*dispel* [*clear up*] her doubts. 語法 dispel は物・事が主語. // 彼は無実の罪を*晴らそうとした (⇒自分自身を間違った容疑から解き放そうとした) He tried to *clear* himself of the false charge(s). / (⇒自分自身が無実であることを証明しようとした) He tried to *prove* himself *innocent*. // やつに恨みを*晴らした (⇒精算した) I ˹*paid off* [*settled*] a score with him. / (⇒彼に復讐した) I *revenged myself on* him. ★第 1 文のほうが口語的. // 彼女は音楽を聞いて気を*晴らした (⇒気分転換した) She *diverted herself* by listening to music. // 私はうさを*晴らす (⇒憂うつを追い払う) ために一杯やった I had a drink to ˹*dispel* [*drive away*] my gloom.

はらす² 腫らす cause to swell ㊀, inflame ㊀. ¶彼は喉を*腫らしていた He had ˹a *swollen* [an *inflamed*] throat. / His throat *was* ˹*swollen* [*inflamed*]. // 足首をひねって*腫らしてしまった I twisted my ankle and it *became swollen*.

ばらす (分解する) take ... ˹apart [to pieces]; (暴露する) lay bare ㊀, disclose ㊀ ★後者のほうが格式ばった語; (殺す) kill ㊀, get rid of ... ★後者は口語的で,「やっかい払いをする」の意. 《☞ ぶんかい¹; ばくろ; ころす》. ¶彼が自転車を*ばらし (⇒分解し) 私が組み立てた He *took* the bicycle ˹*apart* [*to pieces*], and I put it back together. // 彼女はその陰謀[秘密]を*ばらした (⇒暴露した) She ˹*laid bare* [*disclosed*] the ˹conspiracy [secret].

はらすじ 腹筋 abdominal muscle Ⓒ. **腹筋を縒(よ)る** (腹の皮がよじれるほど笑う; ☞ はら¹ 1 用例) split *one's* sides (laughing [with laughter]). ¶*腹筋を縒るほどのジョーク a *sidesplitting* joke.

バラスト bállast Ⓤ ★船底に積む砂利など.

パラセーリング párasàiling Ⓤ ★モーターボートなどで引っ張ったパラシュートで空中を飛ぶスポーツ.

パラセール párasàil Ⓒ.

ばらせん¹ ばら銭 (小銭) (small) change Ⓤ; (ばらばらの硬貨) loose coins (change).

ばらせん² 茨線 (有刺鉄線) barbed wire Ⓤ.

パラソル (日傘) sunshade Ⓒ, pərasòl Ⓒ ★前者がより一般的. 《☞ ひがさ》.

パラダイス (楽園) paradise Ⓒ 《☞ らくえん》.

パラダイム (語形変化表; 思想・科学などを規定する方法論・体系) paradigm /pǽrədàɪm/ Ⓒ. **パラダイム論** paradigmatic theory Ⓒ.

はらたけ 原茸 〘植〙 agaric Ⓒ, meadow [field] mushroom Ⓒ.

はらだたしい 腹立たしい ―形 (しゃくにさわる) exasperating, 《格式》 provocative; (いらいらさせる) írritàting; (悩ませる) annoying; (いやな・侮辱的な) offensive; (怒った) angry. ¶それは*腹立たしい出来事だった It was ˹an *exasperating* [a *provocative*] incident. // 彼の無関心な態度は*腹立たしかった (⇒無関心な態度に腹が立った) I *was* ˹*irritated* [*annoyed*; *exasperated*] ˹at [by] his indifferent attitude. // 彼は*腹立たしげに顔をそむけた He turned his face away ˹*angrily* [*in anger*].

はらだち 腹立ち (怒り) anger Ⓤ; (かんしゃく) temper Ⓤ. ¶お*腹立ちごもっともです No wonder you *got angry*. / You have (a) good reason to ˹*get* [*be*] *angry*. ★第 1 文のほうがくだけた言い方. // 彼は*腹立ちまぎれに (⇒怒り[かんしゃく]の発作で) いすをけとばした He kicked the chair in a fit of ˹*anger* [*temper*].

はらだつ 腹立つ ☞ おこる³; はら¹ (腹を立てる)

はらちがい 腹違い ¶*腹違いのきょうだい a ˹brother [sister] *by a different mother* / a *half* ˹brother [sister] ★後者は両親のどちらかが別のきょうだい 《☞ いふきょうだい》.

パラチフス 〘医〙 paratyphoid /pæ̀rətáɪfɔɪd/ (fever) Ⓤ. **パラチフス菌** paratyphoid bacillus Ⓒ 《複 ― bacilli /bəsílaɪ/》.

ばらつき (品質などが) unevenness Ⓤ; (統計の) dispersion Ⓤ. ¶これらの製品の出来には*ばらつきがある These products *are uneven* in quality. // 棒の長さには*ばらつきがあった (⇒同一でなかった) The sticks *were not uniform* in length. // 参加者の年齢には*ばらつきがあった (⇒さまざまだった) The participants *varied* in age.

ばらつく (異なる) vary ㊁, differ ㊁. 《☞ ちがう (類義語); ことなる; まちまち》.

バラック (小さな粗末な家) shack Ⓒ; (掘っ建て小屋) shanty Ⓒ; (一時的な仮住まい) temporary ˹house [building] Ⓒ; (作業員などの仮小屋) bárracks ★複数形でしばしば単数扱い. 日英比較 英語の barracks は本来は兵舎のことで, 多人数用のものをいう. 日本語のバラックに近いのは shack, shanty などである.

ぱらつく (雨などが) sprinkle ㊁ 《☞ ぱらぱら》. ¶雨が*ぱらついてきた It started to *sprinkle*.

はらつづみ 腹鼓 ¶*腹鼓を打つ drum *one's* belly // 満腹して*腹鼓を打つ (⇒満腹する) eat to *one's* heart's content

はらっぱ 原っぱ field Ⓒ 《☞ のはら》.

ばらつみ ばら積み ¶石炭を*ばら積みする *load* coal *in bulk*

はらづもり 腹積もり (意図) intention Ⓤ; (計画) plan Ⓒ; (考え) idea Ⓒ. 《☞ けいかく》. ¶彼の*腹づもりははっきりしない His *intention* is not clear. // その*腹づもりはできています I have the *plan* ready in my mind.

はらどけい 腹時計 ¶*腹時計ではもうお昼だ (⇒腹が昼飯時だという) *My stomach* says it is lunchtime.

パラドックス (逆説) páradòx Ⓒ 《☞ ぎゃくせつ¹》.

ばらにく ばら肉 (boned) rib Ⓒ.

パラノイア (偏執症) pàranóia Ⓤ.

はらのかわ 腹の皮 ☞ はら¹ 1 (用例)

はらのたし 腹の足し ¶あの野菜サラダではぜんぜん*腹の足しに (⇒満腹に) ならない That vegetable salad doesn't *stick to my ribs* at all. 《☞ たし》

はらのなか 腹の中 ☞ はら¹ 2

はらのむし 腹の虫 ☞ はら¹ (腹の虫)

はらばい 腹這い ―動 (腹ばいになる) lie on *one's* stomach ㊁ 《過去 lay; 過分 lain》; (四つんばいになって進む) crawl ㊁. 《☞ はう (類義語); うつぶせ》. ¶私は芝生の上に*腹ばいになった I *lay on my stomach* on the grass. // 彼は*腹ばいになってその穴

を通り抜けた He *crawled* through the hole.

はらはちぶ 腹八分 ☞ はら¹ 1 (用例); はちぶんめ

はらはら **1**《落ちる様子》 ¶ 枯れ葉が*はらはらと地面に散っていた The dead leaves *were* ⌜*falling* [*fluttering*] (*down*) to the ground. 語法 fall は一般的な語. flutter には「かなり早い速度で葉が散っていく」というニュアンスがある. 《☞ 擬声・擬態語 (囲み)》

2《不安な気持ち》 ―動 (はらはらする・不安である) feel [be] nervous, feel [be] uneasy; (緊張状態におく) keep … in suspense. ―形 (興奮させるような) exciting; (スリル満点の) thrilling. 《☞ 擬声・擬態語 (囲み)》. ¶ 最後まで*はらはらし通しだった I *felt* ⌜*nervous* [*uneasy*] until the end. // その犬がかみつくのではないかと彼女は*はらはらした (⇒ 恐れた) She *was afraid* that the dog would bite (her). // その映画は最後まで私たちを*はらはらさせた (⇒ 緊張状態においた) The movie *kept* us *in suspense* until the last (scene). // *はらはらするような試合だった It was ⌜an *exciting* [a *thrilling*] game.

ばらばら **1**《分離》 ¶ 彼はその自転車を*ばらばらにして (⇒ 分解して) 車のトランクに入れた He *took* the bicycle *apart* and put it ⌜in [into] the trunk. // いかだは岩に突き当たって*ばらばらになった The raft *broke up* on a rock. // 風で書類が*ばらばらになってしまった (⇒ 風が書類を散乱させた) The wind *scattered* the papers. // 戦争で彼の一家は*ばらばらになってしまった His family ⌜*broke up* [*was scattered*] because of the war. // みんな一緒に行くんですか, それとも*ばらばら (⇒ 別々) ですか Shall we go together or *separately*? 《☞ 擬声・擬態語 (囲み)》

2《投げたり・降ったりする様子》 ¶ 彼女は豆[種]を*ばらばらまいた She *scattered* ⌜beans [seeds] far and wide. // あられが*ばらばらと窓に当たった The hail *pattered* against the window. // 数人の男が*ばらばらと家から飛び出してきた (⇒ 急にすごい勢いで出てきた) Several men *suddenly dashed* out of the house. 《☞ ばらまく; 擬声・擬態語 (囲み)》

ばらばら殺人 mutilation murder Ⓒ **ばらばら死体** dismembered [mutilated] body Ⓒ. ¶ ばらばら*死体が林道で発見された A ⌜*dismembered* [*mutilated*] *body* was found on a path in the forest.

ぱらぱら ¶ 雨が*ぱらぱらと降り始めた It began to *sprinkle*. // 雨が窓ガラスに*ぱらぱらと当たった The rain *pattered* on the windowpanes. // けさ雨が*ぱらぱらと降った (⇒ 軽いにわか雨をもった) We had a *light shower* this morning. // 彼はその本を*ぱらぱらとめくってみた He ⌜*leafed* [*riffled*; *thumbed*] *through* the book. 語法 leaf through が一般的. riffle through は「せわしなくページをめくる」, thumb through は「親指でめくってざっと目を通す」という意味がある. // パーティーの出席者はほんの*ぱらぱらだった (⇒ まばらな客しかいなかった) There were only a *scattering* of guests at the party. 《☞ まばら; 擬声・擬態語 (囲み)》

【参考語】 ―名 (雨の降る音) pitter-patter Ⓒ.

はらびらき 腹開き ¶ (魚の)*腹開きをする cut a fish open from the belly

はらびれ 腹鰭 pelvic fin Ⓒ.

パラフィン 〖化〗 páraffin Ⓤ. **パラフィン紙** waxed [wax] paper Ⓤ.

パラフレーズ ―名 (意訳した言い換え) páraphràse Ⓒ. ―動 paraphrase 他. 《☞ パラフレーズ (巻末)》.

はらぺこ 腹ぺこ ―形 (飢えた) starved ★《英》では starving; 《略式》 famished; (非常に空腹の) very hungry. ¶ 母さん, *腹ぺこだよ Mom! I'm ⌜*starved* [*famished*].

パラボラアンテナ parábola Ⓒ, paràbólic anténna Ⓒ; (衛星放送受信用の) satellite dish Ⓒ.

はらまき 腹巻き belly band Ⓒ.

ばらまく ばら蒔く (散布する) scatter 他; (表面を覆うようにまく) strew 他; (広める) spread 他. ¶ 彼はぬかるみにおがくずを*ばらまいた <S (人)＋V (*scatter*; *strew*)＋O (物)＋*over* [*on*]＋名 (場所)> He ⌜*scattered* [*strewed*] sawdust ⌜*over* [*on*] the muddy area. / <S (人)＋V (*scatter*; *strew*)＋O (場所)＋*with*＋名 (物)> He ⌜*scattered* [*strewed*] the muddy area *with* sawdust.

パラマリボ ―名 固 Paramaribo /pæ̀rəmǽrəbòu/ ★ スリナムの首都.

はらむ 孕む **1**《中に含む》: (…でいっぱいである [ふくれている]) be ⌜filled [swollen] with …; (ふくらんで大きくなる) swell 自. 《☞ ふくらむ》.

¶ 鯉のぼりは風を*はらんで大きくふくらんだ The carp streamers *swelled* in the wind. // 両国間の関係はますます危険を*はらんできた (⇒ 険悪になってきた) Relations between the two countries *have become* more and more ⌜*critical* [*grave*].

2《子を宿す》: (妊娠する) become pregnant 《☞ にんしん》.

パラメーター 〖数〗 (媒介変数), 〖言〗 (媒介変項) parameter /pərǽmətə/ Ⓒ.

パラメディカル ―形 (医療補助的な) paramedical.

パラメトロン 〖コンピューター〗 parametron Ⓒ.

はらもち 腹持ち ¶ もちは*腹持ちがよい (⇒ 腹に長くとどまる) Rice cake *stays long on the stomach*.

バラモン (インドのカーストの最高階級) Brahman /brɑ́ːmən/; (バラモン教) Brahmanism.

バラライカ 〖楽器〗 (ギターに似たロシアの弦楽器) balalaika /bæ̀ləlάɪkə/ Ⓒ.

はらりと (軽やかに) lightly; (素早く) quickly. ¶ 風で木の葉が*はらりはらりと散っていた The leaves were *lightly* falling one by one in the wind. // 彼女は*はらりとケープを肩にかけた She *tossed* her cape over her shoulders.

ぱらりと lightly 《☞ ぱらぱら; 擬声・擬態語 (囲み)》. ¶ 彼女は魚に*ぱらりと塩を振った She *sprinkled* ⌜salt *lightly* over the fish [the fish *lightly* with salt].

パラリンピック (国際身体障害者スポーツ大会) the Pàralýmpics ★ Paraplegics' /pæ̀rəplíːdʒɪks/ Olýmpics の略称. 《☞ オリンピック》.

パラレル ―形 (平行の) párallèl 《☞ へいこう¹》. ¶ *パラレルスラローム a *parallel* slalom // 2 つの実験を*パラレル (⇒ 同時) に行う do two experiments ⌜*at the same time* [*simultaneously*]

パラレルでんそう パラレル伝送 〖コンピューター〗 parallel transmission Ⓤ.

はらわた 腸 (大腸と小腸) the bowels, the intéstines ★ 前者のほうがくだけた語. 後者は医学用語; (動物の内臓) the entrails, the guts 語法 後者は主に消化管を指す. 以上いずれも複数形で. また定冠詞を伴う. 《☞ ないぞう¹ (挿絵)》.

¶ 彼女は魚の*はらわたを抜いた She *gutted* the fish. / She took *the guts* out of the fish. ★ 第 1 文のほうが平易な言い方. // 彼の裏切りには*はらわたが煮えくり返る思いだった (⇒ 彼の裏切りは私の血をたぎらせた) His betrayal *made my blood boil*.

腸が腐る ¶ 奴は*腸が腐っている (⇒ 堕落した) He is a ⌜*corrupt* person [man with a *corrupt* heart].

腸が千切れる be heartbroken. ¶ 息子を交通事故で亡くしたとき彼は*腸が千切れる思いだった When he lost his son in a traffic accident, he *was* really *heartbroken*. **腸に沁みる** (物事が主語) sink deeply into *one's* mind; (感動させる) touch 他; (人が主語) feel deeply; be deeply impressed. ¶

彼の忠告は私の*腸に沁みた His advice *touched* ｢*my heart* [me]. 《☞ しみる》

はらん[1] 波瀾, 波乱 (ごたごた) trouble Ⓤ; (騒動) disturbance Ⓒ; (浮き沈み) ups and downs ★ 複数形で; (盛衰)《格式》vicissitudes ★ 通例複数形で. 《☞ さわぎ; もめごと》.

¶ 彼はいつも家庭内に*波瀾を起こしている He is always making *trouble* in his family. 【語法】 この進行形は感情的な表現で, 「だから困ったやつだ」のような意味を含む. // 平地に*波瀾を起こすようなことはするな (⇒ いらぬもめ事を起こすな) Don't ｢create [cause] unnecessary *trouble*. // その醜聞が明るみに出たとき一*波瀾あった A *disturbance* was created when the scandal came to light.

波瀾万丈 ¶ 彼の一生は*波瀾万丈だった (⇒ 浮き沈みがたくさんあった) His life was full of ｢*ups and downs* [*vicissitudes*]. / (⇒ 多彩な生涯を持った) He had a very *eventful* life.

はらん[2] 葉蘭 〘植〙 aspidistra /æ̀spədístrə/ Ⓒ.

バランス (釣合い) bálance Ⓤ; (調和) proportion Ⓤ 【語法】 前者は重さ・重要度などの釣合い, 後者は大きさ・数量などの割合いに重点がある. 《☞ つりあい; きんこう[1]; ちょうわ》. ¶ この絵は明るい色と暗い色の*バランスがよくとれている There is a good *balance* between light and dark colors in this painting. // *バランスを取る strike a *balance* // 彼は*バランスを失ってはしごから落ちた He lost his *balance* and fell from the ladder. // *バランスのよくとれた食事をすることが大切だ It is important to maintain a *well-balanced* diet. // *バランス感覚 a sense of *proportion* **バランスオブパワー** (力がつり合っていること) (the) balance of power **バランスシート** 〘会計〙 balance sheet Ⓒ.

はり[1] 針 (縫い針) needle Ⓒ ★ 注射針・レコード用の針も表す; (留め針) pin Ⓒ; (釣り針) hook Ⓒ; (時計の針) hand Ⓒ

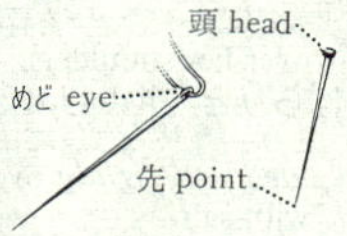

【日英比較】 日本語で時計の針という場合はその形から名づけたのであるが, 英語でそれを hand というのは指し示す機能から名づけたのである; (昆虫のはち・ぶよなどの針) sting Ⓒ; (外科手術の縫い合わせ) stitch Ⓒ; (ホッチキスの針) staple Ⓒ.

¶ *針と糸 a *needle* and thread ★ 糸のついた縫い針のことで, 1 つのものとして扱う. // 彼女は*針 (のめど) に糸を通した She passed the thread through the eye of the *needle*. / She threaded the *needle*. ★ 第 2 文のほうが平易な言い方. // 彼はその昆虫をボール紙に*針で留めた He fastened the insect on the cardboard with a *pin*. // 時計の*針が 12 時を指している The *hands* of the clock are pointing to twelve. // 彼は 3 *針を縫うけがをした His wound required three *stitches*.

針の穴から天覗く watch [observe] the ｢sky [heavens] through the eye of a needle; (狭い見識から重大な判断を下す) make an important judgment ｢on the basis of inadequate information [without knowing all the facts]. **針の先で突いた程** (微細な) minute; (細かい) tiny; (針の穴ほど小さい) as *small* as a pinhole. **針のむしろ** ¶ *針のむしろに座る思い feel as if *one* is lying on a *bed of thorns* **針の山** the hill of ｢nails [thorns] (in Hell).

針供養 memorial service for needles Ⓒ **針刺し** pincushion Ⓒ **針仕事** needlework Ⓤ; (縫い物) sewing /sóuɪŋ/ Ⓤ. 《☞ さいほう[1]; ぬいもの》. ¶ *針仕事をする do *needlework* **針箱** workbox Ⓒ.

はり[2] 鍼 (鍼術) acupuncture /ǽkjupʌ̀ŋ(k)tʃə/ Ⓤ. **鍼医[師]** acupuncturist Ⓒ. **鍼麻酔** 〘医〙 acupuncture anesthesia /æ̀nəsθíːʒə/ Ⓤ.

はり[3] 張り (活気) spirit Ⓤ; (生き生きとした状態) life Ⓤ; (目的意識) *one's* sense of purpose. 《☞ はりあい; はげみ; げんき[1]》. ¶ 彼は声に*張りがある [ない] (⇒ 力強い[弱い]声をしている) He has a ｢*strong* [*weak*] voice. / (⇒ 活気に満ちている[欠ける]) His voice ｢is *full of* [*lacks*] *life*. // 1 人息子を亡くして彼は心の*張り (⇒ 目的意識) を失った He lost *his sense of purpose* when he lost his only son.

はり[4] 梁 (家屋の) beam Ⓒ.

はり[5] 鉤 ☞ つり[1] (釣針)

はり[6] 玻璃 (水晶) crystal Ⓤ; (ガラス) glass Ⓤ. **玻璃器** glassware Ⓤ.

ばり 罵詈 (悪口) abuse Ⓤ 《☞ あくたい; わるくち》. ¶ *ばり雑言を浴びせる shower *abuse* on ... / hurl *abuse at* ...

-ばり ...張り ¶ それはゴッホ*張りの絵だった It was a painting *in the* ｢*style* [*manner*] *of* van Gogh. // 床はタイル*張りだった The floor *was* ｢*covered* [*surfaced*] *with* tiles. ★ [ ] 内のほうが格式ばった言い方.

バリ ── 图 ⓖ (バリ島) Bali /bάːli/ ★ インドネシアの島. ── 形 (バリ島の・バリ語の) Balinese /bὰːlɪníːz/.

パリ ── 图 ⓖ Paris /pǽrɪs/ ★ フランスの首都. ── 形 (パリの) Parisian /pərɪ́ʒən/. **パリ祭** the Fourteenth of July, Bastille /bæstíːl/ Day **パリ市民** (パリっ子) Parisian Ⓒ ★ 女性を特に指すときは Parisienne /pərìːzién/ Ⓒ.

バリア (障害) barrier Ⓒ. **バリアフリー** ── 形 (身障者・高齢者などのために障害のない) bárrier-frée. ¶ *バリアフリーの部屋 a *barrier-free* room

はりあい 張り合い ¶ 彼女が来ないので*張り合いが抜けた (⇒ 彼女の欠席は我々をがっかりさせた) Her absence *disappointed* us. // 彼は成果の上がらない研究に*張り合い (⇒ 興味[熱意]) をなくした He lost ｢*interest* [*enthusiasm*] in ｢the [his] fruitless research. // 私はこんな*張り合いのない (⇒ 退屈な) 生活がいやになった I became sick of such a *dull* life. // 私はもっと*張り合いのある (⇒ やりがいのある) 仕事をしたい I'd like to do (some) more *rewarding* work.

はりあう 張り合う ── 動 (競う) compete [vie; contend] with ..., rival ⓗ 【語法】 前の 2 つは「競争して優劣を競う」の意で, compete with ... のほうが一般的. contend with ... は「倒すために相手と格闘して争う」, rival は「ライバルとして争う」の意. 以上の 2 つはやや格式ばった語. 《☞ きそう[1]》.

¶ 私は彼とその賞を*張り合った (⇒ 彼と競ってその賞を得ようとした) I ｢*competed* [*vied*; *contended*] *with* him for the prize. // その 2 軒の店は安売りで*張り合った (⇒ お互いに競争した) The two stores *competed* ｢*against* [*with*] each other in bargain sales.

はりあげる 張り上げる (声などを) raise ⓗ.

¶ 先生は一段と声を*張り上げた (⇒ 声を高くした) The teacher *raised* her voice to a higher pitch. // 彼は声を*張り上げて (⇒ ありったけの声で) 助けを求めた He called out for help *at the top of his* ｢*voice* [*lungs*].

ハリー (男性名) Harry ★ Henry, Harold の愛称.

バリー (男性名) Barry.

パリーグ ── 图 ⓖ (野球の) The Pacific League.

はりいた 張り板 board on which washed kimono cloth is stretched and dried Ⓒ ★ 説明的な訳. 《☞ あらいはり》.

ハリー ポッター ── 图 ⓖ Harry Potter ★ 英

国の作家 J. K. Rowling /róuliŋ/ (1965–) 作のハリー ポッター・シリーズに登場する少年魔法使い.

ハリウッド ―名 固 (地名) Hollywood /háliwùd/ ★ カリフォルニア州ロサンゼルス郊外の一区. 映画製作の中心地.

バリウム 〘化〙 barium /bé(ə)riəm/ Ⓤ《元素記号 Ba》.

バリエーション (形を変えたもの) variation /vè(ə)riéiʃən/ Ⓒ; (変種) variety Ⓒ.

ハリエット (女性名) Hárriet ★ 愛称は Háttie.

はりえんじゅ 針槐 ☞ にせアカシア

はりおうぎ 張り扇 paper-covered folding fan (used by a storyteller) Ⓒ.

はりかえ(る) 張り替え(る) ―動 (障子・ふすまなどの紙を) repaper 他 日英比較 英米には障子・ふすまなどはないから, さらに説明が必要な場合がある; (傘・いす・畳などを) re-cover 他《☞ ハイフン (巻末)》; (新しくする) renew 他《☞ はる^{2,3}》; (靴, スリッパの底革を) resole 他; (いす, ソファーなど家具類を) reupholster 他.

¶ この障子は*張り替える[*張り替えの]必要がある We have to *repaper* these sliding paper doors. / These *shoji* need *repapering*. // 居間の長いすを濃い緑色のビロードで*張り替え(をし)てもらった I *had* the couch in the living room *re-covered* in deep green velvet.

はりがね 針金 ―名 wire Ⓤ ★ 個々に言うときは Ⓒ. 語法 針金 1 本は a piece of wire または a wire. ―形 (針金のような・体が細くて強靭な) wiry ★ 堅いことの形容. ¶ 私は竹ざおを*針金で縛った I *wired* the bamboo poles together. / I bound the bamboo poles with *wire(s)*.

はりがねむし 針金虫 〘動〙 hairworm Ⓒ.

はりがみ 張り紙 (主として手書きの) notice Ⓒ; (主として印刷したもの) bill Ⓒ; (ポスター) poster Ⓒ. 《☞ けいじ^{1}》. ¶ *張り紙お断り (掲示) Stick [Post] No *Bills*

バリカン (hair) clippers ★ 複数形で. 数えるときは a pair of clippers. 「バリカン」はフランス語から.

ばりき 馬力 1 《単位》: hórsepòwer Ⓒ ★ 単複同形. 《略 hp》. ¶ この車はあなたのより*馬力がある This car has (a) greater *horsepower* than yours. // このエンジンは 100 *馬力だ This is a 100-*hp* engine. / This engine has a capacity of 100 *hp*. ★ 第 1 文のほうが平易な言い方.

2 《精力》: énergy Ⓤ; (力) power Ⓤ. 《☞ せいりょく^{2}》. ¶ 彼は年の割に*馬力がある (⇒ 精力的だ) He *is*「*energetic* [(⇒ 精力に満ちている) *full of energy*] for his age.

馬力を掛ける exert *oneself*. ¶ もっと*馬力をかけてやりなさい. さもないと試験に落ちるよ *Exert yourself* more than you do now, or you will fail in the examination.

パリキール ―名 固 Palikir /pà:likíə/ ★ 太平洋西部ミクロネシア連邦の首都.

はりきる 張り切る ―動 (元気である) be in high spirits, 《米略式》 be full of pep; (活気がある) be full of vitality; (燃える) be fired up. ―形 (活発な) vigorous; (たいへんな意気込みの) enthusiastic; (熱心な) eager. 《☞ いきごむ; いきおいこむ》.

¶ 子供たちはみんな*張り切っている The children *are* all「*in high spirits* [*full of vitality*]. // 新しい企画に彼は*張り切っている (⇒ 熱心である) He *is enthusiastic* about the new project. // 彼らは決勝戦を控えて*張り切っていた They *were* all *fired up* for the finals. // 彼は新しい職場で*張り切って (⇒ 喜々として) 働いている He is working *happily*「at [in] his new post.

バリケード (臨時の防壁) bárricàde Ⓒ. ¶ 入り口は*バリケードでふさがれていた The entrance was blocked「with [by] a *barricade*.

ハリケーン (暴風雨) hurricane /hɔ́:rəkèin/ Ⓒ 参考 カリブ海・メキシコ湾方面の暴風雨. シナ海方面のものは typhóon, インド洋方面の大暴風雨は cýclone という.

はりこ^{1} 張り子 papier-mâché /péipəməʃéi/ Ⓤ ★ もともとフランス語で紙粘土の意. mâché の ˆ, ˊ は綴り本来のもの. **張り子の虎** paper tiger Ⓒ.

はりこ^{2} 針子 (衣服を縫う女性) seamstress Ⓒ; (一般に針仕事をする女性) needlewoman Ⓒ.

はりこみ 張り込み 《米俗》 stakeout Ⓒ. ¶ *張り込み中の警官 a「policeman [police woman; police officer] on a *stakeout*

はりこむ 張り込む (人を見張る) keep watch (for …) 自, be on the「watch [lookout] (for …) ★ lookout のほうが口語的; (建物を) keep watch (over …) 自; (張り込みを置く) put [place] a stakeout (on …), stáke óut 他 ★ 両者とも《米俗》. put は place より口語的; (配置する) station 他. 《☞ みはる》. ¶ その家の外にだれかが*張り込んでいる (⇒ 見張りをしている) Someone *is keeping watch* outside the house. // 警察はその近所を*張り込んだ The police *staked out* the neighborhood. / (⇒ 数人の警官を配置した) The police *stationed* several policemen in the neighborhood.

バリコン ☞ かへん^{1} (可変コンデンサー)

はりさける 張り裂ける ¶ それを聞いて彼の胸は*張り裂けんばかりだった (⇒ もう少しで破れるところだった) His heart nearly *broke* when he heard it.

パリジェンヌ (パリで生まれ育った女) Parisienne /pəri:zién/ Ⓒ《☞ パリ (パリ市民)》.

パリジャン (パリで生まれ育った男) Parisian /pəríʒən/ Ⓒ《☞ パリ (パリ市民)》.

バリスタ (半導体抵抗素子) varistor Ⓒ.

ハリストスせいきょうかい ハリストス正教会 (東方正教会) the Eastern Orthodox Church; (日本の) the Orthodox Churches in Japan ★ ハリストス (Христос) はロシア語でキリストの意.

はりせんぼん 針千本 〘魚〙 porcupine fish Ⓒ.

ばりぞうごん 罵詈雑言 ☞ ばり

はりたおす 張り倒す knóck dówn (with a hard slap) 他《☞ なぐる; うちのめす》.

はりだし 張り出し ―名 (屋根・バルコニーの) overhang Ⓒ. ―形 (相撲の) additional. ¶ *張り出し小結 an *additional* komusubi

はりだしぶたい 張り出し舞台 apron stage Ⓒ.

はりだしまど 張り出し窓 bay (window) Ⓒ《☞ まど》.

はりだす^{1} 張り出す, 貼り出す (掲示などを出す) pùt úp 他 ★ 最も普通の言い方; (はる) post 他 ★ 前者より格式ばった語; (はり紙で広告する) plácard 他. 《☞ けいじ^{1}; はりがみ》.

¶ 彼らは「禁煙」の掲示を*はり出した They「*put up* [*posted*] a no-smoking sign. // 彼は壁に求人広告を*はり出した <S (人) + V (*placard*) + O (場所) + *with* + 名 (広告)> He *placarded* the wall *with* help-wanted ads.

はりだす^{2} 張り出す (前方に) projéct 自; (頭上に) overhang 自 他 ★ 両者ともやや格式ばった語. 《☞ つきでる》. ¶ 木の枝が道路の上に*張り出していた The branches of the trees *overhung* the street.

はりつく 張り付く, 貼り付く stick (to …) 自《☞ くっつく; はりつける》.

はりつけ 磔 ―名 crucifixion Ⓤ. ―動 crucify 他. 《☞ じゅうじか》.

はりつける 張り付ける, 貼り付ける (くっつける) stick 他; (のりで) paste 他; (切手などを) put 他, 《格式》 affix 他; (びらなどを) plácard 他. 《☞ はる^{3}; くっつける》.

ばりっと ☞ぱりっと; ぱりぱり

ぱりっと (スマートで) smartly; (身なりが立派で) well. 《☞擬声・擬態語 (囲み)》. ¶彼はいつも*ぱりっとした服装をしている He is always 「*smartly* [*well*] dressed.

はりつめる 張り詰める 1 《気が》 ―動 (緊張する) be tense, be under 「great tension [a lot of strain] ★後者のほうが格式ばった言い方.
―形 tense, strained. 《☞きんちょう¹》.
¶試験を前に彼はひどく気が*張り詰めていた (⇒非常に緊張していた) He *was under* 「*great tension* [*a lot of strain*] before the examination. // その知らせで彼女の*張り詰めた気持ちはゆるんだ (⇒その知らせが彼女の緊張を解いた) The news relieved her *tension*. / The news relaxed her *strained* 「*mind* [*nerves*]. ★第1文のほうが平易な表現. // その部屋には*張り詰めた空気が流れていた (⇒雰囲気があった) There was an atmosphere of *tension* in the room. / The room was filled with a *tense* atmosphere.
2 《氷が》: be frozen 「over [across] ★「場所」を主語にする. 《☞こおる》. ¶池には氷が*張り詰めていた The pond *was frozen* 「*over* [*across*].

はりて 張り手 ―名 (相撲で) slapping Ⓤ.
―動 give a slap on the face.

パリティー (等価・偶奇性) parity Ⓤ.

パリティーかかく パリティー価格 〘経〙 párity price Ⓒ.

パリティーけいさん パリティー計算 (農産物価格を決める計算) párity computàtion Ⓒ.

パリティーしすう パリティー指数 〘経〙 párity ìndex Ⓒ 《複 ― ～es, ― indices /índəsìːz/》 ★物価の上昇率を表す指数.

バリとう バリ島 ☞バリ

はりとばす 張り飛ばす (平手で張る) slap ㊥; (張って倒す) knock over with a slap ㊥. ¶…を土俵の外へ*張り飛ばす *slap* … out of the ring

バリトン 〘楽〙 báritòne Ⓤ ★形としても用いる. その場合 Ⓐ; (歌手) baritone Ⓒ. ¶彼は*バリトンで歌った He sang in *baritone*. // 彼は*バリトンの声をしている He has a *baritone* voice.

はりねずみ 針鼠 〘動〙 hedgehog Ⓒ 参考 《米》では「やまあらし」(porcupine) のことも hedgehog と言う.

ぱりぱり ¶彼は*ぱりぱり働いた (⇒猛烈に) He worked *very hard*. // その男の子はせんべいを*ぱりぱり食べた The boy *crunched* a rice cracker. 《☞擬声・擬態語 (囲み)》

ぱりぱり ―形 (軽くてかりかりした) crisp 《☞擬声・擬態語 (囲み)》. ¶このポテトチップは*ぱりぱりしている These potato chips are *crisp*.

はりはりづけ はりはり漬 (大根の) sliced and dried daikon pickled in vinegar and soy sauce Ⓒ ★説明的な訳.

はりばん 張り番 (見張ること) lookout ★単数形で用いる; (警備員による見張り) watch Ⓤ; (見張人) watchman Ⓒ, watchperson Ⓒ, guard Ⓒ. 《☞みはり》. ¶2人の警官がその建物の*張り番に立った Two policemen stood 「*watch* [*guard*] over the building.

***はりふだ* 張り札, 貼り札** bill Ⓒ, notice Ⓒ ★前者は主に印刷したもの. 後者は手書きのもの; (ポスター) poster Ⓒ. 《☞はりがみ》. ¶塀に*はり札をする post a *bill* [put up a *notice*] on a wall // *はり札お断わり 《掲示》 Post [Stick] No *Bills*.

はりぼて 張りぼて (張り子の小道具) props made of papier-mâché /péɪpəməʃéɪ/ ★複数形で. mâché の ˆ, ´ は綴り本来のもの.

はりめ 針目 ☞ぬいめ

はりめぐらす 張り巡らす (網などを張る) sèt úp ㊥; (囲む) surround ㊥. 《☞はる²》. ¶警察は全市に捜査網を*張り巡らした The police *set up* a dragnet all 「over [around] the city. // 空地には有刺鉄線が*張り巡らされていた (⇒有刺鉄線で囲まれていた) The vacant lot *was surrounded* 「by [with] barbed wire. // 全国に情報網を*張り巡らす *spread* an information network over the entire country

はりもぐら 針土竜 〘動〙 echidna /ɪkídnə/ Ⓒ, spiny anteater Ⓒ.

はりもの 張り物 1 ☞はりこ¹; はりぼて
2 《板や伸子で張られた布》: cloth stretched on a board or 「temples [tenterhooks] Ⓒ.

はりもみ 針樅 〘植〙 spruce fir Ⓒ.

はりやま 針山 ☞はり¹ (針刺し)

バリュー (価値) value Ⓤ. **バリュー消費** value consumption Ⓤ.

はりょくはつでん 波力発電 wave-power generation Ⓤ. **波力発電所** wave-power station Ⓒ.

はりわたす 張り渡す (ロープなどを) stretch [extend] … across … ¶浴室に物干し用のロープを*張り渡す *stretch* [*extend*] a clothesline *across* the bathroom

バリン 〘生化〙 (アミノ酸) valine /vǽliːn/ Ⓤ.

はる¹ 春 1 《季節》: spring Ⓤ.
¶もうすぐ*春です *Spring* will soon be here. // *春が来た *Spring* 「is here [has come]. 語法 (1) has come は「いま来たばかりだ」というニュアンスが強く, is here は「いまは春だ, 春になった」という感じが強い. 前後関係にもよるが, 普通は is here のほうが多く用いられる. // *春よ来い 《英》 Roll on, *spring*. // *春が終わった *Spring* 「is over [has gone]. 語法 (2) has gone は「いま過ぎたばかり」の意. is over のほうが普通. // 彼女は今年の*春高校を卒業した She graduated from high school this *spring*. 語法 (3) this (past), last, next, this coming などが前に付くときは前置詞を伴わずに副詞句を作る. // *春になると植物は再び成長を始める The plants start to grow again in (*the*) *spring*. 語法 (4) 季節を表す語には定冠詞を付けないのが普通だが, in や during などの前置詞と共に用いられて期間を表すときは付くことがある. // 私は1988年の*春にロンドンへ行った I went to London in *the spring* of 1988. 語法 (5) この場合は特定の年の春なので定冠詞が必要. // 私は季節の中で*春が一番好きだ I like 「*spring* [*springtime*] best of all. // *春は曙 (⇒春は曙が一番よい) *Spring* is best at 「daybreak [dawn].
2 《最盛期》: (繁栄) prosperity Ⓤ; (最良のとき) prime Ⓤ ★後者のほうが格式ばった語. 《☞さいせいき; ぜんせい¹》. ¶人生の*春 《英》 the 「*springtime* [*prime*] of life
春を売る próstitute *onesèlf*
春一番 the first gale in the spring **春がすみ** spring haze Ⓤ **春風** a spring breeze ★a を付けて. **春着** spring wear Ⓤ; (正月に着る晴れ着) New Year's 「dress [suit; kimono] Ⓒ **春先** (the) early spring Ⓤ. ¶*春先に in *early spring* / at *the beginning of spring* **春雨** 1 《春の雨》: spring rain Ⓤ 日英比較 「春がすみ」や「春風」の場合も同様であるが, 「春雨」にまつわる日本独特のニュアンスはこの訳語からは外国人には理解してもらえない場合が多いと考えられるので, さらに文化的な説明が必要であろう. 2 《食品》: potato-starch vermicelli Ⓤ **春立つ** ¶*春立つ日 (⇒立春の日) に詠まれた歌 a poem composed on *the first day of spring* 《☞りっしゅん》 **春の嵐** spring storm Ⓒ **春の七草** the seven spring herbs 《☞ななくさ》

春の目覚め sexual awakening Ⓤ　春場所 (相撲の) the Sumo Spring Grand Tournament　春蒔き ── 形 (春蒔きの) spring-sown　春祭り spring festival Ⓒ　春めく become springlike, show signs of (the coming of) spring.　¶ 日に日に*春めいてきている It *is getting more springlike* day by day.　春物 spring ˹clothes [wear Ⓤ] ★ clothes は複数形で.　春休み spring vacation Ⓒ　春山 spring mountain Ⓒ.

はる² 張る 1 «伸ばし広げる»: (テントなどを) sèt úp ⊕, pùt úp ⊕ ★ 以上 2 つは一般的な語; (杭などを打って張る) pitch ⊕; (網などを) put up ⊕; (広げる) spread ⊜ ⊕.　¶ 私たちは木の下にテントを*張った We ˹*set up* [*pitched; put up*] a tent under the tree. // 私は彼がテニスのネットを*張るのを手伝った I helped him *put up* a tennis net. // 彼らはその建物の周りに有刺鉄線を*張った They *put* barbed wire around the building. // その木は四方に枝を*張っている (⇒ 枝を広げていた) That tree has ˹*spread* [*thrust*] its branches far and wide. / (⇒ 枝が広がっている) The branches of that tree *spread* far and wide. // この木は根がよく*張っている (⇒ 根づいている) This tree *is* well *rooted*.

2 «ぴんと引き渡す»: (ひも・ロープなどを渡す) string ⊕ 《過去・過分 strung》; (特にロープを) rope ⊕. 《☞ ぴんと》.　¶ 彼女は 2 本の木の間に物干しのひもを*張った She ˹*strung* [*stretched*] a clothesline between the two trees. // 彼らは入口にロープを*張って入れないようにした (⇒ ロープで仕切った) They *roped off* the entrance.

3 «一面に覆う・満たす»: (凍る) freeze ⊜ ⊕; (氷ができる) form ⊜ ★「氷」が主語; (覆う) cover ⊕; (タイルを) tile ⊕; (水をいっぱい入れる) fill ⊕. 《☞ こおる》.　¶ 湖には氷が*張ってスケートができる The lake *has frozen over* and you can skate on it. // けさは池に氷が*張った Ice *formed* on the pond this morning. // 浴室の床には普通タイルを*張る We usually *tile* bathroom floors. // 風呂桶に水を*張る *fill* a bathtub with water

4 «突き出す»: (広げて突き出す) spréad óut ⊕; (突き出す) púsh óut ⊕; (胸を) thrów [stick] óut ⊕.　¶ ひじを*張らないで (⇒ 突き出さないで) 下さい Don't ˹*spread* [*push; stick*] *out* your elbows. // 彼は威張って胸を*張った He *threw* his chest *out* and put on airs. // 彼は胸を*張って (⇒ 肩を引いて) 深呼吸をした He *drew back his shoulders* and took a deep breath. // 肩を*張る *square one's* shoulders // これは少し値が*張る This is a little *expensive*.

5 «いっぱいになる»: be full 《☞ いっぱい¹; まんぷく¹》.　¶ 腹が*張ってもう食べられない I'*m full* and can't eat any more.

6 «無理に押しとおす»　¶ そんなに意地を*張るな Don't *be* so *obstinate*. // 彼女は見栄を*張って盛装した She dressed herself up to ˹*keep up* [*save*] *appearances*.

はる³ 張る, 貼る (くっつける) put ... on ... 《過去・過分 put》 ★ 広い意味の一般的な言い方で, 以下の語の代わりに使える; (ぴったりと) stick ... on ... 《過去・過分 stuck》; (のりで) paste ⊕; (ポスターなどを) pùt úp ⊕; (びらなどを) post ⊕; (ばんそうこう・膏薬(こう)などを) apply ⊕. 《☞ くっつける》.
¶ 私はその手紙に切手を*はるのを忘れてしまった I forgot to ˹*put* [*stick*] a stamp *on* the letter. 《☞ きって》 // 彼はその切り抜きをスクラップブックに*はった He *pasted* the clipping in his scrapbook. // 彼らは壁にポスターを*はった They *put up* a poster on the wall. // 彼は傷口にばんそうこうを*はった He *applied* a sticking plaster to the wound.

ハル (男性名) Hal ★ Henry の愛称.

バル (女性名) Val ★ Valerie /vǽləri/ の愛称.

-ばる ¶ 彼は角*ばった顔をしている He has a *squarish* face. // この際形式*ばるのはやめましょう Now let's forget about ˹*formality* [*ceremony*]. / Let's not stand on *ceremony*.

パル (仲間) pal Ⓒ.

バルーン (気球) ballóon Ⓒ 《☞ アドバルーン》.

はるか 遥か 1 «距離»: (ずっと遠くに) far ˹away [out]; (かなり距離を置いて) in the distance.　¶ 彼の家はあの丘の*はるか向こうにある His home is *far* (*away*) beyond that hill. // *はるか向こうに (⇒ 遠方に) 飛行機が飛んでいるのが見えた I saw an airplane flying *in the distance*.

2 «時間»: (はるか昔にさかのぼって) far back; (ずっと以前に) a long time ago.　¶ 私がロンドンへ行ったのは*はるか昔のことだ It was *a long time ago* ˹that [when] I went to London. // その話は*はるか昔にさかのぼります The story goes *far back* into the past.

3 «程度»: much, by far. 《☞ ずっと》.　¶ 彼女のデザインのほうが私のより*はるかによい Her design is *much* better than mine. // 2 人のうちでは彼のほうが*はるかに頭がよい He is *by far* the cleverer of the two.

はるかぜ 春風 ☞ はる¹ (春風)

バルカロール barcarole /bάəkəròul/ Ⓒ ★ -rolle とも書く. ベニスのゴンドラ船頭の舟歌.

バルカン バルカン諸国 the Balkans /bɔ́:lk(ə)nz/, the Balkan States　バルカン半島 the Balkan Peninsula.

バルキー ── 形 (かさの大きい) bulky.　バルキーセーター bulky sweater Ⓒ　バルキーニット bulky knit Ⓒ ★ 太い毛糸編み.

バルク (ばら積み貨物) bulk Ⓤ.　バルクカーゴ bulk cargo Ⓤ ★ 穀類・鉱石など.

バルクワイン bulk wine Ⓤ ★ ブレンド用の原料などとして樽詰めで取り引きされるワイン.

バルコニー balcony /bǽlkəni/ Ⓒ.

バルサ 〔植〕 balsa Ⓒ ★ バルサ材の意味では Ⓤ.

パルサー 〔天〕 pulsar /pʌ́lsɑə/ Ⓒ ★ 周期的に電磁波を出す中性子星.

バルザック ── 名 固 Honoré de Balzac /ànəréɪ də bɔ́:lzæk/, 1799–1850. ★ フランスの小説家. Honoré の ´ は綴り本来のもの.

バルサミコ(酢) balsamic vinegar Ⓤ, balsamico Ⓤ ★ ぶどうを原料としたイタリア産の高級食酢.

バルサム (樹脂) balsam Ⓤ ★ バルサムの木という意味では Ⓒ.

はるさめ 春雨 ☞ はる¹ (春雨)

ハルシオン (催眠鎮静薬の商品名) Halcion /hǽlsiàn/ Ⓤ.

ハルシャぎく 波斯菊 〔植〕 golden tickseed Ⓒ.

はるじょおん 春女苑 〔植〕 Philadelphia fleabane Ⓒ.

パルス (脈拍・電波) pulse Ⓒ.　パルス回路 pulse circuit Ⓒ　パルス通信 pulse communication Ⓤ　パルス波 pulse wave Ⓒ.

はるぜみ 春蟬 〔昆〕 spring cicada Ⓒ.

バルセロナ ── 名 固 Barcelona /bὰəsəlóunə/ ★ スペイン北東部の都市.

パルチザン (非正規軍の遊撃隊) partisan, partizan /pάətɪzn/ Ⓒ 日英比較 英語では党や政策などの盲目的支持者の意味でも用いる.

ハルツーム ── 名 固 Khartoum /kaətú:m/ ★ スーダンの首都.

パルテノン ── 名 固 the Parthenon /pάəθənàn/ ★ ギリシャのアテネのアクロポリスの丘にある女神アテナの神殿.

バルト バルト海 the Baltic /bɔ́:ltɪk/ (Séa)　バルト

三国 the Baltic States ★ Esthonia, Latvia, Lithuania から成る.

バルトーク —[名] (固) Béla Bartók /béɪlə bɑ́ːətɑ̀k/, 1881–1945. ★ハンガリーの作曲家. Béla, ó の ´ は綴り本来のもの.

バルトリンせん バルトリン腺 〘解〙 Bartholin's /bɑ́ːəθəlɪnz/ glànd.

バルバドス —[名] (固) (国名) Barbados /bɑəbéɪdoʊs/ ★カリブ海東端の島国.

はるばる 遙遙 —[副] (はるかに; …のコースを全部) all the way 《☞ えんろ》. ¶彼は*はるばる成田から通っている He commutes *all the way* from Narita. // 遠い所を*はるばるお見送りいただきありがとうございます Thank you for coming *all the way* to see me off.

バルビゾンは バルビゾン派 the Barbizon /bɑ́ːəbɪzɑ̀n/ Schòol ★19 世紀中頃のミレー (Millet) などの画家の一派. フランス北部の村の名から.

バルビタール 〘化〙 (鎮静・睡眠剤) barbital [U].

ハルビン 哈爾浜 —[名] (固) Harbin /hɑ́ːəbɪn/ ★中国黒竜江省の省都.

バルブ (弁) valve [C]; (電球) bulb [C].

パルプ (紙・人造繊維などの原料) pulp [U] ★wood pulp とも言う. **パルプ材** pulpwood [U] **パルプマガジン** pulp (magazine) [C] (↔ slick) ★安物のざら紙で印刷された雑誌のこと.

はるまき 春巻き (中国料理の) spring roll [C], 《米》 egg roll [C].

ハルマゲドン 〘聖〙 Armageddon /ɑ̀əməgédn/ ★世界の終末における善と悪の決戦場.

パルミチンさん パルミチン酸 〘化〙 palmitic acid [C].

パルメザンチーズ (イタリア産のチーズ) Parmesan /pɑ́ːəməzɑ̀n/ chéese [U].

パルメット 〘植〙 (小型のヤシ) palmetto [C].

はれ[1] 晴れ **1** 《天候》 —[形] fair (↔ rainy, wet), fine [語法] (1) ほぼ同意に使うが, はっきりと晴天をいうときは前者. 後者は「よい天気」程度の弱い意味; (雲一つなくよく晴れた) clear and bright. —[名] (晴れの天気) fair [fine] weather [U]; (晴れた空) fair skies [語法] (2) このように複数形にするか, あるいは *a* fair sky のように不定冠詞を用いてもよい. 《☞ てんき[1]; はれる[1]》. ¶あすは*晴れだろう The weather will be ˹*fair* [*fine*] tomorrow. ★前者のほうが一般的. / It will be *fine* tomorrow. [語法] (3) 天候を表す文では通例非人称の it を使うことが多い. / (⇒晴れ上がるだろう) It will *clear up* tomorrow. // 《天気予報》 あすは全国的に*晴れるでしょう (⇒あすの予想は晴天) The outlook for tomorrow is for *fair skies* throughout the country. // *晴れのち曇り *Fair*, becoming cloudy.
2 《表立って華やか》 ¶彼女は 12 歳のとき*晴れの初舞台を踏んだ She made a *glorious* debut /déɪbjuː/ when she was twelve.

はれ[2] 腫れ swelling [C] 《☞ はれもの; はれる[2]》. ¶氷で冷やしたら*はれが引いた The ice pack ˹took [brought] the *swelling* down. / (⇒氷のうがはれを減じた) The ice pack reduced the *swelling*. ★第 1 文のほうが口語的. // 私の指の*はれは引いてしまった The *swelling* on my finger has gone ˹away [down].

はれあがる[1] 晴れ上がる clear up (自) 《☞ はれる[1]》.

はれあがる[2] 腫れ上がる swell up (自) 《☞ はれる[2]》.

ばれい 馬齢 (自分の年齢) *one's* age. ¶*馬齢を重ねる (⇒むだに年をとる) grow older without having achieved anything

ばれいしょ 馬鈴薯 potáto [C] 《複 ~es》 《☞ じゃがいも》.

バレエ (舞踊) ballet /bǽleɪ/ [C] ★バレエ一般を指す場合は [U]. **バレエ団** ballet ˹company [troupe /trúːp/] [C] [語法] company のほうが組織だった規模の大きいものを指す. **バレエダンサー** (男女の別なく) ballet dancer [C]; (女性の) ballerina /bæ̀ləríːnə/ [C].

バレー 〘スポ〙 (バレーボール) volleyball [U].

ハレーション 〘写〙 halation /heɪléɪʃən/ [U].

ハレーすいせい ハレー彗星 〘天〙 Halley's /hǽliz/ cómet.

パレード —[名] (示威・祭典などの行進・行列) paráde [C]. —[動] parade (自) (他). ¶労働者たちはメーデーに*パレードをした Workers held a *parade* on May Day. / Workers *marched in a parade* on May Day. // 優勝チームは市の主要道路を*パレードした The championship team *paraded* through the main streets of the city.

バレーボール 〘スポ〙 volleyball /vɑ́libɔ̀ːl/ [U] ★競技用ボールは [C].

はれがましい 晴れがましい (おめでたい) happy; (すばらしい) grand. ¶このような*晴れがましい席でごあいさつできますことは非常に光栄です It's a great honor for me to be able to speak on such a ˹*happy* [*grand*] occasion.

はれぎ 晴れ着 (一番よい服) *one's* best (clothes); (華やかな着物) colorful kimono [C] [語法] 後者は客観的な描写として使い, 「私の晴れ着」などというときには使わない.
¶彼女はその会に*晴れ着を着て出席した She attended the party in *her best* (*clothes*). // 成人の日には*晴れ着を着た娘さんで街が明るくなる The streets become bright with girls wearing *colorful kimonos* on Coming-of-Age Day.

パレス (宮殿) palace [C].

はれすがた 晴れ姿 ¶彼は娘の*晴れ姿を写真に撮った (⇒盛装した娘を撮影した) He took a photograph of his daughter (*dressed up*) *in her best* (*clothes*).

パレスチナ —[名] (固) Palestine /pǽləstàɪn/ ★地中海東岸一帯の地域. —[形] Palestinian /pæ̀ləstíniən/. **パレスチナ解放機構** the Palestine Liberation Organization 《略 PLO》 **パレスチナ解放人民戦線** the Popular Front for the Liberation of Palestine 《略 PFLP》 **パレスチナ人** Pàlestínian [C] **パレスチナ新憲章** the new Palestinian ˹Covenant [Charter] [参考] パレスチナ憲章 the Palestinian (National) ˹Charter [Covenant].

パレストリーナ —[名] (固) Giovanni Pierluigi da Palestrina /ʤoʊvɑ́ːni pjeəlwíːʤi dɑː pæ̀ləstríːnə/, 1525?–94. ★イタリアの作曲家.

はれつ 破裂 —[動] (水道管などが) burst (自) 《過去・過分 burst》; (爆弾などが) explode (自), blów úp (自) ★後者のほうが口語的; (血管などが) 《格式》 rupture (自). —[名] burst [C]; explosion [C]; 《格式》 rupture [C].
【類義語】中からの圧力で破れて裂けるのが ***burst***. 火薬などが爆発したり, 突然壊れて砕け飛び散るのが ***explode***. 血管が破れたり, 交友関係・談判などが決裂するのが ***rupture***. 以上いずれも比喩的な意味では交換して用いることのできる場合が多い. 《☞ ばくはつ》
¶水道管が凍って*破裂した The water pipe *burst* from freezing. // 水道本管の*破裂で通りが水びたしになった A ˹*rupture* [*burst*] in the water main flooded the street. // その建物の前で爆弾が*破裂した A bomb ˹*exploded* [*blew up*] in front of the building. // そんなに風船をふくらますと (⇒風船に空気を入れると) *破裂するぞ If you blow so much air

into the balloon, it will「*burst* [*explode*]. // 彼はかんしゃく玉を*破裂させた (⇒ 怒りで爆発した) He *exploded* with anger.
破裂音 explosive sound Ⓒ; 〖音声〗 plosive Ⓒ.
パレット (画用) pálette Ⓒ; (フォークリフト用の荷台) pallet Ⓒ. パレットナイフ palette knife Ⓒ.
はれて 晴れて (正式に) officially; (公に) publicly. ¶拘留されていた人々は*晴れて自由の身となった The detainees were *formally*「freed [released].
はればれ 晴れ晴れ ―形 (明るい) bright; (快活な) cheerful. ―副 (気分も軽く) in high spirits. 《☞ はれやか》. ¶彼女の顔は*晴れ晴れとしていた (⇒ 明るかった) She had a「*bright* [*cheerful*] face. // 熟睡すると気分が*晴れ晴れする (⇒ 熟睡が気分をさわやかにする) A sound sleep「*refreshes* [will *refresh*] you. // きょうは気分が*晴れ晴れとしない (⇒ 気落ちしている) I「*feel depressed* [*am in low spirits*] today. // 彼は*晴れ晴れした気分で (⇒ 上機嫌で) 部屋から出て行った He went out of the room *in*「*high spirits* [*a good humor*]. 語法 前者のほうが「意気揚々とした気分」の意が強い.
はれぼったい 腫れぼったい (ふくれた) swollen, puffy. 《☞ はれる²》. ¶*はれぼったい目 *puffy* eyes
はれま 晴れ間 (雨の小やみ) lull in the rain Ⓒ; (雲の間の青空) patch of blue sky Ⓒ; (晴れの期間) interval of beautiful weather Ⓒ. 《☞ はれる¹》.
ハレム harem /hé(ə)rəm/ Ⓒ ★ 本来はイスラム教国の婦人部屋または婦人部屋の女性たち, あるいは王族の後宮を意味するが, 比喩的に 1 人の男性を多くの女性が取り巻く場所もいう. 日本語では最後の意味で用いられることが多い.「女性たち」の意では単数形で複数扱い.
はれもの 腫れ物 (はれ上がったものまたは部分) swelling Ⓒ; (皮膚にできる化膿性のできもの) boil Ⓒ; (腫瘍) tumor Ⓒ. 《☞ できもの; はれ²; はれる²》. ¶私は背中に*はれ物ができた I have got a *boil* on my back. / A *swelling* has developed on my back. ★ 第 1 文のほうが口語的. // *はれ物に触るように (⇒ 非常に注意深く) very「cautiously [carefully]
はれやか 晴れやか ―形 (明るい) bright; (陽気で快活な) cheerful; (にこやかで晴れ晴れした) radiant. 《☞ はればれ; はなやか》. ¶*晴れやかな笑顔 a *radiant* smile
バレリー (女性名) Valerie /vǽləri/ ★ 愛称は Val.
バレリーナ (バレエの女性ダンサー) ballerina /bæ̀ləríːnə/ Ⓒ.
はれる¹ 晴れる 1《天気・霧などが》 ―動 (空が晴れる) cléar úp 自; (雨がやむ) stop raining; (霧が) cléar awáy 自, lift 自, disperse 自 語法 clear away は最も普通の言い方. lift は霧が上がってゆく感じで, disperse は散ってゆく感じを表す. 最後の 2 つはやや格式ばった言い方. ―形 (明るい) clear; (雲のない) cloudless. 《☞ はれ¹》.
¶あしたは*晴れると思う I hope「it [the weather] will *clear up* tomorrow. ★ 希望的推量. // 空が*晴れてきた The sky *is clearing*. // 霧は昼までには*晴れるだろう The fog will「*clear away* [*lift*] by noon. // *晴れた夜は星がよく見える We can see the stars easily on a *clear* night.
2《気分が》: (陽気になる) be chéered úp; (気分が一新する) be refreshed. 《☞ はればれ》. ¶運動すれば気が*晴れるよ Exercise will *cheer* you *up*.
3《疑惑が》: (ぬぐい去る) dispel 他 ★ 格式ばった語; (事を明白にする) clear 他; (消える) vanish 自, disappear 自 ★ 前者のほうがやや格式ばった語.
¶私たちの彼に対する疑いはすっかり*晴れた Our doubts about him「*vanished* entirely [*were entirely dispelled*]. ★ 後者のほうが格式ばった言い方. // あなたの容疑が*晴れてうれしい I am glad that you *have been cleared* of the charge(s).
はれる² 腫れる swéll (úp) 自; (はれた状態になる) become swollen. 《☞ はれ²》. ¶蚊に刺されたところが*はれ上がった The mosquito bite *has*「*swollen* [*swelled*] *up*.
ばれる (明るみに出る) còme [be] óut 自; come [be brought] to light ★ 格式ばった言い方; (もれる) léak óut 自; (正体などを見破られる) be fòund óut; (悪事などが見つけられる) be「discovered [disclosed] ★ 後者のほうが格式ばった言い方. 《☞ ろけん; みつかる》. ¶その秘密はすぐに*ばれてしまった (⇒ 明るみに出た) The secret soon「*came out* [(⇒ もれた) *leaked out*]. // 彼がスパイであることが*ばれてしまった It *came*「*to light* [*out*] that he was a spy. // 先生に*ばれないといいんだが (⇒ 先生が知ることのないように望む) I hope the teacher doesn't *find out*. // 悪事は必ず*ばれる Murder will *out*. 《ことわざ: 殺人は必ず露見する》
バレル barrel Ⓒ 《略 bbl., bl.; 複数形は bbls., bls.》.
ハレルヤ hallelujah /hæ̀ləlúːjə/ Ⓒ ★ halleluiah, alleluia ともつづる. 神を賛美する歌・叫び.
はれわたる 晴れ渡る (晴れ上がる) clear up 自. ¶*晴れ渡った空 a *clear* sky / *clear* skies 語法 sky は形容詞が付くと a を付けたり, 複数形になることがしばしばある.
ばれん 馬楝 *baren* Ⓒ; (説明的には) disk-shaped pad for pressing when making a print from a wood block Ⓒ.
バレンシア ―名 固 Valencia /vəlénʃ(i)ə/ ★ スペイン東部の州・その州都. バレンシアオレンジ (木・果実) Valencia orange Ⓒ.
バレンタインデー (聖バレンタインの祝日) St. Válentine's Dày ★ 2 月 14 日, 欧米では男女の別なく愛の告白, 贈り物をする習慣がある. 《☞ ホワイトデー》.
はれんち 破廉恥 ―形 (恥知らずの) shameless; (恥ずべき) shameful 語法 shameless は主に「人」について用い, shameful は「行為」について用いる; (邪悪で不名誉な) infamous /ínfəməs/ ★ 格式ばった語. ―名 shamelessness Ⓤ; shamefulness Ⓤ; infamy /ínfəmi/ Ⓤ.
¶彼は*破廉恥なうそつきだ He is a *shameless* liar. // 彼の*破廉恥な行為は物議をかもした His「*shameful* conduct [*infamous* behavior] aroused criticism.
破廉恥罪 infamous「offense [crime] Ⓒ.
はろう 波浪 (波) wave Ⓒ 《☞ なみ¹》. 波浪注意報 high-sea warning Ⓒ.
ハロウィーン Halloween, Hallowe'en /hæ̀louíːn/ ★ 万聖節 (All Saints' Day) の前夜.
ハローこうか ハロー効果 〖心〗 halo /héɪlou/ effect Ⓤ ★ 1 つの卓越した特質のためにその人物全体の価値を過大評価すること. 威光効果のこと.
パロール 〖言〗 paróle Ⓤ (↔langue).
ハローワーク (公共職業安定所) public employment security office Ⓒ ★「ハローワーク」は愛称で和製英語. 英・米でこれに相当するのは employment agency Ⓒ. 《☞ しょくぎょう(職業安定所)》.
ハロゲン 〖化〗 halogen /hǽlədʒən/ Ⓤ. ハロゲンヒーター halogen heater Ⓒ ハロゲンランプ halogen lamp Ⓒ.
バロック ―形 (バロック式建築・美術・音楽の) baroque/bəróuk/. ―名 the baroque. ¶*バロック音楽 *baroque* music
ハロッズ ―名 固 Harrods ★ ロンドンの代表的な百貨店.

パロディー (もじり文) parody Ⓒ.
バロメーター (気圧計・晴雨計) barometer /bərámətər/ Ⓒ. ¶ 体重は健康の*バロメーターです Your weight is a *barometer* of your physical condition.
ハロルド (男性名) Hárold.
ハロン (長さの単位) furlong Ⓒ ★ 競馬で用い, 1/8 mile＝201.17 m.
パワー ―名 (力) power Ⓤ. ―形 (パワーのある) powerful. (☞ ちから; エネルギー). ¶ ハイ*パワーの high-*powered* // (…に対する) 住民*パワー the neighborhood ⌈*protest* [*action*] (against …)
パワーウインドー (自動車の) power window Ⓒ.
パワーゲーム (権力争い) power game Ⓒ.
パワーショベル 〚土〛 power shovel Ⓒ.
パワーステアリング (自動車の動力操舵装置) power steering Ⓤ.
ハワード (男性名) Howard /háuərd/.
パワートレーニング power training Ⓤ.
パワーブレーキ (自動車の) power brakes ★ 複数形で.
パワーポップ power pop Ⓒ.
パワーポリティックス (権力政治) power politics Ⓤ.
パワーリフティング 〚スポ〛 power lifting Ⓤ ★ ウェイトリフティングの一種.
ハワイ ―名 固 Hawaii /həwáːiː/ (太平洋の島から成るアメリカ合衆国の州). ―形 (ハワイの) Hawaiian /həwáːjən/. (☞ アメリカ (表)).
ハワイ語 Hawaiian Ⓤ **ハワイ諸島** the Hawaiian Islands **ハワイ人** Hawaiian Ⓒ **ハワイ島** Hawaii Island.
ハワイアン ―名 (ハワイ人) Hawaiian Ⓒ; (ハワイの音楽) Hawaiian music Ⓤ. ―形 (ハワイの) Hawaiian. **ハワイアンギター** 〚楽器〛 Hawáiian guitár Ⓒ.

はわたり 刃渡り the length of a blade. ¶ *刃渡り 20 センチのナイフ a knife with a *blade* twenty centimeters long
はん¹ 判 **1** «はんこ» ―名 (印鑑) seal Ⓒ; (ゴム印) stamp Ⓒ 【日英比較】 普通欧米では印鑑の代わりにサインですませるので, 一般の人は印鑑を持っていない. 重要な文書などには seal を使うことがあるが, この場合も溶かした蠟や鉛の上から押す. 日本の印鑑と違って seal は金属製で指輪などに彫られていることが多い. ―動 (判を押す) seal 他, put *one's* ⌈seal [stamp] to … (☞ なついん; いんかん¹).
¶ 日本では署名の代わりに*判が用いられる A ⌈*seal* [*stamp*] is used in Japan instead of a signature. // *判がないときは拇印(ぼ)でよいことがよくある In the absence of a *seal* a thumbprint is often accepted. // 私はその契約書に署名して*判を押した I signed and ⌈*sealed* [*put my seal to*] the contract. // その書類には彼の*判が押してあった The document bore his ⌈*seal* [*stamp*]. // 彼はその質問に対していつも*判で押したように (⇒ 正確に) 同じ答えをする He repeats *exactly* the same answer to that question.
2 «紙のサイズ»: size Ⓒ (☞ ばん³). ¶ B5 *判の紙 B5(-*size*(*d*)) paper // A3 *判まで印刷できるプリンター an A3-capable printer
はん² 半 (半分) half; (大半・ほとんど) almost. (☞ はんぶん; はんはん).
¶ 9 時*半です It is nine-*thirty*. / It is *half* past nine. ★ 第 1 文のほうが一般的. (☞ 時刻・日付・曜日 (囲み)) // 私は*半時間待った I waited (for) ⌈*half* an hour [a *half* hour]. 【語 法】 (1) a half hour の語順は特に《米》に多いが, 《米》《英》ともに half an hour が普通. // 彼は 2 時間*半しゃべった He talked for ⌈two hours and a *half* [two and a *half* hours]. 【語 法】 (2) 前者のほうがよく用いられる. // 家から駅まで 1 キロ*半ある The station is one and a *half* kilometers from my house. // 缶ビール*半ダース *half* a dozen cans of beer
はん³ 版 (刊行) edition Ⓒ; (印刷) impression Ⓒ, printing Ⓒ; (版木) block Ⓒ; (印刷に使う金属版) plate Ⓒ.
【類義語】 改訂・増補または判型・定価などの変更によって新しくなるのが *edition* で, 多少字句の変更はあるものの元の版のまま印刷するのが *impression*. 従って同一の *edition* の中に複数の *impression* があり得る. *printing* はこの両方を含む場合がある. 専門用語では *edition* を「版」, *impression* を「刷(す)」と呼び分けることもある (☞ しょずり).
¶ その本の最初の*版は 6 *版[刷]を重ねた The first *edition* of the book ⌈went through [ran into] six ⌈*printings* [*impressions*]. // 私はその本のペーパーバック*版を持っている I have a paperback *edition* of the book. 【語 法】 この場合 impression は使えない. // その本の新しい*版はもうすぐ出ます A new *edition* of the book will soon come out. / The book will soon come out in a new *edition*.

―コロケーション―
改訂版 a revised *edition* / **限定版** a limited *edition* / **豪華版** a deluxe *edition* / **縮約版** an abridged *edition* / **初版** a [the] first *edition* / **ハードカバー版** a hardcover *edition* / **ポケット版** a pocket *edition* / **廉価版** a low-cost [cheap; popular] *edition*

はん⁴ 班 (ある目的をもって行動する) squad Ⓒ; (組) group Ⓒ. (☞ くみ; だん²). ¶ 救護*班 a rescue *squad*
はん⁵ 範 (例) example Ⓒ; (模範) model Ⓒ. (☞ てほん). ¶ *範を垂れる set an *example* (to [for] …) // …に*範をとる take … as *one's model* // …に*範をとって after the *model* of …
はん⁶ 藩 (feudal) clan Ⓒ; (領地) (feudal) domain Ⓒ. ¶ 会津*藩 the Aizu *Clan*
はん-¹ 反… ―接頭 anti- /æntaɪ, -ti/ (↔ pro-) (☞ はんたい). ¶ *反主流派 an *anti*-mainstream faction // *反体制運動 an *anti*-Establishment movement // 我々は島の海岸を*反時計回りにまわるルートを選んだ We took ⌈an *anticlockwise* [《米》 a *counterclockwise*] route around the coast of the island.
はん-² 汎… ―接頭 pan- ★ 固有名詞またはその形容詞に付くときは大文字で始まる. ¶ *汎イスラム主義 *Pan*-Islamism // *汎アメリカ主義 *Pan*-Americanism // *汎太平洋会議 the *Pan*-Pacific Conference
-はん …犯 ¶ 殺人*犯 murderer // 初*犯 a first ⌈*offense* [《英》 *offence*] // 彼は窃盗罪で前科 3 *犯である He has three previous *convictions* for theft. / He *has been* previously *convicted* three times for theft. (☞ ぜんか¹)
ばん¹ 晩 evening Ⓒ; night Ⓒ.
【類義語】 日没から寝るころまでの, 人が起きて活動している間を指すのが *evening*. 日が没してから再び日が昇るまでの暗い時間すべて, もしくは就寝の時刻に近い遅い時刻から明け方までの間を指すのが *night*. (☞ よる¹; 時刻・日付・曜日 (囲み))
¶ *晩になった *Evening* came. / *Evening* set in. / *Night* fell. ★ 後のものほど格式ばった表現となる. // 私たちはその*晩はそこに泊まった We stayed there for the *night*. // 私はいつも*晩に散歩をします I usually take a walk *in the evening*. // 今*晩お食事に

いらっしゃいませんか Will you come and dine with us this *evening*? ［語法］(1) this [tomorrow; yesterday] evening (今晩 [明晩, 昨晩]) のような場合は前置詞は付けない. 《☞ あさ¹ ［語法］》// 今*晩[あしたの*晩]映画に行かないか How about going to the movies ˹*tonight* [tomorrow *night*]? ［語法］(2) 食事をするころはまだ evening, つまりまだ皆が起きて活動している時刻であるから night を用いないのが普通である. しかし「映画に行く」「ダンスに行く」などは食事を済ませてから行くのであれば, かなり夜も更けてきたころと考えられるから night を用いるのが普通. night は夜の暗さを連想させる. // 土曜の*晩におじに会った I met my uncle *on* Saturday *evening*. ［語法］(3) 定まった日付の晩には on を用いる. 《☞ あさ¹ ［語法］》// 彼女は一*晩中ほとんど一睡もしなかった She hardly slept a wink all *night*. 《☞ ひとばん》

ばん² 番 **1** «順番»: ... 's turn Ⓒ; (前後の順) order Ⓤ. 《☞ じゅん¹; じゅんばん; じゅんじょ》.
¶「今度はだれの*番ですか」「私の*番です」"Whose *turn* is it?" "It's ˹my *turn* [*mine*]." ［語法］my, your などのところを強く発音する. // あなたの*番が来たら教えてあげます When your *turn* comes, I'll let you know. // 今度はあなたが発言する*番だ It's your *turn* to speak. // *番が狂ってしまった The *order* is wrong. ★ is は「状態」を表す.
2 «順序» ¶「彼はクラスで何*番ですか」「1 *番です」"What is his ˹class *standing* [*standing* in class]? / Where does he *stand* in his class?" "He *is* ˹*first* in his class [(⇒ トップにいる) *at the top of* his class]." 《☞ いちばん; 数字 (囲み)》// 彼は 3 *番目に来た He was the *third* to come. // 右から 2 *番目が彼の娘さんだ The *second* girl from the right is his daughter. 《☞ にばん》// あなたは前から何*番目の席ですか (⇒ あなたの前に幾つの席があるか) How many seats are there in front of you? ［参考］「何番目」という決まった言い方は英語にはない.
3 «見張り» ── 動 (見張る) watch (over) ⊕, keep watch over ..., 《略式》keep an eye on ...; (警戒・監視する) guard ⊕. ── 名 (監視) watch Ⓤ; (警戒) guard Ⓤ. 《☞ みはり; かんし¹; みはる》.
¶この犬は羊の*番ができる This dog can ˹*keep watch over* [*watch over*] sheep. // 私が店の*番をします I'll ˹*tend* [*mind*; *watch* (*over*)] the ˹store [shop].
4 «番号»: number Ⓒ 《略 No., no., n.》《☞ ばんごう》. ¶「あなたの席は何*番ですか」「6 *番です」"What's your seat *number*?" "It's *no.* 6." // 私は 3 *番の問題が解けなかった I couldn't solve ˹the *third* problem [problem *no.* 3]. // 3 *番勝負をする play a three-*game* match

ばん³ 判 (大きさ) size Ⓤ; (本の判型) format Ⓒ. 《☞ はん¹ 2》. ¶彼女は大*判のスケッチブックを持っている She has a large(-*sized*) sketchbook. // A4 *判の用紙 a ˹sheet [piece] of A4(-*size*(*d*)) paper

ばん⁴ 万 ¶*万やむを得ない事情により会議は中止になった The meeting was canceled due to ˹*unavoidable circumstances* [(⇒ どうにもならない事情で) *circumstances beyond our control*].

ばん⁵ 盤 (ゲームなどの) board Ⓒ. ¶チェス*盤 a chess*board* // レコード*盤 a *disc*

バン (自動車の種類) van Ⓒ; (商用の) delivery van Ⓒ.

パン¹ (食パン) bread Ⓤ ［参考］日本語の「パン」はポルトガル語の pão から; (ロールパン) roll Ⓒ; (干しぶどうなどの入った菓子パン) bun Ⓒ; (トースト) toast Ⓤ. ［語法］パンの数え方: 食パン 1[2]斤は a loaf [two loaves] of bread. 薄く切ったものは a slice [two slices] of bread または a piece [two pieces] of bread. roll や bun は a roll [two rolls], a bun [two buns]. 《☞ 数の数え方 (囲み)》.

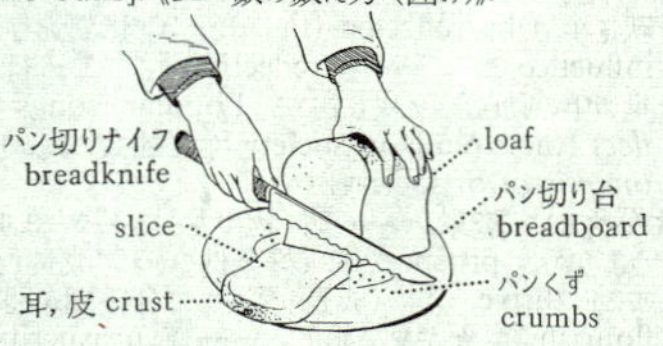

¶彼女は*パンをオーブンで焼いた She baked some *bread* in the oven /ʌ́vən/. //「*パンを 1 斤下さい」「お切りしますか」「お願いします」"I want a loaf of *bread*." "Do you want it sliced?" "Yes, please." // あと 2 枚*パンを焼いて下さい Please toast two more slices of *bread*. // 私は自分の*パンにバターを塗った I spread butter on my *bread*. / I spread my *bread* with butter. / I buttered my *bread*. // 人は*パンだけで生きるものではない Man ˹doth [shall] not live by *bread* alone. ★ 聖書の言葉. // 朝はご飯ではなく*パン食にしています I eat *bread* rather than rice for breakfast. / (⇒ 洋風の朝食をとる) For breakfast we have *western-style foods* rather than Japanese-style ones. // あん*パン ☞ 見出し // 菓子*パン a sweet ˹*roll* [《英》*bun*] // ジャム*パン a jam *bun* // 食*パン ☞ 見出し // クリーム*パン a cream *bun* // 黒*パン brown *bread* // チョコレート*パン a chocolate *bun* // ぶどう*パン raisin *bread* // フランス*パン ☞ フランス (フランスパン)
パンくず[粉] (bread) crumbs /krʌ́mz/ ★ 通例複数形で. **パン種** yeast Ⓤ **パンの皮** crust Ⓒ **パンの木** 〘植〙 breadfruit (tree) Ⓒ **パンの耳** crust Ⓒ **パン屋** (店) bakery Ⓒ; (人) baker Ⓒ **パン焼き職人** baker Ⓒ.

パン² ── 名 (映画などでカメラを左右・上下に動かすこと) pan Ⓒ. ── 動 pan ⓐ ⊕. ¶彼はゆっくりと群衆を*パンした He *panned* ˹across [over] the crowd slowly.

パン³ ── 名 固 Pan ★ ギリシャ神話の牧神.

はんあい 汎愛 philanthropy Ⓤ 《☞ はくあい》.
汎愛主義 philanthropism Ⓤ **汎愛主義者** philanthropist Ⓒ.

バンアレンたい バンアレン帯 the Van Allen (radiation) ˹belt [layer] ★ 地球の大気圏の外側をドーナツ状にとりまく放射能帯.

はんい¹ 範囲 (何かが及ぶ最大限の範囲) range Ⓒ ★ 最も一般的な語; (知識・活動などの) scope Ⓤ, sphere /sfíə/ Ⓒ ［語法］前者が一般的. 後者は「領域」というニュアンスが強い; (程度・限度) extent Ⓒ ★ 単数形で; (限られた範囲) limits ★ 複数形で; (境界線) boundary Ⓒ.
¶私たちの知識の*範囲は限られている The ˹*scope* [*sphere*] of our knowledge is limited. // 彼の勢力*範囲はどのくらいか How wide is his ˹*sphere* [*range*] of influence? // それは人間の知識の*範囲を越える It's beyond the ˹*boundary* [*limits*] of human knowledge. // この法律は適用*範囲が広い (⇒ 広い適用を持つ) This law has wide *application*(*s*). // 試験の*範囲は 15 ページから 50 ページまでです (⇒ カバーする) The examination *covers* pages fifteen ˹to [through] fifty.

はんい² 犯意 criminal intent Ⓤ.
はんい³ 叛意 disloyal intent Ⓤ.
はんいご 反意語 opposite Ⓒ, ántonỳm Ⓒ ★ 後者のほうが格式ばった語. 《☞ 反意語 (巻末)》.
はんいんよう 半陰陽 〘生〙 hermaphroditism Ⓤ, hermaphrodism Ⓤ. **半陰陽児[者]** hermaphrodite Ⓒ.
はんうちゅう 反宇宙 〘物理〙 anti-universe Ⓒ.

はんえい[1] 反映 ―[動]（反映する）reflect (他);（反映される）be reflected (in …);（…に影響を与える）influence (他). ―[名] reflection [U]. ¶流行歌は世の中の動きを*反映している Popular songs ˹*reflect* (the) trends in society [(⇒社会の鏡だ) are *the mirror* of society].

はんえい[2] 繁栄 ―[動]（物事が引き続き, ますますうまくいく）prosper (自);（好条件のもとで成長・発達する）thrive (自);（成長・発達して全盛期を迎える）flourish (自) ★ やや文語的. ―[名] prosperity [U]. 《☞さかえる》.

はんえい[3] 半影 〘天〙penumbra [C]《複 ～s, penumbrae》.

はんえいきゅうてき 半永久的 ―[形]（ほとんど永久的な）semipermanent.

はんえり 半襟 fancy collar on a woman's kimono undergarment [C]《☞えり》.

はんえん 半円 ―[名] sémicircle [C]. ―[形]（半円の）sèmicírcular.

はんおん 半音 〘楽〙sémitòne [C]. **半音階** chromatic scale [C].

はんか[1] 反歌 *tanka*, a Japanese 31-syllable poem, which summarizes and concludes a long poem [C] ★ 説明的な訳.

はんか[2] 販価, 頒価 ☞はんばい(販売価格)

はんが 版画 print [C] ★ 最も一般的な語;（木版画）woodblock (print) [C], woodcut [C];（銅版画）etching [C];（リトグラフ・石版画）lithograph [C].

ばんか[1] 晩夏 late summer [U]《☞なつ》.

ばんか[2] 挽歌 （死者を悼む哀歌）elegy [C];（葬送歌）dirge [C].

ハンガー （洋服掛け）hanger /hǽŋə/ [C]. **ハンガーボード**（全面に穴のあいたパネル）perforated board [C], perfboard [C].

バンカー[1] 〘ゴルフ〙《米》sand trap [C], bunker [C].《☞ゴルフ(挿絵)》.

バンカー[2] （銀行家）banker [C].

ハンガーストライキ hunger strike [C]《☞ハンスト》.

バンカーバスター （地中貫通爆弾）Bunker-Buster [C].

はんかい[1] 半開 ―[形] half-open.

はんかい[2] 半壊 ―[動] be partially destroyed《☞はかい》.

はんかい[3] 半解 half-knowledge [U];（表面的な知識）superficial knowledge [U]. ¶半知[一知]*半解の知識 *skin-deep* knowledge

ばんかい 挽回 ―[動]（損失を償う）recover (他);（元の形に戻す）restore (他) ★ 格式ばった語;（信用・名誉を）retrieve (他);（追いつく）catch up (with …) (自). ―[名] recovery [U]; restoration [U]; retrieval [U].《☞とりかえす》. ¶彼らが名誉を*挽回するには時がいる It will take time for them to ˹*restore* [*recover*; *retrieve*] their ˹honor [reputation]. // 9回に3点*挽回した（⇒3点入れて追いついた）We *caught up* by scoring three points in the ninth inning. // 退勢を*挽回する *improve* [*recover from*] the ˹difficult [worsening] situation

ばんがい 番外 ―[名]（余分のもの）extra [C]. ―[形] extra;（追加の）additional. **番外地**（番地のない所）location without an address [C], non-address-designated land [U];（細分されていない土地）unsubdivided land [C].

はんがえし 半返し ―[動] send a return gift of about half the amount of a monetary gift received (at a wedding or funeral) ★ 説明的な訳.《☞おかえし》.

はんかがい 繁華街 （盛り場・娯楽街）amusement area [C], entertainment ˹district [quarter] [C];（商業地区）shopping area [C];（都心部の商業地区）downtown [C],《英》high street [C].

はんかく[1] 反核 ―[形] antinuclear,《略式》antinuke. ¶*反核デモ an *antinuclear* demonstration **反核運動** antinuclear movement [C].

はんかく[2] 半角 ―[形]〘コンピューター〙(1バイトの) single-byte;（アスキー文字の）ASCII /ǽski:/ [参考] ASCII は *A*merican *S*tandard *C*ode for *I*nformation *I*nterchange（情報交換用米国標準コード）の略で, このコードでの1バイト文字セットの文字を ASCII character という; 〘印〙en, nut. ―[名]〘印〙(半角の幅) en [C]. ¶*半角のダッシュ an *en* [a *nut*] dash **半角文字**〘コンピューター〙single-byte [ASCII] character [C].

はんがく 半額 ―[名]（定価の半分）half (the) price;（乗り物の運賃など）half (the) fare;（入場料など）half-rate [C]. ―[副] at half (the) price.《☞はんね》. ¶これは*半額で買った I bought this *at* ˹*half* (*the*) *price* [(⇒5割引きで) *a 50 percent discount*]. // 小学生は*半額です Schoolchildren are charged *half-price*.

ばんがく 晩学 ―[動]（勉強を晩年になってからはじめる）start learning late in life.

はんかくめい 反革命 còunterrèvolútion [C]. **反革命運動** counterrevolutionary movement [C] **反革命主義者** counterrevolutionist [C].

はんかこ 半過去 （習慣・継続を表す過去時制）〘文法〙the imperfect tense.

ばんがさ 番傘 *bangasa* [C];（説明的には）oiled-paper umbrella [C] ★ 油紙を用いた傘の意.

はんがた 判形, 判型 format [C].

ばんがた 晩方 ☞ばん[1]

ハンカチ handkerchief /hǽŋkətʃɪf/ [C]《複 ～s, -chieves》. ¶彼女は*ハンカチで鼻をかんだ She blew her nose in her *handkerchief*.

ばんかつ 盤割 〘生〙discoidal cleavage [U].

はんかつう 半可通 （底の浅い知識）superficial knowledge [U];（特に言葉についてのわずかな知識）a smattering ★ a をつけて;（人）smatterer [C].

ばんカラ 蛮カラ ―[形] rough and unrefined.

ハンガリー ―[名](固) Hungary /hʌ́ŋg(ə)ri/;（正式名）the Republic of Hungary. ―[形]（ハンガリーの）Hungarian /hʌŋgé(ə)riən/. **ハンガリー語** Hungarian [U] **ハンガリー人** Hungárian [C].

バンガロー （ベランダのある別荘風の木造平屋）búngalòw [C];（小さな山小屋）cabin [C].

はんかわき 半乾き ―[形] half-dried.

はんかん[1] 反感 （嫌悪感）antípathy [U];（悪感情）ill feeling [U] ★ 前者より口語的. 意味が広いのでややあいまい;（敵意）hostility [U]. ¶私のスピーチは彼らの*反感を買った My speech ˹provoked [roused] their ˹*antipathy* [*hostility*]. / (⇒感情を害した) My speech *offended* them. ★ 第1文のほうが格式ばった表現.

はんかん[2] 反間 spy [C]. ¶*反間の計 counterespionage《☞ぼうちょう[3]》

はんかん[3] 繁簡 ¶*繁簡よろしきを得た comprehensive yet compact

はんがん 半眼 ¶*半眼で見る see *with half an eye*

ばんかん 万感 ¶それを見て*万感胸に迫った（⇒非常に感動した）I *was greatly* ˹*touched* [*moved*] at the sight. **万感交(こもご)も到る** Various emotions ˹arise [well up] in me.

はんかんせいゆ 半乾性油 〘化〙semidrying oil [U].

はんかんはんみん 半官半民 ―[形] semigovernmental. ¶それは*半官半民の会社です It's a *semigovernmental* corporation.

はんがんびいき 判官びいき ☞ほうがんびいき
はんき¹ 半期 ―名 (1期の半分) half ˹term [period] Ⓒ; (1年の半分) half year Ⓒ; (2学期制の1学期) semester Ⓒ. ―形 half-yearly, semiannual ★ 後者のほうが格式ばった表現. 《☞かみはんき》. ¶ 下*半期は上*半期よりずっとよかった We did much better in the ˹second [latter] *half of the year* than in the first *half*. **半期決算** half-yearly closing account Ⓒ, semiannual settlement Ⓒ. ¶ これが*半期決算書です This is the statement of the ˹*half-yearly* [*semiannual*] *closing accounts*.
はんき² 半旗 flag at half-mast Ⓒ. ¶ *半旗をかかげる fly [display] a *flag at half-mast* // 旗は死者への弔意を表して*半旗だった The *flag* flew *at half-mast* as a mark of respect for the dead.
はんき³ 反旗, 叛旗 **反旗を翻す** (反乱を起こす) rise (against ...) ⓐ, revolt (against ...) ⓐ ★ 前者のほうが口語的; (武装する) take up [be up in] arms (against ...). 《☞はんらん¹》. ¶ 農民は地主に*反旗を翻した The farmers ˹*rose* (*in revolt*) [*revolted*] *against* the landlords. // 彼らは銃を取り独裁者に*反旗を翻した (⇒ 武装して立ち上がった) They ˹*took up* [*were up in*] *arms against* the dictator. 語法 [ ] 内は「状態」を表す.
はんき⁴ 半季 (半年) half a year; (四季の各季節の半分) half a quarter.
はんぎ 版木 (木版画を刷るための) (printing) block Ⓒ ★ 一般的な語; (すでにデザインや絵などが彫ってあるもの) woodcut Ⓒ.
ばんき¹ 晩期 ☞まっき; ばんねん
ばんき² 万機 (天下の政事) all state affairs ★ 複数扱い. ¶ *万機公論に決す可し (⇒ 天下の政治は世論に従って決定せよ) *All* ˹*state* [*governmental*] *affairs* should be decided by public opinion.
ばんぎ 板木 (たたいて合図する板) thwacking board Ⓒ.
バンギ ―名 ⓐ (中央アフリカ共和国の首都) Bangui /bɑːŋgíː/.
はんぎご 反義語 ☞はんいご
ばんきしゃ 番記者 (担当専属記者) beat reporter Ⓒ; (説明的には) reporter assigned to exclusively cover a particular ˹person [group] Ⓒ.
はんきせい 半寄生 〖生〗 hemiparasitism /hèmɪpǽrəsàɪtɪzm/ Ⓤ, semiparasitism Ⓤ. **半寄生生物** hemiparasite Ⓒ, semiparasite Ⓒ.
はんぎゃく 反逆 ―名 (反逆(罪)) treason Ⓤ; (反乱) revólt Ⓒ; (規模が大きく長期にわたる反乱) rebéllion Ⓒ. ―動 rise (against ...) ⓐ, rise in revolt ⓐ, revolt (against ...) ⓐ, rebel (against ...) ⓐ ★ 最初の(表現)が最も口語的; (陰謀を企てる) conspire (against ...) ⓐ. ―形 rebellious. 《☞はんき³; はんらん¹》.
¶ それは*反逆行為だ It's an act of *treason*.
反逆罪 treason Ⓤ **反逆児** rebellious person Ⓒ **反逆者** traitor Ⓒ **反逆心** rebellious spirit Ⓒ.
はんきゅう¹ 半球 hemisphere /héməsfɪə/ Ⓒ. ¶ 北[南]*半球 the ˹Northern [Southern] *Hemisphere* **半球形** ―名 (半球体) hemisphere Ⓒ. ―形 hemispheric(al).
はんきゅう² 半弓 small bow Ⓒ.
はんきゅう³ 半休 (半日が休みの日) half(-)day Ⓒ, half(-)holiday Ⓒ; (商店などの) early closing (day) Ⓒ.
ばんきょ 盤踞 ―動 (繁茂する) be rampant; (支配的である) be dominant; (よく育つ) thrive ⓐ. 《☞はびこる》.
はんきょう¹ 反響 (反応) response Ⓒ; (大評判) sensation Ⓒ; (大規模な影響) 《格式》 repercussion Ⓒ 語法 あまり好ましくない影響を示し, 通常複数形で用いる.
¶ 私の投書には多くの*反響があった There were many *responses to* my letter to the editor. / My letter to the editor has ˹received [elicited] many *responses*. ★ 第1文のほうが平易な表現. // 彼の発言は広く*反響を呼び起こした His words have ˹created a *sensation* [had wide *repercussions*].
はんきょう² 反共 ―形 anti-Communist.
はんきょうらん 半狂乱 (半ば狂って) half crazed 《☞きょうらん¹》.
はんぎょく 半玉 (見習いの芸者) apprentice geisha Ⓒ.
はんきれ 半切れ half-slice Ⓒ, half-piece Ⓒ ★ 単数は《英》では half a slice, half a piece のほうが好まれる.
はんきん 半金 half the total ˹amount [sum].
ばんきん¹ 板金 sheet metal Ⓤ. **板金加工** sheet metal processing Ⓤ **板金工** sheet metal worker Ⓒ.
ばんきん² 万鈞 (きわめて重いこと) great weight Ⓤ. **万鈞の重み** ¶ 彼女の意見は彼らにとって*万鈞の重みをもつ Her remarks carry *great weight* with them.
ハンギングバスケット (吊り花籠) hánging básket Ⓒ.
ハンク (男性名) Hank /hǽŋk/ ★ Henry の愛称.
バンク bank Ⓒ 《☞ぎんこう¹》. ¶ アイ*バンク an eye *bank* // 人材*バンク an employment [a placement] *agency* **バンクローン** bank loan Ⓒ.
パンク **1** 《タイヤの》 ―名 (一般的に) flat ˹tire [《英》tyre] Ⓒ ★ 《米》では単に flat Ⓒ と言うことが多い; (走行中などのタイヤのバースト) blowout Ⓒ. ―動 (パンクする) have [get] a flat (tire) ★「人」を主語とするが, get のほうが have よりくだけた言い方; (パンクさせる) blow a tire 語法「自動車」などを主語とする.
¶ 途中で私たちの車が*パンクした We *had a* ˹*flat tire* [*puncture*] on the way. ★ [ ] 内は釘などによるパンク. // 彼らの車は前のタイヤが*パンクした Their car *blew a* front *tire*. // *パンクを直す fix a *flat* (*tire*)
2 《集中しすぎて機能が失われること》 ¶ 電話回線が*パンクした The telephone lines *have broken down*. // その国の財政状態は*パンク寸前である The country's finances are on the verge of *collapse*.
3 《音楽・ファッションなどの》 ―形 punk.
パンクファッション ¶ *パンクファッションの若者 young people *in punk clothes* **パンクロック** punk rock Ⓤ.
ハングアップ 〖コンピューター〗 ―動 crash ⓐ, hang up ⓐ. ―名 crash Ⓒ, hang-up Ⓒ. ¶ コンピューターが*ハングアップした The computer *has* ˹*crashed* [*hung up*].
バンクーバー ―名 ⓐ Vancóuver ★ カナダ南西部の港湾都市.
ハンググライダー 〖スポ〗 hang glider Ⓒ.
ばんぐせつ 万愚節 ☞エープリルフール
パンクチュアル ―形 (時間厳守の) punctual.
パンクチュエーション ☞句読点 (巻末)
はんぐみ 版組み ☞くみはん
ばんぐみ 番組 program Ⓒ; (ショーなど) show Ⓒ. 《☞プログラム; ほうそう¹》.
¶ この*番組は毎週水曜日午後6時から放送される This *program* is broadcast from 6 P.M. every Wednesday. ★ ラジオにもテレビにも使える. // 私はいつもその*番組を見て[聞いて]いる I always ˹watch [listen in to; tune in to] the *program*. ★ watch はテレビ, listen in to, tune in to はラジオ. / (⇒ 聞き[見]逃したことがない) I have never missed the *program*. // 30分[1時間]*番組 a thirty-minute [an

hour-long] *program*
番組編成 program(m)ing Ⓤ (☞ へんせい¹).

コロケーション
過激な番組 a radical *program* / 画期的な番組 a groundbreaking *program* / 教養番組 an educational *program* / 視聴者参加番組 a 「call-in [(英) phone-in] *program* / 創造的な番組 a creative *program* / 楽しい番組 a delightful *program* / 生番組 a live *program*

バングラデシュ ―名 固 Bangladesh /bàːŋglədéʃ/; (正式名) the People's Republic of Bangladesh. ―形 Bàngladéshi /-déʃi/. バングラデシュ人 Bangladeshi Ⓒ.

ハングリー ―形 (飢えた・渇望した) hungry (for ...); (強く望む) strongly desirous (of ...). ¶名声に*ハングリーである be *hungry* for fame ハングリースポーツ hungry (fighter's) sport Ⓒ ハングリー精神 (強い動機づけ) strong motivation Ⓤ; (積極的な野望) aggressive ambition Ⓤ.

ハングル (韓国・朝鮮語の表音文字) the 「Hángul /háːŋguːl/ [Hánkul /háːŋkʊl/] alphabet, the Korean alphabet. ハングル文字 Hangul character Ⓒ.

ばんくるわせ 番狂わせ ―名 (意外な勝敗) úpsèt Ⓒ; (意外な結果) surprise Ⓒ; (予想しない結果) unexpected result Ⓒ. ―動 (番狂わせになる) come as a surprise 自; (番狂わせにする) ùpsét 他.

はんグローバリズム 反グローバリズム (反世界化) antiglobalism Ⓤ, antiglobalization Ⓤ. ¶*反グローバリズム活動グループ an *antiglobalization* group

パンクロマチックフィルム 〔写〕 panchromatic film Ⓒ, (略式) pan film Ⓒ.

はんぐん 反軍 ―形 (軍部に反対の) antimilitary; (反戦の) antiwar. (☞ はんらん¹ (反乱軍)).

はんけい¹ 半径 radius /réɪdiəs/ Ⓒ (複 radii /-diàɪ/, ~es) (☞ えん³ (挿絵)). ¶*半径 5 センチの円 a circle with a *radius* of five centimeters // ...から*半径 5 マイル以内 within a *radius* of five miles of ... // 行動*半径 the *radius* of action

はんけい² 判型 format Ⓒ (☞ ばん³; はんがた).

パンケーキ (薄いホットケーキ) pancake Ⓒ ★ 料理名としては Ⓤ. (英) では非常に薄く, (米) の crepe に相当するものをいう; (固形おしろいの一種) Pan-Cake Ⓤ ★ 商標名. 個々にいうときは Ⓒ.

はんげき 反撃 ―動 (一般に) cóunterattàck 自, make a counterattack; (争いごと・戦争などで) fight [strike] back 自 ★ 口語的表現. fight のほうが一般的. ―名 cóunterattàck Ⓒ, counteroffensive Ⓒ ★ 前者のほうが一般的. 後者は軍事関係の語. (☞ ぎゃくしゅう).
¶そのチームは 1 回戦に敗れたが, 2 回戦では*反撃に出た The team was defeated in the first round, but launched a *counterattack* in the second. // *反撃の用意はできている We are ready to 「*fight* [*strike*] *back* now.

はんげしょう 半夏生 〔植〕 lizard's tail Ⓒ.

ハンケチ ☞ ハンカチ

はんけつ 判決 ―名 (特に裁判の) ruling Ⓒ, (court) decision Ⓒ ★ 前者のほうが一般的; (一般的な判断も含めて) judgment [(英) judgement] (of the court) Ⓤ; (刑の宣告) sentence Ⓒ. ―動 (刑を宣告する) sentence 他; (判決を下す) rule 自 他 ★「裁判所」(court) を主語として; (決定する) decide 他 自 **語法** (1) 一般的に「決める」ことを言う意味の広い語なので, 裁判の判決であることを言うには前後関係がはっきりしている必要がある; (判断を下す) pass [give] judgment (on ...) **語法** (2) 裁判以外の判断についても使える. (☞ せんこく¹).
¶*判決はあす言い渡される The 「*ruling* [*decision*; *judgment*] (*of the court*) will be 「delivered [given] tomorrow. ★ given のほうが口語的. / The court will *rule* tomorrow. // 被告は有罪の*判決を受けた The accused *has been found guilty*. ★ find ... 「guilty [not guilty] は「...を有罪 [無罪] とする」の意味. // 被告は懲役 15 年 [終身刑] の*判決を受けた The accused *was sentenced* to 「fifteen years' [life] imprisonment. // *判決文を読みあげる read out the *decision* 判決主文 the text of a judgment (☞ しゅぶん) 判決書 decision Ⓒ 判決理由 reasons for judgment.

はんげつ 半月 half-moon Ⓒ; (三日月) créscent Ⓒ. (☞ つき¹ (挿絵)). 半月切り (切った一片) half-moon Ⓒ, semicircular slice Ⓒ.

バンケット (宴会) banquet Ⓒ.

はんげつべん 半月弁 〔解〕 (心臓の) semilunar valve Ⓒ.

はんけん¹ 版権 ―名 copyright Ⓒ. ―動 (版権を得る) copyright 他. ¶だれが*版権を持っているのですか Who 「has [owns] the *copyright*? ★ own のほうが格式ばった語. 版権所有者 copyright holder Ⓒ 版権侵害 infringement of copyright Ⓒ; (海賊行為) (literary) piracy Ⓤ.

はんけん² 半券 (入場券の) stub Ⓒ; (荷物の) tally Ⓒ.

はんげん¹ 半減 ―動 (半減させる) cut [reduce] ... 「by [to] half ★ cut のほうが口語的; (2 等分する) halve /hǽ(ː)v/ 他. ¶ルーブルの価値が*半減した The value of the ruble *has been* 「*cut* [*reduced*] 「*to* [*by*] *half*. / The ruble has *dropped in value by* 50 *percent*. 半減期 〔物理〕 half-life Ⓒ (複 half-lives).

はんげん² 半舷 the 「port [starboard] watch. 半舷上陸 half watch ashore ★ 集合的.

ばんけん 番犬 watchdog Ⓒ.

はんげんし 反原子 〔物理〕 antiatom Ⓒ.

はんこ 判子 (印鑑) seal Ⓒ; (ゴム印) stamp Ⓒ. (☞ はん¹; いんかん¹ 日英比較). ¶彼はその文書にしっかりと*はんこを押した He 「put [affixed; stamped] his *seal* firmly to the document.

はんご 反語 ―名 (皮肉) irony /áɪ(ə)rəni/ Ⓤ; (修辞疑問) rhetórical quéstion Ⓒ. (☞ 修辞疑問 (巻末)). ―形 (反語的) ironic, irónical. ―副 (反語的に) ironically.

ばんこ 万古 ¶*万古不易の (⇒ 永遠の) 真理 *eternal* truths

パンこ パン粉 ☞ パン¹ (パンくず[粉])

はんこう¹ 犯行 crime Ⓒ, offense ((英) offence) Ⓒ.

【類義語】法律に違反する罪は *crime*. *offense* はもっと意味が広く, *crime* も含めて, 法律・道徳・慣習などの違反をすべて意味する. なお, 以上のほかに, 文脈の上で, 犯行の内容が「盗み」,「殺人」などであれば, それぞれの場合に従って, the theft, the murder など定冠詞を付けて言うことも多い. (☞ つみ¹ (類義語)) ¶彼は*犯行を自供した He confessed his *crime*. // 被告人は*犯行を認めた[認めなかった] The 「accused [defendant] pleaded 「*guilty* [*not guilty*]. **語法** 法廷で犯行を認める [認めない] 場合. the accused は特に刑事事件の被告人の場合.
犯行声明 claim of responsibility (for ...) Ⓒ.

はんこう² 反抗 ―名 (抵抗) resistance Ⓤ; (反対) opposition Ⓤ; (武力・実力による反逆) rebellion Ⓤ; (挑戦・命令などの無視) defiance Ⓤ ★ 格式ばった語. ―動 resist 他; oppose 他; rebel (against ...) 自; defy 他. ―形 (反抗的な) defiant, rebellious ★ 両者とも格式ばった語. (☞ て

いこう¹; はんたい; はむかう》.
¶ 彼らの*反抗はしぶとかった Their ˹*resistance* [*opposition*] was ˹vigorous [tough]. ★ [ ] 内はくだけた語. // 人々は横暴な支配者に*反抗した The people *rebelled against* their despotic ruler.
反抗期 ¶ 彼らは*反抗期だ They are ˹at [going through] a *rebellious* ˹*age* [*stage*; *phase*; *period*]. **反抗心** rebellious spirit Ⓒ.

はんこう³ 反攻 (守勢だった軍の逆襲) counter-offensive Ⓒ; (一般に反撃) counterattack Ⓒ. (☞ はんげき).

はんこう⁴ 藩校 domain school Ⓒ; (説明的には) a school established by a daimyo during the Edo period.

はんごう 飯盒 mess kit Ⓒ ★ キャンプ用の炊事器具・食器セット. (☞ キャンプ (挿絵)).

ばんこう 蛮行 (野蛮な行為) barbarous act Ⓒ; (残忍な行為) brutality Ⓤ, atrocity Ⓒ. (☞ やばん). ¶*蛮行に及ぶ commit [carry out] an *act of brutality*

ばんごう 番号 ―名 number Ⓒ. ―動 (番号をつける) number ⊕. (☞ ばん²; 数字 (囲み)).
¶ 各戸に*番号がつけられます Each house will be ˹given a *number* [*numbered*]. // *番号が違います《電話の》 You have the wrong *number*. // *番号《号令》 *Number* off! // *番号順に書類をそろえなさい Put [Arrange] the papers in *numerical* order.
番号案内 ☞ でんわ (電話番号案内) **番号通話** station-to-station call Ⓒ **番号札** number ˹tag [ticket] Ⓒ.

はんごうせいせんい 半合成繊維 semi-synthetic fiber Ⓒ.

はんコート 半コート (普通より短めのコート) short coat Ⓒ; (七分丈の) car coat Ⓒ.

ばんこく¹ 万国 ―形 (国際的) international; (全世界の) universal. **万国旗** (飾りの) bunting Ⓤ **万国共通** ¶ この慣習は*万国共通です This custom is ˹*common to all nations* [*universal*]. **万国著作権条約** the Universal Copyright Convention《略 UCC》 **万国博覧会** world [international] exposition Ⓒ, world('s) fair Ⓒ [語法] 後者は意味の広い一般的な語, 前者は特に科学技術を展示するようなニュアンスがある. (☞ はくらんかい). **万国郵便連合** the Universal Postal Union《略 UPU》.

ばんこく² 万斛 enormous quantity Ⓤ. **万斛の涙** ¶*万斛の涙を注ぐ shed *a flood of tears*

バンコク ―名 固 Bangkok /bǽŋkɑk/ ★ タイ王国の首都.

ばんこつ 万骨 tens of thousands of bones.
一将功成って万骨枯る ☞ いっしょう⁴

はんこつせいしん 反骨精神 (気骨) backbone Ⓤ; (断固とした態度・心構え) uncompromising [unyielding] attitude of mind Ⓒ ★ [ ] 内のほうがより格式ばった言い方; (挑戦的精神) spirit of defiance Ⓒ.

ばんごはん 晩御飯 evening meal Ⓒ (☞ ゆうはん).

ばんごや 番小屋 sentry [watch] box Ⓒ.

ばんこやき 万古焼 *Banko* ware Ⓒ; (説明的には) earthenware created by Nunami Rozan in the Edo period.

はんごろし 半殺し ―動 (半殺しにする) nearly kill ⊕; (殴って) beat ... ˹nearly [half] to death. (☞ はんしはんしょう).

はんこん¹ 斑痕 ☞ まだら¹; はんてん¹

はんこん² 瘢痕 ☞ きずあと; きず

ばんこん 晩婚 ―動 (晩婚である) marry late (in life) ⊜.

はんさ 煩瑣 ―形 (煩わしい) troublesome; (複雑な) complicated. (☞ ふくざつ; めんどう). ¶*煩瑣な手続き *complicated* formalities

パンサー 〘動〙(ヒョウ) panther Ⓒ.

はんざい 犯罪 ―名 (法律によって罰せられる行為) crime Ⓤ ★ 最も一般的な語で以下の語の代わりにも用いることができる. 具体的な行為の場合は Ⓒ. 具体的な場合は Ⓒ となる点については felony, delinquency についても同じ; (違反行為) offense (《英》 offence) Ⓒ; (殺人・放火などの重罪) 〘法〙 félony Ⓤ; (特に少年など未成年者の非行) delínquency Ⓤ ★ やや格式ばった語. 法律用語としても使われる.
―形 (犯罪の) criminal Ⓐ. (☞ つみ¹ (類義語)).
¶ 彼は*犯罪を犯した He committed a *crime*. // 少年*犯罪が増えている Juvenile *delinquency* is increasing. / (⇒ 未成年者[若者]の犯罪率が) The *crime* rate among ˹minors [the young; youngsters] is going up. // ハイジャックは重大な*犯罪である Hijacking is a major *crime*. // 飲酒運転は*犯罪となる Drunk(en) driving constitutes ˹a *crime* [an *offense*]. // 軽*犯罪 a minor *offense* // *犯罪の陰に女性あり There is a woman behind most *crimes*.
犯罪学 criminólogy Ⓤ **犯罪行為** criminal ˹act [offense] Ⓒ **犯罪事実** facts defining ˹an offense [a crime] **犯罪者** criminal Ⓒ; offender Ⓒ; (未決の) cúlprit Ⓒ; (既決の) cónvict Ⓒ. (☞ はんにん) **犯罪心理学** criminal psychology Ⓤ **犯罪捜査** criminal investigation Ⓒ **犯罪組織** crime syndicate Ⓒ **犯罪人引き渡し条約** extradition treaty Ⓒ **犯罪被害者保護法** the Law to Protect Victims of Crime **犯罪容疑** suspicion of a crime Ⓤ **犯罪容疑者** súspect Ⓒ (☞ ようぎ).

> **コロケーション**
> 犯罪に立ち向かう combat *crime* / 犯罪を根絶する eradicate *crime* / 犯罪を捜査する investigate a *crime* / 犯罪を通報する report a *crime* / 犯罪を防止する prevent *crime* / 犯罪を抑止する deter *crime* / 犯罪に手を染める take to *crime* / 犯罪を断固取り締まる crack down on *crime* // 悪質な犯罪 a ˹malicious [vicious] *crime* / 残虐な犯罪 an atrocious *crime* / 組織犯罪 organized *crime* / 模倣犯罪 a copycat *crime*

ばんざい 万歳 ―名 *banzai* Ⓒ [日英比較] 英語国では両手を上げて唱える日本の「万歳」に当たる習慣はない; (歓声を上げること) cheer Ⓒ. ―感 (やったぞ) hurráh, hurráy. ¶ 女王*万歳 *Long live* the Queen! // *万歳三唱する give three *cheers*

ばんさく 万策 ¶*万策尽きてしまった (⇒ どうしてよいかわからなかった) I didn't know what to do. / (⇒ 困り果てた) I was at my wit's end. [語法] 第 1 文のほうが口語的だが, 第 2 文のほうが日本文の意味に近い. (☞ とほう)

はんさくどうぶつ 半索動物 〘動〙 hemichordate /hèmikɔ́ədeɪt/ Ⓒ.

はんざつ 煩雑, 繁雑 ―形 (込み入っていて複雑な) cómplicàted; (入り組んでわかりにくい) íntricate ★ 前者より格式ばった語; (面倒な) troublesome.
―名 compléxity Ⓤ; intricacy Ⓤ ★ 両者とも格式ばった語. (☞ わずらわしい; ふくざつ; めんどう; ややこしい).
¶ すごく*煩雑な事柄 a highly *complex* matter // *煩雑な手続き *troublesome* procedures

ハンザどうめい ハンザ同盟 〘史〙 the Hanseatic /hæ̀nsiǽtɪk/ Léague, the Hansa /hǽnsə/ ★ 中世北ドイツ商業都市の同盟.

ハンサム ―形 good-looking, handsome ★ 前者がより口語的.

はんさよう 反作用 —[名] reaction Ⓒ. —[動] react (on …) (自). ¶作用と*反作用 action and *reaction* // *反作用を引き起こす cause a *reaction*

ばんさん[1] 晩餐 dinner Ⓤ《☞ ゆうしょく[1]》. 晩さん会 dinner (party) Ⓒ.

ばんさん[2] 晩産 late-childbearing Ⓤ. ¶*晩産の女性の割合が増えている The proportion of *late childbearing* women is rising.

はんし[1] 半紙 Japanese paper for calligraphy Ⓤ ★ 数えるときは a sheet of …, two pieces of … とする.

はんし[2] 範士 (剣道の) *hanshi* Ⓒ; (説明的には) Japanese-fencing master of the highest rank Ⓒ.

はんし[3] 藩士 (大名の家来) retainer of a daimyo Ⓒ.

はんじ 判事 judge Ⓒ; justice Ⓒ [語法] 後者は《米》では連邦および多くの州の最高裁判所の判事,《英》では最高法院の判事を指す.《☞ さいばんかん》. 判事補 assistant judge Ⓒ.

ばんし 万死 certain [sure] death Ⓤ. 万死に値する ¶暴力犯罪の中には*万死に値するものがある Some violent crimes ʳ*merit* [*warrant*; *deserve*] ʳ*death* [*the death penalty*]. 万死のうちに一生を得る narrowly escape death《☞ きゅうし[4]》.

ばんじ 万事 everything, all (things) ★ 前者がより口語的.《☞ すべて; ぜんぶ[1]》. ¶*万事うまく行った *Everything* went ʳwell [all right]. ★ [ ] 内のほうが口語的. // *万事休す It's *all* over (ʳwith [for] us). / (⇒ 我々はもうだめだ) We'*re done for*. ★ 口語的表現.

パンジー (三色すみれ) pansy Ⓒ. パンジー色 deep violet Ⓤ.

バンジージャンプ —[名] bungee jumping Ⓤ. —[動] bungee-jump (自).

はんじえ 判じ絵 pictorial [picture] puzzle Ⓒ; (絵・文字などで語句を表わす) rebus Ⓒ.

はんしき 版式 mode of printing (technique) Ⓒ.

はんじせい 反磁性 〔物理〕 diamagnetism Ⓤ. 反磁性体 diamagnet(ic) Ⓒ.

はんした 版下 manuscript for ʳphotoengraving [phototypography] Ⓒ; (完全版下) camera-ready copy Ⓒ.《☞ きよずり》.

はんしはんしょう 半死半生 —[形] half-dead; (半殺しにあって) half-killed.《☞ はんごろし》.

はんじもの 判じ物 (わけのわからないもの) puzzle Ⓒ; (なぞ) riddle Ⓒ.《☞ なぞ》. ¶彼の字はひどくて, まるで*判じ物だ (⇒よく読めない) His handwriting is very bad—*almost unreadable*.

はんしゃ 反射 —[名] (光・熱などの) reflection Ⓤ; (反射作用) réflex Ⓤ. —[動] refléct (他).《☞ うつす[2]》. ¶鏡は光を*反射する A mirror *reflects* light. // 白い布地は熱を*反射する White fabric *reflects* heat. // 私は*反射的に立ち上がった I stood up as if by (a) *reflex* action.

反射運動 reflex (ʳaction [movement]) Ⓒ 反射角 the angle of reflection 反射鏡 reflecting [reflex] mirror Ⓒ 反射光線 reflected light Ⓤ, reflected ʳray [beam] of light Ⓒ 反射作用 reflex (ʳact [action]) Ⓒ 反射神経 reflex Ⓒ 反射星雲〔天〕 reflection nebula Ⓒ 反射中枢 the reflex center 反射熱 reflected heat Ⓤ 反射の法則〔光〕 the law of reflection 反射望遠鏡 reflector Ⓒ, reflecting telescope Ⓒ 反射率〔物理〕 reflectance Ⓤ, reflectivity Ⓤ 反射炉 revérberatòry (furnace) Ⓒ.

はんしゃかいてき 反社会的 antisocial. ¶*反社会的行為 an *antisocial* action

はんしゃがたつうしんえいせい 反射型通信衛星 reflex communications satellite Ⓒ.

ばんしゃく 晩酌 ¶彼は*晩酌を欠かさない (⇒夕食のときいつも酒を飲む) He always *has a drink with dinner*.

ばんじゃく 磐石 (大きな石) boulder Ⓒ; (堅固なこと) firmness Ⓤ. ¶*磐石の守り *airtight* defense

ばんじゃくのり 磐石糊 sticky [strong] paste Ⓤ.

パンジャブ —[名] (固) (the) Punjab /pʌndʒɑ́ːb/ ★ インドとパキスタン北部の地域・州.

はんしゅ 藩主 feudal lord Ⓒ《☞ だいみょう》.

はんしゅう 半周 —[名] (半円) semicircle Ⓒ. —[動] (半回りする) go halfway around (…). ¶毎朝彼は走って湖を*半周する Every morning, he *runs halfway around* the lake.

ばんしゅう 晩秋 late ʳfall [autumn] Ⓤ.

バンジュール —[名] (固) Banjul /bɑ́ːndʒuːl/ ★ 西アフリカ, ガンビアの首都.

はんじゅく 半熟 —[形] (卵が) half-ʳdone [boiled] ★ half-done のほうが口語的. —[動] (半熟にする) boil … soft.《☞ たまご; 料理の用語 (囲み)》.

ばんじゅく 晩熟 (成熟が遅い) slow to mature 《☞ おくて》. ¶*晩熟の人 a *late bloomer*

はんしゅつ 搬出 —[動] carry [take] … out 《☞ はこぶ; はんにゅう》.

ばんしゅん 晩春 late spring Ⓤ.

ばんしょ[1] 板書 —[動] (黒板に書く) write … on the blackboard《☞ こくばん》.

ばんしょ[2] 番所 (江戸時代の) guardhouse Ⓒ.

はんしょう[1] 半焼 —[動] be partially destroyed by fire《☞ ぜんしょう[1]》.

はんしょう[2] 反証 —[名] disproof Ⓤ ★ 具体的な反証の意味では Ⓒ. —[動] disprove (他). ¶我々は検察側の証拠に対する*反証をあげなくてはならない We must *disprove* the evidence submitted by the prosecution. 反証例 counterexample Ⓒ.

はんしょう[3] 半鐘 fire bell Ⓒ.

はんしょう[4] 反照 (照り返し) reflection Ⓤ; (夕映え) evening [sunset] glow Ⓤ.

はんしょう[5] 斑晶 〔地質〕 phenocryst Ⓤ.

はんじょう[1] 繁盛 —[動] (商売がうまくゆく) do good business ★ 口語的; (成功してうまくゆく) prosper (自); (繁栄する) thrive (自); (盛んになる) flourish (自) ★ 最初の語が最も一般的. 後になるほど格式ばった語になる. —[形] prosperous; thriving Ⓐ, flourishing. —[名] prosperity Ⓤ. ¶彼の商売は*繁盛している He'*s doing good business*. / His business *is* ʳ*prosperous* [*prospering*].

はんじょう[2] 半畳 half-size(d) ʳmat [tatami] Ⓒ. 半畳を入れる ¶彼はいつも人のまじめな話に*半畳を入れる (⇒まじめに話す人をからかう) He always *makes fun of* people who talk seriously.

ばんしょう[1] 万障 ¶*万障お繰り合わせの上, おいで下さい (⇒あなたのご出席を心からお願いします) You are cordially invited to attend.

ばんしょう[2] 晩鐘 (日の沈む頃に鳴らされる鐘) the evening bell; (夕べの祈りの鐘) vesper (bell) Ⓒ; (カトリックのお告げの鐘) Angelus /ǽndʒələs/ (bell) ★ ミレーの絵画「晩鐘」は 'the Angelus' という.

ばんじょう[1] 万丈 ¶*万丈の (⇒非常に高い) 山 a *very high* mountain // 波瀾*万丈 ☞ はらん[1] (波瀾万丈) // *万丈の気を吐く (⇒得意の絶頂) be in all *one's* glory

ばんじょう[2] 板状 —[形] board-[plank-; plate-; sheet-]shaped《☞ いた》.

ばんじょうせつり 板状節理 〔地質〕 platy ʳjointing Ⓤ [joint Ⓒ].

はんじょうそしき 斑状組織 〔地質〕 porphyritic texture [U].

はんしょうづる 半鐘蔓 〔植〕 Japanese clematis [U].

バンジョー 〔楽器〕 banjo [C] 《複 ~(e)s》.

はんしょく 繁殖 ━[動] (動物が子を生む) breed (自) (他) 《過去·過分 bred》; (動植物が増殖する) 《格式》 propagate (自); (増加する) increase (自); (数が急速に増す) multiply (自). ━[名] breeding [U]; 《格式》 propagation [U]. 《☞ はんも》.
¶ よどんだ水は蚊を*繁殖させる Stagnant water *breeds* mosquitoes. // 暑い所ではバクテリアが*繁殖しやすい Bacteria ⌈*increase* [*propagate*; *multiply*] rapidly in a hot climate. // はとは*繁殖力が強い (⇒ 多産な) 鳥だ Pigeons are *fertile* birds.
繁殖期 breeding season [C] **繁殖地** breeding ⌈area [place] [C].

ばんしょく[1] 伴食 ☞ ばいしょく; しょうばん; おしょうばん

ばんしょく[2] 晩食 ☞ ゆうしょく[1]

はんしょくみんち 半植民地 (半植民地的国家) semicolony [C], semicolonial state [C].

ばんしょしらべしょ 蕃書調所 Institute for the Investigation of Foreign Books; (説明的には) the Tokugawa shogunate's Bureau of Western Learning.

はんじる 判じる (判断する) judge (他); (決める) decide (他). 《☞ はんだん; きめる; かいどく[1]》.

はんしるい 半翅類 〔昆〕 Hemiptera ★ 複数形. 半翅類の昆虫の単数形は hemipteron, hemipteran.

はんしん 半身 (身体の上下の半分) half (of) the body; (左右の) one side of the body ★ いずれも単数形のみ. 《☞ じょうはんしん; かはんしん》. ¶ 彼の左*半身は麻痺(まひ)してしまった The left *side of* his *body* has been paralyzed. / He has been paralyzed on the left *side* (*of* his *body*). **半身不随** ☞ 見出し

ばんじん[1] 万人 ☞ ばんにん[1]

ばんじん[2] 蛮人 savage [C], barbarian [C]. 《☞ やばん (野蛮人)》.

はんしんあわじだいしんさい 阪神淡路大震災 the Great Hanshin-Awaji Earthquake 《☞ じしん[2]》.

はんしんこうそくどうろこうだん 阪神高速道路公団 ━[名] (固) the Hanshin Expressway Public Corporation.

はんしんせいがん 半深成岩 〔地質〕 hypabyssal /hàɪpəbísəl/ rock [U].

はんしんはんぎ 半信半疑 ¶ ニュースを伝えたのだが, 彼らは*半信半疑だった Though I told them the news, they were *half in doubt*. / (⇒ 不信な気持ちで) They received my news *in a spirit of* ⌈*incredulity* [*disbelief*].

はんしんふずい 半身不随 〔医〕 hemiplegia /hèmiplí:ʒ(i)ə/ [U]. ¶ 彼は脳卒中で*半身不随です He *is paralyzed on one side* by a stroke. / He *is half-paralyzed* by a stroke. **半身不随者** person paralyzed on one side [C], hemiplegic [C].

はんしんろん 汎神論 ━[名] pantheism /pǽnθiìzm/ [U]. ━[形] pantheistic /pæ̀nθiístɪk/. **汎神論者** pantheist [C].

はんすう[1] 半数 half (the number) [C] 《☞ はんぶん; かはんすう》. ¶ 生徒の*半数はもう来ています *Half* (*of*) the students are already here. [語法] half (of) の後に単数形の名詞がくれば単数扱い, 複数形の名詞がくれば複数扱い. なお集合名詞の場合は複数扱いが普通.

はんすう[2] 反芻 ━[名] rumination [U]. ━[動] ruminate (自), chew *one's* cud ★ 後者のほうが口語的. **反芻胃** ruminant stomach [C] **反芻動物** ruminant [C].

ハンスト hunger strike [C] 《☞ ストライキ; スト》.
¶ 彼らは 3 日間*ハンストをした They went on a *hunger strike* for three days.

パンスト panty hose ★ 複数扱い. 《☞ パンティー [日英比較]》.

はんズボン 半ズボン (ひざより上の) shorts ★ 複数形で.

はんする 反する ━[形] (反対の) contrary (to ...). ━[前] (逆らって) against ... 《☞ はんたい; あいはんする》. ¶ 彼の行為は規則に*反する His action ⌈was [went] *against* the rules. // 予想に*反して *contrary to one's* expectation(s)

はんせい[1] 反省 ━[動] (静かに深く考える) reflect (on ...) (自); (熟考する) think over ... ★ 後者のほうが口語的; (特に自分の考え·行動をあれこれ考えてみる) examine *oneself*; (後悔する) regret (他). ━[名] reflection [U]; (内省) 《格式》 introspection [U].
¶ 私たちの行為を*反省してみよう Let's ⌈*think over* [*reflect on*; *examine*] what we have done. // 私はそこへ行くべきではなかったと*反省している (⇒ 行ったことを後悔している) I *regret* having gone there.
反省会 evaluation [review] meeting [C].

はんせい[2] 半生 half *one's* life [U]. ¶ 彼女は*半生を不幸な子供たちの教育に捧げた She devoted *half her life* to the education of underprivileged children.

ばんせい[1] 晩生 ☞ おくて

ばんせい[2] 晩成 ☞ たいきばんせい

ばんせい[3] 蛮声 ¶ 彼らは*蛮声を張り上げた They raised their *raucous* /rɔ́:kəs/ *voices*. 《☞ おおごえ》

ばんせい[4] 伴星 companion (star) [C], comes /kóumi:z/ [C] 《複 comites /kámətì:z/》.

ばんせいいっけい 万世一系 unbroken lineage [C]. ¶ *万世一系の天皇 an *unbroken line* of emperors.

ばんせいいでん 伴性遺伝 sex-⌈linked [controlled] inheritance [U]. ¶ 色盲は*伴性遺伝する Color blindness *is inherited according to* ⌈*sex* [*gender*].

はんせいき 半世紀 half a century, a half century.

ばんせいせつ 万聖節 〔キ教〕 All Saints' Day ★ 11 月 1 日; 諸聖人の霊を祭る記念日.

はんせいひん 半製品 semi-processed article [C].

はんせき 犯跡 evidence of a crime [U].

はんせきほうかん 版籍奉還 the return of the ⌈*han* [domain] registers to Emperor Meiji.

はんせつ[1] 半切 ━[形] (半分の大きさの) half-size. ¶ *半切の印画紙 a sheet of 14 × 17 inch photographic paper

はんせつ[2] 半折 ━[動] fold ... in ⌈half [two].

ばんせつ 晩節 ☞ ばんねん **晩節を汚す** ¶ *晩節を汚さないようにするべきである You should not *bring* ⌈*dishonor* [*disgrace*] *on* yourself *in* your *later years*. / You should not *disgrace* yourself *in* your *later years*. **晩節を全うする** ¶ 彼は*晩節を全うした He *remained a man of* ⌈*great* [*the highest*] *integrity* ⌈*in* [*throughout*] ⌈his *later years* [*the latter part of* his *life*].

はんせん[1] 反戦 ━[形] (反戦の) antiwar [A]; (反戦主義の) pácifist [A]. ¶ *反戦デモ an *antiwar* demonstration **反戦運動** antiwar movement [C] **反戦主義** pacifism [U] **反戦主義者** pácifist [C].

はんせん[2] **帆船** 《米》 sailboat Ⓒ, 《英》 sailing boat Ⓒ; (大型の) sailing ship Ⓒ; (19 世紀の快速帆船) clipper Ⓒ; (横帆装置の帆船) square-rigger Ⓒ. 《☞ ふね; ヨット》.

はんぜん **判然** ── 形 (明白な) clear; (他とはっきり区別できる) distinct. ── 副 (はっきりと) clearly, distinctly. 《☞ はっきり (類義語)》. ¶ 彼の態度は*判然としない His attitude is ⌈not *clear* [*unclear*; *ambiguous*]. // 両者の違いは*判然としている The difference between the two is quite *distinct*.

-ばんせん **…番線** ¶ 5 *番線から大阪行きが発車します The train for Osaka will depart from ⌈*track* 5 [《英》 *platform* 5].

ばんぜん **万全** ¶ *万全の (⇒ 最も確かな [安全な]) 策を講じる必要がある We need to take the ⌈*surest* [*safest*] measures. // *万全を期して (⇒ 念には念を入れて) もう一度書類に目を通した *To make (it) doubly sure*, I looked the papers over once again.

ハンセンびょう **ハンセン病** 〘医〙 Hánsen's disèase Ⓤ, leprosy Ⓤ ★ 一般には後者が用いられる. ¶ *ハンセン病患者 a *leprous* patient

はんそ **反訴** ── 名 cross action Ⓒ, counterclaim Ⓒ. ── 動 counterclaim (他), make a counterclaim.

はんそう[1] **帆走** ── 名 sailing Ⓤ. ── 動 sail (自).

はんそう[2] **搬送** ── 動 (一般に物を運ぶ) carry (他); (輸送手段で遠くに運ぶ) transpórt (他); 〘通〙 carry (他). 《☞ うんぱん》. ¶ 光ファイバーケーブルは膨大な量の情報を*搬送できる Fiber-optic cables can *carry* tremendous amounts of information. **搬送多重通信** carrier multiplex communications **搬送波** carrier (wave) Ⓒ.

ばんそう[1] **伴奏** ── 名 accompaniment Ⓒ. ── 動 accompany (他). ¶ 私はピアノで彼の*伴奏をした I *accompanied* him ⌈on [at] the piano. // 彼女はお姉さんのピアノ*伴奏で歌った She sang to the piano *accompaniment* of her sister. **伴奏者** accompanist Ⓒ.

ばんそう[2] **伴走** ── 動 accompany (a runner). **伴走車** escort vehicle Ⓒ.

ばんそう[3] **晩霜** ☞ おそじも

ばんそうこう **絆創膏** (傷などをふさぐ) 《米》 (adhesive) bandage Ⓒ, 《英》 (sticking) plaster Ⓒ. 《☞ はる[3]》. ¶ 救急*ばんそうこう a Band-Aid ★ Band-Aid は商標名が一般化したもの. 《☞ いりょう[1] (挿絵)》

はんそく[1] **反則** ── 名 (競技の場合も含めて一般に規則違反) violation of rules Ⓒ; (特に競技の) foul Ⓒ. ── 動 violate the rules; be against the rules; play foul (自), foul (自) ★ 1 番目は格式ばった言い方. 2 番目, 3 番目が一般的.
¶ それは*反則だ (⇒ 規則に反する) It'*s against the rules*. // 私たちは*反則はしなかった We didn't ⌈*play foul* [*violate the rules*].
反則金 fine Ⓒ 《☞ ばっきん》. ¶ 駐車違反で*反則金を 15,000 円払った I paid a ⌈15,000 yen *fine* [*fine* of 15,000 yen] for illegal parking. / I paid 15,000 yen in parking *fines*.

はんそく[2] **半側** ── 形 (体の片側の) hemilateral. **半側麻痺** 〘医〙 hemiplegia Ⓤ.

はんぞく **反俗** ── 形 (伝統因襲に反対の) anticonventional; (慣習にとらわれない) unconventional. **反俗精神** anticonventional spirit Ⓒ.

ばんぞく **蛮族** savage tribe Ⓒ 《☞ やばん (野蛮人)》.

はんそで **半袖** (半袖のシャツ) short-sleeved shirt Ⓒ.

はんた[1] **繁多** ¶ 彼女には*繁多な (⇒ 大量の) 書類事務があります She has *a large amount of* paperwork to do.

はんた[2] **煩多** ¶ その奨学金の申請には*煩多な (⇒ 複雑な) 手続きを踏まなければならなかった I had to follow a *complicated* procedure ⌈in applying [to apply] for the scholarship. 《☞ はんざつ; わずらわしい; やっかい》

はんだ ── 名 solder /sάdɚ/ Ⓤ. ── 動 (はんだづけする) solder (他). ¶ 電線は止め金に*はんだづけしてある The wire *is soldered* on to the catch. **はんだごて** soldering iron Ⓒ.

パンダ panda Ⓒ; (ジャイアントパンダ) giant panda Ⓒ ★ 日本でいうパンダは普通「ジャイアントパンダ」を指す; (レッサーパンダ) lesser panda Ⓒ.

バンダ 〘植〙 vanda Ⓒ.

ハンター (猟師) hunter Ⓒ.

はんたい **反対** **1** 《逆》 ── 形 (正反対の) ópposite (to …); (強く対立した) cóntrary (to …). ── 名 (反対のほう) the other way; (反対側の) the other side ★ 以上 2 つは以下のものより口語的; opposite Ⓒ; the contrary. 《☞ ぎゃく (類義語); あべこべ; せいはんたい》.
¶「高い」は「低い」の*反対だ "High" is the *opposite* of "low." / "High" and "low" are *opposites*. 《☞ 反意語 (巻末)》 // あなたの言っていることは事実と*反対だ What you say is *contrary to* the facts. // 私は間違えて*反対のほうへ行ってしまった I went ⌈*the other way* [in the *opposite* direction] by mistake. ★ 前者のほうが口語的. // 彼の家は彼女の家のちょうど*反対側にある His house is just ⌈*opposite* (*to*) [*across* (*the street*) *from*] hers. // 月の*反対側 (⇒ もう一方の側) は見ることができない We cannot see *the other side* of the moon. // 彼女はわざと絵を上下*反対に掛けた She hung the picture *upside down* on purpose.
2 《逆らう》 ── 動 (意見・考えなどに) oppose (他); (異議を唱える) objéct (to …) (自) 語法 (1) to のあとには 名 動 いずれも続くが, 動 の場合は … ing 形. ── 名 opposition Ⓤ; objection Ⓒ. ── 前 (…に逆らって) against … 《☞ ふさんせい》.
¶ 私たちは戦争に*反対だ We are *against* war. // 彼は私たちの提案に*反対した He ⌈*opposed* [*objected to*] our proposal. / He ⌈made [raised] an *objection* to our proposal. ★ 第 2 文のほうが格式ばった表現. // 彼らはその規則の変更に強く*反対している They *are* firmly *opposed to* changing the rules.
語法 (2) be opposed to … を使うとやや格式ばった表現になる.
反対意見 (異議) objection Ⓒ; (反抗) opposition Ⓤ **反対運動** ¶ 増税の*反対運動 a *movement against* increased taxes **反対給付** (代償) compensation Ⓤ ★ 補償金の意では Ⓒ, 《格式》 quíd pro quo /kwóʊ/ Ⓒ 《複 ― quos, quids ―》 ★ ラテン語で something for something の意. **反対者** objector Ⓒ **反対色** (補色) complementary color Ⓤ **反対尋問** ── 名 cross-examination Ⓒ. ── 動 cross-examine (他) **反対勢力** counterforce Ⓒ **反対党** opposition (party) Ⓒ **反対派** opposition group Ⓒ **反対論** (異論) objection Ⓒ; (反対の議論・主張) argument against (a proposal) Ⓒ.

はんだい **飯台** ☞ ちゃぶだい

ばんだい[1] **番台** watch stand Ⓒ; (説明的には) counter at a public bath Ⓒ.

ばんだい[2] **盤台** fish dealer's round tub (to keep fish in) Ⓒ.

はんたいご **反対語** ☞ はんいご

はんたいせい **反体制** ── 形 àntiestáblishment; (グループや政府の意見に従わない) dissident. ¶国内の*反体制グループに対する弾圧 a crackdown on *dissident* groups in the country **反体制主義** àntiestablishmentárianism Ⓤ **反体制主義者** àntiestablishmentárian Ⓒ **反体制派** dissidents, antiestablishmentarians ★複数形で.

ばんだいふえき 万代不易 ☞ばんこ

はんだくおん 半濁音 *p*-sound in Japanese Ⓒ; (日本語の両唇無声閉鎖音) Japanese voiceless bilabial stop (consonant) Ⓒ. **半濁音符** symbol [small circle] attached to certain *kana* letters pronounced with a *p* Ⓒ.

はんだくてん 半濁点 ☞はんだくおん (半濁音符)

パンタグラフ (電車の) pántogràph Ⓒ 《☞えき¹ (挿絵)》.

バンダナ (大型で派手なハンカチーフ) bandanna, bandana /bændǽnə/ Ⓒ.

バンタムきゅう バンタム級 〖ボク〗 the bantamweight class. **バンタム級の選手** bantamweight Ⓒ.

バンダリズム (文化に対する野蛮な破壊行為) vándalism Ⓤ.

パンタロン women's ˹bell-bottoms [bell-bottom trousers] ★単数扱い. 数えるときは a pair [two pairs] of ... 「パンタロン」はフランス語の pantalon から.

はんだん 判断 ━動 (判断する) judge ⓐ ⓣ; (決定する) decide ⓣ ⓐ; (解釈する) intérpret ⓣ; (結論を下す) conclude ⓣ ★decide より格式ばった語. ━名 judgment (《英》 judgement) Ⓤ; decision Ⓤ; interpretation Ⓤ; conclusion Ⓤ ★以上は判断した事柄については Ⓒ となる. 《☞けつだん; かいしゃく¹》.

¶人を外見で*判断してはいけない Never *judge* a person by his appearance. / Never ˹*make* [*form*] *a judgment* about a person ˹from [by] his appearance. // 彼のしていることから*判断すると, どうも要領の悪い男のようだ *Judging* from what he is doing, he seems to be a tactless person. // 私は彼女が笑ったので承知したものと*判断した (⇒解釈した) I *interpreted* her smile as consent. // 私たちは彼の計画が一番よいと*判断した (⇒結論を下した) We *concluded* that his plan was best. // それは彼の*判断に任せた We left it to his *judgment*. // 私は*判断を誤った I made an error of *judgment*. // 彼女の言葉が本当かどうか*判断がつかない I *can't tell* (*for sure*) whether what she has told me is true or not.

判断力 judgment Ⓤ.

コロケーション

誤った判断 a ˹mistaken [wrong] *judgment* / 軽率な判断 a snap *judgment* / 賢明な判断 a wise *judgment* / 慎重な判断 a careful *judgment* / 性急な判断 a hasty *judgment* / 正しい判断 a correct *judgment* / 妥当な判断 a sound *judgment* / 適切な判断 an appropriate *judgment* / まずい判断 a poor *judgment* / 冷静な判断(力) a calm *judgment*

ばんたん 万端 ¶用意*万端整った All [Everything] is ˹ready [《米》 OK].

ばんち 番地 (住所) address /ədrés/ Ⓒ; (各戸の) house number Ⓒ. 《☞じゅうしょ; あてな; 手紙の書き方 (囲み); 数字 (囲み)》. ¶あなたの*番地を教えて下さい Please give me your *address*. // この手紙は*番地が違っている (⇒間違ってあて名が書かれている) This letter *is* incorrectly *addressed*.

パンチ ━名 punch Ⓒ. ━動 (げんこつを食らわせる) punch ⓣ. ━形 (比喩的に, パンチのきいた) 《米略式》 punchy. ¶彼は相手のあごに*パンチを食らわせた He *punched* his opponent on the chin. **パンチカード** punch card Ⓒ.

パンチパーマ kinky ˹permanent [perm] Ⓒ 日英比較 「パンチパーマ」は和製英語. 《☞パーマ》. ¶彼は*パンチパーマをかけている He has a *kinky permanent*. // *パンチパーマの男 a man with a *kinky permanent*

ばんちゃ 番茶 coarse (green) tea Ⓤ. **番茶も出花** ☞おに (鬼も十八番茶も出花)

パンチャー (ボクシングのパンチ力のある選手; キーパンチャー) puncher Ⓒ.

はんちゅう 範疇 cátegòry Ⓒ. ¶上位*範疇 a superordinate *category* // 下位*範疇 a subordinate *category*

はんちゅうせいし 反中性子 〖物理〗 antineutron /æntɪn(j)úːtrɑn/ Ⓒ.

はんちょう 班長 section [group] leader Ⓒ.

ばんちょう 番長 the leader of a gang of ˹juvenile delinquents in school [school bullies].

はんちょくせつみんしゅせい 半直接民主制 (制度) semidemocratic institution Ⓒ; (主義) semidirect democracy Ⓤ.

はんちょくせん 半直線 〖数〗 (一点で区切られた直線の片側) half line Ⓒ.

ハンチング (鳥打ち帽子) sports [cloth; tweed] cap Ⓒ 《☞とりうちぼう》.

パンツ (非常に短い V 形の) briefs; (ショートパンツ形の) shorts 語法 いずれも複数形で. 運動選手がはくのは athletic shorts. ランニング用は running shorts; (ボクシング・水泳などの) trunks; (男性用の下着) underpants ★以上 2 語は複数形で; (女性・子供用のパンティー) panties ★複数形で, underwear Ⓤ; (ズボン) pants 日英比較 《米》 では pants は普段着のズボンのこと. 《☞したぎ (挿絵)》.

バンツーご バンツー語 〖言〗 Bantu /bǽntuː/ Ⓤ ★アフリカ中南部の種族の言語.

はんつき 半月 ━名 half a month 語法 《米》 では a half month と言うことがある. ━形副 (半月ごとに) twice a month, semimonthly.

はんつきまい 半搗き米 half-polished rice Ⓤ.

ばんづけ 番付 (一覧表) list Ⓒ; (特に相撲の) ranking list Ⓒ. ¶彼はいつも長者*番付の 10 位以内にいる He is always ˹among the top ten on the *list* of millionaires [one of the ten persons heading the *list* of millionaires].

ハンデ ☞ハンディ(キャップ)

-ばんて …番手 (糸の太さ) count Ⓒ. ¶この生地には 50 *番手の木綿糸のほうがいいでしょう No. [Number] 50 *count* cotton sewing thread will be better for this cloth. // 彼は 400 m 自由型リレーの 2 *番手で泳ぎます He will ˹swim *the second* section of [be *the second* swimmer for] the four-hundred-meter freestyle relay.

はんてい 判定 ━名 (決定) decision Ⓤ ★具体的な判定は Ⓒ. ━動 decide [judge] ... (against ...; in favor of ...) ★against は不利な場合, in favor of は有利な場合; give *one's* decision (on ...), pass judgment (on ...). 《☞けってい; はんだん》. ¶そのボクサーは*判定で勝った[負けた] The boxer ˹won [lost] by a *decision*.

パンティー panties ★複数形で. 《☞したぎ (挿絵)》. **パンティーストッキング** panty hose ★複数扱い. 数えるときは a pair [two pairs] of panty hose のように数える. 日英比較 英語では panty-stockings とは普通言わない.

ハンディー ━形 (携帯用の) portable; (小型の) pocket; (便利な) handy. 日英比較 日本語の「ハン

ディー」 は扱いやすく手で持ちやすいという意味になるが, 英語の handy は手近にあって役に立つという意味が強くなる. ¶*ハンディーな辞書 a *portable* dictionary

ハンディ(キャップ) ― [名] (不利な条件) handicap Ⓒ. ― [動] (不利な条件を負わせる) handicap (他). ¶病身であることが, 彼女の*ハンディキャップになっている She *is handicapped* by poor health. / Poor health is a *handicap* to her. // 《ゴルフで》 父の*ハンディは 15 です My father is a 15-*handicap* golfer.

はんていりつ 反定立 ☞ アンチテーゼ

ハンティング (狩猟) hunting Ⓤ.

はんてん[1] 斑点 (丸形の) spot Ⓒ; (小さな点) speck Ⓒ.

はんてん[2] 反転 ― [動] (ひっくり返る・ひっくり返す) tùrn óver (自) (他); (位置・方向を逆にする) reverse (他). ― [名] reverse Ⓒ. 《☞ ぎゃく; ひっくりかえる》. **反転図形** 〔幾〕 inverse Ⓒ **反転フィルム** reversal film Ⓤ.

はんてん[3] 半纏 (短い上衣) short coat Ⓒ; (職人のはっぴ) workman's *happi* coat Ⓒ.

はんでんしゅうじゅのほう 班田収授の法 the *handen shuju* system; (説明的には) (日本の律令制で) the ⌈allotment [allocation] of farmland to families responsible for cultivation.

はんと[1] 版図 ☞ りょうど

はんと[2] 反徒, 叛徒 rebels 《☞ はんらん[1]》.

ハント (狩り・捜索) hunt Ⓒ. ¶ガール*ハント skirt ⌈*chasing* [*hunting*] [日英比較] 「ガールハント」は和製英語.

ハンド (手) hand Ⓒ. **ハンドメード** (手作りの) ¶*ハンドメードの靴 *handmade* shoes

バント 〔野〕 ― [名] bunt Ⓒ. ― [動] (バントする) bunt (自). ¶彼は一塁走者を*バントで送った He advanced the first-base runner ⌈with [on] a *bunt*. // 犠牲[送り]*バント a sacrifice *bunt* // ドラッグ*バント a drag *bunt* // スリー*バント a two-strike *bunt* // *バントの構えをする take the *bunting* ⌈position [stance]

パント ― [動] 〔アメフト・ラグ〕 punt (他). ¶彼はボールを*パントした He *punted* the ball. **パントキック** punt Ⓒ.

バンド[1] (ベルト) belt Ⓒ; (革製・プラスチック製の時計バンド) strap Ⓒ; (金属製の時計バンド) bracelet Ⓒ. 《☞ ベルト (挿絵)》.

strap bracelet

バンド[2] (ポピュラー音楽・ジャズの) band Ⓒ. ¶彼らは新しく*バンドを結成した They ⌈formed [organized] a new *band*. ★[ ] 内のほうが格式ばった語. **バンドマスター** (楽団の指揮者・首席奏者) bandmaster Ⓒ **バンドマン** (楽団員) bandsman Ⓒ 《複 bandsmen》.

はんドア 半ドア ¶あなたの側のドアが*半ドアだ The door on your side is *not completely closed*. // *半ドアで運転するのは非常に危険だ Driving with the door left *half-open* is quite dangerous.

ハンドアックス hand ax Ⓒ, 《英》 hand axe Ⓒ.

はんとう[1] 半島 peninsula /pɪnínsə)lə/ Ⓒ.

はんとう[2] 反騰 〔株〕 ― [名] (一転しての値上り) rally Ⓒ. ― [動] rally (自). ¶ハイテク株の*反騰 a *rally* in ⌈technology [《略式》 tech] stocks / a ⌈technology [《略式》 tech] stock *rally* // 《新聞見出し》 ウォールストリート株が*反騰 Wall Street stocks *rally*

はんどう 反動 ― [名] (物理的な反作用) reaction Ⓒ ★「政治的な反動」の意味では Ⓤ. ― [形] (政治的な意味の) reactionary. **反動主義者** reactionary Ⓒ. ¶政治的*反動主義者たち political *reactionaries*

ばんとう[1] 番頭 (head) clerk Ⓒ.

ばんとう[2] 晩冬 late winter Ⓤ.

はんとうかつどう 反党活動 antiparty activities, subversive activities within a (political) party ★ 複数形で.

はんどうこう 斑銅鉱 〔鉱〕 bornite Ⓤ.

はんどうたい 半導体 sèmicondúctor Ⓒ. **半導体機器** semiconductor equipment Ⓤ **半導体産業** semiconductor industry Ⓒ **半導体素子** semiconductor device Ⓒ **半導体チップ** semiconductor chip Ⓒ **半導体メモリー** semiconductor memory Ⓒ **半導体レーザー** semiconductor laser Ⓒ.

はんとうまく 半透膜 (成分によって通したり通さなかったりする膜) semipermeable membrane Ⓒ.

はんとうめい 半透明 ― [形] translucent. ― [名] translucence Ⓤ. 《☞ とうめい》.

バンドエイド 《商標》 Band-Aid Ⓒ.

バントエンドラン 〔野〕 ― [形] bunt and run. ― [動] (バントエンドランをする) bunt and run (自). ― [名] bunt-and-run play Ⓒ.

はんとき 半時 (昔の呼び名で現在の約 1 時間) about an hour; (少しの時間) a short time, a little while.

はんどく[1] 判読 ― [動] (理解する) màke óut (他) ★ 口語的な表現; (暗号などを) decipher /dɪsáɪfə/ (他) ★ 格式ばった語. 《☞ かいどく[1]》. ¶彼の書いた物を*判読するのにだいぶ時間がかかった It took a pretty long time for me to ⌈*make out* [*decipher*] his (hand)writing. // *判読できない手紙 a scarcely *legible* letter

はんどく[2] 繙読 ― [名] perusal Ⓤ. ― [動] peruse (他).

ハンドクリーム hand cream Ⓤ.

はんとし 半年 ― [名] half a year ★ 《米》 では a half year と言うことがある; (6 か月) six months [語法] 英語では half a year とはあまり言わず six months が普通. ― [形] (半年ごとの) semiannual ★ 通例 Ⓐ で. ― [副] semiannually. ¶その契約書は*半年ごとに更新される The contract is renewed *semiannually*.

ハンドシェーク (握手) handshake Ⓒ.

パントテンさん パントテン酸 pantothenic /pæ̀ntəθènɪk/ ácid Ⓤ.

バンドネオン 〔楽器〕 bandóniòn Ⓒ, bandóneòn Ⓒ.

ハンドバッグ handbag /hǽn(d)bæ̀g/ Ⓒ, 《米》 purse Ⓒ ★ 女性がお金や身の回りの小物を入れるものを指し, 前者は主として《英》で, 後者は《米》で使われる. 《☞ さいふ[1]》.

ハンドブック (手引書・便覧) hándbòok Ⓒ.

ハンドブレーキ ☞ ブレーキ

ハンドヘルドコンピューター (手の中に入る大きさのコンピューター) hand-held computer Ⓒ.

ハンドボール (英米で一般的な) handball Ⓤ; (日本で一般的な) team handball Ⓤ ★ 競技用のボールは Ⓒ. [日英比較] 英米では単に handball と言うとグラブをはめた手でボールを壁に打ちつけあう, 1 対 1 または 2 対 2 の競技を意味するのが普通.

パントマイム (無言劇) pántomìme Ⓒ.

バンドマスター ☞ バンド[2] (バンドマスター)

ハンドライティング (手書き・筆跡) handwriting Ⓤ.

パンドラのはこ パンドラの箱 〔ギ神〕 Pandóra's bóx ★ ゼウスの神がパンドラに与えた箱. 開けるなとい

う禁を破って開けたために諸悪が地上に飛び出し最後に希望だけが残ったという. ¶その問題に少しでも触れれば*パンドラの箱を開けるようなことになる Making any reference to that problem will be like opening *Pandora's box*.

パントリー (食糧・食器室) pantry Ⓒ.

ハンドリング 〘サッカー〙(ボールを手でさわること) handling Ⓤ.

ハンドル (自動車・飛行機・船などの丸い) steering wheel Ⓒ 日英比較 英語の handle は柄や取っ手などをいう. 前後関係で誤解のおそれがなければ wheel だけでよい; (自転車・オートバイなどの棒状の) handlebars ★ 通例複数形で. 両手で握る部分は grip Ⓒ と言う; (ドアの丸い) doorknob Ⓒ. 《☞ じてんしゃ (挿絵); オートバイ (挿絵); え² (挿絵)》. ¶父が私たちの車の*ハンドルを握っていた Dad was ⌈at the *wheel* of [driving] our car. // 彼は*ハンドルを右へ切った He turned the *wheel* to the right. // 私はそっとドアの*ハンドルを回した I quietly turned the *doorknob*. // 右*ハンドルの車 a right-hand-*drive* car / a car with (a) right-hand *drive* ★ 前者のほうが平易な言い方.

バンドル 〘コンピューター〙 ── 動 (ある製品に他の製品を添付して販売する) bundle (他). ¶XYZ社のコンピューターに我が社のソフトを*バンドルする予定です We will *bundle* our software with XYZ computers.

バンドワゴン (パレードの先頭を行く楽隊車) bandwagon Ⓒ.

はんドン 半ドン half-holiday Ⓒ.

バンドン ── 名 (固) Bandung /bá:nduŋ/ ★ インドネシア, ジャワ島西部の保養都市.

ハンナ ☞ ハナ

はんなま 半生 ☞ なまにえ; なまはんか; はんかつう

ばんなん 万難 **万難を排して** (どんな犠牲を払っても) at all costs, at any cost; (どういう方法を使っても必ず) by all means.

はんにえ 半煮え ── 形 underdone; half-⌈boiled [cooked; done]. 《☞ 料理の用語 (囲み)》. ¶この豆はまだ*半煮えだ These beans *are* ⌈*underdone* [still only *half-cooked*].

はんにち¹ 半日 half a day 語法 《米》では a half day と言うことがある.

はんにち² 反日 ── 形 anti-Japanese Ⓐ. ¶*反日感情 (an) *anti-Japanese* sentiment

はんにゃ 般若 〘仏教〙 prajna /prʌ́ʤnə/ Ⓤ; (鬼女) female demon Ⓒ. **般若心経** the Heart Sutra Ⓤ **般若湯** (日本酒) sake /sá:ki/ Ⓤ.

はんにゅう 搬入 ── 動 (運び込む) carry ... into ..., brìng [tàke] ín (他) 語法 中にいる人から見て外から運び込むなら bring, 外の人から見て中へ運び込むなら take. carry はいずれにも用いられる. 《☞ はこぶ》.

はんにん 犯人 (犯罪を犯した人) criminal Ⓒ; (少し広い意味で違反者も含んで) offender Ⓒ; (容疑者) súspect Ⓒ; (有罪判決を受けた人) cónvict Ⓒ; (未決の囚人) culprit /kʌ́lprɪt/ Ⓒ. 日英比較 日本語で「犯人」という場合には「容疑者」を指すことも多く, その場合には suspect を用いる. 殺人の犯人は murderer, 強盗の犯人なら robber で, 英語ではそれぞれのケースに応じて以上の語を使い分けることが多い. ¶*犯人は現行犯で捕えられた The ⌈*offender* [*criminal*] was ⌈caught [arrested] in the (very) act. ★ caught のほうが口語的. // 強盗の*犯人はまだ逮捕されていない The ⌈*robber* [*burglar*] is still at large. ★ at large はやや格式ばった言い方. // 彼は放火の*犯人として捕まった He was arrested as an arson *suspect*. // この川の汚染の*犯人はあの工場だ (⇒ 川を汚染したのはあの工場だ) It is that factory that polluted this river. / (⇒ あの工場に責任がある) That factory *is responsible for* the pollution of this river. ★ 第 1 文のほうが口語的.

犯人追跡 the pursuit of a criminal.

ばんにん¹ 万人 all people; everybody, everyone ★ 後の 2 つは単数扱い. ¶これは*万人の認めるところ (⇒ 確定した事実) である This is an *established* fact. / (⇒ 一般に広く認められている) This fact is *universally* accepted. **万人向き** ☞ まんにん

ばんにん² 番人 (見張り) watchman Ⓒ, guard Ⓒ.

はんにんまえ 半人前 ¶私はまだ*半人前の仕事しかできません (⇒ 未熟だ) I'm ⌈*inexperienced* [*not skillful enough*] at this job. 《☞ いちにんまえ》

はんね 半値 half (the) price 《☞ はんがく》. ¶この靴は*半値で買った I bought this pair of shoes at *half price*. // *半値にいたしましょう (⇒ 半分値段を引きます) I'll take off *half the price*. / (⇒ 50% 割引きにします) I'll give you *a 50% discount*. **半値戻し** 〘株〙 ── 動 (下落分の半分程度まで戻る) regain about half the value of a ⌈fall [decline] (in ⌈share [stock] prices) ★ 説明的な訳.

ばんねん 晩年 the ⌈latter part [late period] of *one's* life, *one's* ⌈later [latter] ⌈years [days]. 語法 latter は「時間的に人生の後半の年月」を意味し, later はやや漠然と「終わりの年月」を意味する. ¶*晩年に[の] in *one's later* ⌈*years* [*days*]

はんのう¹ 反応 ── 名 (刺激や作用に対する) reaction Ⓒ; (生理的・心理的) response Ⓤ; (効果) effect Ⓤ. ── 動 react (自); respond (自). 《☞ てごたえ; おうじる》.

¶植物は光に*反応する Plants *react* to light. // 聴衆は彼のアピールに熱狂的な*反応を示した The audience ⌈*responded* [*reacted*] enthusiastically to his appeal. // その計画に対して, マスコミの*反応はどうだったか How did the media ⌈*react* to [*report* (on)] the plan? // 私の忠告に彼らは何の*反応も示さなかった (⇒ 私の忠告は彼らには効果がなかった) My advice had no *effect* on them. / They showed no ⌈*reaction* [*response*] to my advice. // 化学*反応 a chemical *reaction* // 核[連鎖]*反応 a ⌈nuclear [chain] *reaction* // 刺激に対する*反応 *response* to a stimulus

反応速度 reaction velocity Ⓤ **反応度事故** (原子炉の) reactivity accident Ⓒ.

コロケーション

過度の反応 an excessive *reaction* / 極端な反応 an extreme *reaction* / 好意的な反応 a ⌈favorable [positive] *reaction* / 素早い反応 a ⌈quick [swift] *reaction* / 正常な反応 a normal *reaction* / 強い反応 a strong *reaction* / 熱狂的な反応 an enthusiastic *reaction* / 激しい反応 a violent *reaction* / 冷ややかな反応 a chilly *reaction* / ゆっくりとした反応 a slow *reaction* / 弱い反応 a weak *reaction*

はんのう² 半農 ¶このあたりの人々は*半農半漁です People around here are engaged in *farming* and fishing.

ばんのう 万能 ── 形 (神が全能の) omnípotent, almighty ★ 前者のほうが格式ばった語; (すべての面にすぐれた) all-around, 《英》 all-round; (多才の) versatile. ¶*万能の神 *Almighty* God / God *Almighty* // これは*万能薬ではない This is not a ⌈*cure-all* [*panacea* /pænəsí:ə/]. ★ panacea は格式ばった語.

万能選手 all-around [all-round] athlete Ⓒ.

ばんのうさいぼう 万能細胞 embryonic stem

cell Ⓒ ★ 正式名は ☞ はいせいかんさいぼう.

はんのき 榛の木 〖植〗 Japanese alder Ⓒ.

パンのき パンの木 〖植〗 breadfruit tree Ⓒ.

はんば 飯場 construction camp Ⓒ.

はんぱ 半端 **1** «半端な物» ―[名] (がらくた) odds and ends ★ 複数形で; (布地などの残り物) oddments ★ 複数形で; (端数) fraction Ⓒ.
―[形] (半端の・余分の) odd ★ 通例 Ⓐ; (断片的) frágmentàry. ¶ 先月は幾つか*半端仕事にありついた I got several *odd* jobs last month. // *半端な数 (⇒ 端数) は切り捨てる round off [omit] *fractions* // 総額を 8 で割ると 5 円の*半端が出る (⇒ 5 円が残る) There will be five yen *left* after the total sum is divided by eight.
2 «中途半端» ―[形] (不完全な) incomplete; (やりかけの) half-done. 《☞ ちゅうとはんぱ》.
半端物 odds and ends, miscellaneous things ★ いずれも複数形で. **半端者** (幼稚な人) immature person Ⓒ; (信頼できない人) unreliable person Ⓒ; (無責任な人) irresponsible person Ⓒ.

バンパー (自動車の) bumper Ⓒ.

ハンバーガー hámburger Ⓒ 《☞ ハンバーグ(ステーキ)》.

ハンバーグ(ステーキ) hámburger Ⓒ, hámburger stèak Ⓒ [語法] 後者は少し古めかしく, 現在ではパンにはさんだものもそうでないものも hamburger と呼ぶのが普通.

はんばい 販売 ―[動] (売る) sell (他) 《過去・過分 sold》. ―[名] sale Ⓤ [語法] (1) 名詞の前に付けて「販売の」という意味のときは複数形で用いられる. 《☞ うる¹》.
¶ それは書店で*販売されている It is *on sale* at bookstores. // その品の*販売は中止しました We have discontinued ˹*sales of* [*selling*] the article. // *販売計画は変更になった Our *sales* plans have been revised. // わが社の*販売網は強化された Our ˹*sales* [*retail*] networks have been strengthened.
[語法] (2) retail は「小売り」の意. // 当社は関東全域に渡って多数の*販売先をもっている We have a large number of *sales* outlets throughout the Kanto area. // 各メーカーは華々しい*販売合戦をスタートさせた Each manufacturer has launched an aggressive *sales* campaign.
販売委託 sale on commission Ⓒ, consignment Ⓒ **販売委託品** goods on consignment **販売員[係]** sales representative Ⓒ ★ 次の語より格式ばった語; (セールスマン) salesman Ⓒ, (女性の) saleswoman Ⓒ, salesgirl Ⓒ, saleslady Ⓒ [語法] saleswoman が最も普通; (男女両方に用いて) salesperson 《複 salespeople》 《☞ てんいん¹ [日英比較]》. **販売価格** (市価) market price Ⓒ **販売拡張** sales expansion Ⓤ; (販路の) market expansion Ⓤ **販売拡張品** items for promoting sales **販売合戦** sales war Ⓒ **販売管理部** the sales administration ˹division [department] 《☞ 会社の組織と役職名 (囲み)》 **販売協定** sales agreement Ⓒ **販売区域** sales district Ⓒ **販売組合** marketing cooperative Ⓒ **販売政策** sales policy Ⓤ **販売促進** sales promotion Ⓤ. ¶ *販売促進部 the *sales promotion* ˹division [department] 《☞ 会社の組織と役職名 (囲み)》 **販売代理[特約]店** distríbutor Ⓒ **販売高** sales ★ 普通複数形で. **販売店** 《米》 store Ⓒ, 《英》 shop Ⓒ **販売部** the sales ˹division [department] 《☞ 会社の組織と役職名 (囲み)》 **販売網** sales ˹network [chart] Ⓒ.

はんばく 反駁 ―[動] (反論する) argue against …; (論駁する) refute (他) ★ 後者のほうが格式ばった語. ―[名] refutation Ⓤ. 《☞ ろんばく; はんろん¹》.

はんぱく 半白 ―[名] grayish [《英》 greyish] hair Ⓤ. ―[形] grayish-haired.

ばんぱく 万博 world [international] exposition Ⓒ, world('s) fair Ⓒ ★ exposition はこの意味では expo /ékspoʊ/ と略される. 《☞ はくらんかい》.
¶ 愛知*万博 The 2005 *World Exposition*, Aichi / *EXPO* 2005 Aichi

パンパス (アルゼンチンの大草原) the pampas ★ 単数扱い.

はんばつ 藩閥 *han* clique Ⓒ; (説明的には) faction of samurai from a particular ˹*han* [feudal clan] Ⓒ.

はんぱつ 反発 ―[動] (はねつける) repel (他) ★ 格式ばった語; (反対する) oppose (他); (抵抗する) resist (他). ―[名] (嫌悪を伴う反発感) repulsion Ⓤ; opposition Ⓤ ★ 前者のほうが格式ばった語; (反感) antípathy Ⓤ; resistance Ⓤ ★ 前者のほうが格式ばった語. 《☞ はんこう²; はんかん¹; ていこう¹》.
¶ 磁石の同じ極は互いに*反発しあう The same poles of magnets *repel* each other. // 私はこの世相に*反発を感じる (⇒ 反対である) I *am opposed to* these social trends. ★ やや格式ばった表現. // (物理的な)*反発力 force of *repulsion*

はんばり 半張り ―[名] half sole Ⓒ. ―[動] half-sole (他).

はんはん 半半 ―[形] [副] half-and-half, fifty-fifty ★ 後者は「50 対 50 に」という口語的表現. 《☞ ごぶ; せっぱん》. ¶ 水と牛乳を*半々に混ぜなさい Mix water and milk *half-and-half*. // 《支払いなど》 *半々で行こう Let's go *fifty-fifty*.

ばんばん 万万 ☞ じゅうぶん¹; よもや

ばんばんざい 万万歳 ¶ すべて*万万歳だ Everything *is going quite well*. // その通りなら*万万歳だ (⇒ すばらしい) If it's true, that would be *wonderful*.

バンバンジー (中国料理) bon bon chicken Ⓤ; (説明的には) sliced chicken with spicy sesame sauce Ⓤ.

バンビ ―[名] (固) Bambi ★ F. ザルテン原作の童話の題名および主人公の子鹿. ディズニー映画で有名.

ぱんピー 般ピー (「一般ピープル」の略) (無名の人) unknown Ⓒ; (有名人でない人) non-celebrity Ⓒ; (普通の人・素人) the ˹man [woman] ˹on [《英》 in] the street ★ the を付けて; (一般人) the general public ★ 集合的. 《☞ ぼんじん》.

はんびょうにん 半病人 semi-invalid Ⓒ; (病弱な人) sickly person Ⓒ.

はんびらき 半開き ―[形] half-˹open [closed] 《☞ はんドア》.

はんぴれい 反比例 〖数〗 inverse ˹proportion [ratio] Ⓤ ★ 前者が一般的. (↔ direct ˹proportion [ratio]). 《☞ ひれい¹》. ¶ その 2 要素は互いに*反比例する The two elements *are in inverse proportion* to each other.

はんぷ¹ 頒布 ―[動] (配る) distríbute (他). ―[名] distribútion Ⓤ. 《☞ くばる; はいふ¹》.

はんぷ² 帆布 canvas Ⓤ.

パンフ ☞ パンフレット

ばんふう 蛮風 barbarous custom Ⓒ.

パンフォーカス ―[形] 〖映・テレビ〗 deep focus. ¶ *パンフォーカスの場面 a *deep-focus* scene

パンプキン (かぼちゃ) pumpkin Ⓒ. **パンプキンパイ** pumpkin pie Ⓒ.

はんぷく¹ 反復 ―[動] (同じことを繰り返す) repeat (他). ―[名] rèpetítion Ⓤ. 《☞ くりかえす》.
¶ 何回も*反復してせりふを覚えた I('ve) memorized my lines by ˹*repeating* them again and again [*repeated* practice]. ★ 前者のほうが平易な言い方.
反復記号 〖楽〗 repeat Ⓒ **反復練習** repeated

practice Ⓤ.

はんぷく² 反覆 1《背信》: (前言をひるがえす) take back [eat] *one's* words; (心変わりする) change *one's* mind; (裏切る) betray (他).
2《反復》: (繰り返す) repeat (他)《☞ はんぷく¹》.

ばんぷく 万福 a lot of good fortune; (幸せ) happiness Ⓤ. ¶貴家の*万福をお祈り申し上げます I wish you *all health and happiness.*

パンプス (女性用靴) pumps ★通例複数形で. 1足を言うときは a pair of pumps.《☞ くつ (挿絵)》.

ばんぶつ 万物 (すべての物) all things; (宇宙にあるすべての物) all nature Ⓤ; (神が作ったもの) creation Ⓤ ★やや格式ばった語. ¶人間は*万物の霊長といわれる Man is called the lord of *creation.* // 神は*万物の創造主である God is the creator of *all nature.* // *万物は流転する *All things* change.

はんぶっしつ 反物質 〘物理〙 antimatter Ⓤ.

ハンフリー (男性名) Humphrey /hʌ́mfri/.

ハンブル ☞ ファンブル

ハンブルク —图 (固) Hamburg /hǽmbəːg/ ★ドイツ北部の港湾都市.

パンフレット (小冊子) pamphlet Ⓒ; (営業用の) brochure /broʊʃʊ́ə/ Ⓒ 日英比較 日本語のパンフレットは英語の brochure も含めた広い意味で使われるが, 英語の pamphlet は薄い仮りとじのものをいう. 例えば宣伝用のカタログなど少し上等な作りのものは brochure という. なお用紙が一枚のものは leaflet Ⓒ と呼ぶ.

日本語	英　語
パンフレット	pamphlet
	brochure

はんぶん 半分 —图 half Ⓒ《複 halves》.
—動 (2つに分ける) divide ... into halves.
—副 (半分だけ) half.《☞ はん²; にとうぶん》.
¶12の*半分は6です *Half* of 12 is 6. // そのりんごを*半分下さい Please give me *half* of the apple. // 箱の中のオレンジの*半分は腐っている *Half* of the oranges in the box are rotten. 語法 (1) 動詞の数は half of の後に続く名詞の数と一致する. // あなたの蔵書の*半分もあったらよいのだが I wish I had *half* as many books as you have. // パンを*半分にしなさい *Divide* [*Cut*] the loaf of bread ˹*into halves* [*in half*]. 語法 (2) divide は「分ける」, cut は「切る」の意. // 宿題は*半分終わった My homework is *half* done. // 彼はそれを冗談*半分に言ったのです He said that ˹*just for fun* [*half in jest*]. ★[ ]内のほうが格式ばった言い方. / (⇒本当にそのつもりで言ったのではない) He *didn't really mean that.*

はんぶんじょくれい 繁文縟礼 (官僚的形式主義) red tape Ⓤ ★公文書を赤いひもで結んだことから.《☞ かんりょう (官僚主義)》. ¶これらの規則は*繁文縟礼 (⇒こまごまとしていて煩わしい) であると考えられている These are thought to be *elaborate* and *vexatious* rules.

はんぶんすう 繁分数 complex [compound] fraction Ⓒ.

はんべい 反米 —形 anti-American Ⓐ, anti-U.S. Ⓐ. ¶*反米感情 *anti-American* [*anti-U.S.*] sentiment

ばんぺい 番兵 (歩哨) sentry Ⓒ; (見張りの兵士) guard Ⓒ. ¶*番兵に立つ stand *sentry*; be on *guard* (duty)

はんべいしゅぎ 汎米主義 Pan-Americanism Ⓤ.

はんべつ 判別 —動 (区別する) distinguish (自)(他); (違いを述べる) tell ... from ... 語法 後者のほうが口語的. ただし日本語の「判別」のニュアンスには前者のほうが合う. —图 distinction Ⓤ.《☞ くべつ (類義語); みわける》. **判別式** 〘数〙 discriminant Ⓒ.

はんぺら 半ぺら ¶切符の*半ぺら (⇒戻ってくる半券) a ticket *stub*

はんぺん soft [fluffy] fish cake Ⓒ ★説明的訳.

はんぼいん 半母音 〘音声〙 semivowel /sémivàʊəl/ Ⓒ《☞ ぼいん²》.

はんぼう 繁忙 ¶今日は*繁忙を極めた (⇒特に忙しい) 一日でした I had an exceptionally *busy* day today.《☞ いそがしい》 **繁忙期** (年一度の) the busy season; (年何回かある) busy time Ⓒ.

はんぽん 版本 woodblock book Ⓒ.

ハンマー hammer Ⓒ《☞ かなづち (挿絵); だいく (挿絵); やまのぼり》. **ハンマー投げ** the hammer throw **ハンマー投げ選手** hammer thrower Ⓒ.

はんみ 半身 ¶*半身に構える take an *oblique stance* / (⇒一方の肩を少し相手に向けて出して立つ) stand *with one's shoulder a little forward to one's* opponent

はんみち 半道 (1里の半分) half a *ri*; (道のりの半分) half a journey.《☞ り³》.

はんみょう 斑猫 〘昆〙 tiger beetle Ⓒ.

ばんみん 万民 (多くの人) many people; (国民) the nation.

ハンムラビ ☞ ハムラビほうてん

はんめい 判明 —動 (はっきりする) become ˹clear [plain]; (知れる) be known; (結局…だとわかる) tùrn óut (to be ...) (自), prove (自) ★前者のほうが口語的; (人や物の身元が確認される) be identified.《☞ しれる; わかる》. ¶火事の原因はすぐに*判明した The cause of the fire soon *became* ˹*clear* [*plain*]. // 選挙の結果はあすの朝*判明します The election results will *be known* tomorrow morning. // そのうわさは誤りだと*判明した <S (事柄)+V (*turn out* (*to be*); *prove*)+C (形)> The rumor ˹*turned out to be* [*proved*] false. ★to be は常に必要ではないが, この文では付けるほうがよい. // 被害者の身元はいまだに*判明していない. The victim *has* not yet *been identified.*

ばんめし 晩飯 supper Ⓤ《☞ ゆうしょく¹》.

はんめん¹ 半面 (一方の面) one side; (残りの面) the other side.《☞ いちめん》. ¶あなたは問題の*半面しか見ていない You're looking at only *one side* of the question. // あなたは彼の (⇒彼の性格の)*半面を知らない You don't know *the other side* of his character.

はんめん² 反面 (しかし) but ...; (他方では) on the other hand ★but とともに使うこともある.《☞ いっぽう¹; いちめん; しかし》. ¶彼は才能があるが, その*反面, 欠点もないではない He is able, *but on the other hand* he is not without faults. **反面教師** person from whose bad example one can learn Ⓒ ★説明的な訳.

ばんめん 盤面 (碁・将棋などの) face [surface] of a board Ⓒ; (レコードの) surface of a record Ⓒ.

はんも 繁茂 —動 (厚く茂る) grow thick (自).
—形 (密生した) thick (↔thin); (うっそうとした) dense ★前者が口語的で広く用いられる.《☞ しげる 語法; おいしげる》. ¶この島には熱帯植物が*繁茂している Tropical plants *grow thick* on this island. / (⇒この島は熱帯植物で厚く覆われている) This island *is thickly covered with* tropical plants.

はんもう¹ 半盲 —图 〘医〙 hèmianópsia Ⓤ.
—形 púrblind.

はんもう² 反毛 recycled [reclaimed] wool Ⓤ.

はんもく 反目 —動 (…と不和である) be at odds with ... ★格式ばった言い方. —图 (敵意) hostility Ⓤ, antágonism Ⓤ ★後者のほうが格式ばった語.《☞ てきたい; たいりつ》. ¶我が社は取り引き先と金銭問題で*反目している We *are at odds*

with our business associates over money matters.

ハンモック hámmock Ⓒ.

はんもと 版元 publisher Ⓒ.

はんもん[1] 反問 ―動 (逆に質問する) ask a question in return. ¶「それはどういう意味ですか」と私は*反問した "What do you mean by that?" I *asked in return.*

はんもん[2] 煩悶 ―動 (ひどく悩む) be in ⌜agony [anguish] (over ...). ―名 (苦悩) agony Ⓤ; (特に心の苦しみ) anguish Ⓤ ★格式ばった語. 《☞くのう》.

はんもん[3] 斑紋 spot Ⓒ, mottle Ⓒ. 《☞まだら[1]》.

はんもんてん 板門店 ―名 固 Panmunjom /pá:nmúndʒʌ́m/ ★朝鮮半島中部の村. 朝鮮戦争の休戦協定調印地.

はんや 半夜 ☞やはん

ばんや 番屋 box Ⓒ《☞ばんごや; ばんしょ[2]》.

パンヤ 〘植〙 kapok /kéɪpɑk/ trèe Ⓒ, silk-cotton tree Ⓒ; (綿毛) kapok Ⓤ. ★「パンヤ」はポルトガル語 panha より.

はんやく 反訳 ―動 (速記・録音などを書き起こす) transcribe 他. ―名 transcription Ⓤ ★書き起こしたものは Ⓒ.

ばんゆう 蛮勇 (無謀な勇気) reckless courage Ⓤ; (無謀) recklessness Ⓤ. ¶*蛮勇をふるう show *reckless courage*

ばんゆういんりょく 万有引力 〘物理〙 universal gravitation Ⓤ《☞じゅうりょく》. ¶*万有引力の法則 the law of *gravitation*

はんよう[1] 汎用 ―形 (多目的の) multipurpose Ⓐ; (用途の広い) versatile. ¶*汎用コンピューター a *general purpose* computer

はんよう[2] 繁用 ―形 (用が多くて忙しい) busy with a lot of ⌜things [chores]. ―名 (頻繁に用いること) overuse /óuvəjù:s/ Ⓤ. ―動 (頻繁に用いる) overuse /òuvəjú:z/.

はんようし 反陽子 〘物理〙 ántipròton Ⓒ.

はんら 半裸 ―形 half-naked 《☞はだか》.

ばんらい 万雷 ¶*万雷の拍手 (⇒雷のように大きな音の) *thunderous* applause

はんらく 反落 (相場で) ¶株価の*反落 a *reactionary fall* in stock prices // 電子産業株が急*反落した Electronics makers' stocks *have fallen* hard *in reaction.*

はんらん[1] 反乱 ―名 (大規模で組織的な) rebellion Ⓤ 語法 (1) 過去の事件について言うときには失敗したものに用いる. 成功した場合は revolution Ⓤ という; (比較的小規模な) revolt Ⓤ 語法 (2) 以上はそれぞれ具体的な行為を指す場合は Ⓒ; (大規模な反乱につながる初期の) uprising Ⓒ; (軍隊などの) mutiny Ⓒ. ―動 rebel /rɪbél/ against ... 《過去・過分 rebelled》; revolt against ...; rise up against ... ★この順に格式ばった言い方. 《☞はんぎゃく; はんき[3]; ぼうどう》.

¶*反乱が起こった A ⌜*rebellion* [*revolt*] broke out. // 彼らは国王に対して*反乱を起こした They ⌜*rebelled* [*revolted*] *against* the king. / They *rose up in* ⌜*rebellion* [*revolt*] *against* the king. ★第2文のほうが格式ばった表現. // 国王は*反乱を鎮めた The king ⌜put down [suppressed] the *rebellion.* ★[ ] 内のほうが格式ばった言い方.

反乱軍 rebel /réb(ə)l/ army Ⓒ **反乱罪** crime of ⌜rebellion [revolt] Ⓒ **反乱分子** insurgent Ⓒ, rebellious element Ⓒ ★しばしば複数形で.

はんらん[2] 氾濫 ―動 (水があふれ出る・岸を越えて水をあふれさせる) overflów 自 他 語法 他 のときは「川岸」など, 水が越えてあふれ出るものが目的語; (洪水になる・洪水にする) flood 自 他. ―名 óverflow Ⓒ; flood Ⓒ. 《☞こうずい》.

¶川が*氾濫した The river *overflowed* (its banks). / (⇒川は堤防を越えて流れ出た) The river *flowed over* its banks. // 大雨のため川が*氾濫した (⇒大雨が川を氾濫させた) The heavy rain caused the river to *flood.* // 近ごろは日常の言葉に外来語が*氾濫している (⇒外来語の洪水がある) There is a *flood* of foreign words in our everyday language these days.

ばんりどうふう 万里同風 well organized country where all people enjoy a peaceful and uniform life Ⓒ ★説明的な訳.

ばんりのちょうじょう 万里の長城 the Great Wall (of China).

はんりゅうし 反粒子 〘物理〙 ántipàrticle Ⓒ.

はんりょ 伴侶 companion Ⓒ. ¶彼は終生の*伴侶を得た He has got a *companion* for life.

ばんりょく 万緑 a myriad [myriads] of green leaves.

はんるい 煩累 (心配事) cares, troubles ★いずれも複数形で.

はんれい[1] 判例 〘法〙 (judicial) precedent /présədənt/ Ⓒ ★文脈が明らかなときは judicial を付けなくてもよい. ¶*判例を調べる[引用する] check [cite] a *precedent*

はんれい[2] 凡例 (辞書などの) explánatòry nótes ★複数形で; (地図や図表の) legend /lédʒənd/ Ⓒ.

はんれい[3] 範例 (good) example Ⓒ; (手本) model Ⓒ.

はんれいがん 斑糲岩 gabbro Ⓒ.

ばんれいせつ 万霊節 〘キ教〙 All Souls' Day ★11月2日. 信徒の霊を祭る日.

はんろ 販路 (市場) market Ⓒ; (はけ口) outlet Ⓒ. 《☞しじょう[1]; マーケット》. ¶*販路を開拓する (⇒新しい市場を見つける[開く]) find [open] a new *market*

はんろん[1] 反論 ―動 (反対の意見を述べる) argue against ...; (反対を唱える) object to ... 語法 前者と違って, 意見は述べなくてもよい. to のあとには 名 動 いずれも続くが, 動 の場合は ... ing 形. ―名 argument Ⓤ; objection Ⓤ. 《☞はんたい; いいかえす》. ¶私は彼の提案に*反論した I ⌜*argued against* [*objected to*] his proposal.

はんろん[2] 汎論 ☞がいろん; そうろん; つうろん

ひ，ヒ

ひ[1] 日 **1**《太陽》: the sun ★「日なた」の意にもなる; (日光) sunlight Ⓤ, sunshine Ⓤ 〔語法〕 後者は光だけでなく熱も含み，「日なた」の意にもなる.《☞ たいよう[1]; にっこう[1]; ひなた; ひあたり》.

¶ 空には*日がさんさんと照り輝いていた *The sun* was shining bright(ly) in the sky. // 彼はそれを*日に当てて[*日の当たらない所で]乾かした He dried it in *the* ʳ*sun* [*shade*]. // 部屋には*日がいっぱい差していた There was a lot of *sun* in the room. ★ この sun は「日差し」の意味で Ⓤ. / (⇒ 日光が部屋に流れ込んでいた) *Sunlight* was streaming into the room.《☞ 発想 (巻末)》// この部屋は冬は*日が当たらない *The sun* doesn't shine into this room in winter. / This room doesn't get any *sunshine* in winter.

2《暦日》: (特定の日) day Ⓒ; (日時) time Ⓤ.《☞ とき[1]》.

¶ 私はアメリカにいたころの楽しい*日々を思い出した I thought of the happy *days* I had when I was in America. // *日がたつにつれて彼の怒りはやわらいだ As ʳ*time* [(the) *days*] ʳwent by [passed] his anger cooled (down). ★ went by のほうが口語的. // *日一日と暖かくなっている It's getting warmer *day by day*. // *日を改めてお伺いします (⇒ いつか別の時に戻って来ます) I'll be back some other *time*.

3《1 日・日中》: (夜に対して，明るい時間) day Ⓒ《☞ ひる[1] (類義語)》.

¶ 夏[冬]は*日が長い[短い] The *days* are ʳlong in summer [short in winter]. // *日がだんだん短くなってきた The *days* are getting shorter. // 間もなく*日が暮れる (⇒ もうすぐ暗くなる) It will be dark soon.

4《日付・期日》: the date《☞ きじつ; 時刻・日付・曜日 (囲み)》. ¶ 私たちは運動会の*日を決めた We fixed the *date* for the athletic meet.

5《場合》 ¶ 失敗した*日には始末書を書かなければならないだろう *If* I fail, I'll have to submit a written apology.

日が浅い ☞ あさい **日が高い** ¶ まだ*日が高い *The sun is* still *high* (in the sky). **日が好い** ¶ 今日は*日が好い It's *my lucky day*. / It's *a good day* for me.《☞ たいあん[1]》 **日が悪い** ¶ 今日は*日が悪い It's *not my lucky day*. / It's *a bad day* for me. **日暮れて道遠し** Time is getting shorter, but I still have a long way to go before I achieve my goal. **日に焼ける** ¶ 彼は*日に焼けて真っ黒になっていた He was deeply *tanned* from too much *sun*. 〔日英比較〕 日本語では「真っ黒に日に焼ける」と言うが，英語では日に焼けた色は，brown (茶色)，tanned (黄褐色)が一般的. // *日に焼けて顔がひりひりする My face is painfully *sunburned*.《☞ ひやけ》 **日の当たる場所** ¶ 彼は*日の当たる場所を歩いてきた He has ʳfound [earned] *his place in the sun*. **日の目を見る** ☞ ひのめ **日を追って** ☞ ひましに

— コロケーション —

暖かい日 a warm *day* / 暑い日 a hot *day* / 雨の日 a rainy *day* / 風の強い日 a windy *day* / 風のない日 a windless *day* / 曇りの日 a cloudy [an overcast] *day* / 寒い日 a cold *day* / 涼しい日 a cool *day* / 楽しい日 a ʳdelightful [fun] *day* / 晴れた日 a ʳclear [fine; sunny] *day* / 蒸し暑い日 a ʳmuggy [sultry] *day* / 雪の日 a snowy *day*

ひ[2] 火 **1**《火》 — [名] fire Ⓤ; (マッチ・ライターなどの) light Ⓒ; (炎) flame Ⓒ. — [動] (火をつける) fire (他)《☞ 火を付ける[放つ] (成句)》; light (他)《過去・過分 lighted, lit》.

¶ 紙は*火がつきやすい Paper catches *fire* easily. // 私はマッチをすって紙に*火をつけた (⇒ 紙を燃やした) I struck a match and *burned* the paper. // 恐れいりますが*火を貸していただけますか Excuse me, would you mind giving me a *light*? 〔語法〕 (1) この場合 fire は使えない. // 彼はたばこ[ろうそく]に*火をつけた He ʳ*lighted* [*lit*] a ʳcigarette [candle]. // *火のついたたばこを捨ててはいけません Don't throw away *lighted* cigarettes. 〔語法〕 (2) light の過去分詞が形容詞的に用いられるとき，ほかに修飾語がないときは lit でなく lighted が用いられる.

2《暖房や調理》: fire Ⓒ.

¶ *火をおこして下さい Please make a *fire*. // *火が消えそうです. もっと*火をおこしなさい The *fire* is going out. Stoke [Poke; Fan] the *fire*. 〔語法〕 (1) 石炭など燃料を炉に加えて火を盛んにするのは stoke，かき立てて火をおこすのは poke，あおいで火をおこすのは fan. // *火を消しなさい Put out the *fire*. // *火にあたりましょう (⇒ 火にあたって体を暖めましょう) Let's warm ourselves ʳat [by] the *fire*. // 私は手を*火にかざして暖めた I warmed my hands ʳby [over; in front of] the *fire*. 〔語法〕 (2) 火のそばでという意味では by，火の上に手をかざしてという意味では over，火の前でという意味では in front of を用いる. // 私はやかんを*火にかけた I put a kettle ʳon [over] the *fire*. // 飛んで*火に入る夏の虫とはおまえのことだ (⇒ おまえはわなに足を踏み入れた) You walked into a trap.《☞ とぶ[1]》

3《火事》: fire Ⓒ; (大きな火炎) blaze Ⓒ.《☞ かじ[1]》

¶「*火はどこから出たのですか」「台所からです」 "Where did the *fire* start?" "In the kitchen." // *火は隣家に燃え移った The *fire* spread to the house next door. // 彼はその家に*火をつけた He *set* the house *on fire*. / He *set fire to* the house. 〔語法〕 (1) この場合 fire は「火」の意味の不可算名詞.《☞ ほうか[1]》// 消防士たちはその*火を消そうとした The firefighters tried to ʳput out [extinguish] the *fire*. 〔語法〕 (2) put out のほうが口語的. // *火の回りが速かった (⇒ 火は速く広がった) The *fire* spread rapidly. // その家はあっという間に*火 (⇒ 炎) に包まれた In an instant, the house was enveloped *in flames*. // *火の用心《掲示》 Beware of *Fire* / (⇒ 火事を防止せよ) Prevent *Fires* ★ 後者のほうがニュアンスが強い.

4《激しい感情》 ¶ 彼の手紙が彼女の燃える胸の*火をかき立てた His letter stirred up her burning *passion* for him. **火が消えたよう** ☞ 火の消えたよう **火がついたように** ¶ その赤ん坊は*火がついたように (⇒ 狂ったように) 泣いていた The baby was crying *frantically*. **火が付く** ¶ 彼はいつも尻に*火が付くまで (⇒ 最後の瞬間まで) すべてのことをほったらかしにしておく He always leaves everything *until the last moment*. **火に油を注ぐ** ¶ それは*火に油(⇒ 燃料)を注ぐようなものだ It is just like *throwing fuel on a fire*.《☞ 比喩 (巻末)》 **火の海** a sea of flames; (燃えさかる焦熱地獄) a raging inferno ★

いずれも a を付けて. 後者のほうが格式ばった語. ¶1階は*火の海だった The「first [《英》ground] floor was「*a sea of flames* [*in flames*]. **火の消えたよう** ¶この海岸（⇒ 海辺のリゾート）は冬にはまったく*火の消えたようになります（⇒ 人がいなくなる）This seaside resort *is* completely *deserted* in winter. **火の車** ━ 動（金がない）be short of money;（金に困っている）《略式》be (very) hard up. ¶私のところは*火の車だ I *am hard up* (for money). ★ for money は通常省略される. 口語的な表現.《☞ くだけた英語と堅苦しい英語（巻末）》 **火のついたよう** ☞ **火がついたように** **火の出るような**（激しい）fierce;（荒れ狂うほどの）furious. ¶*火の出るような試合 an *electrifying* [a *heated*] game **火のない所に煙は立たない**（煙があるところには火がある）Where there's smoke, there's fire. / There is no smoke without fire.《ことわざ》 **火の中水の中**（どんな状況でも）through thick and thin. ¶たとえ*火の中水の中（⇒ どんな苦難に直面しようとも），私はあなたとずっと一緒にいたい *No matter what hardships I may face*, I want to be with you forever. **火を付ける** ¶その事件が公民権運動に*火を付けた（⇒ 運動をスタートさせた）The incident「*started* [*launched*] the civil-rights movement. // 領有権の主張が全面戦争に*火を付けた The territorial claims *ignited* an all-out war. **火を通す** ¶豚肉は十分*火を通す（⇒ 料理する）必要がある Pork should *be*「thoroughly *cooked* [*cooked through*]. **火を吐く** breathe out fire. ¶伝説では竜は*火を吐く Legend has it that dragons *breathe out fire*. // *火を吐くような（⇒ 激しい）演説 a *fiery* speech **火を放つ** set fire to ....《☞ ほうか[1]; はなつ》. **火を吹[噴]く** ¶エンジンから*火を吹いた *A fire came* out of the engine. // 銃が一斉に*火を吹いた All the guns「*volleyed* [*were fired* at the same time]. **火を見るよりも明らか** ¶それは*火を見るよりも明らかだ（⇒ まったく明白だ）It is *quite obvious*. /（⇒ 日中と同じように明らかだ）It is *as clear as day*.

ひ[3] 灯（明かり）light Ⓒ;（たいまつ）torch Ⓒ.《☞ あかり; でんき[1]》. ¶*灯をつける[消す] turn「on [off] a *light* // その部屋には夜更けまで*灯がともっていた The *light* was on in the room till late at night. // われわれは伝統の*灯を消してはならない We shouldn't let the *torch* of tradition die out.

ひ[4] 比 **1**《比率》: ratio /réɪʃoʊ/ Ⓒ《☞ ひりつ; わりあい》. ¶A と B の*比（⇒ A の B に対する比）は 3 対 5 です The *ratio of* A *to* B is 3:5. ★ three to five と読む. / A and B are in the *ratio* 3:5. ★ 数字の部分は of three to five と読む. またそのように書いてもよい. 第 1 文のほうが一般的.《☞ 数字（囲み）》 **2**《比較》:（競争相手）match Ⓒ;（匹敵するもの）equal Ⓒ《☞ てき》. ¶彼はテニスがうまいけれどもジョンの*比ではない（⇒ ジョンにかなう相手ではない）He's a good tennis player, but he's no *match* for John.

ひ[5] 否（否定の返事・反対投票）no Ⓒ《複 ～(e)s》(↔ yes), nay (↔ yea /jéɪ/, aye /aɪ/) 語法 nay のほうが格式ばった語だが, 口頭の採決などではしばしば用いられる.《☞ ひてい[1]》.
¶票は可とするもの 45, *否とするもの 5 だった There were 45「votes for it [yeses; yeas] and 5「votes against it [*noes; nays*]. // *否とするもの多数 The「*noes* [*nays*] have it. ★ 議長などのことば.

ひ[6] 非（誤り）mistake Ⓒ;（過失）error Ⓒ,（責任）blame Ⓤ. ¶彼は*非を認めた He admitted his「*mistake* [*error*] // *非は君にある You are to *blame*. // 彼女の演奏は*非の打ちどころがなかった（⇒ 完全だった）Her performance was *perfect*.《☞ かんぺき》 **非を鳴らす**（激しく抗議をする）cry out against ...《☞ ひなん[1]》.

ひ[7] 妃 princess Ⓒ ★ 皇族の 1 員である女性にも, また皇族の男性の妻（＝妃）にも用いる語.

ひ[8] 碑 monument Ⓒ. ¶*碑を立てる put up [erect] a *monument* ★ put up のほうが口語的.

ひ[9] 緋 ━ 名 scarlet Ⓤ. ━ 形 scarlet.

ひ[10] 秘 ☞ ひちゅうのひ; ごくひ; ひさく; ひみつ

ひ-[1] 非… ━ 接頭 un-, non- ★ 中立的・消極的な否定には non- を用いる.《☞ 接頭辞（巻末）》. ¶*非科学的な *un*scientific // *非暴力主義 *non*violence

ひ-[2] 被… ¶*被推薦者（⇒ 賞などの候補に指名された人）a nominee /（⇒ 推薦された人 [物]）the recommended

び[1] 美 beauty Ⓤ, the beautiful 語法 前者は日常的な表現で, 具体的なものの美しさを言い, 後者はより抽象的な美を意味する. ¶真善*美 truth, goodness and *beauty* // 自然*美 natural *beauty*

び[2] 微 ¶彼女は*微に入り細にわたって（⇒ すべてにわたって詳細に）事故の様子を話してくれた She described the accident to us *in full detail*.

-び …尾 ¶鯛一*尾 *a* [*one*] sea bream《☞ -ひき; 数の数え方（囲み）》

ピア（同僚・同級生）peer Ⓒ.

ひあい 悲哀（悲しみ）sorrow Ⓤ 語法 具体的な事柄を指す場合はしばしば複数形で.《☞ かなしみ》. ¶彼は人生の*悲哀を小説に描いた He portrayed the *sorrows* of life in his novel.

ビアガーデン beer garden Ⓒ.

ひあがる 干上がる（乾く）drý úp ⓐ《☞ かんそう[1]》.

ビアグラス pilsner (glass) Ⓒ.

ひあし[1] 日足, 日脚 ¶最近*日足（⇒ 日）が延びて [短くなって] きた The *days* are getting「longer [shorter] now.《☞ ひ[1]》

ひあし[2] 火脚 the spread of the fire. ¶*火脚が速かった *The fire spread* fast.

ピアス（耳たぶに穴をあけて通すイヤリング）pierced earring Ⓒ ★ 2 つあるので earrings とするのが普通. 日英比較 イヤリングの意味で pierce を 名 として用いるのは和製英語. ボディーピアスは body piercing.
¶彼女は耳に*ピアスをしている（⇒ ピアスの穴を開けている）She *has pierced* ears. // 鼻*ピ(アス) a *ring*「attached to [worn on] the nose.

ひあそび 火遊び ━ 動 play with「fire [matches] 語法 play with fire は比喩的にも用いる. ¶火事は子供の*火遊びから起こった The fire was started by children *playing with matches*.

ひあたり 日当たり ¶この部屋は*日当たりがよい [悪い] This room「is [isn't] *sunny*. /（⇒ たくさんの日光を取り入れる[入れない]）This room「gets [doesn't get] a lot of「*sun* [*sunshine*].《☞ ひ[1]; にっこう[1]》

ビアトリス（女性名）Beatrice /bíːətrɪs/.

ピアニカ 〔楽器〕melodica Ⓒ, pianica Ⓒ ★ 前者が一般的;（説明的には）keyboard harmonica Ⓒ ★「ピアニカ」は日本の商標.

ピアニシモ 〔楽〕 ━ 副 形 pianíssimò《略 pp》.

ピアニスト pianist /piǽnɪst/ Ⓒ.

ピアノ **1**《楽器》: piano /piǽnoʊ/ Ⓒ;（正式には）pianoforte /piǽnəfɔ̀ət/ Ⓒ.
¶あなたは*ピアノが弾けますか Can you play *the piano*? 語法「…を演奏する」という場合, 楽器の名には the を付ける.《☞ 冠詞（巻末）》// 妹は毎日*ピアノの練習をしています My sister practices *the piano* every day. // 私は*ピアノのレッスンを受けた I took *piano* lessons. // 彼女は*ピアノが上手だ（⇒ よいピアニストだ）She's a good *pianist*. 日英比較 日本語の「ピアニスト」と違って, 英語の pianist は専門のピアニスト以外の人に対しても「ピアノを弾く人」という意味で用いられる. / She plays *the piano* very well. // 彼はその曲を*ピアノで弾いた He played the tune *on the piano.* // *ピアノに合わせて歌いましょう Let's sing *to the* ⌈*piano* [(⇒ ピアノの伴奏で) *piano* accompaniment] // グランド[アップライト]*ピアノ a grand [an upright] *piano*

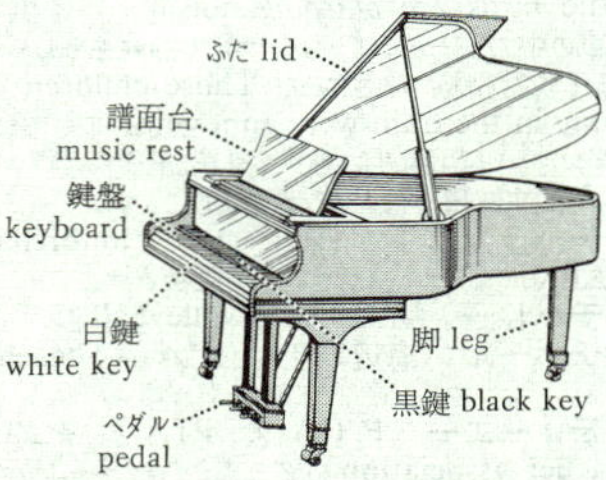

2 «弱く・弱音で» ── 副 piano /piáːnou/.
ピアノ協奏曲 piano concerto /kəntʃéətou/ Ⓒ《複 concerti /-tiː/, ～s》 ピアノ三[四, 五]重奏 piano ⌈trio [quartet; quintet] Ⓒ ピアノ線 piano wire Ⓒ ピアノソナタ piano sonata Ⓒ, sonata for (the) piano Ⓒ.

ひあぶり 火炙り ¶ 彼は*火あぶりの刑に処せられた (⇒ 火刑用の柱で焼かれた) He *was burned at the stake.* / (⇒ 生きたまま焼かれて死んだ) He *was burned alive.*

ビアホール beer hall Ⓒ.

ヒアリング (語学などの練習で耳で聞くだけで理解すること) listening comprehension Ⓤ 日英比較 この意味でヒアリングを使うのは和製英語. hearing は聴覚能力を言う言葉; (公聴会) (public) hearing Ⓒ. ¶ きょう*ヒアリングのテストがあった We had a *listening comprehension* test today.

ビアレストラン beer house Ⓒ 日英比較 「ビアレストラン」は和製英語.

ビアンカ (女性名) Biánca.

ひい 非違 illegality Ⓤ ★「行為」を示すときは Ⓒ. (☞ いほう¹).

びい 微意 ¶ 感謝の*微意を表わして (⇒ 感謝のしるしとして) in *token* [as *a small token*] of *one's* gratitude (☞ すんし).

ビー (アルファベットの第 2 字) B Ⓒ, b Ⓒ. ¶ *B 型の血液 type *B* blood // 4*B の鉛筆 a 4*B* pencil ★ 日本と同じように H, B, F を使うのは《英》で,《米》では HB に当たるものを Number 2 pencil という. 数が大きくなると芯は硬くなる. // *B 型肝炎 ☞ 見出し // *B5 判の雑誌 a *B*5 (,182×257 mm,) magazine ★ A 判, B 判ともに国際規格であるが, 英米では B 判は一般にあまり用いられないので B5 の場合は, 182×257 mm (one hundred eighty-two millimeters by two hundred fifty-seven) のように, 実寸を補足説明することも必要になる場合がある. 「B4[5, 6]判の紙」は (size) *B*⌈4[5, 6] paper または *B*⌈4[5, 6] size(d) paper という.

ピー (アルファベットの第 16 字) P Ⓒ, p Ⓒ.

ピーアール ── 名 public relations 語法 単数扱い. P.R. または PR と略す. (☞ 略語 (巻末)) 日英比較 英語の PR は企業・官庁などの広報活動などをいい, 日本語の「ピーアール」が常に英語の PR と置き換えられるわけではない; (宣伝) publícity Ⓤ; (広告) advertising Ⓤ, advertisement Ⓒ ★ 前者は集合的, 後者は具体的なもの. ── 動 públicìze ㊐; ádvertise ㊐. (☞ せんでん; こうこく¹).
¶ うちの会社は*ピーアールがお粗末だ Our company has poor *public relations.* // 新製品は*ピーアールが不足している (⇒ 十分な宣伝が与えられていない) The new product is not being given enough ⌈*advertising* [*publicity*]. / The new product *is* not being well ⌈*advertised* [*publicized*].
ピーアール誌 (会社の紹介・宣伝のための印刷物) brochure /brouʃúə/ Ⓒ, PR pamphlet Ⓒ.

ピーエイチ 〖化〗(水素イオン指数) pH ★ *p*otential of *h*ydrogen の略. (☞ ペーハー). ピーエイチ試験紙 pH test paper Ⓤ ピーエイチ指示薬 pH indicator Ⓒ.

ビーエイチシー (殺虫剤) BHC ★ *b*enzene *h*exachloride の略.

ビーエス (放送衛星) BS ★ *b*roadcasting *s*atellite の略. ビーエスチューナー BS tuner Ⓒ ビーエスデジタル放送 BS digital broadcasting Ⓤ ビーエス放送 sátellite bróadcàsting Ⓤ.

ピーエス PS, P.S. ★ 手紙の「追伸」を示す記号で *p*ost*s*cript の略. (☞ 手紙の書き方 (囲み)).

ビーエスイー 〖医〗BSE ★ いわゆる「狂牛病」のことで *b*ovine *s*pongiform *e*ncephalopathy (ウシ海綿状脳症) の略. (☞ きょうぎゅうびょう).

ピーエックス PX Ⓒ ★ 米陸軍内部の売店のこと. *p*ost e*x*change の略.

ピーエヌせつごう pn 接合 〖電工〗pn junction Ⓒ.

ピーエフエルピー (パレスチナ解放人民戦線) PFLP ★ *P*opular *F*ront for the *L*iberation of *P*alestine の略.

ピーエム p.m., P.M. 語法 英語では p.m. は 7:00 p.m. のように数字の後につける.

ビーエムダブリュー (ドイツ製の乗用車; 商標) BMW ★ *B*ayerische *M*otoren *W*erke の略.

ビーエル 〖商〗(船荷証券) BL, B/L, b.l. ★ *b*ill of *l*anding の略. (☞ ふなに (船荷証券)).

ピーエルオー (パレスチナ解放機構) the PLO ★ the *P*alestine *L*iberation *O*rganization の略.

ピーエルほう PL法 〖法〗(製造物責任法) Product Liability Law.

ビーオーディー 〖生態〗BOD Ⓤ ★ *b*iochemical *o*xygen *d*emand の略. 水の汚染度を示す数値.

ピーオーピーこうこく POP 広告 (店頭宣伝) POP advertising Ⓤ ★ POP は *p*oint *o*f *p*urchase の略.

ビーカー beaker Ⓒ (☞ じっけん¹ (挿絵)).

ビーがたかんえん B 型肝炎 〖医〗hepatitis /hèpətáɪtɪs/ B Ⓤ. **B 型肝炎ワクチン** hepatitis B vaccine Ⓤ.

ひいき 贔屓 ── 動 (人を偏愛する) favor (《英》favour) ㊐, show favor to ...; (不当にえこひいきする) be partial to ...; (商店の常連客となる) be a regular customer of ... ── 名 favor (《英》favour) Ⓤ; (愛顧)《格式》pátronage Ⓤ. ── 接頭 (...びいきの) pro-. (☞ えこひいき).
¶ あなたは彼を*ひいきしすぎる You *favor* him too much. / You *show* too much *favor to* him. / You *are partial to* him. // 彼はこの店を*ひいきにしている He *is a regular customer of* this store. // ジョンは日本*びいきだ John is *pro*-Japanese. // 彼女はどう*ひいき目に見ても (⇒ いくらよくてもせいぜい) 二流の歌手だ She is *at best* a second-class singer. // 度がすぎると彼女にとってはかえって*ひいきのひき倒しだ (⇒ あまり彼女をひいきしすぎるとそれは彼女に益より害を与える) If you *favor* her too much, it will do her more harm than good.

びいく 美育 training [education] in aesthetics Ⓤ, aesthetic education Ⓤ.

ピーク peak Ⓒ 日英比較 日本語でかな書きの「ピーク」が使われていても, 英語では必ずしも peak を使うとは限らない点に注意.
¶ラッシュアワーはいまが*ピークだ The rush hour is at its *peak* now. // 水の需要は8月に*ピークに達する Water consumption reaches its *peak* in August. // 忙しいのは3月が*ピークです (⇒私は3月が一番忙しい) I'm *busiest* in March. / (⇒3月が最も忙しい月だ) March is *the busiest* month for me. ★第1文のほうが平易な表現.

ビークラス ―名 (二級) the second class Ⓤ. ―形 second-class.

ビーグル (犬の種類) beagle Ⓒ.

ピーケーエフ (国連平和維持軍) the United Nations Peacekeeping Force ★英語では PKF という略語はあまり用いられない.

ピーケーオー ((国連の)平和維持活動) the United Nations Peacekeeping Operations ★英語では PKO という略語はあまり用いられない. ¶*PKO の兵士 a peacekeeper

ピーケーせん PK 戦 〘サッカー〙 penalty kicks. ¶ブラジルはオランダを*PK 戦で4対2で破り, ワールドカップ決勝戦へ進出した Brazil beat the Netherlands by 4–2 on *penalty kicks* to advance to the World Cup final.

ピーコート pea ˈcoat [jacket] Ⓒ.

ピーコック 〘鳥〙 (孔雀(じゃく)) peacock Ⓒ.

ビーごはん B5 判 ☞ビー

ビーコン (標識・標識灯) beacon Ⓒ. ¶ラジオ*ビーコン a radio *beacon*

ビーシー (紀元前) B.C. ★*b*efore *C*hrist の略. 《☞きげん[4]》.

ピーシー[1] (パソコン) PC Ⓒ ★*p*ersonal *c*omputer の略 だが, 英語では一般にウィンドウズまたは DOS を OS とするパソコンを指し, マッキントッシュなどは含まないことが多い. パソコン一般の意味では personal computer を用いる.

ピーシー[2] ―名 (政治的公正さ) political correctness Ⓤ《略 PC》★「偏見や差別語[感覚]の排除」の意. ―形 (政治的に公正な) politically correct.

ビージーエム (背景音楽) background music Ⓤ ★単に background ともいう. 日英比較 BGM は日本式略称.

ビーシージー (結核予防ワクチン) BCG (antituberculosis vaccine) Ⓤ
語法 *B*acillus *C*almette-*G*uérin の略. 英語では BCG という略語はあまり用いられない.

ピーシービー (ポリ塩化ビフェニール) PCB ★*p*oly*c*hlorinated *b*iphenyl /pὰliklɔ́:rənèɪtɪd baɪfí:nl/ の略.

びいしき 美意識 sense of beauty Ⓒ, aesthetic sense Ⓒ ★後者はやや格式ばった表現. ¶彼女は繊細な*美意識の持ち主である She has a delicate *sense of beauty*.

ヒース 〘植〙 heath Ⓒ, heather Ⓒ; (主に英国のヒースの荒野) heath Ⓒ.

ピース (平和) peace Ⓤ. ピースマーク peace ˈsymbol [sign] Ⓒ ★☮のマーク.「ピースマーク」は和製英語.

ビーズ (ビーズ玉) bead Ⓒ ★幾つもつながったものは複数形で beads という. ビーズバッグ beaded bag Ⓒ.

ヒースローくうこう ヒースロー空港 ―名 固 (ロンドン西方の空港) Heathrow Airport.

ヒーター heater Ⓒ《☞だんぼう; ストーブ》.
¶*ヒーターをつける[切る] turn ˈon [off] the *heater*

ピーター (男性名) Peter ★愛称は Pete /pí:t/.

ピーターパン ―名 固 Peter Pan ★J. M. Barrie 作の同名の劇の主人公で, Never-Never Land というおとぎの国に住み, いつまでも大人にならない少年.

ビーだま ビー玉 glass marble Ⓒ ★説明的な訳.
¶*ビー玉をする play *marbles*

ピータン 皮蛋 (中国料理) pi dan /pì:dá:n/ Ⓤ; (説明的には) preserved duck egg Ⓒ.

ビーチ beach Ⓒ.

ビーチウェア (海浜着) béachwèar Ⓤ.

ぴーちく ¶小鳥が騒がしく*ぴーちくさえずっている Little birds are *chirping* noisily. // 子供たちが電車の中で*ぴーちくぱーちく (⇒べちゃくちゃしゃべっている子供たちは) うるさかった Those children *chattering* in the train were annoying. 《☞ぴいぴい; 動物の鳴き声 (囲み); 擬声・擬態語 (囲み)》

ひいちにち 日一日 ☞ひましに

ビーチパラソル 《米》 béach umbrèlla Ⓒ
日英比較「ビーチパラソル」は和製英語.

ビーチバレー 〘スポ〙 beach volleyball Ⓤ.

ビーチボール (海辺で遊びに使うボール) béach bàll Ⓒ.

ピーティーエー P.T.A. Ⓒ, PTA Ⓒ ★*P*arent-*T*eacher *A*ssociation の略. ¶*ピーティーエーの集まり a *Parent-Teacher* meeting

ひいては ¶両国の友好は*ひいては世界の平和につながる (⇒寄与する) だろう Friendship between the two countries will contribute to world peace.

ひいでる 秀でる 《格式》excel (in ...) 自《過去・過分 excelled》《☞すぐれる》. ¶彼女は音楽に*秀でている She *excels in* music. / (⇒音楽に並はずれた才能を持っている) She *has an unusual talent for* music. ★第1文のほうが格式ばった表現.

ヒート (熱) heat Ⓤ.

ビート[1] **1** «音楽の»: (拍子) beat Ⓒ. ¶強烈な*ビートのロック rock with a strong *beat*
2 «水泳のばた足»: flutter kick Ⓒ.
ビート板 (ばた足練習用の板) 《米》 flutterboard Ⓒ, kickboard Ⓒ, 《英》 float Ⓒ.

ビート[2] 〘植〙 beet Ⓒ, sugar beet Ⓒ.

ピート (男性名) Pete /pí:t/ ★Peter の愛称.

ヒートアイランド 〘気象〙 heat island Ⓒ.

ヒートポンプ 〘機〙 (熱ポンプ) heat pump Ⓒ.
¶*ヒートポンプ式冷暖房器 a *heat pump* air conditioner

ビートルズ ―名 固 the Beatles ★英国のロックグループ (1962–70).

ビーナス 〘ロ神〙 (美と愛の女神) Venus 参考 ギリシャ神話の Aphrodite /æfrədáɪti/ に当たる.

ピーナツ 〘植〙 peanut Ⓒ. ピーナツバター peanut butter Ⓤ.

ピーは P 波 〘物理〙 p-wave Ⓒ ★p は *p*rincipal の略.

ビーバー 〘動〙 beaver Ⓒ; (毛皮) beaver Ⓤ.

ビーバップ 〘楽〙 bebop Ⓤ, bop Ⓤ ★ジャズの一種.

ビーばん B 判 ☞ビー

ひいひい ¶*ひいひい泣く *wail* // 今週は忙しくて*ひいひい言っちゃったよ (⇒てんてこまいの週だった) I've had a *hectic* week.

ぴいぴい **1** «鳥の鳴き声» ―動 (ひよこ・ひな鳥などが) peep 自; (鳥がさえずる) whistle 自; (特にかん高い調子で鳴く) pipe 自. 《☞動物の鳴き声 (囲み); 擬声・擬態語 (囲み)》. ¶ひな鳥が巣の中で*ぴいぴい鳴いている A brood of birds *are peeping* in the nest.
2 «暮らしが» ¶当時私たちは*ぴいぴいしていた (⇒金に困っていた) We were *hard up* (*for money*) in those days. 《☞擬声・擬態語 (囲み)》

ピーピーエム (百万分率) ppm, PPM ★*p*arts *p*er *m*illion の略.

ビービーシー (英国放送協会) the BBC ★the

*B*ritish *B*roadcasting *C*orporation の略.

ビーフ (牛肉) beef Ⓤ. ビーフシチュー beef stew Ⓤ ビーフジャーキー beef jerky Ⓤ ビーフステーキ (beef) steak Ⓒ ビーフストロガノフ béef stróganoff /strɔ́ːgənɔ̀ːf/ Ⓤ.

ビーブ (男性名) Viv /vív/ ★ Vívian の愛称.

ビープおん ビープ音 beep Ⓒ.

ビーフン (米粉で作っためん) rice vermicelli /vɚːmətʃéli/ Ⓤ 参考 原語は中国語の「米粉」.

ひいまご 曾孫 ☞ ひまご

ピーマン 〘植〙 green pepper Ⓒ, pim(i)ento /pɪméntoʊ/ Ⓒ《複 ～s》 ★ 前者のほうが一般的. なお,「ピーマン」はフランス語 piment から.

ビーム (光束・指向性電波) beam Ⓒ. ビームアンテナ beam antenna Ⓒ ビームライフル beam rifle Ⓒ.

ビーよんばん B4 判 ☞ ビー

ひいらぎ 柊 (西洋ひいらぎ) holly Ⓒ 参考 英米ではクリスマスの装飾用に用いる.

ひいらぎなんてん 柊南天 〘植〙 Japanese mahonia Ⓒ.

ヒーリング ── 名 (治療・回復) healing Ⓤ. ── 形 healing.

ヒーリングミュージック 〘楽〙(音楽療法の音楽) healing music Ⓤ.

ヒール (かかと) heel Ⓒ.

ビール beer Ⓤ ★ 種類やグラスの杯数を言うときには Ⓒ. ¶ *ビール 1 本 a bottle of *beer* (☞ 数の数え方 (囲み)) // *ビールを 2, 3 杯飲みたい I'd like to have two or three ˹*beers* [glasses of *beer*]. // 気の抜けた*ビール (⇒ 古くなった[炭酸の抜けた]) stale [flat] *beer* // 生*ビール draft [《英》draught] *beer* // 瓶[缶]入りの*ビール bottled [canned] *beer* // 黒*ビール dark *beer* / stout

ビール工場 brewery /brúːəri/ Ⓒ ビール腹 beer ˹belly [gut] Ⓒ ビール瓶 beer bottle Ⓒ.

ビールス virus /váɪ(ə)rəs/ Ⓒ (☞ ウイルス).

ひいれ 火入れ 1 《点火する》 ── 動 (溶鉱炉に) light (他); (原子炉に) ignite /ɪgnáɪt/ (他). ¶ *火入れ式 a *lighting* [an *igniting*] ceremony

2 《低温殺菌する》: pasteurize /pǽstʃəràɪz/ (他).

ひいろ[1] 緋色 scarlet Ⓤ.

ひいろ[2] 火色 the (orange) color of a flame.

ヒーロー hero Ⓒ (↔ heroine) (☞ えいゆう).

ビーろくばん B6 判 ☞ ビー

ひーん ☞ ひひん

ビーンボール 〘野〙 ── 名《略式》 beanball Ⓒ. ── 動 beanball (他) (自).

びう 微雨 light [misting] rain Ⓤ ★「ひと雨」の意では a を付けて.

ひうちいし 火打ち石 flint Ⓒ.

ビウレットはんのう ビウレット反応 〘化〙(蛋白質の呈色反応) biuret reaction Ⓤ.

ひうん 非運 (ついてないこと) bad luck Ⓤ (↔ good luck); (不運) misfortune Ⓤ; (避けることができない運命) fate Ⓤ ★ 死を暗示する語. (☞ ふこう[1]; ふうん; さいなん).

ひえ 稗 〘植〙 Japanese millet Ⓤ.

ひえいせい 非衛生 ── 形 ùnsánitary, ùnhygíenic.

ひえいり 非営利 ── 形 nonprofit. 非営利企業 nonprofit enterprise Ⓒ 非営利団体 nonprofit organization Ⓒ, NPO Ⓒ.

ひえき 稗益 ☞ りえき; とく[2]

ひえきる 冷え切る ¶ 部屋は*冷え切っていた The room *was* ˹*freezing* [*icy*] *cold*. // 彼女との関係はついに*冷え切って (⇒ 終わって) しまった The relationship with her *has* finally ˹*been broken off* [*broken up*]. (☞ ひえる)

ひえこむ 冷え込む become [get] cold ★ get のほうが口語的. (☞ ひえる). ¶ けさは*冷え込んだ (⇒ とても寒かった) It *was very cold* this morning.

ひえしょう 冷え性 ¶ 彼女は*冷え性だ (⇒ 寒さに感じやすい) She is *sensitive to* (*the*) *cold*.

ピエタ pietà /pìːeɪtáː/ Ⓒ ★ キリストの遺体をひざに抱いて悲しむ聖母マリアの絵[像]. pity を意味するイタリア語から. pietà の ` は綴本来のもの.

ひえつ[1] 披閲 ── 動 peruse (他).

ひえつ[2] 飛越 (馬術・陸上競技の) hurdling Ⓤ.

ひえびえ 冷え冷え ── 形 (うすら寒い) chilly; (冷たい) cold. (☞ さむい; さむざむ).

ヒエラルキー hierarchy /háɪ(ə)ràːki/ Ⓒ. ¶ 軍隊は厳格な*ヒエラルキーが特徴である The military is characterized by a strict *hierarchy*.

ひえる 冷える (外気などが) get [grow; become] ˹cold [chilly; cool] 語法 (1) 最も一般的な語は cold, 冷え冷えとして冷たいのは chilly, 快く涼しい感じで冷たいのは cool. 動詞は get が最も口語的; (ぞくぞくする) be chilled; (冷える) cóol (dówn) (自) 語法 (2) 比喩的な場合は通例 down を付けて用いる. (☞ つめたい; さむい).

¶ (気温が) *冷えてきた It'*s getting* ˹*cold* [*chilly*]. // きょうは*冷えますね It's ˹awfully *cold* [*chilly*] today, isn't it? // 雨にぬれて体がすっかり*冷えた (⇒ 雨が骨まで私を冷やした) The rain *chilled* me to the bone. / I *was chilled* to the bone in the rain. // *冷えたトマトジュースはおいしい *Chilled* tomato juice tastes good. // 2 人の仲 (⇒ 2 人の間の友情) が*冷えた The friendship between the two *has cooled down*.

ピエロ Pierrot /píːəròʊ/ Ⓒ; clown Ⓒ 語法 フランスのパントマイムに出てくる, 顔を白く塗り, だぶだぶの白い服を着た道化役者を Pierrot という. 英語では道化は clown.

ヒエログリフ hieroglyph /háɪ(ə)rəglìf/ Ⓒ ★ 古代エジプトの象形文字.

ひえん 飛燕 flying swallow Ⓒ.

びえん 鼻炎 nasal inflammation Ⓤ; rhinitis /raɪnáɪtəs/ Ⓤ ★ 後者は医学用語.

ひえんじょこく 被援助国 aid-receiving country Ⓒ.

ひえんそう 飛燕草 〘植〙 larkspur Ⓒ.

ビエンチャン ── 名 (固) Vientiane /vjentjáːn/ ★ ラオスの首都.

ビエンナーレ (隔年行事) biennale /bìːenáːleɪ/ Ⓒ; (この名で呼ばれる展覧会) the Biennale. ¶ ベネチア*ビエンナーレ the Venice *Biennale*

ひおうぎ 檜扇 1 《扇》: fan made of cypress slats Ⓒ. 2 《植物》: blackberry lily Ⓒ.

ひおうぎかい 檜扇貝 〘貝〙 noble scallop Ⓒ.

ひおおい 日覆い ☞ ひよけ[1]

ひおけ 火桶 wooden brazier Ⓒ.

ビオチン 〘生化〙 biotin Ⓤ.

ビオトープ 〘生態〙 (生物生活圏) biotope /báɪətòʊp/ Ⓒ.

ひおどし 緋縅 scarlet armor bindings. ¶ *緋縅のよろい (Japanese) armor with *scarlet bindings*

ひおどしちょう 緋縅蝶 〘昆〙 tortoiseshell (butterfly) Ⓒ.

ビオラ[1] 〘楽器〙 viola /vióʊlə/ Ⓒ. ビオラダガンバ 〘楽器〙 viola da gamba /váɪələ də gáːmbə/ Ⓒ《複 violas da gamba, viole da gamba》 ★ イタリア語. 古楽器で「脚のビオラ」の意味. ビオラダモーレ 〘楽器〙 viola d'amore Ⓒ ★ イタリア語. 古楽器で「愛のビオラ」の意味.

ビオラ[2] (女性名) Viola /vaɪóʊlə, váɪələ/.

びおん[1] 微温 ── 形 (なまぬるい) lukewarm, tepid ★ 前者が一般的. (☞ ぬるい 語法; なまぬるい). 微温的 ―形(気の乗らない) lukewarm, tepid; (不熱心な) half-hearted 微温湯 tepid [lukewarm] water Ⓤ.

びおん² 鼻音 〘音声〙 ―名 nasal /néɪzl/ (sound) Ⓒ. ―動(鼻音化する) nasalize ㊥.

ひか¹ 皮下 ―形 under the skin; 〘医〙 hypodermic /hàɪpədə́ːmɪk/. 皮下脂肪 subcutaneous /sʌ̀bkjuːtéɪniəs/ fat Ⓤ 皮下出血 subcutaneous ˹hemorrhage [bleeding] Ⓤ 皮下組織 subcutaneous tissue Ⓤ 皮下注射 hypodermic [subcutaneous] injection Ⓒ 《☞ ちゅうしゃ¹》.

ひか² 悲歌 elegy Ⓒ.

ひが¹ 彼我 (彼と私) he and I; (彼らと私たち) they and we. ¶*彼我の力量の差は明白である There is a ˹decided [clear] difference in ability between ˹*him and me* [*them and us*].

ひが² 非我 〘哲〙 nonego Ⓤ, not-self Ⓤ.

びか¹ 美化 ―動(清潔にしておく) keep ... clean; (清掃する) clean ㊥ 語法 日本語で「美化」というとしばしば清掃することを言うので, その場合にはこの訳語を使う; (飾りなどによって美しくする) beautify ㊥, make ... beautiful ★ 前者のほうが格式ばった語; (理想化する) idealize ㊥. 《☞ うつくしい (類義語); きれい; かざる》.

¶校内*美化週間 campus *cleaning* week // いま市内*美化運動が行われている A ˹civic *beautification* [*make*-our-city-*beautiful*] campaign is being carried out. 《☞ ハイフン (巻末)》 // 彼は女性を*美化しすぎている (⇒ 理想化しすぎている) He *idealizes* women too much.

びか² 美果 (よい結果) excellent result Ⓒ, highly satisfactory outcome Ⓒ.

ひがい¹ 被害 ―名 damage Ⓤ 語法 この語は人には使えない; (損失) loss Ⓒ; (災害などによる死傷者) cásualty Ⓒ. ―動(被害を与える) damage ㊥. ¶私の会社はその事件で多大の*被害をこうむった My company suffered a great *loss* from the incident. / (⇒ その事件で結局大きな損害が生じた) The incident resulted in serious *damage* to my company. ★ 第 1 文のほうが平易な表現. // 日照り続きで作物は大きな*被害を受けた The spell of dry weather did great *damage* to the crops. / The crops *were* ˹badly *damaged* [hard *hit*] by the spell of dry weather. // *被害状況を (⇒ 被害がどの程度かを) 知らせて下さい Let me know how much the ˹*loss* [*damage*] was. // 人の*被害はなかった There were no *casualties*. // 彼はインターネット詐欺の*被害にあった (⇒ 犠牲になった[被害者であった]) He ˹fell *victim* to [was a *victim* of] the Internet fraud.

被害額 the amount of damage 被害者 (犠牲者・被災者) victim Ⓒ 語法 死者だけでなく, 生き残った被災者もいう; (負傷者) the injured ★ 総称的. ¶*被害者意識 the feeling of *being victimized* 被害地 (災害の影響を受けた地域) disaster ˹area [zone] Ⓒ; (損害を受けた地域) damaged ˹district [area] Ⓒ 被害妄想 persecution complex Ⓒ ★ 精神異常状態を表す. ¶*被害妄想患者 a *persecution maniac*

コロケーション
軽い被害 minor [light] *damage* / 広範囲の被害 widespread [extensive] *damage* / 深刻な被害 serious *damage* / 甚大な被害 huge [enormous] *damage* / ひどい被害 grave *damage*

ひがい² 鰉 〘魚〙 oily gudgeon Ⓒ, fat minnow Ⓒ.

ひがい³ 梭貝 elongated egg ˹cowrie [cowry] Ⓒ.

ぴかいち ぴかー ―名 No. 1, number one ★ 2 つとも冠詞を付けず単数形で; (花形) star Ⓒ ★ 以上は 形 としても用いる. ―形(最高の) top. 《☞ トップ; はながた》. ¶彼はチームでは*ぴかーの選手だ He is the ˹*number one* [*best*] player on his team. // 彼女は数学では*ぴかーです She is the *top* student in math.

ひかえ 控え (写し) copy Ⓒ; (副本) dúplicate (copy) Ⓒ ★ 原本 (original) と同じ効力を持つもの. 《☞ うつし》. ¶私は論文の*控えを 2 部とった I made two *copies* of my paper.

控え室 (待合室) waiting room Ⓒ 控え書 (写し) copy Ⓒ; (メモ) note Ⓒ 控え帳 (メモ帳) memo pad Ⓒ; (手帳) notebook Ⓒ 控え力士 (*sumo*) wrestler waiting for the next bout Ⓒ.

ひかえめ 控え目 ―形(度を超さない) moderate (↔ extreme); (言動が遠慮がちな) reserved; (謙虚な) modest; (無口な) réticent ★ 前述の語より格式ばった語; (見積もりなど内輪な) consérvative ★ 通例 Ⓐ. 《☞ てきど; おんけん; けんきょ¹; ていしせい》.

¶万事*控えめにやりなさい Be *moderate* in all things. // 彼は*控えめな人だ He is ˹*modest* [*reticent*]. // 彼女は*控えめに話した (⇒ 遠慮して[謙遜して]) She spoke ˹*with reserve* [*modestly*]. // *控えめに見積もっても 500 万円はかかるだろう It will cost five million yen at a *conservative* estimate. // 塩分は*控えめにと (⇒ 摂取量を減らすようにと) 医者から言われました I was told by my doctor to ˹*cut down on* [*reduce*] ˹salt [my salt intake; the salt in my food].

ひがえり 日帰り (旅行の) a ˹day trip [single day's journey] ★ trip のほうが平易な語; one day trip. 《☞ りょこう (類義語)》.

¶箱根に*日帰りで行った We took *a day trip* to Hakone. // 私は大阪に*日帰りで行きたいのですが (⇒ 大阪に行って 1 日のうちに戻って来たい) I would like to *get to* Osaka *and back in a day*. / (⇒ 同じ日に戻って来たい) I would like to *go to* Osaka *and return on the same day*.

日帰り客 (1 日だけ旅行をする) day tripper Ⓒ; (その日だけ訪れ(て来)る) visitor for the day Ⓒ.

ひかえる 控える **1** «慎む»: (量を減らす) cút dówn (on ...) ㊀ ★ cut down で ㊥ の用法もある. 後に ... ing 形を伴う; (度を超さないようにする) be moderate in ...; (遠慮する) reserve ㊥; (強い意志で酒・たばこなどを断つ) abstain from ...; (行動などを一時的に抑える) refrain from ... 《☞ ひかえめ; せっせい¹》. ¶酒もたばこも*控えたほうがいい (⇒ 減らしたほうがいい) You should *cut down* (*on*) your drinking and smoking. // 私は両者の言い分を聞くまで判断を*控えた I *reserved* judgment till I could hear both sides.

2 «…が近くにある» ¶期末試験を*控えて (⇒ 目前にして) 私は必死で勉強している I'm now studying desperately *with* the final examinations *staring me in the face*. ★ stare ... in the face で「(いやな事が) 目前に迫っている」の意味. // 彼は入試を一週間後に*控えている He *is waiting to* take the entrance examinations a week from now.

3 «書き留める»: wríte dówn ㊥; (メモをとる) make a note of ... 《☞ かく¹; かきとめる; メモ》.

ひかかくきょうそう 非価格競争 non-price competition Ⓤ.

ひかがみ 膕 (膝の後の凹み) ham Ⓒ.

ひかき 火搔き (先の曲がったもの) rake Ⓒ; (まっすぐなもの) poker Ⓒ.

ひがき 檜垣 fence made of cypress slats Ⓒ.

ひがきかいせん 檜垣廻船 cargo vessel that sailed between Edo and Osaka carrying everyday commodities Ⓒ ★ 説明的な訳.

ひかく¹ 比較 ―名 comparison Ⓤ. ―動(比

べる) compare (他), compare ...「and[with] ... ── 副 (比較的) comparatively; (相対的に) relatively (↔ absolutely). (☞ くらべる).
¶ これはそれとは*比較にならない There is no *comparison between* this and that. / This cannot「*bear* [*stand*] *comparison with* that. ★ 第 2 文のほうが格式ばった表現. // その 2 つの絵を*比較してみよう Let's *compare* the two pictures. // 原文とあなたの訳文を*比較してごらんなさい *Compare* your translation *with* the original. // これと*比較するとそれのほうがいい *Compared* [*In comparison*] *with* this, that is better. // 今年の冬は*比較的暖かい It is「*comparatively* [*relatively*] warm this winter.
比較解剖学 comparative anatomy Ⓤ **比較級** 〖文法〗 the comparative degree **比較教育学** compárative pedagogy /pédəgòuʤi/ Ⓤ **比較研究** comparative study Ⓒ **比較言語学** comparative linguistics Ⓤ **比較広告** (方法) comparison advertising Ⓤ; (個々の事例) comparison ad Ⓒ **比較行動学** comparative ethology /i:θáləʤi/ Ⓤ **比較宗教学** comparative religion Ⓤ **比較心理学** comparative psychology Ⓤ **比較神話学** comparative mythology Ⓤ **比較生産費説** 〖経〗 the theory of comparative「advantage [costs] **比較生理学** compárative phỳsiólogy Ⓤ **比較病理学** compárative pathólogy Ⓤ **比較文学** comparative literature Ⓤ **比較文法** comparative grammar Ⓤ **比較法学** comparative law Ⓤ.

ひかく² 皮革 (なめし革) leather /léðə/ Ⓤ; (獣の生皮) hide Ⓒ. (☞ かわ²). ¶ *皮革製品 *leather* articles // *皮革産業 the *leather* industry

ひかく³ 非核 ── 形 (核兵器を保有しない) nonnuclear /nànn(j)ú:kliə/; (核保有を禁止された) núclear-frée. (☞ かく⁴). ¶ *非核国 a *nón-nùclear* nátion // *非核政策 a *nónnùclear* pólicy
非核化 denuclearization Ⓤ **非核化地域** denuclearized「area [zone] Ⓒ **非核三原則** the three nonnuclear principles **非核地帯** núclear-frèe zóne Ⓒ **非核地帯条約** Nuclear-Free Zone Treaty Ⓒ.

びがく 美学 ── 名 aesthetics Ⓤ, (米) esthetics /esθétɪks/ Ⓤ. ── 形 (美学の) aesthetic(al). **美学者** aesthetician /èsθətíʃən/ Ⓒ.

びかくしだ 麋角羊歯 〖植〗 elkhorn [elk's-horn] fern Ⓒ.

ひかげ¹ 日陰, 日蔭 shade Ⓤ (☞ かげ²).
¶ その木がちょうどいい*日陰になっている (⇒ 日陰を作っている) The tree「provides [gives] very good *shade*. // 弁当は*日陰に置いておきなさい Put the lunch boxes in the *shade*. // *日陰を歩きなさい Walk in the *shade*. **日陰の花** flower in the shade Ⓒ; (比喩的に) beautiful woman living in obscurity Ⓒ **日陰者** (明るみに出せない過去を持つ人) person with a shady past Ⓒ.

ひかげ² 日影 (日光) sunshine Ⓤ, light Ⓤ; (日あし) beam (of sun) Ⓒ.

ひがけ 日掛け ¶ *日掛け (⇒ 毎日行う) 貯金 *daily* savings

ひかげのかずら 日陰の鬘 〖植〗 club moss Ⓒ, buck grass Ⓒ.

ひかげん 火加減 (熱) heat Ⓤ; (温度) temperature /témpərətʃùə/ Ⓤ ★ 具体的には Ⓒ. (☞ 料理の用語 (囲み)).
¶ *火加減はどうしますか (⇒ どの熱で料理しますか) What *heat* should I cook it over? / (⇒ どの温度で) What *temperature* do I have to cook it at? ★ 前者は強火かとろ火かなどをきく場合, 後者はオーブンなどでの温度をきく場合. // 天ぷら油の*火加減 (⇒ 十分熱くなったか) を見なさい See if the tempura oil is「*hot enough* [(⇒ 適温になっているか) *at the proper temperature*].

ひがごと 僻事 (不都合な言動) impropriety Ⓒ.

ひがさ 日傘 sunshade Ⓒ, parasol Ⓒ ★ 前者が一般的. (☞ かさ¹).

ひかされる 引かされる ☞ ほだされる

ひがし¹ 東 ── 名 (the) east Ⓤ. ── 形 (東の・東方の) east Ⓐ, eastern 〖語法〗 境界がはっきりしていて「東部 (地方) の」という場合は east を, 漠然と「東方の」というときは eastern を使う; (東寄りの) easterly ★ 通例 Ⓐ. ── 副 (東へ) east, eastward(s) ★ 後者は方向を示す意味が強い. (☞ とうぶ²).
¶ 鳥取県は島根県の*東にある Tottori Prefecture /prí:fektʃə/ is to *the east* of Shimane Prefecture. // 私の部屋は*東向きだ My room faces *east*. // *東の空 the *eastern* sky // *東正横綱 the leading *East* Grand Champion // *東東京代表高校 a high school representing *Eastern* Tokyo
東は東, 西は西 East is East, and West is West.
東アジア East Asia **東インド会社** 〖史〗 the East India Company **東海岸** (アメリカの) the east coast (of the United States) **東風** east [easterly] wind Ⓒ (☞ かぜ¹) **東側** (方角の) the「east [eastern] side **東シナ海** the East China Sea **東日本** Eastern Japan **東半球** the Eastern Hemisphere **東ヨーロッパ** East Europe **東ローマ帝国** 〖史〗 the Eastern Roman Empire.

ひがし² 干菓子, 乾菓子 drý confectionery /kənfékʃənèri/ Ⓤ.

ひがしチモール 東チモール ── 名 (固) East Timor; (正式名) the Democratic Republic of East Timor.

ひかず 日数 ☞ にっすう

ひかぜい 非課税 ── 形 tax [duty] free 〖語法〗 tax は一般的な語. duty は「物品税, 関税」の意; tax-exempt ★ やや格式ばった語. (☞ めんぜい).
非課税所得 tax-exempt income Ⓤ **非課税品** tax-free article Ⓒ.

ピカソ ── 名 (固) Pablo Picasso /pá:blou pɪká:sou/, 1881-1973. ★ スペインの画家.

ひがた 干潟 tidal [tide] land Ⓤ; (引き潮のときの海辺) beach at ebb tide Ⓒ.

ピカタ 〖料理〗 piccata /pɪká:tə/ Ⓤ.

びカタル 鼻カタル ☞ びえん

びかちょう 鼻下長 ── 形 (女に甘い) soft on women.

ぴかっと ── 副 with a flash. ── 動 (ぴかっと光る) give out a flash, flash (自); (火花のように光る) sparkle (自). (☞ ひかる; 擬声・擬態語 (囲み)).
¶ 稲妻が*ぴかっと光った Lightning *flashed*. // 暗やみで何かが*ぴかっときらめいた Something *sparkled* in the darkness.

ピカデリーサーカス ── 名 (固) Piccadilly /píkədìli/ Círcus ★ ロンドン都心部の交差点で周囲には有名店, レストラン, 劇場などが多い.

ピカドール pícadòr Ⓒ ★ スペイン語で prick (刺す) する人の意味. 牛を殺すマタドールの前に登場して馬上から槍で突き, 牛を弱らせる役の闘牛士.

ピカドン atomic bomb Ⓒ, A-bomb Ⓒ. (☞ げんばく).

ひがないちにち 日がな一日 (一日中) all day (long), from morning「till [to] night. (☞ いちにち).

ひかねつけつえきせいざい 非加熱血液製剤 〖薬〗 non-heat-treated blood product Ⓒ.

ぴかぴか ── 動 (ぴかぴか光る) glitter (自); (ぱっと光る) flash (自); (火花が出るように光る) sparkle (自); (きらきら光る) twinkle (自). (☞ ひかる; かがやく (類義語); きらめく; 擬声・擬態語 (囲み)).

¶金貨が日光を受けて*ぴかぴか光った Gold coins *glittered* in the sun(light). // 警報用のランプが遠くで*ぴかぴか光った Warning lights *flashed* in the distance. // 彼女は台所用品を*ぴかぴかに磨き上げた She *put a good shine on* all her kitchen utensils.

ひがみ 僻み (劣等感) inferiority /ɪnfì(ə)riɔ́ːrəti/ còmplex Ⓒ; (偏見) préjudice Ⓒ, bias /báɪəs/ Ⓒ 語法 prejudice は一般的な語で悪い意味に使うが, bias は中立的な語で, 必ずしも悪い意味とは限らない. (☞ コンプレックス; へんけん). ¶それは彼の*ひがみだ (⇒劣等感が彼にそのように考えさせたのだ) His *inferiority complex* made him think that way./ (⇒そのように考えるならば偏見がある) He *is* ⌈*prejudiced* [*biased*] if he thinks like that.
僻み根性 ¶彼は*ひがみ根性が強い人 (⇒非常にゆがんだ心をもった人) です He is a person with a very ⌈*warped* [*twisted*] *mind*.

ひかみなり 日雷 dry thunder Ⓤ.

ひがみひぶろ 日髪日風呂 daily hairdressing and hot bathing Ⓤ; (比喩的に) life of luxury and leisure Ⓒ.

ひがみみ 僻耳 mishearing Ⓤ, hearing wrong Ⓤ. (☞ ききちがい).

ひがむ 僻む (劣等感を持つ) have an inferiority complex (to ...); (嫉妬(しっと)している) be envious of ...; (偏見を持っている) be prejudiced against ... (☞ コンプレックス; しっと).
¶この子は*ひがんでいる (⇒劣等感を持っている) The child *has an inferiority complex*. / (⇒兄弟[友人]に嫉妬している) The child *is envious of* his ⌈brothers [friends].

ひがめ 僻目 (斜視) squint Ⓒ; (偏見) préjudice Ⓒ; (誤解) misunderstánding Ⓤ. ¶そう考えるのは私の*ひがめだろうか Is it my *prejudice* that makes me think so?

ひがら[1] 日柄 ¶来週の日曜日はよいお*日柄です It's ⌈a *lucky* [(⇒縁起のよい) an *auspicious*] *day* (*on the Japanese calendar*) next Sunday. ★[ ] 内のほうが格式ばった言い方. 英米にはこのような考え方はないので説明的に訳すしかない.

ひがら[2] 日雀 〖鳥〗 coal tit Ⓒ, titmouse Ⓒ (複 -mice).

ひからす 光らす (靴・銀器などを磨いて) shine ⑩ (過去・過分 shone; shined); (目を離さないでいる) keep an eye on ... (☞ かんし[1]). ¶あのいたずらっ子には目を*光らせていなくてはならない We must *keep an eye on* that naughty boy.

ひからびる 干からびる (すっかり乾く) drý úp ⓐ; (乾かされる) be dried up; (しなびる・しなびさせる) shrível (úp) ⓐ ⑩. (☞ かんそう[1]; しなびる). ¶日なたに出しておいたら野菜が*干からびてしまった The vegetables *were shriveled up* in the sun.

ひかり 光 1 «明かり»: light Ⓤ; (光線) ray Ⓒ, beam Ⓒ; (薄光) gleam Ⓒ; (閃光) sparkle Ⓤ.
【類義語】最も一般的な語は **light**. 太陽の光は the *light* of the sun, sun*light*, 月の光は moon*light*, 星の光は star*light*. 細い光線を指す語は **ray** で, 多少幅の広い光線は **beam** と言う. 暗い中の柔らかい小さな光には **gleam** を, 閃光には **sparkle** をそれぞれ用いる. ¶*光が次第に薄らいだ The *light* faded away little by little. // 開いたドアから日の*光が差し込んだ A ⌈*ray* [*beam*] of sunlight streamed through the open door. // 遠くにかすかな*光が見えた I saw a *gleam* in the distance. // その冠はさん然と*光を放っている The crown *is* brilliantly *shining*. // 親の七*光 ☞ ななひかり
2 «希望»: ray [beam; gleam] of hope Ⓒ (☞ きぼう[1]; のぞみ).

ひかりエレクトロニクス 光エレクトロニクス optoelectronics Ⓤ.

ひかりかがやく 光り輝く ── 動 (光を放って輝く) be ⌈radiant [bright; shining]; (ぴかぴか光る) glitter ⓐ. (☞ ひかる). ¶空中の氷の結晶が日光に当たって*光り輝いている The ice crystals in the air *are* ⌈*shining* [*glittering*] in the sun.

ひかりこうおんけい 光高温計 optical pyrometer Ⓒ.

ひかりこうし 光格子 〖物理〗 optical lattice Ⓒ.

ひかりごうせい 光合成 ☞ こうごうせい

ひかりごけ 光蘚 〖植〗 luminous moss Ⓤ.

ひかりコンピューター 光コンピューター optical computer Ⓒ.

ひかりじきディスク 光磁気ディスク 〖コンピューター〗 magneto-optical disk Ⓒ, MO disk Ⓒ.

ひかりしゅうせきかいろ 光集積回路 optical integrated circuit Ⓒ, optical IC Ⓒ.

ひかりしょくばい 光触媒 〖化〗 photocatalyst Ⓒ.

ひかりつうしん 光通信 optical communication Ⓤ.

ひかりディスク 光ディスク optical disk Ⓒ.

ぴかりと ── 動 (ぴかっと光る) flash ⓐ (☞ ぴかっと; 擬声・擬態語 (囲み)).

ひかりファイバー 光ファイバー optical ⌈fiber [(英) fibre] Ⓒ. 光ファイバーケーブル optical fiber cable Ⓒ, fiber-optic cable Ⓒ 光ファイバー通信 fiber-optic communications ★複数形で.

ひかりも 光藻 〖植〗 *hikarimo* Ⓤ; (説明的には) luminous alga native to Japan Ⓒ.

ひかりもの 光り物 (光を出すもの) glittering object Ⓒ; (金属) metal Ⓒ; (魚の) fish with a ⌈green-ish-blue [silvery] body Ⓒ.

ひかる 光る 1 «光を発する» ── 動 (明るく輝く) shine ⓐ (過去・過分 shone) ★最も一般的な語; (星などがまたたく) twinkle ⓐ; (微光を発する) gleam ⓐ; (閃光(せんこう)を発する) flash ⓐ; (継続的にきらきら) glitter ⓐ; (ぬれたように) glisten ⓐ; (火花のように) sparkle ⓐ; (ぎらぎら) glare ⓐ. ── 形 (輝く) bright; (表面が光る) shiny; (光を放つ) radiant. (☞ ひかり (類義語); かがやく (類義語)).
¶彼の額には玉のような汗が*光っていた Beads of sweat *shone* on his forehead. / His forehead *was glistening* with sweat. // 冬空に星が*光っている There are some stars ⌈*shining* [*twinkling*; *glittering*] in the winter sky. // 何か*光るものが氷の上に落ちた Something *glittering* fell on the ice. // 何かが暗やみでかすかに*光っている Something *is gleaming* in the darkness. // 稲妻が*光った Lightning *flashed*. // *光るものが必ずしも金ではない All that *glitters* is not gold. (ことわざ) // 彼女の目は喜びで一瞬*光った Her eyes *sparkled* with joy for a moment.
2 «目立つ»: (光るように目立つ) shine ⓐ; (際立つ) stànd óut ⓐ, be prominent; (...よりも優れる) (格式) òutshíne ⑩. (☞ めだつ[1]; きわだつ). ¶出品物の中では彼の作品が*光っている His work *shines out* among the exhibits. // 成績では彼女がだんぜん*光っている (⇒学校ではほかの人たちに勝っている) She *outshines* the others at school.

ピカレスクしょうせつ ピカレスク小説 picaresque novel Ⓒ ★16世紀に流行した悪漢小説が起源.

ひかれもの 引かれ者 criminal taken to a prison or an execution ground Ⓒ. 引かれ者の小唄 (虚勢) bravado Ⓒ; (負け惜しみ) sour grapes Ⓤ.

ひかれる 引かれる ☞ ひく[1]

ひがわり 日替わり ¶*日替わりランチ[定食] *to-*

day's ⌜luncheon [dinner] *special*

ひかん¹ 悲観 ―形（悲観的）pèssimístic（↔ optimistic）;（前途・状況などが暗澹(あんたん)とした）gloomy. ―動（悲観する）be pessimistic ⌜of [about] …;（がっかりする）be disappointed at …;（絶望する）despair（of …）自.《☞ しつぼう》.

¶その老人は前途を*悲観した The old man ⌜took [had; assumed] a ⌜*gloomy* [*pessimistic*] *view* of the future. // 彼は入試に落ちて*悲観している（⇒ 絶望状態にある）He *is* now *in despair*, because he failed the entrance exam(ination).

悲観論 péssimism Ⓤ **悲観論者** péssimist Ⓒ.

ひかん² 避寒 ―動（避寒に行く）go to … for the winter;（冬を過ごす）spend the winter（in …）, winter（in …）自 ★ 後者のほうが格式ばった語. ―名 wintering Ⓤ. ¶ハワイへ*避寒に行く *go to* Hawaii *for the winter* **避寒地** winter resort Ⓒ.

ひがん¹ 彼岸 〘仏教〙（涅槃）Nirvana Ⓤ;（春秋の）the equinoctial /ì:kwənàkʃəl/ wéek ★ 説明的な訳. 日英比較 英米では春の彼岸の中日は the ⌜spring [vernal] equinox, 秋の彼岸の中日は the autumn(al) equinox に相当するが, 単に暦の春分・秋分で宗教的な意味はなく, その前後３日を加えた彼岸の週というものはない.《☞ しゅんぶん; しゅうぶん¹》. ¶暑さ寒さも*彼岸まで（⇒ 彼岸と一緒に[の後で]穏やかな気候がやって来る）Mild weather ⌜comes with [follows] *the equinox*. // *彼岸の入り the first day of *the equinoctial week* // *彼岸の中日 the ⌜spring [vernal; autumn(al)] *equinox*

彼岸会 Buddhist services observed during the equinoctial week ★ 通例複数形で. **彼岸桜** cherry (tree) blossoming around the equinoctial week Ⓒ **彼岸花** clúster àmarýllis Ⓒ **彼岸参り** visit to the family grave during the equinoctial week Ⓒ.

ひがん² 悲願（長いこと抱いていた希望）*one's* (long-)cherished hope Ⓤ《☞ ほんもう; しゅくがん》.

びかん¹ 美観（美しさ）beauty Ⓤ ★「美点」の意では Ⓒ;（外見）appearance Ⓒ;（すばらしい [美しい] 光景）fine [beautiful] ⌜sight [spectacle] Ⓒ 語法 spectacle のほうが格式ばった語で, 壮大さを強調する. ¶醜い高層建築は東京の*美観を損なう Ugly high rises spoil the ⌜*beauty* [*appearance*] of Tokyo. // 自然の*美観 the *beauties* of nature

美観地区 aesthetic ⌜area [zone] Ⓒ;（説明的には）area controlled by building regulations for uniformity Ⓒ.

びかん² 美感 sense of beauty Ⓒ, aesthetic sense Ⓒ

びがん 美顔（美しい顔）beautiful face Ⓒ. **美顔術** facial (treatment) Ⓒ ★ 治療という意味で用いる;（美容術）beauty culture Ⓤ, cosmetology /kàzmətálədʒi/ Ⓤ ★ 総称的.《☞ せいけい³》.

ひかんざくら 緋寒桜 〘植〙 *hikanzakura* Ⓒ, winter cherry (tree) Ⓒ.

ひがんざくら 彼岸桜 ☞ ひがん¹（彼岸桜）

ひかんぜいしょうへき 非関税障壁 nón-tàriff bárrier Ⓒ.

ひき¹ 引き（引き立て）favor（《英》favour）Ⓤ;（影響力）influence Ⓤ;（有利な縁故）《略式》pull Ⓒ.《☞ コネ》. ¶彼は上役の*引きで（⇒ 上役に気に入られて）昇進した He was promoted ⌜because he *gained favor with* his boss [through the *pull* of his boss]. // ブラックバスは*引きが強い（⇒ 強い当たりを与える）Black bass give you a strong *strike*.

ひき² 悲喜 **悲喜こもごも** ¶*悲喜こもごも至った（⇒ 私の感情の中で悲しみと喜びが互い違いになった）*Joy and sorrow alternated* in my emotions. /（⇒ 喜びと悲しみの入り交じった感情を持った）I had *mixed feelings of joy and sorrow*.

-ひき …匹 日英比較 英語では「…匹」「…頭」「…羽」などの個数詞を使わず, 数をずばり言うだけでよい.《☞ 数の数え方（囲み）》. ¶猫５*匹 five cats // かえる２*匹 two frogs

ひぎ¹ 秘儀 secret ceremony Ⓒ.

ひぎ² 秘技 special trick Ⓒ.

-びき …引き ¶２割５分*引きで買う buy … at ⌜25 % *off* [a 25 percent *discount*] ★ 前者のほうが口語的.《☞ わりびき》// ほうろう*引きのやかん an *enameled* kettle // ゴム*引きの長靴 rubber-*coated* boots // 逆*引き辞典 a reverse dictionary

びぎ 美技（演技の）brilliant performance Ⓒ;（スポーツの）fine [very good] play Ⓤ.

ひきあい 引き合い ―名（他人の言葉を正確に引用すること）quotation Ⓒ;（言及）réference Ⓒ; 〘商〙（問い合わせ）(business) inquíry Ⓒ. ―動（引用する）quote 他 自;（言及する）mention 他, refer to … ★ 前者は一般的な語.《☞ いんよう¹; しょうかい²; とりひき》. ¶彼は聖書の句を*引き合いに出した He *quoted* a phrase from the Bible. // 彼はよく*引き合いに出される He *is* often ⌜*mentioned* [*referred to*]. // アメリカの会社からの*引き合い *inquiries* from companies in the U.S.A.

ひきあう 引き合う（もうけがある）pay (well) 自, be profitable ★ 後者は少し格式ばった表現;（互いに引き寄せる）attract each other.《☞ もうかる; さいさん¹》.

¶この仕事は*引き合わない This work ⌜*doesn't pay* [*isn't profitable*]. // 地球と月は引力によって互いに*引き合っている The earth and the moon *attract each other* by the force of gravity.

ひきあげ 引き上げ, 引き揚げ **1**《上げること》:（賃金・物価などの）rise Ⓒ, raise Ⓒ, íncrease Ⓒ 語法 最初の２語がより口語的. rise は「上がること」, raise は「上げること」が原意だが,《米》では物価などには rise を, 賃金には raise を使う. ただし,《英》では賃金にも rise が使われる;《米略式》hike Ⓒ ★ 新聞などで使われる語;（船の）salvage Ⓤ.《☞ あげる¹; ねあげ》. ¶彼らは賃金の*引き上げを要求した They demanded a wage ⌜*increase* [《米》*raise*; *hike*;《英》*rise*].《☞ ちんあげ》

2《本国送還》:《格式》repatriation /ri:pèɪtriéɪʃən/ Ⓤ《☞ そうかん⁴》.

引き揚げ者 repatriate /ri:péɪtriət/ Ⓒ **引き揚げ船** repatriation ship Ⓒ.

ひきあげる 引き上げる, 引き揚げる **1**《上げる》:（引っ張り上げる）púll úp 他;（船を）salvage 他.《☞ あげる¹; ひっぱる》. ¶彼はぐいと電車の窓を*引き上げた He ⌜*pulled up* the train window with a jerk [*jerked up* the train window]. // 難破船を*引き揚げる *salvage* a wrecked ship

2《撤退する》:（撤退させる）púll óut 他;（軍隊などが撤退する）púll báck 自, withdraw（from …）自;（ある場所を空にして立ち退く）evacuate（from …）自 ★ 他 の用法もある. 語法 (1) pull out, pull back が最も口語的;（離れる）leave 他 ★ ある場所を離れることを表す一般的な語;（…から本国へ帰る）《格式》be repatriated from … 語法 (2) 戦争などで外国にいる人が引き揚げる場合の用語としてはよく使われる.《☞ てったい; きこく¹》.

¶軍隊は徐々に前線から*引き揚げた The troops gradually ⌜*pulled back from* [*withdrew from*; *evacuated* (*from*)] the front lines. // ８月の終わりに避暑客はこの地から*引き揚げていく Summer visitors *leave* ⌜this place [here] at the end of August. // 彼女は終戦直後外地から*引き揚げた She *was repatriated from* a foreign country

soon after the war ended.
3 «回収する»: (資本・投資を) dìsinvést (他) (自); (取り戻す) withdraw (他). ¶その会社は投下資金を*引き揚げた The company *withdraw* invested funds.

ひきあて 引当て (抵当・担保) security [U]; (特に不動産の) mortgage /mɔ́ːɡɪdʒ/ [C]. **引当金** (準備金) reserve [C]; (定期的な準備金) allowance /əláʊəns/ [C]. ¶修繕*引当金 an *allowance* for repairs // 貸倒*引当金 an *allowance* for bad debts // 退職*引当金 a *reserve fund* for retirement payment

ひきあてる 引き当てる (当たり券[番号]を引く) draw a ˹lucky ticket [winning number]; (賞金などを当てる) win (他). 《☞ あてる¹; くじ》. ¶私は3等を*引き当てた I *won* (the) third prize.

ひきあみ 引き網 〔漁〕(地引き網) seine /séɪn/ [C]; (底引き網) dragnet [C] [参考] 巻網 round haul ˹net [seine] [C], トロール網 trawl [C], 刺網 gill net [C], 定置網 fixed shore net [C], stationary net [C], 流し網 drift net [C]. 《☞ じびきあみ; そこびきあみ》.

ひきあわせ 引き合わせ **1** «紹介» — [動] (紹介する) introduce (他). — [名] introduction [U]. 《☞ しょうかい¹》.
2 «照合» — [動] (照合する) check (他). — [名] checking [U]. 《☞ しょうごう¹; てらしあわせる》. ¶在庫品と仕入れ台帳との*引き合わせを行った The goods in our storehouse *were checked* ˹*with* [*against*] the (stock) ˹ledger [inventory list].

ひきあわせる 引き合わせる **1** «紹介する»: introduce (他) 《☞ しょうかい¹》. ¶小川さんが彼と彼女を (⇒ 彼を彼女に) *引き合わせた Mr. Ogawa *introduced* him *to* her.
2 «照合する»: check (他); (比較する) compare (他). 《☞ しょうごう¹; ひかく¹》. ¶彼女は翻訳と原文を*引き合わせてみた She ˹*checked* [*compared*] the translation *with* the original.

ピギーバック (おんぶ・肩車) piggyback [C] ★〔鉄道〕貨物をトレーラーなどに積載したまま貨車で運ぶ輸送の意味もある.

ひきいる 率いる (連れて行く) take … (to …) ★一般的な語; (軍隊などを指揮して) command (他) ★やや格式ばった語; (引き連れる) lead (他); (先頭に立って) head (他) [語法] いずれも率いられる人が目的語. 《☞ いんそつ; とうそつ》. ¶彼は50人の学生を*率いて米国へ観光に行った He *took* fifty students sightseeing in the United States.

ひきいれる 引き入れる (説得して) wìn óver (他); (引っ張って) draw … ˹in [into] …; (引きずり込む) drag … into … ¶彼は我々の側に*引き入れられた He *was won over* to our side.

ひきうけ 引き受け (仕事・役目の履行) undertaking [U]; (身元などの保証) guarantee /ɡæ̀rəntíː/ [C]; (手形などの受理) acceptance [U].
引受業者[会社] (株式・公債などの) underwriter [C] **引受拒絶** 〔商〕 nonacceptance [U], dishonor [U] **引受手形** 〔商〕 accepted [acceptable] bill [C] **引受手数料** 〔商〕 underwriting fee [C] **引受人** (身元保証人) gùarantór [C]; (被保証人) guarantee [C]; (手形の) acceptor [C] **引受渡し** 〔商〕 documents ˹against [for] acceptance 《略 D/A》.

ひきうける 引き受ける (仕事などを) take (他) ★意味の広い一般的な語; (引き継ぐ) tàke óver (他); (仕事・役目を) undertake (他) ★前述の語より格式ばった語; (保証する) guarantee /ɡæ̀rəntíː/ (他).
¶あなたはその仕事を*引き受けるつもりですか Are you going to *take* the job? // 「だれがこれをしてくれますか」「私が*引き受けます (⇒ 面倒を見ます)」 " Who will do this? " " I'll *take care of* it. "

ひきうす 碾臼 (hand) mill [C].

ひきうつす 引き写す — [動] (そのまま写す) copy (他). — [名] (引き写した物) copy [C]. 《☞ うつす²; まねる》. ¶彼の書いたものは私のを*引き写したところがある Some of his ˹writing is just a *copy* [writings are just *copies*] of my work.

ひきおこす 引き起こす (原因となって) cause (他); (結果としてもたらす) 《略式》 brìng abóut (他); (誘引して) provoke (他) ★前述の語より格式ばった語; (…へ導く) lead (to …) (自) ★ (他) の用法もある. 《☞ おこす¹; もたらす; まねく》. ¶彼はよく問題を*引き起こす (⇒ ごたごたを起こす人だ) He's a *troublemaker*. / He often *causes* ˹difficulties [problems] for others. ★第1文のほうが口語的. // 彼の著作は大きな社会問題 (⇒ 世間の人々の論争) を*引き起こした His writing *has* ˹*brought about* [*provoked*] (a) public controversy.

ひきおとし 引き落とし (口座の) debit [C]; (相撲の) *hikiotoshi* [U] ★必要があれば hand pull down を付け加える. ¶水道・ガス・電気料金の支払いは私の口座の自動*引き落としとなっている (⇒ 自動引き落としで払っている) I pay my utility bills by direct *debit*.

ひきおとす 引き落とす (金を引き出す) draw (他), withdraw (他). 《☞ おろす¹》.

ひきおろす 引き下ろす (引っ張って下ろす) púll [dràw] dówn (他) [語法] pull は「手前の方へ引っ張る」, draw は「引いて動かす」の意; (旗を) hául dówn (他). 《☞ おろす¹》.

ひきかえ 引き換え ¶お金と*引き換えに (⇒ お金が支払われると) 領収証を渡します A receipt will be issued *on payment*. // これを代金*引き換えで送って下さいますか Can you send this to me C.O.D.? [参考] C.O.D. [COD] は cash [collect] on delivery の略. 《☞ こうかん¹》

「似ているかばんはたくさんあります. 引き換え券と照合して下さい」という空港の掲示

引換え券 (品物などの預り券) claim ˹ticket [tag] [C] [語法] ticket は「切符」, tag は「下げ札」を指す; (合い札) check [C].

ひきかえす 引き返す (元へ帰ってくる[行く]) còme [gò] báck (自) ★come と go の区別は ☞ かえる¹ (類義語); (戻る) return (自) ★前者がより口語的; (向きを変えて戻る) tùrn báck (自). 《☞ もどる (挿絵); ぎゃくもどり》.
¶ホノルル行きの飛行機は途中から*引き返さなければならなかった The plane bound for Honolulu had to *turn back* halfway. // もう暗くなってきたから元の所へ*引き返しましょう Because [Since] it's getting dark, let's *go back* to ˹(the place) where we started [our starting point].

ひきかえる 引き換える (…を…と交換する) exchange … for … 《☞ こうかん¹; とりかえる》.

ひきがえる 蟇蛙 toad [C] 《☞ かえる⁶ (挿絵)》.

ひきがし 引き菓子 decorative confection (given to participants in a celebration or Buddhist ceremony) [C].

ひきがたり 弾き語り ¶彼はピアノの*弾き語りをした (⇒ ピアノを弾きながら歌った) He *sang while playing* the piano. / (⇒ 自分のピアノ伴奏に合わせて歌った) He *sang to his own* piano *accompaniment*.

ひきがね 引き金 — [名] trigger [C]. — [動] (…の引き金となる) trigger (他) ★引き金になるものを主語とする. 《☞ けんじゅう (挿絵)》. ¶*引き金を引く pull the *trigger* // その事件が革命の*引き金になった

The incident *triggered* the revolution.

ひきぎわ 引き際, 退き際 ¶私は*引き際 (⇒ いつ[どんな方法で] やめるか) を心得ている I know ⌈*when* [*how*] *to quit*. // 彼は*引き際 (⇒ 引退の機会) を逸した He missed *the chance to retire*.

ひきくらべる 引き比べる ☞ くらべる

ひきげき 悲喜劇 tràgicómedy Ⓒ.

ひきこなす 弾き熟す ¶彼はギターのみならずシタールや三味線も*弾きこなします (⇒ 思い通りに弾く) He *plays* not only the guitar but also the sitar and the samisen *just as he* ⌈*wants to* [*likes*].

ひきこみせん 引き込み線 (鉄道の) siding Ⓒ; (電線の) service ⌈line [wire] Ⓒ ★ line のほうが一般的.

ひきこむ 引き込む draw ... into ... 《☞ ひきいれる》.

ひきこもごも 悲喜こもごも ☞ ひき² (悲喜こもごも)

ひきこもり 引き籠もり withdrawal from society Ⓤ; (外出せずに家にひきこもって余暇をすごすこと) cocooning Ⓤ. ¶*引きこもりの少年 a boy who *stays alone in his room and refuses to meet anyone*

ひきこもる 引き籠る (自宅にいる) stay home; (閉じこもる) shut *oneself* in; (家の中にいる) stay indoors; (病気で) 《略式》 be láid úp. ¶2, 3 日*引きこもって, 家で本を読んでいました I ⌈*stayed home* [*shut myself in*; *stayed indoors*] and read (some books) for a few days. // 先週は風邪のためにずっと家に*引きこもっていた I *was laid up* with a cold last week.

ひきころす 轢き殺す ¶その車は猫を*ひき殺した (⇒ ひいて殺した) The car *ran over* a cat *and killed* it. 《☞ ひく³》

ひきさがる 引き下がる (退く) withdraw (from ...) ⓐ ★ やや格式ばった語; (去る・立ち去る) leave ⓗ ⓐ. 《☞ しりぞく》. ¶私の言葉で彼は黙って*引き下がった (⇒ 私の言葉によって沈黙させられた) He *was silenced* by my words. / (⇒ 黙って出て行った) When he heard me, he *left* without saying anything.

ひきさく 引き裂く (分裂させる) tear /téə/ apart ⓗ; (ばらばらに) tear ... ⌈to [into] pieces; (びりびりに) ríp úp ⓗ; (人間関係を) séparàte ⓗ. 《☞ やぶる; さく²》.
¶彼女は彼の手紙を*引き裂いて捨てた She *tore* his letter *to pieces* and threw it away. // 多くの家族が戦争によってばらばらに*引き裂かれた Many families were *torn apart* by the war. // その事件は 2 人の仲を*引き裂いた The incident *separated* the ⌈two [couple] (from each other).

ひきさげる 引き下げる — 動 (物価・基準などを) lower ⓗ; (物価・費用などを) cút (dówn) ⓗ, reduce ⓗ ★ 前者がより口語的; (一般的に, 下げる) brìng dówn ⓗ. — 图 (賃金・費用などの) cut Ⓤ, reduction Ⓤ ★ 前者がより口語的; lowering Ⓤ. 《☞ ねさげ》.
¶彼は家主に部屋代を*引き下げるように頼んだ He asked his landlord to ⌈*lower* [*cut down*; *reduce*] the (room) rent. // 日銀は金利を*引き下げた The Bank of Japan *lowered* interest rate(s). // 本屋は洋書の値段を*引き下げることに同意した Booksellers have agreed to ⌈*bring down* [*reduce*] the prices of imported books. // 彼らは改革案を*引き下げた (⇒ 撤回した) They *withdrew* the reform proposal.

ひきざん 引き算 — 图 subtraction Ⓤ (↔ addition). — 動 (引き算をする) subtráct ⓐ. 《☞ ひく¹; 数字 (囲み)》.

ひきしお 引き潮 (潮が引くこと) ebb Ⓤ (↔ flow, flood); (引いて行く潮) ebb tide Ⓤ (↔ flood tide); (干潮) low tide Ⓤ (↔ high tide). 《☞ しお²》.
¶*引き潮のときは歩いてその島へ行けます When *the tide is on the ebb* [At *low tide*], you can walk to the island.

ひきしぼる 引き絞る ¶彼は弓を満月のように (⇒ 十分に) *引き絞った He *drew* the bow *to the full*.

ひきしまる 引き締まる ¶*引き締まった顔 (⇒ きっぱりした) *firm* features // 体が*引き締まってきた (⇒ だんだんほっそりしてきている) I'm getting *slimmer*. // 身が*引き締まる (⇒ 緊張する) *become tense*

ひきしめ 引き締め tightening Ⓤ; (金融の) squeeze Ⓒ. 《☞ ひきしめる》. ¶金融*引き締め政策 a *tight* money policy / a credit *squeeze* ★ 後者は専門用語.

ひきしめる 引き締める (気持ちを緊張させる) 《略式》 brace *oneself* (up); (きつくする) tighten (up) ⓗ. ¶気持ちを*引き締めて仕事にかかろう Let's *brace ourselves* (*up*) and start working harder. // 今月は家計を*引き締めなくてはならない We have to *tighten* our household economy this month. // 今後は金融を*引き締めねばならない We have to *tighten up* the money market from now on.

ひぎしゃ 被疑者 súspect Ⓒ 《☞ ようぎ》.

ひきずりおとす 引き摺り落とす drag [pull] ... down (from ...) (to ...).

ひきずりこむ 引き摺り込む pull [drag] ... into ... 《☞ ひきいれる》.

ひきずりだす 引き摺り出す pull [drag] ... out of ... 《☞ だす》.

ひきずりまわす 引き摺り回す pull [drag] ... around.

ひきずる 引き摺る (足などを) drag ⓗ ⓐ; (ドレスなどを) trail ⓗ ★ ドレスなどを主語にして ⓐ でも用いる. 《☞ ひく¹》. ¶彼は足を*引きずるようにしてみんなの後からついて行った He *dragged* (*along*) behind the others. // 彼女は長い着物のすそを*引きずっている Her long kimono *is trailing* (*along*) behind her. // 彼はつき合っている悪い仲間に*引きずられて (⇒ 影響を受けて) 悪事を働くようになった *Under the influence of* the bad company he kept, he began committing crimes.

ひきぞめ¹ 弾き初め (新年の) playing a ⌈koto [samisen] for the first time in the New Year Ⓤ; (新しい楽器の) playing a brand-new musical instrument for the first time Ⓤ ★ いずれも場合に応じて具体的な楽器名をあげる.

ひきぞめ² 引き染め brush dyeing Ⓤ.

ひきたおす 引き倒す pull down ⓗ. ¶彼らはその像を*引き倒した They *pulled* the statue *down*.

ひきだし¹ 引き出し, 抽斗 (机などの) drawer /drɔ́ə/ Ⓒ. ¶彼は一番上の*引き出しを閉めた He shut the top *drawer*. // *引き出しを開けたままにしておいてはいけません Don't leave the *drawer* open.

ひきだし² 引き出し (預金の払い戻し) withdrawal Ⓤ 《☞ ひきだす; はらいもどし》.

ひきだす 引き出す (引っ張って外へ出す) dràw [púll] óut ⓗ; (才能・意味などを) brìng óut ⓗ; (預金などを) withdraw ⓗ, dràw óut ⓗ. 《☞ おろす¹》.
¶彼は銀行から 20 万円を*引き出した He ⌈*drew out* [*withdrew*] two hundred thousand yen from his bank account. // このデータからは結論は*引き出せない You can't *draw* any conclusion(s) from this set of data. // 彼らを交渉の場に*引き出す (⇒ 交渉の場に就くように呼びかける) ようにしなければならない We have to ⌈*appeal* to them [(⇒ 引っぱり出す) *draw* them *out*] *to* ⌈*sit* [*be*] at the negotiating

table.

ひきたつ 引き立つ (すてきに見える) look ˹nice [pretty; lovely; handsome] 〔語法〕 nice が最も一般的. pretty は「愛らしい」, lovely は「愛くるしい」, handsome は主に男性に用いられ「器量のよい」の意. 主語によって形容詞を変える; (対照などで際立って見える・目につきやすい) be sèt óff; (気持ちが) chéer úp (自). 《☞ すてき; うつくしい (類義語)》.

¶ このコートを着るとあなたはとても*引き立って見える You *look* really ˹*nice* [*pretty*; *lovely*] in this coat. // 赤いカーテンでカーペットが*引き立つ The carpet *is set off* by the red curtains.

ひきたて 引き立て ¶ 私は彼の*引き立てで (⇒ 推薦によって) その職についた I got the job through his *recommendation*. // 毎度お*引き立て (⇒ ご愛顧) ありがとうございます Thank you for your *patronage*. 《☞ すいせん¹; えんじょ》 **引き立て役** foil 🄲.

ひきたてる 引き立てる **1** «愛顧する»: (特に目をかけて) favor (《英》 favour) (他); (保護者的に) pátronìze (他); (援助する) support (他); (支援する) (《略式》) báck úp (他). 《☞ えんじょ》.

¶ 私は彼に*引き立ててもらった (⇒ 彼は私を支援してくれた) He *backed* me *up*. / (⇒ 彼は私を昇進させるために影響力を行使した) He *used his influence to promote* me.

2 «鼓舞する»: (気持ちを) chéer úp (他); (…をするようにと元気づける) encourage *a person* (to *do* …).

3 «見栄えをよくする»: sèt óff (他) 《☞ ひきたつ》.

¶ 赤いネクタイが君の服を*引き立てている That red necktie *sets off* your outfit.

ひきちがい 引き違い ¶ *引き違い戸 *double* sliding doors

ひきちがえる 引き違える ¶ 線を*引き違えた (⇒ まちがった線を引いた) I *drew the wrong line*. // 彼は辞書を*引き違えた (⇒ まちがった単語を引いた) He *looked up the wrong word* in a dictionary.

ひきちぎる 引きちぎる téar /téə/ óff (他) 《過去 tore; 過分 torn》 《☞ ひきさく; ちぎる¹》.

ひきちゃ 挽き茶 powdered green tea 🅄 《☞ まっちゃ》.

ひきつぎ 引き継ぎ (人から仕事などを引き継ぐこと) taking over 🅄; (仕事などを人に渡すこと) handing over 🅄. 《☞ けいしょう¹》. ¶ *引き継ぎ事項 a ˹matter [subject] to *be handed over*

ひきつぐ 引き継ぐ (仕事などを) tàke óver (他); (財産などを相続する) inherit (他); (引き渡す) hánd óver (他), hánd ón (他); (遺産などを渡す) hánd dówn (他) ★ しばしば受身で. 《☞ けいしょう¹》.

¶ だれが私の仕事を*引き継ぐのですか Who is (going) to *take over* my job? // 彼はその仕事を父親から*引き継いだ He *inherited* the job from his father. / The job *was handed* (˹*on* [*down*]) to him by his father.

ひきつくろう 引き繕う groom *oneself*, 《略式》 spruce *oneself* up.

ひきつけ 引き付け fit 🄲 《☞ ほっさ》.

ひきつけしゅう 引付衆 〔史〕 member of a judging committee in the Muromachi period 🄲.

ひきつける 引き付ける **1** «引く» ― 動 (引き寄せる) attract (他); (人にとって魅力がある) appeal (to …) (自); (人を引きつける) magnetize (他). ― 形 attractive; appealing; magnetic. 《☞ みりょく》.

¶ 磁石は鉄を*引きつける A magnet *attracts* iron. // 私は彼の誠実さに*引きつけられた I *was attracted* by his honesty. // 彼はどこか人を*引きつけるものを持っている He has a *magnetic* personality. / There's something *attractive* about him. ★ 第 2 文のほうが一般的. // ロック(音楽)は若者たちを*引きつける Rock (music) ˹has a great *appeal* to [*appeals to*] young people. // ボールをもっと*引きつけて打ちなさい *Let* the ball *come* ˹*nearer* [*closer*] and then hit it.

2 «痙攣(けいれん)を起こす»: have a fit 《☞ けいれん》.

ひきつづき 引き続き ¶ 私は 8 年間*引き続き (⇒ ずっと) この仕事をしている I *have been doing* this ˹work [job] for eight (*consecutive*) years. // もう 1 年*引き続き (⇒ 続けて) その仕事をやって下さい I hope you will *continue* the work for another year.

ひきつづく 引き続く ¶ この後*引き続いて (⇒ すぐに) 英語の試験を行います I'm going to give you an English test *immediately after* this. 《☞ つづく》

ひきづな 引き綱 (船・自動車などを引くための) towrope 🄲; (気球などの) trail rope 🄲, dragrope 🄲; (グライダーの) pickup rope 🄲.

ひきつめる 引き詰める ¶ 彼女は髪を後ろに*引き詰めて束ねた She ˹*tied* back her hair *tightly* [*fastened* her hair *tightly* at the back of her head].

ひきつり 引き攣り (筋肉の) cramp 🄲; (特にぴくぴくするけいれん) twitch 🄲; (皮膚の傷跡) scar 🄲. 《☞ ひきつる》.

ひきつる 引き攣る (筋肉が) get a cramp 《☞ けいれん》. ¶ 走っているときに左足が*引きつった I *got a cramp* in ˹the [my] left leg while (I was) running. // 彼の顔は緊張で*引きつっていた (⇒ ぴくぴくけいれんしていた) His face *twitched* with tension. / (⇒ こわばって[ゆがんで]いた) His face *was* ˹*drawn* [*distorted*] with strain. ★ 後者のほうが格式ばった言い方.

ひきつれる 引き連れる (…と一緒に…へ行く) go to … with …; (連れて行く) take … to … 《☞ つれてゆく; いんそつ》.

ひきて¹ 引き手 (取っ手) handle 🄲 ★ 広い意味の語; (握りが丸いもの) knob /náb/ 🄲. 《☞ とって (挿絵)》.

ひきて² 弾き手 player 🄲, performer 🄲 ★ 後者のほうが格式ばった語.

ひきでもの 引き出物 present given to guests at a banquet 🄲 《☞ おくりもの (類義語); みやげ》.

ひきど 引き戸 sliding door 🄲.

ひきどき 引き時, 退き時 ¶ *引き時が肝心だ (⇒ やめる時を知っておくべきだ) You should know *when to quit*. // 今が彼の*引き時 (⇒ 引退すべき時) だ Now is *the time* for him *to retire*.

ひきとめる 引き止める, 引き留める (とどめておく) keep (他); (行かせ[出発させ]ない) prevent *a person* from ˹going [leaving]. 《☞ いりゅう¹》.

¶ 長くはお*引き止めしません I won't *keep* you (for) long. // *引き止めないで下さい (⇒ どうぞ私を行かせて下さい) Please let me go. // どうしても彼を*引き止めることはできなかった Nothing could ˹*keep* [*prevent*] him *from leaving*. ★ keep のほうが口語的.

ひきとり 引き取り ¶ 特売品のお*引き取りはいたしかねます We are sorry, but we can't *take back* sale items. // その財布の*引き取り手はいなかった (⇒ だれもその財布が自分のものであると申し出なかった) Nobody *claimed* the purse. **引き取り人** (紛失物などの) claimant 🄲; (孤児などの) caretaker 🄲.

ひきとる 引き取る (客が一度買った商品などを店が引き取る) tàke báck (他); (買い戻す) búy báck (他).

¶ 彼の末の弟は彼のおじが*引き取った (⇒ おじが世話を引き受けた) His uncle *took* ˹*care* [*charge*] *of* his youngest brother. ★ charge のほうが格式ばった言い方. // 彼女は家族に看取られて息を*引き取った She *breathed her last* with her family ˹attending on [watching] her.

ビギナー (初心者) beginner Ⓒ. **ビギナーズラック** (賭け事などでの初心者の大当たり) beginner's luck Ⓤ.

ひきなおす 引き直す ¶もう 1 回辞書を*引き直してごらんなさい *Consult* your dictionary all *over again.* // また風邪を*引き直しちゃった (⇒ 別の風邪を引いた) I('ve) caught *another* cold.

ひきながす 弾き流す ☞ ひく[2]; かどづけ

ひきなみ 引き波 backwash Ⓤ.

ひきならす 弾き鳴らす ☞ ひく[2]; えんそう

ひきなわ 引き縄 ☞ ひきづな

ビキニ (水着) bikini /bəkíːni/ Ⓒ. ¶*ビキニ姿の女性 a woman in a *bikini*

ひきにく 挽肉 (細かく切り刻んだ) minced meat Ⓤ 《☞ にく》. ¶豚[牛]の*挽肉 *ground* ˹*pork* [*beef*]

ひきにげ 轢き逃げ ── [形] hit-and-run Ⓐ 《☞ ひく[3]》. ¶彼は*ひき逃げされた (⇒ 彼はひき逃げ事故の被害者になった) He was a victim of a *hit-and-run* accident. // *ひき逃げの運転手 a *hit-and-run* driver **ひき逃げ事故** hit-and-run accident Ⓒ.

ひきぬき 引き抜き (移籍) transference Ⓤ; (よりよい条件を出しての) headhunting Ⓤ. 《☞ ひきぬく》. ¶彼は他社の*引き抜きには応じないだろう (⇒ 他社で働く申し出を受けないだろう) He won't accept *the offer to work for another company.*

ひきぬく 引き抜く **1** «歯・くぎなどを»: púll [tàke] óut (他), draw (他), extract (他) ★ 最後はやや格式ばった語; (立木・花などを根こそぎ) ùpróot (他), róot úp (他). 《☞ ぬく》.

2 «選び取る»: (金で人を) hire *a person* away from ...; (移す) transfer (他) ★ 前者より格式ばった語; (不当な手段で) poach (他). ¶彼は大阪のチームに*引き抜かれた (⇒ 移った) He *was transferred* to a team in Osaka. // 我々はその会社から数人の技術者を*引き抜いた We *have* ˹*hired* some engineers *away* [*headhunted* some engineers] *from* that company.

ひきのばし 引き伸ばし, 引き延ばし (写真の) blowup Ⓒ, enlargement Ⓒ ★ 前者が口語的; (会期などの) delay Ⓒ. **引き伸ばし機** enlarger Ⓒ **引き延ばし作戦** delaying tactics ★ 通例複数形で. **引き伸ばし写真** blowup Ⓒ, enlargement Ⓒ.

ひきのばす 引き伸ばす, 引き延ばす ── [動] (時間・空間的に) prolong (他); (決められた期間などを延長する) extend (他); (写真などを) enlarge (他), blów úp (他) ★ 後者が口語的; (延期する) pùt óff (他); (遅らせる) delay (他). ── [名] prolongation Ⓤ; extension Ⓤ; enlargement Ⓤ. 《☞ のばす; えんちょう[1]》. ¶私はあの店でこの写真を*引き伸ばしてもらった I *had* this picture ˹*enlarged* [*blown up*] at that shop. // 彼はその支払いを一日一日と*引き延ばそうとしている He's trying to ˹*put off* [*delay*] (the) payment from day to day. ★ put off のほうが口語的. // 与党は会期を*引き延ばそうと図った The ruling party tried to *extend* the session.

ひきはがす 引き剥がす ¶彼はその写真を壁から*引きはがした He *tore* the photograph ˹*off* [*down from*] the wall. 《☞ はがす》

ひきはぐ 引き剥ぐ ¶彼女は彼がかぶっていた仮面を*引きはいだ She *tore off* the mask he wore. 《☞ はぐ》

ひきはなす 引き離す (相手よりはるかに勝る) outdistance (他); (相手より速く走る) outrun (他) ★ 両方とも格式ばった語; (分離する) separate (他), pull ... apart ★ 後者のほうが口語的. 《☞ はなす[2]》. ¶先頭の走者は他を 30 メートルも*引き離した The runner who took the lead *outdistanced* the others by thirty meters. // 子供を母親から*引き離すことはできない We can't *separate* the child from ˹his [her] mother. / We can't *pull* the child and the mother *apart*.

ひきはなつ 引き放つ ¶彼は一本の矢を*引き放った He *drew* his bow and *shot* an arrow.

ひきはらう 引き払う (場所を去る) leave (他); (部屋などを空ける) vacate (他) ★ 後者のほうが格式ばった語; (家・部屋・キャンプなどを) móve óut (of ...) (自). 《☞ たちのく》. ¶月末までにこのアパートを*引き払います We are going to ˹*move out of* [*vacate*] this apartment by the end of ˹this [the] month.

ひきひも 引き紐 (衣服やバッグなどを開閉する) drawstring Ⓒ; (帽子のあごひも) chin strap Ⓒ.

ひきふだ 引き札 (くじ引きの) lottery [raffle] ticket Ⓒ.

ひきふね 引き船, 引き舟 tugboat Ⓒ, tug Ⓒ ★ 後者のほうが口語的.

ひきまく 引き幕 curtain Ⓒ.

ひきまど 引き窓 (天窓) skylight Ⓒ.

ひきまゆ 引き眉 penciled [pencilled] eyebrows ★ 複数形で.

ひきまわす 引き回す (人を連れ歩く) take *a person* around ...; (人を思いどおりにあやつる) lead *a person* by the nose. ¶彼はその新入社員を社内じゅう*引き回した He *took* the new employee *around* the office. // 彼女に*引き回されるのはごめんだ I don't want her to *lead* me *by the nose.* // 万事よろしくお*引き回し下さるようお願いします (⇒ あらゆることであなたに指導をお願いに来ました) I *came to you for guidance* in everything. 日英比較 この日本語は目上の人に対する形式的な挨拶で, 英語に直すと本当に指導をお願いすることになり, 日本語の意味とは違ってしまう. 従ってこの日本語にぴったりの英語は存在しないと言ってよい.

ひきもきらず 引きも切らず ☞ ひっきりなし

ひきもどす 引き戻す púll báck (他); (連れて帰る) bring báck (他).

ひきゃく 飛脚 express messenger in the old Japan Ⓒ; (説明的には) messenger who carried letters and small packages on foot along the established routes before the Meiji era Ⓒ.

ひぎゃく 被虐 ── [名] suffering Ⓤ. ── [動] (虐待される) be abused; (しいたげられる) be downtrodden. **被虐愛** masochism Ⓤ.

ひぎゃくたいじ 被虐待児 abused [battered] child Ⓒ.

ひきゅう[1] 飛球 ☞ フライ[2]

ひきゅう[2] 悲泣 wailing Ⓤ.

ひきゆるむ 引き緩む (市況が) ease (自), weaken (自).

びきょ 美挙 noble [virtuous] act Ⓒ.

ひきょう[1] 卑怯 ── [形] (臆病(おくびょう)な) cowardly; (不正な) foul; (不当な) unfair. ── [名] cowardice Ⓤ. 《☞ ひれつ; ずるい; ふせい[1]》. ¶*卑怯なことをするな Don't ˹be a *coward* [act in a *cowardly* way]. ★ 最初のほうが口語的. / (⇒ 不正な[不正直な]手段を用いるな) Don't use ˹*foul* [*dishonest*] means. // それは*卑怯だぞ (⇒ 公正ではない) That's ˹*not fair* [*unfair*]. **卑怯者** (臆病者) coward Ⓒ; (説明的に) cowardly person Ⓒ.

ひきょう[2] 秘境 (探検されていない区域) unexplored region Ⓒ; (人里離れて人目にふれない) secluded district Ⓒ. 《☞ みとう》.

ひきょう[3] 悲境 unhappy [adverse; miserable] circumstances ★ 通例複数形で. ¶*悲境に陥る meet with *adversity* / fall into *an unfortunate situation*

ひきょう[4] 比況 comparison Ⓤ. ¶*比況の助動

詞 a *comparative* auxiliary ★ 日本語文法で.

ひぎょう 罷業 ☞ ストライキ

びきょう 鼻鏡 〘医〙 nasal speculum Ⓒ《複 -la》; rhinoscope Ⓒ. **鼻鏡検査(法)** rhinoscopy Ⓤ.

ひきょうい 比胸囲 ratio of chest-measurement to height Ⓒ, chest-measurement-to-height ratio Ⓒ ★ 胸囲を身長で割り, 100 倍した比率.

ひきょく 秘曲 (秘伝の曲) secret music Ⓤ; (秘蔵の曲) treasured piece of music Ⓒ.

ひきよせる 引き寄せる (近くに引く) pull [bring] …「near [closer] (to …); (魅力で引き付ける) attract ㊀. 《☞ ひく¹; ちかづける》. ¶ 彼はいすをストーブのほうに*引き寄せた He「*pulled* [*brought*] his chair *closer to* the heater.

ひきょり 飛距離 (ゴルフボールの) carry Ⓤ ★ 具体的には Ⓒ; (スキージャンプの) jump Ⓒ, leap Ⓒ. ¶ このボールは*飛距離がよく出る This ball has plenty of *carry*. // 彼は 120 メートルの*飛距離を出した (⇒ 120 メートル飛んだ) He *jumped* 120 meters.

ひきわけ 引き分け ― [名] (引き分けの試合) tie [drawn]「game [match] Ⓒ, 《略式》 tie Ⓒ, draw Ⓒ; (同点) tie Ⓒ. ― [動] tie ㊀, tie (with …) ㊁. 《☞ どうてん¹》. ¶ その試合は 2 対 2 の*引き分けになった The game ended in a「*tie* [*draw*] with a score of two to two. / The game ended in a two-two *tie*. ★ 後者のほうが平易な言い方. // 早稲田は慶応と*引き分けた Waseda *tied* (*with*) Keio in the game.

ひきわたし 引き渡し (警察などへの) handing over (of … to …) Ⓤ; (権利・荷物などの) delivery Ⓤ. 《☞ ひきわたす》. ¶ 警察は逃亡殺人容疑者の*引き渡しを要求した The police demanded the「*handing over* [*transference*] of the fleeing murder suspect. ★ [ ] 内のほうが格式ばった語. // 荷物の*引き渡し *delivery* of goods

ひきわたす 引き渡す (警察などへ) hánd [tùrn] óver ㊀; (権利・荷物などを他人へ) deliver ㊀. 《☞ わたす》. ¶ その男は警察へ*引き渡された The man *was handed over* to the police.

ひきわり 碾き割り ¶ *ひき割り麦 *cracked* barley // *ひき割り (⇒ 切り刻んだ) 納豆 *chopped natto*

ひきわる 碾き割る crush [grind] … (in a mortar).

ひきん 卑近 ― [形] (身近な) familiar; (通俗的な) common; (だれでも知っている) popular. ¶ *卑近な (⇒ 身近な [日常的な]) 例 a *familiar* [an *everyday*] example

ひきんぞく¹ 非金属 ― [名] nonmetal Ⓒ. ― [形] nonmetallic. **非金属元素** nonmetallic element Ⓒ.

ひきんぞく² 卑金属 base metal Ⓒ (↔ noble metal).

ひく¹ 引く **1**《引っ張る》: (手前の方へ引っ張る) pull ㊀, pull at …; (引いて動かす) draw ㊀ [語法] pull は瞬間的に引っ張ること. draw は古くさい感じの語で, ある時間・距離にわたって引き動かすことに重点がある; (引きずる) drag ㊀; (重い物を力を込めて) haul ㊀; (車や船など自力で動かない物を) tow /tóu/ ㊀; (ぐいと引く・船などを引き船で引く) tug ㊀, tug「at [on] … 《☞ ひっぱる; ひきよせる》.

¶ 私たちは綱をぐいぐい*引いた We *pulled* (*at*) the rope with all our「strength [might]. / We *tugged* (「*at* [*on*]) the rope. // カーテンを*引いて下さい Please「*close* [*draw*] the curtains. // その馬車は 2 頭の馬が*引いた The carriage *was pulled* by two horses. // 私たちはその重い箱を戸口まで*引いて行った We *dragged* the heavy box to the door. // 機関車は長い貨物列車を*引いていた The locomotive *was pulling* a long freight train.

2《(手を引いて)導く》: lead [take] … (by the hand) ★ take のほうが意味の広い語. ¶ 私はその子の手を*引いて家まで連れて行ってやった I「*led* [*took*] the child *by the hand* to「her [his] house.

3《注意を》: catch ㊀; (魅惑する) attract ㊀ ★ 前者のほうが口語的. 《☞ かんき²; ちゅうい¹》. ¶ 私は手を上げて彼の注意を*引いた I raised my hand to「*catch* [*attract*] his attention. // 彼女は一目見てその青年に*引かれた She was *attracted* to the young man at first sight.

4《辞書を》: (ある語を引く) lóok úp … (in a dictionary); (辞書を引く) consult ㊀ [語法] ある特定の語を引くときは前者を用いる. 《☞ じしょ²》. ¶ その単語を辞書で*引きなさい *Look up* the word *in the dictionary*.

5《水道・電話・電気などを》: (敷設する) lay ㊀; (取り付ける) install ㊀. ¶ 電話は間もなく*引けます We'll *have* a telephone *installed* pretty soon.

6《線を》: draw ㊀ 《☞ せん¹》. ¶ ここに線を*引いてはいけません Don't *draw*「a [the] line here.

7《数字・値段を》 ― [動] (減ずる) subtráct ㊀, take … (from …) ★ 後者がより口語的; (値段を) cút dòwn ㊀, reduce ㊀ ★ 前者がより口語的. 《☞ ひきざん; ねびき¹》. ― [前] minus … ¶ 8 *引く 3 は 5 Eight *minus* three is five. / (⇒ 8 から 3 を引けば 5 が残る) If you「*subtract* [*take*] three from eight, you「get [have] five. 《☞ 数字 (囲み)》

8《風邪を》: catch ((a) cold) 《☞ かぜ²》.

9《譲る・後へ引く》: (譲る) 《格式》 yield ㊁; (後退する) retreat ㊁. 《☞ ゆずる; くっする》.

¶ 彼らは一歩も*引かぬ覚悟だった They were determined not to「*give* [*retreat*; *yield*] an inch. // 彼はあぶない仕事から手を*引きたがっている He wants to *wash his hands of* the risky business.

10《下がる》: go down ㊁, subside ㊁ ★ 前者がより口語的; (潮が) ebb ㊁. 《☞ さがる》. ¶ 熱が*引いた The fever *has*「*gone down* [*subsided*].

11《受け継ぐ》: (才能・容姿・性格などが伝わる) run ㊁ 《☞ ちすじ》. ¶ あの家は学者の血筋を*引いている That family *has* scholastic traits *in the blood*.

12《油をのばして塗る》: grease ㊀, coat … with grease. ¶ クッキーを焼く前に焼き型に油を*ひきなさい *Grease* the cake pan [*Coat* the cake pan *with grease*] before baking the cookies in it.

13《引用する》: quote ㊀ ㊁.

引くに引けない ¶ 彼は*引くに引けない立場に追い込まれた He *was in for it*. ★ be in for it は口語で「ひどい目にあうことになる」の意. / He was put into a position in which he *couldn't back down as* he *wanted to*.

ひく² 弾く (楽器を) play ㊀ 《☞ えんそう》. ¶ 彼女はピアノを上手に*弾く She *plays* the piano (very) well. / She is good at *playing* the piano. / She is a good「pianist [piano player].

ひく³ 轢く rùn óver ㊀; (ひき倒す) rùn dówn ㊀. ¶ 彼の車は犬を*ひいた His car *ran over* a dog. / He *ran over* a dog (「with [in] his car). // 彼はバスに*ひかれた He *was run over* by a bus.

ひく⁴ 碾く, 挽く grind /gráɪnd/ ㊀ 《過去・過分 ground》. ¶ とうもろこしを*ひいて粉にしましょう Let's *grind* the corn into flour. // *挽きたてのコーヒー freshly *ground* coffee

ひく⁵ 挽く (のこぎりで) saw ㊀ 《過去 sawed; 過分 sawed, sawn》. ¶ ここで丸太を*挽いて板にします Logs *are*「*sawed* [*sawn*] into boards here.

びく 魚籠 fish basket Ⓒ, creel Ⓒ. 《☞ つり¹ (挿

絵)).

ひくい 低い 1 «高さが低い»: low (↔ high); (身長が) short (↔ tall); (鼻が) flat. ((☞ たかい[1] (類義語)). ¶その寺は*低い丘の上にあります The temple is (situated) on a _low_ hill. // 父は比較的背が*低い My father is rather _short_. // *低い声で話して下さい Please speak in a ˹_low_ [_soft_] voice. / (⇒ 声を低くして下さい) Please _lower_ your voice. // 彼女は鼻の*低いのを気にしている (⇒ 気に入らない) She doesn't like her _flat_ nose.

2 «地位・程度・率などが» ─[形] low ★ 一般的な語; (身分などが低い) humble ★ 通例 [A]. ─[動] (低くする) lower (他); (降ろす・下げる) brìng dówn (他). ((☞ さげる)).

¶彼は自分の*低い地位に満足していない He is not satisfied with the ˹_low_ [_humble_] position he holds. // 彼らの収入は概して*低い Their income is generally ˹_low_ [_modest_]. [語法] modest には「ひどく高くなくまあまあ」というニュアンスがある. // 物価を*低くする手段はないものだろうか Isn't there any way to ˹_lower_ [_bring down_] prices?

ひくいどり 火食い鳥 cássowàry [C].

ひくいな 緋秧鶏 〘鳥〙 ruddy crake [C].

びくう 鼻腔 〘解〙 nasal /néɪz(ə)l/ cávity [C].

びくしょう 微苦笑 faint smile of chagrin [C], bittersweet smile [C]. ¶彼の物知らずには*微苦笑を禁じ得なかった I could not but give ˹_a wry_ [_an ironic_] _little smile_ at his ignorance.

ピクセル ☞ がそ

ビクター (男性名) Victor ★ 愛称は Vic.

ひぐち 火口 (ガスコンロの) gas burner [C]; (溶接の) nozzle [C].

ピクチャー (絵) picture [C].

ピクチャレスク (絵のように美しい) pìcturésque.

ひくつ 卑屈 ─[形] (卑しい) mean; (奴隷のような) servile /sə́ːvəl/; (こびへつらう) ((格式)) obsequious /əbsíːkwiəs/. ¶*卑屈な態度 _obsequious_ behavior

びくつく ¶彼女は遠く微かな足音にも*びくついた _Her heart fluttered_ at a distant faint sound of footsteps. ((☞ びくびく; 擬声・擬態語 (囲み))

びくっと ¶私はその声で*びくっとした (⇒ たいへん驚いた) I _was quite surprised_ to hear that voice. // 彼は*びくっとして (⇒ はっとして) 起き上がった He sat up _with a start_. // そこで彼女の姿を見て*びくっとした I _was frightened_ to see her there. ★「突然恐怖心を起こした」というニュアンスがある. ((☞ おどろく (類義語); 擬声・擬態語 (囲み)).

ひくて 引く手 ¶この大学の卒業生はいろいろな会社から*引く手あまただ (⇒ 労働市場で大きな需要がある) Graduates of this college _are in great demand_ in the job market. ((☞ ひっぱりだこ))

ピクトグラフ (絵文字・象形文字) píctogràph [C]; (特に古代エジプトの象形文字) hieroglyph /háɪ(ə)rəglɪf/ [C].

びくとも ¶その大きな岩は私が押したくらいでは*びくともしなかった (⇒ 1 インチも動かなかった) I pushed the big rock hard, but it would_n't_ ˹_move_ [_yield_] _an inch_. ((☞ 擬声・擬態語 (囲み))

ビクトリア[1] (女性名) Victória ★ 愛称は Vícki, Víckie, Vícky, Víkki.

ビクトリア[2] ─[名] (固) Victoria ★ オーストラリア南東部の州.

ビクトリアじょおう ビクトリア女王 ─[名] (固) Queen Victoria, 1819–1901. ★ 英国女王.

ビクトリー victory [C]. ビクトリーラン victory lap [C]. [日英比較]「ビクトリーラン」は和製英語.

ピクニック pícnic [C] [日英比較] 英語の picnic には, 自宅の庭も含めて「戸外での会食」という意味がある. したがって必ずしも遠方へ出かけるとは限らない. ¶先週の土曜日に友人と*ピクニックに行った We went ˹on [for] a _picnic_ with our friends last Saturday. // 公園へ*ピクニックに行きましょう Let's go _picnicking_ in the park.

ひくひく ¶犬が鼻を*ひくひくさせていた (⇒ においをかいでいた) I saw a dog _sniffing_ (˹_around_ [_about_]). ((☞ 擬声・擬態語 (囲み))

びくびく ¶*びくびくするな (⇒ 臆病になるな) Don't be _timid_. / (⇒ のんきに構えなさい) Take it easy! ★くだけた口語表現. // 間違いはしないかと*びくびくしていると (⇒ 恐れていると) 英語はうまくならない You can't be a good speaker of English if you _are afraid of_ making mistakes. // 何を*びくびく (⇒ 心配) しているの What _are_ you so _nervous about_? ((☞ 擬声・擬態語 (囲み))

ぴくぴく ¶あの犬が耳を*ぴくぴく動かした That dog _twitched_ its ears. ((☞ 擬声・擬態語 (囲み))

ひぐま 羆 〘動〙 brown bear [C].

ピグミー ─[名] Pygmy [C]; (集合的に) the Pygmies. ─[形] (ピグミーの) Pygmy.

ピグミーチンパンジー pygmy chimpanzee [C].

ひくめ 低目 ¶*低目のストライクを投げる throw a _low_ strike // *低目に見ても (⇒ 少なくとも) これは 100 万円する This is worth _at least_ one million yen.

ひくめる 低める ¶彼女は声を*低めた She _lowered_ her voice. ((☞ おとす))

ピグメント 〘生〙 (色素) pigment [U].

ひぐらし 蜩 〘昆〙 _higurashi_ cicada /sɪkéɪdə/ [C].

ぴくりと ¶彼は下唇を*ぴくりと動かした He _twitched_ his lower lip. // 彼女は熟睡して*ぴくりとも動かなかった She fell into a deep sleep and did not even _twitch_. ((☞ びくっと; 擬声・擬態語 (囲み))

ピクリンさん ピクリン酸 〘化〙 picric acid [U].

ピクルス ─[名] pickles ★ 通例複数形で. ─[動] (ピクルスにする) pickle (他). ¶きゅうりの*ピクルスを作る make _pickles_ of [_pickle_] cucumbers

ひぐれ 日暮れ ─[名] (1 日の終わり) the end of the day. ─[副] (夕方ごろに) toward [((英)) towards] the evening. ((☞ ゆうがた; にちぼつ; ばん[1])).
¶*日暮れ前に before _dark_

ひけ 引け 引けを取る ¶数学ではクラス中でだれにも*引けを取らない (⇒ クラスで 1 番です) As for math, I'm ˹_the best_ [_second to none_] in my class. ★ [ ] 内のほうが意味が強い.

ひげ[1] 髭 (口ひげ) ((米)) mustache /mʌ́stæʃ/ [C], ((英)) moustache /məstáːʃ/ [C] [語法] 左右に分かれて立派なものは複数形で; (あごひげ) beard [C]; (ほおひげ) whiskers ★ 複数形で; (短いほおひげ・もみあげ) sideburns ★ 複数形で; (動物の) whiskers ★ 複数形で. ((☞ あごひげ; ちょびひげ; け[1])).

mustache　beard　whiskers

¶濃い口*ひげ a ˹heavy [full] _mustache_ // 薄い*ひげ a ˹sparse [light] _beard_ // *ひげが早く伸びる My _beard_ grows quickly. // あの男の人は長い*ひげを生やしている That man has a long _beard_. // 父は毎朝*ひげをそる My father _shaves_ every morning. // 彼は無精*ひげを生やしていた (⇒ ひげをそっていなかった) He _was unshaven_. ★ ひげをきれいにそっていることは

be clean-shaven という. // 付け*ひげ a false *mustache*
ひげの塵を払う (上司にこびへつらう) play up to *one's* superiors; (有力者の機嫌をとる) curry favor with powerful people. **ひげを蓄える** (髭を生やす) grow [raise] a ⌜mustache [beard]; (髭を生やしている) have [wear] a ⌜mustache [beard]. **ひげを撫でる** stroke *one's* beard. ¶ 彼は*ひげを撫でながら (⇒ 得意気に) 私たちに武勇談を物語った *In* ⌜*a triumphant* [*an exultant*] *tone* he related to us a tale of his martial exploits.
ひげそり (ひげをそること) shaving Ⓤ; (道具) razor Ⓒ, shaver Ⓒ **ひげそり道具** shaving things ★ 複数形で. **ひげ面** unshaven face Ⓒ **ひげもじゃ** ¶ *ひげもじゃの顔 a face with *a* ⌜*thick* [*bushy*] *beard*

> **コロケーション**
> ひげの手入れをする trim *one's beard* / ひげを剃り落とす shave off *one's beard* / ひげを伸ばす grow a *beard* / 薄汚いひげ a scruffy *beard* / 刈りこんだひげ a trim *beard* / 濃いひげ a thick *beard* / 手入れしてないひげ a scraggly [an unkempt] *beard* / もじゃもじゃのひげ a bushy *beard*

ひげ[2] 卑下 ―［動］(卑下する) depreciate [humble] *oneself* ［語法］両方とも格式ばった言い方. 前者は「自分の価値を過小評価する」, 後者は「自分を控えめに見て, 相手に対して謙虚になる」の意.
―［副］(卑下して・謙虚に) humbly, with humility ★ 後者のほうが格式ばった感じ. 《☞ けんそん》.
卑下自慢 (謙虚さは誇りの現れ) Self-effacing modesty is pride reflected.

ピケ[1] ―［名］picket (line) Ⓒ. ―［動］(ピケを張る) picket (自)(他). ¶ 労働組合員たちは会社の門前に*ピケを張った The (labor) union (members) *picketed* the gate of the company. **ピケライン** ☞ ピケット

ピケ[2] (畝織りの綿布) piqué Ⓤ.

ひけい 飛型 〔スキー〕jumping style Ⓒ. **飛型点** (jumping-)style point Ⓒ.

びけい[1] 美形 (すてきな顔立ち) fine features ★ 複数形で.

びけい[2] 美景 (集合的に) beautiful [lovely] scenery Ⓤ; (個々のよい眺め・景色) beautiful ⌜scene [view] Ⓒ.

ひげき 悲劇 ―［名］tragedy Ⓒ. ―［形］(悲劇的な) tragic. ¶ 人生の*悲劇 a *tragedy* of life

ひけぎわ 引け際, 退け際 ¶ 会社の*引け際に (⇒ 終業時間直前に) 残業を命じられた I was ⌜asked [ordered] to work overtime *just before* (*the*) *closing time*. ★ [ ] 内のほうが意味が強い.

ひげくじら 鬚鯨 〔動〕whálebone whàle Ⓒ.

ひげけっしょう 髭結晶 whisker Ⓒ.

ひけし 火消し (消防隊) fire brigade Ⓒ; (消防士) firefighter Ⓒ. **火消し壺** charcoal extinguisher Ⓒ 《☞ けしつぼ》.

ひけつ[1] 秘訣 (成功などの) secret Ⓒ; (要点) key Ⓒ; (こつ)《略式》knack Ⓒ ★ 通例単数形で. 《☞ こつ[1]; ひみつ》. ¶ 健康の*秘訣は早起きです The *secret* of (good) health is to get up early in the morning. / Early rising is a *key* to good health. ★ 第 1 文のほうが平易な表現. // 彼は金もうけの*秘訣を知っているらしい He seems to have ⌜the *knack* of [a *knack* for] making money.

ひけつ[2] 否決 ―［名］rejection Ⓤ. ―［動］reject (他); (投票で) vóte dówn (他).

ピケット ☞ ピケ[1] **ピケットライン** picket line Ⓒ. ¶ *ピケットラインを張る form [organize] a *picket line*

ひけどき 引け時, 退け時 closing time Ⓒ, hour of closing Ⓒ ★ 前者のほうが一般的. 《☞ ひけぎわ; しゅうぎょう[2]》.

ひけね 引け値 (株の) clósing price Ⓒ.

ひげね 髭根 〔植〕fibrous root Ⓒ.

ひけめ 引け目 ¶ 私は彼らに対していつも*引け目を感じている (⇒ 劣る感じがする) I ⌜always *feel* [*have* always *felt*] *inferior to* them. 《☞ れっとうかん》

ひけらかす (自慢して) shów óff (他); (見せつける) display (他) ★ 後者のほうが格式ばった語. 《☞ じまん; みせびらかす》.

ひける 引ける (終わる) be over; (学校・集会が)《米》lèt óut (自). 《☞ おわる》. ¶ 学校は 3 時半に*引けます School ⌜*is over* [*lets out*] at three-thirty.

ひけん[1] 比肩 ―［動］(…に匹敵する) equal (他); (…と同等である) match (他). 《☞ ひってき》. ¶ 現在のピアニストで技巧の点で彼に*比肩する者はいない No living pianist *equals* him in technique. // この車は経済性ではあの車に*比肩できる This car can *match* that one in economic performance.

ひけん[2] 卑見 my opinion. ¶ *卑見を申し述べれば… If ⌜I may be allowed [you will allow me] to offer *my opinion* … / In *my humble opinion* …
［日英比較］日本語の「卑見」を直訳すると my humble opinion になるが, 英語で謙遜を表すには, 普通第 1 文のように文全体を丁寧な表現にして表す.

ひけん[3] 披見 ¶ 書簡を*披見する (*open and*) *read* a letter

びげん 微減 slight decrease Ⓒ.

ひげんぎょう 非現業 clerical work Ⓤ.

ひげんじつてき 非現実的 ùnrèalístic; (実行不可能な) ìmpráctìcable.

ひけんしゃ 被験者 (実験材料となる人) subject Ⓒ; (試験される人) examinee /ɪgzæ̀mənìː/ Ⓒ (↔ exáminer).

ひご[1] 庇護 ―［動］(守る・保護する) protect (他) 《☞ ほご[1]; まもる》. **庇護権** 〔法〕the right of asylum.

ひご[2] 卑語 (下品な言葉) vulgar word Ⓒ, vulgarism Ⓒ ★ 後者は格式ばった語; (スラング) slang Ⓤ ★ 総称的; (個々の語) slang(y) word Ⓒ. 《☞ ぞくご》.

ひご[3] 籤 flexible bamboo filament Ⓒ. ¶ *ひごと和紙で作った提灯 a lantern made of *flexible bamboo filaments* and Japanese paper

ひご[4] 蜚語, 飛語 groundless [unfounded] rumor Ⓒ 《☞ りゅうげんひご》.

ピコ 〔物理〕pico- /píːkoʊ/ ★ 10^{-12} (1 兆分の 1) を表し, 単位につける《記号 p》. **ピコグラム** picogram Ⓒ《記号 pg》.

ひごい 緋鯉 red [gold] carp Ⓒ ★ 単複同形.

ひこう[1] 飛行 ―［名］(1 回の飛行) flight Ⓒ; (飛ぶこと) flying Ⓤ; (やや格式ばって, 航空) aviation Ⓤ.
―［動］(飛ぶ) fly (自) ★ 空中を飛ぶことを表す一般的な語. 「飛行機で行く」という意味でもよく用いる. 《☞ とぶ[1]》.
¶ 東京地区では夜間*飛行は禁止すべきだ Night *flights* should not be allowed in the Tokyo area. // 彼は世界一周無着陸*飛行を試みた He attempted a nonstop *flight* around the world. // 彼は約 1 万時間の*飛行経験がある He has logged nearly ten thousand hours *in the air*. ★ log は「航空日誌に記入する」の意. // その宇宙船は目下月へ向かって*飛行中です The spacecraft is now *on its way* to the moon. // 試験*飛行 a test *flight* // 単独*飛行 a solo *flight*
飛行家[士] flier Ⓒ; (特に空軍などの飛行士) airman Ⓒ《複 -men》; (操縦士) pilot Ⓒ **飛行甲板** flight deck Ⓒ **飛行距離** (一回の) flight Ⓒ **飛行記録装置** flight recorder Ⓒ **飛行禁止区域** the

no-fly zone Ⓒ　**飛行時間** flight time Ⓤ　**飛行場** airport Ⓒ; (小飛行場) airfield Ⓒ. 《☞ くうこう (挿絵)》 **飛行隊** (航空部隊) flying corps /kɔ́ə/ Ⓒ 《複 flying corps /kɔ́əz/》; (やや小規模の) air squadron Ⓒ; (空軍) the air force　**飛行便** flight Ⓒ　**飛行服** (制服) flight uniform Ⓒ.

コロケーション
曲芸飛行 stunt [acrobatic] *flying* / **計器飛行** an instrument [a blind] *flight* / **処女飛行** a maiden *flight* / **長距離飛行** a long-distance *flight* / **低空飛行** a low-altitude *flight* / **編隊飛行** formation *flying*

ひこう[2] **非行**　delinquency /dɪlíŋkwənsi/ Ⓤ [語法] 若者の犯罪を意味する格式ばった語だが, 日本語の「非行」に当たる語としてしばしば用いられる; (犯罪などの) 《格式》 misdeed Ⓒ; (道徳面の) 《格式》 misconduct Ⓤ. 《☞ けいはんざい; ふりょう[1]》.
¶ 彼らは*非行に走った They ⌈turned to [drifted into] *delinquency*. ★ drift into ... は, 知らず知らずのうちに非行に走ること. // 少年*非行 juvenile *delinquency*　**非行少年** [少女] juvenile delinquent Ⓒ　**非行防止** delinquency prevention Ⓤ, prevention of delinquency Ⓤ.

ひこう[3] **比高**　relative height Ⓤ.

ひこう[4] **肥厚**　〖医〗 hypertrophy Ⓤ.　**肥厚性鼻炎** 〖医〗 hypertrophic rhinitis /hàɪpətráfɪk raɪnáɪtɪs/ Ⓤ.

ひごう **非業**　**非業の死**　¶ 彼は*非業の死を遂げた (⇒ 不慮の悲劇的な死を遂げた) He died *an unexpected tragic death*.

びこう[1] **尾行**　— [動] shadow ⑩, 《略式》 tail ⑩; (後ろからついて行く) follow ⑩.　— [名] (尾行する人) shadow Ⓒ, 《略式》 tail Ⓒ. 《☞ つける[1]》.　¶ 彼は刑事に*尾行されている He *is being* ⌈*shadowed* [*tailed*; *followed*] by a detective. // *尾行をまく shake off a *shadow*

びこう[2] **備考**　(注意書き) note Ⓒ.　**備考欄** notes ★ 複数形で; (特に説明的に) explanatory column Ⓒ.

びこう[3] **微光**　(淡い光) dim light Ⓤ; (かすかな光) faint light Ⓤ ★ 灯火の場合は両方とも Ⓒ.

びこう[4] **鼻孔**　nostril Ⓒ.

びこう[5] **鼻腔**　☞ びくう

びこう[6] **微行**　— [名] (お忍びで出歩くこと) traveling incognito Ⓤ; (こっそり訪問すること) private visit Ⓒ. 《☞ おしのび》.　— [動] travel incognito; pay a private visit (to ...).

びこう[7] **美肴**　(酒の肴) excellent accompaniment (to sake) Ⓒ; (料理の) very ⌈delicious [tasty] dish Ⓒ.

びこう[8] **美校**　☞ びじゅつ (美術学校)

びこう[9] **備荒**　provision against famine Ⓒ.
¶ *備荒食 *emergency* food // *備荒貯蓄 an *emergency* [a *famine relief*] fund

びこう[10] **美港**　beautiful ⌈harbor [port] Ⓒ.　¶ ナポリは世界最高の*美港の一つである Naples is one of the most *beautiful ports* in the world.

ひこうかい **非公開**　— [形] (秘密の) secret; (部外者などを閉め出した) closed-door Ⓐ. 《☞ ひみつ》.
¶ *非公開の会議 (⇒ 秘密会議) a *closed-door* meeting // その会議は*非公開で (⇒ 閉ざされた扉の後ろで) 行われる The meeting will be held *behind closed doors*.　**非公開裁判** closed trial Ⓒ　**非公開審議** closed ⌈hearing [session] Ⓒ.

ひこうかんせい **非交換性**　unexchangeability Ⓤ; (紙幣・通貨などの) inconvertibility Ⓤ.

ひこうき **飛行機**　plane Ⓒ, 《米》 airplane Ⓒ, 《英》 aeroplane Ⓒ　[語法] 現在では plane が最も普通; (飛行船・ヘリコプターなども含む総称) aircraft Ⓒ ★ 単複同形. やや格式ばった語.
¶ *飛行機に乗ったことがありますか *Have* you ever ⌈ridden in a *plane* [(⇒ 飛んだ) *flown*]? / (⇒ 飛行機旅行をしたことがあるか) Have you ever traveled *by air*? // 彼は東京から福岡まで*飛行機で行った He *flew* from Tokyo to Fukuoka. / He went from Tokyo to Fukuoka by *plane*. / (⇒ 飛行機に乗った) He took a *plane* from Tokyo to Fukuoka. // 私は*飛行機の中で彼の隣に座った I sat next to him ⌈in [on] the (*air*)*plane*. // 2 機の軽*飛行機がターミナルビルの前に止まっていた Two light *planes* were sitting in front of the terminal building. // あなたの*飛行機は何時に出発しますか What time does your *plane* leave? // いまあなたの乗る*飛行機(便)をアナウンスしています They're announcing your *flight*. // 乗客はいま*飛行機に乗るところです The passengers are now boarding the *plane*. // *飛行機の切符 an *airline* ticket

飛行機のいろいろ
エアバス airbus Ⓒ, 貨物機 cargo plane, 軍用機 military plane, 軽飛行機 light plane, light airplane, ジェット機 jet (plane), 水上(飛行)機 float-plane, seaplane, 垂直離着陸機 VTOL /víːtɔːl/ 雪上飛行機 ski-plane, 戦闘機 fighter, 双発機 twin-engine(d) plane, 単発機 single-engine(d) plane, 超音速旅客機 supersonic airliner, 爆撃機 bomber /bámə/, 複葉機 biplane /báɪplèɪn/, プロペラ機 propeller(-driven) plane, 模型飛行機 model plane, 旅客機 (一般に) passenger plane ★ 特に定期旅客機は airliner, ジェットなら jetliner

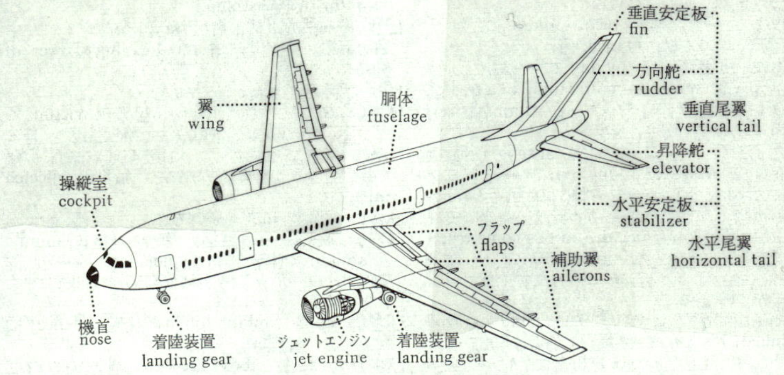

飛行機雲 vapor trail Ⓒ, cóntrail Ⓒ　**飛行機事故**（特に墜落事故）(air)plane crash Ⓒ《☞ ついらく》　**飛行機酔い** air-sickness Ⓤ.

―コロケーション―
飛行機が滑走する an *airplane* taxis along the runway / 飛行機が旋回する an *airplane* circles / 飛行機が着陸する an *airplane* ⌈lands [touches down] / 飛行機が墜落する an *airplane* crashes / 飛行機が飛ぶ an *airplane* flies / 飛行機が離陸する an *airplane* takes off / 飛行機から降りる get off an *airplane* / 飛行機を撃墜する shoot [bring] down an *airplane* / 飛行機を操縦する fly [pilot] an *airplane* / 飛行機を着陸させる land [bring down] an *airplane* / 飛行機をハイジャックする hijack an *airplane*

ひこうけんにん　被後見人　☞ こうけん²

ひこうし　飛行士　☞ パイロット; ひこう¹（飛行家[士]）

ひこうしき　非公式　― [形]（職権に基づかない・公式でない）unofficial ★ ニュースについて用いると「非公認の」の意味になる;（私的な）private.　― [副] unofficially; privately.《☞ りゃくしき》.
¶ 外務大臣は*非公式にアメリカを訪れた The foreign minister paid an *unofficial* visit to the United States.

ひこうじょう　飛行場　☞ ひこう¹（飛行場）

ひこうせん　飛行船　airship Ⓒ.

ひこうてい　飛行艇　flying boat Ⓒ.

ひごうほう　非合法　― [形]（法律に反した）illegal;（法の精神に反する）unlawful.　― [名] illegality Ⓤ.《☞ ふほう¹》.　¶ *非合法の集会 (an) *illegal* ⌈assembly [meeting] // *非合法活動 *illegal* activities　**非合法化**　― [動] outlaw (他).　¶ マリファナの使用を*非合法化する *outlaw* the use of marijuana / *make* the use of marijuana *illegal*　**非合法組織** unlawful [illegal] organization Ⓒ　**非合法ドラッグ** illegal drug Ⓒ.

ひごうり　非合理　― [形]（理性・理論に合わない）irrational;（理屈に合わない）unreasonable.　― [副] irrationally; unreasonably.　― [名] irrationality Ⓤ; unreasonableness Ⓤ.《☞ ごうり》.
非合理主義 irrationalism Ⓤ.

ひこく　被告　（一般に）defendant Ⓒ (↔ plaintiff);（特に刑事事件の被告人）the accused (↔ accuser) ★ 単数または複数扱い.　**被告席** the dock.

ひこくみん　非国民　（愛国心のない人）unpatriotic /ʌ̀npèɪtriɑ́tɪk/ person Ⓒ;（裏切者）traitor Ⓒ.

ひこつ　腓骨　fibula /fíbjʊlə/ Ⓒ《複 fibulae /-liː/, ～s》.

びこつ¹　鼻骨　nasal bone Ⓒ.

びこつ²　尾骨　☞ びていこつ

ピコット　― [名]〔洋裁〕picot /píːkoʊ/ Ⓒ.
― [動]（ピコットを付ける）picot (他).

ひごとに　日毎に　day by day《☞ ひましに》.

ひこばえ　蘖　sprout from the stump of a tree Ⓒ.

ひこぼし　彦星　〔天〕（アルタイル）Altair /æltáɪə/ ★ わし座の主星で漢名は牽牛.

ひごろ　日頃　― [副]（常日ごろ）always;（かねてから・長いこと）long, for a long time.　― [形]（日々の）everyday Ⓐ;（かねてから胸に秘めていた）long-cherished.　¶ *日ごろの望みがかなった（⇒ 夢が実現した）My *long-cherished* dream has come true.

ひざ　膝　（左右それぞれの）knee /níː/ Ⓒ;（座って子供を抱くときの）lap Ⓒ ★ lap は左右全体で一つ.《☞ あし¹（挿絵）》.
¶ その子は両*ひざをすりむいた The child ⌈grazed [skinned] his *knees*.　[語法] 前者は「かすった」, 後者は「皮がむけた」の意. // 母親は赤ん坊を*ひざの上にのせていた The mother was holding ⌈her [the] baby on her *lap*. // 彼は*ひざまで水につかっていた He was *knee*-deep in water. // *ひざをつく *kneel down* // *ひざを曲げる bend *one's knees* // *ひざを立てる draw up *one's knees*
ひざが抜ける　¶ 彼のズボンは両*ひざが抜けている（⇒ 穴があいている）His trousers *have holes* ⌈*in* [*at*] *the knees*. // 彼は*ひざが抜けた（⇒ 彼は立っていられなかった）He was*n't able to keep standing*. / He felt ⌈he was collapsing [*his knees giving way*].　**ひざが笑う**　¶ ずーっと歩きづめで*ひざが笑ってる（⇒ がくがくしている）As I have walked all the way, *my knees are knocking*.　**ひざを打つ** ¶ 彼にヒントを与えてもらって私ははたと*ひざを打った（⇒ ふとよい考えを思いついた）I *hit on a good idea* the moment he gave me a hint.　**ひざを折る**　¶ 彼女はそれを拾うために*ひざを折った She *bent her legs* to pick it up.　**ひざをくずす**　¶ どうぞ*ひざをくずして下さい（⇒ お楽にくつろいで下さい）Please *make yourself* ⌈*at home* [*comfortable*].《☞ よこずわり [日英比較]》　**ひざを組む**　彼女は*ひざを組んだ She *crossed her legs*.　**ひざを正す** sit up straight.　¶ 主賓が入室されたら*ひざを正す（⇒ 姿勢を正す）んですよ When the guest of honor comes in the room, you should *sit with your back straight and knees together*.　**ひざを突き合わせる**　¶ *ひざを突き合わせて（⇒ 向かい合って, 腹を割って）話しましょう Let's talk *face to face and heart to heart* with each other.《☞ つきあわされる》　**ひざを乗り出す** edge forward.　¶ 聴衆は全員*ひざを乗り出して（⇒ 身を乗り出して）彼の話に聞き入った Everyone in the audience *leaned forward* to listen to his speech.　**ひざを交えて**　¶ 彼は生徒と*ひざをまじえて話し合った（⇒ 心を打ち明けた話をした）He had a *heart-to-heart* talk with his pupils.
ひざ当て kneepad Ⓒ, kneecap Ⓒ　**ひざ送り**　― [動]（席を詰める）move ⌈over [up] (自).　¶ 少し*ひざ送りして下さい *Move* ⌈*over* [*up*] a little, please.　**ひざ掛け**《米》lap robe Ⓒ,《英》rug Ⓒ　**ひざ頭**[小僧] knee Ⓒ, kneecap Ⓒ　**ひざ組み** ¶ 男たちは*ひざ組みして（⇒ あぐらをかいて）座っていた The men were sitting *cross-legged*.　**ひざ車**（柔道の技）*hizaguruma* Ⓤ;（説明的には）knee wheel Ⓤ　**ひざ拍子** beating time on *one's* knee (with *one's fingers*) Ⓤ　**ひざ枕** ¶ 息子は私の*ひざ枕で寝てしまった My son went to sleep *with his head* ⌈*in* [*on*] *my lap*.　**ひざ元** ☞ 見出し

ビザ　visa /víːzə/ Ⓒ《☞ さしょう¹》.　¶ その国に入国するには*ビザが必要です To enter that country, you need a *visa*. // 私はオーストラリアへの*ビザを申請中です[もらった] I ⌈have applied for [got; obtained] a *visa* ⌈for [to] Australia.

ピサ　― [名] (固)（都市名）Pisa /píːzə/ ★ イタリア中部の都市.　**ピサの斜塔** the Leaning Tower of Pisa.

ピザ　（料理の）pizza /píːtsə/ Ⓒ.

ひさい¹　被災　☞ りさい.　**被災者** victim Ⓒ
[日英比較] victim は「犠牲者」とも訳されるが, 日本語の「死者」というニュアンスは必ずしも含まず, 災難にあった人という意味で使われる.　**被災地** affected area Ⓒ.

ひさい²　非才　☞ せんがくひさい

びさい　微細　― [形]（極めて細かい）《格式》minute /maɪn(j)úːt/;（極めて詳しい）detailed.　― [名]（詳細）detail Ⓤ ★ 個々の細かい部分の意味では Ⓒ.《☞ こまかい; しょうさい¹》.

びざい　微罪　minor ⌈offense [《英》offence] Ⓒ《☞ つみ¹（類義語）》.

ひざうえ　膝上　above the knee.　¶ 水が彼の*ひざ

上まできた The water came *above his knees.* // *ひざ上10センチのスカート a skirt 10 centimeters *above the knee* ひざ上スカート skirt with the hem above the knees Ⓒ.

ひさかき 柃 〖植〗 *hisakaki* Ⓒ; (説明的には) small broad-leaved evergreen tree of the camellia family Ⓒ. 《☞ さかき》.

ひさかたぶり 久方振り ☞ ひさしぶり

ひざかり 日盛り ¶ *日盛りには外出しないほうがいい You'd better not go out in *the heat of the day.*

ひさく 秘策 secret plan Ⓒ; (悪巧みの) secret plot Ⓒ. ¶ *秘策を練る work out *a secret plan* // 人に*秘策を授ける (⇒ 打ち明ける) confide a *secret plan* to *a person*

ひさぐ 鬻ぐ (売る) sell ⑯; (商う) deal in … 《☞ うる¹》. 春をひさぐ prostitute *oneself.*

ひざくら 緋桜 ☞ ひかんざくら

ひさげ 提子 sake serving pot with spout and semicircular handle Ⓒ.

ひさご 瓢 gourd Ⓒ 《☞ ひょうたん¹》.

ひざこぞう 膝小僧 ☞ ひざ (ひざ頭 [小僧])

ひざざら 膝皿 ☞ しつがいこつ

ひさし 庇 (家の軒) eaves ★ 複数形で; (帽子の) peak Ⓒ, visor /váɪzə/ Ⓒ 語法 後者は特に日除け用を強調する. 《☞ のき; ぼうし¹ (挿絵)》. ¶ *ひさしを貸して母屋をとられた (⇒ 私の親切は悪で報いられた) My kindness was requited with evil.

ひざし 日差し, 陽射し (太陽の光) sunlight Ⓤ; (降り注ぐ陽光) sun Ⓤ. 《☞ にっこう¹; たいよう¹》. ¶ 夏の海岸は*日差しが強すぎる There is too much *sun* on the summer beach.

ひさしい 久しい ¶ この仕事を始めてから*久しい (⇒ 長い時間がたっている) It is *a long time* since we started this job. // 彼とは*久しく (⇒ 長い間) 会わなかった I have not seen him *for a long time.*

ひさしぶり 久し振り ― 副 (長い時間[留守, 沈黙]の後で) after a long ⌈time [absence; silence] 語法 after a long time は意味の広い言い方. その他文脈に応じて適切なものを用いる.

¶ 彼は*久しぶりに日本に帰ってきた He came ⌈home [back] to Japan *after a long absence.* // 彼女から*久しぶりに電話があった She ⌈called [phoned] me *after a long silence.* ★ call のほうが平易な言い方. // 「*久しぶりですね. お元気ですか」「ええ, おかげさまで何とか. あなたは」 "(⇒ この前会って以来長い時間が経った) It's *a long time since* I saw you last. [(⇒ 長い間会わなかった) I haven't seen you *for ages.*] How have you been?" "I've been all right, thank you, and you?" ★ for ages を用いるほうが口語的. 《☞ 誇張 (巻末)》.

ひざづめだんぱん 膝詰談判 (直接交渉) direct negotiations ★ 通例複数形で.

ひさびさ 久久 ☞ ひさしぶり

ひざまくら 膝枕 ☞ ひざ (ひざ枕)

ひざまずく 跪く (尊敬や祈りのために) knéel (dówn) ⓐ; (単に体の形を示して) go down on *one's* knees. ¶ 彼女は祭壇の前に*ひざまずいてしばらく祈りをささげた She *knelt* (*down*) before the altar and prayed for a while.

ひさめ 氷雨 a freezing rain ★ a を付けて. ¶ *氷雨が雪に変わっている *A freezing rain* has turned into snow.

ひざもと 膝元 ¶ 灰皿を*ひざ元へ (⇒ 自分のほうへ) 引き寄せる pull an ashtray toward *one* // 彼は親の*ひざ元を離れて (⇒ 親から離れて) 東京で暮らしている He lives in Tokyo away from his parents.

ひざら 火皿 (煙管・パイプの) bowl Ⓒ; (火縄銃の) pan Ⓒ; (炉などの) grate Ⓒ.

ひざらがい 火皿貝, 膝皿貝 〖貝〗 chiton /káɪtn/ Ⓒ.

ピサロ ― 名 ⓖ Camille Pissarro /kæmíːl pɪsɑ́ːroʊ/, 1830–1903. ★ フランスの印象派の画家.

ひさん¹ 悲惨 ― 形 (ひどく哀れな) wretched /rétʃɪd/ 語法 やや格式ばった語で, 以下のどの語よりも「哀れさ」が強い; (悲しい) sad; (みじめな) miserable; (ひどい) 《略式》 terrible; (悲劇的な) tragic. 《☞ さんたん¹》. ¶ 彼らは*悲惨な生活を送った They led a ⌈*wretched* [*miserable*] life. // *悲惨な事故が起こった A ⌈*sad* [*terrible*] accident occurred.

ひさん² 飛散 ― 動 (ちりぢりになる) scatter ⓐ 《☞ とびちる》.

ひさん³ 砒酸 arsenic /ɑ́ːs(ə)nɪk/ acid Ⓤ. 砒酸鉛 lead arsenate /léd ɑ́ːs(ə)nət/ Ⓤ.

ビザンチン ― 形 (ビザンチン風の) Byzantine /bíznt̀iːn/. ¶ *ビザンチン美術 *Byzantine* art // *ビザンチン様式の建築 *Byzantine* architecture ビザンチン帝国 the Byzantine Empire.

ひし¹ 秘史 secret [unknown] history Ⓒ.

ひし² 菱 〖植〗 water ⌈chestnut [caltrop] Ⓒ.

ひし³ 皮脂 〖生理〗 sebum Ⓒ. 皮脂腺 〖解〗 sebaceous gland Ⓒ.

ひじ¹ 肘, 肱 elbow Ⓒ 《☞ うで (挿絵)》. ¶ 彼は机の上に*ひじをついて座っていた He sat ⌈with his *elbows* [resting his *elbows*] on the desk. ★ 前者のほうが普通. ひじ鉄砲 ― 名 (そっけない拒絶) 《格式》 rebúff Ⓒ. ― 動 (ひじ鉄砲を食わす) give a rebuff (to …), 《米俗》 give *a person* the air ひじ枕 ¶ 彼は*ひじ枕をして寝ている He is sleeping *with his head on his arm.*

ひじ² 秘事 secret Ⓒ 《☞ ひみつ》.

びじ 美辞 ☞ びじれいく

ビジー ― 形 (忙しい) busy.

ひしお¹ 醤 (なめ味噌) miso eaten as food Ⓤ. ひしお漬 vegetables, fish, or other food preserved in miso.

ひしお² 醢 (塩づけ肉) salted meat Ⓤ.

ひじかけいす ひじ掛け椅子 armchair Ⓒ 《☞ いす》.

ひしがた 菱形 lózenge Ⓒ, rhombus /rɑ́mbəs/ Ⓒ ★ 後者のほうが専門語. 《☞ しかく² (挿絵)》.

ひしがに 菱蟹 〖動〗 *hishigani* Ⓒ; (説明的には) edible saltwater crab with a rhombic shell Ⓒ.

ひじき 鹿尾菜 〖植〗 brown algae /ǽldʒiː/ ★ 複数形で.

ひしぐ 拉ぐ ☞ つぶす; あっとう

ひしくい 菱食 〖鳥〗 bean goose Ⓒ.

ひしげる 拉げる (押し潰される) be ⌈crushed [squashed]; (胸が潰れる) feel crushed.

ひししょくぶつ 被子植物 angiosperm /ǽndʒiəspə̀ːm/ Ⓒ.

ひじせいこう 非磁性鋼 nonmagnetic steel Ⓤ.

ひしせん 皮脂腺 ☞ ひし³

ビジター 〖スポ〗 visitor Ⓒ. ビジターフィー visitor fee Ⓒ.

ひしつ¹ 皮質 〖解〗 (脳などの) cortex /kɔ́əteks/ Ⓒ 《複 cortices /-təsìːz/》.

ひしつ² 卑湿 ― 形 (じめじめした) damp; (湿地の) marshy. 卑湿地 marshy ground Ⓤ.

びしつ 美質 good [fine] quality Ⓒ, merit Ⓒ. 《☞ びてん》.

びしっと (厳しく) severely; (きちんと) smartly. 《☞ 擬声・擬態語 (囲み)》. ¶ 彼は外出の際にはいつも*びしっと決めている He is always *smartly* dressed when he goes out.

ぴしっと ☞ ぴしゃりと

ひじつぼ 肘壺 (戸の) hook and eye Ⓒ.

びしてき 微視的 mìcroscópic 《☞ きょしてき》.

¶*微視的検査 a *microscopic* examination
微視的経済学 mìcroèconómics Ⓤ.

ひじてつ 肘鉄 ☞ ひじ¹ (ひじ鉄砲)

ひしと ¶彼は彼女を*ひしと (⇒しっかりと) 抱きしめた He held her *tight*. / He embraced her *tightly*. ★前者のほうが口語的.

ビジネス business /bíznəs/ Ⓤ《☞ しごと (類義語); しょうばい》. ¶きょうは*ビジネスで大阪へ来ました I'm here in Osaka on *business*.

ビジネスウーマン (女性の事務系会社員) woman office worker Ⓒ; (女性の実業家) businesswoman Ⓒ. 日英比較 英語の businesswoman は会社の経営者や管理者をいう. 事務員の場合は特に必要のあるとき以外は男女の区別はしない. 《☞ ビジネスマン》

ビジネスクラス (航空機などの) business class Ⓤ. ¶彼はロンドンまで*ビジネスクラスで行った He flew to London (by) *business class*. 語法 前置詞なしで副詞的にも用いられる. / He flew *business class* to London.

ビジネスコンサルタント (商業上の相談役) business consultant Ⓒ; (経営コンサルタント) management consultant Ⓒ.

ビジネススクール business ˹school [college] Ⓒ ★Harvard Business School のような場合はハーバード大学の「経営学大学院」を指す.

ビジネスセンター (商業地域) business ˹center [《英》 centre] Ⓒ.

ビジネスホテル (ビジネスマン対象の低料金ホテル) budget hotel Ⓒ; (短期滞在用のホテル) transient hotel Ⓒ 日英比較 「ビジネスホテル」は和製英語.

ビジネスマン businessman Ⓒ《複 -men /-mèn/》 日英比較 英語の businessman は会社の経営者や管理者などで, 日本語の「実業家」に当たる.「私はビジネスマンです」のように自分のことを言うときは I'm in business. のように言うのが普通; (会社員) office worker Ⓒ. 《☞ かいしゃいん》.

ビジネスライク ━形 (事務的な) businesslike 《☞ ドライ》. ¶彼はその件を*ビジネスライクに処理した He dealt with the matter in a *businesslike* ˹way [manner].

ひしばった 菱ばった 〘昆〙 *hishibatta* Ⓒ; (説明的には) grasshopper with a rhombic body Ⓒ. 《☞ ばった》.

びしびし severely 《☞ きびしい; 擬声・擬態語 (囲み)》.

ひしひしと ¶今夜は寒さが*ひしひしと身にこたえる (⇒たいへんに寒い) It's *terribly* cold this evening. 《☞ 擬声・擬態語 (囲み)》

ひじまくら 肘枕 ☞ ひじ¹ (ひじ枕)

ひしめく 犇めく (群がる・雑踏する) crowd ㊀ ㊁, throng ㊁ ★後者のほうが格式ばった語. 《☞ ごったがえす》. ¶大勢の人が門のところで*ひしめき合っていた There was a crowd of people [A lot of people *were crowded* together] ˹at [in front of] the gate.

ひしもち 菱餅 *hishimochi* Ⓒ; (説明的には) three-colored diamond-shaped rice cakes (used for decoration at the Doll(s') Festival for girls on March 3).

ひしゃ 飛車 castle Ⓒ, rook Ⓒ ★チェスで日本の将棋の飛車に相当するもの.

ひしゃく 柄杓 ━名 (丸底の大型スプーン) ladle Ⓒ; (平底でカップ状) dipper Ⓒ. ━動 (ひしゃくでくむ) ladle ㊀. 《☞ しゃくし (挿絵)》.

ひしゃぐ 拉ぐ ☞ ぺちゃんこ; つぶす

びじゃく 微弱 ━形 (軽い・ちょっとした) slight ★通例 Ⓐ; (弱い) weak; (かすかな) faint. 《☞ よわい¹; かすか》.

ひしゃげる (つぶされて形が壊れる) be crushed out of shape 《☞ つぶれる》.

ひしゃたい 被写体 (写されるもの) object Ⓒ.

びしゃびしゃ ━形 (一般に, 水がたまってぐしゃぐしゃした) sloppy; (特に雪解けで) slushy. 《☞ びしょぬれ; 擬声・擬態語 (囲み)》.

びしゃもんてん 毘沙門天 ━名 ㊞ 〘仏教〙 *Bishamon-ten*; (説明的には) one of the four heavenly kings who stands at the corner of the mandala and guards the Buddhist law.

ぴしゃりと ━副 (きっちりと) tightly; (ぴしゃりと音を立てて) with a slam ★以上は戸などを手荒く閉めるときに使う; (きっぱりと) flatly; (完全に) absolutely, perfectly. ━動 (ぴしゃりと閉める) slam ㊀; (ほおを打つ) slap ㊀; (懲らしめのために子供の尻を) spank ㊀; (はえなどをたたく) swat ㊀ ★以上は可算名詞としても用いられる. 《☞ 擬声・擬態語 (囲み)》. ¶彼は戸を*ぴしゃりと閉めた He shut the door *with a slam*. / He *slammed* the door (shut). // 彼は息子のほおを*ぴしゃりとぶった He ˹*slapped* his son [gave his son a *slap*] on the cheek. // 私ははえ[蚊]を*ぴしゃりとたたいた I *swatted* the ˹fly [mosquito]. // 彼女は彼の要求を*ぴしゃりとはねつけた She *flatly* rejected his demand. / She gave him a *flat* refusal. // 私の計算は*ぴしゃりと合った My calculation was ˹*absolutely* [*perfectly*] correct. / I was ˹*absolutely* [*perfectly*] correct in my calculation.

ひしゅ 匕首 ☞ あいくち

びしゅ 美酒 delicious ˹wine [sake] Ⓤ. ¶われわれは勝利の*美酒に酔った We were drunk on *delicious* ˹*wine* [*sake*] ˹celebrating [over] our victory. 美酒佳肴 excellent food and drink Ⓤ.

ビジュアライゼーション (視覚化) visualization Ⓤ ★具体的なものは Ⓒ.

ビジュアル ━形 visual. ━名 visual Ⓒ ★写真, 地図, フィルムなどのような視覚効果を高めるもの. ¶*ビジュアルアート *visual* arts // *ビジュアルデザイン a *visual* design // この本は*ビジュアルに力を入れている This book ˹has [contains] a lot of *visuals*.

ひじゅう 比重 〘理〙 specific grávity Ⓤ《略 sp. gr.》; (相対的重要性) weight Ⓤ. 《☞ じゅうよう¹; じゅうてん¹》. ¶入学試験では英語の*比重が大きい (⇒英語には大きな重要性が与えられる) English is given a great deal of *weight* on the entrance examination. // *比重を計る measure the *specific gravity* 比重計 gravímeter Ⓒ; (液体比重計) hydrómeter Ⓒ.

びしゅう 美醜 beauty or ugliness Ⓤ; (容姿) personal appearance Ⓒ. 《☞ ようぼう²》.

ひしゅうしょくご 被修飾語 〘文法〙 modificand /mádəfɪkæ̀nd/ Ⓒ (↔ modifier) ★1語に限らず被修飾部分をいう; (修飾される語) word that is (to be) modified Ⓒ.

ひじゅくれんろうどうしゃ 非熟練労働者 unskilled worker Ⓒ.

ひじゅつ 秘術 (秘伝) secret Ⓒ; (秘法) secret art Ⓒ. 《☞ ひけつ¹》.

びじゅつ 美術 (広い意味の) art Ⓤ; (特に絵画・彫刻など視覚・造形の) the ˹fine [visual] arts ★the を付けて複数形で. 《☞ げいじゅつ》.
美術家 artist Ⓒ 美術界 the art world 《☞ -かい²》 美術学校 art school Ⓒ 美術館 art museum Ⓒ, (art) gallery Ⓒ. ¶メトロポリタン*美術館 the Metropolitan *Museum of Art* 《☞ 冠詞 (巻末)》 美術史 art history Ⓤ 美術商 art dealer Ⓒ 美術展 art exhibition Ⓒ 美術評論家 art critic Ⓒ 美術品 work of art Ⓒ.

ひしゅようこく 非主要国 non-major power Ⓒ.

ひしゅりゅうは 非主流派 (派閥) non-mainstream faction [C]; (人) non-mainstreamer [C]. 《☞ しゅりゅう (主流派)》.

ひじゅん 批准 ―[動]《格式》ratify (他). ―[名]《格式》ratification [U]. ¶国会は今会期中にその条約を*批准する予定だ The Diet is expected to *ratify* the treaty during this session.
 批准書 ratification instrument [C].

ひしょ[1] 秘書 (prívate) sécretàry [C]. ¶彼女は社長の*秘書です She is (ˈa [the]) *secretary* to the president. [語法] 無冠詞の場合は単に身分をいうのに対し, a を伴う場合は何人かいる秘書のうちの 1 人であることを意味し, the の場合は特定の 1 人の秘書であることを意味する. / She is the president's *secretary*. **秘書課** the sècretárial séction 《☞ 会社の組織と役職名 (囲み)》 **秘書官** minister's secretary [C] **秘書室** the sècretáriat.

ひしょ[2] 避暑 ―[動] (避暑に行く) go to ... for the summer; (夏を過ごす) pass [spend] the summer. ―[名] summering [U]. 《☞ なつ》. ¶長野へ*避暑に行く *go to* Nagano *for the summer* **避暑客** summer visitor [C] **避暑地** summer resort [C].

びじょ 美女 beauty [C], beautiful woman [C] 《複 women》 ★ 前者のほうが格式ばった語. 《☞ びじん (類義語)》.

ひしょう[1] 飛翔 flight [C].

ひしょう[2] 卑称 (さげすんだりののしったりする卑語) depreciatory /dɪpríːʃətɔ̀ːri/ [depreciative /dɪpríːʃièɪtɪv/] word [C]. ¶「野郎」は日本語の*卑称の一つである "*Yaro*" is a Japanese ˈ*depreciative* [*deprecatory*] *word*.

ひしょう[3] 悲傷 lamentation [U], deep grief [U]. 《☞ かなしみ; なげき》.

ひじょう[1] 非常 (非常の事態) emergency [U] ★ 最も一般的; (いつ起こるかわからない不測の事態) contíngency [U] [語法] 以上 2 語とも具体的な出来事をいうときは [C]. 後者は格式ばった語. ★ 複合語は ☞ 見出し.

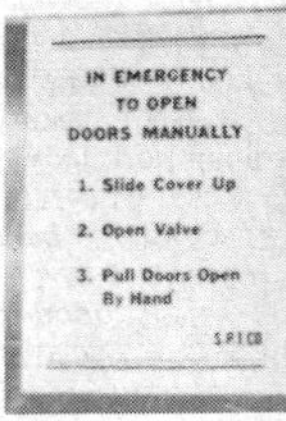

「非常の場合, ドアを手動で開けるには,
 1. カバーを引き上げる
 2. バルブを開く
 3. 手でドアを引いて開ける」
という列車内の掲示

¶*非常の場合にはこのボタンを押して下さい Please push this button in case of *emergency*. // この電話は*非常の場合にのみ使うこと This telephone should be used only in an *emergency*. // 私たちはどんな*非常の場合にも備えはできています We are ˈprepared [ready] for all ˈ*emergencies* [*contingencies*].

ひじょう[2] 非情 ―[形] (無情な・冷酷な) cold-hearted; (冷酷な) heartless. 《☞ れいこく》.

びしょう[1] 微笑 ―[名] smile [C]. ―[動] (ほほえむ) smile (自). 《☞ えみ; わらう (類義語)》.
 微笑外交 smiling diplomacy [U].

びしょう[2] 微小 ―[形] (極めて小さい)《格式》minute /maɪn(j)úːt/; (顕微鏡で見るような) mìcroscópic. 《☞ びしてき》. **微小管** 〘生〙 microtubule [C] **微小光学** micro-optics [U] **微小国家** microstate [C] **微小地震** mìcroéarthquàke [C] **微小体** 〘生〙 microcyte [C].

びしょう[3] 美称 (賛美の) eulogistic /jùːlədʒístɪk/ náme [C].

びしょう[4] 美粧 makeup [U] 《☞ けしょう》.

びしょう[5] 媚笑 ―[名] coquettish smile [C]. ―[動] smile coquettishly.

びしょう[6] 微少 ―[形] very little 《☞ びりょう[1]》.

びじょう 尾錠 ―[名] buckle [C]. ―[動] (尾錠で閉める) buckle (他). ¶かばんを*尾錠でしっかり閉める *buckle one's* bag tightly

ひじょうかいだん 非常階段 (非常時用の) emergency stairs ★ 複数形で; (特に火災時に使う) fire escape [C].

ひじょうきん 非常勤 ―[形] [副] part-time ★ [形] の場合は [A] (↔ full-time). ―[名] part-time service [U]. 《☞ パート[1]》. ¶英語の*非常勤講師 a *part-time* ˈteacher of [instructor in] English ★ 前者のほうが口語的. // 彼女は T 大学に*非常勤で勤めています She works *part-time* at T University.

ひじょうぐち 非常口 (非常時用のドア[出口]) emérgency ˈdòor [èxit] [C].

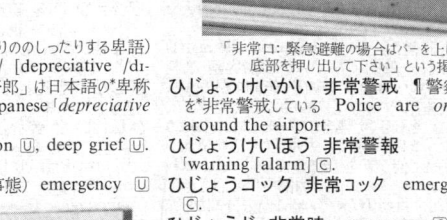

「非常口: 緊急避難の場合はバーを上げ, 窓の底部を押し出して下さい」という掲示

ひじょうけいかい 非常警戒 ¶警察が空港周辺を*非常警戒している Police are *on full alert* around the airport.

ひじょうけいほう 非常警報 emergency ˈwarning [alarm] [C].

ひじょうコック 非常コック emergency handle [C].

ひじょうじ 非常時 emergency [C]. ¶私たちは*非常時に備えて水と乾パンを置いています We keep some water and dry biscuits for (an) *emergency*. // 生徒たちには*非常時の対応の仕方を教えておかなければならない The students must be taught what to do in an *emergency*.

ひじょうしき 非常識 ―[形] (常識に欠けた) lacking in ˈgood [common] sense; (愚かな) absurd; (理性を欠いた・法外な) unreasonable. 《☞ むふんべつ》.
 ¶彼は*非常識です He ˈ*is lacking in* [*lacks*; *has no*] (*common*) *sense*. // そんなことをするなんて君も*非常識だ (⇒ 愚かだ) It is *absurd* of you to do such a thing. // それは*非常識な (⇒ 法外な) 要求だ It is an *unreasonable* request.

ひじょうじたい 非常事態 (state of) emergency [C] ★ 単数形で. 《☞ きんきゅう》. ¶政府は*非常事態を宣言した The government declared a *state of emergency*.

ひしょうしつ 非晶質 ―[名] 〘化・鉱〙 (結晶などの明確な形のないこと) amórphism [U], amórphousness [U]. ―[形] amórphous (↔ crystalline).

ひじょうしゅだん 非常手段 (緊急の[思い切った]手段) emergency measures ★ 通例複数形で. 《☞ しゅだん》. ¶彼らは*非常手段にうったえた (⇒ 非常手段を取った) They took *emergency measures*.

びしょうじょ 美少女 cute little girl [C]; pretty young girl [C] ★ 前者は幼児・児童など, 後者はそれ以上の女子に使うのが普通.

ひじょうじょうかぶ 非上場株 unlisted ˈstock [share] [C] 《☞ じょうじょう[2] (上場株)》.

ひじょうしょく 非常食 (軍隊などの) íron rations /rǽʃənz/ ★複数形で; (災害時の) emérgency ràtions ★複数形で.

ひじょうすう 被乗数 〘数〙 mùltiplicánd Ⓒ (↔ multiplier).

ひじょうせん 非常線 ―図 (警戒の) cordon Ⓒ. ―動 (非常線を張って遮断する) córdon óff ㊥. ¶警察は強盗が逃げ込んだ区域に*非常線を張った The police ˹put a *cordon* around [*cordoned off*] the area ˹where [in which] the robbers had sought refuge.

ひしょうてん 被昇天 〘キ教〙 the Assumption.

ひじょうな 非常な 日英比較 「非常な」の意味を表す英語の形容詞は, 結び付く名詞によっていろいろ異なることに注意. 中には great や extreme のようにかなり適用範囲の広いものもあるが, すべて適用できるわけではなく, 結局は通常の結び付き方を一つ一つ覚えてゆかなくてはならない. (☞とても (類義語); コロケーション (巻末)). ¶海辺は*非常な人出だった (⇒大量の人出があった) There was a *large* crowd on the beach. // 彼女の結婚は私たちにとって*非常な (⇒大きな) 驚きだった Her marriage was a *great* surprise to us. // ピクニックは*非常な好天 (⇒すばらしい天気) に恵まれた Our picnic was ˹favored [blessed] ˹by [with] *magnificent* weather. // それは*非常な (⇒極度の) 危険を伴う It entails ˹*extreme* [(⇒重大な) *serious*] danger.

ひじょうに 非常に very, very much 語法 (1) 以上 2 つは最も一般的な語で, very は形容詞・副詞などを修飾し, very much は動詞を修飾する; (たいへん) so 語法 (2) very と内容的にはほぼ同意で入れ替え可能なことも多い. もともと「そんなに・そのように・このように」という意味から「非常に」となったもので, 女性が好んで使う傾向がある; (極めて) extremely ★very (much) や so よりはやや格式ばった語で意味も強い; (大いに) greatly ★この語は過去分詞から転じた形容詞の修飾に用いられることが多い; (とても) most ★「一番に」の意味から「非常に」となった語. (☞じつに (類義語); とても (類義語)).
¶彼はいま*非常に幸せだ He is ˹*very* [*so*; *most*] happy now. // 彼女はその記事を*非常に読みたがっている She wants to read that article ˹*very much* [*so much*; 《略式》 *very badly*]. / She *is dying to* read that article. 語法 (3) be dying to *do*... は「どうしても…したい」という意味の口語的な強調表現. // 私はその知らせを聞いて*非常に驚いた [うれしかった] I was ˹*very* [*very much*; *greatly*] ˹surprised [pleased] ˹at [by] the news. 語法 (4) be surprised, be pleased などでは過去分詞が形容詞化していると感じられるので very を用いることもできる. // 去年の冬は*非常に (⇒例年になく) 寒かった It was *unusually* cold last winter.

ひじょうにんりじこく 非常任理事国 (国連の) nón-pèrmanent mémber of the Secúrity Cóuncil Ⓒ (☞じょうにん (常任理事国)).

びしょうねん 美少年 (容姿のよい) good-looking boy Ⓒ; (容姿がよく男らしい) handsome boy Ⓒ. (☞しょうねん).

びじょうふ 美丈夫 handsome, strong man Ⓒ.

ひじょうブレーキ 非常ブレーキ emergency brake Ⓒ.

ひじょうベル 非常ベル (火災用の) fire alarm Ⓒ; (防犯用の) burglar *alarm* Ⓒ.

ひしょかん 秘書官 ☞ひしょ¹

びしょく 美食 (うまい食事) delicious food Ⓤ; (栄養豊富な食事) rich diet Ⓒ. (☞ごちそう). 美食家 (食通) gourmet /gúəmeɪ/ Ⓒ; (食道楽の人) epicure /épɪkjùə/ Ⓒ 語法 前者のほうが普通. 後者には「食物に対し洗練された美的感覚をもっている」というニュアンスがある.

ひしょくけい 比色計 colorimeter Ⓒ.

ひしょくぶんせき 比色分析 colorimetric analysis Ⓤ.

びじょざくら 美女桜 〘植〙 garden verbena /və(ː)bíːnə/ Ⓒ.

ひじょすう 被除数 〘数〙 dívidènd Ⓒ (↔ divisor).

ビショップ (英国国教会の主教・カトリックの司教) bishop Ⓒ; (チェスの駒) bishop Ⓒ.

びしょぬれ びしょ濡れ ―動 (肌までずぶぬれになる) be [get] ˹wet [soaked; drenched] to the skin ★慣用的表現. この順序にぬれ方がひどくなる; (水が染みとおるくらい[しずくがたれるほど]ぬれる) be [get] ˹soaking [dripping] wet 語法 be を用いた場合は状態と動作の両方を表すのに対し, get を用いた言い方は「ぬれる」という動作のみを表す. (☞ぬれる; ずぶぬれ). ¶彼の服は*びしょぬれだった His clothes *were dripping wet*. // 彼女は雨に降られて*びしょぬれになった As she was caught in the rain, she ˹*was drenched to the skin* [*got soaking wet*].

びしょびしょ ¶野球場は雨で*びしょびしょだ The baseball ground *is thoroughly soaked* with rain. (☞ずぶぬれ; びしゃびしゃ; 擬声・擬態語 (囲み))

ビジョン (未来像) vision Ⓤ 日英比較 英語の vision は他に「視力」「想像力」などの意がある.

ひじり 聖 (聖人) saint Ⓒ; (高僧) high priest Ⓒ; (学問等のすぐれた人) master Ⓒ.

ぴしり ¶彼はむちを*ぴしりと鳴らした He *cracked* his whip. (☞擬声・擬態語 (囲み))

びじれいく 美辞麗句 ―図 (うわべだけを飾った美しい言葉) flowery language Ⓤ. ―形 (美辞麗句がいっぱいの) flowery. ¶その手紙には*美辞麗句が連ねてあった The letter was full of *flowery language*.

びしん 微震 slight earthquake Ⓒ, tremor /trémə/ Ⓒ ★後者のほうが専門的. (☞じしん²).

びじん 美人 beauty Ⓒ; good-looking [pretty] ˹woman [girl; lady] Ⓒ.
【類義語】 やや格式ばった表現で反語的に用いられることがよくあるのが **beauty**. なお *beautiful* は完璧な美しさを意味するので, 使い方によっては皮肉に聞こえる場合もある. **good-looking** はその点, 口語的で意味も軽く, 会話ではしばしば用いられる. なお, Ⓟ ではハイフンは付けない. また容姿よりも, かわいい感じを強調するのが **pretty**. なお lady は丁寧語だが, 最近は woman を使ったほうがよい. (☞きれい; うつくしい (類義語)) ¶彼女, *美人じゃないか She's ˹*good looking* [*pretty*], isn't she? // 彼女はすごい*美人だ She is a ˹great [(⇒あっと驚くほどの) stunning] *beauty*. 美人画 portrait [picture] of a beautiful woman Ⓒ 美人コンテスト beauty contest Ⓒ 美人薄命 Prettiness dies first. (ことわざ: 美しい者は先に死ぬ).

ピジン (混合言語) pidgin Ⓤ, créole Ⓤ. ピジンイングリッシュ pidgin English Ⓤ ★アジア, アフリカなどの一部で用いられる各土地の言語と英語との混合言語.

ビス screw Ⓒ 参考 「ビス」はフランス語の vis から. (☞ねじ).

ひすい 翡翠 (宝石) jade Ⓤ.

びすい 微酔 slight intoxication Ⓤ (☞ほろよい).

ビスク 〘料理〙 (甲殻類などのクリームスープ) bisque Ⓤ.

ビスケット 《米》 cookie Ⓒ, 《英》 biscuit /bískɪt/ Ⓒ 日英比較 日本語の「ビスケット」は英国の用法. アメリカで biscuit と言えばベーキングパウダーなどでふくらませた小型のパンを指す.

ビスコース 〘化〙(繊維原料) viscose 🅄. ビスコースレーヨン viscose rayon 🅄.
ビスタカー (上階に展望シートのある車両[バス]) vistadome /vístədòʊm/ ⌈càr [bùs] 🄲; (列車の展望車) observation car 🄲.
ピスタチオ 〘植〙(樹木) pistachio /pɪstǽʃiòʊ/ 🄲; (果実) pistachio (nut) 🄲.
ビスタビジョン (商標) Vistavision.
ヒスタミン histamine /hístəmìːn/ 🅄. ¶抗*ヒスタミン剤 àntihístamìne
ヒステリー ── [名] (病気) hysteria /hɪstí(ə)riə/ 🅄; (発作) hysterics /hɪstérɪks/ 🅄. ── [形] (ヒステリーの・ヒステリックな) hysterical.
¶彼女は*ヒステリーを起こした She went into *hysterics.* // 彼は*ヒステリーを起こしている He is in a state of *hysteria.* // 彼女の子供のしかり方はいつも*ヒステリー気味だ (⇒ヒステリックなやり方で子供をしかる) She always scolds her children in a *hysterical* manner.
ヒステリック ── [形] hystérical.
ヒストグラム (度数分布図) hístogràm 🄲.
ヒストリアン (歴史家) históriаn 🄲.
ヒストリー (歴史) history 🅄.
ピストル (銃) gun 🄲 ★ gun は銃器の総称として用いられるが, くだけた表現では拳銃を指すことが多い; (拳銃) pistol 🄲, 《米》handgun 🄲; (回転連発式) revolver 🄲; (半自動式) sèmiáutomàtic (pístol) 🄲. 《☞ けんじゅう(挿絵)》. ¶彼は*ピストルの名手だ He is ⌈good at shooting [an excellent shot] with a *pistol.* // 犯人は警官に向かって*ピストルを撃った The criminal fired a ⌈*gun* [*pistol*] at the policeman. // その男は私に*ピストルを突き付けた The man pulled his ⌈*gun* [*pistol*] on me.
ピストル強盗 armed robber 🄲.
ビストロ (小レストラン) bistro /bíːstroʊ/ 🄲.
ヒストン 〘生化〙histone 🅄.
ピストン piston 🄲. ¶救急車は事故現場と病院の間を*ピストン運転した (⇒行ったり来たりした) The ambulance *shuttled* between the scene of the accident and the hospital. // バスは駅から会場まで乗客を*ピストン輸送した Buses *ran back and forth* carrying passengers between the station and the meeting place. ピストンリング piston ring 🄲.
ヒスノイズ 〘電工・通〙hiss 🄲.
ヒスパニック ── [名] (米国内のラテンアメリカ系人) Hispánic 🄲. ── [形] Hispanic.
ヒズボラ ── [名] (固) (レバノンのイスラム原理主義過激派組織) Hezbollah /hèzbəláː/.
ビスマーク ── [名] (固) Bismarck ★ 米国ノースダコタ州の州都.
ビスマス 〘化〙bismuth /bízməθ/ 🅄 《元素記号 Bi》.
ビスマルク ── [名] (固) Otto von Bismarck /bízmaək/, 1815–98. ★ドイツの政治家.
ひずみ 歪み 〘物理〙strain 🅄; (反り) warp 🄲; (ゆがみ) distortion 🅄; (不均衡) imbálance 🅄 ★ 格式ばった語. ¶この板には*ひずみがある There is a *warp* in this board. // 高度成長で経済に*ひずみが生じた Rapid [The high rate of] growth has caused ⌈*distortion* [*imbalance*] in the economy.
ひずむ 歪む (板などが反る) be warped; (音などがゆがむ) be distorted. ¶この床は*ひずんでいる This floor *is warped.*
ひする[1] 比する ☞ ひかく[1]; くらべる
ひする[2] 秘する (秘密にしておく) keep ... secret (他); (隠す) hide (他). 《☞ ひみつ; かくす》.
びせい 美声 beautiful [sweet; musical; mellow] voice 🄲 ★前から順に美しい[甘い, 音楽的な, 柔かで美しい]声を指す.
ひせいさんてき 非生産的 nonproductive.
ひせいふそしき 非政府組織 ☞ エヌジーオー
びせいぶつ 微生物 microbe 🄲, mìcroórganism 🄲 ★前者は特に病原菌を指すことが多い. 微生物学 mìcrobiólogy 🅄 微生物学者 mìcrobiólogist 🄲.
ビゼー ── [名] (固) Georges Bizet /ʒɔ́əʒ biːzéɪ/, 1838–75. ★フランスの作曲家. ¶*ビゼーのカルメン Carmen /káəmən/ (composed) by *Bizet*
ひせき[1] 秘跡, 秘蹟 〘キ教〙sacrament 🄲 ★「秘跡」という日本語はローマカトリックのもの. ¶*秘跡を授ける[受ける] give [receive] a *sacrament*
ひせき[2] 飛跡 〘物理〙(粒子の) track 🄲.
びせきぶん 微積分 〘数〙(ìnfinitésimal) cálculus 🅄; (微分と積分) dìfferéntial and íntegral cálculus 🅄. 《☞ びぶん[1]; せきぶん》.
ひせつ 飛雪 (吹雪) blizzard 🄲; (かぜに吹きとぶ雪) wind-blown snow 🅄.
ひぜに 日銭 daily cash income 🄲, daily income in cash 🄲 ★後者のほうが少し格式ばった言い方. ¶*日銭を稼ぐ earn a *daily cash income* // *日銭の入る商売 a business that brings in a *daily income in cash*
ひぜめ[1] 火責め ── [名] torture by fire 🅄. ── [動] torture ... with fire (他), subject ... to an ordeal by fire (他). ¶昔, 被疑者を*火責めにしたことがある In the old days, a suspect was often *tortured with fire.*
ひぜめ[2] 火攻め fire attack 🄲. ¶城を*火攻めにする *attack* a castle *by setting fire* to it
ひせん[1] 卑賤 ── [形] humble, low ★後者の方が意味が強い. ¶彼は*卑賤の生まれである He is a man of *humble* birth. / He is of *humble* birth. ★この表現は現在では用いられない. // *卑賤より身を起こす rise from *obscurity* / start life from *the bottom*
ひせん[2] 飛泉 ☞ たき[1]
ひぜん 皮癬 ☞ かいせん[5]
びせん 微賤 ☞ ひせん[1]
ひせんきょけん 被選挙権 ── [名] (選ばれる資格) eligibility for election 🅄. ── [形] (被選挙権がある) éligible. 《☞ せんきょ[1]》.
ひせんきょにん 被選挙人 éligible (pérson) 🄲 《☞ せんきょ[1]》. 被選挙人名簿 list of eligible persons 🄲.
びぜんくらげ 備前水母 〘動〙Bizen jellyfish 🄲; (説明的には) giant jellyfish inhabiting the Inland Sea and along the coast of Kyushu 🄲.
ひせんけい 非線形 ── [形] 〘数〙nonlinear /nɑ̀nlíniə/. ── [名] 〘数〙(非線形性) nònlineárity 🅄. 非線形代数 nónlìnear álgebra 🅄.
ひぜんだに 皮癬だに 〘動〙itch mite 🄲.
ひせんとういん 非戦闘員 (従軍しながら戦闘に加わらない人) nòncómbatant 🄲; (民間人) civilian 🄲.
ひせんろん 非戦論 (平和主義) pácifism 🅄. ¶*非戦論を唱える (⇒戦争反対を叫ぶ) cry out *against war* 非戦論者 (平和主義者) pácifist 🄲.
ひそ 砒素 〘化〙arsenic /áəs(ə)nɪk/ 🅄 《元素記号 As》. 砒素化合物 〘化〙arsenic compound 🄲 砒素中毒 arsenic poisoning 🅄.
びそ 鼻祖 ☞ がんそ
ひそう[1] 悲壮 ── [形] (勇ましい) heroic; (哀れを誘う) pathetic. ¶彼は最後まで戦う*悲壮な決心をした He made a *heroic* ⌈resolution [resolve] to fight to the last.
ひそう[2] 悲愴 ── [形] (悲しみを誘う) sorrowful; (悲しみに沈んだ) mournful. ¶事故現場には*悲愴な空気がただよっていた There was a ⌈*sorrowful*

[*mournful*] atmosphere at the scene of the accident. 悲愴感 pathos Ⓤ.

ひそう³ 皮相 ―【形】(うわべだけの) superficial /sù:pəfíʃəl/; (浅薄な) shallow. (☞ うわべ).

ひそう⁴ 皮層 ☞ ひしつ¹

ひぞう¹ 秘蔵 ―【形】(気に入りの) favorite (《英》 favourite) Ⓐ; ―【動】(秘蔵する) treasure (他) ★ やや格式ばった語. 秘蔵っ子 (大切にしている子) *one's* favorite ⌈child [son; daughter] Ⓒ; (大事な弟子) *one's* ⌈favorite [best] ⌈student [disciple] Ⓒ 秘蔵の品 treasure Ⓒ.

ひぞう² 脾臓 〔解〕 spleen Ⓒ.

びそう 美装 ―【名】(美しく装うこと) dressing-up Ⓤ; (衣服) fine dress Ⓒ. ―【動】(盛装する・飾る) dréss úp (他); dress finely (自); be dressed ⌈finely [richly].

びぞう 微増 ―【名】 slight increase Ⓤ. ―【動】 increase slightly (自).

ひそうぞくにん 被相続人 〔法〕 ancestor Ⓒ.

ひぞうぶつ 被造物 creation Ⓤ ★ しばしば the を伴う.

ひそか 密か, 窃か ―【副】(秘密に) secretly, in secret; (ないしょで) privately, in private ★ 以上いずれも後者はやや格式ばった感じ; (人目をはばかって) stéalthily ★ 他の語より格式ばった語. ―【形】 secret; private; stealthy ★ 他の語より格式ばった語. (☞ こっそり).
¶ その会合は*ひそかに行われた The meeting was held *secretly*. // 彼女は*ひそかに (⇒ ないしょで) その手紙を私に見せてくれた She showed me the letter ⌈*privately* [*in private*]. // その宝は*ひそかに持ち出された The treasure was carried away *stealthily*.

ひぞく¹ 卑俗 ―【形】(下卑た) vulgar; (低俗な) low; (粗野な) coarse. ―【名】 vulgarity Ⓤ; coarseness Ⓤ. (☞ ていぞく; げひん).

ひぞく² 卑属 〔法〕 descendant Ⓒ; (直系卑属) lineal descendant Ⓒ.

ひぞく³ 匪賊 (山賊・追いはぎ) bandit Ⓒ; (反乱者) rebel Ⓒ.

びそく 鼻息 ☞ はないき

びぞく 美俗 (よい習慣) good custom Ⓒ.

びそくどさつえい 微速度撮影 tíme-làpse photógraphy Ⓤ.

ひそすう 非素数 〔数〕(合成数) cómposite númber Ⓒ (↔ prime number).

ひぞっこ 秘蔵っ子 ☞ ひぞう¹

ひそひそ ―【副】(小声で) in a low voice; (ささやき声で) in ⌈a whisper [whispers]. ―【動】(ひそひそ話す) whisper (自)(他) [語法] talk [speak] に上の副詞を添えても同じ意味が表せる. (☞ ささやく; 擬声・擬態語 (囲み)). ¶ 彼らは*ひそひそ声で (⇒ 小声で) 話をしていた They were talking ⌈*in a low voice* [*quietly*; *softly*].

ひそみ 顰み frowning Ⓤ. ひそみにならう blindly imitate someone; (他人の例にしたがう) follow someone's example. ¶ *ひそみにならうおろかさを知れ You should realize the stupidity of ⌈*blindly imitating others* [*simply following someone else's example*].

ひそむ 潜む (潜在する・待ち伏せる) lurk (自); (裏に隠れている) lie (behind ...) (自) 《過去 lay; 過分 lain》; (悪事をしたりして身を隠す) hide (自) 《過去 hid; 過分 hidden》. (☞ かくれる).
¶ その取り引きには何か不正が*潜んでいるように思われる I suspect (that) something dishonest ⌈*lurks within* [*lies behind*] those dealings. // 犯人は森の中のどこかに*潜んでいるに違いない The criminal must ⌈*be hiding* [*have hidden* (*himself*)] somewhere in the woods.

ひそめる¹ 潜める **1** 《身を》: hide *oneself* 《過去 hid; 過分 hidden》, conceal *oneself* ★ 後者のほうが格式ばった語で, 意図的という意味が強い. (☞ かくれる).
2 《声を》: (低くする) lower (他); (落とす) drop (他). (☞ ひそひそ). ¶ 彼女は声を*潜めて私の耳元にささやいた She ⌈*lowered* [*dropped*] her voice (in order) to whisper (in my ear).

ひそめる² 顰める ¶ 眉を*ひそめる (⇒ 寄せる) 《文》 *knit one's* (eye)brows / (⇒ 難しい顔をする) *frown*

ひそやか 密やか ☞ ひっそり

ひだ 襞 ―【名】(スカートなどの) pleat Ⓒ; (ギャザー) gathers ★ 複数形で. ―【動】(ひだをつける) pleat (他); gather (他). ¶ このスカートの*ひだはすぐ取れる The *pleats* in this skirt will soon come out. // *ひだのあるスカート a *pleated* skirt // 山の*ひだ *fold* in a mountain (range) // 心の*ひだ (⇒ 心の奥底) *back* of *one's* mind

ビターズ (カクテルの香味づけリキュール) bitters ★ 複数形で単数あるいは複数扱い.

ひたい 額 forehead /fɔ́ə̀hèd, fɔ́:rɪd/ Ⓒ; brow /bráu/ Ⓒ [語法] 目の上から髪の生え際までの前額部全体が forehead. それと同義の場合もあるが, 眉毛のある両眼上の隆起部が brow. (☞ かお (挿絵)).
¶ 彼は広い[狭い]*額をしている He has a ⌈broad [narrow] *forehead*. / He has a ⌈high [low] *brow*. // 彼は*額に八の字を寄せた He knit [knitted] his *brows*. ★ 比喩的な意味では knit のほうが好まれる. // 彼は*額に汗して働いている He is ⌈making [earning; eking out] his living by the sweat of his *brow*. // 彼らは*額を集めた They put their *heads* together. 額際 hairline Ⓒ.

ひだい 肥大 ―【名】〔医〕(器官や組織の異常発達) hypértrophy Ⓤ. ―【動】(太る) get [become; grow] fat; 〔医〕 hypertrophy (自). (☞ ひまん). ¶ 心臓*肥大 cardiac *hypertrophy* // 常に*肥大する政府組織 ever *growing* government organizations 肥大成長 〔植〕 growth in thickness Ⓤ.

びたい 媚態 ―【名】《格式》 cóquetry Ⓤ. ―【動】(媚態を示す) coquét (自), coquétte (自).

ひたいじゅう 比体重 weight-to-height ratio Ⓒ.

びたいちもん びた一文 ¶ *びた一文も持っていない (⇒ 全くお金を持っていない) do not have even a ⌈*penny* [*cent*] / be totally *penniless* // 彼は*びた一文もまけないと言った He said he wouldn't take off *a* ⌈*penny* [*cent*]. [語法] cent は《米》だが,《米》でも penny が普通. (☞ いちもん¹).

ひたおし 直押し ¶ 彼はその厚い扉を*ひた押しに (⇒ 出来るだけ懸命に) 押した He pushed the heavy door *as hard as he could*.

ひたかくし 直隠し ¶ 彼はそれを*ひた隠しにした (⇒ 一生懸命隠そうとした) He *tried very hard to hide* it. (☞ かくす)

ひたき 鶲 〔鳥〕(crested) flycatcher Ⓒ, pewee Ⓒ.

びだくおん 鼻濁音 〔音声〕 voiced nasal sound Ⓒ.

ピタゴラスのていり ピタゴラスの定理 the Pythagorean theorem /pɪθæ̀gəríːən θíːərəm/.

ひたす 浸す (ちょっと浸す) dip (他); (どっぷりとつける) soak (他). (☞ つける³). ¶ 彼はパンをスープに*浸した He *dipped* a piece of bread in the soup. // 彼女は豆を一晩水に*浸した She *soaked* the beans in water overnight.

ひたすら (熱心に) earnestly; (一生懸命) very hard; (心から) wholeheartedly; (一心に) inténtly. (☞ いっしょうけんめい).

びたせん 鐚銭 poorly minted coin Ⓒ. (☞ びたいちもん)

ひたたれ 直垂 (礼服) (a kind of) court dress in the past Ⓒ; (鎧の直垂) dress worn under ⌈armor [《英》 armour] Ⓒ.
ひだち 肥立ち (産後の回復) convalescence after childbirth Ⓤ; (元どおり回復すること) recovery Ⓤ (☞ かいふく¹). ¶ 彼女は産後の*肥立ちがよい [悪い] She *is* ⌈*doing* [*getting along*; *getting on*] ⌈*well* [*badly*] after her baby was born.
ひたと 直と (近づいて) closely; (真っすぐに) straight; (突然に) suddenly; (じかに) directly.
ひだね 火種 (燃えている炭火) live /láɪv/ charcoal Ⓒ; (原因) cause Ⓒ. ¶ 過剰な貿易黒字がジャパンバッシングの*火種となった The excessive trade surplus ⌈was the *cause* of [*caused; triggered*] Japan bashing. ★ [ ] 内は「ひき起こした, ひき金となった」の意味の動詞表現.
ひたはしり 直走り ¶ 学校まで*ひた走りに走った I ⌈*ran and ran* [*ran like mad*] to the school. ★ [ ] 内のほうがより口語的.
ひたひた ¶ さざ波が*ひたひたと岸に寄せていた Little waves *were lapping against* the shore. // 敵は*ひたひたと (⇒ 徐々に[着々と]) 押し寄せてきた The enemy ⌈*gradually* [*steadily*] advanced ⌈on [against] us. ★ against のほうが意味が強い. (☞ 擬声・擬態語 (囲み))
びたびた ☞ びしょびしょ
ぴたぴた ¶ 誰かスリッパを*ぴたぴたとさせて歩いてきた I heard someone coming *pattering* in ⌈his [her] slippers. (☞ ぱたぱた; 擬声・擬態語 (囲み))
ひだま 火玉 ☞ ひのたま
ひだまり 日溜り sunny ⌈spot [place] Ⓒ ★ [ ] 内のほうが意味が広い. ¶ 猫は*日溜りが好きだ Cats like *sunny spots*.
ビタミン vitamin /váɪtəmɪn/ Ⓒ. ¶ *ビタミン B *vitamin* B **ビタミン欠乏症** vitamin deficiency disease Ⓒ; avitaminosis Ⓤ ★ 後者は専門用語. **ビタミン錠** vitamin ⌈pill [capsule; tablet] Ⓒ.
ひたむき ― 形 (真剣で熱心な) earnest; (不屈の) untiring. ― 副 earnestly; untiringly. (☞ まじめ). ¶ 私は彼の*ひたむきな態度に心を打たれた I was impressed ⌈by [with] his *earnest* attitude. // 彼の*ひたむきな努力はついに実を結んだ His *untiring* efforts bore fruit at last.
ひだら 干鱈 dried codfish Ⓤ ★ ひとつひとつは Ⓒ.
ひだり 左 ― 名 left Ⓤ (↔ right) ★ 通例 the を付けて. ― 形 副 left ★ 形 の場合は Ⓐ.
¶ 次の角で*左へ曲がりなさい Turn (to *the*) *left* at the next corner. // *左に見えるのが東京駅です On your *left* you (can) see Tokyo Station. // 英語は*左から右に書く We write (in) English from *left* to right. // 彼は*左から 3 番目の人です He is the third man from *the left*. // *左向け*左《号令》 *Left* face! // *左の方に on *one's left* // *左縦書きにする write vertically from *left* to right // *左がかった考え a ⌈*left* wing [*leftist*] idea
左揃え 〘印刷〙 left ⌈justification [alignment] Ⓤ
左ハンドルの車 left-hand drive ⌈car [vehicle] Ⓒ.
ひだりうちわ 左団扇 ¶ *左団扇で (⇒ 安楽に) 暮らす live *in comfort*
ひだりうで 左腕 the [*one's*] left arm.
ひだりがわ 左側 the left (⌈hand [side]) ★ 形容詞の場合は left-hand となる. (☞ がわ). ¶ 彼女は私の*左側に座った She sat on my *left* (*side*). // *左側通行 (掲示) Keep to *the Left* / Keep *Left*
ひだりきき 左利き ― 名 (左利きの人) left-handed person Ⓒ; (左利きの選手) 《米略式》 southpaw Ⓒ; (酒好きの人) (heavy) drinker Ⓒ. ― 形 left-handed.
ひだりて 左手 (手) left hand Ⓒ; (方角) the left (hand). (☞ ひだりがわ; みぎて). **左手の法則** 〘物理〙 the left-hand rule.
ぴたりと ¶ 矢は的の真ん中に*ぴたりと命中した The arrow hit the target *right* in the center. // 彼は私の歳を*ぴたりと当てた He guessed my age *correctly*. (☞ ぴったり; 擬声・擬態語 (囲み))
ひだりまえ 左前 ¶ お前の着物*左前だぞ You wear your kimono *with the right side over the left*. // 商売が*左前で (⇒ 十分な商売がなくて) 彼は店をたたんだ Since *there was not enough business*, he closed the store.
ひだりまき 左巻き ― 形 còunterclóckwise (↔ clockwise); (知能が足りない) stupid. ― 副 còunterclóckwise (↔ clockwise).
ひだりまわり 左回り ☞ ひだりまき
ひだりみぎ 左右 ☞ さゆう; みぎひだり
ひだりむき 左向き (左方へ向くこと) turning to the left Ⓤ; (左方を向いていること) facing the left Ⓤ.
ひだりよつ 左四つ (相撲で) *hidariyotsu*, left-handed belt grip Ⓒ.
ひだりより 左寄り ¶ 車をもう少し*左寄りに駐車して下さい Will you park a little bit (more *to the*) *left*? // 彼は*左寄りだ He is (a bit) *to the left*.
ひたる 浸る **1** «つかる»: (浸水する) be flooded; (水中に没する) be under water. (☞ つかる¹; ひたす).
2 «ふける» ― 動 (没頭する) be immersed in ... ★ 格式ばった言い方; (熱中する) be given to ... (☞ ふける¹; むちゅう). ¶ 私たちはその楽しい雰囲気に*浸った We *were immersed in* the jovial atmosphere.
ひだるま 火だるま (炎のかたまり) mass of flames Ⓒ. ¶ 自動車は*火だるまになって湖へ落ちた The car fell into the lake in a *mass of flames*. // 彼はあっという間に*火だるまになった (⇒ 炎に包まれた) He *was* ⌈*covered with* [(*immersed*) *in*] *flames* in an instant.
ひたん 悲嘆 ¶ 彼女は子供を亡くして*悲嘆にくれた (⇒ 子供の死を嘆き悲しんだ) She *grieved over* her child's death. (☞ なげく (類義語))
びだん 美談 (立派な話[挿話]) beautiful ⌈story [episode] Ⓒ ★ beautiful の代わりに「称賛すべき」praiseworthy,「感激させるような」moving を用いてもよい. ¶ *美談の主 the hero of the *praiseworthy episode* ★ 格式ばった表現.
びだんし 美男子 handsome [good-looking] man Ⓒ ★ [ ] 内のほうが口語的. (☞ ハンサム).
ピチカート 〘楽〙 pizzicato /pìtsɪkáːtoʊ/ Ⓒ.
びちく 備蓄 ― 動 (蓄える) store ⊕; (蓄えている) have ... in store. ¶ 3 か月分の石油の*備蓄がある We *have* a three-month supply of oil *in store*. / A three-month supply of oil *has been stored* (*up*). **備蓄米** reserve [reserves of] rice Ⓤ.
ひちしせいへいき 非致死性兵器 non-lethal weapon Ⓒ; (集合的に) non-lethal weaponry Ⓤ.
ひちしゃ 被治者 the ⌈ruled [governed].
ぴちっと (完全に) perfectly; (正確に) exactly; (きっちり) tightly. (☞ 擬声・擬態語 (囲み)). ¶ ドアを*ぴちっと閉めなさい Shut the door *firmly*.
ぴちぴち ― 形 (若くて元気がいい) young and lively /láɪvli/; (はつらつとした・生き生きした) fresh. (☞ げんき¹; わかわかしい; 擬声・擬態語 (囲み)).
ひちゃくしゅつし 非嫡出子 (私生児) illegitimate child Ⓒ 《複 ~ children》; (婉曲に) love child Ⓒ.
びちゃびちゃ ― 形 (雪解けでぬかるみの) slushy; (水がたまってびしょぬれの) sloppy; (ぬれた) wet. (☞

びしゃびしゃ; ぬれる; 擬声・擬態語 (囲み)》.

ぴちゃぴちゃ ¶男の子が*ぴちゃぴちゃと跳ねを飛ばしながら水たまりを歩いて行った A boy waded *splashing* through the puddles. 《☞ ばちゃばちゃ》 // 老人ははげた頭を*ぴちゃぴちゃと叩いた The old man patted his bald head. // 犬が水を*ぴちゃぴちゃと飲んでいる A dog is *lapping* water. 《☞ 擬声・擬態語 (囲み)》

ぴちゃんと ¶台所で蛇口から水滴が*ぴちゃんぴちゃんと落ちるのが聞こえた I heard the faucet *dripping* in the kitchen. 《☞ ぽたぽた》 // 子供のつまみ食いに気づいて母親はその手を*ぴちゃんと叩いた // The boy's mother *smacked* his hand when she caught him sneaking a snack. 《☞ ぴしゃりと; ☞ 擬声・擬態語 (囲み)》

びちゅうかく 鼻中隔 〔解〕 násal séptum Ⓒ 《複 — septa, — septums》.

ひちゅうのひ 秘中の秘 strict secret Ⓒ, the secret of secrets ★ 後者のほうが格式ばった言い方. 《☞ひみつ》.

ひちょう¹ 飛鳥 flying bird Ⓒ.

ひちょう² 秘帖 secret notebook Ⓒ.

びちょうせい 微調整 (細かい調整) minor adjustment Ⓤ 《☞ ちょうせい¹》.

ひちりき 篳篥 〔楽器〕 *hichiriki* Ⓒ; (説明的には) Japanese reed instrument used for ceremonial court music.

ひぢりめん 緋縮緬 scarlet silk crape Ⓤ 《☞ ちりめん》.

ひつ 櫃 (大型の箱) chest Ⓒ; (御飯を入れる器) ríce tùb Ⓒ. 《☞ おひつ》.

ひつあつ 筆圧 pressure put on a ⌈writing brush [pen] Ⓤ. ¶君は*筆圧が強[弱]すぎる (⇒ 書くときペンを強く[弱く]押しすぎる) You press your pen too ⌈hard [softly] when you write.

ひつい 筆意 (文章の趣旨) the ⌈purport [meaning] of a piece of writing; (筆遣い) style of ⌈writing [painting] Ⓒ.

びつい 尾椎 〔解〕 caudal vertebra /vә́ːtәbrә/ Ⓒ 《複 -brae /-brìː/》.

ひつう 悲痛 ──形 (悲しい) sad, sorrowful ★ 後者のほうが格式ばった語. 《☞ かなしい》. ¶彼は*悲痛な面持ちをしていた He looked ⌈*sad* [*sorrowful*].

ひっか 筆禍 serious slip of the pen Ⓒ.

ひっかかり 引っ掛かり ──動 (関係がある) be connected with ...; (特に, 縁故関係がある) be related to ... ──名 connection Ⓤ; relationship Ⓤ. 《☞ かんけい¹》.

ひっかかる 引っ掛かる **1** «物に»: catch (in ...; on ...) (自) 《過去・過分 caught》 ★ 物に絡まるような感じのときは in, くぎなどでは on.
¶ズボンがくぎに*引っ掛かった My trousers *caught on* a nail. // たこが木[電線]に*引っ掛かってしまった The kite *has* (*been*) *caught* ⌈*in* a tree [*on* an electric line]. // 魚の骨がのどに*引っ掛かった (⇒ 突き刺さった) A fish bone *stuck in* my throat. // 病院の検査で*引っ掛かった (⇒ 検査で陽性となった) I *tested positive on* my medical screening. // 彼の説明にはどうも*引っ掛かるものがある (⇒ 同意できない) Somehow I *cannot agree with* his explanation.
2 «たくらみなどに»: (はまる) fall for ...; (だまされる) be ⌈deceived [《略式》 taken in]. 《☞ だます; わな》.
¶私たちは彼の策略に*引っ掛かった We *fell for* his tricks. // 彼は彼女の甘い言葉にまんまと*引っ掛かった He *was* easily ⌈*deceived* [*taken in*] by her sweet talk.
3 «水などがかかる»: splash (自). ¶ズボンに泥水が*引っ掛かった The mud *splashed* on my trousers.

ひっかきまわす 引っ掻き回す rummage (自) 《☞ かきまわす》. ¶私は引き出しの中を*引っかき回してボールペンを捜した I *rummaged* in the drawer for my ballpoint (pen).

ひっかく 引っ掻く scratch (他) (自). ¶その猫は*引っかきますよ The cat will *scratch* (you).

ひっかける 引っ掛ける **1** «くぎなどに»: (人を主語として) catch ... (on ...; in ...) 《過去・過分 caught》; (ズボンなど引っ掛かる物を主語として) catch (on ...; in ...) (自) 〔語法〕 in は物が絡まるようなときに, on はくぎなどに引っ掛かるようなときに使う. 《☞ ひっかかる; かける¹》.
¶彼女はスカートをくぎに*引っ掛けた She *caught* her skirt *on* a nail. / Her skirt *caught on* a nail.
2 «さっと着る»: thrów ón (他) 《☞ きる²》.
3 «水などをはねかける»: splash (他) 《☞ かける¹》.
4 «異性を»: pick up (他). ¶彼女をどこで*ひっかけたんだ Where did you *pick up* that girl?

ひっかぶる 引っ被る (頭・顔の上に) pull ... over *one's* head; (浴びる) pour ... over *oneself*; (罪を) accept (他); (責任を) take (他). 《☞ かぶる》. ¶彼はその失敗の責任を*引っかぶった (⇒ 引き受けた) He *took on* himself the responsibility for the failure.

ひつき 火付き ¶この木は*火付きがよい[悪い] This wood ⌈*starts* [doesn't *start*] *burning* easily.

ひっき 筆記 ──動 (ノートをとる) take notes ⌈on [of] ...; (書き留める) write dówn (他). 《☞ ノート; メモ; かきとめる》. ¶彼女は先生が言ったことを全部*筆記した She ⌈*took notes of* [*wrote down*] everything the teacher said. **筆記試験** written ⌈examination [test] Ⓒ **筆記体** cursive style Ⓤ. ¶*筆記体で書く write *in cursive* (*hand*) **筆記用具** (一式) writing implements ★ 複数形で; (何か書く物) something to write with.

ひつぎ¹ 柩 coffin Ⓒ, 《米》 casket Ⓒ.

ひつぎ² 日嗣 (皇位) the Imperial Throne.

ビッキー (女性名) Vícki, Víckie, Vícky, Víkki ★ Victória の愛称.

ひっきょう 畢竟 (結局は) after all.

ひっきりなし 引っ切り無し ──副 (継続的に続いて) contínually; (切れ目なく連続して) contínuously; (絶え間なく) incéssantly ★ やや格式ばった語; (間を置かずに) without a break; (次々と) one after another. ──形 continual; continuous; incessant. 《☞ たえず (類義語); しじゅう¹; ねんじゅう》. ¶電話のベルが一日中*ひっきりなしに鳴った The phone rang ⌈*continually* [*without a break*] throughout the day. // 強い風が一日中*ひっきりなしに吹いた A strong wind blew *continuously* all day long. // ラッシュアワーには電車は*ひっきりなしに発着する Trains arrive and depart *one after another* during (the) rush hour. // この通りは*ひっきりなしに自動車が通る (⇒ 交通量が多い) There is *heavy* traffic on this road. / (⇒ 乗り物の不断の流れがある) There is a *constant* stream of vehicles on this road.

ピッキング (錠などをこじあけること) picking Ⓤ. ¶泥棒がドアの錠を*ピッキングして家に押し入った A thief has broken into the house by *picking* the door lock.

ビック (男性名) Vic ★ Victor の愛称.

ビッグ ──形 (大きな・重要な) big. **ビッグニュース** big [important] news Ⓤ. ¶*ビッグニュース! 我が党が総選挙に勝利したぞ *Great news*! Our party has won the general election.

ピックアップ ──動 (拾い上げる) pìck úp (他) ★「念入りに選び出す」という意味のときは pìck óut

(他). ━[名](レコードプレーヤーの) píckùp [C]. (☞ひろう¹; えらぶ).

ビッグアップル ━[名](固) the Big Apple ★ニューヨーク市のニックネーム.

ピックオフプレー 〘スポ〙 ━[名] píck-òff [C]. ━[動] pick óff (他).

ひっくくる 引っ括る (くくりつける) tíe (他); (縛って一つにする) bínd (他) (過去・過分 bound). ¶そのどろぼうは*引っくくられた The thief *was* ⌈*arrested* [*caught*] *and tied up*.

ヒッグスりゅうし ヒッグス粒子 〘物理〙 Higgs ⌈boson [particle] [C].

ビッグバン 〘天〙 the Big Bang. ¶金融*ビッグバン *Big Bang* ビッグバン理論 the bìg báng thèory.

ビッグバンド (大型ジャズ楽団) big band [C].

ビッグベン ━[名](固) Big Ben ★英国国会議事堂塔の大時計.

びっくり ━[動](予期しないことに驚く) be surprised; (信じ難いことに大いに驚く) be astónished; (仰天する) be astounded ★以上の順に意味が強くなる; (驚き仰天する) be amazed; (衝撃を受ける) be shocked ★以上 5 つは人が主語になる; (驚かせる) surprise (他); astonish (他); astound (他); amaze (他); shock (他) ★以上 5 つは「物事」が主語になる. ━[名] surprise [U] ★具体的な驚くべきことを指すときは [C]; astonishment [U]; amazement [U]; shock [C]. (☞おどろく (類義語); おどろき; ぎょうてん¹).
¶その知らせを聞いて私は*びっくりした I *was surprised* ⌈at [to hear] the news. / (⇒その知らせは私を驚かせた) The news *surprised* me. / (⇒その知らせは私にとって驚きだった) The news was a *surprise* to me. // 彼がその賞を獲得したので私たちは*びっくりした We *were astonished* that he had won the prize. // 彼女はそれを見て*びっくり仰天した She *was astounded* ⌈by [to see] it. // 私はその飛行機が速いのに*びっくりした I *was amazed* by the speed of the plane. // あなたを*びっくりさせるものがあるよ I have a *surprise* for you. [語法] 人にニュースを伝えたり贈り物をするときなどにいう. // 彼女は*びっくりして私の顔を見た She looked at me *in surprise*. // *びっくりするような出来事が次々に起こった *Surprising* [*Shocking*] events took place one after another.
びっくり箱 jack-in-the box [C].

ひっくりかえす ひっくり返す (横倒しにする) overturn (他), tip over (他); (転覆させる) upset (他) (過去・過分 upset); (上下を逆さまにする) turn ... upside down. (☞たおす¹; うらがえす). ¶子供はミルクの入ったコップを*ひっくり返してしまった The child ⌈*overturned* [*tipped over*] a glass of milk.

ひっくりかえる ひっくり返る (横倒しになる) overturn (自); (転覆する) upset (自) (過去・過分 upset). (☞てんぷく). ¶その地震で机の上の花瓶が*ひっくり返った The vase on the desk ⌈(was) *overturned* [was *knocked over*] in the earthquake.

ピックルス ☞ピクルス

ひっくるめる 引っくるめる (全体の一部として含む) include (他) (☞まとめる; あわせる¹).
¶全部*ひっくるめて (⇒全体で) いくらになりますか How much is it ⌈*in all* [*altogether*]? // 郵送料とその他の費用を*ひっくるめて総額 3 千円になる The total comes to ¥3,000, ⌈*including* postage and other charges [postage and other charges *included*]. ★[ ] 内のほうが格式ばった言い方.

ひつけ 火付け ☞ほうか¹

ひづけ 日付 ━[名] date [C]. ━[動](日付を入れる) date (他). (☞時刻・日付・曜日 (囲み); 手紙の書き方 (囲み)). ¶領収書に*日付を入れるのを忘れないように Don't forget to ⌈put the *date* on [*date*] the receipt. // 私はその送り状を 4 月 1 日の*日付で出した I sent the invoice ⌈*dated* [under the *date* of] April 1. ★[ ] 内のほうが格式ばった言い方. // その手紙は*日付がなかった The letter ⌈*was undated* [had no *date* on it].
日付変更線 the (ínternàtional) dáte lìne.

ひっけい 必携 ━[形](欠くことのできない) indispensable. ━[名](参考書) handbook [C]; (手引き) manual [C]. (☞ふかけつ).

ひつけやく 火付け役 (ごたごたを起こす人) troublemaker [C]; (計画・事業などの創始者・首唱者) originator [C], initiator [C]; (演説などであおる扇動者) (格式) ínstigàtor [C]; (社会的・政治的な扇動者) ágitator [C].

ピッケル íce àx (英) íce àxe) [C] [参考]「ピッケル」はドイツ語の Pickel から. (☞やまのぼり).

ひっけん¹ 必見 ━[名](絶対に必要なもの) (略式) a must ★a を付けて. ━[形] (略式) must [A].
¶その映画は*必見の作品だ The movie is *a must*. / It's a *must* film.

ひっけん² 筆硯 (筆と硯) writing brush and inkstone [U]; (文筆の仕事) writing [U].

ひっこうりょう 筆耕料 copying fee [C].

ひっこし 引っ越し move [C], (英) removal [C] (☞いてん; てんきょ¹). ¶*引っ越しはいつですか (⇒いつ引っ越しますか) When *are* you *moving* ⌈*out* [*in*]? [語法] 家を引き払うのが move out, 移ってくるのが move in. // 私は彼の新居への*引っ越しを (⇒新居へ引っ越しするのを) 手伝った I helped him *move* ⌈to [into] his new house. // 彼女の*引っ越し先 (⇒新しい住所) なら私が知っている I know her new address.
引っ越しそば *soba* handed out to the neighbors when *one* has moved into a new house ★説明的な訳. 引っ越し荷物 (家財) household goods [(家具) furniture [U] to be moved.

ひっこす 引っ越す move (自) (☞うつる¹; ひっこし). ¶この度次の住所に*引っ越しました We *have moved* to the following address.

ひっこぬく 引っこ抜く ☞ひきぬく

ひっこます 引っ込ます ☞ひっこめる

ひっこみ 引っ込み
引っ込みがつかない ¶彼は*引っ込みがつかなくなった (⇒行き過ぎて退くことができなかった) He *has* ⌈*gone* [*carried things*] *too far to* ⌈*back out* [*retreat*]. ★gone, back out を使うほうが口語的.
引っ込み思案 ¶あの子はどうも*引っ込み思案だ (⇒内気で, 知らない人の前に出たがらない) The child is rather *shy* ⌈around [with] strangers. (☞うちき)

ひっこみがち 引っ込み勝ち ━[形](家にこもる傾向の) homebound; (積極性に欠けている) retiring.

ひっこむ 引っ込む (引退する) retire (自) ★静かな場所へ引っ込むという意味合いがある; (退出する) withdraw (自). (☞しりぞく; いんたい¹).
¶まだ田舎へ*引っ込むほどの年でもあるまい (⇒あなたは田舎へ引っ込むには若すぎる) You are too young to *retire* to the country. // お前は*引っ込んでいろ (⇒自分のことにだけかまっていろ) Mind your own business. / (⇒お前の知ったことじゃない) That's [It's] none of your business. ★以上 2 つは口語的で乱暴な表現. // 彼は目が*引っ込んでいる (⇒くぼんだ目をしている) He has *deep-set* eyes.

ひっこめる 引っ込める (引っ込ませる) dràw ín (他) (過去 drew; 過分 drawn), retract (他) ★前者のほうが口語的; (撤回する) withdraw (他); (前言などを取り消す) tàke báck (他). (☞とりけす; てっかい).
¶飛行機はすぐに車輪を*引っ込めた The plane soon *retracted* its ⌈wheels [landing gear]. [語法] 機械類には一般に draw in は用いない. // 彼は辞表

[自分の提案]を*引っ込めた (⇒ 撤回した) He *withdrew* his ⌈resignation [proposal]. // 彼はしぶしぶ自分の言ったことを*引っ込めた (⇒ 取り消した) He reluctantly *took back* ⌈his words [what he had said]. // 先発投手を*引っ込める (⇒ 交替させる) *replace* the starting pitcher

ヒッコリー 〖植〗 hickory Ⓒ ★ 材料としては Ⓤ.

ヒッコリーストライプ ── 名 (模様) hickory stripes; (布) hickory stripe Ⓤ. ── 形 hickory-stripe(d).

ピッコロ 〖楽器〗 piccolo /píkəlòu/ Ⓒ.

ひっさげる 引っ提げる ¶ 彼は大きなかばんを*引っ提げて (⇒ 手に持って) 出かけた He went out *carrying* his big briefcase.

ひっさつ 必殺 ── 形 deadly. ¶ *必殺の一撃 a *deadly* blow / a *death*blow

ひっさらう 引っ攫う (奪い去る) snatch ⑯; (誘拐する) kidnap ⑯. 《☞ さらう》.

ひっさん 筆算 ── 名 calculation on paper Ⓤ. ── 動 calculate [do sums] on paper. 《☞ あんざん¹》.

ひっし¹ 必死 ── 形 (必死の) désperate; (気も狂わんばかりの) frantic. ── 副 desperately, in desperation ★ 後者のほうが格式ばった表現. 《☞ しにものぐるい》. ¶ 彼女は*必死になってドアをたたいた She knocked ⌈on [at] the door *desperately*. // 彼は目的達成のために*必死の努力をした He made ⌈*desperate* [*frantic*] efforts to achieve his aim.

ひっし² 必至 ── 形 (避けられない) inevitable, unavoidable; (確実な) sure. 《☞ かくじつ¹; ひつぜん; ふかひ》. ¶ 国会の解散は*必至だ The dissolution of the Diet is ⌈*inevitable* [*unavoidable*].

ひっし³ 筆紙 **筆紙に尽くし難い** ¶ 核兵器の破壊力は*筆紙に尽くし難いものがある The destructive power of nuclear weapons ⌈is *beyond* [*defies*] *description*. // 彼女の悲しみは*筆紙に尽くし難い Her sadness is greater than *words can express*.

ひつじ¹ 羊 sheep Ⓒ ★ 単複同形. 羊一般を表す語; (雄) ram Ⓒ; (雌) ewe /júː/ Ⓒ; (子羊) lamb /lǽm/ Ⓒ. 《☞ おす³ (表); 動物の鳴き声 (囲み)》.

¶ *羊の群 a flock of *sheep* // *羊の皮を着た狼 a wolf in *sheep's* clothing //「*羊は何と鳴きますか」「めえめえと鳴きます」 "What do *sheep* say?" "They go *baa, baa.*" // 彼は屠所に引かれる*羊のように警察に引っ立てられて行った He was taken to the police like a *sheep* being led to the slaughter. 《☞ としょ² (屠所の羊)》

羊飼い shepherd /ʃépəd/ Ⓒ **羊雲** 〖気象〗 floccus /flάkəs/ Ⓒ (複 -ci /-kaɪ/) **羊の肉** mutton Ⓤ; (子羊の肉) lamb Ⓤ **羊偏** (漢字の) sheep radical on the left of kanji Ⓒ.

ひつじ² 未 (十二支の) the Sheep 《☞ ね⁴》.

ひつじぐさ 羊[未]草 ☞ すいれん

ひっしゃ¹ 筆者 (文を書いた人) writer Ⓒ; (著作者) author Ⓒ ★ 後者のほうがやや格式ばった語; (自分を指して) the (present) writer 語法 論文などで用いられ, 動詞は 3 人称単数形で呼応する. ただし現在では I とすることが多い. 《☞ さくしゃ; ちょしゃ》.

ひっしゃ² 筆写 ── 動 copy ⑯, transcribe ⑯ ★ 後者のほうが格式ばった語.

ひっしゅう 必修 ── 形 (科目などが必修の) required, 《英》 compúlsory. ── 名 requirement Ⓒ. ¶ この科目は 2 年生の*必修だ This subject is ⌈*required* [*compulsory*] for all second-year students. **必修科目** required [《英》 compulsory] subject Ⓒ (↔ elective).

ひつじゅひん 必需品 (絶対欠かせないもの) necéssity Ⓒ; (特定の目的のために必要なもの) néc-essàries ★ 通例複数形で; 《略式》 a must ★ a を付けて; (ある目的上必要なもの) 《格式》 requisite /rékwəzɪt/ Ⓒ. 《☞ ひつよう》.

¶ 衣食住は生活の*必需品である Food, clothing and shelter are *necessities* of life. 語法 衣食住は英語では上の順が普通. // テレビは現代の家庭の*必需品だ A television set is a ⌈*necessity* [*must*] in the modern home. // 田舎に住んでいると車は*必需品だ (⇒ 車なしではやって行けない) If you live in the country, you *can't do without* a car.

ひつじゅん 筆順 the stroke order (of a Chinese character). ¶ *筆順を間違えないようにしなさい Be careful not to *make the strokes* in the wrong order.

ひっしょう 必勝 ¶ 私たちは*必勝を誓った (⇒ 何としても勝つことを決意した) We resolved to *win at any cost*. 《☞ かつ¹》

ひつじょう 必定 ¶ 経済不況の到来は*必定である (⇒ 避けられない) It is *inevitable* that the economic depression will ⌈affect [hit] us.

びっしょり ── 形 (ぬれた) wet; (しぼれる [したたる] ほどぬれた) wringing [dripping] wet. 《☞ びしょぬれ; ぬれる; 擬声・擬態語(囲み)》. ¶ このシャツは汗で*びっしょりだ This shirt is ⌈*wringing* [*dripping*] *wet* with ⌈perspiration [sweat]. 《☞ あせ》

びっしり ── 形 (詰まった) tight 《☞ ぎっしり; 擬声・擬態語 (囲み)》. ¶ 予定が*びっしりだ I have a very *tight* schedule. 《☞ ぎっしり 日英比較》

ひっす 必須 ── 形 (欠くことのできない) indispensable ★ やや格式ばった語; (本質的に絶対必要な) essential; (ある条件を満たすために必要な) 《格式》 requisite /rékwəzɪt/. 《☞ ひつよう》.

¶ 食物と水は生命にとって*必須のものだ Food and water are ⌈*indispensable* [*essential*] to life.

必須アミノ酸 essential amino acid Ⓒ **必須科目** required [《英》 compúlsory] subject Ⓒ 《☞ ひっしゅう》 **必須脂肪酸** 〖化〗 essential fatty acid Ⓒ **必須微量元素** 〖生化〗 essential microelement Ⓒ.

ひっすい 必衰 inevitable decline Ⓒ. ¶ 盛者*必衰の理(ことわり) the law that those who flourish must *inevitably fall* 《☞ しょうじゃひっすい》

ひっせい¹ 畢生 ¶ *畢生の大作 the ⌈best [greatest] work *of one's* (*entire*) *life* / *one's life*work

ひっせい² 筆勢 brushwork Ⓤ.

ひっせき 筆跡 (手で書くこと, または書かれたもの) handwriting Ⓤ, writing Ⓤ; (書体) hand ★ 単独では用いられず, 形容する語が前に付く. 単数のみで複数はない. 《☞ もじ》. ¶ 彼の*筆跡は読みにくい His ⌈*handwriting* [*writing*] is hard to read. // 彼女の*筆跡はすばらしい (⇒ すばらしい字体を書く) She writes ⌈an excellent [a splendid] *hand*. 語法 [ ] 内のほうがほめる度合いがやや強い. // 専門家がその*筆跡を鑑定した (⇒ 調べた [分析した]) An expert ⌈examined [analyzed] the *handwriting*.

筆跡学 graphólogy Ⓤ **筆跡鑑定** handwriting analysis Ⓤ **筆跡鑑定人** handwriting expert Ⓒ.

ひつぜつ 筆舌 **筆舌に尽くし難い** ¶ その景色は*筆舌に尽くし難い (⇒ 言い表せないほど美しい) The scene is *indescribably* beautiful. // その労働者たちの悲惨なありさまは*筆舌に尽くし難いものだった The laborers' conditions were miserable *beyond description*. 語法 beyond description は「言葉では表現できない」という意味の成句で, やや格式ばった言い方.

ひっせん 筆洗 brush washer Ⓒ.

ひつぜん 必然 ── 形 (当然の) nécessàry; (不可避の) inevitable; (自然の) natural. ── 副 (必然的に) necessarily /nèsəsérəli/; inevitably; naturally. 《☞ とうぜん¹; かならず (類義語)》.

¶ 人口が増えれば*必然の結果として食糧 (⇒ 食糧の

蓄え) は不足する If the population increases, the food supply decreases as 「a *necessary* result [an *inevitable* consequence]. ★[ ]内のほうが格式ばった言い方. // ことの成り行きは*必然的にそうなった (⇒ それが自然の成り行きだった) That was the *natural* course of events. **必然性** (必要性) necessity Ⓤ; (不可避) inevitability Ⓤ.

ひっそく 逼塞 (落ちぶれて世を忍ぶ生活を送ること) downfall relegating one to a life of obscurity Ⓤ; (江戸時代の刑) daytime confinement in *one's* house Ⓤ.

ひっそり ─ 形 (静かな) quiet ★ 動きも音もないこと; (動きのない) still. ─ 動 (人の気配がなくなる) be deserted. 《☞ しずか (類義語); 擬声・擬態語 (囲み)》. ¶ 図書館の中は*ひっそりしていた All was 「*quiet* [*still*] in the library. // この通りは夜は*ひっそりとする (⇒ 人けがなくなる) This street *is deserted* at night. // 彼女は田舎で*ひっそりと暮らしている (⇒ 静かな暮らしをしている) She lives a *quiet* life in the country.

ヒッタイト ─ 名 固 (人) Hittite /hítaɪt/ Ⓒ; (集合的に) the Hittites; (言語) Hittite Ⓤ. ─ 形 Hittite.

ひったくり (ひったくること) snatch Ⓒ; (動作) (bag [purse]) snatching Ⓤ; (ひったくる人) (bag [purse]) snatcher Ⓒ. ¶ *ひったくりに注意しなさい Look out [Watch] for (「*bag* [*purse*]) *snatchers*. // *ひったくりにあってかばんを取られる (⇒ かばんをひったくられる) have *one's* bag *snatched*

ひったくる snatch 他. ¶ オートバイに乗った若い男が私の手[肩]からハンドバッグを*ひったくった A young man on a motorcycle *snatched* 「my [the] purse 「*out of* my hand [*off* my shoulder].

ひったてる 引っ立てる (連行する) take *a person* to ...; march *a person* off to ... ¶ 彼は警察署に*引っ立てられた He *was marched off to* the police station.

ぴったり ─ 副 (正確に) exactly; (ぴったりくっついて) close(ly); (きっちり) tight(ly); (完全に) perfectly; (正しく) right, correctly ★ 前者がより口語的. ─ 動 (ぴったり合う) fit 他. 《☞ ちょうど[1]; きっかり; きっちり; 擬声・擬態語 (囲み)》.
¶ 私は8時*ぴったりに家を出た I left home 「*exactly* at eight [at eight *sharp*]. // この戸は*ぴったり (⇒ 完全に [きちんと]) 閉まらない This door doesn't shut 「*completely* [*tight(ly)*; *properly*]. // 窓を*ぴったり閉めなさい Close the window *tight(ly)*. // この服はあなたに*ぴったり合う This dress fits you 「*perfectly* [*to a T*]. ★ to a T は口語的な慣用句. // 彼らは*ぴったり寄り添ってベンチに腰をおろした They sat *close* together on the bench. // この計算は*ぴったり合っている (⇒ 完全に正しい) These figures are *perfectly* correct.

ひつだん 筆談 ─ 動 express [inform] in writing 自 他; have a conversation by means of writing.

ひっち 筆致 (文体) style Ⓤ; (書画) touch Ⓤ.

ピッチ[1] (速さ) speed Ⓤ; (ペース) pace Ⓒ; (音の高さ) pitch Ⓒ 日英比較 日本語の「ピッチ」が必ずしも英語の pitch に相当しない点に注意. 《☞ ちょうし[1]; そくど》. ¶ 仕事は急*ピッチで進行した The work progressed at a fast *pace*. // 私たちは仕事の*ピッチを上げた (⇒ 仕事を急いだ) We 「*speeded* [*sped*] *up* the work. // 彼女はビールを飲む*ピッチが早い (⇒ 次々にぐいぐい飲む) She *quickly gulps down* her beer one glass after another.

ピッチ[2] (瀝青) pitch Ⓤ.

ピッチ[3] 《英》 (サッカー・ホッケーの競技場) pitch Ⓒ.

ピッチアウト 〔野〕 pítchòut Ⓒ.

ヒッチコック ─ 名 固 Álfred Hítchcock, 1899–1980. ★ 英国出身の米国の映画監督.

ピッチそうほう ピッチ走法 trot running Ⓤ.

ヒッチハイク ─ 名 hítchhìking Ⓤ. ─ 動 hítchhìke 自, 《略式》 thumb a ride ★ 親指で合図して便乗を頼むことから.

hitchhiking

ピッチャー **1** 《野球》: (投手) pitcher Ⓒ.
2 《水差し》: pitcher Ⓒ.
ピッチャーゴロ grounder to the pitcher Ⓒ ピッチャーフライ fly to the pitcher Ⓒ ピッチャープレート pitcher's plate Ⓒ. ★ the rubber ともいう.

ひっちゃく 必着 ¶ 申込書は3月10日までに*必着のこと The application must *reach* us by March 10 *without fail*.

ひっちゅう[1] 必中 ─ 動 never 「fail to hit [miss] the mark. ¶ *必中の一発 a *well-aimed* shot // 一発*必中を期す aim *to hit the target* with *one's* first shot

ひっちゅう[2] 筆誅 censure in writing Ⓤ. ¶ その作家は時の政府に彼の主宰する雑誌でしばしば*筆誅を加えた The writer often 「*censured* [*denounced*] the Government then in office in the magazine he edited.

ぴっちり ☞ ぴちっと

ピッチング 〔野〕 pitching Ⓤ. ピッチングマシーン (打撃練習用の機械) pitching machine Ⓒ.

ピッツァ ☞ ピザ

ひっつく 引っ付く (粘着する) stick (to ...) 自 《過去・過分 stuck》; (まとわりつく) cling (to ...) 自 《過去・過分 clung》; (男女が) become intimate (with ...). 《☞ くっつく》.

ピッツバーグ ─ 名 固 Pittsburgh ★ 米国ペンシルベニア州の都市.

ひっつめ 引っ詰め ¶ 彼女は髪を*引っ詰めにしている She wears her hair *in a tight bun at the nape*.

ひっつれ 引っ攣れ (火傷のあと) scar (from a burn) Ⓒ.

ヒッティング 〔野〕 ─ 名 the act of hitting. ─ 動 bat (aggressively) 他.

ひってき 匹敵 ─ 動 (…に等しい) equal 他, be equal to ...; (互角である) match 他; (…と同列にある) rank with ...; (…と肩を並べる) compare with ... ─ 形 (同等の) equal; (…に相当する) equivalent. 《☞ そうとう[1]; あたる》.
¶ このホテルはヨーロッパの一流ホテルに*匹敵する (⇒ 等しい[同列に位する]) This hotel 「*is equal to* [*ranks with*] the best hotels in Europe. // 当時の100円はいまの1万円に*匹敵する (⇒ 同価値だ) A hundred yen 「of [from; in] those days *is* 「*equal* [*equivalent*] *to* ¥10,000 now. // コーチとして彼に*匹敵する人を (⇒ 彼ほどよいコーチを) 見つけるのは難しい It will be hard to find a coach *as* 「*good* [*excellent*] *as* 「he [him]. ★ excellent のほうが意味が強い. // 英会話で彼女に*匹敵する者はいない (⇒ 彼女は一番うまい) She is *the best* English *speaker*. 語法 (1) 日本語のニュアンスよりは少し単純になるが, 内容は一応表現されていると言ってよい. / (⇒ だれも彼女より上手にしゃべれない) No one can speak English better than she. 語法 (2) このように否定構文にしたほうが意味が強くなり, 日本語のニュアンスに近くなる. // テニスで彼に*匹敵する者はいない No one can *match* him in tennis. / He *is unrivaled* in tennis. ★ やや格式ばった表現. // 品

質でこれに*匹敵するものはない（⇒どれも比べものにならない）Nothing can *compare with* this in quality.

ヒット 1《野球》 ―[名]（安打）(base) hit [C];（単打）single [C]. ―[動]（ヒットを打つ）get a hit; single (自). ¶彼はワールドシリーズで*ヒットを 10 本打った He had ten *hits* in the World Series. // *ヒット 3 本で 2 点をあげた We scored two runs on three *hits*. // ノー*ヒットノーラン a no-*hit*, no-run (baseball) game
2《大当たり》: hit [C];（成功）success [C] ★ hit は偶然性が強く，より口語的.《☞ あたる; せいこう[1]》.
¶その映画[歌]は大*ヒットした The「movie [song] was a「big [great] *hit*.
ヒット作 hit [C] ★ 具体的には，a hit song, a hit CD のように言う. **ヒット商品** hit product [C] **ヒットソング** hit (song) [C] **ヒットチャート**（ヒット曲などの人気順位表）the charts, hit chart [C] **ヒットパレード**（ヒット曲を放送する番組）hit parade [C].

ビット 〖コンピューター〗（情報量の最小単位）bit [C]《☞ コンピューター（囲み）》.

ピット （サーキットの）the pits;（劇場のオーケストラボックス）the pit.
ピットイン pit stop [C] ★「ピットイン」は和製英語. **ピットクルー**（自動車レースの）pit crew [C] ★ クルー全体を指す.

ひっとう[1] 筆頭 ―[名]（リストの第 1 番目）(the) first on the list. ―[動]（…の筆頭にある）head (他) ★ 筆頭になるものが主語.《☞ せんとう[1]》. ¶彼の名前は*筆頭に上がっていた His name was *(the) first on the list*. / His name *headed the list*. // 彼は革新派の*筆頭だ He is *at the head of* the reformers.
筆頭株主 the largest「stockholder [《英》shareholder] [C] **筆頭者[人]** the head of *one's* family.

ひっとう[2] 筆答 ―[名] written answer [C]. ―[動] answer in writing. ―[形]（書いたものによる）written (↔ oral). ―[副]（筆答で）in writing.
筆答試験 written「test [examination] [C] ★ test のほうが口語的.

ヒットエンドラン 〖野〗 ―[名] hit and run [C]. ―[動]（ヒットエンドランをする）hit-and-run (自).
¶*ヒットエンドラン a *hit-and-run* play // *ヒットエンドランで走る move on a *hit-and-run* play

ひつどく 必読 ¶これは万人の*必読書だ（⇒すべての人が読むべき本だ）This is a book that everyone「*should* [*must*] *read*. [語法] must には「義務として」という，より強いニュアンスがある.

ビットマップ 〖コンピューター〗 bitmap [C]. **ビットマップフォント** bitmap [bitmapped] font [C].

ひっとらえる 引っ捕える ☞ つかまえる

ひっぱがす 引っ剥がす ☞ はがす; はぐ

ひっぱく 逼迫 ―[形]（財政などが窮屈な）tight. ¶いまは金融が*ひっ迫している Money is *tight* now. // 財政が*ひっ迫している Financial conditions are *tight*.

ひっぱたく 引っぱたく （平手で打つ）slap (他)《☞ うつ[1]（類義語）》.

ひっぱりこむ 引っ張りこむ （中に引き入れる）draw [pull] …「in [into] …;（味方に引き入れる）win over *a person* to … (他);（誘惑する）tempt *a person*「in [into] …

ひっぱりだこ 引っ張り凧 ¶この科の卒業生は*引っ張りだこです（⇒強く求められている）The graduates of [Those who have completed] this course of studies *are much sought after*. // 小型車はその国で*引っ張りだこです（⇒非常に需要がある）Small cars *are*「*in great demand* [*very much in demand*] in that country.《☞ にんき[1]》

ひっぱりだす 引っ張り出す （引き出す）draw [pull] out (他);（才能や意味などを）bring out (他).
¶彼は会長に*引っ張り出された He *was brought* (out of retirement) to be「president [chairman].

ひっぱりまわす 引っ張り回す ☞ ひきまわす

ひっぱる 引っ張る 1《引く》:（軽くなめらかに引く）draw (他);（手前に引く）pull (他) [語法] at を付けて pull at … として用いることもある. 以下の動詞についても同様;（強く引く）tug (他);（急に引く）jerk (他) ★ 以上の動詞を名詞形として give a「pull [tug; jerk]「at [on] … とも表現できる.《☞ ひく[1]》.
¶私はそのひもを*引っ張った I *pulled (at)* the cord. / I *gave a pull*「*at* [*on*] the cord. // 彼女は私のそでを*引っ張った She *pulled* me by the sleeve. / She *pulled (at)* my sleeve. // 直球を*引っ張ってヒットを打つ（⇒右[左]の方向へ）make a hit *to*「*right* [*left*] *off* a fastball ★ 右打者の時は left, 左打者の時は right.
2《連行する》:（連れて来る）bring (他)《過去・過分 brought》;（連れて行く）take (他)《過去 took; 過分 taken》.《☞ つれてくる》. ¶彼をここへ*引っ張って来なさい（⇒連れて来い）*Bring* him here. // 彼はどうして警察へ*引っ張られたんですか Why *was* he *taken* to the police station?

ひつび 必備 ―[形]（絶対に必要な）indispensable. ¶これは全図書館に*必備の（⇒必ず備えられなければならない）図書である This book should be in every library.《☞ そなえる》

ヒッピー hippie [C], hippy [C].

ひっぷ 匹夫 （身分が低い男）man of humble position [C]《複 men of ～》;（道理が分からない男）unreasonable man [C]《複 ～men》. **匹夫の勇**（無鉄砲な勇気）reckless courage [U].

ヒップ （腰かけるときいすに触れる部分）buttocks ★ 通例複数形で;（ウエストラインのすぐ下の左右に張り出した部分）hips ★ 通例複数形で.《☞ しり[1]; こし[1]; からだ（挿絵）》.

ヒップホップ 〖楽〗 ―[名] híp-hòp [U] ★ 1980 年代にニューヨークで黒人の若者たちが始めた音楽やダンス. ―[形] hip-hop.

ビップ VIP, V.I.P. ★ 発音は /víːàɪpíː/ で, very important person の略. /víp/ とは発音しない.

ひっぽう[1] 筆法 1《運筆法》:（筆遣い）stroke [C];（書法）penmanship [U].
2《方法》:（やり方）way [C];（秩序立った方法）method [C];（独特のやり方）manner [C].《☞ ほうほう[1]（類義語）》.

ひっぽう[2] 筆鋒 ¶そのジャーナリストは*筆鋒（⇒文筆の勢い）鋭く政府を批判した That journalist's *pen* was sharp when she criticized the government.

ひつぼく 筆墨 （筆と墨）brush and India ink [U], pen and ink [U];（筆と墨で書かれた物）the product of a brush and India ink [U].

ひづめ 蹄 ―[名] hoof /húf/ [C]《複 hoofs, hooves》. ―[形]（ひづめのある）hoofed.《☞ あし[1]（挿絵）》. ¶*ひづめの跡 *hoof*「prints [tracks] // *ひづめの音 the clatter of *hoofs* / *hoof*beats

ひつめい 筆名 pen name [C], pseudonym /súːdənɪm/ ★ 後者のほうが格式ばった語. ¶サミュエル L・クレメンスはマークトウェインという*筆名で小説を書いた Samuel L. Clemens wrote novels under the「*pen name* [*pseudonym*] of Mark Twain.

ひつめつ 必滅 ☞ しょうじゃひつめつ

ひつもんひっとう 筆問筆答 ―[名] question and answer in writing [C]. ―[動] exchange questions and answers in writing.《☞ ひっとう[2]》.

ひつよう 必要 ―[形]（必要な）necessary;（本質的になくてはならない）essential;（欠くべからざる）

indispénsable ★ 前の 2 語よりも格式ばった語. ―動 (必要とする) need ⊕, 《英》 want ⊕. ―名 necéssity Ⓤ, need Ⓤ ★ 後者のほうが口語的だが, 前者のほうが意味が強い. 語法 (1) その他 should, must, have to, have got to, need などの助動詞を使って「…すべきだ」「…しなければならない」という意味で必要を表すことがしばしばある.
¶私にいま*必要なのは十分な休養だ I *need* a good rest now. // 彼女には何か忠告が*必要だ She *needs* some advice. / Some advice is *necessary* for her. ★ 第 1 文のほうが平易な表現. // この車は修理が*必要だ This car *needs* to be repaired. / This car *needs* repair(ing). // あなたはもっと勉強する*必要がある (⇒ しなければならない) You ⌈*have to* [*must*] work harder. // この手紙に返事を出す*必要はない You don't ⌈*need* to [*have to*] reply to this letter. / You *need* not reply to this letter. 語法 (2) 第 2 文のほうが格式ばった表現で, この need は助動詞. // あなたは謝る*必要はなかったのだ You didn't ⌈*have to* [*need* to] apologize. 語法 (3) この表現は, 謝る必要がなく, 実際に謝らなかった場合に用いる. / You ⌈*needn't* [*need not*] have apologized. 語法 (4) need not の後に have＋過去分詞の完了形を伴った場合は 「あなたは謝ったが, その必要はなかったのだ」の意味となる. // この本は私たちにとっては絶対に*必要な (⇒ 欠かすことのできない) ものです This book is *indispensable* ⌈for [to] us. / This book is *a must* for us. 語法 (5) a must は「どうしても必要なもの」という意味の口語的な表現. // 彼は*必要に迫られてパソコンを買った He bought a personal computer out of *necessity*. // *必要最小限のもの the bare minimum
必要は発明の母 Necessity is the mother of invention. 《ことわざ》 **必要悪** necessary evil Ⓒ **必要経費** necessary expenses ★ 通例複数形で. **必要十分条件** the necessary and sufficient condition **必要条件** the necessary condition **必要電気量** power requirements ★ 普通複数形で. ¶この冷蔵庫の*必要電気量 the *power requirements* of this refrigerator **必要品** necessaries ★ 通例複数形で; necéssity Ⓒ ★ 後者のほうが必要度が高い. 《☞ ひつじゅひん》 **必要労働時間** necessary labor hour Ⓒ.

ひつりょく 筆力 (力) power Ⓤ; (活力) vigor Ⓤ. ¶彼女は最後まで*筆力が衰えなかった She wrote with *vigor* until her death.

ひつろく 筆録 written record Ⓒ.

ビデ (女性用局部洗浄器) bidet /bɪdéɪ/ Ⓒ.

ひてい[1] 否定 ―名 (言葉などの) 《格式》 negation Ⓤ; (否定的陳述) negative Ⓒ; (拒絶・明確な否定) denial Ⓒ. ―動 (否定する) deny ⊕, 《略式》 say no. ―形 (否定の・否定的な) negative; (否定できない) undeniable.
¶その事実は*否定できない The fact is *undeniable*. / It is an *undeniable* fact. // 彼の答えは*否定的だった He answered [His answer was] in the *negative*. // 彼女はそこで彼に会ったということについては*否定している She *denied* ⌈that she had met [having met] him there. **否定回路** 〘コンピューター〙 NOT circuit Ⓒ **否定文** 〘文法〙 negative sentence Ⓒ.

> ―コロケーション―
> きっぱりと否定する flatly *deny* / 全面的に否定する totally *deny* / 断固否定する categorically *deny* / 強く否定する strongly [emphatically] *deny* / 激しく否定する vehemently *deny*

ひてい[2] 比定 identification by comparison Ⓤ.

ひていけい 非定型, 非定形 ―形 atypical. **非定型詩** free verse Ⓒ.

びていこつ 尾骶骨 〘解〙 coccyx /kάksɪks/ Ⓒ 《複 coccyges /kάksədʒìːz/》.

ビデオ ―名 video /vídiòu/ Ⓤ. ―動 (ビデオにとる) video ⊕, videotape ⊕, tape ⊕. 《☞ ろくが》. ¶*ビデオを見る watch [see] a *video* // 私はその映画を*ビデオで見ました I saw the movie on *video*. // *ビデオをとる *video* ... / make [record] a *video* // *ビデオを再生する play [start] a *video* // *ビデオを早送りする fást-fórward a *vídeo* // *ビデオを巻き戻す rewind /rìːwáɪnd/ a *video*
ビデオアート video art Ⓤ **ビデオ学習** video assisted learning Ⓤ 《略 VAL》 **ビデオカセット** vídeocassètte Ⓒ **ビデオカメラ** vídeo càmera Ⓒ; (ビデオ一体型カメラ) camcorder Ⓒ **ビデオクリップ** (新曲宣伝のためのビデオ) vídeo clìp Ⓒ **ビデオゲーム** vídeo gàme Ⓒ **ビデオシアター** vídeo thèater Ⓒ **ビデオソフト** vídeo sòftware Ⓤ **ビデオディスク** vídeodisc Ⓒ **ビデオテープ** vídeotàpe Ⓒ. ¶この番組を*ビデオテープに録って下さい Please record this program on *video*(*tape*). / Will you *tape* this program for me? **ビデオ(テープ)録画** videotape recording Ⓤ ★ 録画したものは Ⓒ. **ビデオデッキ** videocassette [video] recorder Ⓒ **ビデオテックス** (静止画や文字情報の双方向通信システム) vídeotèx Ⓒ **ビデオマガジン** (定期的に出されるビデオ) video periodical Ⓒ **ビデオライブラリー** vídeo lìbrary Ⓒ **ビデオラム** 〘コンピューター〙 vídeo RAM /rǽm/ Ⓤ **ビデオレコーダー** vídeocassètte recòrder Ⓒ 《略 VCR》.

> ―コロケーション―
> ビデオを借りる rent a *video* / ビデオをダビングする copy a *video* / ビデオを止める stop [turn off] a *video*

ピテカントロプス (ジャワ島で発見された化石人類) pithecanthropus /pìθɪkǽnθrəpəs/ Ⓒ 《複 pithecanthropi /-pàɪ/》. **ピテカントロプスエレクトス** pithecánthropus eréctus Ⓒ.

びてき 美的 ―形 aesthetic, 《米》 esthetic ★ 発音はいずれも /esθétɪk/. 《☞ び[1]》. ¶*美的価値 *aesthetic* values // 彼は*美的感覚がない (⇒ 美しいものに対する目がない) He has no eye for ⌈*the beautiful* [*beauty*]. **美的生活** aesthetic life Ⓒ.

ひてつきんぞく 非鉄金属 nonferrous /nάnfèrəs/ métal Ⓤ.

ひでり 日照り (雨の降らない天気) dry weather Ⓤ; (干ばつ) drought /dráʊt/ Ⓤ. 《☞ かんばつ[1]》. **日照り続き** spell of dry weather Ⓒ, long drought Ⓒ.

ひでん 秘伝 (秘訣) secret Ⓒ; (特殊技術) special skill Ⓒ; (伝統的な職業上の特殊技術) traditional craft Ⓒ. 《☞ ひけつ[1]》.

びてん 美点 (よい所) beauty Ⓒ; (特長) strong point Ⓒ; (称賛に値する) merit Ⓒ ★ 前の 2 語より格式ばった語. 《☞ ちょうしょ[1]》.

びでん 美田 (肥えた土地) rich [fertile] soil Ⓤ. ¶子孫のために*美田 (⇒ 財産) を残さない I leave no *fortune* for my family. 《☞ じそん[2]》

ひでんか[1] 妃殿下 (一般的に) princess Ⓒ; (王族の女性について 3 人称として言うときの尊称) Her Royal Highness Ⓒ 《複 Their Royal Highnesses》 ★ 呼びかけるときは Your Highness と言う. 《☞ でんか[1]》.

ひでんか[2] 比電荷 〘物理〙 specific charge Ⓒ.

ひでんかいしつ 非電解質 〘化〙 nonelectrolyte /nὰnɪléktrəlàɪt/ Ⓤ.

ひと 人 1 «個別の人»: (大人の男性) man Ⓒ 《複 men》; (大人の女性) woman /wúmən/ Ⓒ 《複 women /wímɪn/》; (男女ともに) person Ⓒ; (少し改まったり丁寧な感じを込めて, 大人の男性・紳士)

gentleman Ⓒ《複 gentlemen》;（少し改まったり丁寧な感じを込めて，大人の女性・淑女）lady Ⓒ《複 ladies》.

日英比較 日本語で例えば「あの人はだれですか」というような場合，英語に直すと Who is that *man*? となるか Who is that *woman*? となるかのいずれかであるのが普通で，日本語では普通は問題にしない性別に注意しなくてはならない.

このような場合に，男女ともに用いる言葉だからといって Who is that *person*? のように person を用いるのは自然ではない. 英語の自然な発想としては，人をまず man か woman かに分けて考えるのが第 1 で，男女の区別がわからないとき，あるいは区別をしないほうがよいときなどに別の語が用いられるのである.

person は man, woman よりは少し格式ばった語で，例えば契約書の表現などで，男女の区別をしないほうが都合がよいときとか，「彼女はいい人です」She is a good *person*. のように woman を使うと意味があいまいになったり，失礼に聞こえたりするときなどに使われる. 上例のように，形容詞を伴うときは woman の代わりに用いられることが多い.

gentleman と lady は社交の場における相手または第 3 人称に対する儀礼的な呼び方として，あるいは営業上の客に対する敬意を表す言葉として使われる. かつての紳士，貴婦人という意味は失われているが，普通は man, woman であるものが gentleman, lady と呼ばれるときは，やはりニュアンスとして社交的なエチケット（例えば ladies first）を守ることが付随するものであると感じられる. ただし最近の傾向として，lady の使用は次第に減っていて，代わりに woman が用いられることが多くなっている.

日本語でも「あの人はだれですか」の「あの人」の代わりに「あの方」「あの男の人」「あの女の人」のような区別がある. ニュアンスからいってぴったりではないが，「あの方」は英語の gentleman, lady という表現に多少近いと言える.

なお，日本語で「…の人」という場合に，英語では必ずしも man, woman などを使わないことが多い. この相違にも注意する必要がある.

¶「あの*人はあなたのお父さんですか」「いいえ，おじです」"Is that ˹*man* [*gentleman*] your father?" "No, he's my uncle." ∥「あの*人はどなた」「母です」"Who's that ˹*woman* [*lady*]?" "She's my mother." ∥ 陳列品を破損した*人は罰金を科せられる Any *person* damaging the exhibits shall be fined. ∥ 彼女はとても親切な*人です She is very kind. /《略式》She is so sweet. 語法 以上いずれも person を使わないほうが普通. ∥ 彼は関西の*人です（⇒ 出身です）He ˹is [comes] from Kansai. ∥ 今度私たちの所に新しい*人が来た We have a *newcomer* in our office. ∥ きょうは午後から*人に会うことになっている（⇒ 会う約束がある）I have an appointment this afternoon. ∥ 今夜 8 時に*人（⇒ 客）が来ます I'm expecting a *visitor* at eight this evening. ∥ 私に代わってこの仕事をやってくれる*人が欲しい I want *someone* to do this job for me. ∥ うちの*人（⇒ 夫）は出かけています My *husband* is out now.

2《不特定の人・人々》:（一般的な人を示して）people ★ 複数扱い;（男の人々）men ★ 複数形で;（女の人々）women ★ 複数形で;（男女の人々）*men and women*;（他人）others, other people;（…する人々）those ★ 通常，関係代名詞節を伴う;（anyone の意味で）one, we, you ★ 最初の語は格式ばった語.

語法 (1) people は一般的な人々の場合は無冠詞. 特定の人々の場合は the people, these [those] people の言い方となる. men は「男の人たち」だけを言い，男女ともに意味するときは men and women としなくてはならない. なお men を男女含めた「人々」の意味で使うのは従来から文学的表現に限られていたが，最近では性差別問題に関連してますます使われなくなってきている.

¶ 戦争では多くの*人が死んだ Many *people* were killed in the war. ∥ 校庭は若い*人でいっぱいだ The campus is crowded with young ˹*people* [*men and women*]. ∥ *人のうわさでは彼は外国に住んでいるそうです *People* say [*I hear*] (that) he's overseas. ∥ *人には親切にしなさい Always be kind to *others*. ∥ きのう欠席した*人はそのことを知らされなかった *Those* who were absent yesterday were not told about it. ∥ その村には年とった*人たちしかいなかった We found only old *men and women* in the village. ∥ *人に笑われていい気持ちはしない Nobody likes to be laughed at. 語法 (2) laugh at の主体である「人」は受動態になっているので表現されていない. ∥ *人はどんな場合でも最善を尽くすべきである *One* must do *one's* best in everything. / *We* [*You*] must do ˹our [your] best in everything. 語法 (3)「人」の意味で one を用いるのはやや格式ばった表現で，単数形のみ. また後続の代名詞は one, one's, oneself で受けるのが正しいとされるが，he, she で受けることもある. 口語的には we, you, they などの代名詞が普通.《☞ 総称用法（巻末）》

3《人間》:（抽象的に）man ★ 無冠詞・単数形で人類全体を示すのに用いる. 語法 性差別の問題から代わりに humans, human beings, the human race, humankind などが好まれる;（ほかの動物や神などに対比して）human being Ⓒ;（人類）mankind Ⓤ, the human race.《☞ にんげん[1]（類義語）; じんるい（類義語）》. ¶ *人はだれでも死ぬ *Man* is mortal. / All *men* must die. ∥ *人の祖先は猿だと思いますか Do you think ˹*man* [*the human race*] is descended from (the) monkeys?

4《性質・性格・人柄》:（性質）nature Ⓤ;（人格）personality Ⓤ. ¶ *人のよい老人 a good-*natured* elderly ˹man [woman] ∥ 彼女は*人が悪い She is ill-*natured*. ∥ 彼女はとてもいい*人です She is a very nice *person*. / She has a good *personality*. ∥ 彼はどんな*人ですか *What* is he like? / What sort of *man* is he? ∥ 彼はすっかり*人が変わった He is quite another *man* now. /（⇒ 昔の彼とは違う）He is not *what he used to be*.

5《人手・人材》:（働き手）worker Ⓒ, hand Ⓒ ★ 後者は「人の手」から「働き手」の意味に比喩的に使われる慣用的な語;（人力）manpower Ⓤ.《☞ ひとで》. ¶ このところ*人が足りない We have been short of ˹*workers* [*hands*] recently. / There has been a shortage of *manpower* recently. ★ 第 2 文のほうが格式ばった表現.

人の一生は重荷を負うて遠き道を行くが如し A person's life may be compared to a long journey shouldering a heavy load. **人の噂も七十五日** A rumor lasts but seventy-five days. **人の気も知らない** ¶ よくそんなことがいえるわね，*人の気も知らないで! How can you say such a thing! *You* (*can*) *never know how I feel*! **人の口には戸が立てられない** People will talk.《ことわざ: 人はしゃべるもの》 **人の蠅を追うより己の蠅を追え** You mind your business and I'll mind mine. / Mind your own business. **人はパンのみにて生くるものに非ず** Man shall not live by bread alone.《聖書》 **人は人，我は我**（⇒ わが道を行く）go *one's* (own) way. **人は見かけによらぬもの** Never judge from appearances.《ことわざ: 外見で判断するな》/ Don't judge a person by his or her looks. ★ 第 2 文のほうが口語的. /（⇒ 外見によって欺かれるな）Don't be deceived by appearance. /（⇒ 外見は人を惑わす）

Appearances are deceiving. **人を射んとせば先ず馬を射よ** ☞しょう[9] **人を食った** ¶まったく*人を食った（⇒出しゃばった）やつだ What an *impertinent* man! // 彼は*人を食った（⇒侮辱的な調子で）返答をした He answered in an *insulting* tone. // 彼は*人を食った（⇒生意気な）言い方をした He made a *saucy* remark. **人を呪わば穴二つ** He that hurts another hurts himself.《ことわざ: 他人を害する者は自分も害する》 **人を人と思わぬ** ¶彼女は*人を人と思わない She ｢*looks down on* [*disdains*] everybody. / She *has no feeling* for anyone. **人を見たら泥棒と思え** He that trusts to the world is sure to be deceived.《ことわざ》/（⇒簡単に人を信じるな）Don't be too ready to trust others. **人を見て法を説け** Always keep in mind who you're talking to. **人を見る目** ¶彼は*人を見る目がある He's a *good judge of* ｢*people's character* [*human nature*].

ひとあし[1] **一足** （一歩）a [one] step《☞いっぽ》. ¶*一足違いで（⇒一秒の差で）彼女に会えなかった I missed her *by a second*. // *一足先に出かけます I'm going to start *a bit* earlier.

ひとあし[2] **人足** （人の往来）(pedestrian) traffic Ⓤ《☞ひとどおり》. **人足がとだえる** ¶*人足がとだえた街 a *deserted* street

ひとあじ 一味 ¶あの画家は最近*一味（⇒ちょっと）違った描き方になってきた That painter has developed a *slightly* different touch in recent years. // このスープは*一味足りないね（⇒十分な味がしない）This soup *doesn't have enough flavor*.

ひとあしらい 人あしらい ―名（扱い）treatment Ⓤ. ―動 treat ⓗ, deal with ... ⓗ.《☞あしらい》. ¶彼は*人あしらいがうまい He is good at ｢*handling* [*dealing with*] *people*.

ひとあせ 一汗 ¶テニスをやって*一汗かいた I worked up *a good sweat* playing tennis. // *一汗流す（⇒風呂へ入る）take [《英》have] a bath

ひとあたり[1] **人当たり** ¶*人当たりのよい人 an *affable* person /（⇒人と上手に付き合う人）a *good mixer*《☞あたり[2]》.

ひとあたり[2] ☞ひととおり

ひとあめ 一雨 ¶*一雨きそうだね It looks like ｢*rain* [*a shower*]. ★ shower はにわか雨. // *一雨ごとに暖かくなる It's getting warmer with *each rainfall*.

ひとあれ 一荒れ ¶*一荒れきそうだ（⇒嵐になりそうだ）It looks like a *storm*. /（⇒面倒なことが起こりそうだ）I'm afraid *trouble is brewing*. // その問題で*一荒れした There was a *stormy* debate over the issue.

ひとあわ 一泡 **一泡ふかせる** ¶やつに*一泡ふかせてやった（⇒びっくりさせた）I *gave* him *a good scare*. / I *scared* him *out of* his *wits*. ★ 第2文のほうが口語的.

ひとあんしん 一安心 ―動（一安心する）feel relieved [have peace of mind] ｢for a while [temporarily /tèmpərérəli/]《☞あんしん》.

ひどい 1《強度の》―形（激しい）violent;（痛みなどが）severe;（重大な）serious /sí(ə)riəs/;（特に誤りなどの）big, gross;（度を超えた）unreasonable;（堪えがたい程の）unbearable;（程度が非常な）terrible,《略式》awful 【語法】前者は悪い意味で, 後者はよい意味にも悪い意味にも用いる. ―副 violently; seriously /sí(ə)riəsli/.《☞はげしい; もうれつ; はなはだしい》.
¶*ひどい痛み an *unbearable* [a *severe*] pain // *ひどいあらし a ｢*violent* [（⇒荒れ狂う）*raging*] storm // *ひどい（⇒いやな）天気 *nasty* [*dreadful*] weather // 彼はここで*ひどい間違いをしている He (has) made a ｢*big* [*serious*; *gross*] mistake here. // その町は地震で*ひどい損害があった The town was *seriously* damaged ｢by [in] the earthquake. // 彼は*ひどいけがをした He was ｢*seriously* [*badly*] injured. // その通りは交通の渋滞が*ひどい That street is *heavily* congested with traffic. / There is *terrible* traffic congestion on that street. // このホテルの食事は*ひどい The food at this hotel is *terrible*. // 一学期は*ひどい成績だった I got ｢*terrible* [*very bad*] ｢grades [《英》marks] in the first ｢term [semester]. / My ｢grades [《英》marks] for the first ｢term [semester] were ｢*terrible* [*very bad*]. ★ term は3学期制, semester は2学期制の学期.《☞学校・教育（囲み）》

2《残酷な》―形（他人を苦しめて喜ぶ）cruel;（困難でつらい）hard;（苛酷な）bitter. ―副 cruelly; bitterly.《☞ざんこく; かこく; むごい》.
¶戦争中には*ひどい目にあった We had a ｢*hard* [*rough*] time during the war. / We went through some *bitter* experiences during the war. ★ 第2文は少し格式ばった表現. // 彼は刑務所で*ひどい扱いを受けた He was treated *cruelly* in prison. // *ひどい目にあわせてやる（⇒いずれ見せしめをしてやる）I'll *teach* you *a lesson*. // まあ, *ひどいわ Oh, *no*! / Oh, *terrible*! // *ひどいことをするやつだ Doing such *terrible* things was really bad of him.

ひといき 一息 1《一呼吸》:（息）breath Ⓒ;（一息に飲むこと）swallow Ⓒ; gulp Ⓒ, draft /dræft/ (《英》draught /drάːft/) Ⓒ.《☞いき[1]》. ¶私はそこで大きく*一息ついた I took *a* deep *breath* there. // 彼はそれを*一息に飲み干した He drank it ｢*in* [*with*] ｢*one* [*a*] *draught*. / He emptied it ｢*in* [*with*] ｢*one* [*a*] *gulp*.《☞いっきに》// 彼の姿を見てほっと*一息ついた I *breathed a sigh* of relief when I saw him.

2《休止》:（中止）pause Ⓒ;（休憩）rest Ⓒ;（小休憩）break Ⓒ. ¶ここで*一息入れよう（⇒ちょっと休憩をしよう）Let's ｢have [take] a little *rest*, shall we?

3《少しの努力》: éffort Ⓒ. ¶もう*一息でこの仕事も終わる A little more *effort* and the work will be over.

4《休まず一気に》: without stopping. ¶*一息に仕上げる finish the work *without stopping*

ひといきれ 人いきれ ¶会場は*人いきれでむんむんしていた（⇒混んで息が詰まりそうだった）The hall was crowded and *stuffy*.《☞むんむん》

ひといちばい 人一倍 ¶彼は若いころは*人一倍勉強した（⇒他人以上）He studied *harder than other people* when he was young. // 彼女は*人一倍内気だ（⇒異常なほど）She is *unusually* shy.

ひといろ 一色 （同じ色）one [the same] ｢color [《英》colour]. ¶赤*一色に塗る paint ... *all* (*in*) red

ヒトインスリン human insulin Ⓤ,〔薬〕humalin Ⓤ.

ひとう 秘湯 secluded hot spring Ⓒ.

ひどう 非道 ―形（不当な）unjust;（ひどい）cruel.《☞ごくあく; ざんこく》.

びとう[1] **尾灯** taillight Ⓒ, tail lamp Ⓒ, rear light Ⓒ.

びとう[2] **微騰** （相場の）fractional advance Ⓒ.

びどう 微動 ¶子供たちが押しても横綱は*微動だにしなかった（⇒岩のように動かなかった）The kids pushed the grand champion, but he *stood* (*as*) *firm as a rock*.

ひとうけ 人受け ¶彼の絵は*人受けがよい（⇒人気がある）His paintings are *popular*.

ひとうち 一打ち （強打）blow Ⓒ《☞いちげき; うつ[1]》. ¶彼は*一打ちで相手を倒した He knocked down his opponent with ⌈*one* [*a single*] *blow*.

ひどうめい 非同盟 ―形 nonaligned /nànəláɪnd/. **非同盟主義** nonalignment policy C **非同盟諸国** nonaligned nations.

ひとえ 一重 ¶*一重の花 a *single-petaled* flower // 各部屋はほんの薄い壁*一重 (⇒ のみ) で仕切られていた The rooms were partitioned *only* by thin walls. // 天才は狂人と紙*一重である (⇒ 殆ど違わない)とよく言われる A genius is often said to *be little different from* a madman.

一重まぶた upper eyelid with no fold C.

ひとえに 偏に (まったく) wholly (☞ まったく).

ひとえ(もの) 単(物) unlined kimono C (複 ~s).

ひとおし 一押し push C. ¶もう*一押しすれば彼は折れるよ Give him one more *push*, and he'll give in.

ひとおじ 人怖じ ¶その少女は*人怖じしない (⇒ 見知らぬ人を怖がらない) The little girl *is not afraid of* strangers.

ひとおもいに 一思いに (きっぱりと) once and for all (☞ おもいきって).

ひとかい 人買い (女子供の) trafficker in women and children; (奴隷商人) slave ⌈trader [dealer] C. (☞ じんしんばいばい).

ひとかかえ 一抱え armful C. ¶*一抱えの薪 an *armful* of firewood // その木の幹は*一抱えもあった The trunk of the tree was so large (that) I could barely *get my arms around* it. ★ that を略すほうが口語的. (☞ かろうじて)

ひとがき 人垣 ¶その通りにはずっと*人垣ができていた (⇒ 人が道に沿っていた) The street *was lined with people*. // 彼の周りには*人垣ができた (⇒ 大勢の人に囲まれた) He was surrounded by *a crowd* (*of people*).

ひとかげ 人影 ¶その村にはまったく*人影はなかった (⇒ 生き物の気配がなかった) The village showed no *signs of life*. (☞ ひとけ) // 博物館には*人影もまばらだった (⇒ ほんの少しの訪問者がいた) There were only a few *visitors* in the museum. // カーテンに*人影 (⇒ シルエット) が映った I saw a *silhouette* on the curtain.

ひとかず 人数 (人の数) the number of people (☞ にんずう). ¶彼も*人数 (⇒ 人並み) に入れてやりなさい Treat him *as you would others*. (☞ ひとなみ[1])

ひとかせぎ 一稼ぎ (まとまった額) a small fortune ; (一回の稼ぎ) earnings [money] (made) from ⌈one [a single] effort. ¶*一稼ぎする make *a small fortune* in a short time

ひとがた 人形 person's figure C; (人形) doll C. (☞ にんぎょう).

ひとかたならず 一方ならず ¶彼の話には*一方ならず (⇒ 大いに) 驚いた I was *very* surprised by his story.

ひとかたならぬ 一方ならぬ ¶あの人には*一方ならぬ (⇒ とても) お世話になった I was *greatly* helped by him.

ひとかたまり 一塊 (同種の物が多数集まった塊) mass C; (人や動物等の小集団) group C. ¶*一かたまりになって in a ⌈*group* [*mass*]

ひとかど 一角 ひとかどの人物 somebody C.
¶彼は仲間うちでは*ひとかどの人物とされているようだ He seems to be (a) *somebody* in his own circle. (☞ いっぱし)

ひとがら 人柄 personality U ★ 具体的には C. (☞ せいかく[3]). ¶「彼はどんな*人柄 (⇒ どんな人) ですか」「彼の*人柄は立派だ」"What kind of *person* is he?" "He has a good *personality*." // このエピソードには彼の*人柄が表れている This episode reveals his *personality*.

ひとからげ 一絡げ ―名 lump C. ―動 (からげる) lump 他. (☞ からげる). ¶*一絡げに in a *lump* // 十把*一絡げにする (⇒ 全部まとめてからげる) *lump* ... together (☞ じっぱひとからげ)

ひとかわ 一皮 ¶あいつは頭がよさそうに見えるけれど*一皮むけば (⇒ 内側は) ただのぼんくらだ He may look intelligent, but *underneath* he's just a simpleton.

ひとぎき 人聞き ¶*人聞きが悪いからそんなことを言わないで下さい (⇒ 私のことをそんなふうに言わないで下さい. 人に聞かれたくないのです) Please don't talk about me like that. I don't want it to be heard by other people. (☞ がいぶん[1])

ひとぎらい 人嫌い ―名 misanthropy /mɪsǽnθrəpi/ U; (人) misanthrope /mísnθròup/ C. ―形 misanthropic /mìsnθrápɪk/.

ひときり 一切り period C (☞ きり[2]). ¶*一切りついたら休みましょう (⇒ この仕事が終わったら) Let's have a break *when this work is finished*.

ひときれ 一切れ slice C, piece C. ¶肉 [パン] *一切れ a *slice* of ⌈meat [bread]

ひときわ 一際 ¶彼の業績は*一際目立っている (⇒ 傑出している) His achievement is *outstanding*. (☞ きわだつ; とくに (類義語))

ひとく 秘匿 ―動 (内緒で保持する) keep ... secretly 他; (隠す) conceal ... (from ...). ―名 concealment U.

ひどく (非常に) very, very much 語法 (1) 前者は形容詞を, 後者は動詞を修飾する; (ものすごく) terribly, awfully ★ いずれも口語的; (厳しく) severely; (激しく) hard 語法 (2) 以上のほかに, 程度を示すときはその被修飾語によって badly, dreadfully, pretty, intensely, exceedingly, extremely などを用いる.
¶きょうは*ひどく疲れた I'm *very* tired today. / I'm tired *out* today. / I feel *completely* exhausted today. ★ この順で疲れの程度がひどい. // 彼は*ひどく興奮していた I found him *very* excited. 語法 (3) この場合 very much はいまでは使われず, much だけの場合も非常にまれ. // 先生に*ひどくしかられました I was *severely* scolded by my teacher. // 背中を*ひどくたたかれた (⇒ 激しい打撃を受けた) I('ve) received a *hard* blow on my back. // *ひどく痛みますか Are you in *great* pain? // けさは*ひどく寒い It's ⌈*terribly* [*awfully*] cold this morning. // この傷が*ひどく痛い This wound hurts me *terribly*.

びとく 美徳 virtue U (↔ vice) ★ 行為は C. (☞ とく[4]).

ひとくいざめ 人食い鮫 man-eating shark C.

ひとくいじんしゅ 人食い人種 cánnibal C ★ 1人を指す; (部族全体) cannibal tribe C.

ひとくいバクテリア 人食いバクテリア 〖医〗 flesh-eating bacteria /bæktí(ə)riə/ ★ 複数形. 参考 病原体の正式名は「A 型連鎖球菌」(group A streptococcus), 病名は「壊死性筋膜炎」(necrotizing fasciitis /nékrətàɪzɪŋ fæʃiáɪtɪs/).

ひとくさり 一くさり ¶祖父は私たちが行くと自分の子供の頃の話を*一くさり (⇒ 1, 2 の挿話を) 話したものだった Our grandfather used to tell us *an episode or two* of his childhood experiences whenever we ⌈went to see [visited] him.

ひとくせ 一癖 (独特の癖) pecùliárity C (☞ くせ). ¶彼は*一癖ありそうな男だ (⇒ 彼は易しい相手ではなさそうだ) He does*n't* seem to be *an easy customer*. ★ customer は「やつ・人」の意味. / (⇒ その男は悪意のあるような[陰険な]顔つきをしている)

The man has a ⌈*sinister* [*sly*] look.
一癖も二癖もある (注意を要する) need to be watched (carefully).

ひとくち 一口 **1** 《食べ物》: (口いっぱいの量) mouthful Ⓒ; (一口分の食べ物) 《格式》 morsel Ⓒ; (やや口語的に) bite Ⓒ; (茶・強いアルコールなどの一口分のすすり込む量) sip Ⓒ. 《☞ いっぱい[1]; 数の数え方 (囲み)》.
¶ けさから*一口も食べていない I haven't had *a* ⌈*bite* [*morsel* of food] since this morning. // 私はそれを*一口で食べた I ate it in *one bite*. // それを*一口だけいただきましょう I'll take *a sip* of it.
2 《一言》: a (single) word ★ a を付けて. 《☞ ひとこと》. ¶ *一口に言えばそれは失敗でした In *a word*, it was a failure.
3 《一単位》: (割り当て・分け前・仕事などの) share Ⓒ; (単位) unit Ⓒ. ¶ *一口寄付する donate a *share* of the contributions
一口乗る (加わる) join 〈他〉; (分担する) have a share in .... ¶ もうけ話に*一口乗る *join* [*have a share*] *in* profitable business **一口話** (冗談) joke Ⓒ; (こっけいな話) funny story Ⓒ.

ひとくふう 一工夫 a bit of contrivance 《☞ くふう》. ¶ もう*一工夫ほしい (⇒ 頭を使え) Use your brain(s).

ひとくろう 一苦労 ── [名] (面倒なこと) trouble Ⓤ ★ 最も一般的; (困難) difficulty Ⓤ; (苦難) hardship Ⓤ. ── [動] have ⌈trouble [difficulty]; (苦しい目にあう) have a hard time. ¶ 目的地に着くのに*一苦労した We *had a very hard time* reaching our goal.

ひとけ 人気 ¶ *人気のない道 a *deserted* street / an *empty* road // その部屋は*人気がなかった (⇒ だれも住んでいないように見えた) The room appeared to be ⌈*vacant* [*unoccupied*]. 《☞ ひとかげ; -け[1]; がらんと; から[1]》

ひどけい 日時計 sundial Ⓒ.

ひとけた 一桁 figure Ⓒ 《☞ けた》. ¶ 彼の収入は私より*一桁多い (⇒ 10 倍だ) His income is *ten times* mine. **一桁成長率** single-digit growth rate Ⓒ.

ヒトゲノム 〖生〗 the human genome /hjúːmən dʒíːnoʊm/.

ひとこいしい 人恋しい ¶ 私は一人暮らしに慣れているが時々*人恋しくなる (⇒ 話し相手が欲しくなる) I'm used to living all by myself, but sometimes I *want someone to talk to*.

ひとこえ 一声 ¶ ライオンが*一声吠えた The lion gave a *roar*. // *一声かけて下されば (⇒ ちょっと誘ってくれれば) 私もご一緒したのに If you *had just invited* me, I would have joined you. // 彼の言葉は鶴の*一声だ (⇒ 最終的[決定的]である) His word was ⌈*final* [*decisive*].

ひとごえ 人声 (人間の声) voice Ⓒ; (ほかの雑音などと区別して) the human voice. 《☞ こえ[1]; にくせい》. ¶ 隣の部屋で*人声がする (⇒ だれかが話しているのが聞こえる) I hear someone *speaking* in the next room.

ひとごこち 人心地 ¶ 風呂に入ってやっと*人心地がついた (⇒ 熱い風呂が私をさっぱりとさせた) The hot bath *has refreshed* me.

ひとごころ 人心 (人間の心) human nature Ⓤ; (人情) fellow feeling Ⓤ, humaneness Ⓤ. 《☞ にんじょう》.

ひとこと 一言 ¶ 私はロシア語は*一言もしゃべれません I can't speak *a word* of Russian. // 彼女はその間中*一言もしゃべらなかった (⇒ 黙っていた) She remained *silent* all the while. // 彼はいつも*一言多い He always says *one word* too many. // *一言お祝いの言葉を申し上げます I'd like to say *a few words* of congratulations.

ひとごと 人事, 他人事 ¶ それは*ひと事ではない (⇒ 我々にも起こりうる) It *could happen to us*. // そのことに対して彼女は*ひと事のような顔をしている (⇒ 彼女は無関心でいる) She remains quite *indifferent* to it. 《☞ よそごと》

ひとこま 一齣 (フィルムなどの) frame Ⓒ; (一場面) scene Ⓒ; (映画などの) shot Ⓒ. ¶ けんらんたる王室の結婚式は歴史の*一こまを見るかのようであった The magnificent royal wedding was like a *scene* out of history. **一こま漫画** cartoon Ⓒ.

ひとごみ 人込み (群衆) crowd Ⓒ 《☞ ぐんしゅう; こんざつ》.

ひところ 一頃 ── [副] (かつて) once; (一時期) at one time. 《☞ かつて; いちじ[1]》. ¶ その歌は*ひところずいぶんはやった The song was *once* very popular. // *ひところ (⇒ 人生のある時期に) 彼はだいぶ羽振りがよかった He was very well off *at some* ⌈*point* [*time*] *in his life*.

ひとごろし 人殺し (計画的な殺人) murder Ⓤ ★ 殺人事件の意味では Ⓒ; (不法だが計画的ではない) manslaughter Ⓤ; (最も広い意味で) 〖法律〗 hómicide Ⓤ ★ 前の両者を含む; (殺人者) murderer Ⓒ. 《☞ さつじん》.

ひとさし 一差し, 一指し (舞いの) dance Ⓒ. ¶ *一差し舞ってください Will you show us *a dance*?

ひとさしゆび 人差し指 forefinger Ⓒ, index finger Ⓒ. 《☞ ゆび; て (挿絵)》.

ひとざと 人里 ¶ *人里離れた家 a *lonely* house / a house remote from any *village or town* / an *isolated* house

ひとさま 人様 (他人) others ★ 複数形で; other people. 《☞ ひと 2; たにん》.

ひとさらい 人攫い ── [名] (人) kidnap(p)er Ⓒ, abductor Ⓒ ★ 前者の方が口語的; (事) kidnap(p)ing Ⓒ, abduction Ⓒ. ── [動] kidnap 〈他〉, abduct 〈他〉.

ひとさわがせ 人騒がせ (間違った警報) false alarm Ⓒ; (人騒がせなことを言いふらす人) scaremonger Ⓒ. 《☞ さわぎ》. ¶ それはとんだ*人騒がせだった (⇒ 誤った警報だった) It turned out to be a *false alarm*. // 彼は*人騒がせなやつだ He is a *scaremonger*.

ひとしい 等しい ── [形] (数・量・重さ・大きさ・価値などが) equal (to ...); (同一物, またはまったく相違のない同種の) same ★ the を付けて; (同一の) identical (with ...; to ...). ── [動] equal 〈他〉. 《☞ おなじ; びょうどう (類義語); イコール》.
¶ その 2 つは大きさが*等しい The two are *equal* in size. / The two are ⌈*the same* in size [(of) *the same* size]. // 彼の英語の点数は零点に*等しい (⇒ ほとんど[実際上は]零点だ) His grade in English is ⌈*almost* [*practically*] zero.

ひとしお[1] (それだけますます) all the more 《☞ いっそう[1]》.

ひとしお[2] 一塩 ¶ *一塩の魚 *slightly salted* fish

ひとしきり 一頻り (しばらくの間) for ⌈a [some] time; (一時期に) at one time. 《☞ しばらく》.

ひとしく 等しく (平等に) equally; (同様に) alike. ¶ 遺産を*等しく分ける divide an inheritance *equally* // 若者も老人も*等しくその映画を楽しんだ Young and old *alike* enjoyed the film. ★ young and old は対句で無冠詞.

ひとしごと 一仕事 ── [動] (ひとしきり働く) work for a while; (きつい仕事をする) do ⌈a hard job [some tough work]; (相当の仕事をやり終える) finish a considerable task.

ひとじち 人質 hostage Ⓒ. ¶ 彼はその少女を*人

ひ

質に取った He *took* the girl (as a) *hostage*. // 大使館員が*人質に取られた The embassy staff *were* ˹*taken* [*held*] *hostage*. ★ take … hostage は慣用句. **人質救出作戦** hostage rescue operation Ⓒ **人質犯人** hostage-taker Ⓒ.

ひとしばい 一芝居 (策略) trick Ⓒ. ¶*一芝居打つ play ˹*a trick* [*tricks*] on …

ひとじらみ 人虱 body louse Ⓒ《複 ~ lice》.

ひとしれず 人知れず secretly《☞ ひそか》.

ひとしれぬ 人知れぬ (秘密の) secret; (隠された) hidden; (目につかない) unknown to others, unseen. ¶*人知れぬ悲しみ *hidden* sorrow

ひとずき 人好き ¶*人好きのする顔 a *lovable* face / (⇒ 魅力ある容貌) *attractive* looks

ひとすじ 一筋 ¶壁の穴から光が*一筋差し込んでいた A *ray* of light came through the gap in the wall. // 私の父の生涯は米作り*一筋だった (⇒ 米作りに生涯を捧げた) My father *devoted his life* to rice-growing. // 勉強*一筋という学生は少ない Very few students study ˹*very hard* [*wholeheartedly*; *single-mindedly*]. ★ [ ] 内のほうがやや格式ばった語.

ひとすじなわ 一筋縄 ¶彼は*一筋縄ではいかない (⇒ 扱うのがたいへん難しい) He *is very hard to deal with*. 《☞ ひとくせ》

ひとずれ 人擦れ ── 形 (世故にたけた) worldly. ¶あいつは*人擦れしてきた He's getting *worldly*. // *人擦れのしてない (⇒ 純真な) 人 a ˹*naive* [*simple*] person

ヒトせいちょうホルモン ヒト成長ホルモン human growth hormone Ⓒ《略 HGH》.

ひとそろい 一揃い (道具など) set Ⓒ; (2 つで 1 組) pair Ⓒ; (衣服) suit Ⓒ. 《☞ いっしき; そろい; 数の数え方 (囲み)》. ¶背広*一揃い a man's *suit*

ひとだかり 人だかり ¶公園の隅で*人だかりがしていた (⇒ たくさんの人がいた) There was *a crowd of people* in the corner of the park.

ひとだすけ 人助け ── 名 (親切な行為) kindness Ⓒ. ── 動 (困っている人を助ける) help *a person* in trouble; (力を貸す) give *a person* a helping hand. 《☞ たすける》.

ひとたち 一太刀 stroke [slash] of a sword Ⓒ. ¶*一太刀あびせる strike [slash] with *a sword*

ひとだのみ 人頼み ── 動 (…を信頼して頼る) rely on …; (…に依存する) depend on …; (…を確信をもってあてにする) count on … ¶*人頼みはいけませんよ Don't ˹*rely* [*depend*; *count*] *on* others.

ひとたび 一度 ── 副 (一回) once. ── 接 (一旦…すれば) once … 《☞ いちど》.

ひとだま 人魂 (鬼火) will-o'-the-wisp /wìləðəwísp/ Ⓒ.

ひとだまり 人溜まり (人の集まり) crowd Ⓒ; (人の集まる場所) crowded place Ⓒ; (待ち合い所) waiting room Ⓒ.

ひとたまりもない 一たまりもない ¶どんな男も彼女の美貌の前には*一たまりもない (⇒ 簡単に餌食になってしまう) Any man could *fall easy victim* to her good looks. // どんな家もあの地震にあっては*一たまりもなかったろう (⇒ 持ちこたえられなかっただろう) No house *could have withstood* that earthquake.

ひとちがい 人違い ── 動 (…をほかの人と間違える) take *a person* for ˹somebody [someone] else 《☞ まちがえる》. ¶*人違いで失礼しました I'm sorry. I *took* you *for* ˹*somebody* [*someone*] *else*.

ひとつ 一つ 1 《1 個》 ── 名 one. ── 形 (1 つの) one; (1 番目) the first; (特に 1 つということを強調して) single ★ 通例 Ⓐ. ── 副 (1 つにつき) each, 《格式》 apiece. 《☞ 数字 (囲み)》. ¶*1 つで十分です *One* is enough. // このりんごは*1 つ 50 円です These apples are fifty yen ˹*each* [*apiece*]. // テーブルの上にりんごが*1 つある There is *an* apple on the table. 語法 (1) 特に「1 つ」の意味を強調する場合以外は one を用いない. // *1 つ 2 つの誤りはしようがない *A* mistake or two [*One* or two mistakes] can't be helped. // 彼の英作文には*1 つの間違いもなかった There was not *a single* mistake in his English composition. 語法 (2) 単に「間違いがなかった」と特に否定を強調しなければ There ˹were *no* mistakes [was *no* mistake] in his English composition. でよい. // 先生は誤りを*一つ*一つ指摘した (⇒ 1 つずつ) The teacher pointed out the errors *one by one*. // 花瓶にはばらが 2 輪生けてあった. *1 つは白ばらでもう*1 つは赤いばらだった There were two roses in the vase. *One* was ˹white [a white rose] and *the other* ˹red [a red rose]. 《☞ 省略 (巻末)》 // *一つには (⇒ 一部分は) 健康のため, *一つには美容のために彼女は毎日体操をしている She ˹exercises [takes exercise] every day, *partly for* her health and *partly for* her figure. // この子はあいさつ*一つできない This child doesn't *even* ˹know how to bow [exchange greetings]. // *一つお願いしたいことがあるのですが I have *a* favor to ask of you.

2 《同じ》 ── 形 (同一の) the same. ¶彼は始終*一つことばかり言う He always repeats *the same* thing (over and over again).

3 《ちょっと・試しに》 ¶*一つやってみよう I'll *have a try at* it. / I'll *just try* it. 《☞ ためし¹》

4 《つなぎの言葉として》 ¶*一つよろしくお願いします (⇒ あなたの助けが必要です) We need your help (to solve the problem). / (⇒ 初めまして) I'm very glad [Very glad] to meet you. / (⇒ あなたが頼みの綱です) You are my ˹only [last] hope. // 今夜は*一つ盛大にやろう *Well*, let's have a ˹good time [wonderful party] tonight.

ひとつあな 一つ穴 ¶やつらは*一つ穴のむじなだ(⇒ みな同じブラシでタールを塗られている) They are all tarred with the same brush. 《☞ むじな; あな》

ひとつおき 一つ置き ── 形 (一つ置きの) every ˹other [second], alternate /ɔ́:ltənət/ 語法 前者は単数形, 後者は複数形の名詞を伴う. 後者のほうが格式ばった語. ── 副 (一つ置きに) álternately. ¶この列車は大阪から*一つ置きに停車する Starting with Osaka, this train stops at *every* ˹*other* [*second*] station.

ひとつおぼえ 一つ覚え ¶ばかの*一つ覚え He that knows little often repeats it. 《ことわざ: 少ししか知らない人はそれを繰り返す》

ひとつがい 一番 a ˹pair [couple] 《☞ つがい》. ¶*ひとつがいのうずら *a pair* of quails

ひとづかい 人使い ¶彼は*人使いが荒い (⇒ 彼は部下をきつく働かせる) He ˹*works* [*drives*] his people *hard*. // あの会社は*人使いがうまい (⇒ よい労働関係を持っている) That company *has good labor relations*.

ひとつかま 一つ釜 one [the same] (rice) pot Ⓒ. **一つ釜の飯を食う** eat out of ˹one [the same] pot.

ひとつかみ 一摑み (一つかみの量) handful Ⓒ; (つかむこと) grasp Ⓒ. 《☞ 数の数え方 (囲み)》. ¶ピーナツ*一つかみ a *handful* of peanuts

ひとづかれ 人疲れ ── 動 be ˹tired [weary] of people; be exhausted from too much company.

ひとづきあい 人付き合い ¶彼は*人付き合いがよい He is a ˹*sociable* person [good *mixer*]. 《☞ つきあい; こうさい¹》

ひとっこひとり 人っ子一人 ── 代 (だれも…ない) nobody. ── 形 (人が通らない) deserted, empty. ¶通りには*人っ子ひとりいなかった The street was「*deserted* [*empty*]. / (⇒一人も見えなかった) *Not a soul* was to be seen「on [in] the street. ★ not a soul は慣用句.

ひとつづき 一続き (出来事などの連続) a「series [chain, sequence, train] (of ...); (列) a train (of ...); (部屋) suite Ⓒ. ¶*一続きの小さな事故が最後に大災害となった *A*「*series* [*chain*] *of* minor accidents culminated in a disaster. // 観光客の大集団は長い*一続きのバス (⇒バスの一団) で移動した A large group of tourists moved in *a* long *fleet of* buses. // *一続きの部屋 a *suite* of rooms

ひとつつみ 一包み ¶*一包みの古着 *a bundle* of old clothes // *一包みのヘロイン *a packet* of heroin

ひとづて 人伝て hearsay Ⓤ《☞うわさ》. ¶それは*人づてに聞いたにすぎない I know it only「from [by] *hearsay*. / (⇒間接的に) I've learned about it「*at second hand* [*secondhand*].

ひとっとび 一っ飛び short flight Ⓒ. ¶東京から大阪までは*ひとっ飛びだ It's only a *short flight* from Tokyo to Osaka. // ハワイへ*ひとっ飛びする *fly to* Hawaii

ひとっぱしり 一っ走り ☞ひとはしり

ひとつぶ 一粒 (穀物·砂·塩などの) grain Ⓒ; (雨·液体の) drop Ⓒ. 《☞つぶ》. **一粒選りの** (より抜きの) selected **一粒種** (一人っ子) *one's* only child Ⓒ.

ひとづま 人妻 (既婚女性) married woman Ⓒ.

ひとつまみ 一つまみ (塩などの) pinch Ⓒ《☞つまむ; 数の数え方 (囲み)》. ¶塩*一つまみ a *pinch* of salt

ひとつめこぞう 一つ目小僧 one-eyed goblin Ⓒ; cyclops Ⓒ ★ギリシャ神話の一つ目の巨人.

ひとで¹ 人手 **1** «働き手»: (手助け) hand Ⓒ; (助力·援助) help Ⓤ; (労働者) worker Ⓒ. 《☞て》. ¶私どもはいま*人手不足です We are「*shorthanded* [*understaffed*] now. // *人手を借りずに (⇒独力で) できますか Can you do it「*by yourself* [*alone*]?
2 «他人の手·所有»: (ほかの人の所有) other hands ★複数形で. 《☞わたる¹》. ¶その絵はついに*人手に渡った The picture fell into *other hands* after all. / (⇒私はその絵を手放した) I *parted with* the picture after all.

ひとで² 人出 (群衆) crowd Ⓒ; (会合·行楽などへの) túrnòut Ⓒ ★通例単数形で. 《☞こんざつ》. ¶公園はたいへんな*人出だった The park *was crowded*. / A large *crowd* gathered in the park. // 祝賀会はたいへんな*人出だった There was a「large [good] *turnout* at the celebration.

ひとで³ 海星 〘動〙 starfish Ⓒ.

ひとでなし 人でなし (けだもののようなやつ) brute Ⓒ; (恩知らず) ingrate /íngreɪt/ Ⓒ; (冷血漢) cold-blooded person Ⓒ.

ひととおり 一通り ── 形 (全般的な) general; (すべての) all. ── 副 (急いで) hurriedly 日英比較 以上のほか,「ひととおり…する」という日本語の表現をまとめて意訳する必要のあることが多い. 《☞翻訳 (巻末)》. ¶ここにある本は*一通り (⇒全部) 読みました I've read *all* the books here. // その本は*一通り (⇒とにかく) 読んだ *Somehow* I read through the book. / (⇒さっと目を通した) I *looked through* the book. // その件については*一通り知っている (⇒全般的な知識を持っている) I have some *general* knowledge about it. // 彼は朝食後新聞に*一通り目を通す (⇒新聞に目を走らせる) After breakfast he usually「*pages through* [*glances at*] the newspaper.

ひとどおり 人通り (人の往来) (pedestrian) traffic Ⓤ《☞こうつう》. ¶午前中はここは*人通りが多い There's a lot of *traffic* here in the morning. / (⇒にぎやかな[混雑する]場所) This is a very「*busy* [*crowded*] place in the morning. // この通りは夜はまったく*人通りがない (⇒ひっそりとする) This street *is deserted* at night.

ひととき 一時 ¶今夜は皆様と楽しい*ひとときを過ごしたいと思います I hope all of you will「*enjoy* [*have a good time*] this evening. // 夕食後楽しい*ひとときを過ごした We had a happy *time* after the evening meal. 《☞とき¹》

ひとところ 一所 (同じ場所) the same place; (ある所) a certain [some] place. ¶荷物は*一所にまとめて置きなさい Put all your「baggage [《英》 luggage] *in the same place*.

ひととせ 一年 (一年) a [one] year.

ひととなり 人となり (生まれつきのもの) *a person's* nature Ⓤ; (性格) *a person's* character Ⓒ; (個性) personality Ⓤ. 《☞ひとがら; せいかく³》.

ひとなか 人中 ¶彼は*人中へ出るのを嫌う (⇒社交的でない) He's not *sociable*. / He hates to appear *in public*. 《☞ひとまえ》

ひとなかせ 人泣かせ ¶彼はいつも*人泣かせである (⇒迷惑をおこす) He always *causes trouble*. / (⇒いざこざを起こす人だ) He is always a *troublemaker*.

ひとなつっこい 人懐っこい (友好的な) friendly; (人好きのする·愛想のよい) áffable, amiable /éɪmiəbl/. ¶彼は*人なつっこい He is always *friendly* to others. / He is *affable*.

ひとなぬか 一七日 ☞しょなのか

ひとなみ¹ 人並み ── 形 (平均的な) áverage; (普通の) ordinary; (ありふれた) common; (まずまずの) decent; (収入などがまあまあの) reasonable; (まともな) respectable. 《☞ふつう¹》. ¶*人並みの能力の持ち主 a man of *average* ability // *人並みの収入 a *decent* income / (⇒ほどよい) a *reasonable* income // 学校での私の成績はだいたい*人並みです My grades (at school) are about *average*. // 彼は*人並みの生活をしている He enjoys an *ordinary* standard of living. // 彼は*人並み以上の努力をしている (⇒ほかの人より一生懸命に) He is working harder than「*other people* [*others*].
人並み勝れた (抜群の) outstanding; (卓越した) surpassing; (匹敵するもののない) matchless, unrivalled. **人並み外れた** (並はずれた) exceptional; (まれに見る) extraordinary; (非凡な) singular; (普通でない) uncommon.

ひとなみ² 人波 (群衆) crowd Ⓒ《☞ぐんしゅう》. ¶私は*人波に (⇒人波の中で) もまれるのは嫌いだ I don't like being jostled in a *crowd*.

ひとにぎり 一握り ── 名 (手で一握り分) handful Ⓒ. ── 形 (少数の) a「small number [handful] of ... 《☞しょうすう¹》.

ひとねいり 一寝入り ☞ひとねむり

ひとねむり 一眠り (うたた寝) nap Ⓒ; (短い眠り) short sleep Ⓒ; 《略式》 catnap Ⓒ. 《☞ねむる》. ¶ここで*一眠りしなさい Have [Take] a *nap* here.

ひとのくち 人の口 ¶*人の口に戸はたてられぬ (⇒人はしゃべるもの) People will talk.

ひとのみ 一呑み ── 名 (一気に飲む事) gulp Ⓒ; (一口飲む事) sip Ⓒ. ── 動 gulp ⑪. 《☞いっきに》. ¶彼はコップのビールを*一呑みにした He *drank* a glass of beer *in one gulp*.

ひとのよ 人の世 ☞ひと

ひとばしら 人柱 (犠牲) ── 名 sacrifice Ⓒ. ── 動 sacrifice ⑪.
¶昔は橋を作る時には若い女性の*人柱をたてた (⇒若い女性を犠牲にした) そうだ It is said that in the old days they would *sacrifice* a young girl when

a bridge was to be built.

ひとはしり 一走り ¶彼は毎朝公園を*一走りする He ˹has a *short run* [*jogs*] in the park every morning. // *一走り行って買ってきましょう I'll *run out and* buy it for you. // ここから大阪までは車で*一走りです It's just a *short* ˹*ride* (by car) [*drive*] from here to Osaka.

ひとはた 一旗 **一旗揚げる** ¶*一旗揚げようとして彼はアメリカへ渡った (⇒成功者になろうとして [金をもうけに]) He went to America *to* ˹*become a success* [*make money*].

ひとはだ[1] 一肌 **一肌脱ぐ** ¶彼のために*一肌脱いでやろう (⇒手を貸してやろう) I'll *lend* him *a* (*helping*) *hand.* (☞たすける)

ひとはだ[2] 人肌 ¶酒の燗は*人肌に限る Sake is best when *warmed to body temperature.*

ひとはたらき 一働き ━動 (一区切り働く) work for a while; (奮発して働く) work hard. ¶今度は君に*一働きしてもらうよ (⇒君の番だ) Now it's your turn to *do* this *job.*

ひとはな 一花 prosperity Ⓤ; (成功) success Ⓤ. ¶彼は小説家として*一花咲かせた (⇒名を上げた) He *made his name* as a novelist.

ひとばらい 人払い ¶*人払いをお願いします I would like you to order the *other people to leave the room.* / (⇒直接お話ししたい) May I speak to you ˹*personally* [(⇒2人きりで) *in private*]?

ひとばん 一晩 ━名 night Ⓒ. ━形 (一泊の) overnight Ⓐ. ━副 overnight; (一晩中) all night. (☞ばん[1] (類義語); いっぱく[1]). ¶彼の家に*一晩泊まった I stayed *overnight* at his house. // *一晩泊まりで京都へ行った I made an *overnight* trip to Kyoto. // *一晩中起きて待っていた I stayed up *all night* waiting.

ひとびと 人人 people ★集合的に. (☞ひと).

ひとひねり 一捻り ¶お前なんか*一捻りだ (⇒簡単に負かせる) I'll ˹*beat* [*defeat*] you *easily.* ★beat のほうがくだけた語. // この表現はもう*一捻りしたほうがいい (⇒洗練される必要がある) This expression needs to *be refined.*

ひとひら 一片 (花びら) petal Ⓒ; (薄片) flake Ⓒ.

ひとふさ 一房 a ˹bunch [cluster, tassel, tuft] (☞ふさ).

ひとふし 一節 (竹などの) joint Ⓒ, section Ⓒ; (音楽の) tune Ⓒ, note Ⓒ. (☞ふし[1,2]).

ひとふで 一筆 ¶ひらがなの中には*一筆で書けるものがある Some *hiragana* can be written with *one stroke.* // *一筆描きの絵 a picture painted with *a single stroke* of the brush

ひとふろ 一風呂 (quick) bath Ⓒ. ¶*一風呂浴びる take a (*quick*) *bath*

ひとべらし 人減らし ━名 (人員の削減) personnel ˹reduction [cut] Ⓒ. ━動 reduce [cut down] the number of … (☞リストラ; レイオフ).

ひとま 一間 a room, one room. ¶6畳*一間 *a* ˹six-tatami [six-mat] *room* // *一間のアパート *a one-room* apartment

ひとまえ 人前 ¶私は*人前でしゃべるのは下手だ I'm not good at speaking *in* ˹*front of other people* [(⇒公衆の面前で) *public*]. // 彼女は*人前で恥をかいた *She was* put to shame *in public.* // 彼女は*人前に出ることを嫌う (⇒非社交的だ) She's ˹not *sociable* [*unsociable*]. // こういうことは*人前では (⇒公然と) 話せない We can't talk about these sorts of things *openly.* (☞ひとなか)

人前を繕う maintain [keep up] appearances (in front of other people). **人前を憚らず** in spite of the presence of others, without ˹regard for others [a thought for the people around].

ひとまかせ 人任せ ¶彼は家業は*人任せにして政治に首を突っ込んでいる He devotes himself to politics, *leaving* his family business *to* (*the care of*) *others.* (☞まかせる)

ひとまく 一幕 (芝居の) act Ⓒ; (場面) scene Ⓒ. ¶*一幕物 a *one-act* play // こっけいな*一幕 a comical *scene*

一幕見 seeing (only) one act of a kabuki play.

ひとまず 一先ず ━副 (まず第一に) first of all; (しばらくの間) for a while, for ˹a [some] time; (差し当たりの間) for the time being ★ほかより格式ばった言い方; (現在のところ) for the present. (☞さしあたり). ¶*ひとまずこの本を読んでごらん (⇒まず第一に) *First of all*, read this book. // *ひとまずニューヨークへ行って, それからボストンへ行くつもりです I'll *first* fly to New York and then visit Boston. // *ひとまず (⇒しばらく) この部屋にいなさい Stay in this room *for some time.*

ひとまちがお 人待ち顔 ¶彼は*人待ち顔にそこに立っていた He stood there *as if* ˹*waiting for* [*expecting*] *someone.* ★[ ] 内のほうが予期する気持ちが強い.

ひとまとめ 一纏め ━名 (ひとまとめにした束) bundle Ⓒ; (荷物などの包み) pack Ⓒ. ━動 (束ねる) bundle ㊀; (一つにまとめる) put together ㊀. (☞まとめる; いっかつ[1]). ¶不要の本は*ひとまとめにしておいて下さい Please ˹*put together* [*bundle*] all the books you don't need.

ひとまね 人真似 (おかしさをねらった) mimicry Ⓤ; (模倣) imitation Ⓤ; (人まねをする人) mimic Ⓒ. (☞まね; ものまね). ¶耀司は*人まねがうまい Yoji is a good *mimic.* // 成功するには何事につけても*人まねばかりではだめだ (⇒独創的な考えを持たねばならない) You must have *original ideas* in whatever you do if you want to succeed.

ひとまわり 一回り **1** 《1周》 ━名 (一巡) a round. ━前 (周りをぐるりと回って) around … (☞いっしゅう[1]; まわる). ¶私は親戚を*一回りしなければならない I have to make *a round* of visits to my relatives. // 月は約27日で地球を*一回りする The moon *goes around* the earth in about twenty-seven days.

2 《一段階》: (大きさなど) size Ⓒ. ¶これよりもう*一回り大きいのが欲しい I'd like to have one *a size* larger than this. / (⇒大きいのがありますか) Could [May] I have a *larger* one? // 彼の奥さんは彼より*一回り(⇒12歳)若い His wife is *twelve years* younger than he. // 彼は人間が*一回り大きくなった (⇒以前に比べて円熟した) He has matured, *compared to what he was before.*

ひとみ 瞳 pupil Ⓒ; (目) eye Ⓒ. (☞め[1] (挿絵)).

ひとみごくう 人身御供 ━名 (いけにえ) sacrifice Ⓒ. ━動 sacrifice ㊀. (☞いけにえ).

ひとみしり 人見知り ━形 (子供が人見知りする) bashful; (恥ずかしがりの) shy; (人見知りしない) friendly; (社交性に富んだ) outgoing Ⓐ. ¶この赤ん坊は*人見知りする (⇒人の見分けがつく) This baby *recognizes* people. // 彼女は*人見知りしない She is ˹a *friendly* [an *outgoing*] person.

ひとむかし 一昔 (長い年月) ages ★通例複数形で; (10年間) decade Ⓒ. (☞むかし). ¶この前会ったのは*一昔前ですね (⇒最後に会ってから長い年月がたっている) It's been *ages* since we met last. // 十年*一昔 (⇒十年は長い期間だ) Ten years is *a long time.*

ひとむね 一棟 a (single) ˹house [building].

ひとめ[1] 一目 (目撃) sight Ⓤ ★時に a を付けて; (ちらりと見ること) a glance. (☞みる[1]; ちらりと).

ひ

¶ 彼はあなたに*一目会いたがっている He「is anxious [wants] to *see* you. // 私は*一目で彼女が好きになった I「have fallen [fell] in love with her at「*first sight* [*a glance*]. // *一目見ればわかる You will understand *at first glance*. / *Seeing is believing*. 《ことわざ》 **一目惚れ** love at first sight Ⓤ.

ひとめ² 人目 (人々の注目) public「attention [notice] Ⓤ《☞ ちゅうもく》.

¶ その建物は*人目を引いた The building attracted *public*「*attention* [*notice*]. // ここは*人目につきやすい (⇒ たやすく人に見られる) Here we can easily *be seen by others*. // この掲示板は*人目につく所へ (⇒ みんなが気が付く所へ) 置きなさい Put this bulletin board where *everyone* will「*notice* [*see*] it. // *人目につく広告 an *eye-catching* advertisement // 彼女は*人目につかないように (⇒ そっと) 出て行った She went out「*secretly* [*in secret*; *stealthily*]. // 私たちの*人目を忍ぶ (⇒ 秘密の) 恋は 2 か月で終わりを告げた Our *secret* love affair ended in two months. // 私たちは*人目を避けて (⇒ 公衆の目を避けて) 裏通りを行った We went by the backstreets to avoid the *public eye*.

人目が煩(うるさ)い ¶ ここは*人目が煩い (⇒ 人目につく) This place is too *public*. / (⇒ 人が多すぎる) There are *too many people* here. **人目に余る** ¶ 彼の態度は*人目に余る (⇒ 許しがたい) His conduct is *unpardonable*. **人目に立つ** ¶ 彼の奇抜なかっこうは*人目に立つ His eccentric style「*attracts* [*draws*; *catches*] *attention*. **人目もはばからずに** without [with no] concern for …; don't hesitate to *do* … ¶ 彼らは*人目もはばからずに人前で愛撫しあった They hugged and kissed in public *without concern for others*. / They *did not hesitate to* hug and kiss in public. **人目を盗む** ¶ 彼は*人目を盗んで彼女とデートしている He is *secretly*「dating [having dates with] her.

ひとめぐり 一巡り a round《☞ ひとまわり》.

ひとめんえきふぜんウイルス 人免疫不全ウイルス ☞ エイチアイブイ

ひともうけ 一儲け (大金) a small fortune,《略式》a pile. ¶ *一儲けする make「*a small fortune* [*a lot of money*; *a pile*]

ひともじ 人文字 ¶ 生徒たちは校庭に peace という*人文字を描いた (⇒ 整列して peace という字をつづった) The pupils「*arranged themselves* [*formed lines*] on the playground *to spell out* the word "peace."

ひともしごろ 火点し頃 dusk Ⓤ, (evening) twilight Ⓤ.《☞ ゆうぐれ》.

ひとやく 一役 (役目) role Ⓒ《☞ やく²》. ¶ 彼がその計画に*一役買っている He has played a *role* in the scheme. // 彼は*一役買って出てくれた (⇒ 援助の申し出をした) He *offered to help* me.

ひとやすみ 一休み (休憩) a rest; (短い休憩) a break.《☞ きゅうけい¹; やすみ》. ¶ ここで*一休みしよう Let's「have [take] *a rest* here, shall we?

ひとやま 一山 (ひとかたまり) lot Ⓒ. ¶ 一*山 200 円 Two hundred yen「*each* [*per*] *lot*

一山当てる ¶ 彼は事業で*一山当てた He *had great*「*luck* [*success*] in his business.

一山越す ¶ さあこの仕事も*一山越した (⇒ 第一段階を終えた) Now we have「*finished* [*completed*; *come to an end of*] *the first stage* of this project.

ひとよ 一夜 a night《☞ いちや》. **一夜妻** one-night stand Ⓒ, wife for a night Ⓒ.

ひとよせ 人寄せ ¶ パンダを*人寄せに使う use pandas as (a) *crowd puller* // 何かいい*人寄せの (⇒ 人を引きつける) 方法はないかね Can't you think of some good way to *attract people*?

ヒドラ 〔動〕hydra /háɪdrə/ Ⓒ《複 ~s, hydrae /-driː/》.

ヒトラー ── 名 固 Adolf Hitler, 1889–1945. ★ ドイツの政治家.

ヒドラジド 〔化〕hydrazide /háɪdrəzàɪd/ Ⓤ ★ 結核治療薬 isonicotinic acid hydrazide の略.

ヒドラジン 〔化〕hydrazine /háɪdrəziːn/ Ⓤ.

ひとり 一人, 独り ── 名 代 one ★ 名 では Ⓤ. ── 形 (1 人の) one; (たった 1 人の) one and only; (ただ 1 人で) alone Ⓟ ★ 述語的に, または名詞・代名詞の後に付けて副詞的に用いる; (独身の) single. ── 副 (1 人につき) each; (単独で) by *oneself*; (独力で) for *oneself*.

¶ 彼は新しい料理人を*1 人雇った He employed *a* new cook. 語法 特に強調するとき以外は不定冠詞で「1 人」の意味を表せる. // 彼はメンバーの*1 人だ He is *one* of the members. // 彼らは*1 人 2 人と部屋から出て行った They left the room in *one*s and twos. // 彼女はたった*1 人の息子を失った She lost her *one and only* son. // 彼女*1 人が真相を知っている She *alone* knows the truth. // *1 人も (⇒ だれも) その案に賛成しなかった *None* of them [*Nobody*] supported the plan. // 彼女はここに*独りで (⇒ 彼女だけで) 住んでいた She lived here *by herself*. // 彼は*独りで (⇒ 独力で) 商売をしている He is in business *for himself*.

ひどり 日取り (期日) the date; (特定の日) the day.《☞ ひ¹; きじつ; にってい》. ¶「パーティーの*日取りは決まりましたか」「まだです」"Has *the date* for the party been fixed?" "No, not yet." / "Have you decided on *the day* for the party yet?" "No, not yet."

ひとりあそび 一人遊び playing「alone [by *oneself*] Ⓤ; (トランプの)《米》solitaire Ⓤ,《英》patience Ⓤ.

ひとりあたり 一人当たり per person, per capita ★ 後者のほうが格式ばった言い方. ¶ …の年間*一人当たり消費量 annual *per capita* consumption of … // 仮にあなたが 100 万円くれたって*一人当たりにすると大した額にはならないね Even if you gave us a million yen, it wouldn't amount to much *per person*.

ひとりあるき 独り歩き ── 動 (1 人で外出する) go out alone; (独力で歩く) walk by *oneself*; (独り立ちする)《略式》stand on *one's* own (two) feet.《☞ ひとりだち; どくりつ; じりつ》.

¶ 夜は*独り歩きをやめなさい Don't *go out alone* at night. // 赤ん坊はまだ*独り歩きできない The baby cannot *walk by*「*itself* [*himself*; *herself*] yet. 語法 赤ん坊の性別がわかっているときは himself または herself を使う. // うわさが*独り歩きを始めた (⇒ 自分で動き出した) The rumor *took on a life of its own*. / (⇒ 手におえなくなった) The rumor began to *get out of control*. // 彼は*独り歩き (⇒ 独り立ち) してもよい年ごろだ He is old enough to *stand on his own* (*two*) *feet*.

ひとりあんない 独り案内 teach-yourself book Ⓒ《☞ どくしゅう (独習書)》.

ひとりうらない 独り占い self-divination Ⓤ《☞ うらない》.

ひとりが 火取蛾 〔昆〕garden tiger moth Ⓒ.

ひとりがてん 独り合点 ¶ 彼は彼女が会いに来てくれるものと*独り合点していたが (⇒ 思い込んでいたが), 彼女は現れなかった He *convinced himself* that she would come to see him, but she didn't turn up. // それはあなたの*独り合点だ (⇒ 性急な判断を下した) You've *made a hasty judgment*.《☞ はやがてん》

ひどりがも 緋鳥鴨 〔鳥〕baldpate Ⓒ, wigeon

Ⓒ.

ひとりぎめ　独り決め　¶彼女は何でも*独り決めする She *decides* everything *by herself*. ∥ 彼は彼女が自分を愛していると*独り決めしていた (⇒当然のことと受け取っていた) He *took* it *for granted* that she loved him.

ひとりぐらし　独り暮らし, 一人暮らし　━ 名 (独身生活) single life Ⓒ.　━ 動 (1人で暮らす) live alone. 《☞ くらし; どくしん; ひとり》.　¶彼は*独り暮らしを楽しんでいる He is enjoying *the single life*. ∥ *独り暮らしは楽ではない It is difficult to *live alone*. ∥ 私は一人暮らしの老人をよく訪問する I often visit an old man who *lives* ⌈*alone* [*by himself*; *a solitary life*].

ひとりごと　独り言　━ 動 (独り言を言う) talk to *oneself* ★ 心の中で自分に言い聞かせるのは普通は say to *oneself* だが, 前後関係によってはこれも「独り言を言う」を意味することがある; (ぶつぶつ言う) mutter ㊀.　¶彼は*独り言を言いながら歩いていた He was walking along ⌈*talking* [*muttering*] *to himself*.

ひとりしばい　一人芝居　one-man play Ⓒ; (ショー) one-man show Ⓒ.

ひとりじめ　独り占め　━ 動 (独占する) have ... all to *oneself*, 《格式》 monópolize ㊉. 《☞ どくせん¹》.

ひとりずまい　一人住まい　━ 動 live ⌈alone [by *oneself*].

ひとりずもう　独り相撲　¶*独り相撲をとる (⇒風車に打ちかかる) tilt at [fight] windmills ★ ドンキホーテの物語から. ∥ 大騒ぎしたが彼の*独り相撲に終わった (⇒全く無駄であった) He made a lot of noise, but (it was) *all for nothing*.

ひとりだち　独り立ち　━ 動 (独力で行動できるようになる) find *one's* ⌈feet [legs]; (自立する) be independent, 《略式》 stand on *one's* own (two) feet. 《☞ ひとりあるき; どくりつ; じりつ》.
¶彼は現在*独り立ちしている He *is* now *independent*. ∥ 彼は*独り立ちするのに5年かかった It took him five years to ⌈*stand on his own feet* [learn (how) to *take care of himself*].

ひとりたび　一人旅　(一人で旅行すること) traveling alone Ⓤ; (一人だけの旅) solitary journey Ⓒ.

ひとりっこ　一人っ子　only child Ⓒ.

ひとりでに　独りでに　(自然に) by itself; (自動的に) automatically.　¶戸は*ひとりでに閉まった The door shut ⌈*by itself* [*automatically*].

ひとりね　独り寝　━ 動 sleep by *oneself*.

ひとりひとり　一人一人　¶私は彼らの*一人一人に (⇒一人残らず) 声をかけた I talked to *every one* of them. ∥ 彼らは*一人一人 (⇒一人ずつ) 調べられた They were examined ⌈*one by one* [*one after another*].

ひとりぶたい　独り舞台　¶第2場は彼の*独り舞台だった (⇒観客を彼1人に引きつけた) In the second scene he ⌈*captured the audience* [*had the audience all to himself*]. ∥ ことファッションの話になると彼女の*独り舞台だ (⇒だれも彼女に匹敵しない) When it comes to fashion, *no one can match her*.

ひとりふたやく　一人二役　━ 名 dual role Ⓒ.　━ 動 play ⌈*a dual role* [two parts].

ひとりべや　一人部屋　single room Ⓒ 《☞ へや》.

ひとりぼっち　独りぼっち　━ 形 (ほかと離れて1人の) alone Ⓟ 《☞ 形容詞の2用法 (巻末)》; (孤独で寂しい) lonely. 《☞ こどく; ひとり》.

ひとりみ　独り身　☞ どくしん

ひとりむすこ　一人息子　only son Ⓒ.

ひとりむすめ　一人娘　only daughter Ⓒ.

ひとりもの　独り者　single [unmarried] person Ⓒ 《☞ どくしん》.

ひとりよがり　独り善がり　━ 形 (自己満足の) (self-)complacent /kəmpléɪsnt/, self-satisfied.　━ 名 (self-)complacency Ⓤ, self-satisfaction Ⓤ. 《☞ どくぜんてき; どくだん》.

ひとりわらい　一人笑い　━ 動 (声をたてて) chuckle ⌈at [to] *oneself*; (嬉しそうに) smile ⌈in delight [reminiscently].　¶彼は漫画雑誌を見て*一人笑いをしていた He sat *chuckling over* a comic book.

ひどる　火取る　(火にあぶる) toast [brown] lightly ㊉ 《☞ あぶる》.

ヒドロキノン　〘化〙 hydroquinone /hàɪdroukwɪnóun/ Ⓤ.

ヒドロちゅう[むし]　ヒドロ虫　hydrozoan /hàɪdrəzóuən/ Ⓒ.

ひとわたり　一渡り　━ 副 (初めから終わりまで) from beginning to end; (ずっと通して) throughout. 《☞ ひととおり》.

ひな¹　雛　**1** 《鳥の》: (鶏の) chick(en) Ⓒ; (小鳥) young bird Ⓒ. 《☞ ひよこ; ひなどり; おす³ (表)》.
¶*ひなをかえす hatch *chickens*
2 《人形》: doll Ⓒ.　¶3月にはお*ひなさまを飾る We display (*hina*) *dolls* in March.
ひな遊び celebrating the Doll Festival Ⓤ　ひなあられ rice cake cubes for the Doll Festival　ひな飾り displaying (*hina*) dolls Ⓤ　ひな菓子 confectionery for the Doll Festival Ⓒ　ひな鑑定器 chicken tester Ⓒ　ひな鑑別者 chicken sexer Ⓒ　ひな壇 (ひな祭りの) tiered /tíəd/ stand for dolls Ⓒ; (国会の) the state ministers' gallery Ⓒ　ひな人形 (*hina*) doll Ⓒ　ひな祭り the ⌈Doll [Girls'] Festival.

ひな²　鄙　the country Ⓤ; the countryside Ⓤ ★ 後者を用いた方が意味がはっきりする.　━ 形 (のどかな面を強調して) rural; (素朴な面を表して) rustic.　鄙歌 pastoral (song) Ⓒ.

ひなか　日中　the daytime.　¶昼*日中に暴漢に襲われた I was assaulted by a lout *in* ⌈*the daytime* [*broad daylight*].

ひなが　日長　(長い1日) long day Ⓒ; (長い昼間) long daylight Ⓤ. 《☞ ひる¹》.　¶彼らは春の*日長を楽しんでいる They are enjoying the *long daylight* of the spring.

ひながた　雛型　**1** 《模型》: model Ⓒ; (小型の模型) miniature /míniətʃùə/ Ⓒ.
2 《書式》: form Ⓒ 《☞ しょしき》.

ひなぎく　雛菊　〘植〙 daisy Ⓒ.

ひなげし　雛げし　〘植〙 corn [field] poppy Ⓒ.

ひなた　日向　━ 名 (日の当たっている所) the sun(shine); (日のよく当たる所) sunny place Ⓒ.　━ 副 (日なたで) in the sun. 《☞ ひ¹; にっこう¹》.
日向雨 ☞ てんき¹ (天気雨)　日向くさい ━ 動 smell of the sun; (日にさらされたにおいがする) have the smell of having been dried in the sun　日なたぼっこ ━ 名 (日光浴) sunbath Ⓒ.　━ 動 (日なたぼっこをする) sunbathe /sʌ́nbèɪð/ ㊀, bathe [bask; sit] in the sun.

ひなだん　雛壇　☞ ひな¹

ひなどり　雛鳥　young bird Ⓒ; (特に鶏の) chick(en) Ⓒ; (一度にかえった雛全体) brood Ⓒ. 《☞ ひな¹; ひよこ》.

ひなにんぎょう　雛人形　☞ ひな¹

ひなびた　鄙びた　(田舎じみている) countrified ★ しばしば軽蔑的に; (素朴で) rustic. 《☞ いなか》.

ひなまつり　雛祭り　☞ ひな¹

ひなみ　日並　(日のよしあし) the kind of days.
¶*日並が良い[悪い] *The day* is ⌈lucky [unlucky].

ひならずして 日ならずして before long, in a few days. ¶この彫刻は*日ならずして完成するでしょう This sculpture will be completed ⌈*in a few days* [*before long*].

ひなわ 火縄 fuse (cord) Ⓒ. **火縄銃** matchlock (musket) Ⓒ.

ひなん¹ 非難, 批難 ―［動］(罪・過失などで人をとがめる) blame (他); (批判する) criticize (他); (個人的感情を交えてなじる) reproach (他). ―［名］blame Ⓤ; criticism Ⓤ; reproach Ⓤ. 《☞ ひはん; せめる¹》. ¶皆は彼の職務怠慢を*非難した They *blamed* him for neglecting his duties. // 彼はうそをついたことで*非難された He *was criticized* for ⌈having told [telling] lies. // 彼女の行為は*非難されても仕方がない (⇒ 非難に値する) Her conduct deserves *criticism.* // 彼女は*非難の目で私を見た She shot a ⌈*reproachful* look [look of *reproach*] at me. // 彼の態度は*非難の的となった His attitude became the target of *criticism.* / (⇒ 彼の態度に非難が集中した) *Criticism* centered on his attitude. // その法案に対しては*非難ごうごうだった Noisy *complaints* were heard against the bill. / The bill was given a great deal of intense *criticism.*

> ―コロケーション―
> …に非難を向ける level *criticism* at … / **非難を浴びる** come under *criticism* / **非難を受ける** take *criticism* / **非難を呼ぶ** provoke *criticism* / **厳しい非難** harsh [severe] *criticism* / **すさまじい非難** fierce *criticism* / **辛らつな非難** bitter [sharp] *criticism* / **歯に衣着せぬ非難** outspoken *criticism*

ひなん² 避難 ―［名］(風雨などを避けること) shelter Ⓤ; (危険から逃避すること) réfuge Ⓤ ★ 以上2語は同意にも用いる. ―［動］shelter (自), take ⌈shelter [refuge] from … ⌈at [in; under] …; (難などから逃れる) escape (他) (自); (人を立ち退かせる) evacuate (他). 《☞ のがれる; さける¹; にげる》.
¶私たちは吹雪を避けてその小屋に*避難した We *took* ⌈*shelter* [*refuge*] *from* the snowstorm in the lodge. // 警察はその地区の住民を*避難させた The police *evacuated* the inhabitants ⌈of [from] the area.
避難勧告 advice [recommendation] to evacuate (from …) Ⓤ **避難訓練** (火災の) fire drill Ⓒ **避難所** refuge Ⓒ, shelter Ⓒ **避難はしご** emergency ladder Ⓒ; (火災避難用の階段・はしご) fire escape Ⓒ **避難民** rèfugée Ⓒ; (ある場所から立ち退いた人) evacuee /ɪvækjuíː/ Ⓒ **避難命令** evacuation order Ⓒ.

びなん 美男 handsome man Ⓒ 《☞ ハンサム》.

ビニール ―［名］vinyl /váɪnl/ Ⓤ ［語法］この語は主として化学用語として用いられ, 一般には plastics の一種として扱われる. ―［形］(ビニール製の) plastic; (特にビニール樹脂であることを示すときは) vinyl ［日英比較］日本語で一般的に用いる「ビニール」に相当する英語は plastic. ¶*ビニールのレインコート a ⌈*vinyl* [*plastic*] raincoat **ビニール繊維** vinyl fiber Ⓒ **ビニールハウス** (plastic) greenhouse Ⓒ **ビニール袋** plastic bag Ⓒ **ビニールペイント** vinyl paint Ⓒ.

ひにく¹ 皮肉 ―［名］(事実と反対のことを言ったりする) irony /áɪ(ə)rəni/ Ⓤ; (辛辣(しんらつ)で悪意をもった) sarcasm Ⓤ; (ひねくれている) cýnicism Ⓤ. ―［形］irónic(al); sarcástic; cynical. 《☞ いやみ》.
¶彼女の言葉には多少*皮肉があった There was ⌈some [a touch of] *irony* in her words. // 彼らは運命の*皮肉を嘆いた They lamented (over) the *irony* of ⌈fate [the circumstances]. // 彼の辛辣な*皮肉は彼女の気持ちを傷つけた His *sarcasm* hurt her feelings. // 彼は時々*皮肉なことを言う He sometimes makes *cynical* remarks.
皮肉屋 (とげのある) satirical [cynical] person Ⓒ; (ひねくれた) cynic Ⓒ; (いやみっぽい) ironist Ⓒ.

ひにく² 髀肉 ☞ももにく **髀肉の嘆** ¶*髀肉の嘆をかこつ (⇒ 自分の能力を発揮できる機会がないのを嘆く) complain of lack of opportunity to use *one's* talents

ひにくる 皮肉る be ⌈cynical [sarcastic] (about …); (皮肉なことを言う) make a ⌈cynical [sarcastic] remark. ¶彼女は誰に対しても*皮肉るような態度をしている She *has a cynical attitude* toward(s) everyone.

ひにち 日日 (日付け) date Ⓒ; (日数) days. ¶次の会議の*日にちを決める decide (on) [fix] *the date* of the next meeting // 論文を書きあげるまでにかなり*日にちがかかります It will take (me) *quite a few days* to finish writing the paper.

ひにひに 日に日に day by day 《☞ ひましに》.

ビニぼん ビニ本 (wrapped) pornographic magazine Ⓒ.

ひにょうき 泌尿器 〔解〕urinary /jʊ́(ə)rənèri/ organ Ⓒ. **泌尿器科** urology /jʊ(ə)rálədʒi/ Ⓤ.

ビニロン vinylon /vínəlàn/ Ⓤ.

ひにん¹ 否認 ―［名］denial Ⓤ. ―［動］deny (他). 《☞ ひてい¹》. **否認権** the right of ⌈denial [avoidance].

ひにん² 避妊 (妊娠を妨げること) còntracéption Ⓤ; (産児制限) birth control Ⓤ. **避妊具** contraceptive (appliance) Ⓒ **避妊薬** còntracéptive Ⓒ; (経口避妊薬) oral contraceptive Ⓒ, 《略式》the pill, the Pill ★ the を付けて. **避妊リング** IUD Ⓒ ★ *i*ntra*u*terine *d*evice の略.

ひにんげんせい 非人間性 inhumanity Ⓤ; (残忍性) brutality Ⓤ.

ひにんしょう 非人称 ―［形］impersonal. **非人称構文** impersonal construction Ⓒ **非人称代名詞** impersonal pronoun Ⓒ **非人称動詞** impersonal verb Ⓒ.

ひにんじょう 非人情 ―［形］inhuman. ¶君がそんなに*非人情だとは思わなかったよ I never thought you could be so *inhuman.*

ビネガー (食用酢) vinegar Ⓤ.

ひねくりまわす 捻くり回す twiddle (他). ¶ラジオのダイヤルを*捻くり回す *twiddle* the radio dial // 彼は何度もエッセイを*捻くり回してみたが (⇒ 書き直したが) 結局一番先に書いたのが一番良かった He *rewrote* the essay *over and over again,* but the first version proved to be the best.

ひねくる 捻くる (もてあそぶ) play [toy] with …; (指で) finger (他); twiddle (他). ¶*捻くった問題(⇒ 奇妙で人を迷わせる) a *bizarre and tricky* question

ひねくれもの 捻くれ者 crank Ⓒ.

ひねくれる 捻くれる ―［動］(不機嫌にする) sour (他); (性格などをゆがめる) warp (他) ★ 以上は事物を主語にして. ―［形］(心の曲がった) crooked /krʊ́kɪd/; (頑固でいこじな) contrary /kəntré(ə)ri/; (性格がゆがんだ) twisted. 《☞ あまのじゃく; ねじける》. ¶失敗して彼は*ひねくれてしまった (⇒ 失敗が彼を気難しくした) Failure *has soured* him. / (⇒ 心をゆがめた) Failure *has warped* his mind. // *ひねくれた人 a *contrary* person

ひねた (子供が早熟の) precocious /prɪkóʊʃəs/; (古くなってしなびた) shriveled. 《☞ ませる》. ¶*ひねた子供 a *precocious* child // *ひねたじゃが芋 a *shriveled* potato

ひねつ 比熱 〔物理〕specific heat Ⓤ.

びねつ 微熱 a slight fever ★ a を付けて. 《☞ ね

つ》．¶私は*微熱がある I have *a slight fever*. / (⇒少し熱っぽい) I'm *a bit feverish*.

ひねもす 終日 ☞しゅうじつ

ひねり 捻り twist [C]; (回転) turn [C].
¶1回*捻りのジャンプじゃ高得点は期待できないよ You can't expect a high score if your jump has only one ｢*twist* [*turn*]. // *捻りのきいた文章 a *tricky* style of writing

ひねりだす 捻り出す (考えなどを) work out (他); (費用を) manage to raise … ¶問題の解決を*捻り出す *work out* a solution to the problem // 今度の取り引きで利益を*捻り出すことができた We could *squeeze* a profit *out of* this deal.

ひねりつぶす 捻りつぶす ¶彼は蚊を*捻りつぶした (⇒指でつぶした) He *crushed* the mosquito *between his fingers*.

ひねりまわす 捻り回す twist … in various ways; (もてあそぶ) play [toy] with … ¶言葉を*ひねりまわす *play with* words

ひねる 捻る **1** 《指先で》: (回す) turn (他); (スイッチなどを) switch (他). 《☞ねじる》. ¶ガスの栓を*ひねった I *turned* on the gas. [語法] ひねって出すときは on, 切るときは off. 電気などのスイッチをひねる場合も switch ｢on [off] the light とする.
2 《体などを》: twist (他) 《☞くじく; ねんざ》. ¶それは赤子の手を*ひねるようなものだ (⇒簡単だ) It is as easy as *twisting* a baby's arm. // 彼はその問題で頭を*ひねっていた (⇒考え込んでいた) He *was puzzling* over the question. / (⇒熱心に考えていた) He *was thinking very hard* about the problem.

ひのいり 日の入り sunset [U] (↔ sunrise) 《☞ひので [語法]; にちぼつ》.

ひのうみ 火の海 a sea of flames. ¶たちまち町全体が*火の海になった Very soon the whole town was *in flames*.

ひのえ 丙 (十干の第3) the third of the ｢Ten Celestial Signs [ten calendar signs].

ひのえうま 丙午 ¶*丙午というのは中国暦法のえとの一つで，この時生まれた女性は気が強いといわれる *Hinoeuma* is one of the signs of the Chinese zodiac and women born under this sign are generally believed to be unyielding.

ひのき 檜 〔植〕 Japanese cypress /sáɪprəs/ [C].
ひのき舞台 ¶*ひのき舞台を踏む (⇒第一級の舞台で公演する) perform on a *first-class stage* / (⇒世間に出る) appear before *the public*

ピノキオ ―[名] (固) Pinocchio /pɪnóʊkiòʊ/. ¶『*ピノキオの冒険』*The Adventures of Pinocchio*

ひのくるま 火の車 ☞ひ²

ひのけ 火の気 fire [U] 《☞ひ²》. ¶昨夜*火の気のない (⇒火事の危険がないと考えられている) 場所で火災が発生した A fire [Fire] broke out last night at a place where there was thought to have been no ｢*danger of one* [*fire hazard*]. // 彼女の部屋には*火の気がなかった (⇒暖房されていなかった) Her room *was unheated*.

ひのこ 火の粉 sparks ★通例複数形で. 《☞ひばな》. ¶たき火から*火の粉が飛んだ *Sparks* flew from the fire. // 降りかかった*火の粉をはらう (⇒予期していない困難を切り抜ける[と戦う]) get over [overcome] *unexpected difficulties*

ひのし 火熨斗 flatiron [C].

ひのたま 火の玉 (稲妻・流星など) fireball [C]; (鬼火) will-o'-the-wisp [C]. ¶夕方になるとあの墓地では*火の玉が出る In the evening *will-o'-the-wisps* appear in that graveyard.

ひのて 火の手 (火・火事) fire [C]; (炎) flame [C]. 《☞ひ²》. ¶くすぶっていた石炭から突然*火の手が上がった Suddenly the smoldering coals ｢*burst into flames* [*flamed up*]. // 政府攻撃の*火の手が上がった (⇒人々は政府反対の盛んな運動を開始した) People *started an active campaign against* the government.

ひので 日の出 sunrise [U] (↔ sunset) [語法] ｢日の出に｣ at sunrise では無冠詞. a beautiful sunrise などでは a を付ける. 《☞よあけ》. **日の出の勢い** ¶彼女は今や*日の出の勢いだ She is now ｢*a star in the way up* [*on a meteoric* rise].

ひのと 丁 (十干の第4) the fourth of the ｢Ten Celestial Signs [ten calendar signs].

ひのばん 火の番 fire ｢watchman [watcher] [C].

ひのべ 日延べ ―[動] pùt óff (他), postpone (他) ★前者のほうが口語的. 《☞えんき¹》.

ひのまる 日の丸 the rising-sun flag, the Rising Sun, the ｢flag [colors] of the rising sun ★ colors は｢旗｣の意では複数形で; (日本の国旗) the national flag of Japan, the Japanese national flag. 《☞こっき¹; はた¹; おやかた》. ¶日本の船舶は*日の丸を掲げている Japanese ships fly *the flag of the rising sun*. **日の丸弁当** lunch box with rice and a pickled Japanese apricot in the center [C].

ひのみやぐら 火の見やぐら fire lookout [C]; (見張り用の) watchtower [C].

ひのめ 日の目 **日の目を見る** see the light (of day) ★英語も発想は同じだが，通例否定文で用いる; (出版される) be published; (実現される) be realized. 《☞じつげん》.
¶その計画はついに*日の目を見ることはなかった The plan never *saw the light of day*. / (⇒その計画は実現されなかった) The plan was never (to *be*) *realized*. // その法案は結局*日の目を見なかった (⇒棚上げされた) The bill *was* finally *shelved*.

ひのもと 火の元 ¶*火の元には十分注意しなさい (⇒火災を予防するために特別な警戒をしなさい) Take special care ｢against *fire* [to prevent *fire*]. 《☞ひ²》

ひのようじん 火の用心 ―[動] Watch out for fires!

ひば 桧葉 leaf of a Japanese cypress [C].

ビバ ―[名] (歓声) viva [C]. ―[間] viva. ¶彼らは*ビバと叫んだ They cried "*Viva!*"

ビバーク 〔登山〕 ―[名] bivouac /bívwæk/ [C] ★フランス語から. ―[動] bivouac (自).

ひばいどうめい 非買同盟 ☞ふばい

ひばいひん 非売品 article not for sale [C]; (掲示として出す場合) Not for Sale.

ひはかいけんさ 非破壊検査 〔機〕 nondestructive test [C].

ひばかり 日計 〔動〕 Japanese keelback [C].

ひはく 避泊 ―[動] enter port (to avoid a storm) (自).

ひばく¹ 被爆 ―[動] (爆撃を受ける) be bombed; (原爆の) be A-bombed /éɪbàmd/, 《略式》 be nuked. ¶彼女は10歳のとき長崎で*被爆した She *was A-bombed* in Nagasaki at the age of ten.
被爆者 (原爆の) atomic bomb victim [C] **被爆者援護法** Atomic Bomb Survivors' Support Law **被爆地** bombed area [C]; (原爆の落とされた都市) A-bombed city [C].

ひばく² 被曝 ―[名] exposure to radiation [U]. ―[動] be exposed to radiation.

ひばく³ 飛瀑 plunging waterfall [C].

ひばし 火箸 (a pair of) tongs ★複数形で.

ひばしら 火柱 (炎の) pillar [column] of flames [C] 《☞ひ²; ほのお》. ¶突然*火柱が立つのが見えた We saw a *pillar of flames* suddenly ｢shooting up [rising].

びはだ 美肌 beautiful skin [U] 《☞はだ》.

ひ

ひばち 火鉢 Japanese (charcoal) brazier /bréɪʒə/ Ⓒ ★ 説明的な訳. 日英比較《米》では炭火を入れて, 上に金網を置き, 戸外で調理をする器具のことを hibachi という.

びはつ 美髪 beautiful hair Ⓤ.

ひばな 火花 sparks ★ 通例複数形で. ¶ プラグを抜くとき*火花が出た When I pulled out the plug, *sparks* shot out. **火花を散らす** shoot out [throw off] sparks; (比喩的に) have a heated discussion. ¶ 彼らは*火花を散らして (⇒ 死に物狂いで) 戦った They fought *desperately*.

火花放電 spark discharge Ⓤ.

ひばら 脾腹 *one's* side Ⓒ (☞ よこばら; わきばら).

ひばり 雲雀 〘鳥〙 lark Ⓒ, skylark Ⓒ. (☞ 動物の鳴き声 (囲み)).

ビバリー ☞ ベバリー

ビバリーヒルズ ── 图 固 Beverly /bévəli/ Hílls ★ ロサンゼルス市西郊の住宅都市.

ビバルディ ── 图 固 Antonio Vivaldi /æntóʊniòʊ vɪvɑ́ːldi/, 1678–1741. ★ イタリアの音楽家.

ひはん 批判 ── 图 (批判的な批評) críticìsm Ⓤ. ── 形 (批判的な) critical. ── 動 criticize ⑩. (☞ ひひょう (類義語); ひなん[1]).

¶ 彼はその計画に痛烈な*批判を加えた He expressed (his) sharp *criticism* of that plan. // 彼の*批判を快く受け入れなさい You should ⌈take [accept] his *criticism* ⌈kindly [gracefully]. // 新聞もその計画には*批判的である Even the papers are *critical* of the project. // 学生たちは先生を*批判した The students *criticized* their teacher. // 自己*批判 (a) self-*criticism* **批判者** critic Ⓒ **批判票** censure vote Ⓒ; (不信任票) no-confidence vote Ⓒ **批判力** critical powers ★ 複数形で.

コロケーション

批判に値する deserve *criticism* / 批判に応える react [respond] to *criticism* / 批判を浴びせる level *criticism* (at ...) / 批判をかわす ward off *criticism* / 批判を招く arouse [provoke] *criticism* / 強烈に批判する *criticize* strongly / 公正に批判する *criticize* fairly / 痛烈に批判する *criticize* ⌈bitterly [severely] / 不当に批判する *criticize* unfairly / 強烈な批判 strong *criticism* / 鋭い批判 acute *criticism* / 正当な批判 fair *criticism* / 妥当な批判 valid *criticism* / 痛烈な批判 biting [severe] *criticism* / 不当な批判 unfair *criticism* / 無責任な批判 irresponsible *criticism*

ひばん 非番 ── 形 (勤務のない) off duty (↔ on duty), off. ¶ 私はきょうは*非番です I am *off* (*duty*) today.

ひひ 狒狒 〘動〙 babóon Ⓒ.

ひび[1] 罅, 皹 **1** «割れ目» ── 图 (堅いものに入る細長い割れ目) crack Ⓒ; (きず) flaw Ⓒ; (縦に入る細長い裂け目) split Ⓒ ★ いずれも比喩的な意味でも用いられる. ── 動 (ひびが入る) crack ⓐ. (☞ われめ). ¶ この茶わんには*ひびがある There is a *crack* in this teacup. // この水晶の球には*ひびがある (⇒ きずがある) There is a *flaw* in this crystal ball. // 爆発の衝撃で窓ガラスに*ひびが入った The windowpanes *cracked* from the shock of the explosion. // チームの団結に*ひび割れが生じた (⇒ 現れた) *Cracks* appeared in the unity of our team. // この事件で2人の愛情に*ひびが入った (⇒ この事件がひび割れの原因になった) This incident caused a *split* in their loving relationship.

2 «皮膚の» ── 图 chaps ★ 通例複数形で. ── 動 (ひびが切れる) be chapped. (☞ あかぎれ). ¶ 手に*ひびが切れた My hands ⌈*were* [*got*] *chapped*.

ひび[2] 日日 ── 形 (毎日の) everyday, daily. ── 副 (日ごとに) from day to day; (来る日も来る日も) day ⌈after [by] day. ¶ *日々の生活 *one's daily* life / *one's everyday* life // 彼女は*日々の糧にも事欠くような生活をしていた She lived in such poverty that she often lacked her *daily* bread.

日々新たなり ¶ 人生*日々新たなり Our lives *are renewed each day*.

ビビアン[1] (男性名) Vivian /víviən/ ★ 愛称は Viv.

ビビアン[2] (女性名) Vivien /víviən/, Vivienne /vìvién/ ★ 愛称はともに Viv.

ひひーん ¶ 馬は*ひひーんと高くいなないた The horse ⌈*neighed* loudly [*gave a* loud *neigh*]. (☞ 動物の鳴き声 (囲み))

ひびかす 響かす make ... sound ⑩. ¶ 大きな音を*響かせて列車が通り過ぎた The train passed with a great *roar*. // 彼女はその発見によって世界中にその名を*響かせた Her discovery won her a worldwide reputation. (☞ とどろかす)

ひびき 響き (音) sound Ⓤ ★ 最も一般的; (鐘・雷・大砲・笑い声・拍手などの大きな音) peal Ⓒ. (☞ ね[2]; ねいろ; はんきょう[1]). ¶ この鐘は*響きがよい (⇒ よい音を持つ) This bell has a ⌈sweet [good] *sound*.

ひびきわたる 響きわたる ¶ 彼女の名は国中に*響きわたっている Her (great) name ⌈*resounds* [*is known*] all over the country. (☞ ひびく)

ひびく 響く **1** «音を立てる»: (鳴る) sound ⓐ; (場所が鳴り響く) ring ⓐ, resound /rɪzáʊnd/ ⓐ ★ 前者のほうが口語的; (反響する) echo ⓐ. (☞ おと; なる[2]).

¶ ベルの音がホールに*響いた The bell *sounded* in the hall. // 父の怒った声[笑い声]が家中に*響いた Dad's ⌈angry voice [laughter] *echoed* through the house. // 割れるような拍手が会場に*響き渡った (⇒ 会場が鳴り響いた) The hall ⌈*rang* [*resounded*] with thunderous applause.

2 «影響を与える»: affect ⑩ (☞ えいきょう; あくえいきょう). ¶ 物価の上昇は我々の日常生活に大きく*響く A rise in prices seriously /sí(ə)riəsli/ *affects* our everyday life.

びびたる 微微たる ── 形 (わずかの) small, little; (ほんの少しの) slight; (重要でない) insignificant. (☞ わずか; ちいさい[な]; つまらない; ささい). ¶ 私たちのもうけは*微々たるものだ Our profits are ⌈*slight* [very *small*]. // 彼らの損失は*微々たるものです Their losses are *insignificant*.

ビビッド ── 形 vivid. ¶ *ビビッドなその場の描写 a *vivid* description of the scene

ひひょう 批評 ── 图 (批判的な) criticism Ⓤ; (書評) review Ⓒ; (論評) comment /kɑ́ment/ Ⓒ; (簡単な) remark Ⓒ; (評論) critique /krɪtíːk/ Ⓒ. ── 動 criticize (《英》 criticise) ⑩; review ⑩; comment (on ...) ⓐ, make a comment (on ...); remark (on ...) ⓐ.

【類義語】 最も一般的に用いられる語は **criticism** で, しばしば欠点をあげて批判するときに用いる. 書物や劇などの批評は **review**. 観察してそれについて意見を述べるのは **comment**. 思ったことなどを簡単に言うときには **remark**, 詳しい論評には **critique** を用いる. (☞ ひょうろん; しょひょう)

¶ 新刊書の*批評は全部読む I read every ⌈*criticism* [*review*] of new books. // この新しい案を自由に*批評して下さい Please *criticize* this new plan freely. // 私は彼の演奏について新聞に*批評を書いた I ⌈wrote a *review about* [*reviewed*] his performance for a newspaper. // この特別番組について

*批評をお願いします (⇒ コメントしていただけますか) Will you ⌜make some *comments* [*comment*] *on* this special program? 批評家 (一般に) critic Ⓒ; (書物や劇などの) reviewer Ⓒ 批評眼 critical eye Ⓤ ★ 通常 a を付けて.

コロケーション
おざなりの批評 a casual *comment* / 建設的な批評 constructive *criticism* / 好意的な批評 a favorable *comment* / 鋭い批評 a ⌜shrewd [penetrating] *comment* / 痛烈な批評 a scathing /skéɪðɪŋ/ *comment* / 適切な批評 an appropriate *comment* / 手厳しい批評 a caustic *comment*

びびる (おじけづく)《略式》get cold feet; (ひるむ) wince (at ...) ㊀; (神経質になる) get nervous, have the jitters ★ 後者はくだけた表現. (☞ びくびく; ひるむ; しりごみ (類義語)). ¶ 何をそんなに*びびってるんだ What's making you so *nervous*? / What's giving you the *jitters*?

ひびわれ ひび割れ ― 名 crack Ⓒ. ― 動 (ひび割れる) crack ㊀. ¶ *ひび割れのある壁 a wall with *cracks* (in it) // グラスに熱湯を注がないようにね. *ひび割れしますよ Don't pour hot water into the glass, or it will *crack*.

ひびわれる ひび割れる ☞ ひび[1]

ひひん ― 名 (馬の鳴き声) neigh /néɪ/ Ⓒ. ― 動 neigh ㊀. (☞ 動物の鳴き声 (囲み); 擬声・擬態語 (囲み)). ¶ 馬は*ひひんといなないた The horse ⌜gave a loud *neigh* [*neighed* loudly].

びひん 備品 (移動できるもの) furniture Ⓤ; (備え付けのもの) furnishings ★ 複数形で. furniture よりも広義に用いられる; (室内などに取り付けたもの) fixtures, fittings ★ 複数形で; (特定の目的のための設備) equipment Ⓤ. (☞ かぐ[1]; せつび). ¶ この机は学校の*備品 (⇒ 資産) です This desk is school *property*. // この実験室は*備品がそろっている (⇒ 完全な設備を持っている) This laboratory /lǽb(ə)rətɔ̀ːri/ has the complete *equipment*. / (⇒ よく[完全に]設備されている) This laboratory *is* ⌜very well [completely] *equipped*.

ビビンバ 〘料理〙 *bibimbap* Ⓤ; (説明的には) Korean dish of boiled rice cooked with vegetables and beef Ⓒ. ¶ 石焼き*ビビンバ stone-baked *bibimbap*

ひふ 皮膚 skin Ⓤ (☞ はだ; かわ[2]). ¶ 私は*皮膚が強い[弱い] (⇒ 健康的[敏感]な皮膚を持つ) I have ⌜healthy [delicate; sensitive] *skin*. (☞ 可算・不可算名詞 (巻末)) // 人は*皮膚の色の違いで差別されるべきではない People should not be discriminated against ⌜based on [on (the) grounds of] (their) ⌜*skin* color [(⇒ 人種で) *race*]. 皮膚移植 skin grafting Ⓤ 皮膚炎 〘医〙 dermatitis /dɚ̀ːmətáɪtɪs/ Ⓤ 皮膚科 (病院の) dèrmatólogy depàrtment Ⓒ 皮膚科医 dèrmatólogist Ⓒ, 《略式》 skín dòctor Ⓒ 皮膚癌 skín càncer Ⓤ 皮膚感覚 skin sensation Ⓤ 皮膚呼吸 skin respiration Ⓤ 皮膚病 skin ⌜disorder [disease] Ⓤ.

ひぶ[1] 日歩 daily interest per hundred yen Ⓤ (☞ りし). ¶ *日歩 2 銭で金を借りる borrow money at an *interest rate of* two sen *a day per 100 yen*. // 金利は*日歩計算だ (⇒ 利子は日決めで計算される) Interest is calculated ⌜*per diem* [*by the day; daily*].

ひぶ[2] 秘部 (秘密の場所) secret [private] place Ⓒ.

ビブ (男性名・女性名) Viv ★ Vivian, Vivien /vívian/, Vivienne /vìvién/ の愛称.

ビフィズスきん ビフィズス菌 lactobacillus bifidus /lǽktoubəsíləs baɪfídəs/ Ⓤ.

びふう[1] 微風 breeze Ⓒ (☞ かぜ[1]).

びふう[2] 美風 (よい習慣) good custom Ⓒ.

ひふきだけ 火吹き竹 bamboo blower Ⓒ.

ひふく[1] 被服 clothing Ⓤ (☞ いりょう[2]; いふく[1]). 被服費 clothing expenses ★ 通例複数形で.

ひふく[2] 被覆 covering Ⓤ; (上塗り) coating Ⓤ. ¶ *被覆材料 a *covering* material

ひふくきん 腓腹筋 sural muscle Ⓒ.

ひぶくれ 火脹れ ― 名 blister Ⓒ. ― 動 blister ㊉ ㊀.

ひぶそう 非武装 demilitarization /dìːmìlətərɪzéɪʃən/ Ⓤ. ¶ *非武装地帯 a *demilitarized* zone (略 DMZ). 非武装中立 unarmed neutrality Ⓤ.

ひぶた 火蓋 火ぶたを切る ― 動 (砲撃を開始する) open fire; (開始する) 《略式》 kick óff ㊉ ★ 元はフットボール用語; (始める) start ㊉. (☞ はじまる (類義語)). ¶ 彼らは戦いの*火ぶたを切った (⇒ 砲撃を開始した) They *opened fire*. // 彼は華々しく選挙戦の*火ぶたを切った (⇒ 選挙運動を開始した) He *kicked off* the election campaign in style. // 彼らはその問題について激しい討論の*火ぶたを切った They *started* a heated discussion on the subject.

ひぶつ 秘仏 Buddhist statue not on public view Ⓒ.

ビフテキ steak /stéɪk/ Ⓒ, beefsteak Ⓒ ★ 前者が普通.

ひふようしゃ 被扶養者 dependent Ⓒ (↔ supporter) (☞ ふよう[3]).

ビブラート 〘楽〙 (震わせて出す音[声]) vibrato /vɪbráːtou/ Ⓒ (複 ~s).

ビブラフォン vibraphone /váɪbrəfòun/ Ⓒ. ビブラフォン奏者 víbraphònist Ⓒ.

ビブリオ (腸炎を起こす細菌) vibrio Ⓒ.

ビブリオグラフィー bìbliógraphy Ⓒ (☞ ぶんけん[1]).

ひぶん 碑文 (墓碑銘) épitàph Ⓒ; (記念碑などに刻まれた) inscription Ⓒ 〔語法〕 墓などに刻まれる追悼の詩文が epitaph で, 一般的に刻みこまれたものを指すのは inscription.

びぶん[1] 微分 ― 名 (微分学) differential /dífərènʃəl/ cálculus Ⓤ; (微分(法)) differèntiátion Ⓤ. ― 動 dìfferéntiàte ㊉. 微分関数 dífferèntial fúnction Ⓒ 微分幾何学 differéntial geómetry Ⓤ 微分係数 dìfferéntial còefficient Ⓒ 微分方程式 dìfferéntial equátion Ⓒ.

びぶん[2] 美文 (華麗な表現) flowery language Ⓤ; (華麗なスタイル) flowery style Ⓒ. (☞ ぶんしょう[1]; 文体 (巻末)).

びぶんおんおんがく 微分音音楽 microtone music Ⓤ.

ひふんこうがい 悲憤慷慨 ― 名 (不正などに対する憤り) indignátion Ⓤ. ― 動 (憤る) be indígnant (over ...; about ...; with ...) ★ over, about の後には「事柄」, with の後には「人」; (嘆き悲しむ) 《格式》 deplore ㊉. (☞ ぎふん). ¶ 彼はその贈賄事件に*悲憤慷慨している He *is indignant* ⌜*over* [*about*] the bribery case.

ひぶんれつさいぼう 非分裂細胞 〘生〙 nondividing cell Ⓒ.

ひへい 疲弊 (疲れ) exhaustion /ɪgzɔ́ːstʃən/ Ⓤ (☞ つかれる[1]; ひろう[2]).

ビヘイビア behávior (《英》 behaviour) Ⓒ. ¶ *ビヘイビアパタン a *behavior* pattern ビヘイビアリズム behaviorism Ⓤ.

ピペット 〘化〙 pipet(te) /paɪpét/ Ⓒ.

ひへん[1] **日偏** (漢字の) sun radical on the left of kanji Ⓒ.

ひへん[2] **火偏** (漢字の) fire radical on the left of kanji Ⓒ.

びぼいん 鼻母音 〖音声〗 nasal vowel Ⓒ.

ひほう[1] **悲報** (悲しい知らせ) sad news Ⓤ.

ひほう[2] **秘宝** treasure Ⓤ《☞ たから》.

ひほう[3] **秘法** (秘密の方法) secret method Ⓒ; (秘訣(ひけつ)) secret Ⓒ. 《☞ ひけつ[1]》. ¶ *秘法を授ける teach a *secret method* // 長寿の*秘法を知りたいもんだ I want to know the *secret* of ⌈a long life [longevity]. ★ [ ] 内は格式ばった語.

ひほう[4] **飛報** express message Ⓒ《☞ きゅうほう[1]》.

ひぼう 誹謗 ── [動] (ののしる) abuse /əbjúːz/ (他); (中傷する) slander (他). ── [名] abuse /əbjúːs/ Ⓤ; slander Ⓤ. 《☞ ちゅうしょう[2]; わるくち》.

びぼう 美貌 ── [名] (美しい顔立ち) good looks ★ 通例複数形で; (美しさ) beauty Ⓤ. ── [形] (顔かたちのよい) good-looking ★ 口語的で男女ともに使う; (女性が) beautiful; (主として男性が) handsome. 《☞ うつくしい (類義語); びじん (類義語)》. ¶ 彼は娘の*美貌をたいへん自慢している He is very proud of his daughter's *good looks*. // 彼は彼女の*美貌に心を奪われた He was fascinated ⌈with [by] her *beauty*.

ひぼうりょく 非暴力 ── [名] nonviolence Ⓤ. ── [形] nonviolent. ¶ *非暴力政策 the [a] policy of *nonviolence*

びぼうろく 備忘録 notebook Ⓒ.

ヒポクラテス ── [名] (固) Hippocrates /hɪpákrətìːz/, 460?–?377 B.C. ★ 古代ギリシャの医師. ¶ *ヒポクラテスの宣誓 the *Hippocratic* Oath

ひほけんしゃ 被保険者 insured person Ⓒ, the insured ★ 後者は個人を指す場合にも, 集合的にも用いる. 《☞ ほけん[1]》.

ひほごこく 被保護国 (従属国) dependency Ⓒ, dependent state Ⓒ; (保護国) protectorate Ⓒ.

ひほごしゃ 被保護者 (子分) protégé /próʊtəʒèɪ/ Ⓒ ★ protégé の ´ は綴り本来のもの; 〖法〗 ward Ⓒ (↔ guardian). 《☞ ほご[1]》.

ヒポコンデリア 〖医〗 hypochondria /hàɪpəkándriə/ Ⓤ ★ 心気症, 俗に憂うつ病.

ひぼし[1] **干乾し** ── [動] (干乾しになる・餓死する) starve (自), be starved.

ひぼし[2] **日干し** ── [形] (日光で乾かした) (sun-)dried. ── [動] (日干しにする) dry ... in the sun. **日干し煉瓦** sun-dried brick Ⓒ, adobe /ədóʊbi/ Ⓤ.

ピボット (旋回軸・ダンスで片足を軸として回転すること) pivot Ⓒ. **ピボットターン** pivot Ⓒ.

ひほん 秘本 (秘蔵の) treasured book Ⓒ; (秘密の) secret [rare] book Ⓒ.

ひぼん 非凡 ── [形] (並外れた) extraordinary /èkstrɔ́ədənèri/ (↔ ordinary); (普通ではない) unusual; (珍しい) uncommon; (注目すべき) remarkable. 《☞ なみはずれた》. ¶ 彼女には*非凡な才能がある She has ⌈*extraordinary* [*unusual*; *uncommon*; *remarkable*] ability. // 彼は語学に*非凡な才能を発揮した He displayed ⌈(a) *remarkable* [(an) *unusual*; (an) *extraordinary*] talent for language study. // 彼は*非凡な人物だ (⇒ 普通の人ではない) He is *no ordinary* man.

びほん 美本 (装丁の美しい) beautifully-bound book Ⓒ; (古書で保存状態のよい) used book in perfect condition Ⓒ.

ひま 暇 **1** 《時間》: time Ⓤ 《☞ じかん[1]》. ¶ 私は忙しくて旅行をする*暇がない I am so busy that I have no *time* ⌈for (going on) trips [to go on a trip]. / (⇒ 忙しくて旅行できない) I am *too busy to* travel. ★ 第 2 文のほうが口語的. // 彼は*暇を持て余している (⇒ つぶす時間がありすぎる) He has too much *time* to kill. // 期末試験が済めば, 学生は*暇になる When the final exams are finished, students will *have time on their hands*. // これ以上, この問題にかける*暇はない (⇒ これ以上の時間をかける余裕はない) I cannot afford to spend any more *time* on this problem. // そんなことを考える*暇に (⇒ 考える代わりに) 働きなさい *Instead of* thinking about such things, work hard.

2 《余暇》 ── [名] (暇な時間) leisure /líːʒə/ Ⓤ; (余分な時間) (spare) time Ⓤ, time to spare Ⓤ; (自由になる時間) free time Ⓤ. ── [形] (暇な・仕事がない) free. 《☞ レジャー [日英比較]》. ¶ *暇なときにこの本を読めばよい You can read this book *when you have* ⌈*(the) time* [*a chance*]. // あすは 1 日中*暇ですから, 遊びにいらっしゃい I'll be *free* all day tomorrow, so please come ⌈and [to] see me. // お*暇なら if you ⌈are *free* [(⇒ 余分の時間があれば) *have time to spare*] // *暇な人 (⇒ 忙しくない人[手のあいている人]) は手伝ってくれませんか Those who *are not* ⌈*busy* [*occupied*], please lend me a hand. // 彼女は*暇さえあれば推理小説を読んでいる (⇒ 彼女の余った時間はすべて推理小説を読むのに費やされる) All her *spare time* is spent (on) reading detective stories.

3 《休み》 ── [名] (願い出て与えられる休暇) leave Ⓒ. ── [副] (仕事などを休んで) off. 《☞ やすみ; きゅうか[1]》. ¶ 彼女は 1 日*暇を取って私に会いに来た She took a day *off* to see me. // 1 か月の*暇をいただきたい I would like to ⌈have a month's *leave* [take a month *off*].

4 《解雇》 ── [動] (首にする) fire (他), dismiss (他) ★ 前者のほうが口語的. 《☞ かいこ[1]》. ¶ 仕事を怠けたのでそのお手伝いには*暇を出した I ⌈*fired* [*dismissed*] the maid because she neglected her work.

5 《商売の閑散》 ── [形] (活気のない) dull; (不景気な) slack, slow. 《☞ ふけいき; ふしん[3]》. ¶ 2 月と 8 月は商売が*暇だ Business is ⌈*slow* [*slack*] in February and August.

暇に飽かす take advantage of the abundant time

暇をつぶす kill [pass] time 《☞ ひまつぶし》

暇人 idle person Ⓒ.

ひまく[1] **皮膜** membrane Ⓒ; (薄い膜) film Ⓒ. 《☞ まく[5]》.

ひまく[2] **被膜** 〖解〗 (生物体の) capsule /kǽpsl/ Ⓒ; (表面の) film Ⓒ.

ひまく[3] **飛膜** (コウモリなどの) wing membrane Ⓒ, patagium /pətéɪdʒiəm/ Ⓒ 《複 -gia /-dʒiə/》.

ひまご 曾孫 great-grandchild Ⓒ 《複 great-grandchildren》; (男の) great-grandson Ⓒ; (女の) great-granddaughter Ⓒ. 《☞ 親族関係 (囲み)》.

ひましに 日増しに ── [副] (1 日ごとに) day by day; (毎日) every day ★ 普通, 比較級の文に用いることが多い. ¶ *日増しに暖かくなってきた It is getting warmer *day by day*. // 事態は*日増しに悪化している The situation is getting worse and worse *every day*.

ひましゆ ひまし油 castor oil Ⓤ.

ひまつ 飛沫 (霧状の) spray Ⓤ; (はね散った) splash Ⓒ. 《☞ しぶき》. **飛沫感染** droplet [airborne] infection Ⓤ.

ひまつぶし 暇つぶし ¶ 私は*暇つぶしにテレビを見た I watched television just to *kill time*. 《☞ ひま; つぶす》

ひまつり 火祭り fire festival Ⓒ.

ひ

ひまどる 暇取る (時間がいる) take (much) time; (おくれる) be delayed. ¶思ったより準備に*暇取った The preparations *took more time* than I expected.

ヒマラヤ (山脈) the Himalayas /hìməléɪəz/ ★ the Himalaya と単数形で用いられることもある; the Himalaya Mountains ★ the を付けて. M は大文字で. (☞ 冠詞 (巻末)).

ヒマラヤすぎ ヒマラヤ杉 〔植〕 Himalayan cedar Ⓒ.

ひまわり 向日葵 〔植〕 sunflower Ⓒ.

ひまん 肥満 ── 形 (医学的に見て太りすぎの) obese /oʊbíːs/; (太った) fat ★ 最も一般的な語; (太って特に腹が出ている) (格式) corpulent ★ 婉曲的な表現. ── 名 obesity Ⓤ; fatness Ⓤ; (格式) corpulence Ⓤ. ── 動 (太る) get fat; (体重がふえる) put on weight. (☞ ふとる (類義語)). ¶*肥満に (⇒ 太らないように) 気をつけなさい Be careful that you don't *get fat*. // 食べすぎが彼の*肥満の原因だ (⇒ 食べすぎが彼を肥満にした) Overeating made him *obese*.

肥満型 pýcnic [pýknic] tỳpe Ⓒ; (肥満型の人) pycnic Ⓒ 肥満児 óverwèight [obése] chíld Ⓒ. 肥満症 〔医〕 obésity Ⓤ 肥満度 the ⌈obesity [corpulence] index 肥満度指数 BMI Ⓤ ★ *b*ody *m*ass *i*ndex の略.

びみ 美味 ── 形 (おいしい) delícious. ── 名 deliciousness Ⓤ; (口当たりのよさ) délicacy Ⓤ ★「おいしい物」の意では Ⓒ. (☞ おいしい).

ひみこ 卑弥呼 ── 名 個 (Queen) Himiko; (説明的には) a legendary queen of Yamatai, an ancient country in Japan. ★ 邪馬台国の 3 世紀前半の女王.

ひみつ 秘密 ── 名 (秘密事項) secret Ⓒ; (秘密であること, または秘密を守ること) secrecy Ⓤ; (国家機密などの) (米) classified information Ⓤ; (他人には秘密にしておく私的なこと) privacy Ⓤ. ── 形 (秘密の) secret ★ 最も一般的な語で以下の語の代わりにも使える; (国家機密などに関する) classified; (信頼し合っている人たちだけの間で秘密にしている) confidential; (私的なことで内緒の) private. ── 副 secretly, in secret; confidentially; privately. (☞ ないしょ; ごくひ).

¶その製法は*秘密だ The process is (a) *secret*. // それは公然の*秘密だ It is an open *secret*. // このことは 2 人だけの*秘密だ (⇒ 私とあなたの間のことである) This is *between* ⌈*you and me* [*us*]. 語法 you and me のように二人称が先に来る固定した語順に注意. // それは*秘密にしておこう Let's keep it a *secret*. // あなたは*秘密を守れますか Can you keep a *secret*? // その*秘密は決してばれないだろう (⇒ 明るみに出ないだろう) The *secret* will never come to light. // *秘密はすでに漏れてしまった The ⌈*secret* [*classified information*] ⌈is already out [has already been leaked]. // 彼女は婚約を親友にも*秘密にしておいた She *kept* her engagement *secret* even *from* her close friends. // その計画は*秘密のうちに実行された The plan was carried out ⌈*in secret* [*secretly*]. // 彼女は私に*秘密を打ち明けた She ⌈revealed [disclosed] her *secret* to me. / (⇒ 信頼して打ち明けた) She confided her *secret* to me. // 信書の*秘密を侵してはならない We should not violate the ⌈*privacy* [*confidentiality*] of correspondence. // だれも私の*秘密をかぎつけた者はいない (⇒ だれも見出していない) No one has ⌈found out [discovered] my *secret* yet. // 私は彼の*秘密を握っている I ⌈hold [have; keep] his *secret* in my ⌈head [memory]. // これは*秘密事項だ This is strictly *confidential*. // 彼の成功の*秘密は (⇒ 鍵は) 勤勉さにある The ⌈*secret* of [*key to*] his success is his diligence.

秘密会議 (外部の人を入れない) closed-door meeting Ⓒ, secret [private] meeting Ⓒ 秘密外交 secret diplomacy Ⓤ 秘密協定 secret agreement Ⓒ 秘密警察 (the) security [secret] police Ⓤ 秘密結社 secret ⌈society [organization] Ⓒ 秘密工作員 secret [undercover] agent Ⓒ 秘密情報 secret [classified] information Ⓤ 秘密調査 confidential inquiry Ⓒ 秘密文書[書類] confidential document Ⓒ 秘密保護法 the Espionage Law ★ 日米相互防衛援助協定等に伴う秘密保護法の略称. 秘密漏洩(ろうえい) leakage of a secret Ⓤ 秘密漏洩罪 charge of leaking a secret Ⓒ.

コロケーション

秘密をうっかりしゃべる blurt out a *secret* / 秘密を嗅ぎ出す ferret out a *secret* / 秘密を暴露する uncover a *secret* / 秘密をべらべらしゃべる blab out a *secret* / 秘密を守る keep [guard] a *secret* / 秘密を漏らす reveal [betray] a *secret*; spill the beans

びみょう 微妙 ── 形 délicate, subtle /sʌ́tl/, nice, fine.

【類義語】以上 4 語はほぼ同意だが, 最も一般的な語は ***delicate*** で, 対象物の扱いにくさ, もろさを暗示する表現. やや格式ばった語で, 微妙の程度がさらに強い表現は ***subtle***. 微細さを強調する表現は ***nice***. 努力してやっと見えるほどの細かさを強調する表現は ***fine***. ¶私はいま*微妙な立場にある I am now in a *delicate* position. // この 2 つの文には*微妙な意味の相違がみられる There are ⌈*delicate* [*subtle*; *fine*] shades of meaning between these two sentences. // 彼らの間に*微妙な意見の相違が生じた A ⌈*subtle* [*delicate*; *nice*] difference of opinion has arisen between them.

ひむろ 氷室 icehouse Ⓒ.

ひめ 姫 princess Ⓒ. ¶一*姫二太郎 (⇒ 最初に娘を, 次に息子を持つのが夫婦の理想だ) It is ⌈an [the] ideal of a married couple to have a *daughter* first, then a son. ★ 説明的な訳.

ひめあざみ 姫薊 〔植〕 *himeazami* Ⓒ; (説明的には) thistle that grows in the highlands of western and southern Japan Ⓒ.

ひめい[1] 悲鳴 ── 名 scream Ⓒ, shriek Ⓒ 語法 痛み・苦しみ・恐怖などの金切り声は scream. ちょっとした原因で突然叫ぶのは shriek; (苦痛の叫び) cry of pain Ⓒ. ── 動 scream 自; shriek 自; crý óut 自. (☞ さけぶ (類義語)).

¶その寂しい通りから*悲鳴が聞こえた I heard a *scream* ⌈come [coming] from that quiet street. // 彼女は*悲鳴をあげて助けを求めた (⇒ 助けを求めて叫んだ) She ⌈*cried out* [*screamed*] *for* help. // その子はあまりの痛さに [怖さに] *悲鳴をあげた The child *screamed with* ⌈pain [fright; fear]. / The child *gave a cry of* ⌈pain [fright; fear]. // 私は忙しくて*悲鳴をあげた (⇒ 仕事が多くてまいった) I *was overwhelmed* ⌈by (a great deal of) [with] work. // わが社の生産は注文に間に合わず, うれしい*悲鳴をあげています (⇒ 嬉しいより忙しい) As (our) production cannot catch up with (the) demand, we *are more busy than happy*.

ひめい[2] 碑銘 épitàph Ⓒ.

びめい 美名 ¶彼は社会奉仕という*美名に隠れて (⇒ 口実のもとに) 金もうけをしている He is making money *under the* ⌈*cloak* [*veil*] *of* working for the public benefit. // その戦争は正義のためという*美名のもとに (⇒ 正義の名において) 行われた The war was waged *in the name of* justice.

ひめぎみ 姫君 ☞ひめ

ひめくり 日捲り daily ┌block [pad] calendar Ⓒ. ¶*日めくりをめくる tear a leaf off a *daily calendar*

ひめこがね 姫黄金 〔昆〕soybean beetle Ⓒ.

ひめごと 秘め事 secret Ⓒ《☞ ひみつ》.

ひめじ 比売知 〔魚〕mullet Ⓒ.

ひめじょおん 姫女苑 〔植〕daisy fleabane Ⓒ.

ひめだい 姫鯛 〔魚〕crimson snapper Ⓒ.

ひめばち 姫蜂 〔昆〕ichneumon /ɪkn(j)úːmən/ fly Ⓒ.

ひめます 姫鱒 〔魚〕kokanee /koʊkǽni/ (sálmon) Ⓒ.

ひめゆり 姫百合 〔植〕star lily Ⓒ.

ひめる 秘める (人に話さないでおく) keep ... to *oneself*; (思い出などを胸に) cherish ⑯; (隠す) hide ⑯. 《☞ ひみつ》. ¶私はその秘密を一生胸に*秘めておくつもりだ I'll *keep* the secret *to myself* all my life.

ひめん 罷免 ― 動 (解雇する) dismiss ⑯, discharge ⑯ 語法 (1) 特に能力がないとか怠慢などによるものが discharge で, dismiss より厳しい; (首にする) fire ⑯ 語法 (2) 口語的で, 日本語の「罷免」というニュアンスとは少しずれる. ― 名 dismissal Ⓤ; discharge Ⓤ. 《☞ かいにん[1] (類義語); とく[1]》. 罷免権 the ┌power [authority] to dismiss.

ピメント 〔植〕pimiento /pɪm(j)éntoʊ/ Ⓒ, piménto Ⓒ. ピメントチーズ pimiento cheese Ⓤ.

ひも 紐 1《物などを縛る》: (細い) string Ⓤ; (太いひも) cord Ⓒ; (革ひも) strap Ⓒ; (靴のひも) shoelace Ⓒ, 《米》shoestring Ⓒ ★以上 2 語は通例複数形で; (洗濯物などを干す) line Ⓒ. 《☞ なわ; つな; くつ (挿絵)》.

¶彼は包みを*ひもで堅く結んだ He tied up the package securely with a piece of *string*. // 彼らは泥棒の手足を*ひもで縛り上げた They bound the thief's hands and feet with a *cord*. // 私はスーツケースに革*ひもをかけた I put a *strap* around the suitcase. // 走っているうちに靴の*ひもがほどけた My ┌*shoelaces* [*shoestrings*] ┌came [got] loose while I was running. // 最近靴の*ひもが結べない子供が多い (⇒ 多くの子供が靴を結べない) Many children today cannot *tie* their own shoes. // 彼らの財布の*ひもは堅い (⇒ ひもを堅くした) They have tightened their purse *strings*.

2《比喩的意味》: (売春のぽんびき) pimp Ⓒ; (付帯条件) strings ★複数形で. 《☞ ひもつき》.

ひもがたどうぶつ 紐形動物 〔動〕nemertean /nɪmə́ːtiən/ Ⓒ, ribbon worm Ⓒ.

ひもかわうどん 紐革饂飩 ☞ きしめん

ひもく 費目 item of expenditure Ⓒ《☞ こうもく》. ¶経費を*費目別に (⇒ 項目に従って) 記入する enter the expenses ┌*according to the items* [(⇒ 項目ごとに) *item by item*]

びもくしゅうれい 眉目秀麗 ― 形 (立派な) handsome; (顔立ちのよい) good-looking. ¶*眉目秀麗な青年 a *handsome* young man

ひもげいとう 紐鶏頭 〔植〕love-lies-bleeding Ⓒ.

ひもじい ― 形 hungry 《☞ くうふく》.

ひもすがら 終日 ☞ しゅうじつ[1]

ひもち[1] 日持ち, 日保ち ¶この食品は*日持ちがいい (⇒ 何日ももつ) This food *keeps for many days*. 《☞ もち[1]》

ひもち[2] 火持ち, 火保ち ¶この炭は*火持ちがよい This charcoal keeps burning for a long time. // *火持ちがわるい (⇒ すぐに燃えつきる) burn (out) too quickly

ひもつき 紐付き ― 名 (付帯条件) strings ★複数形で; (制約・条件) condition Ⓒ. ― 形 (条件付きの) conditional. 《☞ じょうけん》. ¶*ひも付きの援助[契約] a *conditional* ┌offer [contract] // *ひも付きの金は (⇒ 条件のついた金は) いらない I can't accept money with ┌*strings* [*conditions*] *attached*.

ひもと 火元 ¶*火元は実験室だった (⇒ 火事は実験室で始まった) The *fire* ┌*started* [*originated*] in the laboratory.

ひもとく 繙く (読む) read ⑯ 《☞ よむ》.

ひもの 干物 ― 名 dried fish Ⓒ. ― 動 (干物にする) dry ⑯. 《☞ ひぼし》.

ひや 冷や (冷たい水) cold [chilled] water Ⓤ; (冷やした酒) cold [chilled] sake Ⓤ. 《☞ ひやざけ》.

¶お*冷やをください (⇒ 水を 1 杯) Give me *a glass of water*. // この酒は*冷やで飲むほうがいい This sake tastes better when you drink it ┌*unwarmed* [*unheated*]. / (⇒ 冷やして出す) This sake is better served ┌*chilled* [*cold*].

ひやあせ 冷や汗 a cold sweat ★ a を付けて. 《☞ あせ》. ¶私はそのとき*冷や汗をかいた I *broke into a cold sweat* then. // 彼女は恥ずかしさで*冷や汗をかいた She *perspired* with embarrassment.

ビヤガーデン beer garden Ⓒ.

ひやかし 冷やかし (ショーウインドーをのぞいて歩くこと) window-shopping Ⓤ; (人) window-shopper Ⓒ.

ひやかす 冷やかす (おもしろがってからかう) make fun of ...; (人を傷つけるようなことを言って) tease ⑯; (実際には買い物をせずただショーウインドーだけをのぞいて歩く) window-shop ⓐ. 《☞ からかう》.

¶ガールフレンドと歩いていたら, 友達に*冷やかされた I was ┌*made fun of* [*teased*] by my friends ┌when [as] I was walking with my girlfriend.

ひやく[1] 飛躍 1《急速な進歩》 ― 形 (急速な) fast, rapid. ― 副 (飛び越えるようにして) by leaps and bounds. 《☞ きゅうげき[1]》.

¶科学は*飛躍的に進歩した Science has made ┌*fast* [*rapid*] progress. / Science has advanced *by leaps and bounds*.

2《論理の》 ― 名 leap of logic Ⓒ, logical ┌jump [leap] Ⓒ.

¶彼の議論には論理の*飛躍がある There is a ┌*leap of logic* [*logical jump*] in his argument.

ひやく[2] 秘薬 secret [magic] ┌remedy [medicine] Ⓒ.

ひゃく 百, 100 ― 名 形 hundred 語法 (1) 「第 100(番目)の」あるいは「第 100(番目)のもの」の場合は the (one) hundredth. また 100 は a [one] hundred だが, 特に数を強調するときは one を用いる. 《☞ 数字 (囲み)》. ¶その箱にはりんごが *100 個入っている There are ┌*a* [*one*] *hundred* apples in the box. // そのデモには*200 人が参加した Two *hundred* people joined the demonstration. 語法 (2) 2 以上の数詞を伴っても hundred*s* としない. ただし, 「何百もの…」という場合には hundreds of ... と複数形にする. // 彼の書斎には何*百冊という本がある He has *hundreds of* books in his study. // *百歳以上の人 a *centenarian*

百に一つ (大変まれな可能性) very rare possibility. ¶我々が勝つ見込みは*百に一つだ The odds are *100 to one* that we will win. 百も承知 ¶そんなことは*百も承知だ (⇒ 十分に心得ている) I *know* it *full well*. / I'm *well aware of* it.

びやく 媚薬 aphrodisiac /æfrədíziæk/ Ⓒ.

びゃくい, びゃくえ 白衣 ☞ はくい

ひゃくがい 百害 ¶喫煙は*百害あって一利なしだ (⇒ 全く何の利益もない) Smoking *has no merit(s)*

whatsoever.
ひゃくげい 百芸 all sorts of accomplishments.
ひゃくじつこう 百日紅 ☞ さるすべり
ひゃくじゅう 百獣 **百獣の王** the king of beasts.
ひゃくじゅうきゅうばん 119 番 119 Ⓤ ★ óne-òne-níne と読む. 通報の意味では Ⓒ. 《☞ ひゃくとおばん 日英比較》. ¶ *119 番に電話しなさい Call [Dial] *119*!
ひゃくしゅうねん 百周年 centénary Ⓒ; 《米》 centénnial Ⓒ. ¶ *百周年記念 *centénnial* ànnivérsary
ひゃくしゅつ 百出 ¶ その問題で議論が*百出した (⇒ 白熱した議論) The matter became the subject of *heated* discussion. / (⇒ 様々な議論) There was *a* ⌈*variety of* [*wide-ranging*] discussion on the matter.
ひゃくしょう 百姓 (農場経営者を含めた) farmer Ⓒ; (小作農) peasant Ⓒ. **百姓一揆** peasant uprising Ⓒ **百姓仕事** farming Ⓤ; farm work Ⓤ **百姓家** farmhouse Ⓒ; peasant cottage Ⓒ.
ひゃくせん 百戦 ¶ *百戦練磨の課長[政治家] a *veteran* ⌈manager [politician] // われわれのチームは*百戦百勝だった Our team was ⌈*invincible* [*victorious in every competition*].
びゃくだん 白檀 〘植〙 sandalwood Ⓤ.
ひゃくてん 百点 (100 パーセント) a [one] hundred percent, 100 percent 日英比較 日本語でいう「点」を英語ではパーセントで言うことが多い; (得点) one [a] hundred points; (満点) full marks ★ 複数形で. 《☞ てん¹; まんてん¹》. ¶ 彼は数学で*100 点 (⇒ 満点) を取った He got ⌈*a hundred percent* [*100 percent*; *full marks*] in math.
ひゃくど 百度 ☞ おひゃくど
ひゃくとおばん 110 番 110 Ⓤ ★ óne-òne-ó /óʊ/ と読む. 通報の意味では Ⓒ. ¶ *110 番に電話する call [dial] *110* 日英比較 日本の 110 番と 119 番を統合した緊急電話として, 米国では一般に 911 番が, 英国では 999 番が使用される. 前者は níne-òne-óne, 後者は níne-nìne-níne と読む.
ひゃくにちぜき 百日咳 whooping /húːpɪŋ/ cough Ⓤ.
ひゃくにちそう 百日草 〘植〙 zinnia Ⓒ.
ひゃくにちてんか 百日天下 (very) brief reign Ⓒ. ¶ その国王の治世は*百日天下だった The king's reign *lasted only a very short period.*
ひゃくにんいっしゅ 百人一首 (かるた) Japanese traditional playing cards based on one hundred well-known ancient poems of thirty-one syllables each ★ 説明的な訳. ¶ 彼らは元日に*百人一首をした They played *the card game of one hundred famous poems* on New Year's Day.
ひゃくにんりき 百人力 (すばらしい力) tremendous [Herculean] strength Ⓤ; (力持ち) man of great strength Ⓒ. ¶ 彼がわが党に参加してくれれば*百人力だ If he would become a member of our party, it would be a *tremendous help.*
ひゃくねん 百年 a [one] hundred years, a century. **百年河清をまつ** (実現不可能なことを空しく待つ) *wait for the impossible* / *When the sky falls, we shall catch the lark.* 《ことわざ: 空が落ちてくれれば雲雀(ひばり)が獲れるのだが》
ひゃくねんき 百年忌 the centennial of ...'s death.
ひゃくねんさい 百年祭 centénnial Ⓒ, centénary Ⓒ. 《☞ -ねんさい》.
ひゃくねんせんそう 百年戦争 the Hundred Years' War ★ 英仏間で戦われた数次にわたる戦争 (1337–1453).
ひゃくねんのけい 百年の計 long-range ⌈plan [program] Ⓒ. ¶ 国家*百年の計が是非とも必要である There is an absolute necessity for *long-range planning* for our nation.
ひゃくねんめ 百年目 the hundredth year. ¶ ここで会ったが*百年目 (⇒ 逃れることができない) You can't ⌈escape [get out; get away] now since I've caught you here.
ひゃくパーセント 百パーセント one [a] hundred percent, 100 percent, 100%. 《☞ パーセント》. ¶ 私は*100 パーセント勝つ自信がある I am ⌈*one hundred* [*100*] *percent* confident of winning.
ひゃくはちじゅうど 180 度 (度数) one [a] hundred (and) eighty degrees; (主義・態度などの 180° の転換) 《米》 an about-face ★ 通例単数形で. 参考 本来は「回れ右」のようにくるりと向きを変えること. 《☞ せいはんたい》. ¶ 新政府は税に関する政策を*180 度転換した The new government did *an about-face* on its tax policy.
ひゃくぶん 百聞 **百聞は一見にしかず** Seeing is believing. 《ことわざ: 見ることは信ずること》
ひゃくぶんりつ 百分率 percéntage Ⓒ 《☞ パーセント》.
ひゃくまん 百万, 100 万 ―名 形 million 語法 数の 100 万は a [one] million だが, 特に数を強調するときは one を用いる. また, 2 以上の数詞を伴っても million*s* とならないことに注意. ただし,「何百万もの…」という場合には millions of ... と複数形になる. 《☞ 数字 (囲み)》. ¶ 聖書は何*百万人もの人々によって読まれてきた The Bible has been read by *millions* of people. // *百万人の科学 《題名》 Science for *the Millions* **百万言を費やす** dwell on ... ¶ 彼はその件に*百万言を費やしたが誰も理解しなかった He *dwelt on* the topic *at great length*, but nobody could understand it. **百万長者** millionaire Ⓒ.
ひゃくめろうそく 百目蠟燭 *hyakume*-candle Ⓒ; (説明的には) big candle (that weighs one hundred *monme* or 375 g) Ⓒ.
ひゃくめんそう 百面相 ¶ 彼は子供たちを笑わせようと*百面相をしてみせた He ⌈*pulled* [*made*] *comic faces* at the children to make them laugh.
びゃくや 白夜 night with a midnight sun Ⓒ.
ひゃくやく 百薬 ¶ 酒は*百薬の長 Sake is the best of *all medicines.*
ひゃくようばこ 百葉箱 〘気〙 (気象観測用機器を入れた箱) screen Ⓒ.
ひゃくらい 百雷 ―名 a hundred claps of thunder. ―形 (百雷のような) thunderous.
ひゃくり 百里 a [one] hundred *ri* (＝244 miles). **百里を行くものは九十里を半ばとす** Ninety miles is (only) halfway for a traveler on a one-hundred-mile journey. **百里の道も一歩から** (第一歩が大切だ) It's the first step that counts. / Great oaks from little acorns grow. 《ことわざ: 立派な樫の木も小さな実から育つ》
びゃくれん 白蓮 〘植〙 white lotus Ⓒ.
ひやけ 日焼け ―名 (ほどよく焼けた) (sun)tan Ⓒ; (ひりひり痛い) sunburn Ⓤ. ―動 (sun)tan 他 自; sunburn 他 自. 《☞ ひ¹; やける¹》.
¶ 私は*日焼けした I ⌈*was* [*got*] ⌈*suntanned* [*tanned*]. // 見事に*日焼けしましたね You've got a nice *tan.* // 彼は真っ黒に*日焼けしている He *is* ⌈deeply [well] *tanned.* // 彼女は全身小麦色に*日焼けしていた Her whole body *was tanned* to a golden brown. // 私はすぐ*日焼けする I ⌈*tan* [*get a tan*] easily. **日焼け止め** (anti-)sunburn ⌈cream

[oil] Ⓤ, (cosmetic) sunscreen Ⓒ.
ひやざけ 冷や酒 (常温の酒) sake (at room temperature) Ⓤ; (冷やした酒) cold sake Ⓤ. 《☞ ひや》. ¶ 夏は*冷や酒に限る *Cold sake* is best in summer.
ひやしそうめん 冷やし素麺 chilled thin noodles.
ひやしそば 冷やしそば chilled (Chinese) noodles.
ヒヤシンス 〘植〙 hyacinth /háɪəsìnθ/ Ⓒ.
ひやす 冷やす (快適な程度に) cool ⊛ ★ 比喩的にも用いられる; (冷たくする) make ... cold ★ 客観的な表現; (氷で) ice ⊛; (冷蔵庫で) refrigerate ⊛ 語法 この意味でも cool を用いることが多い. 《☞ ひえる; つめたい》. ¶ ビールを冷蔵庫で*冷やそう Let's *cool* the beer in the refrigerator. // 彼はシャンパンを氷で*冷やした He *iced* the champagne. / He *cooled* the champagne on ice. // 頭を*冷やして (⇒ 冷静に) 考えれば事情がわかるはずだ If you think *calmly*, you will understand the circumstances. // 頭を*冷やせ *Cool* it!
ビヤだる ビヤ樽 beer barrel Ⓒ. ¶ やつは*ビヤ樽のような腹をしている He has a *potbelly*.
ひゃっか 百科 ¶ 動物*百科 an *encyclop(a)edia* of animals 《☞ ひゃっかじてん》
ひゃっかじてん 百科事典 ── 名 encyclop(a)edia /ɪnsàɪkləpíːdiə/ Ⓒ. ── 形 encỳclop(á)edic.
ひゃっかせいほう 百花斉放 ☞ ひゃっかそうめい
ひゃっかぜんしょ 百科全書 encỳclop(á)edia Ⓒ; (フランスの) the Encỳclop(á)edia. ★ 1751–80年に刊行されたもので, フランス革命の思想的根拠を与えたとされる. **百科全書家** Encyclop(a)edist Ⓒ.
ひゃっかそうめい 百家争鳴 free and lively discussions by a lot of controversialists. ¶*百家争鳴の (⇒ 大きな論争となっている) 政治問題 the political issue which caused *a lot of controversy*
ひゃっかてん 百貨店 depártment stòre Ⓒ 《☞ デパート》.
ひゃっかりょうらん 百花繚乱 ¶ 私は*百花繚乱の (⇒ たくさんの花が咲く) 春が好きです I like spring when *many flowers come out*. // その学会は*百花繚乱の趣があった (⇒ たくさんの優れた学者が集った) *A lot of distinguished scholars gathered* at the meeting.
ひゃっきやこう 百鬼夜行 ¶ 町は*百鬼夜行の場 (⇒ うさんくさい男達が我が物顔に闊歩する場所) と化した The town turned into a place where suspicious-looking men walked around as if they owned it.
ひゃっけい 百計 (あらゆる手段) all means. ¶*百計がつきた (⇒ 私はあらゆる手段を使いはたした) I exhausted *all means*. / (⇒ 途方にくれた) I was *at my wit's end*. // 彼は*百計をめぐらせて地位を得ようとしていた He tried *every means* available to obtain the position.
びゃっこ 白狐 white fox Ⓒ.
ひやっこい 冷やっこい ☞ つめたい
びゃっこたい 白虎隊 ── 名 固 the "White Tigers"; (説明的には) a group of gallant youths of the Aizu clan, who committed mass suicide after desperate battles against the Meiji Government Army in 1868.
ひゃっぱつひゃくちゅう 百発百中 ¶ 彼の射撃は*百発百中だった Every bullet he fired hit the target. / His shots never missed the mark. 《☞ あたる》 // 彼の予言は*百発百中だった (⇒ 彼の予言はみな実現した) His prophecies ⌈*were all fulfilled* [*all came to pass; all came true*].
ひゃっぱん 百般 ── 形 (あらゆる) all, every; (あらゆる種類の) all ⌈sorts [kinds] of ... ¶ 彼は長じて武芸*百般に通じた He grew up to be a master of *all* martial arts.
ひゃっぽう 百方 in every way. **百方手を尽くす** do everything possible, try all possible means.
ひゃっぽだ 百歩蛇 〘動〙 hundred-pacer snake Ⓒ.
ひやとい 日雇い ── 動 (日雇いで働く) work by the day. ── 名 (日雇いの人) dáy làborer Ⓒ. 《☞ にっきゅう》. **日雇い労働者** day ⌈laborer [worker] Ⓒ; (集合的に) casual labor Ⓤ.
ひやひや 冷や冷や ── 動 (恐れる・懸念する) be afraid (of ...; that ...), fear ⊛ ★ 前者は口語的, 後者は文語的; (不安で心穏やかでない) be nervous. 《☞ ふあん》.
¶ 私はその秘密がばれる (⇒ 明るみに出る) のではないかと*ひやひやした I ⌈*was afraid* [*feared*] that the secret might come to light. // 子供が川に落ちはしないかと*ひやひやした I *was nervous* because the child could have fallen into the river.
ビヤホール beer hall Ⓒ.
ひやみず 冷や水 ☞ としより (年寄りの冷や水)
ひやむぎ 冷や麦 Japanese noodles served in ice and water.
ひやめし 冷や飯 **冷や飯を食わされる** (冷たく扱われる) be treated coolly. ¶ 彼は会社ではずっと*冷や飯を食わされている He's *treated* ⌈*coldly* [*coolly*] at his office. / (⇒ あまり重要視されていない) He's *never been made much of* at his office. **冷や飯食い** ☞ いそうろう
ひややか 冷ややか ── 形 (冷淡な) cold (↔ warm), coldhearted (↔ warmhearted); (冷静で薄情な) cool; (感じがこもっていないで冷たい) chilly. 《☞ れいたん; つめたい》. ¶ 彼女は*冷ややかな女だ She is a ⌈*cold* [*coldhearted*] woman. // 彼は私に*冷ややかな態度をとった He took a *cool* attitude toward me.
ひややっこ 冷や奴 cold [chilled] tofu Ⓤ 《☞ とうふ》.
ひやりと ── 動 (恐ろしくて) be frightened, 《略式》 be scared. ¶ 地震には*ひやりとした I *was frightened* by the earthquake.
ヒヤリング ☞ ヒアリング
ひゆ[1] 比喩 ── 名 (言葉の綾) figure of speech Ⓒ ★ 直喩・隠喩などを総合的にいう言葉; (直喩) simile /síməli/ Ⓒ; (隠喩) metaphor /métəfɔ̀ə/ Ⓒ. ── 形 (比喩的な) figurative; (特に隠喩的な) mètaphórical. 《☞ 巻末; たとえ[2]》. ¶ 彼は*比喩的な意味でそう言ったまでさ He said it only in a ⌈*figurative* [*metaphorical*] sense.
ひゆ[2] 莧 〘植〙 *hiyu* Ⓒ, (説明的には) annual herb of the amaranth family Ⓒ.
ピュア ── 形 pure. ¶*ピュアモルト *pure* malt
ヒュー (男性名) Hugh /hjúː/.
ぴゅー ── 動 (風や弾丸がぴゅーと鳴る) whistle ⓐ; (矢やボールが) whiz ⓐ; (むちが) swish ⓐ. 《☞ びゅん; 擬声・擬態語 (囲み)》. ¶ 風が木立ちの間で*ぴゅーと鳴った The wind *whistled* through the trees. // 矢が頭上を*ぴゅーと飛んで行った An arrow ⌈*whizzed* [flew *whizzing*] over my head.
ビューアー 〘コンピューター・写〙 viewer Ⓒ.
ビューカメラ view camera Ⓒ.
ひユークリッドきかがく 非ユークリッド幾何学 nòn-Euclídean geómetry Ⓤ.
びゅうけん 謬見 (誤った考え) fallacy Ⓒ; (誤解) misconception Ⓒ. ¶ 成功が常に幸福をもたらすというのはよくある*謬見だ It is a popular *fallacy* that success always brings happiness.

ヒューゴー （男性名） Hugo /hjúːgoʊ/.
ヒューズ fuse Ⓒ. ¶*ヒューズが飛んでしまった The *fuse* has ˹burned out [blown].
ヒューストン —名 固 Houston /hjúːst(ə)n/ ★ 米国テキサス州の都市.
びゅうせつ 謬説 fallacy Ⓒ; (誤報) false report Ⓒ.
ピューター （錫と鉛の合金・しろめ） pewter Ⓤ.
ビューティー beauty Ⓤ. ビューティーコンテスト beauty contest Ⓒ ビューティーパーラー[サロン, ショップ] beauty ˹parlor [salon; shop] Ⓒ.
ビューティースポット （美容のため顔に描くほくろ） beauty spot Ⓒ.
ビューティフル （美しい） beautiful.
ひゅうと ☞ ぴゅー; ひゅうひゅう
ヒューバート （男性名） Hubert /hjúːbət/ ★ 愛称は Bert.
ひゅうひゅう —動（ひゅうひゅう音を立てる） whistle 自. —名 whistle Ⓒ. 《☞ ぴゅー; 擬声・擬態語（囲み）》.
びゅうびゅう —動（風がひどく吹く） rage 自 《☞ 擬声・擬態語（囲み）》. ¶一晩中風が*びゅうびゅう吹いていた The wind *was* ˹*blowing hard* [*raging*] all night.
ぴゅうぴゅう —動（ぴゅうぴゅう音を立てる） whistle 自 《☞ ぴゅー; 擬声・擬態語（囲み）》.
ビューフォートふうりょくかいきゅう ビューフォート風力階級 〘気〙 the Beaufort wind scale.
ピューマ 〘動〙 puma Ⓒ; 《米》 cougar /kúːgə/ Ⓒ.
ヒューマニスト humanist Ⓒ.
ヒューマニズム （人道主義） humanitarianism /hjuːmænətéːriənìzm/ Ⓤ 参考 húmanism Ⓤ は「人文主義・人間中心主義」の意. 《☞ じんどう¹》.
ヒューマニタリアン —形（人道主義的な） humanitarian /hjuːmænətéːriən/.
ヒューマニティ （人間性・人類） humanity Ⓤ.
ヒューマノイドロボット （人間型ロボット） humanoid robot Ⓒ.
ヒューマン （人間） human Ⓒ, human being Ⓒ 語法 後者のほうが格式ばった言い方. なお英語の human「人間の」「人間的な」の意で 形 としても用いる. ヒューマンアセスメント húman asséssment Ⓤ ヒューマンインターフェース húman ínterfàce Ⓒ ヒューマンインタレスト húman ínterest Ⓤ ヒューマンエコロジー húman ecólogy Ⓤ ヒューマンエンジニアリング húman ènginéering Ⓤ ヒューマンドキュメンタリー（人間記録映画） human documentary Ⓒ ヒューマンリレイションズ（社会・職場での人間関係） human relations ★ relations は複数形でも単数扱い.
ヒューム —名 固 David Hume /hjúːm/, 1711–1776. ★ スコットランドの哲学者.
ヒュームかん ヒューム管 （遠心鉄筋コンクリート管） Hume concrete pipe Ⓒ 参考 オーストラリアの Hume 兄弟が発明した.
ヒューリスティックス （発見的教授法） heuristics Ⓤ ★ 単数扱い.
ピューリタニズム （清教主義） Puritanism /pjʊ́(ə)rətənìzm/ Ⓤ.
ピューリタン （清教徒） Puritan Ⓒ. ピューリタン革命 *the Puritan Revolution, 1642–49.*
ピューリッツァーしょう ピューリッツァー賞 Púlitzer Príze Ⓒ.
ピューレ puree Ⓤ, purée Ⓤ ★ どちらも発音は /pjʊréɪ/. ¶トマト*ピューレ (a) tomato *puree*
ビューロー （官庁の局） bureau Ⓒ.
ビューロクラシー （官僚政治） bureaucracy /bjʊrάkrəsi/ Ⓤ.
ビューロクラット （官僚） bureaucrat /bjʊ́(ə)rəkræt/ Ⓒ.
びゅうろん 謬論 fallacy Ⓒ, fallacious argument Ⓒ.
ヒューロンこ ヒューロン湖 —名 固 Láke Huron /hjʊ́(ə)rən/ ★ 北米五大湖の一つ.
ヒュッテ （mountain） hut Ⓒ 参考 日本語の「ヒュッテ」はドイツ語の Hütte から.
ビュッフェ （立食式の食堂・列車などの食堂） buffet /bəféɪ/ Ⓒ. ¶私たちは列車の*ビュッフェで昼食をとった We had ˹lunch at the *buffet* [a *buffet* lunch] on the train. // *ビュッフェスタイルのパーティー a *buffet(-style)* party 《☞ りっしょく》
ビュレット 〘化〙（目盛り付きのガラス管） burette Ⓒ.
びゅん —動（弾丸などがびゅんと飛ぶ）《米略式》 zing 自, zip 自 ★ 後者のほうがスピードがさらに速い感じ. —副（びゅんと） with a ˹zing [zip]. 《☞ 擬声・擬態語（囲み）》. ¶赤い車が私を*びゅんと追い抜いて行った A red car *zinged* off past me. // 弾丸が*びゅんと私をかすめた A bullet *zipped* past me.
ひょいと （不意に） unexpectedly; （急に・突然） suddenly; （軽く） lightly. 《☞ ひょっこり; 擬声・擬態語（囲み）》. ¶彼は*ひょいと顔を見せた (⇒ ちょっと私の家に立ち寄った) He *dropped* ˹*in* [*by*] (at) our house. // 車が道路の角から*ひょいと現れた A car ˹*suddenly* [*unexpectedly*] appeared (from) around the corner of the street. // 彼は*ひょいと (⇒ 軽々と) 飛びのいた He *lightly* jumped aside.
ひょいひょい （身軽に） lightly; （身軽に速く） nimbly. 《☞ 擬声・擬態語（囲み）》.
ひよう 費用 —名（出費） expenses ★ 特定の費用の場合は通例複数形で; expenditure Ⓤ ★ 家計・団体などの支出などに使う格式ばった語. 「支出額」という意味では Ⓒ; （実際に支払われる代価） cost Ⓒ. —動（費用が…だけかかる） cost 他. 《☞ ししゅつ; しゅっぴ; けいひ¹》. ¶旅行の*費用は会社持ちです (⇒ 会社が払う) The firm pays our travel(-ing) *expenses*. //「*費用はいくらかかりましたか」「3万円です」"How much did it *cost*?" "It *cost* me thirty thousand yen." // 都会の生活は*費用がかかる City life ˹*is expensive* [(⇒ たくさんの出費を要する) requires many *expenditures*].
費用効果 cost-effectiveness Ⓤ. ¶*費用効果の高い *cost-effective* 費用便益分析 cost-benefit analysis Ⓒ 《略 CBA》.

コロケーション
費用がかかる incur *expenses* / 費用がかさむ run up *expenses* / 費用を抑える curb [keep down] *expenses* / 費用を切り詰める curtail *expenses* / 費用を削減する reduce [cut (down) (on)] *expenses* / 費用を払い戻す reimburse *expenses* / 費用を負担する defray *expenses* / 費用を分担する share *expenses*

ひょう¹ 表 —名（項目を並べた目録） list Ⓒ; （縦横の仕切りなどを施して見やすくした一覧表） table Ⓒ; （予定表） schedule /skéʤuːl | ʃédjuːl/ Ⓒ; （時刻表） timetable Ⓒ. —動（表に載せる） list 他. 《☞ ずひょう; グラフ》.
¶その品物はこの*表には載っていない That article ˹is not [has not been put] *on* this *list*. / That article is not *listed* here. // 私はその結果を*表にした I set out the results in a *table*. / (⇒ その結果は表にしてある) The results are shown in a *table*. // バスの時刻*表 a ˹bus *schedule* [bus *timetable*]
ひょう² 票 vote Ⓒ 《☞ とうひょう¹（類義語）; とくひょう》. ¶候補者たちは*票を集めるのに必死だ The

candidates are eager to ⌈gather [get] *votes*. // 彼女は 40 *票対 10 *票で議長に選ばれた She was elected chairperson by ⌈40 *votes* to 10 [*a vote* of forty to ten]. ★ [ ] 内のほうが改まった言い方. // *票が割れた The *votes* were split. // 彼の*票が伸びてきた The number of *votes* for him has started to increase. // *票を読む estimate the number of possible *votes* // 浮動*票 undecided [《英》 floating] *votes* // 組織*票 organized *votes* // 女性*票 women's *votes* // 有[無]効*票 a valid [an invalid] *vote*

票固め ☞ 見出し　**票数** the number of votes.

> **コロケーション**
> 票を失う lose *votes* / 票を獲得する win [receive] *votes* / 票を数える count the *votes* / 票を投じる cast a *vote*

ひょう³ 豹 〘動〙 leopard /lépərd/ Ⓒ; (黒ひょう) panther Ⓒ; (アメリカひょう) jaguar /dʒǽgwɑə/ Ⓒ.

ひょう⁴ 雹 hail Ⓤ 日英比較 「ひょう」と「あられ」は英語では普通区別しない. (☞ あられ). ¶ *ひょうが降っている It *is hailing*.　**雹害** hailstorm damage Ⓤ.

ひょう⁵ 俵 (straw) bag Ⓒ (☞ たわら). ¶ 米 10 *俵 ten (*straw*) *bags* of rice

びよう 美容 (手入れ) cosmetic treatment Ⓤ; (美容術) beauty culture Ⓤ, cosmetology Ⓤ; (健康であること) fitness Ⓤ.

美容院 beauty shop Ⓒ, béauty ⌈pàrlor [salòn] Ⓒ　**美容外科** cosmetic surgery Ⓤ　**美容健康器具** fitness equipment Ⓒ　**美容健康ブーム** fitness boom Ⓒ　**美容師** (整髪を主とする) hairdresser Ⓒ, (男性の) 《格式》 coiffeur /kwɑːfə́ː/ Ⓒ; (女性の) 《格式》 coiffeuse /kwɑːfə́ːz/ Ⓒ; (一般に) beautician Ⓒ　**美容術** the art of cosmetic treatment Ⓤ; cosmetology Ⓤ　**美容食** food for beauty Ⓤ; (健康・美容のための規定食) diet Ⓒ　**美容整形** cosmetic surgery Ⓤ; (顔のしわなどの) face-lifting Ⓤ, face-lift Ⓒ　**美容体操** calisthenics /kæ̀ləsθénɪks/ ★ 単数または複数扱い.

びょう¹ 秒 second Ⓒ ★ s, sec と略し, 複数形は, secs. とも略す. 数字の後に ″ を付けて表す. (☞ 度量衡 (囲み)). ¶ 1 分は 60 *秒です There are sixty *seconds* in a minute. / A minute has sixty *seconds*.

びょう² 鋲 ── 名 tack Ⓒ. ── 動 tack ⑭. (☞ がびょう; ピン). ¶ 私はポスターを壁に*びょうでとめた I *tacked* the poster ⌈on [to] the wall.　**びょう打ち機** riveter Ⓒ, rivet gun Ⓒ.

びょう³ 廟 mausoleum /mɔ̀ːsəlíːəm/ Ⓒ (複 ～s, mausolea /-líːə/).

ひょうい 憑依 (霊などが乗り移ること) possession Ⓤ.　**憑依妄想** delusions of possession.

ひょういつ 飄逸 ── 形 (楽天的な) happy-go-lucky; (のんきな) easy-going.

ひょういもじ 表意文字 ídeogràm Ⓒ.

びょういん¹ 病院 hospital Ⓒ; (診療所) clinic Ⓒ. (☞ にゅういん; たいいん¹).

¶ 弟は*病院に入っています My brother is in (*the*) *hospital*. 語 法 《米》では the を付けるのが普通. // これから*病院に行くところです I'm going to (*the*) *hospital*. // *病院に友達を見舞いに行った I went to see a friend (of mine) *in* (*the*) *hospital*. / I went to *the hospital* to see a friend (of mine). // 彼をすぐ*病院に連れて行かなければいけない We must take him to (*the*) *hospital* at once. / He must *be hospitalized* immediately.

病院船 hospital ship Ⓒ.

びょういん² 病因 cause of a disease Ⓒ.

ひょうおん 氷温 ── 名 chilling temperature Ⓤ. ── 形 (食物を凍り始める温度にした) chilled.

ひょうおんもじ 表音文字 phónogràm Ⓒ.

ひょうか¹ 評価 ── 動 (価値を判断する) evaluate ⑭; (真価を認める) appreciate ⑭; (見積もる) estimate ⑭; (金銭上の評価をする) value ⑭; (段階をつける) rate ⑭; (学校などの成績をつける) grade ⑭ ★ evaluate ともいう; (税額を) assess ⑭. ── 名 evaluation Ⓤ; estimation Ⓤ; rating Ⓤ; assessment Ⓤ. ¶ この作品を*評価するのは難しい It is difficult to *evaluate* this work. // 先生は生徒を点数で*評価する The teachers *evaluate* the students by ⌈giving [assigning] ⌈marks [grades]. / The teachers *evaluate* the students on the basis of their ⌈marks [grades]. // 彼はそのグループでは高く*評価されている He *is* highly ⌈*rated* [*regarded*] within the group. // その絵は 100 万円と*評価された The picture *was* ⌈*valued* at [*rated* as worth] one million yen. // あなたは彼の力を過大[過小]*評価している You ⌈*overestimate* [*underestimate*] his strength. // 課税に先立って財産の*評価が行われる Property *is assessed* before taxation. // 自己*評価 self-*rating*

評価益 paper profit Ⓒ　**評価額** appraised [estimated] value Ⓤ　**評価損** paper loss Ⓒ.

> **コロケーション**
> 客観的評価 an objective *evaluation* / 公正な評価 a fair [an unbiased] *evaluation* / 慎重な評価 a careful *evaluation* / 短絡的な評価 a simplistic *evaluation* / 批判的な評価 a critical *evaluation*

ひょうか² 氷菓 ice Ⓒ. ★ 具体的には ice cream Ⓤ; (棒アイス) 《米》 popsicle Ⓒ, 《英》 ice lolly Ⓒ; (シャーベット) 《米》 sherbet Ⓤ, 《英》 sorbet Ⓤ など.

ひょうが 氷河 glacier /gléɪʃə/ Ⓒ (☞ やま (挿絵)).　**氷河期** 〘地〙 the glacial epoch　**氷河湖** glacial lake Ⓒ　**氷河作用** glacial action Ⓤ　**氷河時代** the Ice Age　**氷河堆積物** glacial deposit Ⓒ　**氷河地形** glacial landform Ⓒ.

びょうが 病臥 ── 動 be ⌈ill [sick] in bed. ¶ 彼は自動車事故以来*病臥の身だ (⇒ 寝たきりだ) He has been *bedridden* since the car accident.

ひょうかい¹ 氷解 ── 動 (きれいになくなる) be cleared; (雲や霧が散るようになくなる) 《格式》 be dissipàted. (☞ きえる; はれる¹). ¶ 彼に対する私の疑いはすっかり*氷解した My doubts about him *were* all ⌈*cleared* (*up*) [*removed*; *dissipated*].

ひょうかい² 氷海 frozen sea Ⓒ.

ひょうかい³ 氷塊 (氷の塊) lump [block] of ice Ⓒ; (流氷) ice floe Ⓒ.

びょうがい 病害 (農作物の) blight Ⓤ.

病害虫 pest Ⓒ ★ 虫以外の有害生物も含む.

ひょうがため 票固め securing votes ★ 複数形で. ¶ 彼女の陣営は*票固めに忙しい People in her election camp are busy *securing votes* for her.

ひょうき¹ 表記 **1** «表に書く» ── 動 write [mention] ... on the cover (☞ きさい¹). ¶ *表記の住所 the address *mentioned on the cover*

2 «書き表すこと»: notation Ⓤ ★ 記号による表記(法). ¶ 音声(の)*表記 phonetic *notation*

表記法 notation Ⓤ.

ひょうき² 標記 (印) mark Ⓒ; (印をつけること) marking Ⓤ; (標題) heading Ⓒ; (話題) subject Ⓒ. ¶ *標記の件につき with regard to *the subject*

ひょうき³ 氷期 the Ice Age; 〘地質〙 the glacial epoch. (☞ ひょうが (氷河期)).

ひょうぎ 評議 discussion Ⓤ (☞ きょうぎ¹).

評議員 trustee Ⓒ　**評議員会** (学校などの) board

of trustees [C] 評議会 (政府の任命・依頼で開く委員会) council [C].

びょうき 病気 ― 形 (病気の) 《米》 sick, 《英》 ill [P] (↔ well, healthy) ★ 名詞の前に置く場合は英米ともに sick; (健康がすぐれない) unwell [P]; (長く患って(いる)) ailing; (病的な) ☞ びょうてき. ― 名 illness [U], sickness [U]; disease [U] ★ 以上は個々の病気を言うときは [C]; (不健康) ill health [U]; (持病) chronic ⌈disease [illness] [C]; (故障) trouble [U].

【類義語】「彼は病気だ」 のような言い方の場合には 《米》 では He is *sick*. 《英》 では He is *ill*. というのが普通である. 《英》 では He is *sick*. と言うと 「彼は吐き気がする」 という意味になる. 《米》 でも *sick* には 「吐き気がする」 という意味があるので, 状況によっては混同を避けるために He is *ill*. と言うことがあるが, 一般に He is *ill*. はやや古風で, 格式ばった言い方とされている. 長く患っている場合には ***ailing***. 消極的に 「健康でない」 という意味では ***unwell*** が用いられるが, いずれも 《米》 *sick*, 《英》 *ill* で代用することができる. 「病気」 という状態を表す 名 としては ***illness, sickness*** はほぼ同意だが 《米》 でも本格的な病気には普通 *illness* が使われる. 《英》 では *sickness* を 「吐き気」 の意味に限定する傾向がある. はっきり病名のわかっている個々の病気は ***disease***. これより口語的なのが ***trouble***. ただし *trouble* は, 例えば心臓の病気 (heart *trouble*) のように具体的にいうときに使われるのが普通.

¶ 彼は*病気ですか 《米》 Is he *sick*? / 《英》 Is he *ill*? // 彼女は*病気で寝ています She is ⌈*sick* [《英》 *ill*] in bed. // 私はめったに*病気しない I ⌈rarely [seldom] ⌈*get sick* [《英》 *fall ill*]. / I *am* rarely *taken ill*. 語法 (1) 2 番目の文では 《米》 でも ill. // 彼は*病気のようだ He seems to be ⌈*sick* [*ill*]. / He looks *unwell*. // 「あなたはどんな*病気ですか」 「私は心臓の*病気です」 "What seems to be the ⌈*matter* [*trouble*]?" "I have heart ⌈*disease* [*trouble*]." ★ 答えの文では trouble のほうが口語的. // 彼の母親はしばらく*病気だった His mother *was ailing* for some time. // 「きょうはご*病気はいかがですか (⇒ きょうはどんな気分ですか)」 「かなりいいです」 "How do you feel today?" "I feel much better (today)." // 「お子さんのご*病気はいかがですか」 「快方に向かっています」 "How's your (*sick*) ⌈child [son; daughter]? / (⇒ お子さんの病状はどうですか) How's your (*sick*) ⌈child's [son's; daughter's] *condition*?" "He's [She's] getting better." 語法 (2) How's your child's *illness*? のようには言わない. // 渡辺さんは重い*病気です Mr. Watanabe is seriously ⌈*sick* [*ill*]. // たいした*病気ではありません The ⌈*illness* [*problem*; *trouble*; *sickness*] is not serious. // 彼は*病気で入院している He is *in* (*the*) *hospital* now. 語法 (3) この表現は, けがで入院している場合にも用いられる. 《米》 では hospital に the を付けることが普通. // 彼は*病気で死にました He died ⌈of [from; because of] an *illness*. // 私は*病気のために学校[会社]を休みました I ⌈was [stayed] away from ⌈school [the office] because I was *sick*. // 彼女の*病気は間もなくよくなるでしょう She'll get well soon. / She'll get over her ⌈*illness* [*sickness*] soon. / She'll soon *recover*. // がんは伝染する*病気ではない Cancer is not ⌈an infectious [a contagious] *disease*. // 彼は働きすぎて*病気になった He worked so hard that he got *sick*. / He worked himself *sick*. // 私は子供のころはよく*病気をしました [*病気がちでした] I was frequently ⌈*sick* [*ill*] when I was a child. / I was a *sickly* child. // *病気見舞いの贈りもの a get-well basket ★ かご入りの果物など. // 彼はゴルフ好きというより*病気だ He is a golf *fanatic* rather than a golf lover.

―コロケーション―

病気が回復する recover from a *disease* ★ 人が主語. // 病気と闘う fight [combat] (a) *disease* / 病気にかかる contract [catch] a *disease* / 病気を克服する conquer (a) *disease* / 病気を根絶する eradicate (a) *disease* / 病気を治す cure (a) *disease* / 病気を発病する develop a *disease* / 病気を発見する detect a *disease* / 病気を予防する prevent (a) *disease* / 悪性の病気 a malignant *disease* / 遺伝する病気 a hereditary *disease* / 軽い病気 a mild *disease* / 急性の病気 an acute *disease* / 後天的な病気 an acquired *disease* / 先天的な病気 a congenital *disease* / 不治の病気 an incurable [a fatal] *disease* / 慢性の病気 a chronic *disease* / 良性の病気 a benign *disease*

ひょうきん 剽軽 ― 形 (人を笑わせる・こっけいな) funny, comical. (☞ こっけい; おかしい). ¶ 彼は*ひょうきんなことを言って私たちを笑わせた He kept us laughing with his *funny* remarks. ひょうきん者 joker [C].

びょうきん 病菌 ☞ びょうげん (病原菌)

ひょうぐ 表具 表具師 mounter [C].

びょうく[1] 病苦 (病気の苦しみ) pain of sickness [U]; (病気) illness [U], sickness [U]. (☞ びょうき).

びょうく[2] 病躯 (病身) sick body [C]; (不健康) ill [poor] health [U]. ¶ 彼は*病躯に鞭打って会議に出席した He attended the meeting in spite of his *failing health*.

ひょうけいさんソフト 表計算ソフト spreadsheet program [C].

ひょうけいほうもん 表敬訪問 courtesy /kɚ́ːtəsi/ ⌈càll [vìsit] [C] ★ call のほうが口語的. ¶ 我々は大統領に*表敬訪問をした We *paid* a *courtesy* ⌈*call on* [*visit to*] the president.

びようげか 美容外科 ☞ びよう (美容外科)

ひょうけつ[1] 票決 ― 名 (投票) vote [C] ★ 一般的な語で次の語の代わりにも使える; (投票用紙を使った無記名投票) ballot [C]. ― 動 (票決する) take a vote (on ...) ★ 必ずしも紙を使った投票とは限らず, 挙手・起立などの手段も含めて言う; (投票用紙を使って投票する) take a ballot (on ...). (☞ とうひょう[1]; さいけつ[1]; ぎけつ). ¶ その問題は*票決に付された The question was put to ⌈a [the] *vote*. / They *took a* ⌈*vote* [*ballot*] *on* the question.

ひょうけつ[2] 表決 ― 名 decision [U]. ― 動 decide 自 他. ¶ 挙手[投票]で*表決しよう Let's *decide* by ⌈raising hands [a vote; voting].

ひょうけつ[3] 評決 (陪審員の) verdict [C]. ¶ 有罪[無罪]の*評決を下す announce [deliver] a *verdict* of ⌈guilty [not guilty]

ひょうけつ[4] 氷結 ― 動 (氷が張る) freeze 自. ― 形 (凍った) frozen. ― 名 freezing [U]. (☞ こおる).

びょうけつ 病欠 absence ⌈because of [due to] ⌈sickness [illness] [U]. ¶ 昨日彼女は学校を*病欠した Yesterday she was *absent* from school *because she was* ⌈*sick* [*ill*].

ひょうげん[1] 表現 ― 名 (一般に) expression [U]; (芸術作品などの内容の) rèpresentátion [U]; (描写) description [U]. ― 動 (言い表す) express 他; (作品などが表す) rèpresént 他; (言葉で描写する) describe 他; (絵で示す) 《格式》 depict. (☞ あらわす[1]; いいあらわす; びょうしゃ).

¶ 自分の考えをはっきりと*表現しなさい *Express* your ideas clearly. / *Express yourself* clearly. 語法 express *oneself* で 「自分の考えを述べる」 という意. // 感謝の気持ちをどう*表現していいかわかりま

せん I don't know how to *express* my「thanks [gratitude]. // この絵は戦場の一場面を*表現したものだ This picture「*represents* [*depicts*] a battle scene. // その小説は現代の若者を生き生きと*表現している The novel gives a vivid「*representation* [*description*] of young people today. // *表現の自由は基本的人権の1つだ Freedom of *expression* is a fundamental human right.
表現主義 expressionism Ⓤ **表現力** expressive power Ⓤ.

コロケーション
自由に表現する *express* freely / 力強く表現する *express* forcefully / 流暢に表現する *express* fluently / 生き生きした表現 a vivid *expression* / 堅苦しい表現 a formal *expression* / 簡潔な表現 a concise *expression* / 慣用的な表現 an idiomatic *expression* / くだけた表現 an informal *expression* / 軽蔑的な表現 a pejorative *expression* / 口語的な表現 a colloquial *expression* / 古風な表現 an old-fashioned *expression* / 洗練された表現 a refined *expression* / 俗語的な表現 a slang *expression* / 力強い表現 a forceful *expression* / 陳腐な表現 a trite *expression* / 適切な表現 an apt *expression* / 比喩的な表現 a figurative *expression*

ひょうげん² 氷原 ice field Ⓒ.
ひょうげん³ 評言 (何か言うこと) remark Ⓒ; (ものごとに対する意見) comment Ⓒ; (ラジオ・テレビの解説) commentary Ⓒ; (新聞などで行なう映画・劇・新刊本などの論評) review Ⓒ.
びょうげん 病原 (病気の原因) cause (of a disease) Ⓒ; (直接の原因) órigin (of a disease) Ⓒ.
病原菌 (disease) germ Ⓒ **病原性大腸菌**〘医〙pathogenic colon bacillus Ⓒ **病原体**〘医〙pathogen /pǽθədʒən/ Ⓒ.
ひょうご¹ 標語 (団体などが目的を宣伝するために使う言葉) slogan Ⓒ; (行動の指針などを簡潔に表現したもの) motto Ⓒ; (効果をねらって何度も繰り返される言葉) catchword Ⓒ. ((☞ スローガン; モットー; あいことば)). ¶「安全第一」が安全週間の*標語に選ばれた 'Safety' First was chosen as the *motto* for accident prevention week.
ひょうご² 評語 (評言) comment Ⓒ; (成績の等級を表す語) grade Ⓒ. ((☞ ひょうげん³)).
びょうご 病後 ¶*病後には十分休むことが必要だ You should「take [have] a good rest *after you have recovered from*「(an) *illness* [*a disease*]. ((☞ やみあがり))
ひょうこう 標高 height above sea level Ⓤ; (高度) altitude Ⓒ ★ 通例単数形で. ((☞ かいばつ)). ¶その山は*標高2千メートルある The mountain is two thousand meters *above sea level*.
びょうこん 病根 ¶社会の*病根 (⇒ 社会悪の根) を絶つ get rid of [eradicate] *the roots of social evils* ★ [ ] 内のほうが格式ばった語.
ひょうさ¹ 票差 majority Ⓒ ★ 通例単数形で. ¶彼はわずかな[大きな]*票差で選ばれた He was elected by a「bare [large] *majority*.
ひょうさ² 漂砂〘土〙drift sand Ⓤ.
ひょうさくさん 氷酢酸〘化〙glacial acetic acid Ⓤ.
ひょうさつ 表札, 標札 (名前を書いた札) nameplate Ⓒ; (入口に付ける名札) doorplate Ⓒ 日英比較 後者のほうが日本語の表札に近いが, 番地だけ書いたものも doorplate と呼ぶ.
¶彼は門に*表札を出した He put (up) his *nameplate* on the gatepost.
ひょうざん 氷山 iceberg Ⓒ. **氷山の一角** ¶今回の事件は*氷山の一角にすぎない The present case is only *the tip of*「*the* [*an*] *iceberg*.
ひょうし¹ 表紙 ━图 (本の) cover Ⓒ 日英比較 日本語の「表紙」に当たる英語が cover であり, 日本語で「カバー」と言っている本の表紙をおおうかけ紙は, 英語では book [dust] jacket と言う. ━動 (装丁する) bind ⊕. ((☞ ほん (挿絵); カバー 日英比較)).
¶裏*表紙 a back *cover* // 堅い*表紙の [革*表紙の] 本は (普通の) 紙*表紙のより高い *Hardcover* [*Leatherbound*] books are more expensive than「*paperbacks* [those *bound* in paper].
表紙裏 (表の) inside front cover Ⓒ; (裏の) inside back cover Ⓒ.
ひょうし² 拍子 **1** «調子»: (漠然と速さも含めて) time Ⓤ; (リズム) rhythm /ríðm/ Ⓤ ★ 後者のほうが正確な用語. ¶その歌は3*拍子だ The song is in triple「*time* [*rhythm*]. // この曲は4分の3*拍子だ (⇒ 4分の3の拍子記号を持つ) This tune has a 3/4 *time* signature. ★ 3/4 time は three-quarter time と読む. // 彼らは手で*拍子をとった They「beat [kept] *time* with their hands.
2 «機会・はずみ»: (ある瞬間) moment Ⓒ ((☞ はずみ)). ¶彼は立ち上がった*拍子に棚で頭を打った The *moment* he stood up he hit his head against the shelf.
拍子記号〘楽〙time signature Ⓒ.
ひょうじ¹ 表示 ━動 (示す・見せる) show ⊕ ★ 外に表して見せることをいう一般的な語; (言葉・指標・証拠などで示す) índicàte ⊕ ★ 前者より格式ばった語; (言葉などで表現する) express ⊕. ━图 indication Ⓤ; expression Ⓤ.
¶私たちは何らかの意思*表示をする必要がある It is necessary for us to *express* our will. // これは*表示が間違っています This *is* wrongly *indicated*.
ひょうじ² 標示 ━图 (目印) mark Ⓒ; (標識) sign Ⓒ. ━動 (標示する) mark ⊕. ((☞ ひょうしき)). ¶非常口の*標示 an "Emergency Exit" *sign* // 道路*標示 a「road [street] *sign* / (⇒ 道路に描いた) a traffic *sign* painted on the road
びようし 美容師 ☞ びよう (美容師)
びょうし 病死 ━動 (病気で死ぬ) die of disease. ━图 (病気のための) death due to disease Ⓤ. ((☞ びょうき; しぬ)).
ひょうしき 標識 sign Ⓒ ★ 意味の広い語; (位置を示すための目印) marker Ⓒ. ¶彼らは*標識に従って山道を歩いて行った They walked along the mountain path following the *markers*. // 前方に「工事中」の*標識が立ってるよ There's a *sign* ahead that「says [reads] Under Construction.
標識灯 beacon Ⓒ.
ひょうしぎ 拍子木 Japanese wooden clappers ★ 複数形で. **拍子木切り** (料理の切り方) rectangles ★ 複数形で. ¶にんじんを*拍子木切りにする *cut* a carrot *into rectangular strips*
びょうしき 病識〘医〙insight (into disease) Ⓒ.
ひょうしつ¹ 氷室 icehouse Ⓒ ((☞ ひむろ)).
ひょうしつ² 氷質 ice quality Ⓤ.
びょうしつ 病室 (病人のいる部屋) sickroom Ⓒ; (病棟・病室) ward Ⓒ.
ひょうしぬけ 拍子抜け ¶授業が休講で*拍子抜けした (⇒ がっかりした) As the class was canceled, I *was disappointed*. ((☞ がっかり; しつぼう))
ひょうしゃ 評者 (批評家) critic Ⓒ; (本や演劇の) reviewer Ⓒ; (時事問題・スポーツなどの) commentator Ⓒ.
びょうしゃ 描写 ━動 (言葉で言い表す) describe ⊕; (特徴をとらえて生き生きと表現する) portráy ⊕; (その人の主観を交えて芸術的に描く) ((格式)) depict ⊕. ━图 description Ⓤ; portrayal

Ⓤ; 《格式》depiction Ⓤ. 《☞ えがく; あらわす¹; ひょうげん¹》.
¶ 彼は随筆の中でその場面を生き生きと*描写した He vividly ⌈*described* [*depicted*] the scene in his essay. / In his essay he gave a vivid ⌈*description* [*depiction*] of the scene. // 映画の中ではその人物は実際以上に勇敢な人として*描写されていた In the movie the man *was portrayed* as more courageous than he really was.

コロケーション
詳細に描写する *describe* in detail / 正確に描写する *describe* accurately / 簡潔な描写 a concise *description* / 客観的な描写 an objective *description* / 詳細な描写 a detailed *description* / 真に迫った描写 a ⌈lively [true-to-life] *description* / 精密な描写 an ⌈accurate [exact] *description* / 巧みな描写 a deft *description* / 無味乾燥な描写 a mater-of-fact *description*

ひょうしゃく 評釈 ―名 (注釈) annotation Ⓒ; (注解) commentary Ⓒ; (論評) critical notes. ―動 annotate ㊀; make critical notes (on ...).
¶ 聖書*評釈 a *commentary* on the Scriptures

びょうじゃく 病弱 ―形 (体が弱い) weak; (病気がちの) sickly; (慢性的な病気の) ínvalid. 《☞ びょうき; よわい¹; きょじゃく》. ¶ 彼は*病弱の身だ (⇒健康がすぐれない) He is *in poor health*. / (⇒弱い体質だ) He has a ⌈*weak* [*sickly*] constitution.

ひょうしゅつ 表出 ―動 (表出する) express ㊀. ―名 expression Ⓤ. ¶ 感情を*表出する *give expression* to *one's* feelings

びょうしゅつ 描出 ☞ びょうしゃ

ひょうじゅん 標準 ―名 (一般の基準となるもの) standard Ⓒ; (従うべき道徳的, または仕事上の基準) norm Ⓒ; (判断の基準) criterion Ⓒ; (平均的な) ávarage Ⓤ. ―形 standard (↔ substandard); ávarage. 《☞ きじゅん¹; すいじゅん; へいきん》.
¶ これがタイプライター用紙の*標準サイズです This is *standard*-size(d) typing paper. // 彼の論文は*標準以下の出来だ His paper is ⌈below [worse than] (the) *average*. ★「以上」のときは above あるいは better than を用いる. // 彼は今月, 売り上げが*標準に達しなかった He did not ⌈come [measure] up to the sales volume *norm* this month. // 彼は*標準的な学生だ He is an *average* student.
標準英語 Standard English Ⓤ **標準化** ―名 standardization Ⓤ ―動 standardize ㊀ **標準価格** standard price Ⓒ **標準型船** standard type ship Ⓒ **標準規格** standard Ⓒ **標準金利** prime rate Ⓒ **標準語** standard language Ⓤ **標準時** standard time Ⓒ; (グリニッジ標準時) Greenwich /grínɪdʒ/ (mean) time Ⓤ 《略 GMT》. ¶ 日本*標準時 Japan *standard time* 《略 JST》 **標準状態** standard condition Ⓒ; normal state Ⓒ **標準生計費** the ⌈standard [average] cost of living **標準体重** standard weight Ⓒ **標準賃金** standard wage Ⓒ **標準電池** standard cell Ⓒ **標準電波** standard frequency ⌈transmission [broadcast] Ⓤ **標準時計** standard clock Ⓒ **標準偏差値** standard deviation Ⓤ **標準報酬(額)** standard pay Ⓒ **標準理論** 〘物理〙 the standard theory **標準レンズ** standard lens Ⓒ.

ひょうしょう¹ 表彰 ―動 (表彰する) commend ㊀; (賞を与える) award ㊀; (功をたたえ栄誉を与える) honor ㊀ ★ 学校の優等・善行の表彰など広い意味がある. ―名 commendation Ⓒ; (名を記して功をたたえること) honorable mention Ⓒ.
¶ 彼は人命救助で警察から*表彰された He ⌈*was commended* by the police [got a *commendation* from the police] for saving a life. // 彼女は 1 等になり*表彰された (⇒1 等賞を授与された) She *was awarded* (the) first prize. // 彼は勇敢な行為によって*表彰された He *was* ⌈*honored* [*given honorable mention*] for bravery.
表彰式 commendation ceremony Ⓒ; (表彰状を渡す式) awards ceremony Ⓒ **表彰状** (感謝の念や敬意を表した賞状) testimonial Ⓒ; (称賛の証明となるもの) certificate /sətífəkət/ of commendation Ⓒ **表彰台** commendation platform Ⓒ.

ひょうしょう² 表象 (象徴) symbol Ⓒ; (視覚化された象徴) emblem Ⓒ; 〘心〙 representation Ⓒ 《☞ しょうちょう¹》. ¶ 十字架は救いの*表象だ The cross is the *symbol* of salvation.

ひょうしょう³ 標章 (官職などの) badge Ⓒ; (栄誉を示す) medal Ⓒ. 《☞ きしょう⁴》.

ひょうしょう⁴ 氷晶 ice ⌈crystal [needle] Ⓒ. **氷晶雨** cold rain Ⓤ. **氷晶石** cryolite Ⓤ, Greenland spar Ⓤ.

ひょうじょう¹ 表情 ―名 (感情を外に表すこと) expression Ⓤ; (顔の表情) facial expression Ⓤ, look Ⓒ ★「外観」「容貌」の意では looks と複数形; (顔) face Ⓒ. ―形 (表情に富む) expressive. 《☞ かお; かおつき》.
¶ 彼女の声は*表情が豊かだ Her voice is ⌈full of *expression* [quite *expressive*]. // あの俳優は顔の*表情に乏しい That actor lacks *facial expression*. // 彼女は善良そうな*表情をしていた She *looked* good-natured. // 私は彼の顔の変な*表情に気づいた I noticed a strange ⌈*look* [*expression*] on his face. // 彼はそのニュースに*表情を堅くした [*表情を変えた] His *face* ⌈hardened [He changed (his) *expression*] at the news.

コロケーション
疑わしそうな表情 a doubtful *expression* / 虚ろな表情 a vacuous *expression* / 怒った表情 an angry *expression* / 愚かな表情 a silly *expression* / 悲しそうな表情 a sorrowful *expression* / 怖い表情 a grim *expression* / 困惑した表情 a puzzled *expression* / 残念そうな表情 a regretful *expression* / 幸せそうな表情 a happy *expression* / 真剣な表情 a serious /sí(ə)riəs/ *expression* / 深刻な表情 a grave *expression* / 心配そうな表情 an anxious *expression* / 退屈そうな表情 a bored *expression* / 楽しそうな表情 a pleasant [an amused] *expression* / 恥ずかしそうな表情 an ashamed *expression* / 不機嫌な表情 a sullen *expression* / 無邪気な表情 an innocent *expression* / 優しい表情 a genial [an angelic] *expression* / 憂鬱そうな表情 a ⌈gloomy [melancholy] *expression*

ひょうじょう² 氷上 ¶ *氷上バレエ a ballet /bǽleɪ/ *on ice*
氷上競技 ice sport Ⓒ **氷上ショー** ice show Ⓒ.

ひょうじょう³ 評定 conference Ⓒ. ¶ 小田原*評定 (⇒きりのない) inconclusive *conference* **評定所** (日本の封建時代の) the supreme court of the *shogunate*.

びょうしょう¹ 病床 sickbed Ⓒ 《☞ びょうき》. ¶ 彼はこの 2 か月*病床にある (⇒病気でベッドに寝ている) He's been ⌈*sick* [*ill*] *in bed* (for) the last two months. / He's been lying in his *sickbed* (for) these two months.

びょうしょう² 病症 (病気の性質[徴候]) the ⌈nature [symptom; sign] of a disease ★[ ] 内は Ⓒ.

びょうじょう 病状 (体の状態) condition Ⓤ
日英比較 口語的な表現では日本語に「病状」とあっ

てもこの語を使わないこともあることに注意.《☞ ひょうき》. ¶「お父さんの*病状はいかがですか」「だんだんよくなっています」"How is your ｢father [father's *condition*]?" "He is getting better and better." ★[ ] 内のほうが格式ばった表現.

ひょうしょく 氷食 〘地質〙glacial erosion Ⓤ.

びょうしん[1] **秒針** (時計の) second hand Ⓒ《☞ とけい (挿絵)》.

びょうしん[2] **病身** (体) sickly [weak] constitution Ⓤ; (状態) ill [poor] health Ⓤ.《☞ びょうき; びょうじゃく》.

ひょうする[1] **表する** (表現する) express ⑩《☞ ひょうげん[1]; あらわす[1]》. ¶(…に託して) 遺憾の意を*表する *express one's* regret (over …)

ひょうする[2] **評する** ☞ ひひょう

びょうせい 病勢 ☞ びょうじょう

びようせいけい 美容整形 ☞ びよう (美容整形)

ひょうせつ[1] **剽窃** ― 图《格式》plagiarism /pléɪdʒ(i)ərìzm/ Ⓤ ★ 剽窃の行為・箇所を意味するときは Ⓒ; (著作権侵害)《格式》piracy /páɪ(ə)rəsi/ Ⓤ. ― 動 (他人の文章・説などを盗む)《格式》plagiarize /pléɪdʒəràɪz/ ⑩; (著作権を侵害する) pirate ⑩.《☞ とうさく[1]》.

ひょうせつ[2] **氷雪** ― 图 ice and snow Ⓤ. ― 形 (氷雪に閉ざされた) icebound. **氷雪気候** ice cap climate Ⓒ.

ひょうぜん 飄然 ― 副 (ふいに・思いがけなく) unexpectedly; (当てもないまま) aimlessly. 日英比較 日本語の「飄然」にぴったりする英語はない.《☞ ふらっと》.

ひょうそ 瘭疽 〘医〙whitlow Ⓤ.

ひょうそう[1] **表層** ― 形 (表面の) surface /sə́ːfəs/ Ⓐ. ― 图 (表面) surface Ⓒ; (一番外側の層) the outer(most) layer ★ the を付けて. **表層構造** surface structure Ⓒ **表層なだれ** surface avalanche Ⓒ.

ひょうそう[2] **表装** ― 動 (絵などに裏打ちする) mount ⑩. ― 图 mounting Ⓤ.

びょうそう 病巣 〘医〙focus Ⓒ《複 ~es, foci /fóusaɪ, fóukaɪ/》. ¶*病巣を摘出する remove a *focus*

びょうそく 秒速 ¶音は水中では*秒速約 1,400 メートルで伝わる Sound travels *at* (*a speed of*) about 1,400 meters ｢*a* [*per*] *second* in water. ★ 1,400 m.p.s. と略せる.《☞ そくど[1]》

ひょうだい 表題, 標題 title Ⓒ ★ 最も一般的な語. 書物・演劇・音楽・映画などに広く使われる; (特に挿絵・写真の) caption Ⓒ.《☞ だい[1]; だいめい》. **標題音楽** program music Ⓤ **標題紙** title page Ⓒ.

びょうたい 病態 ☞ びょうじょう

びようたいそう 美容体操 ☞ びよう (美容体操)

ひょうたん[1] **瓢箪** 〘植〙bottle gourd /gɔ́əd/ Ⓒ; (ひょうたんの実) gourd Ⓒ. **ひょうたんから駒** ¶*ひょうたんから駒が出た (⇒ 冗談が本当になった) The joke turned out to be true. / (⇒ 思ってもみなかったことが実現した) The unexpected has been realized. **瓢箪なまず** slippery fellow Ⓒ.

ひょうたん[2] **氷炭** ice and charcoal Ⓤ. **氷炭相容れず** (互いに矛盾する) be contradictory to each other; (対立する) be antagonistic to each other. ¶二人は*氷炭相容れなかった (⇒ すべてに正反対であった) The two were the *exact opposites* of each other in everything.

ひょうたんぼく 瓢箪木 〘植〙morrow honeysuckle Ⓒ.

びょうち 錨地 anchorage Ⓒ, (港の停泊位置) berth Ⓒ. ¶*錨地に着く come to an *anchorage* / reach *anchorage* / take up a *berth*

ひょうちゃく 漂着 ― 動 (岸に流れ着く) drift ashore ⓐ. **漂着物** drift Ⓒ; (集合的に) driftage Ⓤ.

ひょうちゅう[1] **氷柱** ice pillar Ⓒ.

ひょうちゅう[2] **標柱** post Ⓒ; (道標) signpost Ⓒ; (測量の) ranging ｢pole [rod] Ⓒ; (目じるし用の) sighting pole Ⓒ.

びょうちゅうがい 病虫害 damage by blight and insects Ⓤ.

ひょうちょう 漂鳥 (渡り鳥) migratory bird Ⓒ《☞ わたりどり》.

ひょうてい 評定 ― 图 (ある尺度に照らして評価を定める) rating Ⓤ; (数学的に正確な評点を出す) evaluation Ⓤ. ― 動 rate ⑩; evaluate ⑩.《☞ ひょうか[1]》. ¶勤務*評定 efficiency *rating* **評定基準** rating standard Ⓒ.

ひょうてき 標的 (弓矢や射撃の的) target Ⓒ, mark Ⓒ ★ 前者はより広い意味で目標としてねらうものをも指す.《☞ まと》.

びょうてき 病的 ¶彼の好奇心は*病的だ (⇒ 不健全である) His curiosity is *morbid*. // 彼女は*病的に (⇒ 不健康に) 太っている She is *unhealthily* fat. **病的性格** abnormal character Ⓒ.

ひょうてん[1] **氷点** the freezing point ★ the を付けて.《☞ 度量衡 (囲み)》. **氷点下** below the freezing point; (摂氏の場合) below 0 /zí(ə)rou/.

ひょうてん[2] **評点** ― 图 (点数) mark Ⓒ; (段階別の成績) grade Ⓒ ★ A, B, C や 1, 2, 3, 4, 5 など. ― 動 (評点をつける) grade ⑩; rate ⑩. ¶数学で C の*評点をつけられた I *was graded* C in mathematics.《☞ てん[1]; ゆう[1] 日英比較》.

ひょうでん[1] **評伝** critical biography Ⓒ《☞ でんき[2]》.

ひょうでん[2] **票田** area where a candidate is sure to get a lot of votes Ⓒ《☞ ひょう[2]》.

ひょうど 表土 topsoil Ⓤ (↔ subsoil), surface soil Ⓤ.

びょうとう 病棟 ward /wɔ́əd/ Ⓒ ★ 多くの患者を入れる大部屋を指すこともある.

びょうどう 平等 ― 形 (等しい) equal; (偏りのない) impartial; (均一の) even. ― 副 equally; impartially; evenly. ― 图 equality Ⓤ; impartiality Ⓤ; evenness Ⓤ.

【類義語】同一物ではないが広く, 質・量・価値・能力・地位などがほかと等しいことを指すのが *equal*. この語はまた偏りなくどれをも同じように扱ったり, どれにも同様に力を及ぼすことをも意味するが, この意味では *impartial* のほうが一般的. ただし少し格式ばった語. 特に数や量・大きさの等しいのが *even*.《☞ こうへい[1] (類義語)》 ¶人は皆*平等に造られている All men are created *equal*. // その先生はどの子にも*平等の (⇒平等に) 愛情を示した The teacher showed love to each child ｢*equally* [*impartially*]. // 労働者たちは*平等の分け前を要求している The workers are demanding an ｢*equal* [*even*] share.

平等権 equal right Ⓒ **平等主義** egalitarianism /ɪgæ̀ləté(ə)riənìzm/ Ⓤ **平等主義者** egalitarian Ⓒ.

びょうどく 病毒 (ウイルス) virus /váɪ(ə)rəs/ Ⓒ; (病菌) disease germ Ⓒ.《☞ びょうげん》.

びょうにん 病人 (病気の人) sick person Ⓒ; (患者) patient Ⓒ; (病弱者) invalid Ⓒ ★ 格式ばった語; (集合的に) the sick.
¶*病人は危地を脱した The *patient* is out of danger. // まるで*病人みたいな顔をしているね (⇒まるで病気のように見える) You look (as if you ｢were [are]) ｢*sick* [*ill*]. **病人食** invalid /ínvəlɪd/ diet Ⓒ.

ひょうのう 氷嚢 ice bag Ⓒ.

ひょうはく[1] 漂白 ── 動 (薬品を使ったりさらしたりして白くする) bleach (他). ── 名 bleaching Ⓤ. (☞ さらす). **漂白剤** bleach Ⓒ. ¶ 塩素[酸素]系*漂白剤 chlorine [oxygen] *bleaches*

ひょうはく[2] 表白 ── 名 expression Ⓒ; (公けに) manifestation Ⓒ; (告白) confession Ⓒ. ── 動 (表白する) express (他); manifest (他).

ひょうはく[3] 漂泊 ── 名 wandering /wɑ́ndərɪŋ/ Ⓒ. ── 動 (漂泊する) wander (自).
¶ 旅人たちはアジアの国々を*漂泊した The travelers *wandered* from country to country in Asia.

ひょうばん 評判 ── 名 (名声) fame Ⓤ; (世間の人の評価) reputation Ⓤ; (人気) popularity Ⓤ; (うわさ) rumor ((英)) rumour) Ⓤ; (大評判) sensation Ⓒ. ── 形 (よい意味で有名な) famous; (人気のある) popular.
【類義語】ある行為や功績のためよい意味で有名であることを指すのが **fame**. 一般にそれを知る人に受けとめられている評価が **reputation**. 一般受けして人気のあるのが **popularity**. 話に尾ひれがついて飛びかい広がるうわさが **rumor**. 特に大評判となって大騒ぎの引き起こされた場合に用いるのが **sensation**. (☞ ゆうめい[1] (類義語); うわさ; めいせい)
¶ 彼はその映画で*評判になった (⇒その映画が彼に高名をもたらした) The movie brought him *fame*. // 彼女の新曲は国中の*評判になった Her new song became *popular* all over the country. // 彼の発明は大*評判になった His invention created a *sensation*. // 彼の会社は*評判がよい[悪い] His company has a ⌈good [bad] *reputation*. // 彼は辞職するという*評判だ (⇒うわさだ) *Rumor* has it [It *is rumored*] that he is going to resign. // あれが*評判の(⇒みんなが話題にしている)娘だ That's the girl *people are talking about*.

> **コロケーション**
> 評判を得る acquire [earn; get] a *reputation* / 評判を落とす lose *one's reputation* / 評判を傷つける damage [ruin] *a person's reputation* / 評判を守る protect [guard] *one's reputation* // 評判通りである live up to *one's reputation*

ひょうひ 表皮 (一般的に) outer skin Ⓒ; (動植物の) cuticle Ⓒ, èpidérmis Ⓒ; (樹皮) bark Ⓒ. (☞ かわ[2]).

ひょうひょう 飄飄 ¶ 彼は*飄々として (⇒世俗を超越して) 生きている He lives ⌈*aloof* [*apart*] *from the world*.

びょうびょう 渺渺 ¶ *渺々たる (⇒ 無限に拡がっている) 大海原 the *boundless* expanse of the ocean

びょうぶ 屏風 portable folding screen Ⓒ (☞ ついたて). ¶ 金*屏風 a ⌈gilded [gilt] *portable folding screen* **屏風岩** perpendicular cliff Ⓒ.

びょうへい 病弊 (害悪) evils ★ ふつう複数形で; (悪いしきたり) evil practice Ⓒ. ¶ 物質文明の*病弊 the *evils* of material civilization // 実業界にはいくつかの*病弊がある There are some *vicious practices* in the business world.

ひょうへき 氷壁 ice wall Ⓒ.

びょうへき 病癖 bad [morbid] habit Ⓒ.

ひょうへん 豹変 ── 動 change suddenly (自), change *one's* spots. ── 名 sudden change Ⓒ.
¶ 君子*豹変す A wise man changes his mind, a fool never. (ことわざ: 賢い人は考えを変えるが, 愚か者は決して変えない) (☞ 省略 (巻末))

びょうへん 病変 ── 名 change to a morbid state Ⓒ. ── 動 become morbid.

ひょうぼう 標榜 ── 動 (主義・主張を自認し, 掲げる) proféss (他).

びょうぼつ 病没 ── 名 death from sickness Ⓤ. ── 動 (病没する) die of ⌈illness [sickness; disease]. (☞ びょうし).

ひょうほん 標本 specimen /spésəmən/ Ⓒ.
¶ 昆虫の*標本 *specimens* of insects
標本室 specimen room Ⓒ **標本抽出** sampling Ⓤ **標本調査** sampling survey Ⓒ.

ひょうほんむし 標本虫 〖昆〗 spider beetle Ⓒ.

びょうま 病魔 (the curse of) disease. ¶ 彼は大学卒業後間もなく*病魔に冒された He ⌈was hit by [suffered] ⌈*a disease* [*an illness*] soon after he graduated from college.

ひょうめい 表明 ── 動 express (他); (公式に発表する) announce (他). ── 名 expression Ⓤ; (声明) announcement Ⓤ. (☞ げんめい[1]; ひょうげん[1]).

びょうめい 病名 name of a disease Ⓒ.

ひょうめん 表面 ── 名 surface /sə́ːfəs/ Ⓒ
★ 最も一般的な語; (外側) the outside (↔ the inside) ★ the を付けて; (外観・見かけ) appearance Ⓒ (↔ reality). ── 形 (外面の) external; (外側の) outside Ⓐ; (皮相的な) superficial /sùːpəfíʃəl/. (☞ おもて; がいめん).
¶ ついに真実が*表面に出てきた The truth ⌈*came out* [came to the *surface*; *emerged*] at last.
★ [ ] 内のほうが格式ばった語. // 内部抗争が*表面化し始めた The internal conflicts have begun to ⌈*surface* [come to the *surface*]. // 物事を*表面 (⇒外見) だけで判断すべきでない We should not judge things ⌈by [from] ⌈*the outside* [(their) *appearances*]. // 彼は*表面的なものの見方をする He has [His is] a *súperficial* wáy of thínking.
表面金利 coupon rate Ⓒ **表面処理** surface treatment Ⓒ **表面張力** surface tension Ⓤ **表面波** surface wave Ⓒ.

> **コロケーション**
> 堅い表面 a hard *surface* / ざらざらした表面 a ⌈harsh [coarse] *surface* / 平らな表面 an even [a flat] *surface* / つるつるした表面 a slippery *surface* / でこぼこの表面 a ⌈rough [bumpy] *surface* / 滑らかな表面 a smooth *surface* / ぴかぴかの表面 a shiny *surface*

ひょうめんせき 表面積 surface area Ⓤ (☞ めんせき[1]).

ひょうもん 豹紋 ── 名 (豹の毛皮のような斑紋) leopard spots. ── 形 leopard. **豹紋蝶** 〖昆〗 fritillary Ⓒ.

びようやなぎ 未央柳 〖植〗 *biyoyanagi* Ⓒ; (説明的には) deciduous shrub of the hypericum family Ⓒ.

ひょうよみ 票読み ── 動 (予想する) estimate the number of possible votes.

びょうよみ 秒読み ── 名 cóuntdòwn Ⓒ. ── 動 cóunt dówn (自). ¶ ロケット発射前の*秒読みが始まった The *countdown* has started for launching the rocket. // *秒読みの段階 the (*final*) *countdown* stage

ひょうり 表裏 (両面) both sides ★ 複数形で. (☞ うらおもて). ¶ *表裏のある (⇒ 二心がある[不誠実な]) 人 a ⌈*two-*[*double-*]*faced* person // *表裏のない (⇒ かげ日なたのない[良心的な])人 an *honest* [a *conscientious*] person (☞ かげひなた)
表裏一体 ¶ その2つの発言は*表裏一体をなす (⇒密接な関係がある) The two remarks *are closely related to* each other.

びょうりかいぼう 病理解剖 〖医〗 pàthológic [mórbid] anátomy Ⓤ. **病理解剖学** pathologic [morbid] anatomy Ⓤ.

びょうりがく 病理学 pathólogy Ⓤ. **病理学者**

pathólogist Ⓒ.

ひょうりゅう 漂流 — 動 (漂流する) drift (to …; toward …) (自) 《☞ ただよう》. ¶ 難破した船の残骸が広い範囲にわたって*漂流していた The wreckage of the ship *was drifting* over a wide area. **漂流物** drift Ⓒ; (集合的に) driftage Ⓤ.

ひょうりょう 秤量 weighing Ⓤ. **秤量管[瓶]** weighing ˈtube [bottle] Ⓒ.

びょうれき 病歴 (患者の) (medical) history of a patient Ⓒ; (臨床の) clinical history Ⓒ; (症例・疾患の) case history Ⓒ.

ひょうろう 兵糧 (軍隊のための食糧) (military) provisions ★ 複数形で; (一般の食糧) food Ⓤ. ¶ *兵糧が尽きてきた Our *provisions* are running out. / We are running out of *provisions*. **兵糧攻め** — 名 starvation tactics ★ 複数形で. — 動 (飢えさせる) starve (他); (兵糧の供給[供給路]を断つ) cut off the ˹supply of provisions [supply route].

ひょうろくだま 表六玉 stupid fellow Ⓒ. ¶ ぐずぐず言わずに, 言われたとおりにするんだ, この*表六玉 Don't grumble and do as you're told, *you fool*!

ひょうろん 評論 — 名 (批評) criticism Ⓤ; (個々の評論) critical essay Ⓒ; (書物・劇などの批評) review Ⓒ; (文芸作品の) critique Ⓒ. 《☞ ひひょう (類義語)》. — 動 criticize (他); review (他). **評論家** critic Ⓒ; (新刊などの) reviewer Ⓒ, review writer Ⓒ; (特定の分野の) cómmentàtor Ⓒ. ¶ 文芸*評論家 a literary *critic* // 野球*評論家 a báseball *còmmentator* **評論雑誌** review Ⓒ.

ピョートル(大帝) — 名 (固) Peter (the Great), 1672–1725. ★ ロシア皇帝.

ひよく¹ 肥沃 — 形 (土地が肥えた) fertile /fə́ːtl/; (豊かな) rich; (作物を多く産する) productive. **肥沃土** fertile [rich] soil Ⓤ.

ひよく² 比翼 (2 羽の鳥が翼を並べること) wings abreast ★ 複数形で. **比翼の鳥** (想像上の鳥) imaginary bird half male and half female which symbolizes eternal love between man and woman Ⓒ **比翼仕立て** (和服) single kimono made to look double at the edges Ⓒ; (洋服) fly front Ⓒ **比翼連理** eternal love Ⓤ. ¶ *比翼連理の契りを結ぶ plight [vow] *eternal love*

びよく¹ 尾翼 (飛行機の尾翼全体) the empennage /àːmpənáːʒ/ ★ 水平・垂直尾翼の両方を含む; (尾部) tail Ⓒ ★ 尾翼のみでなく後部機体も含む. 《☞ ひこうき (挿絵)》. ¶ 垂直*尾翼 a vertical *tail* 参考 (1) 固定の部分を fin Ⓒ, 方向舵は rudder Ⓒ という. // 水平*尾翼 a horizontal *tail* 参考 (2) 固定の部分は stabilizer Ⓒ, 昇降舵は elevator Ⓒ という.

びよく² 鼻翼 the wings of the nose, nosewing Ⓒ. **鼻翼軟骨** alar cartilage /éɪlə káətəlɪdʒ/ Ⓒ.

ひよけ¹ 日除け (日・雨よけの覆い) awning Ⓒ ★ 店先などにかかっているもの; (窓のブラインド), 《米》(window) shade Ⓒ, blind Ⓒ; (すだれ状のブラインド) venetian /vəníːʃən/ blind Ⓒ ★ 通例複数形で.

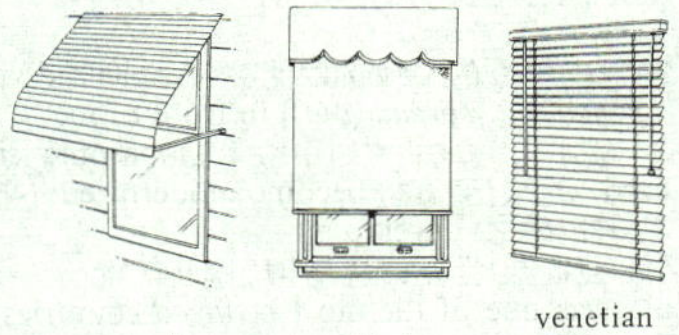

awning　blind　venetian blinds

ひよけ² 火除け protection against fire Ⓒ.

ひよけざる 日避け猿 〘動〙 flying lemur Ⓒ, colugo Ⓒ.

ひよこ 雛 **1** 《鶏のひな》: chick Ⓒ, chicken Ⓒ ★ 後者は成鳥の鶏を指すこともある. 《☞ ひな¹; ひなどり; おす³ (表)》. **2** 《青二才》: greenhorn Ⓒ.

ひょこひょこ ¶ うさぎが草の上を*ひょこひょこ (⇒軽快に) 跳ね回っている A rabbit is hopping *lightly* on the grass. 《☞ 擬声・擬態語 (囲み)》

ぴょこぴょこ — 動 (上下に動く・動かす) bob (自) (他) 《☞ 擬声・擬態語 (囲み)》. ¶ おもちゃの犬は首を*ぴょこぴょこ動かしながら歩いた The toy dog *bobbed* its head up and down as it walked.

ひよこまめ 雛豆 〘植〙 chickpea Ⓒ.

ぴょこんと (軽く) lightly; (素早く) nimbly. 《☞ 擬声・擬態語 (囲み)》.

ヒヨス 〘植〙 henbane Ⓒ.

ひよっこ ☞ ひよこ

ひょっこり (思いがけず) unexpectedly; (偶然) by chance, accidentally. 《☞ ひょいと; ぐうぜん; おもいがけない; 擬声・擬態語 (囲み)》. ¶ *ひょっこり友人が訪ねて来た A friend of mine called on me *unexpectedly*. // 駅で*ひょっこり斎藤君に出会った I *ran into* Saito at the station. / I *happened to* see Saito at the station.

ひょっと ¶ 試験に通るはずはないのだが, でも*ひょっとしてということもある (⇒チャンスがあるかもしれない) I don't think I'll pass the exam, but there may be *a chance*. // *ひょっとしたら (⇒もしかすると), 彼女はもう帰ってしまったかもしれない She may *possibly* be gone (by) now. 《☞ おそらく (類義語); もしかしたら; 擬声・擬態語 (囲み)》

ひょっとこ hyottoko Ⓒ; (説明的には) Japanese clownish male mask Ⓒ.

ひよどり 鵯 〘鳥〙 bulbul Ⓒ.

ぴよぴよ — 動 (ひよこが鳴く) peep (自), cheep (自) ★ 前者のほうがやや弱い鳴き声. 《☞ 動物の鳴き声 (囲み); 擬声・擬態語 (囲み)》. ¶ ひよこが*ぴよぴよ鳴いていた The chicks *were* ˹*peeping* [*cheeping*].

ひより 日和 ¶ 運動会には絶好の*日和でした It was an *ideal day* for an athletics meet. 《☞ てんき¹》

ひよりみしゅぎ 日和見主義 opportunism /àpət(j)úːnɪzm/ Ⓤ. **日和見主義者** òpportúnist Ⓒ.

ひよる 日和る (態度をはっきりさせない) do not commit *oneself* to …, be noncommittal ★ 前者がより口語的; (機会を待つ) wait and see (to take advantage of opportunities). ¶ 彼は*日和っているのだろうか I wonder if he ˹does*n't* want to *commit himself* at this stage [*is waiting to take advantage of the circumstances*].

ひょろながい ひょろ長い (ぶかっこうなほどやせて細長く伸びた) lanky; (細長くてか弱い) spindly. ¶ 若者は*ひょろ長い足をしていた The youth had *lanky* legs. / The ˹youth [boy] ˹*was spindle-legged* [had *spindly* legs].

ひょろひょろ — 形 (ひょろ長い) lanky; (細長くてか弱い) spindly; (背が高くてやせた) tall and thin. 《☞ ほそい; やせる; 擬声・擬態語 (囲み)》.

ひよわ ひ弱 — 形 (虚弱な) weak; (きゃしゃな) délicate; (病気がちの) sickly. 《☞ よわい¹; きゃしゃ》.

ぴょんと ¶ 蛙が*ぴょんと池の中へ飛び込んだ A frog ˹*hopped* [*jumped*; *leaped*] into the pond. 《☞ とぶ²; 擬声・擬態語 (囲み)》

【参考語】 — 動 (片足で, または足をそろえて跳ぶ) hop (自); (飛び上がる) jump (up) (自); (飛び越える・飛び込む) leap (自) ★ 意味によって over …, into … などが付く.

ひょんな —形 (不思議な) strange; (予想外の) unexpected. ⟪☞ 擬声・擬態語 (囲み)⟫.
¶ *ひょんなことからあの男と知り合いになった I got acquainted with him ｢*in a strange way* [*by chance*].

ぴょんぴょん —動 (片足で, または足をそろえて跳ぶ) hop (自) ⟪☞ とぶ²; 擬声・擬態語 (囲み)⟫. ¶ うさぎが*ぴょんぴょんと逃げて行った A rabbit *hopped* ｢*away* [*off*].

ピョンヤン —名 (固) (都市) Pyongyang /piɔ́ːŋjàːŋ/ ★ 朝鮮民主主義人民共和国の首都.

ひら 平 —形 (下級の) junior; (王族・貴族・特別職などでない) common. ¶ 彼は*平(の)社員だから, できることは限られている What he can do is very limited, because he is only a *common* clerk. // *平の会員 a *rank-and-file* member 【語法】 rank-and-file で「地位・身分が一般の」の意.
平社員 rank-and-file ｢employee [worker] Ⓒ ★ 集合的には the ranks, the rank and file. ⟪☞ 会社の組織と役職名 (囲み)⟫.

-ひら …片, …枚 (雪の) flake Ⓒ; (雲などの) wisp Ⓒ. ¶ ひと*ひらの大きな雪片が私の鼻に落ちた A large *flake* of snow landed on my nose. // ひと*ひらの白い雲 a *wisp* of white cloud

ビラ¹ (ちらし) handbill Ⓒ, ⦅米⦆ handout Ⓒ; (ポスター) poster Ⓒ. ⟪☞ ちらし¹⟫.
¶ 男が*ビラをまいていた A man was ｢distributing [giving out] ｢*handouts* [*handbills*]. // *ビラを貼る put up a *poster*

ビラ² (郊外の大きな屋敷・別荘) villa Ⓒ.

ひらあみ 平編み jersey knit Ⓤ.

ひらあやまり 平謝り —動 (謙虚に許しを請う) humbly beg *a person's* pardon, make a humble apology (to …). ⟪☞ あやまる¹⟫.

ひらい 飛来 —動 (飛んで来る) come flying ⟪☞ わたる¹⟫. ¶ この鳥は冬になるとシベリアから日本へ*飛来する These birds *come flying* from Siberia /saɪbí(ə)riə/ to Japan in winter.

ひらいしん 避雷針 lightning ｢rod [conductor] Ⓒ ★ rod は棒状の物.

ひらおよぎ 平泳ぎ 〘泳〙 breaststroke Ⓤ ★ しばしば the を付けて. ⟪☞ およぐ⟫. ¶ *平泳ぎができますか Can you *swim the breaststroke*? // *平泳ぎの選手 a *breaststroker*

ひらおり 平織り (織り方) plain weave Ⓤ; (織物) plain fabrics.

ひらがな 平仮名 *hiragana* Ⓤ ★ 個々には Ⓒ で単複同形. 【日英比較】 英語にはなじんでいない語なのでイタリック体で表す. ⟪☞ かな; イタリック体 (巻末)⟫. 説明を要するときは *hiragana*, the Japanese cursive syllabary のように言うのがよい. cursive は「草書体」の意.

ピラカンサ(ス) 〘植〙 pyracantha /pàɪ(ə)rəkǽnθə/ Ⓒ.

ひらき 開き **1** «差»: difference Ⓤ; (大きな隔たり) gap Ⓒ. ⟪☞ さ; へだたり⟫. ¶ つけ値と売り値の*開きはまだかなり大きい The *difference* between the bid and the asking price is still great. / The ｢bid and the asking price [asked and bid prices] still *differ* greatly. // 第 2 位のチームと首位との*開きがせばまった The second-place team is now *close behind* the leading team.
2 «魚の»: opened and dried fish Ⓒ.
開き戸 (hinged) door Ⓒ **開き窓** casement window Ⓒ.

-びらき …開き ¶ 両*開きの扉 a *double* door // 店*開き the *opening* of a store ⟪☞ かいてん²⟫ // 富士山の山*開きは明日だ (⇒ 明日正式に登山シーズンが開始される) The climbing season on Mt. Fuji *is officially opened* tomorrow. ⟪☞ やま⟫ // 海*開き the *opening* of the swimming ｢place [season]

ひらきなおる 開き直る (挑戦的な態度に出る) take a defiant attitude (toward …) ⟪☞ いなおる⟫.

ひらぎぬ 平絹 plain silk Ⓤ.

ひらく 開く **1** «開け放す»: (開ける) open (他) (↔ close) ★ 最も一般的な語で, 以下の語の代わりにも用いられる; (包んだ物・縛った物などを) undo (他); (包み・荷などを) unpack (他); (手紙などの封を) unseal (他); (畳んだ物を広げる) unfold (他) ★ unseal, unfold はやや格式ばった語; (あく・開く) open (自). ⟪☞ あける¹⟫. ¶ お母さんが来るまで包みを*開いてはいけない Don't ｢*open* [*undo*] the package till Mom comes. // 手紙を受け取ると彼はすぐそれを*開いた As soon as he received the letter, he ｢*opened* [*unsealed*] it. // 戸が*開いた The door *opened*. // 店は 10 時に*開きます The shop *opens* at ten. // *開かれた (⇒ 大衆に開放された) 大学 a university *open* to the public // *開けごま *Open* sesame! // 桜の花は 2, 3 日で*開く The cherry blossoms will ｢*open* [*be out*] in a few days.
2 «始める»: (開業する) open (他); (着手する) start (他), begin (他); (創立する) sèt úp (他), found (他), establish (他) 【語法】 set up は最も一般的な語. found は基礎を置いたことを, establish はさらにそれを軌道に乗せるまでを意味する. この順に格式ばった語となる. ⟪☞ はじめる; そうりつ⟫. ¶ 画廊を*開きました I've ｢*opened* [*set up*; *started*] a gallery. // この美術館は 1930 年に*開かれた This art museum *was* ｢*founded* [*opened*; *set up*] in 1930.
3 «開催する»: (パーティー・会などを) give (他), hold (他) ⦅過去・過分 held⦆ ★ 後者のほうが格式ばった語. パーティーなどには両者を用いるが, 公式の会には hold のみ. ⟪☞ かいさい¹⟫.
¶ パーティーを*開く *give* [*hold*] a party // 討論会を*開く *hold* a discussion meeting
4 «開拓する»: (土地・道を) clear (他) ⟪☞ かいたく; かいこん¹; きりひらく⟫. ¶ 移民たちは森を*開き, 農地とした The immigrants *cleared* the forest and ｢made [turned] it into ｢farm land [farms].
5 «体を引いて構える»: draw back (to assume a posture of defense). ¶ レスラーは体を*開いて構えた The wrestler *drew back* to take a fighting stance.
6 «隔りが大きくなる»: differ from … ¶ 最近, 貧富の差が*開いてきている (⇒ 大きくなっている) Recently the gap between the rich and the poor has *become wider*.

ひらげいこ 平稽古 rehearsal Ⓤ (↔ dress rehearsal).

ひらける 開ける **1** «運がよくなる»: luck turns in …'s favor, fortune smiles on …
¶ 昨年以来, 運が*開けてきた Since last year, ｢*luck has turned in my favor* [*fortune has been smiling on* me]. // 彼らに運が*開けてきている (⇒ 上昇中だ) They [Their *fortunes*] are now ｢*in the ascendant* [*rising*].
2 «広々とする»: (景色が) ópen óut (自), spread (自) ★ 後者はあらゆる方向に広がっていく感じ. ⟪☞ てんかい¹⟫.
¶ すばらしい景色が目の前に*開けた A splendid view ｢*opened out* [*spread* (*out*)] in front of me.
3 «文明化が進む»: (文明化される) become civilized, (近代化される) become modernized; (発展する・開発する) devélop (自) (他).
¶ インドは昔は世界で最も*開けた国の 1 つだった India was one of the most *civilized* countries in the ancient world. // この地域は第二次大戦後, 宅地として*開けた所です This district ｢*developed into*

[*was developed as*] a residential area after World War II.
ひらざら 平皿 ☞さら¹
ひらしゃいん 平社員 ☞ひら (平社員)
ひらぞこ 平底 flat bottom Ⓒ. 平底船 flatboat Ⓒ; (さおでこぐ) punt Ⓒ.
ひらたい 平たい ━形 (平らな) flat ★ 最も一般的な語; (水平な) level; (でこぼこのない) even. ━動 (平らにする) level ㊍, even ㊍ ★ 後者のほうが格式ばった語. 《☞たいら》.
¶*平たい地面のほとんどはすでに開墾されていた Most of the *level* land had already been cultivated. // もう少し表面を*平たくしたい I want to ⌈*level* [*even*] the surface a little more. // *平たくいえば (⇒ 率直にいえば) to put it *plainly* / *plainly* speaking
ひらたきくいむし 扁木食虫 〔昆〕powder-post beetle Ⓒ.
ひらたけ 平茸 〔植〕oyster ⌈cap [mushroom] Ⓒ.
ひらち 平地 ☞へいち¹
ひらてうち 平手打ち ━動 (ほおなどに) slap (*a person* ⌈on [across; in] the face) ㊍, slap *a person's* face. 《☞うつ¹ (類義語)》.
ひらとじ 平綴じ 〔製本〕sidestitch Ⓒ, side-wire stitch Ⓒ.
ひらどま 平土間 《米》the órchestra, 《英》the stalls.
ひらとり 平取 ☞とりしまり (取締役)
ひらなべ 平鍋 pan Ⓒ 《☞なべ》.
ひらに 平に earnestly, sincerely. ¶*平にご容赦下さい I ⌈*sincerely* [*earnestly*] beg your pardon. / *Dó* forgive me.
ピラニア 〔魚〕piranha /pərá:njə/ Ⓒ.
ひらひら ━動 (ひらひらはためく・飛ぶ) flutter ㊀ 《☞擬声・擬態語 (囲み)》. ¶桜の花びらがそよ風に吹かれて*ひらひらと歩道に舞い落ちた Cherry blossom petals *were fluttering down* to the sidewalk in the breeze.
ピラフ (洋風炊き込みご飯) pilaf(f) /pɪlá:f/ Ⓒ.
ひらべったい 平べったい flat 《☞ひらたい》.
ひらまく 平幕 ☞まくうち; まえがしら
ひらまさ 平政 〔魚〕sea bass Ⓒ 《複 ～》.
ひらまめ 扁豆 〔植〕lentil Ⓒ.
ピラミッド pýramid Ⓒ. ピラミッド型 (ピラミッド型のもの) pyramid Ⓒ.
ひらむぎ 平麦 ☞おしむぎ
ひらめ 平目 〔魚〕flatfish Ⓒ 《複 ～, ～es》, flounder Ⓒ 《複 ～, ～s》 日英比較 英語ではヒラメ科とカレイ科の魚を普通は区別せず, どちらも以上のような名で呼ぶ; (舌びらめ) sole Ⓒ 《複 ～, ～s》. 《☞さかな 語法》.
ひらめかす 閃かす (閃光を) flash ㊍; (刀などをふりまわして) flash ㊍; (威嚇して) brandish ㊍.
ひらめき 閃き (ぱっとした光) flash Ⓒ; (才能などの) spark Ⓒ. ¶彼には子供のときにも天才の*ひらめきがあった Even in childhood, he showed *flashes* of genius.
ひらめく 閃く (ぱっと) flash ㊀ ★ 比喩的にも用いる; (火花がぴかぴかと) sparkle ㊀; (星・宝石が) glitter ㊀ ★ 後者のほうが輝き方が強い. 《☞ひかる》. ¶稲妻が西の空で*ひらめいた Lightning *flashed* in the western sky. // すばらしいアイディアが私の頭に*ひらめいた A splendid idea ⌈*flashed* across my mind [*occurred* to me].
ひらや 平屋 one-⌈story [storied] house Ⓒ.
ヒラリー ━名 ㊇ Sir Edmund Percival Hillary /hílǝri/, 1919– . ★ ニュージーランドの登山家. 1953 年にエベレスト初登頂.
ヒラリー (女性名) Hilary /hílǝri/.
ひらりと ¶彼女は*ひらりと馬に乗った (⇒ 飛び乗った) She *sprang* onto the horse. // 彼は*ひらり*ひらりと身をかわした He *dodged about*. // その馬は障害を*ひらりと (⇒ きれいに) 飛び越した The horse jumped *clean* over the ⌈fence [gate]. 《☞擬声・擬態語 (囲み)》
【参考語】(身軽に) lightly; (素早く) quickly; (敏しょうに) nimbly.
びらん 糜爛 〔医〕(ただれ) erosion Ⓤ; (化膿) fester Ⓤ; (炎症) inflammation Ⓤ 《☞ただれ》. ¶*びらんした死体 a *decomposed* body
びり ━名 (連続したものの一番最後) the last; (グループの中で一番下) the bottom. ━形 last. ━副 (最後に) last; (一番下で) at the bottom. 《☞さいご¹》. ¶彼は*びりから 2 [10] 番目だった He was (the) ⌈second [tenth] from *the bottom*.
ビリー (男性名) Billy ★ William の愛称.
ピリオディカル (定期刊行物) periodical /pì(ə)riádɪkəl/ Ⓒ ★ 新聞・雑誌など.
ピリオド (終止符) period /pí(ə)riəd/ Ⓒ, fúll stóp Ⓒ ★ 《米》では前者が普通. 《☞ピリオド (巻末)》; (球技などの) period Ⓒ. ¶文の終わりには*ピリオドを必ず打ちなさい Be sure to put a ⌈*period* [*full stop*] at the end of a sentence.
ビリオネア (億万長者) bìllionáire Ⓒ.
ビリオン (10 億) billion Ⓒ.
ひりき 非力 ━形 (無力な) powerless (↔ powerful); (無能な) incompetent 《☞むりょく》.
ひりつ 比率 (割合) ratio /réɪʃoʊ/ Ⓒ 《☞わりあい; パーセント》. ¶私たちは総額を 2:2:3 の*比率で 3 分割した We divided the total amount into three at ⌈the *ratio* of two, two and three [a two-two-three *ratio*]. // このクラスでは 3 対 2 の*比率で女子が男子より多い The girls outnumber the boys by a *ratio* of three to two in this class.
ひりつく ☞ひりひり
びりっと ¶*びりっと破る rip [tear] up // (電気が)*びりっとくる get a shock 《☞びりびり; 擬声・擬態語 (囲み)》
ぴりっと ━形 (辛い) hot; (舌が焼けるような) burning. 《☞からい; 擬声・擬態語 (囲み)》. ¶カレーライスは舌に*ぴりっときた The curry and rice ⌈*tasted hot* [*had a burning taste*]. ★ [ ] 内のほうが強意的.
ピリドキシン 〔化〕pyridoxine Ⓤ ★ ビタミン B_6 群のひとつ.
ピリピーノご ピリピーノ語 Pilipíno ★ フィリピンの国語・公用語 Tagalog の公式名. 一般には Filipino と言われている.
ひりひり ━動 (傷がひりひり痛む) smart ㊀; (刺すような感じがする) be pungent; (辛い) taste hot; (焼けるような感じがする) have a burning taste. 《☞擬声・擬態語 (囲み)》.
¶すり傷が*ひりひりする The scratch *smarts*. // この料理は舌が*ひりひりする This dish ⌈*tastes hot* [*has a burning taste*; *is pungent*].
びりびり **1** 《震える》 ━動 (震動する) rattle ㊀; (電気などでしびれる) feel a shock. 《☞擬声・擬態語 (囲み)》.
¶ジェット機が家の上を飛ぶと窓ガラスが*びりびりした When a jet flew over the house, the windowpanes *rattled*. // この電線には触ってはいけない. *びりびりきます Don't touch this electric wire. You may ⌈*get* [*receive*; *feel*] *a shock*.
2 《破る》 ━動 (裂く) ríp (úp) ㊀ ㊍; (裂いてばらばらにする) tear /téə/ ... into pieces. 《☞やぶる; 擬声・擬態語 (囲み)》.
ぴりぴり ━動 (神経質になって) be nervous; (極度に緊張して) be high-strung ★ 以上両方とも「人」が主語; (神経が) be on edge. 《☞しんけい;

擬声・擬態語（囲み）. ¶試験が近いので生徒は*ぴりぴりしている With the examinations approaching, ⌈the students *are getting nervous* [the students' *nerves are on edge*].

ビリヤード billiards Ⓤ. ¶*ビリヤードをしよう Let's play *billiards*.

ひりゅう 飛竜 (想像上の動物) flying dragon Ⓒ.

びりゅうし 微粒子 minute /maɪn(j)ú:t/ párticle Ⓒ, corpuscle /kɔ́ːəpʌsl/ Ⓒ ★前者のほうが一般的.

ひりょう 肥料 (一般的に) fértilìzer Ⓤ; (人間・動物の排泄物などの自然の肥料) manúre Ⓤ; (堆肥または混合肥料) cómpost Ⓤ.
¶私たちは土壌を肥沃にするために*肥料をやった We ⌈spread *fertilizer* on [worked *fertilizer* into] the soil to increase its fertility. // 化学*肥料 chemical *fertilizer* // 人工*肥料 àrtificial [(⇒合成の) synthétic] *fértilizer*

びりょう¹ 微量 very small ⌈amount [quantity] Ⓒ ★quantity には計量した分量というニュアンスがある. (☞りょう¹ 日英比較). **微量元素**〘生化〙trace element Ⓒ, microelement Ⓒ.

びりょう² 鼻梁 the bridge of the nose (☞はな²).

びりょく 微力 ¶*微力ながら (⇒できる限り) お手伝いいたしましょう I'll do *what I can* to help you. / I'll help you *as much as I can*.

ビリルビン〘生化〙bilirubin Ⓤ ★胆汁に含まれる赤黄色の色素.

びりん 尾輪 (飛行機の) tail wheel Ⓒ.

ピリンけいやくざい ピリン系薬剤 (解熱鎮痛薬) pyrazolone /pɪrǽzəlòun/ drugs ★アンチピリン (antipyrine) のように語尾に…ピリン (-pyrine) がつく薬をいう. アスピリン (aspirin) は除かれる.

ひる¹ 昼 **1**《正午》: noon Ⓤ, noontime Ⓤ; midday Ⓤ.
【類義語】「正午」という意味の最も普通の語は ***noon***. 特に「正午の」「正午ごろの」という意味の 形 として用いられるのは ***noontime***. ((例) *昼の休み *noontime* recess). *noon* にも 形 の用法がある. 少し意味が広く,「正午(の)」という意味のほかに,「真昼(の)」という意味にも用いられるのが ***midday***. (☞ひるすぎ; ひるまえ)
¶いま*昼だ (⇒正午だ) It's (twelve (o'clock)) *noon*. 語法 noon はこのように夜の 12 時に対して, 正午であることを示すために添えて用いられる. // 彼はお*昼ごろここへ来るでしょう He will come here ⌈about [around] *noon*. // (ラジオ・テレビなどで) ではお*昼のニュースです Now [Here's] the *midday* report. // 今日は*昼から外出します I am going out *after lunch*.
2《昼間》: day Ⓤ, daytime Ⓤ, daylight Ⓤ.
【類義語】最も一般的な語は ***day***. ただし, *day* には「24 時間としての 1 日」という意味もある. 従って,「昼間に」という意味をより明確に示すために during the *daytime* のように, ***daytime*** を用いることも多い. *day* が「昼間」を意味するときは「昼も夜も」night and *day* のように night と対にして用いたり,「昼(間)の学校」a *day* school のように, 決まった言い回しとか, 前後関係から意味が明らかな場合, またはあまり厳密に昼夜を問題にしないで漠然と昼間を指す場合などである. ***daylight*** は *daytime* とほぼ同じに用いられる. (☞よる¹) ¶彼女は*昼働いて夜学校に行く She works ⌈by *day* [during the *daytime*] and goes to school ⌈by [at] night. // 赤ん坊は*昼と夜を取り違えることがある Babies often confuse *daytime* and nighttime. // *昼の部 ☞ぶ¹
昼を欺く as bright as day **昼行灯** (a person like) a lamp in broad daylight **昼興行** matinee Ⓒ (☞マチネー) **昼下がりに** (真昼の少し後・2 時ごろ) in the early afternoon; (午後の中ごろ・3 時ごろ) in midafternoon **昼寝, 昼飯, 昼休み** ☞見出し

ひる² 蛭〘動〙leech Ⓒ.

ひる³ 干る ☞かわく¹

ビル¹ (高い建物) tall building Ⓒ 日英比較 日本語のビルは普通は高層建築のことであるが, 英語の building は単に「建築物」の意なので, tall などの形容詞を必要とする. (☞こうそうけんちく). ¶この数年間に, 新宿には高い*ビルがたくさんできた Many tall *buildings* have been built in Shinjuku in the past several years. // *ビルの谷間 a canyon
ビル街 area [street] of tall business buildings Ⓒ
ビル風 whirlwind in the area of tall buildings Ⓒ
ビルメンテナンス building-maintenance Ⓤ.

ビル² (勘定書) bill Ⓒ.

ビル³ (男性名) Bill ★William の愛称.

-びる ― 接尾 -ish, -ic. ¶おとな*びた (⇒早熟な) 子供 a precocious child // いなか*びたマナー rustic manners

ピル (経口避妊薬) the pill ★常に定冠詞を付け, 単数形で. the Pill と大文字にすることもある.

ひるあんどん ☞ひる¹ (昼行灯)

ひるい 悲涙 ¶*悲涙にくれる (⇒苦い涙を流す) shed *bitter tears*

ひるいない 比類ない ― 形 (比べるもののないほど立派な) ùnpárallèled; (競争相手のない) ùnrívaled; (挑戦するもののない) unchallenged.

ひるがえす 翻す **1**《変える》: (前のものと違ったものにする) change ⑭; (方向などを変える) turn ⑭; (前に言ったことを引っ込める) take back [eat] *one's* words. ¶彼は決心を*翻した He *has changed* his mind. // あの人はよく前言を*翻す He often ⌈*takes back* [*eats*] *his* (*own*) *words*. // 彼女は身を*翻して木の陰に隠れた She *turned* quickly and hid behind a tree.
2《風になびかせる》: fly ⑭ (過去 flew; 過分 flown) (☞ひるがえる; なびく). ¶数隻の船は国旗を*翻していた Several of the ships *flew* their national flags.

ひるがえって 翻って (考え直すと) on second thought(s), on reflection ★後者はやや格式ばった表現; (別の角度から見ると) from a different ⌈angle [viewpoint].

ひるがえる 翻る fly ⓐ, flutter ⓐ, wave ⓐ, flap ⓐ ★以上の語は旗などが風に翻る意味では, 交換して用いられる. ¶塔の上にはアメリカ合衆国の旗が風に*翻っていた The American flag *was* ⌈*flying* [*fluttering*; *flapping*] on the tower.

ひるがお 昼顔〘植〙convólvulus Ⓒ (複 convolvuli, ～es).

ひるぎ 蛭木, 紅樹〘植〙mangrove (tree) Ⓒ.

ヒルクライム hill climb Ⓤ ★自転車・オートバイの上り勾配でのスピード競技.

ピルグリムファーザーズ the Pilgrim Fathers ★1620 年 Mayflower 号で渡米した清教徒団.

ひるげ 昼餉 ☞ひるめし

ひるごはん 昼御飯 ☞ひるめし

ひるさがり 昼下り ☞ひる¹ (昼下りに)

びるしゃなぶつ 毘盧遮那仏 ☞だいにちにょらい

ひるすぎ 昼過ぎ (午後の早い時) early afternoon Ⓒ; (正午の少し後) soon after midday Ⓤ. (☞ごご). ¶*昼過ぎに彼と会います I'll meet him ⌈*in the early afternoon* [*soon after midday*]. / I'm going to see him at a little *past noon*. // *昼過ぎなら都合がよい[あいている] *Early afternoon* [*Soon after midday*] is a good time for me.

ひるせき 昼席 (昼興行) matinee Ⓒ; (昼間の上演) afternoon show Ⓒ.

ヒルダ （女性名）Hílda.
ビルダーリング 〔スポ〕buildering Ⓤ.
ビルディング （高い建物）tall building Ⓒ《☞ ビル[1] 日英比較》.
ビルトイン —［形］built-ìn《☞ つくりつけ》.
ビルトインスタビライザー 〔経〕（自動安定化装置）built-in stabilizer Ⓒ ★ 景気変動を自動調節する仕組み.
ひるどき 昼時 （昼食の時間）lunchtime Ⓤ;（正午）noon Ⓤ.
ビルドダウン 〔軍〕build-down Ⓒ ★ 新兵器導入のたびに旧兵器を廃棄する方式.
ひるなか 昼中 ☞ にっちゅう[1]; ひるま; ひるひなか
ひるね 昼寝 （afternoon）nap Ⓒ《☞ うたたね》.
¶ 昼食後*昼寝をした I ⌈took [had] a *nap* after lunch.
ひるひなか 昼日中 —［副］（昼日中に）in broad daylight.
ヒルビリー 〔楽〕híllbilly mùsic Ⓤ ★ 米国南部山地の民謡風音楽.
ピルビンさん 〔生化〕pyruvic /paɪrúːvɪk/ ácid Ⓤ ★ 生体内の代謝過程で重要な働きをする物質.
ビルボード （広告板）《米》billboard Ⓒ ★ 英では hoarding Ⓒ.
ひるま 昼間 day Ⓤ, daytime Ⓤ.《☞ ひる[1]》.
ビルマ —［名］(固) Burma /bə́ːmə/. —［形］Burmese /bə̀ːmíːz/.《☞ ミャンマー》. **ビルマ語** Burmese Ⓤ **ビルマ人** Burmese Ⓒ ★ 単複同形.
ひるまえ 昼前 （正午前）before noon Ⓤ;（午前）(late) morning Ⓒ.《☞ ごぜん》. ¶ 飛行機は*昼前に着きます The plane will arrive ⌈*in the morning* [*before noon*].
ひるむ flinch (from ...) (自), shrink (from ...) (自)《過去 shrank, shrunk; 過分 shrunk, shrunken》★ shrink には本能的に身を避けるというニュアンスがある;（たじろぐ・縮み上がる）wince (at ...) (自);（人が精神的に）be daunted ★ やや格式ばった表現.《☞ しりごみ（類義語）》. ¶ 彼らは困難に*ひるむことはなかった They did not ⌈*flinch from* [*shrink from*; *wince at*] the difficulties.
ひるむしろ 蛭蓆 〔植〕pondweed Ⓒ.
ひるめし 昼飯 lunch Ⓤ《☞ ちゅうしょく》.
¶ 軽い*昼飯を食べる have a light *lunch*
ひるやすみ 昼休み noon [noontime; midday] recess Ⓒ. ¶ 私たちは毎日*昼休みに会合を開きます We ⌈meet [have a meeting] during the ⌈*noon* [*noontime*; *midday*] *recess* every day.
ひれ 鰭 fin Ⓒ;（背びれ）dorsal fin Ⓒ;（尾びれ）tail fin Ⓒ.《☞ さかな（挿絵）》.
ヒレ （ヒレ肉）fillet /fɪléɪ/ Ⓒ ★ 牛・豚の腰の肉.
ひれい[1] 比例 —［動］（比例する）be in proportion (to ...), be ⌈proportionate [proportional] (to ...). —［名］（割合）proportion Ⓤ;（比率）ratio Ⓤ.
¶ 日照時間に*比例して，気候は暖かくなる It gets warmer *in proportion to* the length of the daylight hours. // 年をとるに*比例して（⇒ つれて），記憶力が悪くなる One's memory declines *as* one grows old. // これは正[反]*比例のケースです This is ⌈a direct [an inverse] *proportion* relation(ship).
比例式 proportional expression Ⓒ **比例代表区** proportional representation ⌈district [constituency] Ⓒ **比例代表制** proportional representation system Ⓤ **比例定数** constant of proportion Ⓒ **比例配分** proportional allotment Ⓤ.
ひれい[2] 非礼 （失礼）impoliteness Ⓤ, discourtesy Ⓤ ★ 後者のほうが格式ばった語;（無作法）rudeness Ⓤ.《☞ しつれい（類義語）; ぶさほう; ぶれい》. ¶ 私は息子の*非礼を彼にわびた I apologized to him for my son's *rudeness*.
びれい 美麗 —［形］beautiful《☞ きれい; かれい[1]》. ¶ *美麗な建物 a *beautiful* building
ビレイ 〔登山〕belay /bɪléɪ/ Ⓤ ★ ザイルで確保すること.
ひれき 披瀝 —［動］（意見などを）express (他);（発表する）make ... known.《☞ のべる[1]》.
ひれこだい 鰭小鯛 〔魚〕threadfin porgy Ⓒ.
ひれざけ 鰭酒 warm sake with roasted fish fins soaked in Ⓤ ★ 説明的な訳.
ひれつ 卑劣 —［形］（心が狭く意地悪な）mean;（不正な）dirty;（不快な）nasty;（ひどく不快な）foul;（軽蔑すべき）contemptible;（卑怯(ひきょう)な）cowardly.《☞ げれつ》. ¶ 彼は*卑劣な奴だ He is a ⌈*mean* [*dirty*; *contemptible*; *cowardly*] fellow. // 彼らは*卑劣な手段を私たちに対して用いた They played a ⌈*dirty* [*nasty*; *mean*] trick on us.
ビレッジ （村）village Ⓒ.
ピレトリン 〔化〕pyrethrin /paɪríːθrɪn/ Ⓤ ★ 除虫菊に含まれる殺虫成分.
ピレニアンマウンテンドッグ （大型犬）Pyrenean /pírənìːən/ móuntain dòg Ⓒ, Great Pyrenees Ⓒ《複～》.
ピレネー —［名］(固) the Pyrenees /pírənìːz/ ★ フランスとスペイン国境の山脈.
ひれふす 平伏す throw *oneself* at *a person's* feet《☞ へいしんていとう》.
ひれん 悲恋 tragic love Ⓤ《☞ こい[2]》.
ひれんじゃく 緋連雀 〔鳥〕Japanese waxwing Ⓒ.
ひろ 尋 fathom Ⓒ ★ 6 フィート，約 1.83 メートル.
ひろい 広い **1**《面積・幅・空間などが》—［形］（面積が）large (↔ small), big (↔ little) 語法 (1) 以上 2 語は最も一般的で口語的な語．大きさ・量などにも使う．前者が客観的なのに対して，後者は感覚的な意味のこもった言葉;（さえぎる物のない）open;（広々とした）spacious /spéɪʃəs/;（範囲や広がりが）vast;（家などが）roomy;（幅が）wide, broad 語法 (2) 前者は一方から他方までの幅を正確に意味する言葉だが，後者は広々とした広がりを強調する言葉.

日本語	英　語
広　い	（幅　が）wide
	（面積が）large

日英比較 日本語の「広い」は「幅」「面積」のいずれをも意味するが，英語では幅と面積にはそれぞれ別の語を用いる．すなわち，wide は「幅」のみを意味し，面積には large, big をはじめ上述の語を用いる．従って「広い運動場」は a *large* playground と large を用いて訳さなくてはならない．もっとも，the *wide* ocean（広い海），the *wide* world（広い世界）のような表現はあるが，これも本質的には向こう側との距離の隔たりに重点がある． —［副］（広く）widely, broadly ★ 一般に広がっていることを意味する;（世間一般に・通例）generally;（広範囲に）extensively;（あまねく）universally. —［動］（幅を広げる）widen /wáɪdn/ (他), broaden (他).《☞ おおきい（類義語）; ひろさ》.
¶ 学校の運動場はたいへん*広い The playground of our school is very ⌈*large* [*big*; *spacious*]. // *広い道が家の前を東西に走っている A ⌈*wide* [*broad*] road runs from east to west in front of our house. // 彼の家には寝室が 5 室もあり，とても*広い His house is quite *roomy*, with five bedrooms. // これは*広く知られている事実です This is a fact ⌈*generally* known [known *extensively*; accepted *universally*]. // 経験を*広くすることは必要だ It's necessary to ⌈*widen* [*broaden*] your experience. // 彼女は英文学を*広く読んでいる She has read

widely in English literature.
2 《心が》: generous, broad-minded 語法 前者は「寛大な」こと, 後者は「度量の大きい」ことを強調する. (☞ かんだい¹). ¶ 彼は心の*広い人です He ⌈is *generous* [has a *broad* mind].

ひろいあげる 拾い上げる pick up ⓗ. ¶ 彼女は床の紙片を*拾い上げた She *picked up* a piece of paper ⌈on [from; off] the floor.

ヒロイズム (英雄崇拝) hero worship Ⓤ; (英雄的行為[資質]) heroism Ⓤ.

ひろいだす 拾い出す (取り出す) pick [sort] out ⓗ; (選ぶ) select ⓗ. ¶ 割れた貝がらは*拾い出して下さい *Pick* [*Sort*] *out* broken shells.

ヒロイック (英雄的) heroic.

ひろいぬし 拾い主 finder Ⓒ.

ひろいもの 拾い物 (掘り出し物) find Ⓒ; (意外な利得) windfall Ⓒ, godsend Ⓒ.
¶ その子は*拾い物 (⇒ 道で見つけた物) を交番に届けた The child took *what he had found on the road* to the police box. // 土器のかけらはたいへんな*拾い物であることがわかった The piece of earthenware later turned out to be quite a *find*.

ひろいよみ 拾い読み ― 動 (飛ばし読みする) skim ⓗ, skim (through ...) ⓘ, browse /bráuz/ ⓘ 語法 skim は大意を知るために, browse はただ漫然と楽しみながら拾い読みすること; (細かいところを飛ばす) skip over the details.

ヒロイン heroine /hérouɪn/ Ⓒ (↔ hero).

ひろう¹ 拾う (拾い上げる) pick úp ⓗ; (見つける) find ⓗ 《過去・過分 found》; (採集する) gather ⓗ.
¶ 少女は数枚の貝殻を*拾った The girl ⌈*picked up* [*gathered*] several seashells. // この財布は門の前で*拾いました I *found* this wallet in front of the gate.

ひろう² 疲労 ― 名 tiredness Ⓤ, weariness Ⓤ ★ 後者のほうが格式ばった語; (疲れ切った状態) fatigue /fətíːɡ/ Ⓤ; (極度の疲れ) exhaustion /ɪɡzɔ́ːstʃən/ Ⓤ. ― 形 tired; weary; fatigued; exhausted. (☞ つかれ; つかれる¹).
¶ *疲労はとれましたか Have you ⌈recovered from [gotten over] your *fatigue*? // 彼女は*疲労の色を見せなかった She showed no signs of *fatigue*. // *疲労こんぱいする *be* completely *exhausted* / *be* dead *tired* ★ 後者のほうがくだけた表現. // 金属*疲労 metal *fatigue*
疲労性骨折 fatigue fracture Ⓒ.

コロケーション
精神的な疲労 mental *fatigue* / 肉体的な疲労 physical *fatigue* / 慢性的な疲労 chronic *fatigue*

ひろう³ 披露 ― 動 (発表する) announce ⓗ; (紹介する) introduce ⓗ; (公表する) make ... public. ― 名 announcement Ⓤ; introduction Ⓤ ★ いずれも具体例は Ⓒ.
¶ 新しい進展をご*披露したい I would like to ⌈*announce* [*introduce*] to you a new development. // 大臣はそれまで秘密にされていた事実を*披露した The minister ⌈*made public* [*made an announcement of*] a fact that had been kept secret.
披露宴 (結婚の) wedding reception Ⓒ.

びろう¹ 尾籠 ― 形 (品のよくない) indecent, indelicate ★ 後者のほうが格式ばった語; (不潔な) dirty. ¶ *びろうな話で恐縮ですが (⇒ 話題にするには下品なことですが) ... It is an *indelicate* matter to mention, but ...

びろう² 檳榔 ☞ やし¹

ひろえり 広襟 (和服の) wide neckband (for formal wear) Ⓒ (☞ えり).

ひろえん 広縁 (日本家屋の) wide open corridor Ⓒ.

ビロード ― 名 velvet Ⓤ. ― 形 (ビロードの(ような)) velvet; (ビロードのような) velvety.

ひろがり 広がり (広さ) extent Ⓤ; (時間・空間の) stretch Ⓤ; (広々とした広がり) expanse Ⓒ; (幅・範囲の) spread Ⓤ. ¶ 土地の広大な*広がり the vast *extent* of land // 私は横たわって, 青空の*広がりを見上げた I lay down and looked up at the *expanse* of blue sky. // 火の*広がりは予想よりはるかに速かった (⇒ 火ははるかに速く広がった) The fire *spread* much faster than we had thought (it would). ★ この spread は動詞.

ひろがる 広がる (空間的にも時間的にもあらゆる方向に開く) spread ⓘ 《過去・過分 spread》; (両端に伸びる) stretch ⓘ; (範囲・程度が伸びる) extend ⓘ; (大きな空間になる) expand ⓘ; (幅が広がる) widen ⓘ, broaden ⓘ. (☞ ひろまる; かくだい).
¶ そのニュースはまたたく間に*広がった The news *spread* quickly. // とうもろこし畑が丘のふもとまで*広がっている Cornfields ⌈*stretch* [*extend*] as far as the foot of the hills.

ピロガロール 〘化〙 (焦性没食子酸) pyrogallol Ⓤ ★ 写真現像液, 染料, 医薬品に用いる.

ひろく 秘録 (公的の) clássified [cónfidèntial] dócument Ⓒ; (私的の) (sécret) memoir /mémwɑə/ Ⓒ. (☞ ひみつ).

びろく 微禄 (わずかな収入) a pittance ★ a を付けて. (☞ はっきゅう¹). ¶ *微禄に甘んじる live on *a pittance*

ひろくち 広口 (容器の) wide mouth Ⓒ. **広口びん** widemouthed bottle Ⓒ.

ひろげる 広げる (空間的にも時間的にもあらゆる方向に開く) spréad (óut) ⓗ 《過去・過分 spread》; (空間的に拡張する) expand ⓗ; (大きくする) enlarge ⓗ; (幅を広くする) widen ⓗ, broaden ⓗ; (範囲・程度を伸ばす) extend ⓗ 日英比較 日本語では面積を広げることも幅を広げることも同じく「広げる」と言うが, 英語ではそれぞれに違う語を用いる. 前者には expand, enlarge を, 後者には widen, broaden を用いる. その他,「範囲を広げる」には expand,「開くように広げる」には spread などを用いる. 日本語にも拡大, 拡張など類義語はあるが, 基本的な語は「広げる」1 語であるのに対して, 英語では種々の語が使われることに注意. (☞ ひろい 日英比較); (折った物を開く) unfold ⓗ; (巻いてある物を開く) unroll ⓗ. (☞ かくだい; かくちょう¹).
¶ 地図をテーブルの上に*広げなさい *Spread* (*out*) [*Unfold*] the map on the table. // 鳥が羽を*広げた The bird ⌈*extended* [*spread* (*out*)] its wings. ★ [ ] 内のほうが口語的. // 彼らは毎年その商売を*広げている They *are* ⌈*enlarging* [*expanding*] their business every year. // この道路は間もなく*広げられる This road will soon *be* ⌈*widened* [*made wider*].

ひろこうじ 広小路 (broad) street Ⓒ; (広い並木街路) boulevard Ⓒ.

ひろさ 広さ 1 《面積》: (地域の) area Ⓤ; (範囲・程度の) extént Ⓤ; (測定して得た大きさ) size Ⓒ. (☞ めんせき¹; 度量衡 (囲み)).
¶ 家の*広さは 90 平方メートルです The house is ninety square meters in *area*. / The *area* of the house is ninety square meters. // 土地の*広さは思っていたほどではなかった The ⌈*size* [*area*] of the land was smaller than I had thought. // 彼の知識の*広さにはいつも感心する I am always impressed ⌈with [by] the *extent* of his knowledge.
2 《幅》: width /wídθ/ Ⓤ, breadth /brédθ/ Ⓤ ★ 後者のほうが格式ばった語. (☞ はば; ひろい

[日英比較]). ¶道の*広さは 10 メートルです The road is ten meters ｢*wide* [in *width*].

ピロシキ (ロシア風肉饅頭) pirozhki, piroshki /pɪrάʃki/ ★ 複数形で用いる. 単数形は pirozhok, piroshok.

ひろそで 広袖 wide sleeve [C].

ひろっぱ 広っぱ ☞ ひろば

ピロティ (建物の) piloti /pɪlάti/ [C].

ひろの 広野 (open) plain [C].

ひろば 広場 (市内の) square [C]; (円形広場) 《英》 circus; (都市の大広場) plaza [C]; (空地) open space [C], vacant lot [C] ★ 後者は 1 区画の土地. ¶駅の前にはかなり大きな*広場がある There is a fairly large ｢*square* [*plaza*] in front of the station.

ひろびろ 広広 ―[形] (広々とした) spacious; (面積の大きい) vast ★ かなりの大きさをいう; (さえぎる物のない) open; (大きな) large; (幅が) wide, broad. 《☞ ひろい [日英比較]》. ¶彼らは*広々としたとうもろこし畑で働いていた They were working in a ｢*large* [*vast*] cornfield. // 牛は*広々とした牧場で草をはんでいた The cattle were grazing in a *broad open* meadow.

ヒロポン 〔薬〕(商標名) Phílopòn; (薬品名) mèthamphétamine [U], 《俗》 meth [U].

ひろま 広間 (ホテルなどの大広間) hall [C].

ひろまる 広まる spread (自) 《過去・過分 spread》; (うわさなどが流布する) be circulated, gèt ｢abóut [abróad; aróund] (自) ★ get を用いるほうが口語的な表現; (受け入れられる) gain ground; (流行になる) come into fashion. 《☞ ひろがる》.
¶うわさはたちまち*広まった The rumor ｢*spread* [*was circulated*; *got about*; *got around*] very quickly. // この奇妙なヘアスタイルはここ 2, 3 か月で*広まった (⇒ 流行になった) This strange hairstyle *has come into fashion* in the last two or three months.

ひろめ 広め ―[動] (お広めをする) make *one's* debut /déɪbjuː/. ―[名] debut [C]. 《☞ おひろめ》.

ひろめる 広める (四方に広げる) spread (他) 《過去・過分 spread》; (知識・経験などを) broaden (他); (普及させる) popularize (他), make ... popular; (うわさなどを触れ回る) broadcast (他). 《☞ ひろげる》.
¶だれがそのうわさを*広めているのだろうか Who *has been spreading* that rumor? // 仮名書きが人々の間に読み書きを*広めた *Kana* writing *popularized* reading and writing among the people. // 知識を*広める *broaden one's* knowledge

ピロリきん ピロリ菌 ☞ ヘリコバクターピロリ

ひろんりてき 非論理的 illogical (↔ logical).
¶*非論理的な推論 *illogical* reasoning

ひわ¹ 秘話 secret story [C]; (人に知られていない挿話) unknown episode [C].

ひわ² 鶸 〔鳥〕 siskin [C].

ひわ³ 悲話 sad [pathetic] story [C] 《☞ ひげき》.

びわ¹ 枇杷 〔植〕(木・実) loquat [C].

びわ² 琵琶 〔楽器〕 Japanese lute [C]. **琵琶法師** Japanese lute [*biwa*] player [C].

ひわい 卑猥 ―[形] (わいせつな) obscene /ɑbsíːn/; (下品な) indecent ★ 後者のほうが婉曲な語; (言葉などがけがらわしい) dirty. 《☞ わいせつ》.
¶あの人は*卑猥な口をきく He uses ｢*obscene* [*indecent*] language.

びわくせい 微惑星 〔天〕 planetesimal /plænətésəm(ə)l/ [C].

びわこ 琵琶湖 ―[名] (固) (湖) Lake Biwa.

ひわだ 檜皮 Japanese cypress bark [U]. **檜皮色** dark red [C], the color of Japanese cypress bark [U] **檜皮葺き** (屋根) cypress bark roof [C].

ひわたり 火渡り walking over fire [U].

びわます 琵琶鱒 〔魚〕 Biwa trout [C].

ひわり 日割り (1 日あたりの値段) daily rate [C], day [daily] wage [C] ★ しばしば複数形で. 《☞ にっきゅう》. ¶労働者たちは*日割りで賃金をもらった Laborers were paid ｢*by the day* [at a *daily rate*; a *daily wage*]. **日割り計算(で)** (at) so much per day; (on) a per diem basis.

ひわれ 干割れ ―[動] dry (up) and crack (他) (自).
¶日照り続きで田んぼに*干割れができた (⇒ ひびが入っている) There are *cracks* in the rice fields because of the long drought. / (⇒ 日照りが田んぼをひび割れさせた) The long drought *has dried* (*up*) *and cracked* the rice fields.

ひん 品 ¶部屋には*品のよい婦人がいた There was ｢an *elegant* [a *graceful*] lady in the room. // そんな*品のない言葉を使ってはいけない Don't use such ｢*vulgar* [*coarse*] language. 《☞ じょうひん (類義語); げひん》

びん¹ 瓶 bottle [C] ★ 最も一般的な語で以下の語の代わりにも使える; (広口の) jar [C]; (大型で細口の) flagon [C]. ¶空き*瓶はここに置いていいですか Can I leave empty *bottles* here? // *瓶の栓はどこでしょう Where is the *bottle* stopper?

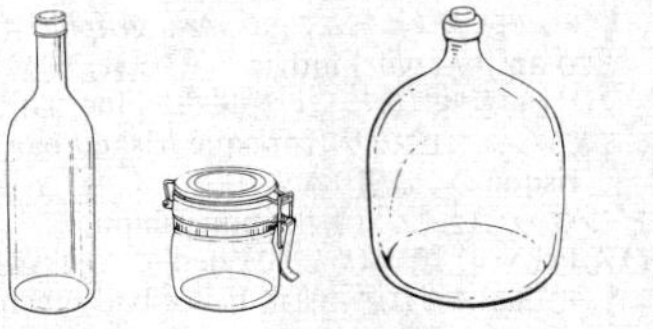

bottle　　jar　　flagon

びん² 便 (飛行機の) flight [C] 《☞ フライト》 ★ 飛行機以外の輸送手段の場合は,「次の (定期の) トラック便で」by the next (regular) truck service のように train, truck, bus, ferry などそれぞれの輸送手段に使われる名詞に service を付けて用いる; (郵便の) 《米》 mail [U], 《英》 post [U] 《☞ ゆうびん》. ¶その*便は成田空港を次の日曜日の正午に出る The *flight* ｢leaves [departs from] Narita Airport at noon next Sunday. // 私は第 261*便で着いたばかりです I just got in on *flight* 261. //私は翌朝一番の*便でその手紙を出した I sent off the letter by the first *mail* the next morning.

びん³ 敏 ¶機を見るに*敏 *be quick* at seizing an opportunity 《☞ びんしょう¹》

びん⁴ 鬢 the hair ｢on [at] the temples ¶*びんのほつれ *one's* tousled *hair on the temples*

ピン¹ ―[名] pin [C]; (U 字形のヘアピン) hairpin [C]; (ぴったり閉じた) 《米》 bobby pin [C], 《英》 hair grip [C]; (安全ピン) safety pin [C]. ―[動] (ピンでとめる) pin (他). 《☞ ヘアピン (挿絵)》. ¶彼は絵を*ピンで壁にとめた He *pinned* the picture up on the wall.

ピン² ¶カメラといっても*ピンからキリまである (⇒ 最高級から下級品まであらゆる種類) There are *all sorts of* cameras, *ranging from the highest quality to the lowest*.

ひんい 品位 (上品さ) grace [U]; (優雅さ) elegance [U]. 《☞ ひん》.

ピンイン Pinyin [U] ★ 中国語のローマ字表記法の一つ.

ひんか 貧家 poor family [C]; (貧しい世帯) poor [impoverished] household [C].

ピンカール ―[名] pin curl [C]. ―[動] pin-curl (他).

ひんかく 品格 (上品さ) grace [U]; (威厳) dignity

Ⓤ. (☞ ひん; ひんい). ¶彼は*品格に欠ける (⇒ 低俗[粗野]だ) He is ˹*vulgar* [*coarse*].

びんがた 紅型 *bingata* printing (of Okinawa) Ⓤ.

びんかつ 敏活 ── [名] (動作や知力が素早い) agility Ⓤ; (敏捷さ) 《格式》 alacrity Ⓤ; (すばやいこと) quickness Ⓤ. ── [形] agile; quick. (☞ びんしょう¹). ¶彼は*敏活に策を講じた He took measures with *alacrity*.

ひんかん 貧寒 ¶*貧寒とした村 a *poor and desolate* village

びんかん 敏感 ── [形] sensitive (☞ えいびん; デリケート). ¶私はにおいに*敏感です I'm *sensitive* to smell. // 音楽家には*敏感な耳がいる A musician has to have a *sensitive* ear. // 彼は寒さに*敏感すぎる He is *oversensitive* to (the) cold.

ひんきゃく 賓客 honored [distinguished] guest Ⓒ; (主賓) guest of honor Ⓒ. (☞ きゃく).

ひんきゅう 貧窮 ☞ ひんこん; びんぼう

ピンキング (布の縁をぎざぎざに切ること) pinking Ⓤ. **ピンキング鋏** pinking shears ★ 複数形で.

ひんく 貧苦 pressure [hardships] of poverty Ⓤ (☞ ひんこん; びんぼう).

ピンク ── [名] (淡紅色) pink Ⓤ. ── [形] pink; (ピンクがかった) pinkish.
¶*ピンク映画 (⇒ ポルノ) a *pòrnográphic* [(⇒ きわどい) an *off-color*] movie [日英比較] 英語ではピンクは性的意味はなく, この意味では blue が用いられることが多い. **ピンクサロン** risqué /rɪskéɪ/ bar(room) Ⓒ risqué の ´ は綴り本来のもの.

ピンクッション (針山) pincushion Ⓒ.

ひんけい 牝鶏 (めんどり) hen Ⓒ. **牝鶏あしたす** ¶*牝鶏あしたすは悪い前兆 It is a bad omen when *hens crow*.

ひんけつ 貧血 ── [名] an(a)emia /əníːmiə/ Ⓤ. ── [形] an(a)emic /əníːmɪk/. ¶彼女は*貧血を起こしている She's suffering from *anemia*. **貧血症** an(a)emia Ⓤ.

ビンゴ (ゲーム) bingo /bíŋgoʊ/ Ⓤ.

ひんこうほうせい 品行方正 ── [形] well-behaved ★ Ⓟ の場合はハイフンは付けない.

びんごおもて 備後表 high quality tatami facing from Hiroshima Prefecture Ⓤ.

ひんこん 貧困 ── [名] poverty Ⓤ. ── [形] (貧しい) poor ★ 最も一般的な語; (非常に貧しい) needy. (☞ びんぼう (類義語)). ¶一家は*貧困にあえいでいた The family ˹suffered dire *poverty* [*was poverty-stricken*]. // 思想の*貧困 *poverty* of thought **貧困家庭** poor family Ⓒ **貧困者** (総称) the poor; 《格式》 the indigent ★ どちらも複数扱い.

びんさつ 憫察 (同情) sympathy Ⓤ; (強い同情と助けようとする気持ち) compassion Ⓤ. (☞ おもいやり). ¶当方の窮状をご*憫察いただければ幸いです We would be very grateful if you *understand* our plight.

ひんし¹ 瀕死 ── [形] (危篤で) in critical condition; (死にかけている) dying; (生命にかかわる) fatal [語法] (1) この語は結果として死ぬことを暗示する. (☞ はんしはんしょう). ¶病人は*瀕死の状態だった (⇒ 危篤状態だった) The patient was ˹*in critical condition* [*dying*]. ★ [ ] 内のほうが口語的. // 彼は銃撃され, *瀕死の重傷を負った He was shot and *fatally* wounded. [語法] (2) 日本語のニュアンスと違い, 結局助からなかったことを暗示する.

ひんし² 品詞 part of speech Ⓒ 《複 parts of speech》.

ヒンジ (ちょうつがい) hinge Ⓒ (☞ ちょうつがい).

ひんしつ 品質 quality Ⓤ (☞ しつ¹). ¶このチョコレートは*品質がよい This chocolate /tʃɑ́k(ə)lət/ is high in *quality*. / This is high-*quality* chocolate. // *品質保証 *Quality* Guaranteed **品質管理** quality control Ⓤ **品質規格** quality specifications ★ 複数形で. **品質基準** quality standards ★ 複数形で. **品質欠陥** quality defect Ⓒ **品質検査** quality ˹check [inspection] Ⓒ **品質表示** statement of quality Ⓒ **品質保持期限** Guaranteed [Good] until … / Consume [Use] before … ★ 表示で…に期日を入れて使う.

ひんじゃ 貧者 poor ˹man [woman] Ⓒ; (総称) the poor (↔ the rich). (☞ びんぼう; まずしい).
貧者の一灯 (少額ながら奇特な寄付) *one's* mite, a widow's mite ★ 後者は聖書の「マルコ伝」から.
¶私はその慈善事業に*貧者の一灯を寄せた I ˹gave [contributed] *my mite* to the charities. ★ [ ] 内のほうが格式ばった語.

ひんじゃく 貧弱 ── [形] (内容などが乏しい) poor ★ 最も一般的な語; (質・量など一定の水準に達せず不十分な) meager (《英》 meagre) ★ やや格式ばった語. ¶この本の内容は*貧弱だ This book is *poor* in content. / (⇒ 内容があまりない) This book *doesn't have much* content.

ひんしゅ 品種 (種類) kind Ⓒ, sort Ⓒ ★ 後者のほうが口語的; (分類上の変種) variety Ⓒ; (動植物の) breed Ⓒ. (☞ しゅるい (類義語)).
¶彼女はチューリップの新しい*品種を開発した She developed some new *varieties* of tulips. // 技師たちはこの牛の*品種改良に努めている Technical experts are trying to improve this *breed* of cattle.
[語法] breed は特定の 1 品種を指す. 新しい品種を作ることによる品種改良という意味なら 「交配して新しい品種を作る」 develop a new crossbreed of cattle のような表現を用いなくてはならない.

ひんしゅく 顰蹙 **ひんしゅくを買う** be frowned upon. ¶彼の行為は*ひんしゅくを買った His conduct *was frowned upon*. / People *frowned upon* his behavior.

ひんしゅつ 頻出 ── [動] (しばしば起こる [現れる]) occur [appear] frequently ㊀. ── [名] frequent ˹occurrence [appearance] Ⓒ.

びんしょう¹ 敏捷 ── [形] quick, prompt [語法] いずれも人の動作・頭の働きなどの速いことを表すが, quick が最も一般的で口語的. prompt は訓練による敏捷さを強調する; (身軽ですばしっこい) agile /ǽdʒəl/, nimble. ── [副] quickly, promptly; agilely, nimbly. ── [名] quickness Ⓤ, promptness Ⓤ; agility Ⓤ, nimbleness Ⓤ. (☞ すばやい; びんそく). ¶彼女があんなに*敏捷に行動するとは思ってもみなかった I hadn't even imagined she could act so ˹*nimbly* [*agilely*; *promptly*; *quickly*].

びんしょう² 憫笑 ── [動] smile with pity ㊀.

びんじょう 便乗 **1** 《利用する》: (…につけ込む) take advantage of … (☞ りよう¹).
¶彼らは運賃の値上げに*便乗して値上げした They raised ˹the [their] price(s) *taking advantage of* the fare hike.
2 《乗り物に相乗りする》: (人の車に乗せてもらう) get a lift in *a person's* car (☞ あいのり).
便乗主義 me-tooism Ⓤ ★ 模倣主義. 大勢順応主義という意にもなる. **便乗値上げ** me-too price ˹increase [hike] Ⓒ, follow-up price hike Ⓒ.

ひんしるい 貧歯類 〘動〙 edentate /iːdénteɪt/ Ⓒ 《複 ~s, -tata》.

ビンス (男性名) Vince ★ Víncent の愛称.

びんずい 便追 〘鳥〙 Indian tree pipit Ⓒ.

ヒンズーきょう ヒンズー教 Hinduism /hínduːɪzm/ Ⓤ. **ヒンズー教徒** Híndu Ⓒ.

ヒンズークシさんみゃく ヒンズークシ山脈

ひ

―― 名 固 the Hindu Kush /híndu:kú:ʃ/ Móuntains ★ パキスタン北部・アフガニスタン北東部の山脈.

ひんする[1] **瀕する** (まさに…しようとする・まさに…せんばかりである) be「at [on] the point of…, be on the「verge [brink] of…, be about to *do*…
¶ 会社は倒産の危機に*瀕している The company *is*「*at the point of* [*on the verge of*] bankruptcy.

ひんする[2] **貧する** live in poverty. ¶ *貧すれば鈍する *Poverty* dulls the wit. 《☞ どんする》

ひんせい 品性 character Ⓤ. ¶ *品性の立派[下劣]な人 a person of「fine [mean] *character* // *品性を養う build (up) *one's character*

ピンセット tweezers ★ 複数形で. 数えるときは a pair [two pairs] of…として.「ピンセット」はオランダ語 pincet から. 《☞ いりょう[1] (挿絵)》.

ひんせん 貧賤 poverty and low birth Ⓤ. ¶ *貧賤に生まれる be born *poor and humble*

びんせん[1] **便箋** letter paper Ⓤ, notepaper Ⓤ, writing paper Ⓤ ★ 以上の訳語は同じように用い, 数えるには a sheet [two sheets] of… として. 《☞ 数の数え方 (囲み)》; (1 つづりの) writing [letter] pad Ⓒ; (会社名などを刷り込んだ) letterhead Ⓤ. 《☞ 手紙の書き方 (囲み)》.

びんせん[2] **便船** available ship Ⓒ.

ビンセント (男性名) Víncent ★ 愛称は Vínce.

ひんそう 貧相 ―― 形 (貧弱な) poor; (情けない) miserable; (外見がみすぼらしい) mean; (破れたり, すり切れたりしている) shabby.

びんそく 敏速 ―― 形 (速い・素早い) quick, prompt ★ 前者のほうが口語的; (きびきびした) brisk. ―― 副 quickly, promptly; briskly. 《☞ きびん 語法; びんしょう[1]》. ¶ 彼らは*敏速に行動した They acted「*quickly* [*promptly*]. / They were「*quick* [*prompt*; *brisk*]「in (taking) [to take] action.

ひんだ 貧打 poor [little] hitting Ⓤ.

びんた ―― 動 (平手でほおを打つ) slap *a person* on the cheek.

ヒンターランド ☞ こうはいち

ピンタック (縫いひだ) pin tuck Ⓒ.

ピンチ (苦境・危機) pinch Ⓒ, 《米略式》 a fix ★ a を付けて; (危機) crisis /kráisis/ Ⓒ 《複 crises /-si:z/》 日英比較 日本語で「ピンチ」が使われていても, 格式ばった文では crisis を用いるほうがよい. 《☞ きき[1]; きゅうち[1]》.
¶ *ピンチに立つ[陥る] find *oneself* in a「*pinch* [*fix*] // そのとき私は*ピンチだった Then I was in *a*「*pinch* [*fix*]. // この*ピンチをどうやったら乗り越えられるだろうか How can we get over this *crisis*?
ピンチヒッター 〔野〕 pinch hitter Ⓒ ピンチランナー 〔野〕 pinch runner Ⓒ 《☞ だいそう》.

ピンチコック (ゴム管を挟んで締める装置) pinchcock Ⓒ.

びんちょうずみ[たん] 備長炭 *bincho* charcoal Ⓤ, high-quality charcoal Ⓤ ★ 後者は説明的な訳.

びんつけあぶら 鬢付け油 (固型の) pomade /pouméid/ Ⓤ; (液体の) hair oil Ⓤ.

びんづめ 瓶詰め ―― 名 (瓶に詰めること) bottling Ⓤ. ―― 形 (瓶詰めの) bottled. ―― 動 (瓶詰めにする) bottle 他. **瓶詰め食品** bottled food Ⓤ.

ヒンディーご ヒンディー語 Hindi /híndi:/, the Hindi language.

ビンディング (スキーの締め具) binding /báindiŋ/ Ⓤ.

ビンテージ ―― 形 (最良期の) vintage.
ビンテージイヤー (ぶどう酒用のぶどうの当たり年) víntage yéar Ⓒ ビンテージカー (クラシックカー) víntage cár Ⓒ ビンテージワイン (当たり年の銘柄ワイン) víntage wíne Ⓤ.

ヒント (ほのめかし) hint Ⓒ; (謎を解く手がかり) clue Ⓒ. ¶ *ヒントをください Please give (me) a *hint*. // 彼の話からは*ヒントは得られなかった I couldn't get any *hint* from what he said.

ひんど 頻度 frequency Ⓤ. ¶ これらの語は使用*頻度の順に並んでいます These words are listed in the order of *frequency*「in [of] use. // これは*頻度の高い表現ではない This is not a high-*frequency* expression. **頻度数** frequency Ⓒ.

ぴんと **1** 《真っすぐに強く張って》 ―― 形 tight. ―― 動 (強く張る) tíghten (úp) 自 他 ★ 最も一般的な語; (切れそうになるまで引っ張る) strain 自 他; (引き伸ばす) stretch 自 他; (耳などを真っすぐに立てる) cóck (úp) 自 他. 《☞ はる[2]; 擬声・擬態語 (囲み)》. ¶ 軽わざ師が*ぴんと張った綱の上を渡っている An acrobat is walking on the *tightrope*. // 糸を*ぴんと張らなくてはならない We need to「*tighten* [*stretch*] the thread. // ひもは*ぴんと張られていまにも切れそうだ The string *has been stretched* so tightly that it may break any minute. // 犬が*ぴんと耳を立てた The dog *cocked up* his ears.
2 《気付く・心に訴える》 ¶ 彼の話で私はすぐ*ぴんときた (⇒ 彼の話からすぐそれと気付いた) I「*got* [*took*] *a hint* from his words. // 彼女の説明はどうも*ぴんとこない (⇒ 納得がいかない) Her explanation *is*「*not convincing* [*unconvincing*].

ピント focus Ⓒ 《☞ しょうてん[1]》.
¶ この写真は*ピントがはずれている[合っている] This picture is「out of [in] *focus*. ★ out of [in] focus は慣用句. // このカメラはどうやって*ピントを合わせるのですか How do you「*focus* [adjust the *focus* of] this camera? // あなたの言うことはいつも*ピントはずれだ (⇒ 要点をはずれている) Your remarks always miss the *point*.

ヒンドスターニーご ヒンドスターニー語 Hindustani /hìndustǽni/ Ⓤ.

びんなが 鬢長 〔魚〕 albacore Ⓒ, germon Ⓒ.

ピンナップ pinup Ⓒ. ピンナップガール pinup girl Ⓒ.

ひんにょう 頻尿 frequent urination Ⓤ.

ひんのう 貧農 poor「peasant [farmer] Ⓒ 《☞ のうみん》.

ひんば 牝馬 mare Ⓒ 《☞ めす[1]》.

ひんぱつ 頻発 ―― 動 occur frequently 自. ―― 名 frequent occurrence Ⓤ. ¶ この町では交通事故が*頻発している Traffic accidents *have occurred frequently* in this town.

ピンバッジ pin badge Ⓒ.

ピンはね (おどしまたは話し合いによる) 《米略式》 kickback Ⓒ; (特に不正収入の) 《略式》 rake-off Ⓒ; (分け前) 《略式》 cut Ⓒ. ¶ 彼は手数料の 5 パーセントを*ピンはねした He took a five percent *cut* of the commission.

ひんばん 品番 ítem códe-nùmber Ⓒ.

ひんぱん 頻繁 ―― 形 (回数・度数の多い) frequent; (間隔が短い) short; (往来が) busy. ―― 副 (しばしば) often, frequently 語法 前者のほうがより口語的だが, 後者には頻度が非常に高いというニュアンスがある; (回数が多く) many times.
¶ 電車は*頻繁に来ます Trains are running *at*「*short* [*frequent*] *intervals*. // 駅を出ると交通の*頻繁な通りがあります Coming out of the station, you will find a *busy* street in front of you. // このところ父から*頻繁に電話がある My father has called me up「*very often* [*many times*] recently.

ひんぴょうかい 品評会 show Ⓒ ★ 口語的表現; (競争で賞を出したりするもの) competitive exhibition Ⓒ, fair Ⓒ ★ 後者は特に農産物や家畜のときに用いられる.

ひんぴん 頻頻 — 副 (頻繁に) very often, frequently, at ⌈short [frequent] intervals 語法 ほぼ同意だが, この順に格式ばった表現になる. また第 3 の表現は定期的な運転・刊行などについて用いることが多い. ((☞ ひんぱん)).

びんびん ¶ 観客の反応が舞台まで*びんびん (⇒ 生き生きと) 伝わってくる The responses of the audience are *vividly* felt on stage. // スピーカーからロック音楽が*びんびん鳴っている The speakers *are* ⌈*blasting* [*blaring*] *out* rock music. // 頭が*びんびんする (⇒ 頭痛でずきずきする) I have a ⌈*throbbing* [*pounding*] headache. ((☞ 擬声・擬態語 (囲み))).

ぴんぴん — 動 (活発で元気である) be lively; (元気いっぱいである) be full of life, be (as) fit as a fiddle; (老人が達者でいる) be hale and hearty. ((☞ 擬声・擬態語 (囲み))). ¶ 父は 85 歳になるが*ぴんぴんしています My eighty-five-year-old father *is hale and hearty*.

ひんぷ 貧富 (貧乏人と金持ち) the ⌈rich [wealthy] and the poor ((☞ 冠詞 (巻末))).
¶ その国ではまだ*貧富の差が大きい In that country there is still a wide ⌈gap [gulf] between *the rich and the poor*.

ピンポイント pinpoint Ⓒ. ¶ *ピンポイント攻撃 (精確な攻撃) *pinpoint* attack Ⓤ ピンポイント爆撃 pinpoint [precision] bombing Ⓤ.

びんぼう 貧乏 — 形 (貧乏な) poor (↔ rich); needy; poverty-stricken. — 名 poverty Ⓤ.
【類義語】 最も一般的で, いずれの語の代わりにも用いることができるのが **poor**. **poor** より格式ばった語で, 生活必需品にも事欠くような状態が **needy**. さらにひどい貧乏の状態を表す格式ばった語が **poverty-stricken**. ((☞ ひんこん))
¶ 家族は稼ぎ手の死後, *貧乏になった After the death of the breadwinner, the family became *poor*. // 私は*貧乏に生まれた I was born *poor*. // 彼は今も*貧乏暮らしをしている He still lives in *poverty*. // *貧乏ひまなし Ever busy, ever *bare*. ((ことわざ: 忙しく働き通しても, いつも裸同然だ))
貧乏神にとりつかれる be poverty-stricken **貧乏くじ** (悪いくじ) bad lot Ⓒ. ¶ 彼が*貧乏くじを引いた (⇒ 皆の中で一番運が悪かった) He happened to *be the most unlucky of* all. / (⇒ 気がついたらやっかい物 [赤ん坊] を持たされていた) He was left holding the ⌈bag [baby]. **貧乏性** (くよくよする人) worrier Ⓒ, worrisome person Ⓒ **貧乏人** poor ⌈man [woman] Ⓒ; (低所得者) low-income citizen Ⓒ; (総称) poor people, the poor (and needy) ((☞ 婉曲語法 (巻末))) **貧乏人の子沢山** ☞ こだくさん **貧乏ゆすり** — 動 jiggle *one's* legs.

ピンホール (小さい穴) pinhole Ⓒ. **ピンホールカメラ** (針穴カメラ) pinhole camera Ⓒ.

ピンぼけ — 動 (写真のピントがはずれている) be out of focus; (急所がはずれている) be ⌈not to [off] the point. ((☞ ピント)).

ピンポン ping-pong Ⓤ ★ 元は卓球用具の商標名; (正式名) table tennis Ⓤ. ((☞ たっきゅう (挿絵); ラケット (挿絵))). **ピンポン台** ping-pong table Ⓒ **ピンポン球** ping-pong ball Ⓒ.

ひんまげる ひん曲げる wrench 他 ((☞ まげる)).

ひんみゃく 頻脈 〖医〗 tachycardia /tæ̀kəkáədiə/ Ⓤ.

ひんみん 貧民 poor [needy] people; the ⌈poor [needy] ★ 複数扱い. **貧民街[窟]** the slums; (ぼろ家地区) shantytown Ⓒ.

ひんむく ひん剝く ☞ はぐ; はぎとる

ひんめい 品名 the name of an article.

ひんもく 品目 (目録) list of ⌈items [articles] Ⓒ; (その中の 1 つ) item Ⓒ. ¶ *品目(の表)はここにあります Here is a *list of* ⌈*articles* [*items*].

ひんやり — 形 (うすら寒い) chilly; (涼しい) cool ★ 前者は不快感を伴うのに対し, 後者は心地よさを伴う. ¶ *ひんやりした風 a *chilly* wind / a *cool* breeze

びんらん[1] 紊乱 (堕落) corruption Ⓤ; (腐敗) decay Ⓤ; (たるみ) slackness Ⓤ; (違反) breach Ⓒ. ((☞ こんらん; みだれ)). ¶ このような綱紀の*びん乱は見逃すべきではない We should not overlook such ⌈*slackness* in [*a breach* of] (official) discipline.

びんらん[2] 便覧 manual Ⓒ, handbook Ⓒ. ((☞ べんらん)).

びんろうじゅ 檳榔樹 〖植〗 (木) betel palm tree Ⓒ; (実) betel nut Ⓒ.

びんわん 敏腕 — 形 able, capable, cómpetent 語法 いずれも「有能な」の意味で交換して用いられるが, able が最も意味が広く, competent は専門分野の能力をいうニュアンスが強い. — 名 (great) ability. ((☞ ゆうのう (類義語))).
¶ あの刑事は*敏腕だ That detective is (quite) *competent*. // だれか*敏腕な人が 1 人ほしい We want a ⌈*competent* [*capable*] person. // 彼女は学校行政において*敏腕を振るった She showed her *ability* in school administration.
敏腕家 (highly) competent [able] person Ⓒ.

ふ, フ

ふ[1] 府 (Métropòlitan) Prefecture /prí:fektʃə/ Ⓒ (☞ とどうふけん). ¶大阪*府 Osaka (*Metropolitan*) *Prefecture* **府議会** the ⌈Osaka [Kyoto] (Mètropólitan) Préfectural Assémbly **府知事** the governor of ⌈Osaka [Kyoto] **府庁** Mètropólitan Preféctural Óffice Ⓒ **府内** ―副 within [in] the prefectural area **府民** citizen of ⌈Osaka [Kyoto] Prefecture Ⓒ.

ふ[2] 負 ―形 (マイナスの) minus Ⓐ (↔ plus), 〔数〕 negative (↔ positive). ¶*負符号 (―) a ⌈*negative* [*minus*] sign // *負の数 a ⌈*negative* [*minus*] number

ふ[3] 譜 (楽譜) (musical) score Ⓒ, music Ⓤ 語法 前者は特にオーケストラ・合唱などの譜面で, 後者は音符を含めて楽譜一般を指す日常語. (☞ がくふ[1]).

ふ[4] 歩 (将棋・チェスの) pawn Ⓒ.

ふ[5] 腑 **腑に落ちない** ¶彼の言うことにはどうも*腑に落ちない (⇒ 理解できない) ところがある There is something ⌈I *cannot understand* [I *cannot digest*; that *doesn't go down well*] in what he says.

ふ[6] 麸 *fu* Ⓤ, gluten bread Ⓤ.

ふ- 不… un-, in-, dis- ★「…ではない (否定)」を表す接頭辞. in- は次に続く子音字によって il-, im-, ir- の形をとることもある. ¶*不幸な *un*fortunate // *不運な *un*lucky // *不安 *un*rest // *不便な *in*convenient // *不法な *il*legal // *不可能な *im*possible // *不規則な *ir*regular // *不愉快な *dis*agreeable // *不名誉 *dis*grace

ぶ[1] 部 **1** 《組織》: (会社などの) division Ⓒ, department Ⓒ; (スポーツなどの) club Ⓒ. (☞ ぶいん; ぶちょう; 会社の組織と役職名 (囲み)). ¶営業*部 the sales ⌈*division* [*department*] // バスケット*部 a basketball *club*

2 《番組・プログラム》: program (《英》 programme) Ⓒ. ¶昼の*部と夜の*部 the ⌈matinée [matinee] *program* and the evening *program*

ぶ[2] 分 (パーセント) percént Ⓒ, 《英》 per cént Ⓒ ★ 以上は単複同形. p.c., pc と略す. 記号は%. (☞ パーセント). ¶銀行は 4 *分の利子で金を貸してくれた The bank lent me the money at 4 *percent* interest. // 日本チームに*分がある[ない] (⇒ 勝ちそうだ[負けそうだ]) The Japanese team is *likely to* ⌈*win* [*lose*]. // 今回は我々のほうが*分がいい[悪い] We ⌈*have an advantage* [*are at a disadvantage*] this time. // その仕事は 9 *分どおり済んだ The work is ⌈90 *percent* [nearly] done.

ぶ[3] 歩 (土地面積の単位; 坪に同じ) *bu* Ⓒ ★ 単複同形. (☞ -つぼ).

ぶ- 不… ☞ ふ-

ファ 〔楽〕 fa Ⓤ.

プア ―形 (貧しい) poor (☞ まずしい).

ファー (毛皮) fur Ⓤ (☞ けがわ).

ファーイースト ―名 固 (極東) the Far East.

ファーガス (男性名) Fergus /fə́:gəs/.

ファーコート (毛皮のオーバー) fur coat Ⓒ.

ファーザー (父) father Ⓒ; (神父) Father ★ カトリック神父に対する敬称. (☞ ちち[1]).

ファースト 〔野〕 (1 塁) first base Ⓤ ★ 冠詞は普通付けない; (一塁手) first baseman Ⓒ (複 -men). (☞ いちるい). **ファーストクラス** (乗り物などの 1 等) ―名 first class Ⓤ. ―形 first-class. ¶*ファーストクラスで旅行する travel *first-class*

ファーストインプレッション (第一印象) the first impression.

ファーストネーム (姓ではなく名) *one's* ⌈first [given; Christian] name Ⓒ (☞ なまえ[1] 日英比較). ¶彼とは*ファーストネームで呼びあう間柄です I'm on a *first-name* basis with him.

ファーストバック (ファーストバックの屋根・自動車) fastback Ⓒ.

ファーストフード fast food Ⓒ ★ ハンバーガー (hamburger), フライドチキン (fried chicken) など. **ファーストフードレストラン** fast-food restaurant Ⓒ.

ファーストレディー (米大統領などの夫人) the first lady, the First Lady.

ファーディナンド (男性名) Ferdinand /fə́:dənæ̀nd/.

ファーニチャー (家具) furniture Ⓤ.

ファーブル ―名 固 Jean Henri Fabre /ʒɑ́:n ɑ́:nri fɑ́:br(ə)/, 1823–1915. ★ フランスの昆虫学者『昆虫記』(1870–99) の著者.

ファーム 〔野〕 (二軍のチーム) farm (team) Ⓒ; (農場) farm Ⓒ.

ぶあい 歩合 (割合) rate Ⓒ; (百分率) percéntage Ⓤ; (手数料) commission Ⓒ. (☞ わりあい; てすうりょう). **歩合算** the calculation of percentage **歩合制** commission system Ⓒ.

ファイア (火) fire Ⓤ ★ 具体的には Ⓒ. ¶キャンプ*ファイア a camp*fire* **ファイアアラーム** (火災報知器) fire alarm Ⓒ **ファイアストーム** ―名 (ばか騒ぎ) roughhousing /rʌ́fháusɪŋ/ Ⓤ; (キャンプファイア) cámpfire Ⓒ. ―動 (馬鹿騒ぎをする) roughhouse 自 **ファイアマン** (消防士) fireman Ⓒ (複 -men) (☞ しょうぼう (消防士)).

ぶあいそう 無愛想 ―形 (取っ付きにくい) ùnáffable; (ぶっきらぼうな) blunt; (冷淡な) cold. ―副 bluntly; coldly. (☞ ぶっきらぼう; そっけない). ¶彼女は私に*無愛想な返事をした She answered me ⌈*bluntly* [*coldly*]. / She gave me a *blunt* answer. // あの店員は*無愛想だ That salesclerk isn't *helpful* (at all).

ファイター (戦士・ボクシングの選手) fighter Ⓒ.

ファイティングスピリット (闘志) fight Ⓤ, fighting spirit Ⓤ; (士気) morale /mərǽl/ Ⓤ. ★ fight または morale が普通. (☞ とうし[2]).

ファイト (闘志) fight Ⓤ, fighting spirit Ⓤ ★ 前者のほうが普通. (☞ とうし[2]). ¶彼は*ファイトを燃やしていた He was full of *fight*.

ファイトマネー (プロボクシングで選手が受けとる報酬) fight [boxing] purse Ⓒ.

ファイナリスト (決勝進出選手) finalist Ⓒ.

ファイナル (決勝戦) (the) finals 日英比較 英語では普通は定冠詞を付けて複数形になることに注意. (☞ けっしょう[1]). **ファイナルセット** the final set.

ファイナンシャルプランナー (資産運用のアドバイスをする人) financial /fɪnǽnʃəl, faɪ-/ plánner Ⓒ.

ファイナンス (財政) finance Ⓤ (☞ ざいせい[1]).

ファイバー (繊維) fiber (《英》 fibre) Ⓒ. ¶光*ファイバー an optical *fiber* (☞ ひかりファイバー) **ファイバーオプティックス** (ガラス繊維束) fiber optics

Ⓤ ファイバーグラス(繊維ガラス) fiberglass Ⓤ, fibrous glass Ⓤ, spun glass Ⓤ ファイバーケーブル fiber cable Ⓒ ファイバースコープ(映像をガラス繊維束で伝達する装置) fiberscope Ⓒ ファイバーボード(繊維板) fiberboard Ⓤ.

ファイヤー ☞ファイア

ファイユ (横うねのある柔らかい絹布) faille /fáɪl/ Ⓤ.

ファイリング (書類のとじ込み) filing Ⓤ.

ファイル ―名 (とじ込み・資料・コンピューターの) file Ⓒ. ―動 (ファイルする) file (awáy) ⑭. ¶*ファイルを削除する delete a *file* // *ファイルを開く open a *file* // *ファイルを変換する convert a *file* // *ファイルを保存する save a *file* ファイル転送 file transfer Ⓤ. ¶*ファイル転送システム a *file transfer* system ファイル名 file name Ⓒ.

ファインアート (美術) the fine arts ★ the を付けて複数形で. 《☞ びじゅつ》.

ファインケミカル (精製化学製品) fine chemical Ⓒ ★しばしば複数形で. 《☞ かがく² (化学製品)》.

ファインセラミックス (高性能の窯業製品) fine ceramics.

ファインダー (望遠鏡の) finder Ⓒ; (カメラの) viewfinder Ⓒ ★単に finder とも言う.

ファインプレー (美技) fine play Ⓒ. ¶*ファインプレーをする make a *fine play*

ファウスト ―名 固 Faust /fáʊst/ ★ 16 世紀ドイツの伝説的人物·これを主題にした作品.

ファウル (競技) foul Ⓒ. ファウルグラウンド foul territory Ⓒ ファウルチップ foul tip Ⓒ ファウルボール[フライ] foul ˹ball [fly]˺ Ⓒ ファウルライン foul line Ⓒ.

ファウンデーション ☞ ファンデーション

ファクシミリ ―名 (装置·受信した画像) facsimile /fæksímәli/ Ⓒ 《略 fax》 ★「ファクシミリ電送」の意味では Ⓤ. ―動 (ファクシミリで送る) fax ⑭. ファクシミリ通信 facsimile transmission Ⓤ.

ファクション (政党などの派閥) faction Ⓒ.

ファクター (要因) factor Ⓒ.

ファクタリング 〔商〕(債権買取業) factoring Ⓤ.

ファクトリー (工場) factory Ⓒ 《☞ こうじょう³》. ファクトリーオートメーション (工場のオートメーション化) factory automation Ⓤ; (オートメーション化した工場) àutomàted fáctory Ⓒ.

ファゴット 〔楽器〕 bassoon /bәsúːn/ Ⓒ 参考 「ファゴット」はイタリア語の fagotto に由来する.

ファサード (建物の正面) facade Ⓒ, façade Ⓒ.

ファジー ―形 (あいまいな·ファジー理論の) fuzzy. ファジーコンピューター fuzzy computer Ⓒ ファジー制御 fuzzy control Ⓤ ファジープロセッサー fuzzy processor Ⓒ ファジー理論 the fuzzy theory ファジーロボット fuzzy robot Ⓒ ファジー論理[理論] fuzzy logic Ⓤ.

ファシスト (ファシズム信奉者) fascist /fǽʃɪst/ Ⓒ. ファシスト党 (イタリアの) the Fascist party.

ファシズム (独裁的国家主義) fascism /fǽʃɪzm/ Ⓤ.

ファシリティー (設備·施設) facilities ★複数形で.

ファスナー (チャック) zipper Ⓒ, 《英》 zip Ⓒ ★ zip fastener とも言う.

ぶあつい 分厚い thick 《☞ あつい³》.

ファック ―名 (性交) 《卑》 fuck Ⓒ. ―動 《卑》 fuck ⑭ ⓐ 語法 タブー語とされるので, できるだけ別の表現を用いるのがよい. 《☞ セックス》.

ファックス ―名 fax Ⓒ. ―動 fax ⑭. 《☞ ファクシミリ》.

ファッショ ―形 (ファシズム的な) fáscist, fascistic. ★「ファッショ」はイタリア語 fascio から. 《☞ ファシスト》.

ファッショナブル (流行の) fashionable; (シックな) chic.

ファッション (流行 (しているもの)) fashion Ⓒ ★「流行の型」も指す; (流行) vogue /vóʊg/ Ⓒ. 《☞ りゅうこう》. ¶ロンドンの*ファッション (the) London *fashions* ファッションアドバイザー fashion advisor Ⓒ ファッション傾向 fashion trend Ⓒ ファッションコーディネーター fashion coordinator Ⓒ ファッションショー fashion show Ⓒ ファッションデザイナー fashion designer Ⓒ ファッションビル (流行の服を製作·販売する店の集まったビル) fashion-house building Ⓒ ファッションブック fashion book Ⓒ 《☞ スタイル (スタイルブック)》 ファッションモデル (fashion) model Ⓒ.

ファティックコミュニオン 〔言〕(交感的言語使用) phatic communion Ⓤ.

ファドゥーツ ―名 固 Vaduz /vɑːdúːts/ ★リヒテンシュタイン公国の首都.

ファナティック (狂言的な·熱狂的な) fanatic(al) 《☞ きょうしん¹》.

ファニーパック (腰にベルトをまわして付けるバッグ) fanny pack Ⓒ, waist bag Ⓒ.

ファニーフェイス ¶彼女は*ファニーフェイスだ (⇒個性的で愛らしい) She's ˹*pretty* [*charming*] *in her own way*. 日英比較 英語の funny face は「変な顔; おどけた顔」の意で make a funny face (おどけた顔をする) のように用いる.

ファニチャー (家具) furniture Ⓤ 《☞ かぐ¹》.

ファブリック (織物) fabric Ⓒ 《☞ おりもの¹》.

ファミコン 〔商標〕 Famicom Ⓒ ★ Family Computer からの造語で, Nintendo Entertainment System (NES) の通称. 一般的に「家庭用ゲーム機」をいう時は (game(s)) console などが普通. ¶息子に*ファミコンを買ってやった I bought my son a *Famicom*.

ファミリー (家族) family Ⓒ. ファミリーサイズ ―形 (家族用の·徳用サイズの) family size ファミリーサポートセンター (育児支援機関) family support center Ⓒ ファミリーツアー (家族向けの海外旅行商品) family ˹tour [trip]˺ Ⓒ ファミリーネーム (姓) family [last] name Ⓒ, surname Ⓒ ファミリーレストラン family restaurant Ⓒ.

ファラオ Pharaoh /féәroʊ/ ★古代エジプト王の尊称.

ファラデー ―名 固 Michael Faraday /fǽrәdèɪ/, 1791-1867. ★英国の物理·化学者. ファラデーの法則 Faraday's law.

ファラド 〔電〕 farad Ⓒ 《略 F》 ★静電容量の単位. ¶100 万*ファラド a mega*farad*

ファルス (笑劇) farce Ⓒ.

ファルセット 〔楽〕 falsetto /fɔːlsétoʊ/ Ⓤ ★男声の裏声.

ファレノプシス ☞ こちょうらん

ふあん 不安 ―形 (…ではないかと懸念して) (be) afraid (of …; that …) Ⓟ; (心を悩ませる·心配して) (be) worried (about …) ★口語的表現. 心配している度合いは afraid よりずっと強い; (不安で心が落ち着かない) uneasy; (不幸などを考えて不安な) (be) anxious (about …) ★やや格式ばった語; (そわそわした·落ち着かない·夜も眠れない) restless. ―名 (心配) worry Ⓤ ★具体的には Ⓒ; uneasiness Ⓤ; anxiety /æŋzáɪәti/ Ⓤ ★具体的には Ⓒ; (よくないことが起こるおそれ·心配) fear Ⓤ ★具体的には Ⓒ; (社会的な, または精神的な) ùnrést Ⓤ. 《☞ しんぱい (類義語)》.
¶私は仲間はずれにされはしないかと*不安でした I *was afraid of* being left out. // 試験の結果が*不安です

I'*m worried about* ⌈the results of the exam [how the exam will turn out]. // 私は自分の将来について*不安がある I feel ⌈*anxious* [*uneasy*] *about* my future. // *不安な一夜を過ごす pass an *uneasy* [spend a *restless*] night // 社会*不安 social *unrest* **不安神経症** anxiety neurosis /æŋzáɪəti n(j)ʊróʊsɪs/ [U]

――コロケーション――

不安にさいなまれる suffer (from) *anxiety* / **不安をあおる** aggravate ⌈*anxiety* [*fear*] / **不安を抱く** harbor *concern* / **不安をかきたてる** amplify *fear* / **不安を感じる** feel ⌈*anxiety* [*uneasiness*; *fear*] / **不安を消し去る** dispel ⌈*uneasiness* [*fear*] / **不安を鎮める** allay ⌈*uneasiness* [*concern*; *fear*] / **不安を取り除く** remove [get rid of] ⌈*fear* [*anxiety*] / **不安を引き起こす** cause ⌈*uneasiness* [*anxiety*; *fear*] / **言いようのない不安** vague ⌈*uneasiness* [*concern*] / **大きな不安** tremendous [great] *anxiety* / **つのる不安** growing ⌈*anxiety* [*concern*] / **強い不安** acute ⌈*anxiety* [*concern*] / **突然襲う不安** (a) sudden *fear* / **ひどい不安** grave ⌈*anxiety* [*concern*]

ファン[1] (口語的に) fan [C]; (やや格式ばって) enthúsiast [C]; (何かが好きな人) lover [C] [日英比較] 日本語の「ファン」がいつも英語の fan と訳せるわけではない点に注意. ¶野球*ファン a baseball *fan* // 彼はジャイアンツの*ファンです He is a Giants *fan.* // クラシックの*ファン a *lover* of classical music / a classical-music *lover* ファンレター ☞ 見出し.

ファン[2] (送風機) fan [C].

ファンキー ―[形] (ジャズなどで黒人風の) funky.

ファンク 〖楽〗《俗》(黒人演奏家によるソウルミュージック) funk(-jazz) [U].

ファンクション (機能) function [C] 《☞ きのう²》.

ファンクションキー 〖コンピューター〗 function key [C] 《☞ コンピューター (囲み)》.

ファンシー ―[名] (空想・幻想) fancy [C] 《☞ くうそう¹; げんそう¹》. ―[形] (派手な・意匠をこらした) fancy; (奇抜な) fanciful. ファンシーショップ (小間物店) fancy goods ⌈shop [store] [C] ファンシードレス (仮装用の衣装) fancy dress [C].

ファンタジー (空想) fantasy [U] ★ 具体的には [C].

ファンタスティック (素晴らしい)《略式》fantastic [語法] 元来は「空想的な」「風変わりな」の意で,「素晴らしい」の意は口語.

ファンダメンタリスト (原理主義者) fùndaméntalist [C].

ファンダメンタリズム (原理主義) fùndaméntalism [U].

ファンダメンタル ―[形] (基礎的な) fundamental.

ファンダメンタルズ (経済の基礎的条件) fundamentals ★ 複数形で.

ファンダンゴ 〖楽〗(スペインの舞曲) fandángo [C] 《複 ~s, ~es》.

ふあんてい 不安定 ―[形] (社会状勢・地位などが) unstable; (天候が) unsettled; (危なっかしい)《格式》precarious; (変わりやすい) changeable. 《☞ あんてい》. ¶*不安定な政府 an *unstable* [a *precarious* /prɪké(ə)riəs/] government // *不安定な天候 *unsettled* [*changeable*] weather 《☞ ぐずつく》

ファンデーション (化粧下地) foundation (cream) [U]; (女性のガードル, コルセットなどの下着の総称として) foundation (garment) [C].

ファンド (資金・基金) fund [C].

ファントム (まぼろし) phantom [C]; (アメリカの戦闘機) Phantom [C].

ふあんない 不案内 ¶私はここは*不案内です (⇒ 初めてです) I'm quite ⌈a *stranger* [*new*] here.

ファンヒーター (温風暖房機) fan heater [C].

ファンファーレ 〖楽〗(トランペットなどの華やかな合奏) fanfare /fǽnfeə/ [C].

ファンブル 〖野〗 ―[動] (ボールをとりそこなう) bobble ㊀, fumble ㊀. ¶彼は*ファンブルした He ⌈*bobbled* [*fumbled*] the ball.

ファンレター (郵便物全体) fan mail [U]; (個々の) fan letter [C].

ふい[1] **不意** ―[形] (突然の) sudden; (予想外の) unexpected; (驚かすような) surprise [A]. ―[副] suddenly, all of a sudden ★ 後者のほうが強意的; unexpectedly; (偶然に) by chance; (予告なしに) without ⌈warning [notice]. 《☞ とつぜん; きゅう¹》. ¶彼の質問はまったく*不意で答えることができなかった His question was too *sudden* for me to answer. // 彼女が*不意に訪ねてきた She paid me a *surprise* visit. / She visited my house *unexpectedly*. // 彼は*不意に辞職を願い出た He handed in his (notice of) resignation *without* ⌈*warning* [(*prior*) *notice*]. // 我々は*不意 (⇒ 油断しているところ) をつかれた We *were caught off guard.*
不意打ち ―[名] (奇襲攻撃) surprise attack [C]. ―[動] (不意を突く) catch [take] *a person* off guard; catch [take] *a person* unawares ★ 上例参照. 《☞ きしゅう¹》. ¶*不意打ちのテスト a *pop* ⌈test [quiz] ★ 口語表現.

ふい[2] ¶私の努力は*ふいになった (⇒ 無に帰した) My efforts *came to nothing.* // 1万円*ふいにした (⇒ むだに使った) I *wasted* ten thousand yen. 《☞ むだ》

ぶい 部位 (全体に対しての) part [C]; (体の) region [C].

ブイ[1] (浮標) buoy /búːi/ [C].

ブイ[2] (アルファベットの第22字) V /víː/ [C], v [C].

ブイアールイー 〖医〗 VRE ★ *v*ancomycin-*r*esistant *e*nterococcus (バンコマイシン耐性腸球菌) の略.

ブイアイピー 《略式》VIP, V.I.P. /víːàɪpíː/ [C] ★ *v*ery *i*mportant *p*erson の略.

フィアット 《商標》Fiat /fíːɑːt/ [C] ★ イタリアの Fiat Auto 社製の自動車.

フィアンセ (女性からみた婚約者) fiancé [C]; (男性からみた婚約者) fiancée [C] ★ 両者とも é の ´ は綴り本来のもの. 元はフランス語で発音はともに /fìːɑːnséɪ/. 《☞ こんやく》.

フィー (料金) fee [C] 《☞ りょうきん》.

フィージビリティスタディ (実現の可能性調査) feasibility study [C] 《略 FS》.

フィーダー (プリンターの用紙供給装置・給電線・給餌器) feeder [C].

フィーチャー (呼び物・目玉) feature [C].

フィート (長さの単位) foot [C] 《複 feet》《☞ 度量衡 (囲み)》. ¶1*フィート one [a] *foot* // 2*フィート two *feet* ★ 1 foot≒30.48 cm.

フィードバック (必要な修正のために発信[発言]者へ戻される反応) féedbàck [U]. **フィードバック制御** feedback control [U].

フィーバー ―[名] (熱中・熱狂) fever [U]. ―[動] (興奮する) get excited.

フィービー (女性名) Phoebe /fíːbi/.

フィーリックス (男性名) Felix /fíːlɪks/.

フィーリング (雰囲気) átmosphère [C]. ¶楽しい*フィーリングの店 a store with a pleasant *atmosphere* // ゴージャスな*フィーリング (⇒ ぜいたくな雰囲気) a luxurious *atmosphere* [日英比較] 英語の feeling は [C] の場合は a *feeling* of hunger (空腹感) などのように,「感じ」「気持ち」の意. また feelings という複数形では「感情」の意. 日本語の

「フィーリング」は atmosphere と訳すほうがよい場合が多い.《☞ かん¹; かんじょう³》

フィールズしょう フィールズ賞 〘数〙 Fíelds príze Ⓒ 参考 カナダの数学者 C. Fields (1863–1932) の提唱による国際的な賞.

フィールディング¹ 〘野〙(守備) fielding Ⓤ.

フィールディング² ―名 固 Henry Fielding, 1707–54. ★ 英国の小説家.

フィールド 〘スポ〙 field Ⓒ. **フィールドアーチェリー** (野外コースでのアーチェリー競技) field archery Ⓤ **フィールドアスレチック** fun obstacle course in a park Ⓒ;《英》adventure playground Ⓒ 日英比較 「フィールドアスレチック」は和製英語. **フィールド競技** field event Ⓒ **フィールドワーク** (野外調査・実地調査) fieldwork Ⓤ.

フィールドノート (フィールドワーク記録用のノート) field book Ⓒ; (ノートの記載事項) field notes.

ふいうち 不意打ち ☞ ふい¹ (不意打ち)

ブイエイチエス 〘商標〙(家庭用ビデオシステム) VHS ★ *v*ideo *h*ome *s*ystem の略.

ブイエイチエフ 〘通〙 VHF ★ *v*ery *h*igh *f*requency の略.

ブイエスオーピー (ブランデーなどの格付け) VSOP ★ *v*ery ˹*s*pecial [*s*uperior] *o*ld *p*ale の略.

フィエスタ (スペイン・ラテンアメリカなどの祭日) fiésta Ⓒ.

ブイオーアール 〘空〙(超短波全方向式無線標識) VOR ★ *v*ery-high-frequency *o*mni*r*ange の略.

ブイオーエー (米国の海外向け短波放送) VOA ★ *V*oice *o*f *A*merica の略.

フィオーナ ☞ フィオナ

フィオナ (女性名) Fiona /fióʊnə/.

フィガロのけっこん フィガロの結婚 ―名 固 *The Marriage of Figaro* ★ ボーマルシェ (Beaumarchais) の原作およびそれに基づいたモーツァルトの喜歌劇.

フィギュア (ダンス・スケートの) figure /fígjə/ Ⓒ; (人形) action figure Ⓒ. **フィギュアスケート** figure skating Ⓤ.

ふいく¹ 扶育 bringing up Ⓤ《☞ よういく》. **扶育料** the expense of bringing up a child.

ふいく² 傅育 guardianships Ⓤ; tutelage Ⓤ. ¶ 皇子の*傅育役 the *mentor* of a young prince

ぶいく 撫育 ¶ 子供を*撫育する *raise* [*bring up*] a child *with loving care*

フィクサー (黒幕) fixer Ⓒ.

フィクション (小説・虚構) fiction Ⓤ 日英比較 英語の fiction は Ⓤ で個々の小説を fiction とは言わない.《☞ しょうせつ¹》.

ふいご (両手で扱うもの) a pair of bellows; (据えつけたもの) (the) bellows.

ブイサイン (手の人指し指と中指で作る V 字型のサイン) V sign Ⓒ ★ V はvictory (勝利) の頭文字. ¶ *ブイサインを出す make a *V sign* 参考 手の甲を相手に向けると, 軽蔑・嫌悪・怒りなどの表現になるので注意.

フィジー ―名 固 Fiji /fíːdʒiː/; (正式名) the Republic of the Fiji Islands; (フィジー諸島) the Fiji Islands.

フィジカル (体の・物理的な) physical. **フィジカルフィットネス** (スポーツなどによる良好な体力の状態) physical fitness Ⓤ.

ブイじこく V 字谷 V-shaped valley Ⓒ.

フィズ (飲料) fizz Ⓤ. ¶ ジン*フィズ gin *fizz*

ふいちょう 吹聴 ―動 (触れて回る) broadcast 自 他 (過去・過分 broadcast(ed)); (宣伝する) publicize 他.《☞ ふれまわる》.

ふいつ 不一 (手紙の結びの言葉) Yours ˹sincerely [truly], Sincerely [Very truly] yours.《☞ 手紙の書き方 (囲み)》.

フィックス (確定する・固定する) fix 他. ¶ 日取りを*フィックスする *fix* the date

フィッシャーマンセーター fisherman's sweater Ⓒ.

フィッシュアンドチップス fish and chips Ⓤ ★ 魚のフライにフライドポテトを付け合わせた英国の大衆食.

フィッシュミール (魚粉) fish meal Ⓤ.

フィッシング¹ (一般的に釣り) fishing Ⓤ; (特にスポーツや趣味としての釣り) angling Ⓤ.《☞ つり¹》.

フィッシング² (他人の暗証番号を使った金銭の詐取) phishing Ⓤ ★ fishing と sophisticated による造語.

ふいっち 不一致 (意見などの) disagreement Ⓤ; (不和であること) díscord Ⓤ; (性格などの) cónflict Ⓒ, incompàtibílity Ⓤ.《☞ いっち》. ¶ 性格の*不一致 a personality *conflict* / *incompatibility* of temperament ★ 前者のほうが一般的.

フィッツジェラルド ―名 固 Francis Scott Fitzgerald, 1896–1940. ★ 米国の小説家.

フィッティング (仮縫い・試着) fitting Ⓤ《☞ かりぬい》. **フィッティングルーム** (試着室) fitting room Ⓒ.

フィット (合う・適合する) fit 他. ¶ 靴はよく*フィットするものを選びなさい Choose a pair of shoes that *fits* you well.

フィットネス (健康であること) fitness Ⓤ. **フィットネスクラブ** (健康維持のためのクラブ) fitness club Ⓒ.

ブイティーアール (ビデオ録画) video /vídiòʊ/ Ⓤ, VTR Ⓤ ★ 後者は *v*ideo*t*ape *r*ecording の略. 前者のほうが一般的; (機械) video Ⓒ, VTR Ⓒ ★ *v*ideo*t*ape *r*ecorder の略; (カセット式テープの) VCR Ⓒ ★ *v*ideo *c*assette *r*ecorder の略. ¶ いまの場面を*ブイティーアールで再生する replay the last scene on *video*

ブイディーティー 〘コンピューター〙(表示端末装置) VDT Ⓒ ★ *v*ideo [*v*isual] *d*isplay *t*erminal の略. **ブイディーティー障害** VDT-induced disorders Ⓤ.

ぷいと ¶ 彼は*ぷいと怒って部屋を出た He went out of the room, *suddenly* angry.《☞ 擬声・擬態語 (囲み)》

ブイトール (垂直離着陸機) VTOL /víːtɔːl/ Ⓒ ★ *v*ertical *t*ake*o*ff and *l*anding から.

フィトンチッド phytoncide /fáɪtɑnsàɪd/ Ⓤ ★ 植物が発散する殺菌性物質.

フィナーレ 〘劇〙(大詰め) finale /fɪnǽli/ Ⓒ ★ 音楽では終楽章を指す.《☞ おおづめ》.

フィニッシュ 〘スポ〙(最後の部分・競走のゴール) finish Ⓒ ★ 普通単数形で; (体操の着地) landing Ⓒ.

ブイネック ―名 (V 字型の襟) V́ nèck Ⓒ. ―形 (V ネックの) V-necked. ¶ *V ネックのセーター a *V-necked* sweater

フイフイきょう フイフイ教 ☞ イスラム

フィフティーフィフティー ―形 (五分五分の) fifty-fifty《☞ ごぶ》.

フィブリノーゲン 〘生化〙(繊維素原) fibrinogen /faɪbrínədʒən/ Ⓤ.

フィブリン 〘生化〙(繊維素) fibrin Ⓤ.

フィブロイン 〘生化〙(絹などの主成分をなす硬蛋白質) fibroin Ⓤ.

ブイヤベース (サフラン入りの魚貝類の煮込み料理) bouillabaisse /bùːjəbéɪs/ Ⓤ《☞ 料理の用語 (囲み)》.

フィヨルド (峡湾) fjord, fiord, /fiɔ́əd/ Ⓒ.

ブイヨン (スープの素) bouillon /bú(l)jɑn/ Ⓤ ★ フランス語より.

フィラデルフィア —名 固 Philadélphia ★ 米国ペンシルベニア州の都市.《☞ アメリカ (表)》.
フィラメント (電球の発光コイル) filament C.
フィラリア filaria C《複 -iae》★ フィラリア症などの原因となる糸状虫. **フィラリア症** filariasis /fìlərάiəsɪs/ U.
フィランソロピー (慈善) philanthropy U.
ふいり¹ 不入り ¶きょうは*不入りだ (⇒ 観客が少ない) There is only *a small audience* today. / *The attendance is small* today.《☞ いり》
ふいり² 斑入り 〘生〙(まだら) variegation U. ¶*斑入りの木の葉 a tree leaf that is *variegated*
フィリス (女性名) Phýllis.
フィリッパ (女性名) Philíppa.
フィリップ (男性名) Phílip ★ 愛称は Phil.
フィリピン —名 固 (国名) the Republic of the Philippines /fìləpíːnz/; (フィリピン群島) the Phílippìne Íslands, the Philippínes. —形 Philippine, Filipino ★ 前者がより普通. **フィリピン海溝** the Phílippìne ˹Trénch [Déep]˺ **フィリピン人** Filipino /fìləpíːnoʊ/ C 参考 女性形に Filipina /-nə/ を用いることもある.
フィリング (料理の) stuffing U, filling U; (歯の) filling C.《☞ つめもの》.
フィル (男性名) Phil ★ Phílip の愛称.
フィルター (写真の) filter C; (たばこの) filter tip C. ¶*フィルター付きのたばこ *filter(-tipped)* cigarettes
フィルダースチョイス 〘野〙 fielder's choice C.
フィルタリング (選別) filtering U.
フィルハーモニー 〘楽〙(フィルハーモニー管弦楽団) philharmonic orchestra C 日英比較 ただ philharmony とするのは和製英語.
フィルム film C. ¶24 枚撮り*フィルム 1 本 a 24-exposure roll of *film*《☞ 数の数え方 (囲み)》// 高感度*フィルム (a) fast *film* // カメラに*フィルムを入れる put a roll of *film* in a camera / *load* a camera // *フィルムを 1 こま巻く advance the *film* one frame // *フィルムを巻き戻す rewind the *film* // *フィルムが切れた (⇒ 途中で切断された) The *film* broke. / (⇒ 使い切った) I've run out of *film*.
フィルムライブラリー film library C.

> **コロケーション**
> フィルムを入れる insert [load] *film* / フィルムを現像する develop *film* / フィルムを取り出す remove *film* / フィルムを巻く wind *film*

フィルムクリップ (映画・テレビ番組の中から抜き出した一場面) film clip C.
フィレ ☞ ヒレ **フィレミニョン** (ヒレ肉) filet mignon /fíleɪmìːnjóːŋ/ C《複 filets mignons /〜/》.
フィレンツェ —名 固 Florence /flɔ́ːrəns/ ★ イタリア中部の都市. イタリア語では Firenze.
フィロソフィー ☞ てつがく
フィン (ひれ) fin C. **フィンスイミング** fin swimming U ★ 両足を揃えて履く足ひれ (mono fin) とシュノーケルをつけて泳ぐスポーツ.
ぶいん 部員 (職場などの部員全体) staff C 語法 集合的に用いる; (個々の部員) member (of the staff) C, staff member C; (学校のクラブなどの) member (of a club) C.《☞ ぶ; 会社の組織と役職名 (囲み)》.
フィンウゴルごぞく フィンウゴル語族 〘言〙 Fínno-Úgric (family of languages).
フィンガー (指) finger C; (空港の乗降・送迎デッキ) finger C.
フィンガープリント ☞ しもん¹
フィンガーボウル (食卓の指洗い用鉢) finger bowl C.
フィンガーボード (楽器の) fingerboard C.
フィンランド —名 固 Finland; (正式名) the Republic of Finland. —形 Finnish. **フィンランド語** Finnish U **フィンランド人** Finn C.
ふう¹ 風 **1**《人の様子・身なり》: (外観) look C, appearance C ★ 前者のほうがより口語的. ¶学生*風の男に会った (⇒ 学生のように見える) I met a man who *looked like* a student.
2《型式・様式》: (ある個人・集団・時代などに特徴的なスタイル) style C; (外面上のやり方) fashion C; (種類・型) type C 語法 ほかとは違う 1 つの型をなすような種類で, ほかとの区別に重点がある.《☞ -しき; -りゅう》. ¶彼の家はヨーロッパ*風です His house is (in the) European *style*. // 昔*風の女 a woman of the classic(al) *type* // 日本*風の風呂 a Japanese-*style* bath
3《具合・やり方》: way C, manner C ★ 後者のほうが格式ばった言い方.
¶こんな*ふうにしてもう一度やってごらんなさい Try it again ˹this *way* [*like* this]. // そこへ行くにはどういう*ふうに行けばいいですか (⇒ いかにして行くことができるか) *How* can I get there? // そんな*ふうにとらないで下さい Don't take me that *way*.
ふう² 封 —名 seal C. —動 (封をする) seal 他. ¶手紙の*封をする *seal* a letter // 手紙の*封を切る open ˹an envelope [a letter] // *封をした手紙 a *sealed* letter
ふうあい 風合い (触った感じ) feel U; (手触り) texture C. ¶すべすべした絹のような*風合い a smooth, silky *texture* // このセーターは*風合いからして純毛らしい This sweater seems to be all wool by the *feel* of it.
ふうあつ 風圧 wind pressure U. **風圧計** préssure ànemómeter C **風圧板** 〘空〙 airfoil C.
ふうい 風位 ☞ かざむき
ふういん 封印 —名 (stamped) seal C. —動 (封印をする) seal 他. —形 (封印した) sealed, under seal.
ブーイング —名 (やじること) booing U. —動 boo 自 他.《☞ やじ》.
ふうう 風雨 (風と雨) wind and rain U; (嵐) storm C. ¶昨夜は*風雨が強かった (⇒ 私たちは強い風と雨をもった) We had ˹a strong *wind* [strong *winds*] *and* (heavy) *rain* last night. / *The wind blew and it rained* hard last night. **風雨注意報** storm warning C.
ふううん 風雲 **風雲急を告げる** ¶両国の関係は*風雲急を告げている (⇒ 関係は非常に危険である) (The) relations between the two countries are very ˹*dangerous* [*critical*] at the moment. **風雲児** lucky adventurer C.
ふうえいほう 風営法 ☞ ふうぞく (風俗営業法)
ふうか 風化 —名 weathering U. —動 (風化する・させる) weather 自 他; (実態を失う) lose substance. **風化作用** weathering U
ふうが 風雅 ☞ ゆうが
フーガ 〘楽〙(遁走曲) fugue /fjúːg/ C.
ふうかい 風解 〘化〙 efflorescence U.
ふうがい 風害 storm damage U.
ふうかく 風格 ¶彼はどことなく*風格がある (⇒ 高貴さを持っている) He has something *noble* about him. / (⇒ 様子に威厳がある) He looks *dignified*.
ふうがわり 風変わり —形 (見たことも聞いたこともなくて奇妙な) strange ★ 最も意味の広い一般的な語; (一風変わった) peculiar ★ けなす意味合いを込めて用いることが多い; (普通とは違った・常識からはみ出した) odd; (奇抜な) fantástic ★ よい意味にも使う; (基準からはずれて変な) eccéntric.《☞ へん¹ (類義語); きみょう; かわった》.

¶*風変わりな男 a *strange* [an *eccentric*] man // *風変わりな帽子 a *fantastic* hat // 彼はどこか*風変わりなところがある He has something ｢*strange* [*peculiar*; *eccentric*] about him. / There is something *odd* about him.

ふうかん[1] 封緘 ―名 seal Ⓒ. ―動 seal ㊀. 《☞ ふう[2]》. **封緘紙** seal Ⓒ.

ふうかん[2] 諷諫 ―名 (遠回しの諫言) insinuated ｢admonition [exhortation] Ⓒ. ―動 admonish [criticize] (*a person*) in an insinuating way, insinuate an admonition.

ふうき[1] 風紀 (公衆の道徳) public morals ★ 複数形で. ¶*風紀を乱す corrupt *public morals* // この辺りは*風紀がよくない (⇒ いかがわしい場所だ) This is a *disreputable* area. // *風紀を取り締まる必要がある (⇒ 規律・統制が強化されるべきだ) *Discipline* should be enforced. **風紀委員会** (学校の) school committee for discipline (of school life) Ⓒ, school disciplinary committee Ⓒ.

ふうき[2] 富貴 ―形 wealthy and aristocratic. ―名 (富貴の人々) the wealthy and aristocratic.

ふうきり 封切り ―名 (封切り映画) release /rɪlíːs/ Ⓒ. ―動 (封切りする) release ㊀. ¶最近の*封切り映画 a ｢newly [recently] *released* film / one of the newest *releases* **封切り映画館** first-run (movie) theater Ⓒ.

ふうきんちょう 風琴鳥 〔鳥〕 tanager Ⓒ ★ 南北アメリカ大陸に棲息する小鳥.

ブーケ (花束) bouquet /boʊkéɪ, buː-/ Ⓒ.

ふうけい 風景 (限られた個々の場所の) scene Ⓒ; (ある地域全体の) scenery Ⓤ; (陸地の) landscape Ⓒ; (眺め) view Ⓒ. 《☞ けしき; ながめ[1]》.
¶私はフランスの田舎の*風景が好きだ I like the rural *scenery* in France. // この町は*風景が美しいので有名だ This town is famous for its ｢*scenic* beauty [beautiful *scenery*].
風景画 landscape Ⓒ; (海の) seascape Ⓒ **風景画家** landscape painter Ⓒ, landscapist Ⓒ.

ブーケガルニ bouquet garni Ⓒ 《複 bouquets garnis》 ★ スープやシチューの香りづけに使う香草の束.

ふうけつ 風穴 〔地〕 wind cave Ⓒ.

ふうげつ 風月 (自然の美) the beauty [beauties] of nature 《☞ かちょうふうげつ》.

ブーゲンビリア 〔植〕 bougainvillea /bùːgənvíliə/ Ⓒ.

ブーゲンビルとう ブーゲンビル島 ―名 ㊂ Bougainville ★ 南太平洋のソロモン諸島中最大の島.

ふうこう[1] 風向 the direction of the wind, the wind direction. 《☞ かざむき》. **風向計** anemoscope Ⓒ.

ふうこう[2] 風光 ☞ ふうけい **風光明媚** ¶そこはたいへん*風光明媚な所です The place is very *picturesque* /pìktʃərésk/. / It is a place of *scenic* ｢*interest* [*beauty*]. 《☞ ふうけい》

ふうさ 封鎖 ―動 (出入りを止める) block ㊀; (軍隊による) blockáde ㊀. ―名 blockáde Ⓒ. ¶港は*封鎖された The harbor *was blockaded*. // 彼らは港の*封鎖を解いた They lifted their *blockade* of the port. **封鎖海域** blockaded waters, waters under blockade ★ 海域の意味の waters は通例複数形で.

ふうさい 風采 (外見) appearance Ⓒ 《☞ がいけん; みなり》. ¶彼は*風采が立派だ He has a gentlemanly *appearance*. // 彼は*風采の上がらない男だ (⇒ 印象的でない) He *looks* unimpressive.

ふうさつ 封殺 ―名〔野〕 force-out Ⓒ. ―動 force ... out.

ふうし[1] 風刺 ―名 satire /sǽtaɪə/ Ⓤ ★ 作品を指すときは Ⓒ. ―形 satirical /sətírək(ə)l/. ¶彼の小説は時の政府を*風刺したものだった His novel was a *satire* on the government of the day. **風刺画** caricature /kǽrɪkətʃʊ̀ə/ Ⓒ **風刺画家** caricaturist /kǽrɪkətʃʊ̀(ə)rɪst/ Ⓒ **風刺作家** satirist /sǽtərɪst/ Ⓒ **風刺小説** satirical novel Ⓒ.

ふうし[2] 夫子 (長者, 賢者, 先生などに対する敬称) master Ⓒ; (孔子) Confucius; (当人を指して) you. 《☞ そんぷうし》.

プーシキン ―名 ㊂ Aleksandr Sergeyevich Pushkin /àːlɪksáːndr(ə) seəgéɪɪvɪtʃ púʃkɪn/, 1799–1837. ★ ロシアの詩人・小説家.

ふうじこめる 封じ込める (閉じ込める) shut up ㊀; (抑えつける) bring [get] ... under control ㊀; (抑制する) contain ㊀ ★ 主に疑問文・否定文に用いる. ¶伝染病を*封じ込める *contain* the epidemic **封じ込め政策** containment Ⓤ.

ふうじて 封じ手 (碁・将棋で) the sealed move for the second-day ｢go [*shogi*] game.

ふうじめ 封締め ―動 seal (up) a letter 《☞ ふう[2]》.

ふうしゃ 風車 windmill Ⓒ. **風車小屋** mill house Ⓒ.

ふうしゅう 風習 (社会的慣習) custom Ⓒ; (風俗習慣) manners and customs ★ 複数形で. 《☞ しゅうかん[1]》.

ふうしょ 封書 (sealed) letter Ⓒ.

ふうしょく 風食 〔地〕 wind erosion Ⓤ; (風化) weathering Ⓤ.

ふうじる 封じる ―動 (黙らせる) keep ... quiet; (阻止する) stop ㊀. ¶どうやったら彼の口を*封じられるだろうか How can we *keep* him *quiet*? 《☞ くちどめ》

ふうしん 風疹 German measles Ⓤ.

ふうじん[1] 風塵 (ほこり) dust Ⓤ; (人生の苦労) the cares of life ★ 複数形で.

ふうじん[2] 風神 the god of the wind(s).

ブース (一人用の仕切り席・小さく仕切った場所) booth Ⓒ.

ふうすい 風水 feng shui /fʌ̀ŋʃúːi/ Ⓤ ★ 古代中国で生まれた環境と人間の関係についての体系.

ふうすいがい 風水害 (wind) storm and flood damage Ⓤ. ¶*風水害に見舞われる suffer from a (*wind*) *storm and flooding*

ブースター (昇圧機・増幅器) booster Ⓒ. **ブースターケーブル** booster cable Ⓒ.

フーズフー (名士録) *Who's Who* ★ a ～, the ～ として用いられる.

ふうせつ[1] 風雪 (風と雪) wind and snow Ⓤ; (年) year Ⓒ. ¶この寺は千年以上もの*風雪に耐えてきた (⇒ 生き残った) This temple has survived (for) more than a thousand years.

ふうせつ[2] 風説 (うわさ) rumor Ⓒ 《☞ うわさ》. ¶*風説によればその会社は本社を大阪に移すそうだ *Rumor* has it [There's a *rumor* going around; It's *rumored*; People say] that the company is moving its headquarters to Osaka. **風説の流布** the spread(ing) of a rumor.

ふうせん 風船 (ゴム風船) ballóon Ⓒ. ¶紙*風船 a paper *balloon* **風船ガム** bubble gum Ⓤ.

ふうせんかずら 風船葛 〔植〕 balloon vine Ⓒ.

ふうぜんのともしび 風前の灯 ¶彼の運命は*風前の灯だった (⇒ 彼の生命は差し迫った危険の中にあった) His life was *in imminent danger*. / (⇒ 1本の(髪の)毛[糸]でもっていた) His ｢fate [life] *hung by* ｢*a hair* [*a single thread*].

ふうそう[1] 風葬 open-air burial Ⓤ.

ふうそう[2] **風霜** (風と霜) wind and frost Ⓤ; (苦難) hardships ★ 複数形で; (長い年月) (many) years ★ 複数形で.

ふうそく 風速 wind velocity Ⓤ, the ⌈velocity [speed] of the wind. (☞ かぜ[1]). ¶ *風速 10 メートルの風 (⇒ 1 秒につき 10 m で吹く風) (a) wind blowing ten meters ⌈per [a] second // 瞬間最大*風速 the máximum instantaneous /ìnstəntéɪniəs/ *wind* ⌈*velócity* [*spéed*]
風速計 ànemómeter Ⓒ.

ふうぞく 風俗 manners and customs ★ 複数形で. **風俗営業** (バーとナイトクラブ) bars and nightclubs; (遊興・娯楽事業) entertainment and amusement businesses such as bars, nightclubs, and cabarets 日英比較 英語では entertainment というと, ショーやいろいろのパフォーマンスを中心にいい, amusement というとゲームや遊園地などをいう. 夜間酒食を供し, バーやナイトクラブだけでなく, 料亭などの女性のサービスを伴う営業を日本と同じカテゴリーで包括していうぴたりとした英語はない. **風俗営業等取締法** 〘法〙 the Law Regulating Adult Entertainment Businesses, etc. **風俗画** *genre* /ʒáːnrə/ (⌈painting [picture]) Ⓒ **風俗小説** *genre* novel Ⓒ; (説明的には) light novel depicting the social life and manners of the time(s) Ⓒ **風俗犯罪** indecency Ⓒ (☞ わいせつ (わいせつ罪)).

ふうたい 風袋 tare Ⓤ ★ 貨物の容器や包装などの重さをいう用語; (包装) packing Ⓤ ★ 一般的な語. ¶ *風袋抜きで 10 kg です (⇒ 正味の重さ) The net weight is 10 ⌈kilograms [(略式) kilos].

ぷうたろう 風太郎 ── 名 (渡り労働者・浮浪者) (米略式) hobo /hóʊboʊ/ Ⓒ (複 ~es, ~s), bum Ⓒ; (無職者) jobless [unemployed] person Ⓒ. ── 形 (ホームレスの) homeless; (無職の) jobless, unemployed.

ブータン ── 名 固 (the Kingdom of) Bhutan /buːtáːn/. ── 形 (ブータンの) Bhùtanése. **ブータン人** Bhutanese Ⓒ ★ 単複同形.

ふうち 風致 (景色の美しさ) scenic beauty Ⓤ, the ⌈beauty [view] of the scenery; (味わい) taste Ⓤ. (☞ あじわい; おもむき). **風致地区** scenic ⌈zone [area; district] Ⓒ **風致保全** landscape management Ⓤ **風致林** ornamental plantation Ⓒ, forest grown for scenic beauty Ⓒ.

ふうちょう[1] **風潮** (傾向) tendency Ⓒ; (世間一般の行動様式) the stream; (世論などの動き) tide Ⓒ; (時の流れ) current Ⓒ; (時代や社会の傾向) climate Ⓒ; (趨勢(すうせい)) trend Ⓒ. (☞ すうせい; ちょうりゅう; けいこう[1]). ¶ 彼はいつも世間の*風潮に従う [逆らう] He always ⌈goes [swims] with [against] *the* ⌈*stream* [*current*]. // 世の中の*風潮が変わってきているようだ I can see a change in the *tide*.

ふうちょう[2] **風鳥** ☞ ごくらく (極楽鳥)

プーチン ── 名 固 Vladimir Putin /púːtɪn/, 1952– . ★ ロシア大統領 (2000–).

ブーツ boots ★ 複数形で. (☞ くつ (挿絵)).

ふうてい 風体 (外見) appearance Ⓒ; (様子) look Ⓒ. (☞ ようす). ¶ 怪しい*風体の男 a suspicious-*looking* man

ふうてん 瘋癲 ── 形 (仕事のない) jobless, unemployed; (あてもなくさまよう) drifting.

フート foot Ⓒ (複 feet) ★ 長さの単位. フィートの単数形. (☞ フィート).

ふうど 風土 (気候) climate Ⓒ ★ 転じて「風潮・傾向」の意味にも用いられる; (環境) envíronment Ⓒ. ¶ 日本の精神的*風土 the ⌈spiritual [mental] *climate* of Japan **風土色** local color Ⓒ **風土病** endemic (disease) Ⓒ.

フード[1] (食べ物) food Ⓤ ★ 個々の食品は Ⓒ. ¶ ヘルス*フード health *food* // ベビー*フード baby *food* **フードセンター** (食料品小売者の集合地) food retail ⌈center [complex] Ⓒ; (レストランの集まっている所) restaurant complex Ⓒ. 日英比較 「フードセンター」は和製英語. **フードファディズム** food faddism Ⓤ **フードプロセッサー** (食品加工器) food processor Ⓒ.

フード[2] (ずきん) hood Ⓒ. ¶ *フードをかぶる wear a *hood* // *フード付きのコート a coat with a *hood* / a *hooded* coat

フード[3] (自動車などの) (米) hood Ⓒ, (英) bonnet Ⓒ.

ブート ── 動 〘コンピューター〙 (起動する) boot 他 自.

ふうとう 封筒 énvelòpe Ⓒ (☞ 手紙の書き方 (囲み)). ¶ 彼女は*封筒に封をした She ⌈sealed (up) [closed (up)] the *envelope*. // 返信用*封筒 a return *envelope* // 和*封筒 an end-opening *envelope* // 洋*封筒 a ⌈side-[top-]opening *envelope*

ふうどう[1] **風洞** wind tunnel Ⓒ.
¶ *風洞試験を行う conduct a *wind tunnel* test

ふうどう[2] **風道** (鉱山の) airway Ⓒ; (建築物の) air duct Ⓒ.

ブードゥーきょう ブードゥー教 (西インド諸島の民間信仰) voodoo /vúːduː/ Ⓤ ★ 信者は Ⓒ; (ブードゥー信仰) voodoo(ism) Ⓤ.

ふうとうかずら 風藤葛 〘植〙 futokazura Ⓒ; (説明的には) a native Japanese climbing plant of the pepper family with red berries.

プードル (犬の種類) poodle Ⓒ (☞ いぬ[1]).

ふうにゅう 封入 ── 動 enclose 他.

ふうは 風波 (風と波) wind and waves Ⓤ (☞ なみかぜ). ¶ 海は*風波が高く荒れていた The sea was rough with strong *winds* and high *waves*.

ふうばい 風媒 pollination by wind Ⓤ. **風媒花** wínd-pòllinated [ánemòphilous] flówer Ⓒ.

ふうばぎゅう 風馬牛 ── 動 (…と無関係である) have nothing to do with …; (…に無関心である) be indifferent to ….

ふうはつ 風発 ☞ だんろん (談論風発)

ふうび 風靡 一世を風靡する ☞ いっせい[3]

ブービーしょう ブービー賞 (最下位の賞) booby prize Ⓒ ★ booby は「まぬけ」の意; (最下位から 2 番目の) next-to(-the)-last prize Ⓒ ★ 英語の booby prize にはこの意味はない.

ふうひょう 風評 rumor Ⓒ (☞ うわさ; ふうせつ[2]). **風評被害** damage caused by rumors Ⓤ.

ふうふ 夫婦 husband and wife, married couple Ⓒ 語法 前者は無冠詞で男女の関係を言うのに用い, 後者は単に結婚した夫婦を客観的に言う言葉. (☞ 親族関係 (囲み)). ¶ *夫婦になる become *husband and wife* / get married // 新婚の*夫婦 the ⌈newly married *couple* [*newlyweds*] // 鈴木さんご*夫婦 *Mr. and Mrs.* Suzuki // その*夫婦は昨夜夫婦げんかをした The *couple* had a ⌈quarrel [row /ráʊ/] last night. ★ row は口語. // 彼らは*夫婦仲よく暮らした They lived ⌈a happy *married life* [happily as *husband and wife*]. // 今度はご*夫婦でいらっしゃい (⇒ 次回には奥さんを連れておいでなさいよ) Why don't you bring your wife next time? // *夫婦の絆 a *matrimonial* bond
夫婦愛 love between husband and wife Ⓤ, (格式) conjugal [matrimonial] love Ⓤ **夫婦財産制** property rights of ⌈husband and wife [a married couple] **夫婦生活** married life Ⓤ **夫婦仲** conjugal relations ★ 複数形で. ¶ 彼らの*夫婦仲は良かった They *were happily married*. **夫婦年金** pension plan for ⌈husband and wife [a married couple] Ⓒ **夫婦別姓** ¶ *夫婦別姓である (⇒ (女

性が) 旧姓を守る) keep *one's* maiden name (☞ せんたく[2] (選択的夫婦別姓)) **夫婦養子** married couple adopted as heirs to … Ⓒ.

フープ (輪) hoop Ⓒ.

ふうふう ¶少年は*ふうふうやってスープを冷ました The boy *blew on* the soup to cool it. // 彼はコース半ばで*ふうふう (⇒ 息切れ) していた He was ˹*out of breath* [*breathless*] halfway through (the race). // 彼はその仕事で*ふうふう言っている (⇒ 仕事の重圧で音を上げている) He's *crying out for help* under the pressure of that work. (☞ 擬声・擬態語 (囲み); はあはあ; いきぎれ)

ぶうぶう ── [動] (ぶうぶう言う・不平を言う) grumble (about …) (自), complain (about …) (自); (警笛などを鳴らす) hoot (自); (豚が) grunt (自). (☞ ふへい; 擬声・擬態語 (囲み)).

ふうぶつ 風物 (人々の生活様式と自然) people's lifestyle and nature; (日常生活と環境) everyday life and the environment [日英比較] 日本語の「風物」のように人間と自然を 1 つに融合させた考えにぴったりの概念が英語にはないので，このような説明的な訳しかできない; (…的なもの) things … [語法] 複数形で用い，地名・国名などの形容詞形を伴う. ¶ホワイト氏は日本が好きで，特に日本の*風物 (⇒ 日本的なもの) に興味を持っている Mr. White likes Japan and is especially interested in *things Japanese*.
風物詩 (詩) nature poem Ⓒ; (季節を伝えるもの) something conveying the sense of the season.

ふうぶん 風聞 ☞ うわさ

ふうぼう[1] 風防 **風防ガラス** windshield Ⓒ, (《英》 windscreen Ⓒ.

ふうぼう[2] 風貌 (容貌) looks, features ★ いずれも複数形で; (風采) appearance Ⓤ. (☞ ようぼう[2]; ふうさい).

ふうみ 風味 ── [名] (ある物に特有の) flavor (《英》 flavour) Ⓤ; (一般的に物の味・風味) taste ★ a ～, the ～ として; (料理などの) savor /séɪvə/ (《英》 savour) Ⓤ. ── [形] (風味のよい) savory; (味のよい) tasty, delicious. (☞ あじ[1] (類義語)).
¶このオレンジは*風味がない This orange has no *flavor*. / This orange lacks *flavor*.

ブーム ── [名] boom Ⓒ. ── [動] boom (自); (事業などが繁栄する) flourish /flə́ːrɪʃ/ (自). (☞ りゅうこう). ¶いまは建築*ブームです A ˹house-building [housing construction] *boom* is on. / House building [Housing construction] *is booming* now. // いまは海外旅行*ブームだ (⇒ たいへん人気がある) Overseas travel is *very popular* now. // 投資*ブーム an investment *boom*

ブーメラン bóomeràng Ⓒ. **ブーメラン現象** the boomerang phenomenon **ブーメラン効果** boomerang effect Ⓒ.

ふうもん 風紋 pattern made by wind on sand Ⓒ.

ふうらいぼう 風来坊 wanderer Ⓒ.

ふうらん 風蘭 〘植〙 furan Ⓒ; samurai's orchid Ⓒ, wind orchid Ⓒ; (説明的には) a dwarf orchid with fragrant white flowers that is native to Japan.

プーリー pulley /púli/ Ⓒ (☞ かっしゃ).

フーリガン (徒党を組んで騒ぎを起こす若者) hóoligan Ⓒ.

ふうりゅう 風流 ── [名] (優雅) elegance Ⓤ; (よい趣味) taste Ⓤ. ── [形] (優雅な) elegant; (上品な) tasteful [日英比較] 日本語の「風流」に当たる概念を正確に表す言葉が英語にはない. 従って説明をする以外には的確に訳出することは不可能である. (☞ ふぜい[1]). ¶彼はまったく*風流を解さない (⇒ 散文的な) 男だ I find him quite *prosaic* /prouzéɪɪk/.
風流人 (教養人) person of culture Ⓒ; (趣味人) person of (refined) taste(s) Ⓒ.

ふうりょく 風力 force of the wind Ⓒ (☞ ふうそく; かぜ[1]). **風力階級** wind scale Ⓒ **風力記号** (天気図の) wind flag Ⓒ **風力計** ànemómeter Ⓒ **風力発電** wind power generation Ⓤ.

ふうりん 風鈴 Japanese ˹wind [hanging] bell Ⓒ.

ふうりんかざん 風林火山 Swift as the wind; quiet as a forest; fierce as fire; and steady as a mountain (the motto of the 16th century feudal lord Takeda Shingen) (☞ たけだしんげん).

ふうりんそう 風鈴草 〘植〙 Canterbury-bell Ⓒ.

フール fool Ⓒ.

ブール ── [名] (固) George Boole, 1815–64. ★ 英国の数学者・論理学者. **ブール演算子** 〘コンピューター〙 Boolean operator Ⓒ **ブール検索** 〘コンピューター〙 Boolean search Ⓤ.

プール[1] (水泳の): swim(ming) pool Ⓒ ★ 前後関係でわかれば pool のみでよい; (《英》 swimming bath Ⓒ ★ 通例屋内. ¶室内[屋内]*プール an indoor (*swimming*) *pool* **プールサイド** poolside Ⓒ.

プール[2] ── [名] (資金) pool Ⓒ. ── [動] (プールする) pool (他).

プールしゅざい プール取材 (代表取材) pool coverage Ⓤ.

フールスキャップ (大判洋紙) foolscap Ⓤ.

プールねつ プール熱 〘医〙 (咽頭結膜熱) pharỳngoconjunctíval féver Ⓤ.

プールバー (ビリヤード台のあるバー) pool bar Ⓒ, billiard ˹room [parlor] with a bar Ⓒ ★ 後者は説明的な訳.

フールプルーフ ── [形] (誰にでも扱える) foolproof.

ブーレ 〘楽〙 (舞曲) bourrée /bʊréɪ/ Ⓒ ★ bourrée の ´ は綴り本来のもの.

ふうろう[1] 封蠟 (sealing) wax Ⓤ.

ふうろう[2] 風浪 (風と波) wind and waves; (荒れた海) rough seas ★ 複数形で.

ブーローニュ ── [名] (固) the Bois de Boulogne /bwáːdəbulóun/ ★ パリ西部の森林公園.

ふうろそう 風露草 ☞ げんのしょうこ

ふうん 不運 ── [名] misfortune Ⓤ, bad luck Ⓤ. ── [形] unlucky, unfortunate ★ 前者がより偶発的な意味をもつ. ── [副] (不運にも) unluckily, unfortunately. (☞ うん[1]; ふこう[1]). ¶私はこのところ*不運続きです I'm having a run of *bad luck* these days.

ぶうん 武運 the fortune in war.
¶*武運つたなく (⇒ 不運にも) 私たちのチームは初戦で負けた *Unfortunately*, our team was defeated in the first game.

ぶーん ── [名] (蚊・蜂などのぶーんという音) buzz Ⓒ, hum Ⓒ. ── [動] (ぶーんという音を立てる) buzz (自), hum (自). (☞ 擬声・擬態語 (囲み); ぶんぶん).

ふえ 笛 (一般に) flute Ⓒ; (呼び子) whistle Ⓒ. **笛吹けども踊らず** Nobody would dance to our tune.

フェア[1] ── [形] [副] (公正な[に]) fair (☞ こうせい[1]).

フェア[2] (見本市) fair Ⓒ (☞ いち[3]).

フェア[3] (野球のフェアボール) fair ball Ⓒ (↔foul ball).

フェアウエイ (ゴルフの) fairway Ⓒ.

フェアグラウンド 〘野〙 fair territory Ⓒ.

フェアディール the Fair Deal ★ 米国の H. トルーマン大統領による経済・社会関係の諸政策. (☞ ニューディール).

フェアプレー fair play Ⓤ. ¶*フェアプレーでやりましょう Let's *play fair*!
フェイ (女性名) Fay.
フェイク ―動 (スポーツで，にせの動きで牽制する) fake (out) 他 自 (☞ フェイント). ―名 (にせ物) fake Ⓒ ★ 形容詞的にも用いる. フェイクファー (人工毛皮) fake [imitation] fur Ⓤ.
フェイジョア 〔植〕feijoa Ⓒ, pineapple guava Ⓒ.
ふえいせい 不衛生 ―形 (非衛生的な) ùnsánitary; (健康に悪い) unhealthy. ―名 (不衛生な状態) unsanitary conditions ★ 複数形で; (衛生についての配慮のないこと) lack of 「hygienic /haɪdʒíːnɪk/ care [(good) hygiene /háɪdʒiːn/] Ⓤ. (☞ えいせい[2]; ふけつ).
ふえいようか 富栄養化 (湖などの) eutrophication /juːtròʊfɪkéɪʃən/ Ⓤ.
フェイルセーフ ☞ フェールセーフ
フェイント ―名 (ボクシング・バレーボールなどで攻撃のふりをすること) feint Ⓒ. ―動 feint 他 自. ¶*フェイントをかける make a *feint*
フェーク ☞ フェイク
フェースツーフェース ―形 face-to-face. ―副 (面と向かって) face to face.
フェースバリュー (額面) face value Ⓤ.
フェータル fatal /féɪtl/ (☞ ちめいてき).
フェーディング 〔通〕fading Ⓤ.
フェードアウト ―動 (映像や音が徐々に消えてゆく) fáde óut 他 自. ―名 fáde-òut Ⓤ.
フェードイン ―動 (映像が次第に現れる・音が次第に大きくなる) fáde ín 他 自. ―名 fáde-ìn Ⓤ.
フェートンごうじけん フェートン号事件 the Phaeton /féɪtn/ íncident ★ 1808 年イギリスの軍艦フェートン号による長崎港不法侵入事件.
フェーリングえき フェーリング液 〔化〕Fehling's solution Ⓤ.
フェーリングはんのう フェーリング反応 〔化〕Fehling's reaction Ⓒ.
フェールセーフ ―形 (万一の事故に対する安全装置の付いた) fáil-sàfe. ¶*フェールセーフ機構 a *fail-safe* mechanism
フェーンげんしょう フェーン現象 〔気象〕foehn [föhn] /féːn/ phenomenon Ⓒ.
ふえき 不易 ☞ ふへん[1]
フェザーきゅう フェザー級 〔ボク〕the featherweight class. フェザー級の選手 featherweight Ⓒ.
フェスティバル (祭り・祭典) festival Ⓒ.
ふえだい 笛鯛 〔魚〕snapper Ⓒ.
ふえつ 斧鉞 (おの) ax (《英》axe) Ⓒ. 斧鉞をくわえる (添削する) correct 他; (罰する) punish 他.
ふえて 不得手 ―形 (下手な) poor, bad. (☞ ふとくい; にがて).
フェナセチン 〔薬〕phenacetin Ⓤ ★ 鎮痛・解熱剤.
フェニキア ―名 固 Phoenicia /fɪníʃ(i)ə/ ★ 現在のシリアとレバノンの地域にあった古代都市国家. ―形 Phoenician. フェニキア語 Phoenician Ⓤ フェニキア人 Phoenician Ⓒ フェニキア文字 (表記法) Phoenician script Ⓤ.
フェニックス (エジプト神話の不死鳥) phoenix /fíːnɪks/ Ⓒ.
フェネル 〔植〕fennel Ⓒ.
フェノール 〔化〕phenol /fíːnoʊl/ Ⓤ. フェノール樹脂 〔化〕phenolic resin /fiːnálɪk réz(ə)n/ Ⓤ.
フェノールフタレイン 〔化〕phenolphthalein Ⓤ.
ブエノスアイレス ―名 固 Buenos Aires /bwèɪnəsé(ə)riːz/ ★ アルゼンチンの首都.
フェノロサ ―名 固 Ernest F(rancisco) Fenollosa /fènəlóʊsə/, 1853-1908. ★ アメリカの東洋美術研究家・哲学者.
フェビアンきょうかい フェビアン協会 the Fabian Society ★ 英国の社会主義思想団体. 1884 年設立.
ふえふきだい 笛吹鯛 〔魚〕emperor Ⓒ.
フェミニスト ¶彼は*フェミニストだ (⇒ いつも女性に気に入られようとする) He *is* always *trying to win the favor of women.* / (⇒ いつも女性の肩を持つ) He always *takes the women's side.*
日英比較 英語の feminist は「男女平等論者, 女性解放論者 (☞ じょせい)」という意味であり,「女性に甘い男性」の意味では使わないことに注意.
フェミニズム (男女平等主義) feminism Ⓤ.
フェライト 〔化〕férrite Ⓤ. フェライト磁石 ferrite magnet Ⓒ.
フェラチオ (唇や舌による男性器への愛撫) fellatio /fəléɪʃiòʊ/ Ⓒ (複 ~s).
フェリー (渡し船・連絡船) ferry Ⓒ, ferryboat Ⓒ.
フェリシア (女性名) Felicia /fəlíːʃ(i)ə/.
フェリックス ☞ フィーリックス
ふえる 増える, 殖える (数量などが) incréase 自; (力・重量が) gain 自 他; (数が倍増して) double 自; (何倍にも増える) multiply /mʌ́ltəplàɪ/ 自; (増加中である) be on the íncrease. (☞ ます[1]; ぞうか[1]). ¶ロシア語を学ぶ学生は着実に*増えている The number of students 「who study [studying] Russian *is* steadily *increasing.* / There is a steady *increase* in the number of students 「who study [studying] Russian. // 私は体重が 2 キロ*増えた I *have* 「*gained* [*put on*] two kilograms. // この町の人口はここ 10 年で 2 倍に*増えた The population of this town *has doubled* in the past decade. // 年を取ると心配が*増える Our sorrows *multiply* as we 「get [grow] older.
フェルト felt Ⓤ. フェルトペン felt(-tip) pen Ⓒ; (マジックマーカー) felt marker Ⓒ.
プエルトリコ ―名 固 Puerto Rico /pwéətəríːkoʊ/; (正式名) the Commonwealth of Puerto Rico ★ 西インド諸島の島, 米国の自治領. ―形 Puerto Rican. プエルトリコ人 Puerto Rican Ⓒ.
フェルマータ 〔楽〕fermata /feəmáːtə/ Ⓒ (複 ~s, -te /-ti/), pause Ⓒ.
フェルミウム 〔化〕fermium /féəmiəm/ Ⓤ (元素記号 Fm).
フェロアロイ 〔化〕(鉄合金) fèrroálloy Ⓤ.
フェロー (《米》奨学金を受けている大学院生・《英》大学の特別研究員) fellow Ⓒ フェローシップ (研究奨学金) fellowship Ⓒ.
フェロシリコン 〔化〕ferrosilicon Ⓤ.
フェロモン 〔生化〕pheromone /férəmòʊn/ Ⓤ.
ふえん[1] 敷延, 敷衍 ―動 (もっと詳しく述べる) explain ... more fully, amplify (「on [upon]) ...; (念入りに述べる) elaborate 「on [upon] ... 語法 I が主語のときは普通最初の表現を使う. (☞ しょうさい).
ふえん[2] 不縁 divorce Ⓤ. ¶*不縁になる (⇒ 離婚する) *divorce* // 釣り合わぬは*不縁のもと An unequal match will end in *divorce.*
フェンシング 〔スポ〕fencing Ⓤ. ¶*フェンシングの試合 a *fencing* match // *フェンシングの選手 a fencer
フェンス (柵・囲い・垣) fence Ⓒ ★ 杭を打ち, 板・金網を張ったもの.
フェンダー (車の泥よけ) fender Ⓒ, 《英》wing Ⓒ.
フェンネル ☞ フェネル
ぶえんりょ 無遠慮 ―形 (無作法な) rude; (失礼な) impolite; (率直に何でもずけずけ言う) outspoken. (☞ しつれい (類義語); ぶしつけ). ¶彼は*無遠

慮に笑った He laughed *rudely*. / He gave a *rude* laugh. // *無遠慮なお願いとは存じますが…(⇒ あまりに多くのことを頼む) I'm afraid I'm asking too much of you, but …

フォア (4人乗りボート・レース) four Ⓒ.

フォアグラ 〘料理〙 foie gras /fwáːgráː/ Ⓤ ★ フランス語から. ¶ *フォアグラのペースト[パテ] pâté de /pɑːtéɪdə/ *foie gras*

フォアハンド (テニスなどの) forehand Ⓒ (↔ backhand). ¶ あの(テニスの)選手は*フォアハンドがとても強い That tennis player has a very strong *forehand*.

フォアボール 〘野〙 ── 名 base on balls Ⓒ《複 bases on balls》, walk Ⓒ. ── 動 (四球を与える) walk ⊕; (四球で歩く) walk 自; (四球で1塁に出る) get to first on balls. 日英比較 「フォアボール」は和製英語. ¶ その回, 投手はバッターに*フォアボールを出した The pitcher *gave* the batter *a base on balls* in that inning. / The pitcher *walked* the batter in that inning.

フォイル (金属箔) foil Ⓤ. ¶ アルミ*フォイル aluminum *foil* // *フォイルで包む wrap in *foil*

フォーカス (焦点) focus Ⓒ《複 ~es, foci /fóʊsaɪ/》.

フォーキャスト (予報) forecast Ⓤ《☞ よほう》.

フォーク (食器の) fork Ⓒ.

フォークソング 〘楽〙 folk /fóʊk/ sòng Ⓒ. ¶ *フォークソング歌手 a *folk* singer

フォークダンス folk dance Ⓒ.

フォークナー ── 名 固 William Faulkner, 1897-1962. ★ 米国の小説家.

フォークボール 〘野〙 fork ball Ⓒ.

フォークミュージック 〘楽〙 folk /fóʊk/ mùsic Ⓤ.

フォークランドしょとう フォークランド諸島 ── 名 固 the Falkland Islands ★ 南米大陸南端の北東方にある英領の諸島.

フォークリフト (荷物の積み降ろしや運搬の車) forklift (truck) Ⓒ, fork truck Ⓒ.

フォークロア (民間伝承) folklore Ⓤ《☞ みんかん(民間伝承)》.

フォークロック 〘楽〙 folk rock Ⓤ.

フォースアウト 〘野〙 force-out Ⓒ. ¶ *フォースアウトになる be *forced out*

フォースプレー 〘野〙 force play Ⓒ.

フォーチュン (幸運・運命) fortune Ⓤ《☞ うん¹》.

フォード 《商標》 Ford Ⓒ ★ 米国 Ford 社製の自動車.

フォートラン 〘コンピューター〙 FORTRAN /fɔ́ətræn/ Ⓤ ★ プログラム言語の一つ.

フォービスム 〘美〙 Fauvism /fóʊvɪzm/ Ⓤ.

フォーマット (判型・様式) format Ⓒ《☞ コンピューター(囲み)》.

フォーマリズム ☞ フォルマリズム

フォーマル ── 形 (公式の・格式ばった) formal.

フォーマルウエア (正式の服装) formal 「dress [suit] Ⓒ; formal wear Ⓤ ★ 集合的に用いる. 日英比較 英語では着用という意味で a suit for *formal wear* とは言うが, 正式な場にふさわしい服装そのものの意味で使われることは少ない. なお口語では正装で行くことを go formal とも言う.

フォーマルドレス (正装) full [formal] dress Ⓤ (↔informal [casual] dress)《☞ れいふく》.

フォーミュラ (公式) formula Ⓒ《複 ~s, -lae /-lìː/》. フォーミュラカー formula car Ⓒ.

フォーム (運動の) form Ⓤ.

フォームラバー fóam rúbber Ⓤ.

フォーメーション (スポーツの) formation Ⓤ.

フォーラム (公開討論会・公開討論の場) forum Ⓒ. フォーラムディスカッション forum discussion Ⓒ.

フォール 〘レス〙 fall Ⓒ.

フォールト 〘テニス〙 fault Ⓒ.

フォグランプ (自動車の霧灯) fog 「lamp [light] Ⓒ.

フォスター ── 名 固 Stephen (Collins) Foster, 1826-64. ★ 米国の作詞・作曲家.

フォスターペアレント (養父母) foster parent Ⓒ《☞ やしないおや》.

フォックステリア (犬の種類) fox terrier Ⓒ.

フォックストロット fox trot Ⓒ. ¶ *フォックストロットを踊る *fox-trot* / do the *fox-trot*

フォックスフェース 〘植〙 fox face Ⓒ.

フォッサマグナ 〘地〙 Fossa Magna /fásə mǽgnə/ ★ 本州の中央部を南北に横断する大陥没地帯.

フォト (写真)《略式》 photo Ⓒ ★ photograph を短縮した語. 《☞ しゃしん》. フォトジャーナリズム photojournalism Ⓤ.

フォトギャラリー (写真展覧会場) photo gallery Ⓒ.

フォトグラフ ☞ しゃしん; フォト

フォトグラファー (写真家) photógrapher Ⓒ《☞ しゃしん(写真家)》.

ぶおとこ 醜男 ugly man Ⓒ.

フォネーム ☞ おんそ

フォネティックス ☞ おんせい(音声学)

フォリオ (二つ折り判) folio /fóʊliòʊ/ Ⓒ《複 ~s》.

フォリナー (外国人) foreigner Ⓒ.

フォルクスワーゲン 〘商標〙 Volkswagen /vóʊlksvɑ̀ːgən/ ★ ドイツの自動車会社. 同社製の車の場合は Ⓒ. ¶ *フォルクスワーゲンを運転する drive a *Volkswagen*

フォルクローレ (南米の民俗音楽) South American folk music Ⓤ.

フォルダー 〘コンピューター〙 folder Ⓒ.

フォルテ 〘楽〙 ── 副 形 (強音で[の]) forte /fɔ́əteɪ/《略 f》(↔ piano).

フォルティシモ 〘楽〙 ── 副 形 (最強音で[の]) fortíssimo《略 ff》(↔ pianissimo).

フォルマリズム formalism /fɔ́əməlìzm/ Ⓤ《☞ けいしき(形式主義)》.

フォルマリン 〘薬〙 (殺菌・消毒液) fórmalin Ⓤ ★ ホルムアルデヒト (formaldehyde) の水溶液で, 元は商標名.

フォルマント 〘音声〙 (母音の構成素音) fórmant Ⓒ.

フォルム ☞ フォーム

フォロー ── 動 (助ける・支持する) support ⊕; (追跡する) follow up ⊕. ── 名 (支持) support Ⓤ; (追跡調査) fóllow-ùp Ⓤ ★ a ~ としても用いる. ¶ 彼女の*フォロー (⇒ 助け) があったので契約は成立した We could settle the contract thanks to her *support*. // その新聞だけがこの汚職事件を*フォローしている Only that newspaper *is following up* this scandal.

フォローアップ ── 名 (追跡調査・続報など) fóllow-ùp Ⓒ. ── 形 fóllow-ùp Ⓐ. ── 動 fóllow úp ⊕.

フォロースルー ── 名 〘スポ〙 (打球の後の振り切り) fóllow-thròugh Ⓤ. ── 動 fóllow thróugh 自.

フォワード 〘スポ〙 (球技の) forward Ⓒ《略 fwd》.

ふおん 不穏 ── 形 (危険な) dangerous; (深刻な) serious. 《☞ ふううん》. ¶ 形勢は*不穏になってきた The situation has become rather 「*serious* [*dangerous*]. // *不穏な動きが見られた *Disquieting* developments have been observed. // *不穏な空気が感じられる I feel *some trouble brewing*.

ふ

フォン ☞ -ホン

フォンデュ (スイス料理) fondu(e) /fɑnd(j)úː/ [U].

フォンテンブロー ── [名] (固) Fontainebleau /fántəmblòu/ ★ パリ近郊の町.

フォント 〖印〗 font [C] ★ 同一書体・同一の大きさの文字の一そろい.

ふおんとう 不穏当 ── [形] (節度のない) immoderate; (適切さを欠く) improper. ¶*不穏当な言葉を使う use *improper* language

フォンドボー 〖料理〗 fond de veau /fɔ́ːndəvóu/ [U]; veal stock [U] ★ 前者はフランス語で「子牛のフォン」の意. フォンはソースや煮込みの下地に使う出し汁.

ふか¹ 不可 (成績の) F [C] 《複 F's, Fs》 ★ *f*ailure の略. 《☞ か¹; ゆう¹ 日英比較》. ¶私は物理が*不可だった I got an *F* in physics.

ふか² 孵化 ── [名] hatching [U], 《格式》 incubátion [U]. ── [動] (孵化する・させる) hatch (自) (他), 《格式》 íncubàte (自) (他). 《☞ かえる⁵》. ¶人工*孵化 artificial *incubation* // 人工*孵化器 an artificial *incubator*

ふか³ 付加 ── [名] addition [U]. ── [動] add ... to ... 《☞ つけくわえる》. **付加給付** fringe benefit [C] **付加刑** accessory [additional] penalty [C] **付加税** 《米》 surtax [C], additional tax [C].

ふか⁴ 鱶 〖魚〗 (さめ) shark [C]. **鱶ひれ** shark fin [C].

ふか⁵ 負荷 load [C].

ふか⁶ 賦課 ── [名] (税金などの) imposition [U]. ── [動] (課する) impose (他); (徴収する) levy (他). ¶…に重税を*賦課する *impose* [*lay*; *levy*] a heavy tax on ...

ぶか 部下 *one's* men ★ 通例複数形で. ¶彼は数名の*部下を連れて行った He took some of his *men* with him. // 私の*部下になって (⇒ 私の下で) 働いてくれないか Won't you work *under* me?

ふかあみがさ 深編み笠 helmet-like straw hat (worn by samurai and monks to disguise their identity) [C] ★ かっこの中は追加説明.

ふかい¹ 深い deep; (比喩的な意味で) profound 語法 (1) 前者が一般的で, 比喩的にも用いられる. 後者は格式ばった語で主として比喩的に使われ, また意味も強い. 《☞ ふかく¹》. ¶この池はここが一番*深い The pond is (the) *deepest* here. 語法 (2) 同一物[人]の性質・状態などを比較するときは the は付けても付けなくてもよい. // この湖は日本で一番*深い This lake is the *deepest* (one) in Japan. // *深い所へ行かないように Don't ⌈go [get] in too *deep*(*ly*). // 海底は浜辺から急に*深くなっている The seabed *goes down* [*drops off*] sharply from the shore. // この地方は3月でもまだ雪が*深い The snow is still *deep* here in March. // *深い考え (a) *deep* thought / a *profound* idea // *深い悲しみ (a) *deep* sorrow // 私はこの問題には*深い関心を持っている I ⌈have a *deep* interest [am *deeply* interested] in this problem. // 彼女は*深い眠りから覚めた She awoke from a *deep* sleep. // 私の言ったことには*深い意味はなかった There wasn't any (⌈*real* [*deep*]) meaning in what I said. // その傷はあまり*深くなかった The wound wasn't very *serious*. // あの二人は*深い仲だ (⇒ 親密に関係している) They are *closely* involved with each other. **深い川は静かに流れる** (⇒ 静かな流れは深い) Still waters run deep. 《ことわざ》

ふかい² 不快 ── [形] (不愉快な) unpleasant, offensive, disgusting ★ 後の語ほど意味が強い. ── [動] (不快にさせる) displease (他), offend (他), disgust (他). 《☞ ふゆかい》. **不快指数** discomfort index [C] 《略 D.I.》 ★ 《米》 では現在正式には temperature-humidity index 《略 T. H. I.》 (温湿指数) と呼ばれている.

ふかい³ 付会 (こじつけた意味) forced meaning [C]; (わざとらしい解釈) contrived interpretation [C]. 《☞ けんきょうふかい》.

ぶかい 部会 (部の会合) sectional meeting [C]; (大きな会議などの部門) section [C].

ぶがいしゃ 部外者 (第三者) third party [C]; (利害関係のない者) disinterested ⌈party [person] [C]; (局外の者) outsider [C]. 《☞ よそもの》. ¶*部外者の立入り禁止 《掲示》 Private

ふがいない 腑甲斐無い ── [形] (人を失望させる) disappointing 《☞ いくじ²; おくびょう》. ¶私は彼女のために何もできなくて自分自身が*ふがいない (⇒ 恥ずかしい) I *am ashamed of* myself for not being able to do anything for her.

ふかいにゅう 不介入 nónintervéntion [U].

ふかいり 深入り ── [動] (深入りする) go too far into ... 《☞ ふかみ》. ¶彼はそれに*深入りしすぎた He *has gone too far into* the matter.

ふかおい 深追い ¶敵を*深追いする *chase* the enemy *too far*

ふかかい 不可解 ── [形] (理解や説明のできない) mysterious /mɪstí(ə)riəs/; (謎めいた) 《格式》 ènigmátic. ── [名] (不可解な事) mystery [C]; (謎) enígma [C]. 《☞ ふしぎ; なぞ》. ¶彼は*不可解な人物だ He is ⌈a *mysterious* personality [an *enigma*]. // 彼の自殺は*不可解だ His suicide remains a *mystery*.

ふかかち 付加価値 added value [C]. **付加価値税** value-added tax [C].

ふかがわめし 深川飯 〖料理〗 bowl of rice topped with boiled *asari* clam meat, chopped scallions and miso [C] ★ 説明的な訳.

ふかぎもん 付加疑問 〖文法〗 tag question [C].

ふかぎゃく 不可逆 ── [形] irrevérsible. **不可逆反応** irreversible reaction [C] **不可逆変化** irreversible change [C].

ふかく¹ 深く ── [副] deep, deeply ★ 後者は主として比喩的な意味に用いる; (比喩的に格式ばって) profoundly. 《☞ ふかい¹》. ¶*深く掘る dig *deep* // 雪が*深く積もっていた The snow lay *deep*. // 私たちは彼女の言葉に*深く感動した We were *deeply* moved by her words. // *深くおわびを申し上げます I'm *very* sorry. / Please accept my *sincere* apologies. ★ 後者のほうが格式ばった表現.

ふかく² 不覚 ¶私は先週テニスで彼に*不覚を取った (⇒ うっかり自分を負けさせてしまった) I ⌈*let myself* [*allowed myself to*] *be beaten* by him at tennis last week.

ふがく 富岳 Mt. Fuji. **富岳百景** one hundred views of Mt. Fuji.

ぶがく 舞楽 *bugaku*; (説明的には) Japanese traditional dance music [U].

ふかくさん 不拡散 nonproliferation [U].

ふかくじつ 不確実 ── [名] uncertainty [U]. ── [形] (不確実な) uncertain; (信頼できない) unreliable; (よりどころのない) ùnauthéntic. 《☞ かくじつ; たしか (類義語)》.

ふかくだい 不拡大 ¶*不拡大政策 a *nonexpansion* policy

ふかくてい 不確定 ── [形] (定まっていない) indéfinite; (確かでない) uncertain. ¶*不確定な要素が多すぎる There are too many ⌈*indefinite* [*uncertain*] factors. **不確定性原理** 〖物理〗 the uncertainty principle.

ふかけつ 不可欠 ── [形] (なくてはならない) indispensable (to ...; for ...); (空気や食物が生存に必要なのと同じ程度に必要な) vital (to ...; for ...); (それがないと本質が損なわれるような) essential (to ...;

for ...). (☞ かかす). ¶ 新鮮な空気は健康に*不可欠だ Fresh air is ⌈*indispensable* [*essential*] ⌈*to* health [*for* good health].

ふかこうりょく 不可抗力 ― 名 (避け難いこと) inèvitabílity Ⓤ; 〖法〗 act of God Ⓒ. ― 形 inévitable; (制御できない) uncontrollable. ¶ その事故は*不可抗力によるものとされた The accident was considered to be *inevitable*. 不可抗力条項 〖保険〗 force majeure /mɑːʒə́ː/ clause Ⓒ.

ふかさ 深さ ― 名 depth Ⓤ; (比喩的な意味での深遠さ) profúndity Ⓤ. ― 形 (深さが…の [で]) deep. (☞ ふかい¹; おくゆき). ¶ プールの*深さは, ここで 1.5 メートルです The pool is 1.5 meters ⌈*deep* [*in depth*] here. // 彼らは川の*深さを測っている They are now ⌈sounding [measuring] the *depth* of the river. // この沼の*深さはだれも知らない Nobody knows how *deep* this marsh is. // 彼の知識の*深さを尊敬している I admire the ⌈*profundity* [*deepness*; *depth*] of his knowledge.

ふかざけ 深酒 ― 名 heavy [excessive] drinking Ⓤ. ― 動 drink ⌈heavily [too much; excessively].

ふかさんめいし 不可算名詞 〖文法〗 uncountable [mass] (noun) Ⓒ (↔countable [count] (noun)) (☞ 可算・不可算名詞 (巻末)).

ふかし 不可視 ― 形 invisible. ― 名 invisibility Ⓤ. 不可視光線 invisible [dark] rays.

ふかしぎ 不可思議 ― 形 (妙な) strange; (神秘的な) mysterious /mɪstí(ə)riəs/. (☞ ふしぎ).

ふかしんじょうやく 不可侵条約 nonaggression ⌈treaty [pact] Ⓒ ★ treaty のほうが一般的. ¶ *不可侵条約を結ぶ conclude a *nonaggression* ⌈*treaty* [*pact*]

ふかす[1] 吹かす (たばこを) puff ⓐ ⓗ; (エンジンを) rév úp ⓐ ⓗ. (☞ ぷかぷか).

ふかす[2] 蒸かす steam ⓗ (☞ むす; 料理の用語 (囲み)).

ふかす[3] 更かす (夜を) stay up late (at night) ⓐ (☞ よふかし).

ふかせる 吹かせる ☞ ふかす[1]

ふかち 不可知 ― 形 (知ることのできない) unknowable. ― 名 〖哲〗 (不可知のもの) the Unknowable. 不可知論 〖哲〗 agnósticism Ⓤ 不可知論者 agnostic Ⓒ.

ふかつ 賦活 ― 動 invígoràte ⓗ; 〖化〗 activate ⓗ. 賦活剤 〖化〗 activator Ⓤ.

ぶかつ 部活 club activity Ⓒ; (課外活動全体) èxtracurrícular actívities ★ 格式ばった言い方. 複数形で.

ぶかっこう 不格好 ― 形 (格好の悪い) shapeless, unshapely, misshapen ★ 第 1 番目が最も一般的. misshapen は前の 2 語より文語的; (ぎこちない) clumsy; (ぶざまでみっともない) awkward. (☞ みっともない; ぶさいく; ぶざま).
¶ 男は茶色い*不格好な帽子をかぶっていた The man had ⌈a *shapeless* [an *unshapely*; a *misshapen*] brown hat on. // 彼は打ち方は*不格好だが, とにかくヒットを打つ He has ⌈an *awkward* [a *clumsy*] way of swinging, but he gets hits anyway.

ふかっせい 不活性 ― 形 〖化〗 inert /ɪnə́ːt/. 不活性ガス 〖化〗 inert gas Ⓤ.

ふかっぱつ 不活発 ― 形 inactive (↔ active); (沈滞した) dull, stagnant ★ 後者のほうが格式ばった語; (不景気な) slack (↔ active). (☞ かっぱつ).

ふかづめ 深爪 ¶ *深爪をする pare a nail to the quick

ふかで 深手 (ひどい傷) severe [serious] wound Ⓒ; (致命傷) fatal [mortal] wound Ⓒ. (☞ きず).

ふかなさけ 深情け excessive ⌈love [affection] Ⓤ, deep love Ⓤ. ★ 後者は「深い愛情」, 前者には「すぎた, 過剰な」の意味がある.

ふかなべ 深鍋 stewpot Ⓒ (☞ なべ).

ふかのう 不可能 ― 形 impossible (↔ possible) ★ 最も一般的な語; (到達できない) 《格式》 unattainable (↔ attainable); (実行不可能な) impráćticable (↔ practicable). ― 名 impossibility Ⓤ; imprácticabílity Ⓤ. (☞ かのう¹; ふのう¹).
¶ 決心を翻すなんて*不可能だ It is *impossible* for me to change my mind. // *不可能な望み an *unattainable* ambition // その計画は実行*不可能だろう (⇒ うまくいかないだろう) The plan *wouldn't work*. / It is an *impracticable* plan.

ふかひ 不可避 ― 形 (必然の) inévitable; (避けられない) unavoidable, inescápable. ¶ 戦争は*不可避と思われた War seemed ⌈*inévitable* [*ùnavóidable*]. / It seemed *impossible to avoid* war.

ふかひれ ☞ ふか[4] (鱶ひれ)

ふかふか ― 形 (柔らかくてふわふわで気持ちのいい) soft and ⌈fluffy [comfortable]; (羽毛のような) feathery. (☞ ふわふわ; 擬声・擬態語 (囲み)).

ぶかぶか ― 形 (ぴったりしない) loose /lúːs/; (だぶだぶの) baggy ★ 後者のほうがよりすきまが多く不格好なニュアンスがある; (大き過ぎる) too ⌈big [large]. (☞ だぶだぶ; 擬声・擬態語 (囲み)). ¶ 少年は*ぶかぶかの上着を着ていた The boy had a ⌈*loose* [*baggy*] coat on. // このズボンは*ぶかぶかだ These trousers are *baggy*.

ぷかぷか 1 《たばこを吹かす様子》 ― 動 puff away (at ..., on ...) ⓐ (☞ 擬声・擬態語 (囲み)).
¶ 彼は*ぷかぷかとたばこを吹かしていた He *was puffing away* ⌈*on* [*at*] a cigarette.
2 《浮く様子》 ― 副 buoyantly /bɔ́ɪəntli/.
¶ たるが幾つか*ぷかぷか浮いて川を流れてきた Some barrels came *buoyantly* down the river.

ふかぶかと 深深と deeply (☞ ふかく¹; ふかい¹).
¶ 男は*深々と頭を下げた The man bowed ⌈*deeply* [*very low*]. // 彼は*深々とソファーに腰を下ろした He ⌈sank [sat] *down deep* in the sofa.

ふかぶん 不可分 ― 形 (離せない) inséparable (☞ きりはなす). ¶ 両者は*不可分の関係にある Those two ⌈are *inseparable* [*can't be separated*].

ふかまる 深まる deepen ⓐ, become ⌈deep [deeper]; (関係が親密になる) become ⌈close [closer]. (☞ ふかめる; しんみつ).
¶ 学識が*深まると, 人は謙虚になるものだ As one's knowledge ⌈*deepens* [*becomes deeper*], one becomes more modest. // 両国の関係はこのところ*深まっている (The) relations between the two countries *have* ⌈*become closer* [(⇒ だんだん暖まってきた) *warmed*] these days. // 秋が*深まり (⇒ 秋とともに) 木の葉は紅葉した The leaves have ⌈changed color [turned (color)] *with* (the) ⌈fall [autumn].

ふかみ 深み (深い所) the depths, deep place Ⓒ ★ 前者は通例複数形で; (深さ) depth Ⓤ; (深いこと・深さ) deepness Ⓤ ★ depth のほうは深さを数量的に言うときに使う; (比喩的に格式ばって) profúndity Ⓤ. (☞ ふかさ).
¶ 少年は川の*深みにはまって, おぼれ死んだ The boy was drowned in *the depths* of the river. // *深みに入らないように Don't ⌈get [go] in too *deep*(*ly*). // 彼の話には*深みがなかった (⇒ うわべだけに思われた) His talk seemed only *superficial*. // その問題に関しては, *深みに入り込まない (⇒ かかわりあわない) ほうがよい We'd better not *get* ⌈*involved* [*mixed up*] *in* the matter.

ふかみどり 深緑 ― 名 (深い緑) deep green Ⓤ; (暗い緑) dark green Ⓤ. ― 形 (深緑色の) deep

green; dark green.
ふかめる 深める (深くする) deepen ⑩; (助長する) promote ⑩; (豊かにする) enrich ⑩. 《☞ ふかまる》. ¶お互いの理解を*深めることが必要だ We need to *promote* our mutual understanding. // 旅行は経験を*深めるのに有効だった The tour was effective in *enriching* my experience.
ブカレスト ―名 ⓖ Bucharest /b(j)ú:kərèst/ ★ ルーマニアの首都.
ぶかん 武官 (陸軍[海軍]の) military [naval] officer Ⓒ; (大使館付きの) military [naval] attaché /æ̀təʃéɪ/ (at an embassy) Ⓒ ★ attaché の ´ は綴り本来のもの.
ふかんしへい 不換紙幣 inconvertible [nonconvertible] note Ⓒ; 《米》 fiat money Ⓤ.
ふかんしょう[1] 不感症 ―名 〖医〗 (性的な) frigidity Ⓤ. ―形 frigid. ¶我々はこういった社会不正に*不感症になっている (⇒ 免疫ができている) We are *immune* /ɪmjú:n/ to this sort of social injustice.
ふかんしょう[2] 不干渉 nònintervéntion Ⓤ, noninterference /nànìntəfí(ə)rəns/ Ⓤ. 《☞ かんしょう[1]》. **不干渉政策** nónintervèntion pólicy Ⓒ.
ふかんず 俯瞰図 bird's-eye view Ⓒ.
ふかんせいゆ 不乾性油 non-drying oil Ⓤ.
ふかんぜん 不完全 (完璧でない) imperfect (↔ perfect); (完全にできていない) incomplete (↔ complete); (欠点のある) faulty. 《☞ かんぜん[1]》. ¶*不完全な論文 an *incomplete* paper // 試作品は*不完全なものだった The trial product was ⌜an *imperfect* one [*imperfect*].
不完全花 〖植〗 incomplete [imperfect] flower Ⓒ **不完全競争** 〖経〗 imperfect competition Ⓤ (↔ perfect competition) **不完全雇用** underemployment Ⓤ **不完全就業** inadequate employment Ⓤ **不完全燃焼** imperfect [incomplete] combustion Ⓤ **不完全変態** 〖生〗 (昆虫の) incomplete metamorphosis Ⓤ.
ふき[1] 付記 (súpplemèntary) nóte Ⓒ; (手紙の追伸・本の後記) postscript /póus(t)skrìpt/ Ⓒ 《略 P.S.》; (付け加えの言葉) additional remark Ⓒ.
ふき[2] 蕗 〖植〗 butterbur /bʌ́təbə̀:/ Ⓒ. **蕗のとう** butterbur flower stalk Ⓒ **蕗味噌** miso paste with chopped butterbur flower stalks Ⓤ ★ 説明的な訳.
ふき[3] 不帰 ¶*不帰の客となる pass away / depart from this life 《☞ しぬ》
ふぎ 不義 (不道徳) immorality Ⓤ ★ 行為は Ⓒ で通例複数形で; (密通) adúltery Ⓤ. ¶*不義をする commit *adultery* (with ...)
ぶき 武器 (戦争用の武器の総称) arms ★ 複数形で; (攻撃ないし防御のための道具) weapon Ⓒ. 《☞ へいき[2]》. ¶*武器をとって戦おう Let's take up *arms* and fight! // *武器を捨てよ Surrender your *weapons*! // 我々は彼らから*武器を取り上げた We took the *weapons* away from them. / We *disarmed* them. // *武器を携帯する carry [bear] *arms* // *武器を持っている be *armed* // セクシーなのが彼女の最大の*武器だった Sexuality was her best *weapon*. **武器援助** military aid Ⓤ **武器(弾薬)庫** magazine Ⓒ **武器輸出** arms exports.
ぶぎ 武技 military [martial] arts ★ 普通複数形で. 《☞ ぶげい; ぶじゅつ》.
ふきあがる 吹き上がる (風に吹き飛ぶ) blow (up) ⓐ, fly ⓐ. 《☞ ふきあげる》. ¶風でほこりが*吹き上がった Dust *blew up* in the wind.
ふきあげる 吹き上げる, 噴き上げる blów úp ⑩; (噴水などが) send [spout; throw] up (water) into the air. ¶強風はそこらの紙くずを*吹き上げた A strong wind *blew up* scraps of paper. // 噴水は時々高く水を*噴き上げた The fountain ⌜*sent* [*spouted*; *threw*] water high *up into the air* periodically.
ふきあれる 吹き荒れる (怒り狂ったように吹く) rage ⓐ; (激しく吹く) blow violently ⓐ.
ふきいど 吹き井戸 artesian well Ⓒ.
ブギウギ 〖楽〗 boogie(-woogie) /búgi(wúgi)/ Ⓤ.
ふきおろす 吹き下ろす blów dówn ... ¶寒風が山から*吹き下ろしてきた A ⌜cold [chilly] wind *blew down* the mountain.
ふぎかい 府議会 ☞ ふ[1]
ふきかえ 吹き替え ―動 (録音の吹き替えせりふを入れる) dub ⑩. ¶だれが日本語版の*吹き替えをやっているのですか Who *is dubbing* the dialogue in Japanese?
ふきかえし 吹き返し ¶*吹き返し (⇒ 反対の方向からの風) に用心しなさい Watch out for [Be careful of] *the wind coming from the opposite direction.*
ふきかえす 吹き返す (息を) revive ⓐ, come (back) to life. 《☞ いき[1]》. ¶彼はとうとう息を*吹き返さなかった He didn't ⌜*come (back) to life* [*revive*] after all.
ふきかえる[1] 葺き替える (屋根を) reroof ⑩.
ふきかえる[2] 吹き替える ☞ ふきかえ
ふきかける 吹き掛ける (息を) breathe upon ...; (霧を) spray (upon ...) ⓐ. ¶窓ガラスに息を*吹きかける *breathe upon* a windowpane // まず, 霧をよく*吹きかけてからアイロンをかけなさい *Spray* it well first, then iron it.
ふきぐち 吹き口 (楽器の) mouth(piece) Ⓒ.
ふきけす 吹き消す blów óut ⑩ 《☞ けす》.
ふきげん 不機嫌 ―形 in a bad mood, in ⌜bad [ill] humor, in a (bad) temper; (怒ってむっつりした) sullen, moody. 《☞ きげん[1]; ごきげん》. ¶その日, 校長は*不機嫌だった The principal was ⌜*in a bad mood* [*in bad humor*; *in a* (*bad*) *temper*] that day. // 知らせを聞いて彼は*不機嫌になった The news made him ⌜*sullen* [*moody*].
ふきこぼれる 吹きこぼれる bóil óver ⓐ. ¶鍋のふたを取っておかないと*吹きこぼれます Keep the lid off, or it will *boil over*.
ふきこむ 吹き込む **1** 《風などが》: blów ín ⓐ, blow into ... 《☞ ふりこむ[2]》. ¶窓を開けると部屋に冷たい風が*吹き込んできた When I opened the window, a cold wind *blew into* the room.
2 《感情・思想などを》: inspire ⑩. ¶だれがそんな考えを*吹き込んだのですか Who *has put* such an idea *into* your head? / Who *has inspired* you *with* such an idea?
3 《録音する》: (…を録音してもらう) have ... recorded, record ⑩ 語法 後者は自分で録音する意味にも使う. 《☞ ろくおん》. ¶スピーチをテープに吹き込んだ I *recorded* my speech on a tape.
ふきさらし 吹きさらし ―形 (荒れて寒々とした) bleak; (風に吹かれるままになっている) exposed to the wind.
ふきすさぶ 吹きすさぶ blow ⌜hard [violently] ⓐ.
ふきそ 不起訴 ―動 (事件を不起訴にする) drop ⑩; (人を) do not ⌜indict /ɪndáɪt/ [prósecùte] ⑩ (無罪放免する) acquit ⑩. 《☞ きそ[2] 語法》. ¶その件は*不起訴となった The case *was dropped*. // 彼女は*不起訴となった She *was not* ⌜*indicted* [*prosecuted*]. / She *was acquitted*.
不起訴処分 disposition not to institute a public action Ⓒ.
ふきそうじ 拭き掃除 ―動 (こすってきれいにす

る) scrub (他); (家の中をふく) wípe dówn (他). ((☞ そうじ[1]; ふく[3])). ¶床の*拭き掃除は時間がかかる It takes time to *scrub* a floor (*clean*).

ふきそく 不規則 —— [形] (一定しない) irregular (↔ regular) ((☞ きそく)). ¶*不規則な生活をするのは健康によくない Living an *irregular* life [Keeping *irregular* hours] is bad for ⌈the [*one's*] health. **不規則動詞** irregular verb [C] **不規則変化[活用]** (動詞の) irregular conjugation [C].

ふきたおす 吹き倒す blów dówn (他). ¶家の前の杉の木が風で*吹き倒された (⇒ 風が…した) The wind *blew down* the cedar tree in front of our house.

ふきだし 吹き出し (漫画の) balloon [C].

ふきだす 吹き出す, 噴き出す **1** «風が»: begin to blow (自), rise (自) ★ 後者のほうが格式ばった語. ((☞ ふく[1])). ¶風は夜半ごろ*吹き出した The wind ⌈*began to blow* [*rose*] around midnight.

2 «笑い出す»: burst ⌈into laughter [out laughing] ((☞ わらう)).

3 «水・血・石油などが»: (ほとばしり出る) gúsh ⌈óut [fórth; from …] (自); (噴出する) spout (自), spurt (自); (ガスが) blów úp (自). ((☞ ふきこぼれる)). ¶原油が油田から*噴き出した Crude oil *gushed* ⌈*out of* [*from*] the well. // 傷口から血が*噴き出した Blood ⌈*spouted* [*spurted*] from the wound.

ふきだまり 吹きだまり (吹きよせられたもの) drift [C]; (雪の吹きよせ) snowdrift [C].

ふきちらす 吹き散らす (風などが) blow (他), scatter (他). ¶一陣の風が机の上の書類を*吹き散らした A gust of wind *has* ⌈*blown* [*scattered*] the papers on the desk.

ふきつ 不吉 —— [形] (悪いことが起こりそうだと知らせる) óminous; (不幸をもたらす) unlucky. ¶*不吉な予感がした I had an *ominous* presentiment. // 13は*不吉な数と言われている Thirteen is said to be an *unlucky* number.

ふきつける 吹き付ける **1** «風・雨などが»: blow ⌈against [on] … ¶風は小屋に激しく*吹きつけた The wind *blew* hard *against* the cottage.

2 «塗料などを»: spray (他) ((☞ ふきかける)). ¶ペンキ屋が壁に白い塗料を*吹き付けている The painter *is spraying* ⌈the wall white [white paint on the wall].

ぶきっちょ ☞ ぶきよう

ふきつのる 吹き募る —— [動] rise (自), blow harder (自). —— [形] rising.

ふきでもの 吹き出物 rash ★ 単数形で a を付けて; (発疹) eruption [C] ★ 格式ばった語で, 医学用語でもある. ((☞ はっしん[2]; ぶつぶつ[2])).

ふきでる 吹き出る, 噴き出る (煙・炎・血などが) spout out (自), spurt out (自); (汗が) ooze (自); (熱湯が) boil over (自). ((☞ ふきだす)).

ふきとばす 吹き飛ばす blów ⌈óff [awáy] (他); (持ち去る) cárry ⌈óff [awáy] (他). ¶風で傘を*吹き飛ばされた I *had* my umbrella *blown away*. / (⇒ 風が傘を運び去った) The wind *carried* ⌈*away* [*off*] my umbrella.

ふきとぶ 吹き飛ぶ (吹き飛ばされる) be blówn ⌈óff [awáy]; (運び去られる) be cárried awáy. ((☞ けしとぶ)). ¶彼の確約の言葉で私の心配は*吹き飛んだ (⇒ 彼の確約の言葉が私の心配を追い散らした) His words of assurance *dispelled* my anxiety.

ふきとる 拭き取る wípe ⌈óff [úp] (他). ¶棚のほこりを*拭き取りなさい *Wipe* the dust *off* the shelves.

ふきながし 吹き流し streamer [C].

ふきならす 吹き鳴らす blow (他) ((☞ ふく[1])).

ふきぬけ 吹き抜け (階段の) stairwell [C].

ふきぬける 吹き抜ける blow through (他).

ふきね 吹き値 spurt [C]. **吹き値売り** (高値の間に売る) selling ⌈during [on] a spurt [U].

ふきのとう 蕗のとう ☞ ふき[2]

ふきはらう 吹き払う (吹き飛ばす) blow away (他); (一掃する) sweep (他).

ふきぶり 吹き降り (風と雨) wind and rain [U]; (嵐) rainstorm [C]. ((☞ ふうう; あらし)).

ふきまくる 吹きまくる (ひどく吹く) blow very hard (自); (吹き荒れる) rage (自).

ふきまわし 吹き回し ¶どういう風の*吹き回しか (⇒ 何が起こったか知らないが) あのけちな社長が私たちに特別手当をくれた I *don't know what* (*had*) *happened* to our stingy boss, but he gave us a bonus. / *By some strange turn of mind*, our stingy boss gave us a bonus. // どういう風の*吹き回しか今日はいつもの4倍のお客様がありました *For some* (*strange*) *reason* we had four times the usual number of customers today.

ぶきみ 不気味, 無気味 —— [形] (神秘的で気味悪い) weird /wíəd/; (薄気味悪くて恐ろしくなるような) uncanny; (ぞっとするような) eerie, eery /í(ə)ri/ ★ 以上は入れ替え可能で, この順に意味が強くなる; (この世のものとも思われない) unearthly. ((☞ きみ[2])). ¶*不気味な音が洞穴の中から聞こえてきた We heard some ⌈*weird* [*uncanny*] sounds coming out of the cave. // やみの中に光るおおかみの目は*不気味だった (⇒ 我々をぞっとさせた) The wolf's glaring eyes in the darkness *made our blood run cold*.

ふきや 吹き矢 (筒) blowpipe [C]; (矢) blowpipe dart [C].

ふきやむ 吹き止む (風が吹ききっておさまる) blow itself out; (風などが静まる) die ⌈away [down] (自).

ふきゅう[1] 普及 —— [動] (大衆化する) popularize (他); (一般的になる) become popular; (広がる・広める) spread (自) (他). —— [名] (大衆化) popularization [U]; spread [U]. ¶政府は教育の*普及に努めた The government tried to ⌈*spread* education [promote (the *spread* of) education]. // 男女同権の思想はかなり*普及している The idea of equal rights for men and women *has* ⌈*been popularized* [*spread*] fairly widely. // 電子レンジはかなり*普及した Microwave ovens /máɪkrəwèɪv ʌ́v(ə)nz/ ⌈*are pretty popular* now [*have come into wide use*]. **普及版** popular edition [C] **普及率** rate of diffusion [C]; (市場の) penetration ★ [U] または a を付けて. ((☞ しんとう[1])).

ふきゅう[2] 不朽 —— [形] (永久に続く) everlasting; (不滅の) immortal ★ やや文語的; (永遠に続いて変化しない) eternal. —— [名] immortality [U]; eternity [U]. ((☞ ふめつ; えいえん; えいきゅう)). ¶*不朽の名作 an *immortal* ⌈work [book] // 彼はこの作品で*不朽の名声を得た He won ⌈*everlasting* popularity [*immortal* fame] with this work. ★[ ] 内はやや文語的. / This work made him *immortal*. // これは*不朽の真理だ This is an *eternal* truth.

ふきゅう[3] 不急 (急を要しない) not ⌈urgent [pressing].

ふきゅう[4] 不休 —— [副] without rest, without resting. ((☞ ふみんふきゅう)).

ふきゅう[5] 腐朽 —— [名] decay [U]. —— [動] decay (自). ((☞ くさる; くちる)).

ふきょう[1] 不況 (広範な) depression [C]; (特に一時的な景気後退) recession [C]; (景気・事業などの不振・中だるみ) slump [C] ★ ややくだけた言い方. ((☞ ふけいき)). ¶*不況が深刻の度を増してきた The ⌈*depression* [*slump*] is becoming more and more serious. // 政府は大がかりな*不況対策を進めている

ふ

The government is carrying out full-scale counter*recession* measures. // 市場は*不況だ The market is「*slack* [*dull*]. / Business is「*slow* [*slack*]. // *不況を切り抜ける come [get] out of a *depression* / emerge from a *depression*
不況型倒産 depression-related bankruptcy [C]
不況カルテル (不況時に独禁法の例外として認められる価格維持カルテル) anti-depression [price-supporting] cartel [C].

ふきょう² 布教 ―[名](布教の仕事) missionary work [U]. ―[動](宗教を広める) spread (「religion [the faith]); (布教活動に従事する) be engaged in missionary work. ¶宣教師たちは熱心にキリスト教の*布教をした The missionaries zealously *spread* Christianity. // 彼らの*布教活動はやがて実を結んだ Their *missionary work* yielded fruit in due「time [course].

ふきょう³ 不興 **不興を買う** ¶どうも社長の*不興を買ったらしい I must *have*「*offended* [*displeased*] my boss.

ふきょう⁴ 富強 ―[名] wealth and power. ―[形] rich and powerful.

ぶきよう 不器用, 無器用 ―[動](不器用である) 《略式》 be all thumbs. ―[形](ぎごちない) awkward, clumsy. ¶私は(手先が)*不器用だ I'*m all thumbs*. // 彼は何をやっても*不器用だ He is「*awkward* [*clumsy*] in everything he does. // 彼は*不器用な手つきで縫っていた He was sewing「with a *clumsy* hand [in an *awkward* way].

ぶぎょう 奉行 〘日本史〙 Japanese feudal commissioner [C]. **奉行所** commissioner's office [C].

ふぎょうぎ 不行儀 ―[名](無作法) bad manners ★ 複数形で; (無礼) rudeness [U]. ―[形] rude; ill-behaved. (☞ ぎょうぎ; ぶさほう).

ふぎょうじょう 不行状 (良くない行い) misbehavior [U], misconduct [U]; (だらしのなさ) loose behavior [U]. (☞ ぎょうじょう).

ふぎょうせき 不行跡 (特に公務員などの収賄など) misconduct [U]; (特に性的な不品行) misbehavior (《英》 misbehaviour) [U].

ふきょうわおん 不協和音 〘楽〙 discord [C], dissonance [C] [語法] 後者のほうがより専門的な用語. 前者は「(意見などの) 不一致」の意にもなる.

ふきょか 不許可 (不認可・却下) disallowance [U]; (不承知) disapproval [U]. ¶今夜の外出は*不許可となった (⇒ 外出許可をもらえなかった) I *was*「*refused* [*denied*] permission to go out tonight. (☞ きょか¹)

ふきょく 負極 ☞ いんきょく

ぶきょく¹ 部局 (公共機関などの) department [C].

ぶきょく² 舞曲 〘楽〙 dance (music) [U] ★ 具体的には [C].

ふきよせ 吹き寄せ (雪や枯葉などの) drift [C]; (食べ物の) assortment [C].

ふきょふくせい 不許複製 All rights reserved. ★ 表示などで.「すべての権利は保有されている」の意.

ふぎり 不義理 ―[形](恩知らずの) ungrateful [日英比較] 日本語の「義理」にぴったりした英語はない. (☞ ぎり). ¶あの恩人にずっと*不義理をしてきた I've been *ungrateful to* that benefactor of mine.

ふきりつ 不規律 ―[名] (規律の無さ) indiscipline [U]; (無秩序) disorder [U]; (不品行) impropriety [C]. ―[形] indisciplined; disorderly; improper.

ぶきりょう 不器量 ―[形] plain(-looking), 《米》 homely ★ いずれも婉曲的; (醜い) ugly. (☞ きりょう).

ふきん¹ 付近 ―[名](近所) neighborhood (《英》 neighbourhood) [U]; (近隣一帯) 《格式》 vicinity [U]. ―[形] neighboring [A], nearby [A]; (すぐ近くの・隣接した) 《格式》 adjacent. (☞ あたり¹; きんじょ; ちかく¹; へん²). ¶私の家の*付近には古いお寺が多い There are many old temples in「my *neighborhood* [the *vicinity* of my home]. // 彼の家はこの*付近のはずです His house should be「in this *neighborhood* [*somewhere near here*].

ふきん² 布巾 kitchen towel [C]; (食器用の) dish towel [C]; (食卓などをふくための) duster [C].

ふきんこう 不均衡 ―[名] imbálance [U] [日英比較] 日本語の「アンバランス」に当たる語. 英語でも unbalance が [名] として使われることもあるが, unbalance は本来 [動] で, [名] の場合は特に「精神的不均衡」をいうことが多い; lack of balance [C] ★ 説明的; (特に部分間の) 《格式》 disproportion [U]. ―[形] unbalanced; disproportionate, disproportional. (☞ ふつりあい).
¶貿易*不均衡 trade *imbalance*

ふきんしん 不謹慎 ―[形](無作法な) indécent; (特に女性が慎みのない) immódest. ―[名] indecency [U]; immodesty [U]. ¶公の席でわいせつな言葉を使うなんて彼も*不謹慎だ It is *indecent* of him to use obscene words in public.

ふく¹ 吹く **1** 《風が》: blow [自] (過去 blew; 過分 blown) (☞ かぜ¹). ¶風は北から*吹いている The wind *is blowing from* the north.
2 《管楽器・口笛を》: (管楽器を演奏する) play [他]; (ホルンやトランペットなどを) blow [他], sound [他] [日英比較] 英語では日本語のように楽器によって「弾く」「吹く」「打つ」などの区別がなく, 演奏するのはすべて play で表すのが普通. ただし, 特に「吹く」という動作に注目する場合は blow,「音を出す」意味を強調する場合は sound を用いる; (口笛を) whistle [自] [他] (☞ くちぶえ). ¶彼女はフルートを上手に*吹く She *plays* the flute beautifully. // ラッパが 3 度*吹かれた The trumpet *was*「*blown* [*sounded*] three times.
3 《芽・粉を》: (木が芽を) come [burst; break] into leaf, put [bring] forth buds; (干柿やぶどうなどが) develop [have] a bloom.
4 《ほらを》 ☞ ほら²
吹けば飛ぶような ―[名](つまらない人・もの) nothing [C] ★ 単数形で. ―[形](ごく小さな) tiny.

ふく² 服 ―[名] clothes /klóu(ð)z/ ★ 複数形; clothing [U] ★ 後者は集合的に衣類を指す; (女性の) dress [C]. ―[動] dress [自] [他].
¶彼は一番よい*服を着て出かけた He went out in his best *clothes*. // *服を着なさい Put on your *clothes*. / Put your *clothes* on. [語法] put on *one's* clothes は単に服を着るという意味だが, 朝起きて身仕度をしたり, 外出するのに着替えたりして服を着るのは get dressed と言う. // *服を着せて[脱がせて]あげなさい Help him「on [off] with his *clothes*. // 暖かい*服を着る wear warm「*clothes* [*clothing*] // 男性の*服は近ごろとみに色彩豊かになった Men's *clothing* has become fairly colorful nowadays. // この*服は少しきつい This *dress* is a little too tight for me. // 母親は子供に*服を着せた The mother *dressed* her child. // 彼は*服の着こなしがよい He is *dressed*「stylishly [neatly; 《英》 smartly].

コロケーション
服を着替える change (*one's*) *clothes* / **服を着ている** wear *clothes*; have *clothes* on / **服をたたむ** fold *clothes* / **服を繕う** mend *clothes* / **服を脱ぐ** take「off *clothes* [*clothes* off] / **オーダーメードの服** custom-made *clothing* / **カジュアルな服** casual「*clothes* [*clothing*] / **窮屈な服** tight「*clothes* [*clothing*] / **シックな服** chic「*clothes* [*clothing*] / **地味な服** conservative [quiet]「*clothes* [*cloth-*

ing] / 丈夫な服 sturdy「*clothes* [*clothing*] / すり切れた服 worn *clothes* [*clothing*] / だぶだぶの服 loose [baggy]「*clothes* [*clothing*] / 派手な服 loud [flashy]「*clothes* [*clothing*] / フォーマルな服 formal「*clothes* [*clothing*] / ぼろぼろの服 shabby「*clothes* [*clothing*] / 流行の服 trendy「*clothes* [*clothing*]

ふく[3] **拭く** (きれいにする) clean ⑯; (軽くこすって) wipe ⑯; (ごしごしこすって) scrub ⑯; (モップなどで) mop ⑯; (乾かす) dry ⑯. (☞ そうじ[1]; ぬぐう).
¶ 棚を雑巾で*ふきなさい *Clean* [*Wipe*] the shelves with a duster. // 生徒たちはモップで床を*ふきます The students *mop* the floor. // 手を洗ったらタオルでよく*ふきなさい *Dry* your hands well「with [on] a towel after you wash them. 日英比較 日本語ではふく動作に重点を置き, 英語では水分を取ることを重点にして言う. // 窓ガラスを*ふく *clean* [*wipe*] a window

ふく[4] **副** ―接頭(主になる人の次の位の) vice-; (下位の) sub-; (一緒に働く) co-. ―形 (代理役の) députy; (補佐の・補助の) assistant; (準じる) associate; (補充の) 《格式》 sùppleméntary; (追加の) addítional; (特別の・余分の) extra ★ 以上の語はほぼ同じ意味で使われ, 次に続く語によって選択が決まる場合もある. ―図 (写し) duplicate Ⓒ.
★「副」ではじまる複合語は ☞ 見出し
¶ 正*副2通の書類が提出された The documents have been presented *in duplicate*.

ふく[5] **葺く** (屋根をふく) roof ⑯, cover ⑯ ★ 後者は「覆う」という意味の一般的な語; (草・かや・わらで) thatch ⑯; (かわらで) tile ⑯; (屋根板で) shingle ⑯. (☞ やね). ¶ わらで*ふいた農家 a *thatch-roofed* farmhouse / farmhouse *with a thatched roof* // 家の屋根はかわらで*ふいてあった The house *was roofed* with tiles. / (⇒ 覆われていた) The roof of the house *was*「*covered* with tiles [*tiled over*].

ふく[6] **福** (幸運) (good) luck Ⓤ, good fortune Ⓤ ★ 前者は口語的で, 後者に比べるとあまり重大ではない事柄に用いる; (幸福) happiness Ⓤ. (☞ こううん[1]; こうふく[1]). ¶ あなたは私たちの*福の神だ (⇒ あなたは幸運を私たちに持ってきた) You've brought us *good luck*. // *福は内, 鬼は外 In with *good fortune*! Out with the「devil [demon]!

ふく[7] **噴く** (液体が突然に) gúsh「óut [fórth] from …, spout ⓐ; (火を噴く) burst into flames ⓐ. (☞ ふんしゅつ; ふきだす). ¶ 車は突然火を*噴いた The car suddenly *burst into flames*.

-ふく …幅 roll Ⓒ (☞ 数の数え方 (囲み)).

ふぐ **河豚** 〘魚〙 puffer Ⓒ, globefish Ⓒ 《複 ~(es)》. ふぐは食いたし命は惜しし Globefish is tempting, but life is dear. ふぐ刺し raw globefish Ⓤ ふぐ中毒 globefish poisoning Ⓤ ふぐ提灯 globefish(-shaped) lantern Ⓒ ふぐちり globefish stew Ⓤ ふぐ毒 globefish poison Ⓤ.

ぶぐ **武具** ☞ ぶき

ふぐあい **不具合** bad condition Ⓤ (☞ けっかん).

ふくあつ **腹圧** abdóminal préssure Ⓤ.

ふくあん **腹案** (考え) idea Ⓒ; (計画) plan (in *one's* mind) Ⓒ. (☞ かんがえ; けいかく).

ふくい[1] **復位** ―動 (人を…に復位させる) restore *a person* to … ―図 restoration Ⓤ.

ふくい[2] **腹囲** abdominal circumference Ⓒ 《略 AC》, the girth of the abdomen.

ふくいく **馥郁** ―形 (甘い香りの) sweet-smelling; (特に花が香りの良い) fragrant. ¶ *ふくいくたる香り a「*sweet* smell [*fragrance*]

ふくいん[1] **福音** **1** 《喜ばしい知らせ》: good news Ⓤ. ¶ それは困窮した人たちにとっては*福音です It's *good news* for the poor people.
2 《キリスト教の》: ―図 (福音(書)) the gospel ★ しばしば G- として用いる. ―形 (福音書の, 福音主義の) evangelical. ¶ 宣教師たちは村人に*福音を説いた The missionaries preached *the gospel* to the villagers. 福音教会 the Evangelical /ìːvændʒélɪk(ə)l/ Chúrch 福音主義 èvangélicalism Ⓤ 福音書 Gospel Ⓒ ¶ 新約聖書の最初の4篇を*福音書と呼ぶ The first four books of the New Testament are called the「*Gospels* [*gospels*]. 福音伝導者 evángelist Ⓒ.

ふくいん[2] **復員** ―図 (動員解除) demobilization /dìːmòubəlɪzéɪʃən/ Ⓤ; (本国送還) 《格式》 repatriation /riːpèɪtriéɪʃən/ Ⓤ. ―動 be demóbilìzed; be repátriàted. 復員軍人 repatriated soldier Ⓒ.

ふくいん[3] **幅員** width (of a road, bridge, tunnel, etc.) Ⓤ (☞ はば).

ふぐう **不遇** ―形 (不運な) unfortunate. ―図 (つらい運命) 《略式》 hard lot Ⓒ; (宿命的なもの) ill fate Ⓤ; (不運) misfortune Ⓒ ★ しばしば複数形で; (逆境) adversity Ⓤ ★ 以上の中では最も格式ばった語. (☞ ぎゃっきょう).
¶ 晩年, 彼は貧乏だったが, その*不遇をかこつことはなかった He was poor in his later years, but he never complained of his「*hard lot* [*ill fate*]. // 彼は*不遇なときにも決して絶望しなかった He never became desperate, even in *adversity*. // 彼は一生*不遇で (⇒ 無名で) 終わった He remained *obscure* all his life.

ふくうん **福運** good luck Ⓤ, good fortune Ⓤ ★ 前者のほうがより口語的. (☞ こううん[1]; ふく[6]).

ふくえき **服役** ―図 (懲役の) (penal) servitude Ⓤ. ―動 serve「*one's* sentence [a prison term]. 服役期間 (懲役の) term of a sentence Ⓒ; (兵役の) term of service Ⓒ 服役者 cónvict Ⓒ.

ふくえん **復縁** ―動 (再び夫婦となる) be reunited (as husband and wife), 《略式》 get back together ⓐ. ¶ 彼は前の妻に*復縁を迫った He pressed his ex-wife to *come back to* him.

ふくおん **複音** (複合した音) compound sound Ⓒ.

ふくが **伏臥** ☞ うつぶせ

ふくかいちょう **副会長** (学会などの) vice(-)president Ⓒ (☞ かいちょう; ふく[4]).

ふくがく **復学** ―動 (学校に戻る) come back to school; (再入学を許される) be readmitted to school.

ふくかん **副官** ☞ ふっかん[2]

ふくがん **複眼** (昆虫の) cómpound éye Ⓒ. 複眼的 ―形 (総合的な) comprehensive. ―副 from various angles.

ふくぎちょう **副議長** ―図 vice(-)chairman Ⓒ, vice(-)chairperson Ⓒ. (☞ ふく[4]; ぎちょう 語法).

ふくぎょう[1] **副業** (時間給の仕事) part-time job Ⓒ 参考 本業がなくてもよい; (専門以外のもう1つの仕事) second job Ⓒ. (☞ アルバイト).

ふくぎょう[2] **復業** ―動 go back into business.

ふくくっせつ **複屈折** 〘理〙 double refraction Ⓤ, birefringence Ⓤ.

ふくげん **復元, 復原** ―動 (元の状態に戻す) restore … (*to its original state*); (建築物などを再建する) rèconstrúct ⑯. ¶ 古代の住居を*復元する *restore* [*reconstruct*] an ancient dwelling
復元作業 restoration (work) Ⓤ 復元図 diagram of a restoration Ⓒ 復元抽出 〘統〙 sampling with replacement Ⓤ 復元力 〘物理〙 resti-

tutive force Ⓒ.

ふくこう 腹腔 〘解〙the abdóminal cavity.

ふくごう 複合 ―[名] (複合物) composite /kɑmpɑ́zɪt/ Ⓒ, cómpound Ⓒ [語法] 前者には各種の要素を物理的に混ぜ合わせた，後者には各種の要素を化学的に反応させて 1 つの物にした，というニュアンスがある. ―[形] composite; cómpound. ―[動] compóund (他). (☞ ごうせい¹).

複合汚染 multiple contamination Ⓤ **複合火山** complex volcano Ⓒ **複合家族** (合同[集合]家族) joint family Ⓒ **複合企業** conglomerate /kənglɑ́mərət/ Ⓒ **複合競技** (スキーで) the「Nordic [Alpine]」combined **複合現実** mixed reality Ⓤ **複合語**〘文法〙compound (word) Ⓒ **複合材料** composite material Ⓒ, composite Ⓒ **複合脂質**〘生化〙complex lipid Ⓒ **複合社会**〘社〙plural society Ⓒ **複合商品** composite「goods [commodities]」★ 複数形で. **複合体** complex Ⓒ **複合蛋白質**〘生化〙cónjugàted protein /próuti:n/ Ⓤ **複合動詞** (日本文法の) compound verb Ⓒ **複合肥料** compound fertilizer Ⓒ **複合不況** multifaceted recession Ⓒ **複合名詞** compound noun Ⓒ **複合ワクチン** combination vaccine Ⓤ.

ふくこうかんしんけい 副交感神経 〘生〙parasympathetic nerve Ⓒ.

ふくこうじょうせん 副甲状腺 〘解〙the parathyroid /pæ̀rəθáɪrɔɪd/ (glands). **副甲状腺ホルモン**〘生理〙parathyroid hormone Ⓤ.

ふくこん 複婚 ―[名] polygamy Ⓤ. ―[形] polygamous. (☞ じゅうこん).

ふくさ 袱紗 silk wrapping cloth Ⓒ. **袱紗さばき** the handling of *a*「*fukusa* [*small silk cloth*]」(in the tea ceremony).

ふくざい 服罪 ―[動] (刑に服する) serve (他) (☞ けい¹; ふくえき). ¶ 彼はいま*服罪している (⇒ 服役中である) He *is serving his time*.

ふくざつ 複雑 ―[形] (ごちゃごちゃに入り乱れて理解できないような) cómplicàted; (乱れてはいないが，構造が込み入っていて理解に時間がかかるような) compléx; (細かく絡み合ってどうしてよいかわからないほどの) íntricate; (情勢や観念などが込み入って混乱した) involved; (感情などが混乱した) mixed. ―[名] complication Ⓤ; compléxity Ⓤ; íntricacy Ⓤ. ―[動] cómplicàte (他); (複雑である[になる]) be [get] complicated. (☞ こみいる).

¶ 小説の筋が*複雑でわからない The plot of the novel is too「*complicated* [*intricate*; *complex*]」to understand. // 彼女の出現が状況を*複雑にした Her「appearance [arrival]」*has complicated* the situation. // 彼の沈黙が問題の*複雑さを暗示している His silence suggests the「*complexity* [*intricacy*]」of the problem.

複雑怪奇 ―[名] puzzling mystery Ⓒ. ―[形] deeply mysterious **複雑系** complex system Ⓒ **複雑骨折** compound fracture Ⓒ.

ふくさよう 副作用 side effect Ⓒ; (有害な) harmful effect Ⓒ. ¶ この薬はいくらか*副作用があります This medicine has some *side effects*.

ふくさんぶつ 副産物 bý-pròduct Ⓒ; (派生物) óutgròwth Ⓒ. ¶ この発見は，ある研究の*副産物です (⇒ 副産物としてなされた) This discovery was made as「a *by-product* [an *outgrowth*]」of another research project.

ふくし¹ 福祉 (満足すべき生活状態) welfare Ⓤ, well-being Ⓤ ★ 前者のほうが一般的. (☞ こうふく¹ (類義語)).

¶ 何よりもまず政府は国民の*福祉を増進すべきである Above all (things), the government should promote the「*welfare* [*well-being*]」of the people. // 社会[公共] *福祉 social [public] *welfare*

福祉国家 welfare state Ⓒ **福祉事業** welfare work Ⓤ **福祉施設** welfare facility Ⓒ **福祉事務所** welfare office Ⓒ **福祉制度** welfare service program Ⓒ, welfare system Ⓒ **福祉年金** welfare pension Ⓒ (☞ ねんきん).

ふくし² 副詞 〘文法〙adverb Ⓒ. **副詞の位置**〘文法〙word order of adverbs Ⓤ (☞ 副詞の位置 (巻末)).

ふくし³ 副使 deputy envoy Ⓒ (☞ ふく⁴).

ふくし⁴ 副子 〘医〙splint Ⓒ.

ふくじ 服地 (洋服の生地) dress material Ⓤ, dress fabric(s); (スーツ用の) suiting Ⓤ. (☞ きじ²).

フクシア 〘植〙fuchsia /fjú:ʃə/ Ⓒ.

ふくしきかざん 複式火山 composite volcano Ⓒ.

ふくしきがっきゅう 複式学級 combined class of different grades (in school) Ⓒ.

ふくしきこきゅう 腹式呼吸 abdóminal bréathing Ⓤ, 〘略式〙belly breathing Ⓤ.

ふくしきぼき 複式簿記 bookkeeping by double entry Ⓤ; (方式・方法) double(-)entry system (bookkeeping) Ⓒ.

ふくじてき 副次的 ―[形] (二次的) secondary; (補助的) subsídiàry.

ふくしゃ¹ 複写 ―[名] (複写物一般) copy Ⓒ; (写真複写) phótocòpy Ⓒ (☞ コピー [日英比較]); (正確な複写) dúplicàte Ⓒ ★「まったく同じ物」ということを強調し，前 2 者より格式ばった語; (絵画など大きさ・材料は違うが原物どおりの複写物) facsimile /fæksíməli/ Ⓒ; (複写すること) copying Ⓤ; (原画・原書などから複製を作ること) reproduction Ⓤ ★ 具体物を指すときは Ⓒ; (まったく同じものを作ること) duplication Ⓤ ★ 具体物を指すときは Ⓒ. ―[動] copy (他), make a copy ★ いずれも最も普通の表現; phótocòpy (他); dúplicàte (他); reproduce (他); (ゼロックスで) Xerox /zí(ə)rɑks/ (他) ★ 商標名より. 一般化してしばしば小文字にして用いられる. (☞ コピー; ふくせい).

¶ *複写のほうを手元において，原文をお送りします I'm sending you the original, keeping a「*copy* [*photocopy*; *duplicate*]」(「with me [myself]」). // *複写本 a *facsimile* edition // この書式を*複写して下さい Please「make a *copy* of [*photocopy*]」this form.

複写機 duplicator Ⓒ, copy(ing) machine Ⓒ, copier Ⓒ **複写紙** copy(ing) paper Ⓤ.

ふくしゃ² 輻射 〘物理〙―[名] radiation Ⓤ. ―[動] radiate (自) (他). **輻射熱[線]** radiant「heat Ⓤ [rays]」.

ふくしゃちょう 副社長 (executive) vice(-)president Ⓒ (☞ 会社の組織と役職名 (囲み)).

ふくしゅ 副手 (sub)assistant Ⓒ; (下級の助手) junior assistant Ⓒ.

ふくしゅう¹ 復習 ―[動] (復習する) review [〘英〙revise] (*one's* (class) notes), go over (*one's* notes) ★ 後者のほうが口語的. ―[名] review [〘英〙revision] (of *one's* notes) Ⓤ.

¶ 夕食が済んでから*復習をします I'll「*review* [*go over*] *my notes*」after dinner. // まず初めにこの間やったところを*復習しよう To begin with, let's「*review* [*go over*]」the last「class [lecture]」. / Let's begin by「*reviewing* [*going over*]」the last「class [lecture]」. // きのうの(学課の)*復習はもう済みましたか Have you finished *reviewing* yesterday's lessons yet? **復習問題** review exercise Ⓒ.

ふくしゅう² 復讐 ―[名] (報復) retaliation Ⓤ; revenge Ⓤ, vengeance Ⓤ [語法] (1) 以上 3 語は行為については Ⓒ. retaliation はやや格式ばった語ではあるが，「報復・仕返し」の意味で一般的に使われる.

vengeance は文語的で revenge より激しい執念深い復讐を指す. ━━動 retaliate 「against [on] …) 自; revenge [avenge] *oneself* (on …); avenge (a wrong) (on …) 他; (仕返しする) get even with … 語法 (2) retaliate はやや格式ばった語だが, 広く報復行為を指す語. avenge は不正や悪事に対して正当化できる復讐. revenge はそれに加えて, 個人的な憎しみなどの感情からのものが加わる. revenge は自分で被害を受けた者が主語となることが多く, avenge はほかの人が多い. 「仕返しする」というニュアンスに近い口語的な表現が get even with … (☞ しかえし; ほうふく[1]; かたき).

¶ テロリストは人質を殺すことによって彼らに*復讐した The terrorists *retaliated* 「*against* [*on*] them by killing the hostages. // 私はただ彼らに*復讐しただけだ I *have* just 「*gained revenge* [*taken my revenge*] *on* them. // ハムレットは殺された父の*復讐を試みた Hamlet 「tried to *avenge* [*sought vengeance for*] his father's murder. // …の*復讐に in *retaliation* for … // 今回は*復讐戦だ This (one) is a *return* match.

ふくじゅう 服従 ━━名 (命令に従うこと) obedience Ⓤ; (降服) submission Ⓤ ★ 後者のほうが格式ばった語. ━━動 (命令に従う) obey 自 他; (言い付けなどに服する) follow 他; (…に従順である) be 「obedient [in submission] to …; (屈する) yield [submit] to … (☞ したがう).

¶ 昔は子供は両親に絶対*服従しなくてはならなかった In earlier times(,) children had to *obey* their parents absolutely. // 我々は彼の命令に*服従した We 「*submitted* [*yielded*] *to* his demands.

ふくしゅうにゅう 副収入 income from a second job Ⓤ.

ふくじゅそう 福寿草 〘植〙 adonis /ǽdənɪs/ Ⓒ.

ふくしょ 副署 ━━名 countersignature Ⓒ. ━━動 countersign 他. (☞ サイン[1]; しょめい[1]).

ふくしょう[1] 復唱 ━━動 repeat 他 自.

ふくしょう[2] 副将 (競技の) subcaptain Ⓒ (☞ ふく[4]).

ふくしょう[3] 副賞 súpplemèntary [éxtra] príze Ⓒ.

ふくしょう[4] 副章 supplementary 「medal [decoration] Ⓒ (☞ くんしょう).

ふくしょうぐん 副将軍 acting general Ⓒ (☞ ふく[4]).

ふくじょうし 腹上死 ━━動 die during sexual intercourse (with a woman).

ふくしょうしき 複勝式 ¶ *複勝式で賭ける bet money on a horse *to place* // *複勝式馬券 a *place* ticket

ふくしょく[1] 副食 (主な料理に添えるもの) side (dish) Ⓒ (☞ おかず 日英比較).

ふくしょく[2] 服飾 (衣服と装身具) clothing and accessories. 服飾雑誌 fashion magazine Ⓒ 服飾デザイナー fashion [dress] designer Ⓒ 服飾品 accessories ★ 複数形で.

ふくしょく[3] 復職 ━━動 get back to *one's* former position; resume *one's* office ★ 後者のほうが格式ばった表現; (再雇用される) be reemployed. ━━名 restoration to *one's* former position Ⓤ.

ふくじょし 副助詞 〘文法〙 adverbial particle Ⓒ.

ふくしん[1] 腹心 ━━形 (信頼できる) trusted; (頼みになる・片腕となる) right-hand; (忠実な) faithful. ¶ *腹心の部下 a 「*trusted* [*faithful*] subordinate / a *right-hand* man

ふくしん[2] 副審 (球技の) subreferee Ⓒ, subumpire Ⓒ. (☞ ふく[4]; しんぱん[1]).

フクシン 〘化〙 fuchsine /fúːksɪn/ Ⓤ ★ 染料の一種.

ふくじん 副腎 〘医〙 adrenal /ədríːnl/ glànd Ⓒ. 副腎炎 adrenalitis /ədrìːnəláɪtɪs/ Ⓤ 副腎髄質ホルモン adrenaline /ədríːnəlɪn/ Ⓤ 副腎皮質 the adrénal córtex 副腎皮質刺激ホルモン 〘生理〙 adrenocorticotropic hormone Ⓒ 副腎皮質ホルモン adrenal cortex hormone Ⓒ.

ふくしんけい 副神経 〘解〙 accessory nerve Ⓒ.

ふくじんづけ 福神漬け *fukujin* pickles; (説明的には) seven kinds of chopped vegetables pickled in seasoning ★ どちらも複数形で.

ふくすい[1] 覆水 覆水盆に返らず It's no use crying over spilt milk. 《ことわざ: こぼれたミルクを嘆いても仕方がない》 / (したことは元に戻せない) What is done cannot be undone.

ふくすい[2] 腹水 〘医〙 (腹水(症)) ascites /əsáɪtiːz/ Ⓤ.

ふくすう 複数 ━━名 plural (number) Ⓤ. ━━形 plural (↔ singular). ¶ *複数の目撃者 eyewitness*es* 複数形 〘文法〙 plural form Ⓒ 複数政党制 mùltipárty sỳstem Ⓒ.

ふくすけ 福助 *fukusuke* doll Ⓒ; (説明的には) a doll in the shape of a dwarf with a big head.

ふくする[1] 復する restore 他; return to …, be restored to … (☞ ふっきゅう[1]; もどす). ¶ ここの町並を旧に*復してはどうだろう How about *restoring* the houses on this streets to their former 「state [condition]?

ふくする[2] 服する (従う) obey 他; (喪に) observe [go into; be in] (mourning); (兵役・刑期などに) serve 自 他. (☞ も[1]; けい[1]).

ふくする[3] 伏する ☞ くっぷく; かくれる

ふくせい 複製 ━━名 reproduction Ⓤ ★ 複製品を指すときは Ⓒ; (美術品) réplica Ⓒ; (撮影したフィルムなど) dúplicàte Ⓒ ★ 慣用表現 in duplicate の場合は Ⓤ; (複写したもの) 《格式》 facsimile /fæksíməli/ Ⓒ. ━━動 reproduce 他; (本などを) reprint 他. (☞ ふくしゃ[1]).

【類義語】 色・材料・大きさなどが違うこともあるが, ほぼ実物そっくりのものが ***reproduction***. 細部まで正確に同じ美術品が ***replica*** で, これは特に原作者の手になるものを指すときが多い. 同じ材料・同じ方式で原物どおりに作られたものが ***duplicate***. 大きさ・材料などは違うが原物どおりに複写したものが ***facsimile***.

¶ 私はこの絵[彫刻]の*複製を持っている I have a *reproduction* of this 「painting [statue]. // ロダンは像を鋳造するたびに幾つかの*複製を作った Rodin made several *replicas* each time he cast a statue. // これらの挿絵は原本から*複製したものです These illustrations *were* 「*reproduced* [*reprinted*] from the original book. 複製人間 human clone Ⓒ (☞ クローン) 複製品 reproduction Ⓒ.

ふくせいかざん 複成火山 polygenetic volcano Ⓒ.

ふくぜいせいど 複税制度 multiple tax system Ⓒ.

ふくせき 復籍 ━━動 restore *one's* registration.

ふくせん[1] 伏線 (ヒント) hint Ⓒ; (あらかじめ示しておくこと) foreshadowing Ⓤ ★ 具体的な伏線は Ⓒ. ¶ 私は小説の前半にクライマックスの*伏線が張られているのを見逃した I missed the 「*hint* [*foreshadowing*] of the climax (given) in the first half of the novel.

ふくせん[2] 複線 ━━名 double-track [two-track] line Ⓒ. ━━動 double-track 他. ¶ この線は今年中に*複線になります This line will *be double-tracked* within this year.

ふくせん[3] 複占 〘経〙 duopoly Ⓒ.

ふくそう[1] 服装 ━名(服) clothes /klóʊ(ð)z/ ★複数形で:(一般的に) dress Ⓒ; (外見) appearance Ⓒ; (正式, 略式などの)《格式》attíre Ⓤ. ━動(人が着ている) be dressed (in ...). (☞ みなり; なり[1]). ¶彼は*服装にはあまり構わない He doesn't care much about ⌈his *clothes* [*what he wears*]. // 彼はみすぼらしい*服装をしていた He *was* ⌈shabbily [poorly] *dressed*. // 彼は立派な*服装をしていた He *was* well *dressed*. // パーティーには普通の*服装でお出で下さい The party is going to *be informal*. 語法 招待状などでこう書くと, タキシードなど着ないで平服でよいことを意味する. // 正式な*服装 formal *attire* // *服装を整える(⇒身づくろいをする) *tidy* oneself *up*
服装倒錯 transvestism Ⓤ, cross-dressing Ⓤ 服装倒錯者 transvestite Ⓒ, cross-dresser Ⓒ.

ふくそう[2] 輻輳 congestion Ⓤ.

ふくそう[3] 副葬 (the) burial of a dead person's personal belongings with the corpse Ⓤ. 副葬品 articles buried together with a dead body ★複数形で.

ふくそう[4] 福相 happy look Ⓒ.

ふくそうガラス 複層ガラス double-glazing Ⓤ.

ふくそうじゅうし 副操縦士 còpílot Ⓒ.

ふくぞうのない 腹蔵のない (率直な) frank; (あけっぴろげで隠し立てしない) open; (正直な) honest; (そのものずばりで遠慮のない) straightforward. (☞ そっちょく). ¶*腹蔵のないところを(⇒率直に)申し上げます I'll be ⌈*frank* [*open*] with you. // あなたの*腹蔵のない意見を聞かせて下さい I'd like to hear your ⌈*frank* [*honest*] opinion. / (⇒自由に話して下さい) I'd like you to speak (your mind) *freely*.

ふくそうり 副総理 deputy prime minister Ⓒ, vice(-)premier Ⓒ. (☞ ふく[4]).

ふくぞく 服属 ━動 be subjected to ... ━名 subjection Ⓤ.

ふくそくるい 腹足類〔動〕Gastropoda /gæstrápədə/ Ⓤ; (その動物) gástropòd Ⓒ.

ふくそすう 複素数〔数〕complex number Ⓒ.

ふくたい 腹帯 (妊婦の) maternity belt Ⓒ.

ふくだい 副題 subtitle Ⓒ.

ふくだいじん 副大臣 senior vice-minister Ⓒ.

ふぐたいてん 不具戴天 ¶*不具戴天の敵(⇒許しがたい) a *sworn* enemy / (⇒死ぬまで戦う) a *mortal* enemy

ふくだいとうりょう 副大統領 vice(-)president Ⓒ.

ふくだんちょう 副団長 sub-leader Ⓒ, assistant chief Ⓒ, sub-captain Ⓒ.

ふくちじ 副知事 deputy governor Ⓒ; (米国の州の) lieutenant governor Ⓒ.

ふくちょう[1] 復調 ¶彼は*復調しつつある(⇒調子を取り戻しつつある) He *is recovering his* (*usual*) *form*. (☞ かいふく[1])

ふくちょう[2] 副長 (軍艦の) executive officer Ⓒ.

ふくつ 不屈 ━形(屈服しない) ùnyíelding; (負けん気の) indómitable ★やや文語的; (頑強な) stubborn 語法「頑固な」という悪い意味でも用いられる; (強くたくましい) sturdy. ¶*不屈の精神 an ⌈*unyielding* [*indomitable*] spirit // *不屈の意志 a *sturdy* will

ふくつう 腹痛 stomachache /stʌ́məkèɪk/ Ⓒ ★最も一般的な語. 胃痛も含まれる; abdóminal páins ★説明的表現. 複数形で用いる. abdominal は「腹部の」という格式ばった語; (けいれん性の) abdominal cramps ★複数形で. (☞ いたみ(類義語)).

ふくど 覆土 covering up seeds with soil Ⓤ.

ふくとう 復党 ━動 rejoin ⊕, return to ... ¶彼は自民党に*復党した He ⌈*rejoined* [*returned to*] the Liberal Democratic Party.

ふくどく 服毒 ━動 take poison (☞ どく[1]). ¶*服毒自殺する kill *oneself* [commit suicide] by ⌈*taking* [*swallowing*] *poison*

ふくどくほん 副読本 súpplementàry réader Ⓒ.

ふくとしん 副都心 subcenter of a metropolis Ⓒ.

ふくのかみ 福の神 the God of Wealth.

ふくはい 腹背 (前面と背面) the front and the ⌈back [rear]; (背中と腹) the back and belly.

ふくびき 福引き lottery Ⓒ (☞ くじ). ¶私たちはパーティーの資金集めに*福引きをやった We ⌈had [held] a *lottery* to raise money for the party. // *福引きを引く draw ⌈a *lot* [*lots*] // *福引きで当たる win (in) a *lottery* // *福引き券 a *lottery* ticket

ふくびこう 副鼻腔〔解〕(paranasal) sinus Ⓒ. 副鼻腔炎 ☞ ちくのうしょう

ふくひれい 複比例〔数〕compound proportion Ⓤ.

ふくぶ 腹部 ábdomen Ⓒ (☞ はら[1](類義語)).

ぶくぶく ¶彼は最近*ぶくぶく太ってきた He'*s getting fatter and fatter* these days. // 水が地面から*ぶくぶく湧いている Water *is* ⌈*bubbling up* [*rising in bubbles*] from the ground. (☞ 擬声・擬態語(囲み))

ぷくぷく(と) ━副 bubblingly (☞ 擬声・擬態語(囲み))

ふくぶくしい 福福しい ━形(幸福そうな) happy-looking; (丸々と太った) plump. ¶*福々しい顔(⇒太っていて幸福そうな顔) a *plump and happy-looking* face

ふくふくせん 複複線 four-track [quadruple-track] line Ⓒ (☞ ふくせん[2]).

ふくぶくろ 福袋 grab bag Ⓒ, 《英》lucky dip Ⓒ.

ふくぶん 複文〔文法〕complex sentence Ⓒ.

ふくべ 瓢 ☞ ひょうたん

ふくへい 伏兵 ambush /ǽmbʊʃ/ Ⓒ (☞ まちぶせ).

ふくへき 腹壁〔医〕the abdominal wall.

ふくほん 副本 duplicate [extra] copy Ⓒ.

ふくほんいせいど 複本位制度 (gold and silver) bimetallism Ⓤ.

ふくまく 腹膜〔医〕peritoneum /pèrətəníːəm/ Ⓒ (複 ~s, peritonea). 腹膜炎 peritonitis /pèrətənáɪtɪs/ Ⓤ 腹膜透析法 peritoneal dialysis /pèrətəníːəl daɪǽləsɪs/ Ⓤ.

ふくませる 含ませる ━動 (...に水分などを) soak [saturate] ... with ...; (赤ん坊に乳房を) nurse ⊕, suckle ⊕ ★後者のほうが格式ばった言い方.

ふくまでん 伏魔殿 pàndemónium Ⓒ (☞ そうくつ).

ふくまめ 福豆 parched beans thrown to dispel evil spirits at *setsubun* ★説明的な訳. (☞ まめまき).

ふくみ 含み (言外の意味) implication Ⓒ ★しばしば複数形で. 最も一般的; (隠された意味) hidden meaning Ⓤ; (含蓄) connotation Ⓤ ★具体的には Ⓒ, óvertònes ★複数形で. いずれも格式ばった語. なお前者は単語の言外の意味, 後者は文全体のニュアンスを指すことが多い. (☞ いみ[1](類義語); ニュアンス; がんちく).
¶その批評家は*含みの多い意見を述べた The critic made a remark full of subtle ⌈*implications* [*overtones*]. // 私は彼の発言の*含みをすぐに悟った I

immediately caught the ⌈*hidden* [*implied*] *meaning* of his remark. // その語は性的な*含みがあるので言ってはいけないとされている (⇒ 禁句となっている) The word is taboo because of its sexual *connotation(s)*. // 彼女は*含みのある言い方をした (⇒ 暗示的な言葉を使った) She used *suggestive* words.
含み益 latent profit Ⓤ ★ 具体的には Ⓒ. **含み声** suppressed [muffled] voice Ⓤ **含み資産** latent property Ⓤ ★ 具体的には Ⓒ. **含み資産株** asset-backed stock Ⓒ **含み損** latent loss Ⓒ **含み笑い** suppressed ⌈laugh [smile] Ⓒ; (くすくす笑い) chuckle Ⓒ. ((☞ わらう (類義語))).

ふくみみ 福耳 plump [fat; flabby] earlobe Ⓒ.

ふくむ¹ 含む **1** «中に持つ»: (成分として含む) contain ⓗ; (全体の一部として含む) include ⓗ; (分かれているもの全部を含む) comprise ⓗ; (見出される) be found. ((☞ はいる; がんゆう)). ¶ このワインはアルコールを 14 パーセント*含んでいる This wine ⌈*contains* [is] 14 percent alcohol. // この値段は税金を*含んでいる This price *includes* the tax. ((☞ こみ)) // カフェインはコーヒーやお茶に*含まれている (⇒ …の中に見出される) Caffeine *is found* in coffee and tea.
2 «心に抱く»: (心に留める) keep [bear] … in (*one's*) mind. ¶ その点をよく*含んでおいて下さい (⇒ 心に留めて下さい) Please *keep* that *in* (*your*) *mind*.

ふくむ² 服務 (public) service Ⓤ ((☞ きんむ; つとめる¹)). **服務規程** (public) service regulations ★ 複数形で. **服務時間** office [business] hours ★ 複数形で.

ふくむすめ 福娘 (説明的に) young maiden in the service of a Shinto shrine who sells good-luck charms.

ふくめい 復命 report Ⓒ.

ふくめいてがた 複名手形 〔商〕 double-name [two-name] paper Ⓒ.

ふくめつ 覆滅 destruction Ⓤ.

ふくめに 含め煮 ― 名 stew Ⓒ. ― 動 stew ⓗ.

ふくめる 含める include ⓗ ((☞ いれる)).
¶ 値段は郵送料も*含めて 2 千円になる The price is two thousand yen, ⌈*including* [*inclusive of*] postage. // 部屋には子供を*含めて 15 人いた There were fifteen people in the room, (the) children *included*. // 彼女は土曜から月曜を*含めて 3 日間スキーに行った She went skiing for three days, from Saturday to Monday *inclusive*.

ふくめん 覆面 ― 名 mask Ⓒ. ― 動 mask ⓗ. ((☞ かめん¹; とくめい¹)). ¶ 彼は顔を隠すために*覆面をした He put on a *mask* to hide his face. // その強盗はストッキングで*覆面をしていた The burglar wore a stocking *mask*. // *覆面作家 (⇒ 匿名の作家) an *anonymous* /ənɑ́nəməs/ ⌈writer [áuthor] **覆面強盗** masked burglar [robber, housebreaker] Ⓒ **覆面捜査員** undercover ⌈police officer [agent] Ⓒ **覆面パトカー** unmarked police car Ⓒ.

ふくも 服喪 ― 名 mourning Ⓤ. ― 動 mourn ⓘ, go into mourning ⓘ. ― 副 形 in mourning (for …). ((☞ も¹)).

ふくやく 服薬 ― 動 take ⓗ ((☞ くすり)).

ふくよう¹ 服用 ― 動 (薬などを飲む) take ⓗ; (飲ませる) dose ⓗ. ((☞ のむ; くすり)). **服用量** dosage Ⓒ, dose Ⓒ.

ふくよう² 複葉 〔植〕 compound leaf Ⓒ.

ふくようき 複葉機 biplane Ⓒ.

ふくよか ― 形 (丸々と太った) plump, chubby ★ 後者は特に子供に用いられる; (普通より大きい・肉付きのよい) ample; (女性が健康でピチピチした) buxom /bʌ́ksəm/ ★ 特に女性の胸の豊かさを強調することがある. ¶ 彼女は*ふくよかな胸をしている She has ⌈an *ample* chest [*full* breasts]. // ルノワールはよく*ふくよかな女性の裸体を描いた Renoir /rénwɑə/ painted many nudes of *buxom* women.

ふくらしこ ふくらし粉 baking powder Ⓤ.

ふくらはぎ 脹ら脛 calf /kǽf/ Ⓒ ((複 calves /kǽ(ː)vz/)) ((☞ あし¹ (挿絵))).

ふくらます 膨らます, 脹らます (吹いて) blów úp ⓗ ★ 口語; (膨張させる) swell ⓗ; (空気・ガスなどで) inflate ⓗ ★ 格式ばった語; (ほおなどを) púff óut ⓗ; (広げて大きくする) expand ⓗ; (パンなどを) raise ⓗ. ((☞ ふくらむ)). ¶ 彼はその子のために風船を*ふくらませてやった He *blew up* the balloon for the child. // 私はガスで風船を*ふくらませた I *inflated* the balloon with gas. // 彼はほおを*ふくらませてトランペットを吹いた He *puffed out* his cheeks and played the trumpet. // ケーキは普通ふくらし粉で*ふくらませる (⇒ ふくらし粉でふくらまされる) Cakes *are* usually *raised* with baking powder. // 彼らは希望に胸を*ふくらませていた (⇒ 希望に満ちあふれていた) They *were* ⌈*full of* [*filled with*] hope.

ふくらみ 膨らみ, 脹らみ (膨張して盛り上がったもの) swell Ⓒ; (出っ張り) bulge Ⓒ; (ふわっとふくらんだもの) puff Ⓒ. ¶ 彼は彼女の胸の*ふくらみにちらっと目をやった He cast a glance at the ⌈*bulge* [*swell*] of her breasts. // たるの側面は外に向かって少し*ふくらみがある (⇒ 外に曲がっている) The sides of a barrel *curve out* slightly.

ふくらむ 膨らむ, 脹らむ (大きくなる) swéll (⌈úp [óut]) ⓘ; (大きく伸び広がる) expand ⓘ; (張り出す) bulge ⓘ; (パンなどが) rise ⓘ; (増える) increase ⓘ. ((☞ ふくれる; ふくらます; はれる²)).
¶ 風船は空気を入れたら*ふくらんだ The balloon ⌈*swelled* [*expanded*] when I pumped air into it. // ばらのつぼみが*ふくらみ始めた The rosebuds have begun to *swell*. // 彼のポケットはキャンディーで*ふくらんでいる His ⌈pocket *is* [pockets *are*] *bulging* /bʌ́ldʒɪŋ/ with candy. // 彼女の胸は喜びに*ふくらんだ Her heart *swelled* with joy.

ふくり 複利 compound interest Ⓤ ((☞ きんり¹)).
¶ *複利で計算する calculate at *compound interest* **複利表** compound interest table Ⓒ **複利法** the compound interest method.

ふくりこうせい 福利厚生 (福祉) (public) welfare Ⓤ ((☞ ふくし¹)); (付加給付) fringe benefit Ⓒ. **福利厚生部** the welfare ⌈division [department] ((☞ 会社の組織と役職名 (囲み))).

ふくりゅう 伏流 underflow Ⓒ, undercurrent Ⓒ, subterranean river Ⓒ. **伏流水** subsoil water Ⓤ, subterranean water Ⓤ.

ふくりゅうえん 副流煙 sidestream smoke Ⓤ.

ぶくりょう 茯苓 〔植〕 tuckahoe Ⓒ, Indian bread Ⓒ.

ふくれあがる 膨れ上がる (体の一部が) swell (up) ⓘ; (数が) swell to … ((☞ ふくらむ)).

ふくれっつら 膨れっ面, 脹れっ面 ― 名 sulky [sullen] ⌈look [face] Ⓒ 語法 子供っぽくすねて口をとがらせるのが sulky, 怒ったり不機嫌でむっつり黙り込むのが sullen. ― 動 (口をとがらす) pout ⓘ ⓗ. ((☞ すねる; むっつり; ふくれる 語法; ぶっちょうづら)).
¶ その子は私に向かって*ふくれっつらをした The child gave me a ⌈*sulky* [*sullen*] *look*. // *ふくれっつらをするのはやめなさい Stop *pouting*.

ふくれる 膨れる, 脹れる **1** «物がふくれる»: (一般的に) expand ⓘ; (普通の寸法以上に) swell ⓘ; (パンなどが) rise ⓘ; (増える) increase ⓘ. ((☞ ふくらむ; ぼうちょう¹)). ¶ 水につけておいたら豆が*ふくれた

The beans ｢*expanded* [*swelled up*] after being soaked in water. // 会員数は2倍に*ふくれた (⇒2倍になった) The membership *has doubled.* / The membership *has* ｢*swelled* [*increased*] to twice its previous size.

2 «機嫌が悪くなる»: get [become] sullen, get [become] sulky 〔語法〕 前者は怒ったり不機嫌でむっつり黙り込む. 後者は子供っぽくすねて口をとがらせる; get [become] cross ★ 一時的に怒りっぽくなる. (☞ ふくれっつら). ¶ 彼女は彼の言葉を聞いて*ふくれた She ｢*got* [*became*] ｢*sulky* [*sullen*] ｢at [over] his remark.

ふくろ[1] 袋 (紙などの) bag Ⓒ; (麻などの) sack Ⓒ; (小袋) pouch /páʊtʃ/ Ⓒ; (みかんなどの) segment Ⓒ.
【類義語】 布・紙・皮などの柔らかい材料でできた袋が **bag** で, 最も一般的な語で, 以下の語の代わりに使うことができる. 目の粗い布や麻布などでできた大きな袋で, 粉や穀物・石炭・野菜などの貯蔵・輸送に用いられるのが **sack**. 小物を入れたり, ポケットに入れておいたりする小さな袋が **pouch**. なおカンガルーなどの腹の袋も **pouch** と言う. 分割されているみかんなどの袋は **segment** と言う. ¶ それを*袋に入れて下さい Will you put ｢it [them] in a *bag*? // 彼は*袋から何か取り出した He took something out of the *bag*. // 私は小麦粉を1*袋買った I bought a *sack* of flour. (☞ 数の数え方 (囲み))
袋のねずみ ¶ 彼は*袋のねずみも同然だった (⇒わなにかかったねずみのようだった) He was just like a *rat caught in a trap*. (☞ ぜったいぜつめい)

ふくろ[2] 復路 (帰りの行程) return trip Ⓒ; (マラソンなどの) return course Ⓒ.

ふくろう 梟 〔鳥〕 owl /áʊl/ Ⓒ (☞ 動物の鳴き声 (囲み)). ¶ *ふくろうが鳴いている An *owl* is hooting.

ふくろおび 袋帯 double-weave [woven] *obi* Ⓒ.

ふくろおり 袋織り double weaving Ⓤ.

ふくろかけ 袋掛け ¶ りんごに*袋かけをする *cover* apples *with bags*

ふくろくじゅ 福禄寿 (七福神の一つ) the God of Wealth and Longevity.

ふくろこうじ 袋小路 (行き止まりの道) blind alley Ⓒ, dead-end street Ⓒ, dead end Ⓒ. (☞ ゆきどまり; ゆきづまり).

ふくろたけ 袋茸 〔植〕 paddy straw mushroom Ⓒ.

ふくろだたき 袋叩き ―動 (集団で…に暴力を振るう) 《略式》 gáng úp ｢on [agàinst] … (☞ なぐる; たたく).

ふくろとじ 袋綴じ 〔製本〕 double-leaved binding Ⓤ.

ふくろぬい 袋縫い double sewing Ⓤ.

ふくろねこ 袋猫 〔動〕 dasyure /dǽsijʊ̀ə/ Ⓒ.

ふくろもの 袋物 bags and pouches ★ 複数形で. (☞ ふくろ[1]).

ふくわじゅつ 腹話術 ―名 ventríloquism Ⓤ. ―動 (腹話術で話す) ventríloquìze 自 他. **腹話術師** ventríloquist Ⓒ.

ふくわらい 福笑い the *fukuwarai* puzzle; (説明的には) game in which a blindfolded player tries to fit individual features (e.g. eyes, nose) ｢in [into] place within the outline of a human face Ⓒ.

ぶくん 武勲 ―名 mílitàry explóit Ⓒ, feat of arms Ⓒ ★ 後者は格式ばった語. ―動 (武勲をたてる) distinguish *oneself* in battle. ¶ *武勲赫々たる将軍 a general (officer) *distinguished for* brilliant *achievements in war*

ふけ dandruff /dǽndrəf/ Ⓤ. ¶ 彼の肩は*ふけだらけだ His shoulders are covered with *dandruff*.
ふけ取りローション antidandruff hair lotion Ⓤ.

ぶけ 武家 (日本の封建時代の階級) the ｢samurai [military] ｢class [order] ★ the を付けて. **武家諸法度** laws for military ｢families [houses] **武家政治** samurai government Ⓤ **武家造り** *bukezukuri* ｢style [architecture] Ⓤ; (説明的には) the ｢style [architecture] of samurai houses (in the Kamakura and Muromachi periods) **武家屋敷** samurai residence Ⓒ.

ふけい[1] 父系 (父方の系列) paternal line Ⓒ (☞ ぼけい[1]). ¶ *父系の親類 relatives on *my father's side* **父系家族** patrilineal family Ⓒ **父系社会** patrilineal society Ⓒ **父系制** patrilineality Ⓤ.

ふけい[2] 婦警 policewoman Ⓒ 《複 -women》 (☞ けいかん[1]).

ふけい[3] 父兄 (親) parent Ⓒ; (保護者) guardian Ⓒ. **父兄会** ☞ ふぼ (父母会)

ふけい[4] 不敬 disrespect Ⓤ. **不敬罪** lèse majesté /léɪzmǽʤəstèɪ/ Ⓤ ★ lèse majesté の ` ´ は綴り本来のもの.

ぶげい 武芸 martial [military] arts ★ 複数形で. **武芸者** master of martial arts Ⓒ **武芸十八般** the eighteen martial arts.

ふけいき 不景気 **1** «経済・産業の» ―名 (世間一般の) hard [bad] times ★ 複数形で; (広範な不況) depression Ⓒ; (特に景気の一時的後退) recession Ⓒ; (商売の不振) slump Ⓒ, slowdown Ⓒ. ―形 (活気のない) dull; (閑散とした) slack. (☞ ふきょう[1]; ふしん[3]).
¶ *不景気のときは職を失う人が多い In *hard times* many people lose their jobs. // 繊維工業はいま*不景気だ *Times are bad* now ｢for [in] the textile industry. / The textile industry is in a *depression*. // 彼の店は*不景気のようだ His business is doing ｢*poorly* [*badly*]. / His business seems to be in *slump*. // わが国は深刻な*不景気に苦しんでいる We are suffering (from) a serious *depression*. // どこも*不景気だ Business is ｢*slack* [*poor*; *off*; *dull*] everywhere.

2 «元気がない» ¶ 彼は*不景気な (⇒陰気な) 顔をしている He looks ｢*cheerless* [*blue*]. 〔語法〕 blue は特に気持ちが沈んでいることを表す口語的表現. (☞ いんき; けいき[1])

ふけいざい 不経済 ―形 (経済的でない) ùnèconómical; (むだな) wasteful; (金がかかる) expensive. ―名 (むだ・浪費) waste Ⓤ ★ しばしば a が付く; (浪費) loss Ⓤ. (☞ もったいない; むだ; ろうひ). ¶ バスの代わりにタクシーで行くのは*不経済だ It is *uneconomical* to go by taxi instead of taking the bus.

ふけこむ 老け込む (年を取る) age 自; (老いる) grow [become] old 自. (☞ ふける[2]). ¶ 彼女は病後急に*老けこんだ (⇒年を取った) She *aged* quickly after her illness. (☞ とし[1])

ふけつ 不潔 ―形 (清潔でない) unclean; (よごれて汚い) dirty; (ひどく汚らしい) filthy; (非衛生的な) ùnsánitary. ―名 uncleanliness /ʌ̀nklénlɪnɪs/ Ⓤ; dirtiness Ⓤ; filthiness Ⓤ. (☞ きたない (類義語); ふえいせい).
¶ この包み紙は*不潔だ This wrapper is ｢*unclean* [*dirty*]. // 髪の毛を*不潔にしていてはいけません Don't ｢leave your hair [let your hair get] *filthy*. // スラム街は*不潔な状態にあった The slums were in an *unsanitary* condition. // *不潔な (⇒不道徳な) 関係 *immoral* [*indecent*] relationship

ふけやく 老け役 ¶ 彼女は今度は*老け役だ Her ｢part [role] this time is *that of an old woman*.

ふけゆく 更け行く ☞ ふける[3]

ふける[1] 耽る **1**《おぼれる》: (身をゆだねる) give *oneself* up to ..., abandon *oneself* to ... ★ 後者のほうが格式ばった言い方; (思う存分…する) indulge in ...; (麻薬などに) be「addicted [given; taken] to ... (☞ おぼれる). ¶ 彼は快楽に*ふけった (⇒ 身をゆだねた) He「*gave himself up* [*abandoned himself*] *to* pleasure. // 彼は若いころ飲酒に*ふけっていた He *indulged in* drinking「when he was young [in his youth].

2《熱中する》: (熱中する) be absorbed in ...; (一心に…する) do ... intently; (専念する) devote *oneself* to ..., be devoted to ...; (気を取られている) be「lost [deep] in ... (☞ ねっちゅう; ぼっとう). ¶ 彼は夜遅くまで読書に*ふけった (⇒ 熱中した) He「*was absorbed in* reading [read *intently*] until late at night. // 彼女はいま物思いに*ふけっている She *is* now「*lost* [*deep*] *in* thought.

ふける[2] 老ける (年を取る) age (自); (老いる) grow [become] old (自); (年を重ねる) advance [get on] in years ★ 少し格式ばった表現.

¶ 彼は年の割りに*老けて (⇒ 年寄りに) 見える He *looks old* for his「age [years]. / (⇒ 年よりも年寄りに見える) He *looks older* than his age. // ショックで彼は急に*老けた (⇒ ショックが彼を老けこませた) The shock *aged* him suddenly. ★ この age は (他). (☞ ふけこむ)

ふける[3] 更ける (時刻が遅くなる) get [become; grow] late (自); (時が進む) advance (自); (徐々に経過する) gò [wéar] ón (自). ¶ 夜も*更けてきた It's *getting late*. [語法] at night は付けなくてもわかるので省略する. // 夜が*更ける (⇒ 深まる) につれ私は心細くなってきた I became uneasy as the night「*went on* [*advanced*]. ★ [ ] 内のほうが格式ばった語. // 私たちは夜が*更けるまで (⇒ 夜遅くまで) 語り合った We talked (on) till「*late at night* [the night *was far advanced*]. ★ advanced は形容詞.

ふける[4] 蒸ける be steamed (☞ ふかす[2]).

ふけん 父権 paternal rights ★ 複数形で.

ふげん[1] 付言 ― [名] additional remarks ★ 普通複数形で. ― [動] add (他).

ふげん[2] 誣言 false accusation [C].

ふけんこう 不健康 ― [形] (健康でない) unhealthy; (体によくない) unwholesome; (病気の) ill, 《米》 sick. ― [名] poor [ill] health [U]; unhealthiness [U]. (☞ びょうき; ふけんぜん). ¶ 彼は*不健康な顔色をしている (⇒ 病気のようだ) He looks *sick*(*ly*). / He has an *unhealthy* complexion. ★ 第 1 文のほうが口語的. // *不健康な食品 *unwholesome* food(s)

ふけんしき 不見識 ― [形] (思慮がない) thoughtless ★ 思いやりのないことも言う; (分別のない) indiscreet ★ 前者より格式ばった語; (良識を欠く) lacking in「common [good] sense. ― [名] thoughtlessness [U]; indiscretion /ìndɪskréʃən/ [U]; lack of「common [good] sense [U].

¶ 彼女に向かってそんなことを言うなんて彼も*不見識だ It's *thoughtless* of him [How *thoughtless* he is] to say such a thing to her. // 彼の発言は*不見識だった His words showed that he was *lacking in*「*common* [*good*] *sense*. / (⇒ 発言が彼の無分別を示していた) His remark betrayed his「*indiscretion* [*lack of discretion*]. ★ 格式ばった表現.

ふげんじっこう 不言実行 ¶ 必要なのは*不言実行だ (⇒ 言葉より行動だ) What we need is *action*(*s*) *rather than words*. // *不言実行が大切だ Actions speak louder than words. (ことわざ: 行為は言葉よりも声高に語る)

ぶげんしゃ 分限者 rich person [C] (☞ かねもち).

ふけんぜん 不健全 ― [形] (道徳的に有害な) unwholesome; (健康によくない) unhealthy; (心身が健全でない) unsound; (考えなど病的な) morbid. ― [名] unwholesomeness [U]; unhealthiness [U]; unsoundness [U]. (☞ ふけんこう).

¶ その本は*不健全な読み物と見なされた That book was labeled as *unwholesome* reading. // *不健全な娯楽 *unhealthy* [*unwholesome*] amusements // 彼の精神は*不健全だ He is of *unsound* mind. / He has an *unsound* mind.

ふげんぼさつ 普賢菩薩 Samantabhadra.

フコイダン fucoidan [U] ★ 海藻類から抽出される多糖体の一種.

ふこう[1] 不幸 **1**《恵まれないこと》 ― [形] (不幸な・満たされない) unhappy (↔ happy); (運の悪い) unlucky (↔ lucky), unfortunate (↔ fortunate) ★ 後者のほうが格式ばった語; (みじめな) miserable; (見るも哀れな) wretched. ― [名] unhappiness [U]; misfortune [U] ★ 個々の出来事は [C]. (☞ 可算・不可算名詞 (巻末)); (ついていないこと) ill [bad] luck [U]; (貧乏などのみじめさ) misery [U]. ― [副] (不幸にも) unfortunately.

¶ 彼女は*不幸な一生を送った She「lived [led] an「*unhappy* [(⇒ みじめな) *miserable*] life. // 彼は商売の面で*不幸が続いた He had a「run [spell] of *bad luck* in (his) business. / He had an *unlucky* period in (his) business. // そのころ彼の一家は*不幸のどん底にあった At that time his family was in the depths of *misery*. // そのヒロインは王子に出会うまでにいろいろな*不幸にあった The heroine「met with [had] many *misfortunes* before she came across the prince. // 彼女は*不幸にも夫を亡くした She「*unfortunately* lost [had the *misfortune* of losing] her husband. // *不幸にも彼は交通事故でけがをした *Unfortunately*, he was injured in a traffic accident.

2《近親者の死亡》 ― [名] (死亡) death [U] ★ 具体的な死亡の事実を言うときは [C]; (失うこと) loss [C]; (死別) 《格式》 bereavement [U].

¶ 彼は家庭に*不幸があって学校を休んだ He was absent from school「on account of [owing to] a *death* in「his [the] family. // ご*不幸に対しお悔やみ申し上げます I (would like to) offer you my sincere (expression(s) of) sympathy「in your [at this] time of *bereavement*. / Please accept my sincere condolences on this *sad* occasion. (☞ おくやみ)

不幸中の幸い ¶ その事故で死亡者が出なかったのは*不幸中の幸いだ (⇒ 慰めになる) It is「*consoling* [*comforting*] (to know) that nobody was killed in the accident. // *不幸中の幸いはけが人が出なかったことです (⇒ しかしながら, けが人が出なかったことはよかったと思える) *We can be thankful, however*, that there were no casualties.

ふこう[2] 不孝 ¶ 私は*不孝な息子だった (⇒ 親に優しくしなかった) I was「*bad* [*unkind*] *to my parents*. / (⇒ 従順ではなかった) I was「*not* an *obedient* [a *disobedient*] son to my parents. (☞ こうこう[2] [日英比較]). **不孝者** (不孝な息子[娘]) unkind [disobedient]「son [daughter] [C].

ふごう[1] 符号 (線・点などの印) mark [C]; (記号) sign [C]; symbol [C]; (電信符号) code [C] ★ 暗号の意味でも用いられる. (☞ きごう[1] (類義語); しるし[1]; マーク[1]).

¶ この*符号は何だか (⇒ 何を表しているか) 私にはわからない I cannot make out what this「*mark* [*sign*] stands for. // コンマは短い句切りを示すための*符号です The comma is a (punctuation) *mark* used to show a short pause. // かっこの前にマイナスの*符号

があるときは，中の各項の*符号を変えなければならない If the parentheses are preceded by a minus *sign*, we must change the *sign* of every term within the parentheses. // φ は空集合を表すために用いられる*符号である φ /fáɪ/ is a *symbol* used to represent an empty set. // モールス*符号 Morse *code*

ふごう² 符合 — [動] (同一である) be identical to …; (ぴったり合致する) coincide /kòʊɪnsáɪd/ (with …) (自); (矛盾することなく一致する) agree (with …) (自). — [名] coincidence /koʊínsɪdəns/ Ⓤ; agreement Ⓤ. 《☞ いっち (類義語); あう²》.
¶ 金庫に残された指紋は彼のものと*符合する (⇒ 同じである) The fingerprints (left) on the safe *are identical to* his. // あなたの説明は事実と*符合しない (⇒ 一致しない) Your explanation does not *coincide with* the facts.

ふごう³ 富豪 (金持ち) rich [wealthy] man Ⓒ [語 法] wealthy は財産のほかに社会的な地位などもあるというニュアンスを持つ; (百万長者) millionáire Ⓒ; (億万長者) billionáire Ⓒ. 《☞ かねもち》.

ふごう⁴ 負号 〖数〗 negative [minus] sign Ⓒ.

ふごうかく 不合格 — [動] (試験などに落ちる) fail (他) ★ fail (in …) という (自) の用法もある. 《米略式》 flunk (自) (他); be unsuccessful in … ★ fail のほうが口語的; (失格する) be disqualified. 《☞ らくだい; しっぱい》. ¶ 彼は試験に*不合格だった He ˹*flunked* [*failed*] the exam. / (⇒ 不成功だった) He *was unsuccessful* ˹*in* [*on*] the examination. ★ 第 1 文が口語的. // 彼は年齢の点で*不合格になった He *was disqualified* because of his age. // 私はどうしてその品物が*不合格になった (⇒ はねられた) のかわからない I cannot understand why the goods *were rejected*. **不合格品** rejected article Ⓒ, reject Ⓒ **不合格率** failure rate Ⓒ.

ふごうけいやく 付合契約 〖法〗 contract of adhesion Ⓒ.

ふこうせい 不公正 — [形] (公平でない) unfair; (公正でない) unjust. — [名] unfairness Ⓤ; injustice Ⓤ. **不公正取引** unfair business practice Ⓒ.

ふこうへい 不公平 — [形] (公正でない) unfair (↔ fair); (えこひいきをする) partial (to …) (↔ impartial); (不当な) unjust. — [副] unfairly; partially; unjustly. — [名] unfairness Ⓤ; partiality Ⓤ; injustice Ⓤ. 《☞ ふびょうどう》.
¶ あの審判は*不公平だ That umpire is *unfair*. / (⇒ 一方のチームをえこひいきしている) That umpire is *partial to* one of the teams. // 彼らはその*不公平な判定に抗議した They protested against the ˹*unfair* [*unjust*] judgment. // 彼にも言いたいことを言わせないのは*不公平だ It is *unfair* of you not to let him have his say. **不公平税制** inequitable [unfair; unequal] taxation Ⓤ.

ふごうり 不合理 — [形] (理屈に合わない) unreasonable; (論理に合わない) illogical. — [名] unreasonableness Ⓤ; illogicality Ⓤ. 《☞ むじゅん; りふじん; むちゃ》. ¶ 私はその*不合理な要求をはねつけた I turned down the *unreasonable* request. // 彼の説には*不合理な点が幾つかある There are some *illogical* points in his theory.

ふこく¹ 布告 — [動] (公に広く知らせる) 《格式》 proclaim (他); (戦争などを宣言する) declare (他); (法令・命令などを公に知らせる) 《格式》 decree (他); (発表する) announce (他) ★ 特に将来予想されるものについて用いることが多い. — [名] proclamation Ⓤ ★ 具体的なものを指すときには Ⓒ; (宣言) declaration Ⓤ ★ 具体的には Ⓒ. ¶ 政府は新しい祝日の*布告を出した The government issued a *proclamation* concerning a new holiday. // 国王は恩赦を*布告した The king *decreed* an amnesty. // …に宣戦を*布告する *declare* war ˹against [on] …

ふこく² 富国 (富んだ国) prosperous [wealthy; rich] country Ⓒ ★ 後のものほどくだけた言い方. **富国強兵** (スローガンとして) Rich Nation, Strong Military; (説明的には) enriching the nation and strengthening the military. ¶ *富国強兵策 a plan for *enhancing* (*the*) *national prosperity and defense*

ぶこく 誣告 〖法〗 false ˹accusation [charge] Ⓒ; malicious prosecution Ⓒ. 《☞ めいよ (名誉毀損)》. **誣告罪** slander Ⓤ; (文書によるもの) libel Ⓤ.

ふこころえ 不心得 — [形] (失礼な) rude; (相手を侮辱するような) insulting; (ふしだらな) immoral; (軽率な) imprudent. — [名] rudeness Ⓤ; (不品行) immorality Ⓤ. 《☞ ふけんしき; けしからん》.
¶ みんな彼の*不心得な発言に腹を立てた Everybody got angry at his ˹*rude* [*insulting*] remark(s). // 彼は*不心得にも無免許で車を乗り回した (⇒ 無免許で運転するなんてひどいことだ) *It's a shame* that he drove (a car) without a license.
不心得者 ill-mannered [rude] person Ⓒ

ぶこつ 無骨 — [形] (粗野な) rough; (田舎者の) rustic ★ 軽蔑的に使う; (洗練されてない) unrefined. ¶ *無骨な振舞い (an) *unrefined* behavior / *rough* manners **無骨者** (無作法な人) lout Ⓒ; (粗野な男) boor Ⓒ.

ふさ 房 (糸・毛・羽根などの) tuft Ⓒ; (飾りの) tassel Ⓒ ★ どちらも根元が縛ってあったりして 1 つにまとまっているもの; (へりの) fringe Ⓒ; (花・果実の) bunch Ⓒ, cluster Ⓒ [語 法] bunch は元が 1 つにまとまっていること, cluster は同種のものが密集してグループをなしていることを強調. ぶどうやライラックの花などにはどちらも用いる.

tuft

tassel

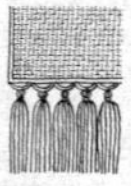
fringe

bunch

¶ その鳥は頭に羽毛の*房がある The bird has a *tuft* of feathers on its head. // カーテンは下に*房がついていた The curtain had a *fringe* along the bottom. // ぶどうは*房になって実る Grapes grow in ˹*bunches* [*clusters*]. // 彼女はバナナを 2 *房買った She bought two *bunches* of bananas. 《☞ 数の数え方 (囲み)》

ブザー buzzer /bʌ́zə/ Ⓒ. ¶ *ブザーが鳴っている There goes the *buzzer*. // *ブザーを鳴らしたのはだれだ Who ˹sounded [rang; pushed; pressed] the *buzzer*?

ふさい¹ 負債 — [名] debt /dét/ Ⓒ. — [動] (借金がある) be in debt, owe (他). 《☞ しゃっきん; かり²》.
¶ 私は莫大な*負債を負っている I *am* ˹heavily [deeply] *in debt*. / I have ˹a large *debt* [heavy *debts*]. // *負債は全部返した I've paid off my *debt*(*s*). // あの会社に 1 千万円の*負債がある We *owe* ten million yen to that company.
負債勘定 liability account Ⓒ **負債残高** outstanding debt Ⓒ **負債者** debtor Ⓒ **負債総額** total debt Ⓤ, total liabilities ★ 複数形で. 後者は格式ばった表現.

ふさい² 夫妻 husband and wife 《☞ ふうふ》.
¶ 私たちはスミス*夫妻を夕食に招待した We invited ˹*Mr. and Mrs.* Smith [*Mr.* Smith *and his wife*] to dinner. [語 法] 「山田太郎夫妻」のような場合は Mr. and Mrs. Taro Yamada と表す.

ふざい 不在 — [動] (不在で・外出して) be not at home, be out, be not in; (出かけて) be away (from …; in …). — [名] absence Ⓤ ★ 具体的な

場合・期間を指すときは [C]. (☞ 可算・不可算名詞(巻末); るす [語法]; でかける; あける¹).
¶母は*不在です (⇒家に居ません) My mother *is* ⌈*not at home* [*out*; *away from home*] now. // 私の*不在中に何かあったら彼に電話して下さい If anything happens ⌈in [during] my *absence*, please ⌈call [phone] him. // これは視聴者*不在の番組だ (⇒この番組では視聴者は完全に無視されている) The viewers *are utterly ignored* by this program. **不在地主** ábsentèe lándlòrd [C], àbsentée [C] **不在証明** (アリバイ) alibi /ǽləbàɪ/ [C] **不在者投票** ábsentèe bállot [C].

ぶさいく 不細工 ― [形] (ぶざまな) awkward; (醜い) ugly; (不器用な) clumsy. ― [名] awkwardness [U]; clumsiness [U]. (☞ ぶかっこう; ぶざま). ¶この容器は*不細工な形をしている This container has an *awkward* shape. // 彼が棚をつけたのはいいが*不細工だ He fixed the shelf, but it was *clumsily* made. / (⇒棚をつけるのに不細工な仕事をした) He did a *clumsy* job of fixing the shelf.

ふさがり 塞がり blockage [U] (☞ ふさがる; はっぽう¹ (八方塞がり)).

ふさがる 塞がる 1 «いっぱいになる» ― [動] (通路などが) be blócked (úp); (管などが詰まる) be chóked úp; (特に通りを悪くするような物質がたまって) clog (自), be clógged (úp); (障害物で) be obstructed; (詰まる・いっぱいになる) be ⌈stopped [filled]. ― [形] full. (☞ つまる; ふさぐ; いっぱい¹).
¶排水管が*ふさがって (⇒詰まって) いるようだ The drain appears to *be* ⌈*blocked* [*stopped*; *clogged*] *up*. // このパイプは泥で*ふさがっている (⇒詰まっている) This pipe *is choked* (*up*) with dirt. // その道は倒れた木で*ふさがっている (⇒邪魔されている) The road *is* ⌈*obstructed* [*blocked*] by a fallen tree.
2 «空いてない» ― [動] (席などが) be ⌈taken [occupied; engaged] ★ taken が最も口語的; (予約などで) be reserved. ― [形] (いっぱい) full; (忙しい) busy.
¶この席は*ふさがっています (⇒だれかがすでにいる) This seat *is* ⌈*occupied* [(⇒予約されている) *reserved*]. // 「この席は*ふさがっていますか」「いいえ, 空いています」 "*Is* this seat *taken*?" "No, it isn't. It's free." // 残念ですがその部屋はいま*ふさがっています (⇒使用中です) Unfortunately, the room *is engaged* now. // その電話は年中*ふさがっている (⇒話し中だ) The line *is* always *busy*. // 私はいま手が*ふさがっています (⇒忙しい) I'*m busy* right now. // 3時は先約で*ふさがっている (⇒3時に人と会う約束がある) I have a previous appointment at three. // 来週は予定で*ふさがっている (⇒ぎっしりのスケジュールを持っている) I have a *full* schedule next week.
3 «閉じる»: (傷口など開いているものが) close (自), be closed. (☞ とじる¹). ¶傷口は完全に*ふさがった The wound *has* completely ⌈*closed* (*up*) [*healed* (*up*)]. // 私は彼の話を聞いてあいた口が*ふさがらなかった (⇒あぜんとした) I *was dumbfounded* when I heard his story.

ふさぎこむ 塞ぎ込む (浮かぬ気持ちで過ごす) mope (自)(他); (落胆する) be depressed; (憂うつな気持ちでいる) have the blues, be in low spirits. (☞ ゆううつ). ¶彼女は1日中家の中で*ふさぎ込んでいた She *moped* indoors all day. // 彼はどういう訳か*ふさぎ込んでいた He *was* somehow *in low spirits*.

ふさく 不作 ― [名] (悪い収穫高) bad [poor] ⌈crop [harvest] [C] ★ crop のほうが口語的; (収穫の失敗) crop failure [C]. ― [形] (作柄が悪い) bad, poor; (収量が少ない) small, lean ★ 前者のほうが口語的.
¶昨年は米が*不作だった We had a ⌈*bad* [*poor*] *crop* of rice last year. / (⇒米の収穫が少なかった) The rice crop *was* ⌈*small* [*poor*] last year. // 旱魃(かんばつ)のため今年は*不作だろう Owing to the drought /dráʊt/, the crops will ⌈*fail* [*be poor*] this year. // 今年は出版業にとって*不作の年だった This has been a *lean* year ⌈for [in] the publishing ⌈trade [business; industry].

ふさぐ 塞ぐ 1 «穴などを»: (埋める) stóp (úp) (他); (栓を詰める) plúg (úp) (他); (覆う) cover (他); (満たす) fill (úp) (他). (☞ うめる¹; つめる). ¶彼は壁のすき間をしっくいで*ふさいだ (⇒埋めた) He *stopped* (*up*) the crack in the wall with plaster. // 彼女は板でねずみの穴を*ふさいだ (⇒覆った) She *covered* the rathole with a board. / (⇒板を打ちつけた) He *boarded up* the rathole. // 私は騒音に耳を*ふさぎたいようだった (⇒騒音を避けるために) I wanted to ⌈*stop* (*up*) [*plug*] my ears to keep the noise out. // 彼に何を言っても無駄だよ. 全く耳を*ふさいでしまっているのだから It is useless to say anything to him. He *is deaf to* your advice.
2 «通路・場所などを»: (障害物で) blóck (úp) (他); (締め出して通れなくする) bar (他); (障害物を置いて) obstruct (他); (物が場所を占める) take up (他). (☞ じゃま (類義語); さえぎる). ¶ダンプカーが道を*ふさいだ A dump truck *blocked* (*up*) the road. // 庭に通じる道はさくで*ふさがれていた (⇒さくが道をふさいでいた) The fence *barred* the way into the garden. // 土砂崩れが国道を*ふさいだ The landslide *obstructed* the highway. // ベッドが場所を*ふさいでいる The bed *takes up* too much space. (☞ ばしょ (場所塞ぎ)).
3 «憂鬱»: (落胆する) be depressed; (憂鬱な気持ちでいる) be in low spirits. (☞ ふさぎこむ).

ふさくい 不作為 〚法〛(怠慢) omission [U]; (権利行使の差し控え) forbearance [U]; (義務の不履行) nonfeasance [U]. **不作為犯** crime of omission [C] (☞ さくい¹).

ふざけ ☞ ふざける; わるふざけ

ふざける ― [動] fool around; (浮かれて騒ぐ) frolic (自); (特に子供が跳ね回る) romp (自); (冗談を言う) joke (自), make [crack] a joke; (からかう・かつぐ) 《略式》 kid (自)(他); (悪ふざけする) play a trick (on ...; upon ...); (ふざけていたずらする) play a practical joke (on ...; upon ...), play pranks (on ...; upon ...). ― [名] (いたずら) trick [C], practical joke [C]; (冗談) joke [C]. (☞ じょうだん¹; いたずら).
¶授業中*ふざけるんじゃない Don't *fool around* in class. // 彼はいつも*ふざけている (⇒冗談を言う) He's always *joking*. // 彼女は私が*ふざけて言ったこと (⇒冗談) を真に受けた She took my *joke* seriously. // 私は*ふざけてそれをしたのです I meant it as a *practical joke*. // 私は*ふざけてそう言ったのではない (⇒本気で言ったのです) I really *meant* it. / I *meant* what I said. // *ふざけるな (⇒ばかを言うな) Stop ⌈your [this; that] nonsense!

ふさざくら 総桜 〚植〛 Japanese euptelea /juːptéliə/ [C].

ぶさた 無沙汰 ☞ ごぶさた

ふさふさ ― [形] (髪・毛が) thick; (豊かな) rich, abundant ★ 後者のほうが格式ばった語; (たくさんの) lots of ... (☞ 擬声・擬態語 (囲み)). ¶その老人は髪の毛がまだ*ふさふさしている (⇒豊富な髪の毛を持っている) The old man still has ⌈*thick* [*rich*; *abundant*] hair.

ぶさほう 無作法 ― [名] (行儀が悪いこと) bad manners ★ 複数形で; (慣習にはずれていること) bad form [U]; (無礼) rudeness [U]; (エチケット違反) breach of etiquette [C]. ― [形] (行儀が悪い) ill-mannered [A] ★ [P] ではハイフンなし; rude; (礼儀知

らずの) impolite ★ rude のほうが意味が強い. (☞ しつれい (類義語); ぶれい; れいぎ).
¶ 口に物を入れたまましゃべるのは*無作法だ It is 「*bad manners* [*impolite*] to talk with your mouth full. // スプーンをカップに入れたままにしておくのは*無作法だ It is *bad form* to leave your spoon in your cup. // 彼は*無作法だ (⇒ 作法を知らない) He has *no manners*. / (⇒ 行儀が悪い) He is *rude*. // あんな*無作法なやつはもう招待しない I'll never invite such an *ill-mannered* fellow again. // だれにでも*無作法な振舞いをしてはいけない Don't *be rude* to 「anybody [anyone].

ぶざま 無様, 不様 ― 形 (無器用な) awkward; (ぎごちない) clumsy; (見苦しい) unsightly. (☞ ぶかっこう; みっともない; みぐるしい).

ふさも 房藻 〖植〗 whorled water milfoil Ⓒ.

ふさわしい 相応しい ― 形 (適している) suitable (for ...) ★ 最も一般的な語; (社会的慣習・規準に照らして適切な) proper (for ...); (ぴったりの) 《格式》 appropriate (to ...; for ...); (合っている) fit (for ...; to *do* ...); (似つかわしい) becoming (to ...); (値する) worthy (of ...) ★ 普通はよい意味に使う; (最も適当な) right ★ 口語的. 広い意味の言葉なので, 場合によっては意味があいまいになるおそれがある. ― 動 (適している) be suited (for ...; to be ...); (...に値する) deserve ㊀; (...の価値がある) be worthy of ... (☞ てきする; てきせつ (類義語)).
¶ 彼女は先生になるのに*ふさわしい (⇒ 適している) She *is suited* 「*for* teaching [*to be* a teacher]. // 彼らはその仕事に*ふさわしい人を探している They are looking for a man 「*suited* [*suitable*] *for* the job. // 彼女はその場に*ふさわしい服を着ていた She wore a dress 「*suitable for* [*appropriate to*; *proper for*] the occasion. / She wore a *proper* dress for the occasion. 語法 proper を使うと, 暗に「礼儀・作法にかなった」という道徳的価値判断のニュアンスが加わる. // 私はそれをするのに*ふさわしい (⇒ 最も適当な) 方法を知っている I know the *right* way to do it. // この本は子供たちに*ふさわしくない This book is 「*unfit* [*unsuitable*] *for* children. // 彼の行為は紳士に*ふさわしくない His conduct is 「*unbecoming to* [*unworthy of*] a gentleman. // この部屋は書斎には*ふさわしくない (⇒ 役に立たない) This room won't *do* 「for [as] 「the [a] study. // 彼女の結婚相手として彼は*ふさわしくないと思う I don't think he is the *right* man for her (to marry).

プサン 釜山 ― 名 固 Pusan /púːsɑːn/, Busan /búː-/ ★ ソウルに次ぐ韓国第 2 の都市.

ふさんか 不参加 ― 名 nònparticipátion Ⓤ. ― 動 do not [fail to] 「participate in [attend] ... (☞ さんか[1]).

ふさんせい 不賛成 ― 動 (反対である) be against ... (↔ be for ...) ★ 最も日常的な表現; (賛成しない) do not agree (with ...; to ...) ㊁ 語法 with は人, 事のいずれにも用いられ, to を用いると提案などを「受け入れない」(do not accept) という意味で, 人には用いられない; (意見を異にする) disagree (with ...) ㊁; (認めない) do not approve (of ...) ㊁, disapprove (of ...) ㊁ ★ 後者のほうが少し格式ばっており, よりはっきりした不賛成. ― 名 (不承知) disapproval Ⓤ; (意見の相違) disagreement Ⓤ; (反対) objection Ⓤ. (☞ はんたい; さんせい[1]; ふしょうち).
¶ あなたの意見には*不賛成だ (⇒ 同意できない) I cannot *agree with* you. / I *am not with* you on that. // 私はその提案に*不賛成だ I *am against* the proposal. / I *don't agree with* the proposal. // 両親は彼女の結婚に*不賛成だった (⇒ 認めなかった) Her parents *did not approve of* her marriage. // 父は顔をしかめて*不賛成を示した Father showed his *disapproval* by frowning /fráunɪŋ/.

ふし[1] 節 1 《結節》: (幹・板の) knot Ⓒ; gnarl /nάːəl/ Ⓒ; (竹の) joint Ⓒ, node Ⓒ.
【類義語】 枝の付け根の固く盛り上がった所が *knot*. 木が古くなって節だらけになったり, ねじれたり, ごつごつしている状態を gnarled と言うが, これから逆成されたのが *gnarl* で, *knot* と同じ意味にも用いられる. 木を切って材木にしたときに残るそのあとの節も *knot*, *gnarl* と言う. 竹の節は *joint* または *node* という.
¶ この板は*節だらけだ This board is full of *knots*. // *節のない板 a *clean* board
2 《関節》: joint Ⓒ ★ 一般的な語で, 次の語の代わりにも用いられる; (特に指の) knuckle Ⓒ. (☞ ふしぶし).
3 《個所》: point Ⓒ. ¶ 彼の報告には疑わしい*節がある There are some 「doubtful [questionable] 「*points* [*items*] in his report.

ふし[2] 節 (旋律) melody Ⓒ ★ 最も一般的な語で, 以下の語の代わりにも用いられる; (特に曲の中で有名で覚えやすい部分の節) tune Ⓒ. (☞ きょく[1]; メロディー). ¶ 彼女はその*節を口笛で吹いた She whistled the 「*melody* [*tune*]. // 彼はその詩に*節をつけた He set the poem to *music*.

ふし[3] 父子 father and 「child [son; daughter] (☞ ふしかてい; おやこ).

ふし[4] 不死 immortality Ⓤ (☞ ふろうふし).

ふじ[1] 不時 ― 形 (予期しない) unexpected; (不測の) unforeseen. (☞ おもいがけない; ふそく[2]).
¶ 彼女は*不時の (⇒ 予期しない) 来客を暖かく迎えた She warmly received the *unexpected* visitor. // *不時の (⇒ 不測の) 出費が私たちの頭痛の種だ *Unforeseen* expenses are our headache.

ふじ[2] 藤 〖植〗 wisteria /wɪstí(ə)riə/ Ⓒ ★ wistaria /wɪsté(ə)riə/ ともいう. **藤色** pale purple Ⓤ, lavender Ⓤ; (絵の具) mauve /móuv/ Ⓤ **藤棚** wisteria trellis Ⓒ **藤の花 [つる]** wisteria 「flower [vine] Ⓒ **藤紫** (dark) lilac Ⓤ.

ふじ[3] 不治 ― 形 (治らない) incurable ; (命取りの) fatal. ¶ *不治の病 a *fatal* [an *incurable*] disease

ふじ[4] 富士 ― 名 固 (地名) Fuji ★ 富士山, 富士市を指す. **富士火山帯** the Fuji volcanic zone **富士五湖** the five lakes of Mt. Fuji **富士山** ☞ 見出し

ふじ[5] 扶持 ― 動 support ㊀, 《格式》 sustain ㊀. (☞ たすける; ささえる).

ふじ[6] 不二 ― 形 (匹敵するものがない) unequaled, unrivaled. ― 副 (手紙の結びの言葉) Yours truly (☞ 手紙の書き方 (囲み)).

ぶし 武士 (封建時代の日本の侍) samurai Ⓒ ★ 単複同形; (武人) warrior Ⓒ. **武士に二言はない** (⇒ 約束を破らない) A samurai will never go back on his word. **武士は食わねど高楊枝** (⇒ 侍は誇りと我慢強さをもって貧困を生きていく) A samurai will live 「through [in] poverty with pride and fortitude. **武士道** Bushido Ⓤ ★ bushido とも書く; (説明的には) (Japanese) chivalry /ʃív(ə)lri/ Ⓤ **武士の商法** (下手な) poorly-run business Ⓒ; (素人流の) amateurish /æ̀mətə́ːrɪʃ/ wày of búsiness Ⓒ.

ぶじ 無事 ― 形 (安全な) safe; (平穏な) peaceful; (何事もなく静かな) quiet; (大丈夫で) all right Ⓟ 語法 口語的. 広い意味の言葉なので, 何にでも使える代わりに意味があいまいでもある; (けがや事故もなく) safe and sound ★ 副詞的にも使われる. ― 副 safely; peacefully; quietly. ― 名 safety Ⓤ; peace Ⓤ; (健康) good health Ⓤ.
¶ 彼女は*無事に帰宅した She 「got [came] home

「*safely* [*in safety*; *safe and sound*]. // 行方不明の子供は*無事だった The missing child was found *safe and sound*. // 私は彼女を家まで*無事に送った I saw her「*safe* [*safely*] home. // 炎上する家から男の子は消防士によって*無事救出された The boy was rescued *safely* from the burning house by a fireman. // 両親は田舎で*無事に (⇒ 平穏に[健康で]) 暮らしている My parents are「living *peacefully* [enjoying a *healthy life*] in the country (side). // 彼らは*無事にやっている They are getting along「*all right* [*very well*]. // その問題は*無事に (⇒ 平和的に) 解決した The problem was settled *peacefully*. // 今年も*無事に終わった (⇒ 今年も平穏な年だった) This has been another *peaceful* year. / (⇒ 平穏な年がまた終わろうとしている) Another *peaceful* year is going to pass by. // *無事に (⇒ 首尾よく) 務めを果たされるように望みます I hope you'll「carry out [complete] your project「*successfully* [(⇒ 障害なく) *without hindrance*]. ★「 」内のほうが格式ばった表現.

ふじあざみ 富士薊 〘植〙 Mt. Fuji thistle Ⓒ.

ふしあな 節穴 knothole Ⓒ (☞ ふし¹). ¶*節穴からのぞいたりしてはだめだ Don't peep through the *knothole*. // あなたの目は*節穴か (⇒ どこに目をつけているんだ) Where are your eyes? // 彼の目は*節穴同然だ (⇒ 見ようとしない目を持つ) He has *unseeing eyes*. // 私の目は*節穴じゃないぞ (⇒ あなたのたくらみはわかっている) I can *see through* your game.

ふしあわせ 不幸せ ── 形 (不幸な) unhappy; (不運な) unfortunate. ── 名 unhappiness Ⓤ; misfortune Ⓤ. (☞ ふこう¹; ふうん).

ふしおがむ 伏し拝む throw *oneself* at *a person's* feet and pray (☞ おがむ; ひれふす).

ふしかてい 父子家庭 motherless family Ⓒ, single-parent family Ⓒ. (☞ ぼし¹ (母子家庭)).

ふしぎ 不思議 ── 形 (いままでに見たこともないような・奇妙な) strange; (神秘的な) mysterious /mɪstí(ə)riəs/; (奇跡的な) miraculous /mɪrǽkjʊləs/; (説明できない) unaccountable; (驚くべき) wonderful, marvelous ★ 後者のほうが意味が強く, 格式ばった語. ── 名 (不思議な物・人・出来事) wonder Ⓒ; (不可解なこと) mystery Ⓒ; (驚くべきこと) marvel Ⓒ; (奇跡) miracle Ⓒ. (☞ きみょう; ふかかい).

¶あなたがそのことについて何も知らないのは*不思議だ (⇒ 奇妙だ) It's「*strange* [*odd*] that you don't know anything about it. // その事故でだれもけがをしなかったのは*不思議 (⇒ 奇跡) だった It was a *miracle* that no one was hurt in the accident. // その書類がなくなってしまったのは*不思議だ (⇒ 不可解だ) How the documents disappeared is a *mystery*. / I *wonder* how the papers could have disappeared. 語法 <wonder＋疑問詞の節>で「なぜ [どうして, どこに, いつ, etc.] …かしら」というい ぶかる気持ちを表す. // 彼女が彼のことを怒るのも*不思議ではない (⇒ 当然だ) It is「*natural* [no *wonder*] that she「should get [got] angry with him. // 彼がその申し出を断ったのも*不思議ではない No *wonder* (that) he turned down the offer. // 私は空に*不思議な光を見た I saw a「*strange* [*mysterious*] light in the sky. // この薬草は*不思議によく効く This herb has a「*marvelous* [*wonderful*] effect on me. // 花瓶がテーブルから落ちたが, *不思議なことに割れなかった The vase fell off the table, but「*strangely* enough [*miraculously*], it was not broken. // 世界の七*不思議を知っていますか Do you know what the Seven *Wonders* of the World were?

『不思議の国のアリス』(書名) *Alice's Adventures in Wonderland* ★ Lewis Carroll の童話.

ふしくれだつ 節くれ立つ ¶その農夫の手は*節くれ立っていた The farmer's hands *were rough and bony*.

ふじさん 富士山 Mount [Mt.] Fuji (☞ -さん³ 語法).

ふしぜん 不自然 ── 形 (自然でない) unnatural; (人為的な・わざとらしい) àrtificial; (無理な) forced Ⓐ; (気取った) affected. ── 名 unnaturalness Ⓤ; àrtificiálity Ⓤ.

¶そのモデルの姿勢は*不自然だ The posture of the model is *unnatural*. // 私は彼の*不自然な (⇒ 気取った [きざな]) 態度が気にくわなかった I didn't like his「*affected* [*artificial*] manner. // 彼女は私に向かって*不自然な笑い方をした (⇒ 作り笑いをした) She gave me「a *forced* [an *artificial*] smile.

ふしだら ── 形 (性的にだらしない) loose /lúːs/; (不道徳な) immoral. (☞ だらしない). ¶彼女は若いころ*ふしだらな生活を送った She led a *loose* life in her youth. / She was a *loose* woman when she was young.

ふじちゃく 不時着 ── 名 (緊急の[やむを得ない]着陸) emergency [forced] landing Ⓒ; (機体損傷覚悟の着陸) crash landing Ⓒ. ── 動 crash-land ⑩ ⓐ, make a crash landing; (水上へ不時着させる) 《俗》 ditch (a plane) ⑩.

¶飛行機はエンジンが故障して*不時着した The plane developed engine trouble and made「an *emergency* [a *forced*] *landing*.

ふしちょう 不死鳥 phoenix /fíːnɪks/ Ⓒ ★ phenix とも書く.

ふじつ¹ 不実 ── 形 (誠意のない) insincere /ìnsɪnsíə/; (忠実でない) unfaithful; (信義のない) faithless. ── 名 insincerity Ⓤ; faithlessness Ⓤ. (☞ ふせいじつ).

ふじつ² 不日 ☞ きんじつ

ぶしつ 部室 clubroom Ⓒ; (一戸建の) clubhouse Ⓒ. ¶柔道部*部室 the judo *clubroom* ★ club は繰り返さない.

ぶしつけ 不躾 ── 形 (無作法な) ill-mannered Ⓐ, ill mannered Ⓟ; (無礼な) rude; (礼儀知らずの) impolite; (相手を当惑させるような) embarrassing. ── 名 (無作法) bad [rough] manners ★ 複数形で; (厚顔) impudence Ⓤ. (☞ ぶさほう; ぶえんりょ; しつれい (類義語)). ¶*ぶしつけな質問 an *embarrassing* question

ふじつぼ 富士壺 〘動〙 córn bàrnacle Ⓒ.

ふじばかま 藤袴 〘植〙 thoroughwort /θə́ːrəwə̀ːt/ Ⓒ, boneset Ⓒ.

ふじびたい 富士額 widow's peak Ⓒ.

ふしぶし 節節 (関節) the joints ★ 複数形で; (物事の個所) points ★ 複数形で. (☞ ふし¹).

¶身体の*節々が (⇒ 全ての関節が) 痛む I feel pain in *every joint*. / My *joints* ache.

ふしまつ 不始末 ── 名 (不注意) carelessness Ⓤ; (不行跡) miscónduct Ⓤ; (大失敗) blunder Ⓒ. ── 形 careless. ¶その火事はたばこの火の*不始末から起こった The fire broke out through (the)「*careless* handling [mishandling] of cigarette butts. // それは彼の身の*不始末が原因だ It was caused by his own「*misconduct* [*misdeeds*]. // 彼はまたばかばかしい*不始末 (⇒ へま) をしでかした He committed an absurd *blunder* again.

ふじまめ 藤豆 〘植〙 lablab /lǽblæb/ Ⓤ.

ふしまわし 節回し (旋律) tune Ⓒ; (主旋律) melody Ⓒ. (☞ ふし²).

ふじみ 不死身 ── 形 (決して死なない) immortal. ¶古代ギリシャの神々は*不死身と考えられていた The gods of ancient Greece were believed to be *immortal.* // 彼は*不死身だ (⇒ 命を9つ持っている) He *has nine lives.* 語法 「猫はなかなか死なない」A cat has nine lives. ということわざから. / (⇒ 魔法で守られているような命を持っている) He *leads a charmed life.*

ふしめ[1] 伏し目 downcast eyes; (目つき) downcast look Ⓒ. (☞ ふせる[1]; うつむく). ¶ 彼は*伏し目がちに黙っていた He remained silent, with *downcast eyes.* / He *dropped* his *eyes* and kept ⌈silent [quiet].

ふしめ[2] 節目 (植物の) knot Ⓒ; (人生などの) juncture Ⓒ; (転機) turning point Ⓒ. (☞ ふし[1]).

ふしゃ 富者 rich [wealthy] person Ⓒ; (集合的に) the ⌈rich [wealthy]. (☞ かねもち).

ふしゅ 浮腫 〔医〕 edema /ɪdíːmə/ Ⓒ (複 -mata /-tə/).

ぶしゅ 部首 (漢字の) radical (of a ⌈kanji [Chinese character]) Ⓒ (☞ へん[3]; つくり[2]). **部首索引** rádical ìndex Ⓒ.

ふしゅう[1] 腐臭 stink [stench] (of rotting matter) Ⓒ.

ふしゅう[2] 俘囚 ☞ ほりょ

ふじゆう 不自由 **1** 《不便》 — 名 inconvénience Ⓤ ★ 具体的なことを指すときは Ⓒ. — 形 inconvenient. (☞ ふべん).

¶ 断水でたいへん*不自由した (⇒ 断水が私たちを不便にさせた) The water ⌈cutoff [stoppage] caused us a ⌈great many *inconveniences* [great deal of *inconvenience*]. // 私はそんなものはなくても*不自由しない (⇒ そのようなものは必要でない) I *have no need* for a thing like that. // 身体の*不自由な方やお年寄りに席をおゆずりください Give [Offer; Relinquish] your seat to the elderly and *the disabled.*

2 《窮乏》 — 名 (不足) shortage Ⓒ; (貧乏) poverty Ⓤ. — 形 (貧しい) poor; (困窮している) needy; (不足している) short (of ...). (☞ びんぼう; ふそく[1]; きゅうする[1]).

¶ 私は*不自由な (⇒ 貧しい) 暮らしには慣れている I am used to living in ⌈*poverty* [*need*; *want*]. // 彼女はなに*不自由ない身分だ She lives in ⌈comfort [ease]. / (⇒ 順境である) She is well off. // 彼は当時生活費にさえ*不自由していた He was ⌈*short of* living expenses [*hard up*] then. // 私は小遣いには*不自由しない (⇒ たっぷりある) I have plenty of pocket money.

3 《身体に障害のある》 — 形 disabled, physically handicapped. (☞ しょうがい[1]).

¶ 彼は右手が*不自由です His right arm is *paralyzed.* // 目[体]の*不自由な人 *blind* [*disabled*; *physically handicapped*] ⌈people [persons] / visually [physically] *challenged* ⌈people [persons] ★ 《米》 の婉曲な表現.

ぶしゅうぎ 不祝儀 (葬儀) funeral /fjúːn(ə)rəl/ Ⓒ (☞ そうぎ[1]).

ふじゅうぶん 不十分, 不充分 — 形 (十分でない) not enough ★ 最も日常的で平易な表現; (不足している) ìnsufficient ★ やや格式ばった語; (足りない) short (of ...); (不適切な) inádequate; (本質的なものが欠陥と見なされるほど欠けている) deficient ★ 以上2語はやや格式ばった語; (物が不満足な) unsatisfactory; (不完全な) imperfect; (完全とは程遠い) far from perfect. — 名 ìnsufficiency Ⓒ; (不足) want Ⓤ, lack Ⓤ; shortage Ⓒ; inádequacy Ⓒ; deficiency Ⓤ; imperfection Ⓤ. (☞ ふそく[1]; たりない; じゅうぶん[1] (類義語)).

¶ 彼の給料は一家を養うのに*不十分だ His salary is ⌈*not enough* [*insufficient*] to support his family. // 私の英語力はまだ*不十分です My knowledge of English is still ⌈*poor* [*imperfect*]. // 彼は証拠*不十分で釈放された He was ⌈let off [let go; released] ⌈for *want* of [due to *insufficient*] evidence. // ニュースの報道は*不十分だった The news coverage was *unsatisfactory.* // この論文は*不十分なところが多々ある (⇒ 望むべき点がたくさん残されている) This thesis *leaves much to be desired.* ★ 格式ばった表現.

ぶしゅかん 仏手柑 〔植〕 Buddha's hand Ⓒ, fingered citron Ⓒ.

ふじゅく 腐熟 (堆肥の) composting Ⓤ.

ぶじゅつ 武術 martial /máəʃəl/ arts ★ 普通複数形で.

ふしゅび 不首尾 — 名 (失敗) failure Ⓤ. — 形 (不成功の) unsuccessful. — 動 (失敗する) fail 自, end in failure. (☞ しっぱい).

ふじゅん[1] 不純 — 形 (純粋でない) impure (↔ pure); (利己的な) selfish; (不正な) dishonest.

¶ 彼は*不純な動機から彼女を助けたに違いない He must have helped her from some ⌈*impure* [*selfish*] motives. // この水には何か*不純な物が含まれている There is some *impurity* in this water. **不純異性交遊** flirtation Ⓒ, illicit sexual relations ★ 複数形で. **不純物** impúrity Ⓒ ★ しばしば複数形で.

ふじゅん[2] 不順 — 形 (定まらない) unsettled; (変わりやすい) changeable; (よくない) unfavorable; (時期はずれの) unseasonable; (不規則な) irregular. — 名 (時期はずれ) unseasonableness Ⓤ; (不規則) irrègulárity Ⓤ.

¶ このところ天候が*不順だ (⇒ 定まらない) We are having *unsettled* weather these days. / (⇒ 変わりやすい) The weather is *changeable* these days. // 天候*不順のため (⇒ 天気が悪いので) 遠足は延期になった The excursion was put off because of the *unfavorable* weather. // この冬は天候*不順だった (⇒ 季節はずれの天気を持った) We had *unseasonable* weather this winter. // 生理*不順 ménstrual *irrègulárity*

ブジュンブラ — 名 固 Bujumbura /bùːdʒəmbú(ə)rə/ ★ ブルンジの首都.

ふじょ[1] 扶助 — 名 (助力) help Ⓤ; (援助) aid Ⓤ ★ しばしば公的援助の意味を持つ; assistance Ⓤ; (手当) allowance /əláuəns/ Ⓒ; (施し) handout Ⓒ. — 動 help 他; aid 他. (☞ えんじょ; じょりょく; たすけ). ¶ 彼らは医療*扶助を必要としている They are in need of medical *aid.* // この会の目的は会員の相互*扶助をはかることにある The aim of this association is to provide mutual ⌈*aid* [*assistance*; *help*] ⌈among [for; to] the members.

ふじょ[2] 婦女 woman (複 women) Ⓒ. **婦女暴行** sexual assault (on a woman) Ⓒ, rape Ⓒ **婦女暴行犯人** rapist Ⓒ.

ぶしょ 部署 (責任を持たされた持ち場) post Ⓒ; (指定された任務上の持ち場) station Ⓒ.

¶ 自分の*部署を離れてはいけない You must ⌈stay [remain] at your *post.* / Don't desert your *post.* // 機動隊員はそれぞれの*部署についた[ついている] The riot policemen ⌈took up [are at] their *stations.*

ふしょう[1] 負傷 — 名 (事故などによる) injury Ⓒ, hurt Ⓒ ★ 前者よりくだけた語; (武器や凶器などによる) wound /wúːnd/ Ⓒ. — 動 (負傷する) be ⌈injured [wounded; hurt], suffer [receive] an injury ★ 前者のほうが一般的; (...を傷つける) injure 他, hurt 他; (武器・凶器で) wound 他. 日英比較 日本語の「負傷」と違い, 英語では事故による負傷と武器による負傷を別の語で表す. (☞ けが 日英比較; きず (類義語)). ¶ 彼女はその事故で*負傷した She ⌈*was injured* [*got hurt*] in the accident. // その外交官はピストルで撃たれて*負傷した The diplomat was shot and *wounded.* // 彼は戦争で*負傷した He *was wounded* in the war. // 彼は腕に*負傷した He ⌈*suffered* [*received*] *an injury* to his arm. / He *was injured* in the arm. / He ⌈*got* [*had*] his arm *injured.*

負傷者 injured [wounded] person Ⓒ; (総称的に) the ⌈injured [wounded]; (特に事故などによる負傷者を総称的に) casualty Ⓒ ★「死傷者」という意味にもなる. しばしば複数形で.

ふしょう² 不詳 ━形 (よくわからない) unknown; (身元不明の) unidentified; (作者不明の) anónymous《略 anon.》. 《☞ ふめい》. ¶その作曲者名は*不詳だ The composer's name is *unknown.* // 何人かの遺体が身元*不詳のままである Some bodies ⌈remain *unidentified* [*have not been identified* yet]. // 作者*不詳の詩 an *anónymous* poem

ふしょう³ 不肖 ¶*不肖ながら私がその件は引き受けましょう (⇒その件は私が引き受けます. よい仕事ができるかどうかわからないが, 全力を尽くします) I'll take care of the matter. I don't know if I can do a good job, but I'll do my best. 日英比較 日本語の「不肖」(父親に似ない) という表現は直訳すれば be unworthy of *one's* father だが, 英語ではそのような表現を日本語と同じ意味で用いることはない.

ふしょう⁴ 不承 ☞ ふしょうち, ふしょうぶしょう

ふしょう⁵ 不祥 ☞ ふきつ

ふじょう¹ 浮上 ━動 come up [rise] to the surface ★[ ] 内のほうが格式ばった語; (潜水艦などが) surface ⓐ; (回復する) regain ⓗ, recover ⓗ. ¶潜水艦はゆっくりと*浮上した The submarine *surfaced* gradually. / The submarine gradually ⌈*came up* [*rose*] *to the surface.* // 彼の人気はまた*浮上した (⇒人気を回復した) He *regained* (his) popularity.

ふじょう² 不浄 ━形 (汚(けが)れた) unclean; (汚ない) dirty. 《☞ ふけつ; きたない》. ¶そんな*不浄な金は受け取るわけにはいかない I cannot accept such *dirty* money.

ふじょう³ 不定 ━名 uncertainty Ⓤ. ━形 uncertain.

ぶしょう¹ 不精, 無精 ━形 (怠け者の) lazy ★軽蔑的; (のろのろ怠惰な) sluggish. 《☞ なまけもの'; でぶしょう》. ¶彼は*不精で何もやらない He is too *lazy* to do anything. // 彼は息子の*不精をしかった He scolded his son for ⌈being *lazy* [his *laziness*]. // 筆*不精 a ⌈*poor* [*lazy*] correspondent 不精ひげ stubble Ⓤ, stubbly beard Ⓒ 《☞ ひげ¹》 不精者 lazy fellow Ⓒ; (だらしない人) slovenly /slʌ́vənli/ person Ⓒ.

ぶしょう² 武将 (武士の大将) general [commander] of the samurai army Ⓒ.

ふしょうか 不消化 ━名 indigestion Ⓤ; (消化不良) dyspepsia Ⓤ ★後者のほうが専門的な語. 前者は比喩的な意味にも用いる. ━形 (消化しにくい) indigestible; (消化されない) undigested. 《☞ しょうか³》. ¶食べ過ぎると*不消化を起こす If you eat too much, you will suffer from *indigestion.* / Too much food will give you *indigestion.*

不消化物 undigested food Ⓤ.

ふしょうじ 不祥事 (醜聞) scandal Ⓒ; (恥ずべきこと) disgraceful affair Ⓒ. 《☞ スキャンダル》. ¶それは会社始まって以来の*不祥事だ It is the ⌈worst *scandal* [most *disgraceful affair*] in the history of our company.

ふしょうじき 不正直 ━形 dishonest (↔ honest). ━名 dishonesty Ⓤ. 《☞ ふせいじつ》. ¶あんな*不正直な男は信用できない I cannot trust such a *dishonest* man.

ふしょうち 不承知 ━名 (不賛成) disapproval Ⓤ; (反対) objection Ⓒ; (拒絶) refusal Ⓒ ★この順で反対する意味が強くなる; (否定) denial Ⓒ. ━動 (反対である) be against … ★反対である状態を表す最も一般的な言い方; (反対する) object (to …) ⓐ; (認めない) disapprove (of …) ⓐ ★ ⓗ としての用い方もある; (賛成しない) disagree (with …) ⓐ. 《☞ ふさんせい》.

ふしょうにん 不承認 ━名 (案などの) disapproval Ⓤ; (政権などの) nonrecognition Ⓤ. ━動 disapprove ⓗ ⓐ. ━形 (国家などが) unrecognized. ¶その企画は重役会で*不承認となった The project *was disapproved* by the board of directors. // その新興国はまだ多くの国から*不承認のままだ The new state still remains *unrecognized* by many nations.

ふしょうぶしょう 不承不承 ━副 (気の進まないまま) unwillingly; (いやいやながら) reluctantly; (自分の意志に反して) against *one's* will. ━形 unwilling; reluctant. 《☞ しぶしぶ 語法》. ¶彼女は*不承不承その提案に同意した She gave her ⌈*unwilling* [*reluctant*] consent to the proposal. // 彼は*不承不承, 命令に従った He ⌈*unwillingly* [*reluctantly*] obeyed the order.

ふしょうふずい 夫唱婦随 ¶彼のところは*夫唱婦随だ (⇒彼の妻はいつも彼の範に従う) His wife always follows his lead. // うちは*夫唱婦随です (⇒夫が決定権を持っている) My husband has the last say in our family.

ふじょうり 不条理 absurdity Ⓤ 《☞ ふごうり》.

不条理(演)劇 the theater of the absurd; absurd drama Ⓒ.

ふしょく¹ 腐食 ━名 (化学作用による) corrosion /kəróuʒən/ Ⓤ; (さびたり腐ったりすることによる) erosion Ⓤ; (鉄のさび) rust Ⓤ. ━動 corrode ⓐ ⓗ; erode ⓗ ⓐ; (さびる) rust ⓐ; (侵食する) eat (into …) ⓐ, eat ⓗ. 《☞ ふはい¹; くさる》. ¶銅の緑青は*腐食によるものである The verdigris on copper results from *corrosion.* // 酸は金属を*腐食する Acid causes metal to *corrode.* / Acid ⌈*corrodes* [*eats into*] metal. 腐食作用 corrosion Ⓤ 腐食止め anticorrosive /æ̀ntikəróusiv/ Ⓒ 腐食防止剤 corrósion inhibitor Ⓒ.

ふしょく² 腐植 humus /(h)júːməs/ Ⓤ. 腐植栄養湖 dystrophic lake Ⓒ 腐植土 humus Ⓤ.

ふしょく³ 扶植 ━名 implantation Ⓤ. ━動 plant ⓗ, implant ⓗ; (勢力などを確立する) establish ⓗ.

ぶじょく 侮辱 ━名 ínsult Ⓤ ★最も一般的. 具体的な例を指す場合は Ⓒ; (軽蔑) contémpt Ⓤ. ━動 insúlt ⓗ. 《☞ けいべつ (類義語)》. ¶彼の発言は我々に対する*侮辱だ His words are an *insult* to us. // 私はこんな*侮辱に耐えられない I cannot put up with such an *insult.* // 彼は私のことをばか呼ばわりして*侮辱した He *insulted* me by ⌈calling me [saying that I was] an idiot. // 彼は法廷*侮辱罪に問われた He was charged with *contempt* of court.

ふしょくふ 不織布 nónwòven fábric Ⓤ.

ふじょし 婦女子 women and children ★複数形で.

ふじわらきょう 藤原京 *Fujiwarakyo*; (説明的には) the imperial capital of Japan from 694 to 710, located in the north of Asuka in the southern Nara basin.

ふじわらのかまたり 藤原鎌足 ━名 固 Fujiwara no Kamatari, 614–669; (説明的には) founder of the politically influential Fujiwara clan, who launched the Taika Reform with Prince Naka no Oe 《☞ なかのおおえのおうじ》.

ふじわらのていか 藤原定家 ── 名 固 Fujiwara no Teika, 1162–1241; (説明的には) a contributor to and compiler of the eighth and ninth Imperial collections of waka poetry, who was the most influential poet and literary critic of his time 《☞ しんこきんわかしゅう》.

ふじわらのみちなが 藤原道長 ── 名 固 Fujiwara no Michinaga, 966–1027; (説明的には) a courtier of the mid-Heian Period, and head of the aristocratic Fujiwara family at the height of its prosperity.

ふしん[1] 不審 ── 名 (疑い) doubt Ⓒ ★ 複数形で用いることが多い; (嫌疑) suspicion Ⓒ 語法 doubt は事実に対する疑惑で, suspicion は悪事に対する疑惑. ── 形 doubtful; suspicious; (はっきりしない) 《格式》 dubious; (疑わしい) questionable; (奇妙な) strange. ── 動 (疑う) doubt ㊀; (不審に思う) be「in doubt [uncertain]. 《☞ ぎわく; ぎもん》.

¶ *不審があるなら自分で確かめなさい If you have any *doubts* [When (you are) in *doubt*], make certain for yourself. // 彼の報告には幾つか*不審な点がある I have some *doubts* about his report. / There are some「*doubtful* [*dubious*] points in his report. // ご*不審な点は (⇒ わからないことは) 何でもお聞き下さい Please ask me anything you *don't understand*. // *不審な (⇒ 不審な振舞いの) 男 a man *behaving suspiciously* 《☞ あやしい》 // 警官はその男を*不審に思った The policeman was *suspicious* of the man. // みんなは彼が来なかったことを*不審に思った Everybody thought it *strange* that he had not come. // 彼はその見知らぬ人を*不審そうに見た He gazed at the stranger with *suspicion*.

不審尋問 ── 名 questioning Ⓤ. ── 動 question ㊀. ¶ 私は警官に*不審尋問を受けた I *was questioned* by a policeman. **不審船** mystery [suspicious] ship Ⓒ **不審火** (原因が疑わしい火事) fire of suspicious origin Ⓒ; (放火の疑いがもたれる火事) suspected case of arson Ⓒ. ¶ 警察はその火事を*不審火と見て (⇒ 放火によるものと疑って) 原因を調査中だ Police are investigating the cause of the fire on *suspicion that it was arson*.

ふしん[2] 不信 ── 名 (不実) faithlessness Ⓤ; (不誠実) insincerity Ⓤ; (不信頼) distrust Ⓤ ★ しばしば a が付く; (不信用) discredit Ⓤ. ── 形 faithless; unfaithful; insincere; distrustful; discreditable; (疑わしげな) 《格式》 dubious. 《☞ うたがわしい》. ¶ 私は政治に対して*不信の念を持っている I have「*a distrust* of [*no trust* in] politics. // 彼の顔には*不信の色が見えた There was a「*distrustful* [*dubious*] look on his face. **不信感** distrust Ⓤ ★ しばしば a が付く, a feeling of distrust.

ふしん[3] 不振 ── 形 (活気がない) dull; (不活発な) inactive; (不景気な) slack; (沈滞した) stagnant; (成績・結果などが) bad ★ 広い意味の一般的な語; (貧弱な) poor. ── 名 dullness Ⓤ; inactivity Ⓤ; (不景気) depression Ⓒ; (不調) slump Ⓒ.

¶ 2 月は商売が*不振だった Business was「*dull* [*slow*] in February. // 失業者の増加は国内産業の*不振による The「rise [increase] in unemployment is due to the *depression* in domestic industries. // そのチームの今年の成績は*不振だった The team has made a *poor* showing this year. // 病気のときは食欲*不振になる When we are sick, we have a *poor* appetite. // 業績*不振 *poor* (business) results

ふしん[4] 普請 ── 名 (建てること) building Ⓤ; (建造) construction Ⓤ ★ 修理作業の意味では通例複数形で. ── 動 build ㊀; construct ㊀ ★ 後者のほうが格式ばった語. ¶ この家の*普請には 3 か月かかった The「*building* [*construction*] of this house took three months. / It took three months to「*build* [*construct*; *put up*] this house.

ふしん[5] 腐心 ── 動 (苦心をする) take pains「to *do* ... [over ...] 《☞ くしん》.

ふしん[6] 浮心 〘物理〙 the center of buoyancy.

ふじん[1] 婦人 ── 名 (成人した女性) woman Ⓒ 《複 women》 ★ 最も一般的; (敬称的に) lady Ⓒ; (総称) womankind Ⓤ. ── 形 woman Ⓐ; (女性の) female /fíːmeɪl/ (↔ male) ★ 客観的に性別をいうとき. 《☞ じょせい[1]; おんな (類義語)》.

¶ これは*婦人用の時計です This is a「*ladies'* watch [watch for *ladies*].

婦人運動 the women's movement Ⓒ **婦人科** gynecology /gàɪnəkɑ́lədʒi/ Ⓤ **婦人科医** gynecologist Ⓒ **婦人会** women's「organization [club; group] Ⓒ **婦人解放運動** ☞ じょせい[1] (女性解放運動) **婦人解放運動家** feminist Ⓒ 《☞ じょせい[1] (女性解放論者); フェミニスト》 **婦人学級** open school for women Ⓒ **婦人警(察)官** policewoman Ⓒ 《☞ じょせい[1] (女性警(察)官)》 **婦人雑誌** ☞ じょせい[1] (女性誌) **婦人参政権** woman [women's] suffrage Ⓤ **婦人参政権条約** Convention on the Political Rights of Women **婦人自衛官** female self-defense official Ⓒ **婦人相談所** clinic for women's problems Ⓒ **婦人の日** ☞ じょせい[1] (女性の日) **婦人病** women's diseases ★ 通例複数形で. **婦人服** ladies' wear Ⓤ; (ドレス) dress Ⓒ **婦人問題** women's issue Ⓒ.

ふじん[2] 夫人 (妻) wife Ⓒ 《複 wives》; (敬称) Mrs. 語法 (1) 姓の前に付けて用いる. 《英》ではピリオドを付けない; Madam(e) ★ 英米人には Madam /mǽdəm/, 他国の既婚女性を指す場合は Madame /mədǽm/; Lady ★ Lord および Sir の肩書きを持つ人の妻. 《☞ きょう[4]; おくさま》.

¶ 田辺氏は*夫人同伴だった Mr. Tanabe was accompanied by his *wife*. // 私はたまたまテイラー*夫人と劇場で出会った I happened to meet *Mrs.* Taylor at the theater. 語法 (2) 元来ジョン スミス夫人という場合は *Mrs.* John Smith のように夫の名前に Mrs. を付け, 夫人の名前に付けて Mrs. Mary Smith のように言うのは職業上の理由か, 夫が死亡している場合とされていた. ただし最近では必ずしもそうとは言えない. // キュリー*夫人 *Madame* Curie

ふじん[3] 布陣 battle array Ⓒ ★ やや古風な語.

ぶじん 武人 (軍人) soldier Ⓒ; (戦争に長けた人) warrior Ⓒ ★ 前者は後者の意味を含む.

ふしんじん 不信心 ── 形 (宗教に無関心な) indifferent to religion; (宗教を信じない) unbelieving; (神に対する敬虔(けいけん)な気持ちに欠ける) 《格式》 impious /ímpiəs/; (無宗教の) irreligious; (無神論の) atheistic /èɪθiístɪk/. ── 名 ùnbelíef Ⓤ ★ 積極的に信じることを拒否するのは disbelief Ⓤ; (不信心の人) unbeliever Ⓒ; (無神論者) atheist Ⓒ; (不信心) 《格式》 impiety /ìmpáɪəti/ Ⓤ ★ 言動は Ⓒ で, しばしば複数形で用いられる.

¶ 両親は仏教に熱心ですが, 私は*不信心でめったに仏壇を拝むこともありません Although my parents are devout Buddhists, I'm「*indifferent to religion* [an *unbeliever*] and rarely pray in front of our family altar.

ふしんせつ 不親切 ── 形 unkind; (親しみを示さない) unfriendly. ── 名 unkindness Ⓤ; unfriendliness. ¶ 彼はその外国人に*不親切だった He was「*unkind* [*unfriendly*] to the foreigner. // あの店は*不親切だ (⇒ サービスが悪い) That store *gives poor service*. / They *give poor service* in that store.

ふしんにん 不信任 nonconfidence Ⓤ.
¶衆議院で内閣*不信任の決議がなされ, 内閣は総辞職した The House of Representatives passed a *nonconfidence* resolution, and the Cabinet resigned en masse /ɑːŋmǽs/. // 彼らは議長*不信任の動議を出した They「moved [presented a motion for] a vote of *no confidence* in the chairman. **不信任案** nó-cònfidence mótion Ⓒ **不信任決議案** nonconfidence resolution Ⓒ.

ふしんばん 不寝番 ―(寝ずの番) vigil Ⓒ; (夜警) night watch Ⓤ; (人) night watchman Ⓒ.
¶*不寝番をする keep「*vigil* [*watch during the night*]

ふす¹ 伏す (うつ向く) droop ⓐ; (横になる) lìe dówn ⓐ. 《☞ ふせる¹; うつむく》.

ふす² 付す ☞ ふする

ふず 付図 attached diagram Ⓒ ★ 場合に応じて diagram のところを chart, table などとする. 《☞ ず¹》.

ふずい¹ 付随 ― 動 (伴って起こる) accompany ⑯; (結果として伴う) attend ⑯. ― 形 (随伴する) attendant; (同時に生じる) 《格式》 concomitant. 《☞ ともなう》. ¶その件に*付随して問題がもう1つ生じた (⇒ もう1つの問題がその件に伴って起こった) Another problem *has accompanied* the case.

ふずい² 不随 ― 動 (不随となる) be párалỳzed. ― 图 (麻痺) parálysis Ⓤ. 《☞ まひ》. ¶彼女の父は半身*不随になった Her father *was* partially *paralyzed*. // その事故で彼は全身*不随になった (⇒ 事故が彼を全身不随にさせた) The accident left him with「general [total] *paralysis*.

ぶすい 不粋 ― 形 (散文的な・無味乾燥な) prosáic ★ やや格式ばった語; (気のきかない) tactless; (鈍感な) insensitive. 《☞ やぼ》. ¶そんな話を持ち出すなんてあなたも*不粋だね (⇒ そんな話題を持ち出すのは鈍感だ[気がきかない]) It is「*insensitive* [*tactless*] of you to bring up such a subject.

ふずいいきん 不随意筋 ínvóluntàry múscle Ⓒ.

ふすいしょくぶつ 浮水植物 floating plant Ⓒ.

ふすう 負数 〘数〙 negative number Ⓒ (↔ positive number) 《☞ 数字 (囲み)》.

ぶすう 部数 the number of copies; (新聞などの発行部数) circulation Ⓒ.

ぶすっと ¶彼女は*ぶすっとしていた She「looked [was] *sullen*. / (⇒ 不機嫌な顔をしていた) She wore a *sullen* look. 《☞ ふきげん; 擬声・擬態語 (囲み)》

ぶすぶす ¶火は*ぶすぶすいって消えてしまった The fire *sputtered* out. // *ぶすぶすいっていた燃えさしが突然ぱっと燃え上がった The *smoldering* embers suddenly burst into flame(s). 《☞ ぱちぱち; くすぶる; 擬声・擬態語 (囲み)》

ぷすぷす ¶*ぷすぷすと穴をあける prick one hole after another 《☞ ぷすりと; 擬声・擬態語 (囲み)》

ふすべる 燻べる ☞ いぶす

ふすま¹ 襖 *fusuma* Ⓒ ★ 単複同形, Japanese (paper-covered) sliding door Ⓒ 日英比較「ふすま」そのものが英米にはないから, 状況によっては a *fusuma*, a Japanese sliding door のように説明的に訳すほうがよい場合がある. ¶*ふすまをしめる[開ける] close [open] the *fusuma* **襖絵** painting on the *fusuma* Ⓒ **襖紙** *fusuma* paper Ⓤ.

ふすま² 麩 (穀物の殻) bran Ⓤ.

ぶすりと ¶暴漢は彼の脇腹に*ぶすりとナイフを突き刺した The thug「*thrust* [*plunged*; *ran*] a knife *home* into his side. // 彼は短刀を畳に*ぶすりと突き立てた He *stuck* a dagger into the tatami mat. 《☞ ぐさりと; つきさす; 擬声・擬態語 (囲み)》

ぷすりと ¶私は針で紙に*ぷすりと穴をあけた I *pricked* a hole in the paper with a needle.

フズリナ 〘古生〙 (紡錘虫) fusulinid /fjùːzəlínɪd/ Ⓒ.

ふする 付する (任せる) refer ⑯; (仕事などをあてがう) assign ⑯; (提出する) submit ⑯. ¶調査の仕事は委員会に*付すことになった The research *has been*「*referred* [*assigned*] to the committee. // この提案は来週閣議に*付される This proposal is to *be submitted* to the Cabinet meeting next week.

ぶする 撫する ☞ なでる

ふせ 布施 (供物・献金) offering Ⓒ.

ふせい¹ 不正 ― 形 (不当な) unjust; (不公正な) unfair; (よくない) wrong; (悪意のある) wicked /wíkɪd/; (ごまかしの) dishonest; (違法の) unlawful, illegal ★ 後者のほうが格式ばった語. ― 图 (正当でないこと) injustice Ⓤ; (道義上の悪) wrong Ⓤ; dishonesty Ⓤ; illegality Ⓤ ★ 以上いずれも具体的な行為を指すときは Ⓒ; (汚職) corruption Ⓤ; (汚職事件) 《略式》 payoff scandal Ⓒ; (地位・特権を利用した収賄) 《米略式》 graft Ⓤ. 《☞ おしょく; わいろ; ぞうわい; しゅうわい》.
¶私は何も*不正はしていません (⇒ 悪いことはしていない) I have done nothing *wrong*. / (⇒ 公明正大です) Everything I did was fair and square. ★ 類義語を並べると強調した表現になる. // 戦争といえども*不正は許されるべきではない *Injustice* should never be allowed, even in war. // 彼らのしていることは*不正だ (⇒ 法にはずれた行為だ) What they are doing is an「*unlawful* [*illegal*] act. // 彼は試験で*不正をした (⇒ カンニングした) He *cheated* on the exam. // 調査の結果その*不正が発覚した (⇒ 調査がその汚職を明るみに出した) The investigation has brought the「*corruption* [*graft*] to light. // *不正をしないで堂々と勝負をしなさい Play *fair*.
不正アクセス unlawful computer access Ⓤ **不正業者** dishonest「dealer [businessman] Ⓒ **不正競争防止法** the Unfair Competition Prevention Law **不正行為** dishonesty Ⓒ, dishonest act Ⓒ; (競技の反則) foul play Ⓤ; (カンニング) cheat Ⓒ; (汚職) corruption Ⓤ; (特に贈収賄) bribery Ⓤ ★ 具体的な事件を指すには a bribery case とするか, a payoff scandal のように言う. **不正資金浄化** (money) laundering Ⓤ **不正支出** mìsappropriátion Ⓤ **不正手段** dishonest [unlawful] means ★ 単複両扱い. **不正乗車** illegal (train) ride Ⓒ 《☞ ただのり》. ¶列車[電車]に*不正乗車する *steal a ride* on a train **不正商品** counterfeit goods ★ 複数形で. **不正食品** foods containing prohibited additives ★ 通例複数形で. **不正投票** illegal [fraudulent] voting practice Ⓒ, voting irregularity Ⓒ **不正取引** unfair [illegal] dealings **不正入学** ¶いまだに*不正入学 (⇒ 裏金による入学) はあとを絶たない We still find cases of people *obtaining a place at school using bribery*. **不正入札** bid rigging Ⓒ **不正表示** deceptive statement Ⓒ; (ラベル) deceptive label Ⓒ **不正目的** criminal intent Ⓤ **不正融資** illicit financing Ⓤ.

ふせい² 父性 《格式》 paternity Ⓤ.
父性愛 paternal love Ⓤ.

ふぜい 風情 ― 图 (様子) appearance Ⓒ. ― 形 (風流な) tasteful (↔ tasteless); (優雅な) elegant. 《☞ おもむき; あじわい》. ¶彼の家は*風情がある (⇒ 趣味よく建てられている) His house is *tastefully* built. // この通りはパリの*風情がある (⇒ パリを思い出させる) This street *reminds* me *of* Paris.

ぶぜい 無勢 ☞ たぜい

ふせいかく 不正確 ― 形 (間違っている) incorrect; (事実と合致しない) ináccurate; (忠実でない) unfaithful; (厳密に合致しない) inexact. ── 名 ìnáccuracy U; incorrectness U; ìnexáctitùde U. 《☞ まちがい; あやまり》. ¶この時計は*不正確だ This clock is *incorrect*. / (⇒ 正しい時間を守らない) This clock *does not keep good time*. // 私はその問題に*不正確な (⇒ 間違った) 答えをしてしまった I gave an *incorrect* answer to the question. // この翻訳は*不正確だ This translation is ｢*inaccurate* [*unfaithful* (to the original)].

ふせいこう 不成功 ── 名 (失敗) failure /féɪljɚ/ U (↔ success) ★ 失敗した人・企てなどは C. ── 形 unsuccessful; (実を結ばない) fruitless (↔ fruitful); (失敗に終わる) abortive ★ 前 2 者より格式ばった語. ── 動 (失敗する) fail (in ...) 自 他 ★ 一般的な語; (無に帰す) come to nothing. 《☞ しっぱい》. ¶実験は*不成功だった The experiment was ｢*unsuccessful* [a *failure*]. / The experiment ｢*failed* [ended in *failure*]. // 彼女は歌手としては*不成功だった (⇒ 失敗者だった) She was a *failure* as a singer.

ふせいごう 不整合 〔論〕 inconsístency U; 〔地〕 ùnconfórmity U; 〔電〕 mìsmátching U.

ふせいこうごう 不正咬合 〔歯〕 malocclusion U.

ふせいじつ 不誠実 ── 形 (誠意のない) insincere; (忠実でない) unfaithful; (不実な) faithless; (正直でない) dishonest. ── 名 insincerity U; unfaithfulness U; dishonesty U. 《☞ ふまじめ; ふしょうじき》.
¶私は彼の*不誠実さに腹が立った His *insincérity* ｢made me angry [angered me]. // *不誠実な友達とは付き合わないほうがよい (⇒ 避けるべきだ) You should avoid ｢*faithless* [*dishonest*] friends.

ふせいしゅつ 不世出 ── 形 (最も偉大な) greatest; (並ぶ者のない) unparalleled. 《☞ いだい¹; ひるいない》.

ふせいしょくぶつ 腐生植物 saprophyte C.

ふせいせき 不成績 ── 名 poor ｢record [result] C. ── 形 poor, unsuccessful. 《☞ せいせき¹》.

ふせいみゃく 不整脈 irregular pulse C, 〔医〕 arrhythmia /əríðmiə/ C.

ふせいりつ 不成立 ── 名 (失敗) failure U; (目的を達しないこと) 《格式》 miscarriage /mɪskǽrɪdʒ/ U. ── 動 (失敗する) fail 自; (不成功に終わる) 《格式》 miscarry 自. 《☞ ふせいこう; しっぱい; せいりつ》.
¶議案は*不成立だった (⇒ 通らなかった) The bill ｢did not [*failed* to] pass. // 法案の*不成立は政府にとって大打撃だった The *miscarriage* of the bill was a great blow to the government. // 交渉は*不成立に終わった The negotiations *have* ｢*failed* [*fallen through*]. // 会は出席者少数で*不成立だった (⇒ 延期になった) The meeting *was adjourned* /ədʒə́:nd/ owing to the poor attendance.

フセイン ── 名 固 Saddam Hussein /sædǽm hu:séɪn/, 1937–　. ★ イラクの軍人・政治家.

ふせき 布石 (戦略的な手) strategic /strətí:dʒɪk/ move C. ¶*布石を打つ make a *strategic move* / make *strategic arrangements*

ふせぐ 防ぐ (攻撃に抵抗して防御する) defend 他; (危害などからかばう) protect 他; (予防する) prevent 他; (用心して…しないようにする) guard (against ...) 自 ★ 他 の用法もある; (阻止する・止める) check 他; (寄せつけない) kèep ｢óff [óut] 他 ★ 口語的. 《☞ まもる; はばむ; ぼうし²; かばう》.
¶彼の気転が事故を*防いだ His quick thinking *prevented* an accident. // このオイルは日焼けを*防いでくれる This oil ｢*guards* your skin *against* [(⇒ 保護するものである) provides *protection* from] the sun. // このコートなら寒さが*防げる (⇒ このコートはあなたを寒さから守る) This coat will ｢*protect* you *from* [(⇒ 寒さを寄せつけない) *keep out*] the cold. // 彼は虫歯を*防ぐ (⇒ 予防する) ために毎食後歯を磨く He brushes his teeth after each meal to ｢*prevent* [*guard against*] tooth decay.

ふせじ 伏せ字 ¶一昔前は下品な語は*伏せ字 (⇒ ダッシュの連続) になっていた Not long ago, ｢vulgar [obscene /ɑbsí:n/] words were spelled with a series of dashes for concealment. 《☞ ダッシュ (巻末)》

ふせつ¹ 敷設 ── 動 (管などを敷く) lay 他; (建設する) construct 他; (作り上げる) build 他 〔語法〕 construct も build もほぼ同意に用いられるが, build のほうが口語的. また construct には計画に基づいて建設するという含みがある. ── 名 construction U; building U. ¶ガス管を*敷設する *lay* a gas pipe // 両市の間に鉄道が*敷設される A railroad will *be* ｢*constructed* [*built*] between the two cities.
敷設艦 (機雷の) mine layer C.

ふせつ² 付設 ¶病院*付設の薬局 a dispensary *attached to* a hospital

ふせつ³ 符節 tally C 《☞ わりふ》. **符節を合わせる** (一致する) tally (with ...) 自, match up (with ...) 自. ¶あなたがたの話は*符節を合わせたようだ Your accounts all **tally with* each other.

ふせっせい 不摂生 ── 名 (自分の健康に気をつけないこと) neglect of *one's* health U. ── 動 neglect *one's* health. ¶*不摂生をしてはいけない (⇒ 健康を無視してはいけない) You should not *neglect your health*. / (⇒ 健康な生活を送るよう努めなさい) Try to lead a wholesome life.

ふせぬい 伏せ縫い ── 名 hemming U, fell U. ── 動 hem 他, fell 他.

ふせる¹ 伏せる **1** 《下にする》: (身を) lie dówn 自 《過去 lay; 過分 lain》; (物を逆にする) put ... upside down; (表を下にして) put ... face ｢down [downward(s)] ★ downwards は主に 《英》; (視線などを) cást dówn 他 《過去・過分 cast》.
¶彼らは床の上に身を*伏せた They *lay down* (*face downward*) on the floor. // 本を机の上に*伏せて置きなさい *Put* your books *face down*(*ward*) on the desk. // 彼女は目を*伏せた (⇒ 下を向いた) She *looked downward*. / (⇒ 視線を下げた) She *cast down* her eyes.
2 《隠す》 ¶その件は当分の間*伏せておいて下さい (⇒ 秘密にする) Please ｢*make it a secret* [(⇒ あなただけにしておく) *keep it to yourself*] for the time being. / (⇒ だれにも言うな) Please don't tell anybody about it for the time being. 《☞ かくす》

ふせる² 臥せる (横になる) líe dówn 自 《過去 lay; 過分 lain》; (床につく) go to bed. ¶1 週間ばかり*臥せっていました (⇒ 病気で寝ていた) I *have been* ｢*sick* [*ill*] *in bed* for about a week.

ふせん¹ 付箋 (一時的なもの) tag C; (内容などをも示しての) label C. ¶私の手紙は「配達不能」の*付箋がついて返ってきた My letter was mailed back with a *tag* ｢reading [marked] " undeliverable. "

ふせん² 不戦 **不戦決議** no-war resolution C **不戦勝** ── 名 default win C. ── 動 win (a game) by default **不戦条約** antiwar ｢treaty [pact] C **不戦敗** ── 名 default U. ── 動 lose (a game) by default.

ふぜん¹ 不善 ¶小人閑居して*不善をなす 《ことわざ: 怠惰は諸悪の根源》 Idleness is the ｢root [mother] of all ｢*evil* [*sin; vice*].

ふぜん² 不全 (不完全) incompleteness U; (不十分) inadequacy U; (停止・故障) failure U. 《☞

ふ

ふかんぜん》.

ぶぜん 憮然 ¶彼は*憮然として(⇒びっくりして[落胆して]) それを見ていた He was looking at it ˹surprisedly [disappointedly]. (☞ぼうぜん)

ふせんうんどう 普選運動 (普通選挙実現の運動) movement for universal suffrage Ⓒ.

ふせんめい 不鮮明 ── [形] indistinct; (明らかでない) unclear; (ぼやけた) blurred; (焦点が合ってなくて) out of focus. ── [名] indistinctness Ⓤ.

ふそ 父祖 (先祖) ancestors, forefathers ★ 後者は文語的. ¶*父祖伝来の宝物 ancestral treasures / treasures passed down by one's ancestors

ぶそう 武装 ── [名] (軍備) armaments ★ 通例複数形で; (装備) military equipment Ⓤ. ── [動] (武装する) arm ㊍. (☞ひぶそう).
¶ライフルで*武装した男が銀行へ押し入った A man armed with a rifle forced his way into the bank. **武装解除** disarmament Ⓤ **武装警官** armed policeman Ⓒ **武装ゲリラ** group of armed guerillas Ⓒ **武装工作員** armed ˹operative [agent] Ⓒ **武装中立** armed neutrality Ⓤ **武装闘争** armed struggle Ⓒ **武装ヘリコプター** armed helicopter Ⓒ **武装蜂起** ── [名] armed uprising Ⓤ. ── [動] rise (up) in arms (against ...).

ふそうおう 不相応 ── [形] (ふさわしくない) not suited (for ...) Ⓟ, unsuited (for ...) Ⓟ; (不似合な) 《格式》 unbecoming. ── [副] (収入に比べて) beyond one's means; (能力・地位に比べて) above oneself. (☞みぶん). ¶彼は分*不相応な家に住んでいる (⇒彼の収入にとってあまりに大きな) He lives in a house too large for his means.

ふそきゅう 不遡及 ── [形] not retroactive.

ふそく¹ 不足 1 《物についての不十分・欠乏・窮乏》 ── [名] (欠乏) lack Ⓤ; (重大な欠乏) want Ⓤ; (通常のものの欠乏) shortage Ⓤ; (本質的な物の欠乏・欠陥) 《格式》 deficiency Ⓤ; (不十分なこと) 《格式》 insufficiency Ⓒ; (特に金額の) déficit Ⓒ. ── [形] short; (不十分な) insufficient; (豊富なものが一時的に不足で) scarce; (供給がなくて不足して) in short supply. ── [接頭] (…不足の) under- (↔ over-). ── [動] (必要なものが不足する) lack ㊍; (足りなくなる) run short ㊔; (足りない) want ㊍. (☞たりない; ふじゅうぶん; けつぼう (類義語)).
¶水*不足 lack [shortage] of water / (⇒水道などの) an insufficient supply of water // 食糧[石油]*不足 food [oil] shortage // この 2, 3 日睡眠*不足です (⇒よく眠っていない) I haven't slept well for the past few nights. / I've been suffering from lack of sleep for the past few nights. // おつりが 100 円*不足です I'm afraid the change is ˹¥100 short [short by ¥100; short ¥100]. // 最近私は運動*不足だ I haven't had enough exercise lately. // この写真は少し露出が*不足している This picture is a little underexposed. // この学校は教室が*不足している (⇒私たちの学校は) Our school doesn't have enough rooms for classes. / There is a shortage of classrooms in this school. // これでは*不足を補うのには足りません This is not enough to ˹overcome the shortage [(⇒不足の金額を払うには) cover the deficit]. // 去年の冬は野菜が*不足した Green vegetables were ˹scarce [in short supply] last winter. // 米が*不足してきている We are running short of rice. // 彼はそのころは何*不足なく暮らしていた (⇒快適に暮らしていた) He lived ˹in comfort [quite comfortably] at that time. / He was comfortably off in those days. // 勉強*不足 lack of ˹study [work] // 人手*不足 a labor shortage // あいつなら相手にとって*不足はない (⇒私にとって好敵手です) He's a good match for me.
2 《不満》: (不満足) dissatisfaction Ⓤ; (不平) complaint Ⓒ. (☞ふまん; ふへい).
不足額 deficit Ⓒ.

コロケーション
一時的な不足 a temporary shortage / 常時不足 a ˹perpetual [permanent] shortage / 深刻な不足 an acute [a severe] shortage / 慢性的な不足 a chronic shortage

ふそく² 不測 ── [形] (予測できない) unexpected, unforeseen ★ 前者のほうが一般的; (偶発的な) accidental. ── [名] (不測の出来事) 《格式》 contingency Ⓒ; (事故) accident Ⓒ. (☞まんいち; ふじ¹). ¶*不測の事態に備えて警官がそこにいた Policemen were there to be ready for any contingency.

ふそく³ 付則 (追加された規則) additional rule Ⓒ; (補遺の規定) supplementary provision Ⓒ.

ふぞく 付属 ── [形] (付属した) attached. ── [動] (…に付属している) be attached to ... ¶私たちの高校はその大学に*付属している Our high school is attached to that university. **付属学校** attached school Ⓒ **付属語** dependent word Ⓒ; (説明的には) words, such as auxiliary verbs and postpositional particles that attach to other independent words so structuring sentences **付属高等[中]学校** attached ˹senior [junior] high school Ⓒ **付属肢** 〘生〙 appendage Ⓒ **付属小学校** attached ˹elementary [primary] school Ⓒ **付属設備** attáched [annéxed] ˹equípment Ⓤ [facílities]. ★ facility は複数形で. **付属品, 付属物** accéssories, belongings ★ 複数形で.

ぶぞく 部族 tribe Ⓒ.

ふそくふり 不即不離 ── [形] (中立的な) neutral; (近すぎず離れすぎず) neither too close to nor too remote from ... (☞つかずはなれず). ¶*不即不離の態度をとる remain neutral / take a neutral stand

ふぞろい 不揃い ¶これらは大きさが*不揃いです (⇒同じ大きさではない) These are not of ˹the same [uniform] size. / (⇒大きさの点で異なる) They ˹vary [are irregular] in size.

ふそん 不遜 ── [形] ínsolent (☞ごうまん; おうへい (類義語); なまいき).

ふた 蓋 (箱などの) lid Ⓒ; (瓶などの) cap Ⓒ, top Ⓒ ★ top は箱のふたにも用いる; (ねじ込み式のふた) screw top Ⓒ; (覆い) cover Ⓒ; (時計の) case Ⓒ. ¶牛乳びんの*ふた the top of a milk bottle // 箱の*ふたが閉まっている[開いている] The top of the box is ˹on [off]. ★ ふたが外れる場合. / The box is ˹shut [open]. ★ ふたが外れない場合. // 箱の*ふたを閉めなさい Shut [Put the lid on] the box. ★ shut はふたが外れない場合. put the lid on ... はふたが外れる場合. // 彼女は瓶の*ふたを開けた She ˹took off the bottle cap [opened the bottle]. // 鍋に*ふたをしておきなさい Keep the saucepan covered. // *ふたのついた入れ物 a ˹receptacle [container] with a lid // *ふたのない入れ物 a ˹receptacle [container] without a ˹lid [top] // その結果は*ふたを開けてみないとわからない (⇒だれも結果を予測することはできない) No one can predict the results.

ふだ 札 (はり付けた) label /léɪb(ə)l/ Ⓒ; (ひもなどで付けた) tag Ⓒ; (名札など) card Ⓒ, nameplate Ⓒ; (引き換えの) claim ˹ticket [check] Ⓒ; (トランプなどの) (playing) card Ⓒ; (お守りの) talisman Ⓒ, charm Ⓒ; (番号札) number ˹ticket [plate] Ⓒ. (☞なふだ). ¶小包に*札が付いている There is a tag on the parcel. / There is a card tied on the packet. // 君が*札を配る番だ It's your turn to deal the *cards*.

ぶた 豚 〘動〙(一般に) pig Ⓒ, 《米》 hog Ⓒ; (雌豚) sow /sáu/ Ⓒ; 《文》 swine Ⓒ ★ 単複同形. ことわざなどで用いる; (小豚) piglet Ⓒ; (豚肉) pork Ⓤ [日英比較] 日本語では「豚」で動物としての豚と豚肉の両方を指すことができるが, 英語ではそれぞれを pig と pork という別々の語で表す. (☞ おす³ (表); 動物の鳴き声 (囲み)). ¶『三匹の子*豚』*The Three Little Pigs* ★ ディズニーの漫画映画の題名. // 焼き*豚 roast *pork* / (⇒ 丸焼きの) roast *pig* **豚に真珠** cast [throw] pearls before swine 《ことわざ》 **豚小屋** 《米》 pigpen Ⓒ, 《英》 pigsty /pígstài/ Ⓒ. ¶ここは*豚小屋みたいだわ. ちゃんと片づけなさい Is this a *pigpen* or what? Tidy things up! **豚汁** miso soup with pork and vegetables Ⓤ **豚肉** pork Ⓤ **豚箱** ── [名] 《俗》 jug Ⓒ, dump Ⓒ. ── [動] (豚箱に入れる) 《俗》 jug (他), put *a person* behind (the) bars. (☞ けいむしょ; りゅうち).

ふたあけ 蓋明け (開始) the opening; (芝居などの初日) the first night.

ふたい 付帯 **付帯決議** (補助的な) supplementary /sʌ̀pləmént(ə)ri/ [supporting; supportive] resolútion Ⓤ **付帯工事** related work Ⓤ **付帯事項** supplementary item Ⓒ **付帯状況** (その時の状況) the circumstances ★ 複数形で; (付随する事実) accompanying fact Ⓒ **付帯条件** incidental condition Ⓒ **付帯税** additional tax Ⓒ **付帯設備** attached facilities ★ 複数形で. **付帯費用** incidental [supplementary] expenses ★ 複数形で.

ふだい 譜代 ── [形] (代々の) heréditàry. ¶徳川家*譜代の大名 a *daimyo* in *hereditary* vassalage /vǽsəlɪdʒ/ to the Tokugawas

ぶたい¹ 舞台 stage Ⓒ; (活動の舞台) *one's* field of action Ⓒ, *one's* sphere of activity Ⓒ; (一場面・小説などの舞台) scene Ⓒ; (式の場) occasion Ⓒ. (☞ げきじょう¹ (挿絵)).

¶ 彼女は生まれて初めて*舞台に立った She ⌈appeared on [took to; went on] the *stage* for the first time in her life. // *舞台は変わって 1931 年のパリです The *scene* has changed and it is now Paris in 1931. // 彼女はニューヨークで初*舞台を踏んだ She made her *debut* in New York. ★ debut /déɪbju:/ は「初舞台」. // 彼女は授賞式の晴れの*舞台に何を着ようかと考えた She wondered what to wear on the ⌈formal [ceremonial] *occasion* of receiving the prize.

舞台衣装 theátrical cóstumes ★ 複数形で. **舞台裏** ── [副] [形] (劇場の舞台裏で[の]) backstage. ¶*舞台裏でどんな取り引きがあったか知っているのですか Do you know what has taken place *behind the scenes*? / (⇒ 彼らの舞台裏の暗躍について) Do you know anything about their ⌈*behìnd-the-scénes* maneuvers /mən(j)ú:vəz/ [*báckdòor* déaling]? **舞台裏交渉** behind-the-scenes negotiations ★ 複数形で. **舞台監督** stage director Ⓒ **舞台稽古** ── [名] (衣装を着けての本格的なリハーサル) dress rehearsal Ⓒ. ── [動] have a (dress) rehearsal **舞台芸術** theatrical art Ⓤ, performing arts ★ 複数形で. **舞台劇** stage play Ⓒ **舞台効果** stage effect Ⓒ **舞台照明** stage lighting Ⓤ **舞台装置** stage setting Ⓤ **舞台装置家** set designer Ⓒ **舞台中継** relay of the stage Ⓒ, stage relay Ⓒ **舞台道具** (stage) properties ★ 複数形で. **舞台度胸** (舞台上の貫禄) stage presence Ⓤ. ¶彼女は*舞台度胸がない She doesn't have *stage presence*. / She has *stage fright*. / She ⌈gets [suffers from] *stage fright* very easily.

ぶたい² 部隊 (軍隊の) unit Ⓒ. ¶機械化*部隊 a mechanized *unit* **部隊長** commanding officer Ⓒ (略 C.O., CO).

ぶだい 武鯛 〘魚〙 parrot fish Ⓒ.

ふたいてん 不退転 ¶彼は*不退転の決意でその仕事を引き受けた He undertook the duties with an ⌈*unyielding* [*unwavering*] ⌈determination [resolve].

ふたいほとっけん 不逮捕特権 immunity from arrest Ⓤ.

ふたえ 二重 ── [形] double; (2 つに折れ重なった) twofold. (☞ にじゅう¹). **二重まぶた** double eyelid Ⓒ (☞ まぶた).

ふたおや 二親 (both) parents (☞ りょうしん¹). ¶彼女は*二親がそろっている She has *both parents* living. / *Both* her *parents* are living.

ふたく¹ 付託 ── [動] refer (他), commit (他). ¶この案件は国連に*付託することにしよう We will ⌈*refer* [*submit*] this problem to the United Nations.

ふたく² 負託 ☞ いたく¹

ぶたくさ 豚草 〘植〙 ragweed Ⓒ.

ふたけた 二桁 ── [名] double [two] digits ★ 複数形で. ── [形] double-digit. ¶*二桁の数 a *double-digit* ⌈number [figure] **二桁インフレ** double-digit inflation Ⓤ **二桁上昇率** double-digit rate of increase Ⓒ.

ふたご 双子 (2 人を一緒にして) twins ★ 複数形で. 一方を言うときは a twin. ¶信夫と義夫は*双子の兄弟です Nobuo and Yoshio are *twins*. // 青木君の*双子のお姉さんを知っていますか Do you know Aoki's *twin* sisters? [語法] twin sister と単数にすれば, 青木君は二卵性双生児の一方ということになる. **双子座** Gemini /dʒémənàɪ/, the Twins. (☞ せいざ¹)

ふたごころ 二心 **二心のない** (忠実な) faithful, loyal.

ふたことみこと 二言三言 a few words. ¶彼女は観客に*二言三言お礼を述べた She said *a few words* of thanks to the audience.

ふたことめには 二言目には ¶彼は*二言目には人の悪口を言う (⇒ 絶えず) He *always* ⌈speaks badly of [criticizes] others. / (⇒ 悪口を言わないでは物を言わない) He *never* talks *without* speaking ill of others.

ふださし 札差 (江戸時代に旗本・御家人の俸禄米の換金を請け負った商人) *fudasashi* Ⓒ; (説明的には) rice dealer and financier for the direct retainers, or *hatamoto*, and the low-ranking vassals, or *gokenin*, of the Tokugawa shogunate Ⓒ.

ふたしか 不確か ── [形] uncertain (☞ あやふや; ふかくじつ; ふせいかく).

ふだしょ 札所 temple to which pilgrims offer their cards to mark their visit Ⓒ ★ 説明的な訳. **札所めぐり** ☞ れいじょう (霊場めぐり)

ふたすじみち 二筋道 forked road Ⓒ (☞ わかれみち; ふたまた).

ふたたび 再び (もう一度) again; (2 度) twice; (2 度目に) for the second time; (もう一度) once more. (☞ さいど¹ [語法]; また¹; にど).

¶この地を*再び訪れることはあるまい I don't think I'll be here *again*. / (⇒ 永遠に去る) I am leaving this place *for good*. // 彼女は*再び健康になった She got well *again*. / (⇒ 健康を取り戻した) She *has* ⌈*recovered* [*regained*] her health. // 私は来年の夏アメリカを*再び訪れます I'm going to visit America ⌈*for the second time* [*again*] next summer.

ふたつ 二つ ── [名] two. ── [代] (両方) both.

— 形 (2つの) two; (2つめの) the second; (両方の) both. 《☞ 数字 (囲み)》.
¶*2つでは足りない *Two* is not enough. // *2つ下さい Give me *two*, please. // 私はそれを*2つとも欲しい I want *both* of them. 《☞ りょうほう[2]》// 私はそれを*2つとも (⇒ どちらも) 欲しくない I do*n't* want *either* of them. / I want *neither* of them. 語法 I do*n't* want *both* of them. とすると「私はそれを2つは欲しくない」, つまり「1つだけ欲しい」という部分否定の意味を表す. // お母さんはそのケーキを*2つに切った Mother cut the cake ⌈into *two* (*parts*) [in *two*]. / Mother *halved* the cake.
二つおき ¶彼は*二つおきに赤いばらを植えた He planted red roses ⌈*at* [*in*] *every third* spot. 《☞ -おき》 **二つとない** ¶こんな便利なものは*二つとない There can be nothing more convenient than this. / Nothing can be more useful than this. **二つに一つ** (二つのうち選択できるもの) alternative C. ¶死か降伏か*二つに一つだ The *alternatives* are death or submission. // 取るべき道は*二つに一つだ We have only two *alternatives*. **二つ返事** ¶彼は*二つ返事で (⇒ 快く) 我々の申し出を引き受けてくれた He agreed to our offer *most willingly*. / He ⌈*gave ready consent* [*readily consented*] to our proposal.

ふだつき 札付き — 形 (悪名高い) notórious; (恥ずべきことで有名な) 《格式》 infamous /ínfəməs/ ★ 後者のほうが悪い意味が強い. 《☞ ゆうめい[1] (類義語)》. ¶*札付きの悪党 a *notorious* [an *infamous*] scoundrel

ふたて 二手 ¶彼らは*二手に分かれた They separated into *two groups*. / They went in *two directions*.

ふたとおり 二通り ¶*二通りのやり方があるのですが, 易しいほうを教えましょう There are *two* ways of doing it. I'll tell you the easier one.

ふだどめ 札止め (満席) House Full; (完売) Sold Out ★ 両方とも掲示に用いる; (売り切れ) sellout C ★ 普通単数形で. 《☞ まんいん》.

ブタノール 〖化〗 butanol /bjúːtənɔ̀ːl/ U.

ふたば 双葉 〖植〗 (新芽) sprout C; (子葉) cotyledon /kɑ̀təlíːdn/ C.

ブダペスト — 名 固 Budapest /búːdəpèst/ ★ ハンガリーの首都.

ふたまた 二股 — 名 (二また状のもの) fork C ★ 場合によって2つ以上の場合もある; (枝分かれ) branch C. — 形 (分岐した) forked. — 動 fork 自, branch (off) 自.
¶*二また道 a *forked* road // この道はこの先で*二またになっているから左の方へ行きなさい This road ⌈*forks* [*branches* (*off*)] further ahead. Take the left fork there. // 彼は早稲田と慶応の*二またをかけている (⇒ 両方に志願している) He is applying to *both* Waseda *and* Keio. **二股膏薬** (行為) double-dealing U; (人) double-dealer C, hedger C.

ふため 二目 **二目と見られない** ¶それは*二目と見られない (⇒ 恐ろしい) 惨状だった It was a ⌈*shocking* [*frightful*; *terrible*] sight. // その幽霊は*二目と見られない怖い (⇒ 見るも恐ろしい) 顔だった The ghost had a *hideous* /hídiəs/ face.

ふたもの 蓋物 container with a lid C.

ふたり 二人 two people; (組になった) pair C, couple C. ¶*2人部屋 a *double* room // (ポットに入れて) お茶を*2人分下さい Tea for *two*, please. // 彼らは*2人とも英語の先生です They are *both* English teachers. / *Both* of them are English teachers. // 老夫婦*2人だけで田舎で暮らしています The old man and his wife live *all by themselves* in the country. **二人連れ** ¶しばらくあの*二人連れを見ていて下さい Watch [Keep an eye on] that ⌈*pair* [*couple*] for a while. // 何人かは*二人連れで来た Some came *in pairs*.

フタルさん フタル酸 phthalic /θǽlɪk/ acid U.

ふたん 負担 — 名 (心などの) burden C, load C 語法 前者は比喩的に「心の重荷」という意味で用いられるやや文語的な言葉. 後者も時には burden と同じ意味に使われるが, 仕事量など「具体的な負担」も意味する. — 動 (金を払う) pay 他 自. 《☞ おもに[2]; ぶんたん[1]; はらう》.
¶その費用は私が*負担します (⇒ 払う) Let me *pay* for it. / I will *pay* the expenses. // 彼の*負担が多過ぎる I am afraid it is *too much for* him. / That will ⌈put [be] too heavy a *burden* on him. // 財政的*負担を分かちあう share the financial *burden* // *負担額を軽くしてもらえるように彼に頼んだ I asked him to reduce my *share* (of the expenses).

ふだん[1] 普段 — 形 (毎日の) everyday A; (衣服などが格式ばらない) informal; (衣服などが略式の) casual; (普通の) ordinary; (いつもの) usual; (自然な) natural. 《☞ ふつう[1]; いつも; へいじょう[1]》.
¶緊張しないで*ふだんのままでよいのです Don't ⌈get tensed [tense] up. Just be *natural*. // けさは*ふだんどおり7時に目が覚めた *As usual*, I woke up at seven this morning. ★ as usual は成句. // 英語や数学は*ふだんから勉強しておこう (⇒ 毎日勉強する習慣を作ろう) Let's ⌈*form* [*make*] *a habit of* studying English and math every day.
ふだん着 (平常の服装) everyday clothes ★ 複数形で; (格式ばらない) informal [casual] dress U 語法 パーティーなどで informal dress といえば, タキシードなどの正装が不要であること. casual dress はそのような場合には用いられない語で, 「軽装」「ふだん着」により近い言い方.

ふだん[2] 不断 — 形 (不変の・絶えず続く) constant; (長い間繰り返しながら続く) continual; (生命・努力などが持続する) sustained; (休みなく続く) ceaseless ★ やや文語的. ¶*不断の努力 *sustained* [*constant*] effort(s) / (⇒ 止む所のない) *ceaseless* effort(s)

ブタン 〖化〗 butane /bjúːteɪn/ U.

ぶだんせいじ 武断政治 — 名 government by the military U. — 動 (銃 [剣] によって統治する) govern by the ⌈gun [sword].

ふだんそう 不断草 〖植〗 Swiss chard C.

ふち[1] 縁 (へり) edge C; (一般にものの周辺) fringe C; (がけなどの) brink C; (眼鏡・帽子の) rim C; (コップなどの) brim C; (額縁) frame C. 《☞ へり[1]; はし[2]; めがね (挿絵); ぼうし[1] (挿絵)》.
¶少女は池の*縁まで歩いていった The girl walked to the *edge* of the pond. // 先生は*縁なし[金*縁]の眼鏡をかけている Our teacher wears ⌈*rimless* [gold-*rimmed*] glasses.

ふち[2] 淵 (川のよどみ) pool C; (川の深み) deep channel C; (比喩的に) the depths ★ 複数形で. 《☞ ふかみ》.

ふち[3] 不治 — 形 incurable; (命取りの) fatal. 《☞ ふじ[3]》.

ふち[4] 扶持 (武士の給与) *fuchi* U; (説明的には) salary for samurai U; (米で与えられた給与) a kind of salary for samurai paid in rice during the Edo period.

ふち[5] 不知 ignorance U.

ぶち 斑 — 形 (まだらのある) spotted 《☞ はんてん[1]; まだら[1]》. ¶*ぶちの猫 a *tabby* (*cat*)

ぶちあげる 打ち上げる (…について大言壮語する) talk big about … ¶彼は遷都反対論を*ぶち上げた (⇒ 猛烈に反対した) He *fiercely* opposed the transfer of the capital.

プチアリン 〘生化〙 ptyalin /táɪəlɪn/ Ⓤ.
ふちいし 縁石 curb(stone) Ⓒ.
ふちかがり 縁かがり ―[動] hem (他), hemstitch (他).
ふちかざり 縁飾り ―[名] edging Ⓒ. ―[動] edge (他); (フリルをつける) frill (他).
ぶちかます 打ち噛ます (真っ向からぶつかる) rush headlong at *one's* opponent; (強い一撃を加える) strike a strong blow at ….
ぶちこむ 打ち込む (投げこむ) fling … into ….
¶お前を刑務所に*ぶちこんでやるぞ I'll ⌜*lock* you *up* (*in jail*) [throw you *in jail*].
ぶちころす 打ち殺す slaughter (他), butcher (他).
ぶちこわし 打ち壊し spoiling Ⓤ; ruining Ⓤ. ¶パーティーは*ぶち壊しだった (⇒ 失敗に終わった) The party *ended in failure.* // 彼が遅れたためにその計画は*ぶち壊しになった He *ruined* our plan by coming too late. (☞ ぶちこわす)
ぶちこわす 打ち壊す ―[動] (台無しにする) spoil (他); (すっかりだめにする) ruin (他) [語法] spoil とほぼ同意のこともあるが, ruin のほうが意味が強く, すっかりだめになる結果のほうにより重点が置かれる; (損なう) mar (過去・過分 marred) (他) ★ 文語的; (うち壊す) destroy (他). (☞ こわす; だいなし).
ふちじ 府知事 ☞ ふ[1]
プチせいけい プチ整形 minor cosmetic surgery (to *one's* face) Ⓤ.
ふちどり 縁取り ―[名] hemming Ⓤ. ―[動] hem (他). ¶テーブルクロスをレースで*縁取りする *hem* a tablecloth with lace
ふちどる 縁取る ―[動] (…の境界に置く) border (他); (飾りのように…の縁にある) fringe (他). ¶その公園は緑の木立で*縁取られている (⇒ その周りに…を持っている) The park *has* a ring of trees *around it.* / The park *is fringed* with a row of trees. / A row of trees *fringes* the park.
ぶちぬく 打ち抜く (物が) go through …; (弾などで) put [send] … through …; (貫く) pierce (他).
¶弾丸が壁を*ぶち抜いた A bullet ⌜*went through* [*pierced*] the wall.
ぶちのめす 打ちのめす knóck dówn (他) (☞ うちのめす).
プチブル (人) petit bourgeois /pətíː búəʒwɑː/ Ⓒ; (全体) the petite bourgeoisie, the lower middle class.
ぶちまける 打ちまける ¶彼女はそのことについて何もかも私に*ぶちまけた (⇒ すべてを話した) She *told* me *everything* about it.
プチャーチン ―[名] (固) Evfimii Vasilievich Putyatin /puːtjáːtɪn/, 1804–83. ★ ロシアの海軍提督.
ふちゃく[1] 付着 ―[動] (くっつく) stick (to …) (自) (☞ つく[1]; くっつく). ¶毛布に血痕(けっこん)が*付着している (⇒ 血液のしみがある) There are some bloodstains *on* the blanket. **付着語** ☞ こうちゃく (膠着語)
ふちゃく[2] 不着 **不着郵便** undelivered ⌜mail [(英) post] Ⓤ.
ふちゅう 不忠 ―[形] disloyal. ―[名] disloyalty Ⓤ.
ふちゅうい 不注意 ―[形] (不注意な) careless; (軽率な) thoughtless; (怠慢な) negligent ★ 前 2 者より格式ばった語. ―[名] carelessness Ⓤ; thoughtlessness Ⓤ; negligence Ⓤ; (注意の不足) lack of care Ⓤ. (☞ うかつ; けいそつ).
¶その事故は*不注意によるものです The accident was ⌜caused by [due to] ⌜*carelessness* [*negligence*]. // *不注意な間違いをしないこと Don't make *careless* mistakes.

ふちゅうじつ 不忠実 ―[形] (誓約・義務に反く) unfaithful; (人・党・国家などを裏切る) disloyal. ¶*不忠実な兵士[友] a *disloyal* ⌜soldier [friend]
ふちょう[1] 不調 **1** «体が» ―[形] (一時的に気分がすぐれない) unwell Ⓟ ★ 女性が生理中の意味もある; (健康状態がすぐれない) in poor health Ⓟ; (状態がよくない) out of condition. ―[動] (競技者などが) be out of form, be not in form. (☞ ちょうし[1]; コンディション).
¶私は先月以来どうも*不調です I've been ⌜*unwell* [*in poor health*] since last month. // 彼はいまのところ*不調でその競技には出られまい He *is* ⌜*out of form* [*not in form*] and is unlikely to ⌜play [take part] in the game. // 私の車はエンジンが*不調だ My car developed some engine *trouble.* // わが社の今期の業績は*不調だ (⇒ よくない) Business has ⌜been *bad* [*gone badly*] for us this term.
2 «交渉などの»: (失敗) failure Ⓤ (☞ けつれつ; ものわかれ). ¶話し合いは*不調に終わった (⇒ 失敗に終わった) The talks ended in *failure.*
ふちょう[2] 婦長 ☞ かんごし (看護師長)
ふちょう[3] 符丁 (特殊なグループの隠語) jargon Ⓤ; (暗号) code Ⓒ. ¶すし職人は独特の*符丁を使う Sushi chefs use their own *jargon.*
ぶちょう 部長 general manager Ⓒ, director Ⓒ, manager Ⓒ, vice-president Ⓒ, division [department] head Ⓒ. (☞ 会社の組織と役職名 (囲み)).
¶副*部長 a deputy ⌜*general manager* [*director*] / an assistant *general manager*
部長代理 acting general manager Ⓒ, assistant general manager Ⓒ.
ぶちょうほう 無調法, 不調法 (大失敗) blunder Ⓒ; (うかつさ) carelessness Ⓤ. ¶*無調法をしでかしてしまった I have made a *blunder.*
ふちょうわ 不調和 (調和の欠けていること) lack of harmony Ⓤ, disharmony Ⓤ; (不一致) disagreement Ⓤ. (☞ ふつりあい). ¶色の*不調和 a *clash* of colors
ふちん[1] 浮沈 (浮き沈み) rise and fall Ⓤ; (人生などの) (略式) ups and downs ★ 複数形で; (人生の波瀾) (格式) vicíssitùdes (of life) ★ 複数形で. 時には単数扱い.
ふちん[2] 不沈 ¶*不沈空母 an *únsinkable* áircraft càrrier
ぶつ **1** «たたく» ☞ うつ[1]; たたく; なぐる
2 «演説をする»: speak (自), make a speech, address (他) ★ 最後は前 2 者より格式ばった語.
ふつう[1] 普通 ―[形] (ありふれた・よくある) common (↔ uncommon); (普通の・型にはまった) ordinary (↔ extraordinary); (常態の) normal (↔ abnormal); (平均的な) average; (いつもの) usual (↔ unusual); (一般の) general (↔ specific). ―[副] usually; òrdinárily; normally. (☞ ふだん[1]; なみ[2]).
¶その習慣はこの地方ではごく*普通のことです The practice is quite *common* in this district. // 彼はごく*普通の学生だ He is just an ⌜*ordinary* [*average*] student. // きょうは彼の様子がどうも*普通ではない He doesn't look ⌜*normal* [*himself*] today. // *普通(の日に)は, 彼は 8 時にはここに着いているのだが *Usually* he is here by eight o'clock. // この本は*普通の読者向きではない This book is not for *general* readers. // 今年の天候はどうも*普通ではない The weather is rather ⌜*unusual* [*abnormal*] this year. // *普通列車に乗る take a ⌜*local* [*slow*] train // 速達の必要はありません. *普通便で結構です You don't need to send it by special delivery. *Ordinary* ⌜mail [(英) post] will do. //彼はその高校の*普通科に在学している He is enrolled in a *general* course at the high school.

普通課程 general course Ⓒ 普通株 common stock Ⓒ 普通教育 (専門に対して) general education Ⓤ 普通銀行 ordinary bank Ⓒ 普通高校 high school Ⓒ 普通車 standard-sized car Ⓒ 普通税 ordinary tax Ⓒ 普通選挙 popular election Ⓒ 普通配当 common [ordinary] dividend Ⓒ 普通名詞〘文法〙common noun Ⓒ 普通郵便 ordinary mail Ⓤ 普通預金(口座)《米》savings account Ⓒ,《英》deposit account Ⓒ 普通料金 normal fare Ⓒ, ordinary rate Ⓒ (☞ りょうきん).

ふつう² 不通 ¶大雪のために米原・岐阜羽島間は列車が*不通です Train ⌈runs [services] *are suspended* between Maibara and Gifu-Hashima ⌈owing to [on account of; due to] heavy snowfall. 語法 due to … はこのような副詞用法には使わないほうがよいという説もあるが, 実際にはよく使われる. // 電話は*不通です This phone *is out of order*. ★特定の電話機が故障の場合. / The telephone lines *are down*. / Telephone communication ⌈*was cut off* [*broke down*]. // 東海道線は*不通箇所がいくつかでている The Tokaido Line has been rendered *impassable* at several points.

ぶつえん 仏縁 the providence of Buddha /búːdə/.

ふつか 二日 (2日間) two days; (月の) the second. (☞ 時刻・日付・曜日 (囲み)).
¶私は2月*2日生まれです I was born on *the second* of February. / February *2* is my birthday. ★(the) second と読む. // パリには*2日しかいなかった I was in Paris for only *two days*. // 私は*2日おきに (⇒3日目ごとに) 学校へ行きます I go to school every ⌈*third day* [*three days*]. (☞ -おき)
二日酔い《略式》hángòver Ⓒ. ¶きょうは*二日酔いで調子がよくない I don't feel well. I have a bad *hangover* this morning.

ぶっか 物価 prices ★普通この意味では複数形で. 日用品類の値段の意では commodity prices も用いるが, 略して prices でもよい.
¶*物価が高い[安い] *Prices* [*Commodity prices*] are ⌈high [low]. // 東京は*物価が高い (⇒東京は住むのに金がかかる) Tokyo is very expensive (to live in). // *物価は上がり[下がり]続けている *Prices* keep ⌈rising [falling]. // 政府は*物価の上昇を年5パーセントに抑えようとしている The government is trying to limit *price* increases ⌈to 5% a year [to an annual rate of 5%].
物価安定 price stability Ⓤ 物価下降[下落] fall in prices Ⓒ, price fall Ⓒ 物価指数 (消費者物価指数) consumer price index Ⓒ; (卸売物価指数) wholesale price index Ⓒ 物価上昇 price rise Ⓒ 物価水準 price level Ⓒ 物価スライド制 indexation Ⓤ, indexing Ⓤ 物価騰貴 rise in prices Ⓒ, price rise Ⓒ 物価凍結 price freeze Ⓤ 物価動向 price trend Ⓒ 物価統制 price control Ⓤ 物価統制解除 lifting of price controls Ⓤ ★統制の内容を表しているので controls となる. 物価暴騰[落] price ⌈spurt [tumble] Ⓒ 物価抑制 price suppression Ⓤ.

ぶつが 仏画 Buddhist /búːdɪst/ painting Ⓒ.

ぶっかき 打っ欠き (氷の) crushed ice Ⓤ.

ぶっかく¹ 仏閣 Buddhist temple Ⓒ.

ぶっかく² 打っ欠く crack ㊐.

ふっかける 吹っ掛ける **1**《けんかを》: pick a quarrel with …
2《高値を》: (人に法外な代金を請求する)《略式》soak ㊐; (不当に高い料金をとる) overcharge ㊐; (法外な値を請求する) ask an ⌈unreasonable [exorbitant] price ★[ ] 内のほうが格式ばった語; (高い値で売る) sell … at very high prices. (☞ ぼる). ¶この時計に50万円も*吹っ掛けられた I *was asked to pay* the *unreasonable price* of five hundred thousand yen for this watch.

ぶっかける ¶あの猫に水を*ぶっかけてやれ. 魚をとったんだ *Throw* water *on* that cat. He stole our fish.

ふっかすいそ 弗化水素 〘化〙hýdrogen fluoride /flʊ́(ə)raɪd/ Ⓤ.

ふっかつ 復活 ― 名 (再生) revival Ⓒ; (再興) restoration Ⓤ; (宗教上の) resurrection /rèzərékʃən/ Ⓤ. ― 動 (復活する) revive ㊐, be restored, còme báck ㊐ ★最後が最も平易な表現; (復活させる) revive ㊐, restore ㊐, brìng báck ㊐ ★最後が最も平易な表現.
¶キリストの*復活 *the Resurrection* (of Christ) // イギリスでは1660年に君主制が*復活した The monarchy *was restored* in England in 1660. // 古い学校制度を*復活させる *bring back* [*revive*] the old school system // 予算の*復活折衝 the *revival* session of budget negotiations 復活祭 Easter Ⓤ ★Easter Day または Easter Sunday とも言う. ¶*復活祭おめでとう Happy *Easter*!

ぶつかる **1**《強く突き当たる》: bump [run] ⌈into [against] … ★bump は「ドスンとぶつかる」; (衝突する) collide with …; (激しくぶつかる) dash against …; (意見・利害などがぶつかる) clash with … over … 語法 比喩的な用法で用い, with は人, over は事柄を目的語とする; (打つ) hit ㊐, strike ㊐. (☞ しょうとつ).
¶部屋が暗かったので彼はドアに*ぶつかった Because it was dark in the room, he ⌈*bumped* [*ran*] *into* the door. // ダンプカーが列車と*ぶつかった A dump truck *collided with* a train. // 波が岩に激しく*ぶつかった The waves *dashed against* the rocks. // ボールが彼の頭に*ぶつかった The ball ⌈*hit* [*struck*] him on the head. // その問題で私は彼と*ぶつかった I *clashed with* him *over* the matter.
2《思いがけなく出会う》: (事件などに) meet with …; (直面させられる) be confronted with … ★前者より格式ばった表現; (障害物に突き当たる) run up against …; (突き当たって停止状態となる・行き詰まる) come to a standstill.
¶我々は思いがけない困難に*ぶつかった We ⌈*met with* [*were confronted with*] an unexpected difficulty. // 彼の研究は壁に*ぶつかった His research *ran up against* a wall. / His studies *came to a standstill*.
3《日時がかち合う》: (日付などが) fall on …; (予定などが重なる) clash (with …) ㊐,《格式》conflict (with …) ㊐. (☞ かちあう).
¶その日は彼の誕生日と*ぶつかる That day ⌈*falls on* [*is*] his birthday. // その日取りだとほかの約束と*ぶつかる That date ⌈*clashes* [*conflicts*] *with* another engagement.
4《積極的に取り組む》: tackle [grapple] (with …) ㊐. ¶我々はその難問にまともに*ぶつかっていった We ⌈*tackled* [*grappled*] *with* that difficult problem.
5《競技で対戦する》 ¶我々のチームは1回戦で強敵と*ぶつかる (⇒対戦する) Our team ⌈*competes* [*has a game*] *with* a powerful rival in the first round.

ふっかん¹ 復刊 ― 名 (雑誌・新聞の) reissue /rìːíʃuː/ Ⓤ; (本などを再び発行すること) republication Ⓤ; (発行が復活されること) revived publication Ⓤ. ― 動 (再発行する) reissue ㊐; revive publication.

ふっかん² 副官 (陸軍の) adjutant /ǽdʒʊtnt/ Ⓒ; (海[空]軍の) secretary Ⓒ.

ふっき 復帰 ― 名 return Ⓒ; (元の状態・地位な

どへの) cómebàck Ⓒ; (法律的に財産などの)《格式》reversion Ⓤ. ━動 (以前の状態に戻る) return 自 他, còme báck 自; (財産・土地などが)《格式》revert 自; (元のグループなどに戻る) rejoin 他. (☞ もどる; カムバック; へんかん¹). ¶ 全員職場に*復帰した All workers *returned* to work. // 1972 年に沖縄は日本に*復帰した (⇒ 返還された) Okinawa *was returned* to Japan in 1972. / The Okinawa Islands *reverted* to Japan in 1972. // 彼女は間もなく社会*復帰した She soon *made a comeback* to normal life.

ふづき 文月 (旧暦の七月) the seventh month of the lunar calendar; (現在の七月) July.

ぶつぎ 物議 ¶ 彼の発言は*物議をかもした (⇒ 公の議論をもたらした) His remark ˹brought on [led to] *public discussion*.

ふっきそう 富貴草 〔植〕 Japanese spurge Ⓒ.

ふっきゅう¹ 復旧 ━名 (元に戻すこと) restoration Ⓤ; (修理) repair Ⓤ. ━動 (道路などが) be reopened; (鉄道などの運行が) resume (normal) service; (再建する) reconstruct 他; (修理する・回復する) repair 他.
¶ 東海道線は5時までには*復旧の見込みです (⇒ 再開される) The Tokaido Line is expected to *resume (normal) service* by five o'clock. // 道路はあすの朝までに*復旧されるでしょう The road will *be reopened* by tomorrow morning. // 彼らは橋の*復旧工事にあたっている They *are* now ˹*repairing* [*reconstructing*] the bridge.

ふっきゅう² 復仇 (報復) retaliation Ⓤ; (復讐) revenge Ⓤ; (国際法で) reprisal Ⓒ. (☞ ほうふく¹).

ふつぎょう 払暁 dawn Ⓤ, daybreak Ⓤ.

ぶっきょう 仏教 Buddhism /búːdɪzm/ Ⓤ. **仏教音楽** Buddhist music Ⓤ **仏教学** studies of Buddhist teachings **仏教儀式** Buddhist rite Ⓒ **仏教寺院** Buddhist temple Ⓒ **仏教徒, 仏教信者** Buddhist Ⓒ **仏教美術** Buddhist art Ⓤ **仏教文化** Búddhist [Buddhístic] cúlture Ⓒ.

ぶっきらぼう ぶっきら棒 ━形 blunt; (そっけない) brusque /brʌ́sk/. ━副 bluntly; brusquely. (☞ そっけない; ぶあいそう). ¶ 彼は*ぶっきらぼうな返事をした He replied ˹*bluntly* [*brusquely*]. / He gave a ˹*blunt* [*brusque*] answer. // 彼は*ぶっきらぼうな人だ I find him (to be) *brusque*. / He's a *blunt* man.

ぶつぎり ぶつ切り ━名 (肉などの) chop Ⓒ; (厚切り) thick slice Ⓒ. ━動 (ぶつ切りにする) chóp (úp) 他. (☞ きりみ).

ふっきる 吹っ切る (克服する)《略式》get over ...; (忘れる) forget 他. ¶ 過去は*吹っ切って出直そう Let's *forget* about the past and make a new start.

ふっきれる 吹っ切れる ¶ 彼女のアドバイスで私の気持ちは*吹っ切れた (⇒ 彼女のアドバイスが私の不安を静めた) Her advice *has* ˹*settled* [*relieved me of*] my fears.

ふっきん 腹筋 〔解〕 abdominal muscle Ⓒ. **腹筋運動** sit-up Ⓒ. ¶ *腹筋運動をする do *sit-ups*

フッキング 〔ラグ〕 ━名 hooking Ⓤ. ━動 hook 他.

ブッキング (予約)《米》reservation Ⓒ, 《英》booking Ⓒ.

フック 〔ボク〕 hook Ⓒ.

ブック (本) book Ⓒ.

ぶつぐ 仏具 (仏壇で用いる物) Buddhist /búːdɪst/ altar ˹objects [pieces] ★ 複数形で.

ブックエンド (本立て) bookends ★ 通例複数形で.

ブックカバー (本の表紙にかける紙) (book) jacket Ⓒ, dust jacket Ⓒ ★ 英語の cover は表紙の意.

ブッククラブ (書籍通販会) book club Ⓒ.

ブックケース (本棚) bookcase Ⓒ; (本のケース) case Ⓒ, box Ⓒ.

ぶつくさ ━動 (不満を言う) grumble 自.

ブックデザイン book design Ⓒ.

フックのほうそく フックの法則 〔物理〕 Hooke's law.

ブックバンド (本を束ねてとめるひも) book strap Ⓒ.

ブックマーク (しおり) bookmark(er) Ⓒ (☞ しおり).

ふっくら ━形 (子供などが丸々として) chubby; (肉付きよくぽちゃぽちゃした) plump; (ふわふわした) fluffy. (☞ ふくよか; 擬声・擬態語 (囲み)).
¶ *ふっくらした頰(ほお) *plump* cheeks // *ふっくらしたパンケーキ *fluffy* pancake

ブックレット (小冊子) booklet Ⓒ.

ブックレビュー (書評) book review Ⓒ (☞ しょひょう).

ぶつける **1** «投げつける»: throw 他 《過去 threw; 過分 thrown》; (荒々しく) fling 他 《過去・過分 flung》 ★ 前者が最も一般的な語. (☞ なげる (類義語); なげつける). ¶ デモ隊は警官隊に石を*ぶつけた The demonstrators ˹*threw* [*flung*; *hurled*] stones at the police. // 彼女は怒りを私に*ぶつけた (⇒ 向けた) She *directed* her anger against me.
2 «衝突させる»: hit 他 《過去・過分 hit》, knock 他, strike 他 《過去・過分 struck》 ★ この意味ではほぼ同意; (どしんと) bump 他 自. (☞ うつ¹ (類義語)).
¶ 彼は転んで地面に額を*ぶつけてしまった <S (人)+V (*hit*; *knock*; *strike*)+O (物)+*against*+名(物)> He fell down and ˹*hit* [*knocked*; *struck*] his forehead *against* the ground. // 運転を誤って車を塀に*ぶつけてしまった <S (人)+V (*bump*)+O (物)+*against*+名 (物)> I steered in the wrong direction and *bumped* my car *against* the wall.

ふっけん¹ 復権 return to power Ⓒ; (元の位置に戻ること) reinstatement Ⓤ. ¶ あの男の*復権はないだろう He'll never *be reinstated*.

ふっけん² 福建 ━名 固 Fujian /fùːdʒáːn/ ★ 中国南東部の省.

ぶっけん¹ 物件 (物品) thing Ⓒ; (対象物) object Ⓒ. ¶ 証拠*物件 (⇒ 物の証拠) material evidence

ぶっけん² 物権 real right Ⓒ. ¶ *物権の設定 the creation of a *real right* **物権法** the law of realty.

ふっこ 復古 restoration Ⓤ. ¶ *復古調 a *revival* mood **復古主義** reactionism Ⓤ.

ぶっこ 物故 ━動 (死ぬ) die 自; (婉曲に) pass away 自. (☞ しぬ 日英比較). **物故者** (故人) the deceased ★ 単数または複数扱い.

ふつご 仏語 ☞ フランス

ふっこう¹ 復興 (破壊などからの) reconstruction Ⓤ; (失われたものを取り戻すこと) recovery Ⓤ. (☞ さいけん¹). ¶ その国は戦後, 工業の*復興が遅れた The nation has made a slow *recovery* in industry since the war. // 文芸*復興 the *Renaissance* /rènəsáːns/

ふっこう² 復交 ━動 restore [reestablish] diplomatic relations (with ...).

ふっこう³ 腹腔 the abdominal cavity. **腹腔鏡** laparoscope Ⓒ, celioscope Ⓒ.

ふつごう 不都合 **1** «不便» ━形 (不便な) inconvenient; (やっかいな) troublesome. ━名 inconvenience Ⓤ; (やっかい) trouble Ⓤ ★ 両者とも具体的には Ⓒ. (☞ ふべん).
2 «不当» ━形 wrong; (適当でない) improper;

(難点のある) objectionable. ―［名］ wrong Ⓤ. ¶この文でどこか*不都合な所がありますか Do you find anything *wrong* with this sentence?

ふっこく 復刻 ―［動］ reproduce (他). ―［名］(複製) reproduction Ⓤ. (☞ ふくせい).
復刻版 reprinted edition Ⓒ, reprint Ⓒ.

ぶつざ 仏座 the seat of a Buddhist statue.

ぶっさつ 仏刹 Buddhist temple Ⓒ.

ぶっさん 物産 (個別の) product /prádʌkt/ Ⓒ; (総称) produce /prád(j)u:s/ Ⓤ. (☞ さんぶつ). **物産展** fair Ⓒ.

ぶっし¹ 物資 (財貨) goods ［語法］ 複数形として扱うが, 数詞や many などで修飾されることはない; (日常の) commodities ★ しばしば複数形で; (資源) resources ★ 複数形で. ¶その国では日常*物資が不足している There is a shortage of ⌈daily *necessities* [essential *commodities*] in that country.
物資隠匿 concealment of ⌈goods [commodities] Ⓤ.

ぶっし² 仏師 sculptor of statues of Buddha /bú:də/ Ⓒ.

ぶつじ 仏事 Buddhist service (for the dead) Ⓒ.

ブッシェル bushel Ⓒ (☞ 度量衡 (囲み)).

ぶっしき 仏式 ―［形］ Buddhist. ¶*仏式による葬儀 a *Buddhist* funeral

ぶっしつ 物質 ―［名］〔物理〕 matter Ⓤ; (ある特定の) substance Ⓒ. ―［形］ material /mətí(ə)riəl/. ¶水と氷は同じ*物質である Water and ice are (of) the same *substance.* // 化学*物質 chemical *matter* **物質界** the material world **物質主義** materialism Ⓤ **物質代謝[交代]**〔生〕 metabolism Ⓤ **物質文明** material civilization Ⓤ **物質名詞**〔文法〕 material noun Ⓒ.

ぶっしつてき 物質的 material, physical (↔ spiritual) ★ ほぼ同じ意味だが前者がより一般的. ¶*物質的援助 *material* ⌈help [assistance, support] // *物質的欲求 *material* needs // *物質的な世界(自然界) the *physical* world // 彼らは*物質的には恵まれている They are well off ⌈*on the material side* [*materially*]. / They are *materially* comfortable.

ぶっしゃり 仏舎利 Buddha's bones ★ 複数形で.

ブッシュ¹ (低木・灌木・やぶ) bush Ⓒ.

ブッシュ² ―［名］(固) (ジョージ～) George (Herbert Walker) Bush, 1924– ★米国の第 41 代大統領; (ジョージ・W・～) George W(alker) Bush, 1946– ★米国の第 43 代大統領.

プッシュ (押すこと) push Ⓒ; (後援) push Ⓤ.

プッシュバント 〔野〕 push bunt Ⓒ.

プッシュホン push-button telephone Ⓒ, touch-tone (phone) Ⓒ.

ぶっしょう¹ 物証 (physical [material /mətí(ə)riəl/]) evidence Ⓤ ★ material evidence は重要な証拠という意味にもなる. (☞ しょうこ).

ぶっしょう² 物象 (事物) object Ⓒ; (現象) material phenomenon Ⓒ (複 ～ phenomena).

ぶつじょう 物情 ¶市内は*物情騒然としていた (⇒ 社会不安があった) There was *social unrest* in the city.

ふっしょく 払拭 ―［動］ swéep óff (他); (根こそぎにする) (格式) erádicàte (他); (消す) erase (他).

ぶっしょく 物色 ―［動］(探す) look for ...; (違う店で商品を見比べる) shop around for ... (☞ さがす (類義語)). **物色買い**〔株〕 selective ⌈buying [purchase] Ⓤ.

ぶっしん¹ 物心 ¶おじからは*物心両面での援助を受けた (⇒ おじが私を) My uncle supported me both *materially and morally.*

ぶっしん² 仏心 Buddha's ⌈love [mercy] Ⓤ. ¶彼女は*仏心をもっている (⇒ 仏陀のようにあわれみ深い) She is as compassionate as Buddha.

プッシング〔スポ〕 pushing (an opponent) Ⓤ.

ぶっせい 物性 properties of matter; physical properties ★ property はいずれも複数形で. **物性研究** materials research Ⓤ **物性研究所** (東大の) the Institute for Solid State Physics **物性物理学** (固体物理学) solid state physics Ⓤ.

ぶつぜい 物税 tax on goods and possessions Ⓒ.

ふっせき 沸石 〔鉱物〕 zeolite Ⓤ.

ぶつぜん 仏前 ¶*仏前に (⇒ 位牌の前に) 花を供えた We offered flowers *before the tablet of the deceased.*

フッそ フッ素 〔化〕 fluorine /flú(ə)ri:n/ Ⓤ (元素記号 F). **フッ素化合物** fluorine compound Ⓒ **フッ素樹脂**〔化〕 fluoroplastic Ⓤ.

ぶっそう 物騒 ―［形］(危険な) unsafe, dangerous; (不安定な) unsettled. ¶この辺は夜になると*物騒です It is *unsafe* for you to go out in this neighborhood after dark. // 世の中がだんだん*物騒になってきた I'm afraid we have been driven into *unsettled* times.

ぶつぞう 仏像 image [statue] of Buddha Ⓒ.

フツぞく フツ族 ―［名］(固) (ブルンジとルワンダ一帯に住む一族) the Hutu(s) /hú:tu:(z)/.

ぶっそん 物損 physical damage Ⓤ. **物損事故** accident resulting in physical damage Ⓒ.

ぶっだ 仏陀 (the) Buddha /bú:də/.

フッター (ページの下に印刷されるページ番号など) footer Ⓒ.

ぶったい 物体 (知覚の対象となる) object Ⓒ; (空間に容積を占める) body Ⓒ. ¶未確認飛行*物体 an unidentified flying *object* ★ 頭文字をとって普通 UFO /jú:èfóʊ/ と書かれる.

ぶったぎる 打った切る chop (他).

ぶったくる 打っ手繰る (強奪する) rob (他); (法外な金をとる) rip off (他).

ぶつだん 仏壇 (Buddhist) family altar Ⓒ.

プッチーニ ―［名］(固) Giacomo Puccini /dʒá:kəmòʊ pu:tʃí:ni/, 1858–1924. ★ イタリアのオペラ作曲家.

ぶっちがい 打っ違い cross Ⓒ. ¶*ぶっちがいに *crosswise*

ぶっちぎる 打っ千切る tear (off) (他).

ぶっちょうづら 仏頂面 ¶あの男はなんとまあ*仏頂面をしている What a *sour face* that man has! // 彼女は*仏頂面で返事をした She answered ⌈*sullenly* [with a *sulky look*]. (☞ ふくれっつら)
【参考語】 ―［形］(怒って不機嫌な) sullen; (不満でむっつりした) sulky; (苦虫をかみつぶしたような) sour.

ふつつか 不束 ¶*ふつつか者ですが, どうぞよろしく (⇒ お知り合いになってとてもうれしいです) I'm very glad to have made your acquaintance.
［日英比較］ 日本語独特の表現なので, 直訳はできない. その場に応じて意訳が必要.

ぶっつけほんばん ぶっつけ本番 ¶*ぶっつけ本番で歌った (⇒ リハーサルなしで) I sang *without rehearsal.*

ぶっつづけ ぶっ続け ☞ ぶっとおし

ふっつり ―［副］(はっきりと) définitely; (それ以後ずっと) (ever) since. (☞ 擬声・擬態語 (囲み)). ¶その後は彼女から*ふっつりと音信が途絶えた I have never heard from her *since.*

ぷっつり ―［副］(ぱちんと) with a snap. ―［動］(ぱちんと切れる) snáp óff (自). (☞ きれる; 擬声・擬態語 (囲み)). ¶糸が*ぷっつりと切れた The thread *snapped off.* / The thread broke *with a snap.*

ぶっつん ¶あいつは完全に*ぶっつんしちゃってるよ (⇒自制心を失っている) He's completely *lost his self-control*. / (⇒頭がおかしくなっている) He's completely *out of his mind*. 《☞しょうき[1]》

ふってい 払底 ━動 run short 自, become scarce 自 ★前者がより口語的. ━名 shortage. ¶かんばつのため, その地方では食料が*払底している Owing to (the) drought, food *is* ⌈*running short* [*becoming scarce*] in the district. / There is a food *shortage* from (the) drought in the district.

ぶってき 物的 ━形 material /mətí(ə)riəl/ (↔spiritual). 物的資源 material resources ★複数形で. 物的証拠 real [physical] evidence U 物的担保 collateral (on property) U.

ふってわく 降って湧く ¶その村にある事件が*降って湧いた (⇒非常に奇妙な事件が起こった) The strangest incident ⌈*happened* [*occurred*; *took place*] in the village. // *降って湧いたような話だ (⇒出し抜けの) That's something *out of the blue*.

ふってん 沸点 boiling point C.

ぶってん 仏典 (集合的に) the Buddhist /búːdɪst/ scriptures ★複数形で; (個々の経本) sutra /súːtrə/ C.

ぶつでん 仏殿 Buddhist sanctum C.

ふっと ¶彼はろうそくを*ふっと吹き消した He ⌈*blew* [*puffed*] *out* the candle. 《☞擬声・擬態語 (囲み)》 // いい考えが*ふっと頭に浮かんだ I *hit* ⌈*on* [*upon*] a good idea. / A good idea *popped* into my mind. // 長い間昏睡状態だったが, たった今彼は*ふっと意識を取り戻した He has been in a coma for a long time, but just now he *suddenly* ⌈recovered consciousness [woke up]. 《☞ふと》

フット (足) foot C 《複 feet》.

ぶっと 仏徒 Buddhist C.

ぷっ(と) ¶彼女はすいかの種を*ぷっと吐き出した She *spat out* the watermelon seeds. // 彼女は*ぷっと吹き出した (⇒突然ちょっと笑い声をたてた) She gave out *a little burst of laughter*. 《☞擬声・擬態語 (囲み)》

ぶつど 仏土 ☞じょうど

ふっとう 沸騰 **1** 《液体が》 ━動 boil 自. ━名 boiling U. ¶おなべが*沸騰していますよ The pot *is boiling* on the fire.
2 《世論・感情などが激しく動く》 ━動 (議論が激しく闘わされる) be hotly debated; (議論・意見などが激しく起こる) be ⌈agitated [aroused]. 《☞わきたつ; わきかえる》. ¶その問題をめぐって議論が*沸騰した The question *was hotly debated*. // 国内の世論が*沸騰した Public opinion *was* ⌈*agitated* [*aroused*] on a nationwide scale.
沸騰水型 (原子) 炉 boiling-water reactor C 沸騰点 boiling point C (↔freezing point).

ぶっとう 仏塔 pagóda C.

ぶつどう[1] 仏道 (仏陀の教え) the teachings of Buddha; (仏教) Buddhism U.

ぶつどう[2] 仏堂 Buddhist temple C; (寺院の中の聖堂) Buddhist sanctum C 《複 -ta》.

フットウェア (履物類) footwear U.

ぶっとおし ぶっ通し ━副 (休みなしで) without a break. ━前 (…の始めから終わりまで) all through …; (…の間中ずっと) throughout …
¶2時間*ぶっ通しで英語の試験があった (⇒休憩なしに) We sat through the English exam for two hours *without a break*. // この1週間*ぶっ通しで働いた I have been working hard ⌈*throughout* [*all through*] the week.

プットオプション 〖株〗 put option C.

フットケア (足の手入れ) foot care U.

フットサル (5人制(室内)サッカー) futsal U ★futsal は「サッカー」と「室内」を意味するスペイン語やポルトガル語を組み合わせた造語. 説明的な名称としては five-a-side (indoor) soccer などがある.

フットスイッチ (足踏み式スイッチ) foot switch C.

フットスツール (足載せ台) footstool C.

フットセラピー (足裏健康法) foot therapy U. フットセラピスト foot therapist C.

フットトリートメント (足の手当) foot treatment U.

フットノート (脚注) footnote C.

ふっとばす 吹っ飛ばす ☞ふきとばす

ぶっとばす 打っ飛ばす (…を遠くに飛ばす) send … flying; (車を) drive at full speed; (…をなぐりとばす) knock … flat. ¶彼は高速道路でオートバイを*ぶっとばした (⇒全速力で運転した) He *rode* his motorcycle *at full speed* on an expressway.

ふっとぶ 吹っ飛ぶ ☞ふきとぶ; ふきとばす

フットフォールト 〖球〗 foot fault C.

フットプリント (足跡) footprint C ★通例複数形で.

フットブレーキ (自動車の) foot brake C.

フットベースボール 〖球〗 kickball U ★野球に似た子供の球技. foot baseball は和製英語.

フットボール football U 参考 《米》では通例アメリカンフットボールを指し, 《英》ではサッカー, ラグビーを指す.

フットマッサージ (足のマッサージ) foot massage U.

フットライト (舞台の) footlights ★複数形で.

フットレスト (足載せ台) footrest C.

フットワーク (足さばき) footwork U.

ぶつのう 物納 ━動 pay … in kind. ━名 payment in kind U. ¶彼女は相続税を*物納した She *paid* her inheritance tax *in* ⌈*kind* [*goods*].

ぶつばち 仏罰 punishment by the Buddha C. ¶*仏罰を受ける be *punished by the Buddha*

ぶっぱなす ぶっ放す (発砲する) fire 他; (人を撃つ) shoot 他; (射殺する) 《米略式》 blow away 他. 《☞うつ[2]》. ¶止まらないと*ぶっ放すぞ Freeze, or I'll *blow* you *away*.

ぶっぴん 物品 (財貨) goods ★複数形で; (個別の物) article C; (日常の商品) commodity C ★しばしば複数形で. 《☞しなもの; ぶっし[1]》. 物品税 commodity tax C.

ブッフェ ☞ビュッフェ

ぶつぶつ[1] ━動 (ぶつぶつ言う) grumble 自 他; grunt 自 他 語法 前者は口の中でぶつぶつ言うという意味で, 後者はもう少し大きな不満の声を上げること; (つぶやく) mutter 自; (不平を言う) complain (of …; about …) 自. 《☞ふへい (類義語); ふまん; 擬声・擬態語 (囲み)》.
¶彼は何かわけのわからないことを*ぶつぶつ言っていた He *was grunting* something indistinct. // 彼はいつも*ぶつぶつ言っている He *is* always *complaining*. / He is full of *complaints*.

ぶつぶつ[2] (吹き出物) rash ★単数形で a を付けて; (発疹) eruption C ★格式ばった語; (にきび) pimple C. 《☞はっしん[2]; ふきでもの》.

ぶつぶつこうかん 物物交換 ━名 barter U. ━動 (物々交換をする) barter 他. ¶彼らは農産物と塩とを*物々交換した ＜S (人)＋V (*barter*)＋O (物)＋*for*＋名 (物)＞ They *bartered* farm products *for* salt.

ふつふつ(と) 沸沸(と) ¶スープが*ふつふつと煮えている The soup is *simmering*. // 泉から*ふつふつと水が湧いていた Water *bubbled up* from the spring. // 怒りが*ふつふつと湧いてきた I'm about to *boil over* with anger. 《☞擬声・擬態語 (囲み)》

ふ

ふつぶん 仏文 (フランス語) French Ⓤ. ¶*仏文で書く write in *French* **仏文科** the department of French literature. ¶彼女は*仏文科だ She's ⌈majoring in [《英》 reading] *French literature* at the university.

ぶっぽう 仏法 Buddhism Ⓤ.

ぶっぽうそう 仏法僧 〘鳥〙 broad-billed roller Ⓒ.

ぶつほけん 物保険 property insurance Ⓤ.

ぶつま 仏間 (仏壇が置いてある部屋) room where the (Buddhist) family altar is placed Ⓒ ★ 説明的な訳.

ぶつめつ 仏滅 (暦の) unlucky day Ⓒ.

ぶつもん 仏門 ¶彼は 20 歳で*仏門に入った (⇒ 仏教の僧侶になった) He *became a Buddhist priest* at twenty.

ぶつよく 物欲 ¶彼は*物欲の強い人だ (⇒ 世俗的な富に対してどん欲だ) He is *greedy for worldly riches*.

ぶつり 物理 ── [名] (物理学) physics Ⓤ. ── [形] (物理的な) physical. ── [副] (物理的に) physically. ¶同時に 2 か所にいるなんていうことは*物理的に不可能なことです It is ⌈*physically* impossible [a *physical* impossibility] to be in two places at once. **物理化学** physical chemistry Ⓤ **物理学** physics Ⓤ. ¶地球*物理学 geo*physics* /ʤìːəfízɪks/ // 応用[理論]*物理学 applied [theoretical] *physics* **物理学者** physicist Ⓒ **物理光学** physical optics Ⓤ **物理実験** physics experiment Ⓒ **物理変化** physical change Ⓒ **物理法則** physical law Ⓒ **物理量** physical quantity Ⓤ **物理療法** physical therapy Ⓤ, physiotherapy Ⓤ. 《☞ ぶつりょう²》.

ぶつり ☞ ぷっつり

ふつりあい 不釣り合い ── [動] (釣り合わない) do not match … ── [形] (ぴったり合っていない) ill-matched. ── [名] (不釣り合いな組み合わせ) bad match Ⓒ (↔ good match); (不均衡) imbálance Ⓒ. 《☞ ふにあい; ふきんこう》. ¶カーテンの色はソファーの色と*不釣り合いです I'm afraid the color of the curtain *doesn't match* that of the sofa. // *不釣り合いの夫婦 an *ill-matched* couple

ぶつりき 仏力 the power of Buddha Ⓤ.

ぶつり(と) ☞ ぷすりと

ぶつりゅう 物流 physical distribution Ⓤ 《略 PD》. **物流産業** [システム, センター] the distribution ⌈industry [system; center] **物流支援** logistic support Ⓤ.

ぶつりょう¹ 物量 ¶*物量の豊かな国 (⇒ 資源の) a country rich in *natural resources*

ぶつりょう² 物療 ☞ ぶつり (物理療法) **物療医学** physical medicine Ⓤ **物療内科** internal physical medicine Ⓤ; (部署) internal physical medicine department Ⓒ.

ふつわ 仏和 ── [形] French-Japanese. **仏和辞典** French-Japanese dictionary Ⓒ.

ぷつん(と) ── [動] (ぷつんと切れる) snap off (自), snap in two (自). 《☞ ぷっつり》.

ふで 筆 (毛筆) writing brush Ⓒ [日英比較] 英米には日本の「筆」に当たるものがないので, 必要に応じて for Japanese calligraphy とか for the Japanese art of decorative writing などのような説明を加える; (絵筆) brush Ⓒ; (比喩的に「書く道具」の意味でペン) pen Ⓒ. ¶私は*筆で字を書くことはほとんどない I seldom ⌈use [write with] a *writing brush*. // 弘法も*筆の誤り[弘法*筆を択ばず] ☞ こうぼう⁴

筆が進む (すらすらと書く) write easily; (はかが行く) make good progress in writing … ¶手紙を書こうと座ったが, きょうは*筆が進まなかった (⇒ 言葉が出てこなかった) I sat down to write a letter, but today the words didn't come. **筆が滑る** ¶ここでは著者はいささか*筆が滑ったようである Here the author seems to have slipped. // これは単に*筆が滑ったのでしょう This must be just *a slip of the pen*. **筆が立つ** ¶彼はたいへん*筆が立つ人だ (⇒ たいへん上手な書き手だ) He is a very ⌈good [skillful] writer. **筆に任せる** ¶*筆にまかせて (⇒ 思い浮かべたことを何くれとなく) 書いただけだ I just wrote whatever came into my head. **筆を入れる** ¶どうぞご自由に*筆を入れて下さい Please *make whatever corrections* you like. / (《絵・書などに》) Please freely *add your own touches*. **筆を置く[擱く]** lay down *one's* pen. ¶この辺で*筆をおきましょう (⇒ 終わりにしよう) Now I'm going to ⌈*finish* [(⇒ 結論をつける) *conclude*] my article. **筆を起こす** start writing. **筆を折る** (書く仕事を放棄する) give up [quit; stop] writing; (文筆活動をやめる) end *one's* literary career, give up literary activity. **筆をおろす** (書く) put pen to paper; (新しい筆を使い始める) begin to use a new writing brush. **筆を加える** ¶原稿に*筆を加える (⇒ 修正する) *revise* a draft **筆を染める** ¶最近俳句に*筆を染めました (⇒ 俳句を作り始めました) I *began to compose* haiku poems recently. **筆をとる** ¶しばらくしてからやっと彼は*筆をとった (⇒ 書き始めた) It took some time before ⌈he *started to* write [(⇒ ペンを取り上げた) he *took up his* pen]. **筆を走らせる** ¶さらさらと*筆を走らせる (⇒ なめらかに書く) *write* smoothly **筆をふるう** ¶画家は*筆をふるって一気に山を描いた The artist wielded *his brush* and drew a mountain with a single stroke. **筆を休める** (書くのをやめる) stop writing.

筆入れ, 筆箱 brush [pen; pencil] case Ⓒ **筆懸け** writing-brush rack Ⓒ **筆癖** (筆跡・書体) handwriting Ⓤ **筆先** (筆記具としての) tip of a writing brush Ⓒ; (絵筆の) tip of a (paint)brush Ⓒ **筆軸** stem of a writing brush Ⓒ **筆立て** brush [pen] stand Ⓒ **筆使い** handwriting Ⓤ **筆馴らし** ── [動] (新しいペン[筆]をためす) try out a new ⌈pen [brush]; (書く練習をする) practice writing **筆の跡** ☞ ひっせき **筆のすさび** ¶あの詩はほんの*筆のすさびさ (⇒ 遊びに書いた) I wrote that poem ⌈*just for fun* [*to amuse myself*]. **筆不精** (めったに手紙を書かない人) bad correspondent Ⓒ **筆太** ── [形] (太い) thick. ── [副] thickly; in bold strokes. ¶*筆太の筆跡 *thick* handwriting **筆まめ** (よく手紙を書く人) good correspondent Ⓒ.

ふてい¹ 不定 ── [形] (定められていない) unfixed; (はっきり決まっていない) indéfinite. ── [動] (変わる) change (自), vary (自). ¶住所*不定の男 a man with *no fixed* address / (⇒ 家のない男) a *homeless* man / a man ⌈*having* [*with*] *no place to live* // 日によって出かける時間は*不定です The time I leave home *varies* daily. // 私の収入は*不定です (⇒ 固定していない) My income is ⌈*not fixed* [*variable*]. / I do*n't* have a *fixed* income.

不定冠詞 〘文法〙 indefinite article Ⓒ 《☞ 冠詞 (巻末)》 **不定形** indeterminate form Ⓒ **不定型詩** free verse Ⓤ **不定詞** 〘文法〙 infinitive Ⓒ **不定称** ── [形] 〘文法〙 indefinite; 〘論〙 general **不定代名詞** 〘文法〙 indefinite pronoun Ⓒ 《☞ 代名詞 (巻末)》 **不定方程式** 〘数〙 indefinite [indeterminate] equation Ⓒ.

ふてい² 不貞 ── [名] (夫婦間での) unfaithfulness Ⓤ; (姦通) adúltery Ⓤ. ── [形] unfaithful.

ふてい³ 不逞 ── [形] (法律を守らない) lawless; (無作法な) rude. ¶*不ていのやから *lawless* [*unruly*] people

ぶてい 武帝 —名 固 Wudi /wùːdíː/, Wu-ti /-tíː/, 156-87 B.C. ★ 前漢の皇帝.

ふていき 不定期 —形 (乗り物が) nonscheduled, unscheduled ★ 前者のほうが普通; (一定間隔でない) irregular. (☞ ていき[1]).
¶*不定期便《航空機の》a *nonscheduled* flight
不定期貨物船 tramp C, tramp steamer C **不定期刑** imprisonment for an indefinite length of time U ★ 説明的な訳. **不定期検査** unscheduled inspection C.

ふていこう 負抵抗 〖物理〗 negative resistance U.

ふていさい 不体裁 —形 (行為などが時宜に適さない)《格式》unseemly; (ばつが悪い) awkward; (不格好な) clumsy. (☞ ていさい).

ふていしゅうそ 不定愁訴 〖医〗(general) malaise /məléɪz/ U.

ブティック boutique /buːtíːk/ C.

プディング pudding U.

ふてき[1] 不敵 —形 (大胆な) bold; (恐れを知らない) fearless; (手ごわい) tough /tʌ́f/. ¶ 彼は*不敵な面構えをしている He looks *tough.*

ふてき[2] 不適 —形 (不適当な) improper; (適していない) not ˹fit [good]. ¶ この水は飲用には*不適だ This water is *not* ˹*fit* [*good*] to drink.

ふでき 不出来 —形 poor ★ 劣っていることを表す最も基本的な日常語; (不満足な) unsatisfactory. (☞ でき; ふさく). ¶ 今年はトマトが*不出来だった We had a *poor* crop of tomatoes this year.

ふてきおう 不適応 —名 màladjústment (to ...) U. —形 maladjusted (to ...).

ふてきかく 不適格 —形 (資格のない) unqualified, nonqualified; (不向きな) unfit; (不十分な) inadequate; (証拠能力のない・能力のない) incompetent. **不適格者** person unqualified for a position C.

ふてきごう 不適合 —名 (不釣り合いで) incongruity U; (相互に排除して) incompatibility. —形 incongruent; incompatible.

ふてきせつ 不適切 ☞ ふてきとう

ふてきとう 不適当 —形 (よくない) not good ★ 以下のものより口語的; (目的・条件などにそぐわない) unsuitable; (不向きな) unfit; (十分な資格に欠ける) inádequate; (場違いの) out of place P, out-of-place A; (社会慣習上適切でない) improper. (☞ てきとう; ふむき).
¶ この問題は中学生には*不適当です (⇒ よい問題ではない) It is ˹*not* a *good* [a *poor*] question *for* junior high school students. // ここは散歩には*不適当な場所です This ˹is *not* a *suitable* place [place is *unsuitable*] *for* taking a walk. // ジーンズは正式なパーティーには*不適当である Blue jeans are *improper* dress *for* a formal party.

ふてきにん 不適任 —形 (向いていない) not fit [unfit] for ...; (資格が不十分な) not qualified; (無資格の) unqualified. (☞ てきにん).
¶ 私はその地位には*不適任です I'm *unfit for* the position. / I'm *not good enough* to take the ˹post [job]. // 彼女は教師として*不適任である She is *not qualified* to be a teacher. / She is a *poorly qualified* teacher.
不適任者 (能力的に) incompetent person C; (資格的に) unqualified person C.

ふてぎわ 不手際 ¶ 私の*不手際でした (⇒ 私の落ち度でした) It was my *fault*. / (⇒ それは私が悪い) I'*m to blame* for it. ★ 第 1 文より格式ばった表現. / (⇒ 失敗は私に責任がある) I am responsible for the *failure*. // 彼の*不手際なやり方は我慢できない I can't stand his ˹*awkward* [*clumsy*] way(s) (of doing things).

ふてくされる ふて腐れる (怒って物を言わない) sulk 自, be in [have] the sulks ★ 後者は状態を表す. (☞ ふくれる 語法; むくれる).
¶ 彼女はきょうは一日中*ふてくされていた She ˹*was in* [*had*] *the sulks* all day today.

ふでしょうが 筆生姜 〖料理〗 stick of pickled ginger C, pen-shaped pickled ginger C.

ふてってい 不徹底 ¶ 教師の指示が*不徹底だった The teacher *did not give* ˹*exact directions* [*thorough instructions*]. (☞ てってい)

ふてね ふて寝 —動 stay in bed sulking 自, sulk in bed 自.

ふてのみ ふて飲み —動 drink out of sulkiness.

ふてぶてしい (厚かましい) impudent; (ずうずうしい) saucy. (☞ ずうずうしい; ずぶとい).

プテラノドン 〖古生〗pteranodon C ★ 翼竜の一種.

ふてん 付点 —名 (点) dot C; (しるし) mark C. —動 (付点をつける) dot. **付点音符** 〖楽〗 dotted note C.

ふでんか 負電荷 〖物理〗 negative charge C.

ふと —副 (突然に) suddenly; (偶然) by chance, by accident; (思いがけず) unexpectedly. (☞ とつぜん; なにげなく; ぐうぜん; 擬声・擬態語 (囲み)).
¶*ふとそのことを思い出した I *suddenly* remembered it. // *ふと見ると彼女がそこにいた I found her there quite *unexpectedly*. // *ふとしたことで彼と知り合いになった (⇒ 知るようになったのはほんの偶然のことです) It was *by mere* ˹*chance* [*accident*] that I came to know him. (☞ ふとした) // その本で*ふと美しい詩を見つけた (⇒ ひょっこり出会った) I *came across* a beautiful poem in the book. // *ふとすばらしい考えが浮かんだ A bright idea *occurred* to me. / I *hit on* a bright idea. ★ hit on でふと思いつくことを表す.

ふとい 太い **1** «ずんぐりした»: (厚みがある) thick (↔ thin); (線・字が) bold; (太くて短い) pudgy, podgy 語法 普通悪い意味で, 身体の部分について使われる. (☞ ふとさ). ¶*太い棒[ロープ]が 1 本入用だ I need a *thick* ˹rod [rope]. // 彼は手紙に*太い字で署名した He signed the letter in ˹*bold* [*thick*] strokes. // 彼女は*太い足[指]をしている She has *pudgy* ˹legs [fingers].
2 «声が»: deep (☞ こえ[1]). ¶ 彼の*太い声はすぐわかった I recognized his *deep* voice right away.
3 «図太い»: (恥知らずの) shameless; (ずうずうしい) cheeky, ímpudent ★ 前者のほうが口語的. (☞ ずぶとい). ¶ まったく*太いやつだ What a ˹*shameless* [*cheeky*] person! // 彼は肝っ玉が*太い He is ˹*bold* [*daring*].
太く短く ¶ 私は*太く短く生きたい (⇒ どんなに短くても思いきり) I'd like to live life to the fullest, *regardless of how short it is*.

ふといと 太糸 thick [coarse] thread U.

ふとう[1] 不当 —形 (公正でない) unfair; (道理に合わない) unreasonable; (正当でない) unjust. —副 unfairly; unreasonably; unjustly. (☞ ふせい[1]). ¶ 彼の要求は*不当だ (⇒ 理屈に合わない) His demand is *unreasonable*. // 彼らは食糧を*不当な価格で売っている They are selling foods at *unreasonable* prices. // その会社は*不当な利益を上げた The company made *unfairly* large profits. // そこで私は*不当な扱いを受けた I was treated *unfairly* there. // その判決は*不当であった The court's decision was *unjust*.
不当解雇 unjust dismissal U; (不法な) illegal dismissal U **不当行為** injustice C; (不当な行動)

unfair action Ⓒ　不当処分（不適当な）improper proceeding Ⓒ;（正当と認めがたい）unwarranted proceeding Ⓒ　不当請求 unjust claim Ⓒ　不当表示（誤解を与える[完全に誤りの]表示）misleading [false] description of (the) contents Ⓒ;（不当なレッテル）imprὸper lábel Ⓒ　不当利得 únfàir [úndùe; únrèasonable] prófit Ⓒ;（度を過ぎた）excessive profit Ⓒ;〘法〙unjust enrichment Ⓤ　不当廉売 ☞ダンピング　不当労働行為（正当ではない[法律に反した]）únfàir [illégal] lábor pràctice Ⓒ.

ふとう² 埠頭 wharf /(h)wɔ́ɚf/ Ⓒ《複 wharves, ～s》;（遊歩道も兼ねた桟橋状の）pier Ⓒ.（☞さんばし; はとば）.

ふとう³ 不等（等しくないこと）inequality Ⓤ;（二者間の相異）disparity Ⓤ.　不等価交換〘経〙exchange of non-equivalents Ⓒ　不等号, 不等式 ☞見出し

ふとう⁴ 不凍 ―形 nonfreezing.　不凍液 ántifrèeze Ⓤ　不凍湖 ice-free lake Ⓒ　不凍港 ice-free [nonfreezing] port Ⓒ　不凍剤 antifreeze Ⓒ.

ふどう¹ 不動 ―形（揺るがすことのできない）unshakable;（確固たる）firm.　¶*不動の信念 *firm* beliefs // *不動の地位を占める hold an *unshakable* position　不動態〘化〙passivity Ⓤ, the passive state.

ふどう² 不同　¶順*不同です（⇒名前は(アルファベット)順になっていない）The names are *not in* (alphabetical) *order*. / The names are *in* ˹*random* [*no fixed*] *order*. /（⇒特別な順序はない）*No special order* has been observed.（☞じゅん¹（順不同））

ふどう³ 浮動 ―動（浮遊する）float ⓐ;（変動する）《格式》fluctuate ⓐ.　―形 floating.（☞へんどう）.　浮動株 floating stocks ★通例複数形で.　浮動性めまい floating vertigo Ⓒ　浮動層, 浮動票 ☞見出し

ぶとう 舞踏 dance Ⓒ（☞ダンス）.　舞踏会 dance Ⓒ;（特に公式で大きな舞踏会）ball Ⓒ　舞踏病〘医〙chorea /kərí:ə/ Ⓤ, St.Vitus's /-váɪtəs/ dánce Ⓤ.

ぶどう¹ 葡萄（果実）grape Ⓒ;（木）grapevine Ⓒ ★略して vine と言うこともある.
¶ぶどう酒は*ぶどうから作る Wine is made from *grapes*. // *ぶどう一房 a bunch of *grapes* // *ぶどうのつる a *grape* vine // 干し*ぶどう a raisin
ぶどう色 wine ˹color [《英》colour] Ⓒ　ぶどう園[畑] vineyard /vínjəd/ Ⓒ　ぶどう酒 wine Ⓤ.　¶赤[白]*ぶどう酒 red [white] *wine*　ぶどう棚 grapevine trellis Ⓒ　ぶどうパン raisin [currant] bread Ⓤ;《オーストラリア・ニュージーランド》brownie Ⓒ　ぶどう豆 boiled soybeans steeped in sweet syrup ★複数形で.

ぶどう² 武道（武士のおきて）the samurai code;（武術）martial art Ⓒ ★しばしば総称的に the martial arts として用いる.（☞けんどう¹）.

ふどうい 不同意（不承諾）disagreement Ⓤ;（不賛成）disapproval Ⓤ.（☞どうい¹; ふさんせい）.

ふとういつ 不統一（まとまりのなさ・不調和）lack of ˹unity [harmony] Ⓤ;（言動などの）inconsistency Ⓤ.（☞ばらばら; まちまち; とういつ）.
¶内閣は閣内*不統一のため総辞職した The cabinet resigned ˹in a body [en masse] because of (a) *lack of unity* among its members.

ぶどうきゅうきん ぶどう球菌 staphylococcus /stæ̀fəloʊkɑ́kəs/ Ⓒ《複 -cocci /-kɑ́k(s)aɪ/》.　ぶどう球菌食中毒 staphylococcal food poisoning Ⓤ.

ふとうこう 不登校（登校拒否）refusal to attend school Ⓤ, school refusal Ⓤ;（無断欠席・ずる休み）truancy Ⓤ.　―動 refuse to attend school; truant ⓐ, play truant.
¶彼は学校でのいじめが原因で約3か月間*不登校だった He *refused to attend school* for about three months because he was bullied at school.
不登校児 truant Ⓒ, truant student Ⓒ;（長期欠席者）chronic absentee Ⓒ.

ふとうごう 不等号〘数〙inequality sign Ⓒ, unequal(s) sign Ⓒ.

ふどうさん 不動産（土地・家屋など）real ˹estate [property] Ⓤ;（法律用語として）immovables ★通例複数形で.
¶私は3千万円相当の*不動産を持っている I have approximately thirty million yen in *real estate*.
不動産鑑定士 real estate appraiser Ⓒ　不動産業 real estate business Ⓤ　不動産業者[屋] real estate ˹agent [broker] Ⓒ, realtor Ⓒ　不動産取得税 real estate acquisition tax Ⓒ　不動産譲渡所得税 income tax on capital gains from real ˹estate [property] Ⓒ　不動産所得 real estate income Ⓒ　不動産登記 real ˹estate [property] registration Ⓤ　不動産登記簿謄本 certified copy of the real estate register Ⓒ　不動産投資 real estate investment Ⓒ　不動産投資信託 real estate investment trust Ⓒ《略 REIT》　不動産取引 real estate deal Ⓒ　不動産売却益 profit ˹on [from] the sale of real estate Ⓤ ★具体的には Ⓒ.

ふとうしき 不等式〘数〙inequality Ⓒ.

ふどうそう 浮動層（選挙の）undecided [wavering; floating] voters.

ふどうそん 不動尊 statue of Fudo Ⓒ（☞ふどうみょうおう）.

ふどうたい 不導体 nonconductor Ⓒ（☞ぜつえん(絶縁体)）.

ぶどうとう ぶどう糖 grape sugar Ⓤ;（正式には）glucose Ⓤ.

ふどうとく 不道徳 ―形 immoral /ì(m)mɔ́:rəl/.　―名 immorality Ⓤ;（行為）immoral act Ⓒ.（☞ふひんこう）.

ぶとうは 武闘派 militant ˹faction [group] Ⓒ.

ふどうひょう 浮動票 undecided [floating] vote Ⓒ.

ふとうふくつ 不撓不屈 ―形（頑なに目的を曲げない）inflexible;（負けん気で屈しない）《格式》indómitable, ùnyíelding.　¶*不撓不屈の精神 *inflexible* [*indomitable*; *unyielding*] spirit

ふとうへん 不等辺 ―形（三角形が不等辺の）scalene /skéɪli:n/.　不等辺三角形 scalene triangle Ⓒ（☞さんかく(けい)）　不等辺四角形《米》trapezium Ⓒ,《英》trapezoid Ⓒ.

ふどうみょうおう 不動明王 Fudo(myo-o);（説明的には）a Buddhist deity representing the wisdom of the Buddha.

ふとうめい 不透明 ―形（透けて見えない）opaque /oʊpéɪk/ (↔ transparent);（不透明な感じ）uncertain.　不透明液〘写真〙opaque Ⓤ　不透明ガラス opaque glass Ⓤ　不透明感　¶景気の先行きには*不透明感がある（⇒確かでない）The economic outlook *is* ˹*uncertain* [*unclear*].

ふとおり 太織り coarse silk cloth Ⓒ.

ふとがき 太書き　¶*太書きのボールペン a ˹*broad-tipped* [*thick*] ballpoint pen // *太書きで印刷された文字 letters printed in *boldface*

ふどき 風土記（一地方の地理・文化・歴史の記録）records of the geography, culture, and history of a region ★複数形で. 説明的な訳.

ふとく 不徳　¶すべて私の*不徳のいたすところです（⇒すべて私の過失でした）It was *all my fault*. ★平易な言い方. /（⇒責めはすべて私にある）The *blame* is entirely mine. 日英比較 文字どおり自分の非を認める時は英語でもこれでよいが，日本語でしばしば使われるように，実際に責任が自分にないことを承知しながらこれを言うような習慣は英語にはない．

ふとくい 不得意 ━形 (下手な) poor, bad; (弱い・実力がない) weak 語法 poor は point (点) や subject (科目) などの名詞の前には使わない． ━名 weak point Ⓒ. 《☞ にがて》.

¶ 私は数学が*不得意です I am ⌈*poor* [*weak*] in mathematics. / (⇒ 私の弱い学科だ) Mathematics is my *weakest* subject. // 金もうけは*不得意だ (⇒ 上手ではない) I *am not good at* moneymaking. / (⇒ 下手だ) I'*m poor* at making money.

ふとくてい 不特定 ━形 (特に資格・条件などが指定されていない) unspecified; (でたらめの・手当たり次第の) random. **不特定多数** ¶ これは*不特定多数の人を対象にしている This is intended for *unspecified* ⌈*individuals* [*recipients*]. 語法 この「多数」は複数を意味するので，英語では複数形を用いればよい． **不特定物** unascertained [unspecified] goods ★ 複数扱い．

ふとくようりょう 不得要領 ━形 (よく分からない) obscure; (漠然とした) vague; (2 つ以上の意味にとれる) ambiguous; (態度を明らかにしない) noncommittal ★ やや格式ばった語．《☞ あいまい》.

ふところ 懐 **1** 《胸部》: (衣類の胸の部分) breast ★ 単数形で; bosom /búzəm/ Ⓒ ★ 文語的な語; (内ポケット) inside pocket Ⓒ 日英比較 日本語の，和服のふところに当たるものは英語にはないので，pocket などと意訳するか，下の用例のように説明的に訳す必要がある． ¶ 山の*ふところには美しい滝があった There was a beautiful waterfall in the *bosom* of the mountain. // 彼は*ふところから短刀を取り出した He took out a knife tucked inside the *front flap of* his *kimono*.

2 《金銭》 ¶ 彼は*ふところが暖かい[寂しい]らしい (⇒ 金をたくさん持っている[金に困っている]ようだ) He seems to ⌈*have a great deal of* [*be pressed for*] *money*. 語法 be pressed for ... は「...がなくて非常に困っている」という意味． // 彼は自分の*ふところを痛めてそれを払った He paid (for it) out of his own *pocket*. // 親の*ふところを当てにしてはいけない You shouldn't ⌈*count on* your parents *for financial help* [*live off* your parents]. **ふところが痛む** ¶ 私の*ふところは痛まない (⇒ 自分の金は使わなくて済む) I ⌈don't have to [need not] spend my own *money*. **ふところが深い** ¶ 彼女は*ふところが深い (⇒ 心が広い [寛容だ]) She is ⌈*broad-minded* [*tolerant*]. **ふところを肥やす** ¶ やつの考えることといえば自分の*ふところを肥やすことだけだ All he ever thinks about is how to ⌈(⇒ ポケットに裏打ちをつける) *line* his own *pockets* [(⇒ 金をもうける) *make some money* for himself].

ふところ刀 (短剣) dagger Ⓒ; (腹心の部下) *one's* right-hand man Ⓒ **ふところ勘定** (所持金) pocket Ⓤ. ¶ レストランに入る前に*ふところ勘定をした I *totted up how much money* I *had on* me before I walked into the restaurant. 《☞ むなざんよう》 **ふところ具合** ¶ 彼女は*ふところ具合がよさそうだ (⇒ 財政的に安定している) She seems to *be financially secure*. / She seems to have ⌈deep [well-filled; well-lined] *pocket*. / 《略式》 She seems to *be well heeled*. / 《略式》 She seems to *have a fat purse*. // 私は*ふところ具合が悪い I *am a little short*. **ふところ手** ¶ 不労所得があるので彼は*ふところ手で (⇒ 何もしないで) 暮らせる He can *live idly* because he has unearned income.

ふとさ 太さ ━形 (厚さが...である) thick; (大きさが...である) big 語法 鉛筆・針金・ロープなどについて言うときは前者のほうが普通． ━名 thickness Ⓤ, bigness Ⓤ. 《☞ ふとい》. ¶「その管の*太さはどのくらいですか」「直径 50 センチです」"How *big* is the pipe?" "Fifty centimeters in diameter." // その男の腕の*太さにはびっくりした I was surprised at the *thickness* of the man's arms.

ふとざい 太材 big [thick] piece of ⌈lumber [《英》 timber] Ⓒ.

ふとざお 太棹 samisen with a thick neck Ⓒ.

ふとじ 太字 (アルファベットの) thick letter Ⓒ; (漢字などの) thick character Ⓒ; (印刷の) boldface Ⓤ. ¶ *太字で印刷する print in *boldface*

ふとした ━形 (偶然の) accidental; (たまたまの・何気ない) casual. 《☞ ふと; ぐうぜん》.

¶ *ふとした巡り合いで私たちは一緒になった (⇒ たまたまの[偶然の]出会いが私たちを結び付けた) A *casual* [An *accidental*] meeting brought us together. // 彼は*ふとしたことから (⇒ まったくの偶然から) 重力の法則を発見した It was *by mere chance* that he discovered the law of gravity. // *ふとしたことから (⇒ ほんのくだらないことから) 彼らの間にけんかが始まった A quarrel arose between them *over a mere trifle*.

ふとせん 太線 thick line Ⓒ.

ふとっぱら 太っ腹 ━形 (心の広い) big-hearted, broad-minded.

ふとどき 不届き ━形 (目上の人に対して生意気な) impertinent; (無作法な) rude. 《☞ なまいき; けしからん》.

ふとぶと 太太 ━形 (まわりが大きい) thick; (はばが広い) big. ¶ *ふとぶととした円柱 a *thick* column // 筆で*ふとぶとと書く write *in thick strokes* with a brush

ふとまき 太巻き *futomaki* sushi Ⓤ, thick rolled sushi Ⓤ; (説明的には) omelet, gourd, pieces of vegetables, and other ingredients rolled in vinegared rice and seaweed.

ぶどまり 歩留り (原料に対する製品の率) yield (rate) Ⓒ; (入試などの) the registration rate (of those who have been admitted). ¶ 製品の*歩留りは収益率に大きく影響する (⇒ よい製品のできる率は) The *yield* of good products is critical to profitability. // 合格者の*歩留りはいつも約 5 割です (⇒ 合格者の 50 パーセントが通例登録する) About ⌈*half* [50%] of those who have been admitted usually ⌈register [stay].

ふとめ 太目 ¶ *太目のズボン (⇒ だぶだぶの[ゆるめの]) *baggy* [*loose*] pants ★ 前者のほうが口語的. // *太目の女性 a *heavy-set* woman

ふともも 太股 thigh Ⓒ ★「また」の部分まで含む. 《☞ また²; あし¹ (挿絵)》.

ふとりじし 太り肉 ━形 (特に子供が) chubby; (特に女性が・子供が) plump; (太り過ぎの傾向のある) inclined to be overweight Ⓟ.

ふとる 太る, 肥る ━動 (肥える) grow [get] fat (↔ grow [get] thin); (体重が増える) put on [gain] weight (↔ lose weight) 語法 前者は太った醜さを思わせる直接的な表現なので，遠慮のいる相手には避けたほうがよい．後者はやや控えめなニュアンスがある; (肉が付く) put on flesh. ━形 (ずんぐりと太った) fat ★ 最も一般的な語; (肉の多い) fleshy; stout; plump; (太り過ぎの) overweight.

【類義語】脂肪の多いのが *fat* で，肉の多いのが *fleshy* であるが，同意に用いられることも多い．ただし *fat* のほうが悪い意味合いが強い．*fat* と同義であるが婉曲な言い方が *stout*. 感じがよい程度に丸々と太っていることを指すのは *plump*. 体重が多過ぎることを表すのが *overweight*. 《☞ ひまん; ぽちゃぽちゃ》

¶ 彼はすごく*太った He *has grown* very *fat*. / He

has ⌈gained [put on] a great deal of ⌈weight [flesh]. // 丸々と*太った赤ちゃん a *plump* baby // 私は 10 キロほど*太り過ぎだ I'm about ten kilograms *overweight*.

プトレマイオス —[名] ㊀ Ptolemy /tάləmi/ ★ 紀元 2 世紀のアレキサンドリアの天文・地理・数学者.

プトレマイオスちょう プトレマイオス朝 the Ptólemaic /tάləmèɪɪk/ Dýnasty ★ エジプトの王朝 (305–30 B.C.).

ふとん 布団 (寝具全体) bedding Ⓤ; (シーツ・毛布など) bedclothes ★ 複数形で; (敷布団) mattress Ⓒ; (中に羽毛や綿を入れて縫い合わせた掛け布団) quilt Ⓒ, 《米》 comforter Ⓒ, 《英》 duvet /d(j)u:véɪ/; (日本式の敷布団) futon /fú:tɑn/ Ⓒ ★ 英語でも使われることがある. 必要があれば後に a Japanese quilted mattress rolled out on the (tatami) floor のように説明をくわえればよい. [日英比較] 英米ではベッドを用いるので, 日本の場合と布団の用い方が違う. 敷布団 (mattress) はスプリングの入ったもので, 通常ベッドに付属している. その他の布団もベッドに敷いたり掛けたりしたままにしておく. 起床時に, きちんと整えるのがよい習慣となっている. (☞ とこ [日英比較]; かけぶとん [日英比較]). ¶*布団を敷く lay out a ⌈*mattress and bedclothes* [*futon*] on a tatami floor / (⇒ ベッドを整える) *make* ⌈*the* [*one's*] *bed* ★ 前者は説明的, 後者は英米の表現を当てはめたもの. // *布団をかける cover ... with a *quilt* / lay *futon* over ... // 少年は*布団を頭からかぶって寝ていた The boy was sleeping with his ⌈*bedclothes* over his head [*quilt* pulled over himself]. // *布団をたたむ fold up the ⌈*bedding* [*futon*] // *布団を干す dry *futon* in the sun / air *futon*
布団カバー quilt [《米》 comforter] cover Ⓒ 布団皮[地] ticking Ⓤ 布団蒸し —[動] (布団蒸しにする) smother [suppress] *a person* under futon.

ふな 鮒 〔魚〕 crucian /krú:ʃən/ carp Ⓒ 《複 ~, ~s》 ★ 日本のものと多少種類が違う.

ぶな 橅 〔植〕 beech Ⓒ.

ふなあか 船淦 bílge (wàter) Ⓤ.

ふなあし 船足, 船脚 (船の速力) speed (of a ship) Ⓤ. ¶私たちは*船足の速い[遅い]小舟で川を渡った We crossed the river on a ⌈*fast* [*slow*] boat.

ふなあそび 船遊び, 舟遊び —[名] boating Ⓤ; (ヨット遊び) yachting Ⓤ. —[動] (船遊びに行く) go ⌈boating [yachting]. ¶私たちは今度の週末に*船遊びに行く We'*re going boating* this weekend.

ぶない 部内 ¶彼女は*部内で評判がいい She has a good reputation ⌈*in* [*within*] *the department*.
部内者 insider Ⓒ.

ふないた 船板 (船のあげ板) (ship) plank Ⓒ; (造船用の板) (ship) timber Ⓤ.

ふなうた 舟歌 (船乗りの歌) sailor's [sailors'] song Ⓒ; (ゴンドラの船頭が歌う歌) barcarol(l)e /bάːəkəròul/ Ⓒ. ¶「ボルガの*舟歌」*The Song of the Volga Boatman*

ふなか 不仲 —[名] (仲たがい) discord Ⓤ. —[動] (仲が悪い) be on bad terms (with ...).
¶彼は義理の父と*不仲だ He *is on bad terms with* his father-in-law.

ふながいしゃ 船会社 shipping [steamship] company Ⓒ.

ふなかじ 船火事 (航海中の火事) fire at sea Ⓒ; (船上の火事) fire on a ship Ⓒ. ¶港に停泊中の船に*船火事があった (⇒ 火事が船に発生した) A *fire* broke out *on a ship* at anchor in the harbor.

ふなかた 船方 (☞ ふなのり)

ふながた 船形 —[形] boat-shaped.

ふなぐ 船具 (総称的に) a ship's fittings, ship's stores ★ 複数形で; (索具) rigging Ⓤ; (総称的に, 古船具) marine stores.

ふなくいむし 船食虫 〔動〕 shípwòrm Ⓒ.

ふなこ 船子 boatman Ⓒ (☞ ふなのり).

ふなずし 鮒鮨 *funa-zushi* Ⓤ; (説明的には) fermented sushi of salted crucian carp Ⓤ.

ふなぞこ 船底 bottom of a ship Ⓒ. **船底天井** wooden ceiling shaped like a ship's bottom Ⓒ.

ふなだいく 船大工 (船を造ったり直したりする人) shipwright Ⓒ; (木造船の大工) ship carpenter Ⓒ.

ふなたび 船旅 (航海) voyage Ⓒ; (遊びの船旅) cruise Ⓒ. (☞ ふね; こうかい²). ¶彼女は太平洋の*船旅をした She went on a *voyage* across the Pacific Ocean. // 私たちは瀬戸内海の*船旅を楽しんだ We enjoyed a *cruise* on the Inland Sea.

ふなだんす 船簞笥 chest of drawers formerly used on board a ship Ⓒ.

ふなちん 船賃 (客の) fare Ⓒ; (貨物の) freight Ⓤ. (☞ りょうきん; うんちん).

ふなつきば 船着場 (波止場, 特に岸壁・埠頭のある部分) wharf /(h)wɔ́əf/ Ⓒ (☞ はとば; さんばし).

ふなづみ 船積み —[動] (船積みする) load ㊣ ★「船」または「荷物」のいずれも目的語になる; (出荷する) ship ㊣ ★「貨物」が目的語になる. —[名] loading Ⓤ; shipment Ⓤ.
¶彼らはチャールストンで綿花を*船積みした <S (人) + V (*load*) + O (船) + *with* + 名 (貨物)> They *loaded* the ship *with* cotton at Charleston. / <S (人) + V (*load*) + O (貨物) + *onto* + 名 (船)> They *loaded* cotton *onto* the ship at Charleston. // その港から大量の木材が*船積みされる A large amount of timber *is shipped* (*out*) from that port. 船積書類 shipping document Ⓒ.

ふなづり 船釣り boat fishing Ⓤ.

ふなで 船出 —[名] (出航) sailing Ⓤ. —[動] sáil (óut) ㊀, sèt sáil ★ 前者のほうがより口語的. (☞ しゅっぱん²; しゅっこう¹). ¶その船は明朝, ホノルルに向け*船出する The ship will (*set*) *sail* for Honolulu tomorrow morning.

ふなどまり 船泊り anchoring Ⓤ (☞ ていはく).

ふなに 船荷 《米》 cargo Ⓤ, 《英》 freight Ⓤ ★ 具体的な積み荷をいうときは Ⓒ. (☞ ふなづみ). **船荷証券** bill of lading Ⓒ 《略 B/L》.

ふなぬし 船主 (船の持ち主) shipowner Ⓒ.

ふなのり 船乗り sailor Ⓒ ★ 一般的な語; seaman Ⓒ ★ 特に海軍の士官でない水兵の意味で用いられる. (☞ せんいん).

ふなばしご 船梯子 gunwale /gʌ́n(ə)l/ ladder Ⓒ.

ふなびん 船便 sea mail Ⓤ; (航空便以外) surface mail Ⓤ [語法] airmail に対して用い, 船便のほかに鉄道・自動車によるものも含む. (☞ ゆうびん).
¶私は彼に*船便で小包を送った I sent him a parcel *by* ⌈*sea* [*surface*] *mail*. // 彼はその荷物を*船便で (⇒ 海路で) 送った He sent the goods *by ship*.

ふなべり 船縁 upper edge of the side of a ⌈boat [ship] Ⓒ, gunwale /gʌ́nl/ Ⓒ ★ gunnel とも綴る航海用語.
¶*船べりから身を乗り出すのは危険です It is dangerous to lean over *the side of a ship*. // 彼は*船べりから海に落ちた He fell *overboard* (into the sea).

ふなむし 船虫 〔動〕 sea slater Ⓒ, rock isopod /άɪsəpὰd/ Ⓒ 《複 ~ isopoda》.

ふなもり 船盛り various kinds of sashimi served in a container shaped like a boat Ⓤ.

ふなやど 船宿 (貸し船屋) pleasure-boat office

Ⓒ.

ふなよい 船酔い ―［名］seasickness Ⓤ. ―［形］seasick ★ 通例 Ⓟ. ¶ 私は*船酔いをしやすい[しない] I ˹easily get [never get] *seasick*. / (⇒ 船に弱い[強い]) I'm a ˹*poor* [*good*] *sailor*. ★ この言い方は慣用的.

ふなれ 不慣れ ―［形］(経験の浅い) inexperienced; (練習を積んでいない) unpracticed; (慣れていない) not used to ..., unused (to ...), not accustomed to ..., unaccustomed (to ...) ★ この順に格式ばった言い方となる; (よく知らない) unfamiliar (with ...). ―［名］inexperience /ìnɪkspí(ə)riəns/ Ⓤ; lack of experience Ⓤ. 《☞ うとい［語法］; なれる¹》. ¶ 運転に*不慣れな人はよく事故を起こす *Inexperienced* drivers often cause traffic accidents. // 私はこの種の仕事に*不慣れです I am ˹*not used to* [*unaccustomed to*; *unfamiliar with*] this kind of job.

ぶなん 無難 ―［形］(安全な) safe; (容易な) easy; (受け入れられる) acceptable. ¶ あなたは*無難な道を選ぶべきです You should choose a ˹*safer* [*easier*] way. // その計画は*無難なものだった (⇒ だれにとっても受け入れられるものだった) The plan was *acceptable* to everyone.

ふにあい 不似合い ―［形］(行為などが適切でない) unbecoming (to ...); (不適当な) unsuitable (for ...); (調和しない) ill-matched. 《☞ にあう; ふつりあい》. ¶ 彼は紳士には*不似合いな言葉を使った He used language *unbecoming to* a gentleman. // この役は彼女には*不似合いだ (⇒ 不適当だ) This role is *unsuitable for* her. / (⇒ 彼女はこの役には不適任だ) She is *unfit* for this role. // あの夫婦は*不似合いだ They are an *ill-matched* couple.

ふにおちない 腑に落ちない ☞ ふ⁵

ふにく 腐肉 (動物の死体の) carrion Ⓤ; (腐敗した肉) tainted meat Ⓤ.

ふにゃふにゃ ―［形］(硬さのない・体がぐにゃっとした) limp; (たるんだ) flabby. 《☞ 擬声・擬態語 (囲み)》.

ふにょい 不如意 ¶ 私はいま手元*不如意だ I *am* ˹*short of* [*hard up for*] *money*.

ふにん¹ 赴任 ―［動］leave for *one's* new ˹position [assignment] 《☞ てんきん¹》.

ふにん² 不妊 ―［形］(不妊の) sterile /stérəl/. ―［名］sterility Ⓤ. **不妊手術** sterilization Ⓤ **不妊症** sterility Ⓤ, infertility Ⓤ. ¶ *不妊症の女性 a *sterile* woman **不妊相談** ¶ 医者に*不妊相談をする *consult* a doctor *about one's sterility* **不妊治療** infertility [sterility] treatment Ⓤ.

ぶにん 無人 ―［名］(人手の足りないこと) shortage of hands Ⓒ. ―［形］shorthanded. 《☞ むじん¹》.

ふにんか 不認可 ―［名］(要求などを承認しないこと) disallowance Ⓤ; (認めないこと) disapproval Ⓤ; (却下) rejection Ⓤ; (要求などの拒絶) denial Ⓤ. ―［動］disallow (他); disapprove (他); reject (他); deny (他).

ふにんき 不人気 ―［形］unpopular (with ...; among ...). ―［名］ùnpopulárity Ⓤ. 《☞ にんき¹; ふひょう¹》. ¶ 彼はクラスメートに*不人気だ He is *unpopular* ˹*with* [*among*] his classmates. // このカメラは*不人気だ (⇒ 需要が少ない) There is ˹*not much* [*little*] *demand* for this camera.

ふにんじょう 不人情 ―［形］(不親切な) unkind; (薄情な) heartless; (冷淡な) coldhearted; (残酷な) cruel. ―［名］unkindness Ⓤ; heartlessness Ⓤ. 《☞ はくじょう¹》.
¶ 彼は何て*不人情な人間だ What ˹a *heartless* [an *unkind*; a *coldhearted*] man he is! // 私にはそんな*不人情なことはできない I cannot do such a ˹*cruel* [*heartless*] thing.

ふぬけ 腑抜け (弱虫) coward Ⓒ; (腰抜け) wimp Ⓒ; (優柔不断の人) weak-kneed person Ⓒ. 《☞ よわむし》.

ふね 船, 舟 (一般的な) ship Ⓒ; boat Ⓒ; vessel Ⓒ; (汽船) steamer Ⓒ, steamship Ⓒ.
【類義語】最も一般的な語が **ship**. オール・帆・小型エンジンなどで動かす小型の船を指すのが **boat**. ただし, この語は広い意味では船一般を指す. 格式ばった語で, 特に大型の船を指すのが **vessel**. 《☞ きゃくせん》.

> 船のいろいろ
> 商船 merchant ship, merchant vessel, 遠洋定期船 ocean liner, 巡航客船 cruise ship, 貨物船 freighter, 漁船 fishing boat, 大型ヨット yacht, ヨット (小型の帆船) sailboat, クルーザー (行楽用の大型モーターボート) (cabin) cruiser, 快走帆船 clipper, (3本マストの)バーク型帆船 bark, スクーナー schooner, はしけ, 平底船 barge, 短艇 skiff, (普通の)ボート rowboat, (遊覧用などの)小蒸気船 launch, 救命艇 lifeboat, 平底帆船 junk, 連絡船, 渡し船 ferryboat, 快速艇 speedboat, タンカー tanker, 水中翼船 hydrofoil /háɪdrəfɔ̀ɪl/, 気象観測船 weather ship

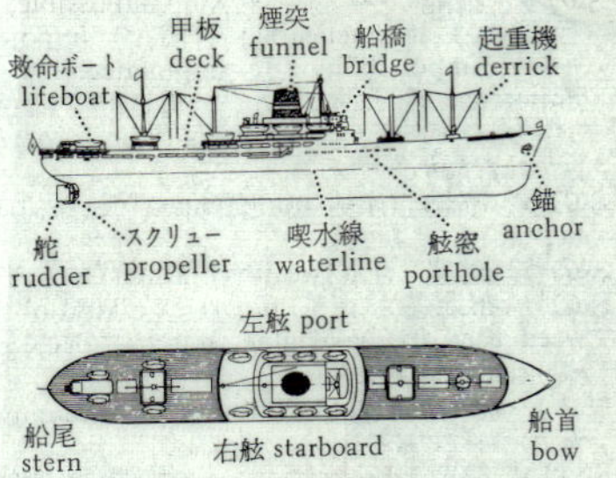

¶ 彼は*船でハワイへ行った He went to Hawaii ˹by *ship* [on a *ship*]. ［語法］(1) by で手段を表すとき, 乗り物は無冠詞. // 彼は横浜からシアトルへ向けて*船に乗った He boarded a *ship* at Yokohama for Seattle. // その*船は7月10日に神戸から出航する予定です The *ship* is scheduled to ˹leave [set sail from] Kobe on July 10. // 彼らは*船で旅行した They traveled *by sea*. ［語法］(2) by sea は by land (陸路) に対して. // 私は午後3時にその*船に乗った I went ˹on board [aboard] the *ship* at 3 P.M. // 私はその*船の上でブラウン夫妻に会った I saw ˹the Browns [Mr. and Mrs. Brown] on board the *ship*. // その*船の船長は私の父の古い友人だった The *ship's* captain [The captain of the *ship*] was an old friend of my father's. ［語法］(3) ship に所有格の 's を用いることがある. // その*船には800人の乗客が乗っていた There were 800 passengers ˹on board [aboard] the *ship*. // *船は川を下って行った The *boat* went down the river. // *船は海岸線に沿って航行した The *ship* sailed along the coast. // 私はすぐ*船に酔う I easily get *seasick*. // 弟は*船に強い[弱い] My brother is *a* ˹*good* [*bad*] *sailor*. 《☞ よう⁴; ふなよい》// 乗りかかった*船だ (⇒ 今ではもう引き返せない) There's no turning back now. 《☞ のりかかる》

船を漕ぐ (ボートを) row a boat; (居眠りをする) nod (自).

―コロケーション―
船が航行する a *ship* sails / 船が沈む a *ship* sinks

/ 船が縦揺れする a *ship* pitches / 船が転覆する a *ship* capsizes / 船が横揺れする a *ship* rolls / 船が難破する a *ship* is wrecked / 船から降りる get off [disembark from] a *ship* / 船から脱出する abandon *ship* ★ 無冠詞. / 船に乗る get on [board] a *ship* / 船の舵を取る steer a *ship* / 船を建造する build a *ship* / 船を修理する refit a *ship* / 船を進水させる launch a *ship* / 船を操縦する navigate a *ship*

ふねっしん 不熱心 ―形 (怠け者の) lazy; (興味を示さない) uninterested (in ...); (あまり熱の入らない) unenthusiastic (about ...). (☞ ねっしん; きのり).

ふねへん 舟偏 (漢字の) ship radical on the left of kanji Ⓒ.

ふねん 不燃 ―形 (不燃性の・火がつきにくい) non(in)flammable (↔ (in)flammable) ★ 不燃物の表示などに使われることが多い; (燃えない) 《格式》 incombústible; (耐火性の) fireproof. ―名 (不燃性) nòn(in)flammabílity Ⓤ; incombùstibílity Ⓤ. **不燃構造** 〔建〕 noncombustible construction Ⓤ **不燃ごみ** noncombustible wastes ★ 複数形で. **不燃材料** incombustible material Ⓤ **不燃物** incombustibles ★ 複数形で.

ふのう[1] 不能 ―形 (不可能な) impóssible; (実行できない) imprácticable; (性的に) ímpotent. ―名 impòssibílity Ⓤ; imprácticabílity Ⓤ; ímpotence Ⓤ. (☞ ふかのう). ¶ このラジオは修理*不能だ (⇒ 修理がきかない) This radio is ⌈*beyond* [*past*] *repair*.

ふのう[2] 不納 (未納) nonpayment Ⓤ; (滞納) default Ⓤ. (☞ みのう).

ふのう[3] 富農 rich [wealthy] farmer Ⓒ.

ふのり 布海苔 (海草) *funori* Ⓤ, a kind of seaweed used to make glue ★ 後者は説明的な訳; (糊) seaweed glue Ⓤ.

プノンペン ―名 ⓖ Phnom Penh /(p)nάmpén/ ★ カンボジアの首都.

ふはい[1] 腐敗 **1** 《物質の》 ―動 (植物・動物質の物が細菌などの作用により腐る) rot ⓘ; (自然に徐々に腐る) decay ⓘ; (食べ物が腐る) spoil ⓘ; 《格式》 putrefy /pjúːtrəfàɪ/ ⓘ, go bad 〔語法〕 最後は最も口語的で日本語の「腐敗する」より「腐る」「悪くなる」に近い. ―形 rotten; spoiled. (☞ くさる (類義語)). ¶ じめじめした所ではなんでも*腐敗しやすい Everything is apt to *rot* in ⌈damp places [a moist environment].

2 《精神の》 ―動 (堕落させる[する]) corrupt ⓣ ⓘ. ―名 corruption Ⓤ. ―形 corrupt. (☞ だらく; おしょく).

¶ 政治の*腐敗はしばしば金銭欲によって引き起こされる Political *corruption* is often caused by a hunger for money. // 官吏には*腐敗した者もいる some government officials *are corrupt*.

腐敗菌 putrefactive /pjùːtrəfǽktɪv/ bacteria ★ 複数形. **腐敗作用** putrefaction Ⓤ **腐敗性有機物** putrefactive organic matter Ⓤ **腐敗防止** ―名 antisepsis Ⓤ. ―形 antiseptic.

ふはい[2] 不敗 ―形 (負けたことのない) unbeaten; (無敵の) 《格式》 invíncible. ―名 《格式》 invìncibílity Ⓤ.

ふばい 不買 ―名 (消費者の) consumer boycott Ⓒ, buyers' strike Ⓒ. ―動 (商品などをボイコットする) boycott ⓣ. (☞ ボイコット). **不買運動** boycott Ⓒ. ¶ 彼らは日本製品の*不買運動を始めた They ⌈instituted a *boycott* of [*boycotted*] Japanese goods.

ふはく 浮薄 ―形 (うわついた) frivolous; (不まじめな) flippant; (移り気の) fickle. (☞ けいはく[1]).
¶ 彼の言動は実に軽佻*浮薄だ His behavior is all too silly and *shallow*.

ふばこ 文箱 letter case Ⓒ.

ふはつ 不発 ―動 (不発になる) misfire ⓘ; (爆弾が爆発しない) do not go off, fail to explode. ―名 misfire Ⓒ. ¶ 爆弾は*不発だった The ⌈bomb [shell] ⌈*did not go off* [*failed to explode*]. // 建築用地の地中から*不発弾が発見された An *unexploded shell* [A *dud*] was found in the earth at the construction site. ★ dud は「不発弾」の意. **不発弾処理班** bomb disposal ⌈squad [unit] Ⓒ.

ふばらい 不払い (支払わないこと) nonpayment Ⓤ (☞ みのう; たいのう[1]).

ふび 不備 ―形 (不完全な) imperfect, incomplete; (欠点がある) flawed. ―名 (不足) lack Ⓤ; (欠陥) flaw Ⓒ. (☞ けってん (類義語)).
¶ これらの書類には*不備な点がある These documents are ⌈*imperfect* [*incomplete*; *flawed*]. / (⇒ ちゃんとできていない) These documents *are not properly* ⌈*written* [*filled out*]. // 衛生設備の*不備 (⇒ 適切な衛生設備の欠如) a *lack of proper* sanitation

ぶひ 部費 (部員が部に納める) club dues ★ 複数形で; (部の予算) club budget Ⓒ.

ぶびき 分引き, 歩引き ☞ わりびき

ふびじん 不美人 plain woman Ⓒ.

ふひつよう 不必要 ―形 (無用の) unnecessary, needless ★ 後者のほうが格式ばった語. (☞ むよう; ふよう[2]).
¶ *不必要な支出は切り詰めなくてはならない We must ⌈cut down on [reduce] *unnecessary* expenses. ★ reduce のほうが格式ばった語. // 弁解は*不必要だ (⇒ 説明の必要はない) There's *no need* ⌈*for* explanation [*to* explain].

ふひょう[1] 不評 ―形 (人気のない) unpopular (with ...; among ...). ―名 ùnpopulárity Ⓤ; (悪評) a ⌈poor [bad] reputation ★ a を付けて. (☞ ふにんき; ひょうばん).
¶ 彼の提案はクラスの*不評を買った (⇒ クラスメートに人気がなかった) His proposal was *unpopular* ⌈*with* [*among*] his classmates. // その本は*不評だった The book had *a* ⌈*poor* [*bad*] *reputation*. // 大統領の提案は国民に*不評だった (⇒ 好ましくなく受け取られた) The president's proposal *was received unfavorably* by the general public.

ふひょう[2] 付表 (文書・論文の最後に添える図表など) appendix Ⓒ 《複 appendices》; (特に一覧表) appended table Ⓒ.

ふひょう[3] 付票 (はり付けた札) label /léɪb(ə)l/ Ⓒ; (ひもなどで付けた札) tag Ⓒ. (☞ ふだ).

ふひょう[4] 浮標 buoy /búːi/ Ⓒ.

ふひょう[5] 浮氷 floating ice Ⓤ (☞ りゅうひょう).

ふひょう[6] 譜表 〔楽〕 staff Ⓒ 《複 staves》.

ふひょう[7] 浮漂 ―動 float ⓘ. **浮漂植物** pleuston Ⓤ.

ふびょうどう 不平等 ―形 (等しくない) unequal; (不公平な) unfair. ―名 inequality Ⓤ; unfairness Ⓤ. (☞ ふこうへい). ¶ 賃金の*不平等 (⇒ 差別) wage *discrimination* **不平等条約** unequal treaty Ⓒ.

フビライハン ―名 ⓖ Kublai Khan /kúːblaɪ kάːn/, 1215–94. ★ チンギスハンの孫で, モンゴル帝国第 5 代皇帝. 中国を征服して国名を元と称し, 日本に遠征軍を派遣した. (☞ げんこう[4]).

ふびん 不憫 ―形 (かわいそうな) poor ★ 口語的で一般的な語; (不幸な) unhappy. ―名 (自分より下か弱い者に対する哀れみ) pity Ⓤ. (☞ あわれ; かわいそう (類義語)). ¶ なんで*不憫な子だ *Poor* child! // 私は妹を*不憫に思った I「felt *sorry* for [took *pity* on] my little sister.

ぶひん 部品 (機械などの) parts ★ 通例複数形で; (構成部分) component Ⓒ. ¶ 自動車の*部品 automobile *parts* // 私はラジオの*部品を買って自分で組み立てた I bought the *components* of a radio and put them together by myself. **部品企画部** [**販売部**] parts「planning [sales] department Ⓒ.

ふひんこう 不品行 (道徳的にだらしないこと) loose morals ★ 通例複数形で; (非行) mìscónduct Ⓤ; (不道徳な行為) immoral conduct Ⓤ. 《☞ はれんち》.
¶ 彼は*不品行のため首になった He was dismissed for his「*misconduct* [*immoral conduct*].

ぶふうりゅう 無風流, 不風流 ― 形 (無味乾燥な) prosaic; (趣味のよくない) tasteless; (洗練されていない) unrefined; (優雅でない) inelegant. 《☞ ふうりゅう 日英比較》. ¶ 彼は*不風流な男だ He is a *prosaic* man. / (⇒ 上品な趣味に欠ける) He *lacks refined tastes*.

ふぶき 吹雪 (強い風を伴った降雪) snowstorm Ⓒ; (大吹雪) blizzard Ⓒ.

ふふく 不服 ― 名 (不満) dissatisfaction Ⓤ; (根強い不満) dìscontént Ⓤ; (不平) complaint Ⓒ; (異義) objection Ⓒ. ― 形 (気に入らない) dissatisfied; (欲求不満気味の) dìsconténted. 《☞ ふへい (類義語); ふまん; もんく》. ¶ 彼女は*不服そうだった She looked「*dissatisfied* [*discontented*].
不服申し立て appeal Ⓒ 《☞ いぎ²; こうそ¹; さいしん³ (再審請求)》.

ふぶく 吹雪く ¶ 村は一晩中*吹雪いていた A *snowstorm was raging* over the village all night (long).

ふふくじゅう 不服従 disobédience Ⓤ.

ふふつせんそう 普仏戦争 〖史〗 the Franco-Prussian War. ★ プロイセンとフランスとの間の戦争 (1870–71).

ふふん ― 感 (疑惑・不満など) humph /mmm/ ★ 単語としてこの語だけを発音するときは /hʌ́mf/; (軽蔑や不愉快な気持ち) pshaw /ʃɔ́ː/; (あざけり) pooh /púː/. 《☞ ふん²》. ¶ *ふふん, くだらない *Humph* [*Pshaw*; *Pooh*]! Nonsense!

ぶぶん 部分 part Ⓒ; portion Ⓒ; division Ⓒ; section Ⓒ; piece Ⓒ.
【類義語】 最も一般的な語は ***part*** で, 全体 (the whole) に対してその一部を示し, 以下の語の代わりに用いることができる場合も多い. 一定の分量を表すのが ***portion***. 全体を分割・分類した結果得られる一部が ***division***. 同じく分割した一部であるが *division* より小さいものを言うのが ***section***. 口語的な語で, 全体に対して一部を取ったものをいうのが ***piece***.
¶ ここがこの本の最も重要な*部分だ This is the most important *part* of this book. // 彼の報告は一*部分だけが真実だ Only (*a*) *part of* his report「is [was] true. 語法 (a) part of ... の場合, a を付けないで用いるほうが普通. また part of に続く名詞が単数形のときは part は単数扱い, 複数のときは複数扱いとするのが普通. // 下線の*部分を日本語に訳しなさい Translate the underlined「*parts* [*portions*] into Japanese. // 村は川によって 2 つの*部分に分けられている The village is divided into two *sections* by the river. // 彼は土地の一*部分を売った He sold a「*piece* [*part*] of his land. 《☞ いちぶ³》 // その事故に関する情報はあやふやで*部分的であるため, 現在のところ何人の死傷者が出ているのかわかりません Reports regarding the accident are unclear and *incomplete*, so at the moment we don't know how many casualties there are. // 彼の表現は*部分的には正しい His expression is *partially* right.
部分加工 partial processing Ⓤ **部分かつら** hairpiece Ⓒ; (男性用のもの) toupee /tuːpéɪ/ Ⓒ **部分冠詞** 〖文法〗 partitive article Ⓒ **部分集合** 〖数〗 súbsèt Ⓒ, subclass Ⓒ **部分蝕** 〖天〗 partial eclipse Ⓒ **部分スト** partial [local] strike Ⓒ **部分切除** 〖医〗 segmental resection Ⓒ, segmentectomy Ⓤ **部分染め** (布または髪の) partial dyeing Ⓤ **部分的核実験禁止条約** the Partial Test Ban Treaty 《略 PTBT》 **部分否定** 〖文法〗 partial negation Ⓤ **部分品** parts ★ 通例複数形で. 《☞ ぶひん》.

ふぶんけんぽう 不文憲法 unwritten constitution Ⓒ.

ふぶんほう 不文法 〖法〗 unwritten law Ⓒ; (ラテン語で) lex non scripta /léksnɑnskríptə/.

ふぶんみょう, ふぶんめい 不分明 ― 形 obscure 《☞ あいまい 日英比較》.

ふぶんりつ 不文律 unwritten「law [code] Ⓒ.

ふへい 不平 ― 名 dissatisfaction Ⓤ; discontént Ⓤ ★ 両者とも具体的なものをいうときは Ⓒ; complaint Ⓒ; grievance Ⓒ. ― 動 (不平を言う) complain (about ...; of ...) 自; (ぶつぶつ不平を言う) grumble (about ...; at ...; over ...) 自.
【類義語】 通例はっきりした原因がある一時的な不満が ***dissatisfaction***. より一般的で根深い不満が ***discontent***. 口語的で, 不平・不満や泣き言を言うこと, あるいは泣き言の原因が ***complaint***. 少し格式ばった語で苦痛・悲嘆の原因・理由などが ***grievance***. 《☞ くじょう (類義語); ふまん; もんく》
¶ 彼はその結果について*不平をもらした He expressed his *dissatisfaction* with the results. // 何か*不平があったら遠慮なく言いなさい If you have any *complaint*(*s*), please speak out. // 彼女は義母に対して*不平を抱いているようだ She seems to have a *grievance* against her mother-in-law. // 彼はいつも給料の*不平ばかり言っている He *is* always「*complaining* [*grumbling*] about his pay.
不平を鳴らす ¶ その老人は若い者のだらしなさに*不平を鳴らしている (⇒ しきりに不平を言い立てる) The old man *complains a lot* about how slovenly young people are. **不平を並べる** ¶ 彼は仕事に対して*不平を並べた He *counted off* his *complaints* about his job.
不平分子 (反体制の人) dissident Ⓒ.

ぶべつ¹ 侮蔑 contémpt Ⓤ 《☞ けいべつ; ぶじょく》.

ぶべつ² 部別 ― 名 classification Ⓤ. ― 動 classify 他. 《☞ ぶんるい》.

ふへん¹ 不変 ― 形 (永遠に続く) eternal, èverlásting ★ 前者のほうが口語的; (変えることのできない) unchangeable, 《格式》 immutable; (動かせない) immovable; (変化のない) unchanged; (一定の) invariable /ìnvé(ə)riəbl/. ― 名 eternity Ⓤ; immutability Ⓤ; (一定で不変) constancy Ⓤ; (不変の物) invariable Ⓒ. ¶ *不変の真理 *eternal* [*everlasting*] truth // それは*不変の自然法則だ It is an「*immutable* [*unchangeable*] law of nature. // 彼の考えは*不変だった His views remained *unchanged*. / He was *immovable* in his views.

ふへん² 普遍 ― 形 (普遍的な) universal. ― 名 (普遍性) universality Ⓤ. ¶ それは*普遍的真理だ That is a *universal* truth. // この結論は*普遍妥当性を持つ This conclusion has *universal* validity. **普遍化** generalization Ⓤ **普遍概念** universal concept Ⓒ 《☞ がいねん》 **普遍定数** 〖物理〗 universal constant Ⓒ **普遍文法** 〖言〗 universal grammar Ⓤ.

ふべん 不便 ― 形 (場所・時刻などが便利でない) inconvenient; (物が扱いにくい) not handy, un-

handy. ―名 inconvenience U ★「不便なこと」を表す場合は C; unhandiness U. ―副 inconveniently. 《☞ ふじゆう; べんり》.
¶私は*不便な所に住んでいる I live in an *inconvenient* ˹place [location]. // 彼の家は*不便な所にある His house is *inconveniently* located. // ゼネストでたいへん*不便な思いをした We *suffered great inconvenience* from the general strike. // その包みは持ち運びに*不便だ The pack is ˹*unhandy* [*inconvenient*] to carry about.

ふべんきょう 不勉強 ―形 (怠け者の) lazy (↔ diligent). ―名 laziness U (↔ diligence) ★いずれも軽蔑的な語. ¶「この木の名前を知っていますか」「*不勉強でわかりません」"Do you know the name of this tree?" "I'm sorry. I don't." 日英比較 この「不勉強」は日本語独特の謙遜, 卑下の言葉なので, 文字どおり訳さないほうがよい.

ふへんふとう 不偏不党 ―形 (一党に偏らない) nonpartisan /nànpáətəzn/ ★政治用語; (中立の) neutral; (公平な) fair, impartial, unbiased ★後のものほど意味が強い. ¶私たちは*不偏不党の立場に立って議論した We discussed the problem on ˹*nonpartisan* [*neutral*] ground.

ふぼ 父母 (両親) *one's* parents ★複数形で; (父と母) *one's* father and mother, *one's* mother and father. 《☞ おや[1]; 親族関係 (囲み)》. **父母会** parents' association C; (教師を含めて父母会の会合) PTA meeting C. 《☞ ピーティーエー》.

ふほう[1] 不法 ―形 (非合法な) unlawful; (違法の) illegal ★前者は専門用語として使われる. ―名 unlawfulness U; illegality U. ―副 unlawfully; illegally. 《☞ いほう[1]》. ¶彼は警察に*不法に拘留されたと主張した He insisted that he had been detained *unlawfully* by the police.
不法監禁 illegal confinement U **不法行為** illegal [unlawful] act C **不法残留者** person who remains illegally C ★説明的な訳. **不法集会** unlawful assembly C **不法就労** working illegally U **不法就労者** illegal worker C **不法所持** illegal possession U. ¶爆発物*不法所持 *illegal possession* of ˹an explosive [explosives] **不法侵入** ―名 tréspass C. ―動 tréspass 自 **不法投棄** ―名 illegal dumping U. ―動 dump illegally 自 **不法入居者** squatter C **不法入国** (一般的に) illegal entry C **不法入国者** illegal alien C.

ふほう[2] 訃報 report [news] of *a person's* death ★ report は C, news は U 《☞ ひほう[1]》. ¶旧友の*訃報に接した (⇒死について聞いた[知らされた]) I ˹*heard* [*was informed*] *of* an old friend's *death*. // 御母堂の*訃報に接し心よりお悔やみ申し上げます I would like to express my deepest sympathy since I ˹heard [received the *news*] *of* your mother's *death*. / I was extremely sorry to hear of *the loss* of your mother.

ふほうわ 不飽和 〖化〗 unsaturation U. **不飽和化合物** unsaturated compound C **不飽和結合** unsaturated bond C **不飽和脂肪酸** unsaturated fatty acid C.

ふぼく 浮木 (浮いている木材) floating ˹lumber [《英》 timber] U; (浮いている木片) floating piece of wood C. 《☞ りゅうぼく》.

ふほんい 不本意 ―形 (気の進まないまま) unwilling; (いやいやながら) reluctant. ―名 unwillingness U; reluctance U. ―副 unwillingly; reluctantly. 《☞ しぶしぶ 語法》. ¶我々は*不本意ながらその提案に同意した We consented to the proposal ˹*reluctantly* [*unwillingly*; *against our will*]. / (⇒いやいやながらの同意を与えた) We gave our *reluctant* consent to the proposal.
不本意入学 involuntary [unwilling; reluctant] enrollment in a school U **不本意入学者** involuntary ˹attendance [attendant] C.

ふまえどころ 踏まえ所 (踏みしめて立つところ) footing C; (見地) *one's* standpoint.

ふまえる 踏まえる (…に基づく) be based on … 《☞ もとづく》. ¶彼女の言うことは事実を*踏まえていない What she said *was* not *based on* (the) facts.

ふまじめ 不真面目 ―形 (真剣でない) not serious; (熱心でない) not earnest; (不誠実な) insincere. 《☞ ふせいじつ》. ¶彼は*不まじめな学生だ He is *not* ˹a *serious* [an *earnest*] student.

ふまん 不満 ―形 (物・結果などが失望させる) unsatisfactory; (人が満たされない) not satisfied, unsatisfied; (気に入らない) dissatisfied 語法 (1) unsatisfied は消極的不満を, dissatisfied は積極的な不満を表す; (満足できなくて心が晴々しない) disconténted. ―動 (不平を言う) complain (about …) 自; (ぶつぶつ文句を言う) grumble (about …) 自. ―名 discontént U; dissatisfaction U. 《☞ ふへい (類義語); ふふく; ものたりない》.
¶テストの結果には*不満だった The results of the test were *unsatisfactory*. / I was *not satisfied* with the results of the test. // 私は安月給に*不満である I *am* ˹*dissatisfied* [*discontented*] with my low salary. // 彼は*不満そうな目つきで私を見た He gave me a *discontented* look. // 私は別に*不満はありません I have nothing to *complain about*. // 彼はいつも仕事の*不満を言っている He *is* always *grumbling about* his job. 語法 (2) この進行形は感情的な表現で,「だからわがままなやつだ」という非難が含まれる.

ふまんぞく 不満足 (気に入らないこと) dissatisfaction U; (満足できないこと) discontént U. 《☞ ふまん; ものたりない; まんぞく》.

ふみ 文 (手紙) letter C; (書物) book C.

ふみあらす 踏み荒らす trample … underfoot. ¶男の子たちは花を*踏み荒らした The boys *trampled* the flowers *underfoot*.

ふみいし 踏み石 (飛び石) stépping-stòne C; (靴脱ぎ用の) stepstone C.

ふみいた 踏み板 (乗降用・踏み段) footboard C; (階段の) tread C; (足踏み式オルガンの) pedal C.

ふみいれる 踏み入れる (歩を進める) step [walk] into …; (足跡を記す) set foot in … 《☞ はいる》. ¶探検隊は人跡未踏の地に足を*踏み入れた The expedition *set foot in* unexplored regions.

ふみえ 踏み絵 (徳川時代のキリシタン判別のための十字架のキリストを描いた絵板) plate with a picture of a crucifix C 参考 もし必要なら It was used by the Tokugawa Shogunate as an instrument to discover Christians. When a person refused to step on it, he or she was regarded as a Christian and executed. のような説明を加えるとよい; (信念のテスト) test of *one's* belief C.

ふみかためる 踏み固める (歩いて[足を踏み下ろして]) tréad [stámp] dówn 他 《☞ ふみつける》.

ふみきり 踏切 (鉄道の) (railroad) crossing C, 《米》 grade [《英》 level] crossing C; (跳躍の) tákeòff C. ¶*踏切で事故があった There was an accident at the *railroad crossing*. // *踏切を渡るときは左右をよく見なさい Look right and left carefully before going over the ˹*grade crossing* [(⇒線路) rail line]. // 無人*踏切 an ˹unattended [unmanned] *crossing* **踏切警報機** crossing signal C **踏切遮断機** (railroad) crossing ˹gate [barrier] C **踏切番** crossing gateman C **踏切板**

(跳躍台) spring board Ⓒ.

ふみきる 踏み切る (決意する) make a decision, decide ㊀ ㊁. ¶ 彼女は彼との結婚に*踏み切った(⇒結婚することに決めた) She *decided* to marry him. // 彼らは強硬手段に*踏み切った(⇒強い行動をとった) They *took* strong *action*.

ふみこえる 踏み越える step「over [across] … 語法 over は「乗り越えて」, across は「横切って」; (困難に打ち勝つ) overcome ㊀. ¶ 白線を*踏み越えてはいけない Don't *step*「*across* [*over*] the white line.

ふみこし 踏み越し (相撲の) stepping out of the ring Ⓤ.

ふみこたえる 踏み堪える (抵抗して持ちこたえる) hold out ㊁; (難局などを切り抜ける) pull through … ¶ 彼は土俵際で*踏みこたえた He *held out* against his opponent at the edge of the ring. / (⇒抵抗を続けた) He *continued to put up* a good fight from the edge of the ring.

ふみこみ 踏み込み ¶ この議論にはその問題に対する*踏み込みが足りない(⇒十分に扱っていない) The discussion doesn't *deal fully with* the problem.

ふみこむ 踏み込む (歩いて入る) step [walk] into …; (警察が手入れする) raid ㊀. ¶ きのう警察が賭博場に*踏み込んだ The police *raided* the gambling den yesterday. // もう一歩*踏み込んで(⇒なお一層) 検討しなさい Conduct a *further*「examination [investigation].

ふみしめる 踏み締める ¶ 彼らは雪を*踏み締めて(⇒雪の中をしっかりした足取りで) 進んだ They advanced *with firm steps* through the snow.

ふみだい 踏み台 (背のない低い腰掛け) stool Ⓒ; (脚立) stepladder Ⓒ; (目的を達するための手段) stepping-stone Ⓒ. 《☞ だい²(挿絵)》. ¶ このいすを*踏み台にしなさい(⇒この腰掛けの上に立ちなさい) You may stand on this *stool*.

ふみたおす 踏み倒す ¶ 彼は借金を*踏み倒した(⇒払わなかった) He *didn't pay* his debts.

ふみだす 踏み出す (一歩前へ進む) take [make] a step「to [toward] …; (前に出る) step forward ㊁; (仕事などを始める) launch *oneself* (into …) ★ launch は ㊀ が普通. 《☞ はじめる; のりだす》. ¶ 人類は月征服への一歩を*踏み出した Mankind *has taken the first step toward* the conquest of the moon. // 彼らは世界の市場へ*踏み出した They *have launched themselves into* the world market.

ふみだん 踏み段 (段) step Ⓒ; (階段) stair Ⓒ. 《☞ だん¹; かいだん¹》.

ふみちがえる 踏み違える (間違って踏む) take a「wrong [false] step; (足のすじを) sprain *one's* ankle.

ふみづき 文月 ☞ ふづき

ふみつけ 踏み付け ¶ 彼は彼女の気持ちを*踏みつけにした He *trampled* on her feelings. // 人を*踏みつけにするようなことはすべきではない(⇒人に恥をかかせるようなことをしてはいけない) You should not *humiliate* others.

ふみつける 踏み付ける (足で強く踏む) stamp ㊀ ㊁; (踏みにじる) trample ㊀ ㊁. 《☞ ふむ; ふみにじる》. ¶ 彼らは地面を*踏みつけて平らにした They *stamped* the ground flat. // その子はありを*踏みつけた The child *stamped* on the ant. // 花壇を*踏みつけないようにしなさい Don't *trample* (*on*) the flower bed.

ふみつぶす 踏み潰す crush … by treading on … 《☞ ふみつける; つぶす》. ¶ 私はうっかりおもちゃを*踏みつぶしてしまった I carelessly *crushed* the toy *by treading on* it.

ふみとどまる 踏み止まる (その場に残る) remain ㊁; (自分の気持ちを抑える) control *oneself*. 《☞ おもいとどまる》. ¶ みんなは逃げたが私は*踏みとどまった They ran away, but I *remained*. // 私は彼を殴ってやりたかったがなんとか*踏みとどまった I felt like striking him, but I managed to *control myself*.

ふみならす¹ 踏み鳴らす stamp *one's* feet. ¶ 聴衆は足を*踏み鳴らして反対を叫んだ The audience expressed their disapproval by *stamping their feet noisily* on the floor.

ふみならす² 踏み均す (踏んで平らにする) stamp … flat. ¶ 私たちはテントを張る前に地面を*踏みならした We「*stamped* the ground *flat* [*leveled* the ground *by stamping*] before we pitched our tent.

ふみにじる 踏み躙る (人の感情などを) trample (on …; upon …) ㊁; (無視する) ignore ㊀. ¶ 君は彼の好意を*踏みにじった You *have*「*trampled upon* [*ignored*] his kind intentions.

ふみぬく 踏み抜く (踏む) step (on …) ㊁. ¶ はだしで歩いていてくぎで足を*踏み抜いた While walking around barefoot I *stepped on* a nail and got hurt. // 子供たちが教室の床を*踏み抜いた The classroom floor「*was broken* [*collapsed*] when the children *stamped their feet* on it.

ふみば 踏み場 ¶ あなたの部屋はいつも足の*踏み場もないほど散らかっているね Your room is always so disorderly that there's hardly a *place to step*. 《☞ ふむ》

ふみはずす 踏み外す ―動 miss *one's* step. ―名 (踏み誤り) misstep Ⓒ. ¶ 彼は階段を*踏み外して下まで転げ落ちた He *missed his step* and tumbled down (to the foot of) the stairs. // 人の道を*踏み外すな(⇒正しい道からそれるな) Don't「*stray* [*turn*] from the right path.

ふみまよう 踏み迷う (道に迷う) get lost ㊁, lose *one's* way ㊁; (正しい道を踏み外す) stray from the right path ㊁.

ふみもち 不身持ち ―形 (暮らしぶり[行動]がふしだらな) loose; (不道徳な) immoral; (セックスで相手を選ばない) promiscuous /prəmískjuəs/. 《☞ ふひんこう》.

ふみやぶる 踏み破る stamp through ㊀.

ふみわける 踏み分ける ¶ 私は背の高い草を*踏み分けて進んだ I「*pushed* [*made*] *my way* through the tall grass.

ふみん¹ 不眠 (眠れないこと) sleeplessness Ⓤ; (目が覚めたままでいること) wakefulness Ⓤ. ¶ 昨夜の*不眠が試験に響いた Last night's「*sleeplessness* [*wakefulness*] affected my performance on the test.

ふみん² 府民 ☞ ふ¹

ふみんしょう 不眠症 insómnia Ⓤ. ¶ このごろ*不眠症にかかっている I'm suffering from *insomnia* these days. / (⇒よく眠れない) I *can't sleep well* these days.

ふみんふきゅう 不眠不休 ―副 (休みなしで) without sleeping or resting; (昼夜兼行で) night and day, day and night. ¶ *不眠不休の努力の結果, 彼は仕事に成功した(⇒彼は夜も昼も働いてついに成功した) He worked *night and day* and finally succeeded in business.

ふむ 踏む 1 《足で》: (1歩足を動かして) step (on …) ㊁; (踏みつける) tread (on …) ㊁ 《過去 trod; 過分 trodden, trod》; (力を入れて) stamp (on …) ㊁. 《☞ ふみつける》. ¶ 私は電車の中で足を*踏まれた I *had* my foot「*stepped* [*trodden*] *on* in the train. // 私は薄氷を*踏む思いだった I felt as if I *were*「*walking* [*treading*] *on* thin ice. // 5回までは

3 塁を*踏んだ者はいなかった No one *touched* third base before the fifth inning.

2 《手続きなどをする》: (経る) go through …; (完全にする) complete 他. ¶ 通関の手続きを*踏むのがやっかいだ It is troublesome to ⌜*go through* [*complete*] customs formalities.

3 《評価する》: (見積もる) éstimàte 他 《☞ みつもる; ひょうか[1]》. ¶ 私は損害は 100 万円と*踏んだ I *estimated* the losses at one million yen.

踏んだり蹴ったり ☞ 見出し

ふむき 不向き ―形 (ふさわしくない) not suitable (for …), unsuitable (for …); (不適当な) unfit (for …; to be …). 《☞ ふてきとう》. ¶ この本は小さい子供には*不向きだ (⇒ ふさわしくない) This book is *not suitable for* young children. // その服はこの場合には*不向きだ That dress is ⌜*unsuitable* [*unfit*] *for* the occasion. // 彼は医者には*不向きだ He is ⌜*unfit* [*not suited*] *to be* a doctor.

ふめい 不明 ―形 (はっきりしない) not clear; (意味などがあいまいな) obscure; (わからない) unknown; (安否・行方が不明の) missing; (作者などが不明の) anonymous; (身元・国籍などが不明の) unidentified. ―名 (無知) ignorance Ⓤ. 《☞ ふしょう[2]》. ¶ 彼の動機は*不明である His motive is *not clear*. // この契約書には*不明な点がいくつかある There are some *obscure* points in this contract. // この本の著者は*不明である The author of this book is ⌜*unknown* [*anonymous*]. // 事故の後, 5 人が安否*不明だ Five people are *missing* after the accident. // 私は自分の*不明を恥じた I was ashamed of my *ignorance*.

ぶめい 武名 military ⌜fame [renown] Ⓤ.

ふめいかく 不明確 ―形 (はっきりしない) not clear ★ 最も一般的で口語的; (意味・内容がはっきりしない) unclear; (あいまいな) ambiguous; (音・形・記憶がはっきりしない) indistinct; (漠然とした) vague. 《☞ あやふや; あいまい; ふめいりょう》.

ふめいよ 不名誉 ―形 (不面目で恥となるような) disgraceful; (信用を傷つけるような) discréditable; (恥ずべき) shameful; (卑劣・ひきょうなどの意味で不面目な) dìshónorable (《英》 dishonourable). ―名 disgrace Ⓤ; discredit Ⓤ; shame Ⓤ; dishonor (《英》 dishonour) Ⓤ ★ 以上いずれも「不名誉なこと・人」という場合は Ⓒ. ¶ 彼の行為は学校にとってまことに*不名誉なことだ His conduct is a great ⌜*disgrace* [*discredit*] to the school.

ふめいりょう 不明瞭 ―形 (はっきりしない) not clear ★ 最も一般的で口語的; (はっきり見えない・聞こえない) indistinct; (あいまいではっきりしない) obscure; (発音・言葉がはっきりしない) 《格式》 inartículate. 《☞ あいまい; ぼんやり》.
¶ 彼の言葉は*不明瞭だ He is *inarticulate*.

ふめいろう 不明朗 ―形 (不公平な) unfair; (不正直な) dishonest. 《☞ めいろう》.
¶ わが社の人事異動は*不明朗だ The method of staff reorganization in our company is *unfair*. // *不明朗な選挙をなくそう Let's do away with *dishonest* elections.

ふめつ 不滅 ―形 (死後も滅びない) immórtal; (名声などが衰えない) undying Ⓐ. ―名 immortálity Ⓤ. 《☞ ふきゅう[2]; えいえん》. ¶ 霊魂は*不滅である The soul is *immortal*. // 彼の名声は*不滅だ His reputation is *immortal*. / (⇒ 不滅の名声を得た) He won *undying* fame.

ふめん 譜面 〔楽〕sheet music Ⓤ, score Ⓒ. 《☞ がくふ[1]》. **譜面台** (music) stand Ⓒ.

ふめんぼく 不面目 ☞ ふめいよ

ふもう 不毛 ―形 (作物ができない) sterile /stérəl/, 《格式》 barren ★ 前者のほうが一般的; (荒れ果てた) waste; (土地が乾燥した) 《格式》 arid; (実りのない) unfruitful. ―名 sterility Ⓤ; barrenness Ⓤ.
¶ *不毛の地 *sterile* [*barren*; *waste*] land // *不毛の議論 (⇒ 実りのない[役に立たない]) an *unfruitful* [a *worthless*] discussion // 議論は*不毛に終わった (⇒ 実りがなかった) The argument proved *unfruitful*. / The discussion didn't lead us anywhere. / *Nothing came out of* our discussion.

ふもと 麓 (山の下の部分) foot Ⓒ ★ 最も一般的な語; (一番低い部分) bottom Ⓒ; (基の部分) base Ⓒ. ¶ 山の*ふもとには村があった There was a village at the ⌜*foot* [*bottom*; *base*] of the mountain.

ふもん 不問 ¶ この問題は*不問に付することにする (⇒ 考慮からはずす) This question will *be* ⌜*withdrawn* [*omitted*] *from consideration*.

ぶもん[1] 部門 (部類) class Ⓒ; (同性質のものの集まり・範ちゅう) cátegòry Ⓒ ★ 後者のほうが格式ばった語; (分野) field Ⓒ; (業務上の部門) department Ⓒ.

ぶもん[2] 武門 ☞ ぶけ

ふやかす (一般に) soften 他; (豆などを) soak 他.
¶ 豆を水につけて*ふやかしなさい *Soak* the beans in water. / *Soften* the beans (by *soaking* them) in water.

ぶやく 夫役, 賦役 (強制労役) compulsory labor Ⓤ; (封建諸侯が領民に課した) corvée /kɔəvéɪ/ Ⓤ ★ corvée の ´ は綴り本来のもの.

ふやける ―動 (ふくれる) swell 自. ―形 (ぬれてぐしゃぐしゃの) sodden. ¶ 長いこと水につかって仕事をしていて手が*ふやけてしまった I worked in the water for so long that my hands ⌜became [got] *swollen*. // 豆が水の中ですっかり*ふやけた The beans *have* ⌜*swollen* in the water [(⇒ 十分水を吸った) *soaked up* enough water].

ふやじょう 不夜城 (イルミネーションが輝く歓楽街) brilliantly-illuminated entertainment district Ⓒ. ¶ ラスベガスは*不夜城だ (⇒ 決して眠らない都市だ) Las Vegas (is a city which) *never sleeps*.

ふやす 増やす, 殖やす (増加させる) incréase 他; (次第に増加・増強する) build up 他; (さらに加える) add to …; (給料などを上げる) raise 他. 《☞ ます[1]; ふえる》. ¶ 彼は財産を*殖やした He ⌜*increased* [*added to*] his fortune. // 本を読んで語彙を*増やしなさい *Increase* your vocabulary by reading.

ふやふや ―形 (水気を含み柔らかい) soggy 《☞ ふやける; 擬声・擬態語 (囲み)》.

ふゆ 冬 winter Ⓤ 《☞ とうき[6]》.
¶ 北海道の*冬は厳しい *Winter* in Hokkaido is severe. // 今年の*冬は寒[暖か]かった (⇒ 寒い[暖かい]冬を持った) We have had a ⌜cold [mild] *winter* this year. 《☞ 発想 (巻末)》 // 前の*冬は雪が少なかった We had little snow last *winter*. 語法 (1) this, last, next が付く場合は, 前置詞を伴わずに副詞句を作る. // *冬は毎年(蔵王へ)スキーに行く I go skiing (at Zao) ⌜every *winter* [in (the) *winter* every year]. // 私たちは 1999 年の*冬にロンドンへ行った We went to London in *the winter* of 1999. 語法 (2) 特定の冬なので定冠詞が付く. // *冬の最中に in mid*winter* / in the midst of *winter* / in the middle of *winter*

冬来たりなば春遠からじ If Winter comes, can Spring be far behind? ★ シェリーの詩より.

冬型 ―形 (冬に特徴のある) characteristic of winter; (冬独特の) peculiar to winter. ¶ *冬型の気圧配置 a pressure pattern *characteristic of winter* / (⇒ 冬に典型的な) a *typical winter* pressure pattern **冬構え** preparations for winter; (家屋などの冬支度) winterizing Ⓤ 《☞ ぼうかん[3]》

冬枯れ ☞ 見出し　冬着[冬服, 冬物] winter ˹clothes [wear Ⓤ]　冬草 withered ˹grass Ⓤ [weeds], winter grass Ⓤ　冬景色 wintry scene Ⓒ　冬化粧 wintry snow-clad scene Ⓒ　冬越し ── 名 wintering Ⓤ.　── 動 winter (at …; in …) ⓐ, pass the winter (at …; in …) ⓐ　冬ごもり ☞ 見出し　冬支度 ── 動 prepare for (the) winter ⓐ　冬将軍 (厳しい冬) harsh winter Ⓤ　冬空 the ˹winter [wintry] sky Ⓤ ★ the を付けて.　冬鳥 (渡り鳥) migratory bird Ⓒ　冬の時代 ice age Ⓒ　冬場 winter season Ⓒ　冬日 (冬の太陽の光) winter sunshine Ⓤ; (最低気温が 0 °C 未満の日) day on which the temperature goes below 0 °C Ⓒ, below-freezing day Ⓒ　冬休み winter vacation Ⓒ, 《英》 winter holidays ★ 通例複数形で. 《☞ やすみ; きゅうか[1]》　冬山 the mountains in (the) winter; (冬の登山) winter mountaineering Ⓤ. 《☞ やま; とざん》.　¶ *冬山は遭難が多い There are many accidents in the *mountains in* (*the*) *winter*.

ぶゆ 蚋 ☞ ぶよ

ふゆあおい 冬葵 〘植〙 curly [curled] mallow Ⓒ.

ふゆう[1] 富裕 ── 形 (金持ちの) rich, wealthy 語法 後者は財産のほかに社会的な地位も持っているというニュアンスを含む.　── 名 richness Ⓤ; wealth Ⓤ. 《☞ かねもち (類義語); ゆうふく》.　富裕層 the wealthy (classes), the well-to-do.

ふゆう[2] 浮遊 ── 形 (浮かんでいる) floating. ── 動 (浮く) float ⓐ. 《☞ うく; うかぶ》.　¶ *浮遊物 *floating* matter　浮遊生物 ☞ プランクトン　浮遊物質 suspended solids 《略 SS》 ★ 複数形.　浮遊粉塵 suspended dust Ⓤ　浮遊粒子 suspended particles ★ 複数形.

ぶゆう 武勇 (勇敢さ) bravery Ⓤ; (特に戦闘における勇気) 《文》 valor (《英》 valour) Ⓤ. 《☞ ゆうき[1]; ゆうかん[1]》.　武勇伝 (伝説上の) heroic saga Ⓒ; (一般的に) tale of *one's* heroism Ⓒ, tale of heroic deeds Ⓒ.

フューエル fuel Ⓤ 《☞ ねんりょう》.

フュージョン (融合) fusion Ⓤ; (音楽の) fusion Ⓤ.　フュージョン料理 (料理法) fusion cuisíne Ⓤ; (料理されたもの) fusion cooking Ⓤ.

フューダリズム ☞ ほうけん[1] (封建制度)

フューチャー (未来) future Ⓤ.

フューネラルマーチ (葬送行進曲) funeral march Ⓒ.

ふゆかい 不愉快 ── 形 (いやな・おもしろくない) unpleasant, displeasing ★ 前者のほうが普通; (他人に与える印象がよくない) disagreeable.
── 名 unpleasantness Ⓤ; disagreeableness Ⓤ. 《☞ いや[1]; ふかい[2]》.　¶ 私は*不愉快な経験をした I had an *unpleasant* experience. // 彼は*不愉快な人だ He is a *disagreeable* person. ★ 怒りっぽいなどで, 付き合いにくい人のこと. // 私はその手紙を受け取って*不愉快になった (⇒ 手紙に腹を立てた) I *was displeased* with the letter.

ふゆがれ 冬枯れ ¶ *冬枯れの景色 bleak *winter* scenery // 仕事はいま*冬枯れです (⇒ 寒い天気で不景気だ) Business is *slack because of the cold weather*.

ふゆぎ 冬着 ☞ ふゆ (冬着[冬服, 冬物])

ふゆきとどき 不行き届き (当然すべきことをしないこと) neglect Ⓤ; (怠慢) négligence Ⓤ; (不注意なこと) carelessness Ⓤ; (うかつ) inatténtiveness Ⓤ. 《☞ ふちゅうい; たいまん》.
¶ この失敗は私の*不行き届きによるものです This failure is due to my ˹*carelessness* [*inattentiveness*]. // 親のほうに*不行き届きな点がある There is *neglect* on the part of the parents. // *不行き届きの (⇒ ご迷惑をかけたかもしれませんがその) 点はお許し下さい Please forgive us for any *inconvenience* we may have caused you.

ふゆげしき 冬景色 ☞ ふゆ (冬景色)

ふゆごもり 冬籠もり (冬に外出できない状態) confinement in winter Ⓤ; (動物の冬眠) hìbernátion Ⓤ. 《☞ ふゆ; とうみん[1]》.　¶ *冬ごもりの間, 北国の人々は手内職に精を出す During their *confinement in winter*, people in the north keep busy with their handicrafts.

ふゆやま 冬山 ☞ ふゆ (冬山)

ふよ[1] 付与 (与える) give ⓗ ★ 最も一般的で意味の広い言葉; (権限などを与える) invest ⓗ ★ 格式ばった語で, 日本語の「付与」のニュアンスに近い.
¶ 彼は全権を*付与されている He *has been* ˹*invested* with [*given*] full authority.

ふよ[2] 賦与 ── 動 (天分を与える) endow /ɪndáu/ ⓗ, gift ⓗ 語法 この 2 語は普通受身で用いられ, 日本語の「賦与」に近い格式ばった語.　¶ 彼は音楽の才能を*賦与されて生まれてきた He was born ˹*endowed* [*gifted*] with a talent for music.

ぶよ 蚋 〘昆〙 gnat /nǽt/ Ⓒ.

ふよう[1] 不用 ── 形 (捨てられた) discarded; (使わなくなった) disused; (役に立たない) useless. 《☞ ふひつよう; むよう》.　¶ 本当に*不用なものは捨てるしかない Really *useless* things can only be thrown away.　不用機器 disused ˹machinery or tools [equipment] Ⓤ　不用品 discarded [disused] article Ⓒ　不用部品 disused [discarded] parts ★ 通例複数形で.

ふよう[2] 不要 ── 形 (不必要な) unnecessary, needless ★ 後者のほうが格式ばった語で.　《☞ ふひつよう; むよう》.　¶ この本はもう*不要だ This book is *unnecessary* now. / (⇒ この本を必要としない) I *don't need* this book any more.

ふよう[3] 扶養 ── 動 (養う) support ⓗ, maintain ⓗ ★ 後者のほうが格式ばった語.　── 名 support Ⓤ.　¶ 私は妻と 2 人の子供を*扶養している I have a wife and two children to *support*.
扶養家族 (family) ˹dependent [《英》 dependant] Ⓒ　扶養義務 duty [obligation] to support Ⓒ　扶養控除 deduction for dependents Ⓒ; dependents' tax credit Ⓤ　扶養者 (一般に扶養する人) supporter Ⓒ; (一家の稼ぎ手) breadwinner Ⓒ　扶養手当 family allowance Ⓒ.

ふよう[4] 浮揚 ── 動 float ⓐ 《☞ うく》.

ふよう[5] 芙蓉 〘植〙 Conféderate róse Ⓒ.

ふよう[6] 不溶 ── 形 insoluble.　不溶性植物繊維 insoluble vegetable fiber Ⓤ　不溶性物質 insoluble matter Ⓤ　不溶成分 insoluble component Ⓒ.

ぶよう 舞踊 (踊ること) dancing Ⓤ; (1 回の踊り) dance Ⓒ.　¶ 日本*舞踊 Japanese *dance* // 民族*舞踊 a folk *dance*　舞踊組曲 (バレエの) bállet suite /swíːt/ Ⓒ　舞踊劇 dance drama Ⓒ.

ふようい 不用意 ── 形 (不注意な) careless; (思慮が足りない) indiscreet, thoughtless ★ 前者のほうが格式ばった語. 《☞ ふちゅうい》.　¶ 彼は決して*不用意なことは口にしない He never makes ˹*careless* [*indiscreet*; *thoughtless*] remarks.

ふようじょう 不養生 ── 名 (自分の健康に気をつけないこと) neglect of *one's* health Ⓤ.　── 動 neglect *one's* health. 《☞ ふせっせい》.　¶ 医者の*不養生 ☞ いしゃ

ふようしょくぶつ 浮葉植物 floating-leaved plant Ⓒ.

ぶようじん 不用心 ── 形 (安全でない) unsafe; (人が用心が足りない) careless.　¶ 玄関を開け放しておくのは*不用心だ It is *unsafe* to leave the front door open.

ふようど 腐葉土 leaf ｢mold [《英》 mould] Ⓤ.

ぶよぶよ ━ 形 (一般的に柔らかい) soft; (特に身体の肉がたるんだ) flabby. 《☞ 擬声・擬態語 (囲み)》.

ぷよぷよ ━ 形 soft but resilient 《☞ 擬声・擬態語 (囲み)》.

ブラ bra /brɑ́ː/ Ⓒ 《☞ ブラジャー》. ブラカップ cup (of a brassiere) Ⓒ ブラスリップ bra slip Ⓒ.

フラー (歓呼のかけ声) hurrah /hʊrɔ́ː, -rɑ́ː/ 《☞ ばんざい》.

プラーク ☞ しこう[6]

プラーグ ☞ プラハ

フラーフープ ☞ フラフープ

ブラーマン ☞ バラモン

ブラームス ━ 名 固 Johannes Brahms /brɑ́ːmz/, 1833–97. ★ドイツの作曲家.

フラアンジェリコ ━ 名 固 Fra Angelico /ændʒélɪkòʊ/, 1387–1455. ★ イタリアの宗教画家.

フライ[1] 〘料理〙 ━ 名 (十分浸せるぐらいの多量の油で揚げること) deep-frying Ⓤ. ━ 動 (揚げる) deep-fry 他 自, fry ... in deep (boiling) fat ★ 後者は説明的. 日英比較 英語の fry は「油でいためる」こと. deep-fry は単に「揚げる」という意味なので, 日本のフライのようにパン粉をまぶすかどうかは問わない. それをはっきりさせたい場合は下の用例のように breaded をつける. ━ 形 deep-fried. 《☞ あげる[2]; てんぷら; 料理の用語 (囲み)》. ¶ 私は魚の*フライが好きだ I like *deep-fried* (*breaded*) fish.
フライ返し spatula Ⓒ, turner Ⓒ.

フライ[2] 〘野〙 ━ 名 fly (ball) Ⓒ. ━ 動 fly 自 《過去・過分 flied》. ¶ 彼はライトへ*フライを打った He hit a *fly* (*ball*) to right field. // 彼はセンターに*フライを打ってアウトになった He *flied out* to center. // 大きな*フライ a long *fly*

フライ[3] (疑似餌) fly Ⓒ. フライフィッシング flý-fishing Ⓤ.

ぶらい 無頼 ━ 名 villainy /vílәni/ Ⓤ. ━ 形 víllainous.

ブライアー 〘植〙 brier, briar /bráɪә/ Ⓒ.

ブライアン (男性名) Brian, Bryan /bráɪәn/.

プライウッド (合板) plýwòod Ⓒ.

プライオリティー (優先権) priórity Ⓤ.

ぶらいかん 無頼漢 (やくざ) gangster Ⓒ; (暴れん坊) rascal Ⓒ; (悪党) rogue Ⓒ; (不良) hoodlum Ⓒ, hooligan Ⓒ. 《☞ ならずもの》.

フライきゅう フライ級 〘ボク〙 the flyweight class. フライ級の選手 flyweight Ⓒ.

プライス (値段) price Ⓒ. プライスダウン price reduction Ⓒ.

プライズ prize Ⓒ 《☞ しょう[4]》.

フライスばん フライス盤 (工作機械) milling machine Ⓒ.

ブライダル (婚礼の) bridal Ⓐ. ブライダルウェア bridal wear Ⓤ ブライダルコンサルタント bridal consultant Ⓒ ブライダルフェアー bridal fair Ⓒ ブライダルマーケット wedding market Ⓤ.

ブライダルベール 〘植〙 (ツユクサ科の多年草) bridal veil Ⓒ.

フライデー, フライデイ (金曜日) Friday Ⓤ.

フライト (飛行・飛行機の便) flight Ⓒ 《☞ びん[2]》. フライトアテンダント flight attendant Ⓒ フライトクルー flight crew Ⓒ フライトコントロール flight control Ⓤ フライトシミュレーター flight simulator Ⓒ フライトテスト flight test Ⓒ フライトナンバー flight number Ⓒ フライトバッグ flight bag Ⓒ フライトレコーダー flight recorder Ⓒ, black box Ⓒ.

ブライド (花嫁) bride Ⓒ.

プライド (誇り) pride Ⓤ; (自尊心) self-respect Ⓤ. 《☞ ほこり[2]; じそんしん》. ¶ ...に*プライドをもつ take *pride* in ... // *プライドを傷つける injure *a person's pride*

フライドチキン 〘料理〙 fried chicken Ⓤ.

フライドポテト 〘料理〙 french [French] fries ★ 主に複数形で.

ぶらいは 無頼派 a group of unconventionally-oriented literary people who flourished after WWII in Japan ★ 説明的な訳.

プライバシー ━ 名 privacy Ⓤ. ━ 形 (プライバシーに関する・私的な) private. ¶ 私は*プライバシーを侵されたくない I don't want my *privacy* disturbed. // それは彼女の*プライバシーだ (⇒ 私的なことだ) That is a *private* ｢affair [matter] of hers.
プライバシー侵害 invasion [infringement] of privacy Ⓤ ★ 行為の場合は Ⓒ プライバシー保護条例 privacy protection ordinance Ⓒ.

フライパン frying pan Ⓒ ★ 一般的; 《米》 fry pan Ⓒ, 《米》 skillet Ⓒ.

プライベート ━ 形 (私的な) prívate. プライベートセクター 〘経〙 (民間部門) private sector Ⓒ プライベートバンキング 〘金融〙 private banking Ⓤ プライベートブランド (自家商標) private [store] brand Ⓒ プライベートルーム private room Ⓒ.

フライホイール 〘機〙 (はずみ車) flýwhèel Ⓒ.

プライマリーケア 〘医〙 (病気・けがの最初の手当て) primary care Ⓤ.

プライマリースクール primary school Ⓒ 《☞ しょうがっこう》.

プライムタイム (ラジオやテレビのゴールデンアワー) prime time Ⓤ ★「ゴールデンアワー」は和製英語.

プライムレート (最優遇貸出金利) the prime rate ★ 通例 the を付けて単数形で.

プライヤー (工具の) pliers ★ 複数形で. 数えるときは a pair of ~.

フライング ━ 名 (競技の) false start Ⓒ, breakaway Ⓒ. ━ 動 make a false start; jump the gun.

フライングソーサー flying saucer Ⓒ ★ 空飛ぶ円盤のこと.

フライングタックル 〘ラグ〙 flying tackle Ⓒ.

フライングディスク 〘ゲーム〙 flying disc Ⓒ 《☞ フリスビー》.

フライングレシーブ 〘バレーボール〙 sliding dive Ⓒ ★「フライングレシーブ」は和製英語.

ブラインド 《米》 (window) shade Ⓒ, blind Ⓒ; (板すだれ) venetian blinds ★ 通例複数形で. 《☞ ひよけ[1] (挿絵)》. ¶ *ブラインドを上げて下さい Please ｢raise [pull up] the (*window*) *shade*(*s*). // *ブラインドを下げて下さい Please ｢lower [pull down] the (*window*) *shade*(*s*).

ブラインドショット 〘ゴルフ〙 blind shot Ⓒ.

ブラインドタッチ ☞ タッチ (タッチタイピング)

ブラインドデート blind date Ⓒ ★ 第三者の紹介による, 面識のない男女のデート.

ブラインドテスト blindfolded test Ⓒ.

フラウ (ドイツ語から) Frau Ⓒ 《複 Frauen》 ★ 既婚婦人・妻・夫人の意. 敬称として Frau Schmidt のように使う.

ブラウザー 〘コンピューター〙 browser Ⓒ, browsing software Ⓤ.

ブラウス blouse Ⓒ.

プラウダ ━ 名 固 Pravda /prɑ́ːvdә/ ★ ロシアの新聞, もとはソビエト共産党機関紙.

ブラウニング ━ 名 固 (エリザベス バレット ブラウニング) Elizabeth Barrett Browning, 1806–61 ★ 英国の詩人. Robert Browning の妻; (ロバート ブラウニング) Robert Browning, 1812–89 ★ 英国の詩人.

ブラウン (茶色) brown Ⓤ.

ブラウンかん ブラウン管 (picture) tube Ⓒ, cáthode-rày tùbe Ⓒ ★ 後者は専門用語. CRT と略す. ¶*ブラウン管が切れた The (*picture*) *tube* has burned out.

ブラウンソース 〔料理〕 brówn sáuce Ⓤ.

ブラウントラウト 〔魚〕 brown trout Ⓒ《複 ~》 ★ 欧州原産のマス.

プラカード plácard Ⓒ, sign Ⓒ 日英比較 英語の placard はポスター (poster) の意味でも使う. ¶ 彼らは*プラカードを先頭に行進した They marched along ｢with their *placards* in the lead [behind the *signs*].

ふらく 不落 ☞ なんこうふらく

フラク ☞ フラクション

プラグ ── 名 (electric) plug Ⓒ. ── 動 (器具のプラグを差し込む) plug in ⑱. ¶ この*プラグをソケットへ差して下さい Put this *plug* in that socket, please. // 彼女はアイロンの*プラグを差し込んだ She *plugged in* the iron.

フラクション fraction Ⓒ ★ 党内の分派.

フラクタル 〔数〕 ── 名 fractal Ⓒ. ── 形 fractal.

プラクティカル ── 形 (実用的な) practical.

プラグマティズム 〔哲〕 prágmatism Ⓤ.

プラグマティック ── 形 pragmátic.

フラグメント (断片) fragment Ⓒ.

ブラケット ([ ]などの括弧) bracket Ⓒ《☞ かっこ[1] (表)》.

プラザ plaza /plǽzə/ Ⓒ 参考 元来はスペイン語で「広場」の意.

ブラザー (兄弟) brother Ⓒ.

ぶらさがり ぶら下がり (既製服) réady-màde [réady-to-wèar] clóthes ★ 常に複数形.

ぶらさがりしゅざい ぶら下がり取材 an informal interview in which reporters surround a public figure and prod him for an off-the-cuff response ★ 説明的な訳.

ぶらさがる ぶら下がる háng (dówn) ⓐ, dangle ⓐ 語法 hang は静止して, dangle は前後左右に揺れながら下がることを暗示する. ¶ 木の枝に何かが*ぶら下がっている Something *is* ｢*hanging* (*down*) [*dangling*] from a branch on that tree.

ぶらさげる ぶら下げる hang ⑱ ★「ぶら下がる」という ⓐ にも使う. ¶ 猫は首に鈴を*ぶら下げている The cat has a bell *hanging* from its neck. // 彼は酒瓶を*ぶら下げて (⇒ 持って) やって来た He came *carrying* a sake bottle.

ブラシ ── 名 brush Ⓒ. ── 動 (ブラシをかける) brush ⑱. ¶ 上着に*ブラシをかけて下さい Please ｢*brush* my coat [give my coat a *brush*]. // 歯*ブラシ a *toothbrush* // 洋服*ブラシ a clothes *brush* // ヘア*ブラシ a *hairbrush*

プラシーボ 〔薬〕 (偽薬) placebo /pləsíːbou/ Ⓒ.

ブラジャー bra /brάː/ Ⓒ, brassiere /brəzíə/ Ⓒ ★ 後者は格式.

フラジャイル ── 形 (壊れやすい) fragile; (小包などの表示) Fragile (!). 《☞ われもの》.

ブラジリア ── 名 固 Brasilia /brəzíljə/ ★ ブラジルの首都.

ブラジル ── 名 固 Brazil /brəzíl/; (正式名) the Federal Republic of Brazil. ── 形 Brazílian. **ブラジルコーヒー** Brazilian coffee Ⓤ **ブラジル人** Brazilian Ⓒ.

ふらす 降らす (もたらす) bring ⑱; (雨のように注ぐ) shower ⑱. ¶ 台風は関東地方に大雨を*降らせた The typhoon *brought* heavy rain to the Kanto area.

プラス ── 名 (プラスになるもの・利益) ásset Ⓒ (↔ liability), 《略式》 plus Ⓒ (↔ minus); (有利) advantage Ⓤ. ── 動 (…を加える) add … (to …). ── 形 plus Ⓐ; 〔数〕 (正の) positive (↔ negative). ── 前 plus …

¶ 1*プラス 2 は 3 One *plus* two ｢is [makes] three. / One *and* two ｢is [makes] three. 語法 複数主語として扱い ｢are [make] としてもよい. 《☞ 数字 (囲み)》 // こんな心配は私たちの生活に何の*プラスにもならない Such worries *add* nothing *to* our lives. // これはわが社にとって*プラスになるだろうかマイナスになるだろうか Will this be ｢an *asset* or a liability to [《略式》 a *plus* or a minus for] our firm?

プラスアルファ plus something. ¶ ボーナスは 3 か月分*プラスアルファになるだろう The bonus will be ｢three months' salary *plus* (*something*) [equal to *something over* three months' salary]. **プラス記号** plus sign Ⓒ **プラス電荷** positive charge Ⓒ **プラスドライバー** Philips(-head) screwdriver Ⓒ **プラスねじ** Phillips(-head) screw Ⓒ **プラスマイナスゼロ** ── 名 no profit Ⓤ, nothing gained Ⓤ. ── 動 come to nothing. ¶ …は*プラスマイナスゼロとなる (⇒ 互いに相殺する) … *cancel* each other *out* ★ …の部分には 2 つの事物が入る. 《☞ そうさい[2]》

フラスコ flask Ⓒ 《☞ じっけん[1] (挿絵)》.

プラスター (しっくい) plaster Ⓤ. **プラスターボード** plásterbòard Ⓤ.

プラスチック ── 名 plastic Ⓤ ★ しばしば複数形でも用いられる. 日英比較 日本語の「プラスチック」は比較的堅い合成樹脂を指すのが普通だが, 英語の plastic は合成樹脂一般を意味し, 薄いビニールなども含む. ── 形 (プラスチック製の) plastic. ¶ この皿は*プラスチックだ This plate is (made of) *plastic*. **プラスチック製品** plastic product Ⓒ **プラスチックタイル** plastic tile Ⓒ **プラスチック爆弾** plastic bomb Ⓒ **プラスチックボトル** plastic bottle Ⓒ **プラスチックマネー** plastic money Ⓤ **プラスチックモデル** plastic model Ⓒ.

フラストレーション (欲求不満) frustration Ⓤ. ¶*フラストレーションがたまる be *frustrated* / bottle up *frustration*

ブラスバンド brass band Ⓒ.

プラズマ 〔物理〕 plasma Ⓤ. **プラズマディスプレー** plasma display Ⓒ.

プラスミド 〔遺〕 plasmid Ⓒ ★ 染色体とは独立に増殖できる遺伝因子.

プラセボ ☞ プラシーボ

プラタナス 〔植〕 plane (tree) Ⓒ.

フラダンス ── 名 (ハワイの) hula Ⓒ, hula-hula Ⓒ. ── 動 hula ⓐ, dance ｢a [the] hula.

ふらち 不埒 ── 形 (無礼な) rude; (生意気な) insolent. 《☞ ぶれい》. ¶ そんな*不埒な行為は許せない Such *insolent* actions ｢are inexcusable [cannot be permitted].

ブラチスラバ ── 名 固 Bratislava /brætəslάːvə/ ★ スロバキアの首都.

プラチナ 〔化〕 platinum /plǽtənəm/ Ⓤ 《元素記号 Pt》.

ふらつく (目まいがする) feel dizzy; (足もとがしっかりしない) be unsteady; (足取りがふらふらする) totter ⓐ, stagger ⓐ; (決心などがぐらつく) waver ⓐ. 《☞ ふらふら; ぐらつく》. ¶ 頭が*ふらつく I *feel dizzy*. // 彼は足もとが*ふらついている He *is unsteady* on his legs. / His steps *are unsteady*. // 彼の考えはいつも*ふらついている His beliefs *are* always *wavering*. / (⇒ 彼はしっかりした考えを持っていない) He has *no* ｢*steady* [*firm*] ｢beliefs [principles].

フラッグ (旗) flag Ⓒ.

ぶらつく (ゆっくりと歩く) stroll along …, saunter along … ★ 後のほうが楽しみながら歩く意味が強い;

(目的なく歩き回る) wander (about ...) ㊀; (広い範囲を目的もなく歩く) roam (ˈaround [about] ...) ㊀ ★ about は主として《英》用法. 以下も同じ; (ある場所の付近をうろうろ徘徊する) háng ˈaróund [abóut] ...; (あちこちに立ち止まったりして徘徊する) loiter (around ...) ㊀ ★ 悪い意味に使うことが多い; (何もせずに遊び暮らす) loaf (ˈaround [about] ...) ㊀, fóol ˈaróund [abóut] ㊀ 語法 最後の around, about は副詞. 《☞ ぶらぶら》.

¶ 彼女はウインドーショッピングをしながら街を*ぶらつくのが好きだ She likes to ˈ*stroll* [*saunter*] *along* the street looking in shop windows. // 一日中家で*ぶらついていられては困ります I can't have you ˈ*loafing* [*fooling*] *around* all day long at home.

ブラック ―形 (コーヒーでクリームやミルクを入れない) black. ―名 (色) black U.

¶ コーヒーは*ブラックでお願いします I'll take my coffee *black*, please.

ブラックアウト (停電・放送停止) bláckòut C.

ブラックアフリカ ―名 固 Black Africa ★ サハラ以南のアフリカ.

ブラックコーヒー black coffee U.

ブラックコメディ black [dark] comedy C.

ブラックジャーナリズム black journalism U.

ブラックジャック (トランプの) bláckjàck U, twenty-one U.

ブラックタイ (黒の蝶ネクタイ) black tie C; (略式の男性夜会服) black tie U.

ブラックティー ☞ こうちゃ

ブラックバード 〘鳥〙 blackbird C.

ブラックバス 〘魚〙 black bass C.

ブラックパワー (米国の黒人市民権運動) black power U ★ しばしば Black Power とも書く.

ブラックパンサー (組織) the Black Panthers; (党員) Black Panther C.

フラッグフットボール flag football U ★ フットボールの一種.

ブラックペッパー bláck pépper U.

ブラックベリー 〘植〙 blackberry C.

ブラックホール 〘天〙 black hole C.

ブラックボックス (飛行機の) black box C.

ブラックマーケット black market C.

ブラックマネー black money U.

ブラックマンデー the Bláck Mónday ★ 1987 年 10 月 19 日の月曜日. この日ニューヨーク証券取引所で株価が大暴落した.

ブラックユーモア black humor U.

ブラックリスト ―名 blacklist C. ―動 (ブラックリストに載せる) blacklist ㊉. ¶ 私は先生の*ブラックリストに載っている I'm on the teacher's *blacklist*. / I'*ve been blacklisted* by the teacher.

フラッシュ[1] (写真の閃光) flash U 語法 《英》では flashlight U ともいう. ただし《米》では flashlight は懐中電灯の意味; (装置) flash C; (ストロボ) electronic flash C ★ 単に flash と言うことが多い.

¶ ここは*フラッシュを使ったほうがいい You should use the *flash* now. // *フラッシュ付きのカメラ a camera with a built-in *flash* // *フラッシュが光った *Flashes* popped. フラッシュカード flash card C フラッシュ撮影 flash photography U フラッシュメモリー〘コンピューター〙flash memory U.

フラッシュ[2] ―形 (凹凸のない) flush. フラッシュサーフェス ―形 flush-surface フラッシュドア flush door C.

フラッシュ[3] (トランプの) flush U.

プラッシュ (織物の) plush U.

ブラッシュアップ ―動 (やり直し) brúsh úp ㊉.

フラッシュニュース (ニュース速報) néws flàsh C, flash C.

フラッシュバック 〘映〙 flashback C.

ブラッシング ―動 brush ㊉ 《☞ ブラシ》.

ブラッセル ☞ ブリュッセル

ふらっと ―副 (目的もなく) aimlessly. ―動 (目まいがする) feel dizzy. 《☞ 擬声・擬態語 (囲み)》.

¶ 彼は*ふらっと町を歩いた He walked *aimlessly* around the town. // 彼はいつも*ふらっと (⇒ 全く予期しない時に) やって来る He always comes to see me *when I least expect him*. // 私は立ち上がるとき*ふらっとした I *felt dizzy* when I stood up.

フラット 1 《音楽》: (変音・変記号) flat C 《記号 ♭》 (↔ sharp).

2 《共同住宅》: flat C.

3 《競技》 ―副 (きっかり) flat. ¶ 11 秒*フラットで in eleven seconds *flat*

4 《形状》 ―形 (平らな) flat.

フラットシューズ flat shoes.

ぶらっと ☞ ぶらりと

ブラッド (男性名) Brad ★ Bradford /brǽdfəd/ の愛称.

フラットタイヤ (パンクしたタイヤ) flát tíre C.

ブラッドバンク ☞ けつえき (血液銀行)

ブラッドフォード (男性名) Bradford /brǽdfəd/ ★ 愛称は Brad.

プラットホーム platform C 《☞ ホーム[1]》.

ブラッドリー (男性名) Brádley ★ この姓もある.

フラッパー (おてんば娘) tomboy C; 《古風》 flapper C.

フラップ (飛行機の) flap C 《☞ ひこうき (挿絵)》.

フラッペ (デザートの) frappé /fræpéɪ/ C.

ブラディメアリー (カクテルの) Bloódy Máry C ★ bloody mary とも書く.

プラトー (台地) plateau C 《複 ~s; -teaux》.

プラトニックラブ platonic love U.

プラドびじゅつかん プラド美術館 ―名 固 the Prado /prá:dou/ Museum ★ マドリッドにある.

プラトン ―名 固 Plato /pléɪtou/, 427?–?347 B.C. ★ ギリシャの哲学者.

プラネタリウム planetarium /plæ̀nəté(ə)riəm/ C.

プラネット (惑星) planet C 《☞ わくせい》.

フラニー (女性名) Franny, Frannie ★ Frances /frǽnsɪs/ の愛称.

フラノ (毛織物の一種) flánnel U. ¶ *フラノのズボン *flannel* trousers

プラハ ―名 固 Prague /prá:g/ ★ チェコの首都.

ブラバン (ブラスバンド) brass band C.

ブラフ ☞ はったり

フラフープ (用具) hula hoop C; (動作) hula-hooping U.

ふらふら ―動 (目まいがする) feel ˈdizzy [giddy]; (気が遠くなる) be faint; (足もと・気持ちが不安定な) be unsteady; (ふらふらしながら歩く) stagger ㊀, totter ㊀; (よろめく) reel ㊀; (心があれこれ迷う) waver ㊀. ―副 (ふらふらと・無意識に) unconsciously; (そういうつもりでなく) unintentionally. 《☞ ふらつく; くらくら; 擬声・擬態語 (囲み)》.

¶ きょうは熱で*ふらふらだ I *feel* feverish and ˈ*dizzy* [*giddy*] today. // みんなおなかがへって*ふらふらだった We *were* all *faint* with hunger. // 酔っ払いが*ふらふらと道路を歩いて行った The drunken man ˈ*staggered* [*tottered*; *reeled*] along the road. // 彼女はつい*ふらふらと盗みを働いてしまった She *unintentionally* committed a theft.

ぶらぶら ―動 (ぶらぶらと揺れる・揺らす) swing ㊀ ㊉; (無為に遊び暮らす) lóaf ˈaróund [abóut] ㊀, fóol ˈaróund [abóut] ㊀ ★「なすべきこともしないで」という非難の意味が含まれる; (何もしないで時を過ごす); spend time ⌈idly [doing nothing]; (時を浪費する) waste [kill] time; (散歩する) stroll (自). 《☞ ぶらつく; 擬声・擬態語 (囲み)》.

¶ 少年は足を*ぶらぶらさせて塀の上に座っていた The boy sat on the wall ⌈*swinging* his legs [with his legs *swinging* (*to and fro*)]. ★ 前者のほうが口語的. // 一日中*ぶらぶらしていてはいけません Don't *loaf around* all day long. // 目下失業中なので毎日*ぶらぶらしています I'm ⌈out of work [unemployed] now, so I'*m just killing time* every day. // きょうはよいお天気だから銀座でも*ぶらぶらするか Because [Since] it's such a lovely day today, how about *strolling along* the Ginza?

ぶらぶら病 (長引いてはっきりしない病気) illness hard to ⌈get over [beat] [U] 《☞ ながわずらい》 ★ かつて肺病, 鬱病, 恋患い (lovesickness [U]) などを指した.

ブラボー Bravo!

プラボトル ☞ プラスチック (プラスチックボトル)

フラボノイド 〖化〗 flavonoids ★ 複数形で総称.

ブラマンジェ (菓子の) blancmange /bləmɑ́:ndʒ/ [C].

フラミンゴ 〖鳥〗 flamíngo [C] 《複 ~s, ~es》.

プラム 〖植〗 plum [C].

フラメンコ (スペインの情熱的な踊り) flaménco [C].

プラモデル plastic model [C].

ふらりと ☞ ふらっと

ぶらりと — [副] (目的もなく) aimlessly. — [動] (だらりと下がる) dangle (自). 《☞ ふらっと; ぶらさがる; 擬声・擬態語 (囲み)》.

ふられる 振られる (異性に捨てられる) 《略式》 be dumped (on); (デートなどですっぽかされる) 《略式》 be stood up; (拒否される) be turned down, be rejected ★ 前者のほうが口語的. 《☞ ふる[2]》.

¶ 今日はデートの相手に*ふられちゃった I *was stood up by* my date today. / My date *stood* me *up* today.

フラワー[1] (花) flower [C]. ¶ ドライ*フラワー a dried *flower* フラワーアレンジメント (生け花) flówer arràngement [U] フラワーデザイン flówer design [U]; (装飾) flower decoration [U].

フラワー[2] (小麦粉) flour [U] 《☞ こむぎ (小麦粉)》.

ふらん 腐乱 — [動] putrefy /pjú:trəfàɪ/ (他) (自), dècompóse (他) (自) ★ 後者は前者の婉曲表現. 《☞ ふはい[1]; くさる》. ¶ *腐乱死体 a ⌈*putrefied* [*decomposed*] body

フラン[1] (フランスの旧通貨単位) franc /frǽŋk/ [C] 《☞ ユーロ》.

フラン[2] (女性名) Fran ★ Frances /frǽnsɪs/ の愛称.

プラン plan [C] 《☞ けいかく; せっけい[1]》.

フランカー (ラグビー・フットボールの) flánker [C].

ふらんき 孵卵器 íncubàtor [C].

フランキー (男性名) Frankie ★ Francis /frǽnsɪs/ の愛称.

フランク[1] (男性名) Frank ★ Francis の愛称.

フランク[2] — [形] (率直な) frank. — [副] frankly.

ブランク blank [C]. ¶ 病気で 1 年間の*ブランク (⇒ 休み) があったので仕事に慣れるのがたいへんだ Because I ⌈took [had] one year *off* on account of my illness, I find it hard to get back into the swing of things. ★ get into the swing of things で「(仕事などの) 調子が出てくる」という意味の口語的慣用表現.

フランクおうこく フランク王国 — [名] (固) the Frankish Kingdom [C] ★ フランク族 (Frank) が 5 世紀末に西ヨーロッパに建てた王国.

プランクトン plankton [U] ★ 集合的に.

フランクフルト — [名] (固) Frankfurt /frǽŋkfət/ ★ ドイツの都市. 同名の都市を区別してドイツ西部 Hesse 州の市は Frankfurt am Main /-æmmáɪn/ (マイン河畔のフランクフルト), ドイツ東部 Brandenburg 州の市は Frankfurt an der Oder (オーダー河畔のフランクフルト)とも呼ぶ. 前者はゲーテの生地で, 日本で言うフランクフルトはこちらを指すことが多い.

フランクフルトソーセージ (牛豚肉混合のソーセージ) frankfurter /frǽŋkfətə/ [C].

フランクリン — [名] (固) Bénjamin Fránklin, 1706–90. ★ 米国の政治家・科学者・著述家.

フランクル — [名] (固) Viktor Emil Frankl /éɪmi:l frǽŋk/, 1905–97. ★ オーストリアの医学者.

ブランケット (毛布) blanket [C].

フランケンシュタイン — [名] (固) Frankenstein /frǽŋk(ə)nstàɪn/ ★ 19 世紀の怪奇小説の主人公である科学者. 彼の生み出した醜い人造人間もしばしば Frankenstein または Frankenstein's monster と呼ばれる.

フランコ — [名] (固) Francisco Franco /frɑ́:nkoʊ/, 1892–1975. ★ スペインの軍人・政治家.

ぶらんこ swing [C]. ¶ うちの子は*ぶらんこ遊びが好きだ My child likes to ⌈play [get] on the *swings*.

フランシス (男性名) Francis /frǽnsɪs/ ★ 愛称は Frank, Frankie; (女性名) Frances /frǽnsɪs/ ★ 愛称は Fran, Franny, Frannie.

フランシスコ ザビエル ☞ ザビエル

フランス[1] — [名] (固) France. — [形] French.

フランス革命 the French Revolution フランス共和国 the French Republic フランス語 French [U]; (改まった言い方) the French language フランス刺繍 (西洋の刺繍(法)) embroidery /ɪmbrɔ́ɪdəri/ [U] フランス人 (男) Frenchman [C]; (女) Frenchwoman [C]; (全体) the French ★ the を付けて; (フランスの人々) French people ★ フランス人を漠然と指すときに用いる口語的表現. ¶ 彼は*フランス人です He is a *Frenchman*. / He is *French*. // 彼女は*フランス人です She is a *Frenchwoman*. / She is *French*. [語法] 以上の場合男女の区別をするのが冗長に感じられることから, 普通は French を用いた第 2 文の表現が用いられる. また出身をいうには He [She] ⌈is [comes] *from France*. も可能. フランスパン French bread [U] フランス料理(法) Frénch cuisine /kwɪzí:n/ [U].

フランス[2] — [名] (固) Anatole France, 1844–1924. ★ フランスの作家.

プランター (屋内植物用の) planter [C].

フランダース — [名] (固) (地名) Flanders /flǽndəz/ ★ ベルギー西部・フランス北部・オランダ南西部を含む北海沿岸地方. 『フランダースの犬』(書名) *A Dog of Flanders* ★ Ouida の小説.

プランタジネットちょう プランタジネット朝 — [名] (固) Plantagenet ★ 12 世紀から 14 世紀末まで続いたイングランドの王朝.

ブランチ[1] (おそい朝食) brunch [U] 《☞ ちょうしょく[1] [語法]》. ★ breakfast と lunch の混成語.

ブランチ[2] (支店) branch [C].

フランチェスコしゅうどうかい フランチェスコ修道会 the Franciscan order.

フランチャイズ — [名] (プロスポーツの本拠地占有権) franchise [C]; (一手販売権) franchise [C]. — [動] franchise (他). フランチャイズ契約 franchise agreement [C] フランチャイズチェーン fránchise chàin [C] フランチャイズ方式 franchise system [C].

ブランディ (女性名) Brandi.

ブランデー brandy [U]. ブランデーグラス 《米》 (brandy) snifter [C], 《英》 brandy glass [C].

プランテーション (大農場) plantation [C].

プラント (生産工場設備一式) plant [C]. プラント輸出 plant exports ★ 複数形で.

ふ

ブランド (銘柄) brand Ⓒ. 日英比較 英語では「銘柄」の意味で, 通常小物や価格の低いもののみに用い, 日本語のような「高級品」の意味はない ((例) どちらの*ブランドの歯磨きがお好きですか Which *brand* of toothpaste do you like?). 「有名商品」の意味には brand name Ⓒ を用いる. ¶ 彼は*ブランドものが好きだ He likes *brand-name* goods. // 消費者は根強い*ブランド志向がある Consumers often display a deep-rooted *brand* ⌜loyalty [consciousness]. ★ brand loyalty は同じ銘柄のものを何度も買うこと. 高級志向の意味ではない. // *ブランド信仰 (⇒ 崇拝) *name-brand* [*brand-name*] worship ブランドイメージ bránd ìmage Ⓒ ブランド大学 brand-name ⌜college [university] Ⓒ; (一流大学) first-rate [first-class; top] university Ⓒ; (名門大学) prestigious university ブランド品 brand-name goods ブランド米 brand-name rice Ⓤ ブランド名 brand name Ⓒ.

フランドル ☞ フランダース

ブランドン (男性名) Brandon.

プランナー (計画者) planner Ⓒ.

プランニング ── 名 (計画・立案) planning Ⓤ. ── 動 plan ⓗ. (☞ けいかく).

フランネル (毛織物の一種) flannel Ⓤ (☞ フラノ).

ふり¹ 不利 ── 名 disadvántage Ⓤ ★ 一般的な言い方. 「不利な条件」「不利な立場」の意では Ⓒ; handicap Ⓒ ★ 競争における不利を指すことが多い. ── 形 (不利な条件となる) dìsadvàntágeous, to *one's* disadvantage ★ 後者は述語的にのみ用いる; (好意的でない) unfavorable ((英)) unfavourable). ── 副 disadvantageously; unfavorably ((英)) unfavourably).

¶ 当時の日本にとって島国であることは貿易振興という点でたいへんな*不利であった In those days Japan's being an island nation was a great ⌜*disadvantage* [*handicap*] for the promotion of international trade. // あの店は立地条件がよくないという*不利な点がある That store has the ⌜*disadvantage* [*handicap*] of a poor location. // いま計画を変更するのは我々にとって*不利だ It would be *disadvantageous* for us to change our plan now. // 形勢は彼女に*不利だ Things are ⌜*unfavorable* for her [*to her disadvantage*]. / The ⌜chances [odds] are *against* her. ★ chances も odds も「運」「つき」の意. // 裁判は彼にとって*不利に展開した The trial developed ⌜*disadvantageously* [*unfavorably*] for him. // その女性は彼に*不利な証言をした The woman testified *against* him. // 彼らは*不利な条件のもとでプレーした They played ⌜with a *handicap* [(⇒ 都合の悪い状況で) in *adverse* conditions]. ★ 後者は「天候などが悪かった」というニュアンスがある. // 私たちは*不利な条件を飲まざるをえない We have to accept *unfavorable* terms.

ふり² 振り ── 動 (…らしい振りをする) pretend ⓗ ★ 最も一般的な語; assume ⓗ, affect ⓗ ★ 以上 2 語は格式ばった語で, affect はしばしば非難の意味を含む.

¶ 彼は病気の*振りをした He *pretended* ⌜illness [to be sick; that he was sick]. // 彼は知らない*振りをしているが実際はなんでも知っている He ⌜*assumes* an air of ignorance [*affects* ignorance], but in fact *he knows* everything. // 政府は長い間この問題を見て見ない*振りをして来た (⇒ この問題を無視して来た) The government *has* long *ignored* this problem. / (⇒ この問題に目をつぶって来た) The government has long ⌜closed [shut] its eyes to this problem. ★ shut のほうが口語的. // 人の*振り見てわが*振り直せ Learn wisdom from the follies of others. 《ことわざ: 他人の愚行から知恵を学び取れ》

ふり³ 降り ── 名 (雨) rain Ⓤ; (雪) snow Ⓤ. ── 動 rain ⓐ; snow ⓐ 語法 いずれも it を主語として. (☞ ふる¹).

¶ この*降り (⇒ この雨[雪]) ではあまり多勢の人は期待できない We cannot expect ⌜many people [(⇒ たくさんの聴衆) a large audience] in this ⌜*rain* [*snow*]. // たいした*降りではないから出かけましょう Let's go out. It'*s* not ⌜*raining* [*snowing*] so hard.

ふり⁴ 振り ── 名 (振ること) swing Ⓤ ★ しばしば a を付けて. ── 形 (臨時の) casual. (☞ ふる²).

¶ 彼はバットの*振りが大きすぎてボールを打てなかった He took too big *a swing* and missed the ball. // *ふりの客 guests *without reservations* / *casual* [chance] customers // 日本刀二*振り (⇒ 2 本の日本刀) two Japanese swords

ぶり 鰤 〘魚〙 yellowtail Ⓒ (複 ~(s)).

-ぶり, -ぷり …振り 1 《様子・仕方》 ¶ 彼女の仕事*ぶりを見習いたまえ (⇒ あなたは彼女の仕事の仕方を見て彼女の例に倣うべきだ) You should watch the *way* she works and follow her example. / (⇒ 彼女がいかに熱心に[能率よく]仕事をするかを) You should watch *how* ⌜*enthusiastically* [*efficiently*] she works and follow her example. // 数か月もすると彼は社長*ぶりが板についてきた (⇒ 社長を務めることが自然になってきた) After several months ⌜in the position [on the job], serving as ⌜(the) company president [the president of the company] became natural to him. // あいつは飲みっ*ぷりがいい (⇒ 彼の飲み方は驚くべきである) The *way* he drinks is amazing. // 彼は負けっぷりがよい [悪い] He is a ⌜*good* [*bad*] *loser*.

2 《ある期間が過ぎたのちに》 語法 「2 か月ぶり」とか「3 年ぶり」という言い方は, 最も簡単には「2 か月後に」「3 年後に」と考えて "after two months," "after three years" という英語で表せる. しかし, 以下の英訳例に見られるように, 文全体の意味に応じて適切な語を補うと, 文意はいっそう明確になる.

¶ 彼女は 3 年*ぶりに (⇒ 3 年間の不在ののちに) 帰国してきた She came home *after* ⌜three years' [three years of; a three-year] *absence*. / (⇒ 3 年間で初めて) She ⌜came [returned] home *for the first time in* three years. // ジョージは 5 か月*ぶりに我々に手紙をよこした (⇒ 5 か月の音信不通ののちに我々に便りを書いた) George wrote to us *after* five months' *silence*. / (⇒ 5 か月間で初めて我々に便りを書いた) George wrote to us *for the first time in* five months. // 東海道線はけさ 20 時間*ぶりに開通した (⇒ 20 時間の不通ののちに開通した) The Tokaido Line reopened this morning *after* a twenty-hour ⌜tie-up [shut down]. // 彼女は 15 年*ぶりに父親に再会した (⇒ 15 年間の別離ののちに会った) She saw her father *after* ⌜fifteen years' separation [a separation of fifteen years]. // 8 年*ぶりの寒さだ (⇒ これはこれまで 8 年間に我々が持った最も寒い天候だ) This is the coldest weather (that) we have had ⌜*for* [((米)) *in*] eight years. / (⇒ この寒い天候は 8 年間を通じての新記録だ) This cold weather is an eight-year record.

ふりあおぐ 振り仰ぐ (見上げる) look up at … ⓐ; (敬う) look up to … ⓐ.

ふりあげる 振り上げる (投げ上げるように荒っぽく上げる) thrów úp ⓗ (過去 threw; 過分 thrown), flíng úp ⓗ (過去・過分 flung); (弧を描くように) swíng úp ⓗ (過去・過分 swung); (持ち上げる) lift úp ⓗ, raise ⓗ ★ 後者のほうが格式ばった語.

¶ 彼は怒ってげんこつを*振り上げた (⇒ げんこつを振った) He *shook his fist* in anger. 日英比較 shake *one's* fist は英米人の激しい怒りや挑戦の態度を表す

しぐさ. // そのピッチャーは投球前にクイックモーションで腕を*振り上げる That pitcher *swings up* his arm in a quick motion before he throws the ball.

ふりあてる 振り当てる (仕事などを権威をもって割り当てる) assign (他); (適当に分け与える) allot (他). (☞ わりあてる).

ふりあらい 振り洗い — [動] wash ... by shaking it in the water (他).

プリアンプ 〖電〗 preamplifier /priːǽmpləfàɪə/ Ⓒ, 《略式》 preamp /príːæmp/ Ⓒ.

フリー — [形] (自由な) free; (自由契約の) freelance. — [名] (自由契約者) free lance Ⓒ, freelancer Ⓒ. ¶ 彼は*フリーのカメラマンだ He's a *freelance* ⌜photographer [cameraman]. ★ cameraman は映画などの撮影技師.

ブリー (チーズ) Brie (cheese) Ⓤ.

フリーアルバイター ☞ フリーター.

フリーウェア 〖コンピューター〗 freeware Ⓤ.

フリーウェー (高速道路) fréewày Ⓒ, 《英》 motorway Ⓒ.

フリーウエート free weight Ⓒ ★ ウエートトレーニング用器具のうちバーベルなどのように, 機械仕掛けでないもの.

フリーエージェント (自由契約者) free agent Ⓒ; (その権利) free agency Ⓤ. ¶ *フリーエージェント制度 a *free agent* system

フリーエントリー (自由参入) free entry Ⓤ.

フリーキック 〖スポ〗 free kick Ⓒ.

フリーク (熱狂者・ファン) freak Ⓒ.

フリークアウト — [動] (パニックに陥る) freak out (自).

フリークエンシー (頻度・周波数) frequency Ⓤ. ¶ ハイ[ロー]*フリークエンシー(高[低]周波) high [low] frequency

フリークライミング 〖登山〗 free climbing Ⓤ.

フリーザー (冷凍機) freezer Ⓒ.

フリーサイズ — [形] (調整できる) adjustable. — [名] 《表示》 One Size Fits All. ¶ *フリーサイズのベルト an *adjustable* belt [日英比較] 「フリーサイズ」は和製英語.

フリージア 〖植〗 freesia /fríːʒ(i)ə/ Ⓒ.

フリース fleece Ⓤ ★ 羊毛状の生地.

フリーズ — [動] (冷凍する) freeze (他) (自) 《過去 froze; 過分 frozen》.

プリーズ (どうぞ・どうか) please (☞ どうぞ).

フリースクール free school Ⓒ ★ 生徒の意思を優先して学習する教育施設.

フリースタイル — [名] (水泳・レスリングなどで) free style Ⓒ. — [形] free-style.

フリーズドライ — [動] (冷凍乾燥する) fréeze-drý (他). — [形] fréeze-dríed.

フリースロー (バスケットボールの) free throw Ⓒ. ¶ *フリースローを入れる[はずす] sink [miss] a *free throw*

フリーセックス *free love* Ⓤ, *sexual freedom* Ⓤ.

フリーダ (女性名) Freda /fríːdə/.

フリーター (定職につかずアルバイトのみをする人) job-hopping part-timer Ⓒ.

ブリーダー (飼育者) breeder Ⓒ.

フリータイム (自由時間) free time Ⓤ.

フリーダイヤル — [名] toll-free ⌜number [call] Ⓒ. — [動] dial [call] toll-free. ★ toll-free は《米》で, 《英》では《商標》 freefone, freephone. [日英比較] 「フリーダイヤル」は和製英語.

フリーダム (自由) freedom Ⓒ (☞ じゆう¹).

フリーダン — [名] (固) Betty (Naomi) Friedan, 1921– . ★ 米国の女権拡張論者.

ブリーチ — [名] (漂白) bleach Ⓤ. — [動] bleach (他).

プリーツ pleat Ⓒ. プリーツスカート pleated skirt Ⓒ.

フリートーキング free conversation Ⓒ ★ 「フリートーキング」は和製英語. ¶ *フリートーキングをする *talk freely* / have a *free conversation*

フリーパス (無料パス) free pass Ⓒ [日英比較] 英語の free には「無料の」の意味があり, pass や ticket に付く free はこの意味であるが, 日本語では「出入[乗降]自由の」という意味で使われている点にずれがある. ¶ この証明書があればどの図書館も*フリーパスだ (⇒ このパスはどの図書館でも有効だ) This pass is *valid* ⌜for [at] any library.

フリーバッティング — [名] batting practice Ⓤ. — [動] take [participate in] batting practice.

フリーハンド — [形] [副] (器具を使わず手で(書いた)) freehand [日英比較] 英語では形容詞または副詞. 英語の free hand (★ 離して綴られる) は [名] で, 「行動の自由」の意.

ブリーフ (短いパンツ) briefs ★ 複数形で. [日英比較] 日本語のブリーフは男性用を指すが, 英語の briefs は男性用とは限らない.

ブリーフィング (簡潔な指令・状況説明) briefing Ⓤ ★ 具体的には Ⓒ. ¶ 会議で詳しい*ブリーフィングをする give a thorough *briefing* at a meeting

ブリーフケース briefcase Ⓒ.

フリーペーパー (無料配布の新聞) free paper Ⓒ.

フリーマーケット (のみの市) flea market Ⓒ ★ flea は「のみ」の意味. free market とすると〖経〗「自由市場」の意味になるので注意.

フリーメーソン (団体) Fréemásonry Ⓤ; (会員である個人) Fréemáson Ⓒ.

フリーメール 〖コンピューター〗 free e-mail Ⓤ.

フリーライター freelance writer Ⓒ, freelancer Ⓒ.

フリーライド (無賃乗車, 不労所得) free ride Ⓒ.

フリーランサー fréelànce Ⓒ, fréelàncer Ⓒ. ¶ *フリーランサーとして働く work as a *freelancer* / do *freelance* work

ふりえき 不利益 — [名] dìsadvántage Ⓒ; (競争などの) handicap Ⓒ. — [形] dìsadvàntágeous. (☞ ふり³).

ふりおこす 振り起こす ☞ ふるいおこす

ブリオッシュ (パンの一種) brioche /bríoʊʃ/ Ⓒ.

ふりおとす 振り落とす (投げ落とす) thrów óff (他) 《過去 threw; 過分 thrown》; (揺すって落とす) sháke óff (他) 《過去 shook; 過分 shaken》. ¶ 彼は馬[列車]から*振り落とされた He *was thrown off* the ⌜horse [train].

ふりおろす 振り降ろす (勢いよく弧を描くように) swing dówn (他); (力をこめて下方へ降ろす) bríng dówn fórcefully (他). ¶ 彼は木の根元に斧(おの)を*振り降ろした He ⌜*swung down* his ax [*brought down* his ax *forcefully*] on the root of the tree.

プリオン 〖生〗 prion Ⓤ ★ 狂牛病などの感染因子とされる蛋白質性粒子.

ふりかえ 振り替え (郵便振り替え) postal transfer Ⓤ. ¶ その金は*振り替えで送って下さい Please send the money by *postal transfer*.

振替貨幣 transfer currency Ⓤ **振り替え休日** substitute holiday Ⓒ **振替口座** bank [P.O.] transfer account Ⓒ ★ P.O. は郵便局 (Post Office) の略. **振替貯金口座** transfer savings account Ⓒ **振り替え輸送** — [動] transfer passengers to another means of transport.

ぶりかえす — [動] (病気の症状が) relapse (自); have a relapse; (病気・悪天候が) return (自). — [名] relapse Ⓒ. (☞ さいはつ). ¶ 彼は病気が*ぶり返した He *has had a relapse*. // ここ 2, 3 日寒さ[暑さ]が*ぶり返している The ⌜cold [hot] weather has returned these last few days.

ふりかえる[1] 振り返る (体の向きを変えて) tùrn ˹aróund [róund] ㊐; (視線を後ろに向ける) lóok báck ㊐ ★ 比喩的にも用いられる. (☞ ふりむく). ¶ *振り返ると彼女はまだ手を振っていた I ˹*turned around* [*looked back*] to find her still waving her hand. // 老人は昔を*振り返ることが好きだ Older people like to ˹*look back on* [*recall*] the good old days.

ふりかえる[2] 振り替える (変更する) change ㊀; (埋め合わせる) màke úp for ...; (認定単位などを) convert ㊀. ¶ 普通預金は定期預金に*振り替えたほうが得だ It would be more profitable to *change* your ordinary deposit to a time deposit.

ふりかかる 振りかかる (身の上に起こる) happen to ...; (不幸などが襲う) 《格式》visit ㊀. ¶ 災難がその一家に*降りかかった A misfortune ˹*happened to* [*visited*] the family. / (⇒ その一家は災難をこうむった) The family ˹*suffered* [(⇒ 出会った) *met* (*with*); (⇒ 経験した) *experienced*] misfortune.

ふりかけ 振りかけ (ご飯にかける) (Japanese) powdered food to be sprinkled over rice Ⓤ. **振りかけ器** (こしょう・塩などの) sifter Ⓒ.

ふりかける 振りかける (液体・粉などを) sprinkle ㊀ ★ 一般的な語; (特に粉状のものを) dust ㊀. (☞ かける[1]; まぶす). ¶ お母さんはケーキにシナモンを*振りかけた <S (人) + V (*sprinkle*; *dust*) + O (液・粉をかけられるもの) + *with* + 名 (かける液・粉)> Mom ˹*sprinkled* [*dusted*] the cake *with* cinnamon. / <S (人) + V (*sprinkle*; *dust*) + O(液・粉) + *over* + 名 (かけられるもの)> Mom ˹*sprinkled* [*dusted*] cinnamon *over* the cake.

ふりかざす 振り翳す (振り上げる) raise ... above *one's* head; (誇示する) shów óff ㊀. (☞ ふりあげる).

ふりかた 振り方 ¶ 私は卒業後の身の*振り方が (⇒ 自分が何をするか) 決まっていない I haven't yet decided *what I am going to do* after I graduate. / (⇒ まだ就職が決まらない) I haven't found *a job* for after graduation.

フリカッセ 〖料理〗 **―** 名 fricassee /fríkəsìː/ Ⓤ. **―** 動 (フリカッセ料理にする) fricassee ㊀. ¶ 鶏肉の*フリカッセ *fricasseed* chicken

ふりがな 振り仮名 *kana* written or printed at the side or on top of *kanji* to indicate the latter's reading ★ 日本語独特のものなので説明的な言い方しかできない. ¶ 住所には*振り仮名を振って下さい (⇒ 住所の発音を仮名で表示して下さい) Please indicate the pronunciation of your address in *kana*.

ふりかぶる 振りかぶる ☞ ふりあげる

ブリキ tinplate Ⓤ, tin Ⓤ ★ 後者は略した言い方. **ブリキ屋** tinsmith Ⓒ.

ふりきる 振り切る (追っ手などを) shàke óff ㊀ (過去 shook; 過分 shaken). (☞ ふりはなす). ¶ 彼は他の走者を*振り切って一着でゴールインした He *shook off* the other runners and crossed the finish line first. // 彼は同僚が止めるのも*振り切って (⇒ 思いとどまらせようという努力にもかかわらず) 会社をやめた *In spite of* his colleagues' efforts to dissuade him from doing so, he quit the company.

ふりきれる 振り切れる (針・メーターが) swing past the maximum. ¶ メーターの針が*振り切れている (⇒ メーターの上で針が最高の印を越して振れた) The indicator *has swung past the maximum mark* on the meter.

フリクション (摩擦) fríction Ⓤ.

プリクラ (機械) instant photo machine producing tiny stick-on fun photos Ⓒ ★ 説明的な訳. **プリクラシール** photo sticker Ⓒ.

フリゲートかん フリゲート艦 〖海軍〗 frigate /frígət/ Ⓒ.

ふりこ 振り子 pendulum Ⓒ. ¶ *振り子は左右に (⇒ 前後に) 振れる A *pendulum* swings back and forth. 語法 right and left (左右に) も可能だが, back and forth と言うほうが普通. **振り子時計** pendulum clock Ⓒ.

ふりこう 不履行 (債務の返済を行わないこと) default Ⓤ ★ 法律用語; (約束・任務・契約を実行しないこと) nonperformance Ⓤ, nonfulfillment Ⓤ ★ 後者のほうが格式ばった語.

ふりこみ 振り込み (払い込み) payment Ⓤ; (振替) transfer Ⓤ. ¶ 原稿料は銀行*振り込みにして下さい (⇒ 銀行に振り込んで下さい) Please ˹*pay* [*deposit*] the fee for my article *in*(*to*) my bank (account). // うちの会社では給料は銀行*振り込みになっている (⇒ 私たちは給料を銀行に振り込んでもらっている) In our company we have our salary *paid into* our bank accounts.

振り込み手数料 money transfer fee Ⓒ **振り込み用紙** money transfer ˹slip [form] Ⓒ.

ふりこむ[1] 振り込む (口座に払い込む) pay [deposit] ... into a bank account.

ふりこむ[2] 降り込む be blown ˹in [into] ... (☞ ふきこむ). ¶ 風が強かったので雨が部屋の中に*降り込んできた Rain *was blown into* the room by the strong wind.

ふりこめさぎ 振り込め詐欺 money-transfer fraud Ⓤ; (説明的には) scam worked posing by phone as a relative in trouble (or ˹his [her] agent) who begs for a quick ˹bank [postal] transfer Ⓒ.

ふりこめられる 降り籠められる (雨・雪などによって中に閉じ込められる) be shut in (by ...); (雪に) be snowed in. ¶ 私たちは雨[雪]に*降りこめられた We *were shut in by* ˹rain [snow]. // 彼らは山小屋でまる 1 週間雪に*降りこめられた They *were snowed in* at the mountain cabin for a whole week.

ブリザード (大吹雪) blízzard Ⓒ.

プリザーブ (ジャム) preserves ★ 通例複数形で. (☞ ジャム[1]).

ふりしきる 降り頻る (雨[雪]が激しく降る) rain [snow] ˹hard [heavily] ★ hard のほうが口語的; (休みなく降る) rain [snow] incessantly ★ 少し文語的な表現. (☞ ふる[1]). ¶ 私たちは*降りしきる (⇒ 激しい) 雨の中を 1 時間ほど歩いた We walked in the *heavy* rain for about an hour.

ブリジット (女性名) Bridget /brídʒɪt/, Bridgit /brídʒɪt/, Brigid /brídʒɪd/ ★ 愛称はともに Biddy, Bridie.

ふりしぼる 振り絞る ¶ 彼は声を*振り絞って彼女の名を呼んだ He called her name *at the top of his voice*. // 私は力を*振り絞って起き上がった (⇒ 自分のすべての精力をかき集めて) I *gathered* (*up*) *all my energy* and got to my feet.

プリシラ (女性名) Priscilla /prɪsílə/ ★ 愛称は Cilla.

ふりすさぶ 降り荒ぶ (雨が) rain heavily; (雪が) snow thick and fast ★ いずれも it を主語にして.

ふりすてる 振り捨てる (離れる) leave ㊀ ★ 平易な日常語. ただし日本語の「振り捨てる」ほど意味が強くない; (放棄する) abandon ㊀; (自分を必要としている人を見捨てる) desert /dɪzə́ːt/ ㊀; (自分にとって大切だった人を見捨てる) forsake ㊀ (過去 forsook; 過分 forsaken). (☞ すてる). ¶ 彼は家族を*振り捨てて僧になった He ˹*left* [*abandoned*; *deserted*; *forsook*] his family and became a Buddhist priest.

ブリストル ―名 固 Bristol ★ イングランド南西部の港湾都市.
フリスビー 〘ゲーム〙 frisbee /frízbi/ Ⓒ, Frisbee Ⓒ ★ 商標. 《☞ フライングディスク》. ¶*フリスビーをする play *frisbee*
ブリスベーン ―名 固 Brisbane /brízb(ə)n/ ★ オーストラリア東部の海港.
プリズム prism Ⓒ.
ふりそそぐ 降り注ぐ (落ちてくる) fall (on …) 自 ★ 最も一般的な言い方; (日光が輝く) shine (on …) 自. ¶ 野原に日の光がさんさんと (⇒ 暖かく) *降り注いでいた The sun *was shining* ⌈warmly [(⇒ きらきらと) brilliantly] *on* the field.
ふりそで 振り袖 (袖の長い着物) long-sleeved kimono Ⓒ, kimono with long sleeves Ⓒ. 《☞ きもの》.
ふりだし 振り出し 1 《最初》: (比喩的に出発点) starting point Ⓒ; (出発した所) where *one* started (from) ★ 説明的な言い方. from を添えるほうが口語的.
¶ もう一度*振り出しに戻って始めよう (⇒ 全部初めから) Let's do it (*all*) *over again*. ∥ 話し合い[捜査]は*振り出し (⇒ それが始まったところ) に戻った The ⌈discussion [investigation] ⌈was right back (to) *where it started* (*from*) [ended *where it began*]. ∥ 彼は歌手を*振り出しに芸能生活に入った (⇒ 彼は歌手として芸能界でのキャリアを始めた) He *began his career* in show business *as* a singer.
2 《手形・小切手の》: drawing Ⓤ.
振出人 (手形の) drawer (of a bill) Ⓒ.
ふりだす¹ 振り出す (手形や小切手を準備する) draw 他 《過去 drew; 過分 drawn》; (小切手に書き込む) write (a check).
ふりだす² 降り出す ¶ 雨[雪]が*降り出す *begin to* ⌈*rain* [*snow*] / *begin* [*start*] ⌈*raining* [*snowing*] ∥ 雨が*降り出しそうだ It *looks like rain*. ∥ 今にも雪が*降り出しそうな空模様 It's *threatening to snow* any moment.
ブリタニカ ―名 固 (英語百科事典の書名) *the Encyclopaedia* /ɪnsàɪklәpíːdiә/ *Británnica*.
ふりつ 府立 ―形 prefectural /prɪféktʃərәl/ 《☞ ふ¹》. ¶ 京都*府立大学 Kyoto *Prefectural* University
ふりつけ 振り付け ―名 choreography /kɔ̀ː-riágrәfi/ Ⓤ. ―動 choreograph /kɔ́ːriәgræ̀f/ 他. ¶ 彼はあのミュージカルの*振り付けをした He *choreographed* that musical. **振り付け師** chòreógrapher Ⓒ.
ぶりっこ ぶりっ子 ¶ 彼女は*ぶりっ子だ (⇒ 世慣れていないふりをする) She *pretends to be innocent*. / (⇒ いつもかわいらしく見せようとする) She always *tries to look cute*.
ブリッジ (トランプの) bridge Ⓤ; (義歯の) bridge Ⓒ; (駅の) overpass Ⓒ; (船の) bridge Ⓒ.
フリッター (料理) fritter Ⓒ ★ 衣をつけて魚肉・野菜などを揚げた料理.
ふりつづく 降り続く ¶ 雨[雪]が 5 日も*降り続いている *It has been* ⌈*raining* [*snowing*] for the past five days. ∥ この雨はいつまで*降り続くのだろうか How long will the rain *keep up*? ∥ *降り続く雨 *a long spell of* rain
ブリットレイルパス (英国鉄道周遊券) Brit-Rail Pass /brítreɪl-/ Ⓒ ★ British Rail からの造語.
ふりつのる 降り募る ¶ 昨夜は雪が*降りつのった Snow *fell harder and harder* during the night.
フリッパー (潜水用足ひれ) flipper Ⓒ.
フリップ (図解用カード) flíp chàrt Ⓒ.
ふりつもる 降り積もる ¶ 雪がベランダに 10 センチも*降り積もった (⇒ 雪は 10 センチの深さだった) The snow on the balcony *was* 10 cm *deep*. 《☞ つもる》
プリティ ―形 (かわいい) pretty.
ブリティッシュ ―形 (英国の) British. ¶*ブリティッシュイングリッシュ (イギリス英語) *British* English ∥ *ブリティッシュミュージアム the *British* Museum ★ 大英博物館.
プリテンド ―動 (ふりをする・まねをする) pretend 他.
ブリテンとう ブリテン島 ―名 固 (地名) Britain Ⓤ ★ Great Britain が正式名.
プリニウス ―名 固 Pliny, 23–79. ★ ラテン語名 Gaius Plinius Secundus. ローマの博物学者. 甥のプリニウスと区別するため大プリニウス Pliny the Elder と称される.
ふりにげ 振り逃げ ¶ 彼は*振り逃げで一塁に生きた He struck out and reached first safely *on a passed ball*.
ふりはなす 振り放す (振り動かすようにして身を放す) shake *oneself* free (from …) 《過去 shook; 過分 shaken》 《☞ ふりきる》. ¶ 少年は母の手を*振り放して走って行った The boy *shook himself free* ⌈*from* [*of*] ⌈his mother's hand [his mother] and ran off.
ふりはらう 振り払う (払いのける) shake off 他; (身を自由にする) shake *oneself* free (from …).
ふりふり ¶*ふりふりと散る *flutter* down ∥ 数枚の花びらが*ふりふりとそよ風に舞っていた A few petals *were fluttering* in the breeze. 《☞ ひらひら; はらはら》
ぷりぷり ―動 (ぷりぷり怒っている) be in a huff; (ぷりぷりと怒りだす) go into a huff. ―形 huffy. 《☞ おこる¹; 擬声・擬態語 (囲み)》. ¶ 彼女は*ぷりぷりしていた She *was in a huff*.
プリペイドカード prépàid càrd Ⓒ.
ふりほどく 振りほどく ¶ 彼はロープを*振りほどいた He *shook himself free from* the rope.
プリマ ―形 (第一の・首位の) prima. **プリマドンナ** (歌劇の女性主役) príma dónna Ⓒ 《複 prima donnas》 **プリマバレリーナ** (バレエ団最高位のバレリーナ) prima ballerina /príːmә bæ̀lәríːnә/ Ⓒ.
ふりまく 振り撒く (薬剤などを) spray 他.
¶ 彼は花に殺虫剤を*振りまいた He *sprayed* insecticide ⌈*on* [*over*] the flowers. ∥ 彼女はパーティーで笑顔[愛嬌]を*振りまいた (⇒ 皆にほほえんだ) She *smiled at everyone* at the party.
プリマス ―名 固 Plymouth /plímәθ/ ★ (1) 英国南西部の港市 (2) 米国マサチューセッツ州の港町.
ふりまわす 振り回す 1 《振り動かす》: swíng aróund 他 《過去・過分 swung》 ★ 一般的な言い方; (道具, 特に武器を) 《文》 wield 他; (相手を脅すために刀などを) brandish 他; (見えや虚勢を張って得意げに) flourish 他.
¶ 彼は腕を*振り回してからボールを投げた He *swung* his arm *around* and threw the ball. ∥ 彼は頭上で刀を*振り回した He ⌈*swung around* [*brandished*; *flourished*] his sword above his head.
2 《見せびらかす・むやみに使う》: (誇示する) shów óff 他; (やたらに使う) make indiscriminate use of …; (濫用する) abuse 他. ¶ 彼はどこへ行っても自分の肩書きを*振り回す He *shows off* his title wherever he goes. ∥ 小役人はとかく権力を*振り回したがるものだ Petty officials are apt to ⌈*make indiscriminate use of* [*abuse*] their authority.
ふりみだす 振り乱す (動作中に髪などを) tóss abòut 他; (髪などをくしゃくしゃにする) dishevel 他 語法 やや格式ばった語. しばしば disheveled の形で. ¶ 少女は長い髪を*振り乱して踊った The girl

danced with her long hair *tossing about.* // 彼女は髪を*振り乱した姿で現れた She appeared with her hair *disheveled.*

プリミティブ ── 形 (原始的な) primitive.

ブリム (帽子のつば) brim C.

ふりむく 振り向く (体の向きを変える) tùrn ˹aróund [róund] 自; (顔の向きを変える) turn *one's* ˹face [head]; (視線の向きを変える) lòok ˹aróund [róund] 自; (体を後ろに向ける) tùrn báck 自; (振り返る) lòok báck 自. 《☞ ふりかえる¹》.
¶ 彼女は私の方に*振り向いて「またね」と言った She turned ˹*around* [*about*] to face me and said, "I'll see you." / (⇒ 顔を私の方に向けて) She ˹*turned her face* toward [*looked* (*a*)*round* at; *turned back* to] me and said, "I'll see you." // 彼女はすごい美人なので皆が*振り向いて見る She is such a beauty that everybody ˹*turns around* to look [*looks back*] at her.

ふりむける 振り向ける apply ... (to ...). ¶ この金は衣料費に*振り向けよう Let's *apply* this money *to* ˹clothing [our clothing expenses].

プリムラ 〘植〙(サクラソウ) primula /prímjʊlə/ C.

プリムローズ ☞ プリムラ

ふりやむ 降り止む ¶ 雨[雪]が*降り止んだ It ˹*stopped* [*ceased*] raining [snowing]. / The ˹rain [snow] has ˹*ceased* [*stopped*].

ブリューゲル ── 名 固 Pieter Brueghel /píːtə brúːg(ə)l/, 1525?–69. ★ フランドルの画家.

フリュート ☞ フルート

ブリュッセル ── 名 固 Brussels /brʌ́slz/ ★ ベルギーの首都.

ふりょ 不慮 ── 形 (予期しない) unexpected; (時ならぬ) untimely; (偶然の) accidental. 《☞ おもいがけない》. ¶ 彼は*不慮の災難にあった He met with an *unexpected* accident. // 彼は*不慮の死を遂げた (⇒ 事故死した) He died in an *accident.* / He met an *untimely* death.

ふりょう¹ 不良 1 《物事がよくない》 ── 形 (悪い) bad ★ 最も一般的; (基準より劣る) poor; (欠陥がある) defective. 《☞ わるい》.
¶ 天候*不良のため出発が1時間遅れた Our departure was delayed (by) one hour because the weather was *bad.* / (⇒ 悪天候が出発を1時間遅らせた) The *bad* weather delayed our departure (by) one hour. // 彼は成績*不良で落第した (⇒ 同じクラスに留まった) He ˹stayed back [was kept back] in the same class because of his *poor* ˹results [marks]. // このネジは*不良だ This screw is *defective.*
2 《人間がよくない》 ── 名 (社会に順応できない人) social misfit C; (非行少年少女) 《格式》 juvenile /dʒúːvənàɪl/ delinquent C; (愚連隊) 《俗》 hooligan C ★ しばしばギャングや犯罪者のグループに入っている者を指す. 《☞ ひこう²》.
不良債権 bad debt C, bad loan C **不良少年[少女]** juvenile delinquent C **不良品** (欠陥のある[劣悪な; 粗悪な]製品) defective [inferior; shoddy] product C.

ふりょう² 不漁 a poor haul (↔ a good haul) ★ haul は本来「一網の取れ高」の意; a poor catch of fish ★ 後者は説明的な言い方. いずれも a を付けて. ¶ 今回は*不漁だった We had *a poor* ˹*haul* [*catch of fish*] this time.

ふりょう³ 不猟 a poor bag (↔ a good bag), a poor catch of game ★ 後者は説明的な言い方. いずれも a を付けて.

ぶりょう 無聊 (退屈さ) tedium /tíːdiəm/ U, boredom U ★ 前者のほうが格式ばった語; (倦怠) ennui /ɑːnwíː/ U. 《☞ たいくつ》. ¶ *無聊を読書で慰める relieve *one's ennui* by reading

ふりょうけん 不料簡 (無分別) indiscretion U; (考え違い) evil intention C. ¶ *不料簡な行動 an *ill-advised* action / *indiscreet* conduct // 教え子との情事なんてまったく*不料簡だ Your love affair with your student is really *indiscreet.*

ふりょうどうたい 不良導体 〔電〕 nonconductor C (↔ conductor).

ふりょく¹ 浮力 ── 名 buoyancy /bɔ́ɪənsi/ U. ── 形 (浮力のある) buoyant.

ふりょく² 富力 (財産) means ★ 複数扱い; wealth U; (財力・金力) financial [money] power U.

ぶりょく 武力 (軍事力) military ˹force [power; strength] U; (軍隊) the military, the armed ˹forces [services]. 《☞ せんりょく¹; へいりょく》.
¶ 彼らはその国際紛争に*武力介入した They meddled in that international conflict through *military force.* / They intervened *militarily* in that international conflict. // 今*武力に訴える[頼る, 武力を行使する]べきではない You shouldn't ˹appeal to [rely on; use] *military force* now.
武力外交 power diplomacy U **武力革命** armed revolution C **武力行使** the use of (armed) force **武力衝突** armed clash C, armed conflict C.

ブリリアント (ダイヤモンドのカット) brilliant U.

フリル frill C. ¶ *フリルのついたスカート a *frilled* skirt

ふりわけ 振り分け (分割・分配) division U, distribution U. **振り分け髪** ¶ *振り分け髪の少女 a girl with *hair parted in the middle and hanging down to her shoulders* **振り分け荷物** a pair of strapped packages slung over *one's* shoulder.

ふりわける 振り分ける (割り当てる) allot ... (to ...) 《☞ わりあてる (類義語); ぶんぱい》. ¶ 彼は各科目の勉強に5時間ずつ*振り分けた He *allotted* five hours *to* the study of each (school) subject.

ふりん 不倫 ── 名 (不道徳) immorality U; (姦通) adúltery U ★ 以上2語は具体的な行為の場合は C. ── 形 (不道徳な) immoral; (不義の) illícit. ¶ あの2人は*不倫の恋をしている They are having an *illicit* love affair.

プリン¹ custard pudding U ★ 英語の pudding にはカスタードのほかいろいろな種類がある.

プリン² 〘化〙 purine /pjʊ́(ə)rìːn/ U ★ 尿酸化合物の原質.

フリンジ (肩飾り) fringe C.

プリンシプル (原理・原則) principle C.

フリンジベネフィット (付加給付) fringe benefit C ★ 複数形で使うことが多い.

プリンス prince C.

プリンストン ── 名 固 Prínceton ★ 米国ニュージャージー州の都市; (プリンストン大学) Princeton (University).

プリンスメロン crossbred sweet melon called "Prince" C ★「プリンスメロン」は和製英語.

プリンセス princess C.

プリンター printer C 《☞ コンピューター (囲み)》.

プリント 1 《配布物》: (コピーした用紙) photocopied [xeroxed] sheet C; (教室や発表会などで渡す刷り物) hándòut C; (ガリ版刷りのもの) mimeographed /mímiəgræ̀ft/ ˹sheet [copy] C
日英比較 英語の print には印刷物の意味はない.
¶ 先生は授業中*プリントを配った The teacher passed out *handouts* in class.
2 《生地のプリント模様》 ── 名 print C. ── 形 print(ed). ¶ *プリントのネクタイ a *print*(*ed*) tie
3 《写真のプリント》: print C. ¶ 彼はそのネガから5

枚の*プリントを焼いた (⇒ 作った) He made five *prints* from the negative.
プリントアウト ── 名 printòut Ⓒ, hard copy Ⓒ ★ 後者はコンピューターのディスクなどへのコピーに対して, 紙などへの普通に読めるコピーをいう. ── 動 prínt óut ⑩. 《☞ いんじ³》. ¶ 最新のデータを*プリントアウトしてください Please「*print out* [*make a hard copy of*] the latest data. **プリント合板** printed plýwood Ⓤ **プリント配線[回路]** printed circuit Ⓒ **プリント配線[回路]基板** printed-circuit board Ⓒ, PC board Ⓒ.

プリントオンデマンドしゅっぱん プリントオンデマンド出版 print-on-demand publishing Ⓤ.

ふる¹ 降る (雨が) rain ⓐ; (雪が) snow ⓐ; (霜が) frost ⓐ; (あられ・ひょうが) hail ⓐ 語法 以上の動詞にはいずれも非人称の It が主語になる; (雨・雪を主語として) fall ⓐ. ¶ 雨がひどく*降っている *It is raining*「hard [heavily]. // 雨はここ 2, 3 日*降るまい *It* will not *rain* [(⇒ 我々は雨をもたないだろう) We will *have* no *rain*] for a few days. // きのう*降った雪で地面はすっかり覆われている The ground is completely covered by the snow that *fell* yesterday. // ここへ来る途中で雨に*降られた I *was caught in the rain* on my way here. // 今にも*降り出しそうな空模様 (⇒ 天気が崩れそうな[不気味な感じのする]空) a *threatening* [an *ominous*] sky
降ってわいたような ☞ ふってわく **降るほど** ¶ 事務所には*降るほど援助の申し出があった The office *was flooded with* offers of help.

ふる² 振る **1** «物を揺り動かす»: (規則的に, あるいは一点を軸にして動かす) swing ⑩ 《過去・過分 swung》; (細かい動きで速く振る・首を横に振る) shake ⑩ 《過去 shook; 過分 shaken》 語法 以上の 2 語は一般的な語であるが, 以下の各語はだいたい決まった目的語をとる特殊な語である点に注意; (合図やあいさつのために旗や手などを振る) wave ⑩; (しっぽなどを軽くさっとなでるように動かす) whisk ⑩; (しっぽなどを上下・左右などに速く動かす) wag ⑩; (うなずいて頭を上下に動かす) nod ⑩ ⓐ.
¶ 彼は歌に合わせて右腕を*振った He *swung* his right arm「to [in time with] the song. // 僕はボールをねらってバットを*振った I *swung* the bat at the ball. // 魚にはパラパラと塩を*振ります (⇒ 塩を少し使って味つけせよ) Season the fish with a pinch of salt. / (⇒ 塩を振りかけなさい) *Sprinkle* salt over the fish. // 彼女は首を横に*振っていやだと言った She *shook* her head and said no. // 彼は首を縦に*振って, はいと言った He *nodded* (his head) and said yes. // 彼女は彼にハンカチを*振った She *waved* a handkerchief at him. // 馬[犬]がしっぽを*振った The「horse *whisked* [dog *wagged*] its tail.
2 «失う»: (地位などを) thrów awáy ⑩ 《過去 threw; 過分 thrown》. ¶ 彼は汚職事件が原因で大臣の地位を*振ってしまった He「*threw away* [*gave up*] his career as a cabinet minister because of the scandal.
3 «異性をはねつける»: (それまでの交際相手を見捨てる) throw over ⑩; (特に女性が男性を) jilt ⑩. 《☞ ふられる》 ¶ 彼は彼女を*振ってほかの女に走った He「*threw* her *over* [*abandoned* her] for another woman.
4 «脇に添える» ¶ 難しい漢字にカナを*ふった I've「*put* [*written*] *kana* (transcriptions)「beside [alongside; above] the (more) difficult Chinese characters. ★ beside と alongside はたて書きの場合. above は横書きの場合.

フル ── 副 (十分に) to the「fullest [utmost].
¶ 彼は自分の能力を*フルに発揮するでしょう He will demonstrate his ability *to the*「*fullest* [*utmost*]. // 私たちはその資料を*フルに活用した (⇒ 十分に利用した) We *made*「*full* [*the best*] *use of* the material. // これで*フルメンバーです (⇒ 全員集まっている) *Everyone* has arrived now. 《☞ フルメンバー》
フルコース ☞ 見出し

ふる‐ 古‐ (古い) old; (使い古した) used; (お下がりの・中古の) secondhand. 《☞ ふるい¹; おふる》.
¶ *古着(屋) ☞ ふるぎ // *古自動車 a *used* car // *古新聞 *old* newspaper // 「大きな*古時計」(曲名) "Grandfather's Clock"

ブル (雄牛) bull Ⓒ; (ブルドッグ) bulldog Ⓒ; (ブルドーザー) bulldozer Ⓒ.

‐ぶる …振る ── 動 (偽って装う) pretend ⑩; (気取って, または偽って) affect ⑩; (わざとらしく…を装う) put on [assume] the air(s) of … ★ [ ] 内を用いたほうが格式ばった言い方; (偽って…のポーズをとる) pose as … 《☞ ふり²》.
¶ 彼は学者*ぶる He「*pretends* to be [*puts on the air(s) of*; *poses as*] a scholar. // 彼女は上品*ぶる (⇒ 上品な婦人のように装う) She「*assumes the air(s) of* [*poses as*] a refined lady. // 彼はえら*ぶるから嫌いだ I don't like him because he *affects* the manner of a VIP /víːàɪpíː/.

プル ── 名 (野球やゴルフの) pull Ⓒ. ── 動 pull ⑩ (↔ push). ¶ *プルダウン・メニュー〚コンピューター〛 a *pull*-down menu

ふるい¹ 古い old (↔ new) ★ 最も一般的な語; (飲食物が新鮮でない) stale (↔ fresh) ★ 話・表現などに関して比喩的にも用いられる; (食品などが鮮度が落ちている) bad, rotten ★ 後者がより口語的; (流行遅れの) old-fashioned; (時代遅れの) out-of-date, outdated (↔ up-to-date); (表現などがもう使われていない古風な) àrcháic.
¶ 彼はまだ*古い時計[車]を大事に使っている 《☞ ふる‐》 He still「uses his *old* watch [drives his *old* car; handles his *old* car] with care. // 中国の文明は世界で一番*古い Chinese civilization is「the *oldest* [*older* than any other (civilization)] in the world. // *古いパン *stale* bread // この魚は*古い This fish is *bad*. // この表現はもう*古い This expression is「rather *old fashioned* [getting *out of date*]. / (⇒ なくなりかけている) This expression *is* now *on its way out*. // 彼は頭が*古い (⇒ 旧式な考えを持つ) He has *old-fashioned* ideas.
古い皮袋に新しい酒を盛る put new wine in(to) old bottles ★ マタイ福音書から; 酒も皮袋もともに損なわれるの意. **古きを温(たず)ねて新しきを知る** ☞ おんこちしん **古くて新しい** old-yet-new. ¶ これは君にとって*古くて新しい教訓だ This is an *old-yet-new* lesson to you.

ふるい² 篩 ── 名 sieve /sív/ Ⓒ ★ 一般的な語; (目の粗いもの) riddle Ⓒ. ── 動 (ふるいにかける) sieve ⑩, sift ⑩; riddle ⑩; (選抜する) scréen (óut) ⑩ ★ 比喩的に用いられる. ¶ 私は土を*ふるいにかけた I「put [passed] some「soil [earth] through a *sieve*. / I *sieved* some「soil [earth].

ぶるい 部類 (種類) kind Ⓒ; (共通の性質をもつ類) class Ⓒ; (範疇) category Ⓒ ★ やや格式ばった語. 《☞ しゅるい (類義語)》.

ふるいおこす 奮い起こす (勇気などを) gather ⑩, collect ⑩, múster (úp) ⑩, plúck úp ⑩ ★ 初めのものほど一般的な語. ¶ 彼は勇気を*奮い起こした He「*gathered* [*collected*; *mustered*; *plucked up*] his courage. 《☞ ふんき》

ふるいおとす ふるい落とす (選抜して落とす) scréen (óut) ⑩; (排除する) elíminàte ⑩. ¶ 成績の悪い学生は筆記試験で*ふるい落とされた Poor students *were*「*screened out* [*eliminated*]「through [by; in] the written examinations.

ふるいたつ 奮い立つ (勇気を奮い起こす) gather *oneself* ⌈up [together], brace *oneself* (up), bráce úp ㊐. (☞ ふんき¹).

ふるいつく 震い付く (抱きつく) hug ㊍; (体が震える) tremble ㊐.

ふるいわける 篩い分ける (より分ける) sift ... from ...; (資格審査をする) screen ㊍. (☞ ふるい²). ¶応募者は徹底的に*ふるい分けられた The applicants *were* thoroughly *screened*. **ふるい分け法** screening Ⓤ.

ふるう¹ 振るう, 奮う, 揮う **1** «振り回す»: (剣などを) brándish ㊍ (☞ ふりまわす). ¶その武士は刀を*ふるった The warrior /wɔ́:riə/ *brandished* his sword.

2 «駆使する・発揮する»: (権力・腕前・腕力などを使う) use ㊍, exercise ㊍ ★後者のほうが格式ばった語. ¶彼はそれを達成するために自分の政治力を存分に*ふるった He fully *exercised* his political power to accomplish it. // だれに対しても暴力を*ふるってはいけない Don't *use* violence on anyone. // 私は勇気を*ふるって立ち上がった I ⌈*plucked* [*screwed*] *up* my courage and stood up.

3 «盛んである»: ★日本語では主に否定で使われる. ¶近ごろ輸出[商売]が*ふるわない (⇒ 活気がない) Trade [Business] *is* not *active* these days. // 彼は試験の成績が*ふるわなかった (⇒よい点が取れなかった) He didn't *score well* on the test.

ふるう² 篩う sieve /sív/ ㊍, sift ㊍; (ふるい分ける・選別する) screen ㊍. (☞ ふるいおとす). ¶砂利を取り除くために砂を*ふるった I *sifted* the sand to remove the pebbles. // 約半数の志願者が入試で*ふるわれた About half of the applicants *were rejected* ⌈after [as a result of] the entrance examination.

ブルー ── 名 (青) blue Ⓤ. ── 形 (青い) blue; (憂うつな) blue, gloomy.

ブルーインパルス ── 名 固 Blue Impulse ★航空自衛隊の曲芸飛行チーム.

ブルーカラー ── 形 blue-collar Ⓐ. ── 名 (肉体労働者) blue-collar worker Ⓒ.

ブルーギル 〔魚〕 blúegill Ⓒ ★北米原産の淡水魚.

プルークボーゲン (スキーの) snowplow turn Ⓒ ★「プルークボーゲン」はドイツ語の Pflugbogen から.

ブルーグラス 〔楽〕 (カントリーミュージックの一種) blúegràss Ⓤ.

ブルージーンズ (blúe) jèans ★複数形で. (☞ ジーパン).

ブルース¹ 〔楽〕 blues /blú:z/ ★通例 the を伴い複数形だが, 単数の動詞もとり得る.

ブルース² (男性名) Bruce /brú:s/.

プルースト ── 名 固 Marcel Proust, 1871–1922. ★フランスの小説家.

ブルータス ── 名 固 Marcus Junius Brutus /máəkəs dʒú:niəs brú:təs/, 85?–42 B.C. ★古代ローマの政治家. **ブルータス, お前もか** Et tu, Brute /éttu:brú:teɪ/! 《ラテン語だがこのまま使う》 / And you (too), Brutus! ★シーザーがブルータスらに暗殺されたときに発した言葉.

ブルーチーズ blúe chèese Ⓤ.

ブルーチップ (優良株) blúe chìp Ⓒ.

フルーツ fruit Ⓤ (☞ くだもの 語法). **フルーツカクテル** (主に缶詰の) fruit cocktail Ⓒ; (生の) fruit cup Ⓒ **フルーツケーキ** fruitcake Ⓤ **フルーツサラダ** fruit salad Ⓤ **フルーツジュース** fruit juice Ⓤ **フルーツパーラー** snack shop serving fruit Ⓒ ★「フルーツパーラー」は和製英語. **フルーツポンチ[パンチ]** fruit punch Ⓤ **フルーツワイン** (果実酒) fruit wine Ⓤ.

フルーティ ── 形 fruity.

ブルーデー (生理日) *one's* period Ⓒ, *one's* ⌈menstrual [catamenial] period Ⓒ ★「ブルーデー」は「ブルー」が「憂鬱な」を意味することからできた和製英語. (☞ ブルーマンデー).

フルート 〔楽器〕 flute Ⓒ. ¶*フルートを吹く play (on) ⌈the [a] *flute* **フルート奏者** flute player Ⓒ, flutist Ⓒ.

プルート ── 名 固 Pluto ★ギリシャ・ローマ神話で黄泉の国の神, また天文学では冥王星をいう.

ブルートレイン (夜行寝台特急) night limited express train with ⌈sleepers [sleeping cars] Ⓒ.

ブルーバード 〔鳥〕 bluebird Ⓒ ★北米産のツグミ科の鳥; ☞ あおいとり.

プルーフ (証明・証拠) proof Ⓤ.

ブルーフィルム (わいせつ映画) blúe film Ⓒ, pórno film Ⓒ.

ブルーブック (青書) blúe bòok Ⓒ ★Blue Book とも書く.

ブループリント (青写真) blúeprint Ⓒ.

ブルーベリー 〔植〕 blúebèrry Ⓒ.

ブルーマー ☞ ブルマー

ブルーマウンテン (コーヒー豆の銘柄) Blúe Móuntain Ⓤ.

ブルーマンデー (憂うつな月曜日) blúe Mónday Ⓒ.

ブルームフィールド ── 名 固 Leonard Bloomfield, 1887–1949. ★米国の言語学者.

プルーラリズム (多元主義) pluralism Ⓤ.

ブルーリボンしょう ブルーリボン賞 (日本映画の) Blue Ribbon Prize Ⓒ.

フルーレ (フェンシングの) fleuret /fləːrét/ Ⓒ.

プルーン 〔植〕 prune Ⓒ.

ふるえ 震え (震え動くこと) shake Ⓒ ★最も一般的; (小刻みに震えること) trembling Ⓤ; (寒さで) shivering Ⓤ; (恐怖で) shuddering Ⓤ. (☞ しんどう¹). ¶私は恐怖で*震えが止まらなかった I couldn't stop *shuddering* with fear. // 手に*震えがきた (⇒手が震えた) My hands ⌈*trembled* [*shook*].

ふるえあがる 震え上がる (怖くなる) be terrified, 《略式》 be scared; (恐怖でいっぱいになる) be horrified; (寒さなどで) shiver (with ...) ㊐; (恐れで体中が震える) shake [tremble; shiver] all over ㊐. (☞ ふるえる; ちぢみあがる).

ふるえごえ 震え声 shaking [trembling] voice Ⓒ.

ふるえる 震える shake ㊐ (過去 shook; 過分 shaken); tremble ㊐; shiver ㊐; shudder ㊐; quake ㊐; quiver ㊐; vibrate ㊐.

【類義語】最も一般的な語が *shake* で, 以下の語の代わりに使える場合も多い. 恐怖・寒さ・疲れなどにより, 身体や声がひとりでに小刻みに震えるのが *tremble*. 寒さなどのため瞬間的に身震いするのが *shiver*. 恐怖などにより, 突然激しく身体を震わせるのが *shudder*. 恐怖や驚きにより, 身体がわなわなと大きく震えること, また物体がそのように激しく揺れ動くことを指すのが *quake*. ピリピリと細かく速く振動するのが *quiver*. 規則的に連続して震動するのが *vibrate*. (☞ ふるわせる)

¶彼は恐怖[寒さ]で*震えた He ⌈*shook* [*trembled*; *shuddered*] ⌈with fear [in the cold]. // 彼女の声は感動[興奮]で*震えた Her voice ⌈*shook* [*trembled*; *quivered*] with ⌈emotion [excitement]. // 爆発で窓ガラスがぴりぴりと*震えた The windowpanes ⌈*shook* [*vibrated*] because of the explosion.

プルオーバー (衣服の) púllòver Ⓒ.

ブルカ (イスラム教徒女性の顔・体を覆う外衣) burka /bʊ́əkə/ Ⓒ.

フルかいてん フル回転 ¶コピー機は一日中*フル回転だ (⇒休む間もなく動いている) The copy machine *is running* ⌈*non-stop* [*around the clock*].

フルカウント full count (of 3 and 2) Ⓒ ★ 3 and 2 の順序に注意. ¶ バッターは*フルカウントだ (It's a) *full count*. / The batter has a *full count*.

ふるがお 古顔 (古参の人) old-timer (↔ newcomer) Ⓒ; (古くからいる人) member of long standing Ⓒ ★ 前者のほうが口語的. 《☞ こさん》.

ふるかぶ 古株 (木の) old stump Ⓒ; (比喩的に古顔) old-timer Ⓒ. 《☞ こさん》.

ブルガリア ── 名 固 Bulgaria /bʌlgé(ə)riə/; (正式名) the Republic of Bulgaria. ── 形 Bulgarian. ブルガリア語 Bulgarian Ⓤ ブルガリア人 Bulgarian Ⓒ.

ふるぎ 古着 (着古し・中古服) used clothing, secondhand clothes. 古着屋 (店) used-clothing ⌈store [shop] Ⓒ; (商人) used-clothing dealer Ⓒ.

ふるきず 古傷 óld wound /wúːnd/ Ⓒ ★ 日本語と同じように比喩的にも用いる; (傷跡) scar Ⓒ. ¶ *古傷を暴く open up [reopen] *old wounds* // *古傷が痛む *One's old wound* aches.

ふるぎつね 古狐 old fox Ⓒ; (経験をつんだ悪賢い人) (sly) old fox Ⓒ.

ブルキナファソ ── 名 固 (国名) Burkina Faso /buəkíːnəfáːsoʊ/ ★ アフリカ西部の共和国.

ふるく 古く ── 副 from ancient times. ── 名 ancient times. 《☞ ふるい¹》. ¶ *古くからの習慣 a *long-standing* custom // このワープロは*古くなった This word processor has become *old-fashioned*.

ふるくさい 古臭い (年月を経て古い) old ★ 最も一般的な語; (時代遅れの) outdated, out-of-date; (流行遅れの) old-fashioned; (古風な・時代がかった) ántiquàted ★ old-fashioned よりもずっと古い感じで, 軽蔑的; (年月を経て痛んだ) timeworn ★ 文語的; (古くなってかびの生えたような) musty; (表現などが使い古された・陳腐な) hackneyed. 《☞ ふるめかしい; こふう》. ¶ 彼の考えはまったく*古臭い His ideas are very *old fashioned*. 語法 単に old とすると意味が少しあいまいになる. // *古臭い規則 *old-fashioned* [*musty*] regulations // *古臭い表現は作文では避けたほうがよい We should avoid *hackneyed* expressions in our writing.

フルコース ── 形 full-course Ⓐ. ¶ *フルコースのディナー[食事] a *full-course* ⌈dinner [meal]

ブルゴーニュ ── 名 固 Burgundy /bə́ːgəndi/. ★ フランス南東部のソーヌ川西岸の地方. ぶどう栽培で有名. フランス語名は Bourgogne.

フルコストげんそく フルコスト原則 〖経〗 full-cost principle Ⓤ.

プルサーマルけいかく プルサーマル計画 the plan to use MOX fuel (in currently operating nuclear reactor) ★ MOX は *m*ixed *ox*ide fuel の略で, ウラニウムとプルトニウムの混合燃料.「プルサーマル」は和製英語.

ふるさと 故郷 (自分の故郷) *one's* home Ⓤ 語法 (1) 最も一般的な言い方で, 故国・故郷の町・市・村などすべての意味で使える; (自分の故郷の町) *one's* hometown Ⓒ 語法 (2) 行政上の町・市・村などの区別とは直接関係のない語なので, 市でも村でも使える; (ふるさとの県) home prefecture Ⓒ; (故郷の地・故国) *one's* native place; (自分の生地) *one's* birthplace Ⓒ. 《☞ こきょう; くに》.
¶ きょう*ふるさとから手紙が来た I ⌈got [received] a letter from *home* today. // 私にとって仙台は第 2 の*ふるさとです For me, Sendai is a *home* away from home. ★ home away from home で自宅同様くつろげる所の意味. // 奈良は日本人の心の*ふるさとだ Nara is the spiritual *home* of the Japanese (people).

フルシーズン ¶ レギュラー選手として*フルシーズン出場する play as a regular member *one full season* フルシーズン券 full-season pass Ⓒ.

フルシチョフ ── 名 固 Nikita (Sergeyevich) Khrushchev /nɪkíːtə seəgéɪɪvɪtʃ krúːʃtʃef/, 1894–1971. ★ 旧ソ連の政治家.

フルショット (映画などの) fúll shót Ⓒ.

ブルジョワ (有産階級の人) bourgeois /búəʒwɑː/ Ⓒ 《複 ～ /búəʒwɑː(z)/》 語法「無産者」proletarian に対して有産[中産]階級の人を指し, 上流階級の人を意味しない; (全体) the bourgeoisie /bùəʒwɑːzíː/ ★ the を付けて. 以上いずれも普通は軽蔑的な語; (裕福な人・財産家) wealthy man Ⓒ; (金持ち) rich person Ⓒ. ブルジョワ民主主義 bourgeois [capitalist] democracy Ⓤ.

ブルジョワジー ☞ ブルジョワ

ふるす 古巣 (昔なつかしい場所) *one's* old ⌈place [nest] Ⓒ.

フルスウィング (ゴルフ・野球の) fúll swíng Ⓤ.

フルスケール ── 形 (実物大の) fúll-scále.

フルストップ ☞ ピリオド

フルスピード full speed Ⓤ. ¶ *フルスピードで at *full speed*

フルセット (テニス・バレーボールなどの) fúll sét Ⓒ.

ブルセラショップ shop where used underwear and uniforms of schoolgirls are sold to male customers for sexual use Ⓒ.

ブルゾン blouson Ⓒ, blouson-style jacket Ⓒ.

プルターク ☞ プルタルコス

ブルターニュ ── 名 固 Brittany /brítəni/ ★ フランス北西部の半島. フランス語名は Bretagne.

フルタイマー full-timer Ⓒ.

フルタイム ── 形 full-time (↔ part-time). ── 副 full-time. ¶ あの人は*フルタイムの職員です He [She] is a *full-time* worker. // *フルタイムで働く work *full-time*

ふるだぬき 古狸 (経験豊かなずるいやつ) old fox Ⓒ.

プルタブ (缶・容器の) púll tàb Ⓒ.

プルタルコス ── 名 固 Plutarch /plúːtɑək/, 46?–?120. ★ ギリシャの伝記作家.

ブルックナー ── 名 固 Joseph Anton Bruckner /jóʊzəf áːntən brúknə/, 1824–96. ★ オーストリアの作曲家・オルガン奏者.

ブルックリン ── 名 固 Bróoklyn ★ ニューヨーク市南部の住宅・港湾地区.

ふるづけ 古漬け fully pickled vegetables.

ふるった (人とは違った) original; (奇抜な) fanciful; (普通ではない) uncommon. ¶ *ふるった趣向 an ⌈*original* [*uncommon*] idea

ふるって 奮って ¶ *ふるってお申し込み下さい (⇒ あなたが申し込み書を送るよう強く勧めます) We *urge* you to send in your application. 語法 ただし, 英語では Send in your application immediately. のような直接的な表現のほうがよい. // *ふるってご参加下さい *Please* [*Do*] join us. / (⇒ 参加して下さるように心からお誘いします) You *are cordially invited* to ⌈take part [participate].

ふるつわもの 古兵 (老練家) veteran Ⓒ ★ 《米》では普通在郷軍人の意; (経験のある人) experienced /ɪkspí(ə)riənst/ pérson Ⓒ; (老兵) old soldier Ⓒ ★ 比喩的にも使う.

ふるて 古手 (古参の人) old-timer Ⓒ; (古くなったもの) used article Ⓒ. 《☞ ちゅうこ》.

フルテキストデータベース 〖コンピューター〗 full-text database Ⓒ.

ふるでら 古寺 (古い寺) old temple Ⓒ; (古く崩れかかった寺) old and run-down temple Ⓒ.

ふるどうぐ 古道具 (中古の品) used [secondhand] goods 語法 家具ならば used [secondhand] furniture Ⓤ のように，名詞を適当なものに入れ替えて用いる． **古道具屋**（店）secondhand ⌜store [shop] Ⓒ;（がらくた屋）junk shop Ⓒ;（人）dealer in secondhand goods Ⓒ, junk dealer Ⓒ ★ 後者は口語的．

ブルドーザー bulldozer Ⓒ,《略式》dozer Ⓒ.

ブルドッグ 〘動〙bulldog Ⓒ.

プルトップ （缶の）pull tab Ⓒ.

プルトニウム 〘化〙plutonium /plu:tóuniəm/ Ⓤ《元素記号 Pu》. **プルトニウムサイクル** plutonium cycle Ⓒ **プルトニウム爆弾** plutonium bomb Ⓒ.

ふるとり 隹 （漢字の）small bird radical at the top or bottom or on the right of kanji Ⓒ.

フルトン ―図 ㊀ Robert Fulton, 1765–1815. ★ 米国の発明家．最初の蒸気船の開発者．

プルニエ （フランス流魚料理）French-style seafood dish Ⓒ;（店）French-style seafood restaurant Ⓒ ★ パリの高級魚料理店の名 Prunier から．

ブルネイ ―図 ㊀（国名）Brunei /brʊnáɪ/;（正式名）the State of Brunei Darussalam ★ ボルネオ島北西岸の王国．

フルネーム fúll náme Ⓒ（☞ しめい³）.

ブルネット （ブルネットの女性）brunette /bru:nét/ Ⓒ 日英比較 日本語では「ブルネット」は女性だけを指すのが一般的だが，英語では brunet /bru:nét/ が男性, brunette が女性を指す．ともに発音は同じ．

フルバック （サッカーなどの）fúllbáck Ⓒ.

ふるびた 古びた （古い）old,《略式》ancient.（☞ ふるい¹; ふるぼけた）.

ふるびる 古びる （古くなる）grow [become; get] old;（古く見える）look old.（☞ ふるい¹）.

フルフェース(ヘルメット) full-face helmet Ⓒ.

フルブライト ¶ 彼は*フルブライトの奨学金で（⇒ フルブライト奨学生として）アメリカへ留学した He went to the United States ⌜as a *Fulbright* scholar [on a *Fulbright* scholarship].

ぶるぶる ¶ 手が*ぶるぶる震えて字が書けない I can't write, because my hand *is shaking*. // 私は怖くて*ぶるぶる震えた I *trembled* with fear. // 急に気温が下がって私たちは皆*ぶるぶる震えた（⇒ 気温の下降は我々を震えさせた）The sudden drop in temperature made us all *shiver*.（☞ ふるえる; 擬声・擬態語（囲み））

フルベース ☞ まんるい

フルベッキ ―図 ㊀ Guido Herman Fridolin Verbeck, 1830–98. ★ オランダ出身の米国の宣教師．1859 年来日．

ブルペン 〘野〙bull pen Ⓒ.

ふるぼけた 古ぼけた （古い）old;（古色蒼然(こしょくそうぜん)とした）ancient ★ 戯言的．（☞ ふるびる）. ¶ ずいぶん*古ぼけた帽子をかぶっているね What an *ancient* hat you're wearing!

ふるほん 古本 （中古書）used [secondhand] book Ⓒ;（珍しい）rare book Ⓒ. **古本屋** used [secondhand] bookstore Ⓒ;（人）secondhand bookseller Ⓒ.

ブルボンちょう ブルボン朝 the Bourbon Dynasty ★ フランスの王朝．

ブルマー bloomers ★ 複数形で．

フルマーク （満点）perfect score Ⓒ,《英》full mark Ⓒ ★ 後者は一般に複数で使われる．

ふるまい 振舞い **1**《行動》:（道徳的観点から見た行為）conduct Ⓤ;（行状）behavior（《英》behaviour）Ⓤ.（☞ おこない; こうい¹（類義語）; こうどう¹）. ¶ 彼の*振舞いは許せない His *conduct* [(⇒ 彼のしたこと) *What he did*] is ⌜inexcusable [unpardonable]. // 彼女の子供っぽい*振舞いは学校で嘲笑の的になった Her childish *behavior* made her the laughingstock of the school.

2《もてなし・饗応》:（接待・ごちそう）entertainment Ⓒ;（おごり）treat Ⓒ;（豪華な宴会）banquet Ⓒ.（☞ せったい）. **振舞い酒**（酒を奢ること）treat of sake Ⓒ. ¶ あいつはひとの*振舞い酒だといつもぐでんぐでんに酔っぱらう He always gets dead drunk if somebody *treats* him.

ふるまう 振舞う **1**《行動する》: act ㊀; behave ㊀, conduct *oneself* 語法 act は行為そのものを指す．後の 2 つには道徳的な判断が含まれる．なお，この 2 つのうち後者のほうが格式ばった語．（☞ こうどう¹）.

¶ ホテルが火災を起こしたとき彼は勇敢に*振舞った He *acted* bravely when the hotel was on fire. // 彼はいつも紳士らしく*振舞う He always ⌜*behaves* [*conducts himself*] like a gentleman. // あの子はいつもわがままに*振舞う（⇒ 自分の思いどおりにする）The child always *has* ⌜*his* [*her*] *own way*.

2《もてなす》:（来客にごちそうを出す）entertain ㊇;（人におごる）treat ㊇.（☞ ごちそう）.

―コロケーション―
軽率に振舞う *act* rashly / しかるべく振舞う *act* accordingly / 衝動的に振舞う *act* impulsively / 責任を持って振舞う *act* [*behave*] responsibly / 無責任に振舞う *act* [*behave*] irresponsibly

フルマラソン （full-length）máràthòn Ⓒ ★ 特にハーフマラソン（half marathon）などと比較する場合以外は単に marathon と言う．

フルムーン （満月）the [a] full moon. **フルムーンシルバー** "full moon silver";（説明的には）discount JR ticket for a couple whose ages exceed 88 altogether, one of whom is over 70 Ⓒ **フルムーンパス** "full moon pass" Ⓒ;（説明的には）discount JR ticket for a couple whose ages exceed 88 altogether Ⓒ.

ふるめかしい 古めかしい （旧式の・流行遅れの）old-fashioned;（考え・習慣などが使い古された）timeworn ★ 文語的;（かびくさい）musty.（☞ ふるくさい; ふるぼけた; こふう）. ¶ *古めかしい建物 an *old-fashioned* building // *古めかしい考え a *timeworn* [an *old-fashioned*; a *musty*] idea

フルメンバー （全員）all the members 日英比較 英語の full member は「正会員」の意 Ⓒ.

ふるわせる 震わせる （振り動かす）shake ㊇ ㊀《過去 shook; 過分 shaken》;（小刻みに震える）tremble ㊀;（ぶるぶる震える）shiver ㊀;（わなわな震える）quiver ㊀;（特に声が）quaver ㊀ 日英比較 以下の英訳例に見られるように，日本語では「震わせる」と他動詞を用いても，英語では「震える」と自動詞を用いて訳すほうが普通である点に注意．（☞ ふるえる（類義語））. ¶ 彼は興奮して身を*震わせていた（⇒ 興奮して彼(の体)は震えていた）His body [He] *was* ⌜*shaking* [*trembling*] with excitement. 語法 He *was shaking* his body with excitement. という英語は誤りである点に注意． // あまりの幸福[激しい怒り]に彼女は声を*震わせていた（⇒ 彼女の声は震えていた）Her voice *was* ⌜*shaking* [*trembling*; *quivering*; *quavering*] with ⌜overwhelming happiness [great anger].

ふるわない 振るわない ☞ ふるう¹ 3; ふしん³

ブルワリー （醸造所）brewery Ⓒ.

ブルンジ ―図 ㊀（国名）Burundi /burúndi/;（正式名）the Republic of Burundi ★ アフリカ中央の国．

ふれ¹ 触れ （発表・告知）announcement Ⓒ;（公式声明）official statement Ⓒ;（告示）official notice Ⓒ.

ふれ² 振れ （計器や針の）deflection Ⓤ;（進路などからそれること）deviation Ⓤ. ¶ 地震計の針の*振れは

ふ

大きかった The ⌈*deflection* [*deviation*] of the seismometer's needle was ⌈substantial [large].

ぶれ ― [名] (映像のぶれ) a blur ★ a を付けて; (カメラの振れ) camera shake Ⓒ. ― [動] blur (他); (動かす) shake (他). ¶ スナップの何枚かは*ぶれてしまった Some of the snapshots *were* ⌈*blurred* [*blurry*]. // カメラが*ぶれてしまったかもしれない I'm afraid I'*ve shaken* the camera.

プレ- ― [接頭] pre- (☞ プレオリンピック).

ブレア ― [名] (固) Anthony Charles Lynton Blair, 1953– . ★ 英国の政治家, 首相 (1997–). 通称 Tony Blair.

フレアー (写真の) flare Ⓤ; (スカートの) flare Ⓤ.

ふれあい 触れ合い (精神的な接触) contact Ⓤ. ¶ 先生と生徒との*触れ合いほど大切なことはない Nothing is more important than ⌈*contact* between students and teachers [the student-teacher *relationship*].

ふれあう 触れ合う (物理的・精神的に接触する) come into contact with …; (精神的に接触する・共感する) be [get] in touch with …; (共感する・同情する) sympathize with … ¶ 彼女はクラスのだれとも親しく*触れ合うことがなかった She *has* never *been in close touch with* any of her classmates. // 彼には心の*触れ合える (⇒ 彼の気持ちに共感できる) 友人がない He has no friend who can *sympathize with* ⌈his feelings [him].

フレアスカート flared skirt Ⓒ (☞ スカート).

ふれあるく 触れ歩く ¶ メガホンを持った男の人が洪水警報を*ふれ歩いていた A man with a megaphone *was going around*, ⌈*announcing* [*giving*] a flood warning. (☞ ふれまわる)

ぶれい 無礼 ― [形] (粗野で無作法な) rude; (失礼な) impolite. (☞ しつれい (類義語); ぶさほう). ¶ 彼の*無礼な振舞いは友人のひんしゅくを買った His *rude* behavior was frowned ⌈on [upon] by his friends. // ほかの人が話しているのに間に入るなんて*無礼だ It is *rude* to interrupt when someone else is speaking. **無礼講** (慣習的な制約のないパーティー) no-holds-barred party Ⓒ. ¶ *無礼講でやる (⇒ 形式ばったことなしでやる) skip [dispense with] the formalities **無礼者** insolent [very rude; impolite; impudent] person Ⓒ.

プレイ ☞ プレー

プレイステーション 〔商標〕 (ソニーのゲーム機) PlayStation.

ブレイディほう ブレイディ法 the Brady Act ★ 1993年制定の米国の銃規制法. (☞ じゅうほう²).

フレー Hooray [Hurray] /hʊréɪ/! ¶ *フレー*フレー! Hip, hip, *hurray*!

プレー (競技) play Ⓤ; (競技の仕方) *a person's* ⌈playing style [style of play]. ¶ あの選手は派手な*プレーで知られている He's well known for his showy ⌈*playing style* [*style of play*]. // 審判は*プレーを宣した (⇒「プレーボール」と叫んだ) "*Play* ball!" shouted the umpire /ʌ́mpaɪɚ/.

プレーイングマネージャー (選手を兼ねている監督) player-manager Ⓒ 日英比較 「プレーイングマネージャー」は和製英語.

プレーオフ ― [名] 〘スポ〙 pláy-òff Ⓒ. ― [動] pláy óff (自). ¶ 彼らはこの日曜に*プレーオフを行う They are going to *play off* this coming Sunday.

ブレーカー 〔電〕 (circuit) breaker Ⓒ.

プレーガイド (興業の切符の前売り所) (theater) ticket agency Ⓒ 日英比較 「プレーガイド」は和製英語.

ブレーキ ― [名] (制動機) brake Ⓒ. ― [動] (ブレーキをかける) brake (他). (☞ オートバイ (挿絵); じてんしゃ (挿絵); はどめ). ¶ 私は車に*ブレーキをかけた I *braked* (the car). / (⇒ ブレーキを踏んだ) I stepped on the ⌈*brakes* [*brake* pedal]. // 彼は*ブレーキをかけないで[かけて] 駐車した He left his car with the parking *brake* ⌈off [on]. // *ブレーキがよくきかない The *brakes* don't work well. // エア*ブレーキ air *brakes* // フット*ブレーキ a foot *brake* // サイド*ブレーキ 《米》a parking *brake* / a hand *brake* 日英比較 「サイドブレーキ」は和製英語. // このことが彼の商売の*ブレーキになった This acted as a *brake* on his business. ブレーキシュー (車の) brake shoe Ⓒ ブレーキドラム (車の) brake drum Ⓒ.

フレーク (食品の) flakes ★ 複数形で. ¶ コーン*フレーク corn*flakes*

ブレーク¹ 〘テニス〙 (相手のサービスゲームを破ること) break Ⓒ.

ブレーク² ― [動] (物事が大人気になる) make [become] a hit; (人・グループなどが) make it big 日英比較 この意味の「ブレーク」は和製英語.

ブレーク³ ― [名] (固) William Blake, 1757–1827. ★ 英国の詩人・画家.

ブレークスルー (行き詰まりの打破) breakthrough Ⓒ.

ブレークダウン (故障・崩壊) breakdown Ⓒ.

ブレークダンス ― [名] break-dancing Ⓤ. ― [動] break-dance (自).

フレーズ (句・成句) phrase Ⓒ.

ブレース (歯列矯正器) brace Ⓒ ★《米》では 複数形で.

プレース (場所) place Ⓒ.

プレースキック 〔球〕 ― [名] (ボールを地面に置いてするキック) placekick Ⓒ. ― [動] placekick (自) (他).

プレースヒッター 〔野〕 place hitter Ⓒ.

プレースヒット 〔野〕 ― [動] (狙った場所に打つ) hit a ball to any part of the field the batter chooses. 日英比較 専門用語では place a hit, place hit とも言う. ― [名] place hitting Ⓤ; place hit Ⓒ.

プレースメントテスト (クラス分け試験) placement test Ⓒ.

プレーセラピー (遊戯療法) play therapy Ⓤ.

ブレード (刃物の刃・スケート靴のブレード) blade Ⓒ.

プレート (板・地質学上の) plate Ⓒ. ¶ 海洋[大陸]*プレート an oceanic [a continental] *plate* プレートアンパイア 〔野〕 (球審) ball umpire Ⓒ, umpire-in-chief Ⓒ **プレート境界型地震** interplate earthquake Ⓒ **プレートテクトニクス** 〔地質〕 pláte tectónics Ⓤ.

プレートナンバー (自動車のナンバー) license [《英》 registration] number Ⓒ.

フレーバー (風味) flavor (《英》 flavour) Ⓒ. ¶ どの*フレーバーにしますか 《アイスクリーム屋で》 Which *flavor*, please?

プレーバック ― [名] (録音・録画の再生) playback Ⓒ. ― [動] play back (他).

プレーボーイ (女扱いのうまい男) ladies' man Ⓒ; (女たらし) woman-chaser Ⓒ, womanizer Ⓒ 日英比較 英語の playboy は,「金をふんだんに持っていて, さまざまな趣味・快楽を追い求める男」の意味.

プレーボール ― [動] (野球の試合を開始する) play ball. ¶ *プレーボール! *Play ball*!

フレーム (枠・眼鏡の縁) frame Ⓒ.

フレームアップ ― [名] 《略式》 (陰謀・でっちあげ) frame-up Ⓒ. ― [動] (人をおとしいれる) frame (他), set up (他).

フレームオヴレファレンス ☞ じゅんきょ (準拠枠)

フレームワーク (枠組み) framework Ⓒ.

ふ

プレーメート (遊び友達) person with whom *one* plays Ⓒ, friend Ⓒ ★ playmate は普通「子供の遊び友達」の意だが, 口語では「恋人, 愛人」も指す.
ブレーメン —名 固 Bremen ★ドイツの河港都市. ブレーメンの音楽隊 (グリム童話の) The Bremen Town Musicians.
プレーヤー (選手・演奏者) player Ⓒ; (レコードプレーヤー) (record) player Ⓒ.
プレーリー (大草原) prairie Ⓒ.
プレーリードッグ prairie dog Ⓒ.
プレーン —形 (飾りのない・あっさりした) plain. プレーンオムレツ plain omelet(te) Ⓒ プレーンヨーグルト plain yogurt Ⓤ.
ブレーン (知的な人・知的指導者) brains ★ 複数形で. (☞ ブレーントラスト). ¶ 彼が首相の*ブレーンだ He's the *brains* behind the prime minister.
ブレーンウォッシング (洗脳) brainwash(ing) Ⓤ.
ブレーンスキャナー 〘医〙 brain scanner Ⓒ.
ブレーンストーミング (各人が自由にアイデアを出し合う会議の仕方) 《米》 brainstorming Ⓤ.
ブレーントラスト (政府などの専門顧問団) brain trust Ⓒ, 《英》 brains trust ★ 単数または複数扱い.
プレオリンピック (オリンピック大会の前年に行われる国際競技会) the pré-Olỳmpic gámes.
ふれがき 触れ書き (告示) (official) notice Ⓒ; (歌舞伎の) list for on-stage announcement of titles, ballad singers, actors, musicians and so on in kabuki plays Ⓒ ★ 説明的な訳.
フレキシブル —形 (柔軟な) flexible.
フレグランス (芳香) fragrance Ⓒ.
ふれこみ 触れ込み ¶ 彼はその事件について何でも知っているという*触れ込みだった He *professed* to know everything about the case. // その候補者は高潔な改革主義者という*触れ込みだった The candidate *was* ˹*advertised as* [*to be*] a high-minded reformer.
ふれこむ 触れ込む (宣伝する) advertise /ǽdvərtàɪz/ 他; (公言する) announce 他, give out 他; (…と自称する) profess 他.
ブレザー (ブレザーコート) blazer Ⓒ.
プレシジョン (正確・精密さ) precision Ⓤ.
プレジデント (大統領・社長・学長) president Ⓒ.
ブレジネフ —名 固 Leonid Ilich Brezhnev /léɪənɪd íljɪtʃ bréʒnef/, 1906–82. ★ 旧ソ連の政治家.
プレジャーボート (遊覧船) pleasure boat Ⓒ.
ブレス ☞ いきつぎ
プレス **1** «報道界» —名 the press ★ the を付けて. **2** «圧力をかける» —動 (衣類・板金などを) press 他. ¶ ズボンを*プレスしてもらった I had my trousers *pressed*. プレス加工 press work Ⓤ, pressing Ⓤ プレスキャンペーン (新聞によるキャンペーン) press campaign Ⓒ プレスクラブ (記者クラブ) press club Ⓒ プレスエ press operator Ⓒ プレスコード 〘史〙 the Press Code ★ 1945 年に進駐軍が発した新聞遵則. プレスセンター press center Ⓒ プレスリリース (報道向け発表) press release Ⓒ プレスルーム (記者会見室) press conference room Ⓒ.
フレスコ 〘美〙 (フレスコ壁画) fresco /fréskoʊ/ Ⓒ 《複 ~(e)s》.
プレスティージ (名声) prestige Ⓤ.
ブレスト (乳房) breast Ⓒ; (胸部) chest Ⓒ; (平泳ぎ) the breaststroke. (☞ ひらおよぎ).
プレスト 〘楽〙 —名 presto Ⓒ. —形 副 presto.
ブレストストローク ☞ ひらおよぎ
プレスハム pressed ham Ⓤ.
プレズビテリアン (キリスト教長老派信徒) Presbyterian Ⓒ; (教会) the Presbyterian Church.
プレスリー —名 固 Elvis Presley, 1935–77. ★ 米国のロック歌手.
ブレスレット bracelet /bréɪslət/ Ⓒ (☞ うで(腕輪)).
プレゼン ☞ プレゼンテーション
プレゼンス (存在感) presence Ⓤ.
プレゼンター (発表・贈呈者) presenter Ⓒ.
プレゼンテーション —名 (贈呈・提示・発表) prèsentátion Ⓤ. —動 presént 他. (☞ はっぴょう).
プレゼンテーター (発表者・プレゼンター) presenter Ⓒ.
プレゼント (贈り物) present Ⓒ (☞ おくりもの).
ふれだいこ 触れ太鼓 announcing drum Ⓒ; (説明的には) drum in the streets announcing the ˹following [next] day's sumo (wrestling) matches Ⓒ.
プレタポルテ —名 (高級既製服) prêt-à-porter /prètəpɔətéɪ/ Ⓤ ★ フランス語から; (既製服) ready-made Ⓒ, ready-to-wear Ⓒ. —形 prêt-à-porter; ready-made Ⓐ, ready-to-wear Ⓐ.
フレックスタイム (自由勤務時間制) flextime Ⓤ, 《英》 flexitime Ⓤ.
ブレックファスト (朝食) breakfast /brékfəst/ Ⓤ ★ 1 回の朝食は Ⓒ.
プレッシャー —名 (圧力) pressure Ⓤ. —動 (プレッシャーをかける) pressure 他. ¶ *プレッシャーを感じる feel *pressured* プレッシャーグループ (圧力団体) préssure gròup Ⓒ ★ 単数または複数扱い.

コロケーション
プレッシャーに耐える withstand (the) *pressure* / プレッシャーをかける put [exert] *pressure* (on …) / プレッシャーを強める increase [build up] (the) *pressure* / プレッシャーを弱める relieve [ease] (the) *pressure* // プレッシャーに屈する succumb to [crumble under] *pressure* / プレッシャーに強い cope [work] well under *pressure* / プレッシャーに弱い be ˹vulnerable [susceptible] to *pressure* // 目に見えないプレッシャー subtle *pressure*

フレッシュ —形 (新鮮な・新人の) fresh. ¶ 彼女は大学を出たばかりの*フレッシュな若い数学の教師だ She is a young math teacher *fresh* ˹out of [from] college.
フレッシュマン freshman Ⓒ 《複 freshmen》 ★ 女子学生も含む; first-year student Ⓒ 日英比較 日本語では会社などの新入社員もフレッシュマンというが, 英語では普通は学生のみに使う.
プレッツェル (クラッカー) pretzel Ⓒ.
フレッド (男性名) Fred ★ Frederick の愛称.
ブレッド ☞ パン¹
プレッピー —名 《米略式》 preppy Ⓒ, preppie Ⓒ ★ prep(aratory) school の生徒. 金持ちの子弟が多い. —形 (プレッピー風の) preppy, preppie.
フレディー (男性名) Fréddy, Fréddie ★ ともに Frederick /frédrɪk/ の愛称.
フレデリック (男性名) Frederick /frédrɪk/ ★ 愛称は Fred, Freddie, Freddy.
プレトリア —名 固 Pretoria /prɪtɔ́:riə/ ★ 南アフリカ共和国の行政首都. 新名称は「ツワネ」(Tshwane).
プレハブ (組み立て式住宅) prefabricated /prì:fǽbrəkèɪtɪd/ house Ⓒ ★ 口語では単に prefab /prì:fǽb/ Ⓒ ともいう.
プレパラート (顕微鏡用標本容器) slide prepared for a microscope Ⓒ ★ ドイツ語 Präparat から.

プレパラトリースクール preparatory school Ⓒ, 《略式》 prep school Ⓒ. ★《米》では大学進学のための私立高校.《英》では public school への進学のための初等学校.《☞ よびこう》.

ブレヒト ―名 固 Bertolt Brecht /brékt/, 1898–1956. ★ドイツの劇作家・詩人.

プレビュー (映画などの試写・予告編) preview /príːvjùː/ Ⓒ.

ふれまわる 触れ回る (うわさなどを広める) spréad abóut ⊕, broadcast ⊕《過去・過分 broadcast(ed)》.《☞ いいふらす; ふいちょう》.

プレミアショー (映画の有料試写会) (pay) preview Ⓒ; (招待客だけの披露興行の舞台) preview performance by invitation only Ⓒ. 日英比較 英語の première, premiere は「映画の封切り」「劇の初日」の意.

プレミア(ム) (割増額) premium /príːmiəm/ Ⓒ. ¶…に*プレミアムを出す give [pay] a *premium* for … // *プレミアムを付ける put [set] a *premium* on … // それは*プレミアム付きで売れている It's selling at a *premium.* **プレミアム価格** premium price Ⓒ.

プレミアムガソリン (高オクタン価の) high-octane gasoline Ⓤ, premium /príːmiəm/ gásoline Ⓤ.

フレミッシュ (ベルギーで話されるオランダ語の一種) Flemish Ⓤ.

フレミング ―名 固 John Ambrose Fleming, 1849–1945 ★英国の技術者.「フレミングの法則」を発見; Alexander Fleming, 1881–1955 ★英国の科学者. ペニシリンを発見; Ian Fleming, 1908–64 ★英国のスパイ小説家. **フレミングの法則** (電磁気に関する) Fleming's rule Ⓤ.

フレヤー ☞ フレアー

プレリュード 〔楽〕 prelude /prél(j)uːd/ Ⓒ.

ふれる[1] 触れる **1** «触る»: (手や指で軽く触る) touch ⊕; (触って確かめる) feel ⊕《過去・過分 felt》.《☞ さわる》.
¶展示品に手を*触れないで下さい《掲示》 Don't *touch* the exhibits. // 危険. 手を*触れるな《掲示》 Danger! *Hands off*! // 私は彼女の肩に軽く*触れた I *touched* her shoulder. / I *touched* her *on* the shoulder. // 目の不自由な人はしばしば手で*触れて物を識別する Blind people often recognize things by ˹*feeling* [*touching*] them.
2 «言及する»: (比喩的に軽く触れる) touch ˹on [upon] …; (…のことにちょっと触れて言う) mention ⊕; (言及する) refer to … ★触れる度合いはこの順に大きくなる; (比喩的に核心に触れる・当たる) hit ⊕《過去・過分 hit》.《☞ げんきゅう[1]》.
¶先生はまったくその問題に*触れなかった Our teacher didn't *touch on* the question at all. // 著者はそのことについて巻末で簡単に*触れている The author ˹*refers to* [*mentions*] it briefly at the end of the book.
3 «抵触する»: (…に反する) be [go] against … 語法 be は「状態」, go を用いると「動作」. against の代わりに contrary to を用いると, より格式ばった表現になる; (法律などに違反する) break ⊕, violate ⊕ ★後者のほうが格式ばった語.
¶あなたのしたことは規則に*触れる What you did *is* ˹*against* [*contrary to*] (the) regulations. // 法律に*触れるようなことをしてはならない We shouldn't do anything ˹*against* [*in violation of*; *to break*] the law.
触れなば落ちん風情 ―動 (たやすく誘惑に負ける) succumb easily to temptation, be vulnerable to temptation. ¶彼女は*触れなば落ちん風情だ She looks as if she would come running at the drop of a hat. ★at the drop of the hat は「待ってましたとばかりに」の意の成句.

ふれる[2] 振れる (上下・左右・前後に小きざみに) shake ⊜; (振子やメーターの針のように大きく) swing ⊜《過去・過分 swung》.《☞ ゆれる》.

ふれる[3] 狂れる go mad《☞ き[1] (気がふれる)》.

ぶれる ☞ ぶれ

ふれんぞく 不連続 discòntinúity Ⓤ. **不連続線** 〔気象〕 line of discontinuity Ⓒ.

ブレンダ (女性名) Brénda.

ブレンダー blender Ⓒ《☞ ミキサー》.

ブレンダン (男性名) Bréndan.

フレンチカンカン (踊り) cancan /kǽnkæ̀n/ Ⓒ.

フレンチトースト French toast Ⓤ.

フレンチドレッシング French dressing Ⓤ.

フレンチホルン 〔楽〕 French horn Ⓒ《☞ ホルン》.

ブレンデッドファミリー 〔社〕 (混合家族) blended family Ⓒ.

フレンド friend Ⓒ. **フレンドシップ** friendship Ⓤ.

ブレンド (混合物) blend Ⓒ 日英比較 英語では 動 としても用いる. コーヒー・茶などに限らず, よい結果を生むような混ぜ合わせ方をいう. ¶僕はこのコーヒーの*ブレンドが好きだ I like this *blend* of coffee. **ブレンドコーヒー** blended coffee Ⓤ **ブレンド米** blended rice Ⓤ.

フレンドリー ―形 (好意的な・友好的な) friendly. ¶*フレンドリーな人 a *friendly* person

-フレンドリー (…に害を与えない, …にやさしい; …に親切で丁寧な) -friendly ★前に置かれた名詞と結んで複合語の形容詞を作る. ¶オゾン*フレンドリーなスプレー an ozone-*friendly* aerosol // ユーザー*フレンドリーな辞書 a user-*friendly* dictionary

ふろ 風呂 bath /bǽθ/ Ⓒ《複 baths /bǽðz/》《☞ 次ページ挿絵》.
¶私は毎日お*風呂に入ります I ˹take [《英》 have] a *bath* every day. // うちの子供たちは*風呂(に入るの)が大好きです Our children like (taking) a *bath* very much. // お*風呂が沸きましたよ (⇒ 用意ができている) The *bath* is ready. //「お*風呂のかげんはどうですか」「熱すぎる[ぬるすぎる]よ」 "How's the *bath*?" "It's ˹too hot [not hot enough]." // 彼女はいま子供を*風呂に入れている She's ˹giving the child a *bath* [*bathing* /béiðiŋ/ the child] now. // 私はそのとき*風呂からあがったばかりだった I had just gotten out of the *bath* then. // 桧の*風呂 a *bathtub* made of Japanese cypress // *風呂に (⇒ 銭湯に) 行く go to the *public bath*(*house*) // *風呂をわかす[たてる] heat the *bath* **風呂桶** bath(tub) Ⓒ **風呂釜** bath heater Ⓒ **風呂場** bathroom Ⓒ, bath Ⓒ 日英比較 英米の家屋では, 風呂・洗面所・トイレが1つのユニットとして作られていることが多く, 日本の風呂場とは構造が異なる. 従って bathroom は個人の家庭では「シャワー室」「トイレ」「洗面所」などの日本語にも当たることが多い.《☞ トイレ》 **風呂屋** (銭湯・公衆浴場) public bath Ⓒ.

プロ ―名 (専門家) professional Ⓒ (↔ amateur) ★口語では単に pro Ⓒ《複 pros》ともいう. ―形 (職業的な) professional.《☞ くろうと; ほんしょく》. ¶彼は昨年*プロに転向した He turned *professional* last year. // 彼女のテニスは*プロ並みだ (⇒ 彼女はプロのレベルでテニスをする) She plays tennis ˹on [at] a *professional* level.
プロ意識 professionalism Ⓤ **プロゴルファー** pro [professional] golfer Ⓒ **プロテスト** ☞ プロテスト[2]
プロ野球 ☞ プロやきゅう

フロア (床) floor Ⓒ《☞ ゆか; -かい[3]》. **フロアシフト** (車のフロアシフトのレバー) floor-mounted gear shift Ⓒ **フロアショー** floor show Ⓒ **フロアスタンド** 《米》 floor lamp Ⓒ, 《英》 standard lamp Ⓒ **フロアヒー**

ティング（床暖房）floor heating Ⓤ　フロアマネージャー（テレビ局の）floor manager Ⓒ　フロアリング ☞ フローリング

プロイセン —名 固 Prussia ★ドイツ語名 Preussen から.《☞ プロシア》. プロイセン王国 (the Kingdom of) Prussia　プロイセンフランス戦争 ☞ ふふつせんそう

フロイト —名 固 Sigmund Freud, 1856–1939. ★オーストリアの精神医学者で精神分析学を樹立.

フロイド（男性名）Floyd.

ブロイラー（若どり）broiler Ⓒ.

プロヴァンス ☞ プロバンス

ふろうじ 浮浪児 juvenile ˈdrifter [vagrant] Ⓒ.

ふろうしゃ 浮浪者 tramp Ⓒ,《米略式》bum Ⓒ;（放浪者）vagrant Ⓒ ★法律用語.

ふろうしょとく 不労所得 unearned income Ⓒ《☞ しょとく》.

ふろうちょうじゅ 不老長寿 perpetual youth and longevity Ⓤ.

ふろうふし 不老不死（年老いず死ぬことのないこと）agelessness Ⓤ;（永遠の生命）eternal life Ⓤ.

フロー¹（女性名）Flo ★Florence の愛称.

フロー²〚経〛（流量）flow Ⓤ.

ブロー 1《ヘアドライヤーでの整髪》—名 blów-drỳ Ⓒ. —動 blów-drỳ 他. ¶彼女は入浴後に髪を*ブローした She *blow-dried* her hair after taking a bath.
2《ボクシングなどで》:（強打）blow Ⓒ.

ブローカー（周旋(しゅうせん)屋）broker Ⓒ《☞ しゅうせん¹; なかがい》.

ブロークンイングリッシュ broken English Ⓤ.

ブロークンハート broken heart Ⓒ.

ブローケード ☞ ブロケード

プローズ（散文）prose Ⓤ.

フローズン —形（冷凍の）frozen. フローズンフード（冷凍食品）frozen food Ⓤ　フローズンヨーグルト frozen yogurt Ⓤ.

フローターサーブ〚バレーボール〛floater serve Ⓒ.

ブローチ brooch /bróutʃ/ Ⓒ.

フローチャート（作業工程図）flowchart Ⓒ, flow diagram Ⓒ.

フロート（浮き・アイスクリームを浮かせた飲み物）float Ⓒ. ¶コーヒー*フロート a coffee *float*

ブロード（織り物）broadcloth Ⓤ.

ブロードウェー —名 固（地名）Broadway ★ニューヨーク市の劇場街.

ブロードキャスト —名（放送）broadcast Ⓒ. —動 broadcast 他 自.

ブロードバンド（高速通信）broadband Ⓤ.

ブローニー《商標》Brownie /bráuni/ ★イーストマンコダック社製の昔の簡単なカメラ. ブローニー判（中判）medium format Ⓤ　ブローニーフィルム roll film Ⓤ.

ブローニュ ☞ ブーローニュ

フローベール —名 固 Gustave Flaubert /gustáːv floubéə/, 1821–80. ★フランスの作家.

フローラ¹（女性名）Flora.

フローラ²（植物相）the flora.

ブローランプ（溶接用バーナー）blowtorch Ⓒ,《英》blowlamp Ⓒ.

フローリー（女性名）Florrie /flɔ́ːri/ ★Florence /flɔ́ːrəns/ の愛称.

フローリスト ☞ フロリスト

フローリング（床板・床張り材）(wood) flooring Ⓤ. ¶*フローリングの床 a *wood* floor

フローレンス 1《女性名》: Florence /flɔ́ːrəns/ ★愛称は Flo, Florrie /flɔ́ːri/. 2 ☞ フィレンツェ

プローン prawn Ⓒ《☞ えび》.

プロカイン（局所麻酔薬）procaine Ⓤ.

ふろく 付録（余分なおまけ）extra Ⓒ ★子供用雑誌のおまけなど;（本の巻末に付ける図表など）appendix Ⓒ《複 appendices》《☞ ほい》.

ブログ blog Ⓒ.

プログラマー〚コンピューター〛(computer) programmer Ⓒ《☞ コンピューター（囲み）》.

プログラミング〚コンピューター〛programming Ⓤ. プログラミング言語〚コンピューター〛programming language Ⓒ.

プログラム program (《英》programme) Ⓒ 語法 コンピューター関係の意味で使うときは英米ともに program の綴りを用いる.《☞ ばんぐみ; けいかく（類義語）》. ¶*プログラムの第1番がアメリカのポピュ

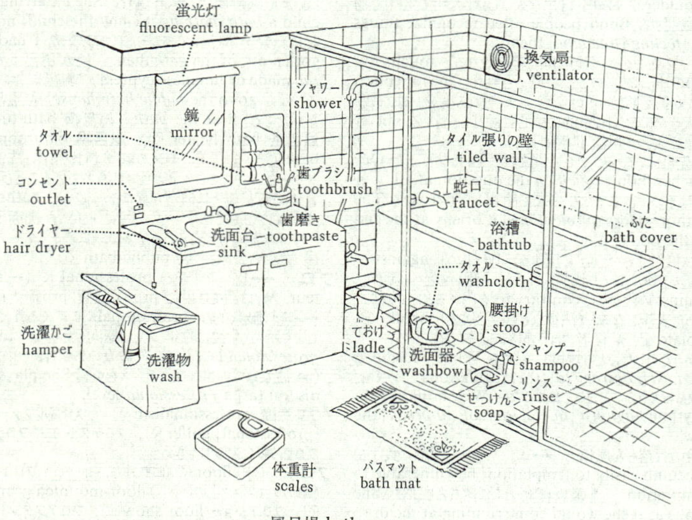

風呂場 bathroom

ラーミュージックだった The first (number) [First] on the *program* was a piece of American popular music. // (コンピューターの)*プログラムを組む[作る] write a *program*
プログラムアナライザー program analyzer [C] プログラム学習 program(m)ed learning [U] プログラム言語〔コンピューター〕program(ming) language [C] プログラム制御〔コンピューター〕program control [U].

プログレス (進歩) progress [U].

プログレッシブ ── [形] (進歩的な) progressive. ── [名] (進歩的な人) progressive [C] (↔conservative).

プログレッシブロック 〔楽〕progressive rock [U].

ブロケード (紋織物) brocade [U] ((☞ にしき)).

プロシア ── [名] (固) Prussia ★ ドイツ北東部の地方; 旧王国. ((☞ プロイセン)).

プロジェクション (映写) projection [U]. プロジェクションテレビ projection ˹television [TV] [C] ★ テレビ画面を拡大映写する. プロジェクションルーム projection ˹room [booth] [C].

プロジェクター (映写機) projector [C].

プロジェクト próject [C] ★ 広範で大がかりな事業(計画)をいう. ((☞ けいかく (類義語))). プロジェクトチーム project team [C] ((☞ タスク (タスクフォース))). ¶ *プロジェクトチームを結成しなければいけない A *project team* has to be ˹organized [formed].

ブロシェット (串焼き料理・焼き串) brochette /brouʃét/ [C].

ふろしき 風呂敷 (包む布) Japanese wrapping cloth [C], cloth wrapper [C], large square cloth used for wrapping [C], *furoshiki* [C] ★ 英米には日本のふろしきに類するものはない. 風呂敷を広げる ☞ おおぶろしき 風呂敷包み package in a *furoshiki* [C].

プロシュート (イタリアのハム) prosciutto [U].

フロス ☞ デンタルフロス

プロスティテュート ☞ ばいしゅん¹ (売春婦)

フロスト¹ ☞ しも¹

フロスト² ── [名] (固) Robert Lee Frost, 1874–1963. ★ 米国の国民的詩人.

プロスペクト (見込み) prospect [U].

プロセス (過程) process /prάses/ [C] ((☞ かてい³)). プロセスチーズ processed cheese [U].

プロセッサー 〔コンピューター〕processor [C].

ブロセット ☞ ブロシェット

プロセニアムアーチ proscenium /prəsíːniəm/ árch [C] ★ 客席から見て舞台の上下左右の区切りとなる枠の部分.

プロソディー 〔言〕(韻律論) prosody [U].

プロダクション (芸能プロダクション) theatrical agency [C] 日英比較 英語の production はこの意味では用いられない. プロダクションマネージャー production manager [C].

プロダクティビティー (生産性) productivity [U].

プロダクト (産物・製品) próduct [C]. プロダクトマネージャー product manager [C].

プロダクトライアビリティー (製造物責任) product liability [U] ((略 PL)). プロダクトライアビリティー法 Product Liability [PL] Law [C].

プロタゴラス ── [名] (固) Protágoras, 480?–?421 B.C. ★ 古代ギリシャの哲学者.

ブロッキング 〔スポ〕blocking [U].

フロック (まぐれ当たり) fluke /flúːk/ [C].

ブロック¹ **1** «建築材の»: concrete block [C]. **2** «スポーツでの妨害» ── [動] block (他). ── [名] blocking [U]. **3** «区画»: block [C]. ブロックアウト〔バレーボール〕── [名] wipe-off shot [C]. ── [動] (相手(のブロック)に対しブロックアウトを決める) tool (the block) (他) ブロック建築 block building [C] ブロック構造〔コンピューター〕block structure [C] ブロック体 ☞ かつじ (活字体) ブロックポイント (バレーで) point scored by blocking [C].

ブロック² (団体・連合体) bloc [C] ★ 単数形でときに複数扱い. ブロック経済 bloc economy [C] ブロック比例選 proportional representation bloc election [C] ブロック比例代表 proportional representation by bloc [U]. ¶ 東海*ブロック比例代表当選[落選]者 a ˹winner [loser] in the Tokai *bloc proportional-representation* election

フロックコート frock coat [C].

ブロックサイン 〔野〕(intricate) ˹signal [sign] [C] 日英比較 「ブロックサイン」は和製英語. ¶ 監督は3塁走者に*ブロックサインを出した The manager sent *signals* to the runner on third base.

フロッグマン (潜水工作員) frogman [C] ((複) frogmen); (潜水夫) diver [C].

ブロッケンげんしょう ブロッケン現象 Brocken /brάk(ə)n/ ˹specter [bow] [C] ★ Brocken はドイツの山の名.

ブロッコリー 〔植〕bróccoli [U].

プロット (小説などの筋) plot [C] ((☞ すじ)).

フロッピーディスク 〔コンピューター〕floppy (disk) [C] ((☞ コンピューター (囲み))).

プロテイン (たんぱく質) protein /próutiːn/ [U] ★ 種類をいうときは [C]. ((☞ たんぱく³)).

プロテクション (保護) protection [U] ((☞ ほご¹)).

プロテクター (胸当て・すね当てなど) protector [C].

プロテクト ── [動] (保護する) protect (他); 〔コンピューター〕(書き込み禁止にする) write-protect (他). ((☞ ほご¹; まもる)). ¶ 私のフロッピーディスクは*プロテクトされてるから再フォーマットできないよ My floppy disk *is write-protected.* You cannot reformat it.

プロテスタント ── [名] (キリスト教の) Protestantism [U]; (教会) the Protestant Church; (信者) Protestant [C]. ── [形] Protestant.

プロテスト¹ ── [名] (抗議) prótest [C]. ── [動] protést (他) (自). ((☞ こうぎ¹)).

プロテスト² (ゴルフなどの) professional certification test [C].

プロデューサー (映画・劇の制作責任者) producer [C].

プロデュース ── [動] (演劇や映画を制作する) produce (他).

プロトケラトプス 〔古生〕protoceratops /pròutouséràtàps/ [C] ★ 単複同形.

プロトコル 〔コンピューター〕prótocòl [C].

プロトタイプ (原型) prótotỳpe [C] ((☞ げんけい³)).

プロトン ☞ ようし⁵

ふろば 風呂場 ☞ ふろ (風呂場) (左の挿絵).

プロパー¹ ── [形] (固有な・専門の) proper.

プロパー² (病院に出入りする薬の販売担当者) detailer [C] 日英比較 この意味の「プロパー」は「宣伝者」(propagandist) から来た和製英語.

プロバイダー (インターネット接続業者) Ínternet sèrvice provìder [C] ((略 ISP)) ★ 単に service provider あるいは provider ともいう. ((☞ インターネットと E メール (囲み))).

プロパガンダ pròpagánda [U] 語法 通例「押しつけがましい政治宣伝」という悪い意味で用いる.

プロパティー 〔コンピューター〕(基本属性) property [C].

プロバビリティー 〔数〕(確率) probability [C].

プロパンガス propane /próupeɪn/ gas [U], propane [U]. ((☞ ガス)).

プロバンス ── [名] (固) Provence /prəvάːns/ ★ フ

ランス南東部の地域.
プロピレン 〘化〙 propylene /próupəlìːn/ Ⓤ.
プロファイリング (犯人を推定するための) profiling Ⓤ.
プロフィール profile /próufaɪl/ Ⓒ. ¶その俳優の*プロフィールがきょうの新聞に載っている There was an *article* on that actor in today's paper. [日英比較] profile は本来「横顔のスケッチ」の意であるが, 人の「簡単な伝記的記事」のことをいうので死亡記事を連想させることがある.
プロフィット (利益) profit Ⓤ ★ 具体的には Ⓒ《☞ りえき》.
プロフェッサー (教授) professor Ⓒ《☞ きょうじゅ¹》.
プロフェッショナル ―[形] (専門的な) professional. ―[名] (専門家) professional Ⓒ, pro Ⓒ ★ 後者のほうがくだけた語. 《☞ プロ》.
ふろふきだいこん 風呂吹き大根 boiled daikon with miso sauce Ⓤ ★ 説明的な訳.
プロブレム (問題) problem Ⓒ《☞ もんだい》. **プロブレムメソッド** problem method Ⓒ ★ 問題の解決過程で学習させる法.
プロペラ propeller Ⓒ. **プロペラ機** propeller-driven airplane Ⓒ **プロペラ船** airboat Ⓒ.
プロポーザル (提案) proposal Ⓒ《☞ ていあん》.
プロポーション (割合い・つり合い) proportions ★ 複数形で. [日英比較] 英語の proportions は「大きさ」の意で, 普通かなりの堂々たる大きさを連想させるので, 日本語で「プロポーション」とあっても英語では他の語を用いるのがよい場合が多い. 《☞ きんせい¹》. ¶彼女は*プロポーションがいい She has a *beautiful figure*. / She has fine *proportions*. ★ いわゆるグラマーを指す.
プロポーズ ―[動] (求婚する) propose (marriage) to ...《☞ きゅうこん¹》.
プロボクシング professional boxing Ⓤ《☞ ボクシング》.
ブロマイド (映画俳優などの写真) (movie) star's picture Ⓒ; (壁にはるセクシーな写真) pin-up Ⓒ. [日英比較] 英語の bromide は本来「(鎮静用)臭化物」の意で, 印刷用語では bromide paper (ブロマイド印画紙)を使った写真・版面も指すが, 「スターの写真」という意味はない.
プロミス (約束) promise Ⓒ.
プロムナード (遊歩道) promenade /pràmənéɪd/ Ⓒ, 《英略式》 prom Ⓒ. **プロムナードコンサート** promenade concert Ⓒ.
プロメテウス ―[名] [固] 〘ギ神〙 Prometheus /prəmíːθiəs/ ★ ギリシャ神話の英雄.
プロモーション (昇進・促進) promotion Ⓤ.
プロモーター (興業主) promoter Ⓒ.
プロやきゅう プロ野球 pro [professional] baseball Ⓤ. **プロ野球契約金** contract money paid to a pro baseball rookie Ⓤ **プロ野球選手** pro [professional] baseball player Ⓒ.
フロリスト florist Ⓒ《☞ はな¹ (花屋)》.
フロリダ ―[名] [固] (米国の州) Flórida《☞ アメリカ (表)》. **フロリダ半島** Florida Peninsula.
プロレス 〘スポ〙 professional wrestling Ⓤ. **プロレス選手** professional wrestler Ⓒ.
プロレタリア (無産者) proletarian /pròulətέ(ə)riən/ Ⓒ (↔ bourgeois /búəʒwɑː/); (貧乏人) poor person Ⓒ ★ 平易な言い方.
プロレタリア階級 the proletariat ★ 集合的. 《☞ プロレタリアート》 **プロレタリア革命** pròletárian rèvolútion Ⓒ **プロレタリア独裁** pròletárian ˹dictátorship [autócracy]˺ Ⓤ **プロレタリア文学** próletàrian líteratùre Ⓤ.
プロレタリアート (集合的に無産階級) the proletariat /pròulətέ(ə)riət/ ★ 単数または複数扱い. 時に軽べつ的. (↔ the bourgeoisie).
プロローグ (序・序詞) prólogue Ⓒ ★《米》では prolog ともつづる.
フロン(ガス) 〘化〙 chlorofluorocarbon /klɔ̀ːrouflù(ə)roukáəb(ə)n/ Ⓒ《略 CFC》 ★ 化学式の異なるいろいろな種類があるので複数形で用いられることが多い; 《商標》 Freon /fríːɑn/ Ⓤ [日英比較] フロン(ガス)は日本における通称. **フロン代替物質** CFC substitute Ⓒ.
ブロンクス ―[名] [固] the Bronx ★ ニューヨーク市北部の自治区.
ブロンズ (青銅) bronze Ⓤ ★ ブロンズで作った作品は Ⓒ. ¶*ブロンズのメダル a *bronze* medal
ブロンテ ―[名] [固] (シャーロット ～) Charlotte Brontë /ʃáələt bránti/, 1816–55 ★ 英国の小説家, 『ジェーンエア (*Jane Eyre*)』の作者; (エミリー ～) Emily Brontë, 1818–48 ★ 英国の小説家でシャーロットの妹, 『嵐が丘 (*Wuthering Heights*)』の作者.
フロンティア (辺境) frontier /frʌntíə/ Ⓒ. **フロンティアスピリット** (開拓者精神) the frontier spirit.
フロント (ホテルなどの) front /frʌ́nt/ desk Ⓒ, reception desk Ⓒ, lobby desk Ⓒ, registration desk Ⓒ [日英比較] 日本語と異なり, 単に front とは言わないことに注意. 前後関係がある場合は desk のみのこともある. また front desk, reception desk はホテルに限らず, クラブなどの受付にも用いる. 3 番目以下は特にホテルの場合に用いる; (プロ野球の) front office Ⓒ. ¶*フロントの係員 a ˹clerk [man; woman] at the (*front*) *desk* / a *desk* clerk / a *reservations* clerk // 外出するときは*フロントに鍵を置いて行くこと Leave your key at the *reception desk* when you leave the hotel.
フロントエンジン (車の) front engine Ⓒ **フロントドライブ** (前輪駆動) front-wheel drive Ⓤ《略 FWD》.
ブロンド ―[形] (女性の) blonde; (男性の) blond ★ 現在は時に女性にも blond を使う. 発音はともに /blánd/. ―[名] (ブロンドの人) blond(e) Ⓒ.
フロントガラス (車の) 《米》 windshield Ⓒ, 《英》 windscreen Ⓒ [日英比較] 「フロントガラス」は和製英語.
ブロントサウルス 〘古生〙 brontosaurus /brántəsɔ́ːrəs/ Ⓒ, brontosaur /brántəsɔ̀ə/ Ⓒ.
プロンプター 〘劇〙 prompter Ⓒ.
プロンプト 〘コンピューター〙 prompt Ⓒ.
ふわ 不和 ―[名] (問題・ごたごた・紛争) trouble Ⓤ ★ 意味の広い一般的な語; (仲たがい) discord Ⓤ ★ やや格式ばった語; (利害・意見などの衝突) conflict Ⓒ; (長年に渡る反目) feud Ⓒ. ―[形] (互いに仲が悪い) on bad terms with ... ★ 口語的; (調和のない) discordant. 《☞ なか²; ごたごた》.
¶青少年の非行はしばしば家庭の*不和に原因がある (⇒ 不和な家庭が非行を起こす) A *discordant* family often causes [(⇒ 家庭の問題が) Family problems often cause] juvenile delinquency.
ふわーっと ¶熱気球が*ふわーっと浮き上がった The hot-air balloon rose *gently* into the sky. 《☞ ふわふわ; ふわりと; 擬声・擬態語 (囲み)》
ふわく 不惑 (40 歳) the age of forty; (心の動揺のない年) the age free from vacillation.
ふわけ 腑分け ☞ かいぼう¹
ふわたり 不渡り 〘商〙 dishonor, 《英》 dishonour Ⓤ; (不払い) nonpayment Ⓤ. ¶*不渡りを出す fail to ˹pay a bill [honor a check] // 手形が*不渡りになった The ˹bill [check] ˹*bounced* [*was dishonored*]. **不渡り小切手** dishonored check Ⓒ **不渡り通知** notice of dishonor Ⓒ **不渡り手形** dishonored bill Ⓒ.
ふわっと ☞ ふわりと

ふわのせき 不破の関 〘史〙Fuwa no Seki; (説明的には) one of the three barrier stations established in ancient Japan; it was set up in present Gifu Prefecture.

ふわふわ ― 形 (布団など柔らかくふかふかした) soft and fluffy; (羊毛のようにふわふわした) fleecy. ― 副 (軽々と) lightly. 《☞ 擬声・擬態語 (囲み)》. ¶ 白い雲が*ふわふわと空に浮かんでいる White clouds are floating *lightly* in the sky. / White *fleecy* clouds are floating in the sky. // 布団は*ふわふわだ The bedding is *soft and fluffy*.

ぶわぶわ ¶ ぬれて*ぶわぶわになる get wet and become *spongy and swollen*

ふわらいどう 付和雷同 ― 動 (盲目的に他人に従う) follow others blindly; (考慮もなしに先例にならう) follow suit without reflection.

ぶわり 歩割, 分割 ☞ ぶあい

ふわりと (そっと) softly; (軽々と) lightly. 《☞ 擬声・擬態語 (囲み)》. ¶ カーテンが風に*ふわりと揺れた The curtain swayed *softly* in the breeze. // パラシュートが開き, 私の体は*ふわりと空中に浮いた The parachute opened and I felt my body floating *lightly* in the air.

ふん¹ 分 1 《時間の》: minute /mínɪt/ Ⓒ 《☞ -じ; 時刻・日付・曜日 (囲み); 度量衡 (囲み)》.
¶ 1時間は 60 *分です There are sixty *minutes* in an hour. / An hour has sixty *minutes*. // 9時7*分過ぎです It is seven (*minutes*) ˹past [after] nine. // 2, 3 *分で支度ができます I'll be ready in a few *minutes*. // 学校はここから歩いて 15 *分です (⇒ 15 分の歩行距離です) The school is ˹a fifteen-*minute* [fifteen *minutes*'; a quarter of an hour's] walk from here. 〔語法〕 時刻は所有格を使えるが, a few minutes' walk のように a few, several などを使う場合は別として, 数字を使う場合は所有格を使わないほうがむしろ普通.
2 《角度・経度・緯度などの》: minute Ⓒ 《☞ 度量衡 (囲み)》. ¶ 東京は北緯 35 度 45 *分にある The latitude of Tokyo is 35° 45′ north. ★ thirty-five degrees forty-five minutes north と読む.

ふん² humph /hʌ́mf/, h'm /hm̩/ ★ 不信や軽蔑などを表すときの音声. 《☞ ふふん》. ¶「*ふん」と言っただけで彼女はそっぽを向いた She only said "*Humph*!" and ˹looked [turned] away.

ふん³ 糞 (排泄物) 《格式》 éxcrement Ⓤ; (特に動物や鳥のふん) droppings ★ 複数形で. 《☞ くそ》.
糞詰まり (便秘) constipation Ⓤ 《☞ べんぴ》.

フン ☞ フンぞく

ぶん¹ 分 1 《分け前・割り当て》 ― 名 (分配される分け前) share Ⓒ; (割り当てられる部分) portion Ⓒ ★ 前者より格式ばった語. ― 前 (…に対する) for … 〔日英比較〕「今月分の給料」などのように日本語で「…分」とあっても, 英語では必ずしも「…分」に対応する語を用いないで, 前後関係に応じて意訳するほうがよい場合が多い.
¶ 私の取り*分は 1 万円だった My ˹*share* [*portion*] of the money was ten thousand yen. // これはあなたの*分です This is ˹*yours* [your *share*]. 〔語法〕 share を用いると仕事の報酬などの分け前という意味になる. 漠然と「私の分」,「あなたの分」などと各人に割り振られた量などを言うときは, 特別な訳語は用いないで, mine, yours など所有代名詞で表す. / (⇒ あなたのためのもの) This is *for* you. ★ 相手に物などを差し出すときに言う決まり文句. // これは彼の*分にとっておこう I'll put this aside *for* him. // 3 月*分の家賃 the rent *for* March
2 《分量》 ― 名 (全体に対する割合) percentage Ⓒ; (ある金額に相当する分量) worth Ⓤ. ― 前 (…に対する) for … 〔語法〕 この意味の場合も内容をくんで意訳しなければならない場合がある.
¶ この酒はアルコール*分が多い (⇒ アルコールのパーセントが高い) This sake has a high ˹*percentage* of alcohol [alcohol *content*]. / (⇒ 強い) This sake is strong. // バナナを 500 円*分下さい Could I have five hundred yen *worth* of bananas? // 3 人*分の食事を用意してあります We've prepared food *for* three people. // 私はこの 1 か月に 1 年*分の仕事をした I've done a year's work this month.
3 《分数・縮尺など》 ¶ 7 *分の 1 one seventh // 10 *分の 3 three tenths 《☞ 数字 (囲み)》 // 1 センチは 1 メートルの 100 *分の 1 です A centimeter is a hundredth of a meter. 《☞ 度量衡 (囲み)》 // これは縮尺 5 万*分の 1 の地図です This map is drawn to a scale of 1: 50,000. ★ one to fifty thousand と読む.
4 《身分・本分》 ¶ 人は*分相応に (⇒ 自分の資力の範囲内で) 暮らすべきである One should live within one's *means*. // 各人が己の*分を尽くした (⇒ 自分自身の務めを果たした) Everyone performed ˹his [her; their] own ˹*duty* [*duties*]. // *分をわきまえる know *one's place*
5 《程度・調子》 ¶ 彼の病気もこの*分なら大丈夫でしょう (⇒ 病状が逆転しなければすぐ回復するでしょう) He'll soon get better, unless his condition reverses itself. // この*分では (⇒ このままで行くと) 月末までには確実に赤字になる If you go on *like this* [At this *rate*], you'll surely be in the red by the end of this month.

ぶん² 文 (単語に対しての) sentence Ⓒ; (書き物) writing Ⓤ. 《☞ ぶんしょう¹》. ¶ 完全な*文で答えなさい Answer in complete *sentences*. // *文は武に勝る The pen is mightier than the sword. 《ことわざ: ペンは剣よりも強い》 **文は人なり** The style is the man. 《ことわざ: 文体は人である》

> **コロケーション**
> 曖昧な文 an ambiguous *sentence* / 簡潔な文 a ˹concise [succinct] *piece of writing* / ぎこちない文 an awkward [a clumsy] *sentence* / 締まりのない文 a loose *sentence* / 冗長な文 a ˹rambling [prolix] *piece of writing* / 筋の通った文 a coherent *sentence* / 難解な文 a cryptic *sentence* / 複雑な文 a complicated *sentence*

-ぶん …分 (分数の) ☞ ぶん¹ 3

ぶんあん 文案 (草稿) draft Ⓒ 《☞ そうこう²; したがき》. ¶ 彼は演説のための*文案を作った He ˹made a *draft* of [*drafted*] his speech.

ぶんい 文意 (文[文章全体]の意味) the meaning of a ˹sentence [passage].

ふんいき 雰囲気 (全体の感じ) atmosphere /ǽtməsfɪə/ Ⓒ 《☞ ムード; きぶん¹; きふう¹》.
¶「この部屋の*雰囲気はどうですか」「落ちついた*雰囲気でとてもいいですね」"How do you like the *atmosphere* of this room?" "I like it very much. It makes me feel quite at home [There's a peaceful *atmosphere* (in) here]." // あの店は何となく*雰囲気が悪い (⇒ あの店には何か不愉快なところがある) There's something unpleasant about that shop. // 家庭的な*雰囲気 a warm family *atmosphere*

> **コロケーション**
> 暖かい雰囲気 a warm *atmosphere* / 重苦しい雰囲気 a heavy *atmosphere* / 堅苦しい雰囲気 a formal *atmosphere* / 気まずい雰囲気 an unpleasant *atmosphere* / 緊迫した雰囲気 a tense *atmosphere* / くだけた雰囲気 an informal *atmosphere* / 親密な雰囲気 an intimate *atmosphere* / 楽しい雰囲気 a pleasant *atmosphere* /

独特の雰囲気 a distinctive *atmosphere* / なごやかな雰囲気 a ｢friendly [convivial] *atmosphere* / ロマンチックな雰囲気 a romantic *atmosphere*

ぶんいん 分院 branch hospital Ⓒ.

ぶんえいのえき 文永の役 the Bunei War (in 1274)《☞ げんこう⁴》.

ふんえん 噴煙 smoke (of a volcano) Ⓤ《☞ けむり》. ¶ 火山からは*噴煙が立ちのぼっている From the volcano a column of *smoke* is rising up into the air.

ぶんえん 分煙 (喫煙と禁煙の場所·時間を分けること) creation of no-smoking ｢areas [hours] Ⓤ. **分煙化** ¶ 職場を*分煙化する *create no-smoking* ｢*areas* [*hours*] in the workplace

ふんか 噴火 ── 動 erupt ⓐ; (休火山が噴火を始める) become active. ── 名 eruption Ⓒ; (噴火活動) volcanic activity Ⓤ. ¶ 火山が*噴火して私の町に大きな被害を与えた The volcano *erupted* and did a great deal of damage to my town. **噴火口** crater Ⓒ **噴火山** active volcano Ⓒ《☞ かざん》 **噴火予知** prediction [forecast] of a volcanic eruption Ⓒ.

ぶんか¹ 文化 ── 名 culture Ⓤ ★ 具体的な個々の文化をいうときは Ⓒ. ── 形 cultural. 語法 生活様式·風俗·習慣·言語·芸能·学問·芸術など, 人類社会で学習を通じて伝承されるものが culture. これに対して, 未開の状態·野蛮な風習などを機械·技術などを応用して開化することや, 開化された状態を civilization (文明) という.《☞ ぶんめい¹》.
¶ 高度な*文化水準 a high level of *culture* // その古代都市は高度に*文化を発達させていた That ancient city had developed a highly advanced *culture*. // 異*文化間の相違 cross-*cultural* differences // 異*文化間コミュニケーション cross-*cultural* [inter*cultural*] communication
文化遺産 cultural heritage Ⓤ **文化勲章** the Order of Culture《☞ くんしょう》 **文化圏** ¶ その国はギリシャ*文化圏に属していた (⇒ギリシャ文化の影響下にあった) The country *was under the influence of* Greek *culture*. **文化交流** cultural exchange Ⓤ ★ 具体的な事実は Ⓒ. **文化功労者** person of cultural merit(s) Ⓒ **文化国家** (文明国家) civilized [cultured] nation Ⓒ **文化祭** (学校の) annual school festival Ⓒ **文化財** cultural ｢assets [properties] ★ 通例複数形で. ¶ 重要*文化財 an important *cultural asset* // 有形[無形]*文化財 a tangible [an intangible] *cultural asset* 日英比較 日本語からの直訳.「…文化財」は英米にはない日本独自の制度. **文化財保護委員会** the Cultural Properties Protection Committee **文化財保護法** the Cultural Properties Protection Law **文化史** cultural history Ⓤ **文化住宅** (大正から昭和にかけての洋風を取り入れた住宅) semi-European-style house Ⓒ; (木造 2 階建て棟割りアパート) wooden two-storied apartment building Ⓒ **文化人** (教養を身につけている人) cultured individual Ⓒ **文化人類学** cultural anthropology Ⓤ **文化生活** (未開の生活に対して) civilized life Ⓤ; (科学技術を享受した) modern life Ⓤ ★ いずれも具体的な生活の場合は a [*one's*] ｢civilized [modern] life とする. **文化センター** ☞ カルチャー (カルチャーセンター) **文化相対主義** cultural relativism Ⓤ **文化大革命** The (Great Proletarian) Cultural Revolution **文化多元主義** cultural pluralism Ⓤ《☞ たぶんかしゅぎ》 **文化団体** cultural organization Ⓒ **文化庁** the Agency for Cultural Affairs **文化の日** Culture Day《☞ しゅくじつ (表)》 **文化変容** acculturation /əkʌ̀lʧəréɪʃən/ Ⓤ.

ぶんか² 分化 ── 名 (特殊化すること) specialization Ⓤ; (1 つのものから派生すること) differentiation Ⓤ. ── 動 specialize ⓐ; differentiate ⓐ.

ぶんか³ 分科 branch Ⓒ; (専門の領域) field Ⓒ; (部分) section Ⓒ.《☞ ぶんや》.

ぶんか⁴ 文科 (自然科学系の学問に対して人文科学) (the) humanities ★ 複数形で. 語学·文学·歴史·哲学·社会科学などを広く含む. ¶ 彼は*文科系ですかそれとも理科系ですか Is he studying (*the*) *humanities* or (the) natural sciences?

ふんがい 憤慨 ── 動 (自分や他人に対してなされた不正·不当な行為に対して怒る) be [feel] indignant ｢at [over] … ── 名 indignation Ⓤ. ── 形 indignant.《☞ おこる¹; いきどおり; ぎふん》.

ぶんかい¹ 分解 ── 動 (機械類を) take … ｢apart [to pieces]; (化合物などを) resolve ⓗ ⓐ; (元素·成分に) decompose ⓗ ⓐ. ── 名 rèsolution Ⓤ.《☞ かいたい; ばらす》.
¶ 弟は目覚まし時計を*分解した My brother *took* his alarm clock *apart*. // この物質は 3 つの元素に*分解できる This substance can *be* ｢*resolved* [*decomposed*] into three elements. // 水は酸素と水素に*分解する Water *resolves* into oxygen and hydrogen. // プリズムは日光を 7 色に*分解する A prism ｢*decomposes* [*breaks up*] sunlight into seven colors.
分解写真 stroboscopic photograph Ⓒ ★ 連続した動きを重ね撮りしたストロボ写真; (テレビなどのこま止め) freeze-frame Ⓒ, stop motion Ⓒ **分解修理** ── 動 òverhául ⓗ. ── 名 óverhàul Ⓒ.《☞ オーバーホール》 **分解掃除** ¶ エンジンを*分解掃除する *take* an engine *apart* and *clean* it

ぶんかい² 分会 branch [section] meeting Ⓒ.

ぶんかかい 分科会 (学会などの発表の場) section meeting Ⓒ; (分科委員会) subcommittee Ⓒ ★ 単数形だが時に複数扱い; (小委員会の会議) subcommittee meeting Ⓒ.

ぶんかく 文革 ☞ ぶんか¹ (文化大革命)

ぶんがく 文学 ── 名 literature /lítərəʧùə/ Ⓤ. ── 形 literary /lítərèri/.《☞ ぶんげい》.
¶ 英*文学 English *literature* // 純*文学 pure *literature* // 大衆*文学 popular *literature* // *文学の才がある have ｢*literary* talent [a talent for *writing*] // *文学に (⇒作家を) 志す aim [plan] to be a *writer*
文学界 the literary world《☞ ぶんだん¹》 **文学概論** (概括的に述べたもの) survey of literature Ⓒ; (入門) introduction to literature Ⓒ **文学座** the Bungakuza; (説明的には) the oldest Western-style drama company still in existence in Japan **文学作品** literary work Ⓒ **文学雑誌** literary magazine Ⓒ **文学史** a history of literature **文学士** Bachelor of Arts Ⓒ《略 B.A.》 **文学者** (作家) writer Ⓒ; (文学研究家) literary scholar Ⓒ; man of letters Ⓒ ★ 前の 2 つの意味をもつ古風な言い方. **文学修士** Master of Arts Ⓒ《略 M.A.》 **文学賞** literary ｢award [prize] Ⓒ **文学青年** young lover of literature Ⓒ **文学博士** Doctor of Literature Ⓒ《略 Litt.D.》 **文学部** college [《英》faculty] of ｢humanities [literature] Ⓒ ★ 英米では学部に当たるものを department と呼ぶ大学もある.《☞ がくぶ (類義語)》 **文学論** literary criticism Ⓤ.

ぶんかしょう 文科省 ☞ もんぶかがくしょう

ぶんかつ¹ 分割 ── 動 divide ⓗ. ── 名 division Ⓤ.《☞ わける; くぎる》. **分割相続** divided ｢succession [inheritance] Ⓤ **分割統治** divide and rule Ⓤ **分割払い** 《米》 installment plan Ⓒ,

《英》hire purchase [U]. 《☞ げっぷ¹》. ¶ *分割払いで on ˹the installment plan [hire purchase]

ぶんかつ² 分轄 (領土などの) partition [C]; (権限などの) separation [C]. 《☞ ぶんかつ¹》. ¶ 領土の*分轄 the *partition* of a territory

ぶんかぶんせいじだい 文化文政時代 〚史〛 the Bunka and Bunsei eras; (説明的には) the years 1804–18 (Bunka era) and 1818–30 (Bunsei era) under the rule of the shogun Tokugawa Ienari.

ぶんかん¹ 文官 civil servant [C], civil official [C]. ★ 前者のほうが一般的.

ぶんかん² 分館 annex(e) /ǽneks/ [C]. ¶ ホテルの*分館 an *annex* to a hotel

ふんき¹ 奮起 ── [動] (気持ちなどを奮い立たせる) stír (úp) (他); (無気力な状態から自分を呼びさます) (a)rouse *oneself*. 《☞ はっぷん》. ¶ その本を読んで彼は大いに*奮起した (⇒ その本が彼を奮い立たせた) The book *stirred* ˹him [his emotions].
奮起一番 ¶ 彼女は*奮起一番 (⇒ とても期待して) パリに留学した She went to Paris for study *with high hopes*. ∥ *奮起一番新規まき直しする *stir oneself* to make a fresh start

ふんき² 噴気 ── [動] (放出する) emit (他); (噴出する) erupt (他). 《☞ ふんか》.

ぶんき 分岐 ── [動] (枝のように幾つにも分かれる) bránch (óff) (自); (特に, 2 つに分かれる) fork (into ...) (自). 《☞ わかれる²》. ¶ この道路はこの先で*分岐している This road ˹*branches* [*forks*] further ahead. 分岐点 (道・川の) fork [C]; (鉄道の) junction [C].

ふんきざみ 分刻み ¶ *分刻みのスケジュール a schedule *arranged to the minute* 《☞ (-)きざみ》

ふんきゅう 紛糾 ── [動] (会議などが混乱に陥る) fall into disorder; (事態などがもつれる) becòme cómplicàted. ── [名] disorder [U], confusion [U]; (もつれた状態) còmplicátion [U]. 《☞ こんらん》. ¶ 会議はその問題をめぐって*紛糾した The meeting *fell into disorder* over the issue.

ふんきゅうぼ 墳丘墓 tomb embedded in the barrow of the *Yayoi* period [C] 《☞ こふん》.

ぶんきょう 文教 文教委員会 Committee on Education [C] 文教政策 éducàtional pólicy [C] 文教地区 school zone [C].

ぶんぎょう 分業 ── [名] division of labor [U]. ── [動] divide the work. ¶ その仕事は*分業でやればもっと能率が上がる If we *divide the work*, we can do it more efficiently.

ぶんきょうじょう 分教場 small branch school [C].

ぶんきょくか 分極化 polarization [U].

ふんぎり 踏ん切り ── [動] (決心する) make up *one's* mind; (終止符を打つ) put an end (to ...). 《☞ けっしん¹》. ¶ そのことについて私はまだ*踏ん切りがつかない I *have* not *made up my mind* about it yet. / (⇒ 躊躇(ちゅうちょ)している) I *am* still *hesitating* over it.

ふんぎる 踏ん切る determine (他) 《☞ けつだん; ふみきる》.

ぶんきんたかしまだ 文金高島田 (説明的に) elaborate, traditional Japanese hairdo featuring an elevated hair knot [C].

ぶんぐ 文具 ☞ ぶんぼうぐ

ぶんけ 分家 ── [名] branch family [C]. ── [動] (分家する) set up a branch family.

ふんけい¹ 刎頸 (首をはねること) decapitation [U] 《☞ はねる³》. 刎頸の友 sworn [bosom] friend [C]. 刎頸の交わり ¶ 彼らは*刎頸の交わり (⇒ 永遠の[親密な]友情) を誓いあった They ˹swore [vowed] ˹*eternal* [*close*] *friendship* ˹to [with] each other. ∥ *刎頸の交わりを結ぶ form an ˹*eternal* [*inseparable*] *friendship*

ふんけい² 焚刑 ☞ ひあぶり

ぶんけい¹ 文型 sentence pattern [C] 《☞ 文型 (巻末)》. ¶ 5 *文型 five major *sentence patterns*

ぶんけい² 文系 (人文科学系) the [a] humanities course; (人文科学(研究)) the humanities. 《☞ ぶんか⁴》.

ぶんげい 文芸 ── [名] (文学) literature /lítərətʃùə/ [U]; (文学的芸術) literary art [U]; (文学と芸術) art and literature [U]. ── [形] literary /lítərèri/. 文芸学 the ˹study [science] of literature 文芸作品 literary work [C] 文芸批評[評論] literary criticism [U] 文芸復興 (14–16 世紀ヨーロッパの) the Renaissance /rènəsáːns/ ★ 一般的な現象としては the renaissance と小文字を用いる. 文芸欄 literary column [C].

ふんげき 憤激 ☞ ふんがい

ぶんけん¹ 文献 (文書・書物) literature [U]; (書物) book [C]. ¶ 参考[参照]*文献 a reference *book* 文献学 philology [U] 文献目録 bibliógraphy [C].

ぶんけん² 分遣 ── [動] (特定の目的のために隊の一部を派遣する) detach (自) 《☞ はけん¹》.

ぶんけん³ 分権 (中央・中心からの) decentralization [U]; (力の分散) distribution of power [U].

ぶんげん 分限 (自分の限界) *one's* limitation [C]; (自分の立場) *one's* place [C]. 《☞ みのほど; ぶん¹》. ¶ *分限をわきまえることは難しい It's hard to *know oneself*. 分限裁判 (impeachment) trial of a judge [C] 分限者 rich [wealthy] person [C] 《☞ かねもち》.

ぶんけんちず 分県地図 (都道府県別に分けて作った地図) prefecture-by-prefecture map [C]; (県の地図) map of a prefecture [C], prefecture map [C].

ぶんこ 文庫 (図書館・蔵書・双書) library [C]; (双書) books ★ 複数形で. 固有名詞を冠して用いる. 《☞ ぶんこぼん》. ¶ 金沢*文庫 the Kanazawa *Library* 文庫版 pocket edition [C] 文庫本 ☞ 見出し

ぶんご 文語 (文章語) literary language [U] (↔ colloquial language) 《☞ 文体 (巻末)》. 文語体 literary style [C] 文語文法 grammar of classical literature [U].

ぶんこう¹ 分校 branch school [C].

ぶんこう² 分光 ── [動] disperse (他). ── [名] dispersion [U]; (スペクトル) spectrum [C] 《複 ～s, spectra》. 分光学 spectroscopy [U] 分光器 spéctroscòpe [C] 分光計 spectrómeter [C] 分光分析 spectroscopic analysis [U].

ぶんごう 文豪 great writer [C], gréat literary figure /lítərèri fígjə/ [C] ★ 後者はやや格式ばった表現.

ふんごうじゅつ 吻合術 〚医〛 anastomosis /ənæ̀stəmóusɪs/ [C] 《複 -moses /-siːz/》.

ぶんこつ 分骨 ── [名] (遺骨の一部) part of *a person's* ashes [C]. ── [動] (違った場所に遺骨を埋める) bury parts of *a person's* ashes in separate places.

ふんこつさいしん 粉骨砕身 ¶ 私は会社のために*粉骨砕身尽くす覚悟です I am determined to *apply* ˹*all* [*every bit of*] my *energy* to the company.

ぶんこぼん 文庫本 (ペーパーバックの廉価本) (mass-market) paperback [C]; (ペーパーバック版) paperback edition [C]; (文庫の中の一冊) copy of the paperback series [C]; (小型本) pocket book

ふ

[C]; (判形として) pocket edition [C].

ふんさい 粉砕 ── [動] (力で押しつぶす) crush (他); (瞬間的に砕く) shatter (他), smash (他); (破壊する) destroy (他). 《☞ こわす (類義語)》. ¶ 会社側の案は断固*粉砕する We will ⌈*crush* [*shatter*; *smash*] the management's plan. **粉砕機** grinder [C].

ふんざい 粉剤 ☞ こな (粉薬)

ぶんさい 文才 literary talent [U], a talent for writing ★ a を付けて. 《☞ さいのう[1]》.

ぶんざい 分際 ¶ 子供の*分際で親に向かって何事だ (⇒ 親に礼儀正しくしなさい) You should learn to behave yourself in front of your (own) parent(s)!

ぶんさつ 分冊 separate volume [C].

ぶんさん 分散 ── [動] (ばらばらになる・ばらばらにする) brèak úp (自) (他); (集合していたものを広くばらばらにする) disperse (他).

¶ 生徒は 10 軒の家に*分散して泊まった The students *broke up* into groups and stayed at ten houses. / The pupils put up at ten houses *in groups*. // 工場を郊外に*分散しようと考えている We are planning to *disperse* our factories into several suburban areas.

分散処理 〖コンピューター〗 distributed processing [U] **分散投資** diversified investment [U] **分散和音** 〖楽〗 arpeggio /ɑəpédʒiòʊ/ [C].

ふんし 憤死 ── [動] die of indignation (自).

ぶんし[1] 分子 **1** 《化学》 ── [名] mólecùle [C]. ── [形] molecular /məlékjʊlə/.

2 《数学》: numerator /n(j)úːmərèɪtə/ [C] (↔ denominator) 《☞ 数字 (囲み)》.

3 《組織・団体の中の》: element [C]. ¶ 彼は党内の不平*分子を一掃したいと思っている He wants to purge the party of (its) ⌈malcontents [malcontent(ed) *elements*].

分子遺伝学 〖生〗 molecular genetics [U] **分子化合物** 〖化〗 molecular compound [C] **分子構造** 〖化〗 molecular structure [U] **分子式** molecular formula [C] **分子集合体** 〖化〗 molecular ⌈assembly [aggregate] [C] **分子人類学** molecular anthropology [U] **分子生物学** molecular biology [U] **分子時計** molecular clock [C] **分子模型** 〖化〗 molecular model [C] **分子量** molecular weight [U] 《略 mol. wt.》; molecular mass [U].

ぶんし[2] 分詞 〖文法〗 párticiple [C].

¶ 現在[過去]*分詞 a ⌈present [past] *participle* **分詞構文** participial construction [C].

ぶんし[3] 文士 (作家) writer [C]; (小説家) novelist [C].

ふんしつ 紛失 ── [動] (人が物をなくす) lose (他); (物がなくなる) be lost; (消える) disappear (自); (ゆくえがわからなくなる) be missing. ── [名] loss [U]. 《☞ なくなる[1]; みあたらない》.

¶ 切符をどこか車内で*紛失した I *lost* my ticket somewhere in the coach. // そのお金が*紛失した The money ⌈*was missing* [*disappeared*].

紛失届け report of (the) loss (of an article) [C] **紛失物** lost [missing] ⌈article [item] [C].

ぶんしつ 分室 branch office [C].

ふんじばる ふん縛る (犯人などを) nab (他); (しばりあげる) tie up (他). 《☞ しばる》.

ふんしゃ 噴射 ── [動] (勢いよく出す[出る]) jet (他) (自); (ロケットエンジンを燃焼させる[が燃焼する]) burn (他) (自). ── [名] jet [C]; burn [C].

ぶんじゃく 文弱 ── [形] (いくじのない) wimpish, wimpy. ¶ *文弱の徒 (⇒ 優雅な趣味にふける人) a person who is given up to gentle pursuits

ぶんしゅう 文集 (名詩名文の選集) anthology [C]; (雑多なものを集めた雑文集) míscellàny [C].

ぶんしゅく 分宿 ¶ 選手たちは町の民家に*分宿する (⇒ 異なった家族の家に泊まる) The athletes are going to *stay with* ⌈*different* [*various*] *families* in town.

ふんしゅつ 噴出 ── [動] (液体が勢いよく) spout (自); (液体が突然に) gúsh (óut) (自); (煙・炎などを) bélch (óut) (他); (溶岩が) erupt (自). ── [名] spout [C]; gush [C]; belch [C]; eruption [C]. 《☞ ふきだす》.

ふんしょ 焚書 (書物を焼き捨てること) burning books [U]. **焚書坑儒** (秦の始皇帝による) burning the Chinese Classics and burying Confucian ⌈scholars [literati] alive [U].

ぶんしょ 文書 writing [U]; (書類) document [C]; (手紙) letter [C]. 《☞ しょるい; しょめん; こうぶんしょ》. ¶ 正式に*文書で報告をした We made the report formally in *writing*.

文書課 (公文書保管所) the archives /ɑ́əkaɪvz/ (section) **文書偽造** forgery of documents [U] **文書部** the legal ⌈division [department] 《☞ 会社の組織と役職名 (囲み)》.

ぶんしょう[1] 文章 (一般に書き物) writing [U]; (一編の) essay [C], article [C]; (文) sentence [C]; (ひとまとまりの文) passage [C]. 《☞ ぶん[2]》. ¶ 彼は*文章がうまい (⇒ よい書き手だ) He is a good *writer*. / He *writes* very well. **文章語** ☞ かきことば; ぶんご **文章体** literary style [C] **文章題** (算数・数学の) word problem [C] **文章論** 〖言〗 (構文論) syntax [U]; (文体論) ☞ ぶんたい[1].

ぶんしょう[2] 分掌 ── [名] division of duties [U]. ── [動] (分ける) divide office duties among …; (分担する) have *one's* share of work.

ぶんじょう[1] 分譲 ── [動] sell a subdivided residential lot. **分譲住宅** (売り家) (newly built) ⌈house [home] for sale [C] ★ home をこの意味に使うのは 《米》 のみ. **分譲地** subdivided residential lot [C] **分譲マンション** (全体) còndomínium [C]; (その 1 所帯分) condominium (apartment) [C].

ぶんじょう[2] 分乗 ── [動] ride separately (自). ¶ 私達は 5 台の車に*分乗して会社を出発した We left the office, *riding in* five *separate cars*.

ふんしょく 粉飾 ── [動] (本当でないことも交えて飾る) embellish (他). ¶ 彼の冒険談はだいぶ*粉飾がある (⇒ 彼は…を粉飾した) He *has embellished* his accounts of his adventure. / His adventure story *has* a great deal of *window dressing*. ★ window dressing は「ごまかし・粉飾」.

粉飾決算 window-dressed accounts ★ 通例複数形で. ¶ その会社の決算書はひどい*粉飾決算だ The company's report on final accounts includes a great deal of *window dressing*.

ふんしん 分針 (時計の) minute hand [C] (↔ hour hand) 《☞ とけい (挿絵)》.

ふんじん 粉塵 (ちり・ほこり) dust [U]; (特に岩石の) (fine) particles of stone. ¶ *粉塵公害 *dust* [*particulate*] pollution

ぶんしん 分身 (もう 1 人の自己) *one's* alter ego [C], the other self. ¶ この小説の主人公は作者の*分身のようだ The ⌈hero [heroine] in this novel seems to be the ⌈novelist's *alter ego* [*other self* of the writer].

ぶんじん 文人 literary figure [C], man [woman] of letters [C] ★ 後者はやや文語的. **文人画** painting by a ⌈man of letters [literary artist] [C] **文人墨客** (ぼっかく) writer and artist [C].

ふんすい 噴水 (庭などにある) fountain [C]. ¶ この公園の*噴水は平日は水が出ていない The *fountain* in this park doesn't run on weekdays.

ぶんすいれい 分水嶺 divide [C], watershed [C].

ぶんすう 分数 〘数〙 fraction Ⓒ《☞ 数字(囲み)》. **分数式** fractional expression Ⓒ **分数方程式** fractional equation Ⓒ.

ふんする 扮する (演じる) play the role of ..., act (他). 《☞ ふんそう²》. ¶彼女はジュリエットに*扮した She 「*played the role of* [*acted*] Juliet.

ぶんせい 文政 (文官行政) civil administration Ⓤ; (文教行政) educational administration Ⓤ.

ふんせき 噴石 〘地〙 cinders ★ 複数形で.

ぶんせき¹ 分析 ━ 動 (分析する) analyze /ǽnəlàiz/ (他). ━ 名 analysis /ənǽləsɪs/ Ⓒ《複 analyses /-sìːz/》★ Ⓤ としても用いる.
¶化学*分析 a chemical *analysis* ∥ 定性[定量]*分析 qualitative /kwɑ́lətèɪtɪv/ [quantitative /kwɑ́ntətèɪtɪv/] *analysis* ∥ *分析してみたらそれにはビタミンEが含まれていないことがわかった (⇒分析はそれがビタミンEを含まないことを示した) *Analysis* showed that it contained no vitamin E. ∥ 精神*分析 psycho*analysis* /sàɪkoʊənǽləsɪs/
分析化学 analytical chemistry Ⓤ **分析学** ànalýtics Ⓤ **分析学者** ánalyst Ⓒ **分析哲学** analytic philosophy Ⓤ.

コロケーション

> **誤った分析** a faulty *analysis* / **慎重な分析** a careful *analysis* / **鋭い分析** a penetrating *analysis* / **正確な分析** an accurate *analysis* / **徹底的な分析** a thorough *analysis* / **表面的な分析** a superficial *analysis*

ぶんせき² 文責 ¶*文責は編集者にある (⇒編集者が表現や用語に対して責任をもつ) The editor is *responsible for the wording*.

ぶんせき³ 分籍 creation of a separate family register Ⓤ.

ぶんせつ¹ 分節 ━ 名 (区分・部分) segment Ⓒ. ━ 動 segment (他), divide (他).

ぶんせつ² 文節 (言語単位) phrase (in a Japanese sentence) Ⓒ; (単語) word (「with [plus] a particle) Ⓒ.

ふんせん 奮戦 ━ 動 (死に物狂いで戦う) fight desperately. ━ 名 desperate fight Ⓒ.

ふんぜん 憤然 ━ 副 (激怒して) in a rage; (憤然として) indignantly. 《☞ おこる¹》.

ぶんせん 文選 ━ 動 (活字を拾う) set (up) [pick] type.

ブンゼンバーナー Bunsen /bʌ́nsn/ burner Ⓒ.

ぶんせんめい 文鮮明 ━ 名 (固) Moon Sunmyung /múːn sùnmjúŋ/, 1920–　. ★韓国の宗教家. 英語式に Sun Myung Moon とも言う.

ふんそう¹ 紛争 (争い・ごたごた) dispute Ⓒ; (政治的・社会的混乱) trouble Ⓤ, ùnrést Ⓤ ★ 後者のほうが格式ばった語; (騒動・動乱) disturbance Ⓒ.
¶国境[宗教]*紛争 a 「border [religious] *dispute* ∥ 学園*紛争 a 「school [campus] *disturbance* / (⇒学生[学園]騒動) student [campus] *unrest* ∥ *紛争多発地帯 an area of frequently occurring *disturbances* ∥ 労使*紛争 a labor [an industrial] *dispute* ∥ *紛争になる get into [be involved in] a *dispute* ∥ *紛争を解決する settle [resolve] a *dispute*

ふんそう² 扮装 ━ 動 (演劇などで役に扮する) màke (*oneself*) úp [pút on mákeùp] (for ...). ━ 名 mákeùp Ⓤ ★ 扮装の1部である「メーキャップ」の意味になることもある. 《☞ ふんする》. ¶彼は侍の*扮装をした He 「*made* (*himself*) *up* [*put on makeup*] *for* a samurai role.

ぶんそうおう 分相応 ☞ ぶん¹ 4

ぶんそく 分速 speed per minute Ⓤ《☞ じそく¹》.

フンぞく フン族 (総称的に) the Huns /hʌ́nz/.

ふんぞりかえる ふんぞり返る (いばり散らす) lord it over ... ★ あたかも人に権力を持っているかのように振舞うという意味の成句. 《☞ いばる (類義語)》.

ふんぞる ☞ ふんぞりかえる

ぶんたい¹ 文体 style Ⓒ《☞ 文体(巻末)》. ¶この本は明快な*文体で書いてある This book is written in a clear *style*. **文体論** stylistics Ⓤ.

コロケーション

> **飾り気のない文体** a plain *style* / **堅苦しい文体** a formal *style* / **気取った文体** an affected [a mannered] *style* / **くだけた文体** an informal *style* / **凝った文体** an ornate *style* / **古風な文体** an old-fashioned *style* / **単調な文体** a monotonous *style* / **力強い文体** a forceful *style* / **優雅な文体** an elegant *style*

ぶんたい² 分隊 (陸軍の) squad Ⓒ; (海軍の艦艇の) division Ⓒ.

ぶんだい 文題 theme Ⓒ.

ぶんだくる (不当な値段を要求する) overcharge (他); (...ほども要求する) charge ... as much as ...
語法 両者とも日本語の「ぶんだくる」ほどくだけた感じではない. 《☞ ぼる》.

ふんだりけったり 踏んだり蹴ったり
¶*踏んだりけったりの目にあわせる (⇒ひどい目にあわせた上に侮辱を加える) *add insult to injury* ∥ 車は故障するし, 列車にはおくれるし, *踏んだりけったりだった We *had a* 「*hard time of it* [*series of bad breaks*]—the car broke down and we missed the train. ★ break は略式語で運の意味.

ふんたん 粉炭 coal dust Ⓤ.

ふんだん ☞ ふんだんに

ぶんたん¹ 分担 ━ 名 (強制的に与えられた仕事・義務) assignment Ⓒ; (費用・仕事などの負担) share Ⓒ. ━ 動 (分け合う) share ... (with ...); (自分の分担をこなす) do *one's* share; (分割する) split ... (among ...). 《☞ ふたん; わりあて》.
¶これは私の*分担(の仕事)です This is my *assignment*. ∥ 彼女にもその仕事を*分担してもらわなくてはならない She must *do her share* of the work. ∥ 旅費はみんなで*分担した We *shared* the traveling expenses. / We *split* the traveling expenses *among* us. ∥ 我々は責任*分担をするべきです We should *share* the responsibilities.
分担額 share Ⓒ; (割り当て額) allotted amount Ⓒ
分担金 share (of the expenses) Ⓒ.

ぶんたん² 文旦 ☞ ザボン

ぶんだん¹ 文壇 (文学界) the literary world, literary circles. ¶彼は*文壇に名を成した (⇒有名な作家となった) He became a famous writer. / (⇒文学的名声を得た) He won *literary* fame.

ぶんだん² 分断 ━ 動 (細かく分ける) divide ... into sections; (退路・ルートなどを断つ) cút óff (他). 《☞ すんだん》.

ぶんだん³ 分団 (本部から分かれた団体) branch Ⓒ; (地方支部) 《米》 chapter Ⓒ.

ふんだんに (十二分に) in plenty 日英比較 日本語では副詞が用いられていても, 英語では plenty of ... のような言い方にすることが多い; (自由に) freely. 《☞ じゅうぶん》. ¶キャンプ場には水が*ふんだんにあった There was *plenty of* water at the campsite. ∥ 彼女は*ふんだんに金を使う She spends (her) money *freely*.

ぶんちゅう 文中 ¶*文中の誤りをただせ Correct (the) errors *in the sentence*. ∥ *文中の疑問個所 questionable places *in the text* 《☞ ぶん²; ほんぶん¹; ぶんしょう¹》

ふ

ぶんちょう 文鳥 〖鳥〗Java sparrow Ⓒ.
ぶんちん 文鎮 paperweight Ⓒ.
ぶんつう 文通 —動 (手紙を交換する) exchange letters (with ...); correspond (with ...) (自) ★ 後者のほうが格式ばった表現. —名 correspondence Ⓤ. ¶ 彼女は彼と*文通を始めた She began to ⌈*exchange letters* [*correspond*] *with* him. // 彼女は彼とずっと前から*文通している She *has been in correspondence with* him for a long time.
ふんづかまえる ふん捕まえる ☞ つかまえる
ふんづける 踏ん付ける (踏みつける) stamp (他); (踏みつぶす) trample (down) (他). (☞ ふみつける). ¶ 彼は怒って花を*踏んづけた He *trampled* (⌈*down* [*on*]) the flowers in anger.
ふんづまり 糞詰まり ☞ ふん³ (糞詰まり)
ぷんと ¶ 彼の息は*ぷんと酒臭かった (⇒ 私は彼の息に酒の臭いがかぎ取れた) I could smell liquor on his breath. (☞ ぷんぷん; 擬声・擬態語 (囲み))
ふんとう 奮闘 —動 (…と取り組んで苦闘し, 努力する) struggle ⌈with [for; against] ... ★ for を用いると, 「…を求めて」の意となる; (奮闘して努力する) make strenuous efforts ★ やや格式ばった言い方. —名 (必死の努力) hard struggle Ⓒ. (☞ どりょく). ¶ 生活のために*奮闘する *struggle for* a living // その計画を成功させるために彼女は大*奮闘した She *made strenuous efforts* to make the plan succeed.
ふんどう 分銅 weight Ⓒ.
ぶんとう¹ 文頭 the beginning of a sentence.
ぶんとう² 分党 —名 secession from a political ⌈party [organization] Ⓤ. —動 secede from a political ⌈party [organization].
ぶんどき 分度器 protráctor Ⓒ.
ふんどし 褌 loincloth Ⓒ 日英比較 英語の loincloth は「腰布」というほどの意で, より詳しく言うには a traditional Japanese men's underwear made of a long, narrow cloth to be worn round the loins のように説明するしかない. ¶ さあ*ふんどしを締めて (⇒ 袖をまくって) 仕事にかかろう Now let's *roll up our sleeves* and get to work. // 人の*ふんどしで相撲をとる (⇒ 他人のたき火で暖まる) warm *oneself* by another's fire / (⇒ 他人の費用でただ乗りする) get a free ride at another's expense
ふんどし担ぎ (相撲で位の低い力士) sumo wrestler of the lowest rank Ⓒ; (下っぱの人) underling Ⓒ.
ぶんどり 分捕り capture Ⓤ; (突然の) seizure Ⓤ. 分捕り合戦 fight over the spoils Ⓒ; (予算の) competition ⌈for [to grab] a larger share of the budget Ⓒ 分捕り品 capture Ⓒ; (戦争での) loot Ⓤ, plunder Ⓤ ★ 後者のほうが格式ばった語.
ぶんどる 分捕る capture (他); (一気に) seize (他). (☞ うばう). ¶ 彼らは敵から戦車を 1 台*分捕った They ⌈*captured* [*seized*] a tank from the enemy.
ぶんなぐる ぶん殴る (ひどく殴る) hit ... hard; (強打を与える) give ... a hard blow. (☞ なぐる).
ぶんなげる ぶん投げる (乱暴に強く投げつける) hurl (他); (力まかせに投げつける) fling (他). (☞ なげる).
ふんにゅう 粉乳 powdered [dry] milk Ⓤ (☞ ちち²).
ふんにょう 糞尿 human waste Ⓤ, éxcrement Ⓤ ★ 後者は格式ばった語.
ふんぬ 憤怒 (激しい怒り) rage Ⓤ; (憤激) fury Ⓤ ★ 前者よりさらに強い怒り; (一般的な腹立ち) anger Ⓤ. (☞ いかり¹).
ぶんのう 分納 —動 (金銭を) pay ... in installments. ¶ 授業料を*分納する *pay one's* tuition *in installments*
ぶんぱ 分派 (一般的に) branch Ⓒ; (宗教上の) sect Ⓒ; (政党間の) faction Ⓒ. (☞ は⁴; はばつ).
分派活動 factional activities ★ 複数形で.
ぶんばい 分売 —動 sell ⌈separately [singly] (他). ¶ このセットの本は*分売しますか Will you *sell* this set of books *separately*?
ぶんぱい 分配 —動 (配る) distríbute (他); (均一に分ける) divide (他). —名 distribútion Ⓤ; division Ⓤ. (☞ わける; はいぶん).
¶ 彼の死後, 財産は 5 人の子供たちに等分に*分配された After his death his property was ⌈*distributed* [*divided*] equally among his five children. // 利益の公平な*分配 a [the] fair ⌈*distribution* [*division*] of profit 分配額 share Ⓒ 分配金 (株式の配当金) dividend Ⓒ 分配比 distribution ratio Ⓒ; 〖化〗partition ratio Ⓒ.
ふんぱつ 奮発 —動 (奮発して…を買う) treat *oneself* to ...; (身分不相応な買い物をする) splurge on ... ¶ 彼女は*奮発してフランス製のハンドバッグを買った She ⌈*treated herself to* [*splurged on*] a ⌈purse [handbag] made in France.
ふんばり 踏ん張り (踏ん張ること) standing firm Ⓤ; (努力すること) making an effort Ⓤ; (やる気) drive Ⓤ; (根性) guts ★ 複数形で. (☞ ふんばる; がんばる). ¶ 彼は*踏ん張りが足りない He lacks ⌈*guts* [*drive*]. / (⇒ 頑張り屋ではない) He is not a *hard worker*. // もうひと*踏んばりしてこの仕事を終えてしまおう Let's *make* another *effort* to finish the job.
ふんばる 踏ん張る (しっかりと立つ) stand firm (自); (努力する) make an effort. (☞ がんばる). // 両足を*踏ん張って転ばないようにした I *stood firm, bracing my legs* to avoid falling down.
ふんぱん 噴飯 ¶ 彼女の理屈は*噴飯ものだった (⇒ まったく馬鹿げていた) Her theory was ⌈*sheer nonsense* [*totally ridiculous*].
ぶんび 文尾 the end of a sentence.
ぶんぴ 分泌 ☞ ぶんぴつ²
ぶんぴつ¹ 文筆 (文筆の仕事) literary work Ⓤ. ¶ 彼は*文筆(業)に従事している He is ⌈engaged in *literary work* [(⇒ 作家だ) a *writer*]. // 彼女はずっと*文筆生活をしてきた (⇒ 職業が作家だった) She has always been a *writer by profession*.
文筆家 (作家) writer Ⓒ; (文人) literary person Ⓒ, literatus Ⓒ (複 literati); (著述家) man [woman] of letters Ⓒ 文筆業 the literary profession.
ぶんぴつ² 分泌 〖生理〗 —名 secretion Ⓤ. —動 secrete /sɪkríːt/ (他). 分泌器官 secretory /sɪkríːtəri/ Ⓒ 分泌作用 secretion Ⓤ 分泌腺(せん) secreting gland Ⓒ 分泌物[液] secretion Ⓒ.
ぶんぴつ³ 分筆 —名 (土地の) subdivision Ⓤ. —動 subdivide (他). (☞ わける). ¶ 土地を 4 区画に*分筆する *subdivide* the land into four lots
ふんびょう 分秒 (極めて短い時間) moment Ⓒ. ¶ *分秒を争う (⇒ 緊急な) 用件 an *urgent* matter
ぶんぶ 文武 the pen and the sword; (文武の術) literary and military arts. 文武両道 ¶ 彼は*文武両道に秀でている He excels with *both the pen and the sword*. / (⇒ 軍人と学者の両方で優秀だ) He is distinguished *as both a soldier and a scholar*. / (⇒ 学生とスポーツマンの両方で) He excels *both* ⌈*in the classroom and on the playing field* [*as a student and a sportsman*].
ぶんぷ 分布 —名 distribútion Ⓤ. —動 (分布する) be distríbuted. ¶ それは広く世界各地に*分布している It ⌈*is distributed* widely [has a wide *distribution*] throughout the world. 分布曲線 distribution curve Ⓒ 分布係数 distribution factor Ⓒ 分布図 distribution map Ⓒ.

ぶんぶくちゃがま 文福茶釜 *the Bunbuku Chagama*; (説明的には) a famous story in which a badger turns itself into a teakettle and brings wealth to a priest.

ぶんぶつ 文物 ¶日本は明治時代に西欧の*文物 (⇒ 文化と制度) をたくさん取り入れた Japan「took in [imported] much Western *culture and many institutions* in the Meiji era.

ふんふん uh-huh /əhʌ́/ ★ 相づち・肯定・賛成などを表すときの発声. ¶相手の提案に彼は*ふんふんとうなずいた "*Uh-huh,*" he said, nodding his agreement to the other's proposal. // 相手の話を彼女は*ふんふんと聞き流した "*Uh-huh,*" she replied but took no notice of what the other was saying.

ふんぷん 紛紛 ¶その件に関しては諸説*紛々としている (⇒ 相反する意見がある) *There are conflicting opinions* on the matter. / (⇒ この事柄については意見が分かれている) Opinion *is divided on* the issue.

ぶんぶん ── 图 (はち・はえなどの音) buzz Ⓒ; (はち・こまなどの音) hum Ⓒ; (飛行機などの音) whir(r) /(h)wə́ː/ Ⓒ. ── 動 buzz ㊀, drone ㊀, hum ㊀; whir(r) ㊀. 《☞ 擬声・擬態語 (囲み)》.
¶みつばちの*ぶんぶんいう音 the「*buzzing* [*humming*] of bees // はちが 1 匹花から花へ*ぶんぶん飛び回っていた A bee *was*「*buzzing* [*humming*] around from flower to flower.

ぷんぷん ¶この部屋はペンキのにおいが*ぷんぷんする (⇒ 強いペンキのにおいを出している) This room *gives out a strong smell of* paint. // 香水が*ぷんぷんするハンカチ a *strongly perfumed* handkerchief // 彼が彼女の名前を覚えていなかったので, 彼女は*ぷんぷんだった (⇒ かっかしていた) She *was fuming* because he did not remember her name. 《☞ ぷんと; 擬声・擬態語 (囲み)》

ふんべつ 分別 ── 图 (慎重さ) discretion /dɪskréʃən/ Ⓤ; (正しい判断力) sense Ⓤ; (良識) common sense Ⓤ. ── 形 (分別のある) discreet (↔ indiscreet); (賢明な) wise (↔ unwise); sensible. 《☞ しりょ》.
¶彼は*分別のある男だ He is a「*discreet* [*sensible*] person. // 君はもっと*分別があっていい年ごろだ You are old enough to *know better*. / You should *know better* at your age.
分別顔 wise [prudent] face Ⓒ, wise [prudent] look Ⓒ **分別臭い** ── 形 prudent-looking **分別盛り** ── 形 mature and prudent.

ぶんべつ 分別 classification Ⓤ 《☞ ぶんるい》.
¶ごみを*分別収集する collect the refuse according to *type*

ふんべん 糞便 (大便) stool Ⓒ ★ しばしば複数形で; (排泄物) 《格式》 éxcrement Ⓤ, 〖医〗 feces (《英》 faeces) /fíːsiːz/ ★ 複数形で. 《☞ だいべん², べん²》.

ぶんべん 分娩 ── 图 (出産) childbirth Ⓤ; (出産行為) delivery Ⓒ. ── 動 give birth to … 《☞ しゅっさん; うむ¹》. ¶無痛*分娩 a painless *delivery*
分娩室 delivery room Ⓒ.

ふんぼ 墳墓 (墓) grave Ⓒ; (彫刻などのある大きな墓) tomb Ⓒ. 《☞ はか¹》. **墳墓の地** (故郷) *one's* (old) home Ⓒ.

ぶんぼ 分母 〖数〗 denóminàtor Ⓒ (↔ numerator) 《☞ 数字 (囲み); つうぶん》. ¶*分母を払う cancel the *denominator*

ぶんぽう¹ 文法 ── 图 grammar Ⓤ; (文法書) grammar (book) Ⓒ. ── 形 (文法上の・文法にかなった) grammatical (↔ ungrammatical). ¶英*文法 English *grammar* // *文法上の誤り a *grammatical* mistake / an error in *grammar* // この文は*文法にかなっている[いない] This sentence is「*grammatical* [*ungrammatical*].
文法家[学者] grammarian /grəmé(ə)riən/ Ⓒ **文法書** grammar (book) Ⓒ **文法論** grammar Ⓤ.

ぶんぽう² 分封 ── 動 (領地を分け与える) give a part of *one's* territory; (みつばちが新しい所へ群れをなして移動する) swarm ㊀, hive off ㊀.

ぶんぽう³ 分包 (薬の) single-dose package Ⓒ. ¶消化薬の*分包 a *single-dose package* of digestive

ぶんぼうぐ 文房具 stationery /stéɪʃənèri/ Ⓤ
[語法] 文房具の総称だが, 特に便箋(びんせん)・封筒・ペンなどの筆記用具 (writing materials) を意味することもある. stationary (静止した) と混同しないこと.

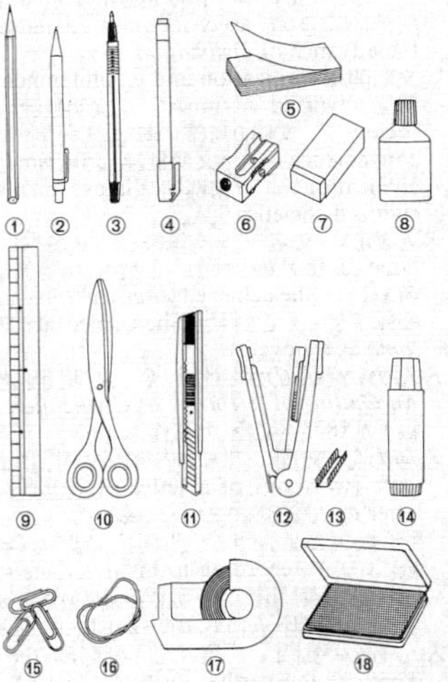

① 鉛筆 pencil ② シャープペンシル mechánical péncil ③ ボールペン ballpoint (pen) ④ 蛍光ペン fluorescent /flʊ(ə)résnt/ márker, highlighting pèn ⑤ 付箋 tag ⑥ 鉛筆けずり péncil shàrpener ⑦ 消しゴム eraser ⑧ 修正液 correction fluid ⑨ 定規 ruler ⑩ はさみ scissors ⑪ カッター(ナイフ) cutter ⑫ ホチキス stapler ⑬ ホチキスの針 staples ⑭ のり glue ⑮ クリップ páper clips ⑯ 輪ゴム rúbber bánds ⑰ セロテープ adhesive /ədhíːsɪv/ tápe, 《商標》 Scótch tápe ⑱ スタンプ台 ínk pàd

文房具店 stationer's Ⓒ, stationery store Ⓒ **文房具屋** (人) stationer Ⓒ.

フンボルト ── 图 固 Alexander von Humboldt /hʌ́mboʊlt/, 1769–1859 ★ドイツの地理学者・探検家・作家; Wilhelm von Humboldt, 1767–1835 ★ドイツの政治家・言語学者.

ふんまつ 粉末 ── 图 powder Ⓤ. ── 動 (粉末にする) powder ㊉; (ひいて粉にする) grind … into flour. ── 形 (粉末の) powdered. 《☞ こな》. **粉末剤** (chemical) powder Ⓒ, medicine in powder(ed) form Ⓒ, powdered medicine Ⓒ **粉末ジュース** powdered juice Ⓤ.

ぶんまつ 文末 (文の終わり) the end of a sentence; (一節の終わり) the end of a passage.

ふんまん 憤懣 (怒り) anger Ⓤ ★ 一般的な語; (特に不正などに対する怒り・義憤) indignation Ⓤ; (永続的な怒り) resentment /rɪzéntmənt/ Ⓤ. 《☞ いきどおり; ふんがい》. ¶私たちは汚職議員に対して強い*憤まんを感じた We felt strong *indignation* against the corrupt Diet members. // 彼らは*憤まんやるかたなかった They were filled with「*anger*

[*indignation*; *resentment*].

ぶんみゃく 文脈 context Ⓤ. ¶*文脈から意味を推測する infer the meaning from the *context*

ぶんみん 文民 civilian Ⓒ. **文民統制** civilian control Ⓒ.

ふんむ 噴霧 ━動 spray ㊄; (特に香水などを) átomize ㊄; (特に医療用薬剤を) nebulize /nébjʊlàɪz/ ㊄. **噴霧器** spray(er) Ⓒ; (香水用の) atomizer Ⓒ; (医療用の) nebulizer Ⓒ.

ぶんめい[1] 文明 civilization Ⓤ ★ 未開の状態を機械・技術知識などで開化した状態. 個々の具体的なものをいうときは Ⓒ. (☞ ぶんか[1]). ¶ヨーロッパ[西欧]*文明 European [Western] *civilization* // *文明が進むにつれて as *civilization* advances / with the advance of *civilization*.

文明開化 civilization and enlightenment Ⓤ **文明国** civilized nation Ⓒ **文明社会** civilized society Ⓒ **文明の利器** (新式の便利な物) modern convenience Ⓒ **文明批評** criticism ⌈on [of] civilization Ⓤ **文明病** disease incidental to civilized societies Ⓒ.

ぶんめい[2] 文名 (文筆家としての名声) literary fame Ⓤ (☞ めいせい). ¶彼女は小説家として*文名をはせた She achieved (*literary*) *fame* as a novelist. / (⇒ 文名を得た) She earned her (*literary*) *fame* as a novelist.

ぶんめいろんのがいりゃく 文明論之概略 *An Outline of a Theory of Civilization* ★ 福沢諭吉が 1875 年に出した著作.

ぶんめん 文面 (手紙の内容[言い回し]) the ⌈contents [wording] of a letter 日英比較 英語では letter のみで表現できる場合が多い.
¶手紙の*文面からすると彼は病気のようだ (⇒ 彼の手紙によると) According to his *letter*, he seems to be ⌈sick [《英》 ill]. / (⇒ 彼の手紙は彼が病気であると言っている) His *letter says* that he is ⌈sick [ill].

ふんもん 噴門 (胃の入口の部分) the cardia /kɑ́ədiə/, the cardiac orifice /kɑ́ədiæ̀k ɔ́ːrəfɪs/ (of the stomach).

ぶんや 分野 (本体から分かれたうちの 1 つ) branch Ⓒ; (研究などの) field Ⓒ. (☞ りょういき 語法; せんもん). ¶代数は数学の一*分野である Algebra is a *branch* of mathematics. // 多くの科学者がこの*分野で研究している Many scientists are working in this *field*. //「あなたの専門*分野は何ですか」「日本の近代文学です」"What do you specialize in? / What is your ⌈special *field* [specialty; 《英》 speciality]?" "I specialize in [It is] modern Japanese literature."

ぶんらく 文楽 Bunraku Ⓤ, Bunraku puppet show Ⓒ.

ぶんり 分離 ━動 (分ける) separate ㊄. ━名 separation Ⓤ. ¶宗教と政治の*分離 the *separation* of ⌈religion and politics [church and state] 語法 [ ]内はキリスト教国の場合. // この機械は牛乳からクリームを*分離する This machine *separates* the cream from milk. **分離課税** separate taxation Ⓤ **分離帯** (道路中央の) 《米》 median /míːdiən/ strip Ⓒ, 《英》 central reservation Ⓒ **分離不定詞** 〖文法〗 split infinitive Ⓒ.

ぶんりがくぶ 文理学部 college [school] of *humanities and sciences* Ⓒ (☞ がくぶ (類義語)).

ぶんりつ 分立 (分離) separation Ⓤ; (分割) division Ⓤ; (独立) independence Ⓤ. (☞ さんけんぶんりつ).

ふんりゅう 噴流 jet (flow) Ⓒ.

ぶんりゅう[1] 分流 (大きな川に流れ込む川) tributary Ⓒ; (大きな川が分かれたもの) branch Ⓒ.

ぶんりゅう[2] 分留 fractional distillation Ⓤ.

ぶんりょう 分量 quantity Ⓤ; (全体量) amount Ⓒ 語法 quantity は液体・気体・固体などの, 計ることができる分量. amount は全体を足し合わせた量で, 年間の収穫量, 必要な量の合計などに使う; (薬の一服分の量) dose Ⓒ; (服用量) dosage Ⓒ ★ 後者のほうが格式ばった語. (☞ りょう[1]).
¶「どのくらいの*分量をお望みですか」「2 キロ下さい」"How much [What *quantity*] would you like?" "I'd like two kilograms (of it)." 日英比較 日本語で「分量」とあっても, 必ずしも quantity という語を使う必要はない. 特に口語では how much を使用するのが最も普通である. // 人間にとって 1 日に必要な水の*分量はどのくらいですか What [How much] is the total *amount* of water necessary for the human body per day? // 薬の*分量を誤ってしまった I took the wrong ⌈*dose* [*dosage*] of medicine.

ぶんるい 分類 ━動 (分類する) classify ㊄, group ㊄ ★ 前者のほうが厳密な意味での分類. ━名 (分類すること) classification Ⓤ, grouping Ⓤ, (分類されたもの) class Ⓒ, group Ⓒ. (☞ わける; しわけ; くみわけ).
¶これは大きさで [アルファベット順に] *分類して下さい Please ⌈*classify* [*group*] these ⌈according to size [in alphabetical order]. // 英語の単語は 8 つの品詞に*分類される English words *are* ⌈*classified* [*grouped*] into eight parts of speech. // それらは 5 つの大きな項目に*分類できる They can *be classified* under five main headings.
分類学 taxónomy Ⓤ **分類表** classification table Ⓒ **分類法** method [system] of classification Ⓒ **分類目録** classified catalog(ue) Ⓒ.

ぶんれい 文例 (用例・実例) example Ⓒ; (文章の見本) model writing Ⓤ. (☞ れい[1]).

ふんれいどりょく 奮励努力 ━名 strenuous efforts ★ 複数形で. ━動 do *one's* best to *do* …, try very hard to *do* …

ぶんれつ[1] 分裂 ━動 (意見などが分かれる) be divided 語法 「意見 (opinion)・人」などが主語になる. into three など分かれる数が明示されていないときは, 普通 2 つに分かれることを指す; (党などが分裂する) split (into …) ㊀ 《過去・過分 split》 ★ ㊄ の用法もある. ━名 (分割) division Ⓤ; (仲間割れ) split Ⓒ. (☞ わかれる[2]).
¶委員たちはその問題をめぐって意見が*分裂した The committee members [The opinions of the committee members] *were divided* on the question. // その問題をめぐって党は 2 つに*分裂した The party (*was*) *split into* two ⌈on [over] that issue. / (⇒ その問題は党を 2 つに分裂させた) The issue *split* the party in two.
分裂国家 fragmented [disintegrated] country Ⓒ **分裂症** ☞ とうごう[1] (統合失調症) **分裂生殖** schizogenesis /skɪ̀tsoʊdʒénəsɪs/ Ⓤ **分裂組織** 〖植〗 meristem Ⓒ, meristematic tissue Ⓤ.

ぶんれつ[2] 分列 ━動 (列になって出て行く) file off ㊀; (列になって行進する) march in ⌈files [lines] ㊀, march past ㊀. **分列行進** márch-pàst Ⓒ, procession Ⓒ.

ぶんろく 文禄 (日本文化史上の年号) the Bunroku era, 1592–96. ★ 天正の後, 慶長の前. **文禄慶長の役** the Battle(s) of Bunroku and Keicho ★ 豊臣秀吉は 2 度にわたって朝鮮に侵攻したが, 最初の文禄の役を Japan's first invasion of Korea (1592–93) と言うこともある. **文禄検地** the land surveys (under Toyotomi Hideyoshi) in the Bunroku era (☞ たいこう[6] (太閤検地)).

ふんわり ━副 (ふんわりと) softly; (軽々と) lightly. ━形 (ふんわりした) fluffy. (☞ ふわりと; ふわふわ; 擬声・擬態語 (囲み)).

へ, へ

へ 屁 ―名《卑》fart Ⓒ ★ 普通には使えない. ―動 (屁をする)《卑》fart ⓐ, 《卑》cut a fart, break wind, pass gas ★ 後の 2 つのほうが普通. (☞ おなら). **屁とも思わない**《略式》do not ˹give [care] a damn (˹about [for] …). ¶ そんなことは*屁とも思わない (⇒ 少しも気にかけない) I *don't give a damn about* it. **屁の河童** ☞ 見出し **屁をひって尻すぼめ** (失敗をしてからあわててとりつくろうとする) try to ˹smooth [gloss] over *one's* mistake.

へ 〔楽〕(音名) F Ⓤ. ¶*へ長[短]調 *F* ˹major [minor] **へ音記号** F clef Ⓒ, bass clef Ⓒ.

-へ **1**《方向》: (目的地を指して, …へ向かって) to …; (特に…の方向へ) for … ★ 乗り物・旅行などの行先を示す場合; (…のほうへ) toward … ★ 方向を強調する. (☞ ほう[1]; -に).
¶ きょう学校*へ行きました I went *to* school today. // 次の角で左*へ曲がりなさい Turn (*to* the) left at the next corner. // あしたニューヨーク*へ発ちます I will leave *for* New York tomorrow. // 私たちは東*へ向かって歩き続けた We continued to walk *toward* the east.
2《…の中へ》: in …, into … ★ 後者のほうが中へ入り込む動作をより明確に表す. (☞ なか[1]). ¶ 私は下着類をみな整理だんすの中*へしまった I put all my underwear *in* a chest of drawers. // そのりんごを紙袋の中*へ入れなさい Put the apples ˹*in* [*into*] a paper ˹sack [bag].
3《…の上へ》: on …, onto … ★ 後者のほうが動作を表す意味が強い. (☞ うえ[1]). ¶ 私は岩の上*へ飛び降りた I jumped *onto* the rock below.

ヘア hair Ⓤ (☞ かみ[3]; いんもう).
ヘアオイル hair oil Ⓤ **ヘアカラー** (染髪剤) háir còloring Ⓒ **ヘアクリーム** hair cream Ⓤ **ヘアケア** háircàre Ⓤ **ヘアコンディショナー** hair conditioner Ⓒ **ヘアスタイル** hairstyle Ⓒ **ヘアスタイリスト** háirstỳlist Ⓒ **ヘアスプレー** hair spray Ⓒ **ヘアダイ** (白髪染め・毛染め) hairdye Ⓤ **ヘアトニック** hair tonic Ⓤ **ヘアドライヤー** hair dryer Ⓒ **ヘアトリートメント** (頭髪や頭皮の手入れ) háir trèatment Ⓤ **ヘアドレッサー** hairdresser Ⓒ **ヘアネット** hairnet Ⓒ **ヘアバンド** headband Ⓒ **ヘアピース** hairpiece Ⓒ, wig Ⓒ, toupee /tuːpéɪ/ Ⓒ **ヘアピン** ☞ 見出し **ヘアブラシ** hairbrush Ⓒ **ヘアマスカラ** háir mascàra Ⓤ **ヘアマニキュア** (一時的なヘアダイ) temporary hair-dye Ⓒ 日英比較 「ヘアマニキュア」は和製英語. **ヘアモード** (髪の流行の型) fashionable [trendy] hairstyle Ⓒ **ヘアライン** hairline Ⓒ **ヘアリキッド** hair ˹lotion [tonic] Ⓤ **ヘアリンス** (リンス液) rinse Ⓤ **ヘアローション** hair lotion Ⓤ.

ベア[1] (ベースアップ) pay ˹raise [《英》rise] Ⓒ, wáge incrèase Ⓒ ★ 後者のほうが格式ばった言い方. 日英比較 「ベースアップ」は和製英語. (☞ ベース[1]; ちんあげ; 和製英語 (囲み)). **ベア要求** ―動 demand an increase in the basic wage.

ベア[2] (熊) bear Ⓒ. **ベアハッグ** (両手で強く抱きかかえること) bear hug Ⓒ.

ペア[1] ―名 (1 対のもの) pair Ⓒ; (男女などの 1 組) couple Ⓒ ★ 前者のほうが結び付きが強い; (ボート競走の) pair-oar Ⓒ. ―動 (組み合わせる) pair ⓗ, couple ⓗ. 日英比較 日本語の「ペア」が必ずしも英語で pair となるとは限らない. (☞ くみ; つい[2]).
¶*ペアになって男女が踊っている A *couple* ˹is [are] dancing. // 私はテニスの試合で彼女と*ペアを組んだ I *was paired with* her for the tennis match.
ペアガラス double glazing Ⓤ **ペアスケーティング** pair skating Ⓤ **ペアルック** ¶*ペアルックの 2 人 two people [a couple] *in the same clothes* // 林夫妻は*ペアルックの (⇒ 同じ) T シャツと帽子を身につけていた Mr. and Mrs. Hayashi were wearing *the same* T-shirts and caps.

ペア[2] (西洋ナシ) pear Ⓒ (☞ なし).

ベアトリーチェ ―名 固 Beatrice /bèɪɑːtríːtʃeɪ/ ★ ダンテが理想化して描いた女性の名. 英語の人名としては ☞ ビアトリス

ベアトリス ☞ ビアトリス

ヘアピン (U 字形の) hairpin Ⓒ; (ぴったり閉じた)《米》bobby pin Ⓒ, 《英》hairgrip Ⓒ.

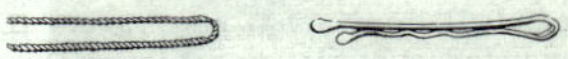

hairpin　bobby pin

ヘアピンカーブ hairpin ˹bend [curve] Ⓒ.

ベアリング 〔機〕bearing Ⓒ. ¶ ボール*ベアリング a ball *bearing* // ローラー*ベアリング a roller *bearing*

ペアリング (動物がつがうこと) pairing Ⓤ ★ 具体的には Ⓒ.

ペアレント (親) parent Ⓒ.

へい[1] 塀 wall Ⓒ 日英比較 wall には「壁」という意味もある. 英語では石・れんが・板・しっくいなどで作られた仕切りをすべて wall と言い, 建物の壁も庭・敷地などにめぐらすものも同一の語で表す. (☞ かきね; かべ; かこい).

日本語	英　語
壁	wall
塀	

¶ 彼は家の周りを*塀で囲った He built a *wall* around the house. // 彼は*塀を乗り越えた He climbed over the *wall*.

へい[2] 兵 (兵士) soldier Ⓒ; (軍隊) troops ★ 複数形で. **兵を挙げる** raise an army; (武器をとる) take up arms (against …). (☞ きょへい).

へい[3] 弊 ☞ へいがい

へい[4] 丙 (評価) C Ⓒ; (説明的には) the third highest mark in an exam.

べい 米 (アメリカ) (the United States of) America, the U.S.A. (☞ べいこく[1]).

ベイ (湾) bay Ⓒ. **ベイエリア** ―名 (湾岸地区) bayfront area Ⓒ **ベイクルーズ** (湾内遊覧船) bay cruise Ⓒ **ベイブリッジ** ―名 固 (横浜の) Yokohama Bay Bridge; (米国の) (the Oakland) Bay Bridge ★ 米国サンフランシスコとオークランド間.

ペイ ―名 (給料) pay Ⓤ. ―動 (引き合う) pay ⓐ. ¶ 犯罪は*ペイしない Crime doesn't *pay*.

へいあん[1] 平安 ―形 (争いがなく平和な) peaceful; (平静で心の落ち着いた) calm. ―名 peace Ⓤ; calm Ⓤ, calmness Ⓤ. (☞ へいわ; へいおん).

へいあん[2] 平安 **平安京** *Heian-kyo*; (説明的には) the ancient name for Kyoto, the former capital of Japan **平安時代** the Heian ˹Period /píː(ə)riəd/ [Éra /íː(ə)rə/] (extending from the end of the 8th century to the 12th century) **平安神宮**

the Heian Shrine; (説明的には) the shrine in Kyoto built in 1895 to commemorate the transfer of the capital to Kyoto **平安朝** (朝廷) the Imperial /ɪmpí(ə)riəl/ Cóurt of the Héian ˹Périod [Éra]; (時代) the Heian ˹Period [Era] **平安文化** Heian culture Ⓤ, (the) culture of the Heian era Ⓤ.

へいい 平易 ―形 (易しい) easy ★ 最も一般的な語; (簡単な・わかりやすい) simple; (明快な) plain. ―名 easiness Ⓤ; simplicity Ⓤ; plainness Ⓤ. 《☞ やさしい²; くだけた》. ¶*平易な英語で書き直しなさい Rewrite it in *plain* English.

へいいん¹ 兵員 (兵士) soldier Ⓒ; (兵士の数) the number of soldiers. 《☞ へいりょく》.
兵員削減 troop cut Ⓒ **兵員名簿** muster roll Ⓒ.

へいいん² 閉院 ¶この病院は今月末に*閉院します This hospital will *be closed* at the end of this month. 《☞ へいてん》

ベイウィンドー (出窓) bay window Ⓒ 《☞ でまど》.

へいえい 兵営 barracks ★ 通例複数形で, 単複両扱い.

へいえき 兵役 (military) service Ⓤ 《☞ ぐんたい¹》. ¶彼は 5 年間*兵役に服した (⇒ 陸軍[海軍]に勤務した) He *served in the* ˹*army* [*navy*] for five years. // 彼は*兵役を免除された He was ˹exempt [exempted] from *military service*. **兵役忌避** evasion of ˹conscription [military service] Ⓤ, draft ˹dodging [evasion] Ⓤ. 《☞ ちょうへい》 **兵役忌避者** draft ˹dodger [evader] Ⓒ **兵役義務** obligatory [compulsory] military service Ⓤ **兵役制度** the ˹conscription [draft] system **兵役免除** exemption from military service Ⓤ.

へいえん 閉園 ―動 (その日の業務をやめる) close /klóuz/ ㊀; (閉鎖する) close down ㊀. 《☞ かいえん³》. ¶本日は*閉園しました 《掲示》 *Closed* (for) Today

へいおうレンズ 平凹レンズ plano-concave lens Ⓒ.

ペイオフ deposit pay off Ⓒ. ¶*ペイオフを実施する introduce [implement] limited-coverage deposit insurance / (⇒ 保証額までの預金を払い戻す) pay off [reimburse] insured deposits

へいおん 平穏 ―形 (平和な) peaceful; (何事もなく静かな) quiet; (動揺や混乱などがなく穏やかな) calm ―名 peace Ⓤ; quietness Ⓤ; calm Ⓤ, calmness Ⓤ ★「静けさ・平静」などの意では quiet Ⓤ という名詞形も用いる. ―副 peacefully; quietly; calmly. 《☞ おだやか; へいわ; へいあん¹》.
¶その老夫婦は*平穏無事に暮らしている The old couple lives *in peace and quiet*.

へいおんせつ 閉音節 closed syllable Ⓒ, syllable ending in a consonant Ⓒ.

へいか¹ 陛下 His [Her; Your] Majesty 〔語法〕 通例大文字で始める. 3 人称として扱うときは男性なら His, 女性なら Her, 両陛下など複数の場合は Their を付け, 2 人称としての呼びかけには Your を付ける. 《☞ でんか¹》. ¶天皇*陛下 *His Majesty* the Emperor // 皇后*陛下 *Her Majesty* the Empress // 天皇皇后両*陛下 *Their Majesties* the Emperor and Empress // 英国女王*陛下 *Her Majesty* the Queen of England

へいか² 平価 (有価証券などの額面) par Ⓤ; (関係 2 国間の通貨の) parity Ⓤ. **平価切り上げ** ―名 revaluation Ⓤ. ―動 revalue the currency. **平価切り下げ** ―名 devaluation Ⓤ. ―動 devalue the currency.

へいか³ 兵火 (軍の攻撃[軍事紛争]によって起こった火災) fire caused by (a) military ˹attack [conflict] Ⓒ; (戦火) war disasters ★ 複数形で; (戦争) war Ⓒ.

へいか⁴ 閉架 restricted access to the ˹stacks [shelves] Ⓤ; (書架) closed ˹stacks [shelves]. **閉架式図書館** restricted-access library Ⓒ.

へいが 平臥 ―動 (横になる) lie down ㊁; (病臥する) be ill in bed, be laid up.

べいか¹ 米価 the price of rice Ⓒ, rice price Ⓒ. ¶消費者 [生産者] *米価 the ˹consumer [producer] ˹*price of rice* [*rice price*]

べいか² 米貨 U.S. currency Ⓒ, U.S. dollars.

べいか³ 米菓 rice crackers.

へいかい 閉会 ―動 (会を終わりにする) close ㊀ ★ 最も一般的; (解散する) brèak úp ㊁; (終わりになる) come to ˹an end [a close], be closed; (延期・休会する) adjourn /ədʒə́:n/ ㊀ ㊁. ―名 closing of a meeting 〔語法〕 a meeting の代わりに国会なら the Diet, パーティーなら the party のようにほかの語を入れて言う; (延期・休会) adjournment Ⓒ. 《☞ さんかい¹; きゅうかい¹; かい¹》.
¶議長は*閉会にした The chairperson ˹*closed* [*adjourned*] the meeting. // 会は 6 時に*閉会になった The meeting *came to* ˹*an end* [*a close*] at six. // *閉会のあいさつ the *closing* address
閉会式 closing ceremony Ⓒ.

へいがい 弊害 (悪影響) bad [evil; harmful] influence Ⓒ; (結果的に悪い影響) ill [bad] effect Ⓒ. 《☞ がい¹; えいきょう》.

へいかく¹ 平角 〘数〙 straight angle Ⓒ.

へいかく² 閉殻 〘生〙 closed shell Ⓒ. **閉殻筋** ☞ かいばしら

へいかつ 平滑 ―形 (なめらかな) smooth /smú:ð/. ―動 (なめらかにする) smooth ㊀. **平滑筋** 〘解〙 smooth muscle Ⓒ.

へいがっこう 兵学校 military [naval] academy Ⓒ.

へいかん 閉館 ―動 (閉館する) close ㊀ ㊁ 《☞ しまる; やすみ》. ¶図書館は 6 時に*閉館する The library *closes* at six. // 本日*閉館 《掲示》 *Closed* today

へいがん 併願 ¶2 つ以上の大学に*併願する (⇒ 入学を申し込む) *apply* to more than two universities for admission

へいき¹ 平気 ―形 (動揺したりしないで落ち着いた) calm; (冷静な) cool; (沈着な) self-possessed ★ 前 2 者より格式ばった語; (無頓着な) indifferent Ⓟ; (関心を持たない) ùnconcérned. 《☞ へいせい¹; へいちゃら; けろりと》.
¶ 彼はその知らせを聞いても*平気だった He remained *calm* after hearing the news. // 危険に際して彼は*平気を装った He tried to look *cool* in the face of danger. // 彼らが何を言おうと*平気だ (⇒ 彼らの言うことは気にかけない) I *don't care* what they say. // 私は暑さなど*平気だ (⇒ 暑さは全然私を困らせない) The heat *doesn't bother* me *at all*. // 彼は*平気で笑い, しゃべっていた (⇒ まるで何事も起こらなかったかのように) He laughed and talked *as if nothing had happened* to him. // 彼は*平気でうそをつく (⇒ 恥ずかしいという意識を持たずに) He ˹tells lies [lies] *with no sense of shame*. // 彼はよくそんなことが*平気で (⇒ 厚かましくも) 言える I ˹am amazed [wonder] how he could *have the* ˹*nerve* [*cheek*] *to* say such a thing. // 彼は*平気で人殺しをするような男だ He is the type of man who kills *in cold blood*.
平気の平左 ¶彼はどんなに批判されても*平気の平左だった He ˹did*n't care a bit* [*remained cool*] how severely he was criticized.

へいき² 兵器 (火器) (fire)arms ★ 複数形で. 特

にライフル・ピストルなどの銃を指す; (武器) weapon Ⓒ [語法] 意味が広く, 戦闘に使われるあらゆる物・道具を指す. ナイフや棒なども含む. (☞ ぶき).
¶ 通常*兵器 conventional *weapons* // 核*兵器 nuclear *weapons*
兵器庫 arsenal /ɑ́əs(ə)nl/ Ⓒ **兵器工場** arms factory Ⓒ **兵器産業** armaments industry Ⓒ.

へいき[3] 併記 ¶ 書類には 2 人の名前の*併記が必要です The paper requires *both* our names on it.

へいきょ 閉居 ☞ ちっきょ

へいぎょう 閉業 ☞ はいぎょう

へいきょく 平曲 The *Heike Monogatari* (The Tale of Heike) recited by lute-playing chanters ★ 説明的な訳.

へいきょくせん 閉曲線 〖数〗 closed curve Ⓒ.

へいきん 平均 ― [名] (一般的に) average Ⓒ; (特に量・大きさ・程度などの) mean Ⓒ; (釣り合い) balance Ⓤ. ― [形] (平均の・平均的) average. ― [動] (平均を出す) average (他) (自), áverage óut (自).
¶ *平均を取る get [take] the *average* // 20 と 30 の*平均は 25 です The 「*average* [*mean*] of twenty and thirty is twenty-five. / (⇒ 20 と 30 を平均すると 25 を得る) If you *average* twenty and thirty, you get twenty-five. // 彼は毎月の売り上げの*平均を出した He took the *average* of the monthly sales results. // 彼女の学校での成績は*平均より上[下]だ Her work at school is 「above [below] (the) *average*. // 社員の*平均年齢は 28 歳です The *average* age of the employees of our company is twenty-eight. // 算術[幾何]*平均 the 「arithmetic [geometric] *mean* // 彼は*平均を失って倒れた He lost his *balance* and fell. // *平均的な学生 an *average* student
平均運動 〖天〗 the mean motion **平均海面** the mean sea level **平均株価** average 「stock [(英) share] prices ★ 複数形で. **平均気温** the 「mean [average] temperature **平均寿命** the average span of life **平均台** balance beam Ⓒ **平均値** the mean (value) **平均賃金** average wage Ⓒ **平均点** average mark Ⓒ **平均分子量** 〖化〗 the 「mean [average] molecular weight **平均余命** life expectancy Ⓤ **平均律** 〖楽〗 equal temperament Ⓤ **平均率** the average percentage.

へいぐ 兵具 ☞ へいき[2]

ベイクトポテト ☞ ベークドポテト

べいぐん 米軍 the US armed forces ★ 複数形で; (米陸軍[海軍, 空軍]) the US 「Army [Navy; Air Force]. **米軍基地** US military base Ⓒ **米軍駐留費** expenses for the stationed US forces ★ 複数形で.

へいけ 平家 (平(たいら)の姓を名のる一族) the 「Heike [Taira] clan [family]. **平家蟹** 〖動〗 mask crab Ⓒ **平家琵琶** ☞ へいきょく **平家蛍** 〖昆〗 small Japanese firefly Ⓒ **平家物語** *The Tale of Heike*.

へいけい 閉経 menopause /ménəpɔ̀ːz/ Ⓤ, the change of life ★ 後者は婉曲な言い方 (☞ こうねんき).

へいげい 睥睨 ― [動] (傲然と見下ろす) look proudly down (on …) (自) (☞ にらむ).
¶ その銅像は辺りを*へいげいしている The statue *looks proudly down on* us.

へいげん 平原 (平地) plain Ⓒ; (草原) prairie /pré(ə)ri/ Ⓒ ★ 特に米ミシシッピー川流域の大草原を指す. 正式には the Great Plains. (☞ へいや; そうげん).

べいご 米語 American English Ⓤ; (米語独特の語い・つづり・発音・文法・語法) Americanism Ⓒ.

へいこう[1] 平行 ― [形] (平行の) párallèl. ― [名] (数学上の) parallelism Ⓤ. ― [動] (平行する) run parallel to … ― [副] parallel. (☞ かく[6] (挿絵)).
¶ 東海道線は新幹線とほぼ*平行に走っています Certain sections of the Tokaido Line *run parallel to* the Shinkansen. // この線と*平行に線を引きなさい Draw a line *parallel to* this one.
平行移動 (数学の) parallel translation Ⓤ **平行運動** parallel motion Ⓤ **平行四辺形** pàrallélogràm Ⓒ (☞ しかく[2] (挿絵)) **平行線** parallel lines. ¶ 彼らの議論は*平行線をたどった (⇒ 結論の出ない議論をした) They had an *inconclusive* argument. / (⇒ 彼らの議論は彼らをどこにも導かなかった) Their argument *got* them *nowhere*. **平行棒** parallel bars ★ 複数形で; (段違い平行棒) uneven (parallel) bars ★ 複数形で. **平行面** parallel (plane) Ⓒ.

へいこう[2] 並行 ― [副] (並んで) side by side; (肩を並べて) abreast; (同時に) at the same time. ― [形] (同じ方向の) párallèl. ¶ 3 人の走者が*並行して走っている Three people are running *abreast*. // 2 つの会が東京と大阪で*並行して (⇒ 同時に) 行われた The two meetings were held *at the same time* in Tokyo and Osaka. **並行輸入** parallel import Ⓤ. ¶ 私どもはこれらのバッグを*並行輸入しています We import these bags on a *parallel import* basis. **並行論** 〖哲〗 parallelism Ⓤ.

へいこう[3] 閉口 ― [動] (悩まされる) be annoyed (by …), be bothered (by …); (当惑する・あわてる) be embarrassed (by …); (我慢できない) cannot 「stand [bear; tolerate] …; (うんざりする) be bored [語法] 「事柄」を主語として bore (他) を能動態で用いることも多い. ¶ 私はこの夏は蚊に*閉口した (⇒ 悩まされた) I *was* quite *annoyed by* mosquitoes this summer. // 彼女のおしゃべりには*閉口した I *was bothered by* her 「chatter [talking]. // 私はその質問には*閉口した I *was embarrassed by* the question. // 私は日本の湿気の多い夏には*閉口する I *cannot* 「*stand* [*bear*] the humid summers in Japan. // 彼の長いスピーチにはまったく (⇒ 死ぬほど) *閉口した I *was bored* to death by his long speech. / (⇒ 彼の長いスピーチは私を閉口させた) His long speech *bored* me to death.

へいこう[4] 平衡 (釣り合い) balance Ⓤ ★ 一般的な語; (重さ・力などの釣り合い) equilibrium /ìːkwəlíbriəm/ Ⓤ ★ 格式ばった語. 「心の平静」の意にも用いられる. (☞ つりあい; バランス). ¶ *平衡を保つ keep *one's balance* **平衡感覚** the [*one's*; a] sense of equilibrium **平衡器官** 〖解〗 equilibrium organ Ⓒ **平衡状態** equilibrium state Ⓒ.

へいこう[5] 閉校 ☞ はいこう[1]

へいこう[6] 閉講 ― [動] (講義などを終える) end 「classes [a course] (☞ かいこう[6]).

へいごう 併合 ― [動] (領土などを) annéx (他); (吸収する) absorb (他). ― [名] annexation Ⓤ; absorption Ⓤ. (☞ がっぺい; とうごう[1]). ¶ その国は隣の小国を*併合しようとしている That country is trying to *annex* the small neighboring country.

べいこく[1] 米国 ― [名] (固) the United States (of America) (略 the U.S.(A.)); (通称) America ★ 第 1 番目および略称の ( ) 内を省略しないのが正式だが, しばしば省略される. ― [形] American. (☞ アメリカ). **米国人** American Ⓒ; (全体) the Americans **米国留学英語能力テスト** ☞ トーフル

べいこく[2] 米穀 (米) rice Ⓤ; (穀物) grain Ⓤ. (☞ こめ). **米穀商** rice dealer Ⓒ.

べいごま small cast-iron top Ⓒ.

へいさ 閉鎖 ― [動] (工場・店などを閉じる) clóse

dówn (他) (自); (店・工場などを休業にする) shút dówn (他); (ストライキなどの対抗手段として雇用者側が労働者を締め出す) lóck óut (他). ― [名] clóse-dòwn [C]; shútdòwn [C]; lóckòut [C]. ― [形] (閉鎖的な) closed /klóuzd/; (非社交的な) unsociable; (排他的な) exclusive; (打ち解けない) uncommunicative. 《☞ ふうさ》.
¶その店は先月末に*閉鎖した The store (*was*) *closed* (*down*) at the end of last month. // すごい流感のため学級*閉鎖をしている学校が多い Many schools *are* temporarily *closing* some of their homerooms because of the raging flu. [日英比較] 学級は英語の homeroom に対応する.「学級」を class と訳すと「授業」か「学年」の意となる. 《☞ くみ1 [語法]》. // 彼らは*閉鎖的な態度 (⇒ 非社交的) だった They were *unsociable.* / They didn't want to ⌈associate [socialize] with others. // *閉鎖的な考えでは (⇒ 心を広く持たなければ) ここではやって行けない You can't get along here *unless* you are *open-minded.* **閉鎖音** 〖音声〗 stop [C], plosive [C] **閉鎖社会** closed society [C]. ¶日本人はとかく*閉鎖社会を作ると言われている The Japanese are said to have a *closed society.*

へいさい 併載 ― [動] (関連記事を併せて掲載する) carry [run] a related article (with ...).

へいさく 平作 normal [average] crop [C] 《☞ へいねん (平年作)》.

べいさく 米作 (米の生産) production of rice [U]; (米の栽培) rice cultivation [U]; (米の収穫) rice ⌈crop [harvest] [C]. 《☞ しゅうかく1》.
¶新潟は日本で一番の*米作地域です Niigata is the best *rice-producing* district in Japan. // 今年の*米作はどうでしょうか How is the *rice crop* this year? // 今年の*米作は平年を上回っている This year's *rice crop* is ⌈better than [above] (the) average. // 今年の*米作は平年並み[平年を下回る]でしょう The *rice crop* this year will ⌈be average [fall short of (the) average].
米作地帯 rice-producing district [C] **米作予想** rice crop estimate [C].

へいさつ 併殺 〖野〗 double play [C].

べいさつ 米札 *beisatsu*; (説明的には) local paper currency issued by Edo-period feudal authorities for conversion ⌈to [into] rice [C].

へいざん 閉山 ― [動] close (他). ¶その鉱山は*閉山と決まった They decided to ⌈*close* [*shut down*] the mine.

べいさん 米産 rice production [U]. ¶*米産県 a *rice-producing* prefecture.

へいし1 兵士 (将校に対して兵卒) soldier [C].

へいし2 閉止 ― [名] (休止) stoppage [C] ★ しばしば複数形で. ― [動] (閉止する) stop (他); (続けていたことをやめる) cease (他); (終える) close (他).

へいし3 平氏 ☞ へいけ

へいじ1 平時 (平和なとき) peacetime [U], time(s) of peace [U].

へいじ2 兵事 military affairs ★ 複数形で. 《☞ ぐんじ》.

ペイシェンス (女性名) Patience /péɪʃəns/.

べいしき 米式 American style [C]. **米式蹴球** ☞ アメリカンフットボール

へいじつ 平日 (週日) weekday [C]; (休日に対して働く日) workday [C]. 《☞ ウィークデー》. **平日ダイヤ** weekday timetable [C].

へいじのらん 平治の乱 the Heiji Disturbance; (説明的には) the clash between Minamoto no Yoshitomo and Taira no Kiyomori in 1159.

へいしゃ1 兵舎 barracks ★ 通例複数形で, 単複両扱い.

へいしゃ2 弊社 (わが社) our ⌈company [firm] ★ 前後関係で実体がわかる場合は一人称複数形 (we, our, us) で代用できる.

へいしゅ 丙種 (三番目) the third grade. **丙種合格** passing the physical examination as a third-grade conscript [U].

べいじゅ 米寿 *a person's* eighty-eighth birthday. **米寿の賀** the celebration of *one's* eighty-eighth birthday.

へいしゅう 弊習 corrupt [bad] ⌈custom [practice] [C].

べいしゅう 米州 (南北アメリカ大陸) the Americas.

べいしゅうきこう 米州機構 the Organization of American States 《略 OAS》.

へいしゅうごう 閉集合 〖数〗 closed set [C].

へいじゅつ 兵術 (全体的な戦略) strategy [U]; (個々の戦術) tactics ★ 複数形で単複両扱い.

へいじょう1 平常 ― [形] (基準どおりの) normal; (平素の) usual; (規則どおりの) regular. 《☞ いつも; ふつう1; ふだん1》. ¶大人の*平常の体温はだいたい 36 度だ The *normal* body temperature of an adult is about 36° centigrade. ★ thirty-six degrees centigrade と読む. 《☞ 度量衡 (囲み)》 // 私は*平常どおり午前 8 時に家を出た I left home at eight, *as usual.* ★ as usual は成句.
平常心 (平静さ) *one's* presence of mind [U]; (冷静さ) self-possession [U]. ¶*平常心を失わないで下さい Don't *lose* ⌈*your self-control* [*control of your emotions*], please. **平常点** grade for *one's* class participation [C].

へいじょう2 平壌 ☞ ピョンヤン

へいじょうきょう 平城京 Heijokyo; (説明的には) the ancient capital of Japan from 710 to 784, located in the Nara basin.

へいしょきょうふ(しょう) 閉所恐怖(症) ― [名] 〖医〗 claustrophobia /klɔ̀ːstrəfóubiə/ [U]. ― [形] 〖医〗 clàustrophóbic /-fóubɪk/. ¶*閉所恐怖症の人 a cláustrophòbe // 彼女は軽い*閉所恐怖症だ She has ⌈light [mild] *claustrophobia.*

べいしょく 米食 ― [動] (米食する) eat rice.
¶日本人は*米食です (⇒ 米を常食としている) The Japanese *live on rice.* **米食人種** rice-eating people [C].

へいじょぶん 平叙文 〖文法〗 declárative [assértive] séntence [C] ★ declarative のほうが一般的.

べいじん 米人 ☞ アメリカ (アメリカ人)

へいしんていとう 平身低頭 ― [動] (平謝りに謝る) make a humble apology (to ...); (ひざまずく) fall to [be on] *one's* knees ★ 実際にひざまずかなくても, 謝ったり許しを求めたりするときの比喩的な意味でも用いられる. ¶彼は私に*平身低頭して謝った He *made a humble apology* to me.

べいすぎ 米杉 ☞ アメリカ (アメリカ杉)

へいせい1 平静 ― [形] (落ち着いた) calm; (動ぜず静かな) quiet; (冷静な) cool; (落ち着いて沈着な) composed ★ 前 3 者より格式ばった語; (平和で穏やかな) peaceful. ― [名] (沈着) presence of mind [U]; calmness [U], calm [U]; peace [U]; composure /kəmpóuʒə/ [U]. 《☞ おちつき (類義語); れいせい1; へいぜん》. ¶心の*平静を保つ[失う] keep [lose] *one's com-posure* // 彼女は外面は*平静だった She was outwardly *calm.* // 彼は*平静を装った (⇒ ふりをした) He pretended to be ⌈*calm* [*cool*; *composed*]. // 彼女はすぐに*平静を取り戻した She soon recovered her ⌈*composure* [*presence of mind*]. // その国はいまのところ*平静だ The country is ⌈*quiet* [*peaceful*] at present.

へいせい² 平成 (年号) Heisei. ¶ *平成 17 年 the 17th year of ˹*Heisei* [the *Heisei* era] **平成時代** the Heisei ˹period [era].

へいせい³ 兵制 military system Ⓒ.

へいぜい 平生 ── 副 (平常は) normally; (いつも) usually; (普通は) ordinarily /ɔ̀ːdənérəli/ ★特別でないことをいう. 《☞ へいじょう¹; ふだん¹》.

へいせつ 併設 ── 動 (付属のものとして設立する) establish [set up] … as an annex to …; (所属している) be attached to …

¶ 障害児のための学級がこの学校に*併設された Classes for disabled children *were* ˹*established* [*set up*] *as an annex to* this school. // その大学には多くの研究施設が*併設されている Many research facilities *are attached to* the university.

ヘイゼル (女性名) Hazel /héɪzl/.

へいぜん 平然 ── 形 (平静な) calm; (冷静な) cool; (動ぜず静かな) quiet. ── 副 calmly; coolly; quietly; (冷酷に) in cold blood. 《☞ へいせい¹; れいせい¹; へいき¹》.

¶ 彼は危急の場合も*平然としていた He remained ˹*calm* [*cool*] in the emergency. // 彼は*平然とした態度で難局に対処した (⇒ 難局に対して平然たる態度を取った) He ˹took [assumed] a *calm* attitude in facing the difficult situation. // *平然とうそをつく tell a lie ˹*brazenly* [*unashamedly*] // *平然と人殺しをする kill *in cold blood*

へいそ 平素 ── 形 (いつもの) usual; (普通の) ordinary; (毎日の・日々の) everyday Ⓐ, daily Ⓐ. 《☞ ふだん¹; いつも; へいぜい》.

¶ *平素のごぶさたを (⇒ 長い音信不通を) お許し下さい Please forgive (me for) my *long* silence. 日英比較 日本の手紙にはあいさつ代わりに使われる表現だが, 英語の手紙では普通は書かれない. 《☞ 手紙の書き方 (囲み)》

へいそう¹ 兵曹 (上等兵曹) chief petty officer Ⓒ; (二等兵曹) petty officer second class Ⓒ; (三等兵曹) petty officer third class Ⓒ. ★ 旧日本海軍の下士官.

へいそう² 並走, 併走 ── 動 run side by side 自.

へいそうちょう 兵曹長 warrant officer Ⓒ ★ 旧日本海軍の準士官.

へいそく 閉塞 ── 名 (武力による港湾などの封鎖) blockáde Ⓒ; (一般に封鎖・妨害) blóckage Ⓒ; (ふさぐこと) blocking Ⓤ; (鉄道・管などの障害物) block Ⓒ; (障害) stoppage Ⓒ; 〘医〙 obstruction Ⓤ; 〘気象〙 occlusion Ⓤ. ── 動 blockáde 他; (すっかりふさぐ) blóck úp 他. ¶ 彼は腸*閉塞のために重態だ He is seriously ill with an intestinal *obstruction*. **閉塞音** 〘音声〙 obstruent Ⓒ **閉塞感** (絶望感) sense of despair Ⓒ; (無力感) sense of helplessness Ⓒ **閉塞区間** 〘鉄〙 block section Ⓒ ★ 一つの列車だけが運行できる線路の区域. **閉塞状況** (息苦しい雰囲気) stifling atmosphere Ⓒ **閉塞前線** 〘気象〙 occlúded frónt Ⓒ.

へいそつ 兵卒 (将校に対して) soldier Ⓒ; (位が一番下の兵隊) private Ⓒ.

へいぞん 併存 ── 名 coexistence Ⓤ. ── 動 coexist (with …) 自. 《☞ きょうそん》.

¶ この新旧 2 つの考えは*併存できない (⇒ 両立しない) These old and new ideas *are incompatible*.

へいたい 兵隊 (陸軍の) soldier Ⓒ; (海軍の) sailor Ⓒ. 《☞ ぐんじん》. **兵隊蟻** soldier ant Ⓒ **兵隊ごっこ** ¶ *兵隊ごっこをする play (at) *soldiers*

へいたん¹ 平坦 ── 形 (表面に凹凸がなく平らな) flat ★ 水平がどうかは問題にしない; (水平な) level; (でこぼこのない) even; (表面が滑らかな) smooth. ── 名 flatness Ⓤ; evenness Ⓤ; smoothness Ⓤ. 《☞ たいら》. ¶ 平和への道は決して*平坦ではない The road to peace is never *smooth*.

平坦地 ☞ へいち¹

へいたん² 兵站 (軍需物資補給品輸送隊) supply trains ★ 複数形で; (軍隊用荷物) impedimenta ★ 複数形; (道路・鉄道などの輸送機関) communications ★ 複数形で. **兵站学** logistics ★ 単数または複数扱い. **兵站基地** supply base Ⓒ **兵站線** 〘軍〙 line of communication(s) Ⓒ ★ 通例複数形で. **兵站部** commissariat /kɑ̀məsé(ə)riət/ Ⓒ **兵站部隊** 〘軍〙《米》 Quartermaster Corps ★ 複数扱い. **兵站物資** logistic supply Ⓒ.

へいたん³ 平淡 ── 形 (凝ってない) simple; (あっさりした) plain. ── 名 simplicity Ⓤ; plainness Ⓤ.

へいだん 兵団 (army) corps /kɔ́ə/ Ⓒ 《複 corps /kɔ́əz/》.

へいち¹ 平地 (平らで凹凸のない土地) flat ˹land [ground] Ⓤ; (水平な土地) level ˹land [ground] Ⓤ. 《☞ たいら》.

へいち² 併[並]置 ── 動 (並べて置く) put [place] … side by side; 《格式》 juxtapose 他. 《☞ ならべる》. ── 名 juxtaposition Ⓤ. ¶ 本校は本科に加えて短期速成科が*並置してある Our school offers a short-term intensive course ˹*besides* [*along with*] the regular course. // 大学に短大を*併置する set up [establish] a junior college *as an annex* to a university.

へいちゃら 平ちゃら ¶ そんなの*へいちゃらさ (⇒ 何でもない) That's *nothing*. // 雨[失敗]なんか*へいちゃらだ (⇒ 全然気にかけない) I do*n't mind* ˹the rain [having failed] *at all*. 《☞ へいき¹》

へいちょう 兵長 (旧日本海軍の) leading seaman Ⓒ; (旧日本陸軍の) leading private Ⓒ. ★ 自衛隊では陸[海, 空]士長に相当.

べいつが 米栂 〘植〙 western hemlock Ⓒ.

へいてい¹ 閉廷 ── 動 (法廷を) adjourn (the court) 他; (法廷が) adjourn 自 ★ 次回までの延期を意味し, 引き続き審理の行われることを意味する. ── 名 adjournment Ⓤ.

¶ 裁判長は次の月曜まで*閉廷を宣した The chief judge ˹*adjourned the court* [*brought the court to adjournment*] until the following Monday.

へいてい² 平定 ── 動 (反乱などを鎮圧する) suppress 他; (征服して支配する) conquer 他. ── 名 suppression Ⓤ; conquest Ⓤ. 《☞ ちんあつ; せいふく²》.

ペイデー (給料日) payday Ⓒ.

ペイテレビ (有料テレビ) pay ˹TV [television] Ⓤ.

へいてん 閉店 ── 動 (1 日の仕事を終えて店を閉める) close 自 他 (↔ open) 《☞ しめる³》. ¶ この店は 6 時に*閉店します We *close* at six./ This store ˹*closes* [*is closed*] at six. // *閉店時刻 the *closing* ˹hour [time] // *閉店 《掲示》 *Closed*

へいどく 併読 ¶ 彼は雑誌を 2 種類*併読 (⇒ 定期講読) している He *subscribes to two* magazines.

へいどん 併呑 (他国を併合すること) annexation Ⓤ; (統合) absorption Ⓤ. ── 動 annex 他; absorb 他. 《☞ へいごう》.

へいにん 併任 ── 動 (兼任する) concurrently hold the ˹positions [posts] of …; (兼務する) hold an additional post. 《☞ けんむ》. ¶ 彼は理事長と校長を*併任している He *holds the* ˹*posts* [*positions*] *of* chief executive officer and principal *concurrently*.

へいねつ 平熱 normal temperature /témp(ə)rətʃʊ̀ə/ Ⓤ 日英比較 日本語の「熱」は「体温」という意味で使われるが, 英語では異常に高い体温を

fever, 体温一般を (body) temperature と言う. 従って normal fever という言い方はしないことに注意. (☞ ねつ [日英比較]; へいじょう[1]).

¶彼女は*平熱になった (⇒ 彼女の熱は正常になった) Her *temperature* has 「become [fallen to] *normal.* // 私は*平熱です (⇒ 熱はありません) I *don't have a fever.*

へいねん 平年 (例年) normal year [C]; (普通の年) average year [C], ordinary year [C] [語法] (1) 前者は平均的な年を, 後者は特別な年ではないことを意味する; (うるう年でない) common year [C] (↔ leap year). (☞ れいねん; ふつう[1]).

¶今年の夏は*平年に比べて異常に暑い It's *unusually* hot this summer. [語法] (2) 特に「平年」を訳す必要はない. unusually にその意味は含まれる. // 彼の会社は今年*平年並みの (⇒ 平均的な) 収益をあげた His company made *average* profits this year. / (⇒ 平均的な年だった) This year was an *average* year for his company.

平年作 average [normal] 「crop [harvest] [C]. ¶今年は*平年作が見込まれている An *average* [A *normal*] *crop* is expected this year. **平年値** 〘気象〙 (長期の平均値) climate normal [C]. ¶今日の最高気温の*平年値 today's *normal* high **平年度** the average year.

へいのうぶんり 兵農分離 the separation of warriors and peasants from the 16th to 17th century, in order to establish the feudal class system.

へいば 兵馬 (兵器[士]と軍馬) arms [soldiers] and (war) horses; (軍隊) army [C]. ¶*兵馬を動かす raise an *army* // *兵馬の大権を握る assume supreme *military* power. **兵馬俑**(よう) life-sized terra-cotta warriors and horses found in the tomb of Shih Huang-ti /ʃíːhwáːntíː/ ★ 始皇帝陵から発掘された俑 (☞ よう[7]) の軍隊.

へいはつ 併発 〘医〙 (余病の) complication [C] ★ 複数形で用いることが多い. (☞ よびょう). ¶余病が*併発した *Complications* arose. // 私は風邪を引いて肺炎を*併発した (⇒ 私の風邪は肺炎になった) My cold 「*grew* [*developed*] into pneumonia /n(j)uːmóunjə/.

へいはん 平版 ── [形] 〘印〙 (平版の) planographic /plèɪnougrǽfɪk/. **平版印刷** ── [名] planógraphy [U]. ── [動] plánogràph (他).

へいばん 平板 ── [形] (単調な) monotonous /mənát(ə)nəs/; (つまらない) dull. (☞ たんちょう[1]).

べいはん 米飯 cooked [boiled] rice [U].

へいばんそくりょう 平板測量 plane table survey [C].

へいび 兵備 ☞ ぐんび

べいひば 米檜葉 Nootka cypress [C], yellow cedar [C].

へいふう 弊風 (社会などの悪習) bad custom [C]; (個人の悪習) bad habit [C]; (憎悪すべき慣例) detestable practice [C]. (☞ あくしゅう[2]).

へいふく[1] 平服 (普段着) órdinàry clothes /klóu(ð)z/, everyday clothes ★ 複数形で. clothes の代わりに「服装」という意味の dress [U] でもよい; (軍人や警察官の私服) civilian [plain] clothes ★ 複数形で. 特に刑事の場合は plain を用いる. (☞ ふだん[1]). ¶《招待状などで》*平服でおいで下さい *Informal dress.*

へいふく[2] 平伏 ¶彼は王様の前に*平伏した He *prostrated himself* before the king. (☞ ひれふす)

べいふん 米粉 ground rice [U].

へいへい ☞ ぺこぺこ

-へいべい …平米 square meter [C] (☞ へいほう[1]; 度量衡 (囲み)).

ぺいぺい ¶私はまだほんの*ぺいぺいです (⇒ 新参だ) I'm still 「a mere *novice* [*just a beginner*]. (☞ かけだし; しんまい)

【参考語】 ── [名] (新参者) novice [C]; (初心者) beginner [C]. ── [形] (新しい) new; (未経験の) inexperienced, green.

へいへいたんたん 平平坦坦 ☞ へいたん[1]

へいへいぼんぼん 平平凡凡 (ありふれた) common; (並みの) ordinary. (☞ へいぼん).

¶*平々凡々に暮らす (⇒ 単調な生活を送る) lead a *humdrum* life

へいほう[1] 平方 ── [名] 〘数〙 square /skwéə/ [C] (略 sq.). ── [形] square. (☞ 度量衡 (囲み)).

¶1坪は約3.3*平方メートルである One *tsubo* is about 3.3 *square* meters. // これは4メートル*平方の場所を取る This occupies a space about four meters *square.* [語法] ten meters *square* は縦10メートル, 横10メートルの正方形 (a square ten meters on each side) で, 面積は100平方メートルのものを指すが, ten *square* meters といえば面積が10平方メートルのことで, 縦が2メートル, 横が5メートルの場合もあれば, 縦10メートル, 横1メートルの場合もある. // 2の*平方は4である The *square* of 2 is 4. (☞ じじょう[2])

平方根 〘数〙 square root [C] (☞ 数字 (囲み)).

¶16の*平方根は4です The *square root* of 16 is 4.

へいほう[2] 兵法 (戦術) tactics ★「戦術」の意味では単数扱い,「駆け引き」の意味では複数扱い; (全体の戦略) strategy [U]. **兵法者** (戦術家) tactician [C]; (戦略家) (military) strategist [C].

へいぼん 平凡 ── [形] (ありふれた) common; (言葉や表現などが月並みな) commonplace; (特別ではなく並みの) ordinary; (事件のない) uneventful. (☞ ふつう[1]; つきなみ).

¶彼は*平凡な人間だ He is 「an *ordinary* [a *common*] man. [語法] common には軽蔑的な気持ちが含まれることがある. // これは*平凡なたとえだ This is a *commonplace* saying. // *平凡なのが一番の幸せだ (⇒ 平凡さが最大の幸福を与えてくれる) The *ordinary* can give us the greatest happiness.

へいまく 閉幕 ── [名] (終わり) ending [C]. ── [動] (終わりになる) end (自), close (自); (幕が下りる) fall (自). (☞ おわる). ¶10時に*閉幕となる (⇒ 公演が終わる) The performance *ends* at ten. / (⇒ 幕が下りる) The *curtain falls* at ten.

べいまつ 米松 Oregon [Douglas] 「fir [pine] [C].

へいみゃく 平脈 (平常の脈拍) normal pulse (rate) [C], regular pulse. (☞ みゃく). ¶*平脈になった My *pulse* 「became [returned to] *normal.*

へいみん 平民 (貴族などに対する) commoner [C]; (総称) the common people ★ 複数扱い. (☞ しょみん).

へいめい 平明 ── [形] (わかりやすい) plain; (はっきりした) clear; (やさしい) simple. (☞ わかりやすい).

¶*平明な英語 *plain* English // 彼の文章は*平明だ (⇒ はっきりした文体で書く) He writes in a *clear* style.

へいめん 平面 ── [名] (平らな面) plane [C]; (水平面) level [C] ★ 前者は幾何学的な意味に用いる. ── [形] (平面的な) plane; (平べったい) flat; (表面的な) sùperficial. (☞ すいへい[1]; たいら).

¶2つの点は同一*平面上にある The two points are on the same 「*plane* [*level*].

平面幾何(学) plane geometry [U] **平面鏡** plane mirror [C] **平面曲線** 〘数〙 plane curve [C] **平面交差(点)** 《米》 grade [《英》 level] crossing [C] **平面三角法** 〘数〙 plane trigonometry [U] **平面図** plane figure [C]; (建築物の) ground [floor] plan [C] ★ [ ] 内は時に間取り図を指す.

ペイメント payment Ⓤ.

へいもん 閉門 (江戸時代の謹慎) house arrest Ⓤ《☞ ちっきょ》. ¶6時に*閉門します *The gate is closed* at six.

へいや 平野 (広大な平地) plain Ⓒ; (広々とした野原) open field Ⓒ. ¶関東*平野 the Kanto *Plain*

へいゆ 平癒 (全快) (complete) recovery Ⓤ; (徐々に病気が快方に向かうこと) cònvaléscence Ⓤ. 《☞ ぜんかい[1]》. ¶彼女は夫の*平癒祈願のために神社にお参りした She visited a (Shinto) shrine to pray for her husband's *recovery*.

へいゆう 併有 ―[名] possessing together Ⓤ. ―[動] have [own] two things (at the same time). ¶ばく大な富と権力を*併有する *have both* vast wealth and power

へいよう 併用 ―[名] (組み合わせた用法) combined use Ⓤ. ―[動] (一緒に用いる) use [take] … together with …; (AとBとを同時に用いる) use [take] A and B at the same time; (組み合わせて用いる) use [take] …in ˹conjunction [combination] with … ¶AとBの*併用は効果がある The *combined use* of A and B is effective. // この薬はほかの薬と*併用しないこと Don't *take* this medicine *in combination with* any other.

併用住宅 multiple-use [multipurpose] house Ⓒ. ¶私は目下店舗*併用住宅を捜しています I am now looking for a *(dwelling) house which can also be used as* a shop.

べいよさんきょうしょ 米予算教書 ☞ よさん(予算教書)

へいり 弊履 (破れたはきもの) worn-out sandals ★複数形で. ¶*弊履の如く捨てる (⇒ 全く無用なものとして) throw away … as *utterly useless*

ヘイリー (女性名) Hayley /héɪli/.

ベイリーフ (香辛料) bay leaf Ⓒ ★乾燥した月桂樹の葉.

へいりつ 並立 ―[動] (並んで立つ) stand side by side; (両立する) go together. 《☞ りょうりつ[1]》. **並立語** parallel [paratactic] word Ⓒ **並立助詞** particle indicating parataxis Ⓒ.

へいりょく 兵力 (武力) force (of arms) Ⓒ [語法] force だけでは意味が明瞭でない場合は of arms を添えるか, 次の military power を用いる. また,「軍隊」の意味では force はしばしば複数形で用いられる; (軍隊の勢力) military ˹power [strength; force] Ⓤ. 《☞ ぶりょく》. ¶十万人の*兵力 an army ˹a [one] hundred thousand *strong* ★strong は数詞の後に付けて「兵員が…の」の意. // *兵力では (⇒ 力[人数]の点では) わが軍のほうが敵方より優勢である Our army is superior to the enemy *in* ˹*strength* [*numbers*]. // 彼らは*兵力 (⇒ 軍隊) を増強した They reinforced their *troops*.

ベイルート ―[名] (固) Beirut /bèɪrúːt/ ★レバノンの首都.

へいれつ 並列 ―[名] 〔電〕 párallèl Ⓒ (↔ series). ―[動] (平行に並べる) arrange [place] … in parallel. ―[副] (平行に) in parallel (↔ in series). ¶私は電池[抵抗]を*並列につないだ I connected the ˹cells [resistors] *in parallel*.

並列回路 parallel circuit Ⓒ **並列式コンピューター** parallel computer Ⓒ **並列処理** 〘コンピューター〙 parallel processing Ⓤ **並列接続** 〘物理〙 parallel connection Ⓒ.

へいろ 平炉 open-hearth furnace Ⓒ 《☞ たてろ》.

へいわ 平和 ―[名] peace Ⓤ [語法] 形容詞に修飾されると不定冠詞が付くこともある. ―[形] (平和な) peaceful; (平和を好む) peaceable. ―[副] peacefully.
¶みんな*平和を願っている All people desire *peace*. // その国は*平和を回復した *Peace* was restored in that country. // 家庭の*平和は乱したくない I don't want to disturb domestic *peace*. // 彼らは*平和を乱した[維持した] They ˹disturbed [maintained] the *peace*. // 核兵器は世界*平和に対する脅威だ Nuclear /n(j)úːkliə/ weapons are a threat to ˹world *peace* [the *peace* of the world]. // 彼らは隣国と*平和な関係にある They are at *peace* with neighboring countries. // 彼らは*平和を愛する市民だ They are ˹*peaceable* [*peace-loving*] citizens. // 我々は*平和的な手段で問題を解決した We ˹solved the problem by *peaceful* means [found a *peaceful* solution to the problem]. // *平和を愛する国民 (⇒ 国) a *peace*-loving nation

平和維持活動 peace-keeping operations ★複数形で. 《略 PKO》 **平和維持軍** peace-keeping forces 《略 PKF》 **平和運動** peace movement Ⓒ **平和会議** peace conference Ⓒ **平和外交** peaceful [peace-oriented] diplomacy Ⓤ **平和革命** bloodless [peaceful] revolution Ⓒ **平和記念公園** peace commemoration park Ⓒ **平和共存** peaceful coexistence Ⓤ **平和憲法** peace [pacifist] constitution Ⓒ **平和攻勢** peace offensive Ⓒ **平和五原則** the Five Principles for Peace ★1954年に中国首相周恩来とインド首相ネルーが国際平和のために出した共同声明. **平和国家** peaceful nation Ⓒ; (平和を愛する国) peace-loving country Ⓒ **平和産業** nonmilitary industry Ⓒ **平和主義** pacifism Ⓤ **平和主義者** pacifist Ⓒ **平和賞** (ノーベル賞の) the Nobel ˹Peace Prize [Prize for Peace] **平和条約** peace treaty Ⓒ **平和部隊** the Peace Corps /kɔ́ə/.

―コロケーション―

平和を脅かす threaten *peace* / **平和を促進する** promote *peace* / **平和を達成する** achieve *peace* / **平和を守る** keep *peace* / **平和をもたらす** bring about *peace* / **一時的な平和** a temporary *peace* / **永久平和** a permanent *peace* / **宿願の平和** a long-desired *peace* / **つかの間の平和** a brief *peace* / **もろい平和** a fragile *peace*

ペインクリニック (痛みの軽減を目的とする診療所) pain clinic Ⓒ.

ペインティング (絵の具の絵) painting Ⓒ.

ペイント (塗料) paint Ⓤ 《☞ ペンキ》.

へえ (驚き) Oh!; (いやはや) Oh, God!; (あらまあ) Dear me! ★女性がよく使う; (何だって) What! [語法] Oh はそれほど大きな驚きでなくても用いる. 普通下がり調子で言われる. 第2, 第3番目はかなりの驚きを表す. ¶*へえ, それ本当ですか *Oh*! Is that true? // *へえ, 驚いた *Dear me*! What a surprise!

ベーカリー bakery Ⓒ.

ベーキングパウダー baking powder Ⓤ.

ベークドポテト baked /béɪkt/ potato Ⓒ.

ベークライト 《商標》 Bakelite /béɪkəlàɪt/ Ⓤ ★合成樹脂の一種.

ベーグル (リング状のパン) bagel Ⓒ.

ヘーゲル ―[名] (固) Georg Wilhelm Friedrich Hegel /héɪɡ(ə)l/, 1770–1831. ★ドイツの哲学者.

ベーコン[1] bacon Ⓤ. ¶*ベーコン1切れ a ˹rasher [slice; piece] of *bacon* ★rasher はベーコンなどの薄切り. 《☞ 数の数え方(囲み)》 **ベーコンエッグ** bacon and eggs.

ベーコン[2] ―[名] (固) (フランシス～) Francis Bacon, 1561–1626 ★英国の随筆家・哲学者・政治家; (ロジャー～) Roger Bacon, 1220頃–92 ★英国の哲学者.

ページ page C ★ page は p., pages は pp. と略す. 《☞ 数字 (囲み)》.
¶ 教科書の 15 *ページを開きなさい Open your textbooks ˹to [at] *page* 15. // その実例による説明は 20 *ページに出ている The illustration is on *page* 20. [語法] 前置詞は「…ページに載っている」などのようにページ全体に言及するときは on,「…ページのところにある」のように箇所に重点を置くときは on のほかに at も用いる.「…ページのところに述べてある」のように内容に重点があるときは in. // このエピソードは 25 *ページから 30 *ページの間に載っている This episode is on ˹*pages* 25 to 30 [*pp.* 25–30] ★ [ ] 内の読み方は前者と同じ. // その文は 5 *ページの上[中ごろ, 下]に出ています The sentence is ˹at the top [in the middle; at the bottom] of *page* 5. // その結果は次の[反対の, 別の]*ページに載っています The results are given on ˹the next [the opposite; a separate] *page*. // 彼女は話しながら*ページをめくった She turned the *pages* of her book while talking. // 彼らは新聞に 1 *ページ大の広告を出した They put a full-*page* advertisement in the newspaper. // 18 *ページに続く《雑誌や本などの注意書き》Continued on *page* 18. // 18 *ページから続く Continued from *page* 18. // あなたの原稿に*ページを付けるのを忘れないで下さい Don't forget to number the *pages* of your manuscript. ★ number は動詞. // 図書館の本の*ページを折ってはいけない You shouldn't ˹turn down the corners of [dog-ear the] *pages* of a library book.
ページ記述言語 〘コンピューター〙 page description language C《略 PDL》 **ページ数** the number of pages; (ページを示す数字) the pagination **ページナンバー** (順序を示す番号) page number C **ページプリンター** 〘コンピューター〙 page printer C.

ページェント (大行列) pageant /pǽdʒənt/ C.

ベーシス (基礎) basis C 《複 bases /-siːz/》.

ベーシック — 形 (基本的な) basic. — 名 〘コンピューター〙 (プログラム言語) BASIC /béɪsɪk/ ★ *B*eginner's *A*ll-purpose *S*ymbolic *I*nstruction *C*ode の略. **ベーシックイングリシュ** (約 850 語を基本とする簡易英語) Basic English U.

ベージュ — 名 beige /béɪʒ/ U. — 形 beige.

ベース[1] **1** «野球»: (塁) base C. ¶ ランナーはセカンド*ベースに滑り込んでセーフだった The runner slid safely into second *base*. [語法] first [second; third] base というときは通常無冠詞.
2 «基準»: (抽象的・比喩的な基礎) basis C 《複 bases /béɪsiːz/》; (賃金の) wage ˹base [level] C. 《☞ きじゅん[1]; きそ[1]》. ¶ これを*ベースに調査を進めよう Let's carry out our study on this *basis*.
ベースアップ pay ˹raise [hike] C ★ hike は《米略式》. [日英比較] 「ベースアップ」は和製英語. 《☞ ちんあげ》 **ベースキャンプ** base camp C.

ベース[2] (男声の最低音域) bass /béɪs/ C; (楽器) bass C. **ベースギター** bass (guitar) C.

ペース pace C 《☞ ほちょう; テンポ; そくど[1]》. ¶ 彼は自分の*ペースで仕事をする He works at his own *pace*. // 彼女はゆっくりとした[ゆったりした]*ペースで歩いた She walked at a ˹slow [leisurely] *pace*. // いまの*ペースでいくと売り上げは 1 年で倍増するだろう At the present *pace* (the) sales will double in a year. // 君はほかの人と*ペースを合わせなければいけない You must keep *pace* with (the) others. // 相手の*ペースを乱す (⇒ リズムをくずす) のが彼らの作戦だった It was their strategy to disturb their rival's *rhythm*. // 一定の*ペース an even [a steady] *pace*
ペースを上げる speed up; increase [quicken] *one's* pace. **ペースを守る** go at [maintain] *one's* own pace.

ペースト paste U. ¶ レバー*ペースト liver ˹*paste* [*pâté* /pɑːtéɪ/] // トマト*ペースト tomato *purée* /pjʊréɪ/ ★ pâté, purée の ´ は綴り本来のもの.

ベースボール (野球) baseball U; (野球用のボール) baseball C. 《☞ やきゅう》.

ペースメーカー 〘医〙 pacemaker C.

ベースメント (地下室) basement C.

ベースライン 〘野〙 the baseline.

ベースランニング 〘野〙 baserunning C.

ペーズリー (細かい渦巻き模様の織物・またその模様) paisley U.

ヘーゼル 〘植〙 (ハシバミ) hazel C. **ヘーゼルナッツ** (ハシバミの実) hazelnut C.

ペーソス (哀愁) pathos /péɪθɑs/ U [語法] 文語的な語. 説明的には a feeling of pity and sorrow と言えるが, pathos を使うことが多い. ¶ 彼の小説には*ペーソスがある There is *pathos* in his novels.

ベータ (ギリシャ語アルファベットの第 2 字) beta /béɪtə/ C ★ ギリシャ文字は Β, β. **ベータカロチン** 〘生化〙 beta-carotene /béɪtəkǽrətìːn/ U **ベータグロブリン** 〘生化〙 beta [β-] globulin U **ベータ構造** 〘生化〙 beta [β-] structure C **ベータ星** 〘天〙 Beta ★ 星座の中で明るさが第二位の星. ¶ 南十字座の*ベータ星 *Beta* Crucis **ベータ線** 〘物理〙 béta rày C, béta radiátion C **ベータテスター** 〘コンピューター〙 béta tèster C **ベータテスト** 〘コンピューター〙 béta tèst C **ベータ版** 〘コンピューター〙 béta vèrsion C **ベータブロッカー** 〘薬〙 (ベータ遮断薬) beta-blocker C **ベータ崩壊** 〘物理〙 beta [β-] decay U **ベータ方式** (ビデオの商標) Betamax U.

ベーダ (ヒンズー教の聖典) the Veda C.

ペーター — 名 固 Walter Horatio Pater, 1839–94. ★ 英国の作家・批評家.

ベータトロン 〘物理〙 (電磁誘導加速器) betatron C.

ベーチェットしょうこうぐん ベーチェット症候群 〘医〙 Behcet's /béɪsəts/ sỳndrome U.

ベーチェットびょう ベーチェット病 〘医〙 Behcet's disease U.

ベートーベン — 名 固 Ludwig van Beethoven /lúːdwɪg væn béɪtoʊv(ə)n/, 1770–1827. ★ ドイツの作曲家.

ペーハー 〘化〙 (水素イオン指数) pH /piːéɪtʃ/.

ペーパー (一般的に紙) paper U 《☞ かみ[2]》.
ペーパーカンパニー dummy [bogus] company C [日英比較] (1) paper company は「製紙会社」. **ペーパークラフト** (紙工芸) papercraft U **ペーパータオル** paper towel C ★ 複数形で用いることが多い. **ペーパーテスト** written ˹test [examination] C [日英比較] (2)「ペーパーテスト」は和製英語. **ペーパードライバー** person who has a driver's license but is inexperienced in driving C [日英比較] (3)「ペーパードライバー」は和製英語. **ペーパーナイフ** letter opener C, paper knife C **ペーパーバック** (紙表紙本) paperback C (↔ hardcover) **ペーパープラン** desk plan C **ペーパーワーク** (事務処理) paperwork U.

ペーブメント (舗装道路) pavement C.

ベーブルース — 名 固 Babe Ruth, 1895–1948. ★ 米国の野球選手の愛称. 本名は George Herman Ruth.

ぺえぺえ ☞ ぺいぺい

ベーリング — 名 固 **ベーリング海** the Bering /bí(ə)rɪŋ/ Sea **ベーリング海峡** the Bering Strait.

ベール veil C. ¶ *ベールをかぶる wear a *veil* // 彼女の一生は謎の*ベールに包まれている (⇒ 隠されている) Her life is hidden in a *veil* of mystery.

ペール (バケツ) pail C.

ベオウルフ — 名 固 Beowulf ★ 8 世紀ごろ古英

語で書かれた英雄叙事詩(の主人公).
ベオグラード ━ 名 固 Belgrade ★ セルビアおよび旧ユーゴスラビアの首都で, セルビア・クロアチア語では Beograd.
へおんきごう へ音記号 〔楽〕 bass /béɪs/ clef Ⓒ, F clef Ⓒ.
ベガ 〔天〕 Vega /víːgə/ ★ 琴座の一等星. (☞ しょくじょ).
ペガサス 〔ギ神〕 Pégasus Ⓤ ★ 翼のある天馬. ペガサス座 〔天〕 Pegasus, the Winged Horse.
べかぶね べか船 light flat-bottomed boat (used for seaweed gathering) Ⓒ.
べからず 可からず ¶ 関係者以外入る*べからず *No* Admittance Except on Business // 展示物に手を触れる*べからず *Do Not* Touch the Exhibits // 芝生に入る*べからず Keep Off the Grass // テーブルマナー*べからず集 *Don'ts* in Table Manners
ペカン 〔植〕 (北米産の木・その実) pecan /pɪkáːn/ Ⓒ.
へき[1] 壁 (一般的に) wall Ⓒ; 〔生〕 (臓器または体腔の) paries /pé(ə)riːz/ Ⓒ (複 parietes /pəráɪətìːz/) ★ 通例複数形で用いる. ¶ 血管の内*壁 the *wall* of a blood vessel (☞ かべ)
へき[2] 癖 ☞ くせ
へぎ 折ぎ (剥ぐこと) tearing [peeling] off Ⓤ; (折ぎ板) shingle Ⓒ.
べき 冪 〔数〕 power Ⓒ (☞ -じょう[4]). 冪指数 〔数〕 exponent Ⓒ 冪集合 〔数〕 power set Ⓒ.
-べき 日英比較 日本語で「…すべき」という場合, 義務・当然などを表すほかに, 予定・適当などを表す場合もあり, それぞれの場合に応じて, 英語でそれに近い表現を用いなくてはならない. 例えば「いまこそそれをす*べき時だ」ならば It's time *to do it*. のように to 不定詞で「べき」が表されることもある. ここでは英語の助動詞またはそれに類する語を用いる場合のみ示す.
(義務として当然…すべきである) should; (…しなくてはならない) have to, must 語法 have to は客観的にそうしなくてはならないことをいう. それに対して must は話し手の意見として述べられるので, 意味が強くなり, 2 人称に対しては用いないほうがよいこともある; (…するのが当然である) ought to.
¶ あなた方は自分の過ちを率直に認める*べきだ You ⌈*should* [*must*; *have to*] admit your mistakes frankly. // 人には礼儀正しくす*べきだ You ⌈*should* [*must*] be polite to others. // 親の言うことに従う*べきだ You *ought to* obey your parents.
ペギー (女性名) Peggie, Peggy ★ Margaret の愛称.
へきえき 辟易 ━ 動 (しり込みする) shrink from … (過去 shrank; 過分 shrunk); (ひるむ) flinch from …; (ばつの悪い思いをする) be embarrassed by …; (悩まされる) be annoyed at …; (うんざりする) be bored with … (☞ へいこう[3]).
¶ その難問には*辟易した I ⌈*shrank* [*flinched*] *from* the hard questions. // その子のお産に関する質問には*辟易した I *was embarrassed by* the child's question about childbirth. // 彼の退屈な講義には*辟易した I *was bored by* his tedious lecture.
へきが 壁画 mural Ⓒ, wall painting Ⓒ.
へきかい 劈開 ━ 動 (裂き開く) cleave ⑯ (過去 cleaved, cleft, clove; 過分 cleaved, cleft, cloven). ━ 名 (裂くこと) cleavage Ⓤ; (裂け目) cleavage Ⓒ; (岩石などの) cleft Ⓒ.
へきがん[1] 壁龕 〔建〕 (壁面のくぼみ) recess /ríːses/ Ⓒ, niche /nítʃ/ Ⓒ.
へきがん[2] 碧眼 ━ 名 (青い眼) blue eyes. ━ 形 (青い眼の) blue-eyed.
べきかんむり 冖冠 ☞ わかんむり
へきぎょく 碧玉 jasper Ⓤ ★ 宝石として個々にいう時は Ⓒ.
へきくう 碧空 the ⌈blue [azure] sky (☞ あおぞら). ¶ 一筋の飛行機雲が*碧空にたなびいていた A vapor stream was trailing in *the* ⌈*blue* [*azure*] *sky*.
へきけん 僻見 ☞ へんけん
ヘキサクロロエタン 〔化〕 hexachloroethane /hèksəklɔ̀ːrouéθeɪn/ Ⓤ.
ヘキサデカン 〔化〕 hexadecane /hèksədékeɪn/ Ⓤ.
ヘキサン 〔化〕 hexane /hékseɪn/ Ⓤ.
へきすい 碧水 blue water Ⓤ. ¶ 湖は満々と*碧水をたたえていた The lake was filled with *blue water*.
へきそん 僻村 remote [out-of-the-way] village Ⓒ (☞ かんそん). ¶ こんな*僻村へよくお越し下さいました It is kind of you to come to such an *out-of-the-way hamlet*.
へきたん 碧潭 deep green [dark-blue] pool Ⓒ.
へきち 僻地 (辺ぴな所) remote place Ⓒ; (人里離れた所) out-of-the-way place Ⓒ 語法 後者のほうが口語的. place の代わりに region や area を用いてもよい; (孤立した地方) isolated area Ⓒ. (☞ へんぴ).
¶ 彼女は*僻地教育に一生を捧げた She devoted all her life to education in *remote* ⌈*places* [*regions*].
僻地医療 medical care in remote rural areas Ⓤ.
へきとう 劈頭 (出だし) the start; (最初) the outset. (☞ さいしょ; ぼうとう[1]).
ペキニーズ (犬の種類) Pekingese /pìːkɪníːz/ Ⓒ.
へきめん 壁面 (壁) wall Ⓒ; (壁の表面) the ⌈face [surface] of a wall.
へきれき 霹靂 (雷鳴) peal [clap] of thunder Ⓒ; (落雷) thúnderbòlt Ⓒ. ¶ 青天の*霹靂 a *bolt from the blue*
ペキン 北京 ━ 名 固 Beijing /bèɪdʒíŋ/, Peking /pìːkíŋ/ 語法 現在では前者のほうが普通. ━ 形 Beijing, Pekingese /pìːkɪníːz/.
ペキン原人 〔人類〕 Peking Man 北京語 Beijing dialect Ⓤ, Pekingese Ⓤ 参考 現在の中国では北京語をもとにした普通話 (common Chinese) が標準語とされる. ペキンダック Péking dúck Ⓤ ペキン料理 Péking cuisine /kwɪzíːn/ Ⓤ.
-べく(して) ¶ 言う*べくして, 行いがたし Easy to say, hard to do. / It's a long way from saying to doing. // …す*べく (⇒ するために) 努力する try hard *in order to* do … (☞ ため) // 起こる*べくして起きた事だ It was an inevitable consequence. / It was just waiting to happen. (☞ -べき; とうぜん[1]; ひつぜん; あたりまえ)
へくそかずら 屁糞葛 〔植〕 (説明的に) rubiaceous perennial vine that has a bad smell Ⓒ.
ヘクター ━ 名 固 〔ギ神〕 Hector ★ イリアッド (Iliad) に登場するアキレス (Achilles) に殺されたトロイの勇士.
ベクター 〔医〕 vector Ⓒ.
ヘクタール hectare /héktèə/ Ⓒ (略 ha) ★ 土地面積の単位. (☞ 度量衡 (囲み)).
ペクチン 〔生化〕 pectin Ⓤ.
ヘクト ━ 接頭 hecto- ★ 100 (倍)の意味. ヘクトグラム (100 グラム) hectogram ((英)) -gramme) Ⓒ ヘクトパスカル 〔気象〕 hectopascal /héktəpæskæ̀l/ Ⓒ (略 hPa) ヘクトメートル (100 メートル) hectometer ((英)) -metre) Ⓒ ヘクトリットル (100 リットル) hectoliter ((英)) -litre) Ⓒ.
ペクトウサン ☞ はくとうさん
ヘクトル ☞ ヘクター
ベクトル 〔数〕 vector Ⓒ (↔ scalar). ベクトル解析 〔数〕 vector analysis Ⓤ ベクトル空間 〔数〕 vector

space [U]　ベクトルグラフィックス〘コンピューター〙vector graphics [U]　ベクトル量〘数〙vector [U].

ペグマタイト　(巨晶花崗岩) pegmatite [U].

-べくもない …可くもない　¶この景気での株価の上昇など望む*べくもない It *is impossible* [*out of question*] to expect stock prices to improve in the present economic climate.

ベクレル　〘物理〙(放射能の測定単位) becquerel /bèkərél/ [C] (記号 Bq).

ペケ　— [形] (だめ) no good (☞ だめ; ばつ³).　¶そいつは*ペケだ It's *no good.*

ベケット¹　— [名] (固) St. Thomas à Becket, 1118?-70. ★英国カンタベリーの大司教. à の ` は綴り本来のもの.

ベケット²　— [名] (固) Samuel Beckett, 1906-89. ★アイルランドの小説家, 劇作家.

ヘゲモニー　(主導権) hegemony /hɪdʒéməni/ [U] (☞ しゅどうけん).

へご 桫欏, 杪欏　(木生シダ) tree fern [C] ★ヘゴ科を含む各種のシダ植物.

へこあゆ 兵児鮎　〘魚〙shrimpfish [C].

へこおび 兵児帯　waist band [C].

へこたれる　(元気をなくす) be discouraged /dɪskə́ːrɪdʒd/, lose heart ★前者がより普通; (くたくたに疲れる) be exhausted, be tired out ★後者が口語的; (屈服する) give in (自); (苦しみなどを訴える) complain (自). (☞ つかれる¹; まいる; くたびれる).
¶これしきのことで (⇒ つまらないことで) *へこたれてはいけない Don't ⌈*get discouraged* by [lose heart on account of] such little things. / Don't let such little things *get* you *down.* // 3日の徹夜で私も*へこたれた I *was* ⌈*exhausted* [*tired out*] from staying up all night for three days (in a row). // 彼女は*へこたれずにその仕事をやり通した She went through with the work without *complaining.* / (⇒ 頑張り通した) She *persevered in* her work and successfully completed it.

ベゴニア　〘植〙begonia /bɪgóunjə/ [C].

へこへこ　☞ ぺこぺこ 2

ぺこぺこ　**1**《空腹》　¶私はおなかが*ぺこぺこだ I'm *very hungry.* / I'm (*simply*) *starving.* ★くだけた表現. (☞ くうふく; 擬声・擬態語 (囲み))
2《頭を下げる》　¶彼は*ぺこぺこ (⇒ 何度も) 頭を下げた He *bowed* his head *repeatedly.* (☞ おじぎ) // 私は上役に*ぺこぺこしたくない (⇒ おべっかを使いたくない) I don't like ⌈to *flatter* my superiors [*apple-polishing*]. (☞ へつらう [参考])

へこます 凹ます　(平らなものにへこみを作る) make a dent (in …); (出っ張っているものを平らにする) flatten (他); (難問などで相手を黙らせる) silence (他); (傲慢な鼻をへし折る) take *a person* down a ⌈notch [peg] (or two). (☞ へこむ).　¶新しいやかんをテーブルの角にぶつけて*へこませてしまった I hit the new kettle against the edge of the table and *made a dent in* it. // ジョギングは腹を*へこますのによい運動だ Jogging is good exercise to *flatten* your stomach. // 昨日は彼を*へこませてやった I *took* him *down a* ⌈*peg* [*notch*] (*or two*) yesterday.

へこみ 凹み　(深くくぼんだ) hollow [C]; (物が当たったり押されたりしてできた) dent [C].

へこむ 凹む　(物に当たったり押されたりして) be dented; (圧力のためにたわむ) yield (自). (☞ へこます; くぼむ).　¶車のバンパーがちょっと*へこんでいるよ The bumper of your car *is* slightly *dented.* // 壁はボールの当たったところが*へこんでいる The wall has a *dent* (in it) where the ball hit. // このボールは押すと (⇒ 圧力に) *へこむ This ball *yields to* pressure. // 彼は簡単には*へこまない (⇒ 屈服しない) He does not easily *give in.*

ぺこりと　(ぴょこんとおじぎをする) bob (他) (自) (☞ 擬声・擬態語 (囲み)).　¶彼は私に*ぺこりと頭を下げた He *bobbed* a greeting at me.

ぺこんと　¶*ぺこんと凹む cave [give] in // 少年はブリキの箱を金槌で打って*ぺこんとへこました The boy hit the tin box with a hammer and *put a dent* in it. // 彼女は了解を示すために頭を*ぺこんと下げた She ⌈*bobbed her head* [*gave a bob of her head*] to show that she understood.

ヘザー　(女性名) Heather /héðə/.

へさき 舳先　(船が進むとき波を切る部分) bow /báu/ [C] ★しばしば複数形で. (☞ ふね (挿絵); ヨット (挿絵)).

ベサリウス　— [名] (固) Andreas Vesalius, 1514-64. ★フランドルの解剖学者で近代解剖学の祖.

-べし　(法規的に) must [have to] *do*; (義務的に) should *do*; (要請として) be requested to *do*; (予定として) be expected to *do.* (☞ -べき; -べく(して)).
¶市民は常に法に従う*べし Citizens *must* always *obey* the law. // 雪の中での運転はより注意深くす*べし You *should be* more careful when you drive in the snow. // 会員は全員明朝9時に集合す*べし All members *are requested to gather* at nine tomorrow morning.

へしあう 圧し合う　jostle (against) each other (☞ おしあいへしあい).

ベシー　(女性名) Béssie ★Elízabeth の愛称.

ヘシオドス　— [名] (固) Hesiod /híːsiəd/ ★紀元前8世紀ごろのギリシャの叙事詩人.

へしおる へし折る　(折り取る) brèak óff (他) (☞ おる¹).　¶私は彼女の自慢の鼻を*へし折ってやった (⇒ やりこめた) I *took* her *down a peg* (*or two*). ★「人の鼻っ柱を折る」という意味の慣用句.

ベジタブル　(野菜) vegetable [C] ★しばしば複数形で.

ベジタリアン　(菜食主義者) vegetarian /vèdʒətéːriən/ [C].

へしまげる 圧し曲げる　(力を加えて曲げる) bend (他); (よじ曲げる) twist (他). (☞ まげる).　¶彼は鉄棒を膝の上で*へしまげた He *bent* the iron bar over his knee. // その男は怒りで口を*へしまげた The man *twisted* his mouth with anger.

ペシミスティック　— [形] (悲観的な) pèssimístic.

ペシミスト　(悲観論者) péssimist [C].

ペシミズム　(悲観論) péssimism [U].

ベシャメルソース　〘料理〙béchamel /bèɪʃəmél/ (sauce) [U] ★béchamel の ´ は綴り本来のもの.

ぺしゃんこ　☞ ぺちゃんこ

ベス　(女性名) Bess, Beth ★ともに Elizabeth の愛称.

ペスタロッチ　— [名] (固) Johann Heinrich Pestalozzi /jouhá:n háinrik pèstəlátsi/, 1746-1827. ★スイスの教育改革家.

ベスト¹　(最善) best　[日英比較] 日本語で「ベスト」とあっても, 英語では best を用いないこともある点に注意. (☞ さいぜん¹).
¶私は*ベストを尽くします I'll do my *best.* / I'll do *all I can.* // 美しさにかけてはこれが*ベストだ (⇒ これが最も美しいものだ) This is *the most* beautiful (one).
ベストコンディション (絶好調) the best condition　ベストセラー bestseller [C]　ベストタイム best time [U]. ¶*ベストタイムを記録する record *one's best time*　ベストテン the top ten.　¶*ベストテン打者 the *ten best* hitters　[日英比較] 英語ではこのように名詞が後に置かれると語順が変わることに注意.　ベストドレッサー (着こなしの上手な人) sharp [smart; neat]

dresser Ⓒ ★ sharp は服装が「しゃれた」, smart は「洗練された」, neat は「きちんとした」というニュアンスがある; (投票や評論家などが決める) best dresser Ⓒ, best-dressed person Ⓒ　ベストメンバー the best members　ベストワン the best (one).

ベスト[2]　(チョッキ) vest Ⓒ, 《英》 waistcoat /wéɪs(t)kòʊt, wéskət/ Ⓒ.

ペスト　(疫病) the plague /pléɪg/ ★ the を付けて. ペスト菌 plague bacillus Ⓒ 《複 bacilli》.

ペストリー　〘料理〙 pastry /péɪstri/ Ⓒ.

ベスビオ　━[名] (固) (Mount) Vesuvius /vɪsúːviəs/ ★ イタリア南西部, ナポリ湾に臨む活火山.

へずる 剝る　(削り取る) scrape (他); (くすねる) pilfer (他).

ペセタ　(スペインの旧通貨単位) peseta /pəséɪtə/ Ⓒ 《☞ ユーロ》.

へそ 臍　navel /néɪv(ə)l/ Ⓒ 《☞ からだ (挿絵)》.

へそで[が]茶を沸かす　¶ 彼女は本当にアイドル歌手になるつもりなのかね. *へそが茶を沸かすぜ Is she really going to be a pop star? ˹*That's a big joke* [*Don't make me laugh*; *No kidding*].　へそを曲げる ¶ 彼はすぐ*へそを曲げる (⇒ すぐかんしゃくを起こす) He *loses his temper* very easily. / (⇒ 機嫌が悪くなる) He quickly *becomes* ˹*sullen* [*cross*].

へその緒 umbilical /ʌmbílɪk(ə)l/ còrd Ⓒ　へそ曲がり (変人) crank Ⓒ; (片意地の人) perverse person Ⓒ, pérvert Ⓒ. 《☞ ひねくれる》.

べそ　━[動] (べそをかく・泣く) cry (自) ★ 一般的な語; (涙を流す) be in tears /tíəz/; (すすり泣く) sob (自). 《☞ なく[1] [語法]; なきがお》.　¶ 女の子は*べそをかいていた The girl *was crying*. / I found the girl *in tears*. // 後で*べそをかくことになるよ (⇒ 後悔することになるでしょう) You'll *be sorry* ˹for [about] it later.

ペソ　(中南米諸国・フィリピンの通貨単位) peso /péɪsoʊ/ Ⓒ 《複 ～s》.

へそくり　(秘密の貯金) secret ˹savings [reserve Ⓒ] ★ savings は複数形で; (予備のためにとっておく金) 《略式》 nest egg Ⓒ.　¶ 彼女は結婚してからずっと夫の給料の一部を*へそくりしてきた (⇒ ひそかに貯めていた) She *has been secretly saving* (*up*) part of her husband's salary (ever) since she got married.

へそくる　save up (pin money) secretly (自) (他), put [keep] money under the bed (他). 《☞ へそくり》.

へた[1] 下手　━[形] poor, bad (↔ good) ★ 後者のほうが下手な程度がひどい.　普通は前者が多く使われる; (上手ではない) not a good …; (あまり上手でない) not very good (at …)　[語法] (1) 以上 2 つは婉曲的だが, 内容は poor, bad と同じ. 柔らかい表現なので,　広く使われる;　(知的なことで能力が劣った) weak (in …) (↔ strong); (巧みでない) unskillful (《英》 unskilful); (無器用な) clumsy, awkward. 《☞ ふとくい; じょうず》.

¶ 彼女は料理 [歌, 運転] が*下手だ She is a *poor* ˹cook [singer; driver]. / She is *not a good* ˹cook [singer; driver]. / She is ˹*not very good at* [*poor at*] ˹cooking [singing; driving].　[語法] (2) 英語では例えば,「歌が下手だ」を「下手な歌手だ」とか「上手な歌手ではない」とするような発想がしばしば用いられる. // 彼は写真[絵, ピアノ, 野球]が*下手だ He is *not a good* ˹photographer [painter; pianist; baseball player]. / He is ˹*not very good at* [*poor at*] ˹taking photographs [painting pictures; playing the piano; playing baseball]. / He is a *poor* ˹photographer [painter; pianist; baseball player]. // 最近ゴルフをしていないので*下手になった I haven't played golf recently, so I'*ve lost my touch*. // 彼は道具を使うのが*下手だ (⇒ 巧みでない) He is ˹*not skillful* [*unskillful*; *clumsy*] with tools. // *下手に手を出すと (⇒ 干渉すると) かえって彼女の迷惑になる If you ˹*meddle* [*interfere*] *in* her affairs, you'll be ˹causing a great deal of trouble for her [giving her a lot of trouble].

下手な鉄砲も数撃ちゃ当たる Even a poor shot can sometimes hit the bull's-eye if he tries often enough. / (⇒ 森に向かってたくさん撃ち込めば鹿の一頭ぐらいは弾に当たる) If you shoot enough bullets into the woods, a deer will run into one.

下手の考え休むに似たり (⇒ 下手な考えはむだである) Poor thinking is futile.　下手の横好き ¶ 彼の将棋は*下手の横好きだ (⇒ 彼は下手だが将棋に夢中だ) He's crazy about *shogi*, (even) though he's *not good at* it.　下手は上手のもと An unskillful person is the mother of an expert. / Even a ˹poor [green] hand can be a skillful craftsman through training.　下手をすると ¶ *下手をすると (⇒ 物事がうまくいかないと[気をつけないと]) 締め切りに間に合わないかもしれない *If things do not go well* [*If you're not careful*], you'll fail to meet the deadline.

へた[2] 蔕　〘植〙 (がく) calyx /kéɪlɪks/ Ⓒ 《複 ～es, calyces /-ləsìːz/》; (いちごの) hull Ⓒ.

べた　べた一面 all over.　¶ 新聞の最初のページには汚職の記事が*べた一面に載っていた Reports of the scandal were splashed *all over* the front page.

ベタ　〘魚〙 betta Ⓒ.

ベター　(よりよい) better 《☞ ベスト》.

べたあし べた足　☞ へんぺいそく

ベターハーフ　(つれあい) *one's* better half.

へだい 平鯛　〘魚〙 flat bream Ⓒ.

べたおくれ べた遅れ　¶ 大雪で列車は*べた遅れだ (⇒ すべての列車が遅れている) *All* the trains *are delayed* due to a heavy snowfall.

べたがき べた書き　━[名] solid [close] writing Ⓤ.　━[動] write solid (自).

べたきじ べた記事　small [insignificant] article Ⓒ.

へたくそ 下手糞　☞ へた[1]

べたぐみ べた組み　〘印〙 (行間・字間をあけない印刷) solid [close] printing Ⓤ; (その組み方) solid typesetting Ⓤ.

へだたり 隔たり　(距離・日時・人間の間の) distance Ⓒ; (差異) difference Ⓒ; (間隔・ずれ) gap Ⓒ. 《☞ さ[1]; ちがい[1]; かくさ; ずれ》.　¶ 教師と学生の考えには大きな*隔たりがあった There was a great ˹*distance* [*difference*; *gap*] between the teacher's opinions and those of his students. // 年齢の*隔たり an age *gap* / a generation *gap*

へだたる 隔たる　(距離が遠い) be distant from …; (距離が…だけ離れている) be … away from …　[語法] be の次に, 例えば 2 キロメートルなどの, 距離を表す言葉を入れる. 《☞ へだてる; はなれる[1]》.　¶ その村は県庁所在地から 20 キロ*隔たった所にある (⇒ 離れている) The village *is* twenty kilometers (*away*) *from* the seat of the prefectural government.

べたつく　━[形] (粘り気があってくっつく) sticky 《☞ くっつく; べたべた》.　¶ この紙は*べたつく This paper is *sticky*.

べたっと　☞ べたりと

ぺたっと　☞ ぺたりと

へだて 隔て　(明らかな区別) distinction Ⓒ; (打ち解けない気持ち) reserve Ⓤ. 《☞ わけへだて; へだたり》.　¶ 私たちは*隔てなく (⇒ 遠慮なく[率直に]) 語り合った We talked to each other ˹without *reserve* [*frankly*].

へだてる 隔てる　━[動] (互いにつながっているものを

切り離す) sepàrate (他) ★ 距離・関係・時間などかなり広い範囲のものについて用いられる; (分離する) divide (他). 《☞ しきる; へだたる》.
¶ 彼らは机を*隔てて (⇒ 机に分けられて [机を間にはさんで]) 向かい合った They faced each other ⌈*separated by* a desk [*with* a desk *between* them]. // その島は海峡によって本土から*隔てられている The island *is separated* from the mainland by a strait. // 私は 25 年の歳月を*隔てて (⇒ 25 年後に [25 年の間隔の後に]) 彼に再会した I met him again *after* (⌈*an interval of* [*a lapse of*]) twenty-five years. 語法 ( ) 内の表現を用いると格式ばった言い方となる. // 湾を*隔てて富士山が見える (⇒ 湾の向こうに) We can see ⌈Mt. [Mount] Fuji *across* the bay.

べたなぎ べた凪ぎ a ⌈dead [flat] calm.

べたぬり べた塗り — 動 paint ... all over, paint ... over completely.

へたばる (疲れ果てる) be wórn óut, be tíred óut, be exhausted ★ 最初の 2 つのほうが口語的; (屈服する) gìve ín (自). 《☞ つかれる¹; へとへと》.
¶ 彼は徹夜の勉強ですっかり*へたばっている He *is* ⌈*worn* [*tired*] *out* after staying up all night studying. // さすがの私も (⇒ 私は強いけれど) とうとう*へたばった Even though I'm tough, I finally ⌈*gave* [had to *give*] *in*.

へたへた ¶ おばあさんは*へたへたといすに座り込んだ (⇒ いすに身を投げかけるように座った) The old lady *sank back into* her chair. // 彼は*へたへたと床にしゃがみ込んだ (⇒ 力が彼の足から抜けて, 彼はうずくまった) *His legs failed him*, and he squatted down on the floor. 《☞ ぺたん; 擬声・擬態語 (囲み)》

べたべた 1 《物を塗ったりはったりするさま》
— 副 (一面に) all over; (厚く) thickly. — 動 (厚く塗ったり一面にはりつけたりする) plaster (他). 《☞ 擬声・擬態語 (囲み)》. ¶ 塀にビラが*べたべたはってある The wall is covered (*all over*) with posters. // その女性はおしろいを*べたべた塗った The woman powdered her face *thickly*.
2 《物が粘りつく》 — 形 (液体が濃い) thick; (ねばねばする) sticky; (冷たくじっとりする) clammy. 《☞ ねばつく; じっとり》. ¶ このシロップは*べたべたしすぎる This syrup /sə́ːrəp/ is too *thick*. // 梅雨になると台所が*べたべたする The kitchen becomes damp and *sticky* in the rainy season. // 顔が汗で*べたべたする My face is *clammy* with sweat.
3 《人が慣れ慣れしくするさま》 — 動 (いちゃつく) flirt (with ...) (自); (離れない) stick (to ...) (自). 《☞ いちゃつく; くっつく》.
¶ 人前で女と*べたべたするな Don't *flirt with* girls in public. // その子はいつも母親に*べたべたくっついている The child always ⌈*sticks to* his mother [(⇒ 母親のエプロンのひもにすがっている) *holds on to* his mother's apron strings].

ぺたぺた — 動 (一面に塗る) plaster (他); (たたいて付ける) dab (他); (塗りたくる) daub (他). 《☞ 擬声・擬態語 (囲み); べたべた》. ¶ *ぺたぺた歩く walk *pit-a-pat*

べたぼめ ¶ 彼はその学生のことを*べたぼめした He *praised* the student *to the skies*. ★ to the skies は「大いに・非常に」の意.

べたぼれ べた惚れ — 動 be madly in love with ... 《☞ ほれる; ほれこむ》.

べたまけ べた負け ¶ 総当たりリーグ戦で日本チームは*べた負けだった (⇒ 全試合に敗けた) The Japan team *lost all the matches* in the round robin.

べたやき べた焼き 〘写〙 (一般に密着焼のプリント) contact print Ⓒ; (一枚の印画紙の上にフィルム一本分を並べたもの) contact proof Ⓒ.

べたゆき べた雪 (水気の多い雪) wet snow Ⓤ 《☞ ゆき¹》.

へたりこむ へたり込む — 動 (疲労・苦痛などで) collapse (自), sink (自) ★ 後者のほうが口語的.
¶ 床に*へたり込む *sink* to [*collapse* on] the floor

べたりと — 副 (しっかりと) fast; (一面に) all over. 《☞ 擬声・擬態語 (囲み); べったり》. ¶ 手にペンキが*べたりとくっついた Paint stuck *fast* to my hands.

ぺたりと ¶ カードにクリスマスのシールを*ぺたりとはった She *slapped* a Christmas ⌈seal [sticker] on the card. 《☞ 擬声・擬態語 (囲み)》

へたる ☞ へたりこむ; へたばる

ペダル — 名 pedal /pédl/ Ⓒ. — 動 (ペダルを踏む) pedal (自) (他). 《☞ じてんしゃ (挿絵)》. ¶ 私はブレーキ*ペダルを踏んで車を止めた I stepped on the ⌈brake *pedal* [brakes]. // 彼は坂道を*ペダルを踏んで上がって行った He *pedal(l)ed* his way up the slope.

ぺたん — 動 (急に座り込む) dróp dówn (自); (どさりと腰を下ろす) sit down with a flop (自), flóp dówn (自). 《☞ 擬声・擬態語 (囲み); へたへた》.

ペタンク 〘スポ〙 pétanque /peɪtɑ́ːŋk/ Ⓤ ★ é の ´ は綴り本来のもの.

ぺたんこ ☞ ぺちゃんこ

ペダンチック — 形 (学者ぶった) pedantic.

ペチカ Russian stove Ⓒ.

ペチコート petticoat Ⓒ 《☞ したぎ (挿絵)》.

へちま (植物またはスポンジとして) loofa(h) /lúːfə/ Ⓒ; (スポンジ状の繊維) vegetable sponge Ⓒ. **へちま襟** shawl collar Ⓒ **へちま水** loofah water Ⓤ; (説明的には) sap taken from loofah, used as toilet water Ⓤ.

ぺちゃくちゃ, べちゃくちゃ — 動 (くだらないおしゃべりをする) chatter (自) ★ 最も一般的; (くだらないことを舌足らずで子供のようにしゃべる) prattle (自); (早口にしゃべりちらす) jabber (自), 《略式》 gab (自). 《☞ おしゃべり; しゃべる; 擬声・擬態語 (囲み)》.
¶ 彼らは学生生活のことを*ぺちゃくちゃ話し合っていた They *were chattering* about their school life. // 彼女はくだらないことを*ぺちゃくちゃしゃべった She *prattled* (on) about nothing.

べちゃべちゃ — 形 (水っぽい) watery; (水分が多くねばつく) sodden. 《☞ 擬声・擬態語 (囲み)》.

ぺちゃぺちゃ — 動 (犬・猫などがなめる) lap (他) 《☞ なめる; 擬声・擬態語 (囲み)》.

ぺちゃんこ — 動 (平らになる) be flattened; (平らにする) flatten (他); (強い力で押しつぶされる) be crushed; (押しつぶす) crush (他); (柔らかい物が押しつぶされる) be squashed; (柔らかいものをつぶす) squash (他); (地上に倒される) be level(l)ed. — 形 (平らな) flat; (低い) low. 《☞ つぶす; つぶれる; おしつぶす; 擬声・擬態語 (囲み)》.
¶ かわいそうに人形は*ぺちゃんこになった The poor doll *was flattened*. // 彼はうっかり箱を踏んづけて*ぺちゃんこにしてしまった He accidentally *crushed* the box by stepping on it. // 地震で多くの家が*ぺちゃんこになった (⇒ 地上に倒れた) Many houses *were level(l)ed* ⌈in [by] the earthquake.

ぺちゃんと ☞ ぺちゃんこ

ペチュニア 〘植〙 petunia /pɪt(j)úːnjə/ Ⓒ.

へちょう へ調 〘楽〙 (the key of) F Ⓤ.

べつ 別 1 《他の》 — 形 (もう 1 つの) another; (他の) other Ⓐ ★ another, other は代名詞としても用いられる; (異なる) different, distinct 語法 (1) 一般的に違っているときには different を用い, はっきり区別できることを強調したいときには distinct を用いる; (別々の) separate; (新しい) new. — 副 (ほかのところで) elsewhere; (別に) else 語法 (2) 別の「人」someone else, 別の「もの」something

else, 別の「場所」somewhere else というように，普通はほかの語の後に付けて用いる.《☞ ほか》.
¶ *別のを見せて下さい Please show me ˹*another* (one) [some *others*; *other* ones]. // 観察と理解は*別だ Observation is one thing; understanding (is) *another*. / (⇒ 2 つの異なるものだ) Observation and understanding are two ˹*different* [*distinct*] things. ★ 第 1 文がより口語的. // この語は*別の意味に解釈できる This word ˹admits of [is subject to] ˹a *different* [*another*] interpretation. // 私はすぐに*別の (⇒ 新しい) 方法を見つけねばならなかった I had to find a *new* method as soon as possible. // 彼は何か*別なこと[*別人のこと]を考えていた He was thinking about ˹something *else* [someone *else*]. // この説明は*別にいたします (⇒ ほかのところで) The explanation will be given *elsewhere*.
2 «除外» ━[副] (離して) apart; (わきにとっておいて) aside. ━[前] (…を除いて) except …; (…であることを除いて) except for …; (…はさておき) apart [aside] from … ━[名] (例外) exception [C]. 《☞ ほか; のぞく[1]》.
¶ 不時の場合のためにそのお金は*別にしておきなさい I advise you to set ˹*aside* [*apart*] the money for an emergency. // 仕事とは*別に趣味を持ちなさい Try to have a hobby *apart from* your work. // 2, 3 の文法上の誤りは*別として，君の作文はとてもよかった Your essay was very good, *except for* a few grammatical mistakes. [語法] except for で導かれる句は前の文全体にかかる. // 彼女は*別だ (⇒ 例外だ) She is an *exception* (to the rule).
3 «余分» ━[形] (余分な) extra [A]; (付加された) additional. ━[副] (その上) besides; (加えて) in addition; (余分に) extra. ¶ コーヒーのお代わりを*別に払わされた I had to pay *extra* for another cup of coffee. // 私だけに*別の宿題が出された I alone was given *additional* homework.
4 «特別» ━[形] (特定の) particular; (特別の) special. ━[副] particularly, in particular, especially. 《☞ とくに (類義語)》.
¶ 今週は*別に予定はない (⇒ 特別に何もすることがない) I have nothing (*in*) *particular* to do this week. //「どうしたの」「*別に」"What happened?" "*Nothing.*" // 私は*別にうれしくも悲しくもなかった (⇒ 何も特別なものを感じなかった) I felt nothing *special*, neither joy nor sorrow.
5 «区別» ━[名] distinction [C] ★「差異」という抽象的な意味では [U]. ━[前] (…によって) by … ★ 判断の基準を示す; (…に従って) according to … 《☞ くべつ》. ¶ 公私の*別をつけるべきだ We must ˹make a *distinction* [*draw a line*] between public and private matters. // 男女[年齢]の*別なくだれでもその会に入会できる Anyone can join the society without ˹regard to [*distinction* of] ˹sex [age]. / (⇒ …にかかわらずだれでも) Anyone, *regardless of* ˹sex [age], can join the society.

べつあつらえ 別誂え ¶ *別あつらえ (⇒ 特別注文) のワイシャツ a shirt ˹*specially made* [*made to order*] 《☞ あつらえる》

べついん 別院 branch temple [C].

べっか 別科 special course [C]. ¶ *別科に入る take a *special course*

べっかく 別格 ━[形] (特別の) special; (例外的な) exceptional. 《☞ とくべつ》. ¶ 彼女は*別格の扱いを受けた She received ˹*special* [*exceptional*] treatment. // 彼は*別格だ He is *exceptional*. / (⇒ 他に類を見ない) He's *in a class* ˹*by himself* [*of his own*].

べつがく 別学 ¶ *別学の (⇒ 共学でない) 学校 a *non-coeducational* school

ペッカリー 〔動〕 peccary [C].

べっかん[1] 別館 ánnex [C]. ¶ ホテルの*別館 an *annex to* a hotel

べっかん[2] 別巻 (別冊) separate volume [C]; (増補の巻) supplement [C].

べつかんじょう 別勘定 separate account [C]; (請求書) separate bill [C]; (割増料金) extra charge [C].
¶ これは*別勘定にしておいてください Please keep this in a *separate account*. // サービス料は*別勘定 (⇒ 別) です Service charges are *extra*.

べっき 別記 ¶ 補足説明を*別記する (⇒ 別のパラグラフに書く) *write* supplementary explanations *in a separate paragraph*

べつぎ 別儀 (別の事柄) separate matter [C].

ベッキー (女性名) Bécky ★ Rebecca /rɪbékə/ の愛称.

べっきょ 別居 ━[動] (離れて住む) live apart (from *one's* ˹family [husband; wife]); (別々の家に住む) live ˹separately [in separate houses]. ━[名] separation [U]. ━[形] (仲たがいした) estranged. ¶ 彼は家族と*別居して東京にいる He is now in Tokyo, *living apart from his family*. // 彼らは目下*別居中だ They *are* now *living* ˹*separately* [*apart*]. // 彼女は*別居中の夫に電話をかけた She called up her *estranged* husband. // *別居生活 3 年目です This is the third year of my *separation* from my ˹wife [husband].
別居手当 family separation allowance [C].

べつぎょう 別行 separate line [C]. ¶ 電話番号を*別行に書く write *one's* telephone number on a *separate line* // ここから*別行にしなさい (⇒ 新しいパラグラフを始めなさい) Begin a *new paragraph* here.

ペッグ (女性名) Peg ★ Margaret の愛称.

べつくち 別口 ━[形] (もう 1 つの) another; (異なった) different; (特別の) special. ━[名] (別の部類) separate item [C]; (別の [異なった] ルート) another [different] channel [C]. 《☞ べつ》.

べっけ 別家 ━[名] branch family [C]. ━[動] (別家する) set up a branch family.

べっけい 別掲 ¶ *別掲の表を参照のこと Please refer to the table *given separately*.

べっけん[1] 瞥見 ━[名] (一目見ること) glimpse [C]; (ちらりと見ること) glance [C]. ━[動] catch a glimpse of …; have a glance at …

べっけん[2] 別件 (別の用件) different matter [C]; (別の容疑) separate charge [C]. **別件逮捕** ━[名] arrest on a separate charge [U]. ━[動] (もう 1 つの犯罪で [ほかの容疑で]…を逮捕する) arrest … ˹for another crime [on other charges]. 《☞ たいほ》.

べっこ 別個 ¶ *別個の (⇒ もう 1 つの[異なった]) 問題 *another* [a *different*] problem // 警察はその問題を*別個に (⇒ 別に) 調べた The police looked into that matter *separately*. 《☞ べつ; べつべつ》

べっこう[1] 別項 (別のパラグラフ) separate paragraph [C]; (条文の) another ˹clause [section] ★ 単数のみ. 《☞ べつ; こうもく》.
¶ その件は*別項で取り扱われています The matter is dealt with in a *separate paragraph*. // *別項記載のようにこれは法律違反です This is against the law, as stated in *another section*.

べっこう[2] 鼈甲 ━[名] tortoiseshell /tɔ́ːtə(s)ʃèl/ [U]. ━[形] (べっ甲の) tortoiseshell. **べっ甲飴** tortoiseshell candy [C]; (説明的には) candy made by pouring amber-colored molten raw sugar into various molds [C] **べっ甲色** ━[名] amber (color) [U]. ━[形] tortoiseshell **べっ甲細工** tortoiseshell work [U].

べつこうどう 別行動 ¶彼女はみんなとは*別行動をとった (⇒別のことをした) She *did something different* from all the others. / (⇒別のルートをとった) She *took a separate route* from the other members.

へっこむ ☞へこむ

べっこん 別懇 ☞こんい

べっさつ 別冊 separate volume Ⓒ; (雑誌の) extra ˹number [issue] Ⓒ. **別冊付録** supplement [extra] (to a magazine) Ⓒ.

ペッサリー 〖医〗 péssary Ⓒ.

ヘッジ 〖商〗 (損失防止策) hedge Ⓒ. **ヘッジファンド** 〖商〗 hedge fund Ⓒ.

べっし[1] 別紙 (はり付けた紙) attached ˹sheet [paper] Ⓒ; (もう1枚の) another sheet. 《☞かみ[2] 語法》. ¶*別紙のとおり as (is) stated on the *attached ˹sheet [paper]*

べっし[2] 蔑視 ― 動 (軽蔑する) despise ㊕ ★やや文語的; (見下す) lóok dówn ˹on [upòn] … ★口語的; (あざける) scorn ㊕. ― 名 (軽蔑) contempt Ⓤ; (軽視) 《格式》 disregard Ⓤ. 《☞けいべつ (類義語)》.

べつじ[1] 別字 (別の文字) different ˹letter [Chinese character] Ⓒ; (別のつづり) different spelling Ⓒ.

べつじ[2] 別事 ¶*別事なく暮しております (⇒通常と変わりなく) Our life is *pretty much the same* (*as usual*).

ベッシー (女性名) Béssie, Bessy ★Elizabeth の愛称.

べっしつ 別室 (もう1つの部屋) another room; (別に分かれた部屋) separate room Ⓒ. 《☞へや》.

べっしゅ 別種 (もう1つの種類) another kind; (異なった種類) different kind Ⓒ. 《☞べつ; しゅるい》. ¶この木は杉ではなく*別種の木です This is not a cedar; it is a *different kind* of tree. // 彼はまったく*別種 (⇒異なったタイプ) の人間だ He is a man of quite a *different stripe*.

べっしゅく 別宿 ― 動 (別の宿に泊まる) stay at a separate ˹place [hotel; inn] ㊀ 《☞どうしゅく》.

べっしょう[1] 蔑称 offensive term of contempt Ⓒ.

べっしょう[2] 別称 ☞べつめい

べつじょう 別状[条] ¶彼のけがは命に*別状はない (⇒生命を危くしない) ので安心して下さい Please don't worry. His injuries are not ˹serious and wo*n't endanger* his life [life *threatening*]. 《☞かわり[2]; いじょう[3]》

べつじん 別人 (異なった人) different person Ⓒ; (ほかの人) another person ★単数のみ. 《☞みちがえる; うまれかわる》. ¶彼女は*別人のようだ (⇒違って見える) She looks ˹*different* [like *another person*; like a *different person*].

べつずり 別刷り (本などの抜粋) excerpt /éksəːpt/ Ⓒ; (論文の抜き刷り) óffprìnt Ⓒ.

ヘッセ ― 名 ㊫ Hermann Hesse, 1877–1962. ★ドイツの詩人・小説家.

べっせい[1] 別姓 separate surnames 《☞せい[5]》. ¶近ごろは夫婦*別姓にする人たちもいる In recent years some married couples use ˹*separate surnames* [*their own surnames*].

べっせい[2] 別製 special make Ⓒ 《☞とくせい[1]》. ¶*別製の品物 *specially made* articles

べっせかい 別世界 (もう1つの世界) another world; (異なる世界) different world Ⓒ. ¶ここは*別世界だ (⇒独自の世界を作っている) This place is a *world of its own*.

べっせき 別席 (もう1つの場所) another place; (もう1つの部屋) another room. 《☞べっしつ》.

べっそう[1] 別荘 second-house Ⓒ; (小規模のもの) cottage Ⓒ; (夏用の) summer ˹house [cottage] Ⓒ. **別荘地** area of villas Ⓒ.

べっそう[2] 別送 ¶荷物を*別送する send a package by separate ˹mail [《英》 post] / send a package under separate cover **別送申告書** declaration of unaccompanied baggage Ⓒ **別送品[荷物]** unaccompanied baggage Ⓤ.

ヘッダー (文書上部に印刷されるタイトル・ページ数など) header Ⓒ (↔ footer).

べったく 別宅 second house Ⓒ.

へったくれ ¶感謝も*へったくれもあるものか (⇒全くの無意味なこと) Gratitude is *pure nonsense*!

べつだて 別建て (個別の勘定で) on a separate account. **別建て料金** separate [extra; additional] charge Ⓒ.

べったらづけ べったら漬け lightly pickled daikon Ⓤ.

べったり, ぺったり ― 前 (一面に) all over … ― 副 (しっかり) fast. 《☞べたべた; べたりと; べっとり; 擬声・擬態語 (囲み)》.
¶エンジンには油が*べったりついている There is oil *all over* the engine. / (⇒油で覆われている) The engine *is covered* with oil. // チューインガムがズボンに*べったりくっついた The gum stuck *fast* to my pants. // 彼は権力に*べったりだ (⇒常に権力の味方だ) He *is always* ˹*for* [*on the side of*] ˹authority [the authorities].

べつだん 別段 ― 形 (ある目的などのための特別の) special; (具体的に指摘できる特定の) particular. ― 副 specially; particularly, in particular. 《☞とくに (類義語); べつ》. ¶私はきょうは*別段用事はない (⇒特にすることがない) I have nothing ˹*special* [*in particular*] to do today. // *別段これといった理由もなく彼女は退学した She quit school for no ˹*particular* [*special*] reason.
別段預金 special deposit Ⓒ.

ぺったんこ ☞ぺちゃんこ

へっちゃら ☞へいちゃら

べっちん 別珍 vèlvetéen Ⓤ.

へっつい ☞かまど

ベッツィ (女性名) Betsy /bétsi/ ★Elízabeth の愛称.

べってい 別邸 second ˹home [residence] Ⓒ. 《☞べったく》.

ヘッディング ☞ヘディング

ベッティング (賭けること) betting Ⓤ.

ペッティング petting Ⓤ.

べってんち 別天地 ☞べっせかい

ヘット (牛脂) beef fat Ⓤ.

ヘッド head Ⓒ 〔日英比較〕 英語の head の基本的な意味は「首から上の部分」であるが, 日本語の「ヘッド」は主として比喩的に「上に立つ人」の意味で用いることが多い.
ヘッドギア (ボクシングの) headgear Ⓤ ★英語では本来「かぶりもの」の意. **ヘッドクオーター** (本部) headquarters ★複数形だが, ときに単数扱い. **ヘッドコーチ** (主任コーチ) head coach Ⓒ **ヘッドスライディング** headfirst slide Ⓒ. ¶彼はホームへ*ヘッドスライディングした He ˹*dived* [《米》 *dove*] for home base.
ヘッドセット ☞ヘッドホン **ヘッドハンター** (人材をスカウトして引き抜く人 [係]) headhunter Ⓒ **ヘッドハンティング** (人材引き抜き) headhunting Ⓤ ★英語では本来「首狩り」の意. **ヘッドホン** ☞見出し **ヘッドライト** ☞見出し **ヘッドライン** ☞見出し **ヘッドレスト** (車の) headrest Ⓒ.

べっと 別途 ― 形 (特別の) special; (余分な) additional; (料金などの追加の) extra; (付加的な) side. ― 名 (別途料金) extra Ⓒ. ― 副 (後ほ

ど) later; (別に) separately. 《☞ べつ; ついか》.
¶ 彼には*別途収入がある He has ⌈(an) *extra* [(a) *side*] income. // それについては*別途料金を申し受けます Please pay [You will be charged] *extra* for it. // それについては*別途考慮します We will consider how to deal with it *later*. // 旅費は*別途支給します We'll give you a *separate* allowance for (your) travel expenses. **別途契約** separate [special] contract Ⓒ **別途支出** special outlay Ⓒ **別途積立金** special reserve fund Ⓒ.

ベット (女性名) Bett ★ Elizabeth の愛称.

ベッド bed Ⓒ 《☞ とこ 日英比較; ふとん》.
¶ 私の家では*ベッドで寝ています We ⌈use [sleep in] Western-style *beds* in our home. 語法 単に bed だけでは当たり前のことと受け取られ, 意味不明となる. // 私は*ベッドに入った [*ベッドから出た] I got ⌈into [out of] *bed*. ★ 成句的表現なので冠詞は付けない. // 私は毎朝*ベッドを整える I make my *bed* every morning. 参考 ベッドのマットレスにシーツをきちんとはさみ込み, 掛け布団を直して, すぐ寝られるようにきちんとすること. // けさ私は*ベッドで軽い食事をとった I had a light meal *in bed* this morning. ★ in bed は冠詞を付けない. // シングル [ダブル] *ベッド a ⌈single [double] *bed* // 2 段*ベッド a bunk (*bed*) // キング[クイーン]サイズの*ベッド a ⌈king-[queen-]size(d) *bed*
ベッドイン ━動 (ベッドを共にする) share a bed (with ...); (...と寝る) go to bed with ... 日英比較 「ベッドイン」は和製英語. 英語の bed in は部品などを本体に装着すること. 《☞ どうきん》 **ベッドカバー** bedspread Ⓒ 日英比較 英語では bedcover は, シーツ, 毛布などの総称で, 日本語のようにベッドにほこりが付かないようにかける覆いは普通 bedspread という. 《☞ カバー》 **ベッドサイド** bedside Ⓒ ★ 普通は単数形で所有格とともに. **ベッドシーン** sex(ual) scene Ⓒ, bedroom scene Ⓒ 日英比較 「ベッドシーン」は和製英語. **ベッドタウン** commuter town Ⓒ, bedroom suburbs ★ 通例複数形で, bedroom town Ⓒ 日英比較 「ベッドタウン」は和製英語; (大都市の郊外のさらに外側の高級住宅地) exurbs /éksəːbz/ **ベッドメーキング** bedmaking Ⓤ **ベッドルーム** bedroom Ⓒ 《☞ しんしつ[1] (挿絵)》.

ぺっと ¶ 彼はぶどうの種を*ぺっと吐き出した He *spat out* the grape seeds.

ペット pet Ⓒ. ¶ 何か*ペットを飼っていますか Do you ⌈have [keep] any ⌈*pet animals* [*pets*]? 語法 keep は《英》に多い. // 私は猫を*ペットに飼っています I keep a ⌈cat as a *pet* [*pet* cat]. // *ペットを連れての入場はご遠慮下さい (⇒ ペットを持ち込まないで下さい) Please do not bring your *pets* with you. / 《掲示》 No *pets* **ペット感染症** pet infection Ⓒ, infection that *one* contracts from a pet Ⓒ ★ 説明的な訳. **ペットショップ** pet shop Ⓒ **ペット病** (動物原性感染症) zoonosis /zòuənóusɪs/ Ⓒ **ペットフード** pet food Ⓤ **ペットホテル** pet hotel Ⓒ **ペットロス** pet loss Ⓤ.

「ピクニック地区ではペットの入場はご遠慮下さい」という掲示

べっとう 別当 (馬丁) groom Ⓒ; (執事) steward Ⓒ. 《☞ ちょうかん[2]》.

べつどうたい 別動隊 detached force Ⓒ.

ペットボトル (clear) plastic bottle Ⓒ. 日英比較 「ペット」は polyethylene telephthalate (ポリエチレンテレフタレート) の略称 PET (発音は 普通 /píːìːtíː/) の日本式呼び方だが, 英米ではこの原材料名は日常的な語ではない.

ヘッドホン héadphònes ★ 通例複数形で; (特にマイク付きの) headset Ⓒ.

ヘッドライト héadlight Ⓒ, héadlàmp Ⓒ (↔ taillight, tail lamp) ★ いずれも前者のほうが普通. 《☞ オートバイ (挿絵)》. ¶ *ヘッドライトをつけなさい Turn [Put] on ⌈the [your] *headlights*. // *ヘッドライトを消しなさい Turn [Put] off ⌈the [your] *headlights*.

ヘッドライン (新聞などの見出し) héadline Ⓒ 《☞ みだし》.

べっとり ¶ 彼のズボンには*べっとり血がついていた (⇒ 血にまみれていた) His trousers *were smeared with* blood. / (⇒ 厚い血の汚れがついていた) There was a *thick bloodstain* on his trousers. // 彼女の額には*べっとり脂汗がにじんでいた (⇒ 一面に覆われていた) Her forehead *was covered with* greasy sweat. 《☞ べったり; 擬声・擬態語 (囲み)》

べつに 別に (特に) particularly; (余分に) in addition; (別々に) separately. 《☞ べつだん; べっと; とくに (類義語)》.

べつのう 別納 separate payment Ⓤ.
¶ 料金を*別納する *pay* a charge *separately*

べっぱ 別派 (党派の) different party Ⓒ; (流派の) another [different] school Ⓒ; (宗派の) separate [different] sect Ⓒ.

ペッパー (胡椒) pepper Ⓤ.

べっぴょう 別表 attached ⌈table [list] Ⓒ 《☞ ひょう[1]》.

へっぴりごし へっぴり腰 ¶ 彼は*へっぴり腰で (⇒ 不格好なやり方で) ライフルを構え, ライオンをねらった He aimed his rifle at the lion *in* ⌈*a clumsy* [*an awkward*] *way*. 《☞ よわごし; びくびく》

べつびん 別便 separate cover Ⓤ. ¶ その本は*別便で送りました I sent the book ⌈under *separate cover* [(⇒ 別に) *separately*].

べっぴん[1] 別嬪 (美人) beauty Ⓒ; (すごい美人) 《略式》 knóckòut Ⓒ. 《☞ びじん》.

べっぴん[2] 別品 (特によい品) special article Ⓒ.

べっぷう 別封 ¶ 手紙に*別封を添える (⇒ 封をした手紙を同封する) enclose a *sealed letter* 《☞ べつびん》

ヘップバーン ━名 固 (オードリー ~) Audrey Hepburn, 1929–93 ★ ベルギー生まれの米国の映画女優; (キャサリン ~) Katharine Hepburn, 1907–2003 ★ 米国の映画女優.

べつべつ 別別 ━形 (分離した) separate; (異なる) different; (数種の) several Ⓐ; (めいめいの) respective Ⓐ; (各自の) individual Ⓐ. ━副 (離れて) separately, apart; (幾つかの違った方法で) severally; (1 つずつ) one by one; (個人個人で) individually. 《☞ ここ[2]; こべつ[2]; それぞれ》.
¶ 私たちは*別々の家に住んでいる We live in *separate* houses. // 彼らに*別々な課題が与えられた They were given *different* assignments. // *別々の方法で試してごらん Try ⌈*several* [*different*; *several different*] methods. // その夫婦は*別々に暮らしている That married couple ⌈is [are] living ⌈*separately* [*apart from* each other]. 《☞ べっきょ》 // 私たちは皆*別々の (⇒ 個人個人の) ロッカーを持っている All of us have ⌈*individual* [*our own*] lockers.

へっぽこ ☞ へた[1]

べっぽん 別本 another book ★ 単数のみ; separate book Ⓒ.

べつま 別間 ☞ べっしつ

べつむね 別棟 (別の建物) separate building Ⓒ; (離れ家) detached building Ⓒ; (物置・ガレージ・納屋など) óutbuìlding Ⓒ, 《英》 óuthòuse Ⓒ ★ 後者

は《米》では屋外便所の意味なので注意が必要. (☞ べっかん[1]).

べつめい 別名 (もう1つの名前) another name; (あだ名) by-name Ⓒ, nickname Ⓒ; (またの名) alias /éɪliəs/ ★ 副詞としても用いられる; (ペンネーム) pseudonym /sú:dənɪm/ Ⓒ. (☞ つうしょう[2]; あだな). ¶ 彼はスミス*別名はゴールドスミスだ He is Smith, *alias* Goldsmith.

べつもの 別物 ¶ それとこれとは*別物だ (⇒ 2つの異なるものだ) They are two *different things*. (☞ べつ)

べつもんだい 別問題 (もう1つの問題) another problem; (異なった問題) different question Ⓒ. ¶ それは*別問題です That's ⌈*another* [*a different*] *question*. // その件は*別問題として (⇒ 別個に) 後で扱いましょう Let's treat the matter *separately* later.

べつよう 別様 (異なった様式) different ⌈style [form] Ⓒ; (もう1つの様式) another ⌈style [form]. ¶ *別様の考え方 a *different* [*another*] *way* of thinking

へつらい flattery Ⓤ (☞ おせじ).

へつらう (好意を得ようと働きかける) 《略式》 play [make] up to …; (大げさにお世辞を言う) flatter (他) ★ 一般的な語. 必ずしも悪い意味ばかりではない; (贈り物やおべっかで…の機嫌をとる) curry favor with …, 《米略式》 ápple-pòlish (他) (自) [参考] 後者は子供が先生にきれいにふいてつやのあるりんごを持参して気に入られようとしたことから出たやや古風な表現. (☞ おせじ; とりいる; こびる). ¶ 彼は重役に*へつらって早く昇進した He ⌈*played* [*made*] *up to* the directors and got a quick promotion. // 彼はいつも上役に*へつらっている He is always ⌈trying to *curry favor with* [*apple-polishing*] his boss.

べつり 別離 (人を後に残して別れること) parting Ⓤ; (一緒にいた人と別れること) separation Ⓤ. (☞ わかれ[1]).

ベツレヘム — [名] (固) Bethlehem ★ エルサレムに近い町, イエス誕生の地.

べつわく 別枠 — [副] (別に) separately. — [形] (別の) extra.

ベティー (女性名) Bétty ★ Elízabeth の愛称.

ペディキュア (足の爪の化粧) pédicùre Ⓒ. ¶ *ペディキュアをする have a *pedicure*

ペティナイフ (小型の包丁) small knife Ⓒ; (皮むき用) paring knife Ⓒ; (サラダ用) salad knife Ⓒ. [日英比較] 「ペティナイフ」はフランス語の petit (小さい) と英語の knife を合成した和製英語.

ヘディング 〖サッカー〗 — [名] (ヘディングシュート[パス]) header Ⓒ; (ヘディングすること) heading Ⓤ. — [動] head (他). ¶ 彼は*ヘディングでシュートを決めた He scored with a *header*. **ヘディングシュート** heading shoot Ⓒ.

ペデストリアン (歩行者) pedestrian Ⓒ.

ベテラン — [名] (熟達者) éxpert Ⓒ, man [woman] with extensive experience /ɪkspí(ə)riəns/ Ⓒ [日英比較] 英語の veteran は単独では普通「除隊になった軍人」の意で使われる. ただし, [形] としては「熟練した」の意味で使われることがある. — [形] (熟練した・専門家の) expert; (経験豊かな) experienced, veteran ★ 前者のほうが普通. (☞ じゅくれん). ¶ *ベテラン教師 an *experienced* teacher // 彼は心臓外科の*ベテランです He is an *expert* heart surgeon.

ペテルブルク — [名] (固) ☞ サンクトペテルブルグ ★ ロシア語の略称 Peterburg より.

ヘテロ hetero- /hétəròʊ/ ★「他の」「異種の」を表す連結形. (↔ homo-)

ペテロ — [名] (固) Peter ★ キリストの 12 使徒の一人.

ヘテロジーニアス — [形] (異種の) heterogeneous /hètərədʒí:niəs/.

ぺてん — [動] (一杯食わせる) play ⌈a trick [tricks] on *a person* ★ ふざけてだます意にも用いる; (利益を得るためにだます) cheat (他); (だまして…させる) trick *a person* into *doing* …; (金などをだまし取る) swindle *a person* out of …. — [名] trickery Ⓤ; swindle Ⓒ; (詐欺行為) fraud Ⓤ. (☞ だます; さぎ[1]; おとしいれる).
¶ 彼は友人を*ぺてんにかけた He ⌈*played a trick on* [*cheated*] his friend. // 彼は何人かの独身女性を*ぺてんにかけて金を巻き上げた He ⌈*swindled* [*tricked*] several unmarried women *out of* their money.
ぺてん師 (詐欺師) swindler Ⓒ; (取り込み詐欺師) con man Ⓒ ★ 俗語で confidence man の略.

へど 反吐 — [名] (吐いたもの) vómit Ⓤ. — [動] (食べた物を吐く) vómit (自) (他), thrów úp (自) ★ 後者のほうが口語的; 《俗》 spéw (自) (他). (☞ はく[1]; はきけ; むかつく).
¶ その時私は*へどが出そうだった I felt like ⌈*vomiting* [*throwing up*] then. // こういう厚かましい男を見ると*へどが出そうになる (⇒ 私をむかつかせる) Pushy men like him make me *sick*. / The very sight of such a grasping man is quite *disgusting*. ★ grasping は「貪欲な」の意. 第 1 文のほうが口語的.

ベドウィン (遊牧アラビア人) Bedouin /béduɪn/ Ⓒ.

ベトコン (兵士) Vietcong Ⓒ, Viet Cong Ⓒ ★ 単複同形; (総称) the ⌈Vietcong [Viet Cong] ★ ベトナム戦争中のベトナム武装共産ゲリラに対してアメリカ軍の使った呼称.

べとつく — [動] (くっつく) stick to … — [形] (粘っこい) sticky; (ぬれて柔らかく, べったりとくっつく) clammy. (☞ くっつく; べとべと; べたつく).

ベトナム — [名] (固) Vietnam, Viet Nam /vìetná:m/; (正式名) the Socialist Republic of Vietnam. — [形] Vietnamese /vìetnəmí:z/. **ベトナム語** Vietnamese Ⓤ **ベトナム人** Vietnamese Ⓒ ★ 単複同形; (総称) the Vietnamese **ベトナム戦争** the Vietnam War.

べとびょう べと病 (植物の病気) downy mildew Ⓤ.

ペドフィリア 〖心〗 (性的な幼児愛好症) pedophilia /pì:dəfíliə/ Ⓤ.

へとへと ¶ 家に帰ったとき, 私は*へとへとだった I *was* ⌈*tired out* [*exhausted*] by the time I ⌈came [got] home. [語法] tired out は口語的. exhausted はそれよりはやや格式ばっているが, 消耗していることをいうのによく使う. (☞ くたくた; へたばる; 擬声・擬態語 (囲み))

べとべと, ぺとぺと — [形] (液状・半液状のものがどろどろして) thick; (のりのようにねばねばする) sticky; (冷たくべっとりとする) clammy ★ 不快感を表す語. (☞ 擬声・擬態語 (囲み); べたべた; べったり; べたつく).

ペドメーター (歩数計) pedometer /pɪdɑ́mətə/ Ⓒ.

へどもど ¶ 彼はその予期しない質問に*へどもどして答えられなかった (⇒ 途方に暮れた) He *was at a loss* (over) how to answer the unexpected question. // 彼は外国人に話しかけられて*へどもどした (⇒ ろうばいした) He *was confused* when a foreigner spoke to him. (☞ 擬声・擬態語 (囲み))

ペトラルカ — [名] (固) Petrarch /pí:trɑək/, 1304–74. ★ イタリアの詩人.

ペトリざら ペトリ皿 (細菌培養用) petri dish Ⓒ.

へどろ (泥状の沈殿物) sludge Ⓤ; (軟泥) slime Ⓤ; (水底の軟泥) ooze Ⓤ [語法] 必要があれば以上の

語に of industrial wastes (産業廃棄物の) や chemical などの修飾語を付けて意味をはっきりさせる.

へな 埴 (粘土) clay Ⓤ; (軟泥) slime Ⓤ. (☞ ねんど²).

へなちょこ ― 形 (未熟な) green; (心の小さい) petty; (役立たずの) worthless.

へなへな ¶*へなへなのベニヤ板 a *thin and fragile* sheet of plywood // 彼は*へなへなとうずくまった He *sank* to the ground. (☞ よわよわしい)

ペナルティー (罰則) penalty Ⓒ. **ペナルティーエリア** 〔球〕 penalty area Ⓒ **ペナルティーキック** 〔球〕 penalty kick Ⓒ **ペナルティーゴール** 〔球〕 penalty goal Ⓒ.

ベナン ― 名 固 Benin /bənín/; (正式名) the Republic of Benin ★ アフリカ西部の共和国.

ペナント (野球などの優勝旗や細長い旗) pennant Ⓒ (☞ ゆうしょう¹). ¶*ペナントを勝ち取る win the *pennant* // *ペナントを争う compete for the *pennant* **ペナントレース** pennant race Ⓒ.

べに 紅 (化粧品のほお紅や口紅, またはその色) rouge /rúːʒ/ Ⓤ; (棒状の口紅) lipstick Ⓒ. (☞ けしょう (挿絵)). **紅をさす** (紅をつける) put rouge on. **紅色** (赤色) red Ⓤ; (鮮やかな赤) crimson Ⓤ. (☞ あか¹; くれない) **紅おしろい** rouge and powder **紅染め** red-dyed cloth Ⓤ **紅筆** lipbrush Ⓒ, lipstick brush Ⓒ.

ペニー (英国のペニー貨幣) penny Ⓒ 語法 penny は100分の1ポンドで, 金額の場合の複数形は pence, 1ペニー銅貨の個数を示す複数形は pennies となる. p という記号を数字の後に付ける.

べにざけ 紅鮭 〔魚〕 red [sockeye] salmon Ⓒ.

べにしじみ 紅小灰蝶 〔昆〕 small copper Ⓒ.

べにしだ 紅羊歯 〔植〕 Japanese shield fern Ⓒ.

べにしょうが 紅生姜 red pickled ginger Ⓤ.

ペニシリン 〔薬〕 penicillin /pènəsílɪn/ Ⓤ.

ベニス ― 名 固 Venice ★ イタリア北東部の都市. (☞ ベネチア). ― 形 Venetian /vəníːʃən/. **ベニスの商人** *The Merchant of Venice* ★ シェークスピアの戯曲.

ペニス 〔解〕 penis /píːnɪs/ Ⓒ (複 ~es, penes /-niːz/).

べにすずめ 紅雀 〔鳥〕 avadavat /ǽvədəvæ̀t/ Ⓒ, tiger finch Ⓒ.

べにたけ 紅茸 russula /rʌ́sjʊlə/ Ⓒ (複 -lae /-lìː/, ~s).

べにづる 紅鶴 ☞ フラミンゴ

べにのき 紅の木 〔植〕 annatto /əná:tou/ Ⓒ ★ 染料植物.

べにばな 紅花 〔植〕 safflower Ⓒ.

べにひわ 紅鶸 〔鳥〕 redpoll Ⓒ.

べにます 紅鱒 ☞ べにざけ

ベニヤいた ベニヤ板 (合板(ごうはん)) plywood Ⓤ ★ ベニヤ板を作るための薄い単板を veneer Ⓤ という.

ベネズエラ ― 名 固 Venezuela /vènəzwéɪlə/; (正式名) the Republic of Venezuela. ― 形 Venezuelan. **ベネズエラ人** Venezuelan Ⓒ.

ベネチア ― 名 固 Venice ★ イタリア北東部の都市. イタリア語名は Venezia. (☞ ベニス). **ベネチア楽派** 〔楽〕 the Venetian school (of music) **ベネチア国際映画祭** the Venice International Film Festival **ベネチア派** 〔美〕 the Venetian school (of painting).

ベネチアングラス[ガラス] (ベニス特産のガラス製品) Venetian glass Ⓤ ★ 集合的に.

ベネチアンブラインド venetian /vəníːʃən/ blind Ⓒ (☞ ひよけ¹ (挿絵)).

ベネディクト ― 名 固 (聖~) Saint Benedict, 480?–?543 ★ イタリアの修道士でベネディクト修道会を創設; (ルース ~) Ruth Benedict, 1887–1948 ★ 米国の女性文化人類学者で「菊と刀」*The Chrysanthemum and the Sword* の著者; (~16世) Benedict XVI, 1927– ★ ドイツ出身のローマ教皇 (2005–), 本名 Joseph Alois Ratzinger. **ベネディクト修道会** the Benedictine Order.

ベネルックス ― 名 固 (ベルギー・オランダ・ルクセンブルクの三国の総称) Benelux /bénəlʌ̀ks/ ★ *Be*lgium, the *Ne*therlands, *Lux*embourg を短縮して続けた形. 単数扱い; Benelux countries ★ 複数形で.

ペネロペ ― 名 固 〔ギ神〕 Penelope /pənéləpi/.

へのかっぱ 屁の河童 ¶そんなの*屁の河童だよ (⇒ 非常に簡単なこと) That's *very easy* to do. / (⇒ たやすいこと) It's a *cinch*.

へのじ への字 ¶口を*への字に結んで (⇒ くちびるを気むずかしくぴったりと閉じて) with *one's* lips ˹drawn tight [tightly drawn] *in a sour expression*

へのへのもへじ comic picture of a face drawn ˹in [with] seven *hiragana* characters Ⓒ.

ペパーミント péppermìnt Ⓤ ★「ペパーミント入り菓子」は Ⓒ.

ベバリー (女性名) Beverl(e)y /bévəli/.

へばりつく へばり付く (しがみついて離れない) stick to ...; (まといついて離れない) cling to ...; (のりなどでぴったりとついて離れない) be glued to ... (☞ くっつく; しがみつく; こびりつく). ¶彼は一日中机に*へばりついていた He *stuck to* his desk all day.

ヘパリン 〔生化〕 heparin Ⓤ.

へばる (くたくたに疲れる) be tíred óut, be exhausted ★ 前者のほうが口語的. ただし後者のほうが意味が強い. (☞ へたばる; つかれる¹; くたびれる).

ペパロニ pepperoni /pèpəróuni/ Ⓒ ★ 胡椒風味のソーセージ.

へび 蛇 snake Ⓒ ★ 一般的な語; (大きくて毒のある蛇) serpent Ⓒ ★ 文語. しばしば悪賢いものの比喩として使われる. ¶毒*蛇 a ˹poisonous [venomous] *snake* (☞ 次頁コロケーション (囲み))

蛇に見込まれた蛙 a frog hypnotized by a snake ★ 直訳. ¶テロリストが銃を向けたとき, 私たちは*蛇に見込まれた蛙のように (⇒ 自動車のヘッドライトに目がくらんだ兎のように) 恐ろしさでその場に立ちすくんだ When the terrorist aimed his gun at us, we ˹stood petrified [frozen] there with fear, like *a rabbit* (*transfixed*) *in the headlights*. **蛇の生殺し** (不安定な状態) a state of uncertainty. ¶自分の運命が決まらないでいることには, もう耐えられない. *蛇の生殺しだ I cannot endure to leave my fate undecided any more. I'm ˹*in limbo* [*left hanging in the air*]. (☞ ちゅうぶらりん; なまごろし)

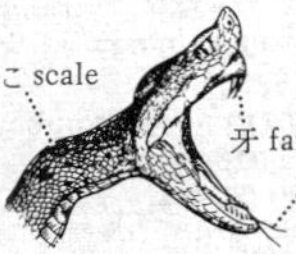

蛇革 snakeskin Ⓤ **蛇座** 〔天〕 the Serpent **蛇使い** snake charmer Ⓒ **蛇使い座** 〔天〕 the Serpent Bearer **蛇毒** snake venom Ⓤ.

> **蛇のいろいろ**
> がらがらへび rattlesnake, にしきへび python /páɪθɑn/, まむし viper, コブラ cobra, 青大将 common blue-green snake, やまかがし (首に黄色の環紋のある) ring(ed) snake, grass snake, 大蛇 big snake, boa (constrictor)

―コロケーション―
蛇が鎌首をもたげる a *snake* raises its head / 蛇が噛む a *snake* bites / 蛇が脱皮する a *snake* molts / 蛇が冬眠する a *snake* hibernates / 蛇がとぐろを巻く a *snake* coils / 蛇が這う a *snake* crawls

ヘビー ―[形] heavy. ¶*ヘビートレーニング *heavy* training　ヘビーウェイト ☞ヘビーきゅう　ヘビースモーカー heavy smoker [C], chain-smoker [C]　ヘビードリンカー heavy drinker [C]　ヘビーメタル ☞見出し

ベビー (赤ん坊) baby [C].

ベビーカー (赤ん坊を寝かせて運ぶもの) baby carriage [C], baby buggy [C], baby coach [C], 《英》pram [C]; (子供を座らせて運ぶもの) stroller [C], 《英》pushchair [C] [日英比較] 英語で baby car は小型自動車の意味.

ヘビーきゅう ヘビー級 〔ボク〕 the heavyweight class. ヘビー級の選手 heavyweight [C].

ベビーゴルフ miniature golf [U].

ベビーサークル playpen [C] [日英比較] 「ベビーサークル」は和製英語.

ベビーサイズ ―[形] small-size(d); baby ★ 後者は「小型の」と「子供用の」の 2 つの意味があるので注意を要する.

ベビーシッター ―[名] (両親が留守の間子供の世話をする人) baby-sitter [C] ★ 単に sitter ともいう; (その仕事) baby-sitting [U]. ―[動] (ベビーシッターをする) baby-sit (自) 《過去・過分 -sat》. 《☞ おもり¹; こもり》.

ベビーセット (ベビー用品一そろえ) baby-goods set [C].

ベビーだんす ベビー箪笥 small-size(d) chest of drawers [C].

へびいちご 蛇苺 〔植〕 Indian strawberry [C], mock-strawberry [C].

ベビーパウダー baby powder [U].

ベビーバギー baby buggy [C].

ベビーフード (離乳食のようなもの) baby [infant] food [U].

ベビーフェイス baby face [C].

ベビーブーマー (ベビーブーム期に生まれた人) baby boomer [C].

ベビーブーム (出生率の急上昇) báby bòom [C].

ベビーホテル (宿泊も含めて子供を預るところ) child-care center offering overnight service [C]; (共働きの親の子供を日中預るところ) 《米》day-care center [C], 《英》(day) nursery [C] [日英比較] 「ベビーホテル」は和製英語.

ヘビーメタル (ロック音楽の一種) heavy metal [U].

へびがみ 蛇神 naga /ná:gə/ [C] ★ ヒンズー神話で蛇・竜が神格化されたもの.

へひりむし 屁放虫 〔昆〕 bombardier beetle [C] ★ 悪臭を放つ甲虫類の総称.

ペプシン 〔生化〕(蛋白質分解酵素) pepsin [U].

ペプチダーゼ 〔生化〕(酵素の一種) peptidase /péptədèɪs/ [U].

ペプチド 〔生化〕(アミノ酸化合物) peptide /péptaɪd/ [C]. ペプチド結合 peptide ˹bond [linkage] [C]　ペプチドホルモン peptide hormone [U].

ペプトン 〔生化〕(蛋白質の分解による中間生成物) peptone [U].

ヘプバーン ☞ ヘップバーン

ヘブライご ヘブライ語 Hebrew /hí:bru:/ [U].

ヘブライズム Hebraism /hí:breɪìzm/ [U].

ヘブン (天国) Heaven [U]; (天国のようなところ) heaven [U]. 《☞ てん²; てんごく》.

ペヘレイ 〔魚〕 pejerrey /pèɪhəréɪ/ [C].

へべれけ ¶彼は*へべれけに酔っている He *is* ˹*blind* [*dead*] *drunk*. 《☞ よっぱらう》

へぼ ―[形] (下手な) poor; (熟練していない) unskillful. 《☞ へた¹》. ¶*へぼ詩人 a *poetaster* /póʊɪtæ̀stə/ // *へぼ絵描き a *dauber* // *へぼ将棋をさす play a *poor* game of *shogi*

へぼい (下手な) poor; (役に立たない) trashy; (つまらない) uninteresting; (価値のない) worthless; (ばかげた) absurd. 《☞ へぼ; へた¹; つまらない; くだらない》.

ヘボン ―[名] (固) James Curtis Hepburn /hé(p)bə(:)n/, 1815–1911. ★ 米国の宣教師・医師, ヘボン式ローマ字の創始者. ¶*ヘボン式ローマ字 the *Hepburnian* /hebə́:niən/ system of romanization 《☞ ローマじ》 // 日本語を*ヘボン式で書く write Japanese ˹in [using] the *Hepburnian* system

へま ―[名] (失敗) mistake [C]; (ばかげた大失敗) blunder [C]. ―[動] (…でへまをする) make a ˹mistake [blunder] (in …), 《略式》 make a muff of … 《☞ どじ; しくじる》.

ヘマトクリット 〔医〕 hematocrit /hɪmǽtəkrɪ̀t/ [U] ★ 赤血球容積率.

ヘミングウェイ ―[名] (固) Ernest (Miller) Hemingway, 1899–1961. ★ 米国の小説家.

ヘム¹ (洋裁) hem [C]. ヘムステッチ hemstitch [U].

ヘム² 〔生化〕 heme /hí:m/ [U]. ヘム蛋白質〔生化〕 hemoprotein /hì:moʊpróʊti:n/ [U].

ヘムロック (毒草) hemlock [C] ★ それから採った毒薬は [U].

へめぐる 経回る perámbulàte (自), visit [go] around (自).

ヘモグロビン 〔生化〕 hemoglobin /hí:məglòʊbɪn/ [U], 《英》haemoglobin [U].

へや 部屋 room [C] ★ 一般的な語; (アパートの) apartment [C], 《英》flat [C] ★ アパート内の 1 部屋または 1 組になっている幾つかの部屋.
¶私の家には*部屋が 4 つある My house has four *rooms*. // 彼はホテルに*部屋を取った (⇒ 予約した) He reserved a *room* at the hotel. // *部屋を借りる [貸す] rent a *room* 《☞ まがり¹; まがし》
部屋着 dressing gown [C] ★ 起床後などにパジャマの上から着るもの. 《米》では bathrobe よりも上等なもの; (女性の) housedress [C] [日英比較] 「ホームドレス」は和製英語.　部屋住み dependent [C]　部屋代 (room) rent [U]　部屋割り assignment of ˹rooms [lodgings] [U].

―コロケーション―
明るい部屋 a light *room* / 空き部屋 a vacant *room* / 薄暗い部屋 a gloomy *room* / 大きい部屋 a large *room* / 風通しのよい部屋 an airy [a well-ventilated] *room* / 風通しの悪い部屋 a ˹stuffy [poorly-ventilated] *room* / がらんとした部屋 an empty *room* / 汚い部屋 a dirty *room* / 暗い部屋 a dark *room* / 雑然とした部屋 an untidy *room* / 静かな部屋 a quiet *room* / 整然とした部屋 a ˹tidy [neat] *room* / 騒々しい部屋 a noisy *room* / 小さな部屋 a small *room* / 眺めのよい部屋 a *room* with a good view / 日当たりのよい部屋 a sunny *room* / 広々とした部屋 a spacious *room*

ヘヤ ☞ ヘア

へら 箆 (物を混ぜたり伸ばしたりする) spátula [C]; (裁縫用の) tracing spatula [C].

ヘラ 〔ギ神〕 Hera /hí(ə)rə/ ★ 結婚をつかさどる女神. ゼウスの妻でローマ神話の Juno に当たる.

べら 遍羅 〔魚〕 wrasse /rǽs/ [C], seawife [C] 《複 -wives》.

ベラ (女性名) Bella ★ Isabella の愛称.

ベラウ ―[名] (固) Belau /bəláʊ/; (正式名) the

Republic of Belau ★ 西太平洋の共和国.

ヘラクレイトス —[名] (固) Heracl(e)itus /hèrəkláɪtəs/ ★ 紀元前 5–6 世紀のギリシャの哲学者.

ヘラクレス 〘ギ神〙 Hercules /hə́ːrkjʊlìːz/ ★ 大力無双の英雄. 《☞ ヘルクレスざ》.

へらさぎ 篦鷺 〘鳥〙 spoonbill Ⓒ.

へらじか 篦鹿 moose Ⓒ ★ 単複同形; (ユーラシア産の) elk Ⓒ.

へらす 減らす (数・大きさ・程度・速度などを人為的に) reduce (他) ★ 意味の広い一般的な語; (少しずつ次第に) decrease (他) (↔ increase) ★ この語は (自) の用法のほうが普通; (費用などを切り詰める) cút dówn (他); (外的な力でだんだんと少なくする) 《格式》 diminish (他). 《☞ へる[1]》.
¶ 彼は体重を*減らそうとしている He is trying to *lose* some weight. // 費用をもっと*減らすようにと言われた We were told to ˹*cut down* [*reduce*] our expenses. // あなたは肉を*減らして (⇒ 少なく食べて) 野菜をもっと食べなければいけません You must eat *less* meat and more vegetables.

へらずぐち 減らず口 (言い返し) retort Ⓒ. へらず口をたたく ¶ *へらず口をたたくな (⇒ 口をつぐんでいろ) *Hold your tongue.* / (⇒ 口答えするな) Don't *talk back.*

ベラスケス —[名] (固) Diego Velázquez /diéɪgoʊ vəlǽskəs/, 1599–1660. ★ スペインの画家. á の ´ は綴り本来のもの.

へらだい 篦台 spatula board Ⓒ; (説明的には) padded board on which a tracing spatula is used Ⓒ.

ベラドンナ 〘植〙 belladonna Ⓒ.

へらぶな 篦鮒 〘魚〙 crucian carp Ⓒ ★ 単複同形.

へらへら ¶ *へらへら笑う laugh [smile] *foolishly.* // 私は彼の*へらへらした調子が嫌いだ I dislike his *insincere fawning* attitude. 《☞ 擬声・擬態語(囲み)》

べらべら —[形] (おしゃべりな) talkative. —[副] (間断なく) incessantly. 《☞ ぺらぺら; 擬声・擬態語(囲み)》. ¶ 彼女は*べらべらとよくしゃべる She is very *talkative.* / She talks *incessantly.*

ぺらぺら 1 《流暢(りゅうちょう)に》 —[副] (よどみなく) fluently 《☞ りゅうちょう; 擬声・擬態語 (囲み)》.
¶ 彼は英語が*ぺらぺらだ (⇒ うまい) He is a *very good speaker* of English. / (⇒ 流暢に話す) He speaks English *fluently.*
2 《薄っぺら》 —[形] (薄い) thin; (薄くて弱い) flimsy. 《☞ うすい[1]》. ¶ 彼は*ぺらぺらの紙を 1 枚くれた He gave me a *thin* sheet of paper.

べらぼう —[形] (道理に合わなくてばかばかしい) absurd; (程度のひどい) awful, terrible ★ 以上 2 語は口語的で会話でよく用いられる; (常軌を逸した・法外な) unreasonable; (値段や要求などが途方もなく不当な) exorbitant /ɪgzɔ́ə bət(ə)nt/ ★ 格式ばった語. —[副] awfully; terribly. 《☞ ばかばかしい; ほうがい》. ¶ 何で*べらぼうな要求なんだ What an ˹*absurd* [*unreasonable*] demand! // 東京の*べらぼうな地価の高騰はほかの国でも前例がないものだった The *exorbitant* rise in land prices in Tokyo was unparalleled in other countries. // その試験は*べらぼうに難しかった The examination was ˹*awfully* [*terribly*] ˹hard [difficult].

ベラルーシ —[名] (固) Belarus /bèlərúːs/; (正式名) the Republic of Belarus ★ ロシアの西に隣接する共和国. —[形] Belarussian /bèlərʌ́ʃən/.

ベラム (上質皮紙) vellum Ⓤ.

ベランダ (庭のある一戸建ての家の) veránda Ⓒ, verandah Ⓒ, 《米》 porch Ⓒ; (中・高層アパートなどの) balcony Ⓒ.

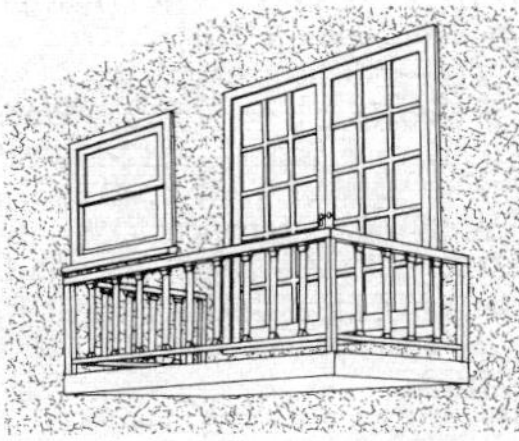

balcony

veranda(h), 《米》 porch

べらんめえ ¶ *べらんめえ (⇒ ばかめ), 俺を馬鹿にするな! Don't make fun of me, you ˹*bastard* [*damn fool*]! // 彼は*べらんめえ口調 (⇒ 粗野な東京方言) でしゃべる He speaks the *rough dialect of Tokyo.*

へり[1] 縁 (物の端) edge Ⓒ; (布や着物の) hem Ⓒ; (コップや茶わんなど円形のものの) brim Ⓒ; (畳などの) border Ⓒ. 《☞ ふち[1]; はし[2]》.

へり[2] 減り (減少) decrease Ⓒ; (損失) loss Ⓒ.

ヘリ ☞ ヘリコプター

ベリー (食用小果実) berry Ⓒ.

ペリー —[名] (固) Matthew Calbraith Perry, 1794–1858. ★ 日本を開国させた米国の海軍軍人.

ベリーズ —[名] (固) Belize /bəlíːz/ ★ 中央アメリカの国.

ベリーダンス (腹と腰をくねらせて踊るダンス) belly dance Ⓒ.

ベリーロール (走り高跳びの跳び方) straddle Ⓤ.

ヘリウム 〘化〙 helium /híːliəm/ Ⓤ 《元素記号 He》.

ヘリオス 〘ギ神〙 Helios ★ 太陽神.

ヘリオスコープ (太陽観測望遠鏡) helioscope /híːliəskòʊp/ Ⓒ.

ヘリオスタット heliostat /híːləstæ̀t/ Ⓒ ★ 平面鏡を使って太陽光を一定の方向に導く装置.

ヘリオトロープ 〘植〙 heliotrope /híːliətròʊp/ Ⓒ ★ 香水は Ⓤ.

ペリカン 〘鳥〙 pelican /pélɪk(ə)n/ Ⓒ.

へりくだる 遜る —[動] (謙遜する) humble *oneself.* —[形] (自らを卑下した) humble; (謙虚な) modest. —[副] humbly; modestly. 《☞ けんそん; ひかえめ》. ¶ 彼の前で*へりくだる必要はない You needn't *humble yourself* before him. // 彼は彼女に対して*へりくだった態度をとった He ˹took [assumed] a ˹*humble* [*modest*] attitude toward her.

へりくつ 屁理屈 —[動] (もっともらしいことを言う) argue speciously (自); (へ理屈でごまかす) quibble (自). —[名] (へ理屈) quibble Ⓒ; (詭弁) sóphistry Ⓤ. 《☞ りくつ; こじつけ; きべん》.

ペリクレス —[名] (固) Pericles /pérəklìːz/, 495?–?429 B.C. ★ 古代ギリシャのアテネの政治家.

ヘリコイド (カメラレンズの) (lens) helicoid Ⓒ; 〘数〙 (らせん体[面]) helicoid Ⓒ.

ヘリコバクターピロリ 〖細菌〗Helicobacter pylori /hélɪkoubæ̀ktə pɪlɔ́:ri/ Ⓤ.

ヘリコプター hélicòpter Ⓒ.

ペリシテじん[びと] ペリシテ人 Philistine /fílɪsti:n/ Ⓒ ★ 紀元前 12 世紀ごろパレスチナの南西部に住みイスラエル人を圧迫した民族.

へりだか 減り高 décrement Ⓒ.

ヘリックス 〖化〗(らせん構造) helix /hí:lɪks/ Ⓒ.

ペリパトスがくは ペリパトス学派 Peripateticism /pèrəpətétəsìzm/ Ⓤ ★ アリストテレスが創設した逍遥学派.

ベリファイ 〖コンピューター〗 ━動(データなどを確認・検証する) verify ㊤. ━名 (data) verification Ⓤ.

ヘリポート hélipòrt Ⓒ.

ベリリウム 〖化〗berýllium Ⓤ《元素記号 Be》.

ベリル (女性名) Béryl.

ベリンダ (女性名) Belínda.

ヘリンボーン (杉綾織り) hérringbòne Ⓒ.

へる¹ 減る **1**《減少する》 ━動(量が少なくなる) become less, lessen ㊀; (数が少なくなる) become fewer ★ 以上のうち become を含む表現は平易な言い方; (次第に少しずつ減少する) decrease ㊀ (↔ increase); (量や質などが低下する) fáll óff ㊀; (衰えて低下する) decline ㊀; (目に見えて次第に減っていき最後にはなくなる) dwindle ㊀; (外的な力によりだんだんと小さくなる)《格式》diminish ㊀; (人為的な作用により量・額・程度・範囲などが) be reduced. ━名 decrease Ⓤ 語法 具体的な事例または「減少量」を表す場合は Ⓒ. (☞ へらす; げんしょう¹). ¶ 事故の数が*減った Accidents *have* ⌈*decreased* in number [*become fewer*]. // 人口はだんだん*減っている The population *is* ⌈*decreasing* [*on the decrease*]. // 最近売り上げが*減ってきた Sales *have* ⌈*declined* [*fallen off*] recently. // 貯金が*減ってしまった My savings *have dwindled*. // 彼らの平均収入がひどく*減った (⇒ 下がった) Their average income *dropped* sharply. // 注文が 3 割も*減った (⇒ 下がった) Orders *were down* by 30 percent. // 私は体重が 3 キロ*減った (⇒ 3 キロ失った) I *have lost* three kilograms.

2《磨滅する》: (もう使えないほど) wéar óut ㊀ (☞ すりへる; まめつ). ¶ 安い靴はすぐにすり*減ってだめになってしまいますよ Cheap shoes (will) *wear out* quickly.

3《空腹になる》: be hungry (☞ くうふく; はら¹).

へる² 経る **1**《経過する》: (時間や年月などが過ぎ去る) pass (by) ㊀; (過ぎて行く) gò bý ㊀. (☞ たつ²). ¶ 父が死んでから 10 年を*経ている Ten years *have* ⌈*passed* [*gone by*] since my father died. / (⇒ 死んでから 10 年になる) It ⌈*has been* [*is*] ten years since my father died. ★ is は主に《英》.

2《通過する》 ━動 (通り抜ける) pass [go] through … ━前 (…経由で) via /váɪə/ …, by way of … (☞ けいゆ¹; -まわり). ¶ 彼らは香港を*経てボンベイへ飛んだ They flew to Bombay ⌈*by way of* [*via*] Hong Kong.

3《経験する》: experience ㊤ ★ 一般的な語; (苦難・苦労などを) pass [go] through … ¶ 私はいままでに多くの困難を*経てきた I *have* ⌈*passed* [*gone*] *through* many difficulties. // それは十分な論議を*経て [*経ないで] 決められた (⇒ 議論の後で [議論しないで]) It was decided ⌈*after* [*without*] a full discussion.

ヘル¹ ☞ ヘルメット

ヘル² (地獄) hell Ⓤ.

ベル¹ bell Ⓒ ★ 最も一般的な語; (戸口の) doorbell Ⓒ. 日英比較 日本語の「ベル」は「よびりん」のようなものについていうが, 英語の bell は元来教会などの鐘をいう. (☞ よびりん; チャイム; すず¹). ¶ 私は*ベルが鳴るのを聞いた I heard the *bell* ring. // 玄関の*ベルが 3 回鳴った The *doorbell* rang three times. // 非常*ベル the emergency *bell* // *ベルを合図に試験が始まった (⇒ 試験はベルとともに始まった) The examination began with the *bell*. // *ベルを鳴らす ring the *bell* // *ベルを鳴らしてサービスを呼ぶ *ring* for service // 私は*ベルを鳴らして看護師を呼んだ I rang the *bell* for the nurse.

ベル² (女性名) Bell ★ Ísabèl の愛称.

ベル³ ━名 ㊎ Alexander Graham Bell, 1847–1922. ★ 有線電話を発明.

ペルー ━名 ㊎ Perú; (正式名) the Republic of Peru. ━形 Perúvian. **ペルー人** Perúvian Ⓒ.

ベルエポック the [la] belle époque Ⓤ ★ 19 世紀末から第 1 次大戦までのよき時代. é の ´ は綴り本来のもの.

ベルカント 〖楽〗(唱法の一つ) bel canto /belkɑ́:ntou/ Ⓤ ★ イタリア語で "beautiful singing" の意味.

ベルギー ━名 ㊎ Belgium /béldʒəm/; (正式名) the Kingdom of Belgium. ━形 Belgian /béldʒən/. **ベルギー人** Belgian Ⓒ.

ベルグソン ━名 ㊎ Henri Bergson, 1859–1941. ★ フランスの哲学者.

ヘルクレスざ ヘルクレス座 〖天〗the Hercules /hə́:kjulì:z/.

ベルゲン ━名 ㊎ Bergen. ★ ノルウェー南西岸にある港湾都市.

ベルサイユ ━名 ㊎ Versailles /vəːsáɪ/ ★ パリ郊外の町. **ベルサイユ宮殿** Versailles Palace, the Palace of Versailles **ベルサイユ条約** the Versailles (Peace) Treaty.

ヘルシー ━形 healthy. ━副 healthily. (☞ けんこう¹). ¶ バランスのとれた食事で*ヘルシーな生活をする live *healthily* on a balanced diet

ペルシャ ━名 ㊎ Persia /pə́:ʒə/; (現在の名称) Iran /ɪrɑ́:n/. ━形 Persian; Iranian /ɪréɪniən/. (☞ イラン). **ペルシャ語** Persian Ⓤ **ペルシャじゅうたん** Persian ⌈carpet [rug] Ⓒ **ペルシャ人** Persian Ⓒ **ペルシャ猫** Persian cat Ⓒ **ペルシャ湾** the Persian Gulf.

ヘルシンキ ━名 ㊎ Hélsinki ★ フィンランドの首都.

ヘルス (健康) health Ⓤ.

ヘルスクラブ health club Ⓒ.

ヘルスケア (健康管理) healthcare Ⓤ.

ヘルスセンター (医療センター) health center Ⓒ; (娯楽施設) recreation center Ⓒ 日英比較 日本語と英語との意味の違いに注意.

ヘルスメーター bathroom scales ★ 複数形で.

ペルセウス ━名 ㊎ 〖ギ神〗Perseus /pə́:su:s/ ★ メドゥーサを退治した英雄. **ペルセウス座** 〖天〗the Perseus.

ペルセフォネ 〖ギ神〗Persephone /pə(:)séfəni/ ★ ゼウスとデメテルの娘; ハデスにさらわれ妻となる.

ペルソナ 〖心〗(外的人格) persona /pəsóunə/ Ⓒ《複 -nae /-ni:/, ～s》.

ペルソナノングラータ persona non grata /pəsóunənɑ̀ngrɑ́:tə/ Ⓒ《複 ～, personae non gratae /pəsóuni:nɑ̀ngrɑ́:ti:/》★ 接受国にとって容認できない外交官または外交使節.

ヘルツ 〖電〗(周波数の単位) hertz /hə́:ts/ Ⓒ《複 ～》《略 Hz》.

ベルツ ━名 ㊎ Erwin von Bälz, 1849–1913. ★ ドイツの医学者.

ヘルツェゴビナ ━名 ㊎ Herzegovina /hèətsəgouví:nə/ ★ ボスニア・ヘルツェゴビナの南部地域. ━形 Hèrzegovínian /-ví:niən/. ヘルツェゴビナ

人 Herzegovinian Ⓒ.
ベルディ ―図 固 Giuseppe Fortunino Francesco Verdi /véədi/, 1813–1901. ★ イタリアの作曲家.
ベルト (バンド) belt Ⓒ; (座席の) seat belt Ⓒ. (☞ バンド¹; シートベルト).
¶ 彼は革の*ベルトを締めていた He was wearing a leather *belt*.

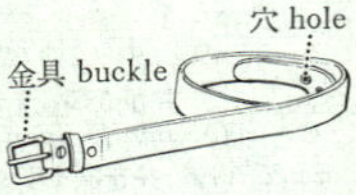

ベルトコンベヤー convéyor bèlt Ⓒ, belt conveyor Ⓒ ★ 前者が普通.
ヘルニア 〔医〕hernia /hə́ːniə/ Ⓤ.
ヘルパー (家事手伝いの人・お手伝いさん) (home) help Ⓒ, household helper Ⓒ 日英比較 英語の helper は一般的に「助力する人・助手」の意.
ヘルプ (救助・手伝い) help Ⓤ.
ベルファスト ―図 固 Belfast ★ 北アイルランドの中心都市.
ヘルペス 〔医〕herpes /hə́ːpiːz/ Ⓤ. ヘルペスウィルス herpesvirus Ⓒ.
ベルベット (ビロード) velvet Ⓤ (☞ ビロード).
ベルベル Berber /bə́ːbə/ Ⓒ ★ 北アフリカ山地の一種族. ベルベル語 Berber Ⓤ.
ベルボーイ (ホテル・クラブなどのボーイ)《米》bellhop Ⓒ, 《米》bellboy Ⓒ, 《英》page Ⓒ, 《英》pageboy Ⓒ.
ベルボトム ―図 (らっぱズボン) bell-bottoms ★ 複数形で. ―形 bell-bottom.
ヘルムホルツ ―図 固 Hermann Ludwig Ferdinand von Helmholtz /hélmhoults/, 1821–94. ★ドイツの物理学者・生理学者.
ヘルメス ―図 固 〔ギ神〕Hermes /hə́ːmiːz/ ★ 商業・弁舌・発明・盗み・旅行者などの神で, 神々の使い.
ヘルメット helmet Ⓒ; (建設工事でかぶる安全帽) hard hat Ⓒ; (オートバイに乗る人の) crash helmet Ⓒ. ¶ 建設現場では*ヘルメット着用のこと《掲示》All personnel are required to wear *hard hats* on the building site!

ベルモット (果実酒) vermouth /vəmúːθ/ Ⓤ.
ベルリオーズ ―図 固 Louis-Hector Berlioz /lwíː ektɔ́ə béəliòuz/, 1803–69. ★ フランスの作曲家.
ベルリン ―図 固 Berlin /bəːlín/ ★ドイツ連邦共和国の首都. ベルリンの壁 the Bérlin Wáll.
ベルレーヌ ―図 固 Paul Verlaine, 1844–96. ★ フランスの象徴派詩人.
ベルン ―図 固 Bern ★ スイス連邦の首都.
ベレーぼう ベレー帽 beret /bəréɪ/ Ⓒ (☞ ぼうし¹).
ペレストロイカ perestroika Ⓤ ★ 旧ソ連のゴルバチョフ政権が進めた経済・社会改革.
ペレット (小丸薬) pellet Ⓒ.
ヘレニズム Hellenism Ⓤ.
ヘレネ 〔ギ神〕Helen (of Troy) ★ スパルタ王メネラオスの妻で絶世の美女. トロイの王子パリスに連れ去られたことからトロイ戦争が起こった.
ヘレン (女性名) Hélen ★ 愛称は Nell, Nélly, Néllie.
ヘレンケラー ―図 固 Helen Adams Keller, 1880–1968. ★ 米国の盲聾唖の社会運動家.
べろ (舌) tongue /tʌ́ŋ/ Ⓒ.
ベロア (布地) velour(s) /velúə/ Ⓤ.
ヘロイン (麻薬) héroin Ⓤ.
ペロー ―図 固 Charles Perrault, 1628–1703. ★ フランスの批評家・詩人・童話作家.
ベローズ (カメラ・引き伸ばし機などの蛇腹) bellows ★ 複数形で.
ベローナ 〔ロ神〕Bellona ★ 戦争の女神.
ぺろっと ☞ ぺろりと
ヘロデ ―図 固 Hérod, 73?–4 B.C. ★ 残虐で知られるユダヤの王.
ヘロドトス ―図 固 Herodotus, 484?–?425 B.C. ★ ギリシャの歴史家で the Father of History と呼ばれる.
ベロニカ (女性名) Veronica /vərɑ́nɪkə/.
へろへろ ☞ よわよわしい; へなへな
べろべろ ¶ 彼は酔って*べろべろだ (⇒ すっかり酔っている) He is ⌈*blind* [*dead*] *drunk*. (☞ 擬声・擬態語 (囲み))
ぺろぺろ ¶ その子はお皿を*ぺろぺろなめた The child *licked* the plate. (☞ なめる; 擬声・擬態語 (囲み))
ペロポネソス ―図 固 the Peloponnesus /pèləpəníːsəs/ ★ ギリシャ南部の半島.
ぺろりと **1** «舌を出すさま» ¶ 彼は*ぺろりと舌を出した He *stuck his tongue out*. 日英比較 英米では日本のように失敗したとき, あるいはうまくごまかしたときなどに舌を出すことはしない. 人への軽蔑, 医者の診察などで出す場合のほかは, 説明的に訳さないと意味が通じない場合が多い. (☞ 擬声・擬態語 (囲み))
2 «またたく間に食べてしまうさま» ―動 finish eating ... very quickly (☞ たいらげる; 擬声・擬態語 (囲み)). ¶ 彼はご飯を*ぺろりと 5 杯食べた He *ate* five bowls of rice *very quickly*.
ヘロン ―図 固 Hero, Heron /hí(ə)rɑn/ ★ 1 世紀ごろのギリシャの物理学者・数学者. ヘロンの公式 〔数〕Hero(n)'s formula.
へん¹ 変 ―形 (変な) strange; pecúliar; odd; queer; curious; (風変わりな) eccéntric; (怪しい) suspícious, 《略式》fishy; (気が変な) crazy, mad, out of *one's* mind. ―副 strangely; oddly.
【類義語】最も一般的な語は **strange**. この語は見たり聞いたりしたこともないという意味で変だということを表すが, 「奇妙な」「不思議な」などの日本語にも当たるかなり意味の広い言葉. 以下の語の代わりに用いられる場合も多い. ある人またはものなどの一種独特な習慣があって変なのは **peculiar** で, 必ずしも悪い意味ではないが, けなす意味合いを込めることが多い. 常識や基準からはずれていて変なのは **odd** で, この語は悪いとか, 間違っているというニュアンスを含む. 原因不明で, 説明できないように風変わりで変なのが **queer**. この語には「(男が) 同性愛の」という意味があるので注意がいる. 好奇心をかき立てるように奇妙でおもしろく変なのが **curious**. 行動などが世間の常識とは違っていて風変わりで変人的なのが **eccentric**. 怪しげな意味で変なのが **suspicious**. ほぼ同じ意味でより口語的なのが **fishy**. 気が変で狂っているという意味の語が **crazy** だが, この語は実際に精神的な障害があるという意味ではなく, 比喩的に常識をはずれていることをいうのによく使われる. 口語的に気が変であることを表す語が **mad**, それより少し格式ばった言葉が **out of one's mind**. (☞ おかしい; きみょう; ふしぎ)
¶ *変な物音がした (⇒ 聞こえた) I heard a *strange* noise. // 彼は*変な癖がある He has a ⌈*strange* [*peculiar*; *queer*] habit. // 僕より前に山田君がそのことを知っているのは*変だ It's *strange* that Yamada knew that before I did. // この英語は少し*変だ (⇒ ぎこちない) This English (expression) is a little *awkward*. 語法 incorrect, wrong (間違っている) と言うと少しきつすぎる場合によく使われる. // エン

ジンの調子が*変だ (⇒ 調子が狂っていておかしい) Something is *wrong* with the engine. // 昨晩彼女の家の前で*変な人影を見た I saw a *suspicious* person in front of her house last night. // こんな夜中に電話をかけてくるなんて頭が*変なんじゃないの You must be *crazy* to call me up at this time of (the) night. // あのとき彼は*変にそわそわしていた He was *strangely* restless at that time.

へん[2] **辺** **1** 《地域》 ― 名 (近所) neighborhood Ⓒ; (全体に対する1部) part Ⓒ; (地域) area Ⓒ 日英比較 日本語の「辺」は必ずしも以上のような英語には訳されず, 前後関係によっては前置詞を用いたりして表されることもあることに注意. ― 前 (…のあたり) around …; (…の回り) about …; (…の近く) near … (☞ きんじょ; あたり[1]; ちかく[1]; ふきん[1]; このへん; そのへん). ¶「この*辺に銀行はありますか」「すみません. 私もこの*辺は初めて来たのでわかりません」 "Is there a bank ⌜*around* [*near*] here? / Is there a bank *in* this *neighborhood*?" "I'm sorry, I'm a stranger *here*." // 私はどこかこの*辺で財布を落とした I dropped my wallet somewhere *around* here. // この*辺は冬はとても寒いです It's very cold in this *part* of the country in (the) winter. // 「どの*辺 (⇒ どこ) が痛みますか」「ちょうどこの*辺が痛みます」 "*Where* do you feel pain?" "I have a pain right *here*."
2 《程度・範囲》 ¶あしたは早起きしなければなりませんので, この*辺で (⇒ ここで) ペンを置きます I will stop (writing) *here* because I have to get up early tomorrow. 日英比較 日本語の「辺」はこのように, なんとなくぼかした表現として使われることがある. このような場合は「辺」は英訳不可能なことも多い. (☞ 日本語の消極的表現 (巻末)) // 私は彼の話がどの*辺まで (⇒ どれほど) 信用できるのかわからない I don't know *how much* of his story is true.
3 《多角形の》: side Ⓒ (☞ さんかく(けい) (挿絵)).

へん[3] **偏** (漢字の) left(-hand) radical of kanji Ⓒ 参考 radical には本来 root の意があり, 根幹となる「要素」を意味する. ¶木*へん the tree *radical of kanji*

-へん[1] **…編** (…によって編さんされた) compiled by …; (…によって編集された) edited by … ★ 前者は特に集めた資料を元に本などを作ることをいう. (☞ へんしゅう[1]; へんさん). ¶田中一郎*編英和辞典 the English-Japanese dictionary ⌜*compiled* [*edited*] *by* I. Tanaka

-へん[2] **…遍** ☞ -かい[1]; ど; 数の数え方 (囲み)

-へん[3] **…片** piece Ⓒ, chip Ⓒ (☞ 数の数え方 (囲み)). ¶花びら1*片 *a* petal

べん[1] **便** ― 形 (都合のよい) convenient (↔ inconvenient). ― 名 convenience Ⓤ; (公共の乗り物の) service Ⓤ. ― 副 conveniently. (☞ べんり).
¶彼の家は駅のそばで交通の*便がよい (⇒ 駅に好都合だ) His house is *convenient* to the station. / His house is *conveniently* ⌜near [close to] the station. // その団地は交通の*便がよい The ⌜apartment [housing] complex is *convenient* to ⌜transportation [the transportation facilities]. // ここはバスの*便が悪い This place is *inconvenient* for catching buses. // 駅から目的地までバスの*便があります There is bus *service* available from the station to that ⌜destination [place].

べん[2] **便** (便通) stool Ⓒ ★ しばしば複数形で. 腰掛け式の便器から出た婉曲語; (排泄物・排泄行為) 《格式》 excretion /ɪkskríːʃən/ Ⓤ; (大便) 《格式》 feces (《英》 faeces) /fíːsiːz/ ★ 複数形で; 《卑》 shit Ⓤ 語法 医者と患者の間でも使われるごく一般的な語が stool. その他の格式語も必要に応じて人前で使ってもよいが, shit は人前で使ってはならないタブー語とされている. (☞ つうじ[1]; べんい).
¶赤ちゃんの*便は正常だった The baby's *stools* were normal. // 硬い*便 a hard *stool* // 私は*便が軟らかい I have a soft *stool*. // 液体状の*便 a watery *stool* // *便が出る (⇒ 出す) pass *stools*

べん[3] **弁** **1** 《植物》: (花びらの) petal Ⓒ.
2 《機械》: (出入りの調節の) valve Ⓒ.

べん[4] **弁** **弁が立つ** ¶彼は*弁が立つ (⇒ 流暢にしゃべる) He *speaks fluently*. / He's *a* ⌜*good* [*fluent*] *speaker*. **弁を振るう** speak eloquently ⓐ, make [give] an eloquent speech. **弁を弄する** (ぺらぺらしゃべりたてる) speechify ⓐ; (長広舌を振う) harangue ⓐ. (☞ きべん).

ベン (男性名) Ben ★ Bénjamin の愛称.

-べん **…弁** (方言) dialect Ⓒ; (話し方のなまり) accent Ⓒ. (☞ なまり[1]; ほうげん[1]).
¶彼は関西*弁で話す He speaks (in) the Kansai *dialect*. / (⇒ 関西のなまりで) He ⌜speaks [talks] with a Kansai *accent*.

ペン pen Ⓒ ★ 広い意味に使われ, 万年筆やボールペンを含む.

> ペンのいろいろ
> 万年筆 fountain pen, ボールペン ballpoint pen, シャープペン(シル) mechanical pencil, サインペン (先の柔らかい) felt-tip [felt-tipped] pen ★《米》では felt pen というほうが多い; 羽根ペン quill (pen)

¶*ペンで書く write with a *pen* // 「鉛筆で書いてもいいですか」「いいえ, *ペンで書いて下さい」 "May I use a pencil?" "No, please use a *pen*." // *ペンを置いて下さい Please put down your *pen*(*s*). // *ペンを取って書き始めなさい Pick up [Take (up)] your *pen*(*s*) and start writing. // この*ペンは書き易い This *pen* is easy to write with. / This *pen* writes well. 語法 この write は ⓐ で, 様態を示す副詞 (句) を伴って使われる. // *ペンで (⇒ 著作で) 生活を立てることは難しい It's hard to earn ⌜your [a] living by *writing*.
ペンは剣よりも強し The *pen* is mightier than the sword. 《ことわざ》 **ペンを折る** ☞ ふで (筆を折る)
ペン画 pen(-and-ink) ⌜sketch [picture] Ⓒ; drawing in pen and ink Ⓒ **ペン先** 《米》 penpoint Ⓒ, 《英》 nib Ⓒ **ペン軸** penholder Ⓒ **ペン習字** ☞ しゅうじ[1]; ペンマンシップ **ペンだこ** ☞ 見出し **ペンネーム** ☞ 見出し **ペンパル** ☞ 見出し **ペンホルダー** (ペン軸) penholder Ⓒ; (ペンホルダーグリップ) 〖卓球〗 penholder (grip) Ⓤ **ペンマンシップ** penmanship Ⓤ.

へんあい **偏愛** ― 名 (一方を他方よりも特別に好くこと) partiality (to …; for …) Ⓤ; (えこひいき) favoritism (《英》 favouritism) Ⓤ. ― 動 be partial (to …). (☞ えこひいき).

へんあつ **変圧** 〖電〗 ― 名 transformation Ⓤ. ― 動 transfórm ⓣ. **変圧器** transformer Ⓒ **変圧所** substation Ⓒ.

へんい[1] **変異** (生物の) variation /vè(ə)riéɪʃən/ Ⓤ.

へんい[2] **変移** ☞ へんか[1]

べんい **便意** (生理的要求) the call of nature ★ 婉曲的な言い方. ¶私は*便意をもよおした I felt *the call of nature*. / (⇒ 排便したかった) I wanted to *relieve* myself.

へんいきごう **変位記号** 〖楽〗 accidental Ⓒ.

へんいでんりゅう **変位電流** displacement current Ⓒ.

へんうん **片雲** (一片の雲) speck of cloud Ⓒ ★ 通例否定文で. (☞ ちぎれぐも).

へんえい 片影 ¶この逸話から彼の性格の*片影がうかがえる This anecdote gives us a *glimpse* of his character.

べんえき 便益 (便利) convenience [U]; (利益) profit [U], advantage [C]. 《☞ べんぎ》. ¶*便益を図る *do* ... for the *advantage* of *a person* **便益関税** beneficial ⌈tariff [duty] [U].

へんおんどうぶつ 変温動物 poikílothèrm [C] (↔ homoiotherm), poikílothèrmal ánimal [C].

へんか¹ 変化 ―[動] (根本的に完全に変わる・変える) change (自) (他); (部分的に変わる・変える) alter (自) (他); (いろいろに変わる・変える) vary (自) (他). ―[名] change [C] ★ 最も一般的な語; (部分的な変更) alteration [C]; (変動) variation /vè(ə)riéɪʃən/ [C]; (1つの状態から他の状態への移行) transition [C]; (形態・機能が変化すること) transformation [U]; (多種多様な変化) variety /vəráɪəti/ [U], diversity /dɪvə́:səti/ [U] ★ 後者のほうが格式ばった語; (文法上の格変化) declension [U]; (動詞の変化) conjugation [U]; (語形変化の総称として) inflection [U]. ―[形] (変わりやすい) changeable; (同じでなく定まらない) variable; (流動的な) fluid; (多種多様な) various. 《☞ かわる¹; かえる²》.

¶天候が急に*変化した The weather *changed* suddenly. // この町はこの5年間にずい分*変化した This town *has* ⌈*changed* [*altered*] a great deal in the last five years. // 日中に気温の*変化はあまりない The temperature does not *vary* much during the day. // 時には食事に*変化をつけることが必要だ It is necessary to *vary* your ⌈meals [diet] sometimes. // 私は*変化のない仕事に飽きた I am tired of work that has no *variety* at all. / (⇒ 単調な仕事に) I'm bored with my *monotonous* work. // 思春期から大人への*変化は非常に速い The *transition* from adolescence to adulthood is very ⌈quick [fast]. // 日本は四季の*変化に富んでいる Japan has *varied* seasons. // その学校はここ数年間大きく*変化している (⇒ いくつかの主要な変化を受けている) The school has undergone some major *changes* during the past several years. // *変化に対応する adapt to *change* // 強[弱]*変化〖文法〗strong [weak] *conjugation*

変化記号 ☞ へんいきごう **変化球** (カーブ) curveball [C]; (カーブ・スライダー) breaking ball [C]. ¶彼は*変化球 (⇒ シュート[カーブ]) を投げる He throws a ⌈*screwball* [*curve*]. **変化率** ☞ びぶん¹ (微分係数) **変化量** variation [C].

―コロケーション―

大きな変化 a great *change* / **かなりの変化** a considerable *change* / **顕著な変化** a marked *change* / **根本的な変化** a ⌈radical [fundamental] *change* / **重大な変化** a ⌈momentous [crucial] *change* / **漸進的な変化** a ⌈progressive [gradual] *change* / **突然の変化** a sudden *change* / **表面的な変化** a superficial *change* / **目に見える変化** a visible *change* / **わずかな変化** a slight *change*

へんか² 返歌 tanka in reply [C], return tanka [C].

べんかい 弁解 ―[名] (おわび) apólogy [C]; (言い訳) excuse /ɪkskjú:s/ [C]; (説明) explanation [C]; (正当化) justification [U]. ―[動] excuse /ɪkskjú:z/ *oneself*; apólogìze (自); explain (他) (自); justify (他). ―[形] (弁解の) apòlogétic. 《☞ いいわけ; こうじつ¹; わび¹》.

¶彼は期日までに本を返却しなかったことを繰り返し*弁解した He repeatedly *apologized* to me for not having returned the book ⌈in [on] time. // あなたの行為は*弁解の余地がない There's no *excuse* for your conduct. / (⇒ そんな行為は正当化することはできない) You cannot *justify* such conduct. // 彼女は遅れたことをいろいろ*弁解した She made many *excuses* for being late. // いまさら*弁解無用だ It is (of) no use trying to ⌈*excuse yourself* [*explain*] now. // *弁解がましいことを言うな Don't say anything *apologetic*.

へんかく¹ 変革 ―[名] (改革) reform [C]; (変更) change [C]. ―[動] reform (他), carry out a reform; change (他). 《☞ かいかく》.

へんかく² 偏角 〖地〗declination [U]; 〖数〗amplitude [U]; 〖光〗angle of deviation [C].

へんがく 扁額 (横に長い額) oblong frame [C].

べんがく 勉学 ―[名] study [U]. ―[動] study (他) (自). 《☞ べんきょう》.

へんかくかつよう 変格活用 〖文法〗irregular conjugation [U].

へんがくほけん 変額保険 〖保〗variable insurance [U].

ベンガル ―[名] (固) Bengal /bèŋgɔ́:l/ ★ インド北東部のデルタ地帯. **ベンガル語** Bengalese /bèŋgəlí:z/ [U] **ベンガル人** Bengali /bèŋgɑ́:li/ [C] **ベンガル山猫** 〖動〗leopard cat [C] **ベンガル湾** the Bay of Bengal.

へんかん¹ 返還 ―[名] (返すこと) hándòver [U], return [U] ★ 前者のほうが口語的. ―[動] (返す) hánd óver (他), return (他) ★ 前者のほうが口語的. 《☞ かえす¹》. ¶私たちは北方領土の*返還を要求している We demand the *return* of the Russian-held Northern Islands. // 香港の*返還式典 the Hong Kong *handover* ceremony

へんかん² 変換 ―[動] (変える) change (他); (転換する・改造する) convert (他); (一変させる・変形させる) transform (他). 《☞ かえる²; かえる³; かわる¹》.

¶ローマ字をひらがなに*変換する *change* the Roman alphabet into *hiragana* // 石炭をガスに*変換する *convert* coal ⌈to [into] gas // 熱から力への*変換 the *transformation* of heat into power

変換器[装置] 〖電〗converter, -tor [C]; 〖物理〗transducer [C].

べんき 便器 (和風の) Japanese-style toilet [C]; (腰掛け式の) (toilet) stool [C]; (おまる) chamber pot [C].

べんぎ 便宜 ―[名] (都合) convenience [U]; (有利になること) advantage [U]; (利便) facility [C] ★ 複数形で. ―[形] (便宜的な) convenient; (有利な) advantageous; (一時しのぎの) temporary, stopgap. ¶*便宜的手段をとる adopt ⌈*temporary* [*stopgap*] measures // 彼は私のためにあらゆる*便宜をはかってくれた He ⌈offered [gave] me every ⌈*convenience* [*advantage*]. // *便宜上AとBは同じと見なします Let's consider A to be the same as B just *for the sake of convenience*.

便宜主義 opportunism [U] **便宜主義者** opportunist [C] 《☞ ひよりみしゅぎ》.

ペンキ ―[名] (house) paint [U] 語法 paint は「絵の具」も意味し, 不明確なので, はっきりさせたいときは house を加える. ―[動] (ペンキを塗る) paint (他).

¶彼は*ペンキでドアを緑色に塗った He *painted* the door green. // この塀は*ペンキを塗らなくてはならない (⇒ 塗る必要がある) This fence needs *painting*. // *ペンキがすぐにはげてしまった The *paint* soon ⌈came [wore] off. // *ペンキ塗りたて《掲示》Wet [Fresh] *Paint*

ペンキ刷毛(はけ) paintbrush Ⓒ　ペンキ屋 house painter Ⓒ; (看板かき屋) ad [signboard] painter Ⓒ　[語法] painter には「絵をかく人」「画家」「塗装工」などの意味もある.

へんきごう 変記号 〘楽〙 flat Ⓒ.

へんきゃく 返却 ― [名] (物の) return Ⓤ. ― [動] return (他). (☞ かえす¹; へんさい). **返却品** ☞ へんぴん

へんきゅう 返球 〘野〙 ¶ピッチャーに*返球する *return the ball* to the pitcher

へんきょう¹ 偏狭 ― [形] (心の狭い) narrow-minded (↔ broad-minded); (他人の主張や態度を受け入れない) intólerant ★ やや格式ばった語. (☞ せまい).

へんきょう² 辺境 (遠隔の地) remote region Ⓒ; (国境地方) borderland Ⓒ; (特に《米》で, 開拓地と未開拓地の境界地方) frontier Ⓒ.

べんきょう 勉強 **1** 《勉学》 ― [動] (勉強する) study (他) (自), work (自); (学ぶ) learn (他); (大学などで専攻する) major in ..., specialize in ... ― [名] study Ⓤ, work Ⓤ.

【類義語】 最も一般的な語は **study**. この語は元来は研究するという意味を表すが, 小学校から大学まで, 学生が学科に取り組んで勉強することはすべて *study* と言える. また学校で正規の学科として授業を受けることもいえる. ((例) 学校ではいろいろな学科を*勉強する I *study* a lot of subjects at school.) *study* よりも口語的で, また意味の広い一般的な語は **work** で, 勉強・仕事などを含めて何らかの作業に取り組むことをいう. 従って, He *works* very hard. と言えば, 仕事に精を出すのか, 勉強家なのかは前後関係でしかわからない. つまり, 英語では勉強も含めてあらゆる作業が *work* で表されるのである. この点は日本語との間にずれがあるので注意がいる. 物事を学んで身につける・覚えるという意味の言葉が **learn** で, *study* と *learn* にははっきりとした意味の差がある. 例えば I *studied* five English words today. と言えば「きょう英語の単語を 5 つ勉強した」ということで, その結果記憶に残ったかどうかは問題としていないが, I *learned* five English words today. と言えば, それは「覚えて身につけた」という意味を表す. 日本語の「私は学校で英語を勉強している」は英語では I *study* English at school. とも *I'm learning* English at school. とも訳せるが, そのニュアンスの違いには注意する必要がある. 大学などである学科を専攻するという意味では《米》 **major in** ... または **specialize in** ... を用いる. (☞ まなぶ)

日本語	英語
研究する	study
勉強する	learn
仕事をする	work

¶彼はいま英語を*勉強している He *is studying* English now. //「あなたは日曜日には何をしますか」「まず*勉強し, それから友達と遊びます」“What do you do on Sundays?” “First, I *study*. Then, I have fun with my friends.” // 国語をもっと*勉強しなさい *Study* Japanese harder. // さあ, 英語の*勉強をしましょう Let's ˹*study* [*learn*] English. // 山田君はとてもよく*勉強する Yamada ˹*studies* [*works*] very hard. / (⇒ 勉強家だ) Yamada is a hard *worker*. ★ 第 2 文のほうが口語的. //「大学では何を*勉強しましたか」「歴史です」“What did you ˹*major in* [*specialize in*] at college?” “History.” // 大学生に*勉強をみてもらっています A college student helps me with my *studies*.

2 《安く売る》 ― [動] (値を下げる) cut down the price; (もっと安くする) make ... cheaper; (割引する) give [make] a discount (on ...). (☞ まける; わりびく).

勉強家 hard worker Ⓒ　**勉強時間** study hours ★ 複数形で.　**勉強部屋** ¶太郎は*勉強部屋(⇒自分の部屋)です Taro is in his *room*.

へんきょく 編曲 ― [名] arrangement Ⓤ ★ 編曲した曲を指す場合は Ⓒ. ― [動] (編曲する) arrange (他).

へんきん 返金 (返済) repayment Ⓤ ★ 具体的には Ⓒ; (一度支払われた金を返すこと) refund /rí:fʌ̀nd/ Ⓤ ★ 具体的には Ⓒ. (☞ はらいもどす; かえす¹).

ペンギン 〘鳥〙 pénguin Ⓒ. ¶皇帝*ペンギン an emperor *penguin* // *ペンギンの子 a *penguin* chick

へんくつ 偏屈 ― [形] (風変わりな) eccéntric; (頑固な) óbstinate; (心の狭い) narrow-minded. ― [名] èccentrícity Ⓤ; óbstinacy Ⓤ. (☞ ふうがわり; がんこ).

ペンクラブ (国際ペンクラブ) (Ínternàtional) P.E.N. /pén/ ★ P.E.N. は *P*oets, *P*laywrights, *E*ditors, *E*ssayists and *N*ovelists から.

へんげ 変化 (幽霊) ghost Ⓒ; (幻影) àpparítion Ⓒ. (☞ おばけ). ¶妖怪*変化 ghosts and (other) *apparitions*　**変化物** kabuki dance, in which the dancer makes quick costume changes Ⓒ.

へんけい¹ 変形 ― [名] (形を変えること) transformation Ⓤ. ― [動] transfórm (他). ― [形] (変形の) transmutative; (ゆがんだ) ☞ ゆがむ.

変形菌 slime mold Ⓒ, myxomycete /mìksou-máisi:t/ Ⓒ　**変形性関節症** 〘医〙 osteoarthritis Ⓤ /àstiouɑəθráitis/　**変形文法** transformational grammar Ⓤ　**変形労働時間制** varied [irregular] working hours system Ⓒ, modified working schedule system Ⓒ.

へんけい² 扁形 flat shape Ⓒ.　**扁形動物** flatworm Ⓒ, platyhelminth /plæ̀tihélminθ/ Ⓒ.

へんけい³ 変型 variation Ⓒ, (slightly) changed ˹model [version] Ⓒ; (規格外のサイズ・型) nonstandard ˹size [format] Ⓒ. (☞ へんけい¹). ¶B6 *変型判の本 a book about B6 size ★ 具体的な寸法が分かればそれを数字で示した方がよい. (☞ ビー)

べんけい 弁慶 ― [名] (固) Benkei; (説明的には) famous brave retainer of Minamoto no Yoshitsune.　**弁慶蟹** (説明的に) terrestrial, red-colored grapsoid crab Ⓒ　**弁慶縞** checkered stripes ★ 複数形で.　**弁慶草** 〘植〙 orpine Ⓒ　**弁慶の立ち往生** (動けなくなること) being stalled Ⓤ, being unable to move in either direction Ⓤ　**弁慶の泣きどころ** (向こうずね) *one's* shin (☞ なきどころ).

へんけん 偏見 ― [名] (片寄った考え) prejudice Ⓤ; (個人的好みに基づく先入観) bias /báiəs/ Ⓒ ★ 前者は一般的で, 悪い意味で使う. 後者は中立的. ― [動] (偏見を持つ) be ˹prejudiced [biased] (against ...). (☞ せんにゅうかん; かたよる).

¶人種的[民族的]*偏見 racial [ethnic] *prejudice* // 彼は私に*偏見を持っている He ˹*is prejudiced* [*has a prejudice*] against me. ★ 前者のほうが口語的. // 同性愛者に対する*偏見 anti-gay *prejudice* / *prejudice* against homosexuals // *偏見にとらわれない be ˹unprejudiced [free of *prejudice*]

コロケーション

偏見を打破する break down *prejudice* / 偏見を排除する eliminate *prejudice* / 宗教的偏見 religious *prejudice* / 強い偏見 (a) strong *prejudice* / 根の深い偏見 (a) deep-rooted *prejudice* / 不当な偏見 (an) unjustified *prejudice*

へんげん 変幻 (走馬灯のように次から次へと移り変わること) phantasmagoria /fæntæ̀zmægɔ́:riə/ Ⓒ.　**変幻自在** ― [形] phàntasmagóric.

へんげんせきご[せっく] 片言隻語[隻句] ¶ 彼女は*片言隻語もおろそかにしない She is very careful「of [with] *her words.* / (⇒ことばを慎重に選ぶ) She chooses *every word* carefully.

べんご 弁護 ―動 (言論で擁護する) defend ㊀; (正当化する) justify ㊀. ―名 defense (《英》 defence) Ⓤ; justification Ⓤ. (☞ようご³).
¶ 法廷では経験豊かな弁護士が彼を*弁護した A lawyer of vast experience *defended* him in court. // だれも彼の*弁護を引き受けなかった Nobody undertook his *defense.* // 自己*弁護 self-*defense* / self-*justification*
弁護依頼人 client Ⓒ **弁護側証人** (被告側の証人) defense witness Ⓒ **弁護士** ☞見出し **弁護団** (総称) the (defense) counsel; (原告側弁護人) the plaintiff's「lawyer [counsel]; (被告側弁護人) the defense counsel [語法] the defense とすると被告と弁護人を含めた「被告側」の意となる. **弁護人** (法廷での) counsel Ⓒ **弁護料** lawyer's [legal] fee Ⓤ ★ しばしば複数形で.

へんこう¹ 変更 ―動 (全面的に変える) change ㊀; (部分的に変える) alter ㊀; (一部を修正する) modify ㊀ ★ この順に変更の度合いは弱くなる. ―名 change Ⓤ; alteration Ⓤ; modification Ⓤ ★ 以上の語はいずれも具体的には Ⓒ. (☞かえる²; しゅうせい¹).
¶ 私たちは計画を*変更した We「*changed* [*altered; modified*] our plans. // 予定に*変更はありません There is no「*change* [*alteration*] in the schedule. // 大幅な[小幅な]*変更 a「major [minor] *alteration* **変更通知** change notice Ⓒ **変更命令** change order Ⓒ.

へんこう² 偏向 ―名 (標準などからの逸脱) deviation /dìːviéɪʃən/ (from ...) Ⓒ. ―動 déviàte (from ...) ㊁; (偏見がある) be「prejudiced [biased] (against ...). (☞かたよる).
¶ 彼は党路線からの右翼的*偏向を厳しく非難された He was severely criticized for his right-wing *deviation(s) from* the party line.
偏向教育 biased education Ⓤ.

へんこう³ 偏光 pólarized líght Ⓤ. **偏光ガラス** polarizing glass Ⓤ **偏光計** polarimeter /pòuləríməṭə/ Ⓒ **偏光顕微鏡** polarizing microscope Ⓒ **偏光フィルター** pólarizing filter Ⓒ **偏光プリズム** polarizer Ⓒ **偏光面** plane of polarization Ⓒ **偏光レンズ** polarizing lens Ⓒ.

へんこう⁴ 変項 〔論・言〕variable /vé(ə)riəbl/ Ⓒ.

へんこうせい 変光星 variable star Ⓒ.

べんごし 弁護士 (一般に) lawyer Ⓒ, attorney Ⓒ; (法廷弁護士) counselor; (法廷弁護士) 《英》 barrister Ⓒ; (事務弁護士) 《英》 solicitor Ⓒ. **弁護士会** bar association Ⓒ **弁護士事務所** lawyer's office Ⓒ **弁護士法** the Attorney-at-Law Act.

へんさ 偏差 〔統〕deviation /dìːviéɪʃən/ Ⓤ.
¶ 標準*偏差 standard *deviation* **偏差値** deviation (value) Ⓤ; (学生のテストにおける) T-score Ⓒ; (テストの標準得点) standard score Ⓒ.

べんざ 便座 toilet seat Ⓒ, stool Ⓒ.

へんさい 返済 ―名 (支払い) payment Ⓤ; (払い戻し) repayment Ⓤ. ―動 (払い戻す) páy báck ㊀, repay ㊀ ★ 前者のほうが口語的; (返す) return ㊀. (☞かえす¹). **返済期限** the term of payment. ¶ 借金の*返済期限がきている The *payment* is due. / *Repayment of the debt* is「overdue [past due].

へんざい¹ 偏在 màldistribútion Ⓤ. ¶ 富の*偏在 the *maldistribution* of wealth

へんざい² 遍在 ―名 òmniprésence Ⓤ, ubiquity /juːbíkwəṭi/ Ⓤ. ―形 omnipresent, ubiquitous. (☞ユビキタス). ¶ 神は世界に*遍在する God is *omnipresent* in the world.

べんさい 弁済 (支払い) payment Ⓤ, repayment Ⓤ; (決済) settlement Ⓤ; (清算) liquidation Ⓤ. (☞へんさい).

べんざいてん 弁財天 *Sarasvati* /sərʌ́svəti/; (説明的には) the Goddess of Fortune.

ベンサム ―名 ㊎ Jeremy Bentham, 1748–1832. ★ 英国の哲学者・法学者;「最大多数の最大幸福」の実現を説いた.

へんさん 編纂 ―名 (文書・抜粋などの資料を1冊にまとめること) compilation /kɑ̀mpəléɪʃən/ Ⓤ; (編集) editing Ⓤ. ―動 compile /kəmpáɪl/ ㊀; edit ㊀ ★ 前者はやや格式ばった語. (☞へんしゅう¹). ¶ 彼らは新しい辞書を*編纂している They *are compiling* a new dictionary. **編纂者** editor Ⓒ, compiler Ⓒ.

へんし 変死 ―名 (怪しまれる [不自然な] 死) suspicious [unnatural] death Ⓒ. ―動 meet an unnatural death. **変死体** the body of a person who died an unnatural death.

へんじ¹ 返事 ―名 (質問・手紙の) answer Ⓒ ★ 最も一般的; (返答) reply Ⓒ; (応答) response Ⓒ ★ この順に格式ばった表現となる. ―動 answer ㊀ ㊁, make [give] an answer; reply (to ...) ㊁, make [give] a reply; respond (to ...) ㊁. (☞こたえ (類義語); かいとう¹).
¶ 私は彼の手紙に*返事を出した I「*answered* [*replied to*] his letter. (☞だす) // きのう彼女から*返事をもらった I「got [received]「an *answer* [a *reply*] from her yesterday. // 私が話しかけても彼女は*返事をしなかった She didn't *answer* me when I spoke to her. // 名前を呼ばれたら*返事をしなさい Please *answer* when your name is called.

へんじ² 変事 ☞いへん; さいなん

べんし 弁士 (雄弁家) eloquent speaker Ⓒ; (無声映画の) film narrator Ⓒ.

べんじたてる 弁じ立てる (雄弁に話す) speak eloquently ㊁; (がなりたてる) harangue ㊁. (☞べんじる; まくしたてる).

へんしつ¹ 変質 ―名 (一般的な性質の変化) change in quality Ⓒ; (品質などの悪化) deterioration /dɪtì(ə)riəréɪʃən/ Ⓤ. ―動 change ㊁ ㊀; detérioràte ㊁ ㊀. ¶ 脂肪はすぐに*変質する Fat *deteriorates* quickly. // これは熱[光]で*変質しやすい (⇒熱[光]に敏感だ) This is *sensitive* to「heat [light]. **変質者** pérvert Ⓒ.

へんしつ² 偏執 ☞へんしゅう²

へんしゃ 編者 editor Ⓒ, compiler Ⓒ.

ベンジャミン (男性名) Bénjamin ★ 愛称は Ben.

へんしゅ 変種 variety Ⓒ (☞しゅるい (類義語)); (突然変異体) mutant Ⓒ. ¶ 言語*変種〔言〕a *variety* // 人工*変種 an artificial *variety*

へんしゅう¹ 編集 ―名 (原稿を出版できる形にまとめること) editing Ⓤ ★ フィルムやテープの編集にも用いられる; (特に資料を集めての) compilation /kɑ̀mpəléɪʃən/ Ⓤ. ―動 edit ㊀; compile /kəmpáɪl/ ㊀ ★ 前者のほうが口語的.
¶ 私たちは新しい教科書を*編集している We *are editing* a new textbook.
編集委員 editorial committee member Ⓒ; (新聞の) senior staff writer Ⓒ **編集会議** editorial meeting Ⓒ **編集協力者** editorial cooperator Ⓒ **編集局** editorial office Ⓒ **編集後記** the editor's「postscript [comment] **編集顧問** advisory editor Ⓒ **編集者** editor Ⓒ, compiler Ⓒ **編集主幹** executive editor Ⓒ **編集長** chief editor Ⓒ, editor in chief Ⓒ **編集人** editor Ⓒ **編集部** editorial department Ⓒ **編集(部)員** (全体) edi-

torial staff Ⓒ; (1人) member of the editorial staff Ⓒ. ¶私は*編集員だ I'm on the *editorial staff*. **編集方針** editorial policy Ⓤ.

へんしゅう² 偏執 —[名] (偏執狂) 〘精神医〙 monomania /mɑ̀nəméɪniə/ Ⓤ. —[形] (偏執狂的な) mònomániàc /-niæ̀k/. 《☞ マニア; こしつ²》. **偏執狂者** monomaniac Ⓒ.

へんしょ 返書 ☞ へんじ¹

べんじょ 便所 (個人宅の) bathroom Ⓒ; (公共の場所の) rest room Ⓒ, men's [women's] room Ⓒ; (学校などの) lávatòry Ⓒ; 《英略式》 loo Ⓒ. 《☞ トイレ [参考]; 婉曲語法 (巻末)》.

へんしょう 変症 development into another disease Ⓤ.

へんじょう 返上 ¶父は休日を*返上してその仕事をした (⇒ 仕事をするために休日をあきらめた) Father *gave up* his holiday to do the work.

べんしょう 弁償 —[動] (損失を償う) cómpensàte (他); (特に金銭の支払いによって償う) 《格式》 récompènse (他). —[名] còmpensátion Ⓤ; 《格式》 récompènse Ⓤ. 《☞ ばいしょう¹; ほしょう³; うめあわせ》. ¶あなたは彼の損失を*弁償しなければならない You have to *compensate* him *for* his loss.

へんしょうこんごう 遍昭金剛 ☞ だいにちにょらい

べんしょうほう 弁証法 —[名] 〘哲〙 dialectic Ⓒ. —[形] dialectic(al). **弁証法的唯物論** diàléctical materialism /mətí(ə)riəlìzm/ Ⓤ.

へんしょく¹ 変色 —[動] (色が変わる) discolor (《英》 discolour) (自) (他); (色がさめる) fade (自) (他). —[名] discoloration (《英》 discolouration) Ⓤ. 《☞ あせる²; さめる》. ¶日が当たってじゅうたんが*変色した The carpet *was discolored* by the sun. / (⇒ 日光が色をあせさせた) The sunlight *faded* the carpet. // このシャツは*変色しない (⇒ あせない色を持つ) This shirt has *fast colors*. **変色防止剤** (媒染剤) mordant Ⓒ; (色留め剤) fixative Ⓒ.

へんしょく² 偏食 (バランスの取れていない食事) unbalanced diet Ⓒ 《☞ すききらい》. ¶*偏食する have an *unbalanced diet* // *偏食 (⇒ 好き嫌い) のくせを直しなさい Try to ˹overcome [get over] your *likes and dislikes*. ★ [ ] 内はより口語的.

ペンション (英国の民宿) B & B Ⓒ ★ *b*ed and *b*reakfast の略; (フランス・ベルギーなどの) pension /pɑːnsjɔ́ːŋ/ Ⓒ [日英比較] 英語で pension /pénʃən/ と発音すれば「年金・恩給」のこと.

べんじる 弁じる (しゃべる) speak (自); (論じる) argue (自). ¶彼女はとうとうと*弁じた She *spoke* fluently. // 友人のために一席*弁じた I ˹*argued* [*made a speech*] in favor of my friend.

ペンシル (鉛筆) pencil Ⓒ.

ベンジルアルコール 〘化〙 benzyl alcohol Ⓤ.

ペンシルベニア —[名] (固) (米国の州) Pennsylvania /pènslvéɪnjə/ 《☞ アメリカ (表)》.

へんしん¹ 変身 —[名] (変形) transformation Ⓤ. —[動] transform *oneself*, be transformed.

へんしん² 返信 (質問などに対する正式な返事) reply Ⓒ; (一般的な返事) answer Ⓒ. 《☞ へんじ¹》. **返信用はがき** reply ˹(postal) card [《英》 postcard] Ⓒ **返信用封筒** (一般に) return envelope Ⓒ; (自分の住所を書いた) self-addressed envelope Ⓒ **返信料** return postage Ⓤ.

へんしん³ 変心 —[動] (心[考え]を変える) change *one's* mind. —[名] change of mind Ⓒ. 《☞ こころがわり》.

へんじん 変人 (風変わりな人) eccéntric pérson Ⓒ; (つむじ曲がり) crank Ⓒ. 《☞ へんくつ》.

ベンジン (揮発油) benzine /bénziːn/ Ⓤ.

ペンス pence ★ penny の複数形. 通常 p /píː/ と略す. 《☞ ペニー》. ¶2*ペンス半 two and (a) half *p*

へんすう 変数 〘数〙 variable /vé(ə)riəbl/ Ⓒ (↔ constant).

へんずつう 偏頭痛 migraine /máɪgreɪn/ Ⓒ 《☞ ずつう》.

ペンステモン 〘植〙 pen(t)stemon Ⓒ ★ イワブクロ属の植物の総称.

へんする 偏する —[動] (…に傾く) lean (toward …) (自). —[形] (一方に片寄った) one-sided; (偏見のある) bias(s)ed; (えこひいきのある) partial; (公平でない) unfair. 《☞ かたよる》. ¶新聞はどの政党にも*偏してはならない A newspaper should not be ˹*biased* in favor of [*partial* to] any (one) political party.

へんせい¹ 編成 —[動] (組織する) organize (他); (番組などを組む) arrange (他); (予算などを作成する) dràw úp (他); (構成する) màke úp (他), compose (他) ★ 後者はやや格式ばった語. —[名] organization Ⓤ; arrangement Ⓤ; composition Ⓤ ★ 具体的なものではいずれも Ⓒ. 《☞ こうせい²》. ¶私たちは20人で1つのグループを*編成した We *organized* a group of twenty (people). // 彼は新番組の*編成に忙しい He is busy (with) *arranging* new programs. // 予算*編成は10月末までにしなければならない We must ˹*draw up* [*make up*] a budget by the end of October. // 列車は10両*編成です (⇒ 10両でできている) The train *is* ˹*made up* [*composed*] *of* ten cars.

へんせい² 変性 〘医〙 (細胞機能の) degènerátion Ⓤ; (組織の) mètamorphósis Ⓤ; 〘化〙 (蛋白質・アルコールの) denaturation Ⓤ. 《☞ へんしつ¹》. **変性アルコール** 〘化〙 denatured alcohol Ⓤ **変性剤** denaturant Ⓒ.

へんせい³ 編制 —[動] (組織する) organize (他); (構成する) form (他). —[名] organization Ⓤ; formation Ⓤ. ¶兵士を2部隊に*編制する *organize* the soldiers into two units.

へんせいがん 変成岩 〘地〙 métamòrphic róck Ⓤ ★ 個々の岩は Ⓒ.

へんせいき 変声期 ☞ こえがわり

へんせいさよう 変成作用 mètamórphism Ⓤ.

へんせいふう 偏西風 〘気象〙 westerlies ★ 通例複数形で.

へんせき 偏析 〘化〙 segregation Ⓤ.

へんせきうん 片積雲 fractocumulus /fræ̀ktoʊkjúːmjʊləs/ Ⓒ (複 fractocumuli /-làɪ/).

へんせつ 変節 —[動] (裏切る) betray (他); (自分の主義を捨てる) abandon [desert] *one's* ˹principles [cause]. —[名] (裏切り) betrayal Ⓤ. **変節漢** turncoat Ⓒ, apostate Ⓒ ★ 後者は格式語.

べんぜつ 弁舌 speech Ⓤ 《☞ はなし; えんぜつ》. ¶彼は*弁舌さわやかだった His *speech* was fluent.

ヘンゼルとグレーテル Hänsel /hǽns(ə)l/ and Gretel ★ グリム童話の一篇.

へんせん 変遷 (変化) changes ★「いろいろの変化」という意味で複数形で使う; (移行) transition Ⓒ ★ 前者より格式ばった語; (盛衰) ups and downs ★ 複数形で; (状態・物事・境遇の変化, 移り変わり) 《格式》 vicissitùdes ★ 複数形で. 《☞ うつりかわり; へんか¹; すいい¹》. ¶この町は幾多の*変遷を経てきている This town has ˹undergone [gone through] many *changes*. ★ undergone のほうが格式ばった言い方.

ベンゼン 〘化〙 benzene /bénziːn/ Ⓤ; (ベンゾール) benzol /bénzɔːl/ Ⓤ ★ ベンゼンの未精製のもの. **ベンゼン環** benzene ring Ⓒ.

へんそう¹ 変装 —[名] disguise Ⓒ. —[動] disguise *oneself* as … ¶王子は物乞いに*変装した

The prince *disguised himself as* a beggar.

へんそう² 返送 ―動 (送り返す) sènd báck ㊥, return ㊥ ★ 前者のほうが口語的. 《☞ おくりかえす》.

へんそう³ 変相 ((様子の)移り変わり) change (of the look of …) Ⓒ. **変相図** artist's ⌈image [picture] of ⌈heaven [hell] Ⓒ.

へんぞう 変造 ―動 (一部を作り変える) alter ㊥; (偽造する) forge ㊥; (貨幣などを偽造する) counterfeit /káʊntəfìt/ ㊥ ★ 形 としても用いる. ―名 alteration Ⓤ; forgery Ⓤ. 《☞ ぎぞう》. ¶*変造1万円札 an *altered* [a *counterfeit*] ¥10,000 note

へんそううん 片層雲 fractostratus /frӕktoʊstréɪtəs/ Ⓒ 《複 fractostrati /-taɪ/》.

へんそうきょく 変奏曲 〘楽〙 variation /vè(ə)riéɪʃən/ Ⓒ.

ベンゾール 〘化〙 bénzol Ⓤ, benzene /bénziːn/ Ⓤ ★ 前者はドイツ語から.

へんそく¹ 変則 ―形 (正規でない) irregular (↔ regular); (異例の) anómalous. ―名 irregularity Ⓤ; anómaly Ⓒ. ¶*変則的なやり方 *irregular* practice

へんそく² 変速 ―動 change gears, 《米》 shift gears. ¶ローに*変速する *shift* [*change*] into ⌈low [first; 《英》 bottom] *gear* // 3段*変速の自転車 a three-*speed* bicycle **変速ギア** ☞ 変速レバー; ギア **変速装置** (自動車の) transmission Ⓒ, gearbox Ⓒ; (自転車の) derailleur /dɪréɪlə/ Ⓒ **変速レバー** (自動車の) gearshift Ⓒ, 《英》 gear ⌈lever [stick] Ⓒ; (自転車の) shifter Ⓒ.

ベンゾピレン 〘化〙 (発癌性物質) benzopyrene /bènzoʊpáɪriːn/ Ⓤ.

ベンダー (売り手) vendor Ⓒ 《☞ じどう¹ (自動販売機)》

へんたい¹ 編隊 formation Ⓒ. **編隊飛行** formation ⌈flying [flight] Ⓤ.

へんたい² 変態 ―名 (昆虫などの) metamorphosis /mètəmɔ́ːfəsɪs/ Ⓒ 《複 -phoses /-sìːz/》 《☞ ちょう¹ (挿絵)》; (性的倒錯) perversion /pəvə́ːʒən/ Ⓤ; (異常) àbnormálity Ⓤ. ―形 (異常な) abnormal; (性的倒錯の) perverted. **変態性欲** sexual perversion Ⓤ **変態性欲者** pérvert Ⓒ.

へんたい³ 変体 ―名 (変則) anómaly Ⓒ. ―形 anómalous. **変体仮名** anómalous Jápanèse cúrsive sýllabàry Ⓒ.

ペンだこ cállus Ⓒ 語法 callus は「たこ」で, ペンによることは文脈で示す. ¶中指に*ペンだこができた I've got a *callus* on my middle finger from writing.

ペンタゴン (米国国防省 (の建物)) the Péntagòn 参考 本来は五角形 (pentagon) をしたその建物の名称.

べんたつ 鞭撻 ―名 (激励) encouragement Ⓤ. ―動 encourage /ɪnkə́ːrɪdʒ/ ㊥. ¶みなさまのご指導ご*鞭撻をお願いします I will appreciate your further help and *encouragement*. 《☞ しどう¹ 日英比較》

ペンタン 〘化〙 pentane /pénteɪn/ Ⓤ.

ペンダント (装身具の) pendant Ⓒ.

へんち 辺地 ☞ へきち

ベンチ bench Ⓒ 《☞ いす 日英比較》. **ベンチを温める** warm the bench. **ベンチウォーマー** (野球などの補欠選手) bench warmer Ⓒ 《☞ ほけつ》 **ベンチプレス** (仰向けになってバーベルを持ち上げる競技) bench press Ⓤ.

ペンチ (cutting) pliers ★ 複数形で. 日英比較 日本語のペンチは pinchers, pincers (やっとこ) からきたもの. 《☞ だいく (挿絵)》.

へんちくりん ☞ へん¹; かわった

ベンチャー (投機・冒険) venture Ⓒ. **ベンチャー企業** venture firm Ⓒ **ベンチャーキャピタル** venture capital Ⓤ **ベンチャービジネス** start-up venture Ⓒ, venture business Ⓒ. ¶インターネット[ハイテク]関連の*ベンチャービジネス an Internet [a high tech] *start-up venture*

べんちゃら ☞ おべんちゃら

べんちゅう 鞭虫 〘動〙 (寄生虫) whipworm Ⓒ.

へんちょ 編著 ¶鈴木一郎*編著の英文法書 an English grammar *written and compiled by* Ichiro Suzuki

へんちょう¹ 偏重 ―動 (重要視しすぎる) make too much of …, attach too much importance to … 《☞ かたよる》. ¶私は学歴*偏重に反対だ I am against *making too much of* a person's ⌈schooling [academic background].

へんちょう² 変調 ¶このごろ体に*変調を来たしている (⇒ どこかおかしい) *Something is wrong* with me these days.

ベンチレーター véntilàtor Ⓒ.

ベンツ¹ ((現在は DaimlerChrysler) 社の車) 〘商標〙 Mercedes(-Benz) /məsíːdiːz(bénts)/ Ⓒ ★ 略すときは普通 Benz とはいわないで Mercedes という.

ベンツ² (裾の切り込み) vent Ⓒ.

へんつう 変通 ―形 (融通のきく) flexible; (順応性のある) adaptable. ―名 flexibility Ⓤ; adaptability Ⓤ.

べんつう 便通 (bowel) movement Ⓒ 語法 bowel は省いて言うことが多く, また BM と略すこともある; (便) stools 語法 格式ばった語で医者と患者の間で使われる. 通例複数形で. 《☞ べん²; つうじ¹》. ¶*便通がある have a *movement* / (⇒ 便が出る) pass *stools*

ペンディング ¶その件はまだ*ペンディングになっている The case is still *pending*. 《☞ みけつ; ほりゅう¹; たなあげ》

ベンディングマシーン (自動販売機) vending machine Ⓒ, vendor Ⓒ.

へんてこ ☞ へん¹; かわった

ペンテコステ (ユダヤ教の五旬節) Pentecost Ⓤ.

へんてつ 変哲 ¶これは何の*変哲もないものだ (⇒ 新しいことが何もない) There's nothing *new* about it. 《☞ ありふれた》

ヘンデル ―名 固 George Frideric Handel /hǽndl/, 1685–1759. ★ドイツ生まれで英国に帰化した作曲家.

へんてん 変転 (変化) change Ⓒ; (栄枯盛衰) ups and downs ★ 複数形で. 《☞ へんせん》. ¶人生は*変転極まりないものだ Life is full of *ups and downs*. // 事態の急速な*変転 quick *changes* in the situation

べんてん 弁天 ☞ べんざいてん

べんてんこぞう 弁天小僧 ―名 固 Benten Kozo; (説明的には) one of the rogues in a famous kabuki play who appears in a woman's guise.

へんでんしょ 変電所 (transformer) substation Ⓒ.

へんとう 返答 (一般的な答え) answer Ⓒ; (文書などによるはっきりした答え) reply Ⓒ. 《☞ へんじ¹; こたえ (類義語)》. **返答に窮する** be at a loss for a reply 《☞ きゅうする¹; つまる》.

へんどう 変動 ―名 (変化) change Ⓒ; (株価・物価などの) fluctuation Ⓒ. ―動 change ㊀; fluctuate ㊀. 《☞ へんか¹; かわる¹; うごく》. **変動為替相場** floating [fluctuating; variable] exchange rate Ⓒ **変動期** (不確実な時代) uncertain times ★ 複数形で; (過渡期) age of transition Ⓒ　変動金利 floating (interest) rate Ⓒ　変動資本 floating [fluctuating; variable] capital Ⓤ　変動所得 fluctuating income Ⓤ　変動相場制 the floating exchange rate system　変動地形〔地〕tectonic landform Ⓤ　変動幅 the range of fluctuation, fluctuation margin Ⓒ　変動労働時間制 ☞ フレックスタイム

べんとう　弁当　(昼食) lunch Ⓤ ★ 具体的なもの (昼食の弁当など) をいうときは Ⓒ; (箱詰め弁当) box lunch Ⓒ.　弁当代 (昼食代) lunch money Ⓤ　弁当箱 lunchbox Ⓒ.　弁当持ち ── [動] bring *one's* own lunch 《☞ てべんとう》　弁当屋 box lunch shop Ⓒ, take-out store Ⓒ.

へんどうかんすう　偏導関数　〔数〕partial derivative Ⓒ.

へんとう(せん)　扁桃(腺)　〔解〕tonsil Ⓒ ★ 通例複数形で.　扁桃(腺)炎 tonsillitis /tὰnsəláɪtɪs/ Ⓤ　扁桃(腺)肥大 tonsillar hypertrophy Ⓤ, swollen tonsils ★ 複数形で.

へんとうつう　偏頭痛　☞ へんずつう

へんとうふう　偏東風　prevailing easterly Ⓒ.

へんとうゆ　扁桃油　almond oil Ⓤ.

ベントしば　ベント芝　〔植〕bent (grass) Ⓒ.

ベントス　(水底生物) the benthos /bénθɑs/.

ベントナイト　〔鉱〕bentonite Ⓤ.

ペントハウス　〔建〕penthouse Ⓒ; *Penthouse* ★ 米国の月刊誌.

ヘンナ　〔植〕henna Ⓤ.

ペンナイフ　penknife Ⓒ《複 penknives》.

へんにゅう　編入　── [動] (入学させる[する]) enroll (《英》enrol) (他) (自); (入学を認める) admit (他); (組み入れる) incorporate (他) ★ 格式ばった語.　── [名] enrollment Ⓤ; admission Ⓤ; incorporation Ⓤ. 《☞ くみいれる》.　¶ 私はその大学の 3 年に*編入した I *was* 「*enrolled* in [*admitted to*] the university as a third-year student. // 小笠原諸島は東京都に*編入された The Ogasawara Islands *were incorporated* into metropolitan Tokyo.　編入試験 transfer students' entrance examination Ⓒ.

ペンネ　(パスタ) penne /péneɪ/ Ⓒ ★ 単複同形.

ペンネーム　pen name Ⓒ, nom de plume /nάmdəplúːm/ Ⓒ《複 noms de plume /nάm-/, ～s /～z/》.

へんねんし　編年史　chronicle Ⓒ, annals ★ 複数形で.

へんねんたい　編年体　chronological order Ⓤ.

へんのう　返納　☞ かえす[1]

へんのうゆ　片脳油　camphor oil Ⓤ.

へんぱ　偏頗　☞ かたよる

ヘンパーティー　(女性だけのパーティー) hen party Ⓒ.

へんぱい　返杯　── [動] offer a cup of sake in return.

べんぱつ　弁髪　pigtail Ⓒ.

ペンパル　(文通友達)《米》pen pal Ⓒ,《英》pen friend Ⓒ.

へんぴ　辺鄙　── [形] (不便な) inconvenient /ìnkənvíːnjənt/; (片田舎の) out-of-the-way; (遠く離れた) remote. 《☞ ふべん》.　¶ *へんぴな田舎 an 「*inconvenient* rural area [*out-of-the-way* place]

べんぴ　便秘　── [名] cònstipátion Ⓤ.　── [動] (便秘する) be cónstipàted. 《☞ つうじ[1]》.　¶ 彼女は*便秘している[*便秘で悩んでいる] She *is* 「*constipated* [suffering from *constipation*].　便秘薬 laxative Ⓒ.

へんぴん　返品　returned goods ★ 複数形で. 《☞ かえす[1]》.　¶ これらの品は*返品できます (⇒ 返却できる) These articles *are returnable*.

ヘンプ　〔植〕hemp Ⓤ.

へんぶつ　変物　☞ かわりもの

ペンフレンド　☞ ペンパル

へんぺいそく　扁平足　── [名] flatfoot Ⓒ《複 flatfeet》.　── [形] flat-footed.

べんべつ　弁別　☞ しきべつ; くべつ　弁別閾〔心〕difference [differential; discrimination] threshold Ⓒ　弁別的素性〔言〕distinctive feature Ⓒ.

へんぺん　片片　── [形] (断片的な) frágmentàry; (まき散らされた) scattered.

べんべん　便便　¶ 私は*便々と毎日を過ごしています (⇒ 怠けて時間を費やす) I'*m idling my time away* every day. // *便々たる腹の男 a *potbellied* man

ぺんぺんぐさ　ぺんぺん草　〔植〕shepherd's purse Ⓒ.　¶ *ぺんぺん草の生えている (⇒ 荒れ果てている) 家 a *run-down* house

へんぼいん　変母音　☞ ウムラウト

へんぼう　変貌　── [名] (変化) change Ⓒ.　── [動] (変わる) change (to ...; into ...) (自); transfigure (他), transform (他) ★ 後の 2 語は格式ばった語. 《☞ かわる[1]; へんか[1]》.

へんぽう　返報　☞ しかえし; へんじ[1]

べんぽう　便法　(当座の間に合わせの手段) makeshift Ⓒ; (便宜的な手段) expedient Ⓒ ★ 後者のほうが格式ばった語. 《☞ まにあわせ》.

へんぼうかんきゃく　偏旁冠脚　the four elements of a Chinese character; (説明的には) the left hand radical, the right hand radical, the crown and the lower part of a Chinese character.

ペンホルダー　☞ ペン (ペンホルダー)

へんぽん[1]　返本　── [動] (本を返す) return a book.　── [名] (返された本) returned book Ⓒ.

へんぽん[2]　翩翻　☞ ひるがえる

へんまがん　片麻岩　〔鉱〕gneiss /náɪs/ Ⓤ.

べんまく　弁膜　〔解〕valve Ⓒ.　¶ 心臓*弁膜症 a *valvular* disease (of the heart)《略 V.D.H.》

へんまひ　片麻痺　☞ はんしんふずい

ペンマンシップ　☞ ペン (ペンマンシップ)

へんみ　変味　── [動] (食物が腐る) go bad (自); (新鮮味を失う) turn stale (自); (酸っぱくなる) turn sour (自).

へんむ　片務　── [形] one-sided, unilateral ★ 後者はやや格式ばった語.
片務協定 unilateral agreement Ⓒ.

べんむかん　弁務官　commissioner Ⓒ.　¶ 高等*弁務官 a high *commissioner*

へんめい　変名　☞ ぎめい

べんめい　弁明　── [動] (説明する) explain (他); (正当化する) justify (他); (弁護する) defend (他); (言い訳する) make an excuse.　── [名] explanation Ⓤ; justification Ⓤ; defense (《英》defence) Ⓤ. 《☞ せつめい; べんご; いいわけ》.　¶ 彼は自分がしたことを*弁明した He 「*explained* [*justified*; *defended*] his actions.

べんもう　鞭毛　〔生〕flagéllum Ⓒ《複 ～s, -la》.
鞭毛運動 flagellar movement Ⓤ　鞭毛藻類〔植〕(植物性鞭毛虫) phytoflagellates /fàɪtouflǽdʒələts/, plantlike flagellates ★ いずれも複数形の総称.　鞭毛虫類〔動〕Mastigophora /mæ̀stəgάfərə/, flagellata ★ いずれも複数形.

へんもく　編目　(章の題名一覧) subject list of chapters Ⓒ; (目次) table of contents Ⓒ.

へんやく　編訳　¶ 小島*編訳 *edited and translated* by Kojima　編訳者 editor-translator Ⓒ.

へんよう　変容　¶ 故郷はすっかり*変容した (⇒ 外観がすっかり変わった) My hometown *has changed* completely *in appearance*. 《☞ へんぼう》

ペンライト　penlight Ⓒ.

へんらん 変乱 （動乱）upheaval Ⓒ;（反乱）uprising Ⓒ;（内乱）civil war Ⓒ.

べんらん 便覧 （手引き書）manual Ⓒ;（特に特殊な分野の手引き書）handbook Ⓒ ★ 入れ替え可能なこともある. ¶ 学生*便覧 student ｢*handbook* [*manual*]

へんらんうん 片乱雲 〖気象〗pannus Ⓤ.

へんり 片理 〖岩石〗schistosity /ʃɪstɑ́səti/ Ⓤ.

べんり 便利 ── [形]（行動・場所・時刻などについて）convenient (↔ inconvenient) ★ 最も一般的な語;（手ごろで扱いやすい）handy ★ convenient と入れ替え可能な場合もある;（役に立って便利な）useful. ── [副] conveniently; handily; usefully. ── [名] convenience Ⓤ. ((☞ ちょうほう¹; べん¹)).
¶ 彼は*便利な[*便利の悪い]場所に住んでいる He lives in ｢a *convenient* [an *inconvenient*] place. // 彼の勤め先はあらゆる交通機関に近くて*便利だ His office is *convenient* to all transportation facilities. // 地下鉄で行くほうがずっと*便利だ It is much more *convenient* to go by subway. [語法] You [We] are convenient. など「人」を主語にはしない. // この台所は*便利にできている This kitchen is *conveniently* laid out. // この道具はとても*便利だ This tool is very ｢*useful* [*handy*].
便利屋（何でも屋）handyman Ⓒ;（水道・電気などの公共の）utility man Ⓒ.

ヘンリー （男性名） Henry ★ 愛称は Harry /hǽri/, Hal /hǽl/, Hank. ¶ *ヘンリー 8[5, 4, …] 世 *Henry* ｢VIII [V; IV; …] ((☞ -せい³))

ヘンリエッタ （女性名）Henrietta /hènriétə/.

へんりきょうせい 片利共生 〖生〗comménsalìsm Ⓤ.

べんりし 弁理士 pátent ｢attórney [láwyer] Ⓒ.

へんりょう 変量 〖物理・統〗variable Ⓒ, variable quantities ★ 複数形で.

へんりん 片鱗 （一かけら）bit Ⓒ;（ちらっと目に入ること）glimpse Ⓒ. ¶ 私は彼の人柄の*片鱗を見た I got a *glimpse* of his personality. **片鱗を示す** ¶ 初期の習作はすでに彼女の詩才の*片鱗を示している（⇒ 才能の一部を示している） Her early étude *shows something* of her genius as a poet.

ヘンルーダ 〖植〗rue Ⓤ.

へんれい¹ 返礼 （お返し）return Ⓤ;（お返しの贈り物）gift in return Ⓒ. ((☞ れい²; おかえし)). ¶ 私たちは彼女のもてなしへの*返礼に贈り物をした We sent her a *gift in return* for her hospitality.

へんれい² 返戻 ── [名] return Ⓤ. ── [動] give back (他), return (他). ((☞ へんきゃく)).

へんれき 遍歴 ── [動]（巡礼の旅に出る）gó on a pílgrimage;（あちこち旅行して回る）travel around (自);（周遊する）tour (自). ── [名]（巡礼の旅）pilgrimage Ⓒ; tour Ⓒ. ((☞ たび¹; じゅんれい)). ¶ 君の女性*遍歴の話は聞き飽きたよ I'm fed up with the stories of your *love* ｢*life* [*affairs*] with many women.

へんろ 遍路 （巡礼すること）pilgrimage Ⓤ;（巡礼者）pilgrim Ⓒ. **遍路姿** pilgrim costume Ⓤ. ¶ *遍路姿の老人 an old man *dressed as a pilgrim*

べんろん 弁論 （聴衆の前での演説）speech Ⓒ;（雄弁）óratory Ⓤ ★ 格式ばった語;（公式の討論）debate Ⓤ;（論じ合うこと）discussion Ⓤ;（法廷での）pleading Ⓤ. ((☞ べんご)). **弁論大会** speech [òratórical] contest Ⓒ ★ oratorical を使うとやや格式ばる. **弁論部** debating ｢club [society] Ⓒ.

ほ，ホ

ほ[1] **帆**　sail Ⓒ《☞ ヨット (挿絵)》.　¶ *帆を揚げろ [下ろせ] Hoist [Lower] the *sails*.

ほ[2] **穂**　(穀物などの) ear Ⓒ《☞ いね (挿絵)》.　¶ *穂を出す form *ears* / *ear* (up) // *穂が出ている The *ears* have formed.

ほ[3] **歩**　(歩み) step Ⓒ《☞ いっぽ; あゆみ》.　¶ 彼は 2, 3 *歩前へ進んだ He ⌈took [moved] a few *steps* forward.

ホ　〖楽〗(音名) E Ⓤ.　¶ *ホ長 [短] 調 *E* ⌈major [minor]

-ほ …補　── [形] (補助の) assistant; (見習い期間の) probationary.　¶ 判事[書記]*補 an *assistant* ⌈judge [secretary] // 外交官*補 a *probationary* diplomat

ポ　☞ ポイント

ボア　(大型ヘビ) boa /bóʊə/ (constrìctor) Ⓒ; (女性用の羽毛・毛皮の襟巻き) boa Ⓒ.

ポアソン　〖料理〗 poisson /pwɑːsɔ́ːŋ/ Ⓤ ★ フランス語の「魚」から.

ほあん 保安　**保安係** (ホテル・デパートなどの保安係全体) security staff ★ the または a を付けて集合的に; (一人一人の) security staff member Ⓒ　**保安官** sheriff Ⓒ　**保安基準** security standard Ⓒ ★ しばしば複数形で.　**保安警察** peace preservation police Ⓤ　**保安条例** regulations for the maintenance of public order and security ★ 複数形で.　**保安要員** (ビル・現金輸送などの) security guard Ⓒ; (鉱山などの) maintenance man Ⓒ　**保安林** forest preserve Ⓒ.

ポアンカレ　── [名] (固) (アンリ ポアンカレ) Henri Poincaré, 1854–1912 ★ フランスの数学者; (レイモン ポアンカレ) Raymond Poincaré, 1860–1934 ★ フランスの政治家・大統領. é の ´ は綴り本来のもの.

ほい 補遺　(付録) supplement Ⓒ; (追加) addendum Ⓒ《複 addenda》.《☞ ふろく》.

-ぽい　-ish　[語 法] (1) 名詞に付けて「…のような」, 「…がかった」の意味を表す接尾辞.《☞ 接尾辞 (巻末); -がかる; -じみる; -ぎみ》.　¶ 彼はどこか子供っ*ぽいところがある There is something *childish* about him.　[語 法] (2) 大人が子供じみて幼稚な様子に childish を用いる. よい意味で「子供らしい」は childlike. // それは白っ*ぽい液体だった It was a *whitish* liquid.

ホイール　(車輪) wheel Ⓒ.

ホイールキャップ　(タイヤの) hubcap Ⓒ.

ホイールベース　(自動車の前後の車軸間の距離) wheelbase Ⓒ.

ほいく[1] **保育**　**保育器** incubàtor Ⓒ　**保育士** (保育所の) nursery school teacher Ⓒ　**保育所[園]** (3-5 歳児を預かる) nursery school Ⓒ; (乳児・幼児の)《米》day-care center Ⓒ, day nursery Ⓒ.《☞ ようちえん》.　¶ 子供を*保育所へ預ける leave *one's* children in the *day care center*　**保育ママ** nursery mama Ⓒ; (説明的には) a woman licensed by a local government to provide day care for children at her home　**保育料** nursery [day care] fee Ⓒ ★ しばしば複数形で.

ほいく[2] **哺育**　── [動] (動物などを育てる) raise (他); (動物の親が乳をやる) suckle (他)《☞ ほにゅう》.

ボイコット　── [名] bóycott Ⓒ.　── [動] bóycott (他).《☞ ふばい》.　¶ 消費者はその店を*ボイコットした Consumers *boycotted* the store.

ボイジャー　── [名] (固) Voyager ★ 米国の惑星探査機.

ボイス　(声) voice Ⓤ　[語 法] 形容詞が付くと a deep *voice* のように不定冠詞が付き, その他 Ⓒ として用いられることもある.

ボイス オブ アメリカ　the Voice of America《略 VOA》★ 米国情報局の海外向け短波放送.

ぽいすて ぽい捨て　(ごみ・たばこなどの) littering Ⓤ, tossing away carelessly Ⓤ.　¶ 路上でのたばこの*ぽい捨ては止めましょう Let's stop *tossing away* cigarette butts in the street.　**ぽい捨て禁止条例** ordinance against littering Ⓒ.

ホイスト[1]　(巻上げ装置・起重機) hoist Ⓒ.

ホイスト[2]　〖トランプ〗 whist Ⓤ.

ボイスメール　〖コンピューター〗 voice mail Ⓤ.

ボイスレコーダー　cockpit voice recorder Ⓒ《略 CVR》.

ポイズン　(毒) poison Ⓤ.

ほいつ 捕逸　〖野〗 passed ball Ⓒ.

ホイッグとう ホイッグ党　── [名] (固) 〖史〗 the Whigs ★ 1688 年から 19 世紀前半にかけての英国 2 大政党の一つ.　**ホイッグ党員** Whig Ⓒ.

ホイッスル　(笛・汽笛) whistle Ⓒ.　¶ *ホイッスルが鳴った A *whistle* was blown.

ホイットマン　── [名] (固) Walt Whitman, 1819–92. ★ 米国の詩人.

ホイップ　── [動] (卵やクリームをかき回して泡立てる) whip (up) (他); (泡立て器で) whisk (他).　**ホイップクリーム** whipped cream Ⓤ.

ぽいと　¶ 彼は窓からたばこの吸いさしを*ぽいと投げ捨てた He *tossed* a cigarette butt out (of) the window.《☞ なげすてる; 擬声・擬態語 (囲み)》

ほいほい　(気軽に) easily; (容易に) readily; (軽率に) carelessly.　¶ 私はそんな甘言に*ほいほいと乗るような人間ではない I'm not the kind (of person) ⌈to be *carelessly* taken in by [who *easily* falls for] such honeyed words.

ボイラー　boiler Ⓒ.　**ボイラー係** boiler attendant Ⓒ　**ボイラー室** boiler room Ⓒ.

ホイル　(料理用のアルミ箔) (alúminum) fóil Ⓤ.　**ホイル焼き** ── [動] bake … in foil.

ボイル　── [動] (ゆでる) boil (他)《☞ にる[2]; ゆでる》.

ボイルシャルルのほうそく ボイルシャルルの法則　〖物理〗 Boyle's and Charles's Laws ★ Boyle's law, Charles's law と別々に扱うことが多い.

ボイルドエッグ　(ゆで卵) boiled egg Ⓒ.

ほいろ 焙炉　(tea) drier Ⓒ.

ぼいん[1] **拇印**　thumbmark /θʌ́mmɑ̀ək/ Ⓒ.　¶ この書類に*拇印を押して下さい Please put your *thumbmark* on this document.　[日英比較] 英米にはこのような習慣はなく, サインがこれに代わる.

ぼいん[2] **母音**　〖音声〗 vowel /váʊəl/ Ⓒ.　¶ 二重*母音 a diphthong　**母音交替** 〖言〗 ablaut Ⓤ; (vowel) gradation Ⓤ　**母音調和** 〖言〗 vowel harmony Ⓤ.

ポインセチア　〖植〗 poinséttia Ⓒ.

ポインター　〖動〗(猟犬) pointer Ⓒ.

ぼいんと　¶ *ぼいんとなぐる bop / thump // *ぼいんと一発鼻面をなぐられた I got *bopped* on the nose.

ポイント (得点) point Ⓒ; (少数点) (decimal) point Ⓒ《☞ 数字 (囲み)》; (鉄道の)《米》switches, 《英》 points ★ ともに複数形で; (大事な点・要点) point Ⓒ; (活字の) point Ⓒ. 《☞ てん⁸》. ¶ これがこの課の*ポイントです This is the ⌈teaching [learning] *point* of this lesson. // *ポイントを切り換える switch a train from one track to another / 《英》 change [switch] the *points* (from one line to another) // 6 *ポイントの活字 6-*point* type **ポイントゲッター** top player Ⓒ; (サッカーの) ace striker Ⓒ.

ほう¹ 方 **1**《方向》 ―名 (方角) direction Ⓒ; (…へ向かう道) way Ⓒ ★ 口語的な語. ―前 (…の方角へ) in the direction of …; (…に向かって) toward … ★ 口語的な語. 《☞ ほうこう¹; ほうがく¹》. ¶ そちらの*方へ行ってはいけない Don't go that *way*. [語法] way は this, that などと共に前置詞なしで副詞的に使われる. // 「その男の人はどっちの*方へ行きましたか」「駅の*方へ行きました」“Which *way* did the man go?” “*Toward* the station.” // 私の家は南の*方を向いている My house faces ⌈*toward* [*to*] the south. // 倉敷は岡山の西の*方にある Kurashiki lies *to* the west of Okayama.

2《…については》: (…のほうは) on … 's part ★ … 's の部分は人称代名詞の所有格のみが来る; (…に関する限りは) as far as … ⌈is [am; are] concerned ★「…」の部分には「人・物」が来る.

¶ 私たちの*ほうは何も言うことはありません There is nothing to be said about it *on óur pàrt*. / (⇒ 異義はありません) There's no objection *as far as wé are concerned*. ★ we に強い強勢を置く.

3《比較・対比》 [語法] (1) 比較を表して, 例えば「A のほうが B よりも大きい」などの場合は A is bigger than B. のように比較級および than によって表す. また「A は…だが, B のほうは…だ」のように対照的なことを述べる場合は, ① 会話では強勢の置き方によって, ② 書き言葉では but, however, yet など, あるいは It is … that … の強調構文などを使って表すが, これら以外にも種々の表現がこれに当たることもある点に注意. ¶ あなたより私の*ほうが年上だ I *am older than* you. // こっちの*ほうがあの袋より重い This bag *is heavier than* that one. // ところで彼女の*ほうは何と言いましたか What did shé say then? [語法] (2) she に強い強勢が置かれる. // 私の*ほうはそれで満足ですが, あなたの*ほうはどうですか I'm happy with it, but how about yóu? // それを言ったのは彼の*ほうですよ *It was* he ⌈*who* [*that*] said so. / Hé said that. [語法] (3) 第 1 文は主として書き言葉で, 第 2 文は主として話し言葉で用いられる強調.

ほう² 法 **1**《法律》 ―名 law Ⓤ [語法] the を付けると法律全般を指すが, 一つ一つの法を言う場合は Ⓒ になる. ―形 (法律の) legal; (合法の) lawful. 《☞ ほうりつ》. ¶ *法の精神 the spirit of *the law* // 私たちは*法を守るべきである We should ⌈obey [observe] *the law*. // *法を破る break [violate] *the law* ★ break のほうが口語的. // 自分の都合のいいように*法を曲げる bend [twist] *the law* to *one's* (own) advantage // すべての人は*法の下では平等である Everyone is equal under *the law*. // それは*法に背く行為だ That act is against the *law*. / (⇒ 法の精神に反するもの) It is an *unlawful* act. / (⇒ 条文に反したもの) It is an *illegal* action. ★ 最初の文が最も口語的.

2《方法》: (組織立った方法) method Ⓒ; (…する方法) way Ⓒ ★ 口語的で日常的な語.「…の仕方」という感じ; (製法) process Ⓒ. 《☞ ほうほう¹ (類義語)》. ¶ 電話番号のよい記憶*法を知っているかい Do you know a good *way* to memorize telephone numbers?

法に照らす ¶ *法に照らして *in the eye of the law* **法の下の平等** equality ⌈under [before] the law Ⓤ. **法解釈** legal interpretation Ⓒ **法改正** reform [revision] of the law Ⓒ ★ reform は全般的な意味では Ⓤ. **法助動詞** módal auxiliary /ɔːgzíljəri/ (vérb) Ⓒ.

ほう³ 報 ―名 (報道・報告) report Ⓒ; (知らせ・ニュース) news Ⓤ. ―動 (報道する) report ⑩. 《☞ ほうじる¹; しらせ》. ¶ 私たちは事故の*報に接した We ⌈received [got] the ⌈*news* [*report*] of the accident.

ほう⁴ ―感 (驚きの声) oh 《☞ あら¹; へえ》. ¶ *ほう, そうなんですか *Oh*, is that so?

ほう⁵ 苞 〖植〗 bract Ⓒ.

ほう⁶ 砲 (鉄砲・大砲) gun Ⓒ; (昔の大砲) cannon Ⓒ.

ほう⁷ 鳳 ☞ ほうおう⁴

ほう- 訪- 《☞ ほうもん¹》 **訪米** visit to the United States Ⓒ. ¶ *訪米する *visit the United States* / make [pay] a *visit to the United States*.

ぼう¹ 棒 (棒切れ) stick Ⓒ ★ 最も一般的な語; (丸く削り, 旗ざおやテントの支柱などに使う棒) pole Ⓒ; (オーケストラの指揮棒) baton Ⓒ. 《☞ くい¹; はしら》. ¶ 彼は*棒を地面から引き抜いた He pulled the *stick* out of the ground. // テントを張るのに鉄の*棒が 4 本いる We need four steel *poles* to put up the tent. // 犬も歩けば*棒に当たる The dog that trots about finds a bone. 《ことわざ: 走り回る犬は骨を見つける》 // 捜索隊は終日足を*棒にして (⇒ 足がこわばるまで) 歩いた The search party walked all day, till their *legs got stiff*.

棒に振る ¶ 彼女はつまらないことで一日を*棒に振った (⇒ むだにした) She *wasted* the whole day on trivial things. // 彼はそのスキャンダルで一生を*棒に振った (⇒ そのスキャンダルは彼の一生を破滅させた) The scandal *ruined* his life. **棒ほど願って針ほどかなう** (⇒ 多くを望んでも少ししか得られない) Ask for a lot and get a little. / One's expectations are never completely fulfilled. **棒を引く** draw a line. ¶ *棒を引いて間違った数字を消しなさい Delete the incorrect figure by *drawing a line* through it. / *Cross out* the incorrect figure. 《☞ けす 3》.

棒押し pole pushing Ⓤ **棒切れ** (short) stick Ⓒ. ¶ (…に向って)*棒切れを振り回す wave a *stick* (at …) **棒グラフ** bar ⌈graph [chart] Ⓒ 《☞ グラフ》 **棒引き** ☞ 見出し

ぼう² 某 a certain … ★ 話し手にはわかっているが, わざとぼかして言うときに用いる. 《☞ ある²》. ¶ *某大学 *a certain* college // *某氏 Mr. *So-and-so* / *a* ⌈*certain* [(⇒ 特定の) *specific*] person // 1995 年*某月*某日に on *a certain* date in 1995

ぼう³ 坊 **1**《仏僧》: bonze Ⓒ.
2《僧の住居》: bonze's dwelling Ⓒ.
3《男児》 (呼びかけ) sonny; (息子) son Ⓒ; (男の子) boy Ⓒ. ¶ うちの次男*坊 my second *son* // あばれん*坊 a bad *boy*

ぼう⁴ 房 (部屋) chamber Ⓒ; (寝室) bedroom Ⓒ; (家) house Ⓒ; 〖解〗 atrium Ⓒ 《複 atria, ~s》. 《☞ ぼうじ¹》.

ボウ (蝶結び・蝶ネクタイ) bow Ⓒ.

ぼうあく 暴悪 (非道) atrocity Ⓤ ★「非道な行為」の意では Ⓒ; (暴虐) tyranny Ⓤ; (残忍) ferocity Ⓤ.

ぼうあげ 棒上げ (急騰) soaring Ⓤ.

ぼうあつ¹ 暴圧 ―動 (力で制圧する) suppress … by force.

ぼうあつ² 膨圧 〖植〗 (細胞の) turgor (pressure) Ⓤ.

ほうあん 法案 bill Ⓒ. ¶ 減税*法案は国会で審

議された They ⌈debated [mooted] the tax reduction *bill* in the Diet. // その*法案は可決[否決]された The *bill* has been ⌈passed [rejected]. // *法案は国会を通過すると法律になる A *bill* becomes law when it has passed the Diet.

ぼうあんき 棒暗記 ── [動] (機械的に覚える) learn ... by rote《☞ あんき; まるあんき》.

ほうい[1] 包囲 ── [名] (包囲攻撃) siege /síːdʒ/ [U] ★ 具体的な意味では [C]. ── [動] (一般的に周囲を取り囲む) surround (他); (特に軍隊が敵陣などを) besiege (他), lay siege to ... ¶ *包囲されている be ⌈under [in a state of] *siege* // *包囲を解く lift [raise] a *siege* **包囲軍** besieging army [C] **包囲網** tight besiegement [C].

ほうい[2] 法衣 (聖職者が着る衣服) clerical robe [C]; (聖職者・聖歌隊員などが礼拝のときに着る服) vestment [C].

ほうい[3] 方位 direction [C]《☞ ほうがく[1]; ほうこう[1]》. ¶ 元の家から見て*方位がよくなかったので彼女はその家を買わなかった She didn't buy the house because it was situated in an ominous *direction* as seen from her old house. **方位図法** zenithal projection [U].

ぼうい 暴威 ¶ 彼らはその国民に対し*暴威を振るった They *tyrannized* the citizens.《☞ もうい》

ほういかいぼう 法医解剖 forensic [medicolegal] autopsy [U].

ほういかく 方位角 〔天・海・測量〕ázimuth [C].

ほういがく 法医学 medical jurisprudence /dʒʊ̀(ə)rɪsprúːdns/ [U], forénsic médicine [U].

ほういき 法域 jurisdiction [C].

ほういつ 放逸 ☞ ほうじゅう

ぼういん 暴飲 ── [動] (酒を飲み過ぎる) drink too much. ── [名] excessive drinking [U]. ¶ *暴飲暴食は慎みなさい Don't *eat and drink too much.*

ぼうう[1] 暴雨 heavy [torrential] rainstorm [C].

ぼうう[2] 防雨 ── [名] protection against rain [U]. ── [形] (雨を通さない) rainproof. **防雨カバー** rainproof cover [C]; rain ⌈cover [hood] [C] **防雨テント** rainproof tent [C].

ほうえ 法会 Buddhist /búːdɪst/ service [C].

ほうえい 放映 ── [動] (テレビで放送する) broadcast ... on television, televise (他) ★ 後者は《米》で主に使われる口語的表現. ── [名] (放映すること) televising [U], television broadcasting [U] ★ 後者のほうが格式ばった言い方; (1 回の放映) telecast [C].《☞ ほうそう[1]》. ¶ 首相の演説はテレビで全国に*放映された The prime minister's speech *was televised* nationwide.

ぼうえい 防衛 ── [名] defense (《英》 defence) [U]. ── [動] defend (他).《☞ まもる; こくぼう》. **防衛機制** 〖心〗 defense mechanism [C] **防衛計画** defense plan [C] **防衛策** defensive measures ★ 通例複数形で. ¶ *防衛策を講じる take *defensive measures* (against ...) **防衛産業** the defense industry **防衛出動** ── [名] mobilization of the Self-Defense Forces [U]. ── [動] mobilize the Self-Defense Forces **防衛大学校** the National Defense Academy **防衛体制** defense system [C] **防衛体力** fitness for protection [U] **防衛庁** the Defense Agency **防衛庁長官** the Director General of the Defense Agency **防衛白書** defense white paper [C] **防衛費** (国防予算) defense ⌈budget [C] [spending [U]] **防衛力** defense capability [C].

ぼうえき[1] 貿易 ── [名] (取り引き一般) trade [U]; (特に対外[国際]貿易) foreign [international] trade [U]; (輸出入業) export and import business [U]. ── [動] trade (with ...) (自).《☞ ゆしゅつ; ゆにゅう》.
¶ 日本はその国と*貿易を行っている[いない] Japan ⌈*trades* [does not *trade*] *with* that country. // 政府は*貿易の拡大を図っている The Government is trying to ⌈expand [increase; promote] *foreign trade.* // 日中*貿易は順調に伸びている Sino-Japanese *trade* [*Trade* between Japan and China] has been ⌈expanding [growing] smoothly. // 自由[保護]*貿易 free [protective] *trade* // 多角*貿易 multilateral *trade* // 保護*貿易主義 protectionism // 日本*貿易振興会 Japan *External Trade* Organization《略 JETRO》
貿易相手国 trading partner [C] **貿易赤字** tráde déficit [C] (↔ trade surplus) **貿易依存度** the degree of (an economy's) dependence on foreign trade **貿易会社** tráding ⌈cómpany [firm] [C] **貿易外収支** invisible trade balance [U], service balance [U] **貿易業界** trading circles ★ 複数形で. **貿易協定** trade agreement [C] **貿易黒字** tráde súrplus [C] (↔ trade deficit) **貿易港** trading port [C] **貿易自由化** liberalization of trade [U]. ¶ 米の*貿易自由化 (⇒ 日本の米市場の自由化) *liberalization* of the Japanese rice market **貿易収支** balance of trade [C], trade balance [C] ★ いずれも通例単数形で. **貿易商[業者]** (foreign) trader [C]; (輸出商) exporter [C]; (輸入商) importer [C] **貿易障壁** trade barrier [C] **貿易品** trade goods ★ 複数形で. **貿易部** the import & export ⌈division [department]《☞ 会社の組織と役職名 (囲み)》 **貿易風** tráde wind ★ しばしば the ～s として. **貿易不均衡** trade imbalance [C] **貿易摩擦** tráde fríction [U]. ¶ 日米*貿易摩擦 Japan-U.S. *trade friction*

コロケーション

貿易に携わる engage in *international trade* / 貿易を制限する restrain [restrict] *international trade* / 貿易を促進する promote [boost] *international trade*

ぼうえき[2] 防疫 prevention of epidemics [U]. **防疫対策** ¶ *防疫対策を講ずる take *preventive measures* (against ...)《☞ よぼう》

ほうえつ 法悦 religious ecstasy [U]. ¶ *法悦の境地 a state of *religious ecstasy* ★ state は通例単数形で. // *法悦に浸る be in a state of *religious ecstasy*

ほうえん[1] 方円 ¶ 水は*方円の器 (⇒ 容器の形) に従う Water ⌈assumes [takes] the shape of its container.

ほうえん[2] 豊艶 ── [形] (色っぽい) glamorous; (肉感的な) voluptuous /vəlʌ́ptʃuəs/.

ほうえん[3] 砲煙 the smoke of ⌈guns [artillery].

ぼうえん[1] 防炎 ── [形] (耐火性の) fireproof; (不燃性の) nonflammable. ¶ *防炎加工したカーテン *fireproof(ed)* [*nonflammable*] curtains

ぼうえん[2] 防煙 ── [形] (煙を通さない) smokeproof. ¶ *防煙のためシャッターを設置した We've had some shutters installed to *keep out smoke.* **防煙マスク** smokehood [C]; (消防士の防煙ヘルメット) smoke helmet [C].

ぼうえんカメラ 望遠カメラ telephotographic camera [C].

ぼうえんきょう 望遠鏡 téléscòpe [C]. ¶ 天体[反射, 電波]*望遠鏡 an astronomical [a reflecting; a radio] *telescope* // 我々は*望遠鏡で月を見た We looked at the moon through a *telescope.*

ぼうえんしゃしん 望遠写真 telephoto [C]. **望遠写真術** telephotography [U] **望遠写真機** ☞ ぼうえんカメラ

ほ

ぼうえんレンズ 望遠レンズ télephòto [long] léns Ⓒ.

ほうおう[1] 法王 ―[名] (ローマ法王) pope Ⓒ ★ しばしば the Pope として; the Pontiff. ―[形] papal /péɪpəl/. 《☞ きょうこう[5]》. ¶*法王ベネディクト16世 *Pope* Benedict XVI **法王庁** the Vatican.

ほうおう[2] 法皇 (出家した上皇) retired emperor who became a (Buddhist) priest Ⓒ.

ほうおう[3] 訪欧 ―[動] visit Europe. ―[名] visit to Europe Ⓒ.

ほうおう[4] 鳳凰 Chinese phoenix /fíːnɪks/ Ⓒ. **鳳凰座** (the) Phoenix **鳳凰の間** the Phoenix Hall.

ぼうおく 茅屋 (かやぶきの家) thatched cottage Ⓒ; (あばら屋) shack Ⓒ, hovel Ⓒ.

ほうおん[1] 報恩 ☞ おんがえし

ほうおん[2] 芳恩 (好意) kindness Ⓤ, favor (《英》 favour) Ⓤ. 《☞ おん[1]》.

ぼうおん[1] 防音 ―[形] soundproof. ―[動] (防音装置を施す) soundproof (他). **防音材** soundproof material Ⓤ **防音装置** soundproof equipment Ⓤ **防音扉** soundproof door Ⓒ.

ぼうおん[2] 忘恩 ingratitude Ⓤ 《☞ おんしらず》. ¶*忘恩の徒 an *ungrateful* wretch

ほうか[1] 放火 ―[名] arson Ⓤ. ―[形] (放火の) incendiary /ɪnséndièri/ Ⓐ. ―[動] set fire to ..., set ... on fire. ¶その火事は*放火だった The fire was caused by *arson.* // 何者かが昨夜うちの納屋に*放火した Someone *set fire to* our barn last night. **放火罪** arson Ⓤ **放火犯(人)** arsonist Ⓒ, incendiary Ⓒ **放火癖** pyromania /pàɪrouméɪniə/ Ⓤ **放火魔** pyromaniac /pàɪrouméɪniæk/ Ⓒ.

ほうか[2] 法科 law ˹school [department] Ⓒ 《☞ ほうがく[2]; 学校・教育 (囲み)》. ¶彼は*法科の学生だ He is a *law* student.

ほうか[3] 邦貨 (日本の通貨) Japanese ˹currency [money] Ⓤ, yen Ⓤ. ¶*邦貨建てで払う pay in *yen.*

ほうか[4] 砲火 (発砲) gunfire Ⓤ; (砲撃) (artillery) fire Ⓤ. ¶彼らは敵の*砲火を浴びながら上陸した They landed under enemy *fire.* **砲火を交える** ¶敵と*砲火を交える *exchange* (*artillery*) *fire* with the enemy

ほうか[5] 法貨 legal tender Ⓤ.

ほうか[6] 放歌 ¶彼らは*放歌高吟した (⇒ あたりかまわず大声で歌った) They *sang loudly* without any concern for other people around them.

ほうか[7] 烽火 ☞ のろし

ほうが[1] 邦画 (日本映画) Japanese ˹film [movie] Ⓒ.

ほうが[2] 奉加 **奉加帳** list of ˹donations [donors] Ⓒ. ¶*奉加帳を回す collect *donations*

ほうが[3] 萌芽 **1** 《発芽》: germination Ⓤ 《☞ め[2]》. **2** 《物事が始まること》: (始まり) beginning Ⓒ; (兆し) sign Ⓒ ★ しばしば複数形で. ¶文明の*萌芽 the *beginning*(*s*) of civilization // 非行の*萌芽 *signs* of delinquency

ぼうか 防火 fire prevention Ⓤ, prevention of fires Ⓤ. ¶12月20日から26日までは*防火週間である *Fire Prevention* Week is ˹observed [held] from December 20 to 26. **防火訓練 [演習]** fire drill Ⓒ **防火建築** fireproof building Ⓒ **防火構造** fireproof construction Ⓤ **防火剤** fire suppressant Ⓒ **防火シャッター** fire shutter Ⓒ **防火設備** fire prevention equipment Ⓤ **防火帯** firebreak Ⓒ **防火地域[区域]** fire limits ★ 複数形で; fire protection ˹district [zone] Ⓒ **防火扉** fire door Ⓒ **防火塗料** fire-resistant paint Ⓤ **防火壁** 〘建〙 fire wall Ⓒ **防火用水** firefighting water Ⓤ **防火林** a belt of trees planted as firebreak.

ぼうが 忘我 trance Ⓒ. ¶*忘我の境に浸る[入る] be in [go into] a *trance*

ほうかい 崩壊 ―[動] (橋・建物などが崩れ落ちる) fáll dówn (自); (壊れて崩れる) brèak dówn (自), collapse (自) ★ collapse は前の2つの代わりにも用いられるが格式ばった語; 〘物理〙 (原子核の) decay (自); (風化などで分解する) dìsintegràte (他) (自) ★ 格式ばった語. ―[名] fall Ⓒ; bréakdòwn Ⓒ, collapse Ⓤ; decay Ⓤ; dìsintegrátion Ⓤ. 《☞ くずれる; とうかい; かいめつ》.
崩壊家庭[家族] broken family Ⓒ; family torn apart (by violence, by poverty, etc.) Ⓒ.

ほうがい 法外 ―[形] (途方もない) outrageous; (不当な) unreasonable; (過度の) excessive. 《☞ ふとう[1]; べらぼう》. ¶タクシーの運転手は*法外な料金をふっかけた The taxi driver demanded an ˹*unreasonable* [*outrageous*] fare.

ぼうがい[1] 妨害 ―[動] (心を乱させたり, 休息を妨げたりする) disturb (他); (障害物を置いて進行を妨げる) obstruct (他); (完全に進路をふさぐ) block (他); (人の話などに割って入る) interrupt (他); (人の仕事などに間に入って邪魔する・人に干渉する) interfere (with ...) (自). ―[名] disturbance Ⓤ; obstruction Ⓤ; interruption Ⓤ; interference Ⓤ. 《☞ じゃま (類義語); さまたげる; かんしょう[1]》.
¶安眠を*妨害しないでもらいたい Don't *disturb* my sleep. [参考] ホテルなどで「睡眠中」の意味で, Do not disturb. という札をドアにぶら下げることがある. // 彼らは道路に大きな石を置いて交通*妨害をした They *blocked* traffic by putting large stones on the road. // 討論の*妨害はやめて下さい (⇒ 討論の途中で口をはさまないで下さい) Don't *interrupt* our discussion. // 私の仕事[計画]の*妨害をしないで下さい Don't *interfere with* my ˹business [plan]. // 彼は公務執行*妨害で逮捕された He was arrested on the charge of *obstructing* government officials in carrying out their duties.
妨害行為 (物事の進行の) hindrance Ⓤ, obstruction Ⓤ ★ 司法や政治の妨害行為は後者; (紛争や労働争議での) sabotage Ⓤ; (バスケットボールなどの) interference Ⓤ; (サッカーなどの) obstruction Ⓤ **妨害罪** charge of ˹obstruction [interference] Ⓒ, obstruction [interference] charge Ⓒ **妨害者** interrupter Ⓒ; interferer Ⓒ; hinderer Ⓒ, obstructor Ⓒ; (議事進行を妨害する人) obstructionist Ⓒ **妨害電波** jamming signal Ⓒ.

ぼうがい[2] 望外 ―[形] (思いがけない) unexpected; (価しない) undeserved. ¶*望外の光栄 an ˹*unexpected* [*undeserved*] honor

ほうかいせき 方解石 〘鉱物〙 calcite Ⓤ.

ほうがく[1] 方角 (方向) direction Ⓒ; (方面) way Ⓒ ★ 口語的で日常的な語. 《☞ ほう[1]; ほうこう[1]》. ¶間違った*方角へ行く go in the wrong *direction* **方角が悪い** ¶*方角が悪いので今度の旅行は取りやめた方がよい, と祖母が言う My grandmother says that I should cancel this trip because the destination *lies in an* ˹*ominous* [*unlucky*] *direction* as seen from my house. **方角を失う** (どちらに行ったらよいか分からなくなる) lose *one's* ˹bearings [sense of direction]; (目標を失う) lose track of *one's* goals (in life).
方角違い ¶どうも*方角違い (⇒ 間違った方向に歩いている) みたいだな I'm afraid we're walking in *the wrong direction.* // 話が*方角違いの方へ行ってしまった (⇒ 本題からそれた) We *wandered from our subject.*

ほうがく[2] **法学** law Ⓤ, jurisprudence Ⓤ ★ 前者が平易で一般的. (☞ ほうりつ).
法学士 (人) bachelor of laws Ⓒ; (学位) Bachelor of Laws (略 LL. B.) **法学者** jurist Ⓒ; lawyer Ⓒ [語法] 後者は「弁護士」なども含む広い意味に用いられる. **法学博士** (人) doctor of laws Ⓒ; (学位) Doctor of Laws (略 LL. D.) **法学部** the ⌈school [college] of law, the law ⌈school [college] (☞ がくぶ (類義語); 学校・教育 (囲み)).

ほうがく[3] **邦楽** Japanese music Ⓤ.

ほうかご **放課後** after school (is over).

ほうかつ **包括** ━形 (包括的な・広い範囲をまとめた) comprehensive; (一切を含んだ) inclusive. **包括遺贈** universal legacy Ⓒ **包括財産** floating property Ⓤ (☞ とくてい) **包括的核実験禁止条約** the Comprehensive Test Ban Treaty (略 CTBT).

ほうかん[1] **砲艦** gunboat Ⓒ.

ほうかん[2] **宝冠** (王・王妃などの) crown Ⓒ; (王子・貴族などの) coronet Ⓒ. **宝冠章** the Order of the Sacred Crown.

ほうかん[3] **幇間** professional male jester Ⓒ.

ほうかん[4] **奉還** ☞ たいせいほうかん

ほうかん[5] **法官** judge Ⓒ, justice Ⓒ.

ほうがん **包含** ━動 (全体の一部として含む) include (他); (…の意味を暗に含む) imply (他). ━名 inclusion Ⓤ; implication Ⓤ.

ぼうかん[1] **傍観** ━動 lóok ón (自). **傍観者** ónlòoker Ⓒ; (やじうま) býstànder Ⓒ.

ぼうかん[2] **暴漢** (悪漢) thug Ⓒ; (人を襲う強盗) mugger Ⓒ. ¶ 彼女は銀行から帰る途中*暴漢に襲われた She was ⌈assaulted [attacked] by a *thug* on her way home from the bank. / She *was mugged* on her way home from the bank. ★ mug は「(暴漢が) 襲う」の意.

ぼうかん[3] **防寒** ━名 protection against (the) cold Ⓤ. ━形 (防寒の) coldproof. ¶ この家は*防寒設備が整っている This house is fully *equipped for the cold*. **防寒着** ☞ **防寒服** **防寒具** heavy winter outfit Ⓒ **防寒下着** thermal underwear Ⓤ **防寒服** (暖かい衣服) warm clothes; (冬の衣服) heavy winter clothes; (寒帯地方で使うような完全防寒の服) arctic clothes ★ 以上いずれも複数形で.

ほうがんし **方眼紙** graph paper Ⓤ, (英) section paper Ⓤ.

ほうがんなげ **砲丸投げ** 〔スポ〕 the shot put. **砲丸投げ選手** shot-putter Ⓒ.

ほうがんびいき **判官びいき** (弱者または悲劇的な英雄への同情) sympathy for ⌈the weak [a tragic hero] Ⓤ.

ほうき[1] **放棄** ━動 (あきらめて捨てる) give úp (他) ★ 最も日常的で一般的な語; (必要上やむをえず放棄する) abandon (他); (自発的に捨てる) renounce (他). (☞ すてる; だんねん).
¶ 私たちはその計画を*放棄した We *gave up* the plan. // 船長は燃えている船をついに*放棄した The captain finally *abandoned* his burning ship. // 彼女は財産の権利を*放棄した She *renounced* her claim to the property.
放棄試合 (没収試合) forfeited game Ⓒ.

ほうき[2] **法規** ━名 (法律と規則) laws and regulations ★ 複数形で. ━形 (法律で定めた) legal. (☞ じょうれい; ほうれい[1] (類義語)). ¶ 交通*法規を守る obey [observe] traffic *regulations*
法規命令 legal order Ⓒ.

ほうき[3] **蜂起** ━名 (反乱) revolt Ⓤ; (暴動) uprising Ⓒ, rising Ⓒ. ━動 (反乱を起こす) rise in ⌈revolt [rebellion]; (…に反抗して立ち上がる) rise (against …) (自); (武器を持って) rise in arms. ¶ 市民たちは各地で*蜂起した The citizens *rose in arms* in all parts of the country.

ほうき[4] **箒** broom Ⓒ. ¶ 部屋を*ほうきで掃きなさい Sweep your room with a *broom*. // *ほうきの柄 a broomstick **ほうき星** ☞ 見出し

ほうき[5] **芳紀** ¶ ジェーンは*芳紀 16 歳 Jane is *sweet* sixteen. [語法] sweet sixteen は決まった表現で「花の 16 歳」という言い方. この sweet は他の年齢には用いられないので, 例えば「芳紀 19 歳」なら単に be nineteen とするしかない.

ほうき[6] **芳気** fragrance Ⓤ (☞ かおり).

ぼうぎ **謀議** (陰謀) conspiracy /kənspírəsi/ Ⓤ (☞ いんぼう (類義語); はかりごと). ¶ 共同*謀議 (joint) *conspiracy*

ほうきぐさ **箒草** 〔植〕 broom ⌈cypress [goosefoot] Ⓒ.

ほうきたけ **箒茸** club fungus Ⓒ (複 ～ fungi /fʌ́ndʒaɪ, fʌ́ŋgaɪ/).

ほうきぼし **箒星** comet Ⓒ.

ほうきむし **箒虫** 〔動〕 phoronid /fəróunɪd/ Ⓒ.

ほうきめ **箒目** broom marks; (説明的には) pattern on the ground made by sweeping with a broom Ⓒ.

ぼうきゃく **忘却** oblívion Ⓤ ★ 格式ばった語で, 日本語の「忘却」のニュアンスに近い.

ぼうぎゃく **暴虐** ━名 (残酷行為) atrocity Ⓒ; cruelty Ⓒ; (暴君がするような残虐行為) tyranny /tírəni/ Ⓒ ★ しばしば複数形で. ━形 cruel; tyránnical. (☞ ざんぎゃく; ざんこく). **暴虐の限りをつくす** ¶ 戦時中指揮官たちは*暴虐の限りをつくした The commanders ⌈*committed* [*carried out*] every imaginable atrocity during the war.

ほうきゅう **俸給** (給与) pay Ⓤ ★ 一般的な語で, すべての種類の給料に用いることができる; (月給) salary Ⓒ ★ やや格式ばった語で, 銀行に振り込まれるものなど. (☞ きゅうりょう[1] (類義語); げっきゅう).
俸給生活者 salaried worker Ⓒ **俸給日** payday Ⓒ.

ほうぎょ **崩御** ━名 (格式) demise /dɪmáɪz/ Ⓤ [日英比較] 日本語の崩御は天皇, 皇后などの死去をいうが, 英語の demise にはそのような限定はない. 人の死去, 地位・身分などの消滅をいう格式語で, 王位などの譲位の意もある. 英語には元首などの死をいう特定の語はない. ━動 (死亡する) decease (自); (婉曲的に) pass away (自) (☞ 丁寧な表現 (巻末)).

ぼうきょ **暴挙** (無謀な企て) reckless attempt Ⓒ.

ぼうぎょ **防御** ━名 defense ((英) defence) Ⓤ; (保護) protection Ⓤ; (スポーツ防御の構え) guard Ⓤ. ━動 defend (他); (保護する) protect (他); (守る) guard (他). (☞ まもる; ふせぐ). **防御率** 〔野〕 earned run average Ⓒ (略 ERA).

ほうきょう[1] **方鏡** (古代の方形の鏡) ancient square mirror Ⓒ.

ほうきょう[2] **豊凶** (豊作と凶作) a ⌈good [bountiful] or ⌈bad [poor] ⌈harvest [crop]; (豊年と凶年) a fruitful or lean year; the good years and the bad.

ほうきょう[3] **豊胸** (術) breast ⌈enlargement [augmentation] Ⓤ. **豊胸手術** breast-enlargement surgery Ⓤ, plastic surgery to enlarge *one's* breasts Ⓤ.

ぼうきょう[1] **望郷** ━形 (望郷の念にかられた) homesick. ━名 (望郷の念) homesickness Ⓤ. (☞ きょうしゅう[1]). ¶ 彼女はその歌を聞くと*望郷の念にかられた She got *homesick* when she heard the song.

ぼうきょう[2] **防共** defense [(英) defence] against communism Ⓤ. **防共協定** (反共産主義

協定) anticommunist treaty Ⓒ.
ほうぎょく 宝玉 precious stone Ⓒ, gem Ⓒ.
ぼうきれ 棒切れ ☞ ぼう[1]
ほうぎん[1] 放吟 ―動 (あたりかまわず大声で歌う) sing loudly without any concern for other people around *one* (☞ ほうか[6]).
ほうぎん[2] 邦銀 (overseas) Japanese bank Ⓒ.
ぼうぐ 防具 protector Ⓒ, guard Ⓒ ★ 後者はしばしば shin guard (すね当て)のように複合語として用いられる. ¶ 頭の*防具をつける wear *protective* headgear
ぼうぐい 棒杭 stake Ⓒ (☞ くい[1]).
ぼうくう 防空 air defense Ⓤ. **防空演習** air-defense maneuvers ★ 複数形で. **防空訓練** air-raid drill Ⓒ **防空壕** air-raid shelter Ⓒ **防空頭巾** air-raid hood Ⓒ.
ぼうぐみ 棒組み ―名 galley setting Ⓤ. ―動 set type in galley.
ぼうグラフ 棒グラフ ☞ ぼう[1]
ぼうくん[1] 暴君 (圧制者) tyrant /táɪ(ə)rənt/ Ⓒ; (専制君主) despot Ⓒ.
ぼうくん[2] 亡君 *one's* deceased lord.
ぼうくん[3] 傍訓 ☞ ふりがな
ほうけい[1] 方形 ―名 square Ⓒ. ―形 square.
ほうけい[2] 包茎 〖医〗 phimosis /faɪmóusɪs/ Ⓒ.
ほうげい 奉迎 ―名 respectful welcome Ⓒ. ―動 welcome ... respectfully.
ぼうけい[1] 傍系 ―形 (直系から分かれた枝葉の家系の) collateral; (会社などが系列の) affiliated; (従属的な・子会社の) subsidiary /səbsídièri/; (あまり重要でない・二流以下の) minor.
傍系会社 (系列会社) affiliate Ⓒ, affiliated company Ⓒ; (子会社) subsidiary company Ⓒ **傍系血族** collateral relation by blood Ⓒ **傍系親族** collateral Ⓤ; collateral relation Ⓒ.
ぼうけい[2] 亡兄 *one's* dead (elder) brother.
ぼうけい[3] 謀計 (はかりごと) trick Ⓒ; (陰謀) plot Ⓒ, scheme Ⓒ; (複数の人による陰謀) conspiracy Ⓒ; (戦略) stratagem Ⓒ. (☞ けいりゃく; いんぼう; たくらみ; ぼうりゃく; けんぼうじゅっすう).
ほうげき 砲撃 fire Ⓤ (☞ はっぽう[2]; ほうか[4]).
¶ *砲撃を開始する open *fire*
ぼうげつぼうじつ 某月某日 a certain day of a certain month.
ほうける 惚ける (もうろくする) get [grow] senile. ¶ 遊び*惚けるのはいいかげんにしろ Stop 「*playing around* [*loafing about*]!
ほうけん[1] 封建 ―形 (封建制度の) feudal; (封建的な) feudalistic. **封建国家** feudal state Ⓒ **封建思想** feudalistic idea Ⓒ **封建時代** feudal times ★ 複数形で. **封建社会** feudal society Ⓒ **封建主義** feudalism Ⓤ **封建制度** feudalism Ⓤ, the feudal system Ⓒ.
ほうけん[2] 奉献 ☞ ほうのう
ほうけん[3] 宝剣 sacred [treasured] sword Ⓒ.
ほうけん[4] 法権 legal right Ⓒ (☞ ちがいほうけん).
ほうげん[1] 方言 dialect Ⓒ (☞ なまり[1]; -べん).
¶ 彼は九州の*方言で話す He talks in Kyushu *dialect*. / (⇒ なまりがある) He has a Kyushu *accent*. // 関西*方言 the Kansai *dialect* // 階級*方言 class [social] *dialect* **方言学** dialectology Ⓤ **方言地図** dialect 「map [atlas] Ⓒ (☞ ちず).
ほうげん[2] 放言 ―名 (不注意な[その場限りの]発言) careless [casual] comment Ⓒ; (事実に基づかない話) talk not based on facts Ⓒ. (☞ しつげん[1]).
ぼうけん[1] 冒険 ―名 (おもしろく危険なこと) adventure Ⓒ; (危険) risk Ⓤ. ―動 (危険を冒す) run 「a [the] risk; (一か八かやってみる) take 「a chance [chances]. ―形 adventurous. (☞ きけん[1]). ¶『トムソーヤーの*冒険』を読んだことがありますか Have you read *The Adventures of Tom Sawyer*? // 多少の*冒険は覚悟している I'm ready to *run* some *risk*. **冒険家** adventurer Ⓒ ★「冒険を好む人」なら adventurous person Ⓒ. **冒険小説** adventure 「novel [story] Ⓒ **冒険心** adventurous spirit Ⓒ **冒険物語** [**冒険談**] adventures ★ 複数形で; adventure story Ⓒ.
ぼうけん[2] 望見 ―動 (遠くから見る) look at [see] ... from a distance; (遠くに見る) see ... in the distance.
ぼうけん[3] 剖検 autopsy Ⓒ.
ぼうげん[1] 暴言 (悪態) abusive language Ⓤ, abuse Ⓤ; (激しい言葉) violent language Ⓤ; (筋の通らない発言) unreasonable statement Ⓒ. (☞ ぼうろん). ¶ 彼は我々に*暴言を吐いた He *used* 「*abusive* [*violent*] *language toward* us. 〔語法〕 前者は主として言った内容, 後者は言い方が激しいの意. / He spoke 「*abusively* [*violently*] at us.
ぼうげん[2] 妄言 (うそ) lie Ⓒ; (心ない言葉) thoughtless [reckless] remarks. ¶ *妄言多謝 (⇒ 私の無遠慮な評言を大目にみて下さい) Kindly excuse my *bold remarks*.
ほうげんのらん 保元の乱 the Hogen Disturbance; (説明的には) a conflict in 1156 between branches of the imperial family over succession.
ぼうげんミラー 防眩ミラー (自動車の) anti-glare mirror Ⓒ.
ほうこ 宝庫 treasure house Ⓒ, treasury Ⓒ ★ どちらも比喩的に用いられることが多い. ¶ 知識の*宝庫 a *treasure house* of knowledge
ほうご[1] 邦語 (自国語) the vernacular; (日本語) the Japanese language, Japanese Ⓤ. **邦語訳** (日本語訳) Japanese translation Ⓒ (☞ ほうやく).
ほうご[2] 法語 (仏の教え) Buddhist sermon Ⓒ; (仏教のやさしい解説) premier of Buddhism Ⓒ. (☞ ほうわ[2])
ぼうご 防護 ―動 protect ㊉. ―名 protection Ⓤ. **防護具** protective equipment Ⓤ, armor Ⓤ **防護柵** protective fence Ⓒ **防護服** protective clothing Ⓤ **防護壁** bulkhead Ⓒ.
ほうこう[1] 方向 (方角) direction Ⓒ; (方面) way Ⓒ ★ 口語的な語; (進路) course Ⓒ; (目的) aim Ⓒ. (☞ ほう[1]; ほうがく[1]).
¶「彼はどっちの*方向へ行きましたか」「あっちの*方向へ行きました」"*In Which direction* [*Which way*] did he go?" "That *way* [In that *direction*]." // 飛行機は*方向を変えた Our plane changed *course*. // *方向違いですよ You're going in the wrong *direction*.
方向音痴 ¶ 私は*方向音痴だ (⇒ 方向感覚がない) I *have no sense of direction*. **方向感覚** sense of direction Ⓤ **方向指示器** (自動車などの) direction [turn] indicator Ⓒ, 《略式》《米》 blinker Ⓒ, 《英》 winker Ⓒ **方向舵** rudder Ⓒ **方向探知器** direction finder Ⓒ **方向づけ** ☞ 見出し **方向転換** ―名 turn Ⓒ, turnabout Ⓒ ★ 後者は比喩的にも用いられる. ―動 make a 「turn [turnabout]. ¶ 政府の外交政策の*方向転換 the government's *turnabout* on foreign policy **方向余弦** 〖数〗 direction cosines ★ 複数形で.
ほうこう[2] 放校 ―動 (放校にする) expel *a person* from school; (落第して退学になる) 《米》 flunk out ㊀. ―名 expulsion from school Ⓤ. (☞ たいがく[1]). ¶ *放校処分になる be 「*expelled* [*dis-*

ほ

missed] from school

ほうこう³ 彷徨 ―動 (あてもなく歩き回る) wander ㊀; (不安定な状態にある) hover ㊀. (☞ さまよう) ¶ 生死の境を*彷徨する *hover* between life and death

ほうこう⁴ 芳香 (花・香水などの甘い香り) fragrance Ⓒ; (コーヒーなどの強くよい香り) aróma Ⓒ. **芳香剤** aròmátic Ⓒ **芳香族化合物** aromatic compounds ★ 複数形で. **芳香油** fragrant [aromatic] oil Ⓤ **芳香療法** aròmathérapy Ⓤ.

ほうこう⁵ 咆哮 ―名 (猛獣の) roar Ⓒ; (犬・狼などの遠吠え) howl Ⓒ. ―動 roar ㊀; howl ㊀.

ほうこう⁶ 奉公 ―名 (仕えること) service Ⓤ; (従弟として) apprenticeship Ⓤ. ―動 serve ㊉ ㊀. ¶ 私は少年のころ印刷屋に*奉公に出された I *was apprenticed* to a printer when I was a boy. **奉公口** place Ⓒ **奉公人** servant Ⓒ; (年季奉公人) apprentice Ⓒ.

ほうこう⁷ 砲口 the muzzle of a gun. ¶ …に*砲口を向ける aim a *gun* at …

ほうごう¹ 縫合 〖医〗 ―名 suture /súːtʃɚ/ Ⓒ. ―動 suture ㊉, stitch up ㊉, sew up ㊉ ★ 最初が最も格式ばった語. (☞ ぬう).

ほうごう² 抱合 ―動 (合体させる) incorporate ㊉. ―名 incorporation Ⓤ. **抱合語** 〖言〗 incorporating language Ⓒ.

ぼうこう¹ 暴行 ―名 (暴力行為) violence Ⓤ; (女性に対する) rape Ⓤ, assault Ⓒ 語法 (1) 日本語の「乱暴」と同じに女性に対する暴行の婉曲的な表現としてよく使われるが,「暴行」という法律用語でもある. ―動 (暴力を加える) use violence; (女性に暴行する) rape ㊉, make an assault on …, assault ㊉ 語法 (2) 第 1 番目の訳語の代わりにも使える法律用語. (☞ ぼうりょく). ¶ 暴徒はそのカメラマンに*暴行を加えた The mob *assaulted* the photographer. // 彼は婦女*暴行の罪で刑務所に入れられた He was sent to prison for *rape*. **暴行罪** crime of violence Ⓒ, assault Ⓤ **暴行未遂** attempted rape Ⓤ.

ぼうこう² 膀胱 〖解〗 bladder Ⓒ. **膀胱炎** cystitis /sɪstáɪtɪs/ Ⓤ **膀胱癌** bládder càncer Ⓤ, cancer of the bladder Ⓤ **膀胱鏡** cystoscope /sístəskòʊp/ Ⓒ **膀胱結石** bladder stone Ⓒ.

ほうこうづけ 方向付け ―名 (方向を示すこと) directing Ⓤ; (新人指導) orientation Ⓤ. ―動 (方向を示す) direct ㊉; (新人を指導する) orient ㊉; (導く) guide ㊉. (☞ ほうしん¹; みち¹). ¶ 新入生に今後の教育の*方向づけを行う *orient* new students to ˹their [the] future course of education (☞ オリエンテーション) // 私は彼に*方向づけられて今の道を選んだ I chose this course under his *guidance*.

ほうこく¹ 報告 ―名 report Ⓒ; (説明) account Ⓒ. ―動 report ㊉ ㊀. ¶ 彼はその事故について簡単[詳細]に*報告するように求められた He was asked to make a ˹brief [full] *report* ˹*on* [*of*] the accident. 語法 意見などを加えた詳細な報告の場合は on, 事実のみの報告の場合は of を用いる. // 中間 [年次]*報告 an ˹interim [annual] *report* // 最終*報告 the final *report* **報告者** reporter Ⓒ **報告書** report Ⓒ.

> **コロケーション**
> **大ざっぱな報告** a sketchy *report* / **経過報告** a progress *report* / **月例報告** a monthly *report* / **現地からの報告** an on-the-spot *report* / **口頭の報告** an oral *report* / **詳細な報告** a ˹detailed [full] *report* / **書面による報告** a written *report* / **正確な報告** an ˹accurate [exact] *report* / **定期報告** a regular *report* / **曖昧に報告する** *report* vaguely / **詳細に報告する** *report* fully / **正確に報告する** *report* accurately / **忠実に報告する** *report* faithfully / **手短に報告する** *report* briefly

ほうこく² 報国 service to *one's* country Ⓤ. **報国心** patriotism Ⓤ.

ぼうこく¹ 亡国 ¶ *亡国の (⇒ 祖国を失った) 民 a *homeless* people // その国は*亡国 (⇒ 崩壊) の危機に瀕している The country is on the verge of *collapse*.

ぼうこく² 某国 a certain country.

ほうこしょとう ―名 ㊉ **澎湖諸島** the Pescadores /pèskədóːriːz/ ★ 台湾の西にある島群.

ぼうこひょうが 暴虎馮河 (命知らずのことをすること) daring [death-defying] act Ⓒ, daredevil attempt Ⓒ. ¶ *暴虎馮河の男 a *reckless* man / a *daredevil*

ぼうこん 亡魂 (死んだ人の魂) the ˹soul [spirit] of a dead person (☞ ぼうれい).

ほうざい 方剤 (薬の調合) preparation of a medicine Ⓤ; (調合剤) preparation Ⓒ. (☞ ちょうごう¹).

ぼうさい¹ 防災 disaster prevention Ⓤ. **防災科学** the science of disaster prevention **防災訓練** disaster drill Ⓒ **防災計画** disaster prevention plan Ⓒ **防災センター** disaster prevention center Ⓒ **防災対策** disaster prevention measures ★ 複数形で. **防災地図** disaster prevention map Ⓒ **防災の日** Disaster Prevention Day **防災用品** emergency supplies ★ 複数形で.

ぼうさい² 亡妻 my ˹deceased [late] wife.

ほうさく¹ 豊作 (特定の作物の) bumper [fine] crop Ⓒ (↔ poor crop) ★ bumper のほうが意味が強い; (いろいろな作物全体の) good [rich] harvest Ⓒ (↔ bad [poor] harvest). (☞ ほうねん¹; あたりどし). ¶ 今年は米が*豊作だった We have had a ˹*bumper* rice *crop* [*fine crop* of rice] this year. **豊作貧乏** (⇒ 豊作が安値をもたらした) The *abundant harvest* has brought about a fall in prices.

ほうさく² 方策 (対策) measure Ⓒ ★ しばしば複数形で; (段階的処置の中の 1 つ) step Ⓒ. (☞ ほうほう¹ (類義語); たいさく¹; しゅだん). ¶ 政府は財政立て直しの*方策を発表した The government has announced ˹*measures* [*steps*] to improve the finances of the country. // *方策を立てる set up [devise] a *scheme*

ぼうさつ¹ 忙殺 ―動 (忙殺される・非常に忙しい) be very busy (☞ いそがしい; きりきりまい). ¶ 私は仕事に*忙殺されている I *am very busy* with my work.

ぼうさつ² 謀殺 ―名 (計画的殺人) premeditated murder Ⓒ. ―動 murder ㊉. (☞ さつじん¹; ころす).

ぼうさてい 防砂堤 groyne Ⓒ, groin Ⓒ, erosion control bank Ⓒ.

ぼうさりん 防砂林 forest to protect against sandstorms Ⓒ.

ほうさん¹ 硼酸 〖化〗 boric acid Ⓤ. **硼酸水** boric acid solution Ⓤ **硼酸軟膏** boric ointment Ⓤ.

ほうさん² 放散 ―動 (熱・光などを四方に) radiate ㊉ ㊀. ―名 radiation Ⓤ. ―形 (放散性の) radiating. **放散虫** 〖動〗 radiolarian Ⓒ **放散痛** radiating pain Ⓤ.

ぼうさん 坊さん ☞ ぼうず

ほうし¹ 奉仕 ―名 service Ⓤ. ―動 serve ㊉ ㊀. (☞ つくす; けんしん²). ¶ 彼女は社会への*奉仕に一生をささげた She devoted her life to ˹social *service* [*service* to the community]. // *奉仕精神

で in the spirit of *service* 奉仕価格 bargain price Ⓒ 奉仕品 (特売品) bargain Ⓒ. ¶本日のご*奉仕品《商店の掲示》Today's *bargains*

ほうし[2] 胞子 〚植〛spore Ⓒ. 胞子体 〚植〛sporophyte Ⓒ 胞子虫類 Sporozoa /spɔ̀ːrəzóuə/ Ⓤ 胞子嚢 〚植〛sporangium /spərǽndʒiəm/ Ⓒ《複 -gia》.

ほうし[3] 芳志 (好意) kindness Ⓤ ¶ご*芳志を賜り心から御礼申し上げます I would like to express my heartfelt gratitude for your ⌈*kindness* [*kind offer*].

ほうし[4] 法師 ☞ぼうず

ほうし[5] 放 恣, 放 肆 (勝手気まま) self-indulgence Ⓤ《☞ ほうじゅう》. ¶*放恣な生活を送る live a *self-indulgent* life

ほうじ[1] 法事 (Buddhist) memorial service Ⓒ.

ほうじ[2] 邦字 (日本語) Japanese Ⓤ. 邦字新聞 Japanese-language newspaper Ⓒ.

ぼうし[1] 帽子 (縁のある帽子) hat Ⓒ; (縁のない帽子) cap Ⓒ; (総称) headgear Ⓤ, head covering Ⓒ

語法 どちらも格式ばった語で普通は使われない.

日英比較 広く帽子類を表すのは hat であるが, 日常レベルでは帽子類を縁があるかないかで大きく 2 種類に分け, 前者を hat, 後者を cap と呼ぶ. cap は主に野球や水泳などスポーツに用いられるもの, 軍隊や警察などの制服の一部になっている制帽のように特定の目的で用いられることが多い.

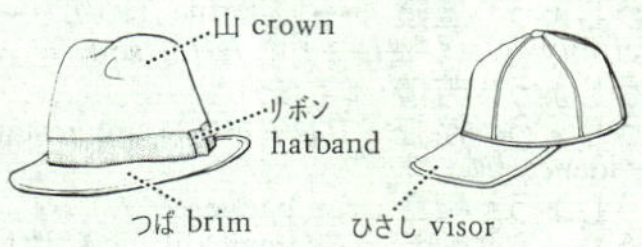

hat　　cap

¶彼は*帽子を脱いだ[かぶった] He ⌈took off [put on] his *hat*. // 彼はグレーの*帽子をかぶっていた He had a gray *hat* on. / He ⌈was wearing [wore] a gray *hat*. 帽子掛け (床に置く) hatstand Ⓒ, hat tree Ⓒ; (壁の) hat rack Ⓒ 帽子屋 (人) hatter Ⓒ; (女性帽専門の) milliner Ⓒ; (店) hat shop Ⓒ.

ぼうし[2] 防止 ― [動] (起こらないようにする・防ぐ) prevent ㊀; (阻止する) stop ㊀, check ㊀ ★後者のほうが格式ばった語; (…が…しないようにする) keep … from *doing* … ― [名] prevention Ⓤ; check Ⓒ. 《☞ ふせぐ; よぼう》.

¶核戦争[大気汚染]はどうしても*防止しなくてはならない We must do whatever is needed to *prevent* ⌈nuclear war [air pollution]. // その病気の拡散を*防止しなくてはならない We must *check* the spread of the disease. // 青少年の非行を未然に*防止すべきだ We should *take steps* ⌈*against* [*to prevent*] juvenile delinquency. // 自然災害[交通事故]*防止に力を入れる put emphasis on *preventing* ⌈natural disasters [traffic accidents]

防止策 preventive measure Ⓒ ★しばしば複数形で. ¶何か*防止策を講じる必要がある We must take some *preventive measures*.

ぼうし[3] 某氏 a certain person, Mr. X.

ぼうし[4] 亡師 *one's* ⌈deceased [late] ⌈teacher [master]

ぼうじ[1] 房事 bedroom activity Ⓒ. ¶*房事にふける indulge in *sexual pleasure*

ぼうじ[2] 亡児 *one's* dead ⌈child [son; daughter].

ほうしがく 法史学 ☞ほうせい[2] (法制史)

ほうしき 方式 (決まった形式) form Ⓒ; (秩序立った体系) system Ⓒ. ¶結婚式には一定の*方式がある There is an established *form* for wedding ceremonies. // 我々は新しい分類*方式を採用した We have adopted a new *system* of classification.

ぼうじしゃく 棒磁石 bar magnet Ⓒ.

ほうしぜみ 法師蟬 ☞つくつくぼうし

ほうじちゃ 焙じ茶 roasted tea Ⓤ《☞ ほうじる[2]; ちゃ》.

ぼうしつ[1] 防湿 ― [形] móisture-pròof, dampproof. 防湿剤 desiccant Ⓒ.

ぼうしつ[2] 忘失 ― [名] (忘れること) loss of memory Ⓤ. ― [動] (忘れる) forget ㊀ ㊁; (記憶をなくす) lose *one's* memory. 《☞ ぼうきゃく》. ¶その書類をどこへ置いたか*忘失してしまった I *have forgotten* where I put the documents.

ぼうじつ 某日 ― [副] on a certain day.

ぼうしつべん 房室弁 〚解〛atrioventricular /èɪtriouventríkjulə/ valve Ⓒ.

ぼうじま 棒縞 ― [名] stripes ★複数形で. ― [形] striped.

ほうしゃ[1] 放射 ― [名] radiation Ⓤ. ― [動] radiate ㊁ ㊀. 放射エネルギー radiant energy Ⓤ 放射化学 radiochemistry Ⓤ 放射角 angle of radiation Ⓒ 放射霧 radiation fog Ⓤ 放射熱 radiant heat Ⓤ 放射状, 放射性, 放射冷却 ☞見出し

ほうしゃ[2] 硼砂 〚化〛borax Ⓤ.

ほうしゃかいがく 法社会学 sociology of law Ⓤ.

ぼうじゃくぶじん 傍若無人 ¶彼はいつも*傍若無人の (⇒他人の気持ちなど構わない) 振舞いをする He always behaves rudely, *insensitive to the feelings of others*. / (⇒我を通し, 他人への思いやりを示さない) He always tries to have his own way, *never showing any consideration for others*.

ほうしゃじょう 放射状 ― [形] radial /réɪdiəl/. ― [副] radially. ¶広場から*放射状に伸びる道路 (a system of) streets *radiating from* a square 放射状道路 radial roads ★複数形で.

ほうしゃせい 放射性 ― [形] ràdioáctive. 放射性汚染 radioactive contamination Ⓤ 放射性核物質 radioactive nuclear matter Ⓤ 放射性元素 radioactive element Ⓒ 放射性降下物 (radioactive) fallout Ⓤ 放射性同位体[元素] radioactive isotope Ⓒ, radioisotope Ⓒ 放射性廃棄物 radioactive waste Ⓤ 放射性物質 radioactive substance Ⓒ.

ほうしゃせん 放射線 radiation Ⓤ, radioactive ray Ⓒ. ¶*放射線を浴びる be exposed to *radiation* // *放射線を照射する apply *radiation* to … 放射線医学 radiology Ⓤ 放射線科 the department of radiology 放射線化学 radiation chemistry Ⓤ 放射線損傷 radiation damage Ⓤ 放射線治療医 radiotherapist Ⓒ 放射線熱傷 radiation burn Ⓒ 放射線被曝 radiation exposure Ⓤ 放射線病[障害] radiation sickness Ⓤ 放射線物理学 radiation physics Ⓤ 放射線量 level [amount] of radiation Ⓒ. ¶危険なレベルの*放射線量 a dangerous *level of radiation* 放射線療法 radiotherapy /rèɪdiouθérəpi/ Ⓤ.

ほうしゃのう 放射能 ràdioactívity Ⓤ, radiation Ⓤ. ¶*放射能に汚染された魚 fish contaminated by *radiation* // *放射能の影響 *radiation* effects // 強い*放射能 a high level of *radioactivity* 放射能雨 radioactive rain(fall) Ⓤ 放射能汚染 radioactive contamination Ⓤ 放射能事故 radiation accident Ⓒ 放射能遮断壁 radiation shield Ⓒ 放射能障害 radiation sickness Ⓤ 放射能測定器 radiation detector Ⓒ 放射能濃度基準 radioactivity concentration guide Ⓒ 放射能防御施設 fallout shelter Ⓒ 放射能漏れ leak

of radioactivity [C].
ほうしゃれいきゃく 放射冷却 〔気象〕 radiational cooling [U].
ほうしゅ¹ 砲手 gunner [C].
ほうしゅ² 法主 (宗派の長) the head of a Buddhist sect; (高僧) high Buddhist priest [C].
ぼうじゅ 傍受 ―[動] (外国放送などを) monitor (他); (たまたま受信する) pìck úp (他). ¶ これは東京で*傍受したモスクワのラジオニュースだ This is the Moscow radio news *monitored* in Tokyo. // 我々は救助信号を*傍受した We *picked up* signals for help.
ほうしゅう 報酬 pay [U] ★ 給料などを表す最も普通の言葉; (俸給) salary [C]; (主に専門的職業の人に払う) fee [C]; (講演者などが礼としてもらう) hònorárium [C] 《複 ~s, -ia》. (☞ きゅうりょう¹; ちんぎん; しゃれい). ¶ …の*報酬として in *reward* for … // その仕事に対しての*報酬はどのくらいですか How much *pay* do you ｢get [offer] for the job? [語法] get を用いれば「報酬をもらう人」に, offer を用いれば「報酬を出す人」に対する質問になる.
ほうじゅう 放縦 ―[形] (道徳的にだらしのない) loose /lúːs/ ★ 口語的な語; (したい放題の) self-indulgent; (何の自己制御もなく, まったくむちゃくちゃな) 《格式》 licentious ★ 特に性的に. ―[名] looseness [U]; self-indulgence [U]; license [U]. ¶ *放縦な生活をする lead a *loose* life // 自由と*放縦を混同する (⇒ 放縦を自由と取り違える) 若者が多い Many young people mistake *license* for freedom.
ぼうしゅうざい 防臭剤 deodorant /dìːóʊdərənt/ [U] ★ 種類をいうときは [C].
ぼうしゅうとりょう 防銹塗料 anticorrosive /æ̀ntɪkəròʊsɪv/ páint [U].
ほうしゅく 奉祝 ―[名] celebration [U]. ―[動] celebrate (他).
ほうじゅく 豊熟 good harvest [C] (☞ ほうさく¹).
ぼうしゅく 防縮 shrink-proofing [U]. ¶ *防縮加工布地 *shrink-pròof* [(⇒ あらかじめ縮ませてある) *preshrunk* /príːʃrʌ̀ŋk/] fabric
ほうしゅつ 放出 ―[動] (液体・炎などを勢いよく) spout (他); (液体・気体などを大量に) gush (他); (熱・光・においなどを) emit (他), give off (他) ★ 後者は口語的; (物品を) release (他); (売りに出す) put … on sale. ―[名] spout [C]; gush [C]; emission [U]; release [U]. **放出物資** released goods ★ 複数形で.
ほうじゅつ 砲術 gunnery [U]. **砲術長** gunnery captain [C].
ぼうじゅつ 棒術 the art of using a stick as a weapon.
ほうじゅん¹ 芳醇 ―[形] (味に柔らか味のある) mellow; (こくのある) rich; (ワインなどがこくのある) full-bodied.
ほうじゅん² 豊潤 ―[形] (豊富な) abundant; (土地などが豊かな) rich. ―[名] abundance [U].
ほうしょ¹ 奉書 1 《天皇・将軍からの書信》: emperor's [shogun's] message [C].
2 《奉書紙》: (上質の和紙) thick Japanese paper of the best quality [U].
奉書船 vessel licensed to trade overseas by the Tokugawa shogunate [C].
ほうしょ² 芳書 your letter [C] (☞ てがみ). ¶ *芳書拝見 Thank you for *your letter*.
ほうじょ 幇助 ―[動] (犯罪の手助けをする) aid and abet (他) ★ 法律用語.
ぼうしょ¹ 某所 ―[副] at a certain place.
ぼうしょ² 防暑 protection against the heat [U].
ぼうじょ 防除 ―[名] (病害虫などの蔓延防止) control [U]; (予防) prevention [U]; (駆除) extermination [U]. ―[動] (予防する) prevent (他); (害虫・病害を防ぐ) control (他).
ほうしょう¹ 褒賞 ―[名] (褒美) award [C]. ―[動] (褒美を与える) award a prize (to …).
ほうしょう² 報奨 ―[名] (努力や貢献のほうび) reward [U] ★ しばしば a ~ として; 《格式》 récompènse [U] ★ しばしば a ~ として. ―[動] (報いる・ほうびを与える) reward (他); 《格式》 recompense (他). ¶ 勤務上の功績を*報奨して賞与を与える *reward a person* for ｢his [her] services with a bonus **報奨金** ☞ 見出し
ほうしょう³ 報賞 (称賛) praise [U]; (賞金) prize [C]; prize money [U]; (功績に対する報酬) reward [U] ★ しばしば a ~ として.
ほうしょう⁴ 報償 ―[名] (損害に対する補償) compensation [U] (返報) requital [U] ★ よい事に対しても, 悪いことに対しても用いる. ―[動] compensate (他) (自). **報償金** (賠償金) compensation [U].
ほうしょう⁵ 褒章 medal of ｢honor [《英》 honour] [C]. ¶ 紫[紅, 緑, 藍, 紺, 黄]綬*褒章 a Purple [Red; Green; Blue; Dark Navy Blue; Yellow] Ribbon *Medal*
ほうしょう⁶ 法相 ☞ ほうむだいじん
ほうじょう¹ 豊穣 rich ｢crop [harvest] [C].
ほうじょう² 豊饒 ―[形] fertile /fɚ́ːtl/. ―[名] fertílity [U]. ¶ *豊饒な土壌 *fertile* soil
ほうじょう³ 芳情 ☞ ほうし³
ぼうしょう¹ 傍証 (状況証拠) circumstantial evidence [U].
ぼうしょう² 帽章 cap badge [C].
ぼうじょう 棒状 ―[形] sticklike. ¶ *棒状のあめ a candy *stick* / a *stick* of candy // *棒状のチョコレート a chocolate *bar* / a *bar* of chocolate
ほうじょうき 方丈記 ―[名] (固) *The Ten Foot Square Hut* (1212; tr. 1928); (説明的には) a collection of essays in the Buddhist eremitic tradition, written by Kamo no Chomei.
ほうしょうきん 報奨金 (政府が与える奨励金) bounty [C]; (一般の特別手当) bonus [C]; (賞金) reward [C]. (☞ しょうきん¹).
ほうじょうそううん 北条早雲 ―[名] (固) Hojo Soun, 1432–1519; (説明的には) a military and political figure who established hegemony over the Kanto area; he and his descendants are sometimes referred to as the Later Hojo to distinguish them from the Kamakura-period family of shogunal regents.
ほうじょうときむね 北条時宗 ―[名] (固) Hojo Tokimune, 1251–84; (説明的には) the eighth shogunal regent of the Kamakura shogunate; he defended Japan against the Mongol invasions of 1274 and 1281 (☞ げんこう⁴).
ほうじょうまさこ 北条政子 ―[名] (固) Hojo Masako, 1157–1225; (説明的には) the wife of the Kamakura shogunate founder Minamoto no Yoritomo (☞ みなもとのよりとも); following his death she became a powerful presence in shogunal politics.
ほうじょうやすとき 北条泰時 ―[名] (固) Hojo Yasutoki, 1183–1242; (説明的には) the third shogunal regent of the Kamakura shogunate; he laid down the institutional and legal foundations of samurai government in medieval Japan.
ほうしょうりゅう 宝生流 the Hosho school of Noh; (説明的には) one of five schools of Noh

shite kata, or principal players; its origins lie in 14th-century *sarugaku* theater (☞ さるがく).

ほうしょく[1] 奉職 ―[動] (勤める) work for …; (職を持っている) have a「post [position] in … (☞ つとめる[1]; はたらく).

ほうしょく[2] 飽食 ―[名] satiation /sèɪʃiéɪʃən/ [U]. ―[動] satiate *oneself* (with …) ★ しばしば受身で. **飽食暖衣** ―[動] live in luxury.

ほうしょく[3] 宝飾 (集合的に, 装身具) jewelry (《英》 jewellery) [U]; (宝石) jewel [C]. **宝飾店** jeweler's [《英》 jeweller's] shop [C].

ぼうしょく[1] 暴食 ―[動] (食べ過ぎる) overeat (自), eat too much. ―[名] overeating [U], excessive eating [U]. (☞ ぼういん; たべすぎ).

ぼうしょく[2] 望蜀 ¶ これは*望蜀の言かもしれません (⇒ 多くを望み過ぎているのかもしれない) Perhaps I *am asking too much*.

ぼうしょく[3] 防蝕 ―[名] corrosion protection [U]. ―[形] corrosion-proof. ―[動] preserve … from corrosion. **防蝕剤** anticorrosive [C].

ぼうしょく[4] 紡織 spinning and weaving [U]. **紡織機** (個別の) spinning and weaving machine [C]; (集合的に) spindles and looms.

ほうじる[1] 報じる (新聞などが書いている) say (他); (報道する) report (他) ★ 前者のほうが口語的. (☞ ほう[3]; ほうどう). ¶ きょうの新聞が*報じるところによるとイランで大地震があったそうだ Today's (news)paper「*says* [*reports*] that a big quake has hit Iran. / (⇒ 新聞によれば) *According to* today's (news-)paper, there has been a strong earthquake in Iran. // 乗組員は全員死亡したと*報じられた It *was reported* that all the crew were killed. / <S (人・物) + V (*report*) + O (人) + C (過分) の受身> All the crew (members) *were* [The whole crew *was*] *reported* killed.

ほうじる[2] 焙じる (茶などを火であぶる) roast (他) 日英比較 日本語の「焙じる」と違って, 肉・魚などにも使える. (☞ 料理の用語 (囲み)).

ほうじる[3] 奉じる **1** 《献上する》: present「… to *a person* [*a person* with …] (☞ そうてい[1]).
2 《従う》: obey (他), follow (他); (信奉する) believe in … (☞ したがう). ¶ 命を*奉じる *obey* orders // 教えを*奉じる *follow a person's* teaching(s) // 王を*奉じて (⇒ 王の名において) 戦う fight *in the name of* the king
3 《奉職する》: hold an office in …, serve in … (☞ つとめる[1]; はたらく).

ほうじる[4] 崩じる (死亡する) decease (自); (婉曲的に) pass away (自). (☞ ほうぎょ; しぬ).

ぼうしわかこう[しょり] 防皺加工[処理] crease-proof finish [anticrease treatment] [U].

ほうしん[1] 方針 (原則・主義・信条) principle [C]; (政府や会社の政策) policy [C]. ¶ *方針を立てる map out a *course* // *方針を誤る follow the wrong「*course* [*policy*] // 党の*方針に従う follow the party *line* // それは私の*方針に反する It is against my *principles*. // 日本の外交*方針 (the) Japanese foreign *policy*

―コロケーション―
方針に従う follow a *policy* / 方針を変える change a *policy* / 方針を決める set a *policy* / 方針を採用する adopt a *policy* / 方針を放棄する abandon a *policy* / 方針を曲げる bend a *policy* / 方針を無視する violate a *policy* / 誤った方針 a wrong *policy* / 愚かな方針 a foolish *policy* / 危険な方針 a dangerous *policy* / 合理的な方針 a rational *policy* / しっかりとした方針 a firm *policy* / 柔軟な方針 a flexible *policy* / 慎重な方針 a prudent *policy* / 大胆な方針 a bold *policy* / 明確な方針 a clear *policy*

ほうしん[2] 放心 ―[形] (人がうわの空の) absent-minded; (顔つきがぼんやりした) absent [A]. ―[名] absentmindedness [U]. (☞ うわのそら; ぼんやり; ぼうっと). ¶ 彼女は*放心したような顔つきをしていた She looked *absentminded*.

ほうしん[3] 砲身 gun barrel [C].

ほうしん[4] 疱疹 〘医〙 herpes /hə́ːpiːz/ [U] (☞ たいじょうほうしん).

ほうじん[1] 法人 legal [jurídical] person [C] ★ 法律などで用いる用語; (会社などの組織体) corporation [C]. **法人格** legal [juridical] personality [U] **法人株主** institutional「stockholder [《英》 shareholder] [C] **法人企業** incorporated [juridical] enterprise [C]; (会社) corporation [C] **法人所得** corporate income [U] **法人税** corporate tax [U] **法人組織** corporate organization [C].

ほうじん[2] 邦人 (集合的に, 日本人) the Japanese. ¶ 在留*邦人 (*the*) *Japanese* residing abroad

ほうじん[3] 方陣 (軍隊の) square formation [C]; (魔方陣) magic square [C].

ぼうじん 防塵 ―[形] dustproof. **防塵装置** dustproof「device [system] [C] **防塵フィルター** dust filter [C] **防塵マスク** dust mask [C]; (炭鉱などで使う) inhaler [C] **防塵めがね** dustproof glasses ★ 複数形で.

ぼうず 坊主 Buddhist priest [C], bonze [C]. **坊主憎けりゃ袈裟まで憎い** When you hate a priest, you will hate his robe too. 参考 英語には同意のことわざがないので説明的な訳. / (⇒ いったん嫌になるとその人のすることすべてが気に入らなくなる) Once you dislike someone, everything he does bothers you. **坊主丸儲け** A Buddhist priest's earnings are「all [pure] profit. / (たなぼた式のもうけ) a windfall profit
坊主頭 close-cropped head [C] (☞ ごぶがり) **坊主刈り** ―[動] have *one's* hair「close-cropped [cut close] **坊主臭い** ―[形] monkish. ―[動] (坊主めいたところがある) smack of a bonze. ¶ *坊主臭い (⇒ 説教師めいた) ことを言うなよ Don't talk like a preacher. **坊主めくり** Turn-Over-the-Bald-Bonze; (説明的には) a game played using a deck of a hundred cards, each picturing a poet collected in the classical *waka* anthology "One Hundred Poems, One Hundred Poets." (☞ ひゃくにんいっしゅ); players turn over cards one by one; a card showing a baldheaded priest requires one to discard all one's cards; a lady in elegant robes takes all the discards. When the stock runs out, the person with the most cards wins.

ほうすい 放水 ―[名] (排水) drainage [U]. ―[動] (排水のために水を出す) drain (他); (道・庭に散水する) water (他); (…を目がけて水をかける) aim water at …; (ホースで) hose /hóuz/ (他). ¶ 消防士たちは炎上している家に*放水した The firefighters *aimed their hoses at* the burning house.
放水車 water truck [C] **放水門** drainage gate [C] **放水路** drainage canal [C].

ぼうすい[1] 防水 ―[形] (布などに水がしみ込まない) waterproof; (扉やふたなどで水の入るのを防げる) watertight. ―[動] (布などに防水加工を施す) waterproof (他). ¶ 私のコートは*防水になっている My coat is *waterproof*. **防水加工[処理]** waterproofing [U] **防水剤** waterproofing agent [C] **防水時計** waterproof watch [C].

ぼうすい[2] 紡錘 ―[名] spindle [C]. **紡錘形**

— [形] (葉巻のような形の) cigar-shaped **紡錘体** 〔生〕 spindle Ⓒ **紡錘虫** 〔古生〕 fusulinid /fjùːzəláɪnɪd/ Ⓒ, fusuline /fjúːzəlàɪn/ Ⓒ.

ほうせい[1] 砲声 (大砲の音[轟き]) sound [roar] of a gun Ⓤ.

ほうせい[2] 法制 legislation Ⓤ. **法制局** (内閣法制局) the Cabinet Legislation Bureau **法制史** legal history Ⓒ **法制審議会** the Legislative Council.

ほうせい[3] 縫製 ¶このシャツの*縫製は台湾だ (⇒台湾で作られた) This shirt *was made* in Taiwan. **縫製工** (女性の) seamstress Ⓒ **縫製工場** sewing factory Ⓒ.

ほうせい[4] 方正 ☞ひんこうほうせい

ぼうせい 暴政 tyranny Ⓤ; (圧政) oppressive rule Ⓤ.

ぼうせいとりょう 防錆塗料 ☞ぼうしゅうとりょう

ほうせき 宝石 (カットしたり磨いたりした宝石) jewel Ⓒ, gem Ⓒ [語法] 以上の2語はほぼ同意だが,「宝石入りの装身具」を指す場合は jewel を用いる. gem はしばしば「貴重な人・物」などとして比喩的に用いられる; (宝石類全体) jewelry (《英》 jewellery) Ⓤ; (貴重な石) precious stone Ⓒ ★ 説明的な言い方. (☞たんじょうせき (表); ききんぞく).
宝石商 jeweler (《英》 jeweller) Ⓒ **宝石店** jeweler's (《英》 jeweller's) Ⓒ; (説明的に) jewelry store Ⓒ, 《英》 jewellery shop Ⓒ. **宝石箱** jewel ⌈box [case] Ⓒ.

ぼうせき[1] 紡績 spinning Ⓤ. **紡績会社** spinning company Ⓒ **紡績機械** spinning machine Ⓒ **紡績業** the spinning industry Ⓒ **紡績工場** spinning ⌈factory [mill] Ⓒ.

ぼうせき[2] 防石 protection ⌈against [from] falling rocks Ⓤ **防石網[ネット]** netting to catch falling ⌈rocks [stones] Ⓤ.

ほうせつ 包摂 — [名] (包含) inclusion Ⓤ; 〔論〕 subsumption Ⓤ. — [動] include (他); 《格式》 subsume /səbsúːm/ (他). **包摂関係** 〔言〕 hyponymy /haɪpɑ́nəmi/ Ⓤ **包摂語** 〔言〕 hyponym Ⓒ /háɪpənɪ̀m/; 〔論〕 class inclusion Ⓤ.

ぼうせつ 暴説 ☞ぼうろん

ぼうせつえん 傍接円 〔数〕 excircle Ⓒ.

ぼうせつりん 防雪林 (道路・鉄道などを守る) snowbreak Ⓒ.

ほうせん 法線 〔数〕 normal Ⓒ.

ぼうせん[1] 防戦 — [動] defend (自) (他). — [名] defensive fight Ⓒ. ¶彼は*防戦一方だった He did nothing but *defend* himself. / He engaged in *defensive action* only.

ぼうせん[2] 傍線 — [動] (…の横に線を引く) draw a line next to …

ぼうせん[3] 棒線 straight line Ⓒ (☞ちょくせん).

ぼうぜん 茫然, 呆然 — [動] (びっくり仰天する) be stunned, (ぼうっとなる) be stupefied ★ 後者のほうが格式ばった言い方; (茫然自失して化石のように動けなくなる) be petrified. — [副] (ぽかんとして) vacantly; (我を忘れて) absentmindedly. — [形] (びっくり仰天して) aghast Ⓟ; (茫然自失して) petrified. (☞あぜん; あっけ).
¶その悲しい知らせを受けて彼は*茫然となった He *was stunned* ⌈by [to hear] the sad news. / (⇒知らせは彼を茫然とさせた) The sad news *stunned* him. // 彼は*茫然とその場に立ちつくした He stood there ⌈*aghast* [*vacantly*; *petrified*].

ほうせんか 鳳仙花 〔植〕 (garden) balsam /bɔ́ːlsəm/ Ⓒ, touch-me-not Ⓒ.

ほうせんきん 放線菌 actinomycete /æ̀ktənoʊmáɪsiːt/ Ⓒ. **放線菌症** 〔医〕 actinomycosis Ⓤ, actinophytosis /æ̀ktənoʊfaɪtóʊsɪs/ Ⓤ.

ほうそ 硼素 〔化〕 boron Ⓤ 《元素記号 B》.

ほうそう[1] 放送 — [名] (ラジオ[テレビ]の放送) (radio [television]) broadcasting Ⓤ; (1回の放送・放送番組) broadcast Ⓒ; (番組) program Ⓒ. — [動] (局が番組を) broadcast (他) (自) 《過去・過分 broadcast》, put … on [send … over] the air ★ broadcast よりくだけた言い方; (人が特に講演や演説を) speak [talk] ⌈on [over] ⌈the radio [television; TV]; (ラジオ・テレビに出る) be on ⌈the radio [the air; television; TV] ★ テレビの場合 appear on ⌈television [TV] も使う; (局がテレビで放送する) 《主に米》 televise (他), telecast (他) 《過去・過分 telecast》.
¶*放送中である[ない] be ⌈on [off] the *air* // その番組は毎週水曜日の午後8時からラジオ[テレビ]で*放送される The program *is broadcast* on ⌈the radio [television] (starting) from 8 P.M. every Wednesday. // それは NHK 教育テレビ[3チャンネル]の*放送だ It is a *program* on ⌈NHK Educational TV [Channel 3]. // トンネル事故はさっきのテレビニュースで*放送された The tunnel accident *was televised* on the news a little while ago. // 銀座からの生*放送は24時間続けられた The live /láɪv/ ⌈*broadcast* [*program*] from the Ginza lasted twenty-four hours. // 彼のニュース解説はいつも夜10時から*放送される His news commentary *is* always ⌈*on the air* [*broadcast*; *aired*] from 10 P.M. // これできょうの*放送は終了いたします This brings today's *programs* to a close. // 再*放送 a *rebroadcast* // BS *放送 ☞ビーエス
放送衛星 telecommunications satellite Ⓒ **放送解説員** néws còmmentator Ⓒ **放送記者** radio [TV] ⌈correspondent [reporter] Ⓒ **放送局** broadcasting station Ⓒ, radio [TV] station Ⓒ. ¶地方*放送局 a local *station* **放送劇** broadcast play Ⓒ **放送時間** (番組の長さ) program ⌈duration [length; time] Ⓒ; (局の1日の) broadcasting hours ★ 複数形で. **放送事業** the broadcasting industry **放送視聴者** (ラジオ聴取者) (radio) listener Ⓒ, radio audience Ⓒ ★ 前者は個人, 後者は全体を言う; (テレビの視聴者) television [TV] ⌈viewer [audience] Ⓒ ★ viewer は個人, audience は全体. **放送受信料** ☞じゅしん[1] (受信料) **放送大学** University of the Air Ⓒ; 《英》 the Open University **放送中** 《掲示》 On (the) Air **放送討論会** TV debate (program) Ⓒ, radio forum Ⓒ **放送番組** radio [TV] program Ⓒ **放送妨害** — [名] jamming Ⓤ. — [動] jam (他). **放送網** radio [TV] network Ⓒ.

ほうそう[2] 包装 — [名] (包むこと) wrapping Ⓤ; (包みを作ること) packing Ⓤ. — [動] (包装紙で包む) wrap (他); pack (他). (☞つつむ). **包装紙** wrapping [packing] paper Ⓤ.

ほうそう[3] 疱瘡 (天然痘) smallpox Ⓤ.

ぼうそう[1] 暴走 — [名] (自動車などの) reckless driving Ⓤ. — [動] (乱暴に運転する) drive recklessly. **暴走族** (集団) motorcycle gang Ⓒ; (メンバー) motorcycle gang member Ⓒ, member of a motorcycle gang Ⓒ.

ぼうそう[2] 防霜 protection ⌈from [against] frost Ⓤ.

ほうそうかい 法曹会 judicial circles ★ 複数形で.

ほうそく 法則 (学問上の) law Ⓒ. ¶科学とは自然の*法則の発見に専念するものである Science is devoted to the discovery of the *laws* of nature.

ぼうだ 滂沱 torrents (of tears). ¶涙が*滂沱と流れる tears flow in streams / (⇒大量に涙を流す)

shed copious tears

ほうたい 包帯 ―[名] bandage Ⓒ. ―[動] bándage (úp) (他). 《☞ いりょう¹ (挿絵)》. ¶彼女は頭に*包帯をしている [巻いている] She has a *bandage* (a)round her head. // 彼は傷口の*包帯をとった [替えた] He ⌐removed the *bandage* from [changed the *bandage* on] his wound.

> ―コロケーション―
> 包帯をきつくする tighten a *bandage* / 包帯をする apply a *bandage* (to …) / put a *bandage* (on …) / 包帯を取る remove a *bandage;* take a *bandage* (off …) / 包帯を緩める loosen a *bandage*

ほうだい¹ 砲台 (gun) battery Ⓒ.

ほうだい² 邦題 the Japanese title.

-ほうだい …放題 ¶我々は食べ*放題食べた (⇒ 欲しいだけ食べた) We ate *as much as we wanted.* // 彼はわがままのし*放題だ (⇒ 好きなことは何でもする) He does *whatever he wants.* // 彼は子供たちにしたい*放題にさせている He lets his children do ⌐*as they please* [*whatever they feel like* (*doing*)]. // 彼は一生したい*放題をやった (⇒ 自分の思う通りにした) All [Throughout] his life he always *had his own way* in everything. // 5000円で食べ*放題《店の掲示》*All you can* eat for ¥5,000.

ボウタイ (蝶ネクタイ) bow /bóu/ tíe Ⓒ.

ぼうだい 膨大, 厖大 ―[形] (とても大きな) very ⌐big [large] ★ 最も口語的で日常的な表現; (巨大な) huge; (ばかでかい・びっくりするほどの) tremendous; (莫大な) enormous; (広がり・範囲などが) immense; (面積などが広大な) vast [語法] いずれも入れ換え可能な場合も多いが, huge が最も一般的. tremendous は huge より意味が強い. enormous はやや格式ばった感じの語. 《☞ たいりょう¹》.
¶彼は絵画の*膨大なコレクションを所有している He has a ⌐*very big* [*huge*] ⌐collection of paintings [art collection]. // この小さなコンピューターには*膨大な量のデータが詰まっている This small computer stores an *enormous* amount of data.

ぼうたおし 棒倒し field-day event in which two teams vie to pull down the opponents' pole Ⓒ ★ 説明的な訳.

ぼうたかとび 棒高飛び 〘スポ〙 ―[名] (the) pole vault. ―[動] (pole-)vault (自). ¶*棒高跳びのポール a (*vaulting*) pole 棒高跳び選手 pole-vaulter Ⓒ.

ぼうだち 棒立ち ―[動] (立ちすくむ) stand ⌐petrified [stupefied].

ぼうだま 棒球 (打ちやすい球) easy ball Ⓒ, easy pitch to hit Ⓒ.

ぼうだら 棒鱈 (bar of) dried cod Ⓒ.

ほうたん 放胆 ―[形] (大胆な) bold; (恐れを知らぬ) fearless. ―[名] boldness Ⓤ; fearlessness Ⓤ.

ほうだん¹ 放談 (自由気ままな話) free talk Ⓒ; (形式ばらない) informal ⌐talk [conversation] Ⓒ.

ほうだん² 砲弾 (一般的に) shell Ⓒ; (昔の大砲の玉) cannonball Ⓒ. 《☞ だんがん》.

ほうだん³ 法談 ☞ ほうわ²

ぼうだん 防弾 ―[形] (弾丸よけの) bulletproof /búlətprù:f/. 防弾ガラス bulletproof glass Ⓤ 防弾チョッキ bulletproof vest Ⓒ.

ほうち¹ 放置 ―[動] (物などを置いておく) leave (他); (干渉せずに放っておく) leave [let] … alone ★ let を用いるほうがやや格式ばった言い方; (現状維持で, あるがままにしておく) leave … as it is ★ 目的語は「物・事」が普通; (なおざり・おろそかにする) neglect (他); (大目に見る) tolerate (他). 《☞ ほうっておく》. ¶自転車をここに*放置しないで下さい Don't *leave* your bicycle here. // 我々は彼らの不正を*放置して (⇒ 罰せられないままにして) おいてはならない We should not ⌐*let* their wrongdoings *go unpunished* [(⇒ 見過ごせない) *overlook* their evil]. // 事態は*放置できない The situation cannot *be tolerated.*

ほうち² 報知 ―[動] inform *a person* of …, let *a person* know about … ★ 後者のほうが口語的; (届ける) report … to …. 《☞ しらせる》. ¶火災*報知器 a fire *alarm*

ほうち³ 法治 constitutional government Ⓤ. 法治国 (国民が定めた法律によって政治が行われる国) cónstitùtional pólity Ⓒ; (法を守る国) law-abiding ⌐country [nation] Ⓒ 法治主義 (立憲主義) constitutionalism Ⓤ.

ほうちく 放逐 ―[動] (追い出す) expel (他); (罰として国外へ) banish (他); (反政府分子などを) exile (他). ―[名] expulsion Ⓤ; banishment Ⓤ; exile Ⓤ. 《☞ ついほう》.

ほうちつじょ 法秩序 legal order Ⓤ.

ほうちゃく 逢着 ―[動] (…に直面する) be confronted with …; (…に遭遇する) encounter (他).

ぼうちゅう¹ 傍注 marginal note Ⓒ.

ぼうちゅう² 忙中 忙中閑あり (⇒ 最も忙しい時でもいくらかの暇は見つけられるものだ) You can find some leisure even in the busiest times.

ぼうちゅう³ 防虫 ínsect-repéllence /rɪpéləns/ Ⓤ. 防虫網[ネット] (畑の) netting Ⓤ; (蚊よけ) mosquito net Ⓒ 防虫加工 mothproofing Ⓤ 防虫剤 (昆虫などを防ぐ) (ínsect) repéllent Ⓒ; (衣類の) mothball Ⓒ.

ほうちょう¹ 包丁, 庖丁 (台所用の) kitchen knife Ⓒ 《複 knives》; (肉を切り分ける) carving knife Ⓒ; (特に肉屋などが使う大包丁) cleaver Ⓒ. 《☞ でばぼうちょう; ナイフ (挿絵)》. 包丁さばき ¶彼の*包丁さばきは見事だ He ⌐*handles a kitchen knife* with remarkable skill [is very *deft with a kitchen knife*]. 包丁道 (料理法) cookery Ⓤ; (料理の作法) proper cooking Ⓤ 包丁とぎ器 kitchen knife sharpener Ⓒ.

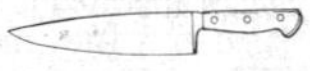
kitchen knife

carving knife

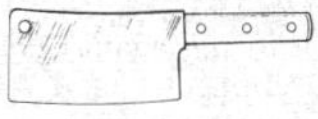
cleaver

ほうちょう² 放鳥 ―[動] (人工孵化させた鳥を放つ) release an artificially incubated bird.

ぼうちょう¹ 膨張 ―[動] expand (自) (他) ★ 物質などの膨張にも, また範囲・大きさなどが拡大するのにも用いる; (ふくれあがる) swell (自). ―[名] expansion Ⓤ; swelling Ⓤ. 《☞ ふくれる; ふくらます》.
¶鉄は熱を加えると*膨張する Iron *expands* when (it is) heated. / (⇒ 熱は鉄を膨張させる) Heat makes iron *expand.* // この都市の人口はいまや2倍に*膨張した The population of this city *has* now *swollen* to twice its previous size.
膨張係数 expansion coefficient Ⓒ 膨張率 expansion rate Ⓒ.

ぼうちょう² 傍聴 ―[動] hear (他); listen to … ―[名] hearing Ⓤ. 《☞ きく¹》. ¶私は国会へ*傍聴に (⇒ 審議を聞くために) 出かけた I went to the Diet to *hear* the deliberations. // その会議は*傍聴が許されている[禁止されている] (⇒ 一般に公開されている [いない]) The conference is ⌐*open* [*closed*] *to the public.* 傍聴券 (入場券) admission ticket Ⓒ 傍聴席 (議会・法廷の傍聴席) visitors' gallery Ⓒ 傍聴人[者] (聴衆1人) hearer Ⓒ; (聴衆全体)

audience [U].

ぼうちょう[3] **防諜** counterespionage /kàuntəéspiənà:ʒ/ [U]. **防諜機関** counterespionage ˹agency [organization] [C].

ぼうちょう[4] **防潮** embankment [U]; (説明的には) shoreline protection [U]. **防潮堤** seawall [C]; (堤防) embankment [C] **防潮林** (mangrove) forest to protect tideland [C].

ほうっておく 放っておく (かまわないでおく) leave [let] ... alone; (おろそかにする) neglect [他]. 《☞ ほうち[1]; ほったらかす》. ¶ それは*放っておけば時が解決してくれる *Leave* ˹it [the thing] *alone*. Time will take care of it.

ぼうっと **1** 《物がはっきりしない様子》 ── [副] (漠然と) vaguely /véɪgli/; (不明瞭に) indistinctly; (ぼんやりと) obscurely; (かすかに) faintly. ── [形] vague; indistinct; obscure; (目がかすんでぼんやりとした) blurred; faint. 《☞ ぼんやり; ぼやける; かすむ; 擬声・擬態語 (囲み)》.
¶ 霧を通してその船が*ぼうっと見えた I could see the ship dimly through the fog. // 僕は眼鏡を外すと何もかもが*ぼうっとなる Everything becomes ˹*blurred* [*indistinct*] when I take my glasses off.
2 《放心して》 ── [形] (暑さなどでだるそうな) listless. ── [副] (ぽかんとして) vacantly; (放心状態でぼんやりと) ábsentmíndedly. 《☞ ぼんやり; ぼさっと; 擬声・擬態語 (囲み)》. ¶ 僕は午前中はいつも頭が*ぼうっとしている (⇒ はっきりしない) My head is ˹*hazy* [*unclear*] in the morning.

ほうてい[1] **法廷** (law)court [C] ★ 前後関係などで明らかな場合は単に court でよい; court of law [C] ★ 正式な言い方. ¶ 裁判官が*法廷に現れた The judges appeared in the (*law*)*court*. // いま*法廷が開かれている The *court* is now in session. // その件は*法廷で争われることになるだろう (⇒ 法廷に持ち出されるだろう) The matter will be brought to *court* (for trial). // *法廷は来週月曜日に開かれる The *court* session will be (held) next Monday. // 患者たちは医師と政府に対して*法廷で争う (⇒ 訴訟を起こす) ことになった The patients decided *to* ˹*bring* (*a*) *suit* against [*sue*] the doctors and the government. **法廷闘争** litigation [U] **法廷侮辱罪** contempt of court [U].

ほうてい[2] **法定** ── [形] (法律上の) legal (↔ illegal); (法律で決まった) fixed [authorized] by law ★ 説明的表現. 《☞ ほうりつ》. **法定貨幣** legal tender [U] **法定期間** legal ˹term [period] [C] **法定休日** legal holiday [C] **法定後見人** legal guardian [C] **法定選挙費用** the amount authorized by law for election campaign expenses **法定相続人** legal heir [C] **法定代理人** legal representative [C] **法定伝染病** legally designated epidemic disease [C] **法定得票数** the minimum number of votes set by law **法定年齢** legal age [C] **法定利息** statutory [legal] interest [U] **法定利率** statutory [legal] interest rate [C].

ほうてい[3] **奉呈** ── [動] (贈呈する) presént [他]; (献呈する) dédicàte [他]. ── [名] presentation [U]; dedication [U].

ほうていしき 方程式 〘数〙 equation /ɪkwéɪʒən/ [C]. ¶ *方程式を立てる[解く] set up [solve; work out] ˹the [an] *equation* // 1[2, 3]次*方程式 a ˹simple [quadratic; cubic] *equation* // 連立[微分]*方程式 a ˹simultáneous [dìfferéntial] *equátion* // 化学*方程式 a chemical *equation*

ほうてき[1] **法的** ── [形] (法律上の・法にかなった) legal (↔ illegal). ── [副] legally. 《☞ ほうりつ; ごうほう[1]》. ¶ あなたの要求には*法的根拠がない Your demand has no *legal* basis. **法的権利** legal right [C].

ほうてき[2] **放擲** ── [動] abandon [他]. ── [名] abandonment [U].

ほうてつがく 法哲学 the philosophy of law [U]; (法理学) jurisprudence [U].

ほうてん[1] **法典** code [C]. ¶ ハンムラビ*法典 the *Code* of Hammurabi /hæ̀mərá:bi/

ほうてん[2] **宝典** (貴重な書物) precious book [C]; (語集・句集・名詩集など) treasury [C]; (便覧・手引き書) handbook [C], manual [C].

ほうでん 放電 ── [名] eléctrical díscharge [C]. ── [動] dischárge elèctrícity. **放電管** 〘電〙 discharge tube [C] **放電電流** discharge current [C] **放電灯** discharge lamp [C].

ぼうてん 傍点 ¶ 強調のために語に*傍点を付す put *dots* ˹under [alongside] words *for emphasis*

ほうと[1] **方途** (方法) means ★ 単複同形; (方策) measure [C]. 《☞ ほうほう[1]; しゅだん; ほうさく[2]》.

ほうと[2] ☞ ほっと

ぼうと 暴徒 (暴動を起こした者たち) mob [C] ★ 集合名詞; rioters ★ 複数形で. 《☞ ぼうどう》. ¶ デモ隊は*暴徒と化した The demonstrators turned into a *mob*.

ほうとう[1] **放蕩** ── [名] (快楽にふけり, 浪費生活をすること) dìssipátion [U]; (たいへんな浪費生活) pròdigálity [U]; (性的にだらしない生活) fast life [C]. ── [形] díssipàted; pródigal; fast. 《☞ どうらく》. ¶ 聖書の*放蕩息子の話はよく知られている Everybody knows the Biblical story of the *prodigal* son. [参考] 新約聖書ルカ伝 15 章のたとえ話.
放蕩三昧 ¶ *放蕩三昧の生活をする live a *thoroughly dissipated* life

ほうとう[2] **砲塔** gun turret [C].

ほうとう[3] **宝刀** treasured sword [C]. ¶ 伝家の*宝刀を抜く (⇒ 奥の手を出す) play *one's trump card*

ほうどう 報道 ── [名] (ニュース) news [U]; (新聞・テレビ・ラジオなどの) report [C]; (情報) information [U]; (ニュース放送) newscast [C] [語法] テレビ・ラジオの区別をするときは前に TV, radio をそれぞれ付ける. ── [動] (新聞などが) report [他]; (記事をとる・取材して報道する) cover [他] ★ 普通は「記者」が主語. 《☞ しんぶん; ニュース》.
¶ 新聞は日々の出来事を*報道する Newspapers *report* what happens every day. // *報道は正確かつ迅速[タイムリー]でなければならない *News* ˹*reports* [*reporting*] must be accurate and ˹quick [timely]. // 彼は首脳会議を*報道するためにパリに派遣された He was sent to Paris to *cover* the summit (conference). // 閣僚のスキャンダルは国中の朝刊で大々的に*報道された (⇒ 大見出しで出た) The minister's scandal *made the headlines* in the morning papers all over the country. // *報道の自由を守る protect the freedom of *the press*
報道官 (米大統領の) the (Presidential) Press Secretary **報道関係者** the press [U] ★ 集合的に. **報道管制** ── [名] (統制) news censorship [U]; (禁止) news blackout [C]. ── [動] censor ˹(the) news [the press], muzzle the press. ¶ *報道管制をしく[解く] impose [lift] a *news blackout* **報道機関** the (news) media /mí:diə/ ★ 複数形だが単数扱いにされることもある. **報道記事** news story [C]; (1 つの記事) news item [C] **報道記者** (取材をする人) reporter [C], correspondent [C]; (新聞記者) newspaper reporter [C], journalist [C]. 《☞ きしゃ[1]》 **報道協定** media agreement [C] **報道陣** the press corps **報道写真** news [newspaper] photo(graph) [C] **報道写真家** news photographer [C], phòtojóurnalist [C]. 《☞ しゃしん(写真家)》.

ぼうとう[1] **冒頭** (始まり) beginning Ⓒ ★ 最も一般的な語; (会・スピーチなどの開始) opening Ⓤ. (☞ はじめ 語法; でだし; さいしょ[1]).
¶ 演説の*冒頭で, 彼は…と言った At the *beginning* of his speech he said that … / (⇒ …と言って演説を始めた) He *began* his speech by saying that … // 改革は*冒頭からつまずいた The reform failed from the ˹*beginning* [(⇒ 開始時) *start*].
冒頭陳述 opening statement Ⓤ.

ぼうとう[2] **暴騰** ―動 (突然に[急上昇で]上がる) gò úp [rise; jump] ˹suddenly [sharply] ⓐ; 《略式》 skýrɔ̀cket ⓐ. ―名 sudden [sharp] rise Ⓒ. (☞ こうとう[4]; きゅうとう[1]; ねあがり).

ぼうとう[3] **暴投** ―名 wild ˹pitch [throw] Ⓒ. ―動 throw a wild pitch, pitch wild ⓐ.

ぼうどう **暴動** ―名 (多人数による乱暴行為) riot /ráɪət/ Ⓒ ★ 最も一般的な語; (広い意味での騒動) public disturbance Ⓒ; (政府などに対する一時的反乱) uprising Ⓒ. ―動 riot ⓐ. (☞ そうどう[1]; そうらん[1]; はんらん[1]).
¶ その国の首都で*暴動が起こった A *riot* broke out in the capital of that country. // 囚人の一団が刑務所で*暴動を起こした A group of prisoners *rioted* in the prison. // *暴動を静めるために軍隊が出動した The army was ˹ordered [called out] to suppress the ˹*riots* [*disturbances*].

ほうとく **報徳** ☞ おんがえし

ぼうとく **冒瀆** ―名 (神や神聖なものへの意図的な悪口) blásphemy Ⓤ; (神聖なもの, 尊敬すべきものの悪用・乱用) profanity Ⓤ 〔語法〕 以上は主としてキリスト教に関して用いられる. 後者は例えば反宗教的な小説などについて言う. 前者のほうが意味が強い; (一般に尊敬を示さないこと) disrespect Ⓤ. ―形 blasphemous /blǽsfeməs/; profane /proʊféɪn/. ―動 blaspheme /blæsfíːm/ ⓗ; profane ⓗ; (尊敬を示さない) do not respect … ¶ それは人間性の*冒瀆だ That is *disrespect* of humanity.

ぼうどく **防毒** ―形 àntigás, gásprɔ̀of. **防毒マスク** gas mask Ⓒ.

ほうなん **法難** religious persecution Ⓤ.

ほうにち **訪日** ―動 visit Japan; (口語的に) come to Japan. (☞ らいにち).

ほうにょう **放尿** ―名 urination /jʊ̀(ə)rənéɪʃən/ Ⓤ. ―動 urinate ⓐ. (☞ しょうべん).

ぼうにょう **乏尿** 〔医〕 oliguria /ɑ̀lɪgjʊ́(ə)riə/ Ⓤ.

ほうにん **放任** ―動 (干渉しない) do not interfere with …; (人をそっとしておく・勝手にさせる) leave [let] *a person* alone. (☞ ほったらかす). **放任主義** noninterference policy Ⓒ; laissez-faire /lèseɪféə/ ★ 後者はフランス語からの借用語で元来は経済上の放任主義のこと. ¶ 両親は私を自由*放任主義で育ててきた My parents have brought me up on *the laissez-faire* ˹*principle* [*policy*].

ほうねつ **放熱** ―動 radiate heat. ―名 heat radiation Ⓤ, radiation of heat Ⓤ. **放熱器** rádiàtor Ⓒ.

ぼうねつ **防熱** ―形 heat-resistant.

ほうねん[1] **豊年** fruitful [rich; abundant] year Ⓒ ★ abundant はやや文語的. (☞ ほうさく[1]; あたりどし). **豊年えび** 〔動〕 fairy-shrimp Ⓒ **豊年満作** bumper harvest Ⓒ.

ほうねん[2] **放念** ―動 (気にかけない) do not worry ⓐ. ¶ そのことについてはどうか御*放念下さい Please do*n't worry* about it.

ほうねん[3] **法然** ―名 ㊀ Honen, 1133–1212; (説明的には) the founder of the *Jodo* sect of Buddhism.

ぼうねんかい **忘年会** year-end party Ⓒ.

ぼうねんかこう **防燃加工** fire-retardant ˹coating [finish] Ⓒ.

ほうのう **奉納** ―動 (最も一般的には) dédicàte ⓗ; (供物を神前に) offer ⓗ, make an offering. **奉納試合** sporting event, esp. kendo, judo, and sumo held in the precincts of a shrine Ⓒ **奉納相撲** sumo match held in the precincts of a shrine Ⓒ.

ほうはい[1] **澎湃** ¶ 今世紀初頭に*澎湃として起こった (⇒ 波のように打ち寄せた) 公民権運動 the civil rights movement that *surged forth* at the beginning of this century

ほうはい[2] **奉拝** ―動 offer up a prayer, worship ⓗ.

ほうばい **朋輩** (会社の同僚) fellow worker Ⓒ; (主に官職・教職などの) colleague Ⓒ. (☞ どうりょう[1]).

ぼうばい **防黴** ―動 prevent ˹mildew [mold]. **防黴加工[処理]** mold preventive processing Ⓤ **防黴塗料** mold preventive paint Ⓤ.

ぼうはく **傍白** ―名 〔劇〕 aside Ⓒ. ―副 〔劇〕 (わきぜりふで) aside.

ぼうばく **茫漠** ―形 (漠然とした) vague; (果てしない) boundless. ―副 vaguely; boundlessly.

ほうはつ **蓬髪** (もじゃもじゃに伸びた長い髪) long unkempt hair Ⓤ; (乱れてからみ合った髪) long tousled hair Ⓤ, 《格式》 long ˹disheveled [《英》 dishevelled] hair Ⓤ. ¶ ぼろをまとった*蓬髪の男 a man in rags with *long unkempt hair*

ぼうはつ **暴発** ―動 (偶然発射する) gò óff [dischárge] àccidéntally ★「銃」が主語. ―名 àccidéntal [súdden] díscharge (of a gún) Ⓤ.
¶ 警官が銃の手入れをしているとき, その銃が*暴発した While the policeman was cleaning his gun, it ˹*went off* [*discharged*] ˹*by accident* [*accidentally*].

ぼうはてい **防波堤** breakwater Ⓒ.

ぼうばり **棒針** ☞ あみぼう. **棒針編み** (編むこと) knitting Ⓤ.

ぼうはん **防犯** prevention of crime Ⓤ, crime prevention Ⓤ. ¶ *防犯は犯人逮捕より大切だ *Prevention of crime* is more important than arresting criminals.
防犯カメラ security /sɪkjʊ́(ə)rəti/ (video) camera Ⓒ **防犯協会** association for crime prevention Ⓒ **防犯グッズ** security equipment Ⓤ **防犯週間** Crime Prevention Week Ⓒ **防犯設備** security equipment Ⓤ **防犯装置** security device Ⓒ **防犯ベル** burglar alarm Ⓒ.

ほうひ[1] **包皮** 〔解〕 foreskin Ⓒ.

ほうひ[2] **放屁** ―動 bréak wind /wínd/ (☞ おなら; へ).

ほうび **褒美** ―名 (報奨) reward Ⓤ ★ 具体的には Ⓒ. この語には情報提供などに対する「報奨金」の意味もある; (競技などの賞) prize Ⓒ. ―動 reward ⓗ. (☞ しゃれい; ほうしょうきん).
¶ 私は*ほうびが欲しくてこれをしたのではありません I haven't done this ˹for a *reward* [to *be rewarded*]. // よく勉強した*ほうびに彼は先生から辞書をもらった As a *reward* for working hard, he got a dictionary from his teacher. // いい子にしていたらご*ほうびにお菓子をあげましょう Be a good ˹boy [girl], and I'll give you some candy.

ぼうび **防備** ―名 (防衛手段・設備) defenses (《英》 defences) ★ 複数形で; (一般に守備・保護活動) defense (《英》 defence) Ⓤ, protection Ⓤ. ―動 (守る) defend ⓗ; (警戒して備え守る) guard ⓗ. (☞ けいび). ¶ 将軍は軍隊に*防備をさらに厳重にするように命じた The general ˹commanded [ordered] his troops to ˹strengthen [reinforce]

their *defenses*. // 無*防備である be *defenseless* 防備を固める fortify ⑩, reinforce the defenses

ぼうびき 棒引き ―動 (取り消す) cancel ⑩; (書いてあるものを消す) cróss óut ⑩. ―名 cancellation Ⓒ. ¶ 彼は親切にも私の借金をすべて*棒引きにしてくれた He kindly 「*crossed out* [*canceled*] all my debts.

ほうふ[1] 豊富 ―形 (豊かな) rich ★ 最も口語的で一般的な語; (必要以上なほどたくさんある) plenty of ... Ⓟ, plentiful 語法 plenty は Ⓐ の場合はこの形となる; (あり余るほどたっぷりの) ample, abundant ★ 後者のほうが格式ばった語; (金・物質などが豊かな) áffluent ★ 格式ばった語. ―名 richness Ⓤ; plenty Ⓤ; abundance Ⓤ; affluence /ǽfluːəns/ Ⓤ. ―副 richly; amply, abundantly; áffluently. 《☞ ゆたか; たくさん; たいりょう[1]; たりょう; とむ; ありあまる; じゅうぶん[1] (類義語)》.

¶ この国は天然資源が*豊富だ This country is *rich* in natural resources. // 戦争中でも私たちは食糧が*豊富でした We had an *abundant* supply of food even during the war. // 水は*豊富にあります We have *plenty* of water. // 彼は知識が*豊富だ (⇒ たくさんのことを知っている) He knows *a lot* (of things). / He has a 「*rich store* [*great deal*] of knowledge. ★ 第 2 文のほうが格式ばった言い方. / (⇒ 情報通だ) He is *well informed*.

ほうふ[2] 抱負 (計画) plan Ⓒ; (野心的な[未来の]計画) ambitious [future] plan Ⓒ; (決意) resolution Ⓤ. ¶ 新市長としての*抱負をお聞かせ下さい Please tell us about your *plans* as the new mayor.

ぼうふ[1] 亡父 my 「late [deceased] father ★ [ ] 内は格式ばった語.

ぼうふ[2] 亡夫 my 「late [deceased] husband ★ [ ] 内は格式ばった語.

ぼうふ[3] 防腐 防腐加工[処理] preservative treatment Ⓤ 防腐剤 (殺菌するもの) àntiséptic Ⓒ; (腐敗を防ぐ) (rót-)presérvative Ⓒ.

ぼうふう 暴風 (嵐) storm Ⓒ ★ 最も一般的な語; (強風) windstorm Ⓒ; (メキシコ湾で発生する暴風) húrricàne Ⓒ; (インド洋で発生する暴風) cyclone Ⓒ; (シナ海で発生する台風) typhóon Ⓒ; (暴風雨) rainstorm Ⓒ. 《☞ あらし》.

¶ *暴風が一晩中猛威を振るった The *storm* raged all 「night (long) [through the night]. 暴風域 [圏] storm 「zone [area] Ⓒ 暴風警報 storm warning Ⓒ. ¶ 関東地方全域に*暴風警報が出されています A *storm warning* 「is in effect for [has been issued covering] the entire Kanto region.

ぼうふうう 暴風雨 ráinstòrm Ⓒ 《☞ あらし》.

ぼうふうせつ 暴風雪 snówstòrm Ⓒ 《☞ ふぶき》.

ぼうふうりん 防風林 (風よけ) windbreak Ⓒ, windbreak forest Ⓒ.

ほうふく[1] 報復 ―動 (復讐する) revenge ⑩ 語法 (1) 復讐すべき「行為・被害者」などを目的語とする; take revenge on ..., revenge *oneself* on ... 語法 (2) 以上 2 つの場合には報復すべき相手が on の目的語となる; (仕返しをする) retaliate (against ...) ⓐ; (特に国家間の報復) màke [cárry òut] a reprísal. ―名 (あだ・恨みを晴らすこと) revenge Ⓤ; (仕返し) retaliation Ⓤ; (国家間で敵の不正行為に対する報復) 《格式》 reprisal Ⓒ. 《☞ しかえし; ふくしゅう[2]》.

¶ この侮辱の*報復はいつか必ずするぞ Surely I will *revenge* this insult someday. // 彼女は彼らの秘密を暴露することで彼に*報復をした She *took revenge on* him by disclosing their secret. // 労組はストライキで会社に*報復した The union *retaliated against* the company by staging a strike.

報復関税 retaliatory 「tariff Ⓒ [duties] 報復攻撃 retaliatory 「attack [strike] Ⓒ 報復手段 retaliatory [reprisal] measure Ⓒ ★ しばしば複数形で. 報復措置 retaliatory 「action Ⓒ [measures], reciprocal action Ⓒ.

ほうふく[2] 法服 (すその長い衣服) robe Ⓒ, gown Ⓒ; (裁判官の) judge's 「gown [robe] Ⓒ; (弁護士の) lawyer's robe Ⓒ, 《英》 barrister's gown Ⓒ; (僧侶の) priest's [cleric's] robe Ⓒ.

ほうふくぜっとう 抱腹絶倒 ¶ 彼のばかげた格好を見て私たちは皆*抱腹絶倒した (⇒ 笑いころげた) We all 「*rolled* [*shook*] *with laughter* at his silly appearance. / We all 「*held* [*burst*; *split*] *our sides with laughter* at his silly appearance.

ほうふつ 彷彿 ¶ 父の顔がなお*ほうふつと目に浮かぶ I see my father's face still in my mind's eye. / (⇒ 父の顔はいまも私の記憶に鮮やかだ) My father's face is still 「*vivid* [*fresh*] in my memory.

ほうぶつうんどう 放物運動 parabolic motion Ⓤ.

ほうぶつせん 放物線 ―名 parabola /pərǽbələ/ Ⓒ. ―形 parabolic /pæ̀rəbálɪk/.

ほうぶつめん 放物面 ―名 〔数〕 parábolòid Ⓒ. ―形 paràbolóidal. 放物面鏡 parabolic mirror Ⓒ.

ぼうふら 〔昆〕 mosquito larva Ⓒ 《複 ~s, ―larvae /-viː/》, wriggler Ⓒ, wiggler Ⓒ ★ 最初が正式名. ¶ *ぼうふらがわき始めた (⇒ 卵からかえり始めた) *Mosquito larvae* are now hatching.

ほうふん 方墳 〔考古〕 long [square] barrow Ⓒ.

ほうぶん[1] 邦文 (日本語) Japanese Ⓤ 《☞ わぶん》. ¶ *邦文記事 articles *written in Japanese*

ほうぶん[2] 法文 (法令の文書) the text of the law. ¶ ...を*法文に規定する specify [provide for] ... in *the law*

ほうぶんがくぶ 法文学部 the 「faculty [department] of law and literature; the law and literature 「faculty [department].

ほうへい 砲兵 artillery ★ 複数扱い. 一人一人は artilleryman Ⓒ; (砲手) gunner Ⓒ. 砲兵隊 artillery (「unit [corps]) Ⓒ ★ corps は単複同形だが, 発音は, 単 /kɔ́ə/, 複 /kɔ́əz/.

ぼうへき 防壁 (防御するための塀など) defensive [protective] wall Ⓒ.

ほうべん 方便 (手段) means Ⓒ ★ 単複同形; (便法) expedient Ⓒ. ¶ うそも*方便だ (⇒ うそはときとして便法として正当化される) A lie is sometimes justified as an *expedient*.

ぼうぼ 亡母 *one's* 「late [deceased] mother.

ほうほう[1] 方法 (仕方) way Ⓒ; method Ⓒ; (様式) manner Ⓒ; (手段) means Ⓒ ★ 単複同形; (処置) measure Ⓒ ★ しばしば複数形で; step Ⓒ; (手順) procedure Ⓒ; (秩序立った方法) system Ⓒ; (工夫) device Ⓒ; (方策) policy Ⓒ.

【類義語】最も口語的, 日常的な語で, しかも以下の多くの語の代わりにも用いることのできるのは *way*. この語はある目的に到達するための方法を広く意味する. 論理的・科学的で秩序立った方法を意味するのが *method*. 例えば a new *method* of teaching English (新しい英語教授法) のように「...法」と名づけられるような場合によく用いられる. ほかとは異なった独特のやり方をいうのが *manner*. 何かをするための具体的な手段を意味するのが *means*. 何か対象とする事柄や事件があり, それに対してとる処置・手段が *measure* と *step*. この 2 語は相互に入れ替え可能なことも多いが, *measure* のほうがやや格式ばった語で, 何か基準とする尺度があって, それに照らしてとる処置という多少重々しい感じがある. それに対し, *step* は解決・

到達への段階を踏むためにとる処置という多少軽い感じの言葉である. 何か事を行うに当たって, 進行の手順を「方法」と呼ぶことがあるが, それに当たるのが ***procedure*** である. 首尾一貫して 1 つの体系を成し, 規則に従った秩序立った方法は ***system***. *method* も秩序立った方法の意であるが, *system* は分類とか分析とかについて終始一貫して 1 つの体系を成す場合に用いる. 従って,「方法」よりは「方式」という日本語にニュアンスが近い. 実際に機構などを作り上げて行う方法が ***device***. 政治的配慮などの入りうる方針・方策が ***policy***. 《☞ しゅだん; やりかた》

¶「英語をマスターする一番よい*方法は何ですか」「毎日練習することが唯一の*方法ですね」"What is the best *way* to master English?" "I would say (that) to practice it every day is the only *way*." // どんな*方法でやりましたか *How* did you do it? // 私がやったのと同じ*方法でやってごらんなさい Do it (in) the same「*way* [*manner*] (that) I did. ★ way のほうが口語的. // 彼らは困難を切り抜ける*方法を討論した They discussed the *ways and means* to overcome their difficulties. ★ ways and means で決まった表現. // 何か救う[防ぐ]*方法はないでしょうか Aren't there any「remedial [preventive] *measures*? // これから 1 年間, 授業はこういう*方法で進めます I'd like to follow this *procedure* in class this year. // これが実験をやっていくのに一番よい*方法だ This is the best「*plan* [*scheme*; *system*] to carry「on [out] the experiment. // この機械を改良するのに新しい*方法を考えなくてはならない We must develop a new *method* to improve the machine. // 妥協は時には最上の*方法だ Compromise is sometimes the best *policy*. // それをする*方法を見つけなくてはならない I must「find some *way* [find out *how*] to do it.

方法論 methodology Ⓤ. ¶彼は自分なりの分析の*方法論を打ち立てた He established his own「*methodology* in diagnosis [diagnostic *method*].

―コロケーション―

方法を考え出す devise a *method* / **方法を採用する** adopt a *method* / **方法を放棄する** give up [scrap] a *method* / **方法を用いる** use [employ] a *method* / **演繹的な方法** the deductive *method* / **科学的な方法** the scientific *method* / **確実な方法** an infallible [a sure] *method* / **帰納的な方法** the inductive *method* / **現実的な方法** a practical *method* / **堅実な方法** a sound *method* / **厳密な方法** a precise *method* / **雑な方法** a crude *method* / **斬新な方法** an innovative *method* / **実証的な方法** the empirical *method* / **妥当な方法** a valid *method* / **単純な方法** a simple *method* / **適切な方法** an appropriate *method*

ほうほう[2] ― 名 (ふくろうの鳴き声) hoot Ⓒ. ― 動 (ふくろうがほうほうと鳴く) hoot 自. 《☞ 擬声・擬態語 (囲み)》.

ほうぼう[1] **方方** ― 副 (至る所に[を]) everywhere; (いろいろの場所に [で]) in various places; (あちこち) here and there. 《☞ あちこち; いたるところ; かくち》.

¶万年筆をなくして家の中を*方々捜した I looked for the lost (fountain) pen *everywhere* in the house. // 彼は日本中*方々旅をした He has visited *various places* in Japan. / (⇒たくさん旅をした) He has traveled *a great deal*「in [around] Japan.

ほうぼう[2] **魴鮄** 〘魚〙《米》séa ròbin Ⓒ, gurnard /gə́ːnəd/ Ⓒ.

ぼうぼう 茫茫 ― 形 (草などが茂った) thick ★ 一般的な語; (草がはびこった) rank ★ 格式ばった語. ― 動 (一面に生える) overgrow 他. 《☞ おいしげる》. ¶草*ぼうぼうの庭 a garden「*thick* [*overgrown*] with weeds // 往時*茫々 (⇒過去のことははっきりしない) The past is *obscure*.

ほうほうのてい 這々の体 ¶ほとんどの質問に答えられなくて彼は*ほうほうの体だった (⇒非常に困惑した) Unable to answer most of the questions, he *was terribly embarrassed*. // 落選した候補者は*ほうほうの体で故郷に退散した (⇒しっぽを巻いて[しょげて]) The defeated candidate returned home「*with his tail between his legs* [*crestfallen*].

ほうぼく 放牧 ― 動 (草を食わせる) graze 他. ― 名 (牧畜業) pasturage Ⓤ; (家畜に草を与えること) grazing Ⓤ. 《☞ はなしがい》. ¶彼らは夏は牛を*放牧する They *graze* (their) cattle in summer. / (⇒牛を牧場にやる) They「*put* [*send*] (their) cattle out to pasture in summer. **放牧地** pasture Ⓒ.

ほうほけきょ (うぐいすの鳴き声) *ho-hokekyo* Ⓒ; (説明的には) the song of a bush warbler. 《☞ 擬声・擬態語 (囲み)》.

ほうまつ 泡沫 ― 名 (個々の泡) bubble Ⓒ; (泡のかたまり) foam Ⓤ. ― 形 bubble; foamy. 《☞ あわ[1]; あぶく》. ¶*泡沫夢幻の (⇒はかない) この世 this *transient* world **泡沫会社** bubble company Ⓒ **泡沫候補** (本命でない人) fringe candidate Ⓒ; (見込みのない人) unlikely candidate Ⓒ; (重要でない候補) minor candidate Ⓒ.

ほうまん[1] **放漫** ― 形 (締まりのない) loose; (いいかげんな) lax. ¶*放漫経営が彼らが失敗した主な原因だ *Lax* management was the primary cause of their failure. **放漫財政** loose finances; (政策) free-spending financial policy Ⓒ.

ほうまん[2] **豊満** ― 形 (ふくよかな) plump; (健康的で肉付きのよい) buxom /bʌ́ksəm/; (肉感的な) voluptuous. ¶*豊満な胸 *large* breasts

ほうまん[3] **飽満** 《格式》satiety /sətáɪəti/ Ⓤ 《☞ ほうしょく[2]》.

ぼうまんかん 膨満感 feeling of fullness Ⓒ; (腹部の) sensation of distension Ⓒ.

ほうみょう 法名 (仏門に入った人の名前) Buddhist name Ⓒ 《☞ かいみょう》.

ぼうみん 暴民 (無秩序な) rioting crowd Ⓒ; (不法な) mob Ⓒ.

ほうむきょく 法務局 the Regional Legal Affairs Bureau. ¶地方*法務局 a district *legal affairs bureau*

ほうむしょう 法務省 the Ministry of Justice.

ほうむだいじん 法務大臣 the Minister of Justice.

ほうむぶ 法務部 the legal (affairs)「division [department] 《☞ 会社の組織と役職名 (囲み)》.

ほうむりさる 葬り去る (もみ消す) cover up 他, hush up 他; (抹殺する) expunge 他. 《☞ ほうむる》.

ほうむる 葬る (埋葬する) bury /béri/ 他; (議案など棚上げする) shelve 他; (握りつぶす) kill 他. ¶彼女は恋人の墓の隣に*葬られた She *was buried* in a tomb next to that of her love. // 議会はその議案を*葬ってしまった The Diet *has*「*killed* [*shelved*] the bill. // その役人たちはまんまと汚職事件を闇に*葬った (⇒包み隠した[もみ消した]) The officials managed to「*cover up* [*hush up*] the bribery incident.

ほうめい 芳名 ¶御*芳名はかねがね伺っておりました. お目にかかれて嬉しく思います I have often heard of「*you* [*your name*]. I'm glad to see you. **芳名録[簿]** (来客用の) 《米》album Ⓒ, 《英》visitors'「book [register] Ⓒ.

ぼうめい 亡命 ― 動 (政治亡命する [亡命を求める]) obtain [seek] polítical asylum /əsáɪləm/ ★ 国際法上の用語として用いられる; (味方を捨てて

敵側へつく) defect (自) ★ 軍人・政府要人・公務員などについていう. ― [名] political asylum Ⓤ; defection Ⓤ. ¶ 多くの科学者が第2次大戦中米国に*亡命した (⇒ 政治亡命した [亡命を求めた]) Many scientists ｢*obtained* [*sought*] *political asylum* in the United States during World War II. // その飛行士はアメリカに*亡命した The pilot *defected to* the United States.

亡命者 (敵側についた人) defector Ⓒ; (政治亡命者) (political) refugee /rèfjuʤí:/ Ⓒ 亡命政権 [政府] government in exile Ⓒ.

ほうめん[1] **方面** (地域) district Ⓒ; (研究・活動分野) field Ⓒ; (面) aspect Ⓒ. ((☞ ちいき; ぶんや)).

¶ 山田博士はこの*方面の研究の権威です Dr. Yamada is an authority ｢in this *field* of study [on this *subject*].

ほうめん[2] **放免** ― [動] (自由にする) release (他), set ... free; (無罪にする) acquit (他). ― [名] release Ⓤ; acquittal Ⓤ. ((☞ むざい)). ¶ 容疑者は結局無罪*放免になった The suspect *was* finally ｢*released* [*acquitted of* the charge(s)].

ほうめんそうかんぶ 方面総監部 (陸上自衛隊の) regional ground defense headquarters Ⓒ.

ほうもう 法網 the meshes of the law ★ 複数形で. ¶ *法網をくぐる evade *the law*

ほうもつ 宝物 treasure Ⓤ ★ 宝物の1つ1つはⒸ. ((☞ たから)). 宝物殿 treasury Ⓒ.

ほうもん[1] **訪問** ― [動] (会いに行く) go to see ...; (人を) call on ...; (家を) call at ...; (訪ねる) visit (他). ― [名] call Ⓒ, visit Ⓒ.

【類義語】 通例短時間の正式な訪問を指すのが **call**. 短時間・長時間の両方を含めて訪問一般を指すのが **visit**. また後者は職務上の訪問・視察などにも用いる. ((☞ たずねる[2] (類義語)))

¶ 私は昨夜スミス氏を*訪問した I ｢*went to see* [*visited; called on*] Mr. Smith last night. // 君の会社に行く前に数軒*訪問しなくてはいけない I have several ｢*calls to make* [people to *call on*] before I can come to your office. // 首相は正式にホワイトハウスを*訪問した The prime minister *paid a* formal *visit* to the White House. // 表敬*訪問する pay a courtesy *call* // (教師が) 家庭*訪問する *call at one's* students' homes // 会社*訪問をする *visit* a company for an interview

訪問介護 home nursing Ⓤ 訪問看護 nurse's home visit Ⓒ 訪問着 visiting kimono Ⓒ 訪問客[者] caller Ⓒ, visitor Ⓒ ((☞ きゃく (類義語))) 訪問権 〖法〗 visitation rights 訪問診療 (doctor's) regular house call Ⓒ 訪問販売 door-to-door sales.

コロケーション

訪問を受ける have a *visit* (from ...) / 訪問を延期する postpone a *visit* / 訪問をする make [pay] a *visit* (to ...) / 訪問を設定する arrange a *visit* / 訪問を短縮する cut short a *visit* / 訪問を取りやめる cancel a *visit* / 訪問を予定する schedule a *visit* (to ...)

ほうもん[2] **砲門** (軍艦などの) gunport Ⓒ, porthole Ⓒ, port Ⓒ; (城壁などの銃眼) loophole Ⓒ, embrasure Ⓒ ★ 前者は小火器用, 後者は大砲用; (砲口) muzzle of a gun Ⓒ. ¶ すべての大砲が一斉に*砲門を開いた All the cannons ｢*opened fire* [*fired*] simultaneously.

ぼうや 坊や (少年) boy Ⓒ; (子供) child Ⓒ; (息子) son Ⓒ; (呼びかけるとき) kid Ⓒ, boy Ⓒ, sonny Ⓒ. ((☞ ぼっちゃん)). ¶ *坊や, あぶない Watch [Look] out, *kid*! ★ 呼びかける場合は無冠詞. // 彼はほんの*坊やだ He's a mere *child*. / He's ｢a *child* [*childish*]. ★ 大人についていう.

ほうやく 邦訳 (日本語に訳された作品) Japanese translation Ⓒ ((☞ やく[4])).

¶ この本の*邦訳は何種類かある There are several *Japanese translations* of this book.

ほうゆう 朋友 (友人) friend Ⓒ; (仲間) companion Ⓒ. ((☞ どうし[1]; ともだち; なかま)).

ぼうゆう 亡友 *one's* deceased friend.

ほうよう[1] **抱擁** ― [動] (抱きしめる) hug (他), embrace (他) ★ 後者はやや格式ばった語. ― [名] hug Ⓒ, embrace Ⓒ. ((☞ だく[1])).

ほうよう[2] **法要** Buddhist service Ⓒ.

ほうよう[3] **放養** ☞ はなしがい

ぼうよう[1] **茫洋** ¶ *茫洋とした大海原 (⇒ 果てしのない) *boundless* [(⇒ 広大な) *vast*] expanses of ocean

ぼうよう[2] **望洋** ― [名] limitless expanse Ⓒ. ― [形] (境界線が見えない) boundless; (広々とした) spacious. ((☞ ぼうよう[1]))

ほうようりょく 包容力 ¶ 彼は*包容力がある (⇒ 心が広い [寛大だ]) He is ｢*broad-minded* [*tolerant*].

ぼうよみ 棒読み ― [動] ¶ あの大臣は秘書が書いたものを*棒読みにする (⇒ 単に朗読する) だけだ That cabinet minister *merely recites* what ｢his [her] secretary has written.

ボウラー (ボウリングをする人) bowler Ⓒ.

ほうらいさん 蓬莱山 ― [名] (固) Horaisan, Mt. Horai; (説明的には) a mountain held in Chinese legend to be situated in the eastern sea and to be inhabited by immortal hermits.

ほうらいしだ 蓬莱羊歯 〖植〗 southern maidenhair Ⓤ.

ほうらいちく 蓬莱竹 〖植〗 hedge bamboo Ⓒ.

ほうらく 崩落 ― [名] fall Ⓒ; (価格などの急激な下落) plunge Ⓒ. ― [動] (崩れ落ちる) fall down (自); (急落する) fall suddenly (自). ((☞ ほうかい; きゅうらく[2])). ¶ 岩盤の*崩落により崖沿いの道路が通行不能になった The road along the cliff has been closed to traffic because the bedrock *fell*.

ぼうらく 暴落 ― [動] (急激に下がる) fall [decline] sharply; (特に株価・為替レートなどが急に下がる) plummet (自), plunge (自), nose-dive (自). ― [名] sudden [sharp] fall Ⓒ; slump Ⓒ; (大暴落) (financial) crash Ⓒ. ((☞ さがる; げらく)).

¶ 金の価格が*暴落した The price of gold *has* ｢*fallen* [*declined*] *sharply*. // ドルが円に対して*暴落した The U.S. dollar ｢*plummeted* [*plunged; nose-dived*] against the yen. // 株式市場の大*暴落 the stock market *crash*

ほうらつ 放埒 (自堕落な生活) loose life Ⓒ; (酒色にふけること) debauchery Ⓤ ★ 後者のほうが格式ばった語. ((☞ ほうとう[1])). ¶ *放埒な生活を送る lead a *loose life* 放埒三昧 ― [動] indulge in a wild, carefree life.

ほうらん 抱卵 ― [名] incubátion Ⓤ. ― [動] incubate eggs.

ほうり 法理 principle of law Ⓒ. 法理学 ((格式)) jurisprudence /ʤʊ̀(ə)rısprú:dns/ Ⓤ, the ｢science [study] of law 法理学者 ((格式)) jùrisprúdent Ⓒ.

ぼうり 暴利 ― [名] excessive profit Ⓒ. ― [動] (物質不足などを利して暴利をむさぼる) pròfitéer (自). ((☞ ふとう[1])). ¶ 悪徳業者が土地の売買で*暴利をむさぼった Unscrupulous dealers made *excessive profits* ｢on [from] land sales. // *暴利をむさぼる人 a *profiteer* 暴利取締令 antiprofiteering ordinance Ⓒ.

ほうりあげる 放り上げる thrów úp (他); tóss úp (他) ★ 後者は軽い無造作な投げ方. ((☞ なげる (類

義語)). ¶少年はボールを*放り上げた The boy ˹*tossed up* the ball [*threw* the ball *up* in the air].

ほうりき 法力 (仏の徳による力) the power of Buddhist dharma; (神技・奇跡) miracle Ⓒ.

ほうりこむ 放り込む throw ... ˹in [into] ...
¶だれかが窓から小石を*放り込んだ Someone *has thrown* a ˹stone [rock] through the window. // 男はブタ箱に*放り込まれた The man *was thrown* ˹*in* [*into*] jail.

ほうりだす 放り出す (外へ投げ出す) thrów óut ⊕; (放棄する) give úp ⊕. (☞ なげだす). ¶彼は猫を家の外に*放り出した He *threw* the cat *out* the door. // 仕事を途中で*放り出して (⇒ 未完成のままにしておいて) はいけない You must not *leave* your work unfinished.

ほうりつ 法律 ― 名 (1つ1つの) law Ⓒ; (法律・法規の全体) law Ⓤ ★通例 the を付けて; (法律学・法学) law Ⓤ ★この場合は冠詞を付けない. ― 形 (法にかなった) lawful (↔ unlawful); (合法的な・法律上の) legal (↔ illegal). (☞ ほう²; ほうれい¹ (類義語); ごうほう¹ 語法).
¶私は大学で*法律を学んでいます I am studying *law* at college. // すべての国民は*法律を守らねばならない Every citizen has to ˹observe [obey] *the law*. / (⇒ 私たちは法律を破ってはならない) We mustn't ˹break [violate] *the law*. // *法律は公務員のストライキを禁じている *The law* ˹prohibits [forbids] government employees from ˹striking [going on strike]. // 万人は*法律の前で平等だ All are equal before *the law*. // 彼は*法律に明るい (⇒ 法律通だ) He is an expert in *legal* matters. // 犯罪者は*法律に照らして処罰される Criminals are punished ˹according to [in accordance with] *the law*. // 環境汚染を規制する新しい*法律が作られた A new *law* ˹to control [against] environmental pollution has been made. // ここで狩猟するのは*法律違反です It is ˹*against the law* [*unlawful*] to ˹hunt [go hunting] here.
法律案 ☞ ほうあん **法律家** (弁護士・法律専門家) lawyer Ⓒ **法律学** ☞ ほうがく² **法律行為** juristic act Ⓒ, legal action Ⓒ **法律顧問** legal adviser Ⓒ **法律事務所** law ˹office [firm] Ⓒ **法律相談** legal advice Ⓤ **法律相談所** legal ˹assistance [information] center Ⓒ **法律文書** instrument Ⓒ, legal document Ⓒ **法律問題** legal ˹issue [question] Ⓒ **法律用語** legal term Ⓒ.

> **コロケーション**
> 法律を解釈する interpret ˹a [the] *law* / 法律を施行する enforce ˹a [the] *law* / 法律を執行する administer ˹a [the] *law* / 法律を制定する enact a *law* / 法律を適用する apply ˹a [the] *law* / 法律を廃棄する annul a *law* / 法律を発布する promulgate a *law* / 法律を立案する draft a *law* // 法律が発効する[施行される] a [the] *law* takes effect

ほうりなげる 放り投げる throw ⊕ (☞ なげる (類義語); ほうりあげる; ほうりだす).

ほうりゃく 方略 ☞ けいりゃく

ぼうりゃく 謀略 (陰謀) plot Ⓒ, scheme Ⓒ, intrigue /ɪntríːg/ Ⓒ ★前の2つが一般的; (策略) stratagem /strǽtədʒəm/ Ⓒ. (☞ いんぼう (類義語); たくらむ). ¶彼らは彼を陥れる*謀略を巡らした They ˹worked out [contrived] a ˹*scheme* [*plot*] to (en)trap him. **謀略事件** case of conspiracy Ⓒ.

ほうりゅう 放流 ― 動 (水などを) discharge ⊕; (魚を川に) stock (a river) with ... ¶ダムの水はサイレンを鳴らしてから*放流される Water *is discharged* from the dam after a siren has been sounded. // 5万尾のさけの稚魚が最近川に*放流された The river *has* recently *been stocked* with fifty thousand salmon fry.

ぼうりゅう 傍流 branch Ⓒ (☞ ぶんりゅう¹).

ほうりゅうじ 法隆寺 ― 名 ㊀ Horyuji; (説明的には) a Buddhist temple established in 607 by Prince Shotoku. Its Golden Hall (ca. 700) is the oldest extant wooden structure in the world.

ほうりょう 豊漁 (大きな漁獲高) a ˹big [good] catch (☞ たいりょう²).

ぼうりょく 暴力 ― 名 violence Ⓤ; force Ⓤ
語法 前者のほうが意味が強く, また肉体的暴力で人を傷つけたりすることを意味するのに対し, 後者は「力ずく」「無理やり」というようなニュアンスがある.
― 形 (暴力的な) violent. (☞ ちからずく; ぼうこう¹). ¶家庭内*暴力 domestic *violence* // 彼は妻に*暴力を振るう He does *violence* to his wife. / (⇒ 妻をぶつ) He *beats* his wife. // 彼らは最後の手段として*暴力に訴えた They ˹resorted [appealed] to ˹*violence* [*force*] as the last measure. // *暴力は用いるな Don't ˹use [employ] ˹*violence* [*force*].
暴力革命 violent [armed] revolution Ⓒ **暴力金融** loan-sharking Ⓤ **暴力行為** act of violence Ⓒ **暴力団** (1つの集団) gang Ⓒ; (その1人) gangster Ⓒ. (☞ やくざ) **暴力団新法** the new law to ˹control [restrict] (the activities of) criminal syndicates **暴力団組織** críminal syndicate /síndəkèɪt/ Ⓒ **暴力犯罪** crime of violence Ⓒ.

ボウリング ☞ ボーリング¹

ほうる 放る throw ⊕; (軽く無造作に) toss ⊕; (強く投げつける) fling ⊕; (投手などが目標に向かって) pitch ⊕. (☞ なげる (類義語); ほうりこむ; ほうりあげる).

ボウル¹ ☞ ボール¹

ボウル² ☞ ボール²

ぼうるい 防塁 fort Ⓒ; (大規模で恒久的な) fortress Ⓒ.

ほうれい¹ 法令 law Ⓒ, státute Ⓒ; (条例) ordinance Ⓒ.
【類義語】法を表す最も一般的な語が **law**. **law** とほぼ同意だが立法機関によって制定された成文法というもう少し厳密な言い方が **statute**. 地方, 特に都市で定められる法が **ordinance**. (☞ ほうりつ; ほうき²; じょうれい)
法令集 statute book Ⓒ, book of statutes Ⓒ.

ほうれい² 法例 the rules ˹concerning [governing] the application of laws.

ぼうれい 亡霊 (幽霊・死者の霊・お化け) ghost Ⓒ; (幻影・お化け) àpparítion Ⓒ ★前者のほうが普通. (☞ ゆうれい).

ほうれつ 放列, 砲列 battery Ⓒ. ¶カメラの*放列の前で彼女は緊張した She was tense in front of the ˹*battery* [*firing line*] of cameras. // *砲列を敷く place *guns* in position

ほうれんそう 〘植〙 spinach /spínɪtʃ/ Ⓤ.
¶*ほうれんそう1把 a ˹bunch [bundle] of *spinach*

ぼうろ 防露 dew prevention Ⓤ.

ほうろう¹ 放浪 ― 動 (あてもなくさまよう) wander (around ...) ⓐ; (広い地域を楽しみながらぶらぶらと歩き回る) roam (around ...) ⓐ ★前者のほうが一般的. (☞ さすらい). **放浪生活** wandering life Ⓒ **放浪癖** wanderlust Ⓤ ★時に a を付ける.

ほうろう² 琺瑯 ― 名 enámel Ⓤ. ― 形 (ほうろう引きの) enameled. ¶*ほうろう引きの金物 *enameled* ironware **ほうろう質** (歯の) enamel Ⓤ.

ぼうろう 望楼 watchtower Ⓒ.

ほうろく¹ 焙烙 earthenware pan Ⓒ.

ほうろく² 俸禄 ☞ ふち⁴

ぼうろん 暴論 (根拠のない論) groundless argument Ⓒ; (理をわきまえない論) unreasonable argument Ⓒ; (ばかげた意見) absurd comment Ⓒ. 《☞ ぼうげん¹》. ¶彼はいつも*暴論を吐く He makes *absurd comments* all the time.

ほうわ¹ 飽和 〘化〙 ━名 saturation /sæ̀tʃʊréɪʃən/ Ⓤ ★「飽和状態」の意味でも用いられる. ━形 (飽和した, 飽和状態の) saturated. ¶いろいろな事実を詰め込んだので私の頭は*飽和状態だ (⇒もはや何も吸収できない) Crammed with all sorts of facts, my head *can't* ⌈*absorb* [*accommodate*] *any more*. **飽和(溶)液** saturated solution Ⓤ **飽和化合物** saturated compound Ⓒ **飽和脂肪酸** saturated fatty acid Ⓒ **飽和(水)蒸気圧** saturated [saturation] vapor pressure Ⓤ **飽和人口** saturation population Ⓤ, maximum sustainable population density Ⓤ **飽和点** saturation point Ⓒ.

ほうわ² 法話 sermon Ⓒ.

ホエールウォッチング (鯨観察) whale watching Ⓤ.

ほえごえ 吠え声 (犬の) bark Ⓒ; (ライオンの) roar Ⓒ; (狼などの) howl Ⓒ. 《☞ 動物の鳴き声 (囲み)》.

ほえざる 吠猿 〘動〙 howler monkey Ⓒ.

ポエジー (詩) 《古語》 poesy /póʊəzi/ Ⓤ; (現在の英語での詩) poetry Ⓤ; (詩的霊感) poetic inspiration Ⓤ.

ポエット (詩人) poet Ⓒ.

ほえづら 吠え面 ¶あとで*ほえ面をかくなよ (⇒あとでこの償いをしなくてはならないぞ) You'll (have to) pay for this.

ポエトリー (詩) poetry Ⓤ ★ 全体. 《☞ し³》.

ポエム (一編の詩) poem Ⓒ 《☞ し³》.

ほえる 吠える (犬が) bark ⓐ; (犬・狼が遠ぼえをする) howl /háʊl/ ⓐ; (小犬がキャンキャンとほえたてる) yap ⓐ; (ライオンなどが) roar ⓐ 【語法】 以上は「…にほえる」という場合は前置詞 at を用いる. 《☞ うなる; 動物の鳴き声 (囲み)》. ¶犬が私に*ほえついた A dog *barked at* me. ∥ *ほえる犬はかみつかぬ *Barking* dogs seldom bite. 《ことわざ》

ほお 頰 cheek Ⓒ ★ 両方のほおをいう場合は複数形となる. 《☞ かお (挿絵)》. ¶その小さな女の子はばら色の*ほおをしていた The little girl had rosy *cheeks*. ∥ 彼は私の*ほおをたたいた He slapped me on the *cheek*. ∥ こけた*ほお sunken *cheeks* **頰が落ちそう** (とてもうまい) absolutely delicious 《☞ ほっぺた (頰っぺたが落ちる)》. **頰がゆるむ** break into a smile. **頰を染める** ¶彼女はその言葉を聞いて*ほおを染めた (⇒顔を赤らめた) She *blushed* at the words. **頰をふくらませる** ¶彼は自分の思いどおりにならなかったので*ほおをふくらませた He *puffed out his cheeks* because he could not have his own way. 《☞ ふくれっつら》

ボー 〘コンピューター〙 baud Ⓒ 《複 ~, ~s》 ★ モデムの変調速度の単位.

ポー ━名 ㊀ Edgar Allan Poe, 1809–49. ★ 米国の小説家・詩人.

ほおあか 頰赤 〘鳥〙 gray-hooded bunting Ⓒ.

ボーアじん ボーア人 Boer Ⓒ ★ 南アフリカのオランダ系住民とその子孫. 現在は Afrikaner と呼ばれる.

ボーイ (レストランなどの給仕) waiter Ⓒ; (ホテルの荷物運び) 《米》 bellhop Ⓒ, bellboy Ⓒ; (汽船などの) steward Ⓒ.
¶*ボーイさん, コーヒーをもう一杯 *Waiter*, would you please bring me ⌈another cup of [some more] coffee? ★ 呼びかけに用いるときは無冠詞.

ボーイスカウト (団体) the Boy Scouts ★ 単数または複数扱い; (一人) boy scout Ⓒ.

ボーイソプラノ (歌い手) boy soprano Ⓒ. ¶あの子はすばらしい*ボーイソプラノだ He's a fine *boy soprano*.

ボーイッシュ ━形 boyish.

ボーイハント ¶女の子たちはディスコへ*ボーイハントに出かけた The girls went to a disco to ⌈*pick up* [*hunt for*] boys.

ボーイフレンド (male) friend Ⓒ; (女性から見た恋人) boyfriend Ⓒ.

ボーイング ━名 ㊀ The Boeing Company ★ 米国の航空機メーカー.

ほおえむ 頰笑む ☞ ほほえむ

ポーカー (トランプのゲーム) poker Ⓤ.

ポーカーフェース (無表情な顔つき) poker face Ⓒ. ¶あの男はいつも*ポーカーフェースだ He's always *poker-faced*. / He always has a *poker face*.

ほおかぶり 頰被り ━動 (顔を隠す) cover *one's* head; (無視する) ignore ⓗ; (見て見ぬふりをする) shut *one's* eyes to … 《☞ しらんかお》. ¶泥棒はタオルで*ほおかぶりしていた The burglar *covered his head* with a towel. ∥ 我々はその事実に*ほおかぶりすることはできない We cannot ⌈*shut our eyes to* [*ignore*] the facts.

ボーカリスト (バンドの歌手) vócalist Ⓒ.

ボーカル 〘楽〙 (ポピュラー音楽で) the vocals ★ 複数形で. **ボーカルグループ** vocal group Ⓒ **ボーカルミュージック** vocal music Ⓤ.

ボーキサイト 〘鉱物〙 bauxite /bɔ́ːksaɪt/ Ⓤ.

ホーキング ━名 ㊀ Stephen William Hawking, 1942– . ★ 英国の物理学者.

ホーク ☞ フォーク

ボーク 〘野〙 balk Ⓒ. ¶2 塁走者は*ボークで 3 塁へ進んだ The second-base runner advanced to third on a *balk*.

ボーグ (流行) vogue /vóʊg/ ★ Ⓤ または単数形で a あるいは the を付ける.

ポーク (豚肉) pork Ⓤ. ¶ロースト*ポーク一切れ a slice of roast *pork* 《☞ 数の数え方 (囲み)》 **ポークカツ** pork cutlet Ⓒ. **ポークソテー** sautéed /soʊtéɪd/ pork Ⓒ, pork sauté Ⓒ. ★ sauté 動 名 の ´ は綴り本来のもの. **ポークチョップ** (骨付き豚肉) pórkchòp Ⓒ **ポークビーンズ** pork and beans ★ 白インゲンと豚肉を煮込んだアメリカの家庭料理.

ほおける ☞ もうろく

ボージョレーヌーボー Beaujolais nouveau /bòʊʒouléɪ nuːvóʊ/ Ⓤ ★ フランス・ボージョレー地方当年産の赤ワイン.

ポーション (一人前の分量) pórtion Ⓒ.

ほおじろ 頰白 〘鳥〙 (Japanese) bunting Ⓒ.

ほおじろがも 頰白鴨 〘鳥〙 goldeneye Ⓒ.

ほおじろざめ 頰白鮫 〘魚〙 great white shark Ⓒ ★ 人食い鮫 (man-eater) とも言われる.

ホース hose /hóʊz/ Ⓒ 《複 ~, ~s》. ¶消火用*ホース a fire *hose* ∥ *ホースで建物に水をかける *hose* the building

ポーズ¹ ━動 (姿勢をとる) pose ⓐ. ━名 (姿勢) pose Ⓒ. 《☞ しせい¹ (類義語); たいど (類義語)》. ¶モデルは写真の*ポーズをとった The model ⌈*posed* [assumed a *pose*] for a photo. ∥ 彼の熱心さは単なる*ポーズかもしれない His eagerness ⌈could [may; might] be ⌈a mere *pose* [only *posturing*].

ポーズ² (休止) pause Ⓒ. ¶彼女はその文を読んだ後, 長い*ポーズをとった She made a long *pause* after (reading) the sentence.

ほおずき 〘植〙 Chinese lantern (plant) Ⓒ, ground-cherry Ⓒ; (実) Chinese lantern Ⓒ, ground-cherry Ⓒ. **ほおずき市** ground(-)cherry fair Ⓒ.

ホースラディッシュ 〘植〙 (西洋わさび) horseradish Ⓤ.

ほおずり 頬ずり ── 動 nestle [press] *one's* cheek against *a person's*.

ポースレン, ポーセレン (磁器) porcelain Ⓤ.

ホーソン ── 名 固 Nathaniel Hawthorne, 1804–64. ★ 米国の小説家.

ボーダー (境界) bórder Ⓒ.

ポーター (駅・ホテルなどの荷物運搬人) porter Ⓒ.

ボーダーライン (境界線) bórderline Ⓒ. ¶そういう*ボーダーラインのケースは決定が難しい It is difficult to decide in a *borderline* case like that.

ボーダーレス ── 形 (境界のない) borderless.

ボータイ ☞ちょうネクタイ

ポータビリティー (持ち運びできること) portability Ⓤ.

ポータブル ── 形 portable.
ポータブルコンピューター portable computer Ⓒ《☞コンピューター (囲み)》 ポータブルテレビ[ラジオ] portable ˹television (set) [radio] Ⓒ ポータブルトイレ portable toilet Ⓒ.

ポータルサイト 〘コンピューター〙 portal site Ⓒ.

ポーチ[1] porch Ⓒ《☞げんかん[1]; ベランダ (挿絵)》.

ポーチ[2] (小物入れ) pouch /páʊtʃ/ Ⓒ.

ポーチドエッグ (落とし卵) poached egg Ⓒ.

ホーチミン ── 名 固 Ho Chi Minh /hóʊtʃì:mín/, 1890–1969. ★ ベトナム民主共和国大統領. ホーチミン市 ── 名 固 Ho Chi Minh City ★ ベトナムの都市; 旧称 Saigon.

ほおづえ 頬杖 ¶彼は*ほおづえをついたまま私を見つめた *Resting his chin on his* ˹*hand* [*hands*], he looked at me.

ぼーっと vaguely /véɪgli/《☞ぼうっと; ぼんやり; 擬声・擬態語 (囲み)》.

ぽーっと ── 動 (うっとりする) be fascinated; (気が遠くなる) faint 自. 《☞擬声・擬態語 (囲み)》.
¶彼女はそのハンサムな青年に*ぽーっとなった She *was* quite *fascinated* by the handsome young man. // 暑さで*ぼーっとなった We nearly *fainted* from the heat.

ポーツマス ── 名 固 Portsmouth /pɔ́ətsməθ/ ★(1) 米国バージニア州の港市 (2) 英国南部の港市. ポーツマス条約 the Treaty of Portsmouth.

ポーティング 〘コンピューター〙 (プログラムの移植) porting Ⓤ.

ボーディングカード (搭乗券) bóarding càrd Ⓒ, bóarding pàss Ⓒ.

ボーディングスクール (全寮制の学校) boarding school Ⓒ.

ボーディングパス ☞ボーディングカード

ボーディングブリッジ (搭乗橋) (passenger) ˹boarding [loading] bridge Ⓒ.

ボート ── 名 (こぎ船)《米》rowboat Ⓒ, 《英》rowing boat Ⓒ; (小船) boat Ⓒ ★ 英語の boat は汽船をいうこともあるので注意. ── 動 (ボートに乗る) boat 自. 《☞ふね; こぐ》. ¶私たちは*ボートで川を渡った [上った, 下った] We rowed a *boat* ˹across [up; down] the river. // 湖に*ボートをこぎに行こう Let's *go* ˹*boating* [*for a row*] on the lake. // 貸し*ボート 1時間 500 円《掲示》*Boats* for ˹rent [hire]; ¥500 per hour ボートレース boat race Ⓒ; (ボート・ヨットの競技会) regatta Ⓒ.

ポート (港) port Ⓒ.

ボード (板) board Ⓒ.

ボードゲーム (盤面でするゲーム) board game Ⓒ.

ボードセーリング (ウィンドサーフィン) windsurfing Ⓤ, boardsailing Ⓤ.

ボートハウス (艇庫) boathouse Ⓒ.

ボートピープル (小船で国を脱出する難民) boat people ★ 集合的.

ボードビリアン (ボードビルの芸人) vaudevillian /vɔ̀:dvíljən/ Ⓒ《☞よせ[1] (寄席芸人)》.

ボードビル (歌・踊り・曲芸などのショー) vaudeville /vɔ́:dvɪl/ Ⓤ.

ポートフォリオ 〘金融〙 portfólìo Ⓒ.

ポートモレスビー ── 名 固 Pòrt Moresby /mɔ́əzbi/ ★ パプアニューギニアの首都.

ポートレート (肖像画 [写真]) portrait /pɔ́ətrət/ Ⓒ.

ボードレール ── 名 固 Charles Pierre Baudelaire /ʃɑ́əl pjéə bòʊdəléə/, 1821–67. ★ フランスの詩人.

ポートワイン (ポルトガル産の甘い赤ワイン) port Ⓤ《☞ワイン》.

ボーナス (賞与) bonus Ⓒ《☞しょうよ》. ¶組合は月給の 4 か月分の*ボーナスを要求した The union demanded a *bonus* equivalent to four months' pay.

ほおのき 朴の木 〘植〙 Japanese big-leaf magnolia Ⓒ.

ホーバークラフト ☞ホバークラフト

ほおばる 頬張る (食物を口に詰め込む) cram [stuff] (food) into *one's* mouth; (口一杯に食べ物を入れる) fill *one's* mouth (with food) ★ cram [stuff] のほうが fill より意味が強い.
¶その子はパイを*ほおばった The child ˹*crammed* [*stuffed*] (the) pie *into his mouth.* // 食べ物を*ほおばったまま話をしてはいけない Don't talk *with your mouth full.*

ほおひげ 頬髭 whiskers ★ 複数形で. 《☞ひげ[1]》.

ホープ (期待される人) hope Ⓒ.

ポープ ── 名 固 Alexander Pope, 1688–1744. ★ 英国の詩人.

ほおべに 頬紅 (cheek) rouge /rú:ʒ/ Ⓤ《☞けしょう》. ¶*ほお紅をつける use [wear] *rouge*

ぼーぼー ¶*ぼーぼーと火が燃えていた The fire *was raging.* // たき火は強風で*ぼーぼーと音を立てて燃えた The bonfire *roared* in the strong wind. // 船の汽笛が遠くで*ぼーぼーと鳴っていた We heard a steamship ˹*tooting* [*hooting*] in the distance. 《☞擬声・擬態語 (囲み)》

ポーポー 〘植〙 pawpaw Ⓒ, papaw Ⓒ.

ほおぼね 頬骨 cheekbone Ⓒ. ¶彼は*ほお骨が出ている He has ˹broad [high] *cheekbones*.

ボーボワール ── 名 固 Simone de Beauvoir /boʊvwɑ́ə/, 1908-86. ★ フランスの女流小説家.

ホーマー[1] 〘野〙 (ホームラン) homer Ⓒ ★ home run の略. 《☞ホームラン》.

ホーマー[2] ☞ホメロス

ホーム[1] (プラットホーム) plátfòrm Ⓒ 日英比較 単に form だけではプラットホームの意味にはならない. また, 英語の platform には「演壇」の意味もあり, あいまいなときは (railroad) station platform と言えばよい. 《☞えき[1] (挿絵)》.
¶彼は*ホームで私を出迎えてくれた He met me on the *platform.* //「大阪行きの急行はどこで乗るのですか」「8 番*ホームです」“Where can I get on the express train for Osaka?” “On ˹*track* 8 [《英》*platform* no. 8].” 語法 track は元来はホームではなく軌道のこと. // 新幹線の到着*ホームはどちらですか Which way is (it to) the arrival *platform* for the Shinkansen (trains)? 参考「発車ホーム」は departure platform Ⓒ.

ホーム[2] (家庭・収容施設) home Ⓒ; (建物本位では) house Ⓒ.

ホーム[3] 〘野〙 (本塁) home plate Ⓒ, home Ⓒ.

ホームアンドアウェーほうしき ホームアンドアウェー方式 〘スポ〙 home-and-away system Ⓒ, home and away Ⓤ. ★ 自チームと相手チームの本拠地で交互に試合を行う方式.

ホームイン 〘野〙 ¶ 走者が*ホームインした The runner *has* ⌈*crossed the plate* [*reached home*]. 日英比較 「ホームイン」は和製英語. (☞ せいかん[1]).

ホームオートメーション (家庭への電子機器導入) home automation Ⓤ.

ホームグラウンド (本拠地) home ground Ⓒ; (野球) home (field) Ⓒ.

ホームケア ―名 (在宅介護) home care Ⓤ. ―形 home-care.

ホームゲーム 〘スポ〙 home game Ⓒ (↔ road [away] game).

ホームコメディー (一般に, 連続放送コメディー) situation comedy Ⓒ ★ 口語では sitcom と略す. family comedy Ⓒ という言い方もできるが, 前 2 者が一般的.

ホームシック ―形 (ホームシックにかかって) homesick. ―名 homesickness Ⓤ. (☞ ぼうきょう[1]; きょうしゅう[1]).

ホームショッピング home shopping Ⓤ ★ インターネットなどを利用して店に出かけることなく買い物をすること.

ホームズ ☞ シャーロック ホームズ

ホームスチール 〘野〙 ―動 steal home 日英比較 普通は動詞で用い, 名詞扱いが必要な場合は stealing home と動名詞形にする. 日本語との違いに注意. (☞ とうるい[1]).

ホームステイ (留学生の) 《米》 homestay Ⓤ 日英比較 日本語で「ホームステイ」とあっても他の表現を用いることが多い. ¶ アメリカで 3 週間*ホームステイをしてきた I *stayed with* an American family for three weeks.

ホームストレート ☞ ホームストレッチ

ホームストレッチ (競馬・競技の) 《主に米》 the hómestrétch, 《英》 the home straight.

ホームスパン ―名 (手織り風の織物) hómespùn Ⓤ. ―形 hómespùn.

ホームタウン (故郷) hometown Ⓒ.

ホームチーム (地元チーム) the hóme téam.

ホームドクター (かかりつけの医者) family doctor Ⓒ 日英比較 「ホームドクター」は和製英語.

ホームドラマ family drama Ⓒ 日英比較 「ホームドラマ」は和製英語.

ホームトレーディング (在宅証券取引) home trading Ⓤ.

ホームドレス (家庭着) housedress Ⓒ.

ホームバー home bar Ⓒ.

ホームパーティー party Ⓒ; (説明的には) party at *one's* house Ⓒ.

ホームバンキング (在宅銀行利用) home banking Ⓤ.

ホームビデオ (家庭用ビデオ録画機) home video (cassette) recorder Ⓒ; (家庭用ビデオカメラで撮影した映像) home video Ⓒ. (☞ ビデオ).

ホームプレート 〘野〙 ☞ ホーム[3]

ホームプロジェクト (家庭科教育の) the Home Project.

ホームページ 〘インターネット〙 hómepàge Ⓒ (☞ インターネットと E メール (囲み)).

ホームベース 〘野〙 hóme báse Ⓤ, hóme pláte Ⓤ ★ 通常 the を付けて.

ホームヘルパー (介護のための派遣員) hóme hélp Ⓒ.

ホームメード ―形 (自家製の) homemade, home-made. (☞ てせい; てづくり).

ホームラン 〘野〙 home run Ⓒ, homer Ⓒ. ¶ *ホームランを打つ hit [slam; smack out] a *home run* ★ 後のものほど口語的. **ホームラン王** home-run king Ⓒ **ホームランダービー** the home-run derby.

ホームルーム (教室) homeroom Ⓒ; (時間) homeroom (period) Ⓒ.

ホームレス ―形 (家のない) homeless. ―名 (路上生活者) the homeless ★ 集合的に用いる.

ホームワーク hómewòrk Ⓤ (☞ しゅくだい).

ポーラ (女性名) Paula.

ポーラログラフ 〘商標〙 (電気分解自動記録器) Polarograph Ⓤ.

ポーランド ―名 (固) Poland; (正式名; ポーランド共和国) the Republic of Poland. ―形 Polish. **ポーランド語** Polish Ⓤ **ポーランド人** Pole Ⓒ.

ホーリー 〘植〙 (西洋ひいらぎ) holly Ⓒ.

ポーリン (女性名) Pauline /pɔːlíːn/.

ボーリング[1] ―名 (ゲームの) bowling Ⓤ. ―動 (ボーリングをする) bowl (自). ¶ あなたは*ボーリングをしますか Do you *bowl*? **ボーリング場** bowling alley Ⓒ.

ボーリング[2] ―動 (井戸などを掘る) bore (他) (自). ―名 (穿孔) boring Ⓒ. **ボーリングマシン** boring machine Ⓒ.

ホール[1] (会館) hall Ⓒ; (ダンスホール) dance hall Ⓒ. (☞ かいかん[2]; こうかいどう).

ホール[2] 〘ゴルフ〙 hole Ⓒ.

ボール[1] (球) ball Ⓒ; (野球のボール・ストライクの) ball Ⓒ (↔ strike). **ボールカウント** count Ⓒ (☞ たま[2]; カウント) **ボールキープ** ―動 〘球〙 keep (possession of) the ball. **ボールゲーム** (球技) ball game Ⓒ **ボール投げ** (キャッチボールをする) play catch **ボールベアリング** ball bearing Ⓒ.

ボール[2] (容器) bowl Ⓒ. ¶ サラダ*ボール a salad *bowl*

ポール[1] (棒) pole Ⓒ (☞ ぼう[1]; ぼうたかとび).

ポール[2] (男性名) Paul.

ホールアウト 〘ゴルフ〙 ―名 (球をホールに入れること) holing out Ⓤ. ―動 hole out (自); (全コースを終わる) complete the round ★ この意味では hole out を使わないことに注意.

ホールインワン 〘ゴルフ〙 hole in one Ⓒ. ¶ *ホールインワンをする make [get] a *hole in one*

ホールウィートブレッド (全粒小麦粉のパン) whole-wheat bread Ⓤ.

ボールがみ ボール紙 cardboard Ⓤ; (紙を張り合わせて作ったもの) pasteboard Ⓤ.

ホールターネック 〘服〙 halter (⌈neck [top]) Ⓒ.

ボールダリング 〘登山〙 (大岩登り) bouldering Ⓤ.

ホールディング (ボクシング・球技などでの妨害行為) holding Ⓤ.

ホールド (手でつかむこと) hold Ⓒ.

ボールト 〘建〙 (アーチ型天井) vault Ⓒ, arched [vaulted] ceiling Ⓒ.

ボールド ―名 〘印〙 (肉太活字) bóldfàce Ⓤ. ―形 〘印〙 bóldfàced. (☞ かつじ; ふとじ). ¶ *ボールド体の活字 *boldface(d)* type

ホールドアップ ―名 (ピストル強盗 (行為)) holdup Ⓒ ★ "hold up *one's* hands" (「手を上げる」) から. ―動 hold up (他). (☞ て (手を上げる)).

ボールばこ ボール箱 pasteboard [cardboard] box Ⓒ.

ボールペン bállpòint (pén) Ⓒ (☞ ペン).

ポールポジション (自動車レースの) póle position Ⓒ.

ホーレス (男性名) Horace /hɔ́ːrəs/.

ボーロ (小粒のクッキー) small, round cookie Ⓒ ★ 原語はポルトガル語の bolo (球・ケーキ).

ほおん 保温 ―動 keep ... ⌈warm [hot]. ―名 (断熱) insulation Ⓤ. ¶ この魔法瓶は*保温がよい This thermos ⌈*keeps* liquids *hot* for a long time [has good *insulation*].

ホーン (車の警笛) horn Ⓒ 《☞ クラクション》.

ポーン (チェスの'歩') pawn Ⓒ.

ボーンチャイナ (骨灰磁器) bóne chína Ⓤ.

ぽおんと ¶彼はボールを*ぽおんと蹴った (⇒ 蹴って飛ばした) He sent the ball flying with a kick / (⇒ 力をこめて蹴った) He kicked off the ball with vigor. 《☞ 擬声・擬態語 (囲み)》

ボーンヘッド (野球などの) bonehead play Ⓒ.

ほか 外, 他 **1** 《ほかの人・物》 ── 形 other Ⓐ
[語法] (1) 後に複数名詞が続くのが普通. ただし,「どれかほかの…」の意で some [any] other … の場合は単複両方が可能. また 2 つの中で「もう 1 つの」という場合は the other … の形をとり, 単数形が続く. もっとも, この場合は日本語では「もう 1 つの」となり,「ほかの」とはならないのが普通である. なお the other … は 3 つ以上の物[人]について,「1 つを除いてほかの…」の場合もあるから, 複数形が続く場合もある; (別の 1 人[1 つ]の) another; (違った) different.
── 副 else ★ 修飾する語の後に置かれる. ── 代名 others ★ 複数形で; (ほかの人々) other people; (別の 1 人の人・1 つの物) another; (2 人[2 つ]の中の一方) the other; (3 人[3 つ]以上の中の 1 人[1 つ]を除いてほかのもの) the others; (残り全部) the rest
[語法] (2) 数えられるものを指す場合は複数扱い, 数えられないものを指すときは単数扱い. 《☞ べつ》.
¶このシャツは少し大きすぎます. *ほかのを見せて下さい This shirt is a little too big for me. Would you show me *another* (one)? // *ほかの人たちはどこに行きましたか Where are *the* ˹*other* people [*others*]?
[語法] (3) 話し相手以外の人たち全部の所在を聞いている場合. // *ほかに質問はありませんか Do you have [Are there] any *other* questions? // 私はそれを*ほかの方法でやってみたい I want to do it ˹in a *different* way [*differently*]. // *ほかにはだれもその部屋にはいませんでした No one *else* was in the room. // 彼女はクラスの*ほかのだれよりも背が高い She is taller than any *other* student in her class. // この場所は気に入らない. どこか*ほかへ行こう I don't like this place. Let's go ˹somewhere *else* [to some *other* place]. // 2 人が魚釣りに出かけたが, *ほかの者は家にいた Two went (out) fishing, but ˹*the others* [*the rest*] stayed at home. // *ほかに言うことはありません (⇒ 私が言いたいのはそれですべてです) That's all I want to say. / (⇒ それ以上言うことはありません) I have nothing ˹more [further] to say.
[日英比較] 日本語では「ありません」と否定になっていても, 英語としては第 1 文のほうが最も一般的な言い方. 《☞ 日本語の消極的表現 (巻末)》
2 《…を除いて; …以上に》 ── 前 except …, but … ★ 後者のほうが文語的で, 慣用句に用いられることが多い; (…に加えて) besides …, in addition to …; (…以上は) beyond …. 《☞ -いがい》.
¶彼の*ほかにはだれもその質問に答えられなかった Nobody ˹*except* [*but*] him was able to answer the question. / (⇒ 彼 1 人だけが答えられた) He was the only ˹one [person] who was able to answer the question. // あなたの*ほかにだれがそこに行きましたか Who went there ˹*besides* [*other than*] you? // その町は金の*ほかに (⇒ 金に加えて) ダイヤモンドも産出する *Besides* [*In addition to*] gold, the town produces diamonds. // 私はこの*ほかには何も知りません I know nothing ˹*beyond* [*more than*] this. // 彼は英語の*ほかにドイツ語も話す (⇒ 英語だけでなくドイツ語も) He speaks *not only* English *but* (*also*) German. / He speaks German *as well as* English. [語法] not only A but (also) B では普通 B が, また A as well as B では普通 A が強調される. / *Besides* [*In addition to*] English, he speaks German.

ぽか 《略式》《主に米》 boo-boo /búːbùː/ Ⓒ; (失敗) blunder Ⓒ. 《☞ どじ; へま》. ¶おまえまた*ぽかやったな You have made a *boo-boo* again.

ホガース ── 名 固 William Hogarth, 1697–1764. ★ 英国の風俗画家.

ぼがいさいむ 簿外債務 off-the-book ˹loans [debts] ★ 複数形で.

ぼがいしさん 簿外資産 unlisted [off-the-book] assets ★ 複数形で.

ほかく[1] 捕獲 ── 動 capture 他, catch 他
[語法] 後者のほうが口語的で一般的だが, 日本語の「捕獲」というニュアンスには前者のほうが近い.
── 名 capture Ⓤ. 《☞ つかまえる》. **捕獲高** catch (of fish) Ⓒ.

ほかく[2] 補角 〔数〕 súpplementàry ángle Ⓒ.

ほかく[3] 保革 (保守と革新) conservatism and reform; (保守党と革新党と) conservative and reform parties **保革伯仲** a balance between conservative and progressive forces.

ほかげ[1] 火影 (明かり) light Ⓤ; (火明かり) the firelight Ⓤ ★ 通常 the を付けて. 《☞ あかり; ひかり》. ¶*火影で彼の顔は赤らんで見える His face looks ruddy in *the firelight*. // あの遠くの*火影は何だろう What's that *light* in the distance?

ほかげ[2] 帆影 (帆) sail Ⓒ. ¶はるかかなた水平線上に*帆影らしきものが見える A *sail*-like object can be seen far away on the horizon.

ほかけぶね 帆掛け舟 sailboat Ⓒ, 《英》 sailing boat Ⓒ; sailing ship Ⓒ [語法] sailboat はヨット・小型帆船など. sailing ship のほうが帆船一般を指す言い方.

ぼかし 暈し (だんだん色が変化していくこと) shading off Ⓒ; (濃淡法) gradation Ⓤ. **ぼかし染め** gradation dyeing Ⓤ.

ぼかしことば 暈し言葉 word used to avoid being ˹exact [specific] Ⓒ ★ 説明的な訳.

ぼかす 暈す (色を) sháde óff 他, gradate 他 ★ 前者のほうが口語的; (態度を) obscure 他, make … vague /véɪg/. 《☞ ぼやける; あいまい》.

ぽかっと ☞ ぽかりと

ほかでもない ☞ ほかならぬ

ほかならない ¶その行為は犯罪に*ほかならない (⇒ 犯罪以外の何ものでもない) That act is ˹*nothing short of* [*nothing less than*] a crime.

ほかならぬ ¶*ほかならぬ (⇒ ほかの人ではなく) 君の話だから間違いなかろう Since the story comes from you *and no one else*, it must be true. // その男は*ほかならぬ彼女の前夫だった (⇒ 前夫以外の人ではなかった) The man was *none other than* her former husband.

ほかほか ── 形 (熱い) hot; (できたての) fresh from the oven; (ほかほか湯気の立つ) steaming hot. 《☞ 擬声・擬態語 (囲み)》. ¶ほら, できたて*ほかほかのまんじゅうだよ Here are some buns *fresh from the oven*.

ぽかぽか ── 形 (暖かい) warm ★ 最も一般的な語; (気持ちよく暖かい) nice and warm. ── 副 (繰り返して) repeatedly ★ 殴るときなど. 《☞ ぽかりと; 擬声・擬態語 (囲み)》.
¶きょうは*ぽかぽかしたよい天気だ What a lovely *warm* day! // *ぽかぽか殴る beat *repeatedly*

ほがらか 朗らか ── 形 (陽気な) cheerful; (明るい感じの) sunny; (晴れやかな) bright; (愉快な) happy. ── 副 cheerfully; happily; (うれしそうに) joyfully. 《☞ めいろう》. ¶彼女は*朗らかな性格だった She had a ˹*cheerful* [*sunny*] disposition. // きょうは*朗らかな気分だ I feel ˹*cheerful* [*happy*] today. // 彼らは*朗らかに歌を歌った They sang 「cheerfully [happily; joyfully].

ぽかりと ―動 (こぶしなどで強く打つ) whack ⑪; (ぽかりと打つ) thump ⑪. ((☞ なぐる; ぽかぽか; 擬声・擬態語 (囲み)). ¶ その子は*ぽかりと弟を殴った The child 「whacked [thumped] his younger brother.

ほかん[1] 保管 ―動 (手元に置いておく) keep ⑪ ★ 最も一般的な語; (金・書類・貴重品などを預けておく) deposit ⑪. ―名 (最も一般的には) safekeeping Ⓤ; (倉庫などでの) storage Ⓤ. ((☞ あずける; あずかる[1])). ¶ この本はあなたが*保管しておいてくれませんか Will you please *keep* these books for me? // その品物はあなたの名で*保管してあります The goods are *in* 「*safekeeping* [*storage*] in your name. **保管所** depository Ⓒ; (倉庫) warehouse Ⓒ **保管人** keeper Ⓒ, custodian Ⓒ; (財産の) trustée Ⓒ **保管品[物]** article in safekeeping Ⓒ, goods in *one's* charge **保管料** charges for storage, storage fee Ⓒ.

ほかん[2] 補完 ―動 (補って完全にする) complement ⑪; (補足する) supplement ⑪. ((☞ おぎなう)).

ぼかん 母艦 (航空母艦) (áircraft) càrrier Ⓒ, ((海軍俗)) mother Ⓒ; (潜水艦・水雷艇などの) mother ship Ⓒ.

ぽかんと **1** «口を開ける様子» ―動 (口を大きく開ける) gape ⓐ ((☞ あんぐり; 擬声・擬態語 (囲み)). ¶ 私はあまりびっくりして口を*ぽかんと開けた I *gaped* in surprise.
2 «ぼんやりと» ―副 vacantly ((☞ 擬声・擬態語 (囲み)). ¶ 彼は私のすることを*ぽかんと見ていた He watched my actions 「*vacantly* [with a *vacant* stare].

ほき 補記 supplementary note Ⓒ; (書物などの) addendum Ⓒ ((複 -da)) ((☞ ほそく[1])).

ホキ 〘魚〙 hoki Ⓒ ((複 ~)), blue 「grenadier [hake] Ⓒ, whiptail Ⓒ.

ぼき 簿記 ―名 bookkeeping Ⓤ. ―動 keep (the) 「books [accounts]. **簿記係** bookkeeper Ⓒ **簿記学** (the art of) bookkeeping Ⓤ **簿記方** ☞ 簿記係 **簿記学校** bookkeeping school Ⓒ.

ボギー (ゴルフの) bogey Ⓒ, bogy Ⓒ, bogie Ⓒ ★ 発音はいずれも /bóugi/; (鉄道のボギー車) bogie Ⓒ, bogy Ⓒ.

ぽきぽき ―動 (ぽきっと鳴らす) crack ⑪. ―副 (ぽきんと) with a 「snap [crack]. ((☞ 擬声・擬態語 (囲み)). ¶ 彼は指を*ぽきぽき鳴らした He *cracked* his knuckles. // 枯れた小枝は私の足もとで*ぽきぽき折れた The dry twigs broke *with a snapping noise* under my feet.

ボキャブラリー (語彙) vocábulàry Ⓤ ((☞ ごい[1])).

ほきゅう[1] 補給 ―動 (…に…を供給する) supply … (with …); (補充する) ((格式)) replénish ⑪. ―名 supply Ⓒ; replenishment Ⓒ. ((☞ ほじゅう)). ¶ 船に燃料を*補給しなくてはならない We must *supply* the ship *with* fuel. ((☞ ねんりょう; きゅうゆ)) // 船は食糧と燃料を*補給するために港に着いた The ship came to port to *replenish* its food and fuel supplies. **補給基地** supply base Ⓒ **補給船** supply 「ship [boat] Ⓒ **補給物資** supplies, supply goods ★ いずれも複数形で. **補給路** supply 「route [line] Ⓒ.

ほきゅう[2] 捕球 ―名 catch Ⓒ. ―動 catch a ball. ¶ 見事な*捕球をする make a 「fine [nice; great] *catch*

ほきょう 補強 ―動 rèinfórce ⑪. ―名 reinforcement Ⓤ. ((☞ きょうか[1])). ¶ この建物は鉄筋で*補強してある This building *is reinforced* with steel staples. // 橋の*補強工事が進んでいる The *reinforcement* work on the bridge is in progress.
補強材 reinforcement Ⓒ **補強証拠** 〘法〙 corroboration Ⓤ, corroborating evidence Ⓤ.

ぼ[ぼ]きりと ☞ ぽきんと

ぼきん 募金 ―動 raise funds, collect 「money [contributions] ★ 前者のほうが規模が大きい感じがある. ―名 fund-raising Ⓤ. ((☞ きふ[1]; カンパ)). ¶ 共同*募金 ((米)) community chest // *募金の目標額 a *fund-raising* target
募金運動[活動] fund-raising 「campaign Ⓒ [activities]. ¶ 私たちは交通遺児のための*募金運動を始めた We have started a *fund-raising campaign* for the children of traffic accident victims.

ほきんしゃ 保菌者 (germ /dʒə́ːm/) càrrier Ⓒ.

ぼきんと ☞ ぽきんと

ぽきんと with a snap ★ 一般的で口語的; (鋭い音を立てて) with a sharp crack. ((☞ ぽきぽき; 擬声・擬態語 (囲み)).

ぼく 僕 I 〔日英比較〕英語では「僕」「私」などの区別はない. I は常に大文字を用いる. ((☞ わたし[1])).

ほくア 北ア (北アフリカ) North Africa.

ほくい 北緯 ¶ *北緯 42 度東経 86 度 *latitude* 42° *N* and longitude 86° E ★ latitude forty-two degrees north と読む. ((☞ いど[2]; なんい[1]; ど))

ほくおう 北欧 ―名 ㊂ Northern Europe; (スカンジナビア) Scandinavia /skæ̀ndənéɪviə/. ―形 Northern European; Scandinavian.
北欧諸国 the 「Nórdic [Scándinàvian] cóuntries **北欧人** Scandinavian Ⓒ **北欧神話** Norse mythology Ⓤ ★ 集合的.

ぼくぎゅう 牧牛 (放牧されている牛) cattle at pasture ★ 集合名詞で複数扱い; (牛を放牧すること) pasturing [grazing] cattle Ⓤ. ((☞ はなしがい; ほうぼく)).

ほくげん 北限 the northernmost point.

ボクサー[1] boxer Ⓒ ((☞ ボクシング (挿絵)).

ボクサー[2] 〘動〙 (ボクサー犬) boxer Ⓒ.

ほくさい 北斎 ☞ かつしかほくさい

ぼくさつ 撲殺 ―動 (棒などで打って殺す) club … to death.

ぼくし 牧師 (キリスト教・ユダヤ教も含めて最も一般的に) clergyman Ⓒ; (集合的に) clergy Ⓤ; (新教徒の牧師一般・英国では非国教派牧師) minister Ⓒ 〔語法〕普通, 単に「牧師」とだけある場合は clergyman, あるいは minister と訳すのがよい. 牧師の身分がはっきりしているときのみ次のような区別をする; (教区を預かる牧師, 英国では非国教派の) pastor Ⓒ; (教区牧師の総称) parson Ⓒ; (英国国教会教区牧師) rector Ⓒ; (英国国教会の rector の代理, または米国聖公会の付属教会の牧師) vicar Ⓒ; (説教をする人) preacher Ⓒ. ((☞ しんぷ[1])).
牧師館 parsonage Ⓒ; rectory Ⓒ; vicarage Ⓒ; (スコットランド長老教会の) manse Ⓒ.

ぼくしゃ 牧舎 (畜舎) stable Ⓒ; (牛舎) cowshed Ⓒ, cowhouse Ⓒ; (羊小屋) sheep pen Ⓒ, sheepfold Ⓒ.

ぼくしゅ 墨守 ―動 (古い習慣に執着する) ((格式)) adhere [cling] to …; (保持する) keep to … ―名 adherence Ⓤ. ((☞ こしつ[2]; こしゅ[2])). ¶ 古い伝統を*墨守する *cling* [*keep*] *to* (the) old tradition(s)

ぼくじゅう 墨汁 India [China] ink Ⓤ.

ぼくしょ 墨書 ―名 writing 「in [using] India ink Ⓤ. ―動 write in India ink. ¶ *墨書の巻き物 a scroll *written in India ink*

ほくじょう 北上 ―動 move northward(s). ¶ 台風が*北上しつつあります A typhoon *is moving* 「*northward* [*to the north*].

ぼくじょう 牧場 (牧畜場) stock farm Ⓒ; (家畜を放し飼いにしている野原) pasture Ⓒ; (広大な平原の大放牧場) 《米》 ranch Ⓒ. ¶ 彼は*牧場を経営している He runs a *ranch*. // *牧場では牛があちこちで草を食べている Cows are grazing here and there in the *pasture*. // 彼は*牧場で働いている He works on a *ranch*.

ほくしん 北進 ―[動] go ˹to the north [northward] 《☞ ほくじょう》. ¶ その船は大西洋を*北進している The ship is *sailing north* in the Atlantic Ocean.

ぼくしん 牧神 〘ギ神〙 Pan; 〘ロ神〙 Faunus /fɔ́ːnəs/, faun Ⓒ. ★ 前の 2 つは固有名詞.

ボクシング ―[名] boxing Ⓤ. ―[動] (ボクシングをする) box (他) (自); (戦う, 特にボクシングの試合をする) fight (他) (自).

¶ さあ, 来い. *ボクシングをしよう Now, come on. Let's *box*. / Come on. Let's do some *boxing*. // *ボクシングの試合 a *boxing* match

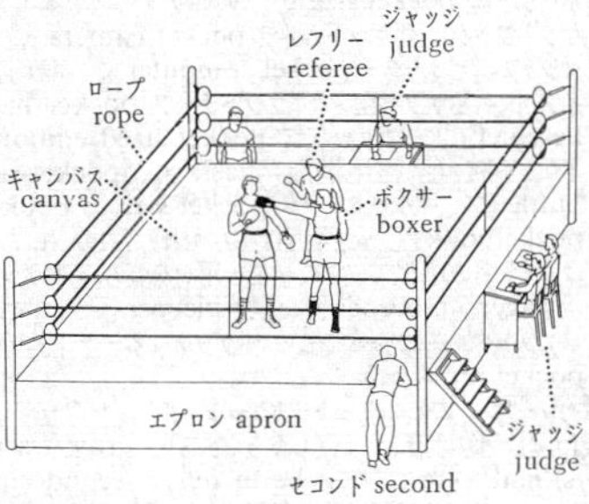

ボクシングのリング boxing ring

ほぐす (もつれを) disentángle (他); (糸などを) unravel /ʌnrǽv(ə)l/ (他); (髪の毛を) loosen (他); (堅くなった綿などを) flúff úp (他); (堅い気持ちを) put ... at ease; (緊張から楽にさせる) relax (他). 《☞ ほどく; ほぐれる》. ¶ あの人は場の雰囲気を*ほぐすのがうまい He is good at *putting* people *at ease*. / He is good at *easing* a tense atmosphere.

ほくせい 北西 ―[名] the nòrthwést 《略 NW》. ―[形] [副] (北西の[へ, に]) northwest; (北西の[へ, に, からの]) northwestern, northwesterly; (北西のほうへ [の]) northwestward. ¶ きょうの風は*北西から吹いている The wind today is coming from *the northwest*. / A *northwesterly* wind is blowing today. // 飛行機は*北西へ向かっている The plane is flying to *the northwest*. / The plane is ˹on [taking] a *northwestward* course.

北西季節風 the northwest seasonal wind; the northwest monsoon.

ほくせん 北鮮 North Korea 《☞ ちょうせん²》.

ぼくせき 木石 ¶ この身は*木石にあらず (⇒ 私も血の通った生き物だ) I, too, am a creature of flesh and blood.

ぼくそう 牧草 grass Ⓤ, pasturage Ⓤ ★ 前者が普通. **牧草地** (干し草を作るための) meadow Ⓒ; (放牧用の) pasture Ⓒ.

ほくそえむ ほくそ笑む (くすくす笑いをする) chuckle (自); (他人の不幸・失敗などを小気味よさそうに見る) gloat over ... ¶ 彼は事がうまく運んでいるので*ほくそ笑んだ He *chuckled with glee*, because things were going smoothly. ★ 日本語の「ほくそ笑む」も英語の glee (大喜び) も共に裏に悪意が感じられる. 従ってこの場合の「事」は「悪事」を意味する. // 彼は知り合いの仕事がうまく行かなかったのを聞いて*ほくそ笑んだ He *gloated over* the news of his acquaintance's business failure.

ぼくたく 木鐸 (木製の舌をもつ鈴) bell with a wooden clapper Ⓒ; (比喩的に; 先導者) leader Ⓒ, bellwether Ⓒ. ¶ 新聞は社会の*木鐸である (⇒ 民衆を導き啓発するべきである) と言われている The press is said to *lead the public and enlighten them*. / The press is said to be the *bellwether* ˹*for* [*of*] *public opinion*.

ほくたん 北端 (北の端の部分[地点]) the northernmost ˹part [point] (of ...) Ⓒ; (北の一番先端) the northern ˹end [extremity] Ⓒ ★ [ ] 内のほうがやや格式ばった語. ¶ 宗谷岬は日本最*北端の地である Cape Soya is *the northernmost point of* Japan.

ほくち 火口 (火を移しとるもの) tinder Ⓤ; (ストーブ・ランプなどで火をつけるところ) burner Ⓒ.

ぼくちく 牧畜 ―[名] (牧畜業) livestock /láɪvstɑk/ [stóck] fàrming Ⓤ, ranching Ⓤ; (特に牛) cattle breeding Ⓤ. **牧畜産業** the cattle industry.

ほくちょう 北朝 (中国の) the Northern dynasties /dáɪnəstiz/; (日本の) the Northern Court.

ぼくてき 牧笛 shepherd's pipe Ⓒ, reed (pipe) Ⓒ ★ 後者は詩的表現.

ほくとう 北東 ―[名] the nòrthéast 《略 NE》. ―[形] [副] (北東の[へ, に]) northeast; (北東の[へ, に, からの]) northeastern, northeasterly; (北東のほうへ[の]) northeastward. ¶ きょうは*北東の風だ The wind today is (coming) from *the northeast*. // 進路を*北東にとれ Take a ˹*northeastward* [*northeasterly*] course.

ぼくとう 木刀 wooden sword Ⓒ.

ぼくどう 牧童 herd boy Ⓒ; (カウボーイ) cowboy Ⓒ; (羊の) shepherd (boy) Ⓒ.

ほくとしちせい 北斗七星 Ursa Major, the Big Dipper, the Plow, 《英》 the Plough /pláʊ/. 《☞ せいざ¹ (表)》.

ぼくとつ 朴訥 ―[形] (素朴で人のよい) simple and good-natured; (田舎風で粗野な) rustic; (純真な) naive /nɑːíːv/ ★ 軽蔑的に使われることがある.

ぼくねんじん 朴念仁 ¶ あの男は*朴念仁だ (⇒ 世の中でうまくやっていけない) He's *hopeless* in social situations.

ぼくはい 木牌 (木の札) wooden tag Ⓒ; (木製の位牌) (Buddhist) wooden memorial tablet Ⓒ.

ほくぶ 北部 ―[名] the north [語 法] (1) 特定の国の北部の地方という意味では the North と大文字にすることがある; (北の地方) the northern part. ―[形] northern [語 法] (2) 特定の国について言うときは大文字にすることがある. 《☞ きた》. ¶ 北海道*北部 *the north* of Hokkaido

ぼくふ 牧夫 (牛・羊飼い) herder Ⓒ, herdsman Ⓒ; (牧場の従業員) pasture employee Ⓒ.

ほくべい 北米 North America 《☞ アメリカ》. **北米自由貿易協定** the North American Free Trade Agreement 《略 NAFTA》.

ほくへん 北辺 (北部地域) northern area Ⓒ; (北の果て) northern end Ⓒ; (北端の辺境) northernmost frontier Ⓒ. 《☞ はて¹; へん²》.

ほくほく ―[動] (...で大喜びである) be very ˹happy [pleased] with ... ―[形] (柔らかくてほぐれる) soft and crumbly. ¶ 彼はボーナスをたくさんもらって*ほくほくだった He *was very* ˹*happy* [*pleased*] *with* his large bonus. // この蒸したてのサツマイモは*ほくほくしてとてもおいしい This freshly steamed sweet potato is *soft and crumbly* and quite tasty.

ぽくぽく (土などが崩れ易い) crumbly 《☞ ほくほ

く》. ¶*ぼくぼくの土壌 *crumbly* soil

ほくほくせい 北北西 the north-northwest《略 NNW》. ¶*北北西の風 a *north-northwest* wind

ほくほくとう 北北東 the north-northeast《略 NNE》. ¶*北北東に針路をとる steer *north-northeast*

ぼくめつ 撲滅 ―動(病気・犯罪・悪習など望ましくないものを根こそぎにする) eradicate ⓗ; (望ましくないものを根絶する) exterminate ⓗ 〔語法〕前者のほうが普通. いずれも格式ばった語だが, 日本語の「撲滅」には適当. もっと口語的には root [wipe; stamp] out ⓗ などがある. ―名 eradication Ⓤ; extermination Ⓤ. 《☞ ねこそぎ; こんぜつ》.

¶新薬はその病気の*撲滅に有効だった The new drug was effective in *eradicating* the disease. // がん*撲滅運動 a [the] *crusade against* cancer

ほくめん 北面 the north front. **北面の武士** 〘史〙 guard stationed in the palace of an abdicated emperor Ⓒ.

ぼくや 牧野 pasture Ⓒ, pastureland Ⓤ; (採草地) meadow Ⓒ.

ほくよう 北洋 the northern sea. **北洋漁業** north-sea fisheries ★ 複数形で.

ぼくよう 牧羊 sheep ˹farming [raising; breeding] Ⓤ. **牧羊犬** sheepdog Ⓒ.

ぼくようしん 牧羊神 ☞ ぼくしん

ほくりく 北陸 the Hokuriku ˹region [district]. **北陸街道** the Hokuriku Highway **北陸自動車道** the Hokuriku Expressway **北陸地方** the Hokuriku ˹region [district, area] **北陸道** ☞ 北陸地方 **北陸本線** the Hokuriku Main Line, the Hokurikuhonsen (line).

ほぐれる (もつれなどが) loosen ⓐ, come loose ⓐ; (ほどける) become untied; (気分がくつろぐ) relax ⓐ. 《☞ ほぐす》. ¶糸のこぶがやっと*ほぐれた The knot in the thread *has come loose* at last.

ほくろ 黒子 mole Ⓒ.

ぼけ[1] **惚け** (老人ぼけ) senility /sɪníləti/ Ⓤ 《☞ ぼける[1]》; (漫才のとぼける役) the dunce partner of a comedy duo. 《☞ つっこみ》.

ぼけ[2] **木瓜** 〘植〙 Jápanese quínce Ⓒ.

ぼけ[3] 〘写〙 unsharpness 《☞ ピンぼけ; ぼやける》.

ほげい 捕鯨 whaling Ⓤ. **捕鯨会社** whaling company Ⓒ **捕鯨業** the whaling industry **捕鯨禁止** ban on whaling Ⓒ **捕鯨禁止運動** anti-whaling campaign Ⓒ **捕鯨水域** whaling ˹area Ⓒ [grounds] **捕鯨船** whaler Ⓒ, whaling vessel Ⓒ **捕鯨船団** whaling fleet Ⓒ ★ 常に集合的に. **捕鯨砲手** harpooner Ⓒ.

ぼけい[1] **母系** (母方の系統) maternal line Ⓒ. **母系社会** mátrilíneal society Ⓒ.

ぼけい[2] **母型** (活字などの) matrix /méɪtrɪks/ Ⓒ 《複 matrices /méɪtrəsìːz/, ~es》.

ほけきょう 法華経 Saddharma-Pundarika /sʌddɑ́ːməpʊndɑ́riːkə/; the Lotus Sutra ★ 前者が正式な名称.

ポケコン ☞ ポケット (ポケットコンピューター)

ほげた 帆桁 (帆を支える支柱・桁類) spar Ⓒ; (四角い帆を上から吊る) yard Ⓒ; (三角の帆を下で固定する) boom Ⓒ.

ほけつ 補欠 **補欠選挙** by-election Ⓒ **補欠選手** (控えの選手) reserve Ⓒ; (代理の選手) substitute (player) Ⓒ; (野球の) player on the bench Ⓒ **補欠当選** (選挙の繰り上げ当選) election by moving up Ⓤ; (補欠当選者) alternate winner Ⓒ **補欠入学** ¶彼は*補欠入学が許された (⇒空きを埋めるために) He was admitted to the school to fill a vacancy. **補欠募集** recruiting to fill vacancies Ⓤ.

ぼけつ 墓穴 **墓穴を掘る** ¶彼のしたことは自ら*墓穴を掘るに等しかった What he did was like *digging his own grave.* / (⇒自殺行為だった) What he did was *suicidal.* / (⇒自分の破滅をもたらした) His action(s) *brought about his own ruin.*

ぼけっと ¶*ぼけっと2, 3時間過ごしてしまった (⇒浪費した) I *have wasted* a few hours. 《☞ ぼんやり》

ポケット pocket Ⓒ. ¶それを*ポケットにしまいなさい Put it in your *pocket.* // 彼は*ポケットに両手を突っ込んで立っていた He stood with his hands in his *pockets.* // *ポケットの中のものを全部出しなさい (⇒ポケットをひっくり返しなさい) Turn out your *pockets.* // *ポケットがふくらんでいるね Your *pockets* are ˹bagging [baggy]. // *ポケットに何を入れているんだい What are you carrying in your *pockets*? // *ポケットのふた a flap // 胸[脇, 尻]*ポケット a ˹breast [side; hip] *pocket*

ポケット型 pocket size Ⓤ. ¶*ポケット型の本 ☞ ポケットブック **ポケットカメラ** pocket camera Ⓒ **ポケットコンピューター** pocket computer Ⓒ **ポケットサイズ** ☞ ポケット型 **ポケットチーフ** pocket handkerchief Ⓒ **ポケット版** pocket-sized edition Ⓒ **ポケット瓶** (携帯用酒瓶) flask Ⓒ, pocket-sized bottle Ⓒ **ポケットブック** pocket-size(d) book Ⓒ, pocketbook Ⓒ ★ 後者は主に《米》で札入れ, あるいは女性用の小型バッグの意でも用いられる. **ポケットベル** pager Ⓒ, beeper Ⓒ, 《英》 bleeper Ⓒ 〔日英比較〕 ポケットベルは和製英語. **ポケットマネー** (小遣い銭) pocket money Ⓤ.

ポケベル ☞ ポケット (ポケットベル)

ぼける[1] **惚ける** (もうろくする) grow senile /síːnaɪl/; (老いぼれる) be in *one's* second childhood. 《☞ もうろく》. ¶おじいさんはこのごろすっかり*ぼけてしまった My grandfather ˹*has grown senile* [*is in his second childhood*] these days.

ぼける[2] **暈ける** ☞ ぼやける

ほけん[1] **保険** ―名 insurance /ɪnʃʊ́(ə)rəns/ Ⓤ, 《英》 assurance /əʃʊ́(ə)rəns/ Ⓤ ★ 格式ばった語で, 特に生命保険に使うことが多い. ―動 (保険をかける) insure ⓗ. ¶この家屋には火災*保険をかけてある I *have had* this house *insured* against fire. // 私は生命*保険に入った I ˹bought [took out] (some) life *insurance.*

> **保険のいろいろ**
> 生命保険 life ˹insurance [《英》 assurance], 海上保険 marine insurance, 火災保険 fire insurance, 航空保険 aviation insurance, 傷害保険 (personal) accident insurance, 健康保険 health insurance, 災害保険 casualty insurance, 団体保険 group insurance, 失業[雇用] 保険 unemployment insurance, 自動車保険 automobile insurance, 社会保険 social insurance, 損害保険 accident [nonlife] insurance, 養老保険 endowment insurance

保険医 doctor authorized to treat patients covered by health insurance Ⓒ **保健医療機関** medical institution authorized to treat patients with health insurance coverage Ⓒ **保険会社** insurance company Ⓒ **保険掛け金** ☞ 保険料 **保険勧誘員 [外交員]** insurance ˹salesman [saleswoman] Ⓒ **保険期間** the ˹term [duration] of insurance **保険業** the insurance ˹business [industry] **保険業者** insurance company Ⓒ, insurer Ⓒ **保険金** insurance money Ⓤ **保険金受取人** beneficiary Ⓒ **保険金殺人** murder by a life insurance beneficiary Ⓒ **保険契約** insurance contract Ⓒ 保険契約者 pólicyhòlder Ⓒ, the insured ★ 単数または複数扱い. 保険者 insurer Ⓒ 保険証 (健康保険の) health insurance card Ⓒ 保険証書 insurance policy Ⓒ 保険診療 medical ｢treatment [care] covered by health insurance Ⓒ 保険代理業 insurance agency Ⓒ 保険代理店 (店) insurance agency Ⓒ; (業者) insurance agent Ⓒ 保険薬 (処方薬) prescription drug Ⓒ 保険約款 insurance clauses ★ 複数形で. 保険料 premium Ⓒ.

ほけん² 保健 ¶ 世界*保健機構 the World *Health* Organization ★ WHO と略す.
保健士 (public) health nurse Ⓒ, hygienist Ⓒ 保健室 health office Ⓒ; (学校の) sickroom for children at school Ⓒ; (大学などの大規模な保健センター) 《米》 health center Ⓒ 保健所 health center Ⓒ 保健体育 (学科名) health and physical education Ⓤ 保健薬 (強壮剤) tonic Ⓒ; (健康増進剤) restorative Ⓒ; (栄養補助薬品) supplement Ⓒ. ¶ 総合ビタミン*保健薬 a multiple vitamin *supplement*

ぼけん 母権 matérnal rights ★ 複数形で.

ぼげんびょう 母原病 〖医〗 mother ｢-pathogenic[-caused] disease Ⓒ, matrigenic disease Ⓒ.

ほこ 矛 pike Ⓒ 《☞ ほこさき》. ほこを納める (⇒ 武器を捨てる) lay down *one's* arms ほこを向ける (⇒ 武器を取る) take up [rise in] arms (against ...).

ほご¹ 保護 ― 图 (かばって守ること) protection Ⓤ ★「保護する人・物」の意味では Ⓒ; (管理して面倒をみること) cústody Ⓤ ★ 容疑者などの拘留の意味にもなる; (危険などから守ること) guardianship Ⓤ; (維持) conservation Ⓤ; (失われないように大切に保存する) preservation Ⓤ. ― 動 protéct ㊀; (警察が) take ... into custody ★ 元来は「保護する」の意だが, 「拘留する」に当たることもある; (世話をする) take care of ...; (維持する) conserve ㊀; (大切に取っておく) preserve ㊀. 《☞ まもる》.
¶ 男は警察に*保護を求めた The man asked the police ｢for *protection* [to *protect* him]. ∥ その少女は警察に*保護された [されている] The girl ｢*was taken into* (*protective*) *custody* by [*is in the custody* of] the police. ∥ 太陽から皮膚を*保護するのに帽子が必要だ We need a hat to *protect* our skin from the sun. ∥ 森林*保護 (the) *conservation* of forest land ∥ 文化財の*保護 (the) *preservation* of cultural assets
保護預かり safe [safety] deposit Ⓤ 保護観察 probation Ⓤ. ¶ その少年は*保護観察処分にされた The boy was put on *probation*. 保護関税 protective tariff Ⓒ 保護区(域) (禁猟区) sanctuary /sǽŋktʃuèri/ Ⓒ 保護拘置 protective custody Ⓤ 保護国 (被保護国) protectorate Ⓒ, protected state Ⓒ 保護柵 guard ｢fence [rail] Ⓒ 保護策 (保護のための計画) plan [scheme] for protection Ⓒ; (政策) protective policy Ⓒ 保護司 juvenile probation officer Ⓒ 保護施設 (難民などの一時的な収容施設) shelter Ⓒ; (貧困者などの収容施設) house of refuge Ⓒ; (生活保護を受けている人の) institution for people on welfare under the Livelihood Protection Law Ⓒ ★ 説明的な訳. 保護室 infirmary Ⓒ; shelter Ⓒ 保護者 (親以外の) guardian Ⓒ; (両親) parents 保護主義 ☞ 保護貿易主義 保護少年 juvenile offender who is to be tried in a family court by the Juvenile Law Ⓒ 保護色 protective coloring Ⓤ 保護処分 educative [protective] measures ★ 通例複数形で. 保護鳥 protected bird Ⓒ 保護帽 (safety) helmet Ⓒ 保護貿易 protective trade Ⓒ 保護貿易主義 protectionism Ⓤ 保護貿易主義者 protectionist Ⓒ 保護林 forest reserve Ⓒ, reserved forest Ⓒ.

ほご² 反故, 反古 ¶ 彼は約束を*ほごにした (⇒ 破った) He *broke* his promise. ∥ そんな株券は*ほごも同じだ (⇒ それが印刷してある紙ほどの値打ちもない) Such stocks *aren't worth the paper they're printed on*.

ほご³ 補語 〖文法〗 complement /kámpləmənt/ Ⓒ 《☞ 文型 (巻末)》.

ぼご 母語 *one's* mother tongue Ⓒ, *one's* native language Ⓒ. 《☞ ぼこく (母国語) 語法》.

ほこう¹ 歩行 ― 图 (歩くこと) walking Ⓤ. ― 動 (歩く) walk ㊀. 《☞ あるく》.
¶ 彼は病後*歩行が困難になった He had trouble *walking* after his illness.
歩行器 (幼児の歩行訓練または障害者用の器具) (baby) walker Ⓒ, wálking fràme Ⓒ 歩行訓練 (リハビリのための) walking exercises ★ 複数形で. 歩行者 walker Ⓒ, pedéstrian Ⓒ 語法 後者はやや格式ばった語. 交通用語としては後者がよく用いられる. 歩行者天国 (car-free) mall Ⓒ, pedéstrian's paradise Ⓒ ★ 後者は日本語の直訳. 歩行障害 〖医〗 gait ｢disturbance [disorder] Ⓤ.

ほこう² 補講 (追加の) súpplementàry lècture Ⓒ; (欠けた所を埋めるための) stop-gap lecture Ⓒ; (進学のためなどの余分な) extra lesson Ⓒ.

ぼこう¹ 母校 alma mater /ǽlmə máːtə/ Ⓒ ★「養母」の意味のラテン語から.

ぼこう² 母港 home port Ⓒ.

ほこうそ 補酵素 〖生化〗 coenzyme Ⓒ.

ボゴール ― 图 固 Bogor /bóugɔə/ ★ インドネシアの都市.

ぼこく 母国 *one's* ｢native [home] country Ⓒ, *one's* mother country Ⓒ ★ 後者はやや文語的. 《☞ そこく; ここく》. 母国語 *one's* native language Ⓒ, *one's* mother tongue Ⓒ 語法 言語の区切りは必ずしも国境とは一致しないし, 一つの国の中でもいくつもの言語が用いられていることも多い. 従って言語学では「母国語」ではなく「母語」というのが普通になっている. 《☞ ぼご》.

ほこさき 矛先, 鋒 ¶ 彼らは私たちに攻撃の*矛先を向けてきた (⇒ 我々を次の攻撃目標にした) They made us their next *target*. ∥ 彼は議論の*矛先を巧みにかわす (⇒ 議論を避けるのがうまい) He is adept at *avoiding arguments*.
矛先が鈍る ¶ 非難の*矛先が鈍る *the force* of *one's* ｢criticism [attack] *becomes weak* ∥ 君は政府批判の*矛先を鈍らせる (⇒ 鋭さを弱める) べきではない You shouldn't *take off the edge off* your attacks on the government.

ほごす ☞ ほぐす

ボゴタ ― 图 固 Bogotá /bòugətáː/ ★ 南米コロンビアの首都. Bogotá の ´ は綴り本来のもの.

ぼこっ ¶ 父の車の後ろを*ぼこっとへこませちゃった (⇒ かなりなへこみを作った) I made *quite* a dent in the back of my father's car. 《☞ 擬声・擬態語 (囲み)》

ほこづくり 殳旁 (漢字の) lance radical on the right of kanji Ⓒ.

ほこへん 矛偏 (漢字の) lance radical on the left of kanji Ⓒ 《☞ へん³》.

ぼこぼこ ¶ 道には*ぼこぼこと穴があいていた The street *was full of potholes*. 《☞ 擬声・擬態語 (囲み)》

ほこら 祠 (small) shrine Ⓒ.

ほこらか 誇らか ― 形 proud. ― 副 proudly. 《☞ ほこらしい; ほこる》. ¶ 彼は*誇らかに大会の開会宣言をした He *proudly* declared the meeting open.

ほこらしい 誇らしい ―形 proud. ―副 proudly. (☞ ほこる 語法; ほこり²). ¶ 私は(息子が)*誇らしかった I felt *proud* (of my son). // 彼は*誇らしげにその話をした He talked about it *proudly*.

ほこり¹ 埃 ―名 dust U. ―形 dusty. ―動 (ほこりを払う) dust 他. (☞ ちり²).
¶ 机の上は*ほこりだらけだった The desk was ˹*dusty* [covered with *dust*]. // 部屋が*ほこりっぽい The room is *dusty*. // この部屋は*ほこりがたまる This room tends to ˹get [become] *dusty*. // *ほこりが立つ *Dust* rises. // 棚の*ほこりを払って下さい Please brush the *dust* off the shelf. / Please *dust* the shelf. // 車が*ほこりをまき上げて通って行った The car passed, raising a cloud of *dust*.

ほこり² 誇り pride U; (自尊心) self-respect U ★ 前者は「傲慢(ごうまん)」というような悪い意味にもなり得る. (☞ ほこらしい; じそんしん; じまん).
¶ 私は彼女の*誇りを傷つけたくなかった I didn't want to ˹hurt her *pride* [damage her *self-respect*]. // あなたはわが校の*誇りだ You are the *pride* of our school. // この国に生まれたことを*誇りに思っている I ˹*am proud of* [*take pride in*] the fact that I was born in this country. ★ be proud of のほうがより平易な表現. // 私に就職の世話を頼むなんて彼の*誇りが許すまい I think he's too *proud* to ask me to find him a job.
誇り顔 a ˹triumphant [proud] look ★ 通例単数形で. ¶ 彼女は看護師資格を取得したと*誇り顔で話した She told us ˹*triumphantly* [*with a look of triumph*] that she had obtained a nurse's license.

ほこりたけ 埃茸 〘植〙 puffball C.

ほこる 誇る (誇りを持つというよい意味では) be proud of ..., take pride in ..., pride *oneself* on ... 語法 最初が最も平易な表現. よい意味といっても, 前後関係によってはしばしば一人よがりの自慢を意味することもある. be too proud of ... となれば悪い意味となる; (口に出して自慢する) boast ˹about [of] ...; (特にほらをまじえて大げさに自慢する) brag about ... (☞ じまん (類義語); ほこらしい).
¶ 彼は英語の実力を*誇っている He ˹*is proud of* [*boasts about*] his English ability. // そんなことは*誇るほどのことではない That's nothing to *be proud of*. // 彼はわが国の*誇る (⇒ わが国の最高の) 科学者の1人だ He's one of our best scientists.

ほころばす 綻ばす ¶ 彼女は顔を*ほころばせた She *broke into a smile*.

ほころび 綻び (裂け目) tear /téə/ C, rip C ★ 後者のほうが大きな裂け目; (特にストッキングなどの伝線) run C, (英) ladder C.

ほころびる 綻びる **1** «衣類が»: be torn; (特に縫い目などが) split 自, come ˹apart [undone]; (ストッキングなどが) run 自. (☞ ほつれる). ¶ あなたの洋服の脇の下が*ほころびているよ Your dress *is torn* under the arm. // 縫い目が*ほころびた The seam *has* ˹*split* [*come apart*; *ripped open*].
2 «花などが»: (花が開く) open 自; (咲き始める) begin to bloom. (☞ さく¹ (類義語); つぼみ; はな¹).

ほさ 補佐 ―動 (助ける) help 他 ★ 一般的な語; (補助的な役割をする) assist 他. ―名 assistant C. (☞ たすける (類義語)). ¶ 彼は課長*補佐になった He became *assistant* head of the section. // (米国大統領の) 主席*補佐官 (the) chief of staff **補佐役** (助手) assistant C.

ほざい 補剤 〘薬〙 adjuvant C.

ほさき 穂先 (麦などの) ear C; (やりの) spearhead C. (☞ いね (挿絵)).

ほざく ¶ うるさい. *ほざくな (⇒ だまれ)! お前の言い草なんか聞きたくないよ *Shut up*! I don't want to hear what ˹you have to say [you're saying].

ほさつ¹ 補殺 〘野〙 ―動 assist 自. ―名 assist C.

ほさつ² 捕殺 ―動 (捕えて殺す) catch and kill 他.

ぼさつ 菩薩 Bodhisattva /bòudisʌ́tvə/ C; Buddhist saint C.

ぼさっと ―形 (ぼさっとした・表情がうつろな) vacant; (うわの空の) ábsentmínded; (怠惰な) lazy. ―副 vacantly; absentmindedly. (☞ ぼうっと; ぼんやり; 擬声・擬態語 (囲み)). ¶ その男は*ぼさっと校庭に立っていた The man was standing ˹with a *vacant* look [*vacantly*; *absentmindedly*] in the school playground. // *ぼさっとしてないで仕事をしなさい Don't be *lazy*. Do your work!

ホサナ 〘キ教〙 hosanna /houzǽnə/ ★ 称える言葉.

ボサノバ (ブラジル起源の踊りの音楽) bossa nova /bάsənóuvə/ U ★ 踊りの意味では C.

ぼさぼさ ―形 (髪などが乱れた) wild; (くしを入れてない) unkempt; (整髪してない) untrimmed. (☞ 擬声・擬態語 (囲み)).

ぼさん 墓参 ―動 visit a grave (☞ はか¹).

ほし 星 **1** «空の» ―名 star C ★ 最も一般的な語; (惑星) planet C. ―形 (星の多い・星をちりばめた) starry. (☞ りゅうせい¹).

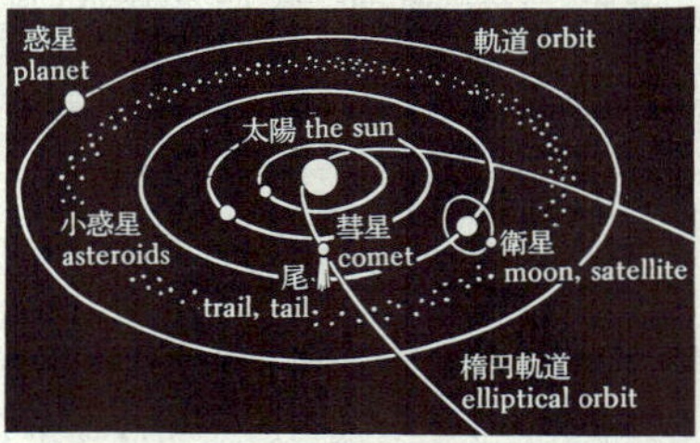

¶ 今夜は*星がたくさん出ている There's a *starry* sky tonight. / A lot of *stars* are out tonight. // あっ*星が流れた There goes a *shooting star*! ★ shooting star は「流れ星」. // 彼女は幸運[不運]な*星の下に生まれたと信じている She believes she was born under ˹a lucky [an unlucky] *star*.
2 «星印»: star C, ásterisk C. (☞ ほしじるし; 句読点 (巻末)). ¶ *星が2つ付いている単語は重要です Words marked with two ˹*stars* [*asterisks*] are important.
3 «犯人»: culprit C; (容疑者) suspect C. (☞ はんにん; ほんぼし). ¶ *ほしはまだあがっていない The *culprit* has not yet been arrested.
星が割れる (真犯人がわかる) the real ˹criminal [culprit] is identified (☞ われる). **星を挙げる** (犯人を検挙する) arrest [catch] the culprit. **星を戴く** ¶ 彼は若い頃*星を戴いて (⇒ 早朝から夜まで) 働いていたものだった He used to work hard *from early morning to night* when he was young. **星を落とす** (相撲などで, 負ける) be beaten, suffer a defeat. **星を稼ぐ** ¶ 今日の試合では大分*星を稼いでいたね (⇒ 得点を取っていたね) You *have scored many points* in today's game, haven't you? / (⇒ 勝ち星をあげていたね) You *have won many matches* in today's tournament, haven't you? **星をつぶす** ☞ 星を落とす **星を拾う** (きわどい勝負に勝つ) pick up a lucky ˹win [point; victory]. **星を分ける** (競技者が引き分ける) draw 自; (競技が同点で終わる) end in a tie 自. ¶ 千秋楽の土俵に上ったとき彼は7勝7敗と*星を分けていた (⇒ 彼の成績は7勝7敗

であった) When he stepped into the ring on the last day of the sumo tournament, his record was seven wins and seven losses.

星争い ¶今場所は二人の横綱の*星争いが注目されている The competition between the two grand champions for the most wins is the chief attraction in the current sumo tournament.

ほし- 干し…, 乾し… ━形 (干した) dried; (干すための) drying. ¶*干し柿 a (*sun-*)*dried* persimmon

ほじ 保持 ━動 keep ⑩; (維持する) maintain ⑩; (記録などを) hold ⑩; (保存する) preserve ⑩. (☞たもつ; いじ²). ¶世界記録*保持者 a world record *holder*

ぼし[1] 母子 mother and baby. ¶*母子共に健全だ Both *mother and baby* are ⌜fine [quite healthy ; in good condition].

母子家庭 fatherless family Ⓒ, mother-child family Ⓒ (☞たんしんかてい; かたおや). **母子感染** (母から胎児[幼児]への) infection from a mother to her ⌜fetus [infant] Ⓤ; (垂直感染) vertical transmission Ⓤ **母子健康手帳** record (book) for mother and baby Ⓒ 日英比較 (米) では妊娠から出産までの maternity record (book) Ⓒ と, 生まれてからの子供用の baby's record (book) Ⓒ の2つがある. **母子健康法** 〖法〗 the Maternal and Child Health Law **母子手帳** ☞ **母子健康手帳** **母子寮** (住宅) housing for mothers and children Ⓤ; (寮) dormitory for mothers and children Ⓒ.

ぼし[2] 母指, 拇指 thumb /θʌ́m/ Ⓒ, 〖解〗 pollex /páleks/ Ⓒ (複 pollices /pɑ́ləsìːz/). (☞おやゆび; ゆび).

ぼし[3] 拇趾 big toe Ⓒ; 〖解〗 hallux Ⓒ (複 halluces). (☞おやゆび; ゆび). ¶外反*拇趾 〖医〗 *hállux válgus*

ぼし[4] 墓誌 (碑銘) epitaph Ⓒ; (墓碑銘) hic jacet /hik dʒéɪset/ Ⓒ ★ラテン語で「ここに眠る」の意; (説明的には) inscription on a tombstone Ⓒ.

ポジ (写真の) (photographic) positive Ⓒ.

ほしあかり 星明かり ━名 starlight Ⓤ. ━形 (星に照らされた) starlit Ⓐ; (満天星のある) starry. ¶*星明かりを頼りに[の中を]歩く walk ⌜by [in the] *starlight* // *星明かりの夜 a *starry* night

ほしあげる 干し上げる ¶彼らは兵糧攻めにして敵を*干し上げた They cut off the supply of provisions and *starved the enemy into submission.*

ほしあわび 干し鮑 dried abalone Ⓒ.

ほしい 欲しい (一般的には) want ⑩; (少し丁寧に) would like ⑩; (…であればよいと思う) wish ⑩; (希望する) hope ⑩.

【類義語】望む・欲することを表す最も一般的な語が **want**. この語は I *want* …, Do you *want* …? のように 1, 2 人称に用いるときは「…したい, …が欲しい」という単刀直入で, ややぞんざいな言い方となる. *want* より丁寧で, 控え目な言葉が **would like** (短縮形は *'d like*) で, 遠慮を置く間柄では *want* の代わりに用いられることが多い. 実現の可能性が少ないか, あるいはできるならばそうあって欲しいという願いを言うのが **wish**. 望ましいことを希望として述べるのが **hope** で, 希望はかなえられるものでもそうでないものでもよい. (☞-したい)

¶あなたに手伝って*欲しい I *want* your help. / I *want* you *to* help me. ★少しぞんざいな言い方. / I'*d* [I *would*] *like* you *to* help me. ★このほうが丁寧. / I'd *very much appreciate it if* you could help me. ★これが最も丁寧. // もう1杯コーヒーが*欲しい(のですが) I ⌜*want* [*would like*] another cup of coffee. 語法 (1) [ ] 内のほうが丁寧. / *May* I have another cup of coffee? ★これが最も丁寧. // 2か月の休暇が*欲しいわ I *wish* I had a two-month vacation. 語法 (2) 望みがかなえられないと知って言う場合. // 彼女は独りにしておいて*欲しかったのです She *wished* to be left alone. 語法 (3) 事実は期待に反していた. // あなたに私たちを支援して*欲しいと思います I *hope* you will support us. 語法 (4) 表面上は希望的観測であるが, 暗に相手の支援を当てにしていることをほのめかす言い方.

ほしいまま ━動 (自分の好きなようにする) do as *one* ⌜pleases [likes]; (我を通して思いどおりにする) have *one's* (own) way.

¶彼女は*ほしいままに振舞った She *did* everything (*as*) *she* ⌜*pleased* [*liked*]. / She *had her own way* in everything. // その市長は権力を*ほしいままにした (⇒濫用した) The mayor *abused* his authority.

ほしいも 干し芋 dried slice of sweet potato Ⓒ.

ほしいん 星印 ☞ほしじるし

ほしうお 干し魚 ☞ひもの; さかな

ほしうどん 干しうどん dried wheat noodles ★通例複数形で.

ほしうらない 星占い (占星術) astrólogy Ⓤ; (個々の占い) hóroscòpe Ⓒ. (☞せいざ¹) ¶今月の*星占いは吉[凶]と出た My *horoscope* this month has turned out (to be) ⌜lucky [unlucky].

ポシェット (小物入れ) pouch /páutʃ/ Ⓒ; (小さなハンドバッグ) small handbag Ⓒ. ★「ポシェット」はフランス語から.

ほしえび 干し海老 dried ⌜shrimp [prawn] ★ prawn は大型のえび.

ほしがき 干し柿 dríed persímmon Ⓒ.

ほしかげ 星影 starlight Ⓤ (☞ほしあかり).

¶*星影さやかな夜 a ⌜clear [brilliant] *starlit* night

ほしがた 星形, 星型 ━名 (星形のもの) star Ⓒ; (アステリスク) asterisk Ⓒ ★(*) の記号; (五角の星形・星印) 〖数〗 pentagram Ⓒ. ━形 (星形の) star-shaped. (☞ほし).

ほしかためる 干し固める harden … by drying ⑩, dry … into a solid state ⑩.

ほしがらす 星烏 〖鳥〗 nutcracker Ⓒ.

ほしがる 欲しがる want ⑩ ★最も口語的な語; (切望する) long for … ★やや文語的; (子供などが, 泣いて欲しがってだだをこねる) cry for …

¶父は僕がいつも*欲しがっていた自転車を買ってくれた My father bought me the bicycle (which) I *had wanted* for a long time. // その子はアイスクリームを泣いて*欲しがった The child *cried for* ice cream.

ほしがれい[1] 干し鰈 dried plaice Ⓒ.

ほしがれい[2] 星鰈 〖魚〗 spotted plaice Ⓒ.

ホジキンびょう ホジキン病 〖医〗 Hodgkin's disease Ⓤ ★悪性リンパ腫のひとつ.

ほしくさ 干し草 hay Ⓤ (☞のうじょう (挿絵)).

ほしくず 星屑 stárdùst Ⓤ.

ほしくちどうぶつ 星口動物 〖動〗 sipunculid /saɪpʌ́ŋkjʊlɪd/ Ⓒ; peanut worm Ⓒ ★形状がピーナッツに似ていることから.

ほしぐり 干し栗 dried chestnut Ⓒ.

ほじくりかえす 穿り返す (土などを) dig up ⑩; (昔のことを) rake up ⑩. (☞ほじくる). ¶公共事業とかでまた道路を*ほじくり返している They *are digging up* the road again for so-called public works. // 昔のことを*ほじくり返すのはやめてくれ Stop *raking up* the past!

ほじくりだす 穿り出す ¶特別なフォークで蟹の肉を*ほじくり出す *pick* crabmeat *from* a shell with a special fork // どうしてあなたは他人の秘密を*ほじくり出すようなことに興味があるんですか Why are you interested in such a thing as *digging up* others' secrets? (☞ほじくる)

ほじくる (歯[耳, 鼻]などを) pick *one's* ⌜teeth

[ears; nose]; (あら捜しする) find fault with ... 《☞ あらさがし》.

ほしざめ 星鮫 〔魚〕 smooth dogfish [C]; (欧州産の) smooth hound [C].

ほししいたけ 干し椎茸 dried shiitake mushroom [C].

ポジション (地位・位置) position [C].
[日英比較] 英語の position は「地位・位置」のほかに「就職口・立場・姿勢」など広い意味がある. 《☞ ポスト¹》. ¶全員*ポジションについた The players all took their *positions*.

ほしじるし 星印 ― [名] (印) star [C], asterisk [C]; (五線星形) pentagram [C], pentacle [C]. ― [動] (星印を付ける) mark ... with an asterisk (他); asterisk (他). 《☞ ほしがた》.

ほしずな 星砂 (沖縄地方のいわゆる'星の砂') star sand [U].

ほじそ 穂紫蘇 〔植〕 perilla bud [C].

ほしぞら 星空 starry sky ★ the または a を付けて. ¶彼は*星空を見上げた He stared up at *the starry sky*. // 冬は*星空が美しい The *starlit sky* is beautiful in winter.

ほしだら 干し鱈 dried cod [C].

ほしつ 保湿 humidity maintenance [U]; (肌の) moisturizing [U]. **保湿器** humidifier [C]; (調湿器) humidistat [C] **保湿クリーム** moisturizing cream [U].

ほしづきよ 星月夜 ¶今夜は*星月夜だ Tonight is a *bright starlit night*.

ポジティブ ― [形] (積極的な) positive (↔ negative). ― [名] 〔写〕 positive [C]. 《☞ ポジ》. ¶*ポジティブな態度 a *positive* attitude **ポジティブフィードバック** 〔電〕 positive feedback [U] ★ 正帰還, 正のフィードバックのこと (↔ negative feedback).

ほしとりひょう 星取り表 scoring sheet [C], scoresheet [C].

ポジトロン ☞ ようでんし

ほしにく 干し肉 dried [jerked] meat [U], jerk [U], jerky [U].

ほしのり 干し海苔 dried laver [U] 《☞ のり²》.

ポシビリティー (可能性) pòssibílity [U].

ほしぶどう 干し葡萄 raisin /réɪzn/ [C]; (種なしの) currant [C].

ポシブル ― [形] (可能な) possible.

ほしまわり 星回り stars ★ 複数形で; (運勢) fortune [U]. ¶私の今日の*星回りはどうかな What do my *stars* say for today? // 彼女は*星回りがいい [悪い] She *was born* ⌈*lucky* [*unlucky*].

ほしむし 星虫 ☞ ほしくちどうぶつ

ほしめ 星目[眼] 〔医〕 phlyctenule /flɪkténju:l/ [U] ★ 個々の水泡状のものについては [C].

ほしめがね 星眼鏡 ☞ ぼうえんきょう

ほしもの 干し物 wash [U], washing [U], laundry [U] [語法] 以上 3 語は一般的で, 洗い終わった物も, またこれから洗う物もいう; clothes to be dried ★ 説明的. 複数形で. 《☞ せんたく¹》.
¶彼女は*干し物を外につるした She hung out the ⌈*washing* [*laundry*]. // 雨が降り始める前に*干し物を取り込みなさい You'd better bring in the ⌈*wash* [*washing*] before it starts to rain.

ほしゃく 保釈 ― [動] (保釈する) release ... on bail 《☞ しゃくほう》. ¶彼は*保釈になった He *was released on bail*. // *保釈中である be *out on bail* **保釈金** bail (money) [U]. ¶その男は*保釈金を積むことができなかった The man could not ⌈put up [furnish] *bail*.

ポシャる (立ち消えになる) fizzle out (自) ★ 口語的; (計画などがうまく行かなくなる) go [run] amok; (落ち目になる・停滞する) 《俗》 run out of ⌈gas [steam].
¶その計画はすぐに*ポシャった The plan soon *fizzled out*.

ほしゅ¹ 保守 ― [形] (保守的) conservative (↔ progressive). ― [名] (保守主義) conservatism [U]; (保守的であること) conservativeness [U]. 《☞ かくしん²》. **保守主義者** conservative [C] **保守政権** conservative government [C] **保守政党** ☞ 保守党 **保守中道勢力** the conservative-centrist force **保守党** conservative party [C] **保守党員** member of a conservative party [C]; (英国の) Tory [C] **保守派** the conservatives **保守反動(主義)** reactionary conservatism [U].

ほしゅ² 保守 ― [名] (機械などの) maintenance [U]. ― [動] (保守する) maintain (他). ¶道路を*保守する *maintain* roads **保守作業** maintenance work [U].

ほしゅ³ 捕手 catcher [C].

ほしゅう¹ 補習 ¶夏休み中に英語と数学の*補習をします I'm going to *teach supplementary lessons* in English and math during the summer vacation. **補習科** supplementary ⌈class [course] [C]; refresher course [C] **補習授業** súpplemèntary lésson [C], extra lesson [C].

ほしゅう² 補修 ― [動] (施設・機械などを修理する) repair (他), fix (他) ★ 後者のほうが口語的. 《☞ しゅうり》. **補修工事** repair [maintenance] work [U] **補修費** repair cost [U]; (作り直すときの) rework cost [U].

ほじゅう 補充 ― [動] (欠員などを) fill (úp) (他); (補い足す) súpplemènt (他); (取り替える) replace (他). 《☞ おぎなう; ほきゅう¹》.
¶会員は欠員の*補充のために最近 3 人の事務員を採用した Recently our company hired three clerks to *fill* (*up*) the vacancies. // なくなった部品は新しいもので*補充された The missing parts *were replaced* by new ones. **補充選挙** supplementary election [C], by(e)-election [C] **補充品** supplies ★ 通例複数形で; (備品) spare stores **補充兵** (新兵) recruit [C]; (予備兵) reservist [C]; (総称) replacement [filler] personnel [U].

ぼしゅう 募集 ― [動] (団体・軍隊などへの加入者を集める) recruit /rɪkrú:t/ (他); (寄付金など) raise (他), collect (他); (従業員などを求める) look for ..., seek (他) ★ 後者のほうが格式ばった語. ― [名] (寄付の) collection [U]. 《☞ あつめる (類義語); こうぼ²》.
¶そのゴルフクラブは新会員を*募集している The golf club *is recruiting* new members. // 彼らは難民救済資金を*募集した They ⌈*raised* [*collected*] relief funds for the refugees. // その会社では女子事務員を*募集している The company *is* ⌈*looking for* [*seeking*] female clerks. // 春学期生*募集中 (⇒ 申し込み受付中) *Applications* for the spring term *are now being accepted*. // 運転者*募集《掲示》 Driver *wanted*. // その出版社は懸賞論文を*募集した (⇒ 論文のコンテストを行った) The publishing company *held* an essay contest.
募集広告 advertisement [C]; (求人広告) 《米略式》 want ad [C]; advertisement for help [C] **募集人員** the number to be admitted **募集要項** application handbook [C]; (志願者のための指標) guidelines for applicants ★ 通例複数形で; (入学の) list of the entrance requirements [C].

ぼしゅうだん 母集団 〔統〕 population [C]; (対象となる全母集団) universe [C].

ほじょ 補助 ― [動] (助ける) help (他) ★ 最も一般的な語; (資金などで公に援助する) aid (他); (脇役的に助ける) assist (他); (財政的・精神的に援助する) support (他). ― [形] (補助の・補助的) auxiliary. ― [名] help [U]; aid [U]; assistance [U]. 《☞ たすける

(類義語); えんじょ; じょせい²).
¶ 彼の研究は財団の*補助を受けている His research *is* (financially) ˹*aided* [*supported*] by a foundation. // 秘書が彼の仕事を*補助した His secretary ˹*helped* [*assisted*] him with the work.
補助いす (予備の) spare chair Ⓒ; (乗り物の補助座席) jump seat Ⓒ 補助エンジン auxiliary engine Ⓒ 補助機関 office of ˹subsidiary [auxiliary] function Ⓒ; (説明的には) a group of people, such as vice-ministers or deputy governors, who assist the administration 補助金 (国家の) súbsidy Ⓒ 補助具 auxiliary equipment Ⓤ 補助形容詞〘文法〙auxiliary [subsidiary] adjective Ⓒ 補助錠 auxiliary lock Ⓒ 補助席 spare [extra] seat Ⓒ《☞ よび》 補助線〘幾〙additional line Ⓒ 補助定理〘数〙lemma Ⓒ 補助動詞〘文法〙auxiliary [subsidiary] verb Ⓒ 補助燃料タンク (一般的に) auxiliary fuel tank Ⓒ; (特に飛行機の) external fuel tanks ★ 両翼にあるので通例複数形で. 補助翼 aileron /éɪlərɑ̀n/ Ⓒ.

ぼしょ 墓所 (墓地) graveyard Ⓒ; (墓) grave Ⓒ.

ほしょう¹ 保証 ── 動 guarantee /gæ̀rəntíː/ ㊀; assure ㊀; warrant /wɔ́ːrənt/ ㊀. ── 名 guarantee Ⓒ, guaranty /gǽrənti/ Ⓒ ★ 後者は主に契約・約束に用いる専門用語; (確約) assurance Ⓒ; (製品などの保証) warranty Ⓒ.
【類義語】製品の品質や契約の履行などに対して請け合い, 公式に責任を取ることを表すのが **guarantee**. 人に確実であると断言することを表すのが **assure**. *assure* より意味が強く, *guarantee* より私的な感じを表すのが **warrant**. ¶ それは本当だということを*保証するよ I ˹*assure* [*warrant*] you that it is true.
保証期間 the ˹term [period] of guarantee 保証金 security (money) Ⓤ 保証小切手 certified ˹check [《英》cheque] Ⓒ 保証債務 surety obligations ★ 複数形で. 保証書 (written) guarantee Ⓒ 保証付き ── 形 (とくに品質などについて) guaranteed; (正当性について) certified. ¶ この万年筆は2年間の*保証付きです This pen *is guaranteed* for two years. // 私は1年間*保証付きの時計を買った I bought a watch *with a* twelve-month *warranty*. 保証人 (ある人の行動に対して責任をもつ人) surety Ⓒ; 〘法〙guarantor /gæ̀rəntɔ́ə/ Ⓒ ★ 法律用語で, 特に負債に対する保証人; (推せん状などにおける身元保証人) reference Ⓒ. ¶ おじが私の借金の*保証人になってくれるでしょう My uncle will *guarantee* my debts. / My uncle will *stand* ˹*guarantee* [*surety*] for my debts. ★ 第2文は格式ばった表現.

ほしょう² 保障 ── 動 (大丈夫だと請け合う) guarantee /gæ̀rəntíː/ ㊀; (確保する・安全にする) secure ㊀. ── 名 guarantee Ⓤ; security Ⓤ. ¶ 警察があなたの安全を*保障します The police will *guarantee* your safety. // 社会*保障 social *security* // 政府は国民の生活を*保障すべきだ The government should provide *security* for all people.

ほしょう³ 補償 ── 動 (埋め合わせをする) make up for ..., cómpensàte ㊀ ★ 前者のほうが口語的. ── 名 compensation Ⓤ. 《☞ つぐない; うめあわせ; ばいしょう¹》. ¶ 会社はその労働者のけがに対して*補償をした The company *made up for* the worker's injury. / The company *compensated* the worker for his injury. 補償金 compensation (money) Ⓤ.

ほしょう⁴ 歩哨 sentry Ⓒ《☞ みはり》. ¶ *歩哨を立てる post a *sentry* // *歩哨に立つ be on *sentry* duty

ぼじょう 慕情 (あこがれ) longing Ⓤ, yearning Ⓤ. 《☞ おもい²; したう》.

ほしょく¹ 捕食 ── 形 (生物を捕えて食う) predatory /prédətɔ̀ːri/. 捕食動物 predator Ⓒ, predatory animal Ⓒ.

ほしょく² 補色 complementary color Ⓒ.

ぼしょく 暮色 (日暮れ・夕やみ) twilight Ⓤ, dusk Ⓤ ★ 後者はやや文語的.

ボジョレーヌーボー (フランスのワイン) Beaujolais Nouveau /bòuʒəléɪ nuːvóu/ Ⓤ.

ほじる 穿る ☞ ほじくる

ほしん 保身 ── 動 (自分の利益を守る) protect [defend] *one's* own interests; (自分の地位を守る) keep (up) *one's* position.

ぼしんせんそう 戊辰戦争 ── 名 固〘史〙the Boshin (Civil) War, 1868–69; (説明的には) a Japanese civil war between the Tokugawa shogunate and the Meiji Government, in which the latter overthrew the former.

ほす 干す, 乾す (乾かす) dry ㊀ ★ 一般的な語; (外につるして乾かす) hang ... out to dry 《過去・過分 hung》; (飲み尽くす) drínk ˹óff [úp] ㊀; (空(から)にする) empty ㊀. 《☞ かわかす; ほしもの》.
¶ 彼は洗濯物を*干した He *hung* the washing *out to dry*. // 彼らはぬれた衣服を日なたに*干した They *dried* their wet clothes in the sun. // 彼は一気にグラスを*干した He ˹*emptied* [*drank off*] his glass ˹in [with] a single gulp.

ボス (責任者・上役) 《略式》boss Ⓒ; (長) head Ⓒ.
日英比較 日本語の「ボス」には「親分」「顔役」などの好ましくない意味があるのに対して, 英語の boss は職場の上役・責任者の意味で用いる場合は, 口語的ではあるが, 悪い意味はない. ボス政治 boss-controlled politics Ⓤ; (長老政治) gerontocracy Ⓤ; (寡頭政治) oligarchy /ɑ́lɪgɑ̀əki/ Ⓤ.

ポス (販売時点情報管理システム) POS [point-of-sale] system Ⓒ. ポス端末 POS [point-of-sale] terminal Ⓒ.

ほすい 保水 ── 動 (水をたくわえる) store water.

ほすう 補数 〘数〙complement (number) Ⓒ.

ぼすう 母数 〘数〙modulus /mɑ́dʒʊləs/ Ⓒ; 〘統〙parameter /pərǽmətə/ Ⓒ.

ほすうけい 歩数計 pedómeter Ⓒ.

ホスゲン 〘化〙phosgene /fɑ́sdʒiːn/ Ⓤ.

ほすすき 穂薄 (穂が出たすすき) Japanese silver grass in ears Ⓤ《☞ すすき; ほ²》.

ポスター (一般に) poster /póustə/ Ⓒ, bill Ⓒ 語法 後者はちらし (handbill) なども含む広い意味で使われる; (広告用の) show bill Ⓒ. ¶ *ポスターを貼る put up a ˹*poster* [*bill*] ポスターカラー poster ˹color [《英》colour] Ⓒ.

ホステス (客にサービスする女性) hostess Ⓒ (↔ host); (バーなどのカウンターの中で働く女性) barmaid Ⓒ; (客席まで飲物を運ぶ女性) cocktail waitress Ⓒ. 日英比較 hostess の元来の意味は「女主人」, つまりディナーパーティーや社交の場などで客をもてなす女性の主人役をいう. 個人の家で客をもてなす場合は夫が host であり, 妻は hostess である. 欧米のエチケットは女性主導型であるから, 一番主要な役割である. それから転じて, 英語でもナイトクラブなどの女主人や, 客のもてなし役を務める女性も hostess というようになったが, 日本語の「ホステス」には英語本来の意味が欠けているので, ニュアンスがかなり異なる点に注意する必要がある.

ホステル hostel /hɑ́stl/ Ⓒ.

ホスト host /hóust/ Ⓒ《☞ ホステス》. ホストクラブ nightclub where male hosts serve women Ⓒ ★ 説明的な訳. ホストコンピューター host computer Ⓒ ホストファミリー host family Ⓒ.

ポスト¹ 1 《郵便ポスト》: (街角の) 《米》mailbox Ⓒ, 《英》pillar-box Ⓒ, postbox Ⓒ; (個人宅などの郵便

受け)《米》mailbox Ⓒ, 《英》letter box Ⓒ.
¶ 彼女は手紙を*ポストに入れた She ˹dropped [put] the letter in a ˹*mailbox* [*pillar-box*].

《米》mailbox

《英》pillar-box

《米》mailbox

2 «地位»: post Ⓒ; position Ⓒ.
【類義語】公に任命された高い地位を意味するのが **post**. 就職口とか職務上の身分とかを意味する, より一般的な語が **position**.
¶ 彼はその会社で重要な*ポストについている He has an important *position* with the firm.

コロケーション
ポストに応募する apply for a *position* / ポストを失う lose a *position* / ポストを降りる resign a *position* / ポストを探す look for a *position* / ポストを占める hold a *position* / ポストを手に入れる get [obtain] a *position* / ポストを放棄する give up a *position* / ポストを見つける find a *position* / ポストを求める seek a *position* / ポストを追われる [解任される] be ˹removed [dismissed] from a *post* / ポストをねらう be after a *post*

ポスト[2] ── [接頭] (…の後の) post-. ¶ *ポスト小泉政権 the *post*-Koizumi ˹government [administration] ポストモダニズム postmodernism Ⓤ ポストモダン ── [形] postmodern.
ボストーク (旧ソ連の有人宇宙船) Vostok /vástɑk/ ★ ロシア語で「東」の意.
ポストカード postcard Ⓒ (☞ はがき).
ボストン ── [名] (固) Boston ★ 米国マサチューセッツ州の州都. ボストン茶会事件 ── [名] (固) 〘米史〙 the Boston Tea Party, 1773 ボストンテリア (ブルドッグに似た小型犬) Boston terrier Ⓒ.
ボストンバッグ Boston bag Ⓒ; (一般に旅行かばん) traveling bag Ⓒ.
ボスニア ── [名] (固) (地域名) Bosnia /bázniə/. ── [形] Bosnian. ボスニア人 Bósnian Ⓒ.
ボスニアヘルツェゴビナ ── [名] (固) Bosnia and Herzegovina /hèətsəgouví:nə/ ★ 元ユーゴスラビアの一部で現在は共和国.
ホスピス hospice Ⓒ. ¶ *ホスピスケア *hóspice* càre
ホスピタリティー (厚遇) hospitality Ⓤ.
ホスピタル hospital Ⓒ (☞ びょういん).
ホスファゲン 〘生化〙 phosphagen /fásfədʒən/ Ⓤ.
ホスファターゼ 〘生化〙 phosphatase /fásfətèɪs/ Ⓤ.
ボスポラスかいきょう ボスポラス海峡 ── [名] (固) the Bósp(h)orus ★ トルコの海峡.
ホスホンさん ホスホン酸 〘化〙 phosphonic acid Ⓤ.
ほする 補する (任命する) appoint (他) (☞ にんめい). ¶ …を課長に*補する *appoint* … as manager
ほせい 補正 ── [動] (訂正する) correct (他); (修正する) revise (他). ── [名] correction Ⓤ; revision Ⓤ ★ 以上の語は具体的には Ⓒ. (☞ しゅうせい[1]). 補正予算 supplementary [revised] budget Ⓒ.
ぼせい 母性 ── [名] (母であること) motherhood Ⓤ, maternity Ⓤ ★ 後者は母親としての本能や愛情などもいう. ── [形] (母親の・母性の) maternal, motherly. ¶ *母性本能 (the) *maternal* instinct 母性愛 maternal [motherly; mother's] ˹love [affection] Ⓤ. ¶ 赤ん坊のあどけない笑顔が彼女の*母性愛をかき立てた The baby's innocent smile stirred her ˹*maternal* [*motherly*] *love*.
ほぜいかもつ 保税貨物 bonded goods ★ 複数形で.
ほぜいせいど 保税制度 bond system Ⓒ.
ほぜいそうこ 保税倉庫 bonded ˹warehouse [store] Ⓒ.
ほぜいちいき 保税地域 bonded area Ⓒ.
ポセイドン ── [名] (固) 〘ギ神〙 Poseidon /pəsáɪdn/ ★ 海の神.
ほせき 舗石 (舗装用敷石) paving stone Ⓒ; (道路舗装用砕石) 《米》 pavement Ⓤ, 《英》 róad mètal Ⓤ; (小石や砂礫) bállast Ⓤ; (砂利) grável Ⓤ. (☞ しきいし).
ぼせき 墓石 grávestòne Ⓒ, tómbstòne Ⓒ. (☞ はか[1]; ぼひ).
ほせつ 補説 ── [動] (さらに説明する) explain … further. ── [名] (追加説明) added [extra; supplementary; additional] explanation Ⓒ.
ほせん[1] 保線 (線路の保守) track maintenance Ⓤ. 保線区 (railroad) section Ⓒ 保線作業員 tracklayer Ⓒ, 《英》 platelayer Ⓒ.
ほせん[2] 補選 ☞ ほけつ (補欠選挙)
ほぜん 保全 ── [名] (自然などの保護) conservation Ⓤ; (保存) preservation Ⓤ; (機械・建物などの維持) maintenance Ⓤ. ── [動] conserve (他); preserve (他); maintain (他); (危険などを防ぐ) protect (他). ¶ 自然の*保全 nature *conservation* // 環境を*保全する *conserve* [*protect*] the environment // 道路の*保全 road *maintenance*
保全処分 preservative measure Ⓒ.
ぼせん 母船 mother ship Ⓒ (☞ ふね).
ぼぜん 墓前 ¶ *墓前にひざまずく kneel *in front of a grave* // *墓前に花輪を供える lay a wreath *on the tomb* (☞ はか[1])
ぼせんかいき 母川回帰 ¶ 鮭は*母川回帰をすることで知られている Salmon are known to *return to their river of birth to spawn*.
ぼせんこく 母川国 (サケ・マスなどの) state of origin Ⓒ.
ほぞ[1] 臍 (へそ) naval Ⓒ. ほぞをかむ (深く悔やむ) regret deeply. ほぞを固める (ついに心を決める) make up *one's* mind once and for all; (固く心を決める) (firmly) settle on … (☞ かくご).
ほぞ[2] 枘 〘木工〙 tenon /ténən/ Ⓒ. 枘穴 mortise Ⓒ.
ほそい 細い thin (↔ thick); small (↔ big); fine; slender; narrow.
【類義語】ひも・針金などが細いのは **thin**. ただし, この語は元来厚さが「薄い」という意味である. 大きさが

ほ

「小さい」という意味の語が *small*. 日本語の「細い」とはややずれるが前後関係によっては使える.「細い線」のように非常にこまかい細さを表すのが *fine*. 人の体や手足などが細くてすらっとしているというよい意味で使うのが *slender*.「幅が狭い」という意味で細いのは *narrow*. (☞ ふとい 【語法】)

¶ *細い針金[ひも, 糸] a *thin* ˹wire [string; thread] // *細い棒 a *small* stick // *細い線[ペン先] a *fine* ˹line [point of a pen] // 彼女は*細い指をしている She has *slender* fingers. // 山道はだんだん*細くなった The mountain trail became *narrower*. // 彼女は食が*細い (⇒ あまり食べない) She *doesn't* eat *much*. // 彼女は*細い声で話す She talks in a ˹*thin* [*feeble*; *weak*; *faint*] voice. ★ thin は「か細い」, feeble と weak は「弱々しい」, faint は「かすかな」. 最初の 2 語が口語的. (☞ かぼそい)

細く長く　¶ 彼女は田舎で*細く長く (⇒ つつましく長い) 人生を過ごした She lived a ˹*humble* [*simple*; *plain*] *and long* life in the country. ★ 最初のものは「謙虚に」. [　] 内は「簡素・質素に」の意.

ほそいと　細糸　fine [thin] thread Ⓤ.

ほそう　舗装　— 【動】 (道をアスファルト・コンクリートなどで舗装する) pave ... (with ...); (特に砂利とアスファルトで) macádamìze (他) ★ 日本語の「舗装」に当たる正式な語はこれであるが, pave のほうが一般的. — 【名】 pavement Ⓤ.　¶ その道路は最近*舗装された The road *has* recently *been paved*. // 古い石だたみの道はいまアスファルト*舗装に変わりつつある Old roads paved with stone *are* now *being repaved with* asphalt.　舗装工事 paving (work) Ⓤ　舗装道路 paved road Ⓒ.

ほそうぐ　補装具　supportive device Ⓒ, supporter Ⓒ.

ほそうで　細腕　【日英比較】 腕をこのような比喩に使う表現が英語にはないので, 内容をふまえて, 適当に意訳しなくてはならない.　¶ 母は女の*細腕一つで 3 人の子供を育てた (⇒ まったく独力で) My mother has brought up three children *all by herself*.

ほぞおち　臍落ち　(果実) overripe fruit which has fallen from the tree Ⓒ ★ 説明的な訳.　¶ *ほぞ落ちする (⇒ 機が熟する) まで待っていられない I cannot wait until *the time is ripe*.

ほそおび　細帯　narrow sash Ⓒ; (帯の下にしめるもの) undersash Ⓒ.

ほそおもて　細面　¶ 彼女は*細おもてだ (⇒ ほっそりした顔を持っている) She has ˹a *lean* [a *bony*; an *oval*; a *narrow*] *face*.　【語法】 lean はやせて細いこと, bony は骨ばっていること, oval は卵型で, いわゆる「うりざね顔」, narrow は単に幅の狭いことをいう. いずれも日本語の「細おもて」と違ってあまり感じのよい形容ではない.

ほそがき　細書き　— 【形】 (ペンなどが細書きの) fine-pointed.

ほそかわガラシャ　細川ガラシャ　— 【名】 (固) Hosokawa Gracia, 1563–1600; (説明的には) a 16th century Japanese Christian woman, the wife of Hosokawa Tadaoki and a daughter of Akechi Mitsuhide.

ほそかわゆうさい　細川幽斎　— 【名】 (固) Hosokawa Yusai, 1534–1610; (説明的には) a warrior and *tanka* poet in the Azuchi Momoyama period.

ほそく[1]　補足　— 【動】 (補う) supplement /sʌ́pləmènt/ (他).　— 【形】 sùppleméntary.　— 【名】 súpplement /sʌ́pləmənt/ Ⓒ. (☞ つけくわえる; おぎなう).　¶ 田中さんの説明に一言*補足させていただきます I'd like to *supplement* Mr. Tanaka's explanation with a few more words.

補足遺伝子 complementary gene Ⓒ　補足資料 supplement Ⓒ, supplementary material Ⓤ　補足説明 supplementary explanation Ⓒ.

ほそく[2]　歩測　— 【動】 pace ˹off [out] (他).

¶ 学校までバス停から約 200 メートルです. *歩測してみました Our school is about 200 meters from the bus stop. I'*ve paced* it *out*.

ほそく[3]　捕捉　— 【動】 (捕える) catch (他), capture (他); (把握する) grasp (他). (☞ とらえる).　¶ 野生動物の実態を*捕捉することは難しい It is difficult to ˹*capture* [*grasp*] the actual condition of wild animals. // この文章の意味は*捕捉しがたい (⇒ 理解し難い) The meaning of this passage is ˹*intangible* [*elusive*].

ほそく[4]　補則　supplementary rule Ⓒ.

ほそごし　細腰　slender [slim] waist Ⓒ (☞ こし[1]).

ほそざお　細棹　samisen with a slender neck Ⓒ (☞ しゃみせん).

ほそじ　細字　fine [thin] writing Ⓤ (☞ ふとじ; ほそがき).　¶ *細字用のボールペン a ballpoint pen for *fine writing* ★「太字用」「中字用」はそれぞれ thick, medium を用いる.

ほそづくり　細作り　¶ *細作りのイカの刺身 *thin* slices of raw squid // あの*細作りの女性は誰ですか Who is that *slim* lady? / Who is that lady with a ˹*slim* [*slender*] *figure*? (☞ ほそい)

ぼそっと　— 【副】 (ぼんやりと) absently; (放心状態で) absentmindedly.　— 【動】 (聞こえないほど不明瞭に言う) mumble (自) (他); (低い声で言う) murmur (自) (他). (☞ 擬声・擬態語 (囲み)).　¶ 彼は何か*ぼそっとつぶやいたがよく聞き取れなかった He *mumbled* something that I could hardly catch. // 彼はすみっこに*ぼそっと立っていた He stood ˹*absently* [*absentmindedly*] in the corner.

ほそながい　細長い　long and narrow (☞ ほそい (類義語); ながい[1]; ひょろながい).

ほそびき　細引き　cord Ⓒ; (細いロープ) thin [light] rope Ⓒ.

ほそぼそ　細細　— 【副】 (やっと) barely (☞ やっと; つましい).　¶ その伝統はこの地方で*細々と守られています The tradition is only *barely* followed in this area. // その老夫婦は年金で*細々と暮らしている (⇒ 質素な暮らしをしている) The old couple live a *frugal* life on a pension. (☞ しっそ)

ぼそぼそ　— 【動】 (ぼそぼそしゃべる) mumble (自) (☞ ぼそっと; 擬声・擬態語 (囲み)).　¶ *ぼそぼそしたパン (⇒ 水気のないパン) *dry* (crumbly) bread

ほそまき　細巻き　— 【形】 thinly rolled.　— 【名】 thin roll Ⓒ.

ほそみ　細身　¶ *細身の刀 a *narrow*(*-bladed*) sword (☞ ほそい)

ほそみち　細道　(公園・野山などの) path Ⓒ; (生け垣・家などの間の) lane Ⓒ; (山や森の) trail Ⓒ. (☞ みち[1] (類義語)).

ほそめ　細目　¶ 彼は*細目の (⇒ きつ目の) ズボンをはいている He wears *rather tight* pants. // 窓を*細目に (⇒ 少し) 開けて下さい Would you please open the window ˹*a little* [*slightly*]? (☞ ほそい)

ほそめる　細める　(目を) squint (自).　¶ 彼は強い光に目を*細めた He *squinted* in the strong light.

ほそる　細る　(やせる) become thinner; (次第に減少する) dwindle (自); (食が) lose *one's* appetite. (☞ へる[1]; ほそい; やせる).　¶ 私は毎年夏になると食が*細る I *lose my appetite* every summer. // 恥ずかしくて身の*細る思いがした (⇒ 小さく感じた) I was so embarrassed that I felt *very small*.

ほぞん　保存　— 【動】 (とって置く) keep (他) ★ 意味の広い一般的な語; (腐敗などから守る) preserve (他) ★ やや格式ばった語.　— 【名】 preservation Ⓤ. (☞

とっておく》. ¶この町には多くの遺跡が*保存されている A lot of ruins *are* (*well-*)*preserved* around the town. // 魚は塩をしておけば*保存がきく Fish can *be preserved* by salting (it).

保存環境 condition [environment] of preservation Ⓒ 保存期間 retention [preservation] period Ⓒ. ¶このケーキの*保存期間はどのくらいですか What's the *storage period* for this cake? 保存血液 stored blood Ⓤ 保存食 (びん詰めなどの) preserved food Ⓤ; (保存のきく食料品) nonperishables ★ 複数形で. 保存登記 registration for ˹ownership [title] Ⓒ (☞ とうき⁴).

ほた 榾 (切れ端) (wood) chip Ⓒ; (まき・たきぎ) firewood Ⓤ.

ぼた slag Ⓤ (☞ ぼたやま).

ポタージュ thick soup Ⓤ, cream soup Ⓤ, potage /pɔːtáːʒ/ Ⓤ ★ 最後のものはフランス語から. 英語では前 2 者が普通.

ほたい 補体 〘生化〙complement Ⓒ.

ぼたい¹ 母体 (母親の体) mother's body Ⓒ; (基礎・根拠) base Ⓒ; (何かを生み出すもとになるもの) matrix Ⓒ. (☞ どだい¹). ¶この協定は日米安保条約を*母体としている This agreement *is based on* the U.S.-Japan Security Treaty. 母体保護法 the Maternity Protection Law.

ぼたい² 母胎 (母の胎内) the mother's womb.

ぼだい 菩提 菩提を弔う (死者のために祈る) pray for the dead (☞ とむらう).

菩提寺[所] *one's* family temple Ⓒ; (説明的には) temple where *one's* ancestors or members of *one's* family are buried Ⓒ.

ぼだいじゅ 菩提樹 〘植〙(シナノキ属の木) linden (tree) Ⓒ; (インド菩提樹) pipal (tree) Ⓒ ★ 釈迦がこの木の下で悟りをひらいたといわれる.

ほたぎ 榾木 mushroom-growing log Ⓒ.

ほたけ 穂丈 the length of an ear.

ほだされる (心を動かされて…する) be moved (to *do* …); (気持ちを動かされる) be touched by …

¶私たちはその気の毒な少年を助けようとする彼女の熱意に*ほだされた We *were moved by* her eagerness to help the poor boy.

ポタシウム ☞ カリウム

ほたてがい 帆立貝 〘貝〙scallop Ⓒ.

ぽたぽた ── 動 (やや多めにしずくとなって垂れる・細い一筋の流れとなって落ちる) trickle (down) 自; (しずくとなって落ちる) fall in drops ★ やや説明的な訳. (☞ ぽたぽた; 擬声・擬態語 (囲み)). ¶彼の傷口から血が*ぽたぽたと流れた Blood *trickled down* from his cut.

ぽたぽた ── 動 (しずくとなって落ちる) drip 自 ★ 最も一般的な語; fall in drops ★ やや説明的な訳. (☞ たらたら; たらす 語法 (1); したたる (類義語); 擬声・擬態語 (囲み)).

¶顔から汗が*ぽたぽた落ちた My forehead *was dripping with* ˹perspiration [sweat]. // 天井から水が*ぽたぽたと垂れている Water *is dripping* from the ceiling. / The ceiling *is dripping*. // 一晩中水道の蛇口から水が*ぽたぽた落ちる音が聞こえた I heard the *drip* of a leaky faucet all night.

ぼたもち ぼた餅 (説明的に) Japanese rice cake covered with bean paste Ⓒ. 棚からぼたもち (まれにあるような幸運) rare luck Ⓒ; (意外な授かりもの・思いがけない遺産など) windfall Ⓒ ★ 風で落ちた果物などを意味する語; (天からの授かりもの) godsend Ⓒ. (☞ たなぼた).

ぼたやま ぼた山 (炭坑の) slagheap Ⓒ.

ぼたゆき ぼた雪 wet snow Ⓤ (☞ ゆき¹).

ぽたり ── 名 (水滴などの落ちる音) drip Ⓤ; (固体が落ちる音) a plop ★ a を付けて. ── 動 (ぽたりと落ちる) drip 自, drop 自. (☞ ぽたぽた; 擬声・擬態語 (囲み)).

ぽたりと ¶泥が*ぽたりと床に落ちた A piece of mud dropped on the floor. ★ 特に訳出する必要はない. (☞ 擬声・擬態語 (囲み))

ほたる 蛍 firefly Ⓒ, lightning bug Ⓒ. ¶*蛍が光っている *Fireflies* are glimmering. 蛍籠 basket [cage] for keeping fireflies Ⓒ 蛍狩り firefly-catching Ⓤ 日英比較 英米にはこの習慣はない. ¶*蛍狩りに行く go *firefly-catching* 蛍の光 (曲名) Auld Lang Syne /ɔ́ːld læŋzáɪn/ 蛍火 the glow of a firefly.

ほたるいか 蛍烏賊 〘動〙firefly squid Ⓒ.

ほたるいし 蛍石 〘鉱物〙fluorite Ⓤ.

ほたるがい 蛍貝 〘動〙olivella Ⓒ.

ほたるぐさ 蛍草 ☞ つゆくさ

ほたるぶくろ 蛍袋 ☞ つりがねそう

ぼたん 牡丹 〘植〙(tree) peony /píːəni/ Ⓒ. ぼたん色 ── 名 (紫がかった赤) purplish red Ⓤ; (赤ワイン色) claret /klǽrət/ (color) Ⓤ. ── 形 purplish red; claret(-colored) ぼたん雪 (大きな雪片) large snowflake Ⓒ.

ボタン ── 名 button Ⓒ; (カラー・カフスの留めボタン) stud Ⓒ. ── 動 (ボタンをかける) button (up) 他 (↔ unbutton), do up 他. (☞ おしボタン).

¶上着の*ボタンがとれた A *button* has come off my coat. / (⇒ とれてなくなった) I lost a *button* off my coat. // この*ボタンはとれかかっている This *button* is loose. // 上着の*ボタンがはずれていますよ Your coat *is unbuttoned*. // 上着の*ボタンがとれてますよ A *button* is missing ˹on [from] your coat. // オーバーの*ボタンをかけなさい *Button* your overcoat (*up*). // シャツの一番上の*ボタンをかけた I did up the top *button* of my shirt. // カフス*ボタン cuff links ★ 複数形で.「カフスボタン」は和製英語. // 姉がとれた*ボタンをつけてくれた My sister sewed on the *button* that had come off. // このドレスは背中で*ボタンをかけるようになっている This dress *buttons* at the back. ★ この button は 自. // 押し*ボタン式電話 a push-*button* telephone // *ボタン戦争 a push-*button* war

ボタンを掛け違える ☞ かけちがう; かけちがい

ボタン孔 ☞ ボタンホール ボタンダウン ¶*ボタンダウンのシャツ a *button-down* (shirt) ボタン電池 button-shaped minibattery Ⓒ ボタンホール buttonhole Ⓒ.

> **コロケーション**
> ボタンを留める do up *one's buttons* / ボタンをはずす undo *one's buttons* / ボタンをむしり取る rip [tear] off a *button*

ぼたんざくら 牡丹桜 ☞ やえざくら

ぼたんづる 牡丹蔓 〘植〙clematis Ⓒ.

ぼたんぼうふう 牡丹防風 〘植〙*botanbofu* Ⓤ; (説明的には) perennial plant of the family Umbelliferae Ⓒ.

ぼち 墓地 graveyard Ⓒ ★ 最も一般的な語; (共同墓地) cémetèry Ⓒ 日英比較 英語にはこのほかに, 教会付属の墓地をいう churchyard Ⓒ があるが, 日本の仏教・神道の墓地には当てはまらない. 仏教の寺院の墓地は単に graveyard とするか, 必要があれば graveyard attached to a Buddhist temple のように説明的に言えばよい. また「…霊園」などと呼ばれる公共墓地は cemetery と訳す. (☞ はか¹).

¶彼女は村の*墓地に葬られた She was buried in the village *cemetery*.

ぽち (点) dot Ⓒ (☞ ぽちぽち).

ホチキス ── 名 stapler Ⓒ. ── 動 (ホチキスでとめる) staple 他. ¶*ホチキスの針 a staple

ぼちぼち, ぽちぽち ¶このスクリーンには*ぽちぽち(⇒点)がある There are *dots* on the screen. // ぼちぼち(⇒そろそろ)出かけましょうか Shall we get going *now*? //「お元気ですか」「*ぼちぼち(⇒まあまあ)です」"How are you doing?" "Just *so-so* [*Not bad*]." 《☞ぼつぼつ¹; ぽつぽつ; 擬声・擬態語(囲み)》.

ぼちゃぼちゃ ―動 (水をはねかす) splash ⑩, splatter ⑩ ★前者が一般的. いずれも ⑪ の用法もある. ―名(音) splash Ⓒ, splatter Ⓒ. 《☞ざぶざぶ; 擬声・擬態語(囲み)》. ¶少年たちはプールで水を*ぼちゃぼちゃはねかせた The boys *splashed* water about in the pool.

ぽちゃぽちゃ ―形 (やや太りぎみで丸っこい) plump, chubby ★後者のほうがよりくだけた感じの語で, 特に子供について用いられる. 《☞擬声・擬態語(囲み)》. ¶その女の子は顔(⇒ほお)も手足も*ぽちゃぽちゃとしている The little girl has ˹*chubby* [*plump*] cheeks and ˹*plump* [*chubby*] arms and legs.

ぼちゃん (音) splash Ⓒ 《☞ざぶん; 擬声・擬態語(囲み)》. ¶男の子は*ぼちゃんとプールに飛び込んだ The boy dived into the pool with a *splash*. / The boy *splashed* into the swimming pool.

ぽちゃんと ―副 plop 《☞ぼちゃん; 擬声・擬態語(囲み)》. ¶蛙が飛び跳ねて*ぽちゃんと音をたてた The frog took a flying leap and *went plop*.

ほちゅう 補注 súpplementary nóte Ⓒ, sùppleméntary annotátion Ⓒ. 《☞ちゅう¹》.

ほちゅうあみ 捕虫網 butterfly net Ⓒ.

ほちょう 歩調 (歩く速さ) pace Ⓒ; (歩き方) step Ⓒ. 《☞あしどり; あしなみ; あゆみ》. ¶彼は*歩調を速めた[ゆるめた] He ˹quickened [slackened] his *pace*. // 少女たちは軽い*歩調で歩いた The girls walked with light *steps*. // 彼はいつでも他の人と*歩調が合わない He is always out of *step* with others. // 私たちはほかの人と*歩調を合わせなければいけない We have to keep *pace* with the others.

ほちょうき 補聴器 hearing aid Ⓒ.

ぼつ¹ 没 ―動(拒否する) reject ⑩ 《☞きょひ; ひけつ²》. ¶彼の提案は委員会で*没になった His suggestion *was rejected* by the committee.

ぼつ² 没, 歿 ¶黒沢 明 1998 年*没 Akira Kurosawa *died* in 1998. / Akira Kurosawa *d.* 1998 ★事典などでの略した書き方. 《☞しぬ》

ぼっか 牧歌 pastoral (song) Ⓒ; (田園詩) idyl(l) /áɪdl/ Ⓒ. 《☞ぼっかてき》.

ぼつが 没我 (自己を没却すること) self-effacement Ⓤ; (没頭) absorption (in ...) Ⓤ.

ほっかい 北海 ―名 固 the North Sea ★英国東方の海. **北海油田** the North Sea oil fields.

ぼっかい 渤海 ―名 固 (the Sea of) Bohai /bòʊhái/ ★中国の黄海の一部.

ほっかいどう 北海道 ―名 固 Hokkaido. **北海道開発庁** the Hokkaido Development Agency ★現在は国土交通省の北海道局 (the Hokkaido Bureau) となった. **北海道庁** the Hokkaido Government Office.

ぼっかく 墨客 (書画をよくする人) artist who does calligraphy and painting Ⓒ, painter-calligrapher Ⓒ. ¶文人*墨客 ☞ぶんじん

ボッカチオ ―名 固 Giovanni Boccaccio /dʒouvá:ni bouká:tʃiòu/, 1313–75. ★イタリアの作家・詩人.

ぼっかてき 牧歌的 ―形(田園的な) pástoral; (静かで穏やかな) peaceful. 《☞のどか》. ¶*牧歌的な田園風景 a *pastoral* scene of country life

ほっかむり 頬っ被り ☞ほおかぶり

ぽっかり ¶その火山の頂上の近くには大きな火口が*ぽっかりあいていた(⇒大きく口をあけていた) A large crater *gaped* near the top of the volcano. // 空に白い雲が*ぽっかり浮かんでいた(⇒空中にふわふわ浮いていた) A white cloud *was floating* in the sky. 《☞擬声・擬態語(囲み)》

ぼっき 勃起 erection Ⓒ. **勃起障害** ☞イーディー

ほっきがい 北奇貝 〖貝〗 súrf clàm Ⓒ.

ほっきにん 発起人 (推進役を務める人) promoter Ⓒ; (提案者) proposer Ⓒ.

ぼっきゃく 没却 ―動(無視する) ignore ⑩, 《格式》 disregard ⑩. 《☞すてる; むし²》. ¶最近の学校教育では学生の個性が*没却されていると言われている It is said that students' individuality *is* ˹*ignored* [*stifled*] in present-day education.

ほっきょく 北極 ―名 the North Pole (↔ the South Pole); (北極地方) the Arctic (↔ the Antarctic) 語法 以上は the を付けて大文字で. ―形 (北極の) arctic (↔ antarctic) ★しばしば Arctic として. **北極海** the Arctic Ocean **北極狐** 〖動〗 Arctic fox Ⓒ; (アオギツネ) blue fox Ⓒ; (シロギツネ) white fox Ⓒ **北極熊** 〖動〗 polar bear Ⓒ **北極圏** the Arctic Circle 《☞ちきゅう¹(挿絵)》 **北極光** the auróra boreális, the northern lights ★後者が一般的. **北極星** the polestar, the North Star. 《☞せいざ¹(表)》 **北極探険** Arctic ˹exploration [expedition] Ⓒ **北極地方** the Arctic (regions) **北極点** the North Pole, the geographical North Pole.

ぽっきり ―副(木の枝などがぽきんと) with a snap. ―動(ぽっきりと折れる) snap ⑪. 《☞擬声・擬態語(囲み)》. ¶つえが*ぽっきり折れた The stick ˹*snapped* [broke *with a snap*]. ★前者が普通.

-ぽっきり ¶私は 1 万円*ぽっきりしか持ち合わせていなかった I had ˹*just* [*no more than*] ten thousand yen with me. // 今なら 1 万円*ぽっきりでこのカメラを買えるよ Now you can buy this camera for *no more nor less than* ten thousand yen.

ほっく 発句 (和歌の第一句) the first line of a *waka* poem; (俳句) haiku (poem) Ⓒ. 《☞わか; はいく》.

ホック ―名 hook Ⓒ. ―動 (ホックを掛ける) hook ⑩. ¶彼女はドレスの*ホックをとめた[はずした] She ˹fastened [unfastened] the *hooks* on her dress.

ボックス (箱) box Ⓒ; (公衆電話などの) 《米》 booth Ⓒ, 《英》 box Ⓒ. 《☞はこ》. **ボックスシート** box seat Ⓒ.

ぽっくり¹ (突然) suddenly 《☞とつぜん; 擬声・擬態語(囲み)》. **ぽっくり病** 〖医〗 sudden unexplained nocturnal death syndrome Ⓤ 《略 SUNDS》.

ぽっくり² 木履 lacquered /lǽkəd/ Jápanèse clógs for gírls ★説明的な訳. 普通は複数形で. 《☞げた》.

ほっけ 鮭 〖魚〗 Átka ˹máckerel [fish] Ⓒ.

ポッケ ☞ポケット

ホッケー hockey Ⓤ.

ほっけきょう 法華経 ☞ほけきょう

ほっけしゅう 法華宗 the Hokke sect 《☞てんだいしゅう; にちれん(日蓮宗)》.

ぼっけん 木剣 wooden sword Ⓒ.

ぼつご 没後 after *one's* death 《☞しご³; ぼつ²》. ¶その作家の作品が注目されたのは*没後 10 年もたってからだ(⇒死後 10 年たつまで決して注目されなかった) The works of the writer never ˹received [attracted] public attention until ten years *after* ˹*his* [*her*] *death*.

ぼっこう 勃興 ―名 rise Ⓒ. ―動 rise 自. 《☞ おこる³; こうりゅう³》.

ぼっこうしょう 没交渉 ―動 (…と関係がない) have nothing to do with …, have no connection with … ★ 前者のほうが口語的. 《☞ むかんけい; こうしょう¹》.

ほっこうなんていがた 北高南低型 〘気象〙 northern high-pressure, southern low-pressure system Ⓒ.

ほっこく 北国 (北の方の国) country to the north Ⓒ; (国の北部地方) the north (of a country). ¶ 僕は*北国育ちだから寒さは平気だ I grew up in *the northern part* of Japan, so the cold weather doesn't bother me at all.

ぼっこん 墨痕 (墨の跡) ink mark Ⓒ; (筆づかい) stroke Ⓒ. ¶ あざやかな*墨痕 beautiful *brush strokes*

ほっさ 発作 ―名 fit Ⓒ, attack Ⓒ 語法 前者のほうが意味が広い. 後者は特に危険な病気についていう; (けいれんの) 〘医〙 spasm Ⓒ; (ひきつけの) 〘医〙 convulsions ★ 通例複数形で. ―形 spasmodic; convulsive; fitful. 《☞ しょうどう¹》.
¶ 彼は心臓の*発作を起こした He had a heart *attack*. // 彼女は絶望のあまり*発作的に自殺を図った She tried to kill herself in a *fit* of despair. // *発作的な症状 a ˹*spasmodic* [*convulsive*] ˹symptom [condition]

> コロケーション
> 命にかかわる発作 a fatal *attack* / 軽い発作 a ˹light [slight] *attack* / 周期的な発作 a recurrent *attack* / 突然の発作 a sudden *attack* / 激しい発作 an acute *attack*

ぼっしゅう 没収 ―動 cónfiscàte 他; forfeit /fɔ́ɚfɪt/ 他 ★ 後者のほうがより格式ばった語. 語法 (1) 前者は政府・警察などの権力者が没収すること, 後者は損害などの償いのために金・物などを「没収される」ことを意味する. 従って, 前者では没収する者が主語となり, 後者では没収される当人が主語となる. しかし, 受身の場合はいずれの場合も没収される物が主語となる. 日本語の「没収」は多くの場合, 前者で訳される; (押収する) seize 他. ―名 confiscation Ⓤ; (財産などの) forfeiture /fɔ́ɚfətʃʊ̀ɚ/ Ⓤ 語法 (2) いずれにも日本語の「没収」が当てはまるが, 後者には受動的ニュアンスがある; seizure Ⓤ. ★ 個々の事例の場合はいずれも Ⓒ. 《☞ とりあげる》.
¶ 税関は観光客の持っていたポルノフィルムを*没収した Customs *confiscated* the ˹pornographic [《略式》 porn] films the tourist was carrying. // 彼は3か月家賃を払わなかったので, 敷金を*没収された He did not pay his rent for three months, so he *forfeited* his damage deposit. / His damage deposit *was forfeited* because he did not pay his rent for three months. ★ 前者のほうが普通. // 彼の私有財産は国庫に*没収された His private property *was confiscated* by the Ministry of Finance. ★ この場合は forfeit は使わない.
没収試合 forfeited /fɔ́ɚfɪtɪd/ gáme Ⓒ.

ぼつしゅみ 没趣味 ―名 tastelessness Ⓤ, lack of taste Ⓤ. ―形 tasteless, prosaic.

ぼっしょ 没書 ―動 (拒否する) reject 他 《☞ ぼつ¹》. ¶ その原稿は*没書になった The manuscript /mǽnjʊskrɪ̀pt/ *was rejected*.

ほっしん¹ 発心 ―動 (信仰心を起こす) be religiously awakened; (思い立って…をする) make a resolution (to *do* …). ¶ 彼女は 50 歳のとき一大*発心をして医学を学び始めた She *made a* bold *resolution* at the age of fifty and began medical studies.

ほっしん² 発疹 ☞ はっしん²

ほっす 払子 *hossu* Ⓒ; (説明的には) article resembling a duster which is used in Buddhist services Ⓒ.

ほっする 欲する want 他 《☞ ほしい》.

ぼっする 没する (太陽などが) gò dówn 自 ★ 口語的; set 自 ★ やや文語的なので, 日本語の「没する」のニュアンスに近い; (水没する) submerge 自, sink 自 ★ 後者のほうが口語的; (死ぬ) die 自. 《☞ しぬ》.

ぼつぜん 没前 (生前に) before *one's* death, while (*one* is) alive. 《☞ せいぜん²》.

ほっそく 発足 ―動 (始まる・始める) start 自 他; (事業・会社などを起こす) launch 他; (新事業などに乗り出す) embark ˹on [upon] … ―名 start Ⓒ. ¶ 政府は新 5 か年計画を近く*発足させる The government will ˹*start* [*launch*; *embark upon*] a new five-year plan soon.

ほっそり ―形 slender, slim 語法 いずれも細くすらっとしたことをいうが, 前者は特に女性・子供に用いる. 後者はしなやかさを強調する語; (やせた) thin. 《☞ すらり; やせる; ほそい (類義語)》. ¶ 彼女の足は*ほっそりしている She has ˹*slender* [*slim*] legs.

ポッター ―名 固 Beatrix Potter, 1866–1943. ★ 英国の絵本作家. 「ピーター・ラビット」の作者.

-ぼったい ☞ はれぼったい; あつぼったい

ほったてごや 掘っ建て小屋 (粗末な小屋) hut Ⓒ; (あばら屋) shack Ⓒ; (家畜・物置用の小屋) shed Ⓒ. 《☞ こや》.

ポツダム ―名 固 Potsdam /pάtsdæm, pɔ́ts-/ ★ ドイツ北東部の都市. **ポツダム会談** the Potsdam Conference **ポツダム協定[合意]** the Potsdam Agreement **ポツダム宣言** the Potsdam Declaration.

ほったらかす (無視する・おろそかにする) neglect 他; (仕事などしないままにする) leave … undone; (かまわない・放任する) leave [let] … alone. 《☞ ほうち¹; ほうっておく; そっちのけ》. ¶ その子は*ほったらかしにされた The child *was neglected*. / (⇒ しっかり世話をされなかった) The child *wasn't* ˹*cared for* [*looked after*] properly.

ほったん 発端 (始まり) beginning Ⓒ; (起源) órigin Ⓒ. 《☞ はじまり; おこり¹》.

-ぽっち ¶ 500 円*ぽっちしか持っていない I have *no more than* five hundred yen. // これっ*ぽっちの金では何も買えない You can't buy anything for *this* ˹*much* [*little*]. / Such a ˹*small* [*paltry*; *trifling*] sum won't buy anything. // 彼にはこれっ*ぽっちの誠意もない He doesn't have *the slightest* sense of honesty. 《☞ -ぽっきり》

ホッチキス ☞ ホチキス

ぽっちゃり ―形 plump, chubby. 《☞ ぽちゃぽちゃ》. ¶ *ぽっちゃりしたお腹 *plump* ˹belly [stomach] // *ぽっちゃりした顔 *chubby* face

ぼっちゃん 坊ちゃん (話し相手[第三者]の息子) your [his; her; their] son Ⓒ 日英比較 日本語では「坊ちゃん, おいくつ」などと呼びかけにも使うが, 英語ではそのような場合, 名前がわかっていれば名前を直接呼び, もしわからなければ Young man!, Boy! などと呼びかける. しかしこれは日本語の「坊ちゃん」とは違い, 敬語的なニュアンスはない. 《☞ ぼうや》. ¶ お宅の*坊ちゃんはお元気ですか How is *your son*? // 彼は*坊ちゃん育ちだ (⇒ 良家の出だ) He comes *from a very good family*. / (⇒ 甘やかされて育った) He *is spoiled*. / He had a *pampered upbringing*.
坊ちゃん刈り boy's hairstyle with both sides and the back of the hair cut short Ⓒ.

ほっつきあるく ほっつき歩く (歩き回る) walk ˹around [about] 自 語法 (1) 最も一般的だが,

ほ

中立的にただ歩き回る動作のみをいう. この語が「ほっつき歩く」に当たるのは前後関係による; (目的もなくただ歩き回る) roam (around) ㊐ [語法] (2) 何かほかのことに心を奪われて歩き回るときなどに用いる. ㊕の用法もある; (快楽や刺激を求めてほっつき歩く)《略式》gád abóut ㊐; (目的も経路も決めずに歩き回る) wander ˹around [about] ㊐ [語法] (3) この語は楽しみのために散歩して歩くというようなよい意味にも, また放浪して歩くという好ましくない意味にも使う; (途中で道草を食ったり, ある場所の付近をうろついたりする) loiter (˹around [about]) ㊐. [語法] (4) 以上の around, about は副詞だが, 前置詞として名詞が続くこともある. 《☞ うろつく》.

¶ 何人かのやくざがいざこざを求めて夜の通りを*ほっつき歩いた Several gang members *roamed* the streets at night looking for trouble. // いままでどこを*ほっつき歩いていたんだ Where *have* you *been walking around*? // 帰宅途中であちこち*ほっつき歩いてはいけません Don't ˹*loiter* [*dawdle*] on your way home.

ほっつきまわる ほっつき回る (あてもなく歩き回る) wander about ㊐; (うろつく) loiter ㊐. 《☞ ほっつきあるく》.

ぽっつり ☞ ぽつり

ボッティチェリ ―名 ㊒ Sandro Botticelli /sǽndrou bɑ̀titʃéli/, 1444?–1510. ★ イタリアの画家.

ぽってり ―形 (太った) fat; (ぽちゃっとした) plump. 《☞ ぽちゃぽちゃ; 擬声・擬態語 (囲み)》.

ホッテントット Hottentot /hɑ́tntɑ̀t/ Ⓒ ★ アフリカ南部の部族. ホッテントット語 Hottentot Ⓤ.

ほっと ―動 (安心する) be [feel] relieved; (安心して一息つく) give a sigh of relief; (くつろぐ) be [feel] relaxed. 《☞ あんしん; 擬声・擬態語 (囲み)》. ¶ 彼女は息子が無事と聞いて*ほっとした She *was relieved* to hear that her son was safe. // 彼女は*ほっと安堵のため息をもらした She ˹*gave* [*breathed*] *a sigh of relief*. // 車が無傷だったので*ほっとした *To my relief*, my car suffered no damage.

ホット ―形 hot. ¶ *ホットな話題 a *hot* topic

ぼっと ¶ 古新聞の山が*ぼっと (⇒ 突然) 燃え上がった A stack of old newspapers *suddenly* ˹flared up [burst] (into flames). // ガスコンロをひねると火が*ぼっとついた A flame came to life *with a whoosh* when I turned on the gas stove. 《☞ 擬声・擬態語 (囲み)》

ぽっと ¶ 私たちが作文をほめると, 彼女は*ぽっと顔を赤らめた She ˹*blushed* [*colored*] a little when we praised her composition. 《☞ ほてる; 擬声・擬態語 (囲み)》

ポット (紅茶用の) teapot Ⓒ; (コーヒー用) coffeepot Ⓒ; (魔法瓶) thermos /θə́ːməs/ (bòttle) Ⓒ, vacuum /vǽkjuəm/ bòttle Ⓒ, 《英》(thérmos [vácuum]) flàsk Ⓒ [日英比較] 英語の pot には日本語の「ポット」のように「魔法瓶」の意味はない.

ぼっとう 没頭 ―動 (…に夢中になる) be ˹absorbed [immersed; engrossed] in …; (…に専心する) devote *oneself* to …, be devoted to …; (…に精神を集中する) cóncentràte on … 《☞ せんしん[1]; せんねん[1]; ねっちゅう》. ¶ 彼は読書に*没頭した He *was* ˹*absorbed* [*immersed*; *engrossed*] *in* his book.

ホットウイスキー whisky ˹diluted with [and] hot water Ⓤ.

ほっとうにん 発頭人 (首謀者) ringleader Ⓒ; (計画などの発案者) author Ⓒ. 《☞ しゅぼうしゃ; ちょうほんにん》.

ホットカーペット electric carpet Ⓒ.

ホットカーラー hot curler Ⓒ.

ほっとく ☞ ほうっておく

ホットケーキ pancake Ⓒ, hot cake Ⓒ. 《☞ ケーキ》.

ホットコーナー 〘野〙(三塁手の守備位置) hót córner Ⓒ.

ホット(コーヒー) coffee Ⓤ ★ 注文する時は Ⓒ. [日英比較] 英米ではコーヒーは熱いのが普通なので, hot は付けない. ¶ *ホット(コーヒー)を 2 つお願いします Two *coffees*, please.

ぽっとで ぽっと出 ¶ *ぽっと出の (⇒ 田舎から出たての) 青年にとって都会暮らしはまさにカルチャーショックだ It is true culture shock for a young person *fresh from the country* to live in a big city.

ホットドッグ hot dog Ⓒ.

ホットニュース hot news Ⓤ 《☞ ニュース》.

ホットプレート (調理器具) hót plàte Ⓒ.

ホットマネー (短期資金) hot money Ⓤ.

ポットマム (鉢植えの菊) potted (chrysanthemum) Ⓒ.

ホットライン (緊急非常通信電話) hot line Ⓒ.

ポットロースト (蒸し焼き肉) pot roast Ⓒ.

ホットロッド (改造中古車)《俗》《主に米》hót ròd Ⓒ.

ほづな 帆綱 halyard Ⓒ; (船のロープ類) cordage Ⓤ.

ぼつにゅう 没入 ―動 (熱中する) be ˹absorbed [immersed; engrossed] in …; (没頭する) be lost in … 《☞ ぼっとう; ねっちゅう》. ¶ 研究に*没入する *be absorbed in one's* research

ぼつねん 没年 the year of *a person's* death.

ぽつねんと (まったく一人で) all alone 《☞ 擬声・擬態語 (囲み)》. ¶ 彼女は一人*ぽつねんとベンチに座っていた I found her sitting *all alone* on the bench.

ぼっぱつ 勃発 ―動 (一般に始まる) begin ㊐; (暴動などが) brèak óut ㊐. 《☞ おこる[2]》. ¶ 第一次世界大戦は 1914 年に*勃発した World War I *began* in 1914.

ほっぴょうよう 北氷洋 ―名 ㊒ the Arctic Ocean.

ホップ[1] (ビールなどの苦味の) hops ★ 複数形で; 〘植〙hop Ⓒ.

ホップ[2] 〘スポ〙 ―動 hop ㊐. ―名 hop Ⓒ. ホップステップジャンプ the hóp, ˹stép [skíp], and júmp 《☞ さんだんとび》.

ポップアート pop art Ⓤ.

ポップアップ ―形 pop-up Ⓐ. ¶〘コンピューター〙*ポップアップメニュー a *pop-up* menu

ポップコーン popcorn Ⓤ.

ポップシンガー pop singer Ⓒ.

ホッブス ―名 ㊒ Thomas Hobbes /hɑ́bz/, 1588–1679. ★ 英国の政治哲学者.

ポップス (ポピュラー音楽) pop (music) Ⓤ; (曲) pop song Ⓒ.

ポップフライ 〘野〙pop fly Ⓒ.

ほっぺた 頬っぺた cheek Ⓒ 《☞ ほお》. 頬っぺたが落ちる ¶ 母親の手作りパイは*頬っぺたが落ちそうだった (⇒ とてもおいしかった) The pies my mother made were ˹*absolutely delicious* [*scrumptious*]. ★ [ ]内は口語的.

ぽっぽ ☞ ふところ

ほっぽう 北方 ―名 the north. ―形 north, northern. ―前 (…の北方に) to the north of …, north of … ★ ほぼ同意だが, 後者がより口語的. 《☞ きた; ほくぶ》.

北方領土 the Russian-held northern territories of Japan ★ 複数形で; (北方四島) four northern Japanese islands held by Russia.

ぼつぼつ¹ — 副 (徐々に) gradually; (少しずつ) little by little, bit by bit ★ いずれも gradually より口語的で, また段階を追って進行する意味が強い; (ゆっくり) slowly; (間もなく) before long, soon ★ 後者がより口語的. (☞ だんだん; 擬声・擬態語 (囲み)). ¶ 商売は*ぼつぼつ上向いてきた Business has been *gradually* improving. // *ぼつぼつ仕事を覚えたらよい You will learn your work *little by little*. // *ぼつぼつ彼がやって来るだろう He will come ⌈*before long* [*soon*]. // *ぼつぼつ仕事にかかろう *Now* let's get down to work. 日英比較 日本語の「ぼつぼつ」はこのような場合は表現を和らげる言葉で,「少しずつ」とか「ゆっくり」という意味ではない. 従ってそのまま英語には訳せないが, この例のように now (さあ) を付けたり, 文の終わりに…, shall we? を付けると似た感じになる. (☞ そろそろ 日英比較; 日本語の消極的表現 (巻末)).

ぼつぼつ² 勃勃 ¶ *勃々たる (⇒ 激しい) 野望[決意] a ⌈*burning* [*driving*; *consuming*] ⌈ambition [determination]

ぽつぽつ — 動 (雨などがぱらぱら降る) (米) drizzle (自), (英) spit (自) ★ 主語は it. — 副 (雨などが小さな粒で) in small drops; (わずかに) lightly. (☞ ぼつりぼつり; 擬声・擬態語 (囲み)). ¶ 雨が*ぽつぽつ降ってきた It has started to rain *lightly*. / It's ⌈*drizzling* [*spitting*]. // 彼のコートには乾いた泥が*ぽつぽつ (⇒ 点々と[汚れて]) 付いていた His coat *was* ⌈*spotted* [*stained*] *with* dried clay.

ぽっぽと — 動 (煙などがぽっぽと出る) púff (óut) (自) (☞ 擬声・擬態語 (囲み)). ¶ 煙突から煙が*ぽっぽと出た Smoke *puffed out* of the chimney.

ほっぽらかす ¶ 彼は宿題を途中で*ほっぽらかして遊びに行った He *left* his homework *half-finished* and went out to play. (☞ ほったらかす)

ほっぽりだす ほっぽり出す ☞ ほうりだす

ほっぽる ☞ ほうる

ぼつらく 没落 — 動 fall (自), suffer a ⌈fall [downfall]. — 名 fall Ⓒ, downfall Ⓒ; (破滅) ruin Ⓤ. (☞ おちぶれる; れいらく). ¶ 戦後, 彼の一家はすっかり*没落した His family *suffered a* great *financial downfall* after the war. // 革命で上流階級が*没落した (⇒ 革命は上流階級の没落を引き起こした) The revolution caused the ⌈*downfall* [*ruin*] of the upper classes.

ぽつり ¶ 雨が*ぽつりと窓ガラスに当たった (⇒ 一粒の雨が落ちた) *A drop of* rain fell on the windowpane. // 彼女は低い声で何か*ぽつりと (⇒ ひとこと) 言った She ⌈said [uttered] *a word* in a low voice. (☞ 擬声・擬態語 (囲み))

ボツリヌス(きん) ボツリヌス(菌) botulinus /bàtʃuláinəs/ Ⓒ. **ボツリヌス食中毒** botulism Ⓤ.

ぽつりぽつり — 副 (雨が水滴になって) in drops; (少しずつ) little by little, bit by bit ★ 後者のほうが口語的. (☞ ぽつぽつ; 擬声・擬態語 (囲み)). ¶ 雨は初めは*ぽつりぽつりと降っていたが, やがてどしゃ降りになった The rain fell *in drops* at first, and gradually started to pour.

ほつれ ¶ 袖口の*ほつれ (⇒ ほつれた袖口) a *frayed* cuff // *ほつれた髪 *stray* [*loose*] hair (☞ ほつれる)

ほつれる (衣服などがすり切れてほころびる) be frayed, fray (自); (髪が) become loose. (☞ ほころびる). ¶ 彼女は*ほつれた髪にくしを入れた She combed her ⌈*stray* [*loose*] hairs into place.

ボツワナ — 名 (固) Botswana /bɑtswáːnə/; (正式名) the Republic of Botswana ★ アフリカ南部の共和国. — 形 Botswan(i)an.
ボツワナ人 Botswan(i)an Ⓒ.

ぽつんと (1人だけで) alone (☞ ぽつねんと; 擬声・擬態語 (囲み)).

ほてい¹ 補訂 ¶ 百科事典を*補訂する *revise and* ⌈*expand* [*enlarge*] an encyclopedia (☞ ぞうほ)

ほてい² 布袋 — 名 (固) *Hotei*; (説明的には) one of *Shichifukujin*, a plump, happy-faced and potbellied Zen priest. (☞ しちふくじん). **布袋腹** — 名 pot(belly) Ⓒ, paunch Ⓒ, potgut Ⓒ. — 形 potbellied, paunchy.

ほていあおい 布袋葵 〔植〕 wáter hyacinth /háiəsinθ/ Ⓒ.

ボディー body Ⓒ (☞ からだ). **ボディーガード** bodyguard Ⓒ 語法 集合名詞としての用法もあり, その場合は動詞は単数・複数いずれでもよい. (☞ ごえい). ¶ その男はいつも*ボディーガードをつけている The man is always accompanied by his *bodyguards*. **ボディーコンシャス** — 形 (身体の線を意識した) body-conscious; (身体の線を見せつけるような) tightfitting. ¶ *ボディーコンシャスな服 *tightfitting* clothes / a *tightfitting* dress. ★ 1980 年代後半に流行したファッション. **ボディースーツ** bodysuit Ⓒ **ボディーソープ** soap Ⓤ (☞ せっけん¹) **ボディーチェック** — 名 security check Ⓒ, body search Ⓒ. — 動 search (他), (略式) frisk (他). ¶ 彼は警官に*ボディーチェックされた He *was* ⌈*searched* [*frisked*] by the police. **ボディービル** bodybuilding Ⓤ **ボディーブロー** body blow Ⓒ **ボディーペインティング** body painting Ⓤ **ボディーランゲージ** bódy lànguage Ⓤ **ボディーローション** body lotion Ⓒ.

ボディコン ☞ ボディー (ボディーコンシャス)

ほていちく 布袋竹 〔植〕 golden bamboo Ⓒ.

ほていらん 布袋蘭 〔植〕 calypso Ⓒ, fairy-slipper Ⓒ.

ほてつ 補綴 — 名 〔医〕 prosthesis /prásθəsis/ Ⓤ. — 動 (直す・繕う) mend (他). (☞ つくろう). ¶ 歯科*補綴術 dental *prosthesis*

ポテト potáto Ⓒ (複 ~es) (☞ いも). **ポテトサラダ** potato salad Ⓤ **ポテトチップ** potato chips, (英) (potato) crisps ★ いずれも複数形で. **ポテトフライ** French fries, (英) chips ★ いずれも複数形で. (☞ 料理の用語 (囲み)).

ぼてぼて **1** 《厚ぼったい》 ¶ *ぼてぼてした服 *heavy* [*bulky*] clothing
2 《当たりそこない》 ¶ *ぼてぼてのゴロ a *poorly hit* grounder (☞ 擬声・擬態語 (囲み))

ほてり 火照り (顔または体の) glow Ⓒ; (顔の紅潮) flush Ⓒ ★ いずれも通例単数形で.

ほてる 火照る (熱く感じる) feel hot; (顔などがほてって赤らむ[赤くする]) flush (自) (他). ¶ 彼女は喜びで顔が*ほてった She *flushed* with joy. // 私は熱で体が*ほてっている I *am burning up* with fever.

ホテル hotél Ⓒ; (比較的小さな) inn Ⓒ; (自動車旅行者の) motél Ⓒ. (☞ りょかん).
¶「あなたはどこの*ホテルに泊まっていますか」「東洋*ホテルです」"What *hotel* are you staying at?" "At ⌈the *Hotel* Toyo [the Oriental *Hotel*]." // 私は旅行業者に*ホテルの予約をとってもらった I made my *hotel* reservations through the travel agent. // 彼は月曜日に*ホテルに入り, 木曜日の朝に引き払った He checked in ⌈at [to] the *hotel* on Monday and ⌈checked out [left] Thursday morning.

コロケーション
一流ホテル a first-class *hotel* / 五つ星ホテル a five-star *hotel* / 快適なホテル a comfortable *hotel* / 高価なホテル an expensive *hotel* / 豪華なホテル a ⌈deluxe [luxury] *hotel* / 高級ホテル a fashionable *hotel* / しゃれたホテル a smart *hotel* / 上品なホテル an elegant *hotel* / みすぼらしいホテル a shabby *hotel* / 安いホテル a cheap *hotel*

ほてん 補塡 (空いている所を埋める) fill ⊕; (損失などを埋め合わせる) màke úp ⊕, make up for ... (☞ ほじゅう; おぎなう). ¶前半期の多大な損失を*補塡しなくてはならない We have to *make up for* a huge loss for the first half of the year.

ポテンシオメーター 〘電〙(電位差計) potentiometer Ⓒ.

ポテンシャル ―图(潜在能力) potential Ⓤ. ―形 potential. **ポテンシャルエネルギー**〘物理〙potential energy Ⓤ.

(-)ほど (…)程 日英比較 この語は日本語では度合い・程度などを表すが, 英語では比較・程度・譲歩など多様な概念に対応するから, 前後関係・文全体の意味などから判断して類似の意味を持つ英語を探す注意がいる. (☞ ほどほど; みのほど; しんぎ[3]).

1 «比較» ¶彼は君*ほど背が高くない He is not ┌*as* [*so*] tall *as* you. 語法 not as ... as のほうが普通. // 山田君*ほど英語のできる人はこのクラスにはいない (⇒ 山田君が一番英語が上手だ) Yamada is *the best* ┌student [speaker] of English in our class. // これ*ほどおもしろい小説はない (⇒ ほかのいかなる小説もこれほどおもしろくない) No other story is *as* interesting *as* this.

2 «程度・度合い» ¶食料なら山*ほどある (⇒ あり余るほどある) We have *plenty of* food. // 私は寿司はそれ*ほど好きではありません I don't like *sushi very much.* // それ*ほど大切な物なら身に付けているべきだったのに If it was *so* important, you should have carried it with you. // これ*ほど言っても (⇒ 何度も説明したのに) まだわからないのですか I have explained it to you over and over again, and don't you understand it yet? // それは私が心配していた*ほどではなかった It didn't turn out *as* badly *as* I (had) feared. (☞ それほど; あれほど)

3 «…すればするほど» ¶この本は読めば読む*ほどおもしろくなる *The more* you read, *the more* interesting the book becomes. // 多ければ多い*ほどよい *The more the better.* // 早ければ早い*ほどよい *The sooner the better.* // 北へ行く*ほど寒くなる It gets *colder and colder* as you go *farther* north. (☞ ますます)

4 «時間・距離・値段などの程度»: (距離が) how far; (長さ・時間が) how long; (数が) how many; (値段・量が) how much; (回数が) how often. (☞ -くらい). ¶このカメラはいか*ほどですか *How much* is this camera?

5 «約・およそ»: (約) about; (…かそこら) ... or so. (☞ -ばかり; -くらい). ¶1時間*ほどしたら帰ります I'll be back in ┌*about* an hour [an hour *or so*]. // この課には大切な点が3つ*ほどあります There are three important points in this lesson. 日英比較 日本語では口語で「ほど」を語調を和らげるために用いることがあるが, そのような場合英訳では無視してよい. (☞ 日本語の消極的表現 (巻末)) // のち*ほどお電話いたします I'll call you back *later.*

程がある ¶冗談にも*程がある (⇒ 君は冗談を押し進めすぎている) You *are carrying* your joke *too far.* / (⇒ それは冗談を越えている) It'*s going beyond* a joke. // 何事にも*程がある (⇒ 限度がある) *There is a limit* to everything. **程がよい** ¶*程がよい湯かげん *moderately* warm water / *moderate* water temperature (☞ ほどよい) **程を心得る** ¶彼は*程を心得ている (⇒ 自分の役目を知っている) He *knows his business.* / (⇒ 限界を知っている) He *knows his limitations.*

ほどあい 程合い ―图 moderation Ⓤ. ―形 moderate. (☞ てきど; せつど).

ほどう[1] 歩道 《米》sidewalk Ⓒ, 《英》pavement Ⓒ. (☞ みち[1] (類義語)). **歩道橋** pedéstrian óverpàss Ⓒ.

ほどう[2] 補導 ―動(注意して戒める) admónish ⊕. ¶その少年は成人映画を見ようとしているところを警察に*補導された The boy *was caught* by the police *and admonished* for going to see an X-rated movie. **補導係** youth counselor Ⓒ.

ほどう[3] 舗道 ☞ ほそう (舗装道路)

ほとぎへん 缶偏 (漢字の) can radical on the left of kanji Ⓒ.

ほどく 解く (結んだり縛ったりしてあるものを) ùndó ⊕, ùntíe ⊕ ★前者のほうが意味の広い語; (ゆるめる) ùnfásten ⊕, loosen ⊕; (包みをほどく) ùnpáck ⊕; (靴などのひもをほどく) ùnláce ⊕ ★「靴」が目的語; (糸のもつれなどを解く) unravel ⊕. (☞ とく[1]; とける[2]). ¶彼はロープの結び目を*ほどいた He ┌*undid* [*untied*; *unfastened*] a knot in the rope. // 靴のひもを*ほどく *unlace* [*undo*] *one's* shoes // 包みを*ほどく *undo* a package // このセーターを*ほどいてマフラーを作るつもりです I'm going to ┌*unknit* [*unravel*] this sweater and make a ┌《米》muffler [scarf].

ほとけ 仏 (仏陀) (the) Buddha /búːdə/; (故人) 《格式》the deceased ★単数または複数扱い; (死人) dead ┌person [man; woman] Ⓒ.
¶知らぬが*仏 Ignorance is bliss. (ことわざ: 無知は幸福である) // 地獄で*仏に会ったような気がした (⇒ 絶望的な時に真の友人に会ったように感じた) I felt as if I had found a true friend in my darkest hour. **仏作って魂入れず** (⇒ 畑を耕して種まきを忘れる) Ploughing the field, and forgetting the seed. **仏の顔も三度** (⇒ 忍耐にも限界がある) There are limits to *one's* endurance.
仏心 mercy Ⓤ. ¶*仏心を起こす show *mercy*

ほとけのざ 仏の座 〘植〙henbit Ⓒ.

ほどける 解ける (結んだものが) come loose; (包み・ひもが) come undone. (☞ ほどく).

ほどこし 施し ―图(施しをすること) almsgiving /ɑ́ːmzgìvɪŋ/ Ⓤ; (施し物) alms /ɑ́ːmz/ ★複数扱いで. ―動(施しをする) give ... as charity. ¶*施しを請う *beg for* ...

ほどこす 施す (与える) give ⊕; (行う) do ⊕ 語法「…を施す」はしばしば「…する」に等しく, 改めて英訳する必要のない場合が多い.
¶彼は人に親切を*施すような男ではない He isn't a man who *does* others favors. // そのハンカチはきれいな刺しゅうが*施してあった The handkerchief was prettily embroidered. // 火事は手の*施しようがなかった (⇒ 消す方法がなかった) There was no way to extinguish the fire.

ポトス 〘植〙pothos /póʊθɑs/ Ⓒ (複 ~, ~es).

ほどちかい 程近い near, close. (☞ ちかい).

ほどとおい 程遠い (距離が) far, 《略式》a long way (off); (やや改まって) distant 語法 口語の平叙文では a long way (off) を使うのが普通で, far は主として疑問文または否定文で用いられる; (比喩的な意味で) far from ... (☞ とおい (類義語)).
¶彼の家は駅から*程遠くない所にある His house is not very *far from* the station. // 現状は理想とは*程遠い The present situation is *far from* ideal.

ほととぎす 〘鳥〙little cuckoo /kúːkuː/ Ⓒ.

ほどなく 程無く (じきに) soon, before long. (☞ まもなく; すぐ).

ほとばしる ―動(液体が突然, しかもかなり大量に出る) gush ⓐ; (液体が勢いよく出る) spout ⓐ; (小さな噴出となって) spurt ⓐ. ―图(感情などのほとばしり) a gush ★a を付けて; outpouring Ⓒ ★しばしば複数形で. (☞ ふきだす; ふんしゅつ).

ポトフ 〘料理〙pot-au-feu /pɑ̀toʊfə́ː/ Ⓤ ★フランス語から.

ほどへて 程経て after a little while, some time after, later on. 《☞ ほどなく》.

ほとほと (まったく) quite; (本当に) really; (完全に) absolutely. 《☞ 擬声·擬態語 (囲み)》. ¶彼はお金を全部なくして*ほとほと困っている He is *absolutely* at his wit's end, as he has lost all his money. ★ at *one's* wit's end で「途方に暮れて」の意味.

ほどほど 程程 ¶仕事は*ほどほどにしたほうがよい (⇒ やりすぎないほうがよい) Don't *overdo it*. ★ overdo it は「働き過ぎる·度が過ぎる」の意. / (⇒ 働き過ぎるな) Don't work *too* ⌜*much* [*hard*]. // 冗談も*ほどほどにしろ (⇒ あなたの冗談は行き過ぎだ) You've *carried* [Don't *carry*] your joke *too far*.

ぼとぼと ☞ ぼたぼた

ぽとぽと ── 動 (ぽとぽと落ちる) drip 自 《☞ ぽたぽた; 擬声·擬態語 (囲み)》.

ほとぼり ¶*ほとぼりが冷めるまで (⇒ 世間の騒ぎが立ち消えになるまで) 出社を見合わせなさい Stay away from the office until the *public excitement* dies down. // うわさの*ほとぼりが冷めてから (⇒ うわさがおさまってから) 彼は帰って来た He returned after the *rumor* had blown over.

ポトマックがわ ポトマック川 ── 名 固 the Potomac /pətóʊmək/ ★ 米国北東部の川.

ボトム (底) the bottom; (衣服のすそ) hem C. ボトムアウト ── 動 (景気などが底入れする) bottom out 《☞ そこいれ》. ボトムアップ ── 形 bottom-up. ¶*ボトムアップ経営 *bottom-up* management ボトムライン (決算の) the bottom line; (ヒップの線) the ⌜bottom [hip] line.

ボトムレス ── 形 (底なしの) bottomless.

ほどよい 程よい (ちょうどよい) right; (納得のいく) reasonable; (適度な) moderate. 《☞ よい¹; てきど; てごろ》. ¶*ほどよい時分に彼らはやってきた They came just at the *right* time. // それは*ほどよい値段だ It's a *reasonable* price. // *ほどよい運動は健康によい *Moderate* exercise is good for your health.

ほとり ── 前 (川·湖などの岸辺·沿岸に) on ...; (...のそばに) by ... ★ on のほうが川などに面していることを強調する; (...の近くに) near ... ★ by よりさらに範囲が広がる感じ. 《☞ そば¹ (類義語); ちかく¹》. ¶湖の*ほとりに一軒の小屋があった There was a hut *on* the lake. // 彼は川の*ほとりに住んでいる He lives ⌜*on* [*near*; *by*] the river. / (⇒ 彼の家は川のそばにある) His home is ⌜*by* [*near*] the river.

ぼとりと ¶熟した柿が*ぼとりと落ちた A ripe persimmon dropped *heavily*. 《☞ 擬声·擬態語 (囲み)》

ぽとりと ¶2 塁手はボールを*ぽとりと落とした (⇒ ボールが 2 塁手のグラブから落ちた) The ball *dropped* out of the second baseman's glove. 《☞ ぽろりと; 擬声·擬態語 (囲み)》

ボトル bottle C.

ボトルキープ ¶私はあのバーにウィスキーを*ボトルキープしている I *have my private bottle of whiskey* at that bar. // このバーでは*ボトルキープができる We can *leave our leftover bottled whiskey in the bartender's care* at this bar.

ボトルドウォーター (びん詰めの水) bottled water U.

ボトルネック (障害物·ネック) bottleneck C. ボトルネックインフレーション bottleneck inflation U.

ほとんど 1 《肯定的に, だいたい...だ》 ── 副 almost, nearly; about, around; (実質的には...も同然) practically, just about 語法 (1) almost, practically などは, 後に no, nothing などを伴って否定的にも用いられる. 《☞ 2》. ── 形 (たいていの) most.

【類義語】もう少しである数·量·状態に達しそうなときに用いられるのが **almost**, **nearly** だが, *almost* のほうが *nearly* よりも程度が接近していることを表すことが多い. ある数·量·状態にわずかに達していない場合や, わずかに超えている場合の両方に用いられるのが **about** で, 米口語では同じ意味で **around** がよく用いられる. 実質上は同じであるという意味で用いられるのが **practically**. ほぼ同じ意味で口語でよく用いられるのが **just about**. 《☞ ほぼ¹; だいたい¹》

¶建物は*ほとんどでき上がりました The building is ⌜*almost* [*nearly*; *practically*; *just about*] finished. // 彼女は*ほとんどいつも仕事に遅れる She is ⌜*almost* [*nearly*; *practically*] always late for work. // *ほとんどすべての学生は教室にいました *Almost* [*Nearly*] all (of) the students were in the classroom. / (⇒ 大部分は) *Most* (*of* the) students were in the classroom. 語法 (2) almost は副詞だから *Almost* of the students や *Almost* students と言うことはできない. *Most of* ... の most は 代. // 私のおいは私と*ほとんど同じ体格です My nephew is *about* my size.

2 《否定》 ── 形 代 (ほとんど...ない) little; few. ── 副 (ほとんど...しない) hardly; scarcely; next to ...

【類義語】量を表す言葉に付けて「ほとんど...ない」の意味を表すのが **little**. それに対して, 数えられる名詞に付けて「ほとんど...ない」という意味になるのが **few**. 以上に対し,「少しはある」と肯定的に言う言葉が a little, a few である. *little*, *few* を使うか, a little, a few を使うかの区別は絶対的な数量の大小ではなく, 話し手の気持ちによって用いられる点に注意. 困難であることを強調して, ほとんど無に等しいという否定的意味を表すのが **hardly**. ほぼ同意だが, 満足な成果を収められないというニュアンスが加わるのが **scarcely**. くだけた言い方で, 次に否定の意味をもった言葉が続くのが **next to**.

¶私には楽しむ時間が*ほとんどありません I have very *little* time to enjoy myself. 日英比較 little は 形. 日本語では「ほとんど」が副詞でも, 英語では形容詞用法となることが多い. // 彼らは私の説明が*ほとんどわかりませんでした They understood (very) *little* of my explanation. 語法 (1) little は 代. なお little, few を very, so, too などの修飾語なしで用いるのは格式ばった表現. // 貿易なしでは*ほとんどの国が生き残れない *Few* countries can survive without foreign trade. ★ few は 形. // 1 日でこの仕事を仕上げるのは*ほとんど不可能です It is ⌜*next to* impossible [*almost* impossible] to finish this work ⌜in [within] a day. // 我々には食べるものが*ほとんどありません We have ⌜*scarcely* [*hardly*] anything to eat. 語法 (2) この表現のほうが almost nothing よりも普通. 同様に almost never, almost nobody, almost no food よりも, それぞれ hardly ever, hardly anybody, hardly any food とするほうが普通.

ボナール ── 名 固 Pierre Bonnard /pjéə bɑnáə/, 1867–1947. ★ フランスの画家.

ほなみ 穂波 (麦の波) waves of wheat ★ 必要に応じて, wheat (小麦) を rice (米)などと置き換えて用いる.
¶黄金色の麦の*穂波 the amber *waves of wheat*

ポニー (小型種の馬) pony C 《☞ うま¹》.

ポニーテール pónytàil C. ¶髪を*ポニーテールにする wear *one's* hair in a *ponytail* / have a *ponytail*

ほにゅう 哺乳 ── 動 (赤ん坊に乳を飲ませる) nurse 他; (幼い生き物に母乳を飲ませる) suckle 他 ★ 動物·人間両方に用いる; (哺乳も含めて, 乳幼児に対して食事を与える) feed 他. 《☞ ぼにゅう;

ちち²》. 哺乳期 lactational period Ⓒ 哺乳児 suckling Ⓒ《☞ にゅうじ》 哺乳瓶 baby [nursing; feeding] bottle Ⓒ 哺乳類[動物] mámmal Ⓒ.

ぼにゅう 母乳 mother's milk Ⓤ, breast milk Ⓤ ★ どちらかといえば前者の用法が多い.《☞ ちち²; ほにゅう》. ¶ *母乳にとって代わるものはありません There is no substitute for *mother's milk*. // *母乳で育てた赤ん坊は人工栄養の赤ん坊よりも健康だといわれている It is said that *breast-fed* babies are healthier than bottle-fed babies.
母乳哺育 ── 名 breast-feeding Ⓤ. ── 動 nurse ⑩, breast-feed ⑩ ★ 後者は人工栄養で育てる bottle-feed ⑩ に対する言葉.

ほね 骨 1《生物の骨》 ── 名 bone Ⓒ; (骸骨・骨格) skeleton Ⓒ. ── 形 (骨っぽい・骨の多い) bony. ── 動 (骨を取る) bone ⑩.

> 骨のいろいろ
> 軟骨 cartilage, 足首の骨 anklebone, 背骨 backbone, spine, 鎖骨 collarbone, 座骨 hipbone, あご骨 jawbone, 膝蓋骨, ひざの皿 kneecap, 鼻骨 nasal bone, 骨盤 pelvis, 肋骨 rib, すねの骨 shinbone, 肩甲骨 shoulder blade, 頭蓋骨 skull, 大腿骨 thighbone, femur

¶ 私は右足の*骨を折った I broke my right leg. / I had my right leg broken. ★ 何か外的な原因で足(の骨)が折れたことを強調するとき.《☞ こっせつ》 // 彼女は折れた*骨を接いでもらった She had a broken *bone* set. // 魚の*骨を取りました I took the *bones* out of the fish. / I *boned* the fish. // のどに魚の*骨を引っかけた A *fishbone* stuck in my throat. // その魚は*骨ごと食べられます You can eat the fish, *bones* and all. // この魚は*骨が多い This fish is *bony*. / This is a *bony* fish.
2《気骨》: backbone Ⓤ; (元気・勇気) pluck Ⓤ; (根性) guts ★ 複数形で.《☞ きこつ; どしょうぼね》. ¶ 彼女は*骨のある人だ She is a person with *backbone*. / She has a lot of *pluck*.
3《骨状のもの》: (傘などの) rib Ⓒ, spoke Ⓒ; (障子などの枠) frame Ⓒ. ¶ その傘は*骨が 1 本折れています A ⌈*rib* [*spoke*] of that umbrella is broken.
4《困難》 ¶ これをあしたまでに仕上げるのはちょっと*骨だ It'll be a bit *hard* to finish this by tomorrow.
骨が折れる ¶ 英語を学ぶのは*骨が折れます (⇒ 難しいことだ) Learning English is *hard work*. / It is *hard* (*work*) to learn English. / English is *hard* to learn. ★ 第 1 文が最も普通. 骨が太い (頑丈な) strong; (堅固な) firm; (たくましい) sturdy.《☞ ほねぶと》. 骨皮筋衛門 (非常にやせている人) walking skeleton Ⓒ. 骨と皮 ¶ 彼は*骨と皮ばかりになっている He is ⌈all [nothing but] *skin and bones*. 骨にしみる ☞ ほねみ (骨身にこたえる) 骨に徹する ¶ 彼女の親切が*骨に徹した (⇒ 痛切に感じられた) Her kindness *came home to me*. 骨になる ☞ しぬ 骨の髄まで to the marrow. ¶ 冷たい風で*骨の髄まで冷えた The cold wind ⌈chilled [froze] me *to the marrow*. 骨までしゃぶる ¶ 恐喝にあって*骨までしゃぶられた (⇒ 持っていたものすべてを失った) I *lost everything I had* to a blackmailer. 骨を埋める ¶ 彼らはブラジルに*骨を埋める (⇒ 一生住む) つもりです They intend to *stay* in Brazil *all* (*the rest of*) *their lives*. 骨を惜しむ ¶ 彼は*骨を惜しまず一生懸命働いた He *spared no pains* and worked hard.《☞ ほねおしみ; ろう³》 骨を折る ¶ 新市長は財政再建に非常に*骨を折った (⇒ 非常な苦労[努力]をした) The new mayor *has* ⌈*taken great pains* [*made a great effort*] *to* rebuild the city's finances. // *骨を折らずには何も得られない No *pain*, no gain.《ことわざ: 苦労がなければ利益もない》《☞ ほねおり》 骨を砕く (身を粉にする) keep [put] *one's* nose to the grindstone《☞ ふんこつさいしん; み¹》.
骨を刺す ¶ *骨を刺すような寒さを感じた I felt the *piercing* cold. // 彼の小説は*骨を刺すような (⇒ 痛烈な) 批判を受けた His novel was criticized *severely*. 骨を抜く ☞ ほねぬき 骨を拾う ¶ 死んでもだれも*骨を拾って (⇒ 後始末をつけて) くれないだろう Nobody will *look after* my affairs when I die.
骨を休める ☞ ほねやすめ

ほねおしみ 骨惜しみ ── 動 (労を惜しむ) take the easy way out《☞ おしむ (類義語)》. ¶ 彼はよく*骨惜しみをする He often *takes the easy way out*. // あの先生は患者のためには*骨惜しみしない (⇒ 苦労を節約しない) That doctor *spares no* ⌈*pains* [*efforts*] in helping ⌈her [his] patients.

ほねおり 骨折り pains ★ この意味では常に複数形で. 語法 great, much, a ⌈lot [great deal] of などにより修飾できるが, many は用いない; (努力) effort Ⓒ; (余分な仕事・世話) trouble Ⓤ; (尽力) 《格式》good offices ★ 通例複数形で.《☞ ほね; くろう; どりょく (類義語)》.
¶ 一つお*骨折り願いたいのですが May I *ask you* (*for*) [Will you *do me*] *a favor*? // *骨折りがいがありました (⇒ 私の苦労が報われた) My ⌈*pains* [*efforts*] have been rewarded. / (⇒ それはその苦労に十分値した) It was well worth the *trouble*. // あなたのお*骨折りで私たちは立派な成果を収めることができました Thanks to your *good offices* we have been able to achieve good results.
骨折り損 ¶ それは*骨折り損だ (⇒ それは労力のむだに終わるだろう) It will ⌈end in [be] *a waste of labor*. / (⇒ あなたはあなたの労力に対して何も得ないだろう) You will *get nothing for your pains*. // *骨折り損のくたびれもうけ (⇒ 私は私のすべての努力に対して何も得なかった) I *gained nothing for all my efforts*. / *Great pains but all in vain*.《ことわざ》

ほねぐみ 骨組み 1《骨格》: (人間・動物の骨格・体格) frame Ⓒ; (特に男性の体格・格好) physique /fɪzíːk/ Ⓒ; (人間の体の形・大きさ) build Ⓒ.《☞ からだ (挿絵); たいかく¹》. ¶ 彼はがっしりした*骨組みの男です He is a man with a powerful ⌈*frame* [*build*; *physique*]. / He has a powerful *build*.
2《構造》: (細部を加える前の基本的な仕組み) framework Ⓒ; (あらましの枠組み) skeleton Ⓒ; (特に建物の) shell Ⓒ; (概略) outline Ⓒ.《☞ こうぞう; つくり¹》. ¶ 新しい計画はまだ*骨組みができたばかりだ We have only made the *framework* for the new plan.

ほねしごと 骨仕事 (骨の折れる仕事) hard [heavy; painful] work Ⓤ.

ほねつき 骨付き (骨付きの肉) meat on the bone Ⓤ; (あばらの) rib Ⓒ; (T 字型骨付き牛ステーキ) T-bone (steak) Ⓒ; (豚の骨付き) spareribs ★ 複数形で. ¶ *骨付きカルビ Korean-style sparerib barbecue

ほねつぎ 骨接ぎ (術) bonesetting Ⓤ; (接骨医) bonesetter Ⓒ.

ほねっぷし 骨っ節 (気骨) spirit Ⓤ《☞ きこつ》.
¶ *骨っ節のある若者 a young man with *spirit*

ほねっぽい 骨っぽい (骨の多い) bony; (手ごわい) tough.《☞ ほね》. ¶ *骨っぽい男 a man *with backbone* / a *tough* guy ★ くだけた言い方.

ほねなし 骨無し ── 形 spineless. ¶ あの男は*骨無しだ (⇒ 気骨がない) He ⌈*lacks* [*has no*] *backbone*. / (⇒ 臆病だ) He's a ⌈*coward* [*chicken*].

ほねぬき 骨抜き ── 動 (効果を弱める) wáter dówn ⑩; (…の効力をなくさせる) take the teeth out of … ¶彼の提案は*骨抜きになった His proposal *has been watered down.* / His proposal *has had the teeth taken out of* it. / They *have taken the teeth out of* his proposal. ★ 第 1 文が最も普通.

ほねばった 骨張った (やせて骨の見える) bony; (やせこけた) rawboned.

ほねばなれ 骨離れ boning Ⓤ. ¶この魚は*骨離れがよい This fish *is* easily *boned.*

ほねぶと 骨太 — [形] large-boned; (がっしりした) stout.

ほねへん 骨偏 (漢字の) bone radical on the left of kanji Ⓒ.

ほねぼそ 骨細 — [形] (きゃしゃな) slight.

ほねみ 骨身 **骨身にこたえる** ¶彼の忠告が*骨身にこたえました (⇒ 胸にしみじみとこたえた) His advice *came home to me.* **骨身を惜しまない** ☞ ほねおしみ **骨身を削る** ¶彼女は*骨身を削る思いでその仕事をやり遂げた She hung in through the difficult work, though it was ⌈*agonizing* [*painful*]. ★ hang in は「がんばる」の意. / (⇒ 奴隷のようにあくせく働いてやり終えた) She *slaved through the difficult work* and finished it.

ほねやすめ 骨休め — [動] take [have] a rest (after hard work); (緊張をとってくつろぐ) relax 自. — [名] relaxation /rìːlækséɪʃən/ Ⓤ. (☞ きゅうようⁱ). ¶2, 3 日*骨休めをして下さい Please *take a rest* for a few days. // *骨休めに温泉に行ったらどうですか Why don't you ⌈go to [visit] a spa to *relax*?

ほのあかり 仄明かり weak light Ⓤ, half-light Ⓤ. (☞ ほのか; うすあかり).

ほのお 炎, 焰 (舌の形をした炎) flame Ⓒ ★ 最も一般的な語; (急に勢いよく燃え上がる炎) blaze Ⓒ ★ 通例単数形で; (短時間にぱっと燃える炎) flare Ⓤ; (ちょろちょろと燃える炎) flicker Ⓤ. ¶家はすっかり*炎に包まれていた The whole house was in *flames*.

ほのか 仄か — [形] (かすかな) faint; (薄暗くぼんやりした) dim; (輪郭がはっきりしない) indistinct ★ 前 2 者より格式ばった語. — [副] dimly; faintly; indistinctly. (☞ ぼんやり; かすか). ¶梅の花の*ほのかなかおりがした There was the *faint* ⌈smell [fragrance] of plum blossoms. // 霧の中に*ほのかに明かりが見えた I saw a *dim* light in the mist. // *ほのかにぬくもりがあった It was *faintly* warm.

ほのぐらい 仄暗い — [形] (日没後のような薄暗がりの状態) dusky (↔ bright, clear); (光が弱くて物がぼんやり見える状態) dim; (薄暗く陰気な) gloomy. (☞ うすぐらい; くらいⁱ (類義語)).

ほのじ ほの字 ☞ ほれる

ほのじろい 仄白い (ぼんやり白い) dimly white; (銀白色の) silvery; (くすんだ白色の) off-white. ¶*ほの白い月の光 *dimly white* moonlight

ほのぼのと 日英比較 夜が明ける形容詞としては適当な英訳は困難.「少しずつ」なら little by little, または gradually だが, 日本語独特のニュアンスと少し違う. ただし,「心が暖まるような」では heartwarming でよい. (☞ 擬声・擬態語 (囲み)).
¶夜が*ほのぼのと明けてゆく Day [Dawn] is breaking. // それは*ほのぼのとした情景だった It was a *heartwarming* sight.

ほのめかす 仄めかす (間接的に相手にわかるようにそれとなく言う) hint 他, hint (at …) 自; (はっきり言わないで推測させる) imply 他; (連想によって相手に悟らせる) suggest 他. (☞ とおまわし; におわす; あんじ (類義語)). ¶彼は辞任の意志を*ほのめかした He *hinted at* his intention to resign. / He *hinted* that he intended to resign. // 医者の難しい顔が彼女の重病を*ほのめかしていた The doctor's frown *implied* that her illness was serious /sí(ə)riəs/. // 「彼に帰れと言ったのですか」「いいえ, はっきりとは言っていません. ただ*ほのめかしただけです」"Did you tell him to leave?" "Not exactly, but I ⌈*suggested* [*hinted at; implied*] it."

ほのめく 仄めく (表情などが) appear ⌈faintly [dimly], flit 自; (光が) glimmer 自. ¶安堵の念が彼女の顔に*仄めいた An expression of relief *flitted* across her face.

ホノルル — [名] 固 Honolulu /hànəlúːluː/ ★ 米国 Hawaii 州の州都. (☞ アメリカ (表)).

ホバークラフト hovercraft /hʌ́vəkræft/ Ⓒ (複 ～) ★ もと商標. しばしば Hovercraft として.

ポパイ — [名] 固 Popeye /pápaɪ/ ★ 米国の漫画の主人公.

ほばく 捕縛 — [名] arrest Ⓒ. — [動] arrest 他, make an arrest. (☞ たいほⁱ).

ほばしら 帆柱 mast Ⓒ.

ほはば 歩幅 (歩行中や走行中の歩幅) step Ⓒ; (大またの一歩) stride Ⓒ; (1 歩の距離) pace Ⓒ ★ 普通は約 75 センチ. ¶彼は*歩幅が広い (⇒ 彼は広い歩幅で歩く) He walks with long ⌈*steps* [*strides*].

ボバリーふじん ボバリー夫人 — [名] 固 Madame Bovary ★ フローベールの同名の小説の主人公.

ホバリング 〔空〕(ヘリコプターの空中停止) hovering Ⓤ.

ほはん 母斑 birthmark Ⓒ, 〔医〕 n(a)evus /níːvəs/ Ⓒ (複 n(a)evi /-vaɪ/).

ぼひ 墓碑 gravestone Ⓒ; tombstone /túːmstòʊn/ Ⓒ [語法] gravestone が一般的で, tombstone は大きなものを指すことが多い; (キリスト教徒の十字架) cross Ⓒ. ¶*墓碑を立てる set up [erect] a *tombstone* ★ [ ] 内は格式語.
墓碑銘 épitàph Ⓒ [参考] 英米の墓碑銘は普通 Here lies [To the Memory of] Mary, (the) beloved wife of … のように, 氏名・生年・没年などを文章の形式で入れ, そのほかに短い詩や韻文で故人をたたえたり象徴するような文句が書かれることが多い.

ホビー (趣味) hobby Ⓒ (☞ しゅみ).

ボビー (男性名) Bóbby ★ Robert の愛称. (☞ ボブ²).

ポピー 〔植〕(けし) poppy Ⓒ. **ポピーシード** poppy seed Ⓒ.

ホピご ホピ語 Hopi /hóʊpi/ Ⓤ ★ アリゾナ州のホピ族の言語.

ほひつ 補筆 appended statement (to …) Ⓒ (☞ かひつ).

ポピュラー — [形] (人気のある) popular; (音楽が軽音楽的な) light. **ポピュラー音楽[ミュージック]** popular music Ⓤ, pop music Ⓤ, pop Ⓤ ★ 後のものほど口語的. **ポピュラー歌手** pop singer Ⓒ, popular singer Ⓒ ★ 前者が一般的. 後者は古風な言い方になりつつある. **ポピュラーソング** popular song Ⓒ.

ポピュラリティー (人気) popularity Ⓤ.

ポピュリズム (人民主義) populism Ⓤ.

ポピュレーション (人口) population Ⓤ.

ぼひょう 墓標 grave marker Ⓒ.

ボビン (糸巻き) bobbin Ⓒ.

ほふ 保父 male nurse Ⓒ (☞ ほいくⁱ (保育士)).

ボブ¹ (髪型) bob Ⓒ.

ボブ² (男性名) Bob ★ Robert の愛称. (☞ ボビー).

ほふく 匍匐 — [名] creeping Ⓤ. — [動] creep 自, crawl 自. (☞ はらばい).

ボブスレー (そり) bobsled Ⓒ, bobsleigh Ⓒ; (ボブ

スレー競技) bobsledding Ⓤ.

ほぶどうどう 歩武堂堂 ¶*歩武堂々と行進[前進]する march [advance] in 「*fine* [*impressive*] *array*

ホフマン ―名 固 E. T. A. Hoffmann, 1776-1822. ★ドイツの小説家・画家・音楽家.

ポプラ 〘植〙 póplar Ⓒ. **ポプラ並木**(道) road [avenue] lined with poplar trees Ⓒ; (木) row of poplar trees Ⓒ.

ポプリ (花弁を使った香料) potpourri /pòupurí:/ Ⓤ.

ポプリン (織物の一種) poplin Ⓤ.

ほふる 屠る (屠畜する) butcher 他, slaughter 他; (皆殺しにする) massacre 他; (相手を打ち負かす) beat 他.

ほへい 歩兵 infantryman Ⓒ 《複 -men》; foot soldier Ⓒ ★前者が正式. 後者は通称.

ボヘミア ―名 固 Bohemia /bouhí:miə/ ★チェコ西部の地方. ―形 Bohémian. **ボヘミアガラス** Bohemian glass Ⓤ **ボヘミア人** Bohemian Ⓒ.

ボヘミアン (ボヘミア人) Bohemian Ⓒ; (自由奔放に生きる人) bohemian Ⓒ.

ほほ 頰 cheek Ⓒ 《☞ ほお》.

ほぼ[1] (ほとんど) almost, nearly 語法 (1) 両者ともう少しである状態・数・量などに達することを表すが, almost のほうがより近い状態を表す; (概算で) 《格式》 approximately; (大ざっぱに) roughly; (事実上) practically; (約) about, around 語法 (2) 両者ともある数・量・状態に近いことを表すが, それに達していない場合, またはそれを超えている場合の両方に用いられる; (大部分) for the most part. 《☞ ほとんど (類義語); だいたい[1]; やく[3]; おおよそ》.

¶仕事はきょうのところは*ほぼ終わりました Our work is 「*almost* [*nearly*] done for today. ★実際には完了していないことをいう. // 私の家から学校までは*ほぼ1時間かかる It takes me 「*about* [*around*] one hour (to go) from my home to school. // この町の人口は*ほぼ3万です The population of this town is *approximately* thirty thousand.

ほぼ[2] 保母 (female) nurse Ⓒ; (保育所の) nursery school teacher Ⓒ. 《☞ ほいく[1] (保育士)》

ほほう ―感 Wow /wáu/! 《☞ ほう[4]》.

ほほえましい 微笑ましい (心暖まる) heart-warming; (楽しくなるような) pleasant.

ほほえみ 微笑み smile Ⓒ 《☞ びしょう[1]; にっこり》.

¶彼らはよい知らせに満面に*ほほえみをたたえていた They were all *smiles* at the good news. // *ほほえみを浮かべながら with a *smile*

―コロケーション―

うれしそうなほほえみ a happy *smile* / かすかなほほえみ a faint *smile* / ぎこちないほほえみ a wooden *smile* / 屈託のないほほえみ a carefree *smile* / 天使のようなほほえみ an angelic *smile* / 謎めいたほほえみ an enigmatic *smile* / にこやかなほほえみ a sunny *smile* / はにかんだほほえみ a 「shy [bashful] *smile* / 不自然なほほえみ a forced *smile* / 満面のほほえみ a broad *smile* / モナリザのほほえみ a Mona Lisa *smile* / 優しいほほえみ a 「tender [kindly] *smile* / 誘惑するようなほほえみ a seductive *smile* / わざとらしいほほえみ an artificial *smile*

ほほえむ 微笑む smile 自 《☞ びしょう[1]; にっこり》. ¶母親は子供たちに*ほほえみかけた The mother *smiled* at her children.

―コロケーション―

愛らしくほほえむ *smile* sweetly / かすかにほほえむ *smile* faintly / 幸せそうにほほえむ *smile* happily / 楽しそうにほほえむ *smile* cheerfully / にこやかにほほえむ *smile* brightly

ポマード pomade /pouméɪd/ Ⓤ.

ほまれ 誉れ (名誉) honor Ⓤ 《☞ めいよ》.

ほみず 穂水 agricultural water used when the rice forms into ears Ⓤ ★説明的な訳.

ほむぎ 穂麦 barley [wheat] in ear Ⓤ.

ほむら 焔, 炎 ☞ ほのお

ほめあげる 褒め上げる speak very highly (of …); give the highest praise (to …).

ぼめい 墓銘 ☞ ぼひ (墓碑銘)

ホメイニ ―名 固 (Ayatollah) Ruhollah Mussaui Khomeini /kouméɪni/, 1900?-89. ★イランのイスラム教シーア派の指導者.

ホメオスタシス (恒常性) homeostasis /hòumioustéɪsɪs/ Ⓒ 《複 -ses /-si:z/》.

ホメオパチー 〘医〙 (類似療法) homeopathy /hòumiápəθi/ Ⓤ.

ほめことば 褒め言葉 (賛辞) compliment Ⓒ, 《格式》 eulogy Ⓒ; (称賛) praise Ⓤ. 《☞ さんじ[2]》.

ほめごろし 褒め殺し ―動 praise *a person* with the intention of damaging 「his [her] reputation ★説明的な訳.

ほめそやす 褒めそやす ☞ ほめる; ほめちぎる

ほめたたえる 褒め称える (拍手かっさいする) applaud 他; (敬服する) admire 他; (ほめる) praise 他. 《☞ しょうさん[1]; ほめる》. ¶人々は彼女の偉業を*ほめたたえた People 「*admired* [*praised*; *applauded*] her for her great achievement.

ほめたてる 褒め立てる sing the praise (of …), praise … sky-high. 《☞ ほめる; ほめちぎる》.

ほめちぎる 褒めちぎる ¶人々は彼の勇敢な行為を*ほめちぎった People 「*spoke very highly of* [*lavished praise on*] his act of bravery. ★[ ] 内は格式ばった言い方.

ポメラニアン (犬の種類) Pomeranian /pàməréɪniən/ Ⓒ.

ほめる 褒める, 誉める (人や事を心を込めて高く評価したり称賛したりする) praise 他 (↔ blame); (人のことをよく言う) speak 「well [favorably; highly] of … ★highly を使うとやや格式ばった言い方となる; (お世辞を言う) cómplimènt 他 ★人を目的語とする. 《☞ しょうさん[1]; おせじ》.

¶先生はその少女が成績がよかったので*ほめた The teacher *praised* the girl for her good results. // 彼はめったに人を*ほめない He seldom *speaks* 「*well* [*favorably*] *of* others. // 彼はその家の奥さんの料理を*ほめた (⇒お世辞を言った) He 「*complimented* the hostess [paid the hostess a *compliment*] *on* her cooking. 語法 He *complimented* the hostess's cooking. は間違い.

ホメロス ―名 固 Homer ★紀元前8世紀頃のギリシャの詩人.

ホモ[1] ―名 (同性愛) hòmosèxuálity Ⓤ; (人) gay Ⓒ, hòmoséxual Ⓒ ★前者のほうが一般的. 以上は女性にも用いるが, 特に女性については lésbianìsm Ⓤ, lesbian Ⓒ も用いられる. ―形 gay, hòmoséxual. 《☞ どうせいあい》.

ホモ[2] 〘生〙 homozygote /hòuməzáɪgout/ Ⓒ ★ホモ接合体の略.

ホモエレクトス (直立猿人) Homo erectus /hóumou ɪréktəs/ Ⓒ.

ホモぎゅうにゅう ホモ牛乳 homógenìzed milk Ⓤ.

ホモサピエンス 〘動〙 (人類) Homo sapiens /hóumousǽpiənz/ Ⓤ.

ホモジーニアス ―形 (同質の・均一の) homogeneous /hòumədʒí:niəs/ (↔ heterogeneous).

ホモセクシャル ―名 (同性愛者) hòmoséxual

Ⓒ. ━ 形 (同性愛の) homosexual. (☞ どうせいあい).

ホモニム 〘言〙 hómonỳm Ⓒ (☞ どうおんいぎ(同音異義語)).

ホモルーデンス homo ludens /hóumou lú:dəns/ Ⓤ ★ ラテン語で "playful man" の意. 人間活動の根源を遊戯とみなし文化の根源として人類をこのように命名したもの.

ほや[1] **火屋** (ランプの) chimney Ⓒ; (球形の) globe Ⓒ.

ほや[2] **海鞘** 〘動〙 sea squirt Ⓒ.

ぼや (小さい火事) small fire Ⓒ (☞ かじ[1]). ¶ 彼のところで*ぼやを出した He had a *small fire* break out in his house.

ぼやかす (言葉・意味を) make …「vague [ambiguous]; (どうにでもとれるような言い方をする) equivocate ⓐ ★ 格式ばった語. (☞ ぼかす).

ぼやき complaint Ⓒ, grumble Ⓒ ★ 後者がより口語的.

ぼやく (不平・不満を言う) complain (about …) ⓐ; (ぶつぶつ不平を言う) grumble (at …; about …; over …) ⓐ; (苦情を言う) (俗) beef ⓐ. (☞ ふへい (類義語); もんく; ぶつぶつ[1]).
¶ 彼はいつも給料が少ないと*ぼやいている He *is* always *complaining about* his low「pay [salary]. // 天気のことを*ぼやいても始まらない (⇒ むだである) It's no use *grumbling*「*about* [*at*; *over*] the weather.

ぼやける (薄暗くてはっきり見えなくなる[する]) dim ⓐ ⓣ, become dim; (音・光・記憶などが薄らぐ) fade ⓐ; (写真などの像がぼやける) blur ⓐ, get blurred; (テレビなどの画像がぼける) (略式) become fuzzy; (焦点が合っていない) be out of focus (↔ be in focus). (☞ ぶれ; ぼんやり; ぼうっと).
¶ 涙でまわりのものが*ぼやけた (⇒ 涙が私の目を見えなくさせた) Tears *dimmed* my eyes. / My eyes「*were dim* [*blurred*] with tears. // 記憶は時がたつと*ぼやける Memories「*fade* [*become dim*] with time. // この写真は*ぼやけている This picture *is*「*blurred* [*out of focus*]. // このテレビは画像が*ぼやけている This TV has a *fuzzy* picture. // 眼鏡なしでは何もかも*ぼやけて見える Everything's a *blur* without my glasses. // 問題の論点が*ぼやける The argument for the case *loses its focus*.

ぼやっと (放心して) vacantly; (うわの空で) ábsentmíndedly. (☞ ぼさっと; ぼんやり; 擬声・擬態語 (囲み)). ¶ 彼は*ぼやっと窓の外を眺めていた He was looking「*vacantly* [*absentmindedly*] out (of) the window.

ほやほや ━ 形 (料理などができたばかりで熱い) hot; (新鮮な・出たばかりの) fresh. (☞ -たて; 擬声・擬態語 (囲み)). ¶ このパンは焼きたての*ほやほやです This bread is「*hot* [*fresh*] from the oven. // 彼らは新婚*ほやほやだ (⇒ 新婚者だ) They are *newlyweds*. / They (*have*) *just got married*.

ぼやぼや ━ 動 (ぼやぼやする・不注意である) be careless; (何もしないでいる) stand [sit] (around) doing nothing. (☞ ぼさっと; ぼんやり; 擬声・擬態語 (囲み)). ¶ 通りを渡る時*ぼやぼやしていると車にひかれるよ If you *are careless* when you cross the street, you will be run over by a car. // *ぼやぼやしていないで荷物を運ぶ手伝いをしてくれ Don't *stand around doing nothing*! Give me a hand with the baggage instead.

ほゆう 保有 ━ 動 (持っている) hold ⓣ ★ 広い意味の一般的な語; (所有している) possess ⓣ, own ⓣ ★ 前者のほうがやや格式ばった語; (保持している) retain ⓣ ★ やや格式ばった語. 語法 以上はすべて状態を表す動詞. ━ 名 possession Ⓤ ★「所有物」の意味では通例複数形で; holding Ⓤ ★「所有財産」の意味ではしばしば複数形で. (☞ しょゆう). ¶ 金*保有高 gold *holdings* // 核*保有国 a nuclear power **保有米** (政府の) rice held in stock by the government Ⓤ.

ほよう 保養 (健康) health Ⓤ; (病後の回復) recuperation /rɪk(j)ù:pəréɪʃən/ Ⓤ ★ 格式ばった語; (休養) rest Ⓒ; (気晴らし) recreation Ⓤ. (☞ せいよう[2]; きゅうよう[1]). ¶ 彼は温泉へ*保養に行きました (⇒ 健康上の理由で) He went to a (hot spring) spa for *health* reasons. // 美しい景色を見て目の*保養をしました (⇒ 目を楽しませた) I「*feasted my eyes on* [(⇒ 楽しんだ) *thoroughly enjoyed*] the beautiful scenery. **保養所** (病気の回復のための) (米) sanitarium /sæ̀nəté(ə)riəm/ Ⓒ (複 ~s, sanitaria), (英) sanatorium /sæ̀nətɔ́:riəm/ Ⓒ (複 ~s, sanatoria); (健保組合・会社などの行楽のための) resort hotel owned by a「health insurance organization [company] Ⓒ ★ 説明的な訳. **保養地** health resort Ⓒ.

ほら[1] (相手の注意を促すとき) Look!, Look here! ★「見てごらん」というのが元の意味; See here! ★「見ればわかるだろう」という意味が含まれる; Listen! ★「聞いてごらん」というのが元の意味; (何かを取り出して相手に差し出すとき) Here you are.; (相手が探したり求めたりしているものを渡すとき) Here it is. (☞ そら[2]). ¶ *ほら, 向こうに富士山が見えるよ *Look*! You can see「Mt. [Mount] Fuji over there. // 「私の傘はどこかしら」「*ほら, ここにあるよ」"Where's my umbrella?" "*Here it is.*"

ほら[2] **法螺** ━ 名 (大げさな自慢) boast Ⓒ; (自慢話) (米略式) big talk Ⓤ. ━ 動 boast ⓐ ⓣ, brag ⓐ ⓣ ★ いずれも ⓣ のときは that 節が続く; (米略式) talk big ⓐ. (☞ おおぐち; じまん). ¶ 彼はいつも*ほらばかり吹いている He *is* always「*bragging* [*boasting*; *talking big*]. // 彼は英仏海峡を泳いで渡れると*ほらを吹いた He「*boasted* [*bragged*] that he could swim across the English Channel.
ほら吹き braggart Ⓒ, boaster Ⓒ.

ぼら 鯔 〘魚〙 (gray) mullet Ⓒ.

ホラー ☞ きょうふ[1] **ホラー映画** horror film Ⓒ **ホラー小説** horror「novel [story] Ⓒ.

ほらあな 洞穴 cave Ⓒ; (大きくて深いもの) cávern Ⓒ; (野獣が住みかとしている穴) den Ⓒ.

ホライズン (地平線・水平線) the horizon /həráɪzn/ (☞ ちへいせん; すいへい[1] (水平線)).

ほらがい 法螺貝 〘貝〙 trumpet shell Ⓒ; (大型の巻貝) conch Ⓒ.

ほらがとうげ 洞ヶ峠 ¶ *洞ヶ峠を決め込む (⇒ 待って様子を見る態度をとる) have [take] a wait-and-see attitude

ホラティウス ━ 名 固 Horace /hɔ́:rəs/, 65–8 B.C. ★ ローマの詩人. ラテン語表記は Quintus Horatius Flaccus.

ポラロイドカメラ (商標) Polaroid /póulərɔ̀ɪd/ (camera) Ⓒ.

ボランチ 〘サッカー〙 defensive [flying] midfielder Ⓒ ★ "flying" を意味するポルトガル語 volante から.

ボランティア volunteer /vɑ̀ləntíə/ Ⓒ (☞ ゆうし[2]). **ボランティア活動** voluntary /vɑ́ləntèri/ wórk Ⓤ **ボランティアグループ** volunteer group Ⓒ **ボランティアセンター** volunteer「center [(英) centre] Ⓒ **ボランティア団体** (集団) volunteer group Ⓒ; (組織) volunteer organization Ⓒ **ボランティアバンク** (ボランティアの希望者を登録・仲介する機関) vòluntéer「bùreau [bànk] Ⓒ.

ほり[1] **堀** (城の周囲の水をたたえたもの) moat Ⓒ (☞ ほりわり; しろ[2] (挿絵)). ¶ その城の周りには*堀があった There was a *moat* around the castle. / A *moat* surrounded the castle.

ほり[2] 彫り ¶彼は*彫りの深い顔をしている (⇒ 端正な) He has「*clear-cut* [*chiseled*] features.

ポリ (プラスチック) plastic Ⓤ; (ポリエチレン) polyethylene Ⓤ ★後者は専門語で前者のほうが普通. 《☞ ビニール》. ¶*ポリ製品 *polyethylene* products ★複数形で. // *ポリ容器 a *plastic*「box [container] // *ポリバス a *plastic* bathtub

ほりあてる 掘り当てる strike (他). ¶金鉱[油脈]を*掘り当てる *strike*「gold [oil]

ポリアミド 〚化〛 polyamide Ⓤ.

ポリー (女性名) Polly ★ Mary の愛称.

ほりいけ 堀池 man-made pond Ⓒ.

ほりいど 掘井戸 ☞ ほりぬきいど

ポリープ 〚医〛 polyp /pálɪp/ Ⓒ.

ポリウレタン 〚化〛 polyurethane /pɑ̀lijʊ́(ə)rəθèɪn/ Ⓤ.

ポリエステル 〚化〛 pòlyéster Ⓤ.

ポリエチレン 〚化〛 polyethylene /pɑ̀liéθəlì:n/ Ⓤ.

ポリえんかビニル ポリ塩化ビニル 〚化〛 polyvinyl chloride /pɑ́livàɪnl klɔ́:raɪd/ Ⓤ 《略 PVC》.

ポリえんかビフェニール ポリ塩化ビフェニール 〚化〛 polychlorinated biphenyl Ⓤ 《☞ ピーシービー》.

ポリオ 〚医〛 poliomyelitis /pòʊlioʊmàɪəláɪtɪs/ Ⓤ, 《略式》 polio /póʊliòʊ/ Ⓤ; (流行性小児麻痺) ínfantìle parálysis Ⓤ. **ポリオワクチン** polio vaccine /væksí:n/ Ⓤ.

ほりおこす 掘り起こす (土地を) dig (up) (他); (過去の事件などを) dig「up [out] (他). 《☞ ほる[1]》.

ほりかえす 掘り返す (土を掘り返す) díg úp (他), tùrn「úp [óver] (他); (道路などを掘り返す) téar úp (他). 《☞ ほる[1]》. ¶彼らは水道管を引くために道路を*掘り返した They *dug up* the road to lay water pipes.

ポリガミー (一夫多妻制) polygamy Ⓤ.

ポリグラフ (うそ発見器) polygraph Ⓒ.

ほりごたつ 掘り炬燵 *horigotatsu* Ⓒ; (説明的には) foot warmer built into the floor Ⓒ. 《☞ こたつ》.

ほりこむ 彫り込む (堅い物に模様や文字を) engrave (他); (石碑に文字を) inscribe (他). 《☞ ほる[2]》. ¶彼の名が記念碑に*彫り込まれた His name *was engraved* on the monument.

ポリさくさんビニル ポリ酢酸ビニル 〚化〛 polyvinyl acetate Ⓤ 《略 PVA》.

ほりさげる 掘り下げる (深く探究する) delve into ...; (徹底的に調べる) dig into ... ¶その問題をもっと深く*掘り下げて考えてみる必要がある We must *delve into* the problem.

ほりし 彫り師 (彫刻家) sculptor Ⓒ; (入れ墨の) tattooist Ⓒ.

ポリシー (政策) policy Ⓒ. **ポリシーメーカー** (政策立案者) policy maker Ⓒ.

ボリショイげきじょう ボリショイ劇場 ―[名] (固) the Bolshoi Theatre ★モスクワにあるロシアの国立劇場.

ボリス (男性名) Boris /bɔ́:rɪs/.

ポリス police /pəlí:s/ ★複数扱い. 個々の警官は policeman, policewoman, police officer という. 《☞ けいかん[1]》. **ポリスボックス** (交番) police box Ⓒ, koban Ⓒ.

ポリスチレン 〚化〛 polystyrene /pɑ̀listáɪri:n/ Ⓤ.

ホリスティックいがく ホリスティック医学 (全人的医療) holistic [wholistic] medicine Ⓤ.

ホリゾント 〚劇〛 cyclorama /sàɪkləræ̀:mə/ ★「ホリゾント」はドイツ語から.

ほりだしもの 掘り出し物 (いい見つけ物) find Ⓒ; (安売りの得な買い物) bargain Ⓒ; (値段が適当で引き合う) good buy Ⓒ. 《☞ かいもの》. ¶たいへんな*掘り出し物 a real *find*

ほりだす 掘り出す (土の中から掘り出す) díg「úp [óut] (他) 《☞ ほる[1]; はっくつ》.

ほりつける 彫り付ける (彫刻・文字などを) engrave (他); (文字を) inscribe (他). 《☞ ほりこむ; ほる[2]》.

ほりづり 掘釣り fishing in a fishing pond Ⓤ.

ポリティカリーコレクト ―[形] politically correct 《略 PC》. ¶*ポリティカリーコレクトな言葉を用いる use *politically correct* language

ポリティックス (政治) politics Ⓤ.

ホリデー holiday Ⓒ 《☞ きゅうじつ》.

ほりぬきいど 掘り抜き井戸 artesian well Ⓒ 《☞ いど[1]》.

ほりぬく 掘り抜く (掘る) dig (他), bore (他). 《☞ ほる[1]》. ¶海底にトンネルを*掘り抜く *bore* [*dig*] a tunnel under the sea // 厚い壁を*掘り抜く *dig through* a thick wall

ほりぬり 彫塗り ―[動] paint without painting out the lines drawn beforehand.

ポリネシア ―[名] (固) (地名) Polynesia /pɑ̀ləní:ʒə/. ―[形] Polynesian. **ポリネシア語** Polynesian Ⓤ **ポリネシア人** Polynesian Ⓒ.

ポリバケツ plastic bucket Ⓒ.

ほりばた 堀端 ¶私たちの学校はお*堀端にあります Our school is right *by the moat*.

ボリビア ―[名] (固) (国名) Bolivia; (正式名) the Republic of Bolivia. ―[形] Bolivian. **ボリビア人** Bolivian Ⓒ.

ポリビニールアルコール 〚化〛 polyvinyl alcohol Ⓤ.

ポリフェニレンオキシド 〚化〛 polyphenylene oxide /pɑ̀lifén(ə)li:n ɑ́ksaɪd/ Ⓤ.

ポリフェニレンスルフィド 〚化〛 polyphenylene sulfide /pɑ̀lifén(ə)li:n sʌ́lfaɪd/ Ⓤ.

ポリフェノール 〚化〛 polyphenol /pɑ̀lifí:nɔ:l/ Ⓤ.

ポリフォニー 〚楽〛 polýphony Ⓤ (↔ homophony).

ポリぶくろ ポリ袋 plastic bag Ⓒ.

ポリブタジエン 〚化〛 polybutadiene /pɑ̀libjù:tədáɪi:n/ Ⓤ.

ポリプロピレン 〚化〛 polypropylene /pɑ̀lipróʊpəlì:n/ Ⓤ.

ぼりぼり ¶彼は*ぼりぼり掻(か)いた (⇒ 激しく掻きむしった) He *scratched* himself「*furiously* [*like mad*]. // 彼女はおせんべいを*ぼりぼり食べている She *is munching* Japanese crackers. 《☞ ばりばり; 擬声・擬態語 (囲み)》

ぽりぽり ¶*ぽりぽり掻く scratch ... *lightly* // おせんべいを*ぽりぽり食べる *champ* [*chomp*] rice crackers 《☞ ぼりぼり》

ポリマー 〚化〛 (重合体) polymer /pɑ́ləmə/ Ⓒ. **ポリマーアロイ** 〚化〛 polymer alloy Ⓤ.

ほりもの 彫り物 (木や石の彫刻) carving Ⓒ; (金属・石・木に言葉や絵などが彫り込んであるもの) engraving Ⓒ; (入れ墨) tattóo Ⓒ. **彫り物師** (入れ墨師) tattóoist Ⓒ; (彫刻家) sculptor Ⓒ.

ほりゅう[1] 保留 ―[動] (一時的に) suspend (他); (将来のために) reserve (他); (延期する) pùt óff (他), postpóne (他) ★前者のほうが口語的; (決定などを遅らせる) delay (他); (棚上げにする) shelve (他). ―[名] suspension Ⓤ; reservation Ⓤ. 《☞ えんき[1]; たなあげ》.

¶この件に関しての判断は*保留する We will「*suspend* [*reserve*] judgment on this matter. // 委員会は決定を来月まで*保留にしました The committee「*delayed* [*postponed*; *put off*] action until next month. // 私はその件に関して態度を*保留にした (⇒当たり障りのない立場をとった) I *took a noncommittal position* on that matter. / (⇒中立でいた) I *remained neutral* on that matter. / I *sat on the fence* concerning the matter. ★ sit on the fence で態度をあいまいにして形勢を見ることを表す.

ほりゅう² 蒲柳 purple willow (tree) Ⓒ. ¶ *蒲柳の質である (⇒虚弱な体質をもっている) have a *delicate* constitution ((☞ きょじゃく)).

ポリューション pollution Ⓤ ((☞ おせん)).

ボリューム (音量) vólume Ⓤ. ¶ ラジオの*ボリュームを上げ[下げ]なさい Turn ⌈up [down] the *volume* on the radio. // *ボリュームのある食事 a ⌈*substantial* [*large*; *big*] meal ★ [ ] 内の方が口語的.

ほりょ 捕虜 prisoner Ⓒ; (戦争の捕虜) prisoner of war Ⓒ ((略 POW)), war prisoner Ⓒ. ((☞ とらわれる)). ¶ 彼らは5年間*捕虜になっていた They were held as *prisoners* (*of war*) for five years. // 彼は*捕虜になった He *was taken prisoner*. **捕虜収容所** prisoner-of-war camp Ⓒ, prison camp Ⓒ; (強制収容所) concentration camp Ⓒ, internment camp Ⓒ.

ほりわり 掘割 (水を流すために作られたあまり深くないもの) ditch Ⓒ; (船の航行や灌漑(かんがい)のためのもの) canal /kənǽl/ Ⓒ. ((☞ ほり¹)).

ほる¹ 掘る (土を掘る) dig ⑭ ⓐ ((過去・過分 dug)) ★ 最も一般的な語; (特に遺跡などを発掘する) éxcavàte ⑭ ★ 前者より格式ばった語; (細い穴を掘る) bore ⑭; (鉱石・石炭などを採掘する) mine ⑭; (油田などを掘る) drill ⓐ; (溝を) trench ⑭. ((☞ ほりかえす)). ¶ 私はじゃがいもを*掘った I *dug* potatoes. // 地面を50センチ*掘った I *dug* fifty centimeters into the ground. // 庭に穴を*掘った I *dug* a hole in my garden. // 岩にトンネルを*掘る *dig* [*make*; *excavate*] a tunnel through the rock // 彼らは埋められた財宝を*掘っている They *are* ⌈*digging for* [*excavating*] buried treasure. 語法 dig for は存在が不明のものを求めて掘る場合, excavate は存在することが分かっているものを掘り出す時の表現. // 柵のくいを立てるために地面に穴を*掘った I *bored* holes in the ground for fence posts. // ペンシルベニアでは石炭が*掘られている Coal *is mined* in Pennsylvania /pènslvéɪnjə/.

ほる² 彫る (刻む) carve ⑭; (堅いものの表面を) engrave ⑭; (のみで) chisel ⑭, sculpture ⑭; (銘などを) cut ⑭, inscribe ⑭ ★ 前者がより平易な言い方. ((☞ きざむ)). ¶ この像は1本の原木を*彫って作ったものだ (⇒この像は1本の木から刻まれたものだ) This statue *was carved out of* a single piece of wood. // 彼は自分の名前を石に*彫った He ⌈*inscribed* [*engraved*] his name on the stone.

ぼる (必要以上の料金を要求する) overcharge ⑭ 語法 手数料などの場合で,「人」を目的語とする. この語は必ずしも悪意とは限らない; (法外な料金を要求する) demand an unreasonable fee ★ これは悪い意味; (法外な代金を取る) rip off ⑭; (法外な値段で売る) sell … at an unreasonable price. ((☞ ふっかける)). ¶ 3千円*ぼられた They *overcharged* me (by) three thousand yen for it. / I *was overcharged* (by) three thousand yen for it. // あの店は*ぼる (⇒あの店は法外な値段を請求する) That store *charges exorbitant prices*. / (⇒あの店は高すぎる) That store is *far too expensive*. // コーヒー1杯1,000円とは*ぼるね One thousand yen for a cup of coffee? It's ⌈*daylight robbery* [*a rip-off*]. ★ daylight robbery [a rip-off] は口語的な表現で暴利のこと.

ポル (女性名) Poll /pál/ ★ Mary の愛称.

ポルカ 〘楽〙(舞踏・曲) polka /póʊlkə/ Ⓒ.

ボルガがわ ボルガ川 ―名 固 the Volga ★ ロシア西部の川でヨーロッパ最長. **ボルガの舟歌** (the) Volga Boatmen's Song.

ポルカドット (水玉模様) polka dots ★ 複数形で.

ボルシェビキ (旧ソ連の共産党員) Bolshevik /bóʊlʃəvìk/ Ⓒ ((複 ~s, Bolsheviki /bòʊlʃəvíki/)).

ボルシェビズム (旧ソ連共産主義) Bólshevìsm Ⓤ.

ボルシチ (ロシア料理) borscht /bɔ́ɚʃt/ Ⓤ, borsch /bɔ́ɚʃ/ Ⓤ.

ホルスター (腰・鞍などに付けるピストルケース) holster Ⓒ.

ホルスタイン (牛の種類) Holstein /hóʊlstiːn/ Ⓒ.

ボルゾイ (犬の種類) borzoi Ⓒ, Russian wolfhound Ⓒ.

ホルダー (…入れ・保持者) holder Ⓒ.

ボルタでんち ボルタ電池 voltaic ⌈cell [battery] Ⓒ.

ボルチモア, ボルティモア ―名 固 Baltimore /bɔ́ːltəmɔ̀ɚ/ ★ 米国東岸の港市.

ボルテージ (電圧) voltage Ⓤ; (気勢) spirits ★ 複数形で. ¶ *ボルテージが上がる (⇒興奮する) get *excited*

ボルテール ―名 固 Voltaire /vɑltéɚ/, 1694–1778. ★ フランスの哲学者.

ボルト¹ (締め具) bolt Ⓒ. ¶ *ボルトを締める tighten a *bolt* // *ボルトで壁に棚を付けた I fastened the rack to the wall with *bolts*. / I *bolted* the rack to the wall.

ボルト² 〘電〙 volt Ⓒ ((略 v, V)); (ボルト数) voltage Ⓤ. ((☞ でんあつ)). ¶ 1.5*ボルトの電池 a 1½-*volt* battery ★ 1½ は one and a half と読む. // 普通の乾電池は1.5*ボルトぐらいです A common dry cell has a *voltage* of about 1.5. 語法 後に具体的な数量がきたときは voltage に不定冠詞を付ける. **ボルトアンペア** 〘電〙 volt-ampere /vóʊltǽmpɪɚ/ Ⓤ ((略 VA)) **ボルトメーター** 〘電〙 vóltmèter Ⓒ.

ボルドー ―名 固 Bordeaux /bɔ̀ɚdóʊ/ ★ フランス南西部の都市; (ワイン) Bordeaux Ⓤ ★ 種類をいうときは Ⓒ. ¶ *ボルドー地方の赤ワイン a red wine ⌈of [from] the *Bórdeaux* région / a red *Bordeaux*

ボルドーえき ボルドー液 (殺菌剤) Bórdeaux míxture Ⓤ.

ポルトープランス ―名 固 Port-au-Prince /pɔ̀ɚtoʊpríns/ ★ ハイチ共和国の首都.

ポルトガル ―名 固 Portugal /pɔ́ɚtʃʊg(ə)l/; (正式名) the Portuguese Republic. ―形 Portuguese /pɔ̀ɚtʃʊgíːz/. **ポルトガル語** Portuguese Ⓤ **ポルトガル人** Portuguese Ⓒ.

ホルトそう ホルト草 〘植〙 caper spurge Ⓒ.

ポルトノボ ―名 固 Porto-Novo /pɔ́ɚtənóʊvoʊ/ ★ 西アフリカのベナン共和国の首都.

ボルネオ ―名 固 Borneo /bɔ́ɚniòʊ/ ★ インドネシアの東の島. ―形 Bornean. **ボルネオ人** Bornean Ⓒ.

ポルノ ―名 (本・写真・映画など) pornography /pɔɚnágrəfi/ Ⓤ, ((略式)) porn(o) Ⓤ. ―形 pòrnográphic, ((略式)) porn(o). **ポルノ映画** porno(graphic) film Ⓒ **ポルノ作家** pornographer Ⓒ **ポルノ雑誌** porno(graphic) magazine Ⓒ **ポルノショップ** sex shop Ⓒ, porn [porno] shop Ⓒ.

ポルノグラフィー (好色文学) pornography Ⓤ.

ポルフィリンしょう ポルフィリン症 〘医〙 porphyria Ⓤ.

ボルボ (スウェーデンのボルボ社製の自動車) Volvo Ⓒ.

ボルボックス 〘植〙(緑藻) volvox Ⓒ.
ポルポト ―[名](固) Pol Pot /pál pát/, 1928?–98. ★カンボジアの政治家. **ポルポト派** ―[名](固) the Khmer Rouge /kméə rú:ʒ/.
ホルマリン 〘化〙 fórmalin Ⓤ ★ホルムアルデヒド (formaldehyde) の水溶液で, 元は商標名.
ホルミウム 〘化〙 holmium《記号 Ho》.
ホルムアルデヒド 〘化〙 formaldehyde /fɔəmǽldəhàɪd/ Ⓤ.
ホルムズかいきょう ホルムズ海峡 ―[名](固) the Strait of Hormuz /hɔ́əmʌz/.
ホルモン hormone /hɔ́əmoun/ Ⓒ. ¶男性[女性]*ホルモン male [female] *hormones* **ホルモン剤** hormone preparation Ⓒ **ホルモン療法** hormone therapy Ⓤ.
ホルモンやき ホルモン焼き boiled and roasted giblets.
ホルン 〘楽器〙(フレンチホルン) (French) horn /hɔ́ən/ Ⓒ.
ほれいしゃ 保冷車 (冷蔵自動車) refrigerated truck Ⓒ; (冷蔵貨車) refrigerator car Ⓒ.
ボレー 〘球技〙 ―[名] volley Ⓒ. ―[動] volley (他). ¶彼は*ボレーで球を打ち返した He *volleyed* the ball back to his opponent. **ボレーキック** volley kick Ⓒ **ボレーシュート** volley shot Ⓒ.
ほれぐすり 惚れ薬 aphrodisiac Ⓒ, love potion Ⓒ.
ほれこむ 惚れ込む (魅力で引きつけられる) be attracted by ...; (夢中になる)《略式》fall for ...; (気に入る・好きになる) take a ⌈fancy [liking] to ...《☞ ほれる; ぞっこん》. ¶なぜかわからないが, 社長が私のプランに*ほれこんで, 社の企画として採用してくれた I don't know why, but our boss *took a fancy to* my plan, and adopted it as a company project.
ほれっぽい 惚れっぽい (簡単に恋に落ちる) fall in love (with ...) too easily, be quick to fall in love (with ...).
ほれぼれ 惚れ惚れ ―[動] (うっとりする) be charmed; (心を引きつけられる) be attracted; (魔法にかけられたようにうっとりする) be fáscinàted. ―[形](魅力的な) attractive; charming; fáscinàting ★この順に意味が強い.《☞ みりょく (類義語); うっとり》. ¶ゆみ子は*ほれぼれするような人だ Yumiko is a very *attractive* woman.
ほれる 惚れる (恋する・愛する) love (他); (恋をする) fall in love with ...; (夢中になる)《略式》fall for ...; (恋している・愛し合っている) be in love with ...; (心を引かれている) be attracted by ...《☞ ほれこむ》. ¶彼は彼女に*ほれている He *loves* her. / He *is in love with* her. // 彼はその子を一目見て*ほれた He ⌈*fell in love with* [*lost his heart to*] the girl when he saw her for the first time.《☞ ひとめ¹》// 私はあの人の人柄に*ほれた I *was* ⌈*attracted* [*charmed*] by ⌈his [her] personality. **惚れた腫れた** ¶*惚れた腫れたは当座の内 (⇒ 熱い恋はじきに冷める) *Hot love* is soon cold. / (⇒ 時は愛を摩滅させる) Time wears away *love*. **惚れた欲目** ¶*惚れた欲目にはあばたもえくぼ (⇒ ジャックがジルに惚れているなら彼はジルの美しさを判断できない) If Jack's in love, he's no judge of Jill's beauty. / (⇒ 恋は多くの欠点を隠す) Love covers many infirmities.
ボレロ 〘楽〙(スペインの舞踊・曲) bolero /bəlé(ə)rou/ Ⓒ; (女性用の短い上着) bolero /bəlé(ə)rou/ Ⓒ.
ほろ 幌 (車などの折りたたみ式の屋根) top Ⓒ,《英》hood Ⓒ; (乳母車のほろ) hood Ⓒ. **幌馬車** covered wagon Ⓒ ★最も一般的; (大型の) prairie ⌈schooner [wagon] Ⓒ [参考] 特にアメリカの西部開拓時代のもの. その白い幌が船 (schooner) の帆のように見えたことから. **幌馬車隊** wagon train Ⓒ.
ぼろ ―[名] (使い古しの布・ぼろ切れ) rag Ⓒ, old cloth Ⓤ; (ぼろぼろの衣服) rags ★複数形で; (着古した衣服) worn-out clothes ★複数形で; (古くて破れた衣服) tatters ★複数形で. ―[形] (使い古した) worn-out; (古くて壊れかけた) run-down; (衣服がぼろぼろの) tattered.《☞ ぼろぼろ》.
¶*ぼろ靴 *worn-out* shoes // *ぼろ家 a *run-down* house // *ぼろ自動車《略式》a junker《☞ ぽんこつ》// 油のしみこんだ*ぼろ切れで自転車をきれいにした I cleaned my bicycle with an oily *rag*. // その乞食は*ぼろをまとっていた The beggar was (dressed) in ⌈*rags* [*tatters*; *worn-out clothes*].
ぼろを出す, ぼろが出る (欠点・欠陥・無知をさらす) show [expose] *one's* ⌈faults [defects; ignorance]; (不愉快な真実を明らかにする) show *oneself* up.
¶難しい質問をされて彼は*ぼろを出した He *showed* ⌈*his ignorance* [*himself up*] when he was asked a hard question.
ポロ 〘スポ〙 polo Ⓤ.
ぼろい ¶*ぼろいもうけを手にする get ⌈*easy money* [*money for old rope*] ★[ ] 内は《英》略式語.《☞ ぼろもうけ》
ぼろいち ぼろ市 flea market Ⓒ.
ボローニャソーセージ bologna /bəlóuni/ Ⓤ, bologna sausage Ⓤ.
ぼろかす (つまらないもの)《米》trash Ⓤ,《英》rubbish Ⓤ. ¶あいつらはいつも僕を*ぼろかすに言う They always ⌈*run* me *down* [*trash* me]. ★[ ] 内のほうが口語的.《☞ ぼろくそ》
ぼろきれ ぼろ切れ ☞ ぼろ
ぼろくそ ¶彼は競争相手のことを*ぼろくそに言った (⇒ けなした) He *spoke* ⌈*badly* [*ill; disparagingly*] *of* his opponent. / He *tore* his opponent *to pieces*. / He ⌈*laid into* [*slammed*] his opponent.
ホログラフィー 〘光〙 hológraphy Ⓤ.
ホログラム 〘光〙 hólogràm Ⓒ.
ホロコースト (大虐殺) hólocàust Ⓒ.
ポロシャツ polo shirt Ⓒ.
ホロスコープ¹ 〘光〙(レーザー光線による立体顕微鏡) hóloscòpe Ⓒ.
ホロスコープ² (星占い) hóroscòpe Ⓒ.
ほろっと ☞ ほろりと
ポロニウム 〘化〙 polónium Ⓤ《元素記号 Po》.
ほろにがい ほろ苦い (ちょっと苦い) slightly bitter; (比喩的に苦くて甘い) bittersweet. ¶彼はまだ*ほろ苦い人生の味を知らない (⇒ ほろ苦い人生を経験していない) He hasn't experienced the *bittersweet* side of life yet.
ポロネーズ 〘楽〙(ポーランドの舞踊・曲) polonaise /pɑ̀lənéɪz/ Ⓒ.
ほろばしゃ 幌馬車 ☞ ほろ
ほろびる 滅びる fall (自)《過去 fell; 過分 fallen》; díe óut (自); perish (自).
【類義語】敵の攻撃により国家・都市などが滅亡・陥落することにはしばしば **fall** を用いる. 家門・民族・生物の種・社会的組織・機関などが徐々に衰えて消滅する意味では **die out** を用いる. また完全な破滅を意味する文語的な語が **perish**.《☞ めつぼう; たえる²》
¶ローマ帝国は衰え, ついに*滅びた After years of decline, the Roman Empire finally *fell*. // 鎌倉幕府は 1333 年に*滅びた (⇒ 滅ぼされた) The Kamakura Shogunate regime *was overthrown* in 1333. // 昔からの風習は容易に*滅びない Old habits *die* hard.
ボロブドゥール ―[名](固) Borobudur /bɔ̀ərəbədúə/ ★インドネシアの仏教遺跡.
ほろぼす 滅ぼす (力で完全に破滅させる) destroy (他); (必ずしも力によらず破滅に導く) ruin (他).《☞ は

かい[1]; かいめつ》. ¶現在世界を何回も*滅ぼすだけの核兵器がある We now have enough nuclear weapons to *destroy* the entire world several times over. // 彼は酒で身を*滅ぼした (⇒飲酒が彼の破滅の原因だ) Drink was his ⌈*ruin* [*downfall*].

ほろほろ ¶涙が*ほろほろとこぼれた The tears fell *in drops*. // 山鳥が*ほろほろと鳴いている A copper pheasant is ⌈singing *in a loving tone* [gurgling *melodiously*]. 《☞ 擬声・擬態語 (囲み)》

ぼろぼろ ― [形] (布・衣服などが) tattered, in tatters; (すり切れて糸目がはみ出しているような) threadbare; (すり切れた) wórn-óut; (岩・乾いた土などが) friable, crumbly. 《☞ ぼろ; 擬声・擬態語 (囲み)》. ¶こじきは*ぼろぼろの着物を着ていた The beggar was (dressed) *in* ⌈*rags* [*tatters*]. // 彼は上着を*ぼろぼろになるまで着古した He *wore* ⌈*out* his coat [his coat *to rags*]. // 彼らの度重なる悪事が*ぼろぼろ (⇒次々に) 明るみに出た Their numerous crimes came to light *one after another*.

ぽろぽろ ¶涙が彼女のほおを*ぽろぽろ(と)落ちた (⇒大きな滴となって) Tears ⌈trickled [rolled] down her cheeks *in big drops*. 《☞ 擬声・擬態語 (囲み)》

ほろほろちょう ほろほろ鳥 〖鳥〗 guinea fowl [C]; (雌) guinea hen [C].

ぼろまけ ぼろ負け ― [名] utter [total] defeat [C]. ― [動] suffer a ⌈crushing [disastrous] defeat. 《☞ かんぱい[1]; ざんぱい》.

ぼろもうけ ¶彼女は株で*ぼろもうけした (⇒楽な金もうけをした) She *made easy* ⌈*money* [*gains*] on the stock market. 《☞ ぼろい》

ほろよい ほろ酔い ― [形] slightly ⌈drunk [intoxicated] ★ [ ] 内のほうが格式ばった語. いずれも [P] として用いる; 《略式》 tipsy. 《☞ よい[3]; いっぱい[1] (一杯機嫌)》. ¶ワイン一杯で*ほろ酔い気分[機嫌]になっちゃった I got *tipsy* from a glass of wine.

ほろりと ¶その男は涙を*ほろりと流した Tears *trickled* from the man's eyes. // 彼女の話を聞いて我々は皆*ほろりとした (⇒彼女の話は我々を感動させて涙ぐませた) Her story *moved* all of us *to tears*. / We *were* all *moved to tears* by her story. // *ほろりとさせる話 a ⌈*touching* [*moving*] story 《☞ 擬声・擬態語 (囲み)》

ぽろりと ¶私はボールを取ろうとして*ぽろりと落とした (⇒ボールが手から滑り落ちた) I tried to catch the ball, but it *slipped out of my hand*. 《☞ ぽとりと; 擬声・擬態語 (囲み)》

ホワイエ (劇場などのロビー) foyer /fɔ́ɪə/ [C].

ホワイト (白) white [U]; (白人) white [C].

ホワイトアウト 〖気象〗 whiteout [C].

ホワイトカラー ― [形] (事務系労働者の) white-collar.

ホワイトゴールド white gold [U].

ホワイトソース 〖料理〗 white sauce [U].

ホワイトデー "White Day" ★「ホワイトデー」は日本独自の習慣で, 和製英語なので「いわゆる…」という意味で引用符で囲む. 日本の事情を知らない相手にはさらに説明が必要. ¶3月14日の*ホワイトデーには多くの日本の男性がバレンタインデーの贈り物をもらった相手の女性に贈り物をする On "*White Day*", March 14, many Japanese men give presents to women from whom they received Valentine's Day gifts.

ホワイトハウス ― [名] (固) (アメリカ大統領官邸) the White House.

ホワイトペッパー white pepper [U].

ホワイトメタル (白色合金) white ⌈metal [alloy] [U].

ホワイトリカー (焼酎) *shochu* [日英比較] 英語の white liquor はパルプ製造に使う化学薬品. 《☞ しょうちゅう[1]》.

ポワレ 〖料理〗 (フライパンで焼く料理法) pot roasting [U]. ¶サーモンの*ポワレ *pot-roasted* salmon ★フランス語 poêlé(e) (油を引いた鍋で蒸し焼きにした) より.

ほん 本 book [C] [日英比較] (1) 日本語の「本」は広い意味で「雑誌」も含むが, 英語では book と magazine (雑誌) とは明確に区別される. この日英の相違を表す1つの例が「単行本」という日本語で, 雑誌その他と区別するために用いられることが多い. 英語ではそのような場合単に book と言えば済むことが多い. つまりこの場合は book の説明的日本語訳が「単行本」であると言える; volume [C] [語法] (1) やや格式ばった語で, 「…冊」というように数字を伴ったり形容詞を伴ったりするときに使われることが多い.

日本語		英語
本		book
	雑誌	magazine

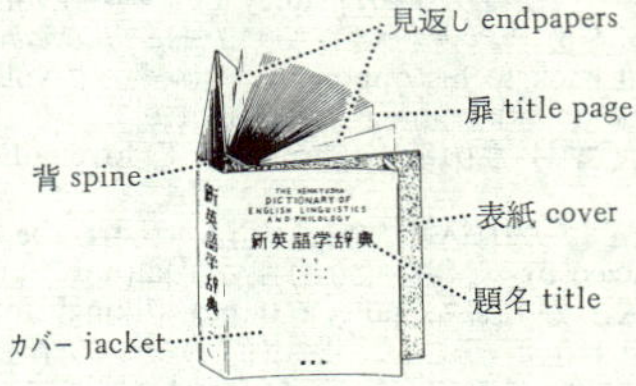

¶彼は書斎で*本を読んでいる He is reading a *book* in his study. // 田中氏は最近*本を書いた Mr. Tanaka wrote a *book* recently. //「その*本は何という題ですか」「『怒りのぶどう』という題です」"What is the title of the *book*?" "*The Grapes of Wrath*." [語法] (2) 本の題名は印刷ではイタリック体で, 手書きでは下線を1本引くことによって表す. また, 名詞・動詞・形容詞などは大文字で書き始める習慣がある. 《☞ イタリック体 (巻末)》// 最近『アメリカの大学生活』という*本が出版された A *book* entitled *College Life in the United States* was published recently. // 私はその*本を読み通した I have read through the *book*. / (⇒初めから終わりまで読んだ) I have read the *book* from cover to cover. [語法] (3) cover は本の表紙のこと. from cover to cover で「本の表表紙から裏表紙まで」の意. // コンピューターに関する*本はたくさんあります There are a lot of *books* ⌈on [about] computers. // 私はこの*本を10冊出版社に直接注文した I ordered ten copies of this *book* directly from the publisher. [語法] (4) copy は同じ本の1冊をいう語. 元来は「写し」という意味であるが, 印刷された本はオリジナルの「写し」であるという考えから出た言い方. // この図書館には100万冊以上の*本がある This library has ⌈over [more than] one million ⌈*books* [*volumes*]. // その問題はこの*本に書いてある The matter is ⌈discussed [dealt with; treated] in this *book*. // 彼女はよく*本を読んでいる She is a *well-read* person. / (⇒熱心な読者だ) She is an *avid reader*. // この*本はよく売れる This *book* sells well. // この*本は絶版だ This *book* is out of print. // 私はその手紙を*本の間 (⇒本のページの間) にはさんでおいた I kept the letter between the pages of a *book*. // *本のカバー a dust ⌈jacket [cover] [日英比較] (2) 本について英語で単に cover と言えば表紙の意となる. // 漫画[歴史]の*本 a ⌈comic [history] *book* // 童話の*本 a *storybook* for children // 料理の*本 a *cookbook* // 初心者向きの*本 a beginners' *book* / a *book* for beginners // ハウツーものの*本 a how-to *book* // ペーパーバックの*本 a *paperback* // ハードカバーの*本 a ⌈hardcover [hardback] *book* // クロース装丁[革表紙]の*本 a ⌈clothbound [leather-bound] *book* // 4 冊で 1 組の*本 a set of four *books* // 3 巻ものの*本 a three-volume *book* / a *book* in three volumes (☞ かん³)

コロケーション
本の版権 [著作権] を取る copyright a *book* / 本を印刷する print a *book* / 本を改訂する revise a *book* / 本を検閲する censor a *book* / 本を出版する publish [bring out] a *book* / 本を増刷する reprint a *book* / 本を装丁する bind a *book* / 本を批評する review a *book* / 本を剽窃する plagiarize a *book* / 本を編集する edit a *book* // 売れ行きのよい本 a sal(e)able *book* / 面白い本 an entertaining *book* / 価値のない本 an unworthy *book* / 記憶に残る本 a memorable *book* / 希少[稀覯]本 a rare *book* / 貴重な本 a precious *book* / 興味深い本 an interesting *book* / 近刊の本 a forthcoming *book* / 滑稽な本 a funny *book* / ためになる本 an ⌈informative [instructive] *book* / つまらない本 a dull *book* / 難解な本 a difficult *book* / ベストセラーの本 a best-selling *book*

ホン ☞ -ホン

ほん- 本… **1** 《本当の》 ― 形 real ★ 一般的な語; (真の) true 語法 real が現実にあることを強調するのに対して, うそではなくまことであることを言う語. real と入れ換え可能なことも多い; (身分などが常勤の) full-time, permanent ★ 後者のほうがやや格式ばった語. (☞ ほんとう¹ (類義語)).
¶ *本名 (*one's*) *real* name (↔ pseudonym, false name) // 彼は*本採用になった He became a *full-timer*.
2 《主な・中心となる》 ― 形 head Ⓐ, main Ⓐ.
¶ *本館 the *main* building // *本試験 (⇒ 最終の) the *final* ⌈exam [examination]
3 《この・現在の》 ― 形 (この) this; (現在の) present Ⓐ, current Ⓐ. ¶ *本件 (⇒ この問題) は目下調査中である *This* case [The matter *in question*] is now under investigation. (☞ ほんけん¹) // *本会計年度 the *current* fiscal year

-ほん …本 ★ 日本語では「鉛筆 3 本」のように長いものを数えるのに「…本」を使うが, 英語では可算名詞はそのまま複数形にし, 不可算名詞は piece, bottle などを用いて数える. (☞ 数の数え方 (囲み); いっぽん). ¶ 彼はビールを 3 *本飲んだ He drank *three bottles of* beer. // チョーク数*本 *several* ⌈*pieces* [*sticks*] *of* chalk // マッチ(棒)1 *本 *a* match // ろうそく 2 *本 *two* candles // 鉛筆 5 *本 *five* pencils

-ホン (音の強さの単位) phon /fɑ́n/ Ⓒ. ¶ この交差点の騒音は 80 *ホンだ The traffic noise at this intersection is 80 *phons*.

ぼん¹ 盆 (祭り) the *Bon* Festival; (仏教徒の死者の霊を記念する日) the Buddhist All Souls' Day. **盆と正月が一緒に来たよう** (とても忙しい) be as busy as if the *Bon* Festival and New Year's Day had come together. ¶ (うれしくて)*盆と正月 (⇒ 復活祭とクリスマス) が一緒に来たようだった It was *like Easter and Christmas rolled into one*. **盆送り** launching a paper lantern on a straw boat on a river to see off the spirits of *one's* ancestors on the last day of the *Bon* Festival Ⓤ ★ 説明的な訳. **盆踊り** the *Bon* Festival dance **盆供養** memorial service held for the dead during the *Bon* period Ⓒ **盆暮れ** ☞ 見出し **盆休み** (the) *Bon* holidays.

ぼん² 盆 tray Ⓒ.

ボン ― 名 固 Bonn ★ ドイツ西部の都市. 旧西ドイツの首都.

ぽん ― 名 (ぽんという音) pop Ⓒ. ― 副 (ぽんと音を立てて) pop. ― 動 (ぽんと音を立てる) pop 自 ★ コルク栓が抜けるときのような音; (手などをぽんとたたく) clap 他 自; (手などで軽くたたく) pat 他 自. (☞ 擬声・擬態語 (囲み)).
¶ コルクの栓が*ぽんと抜けた The cork came out ⌈*pop* [*with a pop*]. // コルクを抜いたとき*ぽんと音がした The cork *popped* when I pulled it out. // 私は彼の背中を*ぽんと (⇒ 平手で軽く) たたいた I ⌈*clapped* [*patted*; *slapped*] him on the back. // 彼女は老人ホームに*ぽんと (⇒ 気前よく) 1 千万円寄付した She made a *generous* donation of ten million yen to the home for the aged.

ほんあん¹ 翻案 ― 名 adaptation Ⓤ. ― 動 adapt 他. (☞ きゃくしょく).

ほんあん² 本案 (この案) this ⌈proposal [bill; plan]; (訴訟の) the merits. (☞ ほん-).

ほんい¹ 本意 (本当の意図) (*one's*) ⌈real intention [original purpose] Ⓤ (☞ ほんしん¹; しんい).
¶ あなたを怒らせたのは私の*本意ではなかった (⇒ 怒らせるつもりはなかった) I didn't *mean* to offend you. // 彼の*本意を確かめてみよう (⇒ 何を本当に意味しているか) I will see what he *really* ⌈*means* [*intends*].

ほんい² 翻意 ¶ 私たちは彼の辞意に対して*翻意を促した We urged him to ⌈*change* [*reconsider*] *his decision* to resign.

-ほんい …本位 (… 中心の) -centered ★ 複合語として用いる. ¶ 私は彼の自己*本位な態度がいやだ I don't like his self-*centered* attitude. // この夏休みは子供*本位で過ごすつもりです I'm planning to have a children-*centered* vacation this summer. // 我々は品質*本位で物を買う (⇒ 品質のよいものだけ買う) We *only* buy things of good quality. // 興味*本位で (⇒ 自己を楽しませるだけの目的で) 選ぶ choose … *merely* to amuse *oneself*

ほんいきごう 本位記号 〖楽〗 natural Ⓒ.

ほんいせいど 本位制度 ¶ 金[銀]*本位制度 the ⌈gold [silver] *standard*

ほんいん 本院 (議会の) the House; (病院の分院に対して) the main hospital; (この病院) this hospital. (☞ ほん-).

ほんいんぼう 本因坊 (囲碁の) *Hon'inbo* Ⓒ; (説明的には) grand master of *go* Ⓒ. ¶ *本因坊位を獲得する win the title of *Hon'inbo* (in the *go* tournament)

ほんか¹ 本科 regular program (of studies) Ⓒ.
¶ *本科生 a *regular(-program)* student

ほんか² 本歌 the original ⌈poem [verse]. **本歌取り** adaptation of a famous poem Ⓒ.

ほんかい 本懐 ¶ 彼はついに*本懐 (⇒ 長年の望み) を遂げた He finally attained his *long-standing* ⌈*ambition* [*desire*; *hope*; *dream*].

ほんかいぎ 本会議 plenary /plíːnəri/ session Ⓒ (☞ かいぎ¹). ¶ その議案は衆議院*本会議で票決に付された The bill was put to the vote in the *plenary session* of the House of Representatives.

ほんかいどう 本街道 main road Ⓒ.

ほんかく 本格 **本格化** ― 動 (重大になる) become serious; (軌道にのる) get into full ⌈gear [swing]. **本格攻撃** full-scale [all-out] attack Ⓒ.

ほんがく 本学 this [our] ⌈university [school; college] (☞ ほん- 3). ¶ *本学の創立者 the founder of *our* ⌈*university* [*school*]

ぼんがく 梵学 Sanskrit studies ★ 複数形で.
ほんかくてき 本格的 ―形 (大規模な) large-scale; (完全な) complete; (徹底した) full; (真の) real. 《☞ だいきぼ; ほんしき》. ¶ 彼の健康の回復はまだ*本格的 (⇒ 完全) ではない His health is not *quite* restored yet. // わが国は発展途上国に*本格的な経済援助をするべきだ We should give *large-scale* economic aid to the developing countries. // 法案の*本格的(な) (⇒ 正式の) 審議はまだ始まっていない *Full* deliberation of the bills has not (been) started yet. // いよいよ*本格的な夏になった Summer has *really* come. / The *real* summer season ˹has come [is here] at last. / *Real* summer has arrived. ★ 後のものほど格式ばった表現.
ほんかくは 本格派 ―形 (正統的な) orthodox; (伝統的な) conventional. ¶ 彼はかなり*本格派の保守主義者だ He is a fairly *orthodox* conservative.
ほんがわ 本革 real leather Ⓤ.
ほんかん¹ 本管 (水道・下水・ガスなどの) main (pipe) Ⓒ. ¶ 水道[ガス]の*本管 a ˹water [gas] *main* // ガスの*本管を止める turn off the gas at the *main*
ほんかん² 本館 the main building.
ほんがん 本願 (弥陀の) the original vow of Amida Buddha; (宿願) *one's* long-cherished ˹desire [wish] Ⓒ, *one's* real wish Ⓒ. **本願を果たす** realize *one's* ˹long-cherished wish [main goal in life]. **本願往生** ―動 die happily and peacefully.
ポンカン ポン柑 〘植〙 *ponkan* orange Ⓒ.
ほんき 本気 ―形 (まじめで熱心な) earnest; (真剣な・深刻な) serious 語法 仕事などに取り組む態度が真剣で本気なのが earnest で, 冗談などに対してもまじめに, 深刻に受け止めるのが serious; (うそを言わない・誠実な) honest. ―副 in earnest, earnestly; seriously; honestly. 《☞ しんけん¹; まじめ》. ¶ 彼女は私の冗談を*本気にした (⇒ 深刻に解釈した) She took my joke *seriously*. // 彼は冗談を言っているのか*本気なのか, 私にはわからない I can't tell whether he's joking or ˹not [being *serious*]. // 僕は*本気だ I'm being *serious*. / I *mean what I say*. / I *mean it*. / (⇒ 冗談を言っているのではない) I'*m not joking*. / (⇒ これは笑い事ではない) This is *no laughing matter*. // 彼がアメリカへ行くというのは*本気かね Is he *serious* about going to the United States? // その学生はようやく*本気になって勉強を始めた The student has at last begun to study *in earnest*. // 彼が私を愛していると言ったのは*本気かしら Did he *mean it* when he said he loved me?
ほんぎ 本義 (真の意義) the ˹true [real] meaning; (原義) the original meaning; (本旨) the ˹basic [first] principle.
ほんぎまり 本決まり ¶ 彼の昇進はまだ*本決まりではない (⇒ 確かではない) His promotion is not yet *definite*. / (⇒ 彼の昇進の最終決定はまだ行われていない) A *final decision* on his promotion has not yet been made. 《☞ かくてい¹; けってい; きめる》
ほんきゅう 本給 (基本給) base pay Ⓤ 《☞ きゅうりょう¹》.
ほんきょ 本拠 (作戦・探険などの根拠地) base Ⓒ; (本部) headquarters ★ 複数形だが単数扱い. 《☞ きょてん; ほんぶ》.
ほんぎょう 本業 (*one's*) main ˹occupation Ⓒ [profession Ⓒ; business Ⓤ] 《☞ しょくぎょう (類義語); ほんしょく》.
ほんきょく 本局 (本部・本店) the ˹main [head] office; (地区の中心局) the ˹central [principal] office.
ほんきょち 本拠地 ☞ ほんきょ
ほんぐう 本宮 parent shrine Ⓒ; (説明的には) the original Shinto shrine from which subordinate shrines have branched off.
ほんぐもり 本曇り ¶ *本曇りの日 an *overcast* day // 今日の空は*本曇りだ The sky is *overcast* today. 《☞ くもり》
ぼんくら 盆暗 (愚か者) fool Ⓒ, blockhead Ⓒ. 《☞ ばか》.
ぼんくれ 盆暮れ the Bon festival and the ˹year-end [end of the year]. ¶ *盆暮れの付け届け *mid-year* [*Bon*] *and year-end* gifts 日英比較 これは説明的な直訳であるが, 英米にはこれに該当する習慣がない. Christmas present はやや近いが, 親しい人へ送るのが中心で, 日本の習慣とはかなりずれがある.
ほんけ 本家 (分家に対して) the ˹head [main] family Ⓒ 日英比較 英米には日本と同じような家の制度がないので, 英訳するときは上のように意訳するか, あるいは父の家 (my father's family) とか, 長兄の家 (my oldest brother's family) のようにするしかない; (元祖・創始者) origìnator Ⓒ; (製造元) original ˹maker [manufacturer] Ⓒ. ¶ ラグビーはイングランドが*本家だ (⇒ 発祥地だ) England is the ˹*birthplace* [*home*] of Rugby. / (⇒ イングランドに発生した) Rugby *originated* in England.
本家本元 ¶ この商品の*本家本元はわが社だ We are the *original maker* of this product.
ほんげつ 本月 this [the current] month 《☞ こんげつ》.
ほんけん¹ 本件 this ˹case [affair; matter]; (検討中の・論争中の) the matter ˹in question [at issue]. 《☞ ほん-》.
ほんけん² 本絹 natural [real] silk Ⓤ.
ほんげん 本源 (根源) source Ⓒ; (起源) origin Ⓒ; (原因) cause Ⓒ; (根本) principle Ⓒ.
ほんけんちく 本建築 permanent building Ⓒ.
ぼんご 梵語 ―名 Sanskrit Ⓤ. ―形 Sanskrit.
ボンゴ 〘楽器〙 bóngo(e)s, bóngo drums ★ 2 個を連結して用いるので通例複数形で.
ほんこう 本校 (分校に対して) the principal school, the main campus (of a ˹school [university]); (私たちの学校) our school. 《☞ ほん-》.
ほんこく 翻刻 ―名 (行為・作業) reprinting Ⓤ, reprint /rí:prìnt/ Ⓒ ★ 後者は印刷物の意味にも用いる; (写真による) facsimile /fæksíməli/ (edition) Ⓒ ★ 特に写真版翻刻の場合は facsimile reprint Ⓒ と言うことがある. ―動 reprint /rì:prínt/ ㊀. 《☞ ふくせい》. **翻刻本** reprint Ⓒ, reprinted book Ⓒ.
ほんごく 本国 (自分の国籍のある国) *one's* (own) country Ⓒ; (自分の出身国) *one's* ˹home [native] country Ⓒ; (しばしば海外へ移住した人から見た母国) *one's* mother country Ⓒ, *one's* motherland Ⓒ ★ この 2 つは多少文語的. 《☞ ぼこく》.
ほんごし 本腰 ¶ 政府は*本腰を入れて (⇒ 真剣に努力して) この問題に取り組むべきだ The government should *make serious efforts* to tackle this problem. // 彼は*本腰を入れて勉強した (⇒ 勉強に専念した) He *devoted himself to* his studies. 《☞ ほんき; ほんかくてき》
ぽんこつ junk Ⓤ ★ piece を使って数える.
ぽんこつ自動車 《略式》(おんぼろの) jalópy Ⓒ, junker Ⓒ, 《英》 banger Ⓒ.
ボンゴレ 〘料理〙 spaghétti vongole /vòŋgəléɪ/ Ⓤ.
ホンコン 香港 ―名 固 (地名) Hóng Kòng, Hóngkòng. **香港特別行政区** Hong Kong Special Administrative Region (of the People's Republic of China) ★ 一般には Hong Kong SAR,

または単に SAR と呼ぶことが多い.

ほんさい 本妻 *one's* ⌈legal [lawful] wife《☞ ないえん[1]》.

ぼんさい[1] 盆栽 bonsai Ⓒ ★ 単複同形; potted dwarf tree Ⓒ ★ 説明的な訳.

ぼんさい[2] 凡才 (目立たない平凡な人) insignificant person Ⓒ; (凡人)《米》Joe Blow,《英》Joe Bloggs.《☞ ぼんじん》.

ほんさいよう 本採用 permanent ⌈employment [recruitment] Ⓤ; (本採用の人) full-time [regular] employee Ⓒ 参考 「臨時採用」temporary ⌈employment [recruitment] Ⓤ.《☞ ほん-》.

ぼんさく[1] 凡作 commonplace work Ⓒ; (駄作) poor work Ⓒ.《☞ ぼんよう》.

ぼんさく[2] 凡策 commonplace policy Ⓒ.

ほんざん 本山 (一宗・一派を統轄する寺院) the head ⌈temple [church] (of a sect) Ⓒ.

ほんし 本旨 (本来の趣旨) the ⌈main [principal] object; (真の目的) the true aim. ¶ *本旨にかなう serve *the purpose* (of ...) // *本旨にもとる go against [be contrary to] *the true aim* (of ...)

ほんじ 本地 〖仏教〗 true nature of Buddhist deities Ⓤ《☞ ほんじすいじゃくせつ》.

ぼんじ 梵字 Sanskrit characters ★ 総称として複数形で.

ほんしき 本式 ― 形 (標準・規則に従った) regular; (正式な) formal. ― 副 regularly; formally.《☞ せいしき[1]》. ¶ 彼女は*本式に生け花を習った (⇒ 生け花の正規の授業を受けた) She took *regular* lessons in flower arrangement. // *本式のフランス料理 *real* [*genuine*] French cuisine

ほんしけん 本試験 final examination Ⓒ.

ほんじすいじゃくせつ 本地垂迹説 the *Honji-suijaku* theory; (説明的には) the theory that the Shinto gods are Japanese incarnations of Buddhist deities, formulated during the Heian period.

ほんしつ 本質 ― 名 (最も重要な部分) essence Ⓤ; (真髄) the quintessence; (性質) (essential) nature Ⓤ. ― 形 (本質的な) essential. ― 副 essentially.《☞ じっしつ》.
¶ 私たちは問題の*本質を認識する[調べる]必要がある We have to ⌈recognize [look into] the *true essence* of the problem. // その本は日本文化の*本質を伝えようとしている The book tries to convey the *essence* of Japanese culture. // その2つは*本質的に同じだ The two things are ⌈*essentially* [*fundamentally*; *basically*] the same.

ほんじつ 本日 today《☞ きょう[1]》. 本日は晴天なり (マイクの音声テスト) Testing one-two-three. 本日休業《掲示》Closed (for) Today.

ぼんしつ 凡失 ― 名 small [slight] ⌈error [mistake] Ⓒ. ― 動 (凡失をする) make [commit] a small error. ¶ 我々のチームはたった一つの*凡失で試合に負けた Our team lost the game by only one *small error*.

ほんしめじ 本占地 〖植〗 *honshimeji* (mushroom) Ⓒ《☞ しめじ》.

ほんしゃ 本社 (会社の中心となる事業所) head [main] office Ⓒ (↔ branch office).

ほんしゅう 本州 ― 名 固 Honshu, the main island of Japan. 本州四国連絡橋 ☞ ほんしれんらくきょう

ボンジュール ― 感 bonjour /bɔ̃ːnʒúːə/ ★ フランス語で英語の Good day., Good morning. に相当する.

ホンジュラス ― 名 固 (国名) Honduras /hɑnd(j)ú(ə)rəs/; (正式名) the Republic of Honduras. ― 形 Honduran. ホンジュラス人 Honduran Ⓒ.

ほんしょ[1] 本署 (支署・分署に対して) the principal office, headquarters ★ 複数または単数扱い; (警察の) police headquarters, the main police station.

ほんしょ[2] 本書 (副本に対して) the text; (写しに対して) the original text; (この本) this book, this volume.《☞ ほん-》.

ほんしょう[1] 本性 (生まれつきの性質) *one's* true ⌈nature [character] Ⓤ《☞ しょうたい[2]》.
¶ 彼は*本性を現した He revealed *his true colors*. / He *betrayed himself*. ★ betray *oneself* でうっかり本性を現すの意. / (⇒ 私たちは彼を見抜いた) We found him out. / We saw through him. ★ see through で正体を見抜くの意.

ほんしょう[2] 本省 (中央省庁) the home office, the ministry proper.

ぼんしょう 梵鐘 (Buddhist) temple bell Ⓒ.

ほんしょうがつ 本正月 the New Year; (説明的には) the New Year period from 1st to 7th of January, which is referred to as "*Honshogatsu*" when compared with the later "Lesser New Year."《☞ こしょうがつ》.

ほんしょく 本職 **1**《本業》: *one's* (regular) ⌈job Ⓒ [occupation Ⓒ; work Ⓤ]《☞ しょくぎょう (類義語)》. ¶ 彼の*本職は植木屋だ (⇒ 造園業だ) *His* (*regular*) *occupation* is gardening.
2《専門家》 ― 名 (職業としてあることを専業にしている人) professional Ⓒ; (熟練した人・専門家) éxpert Ⓒ. ― 形 professional; expert.《☞ くろうと》.

ほんしれんらくきょう 本四連絡橋 the Honshu-Shikoku Bridge Ⓒ.

ほんしん[1] 本心 (本当の気持ち) *one's* real intention Ⓒ《☞ ほんい[1]; ほんね; しんい》.
¶ 私は友人に*本心を打ち明けた I confided *my real intention*(*s*) to my friend. // 彼は*本心 (⇒ 真に何を意図するか) をなかなか明らかにしなかった He was reluctant to reveal *what he really meant*.
本心に立ち返る come to *one's* senses.

ほんしん[2] 本震 main ⌈shock [quake] Ⓒ.

ほんじん 本陣 (本営) headquarters ★ 複数または単数扱い; (昔の宿場の) officially appointed inn (for the use of a *daimyo*) Ⓒ.

ぼんじん 凡人 (普通の人) ordinary [common] person Ⓒ; (集合的に) ordinary ⌈people [folk] ★ 複数扱い.

ポンず ポン酢 tangy citrus juice served with food to add flavor Ⓤ ★ 説明的な訳.

ほんすう 本数 the number《☞ -ほん》. ¶ 成人一人一日の平均的喫煙*本数 *the* average *number* of cigarettes smoked by an adult per day // 1日の電車*本数 *the number* of train services per day

ほんすじ 本筋 (話の中心となる要点) the main point; (交渉などの中心となる筋道) the main course.《☞ ほんだい; ほんろん》.
¶ 彼の話は*本筋から (⇒ 彼は話の要点から) はずれた He strayed from *the main point* of his talk.

ほんずり 本刷り actual printing Ⓤ.

ほんせい 本性 ☞ ほんしょう[1]

ほんぜい 本税 the principal tax.

ほんせき 本籍 *one's* domicile of origin Ⓒ, *one's* ⌈permanent [legal] ⌈domicile [residence] Ⓒ.《☞ こせき[1]; せき[3]》. ¶ 私の*本籍は大阪にある (⇒ 法律的に大阪に定住している) I *am legally domiciled* in Osaka. // *本籍を秋田から東京に移す transfer *one's legal domicile* from Akita to Tokyo 本籍地 the place where *one* ⌈is legally domiciled [has *one's* permanent residence].

ぼんせき 盆石 *bonseki* Ⓒ; (説明的には) miniature rock garden laid out on a tray Ⓒ.

ほんせん¹ 本線 〘鉄〙(幹線) main [《英》trunk] line Ⓒ (↔ branch line); (高速道路などの掲示で) Through traffic.

ほんせん² 本船 mother ship Ⓒ; (潜水艦などの母艦) depot /díːpou/ ship Ⓒ; (この船) our ship. 《☞-ほん》. **本船渡し** 〘商〙free on board 《略 F.O.B., f.o.b.》.

ほんせん³ 本選 the final ⌈selection [match; game]. ¶*本選に勝ち残る reach *the finals*

ほんぜん 本然 ☞ほんらい

ほんぜんと 翻然と ¶彼は*翻然として (⇒突然) 自己の非を認めた He *suddenly* acknowledged (the fact) that he was wrong.

ほんそ 本訴 〘法〙original suit Ⓒ.

ほんそう¹ 奔走 ―動 (努力する) make an effort; (…に忙しく働く) busy *oneself* ⌈about ...[(in) *doing* ...]. 《☞かけまわる》.
¶私は友人の*奔走のおかげで (⇒世話で) 職を得た Thanks to the ⌈*good offices* [*kind help*] of my friend, I obtained a position. ∥ 彼は資金集めに*奔走している (⇒非常な努力をしている) He *is making* a great *effort* to raise money.

ほんそう² 本葬 formal funeral service Ⓒ ★日本のように仮葬儀・社葬・本葬と何度も葬儀を行う習慣はないので普通は単に funeral service という. 《☞そうぎ》.

ほんぞう 本草 (植物) plants; (薬草) medicinal herbs ★いずれも複数形で. **本草学** (薬草学) herbalism Ⓤ; (植物学) botany Ⓤ. 《☞はくぶつがく》.

ほんそく 本則 (付則に対して) the main rules ★複数形で; (原則) basic [standard] rule Ⓒ.

ぼんぞく 凡俗 ―形 (平凡な) mediocre; (平均的な) common; (卑俗な) vulgar. 《☞へいぼん; つうぞく》.

ボンソワール ―感 bonsoir /bɔ̀ːnswáːr/ ★フランス語で英語の Good evening., Good night. に相当する.

ほんぞん 本尊 ¶この寺の*本尊は阿弥陀如来だ (⇒阿弥陀如来を祭ってある) This temple *is* ⌈*sacred* [*dedicated*] *to* Amitabha. ∥ 当のご*本尊 (⇒本人) は自分の人生をどうしたいのかさっぱり見当がついていない *He himself* has no idea what he hopes to do with his life. 《☞ほんにん》

ぼんだ 凡打 〘野〙 ―名 easy ⌈fly [grounder] Ⓒ. ―動 hit an easy ⌈fly [grounder].

ほんたい¹ 本体 (事物の中心の部分) the ⌈main [central; principal] part; (特に車・船・機械などの) the (main) body Ⓒ. **本体価格** (税抜きの) the base price.

ほんたい² 本隊 the main body (of an army). ¶彼は*本隊からはぐれた He strayed from *the main body* of his unit.

ほんだい 本題 (主要な問題) the main ⌈question [issue]; (主な話題) the main ⌈subject [theme; topic] 語法 いずれも main の代わりに central, crucial でもよい. 《☞ほんすじ; ほんろん》.

ぼんたい 凡退 〘野〙 ―動 be easily put out 《☞アウト》. ¶3者*凡退した Three batters *were easily put out*. ∥ 打者を*凡退させる *put out* a batter *easily*

ほんたいせい 本態性 **本態性高血圧症** 〘医〙essential hypertension Ⓤ.

ほんたく 本宅 *one's* home Ⓒ, *one's* principal residence Ⓒ. 《☞じたく》.

ほんだこうたろう 本多光太郎 ―名 固 Honda Kotaro, 1870–1954; (説明的には) a Japanese physicist and metallurgist. He invented KS steel, which laid the foundation for further developments in the field of magnetic materials.

ほんだそういちろう 本田宗一郎 ―名 固 Honda Soichiro, 1906–91; (説明的には) a Japanese industrialist and engineer.

ほんたて 本立て bookends ★1対を成すので通例複数形で.

ほんだな 本棚 bookshelf Ⓒ 《複 -shelves》 ★数枚の棚板から成る場合は複数形で.

ほんだわら 馬尾藻 (海草) gulfweed Ⓒ.

ぼんち 盆地 basin Ⓒ; (川の流域の) valley Ⓒ.

ポンチ (飲み物) punch Ⓤ 《☞フルーツ (フルーツポンチ)》.

ポンチョ (外とう・レインコート) poncho Ⓒ.

ほんちょう 本庁 the ⌈main [head] office.

ほんちょうし 本調子 ―名 (正常の状態) normal [good] condition Ⓤ. ―形 (健康な・調子のよい) 《略式》in (good) shape. 《☞ちょうし¹; げんき¹》. ¶再び*本調子に戻るのに時間がかかった It took me some time to get back *in* (*good*) *shape*.

ほんて 本手 ¶(将棋など) *本手を指す make the ⌈*right* [*orthodox*] *move*

ほんてん 本店 (本部となる営業所) head [main] ⌈office [store] Ⓒ.

ほんでん 本殿 (中心となる社殿) main shrine Ⓒ; (奥の社殿) inner shrine Ⓒ.

ぼんてん 梵天 ―名 固 Brahma ★ヒンズー教の創造の神.

ほんど 本土 (中心となる国土) mainland Ⓒ; (本国) the country proper. ¶中国*本土 the Chinese *mainland* ∥ ブリテン島*本土 *mainland* Britain **本土決戦** decisive fighting on the mainland Ⓤ **本土空襲** air raid on the mainland Ⓒ.

ボンド (接着剤) adhesive /ædhíːsɪv/ Ⓤ, glue Ⓤ ★ほぼ同意だが後者のほうが口語的.「ボンド」は日本の商標名.

ぽんと ☞ぽん

ポンド **1** 《通貨単位》: pound Ⓒ ★£という記号を数字の前に付ける; (英貨ポンド) pound sterling Ⓒ 《複 pounds sterling》.
2 《重量単位》: pound Ⓒ ★数字の後に lb. という記号を付ける. 《☞度量衡 (囲み)》.
ポンド圏 the sterling ⌈area [bloc].

ほんとう¹ 本当 ―形 (真実の) true; (実在の) real; (現実の) actual Ⓐ; (偽物でない) genuine. ―副 truly; really; actually; (本気に) seriously; (強意的に用いて) very, quite, 《略式》awfully; (文全体を強調して) indeed. ―名 (うそに対して真実) truth Ⓤ; (作り事に対しての事実) fact Ⓤ; (現実) reality Ⓤ ★以上いずれも本当のこと[もの]などを示す場合は Ⓒ.
【類義語】事実・真実に一致しているのが *true*. うわべだけのものではなく, 外見・内容ともに現実のものであるのが *real*. 以上2語が最も一般的な語で, 入れ替えて用いることが可能な場合もある. 厳然として事実であることをいうのが *actual*. まがいものではなく, 正真正銘のものという意味では *genuine* を用いる. 《☞ほんもの》 ¶これは*本当です This is *true*. / (⇒本当の話) This is a *true story*. ∥ *本当ですか Is ⌈it [that] *true*? / (⇒本当?) *Really*? ★相づちなどで上昇調で用いられる. / (⇒あなたは確信があるか) Are you *sure*? ∥ *本当は私は何も知りません *The fact is* I don't know anything about it. / (⇒実を言うと私は関係ありません) To tell the *truth*, I have nothing to do with it. ∥ これは*本当の真珠です This is a ⌈*genuine* [*real*] pearl. ∥ 彼は*本当の意味での紳士です He is a gentleman in the *true* sense of the

word. // 彼女は*本当に喜んだ (⇒ それは彼女をとても幸福にさせた) It made her *very* happy. // あなたは*本当にそうするつもりですか Do you *really* mean it? / (⇒ 本気なのですか) Are you *serious*? 《☞ ほんき》 // *本当にありがとう Thank you very much *indeed*. // 私は*本当に困った I was ｢*really* [*quite*] at a loss. // *本当に (⇒ 信じて下さい) 私がやったのではありません *Believe me*, I didn't do it myself. // 私は*本当に彼女が好きです I *do* love her. ★ do に強い強勢を置いて言う.

ほんとう² 本島 the main island.

ほんどう¹ 本堂 (中心となる[奥の]寺院) the ｢main [inner] temple.

ほんどう² 本道 (幹線道路) main road Ⓒ; (公道) thoroughfare Ⓒ; (正道) right ｢path [way] Ⓒ. ¶ *本道から分岐した小道 a lane that branches off from the *main road* // これがその問題解決への*本道です This is the (*right*) *way* to solve the problem.

ほんどうし 本動詞 〖文法〗 main verb Ⓒ.

ほんどおり 本通り (中心の通り) 《米》 main street Ⓒ, 《英》 high street Ⓒ; (車道を中心に見た) main road Ⓒ; (大通り) 《米》 boulevard Ⓒ ★ 通りの名称に付けるときは Blvd. と略す. 《☞ とおり》.

ぼんとくたで ぼんとく蓼 〖植〗 *bontokutade* Ⓒ; (説明的には) a kind of knotgrass, with knotlike joints and sheathlike stipules.

ほんに ☞ ほんとう¹; まことに

ほんにん 本人 (その人自身) the person ｢himself [herself] 〔語法〕 通例単数形で用いられ, 男女によって the man himself あるいは the woman herself のようにも言う; (問題の当人) the person in question; (当該人物) the said person ★ 以上 2 つは格式ばった言い方. 《☞ とうにん; じしん³》.

¶ 社長ご*本人に会わせて下さい Please let me see *the* president ｢*himself* [*in person*]. ★ in person は代理ではなく当人の意味. // その人*本人がこれを書いたのですか Did *he* write this *himself*? / Is this his *own* writing? // *本人がそう言うんだからどうしようもないよ (⇒ 私たちには何もできない) *He* says so *himself*, so we can't do a thing. // 直接*本人から聞いたんだから本当に違いない I heard it directly from *the person* ｢*himself* [*in question*], so it must be true.

ほんぬり 本塗り final coating Ⓤ.

ほんね 本音 (真の意図) real [true] intention Ⓒ 《☞ ほんしん¹》.

¶ 建て前と*本音 (⇒ 理想と現実) the ideal and *the* ｢*reality* [*realities*] 《☞ たてまえ》 // 彼はとうとう*本音を吐いた (⇒ 本当の意向を表した) Finally [At last] he ｢confessed [disclosed] his ｢*real* [*true*] *intention*. // 政治家はなかなか*本音は言わない A politician won't say *what* ｢*he* [*she*] *really thinks*.

ボンネット (自動車の) 《米》 hood /húd/ Ⓒ, 《英》 bonnet Ⓒ.

ほんねり 本練り intensive kneading Ⓤ.

ほんねん 本年 this year 《☞ ことし》. **本年度** ☞ ねんど¹

ほんの 本の — 形 (単なる) mere Ⓐ; (取るに足らない) slight. — 副 (単に) only, merely ★ 前者のほうが口語的; (ほんの少し) slightly; (ただ) just. 《☞ ちょっと》. ¶ 彼は*ほんの子供だ He is ｢*only* [*merely*] a child. / He is a *mere* child. ★ mere(ly) は「…にすぎない」という軽蔑的なニュアンスが加わる. //「ビールをもっとどうですか」「*ほんの少しだけいただきます」 "How about some more beer?" "Thank you. *Just* a little, please."

ほんのう 本能 — 名 instinct Ⓤ ★ 個々の具体的な直観などの意味で用いるときは Ⓒ. — 形 (本能的な) instinctive. — 副 instinctively.

¶ 動物は*本能に従って行動する Animals act on *instinct*. // 人は皆自己保存の*本能を持っている Every person ｢has [possesses] the *instinct* for self-preservation. // その猫は*本能的に毒の入った食べ物を避けた The cat avoided the poisoned food by *instinct*. / The cat *instinctively* avoided the poisoned food. ★ 第 2 文のほうが普通.

ぼんのう 煩悩 (世俗的な感情) worldly [earthly] passions; (世俗的な欲望) earthly [worldly] desires ★ ともに複数形で. 〔語法〕「現実の世界と関連した」というときには earthly (↔ heavenly),「快楽などの物質面に関連した」というときには worldly (↔ spiritual).

ほんのうじ 本能寺 — 名 固 the *Honnoji* Temple. ¶ 敵は*本能寺にあり ☞ てき **本能寺の変** the *Honnoji* Incident.

ぼんのくぼ 盆の窪 (the hollow of) the ｢nape [neck].

ほんのり — 副 (かすかに) faintly; (わずかに) slightly. 《☞ かすか; わずか》. ¶ 彼女はワインを飲んで*ほんのり顔を赤らめた She was ｢*slightly* [*faintly*] flushed from the wine.

ほんば¹ 本場 (原産地・発祥地) home Ⓒ; (生産の中心地) center (of production) Ⓒ; (誕生の地) birthplace Ⓒ. 《☞ げんさん² (原産地)》.

¶ 青森はりんごの*本場だ Aomori is the ｢*home* [*center*] of Japanese apple production. // 彼のは*本場の英語です (⇒ 標準英語を話す) He speaks *standard* English. // 英国は議会政治の*本場だ England is the ｢*birthplace* [*home*] of parliamentary government.

本場仕込み ¶ 彼のシャンソンは*本場仕込みだ (⇒ フランスで習った) He *learned* chansons *in France*. **本場物** genuine article Ⓒ.

ほんば² 奔馬 galloping horse Ⓒ. **奔馬の勢い** ¶ 彼は*奔馬の勢いで (⇒ 全力で) 勝ち進んだ He fought his way with ｢*all his might* [*great force*].

ほんばこ 本箱 bookcase Ⓒ.

ほんばしょ 本場所 (相撲の) regular [seasonal] sumo tournament Ⓒ.

ポンパドール (前髪を高くした髪型) pompadour Ⓤ. ¶ 髪を*ポンパドールにする wear *one's* hair in (a) *pompadour*

ほんばん 本番 ¶ 彼は*本番で (⇒ 舞台上で) せりふを忘れてしまった He forgot his lines *on* (*the*) *stage*. / (⇒ 観客[カメラ]の前で演技しているときに) He forgot his lines while *acting before the* ｢*audience* [*camera*]. // あと 1 分で*本番です (⇒ 放送です) It will be *on the air* in a minute. 《☞ ぶっつけほんばん》

ぽんびき ぽん引き pimp Ⓒ.

ポンピドーセンター — 名 固 the Pompidou /pámpɪdùː/ Centre ★ パリにある総合芸術文化センター.

ほんぴょう 本表 the ｢list [table] 《☞ ほん-》.

ほんぴん 本品 the article 《☞ ほん-》.

ほんぶ 本部 (中心となる事務所) head [main] office Ⓒ (↔ branch office); (組織の) center Ⓒ; (軍隊・警察などの司令部) headquarters ★ 複数または単数扱い; (大学などの管理・行政部) administration (building) Ⓒ. **本部長** the division director, the general manager ★ 事業部制の場合は the group vice-president ともいう; (都道府県警の) prefectural police chief Ⓒ. 《☞ 会社の組織と役職名 (囲み)》.

ぼんぷ 凡夫 mediocre [very ordinary] person Ⓒ 《☞ ぼんじん》.

ポンプ — 名 pump Ⓒ. — 動 (ポンプでくみ上げる) púmp (úp) 他. ¶ *ポンプで水をくみ上げる

ほ

pump water　ポンプ船 pump [suction] dredger Ⓒ.

ほんぷく　本復　complete recovery Ⓤ《☞ ぜんかい[1]; かいふく[2]》. ¶彼女は病が*本復して元気を取り戻している She *has completely recovered* from her illness and is feeling fine.

ほんぶしん　本普請　¶*本普請の建物 a *permanent* building

ほんぶたい　本舞台　(正面の舞台) main stage Ⓒ; (本式の場所) public place Ⓒ; (晴れの場所) ceremonial [formal] occasion Ⓒ. ¶*本舞台を踏む (⇒デビューする) make *one's* debut

ほんぶり　本降り　―― 名 (どしゃぶり) downpour Ⓒ. ―― 動 (雨が強く降る) pour (down) 自; (雨[雪]が激しく降る) rain [snow] hard; (本格的に降る) rain [snow] in earnest.《☞ どしゃぶり》. ¶いよいよ*本降りになってきた It started to ｢*rain hard* [*pour down*].

ほんぶん[1]　本文　(序文・注・挿絵などに対し) text Ⓤ; (手紙・演説・法律などの主要部) body Ⓒ.《☞ 手紙の書き方 (囲み)》. ¶*本文だけでなく注も読みなさい Read the notes as well as the *text*. // 記事の*本文 the *body* of an article

ほんぶん[2]　本分　(義務) duty Ⓤ ★ 具体的な事例は Ⓒ. しばしば複数形で.《☞ ほんむ; つとめ[2]》. ¶*本分を尽くす do [perform; fulfill] *one's duty*

ボンベ　(噴霧容器) bomb /bám/ Ⓒ 参考 bomb は「爆弾」という意味が最も普通なので, 誤解されやすいことに注意. 日本語の「ボンベ」はドイツ語の Bombe から; (スプレー用の) aerosol /é(ə)rəsɔ̀l/ spray can Ⓒ; (円筒形の大きいもの) cylinder Ⓒ. ¶ガス*ボンベ a gas *cylinder*

ボンベイ　☞ ムンバイ

ポンペイ　―― 名 固 Pompeii /pampéɪ/ ★ 西暦 79 年にヴェスヴィオ火山の噴火で埋没したイタリアの古都. ―― 形 Pompeian /pampéɪən/.

ほんぺん　本編　(続編に対して) original [first] story Ⓒ; (映画の予告編などに対し) feature film Ⓒ, main program Ⓒ.

ほんぽ　本舗　☞ ほんてん

ほんぽう[1]　奔放　―― 形 (因習などにこだわらず自由な) free; (抑制されていない) unrestrained (↔ restrained). ―― 副 freely.《☞ じゆう[1]》. ¶私は*奔放な生き方にあこがれている I long for ｢a *free* [an *unrestrained*] (way of) life.

ほんぽう[2]　本邦　¶*本邦初演のミュージカル the musical performed for the first time *in* ｢*our country* [*Japan*]

ほんぽう[3]　本俸　(基本となる給料) base pay Ⓤ《☞ きゅうりょう[1]》.

ぽんぽこ　¶腹がぽんぽこだ (⇒満腹だ) I *have eaten my fill*.《☞ ぽんぽん; 擬声・擬態語 (囲み)》

ほんぼし　本星　(真犯人(と目されている容疑者)) the chief suspect, the ｢pérpetràtor [perp].《☞ ほし 3》. ¶奴が*本星に間違い無い I bet ｢he's *our guy* [he *did it*].

ぼんぼり　雪洞　(手燭) paper(-covered) lantern Ⓒ; (燭台) paper-covered candlestick Ⓒ.

ボンボワイヤージュ　―― 感 (良い旅を・道中ご無事に) bon voyage /bánvwaɪáːʒ/ ★ フランス語から.

ぼんぼん　(良家の若い息子) unsophisticated [naive] young boy of a good family Ⓒ ★ 説明的な訳.《☞ ぼっちゃん》.

ボンボン　(菓子) bónbon Ⓒ.

ぽんぽん　**1**《音》 ―― 副 (花火や銃などが) with a bang; (はじけるように) pop. ―― 動 (ぽんぽんと音を立てる) pop 他 自.《☞ 擬声・擬態語 (囲み)》.
¶何百発もの花火が*ぽんぽん打ち上げられた Hundreds of fireworks were ｢let [set; shot] off ｢*with a bang* [(⇒次々と) *one after another*]. // いい考えが*ぽんぽん飛び出す good ideas *pop out one after another*

2《話し方》 ―― 副 (遠慮なく) without reserve《☞ ずけずけ》. ¶人を*ぽんぽん批判する criticize *a person without reserve* // 彼は何でも*ぽんぽん言う (⇒率直にものを言う) He is *outspoken*. // そう*ぽんぽん (⇒ひどく) 言うなよ Don't talk so *harshly*.

ぽんぽん蒸気 steam passenger launch Ⓒ.

ポンポン　(丸い房飾り) pompon Ⓒ.　ポンポンダリア〔植〕pompon (dahlia) Ⓒ.

ほんまぐろ　本鮪　〔魚〕(黒鮪) bluefin (tuna) Ⓒ《複～》.

ほんまつてんとう　本末転倒　¶あなたは*本末転倒しているよ (⇒手段と目的を取り違えている) You *are mistaking the means for the end*. / You *are putting the cart before the horse*.《ことわざ: 馬の前に荷馬車を置いている》《☞ しゅかくてんとう》

ほんまつり　本祭り　formal [regular] festival Ⓒ.

ほんまる　本丸　(城の) keep (of a castle) Ⓒ, donjon Ⓒ.《☞ しろ[2] (挿絵)》.

ぼんミス　凡ミス　trivial [careless; stupid] mistake Ⓒ《☞ ぼんしつ》.

ほんみょう　本名　(実名) real name Ⓒ (↔ false [assumed] name)《☞ なまえ[1]》.

ほんむ　本務　(通常の仕事) regular ｢work [business] Ⓤ; (主となる仕事) main ｢business [work] Ⓤ; (本分) duty Ⓤ.《☞ つとめ[2]》.　本務を全うする do *one's* duty.

ほんめい　本命　(予想される勝者) the likely winner, prospective winner Ⓒ ★ 後者のほうが格式ばった表現; (主としてスポーツ・レースの) the ｢favorite [《英》favourite] Ⓒ. ¶*本命に賭ける bet on *the favorite*

ほんもう　本望　―― 名 (長いこと抱いていた望み[目標]) long-cherished ｢desire [object] Ⓒ; (願望) wish Ⓒ. ―― 形 (満足な) happy.
¶あなたのおかげで私は*本望を遂げることができた Thanks to [Through] your (kind) help, I was able to realize my ｢*long-cherished desire* [*wish*]. // ここで死ねれば*本望だ (⇒満足だ) I would be ｢*happy* [*content*] to die here.

ほんもと　本元　the origin《☞ ほんけ (本家本元); おおもと》.

ほんもの　本物　―― 名 the real thing; (本人・本物)《略式》the réal McCoy /məkɔ́ɪ/. ―― 形 (外見と内容が一致する) real; (正真正銘の) genuine (↔ spurious); (実在物や基準などに合致する) true (↔ false); (人工的でなく自然の) natural (↔ artificial); (飲み物など混ぜ物のない) honest.《☞ ほんとう (類義語)》.
¶どっちが*本物なんだ Which of them is *the real McCoy*? ★ 口語的な表現. // どれが*本物か見分けがつかない I can't tell which is ｢*real* [*genuine*; *natural*]. // この指輪は*本物の真珠だ (⇒…が埋め込まれている) This ring is set with a ｢*natural* [*real*; *genuine*] pearl. // この模写は*本物そっくりだ This ｢copy [replica] ｢is *genuine*-looking [looks *real*].

ほんもん　本文　text Ⓤ ★「原典」の意味のときは Ⓒ.《☞ ほんぶん[1]》.　本文批判 [批評] textual criticism Ⓤ.

ほんや　本屋　(人) bookseller Ⓒ; (店)《米》bookstore Ⓒ,《英》bookshop Ⓒ; (出版者) publisher Ⓒ. ¶「その本はどこで買ったの」「あの*本屋で買った」"Where did you buy that book?" "At that *bookstore* over there."

ほんやく　翻訳　―― 動 translate 他 ★ 自 として, 翻訳の対象となる言葉を主語として,「訳せる」の意でも用いられる; (…を…に直す) put … into …

ほ

語法 後者のほうが口語的で,「翻訳」という日本語には前者のほうが適当;(暗号などを普通の言葉に) decode ⑱ (↔ encode). ―名 translation Ⓤ ★「翻訳されたもの」の意味で用いるときは Ⓒ;(訳文) version Ⓒ ★ この語は必ずしも翻訳されたものとは限らない. (☞ やく⁴; えいやく; 翻訳 (巻末)).
¶ 俳句を外国語に*翻訳するのは難しい It is difficult to ⌈*translate* [*put*] haiku *into* foreign languages. // 日本語に*翻訳された聖書 the Japanese ⌈*version* [*translation*] of the Bible // 私はダンテを*翻訳で読みました I have read Dante in *translation.* // この本はロシア語からの*翻訳です This book is a *translation* from the Russian. **翻訳機** translation machine Ⓒ **翻訳業** translation service Ⓤ, translating business Ⓤ **翻訳権** translation rights **翻訳者[家]** translator Ⓒ **翻訳書** translation Ⓒ **翻訳調** the direct-translation style Ⓤ; (不自然な) awkward [affected] expression (like a poor translation) Ⓒ.

ぼんやり 1 《茫然(ぼうぜん)》 ―形 (うわの空の) ábsentmínded; (心や頭が空で表情がうつろな) vacant; (無表情の) blank. ―副 absentmindedly; vacantly. (☞ ぼうっと; 擬声・擬態語 (囲み)). ¶ 彼は*ぼんやりした顔で空を見上げていた He was gazing up at the sky ⌈with a *vacant* look [*absentmindedly*].
2 《不明瞭》 ―形 (正確さに欠け不明瞭な) vague /véɪg/; (隠れていて不明瞭な) obscure; (明るさ・音・力などが弱い) faint. ―副 vaguely; obscurely; faintly. (☞ おぼろげ; ばくぜん; かすか).
¶ 私には*ぼんやりした記憶しかない I have only a ⌈*vague* [*faint*] memory of it. / (⇒ ぼんやり覚えているだけだ) I remember it only ⌈*vaguely* [*faintly*; *obscurely*]. // 遠くに彼の姿が*ぼんやり見えた He could be seen *vaguely* in the distance.
3 《無為》 ―形 (怠惰な) idle (↔ diligent); (用事がなくて暇な) vacant. ―副 idly; vacantly. (☞ ぼさっと; ぼやぼや). ¶ ただ*ぼんやり見ていないで (⇒ 立っていないで) 少し手伝ったらどうだ Why don't you help (me) instead of just *standing by*?
4 《不注意》 ―形 (不注意な) careless (↔ careful) (☞ うっかり; ふちゅうい). ¶ *ぼんやりしていてバスに傘を忘れてきてしまった I was so ⌈*careless* [*absentminded*] that I left my umbrella on the bus. // *ぼんやりするな (⇒ 気をつけろ) Watch [Look] out! / (⇒ 注意しなさい) Be *careful.*

ぼんよう 凡庸 ―名 mediocrity /mìːdiákrəti/ Ⓤ. ―形 (凡庸な) mediocre /mìːdióʊkə/. ¶ *凡庸な作品 a *mediocre* work

ほんよさん 本予算 the ⌈principal [original; main] budget.

ほんよみ 本読み ¶ すぐ*本読みにかかろう (⇒ 脚本を読み始めよう) Let's start *reading the* ⌈*scenario* [*script*] at once.

ほんらい 本来 1 《元来》 ―副 (元来) originally; (第一に) primarily /praɪmérəli/. ―形 original Ⓐ; primary /práɪmeri/ Ⓐ. (☞ がんらい; もともと).
¶ 漢字は*本来中国語から来ている *Kanji* [Chinese characters] *originally* come from Chinese. // こうしたものは*本来アメリカのものであるが, 中にはドイツのものもある These things are *primarily* American, but some are ⌈German [of German origin].
2 《本質的》 ―副 (本質的に) essentially; (本質において) in essence; (根本的には) fundamentally. ―形 essential. (☞ ほんしつ). ¶ 彼の言っていることは*本来正しい What he says is ⌈*essentially* [*fundamentally*] right. // *本来の (⇒ 主な) 話題に戻ろう Let's get back to our *main* topic.
本来ならば (適切には) properly; (正当には) rightfully. ¶ *本来ならばお伺いすべきなのですが… I should pay a courtesy call on you *as a matter of course*, but … / *Otherwise* I should see you, but …. **本来の面目** 〘仏教〙 the Buddha-nature **本来無一物** 〘仏教〙 Originally, there was nothing. ★ 説明的な訳.

ほんりゅう¹ 奔流 (急な流れ) rapid [rushing] ⌈stream [river] Ⓒ (☞ げきりゅう).

ほんりゅう² 本流 (支流に対して) main ⌈stream [current] Ⓒ.

ぼんりょ 凡慮 ordinary minds; (凡庸な考え) mediocre ⌈thought [idea] Ⓒ.

ほんりょう 本領 (性格) character Ⓒ; (性分) nature Ⓤ. ¶ 彼はようやく*本領を発揮した (⇒ 本当の性質を見せた) He finally showed his ⌈*true character* [*nature*]. / (⇒ 本当の力を見せた) He finally ⌈showed [displayed] his *real ability*. (☞ はっき)

ほんるい 本塁 〘野〙 home (plate) Ⓒ. **本塁打** home run Ⓒ, homer Ⓒ. (☞ ホームラン).

ボンレスハム boneless ham Ⓤ.

ほんろう 翻弄 ―動 (波などが) toss … up and down; (…のなすがままになる) be at the mercy of … (☞ てだま; もてあそぶ). ¶ 彼のボートは波に*翻弄されていた His boat *was at the mercy of* the waves. / His boat *was tossed up and down* by the waves.

ほんろん 本論 (主題) the main subject; (中心となる論点) the ⌈main [central] issue; (講話や論文などの) the main discourse. (☞ しゅだい; ほんすじ; ほんだい). ¶ *本論に入る proceed to [take up] *the main* ⌈*subject* [*issue*]

ほんわか ¶ *ほんわかとしたムード a *peaceful and friendly* ⌈atmosphere [mood] // その部屋は*ほんわかと暖かかった The room was *pleasantly warm and comfortable.*

ほんわり 本割り (相撲の) regularly scheduled bout Ⓒ.

ま，マ

ま[1] 間 **1** «時間»: time Ⓤ; (合間) interval Ⓒ; (休止) pause Ⓒ. (☞ じかん[1]; あいだ).
¶ 出かけるにはまだ*間がある There is some *time* (left) before I leave. // *間が持てない (⇒ 私は時間のつぶし方がわからない) I don't know how to kill (*the*) *time.* // ちょっと*間を置いてから，私の言ったことを繰り返して言いなさい Repeat what I say after a short *pause.* // 彼はあっという*間にいなくなった He was gone *in* ⌈*an instant* [*the twinkling of an eye*; 《米》 *a split second*]. // ここに来てまだ*間がない I haven't been here long.
2 «間隔»: interval Ⓒ (☞ かんかく[1]).
¶ その通りには，一定の*間を置いてプラタナスが植えてある Plane trees are growing along the avenue *at* regular *intervals*.
3 «拍子»: (タイミング・時間的な調節) timing Ⓤ; (効果をねらった小休止) pause for effect Ⓒ. (☞ タイミング). ¶ 日本舞踊では*間が大切な一要素だ Good *timing* is an important factor in Japanese dancing.
4 «部屋»: room Ⓒ (☞ へや).
間がいい (運がいい) be lucky, be fortunate (☞ おりよく) **間が抜ける** ── 形 (愚かな) foolish, stupid 【語法】 後者は前者より意味が強く口語的; (おめでたい) silly ★ 子供っぽい，めめしいというニュアンス. ¶ そんなことを言うなんて，彼は*間が抜けているね It was *stupid* of him to say such a thing. **間が延びる** be tedious and slow (☞ まのびした). **間が持たない** ¶ それでは*間が持たない (⇒ 時間を満たせない) That *won't fill up all the time.* **間が悪い** (運が悪い) be unlucky; (きまりが悪い) be [feel] embarrassed, be [feel] awkward. **間に合う** ☞ 見出し **間を合わせる** (拍子を合わせる) be in rhythm with ..., be in good timing with ...; (場を取りつくろう) patch up (the situation). **間を欠く** (用が足りない) be of no use. **間を配る** place ... with spaces in between. **間を持たす** ¶ 彼らが黙っているので*間を持たせるのに (⇒ 会話を続けさせるのに) 苦労した They were very quiet, so I had a hard time *keeping the conversation going*.
間合い (適当な時機) right timing Ⓤ; (間隔) interval Ⓒ.

ま[2] 魔 ── 形 (魔の・危険な) dangerous; (不吉な・縁起の悪い) unlucky. ¶ *魔の踏み切り a *dangerous* railroad crossing // *魔の金曜日 an *unlucky* Friday
魔がさす ¶ 彼は*魔がさした (⇒ 正気ではなかった) としか思えない He must *have been out of his mind.* / He can*not have been in his right mind.*

ま[3] 真 ¶ 彼は彼女の言葉を*真に受けた (⇒ 深刻に受けとめた) He *took* her *seriously.* / (⇒ 言うとおりを信じた) He *took* her *at her word.* // 彼の冗談を*真に受けてはいけないよ You shouldn't *take* his joke *seriously.* (☞ ほんき)

-ま …魔 ¶ 彼女は電話*魔だ (⇒ 電話をかけずにはいられない人だ) She is *a compulsive telephone user.* / (⇒ いつも電話をかけてばかりいる) She *is always on the phone.*

まあ **1** «特に女性が驚いたときの表現»: Oh!, Well! ★ 以上2語は男女共通で一般的; Good Heavens!, Goodness! ★ とんでもないというようなニュアンスがある; Oh, my!, Oh, dear! 【語法】 (1) Oh の後にはコンマを付ける; My!, Dear me! 【語法】 (2) 以上いずれも下がり調子で言う. 【日英比較】 英語には日本語のようにはっきりした男女による使い分けはないが，以上はどちらかというと女性的な感じである. なお，日本語に「まあ」とあっても，what や how で始まる感嘆文では，以上の感嘆詞を付けないでよい場合もかなりある. (☞ あっ). ¶ *まあ，ご親切にありがとうございます *Oh,* that's very nice of you. Thank you very much. // *まあ，どうしましょう *Oh, dear*! What shall I do? ★ 困ったとき. // *まあ，かわいい[すてき，きれい] How ⌈cute [nice; lovely]!
2 «ちょっと»: just. ¶ *まあ，試しにこういう風にしてごらんなさい *Just* try it this way. // *まあ考えてごらん *Just* think!
3 «自分や相手の言い分を軽く抑えて»: (そうですね) well ★ 最も一般的; (まあ…ぐらいでしょうか) I should ⌈say [think], say ★ 意見や数などを控えめに言う言い方. 前者が丁寧; (たぶん) probably; (かなり) rather; (どうにか) somehow; (さて) now.
¶ *まあもう一度考えてみることにしよう *Well,* I'll think it over again. // 志願者の人数はそれほど多くない. *まあ100ぐらいのところです The number of applicants is not large, ⌈*say* [*I should say*] around one hundred. // *まあそんなところだ That's *about* it. // *まあやってみよう (⇒ どうにか) I'll manage it *somehow.*

まあい 間合い ☞ ま[1] (間合い); ころあい

マーカー (印をつけるもの [人]) marker Ⓒ.

マーガリン margarine /máəʤərɪn/ Ⓤ.

マーガレット[1] 〔植〕 marguerite /màəgəríːt/ Ⓒ.

マーガレット[2] (女性名) Márgaret ★ 愛称は Madge /mǽʤ/, Maggie /mǽgi/, Meg, Peg, Peggie, Peggy.

マーキュリー[1] 〔ロ神〕 Mercury ★ 雄弁・職人・商人・盗賊の守護神. (☞ すいせい[1]).

マーキュリー[2] 〔化〕 (水銀) mercury Ⓤ 《元素記号 Hg》.

マーキュロ 《商標》 Mercurochrome /məːkjúroukròum/ Ⓒ.

マーキング (印をつけること) marking Ⓤ. **マーキングペン** marking pen Ⓒ, marker Ⓒ.

マーク[1] ── 名 (線・点などの印) mark Ⓒ; (記号) sign Ⓒ; (絵) picture Ⓒ; (意匠) design Ⓒ 【日英比較】 日本語の「マーク」が常に英語の mark に置き換えられるわけではないことに注意. ── 動 (マークをつける) mark ㊎, put a ⌈mark [sign] on ...; (要注意としてマークする・ブラックリストに載せる) put ... on a blacklist, blacklist ㊎; (見張る) keep watch over ..., keep an eye on ... 【語法】 (1) いずれも「人」を目的語とする; (記録をつくる) set [make; establish] a record. (☞ しるし[1]; きごう[1] (類義語)).
¶ 大切な物の入っている箱には赤い*マークをつけておいた I *put* red *marks on* the boxes which contained important things. // 十字の*マークの付いた語 the words with *crosses* 【語法】 (2) 「…のマーク」はこのように「マーク」を訳さない場合が多い. // あのうさぎの*マークのついた製品はわが社の製品です That article with the *picture* of rabbits on it is a product of our company. // わが社の*マーク (⇒ 商標) は富士山のデザインです Our *trademark* is a stylized Mt.

Fuji. // 彼は警察に*マークされている He *is on the* police *blacklist*. // 日本新記録を*マークする *set* [*make; establish*] *a* new Japanese *record* (in …)

マーク² (男性名) Mark.

マークシート ¶*マークシート方式の (⇨ コンピューター化された) テスト a「*computerized* [(⇨ コンピューターで採点される) *computer-graded*] test

マークトウェイン ―名 固 Mark Twain, 1835–1910. ★ 米国の作家, 本名は Samuel Langhorne Clemens.

マークリーダー (マークシート読みとり機) mark sense card reader Ⓒ; 〖商標〗Optical Mark Reader Ⓒ ★ OMR と略す.

マーケット market Ⓒ (☞ しじょう¹).
¶私は駅の近くの*マーケットで少し買い物をした I did some shopping in the *market* near the station. // 我々は海外に*マーケットを開拓しなければならない We have to「cultivate [find; develop; open up] new foreign *markets*.
マーケットアナリシス market analysis Ⓤ **マーケットシェア** (市場占有率) market share Ⓒ **マーケットバスケット方式** the market basket method **マーケットプライス** the market price **マーケットリサーチ** market research Ⓤ.

マーケティング (市場での売買過程) marketing Ⓤ. **マーケティングサーベイ** marketing survey Ⓒ **マーケティングマップ** marketing map Ⓒ **マーケティングリサーチ** (総合的な市場調査) marketing research Ⓤ.

マーサ (女性名) Martha ★ 愛称は Mattie, Matty.

まあじ 真鯵 〖魚〗jack mackerel Ⓒ, Japanese horse mackerel Ⓒ.

マージ ―動〖コンピューター〗merge ⊕.

マーシー (女性名) Marcie ★ Marcia /máəʃə/ の愛称.

マージー (女性名) Margie /máədʒi/ ★ Margery /máədʒ(ə)ri/, Marjorie /máədʒ(ə)ri/ の愛称.

マージナルコスト (限界費用) marginal cost Ⓤ.

マージナルマン (周辺人) marginal man Ⓒ.

マーシャ (女性名) Marcia /máəʃə/ ★ 愛称は Marcie.

マーシャルアーツ (武術) martial arts.

マーシャルしょとう マーシャル諸島 ―名 固 the Marshall Islands ★ 太平洋中西部の諸島・国; (正式名) the Republic of the Marshall Islands.

マージャン 麻雀 ―名 mah-jongg Ⓤ, mah-jong /mɑ̀ːdʒáŋ/ Ⓤ. ―動 (マージャンをする) play mah-jongg. ¶*麻雀屋 a *mah-jongg* parlor // *マージャンのパイ a (*mah-jongg*) tile

マージョラム 〖植〗marjoram Ⓤ.

マージョリー (女性名) Margery /máədʒ(ə)ri/, Marjorie /máədʒ(ə)ri/ ★ 愛称は Margie /máədʒi/.

マージン (profit) margin Ⓒ; (余白) margin Ⓒ. (☞ りえき). ¶出版業では*マージンはとても少ない In the publishing business, the *profit margin* is very small. // 狭い*マージン a narrow *margin*

マーストリヒトじょうやく マーストリヒト条約 the Maastricht /máːstrɪkt/ Tréaty ★ the Treaty on European Union の通称.

マーズパスファインダー ―名 固 (Márs) Páthfinder ★ 米国の火星探査機.

まあたらしい 真新しい brand-new (☞ あたらしい).

マーチ (行進曲) march Ⓒ (☞ こうしん¹).

マーチャンダイジング merchandising Ⓤ.

マーチャント (商人) merchant Ⓒ (☞ しょうにん²).

マーチャントバンク merchant bank Ⓒ ★ 外国為替手形, 証券発行などを扱う金融機関.

マーティー (女性名・男性名) Marty, Martie ★ Martha (女性名), Martin (男性名) の愛称.

マーティーニ ☞ マティーニ

マーティナ (女性名) Martina /mɑəˈtíːnə/.

マーティン (男性名) Martin ★ 愛称は Marty, Martie.

マート (マーケット) mart Ⓒ ★ スーパーなどの名称の一部として.

マードック ―名 固 James Murdoch, 1856–1921 ★ 英国出身の日本学者・語学教師; Iris Murdoch, 1919–99 ★ 英国の作家.

まあなご 真穴子 〖魚〗common Japanese conger eel Ⓒ.

まあね ¶そう, *まあね Well *yes*. //「結果はどうだった」「*まあね」"What was the result?" "*Not bad, I hope.*"

マービン (男性名) Mervin, Marvin.

マーブル (大理石) marble Ⓤ.

マーボーどうふ 麻婆豆腐 *Mabo tofu* Ⓤ; (説明的には) Chinese-Japanese dish, consisting of fried tofu mixed with ground meat Ⓤ.

まあまあ **1** «まずまずの程度»: (なんとか大丈夫) doing all right ★ 口語的; (そんなに悪くはない) not so bad ★ どちらかというとよいほうだというニュアンスがある; (よくも悪くもない) neither good nor bad; (成績などが) fair; (中位の) moderate ★ やや格式ばった語; (どうにかこうにか) so-so ★ 口語的. (☞ まずまず).
¶「このごろどうだい」「*まあまあだね」"How are you doing these days?" "*OK* [*All right*]." //「最近商売はいかがですか」「ええ, *まあまあというところですな」"How is your business (doing)?" "Well, it's *so-so.*" // 私の成績は*まあまあだった My grades were *neither good nor bad*.
2 «なだめて»: (米) Now, now; (英) Come, come; (ほら, いいかい) There, there; (さあ) now. (☞ まあ).
¶*まあまあ, そう腹を立てずに *Now, now*, don't get so angry.

マーマレード mármalàde Ⓤ.

マーメイド (人魚) mermaid Ⓒ.

マーモット 〖動〗marmot Ⓒ.

マーラー ―名 固 Gustav Mahler /gústɑːv máːlə/, 1860–1911. ★ オーストリアの作曲家・指揮者.

マーリーン (女性名) Marlene /mɑəlíːn/.

マーロー ―名 固 Christopher Marlowe, 1564–93. ★ 英国の劇作家.

まい 舞 ―名 dance Ⓒ. ―動 (舞を舞う) dance ⓐ. (☞ おどり; おどる¹; ぶよう).

まい- 毎… ―形 every Ⓐ, each Ⓐ 語法 (1) 前者は「すべての」という意味で, all より口語的でしかも強調的. 後者はある特定の数の中のメンバーについて一つ一つが「すべて…である」というように, 個々の状況を強調する. なお, 以上の言葉を使わないでも日本語の「毎…」が表せる場合があることに注意.
―前 (…につき) a [an], per. (☞ すべて; -ごと¹).
¶私は*毎週一度病院に行きます I go to the hospital「*every* [once *a*] week. // 彼女は*毎日曜日に教会に行く She goes to church「*every* Sunday [on *Sundays*]. 語法 (2) every を使うほうが意味が強いが, 複数形を使ってもよい. // この雑誌は今年は*毎号特別記事を載せます This year, *each* issue of this magazine will「include [contain] a special contribution. // *毎時 50 マイル 50 miles「*an* [*per*] hour ★ 50 mph と略す.

-まい¹ …枚 (きちんと四角に形が整っている紙など)

sheet of …; (形の整っていない紙など) piece of …; (本の裏表 1 枚の紙･2 ページ分の紙) leaf of … (《複 leaves of …》); (薄く切ったパンなど) slice of … [日英比較] 紙は英語では不可算名詞だから, sheet, または piece を用いて数えるが, 写真 (picture), レコード (record) など可算名詞の場合には数詞をつけて複数形にするだけでよい. 一般に英語では可算名詞の場合には日本語のように「…本」「…個」などのような個数詞を用いない. (《☞ 数の数え方 (囲み); 可算･不可算名詞 (巻末); いちまい》).

¶ 紙 5 *枚 five ⌈*sheets* [*pieces*] *of* paper // ガラス 2 *枚 two ⌈*panes* [*sheets*] of glass [語 法] 業務用などでは sheets が用いられる. // 食パン 1 *枚 a *slice* of bread // 80 円切手 2 *枚 two eighty-yen stamps // ハンカチ 3 *枚 three ⌈handkerchiefs [handkerchieves] // 切符 2 *枚 two tickets // 千円札 5 *枚 five one-thousand-yen ⌈notes [bills]

-まい[2] [日英比較] 日本語の「…まい」には「彼は帰るまい」というような場合の否定的推量と,「もう二度とこんなことはすまい」というような場合の否定的意志を表す場合とがある. 前者の場合には未来に関する単純な否定的表現としては will not … (短縮形 won't) が, 話者の判断として述べる場合には I don't think … が対応することが多い. なお,「…しないと思う」という日本語は英語では「…するとは思わない」I don't think … というように文頭に近いほうが否定になる点に注意. また, 希望的観測として「そうはなるまい」というのであれば I hope not. (not は「…とはならない」という節の他の部分を省略した形), 悲観的観測として「残念ながら…とはなるまい」というのであれば I'm afraid not. が用いられる. 否定的意志として「二度とそのようなことはすまい」などという場合には I'll never … が対応することが多い. しかし, 前後関係によっては, 以上のような訳し方によらないで, 全体の意味から考えて, 意訳する必要のあることに注意すべきである. (《☞ -だろう》).

¶ 彼はこんな少額では満足す*まい He *will not* be satisfied with such a small sum of money. / *I don't think* he will be satisfied with such a small sum of money. //「近い将来に大地震があるだろうか」「いや, ある*まい」"Do you think there will be a big earthquake in the near future?" "*I hope not.*" [語 法] この答えを 1 つの叙述の形にして hope を用いる場合は, I hope there won't be any big earthquakes in the near future. となる. I don't hope … という表現は用いない. これは I'm afraid についても同様. // 彼女の話は本当ではある*まい (⇒ あるはずがない) Her story *cannot* be true.

まいあがる 舞い上がる (上へ飛ぶ) flý ⌈úp [hígh] (自); (空高く上がる) soar (自); (吹き上げられる) be blówn úp; (渦巻きながら吹き上げられる) be whírled úp; (気持ちなどが) become elated (《☞ うちょうてん; のぼせあがる》). (《☞ あがる[2]》). ¶ かもめが一羽青空高く*舞い上がっていった A seagull ⌈*flew* [*soared*] *high* into the blue sky. // 風でほこりが*舞い上がった The dust *was whirled up* by the wind.

まいあさ 毎朝 ── [副] every morning (《☞ まい-; あさ[1]》).

マイアミ ── [名] (固) Miami /maɪǽmi/ ★ 米国フロリダ州の観光地･避寒地.

まいいしょう 舞衣装 dancing costume Ⓒ.

まいおうぎ 舞扇 dancer's fan Ⓒ.

まいおさめる 舞い納める (舞い終る) finish a dance; (最後の舞を舞う) dance *one's* last dance.

まいおちる 舞い落ちる flutter down (自) (《☞ はらはら》).

まいおりる 舞い降りる (降りる) còme dówn (自); (鳥が…に止まる, 降りる) alight ⌈on [upon] …; (鳥の群れがさっと降りる) swéep dówn (自); (軽く降りる) drop lightly onto … ¶ 一群の鳥が砂地に*舞い降りた A flock of birds *swept down onto* the sand.

まいか 真烏賊 〘魚〙 golden cuttlefish Ⓒ.

マイカ 〘鉱〙 mica /máɪkə/ Ⓤ.

マイカー (乗用車) car Ⓒ; (家族用の) family car Ⓒ; (個人所有の) private car Ⓒ [語 法] 実際には家族用の車は個人所有であるので両者はほぼ同意だが, 日常の会話では前者を用いる. (《☞ じどうしゃ (類義語); くるま》). ¶ 彼らは*マイカー族だ (⇒ 彼らは乗用車をもっている) They *have a car.* // 彼は*マイカー通勤です (⇒ 車を運転して会社へ行く) He *drives* to the office (every day). // 週末は道路がレジャーの*マイカーで混雑する The highways are congested with the *cars* full of people going out for the weekend. [日英比較] このような場合には family car と言わなくてよい. こういう場合の日本語の「マイカー」は「乗用車」という意味が強いが, 英語の car もトラック･バスなどと区別して「乗用車」を意味する語だからである.

まいかい 毎回 ── [副] every time, each time ★ 前者はすべての回に, 後者は 1 回 1 回というニュアンスがある. [接] としても用いられる; (しばしば) often. ── [形] every Ⓐ ★ この後に単数名詞を付ける. (《☞ まい-; そのつど》).

¶ 彼は*毎回ピアノの先生からしかられる (⇒ レッスンを受けるたびに) He is given a scolding by his piano teacher *every time* he has a lesson. // *毎回 (⇒ しばしば[くり返しくり返し]) 同じことを聞かされて (⇒ 聞いて) うんざりだ I am tired of hearing the same thing ⌈*so often* [*over and over again*].

まいき 毎期 every ⌈term [period] (《☞ まい-》).

まいきょ 枚挙 枚挙にいとまがない ¶ この種の過ちは*枚挙にいとまがない (⇒ 頻繁すぎて言えない) Errors of this nature are ⌈*too frequent to mention* [(⇒ 数が多すぎて数えられない) *too many to count*; *too many to enumerate*]. ★ 最後はやや格式ばった表現.

まいきょうげん 舞狂言 the genre of *kyogen* in which souls of men and/or animals appear and dance to show their earthly lives ★ 説明的な訳.

マイク[1] micróphòne Ⓒ, (《略式》) mike Ⓒ. ¶ *マイクの前に立つ speak at the *microphone* // *マイクで話す speak ⌈over the [through a] *microphone*

マイク[2] (男性名) Mike ★ Michael /máɪkl/ の愛称.

まいくるう 舞い狂う dance ⌈frantically [fervently] as if out of *one's* mind.

マイクロ ── [接頭] (小･微小の意) micro- (↔ macro-).

マイクロウエーブ (マイクロ波) mícrowàve Ⓒ マイクロウエーブ療法 〘医〙 microwave therapy Ⓤ マイクロエレクトロニクス (微小電子工学) mìcroelectrónics Ⓤ マイクロカード 〘商標〙 Microcard Ⓒ マイクロキュリー mícrocùrie Ⓒ ★ 放射能の単位 マイクログラム microgram Ⓒ ★ 略号は μg. マイクロコード 〘コンピューター〙 microcòde Ⓒ マイクロコピー (縮小複写) mícrocòpy Ⓒ マイクロコンピューター mícrocompùter Ⓒ (《☞ マイコン》) マイクロサージェリー 〘医〙 (顕微外科) microsurgery Ⓤ マイクロチップ míсrochìp Ⓒ, chip Ⓒ マイクロ波 〘電〙 mícrowàve Ⓒ マイクロバス mínibùs Ⓒ (《☞ バス[1]》) マイクロファラド 〘電〙 microfarad Ⓒ ★ 静電容量の単位. マイクロフィッシュ 〘図書〙 microfiche /máɪkroufìːʃ/ Ⓒ, fiche Ⓒ マイクロフィルム microfilm Ⓒ マイクロプログラミング 〘コンピューター〙 microprogramming Ⓤ マイクロプロセッサー 〘コンピューター〙 mícroprocèssor Ⓒ マイクロフロッピー 〘コンピューター〙 mícroflòppy (dìsk) Ⓒ マイクロマシーン micromachine Ⓒ　マイクロメーター（測微計）micrómeter Ⓒ　マイクロメートル micrometer Ⓒ ★略号は μm.　マイクロライト（超軽量飛行機）microlight Ⓒ.　マイクロリーダー（マイクロフィルムを読む装置）mícroreàder Ⓒ.

マイクロホン　☞ マイク[1]

まいげつ 毎月　— 副 every [each] month《☞ まいつき》.

マイケル　（男性名）Michael /máɪkl/ ★愛称は Mike /máɪk/, Mick, Micky, Mickey.

まいこ 舞妓　*maiko* Ⓒ;（説明的には）apprentice geisha (in the Kansai area) Ⓒ.

まいご 迷子　— 名 lost child Ⓒ《複 lost children》;（見当たらない子）missing child Ⓒ.　— 動（迷子になる・道に迷う）be [get] lost.《☞ まよう; はぐれる》.　¶そのお祭りで*迷子が何人も出た There were a number of *lost children* at the festival.
迷子札 child's identification tag Ⓒ ★tag はひもなどで付けた名札をいう.

まいごう 毎号　every 「number [issue]《☞ まい-》.

まいこつ 埋骨　burial of ashes Ⓤ《☞ のうこつ》.　¶祖父の*埋骨をする *bury* my grandfather's *ashes*

マイコトキシン　〔薬〕mycotoxin Ⓤ.

マイコプラズマ　〔生〕（微生物）mycoplasma /màɪkouplǽzmə/ Ⓒ《複 ~s, -mata /-mətə/》.　マイコプラズマ肺炎〔医〕mycoplasmal pneumonia Ⓤ.

まいこむ 舞い込む　¶車が通るたびにほこりが部屋に*舞い込んでくる（⇒ 飛んで入ってくる）Every time a car passes by, a cloud of dust *flies into* the room. ∥ 思いがけない吉報が*舞い込んできた（⇒ よい知らせを受けとった）I *received* (some) unexpected good news.

マイコン　mícrocompùter Ⓒ《☞ コンピューター（囲み）》.

まいじ 毎時　— 副 every hour;（毎正時に）every hour on the hour; (1 時間につき) an [per] hour.《☞ まい-; じそく[1]》.

まいしゅう 毎週　— 副（1 週間ごとに）every week, weekly ★給料・出版物などの間隔についていう;（週につき）a [per] week.　— 形（毎週の）weekly.《☞ まい-》.　¶*毎週月曜日 *every* Monday ∥ *毎週 3 回 three times 「*a week* [*every week*]

まいしょうぞく 舞装束　dancing costume Ⓒ.

まいしょく 毎食　every meal Ⓤ《☞ まい-》.　¶私は*毎食米を食べる I have rice *at every meal.*

まいしん 邁進　— 動 push forward (to ...) 自;（努力する）strive (for ...) 自.

マイシン　☞ ストレプトマイシン

まいすう 枚数　the number of ...　日英比較 英語では例えば紙などのような不可算名詞には sheet, piece などを用いるが，その他の可算名詞については日本語と違って，その物の数を述べるだけで，「枚」に当たる語はない.《☞ -まい[1]》.　¶必要な切符の*枚数を教えて下さい Please tell me *how many tickets* you want.

まいすがた 舞姿　dancing posture Ⓒ.

マイスター　master Ⓒ, meister /máɪstə/ Ⓒ ★後者は master にあたるドイツ語からの借用語.《☞ おやかた; きょしょう[1]》.

まいせつ 埋設　— 動（地下に）lay ... 「under the ground [underground]《☞ ふせつ[1]》.

マイセン　— 名 固 Meissen /máɪsən/ ★ドイツの都市. 磁器で有名.

まいそう 埋葬　— 動（埋める）bury /béri/ 他.　— 名 burial /bériəl/ Ⓤ.《☞ ほうむる》.　埋葬許可証 búrial certìficate Ⓒ.

まいぞう 埋蔵　— 動（埋蔵されている）be buried underground.　埋蔵物（天然の）deposit Ⓒ;（人の手による）buried property Ⓒ　埋蔵文化財 unexcavated cultural 「asset [property] Ⓒ　埋蔵量 ¶鉄鉱石の*埋蔵量 iron-ore *reserves* /（⇒ 推定量）*estimated amount* of iron ore.

まいぞめ 舞い初め　the first dancing of the New Year.

まいたけ 舞茸　〔植〕hen-of-the-woods Ⓤ.

まいたつ 舞い立つ　☞ まいあがる

まいちもんじ 真一文字　— 副 in a straight line《☞ まっすぐ; ちょくせん[1]》.

まいちる 舞い散る　（ひらひらと落ちる）flutter down 自《☞ ちる》.

まいつき 毎月　— 副 every [each] month ★前者は「すべての月に」，後者は「ひと月ひと月」というニュアンスがある;（月ごとに）a [per] month ★数量，回数などの表現で.　— 形（毎月の）monthly.《☞ まい-》.　¶私は*毎月 1 度は床屋に行く I go to the barber at least once *a month.*

まいった 参った　☞ まいる 3

まいづるそう 舞鶴草　〔植〕false lily-of-the-valley Ⓒ.

まいて 舞手　dancer Ⓒ.

まいど 毎度　— 副 each [every] time《☞ まいかい》.　¶*毎度ありがとうございます Thank you very much.　参考 商店では客の帰り際には「またどうぞ」の意味で Please come again. と言う. ∥ *毎度のことながら（⇒ いつも約束を破ってばかりいるが）彼はまた約束を破った He is always breaking his promise and he did it again.

まいとし 毎年　— 副 every year《☞ まいねん》.

マイトマイシン　〔生化〕mitomycin Ⓤ.

マイナー　— 形 minor (↔ major).　マイナーチェンジ minor change Ⓒ　マイナーリーグ minor league Ⓒ.

まいない 賂　☞ わいろ

マイナス　— 名 minus Ⓒ (↔ plus);（不利）disadvántage Ⓒ;（不利な条件）handicap Ⓒ　日英比較 日本語の「マイナス」が必ずしも英語の minus には対応しないことに注意.　— 形 minus;（負の）negative (↔ positive)　語法 前者のほうが一般的. 後者は数学・電気などの用語として用いられることが多い.　— 前 minus ...《☞ ぎゃく; ふり[1]》.　¶3 引く 10 は*マイナス 7 Three minus ten is *minus* seven.《☞ 数字（囲み）》∥ *マイナス 5 度 five degrees *below zero* ∥ それは彼にとっては*マイナスになるだろう（⇒ 不利になるだろう）That will *work against* him. ∥ それには*マイナスの面がある It has its own *disadvantages.* ★このような場合に minus を使わないことに注意.
マイナスイメージ（不利な意味あい）negative connotation Ⓒ;（悪いイメージ）bad image Ⓒ　マイナス記号 minus [negative] sign Ⓒ　マイナスシーリング down-sized annual-expenditure budgeting Ⓤ　日英比較「マイナスシーリング」は和製英語.　マイナスドライバー 「slotted [standard; minus] screwdriver Ⓒ　マイナスねじ ordinary slot screw Ⓒ《☞ ねじ》.

まいにち 毎日　— 副 every day;（毎日毎日）day 「after [by] day, from day to day; (1 日につき) a [per] day.　— 形（毎日の）everyday Ⓐ, daily Ⓐ ★「日刊の」「毎日起こる」などの場合は後者を用いる.《☞ まい-》.　¶*毎日 3 回 three times *a day* ∥ 私は*毎日風呂に入る I take a bath *every day.* ∥ 睡眠は*毎日の生活に欠かせない Sleep is essential for our 「*daily* [*everyday*] life. ∥ *毎日のスケジュール *one's daily* schedule

まいねん 毎年　— 副 every [each] year, annually, yearly　語法 最も一般的に用いられるのは every [each] year で，every year は「すべての年に」，

each year は「1年1年」というニュアンスの違いがある.「年1回で例年の」というときには annually, yearly が多く用いられるが, 前者のほうが格式ばった語; (1年につき) a [per] year. ―― [形] (毎年の) annual Ⓐ, yearly Ⓐ. (☞ まい-; ねん¹; ねんかん¹). ¶ *毎年毎年 year ˹after [by] year / year in year out / (⇒ 来る年も来る年も) from year to year // その会は*毎年1回開かれます The meeting is held once *a year*. // *毎年夏には軽井沢に行く I go to Karuizawa *every* summer. // *毎年いまごろはよく旅行に行きます I usually go on a trip about this time of (the) year.

マイノリティー (少数派) minórity Ⓒ. **マイノリティーグループ** minority group Ⓒ.

まいはぎ 舞萩 〖植〗telegraph plant Ⓒ.

まいばん 毎晩 ―― [副] every ˹evening [night] [語法] 寝る時間までは evening, 日の入りから日の出までの広い意味には night. ―― [形] (毎晩の) nightly. (☞ まい-; ばん¹; よる¹). ¶ 私は*毎晩1時間テレビを見る I watch television (for) one hour *every evening*.

まいひめ 舞姫 dancing girl Ⓒ (☞ おどりこ).

まいびょう 毎秒 ―― [副] (1秒につき) a [per] second (☞ まい-). ¶ *毎秒30メートルの速さで at a speed of 30 meters ˹*a* [*per*] *second*

マイ・フェア・レディ *My Fair Lady* ★ バーナード ショー原作の映画・ミュージカルの題名.

まいふん 毎分 ―― [副] (1分につき) a [per] minute (☞ まい-).

マイペース *one's* own pace; (自分自身のやり方) *one's* own way. ¶ 私は*マイペースでその仕事をやります (⇒ 私自身のやり方で) I'll do the work ˹*in my own way* [(⇒ 自分に合ったスピードで) *at my own pace*]. // 私は*マイペースでやります (⇒ やりたいようにやる) I'll *go my way*.

マイホーム *one's* own house Ⓒ (☞ いえ; かてい¹). ¶ 彼女の念願は*マイホームを持つことです (⇒ 長いこと自分の家を持ちたいと思ってきた) She has wanted to have *her own house* for a long time. **マイホーム主義** family-first (principle) Ⓤ. ¶ 最近では*マイホーム主義の人が多い There are many ˹*family-*[*home-*]*oriented* people these days.

まいぼつ 埋没 ―― [動] (埋まる) be [lie] buried in … (☞ うまる).

まいまいが 舞舞蛾 〖昆〗gypsy [gipsy] moth Ⓒ.

まいまいかぶり 舞舞被 〖昆〗Japanese carabid beetle Ⓒ.

マイム mime Ⓒ (☞ パントマイム).

まいもどる 舞い戻る còme báck (自), return (自) ★ 前者がより口語的. (☞ もどる; かえる¹ (類義語)).

まいゆう 毎夕 ―― [副] every ˹evening [night] (☞ まい-).

まいよ 毎夜 ―― [副] every night; (夜ごとに) night after night. (☞ まいばん).

-まいり -参り (聖地への巡礼) pilgrimage Ⓒ; (訪問) visit Ⓒ. ¶ 善光寺*参りに出かける make a *pilgrimage* [pay a *visit*] to Zenkoji (☞ おまいり)

まいる 参る **1** 《行く・来る》: go (自), come (自) ★ 相手の所へ行くときは go でなく, come を用いる. (☞ ゆく¹ (類義語); くる¹; 丁寧な表現 (巻末)).

2 《参詣する》: visit a ˹temple [shrine]; (礼拝に行く) go to ˹worship [pray] at a ˹temple [shrine] ★ temple は「寺」, shrine は「神社」. (☞ さんぱい¹).

3 《負ける》: (勝負などで) be ˹defeated [beaten]; (堪えられない) cannot ˹stand [bear] (他); (あきらめる) give up (自). (☞ こうさん²; おてあげ; ぎゃふん).
¶ 彼は決して*まいったと言わない (⇒ 敗北を認めない) He never admits *defeat*. / He never ˹says [cries] *uncle*. ★ この表現は口語で, 子供が遊びで用いることが多い. // この寒さ[暑さ]には*まいった (⇒ 堪えられない) I *cannot stand* this ˹cold [heat]. // これは(一本) *まいりました You˹*'ve got* [*have*] me there. / (⇒ あなたの勝ちだ) *You win*.

4 《弱る》: (途方に暮れる) be at a loss; (閉口している) feel embarrassed, 《略式》 be stuck, 《略式》 be in a fix; (疲れている) be tired out. (☞ よわる; こまる; へこたれる). ¶ その問題には*まいった I'*m* really *at a loss* what to do about the problem.

マイル mile Ⓒ ★ 1760 ヤードで約 1.6 キロメートル. (☞ 度量衡 (囲み)). ¶ 時速60*マイル sixty *miles* ˹an [per] hour ★ 60 mph と略せる. **マイル数** mileage /máɪlɪʤ/ Ⓤ **マイルストーン** (里程標) milestone Ⓒ.

まいるか 真海豚 〖動〗common dolphin Ⓒ.

マイルズ (男性名) Miles, Myles.

マイルド ―― [形] (味がまろやかな) mild.

マイレージ (マイルで示した走行[飛行]距離) mileage Ⓤ.

まいわし 真鰯 ☞ いわし

マインドコントロール (思考支配) mínd contròl Ⓤ.

まう¹ 舞う (舞いを) dance (自); (蝶が) flutter about (自); (木の葉が) whirl (in the wind) (自). (☞ おどる¹; まいあがる).

まう² 眩う ¶ 目が*眩う feel ˹dizzy [light-headed] (☞ めまい)

マウイとう マウイ島 ―― [名] (固) Maui /máʊi/ ★ ハワイ島北西の火山島.

まうえ 真上 ―― [前] (頭上に) right [just] over …, right [just] above … [語法] over を用いると, 覆いかぶさるような広がりを意味することができる.
―― [副] (頭上高く) overhead. (☞ うえ¹; ずじょう).

まうしろ 真後ろ ―― [前] (すぐ後ろに) just [right; directly] behind …, 《略式》 right ˹in back of [at the back of] … ―― [副] (すぐ後ろに追い迫って) at [on; upon] *a person's* heels. (☞ うしろ). ¶ 彼女は私の*真後ろに立っていた She was standing *right in back of* me. // 犬が彼の*真後ろを走っていた A dog was running ˹*close at* [*on*] *his heels*.

マウス mouse Ⓒ (複 mice) (☞ ねずみ; コンピューター).

マウスピース 〖楽器・ボク〗mouthpiece Ⓒ.

マウナロア ―― [名] (固) Mauna Loa /máʊnəlóʊə/ ★ ハワイ島の火山.

まうら 真裏 ☞ まうしろ

マウンティング 〖動〗(交尾時の背乗り) mounting Ⓤ.

マウンテンバイク mountain bike Ⓒ.

マウント (台紙・台) mount Ⓒ.

マウンド 〖野〗mound Ⓒ (☞ とうばん²). ¶ *マウンド上のピッチャーはだれですか Who is (the pitcher) on the *mound*? // その試合には彼が*マウンドに立つだろう He'll take the *mound* in the game.

まえ 前 **1** 《位置・場所》 ―― [名] (前部・正面の部分) front Ⓒ (↔ back); (車などの前の席) front seat Ⓒ. ―― [形] front Ⓐ. ―― [前] (…の正面に; …のすぐ前に) in front of …, before … (↔ behind …); (…の前方に) ahead of …; (人のいる前で) in the presence of … ―― [副] (前方に) ahead.
[日英比較] 日本語の「前」には, 位置関係を言うとき,「車の前を横切る」「車の前に乗る」のように, (1) 離れた前方, (2) 前の部分, という2つの意味があるが, 英語の front には (2) の意味しか含まれない. 従って, 離れた前方を意味するには普通は in front of, ahead of という慣用句や ahead という副詞などを用いなくてはならない. また, before も in front of と同じく位置を示すのに用いられるが, やや格式ばった言い方である. なお, front に冠詞が付いて in the front of となると,

front は「前の部分」の意味になることに注意. (☞ ぜんめん²; しょうめん; てまえ¹).

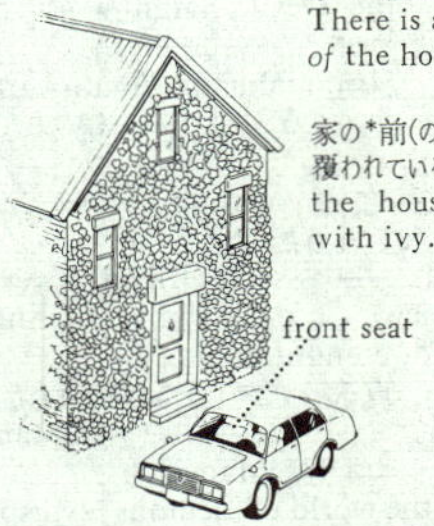

家の*前に自動車がある There is a car *in front of* the house.
家の*前(の部分)は, つたで覆われている The *front* of the house is covered with ivy.
front seat

¶ 彼の家の*前には大きな木がある There is a tall tree *in front of* his house. // 彼は私の*前を歩いた He walked *ahead of* me. // 車は後ろより*前のほうが乗り心地がよい It is more comfortable to ride in the *front* seat of a car than in the back. // 彼は教室でいつも*前のほう (⇒ 前の部分) に座る He always sits *in the front of* the classroom. ★ 定冠詞が付くことに注意. // 彼は他人の*前で私に恥をかかせた He put me to shame *in the presence of* others. // 私は注意深く*前と後ろを見た I carefully looked to *the front* and behind. // よく*前を見て歩きなさい Look where you're going!

2 «日・時間» — 前 (…の前) before …; (時刻で, …時の…分前) … to …, 《米》… of … — 形 (すぐ前の) preceding Ⓐ, previous Ⓐ ★ 前者のほうが直前の意味が強い; (この前の) last. — 副 (現在を基準として…前) ago; (過去のある点を基準としてそれより…前) before; (この前・最後に) last. — 接 (…する前に) before … (☞ 時刻・日付・曜日 (囲み)). ¶ 2 時 15 分*前です It's (a) quarter ˹*to* [(《米》) *of*] two. // 彼は 2 時間*前に出発した He left two hours *ago*. // 彼は夏休みの 2 日*前に出発した He (had) left two days *before* the summer vacation started. 語法 (1) いまを基準に「いまから前」を表すのが ago で, 過去を基準に「その時から前」を表すのが before. two days ˹*ago* [*before*] のように連語で副詞句を作る場合, ago は過去時制, before は過去完了時制の動詞と共に用いるのが原則. しかし日常の表現では過去形が使われることが多い. // 彼は 7 時ちょっと*前に帰宅した He came home a little *before* seven o'clock. // 彼女は寝る*前に日記を書いた She wrote her diary *before* ˹she went [going] to bed. // 彼が彼女を最後に見たのは*前の日の午後 4 時だった He had last seen her at four o'clock on the ˹*previous* [*preceding*] afternoon. // この*前 (⇒ 最後に) 彼に会ってから 3 年になる It is three years since I saw him *last*. // 彼は 1 週間*前から (⇒ 1 週間) 学校を休んでいる He has been absent from school *for* a week. 語法 (2) since a week ago のように since と ago を同時に用いないほうがよい.

3 «以前» — 副 (以前に) before; (かつて) once; (元は・以前は) formerly 語法 before と formerly は文中で置かれる位置が異なり, さらに後者のほうがやや格式ばった語. — 形 (古い) old; (以前の) former Ⓐ; (その前の) previous Ⓐ. — 前 (…の前の) before …; (…に先立って) prior to … — 名 (過去) the past; (前科) criminal record Ⓒ. (☞ いぜん¹; むかし; もと²; かつて).
¶ 彼は*前のように一生懸命働かない He doesn't work hard as *before*. // タイは*前はシャムと呼ばれていた Thailand /táɪlænd/ was *formerly* called Siam /saɪǽm/. // 「*前の (⇒ 古い [以前の]) 車はどうしました」「売ってしまいました」"What did you do with your ˹*old* [*former*] car?" "I sold it." // *前のことはすべて忘れました I've forgotten everything in *the past*.

4 «ある時期より前» — 前 (年齢などが…より下) under … (☞ した¹; いか¹). ¶ 彼女は 20 歳*前だ (⇒ 20 歳より下だ) She is *under* twenty.

5 «人数に相当する数量» — 前 (…人分の) for … (☞ ぶん¹). ¶ 7 人*前の食事 a meal *for* seven

まえあき 前開き — 形 front-opening. ¶ *前開きのシャツ an undershirt ˹*that buttons* [*buttoning*] *in* (*the*) *front*

まえあし 前足 (動物の) forefeet ★ 通例複数形で. 単数は forefoot; (足首から上の部分を含めて動物・昆虫などの前肢) foreleg Ⓒ. (☞ あし¹).

まえいわい 前祝い — 名 celebration in advance Ⓤ. — 動 (前もって祝う) celebrate … ˹beforehand [in advance]. (☞ いわう).

まえうけきん 前受金 〔会計〕 advances received ★ 複数形で. (☞ まえきん; まえばらい).

まえうしろ 前後ろ ☞ うしろまえ; ぜんご¹

まえうり 前売り — 名 (切符などの) advance sale Ⓤ. — 動 sell … in advance. **前売り券** reserved ticket Ⓒ, ticket sold in advance Ⓒ.

まええり 前襟 front collar Ⓒ; (和服の) front neckband Ⓒ.

まえおき 前置き (紹介としての) introdúctory remárk Ⓒ, introdúction Ⓒ; (予備的な) prelíminàry remárk Ⓒ, preliminaries ★ 複数形で. ¶ 少し*前置きをしてから, 彼は本論に入った After a few ˹*introductory* [*preliminary*] *remarks* he took up the main issue.

まえかがみ 前屈み — 動 (肩を前にかがめる) slouch (自); (特に体を曲げるようにして) bend forward (自), stoop (自) ★ 後者のほうが格式ばった語. (☞ かがむ; かがめる).

まえがき 前書き (序文) preface /préfəs/ Ⓒ; (短い序文) foreword Ⓒ. (☞ じょぶん; はしがき).

まえかけ 前掛け apron Ⓒ (☞ エプロン).

まえがし 前貸し — 名 advance Ⓒ. — 動 (給料の前貸しをする) pay … in advance. (☞ まえばらい; まえがり; かす¹).

まえがしら 前頭 〔相撲〕 *maegashira* Ⓒ, senior sumo wrestler Ⓒ.

まえがね 前金 ☞ まえきん

まえがみ 前髪 forelock Ⓒ (☞ かみ³).

まえがり 前借り — 動 borrow … in advance on *one's* ˹pay [salary]; (…を給料から先払いしてもらう) have … advanced on *one's* ˹pay [salary]; (…を前払いしてもらう) have … paid in advance. (☞ まえばらい; かりる). ¶ 私は月給から 5 万円*前借りした I *borrowed* fifty thousand yen *in advance on my* ˹*pay* [*salary*]. // 退職金を*前借りしてその土地を買った I *had* my severance pay *paid in advance* and bought the land.

まえかんじょう 前勘定 ☞ まえばらい

まえきん 前金 money paid in advance Ⓤ (☞ まえばらい).

まえげいき 前景気 ¶ この芝居の*前景気 (⇒ 成功の見込み) は上々です The *prospects* for this play are good. // *前景気がいい have a good *prospect*

まえこうじょう 前口上 (劇の) prologue Ⓒ; (本論に入る前の紹介[予備的説明]) introductory [preliminary] remark Ⓒ. (☞ まえおき).

まえこごみ 前屈み ☞ まえかがみ

まえさばき 前捌き ¶ 《相撲で》 彼は*前さばきがうまい He is good at grabbing the opponent's belt.

まえじたぼいん 前舌母音 〘音声〙 front vowel [C].

まえしょり 前処理 (汚水などの) pretreatment [U]; (データなどの) preprocessing [U].

マエストロ (音楽の巨匠) maestro /máɪstrou/ [C] 《複 ~s, maestri /-striː/》.

まえずもう 前相撲 bouts between unranked sumo wrestlers ★ 複数形で.

まえせんでん 前宣伝 advánce ádvertìsing [U] 《☞ せんでん》.

まえだおし 前倒し ― [名] front-loading (of ...) [U]. ― [動] front-load (他). ¶ 公共事業支出を*前倒しする *front-load* public works spending

まえだれ 前垂れ ☞ まえかけ

まえづけ 前付け (書物の) front matter [U].

まえにわ 前庭 front ˹garden [yard] [C].

まえのめり 前のめり ¶ 石につまずいて*前のめりになった I stumbled on a rock and *almost fell on my face*. 《☞ つんのめる; ころぶ》

まえば 前歯 front tooth [C] 《複 front teeth》; (専門的に門歯) incisor [C]. 《☞ は¹ (挿絵)》.

まえばらい 前払い ― [動] pay ... ˹in advance [beforehand]; (特に公共料金などを) prepay (他). ― [名] advance payment [U]. ¶ 代金は*前払いで願います Please *pay* (the money) *in advance*. // 郵便料金*前払い Postage *prepaid* ★ スタンプなどで押す言葉.

まえひょうばん 前評判 general reception of a forthcoming ˹show [film; play; novel] [U].

まえぶれ 前触れ (予告) (previous) notice [U]; (発表) previous [advance] announcement [C]; (先駆けとしての徴候) sign [C]; (悪い前兆) warning [U]. 《☞ よこく¹; ぜんちょう¹》. ¶ *前触れもなしにくる come without (*previous*) *notice* // 春の*前触れ a *sign* of spring

まえぼたん 前ボタン front button [C].

まえまえ 前前 ¶ *前々から (⇒ ずっと長い間) その問題が気になっていた The problem has bothered me *for a long time*. // *前々から (⇒ 事前に) 切符は予約してありました I reserved the ticket *far in advance*. 《☞ いぜん¹; まえ》

まえみごろ 前身頃 the (two) front panels of a kimono.

まえみつ 前褌 (相撲の) the front (part) of a sumo wrestler's ˹*mawashi* [belt].

まえむき 前向き ― [形] (姿勢が積極的な) positive; (処置・方法などが建設的な) constructive. 《☞ せっきょくてき》. ¶ 我々は*前向きの姿勢でその問題に当たるつもりである We will take a *positive* attitude toward the problem. // *前向きの人生観 a *positive* view of life

まえむすび 前結び ― [動] (帯を前で結ぶ) tie ˹an *obi* [a belt for a kimono] in front. ― [名] *obi* [belt for a kimono] tied in front [C].

まえもって 前もって (あらかじめ) beforehand, in advance, ahead (of time) [語法] (1) 以上はほぼ同意だが, 最も一般的なのは beforehand で, in advance には望ましい目標のためにあらかじめ手を打っておくというニュアンスがある; (以前に・前に) previously [語法] (2) この語は時間, 順序などが前であることを表し, 過去のことに用いる. 《☞ じぜん¹》.
¶ *前もって綿密な計画を立てておくべきだった We should have made a careful plan ˹*beforehand* [*in advance*]. // *前もって出発時刻を知らせて下さい Please let me know your departure time ˹*beforehand* [*in advance*]. // 我々は彼に*前もって訪れることを知らせておいた We had *previously* informed him of our visit.

まえやく 前厄 the year preceding an unlucky age.

まえわたし 前渡し advance [C] 《☞ まえばらい; さきわたし》.

まおう¹ 魔王 the Devil, Satan ★ 前者は通例 the を付けて. 後者のほうが格式ばった語.

まおう² 麻黄 〘植〙 mahuang /màːhwáːŋ/ [C], ephedra [C]. ★ どちらも薬品名と同一視され [U] 扱いとなることが多い.

マオタイしゅ 茅台酒 mao-tai (wine) [U].

マオツォトン ☞ もうたくとう

まおとこ 間男 ― [名] secret [illicit] lover (of a married woman) [C]. ― [動] be unfaithful to *one's* husband, commit adultery.

まおもて 真面, 真表 ☞ しょうめん; まむかい

マオリ ― [名] (ニュージーランドの先住民) Maori [C]. ― [形] Maori. マオリ語 Maori [U].

まかい 魔界 the world of ˹demons [evil spirits].

まがい 紛い, 擬い ¶ 本物*まがいの模造真珠 an imitation pearl that *looks just like* the real thing // 詐欺*まがいの (⇒ 詐欺に近い) 取り引き dealings that *border* on fraud

まがいもない 紛いも無い ☞ まぎれもない

まがいもの 紛い物 (模造品) imitation [C]; (まやかし物) fake [C]; (偽物) counterfeit /káuntəfit/ [C]. 《☞ にせ (類義語); もぞう》. ¶ *まがい物の真珠 *imitation* [*fake*] pearls

まがう 紛う ¶ これは本物と*紛うばかりの複製画だ This reproduction *looks exactly like* the original painting. 紛うかたなく (間違いなく) unmistakably; (疑う余地なく) undoubtedly, beyond doubt. ¶ *紛うかたなく, これは 3 年前になくした指輪です This is *undoubtedly* the ring I lost three years ago.

マカオ ― [名] (固) (地名) Macao, Macau /məkáu/ 中国南部の元ポルトガル領. 1999 年に返還. 中国語名は澳門. マカオ人 Macanese /mækəníːz/ [C].

まがお 真顔 ― [副] (真剣に) seriously /sí(ə)riəsli/; (真剣な顔つきで) with a serious ˹look [expression]; (冷静な顔つきで) with a sober ˹look [face]. ― [形] (真剣な) serious. 《☞ しんけん¹; まじめ》. ¶ 彼は私の言葉で (⇒ 私の言ったことを聞いて) *真顔になった He ˹became *serious* [put on a *sober face*] ˹after he heard what I said [after listening to me].

まがき 真牡蠣 〘動〙 Japanese oyster [C].

まがし 間貸し ― [動] (部屋を…に貸す) 《米》 rent a room to ..., 《英》 let a room to ...; (下宿人を置く) take in a lodger, take in a paying guest ★ 後者のほうがやや上品な言い方. 《☞ かす¹ [日英比較]; まがり¹》.

まかじき 真旗魚 〘魚〙 spearfish [C], (blue) marlin [C].

マガジン (雑誌) magazine /mǽgəzìːn/ [C]. マガジンラック magazine rack [C] 《☞ いま² (挿絵)》.

まかす¹ 負かす (試合や戦いで) beat (他) 《過去 beat; 過分 beaten》, defeat (他) ★ beat のほうがくだけた語; (けんかや議論などで相手をしのぐ) get the better of ... ★ 口語的. 《☞ かつ¹; まける; やぶる》. ¶ 今日のラグビーの試合で東西大学は山手大学を 30 対 10 で*負かした Tozai University *defeated* Yamanote University ˹30-10 [thirty to ten] in a rugby match today.

まかす² 任す ☞ まかせる

まかず 間数 (部屋の数) the number of rooms. ¶ *間数の多い[少ない]家 a house with ˹many [only a few] *rooms*

まかせる 任せる (仕事などを任せる) leave ... to *a person*; (信頼して物などを委託する) trust *a person* with ...; (信頼できる人にゆだねる) 《格式》 entrust

(他).《☞ いたく¹; ゆだねる》.
¶運転[料理]なら私に*任せて下さい *Leave* the ˹driving [cooking] *to* me. // それはあなたの決定[想像]に*任せたい I'd like to *leave* it *to* your ˹decision [imagination]. // A 氏に鍵を*任せる *trust* Mr. A *with* the key // 運を天に*任せよう Let's *trust* (it) *to* chance. // その仕事は秘書に*任せた I *entrusted* my secretary *with* the work. / I *entrusted* the work *to* my secretary. // 私は足に*まかせて (⇒ 目的もなく) 歩いた I walked *aimlessly*. // 私は足に*まかせて (⇒ 足の向くままに) 歩くのが好きだ I like to go *wherever my feet take me*.

まがたま 曲玉, 勾玉 comma-shaped bead (used as an accessory in ancient Japan) Ⓒ.

マカダムこうほう マカダム工法 ── [名] macàdamizátion Ⓤ ★ アスファルトなどと混ぜた砕石 (macadam) をローラーで固める舗装法. ── [動] (マカダム工法で舗装する) macádamìze (他); (一般的には) pave ... with asphalt.

まがった 曲がった **1**《物が真っすぐでない》: (腰・木などが折れ曲がった) bent; (道路・川などが曲がりくねった) winding /wáɪndɪŋ/; (曲線を描くように曲がった) curved; (ねじれた) twisted; (ゆがんだ) crooked /krʊ́kɪd/.《☞ まがる (類義語); まげる》.
¶腰の*曲がった老人 an old ˹man [woman] with a ˹*bent* [*crooked*] back // *曲がった山道 a *winding* mountain road
2《心・事実が正しくない》: (ひねくれた) crooked /krʊ́kɪd/; (不正直な) dishonest; (片意地な) perverse; (不正な) wrong; (真理などをゆがめた) distorted, twisted.《☞ ねじける; ひねくれる》.
¶心の*曲がった人 a *dishonest* person. // 父は*曲がったこと (⇒ 不正) の嫌いな人だった My father hated *dishonesty*.

マカデミアナッツ macadamia /mæ̀kədéɪmiə/ nùt Ⓒ.

まかない 賄い (まかないをすること) boarding Ⓤ; (まかない) board Ⓤ. ¶*まかないつき下宿 room and *board*《☞ げしゅく》

まかなう 賄う (下宿・寮などで食事を出す) board (他) ★「人」を目的語とする; provide [supply] *a person* with ˹meals [food]; (経費・費用の面倒をみる) cover (the) expenses.《☞ まかない》.
¶彼女は 20 万円で毎月の家計を*まかなっている (⇒ 20 万円が彼女の毎月の家計の支出をまかなっている) Two hundred thousand yen *covers* her monthly expenses.

まかふしぎ 摩訶不思議 ── [形] (神秘的な) mysterious /mɪstí(ə)riəs/; (奇跡的な) miráculous.《☞ ふしぎ》. ¶*摩訶不思議な出来事 a *most mysterious* ˹happening [occurrence]

まがまがしい 禍々しい ómìnous《☞ ふきつ; いまわしい》.

まがも 真鴨 〘鳥〙 mallard Ⓒ, wild duck Ⓒ ★ 後者は野生の鴨だが, 特に真鴨を指す.

まがり¹ 間借り ── [動] (部屋を借りる) rent a room《☞ かりる [日英比較]》. ¶私は*間借り生活をしている I live in a *rented room*.
間借人 lodger Ⓒ,《米》roomer Ⓒ.

まがり² 曲がり (屈曲部) bend Ⓒ, turn Ⓒ ★ 後者のほうが口語的; (湾曲部) curve Ⓒ.《☞ カーブ》.

> **コロケーション**
> 穏やかな曲がり a slight *bend* / 急な曲がり a sharp *bend* / **U** 字形の曲がり a horseshoe *bend*

まがりかど 曲がり角 (町角) (street) corner Ⓒ ★ 道路が出会って角度が付いている曲がり角; (道路の湾曲部) (road) ˹turn [bend; curve] Ⓒ.
[日英比較] 日本語の「曲がり角」には「急な曲がり角」のように湾曲した部分も含まれるが, 英語では 2 つの道路が出会って角度の付いた曲がり角を corner, 湾曲した曲がり角は turn [bend; curve] という; (比喩的な転換点・変わり目) turning point Ⓒ.《☞ かど¹; まちかど; コーナー》.
¶彼はその通りの*曲がり角で交通事故にあった He was involved in a traffic accident *at that* ˹*street corner*. // この先に急な*曲がり角があるから注意して運転して下さい Drive carefully, because there's a sharp ˹*turn* [*bend*] ahead. // わが国の中等教育はいまや*曲がり角にある (⇒ 十字路に立っている) Our secondary education system stands *at the crossroads* now. // 彼はいま人生の*曲がり角に立っている (⇒ 変わり目にいる) He is now *at the turning point* ˹*of* [*in*] his life.

まがりがね 曲がり金 ☞ かねじゃく

まがりくねる 曲がりくねる (川・道などが幾重にも折れる) wind /wáɪnd/ (自)《過去・過分 wound /wáʊnd/》 ★ 一般的な語; (曲がり角だらけである) be full of twists and turns; (川が曲がりくねってゆったり流れる) meander /miǽndə/ (自) ★ 以上の中で一番格式ばった語.《☞ くねくね》.
¶その小道は*曲がりくねって山腹を登る The path *winds* up the hill. // この道路は*曲がりくねっている This road *is full of twists and turns*. // *曲がりくねった木 a *crooked* /krʊ́kɪd/ tree

まかりこす 罷り越す ☞ さんじょう⁴

まがりじゃく 曲がり尺 ☞ かねじゃく

まかりでる 罷り出る (退く) withdraw (from ...) (自), leave (他) ★ 前者がより格式ばった語; (参上する) present *oneself*, appear (自) ★ 前者がより格式ばった語.《☞ でる; ひきさがる; しゅっとう》.

まかりとおる 罷り通る (強引に押しのけて進む) push [force] *one's* (own) way through; (許される) be allowed; (正当化される) be justified; (悪いことが広まっている) be rife.《☞ とおる》.
¶彼女のわがままが*まかり通ってしまった (⇒ 強引にやってついに勝った) She ˹*pushed* [*forced*] *her* (*own*) *way through* and finally succeeded in getting it. // こんな不合理なことが*まかり通るとは世の中が間違っている (⇒ こんな不合理なことが許される[正当化される]のを見るとどこか世の中がおかしいと考えざるを得ない) Seeing that such an unreasonable thing *has been* ˹*allowed* [*justified*], I cannot help thinking that something is wrong with the world. // その地域では犯罪が*まかり通っている Crime *is rife* ˹at [in] that area.

まかりならぬ 罷り成らぬ ¶遅刻*まかりならぬ You ˹*must not* [*are not allowed to*] be late.

まがりなりにも 曲がりなりにも (あれこれやってどうにか) in some way or other, somehow or other; (不完全ながら) though imperfect; (不満足ではあるが) though not quite satisfactory.《☞ なんとか; どうにか》. ¶*曲がりなりにも彼女はその仕事を終えた *Somehow or other* she finished the work. / (⇒ やっとのことで仕事を終えた) She *managed to* finish the work. / (⇒ 結局は仕事を終えた) She finished the work *after all*.

まかりまちがう 罷り間違う ¶*まかり間違ってもその赤いボタンを押すな (⇒ 何事が起こっても決して押すな) Be sure not to push the red button *whatever happens*. // *まかり間違えば戦争になる (⇒ 最悪のことが起これば) *If the worst* ˹*happens* [*comes to the worst*], war will break out.

まがりや 曲がり屋 L-shaped house with an annexed stable (found mainly in the Tohoku region) Ⓒ.

まかる 負かる (値段が) be reduced; (割引きされる) be discounted.《☞ ねびき¹; まける》. ¶もう少し

*負かりませんか Will you ⌈cut [lower] the price a little bit more? / Can't you *make it* (*any*) *cheaper*?

まがる 曲がる bend (自) 《過去・過分 bent》; curve (自); turn (自) (他); wind /wáɪnd/ (自) 《過去・過分 wound /wáʊnd/》; twist (自); crook (自).

【類義語】 真っすぐな物に圧力がかかって曲がるのは **bend** で, 最も一般的な語. 曲がっている状態を表すときには *be bent* を用いる. 曲線を描くように曲がるのは **curve**. 方向を変えるために曲がるのは **turn**. 道路や川などが曲がりくねるのは **wind**. 曲がるときかなり大きな力が加わってねじれてしまうのは **twist**. 曲がってゆがむのは **crook** で, 心が曲がっているときなどにも使う. 《☞ まげる; まがった; カーブ》 ¶ 祖母は年で腰が*曲がっている My grandmother *is bent* with age. // 次の角を右へ*曲がりなさい *Turn* (to the) right at the next corner. // 病院は角を*曲がったところにある The hospital is *just around* the corner.

曲がったこと ☞ まがった

まがれい 真鰈 〖魚〗 brown sole Ⓒ.

マカロニ macaroni /mæ̀kəróʊni/ Ⓤ. **マカロニウエスタン** spaghetti [Italian] western Ⓒ **マカロニグラタン** macaroni au gratin /oʊɡrɑ́ːtn/ Ⓤ.

マカロフ ― [名] (固) Stepan Osipovich Makarov, 1849–1904. ★ ロシアの提督. 日露戦争時の太平洋艦隊司令官.

まがん 真雁 〖鳥〗 white-fronted goose Ⓒ 《複 ― geese》.

まき[1] 薪 (fire)wood Ⓤ. **薪をくべる** ☞ くべる **薪割り** ― [名] (作業) wood chopping Ⓤ; (手斧) hatchet Ⓒ; (斧) ax (《英》 axe) Ⓒ. ― [動] chop (fire)wood.

まき[2] 巻 **1** «書画の»: (巻物) (hand) scroll Ⓒ. ¶ 源氏物語絵*巻 an illustrated (*hand*) *scroll* of *The Tale of Genji*

2 «本の»: (内容上の区分) book Ⓒ; (外形上の区分) volume Ⓒ; (章にあたるもの) chapter Ⓒ. 《☞ かん[3]》. ¶ 源氏物語「桐壺」の*巻 the "Kiritsubo" *chapter* of *The Tale of Genji*

3 «巻くこと» ¶ 自動*巻きの腕時計 a self-*winding* watch // 2 *巻き巻く (⇒ 2 回) wind two *times*

まき[3] 槇 〖植〗 podocarpus Ⓒ, Chinese black pine Ⓒ.

まきあがる 巻き上がる (煙, ほこりなどが) curl [whirl] up (自). ¶ 強い風の度に砂ぼこりが*巻き上がった Clouds of dust *whirled up* every time a strong wind blew.

まきあげき 巻き上げ機 (一般に, 物の巻き上げ・けん引・運搬用の) winch Ⓒ; (錨などの揚げ降ろし用の) windlass Ⓒ.

まきあげそうち 巻き上げ装置 hoist Ⓒ.

まきあげる 巻き上げる **1** «巻いて上げる»: (重い物を) hoist (他); (ウインチを使って) winch (他).

2 «舞い上がらせる»: (風が落葉などを) whirl up (他).

3 «奪い取る»: rob *a person* (of …) [語法] of … はしばしば自明の理として省略される; (取り上げる) tàke awáy (他); (だまし取る) swindle (他). 《☞ うばう; だます》. ¶ 男はその少年の金を*巻き上げた The man *robbed* the boy (*of* his money).

マキアベリ ― [名] (固) Niccolò /nìkoʊlóː/ Machiavelli /mæ̀kiəvéli/, 1469–1527. ★ イタリアの政治思想家・歴史家. Niccolò の ` は綴り本来のもの.

マキアベリスト (権謀術数主義者) Machiavellian /mæ̀kiəvéliən/ Ⓒ.

マキアベリズム (権謀術数主義) Màchiavéllianism Ⓤ.

まきあみ 巻き網 purse ⌈seine [net] Ⓒ 《☞ あみ[1]》. **巻き網漁船** purse seiner Ⓒ.

マギー (女性名) Mággie ★ Márgaret の愛称.

まきいれる 巻き入れる (ぐるぐる巻いて入れる) wind … in …; (転がして入れる) roll … in … ¶ 掃除機にコードを*巻き入れる *wind* up the cord ⌈of [*in*] the vacuum cleaner

まきえ[1] 蒔絵 *maki-e* Ⓤ; (説明的には) Japanese lacquering technique employing sprinkled powders or filings of gold or silver Ⓒ.

まきえ[2] 撒き餌 (魚の) ground bait Ⓤ; (鳥の) scattered food Ⓤ. 《☞ えさ》. ¶ *撒き餌をする *ground-bait* (the) fish / *scatter food* for birds

まきおこす 巻き起こす (引き起こす) create (他), produce (他). 《☞ ひきおこす》.

まきおこる 巻き起こる (起こる) arise (自) 《☞ おこる[2]》.

まきおとし 巻き落とし (相撲の技) *makiotoshi* Ⓤ; (説明的には) twist down Ⓤ.

まきがい 巻き貝 〖貝〗 conch Ⓒ 《複 ~s, ~es》; (貝殻) spiral shell Ⓒ.

まきかえ 巻き替え (相撲で) changing to *one's* dominant hand to take advantage Ⓤ.

まきかえし 巻き返し rollback Ⓒ. ¶ *巻き返し政策[作戦] a *rollback* ⌈policy [operation]

まきかえす 巻き返す (勢いを取り戻す) rally (自); (糸などを巻き戻す) rewind (他). 《☞ もりかえす》.

まきかえる 巻き替える rewind (他). ¶ 毛糸玉を*巻き替える *rewind* a ball of yarn

まきがみ 巻紙 (毛筆手紙用の) rolled letter paper Ⓤ.

まきげ 巻き毛 (カール) curl Ⓒ; (長めのカール) ringlet Ⓒ. 《☞ カール[1]》.

まきこまれる 巻き込まれる (事件・犯罪などに) be [get] involved in …; (機械などに) be caught (in …). 《☞ まきぞえ》. ¶ 彼は贈収賄事件に*巻き込まれた He ⌈*got* [*was*] *involved in* the bribery case. // 彼は大波に*巻き込まれた (⇒ 捕まった[飲み込まれた]) He *was* ⌈*caught* [*engulfed*] ⌈*by* [*in*] a big wave. // けんかに*巻き込まれる (⇒ 無理に引きずり込まれる) *be dragged into* a fight // 事件に*巻き込まれる (⇒ 関わり合う) *be mixed up* [*get involved*] *in* an affair ★ 前者のほうが巻き添えというニュアンスが強い. // 群衆の渦に*巻き込まれる (⇒ 引き入れられる) *be drawn into* the crowd // 左折したトラックの後輪に子供が*巻き込まれた A child *was caught* under the rear wheel of a truck that was turning (to the) left.

まきこみ 巻き込み (柔道で) winding throw Ⓒ ¶ 内[外]*巻き込み an ⌈inner [outer] *winding throw*

まきこむ 巻き込む (巻き添えにする) involve in (他), drag in (他); (物理的な作用で) roll in (他), enfold (他). 《☞ まきぞえ; ひきいれる; まきこまれる》. ¶ その贈賄事件は閣僚を*巻き込む政治スキャンダルに発展した The payoff scandal developed into a political scandal *involving in* cabinet members.

マキシ (衣服の) maxi Ⓒ 《複 maxis》. **マキシコート** maxi-coat Ⓒ **マキシスカート** maxiskirt Ⓒ.

まきじた 巻き舌 ¶ *巻き舌で言う (⇒ 舌を震わせる) speak with a *trill* [参考] 日本語で言えば江戸っ子のべらんめえ調のように舌先を震わせて r 音を発音すること. 次の表現もほぼ同じ. / (⇒ 舌を震わせて r を発音する) *roll* [*trill*] *one's* r's

マキシマム ― [名] (最大限) máximum Ⓒ 《複 ~s, maxima》 (↔ minimum).

マキシマル ― [形] (最大限の) maximal (↔ minimal).

マキシム (格言) maxim Ⓒ 《☞ かくげん》.

まきじゃく 巻尺 tape measure Ⓒ.

まきスカート 巻きスカート wraparound (skirt) Ⓒ.

まきずし 巻き寿司 rolled sushi Ⓤ; (海苔巻きの[卵巻きの]) sushi rolled in ｢dried laver [thick sliced omelet(te)] Ⓤ.

まきぞえ 巻き添え ── 動 (巻き添えを食う・巻き込まれる) get [be] involved in ..., get [be] mixed up in ... 〔語法〕 前者は事件に関わりのある場合も含むが, 後者には本当の巻き添えというニュアンスがある. (☞ とばっちり). ¶ そんな事件の*巻き添えになりたくない I don't want to *get mixed up in* such an affair.

まきた 真北 ── 副 due north (☞ きた).

まきたばこ 巻き煙草 cigarette Ⓒ (☞ たばこ).

まきちらす まき散らす (ごみなどを) scatter (about) 他; (うわさなどを) spread 他. (☞ まく²; ばらまく). ¶ 騒音を*まき散らす *emit* a great deal of noise

まきつく 巻き付く wind /wáɪnd/ *oneself* ｢around [(英) round] ... (過去・過分 wound /wáʊnd/).

まきつける 巻き付ける wind [tie; coil] ... around ... 〔語法〕 ぐるっと回すのは wind /wáɪnd/ 他 (過去・過分 wound). ひもなどを使って縛るのは tie 他, ぐるぐる巻きにするのは coil 他. (☞ まく¹).

まきとりがみ 巻き取り紙 〔印〕 web Ⓒ.

まきとる 巻き取る wind 他. ¶ テープを*巻き取る *wind* tape *onto* another reel

まきなおし 蒔き直し ── 動 (新しくやり直す) make a fresh start; (あらためてもう一度やる) start [begin] all over again. (☞ やりなおす; しんき¹).

まきば 牧場 (放牧地) pasture Ⓒ; (干し草用の牧草地) meadow Ⓒ. (☞ ぼくじょう).

まきみず 撒き水 ── 動 sprinkle ... with water, sprinkle water ｢on [over] ... ¶ 路地に*撒き水をする *sprinkle* the alley *with water*

まきもどし 巻き戻し ── 動 (テープなどを) rewind /rìːwáɪnd/ 他 (過去・過分 rewound /rìːwáʊnd/). ── 名 rewinding Ⓤ. ¶ 録音テープを*巻き戻す *rewind* a recording tape

まきもの 巻き物 makimono Ⓒ (複 ~s, ~), (horizontal) scroll Ⓒ ★ 後者は説明的な訳. ¶ *巻き物を広げる [巻く] unfold [roll up] a *scroll*

まきゅう 魔球 〔野〕 unhittable pitch Ⓒ.

まきょう 魔境 (悪魔のいる所) abode of demons Ⓒ; (人跡未踏の神秘的な地域) mysterious zone Ⓒ.

まぎょう ま行 the *ma* column; (説明的には) the *ma* column of the Japanese syllabary.

まぎらす 紛らす (気分を転換させる) divert 他; (時・暇などを紛らす) beguile /bɪgáɪl/ 他.
¶ 列車の長旅で子供たちの気を*紛らすために面白い本を与えることにした I decided to give some interesting books to the children to *divert* them on the long train journey. // 彼はよく酒に悲しみを*紛らすことがある (⇒ おぼれさせる) He often *drowns* his sorrows *in* drink.

まぎらわしい 紛らわしい (2つ以上の意味にとれるような) ambíguous; (人を誤らせる) misleading; (混乱させる) confusing. (☞ あいまい).

まぎれこむ 紛れ込む (気づかれないうちに入る) disappear into ...; (混ざり合う) slip into ...; (隠れて見えなくなる) be lost in ... (☞ まぎれる).
¶ すりは群衆の中に*紛れ込んだ The pickpocket ｢*disappeared into* [*was lost in*] the crowd.

-まぎれに …紛れに ¶ 引っ越しのどさくさ*まぎれに (⇒ 混乱の中で) 金を盗まれた I had my money stolen *in the confusion of* moving house. // 彼は腹立ち*まぎれに (⇒ かっとなって) その手紙を破り捨てた He tore up the letter and threw it away *in a fit of* ｢*anger* [*passion*]. (☞ くるしまぎれ)

まぎれもない 紛れも無い ── 形 (間違えようのない) ùnmistákable; (見てすぐわかる) óbvious; (確実な) certain. ── 副 (疑う余地なく) beyond doubt, without doubt; (明白に) évidently; (確かに) surely. (☞ たしか; まさに). ¶ *紛れもない事実 an ｢*unmistakable* [*obvious*] fact

まぎれる 紛れる (気が) be diverted; (時・暇などが) be beguiled /bɪgáɪld/; (混ざり合う) slip into ...; (隠れて見えなくなる) be lost in ... (☞ まぎれこむ). ¶ その音楽でたいへん気が*紛れた I *was* greatly *diverted by* the music. // 彼は人ごみに*紛れて逃げた He ｢*slipped into* [*was lost in*] the crowd and got away.

まぎわ 間際 ── 前 (すぐ前) just before ... ── 動 (まさに…しようとする) be on the point of ..., be about to do ... (☞ すんぜん; ちょくぜん).
¶ 彼女がその電話を受けたのはパリを出発する*間際だった It was when she *was* ｢*on the point of* leaving [*about to* leave] Paris that she got the phone call. // 彼は出発*間際になって財布がないのに気がついた He found that his wallet was missing *just before* his departure.

まきわり 薪割り ☞ まき¹

まく¹ 巻く (ねじなどを) wind /wáɪnd/ 他 (過去・過分 wound /wáʊnd/); (ひもなどで縛り付ける) tíe (úp) 他; (包む) wrap 他; (包帯などでくくる) bandage 他; (ぐるぐる巻いて縛る) bínd (úp) 他 (過去・過分 bound); (巻き物などを丸める) róll (úp) 他; (ぐるぐる巻きにする) coil 他; (巻きつけて絡ませる) twist 他; (糸などを) reel 他; (旗などを) furl 他; (つるなどが) twine 自 他.
¶ 時計のねじを*巻くのを忘れた I forgot to *wind* my watch. // 彼は縄を木に*巻きつけた He ｢*wound* [*tied*] a rope around the tree. // 看護師は彼の右手に包帯を*巻いた The nurse ｢*bandaged* his right hand [*bound* his right hand *with* a bandage]. // 彼は左手に包帯を*巻いている He *has* his right hand ｢*bandaged* [*in a bandage*]. // 彼はタオルを首に*巻いている He *has* a towel *twisted* around his neck.

まく² 撒く (ばらまく) scátter abóut 他; (まき散らす) spread 他; (水などを) sprinkle 他; (ビラなどを配る) hánd [gíve] óut 他. (☞ ばらまく).
¶ 父は芝生に水を*まいている My father *is sprinkling* water on the lawn. // 今年は節分に豆を*まいた We ｢*scattered* [(⇒ 投げた) *threw*] *about* parched beans on *Setsubun* this year. // 肥料を*まく *spread* fertilizer // 刑事を*まく *throw* [*shake*] *off* a detective

まく³ 蒔く (種を) plant 他, sow /sóʊ/ 他 自 ★ 前者のほうが口語的. (☞ たね). ¶ 農夫は畑に種を*まいた The farmer ｢*planted* [*sowed*] the seeds in the field. / <S(人)+V(*sow*)+O(土地)+*with*+名(種)> The farmer *sowed* the field *with* the seeds. **まかぬ種は生えぬ** You must *sow* before you reap. (ことわざ: 刈り入れをする前に種をまかなくてはならない) / No gains without pains. (ことわざ: 労せずば得ることはない) / (⇒ 多少とも値打ちのあるものはただでは手に入らない) You can't get something for nothing.

まく⁴ 幕 curtain Ⓒ; (劇の) act Ⓒ. ¶ *幕が上がる前に序曲が演奏された An overture was played before the *curtain* ｢rose [was raised]. // *幕が下りた[上った] The *curtain* ｢fell [rose]. // 一*幕物 a one-*act* play // 三*幕の喜劇 a comedy in three *acts* // オセロ第5*幕第2場 *Othello* (*act*) V, (scene) ii (☞ ば 3 〔語法〕) // 僕の出る*幕じゃない (⇒ 私には関係ないことだ) This is none of my business. // *幕を張る (⇒ つるす) hang [put up] *curtains* // これで交渉を*幕に (⇒ 終わりに) しよう Let's

bring our negotiations *to an end.*
幕が開く start [自], begin [自]. ¶もうすぐ芝居の次の場面の*幕が開く The *curtain* will soon ⌈*open* [*rise*] for the next scene of the play. // きょう, 国際陸上競技大会の*幕が開いた The International Track Meet ⌈*began* [*started*] today.
幕を切って落とす (落成·開業·開始の式を行う) inaugurate [他]; (一般に開始する) begin [他], start [他].
幕を閉じる[下ろす; 引く] (終える) end [他], bring ... to an end. ¶その事件は彼の有罪判決で*幕を閉じた The *curtain has fallen* on the case with his conviction. 幕を開く (着手する) start [他]; (可能性などを開く) open up [他]. ¶次の世代が新しい時代の*幕を開くことに期待しよう Let's hope the next generation will *start* a new era.
幕開き[け] ☞ 見出し

まく⁵ 膜 (表面に張る膜) skin Ⓒ; (薄膜) film Ⓒ; (粘膜) mémbrane Ⓒ. ((☞ まくじょう)). ¶温めた牛乳の*膜 a *skin* on the heated milk // 油の薄い*膜 a *film* of oil

マグ ☞ マグカップ

まくあい 幕間 ((米)) intermíssion Ⓒ, ((英)) ínterval Ⓒ. 幕間劇 ínterlùde Ⓒ.

まくあき 幕開き (芝居の開幕) the rise of the curtain; (物事の始まり) the ⌈start [beginning; opening] of ... ((☞ かいまく)).

まくあけ 幕開け ¶新しい時代の*幕開けだ A new ⌈age [era] *has begun.* ((☞ はじまり; かいし))

まくうち 幕内 (力士) senior-grade sumo wrestler Ⓒ.

マグカップ (取っ手つきカップ) mug Ⓒ.

まくぎれ 幕切れ (結末) end Ⓒ ((☞ おわり; けつまつ)). ¶まったくあっけない*幕切れだった (⇒ 急に終わった) It *ended* so abruptly. / It came to ⌈an abrupt [a sudden] *end.*

まくぎわ 幕際 ¶*幕際にどんでん返しがあった There was a complete reversal ⌈*just before the curtain fell* [*at the end of the play*].

まぐさ (かいば) fodder Ⓤ; (干し草) hay Ⓤ. まぐさ桶 manger Ⓒ.

まくしあげる 捲し上げる ☞ まくりあげる

まくした 幕下 (力士) junior-grade sumo wrestler Ⓒ.

まくしたてる 捲し立てる (のべつまくなしにしゃべる) talk incessantly [自]; (早口でしゃべる) talk rapidly [自]; (すらすらと言ってのける) ráttle óff [他]; (べらべらまくしたてる) spout [自]; (猛烈に議論する) argue (with *a person*) furiously [自].

マクシマム ☞ マキシマム

まくじゃく 真孔雀 〔鳥〕 green peafowl Ⓒ.

まくじょう 膜状 ―[形] membranous; (薄膜状の) filmy. ((☞ まく⁵)). ¶*膜状白内障 *membranous* cataract

まくじり 幕尻 (地位) the lowest ⌈rank [position] in the ⌈*makuuchi* [top] division; (力士) lowest-ranking *makuuchi* sumo wrestler Ⓒ.

まくしるい 膜翅類 〔昆〕 (総称) Hymenoptera /hàimənáptərə/ ★ 複数形; (個々の昆虫) hỳmenópteron /-rən/ Ⓒ.

マクスウェル ―[名] [固] James Clerk Maxwell, 1831–1879. ★ イギリスの物理学者; 電磁気理論を大成. マクスウェルの悪魔 〔物理〕 Maxwell's demon Ⓤ マクスウェルの電磁理論 〔電〕 Maxwell's electromagnetic theory Ⓤ.

まぐそ 馬糞 horse dung Ⓤ.

まくそと 幕外 *makusoto* Ⓤ; (説明的には) continuation of a performance on the fringe of the stage or on the walkway after the curtain has been drawn on a scene Ⓤ.

まぐち 間口 (幅) width Ⓤ ★ 具体的な大きさを示すときは a を伴う. ¶*間口 10 メートルの建物 a building ⌈ten meters *wide* [with a *width* of ten meters]

まくつ 魔窟 (悪人の巣) den Ⓒ; (売春宿) brothel Ⓒ; (赤線地帯) red-light district Ⓒ.

マクドナルド 〔商標〕 McDonald's ★ 米国のハンバーガーのチェーン店.

マグナカルタ 〔英国史〕 the Magna ⌈Charta [Carta] /mǽgnə káətə/, the Great Charter ★ 共に the を付けて.

マグナム (酒瓶) magnum Ⓒ; (銃, 弾薬) Magnum Ⓒ ★ 強力な拳銃[弾].

マグニチュード (地震などの規模) mágnitùde Ⓤ ★ 個別のものを指すときは a を伴う. ((☞ しんど²)). ¶*マグニチュード 6.9, 震度 4 の地震がきのう東北地方にあった An earthquake registering a *magnitude* of 6.9 on the Richter /ríktə/ scale and an intensity of 4 on the Japanese scale rocked the Tohoku region yesterday. 〔語 法〕 on the Richter scale はマグニチュードを示すシステムで, これを付けて言うのが普通. また日本式の震度には on the Japanese scale を付けないと理解されない.

マグネシア 〔化〕 (酸化マグネシウム) magnesia Ⓤ.

マグネシウム 〔化〕 magnesium /mægní:ziəm/ Ⓤ ((元素記号 Mg)).

マグネタイト (磁鉄鉱) magnetite Ⓤ.

マグネチック ―[形] (磁石の·磁気の) magnétic.

マグネチックカード (磁気カード) mag [magnetic] card Ⓒ.

マグネット magnet Ⓒ ((☞ じしゃく)).

マグネトロン 〔電工〕 (磁電管) magnetron Ⓒ.

まくのうち 幕の内 ¶*幕の内弁当 a Japanese-style box lunch

マグノリア 〔植〕 magnolia Ⓒ.

まくひき 幕引き (終わり) end Ⓒ ((☞ うちきる)).

マクベス ―[名] [固] Macbeth ★ Shakespeare 作の 4 大悲劇の一つ, およびその主人公.

まくま 幕間 ☞ まくあい

マグマ 〔地質〕 magma Ⓤ. マグマ溜り magma ⌈chamber [reservoir] Ⓒ マグマドーム magma dome Ⓒ.

まくみ 幕見 ☞ ひとまく (一幕見)

まくら 枕 pillow Ⓒ ((☞ しんしつ¹ (挿絵))).
¶目を覚ますと彼女が*枕もとに立っていた (⇒ ベッドの頭のそばに) When I awoke, I found her standing *near the head of my bed.*
枕が上がらない ¶彼は重病で*枕が上がらない (⇒ ベッドから出られない) He is so ill that he *cannot get out of bed.* 枕を交わす sleep with ..., make love with .... 枕を高くして寝る sleep ⌈in peace [without fear]. ¶*枕を高くして寝られる (⇒ 心配なく眠れる) I can *sleep without fear.* 枕を濡らす cry [weep] secretly in bed. 枕を並べる ¶*枕を並べて討ち死にする fall *side by side*
枕カバー pillowcase Ⓒ 〔日英比較〕 英米のものは通常袋状になっているのでこう呼ばれるが, 日本の枕カバーを英訳する場合にもこれを当てるより仕方がない. pillow slip Ⓒ とも呼ばれる. 枕木 ((米)) (cross)tie Ⓒ, ((英)) sleeper Ⓒ. ((☞ えき¹ (挿絵))) 枕経 sutra chanted at the bedside of the ⌈deceased [dead person] Ⓒ 枕ことば Japanese poetic epithet used in *tanka* Ⓒ.

まくらのそうし 枕草子 ―[名] [固] *The Pillow Book*; (説明的には) the essays written by a Heian-era court lady called Sei Shonagon.

マクラメ (レース·ふさ飾り) macramé /mǽkrəmèɪ/ Ⓤ ★ macramé の ´ は綴り本来のもの.

まくりあげる 捲り上げる ¶袖を*まくり上げる (⇒

ひじの上まで) *roll*「the [*one's*] sleeves *up above one's* elbows《☞ まくる》.

まくる 捲る (まくり上げる) róll úp ⊕, túck úp ⊕ ★ 前者のほうが一般的で, 後者には押し込むようにするというニュアンスがある; (折り返すようにして) tùrn úp ⊕. 《☞ まくれる》. ¶ 彼は袖を*まくった He「*rolled* [*tucked*] *up* his sleeves. // 私はズボンのすそを*まくった I *turned up* the bottoms of my trousers.

-まくる ¶ 彼女は 1 時間しゃべり*まくった (⇒ 中断なく) She talked *nonstop* for an hour. // 彼は金を借り*まくった (⇒ 無謀に借りた) He borrowed money *recklessly*.

マクルーハン ── 名 固 Herbert Marshall McLuhan, 1911-1980. ★ カナダの社会学者・文明批評家.

まぐれ ── 形 (偶然の・不意の) chance A; (何かのはずみで起こった) accidental ★ chance よりも偶然性が強い; (幸運な) lucky. ── 名 (まぐれ当たり) chance [lucky] hit C, (略式) a fluke ★ 通例 a を付けて. 《☞ ぐうぜん》. ¶ *まぐれですよ I was just *lucky*. / It was only *a fluke*.

まぐれあたり まぐれ当たり ☞ まぐれ

マグレブ ── 名 固 (the) Maghreb /mɑ́:greb/ ★ アフリカ北西部のモロッコ・アルジェリア・チュニジアと時にリビアを含む地域.

まくれる be [get] tùrned úp 《☞ まくる》. ¶ 彼女のスカートが風で*まくれた She *had* her skirt *blown up* by the wind.

マクロ ── 接頭 (大型の・肉眼で見える) macro- (↔ micro-). ── 形 (巨視的な) macroscopic.
¶ 彼の説は*マクロの世界では当てはまらない His theory will not work *macroscopically*.
マクロエンジニアリング macroengineering U マクロ機能〘コンピューター〙macro C, macro function C マクロ経済学 macroeconomics ★ 単数扱い. マクロ構造 macrostructure C マクロコスモス (大宇宙) macrocosm /mǽkrəkɑ̀zm/ C マクロスコピック macroscopic マクロファージ (大食細胞) macrophage /mǽkrəfɑ̀:ʒ/ C マクロ分析 màcroanálysis C (複 -analyses) マクロモデル〘経〙macroeconomic model C マクロレンズ〘写〙mácro lèns C.

まぐろ 鮪 〘魚〙tuna /tú:nə/ C (複 ~(s)). ¶ *まぐろの刺身 (⇒ 生のまぐろの薄切り) slices of raw *tuna* / sliced raw *tuna*

まぐわ 馬鍬 harrow C.

まくわうり 真桑瓜 〘植〙(メロン) melon C.

まけ 負け (一般的に) defeat U; (勝負などの) loss C. 《☞ まける; はいぼく》. ¶ 私の*負けだ (⇒ 君の勝ちだ) You win. / (⇒ あきらめる) I give up. // 我々のチームはかなり*負けがこんできた (⇒ 負けた回数が勝った回数を上回った) Our team *has lost* more games than it has won.

まげ 髷 (女の) chignon /ʃí:njɑn/ C; (男の) topknot /tɑ́pnɑ̀t/ C.

まけいくさ 負け戦 lost battle C; (勝つ見込みのない) losing battle C ★ 競技や試合の場合は game を使う.

まけいぬ 負け犬 (競技や勝負などの敗北者) loser C (↔ winner); (弱者) underdog C. **負け犬の遠吠え** the grumbling of a loser. ¶ 今さら何を言っても*負け犬の遠吠えだ It's just like *the howling of a defeated dog* to say anything now.

まけいろ 負け色 ☞ はいしょく[1]

まけおしみ 負け惜しみ ── 名 (欲しいものを欲しくないと言うこと) sour grapes ★ 複数形で. 参考 きつねが木になっているうまそうなぶどうをなかなか取れないので, 「あんなぶどうは酸っぱいのだ」と負け惜しみを言ったという「イソップ物語」の話からこの意味が出てきた. ── 動 (負け惜しみを言う) cry sour grapes; (自分が負けているのに認めない) refuse to admit *one's* defeat. 《☞ つよがり; やせがまん》.
¶ 彼らは*負け惜しみが強い (⇒ 悪い敗北者だ) They are「*bad* [*poor*] *losers*. // 彼は決して*負け惜しみは言わない He never *cries sour grapes*.

まけかち 負け勝ち ☞ かちまけ

まげきざいく 曲げ木細工 bentwood work U; (製作品) piece of bentwood work C.

まけぐせ 負け癖 losing streak C. ¶ *負け癖がつく be on a *losing streak*

まけこし 負け越し more losses than wins ★ 複数形で. 《☞ まけこす》. ¶ その力士の*負け越しが決まった (⇒ 8 回目の負けを喫した) The sumo wrestler *suffered his eighth loss* in the tournament.

まけこす 負け越す (負けた回数が勝った回数を上回る) suffer more losses than wins 《☞ まけ》.

まけじだましい 負けじ魂 (圧力や圧迫に屈しない) ùnyíelding spírit U; (戦う意欲) fighting spírit U; (強い競争心) compétitive spírit U.

まけずおとらず 負けず劣らず (等しく・同程度に) equally; (皆) all; (同じように) no less ... than ...; (…に勝るとも劣らず) not less ... than ...
¶ よし子さんはあき子さんに*負けず劣らず魅力的だ Yoshiko is *no less* charming *than* Akiko.

まけずぎらい 負けず嫌い ── 形 (圧力などに屈しない) ùnyíelding 《☞ かちき》.

まけずもう 負け相撲 (負けそうな) losing sumo bout C; (負けた) lost sumo bout C.

まけっぷり 負けっぷり ¶ 彼は*負けっぷりがよい (⇒ 良い敗者だ) He is a *good loser*. / (⇒ 潔よく敗北を受け止める) He *accepts defeat gracefully*. // 彼は*負けっぷりが悪い (⇒ 悪い敗者だ) He is a *poor loser*.

まけて 負け手 (負けた者) loser C; the defeated ★ 複数扱い.

まげて 曲げて, 枉げて ¶ *曲げて私どもの申し出をお受け願えませんでしょうか (⇒ お受けいただけると大変ありがたい) We would *be greatly obliged* to you if you would kindly accept our offer.

まけとうしゅ 負け投手 〘野〙losing pitcher C.

マケドニア ── 名 固 (国名) Macedonia /mæ̀sədóuniə/; (正式名) the Republic of Macedonia. ── 形 Macedonian. マケドニア語 Macedonian U マケドニア人 Macedonian C.

まけぼし 負け星 (負けの印) mark indicating a「loss [defeat] C; (負け) loss C. ¶ *負け星 (⇒ 負けた試合の数) を数える count the number of *lost*「*games* [*bouts*] ★ game は球技など, bout は相撲・ボクシング・レスリングなど.

まげもの[1] 曲げ物 round [oval] container made by bending slips of Japanese cedar C.

まげもの[2] 髷物 (時代劇) samurai「drama [play] C 《☞ じだい[1]》.

まける 負ける **1** 《敗北する》: (完全に負ける) be beaten, be defeated ★ 前者がより口語的な言い方; (勝負や訴訟などに) lose ⊕ ⊜ (過去・過分 lost) (↔ win) 語法 (1) be beaten, be defeated は「打ち負かされる」というほうに意味の重点があり, lose は「勝利を逸する」という意味が中心; (けんかや議論などに負ける・さんざんな目にあう) get the worst of ... ★ 口語的; (困難などに) be overcome; (降参する) yield (to ...) ⊜, give「in [way] (to ...) ⊜. 《☞ はいぼく; やぶれる; くっする》.
¶ 私たちのチームはテニスで B 高校チームに*負けた Our tennis team *was*「*beaten* [*defeated*] by the B High School team. // ジャイアンツはタイガースに 5 対 2 で*負けた The Giants「*were beaten* by [*lost the game to*] the Tigers, 5-2. ★ five-to-two と読

む. // 私たちのチームはS高校には*負けたことがない Our team *has* never *lost* to S High (School). // 勝てば官軍, *負ければ賊軍 Losers are always in the wrong. 《ことわざ: 負けた者はいつも悪い》// 我々は3点*負けている (⇒ 3点遅れている) We *are* three runs *behind*. [語法] (2) runs を使うのは野球の場合. 競技の種類によって runs の代わりに points, goals などを使う. 《☞ とくてん¹》// 彼はたいてい議論に*負ける He always ˹*loses* [*gets the worst of*] arguments. // 彼女は誘惑に*負けた She ˹*yielded* [*gave in*] *to* temptation. // 彼はテニスではだれにも*負けない (⇒ 劣らない) He is *second to none* as a tennis player.

2 《値引きする》: (値を引き下げる) cut (他), lower (他), reduce (他), give [make] a reduction ˹on [in] … ★ 後のものほど格式ばった表現; (値段から差し引く) tàke óff (他); (割引きする) discount (他), give [offer] a discount on … 《☞ ねびき¹》.

¶「少し*まけてくれませんか」「じゃあ, 千円にしましょう」"Will you *cut* the price a little bit?" "All right. I'll make it one thousand yen." //「*まけてもらえませんか」「そうですね. 現金なら15パーセントお*まけしましょう」"Could [Would] you *give* me *a discount*?" "Well, we'll *give* you *a* 15 percent *discount* if you pay cash."

負けるが勝ち (⇒ これは「勝利を得るために腰を低くする」の一例である) It is a case of *stooping to conquer*. / Sometimes *the best gain is to lose*. 《ことわざ: ときに最大の利益は損をすること》/ (⇒ 敗北の中に勝利を見出す) It is a case of finding *victory in defeat*.

まげる 曲げる **1** 《曲がらせる》: (針金・体などを) bend (他) (自) 《過去・過分 bent》 (↔ straighten); (曲線を描くように) curve (他); (ねじるように) twist (他); (かぎ形に) crook (他). 《☞ まがる; おりまげる; ねじまげる》. ¶ 彼は針金を弧の形に*曲げた He *bent* the wire in an arc. // 上体を前に*曲げなさい *Bend* ˹over [down]. // この針金は*曲げやすい This wire is easy to *bend*.

2 《歪曲する》: (主義を) depart from *one's* principle(s); (事実・規則などを) deviate [depart] from … ★「…からはずれる」という意; (意味を曲解する) twist [distort] (the meaning of …) ★ [ ] 内のほうが格式ばった語. 《☞ わいきょく; きょっかい》.

¶ 規則は*曲げてはならない We must not ˹*deviate* [*depart*] *from* the rules. // あなたはいつも私の言葉を*曲げてとる (⇒ 曲解する) You always *twist* my words. // 彼は最後まで自説を*曲げなかった (⇒ 固執した) He *stuck to* his own views to the last.

まけんき 負けん気 (圧力に負けない意気) ùnyíelding spírit Ⓤ; (強い競争心) competitive /kəmpétətɪv/ spírit Ⓤ. 《☞ はなっぱしら》.

まご¹ 孫 grandchild Ⓒ 《複 -children》; (男の) grandson Ⓒ; (女の) granddaughter Ⓒ. 《☞ 親族関係 (囲み)》. 孫は子よりもかわいい Grandchildren are dearer than one's own children. 孫の手 ☞ 見出し

まご² 馬子 packhorse driver Ⓒ.

馬子にも衣装 Clothes make [The tailor makes] the man. 《ことわざ: 衣服[仕立屋]が人を作る》/ Fine feathers make fine birds. 《ことわざ: 美しい羽は美しい鳥を作る》

馬子唄 packhorse driver's ˹song [ballad] Ⓒ.

まごい 真鯉 〘魚〙 black carp Ⓒ.

まごうかたなく 紛う方なく ☞ まがう (紛うかたなく)

まごうけ 孫請け ── [動] farm out a subcontract to another subcontractor.

まごかぶ 孫株 〘証券〙 additionally issued new stock (right) after a stock issue Ⓒ ★ 説明的な訳.

まこがれい 真子鰈 〘魚〙 marbled sole Ⓒ.

まごこ 孫子 (孫と子) child and grandchild Ⓒ 《複 children and grandchildren》; (子孫) offspring Ⓒ 《複 ~》, posterity Ⓤ ★ いずれも格式ばった語. ¶ *孫子の代まで down to *posterity*

まごころ 真心 ── [名] (誠実さ) sincerity Ⓤ; (真実の心) true heart Ⓒ. ── [形] (誠心誠意の) cordial; (心のこもった) heartfelt; (心暖まる) warmhearted. 《☞ せいじつ¹; こころ》. ¶ 滞在中の*真心のこもったおもてなしに感謝します Thank you very much for the ˹*cordial* [*warmhearted*] treatment you gave me during my stay here.

まごつく (困惑する) get [be] confused [語法] get は動作, be は状態に重きを置く; (どぎまぎする) be embarrassed; (どうしてよいかわからない) do not know what to do. 《☞ まごまご; うろたえる; とうわく (類義語)》. ¶ 予期しない質問に*まごついてしまった I *got confused* because I was asked an unexpected question. // 私は英語で演説をしてくれと言われて*まごついてしまった I *was embarrassed* when I was asked to make a speech in English.

まごでし 孫弟子 ¶ 私は田中教授の*孫弟子です I am a *pupil of* Professor Tanaka's *former student*. / I *learned from* one of Professor Tanaka's *former students*.

まこと 真, 誠 **1** 《真実》 ── [名] truth Ⓒ. ── [形] true; (実在の) real; (現実の) actual Ⓐ; (偽物でない) genuine. 《☞ ほんとう¹; しんじつ》. ¶ *まことの話 a *true* story

2 《誠意》 ── [名] sincerity Ⓤ. ── [形] (本心からの) sincere; (忠実な) faithful. 《☞ せいじつ¹; せいい》. ¶ 彼の話には*まことがない There is no *sincerity* in his words. // *まことを込めて話す speak *from one's heart* // 彼女は*まことのある友人だ She is a *faithful* friend.

まことしやか 誠しやか ── [形] (表面的にもっともらしい) plausible; (もっともらしく見せかけた) specious /spíːʃəs/ ★ だます意図があることを意味する. 《☞ もっともらしい》. ¶ 彼の説明はいつも*まことしやかに聞こえる His explanations always sound *plausible*. [語法] 本当のことも, うそのこともある.

まことに 誠に (たいへん) very, very much [語法] 前者は形容詞・副詞を, 後者は動詞を修飾する; (本当に) truly ★ very よりはやや文語的. 《☞ じつに》. ¶ *まことに申し訳ない I'm *very* sorry. // *まことにありがとうございました Thank you *very much*. / I am *very* grateful to you. / I am *very much* obliged to you. ★ この順に格式ばった表現となる.

まごのて 孫の手 back scratcher Ⓒ.

まごびき 孫引き ── [動] quote … at second hand, requote (他). 《☞ いんよう¹》.

まごまご ── [動] (よくわからなくなる) get confused; (どうしてよいかわからない) do not know what to do [日英比較] 以上のほか, 前後関係により, 文全体の意味から日本語の「まごまご」という語感が表せるように英訳する必要のある場合も多い. 《☞ まごつく; 擬声・擬態語 (囲み)》.

¶ 駅へ行くのに2人の人が違う道を教えてくれたので, *まごまごしてしまった I *got confused* because two people told me different ways to the station. // 突然外国人に話しかけられて*まごまごしてしまった (⇒ 何と言ってよいかわからなかった) I was suddenly spoken to by a foreigner, and I *did not know what to say*. // *まごまごしていると列車に乗り遅れるよ (⇒ 急ぎなさい) Hurry up! You'll miss the train. 《☞ ぐずぐず》

まごむすこ 孫息子 grandson Ⓒ 《☞ まご¹》.

まごむすめ 孫娘 granddaughter Ⓒ《☞ まご¹》.

まこも 真菰 〔植〕(イネ科の多年草) wild rice Ⓤ.

マコロン (菓子) macaroon Ⓒ.

まこんぶ 真昆布 〔植〕(Japanese) kelp Ⓒ.

マザー **1**《母親》 ☞ はは

2《女子修道院長》: mother Ⓒ ★ しばしば M— として.

マザーグース —㊔㊒ (英国の伝承童謡集) *Mother Goose's Melodies*; (童謡集の伝説的作者) Mother Goose.

マザーコンプレックス 〔心〕Oedipus /édəpəs/ còmplex Ⓤ《☞ マザコン》.

マザーズ 〔金融〕Mothers ★ 東京証券取引所の Market of the High-Growth and Emerging Stocks の略.

マザーテープ master tape Ⓒ, mother tape Ⓒ.

マザーテレサ —㊔㊒ Mother Teresa /tərí:sə/ (of Calcutta), 1910–97. ★ マケドニア生まれでインドで活動したカトリック修道女. 本名 Agnes Gonxha Bojaxhiu.

マザーボード (マイクロコンピューターの主回路基板) motherboard Ⓒ.

マサイぞく マサイ族 the Masai(s), the Masai tribe; (一人) Masai Ⓒ《複 ~(s)》.

まさか (本当にそういうつもりか) Do you really mean it?; (そんなことは言わないでしょうね) You don't say (so)! ★ 多少皮肉めいた言い方; (よもや…ではないでしょうね) Don't tell me …; (そんなことあり得ない)《略式》Oh, no!; (冗談でしょう)《米略式》No kidding!; (そんなことは信じられない) I don't believe it.

¶ *まさか本気じゃないでしょうね *Do you really mean it*? // 「社長が警察につかまったよ」「*まさか」"Our president was arrested by the police." "*You don't say so*!" // 「二郎君が車にはねられた」「*まさか」"Jiro was hit by a car." "*Oh, no*!" // *まさか君がやったんじゃないだろうな *Don't tell me* you did it.《☞ よもや》// *まさか 1 等になるとは思いもよらなかった (⇒ 夢にも考えなかった) I *never dreamed* I would win (the) first prize. // *まさかのときには (⇒ 私の助けを必要とする場合は) お知らせ下さい Let me know *in case you need my help*. // *まさかのときには (⇒ 緊急の場合は) このボタンを押して下さい Push this button *in case of emergency*. // *まさかの友は真の友 A friend *in need* is a friend indeed.《ことわざ: 困っているときの友が本当の友》// *まさか彼はそんなことはしないだろう (⇒ 彼はそんなことをする最後の人だ) He's *the last* person to do a thing like that.

まさかり 鉞 (木を切り倒すための) broadax (《英》-axe) Ⓒ; (昔の武器) battle-ax (《英》-axe) Ⓒ.

まさき 正木, 柾 〔植〕spindle tree Ⓒ.

まさぐる (手探りで捜す) fumble ㊐; (手でいじる) finger ㊐.《☞ いじる》.

まさご 真砂 (細かい砂) fine sands. ¶ 浜の*真砂のごとくである (⇒ 無数にある) *be innumerable* / (⇒ 無尽蔵にある) *be inexhaustible*

マザコン (エディプスコンプレックス) 〔心〕Oedipus complex Ⓤ. ¶ 彼は*マザコンだ He's a ˹*mama's* [*mother's*] *boy*. / (⇒ 過度に母親に愛着を持っている) He *is too attached to his mother*.

まさしく 正しく —㊓ (確かに) certainly, surely; (疑いもなく) no doubt; (ちょうど・まさに) just ★ 口語的; (ぴったりと) exactly; (本当に) really; (真に) truly. —㊒ (まさにその) very Ⓐ 語法 定冠詞を伴う. 非常に格式ばった表現なので, 普通は just the … を用いる.《☞ まさに》.

マサチューセッツ —㊔㊒ (米国の州) Massachusetts /mæ̀sətʃú:sɪts/《☞ アメリカ (表)》. **マサチューセッツ工科大学** Mássachùsetts Ínstitùte of Technólogy《略 M.I.T.》.

まさつ 摩擦 (一般的に) friction Ⓤ ★ 比喩的に人と人, 国と国との間などのもめごとの意味にも使う; (こすること) rubbing Ⓤ; (もめごと) trouble Ⓤ.《☞ あつれき》. ¶ *摩擦を生じる create [generate; produce] *friction* // …間の*摩擦 *friction* ˹among [between] … // …との*摩擦 *friction* with … // 貿易*摩擦 trade *friction*

摩擦音〔音声〕fricative (sound) Ⓒ **摩擦角** angle of friction Ⓒ, friction(al) angle Ⓒ **摩擦クラッチ** friction clutch Ⓒ **摩擦係数** coefficient of friction Ⓒ **摩擦抵抗** frictional resistance Ⓤ **摩擦電気** triboelectricity Ⓤ, frictional electricity Ⓤ **摩擦ブレーキ** friction brake Ⓒ **摩擦力** friction Ⓤ, frictional force Ⓤ.

まさつち 正土 (表土の下の土) soil under the surface soil Ⓤ; (床の間の壁などを塗る上等の土) fine-quality clay daub for the alcove walls Ⓤ.

まさに 正に **1**《ちょうど》 —㊓ just ★ 口語的で一般的な語; (正確に) exactly ★ just よりもやや格式ばった語. —㊒ (まさにその) very Ⓐ 語法 (1) the, this, that, your, his, my などを伴い, 強意を表す. 非常に格式ばった表現なので, 普通は just the … を用いるのが好ましい.

¶ それは*まさに彼が望んでいた仕事だった It was ˹*just the* [*the very*] job that he wanted. // それは*まさに私が言おうと思ったことだ That's *exactly* what I wanted to say. // 我々が山の頂上に着いたとき, 太陽が*まさに昇ろうとしていた The sun was *just* about to come up when we reached the top of the mountain. 語法 (2) be (just) about to *do* … で「まさに…しようとする」という意味. // 彼女は母親に*まさに生き写しだ (⇒ 正確に似ている) She looks *exactly* like her mother.

2《まったく・確かに》: (本当に) really; (真に) truly; (確かに) surely, certainly; (疑いもなく) no doubt.《☞ じつに; まぎれもない》. ¶ それは*まさに生死にかかわる問題である It's *really* a question of life and death. // ハワイは*まさにこの世の楽園である Hawaii /həwá:ji/ is *certainly* paradise on earth.

まさば 真鯖 〔魚〕chub [pacific] mackerel Ⓒ.

まざまざ —㊓ (はっきりと) clearly; (鮮やかに) vividly.《☞ はっきり; 擬声・擬態語 (囲み)》. ¶ 私はその出来事を*まざまざと覚えている I remember the event *vividly*.

まさむね 正宗 —㊔㊒ Okazaki Masamune; (説明的には) Japan's most famous swordsmith who lived in the late Kamakura period; (刀) sword forged by Masamune Ⓒ.

まさめ 正目, 柾目 —㊔ quarter grain Ⓤ. —㊒ quartersawed. ¶ *正目のひのきの板 a *quartersawed* Japanese cypress plank

まさゆめ 正夢 (予言的な夢) prophétic dréam Ⓒ; (後で実現する夢) dream that later comes true Ⓒ 日英比較 この場合の dream は「実現して欲しい希望」という意味になるのが普通で, 日本語の「正夢」とは少しずれる.《☞ ゆめ¹》. ¶ 私の夢は*正夢だった (⇒ ことは夢のとおりに起こった) It happened *just as I had dreamed it*.

まざりもの 混ざり物 ☞ まじりもの; まぜもの

マザリング mothering Ⓤ.

まさる 勝る, 優る (他よりもっとよい) be better (↔ worse) than … ★ 最も口語的; (他と比較して) be superior to … (↔ inferior to …) ★ be better than とほぼ同意で, より格式ばった言い方; (分量や技量などで他に) surpáss ㊍; (性質や技術が他よりすぐれている) excél ㊍; (相手のレベルを超える) exceed ㊍ 語法 以上 3 語はいずれも格式ばった語で入れ替え可能なことが多いが，前の2語は他をしのぐことに重点がおかれ，exceed は限度やレベルを超えるという意味が強い；（以前に作られた記録よりも）outdo ㊎.《☞ すぐれる；こえる¹；うえ¹》.

¶ 英語では弟のほうが私より*勝っています My brother *is* much *better* at English *than* I am. / My brother knows English much *better than* I do. ★ 第1文のほうが普通. // 敵は数においてはるかに*勝っていた The enemy greatly *exceeded* us in number. // 彼のほうが力では圧倒的に*勝っていた（⇒強者であった） He was overwhelmingly *the stronger* of the two. // 予防は治療に*勝る Prevention *is better than* cure.《ことわざ》// 健康は富に*勝る Health *is better than* wealth.《ことわざ》// この車は乗り心地にかけてはあの車に*勝るとも劣らない（⇒同じくらい乗り心地がよい） This car is *as* comfortable to ride in *as* that (one). / This car is *no less* comfortable to ride in *than* that (one). ★ 前者のほうが口語的.

まざる　交ざる，混ざる　mix ㊎《☞ まじる；まぜる（類義語）；とけあう¹》. ¶ 水と油は*混ざらない Water and oil don't *mix* (with each other). / <S（物）＋V（*mix*）＋*with*＋名（物）> Water doesn't *mix with* oil.

まし　— 動（…よりよい） be better than …; (B するよりむしろ A したい) would rather A than B; (B するくらいなら A するほうがまし) might as well A (as B) ★ A と B はそれぞれ動詞句.　— 形（よりよい） better.《☞ よい¹》.

¶ これはあれより少しは*ましだ This *is* a little (bit) *better than* that. // こんなに苦しむくらいなら死んだほうが*ましだ I *would rather* die *than* suffer so much. // 彼と話すくらいなら独り言を言ったほうが*ましだ I *might as well* talk to myself *as* talk to him. // 幾らかでもあれば全然ないよりは*ましだ Something *is better than* nothing.《ことわざ》

-まし　…増し　— 名（増加） incréase Ⓤ.　— 動 incréase ㊎.《☞ ます¹；ふえる》. ¶ 赤字は去年の2割*増しだった（⇒増えた） The deficit *has increased* by 20 percent over last year.

まじ　— 形（本当の） true.　— 副（本当に） really. ¶ それって*まじ? Is that *true?* / *Really?* /（⇒まさか） *Indeed!* / *You don't say so!*

マシ(ー)ン　machine /məʃíːn/ Ⓒ.　マシ(ー)ンガン machíne gùn Ⓒ.　マシ(ー)ン油（機械油） machine oil Ⓤ;（潤滑油） lubricant Ⓤ.

まじえる　交える　¶ …と一戦を*交える have a fight with … // 彼らを*交えて（⇒仲間に入れて）野球をした We let them *join* our team and played baseball together.

ましかく　真四角　— 名（正方形） square Ⓒ.　— 形（真四角の） square.《☞ しかく²（挿絵）》.

まじきり　間仕切り　— 名 partítion Ⓒ.　— 動（間仕切りして分ける） partition ㊎.

ましこやき　益子焼　Mashiko ⌈ware [pottery] Ⓤ.

マジシャン　（奇術師） magician Ⓒ, trickster Ⓒ.

ましずり　増し刷り　☞ ぞうさつ

ました　真下　— 前（すぐ下に） just [right] under …, just [right; directly] below …　語法 (1) under は下であれば離れていても，すぐ下に接していてもよい．あるものより位置が低いのが below.《☞ した¹（挿絵）》.

¶ 彼らは橋の*真下で泳いでいた They were swimming ⌈*just* [*right*] *under* the bridge.　語法 (2) below を使うと「橋の下流で」の意味になる.

マジック　（魔法・奇術） magic Ⓤ.　マジックアイ〚商標〛 Magic Eye,（一般的に） magic eye Ⓒ　マジックインキ felt-tip marker Ⓒ ★「マジックインキ」は日本の商標名.　マジックガラス ☞ マジックミラー　マジックテープ hook and loop fastener Ⓒ;〚商標〛 Velcro ★「マジックテープ」は日本の商標名.　マジックナンバー〚野〛 magic number Ⓒ　マジックハンド（遠隔操縦機） manípulàtor Ⓒ　マジックペン felt-tip pen Ⓒ　マジックミラー（暗い側からだけ反対側が見える鏡） one-way mirror Ⓒ.

まして¹　（…はもっと…だ） much [still; even] more … ⌈in [at] … ★ 肯定的に程度や量の大きいことを言う場合; much [still; even] less … ⌈in [at] … ★ 否定的に程度や量の小さいことを言う場合;（…は言うにおよばず） not to speak of …, to say nothing of …, not to mention … ★ 以上3つは肯定にも否定にも用いる．初めのものほど頻度が高い;（…はもちろん） let alone ★ 普通は否定文の後で用いる.

¶ 彼らがあの山に登れるかどうかは疑わしい．*まして彼女の場合となるとなおさらだ It is doubtful whether they'll be able to climb that mountain, and in her case, it is ⌈*much* [*even*; *still*] *more* doubtful. // 彼は中古車も買えない．*まして新車を買う余裕などない He can't afford to buy a used car, ⌈*much less* [*not to speak of*; *to say nothing of*; *let alone*] a new one.

まして²　増して　¶ 彼は以前にも*増して勉強するようになってきた He has come to study *harder than* ⌈*ever* [*before*]. // おなかも空いたがそれにも*増してのどがかわいてつらかった（⇒私を一番困らせたのはのどのかわきだった） I was hungry, but what bothered me *most* was thirst.

まじない　呪い　— 名（呪文） spell Ⓒ;（魔力） charm Ⓒ ★ 特に相手の感覚や心などを縛ってしまうというニュアンスがある.　— 動（まじないをかける） cast [lay; put] a ⌈spell [charm] (on …; over …).《☞ まほう》.

まじまじ　日英比較 この語にぴたりと当てはまる英語の副詞はない．このような擬態語は動詞や他の語句の組み合わせて，全体のニュアンスとして訳し出すよりほかない.《☞ 擬声・擬態語（囲み）；じっと；みる¹（類義語）》. ¶ 彼はとまどったような顔で，彼女の顔を*まじまじと見た He *looked* ⌈*her in the* [*in her*] *face* with a puzzled expression. /（⇒じっと見つめた） He *stared at* her with a puzzled expression.

まじめ　真面目　— 形（何事も本気で考える） serious;（正直な） honest;（冷静で真剣な） sober;（ひたむきな） earnest.　— 副 seriously; honestly; soberly; earnestly, in earnest;（一生懸命に） hard.　— 名 seriousness Ⓤ; honesty Ⓤ; soberness Ⓤ; earnestness Ⓤ.《☞ ほんき；しんけん¹；まとも；かたい¹》. ¶ 彼は*まじめ（一方の性格）で，ユーモアも解さなかったし機転もきかなかった He was a *serious* type of man and had neither a sense of humor nor tact. // これは*まじめな話です This is a *serious* talk. // 彼はいつも*まじめな顔をして話す He always speaks with a ⌈*serious* [*solemn*] look on his face.《☞ まがお》// 彼女は*まじめで（⇒正直で）信頼できそうである She looks *honest* and dependable. //「彼は*まじめな生徒ですか」「ええ，それにとても熱心です」“Is he an *earnest* student?” “Yes. He's very eager, too.” // 彼女は彼の冗談を*まじめにとってしまった She took his joke ⌈*seriously* [*in earnest*]. // もっと*まじめに（⇒もっと一生懸命）英語を勉強しなさい Study English *harder*.

まじめくさる　真面目腐る　（まじめそうに見える） look ⌈serious [grave] ㊎;（まじめそうな表情をよそおう） assume a ⌈serious [solemn] look. ¶ 彼は*まじめくさって冗談を言った He told a joke *with a solemn look*.

マジャールご　マジャール語　— 名 Magyar /mǽgjɑə/ Ⓤ.　— 形 Magyar.

マジャールじん **マジャール人** ── 名 固 Magyar /mǽgjɑə/ C. ── 形 Magyar.

ましゃく **間尺** **間尺に合わない** ¶忠告をして非難されては*間尺に合わない It doesn't *pay* to give someone a piece of advice and be reproached for it.《☞ わり》

ましゅ **魔手** ¶誘惑の*魔手が伸びる (⇒(人が)誘惑の犠牲になる) fall (a) victim to *temptation* // *魔手にかかる (⇒ 邪悪な手[危険なわな]に陥る) fall into *the* ˹*sinister hands* [*dangerous trap*] (of ...)

マシュー (男性名) Matthew /mǽθjuː/ ★ 愛称は Matt.

まじゅつ **魔術** (魔法) magic (art) U《☞ まほう》. **魔術師** (手品師) magícian C.

マシュマロ márshmàllow C.

まじょ **魔女** witch C《☞ まほう (魔法使い)》. **魔女狩り** witch-hunt C.

ましょう **魔性** ¶*魔性のもの (⇒ 悪魔の化身) the devil incarnate // *魔性の女 (⇒ 魔女) a *witch* / (⇒ 男を魅惑する女) an enchantress

ましょうじき **真正直** ── 形 (正直な) honest; (正直で率直な) straightforward; (高潔な) upright.《☞ しょうじき; こうけつ[1]》. ¶彼は*真正直な人だ He is ˹a *downright honest* [an *upright*] man. // 彼女は彼の言葉を*真正直に受け取った (⇒ 言葉通りに) She *took* him *at* his *word*. / (⇒ 本気に) She *took* what he said *seriously*.

ましょうめん **真正面** ── 前 (真向かいに) just [right] ópposite (to) ...; (真ん前に) right [just] in front of ... ── 副 (まともに) squarely.《☞ しょうめん; まむかい》. ¶バス停はビルの*真正面にあります The bus stop is ˹*right* [*just*] *in front of* the building. // 彼女の*真正面に立って下さい Please stand *just opposite* (*to*) her.

マジョラム ☞ マージョラム

マジョリカ (イタリア産の陶器) majolica U.

マジョリティー (多数派・過半数) majority C ★ 通例単数形で.《☞ だいたすう》.

マジョルカ ── 名 固 Majorca /məjɔ́əkə/ ★ 地中海西部の島. スペイン領.

-まじり **...交じり** ¶日本の文章は漢字かな*交じりである Japanese writing is a *mixture* of Chinese characters and Japanese syllabary. // 白髪*交じり *grayish* [*salt-and-pepper*] hair // 彼はいつも冗談*交じりで (⇒ 半分冗談で) ものを言う He always talks *half in* jest.

まじりけのない **交じり気のない, 混じり気のない** (純粋な) pure; (本物の) genuine.

まじりもの **交じり物, 混じり物** (混合したもの) mixture C; (不純物) impúrity C.

まじる **交じる, 混じる** (混ざり合っている) be mixed; (入り交じる) mingle (with ...) 自 ★ mingle のほうが文語的.《☞ まざる; まぜる (類義語)》. ¶彼らは群衆に*交じって歩き出した They *mingled with* the crowd and started walking. // 100 人のランナーのうち, 女性が 20 人*交じっている There are twenty women *among* the one hundred runners.

まじろぎ **瞬ぎ** blink C《☞ まばたき》. ¶彼女は*瞬ぎもせずにその絵を見つめていた She was gazing at the painting without a *blink of* her *eyes*.

まじわり **交じわり** (友人としての関係) friendship U《☞ こうさい[1]》.

まじわる **交わる** (互いに横切る) cross 他 自; (特に線などが交わる) intersect 他 自 【語法】 後者がより格式ばった語. いずれも 2 つのものが交差することを言うが, A ˹*crosses* [*intersects*] B. のような言い方では 他. また交わる 2 つのものを主語とするときは, 他 の場合は each other を目的語とする.《☞ こうさ[1]; こうさい[1]》.
¶直線 A は C で直線 B と*交わる Line A ˹*crosses* [*intersects*] line B at C. / Lines A and B ˹*cross* [*intersect*] *each other* at C. // 我々は長年親しく*交わっている We *have been friends* for many years. ★ 口語的. / We *have maintained our friendship* for many years. / We *have maintained friendly relations* for many years. ★ 後の 2 文は格式ばった言い方.

ましん **麻疹** ☞ はしか **麻疹ウィルス** measles virus C **麻疹脳炎** measles encephalitis U **麻疹ワクチン** measles vaccine U.

マシン ☞ マシーン

まじん **魔神** malevolent deity C, devil C; (イスラム神話の) genie C《複 genies, genii /ʤíːniàɪ/》.

ます[1] **増す** (徐々に増える) incréase 自 他 (↔ decrease) ★ 一般的な語; (さらに加える) add (to ...) 自; (体重・速力・力などが) gain 他 自; (川の水量などが) swell 自; (川の水面が上がる) rise 自.《☞ ふえる; ふやす》. ¶列車は速度を*増した The train ˹*increased* [*gathered*] speed. // 知識を*増すためにもっと本を読まねばならない I have to read more to *add to* my knowledge. // その問題は最近ますます重要性を*増してきた The problem *has gained* increasing importance recently. // 彼女は先月より体重が 3 キロ*増した She *has gained* three kilograms since last month. // 雨で川の水が*増した The river *has* ˹*risen* [*swelled*] with the rain.

ます[2] **鱒** 〖魚〗 trout C ★ 単複同形. ただし種類をいうときは複数形は ~s とする.

ます[3] **升, 枡** (一般に測定器具) measure C; (米などを計る) small square measuring box C ★ 説明的表現. **升売り** sale by the measure U **升形** ── 名 square (shape) C. ── 形 square **升酒** sake served in a square wooden cup U **升席** box seat C; (相撲の) box (where four people can sit to watch sumo wrestling) C.

マス (大きな塊・集団) mass C; (大衆) the masses ★ 複数形で; 〖物理〗 (質量) mass U.

まず **先ず** **1**《最初に》: (何よりも先に) first (of all); (列挙してまず第一に) in the first place; (理由などのまず第一に) to ˹begin [start] with.《☞ だいいち》. ¶あなたには*まずもっと勉強してもらいたい *First of all*, I'd like you to study harder. // *まず明夫がギターを弾き, 次に私がフルートを吹いた *First* Akio played the guitar and then I played the flute. // あなたたちが*まずしなければならないことは 119 番に電話することだ The *first* thing ˹for you to do [you should do] is to dial 119. // 彼らは*まず負傷者を病院に運び, それから... They *first* took the injured to the hospital and then ... // *まず第一に君は若いし, エネルギーにあふれている *To begin with* [*In the first place*], you are young and full of energy. // 報道記事は*まず (⇒ ほかの何よりも) 正確でなければならない News stories must be accurate *more than anything else*.

2《多分》: (恐らく) perhaps,《米略式》 maybe; (たいてい) probably ★ かなり実現性が高いというニュアンスがある; (...だと思う) I suppose ...,《米略式》 I guess ...; (およそ) about; (ほとんど) almost.《☞ おそらく; -かもしれない》.
¶*まず何も起こらないだろう *Probably* nothing will happen. // 彼がそのパーティーに来ることは*まずあるまい (⇒ 可能性はない) There is *no possibility* of ˹his [him] coming to the party. // 彼は*まず同意しないだろう *I suppose* he won't agree. // *まずそんなところでしょう That's *about* it. // 彼は田中さんに*まず間違いあるまい (⇒ 私はほとんど確信している) I'm *almost* sure that he is Mr. Tanaka.

3 《とにかく》: anyway 《☞ とにかく》. ¶*まずやってみよう Let's do it *anyway*.

ますい 麻酔 ― 名 anesthesia /æ̀nəsθíːʒə/ Ⓤ; (麻酔剤［薬］) anesthetic /æ̀nəsθétɪk/ Ⓒ. ― 動 (麻酔をかける) anesthetize /ənésθətàɪz/ ⑩.
¶局部［全身］*麻酔をかけます I'll give you a ⌈local [general] *anesthetic*. // 1時間もすると*麻酔が切れてきます The effects of the *anesthetic* will wear off in an hour. **麻酔医** anesthesiologist /æ̀nəsθìːziɑ́lədʒɪst/ Ⓒ, 《英》 anesthetist /ənésθətɪst/ Ⓒ **麻酔医学** anesthesiology /æ̀nəsθìːziɑ́lədʒi/ Ⓤ **麻酔剤［薬］** anesthetic Ⓒ, narcotic Ⓒ ★ 後者は特にモルヒネ・アヘンなどを指す.

まずい 1 《味が悪い》: not (very) good 《☞ おいしい》.
¶このご飯は*まずいよ This rice ⌈*doesn't taste good* [*tastes bad*]. // 空腹に*まずいものなし Hunger is the best sauce. 《ことわざ: 空腹は最上のソース》
2 《下手な》: (劣っている) poor; (ぎこちない) clumsy. 《☞ へた¹》.
¶彼は運転が*まずい (⇒ 下手だ) He is *poor* at driving. / (⇒ 下手な運転者だ) He is a *poor* driver.
3 《不適当・不都合》: (立場などが悪い) awkward; (都合の悪い) unfavorable, 《英》 unfavourable; (思慮のない) unwise.
¶彼は*まずいときに教室に入ってきた He came into the classroom at an *awkward* time. // そんなつまらないことで腹を立てるのは*まずいよ It's ⌈*unwise* [*not good*] to get angry over such a small thing. // *まずいことになってしまった (⇒ ことは具合が悪いことになった) Things went *wrong*. / (⇒ 事態は不都合な展開をした) The situation has taken an *unfavorable* turn. // この計画は*まずい This plan is ⌈*no good* [(⇒ 欠陥のある) *faulty*; (⇒ 実行不可能だ) *not practical*].

マスカット 〔植〕 muscat (grape) Ⓒ.
マスカラ (化粧品) mascara /mæskǽrə/ Ⓤ.
マスカルチャー (大衆文化) máss cúlture Ⓤ.
マスキーほう マスキー法 (米国の大気汚染防止法) the Muskie Act.
マスキュリン ― 形 (男性的な) masculine. **マスキュリンルック** masculine look Ⓒ ★ 単数形で.
マスキング 〔電・工・化・音響〕 masking Ⓤ. **マスキング効果** the masking effect.
マスキングテープ masking tape Ⓤ.
マスク (キャッチャーなどの) face mask Ⓒ; (流感予防用の) flu mask Ⓒ; (ガスマスク) (gas) mask Ⓒ.
¶*マスクをかける wear a *mask*
マスクメロン 〔植〕 muskmelon Ⓒ.
マスクラット 〔動〕 muskrat Ⓒ.
マスゲーム (集団競技) group activity Ⓒ; (団体体操) mass calisthenics Ⓤ.
マスコット (縁起のよい物・人) máscot Ⓒ.
マスコミ (大量伝達手段) (the) máss media /míːdiə/ ★ 複数形; (新聞・雑誌界) journalism Ⓤ; (マスコミ全般を指して) the media ★ 複数形.
日英比較 マスコミは英語の mass communication (大量伝達) からきているが, 日本語では新聞・ラジオ・テレビなどの伝達手段をいうのが普通.
マスコミュニケーション (大量伝達) mass communication Ⓤ 《☞ マスコミ》.

まずしい 貧しい 1 《貧乏》 ― 形 (貧乏な) poor (↔ rich) ★ 最も一般的な語; (生活必需品にも事欠くほど) needy; (非常に貧乏な) poverty-stricken ★ 格式ばった語; (困窮している) in ⌈need [want] ★ 格式ばった表現. 修飾する名詞の後に置く. ― 名 (貧しさ・貧乏) poverty Ⓤ. 《☞ びんぼう (類義語)》. ¶彼は*貧しい移民の子として生まれた He was born the son of a *poor* immigrant.
2 《貧弱な》: poor ★ 最も口語的な表現; (必要な量に達せず乏しい) scanty; (不十分な) insufficient ★ 以上2語はやや格式ばった語. 《☞ とぼしい, ひんじゃく》. ¶私の*貧しい英語の知識では, 私の考えを十分言い表せません I can't express myself fully with my *poor* knowledge of English.

ますせき 升席 ☞ ます³ (升席)
マスター¹ (男の主人・雇い主) master Ⓒ; (所有者・経営者) proprietor Ⓒ; (修士) master Ⓒ. **マスターオブアーツ** (文学修士(号)) Master of Arts Ⓒ ★ MA と略す. **マスターオブサイエンス** (理学修士(号)) Master of Science Ⓒ ★ MS と略す. **マスターオブセレモニー** máster of céremonies Ⓒ ★ MC と略す. 《☞ しかい¹》 **マスターキー** master key Ⓒ **マスターコース** (修士課程) master's program Ⓒ, M.A. program Ⓒ **マスターテープ** master tape Ⓒ **マスターピース** masterpiece Ⓒ **マスターファイル** (基本ファイル) master file Ⓒ **マスタープラン** (総合基本計画) master plan Ⓒ.
マスター² ― 動 (習得する) master ⑩.
マスターズ ― 名 ⓖ the Masters (Tournament) ★ 米国ジョージア州オーガスタで毎年4月に行われるゴルフの世界4大トーナメントの一つ.
マスタード mustard Ⓤ 《☞ 料理の用語 (囲み)》. **マスタードソース** mustard sauce Ⓤ.
マスタードガス (びらん性毒ガス) mústard gàs Ⓤ, yperite /íːpəràɪt/ Ⓤ.
マスターベーション masturbation Ⓤ.
マスチフ (英国原産の大型の番犬) mástiff Ⓒ.
マスデモクラシー mass democracy Ⓤ.
マスト (帆柱) mast Ⓒ 《☞ ヨット (挿絵)》.
マストドン 〔古生〕 mastodon Ⓒ ★ 新生代第三紀中ごろから第四紀にかけて生息していた象.
マスプロ(ダクション) ― 名 (大量生産) mass production Ⓤ 《☞ たいりょう¹》. ¶*マスプロ教育 assembly-line education // *マスプロ大学 《米》 a diploma mill ★「卒業証書製造工場」の意.

まずは 先ずは ☞ まず; とりあえず; とにかく
ますます 益益 more and more (…) ★ 程度が徐々に増加することを表す; less and less (…) ★ 程度が徐々に減少することを表す; (次第に増加して) incréasingly; (かえってますます) all the more. 《☞ いよいよ; なおさら》.
¶東京は*ますます住みにくくなるだろう It will ⌈become [get] *more and more* difficult to live in Tokyo. // 形勢は彼にとって*ますます不利になってきている Things are getting *less and less* favorable for him. // 彼女の家に近づけば近づくほど, 彼は*ますます胸の高鳴るのを覚えた *The nearer* he approached her house, *the faster* his heart beat. // 物価は*ますます (⇒ 絶えず) 上がっていく Commodity prices are going up *all the time*.
まずまず (あまり悪くない) not very bad; (かなりよい) pretty good; (成績などが悪くもないがそれほど良くもない) fair; (一応の) passable; (なんとか) 《略式》 so-so. 《☞ まあまあ; かなり》. ¶結果は*まずまずだった (⇒ かなりよかった) The results were *pretty good*. / (⇒ そんなに悪くなかった) The results were *not very bad*. // 彼女は*まずまずの英語を話す She speaks ⌈*passable* [*fairly good*] English.
ますめ 升目 (升で計った量) measure Ⓤ; (原稿用紙などの) square Ⓒ.
マスメディア (マスコミ) (the) máss media /míːdiə/; (マスコミ全体) the media ★ 複数扱い. 《☞ メディア; マスコミ》.
まずもって 先ず以て first (of all), before anything else. 《☞ まず; だいいち》. ¶*まずもって妻に昇進のことを伝えた *First of all* [*Before anything else*], I told my wife about my promotion.

ますらお 益荒男 (勇敢な[男らしい]男) brave [tough] man Ⓒ《複 ― men》; (武士) warrior Ⓒ; (兵士) soldier Ⓒ. **益荒男振り** (万葉集の和歌の) masculine style Ⓒ《☞ たおやめ》. ¶ *ますらおぶりを発揮する show [prove] *one's* ⌈*manliness* [*masculinity*]

マズルカ 〖楽〗 mazurka /məzə́ːkə/ Ⓒ.

まぜあわせる 交ぜ合わせる, 混ぜ合わせる (2つ以上のものを) mix ... together; (同種類のものを完全に) blend ⊕; (各成分が識別できるような混合) mingle ⊕ ★ 文語的.《☞ まぜる (類義語)》.

ませいせっき 磨製石器 polished stone tool Ⓒ.

まぜおり 交ぜ織り mixed weave Ⓒ; (織物) mixed-spun fabric Ⓒ ★ 通例複数形で. ¶ 綿と毛の*交ぜ織り a cotton and wool *mixture*《☞ こんぼう²》

まぜかえし 混ぜ返し (妨害) interruption Ⓤ; (干渉) intervention Ⓤ.《☞ まぜかえす》.

まぜかえす 混ぜ返す (話の途中に割り込む) cút ín ⓐ, interrupt ⊕ ★ 前者のほうが口語的; (人の話に割り込んで(その話を種に)冗談を言う) cut in and joke (about what *a person* is saying).
¶ 話しているとき*まぜ返さないでくれ Will you stop *cutting in and joking about what I'm saying*?

まぜがき 交ぜ書き (ひらがなと漢字の) mixed writing using *hiragana* and kanji Ⓤ.

まぜこぜ ― 動 (ごちゃごちゃに混ぜる) júmble (úp) ⊕; (混ぜ合わせる) míx úp ⊕ ★ 後者には必ずしも「ごちゃごちゃに」という意味は含まれない.《☞ ごちゃごちゃ》. ¶ いろいろな物が*まぜこぜに机の引き出しに入っている Various things *are jumbled together* in the drawers of the desk. // この棚には英語の本と日本語の本が*まぜこぜになっている English and Japanese books *are mixed up* (*together*) on this shelf.

まぜごはん 混ぜ御飯 rice mixed with meat and vegetables Ⓤ.

まぜもの 混ぜ物 ― 名 (食品の添加物) áddítive Ⓒ; (成分として加えられるもの) admíxture Ⓤ; (質を低下させるような不純物)《格式》 adúlterant Ⓤ. **― 動** (不純物を加える) adúlteràte ⊕.

マゼラン ― 名 固 Ferdinand Magellan /fə́ːdənænd mədʒélən/, 1480?-1521. ★ ポルトガルの航海者. **マゼラン海峡** the Strait of Magellan.

ませる ― 動 (年齢に似合わず大人びたことをする) act too grown up for *one's* age. **― 形** (発育の早い) forward; (早熟の) precocious /prɪkóʊʃəs/ 語法 後者のほうが格式ばった語で, よい意味で発育・精神的発達が早いことも, 性的にませていることも表す. ¶ 都会の子供は田舎の子供より*ませている傾向がある Children in the cities have the tendency to *act too grown up for their age*, compared with those in the country. // 彼女は中学生にしては*ませている She is rather *forward* for a junior high school girl. // あの女の子は*ませた (⇒ 大人のような) 口をきく That girl *talks like a grown-up*.

まぜる 交ぜる, 混ぜる mix ⊕; combíne ⊕; compóund ⊕; blend ⊕.
【類義語】最も一般的で, 2つ以上のものを均一に混合することを表すのは *mix*. 2つ以上のものを合わせて1つのものにすることを意味し, 化学的な化合も意味するのが *combine*. *combine* とほぼ同じ意味で格式ばった語が *compound*. 茶・たばこ・飲み物などについて, よりよい風味を得るため, 同種類で多少違ったものを混ぜ合わせるのが *blend*.《☞ まじる; まざる》
¶ 私はケーキを作るために小麦粉と砂糖その他の物を*混ぜた I *mixed* some flour and sugar and some other things to make a cake. // 私はウイスキーに水を*混ぜた <S (人)＋V (*mix*)＋O (名)＋*with*＋名> I *mixed* some whisky *with* water. // 黄と青を*混ぜると緑色になる If you *combine* yellow and blue, you'll get green. // 私はたいていモカとブルーマウンテンを*混ぜる <S (人)＋V (*blend*)＋O (名)＋*with*＋名> I usually *blend* Mocha *with* Blue Mountain.

マゾ ☞ マゾヒスト; マゾヒズム

マゾヒスティック ― 形 (被虐性愛的な) masochistic /mæsəkístɪk/.

マゾヒスト (被虐性愛の傾向の人) masochist /mǽsəkɪst/ Ⓒ.

マゾヒズム (被虐性愛) masochism /mǽsəkìzm/ Ⓤ.

まそん 摩損 wear (and tear) Ⓤ, abrasion Ⓤ ★ 後者のほうが格式ばった語.《☞ まめつ》. ¶ タイヤは4つとも*摩損している All four tires *are* ⌈*worn* (*down*) [(⇒ つるつるだ) *bald*].

また¹ 又 **1**《再び》: again; (いつの日にか) some day; (後で) later.《☞ ふたたび; さいど¹》.
¶ *また同じ間違いをしてしまった I made the same kind of mistake *again*. // いずれ*またお目にかかりましょう I hope I can see you *some day*. // いつ*また仕事を始めますか When will you ⌈start working *again* [*be back* at work]? // じゃ, *またね I'll see you! / See you (*later*)! / So long! ★ long に強勢を置く. 以上いずれもくだけた別れのあいさつ.
2《同じく・やはり》: (もまた…である) also, too 語法 (1) 両者はほぼ同意だが, too のほうが口語的.《☞ -も 語法 (3) (4)》.
¶ これも*また傑作だ This is a fine piece of work, *too*. / This is *also* a fine piece of work. ★ 前者のほうがより口語的. // それも*またいいだろう That will be fine, *too*. / That will *also* do. ★ 前者のほうがより口語的. // 彼の言っていることも*また真実ではない What he says is *not* true, *either*. 語法 (2) 否定文においては too ではなく either が使われる. // あの青い花瓶も美しいが, 隣にある白いのも*また美しい That blue vase is beautiful and so is the white one next to it. 語法 (3) so is A は and A is ..., too と言い換えることができる.
3《その上に》 **― 接** (そしてまた) ... and ... 語法 (1) 最も一般的. 少し強い強勢を置いて言う. 文尾に too を添えることも多い; (さらにその上) and moreover ..., and besides ...《☞ そのうえ (類義語); さらに》.
¶ 彼は外交官であり, *また詩人でもある He is a diplomat *and* poet. 語法 (2) and で結ばれた名詞が同一人のときは, 普通, 後の名詞には冠詞を付けない. / He is a poet *as well as* a diplomat. 語法 (3) A as well as B は「B であるとともに A でもある」の意. // 彼女は勤勉だし, *また頭もよい She is hardworking, *and* ⌈*besides* [*moreover*] she is bright. // この本はおもしろくもないし, *また有益でもない This book is *neither* interesting *nor* informative.
4《次の》 **― 形** next; (別の) some other, another ★ 後者のほうがより漠然とした感じ.
¶ これは*またの機会に譲りましょう Let's ⌈reserve [save] this for *another* occasion.
又と無い ☞ 見出し **又の年** (翌年) the next year **又の名** ☞ 見出し **又の日** (翌日) the next day; (別の日) another day; (後日) some other day **又の世** the life beyond, the ⌈other [next] world.

また² 股 (付け根の部分) crotch Ⓒ; (ももの部分) thigh /θáɪ/ Ⓒ 参考 thigh は「太もも」という日本語に当たることもあるので食い違いに注意.《☞ からだ (挿絵); あし¹ (挿絵)》.
またにかける ¶ あの人たちは世界各国を*またにかけて

いる (⇒ 世界中を旅行している) Those people *are traveling all over* the world.

まだ 未だ 1 «いまだ»: (まだ…しない) yet ★ not と共に not … yet の形で用いる; (現在までは) so far. ¶ 彼は*まだ来ない He has*n't* come *yet*. // 私は*まだ一度も彼女と話したことがない I have*n't* talked to her *yet*. // 「もう仕事を終えましたか」「いいえ, *まだです」"Have you finished your work yet?" "No, *not yet*." ★ 疑問文と否定文の yet に対応する日本語に注意. // *まだ何も重大なことは起こっていない Nothing serious has happened *so far*.
2 «いまもなお»: still (☞ いぜん²; いまだ). ¶ 赤ちゃんは*まだ眠っている The baby is *still* asleep.
3 «さらに»: (もっと) more; (それでもなお) still. (☞ もっと; まだまだ; このうえ). ¶ 家に着くまでには*まだ2キロほどある We *still* have two kilometers to go before we get home. // あなたに話すことは*まだ山ほどある There is a lot *more* to tell you. / I *still* have a great deal *more* to tell you.
4 «やっと»: (やっと…したに過ぎない) only. ¶ 上京して*まだ1か月にしかならない It is *only* a month since I came to Tokyo.

マタイ ― 名 固 (Sàint) Matthew /mǽθjuː/ ★ キリストの十二使徒の一人. マタイ伝, マタイによる福音書 (the Gospel according to St.) Matthew (略 Matt.) マタイ受難曲 the St. Matthew Passion ★ J. S. バッハの作品 (1727).

まだい¹ 真鯛 〘魚〙 red sea bream Ⓒ.

まだい² 間代 room rent Ⓤ.

またいとこ second cousin Ⓒ (☞ 親族関係 (囲み)).

またうけ 又請け ☞ したうけ

またうり 又売り ☞ てんばい¹

まだかあわび 真高鮑 giant abalone Ⓒ.

またがい 又買い ― 動 buy through an agent ㊀.

またがし 又貸し ― 動 (家や部屋などを) sublet ㊀, sublease ㊀ ★ 前者のほうが口語的; (本などを) lend a borrowed … to *a person*. ― 名 sublease Ⓒ. (☞ かす¹). ¶ 図書館の (⇒ 図書館から借りた) 本を友達に*また貸ししてはいけない Don't *lend* ⌈library books [books which you borrowed from the library] *to* your friends.

マダガスカル ― 名 固 (国名) Màdagáscar; (正式名) the Democratic Republic of Madagascar. ― 形 Madagascan. マダガスカル人 Màdagáscan Ⓒ.

またがみ 股上 ¶ 私のズボンの*股上は (⇒ ウエストから股までは) 25 センチだ My trousers measure 25 centimeters *from waist to crotch*.

またがり 又借り ― 動 (本などを) borrow … secondhand (☞ かりる).

またがる 跨る 1 «馬などに»: (足を広げて乗っている) sit [be] astride …; (足を大きく広げて乗る) straddle ㊀; (飛び乗る) jump on … (☞ のる²; うまのり). ¶ 彼は馬に*またがって駆け去った He *jumped on* the horse and galloped away.
2 «広がる»: extend (into …; over …) ㊁ 語法 over は「大部分を覆う」という感じをもつ; (ある範囲にわたる) cover ㊀. (☞ わたる²).
¶ その山は関東 3 県に*またがっている The mountain *extends into* three prefectures in the Kanto district. // 彼の研究は科学の広い分野に*またがっている His research *covers* a wide area of science.

またぎ old-style hunter (living in the mountains of the Tohoku region) Ⓒ.

またぎき 又聞き ― 名 secondhand information Ⓤ. ― 動 (間接的に聞く) hear … secondhand. (☞ うけうり).

またぐ 跨ぐ (足で) step ⌈over [across] …; (横断する) cross ㊀. (☞ ふみこえる).

またぐら 跨座 ☞ また²

まだけ 真竹 giant timber bamboo Ⓒ.

まだこ 真蛸 common octopus Ⓒ.

またした 股下 ¶ 私のズボンの*股下 (⇒ 内側の脚の部分の寸法) は 80 センチだ My trousers have an *inside leg measurement of* 80 centimeters.

またしても 又しても (yet [once]) again, once more. (☞ また¹). ¶ 大損したにもかかわらず*またしても彼は株の投機を始めた Although he suffered a heavy loss, he has started to speculate in stocks *again*.

まだしも ¶ 冗談なら*まだしも (⇒ 冗談で言ったのなら許されもしたろうが), 彼は本気でそう言ったのだ It *would have been overlooked*, if he had said it only as a joke. But he really meant it.

またずれ 股擦れ sore ⌈thigh [crotch] Ⓒ. ¶ *またずれができる have *sore thighs*

またせる 待たせる make *a person* wait, let *a person* wait 語法 前者は話者の命令で待たせる, 後者は「待ちたければ待たせる」の意; (待たせておく) keep *a person* waiting ★ 状態をいう. ¶ 彼に順番を*待たせなさい *Make* him *wait* his turn. // たいへんお*待たせしました I'm sorry *to have kept* you *waiting* so long. // 外に車を*待たせてある I *have* my car *waiting* outside.

またぞろ (once) again (☞ また¹). ¶ 彼は*またぞろ浮気をした He had an affair *again*.

またたき 瞬き (光の) wink Ⓒ, blink Ⓒ; (星などのきらめき) twinkle Ⓒ. (☞ まばたき).

またたく 瞬く (光がちかちか光る) wink ㊁, blink ㊁; (星などが) twinkle ㊁. (☞ まばたき; かがやく).
¶ 西空に星が 1 つ*瞬いていた A lone star *was* ⌈*winking* [*twinkling*] in the western sky.

またたくまに 瞬く間に ― 副 (たちまち) in an instant. ¶ 火は*またたく間に隣家に広がった The fire spread to the neighboring houses *in an instant*.

まただのみ 又頼み ― 動 (…を通して(…に)頼む) ask a favor (of …) through …; (…の斡旋で…を頼む) ask … ⌈through [by] the kind offices of ….

またたび 〘植〙 silvervìne Ⓒ.

またたびもの 股旅物 story [film; play; novel] about a wandering gambler Ⓒ.

またでし 又弟子 disciple's disciple Ⓒ (☞ まごでし).

マタドール (主役の闘牛士) mátadòr Ⓒ.

またとない 又と無い ¶ *またとない (⇒ 絶好の[一生に一度の]) 機会 a ⌈*golden* [*once in a lifetime*] opportunity // *またとない機会じゃないか (⇒ こんないい機会は 2 度とないよ) You'll *never* have such a good opportunity *again*.

またどなり 又隣 (又隣の家) next door [the next house] but one (☞ となり). ¶ *又隣に住む live *two* ⌈*doors* [*houses*] *from* me

まだに 真蜱 〘動〙 (hard) tick Ⓒ.

マタニティー マタニティードレス matérnity drèss Ⓒ マタニティーブルー the maternity blues ★ 複数形で; (重症の) post-natal depression Ⓤ マタニティー用品 maternity goods ★ 複数形で.

またね 又寝 ― 動 sleep again, go back to sleep after waking.

またのな 又の名 (別の名前) another name Ⓒ (複 other names); (別名・犯人などの偽名) alias /éɪliəs/ Ⓒ ★「別名は…」という 副 としても用いられる. (☞ べつめい).

または … or …; (2 つのうちどちらか) either … or … ★ 後者は厳密に二者択一のとき. (☞ あるいは

語法》. ¶君か*または僕が間違っているのだ You *or* I must be in the wrong. // 次の会合は土曜日か*または日曜日のどちらかだ The next meeting will be *either* on Saturday *or* on Sunday.

マタハリ ―名 固 Mata Hari /máːtə háːri/, 1876-1917. ★オランダ生まれのダンサー. 第一次世界大戦中, ドイツのスパイとしてフランスで処刑された. 本名 Margaretha Geertruida Zelle.

またまた (once) again《☞ また¹; またしても》.

まだまだ ―副 (なおいっそう) still ★後に比較級を伴う; (それでもまだ…だ) still; (まだ…ない) yet ★not と共に not … yet の形で用いる. ―形 (もっと多くの) (a lot) more …, (many) more … ★後者は数えられる名詞にのみ使われる. 《☞ まだ》.

¶これから*まだまだ暑くなるだろう It will get *still* ⌈warmer [hotter]. // *まだまだ人手が足りない We are *still* shorthanded. // 彼の学力は*まだまだ伸びますよ (⇒ なおいっそう進歩するだろう) He will make *still more* progress in his studies. // 彼は*まだまだ弱ってなんかいない He *hasn't* grown weak *yet*. // 私には*まだまだすることがたくさんある I have *a lot more* (things) to do.

マダム (夫人) madam /mǽdəm/ Ⓒ; (女性) woman Ⓒ《複 women /wímɪn/》 日英比較 英語の madam は既婚・未婚を問わず, 女性への呼びかけ語として使われる. 会話では ma'am /mǽm/ となることが多い. 日本語のマダムは主として既婚婦人という意味で用いられるので woman あるいは wife と訳すのがよい場合が多い. ¶有閑*マダム a rich *woman* of leisure **マダムキラー** lády-killer Ⓒ **マダムタッソー蠟人形館** Madame Tussaud's (Wax Museum) **マダムバタフライ** (蝶々夫人) Madame Butterfly ★プッチーニ作曲の歌劇・その主人公.

またもや (once) again《☞ また¹》. ¶彼は*またもや入試に落ちてしまった He failed (in) the entrance examination (*once*) *again*.

まだら¹ 斑 ―名 (斑点) spot Ⓒ; (多数散らばっている小さな斑点) speckle Ⓒ. ―形 (斑点のある) spotted; (小さな斑点のある) speckled; (ぶちの) mottled ★斑点があってまだらのものも, しま模様でまだらのものも両方を含めていう.

¶黒と黄の*まだらの蛇 a *black and yellow* snake / (⇒ 黒と黄色の斑点のある) a snake *spotted with* black and yellow

まだら痴呆[認知症] 〔医〕 lacunar dementia /ləkj(j)úːnə dɪménʃə/ Ⓤ **まだら模様** mottled pattern Ⓒ **まだら雪** patches of (remaining) snow ★複数形で.

まだら² 真鱈 〔魚〕 Pacific [Alaska] cod Ⓒ.

まだらちょう 斑蝶 〔昆〕 danaid /dǽneɪɪd/ Ⓒ.

まだるっこい (緩慢な) slow; (物言いがものうげな) drawling; (回りくどい) róundabòut. 《☞ まわりくどい》. ¶彼女の話し方はいつも*まだるっこい She always talks in a *roundabout* way.

まだれ 麻垂 (漢字の) ceiling radical at the top-left of kanji Ⓒ.

まち¹ 町, 街 (都市) town Ⓒ; (市) city Ⓒ; (街路) street Ⓒ 語法 town は行政区画上では village よりは大きいが, city の資格のないものを指す. しかし, 口語的には city の資格のあるものについてもしばしば用いられる. また, ある程度人家が集まって教会・商店などのある地域は, 行政区画とは関係なく town と呼ばれることも多い. さらに town は the country (田舎)に対して都会という意味で用いられることもある. 話し手の住んでいる町, もしくはその近辺の町の場合は town には普通冠詞を付けない. 《☞ とかい¹; ちょうない》.

¶その*町は山に囲まれている The *town* is surrounded by mountains. // 父は用事があって*町に行った My father [Dad] went to *town* ⌈on business [to get some business done]. // 彼女は*町に買い物に行った She went shopping in *town*. // 彼はいま*町にいます[いません] He is ⌈in *town* [out of *town*] now. // *町をきれいにしよう Let's keep our ⌈*city* [*streets*] clean. // *町中の人がそのテレビ番組を見た The whole *town* watched the TV program.

―コロケーション―
田舎町 a country *town* / **海辺の町** a ⌈seaside [coastal] *town* / **活気のない町** a sleepy *town* / **湖畔の町** a lakeside *town* / **さびれた町** a desolate *town* / **にぎやかな町** a ⌈lively [busy] *town* / **無人の町** a ghost *town* / **由緒ある町** a historic *town*

まち² 襠 (三角形の小布) gore Ⓒ; (特に, シャツの脇下に入れる三角・ひし形の布) gusset Ⓒ. ¶シャツに*まちを入れる put a *gusset* in a shirt

-まち …待ち (待つこと) a wait ★a を付けて. 《☞ まつ¹》 ¶3か月*待ち *a* three-month *wait* // 空港で2時間*待ちだった We had *a* two-hour *wait* at the airport. // キャンセル*待ちをする be on the *waiting* list // 彼からの連絡*待ちです We *are waiting for* him to contact us.

まちあい 待合 high-class geisha restaurant Ⓒ. **待合室** ☞ 見出し **待合政治** behind-the-scenes political dealing Ⓒ.

まちあいしつ 待合室 (駅・病院などの) waiting room Ⓒ; (ホテルなどの) lounge Ⓒ.

まちあかす 待ち明かす ¶彼女を一晩*待ち明かした I *sat up all night waiting for* her. 《☞ まつ¹; まちかねる》

まちあかり 街明かり the city lights, the (distant) lights of the ⌈city [town].

まちあぐむ 待ち倦む ¶少女は母親を*待ちあぐんで (⇒ 何時間も待ったあげく) とうとう眠り込んでしまった The little girl eventually fell asleep after *waiting* for her mother *for several hours*. // 彼女を*待ちあぐんでいた (⇒ 待つのにうんざりしていた) ところへやっと現れた Just when I *had got tired of waiting* for her, she finally turned up.

まちあわす 待ち合わす ☞ まちあわせる

まちあわせ 待ち合わせ ¶*待ち合わせ場所は駅です (⇒ 駅で会う手はずを整えた) We *arranged to meet* at the station. // ここでどなたかとお*待ち合わせですか (⇒ だれかを待っているのですか) *Are you waiting for* somebody here?

まちあわせる 待ち合わせる (時刻・場所などを決めて会う) meet ⑪; (人を待つ) wait for … 《☞ あう¹; おちあう》. ¶私は彼女と5時に劇場で*待ち合わせることにした I ⌈have arranged [am supposed] to *meet* her at the theater at five (o'clock). / I'*ve made an appointment* to see her at the theater at five (o'clock).

まちいしゃ 町医者 (全科診療の開業医) general practitioner Ⓒ 《☞ かいぎょう¹ (開業医)》.

まちうける 待ち受ける (待つ) wait for …; (待ち構えている) await ⑪ ★前者より文語的; (多分そうなるだろうと予期して待つ) expect ⑪; (期待して楽しみに待つ) look forward to … ★動詞が続くときは -ing 形. 《☞ まちのぞむ; こころまち》.

¶我々は彼の到着をいまや遅しと*待ち受けた We impatiently *waited for* his arrival. / We eagerly *looked forward to* his arrival. 語法 前者はいらいらして待つ感じ, 後者は熱心に期待しながら待つ感じを表す. // 不運が彼女を*待ち受けていた Bad luck *awaited* her. // *待ち受けていた合格通知がやっときた At long last I got the notification of admission I *had been waiting for*.

マチエール (素材・材質感) matière /maːtjéə/ Ⓤ

★ matière の ` は綴り本来のもの.

まぢか 間近 ── 形副 (近い) near; (すぐそこまで来ている) almost here, just around the corner. ── 動 (近づく) come soon 自. 《☞ ちかづく; さしせまる》. ¶ 年の暮れも*間近です The end of the year is ˹*near* [*almost here*; *just around the corner*]. // 夏休みが*間近になった The summer vacation *is coming soon*.

まちがい 間違い **1** 《誤り・過失》: mistake Ⓒ; error Ⓒ; slip Ⓒ; fault Ⓒ ★「過失の責任」の意では Ⓤ.

【類義語】最も一般的な語は ***mistake*** で, 基準または正解からはずれた誤りとともに, 日常的な出来事における判断の誤りなどにも用いる. 意味が広く, 以下の語の代わりに用いることもできる. 試験の解答の誤りとか, 考え違いなど, 主として計算やスペリングの間違いとか, 正解からはずれた誤りに用いるのが ***error*** で, *mistake* より非難の暗示が強く, また, より格式ばった語. 不注意・性急さなどによるささいな失敗が ***slip***. 過失・落ち度などの意味での誤りが ***fault*** だが, Ⓤ ではしばしば「(私の) 責任」とか「(私が) 悪い」などの日本語にも当たる語. 《☞ あやまり; まちがえる》

¶ だれでも*間違いはするものだ Everybody makes *mistakes*. // 同じ*間違いを2度犯さないように注意しなさい Be careful not to make the same kind of *mistake* again. // 彼の手紙にはつづりの*間違いがいっぱいあった His letter was full of ˹*errors* in spelling [spelling *errors*; spelling *mistakes*; *misspellings*]. // それは私の*間違いでした It was my ˹*mistake* [*fault*]. ★ my に強勢を置く. [ ] 内は責任が私にあるという意味. / I *was mistaken*. ★ 思い違いをしていたという意味. / (⇒ 私が間違っていた) I was *wrong*. // 彼はめったに言い*間違いなどしない He rarely makes a *slip* of the tongue. // あの人なら*間違いない (⇒ 信用できる) と思いますか Do you think he can *be trusted*?

2 《事故》 ── 代 (何かの出来事) something. ── 名 (事故) áccident Ⓒ; (特に公務員などの違法行為・職権濫用) 《格式》 miscónduct Ⓤ; (少年少女の非行) delínquency Ⓒ. 《☞ じこ¹》.

¶ 彼らはまだ到着していない. 途中で何か*間違いでも起こったのかしら They haven't arrived yet. I wonder if *something* has happened to them on the way. // 彼に*間違いがなければいいが I hope *nothing has happened* to him.

間違いなく sure(ly), certainly. 《☞ きっと¹ (類義語); たしか (類義語)》. ¶ 彼は*間違いなく来ると思う I *am sure* (*that*) he will come. ★ that は省略することが多い.

間違い電話 wrong number Ⓒ. ¶ *間違い電話です You have the *wrong number*.

コロケーション

間違いを大目に見る ignore *a person's mistake* / 間違いを正す correct a *mistake* / 間違いを認める admit *one's mistake* / 間違いを許す forgive a *mistake* / 明らかな間違い an evident *mistake* / 大きな間違い a ˹big [great] *mistake* / 愚かな間違い a ˹foolish [stupid] *mistake* / 些細な間違い a ˹minor [slight] *mistake* / 重大な間違い a serious *mistake* / ひどい間違い a glaring /glé(ə)rɪŋ/ *mistake* / 不注意による間違い a careless *mistake* / 許されない間違い an unpardonable *mistake* / 許される間違い an excusable *mistake* / よくある間違い a common *mistake*

まぢかい 間近い near, close at hand. 《☞ まぢか; ちかい¹》.

まちがえる 間違える **1** 《誤る》: (間違いをする) make a mistake, mistake ⓔ 《過去 mistook; 過分 mistaken》; (計算違い・考え違い・誤答などをする) make [commit] an error ★ mistake よりも非難するニュアンスが強い; (…を間違える) make [take] a wrong … 語法 口語的な言い方で, 「誤った」(wrong) という形容詞を用いて, 例えば「答えを間違える」(make a *wrong* answer), 「道を間違える」(go the *wrong* way), 「電話番号を間違える」(call the *wrong* number) のように言う. 《☞ まちがい (類義語); まちがった》.

¶ 英語の試験でたくさん*間違えてしまった I *made* a lot of ˹*mistakes* [*errors*] in the English exam. // あっ, *間違えた Oh, God! I *made a mistake*! // 彼女は道を*間違えて迷ってしまった She ˹*took a wrong* turn [*went the wrong* way], and got lost. ★ take a wrong turn は曲がる角を間違えること. // 私はよく計算を*間違える I often *make* ˹*mistakes* [*errors*] in calculation.

2 《取り違える》: (…を…と思い違いする) mistake [take] … for … ★ mistake のほうがより明確な語; (混同する) confuse … with … 《☞ かんちがい; おもいちがい》.

¶ 私はアメリカでよく中国人と*間違えられた I *was* often ˹*taken* [*mistaken*] *for* a Chinese in the United States. // 自由と放縦を*間違えてはいけない You should not *confuse* liberty *with* license. // だれか*間違えて私の帽子をかぶっていったらしい I guess someone took my cap *by mistake*.

まちかた 町方 (武家社会・農村に対して) town Ⓒ; (町の人々) townspeople.

まちがった 間違った ── 形 (誤った・正しくない) wrong (↔ right), incorréct (↔ correct) 語法 入れ替えて用いてよい場合も多いが, wrong は道徳的に間違っているという意味でも使われるのに対し, incorrect は計算や解答などの間違いについてのみ使う; (判断などを誤った) mistaken. 《☞ ちがう (類義語)》.

¶ *間違った電車に乗ってしまった I took the *wrong* train. // もし私が*間違っていなければ, これはあなたに責任があるのです If I am not *mistaken* you are responsible in this case. // *間違った考えを正す straighten out *mistaken* thinking // *間違ってもこの秘密をもらしちゃだめだよ *Never*, *ever* let this secret out. // *間違っても彼に助力は頼まない *Under no circumstances* would I go to him for help.

まちかど 町角, 街角 (street) corner Ⓒ 《☞ まがりかど》. ¶ *町角の店 a *corner* store // 私は*町角で (⇒ 通りで) 先生に会った I met my teacher *on the street*.

まちかね 待ち兼ね ¶ 先生がお*待ちかねです Your teacher *is waiting for* you. // お*待ちかねの新年号は明日発売です The New Year number *you've all been waiting for* will be issued tomorrow.

まちかねる 待ち兼ねる (いらいらと) wait (for) … impatiently ★ 機会などを待つという意味では wait は ⓔ; (待ち焦がれる) wait impatiently for …; (熱心に) wait eagerly for …; (楽しみに) look forward to … ★ 動詞が続くときは -ing 形. 《☞ まちこがれる; まちうける》. ¶ 彼らは私の到着を*待ちかねていた They *were* ˹*eagerly* [*impatiently*] *waiting for* my arrival. // 彼は恋人に再会する日を*待ちかねている He *can hardly wait until* the day when he will meet his girl again.

まちかまえる 待ち構える (熱心に) wait (eagerly) for …; (準備を整えて) be ready for … 《☞ まちうける》. ¶ 大勢の人々が開門を*待ち構えていた A large crowd of people *were eagerly waiting for* the gate to open. // 競泳者たちはピストルの合図を*待ち構えていた The swimmers *were ready for* the starting gun.

まちぎ 町着 townwear Ⓤ《☞ がいしゅつ (外出着)》.

まちくたびれる 待ちくたびれる grow [get] ⌈tired [weary] of waiting for …

まちくらす 待ち暮らす ¶彼女からの返事を一週間*待ち暮らした I *spent* a whole week *waiting for* her answer. 《☞ まつ¹》

まちこうば 町工場 small neighborhood factory Ⓒ.

まちこがれる 待ち焦がれる (期待して楽しみに待つ) look forward to … ★ 動詞が続くときは -ing 形; (熱望する) long for …; (熱心に待ち受ける) wait ⌈impatiently [anxiously] for …; (…したくてたまらない)《略式》be dying ⌈for … [to *do* …]. 《☞ まちかねる; こころまち》.

¶生徒たちは休みを*待ち焦がれている All the pupils *are* ⌈*looking forward to* [*longing for*] the vacation. // 彼女は娘との再会を*待ち焦がれている She *is dying to* see her daughter again.

まちじかん 待ち時間 waiting time Ⓤ.

マチス ― [名] (固) Henri Matisse /ɑːnríː mætíːs/, 1869–1954. ★ フランスの画家.

まちすじ 町筋 ¶電気器具店の立ち並ぶ*町筋 a *street* lined with electrical appliance stores

まちどうじょう 町道場 neighborhood dojo Ⓒ; (説明的には) training school of martial arts in ⌈the neighborhood [town] Ⓒ.

まちどおしい 待ち遠しい (期待して楽しみに待つ) look forward to … ★ 動詞が続くときは -ing 形; (熱心に待つ) wait ⌈eagerly [anxiously] for …; (切望する) long for … 《☞ まちこがれる; こころまち》. ¶彼女は夫の帰りが*待ち遠しかった She *was looking forward to* her husband's return. // クリスマスが*待ち遠しい (⇒ クリスマスはいつまでも来ないように思える) It seems like Christmas will never come.

まちなか 町中 ¶にぎやかな*町中で銃撃戦を目撃した I witnessed a gunfight *in the middle of that busy street*.

まちなぬし 町名主 the head(man) of a town (in Edo).

まちなみ 町並み ¶トンネルを抜けると京都の*町並みが見えてきた When the train came out of the tunnel, *the streets and* (*the*) *houses* of Kyoto came into sight. **町並み保存** preservation of a historic row of houses Ⓤ.

マチネー (演劇などの昼間興行) matinee Ⓒ, matinée Ⓒ ★ matinée の ´ は綴り本来のもの. ともに発音は /mæ̀tənéɪ/.

まちのぞむ 待ち望む (待つ) wait for …; (期待して楽しみに待つ) look forward to … ★ 動詞が続くときは -ing 形; (切望する) long for … 《☞ まちうける; まちかねる; たいぼう¹》.

まちはずれ 町外れ the outskirts (of a town) ★ 通例複数形で. 《☞ はずれ》.

まちばり 待ち針 pin Ⓒ.

まちびけし 町火消し Edo-period civilian fire brigade Ⓒ.

まちびと 待ち人 ¶*待ち人来たらず The *person* ⌈*you* [*we*] *are waiting for* is not coming.

まちぶぎょう 町奉行 commissioner of a major city in the Edo period Ⓒ.

まちぶせ 待ち伏せ ― [名] (攻撃のための) ámbush Ⓤ. ― [動] (攻撃のために待ち伏せする) ambush (自) (他); (隠れて人の来るのを待つ) hide (in …) and wait for … ¶私たちは木陰で彼の来るのを*待ち伏せした We *hid* behind the trees *and waited for* him to come.

まちぼうけ 待ち惚け ¶*待ちぼうけを食わせないでよ (⇒ 待っているから必ず来てよ) I'll be waiting for you, so be sure to come. // きのうは彼女に*待ちぼうけを食わされた (⇒ 待ったが現れなかった) I waited for her yesterday, but she didn't show up. / She *stood* me *up* yesterday. [語法] stand up (他) は特に異性に待ちぼうけを食わせるという意味の口語.

【参考語】(むだに待たせる) keep … waiting in vain; (すっぽかす)《略式》stand up (他).

まちまち ― [形] (いろいろの) various /vé(ə)riəs/; (意見などが分かれた) divided; (異なった) different. 《☞ いろいろ》. ¶この点に関して委員の意見は*まちまちだった (⇒ 分かれた) The committee *were divided* in opinion on this point.

まちもうける 待ち設ける ☞ まちうける

まちやくにん 町役人 town official (in the Edo period) Ⓒ.

まちやくば 町役場 municipal [town; 《米》city] office Ⓒ; (建物) town [《米》city] hall Ⓒ; (自治体としての) municipal [town; 《米》city] government Ⓒ.

まちわびる 待ち侘びる ¶彼女は息子の帰りを*待ちわびていた (⇒ 気をもんで待っていた) She *was anxiously* ⌈*awaiting* [*waiting for*] her son's return. 《☞ まちかねる》

まつ¹ 待つ wait (自); (…を待つ) wait for …; await (他) [語法] (1) wait for より文語的で抽象的なことを待つ場合に用いることが多い; (楽しみに待つ) look forward to … ★ 動詞が続くときは -ing 形; (よい事悪い事の別なく予期して待つ) expect (他). 《☞ まちうける; まちこがれる》.

¶私たちは駅で長いこと*待った We *waited* a long time at the station. // 私は長いことバスを*待った I *had a* long *wait* for a bus. // 「ちょっと*待って下さい」「いいとも」"*Wait* a minute, please." "Certainly [OK; All right; Sure]." [語法] (2) please の代わりに will you? とするともっとくだけた調子になる. [ ] 内はくだけた言い方. // 「*待ってよ」「早くしろよ」"*Wait for* me!" "OK. Hurry up." // 君はだれを*待っているんですか Who *are* you *waiting for*? // しばらくお*待ち下さい One moment, please. [語法] (3) やや改まった言い方で, アナウンスや電話の交換などでよく使う. // 私はじっと順番を*待った I *waited* my turn patiently. ★ この場合の wait は他動詞. // 私は彼女の答えを一心に*待っていた I *was* anxiously ⌈*waiting for* [*awaiting*] her reply. // お*待たせしてすみません I'm sorry ⌈I'*ve* [to *have*] *kept* you *waiting* (so long). // あなたが来るのを楽しみに*待っています We *are looking forward to* your arrival.

待ち尽くす keep waiting (for …) patiently. **待ちに待った** ¶*待ちに待った知らせがきょう届いた I received the *long-awaited* message today. **待つうちが花** Prospect is often better than possession. 《ことわざ: 待ち望むことはしばしば手に入れることよりも良い》 **待てど暮らせど** ¶*待てど暮らせど彼女は来なかった I *waited and waited* but she never came. **待てば海路の日和あり** Everything comes to him who waits. / All (good) things come to those who wait. 《ことわざ: 待つ人のところへは何でもやってくる》《☞ かいろ¹》

まつ² 松 pine (tree) Ⓒ《☞ しょうちくばい》. **松かさ** pinecone Ⓒ **松風** breeze passing through pine trees Ⓒ; (茶がまの煮えたつ音) the sound of water boiling in a tea kettle **松飾り** ☞ 見出し **松食い虫** (Japanese) pine sawyer Ⓒ **松葉** pine needle Ⓒ **松林** pine grove Ⓒ **松原** pine field Ⓒ **松ぼっくり** pinecone Ⓒ **松やに** (pine) resin /réz(ə)n/ Ⓤ **松やに石鹸** rosin soap Ⓤ.

まつ³ 俟つ (頼りにする) depend [rely; count] on

ま

…, look to …; (必要とする) need ㊀. 《☞ たより[1]; あて》. ¶君の努力に*まつところは大きい We *rely* very much *on* your efforts. // 彼らの良識に*まつほかない We have no choice but to *count on* their good sense. // だれも重税を望まないのは論を*またない (⇒ 当然だ) *It goes without saying* that everyone is against heavy taxation.

まつい 末位 the lowest ⌈rank [position] 《☞ さいかい[3]》.

まつえい 末裔 descendant Ⓒ 《☞ しそん》. ¶彼は貴族の*末裔だそうだ I hear he'*s descended from* nobility.

まつおばしょう 松尾芭蕉 Matsuo Basho, 1644–1694; (説明的には) the early Edo period haiku poet.

まっか 真っ赤 ―[形] (deep) red; (深紅色の) crimson /krímzn/; (緋色) scarlet. [語法] いずれも [名] Ⓤ としても用いられる. 《☞ あか[1]》.
¶彼は怒って*真っ赤になった He turned *red* with rage. // 彼女はそれを聞くと耳まで*真っ赤になった She *flushed* to the ears when she heard it. // 西の空は*真っ赤に燃えていた The western sky glowed with *crimson*. // それは*真っ赤な (⇒ まったくの) うそだった It turned out to be a *downright* lie.

マッカーサー ―[名] (固) Douglas MacArthur /dʌ́gləs məkɑ́əθə/, 1880–1964. ★ 米国の陸軍元帥, 日本占領連合国軍最高司令官.

マッカーシズム McCarthyism Ⓤ ★ 極端な反共運動. 米国の共和党上院議員 J. R. McCarthy (1908–57) から.

マッカートニー ―[名] (固) Paul McCartney, 1942– . ★ 英国の歌手. 元ビートルズのメンバー.

まつかざり 松飾り the New Year's pine decorations (at the ⌈door [gate] of a Japanese home) 《☞ かどまつ》.

まっき 末期 (終わり) end Ⓒ, close Ⓤ; (病気の) terminal stage Ⓒ. ¶*末期の患者 a *terminal* patient **末期医療** ☞ ターミナル (ターミナルケア) **末期癌** terminal cancer Ⓤ **末期症状** terminal symptom Ⓒ ★ しばしば複数形で. 《☞ しょうじょう[1]》. ¶いまの政権は*末期症状を呈している (⇒ 崩壊に近づいている) The present administration *is heading for a collapse*.

マッキントッシュ 〘コンピューター〙(商標) Macintosh /mǽkɪntɑ̀ʃ/ Ⓒ, Mac Ⓒ ★ 米国アップル社製のコンピューター.

マッキンリー ―[名] (固) (山) Mount McKinley ★ 米国アラスカ州にある北米の最高峰 (6,194 m). Mount Denali ともいう.

まっくら 真っ暗 ―[形] pitch-dark, dark as pitch. 《☞ くらい[1]; くらやみ; まっくろ [参考]》. ¶洞穴の中は*真っ暗だった It was ⌈*pitch-dark* [*dark as pitch*] in the cave. // 会社の将来はお先*真っ暗だ (⇒ 不安定だ) The future of the company seems *uncertain*.

まっくらがり 真暗がり complete darkness Ⓤ, pitch-darkness Ⓤ.

まっくらやみ 真っ暗闇 ―[名] complete [total; utter] darkness Ⓤ. ―[形] pitch-dark. 《☞ まっくら; くらやみ》. ¶彼は*真っ暗闇の中でキーを探した He ⌈groped [looked] for the key in ⌈*complete* [*total*; *utter*] *darkness*.

まっくろ 真っ黒 ―[形] (ピッチのように黒い) pitch-black [参考] pitch はコールタールや松やにから作られる真っ黒な物質; (髪の毛などが艶があって黒い) jet-black ★ jet は鉱物の黒玉(こくぎょく); (体中日に焼けた) tanned all over. 《☞ くろ; ひやけ》.
¶彼女は浜辺から*真っ黒に日焼けして帰って来た She returned home from the beach *tanned all over*.

まつげ 睫毛 eyelash Ⓒ ★しばしば複数形でまつげ全体を指す. 《☞ め (挿絵)》.

マッケンジー ―[名] (固) the Mackenzie ★ カナダの川. 北米第 2 の長さの水系を成す.

まつご 末期 ¶*末期の言葉 *one's last* words // *末期の苦しみ (⇒ 死の苦しみ[もがき]) a *death* ⌈agony [struggle] **末期の水をとる** (人の臨終に立ち合う) be present at *a person's* deathbed. ¶私が彼の*末期の水をとった (⇒ 彼が死んだ時私がそばにいた) I was with him when he died. 《☞ しき[5]; りんじゅう; しにみず》.

まっこう 抹香 íncense (pòwder) Ⓤ 《☞ こう[5]》. **抹香臭い** ―[動] (香のにおいがする) smell of incense. ¶彼の話は*抹香臭い (⇒ 宗教的な[仏教的な]ところがある) There is something ⌈*religious* [*Buddhistic* /buːdístɪk/] about his talk.

まっこうから 真っ向から ―[副] (まったく・絶対に) ábsolùtely; (拒絶の仕方が) flatly. 《☞ だんこ; きっぱり》. ¶彼女は我々の申し出を*まっこうから拒絶した She *flatly* rejected our proposal. // 彼はその件に関しては一切間違ったことはしてないと*まっこうから否定した He *absolutely* denied any wrongdoing in the affair.

まっこうくじら 抹香鯨 〘動〙 sperm whale Ⓒ.

まつざ 末座 (下座) seat for the lowest in status 《☞ まっせき; しもざ》. ¶食卓の*末座に座る sit at the *inferior end* of the table

マッサージ ―[名] massage /məsɑ́ːʒ/ Ⓒ. ―[動] (マッサージする) give … a massage, massage ㊀. 《☞ もむ》. **マッサージ師** (男) masseur /mæsə́ː/ Ⓒ; (女) masseuse /mæsə́ːz/ Ⓒ **マッサージパーラー** massage parlor Ⓒ **マッサージ療法** màssothérapy Ⓤ.

まっさいちゅう 真っ最中 ―[前] (ちょうど真ん中で) in the ⌈middle [midst] of … ★ midst は文語的; (最高潮で) at the height of … ―[動] (真っ盛りである) be in full swing. 《☞ さいちゅう》.
¶彼らはあらしの*真っ最中に出帆した They set sail *in the middle of* a heavy storm. // 私が部屋に入ったときには議論の*真っ最中だった When I entered the room, the debate *was in full swing*.

まっさお 真っ青 ―[形] (色彩が) (deep) blue; (空色) azure /ǽʒə/; (顔色が) pale, white ★ この 2 つは血の気が引いて蒼白になること. 《☞ あお》.
¶*真っ青な空には雲一つなかった There was not a cloud in the ⌈*deep blue* [*azure*] sky. // 彼(の顔)は私の言葉を聞いて*真っ青になった He turned ⌈*pale* [*white*] at my words.

まっさかさま 真っ逆様 ―[副] (頭から先に) headlong, headfirst; (空中で回転して頭から先に) head over heels ★ 自分から意識的に飛び込む場合は使わない. ¶彼は屋根から*真っさかさまに落ちた He fell ⌈*head over heels* [*headlong*; *headfirst*] from the roof. // 彼は*真っさかさまに海へ飛び込んだ He jumped into the sea *headfirst*.

まっさかり 真っ盛り ―[動] (物事がどんどん進行中) be in full swing; (季節などが最高潮) be at *one's* height; (花が) be at *one's* best. 《☞ まっさいちゅう; さかり》. ¶桜はいまや*真っ盛りだ The cherry blossoms *are* now *at their best*.

まっさき 真っ先 ―[形] (第 1 の・最初の) (the) first. ―[副] (まず第 1 に) first of all. 《☞ さいしょ[1]》. ¶彼は上京すると*真っ先に私に会いに来た He visited me ⌈*first of all* [(*the*) *first thing*] when he came to Tokyo.

まっさつ 抹殺 ―[名] (消し去ること) erasure Ⓤ; (語・文の消去) deletion Ⓤ; (無効にすること) cancel(l)ation Ⓤ. ―[動] (名前などを消し去る) cróss

⌈óut [óff] ⑩; (邪魔者などをやっかい払いする・葬り去る) get rid of ... ★ 口語的な表現. 《☞ しょうきょ; けす》. ¶ 彼の名前は名簿から*抹殺された His name *was crossed* ⌈*out* [*off* the list]. // 彼らは一切の政敵の*抹殺を謀った They intended to *get rid of* all their political enemies.

まっさら 真っ新 ― 形 bránd-néw /brǽn(d)-/ 《☞ あたらしい》. ¶ *真っさらのシーツ *brand-new* sheets

まっし 末子 ☞ すえっこ

まつじ 末寺 branch temple Ⓒ.

まっしぐらに (全速力で) at full speed 《☞ ぜんそくりょく; いちもくさん》. ¶ 彼はゴール目がけて*まっしぐらに (⇒ 全速力で) 走った He ⌈ran [dashed] toward the finish (line) *at full speed*. / He *made a mad dash* for the finish (line). ★ 俗語的.

まつしたこうのすけ 松下幸之助 ― 名 固 Matsushita Konosuke, 1894–1984; (説明的には) the founder of Matsushita Electric Co.

まつじつ 末日 the last day (of ...); (月の) the end of ...

まつしゃ 末社 subórdinate shríne Ⓒ.

マッシュポテト mashed potatoes.

マッシュルーム mushroom Ⓤ. マッシュルームカット mushroom hairstyle Ⓒ.

まっしょう¹ 末梢 ― 形 (周辺的な) perípheral; (ささいな) trivial. 《☞ ささい》. ¶ *末梢的な問題にこだわるな Don't pay too much attention to ⌈*trivial* [*nonessential*; *peripheral*] things.

末梢血管 peripheral blood vessel Ⓒ **末梢神経** the peripheral nervous system.

まっしょう² 抹消 ― 名 (語・文の) deletion Ⓤ; (契約などの) cancel(l)ation Ⓤ. ― 動 cróss ⌈óut [óff] ⑩. 《☞ しょうきょ; けす》. **抹消登記** cancellation registration Ⓤ; (登記の抹消) cancellation of registration Ⓒ.

まっしょうじき 真っ正直 ☞ ましょうじき

まっしょうめん 真っ正面 ☞ ましょうめん

まっしろ 真っ白 ― 形 (色彩) pure white; (雪のように白い) (as) white as snow. 《☞ しろ¹》. ¶ 新雪は*真っ白に輝いていた The fresh snow was shining *white*.

まっすぐ 真っ直ぐ ― 形 (一直線の) straight; (直接の) direct; (直立の) upright. 語法 upright, straight は人の性格について「高潔さ・正直さ」を表すのにも用いる. ― 副 straight; directly, direct; upright. 《☞ すいちょく; ちょくせん¹》.

¶ *真っすぐに線を引きなさい Draw a *straight* line. // この通りを*真っすぐ行くと駅へ出ます (⇒ 真っすぐ行きなさい. そうすれば駅を見つける[駅へ出る] でしょう) Go [Walk] *straight* along this street, and you'll ⌈find [come to] the station. // 寄り道などせずに*真っすぐ家に帰ってきなさい Come *straight* home without stopping ⌈on [along] the way. // 背筋を*真っすぐに伸ばしなさい Make your back *straight*. / *Straighten* ⌈your back [yourself] up. // 彼らは*真っすぐ競技場へ向かった They went ⌈*direct* [*directly*] to the stadium. // 私はその棒を*真っすぐに立てた I put the stick *straight up*.

マッスル (筋肉) muscle /mʌ́sl/ Ⓤ ★ 身体の各部の筋肉を具体的に指すときは Ⓒ. 《☞ きんにく》.

まっせ 末世 (頽廃した時代) degenerate /dɪʤénərət/ áge Ⓒ; (嘆かわしい時代) deplorable age Ⓒ; (腐敗の時代) corrupt age Ⓒ. 《☞ すえ 3》.

まっせき 末席 seat away from the head of the table Ⓒ ★ 説明的訳. **末席を汚す** ¶ 私もその会の*末席を汚させていただいた (⇒ 出席する名誉を得た) I *had the honor of being present* at the meeting.

まっせつ 末節 (ささいなこと) trifle Ⓒ. ¶ *末節にこだわる stick to [bother about] *trifles* 《☞ しょうまっせつ》

まった 待った **待ったなし** ¶ これは*待ったなしの勝負だ (⇒ 今こそそれを試みるべき時だ) Now is the time to try it. ★ Now or never! ともいう.

待ったをかける ¶ 彼は*待ったをかけた (⇒ 指し手を取り消した) He *retracted his move*. / (⇒ すもうなどで「まだ」の合図を出した) He gave a *not-ready* signal. // 彼は工事に*待ったをかけた (⇒ 一時休止の要請[指令]を出した) He ⌈*called* [*ordered*] *a temporary halt* to the work.

マッターホルン ― 名 固 (山) the Matterhorn /mǽtəhɔ̀ən/ ★ イタリアとスイスの国境にあるアルプス山脈の高峰 (4,478 m).

まつだい 末代 ¶ *末代まで (⇒ いつまでも[永遠に]) 続く continue ⌈*forever* [*eternally*] // あいつはわが家の*末代までの恥だ He's a *permanent* disgrace to our family. / (⇒ 彼の不名誉は永久に記憶されるだろう) His disgrace will be remembered *forever*. 《☞ こうせい⁵》

末代物 ¶ このダイニングテーブルは*末代物だ (⇒ 今後数世代にわたってもつだろう) This dining table will *last for generations* to come.

まったいら 真っ平ら ― 形 perfectly level 《☞ たいら》. ¶ *まっ平らな表面 a *perfectly level* surface

まったく 全く **1** 《完全に》: completely, entirely; (ややくだけた感じの言葉として) sheer, totally, wholly, utterly 語法 以上の語は副詞形であるが, 以下の例文に示すように, 「形容詞形+性質を表す名詞」の結合で, この意味を表すことが多い; (全然...でない) not ... at all. 《☞ ぜんぜん》.

¶ その人は*まったく知らない人だった The man was ⌈a *total* [an *utter*] stranger (to me). // 彼はその事実を*まったく知らない He does*n't* know *anything* about the facts. // 計画は*まったくの失敗に終わった The plan ended in *complete* failure. // 彼はいま*まったくの無一文だ He is now *really* penniless. // 家の中は*まったく静かだった There was (a) *dead* silence in the house. // 私には*まったく見当がつかない (⇒ まったく知らない) I have *no* idea *at all*.

2 《本当に》: really; (実に) indeed ★ 相づち・意味の補強・確認などに用いる語. 《☞ ほんとう¹; じつに》.

¶「彼女が一緒に来られなくて残念だったね」「*まったくだ」"It's a pity she couldn't come with us." "*Yes, indeed.*" // *まったくのところ困り果てています (⇒ どうしたらよいか本当にわからない) I *really* don't know what to do. / (⇒ 実のところ[正直言って]) *The fact is* [*Honestly*] I am really at my wit's end. ★ 第 1 文のほうが口語的. // *まったく不思議だな (⇒ なんと不思議なことだろう) *How* strange!

まったくもって ☞ まったく

まつたけ 松茸 *matsutake* (mushroom) Ⓒ; (説明的には) a fragrant edible Japanese mushroom Ⓒ.

まっただなか 真っ直中, 真っ只中 ― 前 (...の真っ最中に) in the ⌈middle [midst] of ... ★ midst は文語的. 《☞ まんなか; まっさいちゅう》.

まったり ― 形 (味がまろやかな) mellow; (食物がこくのある) rich; (酒などが) full-bodied; (のんびりした) carefree. ¶ やっと期末試験も終わったのでしばらく*まったりしたい (⇒ 数日間何もせずゆったり過ごしたい) Now that the final exams are over, I just want to *idle away* a few days (*just*) *relaxing*.

まったん 末端 (終わり) end Ⓒ; (先端) tip Ⓒ. 《☞ はし²》. **末端価格** the ⌈retail [end] price; (麻薬などの) street value Ⓤ **末端機構** the smallest unit of an organization, terminal organization Ⓒ **末端消費者** end-consumer Ⓒ **末端肥大症**

〘医〙acromegaly /æ̀kroumégəli/ Ⓤ.

マッチ[1] match Ⓒ《複 ～es》. ¶*マッチ1箱 a box of *matches* // *マッチの軸 a *matchstick* // *マッチの頭 a *matchhead* // 彼女は*マッチを擦った［つけた］ She ˹struck [lit] a *match*. // 私は*マッチでたばこに火をつけた I lit a cigarette with a *match*. //（はぎとり式）紙*マッチ a *matchbook*
マッチ箱 matchbox Ⓒ　マッチ棒 match Ⓒ;（特に燃えさし）matchstick Ⓒ　マッチポンプ person who creates a problem and then offers to settle it Ⓒ.

マッチ[2] ―[動]（調和する・合う）match (他);（似合う）suit (他);（全体として調和する）harmonize (with ...) (自).《☞ ちょうわ; あう[2]》. ¶歌詞がメロディーに*マッチしない The words do not *harmonize with* the melody.

マッチ[3]（試合）match Ⓒ《複 ～es》《☞ しあい; きょうぎ[2]》. ¶タイトル*マッチ a title *match*　マッチプレー〘ゴルフ〙match play Ⓤ　マッチポイント match point Ⓒ.

まっちゃ 抹茶 powdered green tea Ⓤ《☞ ちゃ》.

マッチングリスト matching list Ⓒ.

まってい 末弟 *one's* youngest brother.

マット[1] mat Ⓒ. ¶私たちは*マットの上で体操をした We practiced gymnastics on the *mats*. // 床に*マットを敷いて下さい Spread the *mats* on the floor. // ドア*マット a (door) *mat*　マット運動 mat exercises ★複数形で.

マット[2] ―[形]（艶消しの）matt(e), mat(ted).

まっとう[1] **全う** ―[動]（約束・期待・責任などを）fulfil(l) (他);（首尾よく成し遂げる）accómplish (他).《☞ はたす; なしとげる》.
¶彼女は天寿を*まっとうし, 98歳で亡くなった（⇒自然死をした）She *died a natural death* at the age of ninety-eight. // 彼は外交上の使命を*まっとうした（⇒首尾よく果たした）He ˹*fulfilled* [*accomplished*] his diplomatic mission *very successfully*. /（⇒義務を首尾よく遂行した）He *performed* his duty as a diplomat *very successfully*.

まっとう[2] **真っ当** ―[形]（ちゃんとした）proper;（立派な）respectable;（正直な）honest;（理にかなった）reasonable.《☞ まとも》. ¶*真っ当な金の稼ぎ方 a *proper* way to earn money // 彼は*真っ当な暮らしをしている He lives an *honest* life. // *真っ当な要求 a *reasonable* demand

マットレス mattress Ⓒ《☞ ふとん; しんしつ[1]》.

まつな 松菜 〘植〙sea blite Ⓒ.

まつのうち 松の内 the New Year Week.

まつのま 松の間（江戸城の）the ˹Matsu [Pine] ˹Room [Chamber] in Edo Castle;（説明的には）the room where "outside" daimyos sat in waiting.

まつのり 松海苔 *matsunori* seaweed Ⓤ.

マッハ Mach /mɑ́ːk/ Ⓤ《☞ おんそく》. ¶このジェット機は*マッハ2.5で飛ぶ This jet (plane) flies at *Mach* 2.5.　マッハ数 Mach Ⓤ, Mach number Ⓒ.

まつば 松葉 ☞ まつ[2]（松葉）

まつばがに 松葉蟹 ☞ ずわいがに

まっぱだか 真っ裸 ―[形]（一糸まとわぬ）stark naked /néɪkɪd/. ―[名] stark nakedness Ⓤ.《☞ はだか; すっぱだか; まるはだか》.

まつばづえ 松葉杖 crutch Ⓒ ★1組をいうときは a pair of crutches.《☞ いりょう[1]（挿絵）》.
¶*松葉杖をついて歩く walk on *crutches*

まつばぼたん 松葉牡丹 〘植〙rose moss Ⓒ, garden portulaca /pɔ̀ətʃuléka/ Ⓒ.

まつばめもの 松羽目物 *matsubamemono* Ⓒ; kabuki dance drama based on Noh stories Ⓒ.

まつび 末尾 the end, the close.《☞ さいご[1]; おわり》. ¶*末尾が2の番号をお持ちの方, こちらへおこし下さい If you have a number whose *final* ˹*figure* [*numeral*] is 2, please come up here.

まっぴつ 末筆 ¶*末筆ながら皆様によろしく Please remember me to all your family. / Please give my ˹regards [best wishes] to all your family. 日英比較 最後に言及することをわびる習慣は英語にはない.《☞ 手紙の書き方（囲み）》

まっぴら 真っ平 ¶そんなことは*真っ平(ごめん)だ（⇒それを絶対にやりたくない）I *wouldn't do it for* ˹*anything* [*the life of me*]. // もう彼女に会うのは*真っ平だ（⇒会うつもりはない）I *will never* see her again.《☞ こんりんざい》

まっぴるま 真っ昼間 ―[副]（白昼に）in broad daylight《☞ ひる[1]; はくちゅう[1]》.

マッピング 〘コンピューター〙mapping Ⓤ.

マップ（地図）map Ⓒ.

まっぷたつ 真っ二つ right [just; exactly] in ˹half [two]《☞ ふたつ》.

まつぶん 末文（手紙の結びのことば）the closing words (of a letter).

まっぽうしそう 末法思想 pessimism about the decadence of Buddhism during the latter days Ⓤ.

まつまい 末妹 *one's* youngest sister.

まつむし 松虫 〘昆〙*matsumushi* cricket Ⓒ《☞ すずむし 日英比較》.

まつむしそう 松虫草 〘植〙scabiosa /skèɪbióusə/ Ⓒ.

まつも 松藻 〘植〙hornwort Ⓒ.

まつゆきそう 待雪草 ☞ スノードロップ

まつよいぐさ 待宵草 〘植〙evening primrose Ⓒ.

まつよう 末葉 end Ⓒ, close Ⓒ.《☞ まつき》.

まつり 祭り festival Ⓒ, fete /féɪt/ Ⓒ 語法 festival のほうが一般的. 特に戸外で行う園遊会的なものに fete を用いる.
¶日本では（⇒日本の少女たちは）伝統的な女の子の*祭りを3月3日にする Japanese girls ˹have [celebrate] their traditional *festival* on March 3. // 彼らはお*祭り気分で浮かれている They are *in a* ˹*holiday* [*festive*] *mood*.《☞ おまつりさわぎ》// もう後の*祭りだ（⇒遅すぎる）It's too late.
祭り囃 festival music Ⓤ.

まつりあげる 祭り上げる（役などにつける）set *a person* up as ...;（あがめて台座の上に置く）put [set] *a person* on a pedestal /pédɪstl/. ¶彼は国民的英雄に*祭り上げられた He *was* ˹*put* [*set*] *on a pedestal as* a national hero.

まつりぐけ 纏り絎 ☞ まつりぬい

まつりごと 政（政治）government Ⓤ《☞ せいじ[1]》. ¶*まつりごと（⇒国事）を行う administer [conduct] *the affairs of state*

まつりぬい 纏り縫い slip stitch Ⓒ《☞ まつる[2]》.

まつりゅう 末流（子孫）descendant Ⓒ;（支流）tributary Ⓒ;（分派）lower branch Ⓒ.

まつる[1] **祭る**（神としてあがめる）《格式》deify /díːəfàɪ/ (他);（神社を建てる）dedicate (a shrine) to ...,《格式》enshrine (他);（先祖を拝する）worship (他). ¶彼は死後, 神として*祭られている He *has been worshiped* as a deity after his death. // 菅原道真を*祭った神社は多い There are many shrines *dedicated to* Sugawara Michizane.

まつる[2] **纏る** ―[動]（裁縫で）hem (自)(他), hemstitch (他).《☞ まつりぬい》.

まつろ 末路（最後の日々）the last days;（終わり）the end;（運命）the fate.《☞ さいご[2]》.

まつわりつく 纏わりつく（付きまとう）follow

｢around [about] ㊥, hang ｢around [about] …; (ぴったりくっつく) cling to … ((過去·過分 clung to …)). ((☞ つきまとう; からまる)). ¶ 子供たちは幼稚園の先生に*まつわりついた The children followed their kindergarten teacher *around*. // ドレスが彼女の体に*まつわりついた Her dress *clung to* her body.

まつわる 纏わる (関係する) be associated with … ((☞ かんする')). ¶ この山に*まつわるおもしろい話はほかにありませんか Are there any other interesting stories ｢*about* [*associated with*] this mountain?

-まで 1 ((時間の到達点を示して)) ━ 前 (その時点までの継続) till …, until …; to …; up to …; into …; (…以前に) before … 語法 (1) till, until, before は 接 をも兼ねる. ━ 副 (これまで·いままで) so far, ((格式)) as yet ★ 以上 2 つは現在完了の構文のみで.

【類義語】「…までずっと」 という意味の継続期間を示すのは **till** または **until**. この両者はほぼ同意で, *until* のほうがやや改まった語であるが, より普通であり, 特に文頭には *until* が用いられ, 句や節を導くことが多い. ((米)) では *till* よりも *until* が好んで用いられる.「…から…まで」という意味で, 継続の意味を強調したいときには *from … till …* を用い, 特に強調する必要のないときには *from … to …* を用いる. ((米)) では *to* の代わりに *through* を用いることもある. ((例) 月曜から金曜*まで *from* Monday ｢*through* [*till*; *until*; *to*] Friday). *to* の場合は Friday が含まれるか否かあいまいだが Friday まで含むことを明確にするには *through* を用いる. 期間の終わりまでを示す最も一般的な語は *to* である. ((例) 今週の終わり*まで *to* the end of this week).「…まで」という限度を強調するのが *up to* で, 文頭に用いることが多い. 時間に食い込んでという意味のときには *into* を用いる. ((例) 夜ふけ*まで far *into* the night).「…以前に」という意味のときには *before* を用いる.「これまで」,「いままで」という意味のときには **so far**, **as yet** などが完了形とともに用いられる. *as yet* は格式ばった語であり, これから先どうなるかわからないという意味が強い. また, 日本語に「…まで」とあっても, 英語では場合によっては *so far* や *as yet*, *up to now* などを用いずに完了形だけでもよい. ((例) これ*までその秘密を明かさなかった I have kept the secret to myself.) ((☞ -までに (は)))

¶ 彼は夜遅く*まで一生懸命働く He works hard *till* late at night. // 私は今月の終わり*まで東京にいます I'll stay in Tokyo ｢*until* [*till*; *to*; *through*] the end of this month. // いま*まで仕事で忙しかった I have been busy with my work ｢*until* [*till*] now. ((☞ いままで)) // 仕事が済む*まで[試験が終わる*まで] 遊びに行けない I can't go and enjoy myself ｢*until* [*till*] ｢the work is done [the examinations are over]. 語法 (2) 遊びに行くというのを play 動 自 を使って訳すと子供の遊びになってしまうので, enjoy *oneself* (愉快に過ごす) などとしなくてはならない. // 私の父は最期*まで意識がはっきりしていた My father was conscious *to* the last. // 仕事 (⇒ 勤務時間) は 9 時から 5 時*までだ Working hours are from 9 A.M. *to* 5 P.M. // 彼女は初めから終わり*まで同じ口調で話をした She spoke in the same tone from beginning *to* end. // その議論は夜遅く*まで続いた The discussion continued ｢*to* [*till*] far into the night. // 私はこれ*まで何度も失敗した *Up to* ｢now [the present] I have failed many times. // 列車が発車する*まであと 10 分ある We still have ten minutes *before* the train leaves. // 私はこれ*まで北海道に行ったことがない I've never been to Hokkaido (*before*). // これ*までのところはうまくいった *So far* [*Up to* now] it has worked well. / It has worked well *as yet*. ★ 後者のほうが格式ばった言い方. ((☞ それまで)).

2 ((場所の到達点を示して)) ━ 前 to …; up to …; as far as …

【類義語】場所を示すために最も一般的に用いられる語は **to** である.「…に達するまで」という意味を強めたいときには **up to** を,「どこそこまで」という限度を示すには **as far as** を用いる.

¶ 私は先月九州*まで行ってきました I went *to* Kyushu last month. //「お宅から学校*まではどのくらいかかりますか」「歩いて 10 分ほどです」"How long does it take from your home *to* (the) school?" "About ten minutes on foot." // この前の授業はどこ*まで進みましたか *How far* did we ｢go [get] last time? ((☞ どこまで)) // 大阪*まで 2 枚 ((駅の窓口などで)) Two tickets *to* Osaka, please. ((☞ 省略 (巻末))) //「どちら*までですか」「東京駅*まで」((タクシーで)) "Where *to*, ｢sir [ma'am]?" "(Take me *to*) Tokyo Station, please." // 水はひざ*まであった The water came *up to* my knees. //「どちら*までいらっしゃいますか」「熱海*までです」"*How far* are you going?" "I'm going *as far as* Atami." // この列車は小田原*までしか行きません This train goes only *to* Odawara. // 途中*までご一緒しましょう I'll go *part of the way* with you.

3 ((程度·範囲)) ━ 前 (…に至るまで) to … ━ 接 (…するほどまで) as ｢far [much] as …

¶ 弾丸は骨*まで達した The bullet penetrated *to* the bone. // 2 人はかなりの程度*まで意見が一致した The two have agreed on everything *to* a large extent. // きょうはこれ*まで So much [That's all] for today. // 今, 女の人 10 人のうち 7 人*までがブーツをはいている Seven out of ten women are now wearing boots. // 私はここ*までしか知りません This is ｢*all* [*as much as*] I know.

マティーニ martini /maətíːni/ (cocktail) Ⓤ ★ ジンとベルモットを主成分とするカクテル.

マティス ☞ マチス

まてがい 馬刀貝 〔貝〕 razor clam Ⓒ.

まてき 魔笛 ━ 名 固 The Magic Flute ★ モーツァルトの歌劇.

マテちゃ マテ茶 maté, mate /máːteɪ/ Ⓤ ★ maté の ´ は綴り本来のもの.

-までに(は) ━ 前 (完了の期限を示して) by … ━ 接 (…のときまでに) by the time …, before ….

¶ 彼女は今年の夏の終わり*までには翻訳を完成させているだろう She will have finished the translation *by* the end of this summer. // 私が帰る*までに宿題を済ませておきなさい Be sure to get your homework finished ｢*by the time* [*before*] I come back.

-までも ¶ 彼女は 90 歳*までも生きた She lived *to* be ninety. // 注意する*までもないが, 慎重に運転しなさい Warnings *are unnecessary*, I'm sure, but drive carefully. // そこへは行く*までもない *There is no need* for you to go there. ((☞ -まで))

マテリアリスト 〔哲〕 (唯物論者) materialist Ⓒ.

マテリアリズム 〔哲〕 (唯物論·唯物主義) materialism /mətí(ə)riəlìzm/ Ⓤ.

マテリアル (材料·生地) material /mətí(ə)riəl/ Ⓤ ★ 具体的には Ⓒ.

まてんろう 摩天楼 skyscraper Ⓒ ((☞ こうそうけんちく)).

まと 的 1 ((射撃の標的)): mark Ⓒ, target Ⓒ 語法 前者は一般的なねらいの対象, 後者は普通丸い形をした標的. ((☞ ひょうてき; ねらい)). ¶ 矢は*的に当たった[からはずれた] The arrow ｢hit [missed] the *mark*. // 彼はピストルで*的をねらった He aimed his pistol at the ｢*target* [*mark*].

2 ((比喩的な)): (ある感情の対象) object Ⓒ ★ 最も

一般的な語;(批判・攻撃などの的) mark Ⓒ, target Ⓒ;(焦点) focus Ⓒ《複 ~es, foci /fóusaɪ/》;(中心) center (《英》 centre) Ⓒ. (☞ たいしょう[2])

¶ 彼女は我々すべての称賛[羨望(せんぼう)]の*的となった She has become an *object* of ˹admiration [envy] among us all. // 彼は嘲笑の*的になりやすい He is an easy ˹*target* [*mark*] for ridicule. // この政策は攻撃[非難]の*的となるだろう This policy will be the *target* ˹of [for] ˹attack [bitter criticism]. // 彼の言葉は*的を射ていた His words have hit the ˹*mark* [*target*]. // 彼女の行為は衆人環視の*的になった Her behavior has become the ˹*focus* [*center*] of public attention.

的はずれ ―形 (標的からはずれて) wide of the mark; (見当違いの) off the point; (適切でない) irrelevant; (ねらい・指示・用法などの誤った) misdirected. (☞ とんちんかん)

まど 窓 window Ⓒ; (船の) port(hole) Ⓒ. (☞ ふね (挿絵))

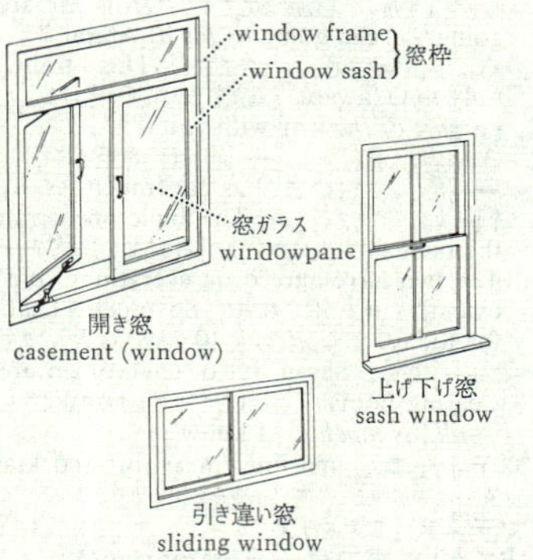

¶ *窓を開けて[閉めて]いただけませんか Would you please ˹open [shut; close] the *window*? // この*窓はうまく閉まらない This *window* will not close properly. // 私は*窓から外を見た I looked out (of) the *window*. 語法 《米》では of を省略することが多い. // *窓から顔を出してはいけない Don't put your head out (of) the *window*. 日英比較 この場合の「顔」は英語では head ということに注意. // 私は*窓から中をのぞいた I looked in through the *window*.

窓明かり ☞ 見出し **窓掛け** (カーテン) curtain Ⓒ **窓ガラス** windowpane Ⓒ **窓側席** (乗物の) window seat Ⓒ **窓際** ¶ 私は*窓際の席に座った I have taken a seat *next to the window*. **窓際族** employees who have been terminally overlooked for promotion; (窓際の席で定年まで意味のない不必要な作業をさせられている [何もしないでぼんやりしている] 人) window-side people, who are ˹given meaningless make-work [sitting on their hands] until retirement ★ 説明的な訳. **窓口** window Ⓒ. ¶ 5番*窓口で at *window* no. 5 **窓辺** ¶ *窓辺に (⇒ 窓のそばに) 立つ少女 a girl standing ˹*by* [*near*] *the window* // 花の植木鉢を*窓辺 (⇒ 窓下の枠の上) に並べる line up flower pots *on the windowsill* **窓枠** window ˹sash [frame] Ⓒ ★ 開閉する部分は sash.

コロケーション

窓を上げる《自動車で》roll up [raise] a *window* / 窓を下げる《自動車で》roll down [lower] a *window* / 窓を拭く clean a *window* / 窓を割る break [smash] a *window*

まどあかり 窓明かり ¶ *窓明かりで新聞を読む read the newspaper by *the light coming through the window*

まとい 纏い (火消しの) fireman's standard Ⓒ ★ standard は旗の意味だが, 英米には類似のものがないので説明的な訳.

まどい 惑い (当惑) perplexity Ⓤ (☞ まよい; とまどう) ¶ *惑いを感じる feel ˹*puzzled* [*perplexed*]

まといつく 纏いつく ¶ 赤ん坊は母親に*まといついて離れなかった The baby *followed* its mother *around* and would not leave her alone. (☞ つきまとう; からみつく)

まとう 纏う (着る) wear (他) (☞ きる[2])

まどう 惑う be puzzled (☞ まよう)

まとうだい 的鯛 〖魚〗 John Dory Ⓒ.

まどお 間遠 ¶ 痛みが*間遠になった (⇒ 薄らいだ) The pain *has eased*. // 彼からの便りが*間遠になった (⇒ 手紙を受け取ることがまれになった) It *has become rare* to receive a letter from him.

まどか 円か ―形 (丸い) round; (人が円満な) amiable. (☞ まるい; えんまん)

まどがい 窓貝 windowpane ˹shell [oyster] Ⓒ.

まどぎわぞく 窓際族 ☞ まど (窓際族)

まとはずれ 的はずれ ☞ まと (的はずれ)

まとまった 纏まった ―形 (大きな) large; (かなりの大きさの) sizable; (定まった) définite. (☞ まとまる)

¶ *まとまった (⇒ かなりの) 金が欲しい I would like to have a ˹*large* [*sizable*] sum of money. // 新製品の*まとまった注文を幾つかのデパートから受けた We have received *large* orders for the new products from several department stores. // 私はその議題についてまだ*まとまった考えがありません I have no *definite* idea about the discussion topic.

まとまり 纏まり (解決) settlement Ⓒ; (統一) unity Ⓤ; (理論などの一貫性) cohérence Ⓤ, consistency Ⓤ; (秩序) order Ⓤ; (結論) conclusion Ⓒ. (☞ まとめる)

¶ それはどうやら*まとまりがついた (⇒ 満足できる解決へと導かれた) It was brought to a satisfactory ˹*settlement* [*conclusion*]. // その会議は*まとまりがつかなくなった (⇒ 混乱に陥った) The conference ˹was thrown into *disorder* [fell into *confusion*]. // 彼の話は*まとまりがなくてわからない I cannot understand him because his talk ˹lacks *coherence* [is *incoherent*; is *inconsistent*].

まとまる 纏まる **1** 《集まる・そろう》: be collected, be ˹brought [put] together; (一つになる) unite (自), be united; (団結する) band together ★ unite より口語的. (☞ まとめる; まとまった; とういつ)

¶ 彼女の散り散りになった詩は, 死後1冊の本に*まとまった After her death her scattered poems *were* ˹*collected* [*put together*] *into* one volume. // 私たちは1つに*まとまってこの難局に当たった We ˹*united* together [*were united*] in the difficult situation. // 私のクラス (⇒ ホームルーム) はよく*まとまっている My homeroom *is* closely *united*. // 彼女のレポートはよく*まとまっている (⇒ よく構成されている) Her paper *is well organized*. // やっと考えが*まとまった My ˹ideas [thoughts] *have* finally ˹*come together* [*taken shape*]. ★ 後者は具体的な形にまでなったという意味. // どうも考えが*まとまらない I cannot *collect* my thoughts.

2 《決着がつく》: (おさまる・解決する) be settled; (結論が出る) be concluded; (一致をみる) come to [reach] an agreement (with ...). (☞ おさまる; まとめる; おちつく)

¶ その交渉は*まとまった The negotiations *have been* ˹*settled* [*concluded*]. // ボーナス交渉は満足す

べき線で*まとまった The bonus negotiations *were brought to a* satisfactory ˹*settlement* [*conclusion*]. // 皆さん相談が*まとまりましたか (⇒ 一致をみましたか) *Have* you *come to an agreement*?

まとめ 纏め (要約) summary Ⓒ (☞ ようやく²).

まとめやく 纏め役 (調停者) mediator /míːdièɪtə/ Ⓒ, 《略式》 troubleshooter Ⓒ; (和平のための) peacemaker Ⓒ; (マネージャー役) manager /mǽnɪdʒə/ Ⓒ. (☞ ちゅうさい).

まとめる 纏める **1** «集める»: collect ⑩, gather ... together, put [bring] ... together [語法] ほぼ同意で入れ換え可能だが, 前 2 者は集める動作に重点があり, しかも collect は組織的に集めることをいう. 3 番目は 1 か所にまとめることに重点がある. (☞ あつめる (類義語)).

¶ 紙くずは*まとめてくずかごに捨てなさい *Gather* the scraps of paper and throw them into the trash can. // その批評家は自分の評論を 1 冊の本に*まとめた The critic *collected* his essays into a single volume. // 私は*まとめて (⇒ すっかり) 彼の借金を支払った I paid his debts *all together*.

2 «整える»: (取り決める) arrange ⑩; (具体的なものにまとめる) put ... into [in] shape; (紛争を調停する) mediate ⑩; (会議・意見などを調整する) coórdinàte ⑩; (要約する) súm úp ⑩, summarize ⑩ ★ 前者がより口語的. (☞ ちょうせい¹).

¶ 私の祖母は縁談を*まとめるのがうまい My grandmother is skillful in *arranging* marriages. // 私はいま考えを*まとめようと努力している I'm trying hard to ˹*put* [*get*] my ˹thoughts [ideas] *in shape*. // この書物の内容を 2,000 語以内に*まとめなさい (⇒ 要約しなさい) *Sum up* [*Summarize*] the contents of this book within two thousand words.

まとも **1** «真正面から» ―― 副 (真っすぐに) straight (☞ まっすぐ; しょうめん). ¶ 彼は先生の顔が*まともに見られなかった He couldn't look the teacher *straight* in the face.

2 «まじめ» ―― 副 (正直に) honestly; (本気で) seriously; (正常に) normally; (立派に) décently; (正気で) in *one's* (right) senses. (☞ まじめ; しょうじき; まにんげん).

¶ 彼は*まともに暮らしている He ˹lives [is now living] ˹an *honest* life [*honestly*]. [語法] 進行形で訳すと, 以前はまともでなく, またこれからもその保証はないという意味合いを含む英語になる. // 私は結婚なんて*まともに (⇒ 本気で) 考えたことがない I've never taken marriage *seriously*. // こんな環境では人間は*まともな (⇒ 正常な) 生活はできない People cannot lead *normal* lives in such an environment. // *まともな人ならあんなことを言うはずはない No man *in his right senses* would say such a thing.

マドモアゼル mademoiselle /mæ̀d(ə)m(w)əzél/ Ⓒ (複 mesdemoiselles /mèɪd(ə)m(w)əzél/) [参考] 名前に付ける場合は Mlle (複 Mlles) と略す. フランス語から.

まどやか ☞ まどか

マドラー (飲み物をかき回す棒) swizzle stick Ⓒ, muddler Ⓒ.

マドラス ―― 名 固 Madras /mǽdrəs/; (公式名; チェンナイ) Chennai. ★ インド南東部の港湾都市; タミルナードゥ (Tamil Nadu) 州の州都.

まどり 間取り the plan of a house, floor plan Ⓒ. (☞ せっけい¹). ¶ この家は*間取りがいい[悪い] This house *has been* ˹*well* [*badly*] *laid out*. **間取り図** floor plan Ⓒ.

マドリード ―― 名 固 Madrid /mədríd/ ★ スペインの首都.

マドリガル 〔楽〕 (無伴奏の多声歌曲) madrigal /mǽdrɪg(ə)l/ Ⓒ.

マトリックス 〔数・生・言・コンピューター〕 matrix /méɪtrɪks/ Ⓒ (複 matrices /méɪtrəsìːz/).

マドレーヌ (貝殻形の型に入れて焼いたケーキ) madeleine /mǽdəlɪn/ Ⓒ.

マドロス (船乗り) sailor Ⓒ [参考] 「マドロス」は元来はオランダ語の matroos から.

まどろっこしい ☞ まだるっこい

まどろむ (うとうと眠りこむ) dóze (óff) ⓐ; (眠りはじめる) nod [drop] off; (昼寝する) take a nap. (☞ うとうと; ねむる).

まどわす 惑わす (混乱させる) confuse ⑩; (まごつかせる) perpléx ⑩; (困らせる) puzzle ⑩. (☞ まよわす; げんわく).

まとわりつく 纏り付く (くっつく) stick to ...; (人につきまとう) fasten onto ..., latch onto ... ★ 後者はくだけた表現. (☞ まといつく).

マトン (羊の肉) mutton Ⓤ (☞ にく).

マドンナ¹ (聖母) the Madónna, the Virgin Mary, Our Lady. (☞ せいぼ).

マドンナ² ―― 名 固 Madonna (Louise Veronica Ciccone), 1958– . ★ 米国の歌手・女優.

マナ 〔聖〕 manna /mǽnə/ Ⓤ ★ 旧約聖書で神がイスラエル人にアラビアの荒野で授けた食物.

マナー manners ★ 複数形で. (☞ さほう; ぎょうぎ). ¶ テーブル*マナー table *manners* // *マナーがいい[悪い] well-[bad-]*mannered*

マナーマ ―― 名 固 Manama /mənáːmə/ ★ アラビアのバーレーンの首都.

まないた 俎 cutting [chopping] board Ⓒ. **まないたに載せる** (議論の対象にする) take up ... for discussion. ¶ 私たちは彼を*まないたに載せた We *made* him *a topic of conversation*. / (⇒ 批判した) We *criticized* him. **まないたの上の鯉**(こい) ¶ 私は*まないたの上の鯉のようなものです (⇒ 運命に身をゆだねている) I've been abandoned to my fate. / (⇒ 彼らのなすがままだ) I'm entirely at their mercy.

まなかい 目交い ¶ 田舎の母からの手紙を読んでいたら年老いた母の姿が*目交いをよぎった When I was reading the letter from my mother in the country, the phantom of my old mother came *before my eyes*.

まながつお 真魚鰹 〔魚〕 (sílver) pomfret /pámfrɪt/ Ⓒ, harvest fish Ⓒ ★ いずれも単複同形.

マナグア ―― 名 固 Managua /mənáːgwə/ ★ ニカラグアの首都.

まなこ 眼 (目) eye Ⓒ; (目玉) eyeball Ⓒ. (☞ め¹; めだま). ¶ どんぐり*まなこ big round *eyes*

まなざし 眼差し (目つき) look Ⓒ; (ちらっと見ること) glance Ⓒ. (☞ めつき; しせん¹).

まなじり 眦 the corner of ˹*one's* [the] eye (☞ めじり). **まなじりを決する** (怒りをこめてにらむ) glare at ...; (挑むように) glare defiance at ...

マナスル ―― 名 固 (ヒマラヤ山脈の高峰) Manaslu.

まなつ 真夏 midsummer Ⓤ [日英比較] 「夏至 (6 月 21 日か 22 日)のころ」 という意味でも使うので, 日本語の 「真夏」 とは少し意味がずれる場合がある; (真っ盛り) the height of summer; (最も暑い季節) the hottest time of the year. (☞ なつ).

真夏の夜の夢 *A Midsummer Night's Dream* ★ シェークスピアの喜劇. **真夏日** (気象用語の) day on which the (maximum) temperature rises to 30° C or above Ⓒ.

マナティー 〔動〕 (海牛) manatee /mǽnətìː/ Ⓒ.

まなでし 愛弟子 *one's* ˹favorite [beloved] pupil [語法] [ ] 内は 「最愛の」 という強いニュアンス. 前者のほうが口語的.

まなびや 学び舎 (学校) school Ⓒ; (校舎) school building Ⓒ. (☞ こうしゃ¹).

まなぶ 学ぶ (学んで身につける) learn (他) (自); (勉強する・学校の学科として学ぶ) study (他) (自); (個人的なレッスンを受ける) take ... lessons, take lessons in ... 《☞ べんきょう (類義語); ならう¹》.
¶ 私は経験[古典]から多くを*学んだ I *have learned* a lot from 「experience [the classics]. // 彼は10年前オックスフォード大学で歴史を*学んだ He *studied* history at Oxford University ten years ago. [語法] 《英》では He *read* history ... とも言う. read は「(読んで) 研究する」の意. // あなたは大学で何を*学ぶつもりですか (⇒ 何を専攻しますか) What are you going to 「*major* [*specialize*] *in* at college? ★ major in は《米》. // よく*学びよく遊べ All work and no play makes Jack a dull boy. 《ことわざ: 遊ばずに勉強ばかりしていてはだめになる》

まなむすめ 愛娘 *one's* beloved /bɪlʌ́v(ɪ)d/ daughter [C].

マニア ― [名] (熱中する人) enthusiast /ɪnθ(j)úːziæ̀st/ [C]; (愛好者) lover [C]; (ファン) fan [C]; (病的なほどの熱狂者) maniac /méɪniæ̀k/ [C]
[日英比較] 英語の mania /méɪniə/ [C] は「熱狂」という意味で, 日本語の「マニア」のように「人」を表さない. 人には maniac を用いるか, あるいは have a mania for ... とする. いずれも日本語の「マニア」より意味が強い. ― [形] (マニアの・熱狂的な) maniacal /mənáɪək(ə)l/. ¶ 彼は写真*マニアだ He is a photography *maniac*. / He 「*has a mania for* [(⇒ 夢中である) *is crazy about*] taking pictures.

まにあう 間に合う **1** 《時間に》: be in time (for ...) (↔ be late (for ...)); (乗物に) catch (他), make (他) (↔ miss) ★ 後者のほうがより口語的.
¶ ちょうど*間に合った I *was* just *in time*. // 1時間目に*間に合いそうもない I'm afraid 「I'll *be late for* [I won't *be in time for*] my first class. // 私は午前7時30分の列車に*間に合った I *was in time for* the 7:30 A.M. train. / I 「*made* [*was able to catch*] the 7:30 A.M. train. // 我々はそのバスに*間に合わなかった We 「*missed* [*couldn't catch*] the bus. // 急がないと*間に合わないよ Hurry up, or you won't 「*be there in time* [*make* it].
2 《役に立つ》: (用が足りる) do (自) (他); (代わりになる) do for ... ★ 口語的; (目的にかなう) serve [answer] *one's* purpose; (役立つ) be useful; (十分である) be enough. 《☞ たりる》.
¶ この箱で*間に合います [では*間に合わない] This box 「will *do* [won't *do*]. // 3万円あればさしあたり*間に合う Thirty thousand yen will 「*do* me [(⇒ 十分だ) *be enough*] for the present. // この報告書で*間に合いますか (⇒ あなたの目的にかないますか) Will this report 「*serve* [*answer*] *your purpose*?
3 《なくて済む》: (なしで済ませる) do without ..., 《格式》 dispense with ... ¶ お手伝いがいなくてもどうにか*間に合います I can 「*do* [*manage*] *without* a helper.
4 《御用聞きに》: (注文がない) have no order.
¶ きょうは*間に合っています (⇒ 注文するものがない) *No order* for today. // お米は*間に合っています (⇒ 必要ない) I *don't want* any rice now.

マニアック ― [形] (熱狂的な) maniacal /mənáɪək(ə)l/, maniac /méɪniæ̀k/ ★ 前者のほうが一般的. 《☞ マニア》.

まにあわせ 間に合わせ ― [名] (当座しのぎのもの) mákeshìft [C], stópgàp [C] ★ 後者のほうが一時的な意味が強い; (仮の代用品・代理人) temporary substitute [C]. ― [形] (一時的な) temporary; makeshift, stopgap; (おざなりの) 《格式》 perfúnctory. 《☞ りんじ¹; かり¹; おざなり》.
¶ 政府の物価対策はまったく*間に合わせのものだ The price policies of the government are really 「*stopgap* [*makeshift*] efforts.

まにあわせる 間に合わせる ¶ これを何とかお昼までに*間に合わせて下さいますか (⇒ 仕上げる[用意する]ことができますか) Could you *get* this 「*done* [*ready*] by noon? // 手持ちの金で*間に合わせよう (⇒ 最大限に利用しよう) I'll *make the best of* the money I have on hand. 《☞ まにあう》

まにうける 真に受ける (言葉どおりにとる) take *a person* at 「*his* [*her*] word; (本気にとる) take ... seriously. 《☞ ほんき; うのみ》. ¶ 彼女はすぐ冗談を*真に受ける She is too ready to *take* jokes *seriously*.

マニキュア ― [名] (手やつめの手入れ) manicure /mǽnəkjʊ̀ə/ [C]; (マニキュア液) 《米》 nail polish [U], 《英》 nail varnish [U]. 《☞ けしょう (挿絵)》. ― [動] manicure (他). **マニキュア師** mánicùrist [C].

マニきょう マニ教 ― [名] Manich(a)eism /mǽnəkiːìzm/ [U]. ― [形] (マニ教の) Manich(a)ean /mæ̀nəkíːən/. **マニ教徒** Manich(a)ean [C].

まにし 真西 ― [副] due west 《☞ にし¹》.

マニピュレーション (操作) manipulation [C].

マニピュレーター manipulator [C].

マニフェスト (政権公約) manifesto /mæ̀nəféstoʊ/ [C] 《複 ~(e)s》.

まにまに 随に ¶ ボートは波の*まにまに (⇒ 波にまかせて) 漂った The boat drifted *at the mercy of* the waves.

マニヤ ☞ マニア

マニュアル ― [名] (教程用) manual [C]; (手引き) handbook [C]. ― [形] (手動の) manual (↔ automatic). ― [副] manually. 《☞ きょうかしょ》.
¶ この車(のギア)はオートマチックですか*マニュアルですか Is (the transmission of) this car automatic or *manual*?

マニュスクリプト (原稿・写本) mánuscrìpt [C].

マニュファクチャー (手工業) handicraft production [U]; (製造) manufacturing [U], manufacture [U] [日英比較] 英語の manufacture は「製造する」という [動] の用法のほうが一般的.

マニラ ― [名] (固) Manila /mənílə/ ★ フィリピン共和国の首都. **マニラ麻** Manila (hemp) [U].

まにんげん 真人間 (正直な人) honest person [C] 《☞ まっとう²; まとも》. ¶ 彼は*真人間になると私に約束した He promised me (that) he would *go straight*. / (⇒ 心を入れ替えて生活を一新すると) He promised me he would *turn over a new leaf*.

まぬがれる 免れる **1** 《逃れる》: escape (他); (救われる) be 「saved [rescued] from ... 《☞ のがれる》.
¶ 私はあやうく正面衝突[死]を*免れた I barely *escaped* 「a head-on collision [death].
2 《避ける》: (好ましくないものを) avoid (他); (うまく言い逃れなどをする) evade (他). 《☞ のがれる; かいひ¹》.
¶ 彼女の退学は*免れがたい Her expulsion from school is *unavoidable*.

マヌカン (ファッションモデル) mannequin /mǽnɪkɪn/ [C] ★「マヌカン」はフランス語より.

まぬけ 間抜け ― [名] (愚かな人) fool [C]. ― [形] (ばかな) stupid; (愚かな) foolish. 《☞ ばか》.

マヌほうてん マヌ法典 the Code of Manu ★ サンスクリット語で書かれたヒンズー教の重要法典.

まね 真似 ― [名] (模倣) imitation [U]; (物まね) mimicry [U]. ― [動] imitàte (他); mimic (他) 《過去・過分 mimicked》; (...のふりをする) 《格式》 feign (他), pretend to be ... ★ 前者のほうが, より芝居がかったまねを意味する. 《☞ まねる; くちまね; ものまね》.
¶ 彼は人の*まねがうまい He is clever at *mimicking* other people. // 彼は死んだ*まねをしてみせた He 「*feigned* death [*pretended* to be dead]. // ばかな*ま

ねはよしなさい Don't ˹act [play] the fool. / Don't make a fool (out) of yourself.

マネ ―名固 Édouard Manet /eɪdwáə mænéɪ/, 1832–83. ★ フランスの印象派画家. É の ´ は綴り本来のもの.

マネー money U《☞ かね¹》.

マネーオーダー (為替) money order C ★ 特に郵便為替.

マネーゲーム (相場を見極めて投資し利益を競うこと) móney gàme C.

マネーサプライ (通貨供給量) money supply U.

マネージ ―名 management U. ―動 (マネージする) manage 他. ¶ このレストランは女性のみによって*マネージされている This restaurant *is managed* by women only.

マネージメント (経営・管理) mánagement U. マネージメントコンサルタント (経営コンサルタント) mánagement consùltant C マネージメントシステム (管理システム) management system C.

マネージャー manager /mǽnɪdʒə/ C.

マネービル moneymaking U《☞ かねもうけ》.

マネーフロー (資金循環) the flow of funds, money flow U.

マネーマーケット (短期金融市場) money market C.

マネーロンダリング (資金洗浄) money laundering U ★ 複数の銀行口座間の転送を繰り返して不正資金を出所不明にすること.

まねかれざるきゃく 招かれざる客 (招待されていない[ありがたくない]客) uninvited [unwelcome] guest C《☞ きゃく¹》.

まねき 招き invitation U《☞ しょうたい¹》. ¶ お*招きありがとうございます Thank you very much for your kind *invitation.* // 私はその*招きに応じた[を断った] I ˹accepted [declined] the *invitation.* // 彼は日本政府の*招きで来日した He came to Japan ˹*at* [*on*] *the invitation of* the Japanese Government.

まねきいれる 招き入れる ☞ しょうじいれる

まねきねこ 招き猫 beckoning cat C; (説明的には) small statue of a beckoning cat, which is thought to bring in good luck C.

まねきよせる 招き寄せる (人を手招きする) beckon to ..., beckon 他. 《☞ まねく》.

マネキン (マネキン人形) mannequin /mǽnɪkɪn/ C; (ショーウィンドーなどの飾り人形) dummy C.

まねく 招く **1** «招待する»: invite 他《☞ しょうたい¹》. ¶ 今度の土曜日にあなたをわが家の夕食にお*招きしたい We'd like to *invite* you to dinner at our home this Saturday.

2 «身振りで招く»: (差し招く) beckon 他 自; (身振りをする) gesture (to ...) 自. 《☞ てまねき》. ¶ 彼は私にもっと近寄れと手で*招いた He *beckoned* (*to*) me (to come) closer.

3 «来てもらう»: cáll ín 他《☞ よぶ》. ¶ 彼らはアドバイザーを*招いて, その問題を討議した They *called in* some advisers and discussed the problem.

4 «引き起こす»: (もたらす) bring 他; (…の原因となる) cause 他; (…へ導く) lead to ...; (結果として起こる) result in ... 《☞ おこす³; ひきおこす; もたらす》. ¶ この法案は党の分裂を*招いた The bill *caused* a split within the party. // 石油価格のつり上げが諸物価の高騰を*招いた (⇒ 結果として諸物価の高騰が起こった) A rise in the price of oil *resulted in* a rise in the prices of various /vé(ə)riəs/ commodities. // それはたいへん誤解を*招きやすい (⇒ 誤解のおそれがある) It is ˹very [highly] misleading.

まねごと 真似事 (見せかけのもの) sham U ★ a を付けて用いることもある; (まがいもの) mockery C. 《☞ まね; ものまね》. ¶ 私は*まね事に絵をかいています (⇒ 道楽半分に手を出す) I just *dabble* at painting. // 私はゴルフをしますが*まね事です (⇒ 上手でない) I play golf, but *I'm not very good.*

マネジャー ☞ マネージャー

まねる 真似る (模倣する) imitàte 他; (そっくりにまねる) copy 他; (人にならう) follow *a person's* example; (物まねする) mímic 他 《過去・過分 mimicked》. 《☞ まね; くちまね; もほう》. ¶ 子供はよく親の悪いところを*まねる Children often ˹*copy* [*imitate*] the bad characteristics of their parents.

マネロン ☞ マネーロンダリング

まのあたりに 目の当たりに (自分の目で) with *one's* own eyes; (実際に) actually. ¶ 私はけさその自動車事故を*目の当たりにした (⇒ 自分自身の目で見た) I *saw* that automobile /ɔ́:təmoubì:l/ accident *with my own eyes* this morning.

まのて 魔の手 ☞ ましゅ

まのびした 間延びした ―形 (ゆっくりした) slow(-motion). ¶ *間延びした動作 *slow*(*-motion*) behavior // 彼はいつも*間延びした話し方をする He always *drawls* his words in speaking.

マノメーター (圧力計) manometer /mənɑ́mətə/ C.

マハーバーラタ the Mahabharata /məhɑ̀:bɑ́:rətə/ ★ 漢字では魔訶婆羅多; 古代インドの大叙事詩.

まはぜ 真鯊 〔魚〕 yellowfin goby C《☞ はぜ¹》.

まはた 真羽太 〔魚〕 sevenband grouper C.

まはだか 真裸 ☞ まっぱだか

まばたき 瞬き ―名 (無意識の) blink C; (意識的な) wink C. ―動 wink 自; blink 自; (星・光などが) twinkle 自.

まばたく 瞬く (目をぱちくりする) blink 自; (目くばせする) wink 自; (星などがきらきら光る) twinkle 自. 《☞ またたく; まばたき》.

まばゆい 目映い dazzling 《☞ まぶしい》.

まばら 疎ら ―副 (希薄に) thinly; (散在して) sparsely (↔ densely). ―形 thin; sparse; (ちらほら) a scatter(ing) of ... ¶ 当時この辺は人家が*まばらだった This area was ˹*thinly* [*sparsely*] settled in those days. // 夜が更けて通りは人影が*まばらになった *Very few people were* ˹*seen* [*there*] on the street that late at night. / (⇒ ほとんど人が通っていなかった) The street *was almost deserted* that late at night. // 聴衆から*まばらな拍手が起こった *A scatter*(*ing*) *of* applause arose among the audience.

マハラジャ (インドの藩王) maharaja(h) /mɑ̀:hərɑ́:dʒə/ C.

まひ 麻痺 ―動 (麻痺する) be paralyzed /pǽrəlàɪzd/; (寒さなどで) be numb /nʌ́m/; (心が感じなくなる) be seared. ―名 paralysis /pərǽləsɪs/ U; numbness /nʌ́mnəs/ U. ―形 (麻痺性の) paralytic /pæ̀rəlítɪk/; (麻痺した) paralyzed. 《☞ しびれる》. ¶ *麻痺症状 *paralytic* symptoms // *麻痺患者 a *paralytic* // 両腕が*麻痺している My arms *are paralyzed.* // 下[右]半身が*麻痺している I *am paralyzed* ˹from the waist down [on the right side]. // 寒くて指が*麻痺した My fingers *got numb* with cold. // 大雪で北陸線は*麻痺状態だ The Hokuriku Line *has been paralyzed* by the heavy snow. // 彼は良心が*麻痺している (⇒ 良心のかしゃくが欠如している) He ˹*has no* [*lacks*] scruples. / (⇒ 良心を持っていない) He *has no* conscience. // 心臓*麻痺 heart ˹*failure* [*attack*] // 小児*麻痺 infantile /ínfəntàɪl/ *paralysis* / 《略式》 polio

/póuliòu/

まひがし 真東 ―副 due east (☞ ひがし[1]).

まびきうんてん 間引き運転 ―動 (本数を減らす) reduce the number of 「train [bus] runs.

まびく 間引く thín (óut) 他.

まびさし 目庇 (バンドで頭に固定する) visor Ⓒ, eyeshade Ⓒ; (かぶとの) visor Ⓒ. (☞ ひさし).

まびょうし 間拍子 (音楽のリズム) rhythm Ⓤ; (機会) opportunity Ⓤ. (☞ ま[1]).

まひる 真昼 (正午) high noon Ⓒ (☞ ひる[1]). ¶*真昼に in *broad daylight* ★「明るく太陽が輝いている日中に」の意.

マフ (筒手袋) muff Ⓒ.

マフィア (集合的に) the Mafia /mɑ́:fiə/ ★ the を付けて.

マフィン (小さな丸パン) muffin Ⓒ.

マプート ―名 固 Maputo /məpú:tou/ ★ アフリカ南東部, モザンビークの首都.

まぶか 目深 ¶彼女は帽子を*目深にかぶっていた She wore a hat 「*low* [*pulled down*] over her eyes.

まぶしい 眩しい ―形 (光がギラギラするような) glaring; (目がくらむような) dazzling. ―動 (まばゆく輝く) glare 自. (☞ ぎらぎら; くらむ). ¶水面を照らす日射しが*まぶしい The sun *glared* off the surface of the water. // 外からの*まぶしい光で一瞬目がくらんだ I was blinded for a moment by the *dazzling* light from outside.

まぶす (粉などを) dust 他; (少量をパラパラと) sprinkle 他; (小麦粉をつける) flour 他. (☞ ふりかける). ¶私はドーナツに砂糖を*まぶした <S (人)+V (*dust*; *sprinkle*)+O (ドーナツ)+*with*+名 (砂糖)> I 「*dusted* [*sprinkled*] the doughnuts *with* sugar. / <S (人)+V (*dust*)+O (砂糖)+*over*+名 (ドーナツ)> I *dusted* sugar *over* the doughnuts.

まぶた 瞼 éyelid Ⓒ ★ 単に lid ともいう. (☞ め[1] (挿絵)). ¶上[下]*まぶた an upper [a lower] *eyelid* // 彼は一重[二重]*まぶただ He has 「single(-edged) [double] *eyelids*. // *まぶたが重くなってきた My *eyelids* feel heavy. / (⇒ 眠くなった) I feel very sleepy. // *まぶたの母 (⇒ 記憶にある母) a mother who lives *in one's memory* // 亡き父の面影が*まぶたに (⇒ 心に) 浮かんだ The face of my dead father *came to my mind*.

まふたつ 真二つ ☞ まっぷたつ

まふゆ 真冬 mídwínter Ⓤ 日英比較 「冬至 (12月21日か22日) のころ」という意味でも使うので, 日本語の「真冬」とは少し意味がずれる場合もある; (真最中) the depth(s) of winter; (最も寒い季節) the coldest time of the year. (☞ ふゆ).

真冬日 icy [freezing] day Ⓒ; (気象用語の) day on which the temperature is below the (maximum) freezing point Ⓒ.

マフラー (一般的にえりまき) scarf Ⓒ, muffler Ⓒ ★ 後者は古風な語; (自動車の排気音などの消音装置) (米) muffler Ⓒ, (英) sílencer Ⓒ. (☞ えりまき; オートバイ (挿絵)).

¶*マフラーをする wear a *scarf*

まほう 魔法 ―名 (一般的に魔術) magic Ⓤ; (魔女の使う妖術) witchcraft Ⓤ. ―形 magic Ⓐ. (☞ まじない). ¶彼女は*魔法を使って帽子からはとを取り出した She 「practiced [used] *magic* to produce a pigeon 「from [out of] her hat. // 人に*魔法をかける cast a *spell* 「over [on] *a person* // *魔法の解き方 how to break the *spell* // まるで*魔法のように彼はドアの錠前をあけた He opened the lock of the door as if by *magic*. // *魔法の国[杖, じゅうたん] a *magic* 「land [wand; carpet]

魔法使い (魔術師・奇術師) magician Ⓒ; (魔女) witch Ⓒ; (男の魔法使い) wizard Ⓒ **魔法びん** thermos (「bottle [(英) flask]) Ⓒ (☞ ポット).

まほうじん 魔方陣 magic square Ⓒ.

マホガニー (材木) mahógany Ⓤ ★ 木は Ⓒ.

マホメット ☞ モハメット

まぼろし 幻 (夢で見る幻影) phantom Ⓒ; (錯覚) illusion Ⓒ; (幻に描く理想像) vision Ⓒ; (想像) imagination Ⓤ; (気まぐれな空想) fancy Ⓒ; (夢のような空想) fantasy Ⓒ. (☞ げんそう[1]; げんかく[2]). ¶*幻の魚 (⇒ 非常に珍しい魚) a *very rare* fish **幻の世** (つかのまのはかない人生) transitory life Ⓤ.

まほろば ¶倭(やまと)は国の*まほろば (⇒ 素晴らしい場所) Yamato is a *splendid province*.

まま[1] **1** 《その状態のまま》 ★「人」を主語にしてある状態のままにしておく場合には leave ... as ... 「is [are] を用い, 衣服など身につけるものをつけたままという意味を表すには with ... on.「人」または「物」を主語にして「...が...のままである」という意味を表すには, 動作の継続なら keep ...ing, 状態の継続なら remain ..., stand ... などを使う. ¶その件はその*ままにしておきなさい *Leave* the matter *as it is*. // 私の机の上のものはその*ままにしておいて下さい Please *leave* the things on my desk *as they are*. // 彼はオーバーを着た[帽子をかぶった, 靴をはいた]*まま部屋に入ってきた He entered the room *with* his 「overcoat [hat; shoes] *on*. // エンジンをかけた*ままにしておくな Don't *leave* the engine *running*. // 私が家に帰ったとき, 窓は開いた*ままだった When I got home, the window *was* (*left*) open. // 彼は黙った*ままだった He *remained* silent. (☞ ママ[2]; げんぶん; -ままで; -ままに; そのまま; このまま)

2 《...のとおりに》 ―前 (...に従って) according to ..., (格式) in accordance with ... ―接 as ... ¶私は命じられる*ままにそこへ行っただけです I went there 「*as* I was told to [*in accordance to* the instructions (I received)]. // *ままにならない世の中だ (⇒ この世の成り行きはコントロールできない) The course of this life *is beyond our control*. / (⇒ 出来事はしばしば意志に反して進む) Events in this 「life [world] often *go against our will*. (☞ ままならぬ)

まま[2] 間間 (時々) sometimes; (時たま) occasionally; (しばしば) often. (☞ ときおり; ときどき (類義語)). ¶政治家は自分の本務を忘れてしまうことが*ままある The politician is *sometimes* forgetful of his duties.

ママ[1] (米) mom Ⓒ, mommy Ⓒ; (英) mum Ⓒ, mummy Ⓒ; mamma Ⓒ, ma Ⓒ 語法 いずれも小児語だが, 人によってはかなり成長してからも使う人がいる. ただし, mommy, mummy, は小児に限られると考えてよい. mamma はあまり用いられず, ma は地方的. 自分の母親に呼びかけるとき, および家庭内で固有名詞代わりに使うときは大文字. (☞ おかあさん 語法; 親族関係 (囲み)).

ママ[2] 〔印〕 ―副 *sic* /sík/ ★ 誤記を含むと思われる原文をそのまま引用した際, 該当語句の後にかっこ付きイタリック体 ([*sic*]) で付す. ―動 (訂正箇所を元のままにする) stet 自 (☞ いき[3]).

ままおや 継親 stepparent Ⓒ.

ままかり 飯借り 〔魚〕(サッパ) Japanese shad Ⓒ (複 ~(s)); (サッパの酢漬け) marinated Japanese shad Ⓒ.

ままきょうだい 継兄弟 (男の) stepbrother Ⓒ; (姉妹) stepsister Ⓒ. (☞ きょうだい[1] 日英比較; はらちがい).

ままこ 継子 stepchild Ⓒ; (男の) stepson Ⓒ; (女の) stepdaughter Ⓒ. ¶彼は私を*まま子扱いした (⇒ 無視した) He *neglected* me. / (⇒ よそ者として扱った) He *treated* me *as an outsider*. **まま子いじめ** ¶彼女は*まま子いじめをする (⇒ まま子につらく当

たる) She is *hard on her* ｢*stepdaughter* [*stepson*].

ままごと — 動 (ままごとをする) play house.

ままちち 継父 stepfather Ⓒ (☞ ぎふ).

-ままで ¶(電話を切らずに)その*ままでいて下さい *Hold* ｢*on* [the line], please. // 口に物を入れた*ままでしゃべるな Don't speak *with* your mouth full. // 列車は通勤客でぎゅうぎゅう詰めだったので上野駅までずっと立った*ままでした As the train was jammed with commuters, I had to stand *all the way to* Ueno Station. (☞ まま¹)

ままならぬ 儘ならぬ ¶物事は*ままならぬものだ (⇒ 必ずしも思うようにいかない) Everything *does not always turn out as we wish.* // *ままならぬが浮世の習い (⇒ 人生は悩みの種で満ちている) Life is full of vexations.

-ままに ¶彼らは仕事をその*ままに (⇒ 現状のままに) しておいた They left the work *as it was.* // 彼の告白はその*まま (⇒ 額面どおり) には受け取れない His confession cannot be taken *at face value.* // 意の*ままに *as one* ｢*likes* [*pleases*] // 老女は言われる*ままにお金を支払った The old woman paid the amount of money *she was told.* // 私は気の向く*ままに森の中を散策した I strolled in the wood *wherever my fancy took me.* (☞ まま¹)

ままはは 継母 stepmother Ⓒ (☞ ぎぼ).

ままよ 儘よ ¶ええい, *儘よ (⇒ かまうもんか) What do I care?

ママレード ☞ マーマレード

マミー (お母ちゃん) 《幼児》 mommy Ⓒ, mummy Ⓒ. (☞ ママ¹).

まみえる 見える (拝顔する) have an audience (with ...); (顔を合わせる) meet ㊎; (対決する) confront ㊎; (仕える) serve ㊎. ¶女王に*まみえる *have an audience with* the queen // 敵と*まみえる *confront* the enemy

まみず 真水 fresh water Ⓤ. **真水水母**(くらげ) 〖動〗 freshwater jellyfish Ⓒ.

まみなみ 真南 — 副 due south (☞ みなみ).

まみやかいきょう 間宮海峡 — 名 固 the Tatar /tá:tə/ Strait.

まみれる (泥などを浴びる) be covered with ...; (汚れる) be ｢smeared [stained] with ... (☞ ちまみれ; どろまみれ). ¶上衣は血[泥]に*まみれていた The coat *was stained with* ｢blood [mud].

まむかい 真向かい — 前 (ちょうど正反対の位置に) right [just] opposite ..., (米) right [just] across from ...; (すぐ前に) right [just] in front of ... — 副 (通りを越して向こう側に) right [just] across the street. (☞ ましょうめん; まえ).
¶彼女は食卓で私の*真向かいに腰を下ろした She sat ｢*right* [*just*] ｢*opposite* [*across from*] me at the table. // うちの*真向かいの家は山田さんです (⇒ 山田さん一家のものです) The house *right across the street* is the Yamadas'. // その建物の*真向かいに教会があった There was a church *right* ｢*in front of* [*across the street from*] the building.

まむし 蝮 〖動〗 *mamushi* Ⓒ, viper /váɪpə/ Ⓒ
語法 viper は「まむしのような奴」という意味で比喩的にも用いられる. **蝮酒** *mamushi* liqueur Ⓤ; (説明的には) (bottled) liquor in which *mamushi* has been pickled Ⓤ **蝮指** finger that bends like a viper's head Ⓒ.

まむしぐさ 蝮草 〖植〗 *mamushi-gusa* ("viper grass") Ⓒ; (説明的には) poisonous plant of the arum family, sometimes used as medicine Ⓒ.

まむすび 真結び ☞ こまむすび

まめ¹ 豆 (一般的に) bean Ⓒ; (えんどう豆) pea Ⓒ; (大豆) soybean Ⓒ.
日英比較 日本語では「豆」という総称があるが, 英語では以下の表のように 3 つに分けている.

日本語	英語
豆	bean (凹みのある楕円形の豆)
	pea (球形の豆)
	lentil (平たい円形の豆)

¶コーヒー*豆 a coffee *bean* // *豆のさや a pod // *豆をいる parch ｢*beans* [*peas*]
豆かす bean cake Ⓤ **豆科植物** 〖植〗 legume Ⓒ; (豆科の野菜) leguminous vegetable Ⓒ **豆殻** (えんどう豆の) pea pod Ⓒ; (大豆の) soybean ｢hull [husk] Ⓒ **豆ご飯** rice boiled with green peas Ⓤ **豆自動車** midget [baby] car Ⓒ; (小型自動車) minicar Ⓒ **豆絞り** (絞り染め) spotted pattern Ⓒ. ¶*豆絞りのゆかた a *yukata* with *spotted patterns* **豆台風** very small typhoon Ⓒ **豆単** ☞ 見出し **豆炭** oval [egg-shaped] briquet(te) Ⓒ **豆知識** (雑学的な) trivia Ⓤ; (実用的な) tip Ⓒ **豆粒** ☞ 見出し **豆鉄砲** (おもちゃの) peashooter Ⓒ; (コルクなどをつめてポンと撃つもの) popgun Ⓒ. ¶彼ははとが*豆鉄砲をくったような (⇒ あっけにとられた) 顔をしていた He looked *dumbfounded.* **豆電球** miniature bulb Ⓒ **豆本** ☞ 見出し **豆まき** ☞ 見出し **豆餅** rice cake pounded with steamed (black) soybeans Ⓤ.

まめ² (皮膚の水ぶくれ・火ぶくれ) blister Ⓒ. ¶手に*まめができた I got a *blister* on my hand. // *まめがつぶれた The *blister* has ｢broken [burst].

まめ³ — 形 (勤勉な) hárdwórking (☞ こまめ). ¶彼女は*まめに働く She is ｢a *hard worker* [*hardworking*].

まめたん 豆単 (単語集) small handbook of English words and phrases Ⓒ.

まめつ 磨滅 — 動 wéar ｢óut [awáy; dówn] ㊀. — 名 wear (and tear) Ⓤ. (☞ すりへる). ¶*磨滅したタイヤ a *worn-out* tire

まめつぶ 豆粒 (豆の粒) pea Ⓒ (☞ まめ¹). ¶その虫は*豆粒くらいの大きさである The insect is ｢the size of [as small as] a *pea.*

まめへん 豆偏 (漢字の) bean radical on the left of kanji Ⓒ.

まめほん 豆本 miniature book Ⓒ.

まめまき 豆まき bean-scattering ceremony to drive out bad luck and bring in good luck (traditionally observed at shrines and homes in Japan on Feb. 3, the eve of the first day of spring) Ⓒ ★ 説明的な訳.

まめまめしい ¶彼女は*まめまめしく働く (⇒ 蜜蜂のように忙しく働く) She'*s as busy as a bee.* / (⇒ ビーバーのように働く) She works *like a beaver.*

まめやか (忠実な) faithful; (誠実な) sincere; (まじめな) diligent. ¶*まめやかなもてなしを受ける receive ｢*hearty* [*cordial*] hospitality // 彼はいつも*まめやかに職務をこなす He always performs his duties *with all sincerity.*

まもう 磨耗 (すり減ること) wear (and tear) Ⓤ; (磨滅) abrasion Ⓤ. (☞ まめつ). ¶この鎖は*磨耗している This chain shows signs of *wear.* // *磨耗したブレーキ a *worn-out* brake

マモグラフィー ☞ マンモグラフィー

まもなく 間もなく soon, presently ★ 後者のほうが格式ばった語; (すぐに) shortly 語法 (1) それほど急ではないが, かなり時間が短い感じで, 主として未来のことについて使う;（ほどなく）before long 語法 (2) soon とほぼ同意のこともあるが，多少の時間の経過がニュアンスとしてある．やや格式ばった言い方．《☞ すぐ（類義語）; やがて》．

¶ 彼は*間もなくやってくるでしょう He will be here 「*soon* [*presently*; *before long*]. // 列車は*間もなく発車します Our train will leave 「*shortly* [*soon*]. // *間もなく彼女は健康を回復した *It was not long before* she got well. 語法 (3) イタリック体部分は慣用表現で，物語などでしばしば用いられる． // *間もなくクリスマスだ Christmas is *just around the corner*. 語法 (4) just around the corner は「すぐそこの角を曲がった所に」が原意．

まもの 魔物（悪魔）demon /díːmən/ Ⓒ《☞ ま²; あくま; ばけもの》．

まもり 守り defense（《英》defence）Ⓤ（↔ attack）★ 具体的な方策の場合は複数形で．《☞ しゅび¹; おまもり》． ¶ 国の*守り national *defense*《☞ こくぼう》// 彼のチームは*守りが弱い His team has a weak *defense*. // 彼らは攻撃に備えて*守りを固めた They strengthened their *defenses* against attack. **守り刀** sword [dagger] for self-defense Ⓒ **守り神** guardian 「god [deity] Ⓒ **守り袋** amulet case Ⓒ **守り札** paper charm Ⓒ.

まもりぬく 守り抜く ¶ 猛攻に耐えてキーパーはゴールを*守り抜いた Withstanding the fierce attacks, the goalkeeper *defended* the goal *to the end*. // いったん約束をしたならそれは生涯*守り抜かねばならない Once you make a promise, you must *keep* it *throughout your life*. // 母は死ぬまでその秘密を*守り抜いた Mother *took* the secret *to her grave*.

まもる 守る **1**《防ぐ》:（攻撃などから）defend ㊀ ★ 最も一般的;（危害などから）protect ㊀;（そのままに保護する）conserve ㊀;（見張り・警戒をする）guard ㊀.《☞ ようご²; ふせぐ; ほご¹》．

¶ 私は自分の権利を*守った I *defended* my rights. // 彼らは敵から城を*守った <S（人）+V（*defend*）+O（守るもの）+*against*+名（敵）> They *defended* the castle *against* their enemies. // 子供たちを交通事故から*守らなくてはならない <S(人)+V(*protect*)+O(人)+*from*+名(危険)> We must *protect* children *from* traffic accidents. // 美しい自然林を*守りたい We want to *conserve* the beautiful natural forests. // 兵士たちが国王の宮殿を*守っている Soldiers *are guarding* the king's palace. // 私は1塁を*守った（⇒1塁をやった）I 「*played* [*was on*] *first* (*base*).

2《履行する》:（約束などを守る）keep ㊀（↔ break）;（規則などを）observe ㊀（↔ neglect）.《☞ したがう; げんしゅ¹》．

¶ 彼は必ず約束を*守る He always *keeps* his 「promises [word]. // 交通規則を*守らなくてはならない We must *observe* traffic regulations. // 中立を*守るのは難しい It is difficult to 「*keep* neutral [*observe* neutrality]. // 私は制限速度を*守っていた（⇒制限速度内で運転していた）I was driving within the speed limit. // 私は子供たちに礼儀作法を*守るように（⇒行儀よくするように）言っている I keep telling my children to *behave themselves*.

マヤ ── 名 ㊀（中米先住民族）Maya /máɪə/. ── 形 Mayan. **マヤ語** Maya Ⓤ **マヤ人** Maya Ⓒ **マヤ族** the Maya(s) **マヤ文明** Mayan civilization Ⓤ.

まやかし ── 形（本物らしく見せかけた）fake;（だます目的で作った）counterfeit /káʊntəfɪt/. ── 名 fake Ⓒ; counterfeit Ⓒ.《☞ いかさま; にせ（類義語）; でっちあげ》．

まやく 麻薬 drug Ⓒ 語法 drug には化学薬品という意味もあるが，「麻薬」という意味でも一般的に用いられる;《俗》dope Ⓒ;（鎮痛・麻酔性の麻薬）narcótic Ⓒ;（覚醒剤）stimulant (drug) Ⓒ.

麻薬及び向精神薬取締法 the Narcotics and Psychotropics Control Law **麻薬常用** drug [substance] abuse Ⓤ **麻薬常用者** drug [narcotic(s)] addict Ⓒ, substance abuser Ⓒ **麻薬中毒** narcotic(s) addiction Ⓤ, substance abuse Ⓤ, narcotism Ⓤ **麻薬中毒者**《俗》hypo Ⓒ, junkie Ⓒ, freak Ⓒ, druggie Ⓒ **麻薬取締り** narcotics control Ⓤ **麻薬取引** drug 「deal [transaction] Ⓒ **麻薬密売者** narco-trafficker Ⓒ,《略式》drug [dope] pusher Ⓒ.

まゆ¹ 眉 eyebrow /áɪbràʊ/ Ⓒ ★ 単に brow ともいうが，主に成句で用いられる．《☞ かお（挿絵）》．

¶ 彼は太い[濃い]*眉をしている He has 「thick [bushy] *eyebrows*. // 彼女は*眉をかき，口紅を塗った She penciled her *eyebrows* and put on lipstick. // 彼はそれを聞いても*眉一つ（⇒髪の毛一本）動かさなかった He *did not turn a hair* at the news. ★「平然としている」という意味の成句．

眉を曇らせる（顔をしかめる）frown;（心配そうな顔をする）wear an anxious look. **眉を吊り上げる**（驚きや非難を表して）raise [arch] *one's* eyebrows;（不快な顔をする）furrow *one's* brow.《☞ りゅうび》．

眉をひそめる ¶ 父は*眉をひそめた（⇒難しい顔をした）Dad *frowned*. /（⇒眉を寄せた）Dad 「*knit* [*knitted*] *his brows*. **眉を開く**（安心する）feel relieved. ¶ 息子の無事な帰還に父は*眉を開いた The father *felt relieved* at the safe return of his son.

眉毛 eyebrow Ⓒ **眉墨** eyebrow pencil Ⓒ **眉つば** ¶ それは*眉つばだ（⇒それは割引きして受け取らなくてはならない）It must be taken with a grain of salt. 語法 with a grain of salt は成句. **眉つば物**（にせ物）fake Ⓒ《☞ にせ》．

まゆ² 繭 cocóon Ⓒ. ¶ 蚕の*繭 a silkworm *cocoon* **繭玉** New Year's decoration with cocoon-shaped rice cake Ⓒ.

まゆげ 眉毛 ☞ まゆ¹

まゆね 眉根 ¶ *眉根(にしわ)を寄せる knit *one's brows*

まよい 迷い（錯覚）illusion Ⓤ;（妄想）delusion Ⓤ ★ いずれも具体的なものをいうときは Ⓒ. ¶ 私は*迷いから覚めた（⇒正気になった）I 「came [was brought] to my senses. **迷い箸** the ill-mannered moving of *one's* chopsticks here and there over different morsels on a plate.

まよう 迷う **1**《道に迷う》: get lost, lose *one's* way ★ 前者がより口語的;（正しい道からそれてしまう）stray ㊀.《☞ はぐれる; まいご》．

¶ 道に*迷ってしまったので駅への道を聞かなくてはならなかった I *got lost*, and had to ask the way to the station. // その子は森の中へ*迷い込んだ The boy *strayed* off into the wood(s).

2《当惑する》:（どうしてよいかわからない）do not know what to do;（困惑する[悩む]）be 「puzzled [perplexed];（途方に暮れる）be at a loss ★ やや古風な表現．《☞ とうわく（類義語）; こまる》．

¶ 彼女はどうしたらよいのか*迷っている（⇒わからない）She 「*does not know* [*has no idea*] *what to do*.

3《ためらう》:（ちゅうちょする）hésitàte ㊀;（気持ちが揺れる・決心がぐらつく）waver ㊀;（決心がつかない）be undecided.《☞ ためらう; ぐらつく》． ¶ 彼は判断に*迷った He *wavered* in his judgment. / His judgment *wavered*. // 彼女は行こうか行くまいか*迷った She *wavered* between going and staying. // あれこれと*迷ったあげく偽物を買ってしまった I ended up buying a fake after *wavering* in choosing one or the other.

迷える(子)羊 lost [stray] sheep Ⓒ ★ 聖書に由来.
まよけ 魔除け (お守り) ámulet Ⓒ; (災いから守ってくれると信じられている物) charm Ⓒ; (守ってくれる魔力のある物) tálisman Ⓒ. (☞ おまもり).
まよこ 真横 ―名 (側面) side Ⓒ. ―前 (すぐ隣りに) next to … ―副 (…の片側に) on one side of … ¶ 彼の家は公園の*真横にある His house is *next to* the park. (☞ よこ)
まよなか 真夜中 ―副 (夜遅く) late at night. ―名 (午前0時) midnight Ⓤ 日英比較 日本語の「真夜中」は漠然と「深夜」の意だが, 英語の midnight は noon (正午) に対して「午前0時」の意. ((例) 今は午前0時だ It's twelve *midnight*.) (☞ しんや 語法; よる¹; よなか 語法). ¶ 彼は*真夜中に帰った He returned home *late at night*.
マヨネーズ mayonnaise /méɪənèɪz/ Ⓤ. ¶ 彼女は鮭(さけ)に*マヨネーズをかけた She dressed the salmon with *mayonnaise*.
まよわす 迷わす (当惑させる) puzzle ⑩; (困らせる) perpléx ⑩ 語法 前者は途方に暮れさせることで, 後者はどぎまぎさせたり, 戸惑わせたりすること. (☞ こまる; とうわく (類義語)). ¶ その不意の質問は彼女を*迷わせた The unexpected question ⌈*puzzled* [*perplexed*] her.
マライご マライ語 ☞ マレー (マレー語)
マライポリネシアごぞく マライポリネシア語族 〔言〕 Malayo-Polynesian /məléɪoupɑ̀lɪníːʒən/ Ⓤ; Austronesian /ɔ̀ːstrouníːʒən/ Ⓤ ★ 現在は後者のほうが一般に用いられている.
マラウイ ―名 固 (国名) Malawi /məlɑ́ːwi/; (正式名; マラウイ共和国) the Republic of Malawi. ―形 Malawian. **マラウイ人** Malawian Ⓒ.
マラカス 〔楽器〕 maracas /mərɑ́ːkəz/ ★ 通例複数形で.
マラゲーニャ 〔楽〕 malaguena /mæ̀ləgéɪnjə/ Ⓒ ★ スペイン南部マラガ地方の民謡・舞踏.
マラソン márathòn (race) Ⓒ. ¶ 彼はよく*マラソンをする (⇒ 長距離を走る) He often *runs long distances*. / (⇒ マラソン競走に出る) He often runs in *marathons*. // フル*マラソン a (full) *marathon* (☞ フルマラソン) **マラソン走者** marathon runner Ⓒ, marathoner Ⓒ.
マラッカ ―名 固 Melaka /melǽkə/, Malacca /məlǽkə/ ★ マレーシアのマレー半島南西部の州およびその州都. **マラッカ海峡** the Strait of Malacca.
マラヤ ―名 固 Malaya /məléɪə/ ★ マレー半島南部の地域.
マラリア malaria /məlé(ə)riə/ Ⓤ. **マラリア蚊** malaria(l) mosquito Ⓒ **マラリア患者** malarious /məlé(ə)riəs/ patient Ⓒ **マラリア原虫** malaria(l) parasite Ⓒ; 〔動〕 plasmodium /plæzmóudiəm/ Ⓒ (複 -dia) **マラリア予防薬** antimalarial [malaria-prevention] drug Ⓒ.
マラルメ ―名 固 Stéphane Mallarmé, 1842–98. ★ フランスの象徴派詩人. ´ はいずれも綴り本来のもの.
まり 毬 ball Ⓒ. ¶ 子供が*まりをついていた A child was bouncing a *ball*. **まり歌** ☞ てまり (手まり歌) **まりつき** ball bouncing Ⓤ. ¶ *まりつきをする bounce a ball
マリ ―名 固 (国名) Mali /mɑ́ːli/; (正式名; マリ共和国) the Republic of Mali. ―形 Malian. **マリ人** Malian Ⓒ.
マリア¹ ¶ 聖母*マリア the Virgin *Mary* / the Blessed Virgin (*Mary*) **マリア観音** Maria *Kannon* Ⓒ; (説明的には) statue of the Virgin Mary (with the baby Jesus) made to look like the Buddhist goddess of mercy Ⓒ.
マリア² (女性名) Maria /məríːə/.
マリアッチ màriáchi Ⓒ ★ メキシコの民俗音楽の楽団. 音楽の意では Ⓤ.
マリア・テレジア[テレサ] ―名 固 Maria Theresa /məríːə təréɪsə/, 1717–80. ★ 神聖ローマ帝国の女帝. マリー アントワネットの母.
マリアナかいこう マリアナ海溝 ―名 固 the Mariana /mè(ə)riǽnə/ Trénch.
マリアナしょとう マリアナ諸島 ―名 固 the Màriána íslands.
マリアン (女性名) Marian /mé(ə)riən/.
マリー¹ (男性名) Murray /mə́ːri/.
マリー² (女性名) Marie /məríː/.
マリーアントワネット ―名 固 Marie Antoinette /məríː æ̀ntwənét/, 1755–93. ★ フランス王ルイ16世の王妃. フランス革命で処刑された.
マリーゴールド 〔植〕 márigòld Ⓒ.
マリーナ (ヨットなどの係留場) marina /məríːnə/ Ⓒ.
マリーン ☞ マリン
マリオネット (操り人形) màrionétte Ⓒ.
マリオン (女性名) Marion /mé(ə)riən/.
マリゴールド ☞ マリーゴールド
マリッジ (結婚) marriage Ⓤ. **マリッジカウンセラー** (結婚相談員) marriage counsel(l)or Ⓒ.
マリネ màrinàde Ⓤ. ¶ 鮭の*マリネ *márinàted* sálmon
マリファナ 〔植〕 marijuana /mæ̀rə(h)wɑ́ːnə/ Ⓤ.
まりも 毬藻 〔植〕 *marimo* Ⓒ; (説明的には) round green alga Ⓒ (複 ― algae /ǽldʒiː/, ―〜s). (☞ も²).
まりょく 魔力 (不思議な力) magic Ⓤ; (魅力) charm Ⓤ. (☞ まほう; みりょく).
マリリン (女性名) Marilyn(ne) /mǽrəlɪn/.
マリリン・モンロー ☞ モンロー¹
マリン ―形 (海の・海上の) marine /məríːn/ Ⓐ.
マリンスノー (海雪) marine snow Ⓤ.
マリンスポーツ water sports ★ 複数形で. marine sports という語は英語では普通は使われない.
マリンバ 〔楽器〕 marimba Ⓒ.
マリンブルー (緑がかった深い青色) marine blue Ⓤ. ―形 marine blue.
マリンルック 〔服〕 (水夫風) sailor look Ⓤ 参考 「マリンルック」は和製英語.
まる¹ 丸 circle Ⓒ ★「丸で…を囲む」という 動 としても用いる. (☞ まるい; えん³; わ¹).
¶ *丸を描く draw a *circle* // 正しいと思う文の番号を*丸で囲みなさい *Circle* the number of the sentence which you think is correct. 日英比較 日米ではテストの採点のときに使う記号が違う. 日本では正解には「○」を付けるが, アメリカでは普通, 正解には「✓」(check), 誤りには「×」(cross) を付ける. // 二重*丸 a double *circle* // 白*丸 a *circle* / an open *circle* // 黒*丸 a ⌈solid [filled-in] *circle*
まる² 丸 ―形 (時間などについて正味) full Ⓐ (☞ しょうみ¹). ¶ 私は*まる1時間待った I waited a ⌈*full* [*whole*] hour. // これを仕上げるのに*まる3日かかった I took three *full* days to finish this. // *まる1週間 (⇒ 1週間全部) the *whole* week
まるあげ 丸揚げ ¶ 鯉を*丸揚げにする *deep-fry* a carp *whole* (☞ あげる²)
まるあらい 丸洗い ¶ 着物を*丸洗いする (⇒ ほどかないで洗う) *wash* a kimono *without taking it apart* (☞ せんたく¹)
まるあんき 丸暗記 ―動 (機械的に覚える) learn … by rote (☞ あんき). ¶ 私はその手順を*丸暗記した I *learned* the procedure *by rote*.
まるい 丸い, 円い 1 《円形・球形の》: (円形の) round; (球形の) round, spherical. (☞ まる¹; まるく). ¶ この湖はほぼ*丸い形をしている This lake is

almost *round.* // 地球は完全に*丸くはない (⇒ 球体ではない) The earth is not a perfect *sphere.*
2 《ふっくらした》: (丸々とした) round; (ぽちゃぽちゃした) plump. (☞ ふっくら; まるまる).
3 《円満な》: (調和した) harmonious; (均整のとれた) well-rounded. ¶*まるい人柄 a *well-rounded* personality // 労使間の紛争は*まるく収まった The labor-management strife has been brought to an 「*amicable* [*peaceful*] settlement.
丸い卵も切りようで四角 (物も言いようでは角が立つ) Harsh words can make a friendly atmosphere tense and dangerous. (☞ もの¹).

まるいし 丸石 (大きな) boulder [C]; (道路用の小石) cobble(stone) [C] ★ pebble よりは大きい.

まるうつし 丸写し ¶彼女はその図表を*丸写しにした She made a *duplicate* of the chart.

まるえり 丸襟 (丸みのある) curved neckline [C]; (丸幅の) folded neckpiece [C].

まるおび 丸帯 formal broad *obi* [C] (☞ おび).

マルカート ―[副] 〘楽〙 (はっきりとアクセントをつけて) marcato /mɑəkáːtoʊ/ ★ イタリア語から.

まるがお 丸顔 ―[名] round face [C]. ―[形] moon-faced.

まるがかえ 丸抱え ¶その団体旅行は会社の*丸抱えだった (⇒ 会社が全費用を負担した) The company *bore the* 「*entire* [*whole*] *expense* of the group tour.

まるかじり 丸齧り ―[動] (丸のままかぶりつく) take a bite out of …, bite into … ―[名] (ひとかじり) bite [C]. (☞ かぶりつく). ¶りんごを*丸かじりする *take a bite out of* [*bite into*] an apple

まるかっこ 丸括弧 parenthesis /pərénθəsɪs/ [C] 《複 -ses /-sìːz/》 (☞ かっこ¹).

まるがり 丸刈り (スポーツ刈り) crew cut [C], brush cut [C], 《英》 close cut [C]; (丸刈りの髪) hair cut short all over [U]; (五分刈り) buzz cut [C]. (☞ かる¹; ごぶがり). ¶*丸刈りにしてもらう get *one's* hair *cut short all over* / get a *butch cut*

マルガリータ (カクテル) margarita /mɑ̀əgəríːtə/ [C].

まるき 丸木 log [C]. **丸木橋** log bridge [C] **丸木舟** dug-out canoe [C].

マルキ(シ)スト Márxist [C] (☞ マルクス).

マルキシズム Márxism [U] (☞ マルクス).

まるきり ☞ まるっきり

まるく 丸く, 円く 1 《円形に》 ―[副] (輪になって) in a 「circle [ring]. ―[動] (丸くする) round [他]; (体を丸くする) cúrl úp [自] [他]. (☞ まるい; まるみ; わ¹). ¶*丸く座りなさい Sit *in a* 「*circle* [*ring*]. // 彼女は驚いて目を*丸くした (⇒ 目を大きく見開いた) She *opened* her eyes *wide* in astonishment. // 猫は日なたで*丸くなっていた The cat lay *curled up* in the sun.
2 《円満に》: (平和的に) peacefully; (円滑に) smoothly. (☞ えんまん). ¶彼らはその事件を*円くおさめた They 「settled [worked out] the matter 「*peacefully* [*smoothly*].

マルク (ドイツの旧通貨単位) mark [C] (☞ ユーロ). ¶ドイツ*マルク Deutsche /dɔ́ɪtʃə/ *mark* ★ DM と略す.

マルクス ―[名] [固] Karl Marx, 1813–1883. ★ドイツの経済学者・哲学者. ¶*マルクスレーニン主義 *Marxism*-Leninism **マルクス経済学** Marxian [Marxist] economics [U] **マルクス主義** Marxism [U] **マルクス主義者** Marxist [C].

マルクス・アウレリウス ―[名] [固] Marcus Aurelius /ɔːríːliəs/ (Antoninus), 121–180. ★ ローマの皇帝 (161–180) でストア哲学者.

まるくび 丸首 ―[形] round neck. ¶*丸首のセーター 《米》 a *round neck* (sweater) // *丸首のシャツ a T-shirt (☞ したぎ (挿絵))

マルコ ―[名] [固] 〘聖〙 Mark ★ キリストの弟子の一人. **マルコによる福音書, マルコ伝** 〘聖〙 Mark, The Gospel according to St. Mark.

マルコーニ ―[名] [固] Guglielmo Marconi /guːljélmoʊ mɑəkóʊni/, 1874–1937. ★ イタリアの電気技術者. 電磁波による無線通信機を発明した.

まるごし 丸腰 ¶彼は*丸腰で (⇒ 武器を持たないで) 現われた He appeared 「*unarmed* [*without* (*carrying*) *a weapon*].

まるごと 丸ごと ―[形] (そっくりそのまま) whole (☞ -ごと²; ぜんぶ). ¶彼はそれを*丸ごとのみ込んだ He swallowed it *whole.* // 彼はりんごを*丸ごとかじった (⇒ 皮をむかずに食べた) He ate the apple *without peeling it.* / (⇒ 皮ごと) He ate the apple 「*skin* [*peel*] *and all.*

マルコフ ―[名] [固] Andrey Andreyevich Markov /ɑːndréɪ ɑːndréɪɪvɪtʃ mɑ́əkɑf/, 1856–1922. ★ ロシアの数学者. **マルコフ過程** Markov process [U].

マルコ ポーロ ―[名] [固] Márco Pólo, 1254–1324. ★ イタリアのベネチアの旅行家. 中国各地を旅し『東方見聞録』を口述した.

マルコム (男性名) Malcolm /mǽlkəm/.

マルコムエックス ―[名] [固] Malcolm X, 1925–1965. ★ 米国黒人公民権運動の指導者. 本名は Malcolm Little.

まるざい 丸材 (柱などに使う) roundwood [U]; (皮をはいだ丸太) debarked log [C].

マルサス ―[名] [固] Thomas Robert Malthus /mǽlθəs/, 1766–1834. ★ 英国の経済学者. **マルサス主義** Malthusianism [U].

まるじ 丸字 ☞ まるもじ

まるシー 丸 C (著作権の記号) circle c 《記号 ©》, copyright symbol [C]; (著作権) copyright [C]. (☞ はんけん¹).

まるじるし 丸印 ☞ まる¹

マルス 〘ロ神〙 Mars /mɑ́əz/ ★ 軍神. 天文学では火星.

マルセーユ ―[名] [固] Marseilles /mɑəséɪ/ ★ フランス地中海岸の港町.

まるぞめ 丸染め ¶着物を*丸染めにする (⇒ ほどかないで染める) *dye* a kimono *without taking it apart*

まるぞん 丸損 total loss [C] (☞ そん).

まるた 丸太 log [C] (☞ ざいもく (類義語)). **丸太小屋** log 「cabin [hut] [C] (☞ こや) **丸太ん棒** (丸太の棒) log [C]; (間抜け) idiot [C]; (役立たず) good-for-nothing [C]. ¶この*丸太ん棒め You 「*idiot* [*good-for-nothing*]!

マルタ ―[名] [固] (国名) Malta /mɔ́ːltə/; (正式名; マルタ共和国) the Republic of Malta. ―[形] Maltese /mɔːltíːz/. **マルタ語** Maltese [U] **マルタ人** Maltese [C].

まるだし 丸出し ―[形] (露出した) exposed; (中身がむき出しの) uncovered; (なまりなどが) broad. (☞ ろしゅつ). ¶その部分は*丸出しだった (⇒ すっかり見えていた) That part was *in full view.* // 彼は方言*丸出しでしゃべった He spoke with a *broad* provincial accent.

マルチ ―[接頭] (多くの) multi- [語法] この接頭辞は *multi*national (多国籍の), *multi*purpose (多目的の) のように用いるが, multi- を使わずに意訳する必要があるものもある.
マルチウインドウ 〘コンピューター〙 ―[形] mùlti-window **マルチ商法** pýramid sèlling [U] **マルチスキャン** 〘コンピューター〙 multiscan [U] **マルチスクリーン**

〘映〙 multiscreen Ⓒ　マルチタスク〘コンピューター〙 multitasking Ⓤ　マルチタレント vérsatile /vɚ́ːsətl/ [múlti-tálented] èntertáiner Ⓒ　マルチチャンネル ── 形 mùltichánnel　マルチトラック ── 形 (多重トラックの) mùltitráck　マルチ人間 (万能な人) versatile pérson Ⓒ; (多才な人) múltifàceted pérson Ⓒ　マルチフォント ── 形 (複数の書体を処理できる) mùltifónt　マルチプログラミング〘コンピューター〙 mùltiprógramming Ⓤ　マルチプロセッサー〘コンピューター〙 mùltiprócessor Ⓒ　マルチベンダー ── 形 mùlti-véndor　マルチボックス multibox Ⓒ　マルチメディア ── 名 mùltimédia /-míːdiə/ Ⓤ ── 形 multimedia　マルチメディアパソコン multimedia personal computer Ⓒ　マルチユーザー〘コンピューター〙 ── 形 mùlti-úser　マルチラテラリズム (多角主義) mùltiláteralìsm Ⓤ　マルチリンガル ── 形 (多言語を話せる) mùltilíngual. ── 名 (多言語使用者) multilingual Ⓒ.

マルチーズ　(愛玩犬) Maltese /mɔ̀ːltíːz/ (dòg) Ⓒ.

マルチパーパス　── 形 (多目的の) multipurpose.　マルチパーパス教室 multipurpose schoolroom Ⓒ.

マルチプル　── 形 (複数の) multiple.　マルチプルチョイス ── 形 (多肢選択式の) multiple-choice.

マルチョイ　☞ マルチプル (マルチプルチョイス)

まるっきり　(まったく・完全に) absolutely, completely ★ 前者は強調的な言葉. 《☞ ぜんぜん; まるで》.

まるづけ 丸漬　¶ かぶの*丸漬 a turnip *pickled whole*

まるっこい 丸っこい　(丸い) round; (やや丸い) roundish. 《☞ まるい》.　¶ *丸っこい顔 a *round* face

まるつぶれ 丸潰れ　¶ 私の面目は*丸つぶれだ (⇒ 私は完全に面目を失った) I *completely lost face.* // この調査で 1 日*丸つぶれになった (⇒ この調査は丸 1 日を要した) This investigation *took* (*up*) a *whole* day.

まるで 丸で　**1** «全然»: (まったく…でない) not … at all; (まったく) quite; (全然) altogether. 《☞ ぜんぜん; まったく》.　¶ それは*まるで別問題だ That is *quite* another matter. // これとあれでは*まるで違う This is *altogether* different from that. // この文は*まるでなっていない (⇒ 意味をなさない) This sentence makes *no* sense.

2 «あたかも»: (いかにも…らしい) just like …; (まるで…のように) as if …, as though …　語法 as if, as though では後に続く節には仮定法の過去時制, または過去完了時制が用いられる. ただし口語では 1 人称および 3 人称の単数において were の代わりに was が用いられることがある. また現在時制の場合, 《略式》では直説法現在形もしばしば用いられる. なお, just like … が結果において事実である可能性を含んだ言い方であるのに対して, as「if [though] … は「…ではない」ことを前提として言う言い方; (いわば) as it were ★ 挿入語句として. 《☞ あたかも》.

¶ 彼は*まるで警察官のように見えた He looked *just like* a police officer. // 彼女は*まるでそれについては何でも知っているかのような話しぶりだ She talks *as*「*if* [*though*] she *knew* everything about it. // 彼は*まるで酔っているかのように歩いていた He was walking *as if* he「*were* [*was*] drunk. // その犬は*まるで彼の家族の一員のようだ The dog is, *as it were*, a member of his family. // その旅行は*まるで夢のようだった The trip was *just like* a dream.

マルディヴ　☞ モルジブ

マルティプルチョイス　☞ マルチプル (マルチプルチョイス)

まるテーブル 丸テーブル　round table Ⓒ.

まるてきマーク 丸適マーク　☞ てきマーク

まるてんじょう 丸天井　(半球形の) dome Ⓒ; (アーチ形の) vault Ⓒ. 《☞ てんじょう¹》.

まるどり 丸取り　── 動 take all … for *oneself* 他, monopolize 他 ★ 後者は格式語. 《☞ どくせん²; ひとりじめ》.

まるなげ 丸投げ　¶ 政府はその計画事業を民間会社に*丸投げした (⇒ 全部を下請けに出した) The government *farmed out* the *whole* project to a private corporation.

まるに 丸煮　── 動 boil … whole.　¶ タマネギを*丸煮にする *boil* an onion *whole* // イカの*丸煮 a squid *boiled whole* / a *boiled whole* squid

まるのこ 丸鋸　circular saw Ⓒ, 《米》 buzz saw Ⓒ. 《☞ のこぎり》.

まるのみ¹ 丸呑み　(丸ごとのみこむ) swallow … whole; (盲目的に従う) follow … blindly; (盲目的に受け入れる) accept … blindly. 《☞ うのみ》.　¶ へびはねずみを*丸のみにした The snake *swallowed* the rat *whole.* // 彼は私の忠告を*丸のみにしているようだ He seems to *be blindly following* my advice.

まるのみ² 円鑿　── 名 gouge Ⓒ.　── 動 (円のみで削る) gouge 他.

まるはだか 丸裸　── 形 (一糸まとわぬ) stark naked /néɪkɪd/.　── 動 (着衣を全部はぐ) strip *a person* (of all「his [her] clothes); (衣服を全部脱ぐ) strip (off all *one's* clothes) 自. 《☞ はだか; すっぱだか》.　¶ 彼は賭博で*丸裸にされた (⇒ 彼は賭博で全財産を失った) He *lost all his fortune* on the gamble.

まるばつテスト (真偽法の) trúe-fálse「tèst [examinàtion] Ⓒ; (多項式選択の) múltiple-chóice「tèst [examinàtion] Ⓒ ★ test のほうが examination より口語的.

まるはなばち 丸[円]花蜂　〘昆〙 bumblebee Ⓒ.

まるひ 丸秘　── 形 (機密の) cònfidéntial; (公文書などが極秘の) classified. 《☞ ひみつ》.　¶ *丸秘書類 *cónfidèntial* pápers // *丸秘事項 *classified* information

まるぼうず 丸坊主　── 名 (髪をそった頭) shaven head Ⓒ; (丸刈りの頭) close-cropped /klóʊskrɑ̀pt/ hair Ⓤ.　── 形 (丸刈りの) close-cropped; (山や木などの) bald.

まるぼし 丸干し　¶ 魚を*丸干しにする *dry* fish *whole* // 大根の*丸干し a radish *dried whole*

まるぽちゃ 丸ぽちゃ　── 形 (ふっくらした) plump; (丸々と太った) chubby. 《☞ ふくよか》.

まるまけ 丸負け　complete defeat Ⓒ.

まるまげ 丸髷　traditional Japanese married woman's hairstyle topped with an oval chignon Ⓒ ★ 説明的な訳.

まるまど 丸窓　round [circular] window Ⓒ.

マルマラかい マルマラ海　── 名 固 the Sea of Marmara /mɑ́ːəmərə/ ★ トルコ北西部の内海.

まるまる¹ 丸丸　¶ *まるまる太った赤ん坊 a「*chubby* [*plump*] baby ★ 前者のほうが口語的. 《☞ 擬声・擬態語 (囲み)》

まるまる² 丸まる　(手足を縮めて) curl up 自; (丸くなる) roll up 自.　¶ 毛布をかけて*丸まる *curl up* in a blanket // ボールのように*丸まって身を守る動物もいる Some animals protect themselves by *rolling up* into a ball.

まるまる³ 丸丸　☞ まる²

まるみ 丸味　── 名 roundness Ⓤ.　── 形 (丸みをおびた) roundish.　── 動 (丸みをつける) round 他. 《☞ まるく; まるい》.

まるみえ 丸見え　── 動 (全部見える) see everything 《☞ みえる; まるだし》.　¶ このビルの屋上からあ

の部屋の中が*丸見えだ (⇒ すべてが見える) You [We] *can see everything* in that room from the roof of this building.

まるめこむ 丸め込む (うまい言葉でだます) wheedle ⑱; (説得する) persuade /pəswéɪd/ ⑱; (味方に引き入れる) win [bring] over ⑱.
¶ 彼は彼女を*丸め込んで金を幾らか借りた (⇒ 彼女が金を貸すようにうまくだました) He *wheedled* her *into* lending him some money. // 私はその企てをあきらめるように*丸め込まれた (⇒ あきらめるように甘い言葉で説得された) I *was persuaded by sweet words* to give up the attempt. // 彼女はライバルを*丸め込んで味方に引き入れた She *won* her rival *over* to her side.

まるめる 丸める (丸くする) round ⑱; (球にする) báll (úp) ⑱; (体を丸くする) cúrl úp ⓐ ⑱; (くるくる巻く) roll up ⑱. (☞ まるく; まるみ). ¶ 彼はその手紙を*丸めてくずかごへほうり込んだ He *balled* the letter *up* and tossed it into the wastepaper basket. // 彼は雑誌を*丸めて持っていた He was carrying a magazine ˹*rolled up* [*rolled into a cylinder*].

マルメロ 〘植〙 quince Ⓒ ★「マルメロ」はポルトガル語名.

まるもうけ 丸儲け (まるまるの利益) clear profit Ⓒ; (元手や費用なしで得るもうけ) profit ˹gained [made] without funds and charges Ⓒ. (☞ もうける¹; ぼろもうけ).

まるもじ 丸文字 rounded Japanese and Chinese character Ⓒ. ¶ *丸文字で書く write in (a) *round hand*

まるやき 丸焼き ¶ 私たちは豚の*丸焼きをごちそうになった We were treated to a ˹*barbecued* pig [pig *roasted whole*]. (☞ 料理の用語 (囲み); やく¹).

まるやけ 丸焼け ── 動 (全焼する) burn down ⓐ, be búrned dówn; (完全に焼失する) be totally destroyed by fire ★ やや改まった言い方. (☞ やける¹; ぜんしょう¹; しょうしつ¹). ¶ 彼の家は*丸焼けになった His house *burned* ˹*down* [*to the ground*].

マルゆう マル優 (定期預貯金の) tax-exempt ˹time [fixed] deposit system Ⓒ.

まれ 稀 ── 形 (めったになく珍しい) rare ★ しばしば価値の高いものについていう; (一般的ではない) uncommon; (いつもとは違う) unusual; (例外的な) exceptional. ── 副 rarely; (めったに…しない) seldom. (☞ めずらしい (類義語); めったに).
¶ 彼女は*まれにみる美人だ She is a *rare* beauty. // 彼女は*まれな才能の持ち主だ (⇒ 彼女の才能は特別だ) Her ability is *exceptional*. // フロリダで雪を見るのは*まれです It is *unusual* to see snow in Florida.

マレ ── 名 ㊀ Male /má:li:/ ★ モルジブの首都.

マレインさん マレイン酸 〘化〙 maleic acid Ⓤ.

マレー¹ ── 形 (マレーの) Malày (☞ マラヤ).
マレー群島 the Malay Archipelago /àəkəpéləgòʊ/ マレー語 Malay Ⓤ, Malayan /məléɪən/ Ⓤ マレー人 Malay Ⓒ, Malayan Ⓒ マレー半島 the Malay Peninsula.

マレー² ☞ マリー¹

マレー³ ── 名 ㊀ David Murray, 1830–1905 ★ 米国の教育者. 日本の教育制度の充実に貢献した; James Augustus Henry Murray, 1837–1915 ★ 英国の言語学者. OED の編集主幹.

マレーシア ── 名 ㊀ (国名) Malaysia /məléɪʒ(i)ə/. ── 形 Malaysian. マレーシア語 Bahasa /bəhá:sə/ Malaysia Ⓤ ★ マレーシアの公用語としてのマレー語 (☞ マレー¹) マレーシア人 Malaysian Ⓒ.

マレット (クロケーなどの) mallet Ⓒ.

マロニエ 〘植〙 (セイヨウトチノキ) horse chestnut (tree) Ⓒ ★ マロニエはフランス語の *marronnier* から.

まろやか 円やか ── 形 (甘口の・味などが軽い) mild; (舌ざわりが滑らかな) smooth; (こくのある) mellow. ¶ この酒は*まろやかな味だ This is a *mild* sake. / This sake is *mellow*.

マロリー ── 名 ㊀ Thomas Malory, 1400?–71. ★ 英国の作家.「アーサー王の死」の著者.

マロン 〘植〙 (ヨーロッパ栗) Spanish chestnut Ⓒ, márron Ⓒ ★ 後者はフランス語から. マロングラッセ marron glacé Ⓒ (複 marrons glacés) ★ glacé の ´ は綴り本来のもの.

まわし 回し (相撲の) *mawashi* Ⓒ, sumo wrestler's belt Ⓒ. ¶ 相手の*回しを取る seize *one's* opponent by his *belt*

まわしのみ 回し飲み ¶ その茶会の出席者は大茶碗を*回し飲みした Those attending the tea ceremony *passed around* a large Japanese teacup, each one *having a drink from it*.

まわしもの 回し者 spy Ⓒ (☞ スパイ).

まわしよみ 回し読み ¶ 少年たちはその漫画を*回し読みした The boys *took turns* (˹*at* [*in*]) *reading* the comic book.

まわす 回す **1** 《回転させる》: (ある点・軸を中心に回す) turn ⑱ ★ 最も一般的な語; (軸を中心に回転させる) rótate ⑱; (軸を中心に速く回転させる) spin ⑱. (☞ かいてん¹ (類義語); まわる). ¶ 鍵を鍵穴に入れて右[左]に*回しなさい Put the key in the slot and *turn* it ˹clockwise [counterclockwise]. // 彼はこまを*回している He *is spinning* a top.
2 《順に送る・転送する》: (手紙・書類などを回覧する) send ˹around [round] ⑱; (次々に手渡す) pass on ⑱; (ぐるりと順々に回す) pass ˹around [round] ⑱; (人に物を手渡す・伝言などを伝える) hánd ˹ón [aróund; róund] ⑱; (郵便物を転送する) forward ⑱. (☞ かいそう³; かいらん; じゅんおくり).
¶ 係に書類を*回して下さい Please *send* ˹*round* the papers [the papers *over*] to the person in charge. // その手紙はクラス中に*回された The letter *was passed around* the classroom. // この伝言を読んで次の人へ*回して下さい Please read this message and ˹*hand* [*pass*] it *on* to the next person. // この手紙を下記の住所へ*回して下さい Please *forward* this letter to the address below. // 電話があったらロビーのほうに*回して下さい Please *put* any calls *through to me* in the lobby. // 塩をこちらへ*回していただけませんか (食卓で) Will you *pass* (me) the salt, please?
3 《差し向ける・融通する》: (人や車を) send ⑱; (金や物を用意する) provide ⑱. ¶ こちらの仕事に人を*回して下さい Please *send* more people for this assignment. // こちらの仕事に予算を*回して下さい Would you please *provide* more money for this project? // 彼は裏から手を*回した (⇒ ひそかに働きかけた) He *maneuvered* behind the scenes.

まわた 真綿 (まだ糸によられていない絹) floss (silk) Ⓤ. **真綿で首を締める** (遠回しに責める) reprove *a person* in a roundabout way.

まわり 回り, 周り **1** 《周囲》 ── 名 (円周) circumference /səkʌ́mf(ə)rəns/ Ⓒ. ── 前 (…の周りを[に]) around ..., round ... ── 副 around, round 語法 round と around は互いに言い換えられることが多いが, 一般に《米》では around, 《英》では round のほうが多く用いられる. (☞ しゅうい; えん³ (挿絵)).
¶ 地球の*回りは約 4 万キロある The *circumference* of the earth is about 40,000 kilometers. // 地球は太陽の*周りを回っている The earth moves (*a*)*round* the sun. // 彼らは家の*周りに塀を立てた They built a fence (*a*)*round* their house. // この木は*回りが 6 メートルあります This tree ˹is [measures] six meters ˹(*a*)*round* [*in circumference*].

2《あたり・付近》 ―名 (近所・人の住んでいるあたり) neighborhood (《英》 neighbourhood) U; (取り巻く環境) environment C. ―前 (漠然と物や場所の付近) (a)round ... (《☞ あたり》).
¶私の家の*周りには店が一軒もない There are no stores in my *neighborhood.* // 人の性格は*周りの影響を受けるものです A person's character is influenced by his *environment.* // 彼女はまめに身の*回りの整理をする She always keeps *herself* neat and tidy.
3《効き目》: (効果) effect U (《☞ ききめ》). ¶空腹の時は酒の*回りが早い Liquor ⌈*works fast* [*takes effect rapidly*; *takes immediate effect*] when you are hungry.
4《延焼》 ―動 (広がる) spread 自. ―名 spread U. (《☞ ひろがる》). ¶火の*回りが速く (⇒火が速く広がって) 100 戸近くが焼失した The fire *spread* ⌈fast [quickly], and about one hundred houses were destroyed.
5《巡回》 ¶彼は得意先*回りで忙しい He is busy ⌈*making his rounds* among his customers [*doing his rounds*]. ★ make [do] ⌈the [*one's*] rounds で「巡回する」の意. (《☞ まわる》)
-まわり …回り (…経由) via /váiə/ ..., by way of ... (《☞ けいゆ¹; へる²》). ¶私は東海道新幹線と特急に乗って米原*回りで金沢に行った I went to Kanazawa by Tokaido superexpress and limited express ⌈*via* [*by way of*] Maibara.
まわりあわせ 回り合わせ (運命) the wheel of Fortune (《☞ めぐりあわせ》).
まわりえん 回り縁 (説明的に) Japanese-style ⌈veranda(h) [(《米》) porch] attached on more than one side of a ⌈room [house] C 日英比較 縁(側)は欧米の住宅にはない日本式住宅独特のものである. veranda(h) [(《米》) porch] は床と屋根はあるが日本の縁(側)とは違う.
まわりかいだん 回り階段 spiral staircase C.
まわりくどい 回りくどい ―形 (言葉が遠回しの) roundabout; (直接的でない) (《格式》) circuitous /sə(ː)kjúːətəs/. (《☞ とおまわし; まだるっこい; もってまわった》). ¶彼は*回りくどい説明をした He gave a ⌈*roundabout* [*circuitous*] explanation. / He explained it in a ⌈*roundabout* [*circuitous*] way.
まわりこむ 回り込む ¶彼はボールを持ってゴールへ*回り込んだ Holding the ball, he *made a roundabout rush* to the goal.
まわりどうろう 回り灯籠 revolving lantern C.
まわりぶたい 回り舞台 revolving stage C.
まわりまわって 回り回って ¶*回り回って (⇒他の人がみんな断わるから) 私が議長をつとめることになった I was obliged to take the chair *since everybody else had declined.*
まわりみち 回り道 (遠回りの道) roundabout ⌈course [way; route] C; (迂回する道) detour /díːtʊə/ C. (《☞ まわる; よりみち; とおまわり; うかい》). ¶彼らは目的地に行くのに*回り道をした They *took a roundabout course* to their destination. // *回り道 (《掲示》) *Detour*
まわりもち 回り持ち ―副 (順ぐりに) by [in] rotation; (交替で) by turns. (《☞ りんばん; もちまわり》). ¶当番は*回り持ちです We are on duty ⌈*by* [*in*] *rotation.* // 議長の役は*回り持ちにしています We *take turns* as chairperson. ★ take turns は「交替でする」の意.
まわる 回る 1《回転する》: (ある点・軸を中心に回る) turn 自 ★ 最も一般的な語; (軸を中心として回る) rótate 自; (軌道を回る) revolve 自; (軸を中心に速く回る) spin 自. (《☞ まわす; かいてん¹ (類義語)》).
¶車輪はゆっくりと*回った The wheel *turned* slowly. // 地球は 24 時間ごとに 1 回*回る The earth *rotates* once every twenty-four hours. // 地球は太陽の周りを*回る The earth ⌈*revolves* around [*circles*] the sun.
2《巡回する》: (決まった場所を巡回する) make [do] ⌈the [*one's*] rounds; (見て回る) look [go] (a)round ...; (警戒して巡回する) patrol 他; (周遊旅行をして回る) take a tour, tour 他. (《☞ じゅんかい; まわり》).
¶きょうは得意先を*回らなければなりません I have to *make the rounds* (*of* my customers) today. // 私は土産物屋をあちこちのぞいて*回って午後を過ごした I spent the afternoon ⌈*looking* [*going*] *around* the gift shops. // 私はパトカーがこの辺を*回っているのを見た I saw a police car *patrolling* this area. // 今年の秋は近畿地方を*回りました I ⌈*took a tour of* [*toured*] the Kinki region this fall.
3《寄り道をする》: (ぐるりと回る) go [come] ⌈around [round] to ...; (立ち寄る) visit [stop by] ... on the way; (旅行の途中でしばらくとどまる) stop over at ... (《☞ まわりみち》).
¶勝手口に*回って下さい *Come* ⌈*around* [*round*] *to* the kitchen. // 彼のところに*回らなければならない (⇒途中で立ち寄らなければならない) I have to ⌈*visit* him [*stop by* his house] *on the way.* // 彼らは来週ハワイを*回って帰国するはずです They are supposed to return home next week, *stopping over at* Hawaii.
4《迂回する》: (回り道をする) take a roundabout way; (経由して行く) go [come] ⌈by way of [via] ...; (迂回する) make a detour /díːtʊə/. (《☞ まわりみち; うかい》). ¶交通渋滞を避けるために別の道を*回ったほうがいい We'd better *take* ⌈*a roundabout* [*another*] *way* to avoid the traffic congestion. // 私はパリを*回って (⇒経由で) 帰国した I returned home ⌈*by way of* [*via*] Paris. // 急がば*回れ Make haste slowly. (《ことわざ: ゆっくり急げ》).
5《行き届く》 ¶忙しくて, そこまで手が*回りません (⇒それに注意を向けることができない) I am too busy to *attend to* it. / (⇒それに取りかかることができない) I am too busy to *get around to* it. // 警察の手が*回った (⇒その事件を取り上げた) The police *took up the case.*
6《順番がめぐってくる》 ¶とうとう私に歌う番が*回ってきた My turn to sing *came* at last. // 私のところへお鉢が*回ってきた It's my *turn.* (《☞ まわりまわって》)
まわれみぎ 回れ右 ―名 (自分の向いている方向と逆の方向に向くこと) about-face C, (《英》) about-turn C; (180 度回ること) right-about C. ―動 (回れ右をする) about-face 自; right-about-face 自. 日英比較 英米の学校ではこういう軍隊式の号令は一般に使わない.
¶軍曹は「*回れ右」と兵士たちに号令をかけた The sergeant said to the soldiers, "*Right turn, about-face!*" / The sergeant ordered the soldiers, "*About*⌈*-face*[*-turn*]!" // 彼らは*回れ右をした They ⌈*about-faced* [*did an about-face*].
まん¹ 万 ―名形 ten thousand 日英比較 英語には「万」という単位はないので, 代わりに ten thousand (10×1000) と表現しなければならない. 従って 1 万 5 千, 2 万, 3 万はそれぞれ fifteen thousand, twenty thousand, thirty thousand のように表される. なお, この場合 thousands とならない点に注意. ただし,「何万もの…」と言う場合には, tens of thousands of ... などと表現され, 複数形になる. (《☞ 数字 (囲み)》).
¶その大学の学生数は 1 *万人です The university

has an enrollment of *ten thousand* students. // メーデーの集会には何*万人もの人々が参加した *Tens of thousands* [*Many thousands*] of people took part in the May Day rally. // 10 *万 one hundred thousand // 100 *万 one million《☞ ひゃくまん》// この街の犯罪は毎年*万単位の件数におよぶ (⇒ 何万件もの犯罪がおこる) *Tens of thousands of* crimes happen in this city every year.

万に一つも one in a thousand. ¶そんなことは*万に一つもない There is hardly *a chance* (*in a million*) that such a thing will happen.《☞ まんいち; まんがいち》

まん[2] 満 ― 形 full. ― 副 fully.《☞ まる[2]》. ¶彼女が日本に来てから*満 3 年になります It is ˹*fully* [*a full*] three years since she came to Japan. // 私の息子は*満 15 歳です My son is fifteen years old.

満を持する (機が熟すまで待つ) wait until the time is ripe.

まんいち 万一 ¶*万一に備えるべきです We should prepare for *the worst*. // 私は*万一に備えて貯金している I'm saving money *for a rainy day*. ★「雨降りの日」から比喩的に「困った時」の意になる // *万一の場合は (⇒ もしも何かが起こったら) 私に電話しなさい Telephone [Call] me *if anything* ˹*should happen* [*happens*]. / (⇒ 緊急の[いざという]場合は) Telephone [Call] me ˹*in an emergency* [*in case of emergency*; *in time of need*]. // *万一の用心に傘を持って行きなさい Take an umbrella, just *in case*. // *万一失敗したならどうする What *if* you *should* fail? / What will you do *in case* you fail? ★ 前者のほうが口語的.

【参考語】 ― 名 (最悪の事態) the worst; (困った時) a rainy day; (非常の場合) emergency C. ― 代 (何かの事件) something. ― 副 (まさかのときのために) in case.

まんいん 満員 ― 名 (空席・空き部屋のないこと) no vacancy; (劇場の空席がないこと) full house 参考 掲示の場合は House Full や Full House のように出され, 立ち見席しかない場合は Standing Room Only《略 SRO》, 満員札止めの場合は Sold Out のように掲示される. ― 動 (いっぱいである) be full (up); (定員まで混んでいる) be ˹crowded [packed; filled] to capacity; (ぎゅうぎゅう詰めの満員である) be ˹jammed [overcrowded].《☞ こむ; まんせき》.

¶講堂は生徒で*満員だった The auditorium *was full of* students. // 列車は*満員だった The train *was* ˹*jammed* [*overcrowded*]. // 地下鉄は通勤客でぎっしり*満員だった The subway trains *were* ˹*crowded* [*packed*; *filled*] *to capacity* with commuters. //「部屋は空いていますか」「いいえ, *満員です」"Are there any vacancies?" "I'm sorry. There's *no vacancy*." **満員御礼**《掲示》All ˹Seats [Tickets] Sold (Out), Thank You. **満員電車** overcrowded [jammed] train C.

マンウォッチング (人間観察) people-watching U.

まんえつ 満悦 ― 動 (満足する) be satisfied; (うれしい) be pleased with ….《☞ まんぞく》. ¶彼女は至極ご*満悦の様子だった (⇒ 彼女はとても喜んでいるように見えた) She looked ˹very *pleased* [quite *satisfied*].

まんえん 蔓延 ― 動 (広がる) spread 自; (多くの場所で見受けられる) be widespread.《☞ もうい》. ¶インフルエンザは急速に*蔓延した The flu *spread* rapidly. // その伝染病は各地で*蔓延している The epidemic *is widespread*.

まんが 漫画 (新聞・雑誌などの) cartóon C ★ 通例 1 こまの時事・政治漫画; (主として人物の風刺漫画) caricature /kǽrɪkətʃʊ̀ə/ C; (こま続き漫画) comic strip C, 《英》 strip cartoon C《☞ こま[2] 用例》.

漫画映画 (アニメーション漫画) animated [movie] cartoon C, animated [cartoon] film C **漫画家** cartoonist C; (主として人物の風刺漫画を描く人) caricaturist /kǽrɪkətʃʊ̀(ə)rɪst/ C **マンガ喫茶** coffee shop with ˹manga [comic books] libraries (often combined with an Internet cafe) C **漫画本[雑誌]** comic ˹book [magazine] C **漫画欄** comic section C, comic ˹strip [page] C, the comics, the funnies 参考 アメリカでは新聞の日曜版の一面全部が漫画のことがある. そのときは (newspaper's) ˹comic [funny] page C となる.

まんかい 満開 ― 形 in full ˹bloom [blossom] 語法 bloom は木の花・草花の両方に用いるが, blossom は普通果樹の花を指す. なお flower は主に草花に用いられる; (見ごろで) at their best; (花が開いて) in flower.《☞ さく[1] (類義語)》.

¶桜が*満開です The cherry blossoms are ˹*in full bloom* [*at their best*]. // チューリップがいま*満開です The tulips are *in* ˹*full bloom* [*flower*] now.

まんがいち 万が一 ― 接 in case ….《☞ まんいち》.

まんがく 満額 the full amount; (全額) the whole amount. ¶会社側は組合の要求に対して*満額を支払うことに同意した The management agreed to pay *the full amount* of the union's demands. **満額回答** full acceptance of the workers' pay demand(s) U.

まんがん[1] 満願 ¶明日で*満願の日を迎える Tomorrow I'll *fulfill my vow* of my continued prayer.

まんがん[2] 万巻 (何万もの書物) tens of [many] thousands of books.

マンガン 〘化〙 manganese /mǽŋgəniːz/ U《元素記号 Mn》.

マンガンクロムこう マンガンクロム鋼 manganese chrome steel U.

まんかんしょく 満艦飾 ¶*満艦飾の船 a ship *fully dressed with flags* // 彼女は*満艦飾だった (⇒ 派手に着飾っていた) She *was decked out in a loud dress*.

まんき 満期 ― 動 (保険などが満期になる・期限が満了する) mature 自. ― 名 maturity U. ¶この保険は 60 歳*満期です This insurance policy *matures* when you reach sixty. **満期手形** matured bill C **満期日** (手形の) the date of maturity; (契約の) the ˹expiration [expiry] date C.

まんきつ 満喫 ― 動 (十分楽しむ) enjoy … ˹fully [to the full(est)]. ― 副 (心ゆくまで) to *one's* heart's content.《☞ たのしむ; たんのう[1]》.

¶彼らは東京の夜を*満喫したようです (⇒ 十分に楽しんだようです) They seem to *have enjoyed* the Tokyo nightlife *to the full*. // 私たちはそのレストランでフランス料理を*満喫した (⇒ 心ゆくまで食べた) We *ate* French cuisine *to our heart's content* at the restaurant.

まんきん 万金 (大金) a huge amount of money ★ a を付けて; (富) fortune C. ¶この発明は*万金に値する This invention is worth a *fortune*.

マングース 〘動〙 mongoose /mɑ́ŋguːs/ C.

マングローブ 〘植〙 mángròve C.

まんげきょう 万華鏡 kaleidoscope /kəláɪdəskòʊp/ C. ¶*万華鏡のような変化 *kaléidoscòpic chánges*

まんげつ 満月 full moon C《☞ つき[1] (挿絵); じゅうごや》. ¶空には*満月がこうこうと輝いていた The *full moon* was shining brightly in the sky. // その夜は*満月だった *The moon was full* that night.

まんげん 万言 ☞ ひゃくまん (百万言を費やす)

まんこう 満腔 ― 形 (心からの) heartfelt; (誠意をこめた) wholehearted; (深い) profound. ¶ あなたのご助力に対して*満腔の謝意を表します We wish to express our *heartfelt* thanks for your assistance.

マンゴー 〔植〕 mango Ⓒ 《複 ~(e)s》.

マンゴスチン 〔植〕 mangosteen /mǽŋgəstìːn/ Ⓒ.

まんざ 満座 ¶ 私は*満座の中 (⇒ 人前) で恥をかいた I felt I had been humiliated *in public*. // 彼女は*満座の (⇒ 同席のすべての人の) 注目を集めた She attracted the attention of *everyone present*. 《☞ まんじょう》

マンサードやね マンサード屋根 〔建〕 (二重勾配屋根) mansard (roof) Ⓒ.

まんさい 満載 ― 動 (限界まで荷を積んでいる) be loaded to capacity (with …); (いっぱいに荷を積んでいる) be fully loaded (with …); (満載した荷を運ぶ) carry a full ⌜load [cargo] (of …); (記事などがたくさん載っている) be full of …, be filled with … 《☞ つむ[1]》. ¶ その船は石炭を*満載している The ship *is* ⌜*loaded to capacity* [*fully loaded*] *with* coal. // この雑誌は室内装飾に関する記事を*満載している This magazine *is* ⌜*full of* [*filled with*] articles on interior decoration.

まんざい[1] 漫才 (こっけいなやりとり) comic dialogue Ⓒ; (早口でのかけあい漫才) 《英》 cross talk Ⓒ. **漫才師** cross-talk comedian /kəmíːdiən/ Ⓒ.

まんざい[2] 万歳 *manzai* (dance) Ⓒ; (説明的には) traditional Japanese festive dialogue and dance to hand-drum accompaniment performed by a pair of comedians. ¶ 三河*万歳 a *manzai dance* which originated in the Mikawa district of Aichi prefecture

まんさく[1] 満作 ☞ ほうさく[1]; ほうねん[1]

まんさく[2] 満作 〔植〕 Japanese witch hazel Ⓒ.

まんさつ 万札 ten-thousand-yen bill Ⓒ.

まんざら (まったく…だというわけではない) not altogether … ★ 部分否定.
¶ 彼女の歌は*まんざら捨てたものではない (⇒ まったく悪いというわけではない) Her singing is *not altogether* bad. // 彼も*まんざら捨てたものではない (⇒ 完全には無視できない) We *cannot ignore* him *completely*. // 彼とは*まんざら知らない仲でもありません (⇒ ある程度は知っている) I know him ⌜*to some extent* [*somewhat*].

まんざん 満山 (山全体) entire mountain Ⓒ.
¶ *満山の紅葉だ (⇒ 山全体が紅葉でおおわれている) The *entire mountain* is covered with tinted autumnal leaves.

まんじ 卍 swastika /swɑ́stɪkə/ Ⓒ ★ 右回り, 左回り両方に使われる. ¶ *まんじどもえに (⇒ 入り乱れて) 戦う fight *in a melee* /méɪleɪ/

まんしつ 満室 (掲示で) No ⌜Vacancy [Vacancies]. ¶ 部屋は*満室です (⇒ 空き部屋はない) We *have no vacancies*.

まんしゃ 満車 (掲示で) Full. ¶ 駐車場は*満車です The parking lot *is full*.

まんしゅう 満州 ― 名 固 Manchuria /mæntʃʊ́(ə)riə/. ― 形 Manchu /mǽntʃuː/. **満州語** Manchu Ⓤ **満州国** (第二次大戦前の) Manchukuo, Manchoukuo /mæntʃúːkwoʊ/ **満州事変** the Manchurian Incident.

まんじゅう 饅頭 bean-paste bun Ⓒ, bun stuffed with sweetened bean paste Ⓒ 日英比較 英米にないものなので, いずれも説明的訳.

まんじゅしゃげ 曼珠沙華 clúster-àmarýllis Ⓒ, nerine /nɪráɪni/ Ⓒ.

まんしょう 満床 ¶ その病院は現在*満床である (⇒ 空きベッドがない) The hospital *has no empty beds* now. / *All the beds* of the hospital *are occupied*.

まんじょう 満場 the entire ⌜house [assembly].
¶ 彼の演説は*満場をうならせた (⇒ 聴衆全員を深く印象づけた) His speech deeply impressed *the entire audience*. **満場一致** ― 形 (満場一致の) unanimous /juːnǽnəməs/. ― 副 unanimously. 《☞ いっち》. ¶ *満場一致でその議案は可決された The bill was passed ⌜*unanimously* [*by unanimous consent*].

マンション (分譲マンション) condominium /kὰndəmíniəm/ Ⓒ, 《米略式》 cóndo Ⓒ; (アパート) apartment Ⓒ; (アパートの建物全体) apartment house Ⓒ 日英比較 英語の mansion は「大邸宅」のこと. 《☞ アパート》.
¶ 彼は*マンションに住んでいる He lives in ⌜a *condominium* [an *apartment house*]. // *マンションのリフォーム the ⌜renovation [remodeling] of *one's* ⌜*apartment* [*condominium*]

コロケーション
マンションに家具を備え付ける furnish an *apartment* / マンションの内部を改装する redecorate an *apartment* / マンションを買う buy a *condominium* / マンションを貸す rent (out) an *apartment* (to …) / マンションを借りる rent an *apartment* (from …) / 豪華マンション a luxury *apartment* / 高級マンション a fashionable *apartment* / 狭いマンション a cramped *apartment* / 広々としたマンション a spacious *apartment* / 高層マンション a high-rise *apartment* / ワンルームマンション a ⌜studio [one-room] *apartment*

まんじり ¶ 彼は昨夜一晩中*まんじりともしなかった (⇒ 一睡もしなかった) He *did not sleep a wink* last night. / He *could not get a wink of sleep* last night. 《☞ いっすい》

まんしん[1] 慢心 ― 名 (うぬぼれ・思い上がり) pride Ⓤ; (自負心) (self-)conceit Ⓤ. ― 動 (自慢する) be proud; (うぬぼれる) be conceited. 《☞ おごる[2]; うぬぼれ; じまん》. ¶ 彼は*慢心しきっている He *is* (*self-*)*conceited*. / (⇒ うぬぼれてすっかりのぼせ上がっている) He is puffed up with *pride*.

まんしん[2] 満身 ¶ 彼は*満身の力をこめて (⇒ 力いっぱい) ロープを引っ張った He pulled the rope *with all his* ⌜*might* [*strength*]. 《☞ ちからいっぱい》 **満身創痍** ¶ 彼は*満身創痍で (⇒ 全身傷だらけで) 横たわった He lay with *wounds* ⌜*all over* [*covering*] *his body*.

まんすい 満水 ¶ タンクは*満水になった (⇒ 縁まで水でいっぱいになった) The tank ⌜*has been* [*is*] *filled to the top with water*. // 大雨が続き, 貯水池は*満水になった The heavy rain lasted for days and *filled* the reservoir (*with water*). 《☞ まんぱい; まんタン》

マンスフィールド ― 名 固 Katherine Mansfield, 1888–1923. ★ ニュージーランド生まれの英国の女性作家.

マンスリー (月刊誌) monthly Ⓒ.

まんせい 慢性 ― 形 chronic (↔ acute).
慢性中毒 chronic ⌜poisoning [intoxication] Ⓤ **慢性伝染病** chronic infectious disease Ⓒ **慢性毒性** chronic toxicity Ⓤ **慢性病** chronic disease Ⓒ 《☞ じびょう》 **慢性疲労症候群** chronic fatigue syndrome Ⓒ.

まんせき 満席 ¶ *満席です (⇒ 席は全部ふさがっている) *All the seats are occupied*. // 劇場は*満席だった (⇒ 定員まで混んでいた) The theater *was*

「crowded [filled] to capacity. (☞ まんいん)

まんぜん 漫然 ―[副] (目標もなく・あてもなく) aimlessly; (特定の目的もなく) without any [with no] particular purpose. (☞ ぶらぶら; ぼんやり).

まんぞく 満足 **1** 《望みを満たすこと》 ―[動] (要求が満たされて満足する) be sátisfied 「with [by] ... ★ 受身的な意味が強い場合は by が用いられる; (現状に不平不満がない) be contént(ed) with ... ―[名] satisfaction [U]; contentment [U]. ―[形] (満足させるような) sàtisfáctory; (満足した・文句のない) happy [日英比較] 意味の広い一般的な語だが, 日本語の「満足」に当たることがある. (☞ なっとく). ¶ 彼はその結果に*満足した He *was satisfied with* the result(s). // 私はいまの給料に*満足している I *am* 「*happy* [*content(ed)*] *with* my present pay. [語法] happy が一番口語的. また contented は content より口語的. // 彼女は私の*満足がいくように仕事をしてくれました She has done the work *to my satisfaction*. // 自分の翻訳ながらあまり*満足できない I'*m* not quite *happy with* my (own) translation. // 幸福は*満足にある Happiness consists in *contentment*. // 彼はその結果に*満足の意を表した He expressed his *satisfaction* 「at [with] the result(s).
2 《完全な・十分な》 ―[形] (完璧な) perfect (↔ imperfect); (全部そろっている・欠けてない) complete (↔ incomplete); (必要を満たすのに十分な) sufficient (↔ insufficient); (希望を満たすのに十分な) enough; (道徳・礼儀・作法・社会的常識などから見てまともな) proper (↔ improper). ―[副] perfectly; completely; sufficiently; enough; properly. (☞ ちゃんと; じゅうぶん[1] (類義語)). ¶ *満足に道具がそろっていない (⇒ 完全なセットを持っていない) I don't have a 「*full* [*complete*] set of tools. // かわいそうにその子は (⇒ かわいそうなその子は)*満足な (⇒ 十分な) 食べ物を食べていなかった The poor boy did not have *sufficient* food. // 部屋は*満足のゆく広さだった (⇒ 十分広かった) The room was large *enough*. // 彼は手紙を*満足に書くことさえできない He can't even write a 「letter *properly* [*proper* letter]. // *満足な (⇒ ひびの入っていない) 茶碗が 1 つもない Not a single rice bowl 「is [remains] *uncracked*.
満足顔 happy face [C] **満足感** feeling of 「satisfaction [contentment] [C].

コロケーション
満足を与える afford [give] *satisfaction* (to ...) / 満足を得る get [obtain; derive] *satisfaction* (from ...) / 満足を感じる feel *satisfaction* / 満足をする take *satisfaction* (in ...) / 満足を見出す find *satisfaction* (in ...) / 心からの満足 heartfelt *satisfaction* / 大満足 great *satisfaction* / つかのまの満足 short-lived *satisfaction* / 強い満足 intense *satisfaction* / 深い満足 deep [profound] *satisfaction*

マンタ 〖魚〗 (イトマキエイ) manta (ray) [C].

まんだら 曼陀羅 〖仏教〗 mándala [C].

マンダリン[1] 〖植〗 (中国原産のみかん) mándarin (órange) [C] (☞ みかん).

マンダリン[2] (標準中国語) Mandarin [U] (☞ ペキン (北京語)).

マンダレー ―[名] (固) Mandalay /mændəléi/ ★ ミャンマー中部の古都.

まんタン 満タン ―[動] (いっぱいに満たす) fill úp (他). ―[名] (いっぱいのタンク) full tank [C]. ¶ 《ガソリンスタンドで》(車を)*満タンにして下さい *Fill* it *up*, please. // (タンクは)*満タンです (⇒ いっぱいです) The tank *is* 「*full* [*topped off*].

まんだん 漫談 (寄席の) comic chat [C]; (ステージでの) comic show [C]; (漠然とした話) idle talk [C]; (雑談) chat [C].

マンチェスター ―[名] (固) Mánchester ★ イングランド北西部の商工業都市.

まんちょう 満潮 high tide [U] (↔ low tide) (☞ あげしお; みちしお; しお[1]). ¶「*満潮は何時ですか」「4 時です」 "What time is *high tide*?" "At four." // *満潮は 1 日に 2 回ある *High tides* 「occur [come] twice a day. (☞ 可算・不可算名詞 (巻末))

マンツーマン ―[形] (1 人対 1 人の) one-to-one [A]; (バスケットボールなどの) man-to-man [A].

マンディー (女性名) Mándy ★ Amánda の愛称.

マンデーブルー ☞ ブルーマンデー

マンデラ ―[名] (固) Nelson Mandela /mændélə/, 1918– . ★ 南アフリカの黒人解放運動家で, 同国初の黒人大統領 (1994–99).

まんてん[1] 満点 《米》 100 percent, a perfect score, 《英》 full marks. (☞ てん[1]). ¶ 私は歴史で*満点を取った I 「got [received] 「*100 percent* [*full marks*] in history. // 彼は数学で 100 点*満点のうち 90 点取った He got ninety (points) out of a hundred in mathematics. // 彼は夫として*満点です (⇒ 理想的な夫です) He is an *ideal* husband. // その店はサービス*満点だ (⇒ 申し分のないサービスを提供する) The shop offers us *complete* service.

まんてん[2] 満天 ¶ 東京で*満天の星を見るのはまれなことです It's unusual to see a star「*-filled* [*-studded*] *sky* in Tokyo. / It's rare in Tokyo 「that we [for us to] see the *sky filled with* stars.

まんてんか 満天下 (全世界) the whole world. ¶ 彼の活躍は*満天下に知られている His activities are known 「to *the whole world* [*all over the world*].

マント (袖なしのコート) cloak [C].

マンとう マン島 ―[名] (固) the Isle of Man ★ アイリッシュ海にある英国保護領.

まんどう 満堂 (満場) the entire house (☞ まんじょう). ¶ 彼は*満堂の聴衆から拍手を浴びた He received the applause of *the entire house*.

まんどころ 政所 the *Mandokoro*; (説明的には) the Administrative Board in ancient Japan; (特に鎌倉幕府の) the administrative office of the Kamakura shogunate which dealt with state and financial matters.

マントひひ マント狒狒 〖動〗 hamadryas /hæmədráɪəs/ (babóon) [C], sacred baboon [C].

マントラ (ヒンズー教・密教などの真言(しんごん)) mantra [C].

マンドリル 〖動〗 mandrill [C].

マンドリン 〖楽器〗 mandolin /mændəlín/ [C]. **マンドリン奏者** màndolínist [C], mandolin player [C].

マントル 〖地〗 mantle [C].

マントルピース (炉棚) mantelpiece [C].

マンナ ☞ マナ

まんなか 真ん中 ―[名] (真ん中の部分) the middle; (中心) center (《英》 centre) [C] [語法] (1) middle は両端から等距離にある部分を指し, center は円や球などの中心点を指す; (中心部) the heart. ―[形][副] (中途の) halfway, midway. (☞ ちゅうしん[1] (類義語); ちゅうかん[1]; ちゅうおう[1]). ¶ 矢は的の*真ん中に命中した The arrow hit the target in *the* 「*middle* [*center*]. / The arrow hit the target 「(《米略式》 *smack* [《英略式》 *bang*] *in the middle*. // その塔は町の*真ん中にある The tower is in the 「*center* [*heart*] of town. [語法] (2) 「真ん中の部分に」の意味で in が用いられる. // 彼の家は中川駅と山下駅の*真ん中にある His house is 「*half-*

way [*midway*] between Nakagawa Station and Yamashita Station.

まんにょうしゅう 万葉集 ☞ まんようしゅう

まんにん 万人 (すべての人) all people ★ 複数扱い; everybody, everyone ★ いずれも単数扱い; (数えられないくらいたくさんの人) countless people ★ 複数扱い. (☞ ばんにん[1]). **万人向き** ── 動 be suitable to all tastes. ¶ ボーリングはだれでもできる*万人向きのスポーツだ Bowling is a sport that anyone can do, *no matter who they are.* / Anybody can bowl. It's a sport *for all ages.*

マンネリ ── 名 (固定観念・型にはまったもの) stéreotỳpe Ⓒ 日英比較 日本語の「マンネリ」は mannerism Ⓤ が元だが, この語は個人の奇妙な習慣や, 文学・芸術上の独特な傾向を言い, 日本語の「マンネリ」の訳には普通は当たらないことに注意; (毎日の決まりきったこと) *one's* daily routine Ⓤ. ── 形 stereotyped. ¶ 彼の話はこのごろは*マンネリで (⇒ いつも同じことを繰り返すので) つまらない What he says is not interesting these days, because he *is* always *repeating the same* 「*topic* [*thing*].

マンネリ化 ── 動 (型にはまってしまう) be [get; become] stereotyped; (決まりきったやり方になる) get into [be (stuck) in] a rut ★ くだけた表現. ── 形 stereotyped.

マンネリズム mannerism /mǽnərìzm/ Ⓤ (☞ マンネリ 日英比較).

まんねん 万年 ── 名 (1万年) ten thousand years. ── 形 (いつまでも変化しない) perpetual, permanent, perennial. ¶ 亀は*万年 (⇒ 亀は長生きする) A tortoise *lives a long life.* / (⇒ 亀は長寿の象徴である) A tortoise is the symbol of *longevity.* // 彼は*万年平社員だ He *never gets* promoted. / (⇒ ずっと働き続けてきたが一度も昇進がなかった) He's been working on and on, *with never a promotion.*

万年青 ☞ おもと **万年青年** ¶ 彼は*万年青年だ He is *a man of perpetual youth.* / He *retains his youthful vigor.* **万年暦** perpetual calendar Ⓒ.

まんねんたけ 万年茸 reishi mushroom Ⓒ.

まんねんどこ 万年床 ¶ 彼はいつも*万年床だ (⇒ いつも布団を敷いたままにしておく) He always *leaves* his *futon spread* on the tatami floor of his room. 日英比較 欧米のベッドはいわば万年床であるので, この表現だけを訳すことは習慣の相違から言って難しい.

まんねんひつ 万年筆 (fountain) pen Ⓒ (☞ ペン). ¶ 彼はいつも*万年筆で書く He always writes with a *fountain pen.*

まんねんゆき 万年雪 perpetual [permanent] snow(s) Ⓤ.

まんねんれい 満年齢 age Ⓤ (☞ ねんれい).

マンノース 〔生化〕(発酵性単糖類) mannose /mǽnous/ Ⓤ.

まんぱい 満杯 ── 動 (いっぱいである) be full; (限界までいっぱいである) be filled to capacity. (☞ まんいん; いっぱい[1]). ¶ 湯船が*満杯だ The bathtub *is full.* // 会場は*満杯だった The hall *was filled to capacity.*

マンハッタン (地名) Manháttan; (カクテル) manhattan Ⓒ. **マンハッタン計画** the Manhattan Project ★ 第二次大戦中に行われた米国の原子爆弾製造計画.

マンパワー (人的資源) manpower Ⓤ.

マンハント (大規模犯人捜査) manhunt Ⓒ.

まんびき 万引 ── 名 shóplìfting Ⓤ, 《略式》 lifting Ⓤ; (人) shóplìfter Ⓒ. ── 動 shoplift 他 自, 《略式》 lift 他. (☞ ぬすむ (類義語)). ¶ 彼女は*万引でつかまった She was caught *shoplifting.* // 彼はその店で万年筆を*万引しているところを見られた He was seen 「*stealing* [*lifting*; *shoplifting*] a fountain pen 「from [at] the store. // 彼は*万引の常習犯だ He is a habitual *shoplifter.*

まんびょう 万病 ¶ 風邪は*万病 (⇒ 多くの病気) のもとだ A cold may lead to *many diseases.* // *万病の薬 a cure-all / a panacea /pæ̀nəsíːə/ ★ 前者のほうが口語的.

まんぴょう[1] 満票 ── 副 (全会一致・満場一致で) unanimously, by unanimous consent. ── 名 (100 % の賛成票) 100 per cent yeas ★ 複数形で; (賛成票だけで反対票なし) all yeas and no nays ★ 複数形で. (☞ まんじょう (満場一致)).

まんぴょう[2] 漫評 (思いつくままの批評) rambling 「criticism [comment] Ⓒ.

まんぷく[1] 満腹 ── 動 (腹いっぱい食べる) eat [have] *one's* fill; (満腹である) be full; (心ゆくまで食べる) eat to *one's* heart's content ★ やや文語的. ── 名 full stomach Ⓒ. (☞ はら[1]; たべる). ¶ もう*満腹だ I *have* 「*eaten* [*had*] *my fill.* // 「もう少しいかがですか」「もう結構. *満腹です (⇒ 十分食べました [いっぱいです])」 "Please have some more." "No, thank you. 「*I've had enough* [*I'm full*]." // *満腹のときに泳ぐのはよくない Don't swim on a *full stomach.*

まんぷく[2] 満幅 ── 形 (全面的な) complete (☞ ぜんぷく). ¶ 彼女は夫に*満幅の信頼を寄せている She has *complete* trust in her husband.

まんぶんのいち 万分の一 a ten-thousandth (☞ まん[1]). ¶ 五*万分の一の地図 a map on a scale of 1:50,000 ★ one to fifty thousand と読む. // ご恩に*万分の一 (⇒ ほんの少し) でも報いたい I wish I could repay (you for) your kindness *even in a small way.*

まんべんなく 満遍なく (均等に) equally; (完全に・例外なく) thoroughly; (全体的に・全部に) all over. (☞ くまなく). ¶ *まんべんなく全科目を勉強する時間がなかった I didn't have enough time to study every subject *equally* well. // 私は全ページに*まんべんなく目を通した I 「studied [examined] each page *thoroughly.* / I *perused every page* (of it). // 彼はその箱をペンキで*まんべんなく塗った He painted the box *all over.*

マンボ 〔楽〕(the) mambo Ⓤ.

まんぽ 漫歩 ── 名 a stroll ★ 通例 a を付けて. ── 動 stroll 自. (☞ さんぽ; ぶらぶら).

まんぼう 翻車魚 〔魚〕 sunfish Ⓒ (☞ さかな 語法).

まんぼうがい 万宝貝 〔貝〕 bullmouth helmet Ⓒ.

マンホール mánhòle Ⓒ.

まんぽけい 万歩計 (歩数計) pedómeter Ⓒ ★「万歩計」は登録商標.

まんまえ 真ん前 ── 前 (静止した状態で, 人や物の真ん前に) right [just] in front of ..., right [just] before ... ★ in front of より before のほうが改まった語; (進行方向の真ん前に) right [just] ahead of ...; (真向かいに) opposite (to) ... (☞ まむかい; まえ). ¶ 私の家の*真ん前に大きな桜の木がある There is a big cherry tree 「*right* [*just*] *in front of* my house. // 彼らの家は私たちの家の*真ん前にあります Their house 「stands [is] *opposite* (*to*) ours. // 彼は私の*真ん前を走っていた He was running *just ahead of* me.

まんまく 幔幕 curtain Ⓒ (☞ まく[4]).

マンマシンインターフェイス 〔コンピューター〕 mán-machíne [húman-machíne] interface Ⓒ.

まんまと (うまく) 《略式》 nicely; (すっかり) completely; (首尾よく) successfully. (☞ 擬声・擬態

語（囲み）. ¶私はエープリルフールに*まんまと一杯食わされた（⇒だまされた）I was ｢*nicely* [*completely*] taken in on April Fool's Day. // 彼は*まんまと競争相手を追い出した He *successfully* ｢got rid of [eliminated] his rival.

まんまる 真ん丸 perfect circle Ⓒ《☞ えん[3]; まる[1]》.

まんまるい 真ん丸い (completely [perfectly]) round《☞ まるい》.

まんまん 満満 ━形（…でいっぱいの）full of… ¶彼は自信*満々のようだ He seems to be *full of* self-confidence.

まんまんいち 万万一 ¶彼女が*万々一僕のプロポーズを受け入れてくれたらとってもうれしい I'll be extremely happy if *by any chance* she accepts my marriage proposal.《☞ まんいち》

マンマンデー ¶その国ではすべてが*マンマンデーだ（⇒ゆっくりとなされる）Everything is *done* ｢*in a relaxed way* [*at a leisurely pace*] in that country.

まんまんなか 真ん真ん中 ☞ どまんなか

まんめん 満面 ¶彼女は*満面に笑みを浮かべて私たちを迎えた She welcomed us *with a broad smile.* **満面朱をそそぐ**（怒りで顔じゅう真っ赤になる）be flushed with anger. ¶猛反対を受け，彼は*満面朱をそそいで反論した Running up against fierce opposition, he raised a counterargument *with his face red with rage.*

まんもうかいたくだん 満蒙開拓団 （満州事変後の日本の）the Japanese immigrant community in Manchuria and Inner Mongolia between the Manchurian Incident and the end of the Second World War.

マ(ン)モグラフィー 〔医〕（乳房 X 線撮影(法)）mammógraphy Ⓤ.

マンモス ━名（古代の生物）mámmoth Ⓒ. ━形（巨大な）mammoth 日英比較 英語の mammoth はかなり誇張した感じが強いので，普通の意味で「巨大な」という表現は huge や giant, enormous, gigantic を用いるほうがよい.《☞ きょだい（類義語）》. **マンモス企業** mammoth [giant] corporation Ⓒ;（大企業）big business Ⓒ **マンモス大学** mammoth [huge] university Ⓒ, mùltivérsity Ⓒ **マンモスタンカー** súpertànker Ⓒ, jumbo tanker Ⓒ **マンモス都市** mègalópolis Ⓒ.

まんゆう 漫遊 （周遊）tour Ⓒ;（楽しみのための旅行）pleasure trip Ⓒ.《☞ りょこう》.

まんようがな 万葉仮名 the Man'yo writing system, in which Chinese characters were used to represent their pronunciations alone.

まんようしゅう 万葉集 *the Man'yo-shu*;（説明的には）the oldest anthology of Japanese *waka* poems(, divided into 20 volumes, containing more than 4,500 poems written before A.D. 759 by people from various social classes).

まんようちょう 万葉調 the Man'yo style;（説明的には）the style of poetry typical of the oldest anthology of Japanese *waka* poems.《☞ まんようしゅう》.

まんりき 万力 vise Ⓒ,《英》vice Ⓒ.

まんりょう[1] 満了 ━動（任期などが切れる）expire ⓐ;（任期などが終わる）come to an end, be over ★後者のほうが口語的. ━名 expiration Ⓤ.《☞ にんき[2]》.
¶彼の市長としての任期は 3 月に*満了となる His term of office as mayor ｢*expires* [*comes to an end*] in March. // 彼は刑期*満了して出所した He left prison at the *expiration* of his term.

まんりょう[2] 万両 〔植〕spearflower Ⓒ.

まんるい 満塁 〔野〕the bases are ｢full [loaded]. ¶ツーアウト*満塁 Two down and *the bases are loaded.* // 彼は*満塁ホーマーをかっとばした He hit a *grand slam.*

み，ミ

み[1] **身** **1** «体»: (肉体) body Ⓒ; (身体) person Ⓒ; (自分自身) *oneself*. (☞ からだ).
¶ 彼は怒りに*身を震わせていた (⇒ 彼[彼の体]は怒りのために震えていた) He [His *whole body*] was shaking with anger. // 彼は床に*身を伏せた He threw *himself* flat on the floor. / He *lay down* flat (on the floor). // 私は運命に*身をゆだねた I resigned *myself* to my fate. // 私はその技術を*身に付けた (⇒ 修得した) I *mastered* the technique. // 彼女は仕事に*身も心も捧げた She gave *body* and soul to her work. [語法] body and soul は無冠詞で用いる.
2 «立場・身分»: (地位) position Ⓒ; (立場) place Ⓒ. (☞ たちば; みぶん).
¶ 彼女の*身にもなってやりなさい Just (try to) ┌put [imagine] yourself in her *place*.
身が軽い ¶ あの男はえらく*身が軽い (⇒ はしっこい) He's quite ┌*agile* [*nimble*]. (☞ みがる) **身が縮む** ¶ 司会者のほめ言葉に恥ずかしくて*身が縮んだ I *shrank* from embarrassment at the emcee's praise. **身が入る** ¶ 疲れて仕事に*身が入らない (⇒ 集中するには疲れ過ぎだ) I'm too tired to *concentrate on* my work. // 私は勉強に*身が入らない (⇒ 興味が持てない) I cannot *take any interest in* my studies. **身が持たない** ¶ 忙しくて*身が持たない (⇒ 健康を損ないつつある) I'm so busy (that) it's ┌*ruining my health* [(⇒ こたえてきている) beginning to *tell on* me]. (☞ もつ[1] 6) **身から出たさび** ¶ *身から出たさびだ (⇒ あなたの自業自得だ) You *asked for it*. ★ 慣用句. (☞ じごうじとく; さび[1]) **身に余る** ¶ それは*身に余る光栄です (⇒ それは私が値する以上の名誉です) It's an honor *greater than I deserve*. **身に覚えがある** ¶ 彼女は*身に覚えのないことで (⇒ しなかったことをしたといって) 訴えられた She was accused of *doing something she didn't do*. // *身に覚えがある (⇒ やったことに気づいている) でしょう You *are quite aware of* what you've done, aren't you? // まったく*身に覚えがない (⇒ まったく知らない) I don't *know* anything about it. / (⇒ あなたが何を言っているのかわからない) I have no *idea* what you're talking about. / (⇒ 完全に潔白だ) I'm completely *innocent*. ★ 第 3 文はやや格式ばった言い方で, 法律用語. **身にしみる** ¶ 彼女の親切が身にしみた (⇒ 心を動かした) Her kindness *touched* ┌my *heart* [*me*]. (☞ しみる) **身に過ぎる** ☞ 身に余る **身に付く** ¶ 時事英語は毎日英字新聞を読むことで*身に付く (⇒ 学ばれる) Current English *is learned by* reading English newspapers every day. // 悪銭*身に付かず Ill gotten, ill spent. (ことわざ: 不正に得たものはむだに使われる) **身につまされる** ¶ 彼の話を聞いて*身につまされた (⇒ 彼の話は胸にこたえた) His story *hit close to home*. (☞ つまされる) **身になる** ¶ この本から得た知識は大いに*身になった (⇒ 役に立った) The knowledge I got from the book *was very useful*. // もっと*身になるものを食べなさい Eat something more *nutritious*. **身の置き所がない** ¶ 私は恥ずかしくて*身の置き所がなかった (⇒ 床の下に入りたかった) I was so ashamed that *I wished I could sink through the floor*. **身の振り方** ¶ 彼は*身の振り方 (⇒ 将来) を考えた He thought about *his future*. (☞ ふりかた) **身一つ** ¶ 火事のとき彼は*身一つで逃げた When a fire broke out, he escaped *with just the clothes* ┌*he wore* [*on his back*]. (☞ きのみきのまま) **身二つ** ¶ 彼女は男の子を生んで*身二つになった She *gave birth to* a baby boy. **身もふたもない** ¶ そう言ってしまっては*身もふたもない (⇒ それはあまりにも率直すぎる言い方だ) That's *too frank* a way of saying it. **身も細る** ¶ 恥ずかしくて*身も細る思いだった I *felt small* in shame. (☞ ほそる) **身も世もない** ¶ 妻をなくして彼は*身も世もない思いだった (⇒ 非常に悲しんだ) When his wife died ┌he *was filled with deep grief* [(⇒ 悲しみに打ちひしがれた) he *was completely overwhelmed with grief*]. **身を誤る** ¶ 彼女は*身を誤って (⇒ 堕落して) 売春婦になった She *went astray* and has fallen into prostitution. **身を入れる** ¶ いまやっていることにもっと*身を (⇒ 心を) 入れなさい *Put* more *heart into* what you are doing. (☞ ねっしん) **身を売る** ¶ 彼女は*身を売った (⇒ 自分自身を売春に) She *sold herself* into prostitution. **身を起こす** ¶ 彼は一介のサラリーマンから*身を起こして大企業の社長になった He *worked his way up* to the presidency of a large company from a mere salaried employee. **身を落とす** ¶ 彼は友人に無心するまで*身を落とした He was *down and out* and asked his friends for money. **身を隠す** ¶ 彼は木の陰に*身を隠した He *hid himself* behind a tree. // しばらく*身を隠したほうがいいよ You had better *go into hiding* for a while. (☞ せんぷく[1]) **身を固める** ¶ 彼女は結婚をして*身を固めた (⇒ 定住した) She married and *settled down*. **身を切られる** ¶ 外は寒くて*身を切られるようだった (⇒ ひどく寒かった) It was bitterly cold outside. // 彼女が死んで*身を切られる思いがした I felt all ┌*cut up* [*shaken up*] by her death. **身を切るような** ¶ *身を切るような風が一日中吹いた A ┌*cutting* [*biting*] wind blew all day long. **身を砕く** toil and moil ⓑ (☞ ふんこつさいしん; 身を粉にする) **身を削る** ¶ *身を削る思いで借金を返済した I *suffered extreme hardship* to repay the debt. **身を焦がす** ¶ *身を焦がすような恋をしたい I want to experience a ┌*consuming* [*burning*] love. // 恋に*身を焦がす *burn* with love (☞ こがす) **身を粉にする** ¶ 私は*身を粉にして (⇒ 一生懸命[あくせく]) 働いた I ┌*worked hard* [*toiled at my work*]. **身を殺す** ¶ *身を殺して仁をなす practice virtue at the sacrifice of *oneself* / A candle lights others and consumes itself. (ことわざ: ろうそくは自らを燃やして他を照らす) **身を持する** ¶ 謙譲に*身を持することを信条としています I make it a principle to be modest. **身を忍ぶ** ☞ よ[1] (世を忍ぶ); **身をやつす** **身を捨ててこそ浮かぶ瀬もあれ** Nothing ventured, nothing gained. (ことわざ: 冒険をしなければ何も得られない) **身を捨てる** ¶ 国のために*身を捨てる覚悟はできています I am ready to ┌*lay down my life* [*sacrifice myself*] for my country. **身を立てる** ¶ 彼は音楽家として*身を立てた He *established himself* as a musician /mjuːzíʃən/. **身を尽くす** ¶ 彼女は人種差別撤廃に*身を尽くした (⇒ 全力を尽くした) She *made an all-out effort* to abolish racial discrimination. (☞ けんしん[2]) **身を挺する** ☞ ていする[2] **身を投じる** ¶ 彼は 30 歳のとき政界に

み

*身を投じた He「*entered* [*went into*] politics when he was thirty. ⦅☞ とうじる⦆ **身を投げる** ¶少女は湖に*身を投げた (⇒入水自殺した) The girl *drowned herself* in the lake. **身を引く** ¶彼はいまの地位から*身を引く (⇒やめる) 決心をした He decided to *resign* his present position. **身を潜める** ☞ **身を隠す** **身をまかせる** ¶彼はえてして激情に*身をまかせる He is apt to *give in* to passion. // 彼女はその男に*身をまかせた She *gave herself* to him. **身を持ち崩す** ruin *oneself* ⦅☞ もちくずす⦆. **身をもって** ¶私は*身をもってそのことを体験した I *personally* experienced it. / (⇒個人的経験から学んだ) I (have) learned it *from my personal experience* /ɪkspí(ə)riəns/. **身を焼く** ☞ **身を焦がす** **身をやつす** ¶彼は放浪者に*身をやつして (⇒変装して) おとり捜査に出た He *disguised* /dɪsgáɪzd/ himsèlf as a bum and went undercover. **身を寄せる** ¶彼女はおじのところに*身を寄せている (⇒滞在している) She *is staying with* her uncle. ⦅☞ よせる⦆

み² 実 **1** «果実»: (野菜に対して果物一般) fruit Ⓤ ★ 種類を言うときは Ⓒ; (くるみのように殻の堅い実) nut Ⓒ; (いちごのように柔らかくて汁を含んだ実) berry Ⓒ; (粒の実) seed Ⓒ. ⦅☞ ナッツ; かじつ¹⦆.
¶柿の木に*実がなり始めた The persímmon trèes are beginning to bear *fruit*. // りすは木の*実を食べる Squirrels eat *nuts* and *berries*.
2 «中味»: (汁などの) ingrédient Ⓒ ⦅☞ なかみ⦆.
実もない ¶*実もない (⇒価値のない) 人生だった My life was *worthless*.
実を結ぶ ¶彼の研究は*実を結んだ (⇒成果を上げた) His research「*bore fruit* [*was fruitful*].

み³ 巳 (十二支の) the Serpent; the Snake. ⦅☞ ね⁴⦆. ¶*巳年 the year of *the Serpent* // 彼女は*巳歳だ (⇒巳年の生まれだ) She was born in the year of *the Serpent*. **巳の刻** the Hour of the「Serpent [Snake] (, between 9 and 11 o'clock in the morning)

ミ 〘楽〙 mi Ⓤ.

-み …味 (…の味) a taste of …; (…のようなところ) a touch of … ★ 人の性質・事の内容などについて; (…がかった) a tinge of … ★ 色について.
¶このりんごは酸*味が強い This apple has a very sour *taste*. ⦅☞ さんみ⦆ // 彼の話には現実*味があった His story had *a touch of* reality. // 彼女のほおにぱっと赤*味がさした *A tinge of* red came (up) to her cheeks. / (⇒ぱっと赤くなった) She「*flushed* [*blushed*]. 語法 blush は恥ずかしさなどで赤くなること. // 彼はいつも真剣*味に欠ける He never takes anything seriously /sí(ə)riəsli/. // 彼女の提案には新鮮*味がない There is nothing new in her proposal.

みあい 見合い 日英比較 英米にはない慣習であるから, 特別な説明をする以外に方法がない. 例えば *miai*, an arranged meeting between a single man and woman as the first step to a traditional Japanese marriage のようにする. しかし, 実際の会話などでは, 前後関係から判断して date Ⓒ と訳してもよい場合もあり得る. ¶*見合いをする meet each other with a view to marriage
見合い結婚 arranged marriage Ⓒ ★ 周囲のおぜん立てによる結婚という意味で, 現在の見合い結婚のニュアンスとは少し異なる. **見合写真** (紹介用の) introductory photograph for a prospective arranged marriage Ⓒ ★ prospective は省略可.

みあう 見合う (一致する) còrrespónd (with …) ⓐ; (同等で釣り合いを保たせる) bálance ⓗ; (正反対のものとうまく釣り合わせる) còunterbálance ⓗ; (埋め合わせる・相殺する) offset ⓗ. ⦅☞ つりあう; ふさわしい⦆. ¶支出に*見合う収入が欲しい I want an income that「*corresponds with* [*balances*] my expenses. // 彼はもちろん犠牲に*見合うだけの報酬をあてにしていた He certainly counted on the pay that「*counterbalanced* [*offset*] the sacrifice.

みあきる 見飽きる be tired of「looking at [seeing] … ⦅☞ みる¹; あきる⦆. ¶この絵はもう*見飽きてしまった I'*m tired of* (*looking at*) this painting. // このテレビ番組は*見飽きた (⇒十分に見た) I *have had enough of* this TV program.

みあげる 見上げる **1** «上を見る»: (一般的に) lóok úp (at …) ⓐ (↔ lóok dówn (at …)); (視線を上げて見る) raise *one's* eyes toward …; (顔を上げる) turn *one's* face (up) toward … ⦅☞ みる¹⦆.
¶子供たちは母親を*見上げた The children「*looked up at* [*raised their eyes toward*; *turned their faces* (*up*) *toward*] their mother. // *見上げるばかりの (⇒高くそびえるような) 大男 a man of *towering* height
2 «感心する»: (尊敬する) respect ⓗ; (感心してほめる) admire ⓗ; (尊敬の念をもって仰ぐ) lóok úp to … ⦅☞ そんけい; かんしん¹⦆.
¶彼女の辛抱強さはなかなか*見上げたものだ I highly「*respect* [*admire*] her patience.

みあたらない 見当たらない ── 動 (なくなっている) be missing; (見つけることができない) cannot find … ⦅☞ ない¹⦆. ¶財布が*見当たらない I *cannot find* my wallet. / My wallet *is missing*.

みあやまる 見誤る (…を…と間違える) take [mistake] … for …; (文字や目盛りなどを読み違える) misread ⓗ; (誤解する) mìsùnderstánd ⓗ; (判断を誤る) misjudge ⓗ. ⦅☞ まちがえる⦆.
¶彼は温度計の目盛りを*見誤った He *misread* the thermometer. // あなたは状況を*見誤っている You「*misunderstand* [*misjudge*] the situation.

みあわせる 見合わせる (互いに見る) look at each other; (延期する) postpóne ⓗ, pùt óff ⓗ ★ 後者が口語的; (断念する) gìve úp ⓗ. ⦅☞ えんき¹; ちゅうし¹⦆.
¶彼らは互いに顔を*見合わせた They *looked at each other*. // 私は出発を*見合わせた (⇒延期した) I「*put off* [*postponed*] my departure. // その計画は*見合わせる (⇒断念する) ことに決めた We decided to「*give up* (on) [*abandon*] the plan.

ミーイズム (自己中心主義) egoism Ⓤ ⦅☞ エゴイズム; みがって⦆; (自己陶酔) self-absorption Ⓤ. ★ me(-)ism は me (私) と -ism (…主義) を組み合わせた 1970 年代米国の造語で, 今でも時に用いられる.

ミーガン (女性名) Megan /míːgən/.

みいだす 見出す (見つける) find ⓗ; (未知のものを発見する) discover ⓗ. ⦅☞ みつける⦆.

みいちゃんはあちゃん ☞ ミーハー

ミーティング (会合) meeting Ⓒ.

ミート¹ ¶ジャスト*ミートで (⇒バットの芯に合って) ホームランになった The home run was hit *off the sweet spot* of the bat. 日英比較 「ジャストミート」は和製英語.

ミート² (食肉) meat Ⓤ ⦅☞ にく 2⦆. **ミートソース** meat sauce Ⓤ **ミートパイ** meat pie Ⓒ **ミートボール** meatball Ⓒ **ミートローフ** meat loaf Ⓒ.

ミード ── 名 固 (ジョージ ハーバート 〜) George Herbert Mead, 1863–1931 ★ 米国の哲学者・社会心理学者; (マーガレット 〜) Margaret Mead, 1901–78 ★ 米国の文化人類学者.

ミーハー ── 名 (教養・知性の低い人) lowbrow /lóubràu/ Ⓒ. ── 形 (軽薄な) flippant; (教養・知性の低い) lowbrow (↔ highbrow), not intelligent. **ミーハー族** group of people with lowbrow tastes Ⓒ, lowbrows.

ミイラ mummy Ⓒ. **ミイラ取り** ¶*ミイラとりがミイ

ラになる例が多い Many go out for wool and come home shorn.《ことわざ: 羊毛を求めに出て行くが, 逆に裸にされて帰ってくる》

みいられる 魅入られる (魅惑される) be fás-cinàted; (魔法にかけられる) be spéllbòund; (取り付かれる) be possessed.《☞ みわく; みりょう》.

¶彼は*魅入られたようにその絵を眺めた He looked at the painting as if he *were* ⌈*spellbound* [*under a spell*]. ∥ 彼女は死神に*魅入られていた She *was* ⌈*possessed* by [*in the grip of*] Death.

みいり 実入り (収入) íncome Ⓒ; (利益) profit Ⓒ.《☞ しゅうにゅう; もうけ》.

みいる¹ 見入る ¶その(男の)子はテレビの画面に*見入っていた The child ⌈*had his eyes fixed on* [*gazed at*] the screen.

みいる² 魅入る ☞ みいられる

ミール ━ 名 固 Mir /míə/ ★ 1986 年に打ち上げられた旧ソ連の宇宙ステーション.

ミーンズテスト means test Ⓒ ★ (生活保護などを受ける者の)資産[収入]調査.

みうけ 身請け ━ 動 (身代金を払って解放する) redeem ⊕. ¶芸者を*身請けする *redeem* a *geisha* paying the ransom (for her)

みうける 見受ける 1 《見かける》: (目に入る) see ⊕; (出くわす) come across ...《☞ みかける》.
2 《見て取る》: (…と私は思う) I ⌈think [suppose] ...; (人が…のように見える) look like ..., seem to be .... ¶あの方は 60 歳以上とお*見受けします *I suppose* ⌈he [she] is over sixty. ∥ お幸せなご夫婦とお*見受けしました (⇒ 彼らは幸せな夫婦のように見えた) They ⌈*seemed to be* [*looked like*; *had the appearance of*] a happy couple.

みうごき 身動き ¶超満員の電車の中で*身動き一つできなかった We could not *move a muscle* in the overcrowded train. ∥ 彼は借金で*身動きできなかった (⇒ 借金に深くはまり込んでいた) He was over his head in debt.

みうしなう 見失う lose sight of ...; (足取りを追えなくなる) lose track of ...《☞ はぐれる》. ¶私たちは人通りの激しい通りで彼の姿を*見失ってしまった We *lost* ⌈*sight* [*track*] *of* him on the busy street.

みうち 身内 (親戚) relative Ⓒ, relation Ⓒ ★ 前者のほうが一般的; (一族) family Ⓒ.《☞ しんるい¹; 親族関係 (囲み); なかま》. ¶父の葬式は*身内ですませた We held a private funeral for our father with only *family members* present.

みうらあんじん 三浦按針 ━ 名 固 William Adams (Miura Anjin), 1564–1620; (説明的には) a navigator and the first Englishman to visit Japan; he became a valued adviser of Tokugawa Ieyasu.

みうり 身売り ━ 動 sell (out) ⊕《☞ うる¹》. ¶あの球団は*身売りする (⇒ 売られる) らしい That baseball team will *be sold*, I hear.

みえ 見え ━ 名 (他人に見せること) show Ⓤ; (虚栄心) vanity Ⓤ. ━ 動 (見えを張る) shów óff 自; (俳優が見えを切る) pose 自.《☞ きょえい; ていさい》.
見えも外聞もない ¶*見えも外聞もありません (⇒ 他人がなんと考えようとかまわない) I don't care what others will think.《☞ はじ¹》 **見えを切る** ¶それは簡単な問題さと彼は大*見えを切った (⇒ 自信たっぷりに言った) He *proudly declared* that it was a simple problem.《☞ おおみえ》 **見えを張る** ¶彼女は*見えを張って, ダイヤの指輪を買った She bought a diamond ring ⌈for *show* [(*in order*) *to show off*]. ∥ 彼女は*見えを張って (⇒ 虚栄心から) 彼の援助を断った She refused his help *out of vanity*. ∥ 彼は知らない人の前ではいつも*見えを張る (⇒ 自分をよく見せようとする) He always *shows off* in front of strangers.

みえかくれ 見え隠れ ¶月が雲間に*見え隠れした (⇒ 時たまちらりと見えた) We *caught occasional glimpses of* the moon through the clouds.

みえすいた 見え透いた (すぐ見透せる) transparent /trænspǽrənt/; (明らかな) óbvious.《☞ しらじらしい》.
¶*見え透いたお世辞 *obvious* [*clumsy*] flattery ∥ 彼女は*見え透いたうそをつく She tells *transparent* lies. ∥ 彼の本心は*見え透いている (⇒ 明らかだ [簡単に見破れる]) His intentions are ⌈*obvious* [*easily detected*]. / (⇒ 彼の動機は見通せる) His motives are *transparent*.

みえっぱり 見えっ張り (虚栄心の強い人) vain person Ⓒ; (しゃれ者) fop Ⓒ.《☞ みえ》.

みえにくい 見え難い be hard to see.

みえぼう 見栄坊 ☞ みえっぱり

みえみえ 見え見え ━ 形 obvious. ¶彼女の意図は*見え見えだった What she really intended was *obvious*.

みえる 見える 1 《目に映る》 ━ 動 (自然に目に入る) see ⊕ ★「人」が主語; (ちらりと見つける) catch sight of ... ★「人」が主語; (姿を現す) appear 自, show 自 ★ どちらも「事物」が主語; (見えてくる[いる]) come [be] in(to) ⌈sight [view] ★「事物」が主語. ━ 形 (肉眼で見える) visible.《☞ みる¹》.
¶水以外何も*見えなかった We *saw* nothing but water. ∥ ふと森の中に明かりが*見えた I just *caught sight of* a light in the woods. ∥ やっと陸地が*見えてきた Land *came* ⌈*in*(*to*) [*within*] ⌈*sight* [*view*] at last. ∥ 船が水平線上に*見え (⇒ 現れ) はじめた The ship began to *appear* on the horizon /həráizn/. ∥ 目に*見える星 *visible* stars ∥ 紺色のスーツの下から白いシャツが*見えていた A white shirt ⌈*showed* [*was showing*] from under the dark blue suit.
2 《…のように見える; …と思われる》: (様子が) look 自; (外観が) appear 自; (…と思われる) seem 自.
【類義語】外見から判断して実際にもそうだろうと思われるのが **look**. 外見はそう見えるが実際はそうでないだろうという気持ちを含むのが **appear**. 話し手の主観に基づいて「そうらしい」と判断するのが **seem**.
¶彼女は若く*見える She ⌈*looks* [*appears* (*to be*)] young. ∥ 彼女は子供のように*見える She *looks like* a child. ∥ この遊びは日本ではなかなかはやっていると*見える This game *seems to* be quite popular in Japan. / It *seems* that this game is quite popular in Japan. [語 法] it を主語にする構文のほうが多少改まった感じ.
3 《視力がある》: (見ることができる) be able to see; (…の視力がある) have ... eyesight ★「...」のところに good (良い), poor (悪い) などが入る.《☞ め¹; しりょく¹》. ¶私は暗くなると目がよく*見えない I *can't see* well after dark. ∥ 彼は目があまりよく*見えない He *has poor eyesight*.
4 《現れる》: (来る) come 自; (姿を現す) appear 自, 《略式》 shów úp 自.《☞ くる¹》. ¶お医者様はまだ*見えません The doctor *hasn't* ⌈*come* [*shown up*] yet.

みお 澪 (船が通る) channel Ⓒ; (航跡) wake (behind a sailing ship) Ⓒ. **澪標**(みおつくし) channel buoy Ⓒ, channel marker Ⓒ.

みおくり 見送り sénd-òff Ⓒ ★ 人生の門出や冒険に向かってにぎやかに送り出すこと.
¶駅まで彼を*見送りに (⇒ 見送るために) 行ってきたところだ I've been to the station to *see* him *off*. ∥ 新婚の夫婦は人々の暖かい*見送りを受けた The newlyweds were given a warm *send-off*. ∥ 彼は*見送りの三振を喫した He *let a pitch go by* for a called

third strike. // 減税の*見送り *shelving* a tax ｢reduction [cut]

みおくる 見送る 1 《送別する》: (去って行く人を) see *a person* off 《☞ おくる¹》.
¶ 友人がたくさん空港で*見送ってくれた A lot of my friends came to the airport to *see* me *off*.
2 《逃す》: (機会などを) páss úp ㊥ 《☞ みあわせる; おあずけ; やりすごす》. ¶ 彼女は家庭の事情でアメリカへ行くチャンスを*見送った For family reasons she *passed up* a chance to go to the U. S. // 電車があまり混んでいたので私はそれを*見送る (⇒ 次のを待つ) ことにした The train was so crowded that I decided to *wait for the next one*.

みおさめ 見納め ¶ その試合が彼の*見納めだった (⇒ 彼を見た最後の試合だった) That game was *the last* I *saw of* him. // ニューヨークも今回が*見納めとなるだろう (⇒ これがニューヨークを訪れる最後の機会になるだろう) This will be ｢*the last chance* for me [my *last opportunity*] to visit New York.

ミオシン 〔生化〕 myosin /máɪəsɪn/ Ⓤ ★ 筋肉に含まれる収縮性たんぱく質.

みおとし 見落とし (無意識によるちょっとした間違い) óversight Ⓤ ★ 見落とされた事柄・物の場合はⒸ; (不注意な誤り[見落とし]) careless ｢mistake [omission] Ⓒ. ¶ だれもその*見落としに気がつかなかった Nobody was aware of the *oversight*.

みおとす 見落とす (見ても気がつかない) òverlóok ㊥; (意識しないで見過ごす) miss ㊥. 《☞ みすごす; みのがす》. ¶ 私はその誤植を*見落としてしまった I *overlooked* the misprint. / (⇒ その誤植は私の注意を免れた) The misprint *escaped* my *notice*.

みおとりする 見劣りする (…ほどよくない)be not ｢as [so] good as …; (比べものにならない) be not to be compared with … 《☞ おとる; くらべもの》.
¶ 私のカメラは彼のと比べると*見劣りする (⇒ 彼のほどよくない) My camera *is not* ｢*as* [*so*] *nice as* his. / (⇒ 比べものにならない) My camera *is not to be compared with* his. // このドレスを着れば女王様にだって*見劣りがしませんよ (⇒ このドレスはあなたを女王と同じぐらいすてきに見えさせる) This dress will make you *look as fine as* the queen.

みおぼえ 見覚え ― 動 (前に見たことがあるのでそれとわかる) récognìze ㊥; (覚えている) remember ㊥. ― 名 recognition Ⓤ; remembrance Ⓤ. 《☞ きおく; おぼえ; おぼえる》.
¶ 彼の顔には*見覚えがあったが名前は知りませんでした I ｢*recognized* [(⇒ 見たことを覚えている) *remembered having seen*] his face, but did not know his name. // この絵は*見覚えがある (⇒ どこかで見たことがある) I *have seen* this picture somewhere. // 彼女の顔はだれも*見覚えがなかった (⇒ なじみがなかった) Her face *was* ｢*not familiar* [*unfamiliar*] *to* us.

みおも 身重 ― 動 (妊娠している) be expecting (a baby). ― 形 (妊娠した) pregnant. 《☞ にんしん》. ¶ 彼女は*身重だ She *is* ｢*going to have a baby* [*pregnant*; *expecting*].

みおろす 見下ろす (下を眺める) lóok dówn (at …) ㊀ (↔ lóok úp (at …)) ★ 最も一般的; (見渡せる) òverlóok ㊥; (景色などを) command ㊥ ★ 以上の2語は建物・場所などが主語になる. 《☞ みる¹; のぞむ¹》.
¶ 彼らは丘から村を*見下ろした They *looked down at* the village from the hilltop. // 私の部屋からその湖の全景が*見下ろせる My room ｢*commands* a view of [*overlooks*] the entire lake.

みかい 未開 ― 形 (文明化されていない) ùncívilìzed; (資源などが未開発の) ùndevéloped. 《☞ みかいたく; みかいはつ 語法》. **未開社会** primitive society Ⓒ **未開人** sávage Ⓒ; (民族) uncivilized ｢people [race] Ⓒ **未開地** savage land Ⓒ; (後進地域) backward region Ⓒ.

みかいけつ 未解決 ― 形 (解決されていない) unsolved; (決着のついていない) unsettled; (未決定のままの) pending ★ 格式ばった語. 《☞ みけつ; かいけつ¹》. ¶ その問題は*未解決のままだ The problem remains ｢*unsolved* [*unsettled*]. // 長い間*未解決になっている問題が山ほどある There is a pile of long-*pending* problems.

みかいたく 未開拓 ― 形 (開発されていない) ùndevéloped; (調査・研究されていない) unexplored. ¶ *未開拓の天然資源が何かあるに違いない There must be some *undeveloped* natural resources. // 彼の論文は*未開拓の分野を扱っている His paper deals with an *unexplored* field.

みかいとう 未回答 ¶ その件は*未回答のままである The matter remains *unanswered*.

みかいはつ 未開発 ― 形 (開発されていない) ùndevéloped; (開発の遅れている) ùnderdevéloped 語法 ただし, 現在では以上の語を避けて婉曲的に developing (開発途上の) を用いるほうが普通. 《☞ みかいたく》.

みかえし 見返し (本の) endpapers ★ 通例複数形で. 《☞ ほん (挿絵)》.

みかえす 見返す 1 《見なおす》: (もう一度調べる) look … over again 《☞ みなおす》.
¶ 答案を*見返す時間はなかった I didn't have enough time to *look* my paper *over again*.
2 《見られたお返しに見る》: lóok báck at …
¶ 彼女は彼をきっと (⇒ 怒って) *見返した She *looked back at* him in anger. // いつかきっとあいつを*見返してやる (⇒ あだを討ってやる) I'll ｢*revenge myself* [*take revenge*] *on* him someday. / Someday I'll *get even with* him. 語法 第2文のほうが口語的. get even with … は「仕返しをする」の意.

みかえり 見返り (報酬) reward Ⓒ; (議員が選挙民への見返りとして政府に出させる補助金) pórk bàrrel Ⓒ ★ 通例単数形で. 非難のニュアンスがある. 《☞ しゃれい》.
¶ 彼は何か*見返りがなければ (⇒ 見返りとして何かをもらわなければ) 協力しないだろう He won't work with us unless he gets something ｢in *return* [as a *reward*].
見返り資金 (担保の) collateral /kəlǽt(ə)rəl/ fund Ⓒ **見返り品** collateral (security) Ⓒ **見返り物資** collateral goods ★ 複数形で.

ミカエル ― 名 固 〔聖〕 (大天使の一人) Michael /máɪkl/.

みがき 磨き ― 動 (磨きをかける) pólish ㊥.
¶ 彼はオックスフォードで英語に*磨きをかけた He *polished* his English at Oxford.

みがきあげる 磨き上げる (磨いてつやを出す) polish (up) ㊥, give a good polish to …, put a good shine on … 《☞ みがく》.

みがきこ 磨き粉 polishing powder Ⓤ.

みがきずな 磨き砂 polishing sand Ⓤ.

みがきたてる 磨き立てる ☞ みがきあげる

みがきにしん 身欠き鰊 dried filleted herring Ⓒ 《複 ~(s)》.

みかぎる 見限る (見切りをつける) 《略式》 give úp on …; (見捨てて去る) leave ㊥; (背を向ける) turn *one's* back (on …). 《☞ みはなす; みすてる》.
¶ 医者はその患者を*見限った The doctors *have given up on* the patient. // 友人は皆彼を*見限った All of his friends ｢*turned their backs on* [*left*; *deserted*] him.

みかく 味覚 taste Ⓤ ★ しばしば the を付けて. 《☞ あじ¹》. **味覚器** taste organ Ⓒ **味覚神経** taste nerves **味覚の秋** Fall [Autumn] is the season when foods are most tasty.

みがく 磨く (こすって光沢を出す) polish ⓗ; (特に金属を) burnish ⓗ; (ブラシで磨く) brush ⓗ; (硬い物でこすって汚れをとる) scour ⓗ; (腕前などを) pólish (úp) ⓗ; (靴を) shine ⓗ《過去・過分 shined》. ¶ 息子たちは自分の靴は自分で*磨く Each of my sons「*polishes* [*shines*] his own shoes. // 寝る前に歯を*磨きなさい *Brush* your teeth before you go to bed. // 私はなべやかまを全部*磨いた I *scoured* all the pots and pans. // そのコック長はパリで腕を*磨いた The chef *polished* (*up*)「his [her] skill(s) in Paris. // 芸を*磨く *improve* [*refine*] *one's* skill (in [at] …) // ダイヤを*磨く *cut* a diamond // お肌を*磨く方法 how to *scrub oneself*

みかくてい 未確定 ── 形 (未決定の) pending; (あいまいな) indefinite.

みかくにん 未確認 ── 形 (確認できない) unconfirmed; (正体不明の) unidentified /ʌnaɪdéntəfàɪd/. **未確認情報[ニュース]** unconfirmed「information [news] Ⓤ **未確認飛行物体** unidentified flying object Ⓒ《略 UFO》.

みかけ 見掛け (外見) appearance Ⓒ; (様子・容貌) look Ⓒ ★ しばしば複数形で; (虚栄心による見せかけ) show Ⓤ ★ しばしば a を付けて. 《☞ みせかけ; すがた》. ¶ 彼女は*見かけによらず気が小さい (⇒ 見かけよりも小心だ) She is more timid than she *looks*. // *見かけがいい [悪い] (⇒ よく[悪く]見える) *look*「good [bad] **人は見掛けによらぬもの** ☞ ひと **見掛け倒し** ¶ 彼の勇敢さは*見かけ倒しだ He is *not*「*as* [*so*] courageous *as* he *looks*. / (⇒ 勇敢なふりをしているだけだ) He only *pretends to be*「courageous [fearless; brave]. **見掛けだけの** ¶ *見かけだけの改善 *superficial* improvements

みかげいし 御影石 〖鉱〗(花崗岩) granite /grǽnɪt/ Ⓤ.

みかけだおし 見掛け倒し ☞ みかけ

みかける 見掛ける (目に入る) see ⓗ; (偶然に見つける) find ⓗ; (不意に出会う) come across …; (目にとまる) catch sight of …

¶ 子供たちが道路で遊んでいるのをよく*見かけた I often *saw* children playing「on [in] the street. // このごろ野性の馬はめったに*見かけない We seldom「*see* [*find*; *come across*] a wild horse these days. // 先日彼を喫茶店で*見かけた I「*saw* [*caught sight of*] him in a coffee shop the other day. // あれは*見掛けない学生だ That student is a *stranger* to us. / (前に見たことがない) I haven't seen that student before.

みかこうひん 未加工品 unprocessed article Ⓒ.

みかた¹ 味方 ── 名 (敵に対する) friend Ⓒ (↔ enemy); ((…の) 側) side Ⓒ; (支持者) supporter Ⓒ; (同盟国) álly Ⓒ. ── 動 (議論などで支持する) side with … (↔ side against …), take sides with …; (…の味方である) be on …'s side; (主張・案などを支持する) support ⓗ, báck úp ⓗ ★ 後者がより口語的. ¶ 彼は私たちの*味方だ He *is on our side*. / (⇒ 味方してくれる) He *takes sides with* us.

みかた² 見方 (物の見方・観点) point of view Ⓒ《複 points of view》, viewpoint Ⓒ, standpoint Ⓒ; (物を見る角度) angle Ⓒ; (物を見る態度・姿勢) áttitùde Ⓒ. 《☞ かんてん¹; たちば; けんかい¹》.

¶ 人によって物の*見方が違う Different people have different「*points of view* [*viewpoints*; *standpoints*]. // いままでだれもそれについてそんな*見方をした人はいなかった Nobody has ever looked at it from such an *angle*. // アジア人とヨーロッパ人では自然に対する*見方がずいぶん違う Asians and Europeans have very different *attitudes* toward nature.

> ―コロケーション―
> **新しい見方** a fresh *point of view* / **誤った見方** an erroneous *point of view* / **科学的な見方** a scientific *point of view* / **偏った見方** a partial *point of view* / **客観的な見方** an objective *point of view* / **現実的な見方** a「realistic [practical] *point of view* / **主観的な見方** a subjective *point of view* / **狭い見方** a narrow *point of view* / **短絡的な見方** a simplistic *point of view* / **独特の見方** a unique *point of view* / **反対の見方** the opposite *point of view* / **悲観的な見方** a pessimistic *point of view* / **楽観的な見方** an optimistic *point of view*

みかづき 三日月 ── 名 (新月) new moon Ⓒ ★ 天文学の用語としては月全体が陰になった状態を指すが, 一般にはその後の細い三日月も意味する; crescent /krésnt/ (moon) Ⓒ 参考 crescent はラテン語の「だんだん大きくなる」という意味から出た語. 三日月形のものという意味でも用いる. ── 形 (三日月形の) crescent Ⓐ. 《☞ つき¹ (挿絵)》. **三日月湖** oxbow lake Ⓒ **三日月眉** arched eyebrows ★ 通例複数形で.

みがって 身勝手 ── 形 (自分の利益ばかり考える) selfish ★ 最も一般的な語で, 以下の語の代わりにも使える; (自分勝手の) ègotístic(al), egoistic(al); (自己中心的な) sélf-céntered. ── 名 selfishness Ⓤ; ego(t)ism Ⓤ; self-centeredness Ⓤ. 《☞ わがまま; かって》. ¶ それではあまりにも*身勝手だ That's too *selfish*. // 彼の*身勝手にはもう我慢がならない I can't「stand [put up with] his「*selfishness* [*ego(t)ism*] anymore. // 彼女と別れるなんて君は*身勝手だ It is「*selfish* [*egoistic*; *egotistical*] of you to leave her. // 子供というものは*身勝手な振舞いをするものだ A child will act *selfishly*. / (⇒ わがままを通そうとする) A child「will *have* [tries to *get*]「*his* [*her*] *own way*.

みがてら 見がてら ¶ 月を*見がてら散歩に行った I took a walk *looking at* the moon. 《☞ -がてら》

みかど 帝 the Emperor, the Mikado ★ どちらも the を付けて.

みかねる 見兼ねる (…をそのままにしておけない) cannot let … go; (…に無関心でいられない) cannot be indifferent (to …); (…を見過ごすわけにいかない) cannot overlook ⓗ.

¶ 彼は暴力を*見かねて仲裁を買って出た *Unable to let* the violence continue, he volunteered to act as a peacemaker. // 彼女の窮状は見るに*見かねた I *couldn't overlook* her financial「difficulty [difficulties; troubles].

みがまえ 身構え (何かをする姿勢) posture Ⓒ ★ 一般的にいう場合の「姿勢」は Ⓤ; (心の姿勢・態度) áttitùde Ⓒ. 《☞ しせい¹ (類義語)》. ¶ 彼は防禦(ぼうぎょ)の*身構えをした He took a defensive *posture*.

みがまえる 身構える (姿勢をとる) assume [take] a posture; (…をする準備ができる) stand ready (to *do* …). 《☞ かまえる》. ¶ 彼はその小川を跳び越そうと*身構えた He *stood ready to* jump (across) the stream.

みがら 身柄 ¶ 容疑者の*身柄は拘束された The suspect was taken into custody. 日英比較「身柄」という日本語は通常特に訳出する必要はない. // 警察に*身柄を引き渡す hand *a person* over to the police **身柄送検** handing [turning] over a suspect to the prosecutor's office Ⓤ.

みがる 身軽 ── 副 (動きが軽くのびのびと) lightly; (身軽に速く) nimbly. ── 形 light; nimble. 《☞ びんしょう¹》.

¶彼は*身軽にその柵(さく)を乗り越えた He *nimbly* got over the fence. // 旅行するときは*身軽がいい You should travel *light*. [語法] この light は「荷物をたくさん持たずに」という副詞. // 私は*身軽な (⇒略式の) 服装で出かけた I went out ⌈dressed *casually* [in *casual* dress]. // *身軽な (⇒気苦労のない) 独身者 a *carefree* unmarried person

みかわす 見交わす (互いに見る) look at each other; (ちらりと見る) exchange glances with …《☞ みる¹》.

みがわり 身代わり ―[前] (…の代わりに) for …; in …'s place, in place of … ★ 第1番目が最も口語的. ―[名] (他人の罪や責任を負わされて罰せられる人) scápegòat [C]. ―[動] (身代わりにする) scapegoat ㊀; (罪をかぶって身代わりになる)《略式》take the fall (for …).《☞ かわり¹》.

みかん¹ 蜜柑 〘植〙 (日本のみかん) Jápanèse órange [C]; (中国原産の小ぶりで木の枝も細い種類) mándarin (órange) [C]. ★ 一般的には tangerine, 英国などでは satsuma (orange) [C] とも呼ぶ.《☞ なつみかん; だいだい²》.

みかん² 未刊 ―[形] unpublished《☞ しゅっぱん¹》. ¶*未刊である remain *unpublished*

みかん³ 未完 ―[形] (終了していない) unfinished; (完全でない) incomplete. ¶ピカソの*未完の作品 an *unfinished* work by Picasso /pɪkáːsoʊ/ // 彼は*未完の (⇒作られつつある) 大器だ He is a great talent *in the making*.

みかんせい 未完成 ―[形] (不完全な) incompléte; (未終了の) unfinished.
未完成交響曲 (*Schubert's*) *Unfinished Symphony* ★ Schubert's を略す場合は the ~ となる. **未完成品** unfinished ⌈article [C] [goods] ★ 後者は複数扱い.

みき¹ 幹 (木の) trunk [C]《☞ き² (挿絵)》.

みき² 神酒 ☞ おみき

みぎ 右 ―[名] right [U] (↔ left) ★ 通例 the を付けて. ―[形][副] right.《☞ みぎて; みぎがわ》.
¶最初の十字路を*右に曲がりなさい Turn (to *the*) *right* at the first crossing. // *右のわき腹が痛い I feel a pain in my *right* side. // ふたは*右に (⇒時計回りに) 回すんですよ Turn the lid *clockwise*. // 彼の意見はずいぶん*右寄りだ He's very ⌈*rightist* [*far to the right*] in his opinions. // *右へならえ《号令》Dress *right*! // *右向け*右《号令》*Right* face!《☞ まわれみぎ》
右から左 ¶彼女の給料は*右から左だ (⇒給料が指からするりと抜ける) Her pay *just slips through her fingers*. **右と言えば左** ¶彼は誰かが*右と言えばいつも左と言う He *is* always *contradicting* others. / (⇒つむじ曲がりだ) He is perverse. **右とも左とも** ¶ことの成り行きは*右とも左とも言えない (⇒不確かだ) The course of events *is uncertain*. **右に出る者がない** be unsurpassed among …; be the (very) best of … ¶野球にかけてはこの学校で彼の*右に出る者はない (⇒だれも彼に匹敵しない) *No one* in this school can *match* him as a baseball player. **右の耳から左の耳** ¶私の彼に対する忠告は*右の耳から左の耳へ抜けているようだ My advice to him seems to have gone in *one ear and out the other*. **右も左も分からない** ¶彼女は森の中で*右も左も分からなくなった (⇒道に迷った) She *lost her way* in the woods. **右を見ても左を見ても** ¶*右を見ても左を見ても (⇒いたる所) 人の波だった There were crowds of people *everywhere*.

みぎあがり 右上がり ―[副] right-side up. ¶家屋の市場価格は*右上がりだ (上昇している) The market price of houses *is* ⌈*going up* [*rising*] (*as time goes on*).

みぎうえ 右上 ―[名] the upper right (hand). ―[形] upper right-hand [A].《☞ みぎ; うえ¹》. ¶手紙文の*右上に住所ときょうの日付を書きなさい Write your address and today's date in *the upper right-hand corner* of your letter.

みぎうち 右打ち ☞ みぎバッター

みぎうで 右腕 right arm [C]; (頼みとなる人) *one's* right-hand ⌈man [woman] [C] ★ man は男女ともに用いる, *one's* right hand [C].《☞ うで; かたうで》. ¶彼は*右腕に入れ墨がある He has a tattoo on his *right arm*. // 彼は私の*右腕だ He's my ⌈*right-hand man* [*right hand*].

みぎがき 右書き ¶日本語は*右書きです (⇒縦書きで右から左へ) Japanese is written vertically, and the lines progress *from right to left*.

みぎかたあがり 右肩上がり ☞ みぎあがり

みぎがわ 右側 the right (⌈hand [side])《☞ がわ; みぎて》. ¶私は彼の*右側に座った I sat *on his right* (*side*). // *右側通行《掲示》Keep to *the right* / Keep *right* // ヨーロッパでは車は*右側通行だ Traffic keeps *to the right* in Europe.

みきき 見聞き ―[動] (経験する) experience ㊀; (観察する) observe ㊀.《☞ けいけん¹》.

みぎきき 右利き ―[名] (右利きの人) right-handed person [C], right-hander [C] [語法] 後者は特に運動選手に用いられることが多い. ―[形] right-handed.

ミキサー (台所用の) blender [C], 《英》liquidizer /líkwədàɪzə/ [C] [日英比較] 英語の mixer は「攪拌(かくはん)器」; 〘電子工〙(ミキシング装置) mixer [C]; (コンクリートの) cement mixer [C]; (トラック) cement mixer (truck) [C]. **ミキサー車** cement mixer [C].

みぎした 右下 ―[名] the lower right (hand). ―[形] lower right-hand [A].《☞ みぎ; した¹》. ¶テレビ画面の*右下にスコアが出る We can see the score in *the lower right-hand corner* of the TV screen.

ミキシング ¶さまざまな音を効果的に*ミキシングする *mix* various sounds effectively **ミキシンググラス** mixing glass [C].

みぎぞろえ 右揃え right ⌈alignment [justification] [U].

みぎて 右手 right hand [C]; (方角) the right (hand).《☞ みぎがわ》. ¶彼は*右手を伸ばした He stretched out his *right hand*. // *右手に富士山が見えた We saw Mt. Fuji ⌈*on* [*to*] *the right*.

みぎなげ 右投げ ―[名] (右投げの人) right-hander [C]. ―[動] throw (balls) with *one's* right hand.

みぎバッター 右バッター right-handed batter [C].

みぎハンドル 右ハンドル right-hand drive [U]. ¶*右ハンドルの車 a *right-hand drive* car

みぎひだり 右左 ―[副] right and left《☞ さゆう》. ¶靴を*右左にはく put *one's* shoes *on the wrong feet*

みぎまえ 右前 ¶女性の服は*右前です (⇒右側を左側の上に着る) Women dress *with right over left*. // 彼女は私の*右前に座った She sat *in front of me, a little to the right*.

みぎまき 右巻き ―[形][副] clockwise (↔ counterclockwise).

みきまわり 幹周り, 幹回り the circumference

of a trunk.

みぎまわり 右回り ━形 副 clockwise (↔ counterclockwise).

みぎよつ 右四つ (相撲で) *migiyotsu*, right-handed belt grip Ⓒ.

みぎより 右寄り ━名 (方向) right side Ⓒ; (思想) the right wing Ⓒ ★ the を付けて. しばしば R— W— として; (人) rightist, right winger Ⓒ; (保守的な人) conservative Ⓒ. ━形 (方向) right-sided; (思想) right-wing; (保守的な) conservative.

みきり 見切り 1 《断念》 ━動 (断念する·あきらめる) gìve úp (他) 《☞ みかぎる; みはなす》.

¶彼はその計画に*見切りをつけた He *gave up* the ⌈plan [project].

2 《安売り》: (品) bargain Ⓒ 《☞ バーゲン》.

見切り時 ¶この事業も今が*見切り時だ It's *time to give up* on this business. **見切り値** (蔵払いの) clearance price Ⓒ; (バーゲンの) bargain price Ⓒ ★ 前者のほうが普通のバーゲンより安値. **見切り発車** ━動 (列車時刻表を守るため乗客を残して発車する) start a crowded train leaving some passengers behind in order to keep to a schedule ★ 説明的表現. ¶この計画は*見切り発車すべきだ (⇒ まだ意見の一致は見られないが実行に移すべきだ) The plan should *be put into practice even if a consensus has not (yet) been reached.* **見切り品** (特価品) bargain Ⓒ; (捨て売りの品) sacrifice [cut-price] goods ★ 複数扱い. 《☞ しょうひん¹ 語法》.

¶そのドレスは*見切り品です That dress is really a *bargain.*

みぎり 砌 ¶酷暑の*みぎりご自愛ください Please take good care of yourself in *this* extremely hot *weather.*

みきる 見切る (見限る) give up (他), abandon (他); (見終える) see all of ...; (投げ売る) sell off (他). 《☞ みきり》. ¶ついに彼女は彼のことを*見切った (⇒ 捨てた) Finally she *ditched* him.

みぎれい 身奇麗 ━形 (小ぎれいな) neat 《☞ こぎれい; きれい》. ¶彼女はいつも*身ぎれいにしている She *is* always *neatly dressed.* / She always *looks neat.*

みぎわ 汀 the waterside ★ the を付けて.

みきわめ 見極め ¶真実の*見極めが大切だ It is important *to ascertain* the truth.

みきわめる 見極める (最後まで見守る) watch ... to the end; (入念に調べる) probe (他)(自). 《☞ みとどける; たしかめる》. ¶彼は事の成り行きを*見極めた He *watched* the matter (*through*) *to the end.* 語法 through を用いるほうが強意的. // 事情を*見極めてから決心をしたい I would like to make up my mind after I *have* ⌈*probed* (*into*) [*looked into*] the matter *thoroughly.*

ミグ (ロシアの戦闘機名) MiG, MIG, Mig Ⓒ ★ 2人の設計技士の頭文字から.

みくじ 御籤 ☞ おみくじ

ミクスチュア (混合物) mixture Ⓒ.

ミクストダブルス ☞ ミックスダブルス

ミクストメディア 〘芸〙 ━名 mixed media /míːdiə/ Ⓤ. ━形 mixed-media.

ミグせんとうき ミグ戦闘機 ☞ ミグ

みくだす 見下す (軽蔑する) look down ⌈on [upon] ... (↔ look up to ...), despise (他) ★ 前者のほうがより口語的. 《☞ けいべつ (類義語)》.

¶彼は大学を出ていない人を*見下す癖がある He has ⌈a [the] habit of *looking down on* people who are not college graduates.

みくだりはん 三下り半 (離縁状) bill [letter] of divorce Ⓒ. ¶*三下り半をつきつける (⇒ 離婚の申し立てをする) file for divorce

みくに 御国 (自分の国) our country; (祖国) fatherland Ⓒ.

みくびる 見縊る (低く評価する) ùnderráte (他); (軽く見る) think lightly of ..., make ⌈light [little] of ... 《☞ けいし¹; かろんじる; あなどる》.

¶相手を*見くびってはいけない Never *underrate* your opponent. // 試験を*見くびっていたらひどい目にあった I *thought too lightly of* the exam and had an awful time ⌈of [with] it.

みくらべる 見比べる (比べる) compare (他) 《☞ くらべる》.

みぐるしい 見苦しい (見た目によくない·醜い) 《格式》 unsightly; (不適切な) 《格式》 unseemly.

¶土壇場でじたばたするのは*見苦しい It is *unseemly* to make a fuss at the last moment.

みぐるみ 身ぐるみ ¶追いはぎに*身ぐるみ (⇒ 持っている [着ている] ものすべて) はがされた A ⌈highwayman *robbed me of* [highway robber *took*] *everything* ⌈*I had* [*I had on*]. ★ highwayman は古風な語. 《☞ まるはだか》 // *身ぐるみ脱いで置いて行け Leave *all you have* behind.

ミクロ ━接頭 micro- /máɪkrə/ (↔ macro). ━形 (極微の) mìcroscópic.

¶*ミクロの世界 the *micròscópic* wórld

ミクロ経済学 mìcroeconómics Ⓤ **ミクロ構造** microstructure Ⓒ **ミクロコスモス** microcosm Ⓒ **ミクロスコープ** (顕微鏡) mícroscòpe Ⓒ **ミクロスコピック** (微視的な) mìcroscópic 《☞ マクロスコピック》 **ミクロフィルター** microfilter Ⓒ **ミクロ分析** 〘化〙 mìcroanálysis Ⓤ ★ 具体的な分析は Ⓒ.

ミクロネシア ━名 (固) Micronesia /màɪkrəníːʒə/. ━形 Micronesian. **ミクロネシア語群** Micronesian Ⓤ **ミクロネシア人** Micronesian Ⓒ.

ミクロン micron /máɪkrɑn/ Ⓒ.

みけ 三毛 ☞ みけねこ

みけいけん 未経験 ━形 (経験のない) inexperienced; (新しい) new; 《略式》 virgin ★ 戯言的.

¶彼女はこの種の仕事は*未経験だ She's ⌈*inexperienced* in [*new* to] this kind of work.

未経験者 inexperienced person Ⓒ; 《略式》 virgin Ⓒ; (未熟者) green hand Ⓒ. ¶*未経験者可 (求人広告で) *No experience* necessary. // コンピューター*未経験者 a computer *virgin*

みけつ 未決 ━形 (未解決の) pending ★ 格式ばった語; (未決定の) ùndecíded. 《☞ みかいけつ》.

¶*未決書類 *pending* documents // その問題はまだ*未決のままだ The problem is still ⌈*pending* [*undecided*]. **未決勾留** pretrial detention Ⓤ **未決囚** unconvicted prisoner Ⓒ, prisoner awaiting trial Ⓒ.

みけっさい 未決済 ━形 (手形·小切手が未回収の) outstanding; (未解決の) unsettled; (未払いの) unpaid; (未清算の) open.

未決済勘定 outstanding [unsettled] account Ⓒ **未決済相互計算** running account Ⓒ **未決済取引** open trade Ⓤ.

みけねこ 三毛猫 tortoiseshell /tɔ́ːtə(s)ʃèl/ cat Ⓒ, 《米》 calico cat Ⓒ.

ミケランジェロ ━名 (固) Michelangelo Buonarroti /màɪkəlǽndʒəlòu bwòunərɑ́ti/, 1475–1564. ★ イタリアの彫刻家·画家·建築家.

みけん¹ 眉間 (額) forehead /fɑ́rɪd/ Ⓒ 《☞ まゆ¹》.

¶*眉間の傷 (⇒ 眉の間の) a scar *between the eyebrows* // *眉間にしわを寄せる knit *one's* brows / (⇒ 眉をひそめる) frown

みけん² 未見 ¶*未見の地 a land *one has not seen* // *未見の本[研究論文] a ⌈book [research paper] *one has not read*

みこ[1] **巫女** maiden in the service of a Shinto shrine Ⓒ, shrine maiden Ⓒ.

みこ[2] **御子, 皇子, 皇女** (天皇の子) Imperial ˹son [daughter] Ⓒ; (親王) Imperial prince Ⓒ.

みこうにん 未公認 ― 形 ùnofficial. ¶ 彼女の記録はまだ*未公認だ Her record is ˹still *unofficial* [(⇒ 公式に認定されていない) *not* yet *officially recognized*]. **未公認記録** únofficial récord Ⓒ **未公認候補者** (これから登録される予定の) yet-to-be registered candidate Ⓒ.

みこころ 御心 ☞ こころ

みこし 神輿 *mikoshi* Ⓒ ★ 単複同形; (説明的には) Japanese ˹portable shrine [sacred palanquin /pæ̀lənkíːn/] paraded through the streets as a Shinto festival ˹artifact [implement] Ⓒ ★ palanquin は中国式一人用駕籠.
みこしを上げる (立ち去る) leave 他 自 《過去・過分 left》; (…に取りかかる) get to …, set about … ¶ 11 時には*みこしを上げるべきだった I should have *left* at 11. // いま*みこしを上げないと (⇒ 仕事を始めないと) 間に合わないよ *Get to* work now, or you won't make it. **みこしを担ぐ** (おべっかを使う) soft-soap 他; (おだてあげる) flatter 他. **みこしを据える** (落ちつく) settle down 自.

みごしらえ 身拵え ☞ みじたく

みこす 見越す (見込む) antícipàte 他; (予想する) expect 他. 《☞ みこむ; よそう[1]》.
¶ あなたが来るのを*見越してお菓子を買っておいたよ *Expecting* you would come, I bought ˹a cake [some cakes]. // この冬は寒くなると*見越して, 灯油を十分買った *In anticipation of* a severe winter, I stocked plenty of heating oil. // 先 (⇒ 将来) を*見越す *look* ˹into [to] the future

みごたえ 見応え ¶ 今度の彼の演技は*見応えがある (⇒ 見る価値がある) This performance of his is *worth seeing*.

みこと 尊 (敬称として) Prince Ⓒ ★ 日本語とは逆に人名の前に付けて用いられる. ¶ すさのおの*尊 Prince Susanoo

みごと 見事 ― 形 (驚くほどすばらしい) wonderful; (立派な・美しい) beautiful; (優れた) excellent; (壮麗・華麗ですばらしい) splendid. 《☞ すばらしい (類義語); りっぱ》. ¶ *見事だ *Wonderful*! / *Beautiful*! / *Splendid*! // これはまた*見事な作品だ[できばえだ] What *excellent* workmanship! // *見事な菊 *beautiful* chrysanthemums // 彼は*見事に競争相手の裏をかいた (⇒ 巧み[完璧]に) He ˹*cleverly* [*completely*] outwitted his rivals.

みことのり 詔 Imperial edict /ɪmpí(ə)riəl íːdɪkt/ Ⓒ.

みごなし 身ごなし (動作) movement Ⓒ; (立居振舞い) manners ★ 複数形で. 《☞ どうさ; ものごし; こなし》.

みこみ 見込み **1** «将来有望だという可能性» ― 名 (望みがかなえられる可能性) hope Ⓤ; (成功の見込み) prospects ★ 通例複数形で. 前者より格式ばった語; (可能性) possibility Ⓤ; (公算) chance Ⓒ; (ありそうな見込み) likelihood Ⓤ; (将来性) future Ⓤ. ― 形 (将来性のある) promising. 《☞ かのうせい; こうさん[1]; せいさん[2]; のぞみ》.
¶ 彼女が回復する*見込みはあまりない There is not much ˹*likelihood* [*hope*] that she will recover (from her illness). / (⇒ 可能性は少ない) The *possibility* of her recovery is small. / She is *unlikely* to recover. // 彼は*見込みのある男だ He is ˹very *promising* [a *promising* man]. // 彼は*見込みのない男だ He is *hopeless*. / (⇒ 将来性がない) He *has no future*.
2 «目当て»: (予想・期待) expectation Ⓤ ★「期待・予想されるもの[こと]」の意ではしばしば複数形で; (見当) éstimate Ⓤ. 《☞ よそう[1]; おもわく[1]》.
¶ 私の*見込みでは, その仕事は 1 週間でできる My *expectation* is [I *expect*] that the work will be completed ˹within [in] a week. // 彼は当てになると思ったが*見込み違いだった I thought I could depend on him, but he ˹did not come up to [fell short of] my *expectations*. // 利潤は*見込み違いだった (⇒ 計算違いをした) I *miscalculated* the profit. // 彼女は来年度卒業の*見込みです She ˹*is expected* [*expects*] *to* graduate next year. // 事は私の*見込みどおり (⇒ 予期したとおり) 運んだ Things went exactly as *I had expected*.
見込み額 estimated sum Ⓒ **見込み点** estimated grade Ⓒ **見込み外れ** miscalculation Ⓒ.

みこむ 見込む **1** «有望だと思う»: (信用する) trust 他; (信頼を置く) put confidence in … 《☞ しんらい[1]》. ¶ 君を*見込んで頼む I know I can *trust* you. Please do me a favor. // その男は*見込まれて要職についた He ˹*won the confidence of* [*was trusted by*] his superiors and was given an important position.
2 «予想して計算に入れる»: (考慮する) take … into account; (予想する) antícipàte 他. 《☞ みこす; よそう[1]》. ¶ ある程度の損失を*見込んで計画を立てた We made our plans *taking* some losses *into account*. // 彼らは石油の値段が上がると*見込んで多量に買い込んだ They *anticipated* a rise in the price of oil and bought a great deal (of it).

みごもる 身籠る become [get] pregnant 《☞ にんしん》.

みごろ[1] **見頃** ― 形 (最盛期で) at *one's* best; (花が満開で) in full bloom. ¶ 紅葉はいまが*見ごろです The autumn leaves are *at their best* now.

みごろ[2] **身頃** (胴体) the body 《☞ まえみごろ; うしろみごろ》.

みごろし 見殺し ¶ 私を*見殺しにするつもりですか (⇒ 私を助けてくれないのですか) Aren't you going to help me? // あなたを決して*見殺しにはしないつもりだ (⇒ 困った状態に置き去りにはしない) I will never *leave* you *in the lurch*.

みこん[1] **未婚** ― 形 unmarried, single ★ 前者のほうが格式ばった語. 《☞ どくしん》. ¶ *未婚の母 an ˹*unmarried* [*unwed*] mother

みこん[2] **未墾** ¶ *未墾の地 *uncultivated* land

ミサ 〖カトリック〗 Mass /mǽs/ Ⓤ 日英比較 mass とつづる. 日本語の「ミサ」はラテン語 missa に由来する. ¶ *ミサを行う hold a *mass* / celebrate [perform] the *mass* // *ミサを捧げる 《聖職者が》 say *mass* // *ミサに参列する go to *mass* // 死者のための*ミサ a *mass* for the dead **ミサ曲** mass Ⓒ; (死者のための) requiem /rékwiəm/ Ⓒ **ミサソレムニス** (荘厳ミサ) missa solemnis Ⓒ; sólemn hígh máss Ⓒ ★ 前者はラテン語の形を使ったもの.

みさい[1] **未済** ― 形 (請求書が未払いの) unpaid; (手形・小切手が未回収の) outstanding; (未解決の) unsettled. 《☞ みけっさい》. **未済勘定** outstanding [unsettled] account Ⓒ **未済借金** outstanding [unpaid] debt Ⓒ.

みさい[2] **未裁** ☞ みけつ

ミサイル missile /mísl/ Ⓒ 《☞ だんどうだん》.
¶ *ミサイルを発射[迎撃, 誘導]する launch [intercept; guide] a *missile* // 長[短]距離*ミサイル a ˹long-[short-]range *missile* // 戦略*ミサイル a strategic *missile* // 空対空*ミサイル an air-to-air *missile* // 空対地*ミサイル an air-to-surface *missile* // 地対空*ミサイル a surface-to-air *missile* // 迎撃*ミサイル an interceptor *missile* // 誘導*ミサイル a guided *missile*

ミサイル基地 missile site Ⓒ ミサイル発射装置 missile launcher Ⓒ《☞ はっしゃ² (発射台)》 ミサイル防衛計画 missile defense program Ⓒ.

みさお 操 ―名 (純潔) chastity Ⓤ; (信義) faith Ⓤ; (忠節) fidélity Ⓤ; (処女性) virginity Ⓤ. ―形 (…に忠実な) faithful [loyal] to … 《☞ ちゅうじつ; ていそう》. ¶ *操を売る sell ⌈*one's chastity* [*oneself*] // *操を守る remain *chaste* ★ 女性が. / (主義に忠実である) be true to *one's principle(s)* // あんな男に*操を立てることはないよ You don't have to be ⌈*faithful* [*loyal*] *to* such a man.

みさかい 見境 (区別) discrimination Ⓤ. ¶ 彼女は*見境もなく物を買い込む癖がある She has the habit of buying things ⌈*without discrimination* [*indiscriminately*]. // 彼は酔うと前後の*見境がなくなる (⇒ 理性を失う) He *loses his head* when he is drunk.

みさき 岬 cape Ⓒ; prómontòry Ⓒ 語法 前者は地名に用いられることが多い.

みざくら 実桜 ☞ さくらんぼう; さくら¹

みさげはてた 見下げ果てた (軽蔑すべき) contemptible; (卑劣な) mean. 《☞ みくだす; けいべつ (類義語)》. ¶ 彼がそんな*見下げ果てた奴だとは思わなかった I never thought that he was such a ⌈*contemptible* [*despicable*; *mean*] person.

みさげる 見下げる look down on … (↔ look up to …), despise ㊥. 《☞ けいべつ (類義語)》.

みさご 鶚 〘鳥〙 osprey Ⓒ.

みささぎ 陵 Imperial mausoleum /ɪmpí(ə)riəl mɔ̀:səlí:əm/ Ⓒ.

みさだめ 見定め ¶ 彼は善悪の*見定め (⇒ 区別) がつかないようだ He can't seem to *tell* good *from* evil. // 結果の*見定めがつく (⇒ 確実になる) まで待とう Let's wait until we *are sure of* the results.

みさだめる 見定める make sure of …, àscertáin ㊥ ★ 後者のほうが改まった語. 《☞ たしかめる; かくにん》. ¶ 目標を*見定めてから行動を開始しなさい *Make sure of* your goal before you ⌈act [take action].

みざる 見猿 見猿, 聞か猿, 言わ猿 hear no evil, see no evil, speak no evil; (見ない, 聞かない, 言わないという猿たち) the see-not, hear-not, and speak-not monkeys 《☞ さんえん》.

みさんぷ 未産婦 〘医〙 nullipara Ⓒ 《複 ~s, -rae》, woman who has never borne a child Ⓒ.

ミシェル (女性名) Michelle /mi:ʃél/.

みじかい 短い ―形 (長さ・距離が) short (↔ long); (時間が) short, brief (↔ long) ★ 後者のほうが格式ばった語. ―動 (短くする) shorten ㊥; (切って短くする) cut … short. 《☞ ちぢめる》. ¶ このズボンは僕には*短い These trousers are too *short* for me. // 今年の梅雨は思ったより*短かった The rainy season was *shorter* than (we) expected this year. // 彼女は*短いスピーチをした She gave a ⌈*short* [*brief*] speech. // うちの所長は気が*短い Our boss is *short*-tempered. // このレポートは半分に*短くできる This report can *be shortened* to half its (present) length.

みじかめ 短め ☞ みじかい; -め

ミシガン ―名 固 (米国の州) Míchigan 《☞ アメリカ (表)》. ミシガン湖 Lake Michigan.

ミシシッピ ―名 固 (米国の州) Mississíppi 《☞ アメリカ (表)》. ミシシッピ川 the Mississippi (River) ★ 北米大陸最長の水系を成す.

みじたく 身支度 ―動 (衣服を着る) dress (*oneself*), get dressed ★ 後者のほうが口語的. 《☞ したく¹》. ¶ さっさと*身支度しなさい *Dress* [*Get dressed*] quickly.

みじまい 身仕舞い ―動 dress *oneself*, dress ㊀.

みしみし ―動 (きいきいという音を立てる) creak ㊀; (きゅっきゅっと音を立てる) squeak ㊀. 《☞ みしりみしり; 擬声・擬態語 (囲み)》.

みじめ 惨め ―形 miserable, wretched /rétʃɪd/ ★ 後者のほうは意味が強く, 外見上もあわれな感じ; (悲しい) sad; (哀れを誘う) pitiful, pitiable ★ 前者のほうが意味が強い. ―名 misery Ⓤ. 《☞ ひさん¹; あわれ》. ¶ 雨でびしょぬれになって*惨めな気持ちだった I got soaked in the rain and felt ⌈*miserable* [*wretched*; *sad*]. // 私の少年[少女]時代は*惨めだった I had a *miserable* childhood. // 彼女は*惨めな様子をしていた She was in a ⌈*pitiful* [*pitiable*] state.

みしゅう¹ 未収 ―形 (取得したが受け取っていない・負担したが未払いの) accrued; (税金などが未徴収の) uncollected; (手形・小切手が未回収の) outstanding; (未払いの) unpaid; (滞納した) in arrears ★ 格式ばった言い方.

未収金 outstanding account Ⓒ; (売掛勘定の) account receivable Ⓒ 未収収益 (公的機関の収入) accrued [uncollected] revenue Ⓤ; (個人の収入) accrued income receivable Ⓒ, uncollected income Ⓒ 未収税 (徴収できる税) taxes receivable ★ 複数形で. 未収手数料 uncollected commission Ⓤ, accrued /əkrú:d/ commission recéivable Ⓤ 未収利息 uncollected interest Ⓤ, accrued interest receivable Ⓤ.

みしゅう² 未習 ¶ この単語は多くの生徒が*未習です A lot of students *haven't learned* this word *yet*.

みしゅうがくじどう 未就学児童 preschooler Ⓒ.

みじゅく 未熟 ―形 (成熟していない) ìmmatúre; (経験の浅い) inexperienced /ɪnɪkspí(ə)riənst/; (下手な) poor; (経験不足で下手な) unskilled. 《☞ いたらぬ; おさない》. ¶ 彼の技術はまだ*未熟だ His technique is still *poor*. / (⇒ 彼はまだ未熟だ) He is still *unskilled*. // 息子はまだ*未熟者だ My son is still ⌈*immature* [*inexperienced*].

未熟児 premature /prí:mət(j)ʊ̀ə/ báby Ⓒ.

みじゅくれん 未熟練 ¶ *未熟練の外国人労働者 (一人の) an *unskilled* foreign laborer / (集団の) *unskilled* foreign labor 未熟練工 unskilled ⌈worker [laborer] Ⓒ 未熟練労働 unskilled labor Ⓤ ★ 集合的に「未熟練労働者層」も指す.

ミシュランガイド ―名 固 Míchelin /mítʃɪlɪn/ Guíde ★ フランスのミシュラン社が発行しているホテル・レストランなどのガイドブック.

みしよう 未使用 ¶ *未使用の (⇒ 使ってない) 小切手 an *unused* check // *未使用の (⇒ 真新しい) 切手 a *mint* stamp // *未使用の (⇒ 録音してない) ビデオテープ a *blank* videotape 未使用ウラン unused uranium Ⓤ 未使用機器 apparatus not in use Ⓒ.

みしょう¹ 未詳 ―形 (知られていない) unknown; (確認できない) unidentified. 《☞ ふしょう²》.

みしょう² 実生 seedling Ⓒ. ¶ *実生の桃の木 a peach tree *seedling*

みしょち 未処置 ―形 (治療していない) untreated. ¶ *未処置の虫歯 an *untreated* decayed tooth

みしょぶん 未処分 ―形 (処置していない) undisposed; (利益などを分配していない) undivided, undistributed. ¶ *未処分の財産 the *undisposed* property // *未処分利益 an ⌈*undivided* [*undistributed*] profit

みしょり 未処理 ―形 (始末していない) undisposed. ¶*未処理の化学廃棄物[地雷] *undisposed*「chemical wastes [mines] **未処理損失**(勘定を吸収転記していない) *unabsorbed* loss Ⓒ. **未処理箱[ケース]**(未処理の書類入れ) in-box Ⓒ.

みしらぬ 見知らぬ ―形 (見たこともない) strange; (慣れていない) ùnfamíliar. ¶*見知らぬ人に声をかけられた A *stranger* spoke to me. // *見知らぬ町では地図は手離せない You cannot do without a map in「an *unfamiliar* [a *strange*] city.

みしりおく 見知り置く (知り合いになる) make *a person's* acquaintance《☞ おみしりおき》. ¶以後お*見知りおきください I am very glad to *make your acquaintance*.

みしりがお 見知り顔 ¶彼は*見知り顔であいさつした He greeted me *as if he knew me*.

みしりみしり ¶床は*みしりみしりと音がした The floor *creaked* under my feet.《☞ 擬声・擬態語(囲み)》

みじろぎ 身じろぎ ¶彼は*身じろぎもしなかった (⇒ 筋肉 1 つ動かさずじっと立っていた) He *stood still* without moving a muscle. / (⇒ 1 インチも動かなかった) He didn't *stir an inch*.

ミシン sewing /sóʊɪŋ/ machìne Ⓒ. ¶彼女は*ミシンでドレスを縫っている She is making a dress on a *sewing machine*.

みじん 微塵 ―名 (小さな片) piece Ⓒ; (かけら) bit Ⓒ ★ 後者のほうがより口語的. ―副 (細かく) finely.《☞ こまかい; こっぱみじん; こなごな》.

¶花瓶は*みじんに砕けた The vase was smashed to「*bits* [*pieces*]. // 私にはあなたを苦しめる気持ちは*みじんも (⇒ 少しも) なかった I had not the *slightest* intention of hurting you.

みじん切り ¶玉ねぎを*みじん切りにして下さい Chop the onion very「*fine*(*ly*) [*small*].《☞ 料理の用語(囲み)》 **微塵粉** finely-powdered rice Ⓤ.

みじんこ 〔動〕 water flea Ⓒ.

みす 御簾 bámboo blínd Ⓒ.

ミス[1] ―名 (やり損なうこと) mistake Ⓒ, error Ⓒ. ―動 make「a mistake [an error]. 日英比較 英語の miss はねらいの「外れ」などの意で「誤り」の意はない.《☞ まちがい (類義語)》.

ミス[2] ¶*ミス日本 *Miss* Japan

みず 水 water Ⓤ; (湯に対して) cold water Ⓤ (↔ hot water).《☞ のみみず》.

¶*水を 1 杯下さい Please give me a glass of *water*.《☞ 数の数え方 (囲み)》 // のどが渇いたので*水が飲みたい I'm thirsty. I'd like「a drink of [to drink some] *water*. // この*水は飲めますか Is this *water*「good to drink [potable]? // 水道の*水 the tap *water* // *水が漏っている The *water* is leaking. // *水が不足している We are short of *water*. / The [Our] *water* supply is low. ★ 後者のほうが格式ばった言い方. // 池の*水が枯れた (⇒ 池が干上がった) The pond *has dried up*. // 雪解けで川の*水が増えた Melted snow *has swollen* the river. // 家が*水につかった The house *was flooded*. // スープが煮詰まっています. *水をさして下さい The soup is getting too thick. Please add some *water*.《☞ 水をさす》// 植木に*水をやる *water* the plants // 庭に*水をまく *sprinkle* the garden // *水は低い方に流れる ☞ 水の低きにつく // *水が引いた The *waters* have「gone down [receded]. // ウイスキーを*水で割る dilute [mix] whiskey with *water*《☞ みずわり; わる[1]》

水が合わない ¶ハイテクライフは*水が合わない A high-tech life does not *agree with* me. **水が入る** (相撲で) take time「off [out] for rest《☞ みずいり》. ¶その取り組みでは*水が入った *Time was called* during the bout. / The bout *was halted* for rest. **水清ければ魚棲まず** (あまり潔癖すぎると敬遠される) A person with too much integrity is politely shunned by others. **水心あれば魚心あり** ☞ うおごころ **水と油** ¶山田と田中は*水と油だ Yamada and Tanaka「mix [are] like *oil and water*. 日英比較 日本語との語順の違いに注意. また oil and vinegar とも言う. **水に流す** ¶いままでのことは*水に流しましょう (⇒ 過去のことは忘れましょう) Let's *forget about* the past. / (⇒ 過去のことは過去のこととしておこう) Let bygones be bygones.《ことわざ》 **水に慣れる** (新しい土地や環境になれる) get accustomed to a new environment. **水の泡** ☞ 見出し **水のしたたるような** ¶*水のしたたるようないい女 a「*dazzlingly* [*stunningly*] beautiful woman **水の流れと身のゆくえ** Where water will flow or people go one never can tell. // (⇒ 人の前途はわからない) The future that lies ahead of us is a mystery. **水の低きにつく** (⇒ 水は自分の高さの所を見つける) Water「finds [seeks] its own level. **水は方円の器に従う** ☞ ほうえん[1] **水も漏らさぬ** (気密の・乗ずる隙のない) airtight. ¶敵は*水も漏らさぬ (⇒ ねずみ一匹も通り抜けられないような) 包囲陣をしいた The enemy laid「*such a* siege *as* [a *siege that*] *would not let a mouse through*. **水をあける** ¶数学では彼にだいぶ*水をあけられている (⇒ 後れをとっている) I「*fall* [*am*] *far behind* him in mathematics. **水を打ったように** ¶会場は*水を打ったように (⇒ ピンが落ちても聞こえるほど) 静かだった The hall was so quiet you *could*「*have heard* [*hear*] *a pin drop*. **水を得た魚** ¶彼女は新しい環境で*水を得た魚のように働いている She's working *actively* in the new environment. **水をさす[掛ける]** (やる気をはばむ) discourage (他). ¶せっかくやる気になっているのだから*水をささ[掛け]ないようにして下さい Don't「*throw a wet blanket on* [*dampen*]「his [her] enthusiasm. ★ throw a wet blanket on は火を消すのに濡れた毛布を用いることからの比喩. **水を向ける** ¶彼女からその秘密を聞き出そうと*水を向けた I tried to *trick* her into telling the secret. **水を割る** ☞ うすめる

コロケーション

水を汚染する pollute *water* / 水を加える add *water* / 水をこぼす spill *water* / 水を殺菌する sterilize *water* / 水を注ぐ pour *water* / 水を出す turn on the *water* / 水を止める turn off the *water* / 水(の供給)を止める cut off [disconnect] the *water* / 水を流す run *water* / 水を飲む drink *water* / 水をはねかける splash *water* (on …) / 水を撒く sprinkle *water* (on …) / 水が気化する *water* vaporizes / 水が凍る *water* freezes / 水が滴り落ちる *water* drips (from …) / 水がしみ出す *water* oozes / 水が蒸発する *water* evaporates / 水が流れる *water*「flows [runs] / 水がはける[引く] *water* drains (into …) / 水が漏る[漏れる] *water* leaks / 水が湧き出る *water* issues (from …)

ミズ Ms. /mìz/ ★ 未婚・既婚の両方の女性に対してその姓または姓名の前につける敬称.

みずあおい 水葵 〔植〕 heartshape false pickerelweed Ⓒ.

みずあか 水垢 (やかんなどの中に出る) fur Ⓤ; (容器などの表面につく) incrustation Ⓤ.

みずあげ 水揚げ (漁獲量) the「amount [number] of fish caught ★ 一般的で説明的表現; (1 回の出漁の) catch Ⓒ, haul Ⓒ ★ 後者は通例単数形で; (売り上げ高) takings ★ 常に複数形で; (総売り上げ額) gross sales.

みずあし 水足 the speed of flowing water.

みずあそび 水遊び ¶子供は*水遊びが好きだ

Children like ⌈*to play* [*playing*] ⌈*in the water* [*with water*].

みずあたり　水あたり　¶あの町で*水あたりした (⇒水が合わなかった[胃腸の調子を狂わせた]) The water in that city ⌈*disagreed with* me [*upset* my *stomach*].

みずあび　水浴び　— [名] (泳ぎ) swim Ⓒ, 《英》 bathe Ⓒ ★ 常に単数形で; (水に入ること) bathing Ⓤ.　— [動] bathe (自).

みずあぶら　水油　(頭髪用の) hair oil Ⓤ.

みずあめ　水飴　starch syrup Ⓤ.

みずあらい　水洗い　— [動] wash ... ⌈with [in] water; (ドライクリーニングではなく水で洗う) launder (他).

みすい　未遂　— [形] attempted Ⓐ.　¶彼は殺人*未遂でつかまった He was arrested on a charge of *attempted* murder.　**未遂罪** attempted crime Ⓒ.

みずいらず　水入らず　¶その晩一家は*水入らずで (⇒自分たちだけで) 過ごした The family passed the night *all by themselves*. / (⇒プライバシーを楽しんだ) The family enjoyed *privacy* for the night. // 親子*水入らず parents and children ⌈*by themselves* [*alone*]

みずいり　水入り　(相撲の) short break for a prolonged sumo bout Ⓒ.

みずいれ　水入れ　waterholder Ⓒ.

みずいろ　水色　greenish sky blue Ⓤ.

みずうみ　湖　lake Ⓒ 《☞ -こ³》.　¶私は*湖に魚釣りに行った I went fishing in the *lake*. 《☞ つり¹ [語法] (2)》 // 彼は*湖のほとりに別荘を建てた He built a summer house ⌈by the *lake* [on the *lakeside*].

ミズーリ　— [名] (固) (米国の州) Missouri /mɪzʊ́(ə)ri/ 《☞ アメリカ (表)》.

みすえる　見据える　(じっと見つめる) stare (at ...) (自); (見定める) make sure of ... 《☞ みつめる; みさだめる》.

みずおけ　水桶　bucket Ⓒ, pail Ⓒ; (大きめの) water tank Ⓒ. 《☞ おけ》.

みずおち　☞ みぞおち

みずおと　水音　(流れる[ぽたぽたたれる]水の) the sound of ⌈running [dripping] water; (水に飛び込んだ[落ちた]ときの) splash Ⓒ. 《☞ おと》.　¶水道の蛇口からぽたぽた落ちる*水音 the *drip* of a faucet // *水音を立てて with a *splash*

みずかがみ　水鏡　¶彼女は*水鏡に自分の姿を映して見た She looked at her ⌈reflection [image] *in the water*.

みずかき　水搔き　web Ⓒ; (水搔きのついた足) webbed foot Ⓒ 《複 — feet》.　¶かえるには*水搔きがある A frog has *webbed feet*. / A frog is *web-footed*.

みずかけろん　水掛け論　endless [fruitless] ⌈dispute [argument] Ⓒ.

みずかげん　水加減　¶*水加減に注意して米を炊く cook rice in the right *amount of water*

みずかさ　水嵩　¶川は*水かさが増した[減った] The river *has* ⌈*risen* [*fallen*].

みずがし　水菓子　(果物) fruit Ⓤ.

みすかす　見透かす　see through ... 《☞ みぬく》.　¶彼のうそはたちまち彼女に*見透かされてしまった She at once *saw through* his lie.

みずかび　水黴　〔植〕 saprolegnia /sæ̀proulégniə/ Ⓒ.

みずかまきり　水蟷螂　〔昆〕 (a slender-bodied species of) water scorpion Ⓒ.

みずがめ　水瓶　(広口の) water ⌈jar [《英》 jug] Ⓒ.

みずがめざ　水瓶座　〔星座〕 Aquarius /əkwé(ə)riəs/, the Water Bearer. 《☞ せいざ²》.

みずから　自ら　(自分自身で) *oneself*; (自分から・自分の体を使ってじきじきに) personally, in person. 《☞ ちょくせつ》.　¶社長*自らこの原稿を書いた The president wrote this manuscript ⌈*himself* [*herself*]. / The president *personally* wrote this manuscript. ★ 第 2 文のほうが格式ばった言い方.

みずガラス　水ガラス　water glass Ⓤ.

みずがれ　水涸れ　(かんばつ) drought /dráut/ Ⓒ; (水不足) water shortage Ⓒ.

みずき　水木　〔植〕 dogwood Ⓒ.

みずぎ　水着　(一般に) swimsuit Ⓒ, bathing suit Ⓒ; (ビキニ) bikini /bəkíːni/ Ⓒ; (男の水泳パンツ) (swimming) trunks ★ 複数形で.

みずききん　水飢饉　(水不足) water shortage Ⓒ.

ミスキャスト　mìscásting Ⓤ 《☞ キャスト》.

みずきり　水切り　— [動] (水分を取る) drain (他); (茎を水中で切って花を長持ちさせる) cut the stem of a flower under water to keep it fresh ★ 説明的な訳; (遊びで) play ducks and drakes.　— [名] (台所用具) colander Ⓒ; (遊びの) ducks and drakes ★ 複数形で.　¶野菜は*水切りしてからよく冷やしなさい *Drain* the vegetables and chill them well.　**水切りかご** colander Ⓒ　**水切り台** (置き棚) drying rack Ⓒ; (板) drainboard (《英》 draining board) Ⓒ.

みずぎわ　水際　the edge of the water, the water's edge ★ いずれも the を付けて. 《☞ -ぎわ》.　**水際作戦** water's edge [shoreline] operations ★ しばしば複数形で.

みずぎわだつ　水際立つ　— [形] (卓越した) outstanding; (素晴らしい) marvelous (《英》 marvellous), splendid ★ ほぼ同じだが後者のほうがやや格式ばった言い方. 《☞ すばらしい》.

みずくき　水茎　(筆) writing brush Ⓒ.　**水茎の跡**　¶*水茎の跡もうるわしい手紙 a letter written *in* ⌈*a graceful* [*an elegant*] *hand*

みずくさ　水草　〔植〕 water plant Ⓒ.

みずくさい　水臭い　(率直でない) not frank.　¶あなたのやり方は*水臭い (⇒私に率直でない) You *are not being frank* with me. // そんな*水臭いことをするなよ (⇒形式ばるな) Don't be so *formal* (with me). / Don't stand *on ceremony* (with me). ★ 第 2 文は常に否定形で用いられる慣用句.

みずぐすり　水薬　liquid Ⓤ, liquid ⌈medicine [medication] Ⓤ ★ いずれも種類をいうときは Ⓒ. 《☞ くすり》.

みずくみ　水汲み　— [動] draw water.　¶むこうの井戸まで*水汲みに行ってくれ Go to the well over there *for water*.

みずぐるま　水車　☞ すいしゃ

みずけ　水気　moisture Ⓤ 《☞ すいぶん; しっけ》. ¶*水気の多い果物 *juicy* fruit

みずげい　水芸　water trick Ⓒ.

みずけむり　水煙　a cloud of spray.

みずこくよう　水子供養　mass for a baby lost through miscarriage or abortion Ⓒ.

みずごころ　水心　☞ うおごころ

みずごけ　水苔　〔植〕 bog moss Ⓤ.

みすごす　見過ごす　(見落とす) overlook (他), miss (他)　[語法] 後者のほうが「うっかり」というニュアンスが強い; (人の注意を引かない) escape *a person's* notice ★ 主語は「事柄」. 《☞ みのがす; みおとす》.

みずごり　水垢離　¶彼女は息子の回復を祈願して*水ごりを取った She took *cold water ablutions* praying for her son's recovery.

みずさいばい　水栽培　— [名] water culture Ⓤ. — [動] grow ... in water.

みずさかずき　水杯　¶*水杯を交わす exchange *cups of water as a farewell* ★ 説明的な訳.

みずさきあんない　水先案内　(人) pilot Ⓒ.

みずさきにん 水先人 ☞ みずさきあんない
みずさし 水差し jug Ⓒ, 《米》 pitcher Ⓒ.
みずしげん 水資源 water resources ★ 通例複数形で.
みずしごと 水仕事 (台所仕事) kitchen work Ⓤ; (洗濯) washing Ⓤ.
みずしぶき 水しぶき spray Ⓤ 《☞ しぶき》.
ミスジャッジ ―動 (スポーツで誤審する) make a 「wrong [bad] 「call [decision]; (人・時間・量の判断を誤る) misjudge ㊍ 自. ―名 wrong [bad] 「call [decision] Ⓒ, misjudg(e)ment Ⓤ. ¶ 明らかに審判はその試合で*ミスジャッジした Plainly, the 「umpire [referee] made a 「wrong [bad] 「call [decision] in the 「match [game].
みずしょうばい 水商売 (酒を出す商売) business whose earnings largely depend on the sale of alcoholic beverages consumed on the premises Ⓒ ★ 説明的な訳. 《☞ ふうぞく (風俗営業)》; (人気に左右される商売) business influenced by a decline or an increase in popularity Ⓒ; (収入の不安定な商売) business with an unstable income Ⓒ.
ミスショット (打ちそこない) mishit Ⓒ; (ゴルフの) bad shot Ⓒ.
みずしらずの 見ず知らずの ―形 strange. ¶ *見ず知らずの人 a *stranger* / (⇒ まったく知らない人) a total *stranger*
みずすまし 水澄まし 〔昆〕 whírligig béetle Ⓒ.
みずぜめ¹ 水攻め ¶ 敵の城を*水攻めにする (⇒ 飲料水の供給を絶つ) *cut off the water supply* to the enemy's castle / (⇒水びたしにする) *flood* the enemy's castle
みずぜめ² 水責め ―動 torture … by water.
ミスター (敬称) Mr., Mister ★ 主に 《英》 では Mr. のピリオドは省く.
みずたき 水炊き stew of chicken and vegetables cooked at the table Ⓒ.
みずだし 水出し infusion using cold water Ⓤ. ¶ ハーブを*水出しする *infuse* herbs *in water*
ミスタッチ (キーの打ち間違い) hitting [pressing] the wrong key Ⓤ; (楽器の) playing the wrong key Ⓤ.
みずたまそう 水玉草 〔植〕 enchanter's nightshade Ⓒ.
みずたまもよう 水玉模様 ―名 polka dots ★ 複数形で. ―形 polka-dot Ⓐ.
みずたまり 水溜まり puddle Ⓒ.
みずっぱな 水っ洟 ¶ その子は*水っぱなを出している The child has a *runny nose*. / The child's *nose is running*.
みずっぽい 水っぽい (水を多く含んだ) watery; (お茶・酒などが薄い) weak.
ミスティシズム 〔哲〕 (神秘主義) mysticism Ⓤ.
ミスティック ―形 (神秘的な) mystic. ―名 (神秘主義者) mystic Ⓒ.
ミステーク (誤り) mistake Ⓒ.
みずでっぽう 水鉄砲 squirt gun Ⓒ, water pistol Ⓒ.
ミステリアス (神秘的な・不思議な) mysterious /mɪstí(ə)riəs/.
ミステリー (推理小説) mýstery 「stòry [nòvel] Ⓒ; (謎) mystery Ⓒ.
みすてる 見捨てる (家族・友人など守るべき義務のある人を見捨てる) desért ㊍; (置いて行ってしまう) leave ㊍ ★ 意味の広い一般的な語; (愛している人などを見捨てる) forsake ㊍ ★ 古風で文語的. 《☞ みはなす; みかぎる》.
¶ 父親は家族を*見捨てて蒸発した The father *deserted* his family and disappeared. // 私の腕前もそう*見捨てたものではないでしょう (⇒ あなたの考えたほど悪くないでしょう) My skill isn't *as* bad *as you thought*, is it? // どうぞお*見捨てなく I hope you will always *stand by* me.
みずどけい 水時計 water clock Ⓒ.
ミストラル the mistral ★ フランスなどの地中海沿岸に吹く寒い北西風.
みずとり 水鳥 water bird Ⓒ, waterfowl Ⓒ 《複 ～(s)》 [語法] 後者は猟鳥としての水鳥を指すことが多い.
ミストレス (女主人) mistress Ⓒ.
みずな 水菜 〔植〕 potherb /pát(h)əːb/ mústard Ⓒ.
みずなぎどり 水凪鳥 〔鳥〕 shearwater /ʃíəwɔ̀ːtə/ Ⓒ.
みずなら 水楢 〔植〕 Mongolian oak Ⓒ.
みずに 水煮 ―動 (味をつけずに煮る) boil … plain 《☞ にる²; 料理の用語 (囲み)》.
みずぬき 水抜き ―動 (排水する) drain ㊍; (擁壁などから水を排出する) weep water. **水抜き穴** (排水口) drain Ⓒ; (擁壁などの) weeping hole Ⓒ.
みずぬれ 水濡れ getting wet Ⓤ. **水濡れ注意** 《掲示》 (建物の床) Caution Wet (Floor); (清掃中[後]のトイレやワックスがけの廊下) Wet No Entry; (荷物, カバン, 衣料品など) Keep Dry, Do Not Wet, No Moisture. 《☞ あしもと》.
みずのあわ 水の泡 ¶ 私の努力も*水の泡だった (⇒ むだになった) All my efforts 「*came to nothing* [*went down the drain; were in vain*].
みずのえ 壬 (十干の第 9) the ninth of the 「Ten Celestial Signs [ten calendar signs].
みずのと 癸 (十干の第 10) the tenth of the 「Ten Celestial Signs [ten calendar signs].
みずのみば 水飲み場 (public) drinking fountain Ⓒ; 《米》 bubbler Ⓒ.
みずのみびゃくしょう 水呑み百姓 poor peasant Ⓒ.
みずば 水場 (山などの) site for drinking water Ⓒ.
みずはけ 水はけ drainage Ⓤ 《☞ はいすい¹》. ¶ この庭は*水はけがよい [悪い] This garden *is* 「well [badly] *drained*.
みずばしょう 水芭蕉 〔植〕 skunk cabbage Ⓒ.
みずばしら 水柱 column of water Ⓒ. ¶ 氷山がくずれて大きな*水柱があがった The collapsing iceberg sent up a huge *column of water*.
みずばな 水洟 ☞ みずっぱな
みずばら 水腹 ¶ ビールの飲み過ぎで*水腹だ *My stomach is afloat* with too much beer. // *水腹では仕事はできない (⇒ 水だけでは) I can't work *on water alone*. **水腹も一時(とき)** Even a glass of water will fill you up for a while. 《☞ ちゃばら》
みずひき 水引き Japanese paper strings tied in a ceremonial knot around the wrapper of a gift [参考] 日本独特のものなので, さらに説明の必要があるときは, 例えば red and white strings are used for happy occasions, gold and silver on especially happy occasions such as weddings, while black and white or dark blue and white are used for sad occasions such as funerals などとすればよい.
みずびたし 水浸し ―動 (水浸しにする) flood ㊍; (水浸しになる) be flooded. ¶ 風呂の水があふれて床が*水浸しになった The bath overflowed and the floor *was flooded* with water.
みずぶき 水拭き wiping with a damp cloth Ⓤ.
みずぶくれ 水脹れ blister Ⓒ 《☞ まめ²》. ¶ 足の靴ずれが*水ぶくれになった (⇒ きつい靴のために水ぶくれができた) I have *blisters* on my feet from those tight shoes.

みずぶそく 水不足 water shortage Ⓒ (☞ みずききん). ¶深刻な*水不足に悩む suffer from an acute *water shortage*

みずぶとり 水太り ― 形 (しまりがなくて太っている) flabbily fat, flabby.

ミスプリ(ント) (誤植) misprìnt Ⓒ; (印刷上の間違い) mistake [error] in printing Ⓒ, printing ˹mistake [error], typographical ˹mistake [error] Ⓒ ★ 最後の言い方は格式ばった表現.

みずぶろ 水風呂 cold bath Ⓒ (☞ ふろ).

みずべ 水辺 ― 副 at ˹the edge of the water [water's edge]; (浜辺で) on the ˹beach [shore]. (☞ みずぎわ; はまべ).

みずぼうそう 水疱瘡 chicken pox Ⓤ.

みずほのくに 瑞穂の国 the Land Blessed with Rice Plants; (日本) Japan.

みすぼらしい 見すぼらしい ― 形 (使い古してぼろぼろの・哀れな) shabby; (だらしなく, ぼろぼろの) scruffy; (靴のかかとがすり減っていることから, だらしなくみすぼらしい) 《略式》 down-at-heel; (汚くてひどい状態の) wretched /rétʃɪd/ Ⓐ. ¶彼は*見すぼらしい様子をしていた He looked *shabby*. // 彼は*見すぼらしい家に住んでいる He lives in a ˹*shabby* [*wretched*] ˹house [hovel]. ★ hovel は掘っ立て小屋, あばら家.

みずまき 水撒き ― 名 watering Ⓤ. ― 動 water ㊎. (☞ まく[2]).

みずまくら 水枕 water pillow Ⓒ.

みずまし 水増し ― 動 (架空の項目で支出をふくらませる) inflate an expense account with invented entries, 《米略式》 pad ㊎.

¶彼が*水増しして請求していることはわかっている I know he *has padded* his ˹bills [receipts; expense account]. // 私たちの学校では定員より200人*水増し入学させた (⇒ 規定より200人多く入学を許可した) Our school admitted 200 *more* students ˹*than* [*over*] *the prescribed number*.

みすます 見澄ます (注意してよく見る[観察する]) watch [observe] ... carefully; (確かめる) make sure ˹of [that] ... (☞ みきわめる). ¶誰もいないのを*見すまして彼は金庫を開けた *Making sure* that nobody was around, he opened the safe.

ミスマッチ (不釣り合い) mismatch Ⓒ.

みずまわり 水回り sewage arrangements ★ 複数形で. ¶*水回りが不備だ The *sewage arrangements* are incomplete.

みすみす ¶*みすみす (⇒ むだに) 好機を逸してしまった I missed a good chance *unnecessarily*. // *みすみす (⇒ どうしようもなかったのだが) 損をしてしまった I suffered a loss, but *there was nothing I could do* about it. (☞ むざむざと; 擬声・擬態語 (囲み))

みずみずしい 瑞瑞しい (新鮮な) fresh; (若くてぴちぴちした) young and fresh. (☞ わかわかしい).

¶あの女の子はなんて*みずみずしいんだろう How *young and fresh* that girl looks!

みすみそう 三角草 ☞ ゆきわりそう

みずみち 水道 ☞ すいみゃく

みずむし 水虫 athlete's /æθliːts/ fóot Ⓤ.

みずもの 水物 (予想しにくいもの) uncertain thing Ⓒ.

みずもり 水盛り ― 名 (測量) leveling Ⓤ; (器具) water level Ⓒ. ― 動 level ㊎, take a level of ...

みずもれ 水漏れ ― 動 leak ㊐ ㊎. ― 名 water leak Ⓒ. (☞ もれる).

みずや 水屋 (社寺の) washstand at a shrine or temple where the visitors may wash their hands Ⓒ; (家庭の台所) kitchen Ⓒ; (食器棚) cupboard Ⓒ; (茶室の) small kitchen with a cupboard in a tea ceremony house Ⓒ.

みずようかん 水羊羹 soft Japanese bean jelly Ⓤ.

みずよけ 水除け ☞ ていぼう[1]

ミスリード ― 動 (誤解させる) mislead ㊎.

みする 魅する (不思議な力で引きつける) charm ㊎, fáscinàte ㊎ ★ 後者のほうが意味が強い. (☞ みりょう; ひきつける). ¶彼はその絵の美しさに*魅せられた He *was* ˹*charmed* [*fascinated*] by the beauty of the painting.

ミスる (失敗する) make a mistake.

みずわらび 水蕨 〚植〛 water fern Ⓒ.

みずわり 水割り (ウイスキーの) whisk(e)y and water Ⓤ 【参考】 その他の飲み物についても ... and water の形を用いればよい.

みせ 店 《米》 store Ⓒ, 《英》 shop Ⓒ 【語法】 《米》でも理髪店 (barbershop), コーヒーショップ (coffee shop) など, 商品を貯えて売る店でないものには shop を用いる. ¶彼は*店を経営している He ˹keeps [runs] a *store*. // あの*店ではたばこを売っていますか Do they sell cigarettes at that *store*? // あの*店は高い[安い] That *store* is ˹expensive [cheap]. // *店は9時に開けます[閉めます] We ˹*open* [*close*] at nine. // 彼女は数年前に銀座に*店を出した (⇒ 開いた) She opened her own *shop* on the Ginza a few years ago.

店をたたむ close ˹a [*one's*] business. **店を広げる** enlarge ˹a [*one's*] business. **店売り** sale at a store Ⓤ. ¶*店売りの品 a *store-bought* article

みせあう 見せ合う show ... to ˹each other [one another].

みせいねん 未成年 ― 名〚法〛 minórity Ⓤ; (未成年者)〚法〛 minor Ⓒ. ― 形 underage. (☞ せいねん[2]). ¶彼はまだ*未成年(者)だ He ˹is still *underage* [is *not of age* yet]. // *未成年者は飲酒, 喫煙が法律で禁じられている *Minors* are prohibited by law from smoking and drinking (hard liquor). // *未成年お断り《掲示》 Adults Only

みせいび 未整備 ¶この車はまだ*未整備です This car is *in need of maintenance* (*work*). (☞ せいび) **未整備路線** (⇒ 建設中の路線) ˹route [road] under construction Ⓒ.

みせいひん 未製品 unfinished ˹article [product] Ⓒ.

みせいり 未整理 ― 形 (ファイルしていない) unfiled; (未処分の) undisposed; (差し引きが未調整の) unadjusted. ¶書棚の本は*未整理だ (⇒ きちんと配列されていない) The books on the shelves *have not been arranged* yet.

みせかけ 見せ掛け ― 名 pretense (《英》 pretence) Ⓤ, show Ⓒ ★ 後者は口語的. しばしば a を付けて; (ごまかし) sham Ⓒ. ― 形 (うその) false; (うわべだけの) pretended. (☞ みかけ; うわべ).

¶彼の親切は*見せかけだけさ His kindness is only a ˹*sham* [*show*; *pretense*]. // この店の豪華さも*見せかけさ (⇒ 表面だけだ) The gorgeousness of this shop is only ˹*on the surface* [(⇒ 正面だけだ) a *façade* /fəsɑ́ːd/].

みせかける 見せ掛ける (振りをする) pretend ㊎; (偽って見せかける) 《格式》 feign ㊎; (...に見えるようにしてある) be designed to look like ...

¶彼は勉強すると*見せかけてマンガを読んでいた He *pretended* to be studying, but actually he was reading comics. // 彼女は病気と*見せかけて練習をサボろうとした She ˹*pretended* to be ill [*feigned* illness] to evade training. / (⇒ 仮病を使った) She was a malingerer. 【語法】 malinger /məlíŋgə/ 動 ㊐ は「仮病を使って仕事を怠ける」の意.

みせがね 見せ金 show money Ⓤ.

みせがまえ 店構え shop appearance Ⓒ. ¶この店は立派な*店構えをしている This ｢store [shop] has a good *appearance*.

みせさき 店先 ¶*店先に (⇒店の前に) 車を止めないで下さい Please don't park your car *in front of the store*. (☞ てんとう¹; まえ)

みせじまい 店仕舞 —[動] (一日の終わりに店を閉める) close (自); (店をたたむ) go out of business, close down *one's* business. (☞ へいてん).

店じまい(のための安売り)の掲示

みせしめ 見せしめ (教訓) lesson Ⓒ; (戒め) example Ⓒ; (警告) warning Ⓒ. ¶これはあの子によい*見せしめになるだろう This should be a good *lesson* to the child. // 所長は*見せしめのために彼をすぐさま首にした The boss *made an example of* him by firing him immediately.

ミセス (既婚女性) married woman Ⓒ (複 women); (家庭の主婦) housewife Ⓒ (複 -wives) 日英比較 Mrs. /mísɪz/ は姓(名)に付ける敬称で, 日本語のミセスのように単独では使われない点に注意. (☞ ミズ). ¶これは*ミセスのための雑誌です This is a magazine for *housewives*.

みせつ 未設 ¶この部屋は電話が*未設です The telephone *has not been installed* in this room.

みせつける 見せつける shów óff (他) (☞ みせびらかす). ¶プロの強さを*見せつけられた (⇒プロの強さがよくよくわかった) *It has come home to me* how skillful professional players are.

ミゼット —[形] (超小型の) mídget.

みせどころ 見せ所 (主な点・さわり) the point; (演劇などの最高潮の場面) climax Ⓒ. ¶ここがこの芝居の*見せ所さ This is the *climax* of the play. // ここは私の腕の*見せ所です (⇒技術を示す[能力を証明する, 才能を発揮する]所だ) This is *where I can* ｢*show my skill* [*prove my ability; reveal my talent*].

みぜに 身銭 ¶費用は彼が*身銭を切った (⇒自分の財布から払った) He *paid* the expenses *out of his own pocket*.

みせば 見せ場 (最高潮の場面) climax Ⓒ; (最も興味をそそる部分) highlight Ⓒ. (☞ みせどころ).

みせばん 店番 ¶私がいない間*店番を頼みます (⇒店を見ていて下さい) Please ｢*tend* [*mind*; *watch*] *the* ｢*store* [*shop*] while I'm away.

みせびらかす 見せびらかす (他の人がうらやましがるように見せる) shów óff (他); (並べて見せる) parade (他). ¶その女はダイヤの指輪を*見せびらかした The woman *showed off* her diamond ring. // 子供は新しいおもちゃを友達に*見せびらかした The child *paraded* his new toys in front of his friends.

みせびらき 店開き —[動] (仕事を始める) open (他) (自), open up (他) (自). (☞ かいてん²). ¶駅の近くに新しいスーパーが*店開きした A new supermarket ｢*opened* [*went into business*; *started business*] near the station.

みせもの 見世物 (祭りなどの余興) sideshow Ⓒ.

みせや 店屋 ☞ みせ

ミゼラブル —[形] (みじめな・哀れな) miserable.

みせる 見せる show (他) ★ 最も一般的で口語的な語; (見えるようにする) let *a person* see …; (はっきりと示す) display (他) ★ 前の 2 つより格式ばった語. ¶あなたの新しい洋服を*見せて下さい Please ｢*show* me [*let* me *see*] your new dress. // この問題を解いて*見せて下さい (⇒解き方を示して下さい) Please *show* me how to solve this problem. // 早く医者に*見せたほうがいい You should *see* a doctor at once. / (話し相手以外の人について) You should *take* ｢him [her] *to* a doctor right away. // きっと合格して*見せるよ I'*m sure to* pass it.

みぜんけい 未然形 〔文法〕 conjugated form where an incomplete action is connoted Ⓒ.

みぜんに 未然に ¶*未然に (⇒何か起こる前に) 手を打っておいてよかった We were lucky that we had taken steps *before anything happened*. // 災害を*未然に防いだ We *prevented* the disaster.

みそ 味噌 **1** «調味料»: miso /míːsoʊ/ Ⓤ, soybean paste Ⓤ.
2 «特長»: the good thing. ¶この DVD プレーヤーは携帯に便利なのが*みそだ *The good thing* about this DVD player is that it is easy to carry.
味噌もくそも一緒 ☞ くそ (くそも味噌も一緒)
味噌をつける (へまをする) make a fool of *oneself*.
味噌和え —[形] dressed with miso **味噌味** —[名] miso taste Ⓤ. —[形] miso-tasted. ¶*味噌味のラーメン Chinese noodles *in miso soup* **味噌あめ** miso-flavored candy Ⓒ **味噌くそ** ☞ くそみそ **味噌こし** miso strainer Ⓒ **味噌汁** ☞ 見出し **味噌漬け** (魚[肉, 野菜]の) fish [meat; vegetables] preserved in miso **味噌煮** —[動] cook … in miso **味噌麺** miso-based noodles.

みぞ 溝 **1** «排水路など»: (みぞ一般) ditch Ⓒ; (特に道路沿いや家の周りなどの排水溝) gutter Ⓒ; (レコードの溝や, 何かの表面に掘った細い溝) groove Ⓒ. (☞ どぶ). ¶我々は*溝を掘った We dug some *ditches*. // *溝が詰まっていたのでさらった As the *gutter* got ｢full [clogged], we cleared it out. // 窓の*溝 the *grooves* of window frames
2 «人との間の隔て»: (ずれ) gap Ⓒ; (大きい隔たり) gulf Ⓒ. (☞ へだたり; ギャップ). ¶それ以来 2 人の間には (大きな) *溝ができたようだ Since then, there seemed to be a *gulf* between the two.
溝板 ☞ どぶ (どぶ板)

みぞうの 未曽有の (先例のない) (格式) unprecedented /ʌ̀nprésədèntɪd/; (見聞きしたことのない) unheard-of. (☞ くうぜん). ¶戦後の日本は*未曽有の社会変動があった An *unprecedented* social transformation took place in postwar Japan.

みぞおち 鳩尾 the pit of the stomach. ¶石は彼の*みぞおち (⇒胸骨の下) に当たった The rock hit him just *below the breastbone*.

みそか 晦日 the last day of the month. **晦日そば** noodles eaten on New Year's Eve.

みそぎ 禊 purification Ⓤ.

みそこなう 見損う **1** «見逃す»: miss (seeing) …, fail to see … (☞ みのがす). ¶残念ながらいま話題の映画を*見損ってしまった To my regret, I *missed seeing* the movie everyone is talking about.
2 «評価を誤る»: mìsjúdge (他). ¶彼はもっとやる男だと思ったが*見損ったよ I thought he was a very able man, but I *misjudged* him.

みそさざい 〔鳥〕 wren Ⓒ.

みそしき 未組織 —[形] unorganized. **未組織労働者** unorganized ｢workers [labor Ⓤ; (英) labour Ⓤ] ★ 総称的.

みそしる 味噌汁 miso soup Ⓤ, soybean paste soup Ⓤ.

みぞそば 溝蕎麦 〔植〕 *mizosoba* Ⓒ; (説明的には) buckwheat with small pink flowers which grows at the water's edge Ⓒ.

みそっかす 味噌っ滓 (仲間はずれの子供) child who is ostracized Ⓒ ★ 説明的な訳.

みそっぱ 味噌っ歯 decayed (milk) tooth Ⓒ《複 — teeth》.
みそはぎ 禊萩 〘植〙loosestrife Ⓒ.
みそひともじ 三十一文字 ☞ たんか[3]
みそめる 見初める (恋に落ちる) fall in love (with …).
みそら 身空 ¶若い*身空で彼女は未亡人になった *Young though she is*, she became a widow. 《☞ みのうえ》
みぞれ 霙 —名 sleet Ⓤ. —動 sleet 自. ¶*みぞれが降っている It's *sleeting*. **みぞれ和え** ¶かきの*みぞれ和え oysters *with grated daikon*
みそれる 見逸れる ¶これはお*みそれしました (⇒最初はあなただとわかりませんでした) I did*n't recognize* you at first. // あなたがそんなに歌がうまいとはお*みそれしました (⇒知らなかった) I *didn't know* that you are such a good singer.
ミソロジー (神話・神話学) mythology Ⓤ.
みそんじる 見損じる fail to see …; (うっかり見逃す) miss (seeing) … ¶そのメモを*見損じた I *missed* the memo.
-みたい —前 (…のような[に]) like … —接 (まるで…のように) as ｢if [though] … 〔語法〕事実に反することをいう場合には動詞は仮定法を用いる. —動 (…のように見える) seem (to be) … —副 (ほとんど…と同然) next to …; (ほとんど) almost. 《☞ -よう[1]; -らしい; まるで 〔語法〕》.
¶彼は何でも知っている*みたいな顔をする He acts *as if* he ｢knew [knows] everything. // 彼は怒ってる*みたいだ He *seems* angry. // それはただ*みたいな値段で買った I bought it for *next to* nothing.
みだいどころ 御台所 wife of a shogun Ⓒ.
みたけ 身丈 (着物の長さ) the length of a kimono 《☞ しんちょう[1]》.
みだし 見出し (新聞の) headline Ⓒ ★普通は複数形で; head Ⓒ ★headline を略した言い方; (表題) title Ⓒ. ¶そのニュースはどの新聞も大*見出しで報じた The news made big *headlines* in all the (news)papers. // 中*見出し a subhead
見出し語 (辞書の) entry (word) Ⓒ, headword Ⓒ. ★この2語はほぼ同じ意味で用いられることもあるが, 前者は収録語の意で, 見出し語とその語義・用例・説明などを含めていうことが多い. ¶その辞書には約5万語の*見出し語がある That dictionary has about 50,000 *entries*.

—コロケーション—
活字の大きい見出し large-type *headlines* / 簡潔な見出し pithy *headlines* / 興味を引く見出し catchy *headlines* / 扇情的な見出し screaming [sensational] *headlines* / 大胆な見出し bold *headlines* / 派手な見出し splashy *headlines*

みだしなみ 身嗜み ¶*身だしなみをよくしないと (⇒外見に気をつけないと[服装をきちんとしないと]) 人に笑われますよ If you don't ｢*take good care of your appearance* [*keep yourself neat*], people will laugh at you. // 彼女は*身だしなみのよい人だ (⇒いつもきちんとした服装をしている) She *is* always *neatly dressed*. / (⇒外見が整っている) She is a *well-groomed* person.
みたす 満たす (いっぱいにする) fill 他; (満足させる) satisfy 他; (条件を) meet 他.
¶コップに水を縁まで*満たしなさい *Fill* the glass to the brim *with* water. // 私の好奇心はまだ*満たされていない My curiosity *has* not yet *been satisfied*. // 君は条件を*満たしていないから資格がない As you don't *meet* the requirements, you are ineligible.
みだす[1] 乱す —動 (混乱した状態にする) put [throw] … into disorder; (静かなものをかき乱す) disturb 他; (心をろうばいさせる) confuse 他; (通信や交通などを) disrupt 他. —形 (髪・衣服などがくしゃくしゃになった) disheveled /dɪʃévəld/. 《☞ みだれる[1]; こんらん》.
¶クーデターが国内の秩序を*乱した The coup d'état /kúːdeɪtɑ́ː/ ｢*threw* [*put*] the whole country *into disorder*. // 軍備競争は国際平和を*乱す The arms race will *disturb* international peace. // 相次ぐ災難で彼はすっかり心を*乱してしまった With disasters coming one after another, he became completely *confused*. // 突然の雪で都民の足は*乱された Transportation in Tokyo *was disrupted* by the sudden snowfall. // 彼女は髪を*乱して現れた She appeared with her hair *disheveled*.
みだす[2] 見出す (見つけ出す) find out 他; (見いだす) select 他; (見はじめる) begin to see …
ミダス —名 固〘ギ神〙Midas /máɪdəs/ ★手で触れるものはすべて黄金にしてしまう王.
みたて 見立て (医者の診断) diagnosis /dàɪəgnóʊsɪs/ Ⓒ《複 diagnoses /-siːz/》《☞ しんだん》.
¶医者の*見立て違いだった The doctor made a wrong *diagnosis*.
みたてる 見立てる **1** «医者が診断する»: diagnose /dáɪəgnòʊs/ 他《☞ しんだん》.
2 «選ぶ»: choose 他; (特に慎重に選ぶ) select 他. 《☞ えらぶ》. ¶これはだれが*見立てたの Who ｢*chose* [*selected*] this for you?
みたところ 見た所 (実際はともかく) apparently; (どうやら) seemingly. 《☞ みため; いっけん[1]》. ¶*見たところ (⇒私の知る限り) 彼女は幸せそうだ *As far as I can see*, she looks happy.
みたない 満たない ☞ みちる
みたび 三度 ☞ さんど[1]
みたま 御霊 spirit of a dead person Ⓒ.
みため 見た目 ¶これは*見た目はよくないが (⇒ひどく悪く見えるが), 食べてみるとおいしいよ This *looks* awful, but it tastes very ｢nice [good]. 《☞ みば; みてくれ》
みたらしだんご 御手洗団子 traditional Japanese dumpling barbecued with soy sauce Ⓒ.
みだらな 淫らな (わいせつな) obscene /əbsíːn/; (品の悪い) indécent ★「わいせつな」という意味の婉曲な表現としても使われる; (みだらな気持ちの) lewd; (男が好色な) lécherous ★軽蔑的. 《☞ わいせつ; こうしょく[2]; げひん》. ¶*みだらな本 an *obscene* book // *みだらな目つき a ｢*lecherous* [*lewd*] look
みだりに 妄りに (許可なく) without permission; (不必要に) ùnnècessárily; (理由なく) without (a) good reason, with [for] no good reason.
¶*みだりに人のうわさ話をすべきではない We should not indulge in *unnecessary* gossip. // *みだりに人の庭に入ってはいけない Don't enter other people's yards *without permission*. // *みだりに木の枝を折るな Don't break (the) branches off trees *without (a) good reason*.
みだれ 乱れ (秩序などの乱れ・整理してない状態) disorder Ⓤ ★一般的な語; (混乱・ろうばい) confusion Ⓤ; (通信・交通などの) disruption Ⓤ. 《☞ みだれる; こんらん》.
¶彼の態度にはまったく*乱れが見られなかった His attitude did not show the slightest *confusion*. // 彼女は髪の毛の*乱れを (⇒乱れた髪を) 直した She fixed (up) her *ruffled* hair. // 事故によるダイヤの*乱れはようやく収まった The *disrupted* train schedule caused by the accident is now back to normal.
みだれかご 乱れ籠 clothes basket Ⓒ.
みだれがみ 乱れ髪 dishéveled [ùnkémpt] háir Ⓤ.
みだれとぶ 乱れ飛ぶ ¶そのスキャンダルについてのデ

マが政界に*乱れ飛んでいる (⇒ 言いふらされている) Rumors about the scandal *are being bandied about* in political circles.

みだればこ　乱れ箱　clothes tray Ⓒ.

みだれる　乱れる　(整然としていない) be in disorder; (ごちゃごちゃになる) fall [be thrown] into disorder ★ 前者は「状態」, 後者は「動作」; (めちゃめちゃな) 《略式》 be in a mess; (整っていたものが乱される) be disarranged; (心がろうばいする) be confused, be in confusion; (混沌とした状態である) be ˹in chaos /kéɪɑs/ [chaótic]; (組織や系統が乱れる) be dìsórganized; (特に通信・交通などが) be disrúpted. 《☞ みだす[1]; こんらん》.

¶ 部屋は*乱れていた The room *was in disorder.* // 市内の秩序が*乱れた The city *was thrown into disorder.* // 彼女は心が千々に*乱れた She *became* completely *confused.* // 風で彼女の髪が*乱れた Her hair *was disarranged* by the wind. // ストのためにダイヤが*乱れた The train ˹schedule *was* [runs *were*] *disrupted* because of the strike.

みち[1]　道, 路, 途　**1** 《道路》: (街路) street Ⓒ, avenue Ⓒ, thoroughfare /θə́ːrəfèə/ Ⓒ; (車道・公道) road Ⓒ, highway Ⓒ; (径路) route Ⓒ; (大通り) boulevard /bʊ́ləvɑ̀əd/ Ⓒ; (…への道) way Ⓒ; (小道) lane Ⓒ, path Ⓒ; (路地) alley Ⓒ; (山・川などを越える道) pass Ⓒ.

【類義語】 車道 (road) と歩道 (《米》 sidewalk, 《英》 pavement) があり, 両側に家並のある街路は **street** という. アメリカの都市では東西に走る通りを特に **street** と呼ぶことが多い. なお, 名称に付けるときは St. と略すことがある. これに対して, 南北に走る通りを **avenue** と呼ぶ. **avenue** はまた木の植えてある比較的広い市中の街路を指すこともある. 名称に付けるときは Ave. と略すことがある. しかし, 一般にはそのような区別にこだわらず, 市街地の通りは **street** と呼んでよい. 往来の激しい主要な街路は **thoroughfare** という.

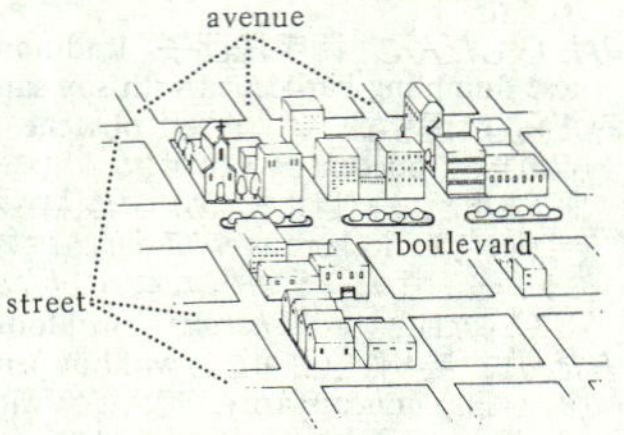

都市と都市を結ぶ自動車道路は **road** または **highway** といい, **highway** の中で, 決まった経路として番号付けになっているようなものは **route** ともいう. ((例) 国道 1 号線 *Route* 1). 都市の大通りで街路樹があり, 中央にグリーンベルトのあるものは **boulevard** で, 名称に付けるときは Blvd. と略すことがある. 市中の細い道や, 道路に線を引いて通る道を指定してあるもの (車線) は **lane** といい, 公園や森の中の小道は **path** という. 路地・狭い裏通りは **alley**. これらに対して, ある場所へ「至る道」を **way** という. 従って「道を歩く」の「道」は, 市中であれば普通は **street** であり, **way** ではないが, 「駅へ行く道を教える」という場合の「道」は **way** であって **street** とは言わない. 山道・峠道は **pass**. 《☞ どうろ; とおり》

¶ *道で遊んではいけません. 危ないから Don't play ˹on [in] the ˹*road* [*street*]. It's dangerous. // 彼女はショーウインドーを眺めながら*道を歩いた She walked ˹along [down] the *street* window-shopping. // この*道は新宿に出ますか Does this *street* ˹go [lead; take me] to Shinjuku? // この*道を真っすぐに行きなさい Go straight along this *street.* // この通りを*道なりに 10 分程歩けばそこへつきます Walk ˹along [down] this *street* for about ten minutes and you'll come to it. // 週末には東京から田舎へ行く*道はみな混雑している All the ˹*highways* [*roads*] leading out of Tokyo into the country(side) are congested on ˹the weekend [weekends]. // *道を教える tell [(⇒ ついて行って) show] *a person* ˹the *way* [how to get] (to …) // 私は*道に迷ってしまった I *got lost.* / I lost my *way.* ★ 第 1 文のほうが口語的. // 私は駅へ行く*道を尋ねた I asked the *way* to the station. // *道を間違えたらしい I seem to have ˹lost my *way* [(⇒ どこかで曲がり角を間違えた) made a wrong turn somewhere]. // 成功への*道はけわしい There is no easy ˹*way* [*road*; *path*] to success.

2 《通路・通り道》: way Ⓒ 《☞ つうろ》.

¶ 警官が救急車のために*道をあけた The ˹policeman [policewoman] cleared the *way* for the ambulance. // 後ろに下がって消防士に*道をあけて下さい Please stand back and make *way* for the firefighters. 〔語法〕 前の例文の clear the way は障害物を除いて道をあけることで, make way は自分が道を譲ること. // *道をふさがないで下さい Don't stand in my *way.* // 私はそろそろ引退して後進に*道を譲る時期だ It's about time I retired to make ˹*way* [*room*] for a younger person.

3 《距離》: distance Ⓒ; (道のり) way Ⓒ. 《☞ みちのり; きょり[1]》. ¶ 我々は 1 日に 40 km の*道を行かねばならない We have to *cover* forty kilometers a day. // 目的地にはまだ*道は遠い It's ˹a long *way* [quite a *distance*] to our goal.

4 《途中》 ── 副 on ˹the [*one's*] way to … 《☞ とちゅう》. ¶ 駅へ行く*道で旧友に会った I met an old friend *on my way to* the station.

5 《方法》: (やり方) way Ⓒ; (手段) means Ⓒ ★ 単複同形. 《☞ ほうほう; しゅだん》. ¶ 君の生きる*道はこれしかない This is the only *way* for you to live.

6 《方面》: (分野) field Ⓒ; (事柄) subject Ⓒ. 《☞ ほうめん[1]; りょういき; そのみち》.

¶ 彼はその*道の権威だ He is an authority ˹on that *subject* [in that *field*]. // 彼は学問の*道一筋に生きた He devoted his whole life to learning.

道が開ける find a successful way. **道なき道を行く** ¶ 私は竹やぶをかきわけ*道なき道を行った I *pushed my way through the trackless* bamboo-˹grove [thicket; forest]. **道ならぬ** ☞ 見出し **道を決する** (進路・方向を決める) decide on *one's* future course. **道をつける** ¶ その決定はその後の発展への*道をつけた The decision *paved the way for* the later development. **道を踏み外す** (迷う) go astray. ¶ 彼女は悪い友達にそそのかされて人の*道を踏み外した She *was led astray* by her wicked friends.

コロケーション

以下の例の他は ☞ どうろ
道に迷う lose the *way* / **道を探し出す** find the *way* / **道を通る** pass the *way* / **道をふさぐ** bar [block] the *way* / **道を横切る** cross the *way*

みち[2]　未知　── 形 (価値・名前・起源などが知られていない) unknown; (見たり聞いたり経験したりしたことのない) strange. ¶ 彼の実力はまだ*未知(数)だ His real ˹ability [potential] is still *unknown.* // *未知の国 a *strange* ˹land [country]

未知数 〔数〕 unknown ˹number [quantity] Ⓒ.

みちあふれる　満ち溢れる　☞ みちる

みちあんない　道案内　── 名 (人) guide Ⓒ. ── 動 (道案内をする) show the way to …; (人に

道を教える) direct ⓗ.

みぢか 身近 ― 形 (よく知っている) familiar (to …) ★「物・事」が主語となる; (親しい・親密な) close (to …). ― 副 (すぐ近くに) close [near] at hand. 《☞ てもと; てぢか》.
¶それは*身近な問題だ (⇒我々はその問題をよく知っている) The problem is *familiar to* us. // *身近な友達にそのことを相談した I talked it over with a *close* friend (of mine). // 私はいつも*身近に懐中電灯を置いて寝ます I keep a flashlight ⌈*close* [*near*] *at hand* at night.

みちがえる 見違える (見誤まる) mistake [take] … for … 《☞ みあやまる; べつじん》.
¶彼女は*見違えるほど変わっていた (⇒別人のように見えた) She *looked* ⌈*as if* she were another [like a different] person. / (⇒とても変わっていたので, 彼女とはわからなかった) She had changed so much that I could *not recognize* her.

みちかけ 満ち欠け ― 名 waxing and waning (of the moon) Ⓤ. ― 動 wax /wǽks/ and wane ⓐ. 《☞ つき¹ (挿絵)》.

みちくさ 道草 ¶*道草をしないで真っすぐ家に帰りなさい (⇒どこにも立ち寄らないで) Don't *drop in* anywhere on the way home. / (⇒真っすぐ帰りなさい) Go straight home.
道草を食う ¶彼は家に帰る途中いつも本屋で*道草を食う (⇒いつも本屋に立ち寄る) He always *drops* ⌈*into* [*in at*] a bookstore on his way home. 《☞ よりみち; ほっつきあるく》

みちしお 満ち潮 (満潮) high tide Ⓤ; (満ちてくる潮) flood tide Ⓤ. 《☞ しお²; あげしお; まんちょう》.

みちじゅん 道順 (目的地へ行く道) way Ⓒ.
¶あなたの家へ行く*道順を教えていただけますか Would you tell me the *way* to your house?

みちしるべ 道しるべ (道標) guidepost Ⓒ.

みちすう 未知数 ☞ みち² (未知数)

みちすがら 道すがら (歩きながら) as *one* ⌈goes [walks]; (途中で) on the way. 《☞ みちみち》.

みちすじ 道筋 (ある場所からほかの場所へ行く道) route Ⓒ; (街路) street Ⓒ. 《☞ みち¹ (類義語)》.
¶この*道筋にはたくさん土産物屋が並んでいます This *street* is lined with many souvenir shops.

みちたりる 満ち足りる be sátisfied 《☞ まんぞく; じゅうじつ》. ¶そのころ私は*満ち足りた生活をしていた (⇒生活のすべての面で満足していた [満足な生活を送っていた]) In those days I ⌈*was satisfied with* my life in every way [was leading a *satisfying* life].

みちづれ 道連れ (旅行の同行者) fellow traveler Ⓒ, traveling companion Ⓒ ★ 後者のほうが格式ばった言い方.
¶京都でアメリカ人と*道連れになりました (⇒知り合いになり一緒に旅をした) I happened to meet an American in Kyoto and we *traveled together*. // 旅は*道連れ世は情け When shared, joy is doubled and sorrow halved. 《ことわざ: 2人で分ければ喜びは2倍になり, 悲しみは半分になる》 // 「射ってみろ. この娘を*道連れにしてやるぞ」と強盗はどなった "Shoot and I'll *take* this girl *with me*," shouted the burglar. 《☞ たび¹》

みちならぬ 道ならぬ (不義の) immoral. ¶彼はその女性と*道ならぬ関係を持った He had an *immoral* relationship with the woman.

みちなり 道形 ¶*道なりに行くと (⇒道に従って行くと) 突き当たりが駅です *Follow the road*, and you'll find the station at the end. / *Go* ⌈*along* [*down*] this *street*, and you'll find the station at the end.

みちのく 陸奥 (the old name for) the Tohoku region.

みちのり 道程 (距離) distance Ⓒ; (乗り物に乗って行く道のり) ride Ⓒ; (歩く距離) walk Ⓒ. 《☞ こうてい³; みち¹; きょり¹》. ¶そこからはかなりの*道のりです It's quite a *distance* from there.

みちばた 道端 roadside Ⓒ, wayside Ⓒ ★ 後者はやや古風で格式ばった語. 《☞ みち¹》.
¶*道端の喫茶店で一休みしましょうか Shall we take a (short) rest at a ⌈*roadside* [*wayside*] coffee shop? // 彼は車を*道端に駐車させた He parked his car *at the side of the road*.

みちはば 道幅 the width of a road 日英比較
日本語に「道幅」とあっても, この訳語をいつも使うとは限らない. 《☞ みち¹; はば》.
¶「この道路の*道幅はどのくらいありますか (⇒どのくらい広いですか)」「20メートルあります」 "*How wide* is this road?" "It's twenty meters wide." // *道幅 (⇒道) が狭くて車は通れません This road is too narrow for a car to go through.

みちひ 満ち干 ¶潮の*満ち干 *the ebb and flow* of the ⌈sea [tide] / *the rise and fall* of the tide ★ 後者のほうが口語的. 《☞ しお²》

みちびき 導き (指導) guidance Ⓤ 《☞ しどう¹; あんない》.

みちびく 導く (指導する) guide ⓗ; (先導する) lead ⓗ. 《☞ しどう¹; あんない》. ¶先生も親もその生徒を正しい道に*導こうとしていた The teacher and the parents were trying to *guide* the student into the right path. // 彼を破滅に*導いたのは彼女だ It was she ⌈that [who] *led* him to ruin.

みちぶしん 道普請 road repair Ⓤ 《☞ ふしん⁴》.

みちみち 道道 (途中で) on the way; (歩きながら) as *one* ⌈goes [walks].

みちみちた 満ち満ちた ― 形 brimful (of …; with …). ― 動 (あふれんばかりである) brim (with …). ¶彼女は活力に*満ち満ちている She's ⌈*brimful of* [*brimming with*] energy.

みちゃく 未着 ¶商品が*未着だ (⇒着いていない [配達されていない]) The goods have *not* ⌈*arrived* [*been delivered*] yet. **未着貨物** floating cargo Ⓤ ★ 具体的な積み荷をいうときは Ⓒ 《複 ~(e)s》 **未着品** goods to arrive ★ 複数形で.

みちゆき 道行き ― 動 (駆け落ちする) elope ⓐ. ― 名 (芝居で) scene of a trip Ⓒ.

みちる 満ちる **1** 《あふれる》: (いっぱいになる) become full, fill ⓐ ★ 前者のほうが口語的; (いっぱいである) be full of …, be filled with … ★ 前者のほうが平易な表現. 《☞ いっぱい¹》.
¶部屋にはばらの香りが*満ちていた The room *was* ⌈*full of* [*filled with*] the smell of roses. / (⇒ばらの香りが部屋を満たしていた) The smell of roses *filled* the room. ★ この fill は ⓗ. // 希望に*満ちた毎日を送る spend *hopeful* days
2 《満月》: be full; (月がだんだん大きくなる) wax ⓐ (↔ wane). 《☞ つき¹ (挿絵)》. ¶月が*満ちた The moon *is full*.
3 《満ち潮》: (状態) be in; (動作) rise ⓐ, flow ⓐ. 《☞ みちしお; しお²; まんちょう》. ¶潮が*満ちた The tide *is in*. // 潮は約6時間でゆっくりと*満ち, 満潮に達します The water *rises* gradually for about six hours, until it reaches high tide.

みつ¹ 蜜 (蜂蜜) honey Ⓤ; (花の蜜) nectar Ⓤ.

みつ² 密 ― 形 (ぎっしり詰まった) thick (↔ thin); (密集した) dense (↔ sparse) ★ 前者のほうが口語的; (親しい・密接な) close /klóus/. ― 副 thickly; densely. 《☞ かみつ¹; しんみつ》.
¶その地域は人口が*密である The district is ⌈*thickly* [*densely*] populated. // 日米間の関係をさらに*密にする必要がある It is necessary to develop

closer relations between Japan and America.

みつあみ 三つ編み ―― 名 braid Ⓒ, 《英》 plait Ⓒ ★しばしば複数形で. ―― 動 braid 他, 《英》 plait 他. ¶彼女は髪を*三つ編みにしている She has her hair in ⌈*braids* [*plaits*].

みつえり 三襟 the scruff of a neckband.

みつおり 三つ折り ¶パンフレットを*三つ折りにする *fold* the pamphlet *in three*

みっか 三日 (3日間) three days; (月の) the third; (第3日) the third day.
¶5月*3日 May 3 ★ May (the) third と読む. / *the third* of May ★後者のほうが改まった言い方. 《☞ 時刻・日付・曜日(囲み)》 // *3日目ごとに every ⌈*three days* [*third day*] // *3日おきに every ⌈*four days* [*fourth day*] // 彼女は入院して*3日目に亡くなった She died on *the third day* in the hospital.
三日にあげず (一日おきぐらいに) almost every other day; (ひんぱんに) very frequently.
三日天下 very short reign Ⓒ **三日ばしか** German measles ★単数または複数扱い. **三日坊主** (仕事をすぐやめてしまう人) 《略式》 quitter Ⓒ. ¶彼は何をやっても*三日坊主だ (⇒ あきっぽく興味が続かない) He is quite *fickle* and *his interest lasts only a few days* whatever he does.

みつが 密画 ☞ さいみつ (細密画)

みっかい 密会 ―― 動 meet secretly 自 他. ―― 名 secret meeting Ⓒ.

みつがさね 三つ重ね ―― 形 three-[triple-]deck(ed). ―― 名 (三つ重ねのもの) three-[triple-]decker Ⓒ.

みつかど 三つ角 three road junction Ⓒ.

みつかる 見付かる (なくした物が) be found; (知られていなかったものが発見される) be discovered; (何か悪いことをしているところを見つかる) be caught (*doing*); (悪事が露見する) be detected; (陰謀などが暴露される) be uncovered. 《☞ みつける; ろけん》.
¶私の本はまだ*見つからない My book *hasn't been found* yet. / (⇒ まだ行方不明だ) My book *is* still *missing*. // 彼女の家はわけなく*見つかるでしょう You'll *find* her house ⌈easily [without difficulty]. // なくした本は*見つかりましたか (⇒ あなたはなくした本を見つけましたか) Did you *find* the book you lost? // フランス人の考古学者によりジャングルの中で古代の建物が*見つかった Some ancient buildings *were discovered* in the jungle by a French archaeologist /àːkiάlədʒɪst/. // その生徒はカンニングをしているところを*見つかった The student *was caught* (*in the act of*) cheating in the exam. // 秘密計画が*見つかった (⇒ 暴露された) The secret plot *was uncovered*.

みつぎ 密議 secret [closed-door] conference Ⓒ.

ミッキー (男性名) Micky, Mickey ★ともに Michael /máɪkl/ の愛称.

ミッキーマウス ―― 名 固 〔商標〕 Mickey Mouse ★ディズニーのアニメーションに登場するねずみ. ミニーマウスのボーイフレンド.

みつぎもの 貢ぎ物 tribute /tríbjuːt/ Ⓤ. ¶彼らは王に*貢ぎ物を献上した They paid *tribute* to the king.

みっきょう 密教 esoteric Buddhism Ⓤ. **密教美術** esoteric Buddhist art Ⓤ.

ミック (男性名) Mick ★ Michael /máɪkl/ の愛称.

みつぐ 貢ぐ (金を与える) give money to ...; (金を人やある目的のために惜しまずに使う・浪費する) lavish money on ... ¶女は横領した金を愛人に*貢いだ The woman *gave* all the *money* she had embezzled *to* her lover. / The woman *lavished* the embezzled *money on* her lover.

みつくす 見尽くす ¶京都の名所は*見つくした (⇒ 全部見た) I *saw all* the sights in Kyoto.

ミックス ―― 動 (混ぜる) mix 他 ★「よく混ぜる」という意味では míx úp とすることが多い; (混ざる) mix 自; (混同する) míx úp 他. ―― 名 (混ぜ合わせたもの) mixture Ⓒ. 《☞ まぜる (類義語); まざる》.
¶材料を*よくミックスして下さい *Mix* (*up*) the ingredients well. // これは酢とサラダオイルの*ミックス (⇒ ミックスしたもの) です This is a *mixture* of vinegar and salad oil. // 水と油はうまく*ミックスしない Oil and water do not *mix* well. 日英比較 英語では普通 oil and water の語順となる. // ホットケーキ*ミックス a hot-cake *mix*

ミックスダブルス (テニス・卓球・バドミントンの) mixed doubles ★複数だが単数扱い; (個々の試合) mixed doubles ⌈game [match] Ⓒ.

みつくち 三つ口, 兎唇 ☞ こうしん⁶ (口唇裂)

みづくろい 身繕い ―― 動 (身なりをきちんとする) tidy *oneself*.

みつくろう 見繕う ¶《店で》お歳暮にウイスキーを送りたいのですが, 適当に*見つくろって下さい (⇒ 銘柄の選択は任せます) I'd like to send a bottle of whisky as a year-end present. I'll *leave the choice* of the brand *to* you.

みっけい 密計 secret plan Ⓒ. ¶*密計をめぐらす make a *secret plan*

みつけだす 見付け出す (見つける) find 他; (見分ける) spot 他. ¶私は人混みの中で友人をすぐ*見付け出した I *spotted* my friend at once in a crowd.

みつげつ 蜜月 hóneymòon Ⓒ.

みつけもの 見付け物 ☞ めっけもの

みつける 見付ける (探しているものや, 知らなかったことを見つける) find 他 《過去・過分 found》; (だれも知らなかったことを発見する) discover 他; (悪事などを発見する) detect 他; (秘密や未知の事柄などを明るみに出す) uncover 他; (掘り出す) unearth 他; (目星をつける・目で見て突き止める) spot 他; (観察していて初めて見つける) sight 他; (ちらっと見かける・目にとめる) catch sight of ...; (何かしているところを予期せずに見つける) catch 他 ★後に -ing 形が続く; (気づく) notice 他; (職などを得る) get 他; (捜す) look for ... 《☞ はっけん¹; みつかる》.
¶なくしたカメラを*見つけた I *found* my lost camera. // パスカルは空気には圧力があることを*見つけた Pascal *discovered* that air exerts pressure. // 彼らは木の下に隠されていた宝物を*見つけた They *unearthed* a hidden treasure under the tree. // こんな人ごみで人を*見つけるのは難しい It's difficult to *spot* a person in such a crowded place. // 何か月もの航海の後, 彼らはついに水平線上に陸地を*見つけた After several months at sea, they finally ⌈*sighted* [*caught sight of*] land on the horizon. // 警官は泥棒がその家に入るところを*見つけた The ⌈policeman [policewoman] *caught* the thief (in the act of) breaking into the house. // 彼はやっと職を*見つけた He ⌈*got* [*found*] a job at last.

みつご 三つ子 (三つ子全員) triplets; (三つ子のうちの1人) triplet Ⓒ, one of the triplets; (三歳児) three-year-old (child) Ⓒ. **三つ子の魂百まで** The child is father ⌈of [to] the man. 《ことわざ: 子供は大人の父》 / What is learned in the cradle is carried to the ⌈tomb [grave]. 《ことわざ: ゆりかごの中で覚えたことは墓まで持って行く》

みっこう 密航 ―― 動 smuggle *oneself* 語法 (1) 入国は into ..., 出国は out of ... が続く; stów awáy 自 語法 (2) 船や飛行機の中に隠れて密航することをいう. 《☞ みつにゅうこく》. ¶彼らは小舟で日本へ*密航を企てた They attempted to *smuggle*

themselves into Japan in a small boat.
密航者 stówawày Ⓒ.

みっこく 密告 ―名 (secret) information Ⓤ; (匿名の報告) anonymous /ənɑ́nəməs/ report Ⓒ. ―動 inform ⌈on [against] ... (secretly) to .... ¶彼女は友人を警察へ*密告した She *informed* ⌈*on* [*against*] her friend *to* the police. 密告者 informer Ⓒ.

みっし 密使 (秘密の使節) sécret méssenger Ⓒ; (特別の使命を帯びた使節) sécret énvoy Ⓒ.

みつじ 密事 secret Ⓒ《☞ ひみつ》.

ミッシェル ☞ ミシェル

みっしつ 密室 (隔絶された部屋) isolated room Ⓒ; (鍵をかけた部屋) locked room Ⓒ. ¶*密室で (⇒閉じた扉の背後で) behind closed doors 密室殺人 locked-room murder Ⓒ 密室政治 closed-door politics ★単数または複数扱い.

みっしゅう[1] 密集 ―動 (人々が群がる) crowd 自 他. ―副 (互いに接近して) close /klóʊs/ (together). 《☞ あつまる》. ¶その地域は住宅が*密集している The houses stand ⌈*close together* [(⇒軒を連ねる) *roof to roof*] in the area. / (⇒そこは住宅密集地帯だ) It is a (*densely*) *built-up* area.

みっしゅう[2] 密宗 ☞ しんごんしゅう

みつしゅっこく 密出国 ―動 leave [depart from] a country illegally.

みっしょ 密書 secret ⌈letter [message] Ⓒ.

ミッション (伝道・使命・使節団) mission Ⓒ.

ミッションスクール school ⌈founded [established] by (foreign) missionaries /míʃənèriz/ Ⓒ.

みっしり ―副 (厳しく) severely; (密に) closely, tightly. 《☞ みっちり; ぎっしり》.

ミッシング ―形 (欠けている・見つからない) missing. ミッシングリンク〘生〙(失われた環) missing link Ⓒ.

みっせい 密生 ―動 grow closely 自 ★樹木を主語として; be thickly wooded ★土地を主語として. ¶その地域は樹木が*密生している The area *is thickly wooded.*

みっせつ 密接 ―形 (関心のある・身近な) close /klóʊs/; (関係の深い) closely ⌈related [connected]. 《☞ みぢか; したしい》.
¶これは我々の生活と*密接な関係がある This has a *close* ⌈relation [connection] to our life. / This is *closely* ⌈*related* [*connected*] to our life. // 両国の関係はさらに*密接になった The two nations have come *closer* (together).

みっそう 密葬 (内々でする葬儀) funeral held exclusively by the family members Ⓒ.

みつぞう 密造 ―動 (不法に製造する) manufacture ... unlawfully; (酒を密造する) brew [distill; 《英》 distil] ... unlawfully ★brew は醸造酒に, distill は蒸溜酒に使う; 《米略式》 bóotlèg 自 他 参考 密造のウイスキーを長靴 (tall boots) に隠して密売したことから. 密造者 (酒の密造者) bootlegger Ⓒ; (特にウイスキーの) móonshìner Ⓒ 密造酒 bootleg Ⓤ, moonshine Ⓤ.

みつぞろい 三つ揃い (背広の上着・チョッキ・ズボン) three-piece (lounge) suit Ⓒ《☞ スーツ; そろい》.

みつだん 密談 ―名 confidential talk Ⓒ. ―動 (非公開で会談する) talk behind closed doors. 《☞ ひこうかい; ひみつ》.

ミッチ (男性名) Mitch ★Mitchell /mítʃəl/ の愛称.

ミッチェル (男性名) Mitchell /mítʃəl/ ★愛称は Mitch.

みっちゃく 密着 1《ぴったりくっつくこと》―動 (のりなどではりつけて固定する) stick ... firmly; (にかわのような接着剤ではりつける) glue 他. 《☞ くっつける; くっつく》. ¶その木片の一方の端を壁に接着剤で*密着させた I ⌈*glued* [*stuck*] one end of the wooden piece *on* the wall with adhesive.
2《写真》: (密着焼付法) contact printing Ⓤ. ¶*密着で焼いて下さい Please print these photographs by *contact printing.*

みっちり ―副 (厳しく) strictly; (一生懸命に) hard; (十分に) fully. ¶人を*みっちり仕込む train *a person strictly* // *みっちり勉強すれば成績は上がる If you study *hard,* you'll make better grades.

みっつ 三つ ―名 three. ―形 three; (3つ目の) the third. 《☞ 数字 (囲み)》.

みっつう 密通 ―名 (不義の関係) illicit /ɪlísɪt/ (sexual) íntercòurse Ⓤ; (結婚している者が妻または夫以外の男女と関係をもつこと) adúltery Ⓤ. ―動 have illicit sexual intercourse with ...; commit adultery.

みってい 密偵 spy Ⓒ《☞ スパイ》.

ミッテラン ―名 固 François Mitterrand /frɑːnswɑ́ː mìːterɑ́ːŋ/, 1916–96. ★フランスの政治家.

ミット (野球の) mitt Ⓒ 参考 mitt は glove の1種として扱われる.

みつど 密度 density Ⓤ《略 D., d.》《☞ ひじゅう》. ¶この国の人口*密度は1平方マイルあたり834人である The population *density* of this country is 834 per square mile. // *密度の濃いスピーチ a *meaty* talk ★meaty は「内容の充実した」の意.

ミッドウェーかいせん ミッドウェー海戦〘史〙(太平洋戦争の) the Battle of Midway.

ミッドウェーしょとう ミッドウェー諸島 ―名 固 the Midway Islands.

ミッドナイト ―名 (午前0時) midnight Ⓤ; (深夜) the middle of the night 日英比較 日本語で「ミッドナイト」は「深夜」の意で用いることが多いが, 英語の名詞で (at) midnight は「午前0時(に)」の意である. 英語で「深夜(に)」は (in) the middle of the night という. ―形 midnight ★形 では「深夜の・真夜中の」の意.
ミッドナイトショー midnight show Ⓒ.

ミッドフィールダー〘サッカー〙midfielder Ⓒ.

みつどもえ 三つ巴 (3つのものが対立していること) three-way Ⓒ; (三角関係) tríangle Ⓒ ★両者とも形容詞としても使われる. ¶*三つどもえの争い a *three-way* struggle

みっともない (洋服などがよく合わない) ill-fitting; (着古した) shabby; (格好の悪い) clumsy-looking; (恥ずべき) shameful; (不名誉な) disgraceful.
¶こんな*みっともない洋服を着るのはいやだ I don't want to wear such ⌈an *ill-fitting* [a *clumsy-looking*] dress. // そんなに大声で笑うのは*みっともないからよせよ (⇒みんながじろじろ見ている) Don't laugh so loudly. *Everybody is staring at us.*

みつにゅうこく 密入国 ―名 (不法入国) illegal entry into a country Ⓤ; (不法移住) illegal immigration Ⓤ. ―動 enter a country illegally; (船・飛行機などに隠れて密航する) stów awáy 自. 《☞ みっこう》. 密入国者 smuggler Ⓒ; (不法移民) illégal ímmigrant Ⓒ.

みつば 三つ葉 honewort /hóʊnwə̀ːt/ Ⓤ.

みつばあおい 三葉葵 crest with three mallow leaves in a trefoil design Ⓒ.

みつばあけび 三つ葉あけび〘植〙three-leaf akebia Ⓒ.

みつばい 密売 ―名 illícit sále Ⓒ. ―動 sell ... illegally; (不正な売買をする) traffic 自. ¶彼は麻薬を*密売したことで逮捕された He was arrested for *selling* (narcotic) drugs *illegally.*

みつばいばい 密売買 ―名 illicit traffic (in ...) U. ―動 engage in illicit traffic (in ...). 《☞ みつばい》.

みつばち 蜜蜂 〖昆〗 (honey)bee C 《☞ はち[1]》.

みつばつつじ 三つ葉躑躅 〖植〗 three-leaf azalea C.

みっぷう 密封 ―動 séal (úp) 他. ¶ 缶は特別の装置で*密封される Cans [《英》 Tins] *are sealed* with special equipment.

ミップス 〖コンピューター〗 (100 万命令/秒) MIPS /míps/ ★ *m*illion *i*nstructions *p*er *s*econd の頭字語.

みっぺい 密閉 ―動 (封をする) séal (úp) 他; (蓋などで封をする) cover ... ˹tight [tightly]; (空気が入らないようにする) make ... airtight. ―形 airtight. ¶ 彼女は桃をガラス製の容器の中に入れて*密閉した (⇒ 密閉式のガラス容器に詰めた) She *packed* the peaches in *airtight* glass containers. // 気密性のよい蓋で*密閉しなさい *Seal* it with an *airtight* lid. / (⇒ ふたをしっかり閉めなさい) *Cover* it ˹*tight* [*tightly*] with a lid.

みつぼうえき 密貿易 ―名 smuggling U. ―動 smúggle ˹ín [óut] 他 ★ 輸入のときは in, 輸出は out. 《☞ みつゆにゅう; みつゆしゅつ》.

みつぼし 三つ星 **1** 《星座》: Orion's Belt, three bright stars in the middle of the constellation of Orion. 《☞ オリオン》.

2 《ホテル・レストランなどの格付け》 ―形 three-star. ¶ *三つ星のホテル a *three-star* hotel

みつまた[1] 三つ又 ―形 (3 つの又に分かれた) three-pronged ★ フォークなどの突き刺す部分を prong という. ―名 (三つ又のほこ) trident C. ¶ *三つ又のコンセント a *three-way* outlet

みつまた[2] 三椏 〖植〗 *mitsumata* plant U.

みつまめ 蜜豆 a Japanese sweet snack made up of boiled beans, cubes of agar and a few pieces of fruit with syrup poured over the top 日英比較 該当するものが英米にはないので, このような説明をする以外には方法がない.

みつめこぞう 三つ目小僧 three-eyed hobgoblin C.

みつめる 見詰める (驚き・感嘆・称賛などでじっと見る) gaze ˹at [on; into] ...; (動いていない人・物を) look intently at ...; (好奇心・疑いなどでじろじろと見る) stare at ...; (調べるようによく見る) study 他. 《☞ みる[1] (類義語)》.

¶ その女性は立ち止まって絵をじっと*見つめた The woman stopped and ˹*gazed* [*looked intently*] *at* the picture. // 彼女は私の顔を*見つめた She *gazed into* my face. // そんなに*見つめないで下さい Don't *stare at* me in that way.

コロケーション
一心に見つめる *gaze* intently / けげんそうに見つめる *gaze* inquiringly / こっそりと見つめる *gaze* ˹stealthily [furtively] / しっかりと見つめる *gaze* steadfastly / 注意深く見つめる *gaze* attentively / ほれぼれと見つめる *gaze* admiringly / ぼんやりと見つめる *gaze* ˹blankly [vacantly] / 鏡を見つめる *gaze* in a mirror / 景色を見つめる *gaze* ˹on [upon] a scene / 遠くを見つめる *gaze* into the distance / 人の目を見つめる *gaze* into *a person's* eyes / 夕日を見つめる *gaze* at the setting sun

みつもり 見積もり (コストなどの) estimate /éstəmət/ C; (評価) èstimátion U. 《☞ がいさん》. ¶ 建築費は当初の*見積もりを上回った The building costs exceeded the ˹original [initial] *estimate*. // 私はその大工に私の家の修理の*見積もりを頼んだ I asked the carpenter to make *an estimate* of the cost of the repairs to my house. 見積もり価格 estimated value C 見積もり原価 estimated cost C 見積もり書 written estimate C.

コロケーション
おおよその見積もり a rough [an approximate] *estimate* / 詳細な見積もり a detailed *estimate* / 正確な見積もり an accurate *estimate* / 正式な見積もり an official *estimate* / 高めの見積もり a high *estimate* / 控えめな見積もり a conservative *estimate* / 低めの見積もり a low *estimate*

みつもる 見積もる estimate /éstəmèɪt/ 他 自, make an estimate /éstəmət/ (of ...). 《☞ がいさん; ひようか[1]》. ¶ その大工は新築の家の費用を 2 千万円と*見積もった The carpenter *estimated* the cost of (building) the new house *at* 20 million yen. // どんなに少なく*見積もってもその費用は 1500 万円にはなるだろう The expenses will come to 15 million yen at the lowest *estimate*.

みつやく 密約 (秘密の約束) secret promise C; (秘密の協約) secret agreement C; (暗黙の了解) secret understanding C ★ 単数形で用いる. 《☞ やくそく》. ¶ 私は彼らから援助の*密約を得た I have received *secret promises* of support from them. // 彼らは我々と*密約を結んだ They have made a *secret agreement* with us. // 我々の間には*密約がある There is a *secret* ˹*understanding* [*agreement*] between us.

みつゆ 密輸 ―名 smuggling U. ―動 smúggle ˹ín [óut] 他 ★ 輸入は in, 輸出は out. 《☞ みつゆしゅつ; みつゆにゅう》. ¶ 警察は金*密輸の罪で彼を逮捕した The police arrested him for *smuggling* gold. 密輸業者 smuggler C 密輸品 smuggled goods ★ 複数形で.

みつゆしゅつ 密輸出 ―動 smuggle ... out of ... ¶ 彼らは数回武器を*密輸出した They *smuggled* arms ˹*out of* the country [*abroad*] several times.

みつゆにゅう 密輸入 ―動 smuggle ... into ... ¶ 彼らは日本へ宝石を*密輸入しようとした They tried to *smuggle* jewels *into* Japan. / (⇒ 不法に持ち込もうとした) They tried to *bring* jewels *into* Japan ˹*unlawfully* [*illegally*].

みつゆび 三つ指 ¶ *三つ指をつく kneel down and make a respectful bow (with *three fingers* of each hand placed on the floor)

みづらい 見辛い ☞ みにくい[2]

みつりょう 密猟, 密漁 ―名 (許可なく動物・鳥・魚などを捕えること) poaching U. ―動 poach 他; (不法に捕る) take ... illegally. 密猟者 poacher C 密漁船 poaching boat C.

みつりん 密林 (熱帯地方の) jungle C; (密生した林) thick [dense] forest C.

みつろう 蜜蠟 beeswax U.

みつわり 三つ割り ―名 (3 分の 1) third (of ...) C. ―動 (三等分する) divide ... into three.

みてい 未定 ―形 (まだ決定していない) undecided; (日時・数・値段などをまだ決めていない) not fixed; (確かでない) uncertain. ¶ 結婚式の日取りは*未定です The date of the wedding is ˹*not fixed yet* [*undecided*].

ミディ[1] (中型の・中位の) midi C. ミディコミ (マスコミとミニコミ《☞ ミニ》の中間サイズのメディア) (the) medium-sized media ★ 単数または複数扱い. ミディ(アム)コミ(ュニケーション)は和製英語. ミディスカート midi(skirt) C.

ミディ[2] 〖楽〗 MIDI /mídi/ ★ *M*usical *I*nstrument *D*igital *I*nterface の頭字語.

ミディアム ―名 (M サイズの衣服) medium Ⓒ (複 ~s). ―形 (中間の) medium. ¶「ステーキはどのようにお焼きしましょうか」「*ミディアムにして下さい」"How would you like your steak?" "*Medium*, please." **ミディアムレア** ―形 〘料理〙 medium rare.
みてくれ 見てくれ (外観) appearance Ⓒ; (うわべ・見せかけ) show Ⓤ ★しばしば a を付けて. (☞ みかけ; みため). ¶料理はおいしくさえあれば*みてくれはかまわない It doesn't matter whether the dish *looks* nice or not as long as it tastes good.
みてとる 見て取る (把握する) grasp ⊕; (悟る) realize ⊕; (見透かす) see through ... (☞ さとる; みやぶる; みとおす). ¶彼女は私の意図をすぐに*見て取った She *grasped* my intentions at once. // 彼が助けを必要としていることを私は*見て取った I *realized* that he needed help.
みとう 未到, 未踏 ―形 (まだ探究されていない) unexplored; (まだ足を踏み入れていない) untrodden; (処女地の) virgin. (☞ ぜんじんみとう).
¶彼は前人*未到の領域を研究中である He is studying an *unexplored* field. // 彼らは人跡*未踏の地に達した They reached a region where *no one had ever set foot* before.
みどう 御堂 ☞ どう[4]
みとおし 見通し **1** «遠望»: (目に見えること) visibility Ⓤ (☞ しかい[2]). ¶霧で*見通しが悪かった *Visibility* was ⌈bad [poor] because of the mist.
2 «見込み»: (成功・利益の見込み) 〘格式〙 prospects ★通例複数形で; (将来の展望) óutlòok Ⓒ; (予測) forecast Ⓒ. (☞ みこみ).
¶今年の米の作柄の*見通しは明るい The *prospects* for the rice crop this year are ⌈fair [good]. ★反対は poor. // 長びくインフレで経済の*見通しはしばらく暗いだろう Owing to the protracted inflation, the economic *outlook* will be ⌈gloomy [bleak] for some time. // この件は*見通しがつかない We *can't predict* how this situation will develop. / *There is no telling* how this will turn out. // 論文完成の*見通しがついた The completion of my dissertation is now *in sight*.
見通しが利かない ¶*見通しのきかない (⇒ 見えにくい) 曲がり角できょう交通事故があった There was a traffic accident today at a *blind* corner.
見通しが利く (道などの見通しがよい) have ⌈a good [an unbroken; an unobstructed] view; (先の予測ができる) have foresight, be far-sighted.

―コロケーション―
明るい見通し a bright *outlook* / 暗い見通し a ⌈dark [bleak] *outlook* / 短期的な見通し a ⌈short-range [short-term] *outlook* / 長期的な見通し a ⌈long-range [long-term] *outlook*

みとおす 見通す (洞察する) see through ...; (予測する) predict ⊕, foresee ⊕. (☞ みぬく).
¶彼女の意図を*見通すことは難しいことではない It is not difficult to *see through* her intentions. // 我々は未来を*見通すことができない We cannot ⌈*foresee* [*predict*] the future.
みとがめる 見咎める (問いただす) question ⊕.
みどき 見時 ☞ みごろ[1]
みどく[1] 味読 ―動 (よく味わって読む) read ... with deep appreciation (☞ かんしょう[2]).
みどく[2] 未読 ¶これらの本の中には*未読のものが何冊かある Among these books there are ⌈some I *haven't read* yet [some unread ones]. // 《表示として》"To be read"
みどころ 見所 (見る値打ちのある点) point worthy of note Ⓒ; (ハイライトの部分) highlight Ⓒ ★しばしば複数形で. ¶その映画は戦闘場面が*見所の1つです The battle scene is one of the *highlights* of the film. // 彼の息子はなかなか*見所がある (⇒ 前途有望だ) His son is quite *promising*.
みところぜめ 三所攻め (相撲で) *mitokorozeme*, triple attack force out Ⓒ.
ミトコンドリア 〘生〙 mitochondrion /màɪtəkάndriən/ Ⓒ (複 -dria /-driə/).
みとどける 見届ける (念を押す) make sure ⊕; (自分の目で見極める) see ... with *one's* own eyes; (確かめる) àscertáin ⊕ ★格式ばった語. (☞ みきわめる; たしかめる). ¶その知らせが本当かどうか (⇒ 本当であること) を*見届けてから出発したほうがいい You'd better leave here after you *have* ⌈*made sure* [*ascertained*] that the news is true.
みとめ 認め (認め印) signet Ⓒ, personal [private] seal Ⓒ. (☞ はん[1]). ¶ここへ*認めをください May I have [Would you ⌈stamp [impress]] your *private seal* here?
みとめる 認める **1** «判断する»: (事実として認識する) récognìze ⊕; (提案されたものを是認する) approve of ..., approve ⊕ ★後者は格式ばった言い方; (物の善悪・真偽を認める) admit ⊕; (真実・満足なものとしてしぶしぶ認める; 容認する) accept ⊕; (一応受け入れる) receive ⊕; (黙認する) allow /əláʊ/ ⊕; (許可を与える) permit ⊕. (☞ しょうにん[1]).
¶それは画期的な発見として*認められている It *is recognized* as an epoch-making discovery. // 彼の案は委員会で*認められた (⇒ 認可された) His plan *was approved* (*of*) by the committee. // あなたの言うことを*認めたとしても, まだこの案の価値については疑問が残ります *Admitting* what you say, I am still doubtful about the value of this plan. // 彼女は犯行を*認めた She *admitted* her crime. // 彼は敗北を*認めた He *accepted* his defeat. // 囚人は非常の場合には独房から出ることが*認められている The prisoner *is allowed* to come out of the cell in ⌈an emergency [case of emergencies]. // 彼女は1週間の休暇を*認めてくれた She *permitted* me to ⌈take [have] a week off.
2 «目にとめる»: (見る) see ⊕; (発見する) find ⊕; (気付く) notice ⊕. ¶そこにはだれの姿も*認められなかった Nobody could *be seen* there. // 肺炎の症状が*認められる There are signs of pneumonia.
みどり 緑 ―名 (一般に) green Ⓤ; (緑樹・青葉) greenery Ⓤ ★集合的に; (草木の萌える色) 〘詩語〙 verdure /vә́:ʤə/ Ⓤ; (明るい緑) émerald (gréen) Ⓤ. ―形 (緑色の) green; (緑がかった) greenish.
¶*緑がかった黄色 *greenish* yellow // 都会には*緑が少ない There's little *greenery* in the cities.
緑のおばさん (woman who serves as a) school crossing guard Ⓒ **緑の黒髪** shiny black hair Ⓤ **緑の週間** Green Week **緑の党** ―名 固 (イギリス・ドイツなどの) the Green Party **緑の日** Greenery Day ★2007年から5月4日. (☞ しゅくじつ) **緑の窓口** *Midori no Madoguchi* Ⓒ; (説明的には) JR ⌈office [window] for the sale of long-distance and express train tickets.

―コロケーション―
明るい緑 bright *green* / 鮮やかな緑 vivid *green* / 淡い緑 pastel *green* / 薄緑 light *green* / くすんだ緑 dull *green* / 暗い緑 dark *green* / 濃い緑 deep *green* / 柔らかい緑 tender *green*

みどりいし 緑石 〘動〙 staghorn (coral) Ⓒ, deer's-horn coral Ⓤ.
みどりがめ 緑亀 〘動〙 green-shelled young of the red-eared turtle ★複数扱い; green-shelled,

young red-eared turtle Ⓒ.
みどりご 嬰児 newborn ⌈baby [infant] Ⓒ 《☞ にゅうじ; しんせいじ》.
みとりざん 見取り算 ― 動 work out written-down problems on an abacus.
みとりず 見取り図 (設計図) (building) plan Ⓒ; (スケッチ) (rough) sketch Ⓒ.
みどりむし 緑虫 〖動〗 euglena Ⓒ; (緑虫属を含む緑虫植物類) euglenoid Ⓒ.
みとる 看取る ¶ 家族に*看取られて, 彼は静かに亡くなった He died peacefully *with* his family *at* his *side*.
ミドル ― 名 (中央) the middle; (中年) middle age Ⓤ. ― 形 (中年の) middle-aged.
ミドルアイアン 〖ゴルフ〗 middle iron Ⓒ.
ミドルエイジ middle age Ⓤ 《☞ ちゅうねん》.
ミドルきゅう ミドル級 〖ボク〗 the míddlewèight cláss. ミドル級の選手 míddlewèight Ⓒ.
ミドルクラス ― 名 (中流) the middle class(es). ― 形 middle-class.
ミドルスクール ☞ ちゅうがっこう
ミドルティーン (十代半ばの若者) mid-teen Ⓒ.
ミドルネーム middle name Ⓒ ★ Robert Louis Stevenson の Louis のような中間の名.
ミドルホール 〖ゴルフ〗 par-4 hole Ⓒ.
みとれる 見とれる (心を奪われる) be ⌈fáscinàted [charmed] ⌈by [at; with] … ★ fascinated のほうが意味が強い; (我を忘れて見とれる) be lost in admiration (of …). ¶ 彼らはその大きなダイヤモンドに*見とれていた They *were* ⌈*fascinated* [*charmed*] *by* the big diamond. // 私はその美しい景色にしばらく*見とれていました I *looked admiringly at* the beautiful scenery for a while. / I *was lost in admiration of* the beautiful landscape for a while. ★ 第 2 文のほうが文語的.
-みどろ ― 形 covered [soaked] with … 《☞ あせみどろ; ちみどろ》.
ミトン mitten Ⓒ.
みな 皆 ― 代 (すべてのもの) all 語法 (1) 「人」にも「物」にも使われる. 「人」の場合は複数動詞で呼応する. 「物」の場合は, 状況を述べるときは単数動詞で呼応することがある. ((例) あたりは*皆静かだった *All* was silent around me.); (すべてのもの) everything ★ all よりも口語的で意味が強い; (すべての人) everyone, everybody 語法 (2) いずれも口語的だが, 後者のほうがよりくだけた感じ. every の付く語はすべて単数動詞で呼応する. ― 形 all; every Ⓐ. 《☞ すべて (類義語)》.
¶ あなた方は*皆スポーツが好きですか Do ⌈you *all* [*all* of you] like sports? // *皆来ましたか Is ⌈*everybody* [*everyone*] here? // *皆さん, おはようございます Good morning, ⌈*everybody* [*everyone*]. // *皆さん, それでは最優秀選手を発表します *Ladies and Gentlemen*, now I am honored to announce the best player. // お宅の*皆さんによろしく Please remember me to *all* of your family. // 必要なものは*皆準備しました We have prepared ⌈*everything* [*all*] we need. // *皆でいくらになりますか How much ⌈are they [is it] *altogether*? // 彼は持っていた金を*皆使ってしまった He spent *all* the money he had. / He has spent *every last* penny. 語法 (3) 第 2 文のように現在完了形を使うと, 「だからいまはお金が一銭も手元にない」という意味が含まれる. // それは*皆私のせいです (⇒ 私が責を負うべきただ 1 人の者です) I'm the *only* one who is to blame. // *皆がそのニュースを聞いて喜んだわけではない Not *all* of ⌈us [them] rejoiced at the news. ★ 部分否定に注意.
みなおす 見直す 1 《もう一度見る》: (再び調べる) look over … again; (再調査する) restudy ⑩; (再検討する) reconsider ⑩. 《☞ みかえす》.
¶ レポートはよく*見直してから提出しなさい (⇒ 提出する前に見直しなさい) *Look over* your term paper *again* before you hand it in. // 海水をエネルギー源として利用できないかどうか*見直すべきだ We should *restudy* the possibility of using seawater as an energy resource. // 彼らは計画の*見直しを (⇒ 再検討することを) 求められた They were ⌈asked [requested] to ⌈*reconsider* [*restudy*] the project.
2 《前より高く評価する》: think better of …, have a better opinion of … ★ 前者のほうが口語的.
¶ 私は学生を*見直した Now I *think better of* my students. / I now *have a better opinion of* my students.
みなかみ 水上 ☞ かわかみ
みなぎる 漲る (充満している) be full of …, be filled with … ★ 前者のほうが平易な表現; (行き渡る) pervade ⑩ ★ 前 2 者より格式ばった語. 《☞ いっぱい'; あふれる》. ¶ 闘志*みなぎる若者たち young men *full of* fighting spirit // 危機意識が当時の人々の間に*みなぎっていた A feeling of crisis *pervaded* the people of those days.
みなげ 身投げ ― 動 (自らおぼれる) drown *oneself*; (身を投げる) throw *oneself* into … ★ 飛び込む動作に重点を置いた言い方.
みなごろし 皆殺し ― 名 (大量虐殺) massacre /mǽsəkɚ/ Ⓤ; (人種・国民皆殺しなどの大量殺りく) genocide Ⓤ; (根絶) extermination Ⓤ 語法 最後の語は主として害虫・害鳥・敵対者など, 望ましくないものの根絶をいう. ― 動 (全員を殺す) kill ⌈all the … [every …] ★ 最も意味が広く平易な言い方; massacre ⑩; exterminate ⑩. 《☞ ぎゃくさつ (類義語); ぜんめつ》.
みなさん 皆さん (あなた方全員) all of you, you all; (すべての人) everyone, everybody ★ 後者のほうがくだけた語; (男女の聴衆に呼びかけて) ladies and gentlemen. 《☞ みな》.
みなし 見做し 〖法〗 conclusive presumption Ⓤ. みなし規定 (条項) deeming provision Ⓒ 見做し法人 constructive corporation Ⓒ, individual treated as a business for tax purposes Ⓒ ★ 後者は説明的な訳. みなし利益 imputed profit Ⓤ みなし労働 (裁量労働) discretionary work Ⓤ.
みなしご 孤児 orphan Ⓒ 《☞ こじ''》.
みなしも 水下 ☞ かわしも
みなす 見做す (…を…と見る) regard … as …, look upon … as … ★ 前者が一般的; (…を…と考える) consider … to be …, think of … as …
¶ 彼は日本で最も優秀な音楽家の 1 人と*見なされている He *is considered to be* one of the most excellent musicians in Japan. // 人はそれを当然のことと*見なす People *think of* it *as* natural. / People *think that* it is natural. / People *take* it *for granted*.
みなそこ 水底 the bottom of the water.
みなづき 水無月 (旧暦の六月) the sixth month of the lunar calendar; (現在の六月) June.
みなと 港 harbor (《英》 harbour) Ⓒ; port Ⓒ 語法 船の停泊する港だけを意味するのが harbor, 商港という意味でしばしば付属した都市も含めていう語が port. ¶ 船が何隻も*港に入っている There are many ships (at anchor) in the *harbor*. // そのタンカーは*港に入ってきた[を出ていった] The tanker ⌈entered [left; sailed from] the *port*.
港町 port town Ⓒ. ¶ *港町横浜 the *port town* of Yokohama
みなぬか 三七日 the twenty-first day after *a person's* death.
みなまたびょう 水俣病 Minamata disease Ⓒ.

みなみ 南 ―名 the south. ―形 (南の・南方の) south, southern /sʌ́ðən/ 語法 境界がはっきりしていて「南部(地方)の」という意味の場合は south を, 漠然と「南方の」という意味のときは southern を使う; (南寄りの) southerly /sʌ́ðəli/. ―副 (南へ) south, southward(s) ★ 後者は方向を示す意味が強い.《☞ なんぶ; きた》.
南アジア South Asia **南アフリカ共和国** the Republic of South Africa **南アメリカ** South America **南アルプス** the Southern Japanese Alps **南回帰線** ☞ 見出し **南風** south [southerly] wind Ⓒ; (強い南風) souther /sáʊðə/ Ⓒ.《☞ かぜ¹》 **南側** ―名 (南の面) the south side; (南の部分) the south part. ―副 (境を接して南側に) on the south (of ...); (南の方角に) to the south (of ...). ¶ビルの*南側 *the south side* of the building // 町の*南側 *the* ⌈*south* [*southern*] *part* of the town // *南側の窓 a *south* window **南シナ海** the South China Sea **南十字星** the Southern Cross《☞ せいざ¹ (表)》 **南太平洋** the South Pacific **南太平洋諸国会議** the South Pacific Forum ★ SPF と略す. **南半球** the Southern Hemisphere **南回り** ¶東京からローマまで*南回りで (⇒ 南のルート経由で) は何時間かかりますか How ⌈many hours [long] does it take you to fly to Rome from Tokyo ⌈via [by way of] the *southern* route? **南向き** ¶私の部屋は*南向きです (⇒ 南に面している) My room *faces south.* // *南向きの家 a house *facing south*

みなみかいきせん 南回帰線 the Tropic of Capricorn /kǽprɪkɔ̀ən/ (↔ the Tropic of Cancer)《☞ ちきゅう¹ (挿絵)》.

みなみじゅうじせい 南十字星 ☞ みなみ (南十字星)

みなみまぐろ 南鮪 〔魚〕 southern bluefin (tuna) Ⓒ.

みなも 水面 the surface.

みなもと 源 (ものの発展の基になるもの・元) source Ⓒ; (現象や事物などの起源・発生したときの状態・起こり) the origin; (初め) the beginning ★ 最も平易な語; (根源) the root.《☞ すいげん; きげん³》. ¶その川はこの湖に*源を発している This lake is the *source* of that river. / That river *originates* from this lake.

みなもとのよしつね 源義経 ―名 固 Minamoto no Yoshitsune, 1159–1189; (説明的には) the commander of the army that defeated the Taira clan at Dannoura in 1185《☞ だんのうら》.

みなもとのよりとも 源頼朝 ―名 固 Minamoto no Yoritomo, 1147–1199; (説明的には) the first shogun of the Kamakura Shogunate in 1192.

みならい 見習い (職業上の訓練を受けている人) trainee /treɪníː/ Ⓒ; (徒弟として働くこと) appréntіceship Ⓤ; (仮採用) probation Ⓤ; (徒弟) apprentice Ⓒ.
¶彼女はこの美容院で*見習いとして働いた She worked as ⌈a *trainee* [an *apprentice*] at this beauty parlor. / (⇒ 見習い期間を勤め上げた) She *served her apprenticeship* at this beauty parlor. // 彼はまだ*見習い中です (⇒ 仮採用だ) He is still *on probation.* // *見習い看護師 a *trainee* nurse / (⇒ 看護学生) a *student* nurse / a nursing *student* // (仮採用の) *見習い期間 the *probationary* period / the period of *probation*
見習い工 apprentice Ⓒ.

みならう 見習う (人を模範にする) follow *a person's* example; (そっくりにまねる) copy ㊀, imitate ㊀.《☞ まねる》. ¶兄さんを*見習って (⇒ 兄さんのように) 勉強しなさい Study hard *like* your brother. / Work hard *following the example of* your brother. ★ 第 1 文のほうが平易で口語的.

みなり 身なり (外見) (personal) appearance Ⓒ; (衣服) dress Ⓒ; (外から見た様子) the way [how] *a person* looks.《☞ がいけん; ふくそう¹; みだしなみ》.
¶*身なりで人を判断すべきではない You shouldn't judge people by *how they look.* // 彼は*身なりに構わない He is ⌈careless about [indifferent to] his *appearance.* / He doesn't care *how* he *looks.* ★ 第 2 文のほうが口語的. // *身なりをちゃんとするように (⇒ きちんと見えるようにしなさい) Try to *look* ⌈*neat* [(⇒ 清潔に) *clean*]. / (⇒ ふさわしい服装をするように) Try to *dress* yourself *appropriately.* ★ 第 2 文のほうが改まった言い方. // 彼女は*身なりがよい She *is* ⌈*well* [*neatly*; *finely*] *dressed.* // ひどい*身なりをした男 (⇒ みすぼらしい服を着た男) a ⌈*poorly dressed* [*shabbily dressed*] man

みなれる 見慣れる, 見馴れる ―動 (見慣れている) be ⌈used [accustomed] to seeing ... 語法 (1)「見慣れる状態になる」という意味では be の代わりに get または become を用いる. なお accustomed を用いたほうが格式ばった言い方になる; (よく知っている) be familiar with ..., be familiar to *a person* 語法 (2) 前者は「人」が, 後者は「事物」が主語になる. ―形 familiar.《☞ なれる¹》.
¶こういう光景は長年*見なれている I *have* long *been* ⌈*used* [*accustomed*] *to seeing* such scenery over the years. / I *have been familiar with* such scenery over the years. / The scenery *has been familiar to* me over the years. // *見なれない人たちが何人かパーティーの席にいた There were a few ⌈*strange* [*unfamiliar*] faces at the party.

みなわ 水輪 (波紋) ripple Ⓒ. ¶*水輪が広がった *Ripples* spread across the water.

ミニ ―接頭 (小・小型の意) mini-《☞ こがた》.
ミニカー mínicàr Ⓒ **ミニ開発** small-scale development Ⓤ **ミニコミ** limited circulation ⌈newspaper [magazine] Ⓒ 日英比較 ミニコミは和製英語. **ミニコン(ピューター)** minicomputer Ⓒ **ミニサイクル** compact bicycle Ⓒ **ミニシアター** míni-théater Ⓒ, minitheater Ⓒ **ミニスカート** míniskìrt Ⓒ, 《略式》 mini Ⓒ《☞ スカート》 **ミニ政党** small political party Ⓒ **ミニトマト** cherry tomato Ⓒ **ミニバイク** mínibìke Ⓒ, minicycle Ⓒ **ミニバス** minibus Ⓒ **ミニ四駆** mini 4WD ⌈vehicle [car] Ⓒ ★ 4WD は four-wheel-drive の略.《☞ よんりん (四輪駆動)》 **ミニレター** (郵便書簡・封緘はがき) letter card Ⓒ.

ミニアチュア ☞ ミニチュア

ミニーマウス ―名 固 Minnie Mouse ★ ディズニーのアニメーションに登場するねずみ.

みにくい¹ 醜い ugly 語法 この語は容貌に関しては通例あまり用いられない.《☞ ぶきりょう》. ¶その魔女はひどく*醜い顔をしていた The witch had a very *ugly* face. // 女性をめぐる*醜い (⇒ みっともない) 争い a ⌈*scandalous* [*disgraceful*] dispute over a woman

みにくい² 見難い ¶*見にくい (⇒ 読みづらい) 筆跡 *illegible* handwriting // 道路標識は運転席からは*見にくい場所にあった The road sign stood on a spot drivers *couldn't see well.*

ミニスター minister Ⓒ《☞ こうし⁵; だいじん¹; ぼくし》.

ミニチュア ―名 (小型の模型) miniature /míniətʃʊ̀ə/ Ⓒ. ―形 (小型の) miniature.《☞ こがた》. **ミニチュアカー** minicar Ⓒ **ミニチュアセット** miniature set Ⓒ.

ミニット (時間の分) minute Ⓒ.

ミニマム ―名 mínimum Ⓒ《複 ~s, -ma》. ―形 minimum Ⓐ (↔ maximum). **ミニマムエッ**

センシャルズ minimum essentials ★ 複数形で.
ミニマリズム 〔芸〕 minimalism Ⓤ.
ミニマル —[形] (最小限の) minimal. ミニマルアート 〔芸〕 minimal art Ⓤ.
ミニミニ —[形] (超小型の) mini-mini. ¶*ミニミニスカート a *mini-mini* skirt.
ミニュエット ☞ メヌエット
ミニョン —[名] (固) Mignon /mínjɑn/ ★ ゲーテの『ウィルヘルムマイスター』に登場する女性.
ミニロト (宝くじの) mini-lottery Ⓒ.
みぬく 見抜く (見通す) see through ...; (本当のことを見つける) find óut (他); (見破る) pénetràte (他); (気付く) notice (他); (感づく) perceive (他); (人の能力・手腕などを見定める) get [take] *a person's* measure. 《☞ みとおす; きづく; みやぶる》.
¶ 母親は息子のうそをすぐに*見抜いた The mother *saw through* her son's lie ⌐right away [immediately]. // 私はやっとその秘密が*見抜けた I finally *penetrated* the mystery. // 本能的に彼女は皆が何を期待しているかを*見抜いていた She ⌐*perceived* [*noticed*] by a sort of instinct exactly what they had expected.
みね 峰 (山) peak Ⓒ; (頂上) the top, the summit ★ 前者のほうが口語的; (連峰) ridge Ⓒ; (刀の) the back. 《☞ やま (挿絵)》.
ミネアポリス —[名] (固) Minneapolis /mìniǽp(ə)lis/ ★ 米国ミネソタ州東部の都市.
みねうち 峰打ち —[動] (刀の背で打つ) strike *a person* with the back of *one's* sword.
ミネストローネ (イタリア料理のスープ) minestrone /mìnəstróuni/ Ⓤ.
ミネソタ —[名] (固) (米国の州) Minnesota /mìnəsóutə/ 《☞ アメリカ (表)》.
ミネラル (鉱物) míneral Ⓒ.
ミネラルウォーター (鉱泉水) míneral wàter Ⓤ.
ミネルバ —[名] (固) 〔ロ神〕 Minerva /mɪnə́:və/ ★ 知恵と技芸の女神.
みの 蓑 straw cape Ⓒ.
ミノアぶんめい ミノア文明 the Minoan civilization.

み

みのう 未納 (支払い残金) arrears /əríəz/ ★ 複数形で; (滞納) default in payment Ⓤ; (不払い) nonpayment Ⓤ. 《☞ たいのう¹》.
¶ 彼は税金[家賃, 授業料]が*未納だ (⇒ まだ支払っていない) He *has not yet paid* his ⌐taxes [rent; tuition]. / His ⌐taxes are [rent is; tuition is] *in arrears*. / He is *in arrears with* his ⌐taxes [rent; tuition]. ★ 第 1 文が最も平易な言い方.
未納金 the amount in arrears 未納者 person in arrears Ⓒ.
みのうえ 身の上 **1** 《境遇》: (一身上の事柄) *one's* personal affairs ★ 複数形で; (暮らし向きなど) círcumstànces ★ 複数形で; (人が置かれている状況) situation Ⓒ. 《☞ きょうぐう; じょうきょう¹》.
¶ 彼女は*身の上相談に来た (⇒ 一身上の事柄について私の忠告を求めに来た) She came to ask for my advice about *her personal affairs*. // その男は気の毒な*身の上だ The man is in ⌐sad [poor] *circumstances*.
2 《経歴》: *one's* (personal) history; (過去) *one's* past. 《☞ けいれき》.
身の上相談欄 personal advice column Ⓒ 身の上話 ¶ 機会があるたびに彼女は*身の上話をする (⇒ 自分の経歴を話す) Whenever she has a chance, she tells us ⌐*her history* [(⇒ 彼女の一生の話を) *the story of her life*; (⇒ 彼女自身について一切を) *all about herself*; (⇒ 彼女の過去について) about *her own past*].
みのかさ 蓑笠 straw rain cape and a sedge hat Ⓒ.
みのかさご 蓑笠子 〔魚〕 lion-fish Ⓒ, turkey fish Ⓒ.
みのがし 見逃し ¶ 彼は*見逃しの三振をした (⇒ 3 つ目のストライクを通過させた) He *let* the third strike *go*.
みのがす 見逃す (大目に見る) òverlóok (他); (うっかり見落とす) miss (他); (何となくそのままにする) let a matter pass; (悪いことを黙認する) connive (at ...) (自) ★ 以上の中で一番格式ばった語. 《☞ みおとす》.
¶ このような過ちを*見逃してはならない You must not *overlook* such an error. // 物価の上昇は*見逃すことができない重大問題だ The rise in (commodity) prices is a serious problem not to *be overlooked*. // 私は好機を*見逃した I *missed* a good ⌐chance [opportunity]. // バッターは好球を*見逃した The batter *missed* ⌐a nice ball [(⇒ よい投球を) a good pitch]. // 彼はその事実を*見逃さなかった He didn't *let* the fact *pass*. / He didn't *miss* the fact. // このテレビ番組は絶対*見逃せない (⇒ ぜひ見る必要のあるものだ) This TV program is a *must*. ★ 口語的表現. // だれが麻薬の密輸入に目をつぶって*見逃したのだろう Who *connived at* the smuggling of drugs into the country?
みのがみ 美濃紙 *mino* paper Ⓤ.
みのかわ 身の皮 身の皮を剝ぐ strip *one* of all *one* has, take everything away from ....
みのけがよだつ 身の毛がよだつ —[形] (恐ろしい) horrible; (毛を逆立てるような) hair-raising ★ 後者のほうが意味が強い. —[動] (身の毛をよだたせる) make *one's* hair stand on end. 《☞ おそろしい》. ¶ それはまったく*身の毛のよだつような光景だった It was really a *hair-raising* sight.
みのこく 巳の刻 ☞ み³
みのこす 見残す ¶ 報告書の最終の 2 ページを*見残していますよ (⇒ 読んでいない) You *haven't read* the last two pages of the report.
みのしろきん 身の代金 ransom Ⓒ. 身の代金誘拐 kidnapping for ransom Ⓤ, ransom kidnapping Ⓤ.
ミノス 〔ギ神〕 —[名] (固) Minos /máɪnəs/.
ミノタウロス 〔ギ神〕 —[名] (固) Minotaur /mínətɔ̀ə/.
みのたけ 身の丈 (身長) height Ⓤ.
みのほど 身の程 ¶ だれでも*身の程 (⇒ 自分自身) を知るべきだ *One* should know ⌐*oneself* [(⇒ 自分の立場) *one's place*; (⇒ 自分の限界) *one's limitations*]. 《☞ みぶん》
身の程知らず (自分の立場を忘れる) forget *one's* place; (資力をわきまえず生活する) live beyond *one's* ⌐means [income]; (偉そうに振舞う) act important ¶ 彼は*身の程知らずな男だ He ⌐*forgets* [*doesn't know*] *his place*. / He *lives beyond his* ⌐*means* [*income*]. / He *acts important*.
みのまわり 身の回り ¶*身の回りの物 (⇒ 所持品) をもう一度確認して下さい Please check your ⌐*things* [*belongings*] once more. 《☞ てまわりひん》 // 彼は*身の回りの物 (⇒ 個人に属する品物) を郵便で送った He sent his *personal belongings* by mail. // 彼女は病人の*身の回りの世話をした (⇒ 病人の世話をした) She ⌐*took care of* [*looked after*] the patient.
みのむし 蓑虫 〔昆〕 bagworm /bǽgwə̀:m/ Ⓒ.
みのり 実り (収穫) crop Ⓒ, harvest Ⓒ ★ 前者のほうが口語的. 《☞ しゅうかく¹》. ¶*実りの秋が来た The *harvest* season has come. // 今年は*実りがよかった[悪かった] We have had a ⌐good [bad; poor] ⌐*crop* [*harvest*] this year. // 私は*実りの多い歳月をそこで過ごした I spent some *fruitful* years there.

みのる 実る (果樹が実を結ぶ) bear fruit ★ 比喩的な意味でも用いられる. bear は《過去 bore; 過分 borne》; (果実・穀物が熟す) become ripe, ripen (自); (土地が農作物を生産する) produce [yield] crops. (☞ なる[3]; み[2]; せいか[3]).
¶このりんごが*実るのはいつですか (⇒ りんごの木が実を結ぶのは) When does this apple tree *bear fruit*? // この土地は作物がよく*実る This soil ⌈*produces* [*yields*] good *crops*. // いろいろな果物や穀物が秋に*実る Various fruits and crops ⌈*become ripe* [*ripen*] in the fall. // 彼女の努力がついに*実った Her efforts finally *bore fruit*. / (⇒ 成功で報いられた) Her efforts *were* finally ⌈*rewarded* [*crowned*] *with success*. [語法] crown は「名誉・栄光などで報いる」の意. 第 2 文のほうが格式ばった言い方.
実るほど頭の下がる稲穂かな (⇒ たくさん実をつけた枝ほど低くたれ下がる) The boughs that bear most hang lowest.

みば 見場 ¶この料理は*見場はよくないが (⇒ おいしそうには見えないが), なかなかおいしい This dish does not *look* appetizing, but it is delicious. (☞ みため; みてくれ)

みはい 未配 ¶*未配の郵便物 *undelivered* mail // *未配の配当 *unpaid* dividend

みばえ[1] 見栄え, 見映え ¶彼女は黒い服を着ると*見栄えがする (⇒ ずっとよく見える) She *looks better in* a black dress. / (⇒ 黒い服は彼女の魅力を引き立たせる) A black dress *sets off her charms*.

みばえ[2] 実蝿 〖昆〗 fruit fly Ⓒ.

みはからう 見計らう ¶ころあいを*見計らって (⇒ ちょうどよいときに) 来たね You are here at just the right moment. // *見計らいで 言語学の本を持参しました I've brought ⌈(⇒ 選んだ本を) *selections of* books on linguistics [(⇒ 選んでいただくために) some books on linguistics *for your selection*]. (☞ みつくろう)

みはじめ 見始め the first sight, the first look.
見始めの見納め *one's* first and last sight of ….

みはっけん 未発見 ―[形] (発見されていない) undiscovered; (探検されてない) unexplored. (☞ みち[2])

みはっこう 未発行 ―[形] (書物などが) unpublished, not published; (印刷物・切手・紙幣・株などが) unissued, not issued. **未発行株(式)** unissued stock Ⓒ **未発行著作物** unpublished works ★ 複数形で.

みはったつ 未発達 ―[形] not devéloped; (未開発の) ùnderdevéloped.

みはっぴょう 未発表 ―[形] unpublished, not ⌈published [publicized].

みはてぬ 見果てぬ ¶*見果てぬ夢 (⇒ 満たされない夢) an *unfulfilled* dream

みはなす 見放す, 見離す (あきらめる) gìve úp (他); (背を向ける) turn *one's* back (on …); (見捨てる) abandon (他); (家族・友人など守るべき義務のある人を見捨てる) desert /dɪzə́ːt/ (他). (☞ みすてる; みかぎる). ¶彼はどの医者[教師]からも*見放された (⇒ 医者[教師]は皆彼はだめだとあきらめた) All the ⌈doctors [teachers] *have given* him *up* as a hopeless case. // 彼女はついに彼を*見放した Finally she *turned her back on* him.

みばなれ 身離れ ¶この魚は*身離れがいい It is easy to *separate this fish's meat from the bones*.

みはば 身幅 the width (of a kimono).

みはらい 未払い ―[形] (払っていない) unpaid; (滞納した) in arrears /əríəz/ ★ 後者のほうが格式ばった表現. (☞ みのう; たいのう[1]). ¶彼は入院費が*未払いです (⇒ まだ払っていない) He *has not paid* his hospital bill. / His hospital bill is *in arrears*.
未払い額 unpaid [outstanding] amount Ⓒ, (the amount in) arrears **未払い金** arrears, unpaid account Ⓒ **未払い残金** remaining arrears, remaining unpaid account Ⓒ.

みはらし 見晴らし (景色) view Ⓒ (☞ けしき; ながめ[1]). ¶なかなか*見晴らしがいいな What a ⌈splendid [fine] *view*! // 彼女の家は丘の上に立っているので, *見晴らしがよい (⇒ 丘の上の彼女の家は美しい景色を見渡す) Her house on the hill *commands a* ⌈splendid [fine] *view*. // 頂上まで登れば*見晴らしがきくよ If we climb up to the top, we'll *get a* ⌈*fine* [*good; splendid*] *view*. / (⇒ 頂上は見晴らしがきく) The top of this hill *commands* a ⌈*fine* [*good; splendid*] *view*. **見晴らし台** lookout Ⓒ.

みはらす 見晴らす (見渡す) overlook (他); (見下ろす) look out over …; (特に景色などを) command [offer] a full view of … ★ 以上いずれも場所・建物などが主語になる. (☞ みわたす; みおろす). ¶あの塔から市が*見晴らせる The tower ⌈*overlooks* [*looks out over*] the city.

みはり 見張り (注意して見ること) watch Ⓤ ★ a を付けることがある; (用心して守ること) guard Ⓤ; (警戒) lóokòut Ⓤ; (警護する人) guard Ⓒ; (見張る人) watchman Ⓒ《複 -men》, lookout /lʊ́kàʊt/ Ⓒ (☞ ほしょう[4]; けいび[1]). ¶外で*見張りをしてくれないか Would you *keep watch* outside? // 出入口に*見張りを置く place [post] a *guard* at the entrance // 警察はその挙動不審の男に*見張りをつけた The police set a *watch* on the suspicious-looking man. ★ set a watch (on …) は「(…に)見張りをつける」という意味の決まり文句.
見張り所 (望楼) lookout Ⓒ; (見張り塔) watchtower Ⓒ **見張り番[人]** guard Ⓒ, watchman Ⓒ, lookout Ⓒ; (その役にあたった人) person ⌈standing [on] watch Ⓒ.

みはる 見張る **1** 《警戒する》: watch (他), keep watch over …, keep a [be on the] lookout for …; (目を離さないでいる) keep ⌈an [*one's*] eye on …; (油断なく見張る) be on the alért. (☞ はりこむ; ばん[2]; かんし[1]). ¶彼らは敵の動静を*見張っている They *are* now ⌈*watching* [*keeping watch over*; *on the lookout for*] enemy movements. // ここで*見張っていて下さい *Keep a lookout* here.
2 《目を》: (目を大きく開く) open *one's* eyes wide; (感嘆して見つめる) gaze (at …) (自).
¶彼女は驚嘆して目を*見張った She *opened her eyes wide* in wonder.

みはるかす 見晴るかす ☞ みはらす

みびいき 身贔屓 (縁者びいき) népotism Ⓤ; (えこひいき) favoritism (《英》 favouritism) Ⓤ. (☞ ひいき; えこひいき).

みひつのこい 未必の故意 〖法〗 *dolus eventualis* /dóuləs ɪvèntʃuáːlɪs/ ★ ラテン語; (故意の怠慢) conscious [willful] negligence Ⓤ.

みひらき 見開き (本・新聞の) spread Ⓒ.
¶広告は*見開きの 2 ページを占めていた The advertisement covered ⌈a two-page *spread* [(the) two *facing pages*].

みひらく 見開く (目を大きく開ける) open *one's* eyes wide.

みぶな 壬生菜 (野菜) green spray Ⓤ; (説明的には) rape (for pickles) grown in Mibu, Kyoto Ⓤ.

みぶり 身振り (しぐさ) gesture Ⓒ; (動作) movement Ⓒ. (☞ しぐさ; どうさ; てまね).
¶彼女は私に気をつけろという*身振りをした She gave me a warning *gesture*. // 彼は*身振りで落胆した様子を見せた He *made a gesture of* disappointment. // その講演者は*身振り手振りをふんだんに交えて話した (⇒ 話しながら多くのジェスチャーをした) The

lecturer「gestured a lot [made a lot of gestures] as he spoke. // 彼女の*身振りは大げさだ (⇒ いつも彼女は大げさなしぐさをする) She always makes exaggerated gestures. // 先生は*身振りで私に座れと言った The teacher motioned me to the seat. 語法 to の後には場所など, 動作の到達点となるような名詞がくる. **身振り言語** body language Ⓤ《☞ ボディーランゲージ》.

コロケーション
横柄な身振り an imperious /ɪmpí(ə)riəs/ gesture / **大げさな身振り** a grandiose /grǽndiòus/ gesture / **怒った身振り** an angry gesture / **歓迎の身振り** a welcoming gesture / **ぎこちない身振り** a clumsy gesture / **脅迫的な身振り** a threatening gesture / **軽蔑的な身振り** a derogatory gesture / **攻撃的な身振り** an aggressive gesture / **挑戦的な身振り** a defiant gesture / **挑発的な身振り** a provocative gesture / **卑猥な身振り** an obscene gesture / **無礼な身振り** a rude gesture

みぶるい 身震い ── 名 (激しく震える) shudder Ⓒ; (ぶるっと震える) shiver Ⓒ; (小刻みに震える) tremble Ⓒ. ── 動 shudder (at …) 自; shiver (at …) 自; tremble (at …) 自.《☞ ふるえる(類義語)》.
¶その光景を見て彼女は*身震いした (⇒ その光景が彼女を震えさせた) The sight made her「shudder [shiver]. / (⇒ 彼女はその光景を見て, 恐怖で震えた) She「shuddered [shivered; trembled] with horror at the sight.

みぶん 身分 (社会的地位) (social)「position Ⓒ [standing Ⓤ], (social) status Ⓤ 語法 以上は特に高いとか低いとかの限定語句が付いていない場合は社会的に認められた高い地位を意味するのが普通; (社会的階層) (social)「level [class] Ⓒ; (身元) idéntity Ⓤ.《☞ ちい》.
¶彼は*身分のある人にちがいない He must have a respectable position. // *身分の高い人[低い人] a man of「high [low] standing // 封建時代には*身分の違う者どうしの結婚はほとんど不可能だった In feudal days, marriage between men and women who belonged to different social「groups [classes] was almost impossible. // アルバイトの仕事では*身分の保証がない (⇒ アルバイトの仕事は確実でない) Part-time jobs are not secure. // *身分を証明するものを何かお持ちですか Do you carry anything to identify yourself? // 結構なご*身分ですね (⇒ あなたがうらやましい) I envy you! / (⇒ あなたの地位はうらやましいものだ) Yours is really an enviable position. // 私たちは*身分相応に (⇒ 収入の範囲内で) 暮らすべきだ We should live within our「means [income]. // 彼の暮らしは*身分不相応だ He lives beyond his means.
身分証明書 identification (card) Ⓒ, identity card Ⓒ ★ いずれも an ID /áɪdí:/ (card) と略して用いることもある.

みぶんか 未分化 ── 形 (特殊化していない) undifferentiated; (専門化していない) unspecialized.
未分化がん 〘医〙 anaplastic carcinoma Ⓒ《複 ～s, ─ -mata》《☞ がん[1] (癌腫)》, undifferentiated cancer Ⓤ.

みへん 身偏 (漢字の) body radical on the left of kanji Ⓒ.

みぼうじん 未亡人 widow Ⓒ (↔ widower).

みほん 見本 (商品の) sample Ⓒ; (書物・雑誌の) sample copy Ⓒ; (手本) example Ⓒ.
¶製品は*見本どおりだ These manufactured articles「are up to [correspond to] the samples. // その雑誌の*見本を一部送って下さい Will you send me a sample copy of the magazine? // これは失敗のよい*見本だ This is a good example of failure.
見本市 trade fair Ⓒ **見本組** sample copy Ⓒ **見本刷り** (新刊見本) advance copy Ⓒ; (見本ページ) specimen page Ⓒ.

みまい 見舞い (訪問すること) visit Ⓒ, call Ⓒ; (容体を尋ねること) inquiry /ɪnkwáɪ(ə)ri/ Ⓒ; (火事や事故で同情の意を表すこと) expression of one's sympathy Ⓒ.
¶私は入院中の先生を*見舞いに行った I visited my teacher in (the) hospital. 語法《英》では the は付けないのが普通. // 私は彼女に火事*見舞いの手紙を出した I sent a card expressing my sympathy to her after the fire. // 私は彼に暑中*見舞いを書いた I「wrote to him [sent a card] inquiring after his health in the hot season. 日英比較 英米には改めて暑中見舞いを出す習慣はない.
見舞い客 visitor Ⓒ, inquirer Ⓒ **見舞い金** gift of money Ⓒ **見舞い状** (尋ねるための) letter of inquiry Ⓒ; (病気の回復を願うもの) get-well「letter [card] Ⓒ **見舞い品** (贈り物) present Ⓒ.

みまう 見舞う **1**《病人などを》: visit 他; (容体を尋ねて慰める) inquire after …. ¶きのう入院している友人を*見舞った I visited my friend in (the) hospital yesterday. 語法《英》では the は付けないのが普通.
2《襲う》: (災害が) hit 他《過去・過分 hit》, strike 他《過去・過分 struck》.《☞ おそう》.
¶昨夜関東地方は暴風雨[台風]に*見舞われた The Kanto area was「hit [struck] by a「storm [typhoon] last night.

みまがう 見紛う ☞ みあやまる; みちがえる

みまかる 身罷る (死ぬ) die 自; (婉曲な表現で) pass away 自.《☞ しぬ》.

みまちがい 見間違い ¶私の*見間違いのはずはない I can't have mistaken it. // *見間違いかと思って (⇒ 目が私をあざむいているのかと思って) 請求書をもう一度見直した Thinking my eyes might be deceiving me, I「checked [went over] the bill again.《☞ みあやまる; まちがえる》.

みまちがえる 見間違える take [mistake] … for ….《☞ みあやまる; みちがえる》. ¶なわをへびと*見間違えた I mistook the rope for a snake.

みまな 任那 〘史〙 Imna ★ 4–5 世紀に朝鮮半島南部にあった伽羅諸国の日本名.

みまもる 見守る (動きなどを) watch 他; (じっと見る) look intently at …; (見張って守る) guard 他; (気を付ける) look after …, keep「an [one's] eye on ….
¶先生はいつも子供たちを*見守っている The teachers are always「looking after [keeping an eye on] the children. // 私はその若者の行く末を*見守りたい (⇒ その若者に将来何が起こるかを待って見てみたい) I'd like to wait and see what will happen to the young man in the future.

みまわす 見回す look「round [around] …, look about ….《☞ きょろきょろ; みわたす》.
¶彼は部屋の中を*見回した He looked「round [around] the room. // きょろきょろ (⇒ 物珍しそうに) *見回さないように Don't look around curiously.

みまわり 見回り (巡回) patrol Ⓒ; (視察) inspection Ⓤ.《☞ じゅんかい》.

みまわる 見回る (巡回する) patrol 他《過去・過分 patrolled》, make one's rounds; (視察する) inspect 他.《☞ パトロール; じゅんかい; しさつ[1]》.
¶警官は担当地区を*見回っている The police officer is「patrolling [on] his beat. / The policeman is making his rounds. // 彼らはレストランや生鮮食品を扱う店を定期的に*見回っている They pe-

riodically *inspect* restaurants and stores dealing in fresh food.

みまん 未満 ―前 (…より下位の) under … ―形 (より少ない) less [smaller] than … (☞ 数字 (囲み); いか¹). ¶18 歳*未満は入場お断り No one *under* eighteen ⌜is [will be] admitted. // 100 円*未満は切り捨てました I've ignored anything ⌜*less than* [*smaller than*; *under*] ¥100.

みみ 耳 1 《器官》: ear Ⓒ (☞ かお (挿絵); みみもと). ¶彼女は*耳が小さい (⇒ 小さな耳を持つ) She has small *ears*. // 犬は聞きなれない音に*耳を立てた The dog pricked up its *ears* at the strange sound. // *耳の穴 an earhole

2 《聞くこと》 ―動 (聞こえる) hear 自 他 (過去・過分 heard); (傾聴する) listen (to …) 自. ―名 (聴覚) ear Ⓒ. (☞ きく¹ (類義語); きこえる).

¶ちょっとお*耳を拝借 May I have a word in your *ear*? // 子供たちは全身を*耳にして聞いた The children were all *ears*. // *耳に手をあてがって聞く listen with a hand cupped to *one's ear*

3 《端》: edge Ⓒ (☞ はし²; へり¹). ¶彼はそのページの*耳を折った He ⌜turned down the *edge* of [*dog-eared*] the page. // 彼女はパンの*耳を切り落とした She cut off the ⌜*crust* [*edges*] from the slices of bread. (☞ パン¹ (挿絵))

耳が痛い ¶彼は時々*耳の痛いことを言う (⇒ 彼の言葉は時々私の耳をほてらせる) His remarks sometimes make my *ears burn*. **耳が汚(けが)れる** ¶そんな猥褻(わいせつ)な話を聞くと*耳が汚れる Listening to such ribaldry *coarsens the ears*. **耳が肥える** ¶あの人はクラシック音楽に対して*耳が肥えている (⇒ よい耳を持っている) He *has a good ear for* classical music. **耳が遠い** ¶父は*耳が遠い My father *is hard of hearing*. **耳が早い** have ⌜quick [sharp] ears (☞ はやみみ; みみざとい). **耳に入れる** ¶君の*耳に入れたいことがあるのだが I'*ve got news* for you. // 彼女の真意を*君の耳に入れておこう Let me *enlighten* you *about* what ⌜she really means [she's really up to]. **耳に障る** ¶この種の音楽は*耳に障る This kind of music *grates on my* ⌜*ears* [*nerves*]. (☞ みみざわり) **耳にする** ¶もしこのことを彼が*耳にしたら (⇒ この知らせを彼が聞いたら) 怒るでしょう If he (ever) *hears about* this news, he'll be angry. **耳にたこができる** ¶その話は*耳にたこができるほど聞いた (⇒ 十分に聞いた) I *have heard enough* of the story. // 耳に*たこができたよ (⇒ それを聞くのはもううんざりだ) I'm *sick of hearing* it. / I'*m fed up with* it. ★ 第 2 文はやや俗語的表現. **耳に付く** ¶その少女の悲鳴がいまだに*耳について離れない The girl's scream ⌜*is* still *ringing* [*still rings*] *in my ears*. **耳に留まる** ¶祖父のいまわの言葉が*耳に留まっている My grandfather's last words ⌜*have stayed with me* [*still ring in my ears*]. // 彼女の名がささやかれているのが*耳に留まった Her name being whispered *caught my attention*. **耳に留める** (注意して聞く) listen ⌜intently [closely] to …. **耳に残る** ¶子供のころの母の言葉が*耳に残っています Mother's words in my childhood *still* ⌜*ring in my ears* [linger in my heart]. **耳に入る** ¶あまりのショックで医者の話が*耳に入らなかった I was too shocked to *take in* what the doctor was saying. **耳に挟む** (偶然聞く) happen to hear (☞ こみみ). **耳を疑う** can't believe *one's* ears. **耳を貸す** ¶彼は私の忠告に*耳を貸さなかった He *turned a deaf ear* to my advice. ★ turn a deaf ear は成句. **耳を傾ける** ¶私は*耳を傾けたが何も聞こえなかった I *listened* but heard nothing. [語法] listen は積極的に聞こうとすること. hear は自然に耳に入ること. ただし聞こうとして聞くという意味もある. **耳を澄ます** ¶私は*耳をすました I *strained my ears*. **耳をそばだてる** ¶子供たちは*耳をそばだてておじいさんの話を聞いた (⇒ 熱心に聞いた) The children *listened* ⌜*eagerly* [*attentively*] *to* their grandfather's story. / (⇒ 耳をそばだてた) The children *pricked up their ears* and listened to their grandfather's tale. ★ 第 2 文のほうが口語的. **耳をそろえて** ¶借金は*耳をそろえて (⇒ 全額) 返した I paid (back) my debt *in full*. / (⇒ 借金を精算した) I *cleared* (*up*) my debt. **耳を塞ぐ** plug [cover] *one's* ears.

みみあか 耳あか ☞ みみくそ

みみあたらしい 耳新しい (新しい) new; (新奇な) novel ★ やや文語的. (☞ あたらしい; めあたらしい). ¶何か*耳新しいこと (⇒ ニュース) でもありますか Is there any *news*? // その言い方は一般にはまだ*耳新しい (⇒ 知られていない) The expression *is not* generally *known* yet.

みみあて 耳当て (帽子に付いている) éarflàps ★ 複数形で; (独立した) earmuffs ★ 複数形で.

みみうち 耳打ち ―動 (ささやく) whisper 自 他. ―名 whisper Ⓒ. (☞ ささやく). ¶彼女は彼に (何かを)*耳打ちした She *whispered* (something) in his ear.

みみおおい 耳覆い ☞ みみあて

みみかき 耳掻き earpick Ⓒ.

みみがくもん 耳学問 (耳で学ぶこと) learning by ear Ⓤ (☞ ききかじる).

みみかざり 耳飾り ☞ イヤリング

みみくそ 耳くそ earwax Ⓤ. ¶*耳くそをとる (⇒ 耳をきれいにする) clean *one's* ears

みみざとい 耳聡い ―動 (すぐかぎつける) have a good nose (for …); (鋭い聴覚を持つ) have sharp ears.

みみざわり 耳障り ―形 (耳に不快な) offensive to the ear; (ぎいぎいいう) grating. ¶図書館でのひそひそ話は*耳障りだ Talking in whispers [Whispering] in the library is *offensive to the ear*. // その音は*耳障りだった I found that noise *grating*.

みみず 〖動〗 earthworm /ə́ːθwə̀ːm/ Ⓒ (☞ むし¹ [日英比較]). **みみずののたくったよう** ¶あいつの*みみずののたくったような (⇒ 乱暴に書かれた) 文字はひどく読みづらい His *sprawling* handwriting is very ⌜hard [difficult] to read. **みみずばれ** wale Ⓒ, welt Ⓒ.

みみずく 木菟 〖鳥〗 horned [eared] owl Ⓒ.

みみせん 耳栓 earplug Ⓒ ★ 通例複数形で.

みみそうじ 耳掃除 cleaning *one's* ears Ⓤ. ¶*耳掃除をする *clean one's ears*

みみたぶ 耳たぶ earlobe Ⓒ.

みみだれ 耳垂れ discharge from the ear Ⓒ, otorrhea /òutəríːə/ Ⓤ ★ 後者は専門用語.

ミミック (物真似をする人) mimic Ⓒ; (物真似) mimicry Ⓤ.

みみっちい ―形 (けちな) stingy (↔ generous); (下品でさもしい) mean. (☞ けち). ¶彼はなんて*みみっちい奴なんだろう What a *stingy* man he is! // そんな*みみっちいことを言うな Don't say such a *mean* thing.

みみどおい 耳遠い (聞き慣れない) unfamiliar. ¶*耳遠い言葉 an *unfamiliar* ⌜word [expression]

みみなり 耳鳴り ringing in the ears Ⓒ. ¶*耳鳴りがする I have a *ringing in my ears*. / My *ears are ringing*.

みみなれる 耳慣れる ―動 be familiar to … ★ 物事が主語. (☞ ききなれる). ¶*耳慣れない名前 an *unfamiliar* name

みみへん 耳偏 (漢字の) ear radical on the left of kanji Ⓒ.

みみもと 耳元 ¶彼は彼女の*耳元で (⇒ 耳に) 一言二言ささやいた He whispered a word or two *in her ear.*

みみより 耳寄り ¶*耳寄りな話がある (⇒ よい知らせがある) I have *good* news to tell you. // それは*耳寄りな話だ (⇒ 歓迎すべき[よい]ニュースだ) That's 「*welcome* [*good*] news.

みみわ 耳輪 ☞ イヤリング

みむく 見向く (…を見る) look at …; (注意する) take notice of … 《☞ みる[1]》. ¶彼は私に*見向きもしない (⇒ 見さえしない) He doesn't even *look at* me. // 彼女は同年の男の子には*見向きもしない She *takes no notice of* boys her own age. / (⇒ 関心を持たない) She *has no interest in* boys of her own age.

みめ 見目 ¶*見目麗しい (⇒ 美しい) 女性 a *beautiful* woman 《☞ ようぼう[2]; かおだち》
見目より心 Looks aren't everything; it's what's inside that counts. / Better a good heart than a fair face. **見目形** (顔だち) features. ¶*見目形のいい男 a man of fine *features* **見目よい** beautiful, handsome, good-looking 《☞ うつくしい (類義語)》.

みめい 未明 ━[副] (夜明け前に) before 「dawn [daybreak] ★後者のほうが格式ばった表現; (日の出前に) before sunrise. 《☞ よあけ; あけがた》.

ミメシス 〔文学·修辞〕(模倣) mimesis /mɪmíːsɪs/ Ⓤ.

みもう 味盲 ¶彼は*味盲だ He *has a poor palate.* / He *has no sense of taste.*

ミモザ 〔植〕mimosa /mɪmóʊsə/ Ⓒ.

みもしらぬ 見も知らぬ ¶*見も知らぬ人が (⇒ 全く見知らぬ人が) 話しかけてきた A *total stranger* spoke to me.

みもだえ 身悶え ━[動] (苦痛·嘆きなどで身をよじる) twist (自), twist *one's* body, writhe (about) (自) [語法] 3番目は格式ばった表現. about を付けると「転げ回る」の意が出る. 《☞ もだえる》. ¶けが人はひどい苦痛で*身もだえした The injured man *writhed* in great pain.

みもち 身持ち (品行) morals ★複数形で. 《☞ そこう[1]》. ¶彼は*身持ちが悪い He has loose *morals.*

みもと 身元 (本人であること) *a person's* identity; (過去) *a person's* past; (経歴) *a person's* history; (背景) *a person's* background.
¶彼の*身元が判明した *His identity* was established. / He *was identified.* [語法] 「身元が…とわかる」のときは be identified as … となる. // 被害者の*身元はまだ不明だ The victim *has* not yet *been identified.* // 彼女を雇う前に*身元を調べた I looked into *her* 「*background* [*past*; *history*] before hiring her. // *身元不明の死体が見つかった An *unidentified* body has been discovered.
身元照会先[人] reference Ⓒ, 《英》rèferée Ⓒ **身元証明** (身分証明書) identity [identification] card Ⓒ; (法律上の行為能力を証明するもの) something to 「show [prove] *one's* competence in legal matters ★説明的な訳. **身元引受[保証]人** surety /ʃʊ́(ə)rəti/ Ⓒ, guàrantée Ⓒ, 〔法〕gùarantór Ⓒ; (特に就職·入学などの推薦状を書いたりする) réference Ⓒ. ¶…の*身元引受[保証]人になる stand [go] *surety* for … **身元保証金** security for good conduct Ⓒ.

コロケーション
身元を明かす reveal *one's identity* / 身元を偽る disguise *one's identity* / 身元を疑う doubt *a person's identity* / 身元を隠す conceal *one's identity* / 身元を証明する prove *one's identity* / 身元を突き止める establish *a person's identity*

みもの[1] 見物 (物笑いの種) a sight ★悪い意味; (一見に値する光景) spectacle Ⓒ. ¶あの服を着ている彼女は*見ものだった She was *a sight* in that dress. // そのオーロラは*見ものだった The aurora was a great *spectacle.*

みもの[2] 実物 fruit-bearing plant Ⓒ ★葉物·花物に対して. **実物野菜** fruit vegetables ★通例複数形で.

ミモレ 〔服〕mid-calf length Ⓤ. ★日本語はフランス語の mi-mollet から. 膝を覆うくらいの丈.

みや 宮 (神社) (Shinto) shrine Ⓒ; (皇居) the Imperial Palace; (宮殿) palace Ⓒ; (男の皇族) prince Ⓒ; (女の皇族) princess Ⓒ. ¶三笠*宮 *Prince* Mikasa

みやいりがい 宮入貝 〔貝〕*miyairi-gai* Ⓒ; (説明的には) freshwater snail that acts as an intermediate host of the Japanese blood fluke Ⓒ.

みやぎのはぎ 宮城野萩 〔植〕*miyagino-hagi* Ⓒ; (説明的には) a species of bush clover indigenous to Japan.

みやく 未訳 ¶彼の最新作の小説はまだ本邦*未訳だ His latest novel hasn't yet been *translated* into Japanese.

みゃく 脈 (脈拍) pulse Ⓒ, pulsation Ⓤ ★後者は改まった語; (望み) hope Ⓤ. 《☞ みゃくはく》.
¶*脈を見せてごらんなさい Let me 「feel [take] your *pulse.* // 私の*脈は異常に遅い[速い] My *pulse* is abnormally 「slow [quick; fast]. // *脈が正常かどうか計ってみた I 「counted [took] my *pulse* to see whether it was normal (or not). // 彼女の左手首の*脈はかすかだがまだあった The *pulse* in her left wrist was weak but readable. // *脈を数える take *one's pulse* (*rate*)
脈がある ¶まだ*脈がある There is still some *hope.* / It is *not* altogether *hopeless.* **脈を取る** ¶医者は患者の*脈をとった The doctor 「felt [took] the patient's *pulse.*

みゃくあつ 脈圧 〔生理〕pulse pressure Ⓤ. **脈圧計** sphygmomanometer /sfɪgmoʊmənάmətə/ Ⓒ.

みゃくうつ 脈打つ beat (自), pulse (自). ¶心臓がどきどきと*脈打った My heart was *beating* fast. // 彼の身中にはさむらい魂が*脈打っていた The samurai spirit *pulsed* in his veins.

みゃくしもく 脈翅目 〔昆〕Neuroptera /n(j)ʊrάptərə/ Ⓤ. ¶*脈翅目の昆虫 a neuropteran

みゃくしん 脈診 ━[名] pulse diagnosis Ⓒ. ━[動] feel [take; read] *a person's* pulse.

みゃくどう 脈動 ━[名] pulsation Ⓤ. ━[動] pulsate (自). ¶歓喜で血潮が*脈動する *one's* blood *pulsates* with joy

みゃくなしびょう 脈なし病 〔医〕pulseless disease Ⓤ.

みゃくはく 脈拍 (脈) pulse Ⓒ; (脈拍数) pulse rate Ⓒ. ¶私の*脈拍は60ないし70だ My *pulse rate* is between 60 and 70.

コロケーション
安定した脈拍 a steady *pulse* / かすかな脈拍 a faint *pulse* / 規則的な脈拍 a regular *pulse* / 正常な脈拍 a normal *pulse* / 速い脈拍 a rapid *pulse* / 不規則な脈拍 an irregular *pulse* / 弱々しい脈拍 a weak *pulse*

みゃくみゃく 脈脈 ━[副] (連続的に) continuously; (絶え間なく) incéssantly.

みゃくらく 脈絡 (論理的なつながり) logical connection Ⓤ; (文と文との間の意味上のつながり·一貫

性) coherence Ⓤ. (☞ つながり).

¶これら2つの事件の間にはなんら*脈絡がない There is no (*logical*) *connection* between these two cases. // 作文を書くときには文と文との間の*脈絡が(⇒文に意味上のつながりがあるようにすることが)大切だ When we write a composition, it is important to make the sentences *coherent*.

みゃくらくまく 脈絡膜 〘解〙 the choroid ˹coat [membrane], the choroid.

みやけ 宮家 (皇族の家) the house of an imperial /ɪmpí(ə)riəl/ prínce.

みやげ 土産 (贈り物) présent Ⓒ, gift Ⓒ ★後者はやや改まった語; (思い出となる品) souvenir /sù:vəníə/ Ⓒ 日英比較 日本語の「土産」にぴったりの語はない. souvenir は必ずしも他人への贈り物とは限らない. 自分の思い出にとっておくものも含み, 旅行・パーティー・親しい人などの思い出となるものなどをいう. 従って, 旅先で人にあげるために買う「土産品」という意味では present を使うほうがよい. (☞ おくりもの (類義語); てみやげ).

¶私は友達への*土産を買わなければならない I have to buy *presents* for my friends. // これはよい*土産になる This will make a good *souvenir*.

土産話 (旅行の話) account of *one's* travels Ⓒ

土産物店 souvenir [gift] shop Ⓒ.

みやこ 都 (首都) capital Ⓒ; (大都会) metropolis /mɪtráp(ə)lɪs/ Ⓒ. (☞ とかい¹).

¶住めば*都 ☞ すむ¹ // 水の*都ベニス Venice, *city* of canals and bridges // 花の*都パリ Paris, *city* of culture and charm

都落ち ¶*都落ちする (⇒田舎へ転勤になる) be transferred to the provinces / (⇒残念な気持ちで東京を去る) move out of Tokyo with regret

みやこぐさ 都草 〘植〙 Japanese variety of bird's-foot trefoil Ⓒ ★説明的な訳.

みやこたなご 都鱮 〘魚〙 metropolitan bitterling Ⓒ.

みやこどり 都鳥 〘鳥〙 oyster ˹catcher [plover] Ⓒ; (ユリカモメ) black-headed gull Ⓒ.

みやこわすれ 都忘れ 〘植〙 China aster Ⓒ.

みやすい 見易い ―形 (容易に見える[読める]) easy to ˹see [read]; (人目につく) conspícuous; (筆跡・印刷が読みやすい) légible; (明瞭な) clear. (☞ -やすい). ¶この時計の文字盤は*見やすい (⇒読みやすい) The dial of this watch is *easy to read*. // この掲示を*見やすい (⇒容易に見える) 所に貼りなさい Put up this notice where it *can be easily seen*.

みやすどころ 御息所 concubine of a Japanese emperor Ⓒ.

みやだいく 宮大工 carpenter who makes or repairs temples or shrines Ⓒ ★説明的な訳. (☞ だいく¹).

みやづかえ 宮仕え ―動 (宮中に仕える) be in the service of [serve at] the (Imperial) Court; (…に勤める) work ˹for [under] … ¶すまじきものは*宮仕え (⇒勤め人の生活はうらやむに価しない) The life of an *office worker* is unenviable.

みやび 雅び (高尚・上品) elegance Ⓤ; (しとやか・優美) grace Ⓤ.

みやびと 宮人 courtier Ⓒ.

みやびやか 雅やか ―形 graceful. ―副 gracefully. (☞ じょうひん; ゆうが).

みやぶる 見破る (正体などを) find óut ㊥; (陰謀などを) see through … (☞ みすかす; みぬく).

¶あのからくりは*見破った I *have seen through* that trick.

みやまいり 宮参り ¶生まれた赤ん坊を*宮参りに連れていく *take one's* newborn baby *to a Shinto shrine* // 伊勢神宮に*宮参りに行く *pay a visit to* Ise *Shrine*

みやまうすゆきそう 深山薄雪草 〘植〙 edelweiss /éɪdlvàɪs/ Ⓒ.

みやまおだまき 深山苧環 〘植〙 dwarf fan columbine Ⓒ.

みやまがらす 深山鴉 〘鳥〙 rook Ⓒ.

みやまきりしま 深山霧島 〘植〙 *miyamakirishima* Ⓒ; (説明的には) azaleas /əzéɪljəz/ indigenous to the mountains of Kyushu.

みやまきんばい 深山金梅 〘植〙 *miyamakinbai* Ⓒ; (説明的には) Japanese alpine perennial of the rose family, whose yellow flowers bloom in July or August Ⓒ.

みやまざくら 深山桜 〘植〙 *miyamazakura* Ⓒ, miyama cherry Ⓒ; (説明的には) variety of mountain cherry native to Japan, blooming in May or June Ⓒ.

みやましきみ 深山樒 〘植〙 Japanese skimmia Ⓒ.

みやませせり 深山挵 〘昆〙 *miyama-seseri* Ⓒ; (説明的には) skipper butterfly indigenous to China, Korea and Japan Ⓒ.

みやまはんのき 深山榛の木 〘植〙 *miyamahannoki* Ⓒ; (説明的には) alder which grows in the mountainous areas of Japan Ⓒ.

みやまびゃくしん 深山柏槙 〘植〙 shimpaku [sargent('s)] juniper Ⓒ.

みやまよめな 深山嫁菜 〘植〙 *miyamayomena* Ⓒ; (説明的には) Japanese alpine perennial of the aster family, whose purple flowers bloom in May or June Ⓒ. ★栽培品種は ☞ みやこわすれ

みやもうで 宮詣で ☞ みやまいり

みやる 見遣る (見る) look (at …); (一べつする) cast a glance (at …).

ミャンマー ―名 ㊐ (国名) (the Union of) Myanmar /mjɑ:nmáə/ (☞ ビルマ).

ミュー (ギリシャ語アルファベットの第12字) mu Ⓒ ★ギリシャ文字は M, μ.

ミュージアム (博物館・美術館) museum /mju:zí:əm/ Ⓒ.

ミュージカル (音楽・演劇・舞踏を交えた総合舞台芸術) musical Ⓒ. **ミュージカルコメディー** musical comedy Ⓒ.

ミュージシャン (音楽家) musícian Ⓒ.

ミュージックセラピー 〘医〙 (音楽療法) músic thèrapy Ⓤ.

ミュージックホール (大衆演芸場) music hall Ⓒ.

ミューズ ―名 ㊐ 〘ギ神〙 Muse ★芸術・学問をつかさどる九女神の一人.

ミュータント 〘生〙 (突然変異体) mutant Ⓒ.

ミューチュアル ―形 (相互の) mutual. **ミューチュアルファンド** (投資信託会社) (米) mutual fund Ⓒ.

ミューちゅうかんし ミュー中間子 〘理〙 muon /mjú:ɑn/ Ⓒ, mu-meson /mjú:mèzɑn/ Ⓒ.

ミュート 〘楽〙 (弱音器) mute Ⓒ.

ミューラーかん ミューラー管 〘動〙 the Müllerian /mʌlí(ə)riən/ dúct.

ミュール (女性用のつっかけ式のサンダル) mules ★普通は複数形で; (騾馬) mule Ⓒ.

ミュケナイぶんめい ミュケナイ文明 the Mycenaean /màɪsənì:ən/ Cúlture, the culture of Mycenae /maɪsí:ni:/.

ミュトス (神話・伝承) mythos /máɪθɑs/ Ⓒ (複 mythoi /máɪθɔɪ/).

ミュリエル (女性名) Muriel /mjʊ́(ə)riəl/.

みゆるぎ 身揺るぎ ―動 (体を動かす) stir ㊀. ¶彼女は*身ゆるぎもしなかった She didn't *stir* at all.

ミュンヘン ―名 固 Munich /mjúːnik/ ★ドイツ南部の都市. ドイツ語では München /mÝnçən/.

みよ 御代, 御世 (治世) reign C. ¶昭和天皇の*御代に in [during] the *reign* of Emperor Showa

みよう 見様 (物の見方) the way of looking at things (☞ みかた[2]). **見様見まね** ¶*見様見まねで (⇒ ほかの人を見て[ほかの人の例にならって]) 彼は上手になった He has improved his skill by ⌈*watching others* [*following the example of others*]. (☞ まね)

みょう 妙 ―形 (見たことも聞いたこともないような) strange; (おかしな) funny; (常識からはずれたような) odd. ―副 strangely; queerly; oddly. (☞ へん[1] (類義語); きみょう; ふしぎ).

¶きょうは*妙な経験をした I had a ⌈*strange* [*funny*] experience today. // *妙なことに, どうしてもあの事が思い出せない *Strangely*, I can't remember the matter at all. // 彼が口をきかなかったのは*妙だ It is *odd* that he did not speak. // 造化の*妙 the *mystery* of nature // 言いえて*妙 It is *admirably* put. / That is a *very apt* expression.

みょうあん 妙案 (よい考え) good [wonderful] idea C; (すぐれた案) excellent plan C. ¶*妙案を思いついたぞ I've hit upon a ⌈*good* [*wonderful*] *idea*.

みょうおん 妙音 (快い音) sweet [dulcet] sound C; (美しい声) enchanting voice C; (美しい調べ) exquisite [marvelous] music U.

みょうが[1] 冥加 (神仏の援助) divine protection U; (非常に幸運であること) great fortune U. ¶*冥加に尽きます (⇒ 結構すぎる) This is too *good* for me. / (⇒ 幸運に感謝する) I thank my *lucky* star(s). // 命*冥加なやつだ He was very *lucky* to survive!

みょうが[2] 茗荷 〘植〙 Jápanèse gínger U.

みょうぎ 妙技 (すばらしい演技) wonderful performance C; (離れわざ) feat C. (☞ はなれわざ).

みょうごにち 明後日 the day after tomorrow (☞ あさって).

みょうごねん 明後年 the year after next (☞ さらいねん).

みょうさく 妙策 clever ⌈scheme [idea] C (☞ めいあん[1]; みょうあん).

みょうじ 名字 family name C (↔ given name), surname C (↔ Christian name), 《米》 last name C (↔ first name) 日英比較 日本人が自分の姓を言うのに最も誤解の少ないのは family name であろう. 正式でやや格式ばった言い方は surname. 欧米では名字が名の後にくるので last name ともいうが, 日本人の名字は最初にあるから実際には当てはまらない言い方である. (☞ なまえ[1] 日英比較; せい[5]).

名字帯刀 ¶*名字帯刀を許される be given *the privilege of using a surname and wearing a sword*

みょうしゅ[1] 妙手 (囲碁などの手) spectacular [fantastic] move C; (妙案) fantastic ⌈idea [way] C; (名手) expert C.

みょうしゅ[2] 名主 *myoshu* C; (説明的には) local landholder in the Japanese middle ages C.

みょうしゅん 明春 next spring.

みょうじょう 明星 (金星) Venus. ¶明けの [宵(よい)の] *明星 the ⌈morning [evening] star

みょうせき 名跡 the ⌈family [ancestral] name. ¶彼は父の*名跡を継いで柿右衛門と名乗った Assuming his father's ⌈*name* [*style*] Kakiemon, he succeeded to the headship of the family.

みょうだい 名代 ―名 (代理) proxy U ★「代理人」を指すときは C. ―前 (…に代わって) on behalf of … (☞ だいり[1]).

みょうちきりん 妙ちきりん ―形 (奇妙な) odd; (異様な) weird. ¶彼女はよく*妙ちきりんな服を着る She often wears ⌈*odd* [*weird*] clothes.

みょうちょう 明朝 tomorrow morning (☞ あす; あさ[1]).

みょうにち 明日 tomorrow (☞ あす).

みょうねん 明年 next year (☞ らいねん).

みょうばん[1] 明晩 tomorrow ⌈evening [night] (☞ ばん[1]).

みょうばん[2] 明礬 alum U.

みょうみ 妙味 ―名 (魅力) charm U; (絶妙さ) exquisiteness U; (有利な点) advantage C. ―形 (利益の上がる) profitable. (☞ うまみ).
¶詩の*妙味 (*the*) *exquisite beauty* of poetry // *妙味のある仕事 a *profitable* job

みようみまね 見よう見まね ☞ みよう

みょうやく 妙薬 (不思議なほどよく効く薬) wonder drug C; (奇跡的によく効く薬) miracle cure C ★ 主に比喩的に用いる. (☞ くすり). ¶これは頭痛に効く*妙薬だ This is a *wonder drug* for headaches.

みょうり 冥利 (神仏の加護) (divine) favor C; (幸運) good fortune U. **冥利に尽きる** ¶アカデミー主演女優賞を得て彼女も役者*冥利に尽きた (⇒ 幸運であった) She *was lucky* to win the Oscar for the best actress.

みょうれい 妙齢 ―形 (若い) young; (結婚適齢期の) márriageable. (☞ てきれいき).

みより 身寄り (親族) relative C, relation C. (☞ しんるい[1]). ¶*身寄りのない老人 an old ⌈man [woman] with no *relatives to depend on*

ミラー[1] (鏡) mirror C (☞ かがみ[1]). **ミラーサーバー** 〘コンピューター〙 mirror server C **ミラーボール** (飾り玉) mirror ball C.

ミラー[2] ―名 固 Arthur Miller, 1915–2005. ★ 米国の劇作家.

ミラージュ (蜃気楼) mirage C.

みらい 未来 ―名 (将来) the future; (前途) future C. ―形 (未来の) future A; (やがて…となる) prospective A; (来るべき) to come, to be; (予定の) -to-be ★ 名詞の後に付ける. (☞ しょうらい).
¶*未来に何が起こるかわからない No one knows what will happen in *the future*. // 彼が彼女の*未来の夫だ He is her ⌈*future* [*prospective*] husband. / He is her husband-*to-be*. // 遠い*未来に in the distant *future* // *未来の年月 the years *to come* / *未来の (⇒ 来るべき) 世界 the world *to be* / *未来の (⇒ 死後の) 世界 the world *to come* // あの男には洋々たる*未来がある That man has a great *future*. / (⇒ 将来有望な男だ) He is a very *promising* man. // 近接*未来 〘文法〙 the immediate *future*

未来永劫 ¶*未来永劫あなたのことは忘れない (⇒ 決して) I shall *never* forget you. / (⇒ 一生) I shall remember you *as long as I live*. / (⇒ 永遠に) I shall remember you *forever*. **未来学** futurology /fjùːtʃurάlədʒi/ U **未来学者** futurist C **未来完了形** 〘文法〙 the future perfect form **未来時制** 〘文法〙 the future tense **未来進行形** 〘文法〙 the future progressive form **未来図** blueprint for [picture of] the future C **未来像** image of the future C, futuristic view C **未来派** 〘芸〙 (運動) futurism, Futurism U; (人) futurist, Futurist C **未来予測** predicting [foreseeing] the future U.

ミラクル (奇跡) miracle C.

ミラノ ―名 固 Milan /mɪlǽn/ ★ イタリア北部の都市. イタリア語では Milano.

ミランダ (女性名) Miránda.
ミリ (ミリメートル) míllimèter Ⓒ《略 mm》; (「千分の 1」を表す接頭語) milli-. 《☞ 度量衡 (囲み)》. ミリアンペア〔電〕 milliampere Ⓒ《略 mA》 ミリキューリー〔物理〕 millicurie Ⓒ《略 mCi》 ミリグラム mílligràm Ⓒ《略 mg》 ミリ波〔通〕 millimeter [millimetric] wave Ⓒ ミリバール míllibàr Ⓒ《略 mb》★ 気圧の旧単位. 《☞ ヘクト (ヘクトパスカル)》 ミリボルト〔電〕 millivolt Ⓒ《略 mV》 ミリミクロン millimicron Ⓒ ミリメートル míllimèter Ⓒ《略 mm》 ミリリットル míllilìter Ⓒ《略 ml》.
ミリアム (女性名) Míriam.
ミリー (女性名) Millie, Milly ★ Millicent /míləsnt/ の愛称.
ミリオネア (百万長者) millionaire Ⓒ.
ミリオン (百万) million Ⓒ. ミリオンセラー (本などで 100 万以上売れたもの) million seller Ⓒ.
ミリスチンさん ミリスチン酸 〔化〕 myristic /mɪrístɪk/ acid Ⓤ; (体系名) tetradecanoic /tétrədekənòuɪk/ acid Ⓤ.
ミリセント (女性名) Millicent /míləsnt/ ★ 愛称は Millie, Milly.
ミリタリー ―形 (軍隊の) military. ミリタリーマーチ〔楽〕(軍隊行進曲) military march Ⓒ ミリタリールック the military look.
ミリタリスト (軍国主義者) militarist Ⓒ.
ミリタリズム (軍国主義) militarism Ⓤ.
みりょう 魅了 ―動 (美しさでうっとりさせる) charm ㊐; (心を奪う) fascinate ㊐ ★ 後者のほうが意味が強い. ―名 fascination Ⓤ. 《☞ みわく; みりょく (類義語); ひきつける》. ¶ 彼女の声の美しさが聴衆を*魅了した The beauty of her voice *charmed* the audience. // 彼は彼女の美しさに*魅了された He *was fascinated* ⌈by [with] her beauty.
みりょく 魅力 ―形 (魅力的な) attractive; charming; fascinating. ―名 attractiveness Ⓤ; charm Ⓤ; fascination Ⓤ.
【類義語】人の心を引きつけ, 快く感じさせるのが ***attractive***. さらに不思議な力で引きつける意味が加わるのが ***charming***. うっとりとして身動きできないような感じの魅力が ***fascinating*** で, 以上の順に意味が強くなる. 日英比較 日本語の「チャーミング」は主に女性に使われるが, 英語の charming, attractive は性別には関係がない.
¶ 彼女はとても*魅力的だ She is very ⌈*attractive* [*charming*]. // 彼は*魅力のある青年だ He is ⌈an *attractive* [a *charming*] young man. // 彼女の声は何と*魅力的なのだろう What a *fascinating* voice she has! // その女優は年をとっても*魅力を失わなかった The actress did not lose her *charm* as she grew old. // その考えは若者にとって*魅力 (⇒ 心に訴えるもの) がある The idea has great *appeal* to young people.
みりん 味醂 sweet ⌈rice wine [sake] (for cooking) Ⓤ, sweet cooking sake Ⓤ. 味醂干し dried fish seasoned with sweet sake Ⓒ.
みる[1] 見る, 診る **1** 《目で》: look at ... 語法 (1) look は「じっと見る」というような場合には ㊐ の用法もある; see ㊐《過去 saw; 過分 seen》; watch ㊐; stare (at ...) ㊐; gaze (at ...) ㊐; glance (at ...) ㊐.
【類義語】意識的に見ようとして見るのが ***look at*** で, 無意識に自然に目に入る, 見えるという意味の語が ***see***. 従って, 例えば「空を見たが何も見えなかった」は I *looked at* the sky, but I *saw* nothing. のように *look at* と *see* を使い分けなくてはならない. しかし, *see* は日本語の「見える」ではなくて,「見る」に相当することもしばしばある. 例えば *see* a movie (映画を見る), *see* a baseball game (野球を見る) などは, 本来はその場所に行けば当然見えるものであるから *see* を用いるのであるが, 日本語では「見る」としか訳せない. 別の意味で, *look at* と対照的なのは ***watch*** である. 見る対象物が静止しているものである場合に用いるのが *look at* で, 対象物が動いている場合には *watch* を用いる. 例えば,「黒板を見る」「花を見る」「家を見る」などはみな対象物が動かないものであるから *look at* を用い,「(飛んでいる) 鳥を見る」「テレビ (の画面) を見る」のように動きのあるものを見るには *watch* を用いる. 従って, *Look at* that bird. と言えば, その鳥は木の枝に止まっているか, はく製の鳥であり, I like to *watch* birds. と言えば,「私は鳥の生態を見るのが好きだ」の意味となる. *Look at* him. というときの「彼」は立っているか, いすに座っているかであり, *Watch* him. という命令は,「彼の行動を監視せよ」という意味となる. じろじろとうさんくさそうに見るのは ***stare*** で, 感心したり, 驚いたりしてじっと見つめるのが ***gaze***. ちらりと一べつするのが ***glance***. 《☞ みえる; ながめる; みつめる; のぞく[2]; ごらん》
¶ 私たちは彼の望遠鏡で月を*見た We *looked at* the moon through his telescope. // 私は交通量の多い通りを横切るのに左右を*見た I *looked* right and left before crossing the busy street. 語法 (2) 英語では普通は右左の順になる. // 私は博物館でミイラを*見た I *saw* some mummies at the museum. // 私は彼が外へ出るのを*見た I *saw* him go out. // 私は彼が道路を横断しているのを*見た I *saw* him crossing the road. 語法 (3)「…が…する様子の一部始終を見る」は目的語の後に原形不定詞が,「…が…しているその時の動作を見る」は現在分詞が続く. // 彼女は私の目をじっと*見た She *looked* me right in the eye. // 私の荷物を 2, 3 分*見ていてくれませんか Would you please *watch* my ⌈things [baggage; 《略式》 stuff] for a few minutes? 語法 (4) 人が持って行かないよう見張ることをいうが, このように動く可能性のあるものにも watch を用いる. // 優しく*見る *gaze* ⌈amiably [benignly] *at* ... // 彼らは不思議そうに私をじっと*見た They *gazed at* me in wonder. // 少年はその見知らぬ人をじろじろ*見た The boy *stared at* the stranger. // 彼はちらっと彼女の顔を*見た He *glanced at* her face. // 私はその試合をテレビで*見た I ⌈*saw* [*watched*] the game on television. // 「その映画を*見ましたか」「ええ, *見ました」"*Have* you *seen* the movie?" "Yes, I *have*." // 京都は*見る所がたくさんある There are lots of sights to *see* in Kyoto. // この工場を*見るのは初めてだ (⇒ これが最初の訪問だ) This is my first *visit* to this factory. // いまに*見ろ (⇒ 私のやることを見ていろ) *See* what I will do. 《☞ いまに》 // そら*見ろ. 私の言ったとおりだ *There*, I told you so. 《☞ そら[2]》
2 《調べる・観察する》: (見て確かめる) see ㊐; (検査する) inspect ㊐; (診察する) examine ㊐ 《☞ しんさつ; いしゃ (用例)》; (点検する) check ㊐; (辞書を引く) consult ㊐. 《☞ しらべる; けんさ》.
¶ だれが来たか*見て来ます I'll go and *see* who it is. // 歯医者はその子の歯を*見た (⇒ 検査した) The dentist ⌈*inspected* [*examined*] the child's teeth. // 私がタイヤを*見た (⇒ 点検した) ときはなんともなかった When I *checked* the tires, they were all right. // 辞書を*見なさい (⇒ 引きなさい) *Consult* your dictionary. // 患者を*診る *see* [*examine*; *have a look at*] a patient // 脈を*診る *take* [*feel*; *check*] the (patient's) pulse // このスープの味を*見て下さい Please *taste* this soup.
3 《気を付ける・世話する》: (気を配る) look after ...; (手助けする) help ㊐; (注意する) see to ..., attend ㊐ ㊐ ★ 後者のほうが改まった語. 《☞ せわ; たすける》.

¶私は両親の面倒を*見なければならない I have to ⌈*look after* [*take care of*] my parents. // 私は彼の宿題を*見てやった (⇒ 手伝った) I *helped* him with his homework. // 患者は私が*見ます I'll *attend* (*to*) the patient. / (⇒ 私が患者が必要とすることに注意します) I'll ⌈*see* [*attend*] *to* the patient's needs.

4 《判断する》 ¶彼は彼女の手相を*見てやろうと言った He offered to *read* her ⌈palm [hand]. // 彼なんか私の目から*見ればほんの子供だ He is a mere child *in my eyes*.

見た所 ☞ 見出し **見て地獄** ¶聞いて極楽*見て地獄 (⇒ うわさではよいが実際は大違い) The reality falls far short of the reputation. **見ての通り** ¶*見ての通り惨敗です *As you can see*, we were completely defeated. **見て見ぬ振り** ¶私は彼の行為を*見て見ぬふりをした (⇒ 目を閉じた) I ⌈*shut* [*closed*] *my eyes* to his bad behavior. **見ぬが花** (⇒ 実際に手にするよりも想像しているほうが楽しい) Prospect is often better than possession. **見も知らぬ** ☞ みしらぬ **見られたものではない** ¶その演劇は退屈でとても*見れたものではなかった The drama was *too* boring *to see*. (☞ 見るに耐えない; ぶざま) **見る影もない** ☞ かげ[1] **見るからに** ☞ 見出し **見ると聞くとは大違い** There's a ⌈big [great] difference between hearing and (actually) seeing. **見るに忍びない** ¶彼の窮状は*見るに忍びなかった The misery of his life was *more than I could* ⌈*bear* [*stand*] *to see*. **見るに耐えない** ¶彼女の窮状は*見るに耐えない Her miserable circumstances are *too painful* for me *to look at*. **見るに見かねる** ¶*見るに見かねて手を貸してやった I *couldn't just stand by*, so I gave him a hand. **見るべき** ¶我々はその慈善事業では*見るべき成果を得なかった We didn't ⌈gain [attain] ⌈*notable* [*noteworthy*; *remarkable*] results from the charity project. // 日光には*見るべきものがたくさんある There are many things ⌈*worth seeing* [*to see*] in Nikko. **見る間に** ☞ みるみる **見る見る** ☞ 見出し **見る目** ¶彼には絵を*見る目がない He doesn't have an *eye* for paintings. (☞ め[1]) // 彼は人を*見る目がある (⇒ 人をうまく判断できる人だ) He is a good *judge* of people. **見るも** ¶その難破船は*見るも無残な姿で海岸に横たわっていた The wrecked ship was *a sad sight* as it lay on its side on the shore. // それは*見るも無残な (⇒ 衝撃的な) 事故だった It was a *shocking* accident. **見れば見るほど** ¶彼は*見れば見るほどいい男だ He looks more handsome *every time I see him*. // その絵は*見れば見るほど味わいが増す *The more I look at* the picture, *the more* meaningful it becomes. **見れば目の毒** ¶*見れば目の毒だから宝石売り場は素通りするの The jewelry counter is just too *tempting*, so I pass by it.

コロケーション

疑わしそうに見る *look at* ... suspiciously / 好奇の目で見る *look at* ... inquisitively / こっそりと見る *look at* ... furtively / さりげなく見る *look at* ... casually / じっと見る *look at* ... fixedly / 注意深く見る *look at* ... attentively / ぼんやりと見る *look at* ... vacantly / もの珍しそうに見る *look at* ... curiously

みる[2] 海松, 水松 〔植〕 sea staghorn Ⓤ.

-みる (…してみる・試してみる) try ⓗ ⓘ, have a try at ... ¶自分の力を試して*みよう I'll *try* my own strength. // この服を着て*みていいですか May I *try* this dress on? // 彼女を説得して*みましょう I'll *try* to persuade her. // とにかくそれをやって*みようじゃないか Anyhow, let's *have a try at* it. // よろしい. やって*みましょう OK. I'll *try*.

ミル ―名 ㊐ John Stuart Mill, 1806–73. ★ 英国の経済学者・哲学者.

ミルウォーキー ―名 ㊐ Milwaukee /mɪl-wɔ́:ki/ ★ 米国ミシガン湖畔の港市.

みるがい 海松貝 〔貝〕 trough /trɔ́:f/ shèll Ⓒ.

みるからに 見るからに ¶その男は*見るからに (⇒ 明らかに) 気が弱そうだった *Evidently*, he was a weak-willed man. / (⇒ ひと目見て彼が気の弱い男であることがわかった) We saw *at a glance* that he was a timid person.

ミルキーウェイ ☞ ぎんが

ミルク (乳) milk Ⓤ; (コンデンスミルク) condensed milk Ⓤ. (☞ ちち[2]; ぎゅうにゅう).

ミルク色 ―名 milk white Ⓤ. ―形 milk-white **ミルクキャラメル** milk caramel Ⓒ **ミルクスタンド** milk bar Ⓒ ★ 飲み物やサンドイッチなどを売る店.「ミルクスタンド」は和製英語. **ミルクセーキ** milk shake Ⓤ **ミルクティー** tea with milk Ⓤ. ¶*ミルクティー一杯 a cup of *tea with milk* **ミルクプラント** milk plant Ⓒ

みるくい 海松食い, 水松食い ☞ みるがい

ミルトニア 〔植〕 miltonia Ⓒ.

ミルドレッド (女性名) Mildred.

ミルトン ―名 ㊐ John Milton, 1608–74. ★ 英国の詩人.

ミルフィーユ mille-feuille /mí:lfə́:jə/ Ⓒ (複 ~s, ~) ★ 菓子. もとはフランス語. 《米》では napoleon ともいう.

みるみる 見る見る (非常に早く) very ⌈fast [quickly] (☞ きゅうそく[1]; どんどん[1]). ¶火は*みるみるうちに一面に広がった The fire spread all over *very* ⌈*fast* [*quickly*].

みるめ 見る目 (判断力) eye Ⓒ (☞ みる[1]).

ミルン ―名 ㊐ (アラン アレグザンダー ~) Alan Alexander Milne, 1882–1956 ★ イギリスの劇・童話作家; (ジョン ~) John Milne, 1850–1913 ★ イギリスの地震学者.

ミレー ―名 ㊐ (ジャン フランソワ ~) Jean François Millet /ʒɑ:n frɑ:nswá: mi:léɪ/, 1814–75 ★ フランスの画家; (ジョン エバレット ~) (Sir) John Everett Millais /míleɪ/, 1829–96 ★ 英国の画家.

ミレニアム (千年間・千年紀) millénnium Ⓒ (複 ~s, -nia).

みれん 未練 (あきらめきれない愛着) lingering attachment Ⓒ; (後悔を伴う残念な気持ち) regret Ⓤ. (☞ あいちゃく).

¶あの女にはまだ*未練がある I still have a *lingering attachment* to that woman. // 彼は*未練を残して (⇒ 残念な気持ちをもって) 日本を去った He left Japan with *regret*. / He left his heart in Japan. ★ 第 2 文のほうが口語的.

未練がましい ―動 (くどくどといつまでも言う) harp on ... ¶済んだことについていつまでも*未練がましいことを言うな Stop *harping on* what was done.

ミロ ―名 ㊐ Joan Miró, 1893–1983. ★ スペインのシュールレアリズムの画家. ó の ´ は綴り本来のもの.

みろくぼさつ 弥勒菩薩 ―名 ㊐ 〔仏教〕 Maitreya /maɪtréɪə/.

ミロのヴィーナス 〔美〕 the Venus of Melos /mí:lɑs/ ★ Melos (イタリア語名 Milo /mí:loʊ/) はエーゲ海の島の 1 つ.

みわく 魅惑 ―形 (魅力的な) charming; (うっとりさせる) fáscinàting; (心を奪うような) enchanting ★ この順に意味が強い. ―動 charm ⓗ; fascinate ⓗ; enchant ⓗ ★ いずれも通例受身形で. ―名 charm Ⓤ; fascination Ⓤ; enchantment

Ⓤ. 《☞ みりょく (類義語); うっとり; みりょう》.
¶ 彼女は*魅惑的な女だった She was a ˹*fascinating* [*charming*] woman. // 私はその美しい絵に*魅惑された I *was* ˹*fascinated* [*charmed*; *enchanted*] by the beautiful painting. // インドは*魅惑的な国だ India is a *fascinating* country.

みわけ 見分け — 名 (区別) distinction Ⓤ. — 動 (見分ける) tell (... from ...) ㊀; (区別する) distinguish ㊀ ㊁ ★ 後者のほうが格式ばった語. — 形 distinguishable. 《☞ くべつ (類義語)》.
¶ どっちがどっちだか*見分けがつかない I can't *tell* which is which. // この2つは*見分けがほとんどつかない I can hardly *distinguish* between these two things. / (⇒2つの間の違いはほとんど区別できない) The difference between these two is hardly *distinguishable*. // 私には本物と偽物の*見分けがつかなかった I couldn't *tell* the true *from* the false.

みわける 見分ける tell the difference (between ... and ...); distinguish (between ... and ...) ㊁, tell [distinguish] ... from ... 《☞ くべつ (類義語)》. ¶ 本物の真珠と人造の真珠を*見分けることができますか Can you ˹*tell the difference* [*distinguish*] *between* real *and* imitation pearls?

みわすれる 見忘れる (忘れる) forget ㊀ 《☞ わすれる》. ¶ 私を*見忘れたんじゃないでしょうね You *have* not *forgotten* me, have you?

みわたす 見渡す (ぐるりとあたりを見回す) lóok ˹aróund [abóut]; (高い建物などが下を) command ㊀. 《☞ みおろす; のぞむ¹》.
¶ あたりを*見渡したがだれもいなかった I *looked* ˹*around* [*about*], but I saw nobody. // その塔からは町全体を*見渡すことができる We can *see* the whole town from the tower. / The tower *commands* a view of the whole town. ★ 前者のほうがより口語的.
見渡す限り (見える[目の届く]限り) as far as ˹*one* [the eye] can see. ¶ *見渡す限りの雪景色だった Everything was covered with snow *as far as* ˹*we* [*the eye*] *could see*.

みん 明 — 名 固 (中国の王朝) Ming.

みんい 民意 (国民の考え) the opinion of the people; (世論) public opinion Ⓤ. 《☞ よろん》.
¶ *民意を問う ask *the opinion of the people* // *民意を反映する reflect *public opinion*

みんえい 民営 — 形 (個人経営の) private Ⓐ (↔ public). — 名 (民間部門) private sector Ⓒ (↔ public sector) ★ 経済活動のうち私企業や個人消費者による部門. 《☞ みんかん》.
¶ その公団は近く*民営に移行されることになっている That public corporation is supposed to be transferred to the *private sector* in the near future.
民営化 — 動 prívatìze ㊀. — 名 prìvatizátion Ⓤ. ¶ 国鉄は1987年に分割*民営化された The national railway corporation was broken up and *privatized* in 1987. **民営鉄道** 《米》 private railroad Ⓒ, 《英》 private railway Ⓒ.

みんか 民家 (家) house Ⓒ [日英比較] 英語では普通民家というような言い方はしないので, 特に私有の家と断るときは private house Ⓒ とする.

みんかつじぎょう 民活事業 private sector ˹involvement [participation] in public infrastructure projects, the involvement of the private sector in public works projects.

みんかん 民間 — 形 (公に対して) private (↔ public); (軍に対して) civilian Ⓐ (↔ military); (民俗的な) folk. — 名 (民間部門) private sector Ⓒ (↔ public sector). 《☞ みんえい》.
民間外交 nongovernmental diplomacy Ⓤ **民間活力** private-sector vitality Ⓤ. ¶ *民間活力の利用 mobilization of *private resources* / utilization of *private enterprise* **民間企業** private enterprise Ⓒ **民間金融機関** private ˹financial [monetary; banking] ˹institution [facility; agency] Ⓒ **民間交流** civil exchange Ⓒ, nongovernmental exchange Ⓒ **民間語源** folk [popular] etymology Ⓤ ★「ある特定の語の語源的意味」という場合は Ⓒ. **民間事業** private ˹enterprise [business] Ⓒ **民間人** civilian Ⓒ **民間信仰** folk [popular] belief Ⓒ **民間説話** folktale Ⓒ 《☞ みんわ》 **民間伝承** folklore Ⓤ **民間放送** (商業放送) commercial broadcasting Ⓤ **民間放送局** commercial broadcasting station Ⓒ **民間薬** folk medicine Ⓒ **民間療法** folk remedies ★ 複数形で. ¶ *民間療法の中には治療効果のあるものもある Some *folk* remedies have therapeutic value.

ミンク 〘動〙 mink Ⓒ. ¶ *ミンクのコート a *mink* coat

みんぐ 民具 articles of everyday use.

ミンククジラ ミンク鯨 〘動〙 minke /míŋk/ whále Ⓒ.

みんげいひん 民芸品 folk ˹craft [handicraft] Ⓒ.

みんけん 民権 the people's rights. **民権運動** ¶ 自由*民権運動 the Freedom and *People's Rights Movement* / the *Popular Rights Movement* **民権主義** the principle of democracy **民権論** the argument that protection of popular rights promotes state power ★ 説明的な訳.

ミンサー (肉ひき機) mincer Ⓒ.

みんじ 民事 — 形 〘法〙 (民事の) civil.
民事会社 non-trading company Ⓒ **民事再生法** 〘法〙 the Civil Rehabilitation Law **民事裁判** civil trial Ⓒ **民事事件** civil case Ⓒ **民事責任** civil liability Ⓤ **民事訴訟** civil ˹suit [action] Ⓒ. ¶ *民事訴訟を起こす bring a *civil* ˹*suit* [*action*] (against ...) **民事訴訟法** 〘法〙 the Code of Civil Procedure **民事調停法** 〘法〙 the Civil Conciliation Law **民事部** Civil Affairs Department Ⓒ **民事法** civil law Ⓤ.

みんしゅ 民主 — 形 (民主的) dèmocrátic. **民主化** — 名 demòcratizátion Ⓤ. — 動 demócratize ㊀ **民主国家** democratic ˹country [nation] Ⓒ, demócracy Ⓒ **民主主義** — 名 democracy Ⓤ. — 形 democratic **民主主義者** démocràt Ⓒ **民主政治** democratic government Ⓤ **民主政体** democracy Ⓤ.

みんじゅ 民需 (公に対して) private demand Ⓤ; (軍に対して) civilian demand Ⓤ.

みんしゅう 民衆 — 名 (人民) the people; (一般大衆・公衆) the public. — 形 (民衆の) popular; (公衆の) public Ⓐ. 《☞ じんみん; たいしゅう¹》.
¶ 彼は*民衆の敵だ He is ˹a *public* enemy [an enemy of *the people*]. // 彼の政策は*民衆の支持を得た His policies ˹were supported by *the people* [earned *popular* support].
民衆芸術 popular arts **民衆劇** play with a theme of social reform Ⓒ, problem play Ⓒ.

みんしゅく 民宿 private house which takes in paying guests Ⓒ ★ 説明的; 《英》 guesthouse Ⓒ [参考] わが国の民宿とよく似ていて食事も出す. 看板には "Bed & Breakfast" とあり, 略して "B & B" という. これが guesthouse の代名詞のように使われることもある. 《☞ 次ページ写真》.

みんしゅとう 民主党 (日本・アメリカの) the Democratic Party, the Democrats. **民主党員** Democrat Ⓒ.

みんじょう 民情 the conditions of the people. ¶*民情を視察する observe *the conditions of the people* / see *how the people are living*

みんしん 民心 (感情の交じった意見) public sentiments ★ 複数形で; (態度や意見) popular [general] feelings ★ 複数形で.

ミンスク — 名 固 Minsk ★ ベラルーシ共和国の首都.

ミンストレル, ミンストラル (吟遊詩人) minstrel C.

みんせい[1] 民政 civil ⌜administration [government] U (☞ ぐんせい[2]). **民政移管** the transferal of power to a civilian government.

みんせい[2] 民生 (公共福祉) public welfare U; (人々の生活) the people's livelihood U. ¶*民生の安定を計る try to stabilize *the people's livelihood* **民生委員** (district) welfare ⌜commissioner [officer] C **民生局** the Public Welfare Bureau **民生部** the Public Welfare Department.

みんせん 民選 popular election U.

みんそ 民訴 ☞ みんじ(民事訴訟)

みんぞく[1] 民族 — 名 (国民) people C, nation C ★ 後者のほうが格式ばった言葉; (人種) race C 参考 人種(race)と民族(people)は必ずしも同一ではなく, 異人種からなる同一民族もある. 「人種」は人類学的区別であり, 「民族」は文化的に同一の人々の集合である. ただし, 混同して用いられることが多い. — 形 racial; ethnic 語法 前者は皮膚や骨格について用い, 後者は習慣・言語について言う場合に用いることが多い. (☞ こくみん; じんしゅ).
¶少数*民族 a minority ⌜*race* [*people*]
民族意識 ¶発展途上国では*民族意識が強い *Racial consciousness* is high among the developing countries. **民族衣装** native costume U **民族音楽** ethnic music U **民族解放運動** national liberation movement C **民族学** ethnology U **民族学者** ethnologist C **民族国家** nátion-státe C **民族自決** self-determination of peoples U **民族資本** native capital U **民族主義** nationalism U **民族浄化** ethnic cleansing U **民族性** racial traits ★ 複数形で. **民族精神** racial [national] spirit U **民族大移動** great racial migration C **民族紛争** ethnic conflict C **民族料理** ethnic food C.

みんぞく[2] 民俗 folk customs ★ 複数形で. **民俗音楽[舞踊]** folk ⌜music U [dance C] **民俗学** folklore /fóuklɔ̀ə/ U **民俗学者** folklorist /fóuklɔ̀:rɪst/ C **民俗芸能** folk entertainment U **民俗文化財** treasure of ⌜popular [tribal] culture U, ethnocultural asset C.

ミンダナオとう ミンダナオ島 — 名 固 Mindanao /mìndənáu/ (Island) ★ フィリピン諸島のうち二番目に大きい島.

ミンチ 《米》 míncemèat U, 《英》 mince U. (☞ メンチ). **ミンチパイ** mince pie U **ミンチボール** meatball C.

みんちょう 明朝 (活字) Ming-cho ⌜type [typeface] U.

みんていけんぽう 民定憲法 democratic constitution C.

ミント (はっか) mint U ★ ミント味の菓子は C.

みんど 民度 (文化水準) the cultural standard; (生活水準) the standard of living.

みんな 皆 ☞ みな

みんぱく 民泊 ☞ みんしゅく

みんぺい 民兵 (部隊) the militia /mɪlíʃə/ C ★ 集合的に; (その部隊の1員) militiaman C.

みんぽう[1] 民法 civil law U.

みんぽう[2] 民放 commercial broadcasting U.

みんみんぜみ みんみん蟬 〘昆〙 robust cicada C.

みんゆう 民有 — 形 private, privately owned. **民有地** private land **民有林** privately owned forest C, forest under private ownership C.

みんよう 民謡 folk song C.

みんりょく 民力 national ⌜power [strength] U. ¶*民力を養う foster [build up] *national power*

みんわ 民話 folktale C, folk story C; (民間伝承) folklore U.

む, ム

む 無 nothing Ⓤ, 《文》 naught /nɔ́:t/ Ⓤ; (ゼロ・皆無) zero /zí(ə)roʊ/ Ⓤ; (虚無) nothingness Ⓤ. 《☞ かいむ¹; ゼロ》.
¶ *無から有は生じない Nothing comes out of *nothing*. 《ことわざ: 無からは何も出て来ない》 // 私の努力はすべて*無になった All my efforts have come to *nothing*. // 人の好意を*無にする (⇒ 利用しない) do not make good use of *a person's* kindness

むあんだ 無安打 ─名 no hit Ⓤ. ─形 no-hit, hitless. ¶ *無安打完投投手 a *no-hit* pitcher // *無安打試合 a *no-hit* game // 彼は相手チームを 5 回まで*無安打に押さえた He held the other team *hitless* for the first five innings.

むい¹ 無為 ─副 (ぶらぶらして・怠けて) in idleness, idly. ─動 (時間・金などをむだに使う) fritter away ㊀. 《☞ ぶらぶら》. ¶ 一日を*無為に過ごしてしまった I *have frittered* the day *away*.
無為徒食 ¶ *無為徒食に過ごす idle *one's* time away **無為無策** having no policy Ⓤ 《☞ むさく》. ¶ *無為無策の政府 a *do-nothing* government // 彼はその問題に*無為無策だった He *did nothing* to cope with the problem.

むい² 無位 ¶ *無位無官の (⇒ 普通の) 人 an *ordinary* [a *common*] ˹citizen [person] 《☞ くらい²》

むいか 六日 (6 日間) six days; (6 日目) the sixth day. ¶ 3 月*6 日 March *6(th)*

むいしき 無意識 ─形 (意識を失った・何気ない) ùncónscious; (思わず知らずの) invóluntàry. ─副 unconsciously; invòluntárily. ─名 unconsciousness Ⓤ. 《☞ しらずしらず》.
¶ 事故の後少年は 1 時間ほど*無意識の状態だった The boy was *unconscious* for an hour after the accident. // 銃声を聞いて私は*無意識に (⇒ 何をしているかわからないうちに) 塀の後ろに隠れた Hearing a shot, I hid behind the wall *before I knew what I was doing*.

むいそん 無医村 village without a doctor Ⓒ.

むいちぶつ 無一物 ¶ 彼は破産して*無一物になった (⇒ すべてを失った) He went bankrupt and *lost everything*.

むいちもん 無一文 ─動 (金がない) have no money at all. ─形 penniless, 《略式》 (stony) broke Ⓟ, stone-broke Ⓟ. 《☞ もんなし》. ¶ 私は*無一文だった I *didn't have any money at all*. / I was ˹*penniless* [*stony broke*; *stone-broke*].

むいみ 無意味 ─形 (意味がない) meaningless, senseless; (むだな) useless, (of) no use ★ of は略されるのが普通. 《☞ ナンセンス; むだ》. ¶ こんな*無意味な議論はやめにしよう Let's put an end to this ˹*meaningless* [*senseless*] argument. // 彼にアドバイスをしても*無意味だ It is *no use* giving him advice. / There is *no point* ˹on [in] advising him.

むいん 無韻 ─形 unrhymed, blank. **無韻詩** blank verse Ⓤ, unrhymed poem Ⓒ.

ムーアじん ムーア人 Moor Ⓒ ★ アフリカ北部のイスラム教徒の古称.

ムース¹ (菓子・整髪料) mousse /mú:s/ Ⓤ.

ムース² 〘動〙 (ヘラジカ) moose Ⓒ.

ムーたいりく ムー大陸 ─名 固 Mu ★ 太平洋に存在していたとされる大陸.

ムーディー (雰囲気のよい) pleasant, with a ˹nice [good] atmosphere 日英比較 英語の moody は「不機嫌な・ふさぎこんだ」の意. 《☞ ムード》.

ムーディーズ ─名 固 Moody's Investors Service Inc. ★ 米国の金融情報サービス会社.

ムード (雰囲気) atmosphere /ǽtməsfɪə/ Ⓤ ★ 形容詞を伴うときは不定冠詞を付けて. 日英比較 英語の mood は「(人の) 気持ち・気分」という意味で, 日本語の「ムード」とは異なることに注意. 《☞ ふんいき》. ¶ このコーヒーショップの*ムードはとてもよい (⇒ 感じがよい) This coffee shop ˹is quite pleasant [has *a* good *atmosphere*]. // *ムードのあるレストラン a restaurant with *atmosphere* // 今夜は酒を飲むような*ムードではない (⇒ 飲む気がしない) I don't *feel like* ˹sake [drinking] this evening.
ムードミュージック mood music Ⓤ **ムードメーカー** (座を明るくする人) the life (and soul) of the party ★ ( ) 内を付け加えるのは 《英》; (士気を高める人) person who boosts morale Ⓒ.

ムートン (羊の毛皮) móuton Ⓤ, sheepskin Ⓤ.

ムービー (映画) movie Ⓒ 《☞ えいが》. **ムービーカメラ** 《米》 movie camera Ⓒ, 《英》 cinecamera Ⓒ.

ムーブメント (運動) movement Ⓒ.

ムーミン ─名 固 Moomintroll /mú:mən-tròul/ ★ フィンランドの絵本作家トーベ・ヤンソンの作品の主人公.

ムームー (ゆったりしたワンピース) múumùu Ⓒ.

ムーランルージュ ─名 固 the Moulin Rouge /mù:lænrú:ʒ/ ★ パリにあるミュージックホール.

ムールがい ムール貝 〘貝〙 blue mussel Ⓒ, (common) mussel Ⓒ.

ムーン (月・衛星) moon Ⓒ ★ 地球の月には the を付けて. 他の惑星の月を表すときは Ⓒ. 《☞ つき¹》.
ムーンストーン 〘鉱〙 (月長石) moonstone Ⓤ **ムーンフェイス** ─名 〘医〙 (病的な) moonface Ⓒ. ─形 (丸顔の) moon-faced.

ムーンウォーク (月面歩行) moonwalk Ⓒ.

ムーンライト (月光) moonlight Ⓤ 《☞ げっこう²》. **ムーンライトソナタ** the Moonlight Sonata.

むえいとう 無影灯 (手術などに用いる照明灯) astral [shadowless] lamp Ⓒ.

むえき 無益 ─形 (役に立たない) useless; (不必要な) needless. ─副 uselessly; needlessly. 《☞ むだ》. ¶ *無益な殺生はやめなさい Don't kill animals ˹*needlessly* [(⇒ ちゃんとした理由もなく) *without good reason*].

むえん¹ 無縁 ─形 (無関係の) unrelated 《☞ むかんけい》. ¶ 私は政治とは*無縁です (⇒ 何の関係もない) I *have nothing to do with* politics. **無縁墓地** potter's field Ⓒ 《☞ ぼち》 **無縁仏** person who died leaving no one to tend his grave Ⓒ.

むえん² 無煙 ─形 smokeless. **無煙ガス** smokeless gas Ⓤ **無煙火薬** smokeless (gun) powder Ⓤ **無煙炭** smokeless [hard] coal Ⓤ, stone coal Ⓤ.

むえん³ 無塩 ─形 salt-free. **無塩醤油** salt-free soy sauce Ⓤ **無塩食療法** salt-free diet therapy Ⓤ **無塩バター** salt-free [unsalted] butter Ⓤ.

むえん⁴ 無鉛 ─形 lead-free /lédfrí:/. **無鉛ガソリン** lead-free gas(oline) Ⓤ.

むおん 無音 ─形 soundless, silent.

むが 無我 ―名 (無私無欲であること) selflessness U. ―形 selfless. ¶僧は瞑想して*無我の境地に達した The priest attained the state of *selflessness* through meditation.

むかい¹ 向かい ―形 (反対側の) ópposite. ―前 (反対側に) opposite …; (向こう側に) across …, 《米》across from … 《☞ まむかい; むこう¹; すじむかい》.

¶通りの*向かい側に新しい家が建った A new house has been built ｢on the *other* side of [*across*] the street. // *向かいの家が佐藤さんの家です The house ｢*opposite* [*across the street*] is Mr. Sato's. // うちのお*向かいさん our neighbors (who live) *across the street* // 私の家は教会の真*向かいです My house ｢is [stands] just ｢*opposite* (*to*) [*across from*] the church. ★ to がなければ opposite は前.

むかい² 霧海 thick [dense] fog U ★ 時に a を付けて.

むがい¹ 無害 ―形 harmless, innócuous ★ 後者のほうが格式ばった語. ―動 (無害である) do … no harm. ¶喫煙が健康に*無害だなんてとんでもない It's nonsense to claim that smoking is *harmless* to our health. // 人畜*無害 *Harmless* to animals and humans ★ 殺虫剤などの表示.

むがい² 無蓋 ―形 open, uncovered ★ 前者のほうが平易な語. ¶貨物列車には数両の*無蓋貨車がついていた The freight train had several ｢*open* [*uncovered*] cars. **無蓋小型トラック** pickup (truck) C **無蓋トラック** open(-backed) truck C, platform truck C.

むかいあう 向かい合う ―動 (人が) face each other; (建物が) be ópposite (to) each other. ―副 (顔と顔を合わせて) face to face; (反対の位置に) opposite.

¶2 人は*向かい合って座った The two sat ｢*facing each other* [*face to face*]. // パン屋と肉屋は*向かい合っている The baker's and (the) butcher's (shops) *are opposite* (*to*) *each other.* / The baker and the butcher have their shops *on the opposite sides* of the street. / The baker's *is opposite* (*to*) the butcher's (shop).

むかいあわせ 向かい合わせ ―副 face to face 《☞ むかいあう》.

むかいかぜ 向かい風 head wind C 《☞ かぜ¹》. ¶*向かい風だった There was a *head wind.*

むかいがわ 向かい側 ☞ むかい¹

むかいざまに 向かいざまに ¶彼は*向かいざまに私をにらみつけた He stared *squarely* at me. 《☞ まむかい》

むかいだな 向かい棚 pair of opposite shelves C 《☞ ちがい¹ (違い棚)》.

むかいどなり 向かい隣 ☞ むこうどなり

むかう 向かう **1** 《面する》 ¶*向かって右に (⇒ あなたの右側に) 松の木が見えるでしょう You can see a pine tree *on your right*, can't you? // *向かって左から 3 人目が兄です The third person from the left is my older brother. ★ 単に「左から 3 人目」と解釈して訳せばよい.

2 《対する》 ―前 (…をねらって) at …; (…に対して) to … ¶強盗は警官に*向かって発砲した The robber fired *at* the policeman. // 親に*向かってそんなことを言ってはいけない You must not say such a thing *to* your parent(s). // 面と*向かって文句を言う complain ｢*directly* [*right*] *to a person's* face

3 《行く; ある方向・状態へ向かう》: (進路を向ける) head ⓐ; (出発する) leave ⓐ ⓗ 《過去・過分 left》. ¶彼は東京を発ってサンフランシスコへ*向かった He *left* Tokyo *for* San Francisco. // これから大阪へ*向かいます I *am* ｢*going to* [*leaving for*] Osaka. // 台風は北[関東地方]へ*向かっている The typhoon *is heading* ｢north [*for* the Kanto district]. // 病人は快方に*向かっている (⇒ よくなってきている) The patient *is getting* better.

向うところ敵なし (完全な勝利を収める) carry ｢all [everything] before *one*.

むかえ 迎え (迎えの人) person to meet … C; (迎えること) meeting U. 《☞ でむかえる》. ¶空港に*迎えが来るはずです There should be *someone to meet* me at the airport. // お*迎えの (⇒ あなたを乗せるための) 車が来ています There is a car in front of the house to *pick* you *up*. // 駅にお*迎えに参ります I'll come to *meet* you at the station.

むかえいれる 迎え入れる (受け入れる) receive ⓗ; (歓迎する) welcome ⓗ.

むかえうつ 迎え撃つ (敵などを) meet ⓗ; (戦い・けんか・試合などを始める) tàke ón ⓗ; (ミサイルなどを迎撃する) 《格式》 intercept ⓗ; (待ち伏せして撃つ) ambush ⓗ. 《☞ げいげき》.

むかえざけ 迎え酒 hair of the dog (that bit *one*) ★ 普通 a または the を付けて. 参考 狂犬にかまれたときはその犬のしっぽの毛を抜いて傷口に当てると治るという迷信から生まれた言い方. ¶二日酔いで*迎え酒をやった As I had a hangover, I had *a hair of the dog.*

むかえび 迎え火 welcome fire for departed souls (on the first evening of the *Bon* Festival) C ★ 説明的な訳.

むかえぼん 迎え盆 the first day of the *Bon* Festival (when departed souls come home).

むかえる 迎える **1** 《来る人を受け入れる》: (会う) meet ⓗ; (出迎える) come to meet ⓗ; (歓迎する) welcome ⓗ; (あいさつして迎える) greet ⓗ; (接待する) receive ⓗ. 《☞ でむかえる; かんげい》.

¶ルームメートが私を空港で*迎えてくれた My roommate ｢*met* [*came to meet*] me at the airport. // その家の主人は客の 1 人 1 人に握手をして*迎えた The host ｢*received* [*welcomed; greeted*] each guest with a handshake. // 大みそかはみんな新年を*迎えるために遅くまで起きている On New Year's Eve, everyone stays up to ｢*see in* [*welcome; greet*] the New Year.

2 《人を招く》: (招待する) invite ⓗ 《☞ しょうたい¹; よぶ》. ¶今晩数人の方々を晩餐(ばんさん)に*迎えます I *have* ｢*invited* [*asked*] several people to dinner this evening.

3 《巡ってくる》 ¶いまや我々は新しい時代を*迎えようと (⇒ 新しい時代に入ろうと) している We *are* now ｢*entering* [*going into*] a new era.

むがく 無学 ―形 (教育のない) ùnéducàted; (無知の) ígnorant; (文盲の) illiterate /ɪ(l)lít(ə)rət/. ―名 ígnorance U; illiteracy /ɪ(l)lít(ə)rəsi/ U. 《☞ むち¹; もんもう》. **無学無才** ¶*無学無才の人 a person *without education or talent* **無学文盲** illiteracy U. ¶*無学文盲の人 a person who is *uneducated and illiterate*

むかくか 無核化 ¶*無核化したぶどう *seedless* grapes

むがくめんかぶ 無額面株 no-par(-value) stock C.

むがくるい 無顎類 〔動〕 Agnatha /ǽgnəθə/ U.

むかし 昔 ―副 (かなり以前) a long time ago; (何年も前に) years ago; (はるか昔) in ｢old [ancient] times, in the ｢old [olden] days 語法 (1) 初めの 2 つはそれほど昔ではなく, 例えば 10 年前でも使えるが, 第 3 の表現は, 第 1, 第 2 の表現よりもかなり昔で, 少なくとも歴史的な過去と考えられる昔をいう. 特に ancient を用いると数百年というような昔の意味となる. 第 4 の表現は歴史的な過去にも, 比較的

む

近い過去, 例えば老人が子供時代のことを述べる時にも用いられる; (昔々) long long ago, once upon a time ★ 昔話の最初などに用いる決まった表現で, 漠然と遠い昔を表す; (以前) formerly, in former days; (かつて・ある時) once; (過去において) in the past. ── 形 (昔の・古くからの) old; (大昔の) ancient; (以前の) former. 《☞ いぜん¹; かつて; かこ¹》. ¶ 彼には*昔会った覚えがある I remember meeting him「*a long time* [*years*] *ago*. ‖ 私は*昔 (⇒ かつて) 大阪に住んでいた I *once* lived in Osaka. / I *used to* live in Osaka. 語法 (2) used to はいまは違うが「昔は…だった」というニュアンスがある. ‖ *昔, ここには城があった There *used to* be a castle here. / There was a castle here *in*「*old* [*ancient*; *olden*] *times*. ‖ 斎藤君は私の*昔の生徒です Saito is one of my「*old* [*former*] students. ‖ 彼女は*昔からの友人です She is an *old* friend of mine. ‖ それは*昔のことです (⇒ 古い話だ) It's an「*old* [*ancient*] story. 語法 (3) [ ] 内は大げさな感じの言い方. ‖ 彼はまさに*昔 (⇒ 昔の彼) のままだ He is just as he always was. / (⇒ 少しも変わっていない) He hasn't changed (one bit). ‖ 初めて彼に会ったのはもうふた*昔も前 (⇒ 20 年前) のことです It was twenty *years ago* that I met him for the first time.

昔とった杵柄 ¶ 5 匹も釣ったよ. *昔とった杵柄だね I've caught five fish. I *haven't lost my touch*.

昔は昔今は今 (過ぎたことは過ぎたこと) Let bygones be bygones.; (以前はよかったことも今は違う) What was formerly good does not hold now. **昔むかし** ¶ *昔むかし, 1 人のおじいさんがある村に住んでいました *Once upon a time* [*Long long ago*], there lived an old man in a village.

むかしうさぎ 昔兎 〔動〕(説明的に) a group of primitive kind of rabbit, comprising only three species, i.e. the Ryukyu rabbit (*amami-no kuro-usagi*), the red rabbit and the volcano rabbit.

むかしかたぎ 昔気質 ── 形 (古風な) old-fashioned Ⓐ ★ Ⓟ ではハイフンなし; (保守的な) conservative; (素朴で律義な) simple and faithful. 《☞ かたぎ¹》. ¶ あの職人は*昔かたぎです That artisan has an *old-fashioned attitude*. / (⇒ 古きよき時代の生き残りだ) That artisan is a *holdover from the good old days*.

むかしがたり 昔語り ── 動 (過去について語る) talk「of [about] the past 《☞ むかしばなし》.

むかしつせきにん 無過失責任 〔法〕strict [no-fault; absolute] liability Ⓤ, liability without (any) fault Ⓤ.

むかしとかげ 昔蜥蜴 〔動〕sphénodòn Ⓒ, tuatara /tù:ətá:rə/ Ⓒ.

むかしとんぼ 昔蜻蛉 〔昆〕diverse damselfly Ⓒ.

むかしながら 昔ながら ¶ *昔ながらのやり方 the *traditional* method / the same method *as was adopted*「*in the past* [*before*] ‖ *昔ながらの店がある町並 the street lined with the same shops *as they were in the old days* ‖ *昔ながらのやり方でやっています We「follow [maintain; keep to] our *traditional* ways.

むかしなじみ 昔馴染み (good) old friend Ⓒ.

むかしばなし 昔話 (古い話) old「tale [story] Ⓒ; (伝説) legend Ⓒ; (思い出話) reminiscences /rèmənísnsiz/ ★ 複数形で.

むかしふう 昔風 ── 形 old-fashioned Ⓐ ★ Ⓟ ではハイフンなし.

むかつく **1** 《吐き気がする》 ── 動 feel「sick [nauseous]. ── 形 sick Ⓟ. 《☞ はきけ》. ¶ *むかついて起きられなかった I *felt sick* and couldn't get up. ‖ 見(てい)るだけで胸が*むかついた The mere sight of it made me *sick*.

2 《腹が立つ》 ── 動 (いらいらする) be írritàted; (怒る) get angry. ── 形 irritated; angry. 《☞ おこる¹》. ¶ 私は*むかついて彼にどなってしまった I *got*「*irritated* [*angry*], and shouted at him. ‖ あいつの態度は本当に*むかつく His attitude「really *irritates* me [is really *irritating*].

むかって 向かって ☞ むかう; むく¹

むかっと ☞ むかつく

むかっぱら むかっ腹 ── 動 (怒る) get angry ★ 最も平易な言い方; (かっとなる) flare up 自; (かんしゃくを起こす) lose *one's* temper. 《☞ かっと; はら¹》.

むかで 百足 centipede /séntəpì:d/ Ⓒ.

むかむか ── 動 (むかむかする・吐き気がする) feel sick; (いらいらする) be irritated; (怒る) get angry. 《☞ はきけ; むかつく; 擬声・擬態語 (囲み)》.

むがむちゅう 無我夢中 ── 副 (死に物狂いで) frantically; (狂ったように・猛烈に) 《略式》 like「mad [crazy]. 《☞ いっしょうけんめい; むちゅう》. ¶ 彼女は*無我夢中で助けを求めた She *frantically* cried out for help. ‖ 彼は*無我夢中で逃げた (⇒ 命からがら逃げた) He ran *for his life*.

ムガルていこく ムガル帝国 the「Mogul [Moghul] /móugʌl/ Empire ★ インド史上最大のイスラム王朝 (1526–1858).

むがわせゆしゅつにゅう 無為替輸出入 non-draft export and import Ⓤ.

むかん¹ 無冠 (地位や肩書きのない) without any rank or title. **無冠の帝王** king without a crown Ⓒ.

むかん² 無官 having no office Ⓤ. ¶ 彼は*無官だった He *took no office*.

むかんかく 無感覚 ── 形 (しびれて感覚のない) numb; (痛みなどを感じない) insensitive (to …). 《☞ まひ; しびれる》. ¶ 私の指は寒さで*無感覚になった My fingers became *numb* with cold. / (⇒ 寒さが指を無感覚にした) The cold *numbed* my fingers.

むかんけい 無関係 ── 動 (…と掛かり合いがない) have nothing to do with …; (…と関係がない) have no「relation [connection] with … 語法 nothing を使うほうが意味が強い. ── 形 (関係のない) unrelated; (見当違いの) irrélevant. ¶ 私はあの事件とは*無関係です I *have*「*nothing to do* [*no connection*] *with* that affair. ‖ これら 2 つの会社は名前は似ていても*無関係です These two companies *are*「*not related* [*unrelated*], though they have similar names. ‖ *無関係な質問 an「*unrelated* [*irrelevant*] question

むかんさ 無鑑査 ¶ *無鑑査の絵 a painting「*passed without screening* [*not submitted to the selection committee*]

むかんじしん 無感地震 unfelt earthquake Ⓒ (↔ felt earthquake).

むかんしょう 無干渉 ☞ ふかんしょう²

むかんしん 無関心 ── 形 (気にかけない) indifferent (to …) Ⓟ; (気遣いしない・心配しない) ùnconcérned (about …) Ⓟ; (平然として無頓着な) nonchalant /nànʃəlá:nt/ ★ やや格式ばった語. ── 名 indifference Ⓤ; unconcern Ⓤ. 《☞ かんしん²》. ¶ 彼は着る物にまったく*無関心だ He *is* quite *indifferent to* what he wears. / (⇒ 注意を払わない) He *doesn't*「*care* [*pay any attention to*] what he wears. ‖ どうして彼は世界の情勢にああ*無関心でいられるのだろう How can he *be* so *unconcerned about* world affairs? ‖ *無関心を装う feign *indifference* ‖ *無関心を装って feigning *indiffer-*

ence / with feigned *indifference* // わざとらしい*無関心 studied *indifference*

むかんどう 無感動 apathy Ⓤ《☞むかんしん》. ¶彼は彼女の絵に*無感動だった He *was not impressed* ˹by [with] her picture. // 彼はその情景に*無感動のようだった He seemed *unmoved* by the scene.

むき[1] 向き 1《方向》: (方角) way Ⓒ, direction Ⓒ ★前者のほうが口語的.《☞むく[1]; ほうこう[1]》.
¶風の*向きはどっちですか (⇒どの方向に風が吹いているか) Which ˹*way* [*direction*] is the wind (blowing)? // 風の*向きが変わった The wind has changed *direction*. ★この direction は Ⓤ. // 私の新しい家は南*向きです (⇒南に面している) My new house *faces* south. // 南*向きの部屋 a room with a southern *exposure*
2《適合》 ―形 (…にふさわしい) suitable (for …); (人が…に適する) suited Ⓟ. ―前 (…のための) for …《☞むく[1]; むきふむき》.
¶このコートは若い人*向きです This coat is *for* young people. // 彼はまったく政治家*向きだ He is particularly *suited* to be a politician.
3《人々》 ¶君の提案には反対する*向きもある (⇒ある人たちは反対している) *Some people* are against your proposal. // ご希望の*向き (⇒人々) にはお分けいたします We sell it to *those who* want it.
4《傾向》 ¶彼は物事を楽観的に見る*向きがある He ˹*tends* [has a *tendency*] to look at things optimistically.

むき[2] 無期 ―形 indéfinite. ―副 indefinitely.《☞むきげん》. **無期延期** ¶計画は*無期延期になった The plan *was* ˹*postponed* [*put off*] *indefinitely*. **無期禁固** life confinement Ⓤ **無期刑** imprisonment for life Ⓤ **無期懲役** life imprisonment Ⓤ **無期停学** ¶彼は*無期停学中です He *has been suspended indefinitely from school*.

むき[3] 無機 ―形 inorgánic (↔ organic). **無機栄養** mineral nutrition Ⓤ **無機塩類** inorganic sált Ⓤ **無機化学** inorgànic chémistry Ⓤ **無機化合物** inorgànic cómpound Ⓒ **無機高分子** ínorgànic hígh pólymer Ⓒ **無機酸** mineral [inorganic] acid Ⓒ **無機質** (無機物) inorganic matter Ⓤ; (鉱物) mineral matter Ⓤ **無機肥料** inorganic fertilizer Ⓤ **無機物** inorganic ˹matter [substance] Ⓒ.

むき[4] むきになる (本気になる) become serious; (腹を立てる) get angry. ¶そんなくだらない事でそう*むきになるな Don't *be* so *serious* about such an unimportant matter. / Don't *take* such an unimportant matter so *seriously*. // 彼はつまらないことにすぐ*むきになる He quickly *gets angry* ˹at [over] trifles.

むき[5] 無季 ¶*無季の俳句 a haiku *with no season word*《☞きご》

むぎ 麦 (大麦) barley Ⓤ; (小麦) wheat Ⓤ, 《英》corn Ⓤ.《☞とうもろこし》.
麦打ち ―動 thresh ˹wheat [barley]; (殻ざおで) flail ˹wheat [barley] **麦刈り** ―名 (収穫) wheat [barley] harvest Ⓤ. ―動 (取り入れる) harvest [reap] ˹wheat [barley] **麦粉** wheat flour Ⓤ《☞メリケンこ》 **麦こうじ** barley *koji* Ⓤ《☞こうじ[3]》 **麦こがし** flour made by grinding parched barley Ⓤ **麦細工** straw work Ⓤ **麦作** barley [wheat] crop Ⓒ **麦焼酎** spirit distilled from barley Ⓒ **麦茶** barley tea Ⓤ **麦とろ** boiled rice and barley topped with grated yam Ⓤ **麦畑** wheat [barley] field Ⓒ, 《英》cornfield Ⓒ **麦笛** oaten pipe Ⓒ **麦踏み** ―動 tread ˹wheat [barley] **麦蒔き** ―動 sow ˹wheat [barley] **麦味噌** soybean paste with malt Ⓤ **麦飯** boiled rice and barley Ⓤ **麦らくがん** wheat-flour cake Ⓒ《☞らくがん》 **麦わら** ☞見出し

むきあう 向き合う face each other, be opposite (to) …《☞むかいあう》. ¶2人は*向き合って座っていた The two sat ˹*facing* [*opposite* (*to*)] *each other*.

むきえび 剝海老 shelled shrimp Ⓒ.

むきおん 無気音 〘音声〙 unaspirated /ʌnǽspərèɪtɪd/ ˹sóund [cónsonant] Ⓒ ★[ ]内は「子音」の意; nònáspirate /-pərət/ Ⓒ (↔ aspirate).

むきげん 無期限 ―形 (期限が決まっていない) indéfinite《☞むき[2]》. ¶労働組合は*無期限ストに入った The labor union has gone on strike for an *indefinite* period.

むきこきゅう 無気呼吸 anaerobic /ænəróubɪk/ rèspirátion Ⓤ (↔ aerobic respiration).

むきず 無傷 ―形 (けがもなく) uninjured, unhurt; (負傷しないで) unwounded ★特に武器・凶器などによるけが; (完全な) perfect.《☞けが; きず (類義語)》. ¶幸いにも彼は戦場から*無傷で帰って来た Fortunately he came back ˹*uninjured* [*unhurt*; *unwounded*] from the battlefield. // 彫像は*無傷で届きました The statue reached us *in perfect condition*. // 巨人は*無傷の6連勝だ The Giants won six games *in* ˹*a row* [*succession*].

むきだし 剝き出し ―形 (裸の) bare, naked /néɪkɪd/ 〔語法〕前者は単に覆いなどがないことを, 後者は身につけるべきものをつけないで肌を露出することを強調する.《☞あらわ; はだか; ろしゅつ》.
¶*むき出しの脚 *bare* legs // 上半身*むき出し *naked* to the waist // 敵意を*むき出しにする (⇒あからさまな敵意を示す) *display* ˹open [outright] hostility (toward …)

むきだす 剝き出す (露出する) show ⊛; (裸にする) bare ⊛. ¶犬は私を見て歯を*むき出した The dog ˹*showed* [*bared*] his teeth at me.

むぎちゃ 麦茶 ☞むぎ (麦茶)

むきどう 無軌道 ―形 (向こう見ずの) reckless; (放蕩の) díssipàted; (節操のない) unprincipled. ¶若いとき彼は*無軌道な暮らしをしていた In his youth, he led a ˹*reckless* [*dissipated*] life. // 彼の*無軌道ぶりにはみんながまゆをひそめている Everyone frowns upon his *unprincipled* behavior.

むきなおる 向き直る tùrn ˹aróund [abóut] ⓐ《☞むく[1]》. ¶少年は*向き直って私をじっと見つめた The boy *turned* ˹*around* [*about*] and stared at me.

むきになる ☞むき[4]

むきはい 無気肺 〘医〙 (肺拡張不全) atelectasis /ætəléktəsɪs/ Ⓤ.

むきふむき 向き不向き ¶人にはそれぞれ*向き不向きがある (⇒得手不得手がある) Everyone has ˹their [his/her] *strengths and weaknesses*.《☞むき[1] 2》

むきみ 剝き身 (貝の) peeled [shelled] shellfish Ⓤ.

むきむき 向き向き ¶人にはそれぞれ*向き向きがある (⇒みなそれぞれ好きなことと嫌いなことがある) Everyone has ˹their [his/her] own *likes and dislikes*.《☞すききらい》

むきめい 無記名 ―形 (署名のない) unsigned; (匿名の) anónymous. ¶このアンケートは*無記名で出して下さい Please submit this questionnaire *unsigned*. **無記名株券** bearer stock Ⓒ **無記名債券** bearer [unregistered] bond Ⓒ **無記名証券** bearer [unregistered] security Ⓒ **無記名投票** (secret) ˹ballot [voting] Ⓤ.

むきゅう[1] **無給** ━[形] (給料なしの) unpaid; (特に名誉職の) honorary /ánərèri/. ━[副] (給料なしで) without ⌈pay [remuneration] ★[ ]内は格式語; (ただで) for nothing ★後者のほうがより口語的. ¶その地位は*無給です The post *carries no pay*. / It is an ⌈*honorary* [*unpaid*] position. // 3か月間彼らは*無給で働いた They worked ⌈*without pay* [*for nothing*] for three months.

むきゅう[2] **無休** ━[副] (休日なしに) without a ⌈holiday [day off] 《☞ やすみ; きゅうじつ》.
¶3か月間*無休で働きました I have worked for three months *without a* ⌈*holiday* [*day off*]. // 年中*無休 《掲示》 *Open* All Year (Round)

「年中無休」という遊園地の掲示

むきょういく 無教育 ━[形] ùnéducàted.

むきょうかいしゅぎ 無教会主義 (聖職者不要論の運動) the anticlerical movement.

むきょうしつ 無響室 anechoic ⌈room [chamber] [C].

むきょうそう 無競争 ━[副] (競争なしで) without competition; (競争相手なしで) without a rival; (反対なしで) unopposed.
¶候補者は*無競争で当選した The candidate was elected ⌈*unrivaled* [*without a rival*].

むきょうよう 無教養 ━[形] (教育のない) uneducated; (教養のない) uncultured.

むきょか 無許可 (許可のない・無断の) without permission. ¶*無許可で (⇒許可証なしで) 酒類を販売する sell liquor *without* a *license*

むきりつ 無規律 (規律に欠けていること) lack of discipline [U]; (秩序のないこと) disorder [U]. ¶*無規律な (⇒だらしない) 生活を送る lead a *loose* life

むきりょく 無気力 ━[形] (気力のない) lethargic; (不活発な) inactive; (鈍く活気のない) sluggish, dull. ━[名] 《格式》 lethargy [U].
¶彼はいつも*無気力だ He is always *inactive*. / (⇒何もする気がしない) He *never feels like doing anything*. // この*無気力さから何とか脱け出さねばならない Somehow I have to ⌈get out [snap out] of this *apathy* of mine.
無気力症(候群) apathy syndrome [U].

むぎわら 麦藁 wheat [barley] straw [U]. **麦わら細工** ☞むぎ (麦細工) **麦わら帽子** straw hat [C].

むぎわらぎく 麦藁菊 〘植〙 strawflower [C].

むきん 無菌 ━[形] (細菌のない) free from germs; (殺菌した) sterilized /stérəlàɪzd/; (低温殺菌をした) pásteurìzed; (傷・器材などが消毒済みの) 《格式》 aseptic /eɪséptɪk/. **無菌飼育** germfree feeding [C] **無菌室** sterilized room [C] **無菌状態** aseptic [germfree] condition [C] **無菌動物** germfree [axenic /eɪzíːnɪk/] animal [C] ★ axenic は〘生〙「無菌の」「純培養の」.

むく[1] **向く** **1** 《向きを変える》: (体の) turn (自); (視線の) look (自). 《☞ むき[1]》.
¶後ろを*向いて下さい Please *turn* (a)round. / Please *look* back. [語法] 前者は体の向きを変えること, 後者は視線を向けること. // 右を*向くと, 遠くに雪に覆われた山々が見えた *Turning* right [*Looking to* my right], I saw in the distance a range of mountains covered with snow.
2 《ある方角に向いている》: (面する) face (自)(他); (見晴らす) look out on ... ¶私の部屋は海のほうに*向いている My room ⌈*faces* [*looks out on*] the sea.
3 《ある方向に働く》: (気持ちが) be inclined to *do* ..., be in the mood ⌈to *do* ... [for ...]. ¶あの画家は気が*向いた時しか仕事をしない That artist works only when he *is* ⌈*inclined* [*in the mood*] *to*. // 運が*向いてきたぞ Fortune seems to *be smiling on* us. / Our fortunes *have changed for the better*.
4 《適する》: be ⌈suitable [suited] for ... 《☞ むき[1]; てきせつ (類義語)》. ¶この本は1年生に*向いています This book *is suitable for* a first grader. // 彼はこんな大役には*向かない He *is* not ⌈*up to* [*equal to*] such an important task. [語法] be ⌈up to [equal to] ... は能力・資格などがあることをいう.

むく[2] **剝く** (果物・じゃがいもなどの皮を) peel (他); (特にナイフなどで) pare (他). 《☞ かわ[2]; はぐ》. ¶まずじゃがいもの皮を*むいて下さい First ⌈*peel* [*pare*] the potatoes.

むく[3] **無垢** ━[形] (純真な) innocent; (混じり気のない・清らかな) pure. 《☞ じゅんしん》.

むくい 報い (善行などに対する) reward [U]; (悪事に対する報い・天罰) 《格式》 retribution [U] ★具体的な事例を指すときは [C]. 《☞ むくいる; てんばつ》.
¶私の苦しみは罪に対する正当な*報いかもしれない My suffering may be just *retribution* for my sin. // これはあなたの当然の*報いだ (⇒あなたが受けて当然のことだ) This is what you *deserve*. [語法] 相手がよい事をしたときにも悪い事をしたときにも使える.

むくいぬ むく犬 shaggy dog [C].

むくいる 報いる (功労に対して) reward (他), 《格式》 récompènse (他); (恩や仇などを返す) repay (他), return (他). 《☞ むくい; むくわれる》.
¶私の努力は十分に*報いられた My efforts *have been* adequately *rewarded*. // 私たちは彼の助力に*報いたいと思った We wanted to ⌈*reward* [*recompense*] him *for* his services. // 彼は私の親切に親切をもって*報いた He *repaid* my kindness in kind. ★ in kind は同種のものの意味.

むくげ[1] **木槿** 〘植〙 rose of Sharon /ʃé(ə)rən/ [C], althaea /ælθíːə/ [C].

むくげ[2] **尨毛** (毛) shaggy hair [U]. ¶*むく毛の犬 a *shaggy* dog

むくち 無口 ━[形] (物静かな) quiet ★一般的; (控えめな) reserved; (口数の少ない) 《格式》 tácitùrn; (黙りがちな) 《格式》 réticent. ━[動] be quiet; (あまりしゃべらない) do not talk so much; (おしゃべりではない) be not talkative. ━[名] tàcitúrnity [U]; reticence [U]. ¶彼女は*無口です (⇒あまりしゃべらない) She *doesn't talk much*. / She is a *quiet* ⌈girl [woman].

むくつけき ¶*むくつけき男 (⇒粗野で荒々しい男) a *rough and rude* man / a *boor*

むくと, むくっと ☞むっくり

むくどり 椋鳥 〘鳥〙 starling [C].

むくのき 〘植〙 mukunoki [C]; (説明的には) a kind of elm.

むくみ (drópsical) swélling [U]; (水腫(症)) dropsy [U]. 《☞ はれ[2]》. ¶*むくみが引いた[ひどくなった] The *swelling* has ⌈decreased [increased].

むくむ become [be] swollen ★ become は「動作」, be は「状態」を表す. 《☞ はれる[2]》. ¶私の顔は*むくんでいる My face *is swollen*.

むくむく ¶黒い煙が煙突から*むくむくと上がっていた Black smoke *was curling up* from the chimney. 《☞ 擬声・擬態語 (囲み)》

むくれる (機嫌が悪くなる) get [become] sullen; (怒る) get angry; (すねる) get [become] sulky. 《☞ ふくれる [語法]; すねる》. ¶そんなに*むくれるな Don't *be* so ⌈*sullen* [*angry*; *sulky*]. ★ be 動詞を用いると「状態」を表す.

むくろ 躯, 骸 (身体) body [C]; (死体) corpse [C].

むくろじ 無患子 〘植〙 (ムクロジ科・属の総称)

soapberry Ⓒ.

むくわれる 報われる be rewarded《☞ むくいる》. ¶努力すればいつかは*報われる Your efforts will *be rewarded* in the long run. // そんな*報われない (⇒感謝されない) 仕事はだれも引き受けないだろう Nobody will take on such a *thankless* task.

-むけ …向け — 前 (行き先・対象などが) for … 《☞ むき¹》. ¶これは子供*向けの番組です This is a ˹program *for* children [children's program].

むげ 無下 ☞ むげに

むけい 無形 — 形 (精神的な) spiritual; (心の) moral; (手に触れられない・実体のない) intángible. ¶友人たちは私に有形*無形のあらゆる援助をしてくれた My friends offered me all sorts of *moral* and material support. **無形資本** intangible assets **無形的損害** incorporeal damage Ⓤ **無形文化財** intangible cultural asset Ⓒ.

むけいかい 無警戒 — 名 negligence Ⓤ, carelessness Ⓤ ★前者のほうが格式ばった語. — 形 negligent, careless. 《☞ ぶようじん》.

むけいかく 無計画 — 形 (統御されていない) uncontrolled; (あらかじめ計画を立てていない) unplanned; (無謀な) reckless. ¶洪水は*無計画な伐採が原因だった *Uncontrolled* [*Unplanned*] logging ˹was the cause of [caused] the flood.

むけいけん 無経験 — 名 inexperience /ìnɪkspí(ə)riəns/ Ⓤ; (経験不足) lack of experience Ⓤ. — 形 inexperienced. 《☞ けいけん¹》.
¶私はその仕事には*無経験です I have *no experience* for the job.

むけいこく 無警告 — 形 (不意の) surprise. — 副 (無警告で) without warning; (通告なしで) without notice ★いずれも 形 としても用いられる. 《☞ けいこく¹》.
¶*無警告爆撃 (a) *surprise* bombing // *無警告解雇 dismissal [discharge] *without notice*

むけいさつ 無警察 ¶*無警察状態の (⇒無法状態の) in a *lawless* state

むげいたいしょく 無芸大食 ((無芸の) 単なる大食家) mere glutton (without any accomplishments) Ⓒ.

むけいぶんかざい 無形文化財 ☞ むけい (無形文化財)

むけかえる 向け変える (向きをかえる) turn ⓗ 《☞ ほうこう¹; むき¹》.

むけつ 無血 ¶*無血開城する surrender the castle *without a fight* **無血革命** bloodless revolution Ⓒ《☞ かくめい; めいよかくめい》 **無血クーデター** bloodless coup Ⓒ.

むけっきん 無欠勤 ¶彼女はこの5年間無遅刻*無欠勤です She *hasn't been absent* or late for work these five years. 《☞ けっきん》

むげっけい 無月経 〘医〙 amenorrhea /eɪmènərí:ə/ Ⓤ.

むけっせき 無欠席 ¶学校は*無欠席です (⇒決して休まなかった) I *have never been absent from* school. 《☞ けっせき¹; かいきん²》

むけなおす 向け直す ☞ むけかえる

むげに 無下に (きっぱりと) flat(ly); (ぶっきらぼうに) bluntly; (あけすけに) point-blank; (やすやすと) just like that. 《☞ すげない》. ¶君の頼みでは*無下に断るわけにもゆくまい I cannot refuse your request ˹*flatly* [*point-blank*]. / I couldn't give you a ˹*flat* [*point-blank*] refusal. 語法 could は仮定法で, 第1文の言い方より丁寧になる. 《☞ 丁寧な表現 (巻末)》 / I can't refuse your request *just like that*.

むける¹ 向ける (顔・身体などをある方向から別の方向に) turn ⓗ; (視線・注意・努力などを) direct ⓗ; (銃・カメラなどをねらって向ける) aim ⓗ, point ⓗ. ¶彼女は私の方に顔を*向けてほほえんだ She *turned* her ˹face [head] toward me and smiled. // 彼は全精力をその仕事に*向けた He ˹*directed* [*turned*] all his energies *to* the task. // ハンターは鹿に銃を*向けた The hunter ˹*aimed* [*pointed*] his gun *at* the deer. // テレビをこっちへ*向けて下さい Please *turn* the TV this way.

むける² 剝ける (皮・薄い表皮などがはがれる) peel (off) ⓘ, còme óff ⓘ. 《☞ むく²》.
¶この桃は簡単に皮が*むける This peach *peels* easily. // 日焼けで皮膚が*むけはじめた I got sunburnt and my skin started *peeling*.

むげん¹ 無限 — 形 (果てしない) ínfinite, limitless, boundless 語法 以上は入れ替え可能な場合もあるが, infinite は「人知ではとうてい測れないような無限」というニュアンスがある. それに対して, 第2, 第3の語は, 例えば「富」とか「力」とかいうような通常限界のあるものについての無限性に用いられることが多い; (終わりのない) endless. — 副 ínfinitely, limitlessly, boundlessly; endlessly. — 名 infinity Ⓤ; (永遠) etérnity Ⓤ. 《☞ えいえん》.
¶宇宙は*無限だ The universe is ˹*infinite* [*limitless*; *boundless*]. // 地球の資源は*無限ではない The natural resources of the earth are not *limitless*. // 退屈な講義は*無限に続くかと思われた The boring lecture seemed *endless*. **無限軌道** endless metal belt Ⓒ, caterpillar tread Ⓒ **無限級数** infinite series Ⓒ **無限小** infinitesimal Ⓒ **無限小数** infinite decimal Ⓒ **無限数列** infinite sequence Ⓒ **無限責任** 〘法〙 unlimited liability Ⓤ **無限大** 〘数〙 infinity Ⓤ (記号 ∞).

むげん² 夢幻 — 名 fantasy Ⓤ. — 形 (夢のような) dreamlike; (幻想的な) fantastic. 《☞ くうそう¹; げんそう¹》. **夢幻能** (a genre of) Noh-play in which the protagonist reveals his real self in the second half Ⓒ ★説明的な訳.

むげんじごく 無間地獄 the bottommost hell.

むげんそく 無原則 — 形 (法則のない) without ˹any rules [principles] (to go by); (でたらめの) random. 《☞ げんそく¹》.

むげんれんさこう 無限連鎖講 ☞ ねずみ (ねずみ講)

むこ¹ 婿 (娘の親から見た場合) són-in-làw Ⓒ (複 sons-in-law); (花婿) bridegroom Ⓒ. 《☞ 親族関係 (囲み)》. ¶これはうちの*婿さんです This is my ˹*son-in-law* [*daughter's husband*]. // 娘がよい*婿を (⇒夫を) 見つけるといいのだが I hope my daughter finds a good *husband*. // 彼は*婿に行った (⇒女子相続人と結婚した) He *married an heiress*. **婿入り** — 動 marry an heiress **婿入婚** ☞ つまどいこん **婿取り** — 動 (娘を主語に) take a husband **婿取り娘** daughter whose husband is to be taken into her ˹family [house] and takes her family name Ⓒ **婿養子** man adopted as the husband ˹for [of] *a person's* daughter Ⓒ **婿養子縁組** marriage-adoption arrangement Ⓒ.

むこ² 無辜 — 形 ínnocent 《☞ むざい》.
¶*無辜の民 the *innocent* ˹people [citizens]

むごい 惨い — 形 (残酷な) cruel; (冷酷な・血も涙もない) cold-blooded; (残虐な・野獣のような) brutal; (無慈悲な) merciless. — 副 cruelly; brutally; mercilessly. 《☞ ざんこく; かこく; ひどい》.
¶彼女は彼の*むごい言葉にひどく傷ついた She was deeply hurt by his ˹*cruel* [*merciless*] words. // 被害者は*むごい殺され方をした The victim was ˹*brutally* [*cruelly*] murdered.

むこう¹ 向こう **1** 《向こう側》 — 名 (もう一方の側) the other side; (反対側) the ópposite side.

── 副 (向こうに) over there; (横切って) across; (はるか向こうに) far ⌈away [off], in the distance. ── 前 (…を横切って) across ….《☞ むかい¹; あちら; あそこ》. ¶ 郵便局は通りの*向こう側にあります The post office is ⌈on *the other side* of [*across*] the street. // *向こうにいるのが私のおじです The man *over there* is my uncle. // はるか*向こうの山 the mountain ⌈*in the distance* [*far away*; *over there*]
2 《相手方》 ── 代 (一般的に) they; he; she. ── 名 (契約などの) the other party. ¶ 最初にけんかを始めたのは*向こうだ It's ⌈*they* [*he*; *she*] who started the quarrel. // *向こうの主張を受け入れざるを得なかった We had to accept the claim of *the other party*.
3 《目的地》 ── 名 (行き先) the destination. ── 副 (相手にも了解できる場所を指して) there. ¶ *向こうに着いたらお便り[電話を]します I'll ⌈write to you [call you up] when I ⌈get [arrive] *there*.
4 《今後》 ── 形 (次の) next. ¶ *向こう 3 か月間は予定がびっしり詰まっている I have a tight schedule for the *next* three months.
向こう三軒両隣り (一番近い隣人たち) *one's* nearest neighbors. **向こうに回す** ¶ あの男を*向こうに回すのは得策ではない I don't think it advisable to *have* that man ⌈*in opposition* [*opposed*] *to* us. **向こうを張る** ¶ 彼は相手の*向こうを張って (⇒ 相手と競争するために) 店を広げた He enlarged his store to *compete with* his rival. / (⇒ 負けまいとして) He enlarged his store to *keep up with* his rival. 《☞ はりあう》

むこう² 無効 ── 形 no good ★ 口語的; (法的に無効の) inválid, (null and) void ★ 後者は法律用語として用いられる. ── 動 (失効させる) annúl ⑩, nullify ⑩.
¶ この切符は*無効です This ticket is *no good*. // 私の署名のない契約は*無効です A contract without my signature is ⌈*invalid* [*void*]. // 彼の当選は選挙管理委員会によって*無効にされた His election *was* ⌈*annulled* [*nullified*] by the election management committee. // その提案は賛成が 10 票, 反対 3 票, *無効 1 票だった There were ten votes for the proposal, three against it and one *null and void*. **無効票** invalid vote Ⓒ.

むこういき 向こう意気 (積極性) aggressiveness Ⓤ ★ 攻撃性という悪い意味にもなる; (押しの強さ) 《略式》 push Ⓤ 普通よい意味に用いる. ¶ *向こう意気の強い人 an *aggressive* person

むこうがい 無公害 ── 形 pollution-free. **無公害エンジン** pollution-free engine Ⓒ **無公害車** zero-emission vehicle Ⓒ 《略 ZEV》.

むこうがわ 向こう側 ── 名 (もう一方の側) the other side; (反対側) the opposite side. ── 前 (向こう側に) across …. ¶ 彼は通りの*向こう側に住んでいる He lives on *the* ⌈*other* [*opposite*] *side* of the street. / He lives *across* the street.

むこうぎ 向こう気 ☞ むこういき

むこうぎし 向こう岸 (川の) the other side of a river; (反対側の岸) the opposite bank.

むこうきず 向こう傷 ¶ 額の*向こう傷 a ⌈*scar* [*cut*] on *one's* forehead ★ scar は傷跡, cut は切り傷. 《☞ きず》

むこうさじき 向こう桟敷 (舞台正面の二階桟敷・特等席) dress circle Ⓒ.

むこうさんげんりょうどなり 向こう三軒両隣 ☞ むこう¹ 成句

むこうじょうちゅう 無鉤条虫 ☞ さなだむし

むこうしょうめん 向こう正面 (舞台正面二階の特等席) dress circle Ⓒ; (一階最前部の一等席全体) 《米》 the orchestra, 《英》 the stalls; (相撲の) the south side of the *dohyo*.

むこうずね 向こう脛 shin Ⓒ 《☞ すね; あし¹ (挿絵)》. ¶ *向こうずねをテーブルにぶつけた I banged my *shin* on the table.

むこうっつら 向こうっ面 ¶ *向こうっ面 (⇒ 顔) を張りとばす slap *a person* ⌈on [across] *the face*

むこうどなり 向こう隣 (通りの向うの家) the house across the street.

むこうはちまき 向こう鉢巻 ── 副 (鉢巻をして) with [wearing] a ⌈band [towel] around *one's* head. ── 動 (気 [身] を引きしめて…する) brace *oneself* for … ¶ 彼は*向こう鉢巻で (⇒ 気を引きしめて元気よく) 仕事にとりかかった He *braced himself for* the task.

むこうみず 向こう見ず ── 形 (無鉄砲な) reckless; (無分別な) rash. 《☞ らんぼう》. ¶ 彼の*向こう見ずな運転が事故の原因です His *reckless* driving ⌈was the cause of [caused] the accident.

むこうむき 向こうむき ¶ *向こうむきに (⇒ こちらに背をむけて) 座っている男 the man sitting *with his back* ⌈*toward* [*to*] *us* // *向こうむきに (⇒ うしろをこちら側にして) 車を止めて下さい Please park the car *with the back facing this side*.

むこうもち 向こう持ち ¶ 費用は*向こう持ちです *They* will ⌈*pay* [*bear*; *shoulder*] the expenses.

むこうよこちょう 向こう横町 alley ⌈across [on the other side of] the street Ⓒ.

むこきゅうしょうこうぐん 無呼吸症候群 〖医〗 the apnea syndrome.

むこくせき 無国籍 ── 形 stateless.

ムコたとうるい ムコ多糖類 〖化〗 mucopolysaccharide Ⓒ.

むごたらしい 惨たらしい (残酷な) cruel; (恐ろしい) horrible. 《☞ むごい; ざんこく》.

むことり 婿取り ☞ むこ¹ (婿取り)

むこようし 婿養子 ☞ むこ¹ (婿養子)

むごん 無言 ── 形 (沈黙の) silent; (声を出さない) mute; (暗黙の) tácit Ⓐ ★ 第 1 番目, 第 2 番目より格式ばった語. ── 副 (黙って) in silence, silently. 《☞ ちんもく; だまる》. ¶ 彼はしばらく*無言のままだった He remained ⌈*silent* [*mute*] for some time. // それは彼らの*無言の訴えなのだ It is their ⌈*mute* [*tacit*] appeal. **無言歌** song without words Ⓒ **無言劇** mime Ⓒ, pántomìme Ⓒ ★ 後者は《英》ではクリスマスの時期に演じられるおとぎ芝居の意味もある. **無言電話** silent harassing call Ⓒ.

むさい ☞ むさくるしい

むざい 無罪 ── 形 ínnocent, guiltless (↔ guilty) ★ 前者のほうが一般的. 法律用語では前者しか用いられない. ── 名 innocence Ⓤ, guiltlessness Ⓤ; (無罪の判決) acquíttal Ⓒ. ── 動 (法廷が無罪とする) acquít ⑩ (↔ convíct).
¶ 法廷はその男を*無罪とした The court found the man ⌈*innocent* [*not guilty*]. / The court ruled that the man was ⌈*innocent* [*not guilty*]. / <S＋V (*acquit*)＋O (人)＋⌈*of* [*on*]＋名 (罪)> The court *acquitted* the man *of* the charge. ★ この順に格式ばった表現となる. // 彼は収賄罪で起訴されたが*無罪になった He was charged with bribery but ⌈found *innocent* (of it) [*acquitted of* the charge].
無罪放免 ── 名 〖法〗 acquittal Ⓤ. ── 動 acquit ⑩ ★ 通例受身形で. ¶ その女性は*無罪放免になった The woman *was found innocent and acquitted*.

コロケーション

無罪であることを示す show *a person's innocence* / 無罪であることを信じる believe *a person's innocence* / 無罪を主張する assert [maintain] *one's innocence* / 無罪を証明する prove [establish] *a person's innocence* / 無罪を申し立てる protest [plead] *one's innocence*

むさいげん 無際限 ☞ さいげん[2]

むさいしょく 無彩色 ―― 形〘光〙achromatic /ækrəmǽtɪk/ (↔chromatic); (無色の) colorless, without color. ―― 名〘理・光〙àchromàtic cólor Ⓒ (↔chromatic color).

ムサカ moussaka /muːsάːkə/ Ⓤ ★ グラタン風のギリシャ・トルコの料理.

むさく 無策 ―― 動 (策に欠ける) have no policy, lack a policy ★ 後者のほうが格式ばった言い方. ¶ 政府はその問題に対して*無策だ The government ˹*has no policy* [*lacks a policy*] on the issue.

むさくい 無作為 ―― 副 at random. ¶ 新聞社は*無作為に世論を調査した The press sampled public opinion *at random*.
無作為抽出(法) random sampling Ⓤ. ¶ *無作為抽出による世論調査によれば, 首相の人気は下降している According to the (public) opinion poll by *random sampling*, the popularity of the prime minister is declining.

むさくるしい むさ苦しい ―― 形 (部屋・身なりなどがきちんとしてなくて汚らしい) untidy, messy; (部屋が小さくて居心地の悪い) small and ùncómfortable; (身なりが汚くてみすぼらしい) shabby
日英比較 日本語で自分の家や部屋などを卑下して「むさ苦しい」という場合には, それをそのまま英語に直訳しないで, 例えば「小さな家ですが, おくつろぎいただけると思います」Our house is small, but I hope you can make yourself at home. のように言うのがよい. 英米人の考え方では, 相手をもてなすために自分たちは精一杯の努力をしているという気持ちを表現することがよいとされるからである.

むささび 〘動〙flýing squirrel /skwə́ːrəl/ Ⓒ.

むさつ 無札 ¶ *無札入場者 a gatecrasher ★ くだけた表現. // *無札で劇場に入り込む sneak into a theater *without a ticket*

むさべつ 無差別 ―― 名 indìscriminátion Ⓤ. ―― 形 ìndiscríminate. ―― 副 ìndiscríminately. (☞ さべつ; くべつ).
無差別級 the open-weight division **無差別(大量)殺人** indiscriminate (mass) murder Ⓤ **無差別爆撃** indiscriminate bombing Ⓤ.

むさぼる 貪る ―― 動 (動物などがむさぼり食う) devóur ⓣ 語法 比喩的にむさぼり読むこと, 熱心に見たり聞いたりすることも表す; (暴利をむさぼる) pròfitéer ⓘ. ¶ 彼らはその事故の記事を*むさぼり読んだ They *devoured* the article on the accident. // その商人は石油不足を利用して暴利を*むさぼった The merchant *profiteered* by taking advantage of the oil shortage. (☞ ぼうり)

むざむざと (たやすく) easily; (惜しげもなく) freely; (何の抵抗もしないで) without (offering) any resistance. (☞ みすみす; 擬声・擬態語 (囲み)). ¶ 彼は敵の計略に*むざむざとはまった He *easily* fell into the enemy's trap.

むさん 霧散 ―― 動 (分散する・させる)〘格式〙disperse ⓘ ⓣ; (消えてなくなる) vanish ⓘ.

むざん 無残, 無惨 ―― 形 (むごたらしい) cruel; (恐ろしい) horrible; (痛ましい) pitiful; (悲惨な) tragic. (☞ むごい; きのどく). ¶ それは見るも*無惨な光景だった It was a ˹*horrible* [*pitiful*] sight (to see).

むさんかいきゅう 無産階級 ―― 名 (無産階級の人々) the proletariat /pròulətέ(ə)riət/ ★ 集合的. 単数または複数扱い; (労働者階級) the working class ★ 前者のほうが格式ばった言い方.
―― 形 proletarian /pròulətέ(ə)riən/. (☞ プロレタリア).

むさんしょう 無酸症 〘医〙(胃液の) achlorhydria /èɪklɔəháɪdriə/ Ⓤ.

むさんそ 無酸素 **無酸素運動** anaerobic exercise Ⓤ, anaerobics Ⓤ **無酸素エネルギー** anaerobic energy Ⓤ **無酸素登頂** ―― 動 reach the summit (of ...) without oxygen **無酸素登山** ―― 名 mountaineering without (the use of) oxygen Ⓤ. ―― 動 (...に無酸素で登る) climb ... without oxygen.

むし[1] 虫 **1** «昆虫など»: (昆虫) insect Ⓒ; (血を吸う虫) bug Ⓒ; (這い虫) worm /wə́ːm/ Ⓒ; (衣類につく虫) moth Ⓒ; (害虫)〘格式〙vermin Ⓤ ★ 集合的に. 複数扱い. また,「虫」ではじまる複合語は ☞ 見出し.
日英比較 英語では日本語と違い, 昆虫・みみず・むかでなど足・羽などのあるなしにかかわらず, いわゆる「虫」を総称する表現がなく, 下の図に示すように, 大きく分けて昆虫類と細長い這い虫とに単語が 2 分されていることに注意. 生物学上の昆虫という意味で用いられるのが ***insect***. ただし〘略式〙では, くもなども insect の中に含まれることがある. また特にのみ・しらみ・南京虫など, 害虫と考えられるような虫を ***bug*** という. 細長い這い虫の類 (みみず・さなだ虫など) や, うじなどは特に区別して ***worm*** という. 衣類につく衣蛾は ***moth***. 集合的に複数として扱われ, 害虫ばかりでなく, 害鳥・害獣をも表す格式ばった語が ***vermin***. (☞ こんちゅう (挿絵))
¶ きりぎりすのような*虫は一日中鳴く *Insects* like katydids ˹chirp [chirr] all day long. 日英比較 米英では insect は普通鳴くものと思われず, 虫の声を楽しむ習慣もない. (☞ 動物の鳴き声 (囲み); ね[2] 日英比較 (2)) // *虫の音が聞こえる *Insects* [*Crickets*] are ˹singing [chirping]. // 寝ている間に*虫に食われた I was bitten by some ˹*bugs* [*insects*] while I was sleeping. (☞ くう[1]) // 私のドレスに*虫がついた My dress was eaten by *moths*. (☞ むしくい)
2 «慣用的・比喩的表現» ¶ 彼のほおをぴしゃりとたたいたくらいでは, 彼女の腹の*虫はおさまらなかった (⇒ 平手打ちは彼女の怒り[気持ち]を和らげなかった) Just slapping him in the face *didn't soothe her* ˹*anger* [*feelings*]. // 蓼(たで)食う*虫も好き好き There is no accounting for tastes. (ことわざ: 人の好みはいちいち説明ができない) // 一寸の*虫にも五分の魂 Even a *worm* will turn. (ことわざ: 虫けらさえも向き直ってくる) // 本の*虫 a *bookworm* // 芸の*虫 a *devotee* of an art // また彼の浮気の*虫が起きた He's *playing around* again.
虫がいい asking (for) [expecting] too much (☞

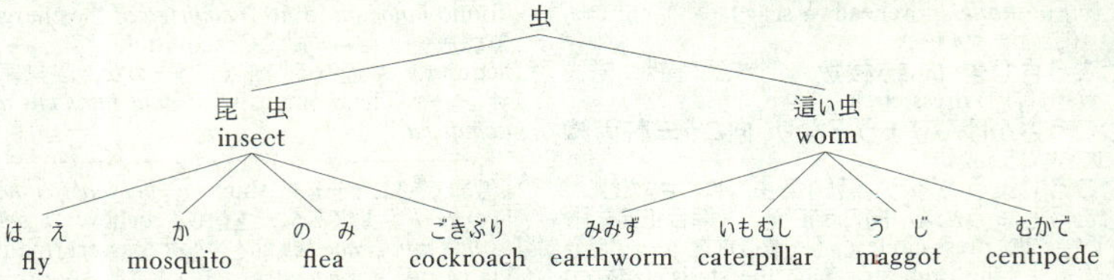

虫がよすぎる》. 虫が納まる (怒りを抑える) hold back *one's* rage 《☞ 2 用例; はら¹ (腹の虫)》. 虫が騒ぐ (…したい気持ちになる) want to *do* …, feel like *doing* … 虫が知らせる ¶ ゆうべの夢は*虫が知らせた [*虫の知らせだった]のだ (⇒ その予感だった) Last night's dream was a ⌈*premonition* [*foreboding*]. 虫が好かない ¶ 彼は*虫が好かないやつだ (⇒ 不愉快なやつだ) He is a ⌈*disgusting* [*disagreeable*] person. / (⇒ なぜか好きになれない) I ⌈just [somehow] *can't take to* him. 虫がつく ¶ 彼は娘に悪い*虫でもつきはしないか (⇒ 娘が悪い恋人を持たないか) と心配していた He was worried that his daughter might *have a bad boyfriend*. 虫がよすぎる ¶ それでは*虫がよすぎるでしょうか (⇒ 多くを要求しすぎるでしょうか) *Am* I *asking too much*? 虫の息 ¶ その負傷者は救急車がやっと来たときには*虫の息だった (⇒ 死にかけていた) The injured man *was near death* when the ambulance finally arrived. 虫の居所 ¶ 彼はきょうは*虫の居所が悪い (⇒ 不機嫌だ) He is *out of* ⌈*temper* [*humor*] today. / He is *in a bad* ⌈*temper* [*mood*] today. 虫の知らせ ☞ 虫が知らせる 虫も殺さない ── 動 wouldn't ⌈hurt [harm] a fly. ¶ 彼女は*虫も殺さないような顔をしているが (⇒ すごく純真に見えるが), 実はすごい悪女だ She looks *quite innocent*, but actually she is a very evil woman.

むし² 無視 ── 動 ignore ⊕; (軽視する) disregard ⊕; (注意を払わない・気にしない) pay no attention to …; (心に留めない) take no notice of … 《☞ かろんじる; ないがしろ; けいし¹》. ¶ 信号を*無視する *ignore* [*pay no attention to*] the traffic ⌈light [signal] // 彼は私の忠告を*無視した He ⌈*ignored* [*disregarded*; *took no notice of*] my advice.

むし³ 無私 ── 形 (利己的でない) unselfish; (私心のない) disínterested. 《☞ こうへい¹ (類義語)》.

むし⁴ 無死 ☞ ノーアウト 無死満塁 ☞ 見出し

むじ 無地 ── 形 (模様のない) plain; (繊維の地の色の) self-colored. ¶ 彼女は*無地の青いブラウスがよく似合う A *plain* blue blouse suits her well.

むしあつい 蒸し暑い sultry, muggy, hot and humid ★ 2 番目は口語的, 3 番目は説明的表現. 《☞ あつい²; むす》. ¶ きょうは実に*むし暑い It is very ⌈*sultry* [*muggy*; *hot and humid*] today.

むしうり 虫売り insect seller Ⓒ.

むしかえす 蒸し返す (繰り返す) repeat ⊕; (問題などを) bring up … again. ¶ 私は同じ議論を*蒸し返したくない I don't want to ⌈*repeat* [*go through*] the same old argument *again*.

むしかく 無資格 ── 形 (資格のない) unqualified; (免許を持っていない) unlicensed. 《☞ もぐり 2》. 無資格者 unqualified [unlicensed] person Ⓒ 無資格診療 unlicensed medical treatment Ⓤ.

むじかく 無自覚 ── 形 (気づかない) unaware of …; (意識していない) unconscious of …; (見る目のない) blind to … ¶ 人々はしばしば自分の欠点に*無自覚である People are often ⌈*unaware of* [*unconscious of; blind to*] their own faults.

むしかご 虫籠 insect cage Ⓒ.

むしがし 蒸し菓子 steamed cake Ⓒ.

むしがれい 虫鰈 〘魚〙 roundnose flounder Ⓒ, pleuronectid /plù(ə)rounéktɪd/ Ⓒ.

むしき 蒸し器 steamer Ⓒ.

むしくい 虫食い ── 形 (木材・果実などが) worm-eaten /wɚ́ːmìːtn/; (衣類が) moth-eaten. ¶ この桃は*虫食いだ This peach is *worm-eaten*. 虫食い算 cryptarithm /kríptərìðm/ Ⓤ, cryptarithmetic problem Ⓒ, arithmetical restoration Ⓤ 虫食い歯 ☞ むしば

むしくさ 虫草 〘植〙 a species of figwort with white flowers, whose seeds often ⌈become [produce] insect galls ★ 説明的な訳.

むしくだし 虫下し vermifuge Ⓒ.

むしけら 虫けら ¶ 彼は私を*虫けらのように (⇒ ひどく [非人道的に]) 扱った He treated me ⌈*cruelly* [*ìnhumánely*]. // *虫けら同様の (⇒ 価値のない) 奴 a *worthless* person / (⇒ ろくでなし) a *good-for-nothing*

むしけん 無試験 ── 副 without examination. ¶ 当大学付属高等学校の生徒は*無試験で大学に入学できます The students of the senior high school attached to this college are admitted to the college *without examination*.
無試験検定 license obtained by passing the necessary courses without any separate examination Ⓒ ★ 説明的な訳. 無試験入学 ── 動 enter [be admitted to; enroll in] a school without examination 《☞ にゅうがく》.

むじこ 無事故 ¶ 彼は 20 年間*無事故の優良ドライバーです He is an excellent driver who has had *no accident(s)* for twenty years. // その工場は 20 年間*無事故の記録を誇っている The plant enjoys an *accident-free* record of 20 years. 《☞ じこ¹》 無事故月間 month without accidents Ⓒ; (標語などとして) Safety Month 無事故無違反運転 ── 動 drive without any accidents or traffic violations; (減点が一切ない) have a ⌈perfect [clean] driving record.

むしさされ 虫刺され bite Ⓒ, sting Ⓒ. ¶ かゆい*虫刺されの傷 an itchy *bite*

むしさん 無資産 ── 動 have no ⌈property [assets].

むししぐれ 虫時雨 (continuous) chirping of insects Ⓤ.

むしず 虫酸 ¶ あの男は見るだけで*虫ずが走る The mere sight of him *makes me* ⌈*sick* [*feel disgusted*]. 《☞ むかつく; ぞっと》

むしずし 蒸し鮨 steamed sushi Ⓤ.

むじぞめ 無地染め ── 動 dye … without any pattern. ── 名 (無地染めのもの) goods dyed ⌈plain [without patterns].

むしタオル 蒸しタオル steaming hot towel Ⓒ.

むじつ 無実 ── 形 (無罪の) ínnocent, guiltless ★ 前者のほうが一般的で, また法律用語では前者を用いる. ── 名 innocence Ⓤ, guiltlessness Ⓤ. 《☞ けっぱく; むざい》. ¶ だれも私の*無実を信じてくれない Nobody believes ⌈in my *innocence* [that I am *innocent*]. // 彼は*無実の罪に問われた (⇒ 誤って起訴された) He was *falsely* accused.

むしてい 無指定 ── 形 (特定されない) unspecified.

むしとり 虫取り ── 動 catch [collect] ⌈insects [butterflies; bugs] ★ insect は昆虫, butterfly は蝶, bug は広く一般に虫.

むじな 狢, 貉 〘動〙 (あなぐま) badger Ⓒ. ¶ やつらは同じ[一つ]穴の*むじなだ (⇒ 同じ羽毛の鳥だ) They are *birds of a feather*. 《☞ あな (穴のむじな); ひとつあな》

むしなべ 蒸し鍋 steamer Ⓒ.

むじなへん 豸偏 (漢字の) badger radical on the left of kanji Ⓒ.

むじなも 狢藻 〘植〙 water-bug-trap Ⓒ.

むしに 蒸し煮 ── 動 (蒸した食材を煮る) boil steamed ⌈food [vegetables; fish; meat]; (長時間かけて弱火で煮る) boil … gently (for many hours). 《☞ むす》.

むしば 虫歯 ── 名 (虫歯の穴) cavity Ⓒ ★ 口語ではこの語をよく用いる; (悪くなった歯) decayed

[bad] tooth Ⓒ《複 — teeth》; (歯が悪くなること) tooth decay Ⓤ, 〖医〗(dental) caries /kέ(ə)riːz/ Ⓤ. ── 動 (虫歯になる) decay ⓐ ★「歯」が主語.
¶ *虫歯が数本ありますね You have some ˹cavities [decayed teeth]. // 先生に*虫歯を治療して[抜いて]もらった I had my ˹cavity filled [decayed tooth pulled] by my dentist. ★《英》では抜歯は pull out. // *虫歯の主な原因は糖分だ Sugar is the major cause of *tooth decay*. // *虫歯が痛む have (a) *toothache* ★ a が入るのは《米》. // *虫歯を処置する treat a *cavity* // *虫歯を削る cut a *cavity* // *虫歯を予防する prevent *tooth decay*

むしばむ 蝕む (知らず知らずのうちにだめにする) ùndermíne ⓗ; (徐々に弱くする[壊す]) weaken [destroy] … gradually ★ 後者は説明的表現. ¶ さまざまな公害によって我々の健康は*むしばまれている Our health *is undermined* by various forms of pollution.

むしパン 蒸しパン steamed bun Ⓒ.

むじひ 無慈悲 ── 形 (慈悲心のない) merciless; (同情心のない) pitiless; (薄情な) heartless; (残酷な) cruel. ── 名 mercilessness Ⓤ. 《☞ ざんこく》. ¶ *無慈悲な国王は国民に重税を課した The ˹*merciless* [*pitiless*] king imposed a very heavy tax on his people.

むしひきあぶ 虫曳虻 〖昆〗bee killer Ⓒ, robber fly Ⓒ.

むしピン 虫ピン setting pin Ⓒ.

むしふうじ 虫封じ exorcism to calm an irritable child Ⓤ.

むしぶろ 蒸し風呂 (蒸気風呂) steam bath Ⓒ; (トルコ風の風呂) Turkish bath Ⓒ.

むしぶんれつ 無糸分裂 〖生〗amitosis /èɪmaɪtóʊsɪs/ Ⓒ《複 -ses》.

むしへん 虫偏 (漢字の) insect radical on the left of kanji Ⓒ.

むしぼし 虫干し ── 名 airing Ⓒ. ── 動 air ⓗ. ¶ 衣類を押し入れにしまう前に*虫干しをするのを忘れないように Don't forget to ˹*air* the clothes [give the clothes an *airing*] before you put them in the closet.

むしまんるい 無死満塁 〖野〗 ¶ *無死満塁だ The *bases* are ˹*full* [*loaded*] *with no outs*.

むしむし ── 形 (蒸し暑い) muggy; (湿度が高い) humid. 《☞ むしあつい》.

むしめがね 虫眼鏡 mágnifying glàss Ⓒ. ¶ その葉を*虫めがねで見てごらん Look at the leaf through your *magnifying glass*.

むしもの 蒸し物 (蒸した料理) steamed dish Ⓒ.

むしゃえ 武者絵 picture of ˹a warrior [warriors; samurai] (in combat) Ⓒ.

むしやき 蒸し焼き ── 動 (オーブンで肉の塊などを焼く) roast ⓗ 《☞ やく¹; 料理の用語 (囲み)》.

むじゃき 無邪気 ── 形 (純真な・天真らんまんな) ínnocent; (子供らしい) childlike ★ childish は「子供っぽい」という意味 ── 名 innocence Ⓤ. 《☞ じゅんしん; あどけない》. ¶ *無邪気な微笑 an *innocent* smile // 彼女の*無邪気な寝顔を見てごらん Look at her *childlike* sleeping face.

コロケーション

> 疑うことを知らぬ無邪気さ unsuspecting *innocence* / 恐れを知らぬ無邪気さ fearless *innocence* / 汚れのない無邪気さ unstained *innocence* / 子供のような無邪気さ childlike *innocence* / 純粋な無邪気さ pure *innocence* / 素朴な無邪気さ simple *innocence*

むしゃくしゃ ── 動 (むしゃくしゃする [している]) gèt [be] írritàted; (不機嫌な) be in a bad temper; (むしゃくしゃさせる) írritàte ⓗ. 《☞ いらいら; ふきげん; 擬声・擬態語 (囲み)》. ¶ 彼の遠回しな物の言い方に私は*むしゃくしゃした I *got irritated* by his roundabout way of talking.

むしゃしゅぎょう 武者修行 ¶ ヨーロッパに絵の*武者修行に出かける (⇒ 美術館を訪ね名作から学ぶ) travel around Europe to visit museums and learn from the great works of art

むしゃにんぎょう 武者人形 Jápanèse warrior /wɔ́ːriə/ doll Ⓒ.

ムジャヒディン Mujahedeen /mùdʒæhɪdíːn/ ★ 複数形. イスラム反政府ゲリラ. アラビア語で「ジハードを行なう者, イスラム戦士」の意.

むしゃぶりつく take [get; seize] violent hold of … 《☞ しがみつく》. ¶ その少女は母親に*むしゃぶりついた The little girl *took tight hold of* her mother.

むしゃぶるい 武者震い ── 動 (興奮して体が震える) quiver [tremble] with excitement ★ 説明的な訳.

むしゃむしゃ (むさぼり食う) eat … greedily 《☞ たべる; むさぼる; 擬声・擬態語 (囲み)》.

むしゆ 蒸し湯 ☞ じょうきよく

むしゅう 無臭 ── 形 odorless 《☞ におい; かおり》. ¶ その液体は無色*無臭です The liquid is colorless and *odorless*.

むしゅうきょう 無宗教 ¶ 彼は*無宗教だ He ˹*has no faith* [*doesn't believe in any religion*].

むしゅうにゅう 無収入 ¶ 私は失業中で*無収入です I am jobless so I've got *no income*.

むじゅうりょう 無重量 ☞ むじゅうりょく

むじゅうりょく 無重力 ── 形 (重力ゼロの) zero-gravity; (重力から解放された) gravity-free; (重さのない) weightless. ¶ 宇宙飛行士は*無重力状態で宇宙船を操縦する Astronauts operate the spaceship under ˹*zero-gravity* [*gravity-free*] conditions.

むしゅくもの 無宿者 (家のない人たち) the homeless; (浮浪者) tramp Ⓒ; (放浪者) wanderer Ⓒ, vagrant Ⓒ ★ 後者のほうが格式ばった語.

むしゅみ 無趣味 ¶ 私はまったくの*無趣味です (⇒ これといった趣味がない) I *have no* particular *hobbies*.

むじゅん 矛盾 ── 動 (相反する) còntradíct ⓗ, be còntradíctory (to …); (首尾一貫しない) be ìnconsístent (with …); (両立しない) be incompátible (with …). ── 名 contradiction Ⓤ; inconsistency Ⓤ; incompàtibílity Ⓤ. 《☞ あいいれない; あいはんする》.
¶ あなたは言う事とやる事が*矛盾している Your actions ˹*contradict* [*are contradictory to*] your words. // 彼の議論の後半は前半と*矛盾している The second part of his argument *is* ˹*inconsistent* [*incompatible*] *with* the first part. // 論文を書くときは*矛盾のないよう注意しなければいけない You must be careful not to *contradict yourself* when you write ˹your [a] paper. ★ contradict *oneself* は「矛盾したことを言う」の意.
矛盾概念 〖論〗contradictory concept Ⓒ **矛盾原理** 〖論〗the ˹principle [law] of contradiction **矛盾撞着** ── 形 (つじつまが合わない) inconsistent; (自己矛盾している) self-contradictory. ── 名 self-contradiction Ⓤ.

コロケーション

> 明らかな矛盾 a clear [an obvious] *contradiction* / ひどい矛盾 a glaring *contradiction* / 表面的な矛盾 a seeming *contradiction* / まったくの矛盾 a direct [flat] *contradiction*

むしょう[1] **無償** ―副 (無料で) free (of charge); (ただで) for nothing ★ 後者のほうが口語的. 《☞ ただ[2]; むりょう[1]》. ¶ 小学校では教科書は*無償で配布 (⇒ 支給) される Textbooks are ⌜supplied [provided] *free* (*of charge*) in elementary schools. **無償援助** grant aid Ⓤ **無償援助資金** grant Ⓒ **無償貸し付け** free loan Ⓒ **無償契約** gratuitous /grət(j)úːətəs/ [nude] contract Ⓒ **無償行為** gratuitous act Ⓒ **無償交付** (株の) delivery without compensation Ⓤ **無償増資** free issue of new shares Ⓤ ★ 増資した株の意では Ⓒ. **無償労働** ―動 work ⌜for nothing [without being paid]. ―名 unpaid ⌜work [labor] Ⓤ; (自発的無償労働) volunteer work Ⓤ. 《☞ ただばたらき; ボランティア》.

むしょう[2] **霧消** ―動 (完全に消える) disappear completely; (霧が晴れるように消える) disappear [vanish] like (a) mist. 《☞ うんさんむしょう》.

むじょう[1] **無上** ―形 (最高の) highest; (最大の) greatest; (この上もない) supréme ★ やや格式ばった語. ¶ 議長に指名されたことは*無上の光栄であります I consider it my ⌜*greatest* [*highest*] honor to be appointed chairperson.

むじょう[2] **無情** ―形 (薄情な) heartless; (冷たい) cold; (無慈悲な) merciless. 《☞ つめたい; れいたん》. ¶ あなたは*無情な人だ You are ⌜*heartless* [*merciless*]. // *無情の雨で花見が台無しになった (⇒ 雨で花見が台無しになったのはたいへん残念だ) *It's a* (*great*) *pity* that the cherry blossom viewing was spoiled by the rain.

むじょう[3] **無常** ―形 (一時的な・うつろいやすい) transient /trǽnʃənt/; (空虚な) empty; (常に変わる) ever-changing 日英比較 仏教でいう「無常」にぴったりの言葉は英語にはない. より深い理解を求めるならば仏教思想の説明が必要であろう. 《☞ はかない》. ¶ 人生は*無常だ (⇒ 空虚な夢に過ぎない) Life is but an *empty* dream. **無常観** a sense of evanescence /èvənésns/ 日英比較 evanescence (つかの間のはかなさ) は格式語だが, 仏教思想の説明なしでは正確な意味の伝達は不可能.

むしようかん **蒸し羊羹** steamed (adzuki-) bean jelly Ⓤ.

むじょうけん **無条件** ―形 ùnconditional. ―副 ùnconditionally. ¶ 彼らは我々の提案を*無条件で受け入れた They accepted our proposal ⌜*without any conditions* [*unconditionally*]. **無条件降伏** ùnconditional surrénder Ⓤ **無条件反射** unconditioned reflex Ⓒ.

むしょうに **無性に** ―副 (とても) very (much). ―形 (感情など抑えきれない) irresistible. ―動 (無性に…したい) 《略式》 be dying ⌜to *do* … [for …]. 《☞ とても (類義語); やたら》.
¶ 彼は彼女の言ったことに*無性に腹が立った (⇒ 非常に怒った [激怒した]) He got ⌜*very* angry [*infuriated*] at her remark. // 彼女は*無性にその箱を開けたいという欲望にかられた She was driven by an *irresistible* desire to open the box.

むしょうぶ **無勝負** (引き分け試合) drawn ⌜game [match] Ⓒ; (勝負をつけない試合) game [match] in which there is neither victory nor defeat Ⓒ. 《☞ ひきわけ》.

むしょく[1] **無職** ―形 (失業した) jobless, unemployed ★ 後者のほうが格式ばった語. 《☞ しつぎょう》. ¶ 彼は*無職です He is *jobless*. / He *has no job*. 語法 第 2 文は「失業中」の意味にも, 文字どおり「職業を持っていない」の意味にもなる.

むしょく[2] **無色** ―形 colorless 《☞ いろ》.
¶ 水は*無色透明です Water is *colorless* and clear.

むしよけ **虫除け** ínsect repéllent Ⓒ ★ 最も一般的な表現; (ナフタリンなど, 衣類用の固形のもの) mothball Ⓒ; (粉状または液状の殺虫剤) insécticide Ⓤ. **虫除け加工** ―形 mothproof. ―動 mothproof ⊕. ¶ これらの羊毛布団はすべて*虫除け加工されている These wool blankets *are* all *mothproofed*.

むしょぞく **無所属** ―形 independent. ―名 (無所属候補者 [議員]) independent Ⓒ. ¶ 彼は*無所属です He is ⌜*independent* [an *independent*]. **無所属候補** independent candidate Ⓒ.

むしょとく **無所得** ¶ 全くの*無所得者 a person *without any income* 《☞ むしゅうにゅう》

むしりとる **毟り取る** (羽毛などを) pluck ⊕; (引きちぎる) téar óff ⊕; (もぎとる) púll óff ⊕. 《☞ むしる》. ¶ 混んだ電車で上着のボタンを 3 つも*むしり取られた I *had* three buttons of my jacket *torn off* in a crowded train.

むしりょ **無思慮** ―名 (考えのないこと) thoughtlessness Ⓤ; (軽率) imprudence Ⓤ; (無分別) indiscretion Ⓤ. ―形 thoughtless; imprudent; indiscreet. 《☞ しりょ》.

むしりょく **無資力** ¶ この計画を実行するにはわが社はまだ*無資力である Our company still *lacks the financial resources* to carry out this project. / Our company has *no funds* for this project yet. 《☞ しりょく[2]》

むしる **毟る** pull ⊕, pluck ⊕ ★ 後者のほうが格式ばった語; (雑草を) weed ⊕. ¶ 肉屋は鶏の羽を*むしっていた (⇒ 鶏を) The butcher *was plucking* a chicken. / (⇒ 鶏から羽を) The butcher *was pulling* the feathers *off* a chicken. 語法 pluck の場合は pluck feathers from … という言い方も可能だが, 料理のためにむしる時は鳥を目的語とするのが普通. // 庭の草を*むしる *weed* the garden

むしるい **無翅類** 〔昆〕 the Apterygota /æptèrəgóutə/ ★ 通例 the を付けて複数扱い.

むじるし **無印** ―形 (印のない) unmarked; (ブランド名のない) unbranded.
¶ *無印商品 *únbrànded* goods

むしろ[1] **寧ろ** (A よりむしろ B) B rather than A ★ A と B は文法上同等な名詞・形容詞または動詞; (A というよりいっそ B だ) more of B than A ★ A と B は名詞. 《☞ -より[1]; かえって》.
¶ 彼は学者というより*むしろ教師だ He is a teacher *rather than* a scholar. / He is *more of* a teacher *than* a scholar. ★ 第 2 文のほうがより格式ばった表現. // この家具は実用的というより*むしろ装飾向きだ This furniture is ornamental *rather than* useful. // 私は (家にいるより) *むしろ外に出たい I would *rather* go out (*than* stay at home). // 私は紅茶より*むしろコーヒーのほうがいい (⇒ 紅茶よりコーヒーを好む) I *prefer* coffee *to* tea. / I like coffee *better than* tea. ★ 第 2 文のほうがより口語的だが, 日本語のニュアンスには第 1 文のほうが近い. // 彼のエッセーは小説より*むしろよい (⇒ 小説よりよい) His essays are *better than* his novels.

むしろ[2] **筵, 蓆** straw mat Ⓒ.

むしん **無心** **1** 《無邪気に》 ―副 innocently 《☞ むじゃき》. ¶ 赤ん坊は*無心に母の乳を吸った The baby *innocently* sucked its mother's breast.
2 《金をねだる》 ―動 ((人に) 金を請う) ask [beg] *a person* for money ★ ⓐ の用法もある. beg のほうがへりくだった感じ. ¶ おいが来て (私に) 金の*無心をした My nephew came and ⌜*asked* [*begged*] (me) *for* some *money*.

むじん[1] **無人** ―形 (だれもいない) vacant, empty ★ 後者は人だけでなく家具などもないことを意味する; (人の住まない) ùninhábited; (捨てられた)

desérted. ¶その*無人の家はかびくさいにおいがした The *vacant* house smelled musty.
無人宇宙船 unmanned spaceship Ⓒ **無人運転** ¶*無人運転の交通システム a *driverless* transport system **無人駅** unmanned (railroad) station Ⓒ **無人化工場** fully automated factory Ⓒ **無人境** uninhabited ˹region [area] Ⓒ **無人スタンド** (新聞売りなどの) self-service stand Ⓒ **無人島** uninhabited island Ⓒ **無人飛行機** pilotless airplane Ⓒ; (無線操縦飛行機) radio-controlled airplane Ⓒ **無人踏切** unmanned crossing Ⓒ.

むじん² 無尽 ―图 (尽きないこと) inexhaustibility Ⓤ. ―形 (無尽蔵の) inexhaustible. (☞ むじんぞう). **無尽会社** mutual ˹loan [finance] company Ⓒ **無尽講** mutual financing association Ⓒ.

むしんけい 無神経 ―形 (他人の感情に思いやりのない) insénsitive (to ...); (非難・侮辱などを受け付けない・厚顔な) thick-skinned ★ 時に軽蔑的. (☞ どんかん). ¶彼は他人の感情には*無神経だ He is *insensitive to* other people's feelings.

むじんしつ 無塵室 clean room Ⓒ (☞ むきん (無菌室)).

むしんじん 無信心 ―形 (無信仰の) irrelígious; (無神論の) atheístic /èɪθiístɪk/.

むじんぞう 無尽蔵 ―形 (使いきれない) inexháustible; (限度がない) unlimited. (☞ むげん¹). ¶太陽エネルギーは*無尽蔵だ Solar energy is *inexhaustible.*

むしんろん 無神論 atheism /éɪθiìzm/ Ⓤ (↔ theism /θíːɪzm/). **無神論者** atheist Ⓒ.

むす 蒸す 1 《料理など》: steam ⓗ (☞ 料理の用語 (囲み)). ¶母は台所でじゃがいもを*蒸しています Mother *is steaming* potatoes in the kitchen.
2 《蒸し暑い》 ―形 muggy, hot and sticky; (風通しが悪い) stuffy. ¶今夜は*蒸しますね It's *muggy* tonight, isn't it? // 窓を開けて下さい. この部屋は*蒸していますから Please open the window. This room is *stuffy.*

むすい 無水 ―形 (無水の) anhýdrous. **無水アルコール** absolute alcohol Ⓤ **無水酢酸** 〖化〗 acetic anhydride /əsíːtɪk ænháɪdraɪd/ Ⓤ **無水炭酸ナトリウム** 〖化〗 anhydrous sodium carbonate Ⓤ **無水鍋** waterless cooker Ⓒ; (圧力鍋) pressure cooker Ⓒ **無水フタル酸** 〖化〗 phthalic anhydride /θǽlɪk ænháɪdraɪd/ Ⓤ **無水物** 〖化〗 anhydride Ⓤ.

むすう 無数 ―形 countless ★ 最も一般的; innúmerable ★ 格式ばった語で, 主として Ⓐ; (多数の) millions of ... ★ 口語的.
¶星の数は*無数だ The stars are *countless.* // 解決されねばならない問題が*無数にある There are ˹*innumerable* [*millions of*] problems to be solved.

むずかしい 難しい 1 《困難な》: hard, difficult (↔ easy) ★ 前者のほうがより口語的で平易な語; (事態などが容易ならない) serious. (☞ こんなん).
¶これは*難しい仕事だ This is ˹a *hard* job [*difficult* work]. // 試験はとても*難しかった The examination was ˹very *hard* [extremely *difficult*]. / I found the examination ˹very *hard* [extremely *difficult*]. 語法 第2文は受けてみたら難しいことがわかったというニュアンスをもつ. // ロシア語は習得するのが*難しい言葉だ Russian is a ˹*hard* [*difficult*] language to learn. / Russian is ˹*hard* [*difficult*] to learn. // 彼は*難しい立場に立たされた He was placed in ˹*difficult* circumstances [(⇒ 重大な立場) a *serious* situation]. // 事態はますます*難しくなってきている The situation is becoming more and more ˹*difficult* [*serious*]. // あまり*難しく考えないほうがいい (⇒ あまり深刻に受け止めないように) Don't take it too *seriously.*
2 《やっかいな》: (手数のかかる) troublesome; (複雑な) cómplicàted. (☞ めんどう; ややこしい). ¶*難しい手続きにはうんざりした I am sick and tired of ˹*troublesome* [*complicated*] procedures.
3 《気難しい》: (人が扱いにくい) difficult; (好みがやかましい) partícular (about ...); (表情が不機嫌な) sullen. (☞ きむずかしい; やかましい). ¶あの人は*難しい人だ He is a *difficult* person. / (⇒ 彼は満足させるのが難しい) He is ˹*hard* [*difficult*] to please. // 連中はいつも*難しい顔をしている (⇒ 不機嫌に見える) They always look *sullen.*

むずがゆい むず痒い ―動 itch ⓐ, feel itchy. (☞ むずむず; かゆい). ¶背中が*むずがゆい My back *itches.* / My back's *itchy.*

ムスカリ 〖植〗 baby's breath Ⓒ, grape hyacinth /háɪəsɪnθ/ Ⓒ.

ムスカリン 〖化〗 muscarine /mʌ́skərìːn/ Ⓤ ★ 毒キノコなどに含まれるアルカロイド.

むずかる ―動 fret ⓐ. ―形 fretful. (☞ ぐずる). ¶幼児は眠くなると*むずかるものだ Young children ˹*fret* [get *fretful*] when they are sleepy.

むすこ 息子 (親から見て) son Ⓒ (↔ daughter), boy Ⓒ (↔ girl) ★ 後者のほうが口語的. (☞ 親族関係 (囲み)). ¶彼には*息子が3人と娘が2人いる He has three ˹*sons* [*boys*] and two ˹daughters [girls]. // 彼はひとり*息子だ He is the only *son.*

ムスタング 〖動〗 (小型の半野生馬) mustang /mʌ́stæŋ/ Ⓒ; (マスタング, フォード社の乗用車) 《商標》 Mustang Ⓒ.

むずと ―副 (乱暴に) violently (☞ 擬声・擬態語 (囲み)). ¶大男が私の首筋を*むずとつかんだ A big man *violently* seized me by the neck.

むすばれる 結ばれる (結婚によって) be united (in marriage). ¶2人はめでたく*結ばれた The two *were* happily ˹*united* [*joined*] *in marriage.*

むすび 結び ―形 (結末をつける) concluding; (締めくくりの) closing; (最後の) last; (最終の) final. ―图 (結末) end Ⓒ; (終わり) finish Ⓤ; (演説などの結末) conclusion Ⓒ. (☞ さいご; おむすび).
¶だれに*結びの言葉を頼みましょうか Who shall we ask to make some ˹*concluding* [*closing*] remarks? // 《相撲》 これが*結びの一番です This is the ˹*last* [*final*] bout.

むすびあわせる 結び合わせる tie [bind; fasten; link] together ⓗ, unite ⓗ.

むすびつき 結び付き (つながり) connection Ⓤ ★ 具体的には Ⓒ; (きずな) ties ★ 通例複数形で. (☞ きずな; だんけつ). ¶両国の*結び付きは非常に強い The *connection* between the two countries is very strong. / The two nations have very strong *ties.*

むすびつく 結び付く (…と関係がある) be ˹connected [related] with ... (☞ かんけい¹). ¶あの政治家は大企業と*結び付いているようだ That politician seems to ˹*be connected* [*have a connection*] *with* big business. // この仕事は莫大な利益に*結び付く (⇒ 利益をもたらす) かもしれない This work may *bring about* a great profit.

むすびつける 結び付ける (ゆわえつける) tie ⓗ; (しっかりとめる) fasten ⓗ. (☞ かんけい¹). ¶彼は旗をさおに*結び付けた He ˹*tied* the flag *to* [*fastened* the flag *on*] the pole.

むすびめ 結び目 knot Ⓒ. ¶この*結び目を解けますか Can you ˹untie [undo] this *knot*? // 彼はロープに*結び目を2つ作った He ˹made [tied] two *knots* in the rope. // ゆるい [堅い] *結び目 a ˹loose [tight] *knot*

むすぶ 結ぶ **1**《つなぎ合わせる》: (ゆわえる) tie ㊀; (縛る) bind ㊀; (結び目を作る) knot ㊀. ¶私はまず2本のひもを*結んだ First of all, I ⌈*tied* [*bound*; *knotted*] the two strings together.
2《2点などをつなぐ》: (連結する) link ㊀; (つなぐ) connect ㊀ ★前者のほうが意味が強い. (☞ つなぐ). ¶この高速道路は東京と大阪を*結んでいる This superhighway ⌈*links* [*connects*] Tokyo and Osaka.
3《同盟・契約などを結ぶ》: (条約などを締結する) conclude ㊀; (政治的に連合する) ally /əlάɪ/ *oneself* with …; (手を結ぶ) join hands with …; (契約を結ぶ) make ㊀; (契約に加わる) enter into … (☞ どうめい¹; ていけつ¹).
¶両国間に平和条約が*結ばれた A peace treaty *was* ⌈*concluded* [(⇒署名された) *signed*] between the two nations. // 日本はアメリカと同盟を*結んでいる Japan *has allied itself with* the U.S.A. // いまあの会社と手を*結んでおくのが最上策だ It is best for us to *join hands with* that company right now. // 正式な契約を*結んだのですか *Have* you ⌈*made* [*entered into*] a formal contract?
4《実を生じる》: bear fruit (過去 bore; 過分 borne). ¶彼の努力がついに実を*結んだ His efforts *bore fruit* at last.
5《話を締めくくる》: (終える) end ㊀; (結末をつける) conclude ㊀ ★前者より格式ばった語. (☞ むすび). ¶彼は聴衆に感謝の言葉を述べて話を*結んだ He ⌈*ended* [*concluded*] his speech by expressing his thanks to the audience.
6《固く閉じる》: close ㊀, shut ㊀ ★後者のほうがより口語的. ¶彼は口を*結んで一言も言わなかった He *closed* his mouth and didn't say a word.

むずむず **1**《むずがゆい》 ── 動 feel itchy /ítʃi(ː)/, itch ㊁ 語法 後者は身体の部分を主語とする. 前者は人も主語になる. (☞ 擬声・擬態語 (囲み)). ¶背中が*むずむずする My back ⌈*itches* [*feels itchy*]. // 鼻が*むずむずする (⇒むずむずする鼻を持つ) I've got an *itchy* nose. / (⇒くすぐったい) My nose *tickles*.
2《何かしたくてうずうずする》 ── 動 itch ⌈to *do* … [for …] ★通例進行形で用いる; have an itch ⌈to *do* … [for …] ★前者のほうが意味が強い; 《略式》 be dying ⌈to *do* … [for …]. (☞ うずうず).
¶彼にこの吉報を伝えたくて*むずむずしています I *am* ⌈*itching* [*dying*] *to* tell him this good news.

むすめ 娘 **1**《親から見て》: daughter Ⓒ (↔ son), girl Ⓒ (↔ boy) ★後者のほうが口語的. (☞ むすこ; 親族関係 (囲み)). ¶これが私の*娘の明子です This is my *daughter* Akiko.
2《若い未婚の女性》: girl Ⓒ ★一般的な語. 少女から青年期の女性にまで広く用いる; (成人した若い女性) young ⌈woman [lady] Ⓒ 語法 young woman という言い方が一般的で, 格式ばった表現にも用いる. young lady は敬意を払う場合, または呼びかけなどに用いる. (☞ しょうじょ; おじょうさん). ¶あの*娘さんはどなたですか Who is that ⌈*girl* [*young woman*]?
娘一人に婿八人 person [thing] much ⌈sought after [in demand] Ⓒ.
娘心 girlish mind Ⓒ **娘盛り** ── 形 (青春の真っ盛りにある) in the bloom of youth. ¶彼女は*娘盛りだ She is now *in the bloom of youth*. **娘時代** *one's* girlhood Ⓤ **娘婿** son-in-law Ⓒ (複 sons-in-law); (説明的には) the husband of *one's* daughter. (☞ むこ¹).

ムスリム ☞ モスレム; イスラム

むせい¹ 無声 ── 形 (音声を出さない) silent, 〖音声〗 voiceless. **無声映画** silent ⌈movie [film; picture] Ⓒ **無声音** ☞ 見出し **無声子音** 〖音声〗 voiceless consonant Ⓒ.

むせい² 無性 ── 形 sexless, asexual ★前者は一般語. 後者はやや専門的. **無性生殖** asexual reproduction Ⓤ, agamogenesis /eɪgæ̀moudʒénəsɪs/ Ⓤ **無性世代** 〖生〗 asexual generation Ⓒ.

むせい³ 夢精 ── 名 wet dream Ⓒ, 〖生理〗 noctúrnal emíssion Ⓤ ★具体的には Ⓒ. ── 動 have a wet dream.

むぜい 無税 ── 形 tax-free, duty-free 語法 (1) tax が一般的. duty は関税・物品税について用いる; (税がかからない) exempt from tax 語法 (2) 名詞の後に置くか Ⓟ として用いる. (☞ めんぜい). ¶その店ではカメラを*無税で買えますか Can I buy a camera ⌈*tax*-[*duty*-]*free* at that store? ★この tax-[duty-]free は副詞. // 少額の収入は*無税だ A small amount of income is *exempt from tax*. **無税品** tax-free [duty-free] goods ★複数形で. (☞ しょうひん¹).

むせいおん 無声音 〖音声〗 voiceless sound Ⓒ.

むせいげん 無制限 ── 形 (限りのない) unlimited; (条件を付けない) unrestricted.
¶手荷物の重量については*無制限です There is *no* weight *limit* for baggage. // 年齢は*無制限です There is *no* age *limit*.

むせいふしゅぎ 無政府主義 anarchism /ǽnəkɪ̀zm/ Ⓤ. **無政府主義者** ── 名 anarchist Ⓒ. ── 形 ànarchístic.

むせいふじょうたい 無政府状態 ánarchy Ⓤ.

むせいぶつ 無生物 inánimate óbject Ⓒ, lifeless thing Ⓒ ★後者のほうがくだけた言い方.

むせいらん 無精卵 unfertilized egg Ⓒ.

むせかえる 噎せ返る (息苦しくなる) be choked ⌈by [with] … (☞ むせる). ¶私は部屋に満ちていた煙に*むせ返った I *was choked by* the smoke which filled the room.

むせき 無籍 ¶*無籍者 (⇒戸籍のない者) a person *with no family register* / (⇒居住登録のない者) a person *without a registered domicile* (☞ せき³)

むせきついどうぶつ 無脊椎動物 invertebrate (animal) Ⓒ (↔ vertebrate (animal)).

むせきにん 無責任 ── 形 irrespónsible (↔ responsible). ── 名 irrespònsibílity Ⓤ (↔ responsibility). (☞ いいかげん; ちゃらんぽらん). ¶彼は*無責任だ He is *irresponsible*. / (⇒責任感を持っていない) He has *no sense of responsibility*.

むせっそう 無節操 ── 形 (定見をもたない) ùnprínciplied; (考えがよく変わる) 《格式》 incónstant; (移り気な) fickle. ¶彼は*無節操な男だ He is an ⌈*unprincipled* [*inconstant*] man.

むせっぽい 噎せっぽい (煙などで) choking; (息が詰まりそうな) suffocating ★前者のほうが一般的. (☞ むせる).

むせびなく 噎び泣く ── 動 sob ㊁. ── 名 (むせび泣き) sobbing Ⓤ. (☞ なく¹).

むせぶ 噎ぶ ¶彼女は感動して涙に*むせんだ (⇒すすり泣いた) She was moved, and *sobbed*.

むせる 噎せる (息苦しくなる) choke on …, be choked ⌈by [with] … (☞ むせかえる).
¶彼女は煙に*むせた She *was choked by* the smoke. // 彼は一気にお茶を飲んで*むせた He gulped down his tea and *choked on* it.

むせん¹ 無線 (無線電信・電話) radio Ⓤ, 《主に英》 wireless Ⓤ ★ただし《英》でも radio のほうが好まれる傾向にある. ¶通信は*無線で送りました I have sent the message by ⌈*radio* [*wireless*].
無線機 radio (set) Ⓒ **無線技師** radio [wireless] operator Ⓒ **無線技術** radio techniques **無線**

局 radio [wireless] station [C]　無線工学 radio engineering [U] 無線操縦 ― [名] radio control [U]. ― [動] radio-control [他] [自]　無線タクシー radio taxi [C]　無線通信 radio [wireless] communication [U] ★ 時に複数形で.　無線電信 ràdiotelégraphy [U], wíreless telégraphy [U].　¶ *無線電信で通信を送る send a message by *radio*　無線電信機 ràdiotélegraph [C]　無線電話 radiotelephone [U], wireless telephone [U]; (携帯用の) walkie-talkie [C]　無線標識 (radio) beacon [C]　無線方位航法 radio [wireless] navigation [U]　無線ラン〘コンピューター〙wireless LAN [C]《☞ ラン[1]》.

むせん[2]　無銭　¶ 彼は*無銭飲食で (⇒ 代金を払わずにレストランを出ようとして) つかまった He was arrested for trying to walk out of a restaurant *without paying the bill.* // *無銭旅行する travel *without spending any money*

むせんとじ　無線綴じ　pamphlet binding [U], 《米》perfect binding [U], fastening by gluing [U].

むせんまい　無洗米　(ぬかを除いてあり研ぐ必要のない米) wash-free rice [U].

むそう[1]　夢想　― [名] dream [C]; (幻・幻に描く姿) vision [C]; (幻想) illusion [C].　― [動] dream [自] [他].《☞ ゆめ[1]; くうそう[1]》.　¶ 結果は私が*夢想さえもしなかったものだった The outcome was ⌜beyond my wildest *dreams* [far from *what I had expected*].

[語法] 前者はよいことについてだけ用いられるが, 後者はよいこと, 悪いこといずれにも用いられる.

夢想家 dreamer [C], visionary [C].

むそう[2]　無双　― [形] (比べるもののない) matchless. ¶ 怪力*無双の大男 a big man with ⌜*superhuman* [*herculean; Herculean*] strength

むぞうさ　無造作　― [副] (深く考えず単純に) simply; (たやすく) easily; (何の困難もなく) without any difficulty; (すぐに) readily; (ぞんざいに) carelessly.　¶ 彼女は私の頼みを*無造作に引き受けてくれた She *readily* granted my request. // そんなに*無造作に賛成していいのですか Is it all right for you to give your consent so ⌜*easily* [*simply*]?

むそうむねん　無想無念　☞ むねん (無念無想)

むそじ　六十路　― [形] (60 代の) in *one's* sixties.

ムソルグスキー　― [名] [固] Modest Petrovich Mussorgsky /moudést pɪtróuvɪtʃ musɔ́əgski/, 1835–81. ★ ロシアの作曲家.

むだ　無駄　― [形] (役に立たない) useless, (of) no use [P], futile ★ 第 3 番目が一番格式ばった語; (むだ遣いの) wasteful.　― [名] (浪費) waste [U] ★ しばしば a を付けて.　― [副] uselessly; wastefully; (むなしく・無益に) in vain, vainly. ★ やや文語的. また,「無駄」ではじまる複合語は ☞ 見出し.

¶ それを買わせようと勧めてみても*むだです It's ⌜*useless* [*no use*] trying to persuade me to buy it. // 彼の努力も*むだになった (⇒ 実を結ばなかった) His efforts proved *fruitless.* // 私は*むだな努力をしたようだ I'm afraid I have ⌜tried *in vain* [made *futile* efforts]. // そんなのは時間の*むだだ It's just a *waste* of time.

むだ骨を折る　¶ 結局*むだ骨を折ってしまった (⇒ 時間と努力を浪費した) In the end, I *wasted my time and efforts.* / (⇒ 努力が実を結ばなかった) In the end, my *efforts didn't bear fruit.*

むだあし　無駄足　¶ 私は彼を訪ねたが*むだ足だった (⇒ 不在だった) I visited his home, but he was ⌜not at home [out].

むたい　無体　― [形] (道理に合わない) unreasonable; (非常識でばかげた) prepósterous; (ばかげた) absurd.《☞ むりむたい; むちゃ》.　¶ それはあまりにも*無体な言いようです What you say is totally *unreasonable.*

むだい[1]　無題　― [形] untitled, titleless.

むだい[2]　無代　― [形] free《☞ むりょう[1]》.　無代進呈　¶ これらの商品は*無代進呈可能ですか Can these goods *be sent free of charge*?

むたいさいばい　無袋栽培　fruit ⌜culture [raising] without ⌜bagging [covering] each fruit (for protection) [U].

むだがね　無駄金　(浪費された金) wasted money [U].　¶ 私は*むだ金 (⇒ 無駄にする金) は持っていない I have no *money to waste.* // *むだ金を使う (⇒ 金を浪費する) *waste money*

むだぐち　無駄口　(くだらないこと) nonsense [U] ★《英》ではしばしば a を付けて; (たわごと)《俗》bullshit [U].　¶ *むだ口をきくのはやめなさい Stop talking *nonsense.* ★ talk nonsense は成句.

むだげ　無駄毛　(*one's*) unwanted hair [U].

むだじに　無駄死に　― [動] die in vain.

¶ 大義のために死んだ人々は*むだ死にしたのではない People who died for the cause did not *die in vain.* // 彼は*むだ死にした His *death* was *meaningless.*

むだだま　無駄玉　wasted shot [C].

むだづかい　無駄遣い　¶ お金の*むだ遣いはやめなさい (⇒ 金を浪費するな) Don't *waste* your money.

むだばな　無駄花　(実を結ばない花) abortive flower [C]; (雄花) male flower [C].

むだばなし　無駄話　idle talk [C]; (ゴシップ) gossip [U].

むだぼね　無駄骨　☞ むだ (無駄骨を折る)

むだめし　無駄飯　¶ *むだ飯食い (⇒ 役立たず) a *good-for-nothing* / a *waster* ★ 口語的 // *むだ飯ばかり食っていないで働きなさい Work! Don't *idle away* your life. ★ idle away で怠けて時を費やす意味.

むだん　無断　― [副] (許可なしで) without ⌜permission [leave]; (断らずに) without asking; (届けなしで) without notice; (知らせずに) without knowledge (of ...).《☞ きょか[1] (類義語); むとどけ》.

¶ 彼らは親に*無断で来た They came *without the* ⌜*permission* [*knowledge*] of their parents. // *無断でこの部屋を使ってはいけない Don't use this room *without getting permission.*

無断欠勤　¶ きのう彼は会社を*無断欠勤した He ⌜*was absent* [*stayed away*] *from the office without* ⌜*leave* [*notice*] yesterday.　無断欠席 truancy [U]《☞ ずるやすみ; サボる》.　¶ 彼は昨日学校を*無断欠席した He *played truant* yesterday.　無断借用 ― [名] (物品の) unauthorized borrowing [U]. ― [動] (物品を) borrow ... without the owner's permission; (文章などを) plagiarize [他].《☞ ひょうせつ[1]》　無断侵入者 trespasser [C], illegal intruder [C]　無断立ち入り trespass [C].　¶ *無断立ち入り禁止《掲示》No *Trespassing*　無断利用　¶ これらのコンピューターは*無断利用できません You should not *use* these computers *without permission.*

むたんぽ　無担保　― [形] unsecured《☞ たんぽ[1]》.

¶ *無担保で金を貸す grant a loan *without security*　無担保ローン[貸付金] unsecured loan [C].

むち[1]　無知　― [形] (何も知らない) ignorant. ― [名] ignorance [U]; (知識の欠如) lack of knowledge [U].　¶ 私はそのことについては*無知だった I ⌜*was ignorant of* [*didn't know*] that. // 私はその分野での*無知を恥じています I'm ashamed of my ⌜*ignorance* [*lack of knowledge*] in the field.

無知の知 learned ignorance [U]　無知文盲 ignorance and illiteracy [U]　無知蒙昧 ☞ 見出し

―― コロケーション ――

あきれるほどの無知 appalling *ignorance* / 極度の無知 extreme *ignorance* / 嘆かわしい無知 lamentable [deplorable] *ignorance* / 恥ずべき無知 shameful *ignorance* / ひどい無知 gross [monumental] *ignorance* / まったくの無知 complete [utter] *ignorance*

むち² 鞭 whip Ⓒ; (先端のしなやかな部分) lash Ⓒ; (乗馬用の) riding crop Ⓒ; (懲罰用の)《英》cane Ⓒ ★ 古風な語. むち打ちによる懲罰の意味では the を付けて. (☞ むちうつ). ¶ あめと*むち carrot and *stick* (☞ あめ²) // あの学校の教師は愛の*むちという口実で子供をせっかんする (⇒ 教育を口実に打って罰する) The teachers at that school *beat* their children on the pretext of education.

むち³ 無恥 ── [形] shameless; (厚かましい) impudent. ¶ 厚顔*無恥な人 a ˹*shameless* [*brazen-faced*] person

むちうちしょう 鞭打ち症 (病名) whiplash Ⓤ; (具体的な症例) whiplash injury Ⓒ.

むちうつ 鞭打つ (むちで打つ) whip ⓗ, lash ⓗ; (むちで打つ・厳しく教え込む) flog ⓗ. (☞ むち²). ¶ 御者は馬を*むち打った The coachman ˹*whipped* [*flogged*] his horse. // 彼は老骨に*むち打って (⇒ 老齢にもかかわらず自らを駆り立てて) 働いた He *pushed himself to* work in spite of his age. [語法] push *oneself* to *do* … は「自らを駆り立てて…する」の意.

むちつじょ 無秩序 (混乱) disorder Ⓤ; (混沌) chaos /kéɪɑs/ Ⓤ ★ 後者のほうが意味が強い. (☞ こんらん). ¶ 暴動で都市は*無秩序の状態となった The city was thrown into complete ˹*chaos* [*disorder*] by the rioting.

コロケーション

完全な無秩序 complete [total] *chaos* / 社会的無秩序 social *chaos* / 政治的無秩序 political *chaos* / 前例のない無秩序 unprecedented *chaos* / 筆舌に尽くし難い無秩序 indescribable *chaos* / 全くの無秩序 utter *chaos*

むちもうまい 無知蒙昧 (啓蒙されてない) unenlightened; (未開の) uncivilized. ¶ *無知蒙昧の徒 *unenlightened* [*uncivilized*; *ignorant*] people

むちゃ 無茶 ── [形] (理屈に合わない) unreasonable; (不合理な) absurd; (愚かな) stupid; (向こう見ずで無謀な) reckless. ── [副] (度を越えて) excessively, too much. (☞ めちゃくちゃ; むり).
¶ 彼の主張は*むちゃだ His claim is ˹*unreasonable* [*absurd*]. // そんな*むちゃ (⇒ ばかなこと) は言うな Don't talk such *nonsense*. // こんなあらしの日に外出するとは彼も*むちゃだ It is ˹*stupid* [*reckless*] of him to go out on such a stormy day. // 近ごろは*むちゃな運転をする人が多い There are a lot of *reckless* drivers these days.

むちゃくちゃ 無茶苦茶 ¶ きみの言うことは*むちゃくちゃだ (⇒ 非現実的だ) What you say is totally *unrealistic*. // けさは電車が*むちゃくちゃに (⇒ ものすごく) 混んだ The train was *awfully* crowded this morning. (☞ めちゃくちゃ; 擬声・擬態語 (囲み))

むちゃくりくひこう 無着陸飛行 ── [名] nonstop flight Ⓒ. ── [動] fly nonstop.

むちゅう 夢中 ── [動] (むちゃくちゃに好きである) be ˹crazy [mad] about … ★ 口語的; (…に熱中する) be ˹absorbed [engrossed] in … ★ absorbed は多少格式ばった語. engrossed はより格式ばった語. (☞ ねっちゅう; むがむちゅう).
¶ 妹はテニスに*夢中です My sister *is* ˹*crazy* [*mad*] *about* tennis. // 彼らはみんな話に*夢中だった They *were deep in* conversation. // 私は*夢中で (⇒ 命からがら) 逃げた I ran *for my life*.

むちゅうしんごう 霧中信号 fog signal Ⓒ; (霧笛) foghorn Ⓒ; (霧鐘) fog bell Ⓒ.

むちょうおんがく 無調音楽 〘楽〙 atonal music Ⓤ (↔tonal music).

むちんじょうしゃ 無賃乗車 ── [動] (ただ乗りする) steal a ride, stów awáy ⓐ ★ 後者は「密航する」の意にもなる. (☞ ただのり).

むつ 鯥 〘魚〙 Japanese bluefish Ⓒ ★ bluefish は北米大西洋岸のむつ類の食用魚.

むつう 無痛 ── [形] painless. 無痛分娩 painless childbirth Ⓤ.

むつかしい 難しい ☞ むずかしい

むつき 睦月 (旧暦の一月) the first month of the lunar calendar; (現在の一月) January.

むつぎり 六つ切り ¶ *六つ切りの写真 an *eight-by-ten* (photograph)

ムック magazine book Ⓒ [日英比較] 「ムック」は和製英語.

むっくり (突然) suddenly (☞ とつぜん; 擬声・擬態語 (囲み)). ¶ 子供は*むっくり起き上がった The child ˹sat [got] up *suddenly*. [語法] sit up は上体を起こすこと. get up は起きて立ち上がること.

むつごと 睦言 sweet words of love, lovers' talk Ⓤ. ¶ *睦言を交わす whisper ˹*sweet* [*soft*] *nothings*

むつごろう 鯥五郎 〘魚〙 múdskipper Ⓒ, múdspringer Ⓒ.

ムッシュー monsieur /məsjə́ː/ Ⓒ (複 messieurs /meɪsjə́ːz/) ★ Mr. や Sir に当たるフランス語の敬称.

ムッソリーニ ── [名] ⓐ Benito Mussolini /beníːtoʊ mùːsəlíːni/, 1883–1945. ★ イタリアのファシスト政治家.

むっちり ── [形] (感じよく太った) plump; (赤ん坊などが太って愛らしい) chubby. (☞ ふとる (類義語); 擬声・擬態語 (囲み)).

むっつ 六つ ── [名] six. ── [形] (6つの) six; (6つ目の) the sixth. (☞ 数字 (囲み)).

むっつり ── [形] (不機嫌な) sullen, moody. ── [副] sullenly, moodily. (☞ ふきげん; むくち; 擬声・擬態語 (囲み)). ¶ 彼は*むっつり屋だ (⇒ 口数が少ない) He is a man of *few words*. // 老人は*むっつりとした表情で我々を見た The old man looked at us ˹*sullenly* [*moodily*].

むっつりすけべえ むっつり助兵衛 lewd man with grim (outward) looks Ⓒ.

むっと ── [動] (気分を害される) be offended ˹at [by; with] …; (怒る) get angry (with …); (暑さなどで息が詰まりそうになる) stifle ⓐ. ── [形] stifling; (むしむしする) stuffy. (☞ ふきげん; おこる¹; 擬声・擬態語 (囲み)). ¶ 彼は私の言葉を聞いて*むっとしたようだった He ˹looked [seemed to *be*] *offended* ˹*at* [*by*] what I said. // 満員の車内は*むっとしていた The crowded car was ˹*stifling* [*stuffy*].

むつまじい 睦まじい ── [形] (仲のよい) harmónious. ── [動] (仲よしである) be good friends with …, be on good terms with … ★ 前者のほうが口語的; (うまく折り合っていく) get on well with … (☞ なかよく). ¶ あの夫婦は実に仲*むつまじい That couple *gets on* very *well* together.

むつみあう 睦み合う (互いに親しくなる) be [grow] close /klóʊs/ to each other; (男女がねんごろな関係にある) be on intimate terms; (互いにほれ合っている) be in love with each other.

むつわり 六つ割り (六等分) division into six equal parts Ⓤ; (六分の一) sixth (part) Ⓒ; (四斗樽の六分の一が入る樽) cask holding a sixth of four-*to*-cask sake Ⓒ.

むていい 無定位 〘物理〙 ── [名] astaticism Ⓤ. ── [形] astatic.

むていけい[1] **無定形** ―[形] (はっきりした形のない) shapeless, formless; (組織・構造のない) amorphous. **無定形物質** amorphous substance [C].

むていけい[2] **無定型** ―[形] (定型のない) without ⌜fixed [regular] form; (自由な) free. 《☞ ていけい[2]》. ¶ *無定型詩 *free* verse / *blank* verse ★ 前者は固定した韻律に縛られない詩. 後者は韻のない詩.

むていけん **無定見** ―[形] (信条[確信]のない) having no ⌜principles [convictions] (of *one's* own), ùnprínciplèd ★ 後者のほうが格式ばった言い方; (考えが変わりやすい) 《格式》 incónstant; (決心などがぐらついている) wavering.
¶ 彼は*無定見な人物だ He is an *unprincipled* person. / He does*n't have any convictions of his own.* ∥ いつも*無定見では, だれもあなたを信じないだろう Nobody will trust you, if you're always ⌜*wavering* [*inconstant*].

むていこう **無抵抗** ―[形] (逆らわない) passive; (非暴力の) nonviolent. 《☞ ていこう[1]》. ¶ ガンジーは*無抵抗主義 (⇒ 暴力によらない抵抗の方針) を唱えた Gandhi advocated the principle of *passive resistance.*

むていとう **無抵当** ―[形] [副] with no mortgage 《☞ むたんぽ》.

むてかつりゅう **無手勝流** (戦わずに勝つ戦略) strategy for winning without fighting [C]; (自己流) *one's* own style (of fighting).

むてき[1] **無敵** ―[形] (負けることのない) 《格式》 invíncible; (比べるもののない) matchless. 《☞ むひ》. ¶ スペイン艦隊は*無敵艦隊と呼ばれた The Spanish fleet was called the *Invincible* Armada.

むてき[2] **霧笛** foghorn [C].

むてっぽう **無鉄砲** ―[形] (向こう見ずな) reckless; (無分別な) rash. 《☞ むこうみず》.

むでん **無電** (無線電信・電話) radio [U], 《主に英》 wireless [U]. 《☞ むせん[1]》.

むてんか **無添加** ―[形] additive-free. **無添加食品** additive-free foods ★ 通例複数形で.

むてんぽはんばい **無店舗販売** non-store retailing [U].

むとう **無糖** ―[形] sugarless, sugar-free; (甘味の加えてない) unsweetened.

むとうか **無灯火** ¶ *無灯火で自転車に乗るな Don't ride a bicycle *without a light*.

むとうせい **無統制** ―[形] (統制されていない) uncontrolled; (無秩序な) disorderly. ¶ *無統制な森林伐採 *uncontrolled* deforestation

むとうはそう **無党派層** independent [unaffiliated] voters ★ 複数形で.

むとうひょう **無投票** ¶ *無投票で議長に選ばれる be chosen chairperson *without voting*

むどき **無土器** **無土器時代** 〘考古〙 the Aceramic Age **無土器文化** culture in which no earthenware was ⌜used [available] [C]; (日本の) the culture of the pre-*Jomon* period.

むどく **無毒** ―[形] (無毒の) nònpóisonous, nòntóxic ★ 後者のほうがやや格式ばった語; (虫などが) innócuous; (害のない) harmless. 《☞ どく[1]》. ¶ *無毒の蛇 a ⌜*hármless* [*nónpòisonous*] snáke **無毒ガス** nontoxic gas [U] **無毒廃棄物** nonhazardous waste [C].

むとくてん **無得点** ―[形] scoreless. ―[動] (零敗させる) shút óut ㊀.
¶ 試合は両チーム*無得点に終わった The game ended *scoreless.* ∥ 我々のチームは敵を*無得点に抑えた Our team *shut out* the opposing team.

むとどけ **無届け** ―[副] without notifying; (許可なしで) without permission. 《☞ むだん》. ¶ 集会は警察に*無届けで開かれた The meeting was held *without notifying* the police.
無届け欠勤 absence without notice [U] **無届け欠席** ¶ 彼はきのう*無届け欠席した He *was absent from* school *without* ⌜*permission* [(*giving*) *notice*] yesterday. / (⇒ 授業をさぼった) He *cut classes* yesterday. ★ 第 2 文のほうが口語的.

むとんちゃく **無頓着** ―[形] (無関心の) indifferent (to ...); (気にかけない) ùnconcérned (about ...); (思い悩まない) be not bothered (about ...); (興味を示さず冷淡な) nonchalant /nɑ̀nʃəlɑ́ːnt/. ―[名] indifference [U]; nonchalance [U]. 《☞ むかんしん》. ¶ 彼女は服装に*無頓着だ She ⌜*is indifferent to* [*doesn't care about*; *is unconcerned about*; *isn't bothered about*] how she dresses.

むないた **胸板** (胸部) chest [C] 《☞ むね[1]》.
¶ *胸板の厚い男 a broad-*chested* man

むなぎ **棟木** ridgepole [C].

むなくそ **胸糞** ¶ そういう話を聞くと*胸くそが悪くなる (⇒ 嫌悪感が起こる) I'*m disgusted* ⌜*by* [*with*] that kind of story.

むなぐら **胸倉** ¶ 私は思わず彼の*胸倉 (⇒ 上着の両襟) をつかんで問い詰めた I instinctively ⌜seized [grabbed] him *by the* (*coat*) *lapels*, and pressed him for an answer.

むなぐるしい **胸苦しい** ―[動] feel tight in the chest. ¶ 夜半に*胸苦しく目が覚めた At midnight I woke up *feeling tight in the chest*.

むなげ **胸毛** chest hair [U] [参考] breast は普通女性の胸を指すので使えない. 《☞ むね[1]》.

むなさき **胸先** ¶ 社長の*胸先三寸ですべてのことが決まる (⇒ 勝手な判断を下す) Our boss makes *arbitrary* decisions.

むなさわぎ **胸騒ぎ** ―[動] (不安に感じる) feel ⌜uneasy [nervous]; ((悪い) 予感がする) have [feel] a ⌜preséntiment [foreboding] ★ 格式ばった言い方. 《☞ しんぱい[1]; よかん[1]》. ¶ どういうわけか*胸騒ぎがする I don't know why, but I *feel uneasy*.

むなざんよう **胸算用** ―[動] (心の中で計算する) calculate (...) in *one's* head; (計算して当てにする) reckon on ..., 《米》 figure on ... ―[名] mental calculation [U] ★「計算の結果」の意味では複数形で. 《☞ けいさん[1]; あんざん[1]; きたい[1]》.
¶ 私はすばやく*胸算用をしてみた I ⌜quickly *calculated* [made a quick *calculation*] *in my head.* ∥ 彼は少なくとも 1 千万円はもうかるものと*胸算用をした He *figured on* gaining at least ten million yen.

むなしい **空しい, 虚しい** ―[動] (むだになる) come to nothing; (効果がない) do not bear fruit. ―[形] (役に立たない) useless; (実を結ばない・効果のない) fruitless; (無益な) futile ★ 前 2 者より格式ばった語. ―[副] (漫然と) idly. 《☞ はかない; むだ》.
¶ 私の努力はすべて*むなしかった My efforts ⌜*came to nothing* [*did not bear fruit*]. / All my efforts were ⌜*useless* [*fruitless*; *futile*]. ∥ その人は何もすることがなく, *むなしく日々を送っていた (⇒ 漠然と過ごしていた) The man was ⌜spending his days *idly* [*idling* his time *away*; *wasting away* his day], having nothing to do.

むなしさ **空しさ, 虚しさ** (価値のないこと) vanity [U]; (空虚さ) emptiness [U]. 《☞ くうきょ》. ¶ 人間の欲望の*むなしさ the *vanity* of human desires

むなつきはっちょう **胸突き八丁** (登山道の) the steepest slope near the peak; (比喩的に) the most difficult part.

むなびれ **胸鰭** péctoral fin [C].

むなもと **胸元** (胸の前部) breast [C] ★ 特に女性の乳房の部分; (胸部) chest [C]; (みぞおち) the pit of the stomach. 《☞ むね[1] (類義語)》. ¶ 賊はピストルを私の*胸元に突き付けた The burglar pointed a revolver at my *chest*.

むに 無二 ¶ 太郎は私の*無二の (⇒ 最良の) 親友です Taro is my *best* friend.

ムニエル ― 形 (ムニエルの) meunière /mənjéə/ ★ è の ` は綴り本来のもの. ¶ 舌びらめの*ムニエル sole (à la) *meunière*

むにゃむにゃ ― 動 (口の中で不明瞭に言う) mumble 自 他 《☞ 擬声・擬態語 (囲み)》.

むにょう 無尿 〘医〙(無尿(症)) anuria /ən(j)ú(ə)riə/ U.

むにんか 無認可 ― 形 unapproved, unauthorized. **無認可機器** unapproved [unlicensed] equipment U **無認可添加物** unapproved additive C **無認可保育所** unauthorized [unaccredited] ⌈nursery [daycare center] C.

むにんしょだいじん 無任所大臣 minister (of state) without portfolio C.

むね¹ 胸 **1** 《胸部》: chest C; (女性の胸の前部) breast C; (女性の) bust C.

【類義語】肋骨に囲まれた部分で, 肺や心臓のある所が ***chest***. 女性の場合はその前の部分が ***breast*** で, しばしば乳房を意味する. 女性の胸, 洋服の寸法などでのバストが ***bust***. 男性は *bust* ではなく *chest* という. 《☞ からだ (挿絵)》

¶ *胸の X 線写真を撮った I've had a *chest* X-ray (photo) taken. // 《医者が》*胸を拝見しましょう Let me have a look at your *chest*. // 《女性が》*胸が大きい have ⌈well-developed [big; large] *breasts* / be full-*breasted*

2 《心臓》: heart C 《☞ しんぞう¹》. ¶ 興奮して*胸がどきどきしている My *heart* is beating ⌈fast [rapidly] with excitement.

3 《心》: (特に感情面の) heart C; (理性面の) mind U. 《☞ こころ》.

¶ 私はその事実をずっと*胸に秘めていた I've kept the fact *to myself*. // 私は*胸がいっぱいになって (⇒ とても感動して) 思わず泣き出しそうになった I was so *touched* that I almost cried. // あなたにこのことを話して*胸がすっとした (⇒ あなたにこのことを話すことは私の胸から重荷を取り除いてくれた) Telling this to you is a ⌈load [weight] off my *mind*. // 私は彼女の話を聞いて*胸が痛んだ (⇒ 彼女に同情した) I *felt sorry for* her when I heard her story. // *胸が張り裂けるような思いのする話だった It was a ⌈*heartbreaking* [*heartrending*] story. // 私の*胸を悩ます問題 a problem that *worries* me // 彼女は私に*胸のうちを語った She confided to me ⌈*what she was thinking* [*her secret*].

胸が熱くなる ¶ オリンピックでの日本人選手の活躍を見て*胸が熱くなった Watching the Japanese athletes participating actively in the Olympic Games, I *was filled with deep emotion*. **胸が躍る** ¶ 私たちはチームの勝利に*胸が躍った We *were* all ⌈*thrilled* [*excited*] *at* our team's win. **胸が騒ぐ** have [feel] a ⌈presentiment [foreboding] 《☞ むなさわぎ》. **胸がすく** feel relieved. **胸がつかえる** ¶ 最近*胸がつかえて食べ物がうまく呑み込めない Nowadays I cannot swallow well because *food gets stuck in the gullet*. // 彼はその子の将来を考えると*胸がつかえる思いだった (⇒ 心配な気持ちに圧倒されていた) When he thought of the child's future, he *was overcome with apprehensions*. **胸がつぶれる** ¶ その衝撃的な報道に*胸がつぶれる思いでした (⇒ 報道が私の心を苦しめた) The shocking news ⌈*broke* [*wrung*] *my heart*. **胸がつまる** ¶ 彼は 10 年ぶりに両親に会うと*胸がつまった He *had a lump in his throat* when he met his parents for the first time in ten years. **胸がとどろく** feel *one's* heart ⌈beating [thumping]. **胸が煮える** (大きな怒りを感じる) feel ⌈strong [great] indignation; (怒りで心が煮えたぎる) boil [seethe] with anger. **胸がはずむ** ¶ 少女は喜びに*胸がはずんだ The little girl's *heart leaped* with joy. **胸が晴れる** feel relieved. **胸が塞がる** be choked (up) with sorrow. **胸が焼ける** ☞ むねやけ **胸が悪くなる** ¶ その話を聞いて*胸が悪くなった The story *made* me *sick*. **胸三寸に納める** ☞ むねさんずん **胸算用** ☞ むなざんよう **胸に当たる** (思い当たる) call [bring] ... to mind; (痛感する) come home to *a person* ★ 思い当たる事物が主語. **胸に余る** ¶ 彼女は*胸に余る不安を抱えていた She *was overwhelmed by* anxiety. **胸に一物ある** be plotting. **胸に描く** (想像する) imagine 他. ¶ あなたは私が*胸に描いていた通りの人だ You are ⌈just [exactly] as I *have imagined*. **胸に納める** (人に話さないでおく) keep ... to *oneself*. ¶ 彼女は彼に対する思いを*胸に納めておいた She *kept* her affection for him *to herself*. **胸に落ちる** ¶ 教授の話はすっと学生たちの*胸に落ちた (⇒ 学生は教授の意図するところを理解した) The students readily *understood* the professor's intentions. **胸に聞く** ¶ 叱られた理由は自分の*胸に聞いてみなさい *Ask yourself* why you got scolded. **胸に刻む** keep ... ⌈firmly [indelibly] in *one's* mind. **胸にこたえる** ¶ 彼女の最後のひと言が*胸にこたえた Her last word *hit home to* me. **胸に迫る** ― 形 moving, touching. **胸に畳む** ☞ 胸に納める **胸に手を置く** ¶ これから何をしたらよいか*胸に手を置いて (⇒ よく) 考えてみなさい You should *think seriously* about what to do in the future. **胸のつかえがおりる** ¶ 彼女が私に許しを求めて来た時, *胸のつかえがおりた The *ill feeling was dispelled* when she came to ask for my pardon. **胸焼け** ☞ 見出し **胸をあずける** ¶ 彼女は恋人に*胸をあずけた (⇒ もたれかかった) She *leaned on* her boyfriend. **胸を痛める** ¶ 両親は子供たちの素行に*胸を痛めている (⇒ とても心配している) The parents *are very worried about* their children's behavior. **胸を打つ** (感動させる) touch 他, move 他. ¶ 聴衆は彼女の言葉に非常に*胸を打たれた The audience *were* greatly ⌈*touched* [*moved*] by her words. **胸を躍らせる** ¶ 世界中の人々が世紀の大発見に*胸を躍らせた (⇒ 興奮した) People all over the world *got excited* ⌈over [about] the greatest discovery of the century. **胸を貸す** ¶ 横綱は若い力士に*胸を貸した (⇒ けいこをつけた) The *yokozuna* ⌈*trained* [*drilled*] young wrestlers. **胸を借りる** train *oneself* by wrestling with a senior wrestler. **胸を焦がす** ¶ 彼女は彼への思いに*胸を焦がしている She *is* ⌈*madly* [*head over heels*] *in love with* him. // 日本アルプスは多くの日本人が*胸を焦がす (⇒ 登りたいと思う) 名山だ The Japan Alps are famous mountains many Japanese *long* to climb. **胸をさする** (怒りを抑える) keep down [control; swallow] *one's* anger; (ほっとする) be [feel] relieved. **胸を叩く** ¶「大船に乗った気分でいろ」と, その男は*胸を叩いて (⇒ 自信たっぷりに) 言った The man said *with an air of confidence* that I could rely on him. **胸を突く** (衝撃を与える) shock 他; (驚かせる) surprise 他. **胸をなで下ろす** (ほっとする) be relieved. ¶ 彼女は息子が無事だと聞いて*胸をなで下ろした She *was relieved* to hear of her son's safety. **胸をはずませる** ☞ 胸を躍らせる **胸を張る** throw [stick] *one's* chest out. ¶ *胸を張って (⇒ 堂々と) proudly / (⇒ 自信をもって) with ⌈confidence [assurance] / (⇒ 恥じる所なく) with a clear conscience // *胸を張りなさい (⇒ あごを上げなさい) Keep your chin up. ★ 人を元気づける時の言

葉. 胸をふくらませる ¶私たちは期待に*胸をふくらませて旅立った We set out on our journey *full of* hope. 胸を割る ¶*胸を割って話す *open* [*pour out*] *one's heart* to ... / have a *frank* talk with ... (☞きょうきん[1])

むね[2] 旨 ¶父から来月訪ねて来る*旨の手紙が来た (⇒訪ねて来ると私に書いてよこした) Father wrote (to) me that he was coming to see me next month. // その*旨, 至急彼に電報で知らせよう I'll send him a telegram *to that effect* immediately. ★ to that effect で「その趣旨の」, to the effect that ... で「...という趣旨の」という意味. (☞しゅし[1]) 旨とする make it a principle (to *do* ...).

むね[3] 棟 (屋根の棟) ridge Ⓒ (☞-けん[1]; べつむね; ひとむね; とう[10]).

むねあげ 棟上げ (棟上げ式) framework-raising ceremony Ⓒ 日英比較 欧米にはこの習慣はない.

むねあて 胸当て (野球の防具) chest protector Ⓒ; (よだれ掛け) bib Ⓒ; (よろいの) breastplate Ⓒ.

むねさんずん 胸三寸 *one's* ⌈mind [heart]. ¶*胸三寸に納める (⇒気持ちを抑える) contain *oneself* / keep *one's* ⌈*feelings* [*thoughts*] to *oneself*

むねつづき 棟続き (2戸の) duplex Ⓒ, town house Ⓒ, 《英》 semi-detached (house) Ⓒ; (3戸以上の) row house Ⓒ, 《英》 a terrace(d) house Ⓒ. ¶会場とホテルは*棟続きだ (⇒一つ屋根の下にある) The meeting hall and the hotel are *under one roof*.

むねはば 胸幅 the breadth of *one's* chest. ¶彼は*胸幅が広い[狭い] He has a ⌈broad [narrow] *chest*.

むねまわり 胸回り ☞きょうい[3]

むねやけ 胸焼け ― 名 héartbùrn Ⓤ. ― 動 have heartburn, give *a person* heartburn ★後者は食品が主語. ¶さつまいもを食べると*胸やけがする Sweet potatoes *give me heartburn*.

むねわりながや 棟割り長屋 (安アパート) ténement (hòuse) Ⓒ.

むねん 無念 (残念) regret Ⓤ; (悔しい思い) frustration Ⓤ. (☞ざんねん; くやしい).
¶彼は自分の失敗を*無念に思った He felt deep *regret* over his failure. // *無念の涙を流す shed tears of *regret* 無念無想 ¶座禅では*無念無想でなければ (⇒世俗的な考えから自由にならなくては) ならない When you sit in meditation, you should *free your mind of worldly thoughts*.

むのう 無能 ― 形 incómpetent; (...できない・資格がない) incapable; (まったく役に立たない) good-for-nothing Ⓐ. ― 名 incompetence Ⓤ; (能力の欠如) lack of ability Ⓤ.

むのうやく 無農薬 ― 形 pesticide [chemical]-free. 無農薬栽培 ¶うちの野菜は*無農薬栽培です We do*n't use* ⌈*chemicals* [*insecticide*] on vegetables. 無農薬農業 pesticide [chemical]-free farming Ⓤ 無農薬野菜 pesticide [chemical]-free vegetables, vegetables grown without ⌈pesticide [chemicals; insecticide]; (有機栽培による野菜) organic vegetables ★通例複数形で.

むのうりょく 無能力 ― 形 incómpetent. 無能力者 incompetent (person) Ⓒ; (法律上の) person without legal capacity Ⓒ.

むはい 無敗 ― 形 (不敗の) undefeated. ¶5勝*無敗 five wins and *no losses*

むはいかぶ 無配株 ☞むはいとう (無配当株)

むはいとう 無配当 ― 形 non-dividend paying. 無配当株 non-dividend payer Ⓒ.

むはばつ 無派閥 ― 形 not belonging to any ⌈faction [intraparty group]. ¶*無派閥の自民党議員はほとんどいない There are very few LDP Diet members who have *no faction affiliation*.

むひ 無比 ― 形 (比較できない・比べるもののない) incómparable; (匹敵するものがない) ùnéqualed; (並ぶもののない) 《格式》 ùnpárallèled. ¶彼らの科学における偉業は*無比である Their scientific achievements are *unparalleled*.

むひはん 無批判 ― 形 (無批判の) uncritical; (疑問を持たない) unquestioning. ― 副 uncritically; unquestioningly; (盲目的に) blindly. (☞ひはん). ¶彼らは*無批判に指導者に従った They followed their leader ⌈*uncritically* [*unquestioningly*; *blindly*].

むびゅう 無謬 ― 形 free ⌈of [from] ⌈mistakes [errors]; (確実な) infállible; (完全な) flawless.

むひょう[1] 霧氷 〔気象〕 rime Ⓤ; (白霜) white frost Ⓤ. (☞しも[1]).

むひょう[2] 無標 〔言〕 ― 形 unmarked (↔ marked). ― 名 unmarkedness Ⓤ. ¶*無標の主題 an *unmarked* theme

むびょう 無病 ― 形 (健康な) healthy. ¶*無病息災である be in *good* ⌈*health* [*shape*]

むひょうじょう 無表情 ― 形 (表情のない・乏しい) expressionless (↔ expressive); (ぽかんとした) blank, vacant. ¶彼はいつも*無表情だ (⇒決して感情を表さない) He *never expresses his feelings*. // *無表情な顔 an *expressionless* face

むびるい 無尾類 〔動〕 ― 名 Salientia /sèɪliénʃ(i)ə/, salientian Ⓒ ★前者は総称で複数形; Anura /ən(j)ú(ə)rə/, anuran Ⓒ ★前者は総称で複数形. ― 形 salientian, anuran.

むふう 無風 ― 形 (風のない) windless; (静かな) calm. ― 名 (無風状態) calm Ⓤ. (☞かぜ[1]). ¶その朝はよく晴れて*無風だった It was fair and *calm* that morning. // そのニュースは政界の*無風状態に大波瀾を起こした The news created great turmoil in *the* (*dead*) *calm* of the political world. 無風快晴 calm and ⌈clear [fair] weather Ⓤ 無風帯 the calm ⌈belt [latitudes] 無風地帯 (選挙での) safe (electoral) ⌈district [seat] Ⓒ (☞むとうひょう).

むふんべつ 無分別 ― 形 (考えのない) thoughtless; (軽率な) indiscreet. ― 名 thoughtlessness Ⓤ; indiscretion /ìndɪskréʃən/ Ⓤ. (☞けいそつ; ふんべつ). ¶そんなことをするなんてあなたも*無分別だ It was *thoughtless* of you to do so. // 彼は*無分別にも, 友達に話してしまった He was *indiscreet* enough to tell one of his friends. // *無分別にもほどがある (⇒なぜ君はそのようにばかになれるのか) How can you be so *foolish*?

むべなるかな 宜なるかな That was very well said.

むへんか 無変化 ― 形 (変化のない) changeless; (変化しない) unchanging; (変化していない) unchanged. ¶"sheep"は*無変化の複数形を持つ "Sheep" has an *unchanged* plural.

むほう 無法 ― 形 (法律のない) lawless; (非合法的) unlawful; (非常に乱暴な) òutrágeous; (法外な) unreasonable. ― 名 (不正義) injustice Ⓤ. (☞ほうがい). ¶そんな*無法を許すことはできない We cannot overlook such *injustice*.
無法行為 (乱暴な) outrageous act Ⓒ; (法を無視した) lawless [unlawful; illegal] act Ⓒ 無法地帯 lawless zone Ⓒ 無法者 (ならず者) óutlàw Ⓒ; (暴れ者) hooligan Ⓒ 無法者国家 rogue ⌈state [nation] Ⓒ.

むぼう[1] 無謀 ― 形 (むちゃな) foolhardy; (向こう見ずな) reckless; (浅はかな) thoughtless. (☞むこうみず; むちゃ). ¶*無謀運転 *reckless* driving

むぼう² 無帽 ━ 形 (帽子をかぶらない) hatless, bareheaded 語法 前者は特に, 帽子をかぶるべきときにかぶっていないという場合に用いられることが多い.

むほうしゅう 無報酬 ━ 形 (無給の) unpáid. ━ 副 (報酬なしで) without pay; (ただで) for nothing ★ 後者のほうがより口語的. (☞ むきゅう¹; ほうしゅう). ¶ 私は見習いの期間*無報酬で働かなければならなかった While I was an apprentice I had to work ⌈*without pay* [*for nothing*].

むぼうび 無防備 ━ 形 (人や都市が) defenseless (《英》 defenceless); (都市などが) unfortified. **無防備都市** open city Ⓒ.

むほん 謀反 (国家などに対する反逆) treason Ⓤ; (反乱) rebéllion Ⓒ ★ 失敗した反乱に用いることが多い; (小規模な反乱) revolt Ⓒ. (☞ はんらん¹). ¶ *謀反を企てる plot *treason* **謀反人** (裏切り者) traitor Ⓒ; (反抗者) rebel Ⓒ.

むま 夢魔 nightmare Ⓒ.

むみ 無味 ━ 形 (味のない・味のよくない) tasteless (↔ tasteful). ¶ この防腐剤は*無味無臭です This preservative does*n't have any taste* or odor.
無味乾燥 ¶ 彼の話はいつも*無味乾燥だ (⇒ 退屈でおもしろくない) What he says is always *dull and* ⌈*uninteresting* [*prosaic*].

むむ ━ 感 (あいづち・同意などで) mm /mː/; (ためらって) um /ʌm/; (しくじって) uh-oh /ʌ̀oʊ/. ¶ 《ホテルなどで》*むむ! 鍵を部屋の中に置いてドアを閉めちゃった *Uh-oh*, I've locked myself out. // *むむ, 君の言ってることは正しいようだな *Um*, yeah, perhaps you're right.

むめい¹ 無名 ━ 形 (世に知られず人目につかない) obscure; (知られていない) unknown. ━ 名 (無名の人) unknown Ⓒ. ¶ *無名の作家 an *obscure* writer // *無名戦士の墓 the Tomb of the *Unknown* Soldier

むめい² 無銘 ━ 形 (銘のない) unsigned.

むめんきょ 無免許 ━ 形 unlicensed (☞ もぐり). ¶ 彼は*無免許運転で (⇒ 免許なしで運転して) 警察につかまった He was caught by the police for driving *without a license*.

むもう 無毛 ━ 形 hairless. **無毛症** 〖医〗 atrichia /eɪtríkiə/ Ⓤ, atrichosis /ètrəkóʊsɪs/ Ⓤ.

むもくてき 無目的 ━ 名 purposelessness Ⓤ, aimlessness Ⓤ. ━ 形 purposeless, aimless. ¶ *無目的で無責任な青年 an *aimless* and irresponsible young man // *無目的に生きる live *without any* ⌈*specific* [*particular*] *purpose*

むやく 無役 ━ 形 in a position of no responsibility.

むやみに 無闇に 1 《向こう見ずに・むちゃに》: (無謀に) recklessly; (過度に) too much, excessively ★ 前者は平易な日常語. (☞ やたら; いたずらに). ¶ 若い運転者たちは*むやみにスピードを出したがる Young people tend to drive at an *excessive* speed. // *むやみに薬ばかり飲むのはかえって健康によくない *Too much* [*Excessive*] medicine is not good for one's health in the long run.
2 《区別なしに》: indiscríminately.

むやみやたら 無闇矢鱈 ━ 副 rashly and thoughtlessly (☞ むやみに).

むやむや ☞ もやもや

むゆうびょう 夢遊病 sleepwalking Ⓤ, 〖医〗 somnambulism /sɑmnǽmbjulìzm/ Ⓤ. **夢遊病者** sleepwalker Ⓒ, somnambulist Ⓒ.

むよう 無用 1 《不必要の》 ━ 形 unnecessary, needless; (役に立たない) useless. (☞ ふよう¹·²; ふひつよう). ¶ 私のことなら心配*無用です (⇒ 君は心配する必要はない) You *don't need* to worry about me. // *無用の品は持ち込まないこと Don't bring in *unnecessary* things.
2 《禁止》 ¶ 通り抜け*無用 《掲示》 *No* Thoroughfare // 天地*無用 (⇒ この面を上に) 《掲示》 This Side Up // 他言は*無用だ (⇒ だれにも言うな) *Don't* tell (this to) anybody.
無用の長物 ¶ これは*無用の長物だ (⇒ 何の役にも立たない) This is *useless*. / (⇒ 白い象だ) This is a *white elephant*. 参考 昔シャムで白象は飼うのに非常に金がかかったので王が気に入らない臣下に与えて嫌がらせをした故事より.
無用の用をなす do an important thing which seems to be unnecessary at first glance.

むよく 無欲 ━ 形 (利己的でない) unselfish; (無関心の) indifferent. (☞ よく²).

むら¹ ━ 形 (一様でない) uneven; (形が不ぞろい) irregular. ¶ 塀にはペンキが*むらなく (⇒ 均一に) 塗ってある The fence is painted ⌈*evenly* [*uniformly*]. // 彼女の仕事には*むらがある (⇒ 一定していない) Her work is *erratic*. // 彼はどうも気持ちに*むらがある (⇒ 気まぐれだ) He is somewhat ⌈*capricious* [*whimsical*].

むら² 村 village Ⓒ (☞ のうそん). ¶ 鹿島郡柿木*村 Kakinoki *Village* in ⌈Kashima-gun [the Kashima district] **村興し** village revitalization Ⓤ **村興し計画** village revitalization project Ⓒ **村社会** (小さな) (village-like) ⌈small [insular] community Ⓒ; (閉鎖的な) exclusive [closed] society Ⓒ **村はずれ** the outskirts of a village **村八分** ¶ 彼は*村八分にあった He *was ostracized*. (☞ のけもの) **村人** villager Ⓒ **村祭り** village festival Ⓒ **村役人** 〖史〗 village official (in the Edo period) Ⓒ **村役場** village office Ⓒ; (自治体としての) village government Ⓤ.

> **コロケーション**
> ★「そん」と発音するものも含む
> **活気のない村** a sleepy *village* / **のどかな村** a ⌈quiet [tranquil; serene] *village* / **廃村** a deserted *village* / **人里離れた村** a ⌈remote [secluded] *village* / **平和な村** a peaceful *village* / **貧しい村** a poor *village*

むらかみすいぐん 村上水軍 〖史〗 (説明的に) the pirate-like naval forces led by the Murakami clan of the Setouchi region in the 14th–16th centuries.

むらがる 群がる (所狭しと) crowd ⓐ ⓣ; (押し合いへし合いの状態で) throng ⓐ ⓣ; (人・獣・鳥などが) flock together ⓐ; (獣などが) herd together ⓐ; (虫などが) swarm ⓐ ⓣ. (☞ うようよ; あつまる (類義語); さっとう). ¶ 人々は広場に*群がっていた People ⌈*crowded* [*thronged*] the plaza.

むらぎ むら気 ━ 名 caprice /kəpríːs/ Ⓒ, whim Ⓒ ★ 後者は特に風変わりな気の移りをいう. ━ 形 caprícious, whimsical. (☞ きまぐれ (類義語)).

むらくも 叢雲 gathering clouds ★ 複数形で. ¶ 月に*むら雲, 花に風 (⇒ 世の中に確かなことはない) Nothing is certain in this world.

むらさき¹ 紫 ━ 名 purple Ⓤ; violet Ⓤ 語法 前者は赤の色彩が強い. 後者はより青みがかった紫. ¶ 濃い*紫 deep [dark] *purple* // 薄い*紫 light *purple* // 寒くて唇が*紫色に (⇒ 青く) なった My lips turned *blue* because of the cold.

むらさき² 紫 〖植〗 gromwell Ⓒ.

むらさきいがい 紫貽貝 〖貝〗 mussel Ⓒ.

むらさきいろ 紫色 ☞ むらさき¹

むらさきうに 紫雲丹 〖動〗 purple sea urchin Ⓒ.

むらさきおもと 紫万年青 〖植〗 oyster plant Ⓒ, boat lily Ⓒ, man [Moses]-in-a-boat Ⓒ.

むらさきキャベツ　紫キャベツ　red cabbage Ⓒ.
むらさきしきぶ[1]　紫式部　―名 固 Murasaki Shikibu; (説明的には) a court lady in the Heian period and the author of *The Tale of Genji.*
むらさきしきぶ[2]　紫式部　〔植〕Japanese beauty-berry Ⓒ.
むらさきしきぶにっき　紫式部日記　―名 固 *The Murasaki Shikibu Diary*; (説明的には) a diary written by Murasaki Shikibu, the author of *The Tale of Genji.*
むらさきずいしょう　紫水晶　ámethyst Ⓤ.
むらさきつゆくさ　紫露草　〔植〕spiderwort Ⓒ.
むらざと　村里　remote village Ⓒ ⦅☞ むら[3]⦆.
むらさめ　村雨　(にわか雨) shower Ⓒ; (一時的な雨) passing ｢rain [shower] Ⓒ.
むらしぐれ　村時雨　☞ むらさめ
むらす　蒸らす　(米を) allow cooked rice to settle by its own heat ⦅☞ 料理の用語 (囲み)⦆.
むらすずめ　群雀　(雀の群れ) flock of sparrows Ⓒ.
むらぞめ　むら染め　uneven dyeing Ⓤ.
むらはずれ　村外れ　☞ むら[2] (村はずれ)
むらはちぶ　村八分　☞ むら[2] (村八分)
むらむらと　¶怒りが*むらむらと (⇒ 突然) こみ上げてきた I was *suddenly* filled with anger. ⦅☞ 擬声・擬態語 (囲み)⦆
むらやけ　むら焼け　¶*むら焼けした肌 (an) *unevenly* ｢*sunburned* [*tanned*] skin
むり　無理　―形 (不可能な) impossible; (道理に合わない) unreasonable; (不当な) unjust. ⦅☞ ふかのう; むちゃ⦆.
¶こんな重い物を持ち上げるのは*無理だ It's *impossible* to lift such a heavy thing. // あなたが腹を立てるのも*無理はない (⇒ 当然だ) It's *natural* that you should feel angry. / I don't blame you for getting ｢angry [mad]. // あまり*無理をして働くな (⇒ 働き過ぎるな) Don't work *too hard.* // これは*無理なお願いでしょうか (⇒ 私はあまり多くのことを求めすぎますか) Am I asking *too much*? // 彼女は*無理がたたって (⇒ 働きすぎで) 病気になった She ｢got sick [fell ill] from *overwork*.
無理が通れば道理がひっこむ Where might is master, justice is servant. ⦅ことわざ⦆
無理押し ☞ ごりおし　無理関数 irrational function Ⓒ　無理算段 ☞ 見出し　無理強い ☞ 見出し　無理式 irrational expression Ⓒ　無理心中 ¶彼は別れた妻と*無理心中した (⇒ 力ずくで道連れにして死んだ) He ｢*forced* his ex-wife *to die with him*　[(⇒ 相手を殺して(その場で)自殺した) *murdered* his ex-wife *and killed himself* (*on the spot*)]. ⦅☞ しんじゅう⦆　無理数 ☞ 見出し　無理難題 ¶彼は*無理難題を押しつけて(⇒ 法外な要求をして)きた He made *unreasonable* demands.　無理方程式 irrational equation Ⓒ　無理無体 ☞ 見出し
むりかい　無理解　―名 lack of understanding Ⓤ.　―形 (思いやりのない) inconsiderate.　¶子供に*無理解な父親 a father *inconsiderate* of his children
むりからぬ　無理からぬ　☞ もっとも[1]
むりさんだん　無理算段　―動 scrape together ⑯; strain *one's* credit to raise ... ★ いずれも無理算段をする金額などが目的語となる.
むりし　無利子　☞ むりそく
むりじい　無理強い　(無理に…させる) force [compel] *a person* to *do* ... ★ 前者のほうが一般的で意味も強い. ⦅☞ しいる[1]; きょうせい[1] (類義語)⦆.
むりすう　無理数　〔数〕irrational number Ⓒ (↔ rational number).
むりそく　無利息　―副 (利息なしで) without interest ⦅☞ りそく⦆.　¶*無利息でローンを借りる get a loan *without interest* // この預金は*無利息です This deposit *doesn't yield interest*.
むりむたい　無理無体　―形 most unreasonable ⦅☞ むちゃ; むり; むたい⦆.
むりやり　無理矢理　(力ずくで) forcibly, by force. ⦅☞ ちからずく; いやおうなしに⦆.
むりょ　無慮　―副 (概略) approximately; (約) about. ⦅☞ やく[3] (類義語); だいたい[1]⦆.
むりょう[1]　無料　―形 free (of charge) ★ 名詞の前で用いる時は free のみ.　―副 free (of charge), for nothing ★ 後者のほうがより口語的. ⦅☞ ただ[2]⦆.
¶このパンフレットは*無料です This pamphlet is *free* (*of charge*). // *無料切符 [入場券] a *free* ｢ticket [pass] // 入場*無料 ⦅掲示⦆ Admission *Free*
無料サービス free [gratuitous] service Ⓒ.　¶日曜日の朝にはお茶が*無料サービスされます Tea *is served free* (*of charge*) on Sunday morning. ⦅☞ しんてい[1] 用例⦆　無料配達 free delivery Ⓤ　無料奉仕 (自発的な仕事) volunteer work Ⓤ.
むりょう[2]　無量　―形 inestimable, immeasurable, beyond measure.　¶感*無量だ My heart is too full for words. ⦅☞ かんがい[1]⦆
むりょく　無力　―形 powerless (↔ powerful); impotent; helpless.
【類義語】ほかの力が強いため自分が非力なのは **powerless**. 自分自身に力がないため無力なのは ***impotent***. 自分でどうすることもできず, お手上げの状態が ***helpless***.　¶私はまったく*無力で, あなたの力になれそうもない I am completely *powerless* so I'm afraid I can't be of any help to you.　無力感 feeling of ｢helplessness [inadequacy] Ⓒ.
むりんせんざい　無燐洗剤　phosphate-free [nonphosphorous] detergent Ⓒ.
むるい　無類　―形 (比べるものがない) incómparable; (匹敵するものがない) ùnéqualed. ⦅☞ むひ; ひるいない⦆.
ムルロアかんしょう　ムルロア環礁　―名 固 the Mururoa /mù(ə)rəróʊə/ átoll ★ フランス領ポリネシアの環礁. 核実験場となっていた.
むれ　群れ　(グループ) group Ⓒ; (群衆) crowd Ⓒ; (獣の群れ) herd Ⓒ; (鳥の) flock Ⓒ ★ group ともいう; (飛んでいる鳥の) flight Ⓒ; (虫の) swarm Ⓒ; (魚の) school Ⓒ. ⦅☞ むらがる; ぐんしゅう⦆.　¶最近渡り鳥の*群れがシベリアから来はじめた *Flocks* of migratory birds from Siberia began to reach here recently. // 人々は*群れを成してやってきた People came *in flocks*.　語法 flock は本来は動物の群れをいうが, 人にも使う.
むれすずめ　群雀　〔植〕Mongolian pea-shrub Ⓒ.
むれる[1]　群れる　☞ むらがる
むれる[2]　蒸れる　**1** «蒸気が通り食べられるようになる»: be steamed (properly) ⦅☞ むす⦆.
2 «蒸し暑い»: be ｢humid [close] ⦅☞ むす⦆.
¶きょうは暑くて*蒸れる It is hot and ｢*humid* [*close*] today. // ナイロンの靴下は足が*蒸れる (⇒ 足に汗をかかせる) Nylon socks make your feet *sweaty*.
むろ　室　(地下の) cellar Ⓒ; (温室) greenhouse Ⓒ, hothouse Ⓒ.　¶氷*室 an ice*house*
むろあじ　室鯵　〔魚〕mackerel ｢scad [shad] Ⓒ.
むろざき　室咲き　―形 (室咲きの) hothouse ⦅☞ おんしつ[1]⦆.　¶*室咲きのバラ *hothouse* [*greenhouse*] roses
むろまち　室町　室町時代 the Muromachi ｢period /pí(ə)riəd/ [era /í(ə)rə/]　室町幕府 the Muromachi ｢government [regime /reɪʒíːm/].
むろん　無論　(もちろん) of course; (当然) natu-

rally; (言うまでもないが) it goes without saying ...

ムンク ―名 固 Edvard Munch /édvaəd múŋk/, 1863–1944. ★ ノルウェーの画家.

ムンバイ ―名 固 Mumbai /mʌ́mbàɪ/ ★ インド最大の都市. 旧称ボンベイ (Bòmbáy).

むんむん ―動 (蒸し暑い) be muggy; (人いきれで) be stuffy. 《☞ むす; 擬声・擬態語 (囲み)》. ¶ その小さな部屋は大勢の人で*むんむんしていた The small room *was stuffy* with many people in it.

む

め，メ

め[1] **目** **1** «器官として»: eye Ⓒ ★ 普通は両目を意味するので複数形で用いられることが多い; (眼球) eyeball Ⓒ.

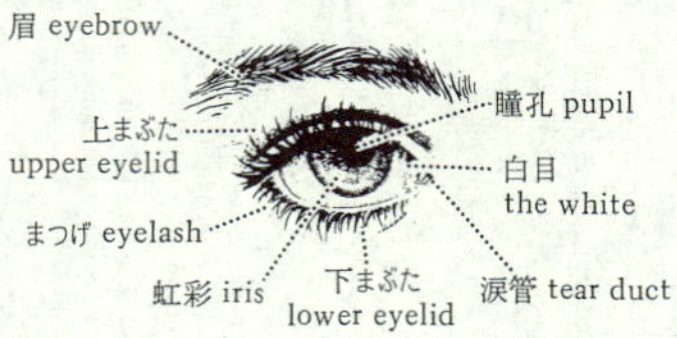

¶ 大きな[小さな]*目 large [small] *eyes* // 青い[黒い]*目 blue [dark] *eyes* 《☞ くろ》 // 彼女は右の*目が見えない She is blind in the right *eye.* // 彼女は*目が悪い (⇒ 目の病気を患っている) She has an *eye* disease. 《☞ 2》 // 水の中で*目を開けられますか Can you keep your *eyes* open under water? // 彼女は*目をつぶってベッドに横たわっていた I found her lying on the bed with her *eyes* ˹closed [shut]. // 彼女は*目の手術をした She had an operation on her *eye.* // 「*目にごみが入った」「*目をこすってはだめよ」"I've got a speck of dust in my *eye.*" "Don't rub your *eye.*"
2 «機能として»: (視力) eye Ⓒ ★「視線」の意味では通例複数形で; sight Ⓤ, eyesight Ⓤ. 《☞ しりょく[1]; しせん[1]; みる[1]》.
¶ *目がよくないとそれは見えない You need good *eyes* to see it. // 細かい字を見ると*目を悪くする Small print ruins your *eyes.* // 彼は*目が悪い His *eyesight* is ˹bad [weak]. / He has ˹poor [weak] *eyesight.* 《☞ 1》 // 私は*目が悪くなってきた My *sight* is beginning to fail (me). // 暗い所では*目が見えない We cannot *see* in the dark. // 彼は彼女と*目が合った His *eyes* met hers. // 彼は夜警の*目をごまかして (⇒ 出し抜いて) その工場に侵入した He *outwitted* the night watchmen and broke into the factory.
3 «目つき»: (目の表情) eyes ★ 複数形で; (顔の様子) look Ⓒ. 《☞ めつき》.
¶ 優しい*目 soft *eyes* // 怖い*目 (⇒ 脅迫的な) threatening [menacing] *look* // 彼の*目はきつい He has a sharp *look.* // 警察官は冷やかな*目で (⇒ 冷やかに) 私を見た The policeman *looked at* me coldly. // 先生は疑いの*目でその女の子を見た The teacher *looked at* the girl with ˹suspicion [suspicious *eyes*]. // 彼女は私にだめだと*目で知らせてくれた She *winked at* me that it was no good. // きびしい監視の*目のもとで under a watchful *gaze* // 好奇の*目で見る *look at* ... ˹with curiosity [curiously; inquisitively]
4 «見方・意見» ━名 (観点) point of view Ⓒ 《複 points of view》, viewpoint Ⓒ. ━副 (…の目から見れば) in the eyes of ..., in ...'s eyes. ¶ 日本人の*目から見た英国 Britain as ˹the Japanese *see* it [*seen* by the Japanese] // 親の*目から見るとどれも皆いい子です *In the eyes of* the parents, all children are good and precious. // 長い*目で見ると損はない It pays *in the long run.* ★ in the long run は「長期的に見て, 結局は」という慣用句. // 見た*目が悪い not ˹good-*looking* [attractive; beautiful] // さめた*目で with ˹a cool [an unemotional] *attitude* / (⇒ 公平な) with an unbiased *eye*
5 «判断力»: an eye ★ 通例単数形で; (判断) judgment Ⓤ. 《☞ はんだん》.
¶ 父の*目に狂いはなかった (⇒ 判断は正しかった) My father was right in his *judgment.* // 彼は人を見る*目がない (⇒ 人間性を正しく判断できる人ではない) He is not a good *judge* of human nature.
6 «(好ましくない) 経験・事態»: experience /ɪkspí(ə)riəns/ Ⓤ ★ 具体的には Ⓒ; (見込み) chance Ⓒ. 《☞ けいけん[1]; いたい[1] (痛い目)》.
¶ 外国でさんざんな*目にあいました I had some terrible *experiences* overseas. // ロンドンではお金がなくてひどい*目にあいました We were short of cash in London and had a hard *time* of it.
7 «縦横に交差した物の»: (織物の) texture Ⓤ; (縫い目・編み目) stitch Ⓒ; (網目) mesh Ⓒ; (碁盤の目) cross Ⓒ. 《☞ ぬいめ》.
¶ *目の粗いネット a coarse-*meshed* net // *目の詰んだ織物 a fabric of close *texture*
8 «木目»: grain Ⓤ 《☞ きめ[1]》.
9 «台風の中心»: eye (of the typhoon) Ⓒ.
10 «さいころの目»: spot Ⓒ, pip Ⓒ. 《☞ 目が出る (成句)》.
11 «のこぎり・くしの目»: teeth ★ 複数形で. ¶ のこぎりの*目 the *teeth* of a saw
目がきく (判断力がよい) be a good judge, have an eye for ... ¶ 猫は暗い所でも*目がきく (⇒ 見ることができる) Cats *can see* in the dark. // 彼は骨董(こっとう)品にはなかなか*目がきく He *has an eye for* antiques /æntí:ks/. 《☞ 5》 **目が曇る** ¶ 涙で*目が曇った (⇒ 涙が目を曇らせた) Tears ˹*blurred my vision* [*dimmed my eyes*]. // にせものをつかませられたんだって? あんたの*目も曇ったもんだな You had a fake passed off on you, did you? You're *losing your* (*connoisseur's*) *eye.* **目がくらむ** (光などで) be dazzled; (欲などで) be blinded. 《☞ くらむ》.
¶ *目がくらむような光 a *dazzling* light **目が肥える** ¶ 彼女は宝石について*目が肥えている She *has an eye for* jewels. **目が冴える** be wide-awake, be wakeful. **目が覚める** (眠りから) wáke (úp) ⓐ; (目を覚まされる) be awakened; (意識を取り戻す) come to *one's* senses. 《☞ めざめる》. ¶ 彼女は小鳥の声で*目が覚めた She *was awakened* by the singing of (the) birds. // 彼女は*目が覚めるような美人だ She is a *dazzling* beauty. // これで彼も*目が覚めるだろう This will *bring him to his senses.* ★ bring *a person* to *his* senses で「迷いを覚ます」の意. **目がすわる** ¶ 彼は*目がすわった His eyes *were* ˹*set* [*fixed*]. **目が高い** ━形 (洞察力のある) discerning; (鑑賞眼のある) appreciative; (観察力の鋭い) observant. ¶ 水彩画に対する彼らの*目は高い (⇒ どう鑑賞するかを知っている) They *know how to appreciate* watercolors. **目が近い** ☞ きんがん **目が出る** ¶ 《さいころで》偶数の*目が出たら僕の勝ちだ If ˹it comes up even [I roll evens], I win. 《☞ め[2] (芽が出る)》. **目が遠い** ☞ えんし **目が届く** (世話が行き届く) look after ... ★「人」を主語とする; (視線が届く (限り)) (as far as) the eye can see, (as far as) *one* can see. 《☞ みわたす》.

¶この組は大勢すぎて十分に*目が届かない This class is too large to *be looked after* well. // この薬は子供たちの*目の届かない所へ (⇒ 離れた所へ) 置いておきなさい Keep this medicine away from children. **目が飛び出る** ── [形] (とんでもない) exorbitant, outrageous. ¶*目が飛び出るような値段 an ⌈*exorbitant* [*outrageous*] price **目がとまる** (気が付く・見る) …'s eye fall ⌈on [upon] … ¶壁にかけてある小さな絵に彼の*目がとまった *His eye fell on* a small picture on the wall. **目がない** (たいへん好きである) be very fond of …, have a weakness for … 《☞ すき¹; こうぶつ¹》. ¶彼女はケーキには*目がない She *is very fond of* cake. ★ 最も一般的な言い方. / She *has a weakness for* cake. **目が離せない** ¶あのいたずらっ子たちには*目が離せません I ⌈*cannot take my eyes off* [*have to keep an eye on*] those naughty children. **目が早い** ¶あいつは*目が早い He's ⌈*quick-*[*sharp-*]*sighted.* **目が光る** ¶スピードを落とせよ, 警察の*目が光ってるから Slow down. The police *are keeping a* ⌈*close* [*sharp*] *eye* out for speeders. **目が回る** (めまいがする) feel giddy 《☞ めまい》. ¶私はいま*目が回るほど (⇒ 非常に) 忙しい I'm *terribly* busy now. **目が行き届く** ¶この計画は細部にいたるまで*目が行き届いている (⇒ 注意深く考えられている) Every detail of this plan *has been* ⌈*carefully* [*attentively*] *worked out*. **目から鱗が落ちる** The scales fall from *a person's* eye. ★ 文語的. 聖書「使徒行伝」に由来. ¶彼の教えに接して*目から鱗が落ちる (⇒ 突然真実に目覚めた) 気がした When I received his instructions I felt as if I *had* suddenly *been awakened to* the truth. **目から鼻へ抜けるような** (非常に利口な) very clever 《☞ かしこい (類義語)》. ¶彼女は*目から鼻へ抜けるような人だ She is ⌈*very clever* [*sharp as a tack*]. ★ sharp as a tack は「聡明な」という意味の慣用句. **目から火が出る** ¶彼にひどく殴られて私は*目から火が出た (⇒ 星を見た) He hit me so hard that I *saw stars*. **目じゃない** ¶あいつなんか*目じゃないよ (⇒ 相手にならない) He's *no match* for me. // そんなことは*目じゃないね (⇒ 何の意味もない) It *means nothing* to me. **目で合図する** wink (at …) (自) 《☞ 3 用例; めくばせ》. **目で物を言う** express *one's* thoughts [speak] with *one's* eyes. **目と鼻の先** (非常に近い所で) very close to …; (石を投げれば届くような距離に) within [at] a stone's throw. 《☞ ちかく¹》. ¶彼女は私の家からつい*目と鼻の先に住んでいます She lives ⌈*very close to* my home [only *a stone's throw away from* my home]. / Her house is *within a stone's throw* of mine. **目にあう** ☞ 6 用例. **目に余る** (許しがたい・限度を超えている) be too much, be unpardonable. ¶彼の行為は*目に余る His conduct *is unpardonable.* **目に入れても痛くない** ¶末娘は*目に入れても痛くないほどかわいい My youngest daughter *is the apple of my eye.* **目に浮かぶ** (思い出す) come back to *a person* ★ 思い出す物が主語; (…を心に思い描く) see … in *one's* mind's eye. **目に映る** ¶*目に映るものすべてが新鮮だった Everything that *met my eyes* was new and fresh. **目にかかる** ☞ おめ (御目にかかる) **目にかける** ☞ おめ (御目にかける) **目に角を立てる** look angry. **目に障る** ¶テレビの見過ぎは*目に障るよ Watching television for a long time ⌈*is bad for the eyes* [*hurts the eyes*]. 《☞ めざわり》 **目に染みる** ¶新緑が*目に染みた (⇒ たいへん新鮮にみえた [強い印象を与えた]) The new green leaves ⌈*looked very fresh* to me [*impressed* me]. **目にする** ¶最近よく*目にする光景 a scene we often ⌈(happen to) *see* [*encounter*] these days / a *familiar* sight nowadays 《☞ みる¹》 **目に立つ** ☞ めだつ¹ **目につく** (注意を引く) attract *a person's* attention, catch *a person's* eye. 《☞ 目を引く; めだつ¹》. ¶田舎では外国人はすぐに*目につく A foreigner easily *attracts people's attention* in the rural districts. // 最近ミニスカートが*目につくようになった (⇒ 人気が出てきた) Miniskirts *are becoming popular* these days. **目にとまる** (…の目を引く) catch *a person's* eye. ¶壁にかけてある小さな絵が彼の*目にとまった A small picture on the wall *caught his eye.* **目には目を, 歯には歯を** An eye for an eye, a tooth for a tooth. ★ 旧約聖書から. **目に触れる** ¶これを人の*目に触れないところに隠してくれ Hide this where no one will *see* it. **目に見えない** ¶彼女はのんきに見えるけど*目に見えないところで努力しているんだよ She looks unconcerned, but *behind the scenes* she's working hard. **目に見える** ── [形] visible; (明らかな) apparent /əpǽrənt/. 《☞ みえる; あきらか》. ¶それ以降彼は*目に見えて変わってきた (⇒ 目に見える変化があった) There has been a *visible* change in him since then. // 彼女の容体は*目に見えてよくなっている Her condition shows (a) *marked* improvement. // どういう結果になるか*目に見えている You can easily *see* what the result will be. **目にもとまらぬ** ── [副] (電光石火の速さで) like lightning; (まばたきする間に) in the twinkling of an eye; (非常に速く) very quickly. **目に物言わす** ¶彼女が*目に物言わせたので僕はすぐぴんときた She *gave* me *a significant look* and I got the hint at once. **目に物見せる** ¶*目に物見せてやるぞ You'll have to pay for this. / I'll show you (what's what). // あの生意気な奴にいつか*目に物見せてやるぞ I will ⌈*teach* [*give*] that impudent fellow a (painful) *lesson* someday. **目の色を変える** ── [動] (顔色を変える) change color. ── [副] (必死に・猛烈に) like mad. ¶その知らせを聞くと彼は*目の色を変えた He *changed color* at the news. // 彼女は*目の色を変えて勉強し始めた She started to study *like mad.* **目の上のこぶ** ¶義父はいつも私のすることに口出しするので*目の上のこぶだ My father-in-law is a ⌈*great* [*huge*] *nuisance* because he always interferes /ìntərfíərz/ with what I do. **目の敵にする** (いつも憎む・敵意を抱く) hate … all the time. ¶彼はどういうわけか私を*目の敵にしていた He *hated* me *all the time* for no good reason. **目の薬** thing that is good for the eyes [C] 《☞ 目の正月; 目の保養; めぐすり》. ¶いい絵は*目の薬になる Good art is *good for the eyes.* **目の黒いうち** (生きている限り) as long as *one* lives. ¶私の*目の黒いうちは *while* [*as long as*] *I live* / *so long as I am alive* // わしの*目の黒いうちはこのホテルは絶対に売らん (⇒ 自分が死んでからなら売ってよい) You can sell this hotel over my dead body. **目の正月** feast for the eyes [C], joy to see [C]. 《☞ 目の保養》. **目の玉** eyeball [C] 《☞ めだま》. ¶*目の玉の飛び出るような値段 a ⌈*fantastically* [*ridiculously*] *high* price / an *exorbitant* price **目のつけどころ** (ねらい) aim [C] 《☞ ねらい》. ¶彼はなかなか*目のつけどころがいい (⇒ 適切なことをねらっている) He *is aiming at* the right thing. **目の毒** (誘惑をする物) temptation [C]. ¶私は酒をやめたので, あのウイスキーのびんは*目の毒です Since I have given up drinking, those whisky bottles are *too much of a temptation.* **目の中に入れても痛くない** ☞ 目に入れても痛くない **目の不自由な人** visually handicapped person [C]; (目の見えない人) blind person [C]. **目の保養** ── [名] (目を喜ばすもの) feast for the eyes [C]. ── [動] (…で目を喜ばせる) feast *one's* eyes on … 《☞ 目を楽しませる》. **目の前** ¶その事故は私の*目の前で起

こった The accident took place right *in front of my eyes*. 《☞ もくぜん》 **目の前が暗くなる** ¶会社が倒産してしまったので私たちは*目の前が暗くなった Because our company had gone bankrupt, we were ｢*pessimistic* [*thrown into despair*] about our future. **目のやり場がない** (どこを見たらよいかわからない) do not know where to look, be at a loss which way to ｢look [turn]; (たいへん当惑する) be very embarrassed. **目は口ほどに物を言う** (目は舌と同じほど雄弁である) The eyes are as eloquent as the tongue. **目は心の窓[鏡]** The eyes are the windows of the ｢soul [mind]. **目もあてられない** ¶事故の現場は*目もあてられない状況でした (⇒恐ろしい光景を呈していた) The scene of the accident presented a *horrible spectacle*. **目もあやな** brilliant [sparkling] to look at. ¶*目もあやな衣装をまとった人たち people dressed in ｢*gorgeous* [*very colorful*] costumes **目もくれぬ** (無関心だ) be quite indifferent to ...; (注意しない) take no notice of ...; (無視する) turn a blind eye to ... 《☞ むかんしん》. ¶彼は私の言うことにはいつも*目もくれない He always ｢*turns a blind eye* [(⇒耳も貸さない) *turns a deaf ear*] *to* my suggestions. 《☞ みみ》 **目を疑う** ¶彼女が戸口に現れたとき私は自分の*目を疑った I ｢*could not believe my eyes* when she appeared [*was astounded* to find her] at the door. **目を奪う** ¶聴衆の*目を奪う *captivate* the audience // 私は彼女の演技に*目を奪われた I *was* ｢*dazzled* [*fascinated*] by her performance. **目を覆う** ¶*目を覆うばかりの惨状 a scene *too dreadful to* ｢*watch* [*look at*] // その惨状から*目を覆った (⇒そらした) I *averted my eyes* from the horrible scene. **目を落とす** (目を伏せる) look down (自), lower *one's* eyes. **目をかける** (世話をする) look after ..., take care of ...; (親切にする) be kind to ... 《☞ せわ; ひいき》. **目をかすめる** do ... in secret 《☞ 目をくぐる》. ¶人の*目をかすめて万年筆を万引する shoplift a fountain pen *when nobody is looking*. **目をくぐる** ¶看守の*目をくぐって脱走する escape ｢*when* the guards *are not looking* [*by eluding the vigilance* of the guards] 《☞ 目をかすめる》 **目を配る** (警戒して) keep an eye out for ... **目をくらます** (光などでくらませる) dazzle (他); (追手などをまく) give ... the slip ★口語表現. 《☞ 目がくらむ; くらむ》. ¶彼は警官の*目をくらまして逃げた He *gave* the policemen *the slip*. **目を肥やす** ¶よい絵をたくさん見て*目を肥やした I *obtained a* ｢*discerning* [*critical*] *eye* by seeing a lot of good paintings. **目をこらす** (目を緊張させる) strain *one's* eyes; (じっと見る) look hard at ... 《☞ こらす》. ¶彼女は*目をこらして暗い所を見た She *strained her eyes* to see in the dark. **目を覚ます** (眠りから) wake up (自); (迷いから) come to *one's* senses; (活動を始める) come to life. 《☞ めざめる》. **目を皿のようにする** (目を見張る) open *one's* eyes wide; (驚いて...をじっと見つめる) gaze at ... in wonder; (全身を目にする) be all eyes. **目を三角にする** (こわい顔をする) look ｢menacingly [angrily] at ... **目を白黒させる** (驚いて目をぱちくりさせる) blink in surprise; (驚きあきれる) be bewildered. 《☞ おどろく》. **目を据える** stare at ...; look fixedly at ... **目を注ぐ** watch ... (carefully). ¶環境破壊に*目を注ぐべきだ We should *keep a close watch* on environmental destruction. **目をそらす** look away (from ...) (自), take *one's* eyes off ... 《☞ そらす¹》. ¶彼女は私から*目をそらした She *looked away from* me. / Her *eyes avoided* mine. **目を楽しませる** feast *one's* eyes 《☞ 目の保養; たのしませる》. ¶その絵を見て*目を楽しませた I *feasted my eyes* on the painting. **目をつける** (ねらう) have ｢an eye [*one's* eye] ｢on [upon] ... ¶私は買うずっと前からこの家に*目をつけていた I *had my eye on* this house long before I bought it. **目をつぶる** (知らぬ振りをする) close [shut] *one's* eyes to ...; (無視する) turn a blind eye to ...; (大目に見る) let ... pass. ¶ちょっとしたいたずらには*目をつぶっている先生もいます Some teachers *close their eyes to* minor mischief. **目を転じる** ¶車市場に*目を転じてみよう Let's *turn our* ｢*eyes* [*attention*] to the car market. **目を通す** (全体を見る) lóok ｢óver [thróugh] (他) 語法 よく見る場合にもざっと見る場合にも使える. 明確にしたければ副詞を添える; (ざっと見る) skim (他), run *one's* eye(s) over ... ¶彼は毎朝数種類の新聞に (丁寧に) *目を通します He *looks through* several newspapers (carefully) every morning. **目を止める** ¶彼はバラの新種に*目を止めた (⇒気がついた) He ｢*noticed* a new variety of rose. **目を盗む** ¶彼は親の*目を盗んでたばこを吸っている (⇒親の背後で) He smokes ｢*behind* his parents' *back* [(⇒親に知られないで) *without the knowledge of* his parents]. **目を離す** (視線を離す) take *one's* eyes off ...; (油断する) be off *one's* guard. ¶ボールから*目を離すな Never *take your eyes off* the ball! // ちょっと*目を離したすきにかばんをとられた I had my bag stolen while I *was off guard* for a second. **目を光らせる** be watchful (of ...), keep a watchful eye (on ...). **目を引く** (人の注意を引く) catch *a person's* eye, attract *a person's* attention. 《☞ 目につく; めだつ¹》. ¶この赤い表紙はとても*目を引く This red cover is very *eye-catching*. **目を開く** ¶文学に*目を開かせてくれたのは兄だった It was my brother who *opened my eyes* to literature. **目をふさぐ** ¶我々は高級官僚の不正行為に*目をふさいできた We *have been turning a blind eye* to the illegal activities of high-ranking officials. **目を伏せる** lower *one's* eyes. **目を細める** squint [narrow] *one's* eyes; (よろこんで) soften *one's* expression. **目を丸くする** ¶その少女は*目を丸くして孔雀を見た The little girl ｢stared *wide-eyed* [*was all eyes*] at the peacock. / The little girl gazed at the peacock (*with her*) *eyes wide open*. **目を回す** (卒倒する) faint (自); (気を失いそうになる) feel faint. 《☞ めまい; きぜつ; 目が回る》. **目を見張る** (驚きなどで目を大きく開く) open *one's* eyes wide; (驚いて...をじっと見つめる) gaze at ... in wonder. 《☞ みはる》. ¶彼女はその光景に*目を見張った She *gazed at* the sight *in wonder*. **(...な)目を見る** ¶ひどい*目を見る (⇒経験をする) have a hard time (of it) / suffer severely **目を剝く** glare at ..., look angrily at ... **目を向ける** turn *one's* eyes to ...; (見る) look at ... **目をやる** ¶彼は遠くに*目をやりながら何かつぶやいた *Looking* into the distance he murmured something. // 私は指さされたほうへ*目をやった I *looked* in the direction pointed to. **目を喜ばせる** ☞ 目を楽しませる

コロケーション

目が怒りに燃える *eyes* blaze / 目が痛い *eyes* hurt / 目が輝く *eyes* ｢shine [sparkle] / 目がかすむ *eyes* dim / 目がかゆい *eyes* itch / 目がきらりと光る *eyes* twinkle / 目がぱちくりする *eyes* blink / 目をあける open *one's eyes* / 目をぎょろぎょろさせる roll *one's eyes* / 目をそむける avert *one's eyes* / 目をとじる close [shut] *one's eyes* / 目をぱちくりさせる blink *one's eyes* / 目を休ませる rest *one's eyes* / うるんだ目 moist *eyes* / 輝いている目 bright [shining] *eyes* / くぼんだ目 sunken *eyes* / 充血した目 bloodshot *eyes* / 澄

んだ目 clear *eyes* / とろんとした目 glassy *eyes* / 涙ぐんだ目 watery [tearful] *eyes* / 眠そうな目 sleepy *eyes* / 腫れ上がった目 swollen *eyes* / 細長い目 slit *eyes* / 微笑んでいる目 smiling *eyes* / まどろんだ目 slumbering *eyes* / 見開いた目 gaping [staring] *eyes* / 笑っている目 laughing *eyes*

め² 芽 ―名 (苗) seedling Ⓒ; (茎または枝になる芽) sprout Ⓒ, shoot Ⓒ; (葉の芽または花のつぼみ) bud Ⓒ. ―動 (芽を出す) sprout ⓐ; (葉の芽または花のつぼみが出る) bud ⓐ.
¶スイートピーの*芽を踏まないで下さい Don't walk on the sweet pea *seedlings*! // 木の*芽が出始めた The trees are beginning to *bud*. // 先週植えた花が*芽を出し始めた The flowers that I planted last week have started to ⌈*sprout* [*put out sprouts*; *put out shoots*]. // 子供の悪癖は*芽のうちに摘んでおく必要がある Children's bad habits should be nipped *in the bud*.
芽が出る ¶彼の仕事はやっと*芽が出た (⇒成功の兆しが見えてきた) His work *is showing signs of success* at last. // 彼もやっと*芽[目]が出た(⇒運が向いてきた) At last *luck is in his favor*.

-め …目 **1** 《程度》 日英比較 日本語の「…め」は「どちらかと言えば…のほう」というような意味であるが，常にこの日本語と置き換えることのできるような英語は存在しない．従って，前後関係により，日本語の内容にできるだけ近いものが表されるように工夫する必要がある． ¶子供の服は大き*めのものを買ったほうがよい When buying children's clothes, you should choose ones *on the* larger *side*. 語法 on the ... side は「どちらかと言えば…のほうの」の意味の慣用句. // 塩は少な*め[控え*め]に入れて下さい (⇒あまり入れすぎるな) Don't ⌈put in [add] too much salt. // スピーチはできるだけ短*めにお願いします (⇒できるだけ短くして下さい) Please make your speech *as short as possible*.
2 《順序》 ★「…番目」など順序を示すときは普通には序数で表す. (☞ 数字 (囲み)).
¶彼の3番*目の子供は男の子ですか女の子ですか Is his *third* child a boy or a girl? // 4つ*目の角を左に曲がりなさい Turn left at the *fourth* ⌈corner [intersection]. // 京都はのぞみ号に乗れば東京から2つ*目です Kyoto is the *second* stop from Tokyo if you take the superexpress 'Nozomi.' // 盛岡は大宮から幾つ*目ですか (⇒盛岡と大宮の間に幾つ止まる所があるか) How many stops are there between Morioka and Omiya? // 「クリントン大統領はアメリカの何代*目の大統領ですか」「第42代*目です」"*What is* Mr. Clinton's *number* among American presidents?" "It's forty-two."

めあかし 目明 detective in the Edo period Ⓒ.

めあたらしい 目新しい (新しい) new; (新しくて珍しい) novel; (いままでにないような独特の創意工夫をした) original. (☞ あたらしい).
¶彼の作品には何も*目新しいものはない There is nothing ⌈*new* [*original*] in his work. // このデザインはもう*目新しくない (⇒新鮮さを失った) This design has lost its *freshness*.

めあて 目当て **1** 《目印》: (導いてくれるもの・案内するもの) guide Ⓒ; (目印) landmark Ⓒ. (☞ めじるし). ¶あの塔を*目当てに行けば (⇒あの塔に向かって歩けば) すぐ駅に出ますよ Walk *toward* that tower, and you'll soon come to the station.
2 《目的》: (ねらい) aim Ⓒ (☞ ねらい).
¶彼の*目当ては昇進だ His *aim* is getting a promotion. // 彼女は彼の財産を*目当てに (⇒金のために) 結婚した She married him *for* money. // 彼は何の*目当てもなく東京に出た He went to Tokyo without any particular *aim*.

メアド ☞ メール (メールアドレス)

メアリー (女性名) Mary.

めあわせる 妻合わせる marry ⑩ (☞ けっこん¹).
¶牧師が教会で二人を*めあわせた The minister *married* them in a church.

めい¹ 姪 niece Ⓒ (☞ 親族関係 (囲み)).

めい² 命 (命令) order Ⓒ; (権限による命令) command Ⓒ. (☞ めいれい).

めい³ 銘 (碑などの) inscription Ⓒ; (墓の) epitaph Ⓒ; (刀剣などの) signature Ⓒ. ¶その木像には運慶の*銘が刻まれている The wooden statue *is inscribed with* the name of Unkei. / The wooden statue *bears the signature* of Unkei. // 私の座右の*銘は「誠実」です My *motto* is "Keep the faith." (☞ ざゆう) **銘打つ** ¶これは日本一と*銘打った酒だ The sake is reputed to be "the best in Japan." (☞ うたいあげる², ふれこみ)

メイ (5月) May.

めい-¹ 名… ―形 (すぐれた・偉大な) great ★最も口語的; (優秀な) excellent; (有名な) well-known. (☞ ゆうめい¹). ¶彼は*名ピアニストだ He is ⌈a *great* [an *excellent*; a *well-known*] pianist. // きょうの結婚披露宴でのあなたの司会は*名司会でしたよ (⇒司会者としてすぐれた役割を果たした) You've done an *excellent* job as the emcee at today's wedding reception. ★emcee Ⓒ は司会者という意味の《米略式》.

めい-² 迷… ¶*迷答弁 (⇒不適切な[ばかげた]) an ⌈*irrelevant* /ɪréləv(ə)nt/ [*absurd*] answer // *迷探偵 (⇒へまな) a *bumbling* detective // 観衆は彼の*迷演技 (⇒いいかげんだがこっけいな演技) に笑いこけた The audience was convulsed with laughter by his *sloppy but funny* performance.

-めい …名 ¶3*名から成るチーム a team of three (*members*) // あと3*名足りない We need three more *people*.

めいあん¹ 名案 good idea Ⓒ, wonderful idea Ⓒ, splendid plan Ⓒ ★この順に意味が強くなる. このほかにも種々の形容詞を代入できる. (☞ あん¹).
¶そいつは*名案だ That's a ⌈*good* [*wonderful*; *splendid*] *idea*.

めいあん² 明暗 ¶彼はこの小説で社会の*明暗 (⇒諸相) を描き出している He describes *various aspects* of society in this novel. // この絵は*明暗 (⇒濃淡) の使い方がうまい This picture makes good use of *shading*. // その出来事が彼らの人生の*明暗を分けた (⇒運命を決定した) That incident *decided their fate*.

めいい 名医 (腕のよい) skilled ⌈physician [doctor] Ⓒ; (とてもよい) very good doctor Ⓒ. (☞ いしゃ).

めいうん 命運 (運命) fate Ⓤ; (悪い) doom Ⓤ.
¶人は*命運をいかんともしがたい People have no control over *fate*. **命運が尽きる** meet [go to] *one's* fate (☞ しぬ).

めいえん¹ 名園 (有名な) famous [noted] garden Ⓒ; (すぐれた造園の) well-laid-out [fine] garden Ⓒ.

めいえん² 名演 excellent [fine] performance Ⓒ; (名演技) good acting Ⓤ.

めいおうせい 冥王星 Pluto.

めいか¹ 名家 (由緒ある家柄) good [reputable; honorable] family Ⓒ ★good が最も一般的. reputable /répjʊtəbl/ は評判のよい, honorable は尊敬すべきの意; (知名人) eminent person Ⓒ; (大家) great master Ⓒ, authority Ⓒ. ¶彼はこの地方の*名家の出身だ He comes from an *old reputa-*

ble family of this district.

めいか[2] 銘菓，名菓 （有名な）well-known brand of cake Ⓒ;（上等の）excellent「cake [confection] Ⓒ.

めいか[3] 名花 beautiful flower Ⓒ;（美しい人）(great) beauty Ⓒ.

めいか[4] 名歌 famous [fine; celebrated] poem Ⓒ《☞ ゆうめい[1]（類義語）》.

めいが[1] 名画 （有名な[すばらしい]絵）famous [great] picture Ⓒ;（傑作）masterpiece Ⓒ;（映画の古典）film classic Ⓒ.《☞ けっさく》.

めいが[2] 螟蛾 〔昆〕pyralidid Ⓒ, pyralid Ⓒ.

めいかい[1] 明快 ―[形]（わかりやすい）clear;（定義などが疑問の余地を残さないほどはっきりしている）clear-cut. ―[副] clearly.《☞ はっきり（類義語）》. ¶質問に対して彼は*明快な返事をした He gave a *clear* answer to the question. // 彼の論理は*明快だ His argument is *clear-cut*.

めいかい[2] 明解 lucid [clear] explanation Ⓒ;（解決）happy solution Ⓒ.

めいかい[3] 冥界 ☞ めいど[1]

めいかく 明確 ―[形]（はっきりとしていて正確な）cléar and áccurate;（相違が明らかな）distinct;（確実な・確定している）définite. ―[副] clearly; distinctly; definitely.《☞ はっきり（類義語）》. ¶彼の説明は*明確だ His explanation is *clear and accurate*. // 北欧と南欧の文化には*明確な違いがある There is a *distinct* difference between Northern and Southern European cultures. // あすまでに*明確な返事を下さい Can I have a *definite* answer by tomorrow? **明確化** ―[名] clarification Ⓤ. ―[動] make ... clear, clarify (他).

めいがら 銘柄 brand Ⓒ. **銘柄品** brand goods ★ 複数形で. **銘柄米** top-brand (of) rice Ⓤ.

めいかん 名鑑 directory Ⓒ. ¶日本刀*名鑑 a *directory* of (famous) Japanese swords

めいき[1] 明記 ―[動] write [put down] ...「clearly [legibly];（特定の名や条件などを書く）specify (他).《☞ かく[1]》. ¶このことは条約に*明記してある This point *is specified* in the agreement. // あなたの条件を*明記しておいて下さい Please「*write* [*put down*] your conditions *clearly*.

めいき[2] 銘記 ―[動]（心に留める）bear [keep] ... in mind《☞ きおく; きざむ》. ¶これは*銘記すべきことである We should「*bear* [*keep*] this *in mind*.

めいき[3] 名器 （有名な楽器）famous instrument Ⓒ. ¶彼女はそのコンチェルトをストラディバリウスの*名器で演奏した She played the concerto on a *famed* Stradivarius /strædəvé(ə)riəs/.

めいぎ[1] 名義 ―[名] name Ⓒ. ―[形]（名義上の）nominal.《☞ めいもく》. ¶この家は父の*名義になっています This house is in my father's *name*. // あの会長は*名義だけだ He is chairman in *name* only. / He is merely the *nominal* chairman.
名義を借りる get permission to use *a person's* name. **名義書換** transfer (of the title of ownership) Ⓤ **名義貸し** ―[動] lend *one's* name **名義人** the holder of a title deed **名義変更** transfer of ownership Ⓤ.

めいぎ[2] 名妓 （有名な芸者）famous geisha Ⓒ;（芸達者な芸者）accomplished geisha Ⓒ.

めいぎ[3] 名技 masterly technique Ⓒ;（すばらしい演奏）virtuoso /vɜ̀ːtʃuóusou/ performance Ⓒ.

めいきゅう 迷宮 （迷路）labyrinth Ⓒ. **迷宮入り** （解決されていない事件）unsolved case Ⓒ. ¶その事件は*迷宮入りしたままだ（⇒まだ解決されないままだ）The case still *remains unsolved*.

めいきょうしすい 明鏡止水 （一点の邪気もない心）mind entirely free from base thoughts Ⓒ;（澄み切った心の状態）serene state of mind Ⓒ.

めいきょく 名曲 （傑作）(musical) masterpiece Ⓒ;（有名な曲）famous「piece of music [song; tune] Ⓒ.《☞ けっさく》.

めいきん 鳴禽 songbird Ⓒ, singing bird Ⓒ.

めいく 名句 （有名な文句）famous [memorable /mém(ə)rəbl/]「phrase [line] Ⓒ;（名言）wise saying Ⓒ;（詩歌の）beautiful verse Ⓒ;（俳句の）noted haiku Ⓒ. ¶*名句集 a collection of「*choice passages* [*famous sayings*]

メイク ―[名] mákeùp Ⓤ. ―[動] put on makeup.《☞ メーキャップ; けしょう》.

めいくん 名君，明君 （一般的に，立派な王）good king Ⓒ;（思慮・分別のある統治者）wise ruler Ⓒ,（格式）enlightened monarch Ⓒ.

めいげつ[1] 明月 （満月）full moon Ⓒ《☞ つき[1]》.

めいげつ[2] 名月 （中秋の名月）the harvest moon《☞ つき[1]》.

めいけん[1] 名犬 good [fine] dog Ⓒ.

めいけん[2] 名剣 ☞ めいとう[1]

めいげん[1] 名言 （気のきいた言葉）witty remark Ⓒ. ¶それはけだし*名言だ（⇒まさによく言ったものだ）That's *well said*.

めいげん[2] 明言 ―[名] definite statement Ⓒ. ―[動]（はっきり言う）say ...「definitely [positively];（宣言する）declare (他);（言い切る）assert (他). ¶首相はその件に関しては*明言を避けた The Prime Minister avoided「*saying anything definite* [*making any definite comment*] on the matter.

めいこう 名工 skillful [skilled]「workman [craftsman] Ⓒ《☞ めいじん》. ¶これは*名工の手になるものです This is the work of a *master hand*.

めいコンビ 名コンビ （理想的な組み合わせ）ideal combination Ⓒ;（優秀な2人組）excellent pair Ⓒ.

めいさい[1] 明細 ―[名] details /dɪtéɪlz/, partículars ★ いずれも複数形で. ―[形] detailed.《☞ うちわけ; しょうさい[1] [語法]》. **明細書** details ★ 複数形で.

めいさい[2] 迷彩 camouflage /kǽməflɑ̀ːʒ/ Ⓤ. **迷彩服** camouflage uniform Ⓒ.

めいさく 名作 （傑作）masterpiece Ⓒ;（立派な作品）great work Ⓒ.《☞ めいが[1]; けっさく》. ¶あの美術館には近代画家の*名作が展示してある *Masterpieces* by modern artists are being「exhibited [displayed] at that museum.

めいさつ[1] 名刹 famous [noted] temple (with a long history) Ⓒ.

めいさつ[2] 明察 ―[名]（識別）discernment Ⓤ;（洞察）penetration Ⓤ, (keen) insight Ⓤ. ―[動] discern (他); have an insight (into ...);（見抜く）see through ... ¶彼は実際に何が起こっていたのか*明察する力があった He had an ability to *discern* what was really happening.

めいさん 名産 （特産品）specialty Ⓒ《☞ めいぶつ》. ¶これはこの地方の*名産です This is a *specialty* of this region.

めいざん 名山 noted [famous] mountain Ⓒ.

めいし[1] 名刺 《米》calling card Ⓒ, name [《英》visiting] card Ⓒ;（仕事用の）business card Ⓒ.
[日英比較] 会社名や役職などを刷り込んだものは最後のものがよい．英米では初めて紹介された人にすぐ名刺を渡す習慣がなく，住所や電話番号などを知らせる必要が起こって初めて名刺を渡すような場合が多いので，名刺を name card などの英語に訳しても，そのニュアンスは日本語と異なることに注意．また名刺の使用が日本ほど多くなく，ビジネス用が主．《☞ なふだ [参考]》.
¶*名刺を交換する exchange *cards*

名刺入れ card case Ⓒ 名刺受け card tray Ⓒ 名刺判 (写真の) 6 × 8.3 cm format Ⓤ.

めいし² 名士 (有名人) celébrity Ⓒ, distinguished person Ⓒ ★ いずれもやや格式ばった表現; 《略式》big name Ⓒ. ¶ 地元の*名士 a local *celebrity*

めいし³ 名詞 〔文法〕noun Ⓒ. 名詞句[節] noun ⌈phrase [clause] Ⓒ 名詞止め ☞ たいげん¹ (体言止め)

めいし⁴ 名詩 excellent poem Ⓒ, fine piece of poetry Ⓒ. 名詩選 anthology of poems Ⓒ.

めいじ¹ 明示 ── 動 (はっきりと言う) express [state] … ⌈clearly [explicitly]. ¶ ここにこの薬の使い方が*明示してある The directions for the medicine *are clearly* ⌈*stated* [*printed*] here.

めいじ² 明治 明治維新 the Méiji Rèstorátion 明治憲法 the Meiji Constitution; (説明的には) the Constitution (of Japan) promulgated in the Meiji era 明治時代 the Meiji ⌈era [period] 明治神宮 the Meiji Shrine 明治神宮外苑 the Outer Garden of the Meiji Shrine 明治政府 the Meiji Government 明治天皇 Emperor Meiji.

メイジー (女性名) Maisie /méɪzi/.

めいじいしん 明治維新 ☞ めいじ² (明治維新)

めいしきょり 明視距離 〔物理〕the distance of distinct vision.

めいじつ 名実 name and reality Ⓤ. 名実相伴う[伴わぬ] be [be not] true to the name. 名実ともに both in name and reality. ¶ 彼女は*名実ともに党首だ She is the leader of the party *both in name and* ⌈*reality* [*fact*].

めいしゃ 目医者 eye doctor Ⓒ《☞ がんか²》.

めいしゅ¹ 名手 (熟練した人) éxpert Ⓒ; (才能のある人) tálented pláyer Ⓒ. 《☞ たつじん》. ¶ 彼はピアノの*名手だ He is a *very good pianist*. / He is a *highly talented* piano *player*. ★ 前者のほうが一般的.

めいしゅ² 盟主 the leader Ⓒ, the leading power Ⓒ. ¶ 同盟国の*盟主 the *leader* of confederate states

めいしゅ³ 銘酒 high-quality sake marketed under a special name Ⓤ.

めいしゅ⁴ 名酒 famous, top-quality sake Ⓤ.

めいしょ 名所 (見物すべき所) sights (to see) ★ 複数形で. 日常的で平易な語; place of scenic (and historical) interest Ⓒ ★ 少し堅苦しい言い方. ¶ ここは桜の*名所です (⇒ この場所は桜で有名だ[知られている]) This place is ⌈*famous* [*noted*] *for* its cherry blossoms. // 私は彼に京都の*名所を案内した I showed him the *sights* of Kyoto. // 京都で*名所(旧跡)の見物をしてきた We ⌈*saw* [*did*] *the sights* of Kyoto. 語法 did を用いるほうがより口語的. / We visited the *places of scenic beauty and historical interest* in Kyoto.

名所案内 guide(book) to famous sights and attractions Ⓒ 名所旧跡 places of scenic beauty and historical interest; the sights 語法 前者は名所と旧跡を両方訳したやや格式ばった言い方で, 後者は漠然と「見るべき場所」という言い方.

めいしょう¹ 名称 name Ⓒ《☞ なまえ¹》.

めいしょう² 名匠 master craftsman Ⓒ; (腕のよい) skillful [skilled] ⌈workman [artisan; artist] Ⓒ. 《☞ めいこう; めいじん》.

めいしょう³ 名将 great commander Ⓒ.

めいしょう⁴ 名勝 (景勝地) place of scenic beauty Ⓒ, scenic spot Ⓒ; (有名な風景) famous sight Ⓒ. 《☞ めいしょ》.

めいしょう⁵ 明証 clear evidence Ⓤ, positive proof Ⓒ.

めいしょう⁶ 名相 (有能な大臣) highly competent (government) minister Ⓒ; (優れた首相) distinguished prime minister Ⓒ.

めいじょう¹ 名状 名状し難い (描写し難い) beyond [past] description, indescribable; (表現し難い) inexpressible; (定義し難い) indefinable. ¶ その惨状は*名状し難かった The disaster was *beyond description*.

めいじょう² 名城 famous [historic] castle Ⓒ.

めいしょく 明色 bright [light] color Ⓒ.

めいじる¹ 命じる **1** «命令する»: (…しなさいと言う) tell *a person* to *do* … ★ 最も日常的な表現. 後に続く不定詞が命令の内容. 以下の動詞の代わりにも用いることができる; (命令として言いつける) order *a person* to *do* …; (権限のある者が命じる) command *a person* to *do* …; (細かな指示を与えて命令する) instruct *a person* to *do* … 《☞ めいれい; いいつける》.

¶ 部長は部下に書類の英訳を*命じた The head of the division ⌈*told* [*ordered*] a member of his staff *to* translate the papers into English.

2 «任命する»: appoint ⑩, place ⑩. 《☞ にんめい》. ¶ 彼はチームの監督を*命じられた He *was appointed* field manager of the team.

めいじる² 銘じる (銘記させる) impress ⑩; (刻みこむ) engrave ⑩. ¶ 私は彼女のアドバイスを肝に*銘じた I *have* ⌈*taken* her advice *to heart* [*kept* her advice *in mind*].

めいしん¹ 迷信 sùperstítion Ⓒ《☞ ジンクス》. ¶ あなたはそんな*迷信を信じるのですか Do you believe in such a *superstition*? // *迷信は取り除かなければならない We must do away with *superstitions*. // 13 は縁起が悪い数だという古くからの*迷信があります There is an old *superstition* that thirteen is an unlucky number. // 彼はとても*迷信深い He is very *superstitious*.

迷信家 superstitious /sú:pəstɪ̀ʃəs/ pérson Ⓒ.

めいしん² 名臣 distinguished [eminent] court minister Ⓒ.

めいじん 名人 (熟達した人) éxpert Ⓒ; (大家) master Ⓒ. 《☞ たつじん》.

¶ 彼はばら作りの*名人だ He is an *expert* rose grower. / He is an *expert* ⌈in [at] growing roses. / He *is extremely good at* growing roses. ★ 第 1 文が最も口語的. // 彼は焼き物の*名人だ He is a real *master* at making pottery. // *名人気質[はだ] (⇒ 芸術家的な気質) the *artistic* temperament

名人芸 masterly performance Ⓒ.

めいしんこうそくどうろ 名神高速道路 the Meishin ⌈Superhighway [Expressway].

めいすい 名水 (飲み水) famed mineral water Ⓤ; (河川) famous river Ⓒ, renowned beautiful stream Ⓒ.

めいすう 命数 life Ⓤ《☞ じゅみょう》. ¶ 彼の*命数が尽きた His time has come.

めいする 瞑する (安らかに死ぬ) repose [rest; sleep] in peace《☞ しぬ》. ¶ 御霊の安らかに*瞑せられんことを May his soul *rest in peace*. // それだけ儲ければ, もって*瞑すべし (⇒ 満足するべき) だ You *ought to be content with* that much profit. / You *should accept the result* if you've made such a profit.

めいせい 名声 (有名であること) fame Ⓤ; (評判のよいこと) good reputation Ⓤ ★ しばしば a を付けて. 《☞ ひょうばん (類義語); ゆうめい¹ (類義語)》. ¶ 彼の*名声は世界中に広まった His *fame* spread all over the world. // 彼はこの一作で*名声を博した He earned his *good reputation* through this single work.

コロケーション
名声を失う lose *one's reputation* / 名声を手に入れる gain [attain; win; rise to] *fame* / 名声をもたらす bring *fame* (to ...) / 名声を求める seek *fame* / 大いなる名声 great *fame* / 輝かしい名声 illustrious *fame* / 国際的な名声 international *fame* / 不朽の名声 undying *fame* / 不変の名声 steady *fame*

めいせき 明晰 ―形 clear《☞ さえる》. ¶彼は頭脳*明晰である He is *clearheaded*. / (⇒ 頭がよい) He is very *intelligent*.

めいせつ 名説 noted [celebrated] ˹view [opinion] Ⓒ.

めいせん 銘仙 *meisen* [common] silk cloth Ⓤ.

めいそう[1] **瞑想** ―名 meditation Ⓤ. ―動 méditàte ⓐ. ―形 méditàtive. ¶彼女は自分の部屋で*瞑想にふけっている She is in a deep state of *meditation* in her room.

めいそう[2] **名僧** noted [celebrated] priest Ⓒ.

めいそう[3] **迷走** ―名 straying Ⓤ. ―動 stray ⓐ, wander (off course) ⓐ. **迷走神経** vagus /véɪgəs/ nérve Ⓒ **迷走台風** typhoon which takes an irregular course Ⓒ; stray typhoon Ⓒ **迷走電流** stray current Ⓒ.

めいた 目板 〔機〕butt strap Ⓒ; (補強用小角材) batten Ⓒ.

めいだい 命題 〔論・数〕proposition Ⓒ.

めいたがれい 目板鰈 〔魚〕frog flounder Ⓒ.

めいだん 明断 clear [definite] judgment Ⓤ《☞ はんだん》.

めいちゃ 銘茶 (選び抜かれた) choice tea Ⓤ; (有名銘柄の) well-known brand of tea Ⓒ.

めいちゅう 命中 ―動 hit the mark (↔ miss the mark); (特に真ん中に) hit the bull's eye 語法 以上いずれも「弾・矢」などを主語とすることが多い.《☞ あたる》. ¶その弾丸は的に*命中した [しなかった] The bullet ˹*hit* [*missed*] *the mark*.

めいちょ 名著 (偉大な本) great book Ⓒ; (傑作) másterpiece Ⓒ.《☞ けっさく》.

めいちょう 鳴鳥 songbird Ⓒ《☞ 動物の鳴き声 (囲み)》.

めいちょうし 名調子 (雄弁) éloquence Ⓤ; (すばらしい演説) brilliant speech Ⓒ.《☞ ゆうべん》. ¶聴衆は彼の*名調子に聞きほれた The audience was fascinated by his *eloquence*.

めいっぱい 目一杯 ¶*目一杯に利用する make the ˹most [best use] of ...《☞ せいいっぱい》

めいてい 酩酊 ―名 drunkenness Ⓤ, intoxication Ⓤ ★後者は格式語. ―動 get [be] drunk, be intoxicated. ¶彼は*酩酊のあまり話しもできなかった He was too *drunk* to speak.

めいてつ 明哲 ―形 wise,《格式》sagácious. ―名 (明哲な人) wise [sagacious] person Ⓒ.

めいてんがい 名店街 (アーケード状の) shópping arcàde Ⓒ; (ターミナルビルなどの一部を占める) shopping complex Ⓒ; (歩行者専用商店街) shopping mall Ⓒ.

めいど[1] **冥土** (あの世) the other world; (死者の国) Hades /héɪdiːz/, the Ùnderwòrld (↔ this [the] world). **冥土の旅** journey to ˹the other world [*one's* last home; *one's* final destination] Ⓒ. **冥土のみやげ** (よい思い出) good memory Ⓒ. ¶よい*冥土のみやげになります It'll be a *good memory* for me. 日英比較「冥土のみやげ」というような発想は英語にはない.

めいど[2] **明度** (明るさ) brightness Ⓤ.

メイド maid Ⓒ; (お手伝いさん) housemaid Ⓒ; (ホテルなどの) chambermaid Ⓒ.

めいとう[1] **名刀** (優れた刀) excellent [fine] blade Ⓒ; (有名な刀) noted [famous] sword Ⓒ. ¶我が家重代の正宗の*名刀 the *noted Masamune sword* handed down from our ancestors《☞ まさむね》

めいとう[2] **名湯** (有名な温泉) renowned [celebrated; famous; well-known] ˹hot spring [spa] Ⓒ《☞ ゆうめい[1]》.

めいとう[3] **名答** (正しい答え) right [correct] answer Ⓒ; (うまい答え) clever answer Ⓒ.

めいとう[4] **明答** definite answer Ⓒ《☞ かくとう[2]》. ¶彼女は*明答を避けた She ˹evaded giving [(⇒ 与えなかった) didn't give] a *definite answer*.

めいとう[5] **迷答** absurd [ridiculous] answer Ⓒ.

めいとう[6] **銘刀** fine sword with the name of the swordsmith inscribed on it Ⓒ.

めいどう 鳴動 ―名 rumble Ⓒ, rumbling Ⓤ ★両方ともしばしば a を付けて. ―動 rumble ⓐ. ¶泰山*鳴動してねずみ一匹 (⇒ から騒ぎ) Much ado about nothing.

めいにち 命日 the anniversary of *a person's* death. ¶きょうは祖父の*命日です Today is *the anniversary of* my grandfather's *death*.

めいば 名馬 (優れた馬) fine [excellent] horse Ⓒ; (有名な馬) famous horse Ⓒ.

めいはく 明白 ―形 (隠されている部分などがなくはっきりした) clear ★一般的な語; (見てすぐそれとわかるような) óbvious; (わかりやすくはっきりした) plain; (事実から見て明らかな) evident; (すべてが表に現れていて, 含んでいるところのない) explícit (↔ implícit). ―副 clearly; obviously; plainly; evidently; explicitly.《☞ あきらか; はっきり (類義語)》. ¶彼の失敗はだれの目にも*明白だ His failure is *clear* ˹to [in] anyone's eyes. // この原則は条文の中で*明白にうたってある (⇒ はっきり述べられている) This principle is ˹*clearly* [*explicitly*] stated in the text of the treaty. // これは*明白な事実だ This is ˹an *obvious* [a *plain*] fact. // 彼が過労から病気になったのは*明白だ It is *evident* that he fell ill from overwork.

めいばん 名盤 excellent ˹record [CD] Ⓒ.

めいび 明媚 ☞ ふうこうめいび

メイビス (女性名) Mavis /méɪvɪs/.

めいひつ 名筆 (書の手法) superb calligraphy Ⓤ; (作品) superb [skilled] piece of writing Ⓒ; (画の作品) masterpiece of ˹painting [drawing] Ⓒ; (すぐれた書家) máster [nóted] calligrapher /kəlígrəfə/ Ⓒ; (有名な画家) famous painter Ⓒ.

めいひん 名品 fine article Ⓒ; (名作) masterpiece Ⓒ.

めいびん 明敏 ―形 (利口な) sagacious /səgéɪʃəs/; (知能の高い) intelligent; (鋭敏な) shrewd. ¶彼は*明敏な頭脳の持ち主だ He is ˹a *sagacious* [a *clever*; an *intelligent*; a *clear-headed*] man.

めいふ 冥府 ☞ めいど[1]

めいふく 冥福 ¶彼女の*冥福を祈る (⇒ 彼女 [彼女の魂] が安らかにならんことを) May ˹she [her soul] rest in peace! // 私は戦争犠牲者の*冥福 (⇒ 安らかに眠ること) を祈った I prayed for the *repose* of the war dead.

めいぶつ 名物 (独特の産物) special product Ⓒ, specialty Ⓒ; (呼び物) feature Ⓒ.《☞ めいさん; とくさん; よびもの》. ¶さくらんぼは山形の*名物だ Cherries are a ˹*special product* [*specialty*] of Yamagata. // わが校の文化祭の*名物はウルドゥー語劇です The ˹*feature* [*special attraction*] of our annual school festival is a play performed in

Urdu.
名物に旨い物なし Local specialties rarely taste good. 名物男[女] (有名な人) well-known person Ⓒ; (人気者) popular figure Ⓒ 名物教師 (評判のよい) popular teacher Ⓒ; (よく知られた) well-known teacher Ⓒ.

メイフラワーごう メイフラワー号 〚史〛 the Mayflower ★ 1620 年 Pilgrim Fathers を乗せて英国からアメリカへ渡航した船の名.

めいぶん¹ 名文 (優れた文) excellent composition Ⓒ, fine piece of writing Ⓒ; (有名な文) noted [famous] passage Ⓒ ★ 文の一節. **名文家** fine prose writer Ⓒ; (文体の名人) master of literary style Ⓒ, (master) stylist Ⓒ **名文集** choice collection of prose writing Ⓒ.

めいぶん² 名分 ☞ たいぎ¹

めいぶん³ 名聞 (名声) fame Ⓤ; (世間の評判) reputation Ⓤ. (☞ ひょうばん). ¶*名聞をはばかる (⇒ あなたについて人が言うことを恐れる) ことはない You don't need to ˹be afraid of [fear] *what others say about you.*

めいぶんか 明文化 ―動 (法律が規定する) provide ⑩ 語法 「明文化されている」は There is a provision that … の形で; (書く) write ⑩; (印刷する) print ⑩. ¶この点は法律に*明文化されていない (⇒ 規定がない) There is no *provision* in the law on this subject. // この点は規則の中に*明文化すべきだ This point should *be* ˹*provided* (*for*) [(⇒ 含まれる) *included*] in the regulations.

めいぶんきてい 明文規定 explicit provision Ⓒ, substantive enactment Ⓤ.

メイベル (女性名) Mabel /méɪb(ə)l/.

めいぼ 名簿 (name) list Ⓒ ★ 最も一般的な語; (住所などを記載したもの) diréctory Ⓒ; (出席簿) roll Ⓒ; (登録簿) régister Ⓒ.
¶彼女の名前は*名簿に載っている Her name is on the *list*. // 彼の名前は*名簿から消された His name was crossed off the *list*. // 彼を (⇒ 彼の名前を) *名簿に載せましたか Did you put his name on the ˹*list* [*roll*]? // 会員*名簿 a membership ˹*list* [*directory*] // 職員[乗客]*名簿 a ˹staff [passenger] *list* // 学生[同窓会]*名簿 a student [an alumni] *directory* // 選挙人*名簿 a *register* of voters / a pollbook // 来客*名簿 a visitors' *book*
名簿式比例代表制 list system of proportional representation Ⓒ.

めいほう¹ 盟邦 ally /ǽlaɪ/ Ⓒ.

めいほう² 名宝 renowned treasure Ⓒ.

めいほう³ 名峰 famous mountain Ⓒ.

めいぼう¹ 名望 reputation Ⓤ, 《格式》repute Ⓤ; (名声) renown Ⓤ. (☞ めいせい). **名望家** man of good reputation Ⓒ, man of high ˹repute [renown] ★ 後者のほうが格式ばった語.

めいぼう² 明眸 bright, ˹clear [beautiful] eyes.
明眸皓歯 starry eyes and pearly teeth; (人) beauty Ⓒ.

めいぼく¹ 銘木 precious [choice] wood Ⓤ. **銘木店** store specializing in decorative timber Ⓒ.

めいぼく² 名木 (由緒ある木) historic tree Ⓒ; (有名な木) well-known tree Ⓒ; (香木) incense wood Ⓤ; (伽羅(きゃら)) agalloch /əgǽlək/ Ⓤ.

めいみゃく 命脈 (生命) life Ⓤ. ¶*命脈を保つ keep *alive* / maintain *life* / remain *in existence* // 私の*命脈は尽きた My *life* is done.

めいめい¹ 銘銘 ―代 (各人) each (one). ―形 each; (個人別の) individual Ⓐ; (自分自身の) *one's* own. ―副 individually. (☞ かくじ; それぞれ). ¶*めいめい弁当を持ってきた *Each* of us brought ˹*his or her* [*our*] *own* lunch. 語法 文法的には his or her とするのがよいとされるが, our も用いられる. (☞ それぞれ 語法 (3)) // 辞書は*めいめいのを使いなさい Use *your own* dictionaries. // 私は*めいめいに意見を聞いた I asked their opinions *individually*. **銘銘皿** small plate (for each person to be used for taking food) Ⓒ.

めいめい² 命名 ―動 (名前を付ける) name ⑩; (呼ぶ) call ⑩ ★ いずれも <V+O+C> の構文をとる. (☞ なづける). ¶その宇宙ロケットを「ストーク」と*命名した They *named* the space rocket *Stork*. **命名式** naming ceremony Ⓒ; (洗礼式) baptism Ⓒ **命名法** naming scheme Ⓒ; (学術上の) nomenclature Ⓤ.

めいめいはくはく 明明白白 ¶それは*明々白々な事実である It's ˹an *absolutely* [a *perfectly*] *obvious* fact. (☞ めいはく)

めいめつ 明滅 ―動 (灯火・信号・星などが) blink ⓐ; (火などがちらちらする) flicker ⓐ. (☞ てんめつ). ¶2, 3 百メートル前方で信号が*明滅しているのが見えた I saw the traffic ˹lights [signal] ˹*blinking* [*flickering*] a few hundred meters ahead. **明滅信号** blinking signal Ⓒ.

めいもう 迷妄 illusion Ⓤ; delusion Ⓤ ★ 両方とも個々の事例の場合は Ⓒ. 後者は多少精神的な障害のある場合が多い.

めいもく 名目 ―形 (名前だけの) nominal. ―副 (名目上は) nominally; (名前だけは) in name only. ―前 (…という名目 [口実] で) under the ˹name [pretext] of … (☞ おもてむき).
¶彼は*名目上の会長だが, 実際は O 氏がその証券会社を牛耳っている He is head *in name*, but Mr. O is in reality in control of the securities firm. // 彼は*名目だけの社長だ He is the *nominal* president of the company. / His position as head of the company is purely *nominal*. // 彼は顧問料という*名目で政治家に賄賂を贈った He offered a bribe to the politicians *under the pretext of* paying a consultant's fee. // それは*名目は新作だが, 内容は焼き直しだ It is *nominally* a new work, but it is ˹actually [in fact] a rehash of his old work. // このような不祥事に対しては*名目が立たない (⇒ 弁解の余地がない) There is no *excuse* for such a scandal. **名目価格** (支払いでの) nominal price Ⓒ; (株券の額面価格) nominal value Ⓒ **名目資本** 〚経〛 nominal capital Ⓤ **名目所得** nominal income Ⓤ (↔ real income) **名目賃金** nominal wages (↔ real wages) ★ 複数形で. **名目論** 〚哲〛 nominalism Ⓤ.

めいもん 名門 (著名な家柄) distinguished [noted; famous] family Ⓒ (☞ ゆいしょ; ゆうめい¹).
¶彼女は*名門の生まれだ She ˹came [is] from a ˹*distinguished* [*noted*; *famous*] *family*. // *名門校 (⇒ 名声のある学校) a *prestigious* /prestídʒəs/ school / (⇒ 有名な学校) a *famous* school

めいもんく 名文句 witty [apt] remark Ⓒ.

めいやく¹ 名訳 excellent translation Ⓒ.

めいやく² 盟約 ―名 (誓約) pledge Ⓒ; (協定) covenant Ⓒ; (同盟) alliance Ⓒ. ―動 form an alliance (with …); conclude a pact (with …).

めいゆ 明喩 〚修辞〛 simile /síməli/ Ⓤ ★ as, like などを使った比喩表現, 具体的には Ⓒ. (☞ 比喩 (巻末)).

めいゆう¹ 名優 (すばらしい) great ˹actor [actress] Ⓒ; (有名な) fámous [célebràted] ˹áctor [áctress] Ⓒ.

めいゆう² 盟友 sworn friends ★ 2 人以上の間の関係をいうので, 複数形で用いるのが普通.

めいよ 名誉 ―名 honor (《英》 honour) Ⓤ ★ 最も一般的な語; (栄光) glory Ⓤ; (人の信用とよ

い評判) credit Ⓤ ★以上いずれも「名誉となるもの」という具体的な意味のときは a [an] を付けて; (評判) reputation Ⓒ ★悪い評判にも用いるので, 必ずしも「名誉」に当たらない場合がある; (恩典・光栄) prívilege Ⓒ. ── 形 (名誉ある) honorable (《英》 honourable); (名誉上与えられた) honorary /ánərèri/. (☞ めいせい; こうえい¹).

¶そのノーベル賞受賞者はわが国の*名誉である The Nobel ˹prize winner [láureate] is ˹an *honor* [a *credit*] to our nation. ★ laureate のほうが格式ばった語. // この会で演説できることは私にとってたいへんな*名誉であります It's a great ˹*honor* [*privilege*] for me to speak at this meeting. // 君の言動はわが校の*名誉を汚した (⇒ 学校に恥辱をもたらした) Your words and deeds ˹brought *disgrace* on [*disgraced*] our school. // *名誉にかけて私はベストを尽くします Upon [On] my *honor* I'll do my best. // 彼は*名誉の死を遂げた He died a *glorious* death. // 彼女は*名誉ある地位を得た She obtained an *honorable* position. // 彼はハワイ大学から*名誉博士の称号を受けた He received an *honorary* Ph.D. from the University of Hawaii.

名誉会員[会長] honorary ˹member [president] Ⓒ **名誉毀損**(きそん) ── 動 (名誉を傷つける) defame (他); (雑誌の記事・書物などの文書で) libel (他); (口で) slander (他). ── 名 libel (of character) Ⓤ. ¶その代議士は雑誌編集長を*名誉毀損で訴えた The Dietman filed a *libel* suit against the editor-in-chief of the magazine. **名誉教授** proféssor emeritus /ɪmérətəs/ Ⓒ (《複 professors emeriti /-taɪ/》) **名誉市民** honorary /ánərèri/ citizen Ⓒ **名誉職** honorary post Ⓒ **名誉心** desire for fame Ⓤ **名誉挽回** ¶*名誉挽回するにはどうしたらよいだろう What ˹shall [can] I do to ˹*retrieve* [*redeem*] my *reputation*? **名誉欲** lust for fame Ⓒ ★軽べつ的. **名誉領事** honorary consul Ⓒ.

> **コロケーション**
> 名誉を得る win [achieve; gain] *honor* / 名誉をかける stake *one's honor* (on ...) / 名誉を傷つける stain *one's honor* / 名誉をもたらす bring *honor* (to ...)

めいよかくめい 名誉革命 〖英史〗 the Glorious Revolution ★ the Bloodless Revolution (無血革命), the English Revolution とも言う (1688–89).

めいり 名利 (名声と富) fame and fortune Ⓤ. ¶彼は*名利を求めるのに汲々としている He thinks only of ˹getting [gaining] *fame and fortune*.

めいりょう 明瞭 ── 形 (隠れているところがなく明らかな) clear; (周囲の状況・証拠などから明らかな) evident; (発音などが) artículate. ── 副 clearly; articulately. ── 名 clearness Ⓤ. (☞ めいかく; あきらか; はっきり).

¶彼の意見は*明瞭さを欠く (⇒ はっきりしていない) His opinion is ˹*unclear* [(⇒ あいまいである) *ambiguous*]. // 彼女の*明瞭な発音は聞きとりやすい Her ˹*distinct* [*articulate*] pronunciation is easy to follow. // この文は*明瞭だ (⇒ はっきり書かれている) This sentence is *clearly* written.

めいる 滅入る (落胆する) be depressed; (暗い気持ちになる) feel ˹gloomy [blue] ★[ ] 内がより口語的. (☞ ゆううつ). ¶その病人は気が*滅入っているようだ The patient seems to *be depressed*. // 雨の日は気が*滅入る Rainy days make me ˹(*feel*) *gloomy* [*depressed*].

メイル ☞ メール

めいれい 命令 ── 名 order Ⓒ ★最も一般的な語で, 以下の語の代わりにも使える; (権限のある者が出す命令) command Ⓒ; (指示) directions; (細かい指示を与える命令) instructions ★以上 2 語は通例複数形で. ── 動 (命じる) tell (他); order (他), give orders (to ...); command (他); instruct (他)

語法 (1) 以上いずれも give を用いる言い方を除き <S (人)+V (*order, command,* etc.)+O (人)+C (*to* 不定詞)> という文型で用いる. ── 形 (命令的な) imperative; (高飛車な) peremptory. ★両者とも格式ばった語. (☞ めいじる¹; さしず; しじ²).

¶部長は彼にすぐ来いと*命令した The ˹head [manager] of the division *told* him *to* come immediately. / The ˹head [manager] of the division *gave* him the *order to* come right away. // 彼は私の*命令したことをやった He carried out my *orders*. // 私たちは彼の*命令に従った We ˹obeyed [followed] his *order*. // 彼は本国政府の帰国*命令に背いた He ˹disobeyed [ignored] the *order* from his government to return home. // 市は老朽家屋の取り壊し*命令を出した The city ˹*gave* [*issued*] *orders that* the old houses (should) be pulled down. 語法 (2) 《米》 では should を用いないのが普通. // 司令官は部下に作戦を遂行するように*命令した The commander gave *instructions* to his men to carry out the operations. // この行為は*命令違反だ This act is against *orders*. // 彼は社長の*命令で渡米した He went to the United States on *orders* from the president of his company. // 選手はコーチの*命令に従って行動した The players acted according to the *directions* of their coach. // *命令どおりにしなさい Do as you *are* ˹*told* [*ordered*]. // 政府には行政*命令を発する権限がある The government has (the) ˹authority [right] to ˹give [issue] ˹administrative [executive] *orders*. // *命令を撤回する cancel an *order* // *命令的な口調で in an *imperative* tone

命令形 〖文法〗 imperative form Ⓒ **命令系統** the chain of command Ⓒ **命令文** 〖文法〗 imperative sentence Ⓒ **命令法** 〖文法〗 the imperative mood.

めいろ 迷路 maze Ⓒ, lábyrinth Ⓒ ★後者はやや文語的だが, 比喩的用法にはよく使われる.

めいろう 明朗 ── 形 (顔や気持ちなどが明るい) bright 語法 人についてこの語だけを用いると「頭のいい」という意味と区別がつかないため, merry and bright などのようにほかの形容詞と並べて用いることが多い; (陽気で快活な) cheerful ★人・性質・雰囲気などに関する語を修飾する. (☞ あかるい; ほがらか).

¶彼は*明朗闊達(かったつ)な人だ He is a *cheerful* and broad-minded person. // *明朗な (⇒ きれいな) 選挙を望みたい I want them to hold a *clean* election. // *明朗さを欠く (⇒ 不正直な) 政治にはうんざりだ I am ˹disgusted with [sick of] *dishonest* politics. // 会計は*明朗に (⇒ 明らかに) しておいたほうがよい We had better make ˹the [our] ˹accounts [accounting (system)] *clear*.

めいろん¹ 名論 (すばらしい意見) excellent opinion Ⓒ; (健全な [根拠の十分な] 論) sound [well-founded] ˹argument [theory] Ⓒ. **名論卓説** excellent and original argument Ⓒ.

めいろん² 迷論 absurd opinion Ⓒ, 《格式》 fallacy Ⓒ.

めいわく 迷惑 ── 名 (面倒) trouble Ⓤ; (騒音や繰り返し行う行為などで不快にしたり, 怒らせたりすること) annoyance Ⓤ; (うるさいもの・人) nuisance /n(j)úːsns/ Ⓒ; (不便) ìnconvénience Ⓤ. ── 形 troublesome; annoying; ìnconvénient. ── 動 (迷惑をかける) trouble (他); annoy (他); (不便をかける) inconvenience (他). (☞ やっかい; めんどう).

¶人の*迷惑になることはするな Don't make a *nui-*

sance of yourself. // ご*迷惑をかけてすみません I am sorry to 「*trouble* you [*have troubled* you]. [語法] 前者はこれから行うこと，後者はすでに済んだことに対して言う. // たばこを吸う人は他人の*迷惑を忘れてはいけない Smokers should not forget that they *annoy* others. // 夜中に隣家で大きな音を立てるので*迷惑している We *are annoyed* 「*with* [*by*] the loud noises made by our neighbor late at night. // ご*迷惑でなければ一緒に来ていただけませんか If it is 「not *inconvenient* for [(⇒ よろしければ) *all right with*] you, will you come (along) with me?

「建設工事期間中のご迷惑をおわびいたします」という英国の掲示

迷惑行為 harassment Ⓤ **迷惑千万** terrible [major] nuisance Ⓒ. ¶ *迷惑千万です This is *extremely annoying*. **迷惑電話** (いたずらでかけてくる電話) prank call Ⓒ; (迷惑な電話) annoying [nuisance] call Ⓒ **迷惑メール** (広告などの) junk e-mail Ⓤ; (無差別に送られる) spam (mail) Ⓤ.

メイン[1] — [形] (主要な) main Ⓐ [日英比較] main は本来は [形] なので，日本語で「これがきょうのメインです」のような場合は，普通 main の後に [名] を補って言わなくてはならない.

メイン[2] — [名] ⓖ (米国の州) Maine /méɪn/ (☞ アメリカ (表)).

メインアンプ main 「amp [amplifier] Ⓒ ★ amp は amplifier の口語的短縮語.

メインイベント (最も主要な種目) main event Ⓒ.

メインゲート the main gate.

メインスイッチ 〖電〗 main switch Ⓒ.

メインスタジアム the main stadium.

メインスタンド (正面の観覧席) grandstand Ⓒ ★「メインスタンド」は和製英語.

メインストリート the main street; (通りの名として) Main Street.

メインタイトル 〖映〗 (movie [film]) title Ⓒ [参考] 製作者，原作者，監督などの名前が入っているタイトルは credit titles または credits という.

メインディッシュ (主要料理) main dish Ⓒ ★ 添え料理は side dish.

メインテーブル (議長や主賓の座るテーブル) main table Ⓒ.

メインテーマ (主題) main theme Ⓒ.

メインデッキ 〖海〗 main deck Ⓒ.

メインテナンス ☞ メンテナンス

メインバンク (主要銀行) main financing bank Ⓒ ★ ある企業の融資などに関わる銀行の中での最主要銀行.

メインフレーム 〖コンピューター〗 mainframe (computer) Ⓒ.

メインポール (旗を掲揚する柱の中で中心になるもの) main flagpole Ⓒ ★「メインポール」は和製英語.

メインマスト 〖海〗 mainmast Ⓒ.

メインメモリー 〖コンピューター〗 main memory Ⓤ.

めうえ 目上 (上役や先輩) superior Ⓒ (↔ inferior, subordinate); (年齢が上の人) senior Ⓒ (↔ junior). (☞ うえ[1]; としうえ).

めうし 雌牛 cow Ⓒ (☞ うし[1]).

めうつり 目移り ¶ 私は*目移りして (⇒ 非常にたくさんの本が目にとまって) どの本にしたらよいか決まらなかった *So many books caught my eye* that I was unable to decide which to buy.

めうま 雌馬 mare Ⓒ (☞ うま[1]).

メーカー mànufácturer Ⓒ [日英比較] 日本語の「メーカー」は会社を指し，個人は意味しないが，英語の maker は本来は個人の意味であり，watchmaker (時計屋), dressmaker (婦人服の仕立屋) のように合成語として用いられることが多い. 販売業者などに対して製造業者という意味では manufacturer を使うほうがよい. また「メーカー品」などという場合の「メーカー」は「一流銘柄の」という意味であり，次のように言う. **メーカー品** name brand Ⓒ ★ name は「一流の・有名な」という形容詞用法.

メーキャップ — [名] mákeùp Ⓤ [日英比較] makeup はテレビや演劇に限定されず，一般に「化粧」の意味で使われる. — [動] màke úp ⓐ. (☞ ふんそう[2]; けしょう). ¶ 彼女は楽屋で*メーキャップをした She 「put on her *makeup* [*made up*] in the dressing room. // *メーキャップを落とす take off *one's makeup*

メーク ☞ メイク; メーキャップ

メークイン (ジャガイモの品種) May Queen Ⓤ.

メーザー (マイクロ波の増幅・発振装置) maser /méɪzə/ Ⓒ ★ *m*icrowave *a*mplification by *s*timulated *e*mission of *r*adiation から.

メージャー — [名] ⓖ John Major, 1943– . ★ 英国の保守党政治家・元首相.

メーター meter /míːtə/ Ⓒ (☞ けいき[3]). ¶ 月に一度ガス [水道, 電気] の*メーターを調べにくる They come to my house to read the 「gas [water; electricity] *meter* once a month. // タクシーの*メーター a *taximeter* **メーターボックス** 〖電〗 elèctrícity méter(s) cupboard /kʌ́bəd/ Ⓒ.

メーデー May Day; (救難信号) Mayday /méɪdeɪ/ Ⓒ, mayday Ⓒ.

メーテルリンク — [名] ⓖ Maurice Maeterlinck /méɪtəlɪ̀ŋk/, 1862–1949. ★ ベルギーの劇作家・詩人.

メード ☞ メイド

メードインジャパン — [形] (日本製) made in Japan.

メートル meter /míːtə/ Ⓒ 《略 m》 (☞ 度量衡 (囲み)). ¶ この板は長さ 2 *メートル，幅 1 *メートルある This board is two *meters* long and one *meter* wide. **メートルを上げる** ¶ 彼は昨晩も*メートルを上げた (⇒ 酒を飲んで気炎を上げた) He *drank and talked big* last night 「again [as usual].
メートル制 meter system Ⓒ (☞ メーター) **メートル法** the metric system. ¶ 日本では (⇒ 私たちは日本で) *メートル法を採用している We use *the metric system* in Japan.

メービュウスのおび メービュウスの帯 ☞ メビウスのおび

メーフラワーごう メーフラワー号 ☞ メイフラワーごう

メープル 〖植〗 (カエデ) maple Ⓒ ★ 木材は Ⓤ.
メープルシロップ máple syrup /sə́ːrəp/ Ⓤ.

メーリングリスト 〖インターネット〗 mailing list Ⓒ ★ 登録ユーザーに，電子メールによって随時情報を送るサービス.

メール — [名] (郵便・郵便物) mail Ⓤ; (電子メール) e-mail Ⓤ ★ electronic mail の略. E-mail, email などともつづる. 個々のメールの意味では Ⓒ. 携帯電話の文字メールはしばしば text [SMS] message Ⓒ と呼ぶ (SMS は *s*hort 「*m*essage [*m*essaging] *s*ervice の略). また text(-message) を「(携帯で) メールする」という動詞として使うこともある. — [動] mail ⓗ; e-mail ⓗ, E-mail ⓗ, email ⓗ. (☞ しゃしん (写真メール)).
¶ …に*メール (⇒ 電子メール) を送る send (an) *e-mail* to [*e-mail* a message to; *e-mail*] … // 彼女は

指導教授にレジュメを*メール (⇒ 電子メール) で送った She sent the résumé to her supervisor 「by [via] *e-mail.*
メールアドレス e-mail [E-mail; email] address [C]
メールオーダー ── [名] mail order [U]. ── [形] mail-order. ── [動] mail-order ㊀. ¶ 彼はそのセーターを*メールオーダーで買った He bought the sweater by *mail order.* メールボックス ☞ 見出し

メールボックス (郵便受け) mailbox [C] ★ ポストの意味でも使われる; (電子メールの) electronic mailbox [C]. ¶ *メールボックスから手紙を取り出す take a letter out of the *mailbox*

メーン ☞ メイン[1]

メーンクーン 〔動〕 Maine coon (cat) [C] ★ 毛がふさふさした家猫.

めおと 夫婦 ☞ ふうふ 夫婦茶碗 pair of husband-and-wife tea cups(, a large one for the husband and a small one for the wife) 夫婦雛 couple of dolls representing husband and wife [C] 夫婦松 pair of pine-trees growing side by side [C].

メカ ¶ 彼は*メカに強い He is a good *mechanic* /mɪkǽnɪk/. ★ mechanic は「機械工」. / He has practical knowledge of *machines.* 《☞ メカニズム》

メガ ── [接頭] mega- /mégə/ 《略 M》 ★ 100 万(倍)の意味. megahertz, megaton, megabyte など.

めがお 目顔 look [C] ★ 普通は単数形で. ¶ *目顔で知らせる (⇒ 目で合図をする) make a sign with *one's eyes* 《☞ めくばせ》

めかくし 目隠し ── [名] (人の目の) blindfold [C]. ── [動] (人に) blindfold ㊀. 《☞ ついたて》. ¶ その間私はずっと*目隠しされていた I *was blindfolded* all the while.

めかけ 妾 mistress [C], kept woman [C]. ¶ *妾を囲う keep a *mistress*

めがける 目掛ける ── [動] (ねらう) aim at ... ── [前] (目標に向かって) at ...; (方向に向かって) to ..., toward ... [語法] to は目的地を表し, toward は方向に重点がある. 《☞ ねらう; めざす》. ¶ その子は猫を*目がけて石を投げた The child threw a stone *at* a cat. // 彼はゴール*目がけて突進した He made a wild dash 「*to* [*toward*] the finish line.

メガサイクル megacycle [C] ★ 現在は megahertz を用いる. 《☞ メガ; メガヘルツ》.

めかじき 女舵木, 女旗魚 〔魚〕 broadbill [C], swordfish [C].

めかしこむ めかし込む ¶ 彼らは*めかし込んで出かけた They went out *all dressed up.* 《☞ めかす》

めかしや めかし屋 (女性) flashy woman [C]; (男性) dandy [C]. 《☞ おしゃれ》.

めがしら 目頭 ¶ 私は感激のあまり*目頭が熱くなった (⇒ 涙が出るほど感動した) I *was moved to tears.* / I was so moved that *my eyes were moist with tears.* // 彼女はその光景を見て*目頭を押さえた (⇒ 涙を流した) She *shed tears* at the sight. 《☞ なみだ》

めかす (装う・盛装する) dress *oneself* up; (盛装している) be dressed up; (一番いい服を着る) wear *one's* best 「dress [clothes]. 《☞ せいそう[2]; おしゃれ》.

めかた 目方 ── [名] weight [U]. ── [動] (目方を量る) weigh ㊀. 《☞ おもさ; じゅうりょう[1]》.
¶ この小包みの*目方を計って下さい Please *weigh* this parcel. // *目方が少し超過している It's a little *overweight.* // 500 グラムの牛肉を注文したが*目方が 20 グラム不足していた I ordered 500 grams of beef but *was shortchanged* 20 grams. / I ordered 500 grams of beef, but it was 20 grams 「*short* [*light*]. // じゃがいもは*目方で売られている Potatoes are sold *by weight.*

メカトロニクス (機械工学と電子工学の境界学問分野) mechatronics /mèkətrɑ́nɪks/ [U] ★ *mechanical* engineering と *electronics* から成る合成語.

メガトン (100 万トン) megaton /mégətʌ̀n/ [C].

メカニカル ── [形] (機械の) mechanical. メカニカルエンジニア mechanical engineer [C].

メカニズム (装置・仕組み) méchanism [C].

メカニック ── [名] (機械工・整備士) mechánic [C]. ── [形] (機械的な) mechanical.

メカニックス (力学・機械工学) mechánics [U].

めがね 眼鏡 **1** 《眼鏡》: glasses, eyeglasses, spectacles [語法] 最初が最も普通で, この順に格式ばった言い方. いずれも常に複数形で. 数えるときは a pair [two pairs] of glasses.

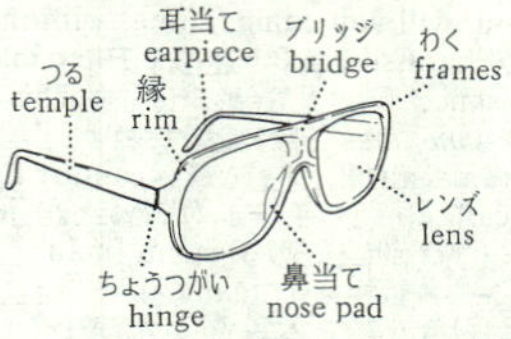

¶ 彼は*眼鏡をかけた[はずした] He 「put on [took off] his *glasses.* ★ 動作をいう. // 彼はとても厚い[度の強い]*眼鏡をかけている He wears very thick *glasses.* ★ 状態をいう. // *眼鏡をかけないで新聞が読めますか Can you read 「a [the] newspaper without your *glasses* on? // あの黒*眼鏡をかけた男はだれだ Who is that man 「in dark *glasses* [with dark *glasses* on]? // 新しい*眼鏡を買わなきゃ I must buy a new pair of *glasses.* // 水中*眼鏡 swimming *goggles* ★ 水泳用. / a face mask ★ 潜水用. // 近視[遠視]用の*眼鏡 *glasses* for a 「nearsighted [farsighted] person // 乱視用の*眼鏡 *glasses* with astigmatic lenses // 遠近両用*眼鏡 bifocal *glasses* / *bifocals* // たぶん近眼が進んでいるのでしょう. この*眼鏡は合わなくなりました Probably I am getting more 「near-[short-]sighted. These *glasses* don't suit me any more. // 度の合った*眼鏡 (a pair of) properly fitted *glasses* // 彼は*眼鏡越しに見た He looked over (the tops of) his *glasses.*

2 《鑑識 (力)》: (判断) judgment (《英》 judgement) [U]. ¶ 私の*めがねに狂いはない (⇒ 判断に間違いはない) I never make a mistake in my *judgment.*
眼鏡が狂う (判断を誤る) misjudge ㊀.
眼鏡にかなう ¶ 彼は社長の*めがねにかなったらしい (⇒ 気に入られたらしい) He seems to *have found favor with* the president.
眼鏡入れ spectacle case [C] 眼鏡違い misjudg(e)ment [C]. ¶ とんだ*眼鏡違いをした I made a gross *misjudgment.* 眼鏡橋 two-arched bridge [C] 眼鏡屋 (店) optical shop [C]; (人) optician [C].

めがねざる 眼鏡猿 〔動〕 tarsier /tɑ́ɚsiə/ [C].

メガバイト 〔コンピューター〕 mégabỳte [C] 《略 MB》. ¶ 8 *メガバイト 8 *megabytes* / 8 *MB*

メガバンク (巨大銀行(グループ)) megabank [C].

メガビット 〔コンピューター〕 (情報量の単位) mégabìt [C].

めかぶ 雌株 〔植〕 female root [C] (↔male root).

メガフロート (人工の浮島) megafloat [C].

メガヘルツ 〔物理〕 mégahèrtz /-hɚ̀ts/ [C] 《略 MHz》.

メガホン mégaphòne [C].

めがみ 女神 goddess Ⓒ.
メガロポリス (巨大都市帯) mègalópolis Ⓒ.
メガワット megawatt Ⓒ《略 MW》.
めぎ[1] 雌木 〔植〕female tree Ⓒ (↔male tree).
めぎ[2] 目木 〔植〕Japanese [Thunberg's] barberry Ⓒ.
めきき 目利き ━名 (鑑定) judgment Ⓤ; (評価) estimation Ⓤ; (批評) criticism Ⓤ; (鑑定人) judge Ⓒ; (批評家) critic Ⓒ; (美術品・酒の) connoisseur /kɑ̀nəsə́ː/ Ⓒ; (美術・骨董品の) virtuoso Ⓒ《複 ~s, -si》. ━動 judge ⑩; éstimàte ⑩. ¶彼は宝石類については*目利きだ He is a *good judge* of jewelry /dʒúːəlri/. / He *has an excellent eye* for jewelry.
目利き違い ━名 (間違った鑑定) wrong [erroneous] judgment Ⓒ. ━動 (間違った鑑定をする) judge [estimate] …「wrongly [erroneously].
メキシコ ━名 固 Méxicò; (正式名; メキシコ合衆国) the United Mexican States ★ 北アメリカ南部の国. ━形 Méxican. メキシコシティー ━名 固 Mexico City ★ メキシコの首都. メキシコ人 Mexican Ⓒ メキシコ湾 ━名 固 the Gulf of Mexico メキシコ湾流 ━名 固 the Gulf Stream.
めぎつね 雌狐 vixen Ⓒ《☞ きつね》.
めきめき ━副 (急速に) quickly, rapidly, speedily 〔語法〕これらの語は上達・回復などの速さについていう場合はほぼ同意; (目覚ましく) remarkably. 《☞ はやい[1] (類義語); どんどん[1]; 擬声・擬態語 (囲み)》. ¶その病気の子供は*めきめき回復した The sick child recovered「*quickly* [*rapidly*; *speedily*]. // 彼女はピアノが*めきめき上達した She has made「*rapid* [*remarkable*] progress「at [on] the piano.
めキャベツ 芽キャベツ Brussels /brʌ́slz/ spróuts ★ 複数形で.
-めく ━動 (…のようになる) be [become] like …; (…のように聞こえる) sound (like) … 〔語法〕sound の後に 名 が来るときは like が必要. ━副 (幾分) somewhat. 《☞ -ぽい》. ¶日増しに春*めいてきた Day by day, it *is getting to be like* spring. / (⇒ 少しずつ冬から春に移りつつある) Little by little, winter *is turning into* spring. // 彼女の話しぶりには皮肉*めいた (⇒ 皮肉気味の) ところがある There is *a touch of* irony in the way she talks.
メグ (女性名) Meg ★ Margaret の愛称.
めくぎ 目釘 rivet (of a sword hilt) Ⓒ. ¶*目釘を湿(しめ)す (⇒ 戦闘の用意をする) get ready to fight
めくじら 目くじら 目くじらを立てる ━動 (人のあらを探す) find fault with …; (あまりに厳しすぎる) be too strict「over [about] … ¶彼はいつも我々の言うことに*目くじらを立てる He *is* always *finding fault with* us. 〔語法〕この進行形は話し手の不快な気持ちを表す. // つまらないことに*目くじらを立てるな Don't *be too strict*「*over* [*about*] small things.
めぐすり 目薬 eyewash Ⓤ《☞ てんがん》. ¶*目薬を 1 日数回さしなさい Apply *eyewash* several times a day. // 2 階から*目薬 (⇒ うちわで霧を払う) dispel fog with a fan
めくそ 目糞 (目やに) gum Ⓤ, 《略式》sleep Ⓤ. 目くそ鼻くそを笑う The pot「calling [calls] the kettle black. 《ことわざ: なべが (自分も黒いのに) やかんを黒いと言う》
めくばせ 目配せ ━名 winking Ⓤ. ━動 wink (at …) ⓐ; (目で合図をする) signal … with *one's* eyes. 《☞ ウインク》. ¶彼は私に急ぐようにと*目くばせした He *signaled* me *with his eyes* to be quick.
めくばり 目配り ━名 watch Ⓤ; (用心・警戒) 《格式》vigilance Ⓤ. ━動 keep (a) watch, be watchful, be observant.
めぐまれる 恵まれる be blessed with …; enjoy ⑩ 〔語法〕前者は「たまたま好運にも与えられている」, 後者はもっと積極的に「享受している」の意; (…を授かっている) be endowed with …
¶私は友人に*恵まれている I'*m*「*blessed with* [*rich in*] friends. // 私は健康に*恵まれている (⇒ 健康を享受している) I *enjoy* good health. // この港は地理的に*恵まれている (⇒ 有利である) This port *is favored* geographically. 《☞ ちのり[1]》 // 彼女は*恵まれた (⇒ 幸せな) 生涯を送った She led a *happy* life. // きょう皆さんにお話しする機会に*恵まれたことはまことに名誉なことです It is indeed a great honor for me (to *be given* this opportunity) to speak to you today. ★ ( ) 内を言えばより丁寧になる.
めぐみ 恵み (神の) blessing Ⓒ; (好意) favor 《英》favour) Ⓤ; (慈善) charity Ⓤ. ¶私は他人の*恵みを受けるのはいやだ I don't want to「accept [live on] *charity*. // 我々は自然の*恵みを受けて豊かに暮らしている We live in prosperity, enjoying the *blessings* of nature. // 雨は, その地域では*恵みの雨だった It was (a) *welcome* rain in the area. // 天の*恵み (⇒ 予期せぬ助け) unexpected *help* / (⇒ 全くの幸運) sheer [pure] *luck* / (⇒ 神の恵み) a *blessing*
めぐむ[1] 恵む (慈善的な施しをする) give … in charity 《☞ ほどこす》.
めぐむ[2] 芽ぐむ bud ⓐ. ¶木々が芽ぐみ始めている The trees *are budding*.
めぐらす 巡らす **1** «囲む»: surround ⑩, enclose ⑩. 《☞ かこむ; はりめぐらす》. ¶彼女は果樹園に石垣を*巡らせた She「*surrounded* [*enclosed*] her orchard with stone walls.
2 «案出する»: (悪事をたくらむ) plot ⑩, cook up a scheme. 《☞ たくらむ; くわだてる》. ¶彼らは首相暗殺のはかりごとを*巡らせた They *plotted* to assassinate the prime minister.
3 «あれこれ考える»: (過去のことを振り返る) look back「on [upon] … 《☞ ふりかえる[1]》.
¶私は結婚当初の数年間のことに思いを*巡らせた I *looked back*「*on* [*upon*] the first few years of our marriage.
めくり 捲り (演目などの) program board Ⓒ, act-announcement sheets ★ 複数形で. act は「出しもの」.
-めぐり …巡り (遍歴) tour Ⓒ; (巡礼の旅) pilgrimage Ⓒ. 《☞ たび[1]; ツアー 日英比較》.
¶私たちは島*巡りをした We「*made a* (*sightseeing*) *tour of* [*toured*] the islands. // 四国の (88 か所) 霊場*巡り a *pilgrimage* to the (eighty-eight) temples in Shikoku
めぐりあい 巡り合い chance [unexpected; accidental] meeting Ⓒ, encounter Ⓒ.
めぐりあう 巡り合う (ひょっこり出会う) run into …, meet … by chance ★ 前者のほうが口語的. 《☞ であう; ぐうぜん》. ¶彼は 30 年ぶりにあるパーティーで初恋の女性と*巡り合った After (an interval of) thirty years, he *met* his first love *by chance* at a party.
めぐりあわせ 巡り合わせ (運・幸運) luck Ⓤ, fortune Ⓤ ★ 前者は口語的. 後者はやや格式ばって, 前者より重大な巡り合わせをいう; (運命) fate Ⓤ ★ 特に不運な宿命. 《☞ うんめい; えん[1]; うん[1] (類義語)》. ¶幸せな[不幸な]*巡り合わせ good [bad] *luck* // 不幸になるのが彼女の*巡り合わせだったのかもしれない It may have been her *fate* to be unhappy. 巡り合わせが悪い ━形 (不幸な) unlucky; (不運な) unfortunate.
めぐりあわせる 巡り合わせる ¶私は古書市で初版本に*めぐり合わせた (⇒ 幸運にも出くわした) I *luckily came across* the first edition at a sec-

ondhand book fair. (☞ めぐりあう)

めくりごよみ 捲り暦 (一日ずつ破っていく日めくりカレンダー) tear-off calendar Ⓒ.

めくる 捲る (ページなどを) turn over ㊀他; (ページを続けてぱらぱらとめくる) leaf through ㊀他; (カードなどを) turn up ㊀他. ¶ページを*めくって下さい Please *turn* (*over*) the page. // 雑誌をぱらぱらと*めくって見る *leaf through* a magazine ★ 内容はあまりよく見ない含みがある. // 彼はカードを1枚*めくった He *turned up* a card. // 彼は女の子のスカートを*めくったので母にしかられた He was told off by his mother for *lifting* a girl's skirt.

めぐる[1] 巡る (回って来る・またやって来る) còme aróund ㊀自; (旅をする) travel (in …; around …; through …) ㊀自, (周遊旅行をする) make a tour (in …; around …). (☞ りょこう (類義語)). ¶新しい年がまた*巡ってきた Another new year *has come around.* // 私は去年ヨーロッパを*巡って歩いた I *traveled through* Europe last year. // 友人と京都の寺を*巡りました I ˹*made* [*went on*] *a tour of* the (famous) temples in Kyoto with my friend.

巡り巡って (回り回って) going around and around; (いろいろな経路を経て) through [following] various ˹routes [paths]; (最終的には) finally, in the end. **巡る因果** (はてしなく繰り返される原因と結果) cause and effect repeated ˹endlessly [in succession] Ⓤ.

めぐる[2] 巡る ── [前] (…について) about …, over …, concerning … [語法] over は特に論点をはっきり示すニュアンスがある. 最後はやや格式ばった語. (☞ ついて; かんする[1]). ¶支払いを*めぐって彼らはけんかをした They had a dispute ˹*over* [*concerning*] the payment. // 農業補助金支出を*めぐる疑惑があった There was some suspicion *about* the expénditures on ágricùltural súbsidies.

めくるめく 目眩めく ── [動] (目をくらませられる) be dazzled. ── [形] dazzling, blinding. ¶突然*目眩めく閃光が走った Suddenly there was a ˹*dazzling* [*blinding*] flash of light.

めくれる 捲れる ¶彼女のスカートは風で*めくれた Her skirt *was lifted* by the breeze. / The breeze *lifted* her skirt.

めぐろ 目黒 〔鳥〕Bonin Island honey eater Ⓒ.

めげる (元気をなくす) lose heart; (がっかりする) be ˹discouraged /dɪskə́ːrɪʤd/ [disheartened]; (気落ちする) be depressed. (☞ がっかり; くじける; しょげる). ¶彼女はどんな困難にも*めげない She never *loses heart* when faced by any difficulty. // 彼はその結果にすっかり*めげてしまった He *is* completely ˹*depressed* [*discouraged*] by the result.

めごち 雌鯒 〔魚〕big-eyed flat-head Ⓒ.

めこぼし 目溢し ── [名] (見て見ぬふり) connívance Ⓤ; (見逃すこと) overlooking Ⓤ. ── [動] overlook ㊀他; connive ㊀他. ¶今度だけはお*目こぼし願います I beg you to *overlook* the matter just this once.

めこぼれ 目こぼれ ☞ みおとし

メコンがわ メコン河 ── [名] [固] the Mekong /mèikɔ́ːŋ/ ★ チベットに発してラオス・ベトナムを流れる河. **メコン(河)デルタ** the Mekong Delta.

メサイア (ヘンデル作曲のオラトリオ) Messiah /məsáɪə/ ★「救世主」の意では ☞ メシア.

めさき 目先 ── [形] (直接の) immediate /ɪmíːdiət/; (現在の) present.

¶*目先の利益ばかり考えるのはやめなさい Quit trying to gain only your (own) *immediate* interests. // 彼は*目先のことばかり考える He thinks only ˹about [of] the *present*.

目先がきかない ── [動] be ˹(米) néarsíghted [(英) shórtsíghted]; (先見の明がない) have no foresight. (☞ せんけん). **目先がきく** be fársíghted; (先見の明がある) hàve fóresight. **目先の変わった** ── [形] (新しい) new; (新しくて珍しい) novel. (☞ めあたらしい). **目先を変える** (新しいことをする) do [start] something ˹new [novel]; (変化をもたらす) make a change.

めざし[1] 目刺し (いわしの) dried sardines (bound together by a straw passed through their eyes) ★ 説明的な訳.

めざし[2] 芽挿し 〔園〕bud grafting Ⓤ, budding Ⓤ.

めざす 目指す, 目差す ── [動] (ねらう) aim at … ── [前] (…を目指して) for …; (…の方向に) toward … (☞ ねらう; ねらい).

¶彼らはさらに生活水準の向上を*目指している They *aim at* obtaining (a) further improvement ˹of [in] their standard of living. // 彼女はよい教師になることを*目指して一生懸命勉強した She studied hard *with the* ˹*aim* [*object*] *of* becoming a good teacher. // 我々は山頂を*目指して出発した We started *for* the ˹top of the mountain [mountaintop]. // 彼は*目指す (⇒ 入学したい [志望の]) 大学に入学できなかった He was unable to enter the university ˹*he wanted to go to* [*of his preference*]. ★ [ ] 内は格式ばった言い方.

めざとい 目敏い ── [形] (すばしこい) sharp-eyed, keen-eyed. ── [動] (鋭い目をしている) have ˹sharp [keen; quick] eyes (for …). (☞ すばしこい; するどい). ¶この子はとても*目ざとい The child ˹is very *sharp-eyed* [has very *quick eyes*]. // 彼女は*目ざとく (⇒ すばやく) 人込みに私たちが捜していた男を見つけた She *quickly* ˹picked out [found] the man we were looking for in the crowd.

めざまし 目覚まし (時計) alarm (clock) Ⓒ. ¶*目覚ましを7時にかけておいて下さい Please set the *alarm clock* ˹to go off at [for] seven. // *目覚ましの音で目が覚めた (⇒ 目覚ましが私を起こした) The *alarm* (*clock*) woke me up. // 彼は*目覚ましを止めた He ˹stopped [turned off; shut off] the *alarm* (*clock*). **目覚まし時計** alarm (clock) Ⓒ.

めざましい 目覚ましい (著しい) remarkable; (驚くべき) startling; (すばらしい) wonderful; (画期的な) epoch-making. (☞ きょうい[1]; すばらしい). ¶日本の科学技術は*めざましい進歩を遂げた Japan has ˹made [achieved] ˹*remarkable* [*startling*] progress in scientific techniques.

めざます 目覚ます ¶父親は彼女の良心を*目覚まそうとした Her father tried to ˹*arouse* [*stir up*] her conscience.

めざめ 目覚め ── [名] (目が覚めること) waking Ⓤ, awakening Ⓤ ★ 後者は本能などの発動も意味する; (信仰上の) conversion Ⓤ.

めざめる 目覚める (目が覚める) wáke (úp) ㊀自 (過去 woke, waked; 過分 waked, woken); (気づく) awake ㊀自 ㊀他 (過去 awoke, awaked; 過分 awaked, awoken, awoke). (☞ おきる; さめる; さとる). ¶毎朝私は小鳥の声で*目覚める I *wake up* to the singing of (the) birds every morning. // あなたは現実に*目覚めてもよいころだ It is high time you *woke up to* the realities of life.

めざる 目笊 openwork (bamboo) basket Ⓒ.

めされる 召される ¶いかが*召されましたか I was wondering (if you would tell me) *what is the matter with* you. ★ 相手に質問するときの非常に丁寧な表現. // 彼女は天に*召された She *has gone to* heaven. (☞ めす[2])

めざわり 目障り éyesòre Ⓒ (☞ じゃま).

¶あのポスターは*目障りだ That poster is an *eye-*

sore.

めし 飯 **1**《米のご飯》: (米) rice Ⓤ; (米を炊いたもの) (cooked) rice Ⓤ 日英比較 日本語では米と飯は別語であるが, 英語では特に必要がない限り ( ) の説明は付けず rice だけでよい. 《☞ ごはん; こめ 日英比較》.
2《食事》: meal Ⓒ; (食物) food Ⓤ 語法 時間によって breakfast Ⓤ, lunch Ⓤ, dinner Ⓤ などを用いることもできる. ¶さあ, *飯にしよう Let's have ˹*lunch* [*breakfast*; *dinner*]. / (⇒ 食事をしに行こう) Let's go (to) *eat*. / (⇒ 食事をする時だ) Now it's time to *eat*. // 彼は三度の*飯より野球が好きだ (⇒ ほかの何よりも好きだ) He likes baseball *better than anything else*.
飯代 (請求額) meal charge Ⓒ ★ 普通は具体的に breakfast [lunch; dinner] charge という; (食事に使うお金) meal money Ⓤ ★ 普通は具体的に breakfast [lunch; dinner] money という. **飯たき** (飯を炊くこと) cooking [boiling] rice Ⓤ; (飯を炊く女性) kitchen maid Ⓒ **飯茶碗** ríce bowl /bòʊl/ Ⓒ **飯粒** grain of cooked rice Ⓒ **飯時** mealtime Ⓒ ★ 朝[昼, 夕] 飯時は breakfast time, lunchtime, dinnertime という. **飯の食い上げ** ―動 (収入源をなくす) lose *one's* source of income. ¶それでは*飯の食いあげだ (⇒ それからは生計を立てることはできない) I *cannot* ˹*make* [*earn*] *a living* ˹out of [from] it. 《☞ くいあげ》 **飯の種** (生活の手段) means of living Ⓒ ★ 単複同形; (収入の源) source of income Ⓒ; (職業) *one's* occupation. ¶彼が何を*飯の種にしているのかわかりません I don't know what he does *for a living*. // 彼女は写真を*飯の種にしている She ˹makes [earns] ˹a [her] *living* (by) taking photographs. / (⇒ 職業は写真家である) She is a photographer *by profession*. **飯びつ** container for cooked rice Ⓒ **飯屋** small eating ˹house [place] Ⓒ.

めじ 目地 (土木で) joint (of a wall) Ⓒ. ¶タイルの*目地 *joints* between the tiles

メシア 〔宗〕(救世主) the Messiah /məsáɪə/. ¶*メシアの到来 the coming of *the Messiah*

めしあがる 召し上がる have ㊙; (食べる) eat ㊙; (飲む) drink ㊙ 日英比較 英語には「食べる」「飲む」に当たる敬語はないが, would like to eat のような言い方をすることによって相手に対する敬意を示すことがある. 《☞ たべる; 丁寧な表現 (巻末)》. ¶何を*召し上がりますか What would you like to ˹*have* [*eat*; *drink*]?

めしあげる 召し上げる ☞ ぼっしゅう

めしいる 盲いる go [become] blind.

めしうど 召人 (歌会始めの) guest poet who offers poems at *Utakai Hajime*, New Year's poetry reading (at the Imperial Court) Ⓒ.

めじか 牝鹿 doe Ⓒ 《☞ しか》.

めしかえ 召し替え ☞ おめしかえ; きがえ; きがえる

めしかかえる 召し抱える ¶彼らは彼を剣術指南として*召し抱えた (⇒ 雇った) They *employed* him as a fencing ˹instructor [master].

めした 目下 (下の者や部下) subórdinate Ⓒ (↔ superior); (年齢が下の人) junior Ⓒ (↔ senior). 《☞ としした; こうはい[1]》.

めしつかい 召使 servant Ⓒ (↔ master); (男の) mánsèrvant Ⓒ 《複 menservants》; (女の) máidsèrvant Ⓒ; (女のお手伝い) maid Ⓒ 参考 servant は比喩的な用法 (例えば public servant (公僕) など) を除いては使われなくなっている.

めじな 眼仁奈 〔魚〕 opaleye Ⓒ, largescale blackfish Ⓒ.

めしべ 雌蕊 pistil Ⓒ.

めじまぐろ めじ鮪 〔魚〕(マグロの若魚) young tuna Ⓒ.

めしもの 召し物 ☞ おめし (御召し物)

メジャー[1] (物指し) measure Ⓒ; (巻尺) tape measure Ⓒ. **メジャーカップ** (計量カップ) measuring cup Ⓒ **メジャースプーン** (計量スプーン) measuring spoon Ⓒ.

メジャー[2] (国際石油資本) (oil) major /méɪdʒə/ Ⓒ; (大企業) major company Ⓒ.

メジャー[3] ☞ せんこう[2]

メジャートーナメント (ゴルフの 4 大大会) major tournament Ⓒ.

メジャーリーグ (野球などプロスポーツの) major league Ⓒ ★ 米プロ野球のアメリカンリーグ (the American League) とナショナルリーグ (the National League) の両方を含めていう場合は the major leagues.

めじゃない 目じゃない ☞ め[1] (目じゃない)

めじり 目尻 (眼の端) the ˹corner [tail] of the eye. ¶*目尻のしわ crow's-feet ★ 通例複数形で. **目尻を下げる** (色目を使う) make eyes at… ; (満足して喜ぶ) be pleased. 《☞ いろめ》.

めじるし 目印 (標識) sign Ⓒ; (航海者や旅人の目標) landmark Ⓒ; (他と区別して識別するための目印) identification Ⓒ. 《☞ しるし[1]》.
¶あの古い城がこの町では*目印です That old castle is a *landmark* in this town. // 校長先生は*目印に大きな白いリボンをつけています Our principal is wearing a big white ribbon for *identification*. ★ この identification は「識別」の意味で Ⓤ.

めじろ 目白 (鳥) white-èye Ⓒ, sílverèye Ⓒ. **目白押し** ―動 (詰め込まれている) be jammed ★ 詰め込まれている場所・箇所が主語. ¶今月は行事が*目白押しだ This month's schedule *is* ˹*jammed* [(⇒ ぎっしりだ) *tight*] with various events.

めじろざめ 目白鮫 〔魚〕requin /rɪkǽn/ Ⓒ, requiem /rékwiəm/ Ⓒ.

めす[1] 雌 ―名 female /fíːmeɪl/ Ⓒ (↔ male); (鳥の) hen Ⓒ; (象・鯨などの大きな動物の) cow Ⓒ; (鹿・うさぎなどのやや小さい動物の) doe Ⓒ; 《略式》 she Ⓒ ★ 動物一般に使える. ―形 female (↔ male); hen; cow; doe 語法 (1) hen, cow, doe は Ⓐ として用い, 「雌きじ」 *hen* pheasant (雄は *cock* pheasant) のようにいう; (主として結合語で) she- (↔ he-).
語法 (2) 一般に動物の雌雄は (1) (雄犬) dog, (雌犬) bitch; (おんどり) rooster, (めんどり) hen のように別々の語を用いるもの, (2) (雄ライオン) lion, (雌ライオン) lioness; (雄虎) tiger, (雌虎) tigress のように, 雌には -ess を付けて表すもの, (3) (雄猫) he-cat, tomcat, (雌猫) she-cat; (雄やぎ) he-goat, billy goat, (雌やぎ) she-goat, nanny goat のように, 雌雄を表す結合形を用いて表すものの 3 種類がある. その場合, 最も一般的な語として, 四足獣の場合は雄を表す語, すなわち lion, dog などがその種類の代表として用いられることが多いが, goose (雌がちょう (雄は gander)); duck (雌あひる (雄は drake)) のように, 鳥類は雌が代表とされることが多い. また雄を表す語がその種類を示す語である場合には, female を付ければ, 「雌の…」という意味を表すことができる. 例えば雌ライオンは lioness だが, female lion でもよく, 雌馬は female horse (＝mare) でもよい. また, she- を付けていう言い方は female を付けるよりも口語的. 《☞ おす[3] (表)》.
¶この犬は雄ですか*雌ですか Is this dog ˹male or *female* [a he or a *she*]?

めす[2] 召す ¶彼は殿に*召された (⇒ 呼ばれた) He *was called* by the Lord. 《☞ めされる》 // 何かお飲み物をお*召しになりますか (⇒ 飲みますか) Would you like something to *drink*? // 上着をお*召しに

なったほうが (⇒ 着たほうが) よいだろうと思いますが I think it would be better to *wear* a jacket. // あの白髪のお年を*召した (⇒ 年配の) 女性の方がこの大学の学長でございます The *elderly* ˹lady [woman] with white hair is the president of this university. // どうぞお風邪をお*召しになりませんように (⇒ 引かないように) Please take good care not to *catch* (a) cold.

メス (手術用の) surgical knife Ⓒ, scalpel Ⓒ. (☞ いりょう¹ (挿絵)). ¶この汚職事件はさらに*メスを入れなくては (⇒ 調査しなければ) ならない This payoff scandal ˹must *be* further *probed* [needs further *investigation*].

メスシリンダー 〔化〕 measuring ˹cylinder [glass] Ⓒ ★「メスシリンダー」はドイツ語から.

めずらしい 珍しい (まれな) rare; (類のない) unique; (普通でない) unusual (↔ usual; ordinary); (一般的でない) uncommon.

【類義語】めったに見つからないとか起こらないという意味で, またしばしば希少価値があるという意になるのが ***rare***. 同種のものが 1 つしかないから珍しいのが ***unique***. ただしこの語は現在では ***rare*** とか ***unusual*** の意味で使われることもある. いつもとは違って例外的なのが ***unusual***. 普通よくあるものと違って珍しいのが ***uncommon***. (☞ まれ; きちょう¹; えがたい)

¶こんな大きなばらは*珍しい Such a big rose is *rare*. // 彼がそんなに怒るのは*珍しい It is ˹*unusual* [*rare*] for him to be so angry. // あの程度の地震はここでは*珍しくない An earthquake of that magnitude is ˹*not rare* [*common*] here. // パンダは中国に住む*珍しい動物である The giant panda is a *rare* animal from China. // ここでアラビア語を読める人は*珍しい (⇒ 少ししかいない) *Few* people here can read Arabic. // まあ, 小林さん, お*珍しい (⇒ 何たる驚き). ずいぶんしばらくぶりでしたね Hello, Mr. Kobayashi. What a *surprise*! I haven't seen you for ages. // 彼女は*珍しく (⇒ 思いがけず) 従順だった She was *unexpectedly* obedient.

めずらしがる 珍しがる ((大きな)興味を示す) show [express] (a ˹great [strong]) interest in ... ¶人々は*珍しがってクジラの死体を眺めた People looked at the dead whale *with great curiosity*.

メセナ(かつどう) メセナ(活動) (企業の文学・芸術の後援) corporate support ˹of [for] the arts Ⓤ ★日本語は古代ローマの政治家マエケナス (Maecenas) に由来するフランス語 *mécénat* /mèɪseɪnáː/ (mécénat の ´ は綴り本来のもの)による.

めせん 目線 ☞ しせん¹

メソジスト 〔宗〕 ― 图 (メソジスト派) Methódism Ⓤ; (教徒) Méthodist Ⓒ. ― 形 Methodist. (☞ プロテスタント). **メソジスト教会** (宗教団体としての) the Methodist Church; (個々の教会) Methodist church Ⓒ.

メゾソプラノ 〔楽〕 mezzo-soprano /mètsousəprǽnou/ Ⓤ ★歌手の意味では Ⓒ. 形 としても用いられる.

メソッド (方法・方式) method Ⓒ.

メゾネット maison(n)ette /mèɪzənét/ Ⓒ ★一つの住戸が二つ以上の階からなる共同住宅.

メゾピアノ 〔楽〕 ― 副 形 (やや弱く[弱い]) mezzo piano (略 mp).

メゾフォルテ 〔楽〕 ― 副 形 (やや強く[強い]) mezzo forte (略 mf).

メソポタミア ― 图 ㊂ (地名) Mesopotamia /mèsəpətéɪmiə/. **メソポタミア文明** Mesopotamian civilization Ⓤ, the civilization of Mesopotamia.

めそめそ ― 動 (すすり泣く) sob ㊂. ― 形 (めめしい) sloppy; (泣きごとをいう) slobbery. (☞ なく¹; 擬声・擬態語 (囲み)). ¶彼女は悲しくて*めそめそし始めた She felt sad and began to *sob*. // *めそめそするな (⇒ 元気を出せ) Do cheer up!

メソン 〔物理〕 (中間子) meson /mézɑn/ Ⓒ.

メゾン (家) house Ⓒ ★「メゾン」はフランス語 maison から.

めた ☞ めちゃ

めだいちどり 眼大千鳥 〔鳥〕 Mongolian plover Ⓒ.

めだか 目高 〔魚〕 (Japanese) killifish Ⓒ ★単複同形.

メタクリルさん メタクリル酸 〔化〕 methacrylic acid Ⓤ.

めだけ 女竹, 雌竹 〔植〕 *medake* bamboo Ⓒ, Simon bamboo Ⓒ.

メタげんご メタ言語 (研究対象言語について語る言語) métalànguage Ⓤ ★特定の言語を指すときは Ⓒ.

めだしぼう 目出し帽 ski mask Ⓒ.

メタセコイア 〔植〕 metasequoia /mètəsɪkwɔ́ɪə/ Ⓒ.

めだつ¹ 目立つ ― 形 (変わっているので人目につく) conspícuous; (人の注意を引くほどに) nóticeable; (並はずれて著しい) remarkable; (周りのものより卓越した) prominent; (同種のものと比べて傑出した) òutstánding. ― 副 conspicuously; noticeably; remarkably; prominently; outstandingly. (☞ きわだつ).

¶彼はその奇行で我々のグループの中でも*目立つ存在だ He is *conspicuous* among our group for his eccentric behavior. // 今度の試合では彼の活躍が*目立った His performance in the recent game was *outstanding*. // 彼女はあまり*目立たない (⇒ 普通の) 学生です She is (quite) an *ordinary* student. // この国でも最近は日本人観光客の姿が*目立ちます (⇒ 数が増えている) The number of Japanese tourists visiting this country *is increasing* these days. // 喫煙者の数が*目立って減った The number of smokers has decreased ˹*remarkably* [*noticeably*]. // 早朝ジョギングをする人の姿が*目立ってきた (⇒ ますます多くの人がジョギングするのを見る) We see *more and more* people jogging early in the morning these days.

めだつ² 芽立つ ☞ め²

めたて 目立て ― 图 (のこぎりの) setting Ⓤ. ― 動 set (the teeth of) a saw.

メタノール 〔化〕 methanol /méθənɔ̀ːl/ Ⓤ; (メチルアルコール) methyl alcohol Ⓤ. **メタノール自動車** méthanòl áutomobile Ⓒ.

メタファー 〔修辞〕 (隠喩(いんゆ)) metaphor /métəfɔ̀ə/ Ⓒ (☞ いんゆ; あんゆ).

メタフィジカル ― 形 〔哲〕 (形而上学の) metaphysical.

メタフィジックス (形而上学) metaphysics Ⓤ.

メタボリズム (新陳代謝) metabolism Ⓤ.

めだま 目玉 (眼球) éyebàll Ⓒ (☞ め¹); (人目をひくもの) feature Ⓒ. ¶これがこの番組の*目玉だ This is a *special feature* of this program.

目玉の飛び出るほど ¶この家は*目玉の飛び出るほど高かった This house was *tremendously* expensive.

目玉商品 (割安で客寄せのために売るもの) loss leader Ⓒ; (客の目を引く売り物) eye-catcher Ⓒ; (米略式) come-on Ⓒ **目玉焼き** ― 图 (卵焼きを総称して) fried egg Ⓒ. ― 形 (片面だけ焼いた) (米) súnny-side úp ★単に up ともいう. (☞ たまご).

めためた ☞ めちゃくちゃ; めろめろ

メタモルフォーゼ 〔動〕 (変態) metamorphosis /métəmɔ̀əfəsɪs/ Ⓒ (複 metamorphoses /-sìːz/).

—— 動 metamorphose 自 他 /mètəmɔ́ːəfouz/.
メダリオン (大メダル・円形模様) medallion Ⓒ.
メダリスト médalist Ⓒ. ¶ 金*メダリスト a gold *medalist*
メタリック —— 形 (金属的光沢の) metállic. ¶ *メタリック塗装用カーワックス (a) car wax for *metallic* coating **メタリックカラー** —— 名 metallic color Ⓒ. —— 形 (メタリックカラーの) metallic (color). ¶ *メタリックカラーのカード a *metallic color* card
メタりろん メタ理論 〔哲〕 metatheory /métəθìːəri/ Ⓒ.
メタル (金属) metal Ⓤ ★ 種類をいうときは Ⓒ. (☞ きんぞく[1]). **メタルウッド** (ゴルフの) métal wòod Ⓒ **メタルスキー** (a pair of) metal skis ★ 複数形で. **メタルテープ** métal tàpe Ⓒ **メタルフレーム** métal fràme Ⓒ. ¶ *メタルフレームの眼鏡 *metal-rimmed* glasses ★ 枠の細いものは口語では wire-rimmed glasses ということが多い.
メダル (勲章) medal Ⓒ; (記章) badge Ⓒ ★ 普通コイン形の大きめの記念の章や勲章を medal, 襟章などの小型のものを badge という. (☞ くんしょう). ¶ 彼は男子 100 m 競走で金[銅]*メダルを獲得した He won the ⌈gold [bronze] *medal* in the men's 100-meter dash.
メタン 〔化〕 methane /méθeɪn/ Ⓤ. **メタンガス** methane (gas) Ⓤ; marsh gas Ⓤ **メタン細菌** methanogen Ⓒ, methanogenic bacteria ★ 複数形. **メタン発酵** methane fermentation Ⓤ.
メチオニン 〔化〕 methionine /meθáɪənìːn/ Ⓤ ★ たんぱく質を合成するアミノ酸のひとつ.
メチシリンたいせいおうしょくぶどうきゅうきん メチシリン耐性黄色葡萄球菌 〔医〕 methicillin /mèθəsílɪn/ resistant *Staphylococcus aureus* /stæ̀fəloukɑ̀kəs ɔ́ːriəs/ Ⓒ (複 — -*cocci aurei* /-kɑ̀k(s)aɪ ɔ́ːriàɪ/) (略 MRSA).
めちゃ 滅茶 —— 形 (ばかげた) ridiculous, crazy; (道理に合わない) unreasonable; (度を過ぎた) too much; (とてもよい) terrific. —— 副 (とても) awfully. (☞ むちゃ). ¶ *めちゃ (⇒ ばかなこと) を言う talk *nonsense* // *めちゃをする do something *stupid* // 君の新しいドレス*めちゃいけてるよ Your new dress is *terrific* !
めちゃくちゃ 滅茶苦茶 —— 形 (取りちらかした) (略式) messy; (理屈に合わない) unreasonable; (向こう見ずで無謀な) reckless. —— 名 (略式) mess Ⓤ ★ しばしば a を付けて; recklessness Ⓤ. (☞ むちゃ; 擬声・擬態語 (囲み)).
¶ 彼の部屋の中は*めちゃくちゃに散らかっていた His room was (*in*) *a terrible mess.* // 君たちの*めちゃくちゃな要求に応じることはできない We can't ⌈satisfy [meet] your *unreasonable* demand(s). // こんな道路で 100 キロのスピードを出すなんて*めちゃくちゃだ How *reckless* they are to drive a hundred kilometers ⌈per [an] hour on such a road!
めちゃめちゃ 滅茶滅茶 —— 動 (壊れてめちゃめちゃになる) be smashed (up), be wrecked ★ 前者がより口語的; (ばらばらになる) go to pieces ★ 粉々に壊れることを言うとともに, 比喩的にも用いる; (台なしになる) be ruined; (台なしにする) méss úp 他. (☞ こなごな; 擬声・擬態語 (囲み)).
¶ 彼の車はトラックと正面衝突して*めちゃめちゃになった His car collided head-on with a truck and was ⌈*smashed* (*up*) [*wrecked*]. // 我々のチームは彼がいなければ*めちゃめちゃになるだろう Our team would *go to pieces* without him. // 雨で運動会は*めちゃめちゃになった The athletic meet *was ruined* because of the rain.
メチル(き) メチル(基) 〔化〕 méthyl /méθaɪl/ Ⓤ, the methyl group **メチルアルコール** methyl [wood] alcohol Ⓤ **メチルエーテル** methyl ether Ⓤ **メチル水銀** methylmercury Ⓤ.
メッカ (サウジアラビア西部のイスラム教の聖都) Mecca; (あこがれの土地) mecca Ⓒ. ¶ 香港は買い物客の*メッカとして有名だ Hong Kong is well-known as a ⌈shoppers' [shopping] *mecca.* **メッカ巡礼** the ⌈hajj [hadj], the pilgrimage to Mecca.
めつき 目付き —— 名 (顔つき) look Ⓒ; (まなざし) *one's* eyes ★ 複数形で. (☞ かおつき; め[1]).
¶ 彼は鋭い*目つきをしている He has a ⌈sharp [severe] *look* on his face. 参考 sharp eyes では「視力がよい」という意味になる. // 優しい*目つきで with loving *eyes* // すがるような*目つきで見る look at *a person* with pleading *eyes* // *目つきが悪い shifty-⌈*eyed* [*looking*]

> ——コロケーション——
> いたずらっぽい目つき playful *eyes* / 疑い深い目つき a suspicious *eye* / うらやましそうな目つき envious *eyes* / 驚いた目つき astonished *eyes* / おびえた目つき frightened *eyes* / 悲しげな目つき sorrowful *eyes* / 軽蔑するような目つき contemptuous *eyes* / 心配そうな目つき an anxious *eye* / 敵意に満ちた目つき hostile *eyes* / 熱心な目つき intent *eyes* / 批判的な目つき a critical *eye* / 燃えるような目つき burning *eyes* / 求めるような目つき longing *eyes* / 油断のない目つき a watchful *eye*

めっき 鍍金 —— 名 (金・銀・ニッケルなどの) plating Ⓤ; (金めっき) gilding Ⓤ. —— 動 plate 他; gild 他. ¶ このスプーンは銀*めっきです This spoon *is plated* with silver. **めっきが剝げる** (本性を現す) betray *oneself* (☞ じがね; ほんしょう[1])
めつぎ 芽接ぎ bud grafting Ⓤ, budding Ⓤ.
めっきゃく 滅却 ☞ しんとう[4]
めっきり (相当に) considerably; (目立って・著しく) remarkably; (速く) rapidly. (☞ どんどん[1]). ¶ 渡り鳥の数が*めっきり増えてきた The number of migratory birds has increased *considerably.* // 彼は近頃*めっきり老けた He has ⌈aged *remarkably* [aged a lot] recently. ★ [ ] 内のほうが口語的.
めっきん 滅菌 ☞ さっきん
めつけ 目付 (武家社会の) *metsuke* Ⓒ; (説明的には) lower superintendent officer (in the feudal age) Ⓒ.
めっけもの 見付け物 ¶ 今度の秘書は*めっけものだ (⇒ 貴重な人材だ) My new secretary is a valuable *acquisition.* // 損をしなかっただけ*めっけものだ (⇒ 幸運だ) You were *lucky* ⌈you [to have] made no loss.
めつけやく 目付役 (監督者) supervisor Ⓒ. ¶ 彼はこの工場のお*目付役だ He acts as a *supervisor* at this factory.
めっしつ 滅失 (動植物の絶滅) extinction Ⓤ; (破壊されてなくなること) destruction Ⓤ; (取り壊してしまうこと) demolition Ⓤ. **滅失登記** lost ⌈register [registry; registration] Ⓒ.
めっしほうこう 滅私奉公 selfless devotion to *one's* ⌈country [company] Ⓤ.
メッシュ[1] (網目) mesh Ⓤ.
メッシュ[2] ¶ 彼女は髪に*メッシュを入れた (⇒ 髪の一部[ところどころ]の色を変えた) She changed the color of ⌈(a) part [parts] of her hair. ★「メッシュ」はフランス語 mèche「髪の房」から.
めっする 滅する ☞ ほろびる; なくなる[1]; きえる
メッセ (会議や見本市などの開催場) convention center Ⓒ; (国際見本市会場) world's fair center Ⓒ ★ メッセはドイツ語 Messe (見本市) から. ¶ 幕張*メッセ Makuhari *Messe*

メッセージ (伝言) message /mésɪdʒ/ Ⓒ; (声明書) statement Ⓒ; (発表) announcement Ⓤ 日英比較 「メッセージ」が必ずしも英語の message に対応しないことに注意. (☞ でんごん).
¶私は彼らにメールで*メッセージを送った I sent them an e-mail message. // 開会の*メッセージを読み上げる (⇒ あいさつをする) make the opening *address* // 抗議の*メッセージ the [a] *statement* of protest // 留守電に*メッセージを残す leave a *message* on *a person's* answering machine

コロケーション
メッセージを受け取る get [receive] a *message* / メッセージをことづかる take a *message* / メッセージを伝える convey a *message* / メッセージを届ける deliver a *message* / メッセージを取り継ぐ relay a *message* / お祝いのメッセージ a congratulatory *message* / 簡潔なメッセージ a terse *message* / 緊急のメッセージ an urgent *message* / 力強いメッセージ a powerful *message* / 長たらしいメッセージ a lengthy *message*

メッセンジャー (使いの者) méssenger Ⓒ (☞ つかい). メッセンジャーボーイ (使い走りをする少年) messenger boy Ⓒ.

めっそう 滅相 ¶*滅相もない (⇒ とんでもない) Nonsense! / (⇒ もちろん違うよ) Of course not! / (⇒ ばかげたことを言うな) Don't be absurd. / (⇒ どういたしまして) Don't mention it. / You're welcome. (☞ とんでもない)

めったうち めった打ち ── 名 (めちゃくちゃに打つこと) wild beating Ⓤ; (銃などの乱射) random [wild] shooting Ⓤ. ── 動 (青黒いあざができるほど打ちすえる) beat (up) *a person* black-and-blue. (☞ うつ¹; なぐる). ¶山田投手はタイガースの打線に*めった打ちにされた The pitcher Yamada suffered a *hammering* from the Tigers batting lineup.

めったぎり めった斬り ¶テロリストたちは彼を*めった斬りにした The terrorists *slashed* him 「*repeatedly* [*again and again*].

めったづき めった突き ¶彼らは彼を槍で*めった突きにした They *stabbed* him 「*repeatedly* [*again and again*] with spears.

めったに rarely, seldom, hardly ever [almost never] 語法 「めったに…ない」と否定の意味を含めて, これらの語句を用いる. (☞ 副詞の位置 (巻末)). ¶彼は*めったに意見を言わない He 「*rarely* [*seldom*] expresses himself. // 私は*めったにそんな所へは行かない I 「*seldom* [*hardly ever*] 「go to [visit] a place like that.

めったやたら 滅多矢鱈 ── 副 (無謀にも) recklessly; (善悪の見境なく) indiscriminately. (☞ むやみに; やたら).

メッチェン ☞ しょうじょ; おとめ

メッツォソプラノ ☞ メゾソプラノ

メッテルニヒ ── 名 固 Klemens (Wenzel Nepomuk Lothar) von Metternich /métərnɪk/, 1773-1859. ★ ウィーン会議 (the Congress of Vienna) を主宰したオーストリアの政治家.

めつぶし 目潰し (目をくらますもの) blinder Ⓒ. ¶彼は砂で*目つぶしにあった Sand thrown into his eyes *blinded* him.

めつぼう 滅亡 ── 名 (家や国家などの) fall Ⓒ, dównfàll Ⓒ. ── 動 fall 自; (消滅する) perish 自 ★ 後者は文語的. (☞ ほろびる (類義語)). ¶西ローマ帝国は476年に*滅亡した The Western Roman Empire *fell* in 476. // 彼らが清王朝を*滅亡させた They *brought about the fall* of the Ching dynasty in China.

めっぽう 滅法 ── 副 (すごく) awfully; (ひどく) terribly ★ 以上2語はくだけた語; (法外に) unreasonably; (不当に) exorbitantly ★ 格式ばった語. (☞ べらぼう). ¶きのうは*めっぽう暑かったね It was 「*awfully* [*terribly*] hot yesterday, wasn't it? // 彼はスキーが*めっぽううまい (⇒ きわめてうまいスキーヤーだ) He is an *extremely* good skier.

めづまり 目詰まり ¶掃除機のフィルターがごみで*目詰まりしていた The vacuum-cleaner filter *was* 「*clogged* [*choked*] with dust. (☞ つまる)

メディア (媒体) medium /míːdiəm/ Ⓒ (複 media /-diə/). ¶マス*メディア the máss *média* // ニュース*メディア the news *media*
メディアクラシー mediacracy Ⓤ メディアジャック (集中一斉広告) media blitz Ⓒ ★「メディアジャック」は和製英語. メディアミックス ── 名 (広告媒体を組み合わせること) mixed media ★ 複数形. ── 形 mixed-media メディアリサーチ media research Ⓤ メディアリテラシー (メディア情報を読み解く能力) media literacy Ⓤ.

メディアム ☞ ミディアム

メディアン 〔数〕(中央値) median Ⓒ.

メディカル ── 形 (医療・医学の) medical.
メディカルエンジニアリング (医療工学) medical engineering Ⓤ メディカルサービス (医療事業) medical service Ⓒ メディカルセンター (医療センター) medical center Ⓒ メディカルソーシャルワーカー (医療社会福祉士) medical social worker Ⓒ メディカルチェック (医学的診断) (medical) checkup Ⓒ, medical exam(ination) Ⓒ メディカルテクノロジスト (医療技術者) medical technologist Ⓒ.

メディケア Medicare /médɪkèə/ Ⓤ ★ 米国の主として65歳以上の人のための医療保険制度.

メディケイド Medicaid /médɪkèɪd/ Ⓤ ★ 米国の低所得者・障害者のための医療扶助制度.

メディシンボール medicine ball Ⓒ ★ 基礎体力トレーニング用のボール.

メディチけ メディチ家 the Medici family, the Medicis ★ 15～16世紀に栄えたイタリアの Florence の名家.

メディテーション (瞑想) meditation Ⓤ.

めでたい ── 形 (喜ばしい) happy; (幸いな) fortunate; (首尾よくいった) successful; (特別な事件でうれしい) joyful 日英比較 日本語の「めでたい」にぴったりの英語はないので, 前後関係により, いろいろに訳しかえる必要がある. ── 副 happily; fortunately; successfully. (☞ よろこばしい). ¶それは*めでたいことだ (⇒ よい知らせだ) That's *good* news. / (⇒ お祝いすべきことだ) That's a matter for *congratulations*. // その小説は*めでたし*めでたしで終わる The novel has a *happy* ending.

めでる 愛でる ── 動 (愛する) love 他; (賞賛する) admire 他; (楽しむ) enjoy 他. (☞ あいする).

めど 目処 (達成すべき目標) aim Ⓒ; (努力などの目標) goal Ⓒ; (将来の可能性) possibility Ⓒ; (針の穴) eye (of a needle) Ⓒ. (☞ みこみ; みとおし).
¶我々は今年中に問題解決の*めどを付けたい (⇒ 見当をつけたい) We hope to have a 「general [rough] idea of how to solve the problem before the end of this year. // この仕事はいつ終わるかまったく*めどが立たない (⇒ いつ終わるかを言うことは不可能です) It's *impossible to tell* when the work will be finished. // 彼は1か月以内に金を返せる*めどが立たなかった (⇒ 可能性がなかった) There was no *possibility* that he could pay back the money in a month. // 3月末を*めどに (⇒ 3月末までに) 完了させます We'll finish it *by* the end of March.

メドゥ(ー)サ 〘ギ神〙 Medusa /mədʲ(j)úːsə/ ★ その姿を見た者を石に変えてしまう女の怪物.

めどおし 目通し (ざっと目を通すこと) look-through Ⓒ; (素早く見ること) quick look Ⓒ. ★ 後者の方が口語的.

めどおり 目通り ☞ はいえつ

めどはぎ 蓍萩 〔植〕 Chinese lespedeza /lèspədíːzə/ Ⓒ, bush clover Ⓒ

めどめ 目止め (目止め剤) filler Ⓤ.

メトリック metric Ⓤ ★ IT 用語で送信元から宛先までの距離のこと; (韻律学) metrics Ⓤ.

めとる 娶る (…と結婚する) marry (他) (☞ けっこん¹).

メドレー 〔楽〕 medley Ⓒ; (メドレー競走・競泳) medley ⌈race [relay] Ⓒ. (☞ リレー). ¶ 彼はアイルランド民謡を*メドレーで歌った He sang a *medley* of Irish folksongs. **メドレーリレー** (混合リレー) medley relay Ⓒ.

メトロ ☞ ちかてつ

メトロノーム 〔楽〕 métronòme Ⓒ.

メトロポリス (首府・首都) the metrópolis.

メトロポリタンかげきじょう メトロポリタン歌劇場 the Metropolitan Opera House; (通称) the Met ★ ニューヨークにある米国の代表的な歌劇場.

メトロポリタンびじゅつかん メトロポリタン美術館 the Metropolitan Museum of Art; (通称) the Met ★ ニューヨークにある米国最大の美術館.

めなだ 赤目魚 〔魚〕 redlip mullet /mʌ́lɪt/ Ⓒ.

めなもみ 豨薟 〔植〕 eastern St. Paul's wort Ⓒ.

メニエールびょう メニエール病 〔医〕 Ménière's /meɪnjéəz/ ⌈disease [syndrome] Ⓤ ★ Ménière's のアクセント記号はつづりの一部.

メニュー menu Ⓒ, bill of fare Ⓒ ★ 後者はやや格式ばった表現; 〔コンピューター〕(機能選択) menu Ⓒ. (☞ こんだて). ¶「*メニューを見せて下さい」「どうぞ」"May I ⌈see [have; look at] the *menu*, please?" "Certainly, ⌈sir [ma'am]. Here it is." // それは*メニューにありますか Is it on the *menu*? **メニューバー** 〔コンピューター〕 ménu bàr Ⓒ.

メヌエット 〔楽〕 minuet /mìnjuét/ Ⓒ.

めぬきどおり 目抜き通り (中心街) main street Ⓒ. ¶ 彼の店は*目抜き通りにある His store is on the *main street*.

めぬけ 目抜 〔魚〕 rockfish Ⓒ.

めねじ 雌螺子 female screw Ⓒ; (ナット) nut Ⓒ.

めのう 瑪瑙 agate /ǽgət/ Ⓤ.

めのかたき 目の敵 ¶ 彼は私を*目のかたきにしている (⇒ 私に恨みを抱いている) He ⌈*has* [*holds*; *bears*] *a grudge against* me. / (⇒ 敵のようにいつも私を扱う) He always *treats* me *like an enemy*.

めのこかんじょう 目の子勘定 ☞ めのこざん

めのこざん 目の子算 (概算) rough estimate Ⓒ; (目測) eye measurement Ⓤ; (暗算) mental calculation Ⓤ (☞ もくさん; めぶんりょう). ¶ *目の子算をする measure with *one's* eye

めのたま 目の玉 目の玉が飛び出る ☞ めだま (目玉の飛び出るほど) 目の玉の黒いうち ☞ め¹ (目の黒いうち)

メノナイト Mennonite Ⓒ ★ キリスト教プロテスタントの一派の教徒 (☞ アーミッシュ).

めばえ 芽生え (新芽) sprout Ⓒ; (芽生えること) sprouting Ⓤ. (☞ め²).
¶ 恋の*芽生え (⇒ 目ざめ) the *awakening* of love

めばえる 芽生える ¶ 彼女の心にはその少年に対する愛が*芽生えた (⇒ 彼女はその少年に愛情を抱くようになった) She ⌈*began to feel* [*became*] deeply attached to the boy.

めばかり 目秤 ☞ めぶんりょう

めはし 目端 目端がきく be quick-witted. 目端をきかせる use *one's* wits.

めはじき 目弾 〔植〕 Chinese motherwort Ⓒ.

めばち 眼撥 〔魚〕 bigeye tuna Ⓒ.

めはな 目鼻 目鼻がつく (形ができる) take shape; (ほとんど完成する) be almost finished. ¶ やっと仕事の*目鼻がつきかけている Our work *is taking* (its) final *shape*. 目鼻をつける ¶ その計画に*目鼻をつけるのに 3 年を要した It took three years to *get* the project *into shape*.
目鼻立ち (顔だち) features ★ 複数形で; (顔つき) look Ⓒ ★ しばしば複数形で. (☞ きりょう). ¶ その少女は*目鼻立ちが整っていた (⇒ 美しい顔をしていた) The girl was ⌈*good-looking* [*pretty*].

めばな 雌花 female flower Ⓒ (↔ male flower); 〔植〕(雌しべだけある花) pistillate flower Ⓒ (↔ staminate flower).

めばり 目張り ―[動] (紙などで窓を) séal úp … (with …); (ドアや窓の透き間をふさぐ) weather-strip (他).

めばる 眼張 〔魚〕 black rockfish Ⓒ (複 ~, ~es).

メビウスのおび メビウスの帯 〔数〕 Möbius /mə́ːbiəs/ ⌈band [strip] Ⓒ.

めびな 女雛 doll Empress Ⓒ; (説明的には) one of the *hina* dolls which are displayed at the Doll Festival for girls Ⓒ. (☞ ひな¹).

メフィストフェレス ―[名] (固) Mephistopheles /mèfəstɑ́fəlìːz/ ★ ゲーテの『ファウスト』に登場する悪魔. 悪魔的人物の意味にもなる.

めぶき 芽吹き opening of a bud Ⓤ.

めぶく 芽吹く (芽・つぼみを出す) bud (自); (芽を出す) sprout (自); (木が葉を出す) còme into léaf. (☞ め²). ¶ 東京では木蓮が*芽吹き始めた The magnolias have started to ⌈*bud* [*come into leaf*] in Tokyo.

めぶんりょう 目分量 ―[名] (目測すること) eye measurement Ⓤ. ―[副] by eye measurement. (☞ おおざっぱ; もくそく). ¶ 彼女はいつも米を*目分量で計る She always *measures* rice *by* (*the*) *eye*.

めべり 目減り ―[名] (目方[量]が減ること) loss (in ⌈weight [volume]) Ⓒ; (減少) decrease Ⓤ. (☞ へる¹; げんしょう¹).

めへん 目偏 (漢字の) eye radical on the left of kanji Ⓒ.

めぼし 目星 ―[動] (…に目をつけている) have [keep] ⌈*one's* eye(s) [an eye] on …; (見分ける・場所などを突き止める) spot (他). (☞ ねらい). ¶ 警察は彼に*目星 (⇒ 目) をつけていた The police *were keeping* ⌈*their eyes* [*an eye*] *on* him. // 容疑者がだれか*目星はもうついている We *have* already *spotted* the suspect.

めぼしい ―[形] (目立つ) òutstánding; (人目を引く) conspícuous; (値打ちのある) valuable. (☞ めだつ¹; おもな).

めまい 眩暈 ―[名] (ふらふらすること) giddiness Ⓤ, dizziness Ⓤ; 〔医〕 vértigò Ⓤ. ―[形] (めまいのする) giddy, dizzy. ―[動] feel dizzy, get giddy; (頭がふらふらして) swim (自) ★ head が主語. (☞ くらくら). ¶ ぐるぐる回ったので*めまいがした I *felt* ⌈*dizzy* [*giddy*] because I had gone around and around. // 暑さで*めまいがした It was very hot and my head *was swimming*. / (⇒ 気が遠くなった) I *felt faint* from the heat.

めまぐるしい 目まぐるしい ―[形] (速い) quick; (徹底的な) drastic. ―[副] quickly; drastically. (☞ はやい¹; はげしい). ¶ 日本は戦後*めまぐるしく変わった (⇒ 幾つもの急激な変化を受けた) Japan underwent a number of *drastic* changes after the war. // 彼は*めまぐるしく (⇒ 頻繁に) 投手を交替させた He changed pitchers *very often*.

めみえ 目見え ☞ おめみえ

めめしい 女々しい (男らしくない) unmanly; (柔

弱な) womanish;(意気地のない・弱虫の)《略式》sissy.《☞ おんな; いくじ²》.

メモ ―名(心覚え)《略式》memo Ⓒ ★ memorandum の短縮形;(事実・経験などの簡潔な記録や短い手紙) note Ⓒ 日英比較 日本語の「メモ」は主に自分の記録のための書き付けをいうのに対して, 英語の memo は主として記憶し注意すべき事項などを書いて人に渡すものをいう. 日本語の「メモ」に当たる英語は note であり, この語は自分で取る記録, 人への手紙の両方を意味する. ―動(書き留める) pùt dówn ㊥, nóte dówn ㊥;(メモする) take [make] notes (of …; on …).《☞ ノート》.
¶私はそのラジオフランス語講座を聞きながらいつも*メモをとることにしている I always「*take* [*make*] *notes* during the French program on the radio. // 会議中彼は私に*メモを手渡した He handed me a「*memo* [*note*] during the meeting. // 彼女は*メモを見ながら私たちに話した She spoke to us from *notes*. // あなたの経歴を簡単にここに*メモして(⇒書き留めて)下さい Please「*put* [*write*] (*down*) a brief personal history here. **メモ帳** (はぎ取り式の) memo pad Ⓒ,《米》scratch pad Ⓒ **メモ魔** compulsive note-taker Ⓒ **メモ用紙** memo paper Ⓤ, notepaper Ⓤ,《米》scratch paper Ⓤ.

めもと 目元, 目許 (目の周り) the eyes;(目の表情) the expression of the eyes.《☞ め¹》. ¶彼女は*目元がかわいらしい She has「lovely [pretty] *eyes*.

めものやさい 芽物野菜 sprout(ing) vegetable Ⓒ.

メモランダム ☞ メモ

めもり 目盛り ―名(基準に従った目盛り) scale Ⓒ;(程度を示すための刻み) graduation Ⓒ 語法 前者は数字を入れたり, あるいは数字が入れてなくてもメートル法による目盛りのように基準に従った一連の目盛りを意味し, 後者は段階を示すために刻んだ目盛りを意味する;(計器) gauge /géɪdʒ/ Ⓒ. ―動(目盛りを付ける) gráduàte ㊥.《☞ はかり》.
¶「この物差しの*目盛りはインチですか」「いいえ, センチです」"Are the *graduations*「on [of] this ruler in inches?" "No, they are「in centimeters [metric]."

メモリアル ―名(記念物) memórial Ⓒ. ―形 memorial. **メモリアルサービス** ☞ ついとう¹(追悼式) **メモリアルホール**(記念館) memorial hall Ⓒ;(葬儀場) funeral hall Ⓒ **メモリアルパーク**(霊園) memórial pàrk Ⓒ.

メモリー (記憶・思い出) memory Ⓒ;(コンピューターの主記憶装置) (computer) memory Ⓤ, main storage Ⓤ. **メモリーカード**〖コンピューター〗memory card Ⓒ **メモリー管理**〖コンピューター〗memory management Ⓤ **メモリー増設**〖コンピューター〗memory upgrade Ⓒ; memory expansion Ⓤ **メモリーチップ**〖コンピューター〗memory chip Ⓒ **メモリーボード**〖コンピューター〗memory board Ⓒ **メモリー容量**〖コンピューター〗memory capacity Ⓒ.

めもる 目盛る cálibràte ㊥. ¶この計量カップは cc で*目盛ってある This measuring cup is *calibrated* in cubic centimeters.

メモる ☞ メモ

メモワール (回顧録) memoirs /mémwɑəz/ ★ 複数形で.

めやす 目安 ¶来月までにこの仕事を仕上げることを一応の*目安(⇒仮の締め切り)にしよう We will make the end of next month the *tentative deadline* for this work.《☞ もくひょう; めど》 **目安をつける** make a rough estimate.

めやすばこ 目安箱 (徳川時代の) *meyasubako* Ⓒ;(説明的には) a box posted by Shogun Tokugawa Yoshimune to receive appeals or suggestions from townspeople and peasants.

めやに 目脂 (目の粘液) eye mucus Ⓤ.

メラトニン 〘生化〙melatonin /mèlətóunɪn/ Ⓤ.

メラニー (女性名) Mélanie.

メラニン 〘化〙melanin /mélənən/ Ⓤ.

メラネシア ―名 ㊐ Melanesia /mèləní:ʒə/. ―形(メラネシアの) Melanesian /mèləní:ʒən/. **メラネシア人** Melanesian Ⓒ.

メラノーマ 〘医〙melanoma Ⓒ.《複 ~s, -mata》.

メラミンじゅし メラミン樹脂 〘化〙melamine /mélәmì:n/ (resin) Ⓤ.

めらめら ¶小屋は*めらめらと燃え上がった The cottage went up *in flames*.《☞ 擬声・擬態語 (囲み); もえる¹》

メランコリー (憂鬱(症)) mélancholy Ⓤ.

メランコリック mèlanchólic.

メリー (女性名) Mary.

メリークリスマス (A) Merry Christmas! ★ クリスマスのあいさつ.

メリーゴーラ(ウ)ンド mérry-go-ròund Ⓒ.

メリーランド ―名 ㊐(米国の州) Maryland /mérələnd/《☞ アメリカ (表)》.

メリケンこ メリケン粉 (wheat) flour Ⓤ.

めりこむ めり込む sink (into …) ㊂. ¶タイヤがぬかるみに*めり込んでしまった The wheels「*sank into* the muddy ground [(*got*) *stuck in* the mud; *got bogged down*].

メリッサ (女性名) Melíssa.

メリット (長所) merit Ⓒ;(利点・強み) advantage Ⓒ.《☞ ちょうしょ¹; りてん》. ¶その計画の*メリットとデメリット the *merits* and demerits of the plan // この方法の*メリットは何ですか What is the *advantage* of this method? 日英比較 ほかとの相対的な比較を意味する場合には merit とは訳せない.

メリットシステム (能力本位制度) merit system Ⓒ.

メリノ (メリノ毛糸, 織物) merino Ⓤ.

めりはり (音声の抑揚) modulation Ⓤ;(文章などが生き生きとしていること) liveliness Ⓤ. ¶彼の演説は*めりはりがきいていた He made a *well-modulated* speech. // *めりはりのきいた文体 a *lively* style

めりめり ¶塀は*めりめりと(⇒割れるような)音を立てて壊れた The wall broke *with a*「*cracking sound* [*crack*].《☞ 擬声・擬態語 (囲み); こわれる》

メリヤス ―名(メリヤス製品) knit(ted) goods ★ 複数形で. ―形(メリヤスの・ニットの) knit.

メリンス (モスリン) muslin /mʌ́zlɪn/ Ⓤ.

メリンダ (女性名) Melínda.

メルアド ☞ メール (メールアドレス)

メルクマール (目印) mark Ⓒ;(特色) feature Ⓒ ★ドイツ語の Merkmal から.

メルシー (ありがとう) Thank you (very much)., Thanks a lot. ★「メルシー」はフランス語 merci より.

メルティングポット (比喩的な意味の「るつぼ」) mélting pòt Ⓒ ★ 普通は単数形で. 各種の人種・各国の文化の融合の場所の意味.

メルトダウン (原子炉の) meltdown Ⓒ.

メルとも メル友 e-pal Ⓒ, email pal Ⓒ.

メルトン 〘織〙melton (cloth) Ⓤ.

メルビル ―名 ㊐ Herman Melville /hə́:mən mélvɪl/, 1819–91. ★ 米国の小説家.

メルヘン (おとぎ話) fairy tale Ⓒ 参考 メルヘンはドイツ語の Märchen からきたもの. **メルヘンチック**(おとぎ話のような) fairy-tale-like.

メルボルン ―名 ㊐ Melbourne /mélbən/ ★ オーストラリアのビクトリア州の州都.

メルルーサ 〘魚〙hake Ⓒ, merluza /meəlú:sə/ Ⓒ ★ 後者はスペイン語より.

メレディス ── [名] (固) George Meredith /mérədɪθ/, 1828–1909. ★ 英国の小説家.

メレンゲ meringue /mərǽŋ/ [C] ★ 卵白を固く泡立て砂糖を入れ(焼い)たもの.

メロディー melody [C], tune [C] [語法] 前者のほうが正式な語だが, 日常的には後者を用いる; (歌) song [C]. (☞ ふし[2]; きょく[1]). ¶ 私が歌詞を書いて彼女が*メロディーをつけた I wrote the words of the song and she the *tune*.

メロドラマ mélodràma [C]; (テレビ・ラジオの連続メロドラマ)《略式》soap opera [C] [参考]《米》でもとメロドラマの多くがせっけん会社をスポンサーとしたものだったことから.

めろめろ ¶ 彼は君の妹に*めろめろになっている (⇒ のぼせあがっている) He *is* (*head over heels*) *in love with* your sister. ★ ( ) 内があるほうが意味が強い. // 彼は*めろめろに (⇒ ぐでんぐでんに) 酔っていた He was ⌈*dead* [*stinking*] drunk. ★ [ ] 内のほうがくだけた言い方.

メロン melon [C]; (マスクメロン) múskmèlon [C].

めん[1] 面 **1** «仮面»: mask [C] (☞ かめん[1]). ¶ 能役者は*面をつける A Noh player wears a *mask*.
2 «顔»: face [C] (☞ かお).
3 «剣道の道具»: face ⌈guard [mask] [C], helmet [C]. (☞ 面を取る (成句)).
4 «表面»: surface [C]; (多面体の) face [C]; (結晶体などの) facet [C]; (側面) side [C]. (☞ ひょうめん). ¶ 五面体は 5 つの*面を持つ A pentahedron has five plane *faces*.
5 «局面»: (様相) aspect [C]; (変化の段階・局面) phase [C]; (細目・点) respect [C]. (☞ きょくめん[1]). ¶ すべての*面で, この陳述は正しい This statement is right in every *respect*. // 問題のすべての*面が考慮された Every ⌈*phase* [*aspect*] of the problem has been taken into consideration. // その計画は資金*面で (⇒ 資金作りが困難で) うまくいかなかった We could not carry out the plan due to difficulty in raising funds.
6 «新聞の»: page [C]. ¶ 私はその記事を第 1 *面に見つけた I found the news on the front *page* (of the newspaper).
面が割れる ¶ その写真で彼の*面が割れた (⇒ 写真で彼は確認された) He *was identified* by the photograph. **面と向かう** meet *a person* face to face. ¶ 私たちは*面と向かって話をしたことが一度もない We've never talked *face to face* (with each other). / We've never had a *face-to-face* conversation. ★ 前者では副詞句, 後者では形容詞. **面をかぶる** put on a ⌈face guard [helmet] (☞ 1 用例); (本性を隠す) put on an act; (善人ぶる) pretend to be a good person. (☞ かめん[1]). **面を取る** (剣道で) score a point with a hit on the opponent's helmet; (工作で) bevel (他). (☞ めんとり).

めん[2] 綿 cotton [U] (☞ わた[1]). ¶ これは*綿ですかナイロンですか Is this (made of) *cotton* or nylon?
綿織物 ☞ 見出し **綿製品** cotton ⌈goods [articles] ★ 複数形で.

めん[3] 麵 ☞ めんるい

めんえき 免疫 ── [名] immúnity [U]. ── [形] immunológic(al); (免疫がある) immúne (to ...; against ...) [P]. ¶ 私はその病気には*免疫がある I'm *immune to* that disease. // A 型インフルエンザにかかっても B 型インフルエンザには*免疫にならない Being exposed to type A influenza does not give you *immunity against* type B.
免疫応答 immune response [U] **免疫学** immunólogy [U] **免疫期間** period of immunity [C] **免疫グロブリン** immúne glóbulin [C], immùnoglóbulin [C] **免疫血清** immune serum [C] **免疫細胞** immune cell [C] **免疫刺激効果** ¶ *免疫刺激効果がある have an *immunostimulative effect* **免疫性** immunity [U] **免疫センサー** immunosensor [C], immunological sensor [C] **免疫体** immúne bòdy [C] **免疫反応** immune reaction [C], 〔医〕immùnoreáction [U] **免疫賦活剤** immunostimulant (drug) [C] **免疫不全** immùnodeficiency [C] **免疫抑制剤** immùnosuppréssive (drùg) [C] **免疫療法** immùnothérapy [U].

めんおりもの 綿織物 (布地) cotton fabrics ★ 複数形で. ただし, 素材を意味するときは通例無冠詞で単数形になる. ¶ *綿織物は衣類, カーテン, ベッドシーツなどを作るために使われます *Cotton fabrics* are used in making clothing, curtains, bedsheets and other items. // このズボンは*綿(織物)製です These pants are made of *cotton* (*fabric*).

めんか 綿花 (raw) cotton [U].

めんかい 面会 ── [動] (会う) see (他) ★ 意味が広く, 偶然会うことも, 意図的に会うこともいう; (日時を決めて) meet (他); (病人などを訪れる) visit (他). ── [名] (公式の会見) interview [C]. (☞ あう[1]). ¶ *面会謝絶《掲示》No *visitors* // 患者にはいつ*面会できますか When can I *visit* a patient here? // 私は大臣に*面会を申し込んであります I've ⌈asked for [requested] an *interview with* the minister. ★ [ ] 内のほうが格式ばった語. // 夫はただいま, どなたにも*面会をお断りしています My husband declines to *see* anyone at present.
面会時間 visiting hours ★ 複数形で. **面会人** visitor [C] **面会日** visiting day [C].

めんかやく 綿火薬 gúncòtton [U], nitrocellulose /nàɪtrouséljulòuz/ [U].

めんかわばしら 面皮柱 *menkawa* pillar [C]; (説明的には) pillar made of a timber with the corners retaining tree bark [C]. (☞ すきや).

めんかん 免官 ¶ 彼は殺人のかどで*免官となった He *was* ⌈*removed* [*dismissed*] *from* his *government post* after being charged with murder.

めんきょ 免許 ── [名] 《米》license [C], 《英》licence [C]; (証明書) certificate /sə(ː)tífɪkət/ [C]. ── [動] (免許を与える) license (他) [語法] 動詞は《英》でも license が普通.
¶ 彼女は華道師範の*免許を持っている[取った] She ⌈has [took; obtained] a ⌈teacher's *license* [teaching *certificate*] in flower arrangement. // スピード違反で, 運転*免許を 2 週間停止された I had my driver's *license* suspended for two weeks because of speeding. // 彼女は無*免許で車を運転している She drives without a *license*. // 期限切れの*免許 an expired *license*
免許皆伝 ¶ 彼は柳生流の*免許皆伝を授けられた (⇒ すべての技術と奥義を与えられた) He was instructed in *all* (*the techniques and* ⌈*secrets* [*mysteries*] of) *Yagyu* school of swordsmanship.
免許鑑札 license (《英》licence) [C] **免許漁業** licensed fishery [C] **免許証** license (《英》licence) [C]; (車の) driver's license [C], 《英》driving licence [C] **免許状** (一定期間の許可) license [C]; (公の証明) certificate [C]. ¶ 教員*免許状 a teaching *certificate* **免許税** license tax [C]; (営業税) franchise tax [C] **免許停止** suspension of *one's* license [U] **免許取り消し** revocation of *one's* license [C]. ¶ 彼は飲酒運転で*免許取り消しになった He had his *license revoked* for drunk driving.

コロケーション
免許を与える grant a *license* / 免許を受け取る receive a *license* / 免許を失う lose a *license* / 免許を得る get [obtain] a *license* / 免許を更新

する renew a *license* / 免許を申請する apply for a *license* / 免許を取り消す revoke a *license* / 免許を発行する issue a *license* / 免許が切れる a *license* expires

めんくい 面食い ¶きみは*面食いだね (⇒顔だちのいい女の子が好きだね) You ˹*like* [*go for*] *good-looking girls*, don't you? / (⇒すてきな顔の男性に弱いね) You *have a weakness for* ˹*good-looking* [*handsome*] *men*, don't you?

めんくらう 面食らう (困惑する) be confused; (気が転倒する) be upset; (どうしてよいかわからなくなる) be flurried; (不意打ちをくわされて驚く) be taken aback; (驚く) be surprised; (平静さを失う) lose *one's* presence of mind ★格式ばった言い方. (☞おどろく(類義語); あわてる).
¶急にその時間にテストと聞いて, 私たちは*面食らった We *were* ˹*upset* [*taken aback*] to hear that a test was to be given (during) that period. // 外国人に日本語で質問をされ, 一瞬*面食らった I *was* ˹*flurried* [*confused*] for a moment because a foreigner asked me a question in Japanese.

めんこ 面子 (子供の) pasteboard card Ⓒ.

めんこい (子供・動物が可愛い) cute; (小さい) tiny. (☞かわいい).

めんざい[1] 免罪 〘法〙(無罪放免・釈放) acquittal Ⓤ; 〘キ教〙 remission of sins Ⓤ. **免罪符** (免償(状))〘カトリック〙 indulgence Ⓒ.

めんざい[2] 芽先 (粉々にくだけた米) crushed rice Ⓤ; (胚芽) embryo Ⓒ.

めんし 綿糸 ☞もめん(木綿糸)

メンシェビキ (革命期のロシア社会民主労働党穏健派の党員) Menshevik /ménʃəvìk/ Ⓒ (複 ~s, Mensheviki /mènʃəvíki/) (☞ボルシェビキ).

めんしき 面識 — 名 acquaintance Ⓤ. — 動 (面識がある) be personally acquainted with …. (☞しる[1]; しりあい). ¶私はK氏とは*面識がある[ない] I'*m* [I'*m* not] *personally acquainted with* Mr. K. // 一*面識もない人 a total *stranger*

めんじゅうこうげん 面従後言 — 動 be submissive in a person's presence and critical of ˹him [her] in ˹his [her] absence. ¶彼は監督に対して*面従後言だ (⇒監督に従順だが, 裏では彼を批判している) He is obedient to the manager, but ˹is critical [speaks critically] of him behind his back.

めんじゅうふくはい 面従腹背 — 動 be submissive in a person's presence but defiant at heart.

めんじょ 免除 — 動 (義務・責任などを) exempt *a person* from …; (免じる・解除する) excuse [release] *a person* from …; (義務・罰・納入金などを) remit (他) ★格式ばった語. — 名 exemption Ⓤ; remission Ⓤ ★格式ばった語. — 形 exempt.
¶45歳以上の者は兵役を*免除された Those who were forty-five years old or older *were* ˹*exempted* [*excused*] *from* military service. // これらの品物は関税を*免除されている These goods *are exempt from* ˹customs [import duties]. // 学費の*免除 a *remission* of school fees

めんじょう 免状 (証明書) certificate /sə(ː)tífɪkət/ Ⓒ; (認可証) 《米》 license Ⓒ, 《英》 licence Ⓒ; (卒業証書) diplóma Ⓒ.
¶卒業生は一人一人, 校長から*免状を受け取った Each graduate received his or her *diploma* from the principal. // 華道の教師になるにはいくつかの*免状を順を追って取らなくてはならない You have to get several ˹*licenses* [*certificates*] in due order to be a teacher of (the art of) flower arrangement.

めんしょく[1] 免職 — 動 dismíss [dischárge] *a person* from ˹office [service] 語法 dismiss のほうが格式ばった語だが, 意味がより強いのは discharge; (首にする) 《略式》 fire (他). — 名 dismissal Ⓤ; (特に解雇) discharge Ⓤ. (☞かいにん[1](類義語); くび). ¶彼は収賄で*免職になった He *was* ˹*dismissed* [*discharged*] *from* his post for ˹taking [accepting] bribes.

めんしょく[2] 面色 (顔の皮膚の色) complexion Ⓒ; (血色) color (《英》 colour) Ⓤ. (☞かおいろ).

メンション — 動 (話題にする) mention (他).

めんじる 免じる **1** «免除する»: exempt … from …; (解除する) excuse [release] … from … (☞めんじょ).
2 «…のために»: for …'s sake. ¶父親に*免じてあなたを許してあげよう I'll forgive you ˹*for* your father's *sake* [(⇒あなたの父親のことを考慮して) *out of consideration for* your father].

めんしん 免震 〘建〙 base isolation Ⓤ (☞たいしん[1]). **免震建築** base-isolated building Ⓒ **免震構造** base-isolated structure Ⓒ **免震装置** base isolation device Ⓒ.

メンス (女性の生理(期間)) 《格式》 menstruation /mènstruéɪʃən/ Ⓤ, menses /ménsiːz/ ★複数形で, 単数あるいは複数扱い, period Ⓒ ★menstrual period の略で婉曲表現.

メンズ — 形 (男ものの) men's. **メンズウェア** menswear Ⓤ, men's wear Ⓤ **メンズショップ** menswear shop Ⓒ.

めんずる 免ずる ☞めんじる

めんする 面する (建物などが) face (他), face ˹on [onto] …, look out ˹on [over] … ¶その建物は通りに*面している The building *faces* the street.

めんぜい 免税 — 名 tax exemption Ⓤ. — 形 duty-free, free of tax, tax-exempt 語法 duty は特に関税など. 第2番目は名詞の後に置くかⓅとして用いる. 最後はやや格式ばった言い方. (☞ぜいきん; めんじょ). ¶飛行機の中では*免税でウイスキーが買えます You can buy whisky *duty-free* on the plane. ★この duty-free は副詞. // これは*免税品ですか Is this a ˹*duty-free* [*tax-exempt*] article? **免税店** duty-free shop Ⓒ **免税点** tax exemption ˹limit [point] Ⓒ.

めんせき[1] 面積 area /é(ə)riə/ Ⓤ; (大きさ) size Ⓤ; (床面積) floor space Ⓤ. (☞ひろさ; 度量衡(囲み)).
¶この部屋の*面積は120平方メートルです This room is 120 square meters in *area*. / The ˹*floor space* [*area*] of this room is 120 square meters. // テキサス州の*面積は267,339平方マイルです (The State of) Texas ˹has [covers] an *area* of 267,339 square miles. 語法 この area は具体的な土地の面積をいうので Ⓒ. (☞可算・不可算名詞(巻末))

めんせき[2] 免責 — 動 exempt … from an obligation. — 名 …'s exemption from an obligation. (☞めんじょ). **免責条項** escape clause Ⓒ **免責特権** immunity (from criminal responsibility) Ⓤ ★( )内は刑事責任について言う; 《米法》(証人に対する訴追免除の特権) immunity bath Ⓒ ★一般用語; (国家主権による) sovereign immunity Ⓤ; (国会議員の) parliamentary immunity Ⓤ; (外交官の) diplomatic immunity Ⓤ.

めんせつ 面接 — 名 interview Ⓒ; (口頭試験) oral examination Ⓒ ★interview にもこの意味がある. — 動 interview (他). (☞めんだん; めんかい).
¶*面接(試験)のため, 10月15日に会社においで下さい Please come to the office for an *interview* on October 15. // 個人*面接 an (individual) interview ★面接は個人面接が普通なので, 特に強調

め

する必要がなければ（　）内は省略する. // 集団*面接 a group *interview*
面接交渉権〘法〙non-custodial parent's right of access Ⓒ《☞ほうもん[1]（訪問権）》 **面接時間** hours for interviews ★ 複数形で. **面接者[試験官]** interviewer Ⓒ **面接受験者** interviewée Ⓒ **面接調査** data collection through interviews Ⓤ.

めんぜん 面前 （…の前で）in front of …, before …; under *a person's* nose, before [under] *a person's* eyes;（…のいる所で）in the presence of …;（公衆の面前で・公の場所で）in public. ¶ 彼は私を多くの人の*面前で非難した He blamed me 「*in front of* [*in the presence of*] a number of people.

めんそ[1] 免訴 ―[名]〘法〙（無罪放免）acquittal /əkwítl/ Ⓤ (↔ conviction);（却下）〘法〙dismissal Ⓤ. ―[動]（無罪にする）acquit (他);（却下する）dismiss (他).《ほうめん[2]; きゃっか; むざい》. ¶ 彼は証拠不十分のため*免訴となった He *was acquitted* for 「lack of [insufficient] evidence. // その事件は*免訴となった The case *was dismissed*.

めんそ[2] 免租 tax exemption Ⓤ.

めんそう 面相 （容貌）looks ★ 通例複数形で;（顔）face Ⓒ;（表情）《格式》countenance Ⓒ.《☞にんそう; かおつき; ひょうじょう[1]》. ¶ *面相の悪い男 an evil-*looking* man

メンソール ☞メントール

メンター （師と仰ぐ指導者）mentor Ⓒ.

めんたいこ 明太子 salted cod roe spiced with red pepper Ⓤ.

メンタリティー （心的状態）mentality Ⓒ.

メンタル ―[形]（精神の）mental. ―[名]（精神状態）mentality Ⓤ.《☞せいしん[1]》.

メンタルテスト （知能検査）mental test Ⓒ.

メンタルトレーニング 〘スポ〙mental training Ⓤ.

メンタルヘルス （精神衛生）mental health Ⓤ (↔ physical health).

メンタルリハーサル 〘心〙mental rehearsal Ⓒ.

めんだん 面談 ―[名] ínterview Ⓒ. ―[動]（…と直接話し合う）talk personally with …;（公式に…と会見する）have an interview with …, ínterview (他).《☞めんせつ; めんかい》. ¶ 個人*面談で先生は何とおっしゃったの What did your teacher say when you had a personal *interview* with 「him [her]? // 放課後, 卒業後の進路に関する三者*面談がある（⇒母[父]と私は担任の先生と話し合う）After school, my 「mother [father] and I are going to *talk* with my homeroom teacher about my plans after graduation // 委細*面談《広告》*Apply personally* for particulars.

メンチ （ひき肉）minced /mínst/ méat Ⓤ《☞ひきにく; にく》. **メンチカツ** breaded and fried cake of minced meat Ⓒ **メンチボール** breaded and fried meatball Ⓒ.

めんちょう 面疔 （顔にできるはれもの）〘医〙facial furuncle /fjʊ́(ə)rʌŋkl/ Ⓒ.

メンツ （面目）face Ⓤ;（名誉）honor (《英》 honour) Ⓤ.《☞たいめん[1]; めんぼく》. ¶ 私は*メンツを失うようなことはしたくない I don't want to do anything which might make me lose *face*. // 彼はいつも*メンツ（⇒個人的な名誉）にこだわっている He is always concerned about *his* (*own*) *personal honor*.

めんてい 免停 ☞めんきょ（免許停止）

メンテナンス （保守）máintenance Ⓤ. **メンテナンスフリー** ―[形]（保守不要の）maintenance-free.

メンデル ―[名] (固) Gregor Johann Mendel /gréigɔə jouhá:n méndl/, 1822–84. ★ オーストリアの植物学者. **メンデルの法則**〘生〙Mendel's laws ★ 複数形で.

メンデルスゾーン ―[名] (固) Felix Mendelssohn /féilıks méndlsn/, 1809–47. ★ ドイツの作曲家.

メンデレーエフ ―[名] (固) Dmitri Ivanovich Mendeleev /mèndəléiıf/, 1834–1907. ★ ロシアの化学者. 元素の周期律を発見.

めんどう 面倒 **1**《やっかい》 ―[形]（やっかいな）troublesome;（難しい）difficult;（複雑な）cómplicàted. ―[動]（迷惑をかける）bother (他);（わずらわす）trouble (他);（苦労させる）worry (他). ―[名] bother Ⓤ; trouble Ⓤ.《☞やっかい》.
¶ ご*面倒をおかけしてすみませんが, これをちょっと見て下さいませんか I am sorry to 「*trouble* [*bother*] you, but could you have a look at this? // これはとても*面倒な仕事だ This is a very *difficult* job. // 彼は*面倒なことはなにもしない He won't do anything *troublesome*. // 外出するのが*面倒になって（⇒外出するにはくたびれすぎて）家にいた I felt too 「*tired* [*weary*] to go out, so I stayed at home.
2《世話》: care Ⓤ《☞せわ》. ¶ 彼女がその子供の*面倒を見ている She is taking *care* of the child. // 彼は学生の*面倒見がいい（⇒学生に親切で助けになる）He is very kind and helpful to the students.

めんどうくさい 面倒臭い （やっかいで）troublesome;（うんざりして）wearisome /wí(ə)risəm/.《☞やっかい》.

めんとおし 面通し 《米》 líneùp Ⓒ ★ 通例単数で,《英》 identificátion paràde Ⓒ ★ 容疑者を並ばせて, 目撃者に選ばせる方式.

メントール 〘化〙menthol /ménθɔ:l/ Ⓤ.

めんとむかって 面と向かって （本人の面前で）to *a person's* face ★ 相手に不快なことを言ったりする場合;（単に対面して）face to face.《☞むかいあう》.
¶ よく私に*面と向かってそんなひどいことが言えるね How dare you say such harsh words *to my face*?

めんとり 面取り ―[動]（角材の）chámfer (他), bevel (他);（料理で）cut away an edge of …

めんどり 雌鳥, 雌鶏 （鶏の）hen Ⓒ;（若い鶏の）pullet Ⓒ;（鳥一般に）female bird Ⓒ.《☞めす[1] [語法]; 動物の鳴き声（囲み）》.

めんば 面罵 ―[動]（面と向ってののしる）scorn *a person* to 「his [her] face.

メンバー （会員）member Ⓒ;（ラインアップ）líneùp Ⓒ.《☞かいいん[1]; かおぶれ》. ¶ この人が私たちの会の一番若い*メンバーです This person is the youngest *member* of our club. // 私たちはチームのベスト*メンバーで試合を始めた We started the game with the best *players* on our team. **メンバーシップ** membership Ⓤ **メンバーズカード** membership card Ⓒ ★「メンバーズカード」は和製英語. **メンバーチェンジ** player change Ⓒ ★「メンバーチェンジ」は和製英語.

めんはっこうレーザー 面発光レーザー surface-emitting laser Ⓒ.

めんぴ 面皮 ☞つらのかわ

メンヒル （ヨーロッパ新石器時代の巨石遺構）menhir /ménhıə/ Ⓒ.

めんぷ 綿布 ☞めんおりもの

メンフィス ―[名] (固) Memphis /mémfıs/ ★ (1) 米国テネシー州の都市. (2) 現在のカイロ南方にあった古代エジプトの都市.

めんぺきくねん 面壁九年 the legend of 「*Daruma* [Bodhidharma] who sat still facing the wall and meditated for nine years before attaining spiritual enlightenment. ★ 達磨大師の故事.

めんぼう[1] 綿棒 swab Ⓒ.

めんぼう[2] 麺棒 （のし棒）rólling pìn Ⓒ.

めんぼく 面目 （名誉）honor (《英》 honour) Ⓤ;

め

(信用) credit Ⓤ; (メンツ) face Ⓤ. ((☞ メンツ)).
¶ それを言われると*面目ない (⇒ それについては恥じている) I'm *ashamed* of it. // 私は*面目まるつぶれだった I lost *face* completely. // 彼女の行為は両親の*面目をつぶしてしまった Her behavior ˹*disgraced* [*was a disgrace to*] her parents. // あなたの助けで*面目が保てました (⇒ あなたの助けが私の名誉を救った) Your help has saved my *honor*. / Your help has allowed me to save *face*. // 約束は破れません. *面目にかかわります I can't break my promise. It's *a point of honor*.
面目をほどこす ¶ 彼女はその試合に勝ってキャプテンとしての*面目をほどこした (⇒ 名誉を得た) She ˹*gained* [*achieved*; *won*] *honor* as a captain by winning the game.

メンマ (中国料理の) séasoned bámbòo shóots (used in Chinese cooking) ★ 説明的な訳.

めんみつ 綿密 —形 (詳しい) detailed /dɪtéɪld/; (注意深い) careful; (細心・周到な) scrupulous /skrúːpjʊləs/, metículous 〔語法〕 前者は特に良心的なことを, 後者は並はずれて, ときには悪い意味でうるさすぎるほど注意深いことを強調する. いずれもやや格式ばった語で, careful で代用できることが多い; (緻密な) close /klóʊs/; (徹底的な) thorough /θə́ːroʊ/. —副 carefully; scrupulously; metículously; closely; thoroughly. ((☞ ちみつ)).
¶ 討議のために*綿密な案が必要だ We need a *detailed* plan for discussion. // 提案は*綿密に検討されなければならない The proposal ˹needs *careful* examination [has to be examined *closely*].

めんめん[1] 綿綿 —副 (長い間) long; (果てしなく) endlessly; (間断なく) unceasingly, without a break. ((☞ みゃくみゃく)).

めんめん[2] 面面 (おのおの) each one; (すべての人) every one; (全員) all. ((☞ かおぶれ)).

めんもく 面目 **1** «名誉»: honor ((英)) honour) Ⓤ ((☞ めんぼく; めいよ)).
2 «様子»: appearance Ⓒ. ¶ スラム街を一掃したので町は*面目を一新した Due to the slum clearance, the town *had undergone a complete change*.
面目躍如 ¶ そんなことを言うとは彼の*面目躍如たるものがある (⇒ いかにも彼らしい) It's *just like* him to say so. ((☞ やくじょ))

めんよう 綿羊 (羊) sheep Ⓒ ★ 単複同形. ((☞ ひつじ)).

めんるい 麺類 noodles ★ 複数形で.

め

も, モ

も¹ 喪 mourning Ⓤ《☞ もちゅう》. ¶私はいま父の*喪に服しています I am in *mourning* for my father at present. // *喪が明けた (⇒ 公の喪の期間が終わった) The period of official *mourning* ⌈is over [has expired]. ★ このような表現は個人的な場合にはあまり用いられない. [ ] 内のほうが格式ばった言い方.

も² 藻 〖植〗 álga Ⓒ《複 algae /ǽldʒiː/》; (水草) waterweed Ⓤ; (海藻) seaweed Ⓤ.

-も 日英比較 この日本語の助詞は「私*もそう思う」のように, その助詞の付いた名詞・代名詞などが, ほかの同類の人・物・事と同じだということを取り立てて言う場合に使われたり,「その木は高さが 30 メートル*もある」のように, 感心したり, 強調したりするときに使われるのが最も代表的な用法である. しかし,「…も」の使われている日本文を細かく検討すると, いろいろな意味合いがあることがわかる. 英語には, 日本語の「…も」と意味範囲や使い方が同じような言葉がないので, 日本語の意味をよく考え, それぞれの場合に応じて, 一番近い英語の表現を探して当てはめるようにしなくてはならない.

1 «…もまた» ―副 too, also 語法 (1) too のほうが also より口語的. 否定文はいずれも not … either で表す; (…と同様に…である) as well; (…もそうだ) so 語法 (2) 相手の言ったことに対して同調する場合に用いる. 文頭に出して, So do I. (私もそうです)のような言い方となる; (…もそうではない) neither 語法 (3) so が肯定の場合に用いられるのに対して, 相手の否定の表現に対する同調を表し, *Neither* do I. (私もそうではない) のような言い方となる; (再び) again. ―形 (もう一つの) another ★ 後に名詞が続く. ―接 (…も…でない) … nor …《☞ また¹》. ¶私*も英語が話せます I can speak English, *too*. / I, *too*, can speak English. / I can *also* speak English. 語法 (4) too と also の文中の位置に注意. too は第 1 の文のようにコンマで区切って文尾に置かれることが多いが, この場合「私は (フランス語などのほかに) 英語も話せます」という意味にもとれ, あいまいに感じられる. その場合には第 2 の文のように too の意味がかかってゆく語の次の位置に置かれることもある. also は普通は動詞の前に置かれる. また助動詞があるときは助動詞と動詞の間に置かれ, be 動詞の場合は補語の前に置かれる. // 私*もきょうは忙しい I'm *also* busy today. / I'm busy today, *too*. 語法 (5) 一般に I'm, you're, he's などの短縮形は 1 つのまとまりとして感じられるので, 間に too を割り込ませないのが普通. 従ってこのように表現する. しかしこの第 2 の文は多少あいまいさのある文. ただし, I, *too*, am busy today. は少し堅苦しい感じなのであまり使われず, 結局第 1 の文のように also を使うほうが普通である. // 私*も彼は知りません I do*n't* know him, *either*. ★ 否定文では too も also も使えない. //「おなかがすいた」「私*もです」"I'm hungry." "*So* am I." 語法 (6) I'm hungry, *too*. も可能であるが, hungry という形容詞を 2 回繰り返して言うのを避けて, so を用いるか, あるいはくだけた会話では "Me, *too*." のように言う. 《☞ 代名詞 (巻末); 省略 (巻末)》. 語法 (7) So … の構文では相手の言った文に助動詞がある場合にはそれを用い, 一般動詞の場合には do を用いる. 時制・数を合わせることにも注意しなくてはならない. //「彼にパーティーで会ったよ」「僕*もだ」"I met him at a party." "*So* did I." //「彼女はドイツ語を勉強している」「彼女のお姉さん*もだよ」"She's studying German." "*So* is her sister." //「きょうは外出したくない」「私*もです」"I don't want to go out today." "*Neither* do I." 語法 (8) neither を用いる場合の語順その他は So … の構文に準じる. // 彼は私に会いに来なかったが, 彼女*も来なかった He didn't come to see me, *nor* did she. 語法 (9) nor は前の部分とコンマで区切って使われる点を除けば, neither の場合と語順その他の構文上の用法は同じであるが, neither が相手の言ったことに対して同調する場合に使われるのに対して, nor は同じ話者の言葉の中で否定表現を続けるときに用いられる. // 彼はピアニストだったが作曲*もした He was a pianist, and a composer ⌈*as well* [, *too*]. 語法 (10) as well はやや格式ばった言い方. // きょう*も雨だ (⇒ 再び雨が降っている) It's raining *again* today. // 彼女は今度*も英語で 100 点を取った She scored a hundred in English this time ⌈*too* [*as well*]. / She got a hundred in English *again* this time. // 今度*も失敗だ (⇒ もう 1 つの失敗例だ) This is *another* example of failure.

2 «A も B も»: A and B; (両方とも) both A and B ★ both を付けるほうが意味が強い; (A も B も…でない) neither A nor B; (A のみならず B も) not only A but (also) B ★ 強調される中心は B のほうにある; (A だけでなく B も) B as well as A 語法 (1) not only … but (also) … と語順が逆であることに注意. 強調の中心は B にある. ただし, not only … but (also) … より少し意味が弱いことが多く, A and B とほぼ同じ意味で用いられることもある. B as well as A は多少格式ばった表現. 《☞ のみならず》.
¶彼はピアノ*もバイオリン*も弾く He plays the piano *and* the violin /vàɪəlín/. / He plays *both* the piano *and* the violin. 語法 (2) 第 2 文のほうが強調的. both … and … の「…」の部分は名詞のみでなく, 動詞・形容詞なども用いられるが, 2 つが同じ品詞でなくてはならない. // 彼女は歌*も歌えるしピアノ*も弾ける She can *both* sing *and* play the piano. / She can sing *and* can play the piano *as well*. 語法 (3) 第 2 文は「歌も歌えるし, それにピアノも弾ける」というように, ピアノが弾けることをあとから付け足して表現した文. // 彼女は英語*もフランス語*も話せる She can speak *both* English *and* French. / She can speak *not only* English *but* (*also*) French. / She can speak French *as well as* English. // 私には外国に行く金*も暇*もない I have *neither* the money *nor* the time to go abroad. // きのう*もきょう*も雨だ (⇒ きのうから雨が降り続いている) It's been raining since yesterday.

3 «…ほども»: (数[量, 時間, 空間, 回数]が多い) as ⌈many [much; long; far; often] as … ★ 話題となっているものによって as … as の「…」の部分が変わる; (…ほども) no less than … ★ 数量の意外に多いことを表す; (まるまる) whole ★ 後には単数名詞が続く. ¶彼は体重が私の 2 倍*もある He weighs twice *as much as* I do. / He is twice *as* heavy *as* I (am). // 私は 30 年*もこの土地に住んでいる I have lived in this place *as long as* thirty years. // この図書館には 100 万冊*もの本がある This library has *no less than* one million volumes. // 1 時間*もあれば (⇒ 1 時間より少ない時間で) 宿題は済みます I can do my homework in *less than* an hour. / (⇒ 1 時間で十分だろう) An hour will be *enough* for me to do my homework. // 彼女はひと月*も病気で寝込んでいる She has been ill in bed for a *whole* month.

4 «どちらでも»: (A でも B でも) A or B; (A または B のいずれか一方) either A or B 語法 either を付けた言い方のほうが意味が強い. また A, B は語・句・節いずれも可能. ただし, A と B は同じ品詞の語か, 同じ資格の句・節でなくてはならない; (…でも, そうでなくても) whether … or not.

¶ 成功*も失敗*もどちらも運しだいだ Success *or* failure depends on good luck. // この本は読んで*も読まなくて*もよい You may *either* read this book *or not*. // どっちの道を行って*も駅に出ます (⇒ いずれの道も[両方の道が]あなたを駅へ連れて行くでしょう) *Either* road [*Both* roads] will take you to the station.

5 «…すら»: (…でさえ) even; (…さえしない) not so much as … (☞ -さえ). ¶ 賢い人*もときには間違いをする *Even* a wise man sometimes makes mistakes. // 彼はお湯*もわかせない He can't *even* boil water. // 彼女は私に手紙をくれ*もしなかった She ⌈didn't *even* [did*n't so much as*] write to me. 語法 even を用いるほうが平易な言い方.

6 «だれも[何も]…でない» ¶ 私はだれに*も会わなかったし, 何*も聞かなかった I did*n't* see *anyone* or hear *anything*. / I saw *no one* and heard *nothing*. // 彼はどこへ*も行かなかった He did*n't* go *anywhere*. // だれ*も彼女の話を信じない *Nobody* believes her story.

7 «たとえ…でも»: even if …; (…だけれども) though …, although …; (どんなに…しても) no matter ⌈how [what] …, however …, whatever … (☞ たとえ[1]; -しても).

モア ━ 图 固 Thomas More, 1478–1535. ★ 英国の政治家・人文主義者.

モアイ moai /móuaɪ/ Ⓒ ★ イースター島の石像.

モアレ (織物・モアレ模様) moiré /mwɑːréɪ/ Ⓤ. ★ moiré の ´ は綴り本来のもの.

モイスチャー (しめりけ) moisture Ⓤ. **モイスチャー化粧品** moisturizing cosmetics ★ 複数形で. **モイスチャーバランス** moisture balance Ⓒ.

モイスチャライザー moisturizer Ⓒ.

もう[1] **1** «すでに»: already, yet ★ yet は疑問文で用いる; (いまごろまでには) by now, by this time. (☞ すでに; 副詞の位置 (巻末)).

¶ 彼女は*もう出発した She has *already* left. //「あなたは*もう宿題を終えましたか」「いいえ, まだです」"Have you ⌈done [finished] your homework *yet*?" "No, not yet." // 彼は*もう東京の家に着いたろう He must have reached his house in Tokyo ⌈*by now* [*by this time*]. // 彼は*もう行ってしまったのですか Has he left *already*? 語法「もう…しましたか」と聞く普通の疑問文では yet を使うが,「もう…してしまったのですか」と驚きを表すときは already を用いる.

2 «さらに»: (もっと多く) more; (現在以上の) further Ⓐ; (もう一度) again; (もう…でない) not … any longer. (☞ もっと; さらに).

¶ *もう一度その本を読みたい I want to read the book once *more*. // *もうそのほかに質問はありませんか Don't you have ⌈any *other* [*further*] questions? // *もう 10 分待っていただけますか Could you wait *another* ten minutes? 語法 (1) ten minutes を 1 つのまとまった時間と考えて another を用いる. // *もう一度 1 時に来ます I'll come ⌈here [back] *again* at one o'clock. // *もう一度おっしゃって下さい I beg your pardon? 語法 (2) 相手の言ったことがわからなかったり聞きとれなかったとき, 上昇調で発音する. / Will you please say that *again*? // *もうこれ以上我慢できません I *can't* stand it *any longer*. // *もうたくさんだ I'*ve had it*!

3 «間もなく»: (いま) now; (すぐに) soon; (そう遠くないうちに) before long ★ 多少の時間の経過がニュアンスとしてある. (☞ すぐ (類義語); やがて; まもなく).

¶ *もう彼が来るころだ He will *soon* be here. // *もう春だ It is spring *now*. // *もうすぐお正月だ The New Year season is coming *soon*. // *もう君も世の中に出て (⇒ 外に出て世の中を見て) いいころだ (⇒ 知るべき時だ) It is ⌈(just) *about* [*high*] *time* for you to get out and see the world. / It is ⌈(just) *about* [*high*] *time* you got out and saw the world. 語法 従属節の時制は仮定法過去となる. high time はやや格式ばった言い方.

もう[2] 毛 (通貨・歩合の単位) *mo* Ⓒ ★ 単複同形.
¶ 彼の打率は 2 割 4 分 5 厘 3*毛にさがった His batting average dropped to .245*3*. 参考 普通少数第 3 位で四捨五入するので,「毛」までは言わない. .2453 は point two four five three と読む.

もう[3] 盲 ━ 形 (目に障害がある) blind. ━ 图 blindness Ⓤ.

もう[4] 蒙 ignorance Ⓤ. **蒙を啓く** enlighten 他 (☞ けいもう).

もうあい 盲愛 blind love Ⓤ.

もうい 猛威 ━ 動 (あらしなどが荒れ狂う) rage 自; (伝染病などが手をつけられないほどはびこる) be rampant. ━ 图 rage Ⓤ; rampancy Ⓤ. (☞ もうれつ; はげしい). ¶ 台風が一晩中*猛威を振るった The typhoon *raged* all night.

もうう 猛雨 (大雨) (a) heavy rain; (どしゃぶり) downpour Ⓒ. (☞ ごうう).

もうか 猛火 (燃えさかる炎) raging flames; (ごうごうと音を立てて燃える炎) roaring flames ★ いずれも複数形で. (☞ かじ[1]; たいか[6]).

もうがっこう 盲学校 school for the blind Ⓒ.

もうかる 儲かる ━ 動 (金が入る・金持ちになる) make money ★ 一般的な表現; (…の利益を上げる) make a profit (of …); (利益を得る) gain 他; (採算がとれる・引き合う) pay 自. ━ 形 (もうけになる) prófitable. (☞ りえき; とく[2]).

¶ 先月は 100 万円*もうかった We ⌈*made a profit of* [*gained*] one million yen last month. // この商売は*もうからない This business doesn't *pay*. //「それでいくら*もうかりましたか (⇒ 手に入れたか)」「1 割*もうかりました」"How much did you *get* out of it?" "We *got* a ten percent *profit* on it."

もうかん[1] 毛管 〖物理〗 capillary /kǽpəlèri/ (tube) Ⓒ. **毛管現象** càpillárity Ⓤ, capillary action Ⓤ.

もうかん[2] 盲管 〖解〗 cul-de-sac /kʌ́ldəsæ̀k, kúl-/ Ⓒ (複 culs-de-sac, ~s); (一般的に) blind ⌈pouch [caving] Ⓒ. **盲管銃創** lodged bullet Ⓒ.
¶ *盲管銃創を負う have [get] a *bullet lodged in one's body* **盲管症候群** 〖医〗 blind loop syndrome Ⓤ.

もうぎゅう 猛牛 fierce [ferocious] ⌈bull [cow] Ⓒ ★ ferocious のほうが凶暴の度が強い.

もうきょ 妄挙 (無謀な行動) reckless act Ⓒ.

もうきょういく 盲教育 education for the blind Ⓤ.

もうきん 猛禽 bird of prey Ⓒ. **猛禽類** birds of prey, ráptors.

もうくんれん 猛訓練 hard ⌈training [exercise] Ⓤ (☞ くんれん).

もうけ 儲け (物を売って得る利益) profit Ⓤ ★ 具体的には Ⓒ; (何かをして得た金) gains ★ しばしば複数形で. 賭博などよくない手段で得たものを指すことが

ある.《☞ りえき; えいり[1]; もうける[1]; くろじ[1]》.
¶彼はわずかの*もうけで満足している He is satisfied with a small ⌈margin of *profit* [*profit* margin]. ★ margin of profit [profit margin] は売買などで生じる「もうけ・利ざや」の意味. // 彼らは*もうけを山分けした They divided the ⌈*profits* [*gains*] equally among them.
もうけ口 (金もうけになる仕事) money-making job (C); (金もうけの機会 [方法]) chance [way] to make money (C)　**もうけ主義**　— (形) (もうけ主義の) profit-minded　**もうけ物** (買い物) good bargain (C); (思わぬ拾い物) godsend (C).

もうげき　猛撃 (強烈な打撃) hard [severe] blow (C); (強烈な攻撃) fierce [vigorous; smashing] attack (C).《☞ こうげき》.

もうける[1]　儲ける (金を手に入れる・金持ちになる) make money ★ 一般的な言い方; (利益を上げる) make [gain] a profit.《☞ りえき; かせぐ; とく[2]》.
¶彼は金を*もうけるのがうまい He is good at *making money*. // 私はその取り引きで*もうけた I ⌈*made* [*gained*] *a profit* on the deal. // 彼はその投資で100万円*もうけた The investment *brought* him *in* a million yen. 語法 bring ... in は「…に利益などをもたらす」の意味. // これは*もうけたぞ (⇒ 買い得品だ) This is quite a *bargain*.

もうける[2]　設ける **1**《設置・制定する》: (事務所などを設置する) establish (他); (委員会などを設置する) sèt úp (他); (規則などを制定する) láy dówn (他).《☞ つくる; せっち[1]; せつりつ》. ¶彼らはその問題調査のための委員会を*設けた They *set up* a committee to ⌈investigate [probe into] the problem. // 規制を*設けはしたがだれも守らなかった Although the rules *were* clearly *laid down*, nobody obeyed them.
2《子供を得る》: have (他)《☞ うむ[1]》. ¶彼は先妻との間に2児を*もうけた He *had* two children by his ⌈former wife [previous marriage].

もうけん　猛犬 fierce [ferocious /fəróuʃəs/] dog (C) ★ ferocious のほうが凶暴の度が強い.
¶*猛犬注意《掲示》Beware of the *dog*!

もうげん　妄言 ☞ ぼうげん[2]

もうこ[1]　蒙古 — (名) (固) Mongólia. — (形) (蒙古の) Móngol, Mongolian.《☞ モンゴル》. **蒙古語** Mongolian (U)　**蒙古襲来** Mongol invasions of Japan《☞ げんこう[4]》　**蒙古人** Móngol (C), Mongólian (C)　**蒙古人種** the Mongolian race《☞ おうしょくじんしゅ》　**蒙古斑** Mongolian spot (C), blue spot (C).

もうこ[2]　猛虎 fierce [ferocious] tiger (C) ★ ferocious のほうが凶暴の度が強い.

もうこう　猛攻 violent [fierce] attack (C)《☞ こうげき》. ¶敵を*猛攻する launch a ⌈*violent* [*fierce*] *attack* against the enemy

もうこん　毛根 root of a hair (C)《☞ け[1]》.

もうさいかん　毛細管 ☞ もうかん[1]

もうさいけっかん　毛細血管 〔解〕capillary (vessel) (C).

もうさいリンパかん　毛細リンパ管 lymphatic capillary (C).

もうし　孟子 — (名) (固) Mencius /ménʃiəs/, 372–289 B.C. ★ 中国戦国時代の思想家.

もうしあい　申し合い (相撲で) *moshiai*; (説明的には) a ⌈practice match [workout] between sumo wrestlers ★ workout は「練習試合」.

もうしあげる　申し上げる (言う) say (他); (表す) express (他).《☞ いう》. ¶先程も*申し上げたように ... As I ⌈*said* [*mentioned*] before, ... // ご好意に対して心からの感謝を*申し上げます I'd like to *express* my heartfelt thanks for your kindness. // *申し上げたいことがあります There's something I'd like to *say*. // 本年もよろしく (⇒ これまで以上のご親切を) お願い*申し上げます I would appreciate your further kindness this year. ★ 英語圏ではこのような新年のあいさつを交わすことはないので日本の習慣を説明する必要がある. // 皆様に*申し上げます (⇒ 私にご注目ください) May I have your attention, please? // 改めてお電話*申し上げます I will call you later.《☞ 丁寧な表現 (巻末)》

もうしあわせ　申し合わせ (同意) agreement (U) ★ 具体的な「協定」の意味では (C); (合意) mútual [cómmon] consént (U); (了解) understanding (C) ★ 普通は単数形で.《☞ ごうい; とりきめ》. ¶その件については*申し合わせができている We are in *agreement* on that matter. // *申し合わせ事項 terms of *agreement* / items *agreed upon*

もうしあわせる　申し合わせる (合意する) agree ⌈on [upon] ...; (打ち合わせる) arrange (他); (前もって打ち合わせる) prearrange (他).《☞ やくそく; とりきめる; しめしあわせる》.
¶この点についてはクラスでまだ*申し合わせていない We *have* not yet *agreed on* this matter in our class. // 私たちは次の会合の日時を*申し合わせた We *arranged* the date and time of the next meeting. // 彼らは*申し合わせたように (⇒ 前もって打ち合わせていたかのように) 遅れてやって来た They came late as if *by prearrangement*.

もうしいれ　申し入れ (申し出・申し込み) offer (C); (提案) proposal (C); (頼み・要求) request (C).《☞ もうしで; もうしこみ》. ¶私は彼の*申し入れを受け入れた[断った] I ⌈accepted [declined] his ⌈*offer* [*proposal*].

もうしいれる　申し入れる (申し出る) offer (他), make an offer; (提案する) propose (他), make a proposal; (要求する) request (他), make a request.《☞ ていあん; ようきゅう[1]》. ¶彼らは財政的援助(の提供)を*申し入れた They ⌈*offered* [*made an offer of*] financial aid. // 彼らは社長に会見を*申し入れた They ⌈*requested* [*asked for*] an interview with the president. ★ [ ] 内のほうが口語的.

もうしうける　申し受ける ¶送料は実費を*申し受け(⇒ 請求し)ます We will *charge* (actual) expenses for postage.《☞ うけとる; せいきゅう[1]》

もうしおくり　申し送り (報告) report (C); (言い付け) méssage (C).《☞ でんごん》.

もうしおくる　申し送る (引き継ぐ) hánd óver ... (to ...); (引き渡す) delíver (他).《☞ つたえる; ひきわたす》. ¶彼はその提案を小委員会に*申し送った He *handed over* the proposal *to* the subcommittee.

もうしおくれる　申し遅れる ¶*申し遅れましたが, 私は加藤という者です (⇒ 最初に言うべきでしたが) I *ought to have said first* that my name is Kato.

もうしかねる　申し兼ねる ☞ いいにくい

もうしきかせる　申し聞かせる (伝える) tell (他); (話し合う) talk to ...; (説明する) explain (他). ¶息子にはそのことはよく*申し聞かせます I'll *talk to* my son about it.

もうしご　申し子 ¶国際化時代の*申し子 a *child* of the age of internationalization ★ この child は「時代などを反映している者」の意.

もうしこし　申し越し ¶お*申し越しの件, 確かに承知しました As for *that matter you spoke of*, I will do just as you asked.

もうしこす　申し越す ☞ つたえる; いらい

もうしこみ　申し込み (応募) application (C); (提供の) offer (C); (提案) proposal (C); (要求・依頼) request (C); (予約の) reservation (C).《☞ もうしで; おうぼ; よやく》.
¶*申し込みは文書ですること *Applications* should be made in writing. // *申し込みが殺到した *Appli-*

cations「poured [flooded] in. / We were「flooded [inundated] with *applications*. / (⇒ 多くの人が申し込んだ) A great number of people *applied*. // 「*申し込みの締め切りはいつですか」「今月末です」"When is the deadline for *applications*?" "It is the end of this month." / "When are *applications* due?" "They're due by the end of this month." // *申し込みの受付は4月1日からです *Applications* will be accepted starting April 1. // 5人の就職の*申し込みがあった There were five *applications for* the job. // 彼から結婚の*申し込みがあった I have received a *proposal* from him. [語法] a marriage proposal としてもよいが, marriage を付けないほうが一般的. // 入会*申し込み an *application* for membership // カタログは*申し込みが (⇒ 請求が) あり次第, 無料で郵送します A catalog will be mailed free *on*「*request* [*application*]. // 予約の*申し込みは早くしたほうがよい You'd better make early *reservations*.

申し込み期限 time limit [deadline] for applying Ⓒ, the application deadline **申し込み者** ápplicant Ⓒ **申し込み順** the order of applications received **申し込み書[用紙]** application form Ⓒ. ¶ *申し込み書に記入して事務局あてに送って下さい Fill out the *application form* and send it to the office.

—コロケーション—
申し込みを却下する reject [turn down] an *application* / **申し込みを受理する** accept [receive] *applications* / **申し込みをする** submit [send in; file] an *application* / **申し込みを取り下げる** withdraw an *application*

もうしこむ 申し込む (出願する・正式に頼む) apply (for ...; to ...) (自); (...を申し込む) make an application for ...; (書類などを整えて願い出る) file an application for ..., file for ... ★ 後者は前者を短縮した言い方; (申し出る) propose (他) (自); (参加を申し込む) enter (for ...) (自); (予約する) reserve (他); (予約購読する) subscribe (to ...) (自). 《☞ おうぼ; しんせい¹; しゅつがん》.

¶ 私はその会社に就職を*申し込んだ I *applied for* a position in the company. // 私たちは市当局に財政援助を*申し込んだ We *applied to* the municipal authorities *for* financial help. // 彼は彼女に結婚を*申し込んだ He *proposed* (marriage) *to* her. // 私は弁論大会に*申し込んだ I *entered for* the speech contest. // 私はこの新聞[雑誌]の購読を*申し込むことにした I've decided to *subscribe to* this「newspaper [magazine]. 《☞ こうどく¹》 // 彼らは市長に抗議を*申し込んだ They「*organized* [*staged*] a protest against the mayor.

もうしそえる 申し添える add (他). ¶ ご親切に対する感謝を*申し添えたく存じます I'd like to *add* how「thankful I am for [much I have appreciated] your kindness.

もうしたて 申し立て (陳述) statement Ⓒ; (証言) téstimòny Ⓤ; (法廷での抗弁) plea Ⓒ. ¶ 彼女は虚偽の*申し立てをした She made a false *statement*. // 彼は無罪の*申し立てをした He *pleaded* not guilty. [語法] plead innocent とは言わない. 《☞ むざい》

もうしたてる 申し立てる (明確に述べる) state (他); (断言する) declare (他); (訴える) appeal (to ...; against ...) (自); (法廷で抗弁する) plead (自). 《☞ のべる¹; だんげん》. ¶ 彼はその証言は当てにならないと*申し立てた He「*declared* [*stated*] that the testimony was unreliable. // 彼女は身に覚えはないと (⇒ 有罪ではないと) *申し立てた She *pleaded* not guilty. // 彼はその提案に異議を*申し立てた (⇒ 反対した) He *raised* an objection to the proposal. // 彼はその判決に不服を*申し立てた (⇒ 訴え出た) He *appealed against* the court decision.

もうしつ 毛質 hair quality Ⓤ, quality of hair Ⓤ. ¶ 私の*毛質はやわらかい My *hair* is soft.

もうしつける 申し付ける order (他) 《☞ めいれい》.

もうしつたえる 申し伝える tell (他); (情報を) inform (他). 《☞ つたえる》.

もうしで 申し出 (提案) proposal Ⓒ; (提供) offer Ⓒ; (依頼) request Ⓒ; (申し込み) application Ⓒ. 《☞ もうしこみ; ていあん》. ¶ 彼は彼女の親切な*申し出を断った He refused her friendly *proposal*. // 彼女は快く私の*申し出 (⇒ 依頼) を承諾してくれた She willingly consented to my *request*. // お*申し出があれば (⇒ 請求[申し込み]により) カタログを無料で送ります We will mail our catalog free *on*「*request* [*application*].

—コロケーション—
申し出に飛びつく jump at an *offer* / **申し出を受け入れる** accept [take up] an *offer*; take *a person* up on「his [her] *offer* / **申し出をする** make an *offer* / **申し出を撤回する** withdraw an *offer* / **親切な申し出** a kind *offer* / **魅力的な申し出** an attractive [a tempting] *offer*

もうしでる 申し出る (提案する) propose (他); (提供する) offer (他), make an offer; (要請する) request (他), make a request; (申し込む) apply (for ...) (自). 《☞ ていあん; しんせい¹; ねがいでる》. ¶ 私は彼女に援助を*申し出た I *offered* her my help. / I *offered* to help her. // 入会は本人が*申し出て下さい Please *apply for* admission in person.

もうしのべる 申し述べる ☞ のべる¹

もうしひらき 申し開き —(動) (自分自身を正当化[弁護]する) justify [defend] *oneself*. —(名) justification Ⓤ; defense Ⓤ. 《☞ べんかい》. ¶ 彼女は自分の過ちの*申し開きをした She「*defended* [*justified*] her error.

もうしぶん 申し分 (言わんとすること) what *one* has to say (about ...). ¶ 彼らの*申し分を聞こうじゃないか Let's listen to *what they have to say*.

もうしぶんない 申し分ない (ほどよい) good enough (for ...); (満足な) sàtisfáctory; (完全な) perfect; (理想的な) idéal; (最上の) the best. 《☞ よい¹; まんぞく》.

¶ この機械は実用的には*申し分ない This machine is *good enough for* all practical purposes. // 結果はまったく*申し分がない The result is quite *satisfactory*. / (⇒ 不足はまったくない) The result *leaves nothing to be desired*. // 彼は*申し分のない夫です He is a *perfect* husband to me. // 彼はその仕事には*申し分のない (⇒ 最上の) 男だ He is *the best* man for the job. // よくやった. *申し分ない Well done. *Perfect*! / (⇒ これ以上の要求はない) Nice job. I *can't ask for anything more*.

もうしもく 毛翅目 〔昆〕 caddis flies ★ 複数形で.

もうじゃ 亡者 (死んだ人) dead person Ⓒ, the dead ★ 複数扱い; (執念にとりつかれている人) fiend Ⓒ, person obsessed with ... Ⓒ. ¶ 彼は金の*亡者だ He is a money-*fiend*. / He is a *man obsessed with* money.

もうしゅう¹ 妄執 (deep-rooted) delusion Ⓒ 《☞ しゅうちゃく¹》.

もうしゅう² 猛襲 fierce [ferocious] attack Ⓒ 《☞ もうこう; しゅうげき; おそう (類義語)》.

もうじゅう¹ 猛獣 (どう猛な動物) fierce animal

[C]; (野生の動物) wild animal [C]. 《☞ けもの》. **猛獣狩り** big game hunting [U] **猛獣使い** tamer [trainer] of wild animals [C].

もうじゅう[2] 盲従 ―[名] (盲目的な服従) blind obedience [U]. ―[動] follow [obey] … 「blindly [unquestioningly]. 《☞ したがう; ふくじゅう》.

もうしょ 猛暑 (激しい[焼けつくような, 灼熱の]暑さ) intense [parching; scorching] heat [U] 《☞ あつい[2]; あつさ[1]》.

もうじょう 網状 ―[形] (網状の) netlike; (網目の) netted; (網状組織の) 《格式》 retículàte, retícular. ―[名] (網状の組織) network [C]. 《☞ あみ[1]》. ¶ *網状に発達した道路 a *network* of roads **網状脈** nétted [retículate] venátion ★ 集合的.

もうしわけ 申し訳 **1** 《言い訳》: (わび) apólogy [C] 《複 apologies》; (弁解) excuse /ɪkskjúːs/ [C]. 《☞ べんかい》. ¶ *申し訳ありません (⇒ すみません) I'm 「very [really; awfully] *sorry*. / (⇒ あなたにおわびしなければならない) I must *apologize* to you. / (⇒ 弁解の言葉もない) I have no words with which to *excuse* myself. / (⇒ 何とおわびしてよいかわからない) I don't know how to *apologize*. // すっかりごぶさたして*申し訳ありません I must *apologize* for my long absence. // これでは*申し訳が立たない There is no *excuse* for it. / (⇒ どうやって言い訳したらよいかわからない) I don't know how to make an *excuse* for it.

2 《形ばかりの》 ―[形] (名ばかりの) nominal; (少額の) small; (申し訳程度の) token. ¶ 政府は*申し訳程度の減税をした The Government carried out *nominal* tax reductions. // 私たちは彼に*申し訳程度の (⇒ わずかな) 謝礼を払った We paid him only a 「*small* [*token*] fee.

もうしわたし 申し渡し order [C] 《☞ めいれい》.

もうしわたす 申し渡す (告げる) tell (他); (通告する) inform (他) ★ 格式ばった語; (命令する) order (他); (判決を下す) sentence (他). 《☞ せんこく[1]》. ¶ 医者は彼女に絶対安静を*申し渡した Her doctor 「*told* [*ordered*] her to take a complete rest in bed. ★ tell のほうが意味が弱い. // 法廷は彼に禁固2年の刑を*申し渡した The court *sentenced* him to two years in prison.

もうしん[1] 盲信 ―[名] blind faith [U]. ―[動] believe … blindly. ¶ 彼女は彼の言うことを*盲信している She *has blind faith* in what he says.

もうしん[2] 猛進 ―[名] a dash ★ 通例単数形で. ―[動] dash (自). ¶ 猪突*猛進する make a mad *dash* (for …)

もうしん[3] 妄信 ―[動] (分別なく[盲目的に]信じる) have blind faith in …; believe (…) blindly. 《☞ もうしん[1]; うのみ》.

もうしん[4] 盲進 ―[動] rush blindly ahead (自).

もうじん 盲人 blind person [C]; (総称) the blind.

もうす 申す (ある事柄・言葉を言う) say (他); (人に内容を伝える) tell (他). 《☞ いう》. ¶ 私は田中と*申します My name *is* Tanaka. // 父はそのことについては何も*申しませんでした My father *said* nothing to me about it. / My father *told* me nothing about it.

もうせい 猛省 ―[名] serious reflection [U]. ―[動] (本当に申しわけなく思う) be [feel] very sorry; (まじめに考え直す) reconsider … seriously; reflect on … seriously. 《☞ はんせい[1]》. ¶ 自分のやったことを*猛省しています I 「*feel very sorry for* [*deeply regret*] what I've done. // あなたの不定見なものの決め方について*猛省を促したい I must urge you to *seriously reconsider* the erratic way you decide things. 《☞ 副詞の位置 (巻末)》

もうせつ 妄説 wild 「idea [theory; doctrine] [C]; (ばかげた考え) nonsense [U].

もうせん 毛氈 (じゅうたん) carpet [C]; (小さい敷物) rug [C]. 《☞ じゅうたん, カーペット》.

もうぜん 猛然 ―[副] (猛烈に) fiercely; (怒り狂って) furiously; (強く) strongly; (断固として) résolùtely; (どう猛に) sávagely. 《☞ もうれつ》. ¶ 犬は泥棒に*猛然と飛びかかった The dog sprang at the robber 「*furiously* [*savagely*].

もうせんごけ 毛氈苔 〘植〙 sundew [U], drosera /drásərə/ [U].

もうそう[1] 妄想 (途方もない空想) wild fancy [C]; (理性によって矯正しがたい混乱した考え) delusion [C] ★ 精神医学でよく用いられる. 《☞ くうそう[1]; げんそう[1]》. ¶ 彼女は*妄想にふけっていた She was lost in *wild fancies*. // 彼は被害[誇大]*妄想にかられている He 「is under [is suffering from] a *delusion* of 「persecution [grandeur].

もうそう[2] 毛瘡 〘医〙 sycosis /saɪkóʊsɪs/ [U]; (白癬性) barber's itch [C].

もうそうちく 孟宗竹 〘植〙 thick-stemmed bamboo [C].

もうだ 猛打 solid hit [C]. ¶ 彼らは投手に*猛打を浴びせた They peppered the pitcher with *solid hits*. ★ pepper は「浴びせかける」の意.

もうたくとう 毛沢東 Mao Zedong /máʊdzədʊ́ŋ/, 1893–1976. ★ 中国の政治家, 共産党指導者. **毛沢東思想** Maoist thought [U].

もうだん 妄断 (誤った判断) wrong [《格式》 erroneous] judgment [C]; (とっぴな決定) erratic [rash] decision [C].

もうちょう 盲腸 〘解〙 (虫垂) appendix /əpéndɪks/ [C] 《複 ~es, -dices /-dəsìːz/》. **盲腸炎** (虫垂炎) appendicitis /əpèndəsáɪtɪs/ [U].

もうつい 猛追 hot 「pursuit [U] [chase [C]].

もうでる 詣でる (神社[寺]に行く) visit a 「shrine [temple]; (神社[寺]に参拝に行く) go and worship at a 「shrine [temple]. 《☞ さんぱい[1]》.

もうてん 盲点 (目の網膜の) blind spot [C] ★ 比喩的にも使われる; (法の盲点; 逃げ道) loophole [C]. ¶ そこが彼の*盲点だ (⇒ それについての*盲点を持っている) He has a *blind spot* concerning it. // 法の*盲点を突く take advantage of a *loophole* in the law

もうとう 毛頭 (少しも…でない) not … at all ★ 一般的な言い方; (少しの…もない) not the least … [語法] かなり意味が強く, 少し格式ばった表現であるが, 日本語の「毛頭」のニュアンスに近い; no … whatever ★ whatever は否定の no や not を強める語として用いる. 《☞ すこしも; ぜんぜん》. ¶ 私は死を恐れる気持ちは*毛頭ない I'm *not* afraid of death *at all*. // あわてる必要は*毛頭ない There's *no* need to hurry *at all*. // 私はそこへ行くつもりは*毛頭ない I do*n't* have *the least* desire to go there. / I have *no* intention *whatever* of going there.

もうどう 妄動 ☞ けいきょ (軽挙妄動)

もうどうけん 盲導犬 guide dog [C], Seeing Eye dog [C] ★ 後者は商標だが一般的に広く使われている.

もうどく 猛毒 ―[名] deadly poison [C]. ―[形] fatally poisonous. 《☞ どく[1]》.

もうねん 妄念 distracting idea [C], irrelevant thoughts ★ 複数形で. 《☞ もうそう[1]》.

もうばく 猛爆 intensive bombing [U]; (じゅうたん爆撃) carpet bombing [U]. ―[動] bomb 「intensively [heavily]; carpet-bomb (他) (自). 《☞ ばくげき》.

もうはつ 毛髪 ☞ かみ[3]

もうひつ 毛筆 (writing) brush [C]; (絵筆) painting brush Ⓒ. (☞ ふで).

もうひょう 妄評 (でたらめな[不当な]批評) irresponsible [reckless; unfair] criticism Ⓤ; (的はずれの批評) criticism that is off the mark Ⓤ.

もうふ 毛布 blanket Ⓒ (☞ ふとん). ¶電気*毛布 an electric *blanket*

もうべんきょう 猛勉強 ― 動 work [study] hard (自) (他); (苦労して勉強する) grind away (at ...) (自) (過去・過分 ground) ★ 口語的. (☞ べんきょう).

もうぼ 孟母 Mencius's mother (☞ もうし).
孟母三遷の教え the moral (we get) from Mencius's mother's ⌈relocating her home [moving house] three times for her son's education.
孟母断機の教え the moral (we get) from Mencius's mother's severing the thread on the shuttle of her loom for her son's education (to make him understand the need to continue trying to study in a determined way).

もうまい 蒙昧 ☞ むちもうまい

もうまく 網膜 〔解〕 retina /rétənə/ Ⓒ (複 ~s, retinae /-nìː/). **網膜移植** rétina [retínal] tránsplànt Ⓒ **網膜炎** rètinítis Ⓤ **網膜剥離** detachment of the retina Ⓤ, retinal detachment Ⓤ.

もうもう ¶温泉からは*もうもうと湯煙が立ちのぼっていた *A thick cloud of* steam was ⌈rising [going up] from the hot spring. // 車は*もうもうとほこりを立てた The car raised dust in *thick clouds*. (☞ 擬声・擬態語 (囲み))

もうもく 盲目 ― 形 (目の不自由な) blind. ― 副 (盲目的に) blindly. ― 名 blindness Ⓤ.
¶*盲目的な愛情 *blind* love // 恋は*盲目 Love is *blind*. (ことわざ)

もうようたい 毛様体 〔解〕 ciliary body Ⓒ.

もうら 網羅 ― 動 (構成するすべての部分を包含する) comprise (他); (全体の一部として含む) include (他); (内容・成分として含む) contain (他); (扱う範囲が…に及ぶ) cover (他). ― 形 (余すところのない) exhaustive; (包括的な) comprehensive. (☞ ふくむ[1]).
¶リストは必要なものを全部*網羅しています The list ⌈*includes* [*comprises*] all necessary items.

もうりもとなり 毛利元就 ― 名 (固) Mori Motonari, 1497–1571; (説明的には) daimyo of the Warring States era who expanded his control over all the Chugoku district. He is remembered particularly for warning his three sons: "A single arrow readily snaps into two but three bound together will not bend."

もうりょう 魍魎 ☞ ちみもうりょう

もうれつ 猛烈 ― 形 (激しい) violent; (ものすごい) fierce; (風雨などが) heavy; (怒り狂うように激しい) furious; (訓練などが) hard; (競争などが厳しい) keen; (ひどい) terrible, (略式) awful 語法 前者は悪い意味で, 後者はよい意味にも悪い意味にも用いられる. ― 副 violently; fiercely; heavily; furiously; hard; terribly, awfully. (☞ はげしい; すごい; ものすごい).
¶私たちは*猛烈な嵐に見舞われた We were caught in a ⌈*fierce* [*violent*; *heavy*] storm. // 私は成功するために*猛烈に頑張った I made *violent* efforts to succeed. // 彼らの間には*猛烈な競争があった There was *keen* competition between them. // きょうの暑さは*猛烈だった It's been *awfully* hot today. // 彼は*猛烈社員だ (⇒ ビーバーのように働く) He works *like a beaver*. ★ work like a beaver, as busy as a beaver は「忙しく働く」の意味の決まり文句. / He is an *eager beaver* (employee).

もうれんしゅう 猛練習 hard training Ⓤ.

もうろう 朦朧 ― 形 (ぼんやりした) dim; (不明瞭な) indistínct; (かすみがかかったようではっきりしない) hazy; (気が遠くなって) faint Ⓟ. ― 名 (もうろうとした状態) delírious státe Ⓒ, delírium Ⓤ. (☞ ぼんやり).
¶それについては*もうろうとした記憶しかない I have only ⌈a *dim* [an *indistinct*] recollection of it. // 私は意識が*もうろうとして倒れた I felt *faint* and fell down. // 徹夜の会議の後なので, 私の頭は*もうろうとしている (⇒ はっきりしない) After that all-night conference, my head is *not clear*.

もうろく 耄碌 ― 名 (老人ぼけ) dotage Ⓤ, senility /sɪníləti/ Ⓤ 語法 前者は主として in *one's* dotage のようなフレーズで用い, 単独では後者を用いる; (もうろくして子供のようになること) second childhood Ⓤ ★ 婉曲的な表現. ― 形 (年をとって体が弱った) feeble ★ 普通は婉曲的にこの語を使う; senile /síːnaɪl/. ― 動 become senile. (☞ ぼける[1]). ¶彼は*もうろくしている He is in his ⌈*dotage* [*second childhood*].

もえ 萌え ― 動 (…に愛慕の情をもつ) form an attachment to ... ¶*萌えキャラ a cute, young, female character in the animated cartoon *to* whom one *forms a strong attachment*

もえあがる 燃え上がる (ぱっと[めらめらと, 赤々と, 炎を出して]燃え立つ) búrn [fláre; bláze; fláme] úp (自); (急に炎を出して燃え出す) burst into flame(s); (炎を出して燃える) flame (自). (☞ もえる[1]).
¶突然火がぱっと*燃え上がった Suddenly the fire ⌈*burned* [*flared*; *blazed*; *flamed*] *up*. // 木造の家はぱっと*燃え上がった The wooden house *burst into flame(s)*.

もえうつる 燃え移る (火が広がる) spread (to ...) (自) (過去・過分 spread); (火がつく) catch fire ★「物」が主語. (☞ えんしょう[1]). ¶火は隣の家に*燃え移った The fire *spread to* the next house. // 数本の枯れ木に火が*燃え移った Several dead trees *caught fire*.

もえかす 燃え滓 (燃え殻) cinder Ⓒ; (灰) cinders ★ 複数形で. (☞ もえさし).

もえがら 燃え殻 ☞ もえかす

もえぎ[1] 萌え黄 strong yellow green Ⓤ.

もえぎ[2] 萌木 tree sprout Ⓒ.

もえさかる 燃え盛る ― 動 (勢いよく燃え上がる) blaze (自). ― 形 blazing. (☞ もえる[1]).

もえさし 燃えさし embers ★ 通例複数形で. (☞ もえがら). ¶*燃えさしはまだくすぶっている The *embers* are still smoking.

もえだす 燃え出す (火がつく) catch [take] fire, fire (自), ignite (自) ★ 最後は格式ばった語.

もえたつ 燃え立つ ☞ もえあがる

もえつきしょうこうぐん 燃え尽き症候群 burnout Ⓤ.

もえつきる 燃え尽きる (すっかり燃えてしまう) burn ⌈down [out] (他) (自) ★ 受身形が普通. (☞ もえる[1]). ¶その家はすっかり*燃え尽きてしまった The house *was* completely *burned* ⌈*down* [*out*]. / (⇒ 燃えて灰になった) The house *was burned to ashes*. // 彼は仕事のしすぎで*燃え尽きてしまった He *burned* himself *out* with overwork.

もえつく 燃え付く ☞ もえる[1]; ひ[2]; つく[1]

もえでる 萌え出る ☞ もえる[2]

もえひろがる 燃え広がる spread (to ...) (自) ★「火」を主語として. (☞ もえうつる).

もえる[1] 燃える **1** «火・物が» ― 動 (火がついて) burn (自) (過去・過分 burned, burnt) 語法 (1) 自動詞の場合, (米)(英) ともに burned が普通; (炎を上げて赤々と) blaze (自); (炎を上げずに赤々と) glow (自). ― 形 (ごみなどが焼却処理できる) burnable (↔ non-burnable). 《☞ もやす; やく[1] [語法]; ひ[2]; ねんしょう[2]》.

¶ 火が*燃えている The fire *is burning.* // このまきはなかなか*燃えない This wood won't *burn.* // 木造家屋は*燃えやすい (⇒ 簡単に燃える) Wooden houses「*burn* [(⇒ すぐに火がつく) *catch fire*] easily. // 暖炉には火が赤々と*燃えていた A fire *was blazing* in the fireplace. [語法] (2) 暖房用の火やかまどの火は [C]. // 石炭が炉で赤々と*燃えている The coal *is glowing* in the hearth. // *燃えるごみ *burnable* garbage // *燃えないごみ *non-burnable* garbage

2 《情熱などが》: (激情などで心が燃える) glow (自); (かっかとなる) burn (自). ¶ 彼女は向学心に*燃えている She *is burning with* the desire to learn.

もえる[2] **萌える** (葉や芽を出す) sprout (自); (芽や枝を出す) shóot (fórth) (自); (芽が出る) còme óut (自) ★ 最も一般的. 《☞ め[2]》.

もー ―[名] (牛の鳴き声) moo /múː/ [C]. ―[動] (もーと鳴く) moo (自). 《☞ 擬声・擬態語 (囲み); 動物の鳴き声 (囲み)》.

モーグル 〖スキー〗(競技名) moguls /móʊg(ə)lz/ ★ 複数形で.

モーゲージ (抵当・担保) mortgage /mɔ́əgɪdʒ/ [C].

モーション motion [C] [日英比較] 日本語の「モーション」がそのまま英語の motion とはならないことがあることに注意. 《☞ どうさ; うごき》. ¶ ピッチャーは第 1 球の*モーションを起こしているところです (⇒ ワインドアップしている) The pitcher *is winding up* for the first pitch. // 彼は若い女性と見ればだれにでも*モーションをかける (⇒ 色目をつかう[言い寄る]) He *makes*「*eyes* [*passes*] *at* any young woman.

モース ―[名] (固) Edward Sylvester Morse, 1838–1925. ★ 米国の動物学者, 大森貝塚を発見.

モーストバリュアブルプレーヤー the most valuable player [C] 《略 MVP》.

モーセ ―[名] (固) (ヘブライの預言者・立法者) Moses /móʊzɪz/. **モーセの五書** 〖聖〗 the Pentateuch /péntət(j)ùːk/.

モーゼル ―[名] (固) (モーゼル川) the Mosel /móʊz(e)l/, the Moselle /moʊzél/ ★ ライン川の支流で, フランスとドイツにまたがる. 前者はドイツ語綴り, 後者はフランス語綴り. **モーゼルワイン** Moselle wine [U] ★ ドイツ産白ぶどう酒. ドイツ語では Moselwein.

モーター motor [C]; (エンジン) engine [C]. **モーターショー** motor show [C] **モータースポーツ** motor sports **モータードライブ** ―[名] (カメラの自動巻上げ装置) mótor drive [C]. ―[形] (モータードライブによる) motor-driven.

モーターグライダー (エンジン付きグライダー) motor glider [C].

モーターサイクル (オートバイ) mótorcỳcle [C]; (小型の) motorbike [C].

モーターバイク (小型オートバイ) motorbike [C] 《☞ バイク; オートバイ (挿絵)》.

モーターボート motorboat [C] 《☞ ボート》.

モータウン (レコード会社名) Motown /móʊtaʊn/ ★ Motown は米国ミシガン州デトロイトの俗称. **モータウンサウンド** 〖楽〗 the Motown Sound **モータウンミュージック** Mótown mùsic [U].

モータリゼーション mòtorizátion [U].

モーダルシフト (輸送方式の転換) modal shift [C].

モーツァルト ―[名] (固) Wolfgang Amadeus Mozart /wʊ́lfgæŋ æ̀mədéɪəs móʊtsɑət/, 1756–91. ★ オーストリアの作曲家.

モーテル motel /moʊtél/ [C].

モート (男性名) Mort.

モード[1] **1** 《流行》: fashion [U] ★「流行の型」の意味では [C]. [日英比較] 英語の mode はこの意味ではあまり使われない. 《☞ ファッション》. ¶ いまの*モードはこれだ This is now in *fashion.* // トップ*モード the latest *fashion* // ニュー*モード the new *fashion*

2 《気分》 ―[動] (…の気分である) be in … mode 《☞ きぶん[1]》. ¶ 彼女はもうすっかり夏休み*モードに入っている She *is* completely *in* summer vacation *mode.* // 勉強*モードに切り替える switch to study *mode*

モード[2] (女性名) Maud.

モーニング (朝) morning [C] [日英比較] 英語の morning は「午前」の意味もある; (モーニングコート) morning coat [C] ★ 英語の morning にはこの意味はない. 《☞ あさ[1]; 時刻・日付・曜日 (囲み)》.

モーニングカップ (coffee) mug [C] [日英比較]「モーニングカップ」は和製英語.

モーニングコート morning coat [C].

モーニングコール (ホテルで朝の指定の時刻に客を起こすための電話サービス) wake-up call [C].

モーニングサービス special breakfast menu [C].

モーニングショー morning show [C]; (朝のトークショー) morning talk show [C].

モーパッサン ―[名] (固) Guy de Maupassant /gíː də mòʊpəsɑ́ːŋ/, 1850–93. ★ フランスの小説家.

モービルハウス (トレーラー型の移動住宅) mobile /móʊb(ə)l/「hòuse [hòme] [C], (house) trailer [C].

モーフィーム 〖言〗(形態素) morpheme [C].

モーム ―[名] (固) William Somerset Maugham, 1874–1965. ★ 英国の小説家.

モーメント (瞬間) moment [C]. ¶ 力の*モーメント the *moment* of a force

モーラ 〖詩・言〗 mora /mɔ́ːrə/ [C].

モーリーン (女性名) Maureen /mɔːríːn/.

モーリシャス ―[名] (固) (the Republic of) Mauritius /mɔːríʃ(i)əs/ ★ インド洋の島国. ―[形] Mauritian /mɔːríʃən/. **モーリシャス人** Mauritian [C].

モーリス (男性名) Maurice /mɔ́ːrɪs/.

モーリタニア ―[名] (固) (the Islamic Republic of) Mauritania /mɔ̀ːrətéɪniə/ ★ アフリカ北西部の共和国. ―[形] Mauritanian. **モーリタニア人** Mauritanian [C].

モール[1] (遊歩道・ショッピングセンター) mall [C].

モール[2] 〖ラグ〗 maul [C].

モール[3] (織物) braid [U]; (金銀などの衣服飾り) passeménterie [U].

モールスふごう モールス符号 Morse code [U].

モカ (コーヒーの種類) mocha /móʊkə/ [U].

もがく (自由になろうとしてじたばたする) struggle (自); (苦痛や悲しみなどで身もだえする) writhe /ráɪð/ (自). 《☞ じたばた》.

モカシン (柔らかい一枚皮で作った, かかとの低い靴) moccasin [C] ★ 通例複数形で. 《☞ くつ》.

もがりぶえ 虎落笛 whiz(z) [whir(r); whizzing; whirring; hissing] (of the north wind on wires) ★ 単数形で.

もぎさいばん 模擬裁判 (法学部学生のための) moot court [C].

もぎしけん 模擬試験 (実行の前に行う) trial examination [C]; (塾などの練習のための) practice test [C]. 《☞ しけん[1]》.

もぎじっけん 模擬実験 simulation [U].

もぎてん 模擬店 (パーティーなどで食事を出す) buffet /bʌféɪ/ [C]; (学園祭などでの) refreshment「stand [stall] [C].

もぎとる 捥ぎ取る (折ったり, 無理に引っ張ったりして) brèak óff (他); (無理に引き離す) téar (óff) (他); (ねじり取る) wrench (他); (果物などをもぐ) pìck [plúck] (óff) (他) ★ pick のほうが口語的. 《☞ もぐ》. ¶私は彼の手からナイフを*もぎ取った I 「tore [*wrenched*] the knife *out of* his hand.

もぎり 捥り (映画館・劇場の) ticket collector Ⓒ.

もぎる ☞もぐ

もく[1] 目 〘生〙 order Ⓒ; (碁盤の目) point Ⓒ; (碁石) piece Ⓒ, stone Ⓒ. ¶人類は霊長*目に属す Mankind belongs to the *order* of primates /práɪmeɪts/.

もく[2] 木 ☞もくめ

もぐ 捥ぐ pick (他), pluck (他) ★前者のほうが口語的. ¶木から実を*もいではいけません Don't 「*pick* [*pluck*] fruit from the trees. // これは*もぎたてのいちごです These are 「freshly *picked* [(⇒新鮮な) *fresh*] strawberries.

もくが 木画 *moku-ga*, marquetry picture Ⓒ.

もくぎょ 木魚 wooden gong Ⓒ 日英比較 英米には普通はない物であるから, 仏教になじみのない人にはさらに A Buddhist priest beats it with a special stick while chanting a sutra /súːtrə/. のような説明が必要であろう.

もくぐう 木偶 (木彫りの人形(ひとがた)) (carved) wooden figure Ⓒ.

もくげい 目迎 ━[動] greet *a person* with *one's* eyes 《☞えしゃく》.

もくげき 目撃 ━[動] (現場で実際に見る) witness (他); (自分の眼で見る) see ... with *one's* own eyes. 《☞みる[1]》. ¶私はその事故を*目撃した I *witnessed* the accident. / I *saw* the accident *with my own eyes*. **目撃者** (eye)witness Ⓒ.

もくざ 黙座 ━[動] sit in silence (自).

もぐさ[1] moxa /máksə/ Ⓤ 《☞きゅう[6]》.

もぐさ[2] 藻草 ☞も[2]

もくざい 木材 wood Ⓤ ★最も一般的な語; (加工したもの) 《米》 lumber Ⓤ, 《英》 timber Ⓤ; (丸太) log Ⓒ. 《☞ざいもく (類義語)》.
木材置き場 《米》 lumberyard Ⓒ, 《英》 timberyard Ⓒ **木材工場** sawmill Ⓒ, lumbermill Ⓒ.

もくさく 木酢 〘化〙 pyroligneous /pàɪroulígniəs/ acid Ⓤ, wood vinegar Ⓤ.

もくさつ 黙殺 ━[動] (故意に無視する) (deliberately) ignore (他); (意識的に注意を払わない) disregard (他); (気にとめない [考慮しない]) take no notice of ...; (知っているのに知らないふりをする) cut ... 「dead [cold] (他). 《☞むし[2]》.

もくさん 目算 (大ざっぱな見積もり・概算) róugh éstimate Ⓒ 《☞みこみ; みつもり; よそく》. ¶これは費用の*目算にすぎません This is only a *rough estimate* of the expenses. // *目算を立てる make a *rough estimate* // 私の*目算がはずれた My 「*estimate* has [*expectations* have] turned out to be 「mistaken [wrong].

もくし[1] 黙視 ━[動] (見逃す・大目に見る) overlook (他), páss óver (他). 《☞みのがす》.

もくし[2] 黙示 (暗黙の意思表示) implication Ⓤ; (神の啓示) revelation Ⓤ. **黙示的承認** 〘国際法〙 implied recognition Ⓤ **黙示録** (ユダヤ教・キリスト教の各種の) apócalỳpse Ⓒ; (ヨハネの黙示録) 〘聖〙 the Revelation, the Book of Revelations of St. John the Divine 《略 Rev.》, the Apocalypse.

もくじ 目次 táble of cóntents Ⓒ, contents ★後者は複数形で. 本の目次の見出しとしてよく使われる.

もくしつ 木質 wood Ⓤ, 〘植〙 xylem /záɪləm/ Ⓤ. ━[形] woody. **木質繊維** wood(y) fiber Ⓤ.

もくじゅう 黙従 ━[名] passive [unquestioning] obedience Ⓤ. ━[動] obey 「passively [unquestioningly] (他), acquiesce /ækwiés/ (他) ★格式ばった語.

もくしんかんしつぞう 木心乾漆像 〘仏教・美〙 wood-core dry lacquer 「image [statue] Ⓒ.

もくず 藻屑 seaweed Ⓤ. ¶海の*藻屑となる (⇒海で溺れ死ぬ) drown at sea

もくずがに 藻屑蟹 Japanese mitten crab Ⓒ.

もくする[1] 黙する ☞だまる

もくする[2] 目する ¶犯人と*目される人 a person *suspected* of 「a [the] crime / a *likely* suspect 《☞みなす》

もくせい[1] 木星 〘天〙 Jupiter /dʒúːpətə/. **木星型惑星** Jovian planets; (大惑星) giant planets. ★いずれも複数形で. **木星探査機** Jupiter probe Ⓒ.

もくせい[2] 木製 ━[形] (木で作られた) wooden, made of wood Ⓟ. 《☞もくぞう[1]》. **木製サッシ** wooden sash Ⓒ.

もくせい[3] 木犀 〘植〙 sweet(-scented) olive Ⓒ.

もくぜん 目前 ━[副] (目の前で) before [under] *one's* eyes; (鼻先で) under *one's* nose. ━[形] (差し迫った・いまにも起こりそうな) ímminent, impending ★後者のほうが格式ばった語. 《☞さしせまる》. ¶洪水の危険は*目前に迫っている The danger of a flood is 「*imminent* [*impending*].

もくそう[1] 黙想 ━[名] (宗教的・精神修養的な) mèditátion Ⓤ. ━[動] méditàte (on ...) (自). 《☞めいそう[1]》. ¶その僧は*黙想していた The priest was deep in *meditation*.

もくそう[2] 目送 ━[動] send *a person* off with *one's* eyes 《☞えしゃく》.

もくぞう[1] 木造 ━[形] (木で作られた) wooden, made [built] of wood Ⓟ. 《☞き[2]》. ¶その建物は*木造ですかそれとも鉄筋ですか Is the building *made of wood* or ferroconcrete?
木造家屋 wooden house Ⓒ, 《米》 frame house Ⓒ ★特に板張りの家. **木造建築物** wooden building Ⓒ **木造軸組工法** 〘建〙 wooden frame construction Ⓒ.

もくぞう[2] 木像 wooden statue Ⓒ.

もくそく 目測 ━[動] (目で測る) measure ... with the eye. ━[名] eye measurement Ⓤ.
¶木の高さは*目測で8メートルはある The tree is about eight meters tall by *eye measurement*. // 私は距離の*目測を誤った I made a mistake in *measuring* the distance *with the eye*.

もくタール 木タール wood tar Ⓤ.

もくだく 黙諾 ━[名] tacit consent Ⓤ. ━[動] give tacit consent to ... 《☞しょうだく》.

もくたん 木炭 charcoal Ⓤ. **木炭画** charcoal (drawing) Ⓒ **木炭紙** charcoal paper Ⓤ.

もくちょう 木彫 wood carving Ⓤ.

もくてき 目的 ━[名] purpose Ⓒ, aim Ⓒ; objéctive Ⓒ, end Ⓒ; (最終的な) goal Ⓒ; (努力目標) óbject Ⓒ. ━[動] (...することを目的としている) aim 「at *doing* [to *do*] ...
【類義語】 達成しようと決意している目的が ***purpose***, 具体的な目的が ***aim*** だが,「目的」という意味で, 同じように使う場合も多い. 目前に置かれて, かなり具体的で達成可能とされるものが ***objective***. 明確な計画的手段で到達する目的が ***end***. 最終的目的が ***goal*** で, ***end*** より口語的で一般的. 努力行為の目的が ***object***.
¶あなたの人生の*目的は何ですか What is your 「*purpose* [*aim*; goal] in life? // 彼は*目的を達した He has achieved his 「*objective* [*aim*]. // *目的は手段を正当化しない The *end* doesn't justify the means. // この課は学生に社会学についての基本的な考えを与えることを*目的とする This lesson *aims at* giving the fundamental concepts of sociology to the students. // あなたは何の*目的で (⇒何のために) ここへ来たのですか What have you come here

for? / (⇒何があなたをここへもたらすのか) What brings you here? 目的意識 sense of purpose Ⓒ 目的格〘文法〙objective case Ⓒ 目的格補語〘文法〙objective complement Ⓒ 目的刑論〘法〙theory of reformative punishment Ⓒ 目的語〘文法〙object Ⓒ《☞文型(巻末)》. ¶直接[間接]*目的語 a direct [an indirect] *object* 目的税 object tax Ⓒ; tax [levy] for a specified use Ⓒ ★後者は説明的. 目的物 the object.

コロケーション
この会議の目的 the ⌈*aim* [*purpose*] of this meeting / 主要な目的 the chief ⌈*aim* [*purpose*] / 第一の目的 the primary ⌈*purpose* [*aim*] / 長期の目的 a ⌈long-range [long-term] ⌈*goal* [*aim*; *objective*] / 直接の目的 an immediate *aim* / 訪問の目的 the *purpose* of *one's* visit / 目的にかなう serve ⌈a [the] *purpose*

もくてきち 目的地 destination Ⓒ《☞ゆくさき》. ¶とうとう*目的地に到着した At last we have arrived at our *destination.*

もくとう 黙禱 ―動 observe a moment of silence; (黙って祈る) pray in silence ⓐ. ―名 silent prayer /préə/ Ⓒ. 《☞いのる》.
¶地震で亡くなった人々に*黙とうを捧げる observe *a moment of silence* for the people who died in the earthquake // 私たちは亡き人々の霊に*黙とうを捧げた We offered a *silent prayer* for the souls of the dead.

もくどう 木道 boardwalk Ⓒ.

もくどく 黙読 ―動 (声を出さずに読む) read silently ⓗⓐ; (自分に向かって読む) read to *oneself* ⓗⓐ. 《☞よむ¹》.

もくにん 黙認 ―動 (見逃す) overlook ⓗ, páss óver ⓗ. ―名 (暗黙の許可) tacit permission Ⓤ ★格式ばった言い方. 《☞みのがす》.

もくねじ 木ねじ wood screw Ⓒ《☞ねじ》.

もくねん 黙然 ―副 (黙って) silently, in silence. 《☞だまる》.

もくば 木馬 (木でできた馬) wooden horse Ⓒ; (小児用の揺り木馬) rocking horse Ⓒ. ¶回転*木馬 a merry-go-round

もくはい 木杯 wooden cup Ⓒ.

もくはん 木版 (版木) wóod blòck Ⓒ; (木版術) wood block printing Ⓤ, wóod engràving Ⓤ. ¶*木版刷りの年賀状 a *block-printed* New Year's card 木版画 wood block print Ⓒ, wóodcùt Ⓒ.

もくひ 黙秘 ―動 (黙秘する) stand mute ⓐ ★法律用語; 《米略式》take the Fifth (Amendment) 参考 米国憲法の修正第5条で黙秘権を認めたことから.
黙秘権 the right to ⌈refuse to answer [remain silent]《☞ようぎ(容疑者の権利)》. ¶彼は*黙秘権を行使した He exercised *the right to* ⌈*refuse to answer* [*remain silent*]. / He *stood mute*.

もくひょう 目標 (努力目標) óbject Ⓒ; (達成可能で具体的な) objéctive Ⓒ, end Ⓒ; (的(まと), 仕事などの目標) target Ⓒ; (最終的な) goal Ⓒ. 《☞もくてき(類義語)》. ¶寄付金は*目標を達成したばかりでなく, 20パーセントも上回った The contributions not only reached the *goal*, but topped it by 20 percent. // *目標を定める set a ⌈*goal* [*target*] // *目標を上げる[下げる] raise [lower] *one's sights*
目標心拍数 target heart rate Ⓒ 目標相場圏〘経〙exchange rate target zone Ⓒ.

コロケーション
一生の目標 a lifelong *goal* / 売り上げ目標 a sales *target* / 確固たる目標 a definite *goal* / 現実的な目標 a realistic ⌈*goal* [*target*] / 困難な目標 a ⌈difficult [tough] ⌈*goal* [*target* (to achieve)] / 最終目標 an ultimate [a final] *goal* / 崇高な目標 a noble *goal* / 高い目標 a lofty ⌈*goal* [*target*] / 達成可能な目標 an attainable ⌈*goal* [*target*] / 短期的目標 a ⌈short-term [short-range] *goal* / 長期的目標 a ⌈long-term [long-range] *goal* / 控えめな目標 a ⌈humble [modest] *goal* / 野心的な目標 an ambitious *goal*

もくぶ 木部 (植物の木質部)〘植〙xylem /záɪləm/ Ⓤ; (木製の部分) wooden part Ⓒ.

もくへん 木片 (大きなもの) (wooden) block Ⓒ, block of wood Ⓒ; (小さなもの) chip of wood Ⓒ, wood chip Ⓒ.

もくめ 木目 grain (of wood) Ⓤ《☞きめ¹》. ¶この木材は*木目が細かい[粗い] This wood has a ⌈fine [coarse] *grain.*

もくもう 木毛 (梱包用の) wood wool Ⓤ.

もくもく¹ ¶工場の煙突は*もくもくと煙を (⇒大量の煙を) 上げていた The factory chimneys were sending up *volumes of* smoke. 《☞擬声・擬態語(囲み)》

もくもく² 黙黙 ―副 (黙って) silently, in silence, without saying anything.

もぐもぐ ―動 (不明瞭にしゃべる) mumble ⓗⓐ; (もぐもぐ食べる) mumble ⓗ, mumble (on …) ⓐ. 《☞くちごもる; 擬声・擬態語(囲み)》. ¶その老婦人は何か*もぐもぐ言った The old woman *mumbled* something.

もくやく 黙約 ―名 tacit ⌈agreement [promise] Ⓒ. ―動 make a tacit ⌈agreement [promise].

もくようび 木曜日 Thursday《略 Thu., Thur., Thurs.》《☞時刻・日付・曜日(囲み); 略語(巻末); にちよう(び)》.

もくよく 沐浴 ―動 (体を洗い清める) wash *oneself* clean; (水浴びをする) bathe ⓗⓐ.
¶斎戒*沐浴 the *purification* of *oneself*

もぐら 〘動〙mole Ⓒ. もぐら叩き ―名 Whack-A-Mole Ⓤ. ―動 play Whack-A-Mole.

もぐり 潜り **1**《水中に潜ること》: diving Ⓤ《☞もぐる; せんすい¹》.
2《無許可の》 ―形 (無免許の) unlicensed; (無資格の) unqualified; (登録されていない) not registered. ¶あの医者は*もぐりであることがばれた That doctor was discovered to be ⌈*unlicensed* [*unqualified*].
3《部外者》: òutsíder Ⓒ. ¶彼を知らないとすれば君は*もぐりだ If you don't know him, you must be an *outsider*.

もぐりこむ 潜り込む (入り込む) get into …; (忍び込む) creep into …; (いつのまにか入る) slip into …《☞せんにゅう; しのびこむ》.

もぐる 潜る **1**《全身水中に入る》: (水面下に入る[入っている]) gó [stáy] ùnderwáter ★平易な表現. go は動作, stay は状態を表す; dive ⓐ《過去 dived, 《米》ではまた dove; 過分 dived》★この語には頭から水中に飛び込むという意味もある; (スキンダイビングをする) skín-dive ⓐ. 《☞せんすい¹》.
¶あなたは何分間*潜れますか How long can you *stay underwater*? 語法 この文では dive は用いない. dive は状態を示す動詞ではないからである. // この女の人たちは真珠を採るために*潜る These women *dive* for pearls.
2《物の間に入る》: (入り込む) get into …; (忍び込む) creep into …; (潜行する) gó ùndergróund ★比喩的な意味で; (犯人などが身を隠す) híde óut ⓐ. 《☞もぐりこむ; せんぷく¹》.

¶ 軍国主義者たちが政権をとると，共産主義者は地下に*潜った When the militarists came into power, the communists *went underground*.

もくれい[1] **目礼** — 動 ((…に) 目礼する) nod (to …) (自); ((互いに) 目礼を交わす) exchange nods (with …). 《☞ えしゃく》.

もくれい[2] **黙礼** — 動 bow (in silence) (自) 《☞ あいさつ》. ¶ 彼は先生に*黙礼した He *bowed* to his teacher (*in silence*).

もくれん **木蓮** 〘植〙 magnolia Ⓒ.

もくれんが **木煉瓦** wood [wooden] block Ⓒ.

もくろう **木蠟** vegetable wax Ⓤ.

もくろく **目録** — 名 (一覧表) list Ⓒ; (カタログ) catalog(ue) Ⓒ; (商品などの) invéntòry Ⓒ. — 動 (目録に載せる; …の目録を作る) list (他), catalog(ue) (他). ¶ 彼は書庫の本の*目録を作っている He is making a ⌈*list* [*catalog(ue)*] of all the books in his library. // 記念品*目録 a *list* of presents **目録贈呈** presentation of ⌈the [a] list of presents Ⓒ.

もくろみ **目論見** (計画) plan Ⓒ, scheme /skíːm/ Ⓒ ★ 前者は一般的な語. 後者は漠然とした計画をいう. 前者で後者の代わりもできる; (意図) intention Ⓒ. 《☞ けいかく; いと[2]》. **目論見書** prospectus Ⓒ.

もくろむ **目論む** (計画する) plan (他); (計画している) 《略式》 be up to … ★ 状態のみを表す; (意図する) intend (他). 《☞ けいかく; いと[2]》. ¶ 少年たちは何か*もくろんでいるが，何だかはわからない The boys *are up to* something, but I don't know what.

もけい **模型** (一般に) model Ⓒ; (特に小型の) miniature /míniətʃùɚ/ Ⓒ. ¶ *模型を作る make a *model* of … // 実物大*模型 a life-size *model* / a *mockup* **模型実験** experiment with a model Ⓒ **模型飛行機** model [miniature] (air)plane Ⓒ.

もげる **捥げる** (とれる) còme óff (自); (もぎ取られる) be tórn óff. 《☞ とる; とれる》. ¶ ドアを開けようとしたら取っ手が*もげてしまった When I tried to open the door, the knob *came off*.

もこ **模糊** ☞ あいまい; ばくぜん

もこく **模刻** (原本を石・板木などに彫る技術) engraving technique used to reproduce the original ⌈in stone [on a wood block] Ⓒ.

もこし **裳階, 裳層** 〘建〙 lean-to Ⓒ.

もさ **猛者** tough guy Ⓒ ★ 口語的. ¶ あいつも相当な*猛者だな (⇒ 大した男だ) He's *quite a guy*.

モザイク mosaic /mouzéɪɪk/ Ⓤ ★ モザイク画・モザイク模様を指す場合は Ⓒ. **モザイクタイル** mosaic tile Ⓒ **モザイク病** mosaic disease Ⓤ, mosaic Ⓤ **モザイク卵** 〘生〙 mosaic egg Ⓒ.

もさく[1] **模索** — 動 (手探りする) grope for …, grope about (自) ★ いずれも比喩的に用いることが多い. 《☞ てさぐり》. ¶ 私はまるで暗中*模索しているような感じだった I felt as if I *were groping* ⌈*about* [*for* something] in the dark. 《☞ あんちゅうもさく》 **模索過程** (一般的に) process of groping Ⓒ, groping process Ⓒ; 〘経〙 tâtonnement /tàːtouːmáːŋ/ pròcess Ⓒ ★ tâtonnement はフランス語.

もさく[2] **模作** imitation Ⓒ 《☞ にせ; ぎさく》.

モサド (イスラエルの対外情報機関) Mossad /məsáːd/.

モザンビーク — 名 (固) (the Republic of) Mozambique /mòuzəmbíːk/ ★ アフリカ南東部のインド洋に臨む共和国. — 形 Mozambican /mòuzəmbíːkən/. **モザンビーク海峡** the Mózambìque Chánnel ★ モザンビークとマダガスカル島との間の海峡. **モザンビーク人** Mòzambícan Ⓒ.

もし[1] — 接 if … ★ 最も一般的な語. 以下の語の代わりに使える場合も多い; (たとえ…としても) even if …; (仮に…と仮定して) suppose … ★ 口語的; supposing …, granting … ★ 後者は格式ばった語; (…の場合は) 《米》 in case …; (もし…でなければ) unless … 《☞ たとえ[1]》.

¶ *もしあした天気ならピクニックに行こう Let's go on a picnic *if* it is ⌈sunny [clear] tomorrow. // *もしあなたが私だったらどうしますか *If* [*Suppose*; *Supposing*] you were me, what would you do? ★ [ ] 内の語は仮定をより明確に示す. // *もしその国に経済援助がなかったらその政権は倒れていた *If* that country had not been given economic aid [*But for* the economic aid given], the government would have fallen. 語法 (1) but for は「もし…がなければ」の意で格式ばった表現. // *もし忘れていたら注意して下さい *In case* I forget, please remind me (of it). // *もし彼が認めてくれなければこの案を実行することは不可能だ *If* he does not approve [*Unless* he approves] of this plan, we cannot carry it out. 語法 (2) [ ] 内のほうが格式ばった表現.

もし[2] **模試** ☞ もぎしけん

もじ **文字** (アルファベットの) letter Ⓒ; (書いたり印刷したりするときに用いられる) character Ⓒ ★ 漢字などにはこれを用いる. 《☞ じ[1]》.

¶ 英語のアルファベットは何*文字ですか How many *letters* are there in the English alphabet? // 中国人は日本人よりもっとずっと多くの*文字を使う Chinese people use many more *characters* than Japanese people. // 表音*文字 a phónogràm // 表意*文字 an ídeogràm / an ídeogràph

> **文字のいろいろ**
> 大文字 capital [uppercase] letter, 小文字 small [lowercase] letter, 楔形文字 a cuneiform character, アラビア文字 Arabic character, キリル文字 Cyrillic character, ギリシャ文字 Greek character

文字言語 written language Ⓒ **文字コード** character code Ⓒ **文字多重放送** teletext Ⓤ **文字づかい** spelling Ⓤ **文字面** ☞ じづら **文字どおり** literally. ¶ 仕事を終えた時，私たちは*文字どおり消耗しきっていた When we finished the work, we were *literally* exhausted. **文字認識** (automatic) character recognition Ⓤ **文字化け** — 名 (文字化けすること) garbling (of text) Ⓤ; (文字化けした文書) garbled text Ⓒ. — 形 garbled **文字盤** ☞ 見出し

もしかしたら, もしかすると — 副 (ことによると) perhaps, maybe ★ 後者は口語的; (ひょっとすると) possibly ★ 確実性がかなり低い. 《☞ おそらく (類義語); たぶん[1]》.

¶ *もしかしたら来られるかもしれませんが，*もしかしたら来られないかもしれません *Perhaps* [*Maybe*] I'll come and ⌈*perhaps* [*maybe*] I won't. // 「あしたは雨が降るかしら」「*もしかしたらね」"Will it rain tomorrow?" "*Perhaps* [*Maybe*; *Possibly*]." // *もしかすると彼は道に迷っているのかもしれない He may *possibly* have lost his way. // *もしかすると父に会えるかと思って駅まで迎えに行った I went to the station *on the* (*off*) *chance of* meeting my father there. 語法 on the chance of *doing* … は「もしや…するかもしれないと思って」の意. off が入ると更に可能性が少ないことを表す.

もしきず **模式図** (説明のための図) diagram Ⓒ; (概略図) schematic depiction Ⓒ. ¶ 人体の*模式図を描く draw a *diagram* of the human anatomy 《☞ ず[1]》

もしくは — 接 (または・あるいは) … or … 《☞ または; あるいは》. ¶ A *もしくは B *either* A *or* B

もじづら **文字面** ☞ じづら

もじばん 文字盤 (時計・計器などの) dial Ⓒ, face Ⓒ. 《☞ とけい (挿絵)》.

もしも ¶ *もしもの時 (⇒ 最悪の時) の覚悟はできている I am prepared for *the worst*. **もしもの事** (緊急事態) emergency Ⓤ. ¶ *もしもの事があったら in case of *emergency* / if anything happens to me

もしもし (呼びかけ) Excuse me. ★ 丁寧な言い方で最も一般的; 《米略式》 Say., 《英略式》 I say. ★「ちょっと」などに当たる少しぞんざいな言い方; (電話口で) Hello. ¶ *もしもし, どなたかお探しなのですか *Excuse me.* Are you looking for somebody? // 「*もしもし, 小川さんをお願いします」「はい私ですが」 "*Hello.* May I speak to Mr. Ogawa?" "Speaking [This is he]."

もじもじ ― ［動］ (落ち着かない様子で体を動かす) fidget (自); (恥ずかしがったりして体を動かす) squirm (自); (落ち着かない) be restless; (ためらう) hesitate (自). ― ［副］ (ためらいがちに) hesitatingly. 《☞ 擬声・擬態語 (囲み)》. ¶ 少年は座ってしばらく*もじもじしていた The boy ⌈*fidgeted* [*squirmed*] in his seat for a while. // 彼はドアの前で*もじもじしていたが, 間もなく飛び出して行った He *hesitated* in front of the door, but soon ran out of the room.

もしや ☞ もしかしたら; ひょっと

もしゃ 模写 ― ［名］ (写し) copy Ⓒ ★ 一般的な語で, 次の語の代わりにも使える; (絵・写真などの複製) rèprodúction Ⓒ. ― ［動］ copy (他); rèprodúce (他). 《☞ うつす[2]; ふくせい》.
¶ この絵は*模写で, 本物ではありません This picture is a ⌈*copy* [*reproduction*], not the original. // ダビンチの絵を*模写する *copy* a picture by Leonardo da Vinci // 声帯*模写 vocal *mimicry*

もじゃもじゃ ― ［形］ (毛がたくさんあって) shaggy; (髪がくしを入れないで) unkempt. 《☞ 擬声・擬態語 (囲み)》. ¶ くまは毛が*もじゃもじゃしている Bears ⌈are *shaggy* [have *shaggy* coats].

もしゅ 喪主 the chief mourner.

モジュール (交換可能な単位) module /mɑ́dʒuːl/ Ⓒ. **モジュール生産** module production Ⓤ.

モジュラー ― ［形］ (組み立てユニットの) modular. **モジュラーコーディネーション** 〔建〕 modular coordination Ⓤ **モジュラージャック** (電話線の) modular jack Ⓒ.

もしょう 喪章 mourning band Ⓒ ★ 日本で腕に巻くものにはこの訳が当たる; crape Ⓒ, crepe Ⓒ ★ 英米で腕や帽子に巻く, ちりめんの細長い黒布. ¶ 腕に*喪章をつけてる wear a ⌈*mourning band* [*crape*] on *one's* sleeve

もじり 捩り (パロディー) parody Ⓒ; (語呂合わせ) pun Ⓒ.

モジリアニ ☞ モディリアーニ

もじる 捩る parody (他).

もす 燃す burn (他) 《過去・過分 burned, burnt》; (火をつける) set ... on fire, set fire to ... 《☞ やく[1] 語法; もやす; もえる[1]》.

もず 鵙, 百舌 〔鳥〕 shrike Ⓒ.

モスアイシー (半導体集積回路の一種) MOSIC Ⓒ ★ *M*etal *O*xide *S*emiconductor *I*ntegrated *C*ircuit の略.

モスキート (蚊) mosquito /məskíːtou/ Ⓒ 《複 ～s, ～es》. **モスキート級** 〔ボクシング〕 the mosquito-weight class. ¶ *モスキート級の選手 a mosquitoweight

モスク (イスラム教の礼拝所) mosque Ⓒ.

もずく 水雲 〔海草〕 *mozuku* Ⓤ; (説明的には) edible seaweed, considered a delicacy when seasoned with vinegar Ⓤ.

モスグリーン moss green Ⓤ.

モスクワ ― ［名］ (固) Moscow /mɑ́skou/ ★ ロシア連邦の首都. ― ［形］ (モスクワの) Moscow, Muscovite /mʌ́skəvàɪt/. **モスクワ芸術座** the Moscow Art Theater **モスクワ市民** Muscovite Ⓒ **モスクワ条約** the Moscow Treaty ★ 米・ロシア間の条約. **モスクワ宣言** (旧ソ連・ロシアと各国との) the Moscow Declaration **モスクワ大公国** 〔史〕 the Grand Duchy of Moscow.

もすそ 裳裾 ☞ すそ

モストランジスタ 〔電工〕 MOS transistor Ⓒ ★ MOS は *M*etal *O*xide *S*emiconductor の略.

モスリン (平織りの綿織物) muslin /mʌ́zlɪn/ Ⓤ.

もする 模する (手本にする) model (他); (まねる) imitate (他); (そのまま写す) copy (他). 《☞ にせる》.

モスレム (イスラム教徒) Muslim /mʌ́zlɪm/ Ⓒ.

もぞう 模造 ― ［形］ (似せて作った) imitation Ⓐ ★ 必ずしも悪い意味はない; (偽の) fake Ⓐ, counterfeit /káuntəfɪt/ ★ 以上 2 語は悪い意味. 前者のほうが口語的. ― ［動］ make an imitation of ...; (偽物を作る) fake (他), counterfeit (他). 《☞ にせ (類義語)》. ¶ *模造ダイヤ an *imitation* diamond **模造紙** Japanese vellum paper Ⓤ **模造品** imitation Ⓒ; (偽物) fake Ⓒ, counterfeit Ⓒ. ¶ 彼は*模造品をつかまされた He was palmed off with a *fake*. ★ palm off は「くだらないものをつかませる」の意.

もぞもぞ ¶ 背中が*もぞもぞする (⇒ 背中の上を何かがはい回っているような感じがする) I feel something *creeping* about on my back. 《☞ 擬声・擬態語 (囲み)》

もだえ 悶え (苦悶) agony Ⓤ; (心の苦しみ) anguish Ⓤ. 《☞ もだえる; くるしみ》.

もだえじに 悶え死に ― ［動］ (⌈苦闘[激痛]の状態で) die in ⌈agony [intense pain] (自). ― ［名］ death in ⌈agony [intense pain] Ⓤ.

もだえる 悶える be in ágony (over ...), be in ánguish (over ...) ★ anguish は特に「心の苦しみ」; (苦痛などで体をねじる) writhe (自).

もたげる (上に上げる) raise (他). ¶ へびが鎌首を*もたげた The snake *raised* its head. // 近ごろ軍国主義が頭を*もたげだした Nowadays militarism *is raising* its head. / (⇒ 軍国主義者が力を得始めた) Recently militarists have begun to *gain power*.

もだしがたい 黙し難い (免れることができない・取り除くことができない) cannot get rid of ...; (断わることができない) be unable to ⌈decline [refuse]. ¶ 望郷の念*黙し難く 3 日間の休暇をとって故郷へ帰った Since I *couldn't* ⌈*get rid of* my homesickness [*stop* feeling homesick], I took a three-day leave and went home.

もだす 黙す ☞ だまる

もたせかける もたせ掛ける (よりかからせる) lean ... (against ...); (立てかける) rest ... (against ...). 《☞ たてかける》. ¶ 植木屋ははしごを壁に*もたせ掛けた The gardener ⌈*leaned* [*rested*] the ladder *against* the wall. // 子供は頭を母親のひざに*もたせ掛けて眠った The child went to sleep, *resting* his head *on* his mother's lap.

もたせる 持たせる **1** 《与える》: (あげる) give (他); (人に所持させる) let *a person* have ...; (人に持って行かせる) get *a person* to carry ... 《☞ あたえる》. ¶ 子供にはあまりお金を*持たせないほうがいい You should not ⌈*give* too much money to your child [*let* your child *have* too much money].
2 《保たせる》: keep (他), preserve (他) ★ 前者のほうが一般的な語. 《☞ もつ[1]》. ¶ これを腐らないように*持たせる何かいい方法がないだろうか Is there any good way to ⌈*keep* [*preserve*] this from decaying?

もたつく ― ［動］ (のろのろする) be slow. ― ［名］ (も

たつき) slowness Ⓤ; (のろさ) dullness Ⓤ.
¶売り子が計算に*もたついていて, 品物を受け取るまで数分もかかった It took me several minutes to get my purchase as the salesgirl *was slow* ⌈in [at] calculating. // 意見の違いで, 会議は*もたついた The conference *was slowed down* by conflicting opinions.

モダニスト módernist Ⓒ.

モダニズム módernism Ⓤ.

もたもた ── 動 (のろのろする) be slow, 《略式》 dawdle 自. 《☞ ぐずぐず; 擬声・擬態語 (囲み)》.
¶*もたもたするな Don't ⌈*be slow* [*dawdle*]! / (⇒ てきぱきやれ) Look sharp!

もたらす (持ってくる) bring 他; (結果として引き起こす) bring abóut 他; (…へ導く) lead to … 《☞ うむ[1]; しょうじる》. ¶科学の進歩は我々の生活に多くの変革を*もたらした Scientific progress *has brought about* many changes ⌈in [to] our lives.

モダリティー 〔言〕 modality Ⓤ.

もたれあい 凭れ合い (相互依存) interdependence Ⓤ.

もたれあう 凭れ合う (互いに寄りかかる) lean [rely; depend] on each other; (依存し合う) be dependent on each other, be interdependent.

もたれかかる ☞ もたれる

もたれる **1** «よりかかる»: lean 自 《☞ よりかかる》.
¶彼女は欄干に*もたれて川面を (⇒ 川を) 見つめていた *Leaning* over the rail, she gazed at the river.
2 «食物が»: (胃に重く感じる) sit [lie] heavy on *one's* stomach; (消化しにくい) be hard to digest.
¶夕食に食べたステーキがまだ胃に*もたれている The steak I ate at dinner still ⌈*sits* [*lies*] *heavy on my stomach.*

モダン ── 形 módern 日英比較 日本語の「モダン」は英語の「近代的な・現代的な」の意味と少しずれて「すてきな」(very nice) などの意味で用いられることもあることに注意. 《☞ しゃれた》. ¶彼の新しい家はとても*モダンだ His new house is ⌈quite *modern* [*very nice*]. **モダンアート** modern art Ⓤ **モダンジャズ** modern jazz Ⓤ **モダンダンス** modern dance Ⓒ **モダンバレエ** módern ballet /bǽleɪ/ Ⓒ **モダンプリミティブ運動** (現代のテクノロジーで失われた身体感覚を再認識する運動) Modern Primitivism.

もち[1] 持ち **1** «耐久力・保存» ── 名 (使用に耐えること) wear Ⓤ. ── 動 (衣類・履物など, 持ちがよい) wear well 自; (食物などがよく持つ) keep long 自; (電池などがよく持つ) last long 自. 《☞ もつ[1]》.
¶この靴[上着]は*持ちがよい These shoes *wear* [This coat *wears*] *well.* // この食品は*持ちがよい[悪い] This food ⌈*keeps* [doesn't *keep*] *long.*
2 «負担» ¶費用は会社*持ちだ All expenses will *be* ⌈*paid* [*covered*] by the company. // 交通費は自分*持ちだ We must *pay* our own ⌈traveling [transportation] expenses.

もち[2] 餅 (Japanese) rice cake Ⓤ. ¶*餅を焼く toast a piece of *rice cake* // *餅をつく make *rice cake* / pound steamed rice into a cake // *餅をいくつ食べましたか How many ⌈pieces [slices] of *rice cake* did you eat?
餅は餅屋 (⇒ 専門家は自分の主題を知っている) A specialist knows his subject.
餅網 grill for toasting rice cake Ⓒ **餅菓子** ☞ 見出し **餅代** (新年を迎えるための金) money for the New Year Ⓤ **餅つき** rice cake making Ⓤ **餅つき相場** (年末の株価が変動する相場) year-end volatile market Ⓒ, year-end market of violent ups and downs Ⓒ ★ 後者のほうが口語的. **餅屋** (人) rice-cake dealer Ⓒ; (店) rice-cake shop Ⓒ.

もち[3] 黐 (鳥もち) (bird)lime Ⓤ.

もち[4] 黐 〔植〕 (もちの木) ilex /áɪleks/ Ⓒ.

もちあい 持ち合い ¶このチェスは*持ち合いだ (⇒ 両者は互角だ) The two chess players *are* ⌈*well* [*evenly*] *matched.* // 株式*持ち合い cross-shareholding(s). **持ち合い解消** 〔株〕 unwinding of cross-shareholding(s) Ⓤ **持ち合い株** 〔株〕 cross-held shares **持ち合い相場** (安定した株価) stable [steady] stock prices 《☞ ごかく》.

もちあう 持ち合う (分担する) share 他; (釣り合う) balance 自 他; (相場などで変動がない) be unchanged. ¶責任はみんなで*持ち合うことにした We decided to *share* the responsibilities.

もちあがる 持ち上がる **1** «事が起こる»: happen 自, occúr 自 ★ 後者のほうが格式ばった語. 《☞ おこる[2]》. ¶ひと騒動*持ち上がりそうだ Some trouble is likely to *happen.*
2 «担任教師が継続して担任する»: continue to take charge of …
¶このクラスは私が 3 年間*持ち上がりです I will *continue to take charge of* this class for (the next; the coming) three years.

もちあげる 持ち上げる **1** «物を上へ上げる»: lift 他 ★ 一般的な語; (特に重い物を) heave 他. 《☞ あげる[1]》. ¶作業員たちは重い岩をトラックの上に*持ち上げようとしていた The workers were trying to ⌈*heave* [*lift*] a heavy rock onto the truck.
2 «おだてる»: (得意がらせる) flatter 他; (おだてて丸め込む) cajóle 他. 《☞ おだてる》.
¶そんなに*持ち上げてもだめだよ (⇒ そんなおだてにはのらない) I don't fall for such *flattery.*

もちあじ 持ち味 (自然の味) natural flavor Ⓤ; (比喩的に, 持って生まれた才能) talent Ⓒ; (個性) personality Ⓒ; (よい点・長所) good [strong] point Ⓒ. 《☞ とりえ[1]; とくちょう[2]》.
¶材料の*持ち味を生かす enjoy the (*natural*) *flavor* of the ingredients // 彼は賢明にも自分の*持ち味を生かせる職種を選んだ He has wisely chosen the kind of work in which he can ⌈give full play to his *talents* [make the most of *what he has*].

もちあみ 餅網 ☞ もち[2] (餅網)

もちあるく 持ち歩く carry 他 《☞ けいたい[1]》.
¶彼はいつも辞書を*持ち歩いている He always *carries* a dictionary. // 大金を*持ち歩くのは危ない It's dangerous to *carry* ⌈a large sum [large sums] of money ⌈*on* [*with*] you.

もちあわせ 持ち合わせ ¶あいにく*持ち合わせ (⇒ 金) がありません Unfortunately I *have* no money ⌈*with* [*on*] me now.

もちあわせる 持ち合わせる (身につけている) have … ⌈with [on] *one*; (偶然に所有している) happen to have … 《☞ もつ[1]》. ¶いま小銭を*持ち合わせておりません I *have* no change ⌈*on hand* [*with me*] now. // お探しの本はちょうど*持ち合わせております I *happen to have* the book you are looking for.

もちいえ 持ち家 *one's* own house Ⓒ.

モチーフ (作品の主題・模様) motif /moutíːf/ Ⓒ.

もちいる 用いる (使う) use /júːz/ 他 ★ 一般的な語; (利用する) make use /júːs/ of …; (採用する) adopt 他. 《☞ つかう》.
¶パソコンはこの 10 年ほどの間に広く*用いられるようになった Personal computers have come ⌈to *be* widely *used* [into wide *use*] over the past ten years. // この方法を*用いることをお勧めします I recommend that you *use* this method.

もちうた 持ち歌 *one's* stock song Ⓒ; (歌手などのレパートリー) song of *one's* repertoire /répərtwɑ̀ːr/ Ⓒ.

もちかえり 持ち帰り ── 形 (食品の) takeout Ⓐ, 《英》 take-away Ⓐ. ── 名 (持ち帰り食品)

takeout, 《英》 take-away ★ いずれも単数形で.
¶ ハンバーガー[コーヒー]を2つ*持ち帰り用にして下さい Two ˹hamburgers [coffees] *to* ˹*go* [*take out*], please. 語法 to go は《米》で名詞の後に付けるか [P] として用い,「持ち帰り(用)の」の意. // これはお*持ち帰りになりますか《食べ物などを》 Is this *to go*? // *持ち帰り用に包んで下さい Will you make it *to go*?

《米》 《英》
「お持ち帰り」の表示のある店

もちかえる[1] **持ち帰る** (持って戻る) take [carry; bring] … back; (自宅へ) take … home; (店から飲食物などを) 《米》 tàke óut (他), 《英》 tàke awáy (他). ¶ 時々彼は書類を*持ち帰って, 家で仕事をする Sometimes he *takes* papers *home* and works there.

もちかえる[2] **持ち替える** shift … from one hand to the other. ¶ 荷物がとても重かったのでしばしば*持ち替えなければならなかった The baggage was so heavy (that) I often had to *shift* it *from one hand to the other*.

もちかける 持ち掛ける (話題・提案などを持って人に接近する) approach *a person* with …
¶ あるセールスマンがうますぎる話を*持ち掛けてきた A salesman ˹*approached* me *with* [*made* me] an offer (which was) too good to believe. // おじに相談を*持ち掛けたら (⇒ 相談したら) 親切に助言してくれた I *consulted* my uncle, and he kindly gave me advice.

もちがし 餅菓子 rice-cake sweet [C].

もちがね 持ち金 (持っている金) money (that) *one* has ˹on [with] ˹him [her] [U]; (手もとにある金) money in hand [U]. ¶ 彼女は*持ち金をすべてはたいてそのドレスを買った She has spent all the *money she had* on the dress.

もちかぶ 持ち株 *one's* stock holdings, *one's* shares ★ ともに複数形で. (☞ かぶ[3]). **持ち株会社** holding company [C] **持ち株制限** restriction on stockholding [U] **持ち株制度** shareholding plan [C].

もちきび 糯黍 glutinous millet [U].

もちきり 持ち切り ¶ 町はその話で*持ち切りだった (⇒ それが町で唯一の話題だ) It was *the* ˹*only* [*sole*] *topic of conversation* in the town. / (⇒ 町中がその話だけをうわさしていた) The whole town [People in the town] *talked about nothing but* that story.

もちきる 持ち切る ☞ もちきり

もちきれない 持ち切れない ¶ 彼女は*持ちきれないほどの買い物を運んでいた She was carrying *too many* purchases *to hold*.

もちぐさ 餅草 ☞ よもぎ

もちぐされ 持ち腐れ ☞ たから

もちくずす 持ち崩す ruin *oneself*. ¶ 彼は酒で身を*持ち崩した He *ruined himself* by ˹drinking [indulging in sake].

もちこす 持ち越す (解決しないのに途中で延期する) cárry óver (他); (始まる前に延期する) postpóne (他), pùt óff (他) ★ 後者は口語的. (☞ えんき[1]; くりこす). ¶ その問題は次の会まで*持ち越された The issue *has been carried over* to the next meeting.

もちこたえる 持ちこたえる (困難に耐える) hòld (ón) (自) ★「人」が主語のときは on を付ける; (人に乗り切らせる) tide *a person* over ★「持ちこたえさせるもの」が主語; (病人などが) púll thróugh (自) (他). (☞ たえる[1]; もつ[1]).
¶ こちら側の堤防は幸い*持ちこたえた Fortunately, the embankment on this side *has held*. // この仕事が大変なことはわかっていますが, 私があなたの手助けをする人を見つけるまで*持ちこたえて下さい I know this work is very hard but try to *hold on* until I can find someone to help you. // これだけの金があれば今月は*持ちこたえられそうだ This money will *tide* me *over* this month. // 手厚い看護を受けて彼は*持ちこたえた He *pulled through* with careful nursing. / (⇒ 看護が彼を持ちこたえさせた) Careful nursing *pulled* him *through*.

もちごま 持ち駒 (将棋の) captured chessman (to be put to use in ˹*shogi* [Japanese chess]) [C] ★ chessman の複数形は chessmen. 日英比較 チェスでは取った駒は使用できないので, 将棋を知らない相手には ( ) 内のような説明が必要; (必要に応じて使える人員) reserve manpower [U].

もちこみ 持ち込み ¶ 試験場には本はいっさい*持ち込み禁止です You can't *take* any books *into* the examination room. / No books *are allowed in* the examination hall. ★ 第2文のほうが格式ばった言い方. // 危険物*持ち込み禁止《掲示》 Dangerous Articles Prohibited

もちこむ 持ち込む (携行する) bring [carry] … (into …); (持って入る) take … (into …); (訴え・苦情などを) file (他); (…にこぎつける) bring … to …
¶ 乳母車を車内に*持ち込むときは折り畳んで下さい Please fold up the baby carriage when you ˹*bring* [*carry*; *take*] it *into* the train. // 近所の人がやっかいな相談を*持ち込んできた A neighbor of mine *has brought* me a troublesome problem. // 市役所には公害に関する多くの苦情が*持ち込まれている Many complaints about environmental pollution *have been filed* with the city office. // 試合をどうにか引き分けに*持ち込むことができた We managed to *bring* the ˹game *to* a draw [(⇒ 得点を同点に) score *to* a tie].

もちごめ 糯米 glutinous /glúːtənəs/ rice [U] ★「粘着性のある米」という説明的表現.

もちさる 持ち去る tàke [cárry] awáy (他); (持ち逃げする) màke óff with … (☞ もっていく; もちにげ).

もちじかん 持ち時間 the time allowed (to) *a person*.

もちだい 餅代 ☞ もち[2] (餅代)

もちだし 持ち出し ¶ 緊急*持ち出し《掲示》 *To be* ˹*taken* [*carried*] *out* in case of emergency. // 1万円ほど*持ち出しになるかもしれない (⇒ 自分のポケットから払わなければならないかもしれない) I may have to *pay* about ten thousand yen *out of my own pocket*. // これは*持ち出し禁止になっている This is not allowed to *be* ˹*taken* [*carried*] *out*.

もちだす 持ち出す **1** 《持って出る》: tàke [cárry] óut (他) ★ 一般的な言い方; (そっと持って出る) smúggle óut (他) 語法 口語的な言い方で,「密輸出する」が元の意味.
¶ 非常の際にはこの箱は必ず*持ち出して下さい Be sure to *take* this box *out* in case of emergency. // 冷蔵庫からそっとビールを2, 3本*持ち出してこよう I'll *smuggle* a few bottles of beer *out of* the refrigerator /rɪfrídʒərèɪtə/.
2 《提出する》: brìng úp (他), put … before …

★ 以上2つは口語的;（提案する）propose (他), introduce (他) ★ 以上2つはより格式ばった語.《☞ ていしゅつ》. ¶この案を次の会に*持ち出すつもりですか Are you going to ⌈*bring* this plan *up* at [*put* this plan *before*] the next meeting?

3《自己負担となる》:（負担する）bear (他);（自分のポケットから払う）pay … out of *one's* own pocket.《☞ ふたん》.

もちづき 望月（満月）full moon [C].

もちつける 持ちつける ¶*持ちつけない（⇒持ったことのない）大金を持つ have a sum of money larger than *one has ever had before*《☞ -つける》

もちつもたれつ 持ちつ持たれつ —[形]（与えたりもらったりの） give-and-take [A];（相互依存の） interdepéndent. —[名] give-and-take [U].
¶政界と財界の関係は*持ちつ持たれつだ The relationship between political and business circles is ⌈a *give-and-take* [an *interdependent*] one.

もちてん 持ち点 allotted points.

もちなおす 持ち直す（状態が好転する）improve (自), change for the better (自);（回復する）pìck úp (自), rally /rǽli/ (自).《☞ かいふく¹》.
¶天気[患者の病状]は*持ち直すだろう The ⌈weather [condition of the patient] will ⌈*improve* [*change for the better*]. // 景気が*持ち直すのは少なくとも1年後だろう It will take at least a year for ⌈business to *pick up* [the market to *rally*].

もちにげ 持ち逃げ —[動] gò [wàlk; rùn] awáy with … [語法] go が最も一般的で, run は「すたこら逃げる」というニュアンスが出る; màke óff with …
¶きのう雇った男が店の主人の金を*持ち逃げした The man who had been hired yesterday ⌈*went* [*walked*; *ran*] *away with* the storekeeper's money. // 彼女はかばんを*持ち逃げされた（⇒盗まれた）She *had* her bag *stolen*.

もちぬし 持ち主 owner [C] ★ 最も一般的な語;（特に声・性格などの）posséssor [C];（経営者）proprietor [C] ★ 格式ばった語.
¶この家の*持ち主はだれですか Who is the *owner* of this house? /（⇒これはだれの家ですか）*Whose* house is this? // 彼女はすばらしい声の*持ち主だ She is the *possessor* of a fine voice. // このホテルは何度も*持ち主が変わった（⇒多くの人の手を経た）This hotel *has passed through* many *hands*.

もちのき 黐の木 ☞ もち⁴

もちば 持ち場 *one's* post [C]. ¶*持ち場を離れる leave [desert] *one's post* [語法] [ ] 内のほうが格式ばっており, 放棄の意が強い.

もちはこび 持ち運び —[形]（持ち運びできる）portable《☞ けいたい¹; もちはこぶ》. ¶このテレビは*持ち運びができます This television is *portable*. // この小さいほうが*持ち運びが簡単です This small one is easier to *carry*.

もちはこぶ 持ち運ぶ carry (他)《☞ はこぶ》.

もちはだ 餅肌 white, soft, smooth skin [U].

もちふだ 持ち札 the cards in *one's* hand ★ the を付けて複数形で;（自分の札）*one's* cards ★ 複数形で.

もちぶん 持ち分（公式に割り当てられた数量）quota [C];（利益・負担などの取り分や出し分）*one's* ⌈share [proportion] [C]. **持ち分権**〘法・不動産〙percentage of interest [C] **持ち分法**〘会計〙equity method [U].

モチベーション（動機づけ）mòtivátion [U] ★ 具体的な事例は [C]. **モチベーションリサーチ**（動機づけの調査）motivation research [U].

もちまえ 持ち前 —[形]（自然に備わった）natural;（生来の; 生得的な）inbórn; inherent, innáte ★ この順に格式ばった語となる. —[名]（持って生まれた性質）nature [U]. ¶彼女の*持ち前の優しさ（⇒優しい性質）はみんなに好かれる Her gentle *nature* is loved by everyone. // 彼は*持ち前の才能を十分に発揮した He gave full play to his *innate* ability.

もちまわり 持ち回り —[動]（順々に回る）rótate (自). —[副]（順々に）in turn. —[名]（順に署名してゆく回状）róund ròbin [C].《☞ まわりもち; りんばん》. ¶議長の職[会場]は*持ち回りになっている The ⌈office of chairman [meeting place] *rotates*. **持ち回り閣議** róund-ròbin cábinet mèeting [C].

もちもの 持ち物（所持品）*one's* things, *one's* belongings ★ いずれも複数形で. 前者のほうが口語的;（手荷物）《米》baggage [U],《英》luggage [U];（身の回り品）personal effects ★ 複数形で. 格式ばった表現.《☞ にもつ》. ¶*持ち物をまとめて（⇒あなたの持ち物を準備して）おきなさい Get *your* ⌈*things* [*belongings*; *baggage*] ready. // *持ち物は多くはありません I don't have much *baggage*.

もちやく 持ち役（自分だけの）*one's* signature role [C];（得意な）*one's* stock role [C].

もちゅう 喪中 —[副] in mourning《☞ も¹》.
¶いまは亡き祖父の*喪中です I am *in mourning* for my late grandfather.

もちよる 持ち寄る（集める）gather (他);（寄付する）contribute (他);（持ってくる）bring (他).《☞ あつめる》. ¶我々は最新の情報を*持ち寄って意見の交換をした We all *brought* our latest information and exchanged (our) opinions.

もちろん 勿論 of course ★ 最も一般的な表現; sure, certainly [語法] 以上3つは会話で肯定の返事に用いる. certainly は丁寧な言い方. 否定の返事には of course not, certainly not などを使う;（言うまでもなく）needless to say;（当然のこととして）as a matter of course ★ 以上2つは格式ばった表現;（…は言うまでもなく）not to ⌈mention [speak of] …, to say nothing of …
¶「パーティーはいらっしゃいますか」「*もちろんです」"Are you coming to the party?" "*Yes, of course.* / *Sure.* / *Certainly.*" //「窓をあけてもかまいませんか」「*もちろんかまいません」"Do you mind if I open the window?" "*Of course not.*" // 彼はフランス語やドイツ語は*もちろんのことギリシャ語やアラビア語もしゃべります He speaks Greek and Arabic, ⌈*not to speak* [*to say nothing*] *of* French and German.

もつ¹ 持つ **1**《所持する・携行する》:（持っている）have (他)《過去・過分 had》,《略式》have got …;（所有する）posséss (他);（法律的に所有する）own (他);（持って歩く）carry (他).《☞ ある¹》.
【類義語】「所有する」という意味の最も一般的な語が have. ほぼ同じ意味で口語でよく用いられるのが have got. have より格式ばった語が possess.「事物をその正当な所有者として所有している」のが own. 従って性質・能力などを持つというような場合には own は使わず, have (got), possess を用いる.「いつも身につけて持ち歩く」のが carry.
[語法] (1) have を否定文および疑問文で用いる場合,《米》では一般動詞と同様に扱い, 助動詞 do を用いる.《英》では口語体と文語体で相違があり, 口語体では《米》と同じであるが, 文語体では be 動詞と同じ扱いで do は用いない. [語法] (2) have got の形式は現在時制で用いるのが普通で, 過去時制で用いるのはまれである.
¶「ペンをお*持ちですか」「はい, *持ってます」"Do you *have* a pen?" "Yes, I do." [語法] (3)《米》および《英略式》での言い方. なお, この質問はしばしばペンを借りたいとき, あるいは相手がペンを持っていなければ貸してやろうと申し出るときに使われる. 一般に Do you have …? は物の貸し借りの際に用いられることが

多い．その際の答え方は上例のような答え方のほかに，貸してやる側では「持っていますよ．さあどうぞ」"Sure. Here you are." なども使われる．以下 Have you got …? の場合も同じ．/ "*Have* you (*got*) a pen?" "Yes, I *have*." [語法] (4) *Have* you *got* a pen? は《略式》. *Have* you a pen? は《英文語》. ただし，答えはいずれの場合も Yes, I *have* となる． //「1000 円持ち合わせがありませんか」「残念ですが，いまお金は全然*持っていないんです」"Do you happen to have a thousand yen?" "Sorry, but I ˹don't *have* any [*have*n't (*got*) any; *have* no money] (with me) now." [語法] (5) I *don't have* any … は《米》および《英略式》, I *haven't got* any … は《略式》, I *haven't* any … は《英文語》, I *have no* … は米英共通で口語でも文語でも使える． // 彼は軽井沢に別荘を*持っている He ˹*has* (*got*) [*owns*] a summer house in Karuizawa. // 若いころは抜群の記憶力を*持っていた I ˹*had* [*possessed*] a very good memory when I was young. [語法] (6) この文では own は用いない． // 英国では警官は普通，拳銃は*持っていない (⇒ 携行していない) In Britain policemen don't usually ˹*carry* [*have*] guns.

2《保持する》: (手で支えて持つ) hold (他)《過去・過分 held》; (手もとへ置いておく) keep (他)《過去・過分 kept》. ¶「このかばんを*持っていてくれないか」「いいよ」"*Hold* this bag for me, will you?" "OK [Of course]."

3《負担する》: (引き受ける) bear (他)《過去 bore; 過分 borne》; (支払う) pay (他)《過去・過分 paid》. 《☞ ふたん; はらう》. ¶ いっさいの費用は会社が*持ってくれた All the expenses *were* ˹*borne* [*paid*] by the company.

4《受け持つ》: take [have] charge of …, be in charge of … ★ 2 番目の言い方は「受け持っている」という状態のみを表す．《☞ うけもつ; たんとう[1]; たんにん》.

5《開催する》: (持つ) have (他); (開く) hold (他)《過去・過分 held》★ 前者のほうが口語的．《☞ ひらく; かいさい[1]》.

6《長くある状態が保たれる》: (天気などが長続きする) last (自), hold (自); (食物などが腐らない) keep (自)《過去・過分 kept》; (すり切れたり磨滅したりしない) wear (自)《過去 wore; 過分 worn》; (録音テープなどが持続する) last (自); (病人が危険を脱して命を長らえる) púll thróugh (自) [語法] (1) 英語では主語に応じて異なる動詞が用いられるので注意が必要である．《☞ つづく; ながもち[1]; もちこたえる; もたせる》.
¶ この天気は 2, 3 日*持つだろう This fine weather will ˹*last* [*hold*] for a few days. // 冷凍食品は冷凍庫に入れておけば非常に長い間*持つ Frozen foods *keep* very long (when they are) in a freezer. [語法] (2) long は (副). // このカセット(テープ)は 2 時間も*持つ This cassette tape *lasts* as long as two hours. // そんなに無理をしていると体が*持たないぞ (⇒ もし働き過ぎることを続けていると，健康を失うだろう) If you keep (on) working too hard, you will *lose* your *health*. ★ keep *doing* … よりも keep on *doing* … のほうが強い言い方．

もつ[2] (内臓) guts; (鳥の) giblets /ʤíbləts/ ★ 以上 2 つは複数形で; (肝臓) liver [U]. **もつ焼き** (焼き鳥の) barbecued giblets.

もっか[1] **目下** ── (副) (現在のところ) now, currently, 《米》 presently ★ 第 1 番目が最も口語的; at present, at the present moment ★ 以上 2 つは格式ばった言い方．《☞ いま[1]; げんざい[1]; いまのところ》.
¶ その問題は*目下検討中です The question is under consideration *at present*.

もっか[2] **木化** 〔植〕 lignification [U].

もっか[3] **黙過** ── (動) (見逃す) connive (at …) (自)《☞ みのがす》.

もっかく 木槨 (古墳の) wooden receptacle for a coffin in the burial chamber of a tumulus [C].

もっかん[1] **木管** (木製の管) wooden pipe [C]. **木管楽器** woodwind instrument [C]; (オーケストラの木管楽器部門) the woodwinds.

もっかん[2] **木簡** strip of wood (used in the Nara period) for writing a message [C].

もっかん[3] **木棺** wooden coffin [C]《☞ ひつぎ[1]》.

もっきょ 黙許 ── (名) (黙認) tacit ˹permission [consent] [U]; (悪いことを見て見ぬふりをすること) connivance /kənáɪv(ə)ns/ [U]. ── (動) give tacit ˹permission [consent]; connive (at …) (自).

もっきん 木琴 〔楽器〕 xylophone /záɪləfòʊn/ [C]. **木琴奏者** xylophonist [C].

モックアップ (実物大模型・印刷物のレイアウト) mock-up [C].

もっけのさいわい もっけの幸い (思いがけない幸運の訪れ) stroke of good luck [C]; (思いがけない幸い(な物)) godsend [C]; (幸せな偶然の一致) háppy coíncidence [C] ★ 3 つとも通例単数形で．《☞ さいわい》. ¶ 彼にそこで会ったのは*もっけの幸いだった It was a ˹*happy coincidence* [*stroke of good luck*; *godsend*] that I met him there.

もっこ 畚 rope basket for carrying earth [C].

もっこう[1] **木工** (木で物を作ること) woodwork [U] ★ 集合的に「木工品」の意味にもなる． **木工具** woodworking tool [C] **木工芸** woodcraft [U] **木工所** (木工品製作所) wood processing plant [C]; (製材所) sawmill [C].

もっこう[2] **沐猴** **沐猴にして冠す** It's like a monkey wearing a crown. ★ 衣服・地位は立派でも心は野卑の意．

もっこう[3] **黙考** ── (動) (瞑想する) meditate (自); (物思いにふける) muse (自). 《☞ ちんしもっこう》.

もっこんしき 木婚式 (結婚 5 年の) wood wedding anniversary [C].

もっさり ── (形) (性質・行動がのろのろした) sluggish 《☞ 擬声・擬態語 (囲み)》. ¶ 彼は*もっさりしているが，なかなか有能な人だ He seems (to be) rather *sluggish*, but in fact he is quite an efficient person.

もったい 勿体 ¶ 彼は*もったいをつけてそれを見せてくれなかった He didn't let us see it *assuming an air of importance*.

もったいない 勿体ない **1**《浪費》 ── (名) (不経済) waste [C]. ── (形) (不経済な) wasteful. 《☞ むだ; おしい; ろうひ; ふけいざい[1]》. ¶ まあ，*もったいない What a *waste* of things! // まだ使える鉛筆を捨てるなんて君は*もったいないことをするね How *wasteful* you are to throw away a still-usable pencil! 《☞ ハイフン (巻末)》

2《よすぎる》: too good (for …). ¶ この時計は子供には*もったいない This watch is *too good for* children. // 君ほどの能力のある人はあの会社には*もったいない (⇒ 君の才能はあの会社ではむだになっている) Your talents are *wasted* at that company.

もったいぶる 勿体ぶる ── (動) (尊大ぶる) have an air of importance; (特に女性が) give *oneself* [put on] airs. ── (副) (尊大に) with an air of importance. 《☞ きどる; ぎょうぎょうしい》.
¶ 彼は*もったいぶるのでだれからも好かれない He *has* such *an air of importance* that nobody likes him. // 彼はいつも*もったいぶって物を言う He always speaks *with an air of importance*.

モッツァレラ mozzarella /mɑ̀tsərélə/ [U] ★ ピザなどに使うイタリア製のチーズ．

もって ── (前) (…を道具にして; …を使って) with …; (…という手段・方法で) by …, by means of …

★ 後者のほうが強調的で格式ばった言い方; (…の日[時]以後) as of … 《☞ -で¹》.
¶ ご出席の皆さまに対する感謝の言葉を*もってこの会を終わりにいたします We'll close the meeting *with* words of thanks to all the participants. // 書面を*もって (⇒ 手紙によって) ご通知いたします We will let you know *by* letter. // 3 月 31 日を*もって退職致します I'm going to retire *as of* March 31.
もって瞑(めい)すべし ¶ それだけうまく行けば*もって瞑すべしだ (⇒ それだけの成功で満足すべきだ) We *ought to be content with* that much success.

もっていく 持って行く take ⑯《過去 took; 過分 taken》(↔ bring); (運んで行く・身につけて行く) carry ⑯. 《☞ けいたい¹》. ¶ 雨になるといけないから傘を*持って行きなさい *Take* an umbrella *with* you [You'd better *carry* an umbrella] in case it rains. 語法 「携帯する」という意味を表す場合, take は普通 with *one* を伴う.

もってうまれた 持って生まれた (生まれつきの) natural, innate ★ 後者はやや格式ばった語. 《☞ うまれつき; うまれながら》. ¶ 彼女は*持って生まれた絵の才能がある She has a *natural* talent for painting. // *持って生まれた言語習得能力 *innate* ability to acquire language

もってかえる 持って帰る ☞ もちかえる¹

もってくる 持って来る bring ⑯《過去・過分 brought》(↔ take), get ⑯《過去 got; 過分 got, 《米》ではまた gotten》★ get のほうがより口語的. なお, get は「持って行く」の意にもなる; (行って取ってくる) go and get …, fetch ⑯ ★ 前者はより口語的. さらに口語的になると and を省いて go get となることがある. ¶ 朝刊を*持ってきて下さい *Bring* [*Go and get*; *Get*] me the morning paper, please.

もってこい ━ 形 (まさにぴったりの) just right; (申し分のない) perfect; (理想的な) ideal. 《☞ あつらえむき》.
¶ この川は釣り[泳ぐ]には*もってこいだ This river is ⌈*just right* [*perfect*] for ⌈fishing [swimming]. // 君ならこの仕事に*もってこいだ You are *just right* for this job. // これは私には*もってこいの (⇒ 私が探していたような) 家[仕事]だ This is *just the kind* of ⌈house [job] *I have been looking for*.

もってのほか 以ての外 ━ 形 (言語道断な・けしからぬ) òutrágeous; (問題にならない・不可能な) out of the question; (許し難い) inexcusable. 《☞ けしからん》. ¶ (夜の) こんな時間に外出するなんて*もってのほかです It is *out of the question* for you to go out at this time (of night).

もってまわった 持って回った (回りくどい) róundabòut 《☞ まわりくどい》. ¶ 彼はいつも*持って回った話し方をする He always talks in a *roundabout* way. // *持って回った言い方はよせ Don't *beat around the bush*. ★ beat ⌈around [《英》about] the bush の元の意味は「やぶの周りをたたいて獲物を狩り立てる」.

もっと ━ 副 (より多く) more 日英比較 日本語で一般的に「もっと…だ」「もっと…する」という場合, 英語では形容詞・副詞の比較級を使う表現になることが多い; (さらに遠く・もっと進んで) further ★ 程度にも距離にも使う. ━ 形 代 (より多くの (もの・こと)) more. 《☞ さらに》.
¶ *もっと下さい May I have (some) *more*, please? // *もっと勉強したい I want to study *more*. // そこへ行けば*もっとある There ⌈is much *more* [are many *more*] there. 語法 much は「量」, many は「数」を表す. // 僕は君より*もっと本を持っている I have *more* books than you (do). // このほうが(それより)*もっときれいだ This is *more* beautiful (than that). // この問題は*もっと調べる必要がある We must inquire *further* into this problem. // 状況は*もっと悪い方向に進んでいる Things [Conditions] are ⌈heading in a *worse* direction [*worsening*]. // *もっとここにいたい (⇒ もっと長時間) I want to stay here *longer*. // *もっと安いのはありますか Do you have anything ⌈*cheaper* [*less expensive*]?

モットー motto /mátou/ Ⓒ《複 ~es, ~s》《☞ ひょうご¹》. ¶「最善を尽くせ」というのが私 [わが校] の*モットーです "Do your best" is ⌈my [our school] *motto*. // 私はできるだけ自分でやることを*モットーとしている I make it my *motto* to do as much as possible for myself.

もっとも¹ **1** 《道理にかなった》 ━ 形 reasonable; (自然な) natural; (正しい) right ★ 口語的. 《☞ とうぜん¹; もっともらしい》.
¶ あなたがそう考えるのは*もっともだ It is ⌈*reasonable* [*natural*; *right*] that you (should) think so. / It is ⌈*reasonable* for [*natural* for; *right* of] you to think so. // 彼はうなずいて「*もっともだ」と言った He nodded and said "You are quite *right*."
2 《そうは言うものの》 ━ 副《略式》though ★ コンマで区切って文尾に置く. 日英比較 日本語の「もっとも」 は普通は口語的な付け足しの表現なので, この though が一番近い.
¶ これはよい本だ. *もっとも中に幾つか間違いがあるにはあるが This is a good book. It does have several mistakes in it, *though*.

もっとも² 最も 日英比較 日本語の「最も」に当たる内容は英語では形容詞・副詞の最上級によって表されるのが普通である. 《☞ いちばん; さい-¹》.
¶ エベレストは世界で*最も高い山だ Mount Everest /évərɪst/ is *the highest* mountain in the world. // これはこの試験で*最も難しい問題の 1 つです This is one of *the most* difficult problems in this test.

もっともらしい plausible; (顔つきなどが) serious.
¶ あいつはよく実に*もっともらしいうそをつく He often tells lies which are perfectly *plausible*. // 彼女は*もっともらしい顔をしていた She looked *serious*.

もっぱら 専ら (…だけ) only; (…以外は何も) nothing but …; (ほかは排してある特定のものだけ) exclúsively; (まったく) entirely; (一心に) whóleheártedly; (主に) chiefly.
¶ 半年の間, 私は*もっぱらドイツ語を学んだ For six months I studied ⌈*only* [*nothing but*] German. // この雑誌は*もっぱら男性向けだ This magazine is ⌈*exclusively* for men [for men *exclusively*]. // 彼は*もっぱら絵に打ち込んだ He devoted himself ⌈*wholeheartedly* [*entirely*] to painting. // 彼らは結婚するという*もっぱらのうわさだ (⇒ 広くうわさされている) It is *widely* rumored that they are getting married.

モッブ (暴徒・群衆) mob Ⓒ 《☞ ぼうと》.

モップ mop Ⓒ.

もつやき もつ焼き ☞ もつ² (もつ焼き)

もつやく 没薬 (香料・薬用の樹脂) myrrh /mɚ́ː/ Ⓤ.

もつれ 縺れ (髪・糸などの) tangle Ⓒ; (いざこざ) trouble ★ Ⓤ または複数形で; (ごたごた)《格式》entanglement Ⓤ. ¶ ひもの*もつれを解く *untangle* the string // *もつれ防止式コード a *tangle*-free cord // 金銭上の*もつれ *trouble* over money // 感情の*もつれ an emotional *entanglement* // 男女関係の*もつれ *entanglement* between lovers

もつれこむ 縺れ込む ¶ その試合は延長に*もつれ込んでいる (⇒ 入っている)《野球で》The game *has gone into* an extra inning.

もつれる 縺れる **1** 《絡み合う》: tangle ⓐ, get ⌈entangled [tangled (up)]. 《☞ からまる; こんがらがる》. ¶ この毛糸はすぐに*もつれる This yarn ⌈*tangles*

easily [easily *gets tangled*].
2 《舌・足などが》: (はっきり話せない) cannot speak clearly; (足がもつれる) trip ⓐ. ¶ 祖父は卒中のあと舌が*もつれる Since he had a stroke, my grandfather *cannot speak clearly*. // 足が*もつれて転びそうになった I *tripped* and nearly fell.
3 《交渉などが》: (こじれる) become complicated. ¶ 話し合いは*もつれた The talks *have become* quite *complicated*. // 試合は終盤*もつれた The game ⌈drew to [went into] a *dead heat* toward the end.

もてあそぶ 弄ぶ (手に持って遊ぶ・いじる) play [toy] with ... ★ 比喩的にも使用できる. ¶ 彼は彼女と話をしながら鉛筆を*もてあそんでいた As he was talking ⌈to [with] her, he ⌈*played* [*toyed*] *with* a pencil. // あなたの気持ちを*もてあそぶなんてとんでもない How could I *toy with* your feelings? 〔語法〕 How could I ...? は「どうして…できようか, できない」という意味. (☞ 修辞疑問 (巻末)) // 我々はただ運命に*もてあそばれる (⇒ 運命の手中にある) のみだった We were left *in the hands of* fate.

もてあます 持て余す ── 形 (制御できない) ùncontróllable, beyond [out of] ...'s control; (手に負えない) ùnmánageable, out of ...'s hands. ── 動 (…をどうしてよいかわからない) do not know what to do with ... (☞ てこずる).
¶ うちの息子を*持て余している I find my son ⌈*uncontrollable* [*unmanageable*]. / I *don't know what to do with* my son. // この問題は難しくて*持て余している (⇒ 私が扱うには難し過ぎる) This problem is *too difficult for me to handle*. // 仕事が何もなくて身[暇]を*持て余しています Without any work, I *don't know what to do with* ⌈myself [my time]. // 彼は暇を*持て余している He has too much time ⌈to kill [on his hands].

モディファイ (修正する) modify ⓣ.
モディフィケーション (修正) modification Ⓒ.
モディリアーニ ── 名 固 Amedeo Modigliani /àːmeɪdéɪou mòːdiljáːni/, 1884–1920. ★ イタリアの画家.
モテット 〔楽〕 motet /moutét/ Ⓒ ★ 宗教声楽曲.
もてなし (親切な待遇) hòspitálity Ⓤ; (迎え入れること) reception Ⓤ; (扱い) treatment Ⓤ 〔語法〕 最後の2つは warm (温かい), cold (冷たい) などの形容詞を伴い, よい意味にも悪い意味にも使う. (☞ せったい). ¶ 丁重なお*もてなし, ありがとうございました Thank you for your kind *hospitality*. ★ 訪問先から帰る時に述べる感謝の言葉. // 私たちは温かい*もてなしを受けた We were given a warm *reception*. / (⇒ 温かくもてなされた) We *were received* warmly. // 彼らは茶菓の*もてなしを受けた (⇒ 茶菓でもてなされた) They *were entertained* with ⌈refreshments [tea and cakes].

もてなす (迎える) receive ⓣ; (扱う・食事などをおごる) treat ⓣ; (余興・食事などで歓待する) èntertáin ⓣ. (☞ せったい). ¶ 来客をおいしい食事と快い音楽で*もてなしたい We'd like to *entertain* our guests with a good meal and pleasant music.

もてはやす (もてはやされる・人気がある) be popular ★ もてはやされるものが主語となる; (ほめる) praise ⓣ, make much of ... (☞ にんき¹; ほめる; ちやほや).
¶ なんでこの歌がこう*もてはやされるのだろう Why *is* this song so *popular*?

モデム (データ通信のための変復調装置) modem /móudem/ Ⓒ ★ *mó*dulàtor + *dèmó*dulàtor の略. (☞ コンピューター (囲み)).

モデラート 〔楽〕 ── 形 (中庸の速さで) mòderáto.

もてる¹ (…に人気がある) be popular (with ...); (…のお気に入りである) be a favorite (of ...). (☞ にんき¹). ¶ あのフォークシンガーは若い女の子に実によく*もてる That folk singer *is* very *popular with* young girls.

もてる² 持てる ¶ *持てる力 (⇒ 真の能力) を示す do *oneself* justice [show *one's real* ability] in ... // *持てる国と持たざる国 the *haves* and the have-nots among nations ★ 複数形で.

モテル ☞ モーテル
モデル **1** 《絵・ファッション・小説などの》 ── 名 model /mádl/ Ⓒ. ── 動 model ⓐ ⓣ (過去・過分 modeled, (英) modelled). ¶ 画家の*モデルを務める sit as a *model* [*model*] for a painter ★ [ ] 内は 動. // この小説の主人公は実在の人物が*モデルだった The hero of this novel *was modeled* on a real-life person.
2 《模型》 ── 形 model (☞ もけい).
モデルガン[カー] model ⌈gun [car] Ⓒ　モデルケース model case Ⓒ　モデルスクール model school Ⓒ　モデルチェンジ ── 名 model ⌈change [changeover] Ⓒ. ── 動 rèmódel ⓣ　モデル賃金 model wages　モデルハウス model house Ⓒ　モデルルーム (マンションなどの) model apartment Ⓒ.

モデレーター (討論会などの司会者) moderator Ⓒ; 〔物理〕 (減速材) moderator Ⓒ.

もと¹ 元, 基, 素 **1** 《原因・起源》: (原因) cause Ⓒ; (始まり) beginning Ⓒ; (起源) órigin Ⓒ. (☞ げんいん¹; ほったん; はじまり; おこり¹).
¶ けんかの*もとはごくつまらないことだった The *cause* of the quarrel was just a small thing. // 彼は風邪が*もとで肺炎になった (⇒ 風邪が肺炎に進んだ) His cold *has developed* into pneumonia. / (⇒ 肺炎は風邪から進んだ) His pneumonia *developed* from a cold. // *もとをただせば (⇒ 元来は) あの会社も小さな商店だった That firm was *originally* a small store. (☞ もと²)
2 《根本》: (基礎・基本) basis /béɪsɪs/ Ⓒ (複 bases /-siːz/), foundation Ⓒ ★ 後者はやや格式ばった語で特にしっかりした基礎という含みがある. (☞ きそ¹ (類義語); こんぽん). ¶ 何を*もとにしてこの報告書を作ったのですか On what *basis* have you prepared this report?
3 《材料・原料》: material /mətí(ə)riəl/ Ⓒ; (インスタント食品の素) mix Ⓒ ★ 普通合成語で. (☞ ざいりょう). ¶ しょう油の*もとは大豆です (⇒ しょうゆは大豆から作られる) Soy sauce *is made from* soybeans. // だしの*もと instant soup *stock* // ケーキの*もと cake *mix*
4 《資本》: (資本金) capital Ⓤ; (原価・費用) cost Ⓒ; (出資金) investment Ⓒ; (元金) principal Ⓒ ★ 通例単数形で. (☞ もとで; しほん).
¶ 彼の事業には*もとがかかっている (⇒ 事業は大きな資本を伴っている) His enterprise has involved a large amount of *capital*. (☞ 可算・不可算名詞 (巻末)) // これで果たして*もと (⇒ 出資金) がとれるだろうか I wonder if this can recover ⌈my *investment* [the *cost*].
もとはと言えば when you get (right) down to it, ... ¶ *もとはと言えばお前が悪い (⇒ あなたが問題を引き起こした人だ) You're the one who *caused* the trouble. **元も子もない** ── 動 (すべてを失う) lose everything ★ 人が主語; (無になる) come to nothing ★ 事が主語. ¶ それでは*元も子もなくなってしまう We [You] will *lose everything*. / It will *come to nothing*.

もと² 元 ── 形 (以前の) former Ⓐ; (古い) old. ── 接頭 ex- ★ 格式ばった言い方で用いられる. ── 副 (以前は) formerly; (昔は) in former times. (☞ いぜん¹; まえ; むかし; かつて; ぜん-²).

¶*元アメリカ大統領 the「*former* President [*ex-*President] of the United States // あの女性は木村さんの*元の奥さんです That woman is Mr. Kimura's「*former* wife [*ex-*wife]. // 私は*元は大阪に住んでいました I *used to* live in Osaka. ★ used to *do* … は「元は…した」の意味を表す. // 本は読み終えたら*元の場所 (⇒ それがあった所) に戻しなさい When you have finished a book, put it back *where*「*you found it* [*it belongs*]. // 彼はもう*元の彼ではない He is not the man *he used to be*. **元の鞘へ収まる** (仲直りする) be reconciled (with …). **元の木阿弥になる** (まさに出発した点に戻る) be right back where *one* started (from); (比喩的に, 振り出しに戻る) be back to square one.

もと³ 下 ── 前 (…の下で) under …; (…とともに) with …《☞ した¹; つく⁴》.

¶私は数年間鈴木教授の*下で学んだ I studied「*under* [*with*] Professor Suzuki for several years. // 私は大学に入るまで両親の*下で暮らしていました I lived *with* my parents「till [before] I「started [entered] college.

もとい 基 (基礎) basis Ⓒ《複 bases /béɪsiːz/》; (物事の基盤) foundation Ⓒ; (原因・元) source Ⓒ; (起源) origin Ⓤ. 《☞ きそ¹》.

もとうけ 元請け (元請け業者) original contractor Ⓒ.

もとうた 元歌 original song Ⓒ.

もとうり 元売り factory-direct sale Ⓒ.

もとおりのりなが 本居宣長 ── 名 固 Motoori Norinaga, 1730–1801; (説明的には) a preeminent philological scholar of the Japanese classics in the premodern era.

もどかしい ── 形 (じれったい) impatient; (いらだたしい) írritàted ★ 幾分怒った状態. ── 副 impatiently. 《☞ はがゆい; いらいら》.

¶彼は*もどかしがって, 私たちの話に口をはさんだ He grew *impatient* and interrupted us. // 私たちは言いたいことを言いきれぬ*もどかしさを感じている (⇒ 言いたいことが言えなくてもどかしい) We「are [feel]「*irritated* [*impatient*] because we can't say what we want to (say). // 彼女は*もどかしげに辞書をめくった She leafed through the dictionary *impatiently*.

もとき 本木 **本木にまさる末木(うらき)なし** (最初に選んだものが一番よい) One's first choice is always the best.

-もどき …擬き ── 接頭 (擬似の) pseud(o)-. ── 接尾 (…のような) -like ★ 名詞に付けて形容詞または副詞をつくる. ¶彼は役者*もどきの (⇒ 本物の役者と同じように) 演技をする He performs *just like* a「real [professional] actor. // インテリ*もどき a *pseudo*-intellectual

もときん 元金 (資本金) capital Ⓤ; (元金) principal Ⓒ ★ 通例単数形で. 《☞ もとで》.

モトクロス mótocròss Ⓤ ★ *mótor*＋*cróss*-country の略.

もとごえ 基肥 báse「fértilìzer [manúre] Ⓤ ★ [ ] 内は特に動物の排泄物によるものをいう.

もどしぜい 戻し税 tax refund Ⓒ; (輸入品再輸出時の) drawback Ⓒ.

もとじめ 元締め (統制者) controller Ⓒ; (管理者) mánager Ⓒ; (親分) boss Ⓒ.

もどす 戻す **1** «元の状態にする»: (物を元に返す) return ⑩, pùt báck ⑩ ★ 後者のほうが口語的; (元の地位などに復帰させる) restore ⑩; (時計を) tùrn [pùt] báck ⑩; (…に話を戻す) return (to …) ⓐ; (撤回する・取り下げる) tàke báck ⑩, retract ⑩ ★ 前者のほうが口語的.

¶私は本を書棚に*戻した I「*put* the book *back* on [*returned* the book to] the shelf. // 人を元のポジションに*戻す *restore a person* to「his [her] former position // 僕は時計を5分*戻した I「*turned* [*put*] *back* my watch five minutes. // 話を高校時代のことに*戻しましょう Let's *return to* the subject of our high school days.

2 «嘔吐する»: thròw úp ⓐ, vómit ⓐ ★ 前者のほうが口語的. 《☞ はく¹》.

もとせん 元栓 main valve Ⓒ《☞ せん³; コック²》.

もとだか 元高 the principal《☞ もときん》.

もとちょう 元帳 〘会計〙 ledger Ⓒ.

もとづく 基づく ── 動 (議論・計画・話などが…を根拠とする) be based on …; (建造物・学校・運動などが…を基盤とする) be founded on … ── 前 (…を根拠にした) on …, on the basis of … ★ 前者のほうが口語的; (…のために) due to …; (…に従って) according to …; (…に準拠して) in accordance with … 《☞ こんきょ; きそ¹; よる²》.

¶そのデータに*基づいてさまざまな実験が行われた Various experiments were carried out *based on* the data. // この学校はキリスト教精神に*基づいて建てられた This school *was founded on* Christian principles. // 不注意に*基づくけがが多い Many injuries are *due to* carelessness. // 先生の指示に*基づいて行動しなさい (⇒ 従うべきだ) You should *follow* your teacher's instructions.

もとづな 元綱 the end of a rope that is tied to a thing Ⓒ.

もとで 元手 (資本金) capital Ⓤ; (財源) funds ★ 複数形で. 《☞ しほん; しきん》.

¶新しい事業を始めるには*元手が必要だ You need *capital* to start a new business. // *元手をつくる raise *capital*

もとどおり 元どおり ¶彼はまた*元どおり元気になった He's now *as* healthy *as*「*before* [*he used to be*]. // すべてを*元どおりにしておきなさい Put everything back *as it was*.

もとね 元値 cost (price) Ⓒ《☞ げんか¹》.

もとばらい 元払い prepayment Ⓤ; (運搬費用の) carriage prepaid Ⓒ. 《☞ まえばらい》. ¶運賃*元払いの (⇒ 運賃を含んだ) 値段 the price *including* shipping

もとひきうけ 元引受 underwriting Ⓤ. ¶*元引受契約 an *underwriting* agreement

もとめ 求め (要請) request Ⓒ; (強い要求) demand Ⓒ; (希望) wish Ⓒ; (購入) purchase Ⓤ. 《☞ ようきゅう¹; ようせい¹》.

¶経営者は労働組合の*求めに応じて新しい安全規則を導入した In compliance with the labor union's「*demands* [*wishes*], the management introduced new safety regulations.

もとめて 求めて ¶*求めて (⇒ 自分から申し出て) その仕事を引き受ける *volunteer* to take the job / (⇒ 自ら好んで) take on the job *by choice*

もとめる 求める **1** «頼む»: (要請する) ask for …, request ⑩ ★ 前者のほうが口語的で一般的; (強く要求する) demand ⑩. 《☞ ようきゅう¹; ようせい¹》.

¶私は彼に面会を*求めた I「*asked for* [*requested*] an interview with him. // 私たちは彼にその件についての説明を*求めた We *demanded* an explanation of the matter from him. // *求めよさらば与えられん *Ask*, and it shall be given you. 《聖書マタイ 7:7》

2 «得ようとして捜す» ── 動 look for …, seek for … ★ 後者のほうが格式ばった言い方. なお seek は ⑩ としても用いられる. ── 前 (…を求めて) in search of … 《☞ さがす》. ¶彼はいま職を*求めている He *is*「*looking for* a job [*seeking* employment] now. ★ [ ] 内のほうが格式ばった言い方. // 人間は幸福を*求めるものだ Man *seeks* happiness.

3 «購入する»: buy ⑩, purchase ⑩ ★ 後者のほう

が格式ばった語で，値の張る品物を買うというニュアンスがある.《☞ かう¹》.

もともと 元元 (最初から) from the ⌈first [beginning; start]; (初めは) at first; (元来は・本来は) originally; (生来) by nature.

¶ 私は*もともとその計画に反対だった I was against the plan *from the* ⌈*first* [*beginning*; *start*]. // その会社は*もともとは電池の製造会社だった The firm was *originally* a battery maker. // 失敗して*もともとだ (⇒(たとえ失敗しても)失うものは何もない) We *have nothing to lose* (even if we fail). 語法 主語は場合に応じて you, we, I が用いられる.

もとゆい 元結 (髪を結ぶひも[こより]) cord [paper cord] for tying the hair Ⓒ.

もとより (もちろん) of course; (…は言うまでもなく) not to ⌈speak of [mention] …, needless to say …; (A のみならず B も) not only A but (also) B; (A はもとより B も) B as well as A ★ not only … but (also) … とは A, B の位置が逆になる.《☞ のみならず 語法; もちろん; いう (言うまでもない)》.

¶ *もとよりそんなことは承知の上だ *Of course* I ⌈know [am aware of] that.

もどり 戻り (戻ること) return Ⓤ ★ 形容詞的にも用いる; (相場の) recovery Ⓤ.《☞ かえり》.

¶ 寒の*戻り the *return* of cold weather // *戻りの航海 a *return* voyage **戻りがけ** on *one's* way back home **戻り梅雨** the return of the rainy season **戻り道** the way back.

もどりあし 戻り足 〔株〕(株価の持ち直し) rally Ⓒ.

もどりてがた 戻り手形 〔商〕redraft Ⓒ, reexchange Ⓒ.

もとる (反する) be [go] against …; (そむく・違反する) violate ⑩.《☞ はんする; そむく》. ¶ それは人道に*もとる行為だ (⇒ 非人道的な行為) It's an *inhuman* act.《☞ じんどう¹》

もどる 戻る **1**《元の位置に帰る》: be [gò; còme; gèt] báck ⓐ 語法 go back は主語が元の位置 (例えば家) 以外の場所にいて元の位置 (家) へ戻る場合. be back, come back は主語が発話しているその場所へ戻る場合か，あるいは主語が元の位置以外の場所にいて，元の位置にいる人の立場に立って「戻ってくる」という意味を表す場合に使う. get back は come back, go back のいずれの意味も含む口語表現; return ⓐ ★ 一般的な語ではあるが，前者よりは格式ばった語; (途中で引き返す) tùrn báck (halfway) ⓐ.《☞ あともどり; かえる¹; 右段の挿絵》.

¶ すぐ*戻ってきます I'll ⌈*be* [*come*] *back* in a minute. // 教室に*戻りなさい (⇒ 行きなさい) *Go back* to the classroom. ★ 教室外で言う場合. / (⇒ 戻ってきなさい) *Come back* to the classroom. ★ 教室の中から外にいる人に向かって言う場合.

2《元の状態になる》: (回復する) be restored; (取り戻す) regain ⑩. ¶ 電車のダイヤは平常に*戻った (⇒ 平常の電車の運行が回復した[再開した]) Normal train services *were* ⌈*restored* [*resumed*]. // そのうち彼女の意識は*戻るだろう (⇒ 意識を取り戻すだろう) She will *regain* consciousness soon.

モナーキー (君主政治) monarchy Ⓤ ★ 通例 the を付けて.

もなか 最中 Japanese waferlike cake stuffed with bean paste Ⓒ ★ 説明的な訳.

モナコ ── 名 固 Mónacò; (正式名) the Principality of Monaco ★ フランス南東部の地中海に臨む国. ── 形 (モナコの) Mónacan, Monegasque /mànɪgǽsk/. **モナコグランプリ** Monaco Grand Prix /grɑ́:mprí:/ **モナコ人** Monacan Ⓒ, Monegasque Ⓒ.

モナステリー (男子の修道院) monastery Ⓒ.

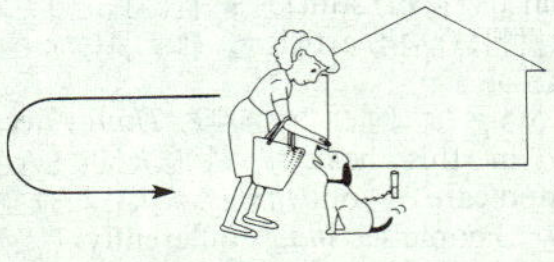

" I will *come back* in a minute."

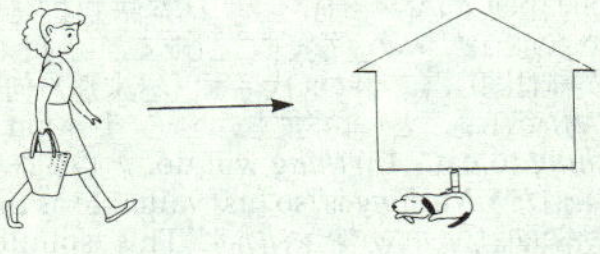

She *is going back*.

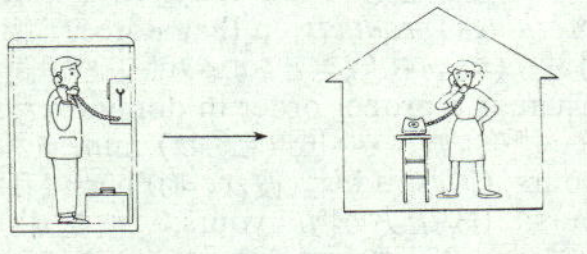

" I'*m coming back*." " He *is coming back*."

He *turned back* to the phone booth.

モナド 〔哲〕monad Ⓒ. **モナド論** monadism Ⓤ.

モナリザ ── 名 固 the Mona Lisa /móunə lí:sə/, La Gioconda /ʤoukɑ́ndə/ ★ レオナルドダビンチ作の女性の肖像画.

モニカ (女性名) Monica /mɑ́nɪkə/.

モニター ── 名 (映像や音声の監視装置・コンピューターの画面) mónitor Ⓒ 日英比較 日本語のモニターには新商品やテレビ番組などの調査員の意味があるが，英語の monitor にはそのような意味はなく，それらは test user とか, test surveyor などに当たる. ── 動 (モニターする) monitor ⓐ ⑩.《☞ コンピューター (囲み)》.

モニター商法 business method of forcing test users to buy tried-out samples Ⓒ ★ 説明的な訳.

モニタリング (監視・監察すること) mónitoring Ⓤ.

モニュメント (記念碑) mónument Ⓒ.

もぬけのから もぬけの殻 ── 形 (空の) empty 《☞ から¹》. ¶ 警察が踏み込んだときには家は*もぬけのからだった (⇒ 空である[そこに誰もいない]ことを発見した) When the police raided the house, they found ⌈it *empty* [*nobody* there].

モネ ── 名 固 Claude Monet /klɔ́:d mounéɪ/, 1840–1926. ★ フランス印象派の風景画家.

モネラ(かい) モネラ(界) 〔生〕(バクテリアなどの類) Monera /məní(ə)rə/ ★ 複数形.

もの¹ 物 **1**《物体・物事・材料・品物など》: thing Ⓒ ★ 最も一般的な語; (同類のひとつ) one ★ 数えられる名詞の代わりに用いる代名詞. 複数形にもなる; (何か) something, anything 語法 肯定文で「いかなる…; どんな…」, 否定文で「1 つも…がない」, 疑問文で「あるかないか」という意味の場合は anything を使うが，それ以外では something を用いる; (何も…でない) nothing; (すべて) everything; (原料) material Ⓤ;(材料) stuff Ⓤ ★ 目にはっきり見てわかるような材料;(品物) article Ⓒ.《☞ なにか; ざいりょう; しなもの》.

¶こう暑くてはすぐに*物が腐る *Things* decay quickly in this heat. // *物は大切にしなさい Take good care of your *things*. // 人によって*物の見方が違う People see *things* differently. // このネクタイは高すぎる. もっと安い*物を見せてくれませんか This tie is too expensive. Will you show me some cheaper *ones*? 日英比較 日本語では「もっと安いの」のように「…の」で表すこともあるが, いずれの場合も英訳は同じ.《☞ -の; 代名詞(巻末)》// 何か食べる*物が欲しい. どんな*物でもいいから I want *something* to eat. *Anything* will do. // 時間ほど大切な*物はない *Nothing* is ˹so [as] valuable as time. // この溶液はたいていの*物を溶かす This solution will dissolve almost any kind of *material*. // あの店はいろいろな*物を売っている They sell a wide variety of ˹*things* [*products*] in that store. // *物には順序がある(⇒ あらゆることをするのに正しい順序がある) There is a proper order in doing *everything*.

2《所有物》 ── 代 (私の物) mine; (あなたの物) yours; (彼の物) his; (彼女の物) hers; (私たちの物) ours; (あなた方の物) yours; (彼らの物) theirs 日英比較 以上すべての語は「物」が単・複いずれを指す場合も同じ. そのままの形で単・複両方の扱いが可能. 日本語では「それは私のです」のようにしばしば「…の」で所有物を表すが, その場合も英語では以上のような所有代名詞が使われる. ── 名 (…のもの) …'s ★ 例えば「花子の物」なら Hanako'*s* のようになる. 「物」の内容によって単複いずれをも指す; (所持品全部) belongings ★ 複数形で; (所有物) possessions ★ 複数形で.《☞ -の; 代名詞(巻末)》.

¶これは私の*物だ This is *mine*. / (⇒ 私に所属する) This *belongs to* me. // 彼はよく他人の*物を勝手に使う He often uses other people's *things* without asking. / He often makes free with other people's *belongings*. // 全財産は彼女の*物になる(⇒ 彼女に行く)だろう All the property will ˹*go* [*fall*] *to* her.

3《品質》: quality Ⓤ《☞ しつ¹》.

¶その店の商品は*物が(⇒ 質が)よい[悪い] The goods in that store are ˹good [poor] *quality*.

4《言葉》: word Ⓒ《☞ ことば; はなし》.

¶彼女は*物の言い方を相手によって変える She changes ˹her *wordings* [the way she puts *things* (into words)] depending on who she is talking to. // 戦前は自由に*物が言えなかった(⇒ 言論の自由がなかった) There was no freedom of *speech* ˹before the War [in prewar days].

物ともしない ¶彼は傷を*物ともせず何事もなかったように仕事を続けた He *made light of* his injuries and carried on as if nothing had happened. **物にする** ¶その技術を*物にするのに(⇒ 習得するのに) 5年以上かかった It took me more than five years to ˹*master* [*acquire*; *learn*] the technique.《☞ しゅうとく¹》 **物になる** ¶彼女は流行歌手として*物になりそうだ(⇒ 成功するだろう) She will probably ˹*make it* [*succeed*] as a pop singer. // その企画は*物にならなかった(⇒ 実現しなかった) The project ˹did not *materialize* [(⇒ 失敗に終わった) *came to nothing*]. **物のあわれ**《格式》 pathos /péɪθɑs/ Ⓤ 日英比較 この語は哀れみや悲しみを起こさせる特質ということだが, 人間を中心にした西欧的考えから出ており, 日本語の自然に対するしみじみとした感じとは少し違う. ¶*物のあわれを感じる feel the *pathos* in … **物の数ではない** ☞ もののかず **物の見事に** ¶私は*物の見事に(⇒ 完全に)失敗した I failed *completely*.《☞ ものの》 **物は言いよう** ¶*物は言いようだ(⇒ それはあなたの言い方次第だ) That (all) depends on how you put it. / (⇒ 滑らかな言葉は事を滑らかに運ぶ) Smooth words make smooth ways. ★ 第1文のほうが口語的. **物は相談** ¶*物は相談だ(⇒ 一人で悩むより誰かに相談した方がよい) It's better to ask someone for advice than to worry by yourself. // *物は相談なんだけど(⇒ お願いしたいことがあります) May I ask you a favor? **物は試し** ¶*物は試しだ. やってみよう(⇒ やってみて, 何が起こるか見よう) Let's have a try and see what happens.《☞ ためし¹》 **物も言いようでは角が立つ** The way one puts it [One's way of saying it] may create ˹hard feelings [bitterness].; (言い方によって快くも不快にもなる) Things can be pleasant or unpleasant, depending on how they are said. **物を言う** ¶金が*物を言う Money *talks*. // 経験が*物を言う Experience will *tell*. // 体力が*物を言う(⇒ 重要だ) Physical strength is *what counts*. **物を言わす** ¶その男は金に*物を言わせて(⇒ 金の力で)政治を行おうとしている That man is trying to function as a politician ˹*by* [*through*] *the power of* money. // 経験に*物を言わせる *make full use of one's* experience

もの² 者 (人) person Ⓒ; (男) man Ⓒ《複 men》; (女) woman Ⓒ《複 women /wímɪn/》; (人々) those, people ★ 前者は後に who are … などが続く場合に使う.《☞ ひと》.

¶私は鈴木太郎という*者です I'm Taro Suzuki. 日英比較 この例のように, 日本語で「者」とあっても, 英語では上記の訳語を使わないことが多いことに注意. // 私は N 商事の*者です(⇒ N 商事に勤めている) I *work for* N Trading Company.

モノ ── 接頭 (単・一) mono-. ── 形 (レコードなどの)《略式》 mono.《☞ モノラル》.

-もの 日英比較 日本語で「…ものだ」のような言い方をする場合, あることが当然・普通であるという意味や, 感動・希望または過去における習慣などを表すが, それぞれの場合に応じて日本語の内容に即して英語に意訳する必要がある. 日本語のこの意味での「…もの」に当たる英語の単語は存在しない点に注意.

¶彼女についてもっと知りたい*ものだ(⇒ 知りたい) I ˹*would* [*should*] *like to* know more about her. // 子供のころよく友達とけんかをした*ものです I *used to* quarrel with my friends when I was a child. ★ used to は過去の繰り返された行為を客観的に表す. // 世の中にはさまざまな人がいる*ものだ There *are* all sorts of people in the world.

モノアミン 〖生化〗 monoamine /mɑ̀nouəmíːn/ Ⓤ.

ものいい 物言い **1**《言葉遣い》: manner [way] of speaking Ⓒ. ¶彼のきざな*物言いが気にくわない I don't like his affected *way of speaking*.

2《異議の申し立て》 ¶判定に*物言いをつける(⇒ 異議を唱える) *object* to the referee's decision

ものいう 物言う (言葉を発する) utter ㊥; (言葉を話す) speak ㊥; (言う) say ㊥. ¶何か*物いいたげだね You seem to have something to *say*.

物言えば唇寒し秋の風 (余計なことを言わず口を閉じておけばよかった) I should have kept my mouth closed.; (黙っていればたいてい問題はない) Silence seldom does harm.

ものいみ 物忌み ── 動 (精進のため断食する) fast ㊂; (…を断つ) abstain from …

ものいり 物入り (費用) expenses ★ 通例複数形で; (支出) óutgò Ⓒ.《☞ ひよう》.

ものいれ 物入れ (容器) container Ⓒ; (物置き・押し入れ) closet Ⓒ.《☞ ものおき》.

ものいわぬ 物言わぬ ── 形 (黙っている) silent; (無言の) mute. ¶*物言わぬ人々の声に耳を傾けよ

Listen to ⌈those who are *silent* [*quiet* people]. // *物言わぬ訴え a *mute* appeal // *物言わぬ証拠 *mute* witness

ものうい 物憂い (活気のない) languid; (飽き飽きさせる) weary; (だるそうな) listless; (やるせない) dreary. ¶ *物憂い雨の 1 日 a *dreary* wet day

ものうり 物売り (戸別訪問をする) door-to-door ⌈salesperson [salesman; saleswoman] Ⓒ; (街角などで物を売る人) street ⌈vendor [vender] Ⓒ.

ものおき 物置き (家の中の物置き部屋・押し入れ・納戸) closet Ⓒ, 《英》 storeroom Ⓒ; (物置き小屋) shed Ⓒ. 《☞ おしいれ (挿絵)》.

ものおじ 物怖じ ― 形 (臆病(おくびょう)な) timid; (恥ずかしがりの) shy. ¶ この子は人前でも (⇒ よその人に対しても) *物おじしない This child is not *shy* with strangers.

ものおしみ 物惜しみ ― 動 (けちけちする) be stingy 《☞ けち (類義語)》.

ものおと 物音 (音) sound Ⓒ; (騒音) noise Ⓒ. 《☞ おと》.

ものおぼえ 物覚え ¶ この子は*物覚えがよい[悪い] (⇒ 学ぶのが早い[遅い]) This child *is* ⌈quick [slow] at *learning*. / (⇒ よい[悪い]記憶力を持っている) The child has a ⌈good [bad; poor] *memory*. // 近ごろ*物覚えが悪くなった (⇒ 忘れっぽくなった) Recently I have become *forgetful*. / (⇒ 記憶力が衰えてきている) My *memory* is failing these days.

ものおもい 物思い ¶ *物思いにふける be lost in *thought* / be deep in *thought*

モノカイン 〘生化〙 monokine /mάnəkàɪn/ Ⓤ.

ものかき 物書き (作家) writer Ⓒ; (著者) author Ⓒ.

ものかげ 物陰 ¶ 彼は*物陰に身をひそめた (⇒ 自分自身を隠した) He *hid himself*.

ものがたり 物語 story Ⓒ 《複 -ries》, tale Ⓒ ★ 前者が一般的で, 後者は文語的; (伝奇物語) romance Ⓒ; (寓話) fable Ⓒ. 《☞ おとぎばなし》.
¶ この*物語の主人公はだれですか Who is the hero of this *story*? // 『イソップ*物語』 *Aesop's Fables* 《☞ イタリック体 (巻末)》 // 『源氏*物語』 *The Tale of Genji* **物語バレエ** story ballet Ⓒ; (物語風の) narrative ballet Ⓒ.

ものがたる 物語る (示す) show ㊀; (描写する) describe ㊀; (証明する) prove ㊀. 《☞ しめす¹》.
¶ この記事はいかに教育が重要かということを*物語っている This article ⌈*shows* [*proves*] how important education is.

ものがなしい 物悲しい (悲しい) sad; (悲嘆に暮れている) sorrowful; (哀れな) plaintive. 《☞ かなしい》.

モノガミー (一夫一婦婚) monógamy Ⓤ.

モノカルチャー (単一栽培) monoculture Ⓤ. **モノカルチャー経済** monocultural economy Ⓒ.

ものぐさ 物臭 ― 名 (人) lazy person Ⓒ. ― 形 lazy. ★ いずれも軽蔑的な言い方. 《☞ ぶしょう¹; なまけもの¹》. **物臭太郎** ― 名 ㊍ Monogusa Taro, Lazy Taro; (説明的には) a lazy man in a folktale, who did nothing more than to lie idly in his hut and compose poems. Later his poetic talent helped him succeed very well in the court and he finally became the lord of his home country.

モノグラフ (論文) monograph Ⓒ.

モノグラム (組み合わせ文字) monogram Ⓒ.

モノクル (片眼鏡) monocle Ⓒ.

ものぐるおしい 物狂おしい (狂気の) crazy; (気が狂った) mad; (悲しみ・怒りで半狂乱となった) frantic.

モノクロ ― 形 (写真などが白黒の) mónochròme Ⓐ, bláck-and-whíte ★ 後者が口語的. 《☞ しろくろ》. ¶ *モノクロのフィルム (a) *black-and-white* film

モノクローナルこうたい モノクローナル抗体 〘生〙 monoclonal antibody Ⓒ.

ものごい 物乞い ― 名 (乞うこと) begging Ⓤ; (乞食) beggar Ⓒ. ― 動 (物乞いする) beg ㊀ ㊁.

ものごころ 物心 ¶ 私は*物心がついて以来 (⇒ 思い出すことができる以降) ずっと東京に住んでいる I have lived in Tokyo ⌈(ever) since [for as long as] *I can remember*.

ものごし 物腰 (態度) manner Ⓤ 《☞ たいど》.
¶ 彼は*物腰の柔らかな人だ (⇒ 彼の態度はいつも丁重だ) His *manner* is always polite.

モノコック (モノコック構造) monocoque /mάnəkὰk/ (construction) Ⓤ.

ものごと 物事 (漠然と一般の事柄) things ★ 複数形で; (すべて) everything, all things ★ 前者のほうが口語的. 《☞ もの¹; すべて》.
¶ *物事は広い視野から見る必要がある We must look at *things* from a broad perspective. // *物事には裏表がある (⇒ よい面と悪い面がある) There are good and bad sides to *everything*. // 彼は*物事のけじめがつかない (⇒ どこで線を引くかがわからない) He doesn't know *where to draw the line*.

ものさし 物差し ruler Ⓒ, rule Ⓒ; (計測器) measure Ⓒ 語法 物差しのほかに計測器具一般を指す語で, 具体的に言うときは 「メートル[ヤード]尺」 a ⌈metric [yard] *measure*, 「巻尺」 a tape *measure* のようにほかの語を添えることがある; (比喩的に, 判断・比較の尺度) 《格式》 yardstick Ⓒ; (見解) viewpoint Ⓒ. 《☞ じょうぎ; きじゅん; しゃくど》.
¶ *物差しで板の長さを測った I measured the board with a ⌈*ruler* [*rule*]. // 彼は自分の*物差しですべてを測りたがる He tends to measure everything using his own *yardstick*.

ものさびしい 物寂しい, 物淋しい (孤独で人恋しい) lonesome 《☞ さびしい》.

ものさびれる 物寂れる (寂れ果てる) get deserted /dɪzə́ːtɪd/; (荒れ果てる) become desolate /désələt/. 《☞ さびれる》. ¶ *物寂れた裏町 a ⌈*deserted* [*desolate*] backstreet

ものさわがしい 物騒がしい noisy 《☞ さわがしい》.

ものしずか 物静か ― 形 (人が口数も少なく, 動きも少ない) quiet; (態度が落ち着いた) calm; (上品で穏やかな) gentle. ― 副 gently. 《☞ しずか; おだやか; ものやわらか》.

ものしり 物知り ― 名 (知識の豊富な人) knowledgeable ⌈man [woman] Ⓒ; (学者) learned /lə́ːnɪd/ ⌈man [woman] Ⓒ; (情報通の人) well-informed person Ⓒ. ― 形 knowledgeable; learned; well-informed. 《☞ はくがく》.
¶ 彼女は*物知りです (⇒ 情報に通じている) She is *well-informed*. // 彼はいつも*物知り顔で話す (⇒ 何でも知っているように話す) He always talks *as if he knows everything*.

ものずき 物好き ― 形 (変わった) curious; (狂気じみた) crazy. 《☞ へん¹ (類義語)》.

ものすごい 物凄い ― 形 térrible, terrífic ★ 前者は悪い意味で, 後者はよい意味でも悪い意味でも用いる. ― 副 terribly, terrifically. 《☞ すごい; はげしい》.
¶ 私は*ものすごい夕立にあった I got caught in a *terrible* shower. // 私はいま*ものすごく忙しい I'm *terribly* busy now. // その車は*ものすごいスピードで走っていった The car went at a *terrific* speed.

モノスコープ (テレビの) monoscope Ⓒ.

ものする 物する (詩などを書く) compose ㊀.

¶一句*物する *compose* a haiku poem

モノセックス — 形 (男女差のない) únisèx 日英比較 英語の monosexual は「男女どちらか一方だけの」という意味で, 服装・仕事などに男女差がない意味には用いない.

ものだち 物断ち — 名 abstinence from a certain food or drink U. — 動 abstain from … 《☞ ちゃだち》.

ものだね 物種 ¶命あっての*物種 While [Where] there is life, there is hope. 《ことわざ: 命がある限りは望みがある》

ものたりない 物足りない — 動 (満足していない) be nót ˈsátisfied [conténted] (with …); (あまり興味がわかない) be not very interested (in …) ★ 以上は「人」が主語; (物が意に満たない・不十分である) be not satisfactory, be unsatisfactory 語法 以上 2 つは「事物」が主語. ただし,「物足りない」よりもっと強いニュアンスを持つ; (あまりおもしろくない) be not very ˈinteresting [attractive]; (訴えるものがあまりない) do not ˈhold [have] much appeal ˈfor [to] …, be not very appealing ˈfor [to] …; (十分にはよくない) be not good enough. 《☞ ふまん; ふじゅうぶん》. ¶私にはこの種の仕事は*物足りない I *am not satisfied with* this kind of work. // 彼の講演は*物足りなかった I *wasn't very interested in* his lecture. / His lecture *wasn't very* ˈ*interesting* [*attractive*]. // この小説は何か (⇒ なぜかわからないが) *物足りない I can't tell why, but this novel *doesn't hold much appeal* ˈ*for* [*to*] me.

モノトーン — 名 (音・スタイル・色彩などの単調さ) a mónotòne ★ a を付けて. — 形 (単調な) monótonous.

モノトナス — 形 (単調な) monótonous 《☞ たんちょう¹》.

モノドラマ (独演劇) monodrama C.

ものとり 物取り (泥棒) thief C; (強盗) robber C. 《☞ どろぼう》.

ものなつかしい 物懐しい (古きよき…) good old … 《☞ なつかしい》.

ものなれた 物慣れた (熟練した) skilled; (経験を積んだ) experienced. 《☞ なれる¹》. ¶*物慣れた手つきで (⇒ 巧みに[容易に]) …を扱う handle … ˈ*skillfully* [*easily*]

モノニクス 〔古生〕 Mononykus U.

ものの (ほんの) only; (およそ) about; (…以内で) less than … 《☞ ほんの; もの¹ (物の見事に)》. ¶彼は*ものの 10 分とたたないうちに手紙を書き終えた He finished writing ˈa [the] letter in *less than* ten minutes.

-ものの — 接 (…だけれども) though …, although … ★ 後者のほうが格式ばっており, 文頭に用いるのが普通; (しかし) but …, however …, ★ 後者のほうが格式ばった語. — 副 (それにもかかわらず) nèvertheléss. 《☞ けれど(も); しかし; -が》.

もののあわれ 物の哀れ ☞ もの¹ (物のあわれ)

もののかず 物の数 — 動 (物の数に入れる) count 自; (仲間に含める) count in 他; (…をあてにする) count ˈon [upon] … 《☞ くらべもの》. ¶働き手としては彼は*物の数に入らない (⇒ 当てにならない) You can't *count on* him as a workhorse. // 彼女の偉業に比べたら私のものなど*物の数ではありません (⇒ 無に等しい) Compared ˈto [with] her remarkable achievements, mine are *equal to* nothing.

もののけ 物の怪 (亡霊・幽霊) specter C; (悪霊) evil spirit C; (霊気) presence C. 《☞ ゆうれい》. もののけ姫 — 名 固 (日本のアニメ映画) *Mononoke Hime*; (英語題名) *Princess Mononoke*.

もののはずみ 物の弾み — 副 (何かのはずみで) by (some) chance; (その場の勢いで) by [out of the] force of circumstances; (成り行きで) in the course of events.

もののふ 武士 ☞ ぶし

もののほん 物の本 (一般的に) book C; (自分が読んだもの) something *one* has just read C; (関連分野の本) book in a related field C; (関連した話題の本) book on a related ˈsubject [topic] C.

モノフォニー 〔楽〕 monóphony U.

モノポール 〔理〕 (単極子) mónopòle C.

ものほし 物干し (物干し竿) clothes-drying bar C; (物干し綱) clothesline C; (物干し柱) clothes pole C 日英比較 英米では clothesline を clothes poles に張って使うのが普通; (室内などに置く) clotheshorse C; (物干し場) drying place C.

ものほしげ 物欲しげ — 形 (無理なものを欲しているように見える) wishful; (あきらめられないような) wistful; (欲しがって) 《格式》 desirous (of …).

ものほしそうな 物欲しそうな (欲しい物が得られず満たされないような) wistful. ¶*物欲しそうな顔つきで with a *wistful* look

モノポリー (ゲーム) 《商標》 Monopoly U; (独占) monópoly C. 《☞ どくせん¹》.

モノマー 〔化〕 (単量体) mónomer C (↔polymer).

ものまね 物真似 — 名 mímicry U; (物まねをする人) mimic C. — 動 (特に人の声・動作をふざけてまねる) mimic 他 《過去・過分 mimicked》; (まねる) ímitàte 他 ★「まねる」ことを表す一般的な語. 《☞ まね; くちまね》. ¶彼は*物まねがうまい He is a good *mimic*.

ものみ 物見 **物見高い** ¶彼は*物見高い (⇒ 好奇心が強い) ので何でも見たがる He is very *curious* and wants to see everything. **物見遊山** (楽しみのための旅行) pleasure trip C.

ものめずらしい 物珍しい — 副 (物珍しそうに) curiously, with curious eyes ★ 後者は文語的. ¶*物珍しそうにあたりを見回す look around *curiously* // *物珍しさから out of *curiosity*

ものもうす 物申す (反対する) objéct 自; (抗議する) protest 自.

ものもち 物持ち (金持ち) rich person C; (集合的に) the rich. 《☞ かねもち》. ¶彼女は*物持ちがいい (⇒ 物を大切にする) She ˈ*keeps* [*cares; takes care of*] her things well.

ものものしい 物物しい — 形 (厳重な) strict; (重々しい) heavy. — 副 strictly; heavily. 《☞ げんじゅう; おおげさ》. ¶空港には*物々しい警戒が敷かれた The airport was put under a *strict* watch. / (⇒ 警察によって重々しく守られた) The airport was *heavily* guarded by the police.

ものもらい 物貰い 〔医〕 sty C.

ものやわらか 物柔らか — 形 (穏やかな) gentle; (静かな) soft. — 副 gently; softly. ¶彼は*物柔らかな調子で話す He speaks ˈ*gently* [*softly*].

モノラル — 形 (レコードなどの) mònáural, mònophónic, 《略式》 móno.

モノレール (輸送機関としての) mónoràil C; (車両) monorail car C; (列車) monorail train C.

モノローグ (独白) 〔劇〕 mónològue C.

ものわかり 物分かり ¶彼は*物わかりがよい (⇒ 分別のある人だ) He is a *sensible* person. // 私の父は近ごろだいぶ*物わかりがよくなった (⇒ 前より寛大になった) My father has become more *lenient* recently. 《☞ りかい》

ものわかれ 物別れ ¶労使の交渉は*物別れに終わった (⇒ 中断された) The negotiations between management and labor *were broken off*. // 彼らの話し合いは*物別れに終わった (⇒ 彼らは同意に至らなかった) They *have failed to* ˈ*come to* [*reach*] *an*

agreement. (☞ けつれつ; ふちょう[1]).

ものわすれ 物忘れ ―[動] (物事を忘れる) forget [他]. ―[形] (忘れっぽい) forgetful. ―[名] forgetfulness [U]. (☞ わすれる; どわすれ). ¶最近*物忘れがひどくなった I「have become [am] very *forgetful* these days.

ものわびしい 物侘しい (孤独でさみしい) lonely; (人気がなくわびしい) desolate. (☞ わびしい; さみしい).

ものわらい 物笑い **物笑いの種** ¶この出来事で私は*物笑いの種になった This incident made me a *laughingstock*. / (⇒ 皆に笑われた) Because of [Due to] this incident I *was laughed at by everybody*.

もば 藻場 seaweed bed [C].

モバイル ―[形] (移動式の) mobile /móub(ə)l/. **モバイルコンピューティング** mobile computing [U] **モバイル族** (携帯電話で機敏に行動する人々) smart mobs.

モハメット ―[名] [固] Muhammad /muhǽməd/, 570-632. ★ イスラム教の始祖. Mohammed, Mahomet ともいう. (☞ イスラム).

もはや 最早 (いまでは) now; (いまごろは) by now; (すでに) already; (もはや…でない) no [not any] longer, no [not any] more [語法] no longer は「いまではもう…でない」という意味であるが, no more は「これからもう…でない」という意味. (☞ もう[1]; すでに). ¶*もはや (⇒ 今では) 遅すぎる It's too late *now*. // 彼女は*もはやこの世にいない She is「dead [gone] *now*. / She is *no longer* alive. // 私たちは*もはや彼の助力を必要としない We do*n't* need his help *any*「*longer* [*more*].

もはん 模範 ―[名] (手本) model [C]; (例) example [C]; (実演) demonstration [C]. ―[形] (模範的な) model [A]. (☞ てほん). ¶*模範的な生徒[夫] a *model*「student [husband] // 上級生は新入生に*模範を示すべきだ Seniors should「give [set] a *good example* to new students.
模範解答 model answer (to examination questions) [C] **模範議会** 〘英史〙 the Model Parliament **模範試合** (公開して見せるもの) exhibition「match [game] [C].

モビール (動く彫刻) mobile /móubi:l/ [C].

モビールホーム ☞ モービルハウス

モヒカン ―[名] (マヒカン族) Máhican [C], Móhican [C] ★ もとハドソン川上流に住んだアメリカ先住民の一族; (マヒカン語) Mahican [U], Mohican [U]. ―[形] Mahican, Mohican. **モヒカン刈り** (髪型) 《米》 Mohawk (haircut) [C], 《英》 Mohican cut [C].

モビリティー (可動性・流動性) mobility [U].

もふく 喪服 mourning dress [C], mourning [U]. ¶彼女は*喪服を着ている She is *in*「*mourning* [*black*].

モフたん モフ担 (金融機関の旧大蔵省担当者) bank liaison staff who link a financial institution and the Ministry of Finance [C] ★ モフ (MOF) は *M*inistry *o*f *F*inance の略.

モヘア ―[名] (アンゴラヤギの毛) móhair [U] ★ [形] にもなる. ¶*モヘアのセーター a *mohair* sweater

モヘンジョダロ ―[名] [固] Mohenjo-Daro /mouhéndʒoudá:rou/ ★ インダス文明の都市遺跡.

もほう 模倣 ―[名] imitation [U]. ―[動] ímitàte [他] ★ 一般的な語; (できる限り元のとおりそっくりにまねる) copy [他]. (☞ まね; まねる).
¶小さい子は大きい子を*模倣して学ぶことが多い Small children often learn by *imitating*「their elders [older children]. // ほかの作家が彼女の文体を*模倣した Other writers *have copied* her style.
模倣学習 imitative learning [U] **模倣芸術** imitative arts ★ 通例複数形で. **模倣犯** (犯罪) copycat crime [C]; (人) copycat (criminal [offender]) [C].

モホロビチッチふれんぞくめん モホロビチッチ不連続面 〘地〙 (地殻とマントルとの境界面) Mohorovičić /mòuhəróuvɪtʃɪtʃ/ dìscòntinúity. ★ Mohorovičić の ˇ と ´ は綴り本来のもの.

モマ (近代美術館) MOMA ★ *M*useum *o*f *M*odern *A*rt の略. 特にニューヨーク市にある美術館.

もまれる 揉まれる (苦労する) experience hardships (☞ くろう). ¶世間の荒波に*もまれる *experience* [*go through*] *many hardships* in life // 小舟は荒波に*もまれた The small boat *was tossed up and down* by the heavy waves.

もみ[1] 樅 fir (tree) [C].

もみ[2] 籾 rice [U]; (特に殻) husks ★ 通例複数形で; (脱穀して残った殻) chaff [U] [日英比較] 日本語では「もみ」「稲」「米」など細かく区別するが, 英語では特に必要ない限りみな rice でよい. (☞ こめ [日英比較]; いね (挿絵)).

もみあい 揉み合い (争い) struggle [C]; (殴り合い) fight [C]; (押し合い) jostle [C]; (騒動) row /ráu/ [C]. ¶対立グループの間で*もみあいがあった There was a *fight* between the opposing groups.

もみあう 揉み合う (押し合う) push and shove one another; (争う) struggle with one another; (株価などが上下する) fluctuate [自]. (☞ もみあい). ¶群衆はホールに入ろうと*もみあった The crowd「*pushed and shoved* [*jostled*] *one another* to get into the hall.

もみあげ sideburns, 《英》 sideboards ★ いずれも複数形で.

もみあらい 揉み洗い hand-washing [U].

もみがら 籾殻 rice「hulls [husks] ★ 通例複数形で; (穀類の殻) chaff [U].

もみくちゃ 揉みくちゃ ―[動] (紙などをしわくちゃにする・なる) crúmple (úp) [他] [自]; (押しつぶしてしわくちゃにする) crush [他]. ¶彼はその手紙を*もみくちゃにした He *crumpled up* the letter.

もみけす 揉み消す ―[動] (煙草などを押しつぶすようにして) stúb óut [他]; (うわさ・事件を覆い隠す) cóver úp [他]; (口止めする) húsh úp [他]. ―[名] (事件などのもみ消し) cóver-ùp [U] ★ 具体的な事実をいうときは [C]. ¶彼はたばこを灰皿で*もみ消した He *stubbed out* his cigarette in the ashtray. // その事件は当局によって*もみ消されてしまった The affair *was covered up* by the authorities.

もみじ 紅葉 (かえで) maple [C]; (紅葉(こうよう)) autumn「colors [tints] ★ 複数形で. (☞ こうよう[2]; かえで [参考]). **紅葉狩りに行く** go to see the「colored maple [autumn] leaves. **紅葉を散らす** (恥らって顔を赤くする) blush [自].
紅葉おろし (料理) *momiji oroshi* [U]; (説明的には) grated daikon with a small amount of hot red pepper [U]; (にんじんの) a mixture of grated daikon and carrots **紅葉マーク** (高齢者運転の) maple leaf sticker [C]; (説明的には) automobile sticker indicating that the driver is 75 or over [C].

もみすり 籾摺り husking [U], removing rice hulls to produce brown rice [U]. **籾摺り機** (rice) husker [C].

もみだす 揉み出す (こすったりもんでしぼり出す) squeeze out by rubbing and kneading; (手で絞り出す) squeeze out (by hand).

もみつぶす 揉み潰す (押しつぶす) crush [他]; (圧搾してつぶす) squeeze and squash [他]; (事件など押し隠す) suppress [他]; (もみ消す) húsh úp [他].

もみで 揉み手 ―[動]（両手をすり合わせる）rub *one's* hands [日英比較] 日本語は普通, 依頼・謝罪などを表す態度をいうが, 英語の表現は喜び・満足を表す. ¶店の主人は金持ちの婦人を*もみ手して迎えた（⇒ 心から歓迎した）The storekeeper welcomed the rich lady *with open arms*.

もみのり 揉み海苔 crumbled toasted seaweed [U].

もみほぐす 揉みほぐす （マッサージする）massage /məsáːʒ/ (他), give ... a massage;（怒り・緊張などを和らげる）soften (他), relieve (他).

もみりょうじ 揉み療治 massage /məsáːʒ/ [C]《☞ あんま》. ¶*もみ療治を受ける get a *massage*

もむ 揉む **1**《人の体を》:（マッサージする）massage /məsáːʒ/ (他)《☞ マッサージ》. ¶ちょっと肩を*もんでくれないか. すっかり凝ってしまったよ Could you *massage* my shoulders? They've gotten quite stiff.
2《気を》:（心配する）worry (about ...) (自);（神経質になる）be nervous (about ...).《☞ しんぱい[1]（類義語）》. ¶あんまり試験のことで気を*もむなよ Don't ˹*worry* too much [*be* so *nervous*] *about* the exams.

もめごと 揉め事 （ごたごた・いざこざ）trouble [U] ★具体的な事例は [C];（不一致の点）disagreement [C];（口論）quarrel [C].《☞ いざこざ; あらそい》. ¶あの家は*もめ事が絶えない There is no end of *trouble* in that family. // 嫁としゅうとめとの間には*もめ事が多い There are apt to be many *quarrels* between a wife and her mother-in-law.

もめる 揉める **1**《争い事が起こる》: have trouble;（論争する）have disagreements.
¶あの家庭は年中*もめている There is always *trouble* in that family. // あのクラスでは男子と女子が*もめているらしい It seems that there are *quarrels* between the boys and the girls in that class.
2《気が》:（心配する）worry (about ...) (自) ★「人」が主語.《☞ しんぱい[1]（類義語）》. ¶あの子はまったく気が*もめる子だ I'*m* always *worrying about* that child.

もめん 木綿 cotton [U]. **木綿糸** cotton (thread) [U]《☞ いと[1]; めん[2]》 **木綿豆腐** tofu [bean curd] made by straining through a cotton strainer [U] **木綿針** needle for cotton thread [C].

モメンタム （勢い）momentum [U].

もも[1] 桃 （木）peach (tree) [C];（果実）peach [C]. **桃栗三年柿八年** The peach and chestnut take three years to bear fruit, the persimmon eight years. **桃の節句** the ˹Doll [Girls'] Festival.

もも[2] 股, 腿 thigh [C] ★尻 (hip) とひざ (knee) の間の部分で, 日本語の「もも」と少し食い違う.《☞ あし[1]（挿絵）》. **腿上げ**（トレーニングの）thigh raise [C].

ももいろ 桃色 ―[名] pink [U] ★英語で peach というと黄色やオレンジ色がかったピンク色を指す.
―[形] pink;（桃色がかった）pinkish.《☞ ピンク》.

ももかいわい 百日祝い ☞ くいぞめ

ももだち 股立ち （袴の）*momodachi* [C];（説明的には）the vents at the hips of a pair of *hakama*.

ももたろう 桃太郎 ―[名] (固) *Momotaro, Peach Boy*;（説明的には）folktale of a tiny boy who appears out of a peach and is cared for by a kind old woman and man; Momotaro goes off to punish the ogres of Ogre Island with a retinue of a dog, a monkey, and a pheasant and brings back treasure for his old parents.

ももとせ 百歳 one [a] hundred years《☞ ひゃくねん》.

ももにく 股肉 （牛）round [U];（豚）ham [U];（鳥）dark meat [U].

ももひき 股引き （ズボン下）lóng ˹únderpànts [jóhns] ★[ ]内は口語的;（職人などの）close-fitting ˹trousers [pants].

ももやま 桃山 **桃山時代** the Momoyama period **桃山文化** Momoyama culture [U].

ももわれ 桃割れ *momoware* chignon /ʃíːnjɑn/ [C];（説明的には）a traditional Japanese hairstyle for a kimono-clad young woman with a chignon tied in a round shape resembling a peach half.

ももんが 〘動〙 flýing squirrel /skwə́ːrəl/ [C].

もや 靄 ―[名] mist [U], haze [U] [日英比較] haze は mist よりも薄く, mist と違って湿気を暗示せず, 煙・ほこりなどによるものも指す. 日本語の「霧」「もや」「かすみ」のように季節感を含む区別ではない点に注意. 両者とも一地域にかかっているもや全体を言う場合は [C]. ―[形] misty, hazy.《☞ きり[1]; かすみ [日英比較]》.
¶谷に*もやがかかっている There is a *haze* over the valley. // 外は*もやだ It is *misty* outside. // 何もかも*もやがかかったようで, はっきり覚えていない Everything seems to be ˹*misty* [*hazy*; in a *haze*] and I don't remember anything clearly.

もやい 舫い **舫い綱** mooring rope [C] **舫い船** moored boat [C] **舫い結び** bowline knot [C].

もやう 舫う （くいなどに）moor (他);（船と船を）fasten ... and ... together.

もやし 〘植〙 soybean sprouts ★複数形で. **もやしっ子** weedy child [C].

もやす 燃やす **1**《火をつけて》: burn (他)《過去・過分 burned, burnt》《☞ やく[1] [語法]》. ¶私は庭の落ち葉を*燃やした I *burned* the fallen leaves in the garden.
2《情熱などを》:（打ち込む）be devoted to ...;（熱烈に愛する）be passionately fond of ...《☞ ねっちゅう》. ¶彼は絵画に情熱を*燃やしている He *is passionately fond of* painting.

もやもや ―[名]（悪感情）bad feeling [U]. ―[形]（憂うつな）gloomy, depressed.《☞ しこり; わだかまり; 擬声・擬態語（囲み）》. ¶2人の間に*もやもやが残っている There is still *bad feeling* between the two. // 一日中*もやもやした気分だ I have been feeling ˹*gloomy* [*depressed*] all day.

もやもやびょう もやもや病 〘医〙 moyamoya disease [U].

もやる 靄る （もやがかかる）haze (over) (自), mist (over) (自).《☞ もや》.

もよう 模様 **1**《柄》: páttern [C], design [C] [語法] 以上は入れ換え可能なこともあるが, 前者は幾何学的な模様など形式的な模様をいうのに対し, 後者は全体の図柄を指し, より芸術的な作品を意味する. ¶この縞*模様はとても美しい This striped *pattern* is so beautiful. // 花*模様の服 a dress with a flower *design*
2《状態》 ¶出発は遅れる*模様だ（⇒ 遅れるように思える）Our departure *looks like* being delayed. // 試合の*模様はどうでしたか（⇒ 試合はどうなったか）How did the game *go*?《☞ ようす》// 今日は雨*模様の一日になりそうだ It's likely to be a *rainy* day.
模様替え ―[動]（改造する）remodel (他);（家具などを並べ替える）rearrange (他). ¶私たちは台所をすっかり*模様替えした We completely *remodeled* the kitchen. **模様眺め** ―[形] wait-and-see. ¶市況は*模様眺めだ The market is governed by *wait-and-see* ˹attitude [sentiment].

もよおし 催し （会合）meeting [C];（パーティー）party [C].《☞ かい[1]（類義語）; パーティー》. **催し物** event [C];（演芸・見世物など）entertainment [C].

もよおす 催す **1**《開催する》:（会などを）hold (他),

have (他), give (他). 《☞ ひらく》. ¶今度の土曜日の晩にパーティーを*催します We are going to ˹*have* [*hold*; *give*] a party next Saturday evening.

2 《気持ちを》 ¶私は彼の演説に眠気を*催した (⇒彼の演説は私に眠気を感じさせた) His speech *made* me *feel* sleepy. // 彼の態度には吐き気を*催した (⇒嫌悪の情を感じた) I *was disgusted* ˹*with* [*by*] his attitude.

もより 最寄り ―― [形] (一番近くの) the nearest [A]; (近所の) in the neighborhood [P]. 《☞ ちかく[1]》. ¶*最寄りの駅までどのくらいかかりますか How far is (it to) *the nearest* ˹railroad [train] station? // *最寄りの店で at a store *in the neighborhood*

モラール (士気・勤労意欲) morale /mərǽl/ [U]. ¶労働者の*モラールを高める raise [boost] ˹the [*one's*] workers' *morale*

もらいうける 貰い受ける (与えられる) be given; (相続する) inherit (他); (財産などを受け継ぐ) come into …; (手に入れる) get (他). 《☞ もらう》. ¶この真珠のネックレスはおばから*もらい受けました This pearl necklace *was given* to me by my aunt.

もらいご 貰い子 (養子) adopted child [C]; (里子) foster child [C]. 《☞ ようし[4]》.

もらいさげ 貰い下げ ―― [動] (拘置されている人を) have [get] … released from custody. ¶父親は拘留されている息子の*もらい下げに警察に行った The father went to the police to *have* his son *released from custody*.

もらいさげる 貰い下げる (管理などのために譲られる) be given over. ¶地方自治体から*もらい下げた土地 land *given over* by the local government

もらいじこ 貰い事故 ¶私は*もらい事故にあった (⇒事故に巻き込まれた) I *was involved in a traffic accident*. // 彼女は無謀な運転者が引き起こした*もらい事故にあった She met with a *traffic accident* ˹*inflicted* (*on her*) [*caused*] *by* a reckless driver.

もらいちち 貰い乳 ¶彼らは乳母を雇って*もらい乳をした They hired *a wet nurse to suckle their baby*.

もらいて 貰い手 ¶彼女は犬の*もらい手 (⇒もらってくれる人) を探している She is looking for *someone who will take* her dog.

もらいなき 貰い泣き ―― [動] (同情して泣く) cry [weep] in sympathy ★ cry のほうが口語的. 《☞ なく[1]》. ¶彼女の切ない話を聞いて思わず*もらい泣きをしてしまった Her story was so sad (that) I ˹*cried* [*wept*] *with her in sympathy*.

もらいび 貰い火 ¶彼の家は隣家からの*もらい火 (⇒類焼) で焼けた His house was burned down by a *fire that had started in* the house next door. 《☞ るいしょう》

もらいみず 貰い水 ―― [動] (水をもらう) get water from …

もらいもの 貰い物 present [C], gift [C] ★前者が一般的. 後者は多少値の張るものを指す格式ばった語. 《☞ おくりもの》.

もらいゆ 貰い湯 ―― [動] have a bath in a neighbor's house.

もらう 貰う **1** 《与えられる》: (得る) get (他) 《過去 got; 過分 got, 《米》ではまた gotten》 ★最も口語的で一般的; (受け取る) receive (他); (与えられる) be given; (賞などを) be awarded. 《☞ うける[1]; うけとる; いただく[1]》.

¶彼は一等賞を*もらった He ˹*got* [*was awarded*] first prize. ★[ ] 内のほうが格式ばった言い方. // きのう彼女から手紙を*もらった I ˹*got* [*received*] a letter from her yesterday. ★[ ] 内のほうが格式ばった言い方. // 彼女は奨学金を*もらった She *was* ˹*given* [*awarded*] a scholarship. // 彼は奨学金を*もらって勉学している He is studying *on a scholarship*. // 勝負は*もらった The game is *mine*.

2 《…してもらう》: (人に…してほしい) want [would like] *a person* to *do* … ★[ ] 内のほうが丁寧な言い方; (人に…してくれと頼む) ask *a person* to *do* …; (人に…させる) get *a person* to *do* …, have *a person do* …; (物事を…してもらう) have [get] … *done* … ★以上 3 つは使役の構文.

¶彼に会いにきて*もらいたい I *want* him *to* come and see me. // さっそく始めて*もらいたい I'*d like* you *to* begin right now. // 私は彼女に宿題をやって*もらった I *got* her *to* do my homework. / I ˹*got* [*had*] my homework *done* by her. // 答案をやっと返して*もらった I finally *got* the paper back. / (⇒答案がやっと返された) The exam paper *was* finally *returned*. // 違反者はびしびし取り締まって*もらいたい (⇒罰せられるべきだ) Violators *should be* severely *punished*. // その件については何も言って*もらいたくない I prefer nothing to *be said* about the incident.

3 《家に迎える》: (子供を養子にする) adopt (他); (妻を) marry (他). 《☞ けっこん[1]》.

¶彼は弟の子を*もらった He *adopted* his brother's ˹son [daughter]. // 一郎は活発な嫁を*もらった (⇒活発な女性と結婚した) Ichiro *married* a lively woman.

もらす 漏らす, 洩らす **1** 《水などを》: leak (他) 《☞ もれる》. ¶水を*漏らさないように注意しなさい Make sure that the water won't *leak* (*out*). ★この leak (out) は (自). // その男の子はおしっこを*もらした The little boy *wet*(*ted*) *himself*.

2 《…しそこなう》: fail to *do* …; (ねらったものを取り逃がす) miss (他). 《☞ -そこなう》. ¶彼の言ったことを聞き*もらした I ˹*failed to* catch [*missed*] what he said. 《☞ ききもらす》

3 《秘密などを》: let … out; (こっそりと) leak (他); (うっかりと) blurt (out) (他); (話す) tell (他); (気持ちを口に出す) let … escape *one's* lips ★文語的. 《☞ うちあける; はなす[1]》.

¶だれが秘密を*漏らしたのか Who *let* the secret *out*? // 社長は計画を秘書だけに*漏らした (⇒話した) The president *told* the plan only to her secretary. // 彼はうっかり彼女が嫌いだったと*漏らした He *blurted* (*out*) that he had never liked her.

モラトリアム (支払い猶予(期間)) mòratórium [C] 《複 ～s, moratoria》. ¶*モラトリアム人間 young people who want a *moratorium* on their growing up

モラリスト (道徳家) móralist [C]; (品行方正な人) man of ˹strict morálity [upright morals] [C].

モラリティー (道徳性) morality [U].

モラル morals ★複数形で. ¶彼は*モラルに欠けている He has no *morals*. // いつの時代にも*モラルの低下を嘆く人はいる In any age, there are people who deplore a decline in *moral standards*.

モラルハザード (道徳的危険) moral hazard [C] ★〘保〙被保険者側の不注意・故意など人格的要素に基づく保険者側の危険, あるいは〘金融〙金融機関が公的資金による救済をあてにして慎重さを欠いた経営を行うことなど.

もり[1] 森 wood [C] ★しばしば複数形で; (人家から離れた森林) forest [C]; (小さな森) grove [C] ★ wood より小さい. 《☞ はやし[1]》. ¶私は*森の中で道に迷った I lost my way in the ˹*woods* [*forest*].

森歩き ―― [名] forest walk [C]. ―― [動] (take a) walk in the ˹woods [forest]. 《☞ しんりん (森林浴)》.

―― コロケーション ――

森が消滅する a *forest* disappears / 森が広がる a *forest* stretches / 森の木を伐採する cut down a forest / 森を切り開く clear a *forest* / 森を禿げ山にする denude a *forest* / 森を保護する conserve [protect] a *forest* / 森を保全する preserve a *forest* / 鬱蒼とした森 a luxuriant /lʌgʒú(ə)riənt/ *forest* / 汚染されていない森 an unpolluted *forest* / 消えゆく森 a vanishing *forest* / 静かな森 a「peaceful [tranquil] *forest* / 自然の森 a natural *forest* / 人跡未踏の森 a virgin *forest* / 果てしなく続く森 an endless *forest* / 深い森 a thick *forest* / 道もついていない森 a「pathless [trackless] *forest*

もり² 銛 lance Ⓒ; (捕鯨用の) harpóon Ⓒ.

もり³ 守り ━名 (守る人) keeper Ⓒ; (子守り) baby-sitter Ⓒ. ━動 (子守りをする) baby-sit (for ...) ⓐ. ¶ 灯台*守り a lighthouse *keeper*

もり⁴ 盛り (食物の一盛り) helping Ⓒ, serving Ⓒ ★ 後者のほうが格式ばった語. ¶ 大*盛り a large *helping*

もりあおがえる 森青蛙 〔動〕 polypedatid /pàlɪpədéɪtɪd/ Ⓒ.

もりあがり 盛り上がり ¶ この会は*盛り上がりに欠けている There is something lacking in the spirit of this conference. // 会はいつにない*盛り上がりを見せた (⇒ いつもは見られないほどの成功を収めた) The conference was unusually *successful*. (☞ せいかい³)

もりあがる 盛り上がる 1 «山のようになる»: rise ⓐ; (異常にふくれる) swell ⓐ; (筋肉などが隆々として) bulge ⓐ. ¶ あの筋肉の*盛り上がった腕 (⇒ 腕の盛り上がった筋肉) を見ろよ Look at the *bulging* muscles in his arms.
2 «気分が高まる»: (調子が出る) get into full swing; (活気づく) líven úp ⓐ; (自然にわき上がるように高まる) be heightened spontaneously.
¶ パーティーはだいぶ*盛り上がってきた The party *is*「*getting into full swing* [*livening up*].

もりあげざいしき 盛り上げ彩色 impasto Ⓤ, raised coloring Ⓤ; (説明的には) a type of raised decoration on paintings or porcelain, bestowing a relief-like effect.

もりあげる 盛り上げる (活気づける) líven úp ⓗ.

もりあわせ 盛り合わせ ¶ チーズの*盛り合わせ (a plate of) *assorted* cheese // サラダの*盛り合わせ a *mixed* salad

モリー (女性名) Mólly.

モリエール ━名 ⓖ Molière /mouljéə/, 1622–73. ★ フランスの喜劇作家. Molière の ` は綴り本来のもの. 本名 Jean Baptiste Poquelin.

もりかえす 盛り返す (力などを) regain ⓗ, recover ⓗ; (生き返る) revive ⓐ; (元気を取り戻す) rally /rǽli/ ⓐ; (返り咲く) make a comeback. (☞ かいふく¹) ¶ いったん下火になったインフルエンザの流行は再び勢いを*盛り返したようだ The influenza epidemic which almost died out at one time seems to *have revived*. // 彼の事業は危なかったが*盛り返した His business almost went under but he *has made a comeback*. // 負けていた巨人軍は後半で*盛り返した The Giants were losing at first but *rallied* toward the end.

もりきり 盛り切り single helping Ⓒ. ¶ 私はごはんはいつも*盛り切り 1 膳だけです I always have just *a single helping* of rice.

もりこむ 盛り込む (含める) include ⓗ; (1 つのものに合わせて入れる) incorporate ⓗ ★ 後者のほうが同化して取り込む意味が強い. ¶ 彼の考えはその計画に*盛り込まれた His ideas *were*「*included* [*incorporated*] in the plan.

もりじお 盛り塩 *mori-jio*; (説明的には) a heap of salt placed at the door of a bar or restaurant to bring good luck.

モリス (男性名) Mórris.

もりそば 盛り蕎麦 buckwheat noodles served on a bamboo tray ★ 説明的な訳. (☞ そば²)

モリソンごうじけん モリソン号事件 (幕末の) the Morrison Incident.

もりだくさん 盛り沢山 ¶ 私はアクションが*盛り沢山の映画が好きだ I like action-*packed* movies.

もりたてる 守り立てる (支えて盛んにする) support ⓗ; (支援する) back ⓗ ★ 後者のほうが口語的. ¶ みんなでこのクラブを*もり立てて学校一の立派なものにしよう Let's *back* this club and make it the best one in our school.

もりつけ 盛り付け dishing up Ⓤ.

もりつける 盛り付ける (食物を皿に盛る) dish up ⓗ; (皿に取り分ける) dish out ⓗ. ¶ 野菜を*盛り付ける *dish up* the vegetables

もりつち 盛り土 ━名 (築堤) banking Ⓤ; (埋めるための土・石) fill Ⓤ. ━動 (土を山に盛る) heap [pile] up dirt; (地面を高くする) raise the ground level.

もりばな 盛り花 (生けた花) arranged flowers; (浅い花器に) flowers arranged in a shallow container.

モリブデン 〔化〕 molybdenum /məlíbdənəm/ Ⓤ (元素記号 Mo).

もりもり ¶ *もりもり (⇒ たくさん) 食べればすぐにまた元気になるよ Eat *lots* and you'll be back to normal in no time. (☞ 擬声・擬態語 (囲み))

もる¹ 盛る 1 «積み上げる»: píle úp ⓗ, héap (úp) ⓗ. ¶ 土を*盛って築山を作った We *heaped up* some earth and made an ornamental hillock.
2 «入れる»: (食器に食べ物を) serve ⓗ; (いっぱい入れる) fill ⓗ. ¶ 茶わんにご飯を*盛って下さい Please *fill* the bowls *with* rice. // お盆にみかんを*盛ってお客さんに出した I *piled up* some mandarins on a tray and offered them to the guests.
3 «毒を与える»: poison ⓗ.

もる² 漏る, 洩る leak ⓐ (☞ もれる; あまもり).
¶ この屋根は雨が*洩る The roof *leaks*.

モル 〔化〕 (物質量の単位) mole Ⓒ, mol /móul/ Ⓒ.
モル凝固点降下 molar freezing point depression Ⓤ モル熱 molar heat Ⓤ モル濃度 molarity Ⓤ モル沸点上昇 molar boiling point elevation Ⓤ.

モルガン ━名 ⓖ John Pierpont Morgan, 1837–1913. ★ 米国の金融資本家.

モルグ (遺体安置所) morgue Ⓒ.

モルジブ ━名 ⓖ (the Republic of) Maldives /mɔ́:ldi:vz/. ━形 Maldivian /mɔ:ldíviən/, Maldivan. モルジブ人 Maldivian Ⓒ, Maldivan Ⓒ.

モルタル ━名 mórtar Ⓤ. ━動 (モルタルで塗る) mortar ⓗ. ¶ *モルタル塗りの家 a *mortared* house

モルデント 〔楽〕 mordent Ⓤ.

モルト (麦芽) malt Ⓤ. ¶ *モルトウイスキー *malt* whisky

モルドバ ━名 ⓖ Moldóva; (正式名) the Republic of Moldova ★ 東ヨーロッパの共和国.

モルヒネ morphine /mɔ́əfi:n/ Ⓤ. モルヒネ中毒 morphine addiction Ⓤ.

モルモット 〔動〕 (テンジクネズミ) guinea /gíni/ pig Ⓒ 日英比較 日本語のモルモットの語源になった marmot (マーモット) とは別の動物; (実験動物) laboratory animal Ⓒ.
¶ 彼は*モルモットにされた He was used as a「*guinea pig* [*'laboratory animal'*].

モルモンきょう モルモン教 Mórmonìsm Ⓤ;

(正式名; 末日聖徒イエスキリスト教会) The Church of Jesus Christ of Latter-Day Saints. モルモン教徒 Mormon Ⓒ.

もれ 漏れ, 洩れ (漏れ口・漏れ穴) leak Ⓒ; (漏れること) leakage Ⓤ ★具体的には Ⓒ. 比喩的に, 秘密などが漏れることにも用いる; (脱落) omission Ⓤ ★具体的なものを指す場合は Ⓒ. (☞もれなく). ¶水[ガス]*漏れ a ˹water [gas] ˹*leak* [*leakage*] // 名簿にいくつか*漏れがある There are some *omissions* in the list.

もれおちる 漏れ落ちる (漏れて落ちる) leak (out) onto …, leak (out) and drip onto …; (抜け落ちる) be left out of …; (省かれる) be omitted. (☞もれる). ¶タンクから油が*もれ落ちている Oil is *leaking and dripping* out of the tank.

もれきく 漏れ聞く (ふと耳にする) overhear ㊔; (口コミで聞く) hear (about …) ˹on [through] the grapevine. ¶*漏れ聞くところによれば… From what I *have heard*, … / I *hear on the grapevine* that …

もれなく 漏れ無く ¶全員*漏れなく (⇒全メンバーが) 出席した *All* the members were present. / (⇒どのメンバーも) *Every* member was present. // *漏れなく (⇒完全に) 記入してください Please fill out the form *completely*. (☞すべて (類義語))

もれる 漏れる, 洩れる 1 《透き間からこぼれ出る》: leak ㊐; (気づかれずに漏れ出る) escape ㊐.
¶割れ目から水が*漏れている Water *is leaking* through the cracks. // ガスが*漏れているんじゃないの. 何か臭いぞ *Isn't* the gas ˹*leaking* [*escaping*]? Something smells.
2 《秘密が》: leak ㊐, be leaked. (☞ろうえい[1]).
¶秘密は思わぬところから*漏れた The secret *was leaked* by an unsuspected source.
3 《脱落する》: (多くの中から抜け落ちる) be léft óut; (…から抜け落ちる) be léft óff …; (省かれる) be omitted. (☞ぬける; おちる).
¶彼の名前がリストから*もれている His name *has been left off* the list. / His name *has been left out*. ★この場合は from the list は付けられない. / His name *has been omitted* from the list. // 彼は選に*もれた (⇒選ばれなかった) He *was not chosen*.
4 《ため息・表情が》 ¶深いため息が*もれた A deep sigh *was released*. // かすかなほほえみが彼女の口元に*もれたA faint smile *came to* her lips.

モロ (フィリピン南部のイスラム教徒) Moro /mɔ́ːrou/ Ⓒ (複 ~(s)). モロイスラム解放戦線 the Moro Islamic Liberation Front (略 MILF) モロ民族解放戦線 the Moro National Liberation Front (略 MNLF).

もろい 脆い (ガラスなどが壊れやすい) fragile /frǽdʒəl/; (弱い) weak.

もろきゅう (料理) cucumber served with unrefined soy sauce Ⓤ.

もろくも 脆くも (たやすく) easily; (目立つような抵抗もせずに) without putting up any noticeable resistance. (☞あっけない). ¶去年の優勝チームは今年は*もろくも 1 回戦で負けてしまった Last year's winning team was beaten *so easily* in the first round this year.

もろこ 諸子 〘魚〙 minnow Ⓒ ★広くコイ科の小魚をいう.

もろこし 唐黍 〘植〙 common sorghum /sɔ́ːgəm/ Ⓤ.

もろざし 諸差し (相撲の) *morozashi* Ⓤ. ¶南ノ海は*諸差しを狙った Minaminoumi tried to *thrust both his arms under his opponent's*.

モロッコ ━名 ㊒ Morócco; (正式名) the Kingdom of Morocco ★アフリカ北西部の王国. ━形 Moróccan. モロッコ革 morocco (leather) Ⓤ モロッコ人 Moroccan Ⓒ.

もろて 諸手 (両手) both hands. ¶*もろ手を挙げて賛成した (⇒まったく賛成だった) I was *all for it*. / (⇒心から賛成した) I agreed *wholeheartedly*. 諸手突き (相撲の) thrust with both hands Ⓒ.

もろとも ━副 (一緒に) together; (すべて一時に) altogether. ━接 (両方とも) both … and … (☞いっしょ). ¶死なば*もろともだ If we have to die, let's die *together*. // 乗組員は船*もろともに波間に沈んだ The ship was swallowed by the waves, crew *and all*.

もろに 諸に (真っすぐに・まともに) straight (☞まとも). ¶我々は北風を*もろに受けた We had the north wind *straight in our faces*. / The north wind blew *straight* ˹*in* [*into*] *our faces*.

もろは 諸刃 ━形 double-edged. ¶*もろ刃の剣 a *double-edged* sword

もろはだ 諸肌 ¶*もろ肌を脱ぐ (⇒上半身裸になる) strip to the waist

もろびと 諸人 (みんな) everybody; (全員) all.

モロヘイヤ 〘植〙 Jew's mallow Ⓒ.

もろみ 諸味 もろみ酒 unrefined sake Ⓤ もろみしょう油 unrefined soy sauce Ⓤ.

もろもろ 諸諸 ━形 (種々の) various; (多種の) all kinds of …; (あらゆる種類の) every sort of … (☞いろいろ).

もん[1] 門 1 《家などの》: gate Ⓒ. ¶*門を開けて下さい Please open the *gate*. // その大学はまったく狭き*門だ (⇒入学するのが難しい) It is very hard to get into that university.
2 《生物分類の》: (植物の) division Ⓒ; (動物の) phylum /fáiləm/ Ⓒ (複 phyla).
門を叩く (訪ねる) call on *a person*; (弟子になる) become a pupil of *a person*.

> **コロケーション**
> 門を押し開ける push open a *gate* / 門を閉める close [shut] a *gate* / 門を通り抜ける go [(車に乗って) drive] through a *gate* / 石の門 a stone *gate* / 内門 an inner *gate* / 裏[表]門 the ˹back [front; main] *gate* / 木の門 a wooden *gate* / 狭い門 a narrow *gate* / 外門 an outer *gate* / 鉄の門 an iron *gate* / 堂々たる門 an imposing *gate* / 広い門 a wide *gate* / 横門 a side *gate*

もん[2] 紋 coat of arms Ⓒ; (家族の) (family) crest Ⓒ ★前者は本来盾に, 後者はかぶとに付けた. (☞もんしょう).

もん[3] 文 1 《昔の貨幣単位》 *mon* Ⓒ; (説明的には) monetary unit of old times equal to $^1/_{1000}$ of a *kan* Ⓒ; (はした金) a penny ★a を付けて. 通例否定文で用いる. (☞いちもん[1]) ¶私は*文なしだ I'm *penniless*. // それは一*文の値打ちもない It's not worth a *penny*. // 一*文惜しみの百知らず *Penny* wise (and) pound foolish.
2 《昔の足のサイズ》: *mon* Ⓒ; (説明的には) old unit of shoe size equal to the diameter of a *mon* coin (about 2.4 cm) Ⓒ.

もんえい 門衛 gatekeeper Ⓒ; (建物の入口の) doorkeeper Ⓒ; (守衛一般) guard Ⓒ, 《英》 porter Ⓒ. (☞もんばん).

もんか 門下 ━形 under the tuition of … ¶小林元名人*門下の囲碁の棋士たち go players *under the tuition of* the former champion Kobayashi 門下生 pupil Ⓒ (↔ teacher) ★個人教授の生徒をいう. (☞おしえご; でし; もんじん). ¶彼らは田中先生の*門下生だ They are Mr. Tanaka's *pupils*.

もんがいかん 門外漢 (非専門家) layman Ⓒ

《複 -men》(↔ expert), layperson Ⓒ; (局外者) òutsíder Ⓒ (↔ insider). 《☞ しろうと; ぶがいしゃ》.
¶ 法律に関してはまったくの*門外漢です When it comes to (the) law, I am only a *layman.* / (⇒ 法律については何の知識も持っていない) I *have no knowledge of* (the) law.

もんがいふしゅつ 門外不出 — 形 (家の外へは持ち出せない) never to be taken [not allowed] out of the house; (外部には貸し出しが許されない) never allowed to be ˹loaned [lent] out ★ 格式ばった表現では [ ] 内のほうが好まれる. 以上はいずれも Ⓟ. 《☞ かす¹; かしだす; もちだす》.
¶ この絵は*門外不出です This picture is *never to be taken out of the house.* 語法 この言い方は場合に応じて the house の代わりに the gallery, the museum などを使用しなければならないが, 次のように言えば一般的な表現となる: This picture is *never (allowed) to be ˹loaned [lent] out.*

もんかしょう 文科省 ☞ もんぶかがくしょう

もんかだいじん 文科大臣 ☞ もんぶかがくだいじん

もんがまえ¹ 門構え ¶ *門構え (⇒ 門) の立派な家 a house with a stately *gate*

もんがまえ² 門構え (漢字の) gate radical enclosing kanji Ⓒ.

モンキー (猿) monkey Ⓒ 《☞ さる²》.

モンキーさいばん モンキー裁判 〘米史〙 the Monkey trial.

モンキースパナ mónkey wrènch Ⓒ.

モンキーダンス monkey dance Ⓒ ★ 1960 年代後半に流行したゴーゴーダンス.

モンキーレンチ mónkey wrènch Ⓒ.

もんきちょう 紋黄蝶 〘昆〙 sulfur butterfly Ⓒ; (黄蝶) yellow Ⓒ. 《☞ ちょう¹》.

もんきりがた 紋切り型 — 形 (型にはまった) stereotyped; (陳腐な) clichéd /kliːʃéɪd/ ★ いずれもしばしば悪い意味で. clichéd の ´ は綴り本来のもの; (お決まりで新鮮味のない) cut-and-˹dried [dry]. — 名 stereotype Ⓒ ★ しばしば悪い意味で. ¶ *紋切り型の答え a *clichéd* answer

もんく 文句 1 《語句》: words ★ 複数形で; (表現) expression Ⓒ; (評言) remark Ⓒ. 《☞ ことば》.
¶ 歌の*文句 the *words* of the song // この*文句は削ったほうがいい We had better ˹omit [leave out] ˹these *words* [this *expression*]. // 殺し*文句 (⇒ 決定的な言葉) a *decisive* remark // 決まり*文句 a cliché /kliːʃéɪ/ ★ cliché の ´ は綴り本来のもの. // 脅し*文句 threatening *words*
2 《不平・言い分》 — 名 (不平) complaint Ⓒ; (ぶつぶつ言う不満) grumble Ⓒ; (異議・反対の理由) objection Ⓒ. — 動 (文句を言う[つける]) complain (about ...; of ...) 自, make a complaint (about ...); (ぶつくさ言う) grumble (about ...; at ...; over ...) 自; (異議を唱える) object (to ...) 自; (けちをつける) criticize 他, find fault (with ...). 《☞ ふへい (類義語); くじょう (類義語); ぐち¹》.
¶ 彼女はいつも*文句ばかり並べている (⇒ 常に文句を言っている) She *is* always ˹*complaining* [*grumbling*]. // 彼らはホテルの食事に*文句たらたらだった (⇒ 大いに不平を述べた) They *complained* bitterly *about* the food ˹at [in] the hotel. // *文句を言ってもはじまらない (⇒ むだだ) It's no use (your) *complaining.* // 君は僕がやることにいちいち*文句をつけるね (⇒ 常にけちをつける) You *are* always ˹*criticizing* [*finding fault with*] ˹my actions [whatever I do]. 語法 以上の 2 つの文のように進行形を用いると相手に対する話し手の非難の念が強調される.
文句なし ¶ 遠足には*文句なしの (⇒ 理想的な) 上天気 *ideal* weather for a picnic // 彼の提案は*文句なしに (⇒ 何の異議もなく) 通った His proposal passed *without any objections.*

もんげん 門限 (宿舎などの) curfew Ⓤ.
¶ *門限に遅れないように注意しなさい Take care not to be late for (the) *curfew.*

もんこ 門戸 ¶ その大学は数年前に社会人にも*門戸を開放した The ˹college [university] *opened its doors* to mature students a few years ago. // 日本は 1639 年に外国に対して*門戸を閉ざした Japan ˹*closed* [*shut*] *its doors* ˹to [on] foreign countries in 1639. **門戸開放政策** open-door policy Ⓒ.

もんごういか 紋甲烏賊 〘動〙 (大型の甲いか) big cuttlefish Ⓒ 《☞ いか²》.

モンゴル — 名 固 Mongólia ★ アジア北東部の地域名・国名. — 形 (モンゴルの) Móngol, Mongólian. **モンゴル語** Mongolian Ⓤ **モンゴル高原** the Mongolian Plateau **モンゴル人** Móngol Ⓒ, Mongólian Ⓒ **モンゴル相撲** Mongolian sumo Ⓤ, Mongolian (sumo) wrestling Ⓤ **モンゴル帝国** the Mongol Empire **モンゴル文字** Mongolian letter Ⓒ; (表記法の) Mongolian script Ⓤ.

モンゴロイド — 名 形 (蒙古人種(の)・黄色人種(の)) Móngolòid ★ 名 としては Ⓒ.

もんごん 文言 (言葉遣い) wording ★ 単数形で. ¶ *文言のしっかりした手紙 a well-*worded* letter

もんさつ 門札 (名前を書いた札) nameplate Ⓒ.

もんし¹ 門歯 〘歯〙 incisor /ɪnsáɪzɚ/ Ⓒ 《☞ は¹ (挿絵)》.

もんし² 悶死 — 動 (苦しみながら死ぬ) die in agony 《☞ しぬ》.

もんじゃやき もんじゃ焼き *monja-yaki* Ⓤ; (説明的には) pizzalike pie consisting of loose dough usually mixed with sliced cabbage and meat or seafood baked on a hot plate Ⓤ.

もんじゅ 文殊 ¶ 3 人寄れば*文殊の知恵 Two heads are better than one. 《ことわざ: 2 人の頭のほうが 1 人(の頭)よりまし》 **文殊菩薩** *Monju Bosatsu*, Manjusri [Manjushiri]; (説明的には) a bodhisattva /bòudɪsʌ́tvə/ who is the symbol of wisdom and intellect.

もんじょ 文書 (公的な書類) document Ⓒ; (古文書・公文書) archives /ɑ́ɚkaɪvz/ ★ 複数形で.

もんしょう 紋章 coat of arms Ⓒ 《複 coats of arms》; (family) crest Ⓒ 日英比較 coat of arms は普通, 楯や楯形のものに付けられる貴族個人のものだが, (family) crest は日本の家紋に似て家族に共通に使われるもの. **紋章学** heraldry Ⓤ.

もんしろちょう 紋白蝶 〘昆〙 cabbage butterfly Ⓒ.

もんしん 問診 — 名 medical examination by interview Ⓒ. — 動 (患者に症状を尋ねる) ask a patient about ˹his [her] symptoms.

もんじん 門人 (個人教授の弟子) pupil Ⓒ; (教え子・理論などに従う者) follower Ⓒ. 《☞ もんか (門下生); でし; せいと¹》.

モンスーン monsóon Ⓒ. **モンスーン海流** (インド洋の) the Monsoon Current.

モンスター (怪物) monster Ⓒ.

もんせき 問責 — 名 (譴責) censure Ⓤ; (懲戒) reprimand Ⓤ. — 動 (責任を問う) call *a person* to account; censure 他; reprimand 他. **問責決議** censure resolution Ⓒ. ¶ *問責決議案を出す submit ˹a *censure* motion [a motion to *censure a person*]

もんぜき 門跡 (皇族が僧侶を務める寺院) temple whose chief priest is an imperial prince Ⓒ; (本願寺) the Honganji Temple; (祖師の仏法を伝承する寺) temple that inherits the teachings of the founder of the sect Ⓒ.

もんぜつ 悶絶 ―動 (痛みのために気絶する) faint from the pain.

もんぜん 門前 ―副 (門の前に) in front of a gate. **門前市を成す** have a constant stream of visitors. **門前の小僧習わぬ経を読む** (聖者のメイドはラテン語を引用する) A saint's maid quotes Latin.

もんぜんばらい 門前払い ¶*門前払いを食わされた (⇒ 入れてもらえなかった) I *was refused admittance*.

もんぜんまち 門前町 cathedral [temple] town Ⓒ.

モンタージュ ¶*モンタージュ写真 a *Photofit* picture / a *montage* /mɑntáːʒ/ (ˈpicture [photograph]) / an *Identikit* /aɪdéntəkɪt/ picture

[参考] Photofit picture はいろいろな顔の各部分を写真に撮ったものの集まりから目撃者に犯人のものに似た部分を選ばせてその顔を組み立ててもらうもの. Identikit picture はほぼ同じだが写真ではなく手書きの絵から成るもの. いずれも商標.

もんだい 問題 **1** 《答えを求める問い》: (問い) question Ⓒ (↔ answer); (特に数や事実を求める問題) problem Ⓒ (↔ solution) ★ 数学や理科関係の問題について用いるのが普通; (問題用紙に出ている問題全部) paper Ⓒ. ¶数学の*問題 a ˈmath [mathematical] *problem* // この*問題が解けますか Can you ˈanswer this *question* [solve this *problem*]? // 英語の*問題は易しかった[難しかった] The *questions* in English were ˈeasy [difficult] (ones). / (⇒ 私は英語の問題は易しい[難しい]と思った) I found the English *paper* ˈeasy [difficult]. // 渡辺先生は試験に難しい*問題を出した Mr. Watanabe ˈasked difficult *questions* [gave difficult *problems*] in the exam. // この*問題は試験に出そうだ This ˈ*question* [*problem*] is likely to ˈbe asked [be given; come up] in the exam.

2 《疑問・困難》: question Ⓒ ★ 考慮すべき疑問の意では Ⓤ; (難問) problem Ⓒ; (論争点) issue Ⓒ; (題目) subject Ⓒ.

【類義語】最も一般的な語で, 解決がつくかどうかは別として困難や議論を引き起こす問題が **question**. 明瞭な解決が必要とされる, 特に困難な問題が **problem**. 論争の対象となっていて, 決着が迫られている社会的な争点が **issue**. 研究の対象として取り上げ解決すべき題目が **subject**. ((☞ ぎだい; わだい))

¶公害[人種]*問題 the ˈpollution [race] ˈ*problem* [*issue*] // 彼の能力に関してはやや*問題がある There is some *question* ˈabout [as to] his ability. // *問題は彼が我々の申し出を受け入れてくれるかどうかだ The *question* is whether he will accept our offer (or not). // 買おうか買うまいか, それが*問題だ To buy or not to buy; that is the *question*. ★ ハムレットのせりふ " To be or not to be ..." をもじった戯言的表現. // 彼の提案は*問題にならない His proposal is out of the *question*. ★「不可能である」の意. // わが国では住宅[失業]*問題が深刻化してきている The ˈhousing [unemployment] *problem* in our country is getting worse. // 会議ではいかにして戦争を終結させるかという*問題が討議される The ˈ*problem* [*issue*] of how to end the war will be discussed at the conference. // この*問題に関してはたくさんの書物が書かれてきている Many books have been written on this ˈ*subject* [*issue*]. // 大*問題が起こった A big *problem* has come up. // エイズは今や大きな (⇒ 重大な) 社会*問題だ AIDS is now a serious social *problem*.

3 《事柄》: (あるかないかの問題) question Ⓒ; (関係する事柄) matter Ⓒ. ((☞ こと¹ (類義語))) ¶それは時間[金]の*問題だ It's a ˈ*question* [*matter*] of ˈtime [money]. // 死活*問題 a *matter* of life ˈand [or] death // これはたいした*問題ではない This is a small *matter*. // 彼の言うことなど*問題にしなさんな (⇒ 気に留めるな) Don't *pay* any *attention to* what he says. // *問題なのは (⇒ 重要なことは) 金ではない. やる気 (⇒ 仕事をやり遂げる意志) だ *The important thing* [*The thing that counts*] is not the money but the will to accomplish the task.

4 《面倒な事》: trouble Ⓤ ((☞ めんどう)). ¶彼は*問題ばかり起こしている He's always causing *trouble*. [語法] この進行形は感情的な表現法で,「だからまったくあきれてしまう」というような意味が含まれる. / (⇒ 彼はもめごとを起こす人だ) He's a *troublemaker*. // 君の話がうそだとわかったら*問題だぞ There'll be *trouble* [You'll *be in hot water*] if your story turns out not to be true. ★ be in hot water は「困ったことになる」の意の成句.

問題意識 (批判的精神) critical mind Ⓒ **問題化** ―動 (問題化する) become an issue; (問題化している) be at issue **問題外** ―形 (論外の) out of the question **問題作** (非難を受けた作品) work that caused public criticism Ⓒ; (センセーショナルな作品) sensational piece of work Ⓒ **問題視** ―動 (議論の対象にする) bring ... into question; (疑義を差し挟む) call ... into question **問題児** problem child Ⓒ **問題集** exercise book Ⓒ **問題提起** presentation of problems Ⓤ **問題点** (問題) question Ⓒ; (問題になっている点) the point at issue Ⓒ **問題の人物** the person in question Ⓒ.

―コロケーション―

問題に直面する face [be confronted] a ˈ*problem* [*difficulty*] / **問題に取り組む** attack [tackle] a *problem* / **問題を解決する** solve [settle] ˈa *problem* [an *issue*] / **問題を避ける** avoid [sidestep] ˈa *problem* [an *issue*] / **問題を処理する** deal [cope] with a ˈ*problem* [*difficulty*] / **問題を提起する** pose [present] a *problem* / **問題を取り上げる** bring up a *problem* / **…を問題にする** make an *issue* of ... / **一時的な問題** a temporary *problem* / **永遠の問題** a perpetual *problem* / **家庭内の問題** a domestic *problem* / **技術的な問題** a technical *problem* / **基本的な問題** a basic ˈ*problem* [*issue*] / **緊急の問題** an urgent [a pressing] ˈ*problem* [*issue*] / **金銭的な問題** a ˈmonetary [pecuniary] *problem* / **健康上の問題** a health *problem* / **些細な問題** a ˈminor [petty] *problem* / **重大な問題** a ˈgrave [serious] *problem* / **枝葉末節の問題** a side *issue* / **深刻な問題** an acute *problem* / **人道的な問題** a humanitarian *issue* / **世界的な問題** a global [an international] *issue* / **大問題** a major ˈ*problem* [*issue*] / **地域的な問題** a local *issue* / **道徳の問題** a moral ˈ*problem* [*issue*] / **微妙な問題** a ˈsensitive [delicate] *issue* / **複雑な問題** a ˈcomplex [complicated] ˈ*problem* [*issue*] / **法律的な問題** a legal *problem* / **厄介な問題** a thorny ˈ*problem* [*issue*]

モンタナ ―名 固 (米国の州) Montána ((☞ アメリカ (表))).

モンタン ☞ イブ モンタン

もんち 門地 (家柄) birth Ⓤ; (血統) lineage Ⓤ; (家の格) social standing [status] of a family Ⓤ. ((☞ いえがら)).

もんちゃく 悶着 (ごたごた) trouble Ⓤ; (口げんか) quarrel Ⓒ. ((☞ もめごと; ごたごた)). ¶そのことで彼らの間にひと*悶着あった There was ˈ*trouble* [a *quarrel*] between them ˈabout [over] the matter.

もんちゅう 門柱 gatepost Ⓒ.

もんつき 紋付き kimono /kɪmóʊnoʊ/ bearing (family) crests Ⓒ《☞もんしょう 日英比較》.

もんてい 門弟 (教え子) pupil Ⓒ; (弟子) disciple /dɪsáɪpl/ Ⓒ ★やや文語的; (教えに従う人) follower Ⓒ.《☞でし; もんじん》.

モンテーニュ ―名 固 Michel Eyquem de Montaigne /miːʃél iːkém də mɑntéɪn/, 1533–92. ★フランスの随筆家.

モンテカルロ ―名 固 Monte Carlo /mɑ̀ntikáəloʊ/ ★モナコ北東部の観光地・保養地.

モンテクリストはく モンテクリスト伯 ―名 固 *The Count of Monte Cristo* ★大デュマ(Alexandre Dumas) の小説名.

モンテネグロ ―名 固 Montenegro /mɑ̀ntəníːgroʊ/ ★バルカン半島の共和国. セルビアと国家連合を構成.

モンテビデオ ―名 固 Montevideo /mɑ̀ntəvɪdéɪoʊ/ ★ウルグアイの首都.

もんと 門徒 follower [believer; member; devotee] of a religious sect Ⓒ.

もんとう 門灯 gate lamp Ⓒ; (玄関の) porch lamp Ⓒ.

もんどう 問答 ―名 (問いと答え) question and answer Ⓒ; (議論) argument Ⓤ; (公式の討論) debate Ⓤ ★最後の2語は具体的な事例をいうときはⒸ. ―動 (議論をする) argue (about ... with *a person*) 自, have an argument (about ... with *a person*); debate 他 自.《☞おしもんどう; ぎろん》.
問答無用 ¶この件はすでに決まっている. *問答無用だ (⇒論争するつもりはない) This matter has already been decided. I *have no intention of arguing about* it. **問答法** (論理的な) dialectics Ⓤ; (宗教的な) the catechism Ⓤ.

もんどころ 紋所 (家紋) family crest Ⓒ《☞もん²》.

もんどりうつ もんどり打つ ¶彼は運転席から*もんどり打って (⇒真っ逆さまに) 投げ出された He was thrown *head over heels* from the driving seat.

モントリオール ―名 固 Montreal /mɑ̀ntriɔ́ːl/ ★カナダ南東部の港湾都市. **モントリオール議定書** (オゾン層保護に関する) the Montreal Protocol.

もんなし 文無し ―形 penniless; (破産状態の)《米略式》(stone-)broke,《英略式》(stony) broke. ―動 have no money at all; (破産状態になる)《米略式》go (stone-)broke,《英略式》go (stony) broke. ―副 (一文無しで) without a penny
日英比較 penny は英国の最小貨幣単位だが, 日本語の「1円も[1銭も]持っていない」に当てはめて用いてよい.《☞むいちもん》. ¶*文無しになっちゃった I'm *penniless*. / I'm (*stone-*)*broke*. / (⇒最後の1ペニーまで使ってしまった) I *have spent my last penny*.

もんばつ 門閥 (家柄) birth Ⓤ; (血統) lineage /líniɪdʒ/ Ⓤ.

モンパルナス ―名 固 Montparnasse /mɔ̀ːmpɑənáːs/ ★パリ南部, セーヌ川南岸にある盛り場.

もんばん 門番 gatekeeper Ⓒ; (ビルなどの玄関番) doorkeeper Ⓒ; (ホテルなどにいる玄関の世話係) doorman Ⓒ.

もんぴ 門扉 gate Ⓒ.

もんぶかがくしょう 文部科学省 the Ministry of Education(, Culture, Sports, Science and Technology),《略式》the Education Ministry
語法 前者がより格式ばった言い方. ( ) 内を加えるのが同省の採用している訳語だが, 一般には省いても通用する. また, その頭文字 MECSST の発音を模して MEXT という通称も用いている.

もんぶかがくだいじん 文部科学大臣 the Minister of Education(, Culture, Sports, Science and Technology),《略式》the Education Minister ★前者がより格式ばった言い方.《☞もんぶかがくしょう 語法》.

もんぶかんりょう 文部官僚 official of the Ministry of Education(, Culture, Sports, Science and Technology) Ⓒ, the education ˹official [bureaucrat] Ⓒ ★前者がより格式ばった言い方.

もんぶぎょうせい 文部行政 the administration of the Ministry of Education(, Culture, Sports, Science and Technology) Ⓤ, the government educational administration Ⓤ ★前者がより格式ばった言い方.

もんぶしょう 文部省 ☞もんぶかがくしょう **文部省唱歌** Monbusho Shoka Ⓒ; (説明的には) song authorized by the Ministry of Education Ⓒ.

モンブラン ―名 固 Mont Blanc /mɔ̀ːmbláːŋ/ ★フランス・イタリア国境にあるアルプスの最高峰 (4807 m).

もんぺ women's work pants ★複数形で.

モンマルトル ―名 固 Montmartre /mɔ̀ːmmáətrə/ ★パリ市北部, モンマルトルの丘を中心とした繁華街.

もんみゃく 門脈 〔解〕portal vein Ⓒ.

もんめ 匁 (目方の単位) *momme* Ⓒ《複 ～》. ¶一*匁は 3.75 g です One *momme* equals 3.75 grams.

もんもう 文盲 ―名 illíteracy Ⓤ (↔ literacy). ―形 illíterate (↔ literate).

もんもん 悶悶 ―動 (思い悩む) worry 自, worry *oneself* (about ...). ―副 (思い悩んで) worriedly; (不満を抱いて) dìscontèntedly.《☞なやむ》. ¶彼女はそのことで*悶々として一夜を明かした She ˹sat [stayed] up all night *worrying herself about* it.

もんよう 文様, 紋様 pattern Ⓒ《☞もよう》.

モンロー¹ ―名 固 Marilyn Monroe /mənróʊ/, 1926–62. ★米国の映画女優. **モンローイフェクト** (説明的に) effect similar to Marilyn Monroe's signature shot of the wind blowing her skirt up Ⓒ. 日英比較 「モンローイフェクト」は和製英語. **モンローウォーク** Marilyn Monroe's walk Ⓤ ★セクシーな歩き方.

モンロー² ―名 固 James Monroe, 1758–1831. ★米国第5代大統領. **モンロー主義** the Monroe /mənróʊ/ Dóctrine.

や, ヤ

や[1] **矢**　árrow Ⓒ《☞ゆみ (挿絵); やじり》.
¶ *矢をつがえる fix an *arrow* (to the bow) // 彼は的に向かって*矢を射た He shot an *arrow* at the target. // *矢は的の真ん中に当たった The *arrow* hit the「target right in the center [bull's eye]. // 光陰*矢のごとし Time flies. 《ことわざ: 時は速く過ぎ去る》
語法 英語では like an arrow を付けないのが普通. // 投げ*矢 a *dart*
矢でも鉄砲でも持ってこい Let'em /létəm/ all come! ★「何でも来い」の意味の決まり文句. 'em は them のくだけた形. **矢の催促** ¶ 彼は金を返せと*矢の催促だ (⇒ 繰り返し要求する) He *has been demanding* his money back *over and over again.* 《☞さいそく[1]》 **矢も盾もたまらず** ¶ 彼は*矢も盾もたまらず (⇒ 我慢できなくなって) 表に飛び出した He *grew too impatient* and dashed out.

や[2] **野** ¶ *野に下る (⇒ 公務を離れる) leave「public office [government service]《☞みんかん》

や[3] **嫌** ── 形 (むかむかする) disgusting; (ぞっとする) horrible; (気が進まない) unwilling《☞いや[1]》.

-や[1] (…と…) … and …; (…または…) … or … 《☞-と; なにやかや》. ¶ きのうはあれ*やこれ*やで忙しかった We were busy doing this (thing) *and* that yesterday.

-や[2] **屋** **1**《店》 ¶ 本*屋 a「book*store* [《英》book*shop*] // 料理*屋 a restaurant /réstərənt/ // 宿*屋 (⇒ 日本旅館) a Japanese hotel
2《商売をする人》 ¶ 植木*屋 a gardener // 魚*屋 a「fish *seller* [《英》fish*monger*]
3《ある性格・種類の人》 ¶ がんばり*屋 a hard worker // 皮肉*屋 a sharp-tongued *person* // 政治*屋 a pòlitícian《☞せいじ[1] (政治家) 語法》

やあ (人に会ったときのあいさつ) hello /həlóu/, hi /hái/ ★ いずれも口語的だが, 後者のほうがよりくだけたあいさつ. 《☞こんにちは》. ¶「*やあ, 元気かい」「まあね. 君は」"*Hello* [*Hi*]. How áre you?" "Fine [OK; Okay]. How are yóu?"

ヤーコン 〔植〕(南米原産の根菜) yacon Ⓒ.

ヤード yard Ⓒ《略 yd.》★ 1 ヤードは約 91.44 センチ. $^1/_3$ ヤードが 1 フィート. 《☞度量衡 (囲み)》.

ヤードスティックきょうそう ヤードスティック競争 yardstick competition Ⓤ ★ 料金などの算定基準を決める.

ヤードスティックほうしき ヤードスティック方式 yardstick method Ⓒ ★ 料金などの算定基準方式.

ヤード・ポンドほう ヤード・ポンド法 the imperial system.

ヤール (ヤード) yard Ⓒ ★ 約 91.44 センチ. 《☞度量衡 (囲み)》. ¶ 3 *ヤールの布地 three *yards* of cloth

やあわせ 矢合わせ *yaawase* Ⓤ; (説明的には) shooting arrows from opposing sides, signaling the outbreak of a battle Ⓤ.

やい ── 感 (呼びかけ) hey!; (男性に対する呼びかけ) man.

やいた 矢板 〔建〕sheet pile Ⓒ; (断熱用) lagging Ⓤ.

やいと 灸 ☞きゅう[6]

-やいなや …や否や (…と同時に) as soon as …; (…の後すぐ) no sooner … than …; (…の後まもなく) hardly [scarcely] … when … ¶ その知らせを聞く*や否や彼は部屋から飛び出ていった *As soon as* he heard the news, he rushed out of the room. / He had *no sooner* heard the news *than* he rushed out of the room. / He had *hardly* heard the news *when* he rushed out of the room.

やいのやいの ¶ 彼は*やいのやいのと私に返事を催促した (⇒ 返事を迫った) He *pressed* me *hard for* an answer. // そう*やいのやいの言わないでくれ (⇒ せきたてるな) Don't *rush* me so much. 《☞しきりに; 擬声・擬態語 (囲み)》

やいば 刃 (刃) blade Ⓒ; (刀) sword /sɔ́əd/ Ⓒ.

やいん 夜陰 the dark(ness) (of night)《☞やみ》. ¶ 彼らは*夜陰に乗じて敵を攻めた Taking advantage of *the dark*(*ness*) (*of night*) [(⇒ 夜陰に隠れて) Under (the) cover of *darkness*], they attacked the enemy.

ヤウンデ ── 名 固 Yaoundé /jaʊndéɪ/ ★ カメルーン共和国の首都. é の ´ は綴り本来のもの.

やえい 野営 ── 名 camping Ⓤ. ── 動 (野営する) camp (out) 自. **野営地** camp Ⓒ.

やえざき 八重咲き ── 形 double-petaled.
¶ *八重咲きの花[水仙] a「*double* [*double-petaled*]「flower [daffodil]

やえざくら 八重桜 〔植〕(花) double cherry blossoms ★ 通例複数形で; (木) double-flowered cherry tree Ⓒ. 《☞さくら[1]》.

やえば 八重歯 (重なっている) double tooth Ⓒ 《複 ─ teeth》《☞は[1]》.

やえん 野猿 wild monkey Ⓒ《☞さる[2]》.

やおちょう 八百長 ── 動 (試合などの結果を操作する) fix 他. ── 形 fixed, rigged. ── 名 (八百長試合) fix Ⓒ, fixed [rigged] game Ⓒ; (八百長をすること) match rigging Ⓤ, bout fixing Ⓤ ★ match と bout の使い分けについては ☞しあい. 《☞いんちき》. ¶ その試合は*八百長だった The match was「a *fix* [*fixed*; *rigged*].

やおもて 矢面 (攻撃・批判などの的) target Ⓒ 《☞まと》. ¶ 彼は厳しい批判の*矢面に立った He「was the *target* [*bore the brunt*] *of* harsh criticism. ★ bear the brunt of は「…の矢面に立つ」の意の格式ばった言い方.

やおや 八百屋 (店) grocery Ⓒ, 《英》greengrocery Ⓒ; (人) grocer Ⓒ, 《英》greengrocer Ⓒ
参考 《米》では, 市や露店は別として, 町なかで青物だけを売る店は普通はなくて, 穀物・乾物・缶詰などをあわせて売っている店が grocery と呼ばれる. 《英》ではこのような店は grocer's (shop) が普通. 特に青物 (果物も含む) を専門にしている店は《米》では vegetable store Ⓒ と呼ばれることがある. 《英》では青物を主として扱う店を greengrocery という. また《米》では store を付けて grocery store, grocer's store, 《英》では shop を付けて greengrocer's shop などということもある.

やおよろずのかみ 八百万の神 all the gods and goddesses.

やおら (ゆっくりと) slowly; (動作などがゆったりしたやり方で) in a leisurely /líːʒəli/ manner. 《☞おもむろに》. ¶ 彼はいすを押し戻すと*やおら立ち上がった He pushed back his chair and *slowly* stood up.

やかい 夜会 (夜のパーティー) evening party Ⓒ;

(舞踏会) (evening) ball Ⓒ. 夜会服 (女性および男性用の正装) evening dress Ⓤ.

やがい 野外 ―副 (野外で) in the open air; (屋外で) òutdóors, óut of dóors. ―形 open-air Ⓐ, óutdóor Ⓐ. (☞ おくがい). 野外活動指導者 outdoor activity leader Ⓒ 野外劇 open-air [outdoor] play Ⓒ; (野外で演ずる歴史劇) pageant Ⓒ 野外劇場 open-air theater Ⓒ 野外研究 fieldwork Ⓤ 野外調査 field research Ⓤ.

やがく 夜学 níght schòol Ⓤ ★個々の学校はⒸ. 夜学生 night [evening] school student Ⓒ.

やかた 館, 屋形 (昔の領主などの) mansion Ⓒ.

やかたぶね 屋形船 roofed Japanese pleasure boat chiefly for river use Ⓒ ★説明的な訳.

やがて (しばらくして) after a while; (間もなく) soon, before long ★後者はやや長めの時間の経過を意味する; (そのうちに) by and by, in the course of time ★前者は古風; (早晩) sooner or later; (もう少しで) nearly; (ほとんど) almost. (☞ まもなく).
¶*やがて春がやって来る *Before long,* spring will be here. // *やがて赤ん坊は寝入ってしまった The baby fell asleep *after a while.* // あらしもおさまり, *やがて私たちの船は出港した The storm subsided, and *soon* our ship left port. // *やがて彼も誤りを犯したことに気付くだろう *Sooner or later,* he will realize he made a mistake. // ここへ住みついてから*やがて (⇒ほとんど) 2 年になる It's ⌈*nearly* [*almost*] two years since we came here.

やかましい 喧しい **1** «騒々しい»: (不明瞭な音や声などでうるさい) noisy; (聞き取れる音や声が大きい) loud. (☞ さわがしい (類義語); うるさい).
¶*やかましい (⇒静かにしろ) Be quiet! / (⇒騒音を立てるのをやめろ) Stop making (that) noise! / (⇒黙れ) Shut up! ★乱暴な口語表現. // 本当に*やかましい子供たちだ What *noisy* children! // ラジオの音が*やかましくて眠れない The radio is so *loud* (that) I can't get to sleep.
2 «厳格»: (厳しい・ゆるがせにしない) strict (☞ きびしい (類義語); くちやかましい).
¶校長は規律に*やかましい The principal is *strict on* discipline. // あの人は時間 (⇒時間厳守) に*やかましい He's *strict* ⌈*on* [*about*] punctuality.
3 «気難しい» ―形 (好みがやかましい) particular (about ...); (つまらないことを騒ぎ立てる) fussy (about ...) 語法 前者は気難しくてやかましいこと, 後者は騒ぎ立ててやかましいことだが, 結局同じような意味の語として入れ換え可能なことも多い. なお両語ともしばしば軽蔑的に用いられる. (☞ むずかしい). ¶彼はネクタイ選びとなると*やかましい He's *particular* ⌈*in* his choice of [*about* his] ties.

やかましや やかまし屋 (小言屋) nagger Ⓒ; (あら探しする人) faultfinder Ⓒ; (礼儀にうるさい人) stickler Ⓒ; (気むずかしい人) fastidious person Ⓒ.

やから 族, 輩 (連中) crowd Ⓒ, lot Ⓒ ★《米》では前者が普通. (☞ やつ; れんちゅう). ¶あんな*輩と付き合うのはやめなさい Stop hanging around with that ⌈*crowd* [*lot*]. // 不逞の*輩 lawless *people*

やがら 矢柄 (矢の軸) shaft Ⓒ; (矢の模様) shaft pattern Ⓒ.

やかん[1] 夜間 night Ⓒ (↔ day), nighttime Ⓤ (↔ daytime). (☞ よる[1]; ばん[1] (類義語)).
夜間受付 nighttime reception desk Ⓒ 夜間営業 ¶*夜間営業の店 a shop *open* ⌈*during* [*through*] *the night* 夜間勤務 night duty Ⓤ; (昼夜交替制の) night shift Ⓒ 夜間試合 night game Ⓒ 夜間照明 (寝室などの小さな明かり) nightlamp Ⓒ; (廊下などの常夜灯) night-light Ⓒ 夜間人口 the nighttime population 夜間大学院 graduate school for night students Ⓒ 夜間中学 junior high school for night students Ⓒ 夜間飛行 night flight Ⓒ 夜間部 night school Ⓒ 夜間保育 night (child) care Ⓤ.

やかん[2] 薬罐 téakèttle Ⓒ, kettle Ⓒ.

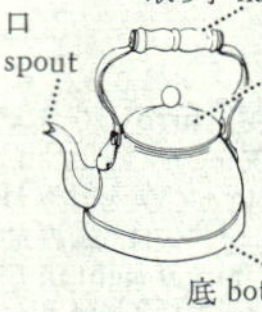

やき[1] 夜気 (夜の外気) night air Ⓤ.

やき[2] 焼き ¶九谷*焼き Kutani *ware* (☞ やきもの) 焼きが回る (ぼける) grow [get; become] senile; (鈍くなる) get slow. 焼きを入れる (こらしめる) discipline ㊥; (人をしかる・訓戒する) teach [give] *a person* a lesson.

やぎ 山羊 (一般的に) goat Ⓒ; (子山羊) kid Ⓒ. (☞ おす[3] (表); 動物の鳴き声 (囲み)).
山羊座 Capricorn /kǽprɪkɔ̀ən/, the Goat. (☞ せいざ[1]) 山羊ひげ goatée Ⓒ.

やきあがる 焼き上がる (パンなどが焼ける) be baked; (トーストが) be toasted; (肉などが) be ⌈broiled [roasted]. ¶パンが*焼き上がったところです The bread *is* just *being baked.*

やきあま 焼きあま 〔陶磁器〕(ひび割れ) crack Ⓒ; (欠け) chip Ⓒ; (へこみ) dent Ⓒ; (ひっかき傷) scratch Ⓒ; (しみ) stain Ⓒ. (☞ やきもの).

やきあみ 焼き網 grill Ⓒ, gridiron /grídàɪən/ Ⓒ ★前者は焼き鉄板 (griddle) の意味でも使われる.
¶*焼き網で肉を焼く broil [《英》 grill] meat on a *gridiron*

やきいも 焼き芋 baked [roasted] sweet potato Ⓒ (複 ~es). 焼きいも屋 baked [roasted] sweet potato vendor Ⓒ.

やきいれ 焼き入れ ―名 quenching Ⓤ. ―動 quench ㊥. 焼き入れ炉 (大型の) quenching furnace Ⓒ; (小型の) quenching oven Ⓒ.

やきいん 焼き印 ―名 (印) brand Ⓒ; (器具) branding iron Ⓒ. ―動 (焼き印を押す) brand ㊥. (☞ らくいん[1]).

やきうち 焼き討ち ―動 (…に放火する) set fire to ..., set ... on fire. ¶デモ隊は交番を*焼き討ちした The demonstrators ⌈*set fire to* the police box [*set* the police box *on fire*].

やきうどん 焼きうどん *yaki-udon* Ⓤ; (説明的には) wheat noodles grilled with assorted vegetables and meat.

やきおにぎり 焼きお握り grilled rice-ball Ⓒ.

やきがし 焼き菓子 (総称) baked confectionery Ⓤ; (クッキー・ビスケット) 《米》 cookies, 《英》 biscuits ★複数形で. (☞ ビスケット).

やききる 焼き切る (切断する) búrn óff ㊥.

やきぐし 焼き串 (焼き鳥などの串や, 丸焼きの開口部を留める串) skewer Ⓒ; (バーベキューや丸焼きに刺す大きな串) spit Ⓒ. (☞ くし[1]).

やきぐり 焼き栗 roasted [roast] chestnut Ⓒ.

やきごて 焼き鏝 hot iron Ⓒ.

やきころす 焼き殺す burn ... to death ㊥.

やきざかな 焼き魚 roast [broiled] fish Ⓒ ★単複同形. (☞ 料理の用語 (囲み)).

やきしお 焼き塩 parched salt Ⓤ.

やきしめ 焼き締め 〔陶磁器〕 ―名 *yakishime* chinaware Ⓤ; (説明的には) high-fired unglazed ceramics ★複数形で. ―動 fire ceramics without glazing. (☞ やきもの).

やきしもづくり 焼き霜作り 〔料理〕 ―動 sear fish over very high heat, leaving a considerable inside portion raw. ―名 sashimi seared over very high heat Ⓤ.

やきすてる 焼き捨てる búrn ⌈awáy [óff; úp] ㊥;

(火にくべる) throw ... into the fire.

やきせっこう 焼き石膏 〔化〕(硫酸カルシウム) calcined gypsum Ⓤ; (一般的に) plaster of Paris Ⓤ.

やきそば 焼きそば *yaki-soba* Ⓤ, noodles grilled with vegetables and meat.

やきたて 焼きたて ¶このパンは*焼きたて (⇒ オーブンから出したばかり) です This bread is 「*hot* [*fresh*] *from the oven*. 《☞ -たて》

やきだまエンジン 焼き玉エンジン hot-bulb engine Ⓒ.

やきだんご 焼き団子 toasted dumpling Ⓒ《☞ だんご》.

やきつぎ 焼き接ぎ ── 動 (陶磁器を) join together broken ceramics by firing with glaze《☞ とうじき》.

やきつく 焼き付く ¶その光景が私の心に*焼きついて (⇒ 記憶に刻みつけられて) いる The scene *has been etched into* my memory.

やきつけ 焼き付け (写真の) printing Ⓤ; (金属加工の) plating Ⓤ; (陶磁器の) firing Ⓤ.

やきつける 焼き付ける (陶器に文字などを) fire ㊉; (写真を) print ㊉.

やきどうふ 焼き豆腐 broiled [《英》 grilled] 「tofu [bean curd] Ⓤ.

やきとり 焼き鳥 yakitori Ⓤ; chicken kebab Ⓒ, grilled [barbecued] pieces of chicken on a 「stick [skewer] Ⓤ. 《☞ 料理の用語 (囲み)》. **焼き鳥屋** shop serving chicken kebabs Ⓒ.

やきなおし 焼き直し (作品などの) 《略式》 rehash Ⓒ. ¶これはハムレットの*焼き直しだ (⇒ 焼き直したハムレットだ) This is *Hamlet warmed over*.

やきなおす 焼き直す (もう一度焼く) (魚などを) broil [《英》 grill] ... again; (鉄などを) reforge ㊉; (再加熱する) reheat ㊉; (原作などに手を加えて作り直す) rehash ㊉, warm over ㊉ ★ 以上 2 つは軽べつ的. ¶雑誌の記事を*焼き直して本にする *rehash* magazine articles into a book

やきなまし 焼き鈍し ── 名 annealing Ⓤ. ── 動 anneal ㊉.

やきならし 焼き準し 〔冶金〕 ── 名 (鋼の熱処理) normalizing Ⓤ. ── 動 normalize ㊉.

やきにく 焼き肉 roast [broiled; grilled] meat Ⓤ《☞ 料理の用語 (囲み)》.

やきのり 焼きのり toasted [baked] seaweed Ⓤ.

やきば 焼き場 crèmatórium Ⓒ, 《米》 crématòry Ⓒ. 《☞ かそう¹》.

やきばた 焼き畑 ── 形 (焼き畑式の) slash-and-burn. **焼き畑農業** slash-and-burn agriculture Ⓤ.

やきはまぐり 焼き蛤 baked [broiled] clam Ⓒ.

やきはらう 焼き払う búrn 「úp [dówn] ㊉ ★ 最も一般的な表現で, 以下の表現の代わりにも使える; (灰にする) reduce ... to ashes ★ やや文語的な表現; (火で破壊する) destroy ... by fire. 《☞ やく¹》. ¶町は戦火ですっかり*焼き払われてしまった The whole town *was* 「*burned down* [*reduced to ashes*; *destroyed by fire*] 「in [during] the war.

やきぶた 焼き豚 roast pork Ⓤ.

やきまし 焼き増し ── 動 make 「a [an additional] 「print [copy]. ── 名 (additional) 「print [copy] Ⓒ. ¶*焼き増しをして欲しいのですが I'd like to *have some copies made*.

やきめ 焼き目 ── 名 sear Ⓒ. ── 動 (焼き目をつける) sear ㊉. ¶グリルで魚に*焼き目をつけてから電子レンジで加熱します *Sear* the fish on a 「broiler [grill] and then heat it in a microwave oven.

やきめし 焼き飯 (油でいためた) fried rice Ⓤ《☞ チャーハン》; (焼いた握り飯) ☞ やきおにぎり.

やきもき ── 動 (気をもむ) worry ㊀; (不安で心配になる) get agitated. ── 形 (いらいらして) nervous; (心配で) worried; (落ち着かないで) restless. 《☞ いらいら》. ¶救助隊がなかなか来ないので私たちは*やきもきした We *got* 「*worried* [*agitated*] because the rescue party took so long to come. // 何をそんなに*やきもきしているのですか What are you so 「*nervous* [*restless*] about?

やきもち 焼き餅 ── 名 (嫉妬) jealousy Ⓤ. ── 形 (嫉妬深い) jealous. 《☞ しっと》. ¶*焼きもちを焼く be [feel] *jealous* // *焼きもち焼き a *jealous* person

やきもどし 焼き戻し 〔冶金〕 ── 動 temper ㊉. ── 名 tempering Ⓤ. 《☞ やきいれ》.

やきもの 焼き物 **1** (陶器・土器) éarthenwàre Ⓤ; (陶器) pottery Ⓤ; (磁器) porcelain Ⓤ, china(-ware) Ⓤ ★ 後者は陶磁器の総称として使われる場合もある. 《☞ とうき¹》.

2 〔料理〕 grilled [broiled] dish Ⓒ; (魚の) grilled [broiled] fish Ⓒ. 《☞ やく¹3》.

焼き物師 (陶工) potter Ⓒ; (陶芸家) ceramist Ⓒ.

やきゅう 野球 baseball Ⓤ 語法 形容詞的に「野球の…」という場合には単に ball ... ということもある. ¶私はきのう*野球の試合を見に行った I went to see a 「*baseball* [*ball*] game yesterday. // 「*野球をしようよ」「いいよ」"Let's play *baseball*." "OK." // *野球のチーム a *baseball* team // プロ*野球の選手 a professional 「*baseball* player [ballplayer]

野球協約 the Professional Baseball Agreement **野球場** baseball [ball] 「field [park] Ⓒ 日英比較 baseball ground とは言わない. **野球大会** (選手権大会) baseball championship Ⓒ; (勝ち抜きの選手権大会) baseball tournament Ⓒ **野球中継** live broadcast of a baseball game Ⓤ **野球殿堂** the Baseball Hall of Fame ★ 米国ニューヨーク州のクーパーズタウンにある. **野球ファン** baseball fan Ⓒ **野球ワールドカップ** Baseball World Cup.

やぎゅう 野牛 〔動〕 (一般的に) bison Ⓒ 《複 ~(s)》; (野生の牛) wild ox Ⓒ 《複 oxen》; (北米産の野牛) buffalo Ⓒ 《複 ~(e)s, ~》. 《☞ うし¹》.

やぎょう¹ 夜業 night work Ⓤ 《☞ やきん¹》.
¶*夜業をする *work* 「*at night* [*by night*] / *work nights*

やぎょう² や行 the *ya* column; (説明的には) the *ya* column of the Japanese syllabary.

やきゅうけん 野球拳 *yakyu-ken* Ⓤ; (説明的には) (indecent) game in which two players use rock-paper-scissors and the loser strips off his or her garments one by one Ⓒ.

やきょうしょう 夜驚症 〔心〕 night terrors, sleep-terror disorder Ⓒ.

やきょく 夜曲 〔楽〕 (セレナード) serenade /sèrənéɪd/ Ⓒ.

やきりんご 焼きりんご baked apple Ⓒ 《☞ 料理の用語 (囲み)》.

やきわれ 焼き割れ 〔冶金〕 (鋼の) quenching crack Ⓒ.

やきん¹ 夜勤 night duty Ⓤ; (交替制の夜番) night shift Ⓒ. 《☞ しゅくちょく; とうちょく》.
¶きょうは*夜勤だ (⇒ 今夜は勤務だ) I'm *on duty tonight*. **夜勤手当** night-work allowance Ⓒ.

やきん² 冶金 metallurgy /métəlɚ̀ːdʒi/ Ⓤ.
冶金学 metallurgy Ⓤ **冶金学者** metallurgist Ⓒ.

やきん³ 野禽 wild fowl Ⓒ 《☞ やちょう¹》.

やく¹ 焼く **1** 《燃やす》: burn ㊉ 《過去・過分 burned, burnt》 語法 《英》 では他動詞の場合, 過去・過分は burnt となるのが普通. 《☞ もやす; やける¹》. ¶その手紙は*焼いてしまった I *burned* that letter.

2 《日に当てて》: get a tan, tan ⑩ ⓐ ★ 前者のほうが普通. 《☞ ひやけ; やける¹》. ¶ 若い人たちは夏には肌を*焼くのが好きだ Young people like to *get a tan* in (the) summer.

3 《食物に火を通す》: grill ⑩, 《米》 broil ⑩; roast ⑩; bake ⑩; barbecue /bάːəbɪkjùː/ ⑩; toast ⑩.

【類義語】 片面を直火(じかび)に当てて小さい物を焼くのが **grill** および **broil** で, 《米》では **broil** が多い. 主に大きな肉を, **grill** や **broil** よりもゆっくりと時間をかけて焼くのが **roast**. 灰にうずめたりして焼く場合にも用いる. 肉以外の物をオーブンで調理する場合はすべて **bake** を用いる. 肉などの大きく切った物を香料のきいたソースにつけて *grill, broil, roast* と同様に焼くのが **barbecue**. パンなどをきつね色に焼いたりパリパリにしたりするのが **toast**. 《☞ 料理の用語 (囲み)》

¶ 夕食には何か魚を*焼こう Let's「*grill* [*broil*] some fish for supper. // 彼女は週末ごとにケーキを*焼く She *bakes* a cake every weekend.

4 《写真を》: print ⑩ 《☞ プリント》.

5 《れんが・陶器などを》: bake ⑩, fire ⑩.

やく² 役 1 《地位》: (他者との関連から見た相対的な地位) position Ⓒ; (与えられた地位) post Ⓒ ★ 《米》では post は外交官・軍人などの場合が普通; (責任ある地位・特に公職) office Ⓤ. 《☞ ちい》. ¶ 彼女は課長の*役を与えられた She was given the *position* of section chief. // 彼は部長の*役に満足しているようだ He seems to be content with his *position* as a manager. // *役につく take up a *post* // *役を退く resign (from) *one's post*

2 《役割・任務》: (役割) role Ⓒ, part Ⓒ 語法 これらは play a「role [part] (in ...), あるいは take part (in ...) の形でよく用いられる; (任務) duty Ⓒ. 《☞ やくめ; にんむ》.

¶ 僕はどんな*役をすればいいんだい What *part* shall I take? // その計画では彼は重要な*役を果たした He played an important「*part* [*role*] in that project. // あなたにホスト*役をやってもらいたい (⇒ ホストとして行動してもらいたい) We want you to *act as* host. ★ act as の次の名詞は通例無冠詞.

3 《芝居の役》: role Ⓒ, part Ⓒ. ¶ ハムレットの*役をやるのは私をおいてない No one can play (the「*role* [*part*] of) Hamlet but me. // 彼女はその芝居で一人二*役を演じた She played「a double *role* [two *roles*] in the play. // 私は刑事の*役をもらった (⇒ 刑事の役を割り当てられた) I *was cast as* a detective.

役に立つ ━ 形 useful, of use Ⓟ; (助けになる) helpful, of help Ⓟ 語法 of use, of help はそれぞれ use と help の前に修飾語を伴うことが多く, その場合 《略式》では of が省略されることがある; (役に立たない) useless, (of) no use Ⓟ. ¶ これはとても*役に立つ道具だ This is a very *useful* tool. // 私の本は*役に立ちましたか Was my book「(*of*) any *use* [any *good*]? // あの男は何の*役にも立たない He's *good for nothing*. // この辞書はとても*役に立ちますよ You'll find this dictionary very *helpful*. / This dictionary will *help* you a lot.

役付き (役職員) person holding a managerial /mæ̀nədʒí(ə)rəl/ position Ⓒ. ¶ 彼女は*役付きに昇進した She was promoted to a *managerial position*.

やく³ 約 (およそ) about; some; approximately; ... or so; nearly; almost.

【類義語】 数・量・時間などについて最も一般的でよく用いられる日常的な語が **about**. それより格式ばった語で, 数詞の前にのみ用いられるのが **some**. だいたい正確であって, 不一致はさほど問題にならない (重要でない) ことを暗に意味するのが **approximately** で, やや格式ばった語. 数量などを表す名詞の後に付けて, 「...ぐらい」の意味になる口語的表現が **... or so**. ちょうどの数などには足りないがもう少しで一致することを表すのが **nearly** で, ずれや差異がごくわずかであることを強調する. 不足していることや, ちょうどの数などにもう少しのところで及ばないことを強調するのが **almost**. 《☞ ほぼ¹ 語法; だいたい¹》

¶ *約 200 人がそのパーティーに出席した *About* [*Some*] two hundred people came to the party. // その都市の人口は*約 50 万人です The population of the city is「*about* [*approximately*; *nearly*] five hundred thousand.

やく⁴ 訳 translation Ⓤ ★ 作品をいうときは Ⓒ. 《☞ ほんやく; 翻訳 (巻末)》. ¶ この本の日本語*訳が出た A Japanese *translation* of this book has been published. **訳者** translator Ⓒ **訳出** translation Ⓤ **訳書** translation Ⓒ, translated version Ⓒ.

コロケーション

いい加減な訳 a loose *translation* / うまい訳 a competent *translation* / 大ざっぱな訳 a rough *translation* / こなれた訳 an idiomatic *translation* / 正確な訳 an「exact [accurate] *translation* / (原文に)忠実な訳 a faithful *translation* / 不正確な訳 an inaccurate *translation* / へたな訳 a clumsy *translation*

やく⁵ 厄 (災難) misfortune Ⓒ; (災害) disaster Ⓒ; (悪霊) evil spirit Ⓒ. 《☞ さいなん; やくどし》.
¶ *厄を払う drive out *evil spirits*

やく⁶ 妬く (ねたむ) be jealous of ...; (うらやましがる) envy ⑩, be envious of ... 《☞ ねたむ; うらやむ; やきもち; しっと》.

やく⁷ 葯 (花のおしべの) anther Ⓒ. **葯培養** anther culture Ⓤ.

ヤク¹ 薬 (麻薬) drug Ⓒ, 《俗》 dope Ⓤ. 《☞ まやく》. ¶ *ヤクをやる take *dope*

ヤク² 〔動〕 yak /jάːk/ Ⓒ 《複 ~(s)》.

やぐ 夜具 (寝具一式) bedding Ⓤ; (敷布団を除いた寝具) sheets and blankets, bedclothes ★ いずれも複数形で. 《☞ しんぐ》.

やくいん¹ 役員 (会社・組合などの執行機関の) executive /ɪgzékjʊtɪv/ Ⓒ; (会社の取締役) director Ⓒ; (団体・クラブなどの) officer Ⓒ. 《☞ じゅうやく¹; 会社の組織と役職名 (囲み)》.

役員会 (役員の集合体) the executive board; (会社の取締役会) the board of directors **役員会議室** boardroom Ⓒ **役員室** executive's [director's] room [office] Ⓒ **役員席** officers' seats **役員報酬** directors' remuneration Ⓤ.

やくいん² 約因 〔法〕 consideration Ⓤ.

ヤクーツク ━ 名 ⓖ Yakutsk /jəkúːtsk/ ★ ロシア連邦サハ共和国の首都.

やくえき 薬液 liquid medicine Ⓤ 《☞ くすり》.

やくえだ 役枝 〔生け花〕 *yakueda*, major branch Ⓒ; (説明的には) three main parts called *shin* (dominant branch), *soe* (subdominant branch), and *tai* (subordinate branch). 《☞ いけばな》.

やくおとし 厄落とし ━ 名 (悪魔払い) exorcism Ⓤ. ━ 動 (悪霊を追い払う) exorcise evil spirits; (縁起直しをする) break the jinx.

やくがい 薬害 (一般の薬による) drug [chemical] poisoning Ⓤ; (農薬による) damage by agricultural chemicals Ⓤ.

薬害エイズ AIDS transmitted「by (unheated) blood products [through medical treatment] Ⓤ **薬害エイズ訴訟** AIDS lawsuit Ⓒ, lawsuit over AIDS transmission through medical treatment Ⓒ **薬害事件** (不祥事[出来事, 事例としての]) drug-related「scandal [incident; case] Ⓒ **薬害**

訴訟 (一般に) drug-related lawsuit Ⓒ; (説明的には) lawsuit over adverse drug reactions Ⓒ; (個々の薬の訴訟) lawsuit over a drug Ⓒ　**薬害ヤコブ病** drug-「induced [related] Creutzfeldt-Jakob /krɔ́ɪtsfeltjá:koʊb/ disease Ⓤ ★ 汚染脳硬膜移植が原因とされるので dura mater-[dura(l) graft-] associated CJD とも言う.　**薬害ヤコブ病訴訟** drug-induced CJD lawsuit Ⓒ.

やくがく 薬学 phármacy Ⓤ; (薬理学) phàrmacólogy Ⓤ.　**薬学者** phàrmacólogist Ⓒ　**薬学博士** Doctor of Pharmacy Ⓒ《略 Pharm. D.》　**薬学部** pharmaceutical /fɑ̀ːəməsú:tɪk(ə)l/ depártment Ⓒ.

やくがら 役柄 (地位) position Ⓒ.　¶その件は*役柄から言ってもあなたが引き受けなければなるまい (⇒ あなたはその件を引き受けるべき地位にある) You are in a *position* to take the matter in hand.

やくぎ 役儀 (職務) duty Ⓒ.

やくげん 約言 (要約) summary Ⓒ, summing-up Ⓒ《複 summings-up》. 《☞ ようやく²》.

やくご 訳語 (単語) word Ⓒ; (用語) term Ⓒ [語法] 2 語以上でも一まとまりであればよい; (対応語・相当語) equivalent Ⓒ. 《☞ 翻訳 (巻末)》.

¶英語の「native speaker」に当たるうまい日本語の*訳語がない There is no good Japanese 「*word* [*equivalent*] for the English term "native speaker."

やくざ (日本の) yakuza Ⓒ; (暴力団員) gangster Ⓒ; (集団) gang Ⓒ ★ 日本の「やくざ」を説明するには yakuza, the Japanese criminal organization; 人は a member of Japanese criminal organization のような言い方をするほうがわかりやすい.

やくざもの yakuza [gangster] genre /ʒɑ́:nrə/ Ⓒ; (映画) yakuza [gangster] film Ⓒ; (物語) yakuza [gangster] story Ⓒ.

やくざい 薬剤 (薬品) medicine Ⓤ《☞ くすり (類義語)》.　**薬剤師** phármacist Ⓒ; 《米》 druggist Ⓒ, 《英》 chemist Ⓒ　[語法] druggist はドラッグストア経営者, chemist は化学者の意にもなる.

やくざいせいかんえん 薬剤性肝炎 drug-induced hepatitis Ⓤ.

やくざいたいせい 薬剤耐性 ── [形] (特に細菌などが薬に耐性の) drug-resistant; (人体なども含めて) drug-tolerant.　── [名] drug resistance Ⓤ; drug tolerance Ⓤ. 《☞ たいせい⁷》.　**薬剤耐性遺伝子** drug-「resistance [resistant] gene Ⓒ.

やくさつ¹ 扼殺 ── [動] (手で絞め殺す) strangle …「with *one's* (bare) hands (他)《☞ しめころす; こうさつ²》.

やくさつ² 薬殺 ── [動] kill …「with [using] poison.

やくし¹ 訳詞 ── [名] (訳すこと) translation of the 「lyrics [words] (of a song) Ⓒ; (訳された詞) translated lyrics (of a song) ★ 複数形で.　── [動] translate the lyrics (of a song).

やくし² 訳詩 ── [名] (訳された詩) translated poem Ⓒ; (訳すこと) translation of a poem Ⓒ.　── [動] translate a poem.

やくし³ 薬師　**薬師三尊** the healing Buddha and two Bodhisattvas　**薬師寺** ── [名] (固) Yakushiji; (説明的には) the head temple of the Hosso sect, founded in the late 7th century in Nara　**薬師如来** Yakushi, the healing Buddha.

やくじかんしいん 薬事監視員 pharmaceutical (affairs) inspector Ⓒ.

やくじ・しょくひんえいせいしんぎかい 薬事・食品衛生審議会 the Pharmaceutical Affairs and Food Sanitation Council.

やくじほう 薬事法 the Pharmaceutical /fɑ̀ːəməsú:tɪk(ə)l/ Affáirs Làw.

やくしま 屋久島 ── [名] (固) Yakushima; (説明的には) an island which is listed on UNESCO's World Heritage Site for its ancient cedar forest, located about 135 km south of Kagoshima City in Kyushu.

やくしゃ¹ 役者 (男の) actor Ⓒ; (女の) actress Ⓒ; (策士) tactician Ⓒ. 《☞ はいゆう》.

¶(職業として)*役者をする work on the stage as an 「*actor* [*actress*] // *役者になる become an 「*actor* [*actress*] / go on the stage as an 「*actor* [*actress*] // 大根*役者 a poor 「*actor* [*actress*] // 歌舞伎*役者 a kabuki *actor* // 彼のほうが連中より*役者が一枚上だ He is *a cut above* them.　[語法] a cut above … は「…より一枚上手で」の意の慣用句. // あの人はなかなかの*役者だ He is a good *tactician*. / (⇒ 目的を達成するにはどうすればいいか知っている) He *knows how* 「*to behave* [*get his way*; *do the trick*]. ★ 最後はくだけた表現.　**役者絵** picture of 「a kabuki actor [kabuki actors] Ⓒ.

やくしゃ² 訳者 translator Ⓒ《☞ ほんやく》.

やくしゅ 薬種 (一般的に) drugs ★ 複数形で. 《☞ きぐすり》.

やくしゅつ 訳出 ☞ ほんやく

やくじゅつ 訳述 ☞ ほんやく

やくしょ¹ 役所 public [government] office Ⓒ.

¶父は*役所に勤めています My father works for the government. / (⇒ 公務員だ) My father is a government 「employee [official]. ★ official は地位の高いことを意味する. 《☞ こうむいん》 // お*役所仕事 *red tape* ★ red tape Ⓤ は「官僚的形式主義・お役所風」の意.

やくしょ² 訳書 translation Ⓒ, translated work Ⓒ. 《☞ ほんやく》.

やくじょ 躍如 ¶この作品は芸術家の面目*躍如たるものがある (⇒ いかに才能があるかを生き生きと示している) This piece of work vividly *illustrates how talented the artist is*. // この随筆は彼の面目*躍如たるものがある (⇒ 彼の特色を示している) This essay *is characteristic of* him.

やくじょう 約定 (協定) agreement Ⓒ; (契約) contract Ⓒ. 《☞ とりきめ; けいやく》.　**約定金利[利息]** contracted [agreed] interest Ⓤ　**約定書** (written) contract Ⓒ, agreement Ⓒ　**約定利率** contracted [agreed] interest rate Ⓒ; (契約上の) contract interest rate Ⓒ.

やくしょく 役職 (執行機関の地位) executive position Ⓒ; (管理職) managerial /mæ̀nədʒí(ə)riəl/ position Ⓒ. 《☞ じゅうやく¹》.　**役職者** managing member Ⓒ　**役職手当** executive allowance Ⓒ.

やくしん¹ 躍進 ── [動] (急激に発展する) advance [develop] rapidly (自); (著しく進歩する) make remarkable progress. 《☞ しんぽ》.　¶インターネット産業は近年大いに*躍進した Internet-related industries *have* 「*developed rapidly* [*made remarkable progress*] recently.

やくしん² 薬疹 〘医〙 drug eruption Ⓤ; (一般的に) drug rash Ⓒ.

やくす¹ 訳す transláte (他), put … into …　[語法] translate が普通. put … into … はくだけた言い方ではあるが古風. 《☞ ほんやく》.　¶次の日本語を英語に*訳しなさい *Translate* [*Put*] the following Japanese *into* English.

やくす² 約す ☞ やくそく; やくぶん¹

やくすう 約数 〘数〙 measure Ⓒ.

やくせき 薬石 medical treatment Ⓤ.　¶彼は*薬石効無く死亡した He died in spite of all the *medical treatment*.

やくぜん 薬膳 health food dinner with herb medicine Ⓒ ★ 説明的な訳.
やくそう 薬草 (medícinal) hérb Ⓒ. **薬草園** medícinal gárden Ⓒ.
やくそく 約束 ―名 promise Ⓒ ★ 最も一般的な語; engagement Ⓒ 語法 promise より格式ばった語で, 意味が強い. 特に結婚などの約束を意味することがある; (仕事などで時間・場所を決めて会う約束) appointment Ⓒ; *one's* word 語法 特に give *one's* word (約束する), break [keep] *one's* word (約束を破る[守る]) の句で用いる.
―動 promise ⑩, make a promise.
¶ 人との*約束は守らなければならない You must keep your 「*promise* [*word*]. // *約束を果たす do as *one promised* / fulfill [carry out] *one's promise* // 口*約束 a verbal 「*promise* [*contract*] // 彼は*約束を破った He broke his 「*promise* [*word*]. // ちょっと今夜はほかに*約束(⇒前もってした約束)がありますので失礼させて下さい Please excuse me. I have a previous 「*engagement* [*appointment*] tonight. // 少年は2度とそんなことはしないと私に*約束した The boy *promised* me 「never to do it again [that he would never do it again]. // 彼女は*約束の(⇒取り決めた)時間[場所]に現れなかった She didn't turn up at the *appointed* 「time [meeting place].
約束事 promise Ⓒ, engagement Ⓒ ★ 後者は格式ばった語; (誓い) pledge Ⓒ **約束手形** prómissòry nóte Ⓒ 《☞ てがた》.

―コロケーション―
暗黙の約束 an implied *promise* / 堅い約束 a solemn *promise* / 空約束 an empty *promise* / 軽率な約束 a rash *promise* / 反故にされた約束 a broken *promise*

やくそくのち 約束の地 〘聖〙 the Promised Land ★ 神がアブラハムとその子孫に約束したカナンのこと.「(長年憧れ続けた)理想」の意で用いる.《☞ カナン》.
やくたく 役宅 official residence Ⓒ 《☞ かんてい²》.
やくだつ 役立つ ―形 (有用である) useful, of use Ⓟ; (助けになる) helpful. 《☞ やく²; ゆうえき》.
¶ この知識は実社会で*役立つだろう This knowledge will be 「*of use* [*useful*; *helpful*] in the real world.
やくだてる 役立てる (有効に使う) make use of ... 《☞ りよう¹》. ¶ このお金を*役立てて下さい Please *make use of* this money.
やくちゅう 訳注 (一般に注) note Ⓒ, annotation Ⓒ ★ 後者はやや格式ばった語; (訳者の注) translátor's nóte Ⓒ. 《☞ ちゅう¹》.
やくつき 役付き ☞ かんり¹ (管理職)
やくづき 厄月 unlucky [bad] month Ⓒ.
やくとう 薬湯 (風呂) medicated bath Ⓒ; (せんじ薬) herb [herbal] tea Ⓤ.
やくどうてき 躍動的 ―形 lively, full of life Ⓟ. 《☞ いきいき》.
やくとく 役得 (地位・職務などから生じる副次的な利益) side benefits ★ 通例複数形で, pérquisites ★ 複数形で, 《略式》 perks ★ 前者の略.
やくどく 訳読 reading and translation Ⓤ.
¶ テキストを*訳読する *read and translate* a text // 文法*訳読式教授法 the Grammar *Translation* Method
やくどころ 役所 (地位・部署) post Ⓒ; (地位・役職) position Ⓒ.
やくどし 厄年 (災難の多い年) unlucky year Ⓒ; (年齢) unlucky age Ⓒ; (転換期) climacteric age Ⓒ.
やくなん 厄難 (災難) disaster Ⓒ; (大きな不幸) calamity Ⓒ; (不運) misfortune Ⓒ.
やくにん 役人 government official Ⓒ ★ official だけでは必ずしも役人の意味にならないことに注意. 《☞ こうむいん》. ¶ *役人風を吹かせる give *oneself* airs because of *one's official position*
役人根性 búreaucratism Ⓤ.
やくば 役場 (町役場) town office Ⓒ; (村役場) village office Ⓒ; (建物) tówn háll Ⓒ.
やくばらい 厄払い ☞ やくおとし
やくび 厄日 unlucky day Ⓒ.
やくびょうがみ 疫病神 jinx Ⓒ 日英比較 日本語の「ジンクス」と違って, 縁起の悪い人や物に限られる.
やくひん 薬品 (一般的に) drug Ⓒ; (特に内服薬) medicine Ⓤ; (特に化学薬品) chemical Ⓒ. 《☞ くすり (類義語)》.
やくぶそく 役不足 ¶ これは彼女には*役不足だ(⇒彼女はもっとよい役割の価値がある) She *is worthy of a better role.* // この仕事は彼には*役不足だ(⇒この仕事は彼にはやさしすぎる) This task *is too easy* for him. / (⇒彼にはもっとやりがいのある仕事がふさわしい) He *deserves* a *more challenging* task.
やくぶつ 薬物 drug Ⓒ 《☞ くすり (類義語)》.
¶ *薬物が検出された A *chemical substance* was detected. **薬物アレルギー** drug allergy Ⓒ **薬物依存** drug dependence Ⓤ **薬物耐性** tolerance to drugs Ⓤ **薬物中毒** chemical poisoning Ⓤ **薬物犯罪** drug-related crime Ⓒ **薬物療法** medication Ⓤ.
やくぶん¹ 約分 〘数〙 ―名 reduction Ⓤ.
―動 reduce ⑩. ¶ 分数を*約分する *reduce* a fraction *to* its lowest terms // $^2/_6$ を*約分すると $^1/_3$ になる If 「$^2/_6$ [two-sixths] *is reduced* to its lowest terms, you get 「$^1/_3$ [one-third]. // この分数は*約分できない This fraction *is irreducible.*
やくぶん² 訳文 (訳したもの全体) translation Ⓒ; (個々の文) translated 「sentence [passage] Ⓒ. 《☞ やく⁴; ほんやく》.
やくぶん³ 約文 ―名 (要約した文) summary Ⓒ; (論文などの) abstract Ⓒ. ―動 summarize ⑩, sum up ⑩. 《☞ ようやく²》.
やくほうし 薬包紙 powder paper Ⓤ; (説明的に) paper used for wrapping individual doses of powdered medicine Ⓤ; (試薬の重量測定用の) weighing paper Ⓤ.
やくほん 訳本 translation Ⓒ 《☞ ほんやく》.
やくまわり 役回り (仕事) job Ⓒ; (役割) part Ⓒ. ¶ 損な*役回りだな(⇒その仕事は何もいいことにはならない) The *job* won't result in anything good.
やくマン(ガン) 役満(貫) 〘麻雀〙 *yakuman* Ⓤ; (説明的には) (one of) several strong hands in mah-jongg.
やくみ 薬味 (香辛料) spice Ⓤ; (塩, からし, こしょうなど) condiment Ⓒ ★ しばしば複数形で.
やくむき 役向き ☞ やくがら; やく²
やくむぎょうせい 薬務行政 drug [pharmaceutical] administration Ⓤ ★ [ ] 内は格式語.
やくめ 役目 (仕事) work Ⓤ, 《略式》 job Ⓒ; (任務) duty Ⓒ. 《☞ やく²; にんむ》. ¶ 彼は立派に*役目を果たした He carried out his *duty* well. **役目柄** ¶ *役目柄いろんな人に会う My *job* requires me to meet different sorts of people.
やくもの 約物 〘印〙 marks and symbols(, such as brackets, punctuation marks, etc.) ★ 通例複数形で.
やくよう 薬用 ―形 medícinal. **薬用酒** medicated wine Ⓤ **薬用植物** medicinal 「plant

[herb] Ⓒ 薬用石鹸 medicated soap Ⓤ 薬用人参 ginseng /dʒínseŋ/ Ⓤ.

やくよけ 厄除け (お守り) talisman /tǽlɪsmən/ Ⓒ.

やぐら 櫓 (城壁などの小塔) turret /tə́:rət/ Ⓒ; (見張り塔) watchtower Ⓒ. (☞ しろ² (挿絵)).

やぐらだいこ 櫓太鼓 (相撲の) the announcing drum(beat) for a sumo tournament /tʊ́ənəmənt/.

やくり 薬理 薬理学 pharmacology Ⓤ 薬理学者 pharmacologist Ⓒ 薬理作用 (一般的に) medicinal action Ⓤ; (薬効) medicinal effect Ⓒ.

やくりきし 役力士 ☞ さんやく¹

やくりょう¹ 訳了 ── [動] finish translating ...

やくりょう² 薬料 (薬代) charge for medicine Ⓒ (☞ くすり).

やくりょう³ 薬量 dosage Ⓒ; (一回分の服用量) dose Ⓒ.

やぐるま 矢車 (鯉のぼりの) windmill on top of a pole for carp streamers Ⓒ.

やぐるまそう 矢車草 〘植〙(矢車菊) cornflower Ⓒ.

やくれきかんり 薬歴管理 medication history management Ⓤ.

やくわり 役割 part Ⓒ, role Ⓒ. (☞ やく²).
¶ 彼女は我々の会社の創立に重要な*役割を演じた She played an important ⌈part [role] in the founding of our company.

コロケーション
役割を果たす do [play] *one's part*; play a *role* / 役割を引き受ける take (on) [assume] a *role* / 役割を割り当てる hand out [assign] a *role* / 大きな役割 a major *role* / 決定的な役割 a decisive *role* / 主要な役割 a leading *role* / 積極的な役割 an active *role* / 損な役割 a thankless *role* / 小さな役割 a minor *role* / 中心的な役割 a central *role* / 補助的な役割 a supporting *role*

やくわん 扼腕 ☞ せっしやくわん

やけ ── [名] dèsperátion Ⓤ. ── [動] (やけになる・やけを起こす) becòme [gèt; gròw] désperate. ── [副] (やけっぱちで) desperately, in despair. ── [形] (やけくその) desperate. (☞ すてばち).
¶ 入試に失敗しても*やけを起こしてはいけない Don't *get desperate*, even if you fail the entrance exam. // きょうは*やけに (⇒ ひどく) 暑いな It's ⌈*awfully* [*terribly*] hot today.

やけあと 焼け跡 the ruins after a fire ★ 複数形で; debris /dəbríː/ after a fire Ⓤ.

やけい¹ 夜景 night ⌈scene [view] Ⓒ (☞ けしき).

やけい² 夜警 (仕事) night wàtch Ⓤ; (人) night wátchman Ⓒ. (☞ 婉曲語法 (巻末)). 夜警国家 night watchman state Ⓒ.

やけいし 焼け石 焼け石に水 ¶ それは*焼け石に水だ (⇒ バケツ[海]の中の 1 滴にすぎない) That is only *a drop in the* ⌈*bucket* [*ocean*].

やけおちる 焼け落ちる (全焼する) be ⌈burned [(英) burnt] down; (灰になる) be reduced to ashes ★ 後者はやや文語的表現. (☞ やける¹; しょうしつ¹; ぜんしょう³).

やけくそ ── [形] désperate (☞ やけ).

やけこげ 焼け焦げ burn Ⓒ; (焼けてあいた穴) hole made by a burn Ⓒ. (☞ こげる). ¶ アイロンをかけていてこのシャツに*焼け焦げを作ってしまった I *scorched* this shirt while I was ironing it. // たばこの灰でズボンに*焼け焦げができた The hot cigarette ashes *have burned a hole* in my trousers.

やけざけ 自棄酒 ¶ *やけ酒を飲む (⇒ 自暴自棄になって酒を飲む) drink in desperation / (⇒ 酒に絶望[悲しみ]を紛らす) drown *one's* ⌈despair [sorrows] in drink

やけしぬ 焼け死ぬ be ⌈burned [(英) burnt] to death (☞ しょうし¹).

やけだされる 焼け出される be búrned óut; (火事で家を失う) lose *one's* home in a fire.

やけただれる 焼け爛れる (焼け落ちる) burn down (自); (焼け焦げる) get scorched; (やけどをする) scald /skɔ́:ld/ (自), get scalded.

やけつく 焼け付く ¶ *焼けつくように暑い *burning* [*baking*; *scorching*] hot

やけっぱち 自棄っぱち ☞ やけ

やけど 火傷 ── [名] burn Ⓒ; (熱湯など液体による) scald /skɔ́:ld/ Ⓒ. ── [動] get burned, burn *oneself*; get scalded. ¶ たき火にあまり近寄ると*やけどをするよ Don't get too close to the fire or you'll ⌈*burn yourself* [*get burned*].

やけに ☞ やけ; むしょうに

やけのがはら 焼け野が原 burned ⌈area [field] Ⓒ.

やけのこる 焼け残る (焼けないで残る) remain unburned; (火事を免れる) escape the fire.

やけのはら 焼け野原 ☞ やけのがはら

やけひばし 焼け火箸 (a pair of) red-hot tongs (☞ はし³).

やけぶとり 焼け太り ── [動] become ⌈richer [more prosperous] after the fire.

やけぼっくい 焼け棒杭 (燃えさし) embers ★ 複数形で; (焦げた棒切れ) charred stick Ⓒ.
¶ 彼らは*焼け棒杭に火がついた The dying *embers* of their former passion blazed anew between them.

やけやま 焼け山 burnt hill Ⓒ.

やける¹ 焼ける **1** «焼失する»: burn (自), be ⌈burned [(英) burnt]. (☞ やく¹ [語法]; しょうしつ¹).
¶ その火事で店が 10 軒も*焼けた As many as ten shops *were burned down* in the fire. / As many as ten shops *were destroyed* ⌈*by* [*in*] *the fire*.
2 «料理»: (直火で) (米) broil (自), (米) be broiled, grill (自), be grilled; (大きな肉が直火またはオーブンなどで) roast (自), be roasted; (肉以外のものがオーブンなどで) bake (自), be baked; (パンが) toast (自), be toasted; (特に肉が) be done ★ done の前に修飾語の付くことが多い. (☞ やく¹ (類義語); 料理の用語 (囲み)). ¶ 七面鳥がよい具合に*焼けてきた The turkey *is roasting* nicely. // 肉が*焼けたから夕食にしよう The meat *is* ⌈*broiled* [*grilled*]; let's have dinner. // 芋の*焼けるにおいがする I can smell a sweet potato ⌈*baking* [*roasting*]. // 私はステーキはよく*焼けているのがいい I like my steak *well-done*. // この魚はよく*焼けていない[*焼け過ぎだ] This fish *is* ⌈*underdone* [*overdone*].
3 «日焼け»: (痛いほど日に焼ける) be [get] sunburned; (ほどよく焼ける) be [get] tanned. (☞ ひやけ). ¶ よく*焼けたね (⇒ いい日焼けの色をしている) You've got a good ⌈*tan* [*suntan*].
4 «変色»: (色が悪くなる) discolor ((英) discolour) (自), be discolored ((英) discoloured); (色があせる) fade (自). ¶ カーテンの色が*焼けてしまった The curtain *has* (become) *discolored*.
5 «胸が»: have heartburn.

やける² 妬ける (ねたむ) be jealous (of ...); (うらやましく思う) be envious (of ...) [語法] 前者は憎しみの感じが含まれるが, 後者は羨望の気持ちが中心. (☞ うらやましい; しっと; やく⁶).

やけん 野犬 stray [homeless] dog Ⓒ.

やげん 薬研 druggist's [(英) chemist's] mortar Ⓒ.

やご 〘昆〙 dragonfly larva Ⓒ (複 ── larvae).

やこう[1] **夜行** ☞夜行列車[バス] **夜行バス** night bus Ⓒ **夜行列車** night train Ⓒ.
やこう[2] **夜光** **夜光雲**〘気象〙noctilucent cloud Ⓒ; (一般的に) luminous night cloud Ⓒ **夜光虫** noctiluca /nὰktəlúːkə/ Ⓒ《複 -cae /-siː/》 **夜光塗料** lúminous páint Ⓤ.
やごう[1] **屋号** name of a store Ⓒ.
やごう[2] **野合** (男女の関係) illicit (sexual) relations ★複数形で; (政治) coalition of convenience Ⓒ.
やこうせい **夜行性** ━名 nocturnality /nὰktəːnǽləti/ Ⓤ. ━形 nocturnal. ¶*夜行性の動物 a *nocturnal* animal
ヤコブ ━名 (男性名) Jacob /dʒéɪkəb/; 固〘聖〙(イサクの子でイスラエル人の祖) Jacob; 固〘聖〙(キリストの十二使徒の一人) James ★ゼベダイ (Zebedee) の子で James the Great ともいう.
ヤコブびょう **ヤコブ病** ☞クロイツフェルトヤコブびょう **ヤコブ病訴訟** ☞やくがい(薬害ヤコブ病訴訟)
やさい **野菜** vegetable Ⓒ ★複数形で総称としても用いられる; (菜類を総称して) greens ★複数形で. ¶*野菜は健康に欠くことができない *Vegetables* are indispensable to good health. // *野菜を作る grow *vegetables*
野菜炒め stir-fried vegetables ★複数形で. **野菜サラダ** vegetable salad Ⓤ **野菜ジュース** vegetable juice Ⓤ **野菜スープ** vegetable soup Ⓤ **野菜畑** (市場向けの)《米》truck farm Ⓒ,《英》market garden Ⓒ; (家庭の) vegetable [kitchen] garden Ⓒ **野菜料理** vegetable dish Ⓒ.

コロケーション
温室野菜 greenhouse *vegetables* / 季節外れの野菜 out-of-season *vegetables* / 腐った野菜 rotten *vegetables* / 自家栽培の野菜 home-grown *vegetables* / 旬の野菜 in-season *vegetables* / 新鮮でない野菜 wilted [shriveled,《英》shrivelled] *vegetables* / 繊維の多い野菜 fibrous *vegetables* / ぱりぱりした野菜 crisp [crunchy] *vegetables* / 虫喰い野菜 worm-eaten *vegetables* / 無農薬野菜 pesticide-free *vegetables*

やさおとこ **優男** ☞やさがた
やさがし **家探し** **1**《家の中を探すこと》¶失くした万年筆を見つけるために*家探しした I *searched the whole house* for my missing fountain pen.
2《住む家を探すこと》¶*家探しをする (⇒住む家をさがす) look for a house to live in
やさがた **優形** ¶*優形の男 a man with a *slender build*
やさかにのまがたま **八坂瓊の勾玉** (三種の神器の一つ) *yasakani no magatama*; (説明的には) the comma-shaped bead, one of the Three Sacred Treasures of the Japanese Imperial House.
やさき **矢先** ¶出かけようとした*矢先に (⇒まさに出かけようとしたときに) 電話がかかってきた I *was just about to* leave when the telephone rang. / The telephone rang *just when* I was going to leave.
やさしい[1] **優しい** (親切な) kind, good, nice; (性格として親切な) kindly; (態度が柔和な) gentle; (優しく思いやりがある) tender, kíndhéarted, ténderhéarted; (…にとって味方の, …に危害を加えない) …-friendly.《☞しんせつ[1](類義語); おもいやり》.
¶彼女は心の*優しい人だ (⇒優しい心を持っている) She has a *tender* heart. / She is a ⌈*tenderhearted* [*kindhearted*] person. // 老人には*優しくしてあげなさい Be ⌈*kind* [*good*; *nice*] to old people. // *優しい声で in a ⌈*gentle* [*soft*] voice // 地球に*優しい乗り物 environment-*friendly* vehicles // 使用者に*優しい辞書 a user-*friendly* dictionary
やさしい[2] **易しい** (容易な・骨の折れない) easy (↔ hard, difficult); (簡単な・わかりやすい) simple (↔ complex); (明快な) plain.《☞かんたん[1]; ようい[2]》.
¶この問題は私には*易しすぎる This question is too *easy* for me. // その本は*易しい英語で書いてある The book is written in ⌈*simple* [*easy*; *plain*] English.
やし[1] **椰子** 〘植〙(ココやしの木) cóconùt pàlm Ⓒ, coco Ⓒ; (ココやしの実) coconut Ⓒ ★普通「やしの実」というのはこれを指す; (北アフリカや東南アジアのナツメやしの木) date palm Ⓒ; (総称としてやしの木) palm (tree) Ⓒ. **やし科** the palm family **やし蟹** coconut [purse] crab Ⓒ **やし油** coconut oil Ⓤ.
やし[2] **香具師** (見世物師, 興業人) showman Ⓒ; (いかさま師) faker Ⓒ; (強引に売りつける露天商) huckster Ⓒ.
やじ **野次** ━動 (下品な笑いを浴びせてあざける) jeer ⓐ; (どなって不満・嫌悪を示す) hoot ⓐ; (ぶうぶう言って不満・嫌悪を示す) boo ⓐ; (劇場・競技場で口笛を吹いたりどなったりする) catcall ⓐ; (政治集会などで反対したりひやかしたりする) heckle ⓐ. ━名 jeers; hoots; boos; catcalls ★以上いずれも通例複数形で; heckling Ⓤ.
¶観衆は盛んに*やじを飛ばした (⇒やじった) The spectators ⌈*booed* [*catcalled*; *heckled*; *hooted*; *jeered*] fiercely.
やじうま **野次馬** (集団) ónlooking crówd Ⓒ; (そのうちの1人) onlooker Ⓒ,《米略式》rubberneck(er) Ⓒ ★首を伸ばしてやたらに見たがる人の意. **やじ馬根性** (好奇心) curiosity Ⓤ; (群集心理) mob psychology Ⓤ ★前者のほうが一般的な口語表現.《☞ぐんしゅう》.
やしき **屋敷** (大邸宅) mansion Ⓒ; (家屋・敷地を含んで)《格式》premises /prémɪsɪz/ ★複数形で. **屋敷町** (高級住宅地域) upscale residential quarter Ⓒ.
やじきた **弥次喜多** Yaji(robe) and Kita(hachi), two (comic) characters in *Shank's Mare*《☞とうかいどうちゅうひざくりげ》; (弥次喜多のような2人組) a pair of comic characters (like Yaji and Kita).
弥次喜多道中 the humorous travel chronicles of Yaji and Kita; (珍道中) trip full of incidents Ⓒ; (男二人の気楽な旅) easy-going trip of two buddies Ⓒ.
やしないおや **養い親** foster ⌈parent [father; mother] Ⓒ《☞ようふ[1]; ようぼ》.
やしなう **養う** **1**《扶養する》: support ⓣ; (食事を食べさせる) feed ⓣ《過去・過分 fed》.
¶彼は大家族を*養わなければならない He ⌈must [has to] *support* a large family. / (⇒彼は養うべき大家族を持っている) He has a large family to *support*. / (⇒多くの人に食べさせなくてはならない) He has many mouths to *feed*.
2《養育する》: (育て上げる) brìng úp ⓣ; (人・家畜を育てる) rear ⓣ,《米》raise ⓣ; (実子でないものを養育する) foster ⓣ.《☞そだてる》.
3《養成する》: (訓練・勉学などによって発達させる・培う) cultivate ⓣ; (ゆっくり発達させる) devélop ⓣ; (形成する) form ⓣ; (体力などを作り上げる) bùild úp ⓣ.《☞ようせい[2]》.
¶読書の習慣を*養うことはいいことだ It would be good (for you) to ⌈*cultivate* [*form*; *develop*] the habit of reading. // 体力を*養う *build up* [*develop*] *one's* (physical) strength
やしゃ **夜叉** devil Ⓒ, demon Ⓒ.

やしゃご 玄孫 great-great-ˈgrandchild [grandson; granddaughter] Ⓒ.

やしゅ[1] 野手 〘野〙 fielder Ⓒ. ¶内*野手 an *infielder* // 外*野手 an *outfielder* **野手選択** fielder's choice Ⓒ.

やしゅ[2] 野趣 (田舎の雰囲気) rural atmosphere Ⓒ; (素朴な美しさ) rustic beauty Ⓤ; (土くさく無骨な魅力) bucolic charm Ⓤ. ¶この庭は*野趣がある This garden has a *rustic charm.* // *野趣を好む人 a person with *country tastes*

やしゅう 夜襲 ── 名 night attack Ⓒ. ── 動 (夜襲をかける) make a night attack (on ...), attack an enemy under (the) cover of ˈnight [darkness].

やじゅう 野獣 ── 名 (野生の動物) wild animal Ⓒ; (野生のけだもの) wild beast Ⓒ ★ 後者は文語的. ── 形 (野獣のような) beastly; (残忍な) brutal. 《☞ けだもの》.

やじゅうは 野獣派 〘美〙 Fauvism /fóuvɪzm/ Ⓤ; (人) Fauvist Ⓒ.

やしょく 夜食 (夜に食べる軽食) midnight [late-night] snack Ⓒ 【日英比較】 夜, 芝居がはねたあとなどで第 4 回目の食事として食べるものは supper と呼ばれる.

やじり 矢尻, 鏃 arrowhead Ⓒ; (アーチェリー用の) pile Ⓒ. 《☞ ゆみ (挿絵)》.

やじる 野次る (下品な笑い声であざける) jeer (at ...) 自, jeer 他; (どなって不満・嫌悪を示す) hoot (at ...) 自, hoot 他; (ぶうぶうと言って不満・嫌悪を示す) boo 他 自; (口笛でやじる) catcall 自; (演説などに反対したりしてどなる) heckle 他 自. 《☞ やじ》.

やじるし 矢印 arrow Ⓒ. ¶*矢印に従って行けば道に迷うことはありません If you follow the *arrows* you won't get lost.

やしろ 社 (Shinto) shrine Ⓒ 《☞ じんじゃ》.

やじろべえ 弥次郎兵衛 balancing toy Ⓒ.

やしん 野心 ── 名 (目指す目標に対する野望) ambítion Ⓤ ★ 具体的な例は Ⓒ. よい意味にも悪い意味にも用いる; (あこがれているものに対する大きな望み) aspiration Ⓤ ★ 具体的な例は Ⓒ でしばしば複数形. ── 形 ambítious.
¶彼は*野心満々だ (⇒ 野心でいっぱいだ) He is ˈfull of [filled with] *ambition.* / (⇒ 非常に野心的だ) He is ˈvery [highly] *ambitious.* // 彼女の*野心は大女優になることだった She had ˈan *ambition* [*aspirations*] to ˈbe [become] a great actress. / She ˈ*was ambitious* [*aspired*] to ˈbe [become] a great actress. // *野心をとげる have *one's ambition* realized / fulfill *one's ambition* // *野心を抱く have an *ambition* (to *do* ...; for ...) // 政治的*野心 political *ambitions* ★ 複数形で.
野心家 ambitious ˈman [woman] Ⓒ **野心作** ambitious work Ⓒ.

やじん 野人 (田舎の人) country-dweller Ⓒ; (武骨者) rustic Ⓒ; (洗練されていない人) unrefined person Ⓒ; (素朴な人) ùnsophísticàted pérson Ⓒ.

やす 簎 (魚を捕る, 先がフォーク状になった槍) gig Ⓒ; (一般的に, 魚を捕る槍) fish spear Ⓒ. 《☞ もり[2]》. ¶*やすで魚を突く *spear* a fish

やす- 安... ── 形 (安い) cheap; (低い) low. 《☞ やすい》. **安アパート** (一区画) cheap apartment Ⓒ; (全体) cheap apartment house Ⓒ.

-やす ...安 ¶その株は 5 円*安だ The stock is ˈ*down* five yen [*lower* by five yen; five yen *lower*].

やすあがり 安上がり ── 形 (安い) cheap; (金のかからない) inexpénsive (↔ expensive) ★ 前者より格式ばった語; (経済的な) èconómical. 《☞ やすい (類義語)》. ¶パッケージの海外旅行は*安上がりだ Going abroad on a package tour is *economical.* // ユースホステルを利用するのは一番*安上がりな旅行の仕方だ Youth hostel(l)ing is one of *the* ˈ*cheapest* [*least expensive*] ways of ˈtraveling [《英》 travelling].

やすい 安い (金額が低い) low (↔ high); (物が) cheap; low-priced; inexpénsive (↔ expensive); (値段が妥当な) reasonable, moderate, modest.
【類義語】 価格・給料など, 金額が低いことを表すのは **low**. ((例) The ˈprice [pay] is *low.*) この場合 *cheap* も使えるが *inexpensive* は使えない. 値段が安いとともに品質もあまりよくないという意味が含まれるのが **cheap**. また前後関係によっては *cheap* は大量に品物があるために, 値段が格安であることをも意味する. この場合には必ずしも品質が悪いことは意味しない. ((例) いちごは春には*安い Strawberries are *cheap* in (the) spring.) 「値段が安い」ことを表す客観的な言葉が **low-priced**. 品質のよいわりには割安であることを意味するやや格式ばった語が **inexpensive**. 以上の 3 語は品物を修飾する. 値段が妥当であるという意味の語が **reasonable** で, **modest**, **moderate** もほぼ同意. 以上の 3 語は値段 (price) を修飾する.
¶この時計は*安い This watch is ˈ*cheap* [*inexpensive*; *reasonably priced*]. // あの店は*安い (⇒ あの店では安く売る) They sell everything *cheap(ly)* at that store. / (⇒ あの店では値段が安い) Prices are *reasonable* at that store. / (⇒ あれは安い店だ) That is an *inexpensive* store. // このソファーは実に*安かった (⇒ 買い得品だった) This couch was quite a *bargain.* // もう少し*安いのを見せて下さい Will you show me one that's a little *less expensive*, please? // 田舎は一般に物が*安い Prices are generally *lower* in rural areas. / Things are usually *cheaper* in rural areas. / You can get things ˈ*at a lower price* [*cheaper*] in the country. // 土地が*安くなるのを (⇒ 土地の値段が下がるのを) 待ってもむだだ It's no use waiting for land prices to ˈ*come down* [*fall*]. // *安かろう悪かろうの (⇒ 安くて粗悪な) 品 *cheap* and inferior goods

-やすい ...易い **1** 《容易》: easy 《☞ かんたん[1]》. ¶彼の本は読み*やすい His books are *easy* (to read). // あの男はだまし*やすい He's *easy* to fool. / He's *easily* fooled. // 使用者が使い*やすいマニュアル a user-*friendly* manual 《☞ やさしい[2]》
2 《傾向》: (...しがちである) be apt to *do* ..., tend to *do* ..., be prone ˈto *do* ... [to ...] ★ 3 番目は特によくないことについていう; (弱点・欠陥などのために...しやすい) be liable to ...; (影響を受けやすい) be suscéptible to ...
¶春先は天気が変わり*やすい The weather ˈ*tends to* change often [*is changeable*] in early spring. // 疲れていると交通事故を起こし*やすい Drivers *are prone to* ˈcause [have] traffic accidents when they're tired. // 私は風邪を引き*やすい I'*m susceptible to* colds. // 彼女は暗示にかかり*やすい She *is easily* ˈ*influenced by* [*susceptible to*] suggestion.

やすうけあい 安請け合い ── 動 (無分別な約束をする) make a rash promise; (即座に約束する) be ready to ˈpromise [make a promise], promise readily; (軽々しく引き受ける) undertake ... lightly. ¶彼は*安請け合いばかりで実行が伴わない He'*s* always *ready to make promises*, but seldom carries them out. // それは重要な問題なので*安請け合いはできない It's an important matter, so I can't *make* any *rash promises*.

やすうり 安売り ── 名 sale Ⓒ. ── 形 (安売りの) cut-rate Ⓐ. ── 動 (安く[値引きして]売る[提供する]) sell [offer] ... ˈcheap [at reduced prices]; (格安に[捨て値で]売る[提供する]) sell [offer] ... at

a bargain ★ at a bargain は「安く[出血で]」の意の慣用句. (☞ セール¹). ¶あの店はカメラの*安売りをやっている That store *is having a sale on* cameras. / That store *is selling* cameras *at a bargain*. // 歳末大*安売り a big year-end *sale*
安売り店 cut-rate store [C]; (割引き店) díscount stòre [C] 安売り日 bargain day [C].

やすき 易き 易きにつく take the「easiest way [line of least resistance].

やすぎぶし 安来節 *Yasugi-bushi*; (説明的には) a folksong of Yasugi in the Izumo district.

やすくにじんじゃ 靖国神社 —[名] (固) the Yasukuni Shrine; (説明的には) a Shinto shrine in Tokyo, where the spirits of Japan's war dead are enshrined. **靖国神社(公式)参拝** (official) visit to the Yasukuni Shrine [C] (☞ さんぱい¹; こうしき¹) **靖国神社参拝問題** the Yasukuni Shrine official visit controversy.

やすげっきゅう 安月給 (少額) low salary [C]; (不充分な額) skimpy salary [C]; (低賃金) low wages ★ 複数形で. (☞ はっきゅう¹). ¶こんな*安月給では暮らして行けない I can't live on such a *low salary*.

やすっぽい 安っぽい cheap [語法] 客観的な「安い」という意味との混同を避けるために, cheap and nasty (安かろう悪かろう) という慣用句もしばしば用いられる; (見かけ倒しの) shoddy. (☞ やすい (類義語); やすもの). ¶*安っぽいハンドバッグ a *cheap*「handbag [purse] // そんなことをすると人間が*安っぽく見えるよ (⇒ 自分自身を安っぽくするだろう) You will「*cheapen* yourself [make yourself *cheap*] if you behave like that.

やすで¹ 〖動〗 millipede /míləpìːd/ [C].

やすで² 安手 —[形] (安い) cheap; (安いほうの) the cheaper. (☞ やすっぽい). ¶*安手のネクタイ a *cheap* tie

やすね 安値 low price [C] (↔ high price).
¶品物を*安値で売る [買う] sell [buy] goods「*cheap* [*at a low price*] **安値引け** —[動] (安値に終わる) close low.

やすぴか 安ぴか —[形] (派手で安っぽい) tawdry; (見かけ倒しで派手な) gimcrack. —[名] (安い装身具) trinket [C]; (安い装飾品) bauble [C]; (見かけ倒しの安物) gimcrack [C]. (☞ やすもの).

やすぶしん 安普請 —[形] (安普請の) jerry-built (☞ ふしん⁴).

やすまる 休まる (安心する) feel at ease; (ほっとする) be [feel] relieved, be [feel] relaxed; (体が休まる) be [feel] rested; (くつろぐ) relax (自) [日英比較] 以上はすべて主語が「人」で日本語と同じ発想であるが, 英語では「物」を主語にして relax *a person* (人の心を和らげる), set *a person's* mind「at ease [at rest] (人の心を安心させる) のように他動詞を用いても日本語の「休まる」の意味は表せる. (☞ あんしん; ほっと; 発想 (巻末) (1)).
¶その知らせを聞いて心が*休まりました I「*was* [*felt*] *relieved* when I heard the news. / (⇒ その知らせは私の心を安心させた) The news *set my mind*「*at ease* [*at rest*]. / The news *relieved* me. // 忙しくて体の*休まる暇もありません I'm too busy to *relax* (even for) a moment.

やすみ 休み **1** 《休息》: (休憩) rest [C] ★ 一般的な語; (仕事などを中断して取る休み) break [C]; (長短に関係のない休み時間) recess /ríːses, rɪsés/ [C]. (☞ きゅうけい¹). ¶ひと*休みしよう Let's「take [have] a「*rest* [*break*]. // 授業と授業の間には 15 分間の*休みがあります There is [We have] a fifteen-minute *break* between classes.
2 《欠席》 —[動] (欠席する) be absent (from …); (その場にいない) be not「here [there]. (☞ けっせき¹). ¶トムはきょうは*休みだ Tom *is absent* today.
3 《休業》: (閉店している) be closed (↔ be open) (☞ きゅうぎょう). ¶銀行[その店]は土曜日と日曜日は*休みです The「bank [store] *is closed* on Saturdays and Sundays.
4 《休日》 —[名] holiday [C]; (長期の) vacation /veɪkéɪʃən/ [C] [語法] 《米》では vacation のほうがよく用いられる. 《英》でも大学の休暇は vacation というが, その他の場合は holiday(s) が普通; (仕事・勤務・勉強などを免除された休暇) leave [C] ★ やや格式ばった語. —[副] (仕事を休んで) off. (☞ きゅうか¹). ¶きょうは*休みです We have a *holiday* today. / Today is a *holiday*. / (⇒ 勤めが休みだ) I'm *off* today. // きょうは 1 日*休みです (⇒ まる 1 日休暇をとっている) I have the whole day *off* today. // 彼は火曜が*休みです He has Tuesdays *off*. // 来月は 2 週間*休みをとって山へ行きます I'll take a two-week「*vacation* [《英》 *holiday*] and go to the mountains next month. // 先生に仕事があったので, 子供たちは午後から*休みとなった The teacher had some business to do, so the children「had [got] the afternoon *off*. // あすは学校は*休みです We *have* [*There is*] *no school* tomorrow. // 学校はあすから[今度の土曜で]*休みになる School *breaks up*「tomorrow [next Saturday]. ★ この表現は主に《英》. // 彼は*休みで帰省している He is home *on*「*vacation* [《英》 *holiday*].

やすみやすみ 休み休み ¶私たちは*休み休み歩いた We「went [walked] on, *taking a rest from time to time*. // 冗談も*休み休み言え (⇒ 冗談を言うのはやめろ) *Cut out* your joking.

やすむ 休む **1** 《休息》: rest (自), take [have] a rest; (ちょっと休む) take a break; (くつろぐ) relax (自). (☞ きゅうけい¹).
¶少し*休むとしよう Let's「*take* [*have*] *a rest* for a while. // 君は少し*休まなければだめだ (⇒ 休息を必要とする) You need some *rest*. // *休め《号令》 *At ease*! / *Stand at ease*!
2 《学校や業務を》: (欠席・欠勤する) be absent (from …), absent *oneself* (from …) ★ 後者は格式ばった表現; (行かない) stay away (from …) (自); (休暇をとる) take a holiday, have … off, be off; (先生が授業を取り止める) cáncel (他). (☞ きゅうか¹). ¶彼は 3 日間学校[会社]を*休んだ He「*was absent* [*stayed away*] *from*「school [work] for three days. // 私はたいてい夏には 1 週間休暇をとって*休む I usually *take* a week's「*vacation* [《英》 *holiday*] in (the) summer. // 私はあすは(非番で)*休みます I'll *be off* tomorrow. // 田中先生はめったに授業を*休まない Mr. Tanaka seldom *cancels* (his) classes.
3 《眠る》: (眠る) sleep (自); (床につく) go to bed. (☞ ねる¹). ¶お*休みなさい Good night. // ゆうべはよくお*休みになれましたか Did you *sleep* well last night? // もう*休む時間ですよ It's time you *went to bed*. [語法] 「…すべき時」の意味の time に続く従属節は過去形をとる.

やすめ¹ 安め ¶相場は*安めに動いている Prices [Quotations] *are*「*declining* [*falling*; *going down*].

やすめ² 休め ☞ やすむ 1

やすめる 休める (休息させる) rest (他), give … a rest; (くつろがせる) relax (他); (人の心を安心させる) set *a person's* mind at「rest [ease].
¶一晩ゆっくり体を*休めなさい (⇒ 十分な一晩の休息をとりなさい) *Have* a good night's *rest*. // 本をたくさん読んだ後は目を*休めたほうがよい You

や

should *rest* your eyes after so much reading. // 手を*休めるな (⇒ 仕事を続けなさい) *Go on with* your work.

やすもの 安物 cheap article Ⓒ, 《略式》 cheapie Ⓒ; (安い商品) cheap goods ★ 集合的に, あるまとまった量をいう. 複数形で; (特売品) bargain Ⓒ. 《☞ やすい (類義語)》.
¶ この時計は*安物だが時間は正確だ This watch ˹was [is] *cheap*, but it keeps good time. // 私は*安物をあさるのが好きだ I like to go *bargain* hunting.
安物買いの銭失い Penny-wise and pound-foolish. 《ことわざ: 1 ペニー (100 分の 1 ポンド) の使い方をけちして, 1 ポンドの使い方が間が抜けている》

やすやすと (容易に・簡単に) easily, with ease ★ 後者はやや文語的; (苦もなく) without difficulty; (骨を折らずに) without effort. 《☞ ようい²; かんたん¹; らくらく》.

やすやど 安宿 cheap ˹hotel [inn] Ⓒ; (のみが沢山いるような) 《米》 fleabag Ⓒ; (雨露をしのげる程度の) 《英》 doss house Ⓒ ★ あとの 2 つはいずれも口語. 《☞ やど》.

やすらう 休らう ☞ やすむ; きゅうそく²

やすらか 安らか ── 形 (穏やかな) peaceful. ── 副 (平和に) peacefully, in peace.
¶ 子供たちは*安らかな寝息を立てている (⇒ 安らかに眠っている) The children are sleeping *peacefully*. // (彼の霊よ) *安らかに眠れ May he rest *in peace*. ★ 死者に対して言う言葉.

やすらぎ 安らぎ (気楽・安心) ease Ⓤ; (くつろぎ) relaxation Ⓤ; (心の落ち着き) peace of mind Ⓤ. 《☞ あんしん; おちつき》. ¶ 音楽に耳を傾けていると心に*安らぎを覚える (⇒ 心が休まる) I *feel relaxed* when I listen to music.

やすらぐ 安らぐ (気が楽になる) feel at ease; (心が穏やかになる) have peace of mind. 《☞ やすまる》.
¶ あなたといると心が*安らぐ I *feel at ease* with you.

やすり 鑢 ── 名 file Ⓒ. ── 動 (やすりをかける) file ⑪. 《☞ だいく¹ (挿絵)》. ¶ 金物に*やすりをかけて滑らかにした I *filed* the metal until it was smooth. // 紙*やすり sandpaper **鑢粉** filings ★ 複数形で.

やすんじる 安んじる (満足する) be contented with …; (安心する) feel easy. 《☞ まんぞく; あんしん》. ¶ 現在の地位に*安んじる *be contented with one's* present position / have no desire to get a higher position

やせ 痩せ ☞ やせる ¶ 私は*やせの大食いだ I'm a big eater who stays *thin*.

やせい¹ 野性 ── 名 essential wildness Ⓤ; (狂暴性) essential fierceness Ⓤ. ── 形 (野性的な) wild; (粗野な) rough; (洗練されていない) unpolished. ¶ 彼女には*野性的な魅力がある She has *unpolished* charm. // 野獣も動物園で飼われると*野性(味)を失う Once [When] they are kept in a zoo, wild animals lose their *essential* ˹*wildness* [*fierceness*].

やせい² 野生 ── 形 (野生の) wild. ── 動 (植物などが野生する) grow wild. ¶ *野生の花 a *wild*-flower // *野生の動物 a *wild* animal // この植物は日本に*野生している This plant *grows wild* in Japan. **野生型** ── 形 wild. ── 名 wild type Ⓒ **野生植物** wild plant Ⓒ **野性動植物** wildlife Ⓤ **野生動物** wild animal Ⓒ.

やせうで 痩せ腕 (痩せた腕) skinny arm Ⓒ; (力量の乏しい腕前) limited ability Ⓤ. 《☞ ほそうで》.
¶ 彼女は女の*やせ腕で (⇒ 独力で) 子供 3 人を育てた She brought up her three children ˹*by herself* [*without help from others*].

やせおとろえる 痩せ衰える ── 動 become [grow] weak and emaciated; (骨と皮ばかりに) be reduced to skin and bones. ── 形 (やせ衰えた) weak and emaciated. 《☞ やせる》.

やせがた 痩せ形 ── 名 (体格) slender build Ⓒ. ── 形 (ほっそりしてスマートな) slender; (やせてひきしまった) slim; (脂肪のついてない) lean. 《☞ やせる》.

やせがまん 痩せ我慢 ¶ 彼は腹ぺこなのに*やせ我慢をしている (⇒ 彼はとても空腹なのにそうでないふりをしている) Though he's very hungry, he ˹*pretends* [*makes believe*] (*that*) *he is not*. / (⇒ 彼は空腹なんか何でもないというふりをしている) He ˹*pretends* [*makes believe*] (*that*) *hunger is nothing to him*. // 彼は*やせがまんしている He *is whistling in the dark*. ★ 困っているのに困っていないようなふりをすること. 《☞ がまん; つよがり》

やせぎす 痩せぎす ── 形 slightly built; (ほっそりした) slim. 《☞ やせる》.

やせぐすり 痩せ薬 weight-loss preparation Ⓒ.

やせこける 痩せこける get [become; grow] very thin; (病気でげっそり肉が落ちる) lose a great deal of weight. 《☞ やせる》.

やせた 痩せた ☞ やせる

やせち 痩せ地 (やせた土地[土壌]) poor ˹land [soil] Ⓤ; (不毛な) sterile /stérəl/ [barren] ˹land [soil] Ⓤ. 《☞ ふもう》.

やせつち 痩せ土 (土) barren [poor] soil Ⓤ; (不毛の土地) sterile land Ⓤ.

やせっぽち 痩せっぽち skinny [lean] person Ⓒ; (骨と皮ばかりの人) mere [living; walking] skeleton Ⓒ.

やせほそる 痩せ細る become [grow] (very) ˹thin [skinny].

やせる 痩せる **1** 《人が》 ── 動 get [become] thin; (目方が減る) lose weight; (積極的に目方を減らす) be on a diet; (体型をほっそりさせる) slím (dówn) ⓐ. ── 形 (やせた) thin; (肉がしまってやせた) lean; (すらっとした) slender; (ほっそりした) slim.
【類義語】肉が少なくやせていることを表す最も一般的な語が *thin*. 生まれつき脂肪分が少なく健康的に肉がしまっているのが *lean*. 女性や子供がすらっとして優美で均整がとれているのが *slender*. これとほぼ同意だが, きゃしゃでか弱いことを暗示するのが *slim*.
¶ 彼女は*やせている She is ˹*thin* [*slender*; *slim*].
語法 女性には slender, slim を用いたほうが上品. また lean は男性に用いるのが普通で, 女性には用いない. // 老いさらばえた*やせ犬[馬] a *thin* old ˹dog [horse] // 「もう少しケーキをいかがですか」「いや, 結構です. *やせようと思ってますので」 "Would you like (to have) some more cake?" "No, thank you. I'm trying to ˹*lose weight* [*slim down*]."
2 《土地が》: become poor; (不毛になる) become barren. ¶ この土地は*やせていて作物は何もできない This ˹land [soil] is too ˹*poor* [*barren*] to produce any crops.
痩せても枯れても ¶ *やせても枯れても (⇒ どんなに生活が苦しくても) 他人の世話になりたくない *However badly off I am now*, my pride prevents me from being under anybody's protection.
痩せる思いをする (恋・悲しみでやつれる) pine away.

やせん¹ 野戦 field operations ★ 通例複数形で. **野戦病院** field hospital Ⓒ.

やせん² 夜戦 night operations ★ 複数形で.

やせん³ 野選 〘野〙 fielder's choice Ⓒ.

やそ 耶蘇 (イエス キリスト) Christ 《☞ キリスト》. **耶蘇会** 〘キ教〙 the Society of Jesus 《☞ イエズス》 **耶蘇教** Christianity.

やそう 野草 wild grass Ⓤ ★ 種類をいうときは Ⓒ. 《☞ くさ¹》.

やそうきょく 夜想曲 〘楽〙 nócturne Ⓒ.

やそじ 八十路 (八十代に) in *one's* eighties. ¶*八十路の坂を越える pass *one's eighty-year* milestone / be over *eighty*

やたい 屋台 (屋台店)《米》stand Ⓒ, stall Ⓒ, booth Ⓒ 【語法】いずれもしばしば複合語で用いられる. ((例) a flower *stand*; a food *stall*). 《☞ ばいてん》. ¶通りにはいろいろな*屋台が出ている The street is lined with (various) 「*stands* [*stalls*; *booths*].

やだいじん 矢大臣 (神社の) the images of the two guardian deities installed by the gate of a shrine; (特に弓矢をもつほうの像) the image of the guardian deity with a bow and arrow.

やたいぼね 屋台骨 (土台) foundation Ⓒ; (骨組み) framework Ⓒ. ¶…の*屋台骨を揺るがす shake … to its *foundations*

やたがらす 八咫烏 *yatagarasu*; (説明的には) the sacred crow which is said to have acted as a guide when Emperor Jimmu made a military expedition to the east.

やたて 矢立て (矢を入れる容器) quiver Ⓒ; (筆・墨入れ) portable brush-and-ink case Ⓒ.

やたのかがみ 八咫の鏡 the *Yata no Kagami*; (説明的には) the sacred bronze mirror which is one of the Three Sacred Treasures of the Japanese Imperial House.

やたら ── 副 (無差別に) indiscríminately; (手当たり次第に) at random; (惜しげもなく) freely; (むやみに) blindly; (考えもなく) rashly; (不注意に) carelessly; (過度に) too much. ¶*やたらに本を読んでも役には立たない There's no use (in) [It's no use] reading books *at random*. ★ in を省略するのは《略式》. // 彼女は*やたらに金を使う She spends (her) money 「*freely* [(⇒ 湯水のように) *like water*]. // 彼は*やたらに人を (⇒ 過度に他人を) ほめる[けなす] He 「praises [blames] other people *too much*. // *やたらなことを (⇒ 無責任なことを) 言うものではない Don't make *irresponsible* statements.

やちょう[1] 野鳥 wild bird Ⓒ. **野鳥観察** bird watching Ⓤ, birding Ⓤ **野鳥観察者** birder Ⓒ, bird-watcher Ⓒ **野鳥の会** the Wild Bird Society of Japan **野鳥保護** wild-bird preservation Ⓤ.

やちょう[2] 夜鳥 night bird Ⓒ; nocturnal bird Ⓒ ★ 後者は格式ばった語.

やちん 家賃 (house) rent Ⓤ, rent (on *a person's* house) Ⓤ 【語法】(1) rent は文脈次第で「部屋代」(room rent) の意味でも用いられる. 《☞ かす[1]》. ¶彼は高い[安い]*家賃を払っている He pays a 「high [low] *rent* (*for his house*). / (⇒ 彼は高い[安い]家賃で家を借りている) He rents his house at a 「high [low] rate. 【語法】(2) rent は《米》では「貸す」(《英》let) の意味でも用いられるが, 貸すことを明確にする必要のあるときは rent [《英》let] out とする. // 「あなたのところは*家賃はいくらですか」「月 10 万円です」"What is the *rent on your house*? / How much is your *rent*? / How much do you pay 「for [in] *rent*?" "It's a hundred thousand yen a month." // 私は*家賃がただの家に住んでいる I was offered the house *rent*-free. // 今月から*家賃が 10 パーセント上がった The *rent* has risen ten percent (from) this month. // *家賃が 3 か月分たまってしまった My *rent* is three months in arrears. ★ in arrears は「滞納して」という意味. / (⇒ 私は家賃に関して 3 か月遅れている) I am three months 「behind [in arrears] 「with [on] my *rent*.
家賃補助 rent subsidy Ⓒ.

やつ 奴 《米》guy Ⓒ, 《英》bloke Ⓒ, chap Ⓒ, fellow Ⓒ ★ 最後の 2 つは古風. 【日英比較】日本語では「やつ」とあっても英語では man, woman, he, she などを用いるほうがよい場合が多い. 《☞ れんちゅう》. ¶あいつはいい[いやな]*やつだ He's a 「nice [disgusting] 「*man* [*guy*; *bloke*]. // *やつは来ないかもしれないぜ I'm afraid *he*'s not coming.

やつあしもん 八脚門 (神社の) eight-post gate (built on the approach avenue to a shrine) Ⓒ.

やつあたり 八つ当たり ¶彼はいらいらしているときはだれにでも*八つ当たりする (⇒ 不機嫌になる) When he's frustrated, he 「*gets cross with* [(⇒ 当たり散らす) *takes it out on*] everybody. 《☞ あたる; あたりちらす》

やっか[1] 薬価 the charge for a drug, drug prices, prices of drugs ★ 複数形で. **薬価改訂** change in the price standards for drugs **薬価基準** price standards for drugs (prescribed under the Health Insurance System), drug price standard Ⓒ **薬価差益** profit margin from drug prices Ⓒ.

やっか[2] 薬禍 ☞ やくがい

やっかい 厄介 **1** 《面倒》 ── 名 (手数・迷惑のかかること) trouble Ⓤ; (負担になる物) burden Ⓒ. ── 形 (手数のかかる・迷惑な) troublesome; (負担になる) burdensome; (難しい) difficult. ── 動 (手数・迷惑をかける) trouble ⊕, bother ⊕; (人に迷惑をかける) give *a person* trouble, put *a person* to trouble. 《☞ めんどう; めいわく》.
¶*やっかいな仕事を背負い込んでしまった I'm saddled with 「a *troublesome* job [*burdensome* duties]. // これ以上*やっかいをかけないでくれ Don't *give* me any more *trouble*. / Don't *put* me *to* any more *trouble*. // 「ご*やっかいをかけてすみません」「どういたしまして」"I'm sorry to 「*trouble* [*bother*] you." "That's all right. / It doesn't matter. / Not at all." 【語法】相手にすでに面倒をかけてしまったときは I'm sorry 「to *have troubled* [I *troubled*] you. と言う. ただし, 答えは同じ.
2 《世話》 ── 名 care Ⓤ. ── 動 (頼る) depend 「on [upon] … ★ 進行形で用いることはできない; (頼っている) be dependent on …; (泊まる・滞在する) stay 「with *a person* [at *a person's* (house)]; (寄寓する) live 「with *a person* [at *a person's* (house)]. 《☞ たよる; せわ》.
¶彼はあの年でまだ親の*やっかいになっているのですか *Is* he still *dependent on* his parents at his age? // 大学在学中はおじの家に*やっかいになっていた (While I was) in 「college [university], I *lived* 「*with* my uncle [*at* my uncle's].
やっかい払い ── 動 (やっかい払いをする) get rid of … ¶どうにかして彼を*やっかい払いしなくてはならない I have to *get rid of* him somehow. // やつがいなくなっていい*やっかい払いだ He's gone, and *good riddance*! 【語法】good riddance は, 「いやなものがなくなってせいせいした」という意味の成句. 口語的.
やっかい者 (負担になる人) burden Ⓒ; (1 つのグループや家族の中での持て余し者) black sheep Ⓒ ★ 単複同形; (どうにも扱いにくい人) ùnmánageable pérson Ⓒ. 《☞ のけもの》.

やつがしら 八つ頭 〔植〕(里芋の一種) yam /jǽm/ Ⓒ.

やっかだいがく 薬科大学 college of pharmacy Ⓒ 《☞ だいがく[1]》.

やっかみ jealousy Ⓤ. ¶*やっかみ半分でからかう tease half out of *jealousy*

やっかむ ☞ やく[6]; ねたむ

やっかん 約款 (条項) provision Ⓒ; (規定) stipulation Ⓒ.

やっき 躍起 ── 副 (興奮して) heatedly; (一生懸命) very hard; (必死に) désperately. ── 動 (興奮する) get excited; (全力を上げる) make an all-

out effort (to *do* ...), 《略式》 go [be] all out (for ...; to *do* ...) ★ 慣用的表現. (☞ ひっし¹).
¶ 彼らは*躍起になって議論した (⇒ 彼らは激論を持った) They had a *heated* discussion. // 彼はいい成績を取ろうと*躍起になっている He's ˹trying *very hard* [*making an all-out effort*] *to* get good ˹grades [marks]. / He *is going all out* ˹*for* good grades [*to* get good grades]. / He*'s out to* make better grades.

やつぎばや 矢継ぎ早 ¶ 彼は私たちに*矢継ぎ早に (⇒ すばやく連続して) 質問を浴びせた He asked us a great many questions *in rapid succession.* / (⇒ 雨あられのように) He *showered* ˹questions on us [us with questions].

やっきょう 薬莢 cartridge case Ⓒ, shell Ⓒ. (☞ たま³ (挿絵)).

やっきょく 薬局 (薬屋) pharmacy Ⓒ; 《米》 drugstore Ⓒ; 《英》 chemist Ⓒ, chemist's (shop) Ⓒ ★ 一番目がやや格式ばった語.

イギリスの薬局

日英比較 英米の薬局も日本の薬局と同様に, 薬ばかりでなく石けん・歯みがきなどの雑貨類も販売しているが, 米国の drugstore では売られているものの種類がいっそう多様で, 化粧品・文房具・雑誌・書籍なども販売されている. さらに drugstore では簡単な食事もできる. 従って薬局を drugstore と訳すと多少ニュアンスの違いが生ずる点に注意; (病院・医院などの薬局) dispénsary Ⓒ.
薬局方 pharmacopoeia /fɑ̀ːməkəpíːə/ Ⓒ.

やつぎり 八つ切り ― ［名］ (写真) 6.5 by 8.5 inch photograph Ⓒ. ― ［動］ cut ... into eight parts.

ヤッケ hooded jacket Ⓒ, parka Ⓒ 参考 日本語のヤッケはドイツ語の Jacke からきたもの.

やっこ 奴 (下男) servant Ⓒ, footman Ⓒ.

やっこう 薬効 the ˹effect [efficacy] of a medicine Ⓒ ★ かっこ内のほうが格式ばった語. ¶ *薬効はすぐ現れた The medicine took *effect* instantly.

やっこさん 奴さん (あいつ) that ˹person [bloke].

やっこだこ 奴凧 *Yakko-dako* Ⓒ; (説明的には) kite which features a warrior's manservant with his arms outspread Ⓒ.

やっこどうふ 奴豆腐 tofu [bean curd] cut into cubes Ⓤ.

やつざき 八つ裂き ― ［動］ (ばらばらに引き裂く) tear ... apart (☞ さく²).

やつしごと 俏し事 (歌舞伎) *yatsushi*, disguise Ⓒ; (説明的には) theatrical convention where a main character assumes a dual role, first appearing in a lowly state, and later revealing his real identity Ⓒ.

やつしろがい 八代貝 〔貝〕 gold-mouthed tun Ⓒ.

やつしろそう 八代草 〔植〕 clustered bellflower Ⓒ.

やつす 俏す (変装する) disguise *oneself* (as ...), be disguised (as ...). (☞ へんそう¹). ¶ 王様はこじきに身を*やつしました The king *disguised himself as* a beggar.

やっちゃば やっちゃ場 (東京の青物市場) vegetable market in Tokyo Ⓒ.

やっつ 八つ ― ［名］ eight. ― ［形］ (8つの) eight; (8つめの) the eighth. (☞ 数字 (囲み)).

やっつけしごと やっつけ仕事 (粗末な仕事) rough job Ⓒ; (拙速だが何とか役に立つ仕事) rough-and-ready job Ⓒ; (雑な) slipshod [sloppy] job Ⓒ.

やっつける (ひどい目にあわせる) 《略式》 give it to *a person*; (こらしめる) 《略式》 let *a person* have it; (負かす) beat (他); (批判する) críticize (他). (☞ ひはん; こらしめる). ¶ 彼を*やっつけてやる I'll *give it to* him. / I'll *let* him *have it*.

やつで 八つ手 〔植〕 fatsia Ⓒ.

やってくる やって来る (こちらへ来る) còme alóng (自); ((つかつかと) 近寄って来る) còme úp (to ...) (自); (遠くから来る・渡来する) còme óver (自); (年・月などがめぐって来る) còme ˹róund [aróund] (自); (現れる) appear (自); ((ひょっこり) 姿を現す) tùrn úp (自), 《略式》 shów úp (自); (訪問する) call on ..., call at ... 語法 格式ばった言い方. on の後には「人」, at の後には「場所」が来る. (☞ くる¹).
¶ ついに好機が*やって来た At last the right opportunity *came along.* // 知らない人がつかつかと*やって来て握手を求めた A stranger *came up* (*to* me) and ˹offered [held out] ˹his [her] hand. // 暑い夏がまた*やって来た Another hot summer ˹*has arrived* [*is here*]. // 1時間待ったが彼は*やって来なかった We waited for him for an hour, but he didn't ˹*show up* [*turn up*].

やってのける (難事を達成する) bring off (他); (任務などをうまく果たす) carry off (他) ★ いずれもくだけた語. ¶ あいつ, すごいことを*やってのけたよ He *brought off* a feat. // 彼女はその役をうまく*やってのけた She *carried off* her act well.

やってみる (試みる) try (他), have a try (at ...); (一か八かやってみる) take ˹a [*one's*] chance, chance it ★ 前2者のほうがより一般的. (☞ こころみる; ためす). ¶ ひとつ*やってみよう I'll ˹*try* [*have a try at*] it. // うまくいくかどうかわからないが (⇒ 一か八か) *やってみよう I don't know if we can make it, but let's ˹*take a chance* (on it) [*chance it*].

やってゆく やって行く (暮らして行く) gèt alóng (自); (なんとか工夫して処理する) mánage (to *dó* ...) (自); (収支を償う) make (both) ends meet; (人と折り合って行く) get ˹along [on] (with ...) (自). (☞ くらす). ¶ 心配無用. なんとか*やって行くさ Don't worry. I'll ˹*manage* [*get along*] somehow. // そんな少ない給料で*やって行けるのかい Can you ˹*get along* [*manage to* live; *make* (*both*) *ends meet*] on such a small salary? // あなたなら彼らとうまく*やって行けると思う I think you can *get* ˹*along* [*on*] well *with* them.

やっと **1** 《ついに》: (とうとう) at (long) last ★ long が付くと意味が強くまた文語的になる; at length ★ at last よりも格式ばった言い方; (最後に) finally ★ 前2者よりも客観的な語で, 失敗の場合にも使われる; (...になって初めて) it ˹is [was] not ˹until [till] ... that ... ¶ *やっと(のことで)試験が終わった *At* (*long*) *last* the examinations were over. // 彼は多くの失敗を重ねた末に (⇒ 多くの失敗の後) *やっと成功した After many failures he *finally* succeeded. // けさになって*やっとその事を知った *It was not* ˹*until* [*till*] this morning *that* I ˹learned [found out about] it.
2 《かろうじて》 ― ［副］ (ぎりぎりで) just ★ しばしば強調のために only を前に添えて; (間一髪で) narrowly; (かろうじて) barely; (苦労して) with difficulty. ― ［動］ (やっと...する) mánage to *dó* ...

《☞ かろうじて (類義語)》.
¶*やっと締切りに間に合った I was (*only*) *just* able to meet the deadline. // 彼は*やっと災難を逃れた He ｢*narrowly* [*barely*] ｢escaped a mishap [avoided an accident]. // 勘定を払うのが*やっとだった (⇒ 勘定を払うのにかろうじて十分な金を持っていた) I had ｢*barely* [(*only*) *just*] enough (money) to pay ｢the [my] bill.

やっとう (剣術) sword battle Ⓒ ★ 日本語は掛け声からの俗称. 《☞ けんじゅつ》.

やっとこ pincers; (ペンチ) pliers ★ いずれも複数形で. 数えるときは a pair [two pairs] of ｢pincers [pliers] のように言う. 《☞ 数の数え方 (囲み); だいく (挿絵)》.

やつはし 八つ橋 *yatsuhashi* Ⓒ; (説明的には) cinnamon-seasoned cracker Ⓒ.

やっぱり ☞ やはり

ヤッピー 《略式》 yuppie /jʌ́pi/ Ⓒ ★ 専門職につき, 上流志向の若手エリート. young urban professional の頭文字に -pie を加えたもの.

ヤッホー ━ 感 yoo-hoo /júːhùː/. ━ 動 (ヤッホーと呼びかける) yoo-hoo 自.

やつめうなぎ 八ツ目鰻 〖魚〗 lamprey Ⓒ.

やつら 奴等 those ｢people [guys; blokes] 《☞ やつ; やっこさん》.

やつれる 窶れる ━ 動 (やせる) become [get; grow] thin. ━ 形 (やせた) thin; (ひどくやせた) skinny; (病気などで目が落ちくぼんだりして) gaunt. 《☞ やせる》. ¶彼女は病気で*やつれた She *got thin* because of her illness. // 病み上がりで彼女は*やつれた顔をしていた She looked *gaunt* after her illness.

やど 宿 **1** «宿泊» ¶今夜はどこに*宿をとることにしようか Where shall we ｢*stay* [(英) *put up*] for the night? // 私たちは一夜の*宿を求めた We asked for a *room* for the night.
2 «宿屋»: (小規模あるいは田舎風のホテル) inn Ⓒ; (ホテル) hotel Ⓒ; (日本式の旅館) Japanese(-style) ｢hotel [inn] Ⓒ, *ryokan* Ⓒ. 《☞ りょかん》. ¶*宿は決まりましたか Have you decided on a *hotel*?
宿賃 room rate Ⓒ.

やとい 雇い (雇うこと) employment Ⓤ; (雇い人) employee /ɪmplɔ̀ɪíː/ Ⓒ; (官庁の) góvernment employée Ⓒ. 《☞ やといにん》.

やといいれる 雇い入れる ☞ やとう¹

やといにん 雇い人 employee /ɪmplɔ̀ɪíː/ Ⓒ; (日雇いの) day laborer Ⓒ; (臨時雇い) temporary employee Ⓒ.

やといぬし 雇い主 employer Ⓒ.

やといへい 雇い兵 mércenàry Ⓒ 《☞ ようへい³》.

やとう¹ 雇う ━ 動 employ 他 ★ 一般的な語; (一時的に) hire 他. ¶会社ではガードマンを5人*雇っている Our company *employs* five security guards. // タクシー2台を*雇って島めぐりをした We *hired* two taxis and toured the island. // *雇われマダム an *employed* [a *hired*] manageress (of a saloon)

やとう² 野党 opposition (party) Ⓒ; (野党全体を集合的に) the opposition. ¶*野党はその法案に強く反対している *The opposition* (*parties*) are strongly against the bill. // *野党第1党 the ｢main [number-one] *opposition party* // *野党党首 an *opposition* (*party*) leader
野党連合 the ｢coalition [combination] of opposition parties, opposition coalition Ⓒ.

やどかり 宿借り 〖動〗 hermit crab Ⓒ.

やどす 宿す (妊娠する) be pregnant 《☞ にんしん; はらむ》. ¶前夫の子を*宿している be made *pregnant* by *one's* former husband // 初めての子を*宿している *be pregnant* with *one's* first child

やどちょう 宿帳 hotel ｢register [book] Ⓒ. ¶だれでも宿をとるときには*宿帳に記入しなければならない Everybody must ｢*register* [enter his or her name and address in the *hotel register*] when he or she checks in at a hotel.

やどなし 宿無し ━ 形 homeless. ━ 名 homeless person Ⓒ; (浮浪者) tramp Ⓒ. ¶彼らは火事で*宿無しになった (⇒ 家を失った) They (*have*) *lost* their *homes* in the fire.

やどぬし 宿主 (男の) landlord Ⓒ; (女の) landlady Ⓒ; (寄生動[植]物の) host Ⓒ. 《☞ やぬし》.

やとびょう 野兎病 〖医〗 tularemia /t(j)ùːləríːmiə/ Ⓤ; (一般的には) rabbit fever Ⓤ.

やどや 宿屋 (日本式旅館) Japanese(-style) hotel Ⓒ, *ryokan* Ⓒ ★ 後者は単複同形. 完全な英語とはなっていないので, 説明が必要な場合もある; (小規模ないし田舎風ホテル) inn Ⓒ. 《☞ りょかん》.

やどりぎ 宿り木 〖植〗 mistletoe /mísltòʊ/ Ⓤ.

やどる 宿る ¶憎しみが彼の心に*宿っていた (⇒ 彼は憎しみを抱いていた) He *harbored* great resentment. 《☞ いだく; すむ¹》

やどろく 宿六 my ｢husband [man] 《☞ おっと¹》.

やどわり 宿割り assignment [allotment] of ｢lodgings [rooms] Ⓤ.

やな 梁 (魚をとるための) weir /wíə/ Ⓒ.

やなぎ 柳 〖植〗 willow (tree) Ⓒ. ¶しだれ*柳 a weeping *willow* // *柳に雪折れなし Better bend than break. 《ことわざ: 折れるよりはたわむほうがよい》
柳に風と受け流す ¶彼女は彼の意地の悪いことばを*柳に風と受け流した She *took* his nasty remark *in* (her) *stride*. **柳の下にいつもどじょうはいない** (⇒ 幸運が繰り返すことを期待できない) You can't expect good luck to repeat itself.
柳科 the willow family.

やなぎいちご 柳苺 〖植〗 *yanagiichigo* Ⓒ; (説明的には) deciduous shrub with elongate branches, whose juicy fruit resemble strawberries Ⓒ.

やなぎごうり 柳行李 wicker trunk Ⓒ.

やなぎごし 柳腰 slim waist Ⓒ.

やなぎたくにお 柳田国男 ━ 名 固 Yanagita Kunio, 1875–1962; (説明的には) the founder of Japanese folklore studies who collected folktales systematically.

やなぎは 柳派 (落語) the *Yanagi* school; (説明的には) one of the schools of *rakugo* (Japanese comic storytelling).

やなぎば 柳刃 〖料理〗 long, slender knife for slicing Ⓒ.

やなぎばし 柳箸 *yanagi* chopsticks; (説明的には) chopsticks of unvarnished willow wood, used on formal occasions such as New Year's Day ★ 複数形で.

やなみ 家並み row of houses Ⓒ. ¶見慣れた*家並みが遠くに見えた In the distance, I saw familiar *rows of houses*.

やなり 家鳴り ━ 名 shaking of a house Ⓤ. ━ 動 (がたがた鳴る) shake 自. 《☞ なる²》.

やに 脂 (樹脂) resin Ⓤ; (たばこの) tar Ⓤ.

やにさがる やに下がる (悦に入る) be complacent; (自己満足の顔をする) look self-satisfied. ¶おせじで*やに下がるな Don't *be complacent* because you're being flattered. // 彼はそのラブレターをもらって*やに下がっている (⇒ 非常に喜んだ顔をしている) He *looks very pleased* with that love letter.

やにょうしょう 夜尿症 〖医〗 nocturnal enuresis /ènjʊríːsɪs/ Ⓤ; (寝小便) bed-wetting Ⓤ. 《☞ ねしょうべん》.

やにわに 矢庭に (突然に) suddenly; (不意に) abruptly. 《☞ とつぜん》.

やぬし 家主 (男の) landlord Ⓒ; (女の) landlady Ⓒ; (家の持ち主) owner (of the house) Ⓒ.

ヤヌス 〘ロ神〙 Janus /dʒéɪnəs/ ★ 門を守る神で前後を見る二つの顔を持つ.

やね 屋根 roof Ⓒ. ¶ 彼の家の*屋根は瓦[トタン]ぶきです (⇒ 瓦[トタン] でふかれている) His house *is roofed* with ˹tile(s) [tin]. / He has a ˹tile [tin] *roof* (on his house). // かやぶき*屋根 a thatched *roof* // 彼は*屋根に上がった He climbed (up) on (to) the *roof*. 〔参考〕 roof は「屋上」の意味に用いられることもある. // …と同じ*屋根の下で暮らす live with … under the same roof / share a house with … / (⇒ 同棲する) live [cohabit] with …

屋根板 shingle Ⓒ **屋根裏** the back of a roof **屋根裏部屋** áttic Ⓒ ★ 一般的な語; (特に天井の傾斜した暗い部屋) garret Ⓒ; (屋根下の居住空間) loft Ⓒ **屋根瓦** tile Ⓒ **屋根伝い** ¶ *屋根伝いに逃げる flee *from roof to roof*

やのあさって ☞ しあさって

やば 矢場 (屋外の[屋内の]) outdoor [indoor] archery range Ⓒ.

やばい ― 形 (危険な) risky; (あぶなっかしい) chancy. 《☞ あぶない》. ¶ 勉強しないと*やばいぞ (⇒ 困ったことになる) You'll ˹*get* [*be*] *in trouble* if you don't study. // この仕事は*やばい This business is *risky*.

やはず 矢筈 (弓の) notch (on the end of an arrow) Ⓒ; (織り方) herringbone (pattern) Ⓒ; (掛け軸の) forked bamboo stick used to hang scrolls Ⓒ.

やはずそう 矢筈草 〘植〙 Japanese clover Ⓒ.

やばね 矢羽根 (矢の) fletchings ★ 複数形で; (バドミントンの) feathers ★ 複数形で; (ダートの) flight Ⓒ.

やはり ― 副 (…もまた) too, also 〔語法〕 後者のほうがやや格式ばった語. また too は文尾か修飾する語の後に置かれるが, also は普通, 動詞の前, あるいは助動詞と動詞の間に置かれる点に注意; (いまでもなお) still. ¶ 彼は働き者だが, 彼の息子も*やはりそうだ He's a hard worker, and his son ˹*also* works hard [works hard, *too*]. / He's a hard worker, and *so* is his son. ★ 第 2 文のほうが格式ばった表現. 《☞ -も》. // *やはり私の考えていたとおりでしたね It was *just as* I (had) thought.

やはん 夜半 (午前 0 時) midnight Ⓤ; (夜中) the middle of the night. 《☞ よなか 〔語法〕; よる[1]》. ¶ *夜半に奇妙な物音を聞いた I heard a strange noise in *the middle of the night*.

やばん 野蛮 ― 形 sávage, bárbarous ★ 後者のほうが原始的で獰猛(どうもう)の意味が強い. ¶ 戦争とはまったく*野蛮な行為だ War is a most *barbarous* thing. **野蛮人** savage Ⓒ; (獰猛な非文明人) barbarian Ⓒ 〔語法〕 現在では比喩的な意味にしか使われない. ¶ 無抵抗の人を殺すなんてあなた方は*野蛮人だ You are ˹*savages* [*barbarians*] to kill people who offer no resistance.

やひ 野卑 ― 形 (下品な) vulgar; (粗野な) rude; (がさつな) coarse. 《☞ げひん》.

やぶ 薮 thicket Ⓒ; (低木の茂み) bush Ⓒ. 《☞ しげみ; くさむら》. **薮をつついて蛇を出す** ☞ やぶへび **やぶから棒に** (急に) suddenly; (唐突に) abruptly; (出し抜けに) 《略式》 out of the blue. 《☞ とつぜん》 **薮の中** in the dark, unknown.

やぶいしゃ 薮医者 quack (doctor) Ⓒ.

やぶいり 薮入り servant's holiday Ⓒ, short leave given to servants and apprentices in winter and in summer Ⓒ ★ 後者は説明的な訳.

ヤフー **1** Yahoo Ⓒ ★ J. スウィフトの風刺小説『ガリバー旅行記』の中の人間の姿をした獣. **2** 〘商標〙 (インターネットの検索サイト) Yahoo! ★ 感嘆符をつけて.

やぶか 薮蚊 〘昆〙 striped /stráɪpt/ mosquíto Ⓒ 《☞ か[5]》.

やぶがらし 薮枯 〘植〙 bushkiller Ⓒ.

やぶく 破く ☞ やぶる; さく[2]

やぶける 破ける ☞ やぶれる; さける[2]

やぶこうじ 薮柑子 〘植〙 *yabukoji* Ⓒ, Japanese spearflower Ⓒ; (説明的には) evergreen shrub with small white blossoms Ⓒ.

やぶこぎ 薮漕ぎ ― 動 (やぶを手でかきわけながら登る) climb up, pushing *one's* way through low trees and bushes 自.

やぶさか ¶ 必要なら協力するに*やぶさかでない (⇒ 進んで協力する) I *am* ˹*ready* [*willing*] *to* cooperate with you if necessary.

やぶさめ 流鏑馬 horseback archery Ⓤ.

やぶつばき 薮椿 〘植〙 wild [common] camellia Ⓒ.

やぶにらみ 薮睨み ☞ しゃし[1]

やぶへび 薮蛇 ¶ *やぶへびになるようなことはするな Let sleeping dogs lie. 《ことわざ: 眠っている犬はそのままにしておけ》

やぶみ 矢文 (伝言[手紙]) message [letter] tied to an arrow Ⓒ.

やぶみょうが 薮茗荷 〘植〙 *yabumyoga* Ⓒ; (説明的には) a type of spiderwort with numerous, small white flowers.

やぶむらさき 薮紫 〘植〙 *yabumurasaki* Ⓒ; (説明的には) deciduous shrub which has hair on its leaves and around its purple berries Ⓒ.

やぶらん 薮蘭 〘植〙 lilyturf Ⓒ, liriope Ⓒ ★ 後者は元来薮蘭属の属名. ともにしばしば Ⓤ 扱い.

やぶる 破る **1** «引き裂く»: tear /téə/ 他 《過去 tore; 過分 torn》, rip 他 〔語法〕 両方とも元来は 1 つの物を 2 つ以上に引き裂くことをいうが, 部分的に引き裂いて穴などをあけることにも使う; (引き裂いてばらばらにする) tear … into pieces. 《☞ ひきさく》. ¶ 赤ん坊が手紙をびりびりに*破った The baby *tore* the letter *into pieces*. // 彼は封筒を*破って開けた <S (人)+V (*tear*; *rip*)+O (名)+C (形)> He ˹*tore* [*ripped*] the envelope open. / He *tore* open the envelope. // 彼は写真を雑誌から*破り取った He *tore* the picture *out of* the magazine.

2 «破壊する»: break 他 《過去 broke; 過分 broken》 〔語法〕 意味の広い一般的な語で, 「壊す」「破壊する」 にも当たり, 1 つの物を 2 つ以上の部分に分解してしまう動作をいう. また比喩的にも用いる. 《☞ こわす (類義語)》. ¶ 銀行の金庫が*破られた The ˹safe [vault] of the bank *was* ˹*broken into* [*cracked* (*open*)]. ★ break in(to) は「どろぼうが押し入る」意. crack は「(金庫などを) こじあける」の意.

3 «違反する»: (約束・法律などを破る) break 他; (違反する) víolàte 他 ★ 前者より格式ばった語. 《☞ いはん[1] (類義語)》. ¶ 彼は約束を*破った He *broke* his promise. // 法を*破れば罰せられる If you ˹*break* [*violate*] the law, you will be punished.

4 «負かす»: beat 他, defeat 他 ★ 前者のほうが口語的. 《☞ かつ[1]》. ¶ 私たちの野球チームは 4 対 1 で彼らを*破った Our baseball team ˹*beat* [*defeated*] them four to one.

5 «ある状態に変化をもたらす» ¶ この新記録も近い将来再び*破られるだろう This new record will *be broken* in the near future. // 皆, 沈黙を*破るのにちゅうちょした Everyone hesitated to ˹*break* the silence [(⇒ 思い切って口を開く) speak out].

やぶれ 破れ (裂け目) tear /téə/ Ⓒ; (ほころび) rip

Ⓒ; (長い切れ目) slit Ⓒ; (割れ目・折れ目) break Ⓒ; (すき間) gap Ⓒ; (穴) hole Ⓒ. 《☞ さけめ》.

やぶれかぶれ 破れかぶれ ―形 (捨てばちの) désperate. ―副 désperately. 《☞ やけ》.

やぶれる 破れる, 敗れる **1** 《裂ける》: tear /téə/ ⓐ, rip ⓐ, be ˹torn [ripped] ★ rip には激しく破れる意が加わる. いずれも「物」を主語とする. 《☞ やぶる; さける²》.

¶ぬれた紙は簡単に*破れる Wet paper ˹*tears* [*rips*] easily. // この布はなかなか*破れない This cloth won't *tear*. // 上着が釘に引っ掛かって*破れてしまった My coat (was) caught on a nail and *was* ˹*torn* [*ripped*]. / My coat *was* ˹*torn* [*ripped*] on a nail.

2 《敗北する》: (試合などに負ける) lose ⓐ 《過去・過分 lost》 ★「人」が主語で,「試合」などが目的語; (負かされる) be ˹beaten [defeated] 語法 破れた「人」が主語で, 後に「相手」を明記するときは by … を付ける. beaten のほうが口語的. 《☞ まける》.

¶チャンピオンが試合に*敗れた The champion *lost* the match. / The champion *was* ˹*beaten* [*defeated*] in the match.

3 《物事が成り立たなくなる》 ★この語義に相当する特定の英語はなく, それぞれの場合に応じて意訳する必要がある. 《☞ 翻訳 (巻末)》.

¶彼女は恋に*破れた (⇒ 失恋した) She *was disappointed in* love. / She was *brokenhearted*. 語法 brokenhearted は失恋以外の悲しみも意味する. // パイロットになるという彼の夢は*破れた (⇒ 実現されなかった) His dream of becoming a pilot ˹*did not come true* [*was not realized*].

やぶん 夜分 ¶*夜分 (⇒ こんなに夜遅く[遅い時間に]) 申し訳ありません I'm ˹very [really, awfully] sorry to trouble you ˹*so late night* [*at this late hour*]. 《☞ よる¹》

やへん 矢偏 (漢字の) arrow radical on the left of kanji Ⓒ.

やぼ 野暮 ―形 (愚かな) silly; (思いやりがない) thoughtless. ―動 (ユーモアのセンスがない) have no [lack a] sense of humor; (良識がない) lack good sense 日英比較 風雅な心を持たないという意味で,「やぼな」にぴったりする訳語はない. これは英語には「風雅」のような意味領域がないためで, 文脈に応じて意訳しなくてはならない. 《☞ ぶすい》.

¶彼の話を真に受けるとは君も*やぼだ You ˹are *silly* [*have no sense of humor*] if you take his stories seriously. / It's *silly* of you to take his stories seriously. ★第 2 文のほうが口語的. **野暮天** senseless [silly] person Ⓒ **野暮用** (重要でない用事) minor [unimportant] ˹job [business] Ⓒ.

やほう 野砲 field gun Ⓒ; (総称) field artillery Ⓤ.

やぼう 野望 ―名 ambítion Ⓤ ★よい意味にも悪い意味にも用いる. 具体的には Ⓒ. ―形 (野望を持った) ambítious. 《☞ やしん》. ¶彼には有名になりたいという*野望があった He ˹had an *ambition* [was *ambitious*] *to* become famous.

やぼったい 野暮ったい ¶彼は*やぼったい服装をしている (⇒ 服装のセンスがない) He *lacks* (*good*) *taste* in clothes. / (⇒ はやらない服を着ている) He ˹wears *unfashionable* clothes [dresses *unfashionably*].

やま 山 **1** 《山岳》: mountain Ⓒ; (小山) hill Ⓒ.

¶*山のふもとに[頂に]小さな社がある There is a small shrine ˹at the foot [on top] of the *mountain*. // *山を登る climb [ascend] a *mountain* // *山を下る go down [descend] a *mountain* // 仕事の*山は越えた (⇒ 終わりが見えてきた) The *end* of the work is in sight. // 病気は*山を越した (⇒ 患者は) The patient has gotten through *the crisis*. 《☞ とうげ》 // 恋人の死がこの小説の*山だ The lover's death ˹is [constitutes] *the climax* of the novel. 《☞ やまば》 // 枯れ木も*山のにぎわい (⇒ 数が多いほど楽しみも大きい) The more, the merrier.

2 《予想》: (推量) guess Ⓒ; (投機) speculation Ⓤ.

¶*山をかける (⇒ 一か八かやってみる) take ˹a chance [chances] / (⇒ 予想をする) make a *guess* // *山が当たった My *guess* turned out to be right. / (⇒ 投機が成功した) I was successful in my *speculation*. // 試験で*山が当たった I made a lucky *guess* at a question on the exam.

山高きが故に貴からず You should not judge a person by ˹his [her] ˹appearance [looks].

山のような (大きな) mountainous; (たくさんの) a ˹heap [pile] of … ¶*山のような洗濯物 *a heap of* laundry // *山のような大男 a *mountain* of a man

山ほど ☞ 見出し

コロケーション

切り立った山 a precipitous *mountain* / 険しい山 a steep *mountain* / 神聖な山 a ˹sacred [divine] *mountain* / 荘厳な山 a sublime *mountain* / そびえ立つ山 a towering *mountain* / 高い山 a high *mountain* / 雪化粧した山 a snow-covered *mountain*

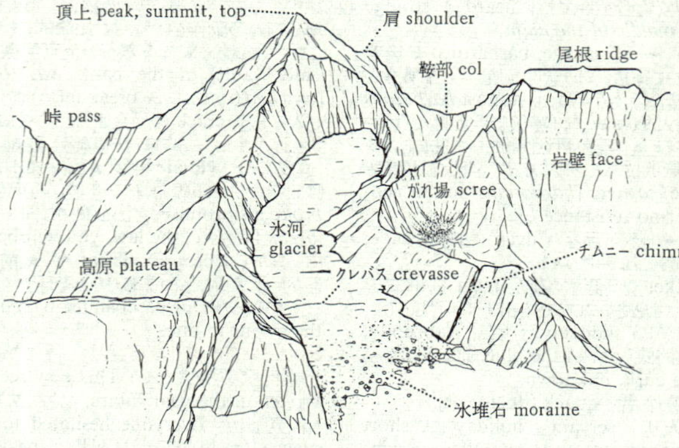

山 mountain

やまあい[1] 山間 (谷) valley [C]; (峡谷) ravine [C], gorge [C]. 《☞ やまおく; たに (写真)》.

やまあい[2] 山藍 〔植〕 *yamaai* [C]; (説明的には) perennial plant with small purple flowers, growing in woods on low mountains, the leaves of which produce dye for *aozuri* (a bright blue cloth) [C].

やまあし 山足 (スキーの山足) the ˹uphill [up-slope]˹foot [boot].

やまあらし[1] 山荒らし 〔動〕 porcupine /pɔ́ɚkjʊpàɪn/ [C].

やまあらし[2] 山嵐 mountain storm [C]; (柔道の技) mountain storm [C].

やまあるき 山歩き hiking (in the mountains) [U].

やまい 病 illness [U], disease [U] ★ いずれも種類をいうときは [C]. 《☞ びょうき (類義語)》. ¶ 彼は不治の*病にかかった He had ˹a fatal [an incurable] *disease*. 病膏肓に入る (病気が) The disease is too far advanced to be cured.; (人が…から抜け出せない状態になる) become a slave of …, be addicted to … 《☞ こうこう[7]》 病は気から Care killed the cat. 《ことわざ: 心配は猫さえ殺した》 [日英比較] 英米では猫はしぶとく, なかなか死なないとされている.

やまいだれ 病垂 (漢字の) illness radical at the top-left of kanji [C].

やまいも 山芋 〔植〕 yam [C].

やまうぐいす 山鶯 〔鳥〕 Japanese mountain bush warbler [C]; 〔植〕 *yamauguisu* [C]; (説明的には) perennial plant with slender branches and bluish or purple flowers [C].

やまうずら 山鶉 〔鳥〕 mountain quail [C].

やまうば 山姥 mountain witch [C].

やまうるし 山漆 〔植〕 (説明的に) smaller species of sumac [C].

やまおく 山奥 ¶ その村は*山奥に (⇒ 山中に) ある The village is *in the mountains*.

やまおとこ 山男 (登山する人) (mountain) climber [C] ★ 一般的な語; (特にアルプスのような高山に登る登山家) álpinist [C]; (山の住人・本格的な登山家) mòuntainéer [C].

やまおり 山折り 〔折り紙〕 — [名] mountain [backward] fold [C] 《☞ たにおり》. — [動] make a ˹mountain [backward] fold.

やまおろし 山颪 mountain wind [C]; (山から吹きおろす風) downslope wind [C], wind blowing down the mountain side [C].

やまかい 山峡 ☞ やまあい[1]

やまかがし 山楝蛇 〔動〕 tiger keelback [C].

やまかけ 山掛け sliced raw fish ˹dressed [topped] with grated yam.

やまかげ 山陰 ¶ 太陽は*山かげに沈んだ The sun sank *behind the mountain*.

やまかじ 山火事 forest fire [C].

やまかぜ 山風 mountain wind [C].

やまがっこ 山括弧 (日本語表記の丸かっこ) Japanese parenthesis [C] 《複 — -ses》, 《英》 (round) bracket [C] ★ 通例複数形で. 《☞ かっこ[1]》.

やまがら 山雀 ☞ しじゅうから

やまがり 山狩り — [動] (山狩りをする) hunt (for …) all over a hill; (山中をくまなく捜す) comb ˹a hill [a forest; the woods] for … ¶ 警察は逃げた囚人を捜して*山狩りをした The police *combed the hills for* the escaped prisoner.

やまかん 山勘 (推測) guess [C]; (当て推量) guesswork [U]. 《☞ かん[2]; あてずっぽう》. ¶ *山勘が当たった I *guessed* ˹right [correctly]. / I made a correct *guess*.

やまかんむり 山冠 (漢字の) mountain radical at the top of kanji [C].

やまき 山気 ☞ やまけ

やまぎわ 山際 (山のふもと) the foot of a mountain; (山の背) the ridge (line) of a mountain.

やまくじら 山鯨 (いのししの肉) (wild) boar('s) meat [U].

やまくずれ 山崩れ landslide [C].

やまぐに 山国 mountainous region [C].

やまぐるま 山車 〔植〕 wheel tree [C].

やまけ 山気 (投機的な性格) spéculative dispositíon [C]; (ばくち好き) gambling instinct [C].

やまげら 山啄木鳥 〔鳥〕 gray-headed woodpecker [C], black-naped green woodpecker [C].

やまごえ 山越え — [動] (山を越える) get [go] ˹over [across] a mountain. ¶ この雪の中*山越えは無理だ (⇒ 山を越えるのは不可能だ) It is impossible to *get across the mountain* in this snow.

やまごぼう 山牛蒡 〔植〕 pokeweed [C], pokeroot [C].

やまごもり 山籠り — [動] seclude *oneself* in the mountains; (山寺にこもって苦行する) practice asceticism at a mountain temple.

やまごや 山小屋 mountain hut [C] 《☞ こや》.

やまざくら 山桜 〔植〕 (花) wild cherry blossoms ★ 通例複数形で; (木) wild cherry tree [C].

やまざと 山里 (山間の村) mountain village [C].

やまざる 山猿 (野性の猿) wild monkey [C]; (田舎者) rustic [C], bumpkin [C] ★ いずれも軽蔑的. 《☞ さる[2]; いなか》.

やまし 山師 (投機師) spéculàtor [C].

やましい — [動] (やましく思う) feel guilty, have a guilty conscience (↔ have a clear conscience) ★ 後者のほうが格式ばった言い方. 《☞ うしろぐらい》. ¶ 悪いことをしていないのなら*やましく感じる必要はないでしょう You don't need to *feel guilty* unless you've done something wrong. // その汚職の嫌疑につきまして私には*やましいところはありません I *have a* ˹*clear* [*good*] *conscience* in the matter of the bribery charge.

やまじかぜ やまじ風 〔気象〕 (local) southerly downslope wind (blowing down the mountain side) [C].

やましぎ 山鴫 〔鳥〕 woodcock [C].

やましごと 山仕事 (森林作業) forestry (work) [U]; (具体的に森林伐採) lumbering [U].

やましなちょうるいけんきゅうじょ 山階鳥類研究所 — [名] [固] the Yamashina Institute for Ornithology.

やましみず 山清水 mountain spring [C]; (湧き出た水) water from a mountain spring [U].

やまじゃり 山砂利 gravel [U] [pebbles] from mountains.

やまじろ 山城 castle in the mountains [C], mountain castle [C].

やまスキー 山スキー mountain skiing [U].

やますそ 山裾 the foot of a mountain 《☞ さんろく; ふもと》.

やませ 山背 (山を越えて吹き降ろす風) cold dry wind blowing down (out of) the mountains [C]; (夏の東北地方太平洋岸に吹き寄せる北東からの冷たい風) cool, humid northeast wind which blows during summer in the Tohoku region [C].

やまたいこく 耶馬台国 (日本の古代史の) the country of Yamatai.

やまたかぼうし 山高帽子 《米》 derby [C], 《英》 bowler (hat) [C]. 《☞ ぼうし[1]》.

やまだこうさく 山田耕筰 — [名] [固] Yamada Kosaku, 1886–1965; (説明的には) a composer of modern Japanese songs.

やまだし 山出し ―[名]（田舎者）country person [C];（軽蔑して）bumpkin [C], rustic [C]. ―[動]（木材などを運び出す）carry … out of the mountain (他).

やまたにかぜ 山谷風 〘気象〙 mountain and valley ⌈winds [breezes] ★ 通例複数形で. breezes はそよ風.

やまたのおろち 八岐の大蛇 *Yamata no Orochi*;（説明的には）the eight-headed and eight-tailed serpentlike monster of the Japanese myth.

やまっけ 山っ気 ☞ やまけ

やまづたい 山伝い ¶*山伝いに行く go ⌈over the mountains [from hill to hill]

やまつつじ 山躑躅 〘植〙 torch azalea [C].

やまつなみ 山津波 landslide [C],《英》landslip [C].

やまづみ 山積み ¶*山積みの古雑誌 *a* ⌈*heap* [*pile*] *of* old magazines // 彼の机の上は書類が*山積みになっている There's *a mountain of* papers on his desk.

やまて 山手 ☞ やまのて

やまでら 山寺 temple on a mountain(side) [C], mountain temple [C].

やまと 大和, 倭 Yamato (ancient name of Japan) ★ (　) 内は説明で必要ならば付け加える. **大和絵** Japanese-style painting [U] **大和言葉** word of purely Japanese origin [C] **大和蜆**〘昆〙(蝶) pale grass blue [C] **大和時代** the Yamato period《☞ こふん（古墳時代）》 **大和政権** the Yamato administration, the government of Yamato, the Yamato government **大和魂** the Japanese spirit **大和朝廷** the Yamato Court **大和なでしこ**（日本女性）Japanese woman [C] **大和煮**〘料理〙 beef boiled in soy sauce, sugar and ginger [U] **大和塀** *yamato*-style fence [C];（説明的には）fence made of vertical strips of cedar bark held in place by bamboo stakes [C] **大和民族** the ⌈Japanese [Yamato] race.

やまといも 大和芋 ☞ やまのいも

やまとたけるのみこと 日本武尊 ―[名] (固) Yamatotakeru no Mikoto;（説明的には）a legendary prince and war hero in the *Kofun* period.

やまどり 山鳥 （山に住む鳥）mountain bird [C]; 〘鳥〙（キジ科の鳥）copper pheasant /féznt/ [C].

やまなみ 山並み mountain range [C].

やまならし 山鳴 〘植〙 Japanese aspen [C].

やまなり 山なり ¶*山なりの *curving* // *山なりのスローボール a slow *curve*(ball)

やまねこ 山猫 wildcat [C]. **山猫争議** wildcat strike [C].

やまのいえ 山の家 （登山者用の）mountain ⌈cabin [hut] [C] ★ cabin は丸太作り;（避暑客・スキー客用の）mountain lodge [C].

やまのいも 山の芋 〘植〙 yam [C].

やまのかみ 山の神 god of the mountain [C], mountain deity [C];（がみがみ女房）nagging wife [C].《☞ つま¹》.

やまのさち 山の幸 （山の産物）mountain products;（山から得られる食糧）food [foodstuffs] gathered or hunted in the mountains.

やまのて 山の手 （高台地域）the hilly section (of a city);（住宅地域）《主に米》uptown [C] (↔ downtown);（東京の）the hilly district of Tokyo, the Yamanote district. **山の手言葉** the manner of speaking of the residents of the Yamanote district **山の手線** the Yamanote (loop) line.

やまのは 山の端 （山のへり）the edge of a mountain. ¶日が*山の端に沈もうとしている The sun is ⌈sinking *behind the mountain* [nearing *the edge of the mountain*].

やまのぼり 山登り (mountain) climbing [U], mòuntainéering [U] ★ 後者はやや格式ばった語で本格的な登山を意味する;（山へのハイキング）hike [C] [hiking [U]] in the mountains ★ 軽い山登りの場合. ¶*山登りをする *climb a mountain* / go ⌈(*mountain*) *climbing* [*mountaineering*] / go ⌈for a *hike* [*hiking*] *in the mountains*

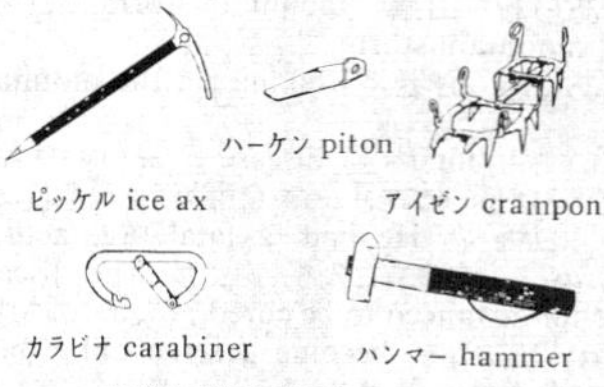

山登りの道具 climbing tools

やまば 山場 （絶頂）climax [C];（危機）crisis [C], critical moment [C];（転期）turning point [C].《☞ かきょう³》. ¶小説の*山場 the *climax* of the novel // その事件は*山場を迎えた The ⌈*critical* [*decisive*] *moment* ⌈for [in] the affair has arrived.

やまはぎ 山萩 〘植〙 bush clover [C].

やまはじめ 山始め annual rite before the climbing season for a mountain begins [C].

やまはぜ 山黄櫨 〘植〙 órièntal póison sumac /ʃúːmæk/ [C].

やまはだ 山肌 （山の表面）the ⌈slopes [surface] of a mountain.

やまばと 山鳩 〘鳥〙 turtledove [C]. **山鳩色**（青みのある黄色）bluish yellow [U].

やまびこ 山彦 echo /ékoʊ/ [C]《複 ~es》《☞ こだま¹》.

やまひだ 山襞 （優雅な尾根の連なり）graceful ridges ★ 複数形で.

やまびらき 山開き （登山者への山の開放）the opening of the mountain to climbers;（登山季節の始まり）the beginning of the (mountain-) climbing season.

やまぶき¹ 山吹 〘植〙 kerria [C]. **山吹色** bright yellow [U];（黄金色）gold [U].

やまぶき² 山蕗 〘植〙 wild butterbur [C].

やまぶし 山伏 Japanese Buddhist hermit [C].

やまぶどう 山葡萄 〘植〙（果実）wild grape [C]; (木) wild vine [C].

やまふところ 山懐 （山々の真ん中）the heart of the mountains.

やまへん 山偏 （漢字の）mountain radical on the left of kanji [C].

やまぼこ 山鉾 *yamaboko* [C];（説明的には）festive float covered with a triangular roof with a pole decorating the top [C].

やまほど 山程 lots [mountains] of …, a ⌈lot [mountain; pile; heap] of …《☞ たくさん（類義語）》. ¶宿題が*山ほどある I have ⌈*lots* [*mountains*] *of* homework to do.

やまみち 山道 mountain ⌈path [trail; track; road] [C] ★ road は車の通れるような道.《☞ みち¹（類義語）》.

やまめ 山女 〘魚〙 *yamame* [C]; brook trout [C].

やまもも 山桃 〘植〙 bayberry [C].

やまもり 山盛り ―[形]（スプーンの場合）a heaping spoonful of …;（茶わんの場合）a bowlful of

… ― 動 héap úp 他. (☞ もる¹). ¶ 大さじで*山盛り 3 杯のバターを溶かし入れてかき混ぜます Melt and stir in three *heaping tablespoonfuls of* butter.

やまやき 山焼き ― 名 grass burning U. ― 動 burn the dry grass on a hill ★ 説明的な訳.

やまやま¹ ¶「今度の土曜日のパーティーに来てくれますか」「行きたいのは*やまやまなんですが (⇒ 行けるとよいのですが) 先約がありますので」"Can you come to our party next Saturday?" "*I wish I could* [*I would very much like to come*], but I have a previous ˹commitment [appointment; engagement]."

やまやま² 山山 ¶ 秩父の*山々 the *mountains* of Chichibu

やまゆり 山百合 〘植〙 goldband lily C.

やまよい 山酔い mountain sickness U (☞ こうざん² (高山病)).

やまよもぎ 山艾 〘植〙 mountain artemisia C.

やまわけ 山分け ― 動 (等しく分ける) divide [split] … equally (among …; between …); (2 人で半分にする) go halves /hǽvz/, go fifty-fifty; (2 人ないしそれ以上の人で分ける) go shares ★ go を用いる言い方は口語的. (☞ わける; にとうぶん).
¶ 彼らはもうけを*山分けにした They ˹*divided* [*split*] the profit *equally* ˹*between* [*among*] them. 語法 2 人の場合には between を, 3 人以上の場合には among または between を使う. // *山分けにしよう 《2 人の場合》 Let's *go fifty-fifty*. / 《2 人以上の場合》 Let's ˹*share it* [*go shares*].

やまんば 山姥 mountain witch C.

やみ 闇 1 《暗いこと》 ― 名 darkness U, dark U. ― 形 dark; (真っ暗な) pitch-dark. (☞ くらい¹; くらやみ). ¶ 犯人は*やみにまぎれて逃亡した The culprit escaped under (the) cover of *darkness*. // 一寸先は*やみ (⇒ だれが将来を読むことができようか) Who can ˹predict [read] the future?
2 《不正取引》: black-marketing U; (不法な商売) illegal trade U; (やみ市場) black market C. ¶ *やみで売る[買う] sell [buy] (goods) on the *black market*
闇から闇に葬る ¶ その事実は*やみから*やみに葬られた (⇒ もみ消された) The fact *was* ˹*covered up* [*hushed up*; *concealed*].

やみあがり 病み上がり ― 名 convalescence /kànvəlésns/ U 語法 格式ばった語. 口語的には後述のように副詞的表現で, 「病気の後で」のようにするほうがよい. ― 形 convalescent. ― 副 (病後に) after *one's* recent ˹sickness [illness]; during *one's* convalescence. (☞ かいふく¹).
¶ *病み上がりの体で無理をしてはいけない You mustn't overwork ˹*during your convalescence* [(⇒ 最近病気をしてまだ体が弱っている間に) *while you're still weak after your* (*recent*) *illness*].
★ [ ] 内のほうが口語的.

やみいち 闇市 black market C.

やみうち 闇打ち ― 名 (不意打ち) surprise attack C; (ひそかに襲うこと) sneak attack C. ― 動 take *a person* by surprise; make a sneak attack. (☞ ふい¹).

やみカルテル 闇カルテル ùnáuthorìzed cartél C.

やみきゅうよ 闇給与 secret pay U.

やみきんゆう 闇金融 underground bank C, black-market financing C; (人) loan shark C.

やみくもに 闇雲に (手当たり次第に) at random, hàphàzardly; (突然に) all of a sudden, abruptly. (☞ とつぜん).

やみじ 闇路 (暗い道) dark path C.

やみしょうぐん 闇将軍 influential person ˹in the shadows [backstage] C.

やみしょうひん 闇商品 bootleg [pirated] goods ★ 複数形で. 形 bootleg は「密造の, 無許可の」, 形 pirated は「著作権・特許権を侵害する, 無断販売の」の意.

やみじる 闇汁 ☞ やみなべ

やみそうば 闇相場 black-market rate C.

やみつき 病み付き ― 動 (熱中する) give *oneself* up ˹to … [to *doing* …], abandon *oneself* to …, 《略式》 be crazy about …; (中毒になる) be addicted to … ★ 通例悪いニュアンスを伴う言い方. (☞ こる).
¶ 彼はテニスを始めたら*病みつきになるだろう If he started (playing) tennis he'd *abandon himself to* it. // 彼女はマージャンに*病みつきになった She *is* ˹*crazy about* [*addicted to*] mah-jongg /mɑ:ʒɑ́ŋ/.

やみとりひき 闇取引 black-marketing U, black-market deal C; (裏取引) backdoor dealings ★ 通例複数形で.

やみなべ 闇鍋 (説明的に) entertainment in the dark in which diners cook and eat from a single pot foods each has covertly brought to put in C.

やみね 闇値 black-market price C.

やみぶっし 闇物資 black-market goods.

やみや 闇屋 bláck màrketéer C, bláck-márketer C.

やみよ 闇夜 moonless [dark] night C (☞ よる¹). ¶ 真の*やみ夜 a *pitch-dark night* // *やみ夜を歩くうちに道に迷った While walking *in the dark*, I got lost. / I got lost *in the dark*. **闇夜に烏** (見分けがつかない[どっちがどっちかわからない]) You can't tell ˹one from the other [which is which]. / It's difficult to drive black hogs in the dark. 《ことわざ: 暗やみで黒豚を追うのはやっかいだ》

やみルート 闇ルート ― 副 (非合法ルートで) through illegal channels.

やむ¹ 止む (雨などが) stop 他 自 語法 一般的な語. この意味で 他 のときは it を主語にして, 後に動詞の -ing 形が続く; (風などが衰える) díe dówn 自; (しだいに遠ざかる) páss (óff) 自.
¶ 雨は*やんだ *It has stopped* raining. / The rain *has stopped*. // きょうは雨が降ったり*やんだりだ It has been raining ˹*off and on* [*on and off*] all day (today). // 風[物音]が*やんだ The ˹wind [noise] *has died down*. // この夕立はすぐ*やむよ This shower will ˹*pass* [*be gone*; *be over*] in no time.

やむ² 病む 1 《病気になる》: be [get] ˹sick [(英) ill] ★ be は状態, get は動作を示す; (病気にかかる) suffer (from …) 自. (☞ びょうき).
2 《心を悩ます》: (心配する) worry (about …) 自 (☞ もめる; しんぱい¹). ¶ そんなつまらないことで気に*やむな Don't *worry about* such little things.

ヤム 〘植〙 yam C.

ヤムチャ 飲茶 (Chinese) snack C.

やむなき ☞ やむなく

やむなく (いやいやながら) reluctantly; (しぶしぶ) unwillingly; (自分の意志に反して) against *one's* will. (☞ しぶしぶ 語法; しかたなく; こころならずも).
¶ 彼は*やむなく辞職した He resigned from his position ˹*reluctantly* [*against his will*]. / (⇒ 辞職させられた) He *was forced to* resign from his position.

やむにやまれぬ 止むに止まれぬ ¶ 彼がきょう欠席だなんて, *やむにやまれぬ (⇒ やむを得ない) 事情があったのでしょう He must have had ˹some [an] *unavoidable* problem to force him to be absent

today.《☞ のっぴきならない》
やむをえず やむを得ず ☞ やむなく
やむをえない 止むを得ない ―形 (避けられない) unavoidable; (必要な) necessary. ―動 (どうしようもない) cannot be helped.《☞ しかたがない; やむなく; のっぴきならない》. ¶10分ほどの遅れは*やむをえない A delay of ten minutes *can't be helped*. // 計画変更は*やむをえなかった The change 「of our plan [in our plans] was *unavoidable*. / (⇒ 計画を変える以外に方法がなかった) There *was no* 「*alternative* [*way out*] but to change our plan(s).
やめ 止め ―名 (停止) stop Ⓒ. ―動 stop ㊎ ㊐, put a stop to ….《☞ やめる[1]》.
やめさせる 止[辞]めさせる (終わりにさせる) stop ㊎, put 「a stop [an end] to … ★ 前者が一般的. 後者は格式ばった表現; (説得して) persuade *a person* not to *do* …; (思い切らせて) dissuade *a person* from …; (首にする) sack ㊎, fire ㊎ ★ 両者とも口語表現; (学校などを) take … out of …; (追放する) expel ㊎.《☞ やめる[1,2]; とめる[1]》.
¶吹雪だから子供たちが出かけるのを*やめさせなさい *Stop* the children from going out in the snowstorm. / (⇒ 行かせてはいけない) *Don't let* the children go out in the snowstorm. // 彼らのけんかを*やめさせなさい *Stop* [*Put a stop to*] their fighting.
やめる[1] 止める stop ㊎ 語法 最も一般的な語. 後に(代)名詞または -ing 形が続く; (いままで続けてきたことをやめる) dìscontínue ㊎ ★ stop より格式ばった語; (習慣などと手を切る) break ㊎; (意図的にきっぱりやめる)《略式》quit ㊎ ㊐ (過去・過分 quit,《英》quitted); (あきらめる) gìve úp ㊎; (終わらせる) put an end to …, bring … to an end.
¶*やめろ *Stop* that! // おしゃべりを*やめて下さい Please *stop* talking. / *Stop* [*Quit*] chatting, please. / (⇒ もう少し静かにしてくれませんか) Could you be a little 「more quiet [quieter]? // 彼はたばこを*やめた He 「*stopped* [*gave up*; *quit*] smoking. // 我々はその雑誌の購読を*やめることにした We have decided to *discontinue* our subscription to the magazine. // そういう行為はすぐ*やめるべきだ Such actions should *be suspended* immediately. // そのくせを*やめるのは難しい It's difficult to *break* that habit. // きょうはこれで*やめにしよう Let's *call it a day*. ★ call it a day は成句. / 《授業などで》*That's* 「*all* [*it*] for today. / *So much* for today. // きょうはピクニックに行くのを*やめにしよう (⇒ 行かないことにしよう) *Let's not* go on a picnic today.《☞ -しよう》// *やめとけば (⇒ しなければ) よかった I wish I hadn't done it.
やめる[2] 辞める (辞職する) resign /rɪzáɪn/ ㊎ ㊐,《略式》quit ㊎ (過去・過分 quit,《英》quitted), (去る) leave ㊎ (過去・過分 left); (定年などで退職する) retire (from …) ㊐. ¶彼女は仕事を*やめた She 「*resigned from* [*quit*] her job. 語法 (1) resign は job を目的とするときは from が必要. office, position の場合は from はなくてもよいが, quit は用いられない. // 私は委員を*やめた I *resigned from* the committee. // 彼は卒業前に学校を*やめた He 「*left* [*quit*] school before graduation. 語法 (2) left の場合は理由不明. quit の場合は自己の意志による. // 父は60歳で勤めを*やめた (⇒ 退職した) My father *retired from* his job at the age of sixty.
やめる[3] 病める ―形 (病気の) ailing《☞ びょうき》. ¶*病める世界 the 「*troubled* [*problem-stricken*] world // *病める地球 our *deteriorating* planet
やもうしょう 夜盲症 night blindness Ⓤ,【医】nyctalopia /nɪktəlóupiə/ Ⓤ.
やもめ (女) widow Ⓒ; (男) widower Ⓒ.
¶ここ10年彼女はずっと*やもめ暮らしをしている She has been a *widow* for the past ten years. // つい最近彼女は*やもめになった She 「*was widowed* [became a *widow*] quite recently. / She *lost her husband* quite recently. // 男*やもめにうじがわく A *widower's* life is usually untidy.
やもり 〘動〙gecko /gékou/ Ⓒ (複 ~(e)s).
やや ―副 (少し) a little ★ 一般的な表現;《略式》a bit; (多少) somewhat ★ 前2者より格式ばった語; (わずかに) slightly; (比較的) compáratively; (ある程度) to some extent ★ 抽象的なことについて用いる; (ゆっくりと) slowly; (徐々に) gradually.《☞ ちょっと; いくらか》. ¶今晩は*やや冷える It's 「*a little* [*a bit*] cold tonight. // 物価が*やや下がった Prices have come down 「*slightly* [*somewhat*]. // 景気が*やや上向きになってきている Business is 「*slowly* [*gradually*] picking up. / The economy is improving *to some extent*.
ややこしい (複雑な) cómplicàted; (非常に入り組んで複雑な) íntricate; (互いに関連し合って複雑な) complex /kɑmpléks, kámpleks/; (頭を混乱させるような) confusing.《☞ ふくざつ》. ¶この仕事はとてもややこしい This work is very *complicated*. // *ややこしい事件に巻き込まれた I have become entangled in a 「*complex* [*complicated*] case. // *ややこしいことになった (⇒ 私たちの (利害) 関係はもつれている) Our relations are *in a tangle*.
ややもすると ☞ ややもすれば
ややもすれば ¶私たちは*ややもすれば易きにつく (⇒ 易しい解決法を選ぶ傾向がある) We *are* 「*apt* [*liable*] *to* choose an easy way out.《☞ ともすると; -がち》
やゆ 揶揄 ―動 (からかう) tease ㊎; (笑い物にする) make fun of ….《☞ からかう》.
やよい[1] 弥生 *Yayoi*《☞ イタリック体 (巻末)》.
弥生式土器 *Yayoi* ware Ⓤ **弥生時代** the *Yayoi* period **弥生人** the people of the *Yayoi* period, the *Yayoi* people **弥生文化** (the) *Yayoi* culture Ⓤ.
やよい[2] 弥生 (旧暦の三月) the third month of the lunar calendar; (現在の三月) March.
-やら ¶風邪をひく*やら, おなかをこわす*やらひどい目にあった I had a terrible time with a cold *and* a stomachache.《☞ -たり》// 故郷に帰るのはいつのこと*やら (⇒ だれもいつかわからない) I'll be back home, but who knows when. // 何が何*やらさっぱりわかりません I don't know what's what.
やらい[1] 夜来 (夜通し) through the night; (前の夜からずっと) since the previous night; (一晩中) overnight. ¶*夜来の雨も間もなく上がりそうだ The rain that has been falling 「*through the night* [*since last night*] seems to be stopping.
やらい[2] 矢来 bamboo palisade Ⓒ.
やらかす ¶彼はまた同じへまを*やらかした He *went and made* the same mistake again. ★「go and + 動詞」で批判的な意味を表す.
やらす ☞ やらせる
やらずのあめ 遣らずの雨 rain that starts falling as if to keep a visitor from leaving Ⓤ.
やらずぶったくり all take and no give.
¶村の人々にとってはこの計画は*やらずぶったくりだ For the villagers this project is *all take and no give*. / (⇒ 食い物にするだけだ) This project will simply *exploit* the villagers.
やらせ ¶このテレビ番組は*やらせがたくさんあってドキュメンタリーとは呼べない This TV program can't be called a documentary because there are too many 「*made-up scenes* [*staged scenes*; *faked scenes*; *prearranged performances*]. **やらせ事件**

faked production Ⓒ.

やらせる ¶この仕事は私に*やらせて下さい *Let* me *do* this job.

やられる ¶流感に*やられて5日ほど寝ていた I *was down with* the flu for five days. // すりに*やられた I *had* my pocket *picked*.

やり 槍 (武器) spear /spíə/ Ⓒ; (やり投げ用の) javelin Ⓒ; (騎兵の) lance Ⓒ.

やりあう やり合う (議論を戦わせる) argue /ɑ́ːgjuː/ (with …) ㊐; (激論する) have a heated discussion (with …). 《☞ ぎろん》.

やりいか 〔動〕(spear) squid Ⓒ.

やりがい ¶これは本当に*やりがいのある仕事だ This is really a piece of work *worth doing*. / (⇒ 意欲をそそる仕事) This is really a *challenging* job.

やりかえす やり返す (言い返す) ánswer báck ㊐, retort ㊐ ★前者のほうが口語的. 《☞ いいかえす; くちごたえ; しかえし》.

やりかけ やり掛け ― 形 (半分済ませた) half-done; (済ませていない) unfinished. 《☞ ちゅうとはんぱ》. ¶彼は仕事を*やりかけたままで旅行に出かけた He went on a trip, leaving the work ˹*half-done* [*unfinished*]. // *やりかけの (⇒ 進行中の) 仕事を一刻も早くやってしまいなさい Finish the work *in hand* as soon as possible.

やりかける やり掛ける (始める) start ˹*do*ing … [to *do* …]; (取り掛かる) set about *do*ing … ¶彼女は*やりかけた仕事は必ずやりとげる Once she *sets about doing* the work, she will always follow through.

やりかた やり方 (仕方) how to (*do* …); (方法) way Ⓒ ★一般的な語; (組織だった方法) method Ⓒ ★way で代用できる場合も多い; (独特な方法) manner Ⓒ ★way より格式ばった言い方. 《☞ しかた; ほうほう¹ (類義語)》. ¶*やり方を教えて下さい Please tell me *how to do* it. / (⇒ 示して下さい) Please show me *how* (*to do* it). // 彼女は自分なりの*やり方で試してみた She tried in her own *way*. // 成功も失敗も*やり方次第だ (⇒ どうあなたがやるかによる) Success or failure depends on *how you do* things. // この*やり方だと経費が節約できる This *method* will save us expenses.

やりきれない (我慢できない) cannot ˹stand [bear] …; (まったくうんざりだ) be thoroughly disgusted ˹by [with] … ★以上は「人」が主語; (耐えられない) be ˹unbearable [intolerable] (to …), be too much (for …); (まったく不快である) be very unpleasant ★以上3つは「事」が主語. 《☞ がまん》. ¶こんな天候は*やりきれない I *can't stand* this weather. // 彼のいびきにはまったく*やりきれない (⇒ 耐えられない) His snoring *is* just ˹*unbearable* [*too much for* me]. // 私たちは物価高に*やりきれぬ思いをしている We *are thoroughly disgusted by* this inflation.

やりくち やり口 the way of *doing* … 《☞ やりかた; てぐち》.

やりくり ― 動 (当座しのぎをする) make do ㊐; (家計をやりくりする) mánage ㊀ ㊐; (処理する) handle ㊀. 《☞ まにあわせ; さんだん¹》. ¶この予算で*やりくりできますか Will you be able to ˹*make do* [*manage*] with this budget? // 彼女は*やりくり上手だ (⇒ よい家計の管理者だ) She is a good household *manager*. // 彼は何とか時間を*やりくりして英語を勉強している He *manages to find time to* study English. **やりくり算段** ― 名 makeshift Ⓒ. ― 動 (一時しのぎをする) make do ㊐; (収支を合わせる) try to make ends meet.

やりこなす (成し遂げる) carry out ㊀; (うまく処理する) manage ㊀. 《☞ やりとげる》. ¶彼はその仕事をうまく*やりこなした He *carried out* the task successfully.

やりこめる やり込める (しゃべり負かす) argue [《米》talk] *a person* down 《☞ いいまかす; ぎゃふん》. ¶彼は母親をしょっちゅう*やりこめる He often ˹*argues* [*talks*] his mother *down*.

やりすぎる やり過ぎる (仕事などをしすぎる) *do* too much, òverdó ㊀ ㊐ 語法 前者のほうがより口語的. また, overdo ㊀ はしばしば受身形で. 《☞ -すぎる 語法》. ¶彼女は仕事を*やりすぎる She works *too hard*. / She *is overdoing it*. ★後者は「働きすぎる」という意味の慣用句. // 彼は酒を*やりすぎる He ˹drinks [is drinking] *too much*.

やりすごす やり過ごす (通り過ぎさせる) let [allow] … go past 《☞ つうか¹》. ¶けさ私はバスを3台*やり過ごした I *let* three buses *go past* this morning.

やりそこなう やり損なう (失敗する) fail (in …; to *do* …) ㊐ 《☞ しっぱい; -そこなう》. ¶万一*やり損なっても気にするな Don't worry even if you (happen to) *fail*. // 彼は実験を*やり損なった He *failed in* the experiment.

やりそんじる やり損じる ☞ やりそこなう

やりたなご 槍鱮 〔魚〕Japanese bitterling Ⓒ.

やりだま 槍玉 (犠牲者) victim Ⓒ 《☞ やおもて; まと》. ¶彼が真っ先に*やり玉にあがって失脚した He became the first *victim* and lost his position.

やりつける ¶これは*やりつけた仕事です This is the kind of work I'*m quite used to doing*. 《☞ なれる¹》

やりっぱなし やりっ放し ― 動 (半分済ませて残す) leave … half-done; (仕上げずに残す) leave … unfinished. 《☞ ちゅうとはんぱ》.
¶彼はいつだって*やりっ放しだ He always *leaves* his work ˹*half-done* [*unfinished*].

やりて やり手 (有能な人) able [competent] ˹man [woman; person] Ⓒ 語法 competent は特定分野の能力を表すことが多い; (特に金もうけなどで) 《略式》go-getter Ⓒ. 《☞ ゆうのう (類義語)》.
¶彼はなかなかの*やり手だ He is ˹an *able* [a *competent*] *man*. / (⇒ 抜け目のない実業家だ) He is a *shrewd businessman*.

やりとおす やり通す (最後までやる) cárry ˹óut [thróugh] ㊀ 《☞ なしとげる》.

やりとげる やり遂げる (仕上げる) finish ㊀; (完成する) complete ㊀; (計画・目的・仕事などを首尾よく) accomplish ㊀; (最後まで実行する) cárry ˹óut [thróugh] ㊀, go through with … 《☞ なしとげる; たっせい》. ¶だれがそんな大事業を*やり遂げることができるだろうか Who can *accomplish* such a great undertaking! // この仕事は*やり遂げようと心に決めた I made up my mind to ˹*carry out* [*carry through*; *go through with*] this task.

やりどころ やり所 ¶目の*やり所がなかった I didn't know *where to rest* my eyes. 《☞ やりば》

やりとり やり取り exchange Ⓒ 《☞ こうかん¹; おうしゅう¹》. ¶両国の間で, もっと意見の*やりとりがあってよい There should be more *exchanges* of views between the two nations.

やりなおし やり直し (再びやること) doing … over again Ⓤ; (裁判の) retrial Ⓒ; (検査・試験の) reexamination Ⓒ. 《☞ やりなおす》.

やりなおす やり直す (再びやる) do … ˹over again [once more]; (もう一度初めからやる) do … over from the very beginning, do … all over again ★後者のほうが口語的; (再出発する) make a ˹fresh [new] start (in …); (忘れかけた勉強をやり直す) brúsh úp ㊀.
¶それは*やり直したら (⇒ 再びやったら) どうですか

Why don't you *do* it ⌈*over again* [*once more*]? // もう一度*やり直そう Let's *do* it ⌈*over from the very beginning* [*all over again*]. // 私は新たに人生を*やり直すつもりだ I have made up my mind to *make a* ⌈*fresh* [*new*] *start in* life. // ニューヨークへ出かける前に英語を*やり直さなければならない I have to *brush up* my English before going to New York.

やりなげ 槍投げ the javelin (throw). ¶*やり投げをする throw the *javelin* // *やり投げの選手 a *javelin thrower*

やりにくい ¶それは*やりにくい仕事だ It's a *difficult* job. // *やりにくい (⇒微妙な) 立場だね You are in a *delicate* position, aren't you? (☞ むずかしい)

やりぬく やり抜く (最後までやる) cárry ⌈óut [thróugh] ㊉, go through with ... (☞ やりとげる; なしとげる).

やりば やり場 日英比較 この日本語に当たる1語の英語はないので前後の関係によって意訳する必要がある. ¶彼女は目の*やり場に困った (⇒どっちを見てよいかわからなかった) She didn't know *which way to look*. (☞ め¹) // 怒りの*やり場がなかった (⇒怒りにどうはけ口を与えてよいのかわからなかった) I didn't know *how to* ⌈*give vent to* [*vent*] my anger.

やりみず 遣り水 (水の流れ) artificial stream in a garden Ⓒ; (植木に水をやること) watering the plants Ⓤ; (庭全体に) sprinkling the garden Ⓤ.

やりもち 槍持 spear bearer Ⓒ.

やりよう やり様 ☞ やりかた

やる 1 «与える»: give ㊉ (☞ あたえる; あげる¹). ¶これを君に*やろう This is *for* you. / I'll *give* this to you.
2 «送る»: send ㊉ (☞ おくる¹; だす). ¶手紙を*やったのに彼からは返事もない I *have* ⌈*sent* him a letter [*written to* him], but haven't got an answer yet.
3 «…をする» ★ 文脈に応じて適当な動詞を用いる必要がある. (☞ する¹). ¶夕方までにこれを*やって (⇒終えて) しまおう I'll *finish* this by evening. // 無事に*やっていますか *Are* you *getting along* all right? // 「テニスを*やらないか」「いいね」"How about *playing* tennis?" "OK." // 私は小さなレストランを*やって (⇒経営[所有]して) います I ⌈*run* [*am running*; *have*] a small restaurant.

やるかたない 遣る方無い ¶憤懣*やるかたない I *have no idea how to give vent to* my anger.

やるき やる気 (意志) will Ⓤ; (意欲) drive Ⓤ. (☞ いよく). ¶彼は大いに*やる気がある He is full of *drive*. // あの子はそれを*やる気があるのだろうか I wonder if the child *has a mind to* ⌈*do* [*try*] it or not. // もう少し*やる気を出しなさい Can't you *motivate* yourself a bit more?

やるせない (惨めな) míserable, wretched /rétʃɪd/; (寂しい) lonesome. (☞ みじめ; さびしい). ¶私は失恋して*やるせない思いをしている I feel ⌈*miserable* [*wretched*] because I lost my love.

ヤルタかいだん ヤルタ会談 〔史〕 the Yalta /jɔ́:ltə/ Cónference.

ヤルタ(ひみつ)きょうてい ヤルタ(秘密)協定 〔史〕 the Yalta (Secret) Agreement.

やるまいぞ (逃がすまい, 捕まえろ) Do *not let* ⌈him [them] *get away*. *Catch* ⌈him [them]. ★ 狂言の終りの常套句.

やれ ¶*やれ宿題, *やれ予習と息をつく暇もない *What with* homework and *what with* preparation for my classes, I feel I have no time even to take a breath. 語法 what ⌈with [by] ..., what ⌈with [by] ... は「…やら…やらで」という決まった表現.

やれやれ ¶*やれやれ, やっと着いた *Well*, here I am at last. // *やれやれ (⇒ありがたい), やっと宿題が終わった *Thank Heaven*, I ⌈have finished [am through with] my homework at last.

やろう 野郎 《米》 guy Ⓒ, 《英》 bloke, chap Ⓒ; (男) man Ⓒ; (あいつ) he. (☞ やつ). ¶この*野郎! You *rascal*! / (⇒この馬鹿め) You ⌈*fool* [*idiot*].

やわ¹ 夜話 bedtime story Ⓒ.

やわ² 柔 ¶*柔な容器 a *soft* container // *柔な精神 (⇒弱い意志) a *weak* will

やわい 柔い (柔らかい) soft; (弱い) weak; (壊れやすい) fragile. (☞ やわらかい).

やわたまき 八幡巻き 〔料理〕 grilled ⌈eel [conger eel, beef] rolled around burdock strips Ⓤ.

やわはだ 柔肌 velvety skin Ⓤ.

やわら 柔 ☞ じゅうどう

やわらかい 柔らかい, 軟らかい (一般に) soft (↔ hard); (肉などが) tender (↔ tough). ¶地面が*柔らかくて歩きにくかった The ground was *soft* and difficult to walk on.

やわらぐ 和らぐ (声・表情などが) soften /sɔ́:f(ə)n/ ㊀; (苦痛などが) be ⌈eased [lessened]. (☞ なごむ). ¶彼女の表情は一瞬*和らいだ Her facial expression *softened* (for) a moment. // この薬で苦痛が*和らぎました (⇒この薬が苦痛を和らげた) This medicine *has* ⌈*eased* [*lessened*] my pain. // 暑さ[寒さ]が*和らいだ (⇒あまり暑く[寒く]なくなった) It *has become less* ⌈hot [cold].

やわらげる 和らげる (声・怒りなどを) soften ㊉; (語気を) tóne dówn ㊉; (苦痛などを軽くする) ease ㊉; (痛みなどを少なくする) lessen ㊉; (怒りを静める) calm ㊉. (☞ しずめる¹; かんわ¹). ¶彼は声を*和らげて話し続けた He ⌈*softened* [*toned down*] his voice and continued talking.

ヤンキー¹ Yankee Ⓒ 語法 アメリカ以外の国ではよくアメリカ人全体の呼称として使われるが, アメリカ国内では北東部, 特にニューイングランドの住民を指す. アメリカ人に向かっては, この呼称は使わないほうがよい. ヤンキーボンド (米ドル建て外国債) Yankee bond Ⓒ.

ヤンキー² 《俗》 (不良) hooligan Ⓒ; (非行少年) hoodlum Ⓒ. 参考 この意味の「ヤンキー」は和製英語.

ヤング ―名 (若者たち) young people, the young ★ いずれも集合的で, 複数扱い; (若い人々) the youth ★ しばしば複数形で; (若い世代の人々) the young(er) generation 語法 英語の young は普通は 形 で, 名 としては「動物の子たち」の意しかない. ¶*ヤングのための雑誌 a magazine for *young* ⌈*people* [*men and women*]

ヤングアダルト (十代後半の若者) young adult Ⓒ.

ヤングエグゼキュティブ young executive Ⓒ.

ヤングパワー youth power Ⓤ.

ヤングミセス young married woman Ⓒ.

やんごとない (高貴の) noble; (王族の) royal. ¶彼は*やんごとない生まれです He is of ⌈*noble* birth [*royal* blood].

ヤンゴン ―名 固 Yangon /jɑ:ngóʊn/ ★ ミャンマーの首都.

やんちゃ ―形 naughty /nɔ́:ti/ (☞ いたずら; わんぱく). ¶なんて*やんちゃな子だろう What a *naughty* ⌈boy [girl]!

やんばるくいな 〔鳥〕 Okinawa rail Ⓒ.

やんま 〔昆〕 (large) dragonfly Ⓒ.

ヤンママ teen mother Ⓒ; (特に, 元不良の) young mother who was once a juvenile delinquent Ⓒ. 参考 「ヤングママ, ヤンキーママ」の短縮形だが, いずれも和製英語.

やんや ¶彼女の演技に観衆は*やんやとかっさいした

(⇒盛大に拍手した) The audience applauded ⌈*loudly* [(⇒熱狂的に) *enthusiastically*] for her performance. 《☞ かっさい; 擬声・擬態語 (囲み)》

やんわりと (柔らかく) softly; (穏やかに) gently; (遠回しに) indirectly. 《☞ それとなく; とおまわし; 擬声・擬態語 (囲み)》. ¶ 彼女は*やんわりと私の申し出を断った She gave an *indirect* refusal to my proposal.

ゆ, ユ

ゆ 湯 hot water Ⓤ; (風呂) (hot) bath Ⓒ. (☞ ふろ; ねっとう¹).
¶(やかんで)お*湯を沸かしましょう Let's boil some *water* (in the kettle). // (レンジに)*湯が沸いています The *water* is boiling (on the stove). 日英比較 (1) 日本語では「湯」と「水」を区別するが, 英語では湯も水も本質的には water であって, 特に区別の必要のあるときだけ hot water という点に注意. 煮立つように熱いお湯のときは boiling (hot) water という. // まずカップに茶さじ 2 杯のココアを入れ, 沸騰した*湯を注いで下さい First put two teaspoonfuls of cocoa in the cup. Then ˹pour in [add] boiling (*hot*) *water*. // *湯 (⇒ 風呂) に入りたい I want to ˹take [have] a *bath*. // 日本茶を入れるには沸かした*湯を少し冷ます必要がある You have to let *boiled water* cool a little to ˹make [prepare] Japanese(-style) tea. // *湯加減 (⇒ 風呂の熱さ) を見る see how hot the bath (water) is // 男[女]*湯 men's [women's] section (of a bathhouse) 日英比較 (2) 英米には日本の銭湯に当たるものはない.

ゆあか 湯垢 scale Ⓤ.

ゆあがり 湯上がり ¶*湯上がりに夕涼みをした (⇒ 風呂の後で) I enjoyed the evening breeze *after taking a bath.*

ゆあがりタオル 湯上がりタオル bath towel Ⓒ.

ゆあたり 湯中り ¶昨夜は長湯をして*湯あたりした I *made myself sick* by taking a long bath last night.

ゆあつ 油圧 ―形 (油圧を用いた) hydraulic /haɪdrɔ́ːlɪk/. **油圧式エレベーター** hydraulic elevator Ⓒ **油圧ブレーキ** hydraulic brake Ⓒ.

ゆあみ 湯浴み ☞ にゅうよく

ゆいいつ 唯一 ―形 only Ⓐ ★ 通例 the を付けて. 最も一般的な語; (現存の中で唯一の) sole Ⓐ 語法 この語は何かの考慮の対象として考えたものの中で唯一のものを表す. ¶彼は信頼できる*唯一の友人だ He is ˹*the only* friend [*the sole* friend] I can trust. // 財産の*唯一の相続人 *the* ˹*only* [*sole*] heir to the fortune **唯一無二** ―形 the one and only Ⓐ; (類のない) unique. ¶私の*唯一無二の友 my *one and only* friend // *唯一無二の技術 a *unique* technique

ゆいがどくそん 唯我独尊 (自尊心が強いこと) (self-)conceit Ⓒ; (強いうぬぼれ) 《文》 vainglory Ⓤ. (☞ どくぜんてき; うぬぼれ).

ゆいごん 遺言 will Ⓒ 語法 最も一般的な語であり, また法律用語でもある. 死後の財産の処理などに関する遺言または遺言書をいう; (死の直前の願い [言葉]) *one's* ˹last [dying] ˹wish [words; request]. (☞ いしょ¹). ¶彼は*遺言で全財産を教会に寄付した He left all his property to the church in his ˹*will* [*last will and testament*].
遺言執行者 executor /ɪgzékjʊtə/ Ⓒ **遺言書[状]** (written) will Ⓒ. ¶*遺言状を書く make (out) [write; draw up] *one's will*

ゆいしょ 由緒 ¶この*由緒ある (⇒ 歴史的な) 建物が壊れ始めている This *historic* building is beginning to fall apart. // 彼は*由緒ある家柄の出だ (⇒ 家系がよい) He comes from a *good* lineage /líniɪdʒ/.

ゆいしんろん 唯心論 〘哲〙 spíritualìsm Ⓤ; (観念論) idéalìsm Ⓤ. **唯心論者** spiritualist Ⓒ, idealist Ⓒ.

ゆいぞめ 結い初め *one's* first hairdo of the year.

ゆいめいろん 唯名論 〘哲〙 nominalism Ⓤ.

ゆいのう 結納 engagement [betrothal /bɪtróʊð(ə)l/] ˹present [gift] Ⓒ. ¶*結納を交わす exchange ˹*engagement presents* [*betrothal gifts*] **結納金** betrothal money Ⓤ.

ゆいび 唯美 ☞ たんび

ゆいぶつ 唯物 ―形 (唯物的) materialistic /mətì(ə)riəlístɪk/. **唯物史観** the matérialìstic víew of hístory ★ the を付けて. **唯物弁証法** dialéctical matérialism Ⓤ **唯物論** materialism /mətí(ə)riəlìzm/ Ⓤ **唯物論者** materialist Ⓒ.

ゆいわた 結綿 1 《髪型の》: *yuiwata* coiffure /kwɑːfjʊ́ə/ Ⓒ; (説明的には) a hairdo, once common among unmarried women, in which the backswept loop of hair of a *shimada* coiffure is bound at the middle with tie-dyed silk crepe.
2 《祝儀用の》: *yuiwata* Ⓤ; (説明的には) flossy cotton linters carded, combed, and bound in the middle into bunches which are offered at celebrations.
3 《家紋の》: *yuiwata* crest Ⓒ; (説明的には) a family crest with a design based on bound flossy cotton linters.

ゆう¹ 優 (成績の) A Ⓒ 日英比較 英米の成績は A, B, C, D, F の 5 段階に分けるのが普通. A, あるいは B までが優に当たり, F は failure (落第) の頭文字で不可. (☞ てん¹).
¶彼は全*優で卒業した He graduated with ˹all [straight] ˹*A's* [*As*]. (☞ アポストロフィ (巻末)) // *優をつける give an *A* // *優をもらう get an *A*

ゆう² 勇 (勇気) courage Ⓤ. **勇を鼓す** gather *oneself* ˹up [together]. ¶おぼれかけている子供を救うため, 私は*勇を鼓して水に飛び込んだ To save the drowning child, I *gathered myself up* and ˹plunged [jumped] into the water.

ゆう³ 雄 ¶この大学は日本の私学の*雄 (⇒ 最高の私立大学) と言われている This is said to be *the best* private university in Japan.

ゆう⁴ 夕 ☞ ゆうがた

ゆう⁵ 有 ¶無から*有を生じる create *something* out of nothing / (⇒ 不可能を可能にする) make the impossible *possible*

ゆう⁶ 釉 ☞ うわぐすり

ゆう⁷ 結う (髪を) do ⑩ (☞ かみ³). ¶母が私の髪を*結ってくれた My mother *did* my hair.

ゆう⁸ 言う ☞ いう

ゆう⁹ 木綿 *yu* thread Ⓤ; (説明的には) bark of the paper mulberry stripped, soaked, and split into threads; primarily used in Shinto celebrations where threads are attached to a branch of the sacred *sakaki*-tree. (☞ たまぐし).

ユー¹ (英語アルファベットの第 21 字) U Ⓒ, u Ⓒ.

ユー² (あなた) you (☞ あなた).

ゆうあい 友愛 (友情) friendship Ⓤ.

ゆうい¹ 優位 ―形 (…よりすぐれた) superior (to …); (…よりレベルが高い) on a higher level (than …). (☞ まさる; ゆうせい¹). ¶工業技術に関しては

彼らは私たちより*優位に立っている Their technology is 「*superior to* [*on a higher level than*] ours.

ゆうい[2] 有為 ¶*有為な人材 (⇒ 有能な人) a person of *ability* // *有為な若者 (⇒ 有望な若者) a *promising* youth《☞ ゆうのう; ゆうぼう》

ゆうい[3] 有意 — 形 (意味のある) significant; (意志のある) voluntary. **有意水準**〘統〙significance level (of a test) Ⓒ **有意差**〘統〙significant difference Ⓒ.

ゆういぎ 有意義 — 形 (意義深い) signíficant; (重要な) important; (有益な) useful.
¶きょうはわが校にとって*有意義な日だ Today is 「an *important* [(⇒ 記念すべき) a *memorable*] day for our school. ★ 例えば創立記念日のような日をいう. // 夏休みを*有意義に過ごしなさい *Make good use of* your summer vacation. // どうかこの金を*有意義に使って下さい Please 「put this money to *good use* [spend this money on *something worthwhile*]. ★ worth while でもよい.

ゆういん[1] 誘因 — 名 (原因) cause Ⓒ; (誘因となる刺激) incéntive Ⓒ. — 動 (原因となる) cause ㊀. (原因となって引き起こす) induce ㊀.《☞ げんいん[1]》. ¶過労はしばしば病気の*誘因となる (⇒ 病気を引き起こす) Overwork often 「*causes* [*induces*] illness.

ゆういん[2] 誘引 — 動 entice ㊀. **誘引剤** attractant Ⓤ.

ゆううつ 憂鬱 — 形 (不安で落ち着かない) uneasy; (気が滅入るような) depressing; (ふさぎ込んだ) gloomy,《略式》blue; (憂うつ症的な) mèlanchólic, mélanchòly. — 名 depression Ⓤ; mélanchòly Ⓤ;《略式》the blues ★ 複数扱い.《☞ ふさぎこむ》. ¶あすは試験だと思うと (⇒ あすの試験を考えると) *憂うつだ I 「feel *uneasy* [(⇒ 気楽になれない) *cannot feel relaxed*] when I think of tomorrow's exam. // そのニュースを聞いて*憂うつになった I *was depressed* by the news. // 彼は*憂うつそうな顔をしている He looks *blue*.

ゆうえい 遊泳 swimming Ⓤ《☞ すいえい》.
遊泳禁止《掲示》No 「Swimming [《英》Bathing] Here **遊泳生物**〘動物〙nekton Ⓤ.

ユーエイチエフ UHF ★ *u*ltra-*h*igh *f*requency (極超短波) の略.

ゆうえき 有益 — 形 (教育的でためになる) instructive; (知識・情報を与える) informative; (役に立つ) useful, of use, profitable, bèneficial. 語法 of use は名詞の後に置くか Ⓟ として用いる; (助けになる) helpful.《☞ やくだつ; ゆうよう[1]》. ¶とても*有益なお話を聞かせていただいてありがとうございました Thank you very much for your very 「*instructive* [*informative*] talk. // 彼の助言はとても*有益だった His advice was most 「*helpful* [*profitable*].

ユーエスエー the U.S.A. ★ the *U*nited *S*tates of *A*merica (アメリカ合衆国) の略.

ゆうえつかん 優越感 sense of superiority (over ...; to ...) ★ 通例 a または the を付けて; superióríty còmplex Ⓒ (↔ inferiority complex) ★ 元来は精神分析の用語であるが, 現在は口語表現でも使われる.

ユーエッチエフ ☞ ユーエイチエフ

ユーエヌ (国際連合) the UN ★ the *U*nited *N*ations の略.《☞ こくれん》.

ゆうえん[1] 優艶 — 形 elegant. — 名 elegance Ⓤ.

ゆうえん[2] 悠遠 ¶*悠遠の昔 the *remote* past

ゆうえん[3] 幽遠 ¶*幽遠な真理 *profound* truth

ゆうえん[4] 幽艶 — 形 (深遠で美しい) profound and beautiful; (しとやかで優美な) graceful.

ゆうえんち 遊園地 (遊びや運動の設備のある公園) recreation 「park [ground] Ⓒ; (娯楽施設のある遊び場) amusement park Ⓒ.

ゆうおうまいしん 勇往邁進 ¶政治改革に*勇往邁進する *press on* with political reform(s)

ゆうか 有価 — 形 valuable; (市場価値のある) marketable. **有価証券** securities /sɪkjʊ́(ə)rətiz/ ★ 複数形で. **有価物**〘法〙valuable [marketable] thing Ⓒ, valuable [marketable] property Ⓒ; valuables ★ 複数形で.

ゆうが 優雅 — 形 (高尚で上品な) elegant; (しとやかで優美な) graceful; (洗練された) refined.《☞ じょうひん (類義語)》. ¶*優雅な文体 an *elegant* 「style of writing [writing style] // *優雅な踊り [物腰] a *graceful* 「dance [manner] // *優雅な生活 (⇒ ゆったりとした生活) a *leisurely* [an *easy*] life

ゆうかい[1] 誘拐 — 動 kídnàp ㊀, abduct ㊀ ★ 前者のほうが口語的. — 名 kidnap(p)ing Ⓤ, abduction Ⓤ ★ 前者のほうが口語的. ¶その外交官は*誘拐され, *誘拐犯人は100万ドルの身代金を要求してきた The diplomat *was* 「*kidnap(p)ed* [*abducted*] and the *kidnap(p)er* demanded a 「ransom of a million dollars [million-dollar ransom]. **誘拐罪** kidnap(p)ing Ⓤ, abduction Ⓤ **誘拐犯人** kidnap(p)er Ⓒ, abductor Ⓒ.

ゆうかい[2] 融解 — 動 melt ㊁, fuse ㊀. — 名 melting Ⓤ, fusion Ⓤ. **融解点** the 「melting [fusion] point ★ the を付けて. **融解熱** the heat of fusion ★ the を付けて.

ゆうがい[1] 有害 — 形 (害になる) harmful; (傷つけるような) injurious /ɪndʒʊ́(ə)riəs/; (一般的に, よくない) bad; (有毒の) toxic, poisonous; (身体などに危険な) hazardous ★ 化学物質など.《☞ がい[1]》.
¶喫煙は健康に*有害である Smoking is 「*harmful* [*injurious*; *bad*] to 「the [*one's*] health. ★ bad が最も口語的. // この規制は*有害無益だ This rule is not only useless but (simply) 「*bad* [*harmful*].
有害(産業)廃棄物 toxic [hazardous] (industrial) waste Ⓒ ★ 普通複数形で. **有害紫外線** harmful [hazardous] ultraviolet rays ★ 複数形で. **有害情報** harmful [hazardous] information Ⓤ **有害鳥獣** (集合的に) harmful animals and birds **有害図書** obscene publication Ⓒ **有害物質** toxic substance Ⓒ.

ゆうがい[2] 有蓋 — 形 (乗り物などが屋根付きの) covered. **有蓋貨車**《米》bóxcàr Ⓒ,《英》van Ⓒ.

ゆうがお 夕顔 〘植〙(かんぴょうの原料となる) gourd /gɔ́əd/ Ⓒ ★ 一般には同種のひょうたんを指す; (よるがお) moonflower Ⓒ.

ゆうかく[1] 遊郭 red-light district Ⓒ.

ゆうかく[2] 優角 〘数〙major [reflex] angle Ⓒ.

ゆうがく[1] 有額 ¶*有額回答をする (⇒ 明確に賃上げを提案する) offer an increase in wages *specifically*

ゆうがく[2] 遊学 ☞ りゅうがく

ゆうがすみ 夕霞 evening haze Ⓤ.

ゆうかぜ 夕風 evening breeze Ⓒ.

ゆうがた 夕方 evening Ⓒ《☞ ばん[1] (類義語); ひぐれ; 時刻・日付・曜日 (囲み)》.
¶*夕方の6時ごろ about six *in the evening* // それは2月28日の[水曜日の]*夕方に起こった It happened *on* 「*the evening* of February 28 [Wednesday *evening*]. 語法 (1) 定まった日の晩には on を用いる.《☞ あさ[1] 語法》// きのうの*夕方彼女から電話がきた She called me yesterday *evening*. 語法 (2) last evening よりこのほうが普通. ただし, night には last が用いられる. this [tomorrow; every] evening のような場合には前置詞は付かない.

ゆうがとう 誘蛾灯 light trap Ⓒ.

ユーカラ (アイヌ民族の伝承叙事詩) Ainu epic

/áɪnu: épɪk/ Ⓒ.

ユーカリ 〘植〙 eucalyptus /jù:kəlíptəs/ Ⓒ《複 ~es, -lypti /-líptaɪ/》.

ゆうかん¹ 勇敢 ―形 (勇敢な) brave, courágeous 語法 前者は行動に重点があり, 後者は精神的な面に強調がある; (英雄的な) heróic.
―副 (勇敢に) bravely, courageously. ―名 bravery Ⓤ, cóurage Ⓤ. 《☞ いさましい (類義語); ゆうき¹ (類義語)》. ¶*勇敢な行為 a *brave* act // *勇敢な兵士 a ⌈*brave* [*courageous*] soldier

ゆうかん² 夕刊 (夕刊専門紙) evening ⌈newspaper [paper] Ⓒ (↔ morning ⌈newspaper [paper]); (朝刊に対して) evening edition Ⓤ (↔ morning edition).

ゆうかん³ 有閑 ―形 (暇のある) leisured /lí:ʒəd/ 《☞ ひま》. ¶*有閑階級 the *leisured* classes // *有閑マダム a woman *of leisure*

ゆうかん⁴ 憂患 (極度の心配・不安感) feelings of intense anxiety; (絶えまない悩み) ceaseless worries ★ いずれも複数形で.

ゆうかんじしん 有感地震 felt earthquake Ⓒ.

ゆうかんち 遊閑地 ☞ ゆうきゅう² (遊休地)

ゆうき¹ 勇気 ―名 bravery Ⓤ; courage /kɜ́:rɪdʒ/ Ⓤ; boldness Ⓤ. ―形 (勇敢な) brave (↔ cowardly); (勇気のある) courageous; (大胆な) bold. ―動 (勇気づける) encourage ⑩ (↔ discourage); (励ます・元気づける) chéer (úp) ⑩.
【類義語】危険や困難に恐れず立ち向かう行動によって示される勇気を意味するのが **bravery**. ある信念のもとに, 断固として恐れずに危険や困難に立ち向かうばかりでなく, 苦痛・不幸などにも屈しない精神的な強さを強調するのが **courage**. 性格的に大胆で, どちらかというと傲慢で向こう見ずとも言えるような勇気を指すのが **boldness**. 《☞ ゆうかん¹; いさましい (類義語)》
¶*勇気を出せ Be *brave*. // そんな発言をするには*勇気がいる You need *courage* to make such a statement. // その*勇気ある (⇒ 大胆な) 男は子供を救おうと鮫(さめ)がいっぱいいる海の中へ飛び込んだ The ⌈*bold* [*brave*] man jumped into the shark-infested waters to save the child. // その知らせで*勇気百倍だ The news gave me a lot of *courage*. // 彼は*勇気を出してそのことを尋ねた He gathered up *courage* to ask about the matter. // 上司にそんなことを言うなんて, 君も*勇気があるね It sure took *guts* to tell your boss that. // 彼らは最後まで*勇気を失わなかった They maintained their *courage* to the end. // あなたの言葉を聞いて*勇気が出た [くじけた] I *was* ⌈*encouraged* [*discouraged*] by what you said. // 私には彼女にその悪い知らせを告げるだけの*勇気はとてもなかった I *didn't have the heart to* tell her the bad news. 語法 have the heart to *do* ... は「...する勇気がある, 冷酷・大胆にも...する」の意の慣用的表現で, 通例否定・疑問文で用いる.

―コロケーション―
勇気がある have *courage*; be *courageous* / 勇気がない lack *courage*; be cowardly / 勇気を与える inspire ⌈*courage* [*bravery*] / 勇気をなくす lose *courage* / 勇気を奮い起こす muster [summon up] *courage*

ゆうき² 有機 ―形 (有機の・有機的な) organic (↔ inorganic). ¶*有機的な関係がある be *organically* [(⇒ 首尾一貫して) *consistently*] related to ... **有機塩素化合物** chlorinated /klɔ́:rənèɪtɪd/ orgánic cómpound Ⓒ **有機化学** organic chemistry Ⓤ **有機化合物** organic compound Ⓒ **有機ガラス** organic glass Ⓤ **有機顔料** organic pigment Ⓒ **有機金属化合物** organometallic /ɔ̀ːgənoumətǽlɪk/ cómpound Ⓒ **有機鉱物** organic mineral Ⓒ **有機高分子** organic polymer Ⓒ **有機栽培** organic farming Ⓤ **有機酸** organic acid Ⓒ **有機質** organic substance Ⓒ **有機食品** organic food Ⓒ ★ 総称の場合は Ⓤ. **有機水銀剤** organic mercury compound Ⓒ **有機体** organism Ⓒ **有機農業** organic agriculture Ⓤ **有機肥料** organic fertilizer Ⓤ **有機物** organic matter Ⓤ **有機野菜** organically-grown vegetable Ⓒ **有機溶剤** organic solvent Ⓤ.

ゆうき³ 有期 ―形 (固定の) fixed-term; (有限の) limited-term; (期限付きの) terminable.
有期刑 fixed-term imprisonment Ⓤ. ¶3年の*有期刑を宣告される be sentenced to three ⌈years' [years of] imprisonment **有期公債** terminable bond Ⓒ **有期雇用契約** limited-term employment contract Ⓒ, employment contract for a limited period Ⓒ.

ゆうぎ¹ 遊戯, 遊技 (遊び) play Ⓤ; (ルールのある遊び) game Ⓒ; (娯楽) amusement Ⓒ. 《☞ あそび》.
遊戯施設 recreation(al) facilities ★ 通例複数形で. **遊技場** (娯楽場) place of amusement Ⓒ **遊技療法** play therapy Ⓤ.

ゆうぎ² 友誼 friendship Ⓤ. **友誼団体** friendship organization Ⓒ.

ゆうきおん 有気音 〘音声〙 aspirate Ⓒ.

ゆうきゅう¹ 有給 ―形 (有給の) paid (↔ unpaid). **有給休暇** paid ⌈holiday [vacation] Ⓒ 《☞ きゅうか¹》.

ゆうきゅう² 遊休 ―形 (操業をしていない) idle; (使用されていない) unused /ʌ̀njú:zd/. **遊休施設** idle [unused] facilities ★ 複数形で. **遊休資本** idle capital Ⓤ **遊休地** idle land Ⓤ.

ゆうきゅう³ 悠久 ―名 (永久) eternity Ⓤ. ―形 eternal; (永遠に続く) everlasting. 《☞ えいえん; えいきゅう》.

ゆうきょう 遊興 (娯楽) amusement Ⓤ.
遊興飲食税 the entertainment, eating, and drinking tax **遊興費** entertainment expenses ★ 複数形で.

ゆうぎり 夕霧 an evening mist ★ an を付けて. 《☞ きり¹》.

ゆうぐう 優遇 ―名 (よい[好意的な]待遇) good [favorable] treatment Ⓤ. ―動 (十分に給料を出す) pay (*a person*) ⌈well [a good salary]. 《☞ たいぐう¹》.
¶うちの会社では経験者は*優遇される Persons with experience *are paid well* in our company. / Our company *pays* ⌈experienced employees *a good salary* [*a good salary* to employees with experience].
優遇金利 preferential interest rate Ⓒ **優遇手形** preferential bill Ⓒ.

ゆうぐもり 夕曇り ―形 cloudy at dusk. ―名 (夕曇りの空) cloudy sky at dusk Ⓒ.

ユークリッド ―名 固 Euclid /jú:klɪd/ ★ 紀元前300年ごろのギリシャの数学者. **ユークリッド幾何学** Euclidean /ju:klídiən/ geometry Ⓤ. ¶非*ユークリッド幾何学 non-*Euclidean geometry*
ユークリッド空間 Euclidean space Ⓤ.

ゆうぐれ 夕暮れ (夕方) evening Ⓒ; (たそがれ) dusk Ⓤ. 《☞ ゆうがた》. ¶*夕暮れになると when the *evening* comes / (⇒ 夕方近く) toward *evening* / at *dusk*

ゆうぐん¹ 友軍 (味方の軍隊) friendly ⌈troop [army] Ⓒ; (連合軍) allied army Ⓒ; (味方) *one's* friend Ⓒ. 《☞ みかた¹》.

ゆうぐん² 遊軍 (予備の軍隊) the reserves; (援軍) the rescue force; (遊撃隊) flying column Ⓒ ★ 臨機応変に活動する隊. **遊軍記者** roving reporter C.

ゆうげ　夕餉　☞ ゆうしょく[1]

ゆうけい　有形　— 形（手で触れることが可能な）tangible;（実体を伴う）material /mətí(ə)riəl/.　**有形財産** material property U　**有形文化財** tangible cultural asset C.

ゆうげい　遊芸　polite [light] accomplishments ★ 複数形で.《☞ げい》.

ゆうけいむけい　有形無形　— 形 material /mətí(ə)riəl/ and ⌈móral [spíritual]. ¶ 私たちは彼から*有形無形の援助を受けた We received *material and* ⌈*moral* [*spiritual*] support from him.

ユーケー　（英国）UK, U.K. ★ the *U*nited *K*ingdom の略.《☞ えいこく》.

ゆうげきしゅ　遊撃手　〘野〙shórtstòp C ★ 単に short C ともいう.

ゆうげきたい　遊撃隊　☞ ゆうぐん[2]

ゆうけむり　夕煙り　（もや・かすみ）evening mist U;（夕食の用意の）kitchen smoke before dinner time U.

ゆうげん[1]　有限　— 形（限られた）limited (↔ unlimited);（限定された）finite /fáɪnaɪt/ (↔ infinite /ínfənɪt/).　**有限会社** limited (liability) company C《略 Ltd.》; corporation C《略 Corp.》★ 厳密には株式会社なども含む広い意味の語だが，有限会社の訳として通常用いられる．制度の違いにより，ぴったりの訳はない．《☞ かいしゃ[1] 語法》. ¶ *有限会社酒井商会 Sakai Co. Ltd. ★ Co. は *Co*mpany の略.　**有限級数**〘数〙finite series C　**有限集合**〘数〙finite set C　**有限小数**〘数〙finite decimal C　**有限数**〘数〙finite number C　**有限数列**〘数〙finite sequence C　**有限責任** limited liability U.

ゆうげん[2]　幽玄　— 形 mystic.

ゆうけんしゃ　有権者　（特に政治的な選挙で選挙権を有する人）éligible vóter C;（集合的に，有権者全体）the eléctorate.《☞ せんきょ[1]》.　**有権者名簿** the electoral ⌈roll [register].

ゆうこ　優弧　〘数〙major [superior] arc C.

ゆうこう[1]　有効　— 形（望んだ効果が得られる）effective (↔ ineffective);（法的に効力がある）valid (↔ invalid);（特にある期間有効な）good (for ...) ★ 口語的.　— 名 valídity U.《☞ こうか[1]》.
¶ 視聴覚教育は外国語の指導に極めて*有効である Audiovisual education is very *effective* for foreign-language teaching. // 夏休みは*有効に過ごしなさい（⇒ 夏休みを有効に使いなさい）*Make good use of* your summer vacation. // この切符は 1 週間[発売当日限り]*有効です This ticket is ⌈*good* [*valid*] ⌈*for* one week [only *for* the day of issue]. // 本契約[保証書]の*有効期間は 2 か年です The term of *validity* of this ⌈contract [guarantee] is two years. // お申し込みは 8 月 31 日の消印まで*有効です（⇒ 8 月 31 日より後でない消印が押されていなければならない）Your application must be postmarked no later than ⌈August 31 [31 August].
有効エネルギー available energy U　**有効回答**（世論調査などの）valid response C　**有効求人倍率** effective job offer to applicant ratio C　**有効需要** effective demand U　**有効数字**〘数〙significant ⌈figures [digits] ★ 複数形で.　**有効投票** valid ballot C.

ゆうこう[2]　友好　— 形（友好的な）friendly. — 副（友好的に）in a friendly way.
¶ オリンピックの目的は世界の異なった民族の*友好を深めることである The purpose of the Olympics is to foster *friendly* relations among the peoples of the world.
友好関係（友人としての交わり）friendship U;（友人としての関係）friendly relations ★ 通例複数形で. ¶ *友好関係を結ぶ[保つ] establish [maintain] *friendly relations* (with ...) // 今日両国を結ぶ*友好関係は切れることなく，一層強固なものとなる（⇒ 持続するばかりでなく，より強化される）だろう The *friendship* that binds the two countries today will not only endure, but ⌈get [grow] (even) stronger.　**友好国** friendly nation C　**友好条約** treaty of ⌈friendship [amity] C.

ゆうこう[3]　有功　— 形（功績・勲功のある）meritorious /mèrətɔ́:riəs/.　**有功賞** médal for méritòrious cónduct C.

ゆうごう　融合　fusion U. ¶ 核*融合 nuclear /n(j)ú:kliə/ *fusion* ★ 単に fusion ともいう.

ゆうこうこ　有口湖　drainage lake C.

ゆうこうじょうちゅう　有鉤条虫　armed tapeworm C.

ゆうこうちゅう　有孔虫　fòramínifer C.

ユーゴー　☞ ユゴー

ゆうこく[1]　夕刻　evening C《☞ ゆうがた》.

ゆうこく[2]　憂国　（愛国心）patriotism /péɪtriətìzm/ U《☞ あいこく》. ¶ *憂国の士（⇒ 愛国者）a *patriot*

ゆうこく[3]　幽谷　deep valley C, steep ravine C ★ 後者は川の浸食でできた峡谷.《☞ しんざんゆうこく》.

ユーゴスラビア　— 名 固 Yugoslavia;（正式名）the Federal Republic of Yugoslavia. ★ 2003 年に消滅.《☞ セルビア》.　— 形 Yugoslav.　**ユーゴスラビア人** Yugoslav C.

ゆうこん　雄渾　— 形（堂々たる）grand;（気力に満ちた）vigorous;（線が太い）bold. ¶ *雄渾な文章を書く write in a ⌈*grand* [*vigorous*] style // *雄渾な筆致 a *bold* hand

ユーコンがわ　ユーコン川　— 名 固 the Yúkon ★ カナダ・アラスカを流れてベーリング海に注ぐ川.

ユーザー　user C.　**ユーザーインターフェイス**〘コンピューター〙user interface C　**ユーザーオリエンテッド** — 形（利用者優先の）user-oriented /jú:zəɔ́:rièntɪd/　**ユーザー辞書** user dictionary C　**ユーザーフレンドリー** — 形 user-friendly.

ゆうざい[1]　有罪　— 形 guilty (↔ innocent). — 名 guilt U (↔ innocence). ¶ その男は*有罪と宣告された The man was found *guilty*. /（⇒ 法廷はその男を有罪と判決した）The court ruled that the man was *guilty*. // 彼の*有罪を立証する証拠がない There is no evidence to prove ⌈his *guilt* [that he is *guilty*].

ゆうざい[2]　融剤　〘化・冶金〙flux U, fusing agent C.

ゆうさいしょく　有彩色　chromatic color《英》colour) C.

ゆうさんかいきゅう　有産階級　the bourgeoisie /bùəʒwɑ:zí:/《☞ ブルジョワ》.

ユーザンス　〘商〙（手形期間）usance U.

ゆうさんそ　有酸素　— 形〘医〙aerobic.　**有酸素運動**〘医〙aerobic exercise U《☞ エアロビクス》　**有酸素エネルギー** aerobic energy U　**有酸素能力** aerobic capacity U.

ゆうし[1]　融資　— 名（資金の融通）financing U;（資金を貸し付けること）loan U ★「貸し付け金」の意味では C;（融通される資金）fund C.　— 動 finance /fɪnǽns/ 他;（資金を供給する）provide funds (to ...);（貸し付ける）lend [《米》loan] ⌈... money [money to ...].《☞ かす[1]; かりる》.
¶ 山川銀行はその会社に 5 億円*融資した（⇒ 提供した）The Yamakawa Bank *provided* five hundred million yen *to* the company. / The Yamakawa Bank ⌈*lent* [*loaned*] the company five hundred million yen.《☞ 数字（囲み）》// 銀行か

ら住宅資金の*融資を受けた I obtained a ˹housing [building] *loan* from the bank. / (⇒ 私は家を建てるために銀行から金を借りた) I *borrowed money* from the bank to build a house.

ゆうし[2] 有志 (関心を持っている人) interested person Ⓒ; (進んで事に当たる人) vòluntéer Ⓒ. ¶ 私たちは*有志を募って英会話クラブを結成した We ˹collected [signed up] *interested persons* and formed an English-speaking society. // その困難な仕事はすべて*有志の人たちがやってくれた The difficult work was all done by *volunteers*.

ゆうし[3] 雄姿 magníficent [majéstic] figure Ⓒ. ¶ モンブランが眼前にその*雄姿を現した Mont Blanc /mɔ̀ːmblάːŋ/ presented itself in all its ˹*glory* [*magnificence*].

ゆうし[4] 有史 ¶ *有史以来の大事件 (⇒ 歴史の中での最大の事件) the greatest event *in history* **有史以前** ― 形 prehistoric **有史時代** historic times.

ゆうし[5] 勇士 brave [courageous] soldier Ⓒ; (手柄を立てた勇士) hero Ⓒ《複 ～es》.

ゆうじ 有事 emergency Ⓒ《☞ ひじょう[1]; きんきゅう》. ¶ *有事の際には in an *emergency* / in ˹case [time] of *emergency* ★ 後者はやや格式ばった言い方. **有事関連法** War Contingency Laws, National Emergency Laws ★ いずれも複数形で. **有事規制** restrictions on ˹capital transactions [international capital flows] under emergency conditions **有事法(制)[立法]** emergency legislation Ⓤ.

ユージーン (男性名) Eugene /juːdʒíːn/ ★ 愛称は Gene.

ゆうしお 夕潮 evening tide Ⓒ.

ユージオメーター 〚化〛 eudiometer Ⓒ.

ゆうしかいひこう 有視界飛行 visual flying Ⓤ.

ゆうしかく 有資格 ― 形 (資格がある) (well-)qualified; (免許を有する) licensed; (条件を満たしている) eligible (for ...). 《☞ しかく[1]》. ¶ *有資格の教員 a *licensed* teacher // 彼は教授として*有資格です He is *eligible for* a professorship. **有資格者** quálified [éligible] pèrson Ⓒ; (総称) the qualified Ⓤ.

ユーじ(がた) U 字(型) ― 形 (U 字型の) U(-shaped). **U 字型管** U tube Ⓒ **U 字溝** U-shaped gutter Ⓒ.

ゆうしきしゃ 有識者 (専門家) éxpert Ⓒ; (いろいろな事に精通している人) (well-)informed person Ⓒ; (知識の豊かな人) knowledgeable person Ⓒ.

ゆうしぐれ 夕時雨 evening shower Ⓒ.

ゆうしつどうぶつ 有櫛動物 comb jelly Ⓒ, ctenophore /ténəfɔ̀ə/ Ⓒ ★ 後者は専門用語.

ゆうしてっせん 有刺鉄線 barbed wire Ⓤ.

ゆうしぶんれつ 有糸分裂 〚植〛 mitosis /maɪtóusɪs/ Ⓒ《複 -ses /-siːz/》.

ゆうしゃ 勇者 ☞ ゆうし[5]

ゆうしゅう[1] 優秀 ― 形 (すぐれた) excellent; (ほかより一段とすぐれた) superior /supí(ə)riə/ (to ...); (卓越した) òutstánding; (立派な) fine. 《☞ すぐれる》.
¶ *優秀な学生[技術者] an *excellent* ˹student [technician] // *優秀な技術[設備] *excellent* [*superior*] ˹technique [equipment] // 彼は最後の学期で*優秀な成績を上げた He ˹obtained *excellent* results [made *superior* grades] (in the) last term. // 彼女は成績*優秀である She is ˹*excellent* in scholarship [an *outstanding* scholar]. // 最*優秀選手 the most *valuable* player 《略 MVP》

ゆうしゅう[2] 憂愁 ― 名 (もの悲しさ) mélanchòly Ⓤ; (憂うつ) gloom Ⓤ. ― 形 (もの悲しい) mèlanchólic, mélanchòly; (暗たんとした) gloomy. ¶ *憂愁の漂う微笑をうかべる wear a *melancholic* smile 《☞ うれい; かなしみ》.

ゆうしゅう[3] 幽囚 confinement Ⓤ; (牢獄での) imprisonment Ⓤ. ¶ つらくわびしい*幽囚生活 a [*one's*] cruel and lonely life in *prison* // *幽囚の身となる be ˹confined [imprisoned]

ゆうしゅうのび 有終の美 ¶ 彼はノーベル賞を授与されて, 生涯に*有終の美を飾った He *rounded off his career* by winning the Nobel Prize. ★ róund óff は「仕上げる, 締めくくる」の意.

ゆうじゅうふだん 優柔不断 ― 形 (煮え切らない) indecisive, ìrrésolùte ★ 後者のほうが格式ばった語. ¶ 彼は実に*優柔不断な男だ He's a very ˹*indecisive* [*irresolute*] man. / (⇒ 決心がつかない) He *can never make up his mind*.

ゆうしゅつ 湧出 ― 動 (勢いよく湧き出る) gush [spring] (out) ⓐ; (湧き出る) well (out) ⓐ. 《☞ わきでる》. ¶ 北海油田の原油年間*湧出量 (⇒ 産出量) the annual *yield* of crude oil in the North Sea oil fields

ゆうしゅどうぶつ 有鬚動物 beard worm Ⓒ, pogonophoran /pòugənάfərən/ Ⓒ ★ 後者は専門用語.

ゆうしゅん 優駿 outstanding racehorse Ⓒ.

ゆうじょ 遊女 prostitute Ⓒ, 《古》 harlot Ⓒ.

ゆうしょう[1] 優勝 ― 名 (勝利) victory Ⓒ; (選手権) championship Ⓒ. ― 動 (優勝する) win the ˹victory [championship]. 《☞ かつ[1]; しょうり》. ¶ (水泳で) 遠征チームは*優勝を飾った[逸した] The visiting team ˹*won* [*failed to win*] *the championship* (in swimming).
優勝街道 ¶ *優勝街道を進む head down *the championship trail* **優勝旗** championship flag Ⓒ, 《米》 pennant Ⓒ **優勝決定戦** playoff Ⓒ **優勝候補** favorite (for the championship) Ⓒ **優勝者** (選手権保持者) champion Ⓒ; (タイトル保持者) titleholder Ⓒ; (勝利者) the winner, the victor ★ 後者のほうが格式ばった語. ¶ テニス[水泳]の*優勝者 a ˹tennis [swimming] *champion* // オリンピック大会個人*優勝者 an Olympic ˹*champion* [*gold medalist*] ★ ... champion and gold medalist と言うこともある. **優勝戦** (選手権争奪トーナメント) chámpionshìp tournament /túənəmənt/ Ⓒ; (選手権大会) championship Ⓒ; (決勝戦) final Ⓒ ★ 最後の 2 語はしばしば複数形で. ¶ テニス*優勝戦 the tennis ˹*championships* [*finals*] **優勝チーム** (選手権獲得チーム) the ˹champion [championship] team; (勝利チーム) the winning team **優勝杯** championship cup Ⓒ; (優勝記念杯) (trophy) cup Ⓒ.

ゆうしょう[2] 有償 ― 形 (有料の) charged. ― 副 (有料で) for payment. 《☞ ゆうりょう[1]》. **有償契約** onerous contract Ⓒ **有償行為** juristic act performed for a consideration Ⓒ **有償取得** acquisition for value Ⓤ **有償ボランティア** paid volunteer Ⓒ《☞ ボランティア》 参考 通例ボランティアは無償行為なので説明が必要.

ゆうしょう[3] 勇将 brave general Ⓒ. ¶ *勇将のもとに弱卒なし Like master, like men. 《ことわざ: この主人にしてこの部下あり》

ゆうしょう[4] 湧昇 upwelling Ⓤ. **湧昇流** upwelling current Ⓒ.

ゆうじょう 友情 friendship Ⓤ. ¶ *友情は金銭より尊い *Friendship* is more precious than money. // 彼は*友情に厚い人だ He is a very ˹*friendly* [*kind*] person. // *友情を裏切る betray *one's friendship* (with *a person*)

コロケーション

友情を抱く cherish a *friendship* / 友情を固める cement a *friendship* / 友情を築く form [strike up] a *friendship* / 友情を壊す break up [destroy] a *friendship* / 友情を深める cultivate a *friendship* / 暖かい友情 a warm *friendship* / 永遠の友情 a lasting *friendship* / 堅い友情 a firm *friendship* / 終生の友情 a lifelong *friendship* / 真の友情 a true *friendship* / 強い友情 a strong *friendship* / はかない友情 a short-lived *friendship* / 深い友情 a ˹deep [profound] *friendship*

ゆうしょうれっぱい 優勝劣敗 **1**《強いものが弱いものに勝つ》: To the strong goes victory, to the weak defeat. **2**《適者生存》: the survival of the fittest《☞ じゃくにくきょうしょく》.

ゆうしょく¹ 夕食 supper Ⓤ; (1日の主要な食事・正餐) dinner Ⓤ; (夕方の食事) evening meal Ⓒ. ¶*夕食には何を召し上がりますか What will you have for *dinner*? ∥ *夕食は間もなく済み, 私たちは居間へ移ってくつろいだ The *dinner* [*Dinner*] was soon over. We moved into the living room and relaxed.

ゆうしょく² 憂色 (心配そうな表情) a worried look ★a を付けて.《☞ しんぱい¹; ふあん》. ¶彼女の顔は*憂色を帯びていた She ˹wore [had] *a worried look*.

ゆうしょくじんしゅ 有色人種 colored race Ⓒ (↔ white race)《☞ じんしゅ》.

ゆうしょくたい 有色体 〔植〕 chromoplast /króumǝplæ̀st/ Ⓒ.

ゆうしょくやさい 有色野菜 (カロチンを多く含む野菜) carotene-rich vegetable Ⓒ; (色素の濃い野菜) highly pigmented vegetable Ⓒ.

ゆうしるい 有翅類 ―名 〔昆〕 the Pterygota /tèrǝgóutǝ/ ★the を付けて. ―形 pterygote /térigòut/.

ゆうじん¹ 友人 friend Ⓒ《☞ ともだち 語法(1); なかま(類義語)》.

ゆうじん² 有人 ―形 (人が乗り組んでいる) manned Ⓐ. **有人宇宙船** manned spacecraft Ⓒ **有人潜水調査船** manned research submersible Ⓒ **有人飛行** manned flight Ⓒ.

ユージン ☞ ユージーン

ゆうしんろん 有神論 theism /θíːɪzm/ Ⓤ (↔ atheism).

ユース¹ **1**《若いこと》: youth Ⓤ; (若者) youth Ⓒ. **2** ☞ ユースホステル

ユース² (利用) use Ⓤ.

ゆうすい 湧水 spring water Ⓤ《☞ いずみ》.

ゆうずい 雄蕊 ☞ おしべ

ゆうすいち 遊水池 retarding basin Ⓒ; (洪水調節池) flood-control basin Ⓒ.

ゆうすう 有数 ―形 (第一流の) foremost ★通例 the を付けて; (指導的な) leading Ⓐ; (傑出した) distínguished; (著名な)《格式》éminent; (卓越した) prominent.《☞ いちりゅう; ゆうめい¹》. ¶第二次世界大戦ののち, 日本は世界*有数の工業国になった Japan has become ˹a *leading* industrial country [one of the *leading* industrialized nations] in the world since World War II.

ゆうずう 融通 ―動 (金などを用立てて便宜を計る)《格式》accommodate *a person* (with …); (金などを貸す) lend [《米》loan] (˹*a person* … [… to *a person*]). ―名 accommodation Ⓤ.《☞ かす¹; ゆうし¹》. ¶「10万円ばかり*融通していただけませんか」「ええ, いいですとも[残念ですができません]」"Could you ˹*accommodate* me *with* a loan of a hundred thousand yen [*lend* me a hundred thousand yen]?" "Of course [Sorry, but I (just) can't]." **融通の[が]きく** ―形 (順応性のある) adaptable (↔ unadaptable) ★しばしばほめ言葉としての意味合いを伴う; (弾力に富んだ) elástic (↔ inelastic); (柔軟な) flexible (↔ inflexible). ―名 adaptability Ⓤ; elàstícity Ⓤ; flexibility Ⓤ. ¶*融通のきく人 an *adaptable* [a *flexible*] person ∥ *融通のきかない人 an *inflexible* [(⇒ 頑固な) an *obstinate*] person
融通証券 negotiable instrument Ⓒ **融通手形** 〔経〕 accommodation ˹bill [note] Ⓒ **融通無碍** ―形 (自由で柔軟な) free and flexible; (工夫に富む) resourceful. ―名 flexibility Ⓤ; resourcefulness Ⓤ.

ゆうすずみ 夕涼み ¶夕食の後, 子供たちを連れて土手へ*夕涼みに (⇒夕方の涼を楽しみに) 出かけた After supper I went (out) with my children to the riverbank to *enjoy the evening cool*.《☞ すずむ; のうりょう》

ユーズドカー (中古車) used car Ⓒ.

ユースホステル (yóuth) hòstel Ⓒ.

ゆうする 有する ☞ もつ¹

ゆうせい¹ 優勢 ―形 (他にまさった) superior /supí(ǝ)riǝ/ (to …) (↔ inferior (to …)); (傑出した)《格式》predominant; (先頭を切る) leading. ―動 (他よりまさる) be superior (to …); (力や数において優勢である)《格式》predominate ⓐ; (優勢になる・他に先んじる) lead ⓐ, take the lead; (意見などが優勢になる) gain ground.《☞ まさる; ゆうい¹》. ¶衆議院では自民党 (⇒自民党員) が*優勢を占めている The Liberal Democrats *predominate* in the House of Representatives.
優勢勝ち ―動 (柔道で) win a decision. ―名 win by a decision Ⓒ.

ゆうせい² 郵政 postal administration Ⓤ.
郵政三事業 the three businesses of the former Ministry of Posts and Telecommunications (the Postal Service, the Postal Savings Service, and the Postal Life Insurance Service) **郵政事業庁** ☞ にほん (日本郵政公社) ★2003年公社に改組. 旧名は the Postal Services Agency. **郵政事業民営化** privatization of postal services Ⓤ **郵政大学校** Postal College.

ゆうせい³ 優性 〔生〕 ―形 dominant (↔ recessive). ―名 dominance Ⓤ.《☞ れっせい²》.
優性遺伝 〔遺〕 dominant inheritance Ⓤ **優性遺伝子** 〔医〕 dominant gene Ⓒ **優性形質** dominant character Ⓒ.

ゆうせい⁴ 有性 ―形 sexual. **有性生殖** sexual reproduction Ⓤ.

ゆうせい⁵ 優生 ―形 eugenic /juːdʒénɪk/.
優生学 eugenics Ⓤ **優生結婚** eugenic marriage Ⓒ **優生保護法** the Eugenic Protection Act.

ゆうせい⁶ 遊星 ☞ わくせい **遊星歯車装置** 〔機〕 planetary [planet] gear Ⓒ, epicyclic gear Ⓒ ★後者は専門用語.

ゆうせい⁷ 雄性 ―形 male. ―名 maleness Ⓤ.《☞ だんせい¹》. **雄性ホルモン** male sex hormone Ⓒ, androgen /ǽndrǝdʒǝn/ Ⓤ.

ゆうせいか 有声化 ―名 voicing Ⓤ, vocalization Ⓤ. ―動 voice ⓣ, vocalize ⓣ.

ゆうぜい¹ 遊説 ―名 (投票を求めて地域や人を訪問すること) cánvassing Ⓤ; (政治演説をしながら各地を回ること) stumping Ⓤ,《米》barnstorming Ⓤ. ―動 canvass ⓣ ⓐ;《米》take the stump,《米》barnstorm ⓐ ⓣ. ¶その大統領候補は中西部一帯を*遊説して回った The presidential candidate ˹*stumped* [*canvassed* (*around*); *barnstormed* (*through*)] the Midwest.

遊説旅行 stumping tour Ⓒ.

ゆうぜい² 郵税 (郵便料金) postage Ⓤ.

ゆうせいおん 有声音 〖音声〗 voiced sound Ⓒ (↔ voiceless sound).

ゆうせいらん 有精卵 (受精をした卵) fertilized egg Ⓒ.

ゆうせき 有責 〖法〗 ―[形] (有罪の) culpable. ―[名] (過失責任) fault Ⓤ. 有責行為者 person (who is) at fault Ⓒ 有責離婚 fault divorce Ⓒ.

ゆうせつ 融雪 (雪を溶かすこと) melting Ⓤ; (溶けた雪) melted snow Ⓤ. 《☞ ゆきどけ》. 融雪洪水 flood of melted snow Ⓒ, snow(melt) flood Ⓒ; (特に氷河の) meltwater flood Ⓒ 融雪設備 snow-melting equipment Ⓤ.

ゆうせん¹ 優先 ―[名] (順序・重要度などの優先権) príority Ⓤ, précedence Ⓤ ★ 前者のほうが一般的; (選択に当たっての優先権) préference Ⓤ; (通行上の優先権) right-of-way Ⓤ. ―[動] (優先する) have priority (over ...), take precedence (over ...) ★ 以上 2 つは「優先されるもの」が主語となる; (優先させる) give ⌈priority [precedence; preference] (to ...) ★「優先権を与えるもの」が主語となる. ―[形] (優先権のある) prèferéntial; (優先順位の高い) of higher priority.
¶ この件では私よりあなたに*優先権がある You *have priority over* me in this matter. // 道路の建設より自然保護を*優先すべきである The preservation of nature should ⌈*take priority* [*be given priority*] *over* the construction of roads. // この問題を*優先的に取り上げるべきである We should *give* this problem *precedence over* all others.
優先株 preferred ⌈share [stock] Ⓒ, preference ⌈share [stock] Ⓒ ★ 通例複数形で. 優先債 preferred bond Ⓒ 優先事項 príority Ⓒ 優先順位 the order of priority 優先席 priority seat Ⓒ.

ゆうせん² 有線 ―[形] wire, wired (↔ wireless). ¶ *有線電信[電話] *wire(d)* ⌈télegràph [téléphòne]
有線通信 wire communication Ⓤ 有線テレビ cáble ⌈télevìsion [TV] Ⓤ, closed-circuit television Ⓤ 〔語法〕 前者は CATV と略す. また, 後者は特定の建物や施設の受像機だけに送信される. 有線放送 closed-circuit broadcasting Ⓤ.

ゆうせん³ 優占 〖植〗 dominance Ⓤ. 優占種 dominant species Ⓒ.

ゆうぜん¹ 悠然 ―[形] (平静な) calm; (落ち着いた) composed. ―[副] calmly; composedly /kəmpóuzɪdli/. 《☞ ゆうゆう》.

ゆうぜん² 友禅 (友禅染め) Yuzen dyeing Ⓤ.
¶ *友禅染めの着物 a *Yuzen*-printed kimono

ゆうそう¹ 郵送 ―[動] 《米》 mail (他), 《英》 post (他); (郵便で出す) send ... ⌈《米》 by mail [《英》 by post]. 《☞ ゆうびん; おくる¹》.
¶ この小包みを小川さんのところへ*郵送して下さい Please *mail* this parcel to Mr. Ogawa. / Please *send* this parcel to Mr. Ogawa *by mail.* 〔語法〕 第 2 文はほかの手段ではなく「郵便で」ということを強調するとき. // 待望の本がけさロンドンから*郵送されてきた The book I had been eagerly waiting for [The long-expected book] *arrived* (*in the mail*) from London this morning.
郵送料(金) postage Ⓤ 《☞ そうりょう¹》.

ゆうそう² 勇壮 ―[形] (勇敢な) brave; (英雄的な) heroic /hɪróuɪk/; (心を鼓舞する) stirring. 《☞ いさましい》. ¶ *勇壮な物語 a *heroic* tale // *勇壮な音楽 *stirring* music

ゆうそうどうぶつ 有爪動物 velvet worm Ⓒ, peripatus /pərípətəs/ Ⓒ ★ 後者は専門用語.

ゆうそくこじつ 有職故実 (日本古来の朝廷・武家の装束・法令・しきたりなどの研究) the study of the traditional protocol of the imperial court, courtiers, and leading warrior houses.

ゆうぞら 夕空 the evening sky; (日没後の空) the sky after sunset. ★ いずれも the を付けて.

ユーターン U ターン ―[名] Ú-tùrn Ⓒ. ―[動] make a U-turn. ¶ *U ターン禁止 《掲示》 No *U-turn* U ターン現象 the *U-turn* phenomenon 〔語法〕 これを説明的には the tendency for (young) workers in the metropolitan areas to return to their hometowns to hunt for jobs とするか, あるいは客観的現象としては decentralization of employment とすればよい.

ゆうたい¹ 勇退 ―[動] (高齢・停年などで引退する) retire (自); (辞職する) resign /rɪzáɪn/ (自). ―[名] retirement Ⓤ; resignation Ⓤ. 《☞ いんたい¹》.
¶ 彼は後進に道を開くために*勇退した He *retired* (*from* his post) (in order) to give a chance to a younger person.

ゆうたい² 郵袋 《米》 mailbag Ⓒ, 《英》 postbag Ⓒ.

ゆうだい 雄大 ―[名] (壮麗さ) grandeur /grǽndʒə/ Ⓤ; (力強さ) magníficence Ⓤ. ―[形] grand; magnífícent. ―[副] magnificently. ¶ *雄大な眺め a ⌈*grand* [*magnificent*] view // この小説のテーマは*雄大だ This novel has a *magnificent* theme. // 私はアルプスの*雄大さに圧倒された I was overwhelmed by the *grandeur* of the Alps. / The *grandeur* of the Alps overwhelmed me.

ゆうたいけん 優待券 (招待券) cómplimèntary ticket Ⓒ; (優待割引券) discount coupon Ⓒ.

ゆうたいぶつ 有体物 〖法〗 corporeal thing Ⓒ.

ゆうたいるい 有袋類 (有袋類の動物) marsupial /mɑəsú:piəl/ Ⓒ, pouched /páutʃt/ animal Ⓒ ★ 後者は口語的; (総称) the marsupials.

ゆうだち 夕立 summer afternoon shower Ⓒ ★ 説明的な表現. 〔日英比較〕「夕立」に当たるぴったりした英語はない. shower は一時的な降雨をいうが, 日本語の「夕立」にみられる降り始めの激しさを意味しない. 夕立雲 ☞ にゅうどうぐも

ゆうだん 勇断 (勇気のある[断固とした]決断) courageous [resolute] decision Ⓒ 《☞ えいだん; けつだん》. ¶ *勇断を下す make a *resolute decision*

ゆうだんしゃ 有段者 rank holder Ⓒ; (黒帯) black belt Ⓒ. 《☞ だん¹》.

ゆうち 誘致 ―[動] (魅力で引きつける) attract (他), lure (他) ★ 後者のほうがより格式ばった語; (招き寄せる) invite (他). ―[名] attraction Ⓤ; invitation Ⓤ.
¶ 観光客を*誘致するために立派なホテルが建てられた A splendid hotel was built to *attract* tourists. // 彼らは一流会社を市に*誘致しようとしている They are trying to *lure* a prestigious company to their city.

ゆうちょう 悠長 ―[形] (のんきな) éasygóing; (ゆうゆうとした) leisurely. 《☞ のんびり; のんき》. ¶ その仕事は*悠長に (⇒ 時間をかけて) やっているわけにはいかない We cannot *take our time* doing that job.

ゆうづき 夕月 the evening moon.

ゆうてい 遊底 (銃の) breechblock Ⓒ.

ユーティリティー(ルーム) (暖房・掃除・洗濯などの器具を入れておく場所) utility room Ⓒ.

ユーティリティークラブ 〖ゴルフ〗 utility club Ⓒ.

ユーティリティープログラム 〖コンピューター〗 utility program Ⓒ.

ゆうているい 有蹄類 (有蹄類の動物) ungulate /ʌ́ŋgjulət/ Ⓒ, hoofed animal Ⓒ ★ 後者は口語的; (総称) the ungulates.

ゆうてん 融点 the ⌈melting [fusing] point ★

the を付けて.

ゆうでん 誘電 〘電〙 induced electricity Ⓤ. 誘電加熱〘電〙 dielectric /dàɪɪléktrɪk/ héating Ⓤ 誘電損失〘電・化〙 dielectric loss Ⓤ 誘電体〘電・化〙 dielectric substance Ⓒ, dielectric Ⓒ 誘電率〘電・化〙 dielectric constant Ⓒ, permittivity Ⓤ.

ゆうと¹ 雄図 (野心的な企て) ambitious enterprise Ⓒ. ¶ 彼は*雄図むなしく帰国した (⇒ 大きな野心を実現しないまま) He returned home with his *great ambition* unrealized.

ゆうと² 雄途 ambitious start on a major project Ⓒ. ¶ エベレスト登頂の*雄途につく *embark on the massive challenge* of conquering ⌈Mt. [Mount] Everest

ゆうとう¹ 優等 honors (《英》 honours) ★ 複数形で. (☞ ゆうしゅう¹; ゆう¹).
¶ 彼は*優等で高校[大学]を卒業した He graduated from ⌈high school [college] *with honors*. 優等賞 honor (prize) Ⓒ 優等生 honor student Ⓒ.

ゆうとう² 遊蕩 dissipation Ⓤ (☞ ほうとう¹). 遊蕩児 dissipated person Ⓒ 遊蕩生活 life of pleasure Ⓒ.

ゆうとう³ 友党 (味方の党) allied (political) party Ⓒ; (連立を組んでいる党) coalition party Ⓒ.

ゆうどう¹ 誘導 —動 (事情を心得た人が目的地まで案内する) guide ⑩; (先頭に立って導く) lead ⑩; (連れて行く) take ⑩. —名 guidance Ⓤ. (☞ みちびく). ¶ 火事のときに我々は安全な場所に*誘導された We *were* ⌈*guided* [*led*; *taken*] to a safe place after the fire broke out. // 飛行機は管制塔からの*誘導 (⇒ 指図) で着陸した The plane ⌈made a landing [landed] following (the) *instructions* from the control tower.
誘導運動〘心〙 induced movement Ⓤ 誘導加熱〘電〙 induction heating Ⓤ 誘導コイル induction coil Ⓒ 誘導酵素〘生化〙 induced enzyme Ⓒ 誘導尋問 leading question Ⓒ 誘導装置 (ミサイルなどの) guidance system Ⓒ; (着陸誘導の) talking-down system Ⓒ 誘導体〘化〙 derivative Ⓒ 誘導弾 guided missile Ⓒ 誘導蛋白質〘生化〙 derived protein Ⓤ ★ 種類を言うときは Ⓒ. 誘導電動機〘電〙 induction motor Ⓒ 誘導電流 induced current Ⓒ 誘導物質〘生化〙 inducing substance Ⓒ, inducer Ⓒ 誘導兵器 guided weapon Ⓒ 誘導放出〘物理・化〙 induced [stimulated] emission Ⓤ 誘導路 (飛行場の) taxiway Ⓒ.

ゆうどう² 遊動 —形 (移動する) nomadic; (振幅する) swinging; (浮動する) floating. —名 nomadism Ⓤ. 遊動域 nomadic range Ⓒ 遊動円木 swinging pole Ⓒ 遊動水 (船の) free water Ⓤ.

ゆうどく 有毒 —形 poisonous, toxic. (☞ どく¹). 有毒ガス poisonous gas Ⓤ 有毒植物 poisonous plant Ⓒ 有毒物質 poisonous substance Ⓒ.

ユートピア (理想郷) utópia Ⓒ, Utopia Ⓒ.

ユートピアン (夢想家) utopian Ⓒ.

ゆうなぎ 夕凪 evening calm Ⓒ ★ 通例単数形で. (☞ なぎ).

ゆうなみ 夕波 evening wave Ⓒ.

ゆうに 優に (十分に) well. ¶ スタジアムの観客は*優に 5 万を超えていた The spectators in the stadium numbered *well* over fifty thousand.

ユーニス (女性名) Eunice /júːnəs/.

ゆうのう 有能 —形 (能力のある) able; capable; cómpetent; (能率的な) efficient. —名 ability Ⓤ; capability Ⓤ; competence Ⓤ; efficiency Ⓤ.
【類義語】生来的であろうと後天的であろうと, なにかを立派にすることのできる力を持っていることを言うのは ***able***. ある種の仕事をしたり, 一定の目的を達成したりするのに必要な性質・資質を広く兼ね備えていることを表すのが ***capable***. 特定の状態・職業・仕事で特に要求されることを有能に行える力があるのは ***competent***. 仕事の能率がよいのは ***efficient***. 以上のような意味の違いからもわかるように, *able* は最も適用範囲が広く, その他の語は職業を表す語とともに用いられることが多い. (☞ すぐれる; のうりょく (類義語))
¶ 我々は新しいスタッフとして*有能な人材を求めている We want an *able* person as a new staff member. // 彼は非常に*有能な記者だ[教師だ] He is a very ⌈*able* [*capable*; *competent*] ⌈reporter [teacher]. // *有能な秘書 a *capable* [an *efficient*] secretary

ゆうはい 有配 ¶ *有配株 a *dividend-paying* stock

ゆうはいるい 有肺類 〘動〙 the Pulmonata /pʌ̀lmənáːtə/ ★ the を付けて.

ゆうばえ 夕映え evening [sunset] glow Ⓤ (☞ ゆうやけ).

ゆうばく 誘爆 (二次的爆発) secondary explosion Ⓒ (☞ ばくはつ).

ゆうはつ 誘発 —動 (引き起こす) cause ⑩; (引き金になる) trigger ⑩; (…につながる) lead to …
¶ たばこの吸い過ぎは肺がんを*誘発する可能性がある Too much smoking may ⌈*cause* [*trigger*] lung cancer. 誘発地震 induced earthquake Ⓒ 誘発投資 induced investment Ⓤ ★ 具体的な金額を言うときは Ⓒ.

ゆうパック 《商標》 U-Pack; (説明的には) the ⌈postal parcel [parcel post] delivery service.

ゆうはん 夕飯 (1 日の主な食事としての) dinner Ⓤ; (一品料理的な軽い夕食) supper Ⓤ ★ 昼に dinner を食べた場合, 夕飯は supper と呼ばれる; (夕方の食事) evening meal Ⓒ. (☞ ゆうしょく¹).

ゆうひ¹ 夕日 the ⌈evening [sinking; setting] sun.

ゆうひ² 雄飛 —動 (威勢よく…に乗り出す) launch out into …; (空高く舞い上がる) soar up ⓐ. ¶ 政界に*雄飛する *launch out into* politics // 20 世紀の初め, 多くの日本人が海外に*雄飛した (⇒ 大きな野心を持って海外へ出かけた) Many Japanese *went abroad with great ambitions* at the beginning of the 20th century.

ゆうび 優美 —形 (しとやかで上品な) graceful. —名 grace Ⓤ. (☞ ゆうが; じょうひん).

ユーピーアイ —名 ⓖ (通信社) UPI ★ *U*nited *P*ress *I*nternational の略.

ゆうひつ 祐筆 (武家の職名で, 書記役) secretary to a warrior Ⓒ; (文筆に長じた人) man [woman] of letters Ⓒ.

ゆうひょう 有標 〘言〙 —形 marked. —名 markedness Ⓤ.

ゆうびるい 有尾類 〘動〙 the Urodela /jʊ̀(ə)rədíːlə/ ★ the を付けて.

ゆうびん 郵便 —名 《米》 mail Ⓤ, 《英》 post Ⓤ. —動 (郵便で出す) 《米》 mail ⑩, 《英》 post ⑩. (☞ てがみ; ゆうそう¹). ¶ 私に*郵便が来ていますか Is there any *mail* for me? // きょうは*郵便がたくさんきた We got a lot of *mail* today. // 本は*郵便で送ります I'll send (you) the book *by* ⌈*mail* [《英》 *post*]. // *郵便 (⇒ 郵便配達) がまだ来ていない The ⌈*mailman* [《英》 *postman*] hasn't come yet. // *郵便を出してこよう I'll ⌈*mail* [*post*] the letter. // 国内[外国]*郵便 domestic [foreign] *mail*
郵便受け[箱] mailbox Ⓒ (☞ ポスト¹) 郵便為替 《米》 (postal) money order Ⓒ, 《英》 postal order

🄲; (内国郵便為替) inland money order 🄲; (外国為替) international money order 🄲. ¶5千円を*郵便為替で送りたいのですが I would like to send five thousand yen by *money order*. **郵便切手** (postage) stamp 🄲 《☞ きって》 **郵便業務** mail [postal] service 🅄 **郵便局** post office 🄲. ¶*郵便局員 a *post-office* clerk **郵便局長** póstmàster 🄲 **郵便小包** parcel 🄲 《☞ こづつみ》 **郵便差し入れ口** 《米》 mail drop 🄲, 《英》 letter drop 🄲 **郵便私書箱** post-office box 🄲 《略 P.O.Box; POB》 **郵便車** (トラック) mail truck 🄲; (列車) mail train 🄲; (列車の特定の車両) mail [postal] car 🄲 **郵便書簡** ☞ ミニレター **郵便貯金** postal savings ★複数形で; postal deposit 🄲. ¶このお金を*郵便貯金にしたい I want to *deposit* this money *in the post office*. **郵便投票** voting [ballot casting] by mail 🅄 **郵便年金** (金) postal annuity 🄲; (制度) the postal pension system **郵便配達(人)** 《米》 mailman 🄲, mail carrier 🄲, 《英》 postman 🄲. ¶*郵便配達人は1日に2度来る The ˹*mailman* [*postman*] ˹comes [makes his rounds] twice a day. / (⇒配達する) The *mailman* ˹delivers letters twice a day [makes two deliveries per day]. **郵便配達区域** postal delivery ˹zone [《英》 district] 🄲 **郵便はがき** post(al) card 🄲 《☞ はがき》 **郵便番号** (総称) 《米》 zip code 🄲, 《英》 postcode 🄲; (個々の) zip code [postal code] number 🄲 **郵便物** postal matter 🅄, 《米》 mail 🅄, 《英》 post 🅄. ¶第1種*郵便物 the first class *mail* ★国によりその内容は異なる. **郵便振替** postal transfer 🅄 《☞ ふりかえ》 **郵便法** the Postal Law **郵便ポスト** 《米》 mailbox 🄲, 《英》 pillar-box 🄲, postbox 🄲. 《☞ ポスト¹ (写真)》 **郵便料金** postage 🅄, postal charges ★複数形で.

コロケーション

郵便を受け取る get [receive] *mail* / 郵便を送る send out (the) *mail* / 郵便を開封する open the *mail* / 郵便を転送する forward *mail* / 郵便を配達する deliver the *mail* / 宛先不明の郵便 dead *mail* / 親展の郵便 confidential *mail* / 速達の郵便 special-delivery *mail* / 第一種[二種, 三種]郵便 first-class [second-class; third-class] *mail* / 普通郵便 surface *mail*

ユーブイ UV ★ *u*ltra*v*iolet rays の略. **ユーブイカット** ¶*ユーブイカットの化粧品 *UV-blocking* cosmetics **ユーブイケア** (皮膚の保護) UV (skin) protection 🅄 **ユーブイフィルター** (紫外線遮断用) UV filter 🄲.

ユーフィミズム euphemism 🅄 《☞ 婉曲語法 (巻末)》.

ユーフォー UFO /júːèfóu/ 🄲 ★ *u*nidentified *f*lying *o*bject (未確認飛行物体) の略. 《☞ 略語 (巻末)》.

ゆうふく 裕福 ― ［形］ (財産があり, 地位もある) wealthy; (必要以上に金のある) rich (↔ poor) ［語法］ rich は意味が広く, それほど多額の金でない場合にも使える; (安楽な生活をするのに十分な財産・収入がある) well-off (↔ badly-off), 《略式》 well-to-do. 《☞ かねもち (類義語); ゆたか》.
¶彼は*裕福な家庭に育った He was brought up in a ˹*rich* [*wealthy*; *well-to-do*] family. / (⇒彼の人生は安楽な境遇だった) His life has been *a bed of roses*. // 彼の両親は非常に*裕福だ His parents are very *well-off*.

ユーフラテスがわ ユーフラテス川 ― ［名］ (固) the Euphrates /juːfréɪtiːz/ ★イラクを流れる川. 古代文明の栄えた地域を流れる.

ゆうべ¹ 夕べ (夕方) evening 🄲 《☞ ばん¹ (類義語); ゆうがた》. ¶音楽の*夕べを催す have a musical *evening* **夕べの祈り** vespers, evening prayers ★いずれも複数形で.

ゆうべ² ― ［副］ (昨夜) last night; (昨晩) yesterday evening. 《☞ さくや》.

ゆうへい 幽閉 ― ［動］ (閉じ込める) confine (他). ― ［名］ confinement 🅄. 《☞ とじこめる》.

ゆうべん 雄弁 ― ［形］ (人の心を動かすほどに話がうまい) éloquent; (流暢な) fluent. ― ［名］ eloquence 🅄; fluency 🅄. ― ［副］ eloquently; fluently. 《☞ りゅうちょう; めいちょうし》.
雄弁は銀, 沈黙は金 Speech is silver, silence is golden. 《ことわざ》 **雄弁家** eloquent speaker 🄲 **雄弁術** the art of public speaking, óratòry 🅄 ★後者のほうがより格式ばった語.

ゆうほう¹ 友邦 (友好国) friendly nation 🄲; (同盟国) allied nation 🄲.

ゆうほう² 雄峰 lofty mountain 🄲.

ゆうぼう 有望 ― ［形］ (前途に見込みのある) promising; (期待のもてる) hopeful. ― ［名］ promise 🅄; hope 🅄. ¶あの青年は前途*有望だ That young man ˹is *promising* [has a *bright future*]. // 私たちの商売の見通しは*有望だ (⇒明るい) Our business prospects are *bright*.

ユーボート (第一次・第二次大戦のドイツの大型潜水艦) U-boat 🄲.

ゆうぼくみん 遊牧民 nómad 🄲; (民族) nòmádic tríbe 🄲.

ゆうほどう 遊歩道 promenade /pràmənéɪd/ 🄲.

ゆうまぐれ 夕間暮れ twilight 🅄 《☞ ゆうぐれ》.

ゆうみん 遊民 (なまけ者) idler 🄲; (自らの意志で職につかない人) person who is unemployed by choice 🄲; (さすらい人) wanderer 🄲. ¶高等*遊民 an educated [a sophisticated] *idler*

ゆうめい¹ 有名 ― ［形］ (名声のある) famous; (よく知られている) well-known ★ 🄿 では well known とハイフンなしのこともある; noted; renowned /rɪnáund/; (すぐれた) célebràted; (際立った) distinguished; (悪名高い) notorious /noutɔ́ːriəs/; infamous /ínfəməs/.

【類義語】 最も一般的で, よい意味で人によく知られているという意味の語が **famous**. よくも悪くも, 広く知られたという意味で用いられるのが **well-known**. 以上2語はいずれも一般的だが, 前者のほうがやや意味が強い. 特に専門分野などの知識で人の注目を集めて有名なのが **noted**. やや格式ばった語で, 顕著なことで語り伝えられるほど有名な人や事物に用いるのが **renowned**. やはりやや格式ばった語で, 賞をもらったり, 社会的にも高い評価を受けて有名なのが **celebrated**. それと似ているが, 特に学問などで世に知られており, 尊敬の対象になるほど有名なのが **distinguished**. 悪い意味で名前が知れているのが **notorious**. *notorious* よりもっと悪く破廉恥なことで有名なのが **infamous**.

¶彼は世界的に*有名な医者だ He is a world-*famous* doctor. / (⇒世界的な名声を得た医者だ) He is a doctor of worldwide *reputation*. // これが*有名な奈良の大仏です This is the ˹*famous* [*well-known*; *renowned*] Great Buddha of Nara. // 彼は20歳にして作家として*有名になった He became *famous* as a writer at the age of twenty. // 東京は物価が高いので*有名だ Tokyo is *notorious* for its high commodity prices. // 彼は汚職事件で*有名になった He became *infamous* because of the bribery case. **有名校** 《略式》 big-name school 🄲 **有名人** celébrity 🄲, 《略式》 big name 🄲 **有名税** the price of fame.

ゆうめい² 勇名 ¶彼はその戦争で*勇名をはせた (⇒

有名になった) He *distinguished himself* in the war. / (⇒勇者であるとの名声を得た) He ⌈*won* [*gained*] *fame as a brave man* in the war.

ゆうめい[3] **幽明** ¶彼は*幽明境を異にした (⇒彼はこの世を去った) He *left this world*. / (⇒彼は亡くなった) He *passed away*.

ゆうめいかい 幽冥界 Hades /héɪdiːz/ Ⓤ《☞めいど[1]; あのよ》.

ゆうめいむじつ 有名無実 ━形 (名目だけの) (only) nominal, in name only ★後者は名詞の後に置くか Ⓟ として用いる. ¶彼の肩書きは*有名無実だ His title is ⌈just *nominal* [*in name only*]. // その規定は*有名無実だ (⇒だれも従わない) Nobody follows that rule.

ユーモア humor (《英》humour) /(h)júːmɚ/ Ⓤ; (冗談) joke Ⓒ; (ユーモアの感覚) sense of humor Ⓒ. 日英比較 日本語の「ユーモア」は英語では joke と訳したほうがよい場合があることに注意. 《☞じょうだん[1]; しゃれ》.
¶彼は*ユーモアがわからない (⇒ユーモアの感覚がない) He has no *sense of humor*. // 彼はいつも*ユーモアたっぷりだ He's quite *humorous*. // 彼の話は*ユーモアがある His talk is ⌈full of *humor* [highly *humorous*]. / There is the spice of *humor* in his talk. // *ユーモアのある人 a *humorist*
ユーモア作家 humorist Ⓒ, humorous writer Ⓒ
ユーモア小説 humorous story Ⓒ.

コロケーション
きわどいユーモア racy *humor* / 下品なユーモア gross *humor* / すばらしいユーモア good *humor* / 鋭いユーモア keen *humor* / 洗練されたユーモア refined *humor* / 知的なユーモア intellectual *humor* / ドタバタ的なユーモア slapstick *humor* / 不快なユーモア offensive *humor* / へたなユーモア clumsy *humor*

ゆうもう 勇猛 ━形 (勇敢な) brave; (大胆不敵な) daring; (恐れを知らない) fearless. 《☞ゆうかん[1]; いさましい; ゆうそう[2]》. **勇猛果敢** ━形 bold and courageous; (ひるまない) 《格式》 dauntless.

ゆうもや 夕靄 an evening ⌈haze [mist] ★an を付けて. 《☞もや 日英比較》. ¶あたり一面*夕もやに包まれていた *An evening haze* hung all around.

ユーモラス (優しさや人間味のこもった滑稽味のある) humorous /(h)júːm(ə)rəs/; (おかしくて笑いを誘うような) funny; (漫画的な) comical 日英比較 英語でも以上は入れ替え可能な場合もあるが第 2, 第 3 の表現には軽蔑が込められることが多い. 日本語ではこの区別をしないことがあるので注意. 《☞おかしい; おもしろい》. ¶チンパンジーは*ユーモラスな顔をしている Chimpanzees have *comical* faces.

ユーモリスト (ユーモアのある人・ユーモア作家) humorist Ⓒ.

ユーモレスク 〔楽〕(軽やかな滑稽味ある曲) humoresque /hjùːmərésk/ Ⓒ.

ゆうもん 幽門 〔解〕(胃の) pylorus /paɪlɔ́ːrəs/ Ⓒ (《複》 pylori /-raɪ/). **幽門狭窄** 〔医〕 pyloric stenosis /paɪlɔ́ːrɪk stənóusɪs/ Ⓒ **幽門痙攣** 〔医〕 pylorospasm /paɪlɔ́ːrəspæ̀zm/ Ⓤ **幽門反射** 〔医〕 pylorus reflex /paɪlɔ́ːrəs ríːfleks/ Ⓒ.

ゆうやく[1] **勇躍** ━副 (勇ましい心で) with a brave heart.

ゆうやく[2] **釉薬** ☞うわぐすり

ゆうやけ 夕焼け the bright colors of the sunset; (日没後の真っ赤な空) the crimson sky after the sunset. **夕焼け雲** sunset clouds **夕焼け空** (茜色の空) red sky Ⓤ; (説明的に) the sky aglow with the setting sun.

ゆうやみ 夕闇 (夕闇の始まりのころの暗さ) dusk Ⓤ; (薄暗がり) twilight Ⓤ ★後者のほうが明るい. 《☞はくぼ; たそがれ》. ¶*夕闇が迫ってきた *Dusk* is gathering.

ゆうゆう 悠悠 ━形 (悠然とした) leisurely /líːʒəli, léʒ-/; (自由な) free; (気楽な) easy. 《☞ゆっくり; ゆったり; のんびり》. ¶彼は*ゆうゆうとたばこをふかしていた He was smoking in a *leisurely* way. // 車は 5 人*ゆうゆう乗れます (⇒十分な余裕がある) There is *enough room* for five people in the car. // 時間は*ゆうゆう間に合った (⇒予定時間よりも前に着いた) I arrived *ahead of time*.
悠悠閑閑 ━副 in a calm and relaxed manner
悠悠自適 ¶父は退職後は*悠々自適の生活です (⇒自由な生活を楽しんでいる[安楽な生活を送っている]) My father has been ⌈enjoying a *free* life [leading an *easy* life] since he retired.

ゆうよ[1] **猶予** (延期) postpónement Ⓒ; (商業上の支払い猶予) grace Ⓤ; (刑の執行猶予) suspension Ⓤ. 《☞えんき[1]; のばす》.
¶彼はあと 3 日の*猶予を求めた He asked for another three days' *postponement*. // 私は彼に 1 週間の支払い*猶予を認めた (⇒与えた) I gave him a week's *grace* (period). // 手術には一刻の*猶予もできない (⇒一刻もむだにできない) There *is no time to lose* for the operation. // 彼は懲役 1 年, 執行*猶予 2 年の判決を受けた He was sentenced to ⌈one year's imprisonment with two years' *suspension* [a year in prison with the sentence *suspended* for two years]. **猶予期間** (支払い・執行などの) mòratórium Ⓒ (《複》 moratoria, ～s).

ゆうよ[2] **有余** ¶千年*有余の長い歴史 (⇒千年以上の) a long history of ⌈*more than* [*over*] one thousand years // 百*有余の国々 100-*odd* nations 《☞-よ[1]; あまり[1]》

ゆうよう[1] **有用** ━形 (役に立つ) useful; (助けになる) helpful. 《☞べんり; やくだつ; ゆうえき》. ¶彼は会社にとって*有用な人材だ He is *useful* to our company. **有用微生物群** effective microorganisms (《略》 EM).

ゆうよう[2] **悠揚** ¶指導者はどんな事態にも*悠揚迫らぬ態度を保つ (⇒冷静を保つ) べきだ A leader should ⌈*keep his composure* [*be composed*] in any situation.

ゆうよく 有翼 ━形 winged. **有翼弾** winged projectile Ⓒ **有翼ミサイル** winged missile Ⓒ.

ユーラシアたいりく ユーラシア大陸 the Eurasian /jʊ(ə)réɪʒən/ Continent.

ユーラシアプレート 〔地〕 Eurasian plate.

ゆうらん 遊覧 sightseeing Ⓤ《☞かんこう[1]》.
遊覧切符 excursion ticket Ⓒ **遊覧客** sightseer Ⓒ; (観光旅行者) tourist Ⓒ **遊覧船** pleasure boat Ⓒ **遊覧バス** sightseeing bus Ⓒ **遊覧旅行** sightseeing trip Ⓒ.

ゆうり[1] **有利** ━形 (好都合な) àdvantágeous (↔ disadvantageous), favorable (↔ unfavorable) 語法 前者は自分の都合・立場などから考えて有利なこと, 後者は状況が好転して有利なこと. 両方入れ換え可能な場合もある; (利益になる) prófitable. ━名 advántage Ⓤ. ¶状況は我々にとって*有利だ The situation is ⌈*advantageous* [*favorable*] to us. // 君は黙っていたほうが*有利だ It will be to your *advantage* to ⌈remain silent [maintain silence]. // その取り引きは*有利とはいえない The deal is not *profitable*. // 彼は被告に*有利な (⇒被告に利益となる) 証拠を提出した He produced evidence *in favor of* the defendant. // *有利な条件 a *favorable* condition / *favorable* terms

ゆうり[2] **遊離** ━動 (遠ざける) alienate /éɪliənèɪt/ ⑯. ━名 alienation Ⓤ. 《☞うきあがる》. ¶彼は

そのグループから*遊離している He *is alienated* from the group. // あなたの考えはまったく現実から*遊離している (⇒ 非現実的だ) Your idea is completely *unrealistic*. **遊離基**〘化〙free radical Ⓒ **遊離酸素**〘化〙free oxygen Ⓤ **遊離脂肪酸**〘化〙free fatty acid Ⓤ ★ 種類をいうときは Ⓒ.

ゆうり[3] **有理**〘数〙 ── 〘動〙(有理化する) rationalize 〘他〙. ── 〘形〙 rational. **有理関数** rational function Ⓒ **有理式** rational expression Ⓒ **有理数** rational number Ⓒ (↔ irrational number).

ゆうりしふさい 有利子負債 interest-bearing debt Ⓒ.

ゆうりょ 憂慮 ── 〘動〙(心配する) worry (about ...) 〘自〙, be worried (about ...); (非常に不安になって心配する) be anxious /ǽŋ(k)ʃəs/ (about ...). ── 〘名〙 worry Ⓤ; anxiety /æŋzáɪəti/ Ⓤ. (☞ しんぱい[1] (類義語); なやむ 〘語法〙; ふあん). ¶ 彼はその事態を*憂慮している He *is worried about* the situation. // 現在の国際情勢はまことに*憂慮すべきだ (⇒ 重大だ[危険だ]) The present international situation is really ⌈*serious* [*critical*; *dangerous*].

ゆうりょう[1] **有料** (支払いの要求) charge Ⓒ. ¶ 入場は*有料です There is ⌈a *charge* for admission [an admission *charge*]. **有料駐車場** toll ⌈parking lot [《英》car park] Ⓒ **有料テレビ** pay television Ⓒ **有料トイレ** pay toilet Ⓒ **有料道路** toll road Ⓒ; (高速道路) 《米》turnpike Ⓒ.

ゆうりょう[2] **優良** ── 〘形〙(成績などが優秀な) excellent; (質がすぐれている) superior /sʊpí(ə)riə/. ── 〘名〙 excellence Ⓤ; superiority /sʊpì(ə)riɔ́:rəti/ Ⓤ. (☞ よい[1]; ゆうしゅう[1]; すぐれる). ¶ 健康*優良児 a *prize-winning* child in a health contest **優良株** blue-chip stock Ⓒ **優良住宅制度** Quality Housing System; (説明的には) a Japanese system of subsidization for housing that meets government building standards **優良住宅部品** quality housing components ★ 通例複数形で.

ゆうりょう[3] **遊漁** (スポーツの) sportfishing Ⓤ; (楽しみの) recreational fishing Ⓤ. **遊漁税** sportfishing tax Ⓒ.

ゆうりょく 有力 ── 〘形〙(指導的な) leading Ⓐ; (影響力のある) influential; (強力な) strong. (☞ ゆうりょくしゃ; せいりょく[1]).
¶ 彼は*有力な党員だ He is a *leading* member of the party. // *有力な実業家 an *influential* businessman // *有力な容疑者 a *key* suspect // 彼は*有力な次期会長候補だ He is a *strong* candidate for the presidency in the next election.
有力紙 leading newspaper Ⓒ.

ゆうりょくしゃ 有力者 (重要な地位の人) 《略式》big ⌈man [person] Ⓒ; (勢力・権力のある人) power Ⓒ; (影響力の強い人) influential person Ⓒ; (組織の実力者) stróngmàn Ⓒ; (政界などの有力者) 《米略式》boss Ⓒ ★ 悪い意味; (業界などの大物) magnate Ⓒ. ¶ 彼はこの町の*有力者だ He is a *big man* around town. // 山田氏は産業界[財界]の*有力者だ (⇒ 影響力がある) Mr. Yamada is very *influential* in ⌈industrial [financial] circles.

ゆうりんるい 有鱗類 〘動〙 the Squamata /skwὰ:má:tə/ ★ the を付けて.

ゆうれい 幽霊 ghost Ⓒ, 《略式》spook Ⓒ. (☞ おばけ). ¶ 私は*幽霊を信じない I do not believe in *ghosts*. // あの家には*幽霊が出る That house *is haunted*. // 子供たちは*幽霊の話が好きだ Children like *ghost* stories.
幽霊会社 bogus company Ⓒ **幽霊人口** ghost [bogus] population Ⓤ **幽霊船** phantom ship Ⓒ **幽霊部員** (名前だけの) member in name only Ⓒ, non-participating member Ⓒ; (実在しない) nonexistent member Ⓒ; (偽の) bogus member Ⓒ **幽霊屋敷** haunted house Ⓒ.

ユーレイルパス (ヨーロッパ鉄道周遊券) Eurailpass Ⓒ ★ *Eu*ropean *Rail*road *Pass* からの造語.

ユーレカ[1] ☞ ユリーカ

ユーレカ[2] EUREKA /jʊ(ə)rí:kə/, the European Research Coordination Agency ★ 欧州先端技術共同研究機構. **ユーレカ計画** EUREKA project Ⓒ.

ゆうれつ 優劣 ¶ 私たちはその計画の*優劣 (⇒ 長所と短所) を論じた We discussed the *merits and demerits* of the plan. // 両者の間にはほとんど*優劣 (⇒ 違い) がない There is little *difference* between the two. // 彼らの学校の成績は*優劣がつけにくい (⇒ ほぼ同じだ) Their school records are just about *equal*.

ユーロ ── 〘接頭〙(「ヨーロッパ」の意) Euro-. ── 〘名〙(欧州連合の通貨単位) Euro, euro /jú(ə)roʊ/ Ⓒ. **ユーロ円** Euroyen /jú(ə)roʊjèn/ Ⓒ **ユーロカレンシー** Èurocúrrency Ⓤ **ユーロ圏** the euro ⌈area [zone] **ユーロコミュニズム** Èurocómmunism Ⓤ **ユーロ債** Éurobònd Ⓒ **ユーロ市場** Euromarket Ⓤ **ユーロスター** the Eurostar ★ ユーロトンネル経由で英国とフランスなどを結ぶ列車. **ユーロスポーツ** (ヨーロッパのテレビのスポーツチャンネル) Eurosport **ユーロダラー** Eurodollar /jʊ́(ə)roʊdὰlə/ Ⓒ **ユーロ取引** Eurotrade Ⓒ, Eurobusiness Ⓒ **ユーロトンネル** ── 〘名〙〘固〙 the Channel Tunnel **ユーロバンク** Eurobank Ⓒ **ユーロビジョン** ── 〘名〙〘固〙(ヨーロッパの国際テレビネットワーク) Éurovìsion **ユーロ評議会** the Euro Council **ユーロマネー** Éuromòney Ⓒ.

ユーロピウム 〘化〙 europium /jʊ(ə)róʊpiəm/ Ⓤ (元素記号 Eu).

ゆうわ[1] **融和** (調和) harmony Ⓤ; (統一) integration Ⓤ. ¶ 多民族国家では人種の*融和が大問題だ Multiracial nations usually have a big problem with racial *integration*.

ゆうわ[2] **宥和** ── 〘名〙 appeasement Ⓤ. ── 〘動〙(なだめる) appease 〘他〙. (☞ なだめる).
宥和政策 appeasement policy Ⓒ.

ゆうわく 誘惑 ── 〘名〙(してはいけないことへの誘い) temptation Ⓤ; (魅力的なものを種に誘うこと) lure Ⓤ 〘語法〙 前者が最も一般的な語で, 必ずしも犯罪的なこととは限らない. 具体的に「誘惑するもの」を指すときは Ⓒ. 後者はやや文語的; (甘い言葉などで若い女性に言い寄ること) seduction Ⓤ. ── 〘動〙 tempt 〘他〙; lure 〘他〙; seduce 〘他〙. (☞ さそう; そそのかす). ¶ 都会は*誘惑が多い Large [Big] cities are full of *temptations*. // *誘惑に負ける[陥る, 屈する] give way to [fall into; succumb to] *temptation* // *誘惑に勝つ overcome *temptation*

ゆえ 故 (理由) reason Ⓒ; (原因) cause Ⓒ; (事情) circumstances ★ 通例複数形で. (☞ りゆう; わけ[1]). ¶ その夫婦は*故あって別居中です The couple have been living separately for a certain *reason*. // *故なく欠席する be absent ⌈for no particular [without any] *reason*

ゆえき 輸液 〘医〙(点滴注射の水液) infusion Ⓒ.

ゆえなく 故なく ☞ ゆえ

ゆえに 故に ── 〘副〙 therefore (☞ したがって[2]).

ゆえん[1] **所以** (理由) reason Ⓤ (☞ りゆう).

ゆえん[2] **油煙** soot Ⓤ (☞ すす).

ゆおう 硫黄 ☞ いおう

ゆおけ 湯桶 ☞ せんめん[1] (洗面器[台])

ゆか 床 floor Ⓒ. ¶ 家に*床を張る lay a *floor* in a house // *床に腰を下ろしましょう Let's sit down on the *floor*. // *床が抜けてしまった The *floor* ⌈gave way [caved in]. // *床をはがす tear up the *floor* // 傾いた*床 a sloping *floor* **床暖房** ☞ 見出し

コロケーション
床にモップをかける mop a *floor* / 床にワックスをかける wax a *floor* / 床を掃除する clean a *floor* / 床を掃く sweep a *floor* / 床を張り替える relay a *floor* / 床をふく wipe a *floor* / 床を磨く polish a *floor*

ゆかい 愉快 ― [形] pleasant; enjoyable; delightful; jolly; jovial ★ 以上は「人」や「物事」を描写する場合. ― [動] (おもしろく過ごす) have a good time; (楽しむ) enjoy [他]; (満足だ) be happy ★ 以上は話者自身が楽しい気持ちの場合に用いる.
【類義語】最も一般的な語で, 人にも事物にも広く使えるのは ***pleasant***. この語は感じがよく, 快適で楽しいことを表す. 出来事などが楽しくて満足できるのは ***enjoyable***. 強い喜びを感じさせるのは ***delightful***. 浮き浮きした感じで, よく冗談などを言ったりして愉快なのは ***jolly***. 人が上機嫌で, 愉快に話したりするのは ***jovial***. 《☞ たのしい; おもしろい; つうかい》
¶ きのうの夜はとても*愉快でした (⇒ 楽しい時をもった) I had a very *good* time yesterday evening. / (⇒ 楽しい夜をもった) I had a very ˹*pleasant* [*enjoyable*; *delightful*] evening yesterday. / I *enjoyed myself* very much last night. // そのパーティーはとても*愉快でした The party was really *enjoyable*. // あなたとお話できて*愉快でした (⇒ 君との話を楽しんだ) I *enjoyed* talking to you. / (⇒ 一緒にいて楽しかった) I *enjoyed* your company. // あの人は*愉快な人だ He is a ˹*jolly* [*jovial*] person. / (⇒ 一緒にいるととても楽しい) He is a lot of *fun* to be with.
愉快犯 sensation-seeking offender [C]; (説明的には) criminal who enjoys creating a sensation [C].

ゆかいた 床板 floorboard [C]; (集合的に) flooring [U].

ゆかうえ 床上 ― [副] above the floor.
¶ 私の家は*床上浸水した My house was flooded *above the floor*.

ゆかうんどう 床運動 floor exercise [C].

ゆがく 湯がく (熱湯に浸す) steep ... in boiling hot water.

ゆがけ 弓懸 archer's glove [C].

ゆかげん 湯加減 the temperature /témp(ə)rətʃùə/ of the bath. ¶ *湯加減を見る see *how hot the bath is*

ゆかざい 床材 flooring [U].

ゆかしい 床しい ¶ 埋葬は古式*ゆかしく行われた (⇒ 古くから伝わる儀礼に従って) The burial was observed according to *the time-honored rites*. 《☞ こしき[1]; おくゆかしい; なつかしい》

ゆかした 床下 ― [副] under the floor.
¶ 私の家は*床下浸水した (⇒ 床[床板]の下が浸水した) My house was flooded *under the* ˹*floor* [*floorboards*]. / (⇒ 床まで浸水しなかった) The floodwater *didn't come up to the floor level* of my house.

ゆかた 浴衣 *yukata* [C] ★ 単複同形; (説明的には) informal summer kimono /kɪmóʊnə/ [C]
¶ *浴衣がけで casually in a *yukata*

ユカタンはんとう ユカタン半島 ― [名] [固] the Yucatán /jùːkətǽn/ Peninsula ★ メキシコ南東部の半島. Yucatán の ´ は綴り本来のもの.

ゆかだんぼう 床暖房 floor heating [U].

ゆがみ 歪み (ねじれて正常でなくなること) distortion [U]; (ねじれ) twist [C]. 《☞ ひずみ》

ゆがむ 歪む (ねじれる) be twisted; (ねじれて形が変わる) be distorted; (ぐいとねじれる) be contorted ★ 後の 2 者はやや格式ばった語; (家などが一方に傾く) lean [自]; (板などがそる) be warped. 《☞ まがる; ねじれる》
¶ この板は*ゆがんでいる This ˹board [plank] *is* ˹*warped* [*twisted*; *distorted*]. // 彼の顔は苦痛で*ゆがんでいた His face *was* ˹*distorted* [*contorted*; *twisted*] ˹by [with] pain. // 彼は性格が*ゆがんでいる His ˹character [disposition] *is* ˹*warped* [*twisted*].

ゆがめる 歪める (ねじって形を変える) distort [他]; (ねじる) twist [他]. 《☞ わいきょく; まげる》

ゆかめんせき 床面積 floor space [U].

ゆかり 縁 (つながり) connection [C]; (血縁関係) relation [U]. 《☞ かんけい[1]; えん[1]》
¶ 彼女は私には縁も*ゆかりもない She has no ˹*relation* to [*connection* with] me. // ここは『蝶々夫人』*ゆかりの地である (⇒ 蝶々夫人に関連して名高い) This place is ˹noted [famous] *in connection with Madame Butterfly*.

ゆかん 湯灌 ― [動] (遺体を葬儀に備えて洗う) wash a (dead) body for burial /bériəl/.

ゆき[1] 雪 ― [名] snow [U]; (雪片) snowflake [C]; (降雪) snowfall [C]; (吹雪) snowstorm [C]. ― [動] (雪が降る) snow [自] ★ it を主語として. ― [形] (雪降りの) snowy.
¶ *雪がひどく降っている It *is snowing* ˹hard [heavily]. // *雪が降りそうだ (⇒ 間もなく降るだろう) It's going to *snow*. / (⇒ 雪の降る気配がある) It looks like *snow*. ★ 第 1 文のほうが降る確率が高い. // 「あなたの町では*雪は降りますか」「ええ, 降りますがあまり積もりません (⇒ 深くはならない)」"Does it *snow* in your hometown?" "Yes, but it doesn't get very deep." // *雪が約 10 センチ積もった About ten centimeters of *snow* lay on the ground. // *雪が深く積もっていた The *snow* lay thick. // この辺はとても*雪深いところです (⇒ たくさん雪が降る) It *snows* ˹a lot [a great deal] in this area. / The *snow* gets very deep in this area. // 「ここではどのくらい*雪が降りますか」「毎年 2 メートルくらい積もります」"How much *snow* do you have here?" "It gets as deep as two meters every year." // 今年は*雪が少なかった We have had little *snow* this year. // *雪はすぐ溶けてしまった The *snow* soon melted (away). // 私は*雪の中を駅まで歩いた I walked ˹in [through] the *snow* as far as the station. // あの*雪をいただいているのが駒ケ岳です That mountain (which is) covered with *snow* is ˹Mt. [Mount] Komagatake. // 一週間*雪に閉じこめられた We *were* ˹*snowed in* [*snowbound*] for a week.

コロケーション
凍てついた雪 crusted *snow* / 風に舞う雪 drifting *snow* / 固まった雪 packed *snow* / さらさらした雪 powdery *snow* / 人工雪 artificial *snow* / 天然雪 natural *snow* / 吹きつける雪 driving *snow* / 深い雪 deep *snow* / ぼた雪 wet *snow* / 雪が消える *snow* disappears / 雪が積もる *snow* accumulates / 雪が溶ける *snow* thaws / 雪が降る *snow* falls

ゆき[2] 行き ☞ いき[7]

ゆき[3] 裄 (袖丈) sleeve length [U].

-ゆき …行き ― [前] for ... ― [動] (…に行く) go to ... ― [形] (…行きである) bound (for ...) ★ 名詞のあと, あるいは [P] として使う. 《☞ -どまり》
¶「このバスは桜山*行きですか」「いいえ, 向こうのあのバスが桜山*行きです」"Is this bus *for* Sakurayama?" "No. That bus over there *goes to* Sakurayama." // この列車は大阪*行きです This train is *bound for* Osaka.

ゆぎ 靫 (矢を入れる筒) quiver [C].

ゆきあう 行き会う (たまたま見かける) happen to see ...; (人に思いがけず会う) run into ... 《☞ でくわ

す; であう; ゆきあわせる》.

ゆきあかり 雪明かり snow light [U].

ゆきあたりばったり 行き当たりばったり ☞いきあたりばったり

ゆきあたる 行き当たる ¶この道をまっすぐ行くと銀行に*行き当たります Go straight down this street and you'll *come to* the bank. // 彼らは難局に*行き当たった They ˹*ran into* [*came up against*] difficulties. 《☞ でくわす; ゆきあわせる》

ゆきあらし 雪嵐 snowstorm [C]; (大吹雪) blizzard [C].

ゆきあられ 雪霰 graupel [U], soft hail [U].

ゆきあわせる 行き合わせる ¶私はそのパーティーで彼と思いがけなく*行き合わせた I *ran into* him at the party. // 彼はたまたまその事故現場に*行き合わせた He happened to *come across* the scene of the accident. 《☞ ゆきあたる; でくわす》

ゆきうさぎ 雪兎 〔動〕 varying [snowshoe] ˹hare [rabbit] [C].

ゆきおおい 雪覆い snowshed [C].

ゆきおこし 雪起こし snow thunder [C]; (説明的には) thunder preceding a snowfall [C].

ゆきおとこ 雪男 (ヒマラヤ山中に住むといわれる) (abóminable) snówmàn [C], yeti /jéti/ [C].

ゆきおれ 雪折れ ── 動 break under the weight of snow. ¶植木が何本か*雪折れした (⇒ 雪で折れた) Some garden plants *were broken by snow*.

ゆきおろし 雪下ろし ── 動 remove the snow from the roof.

ゆきおんな 雪女 snow fairy [C].

ゆきかう 行き交う ☞いきかう

ゆきかえり 行き帰り ☞いきかえり

ゆきがかり 行き掛かり ☞いきがかり

ゆきかかる 行き掛かる (行こうとする) be about to go 《☞ とおりかかる; さしかかる》.

ゆきかき 雪掻き ── 名 (除雪) snow ˹shoveling [removal] [U]; (道具) snowplow (《英》 snowplough) /snóuplàu/ [C]. ── 動 (除雪する) clear [shovel; sweep; remove] snow (away) 語法 clear は「取り払う」, shovel は「シャベルで除く」, sweep は「ほうきなどで除く」, remove はやや格式ばって「取り除く」. ¶家の前の*雪掻きをした I ˹*shoveled* [*removed*] *the snow* in front of my house.

ゆきがけ 行き掛け ☞いきがけ

ゆきがこい 雪囲い snow fence [C]; (こも) straw mat to protect against (the) snow [C].

ゆきかた 行き方 the way to ..., how to get to ...; (行き方の指示) directions (to ...) ★ 複数形で. 《☞ やりかた》. ¶美術館への*行き方を教えて下さい Could you ˹tell me *how to get* [*direct* me] *to* the museum?

ゆきがっせん 雪合戦 ¶子供たちは外で*雪合戦をしている The children *are* ˹*throwing* [*playing with*] *snowballs* outside.

ゆきがまえ 行構え (漢字の) road radical enclosing kanji [C].

ゆきき 行き来 ☞いきき

ゆきぐつ 雪沓 snow boots ★ 数えるときは a pair of ~. 《☞ 数の数え方 (囲み)》.

ゆきぐに 雪国 snow(y) ˹country [district; area] [C].

ゆきぐも 雪雲 snow(y) cloud [C].

ゆきぐもり 雪曇り ¶*雪曇りの空 a *snow-threatening* sky

ゆきくれる 行き暮れる ¶*行き暮れた (⇒ 夜の闇に包まれた) 旅人 a *benighted* traveler // 一行は峠の手前で*行き暮れた (⇒ 一行が峠に着く前に日が暮れた) It *became dark* before the party reached the mountain pass.

ゆきげしき 雪景色 snowscape [C] 《☞ けしき; ぎんせかい》. ¶一面の*雪景色だ (⇒ 至る所に雪がある) There's *snow* ˹everywhere [all over]. / It *was covered* all over *with snow*.

ゆきげしょう 雪化粧 ¶野山は初雪ですっかり*雪化粧をした The hills and fields *were covered with the soft mantle of* the first *snow*. 《☞ ゆきげしき》

ゆきげた 雪下駄 snów clòg [C]; (説明的には) wooden clog with studded high teeth [C].

ゆきけむり 雪煙 a cloud of snow ★ a cloud of ... で「雲のような…」の意.

ゆきさき 行き先 ☞いきさき

ゆきしつ 雪質 the quality of snow ★ the を付けて. ¶この滑降コースの*雪質 (⇒ 雪) はとてもいい The *snow* on this run is very good.

ゆきしな 行きしな ☞いきがけ

ゆきしろ(みず) 雪代(水) (雪解け水) meltwater [U].

ゆきすぎ 行き過ぎ ☞いきすぎ

ゆきずり 行きずり ¶*行きずりの人 a *passer-by* // *行きずりの恋 a *casual* romance 《☞ とおりがかり》

ゆきぞら 雪空 snowy sky [C].

ゆきだおれ 行き倒れ ☞いきだおれ

ゆきたけ 裄丈 sleeve length [U].

ゆきだまり 雪だまり snowdrift [C].

ゆきだるま 雪だるま snówmàn [C]. ¶子供たちは庭に*雪だるまを作った The children ˹made [built] a *snowman* in the garden. // *雪だるま式に増える (⇒ だんだん速く増加する) increase *at* ˹*a faster and faster* [*an ever-faster*] *rate* / snowball ★ (自) で雪玉が転がって大きくなるように増えること.

ゆきちがい 行き違い ☞いきちがい

ゆきつく 行き着く ☞いきつく

ゆきつけ 行きつけ ☞いきつけ

ゆきつぶて 雪礫 snowball [C].

ゆきづまり 行き詰まり ☞いきづまり

ゆきづまる 行き詰まる ☞いきづまる[2]

ゆきつもどりつ 行きつ戻りつ ── 動 go back and forth 《☞ いきき》. ¶母は郵便を待って戸口の所へ*行きつ戻りつしていた My mother *went back and forth* to the door waiting for the post.

ゆきづり 雪吊り ── 動 (雪による枝折れを防ぐために吊り綱で吊る) protect a branch from snow damage with slings. ── 名 branch-protecting sling [C].

ゆきどけ 雪解け ── 名 thaw [C] ★ 通例単数形で. 比喩的にも用いる. ── 動 (解ける) melt (自) ★ 一般的な語; (雪解けする) thaw (自) ★ 比喩的にも用いる.

¶*雪解けで川の水が増えている The river is rising with the ˹*thaw* [(⇒ 解けていく雪で) *melting snow*]. // *雪解けで (⇒ 解けた雪で) 道がひどい The roads are bad with ˹*melted snow* [*slush*]. // 両国の関係は*雪解けムードにある Relations [The relations] between the two countries *are thawing*.

ゆきどころ 行き所 ☞いきどころ

ゆきとどく 行き届く 日英比較 日本語の「行き届く」はすべてにぬかりないことを表すが, 英語に直す場合, 日本語の前後関係に応じて意訳する必要がある. ¶あの店はなかなか*行き届いたサービスをしてくれる (⇒ とてもサービスがいい) That store gives *very good* service. // この部屋はなかなか掃除が*行き届いている (⇒ とてもきれいだ) This room is *very clean*. // この学校の生徒はしつけが*行き届いていますね (⇒ よく訓練されている) The students ˹at [of] this school are *well* disciplined. // 彼女はすべてに*行き届いた人です (⇒ 細かいことにまで神経を使う) She is *very attentive* to details. // このホテルは管理が*行き届いていない This hotel is *badly* managed.

ゆきどまり 行き止まり ―名 (道路の) dead end Ⓒ; (袋小路) blind alley Ⓒ. ―形 dead-end Ⓐ. ¶この道は 100 メートルもすると*行き止まりだ This road *comes to* ⌈*an end* [*a dead end*] after about a hundred meters. // この先*行き止まり No Thoroughfare /θə́ːrəfèə/ ★「通り抜けできません」の意味.

ゆきどめ 雪止め snow guard Ⓒ.

ゆきな 雪菜 (野菜) *yukina* Ⓤ, snow greens ★複数形で; (説明的には) a kind of Japanese greens grown in the snowy Tohoku region.

ゆきなやむ 行き悩む (進むのに苦労する) have trouble in proceeding; (行き詰まる) come to ⌈a standstill [an impasse; a deadlock]. 《☞ いきづまり》.

ゆきのした 雪の下 〔植〕strawberry geranium /ʤəréɪniəm/ Ⓒ.

ゆきのはな 雪の花 〔植〕snowdrop Ⓒ.

ゆきば 行き場 ¶彼はどこにも*行き場がなかった There was nowhere he could go. // 苦情の持って*行き場がない There's no *place* where I can file my complaint. / There's no *place* (for me) to file my complaint.

ゆきばれ 雪晴れ clear sky after a snowfall Ⓒ.

ゆきびさし 雪庇 〔登山〕cornice Ⓒ.

ゆきひら(なべ) 行平(鍋) (取っ手・注ぎ口のある土鍋の一種) *yukihira* (pot) Ⓒ; (説明的には) glazed earthenware pot with a lid, grip and spout (often used for cooking porridge) Ⓒ; (木の柄付きで金属製の) wooden-handled saucepan Ⓒ.

ゆきまじり 雪交じり ¶*雪まじりの雨 *sleet* // *雪まじりの風 a ⌈*snowy* [*snow-bearing*] wind

ゆきまつり 雪祭り snow festival Ⓒ.

ゆきみ 雪見 ―名 snow(-)viewing Ⓤ. ―動 (雪景色を楽しむ) enjoy the snowscape. **雪見酒** ¶*雪見酒を楽しむ drink *sake enjoying a snowy landscape*

ゆきみしょうじ 雪見障子 glass-fitted ⌈*shoji* [sliding door] Ⓒ.

ゆきみち 雪道 snow-covered road Ⓒ.

ゆきみどうろう 雪見灯籠 low [tubby] stone lantern Ⓒ.

ゆきめ 雪目 ―名 snow blindness Ⓤ. ―形 snow blind.

ゆきもよう 雪模様 snow-threatening sky Ⓒ. ¶*雪模様だ It *threatens to snow.* // どうやら*雪模様だ It *looks like it's going to snow.*

ゆきやけ 雪焼け ―動 get tanned by (the) snow, get snow-tanned. 《☞ やける¹》. ¶*雪焼けした顔 a *snow-tanned* face

ゆきやなぎ 雪柳 〔植〕spirea /spaɪríːə/ Ⓒ.

ゆきやま 雪山 snow-covered mountain Ⓒ.

ゆきよけ 雪除け (雪囲い) shelter from the snow Ⓒ; (防雪林) snowbreak Ⓒ; (防雪棚) snow fence Ⓒ.

ゆきわかれ 行き別れ ―名 parting Ⓤ. ―動 (分かれる・分離する) separate ⓐ.

ゆきわたる 行き渡る ☞ いきわたる

ゆきわりそう 雪割り草 〔植〕(キンポウゲ科の) hepatica /hɪpǽtɪkə/ Ⓒ; (サクラソウ科の) bird's-eye (primrose) Ⓒ ★ヨーロッパ産の近似種.

ゆく¹ 行く (目的に向かって進む) go (to …) ⓐ 《過去 went; 過分 gone》 ★最も一般的な語; (相手の所へ行く) come (to …) ⓐ 《過去 came; 過分 come》; (ある場所に行ってしばらくいる) be (at …; in …) ⓐ; (乗り物で行く) take ⓗ; (出発する) leave (for …) ⓐ; (訪問する) visit ⓗ.

【類義語】ある場所を起点として考え, そこから外部へ向かって出かけて行くのが **go**. それに対して, ある到達点に向かって外部から近づくのが **come**. go は普通日本語の「行く」に, come は「来る」に相当するが, come も「行く」に当たる場合がある. それは 2 人称に対して自分の動作を述べる場合で, 例えば「あすの午後君の家に*行くよ」は I'll *come* to your ⌈home [place] tomorrow afternoon. となる. これは話し相手を中心に据えて自分の往来の動作を考えるからである. ただし,「私も一緒に*行ってもいいですか」May I *go* with you? のような場合は *go* も用いられる. これは相手もどこかへ行く途中か, 行こうとしている状況で, 相手が到達点とは考えられないからである. しかし, この場合にも, 相手について行くという気持ちがあれば May I *come* with you? と *come* が使われる. 《☞ 丁寧な表現 (巻末)》
次に, 日本語の「行く」に当たる言葉としてしばしば **be** が用いられる. ある場所に到達してしばらくそこにとどまるという気持ちが加わるためである. ((例) いますぐ*行きます I'll *be* there right away.) 乗り物を利用して「…に行く」というときは **take** が用いられる.「…で行く」は例えば *go by* taxi (タクシーで行く) のように go by … も用いるが, *take* a taxi to … のほうがより口語的である. ある場所を去って別の場所へ行くことを表すには **leave for** … ある場所を訪れる意味が加わるときは **visit** も「行く」という日本語に当たることがある. 《☞ くる¹; つれてかえる (挿絵); もどる (挿絵)》

¶「さあ*行こう」「うん, *行こう」"Let's *go.*" "OK. / Yes, let's (*go*)." //「このバスは新宿に*行きますか」「はい, *行きます」"Does this bus *go to* Shinjuku?" "Yes, it does." //「あした私の事務所へ来てくれませんか」「わかりました. 午後 2 時に*行きましょう」"Could you come to my office tomorrow?" "All right. I'll ⌈*come* [*be* there] at two p.m." // そちらへ*行って手伝いましょうか Shall I *come over* and help you? // 私は毎朝 8 時に学校に*行きます I ⌈*go to* school [*leave for* school] at eight every morning. //「あなたは学校へはどうやって*行きますか」「電車で[歩いて]*行きます」"How do you *go to* school?" "I ⌈*take* the train [*walk*]." 語法 (1) go by train でもよい. //「あなたはいままでどこに*行っていたのですか」「郵便局です」"Where *have* you *been*?" "I'*ve been to* the post office." 語法 (2) この場合に have gone は使えないことに注意. have gone は「行ってしまって今ここにいない」という意味のときに使う. // 彼女は来月アメリカに*行きます She will ⌈*go to* [*leave for*] America next month. //「アメリカへ*行ったことがありますか」「ええ, あります [いいえ, ありません]」"*Have* you *ever been* ⌈*to* [*in*] America?" "Yes. I have [No, I haven't]." 語法 (3) この疑問文には ever を付けるのが普通. in を使うとそこに滞在を目的にいたというニュアンスがある. 《米略式》では have gone to … もこの意味で用いられる. // 今度の冬休みには長野にスキーに*行くつもりです I'*m going* skiing in Nagano during the coming winter vacation. 語法 (4) go *doing* (at …; in …) は「(…へ) …しに行く」の意味. go *doing* to … とするのは誤り. ほかに go shopping at a store (店へ買物に行く), go fishing in the river (川へ魚釣りに行く) など. // もう*行かなくては (I think) I'd better *be going* now. ★途中で席を立ったりするときなど. // この道を*行くとバス停へ出られます (⇒ この道はバス停まであなたを連れて行く[通じている]) This street ⌈will *take* you [*leads*] *to* the bus stop. // 駅へ*行く道を教えて下さい Could you tell me the way *to* the station? // 学校へ*行く道で (⇒ 途中で) その事故を目撃した I ⌈saw [witnessed] the accident *on my way to* school. //「先週は交換留学生会の総会に*行ってきました (⇒ 出席しました)」「ああ,

私も*行きましたよ」"I *attended* the general meeting of the Exchange Students Association last week." "Oh, I *was* there, too." // この夏ヨーロッパの6か国に*行ってきました (⇒6か国を訪問した) I *visited* six European countries this summer. // おそくなったので走って*行った Since I was about to be late, I *ran* there. // 大急ぎでとんで*行った I *rushed* to the place.

ゆく² 逝く (死ぬ) die ⓐ; (婉曲的に) pass away ⓐ. 《☞ しぬ》.

ゆくあき 行く秋 (晩秋) late ⌈fall [autumn] Ⓤ; (過ぎ去ってゆく) (the) departing autumn Ⓤ.

ゆくえ 行方 (居場所) 《格式》 *a person's* whereabouts ★単数または複数扱い.

¶彼女の*行方はわからない (⇒どこにいるかだれも知らない) Nobody knows ⌈*where* she *is* [her *whereabouts*]. / Her *whereabouts* are unknown. ★第1文のほうが口語的. // 彼らは犯人の*行方を捜している (⇒犯人を捜している) They *are* ⌈*searching* [*looking*] *for* the culprit. // 彼が*行方をくらましてから (⇒姿を消してから) 3年になる It is three years since he *disappeared*. // 警察は家出娘の*行方を突き止めた (⇒家出した娘を捜し当てた) The police *located* the runaway girl.

行方不明 ¶彼は*行方不明だ He is *missing*. // *行方不明の人 a *missing* person ★1人の場合. / the *missing* ★集合的.

ゆくさき 行く先 ☞ いきさき

ゆくすえ 行く末 future Ⓤ 《☞ ぜんと¹》.

ゆぐち 湯口 spout Ⓒ.

ゆくて 行く手 (進む道・方向) way Ⓒ; (将来) future Ⓤ. 《☞ ぜんと¹》. ¶何も彼の*行く手をはばむものはなかった Nothing stood in his *way*. // 彼らの*行く手は多難のようだ Their *future* will be filled with difficulties.

ゆくとし 行く年 the old year; (去りゆく年) the departing year ★以上いずれも the を付けて.

¶*行く年来る年 *the old* and new *years* / (⇒年を送り新年を迎える) see *the old year* out and the new year in

ユグノー (16–18世紀のフランスのカルバン派プロテスタント教徒) Huguenot /hjú:gənɑ̀t/ Ⓒ.

ゆくゆく 行く行く ―副 (いつかは) someday; (将来は) in the future; (結局は) evéntually. 《☞ しょうらい¹》. ¶*ゆくゆくは故郷へ帰りたい I would like to return to my old home ⌈*someday* [*in the future*].

ゆくりなくも ¶*ゆくりなくも10年ぶりに旧友に再会した I ⌈*happened to* meet an old friend of mine [met an old friend of mine *by chance*] after ⌈a ten-year interval [an interval of ten years]. 《☞ ぐうぜん》

ゆげ 湯気 ―名 steam Ⓤ. ―動 (湯気を立てる) steam ⓐ; (湯気で曇る) fog [steam] up ⓐ.

¶やかんから*湯気が立っている *Steam* is rising from the kettle. / (⇒やかんが湯気を立てている) The kettle *is steaming*. // 窓ガラスが*湯気で曇った The windowpanes ⌈*fogged* [*steamed*] *up*. // 父は頭から*湯気を立てて怒った My father ⌈*boiled* with rage [*burned* with anger]. ★比喩的な表現.

ゆげたて 湯気立て steaming Ⓤ, sending up steam Ⓤ.

ゆけつ 輸血 ―名 (blood) transfusion Ⓒ. ―動 (輸血する) give a (blood) transfusion to ..., 《格式》 transfuse ⓣ. ¶患者は手術後*輸血を受けた The patient ⌈was given [got] a *blood transfusion* after the operation. // 医者は私の血を彼に*輸血した The surgeon ⌈*transfused* my blood into him [gave him a *transfusion* of my blood].

輸血供給者 blood donor Ⓒ **輸血拒否** refusing to receive a blood transfusion Ⓤ **輸血性肝炎** (post-)transfusion hepatitis /hèpətáɪtɪs/ Ⓤ **輸血反応** blood transfusion reaction Ⓒ.

ゆけむり 湯煙 steam Ⓤ 《☞ ゆげ》. ¶温泉から*湯煙が立ちのぼっていた *A cloud of steam* was rising from the hot spring.

ゆける 行ける ☞ いける²˒³

ゆごい 湯鯉 〘魚〙 spotted flagtail Ⓒ.

ゆごう 癒合 〘医〙 ―名 conglutination /kəŋglù:tənéɪʃən/ Ⓤ, intention Ⓤ. ―動 conglutinate ⓐ ⓣ, heal by intention. ¶一次[二次, 三次]*癒合 *healing by* ⌈first [second; third] *intention*

ユゴー ―名 固 Victor (Marie) Hugo /víktə (mərí:) (h)jú:goʊ/, 1802–85. ★フランスの作家.

ゆごて 弓籠手 truncated sleeve worn to protect the bared arm of a horsed archer Ⓒ ★説明的な訳.

ゆこぼし 湯零し (metal) rinse-water container (in the tea ceremony) Ⓒ.

ゆさい 油彩 (油絵を描くこと) oil painting Ⓤ. **油彩画** oil painting Ⓒ 《☞ あぶらえ》.

ゆざい 油剤 oil solution Ⓒ.

ゆさぶられっこしょうこうぐん 揺さぶられっ子症候群 〘医〙 shaken baby syndrome Ⓤ.

ゆさぶり 揺さぶり (動揺) jolt Ⓒ; (衝撃) shock Ⓒ. 《☞ ゆさぶる; どうよう²》. ¶*揺さぶりをかける (⇒動揺を与える) give a *jolt* / (⇒動揺させる) *shake up* // その事件は政界に*揺さぶりをかけた The incident *shook up* the political world.

ゆさぶる 揺さぶる (揺り動かす) shake ⓣ; (感動させる) move ⓣ. 《☞ ゆする¹》. ¶その大事件は体制を*揺さぶった The serious /sí(ə)riəs/ incident ⌈*shook* (*up*) [(⇒ショックを与えた) *gave a shock to*] the establishment. // その光景を見て私の心は*揺さぶられた I *was moved by* the sight.

ゆざまし 湯冷まし cooled boiled water Ⓤ.

¶下痢をしている人が多いので水は*湯冷ましにして飲むほうが(⇒飲む前に一度沸かしたほうが)いいですよ Many people are suffering from diarrhea, so you'd better *boil the water before you drink it*.

ゆざめ 湯冷め chill after a bath Ⓒ. ¶*湯冷めをする feel ⌈*cold* [a *chill*] *after a bath* // *湯冷めをしないように気をつけなさい Be careful not to get a *chill after* (*taking*) *a bath*.

ゆさん 遊山 (何人かで出かける行楽旅行) excursion Ⓒ; (グループで出かける小旅行) outing Ⓒ; (短い気晴し旅行) jaunt Ⓒ. 《☞ こうらく; かんこう¹》.

ゆし¹ 油脂 oils and fat(s) 〔語法〕本来 oil も fat も Ⓤ だが, 種類を表すときはいずれも Ⓒ となり, 複数形になることもある.

ゆし² 諭旨 official suggestion Ⓒ.

¶彼は*諭旨免職となった He received an *official suggestion* that he resign, so he was forced to resign. // 彼は*諭旨退学となった He left school on *the advice of the school authorities*.

ユジノサハリンスク ―名 固 Yuzhno-Sakhalinsk /jú:ʒnə səkəlínsk/ ★ロシア連邦, サハリン州の州都.

ゆしゅつ 輸出 ―名 éxport Ⓤ (↔ ímport) ★「輸出品」の意では Ⓒ; exportation Ⓤ ★前者のほうが一般的. ―動 expórt ⓣ (↔ impórt). 《☞ ゆにゅう》.

¶私たちはおもちゃをアメリカへ*輸出している We *export* toys to America. // 自動車の*輸出は今年も伸びた The ⌈*export* [*exportation*] of ⌈cars [automobiles] has increased again this year. // 私の父は*輸出業をやっています My father is ⌈(engaged) in

the *export* business [(⇒ 輸出業者です) an *exporter*]. // 日本の*輸出の 30 パーセント以上はアメリカ向けだ More than 30 percent of Japanese *exports* go to the United States. // 彼らは*輸出用の新製品を開発中だ They are developing new products for *export*.
輸出依存度 export dependency Ⓤ **輸出価格** export price Ⓒ **輸出加工区** Export Processing Zone Ⓒ《略 EPZ》 **輸出課徴金** export surcharge Ⓒ **輸出カルテル** exporters' cartel Ⓒ **輸出禁止** (export) embargo Ⓒ, export ban Ⓒ **輸出禁制品** items under an embargo ★ 複数形で. **輸出組合** exporters' union Ⓒ **輸出検査** export inspection Ⓒ **輸出国** exporting country Ⓒ **輸出産業** export industry Ⓒ **輸出自主規制** voluntary restraint on export(s) Ⓤ. ¶ 日本は自動車の*輸出自主規制を余儀なくされた Japan had to *restrain its export* of automobiles. **輸出奨励金** export subsidy Ⓒ **輸出税** export ⌈duty [tax] Ⓒ **輸出超過** excess [surplus] of exports (over imports) Ⓤ ★ しばしば an [a] を付けて. **輸出手形** export bill Ⓒ **輸出手続き** export formalities ★ 複数形で. **輸出入業** export-import [import-export] business Ⓤ **輸出入業者** export-import [import-export] agent Ⓒ; (総称) exporters and importers **輸出入取引法** the Export and Import Trading Law **輸出品** export Ⓒ (↔ import) ★ しばしば複数形で; (総称) exported ⌈articles [goods] ★ 複数形で. ¶ カメラは重要な*輸出品だ Cameras are an important *export*. **輸出変動偶発補償融資制度** the compensatory and contingency financing facility《略 CCFF》 **輸出貿易管理令** the Export Trade Control Order **輸出保険** export insurance Ⓒ **輸出目標** export target Ⓒ **輸出割当** export quota Ⓒ.

ゆしょう[1] 油床 oil bed Ⓒ《☞ ゆそう[3]》.

ゆしょう[2] 油症 (カネミ油症) the Kanemi rice oil disease.

ゆじょう 油状 ━形 (油状の) oily. ¶ *油状の物質 an *oily* substance

ゆしょく 油色 coat of oil (brushed over a polychrome picture to prevent fading and enhance gloss) Ⓒ.

ゆず 柚 〘植〙 citron Ⓒ. **柚酢** vinegar of *yuzu* oranges Ⓤ **柚湯** hot bath scented with *yuzu* oranges Ⓤ.

ゆすぐ 濯ぐ (きれいな水で洗ってせっけんなどを落とす) rínse (óut) ㊀; (内側をきれいにする) wásh óut ㊀.《☞ あらう; すすぐ[1]》. ¶ 彼はハンカチをぬるま湯で*ゆすいだ He *rinsed* (*out*) the handkerchief with lukewarm water. // 歯科医は口を*ゆすいで下さいと言った The dentist told me to ⌈*rinse* [*wash*] *out* my mouth.

ゆすり 強請り (強奪) extortion Ⓤ; (人) extortionist Ⓒ; (恐喝) bláckmàil Ⓤ; (人) blackmailer Ⓒ ★ blackmail を使うほうが口語的.《☞ ゆする[2]; きょうかつ》.

-ゆずり …譲り ¶ 彼女の性格は母親*譲りだ (⇒ 受け継いだ) She *inherited* her character *from* her mother. / (⇒ 性格は母親からきている) Her character *comes from* her mother. // 彼の美術の才能は父親*ゆずりだ He ⌈*gets* [*inherits*] his artistic talent *from* his father.

ゆずりあい 譲り合い (相互の譲歩) give-and-take Ⓤ; (互譲) mutual concession Ⓒ; (妥協) compromise Ⓤ. ¶ 運転するときは*譲り合いの精神が大事だ It is important to practice the spirit of *give-and-take* when driving.

ゆずりあう 譲り合う ¶ 道を*譲り合って (⇒ 他の運転手に道を譲って) 安全に運転しましょう Let's *give way* to other drivers and drive safely.《☞ ゆずる》

ゆずりうける 譲り受ける (職務などを引き継ぐ) tàke óver ㊀; (買う) buy ㊀.《☞ ひきつぐ》. ¶ この車は彼から*譲り受けた (⇒ 買った) ものだ I *bought* this car from him.

ゆすりか 揺蚊 〘昆〙 midge Ⓒ.

ゆすりとる 強請り取る extort ㊀, practice extortion. ¶ 赤ん坊を誘拐すると脅して, 彼は彼女から金を*ゆすり取った He *extorted* money from her by threatening to kidnap her baby.

ゆずりは 譲葉 〘植〙 false daphne Ⓒ.

ゆずりわたす 譲り渡す (引き渡す) hánd óver ㊀; (権利などを譲る) transfér ㊀ ★ 前者のほうが口語的. ¶ 彼は社長の地位を息子に*譲り渡した He ⌈*handed over* [*transferred*] the position of president to his son.

ゆする[1] 揺する (激しく動かす) shake ㊀《過去 shook; 過分 shaken》; (前後または左右に揺り動かす) rock ㊀.《☞ ゆれる》. ¶ 子供たちは木を*揺すって栗を落とした The children *shook* chestnuts ⌈*from* [*off*] the tree. 〔語法〕 揺すり落とされるものが目的語になる. // 彼女は赤ん坊を*揺すって眠らせた She *rocked* her baby to sleep.

ゆする[2] 強請る (脅しや暴力によって奪い取る) extort ㊀; (恐喝して金や利益を得る) bláckmàil ㊀ ★ 後者のほうが口語的.《☞ ゆすり; きょうかつ; おどす》. ¶ 彼は彼女を*ゆすって金を巻き上げた He *extorted* money from her. // 彼は私を*ゆすってそれをさせようとした He tried to *blackmail* me into doing it.

ゆずる 譲る **1** «自分のものを与える»: (引き渡す) hánd [tùrn] óver ㊀; (権利などを他の人へ移す) transfér ㊀ ★ 前者のほうが口語的; (与える) give ㊀; (提供する) offer ㊀; (道をあけてやる) make way for …; (通る道を譲る) give way to …, yield (to …) ㊁ ★ 前者のほうが口語的; (売る) sell ㊀.
¶ 彼女は全財産を息子に*譲った She ⌈*handed* [*turned*] *over* all her property to her son. // 君の犬を 1 匹*譲ってくれないか Will you *give* me one of your dogs? // 私は電車でおばあさんに席を*譲った I ⌈*gave* [*offered*] my seat to an elderly woman in the train. // 私はその特許権を彼に*譲った I ⌈*transferred* [(⇒ 売った) *sold*] the patent right to him. // 彼らは後進に道を*譲るべきだ They should *make way for* younger people. // 彼は右折する車に道を*譲った He ⌈*gave way* [*yielded*] *to* the car turning (to the) right.
2 «譲歩する»: 《格式》 concede (to …) ㊁, make a concession (to …).《☞ じょうほ》. ¶ 我々はこの点だけは彼らに*譲れない We cannot *concede* (*to* them) on this point. // 彼女は一歩も*譲らなかった (⇒ 少しも動こうとしなかった) She wouldn't *budge* an inch.

ゆせい[1] 油井 oil well Ⓒ.

ゆせい[2] 油性 ━形 oily; (油を主成分とした) oil-based. ¶ *油性のしみ an *oily* stain **油性塗料** oil-based paint Ⓤ.

ゆせいかん 輸精管 〘解〙 spermátic dúct Ⓒ.

ゆせん 湯煎 ━動 heat a vessel containing … in hot water.

ゆそう[1] 輸送 ━動 (交通機関で運ぶ) transpórt ㊀, carry ㊀ ★ 前者のほうが格式ばった語. ━名 《米》 transportation Ⓤ, 《英》 tránsport Ⓤ.《☞ はこぶ; うんそう; くうゆ》.
輸送機 tránsport (plàne) Ⓒ **輸送機関** means of transportation Ⓒ **輸送現象** 〘物理〙 transport

phenomenon Ⓒ《複 — phenomena》 **輸送船** transport (ship) Ⓒ **輸送費** cost of transportation Ⓒ, transportation charges ★ 複数形で. **輸送容器** container Ⓒ **輸送料** freight /fréɪt/ charges ★ 複数形で. **輸送量** transport volume Ⓤ **輸送力** transport [carrying] capacity Ⓤ.

—コロケーション—
国内輸送 inland *transportation* / 大量輸送 mass *transportation* / 短距離輸送 short-distance *transportation* / 長距離輸送 long-distance *transportation* / 鉄道輸送 rail *transportation* / 航空輸送 air *transportation* / ピストン輸送 shuttle *transportation*

ゆそう² 油槽 oil tank Ⓒ. **油槽船** (oil) tanker Ⓒ **油槽トラック** oil truck Ⓒ,《英》tanker Ⓒ.

ゆそう³ 油層 oil stratum Ⓒ《複 strata /-tə/》.

ゆそうかん 油送管 (一本の) oil pipe Ⓒ; (長い油送管路) oil pipeline Ⓒ.

ゆそうぼく 癒瘡木 〘植〙guaiacum /gwáɪəkəm/ Ⓒ.

ユタ ―名 固 (米国の州) Utah /júːtɔː/ 《☞ アメリカ (表)》.

ユダ ―名 固 (イスカリオテのユダ) 〘聖〙Judas Iscariot.

ユダおうこく ユダ王国 〘史〙(the kingdom of) Judah /dʒúːdə/ ★ 古代, パレスチナにあったユダヤ人の王国.

ゆたか 豊か ―形 (豊富な・金持ちの) rich (↔ poor) ★ 最も一般的な語; (裕福な) wealthy ★ rich よりも格式ばった語; (あり余るほどたくさんの) ample, abundant ★ 後者は通常 Ⓐ; 《格式》 áffluent; (暮らし向きがよい) well-off (↔ badly-off). ―副 richly; amply, abundantly; affluently. ¶ その国は天然資源が*豊かだ The country is ˹*rich* [*abundant*] in natural resources. // *豊かな社会 an *affluent* society // 今年は財政が*豊かだ We are financially *well-off* this year. // この学校は財源が*豊かだ This school has *ample* funds. // 彼女は音楽家としての*豊かな才能 (⇒ 音楽に対する大きな才能) に恵まれている She has a *great* ˹gift [talent] for music. // 彼は経験*豊かな教師だ He is an *experienced* teacher. // 彼は想像力が*豊かだ He has a *wealth* of imagination.

ゆだく 油濁 pollution with oil Ⓤ.

ゆだて 湯立て *yudate* Ⓤ; (説明的には) a ceremony in which Shinto priests dip bamboo leaves in boiling water and sprinkle the hot water over worshippers.

ゆだねる 委ねる (…を人に任せる) leave … to *a person*; (相手を信頼して任せる) entrust ˹*a person* with … [… to *a person*]; (保管などのために委託する) commit ⑩. 《☞ まかせる; いにん; いたく¹ (類義語)》. ¶ その問題の解決については彼の判断に*ゆだねた We *left* the solution of the problem *to* his judgment. // その大役を彼に*ゆだねることはできない We cannot *entrust* ˹that important duty *to* him [him *with* that important duty]. // 悪に身を*ゆだねる (⇒ 屈服する) *yield to* evil ways

ゆだま 湯玉 bubble on the surface of boiling water Ⓒ.

ユダヤ ―名 固 Judea /dʒuːdíːə/. ―形 Jewish. **ユダヤ教** Judaism /dʒúːdaɪzm/ Ⓤ **ユダヤ人** ―名 Jew Ⓒ ★ 軽蔑的に響くことがあるので Jewish person Ⓒ の方が好まれる. ―形 Jewish. ¶ 彼は*ユダヤ人だ He's *Jewish*. **ユダヤ民族** the Jewish people **ユダヤ暦** Jewish calendar Ⓤ **ユダヤロビー** (米国の圧力団体) the Jewish lobby.

ゆだる 茹る boil ⓐ. ¶ じゃがいもが*ゆだった The potatoes *have boiled*. // 鍋の中で卵が*ゆだっている The eggs *are boiling* in the pot. // きのうは*ゆだるような暑さだった It was ˹*boiling* [*sweltering*] hot yesterday. 《☞ うだる》

ゆだん 油断 ―名 (不注意) carelessness Ⓤ; (うかつ) inattention Ⓤ ★ 前者が一般的; (怠慢) négligence Ⓤ; (警戒を欠くこと) lack of ˹vigilance [alertness] Ⓤ. ―形 careless; inattentive; negligent. ¶ ちょっとした*油断 (⇒ 不注意[怠慢]) が事故のもとになる A little ˹*carelessness* [*negligence*] is often the cause of an accident. // *油断するなよ (⇒ 注意せよ) *Be careful!* // 私は*油断して (⇒ 警戒を怠って) 財布をすられた I *was off my guard* and had ˹my pocket picked [my wallet stolen]. // 彼は*油断のならない男だ (⇒ きつねのようにずる賢い) He is as *cunning* as a fox.
油断禁物 ¶ *油断禁物―すりにご用心 *Watch out* for pickpockets. **油断大敵** Security is the greatest enemy. 《ことわざ: 安心は最大の敵》/ Danger comes soonest when it is despised. 《ことわざ: 危険は軽視すると早く来る》 **油断も隙もない** ¶ 近ごろは*油断もすきもあったものではない (⇒ いくら注意してもしすぎることはない) You cannot be too careful these days.

ゆたんぽ 湯たんぽ hot-water bottle Ⓒ.

ゆちゃ 湯茶 ¶ 来賓に*湯茶の接待をする serve *tea* to ˹*one's* [the] guests

ゆちゃく 癒着 〘医〙adhesion /ædhíːʒən/ Ⓤ. ¶ 彼は政界と財界の*癒着 (⇒ 密接な関係) を指摘した He pointed out the *close relationship* between political and business circle(s).

ゆづかれ 湯疲れ weariness (felt) after a long bath Ⓤ 《☞ ゆあたり》.

ゆっくり 1 《急がずに》 ―副 (時間をかけて) slowly (↔ fast) ★ 最も一般的; (遅い歩調で) at a slow pace. 《☞ おそい; のろのろ; のんびり》.
¶ 私は*ゆっくり歩いた I walked *slowly*. // もう少し*ゆっくり話していただけませんか Would you speak a little more *slowly*? // パレードは*ゆっくりと進んだ The parade moved on *at a slow pace*. // 計算は*ゆっくり (⇒ 時間をかけて) やりなさい *Take your time with* your calculation(s).
2 《ゆとりがあって十分に》 ―形 (十分な) good; (あり余るほどの) plenty of … ―副 (長く) long.
¶ 今晩は*ゆっくり眠りなさい (⇒ 十分に眠って下さい) Please have a *good* ˹sleep [night's rest] tonight. // 飛行機には*ゆっくり間に合う (⇒ たっぷり時間がある) There is *plenty of* time to catch the plane. // どうぞご*ゆっくり (⇒ 好きなだけ長くいて下さい) Please stay as *long* as you like. // 残念ですがきょうは*ゆっくりしていられません I'm sorry (that) I cannot stay *long* today.

ゆっくりじしん ゆっくり地震 slow [low-frequency] earthquake Ⓒ.

ユッケ (朝鮮料理) *yuk-hoe* Ⓤ; (説明的には) a Korean raw ground beef dish.

ゆづけ 湯漬け cooked rice with hot water poured over it Ⓤ.

ゆったり ―形 (安楽な・のんびりした) easy; (心地よい) comfortable /kʌ́mfətəbl/; (くつろいだ) relaxed; (だぶだぶの) loose. ―副 at ease; comfortably. 《☞ のんびり; くつろぐ; ゆうゆう》.
¶ 彼は*ゆったりした足取りで歩いた He walked with an *easy* stride. // きょうは*ゆったりした (⇒ くつろいだ) 気分だ I feel *relaxed* today. // 彼は*ゆったりといすに腰をかけてくつろいだ He sat *comfortably* in a chair and made himself at home.

ゆつぼ 湯壺 (温泉の湯ぶね) bathtub Ⓒ; (温泉の貯湯場) hot-water reservoir /rézəvwɑ̀ə/ Ⓒ.

ゆでこぼす 茹で溢す ¶野菜を*ゆでこぼしておいて下さい Please *drain off the hot water* after you have boiled the vegetables.

ゆでじる 茹で汁 ¶野菜[肉, 魚]の*ゆで汁 *water in which* 「vegetables *have* [meat *has*; fish *have*] *been boiled* (☞にじる)

ゆでだこ 茹で蛸 bóiled óctopus Ⓒ. ¶*ゆでだこのように(⇒ロブスターのように)赤くなる become as red as a *lobster*

ゆでたまご 茹で卵 boiled egg Ⓒ (☞たまご). ¶かた*ゆで卵 a hard-*boiled egg*

ゆでる 茹でる boil ㊙ (☞料理の用語(囲み)). ¶*ゆでたほうれん草 *boiled* spinach

ゆでん 油田 oil field Ⓒ; (油井) oil well Ⓒ.

ゆとう 湯桶 lacquered wooden pail for hot water Ⓒ. **湯桶読み** mixed *kun-on* reading Ⓤ; (説明的には) a mixed reading of a *kanji* compound, the first in the Japanese way and the second in the Chinese way.

ゆどうふ 湯豆腐 boiled 「tofu [bean curd] Ⓤ.

ゆどおし 湯通し ―動 (熱湯につける) dip … in boiling water; (熱湯をかける) pour boiling water over …, blanch ㊙. (☞ゆがく; ゆせん). ¶トマトは*湯通ししてから皮をむきなさい *Dip* the tomatoes *into boiling water* [*Pour boiling water over* the tomatoes] to peel off the skins. // 布に*湯通しする *moisten* cloth *with steam*

ゆどの 湯殿 (風呂場) bathroom Ⓒ (☞ふろ).

ユトランドはんとう ユトランド半島 ―名 固 Jutland /dʒʌ́tlənd/, the Jutland Peninsula ★デンマークの大半とドイツの一部を含む半島.

ゆとり ―名 (暇) leisure /líːʒə/ Ⓤ; (時間のゆとり) time Ⓤ. ―形 (暇のある) leisurely. (☞よゆう; ひま). ¶私は生活にもっと*ゆとりがほしい (⇒暇[時間]の必要を感じている) I feel a need for more 「*leisure* [*time*] in my life. // 子供たちにもっと*ゆとりある (⇒楽しめる) 学校生活を送らせるべきだ We should let our children have a more *enjoyable* school life. // 彼の生活は前よりも*ゆとりがあるようだ (⇒金回りがよいようだ) He seems to be *better-off* than before. // 私たちは彼の*ゆとりある仕事ぶり (⇒ゆったりした仕事のペース) を学ぶべきだ We should learn from his *leisurely* work pace. // 私には海外旅行をする*ゆとりはありません (⇒余裕がない) I *cannot afford to* travel abroad.
ゆとり教育 (ゆったりとした教育) relaxed education Ⓤ; (自由のある教育) education with latitude Ⓤ.

ユトリロ ―名 固 Maurice Utrillo /jutrílou/, 1883-1955. ★フランスの画家.

ユトレヒト ―名 固 Utrecht /júːtrekt/ ★オランダ中部の都市.

ユナイテッドステイツオブアメリカ ☞アメリカ

ユナニミスム (一体主義) unanimism /juːnǽnəmìzm/ Ⓤ ★フランス語の unanimisme から.

ユニーク ―形 (例のない・独特の) unique /juːníːk/; (珍しい) rare, unusual. 日英比較 unique は意味が強い. 日本語のユニークが必ずしも unique と訳せない場合があることに注意. ¶彼は同僚の中では*ユニークな存在だ He is *unique* among the colleagues. // *ユニークな出来事 a *unique* [a *rare*; an *unusual*] event

ユニオニスト (労働組合員) unionist Ⓒ.

ユニオン (労働組合) (labor) union Ⓒ.

ユニオンジャック (英国国旗) the Union Jack (☞こっき¹).

ユニオンショップ (労働組合の) union shop Ⓒ.

ユニコーン (一角獣) unicorn Ⓒ.

ユニセックス (男女の区別がない) únisèx Ⓤ.

ユニセフ UNICEF /júːnəsèf/ ★the *U*nited *N*ations *I*nternational *C*hildren's *E*mergency *F*und の略だが, 現在の正式名称は United Nations Children's Fund. (☞略語(巻末)).

ユニゾン 〘楽〙 ―名 unison /júːnəs(ə)n/ Ⓤ. ―副 in unison.

ユニックス 〘コンピューター〙(商標) UNIX.

ユニット (単位・一そろい) unit Ⓒ.
ユニット家具 unit furniture Ⓤ **ユニットキッチン** sectional kitchen Ⓒ **ユニットケア** (介護) elderly group care Ⓤ **ユニット工法** 〘建〙 unit [modular] construction Ⓤ **ユニットコントロール** (単品管理) unit control Ⓤ **ユニット住宅** prefábricàted hóuse Ⓒ **ユニットトラスト** 〘経〙 unit trust Ⓒ **ユニットバス** modular /mádʒʊlə/ báth Ⓒ **ユニットプライシング** 〘経〙 (単位価格表示) unit pricing Ⓤ.

ユニティー (統一・単一性) unity Ⓤ.

ユニテリアン 〘キ教〙 ―形 (ユニテリアン派の) Unitarian. ―名 (ユニテリアン派の人) Unitarian Ⓒ. ¶*ユニテリアン派の教義 Unitarianism

ユニバーサリスト 〘キ教〙 (普遍救済論者) Universalist Ⓒ.

ユニバーサリティー (一般性・普遍性) universality Ⓤ.

ユニバーサル ―形 (世界的・普遍的) universal.
ユニバーサルサービス (通信事業の) universal service Ⓒ **ユニバーサルジョイント** 〘機〙 universal joint Ⓒ **ユニバーサルスタジオ** (米国の撮影所・テーマパーク) Universal Studios. ¶*ユニバーサルスタジオジャパン *Universal Studios* Japan (略 USJ) **ユニバーサルデザイン** universal design Ⓒ ★すべての人が使いやすい製品や環境を作るという考え方. **ユニバーサルバンク** 〘経〙 universal bank Ⓒ.

ユニバーシアード (国際学生競技会) the World University Games, the Universiade /jùːnəvɚ́ːsiæ̀d/ ★英米では前者が普通.

ユニバーシティ (大学) university Ⓒ (略 U., Univ.) (☞だいがく¹).

ユニバース (宇宙) the universe ★the を付けて. (☞うちゅう).

ユニホーム uniform Ⓒ (☞せいふく¹). ¶*ユニホームを着た選手 players in *uniform* ★この表現では無冠詞で.

ゆにゅう 輸入 ―名 import Ⓤ (↔ éxport) ★「輸入品」の意では Ⓒ; importation Ⓤ ★前者のほうが一般的. ―動 impórt ㊙ (↔ expórt). (☞ゆしゅつ).
¶日本は原料を*輸入する Japan *imports* raw materials. // この物品の*輸入にはライセンスがいる Licenses are required for the 「*importation* [*import*] of these articles. // 大豆の*輸入が急激に増えた[20パーセント減った] Soybean *imports* have 「risen sharply [declined by 20 percent]. // インドネシアの*輸入(品)の50パーセントは日本からだ Fifty percent of Indonesia's *imports* come from Japan. // 日本はもっと*輸入を増やすように要求された It was demanded that Japan increase its *imports*. // 私は*輸入関係の仕事をしています I'm 「(engaged) in the *import* business [(⇒輸入業者だ) an *importer*]. // 原油の*輸入価格が急騰した *Import* prices of crude oil have gone up sharply.
輸入依存度 import dependency Ⓤ **輸入インフレ** inflation caused by an excess of imports Ⓤ **輸入課徴金** import surcharge Ⓒ **輸入カルテル** importers' cartel Ⓒ **輸入感染症** imported infection Ⓒ **輸入規制** ímport contròl Ⓤ **輸入業** ímport bùsiness Ⓤ **輸入業者** impórter Ⓒ **輸入許可証** import 「pèrmit [lìcense] Ⓒ **輸入組合** importers' union Ⓒ **輸入国** importing country

Ⓒ　輸入自由化 the liberalization of imports 輸入税 ímport dùty Ⓒ; (輸出入税・関税) tariff Ⓒ 輸入制限 import restriction Ⓤ　輸入促進地域 foreign access zone Ⓒ《略 FAZ》　輸入代替 import substitution Ⓤ　輸入担保 import ˹guarantee [deposit] Ⓒ　輸入超過 excess of imports (over exports) Ⓤ ★ しばしば an を付けて; (貿易収支の赤字) tráde déficit Ⓒ　輸入手形 import bill Ⓒ　輸入手続き import procedures ★ 複数形で. 輸入品 import Ⓒ (↔ export) ★ しばしば複数形で; (総称) imported ˹articles [goods] ★ 複数形で.　輸入貿易管理令 the Import Trade Control Order　輸入割り当て import quota Ⓒ.

ゆにょうかん 輸尿管 ureter /jʊ́(ə)rətə/ Ⓒ《☞ にょう》.

ユニラテラリズム (一方的軍縮論) unilateralism Ⓤ.

ユネスコ UNESCO /juːnéskoʊ/ ★ the *U*nited *N*ations *E*ducational, *S*cientific and *C*ultural *O*rganization (国際連合教育科学文化機関) の略.《☞ 略語 (巻末)》.

ゆのし 湯熨 ¶ 布に*湯のしをかける *smooth* the cloth *with steam*

ゆのはな 湯の花 (珪華) sinter Ⓤ; (硫黄華) flowers of sulfur ★ 複数形で; (温泉中の沈殿物) deposits of hot-spring water ★ 複数形で.

ゆのみ 湯飲み (紅茶茶わん) teacup Ⓒ; (茶わん) cup Ⓒ ★ いずれも取っ手が付いているので日本の「湯飲み」とは必ずしも同じではない.

ゆば 湯葉 dried soymilk skin Ⓤ ★ 数えるときは a sheet of ....

ゆはず 弓筈 (弓の) nock Ⓒ《☞ ゆみ (挿絵)》.

ゆび 指 (手の) finger Ⓒ 〔日英比較〕 日本語の指と違って英語の finger は手の指だけで足の指は含まず, しかも普通は手の親指 (thumb) も含まないことに注意.「片手には 5 本の指がある」などというときは親指を含むのが普通だが, その場合でも含まないのが正しいと主張する英米人も多い. つまり英語では片手には four fingers and ˹one [a] thumb があるという言い方をする; (足の) toe Ⓒ; (手の親指) thumb /θʌ́m/ Ⓒ; (人差し指) forefinger Ⓒ, index finger Ⓒ; (中指) middle finger Ⓒ; (薬指) ring finger Ⓒ ★ 特に左手の薬指; (小指) little finger Ⓒ,《略式》pinkie Ⓒ; (足の親指) big toe Ⓒ; (足の小指) little toe Ⓒ 〔参考〕 ほかの指は親指のほうから数えて ˹second [third; fourth] toe のようにいう.《☞ て (挿絵); あし¹ (挿絵)》.

¶ 彼女はほっそりした[太い]*指をしている　She has ˹slender [thick] *fingers.* // その子は*指で 1 から 10 まで数えた The child counted from one to ten *on his fingers.*《☞ かぞえる 〔日英比較〕》// *指を鳴らす snap [click] *one's fingers* ★ 中指と親指をこすって鳴らす場合. / crack *one's knuckles* ★ 関節を引っ張って鳴らす場合. // *指をしゃぶるのはよしなさい (⇒ 吸うな) Don't suck your ˹*finger* [*thumb*]. // うちの娘には*指一本触れさせない I will never let you *lay a finger on* our daughter.

指折り数えて ¶ 彼女は試験の結果の発表を*指折り数えて待っている (⇒ 切に待ち望んでいる) She *is eagerly waiting for* the announcements of the results of the examination.

指をくわえる ¶ われわれは他人の幸福を*指をくわえて見ているべきではない We shouldn't look *enviously* on other people's good fortune.

指を詰める amputate [cut off] the tip of *one's* little finger (as a token of apology).

―コロケーション―
(...を)指でコツコツたたく drum [tap] *one's fingers* (on ...) / 指にやけどをする burn *one's finger* / 指を切る cut *one's finger* / 指を組み合わせる interlace *one's fingers* / 指を差す point a *finger* (at ...) / 指を刺す prick a *finger* (with ...) / 指をはさむ pinch [jam] *one's finger* (in ...) / 指を曲げる crook *one's finger*

ゆびおりの 指折りの (一流の) leading; (傑出した) prominent, distinguished; (抜群の) preeminent, outstanding.《☞ くっし》. ¶ 彼女は世界でも*指折りのピアニストだ She is one of the ˹*leading* [*prominent*] pianists in the world.

ゆびき 湯引き ☞ ゆびく

ユビキタス ―形 〖コンピューター〗 ubiquitous /juːbíkwətəs/.　ユビキタスコンピューティング 〖コンピューター〗 ubiquitous computing Ⓤ ★ コンピューターを自由に利用できる環境.

ゆびきり 指切り ¶ だれにも言わないでね. *指きりげんまん(うそついたら針千本飲ます) Don't tell anyone. *Cross your heart* (and hope to die). 〔日英比較〕 米の子供の間の約束の誓いは神の前で十字を切ることであり, 日本の場合は互いの小指をかけ合って誓いを立てる. 相手に誓いを求めるときは cross your heart, 自分自身に対しては cross my heart である.

ゆびく 湯引く (料理で) boil ... briefly so that it is partly cooked, parboil (他).

ゆびさき 指先 fingertip Ⓒ.

ゆびさす 指差す point ˹at [to] ... 〔語 法〕 to は対象物の位置している方向を, at は対象物そのものを指す場合.《☞ さす³; してき¹》. ¶ 人を*指さすのはやめなさい Don't *point at* people. // 彼女は壁の絵を*指さした She *pointed to* the picture on the wall.

ゆびしゃく 指尺 spanning Ⓤ. ¶ 棒切れの長さを*指尺で測る *span* the length of a stick

ゆびしゃぶり 指しゃぶり thumb sucking Ⓤ.

ゆびずもう 指相撲 ―名 finger [thumb] wrestling Ⓤ. ―動 have a game of finger wrestling, play at ˹finger [thumb] wrestling.

ゆびづかい 指遣い (運指法) fingering Ⓤ; (指を動かすこと) finger work Ⓒ. ¶ この部分の*指づかいが難しい The ˹*fingering* [*finger work*] of this part is difficult.

ゆびにんぎょう 指人形 hand [glove] puppet Ⓒ.

ゆびぬき 指貫 thimble Ⓒ.

ゆびのはら 指の腹 the pad of a finger.

ゆびぶえ 指笛 ―動 (指笛を吹く) whistle through *one's* fingers.

ゆびわ 指輪 ring Ⓒ. ¶ 彼女はダイヤの*指輪をしている She ˹has [wears] a diamond *ring* on her finger. // 彼は*指輪をはめた[抜いた] He ˹put a *ring* on [slipped a *ring* off] his finger. // 結婚 [婚約] *指輪 a wedding [an engagement] *ring* 〔日英比較〕「エンゲージリング」というのは和製英語. // 彼らはお互いに婚約*指輪を交換した They exchanged engagement *rings* with each other.

ユプシロン (ギリシャ語アルファベットの第 20 字) upsilon Ⓒ ★ ギリシャ文字は Υ, υ.

ゆぶね 湯船 bathtub Ⓒ《☞ ふろ》. ¶ *湯船にゆっくりとつかる soak *oneself* in the *bathtub*

ゆべし 柚餅子 rice-cake sweets scented with *yuzu* oranges.

ゆまく 油膜 oil film Ⓒ. ¶ 薄い*油膜 a thin *film of oil*

ゆみ 弓 bow /bóʊ/ Ⓒ; (弓術) archery Ⓤ.
¶ *弓 (⇒ 矢) を射る shoot an *arrow* // *弓を引き絞る draw a *bow* to the full // *弓に矢をつがえる put [fix] an arrow to a *bow* // *弓の名人 a master of *archery* / an expert *archer*

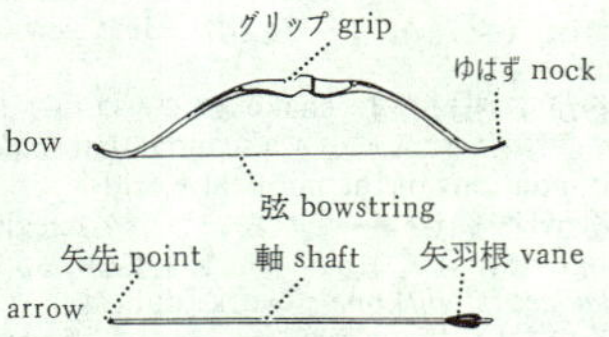

弓折れ矢尽きる ¶ *弓折れ矢尽きてしまった (⇒ 完全に負けてしまった) We *were completely defeated.* **弓を引く** draw [bend] a bow; (反抗する) rebel [turn; rise in revolt] against … ¶ 貧農たちはついに暴君に*弓を引いた Finally the poor peasants *rose in revolt against* the tyrant.
弓矢 bow and arrow Ⓒ.

ゆみず 湯水 **湯水のように** ¶ 彼女は金を*湯水のように (⇒ 水のように) 使った She spent money *like water.*

ゆみづる 弓弦 bowstring Ⓒ.

ゆみとりしき 弓取り式 (相撲の) ceremonial receipt of a bow on behalf of the winning wrestler of the final bout on each of the fifteen days of a Grand Sumo Tournament Ⓤ ★ 説明的な訳.

ゆみなり 弓なり ¶ 猫は背中を*弓なりに曲げた The cat *arched* its back. ★ arch ㊙ は「弓形にする」の意. // 体を*弓なりにする *bend oneself* backward ★ 背中をそらせる.

ゆみのこ 弓鋸 hacksaw Ⓒ.

ゆみはりづき 弓張り月 crescent (moon) Ⓒ (☞ つき¹ (挿絵)).

ゆみへん 弓偏 (漢字の) bow radical on the left of kanji Ⓒ.

ゆみや 弓矢 ☞ ゆみ

ゆむき 湯剥 ── 動 blanch ㊙.

ゆめ¹ 夢 **1** «睡眠中の» ── 名 dream Ⓒ ★ 最も一般的な語; (悪夢) níghtmàre Ⓒ 語法 (1) 比喩的に「恐ろしいこと」の意味で用いる場合が多い. ── 動 (夢を見る) have a dream, dream ㊀ ㊙ (過去・過分 ～ed /dríːmd/, dreamt /drémt/ ★ 米では通常 dreamed) 語法 (2) ㊙ となる場合の目的語は that 節か, または dream a happy dream のように形容詞を伴う同族目的語. なお, see a dream とは言わない.
¶ 私はよく*夢を見る I often ˹*have dreams* [*dream*]. // ゆうべは楽しい[怖い]*夢を見た I ˹*dreamed* [*had*] *a* ˹happy [terrible] *dream* last night. // 彼は母親の*夢を見た He ˹*dreamed* [*had a dream*] *about* his mother. / (⇒ 夢の中で母を見た) He *saw* his mother *in a dream.* // 僕は彼女と結婚する*夢を見た I *dreamed* that I got married to her. // 私はゆうべ*夢でうなされた (⇒ 悪夢を見た) I had a ˹*nightmare* [bad *dream*] last night. // それは正*夢 (⇒ 予言的な夢) だった It was a prophetic *dream.* // 逆*夢 a *dream* contrary to what happens later // その出来事は*夢でなく現実だ The incident is not a *dream*, but reality. // *夢から覚める wake up from a *dream* // 留学するなんて*夢のようだ Studying abroad is just *like a dream.* // まるで*夢のような気がする I feel as if all this were a *dream.* / (⇒ 夢の中にいるように感じる) I feel *as in a dream.* // 私はそれを見て[聞いて]*夢かとばかりに喜んだ (⇒ とても喜んで目[耳]が信じられないほどだった) When I ˹saw [heard] it, I was so glad that I could scarcely believe my ˹eyes [ears].
2 «理想・空想»: (実現したいと思っていること) dream Ⓒ; (大望) ambítion Ⓤ; (ビジョン) vision Ⓤ. (☞ のぞみ; くうそう¹; むそう¹).
¶ 外交官になるのが彼の*夢だった It was his ˹*dream* [*ambition*] to be a diplomat. // 彼女の*夢が実現した Her *dream* ˹came true [was realized]. ★ come true は口語的慣用表現. // 長年抱いていた*夢が破れた My long-cherished *dream* was shattered. // 子供のころ(から)の*夢 *one's* childhood *dream* // 彼女には*夢がない (⇒ 将来へのビジョンがない) She has no *vision* for the future. // 若者が人生に対して*夢を抱く (⇒ ロマンチックな[理想主義的な]夢想を持つ) のは当然だ It is natural for young people to have ˹romantic [idealistic] *visions* of life. ★ vision は「夢想」の意では Ⓒ. // 昨日は*夢の球宴 (⇒ 野球のオールスターゲーム) を見に球場に行った I went to the ballpark yesterday to see the *all-star baseball game.*
夢にも思わない never dream … ¶ 私が社長に選ばれるなんて*夢にも思っていなかった I *never dreamed* that I would be elected ˹to the presidency [president]. **夢は逆夢** Dreams go by contraries. (ことわざ)
夢うつつ ¶ 私は講義を*夢うつつで (⇒ 半分眠りながら[夢見ながら]) 聞いた I was listening to the lecture *half* ˹*sleeping* [*dreaming*]. **夢(見)心地** ¶ 彼女はとても幸せだったので毎日を*夢(見)心地で (⇒ 恍惚として) 過ごした She was so happy that she spent every day *in a trance.* **夢物語** (実行困難な空想) pipe dream Ⓒ 参考 あへん吸飲者が抱くような夢という意味から. ¶ 私にとって世界一周旅行は*夢物語だ For me a round-the-world tour is a *pipe dream.* // 彼の計画はまるで*夢物語だ (⇒ 現実的ではない) His plan is quite *unrealistic.*

コロケーション
いい夢 a wonderful *dream* / **大きな夢** a big *dream* / **奇妙な夢** a ˹curious [strange] *dream* / **怖い夢** a scary *dream* / **楽しい夢** a pleasant *dream* / **生々しい夢** a vivid *dream* / **ばかげた夢** a ridiculous *dream* / **はかない夢** an ephemeral *dream* / **非現実的な夢** an unreal *dream* / **不吉な夢** an ominous *dream* / **見果てぬ夢** an unfulfilled *dream*

ゆめ² 努 ☞ ゆめゆめ

ゆめうらない 夢占い divination [fortune-telling] by means of dreams Ⓤ, oneiromancy /oʊnáɪrəmæ̀nsi/ Ⓤ.

ゆめじ 夢路 ¶ *夢路 (⇒ 眠り) につく fall *asleep* / go to *sleep* // *夢路をたどる (⇒ 夢をみる) *dream* / go to *the land of dreams*

ゆめはんだん 夢判断 the ˹interpretation [reading] of a dream, oneirocriticism /oʊnàɪrəkrítəsìzm/ Ⓤ.

ゆめまくら 夢枕 ¶ *夢枕 (⇒ 夢の中) に死んだ恋人が立った My deceased sweetheart appeared *in my dreams.* (☞ ゆめ¹)

ゆめまぼろし 夢幻 fantasy Ⓤ. ¶ *夢まぼろしの世の中 this *illusory* world // 彼女はいつも*夢まぼろしの世界に住んでいる She always lives in a world of *fantasy.*

ゆめみ 夢見 ¶ *夢見がよい[悪い] *have* a ˹good [bad] *dream* // 前夜の*夢見が悪かったので彼女は出発を延期した She put off her departure because she *had had* a bad *dream* the previous night.

ゆめみる 夢見る ── 動 dream ˹of [about] … ── 形 (夢見るような) dreamy. ¶ 彼女は世界的なピアニストを*夢見ている She *dreams of* becoming a world-famous pianist. // *夢見るようなまなざし *dreamy* eyes

ゆめゆめ (決して) never 《☞ けっして》.
¶私の言葉を*ゆめゆめ忘れてはいけません You must *never* forget my words. // *ゆめゆめ (⇒ どんなことがあっても) 日取りを間違えないように *On no account* [*Under no circumstances*] should you mistake the date.

ゆもと 湯元 the source of a hot spring.

ゆゆしい 由由しい (重大な) grave; (悲しむべき) deplórable. 《☞ じゅうだい¹》.

ゆらい 由来 (起源) órigin Ⓒ; (出所) source Ⓒ; (来歴) history Ⓒ. 《☞ きげん³; ちなむ》. **由来書き** history Ⓒ, memoir Ⓒ.

ゆらぎ 揺らぎ (動揺) fluctuation Ⓤ; (心の) unrest Ⓤ, restlessness Ⓤ.

ゆらぐ 揺らぐ (ゆらゆら揺れる) sway (自); (気持ちが) waver (自). 《☞ ゆれる》.

ゆらす 揺らす (揺り動かす) sway (他); (揺さぶる) shake (他); (前後・左右に) rock (他). 《☞ ゆする¹》.
¶風が木の枝を*揺らした The wind *swayed* the branches of the tree.

ゆらめく 揺らめく (灯などが揺れ動く) flicker (自); (震える) quiver (自); (炎などが揺れる) waver (自). 《☞ ゆれる》. ¶夕闇に*揺らめくあかりが美しい The *flickering* lights in the dusk are beautiful.

ゆらゆら ━ 動 (ゆっくり・ゆらゆら揺れ動く) sway (自); (振り子のようにぶらぶらと) swing (自); (炎などが) flicker (自). 《☞ ゆれる; 擬声・擬態語 (囲み)》. ¶地震で電灯のかさが*ゆらゆら揺れている The earthquake is making the lampshade ˹*sway* [*swing*].

ゆらんかん 輸卵管 〔解〕 fallopian /fəlóupiən/ tùbe Ⓒ, oviduct /óuvədʌ̀kt/ Ⓒ ★ 前者のほうが一般的.

ゆり 百合 〔植〕 lily Ⓒ 《複 lilies》. ¶白*百合 a white *lily* **百合根** lily bulb Ⓒ.

ユリアじゅし ユリア樹脂 〔化〕 urea resin Ⓤ.

ユリーカ eureka /ju(ə)rí:kə/ ★「わかった!」を意味するギリシャ語.

ゆりいす 揺りいす rocking chair Ⓒ, 《米》 rocker Ⓒ. 《☞ いす》.

ゆりうごかす 揺り動かす (細かく振るように動かす) shake (他); (ゆっくりとぶらんこのように動かす) swing (他); (ゆりかご・リフトなどを) rock (他). 《☞ ゆする¹》.

ユリウスれき ユリウス暦 the Julian calendar.

ゆりおこす 揺り起こす shake ... ˹awake [out of sleep] 《☞ おこす¹》.

ゆりかえし 揺り返し (余震) áftershòck Ⓒ.

ゆりかえす 揺り返す shake back (自) 《☞ ゆりかえし》.

ゆりかご 揺り籠 cradle Ⓒ. ¶*揺りかごから墓場まで from (the) *cradle* to (the) grave

ゆりかもめ 百合鷗 〔鳥〕 black-headed gull Ⓒ.

ユリシーズ ━ 名 固 Ulysses /ju:lísi:z/ ★ オデュッセウスのラテン語名.

ゆりつ 輸率 〔化〕 transference [transport] number Ⓒ.

ゆりのき 百合木 〔植〕 tulip ˹tree [poplar] Ⓒ, yellow poplar Ⓒ.

ゆりもどし 揺り戻し (揺れて元に戻ること) swinging back Ⓤ; (地震の余震) aftershock Ⓒ. 《☞ よしん¹》.

ゆりょう¹ 油糧, 油料 oil stuff Ⓤ. **油料作物** oil crop Ⓤ.

ゆりょう² 湯量 (温泉の) volume of hot spring water Ⓤ. ¶この温泉は*湯量が豊富だ This hot spring has an abundant *supply of water*.

ゆるい 緩い (堅く締まっていない) loose (↔ tight) 《☞ ゆるやか; ゆるむ》. ¶この結び目は*ゆるすぎる This knot is too *loose*. // このスカートは*ゆるすぎる (⇒ 大きすぎる) This skirt is too *big* for me. // 彼は*ゆるい (⇒ 遅い) カーブを投げた He threw a *slow* curve.

ゆるがす 揺るがす shake (他) 《☞ ゆさぶる》. ¶政界を*揺るがすスキャンダル a scandal that *shakes* the foundations of the political world

ゆるがせ 忽せ ━ 動 (おろそかにする) neglect (他), slight (他). 《☞ おろそか》. ¶仕事を*ゆるがせにする *neglect* [*slight*] *one's* ˹work [duties]

ゆるぎない 揺るぎない (しっかりした) firm; (がっしりした) solid; (動じない) unshakeable. 《☞ ふどう¹》. ¶*揺るぎない確信 an *unshakeable* conviction

ゆるぐ 揺るぐ (気持ちが揺らぐ) waver (自) 《☞ ゆれる》.

ゆるし 許し (権限のある人からもらう許可) permission Ⓤ; (特に外出・休みなどの許可) 《格式》 leave Ⓤ; (過ちや罪を犯した人を許すこと) forgiveness Ⓤ, pardon Ⓤ ★ 後者のほうが一般的. 《☞ きょか¹ (類義語) 日英比較》.
¶私は父から外国へ行く*許しを得た I got ˹my father's *permission* [*permission* from my father] to go abroad. // 彼女は*許しを得ないで外出した She went out without *leave*. // 彼女は私の*許しを求めた She ˹asked for [begged] my *pardon*.

ゆるす 許す **1** 《許可する》: (権限のある者が積極的に許可を与える) permít (他); (禁止しない) allow (他) 日英比較 後者は何かしたいという意志をもっている場合にそれを妨げないという意味で let に似ている. 従って「許す」という日本語には当たっても「許可する」という日本語には当たらないことが多い; (入学・入会などを認める) admit (他); (賛成して認める) approve of ... 《☞ きょか¹ (類義語); みとめる》.
¶私はその会議に参加を*許された I *was* ˹*permitted* [*allowed*] to take part in the conference. 語法 (1) permit を使うと, 例えば許可を申請して審査の結果許可されたような感じ. allow の場合は特に反対がなかったので参加したようなニュアンスが出る. // 校則では長髪は*許されない School regulations do not *permit* long hair. // 天候 [健康] が*許せば, あしたスキーに出かけます I'll go skiing tomorrow if ˹weather [my health] *permits*. 語法 (2) このように「天候・健康・時間」などに permit を用いるときは allow に近い意味となる. // 彼女は最近この学校に入学を*許された She *was* recently *admitted to* this school. // 彼の両親は彼が絵かきになるのを*許さなかった (⇒ よいと認めなかった) His parents did not *approve of* his becoming a painter.
2 《容赦する》: (相手の過失などをとがめない) forgive (他) 《過去 forgave; 過分 forgiven》; (罰しないですます) pardon (他); (軽い罪を許す) excuse (他); (大目に見る) overlook (他). 《☞ ようしゃ¹; かんべん¹》.
¶私が悪かった. *許して下さい I was wrong. *Forgive* [*Pardon*] me. // 私が過ちをわびたら彼は快く*許してくれた He *forgave* me readily when I apologized for my mistake. // ごぶさたをお*許し下さい Please ˹*pardon* [*forgive*] me for my long silence. // 彼は私の不注意を*許してくれた He *excused* (me for) my carelessness.
3 《気や心などを》: (信用する) trust (他), confide (in ...) (自) ★ 後者のほうが格式ばった語. 《☞ しんよう (類義語)》. ¶彼には心が*許せない I cannot ˹*trust* [*confide in*] him. // あの男に心を*許すな (⇒ 気をつけろ) *Beware of* him. / (⇒ 用心しなければならない) We must *guard against* him. // ちょっと気を*許したすきに (⇒ 油断したときに) とんでもないへまをしてしまった I made an awful mistake in an *unguarded* moment.

ゆるみ 緩み (締まりのなさ) looseness Ⓤ; (不注意) carelessness Ⓤ; (ロープ・ひもなどの) slack Ⓤ. 《☞ た

るみ》.

ゆるむ 緩む —動 (張っていたものが) become [come; get] loose, loosen 自, slacken 自 ★最後のものはやや格式ばった語; (油断する) be off (*one's*) guard; (雨・風が弱まる) let up 自. —形 (締まりのない) loose; (たるんだ) lax. (☞ゆるい; やわらぐ; たるむ).

¶ひもの結び目が*ゆるんだ The knot in the string ˹*came loose* [*loosened*]. // 最近選手の間で規律が*ゆるんでいる Discipline is ˹*loose* [*lax*] among the players these days. // そのとき彼は気が*ゆるんでいたんだ He must *have been off* (*his*) *guard* at that moment. // 東西間の緊張が*ゆるんだ (⇒緩和された) East-West tensions *have eased*. // 寒気が*ゆるんできた The cold weather *is letting up*.

ゆるめる 緩める 1 《ゆるくする》: (結び目・継ぎ目などを) loosen 他; (力などをゆるめる) relax 他. (☞ゆるい; ほどく). ¶私はベルト[ねじ]を*ゆるめた I *loosened*˹my belt [the screw]. // 綱を引く手を*ゆるめなさい *Relax* [*Loosen*] your ˹grip [hold] on the rope.

2 《緩和する》: relax 他 (☞かんわ¹). ¶彼らは制限を*ゆるめた They *relaxed* the restrictions. // 敵はちょっと警戒の手を*ゆるめた The enemy *relaxed* their vigilance just a little.

3 《速度などを遅くする》: slów ˹dówn [úp] 自 他.

ゆるやか 緩やか —形 (傾斜などが急でない) gentle; (のろい) slow. (☞ゆるい; ゆるめる).

¶私たちは*ゆるやかな坂を下った We went down a *gentle* slope. // この辺の流れは*ゆるやかだ The current around here is *slow*. // *ゆるやかなカーブと急なカーブが交互に続いていた *Gentle* curves alternated with sharp ones.

ゆるゆる 1 《ゆっくりと》 —副 slowly; (時間をかけて) leisurely. (☞ゆっくり).

2 《大きすぎる》 —形 (ゆるい) loose; (だぶだぶの) baggy. (☞だぶだぶ). ¶体重が減ってズボンが*ゆるゆるになった I've lost weight, and now my pants are *loose* (around the waist).

ゆれ 揺れ (震動) shake C; (細かい振動) vibration C; (地震の) quake C, shake C; (地震の横揺れ) horizontal shake C; (地震の縦揺れ) vertical shake C; (激しい揺れ) jolt C; (微動) tremor C; (前後または左右の) rock U; (船などの縦揺れ) pitching U; (船などの横揺れ) rolling U. (☞ゆれる).

¶船は*揺れがひどかった The ship *rocked* badly.

ゆれうごく 揺れ動く waver 自; (ゆっくり揺れる) sway 自. ¶炎が*揺れ動いた The flames *wavered*. // 行こうか行くまいかと我々の気持ちは*揺れ動いた We *wavered* between going and staying.

ゆれる 揺れる (上下・左右・前後に震え動く) shake 自 《過去 shook; 過分 shaken》 ★最も一般的な語; (小刻みに震える) quiver 自, tremble 自; (小刻みにびりびりと) vibrate 自; (ゆっくりまたは不安定に) sway 自; (乗り物・揺りかごなどが) rock 自; (つるした物が振り子のように) swing 自 《過去・過分 swung》; (炎などが) flicker 自; (気持ちが) waver 自; (船が横揺れする) roll 自; (船が縦揺れする) pitch 自. (☞ふるえる (類義語); しんどう¹; うごく).

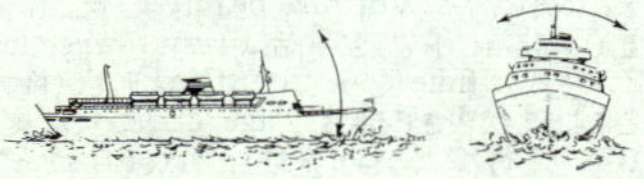

pitch　　roll

¶昨夜地震で家が*揺れるのを感じた I felt the house *shake* in the earthquake last night. // 電車が通るたびに地面が*揺れる The ground ˹*trembles* [*vibrates*] every time a train passes. // 木の枝が風に*揺れていた I saw the branches of the trees ˹*swaying* [*shaking*] in the wind. // 船は前後左右に激しく*揺れた Our ship ˹*rolled* and *pitched* [*rocked*] heavily. // テーブルの上につるしたランプが静かに*揺れている The lamp above the table *is swinging* gently. // ろうそくの火が風でちらちらと*揺れた The candle *flickered* in the wind. // 彼女の心は (⇒彼女は) 2人の男性の間で*揺れている She *is wavering* between the two men. // この電車はひどく*揺れる This train *rocks* a good deal.

ゆわえる 結わえる (ひもなどで1つに縛る) bind 他; (結び付ける) tie 他; (しっかりと結び付ける) fasten 他 ★ひも以外の方法で固定することにも使う. (☞しばる).

ゆわかし 湯沸かし (やかん) teakettle C, kettle C 語法 後者は鍋や釜の意味で使われることもある. (☞やかん² (挿絵)). ¶*湯沸かし器 a *hot-water heater* // 瞬間*湯沸かし器 a flash (*water*) *heater* / 《英》 a *geyser* /gíːzə/

ユングフラウ —名 固 the Jungfrau /júŋfraʊ/ ★スイス南部のアルプス中の高峰.

よ，ヨ

よ[1] 世, 代 **1** «世の中・世間»: the world [日英比較] 日本語では「世」という言葉が使われていても, the world を用いないで訳すほうがよい場合が多い. (☞ よのなか; せけん). ¶ 彼は原子物理学者として*世に知られている (⇒ 有名だ) He is ⌈*well-known* [*widely known*; *famous*] as a nuclear physicist. // *世にもまれな美しい… … of *rare* beauty // *世にも不思議な (⇒ 非常に不思議な) 話 a *very strange* tale
2 «時代»: time [C] ★ しばしば複数形で; (権力者などによって代表される時代) age [C]. (☞ じだい[1]; じせい[1]). ¶ 彼は*世の移り変わりについていけなかった He could not keep up with the *times*.
3 «現世・来世» ¶ この*世 this *world* (☞ このよ; うきよ) // あの*世 (⇒ 天国) Heaven / (⇒ 来世) the ⌈other [next] *world* // その詩人は若くして*世を去った (⇒ 死んだ) The poet *died* young.
世が世なら ¶ *世が世なら (⇒ もし時が移らなかったなら) 彼は億万長者だ If *time* had stood still he would be a billionaire. **世に言う** so-called, what is called; what ⌈they [you] call. ★ はじめの二つはくだけた表現, 最後のはやや格式ばった表現. **世に聞こえる** well-known, widely known, famous. **世に出る** (出世する) rise in the world; (現れる) appear (自); (出版される) be published. ¶ 彼は初め小説家として*世に出た (⇒ 名を成した) He *made his name* first as a novelist. **世に問う** publish (他), make … public. **世の終わりまで** till the end of ⌈time [the world]. **世のためになる** work for the ⌈common [general] good. **世の常** — [形] (普通の) usual; (一般的な) common; (ありふれた) ordinary. ¶ 大学を卒業したら就職するのが*世の常だ It is *common practice* for college students to get a job directly after graduation. // それが*世の常というものだ That's ⌈*life* [*the way it is*]. / Such is *life*. **世の習い** the way it's done; the way the world is. **世も末** ¶ あの人が人殺しだなんて. *世も末だ Just think of his being a murderer! What a *degenerate age* this is! **世を忍ぶ** (世間の目から隠れる) keep out of the public eye. **世を捨てる** (隠遁する) live in seclusion; (隠者になる) be a ⌈hermit [recluse]. **世をすねる** (世の中に背を向ける) turn *one's* back on the world. **世をはばかる** avoid ⌈human contact [the eyes of the world], shun public notice. **世を渡る** live (自); get along in the world, make *one's* way through the world.

よ[2] 代 reign, rule ★ 通例 the を付けて. ¶ 徳川の*代に under *the rule* of the Tokugawa

よ[3] 夜 night [C] (☞ よる[1]). ¶ 間もなく*夜が明ける *Dawn will* soon *break*. // *夜もふけてきた It's *getting late*. // 彼は*夜どおし起きていた He stayed up all *night* (long). **夜の目も寝ない** sit [stay] up all night, keep vigil. ¶ 母親は病気の赤ん坊を*夜の目も寝ずに看病した The mother *kept an all-night vigil* over her sick baby. **夜も日も明けない** (それなしでは少しの時間も過ごせない) can't spend even a little time without …; (それがすべてである) be everything (to …). **夜を日に継ぐ** — [副] night and day. ¶ 計画を時間通りに仕上げるために*夜を日に継いで働いた We worked *night and day* to finish the project on time.

-よ[1] …余 (以上) over …, more than … (☞ いじょう[1]; あまり[1]). ¶ 10 年*余 *over* [*more than*] ten years

-よ[2] ¶ 静かにしなさい*よ Do be quiet. // あっちへ行ってはいけません*よ You really must not go there. [日英比較] 文末や文節末に付く「-よ」は, 一般的には相手に念を押す強調表現となるが, 細かく分類すると, 断定, 確認, 非難, 命令, 禁止, 勧誘, 呼びかけ, 注意の喚起などの意味を表す. このような日本語表現を英語に直す場合, 話し言葉であればイントネーションなどで示すのが普通であるが, 書き言葉では「-よ」に相当する英語に直接置き換えることができないから, その内容を検討して適宜訳出するように注意しなければならない.

よあかし 夜明かし — [動] (一晩中寝ずにいる) stay up all night (☞ てつや; よふかし).

よあけ 夜明け daybreak [U], dawn [U] (↔ dusk) [語法] ほぼ同意だが, 後者は比喩的にも用いられる. (☞ あけがた; みめい). ¶ 私は*夜明けとともに起きた I got up at ⌈*dawn* [*daybreak*]. // 夜明け前に目的地につくだろう We'll reach our destination before ⌈*daybreak* [*dawn*].

よあそび 夜遊び — [動] (夜外出する) go out in the evening.

よあつ 与圧 — [名] pressurization [U]. — [動] (与圧をかける) pressurize (他). **与圧室** pressurized cabin [C] **与圧装置** pressurizer [C].

よあるき 夜歩き — [動] go out (late) at night (自).

よい[1] 良い, 善い **1** «すぐれている・上等な»: good (↔ bad) (☞ すぐれる; いい[1]). ¶ 彼女は*よい家柄の出だ She comes from a *good* family. // このカメラのほうがそれより*よい This camera is *better* than that one. // これは私がいままでに読んだ中で一番*よい本だ This is the *best* book I have ever read. // 彼女は頭が*よい She is ⌈*bright* [*clever*; *smart*]. [語法] clever は器用で小才がきく. smart は抜け目のない.
2 «程度が高い»: high (☞ たかい[1]; うえ[1]; いい[1]). ¶ 彼は数学で*よい点を取った He got a *high* grade in mathematics.
3 «好ましい» — [形] (事柄が) good ★ 広い意味をもつ最も一般的な語; (健康な) well [P]; (天気が) fine, nice, beautiful ★ この順に意味が強くなる; (幸運な) lucky. — [動] (好む) like (他); (望む) hope (他). (☞ このましい; いい[1]). ¶ あなたに*よい知らせがあります I have some *good* news for you. // 彼女は顔色が*よい She looks *well*. // *よい天気ですね (It's a) ⌈*nice* [*beautiful*] day, isn't it? // 彼は運の*よいやつだ He's a *lucky* man. // すべてうまく行けば*よいけど I *hope* everything goes well.
4 «正しい»: (道徳的・慣習的に) right; (誤りのない) correct. (☞ ただしい). ¶ あなたの判断は*よかった Your judgment was ⌈*right* [*correct*]. / (⇒ あなたは正しかった) You were ⌈*right* [*correct*] in your judgment.
5 «十分な» — [形] (用意のできた) ready. — [代] (十分) enough. ¶「準備は*よいですか」「ええ, 大丈夫です」"Are you *ready*?" "Yes, I am." // 君の自慢話はもう*よい (⇒ 十分に聞いた) I've had

enough of your boasting.
6《美しい》: (きれいな) beautiful; (美貌の)《略式》good-looking; (景色のよい) scenic. (☞ いい¹).
¶ 彼女は器量が*よい She is「*beautiful* [*good-looking*]. // 私たちは景色の*よい所で車を止めた We stopped the car at a *scenic* spot.
7《効果がある》: (ためになる) good; (効く) effective. (☞ きく²; こうか¹). ¶ 早起きは健康に*よい Getting up early is *good* for your health. // ビタミン C は風邪に*よい Vitamin C is *good* for colds. / Vitamin C is a *good* cure for colds. / (⇒ 風邪を予防する) Vitamin C prevents colds.
8《親しい》: (友好的な) friendly (☞ したしい; しんみつ; いい¹). ¶ 私は彼と仲が*よい I am on *good* terms with him. / (⇒ うまくいっている) I get along *well* with him.
9《適した》 ―形 good, suitable, appropriate /əpróupriət/ ★ この順に格式ばった言い方となる. ―動 (合う・ぴったりである) fit 他. (☞ てきする; てきせつ (類義語)). ¶ この時計は贈り物に*よい This clock「is [makes] a *good* gift. // この服は私にちょうど*よい This dress *fits* me very well.
10《助言》: (…するのがよい) had better …; (…するべきだ) should …; (してはどうですか, …しなさいよ) Why don't you …? 語法 had better は You had better … の形で用いると命令的な響きがあるので, 強い忠告以外では You should … またはくだけた言い方として Why don't you …? のほうがよい.
¶ 君はすぐそこへ行ったほうが*よい You「*had better* [*should*] go there at once. / *Why don't you* go there right away?
11《許可》 ―助 may, can 語法 (1) may は You may … の形で用いると「…してよい」と許可を与える言い方となり, 対等以上の相手には失礼なので, 少なくとも can を用いるか, あるいはもっと丁寧な Please … (どうぞ…して下さい) のようなほかの言い方を用いる. また, 相手に許可を求めて「…してよいですか」と言うときは, May I …? または Can I …? を用いるのがよく, より丁寧とされる.
¶ 君はもう帰っても*よい You「*may* [*can*] go home now. //「座っても*よいですか」「ええ, どうぞ」"*May* I sit down?" "Yes, of course. / Certainly."
語法 (2) "Yes, you *may*." とも言えるが, 普通は失礼になる.

よい² 宵 (early) evening Ⓒ (☞ ばん¹ (類義語)).
¶ まだ*宵の口だ It's still *early in the evening*. / (⇒ 夜はまだ早い) The *night is* (still) *young*.
宵越し ☞ 見出し **宵っぱり** ―動 (夜ふけまで起きている) stay up (till) late (at night) 自, keep late hours. ―名 (夜更かしをする人) night owl Ⓒ.
¶ 彼は*宵っぱりの朝寝坊だ He is *late to bed* and late to rise. // *宵っぱりは健康に悪い It is bad for your health to「*stay up late* (*at night*) [*keep late hours*]. **宵の明星** the evening star; (金星) Venus.

よい³ 酔い **1**《酒による》: drunkenness Ⓤ, intòxicátion Ⓤ ★ 後者のほうが格式ばった語. (☞ よう⁴). ¶ 彼はだんだん*酔いが回ってきていた He *was getting drunk*. / (⇒ だんだんアルコールが効き始めてきた) Gradually *the alcohol began to*「*tell upon* [*take effect on*] him. ★ 第 1 文のほうが口語的. // 4, 5 時間寝たら*酔いが覚めた I *sobered up* after I had slept for several hours.
2《乗り物酔い》 ―名 (車) carsickness Ⓤ; (船) seasickness Ⓤ; (飛行機) airsickness Ⓤ; (乗物全体) travel sickness Ⓤ. ―形 carsick; seasick; airsick; travel-sick ★ 以上 4 語は通例 Ⓟ. (☞ よう⁴). ¶ 私は船*酔いした I「*got* [*felt*] *seasick*.

よいごこち 酔い心地 ¶ *酔い心地は上々である be cheerfully *intoxicated* / feel pleasantly high

よいごし 宵越し **宵越しの金は持たない** ¶ 彼は*宵越しの金は持たない男だ (⇒ とても気前よく金を使う) He's very「*generous* [*free*] with his money. / (⇒ 稼ぐとすぐ使ってしまう) He *spends his money as quickly as he earns it*.

よいざまし 酔い覚まし ¶ *酔い覚ましにコーヒーを一杯いかがですか How about (drinking) a cup of coffee *to sober up*?

よいざめ 酔い覚め ―動 (酔いが覚める[を覚ます]) sober up 自 他 (☞ さます; よい³). ¶ *酔い覚めの水は甘露の味 (⇒ とてもうまい) The water you drink after *sobering up* tastes delicious.

よいしょ 日英比較 英語には日本語で用いる「よいしょ」に当たるような決まった掛け声はない. しかし, 特に重い物を持ち上げるときには「一, 二の三」One, two, three! など, また何か難しいことを始めたりするときには「さあ, いくぞ」の意味で Here goes! あるいは Here we go! などと言う. (☞ どっこいしょ).

よいしれる 酔いしれる (夢中になる) be drunk with … (☞ うっとり). ¶ 勝利に*酔いしれる *be*「*drunk* [(⇒ 恍惚となる) *ecstatic*] *with* victory

よいっぱり 宵っぱり ☞ よい²

よいつぶす 酔い潰す ¶ 彼に酒で*酔いつぶされた He *drank* me *under the table*. ★ under the table は《略式》で「酔いつぶれて」.

よいつぶれる 酔い潰れる (たいへん酔う) be「dead [blind] drunk; (泥酔して意識不明になる)《略式》páss óut 自. ¶ 彼はウイスキーを 1 本飲んで*酔いつぶれた After drinking a bottle of whisky, he *passed out*.

よいどめ 酔い止め (乗り物酔いのための薬) anti-motion-sickness drug Ⓒ, travel sickness pill Ⓒ.

よいどれ 酔いどれ ☞ よっぱらい

よいのくち 宵の口 ☞ よい²

よいのみょうじょう 宵の明星 ☞ よい²

よいまちぐさ 宵待草 〔植〕(待宵草) evening primrose Ⓒ.

よいみや 宵宮 〔神道〕(前夜祭の儀式) the eve「rite [ceremony] (of a festival) Ⓒ; (前夜祭) festival eve Ⓒ.

よいやみ 宵闇 (たそがれ) twilight Ⓤ; (夕闇) dusk Ⓤ ★ dusk のほうが twilight より暗い. ¶ *宵闇が迫った *Dusk* fell.

よいん 余韻 ―名 (残響) reverberation Ⓤ ★ 時に複数形で; (楽しいことがあった後の) áfterglòw Ⓒ. ―形 (含蓄のある) suggéstive. ¶ その鐘の*余韻がまだ耳に残っている The *reverberations* of the bell still linger on.

よう¹ 用 (するべきこと) something to do; (仕事) business Ⓤ. (☞ ようじ¹). ¶ きょうの午後私は*用がある I have *something to do* this afternoon. / (⇒ 午後はふさがっている) I *am*「*busy* [*occupied*] this afternoon. // 彼は*用があって大阪へ行った He went to Osaka on *business*. // 何かご*用ですか What can I do for you? 語法 受付などでよく使われる言葉. (☞ ごよう¹) // 彼は年中私に*用を言い付ける He *orders* me「*about* [*around*] all the time. // *用もないのにそんなところにいるな Don't hang「around [《英》 about] *with nothing to do*.
用がない ¶ 私はそんな本には*用がない (⇒ 興味がない) I'*m not interested in* that kind of book.
用を足す ¶ ちょっと*用を足してきます Excuse me. I've got *an errand* to run. / (⇒ 手洗いに行ってきます) Excuse me. I've got to go [I'm just going] to the「rest room [bathroom]. (☞ ようたし¹; てあらい¹) **用をなす** ¶ それでは*用をなさない (⇒ 役に立たない) That won't *do*. / That's *useless*.

よう² 洋 ¶ これは*洋の東西を問わず (⇒ 世界中で)

真実だ This is true ⌈*all over* [*throughout*] *the world*. / This is *universally* true.

よう[3] 要 ―名 (要点) the point; (物事の大切な部分) the ⌈essential [most important] ⌈point [thing]. ―動 (要する) need (他), require (他) ★ 後者のほうが格式ばった語. (☞ ようてん[1]).
¶ *要は不断の努力だ *The most important thing* is to make continuous efforts. // 彼女の言ったことは*要を得ている[*要を得ていない] Her remarks are ⌈*to the point* [*off the point*]. // *要確認 *Need* confirmation. **要注意** ☞ 見出し **要は** (要するに) in short (☞ ようするに).

よう[4] 酔う **1** 《酒に》: get drunk, become [get] intóxicàted ★ 後者のほうがやや格式ばった表現. (☞ よっぱらう; よい[3]). ¶ 彼は酒に*酔うと口が軽くなる When he *gets drunk* he becomes talkative. // 彼は酒に*酔って車を運転し逮捕された He drove while *intoxicated* and was arrested. 参考 酒酔い運転は DWI (=*D*riving *W*hile *I*ntoxicated) と略されることがある. 《英》は drunk driving.
2 《乗り物に》: get [become] sick (☞ よい[3]).
¶ 私は船に*酔わない I never *get seasick*. / I'm a *good sailor*. ★ この表現は慣用的. 反対は poor sailor. // 私は飛行機に*酔った I *got airsick*.
3 《比喩的に》: (有頂天になる) be intóxicàted; (得意になる) be eláted. (☞ とくい[1]; うちょうてん).
¶ 彼は成功に*酔っていた He *was intoxicated* ⌈*with* [*by*] his success. // 彼らは勝利に*酔っていた They *were elated* ⌈*at* [*by*; *with*] the victory.

よう[5] 陽 ¶ 陰に*陽に ☞ いん[3].

よう[6] 癰 〔医〕 cárbuncle Ⓒ.

よう[7] 俑 terra-cotta statue (found in ancient graves in China) Ⓒ. ¶ 兵馬*俑 ☞ へいば

よう[8] 杳 ¶ 容疑者の行方は依然*杳としてわからない The whereabouts of the suspect ⌈*remain* [*remains*] ⌈*utterly unknown* [*a complete mystery*].

よう[9] 庸 〔日本史〕(物納) tax in kind Ⓤ; (説明的には) one of the main tax systems (*so-yo-cho*) in the Nara and Heian periods; the *yo* tax or payment in kind (mainly textiles) was imposed on farmers instead of 10-day labor in the capital. (☞ りつりょう; そようちょう).

-よう[1] …様 **1** 《同じく》 ―前 like … ―接 as … ―名 (方法) way Ⓒ. (☞ -とおり[1]; どうよう[1]; ふう[1]). ¶ それはこの*ようにやりなさい Do it ⌈*like* this [this *way*]. // 私は言われた*ようにやっただけです I only did *as* I was told. // 私はいつもの*ように 8 時に帰宅した I returned home at eight *as* usual. // ご存じの*ように彼は実に好青年です *As* you know, he is a very good young man.
2 《似ている》 ―前 like … ―接 (まるで…のように) as if … (☞ まるで). ¶ 彼女はまるで映画俳優の*ようだった She looked just *like* a movie star.
3 《らしい》 ―接 as if … ―動 (思われる) seem (自). (☞ -らしい; まるで; -みたい).
¶ 彼は酔っている*ような歩き方だった He was walking *as if* he ⌈were [was] drunk. 語法 口語では as if の後で直説法もしばしば使われる. (☞ まるで 語法) // 彼は正直者の*ようだ He *seems* ⌈honest [(to be) an honest man].
4 《例・種類》 ―形 (そのような) that kind of …, such ★ 前者のほうが口語的. ―名 (種類) kind Ⓒ, sort Ⓒ ★ 後者のほうがより口語的. (☞ そういう). ¶ その*ような言葉を使ってはいけない Don't use *such* language. // 私は野球やテニスの*ようなスポーツが好きだ I like sports *such as* baseball and tennis.
5 《有様・様子》 ¶ 彼女の喜び[悲しみ, 悔しがり]*様は普通ではなかった Her ⌈joy [sorrow; chagrin] was extraordinary. ★ このように特に「様」に相当する英語は必要としないことが多い.
6 《目的》: (…ができるように) so that … ⌈may [can] …; (…するために) in order [so as] to *do* … (☞ ため). ¶ よく眠れる*ように明かりを消しなさい Put out the light *so* (*that*) you *can* get a good night's sleep. // 彼は入試に受かる*ように一生懸命勉強した He worked hard ⌈*in order* [*so as*] *to* pass the entrance examination. // 私は会合に遅れない*ように急いだ I hurried up ⌈*so that* I *wouldn't* [*in order not to*] be late for the meeting.
7 《願望》 ―助 may. ―動 (祈る) wish (他).
¶ あなたとご家族が幸せであります*ように *May* you and your family be happy.

-よう[2] …用 ¶ 婦人[紳士]*用靴下 ladies' [men's] socks (☞ アポストロフィ (巻末)) // 業務*用の for ⌈business [office] ⌈*use* [*purposes*] // 家庭*用の for family ⌈*use* [*purposes*]

ようい[1] 用意 ―形 (用意のできた) ready Ⓟ. ―名 (準備) preparation Ⓤ; (準備ができている状態) readiness Ⓤ; (手配) arrangements ★ 通例複数形で. ―動 (準備をする) prepare (他), get … ready ★ 後者が口語的; (手配して準備する) arrange (for …) (自). (☞ じゅんび; したく[1]; おぜんだて).
¶ 母は夕食の*用意をしている Mom *is* ⌈*preparing* dinner [*getting* dinner *ready*]. // 「旅行の*用意はできましたか」「ええ, できました」"*Are* you *ready for* the trip?" "Yes, I am." // *用意《号令》 *Ready*! // 彼はいつでも*用意がいい He is always *well-prepared*. **用意周到** ―形 ready, properly, prepared. ¶ 彼は*用意周到な (⇒ とても注意深い) 計画を立てた He made a *very careful* plan. (☞ しゅうとう) **用意ドン!** ¶ 位置について, *用意ドン! On your marks, *get set, go*!

ようい[2] 容易 ―形 (易しい) easy; (簡単な) simple. ―名 ease Ⓤ; simplicity Ⓤ. (☞ やさしい[2]; かんたん[1]; らく).
¶ *容易な (⇒ 解決しやすい) 問題 an *easy* [a *simple*] problem to solve // その違いを述べるのは*容易だ (⇒ 難しくない) It's *not* ⌈*hard* [*difficult*] to tell the difference. // *容易ならない (⇒ 重大な) 情勢になってきた The situation has become *serious*.

ようイオン 陽イオン 〔物理〕 positive ion Ⓒ.

よういく 養育 ―動 bring úp (他) (☞ やしなう; そだてる). **養育里親制度** foster care system Ⓒ **養育費** the expense of bringing up children; (離婚後の子供の) child support Ⓤ.

よういん[1] 要因 factor Ⓒ (☞ げんいん[1]).
¶ 誠実さが彼が成功した最大の*要因だった Honesty was the most important *factor* in his success.

よういん[2] 要員 essential ⌈personnel [workforce] ★ 複数扱い.

ようえい 揺曳 ―動 (雲・煙などがたなびく) trail (自); (感情などが消えない) linger (自); (揺れる) waver (自); (音が残る) reverberate (自); (霧などが(…に)かかる) hang (over …).

ようえき[1] 溶液 solution Ⓒ (☞ えき[2]).

ようえき[2] 用益 **用益権** 〔法〕 usufructuary rights ★ 通例複数形で; usufruct Ⓤ **用益物件** 〔法〕 usufructuary property Ⓤ, usufruct Ⓤ.

ようえきさいばい 養液栽培 hydroponics ★ 単数扱い; (水耕法) water culture Ⓒ; (説明的には) growing plants in a nutrient(-containing) solution Ⓤ.

ようえきち 要役地 〔法〕(土地) dominant land Ⓒ; (地所) dominant ⌈estate [tenement] Ⓒ ★ estate のほうが規模が大きい.

ようえん 妖艶 ―名 (妖しい魅力) glamour Ⓤ. ―形 (色っぽい) glamorous /glǽm(ə)rəs/. (☞ グ

ラマー¹ [日英比較]》.

ようおん 拗音 palatalized syllable in Japanese Ⓒ.

ようか¹ 沃化 〘化〙 **沃化銀** silver iodide /áɪə-dàɪd/ Ⓤ **沃化物** iodide Ⓒ.

ようか² 養家 (養子として入籍した家) adoptive family Ⓒ ★ 入籍していない場合は foster family Ⓒ.

ようか³ 蛹化 〘昆〙 ― [名] pupation Ⓤ. ― [動] pupate (自).

ようが¹ 洋画 (絵) Wéstern [Éuropèan] ⌈páinting [árt] Ⓒ; (油絵) oil painting Ⓒ; (映画) foreign film Ⓒ.

ようが² 陽画 positive Ⓒ.

ようが³ 幼芽 〘植〙 plumule /plú:mju:l/ Ⓒ; 〘生〙 germ Ⓒ. 《☞ はいが¹; わかめ²; め²》.

ようが⁴ 葉芽 〘植〙 leaf bud Ⓒ 《☞ め²》.

ようかい¹ 溶解 ― [動] (固体が液体の中で溶ける) dissolve /dɪzɑ́lv/ (自) (他); (熱によって固体が溶ける) melt (自) (他). ― [名] dissolution Ⓤ. ― [形] (水などに溶ける) sóluble. 《☞ とかす¹ (類義語); とける¹》.
¶ この物質は水に*溶解する This substance ⌈is *soluble* [*dissolves*] in water. / This substance is water-*soluble*. **溶解液** solution Ⓒ 《☞ ようえき¹》 **溶解性** solubility Ⓤ **溶解度** solubility Ⓤ **溶解度曲線** 〘化〙 solubility curve Ⓒ **溶解度積** 〘化〙 solubility product Ⓒ **溶解熱** heat of dissolution Ⓤ **溶解炉** melting furnace Ⓒ.

ようかい² 妖怪 (怪物) monster Ⓒ; (醜い悪鬼・小鬼) goblin Ⓒ; (幽霊) ghost Ⓒ. 《☞ おばけ》.

ようかい³ 要解 commentary on essential points Ⓒ.

ようかい⁴ 容喙 ☞ くちだし

ようがい 要害 (防衛上重要な地点) strategic point Ⓒ; (要塞) stronghold Ⓒ. 《☞ ようさい²; とりで》.

ようかいご 要介護 〘福祉〙 ― [形] [副] (介護保険の) in need of (long-term) care. ― [動] require (long-term) nursing care. ¶ *要介護(度) 3 *care* level 3 / *in need of care* 3 《☞ かいご¹》 **要介護認定** (公式の認可) certification as a recipient of services under the nursing-care insurance system Ⓤ; (査定) care need assessment Ⓒ.

ようかカリウム 沃化カリウム 〘化・薬〙 potassium iodide /áɪədàɪd/ Ⓤ. **沃化カリウム澱粉紙** 〘薬〙 potassium iodide starch paper Ⓤ.

ようかぎん 沃化銀 ☞ ようか¹

ようがく¹ 洋楽 Wéstern [Éuropèan] músic Ⓤ.

ようがく² 洋学 Western learning Ⓤ. **洋学者** scholar of Western learning Ⓒ.

ようがさ 洋傘 umbrella Ⓤ.

ようがし 洋菓子 (ケーキ) cake Ⓒ ★ 大きなケーキを切った 1 片は a piece of cake という. 《☞ かし¹; 数の数え方 (囲み)》.

ようかすいそ 沃化水素 〘化〙 hydrogen iodide Ⓤ.

ようかた 養方 *one's* foster parental side Ⓒ.

ようがっき 洋楽器 Western musical instrument Ⓒ.

ようかぶつ 沃化物 ☞ ようか¹ (沃化物)

ようかん¹ 羊羹 Japanese bean jelly Ⓤ.

ようかん² 洋館 building [house] in ⌈Western [European] style Ⓒ, Western-style building Ⓒ.

ようがん 溶岩 lava /lɑ́:və/ Ⓤ.
溶岩塊 lava boulder Ⓒ **溶岩湖** lava lake Ⓒ **溶岩尖塔** lava pinnacle Ⓒ **溶岩台地** lava plateau /plætóʊ/ Ⓒ **溶岩ドーム** lava dome Ⓒ **溶岩トンネル** lava tunnel Ⓒ **溶岩噴泉** lava fountain Ⓒ **溶岩流** stream of lava Ⓒ, lava flow Ⓒ.

ようき¹ 陽気 ― [形] (快活な) cheerful ★ 最も一般的な語; (活発でにぎやかな) lively /láɪvli/; (浮き浮きとして騒いだりして) happy, merry ★ 後者は文語的. 《☞ ほがらか; たのしい》.
¶ 私の妹はもともと*陽気なたちだ My sister is *cheerful* by nature. // さあ, 今夜は*陽気に騒ごう (⇒ 楽しいこと[楽しい時]を持ちましょう) Let's *have* ⌈*fun* [*a good time*] tonight. // 彼らはみんな*陽気に笑っていた They were all laughing ⌈*happily* [*merrily*].

ようき² 陽気 (天候) weather Ⓤ. ¶ 結構な*陽気ですね Beautiful *weather* [Nice *day*], isn't it? // それは*陽気のせいですよ Perhaps the *weather* has something to do with it. // これはばか*陽気だ (⇒ いまの時期にしては暑すぎる) It's ⌈unusually [unseasonably] hot for this time of the year.

ようき³ 容器 container Ⓒ 《☞ いれもの》. **容器栽培** container culture Ⓤ **容器包装リサイクル** recycling of ⌈wrapping [packing] ⌈materials [paper] Ⓤ **容器(包装)リサイクル法** the Container and Packaging Recycling Law.

ようき⁴ 妖気 (不吉な雰囲気) sinister atmosphere Ⓒ; (不気味な雰囲気) mysterious /mɪstí(ə)riəs/ [eerie /í(ə)ri/] atmosphere Ⓒ; (ぞっとするような感じ) weird /wíəd/ ⌈feeling [air] Ⓒ. ¶ その古城のあたりにはなにか*妖気が漂っている There is an *eerie atmosphere* around the ancient castle.

ようぎ 容疑 suspicion Ⓤ ★ 具体的には Ⓒ. 《☞ うたがい; けんぎ¹; ぎわく》.
¶ 彼は殺人の*容疑を受けている He *is* a murder *suspect*. // 彼は一連の犯行で 6 件の殺人*容疑に問われている He *is suspected of* (⌈committing [having committed]) six murders during his crime spree. ★ spree は「ばか騒ぎ」の意で crime spree で「いろいろな犯行を重ねること」. // 警察は彼を窃盗の*容疑で逮捕した The police arrested him ⌈*for* [*on charges of*] theft. [語法] 日本語で「容疑」という語が使われていても英語では for のみでもよい. // 彼の*容疑は晴れた His *suspicions* have been dispelled. **容疑者** súspect Ⓒ 《☞ はんにん [日英比較]》 **容疑者の権利** the rights of a criminal suspect; 《米》 Miranda rights ★ 複数形で. 黙秘権や弁護士を要求する権利などを含む. アリゾナ州で尋問に先立ってこれらの権利を宣告されなかったため無罪になった容疑者の名から.

コロケーション

容疑をかけられる come under [incur] *suspicion* / 容疑をかける cast *suspicion* / 容疑を固める confirm a *suspicion*

ようきひ 楊貴妃 ― [名] (個) Yang ⌈Kuei-fei [Gui-fei] /jɑ́:ŋgwì:féɪ/, 719-756. ★ 唐の玄宗の妃.

ようきゅう¹ 要求 ― [動] (権利として強く要求する) demand (他); (当然必要なこととして要求する) require (他) ★ 前者のほうが語調が強い; (命令する) order (他). ― [名] demand Ⓒ; requirement Ⓒ. 《☞ もとめる》.
¶ 私たちは彼に説明を*要求した We *demanded* an explanation from him. // 私たちはその場から直ちに立ち退くよう*要求された We *were ordered* to leave the place immediately. / They *demanded* that we evacuate the place immediately. ★ 第 2 文は格式ばった言い方. // 労働者は賃上げ*要求のストライキ中だ The workers are on strike *demanding* higher wages. // 組合の*要求はほぼ満たされた The *demands* of the ⌈(labor) union [《英》 (trade) union] were almost met. // あらゆる*要求に応じることはできない It is impossible to meet every *requirement*. // 時代の*要求 the ⌈*needs* [*requirements*] of

the times // *要求の多い上司 a *demanding* boss 要求水準 (個人の主観的目標度) level of aspiration [C]; (必要度) required level [C]; (要請度) requested level [C].

コロケーション

飽くなき要求 an insatiable *demand* / 過大な要求 an excessive *demand* / 最低限の要求 a minimum *demand* / しつこい要求 an insistent *demand* / 筋の通った要求 a reasonable *demand* / 強い要求 a strong *demand* / 不当な要求 an unreasonable *demand* / 法外な要求 an exorbitant /ɪgzɔ́əbətnt/ *demand* / 要求に屈する yield to a *demand* / 要求を拒否する reject a *demand* / 要求を出す make a *demand* / 要求を取り下げる drop a *demand* / 要求を無視する ignore a *demand*

ようきゅう[2] 洋弓 (Western) bow /bóʊ/ [C]; (洋弓術) (Western) archery [U]. (☞ ゆみ).

ようぎょ[1] 幼魚 ☞ ちぎょ

ようぎょ[2] 養魚 fish ˹farming [raising] [U]; (養殖法) fish culture [U]. **養魚池** fishpond [C] **養魚場** ☞ 見出し.

ようきょう 容共 ── 動 (共産主義に甘い) be soft on communism. ── 形 (賛同している) pro-communist. **容共政策** pro-communist policy [C] **容共派** pro-communists.

ようぎょう 窯業 cerámics [U]; (製陶工業) ceramic industry [U].

ようきょく[1] 陽極 positive pole [C]. **陽極線** 〘物理〙 anode [positive] rays ★ 通例複数形で. **陽極泥** 〘化〙 anode slime [U].

ようきょく[2] 謡曲 Noh song [C].

ようぎょじょう 養魚場 (池) fish-breeding pond [C]; (全体) fish farm [C].

ようきん 溶菌 〘免疫〙 ── 名 bacteriolysis /bæktì(ə)riáləsɪs/ [U]. ── 形 (溶菌性の) bacteriolytic.

ようぎん 洋銀 nickel [German] silver [U].

ようぐ 用具 (手で扱う道具) tool [C]; (器具) ínstrument [C]; (料理・掃除などの) uténsil [C]; (仕事の助けになる用具一般) ímplement [C] ★ 前の 2 語より格式ばった語. (☞ どうぐ (類義語); きぐ[1]).

¶ 台所*用具 kitchen *utensils* // 運動*用具 sporting *goods*

ようけい 養鶏 poultry farming [U]. **養鶏家** poultry farmer [C] **養鶏場** poultry [chicken] farm [C].

ようけいさいるい 葉茎菜類 leaf(y) or stem vegetables ★ 複数形で. (☞ はもの[2]; あおもの).

ようけいせいじゅく 幼形成熟 〘生〙 neoteny /niátəni/ [U].

ようげき 要撃 ── 名 ambush [C]. ── 動 lie in ˹ambush [wait] (for ...), ambush 他 自.

ようけつ 溶血 〘医〙 ── 名 hemolysis /hɪmáləsɪs/ [U]. ── 動 hemolyze 他 自. ── 形 (溶血性の) hèmolýtic. **溶血現象** hemolysis [U] **溶血性尿毒症症候群** 〘医〙 hemolytic-uremic syndrome [C] **溶血性貧血** hemolytic anemia [U] **溶血素** hemolysin [U] **溶血反応** hemolytic reaction [C].

ようけん[1] 用件 business [U] (☞ ようじ[1]).

ようけん[2] 要件 (必要な条件) necessary [required] condition [C]; (前提条件) precondition [C]; (重要な用事) important matter [C], important business [U]. (☞ じょうけん; ようじ[1]). ¶ *要件を満たす fulfill [meet; satisfy] the ˹*necessary* [*required*] *conditions*

ようけん[3] 洋犬 Western dog [C].

ようげん 用言 (日本語文法の) *yogen* [C]; (説明的には) word with inflectional endings which can be used as a predicate [C].

ようご[1] 用語 (専門の術語) term [C] ★ 特に専門語でなく, ある特定の語を指すのにも用いられる; (専門用語全体を指して) terminology [U]; (特殊な人たちだけに通じる用語) jargon [C]. ¶ 科学*用語 scientific *terms* // この本の*用語は難しい The *terminology* in this book is difficult.

用語法[論] terminology [U].

ようご[2] 擁護 ── 動 (支持する) support 他; (弁護する) defend 他; (支持・弁護する) uphold 他; (...の側に立つ) stand by ... 語法 目的語は通例個人. ── 名 support [U]; defense (《英》 defence) [U]. (☞ べんご; かばう; まもる).

¶ 私たちは第 2 次大戦後民主主義を*擁護してきた We *have supported* democracy since the end of World War II. // 彼女は夫の不倫にもかかわらず彼を*擁護した She *stood by* her husband despite his infidelity. // 我々は現行の憲法を*擁護 (⇒ 維持) すべきだ We should *maintain* the present constitution. // ジョン ロックは人権を*擁護するために「市民政府二論」を書いた John Locke wrote his *Treatises on Civil Government* in order to *uphold* human rights.

ようご[3] 養護 (保護) protection [U].

養護学校[学級] school [class] for (˹physically [mentally]) handicapped children [C] **養護教諭** (保健担当の先生) school nurse [C]; (養護学級の先生) teacher for (˹physically [mentally]) handicapped children [C] **養護施設** protective institution [C] **養護老人ホーム** nursing home for the ˹elderly [aged] [C].

ようこう[1] 要項 (大事な点) key [essential] points ★ 複数形で; (内容説明書・案内書) prospéctus [C]. (☞ ようし[1]; ようてん[1]). ¶ 入学*要項 (⇒ 必要事項のリスト) をお送り下さい Please send me a *list of* the entrance *requirements*.

ようこう[2] 要綱 (概要) óutlìne [C]; (要約) summary [C]; (概括的な趣旨) general idea [C].

ようこう[3] 陽光 (太陽の光線) sunlight [U]; (日光) sunshine [U] ★ 後者はしばしば the を付けて. 光と暖かさの意味を含む.

ようこう[4] 洋行 ── 動 go ˹overseas [abroad]; (旅行する) travel ˹overseas [abroad]. **洋行帰り** (帰ったばかりの人) a person who has just returned from ˹overseas [abroad]; (外国で暮らしたことのある人) a person who has lived in a foreign country. (☞ がいゆう[1]).

ようこうひ 揚抗比 〘空〙 lift-drag ratio [C].

ようこうろ 溶鉱炉 blast furnace [C].

ようこく 陽刻 〘彫刻〙 ── 名 (浮き彫り) relief [U]. ── 動 engrave [carve] ... in relief 他.

ようこそ ¶ *ようこそおいで下さいました《待っていた客が来たとき》(⇒ お待ちしていました) We'*ve been expecting* you. / We'*ve been looking forward to* your visit. / (⇒ またお目にかかれてうれしい) It's ˹*great* [*nice*] to see you again. / (⇒ 来て下さってなんとうれしいことか) I'*m so glad* that you could visit our home today! / 《突然来た客に向かって》(⇒ なんとうれしい驚きでしょう) What a pleasant surprise! // *ようこそ日本へ *Welcome* to Japan! ★ 公式な場でのあいさつ, または垂れ幕などに書く表現.

ようこん 幼根 〘植〙 radicle [C].

ようさい[1] 洋裁 dressmaking [U]. **洋裁学校** dressmaking [dressmakers] school [C] **洋裁師** dressmaker [C].

ようさい[2] 要塞 stronghold [C]; (砦) fort [C], fortress [C] ★ fortress は大規模なもの. **要塞都市**

fortified「city [town] Ⓒ; (規模の大きな) castle「town [city] Ⓒ, fortress city Ⓒ.

ようさい(るい¹) 洋菜(類) Western vegetable Ⓒ.

ようさいるい² 葉菜類 green [leaf(y)] vegetables ★ 複数形で. (☞ ようけいさいるい).

ようざい¹ 用材 (材木) lumber Ⓤ, 《英》 timber Ⓤ; (材料) material Ⓒ. ¶建築*用材 building *materials*

ようざい² 溶剤 solvent Ⓒ.

ようさん¹ 養蚕 ―[名] sericulture /sérɪkʌ̀ltʃə/ Ⓒ. ―[動] (養蚕をする) raise silkworms.
養蚕家 sericulturist Ⓒ 養蚕業 the sericultural industry.

ようさん² 葉酸 〔化〕 folic acid Ⓤ.

ようし¹ 要旨 (大要) óutline Ⓒ; (要約) summary Ⓒ; (要点) the gist /dʒíst/ ★ やや格式ばった語; (大切な点) key [main] points, the「important [essential] points ★ いずれも複数形で. (☞ がいじゃく; ようてん¹).
¶この章の*要旨は次のとおり The「*summary* [*outline*] of this chapter is as follows: ... (☞ コロン (巻末)) // 彼の話の*要旨だけを言って下さい Please give us only *the gist* of his account.

ようし² 用紙 (...用の紙) paper Ⓤ; (欄などが設けてあり, 書式の整ったもの) form Ⓒ.
¶タイプ*用紙を 1 冊買った I bought a pad of typing *paper*. // この*用紙に書き込んで下さい Please fill「in [out] this *form*.

ようし³ 容姿 (姿) figure Ⓒ (☞ すがた).
¶彼女は*容姿が美しい She has a「graceful [beautiful] *figure*. 容姿端麗 ―[形] handsome, good-looking, personable. ¶彼女は*容姿端麗だ She has a「*good* [*graceful*] *figure*.

ようし⁴ 養子 adopted [foster] child Ⓒ. ¶女の赤ん坊を*養子にする *adopt* a baby girl // *養子に行く be *adopted* 養子縁組 adoption Ⓤ.

ようし⁵ 陽子 〔物理〕 próton Ⓒ (☞ げんし¹ (挿絵)). 陽子線 proton radiation Ⓤ 陽子線治療 〔医〕 proton (radiation)「therapy [treatment] Ⓤ.

ようし⁶ 洋紙 (Western) paper Ⓤ (☞ かみ²).

ようし⁷ 溶滓 slag Ⓤ, cinder Ⓤ.

ようじ¹ 用事 (仕事) business Ⓤ ★ 意味の広い一般的な語で, 個人的な用事も商用・公用も指す; (なすべき仕事) things to do; (会合などの約束) engagement Ⓒ. (☞ しごと; よう¹; ようけん¹).
¶彼は*用事で町を出ています He is out of town on *business*. // きょうは*用事 (⇒ すること) がたくさんある I have a lot of *things to do* today. // *用事 (⇒ 先約) があるので失礼いたします Will you please excuse me? I have a *prior engagement*.

ようじ² 幼児 (小さな子供) small child Ⓒ; (赤ん坊から学齢前の子供) infant Ⓒ [語法] やや格式ばった語. 普通 7 歳ぐらいまでの幼児を指すが, 2, 3 歳ぐらいまでの赤ん坊だけを言う場合もある; (歩き始めの子) toddler Ⓒ; (小児) (tiny) tot Ⓒ [日英比較] 口語的で「チビ」という感じ. ただし, 日本語の「チビッ子」よりは年齢が下. (☞ ちび; こども).
¶こちらは*幼児用のおもちゃです These are toys for「*small children* [*tiny tots*; *infants*].
幼児期 infancy Ⓤ; (乳児期) babyhood Ⓤ 幼児虐待 infant [child] abuse Ⓤ ★ [ ] 内は乳児から学齢前の子供を含む意味の広い表現. 幼児教育 infant education Ⓤ; (学齢前の) preschool education Ⓤ 幼児語 baby talk Ⓤ 幼児食 baby [infant] food Ⓤ 幼児心理学 child psychology Ⓤ 幼児性愛(者) ☞ しょうに 幼児洗礼 infant baptism Ⓒ, pedobaptism Ⓤ.

ようじ³ 楊枝 (つまようじ) toothpick Ⓒ.

ようじ⁴ 幼時 childhood Ⓤ (☞ ようねん).
¶*幼時に in *one's childhood* / when *one* is *very young*

ようじ⁵ 用字 (文字を用いること) the use of characters; (使われた文字) characters used. 用字法 the use of characters; (つづり字法) spelling Ⓤ; (正書法) orthography Ⓤ; (表記法) notation Ⓤ.

ようじうお 楊子魚 pipefish Ⓒ.

ようしえん 要支援 〔福祉〕 ―[形] [副] in need of support ★ 介護保険用語. (☞ かいご¹ (介護保険)).

ようしき¹ 様式 (ある時代・地域などの) style Ⓒ; (芸術・生活などの) mode Ⓒ; (流儀) way Ⓒ; (独特のやり方) manner Ⓒ.
¶ゴシック*様式の建築 the Gothic *style* of architecture / Gothic architecture // 彼らの生活*様式は私たちのものとはたいへん違っていた Their「life-*style* [*mode* of living; *way* of living; *manner* of living] was quite different from ours.
様式化 formalization Ⓤ.

ようしき² 洋式 Western style Ⓤ (☞ ようふう).
¶*洋式トイレ a *Western-style* toilet

ようしき³ 要式 ―[形] (一定の方式が必要な) formal. ―[名] formality Ⓤ. 要式行為 〔法〕 formal act Ⓒ (↔ informal act) 要式証券 formal instrument Ⓒ.

ようしじいやくひん 要指示医薬品 prescription legend drug Ⓒ.

ようしつ¹ 溶質 〔化〕 solute Ⓒ.

ようしつ² 洋室 Western-style room Ⓒ.

ようしゃ¹ 容赦 ―[動] (許す) forgive (他); (大目に見る) pardon (他); (苦しいことを免じてやる) spare (他). ―[名] forgiveness Ⓤ; pardon Ⓤ. (☞ ゆるす).
¶スピード違反者は*容赦なく (⇒ きびしく) 取り締まります We will punish speeders *harshly*. // 彼の両親は*容赦なくしつけをする (⇒ 大変厳しい) His parents are *very strict*.

ようしゃ² 溶射 〔工〕 ―[名] thermal spray(ing) Ⓤ (略 TS), metallization Ⓤ. ―[動] thermal spray (他), metallize (他).

ようじゃくホルモン 幼若ホルモン 〔生〕 juvenile hormone Ⓒ.

ようしゅ 洋酒 Western liquor Ⓤ ★ 種類をいうときは Ⓒ. (☞ さけ¹).

ようじゅ 陽樹 light-demanding tree Ⓒ, intolerant tree Ⓒ (↔ shade-tolerant tree). 陽樹林 light-demanding [-intolerant] forest Ⓒ.

ようじゅつ 妖術 (魔女が使うとされる呪術) witchcraft Ⓤ; (魔術師の行う術) sorcery Ⓤ. (☞ まほう).

ようしゅん 陽春 (春) spring Ⓤ; (うららかな春) balmy spring Ⓒ. (☞ はる¹).

ようしょ¹ 要所 key [important] point Ⓒ (☞ ようてん¹). ¶*要所要所にはガードマンを配置します Guards will be placed at every *key position*. // 彼らは*要所を固めた (⇒ 戦略上重要な箇所を強化した) They fortified all the *strategic points*.

ようしょ² 洋書 foreign [Western] book Ⓒ.

ようじょ¹ 養女 (正式な手続きをした) adopted daughter Ⓒ; (戸籍上の手続きなく, または一時的な) foster daughter Ⓒ.

ようじょ² 幼女 little girl Ⓒ (☞ しょうじょ).

ようじょ³ 葉序 〔植〕 (葉が茎につく配列状態) phyllotaxis /fìlətǽksɪs/ Ⓒ (複 -taxes).

ようじょ⁴ 妖女 (魅惑的な女) enchantress Ⓒ; (魔女) witch Ⓒ.

ようしょう¹ 幼少 ―[名] (幼年時代) childhood Ⓤ; (幼時) ínfancy Ⓤ ★ 格式ばった語. ―[形] (幼い) young (↔ old) [語法] 一般的な語. 意味が広く, 幼少から青年期ぐらいまでに使われ, 前後関係で意味が決まる; (幼児(期)の) ínfantile ★ 格式ばった語. (☞ こども; ようじ[2]; おさない).
¶ *幼少のころ, 私は病弱だった I was 「physically weak [sickly] 「when *I was a young child* [*in my (early) childhood*].

ようしょう[2] 要衝 strategic /strətíːdʒɪk/ 「point [position] Ⓒ (☞ ようしょ[1]).

ようしょう[3] 葉鞘 〔植〕 leaf sheath Ⓒ.

ようじょう[1] 養生 ── 動 (大事にする) take care of *oneself*; (病後に健康を回復する) 《格式》 recúperàte 自, cònvalésce 自. ── 名 recuperation Ⓤ, cònvaléscence Ⓤ. ¶ おばは*養生のために田舎に滞在しています My aunt is staying in the country 「to *recuperate* [for *recuperation*; for *her health*]. // どうぞしっかり*養生をなさって下さい Please *take good care of yourself*.
『養生訓』 *Precepts for Health* ★ 貝原益軒の著書 (1713) の書名の英訳.

ようじょう[2] 洋上 (海上で) on the 「ocean [sea]; (船上で) on board. (☞ かいじょう[3]).
洋上会談 talks on board ★ 複数形で. **洋上訓練** practice on board Ⓒ **洋上大学** floating university Ⓒ.

ようじょうけい 葉状茎 〔植〕 cladophyll /klǽdəfɪl/ Ⓒ, cladode Ⓒ.

ようじょうしょくぶつ 葉状植物 thallophyte /θǽləfàɪt/ Ⓒ.

ようじょうたい 葉状体 〔植〕 ── 形 (葉状体の) thalloid. ── 名 thallus Ⓒ; (特に海藻・地衣類などの) frond Ⓒ.

ようしょく[1] 養殖 ── 名 (かき・魚などの) culture Ⓤ, farming Ⓤ. ── 形 cultured. ── 動 farm 他, raise 他, breed 他.
¶ 広島はかきの*養殖でよく知られている Hiroshima is famous for its oyster 「*culture* [*farming*]. // 彼らはこの湖でますを*養殖している They *farm* trout in this lake. // これは*養殖真珠で, 天然のものではありません These are *cultured* pearls, not natural ones. // うなぎの*養殖場 eel 「*farms* [*nurseries*]

ようしょく[2] 要職 important 「post [office; position] Ⓒ. ¶ 田中氏は 10 年来, いくつかの*要職にある For the past ten years Mr. Tanaka has 「been in [held] several *important* 「*positions* [*offices*; *posts*].

ようしょく[3] 洋食 (食べ物) Western food Ⓤ; (料理) Western dish Ⓒ.

ようしょく[4] 容色 (美貌) (good) looks ★ 複数形で. ( ) 内を省略するのは口語的. ¶ *容色が衰える[衰えない] lose [keep] *one's* (*good*) *looks*

ようしょく[5] 溶食 〔地質〕 (rain; water) erosion Ⓤ.

ようしょしらべじょ 洋書調所 the Institute for the Study of Western 「Books [Learning] ★ 江戸幕府の洋学教育機関.

ようしょっき 洋食器 (皿・スプーン・ナイフなど) Western(-style) tableware Ⓤ (☞ しょっき[1]).

ようしん[1] 養親 ☞ やしないおや

ようしん[2] 痒疹 〔医〕 prurigo /prυ(ə)ráɪgoυ/ Ⓒ.

ようしん[3] 葉針 ── 名 (松葉などの) needle Ⓒ; (サボテンなどの) leaf spine Ⓒ. ── 形 (葉針の) needle-leaved.

ようじん[1] 用心, 要心 ── 名 (注意) care Ⓤ, carefulness Ⓤ; (警戒) caution Ⓤ, precaution Ⓤ ★ 複数形でも用いる. 語法 後者は用心のための具体的な行動に重点があり, しばしば take precautions against … として用いられる. ── 形 (気をつける) careful; (危険に対して注意する) cautious. ── 副 carefully; cautiously. (☞ ちゅうい[1]).
¶ 茶わんを落とさないように*用心しなさい Take *care* [Be *careful*] not to drop the cup. // 足元に*用心しなさい (⇒ 足元を注意して見なさい) *Watch* your step. (☞ あしもと (写真)) // *用心のため (⇒ 大事をとって), もう一度ガスの栓を確かめます I'll check the gas cock just to be *on the safe side*. // 私は*用心して言葉を選んだ I chose my words 「*cautiously* [*carefully*]. // *用心の上にも用心が肝要だ (⇒ いくら注意しても注意しすぎることはない) You [We] cannot be too *careful*. **用心深い** (注意深い) careful; (危険に対して) cautious, watchful, wary; (慎重な) prudent; (返答など慎重な) guarded.
用心棒 bodyguard Ⓒ; (娯楽場などの) 《略式》 bouncer Ⓒ. (☞ ボディーガード).

ようじん[2] 要人 important person Ⓒ, 《略式》 VIP /víːàɪpíː/ Ⓒ 参考 *V*ery *I*mportant *P*erson の略. 複数形は VIPs. (☞ 略語 (巻末)). **要人警護** important person's (body)guard(s) ★ 警護することは Ⓤ, 警護する人は Ⓒ.

ようす 様子 (置かれた状況) situation Ⓒ ★ 通例単数形で; (健康状態) condition Ⓤ ★「周囲の状況」の意味では通例複数形で; (人のありさま・姿) look Ⓒ ★ しばしば複数形で; (外見) appearance Ⓒ; (気配) sign Ⓒ. 語法 「…の様子だ」のような場合は上にあげた訳語を用いるよりも, 「…に見える」の意味の look, appear という動詞を用いるほうがよい. (☞ じょうきょう[1]; じょうたい[1] (類義語)).
¶ そちらの*様子を知らせて下さい 《テレビニュースなどで》 Tell us 「what the *situation* is [how things stand] there. / 《相手の様子を尋ねて》 Please let me know how 「you're doing [things stand with you]. // いまの*様子では景気は回復しそうもない Given the 「present [existing] *situation*, business does not seem likely to pick up. // 困った*様子だ *look* 「troubled [disturbed] / have a 「troubled [disturbed] *look* 参考 give *a person* a 「troubled [disturbed] *look* は「(相手のやることが腑に落ちない・うさん臭いので)けわしい目つき・顔つきで(ちらっと)見る」の意. // 老人はすっかりくたびれた*様子だった The old man 「*looked* [*appeared to be*] very tired. // 彼は怖がっている*様子もなかった He didn't show any *signs* of fear. // どうも彼女の*様子がおかしい Her *behavior* is rather strange. / There is something strange 「in [about] her *attitude*.

コロケーション
あきらめた様子 a resigned *look* / いらいらした様子 an 「irritated [annoyed] *look* / うれしい様子 a joyful *look* / 怒った様子 an angry *look* / 落ち着いた様子 a serene *look* / がっかりした様子 a disappointed *look* / 悲しい様子 a 「sad [pensive] *look* / 困惑した様子 a distressed *look* / 心配そうな様子 an anxious *look* / 途方にくれた様子 a bewildered *look* / 不機嫌な様子 a sullen *look* / 不満そうな様子 a displeased *look* / ぼんやりした様子 a blank *look* / ゆううつな様子 a gloomy *look*

ようず 要図 rough map Ⓒ.

ようすい[1] 用水 (灌漑用水) water for irrigation Ⓤ (☞ ためいけ; かんがい[2]).
用水池 reservoir /rézəvwɑ̀ə/ Ⓒ **用水桶** rainwater tub Ⓒ **用水タンク** rainwater tank Ⓒ **用水路** irrigation 「channel [canal /kənǽl/] Ⓒ.

ようすい[2] 羊水 〔医〕 amniotic /ǽmniɑ̀tɪk/ flúid Ⓤ, 《略式》 the waters ★ 後者は複数形で.

ようすい[3] 揚水 ── 動 pump (up) 他 (☞ くみあげる). **揚水発電** pumped hydro power Ⓤ **揚水ポンプ** water pump Ⓒ.

ようすこう 揚子江 ── 名 固 the Yangzi (Jiang) /jɑ́ːŋzɑ́ː (dʒiɑ́ːŋ)/, the Yangtze /jǽntsi/

River ★ 長江が正式名 (☞ ちょうこう[1]). 揚子江気団〘気象〙 Yangtze River air mass Ⓒ.

ようずみ 用済み ―動 (用済みにする) be [have] done with ... ―形 (不要の) unnecessary; (終わった) finished. ¶ あの本はもう*用済みだ I'*m done with* that book.

ようする[1] 要する (必要である) need ⑩, require ⑩ ★ 後者のほうが格式ばった語; (時間・日数) take ⑩. (☞ ひつよう; かかる[1]). ¶ この問題は再考を*要する This issue ˹*needs* [*requires*] reconsideration. / (⇒ 再考されるべきだ) This issue ˹*must* [*should*] be reconsidered. // 車の修理には 2 日を*要する It *takes* two days to repair the car.

ようする[2] 擁する **1** «抱く»: embrace ⑩, hug ⑩.

2 «所有する»: have ⑩, possess ⑩. ¶ 権力を*擁する *have* power (over ...) // 巨万の富を*擁する *possess* enormous wealth / (⇒ 途方もなく金持ちである) be ˹enormously [fantastically] rich

3 «率いる»: command ⑩, lead ⑩. ¶ 彼は大軍を*擁して都に攻め上った He marched toward the capital ˹*at the head of* a great army [*with* a great army *under his command*].

4 «もり立てる»: protect ⑩, support ⑩. ¶ 亡き国王の遺児を*擁して軍を挙げる raise an army ˹*supporting* [*in support of*] the children of the ˹deceased [dead; late] king

ようするに 要するに (簡単に言えば) in short; (要約すれば) to súm úp, súmming úp ★ 前者のほうが普通; (結局) after all; (結論として) in conclusion. ¶ *要するに我々は選択を誤ったのです *In short*, we have made the wrong choice. // *要するに彼の作品はおもしろくて, ためになる *To sum up* [*Summing up*], his work is interesting as well as informative.

ようせい[1] 要請 ―名 (頼むこと) request Ⓒ; (強い要求) demand Ⓒ. ―動 (人にある行為を頼む) request ⑩; (要求する) demand ⑩; (求める) ask (*a person*) ˹to *do* ... [for ...] ★ 最も口語的な言い方. (☞ もとめる; ようぼう[1]).

¶ 私は彼の*要請でそれをした I did it at his *request*. // 消防隊は緊急出動を*要請された The fire department *was asked to* rush over. // 全員出席するように*要請されている The presence of all members *is requested*. // 我々は彼の援助を*要請した We ˹*asked for* [*demanded*] his help.

―コロケーション―
要請に応じる respond to a *request* / 要請を受ける receive a *request* / 要請を行う make [file] a *request* / 要請を断る deny [refuse; reject; turn down] a *request* / 要請を取り下げる withdraw a *request* / 緊急の要請 an urgent *request* / 口頭での要請 an oral *request* / 正式の要請 a formal *request* / 非公式の要請 an informal *request* / 文書による要請 a written *request*

ようせい[2] 養成 ―動 (訓練する) train ⑩; (教育する) éducàte ⑩. ―名 training Ⓤ; education Ⓤ. (☞ そだてる; やしなう). ¶ ここは看護師を*養成する学校です This is a school that *trains* hospital nurses. / This school *trains* hospital nurses.
養成所 training school Ⓒ.

ようせい[3] 陽性 **1** «医学» ―形 (検査の結果, 反応のあること) positive (↔ negative).
¶ ツベルクリン反応は*陽性でした The tuberculin reaction was *positive*.

2 «陽気な» ―形 (快活な) cheerful, sunny; (朗らかな) bright; (喜びにあふれた) bubbly; (活気に富む) lively. (☞ ようき[1]).
陽性反応 positive reaction Ⓒ.

ようせい[4] 妖精 fairy /fé(ə)ri/ Ⓒ, sprite Ⓒ
語法 前者が一般的. sprite は特に「…の精」といったときに使われる ((例) 水の*精 a water-*sprite*); (小妖精) elf Ⓒ (複 elves).

ようせい[5] 妖星 (不吉な[災いをよぶ]星) ominous [sinister] star Ⓒ (☞ すいせい[2]; りゅうせい[1]).

ようせい[6] 幼生 〘動〙 ―名 larva Ⓒ (☞ ようちゅう). ―形 (幼生の) larval /lάəvəl/. 幼生器官〘昆〙 lárval órgan Ⓒ 幼生生殖 paedogenesis /pìːdoudʒénəsɪs/ Ⓤ.

ようせいしょくぶつ 陽性植物 sun plant Ⓒ.

ようせき 容積 (容量) capacity Ⓤ; (体積) volume Ⓤ ★ 以上は入れ替え可能な場合もあり, 2 語ともしばしば a を付けて用いる; (かさ・大きさ) bulk Ⓤ. (☞ たいせき[1]). ¶ この箱の*容積は約 40 リットルです This box has a ˹*capacity* [*volume*] of about forty liters. 容積率 (建築) floor area ratio Ⓒ.

ようせつ[1] 溶接 ―名 welding Ⓤ. ―動 weld ⑩ ⓐ. ¶ 酸素[電気]*溶接 oxyacetylene /àksiəsétəlìːn/ [electric] *welding* 溶接機 welding machine Ⓒ 溶接工 welder Ⓒ 溶接法 welding process Ⓒ 溶接棒 welding rod Ⓒ 溶接用マスク welder's helmet Ⓒ.

ようせつ[2] 夭折 ―名 premature /prìːmət(j)ʊ̀ə/ [éarly] déath Ⓒ. ―動 die ˹prèmatúrely [yóung] ⓐ. (☞ わかじに).

ようせん[1] 用船 chartered ˹ship [boat; vessel] Ⓒ (☞ ふね (類義語)). 用船契約 charter Ⓒ.

ようせん[2] 用箋 writing paper Ⓤ (☞ びんせん).

ようせん[3] 溶銑 溶銑炉 ☞ キューポラ

ようせんぽう 陽旋法 〘日本音楽〙 *Yo*-scale Ⓤ; (説明的には) a Japanese pentatonic scale with no semitones in it, which is employed in folk songs and *gagaku* (ceremonial court music).

ようそ[1] 要素 (成分) element Ⓒ; (不可欠の構成要素) constítuent Ⓒ; (結果などを生じる要因) factor Ⓒ; (必要な条件) requisite /rékwəzɪt/ Ⓒ. (☞ せいぶん[1]; よういん[1]). ¶ 文は主語, 述語, 修飾語など, いくつかの*要素に分けられる We can ˹break down [divide] a sentence into several *constituents* such as subject, predicate, and modifiers. // 健康は幸福に不可欠な*要素です Health is ˹a *requisite for* [an indispensable *factor* in] happiness.
要素費用〘経〙 factor cost Ⓒ.

ようそ[2] 沃素 〘化〙 íodine Ⓤ (元素記号 I). 沃素澱粉反応〘化〙 iodostarch /aɪòudoustάətʃ/ reaction Ⓒ.

ようそう[1] 様相 (外観・様子) áspect Ⓒ; (見通し) óutlòok Ⓒ ★ 通例単数形で用いる.
¶ 事態は深刻な*様相を呈している (⇒ 重大な転換が起こった[重大な様子を帯びてきた]) The situation has ˹taken a serious *turn* [assumed a serious *aspect*]. // *様相を完全に一変させる事件が起こった An incident took place which changed the whole ˹*outlook* [(⇒ 状況を) *situation*].

ようそう[2] 洋装 ―動 (洋服を着ている) be dressed in Western style; (洋服を着る) wear Western-style dress. (☞ ようふく).

ようそふ 養祖父 *one's* ˹adoptive [foster] parent's father Ⓒ.

ようそぼ 養祖母 one's ˹adoptive [foster] parent's mother Ⓒ.

ようぞんさんそ 溶存酸素 〘化〙 dissolved oxygen Ⓤ (略 DO).

ようたい 様態 (状態) condition Ⓤ; (あるがままのありさま) state Ⓒ ★ 通例単数形で. (☞ じょうたい[1]; ようそう[1]). 様態副詞 adverb of manner Ⓒ.

ようだい 容体, 容態 condítion (of a pátient)

Ⓤ《☞ びょうき; びょうじょう》.
¶「病人の*容体はいかがですか」「おもわしくありません」"How's the patient?" "His *condition* isn't very good." // 彼の*容体は急によく［悪く］なった His *condition* has taken a sudden change for the ˹better [worse].

ようだこ 洋凧 (Western-style) kite Ⓒ.

ようたし[1] 用足し (用事) business Ⓤ; (使い) érrand Ⓒ. 《☞ よう[1]; ようじ[1]》. ¶ちょっと*用足しに行っていました I was away on *business*. / I had an *errand* to run. // ちょっと失礼. *用足しに (⇒トイレに) 行ってきます Excuse me, I'd like to *go to the* ˹*rest room* [*bathroom*]. 〔語法〕ほかに婉曲に go to wash *one's* hands (手を洗いに行く) などの表現もあるが, 現在では少し古めかしい. こういう場合は単に Excuse me. とだけ言って, 理由を言わないで済ますことが多い. 《☞ 婉曲語法 (巻末)》

ようたし[2] 用達 (用事) business Ⓤ; (納品) delivery (of goods) Ⓤ; (王室などと取り引きのある商人) purveyor Ⓒ. ¶王室御*用達 a *purveyor* to the Royal Household

ようだてる 用立てる (提供する) offer ㊀; (物・金などを貸す) lend ㊀《過去・過分 lent》. 《☞ かす[1] 〔日英比較〕》. ¶この金を旅費の一部として*用立てて (⇒使って) ください Please *use* this money to cover part of your travel expenses. // 弟に学費として100万円*用立てた I ˹(⇒与えた) *gave* [(⇒貸した) *lent*] my brother a million yen for his school expenses.

ようだん[1] 用談 business talk Ⓒ《☞ しょうだん[1]》.

ようだん[2] 要談 ― 動 (重要なことを話し合う) talk ˹about [over] important matters. ― 名 (重要な話し合い) important talk Ⓒ.

ようだんす 用箪笥 (小さなタンス) small chest (of drawers) Ⓒ《☞ たんす》.

ようち[1] 幼稚 ― 形 (年の割に子供っぽい) childish ★ 軽蔑的な意味を含む; 《格式》 puerile /pjú(ə)rəl/; (幼くて未熟な) infantile; (原始的で未発達の) primitive; (未熟な) immature /ìmət(j)ʊ́ə/. 《☞ おさない》. ¶彼女は年の割には*幼稚だ She is ˹*childish* [*puerile*]. // 彼らは*幼稚な計算の仕方をする They calculate in a *primitive* way.

ようち[2] 用地 (ある目的のための土地) site Ⓒ; (特に区切りをつけてはっきりしている土地) lot Ⓒ; (土地) land Ⓤ. 《☞ じしょ[1]; とち》.
¶彼は空いている*用地を探している He is looking for ˹an empty [a vacant] *lot*. // 工場の(建設)*用地 a factory *site* // 新しく学校を建てるための*用地を確保しなくてはならない We must ˹obtain [secure] the *land* for the new school.

ようち[3] 夜討ち ¶*夜討ちをかける make a (*sudden*) *night raid* on … ★ 軍隊・警察などの場合. / (⇒夜遅く不意に訪問する) pay *a person a surprise visit late at night* 《☞ やしゅう》
夜討ち朝駆け ¶多くの記者たちが新総理に対して*夜討ち朝駆けを行った Many reporters *paid visits* to the new premier *early in the morning and late at night*.

ようちえん 幼稚園 kíndergàrten Ⓒ 〔参考〕米国では一般的に言って, 3歳から4歳の子供の行く所が nursery (school), 就学1年前の5歳児の行く所が kindergarten となる. ¶一番下の子は*幼稚園に通っている My youngest ˹son [daughter] ˹goes to [is in] *kindergarten*. ★ この場合は無冠詞.
幼稚園教諭 kindergarten teacher Ⓒ **幼稚園児** kindergarten ˹pupil [student] Ⓒ **幼稚園長** director of a kindergarten Ⓒ.

ようちさんぎょう 幼稚産業 infant [fledgling] industry Ⓒ.

ようちゅう 幼虫 larva Ⓒ《複 larvae /lɑ́ːəviː/, ～s》《☞ ちょう[1] (挿絵)》.

ようちゅうい 要注意 ¶あなたの血圧は*要注意です Your blood pressure ˹*calls for* [*requires*] *medical attention*. // その男は警察の*要注意人物になっている (⇒監視下にある) The man *is kept under surveillance* by the police.

ようちょう[1] 幼鳥 young bird Ⓒ, fledg(e)ling Ⓒ.

ようちょう[2] 羊腸 ― 形 (くねくねとした) zigzag 《☞ つづらおり》.

ようちょう[3] 窈窕 ― 形 (しとやかな) graceful.

ようちょうおん 拗長音 lengthened [long] palatalized syllable in Japanese Ⓒ《☞ ようおん》.

ようちりょう 要治療 〔医〕 ― 形 in need of treatment Ⓤ. ― 動 require (medical) treatment.

ようちん 葉枕 〔植〕 leaf cushion Ⓒ, pulvinus /pʌlváɪnəs/ Ⓒ《複 -vini /-váɪnaɪ/》 ★ 前者のほうが口語的.

ようつい 腰椎 the lumbar vertebrae /vɚ́ːtəbrèɪ/ ★ 複数形で. 単数は vertebra /-brə/. **腰椎穿刺** 〔医〕 lumbar puncture Ⓒ **腰椎捻挫** 〔医〕 lumbar sprain Ⓒ **腰椎麻酔** spinal [lumbar] anesthesia /æ̀nəsθíːziə/ Ⓤ, lumbar [spinal] block Ⓒ.

ようつう 腰痛 lower back pain Ⓒ; 〔医〕 lumbago /lʌmbéɪgoʊ/ Ⓤ. ¶*腰痛がする have a *lower back pain* / have a *bad back*

ようてい 要諦 (肝心なところ) important [key; essential] point Ⓒ; (秘訣) secret Ⓒ. 《☞ ひけつ[1]》.

ようてん[1] 要点 (話・議論などの) (main) point Ⓒ, 《格式》 crux Ⓒ; (要旨・核心となるもの) the gist ★ やや格式ばった語; (基本的な要素) essence Ⓤ. 《☞ ようし[1]; かくしん[3]》.
¶彼の議論は*要点から外れている His argument ˹is off [misses] the *point*. // おっしゃることの*要点がつかめません I ˹can't [don't] see your *point*. // *要点に入りましょう Let's come to the *point*.

コロケーション
要点から外れる wander ˹off [away from] the *point* / **要点に触れる** come [get] to the *point* / **要点をまとめる** summarize the *main points* / **要点を理解しない** miss the *point* / **要点を理解する** see [get; take; grasp] the *point*

ようてん[2] 陽転 〔医〕 ― 動 change to positive. ― 名 change to positive Ⓒ.

ようでんき 陽電気 positive electricity Ⓤ (↔ negative electricity).

ようでんし 陽電子 〔物理・化〕 pósitròn Ⓒ. **陽電子放射断層撮影** positron emission tomography Ⓤ《略 PET》.

ようと 用途 (使い道) use /júːs/ Ⓒ《☞ つかいみち; しと[1]》. ¶ゴムはいろいろな*用途がある Rubber has ˹many [various] *uses*. / (⇒ゴムはいろいろな目的に使われる) Rubber *is used* for ˹many [various] purposes.

ようど[1] 用度 (物品) supplies; (費用) expenses, costs ★ 以上いずれも複数形で. **用度係** supply ˹manager [officer; steward] Ⓒ **用度金** office expenses.

ようど[2] 用土 (栽培用) soil for horticulture Ⓤ.

ようとう 洋島 oceanic island Ⓒ.

ようとうくにく 羊頭狗肉 ― 名 (偽りの広告) false advertising Ⓤ. ― 形 (誤解のおそれのある) misleading; (見かけと中味が違う) deceptive; (いかさまの) fraudulent.

ようどうさくせん 陽動作戦 feint operation

C.
ようとして 杳として ☞よう[8]
ようとちいき 用途地域 site [lot] for limited use C.
ようとん 養豚 《米》hog raising U, 《英》pig farming U. **養豚家** hog ⌈raiser [grower] C, pig farmer C **養豚場** pig farm C, 《英》piggery C.
ようなし[1] 洋梨 (Western) pear C.
ようなし[2] 用無し ―形 (役に立たない) useless, of no use, unwanted; (暇な) disengaged. ―動 (関わりない) have nothing to do with …; (仕事がない) have no work to do. ¶こんな古い住所録なんてもう*用無しだ Such an old address book is *useless* now. // あんな男はもう*用無しだ I will *have nothing* ⌈*more* [*further*] *to do with* him. / I *am done with* him. // 退職後は*用無しの身だ After retirement I will *have no regular work to do.*
ようにく[1] 羊肉 mutton U; (小羊の) lamb U.
ようにく[2] 葉肉 〘植〙mesophyll /mézoufɪl/ U.
ようにん[1] 容認 ―動 (一応満足すべきものとして認める) accept ㊀. ―形 acceptable. ―名 (容認すること) acceptance U; (容認性) acceptability U. 《☞みとめる》. ¶それは多くの人に*容認されている事実だ It is a fact *accepted* by many people.
ようにん[2] 用人 (執事) steward /st(j)ú:wəd/ C; (支配人) manager C; (召使) 《格式》factotum C.
ようねん 幼年 (一般的に子供時代) childhood U; (少年時代) boyhood U; (少女時代) girlhood U; (ごく幼いころ) infancy U. 《☞ようしょう[1]; こども》. ¶私の*幼年時代は幸せだった My *childhood* was happy. / (⇒幸せな幼年時代を過ごした) I spent a happy *childhood.*
ようねんきちけい 幼年期地形 〘地〙immature [youthful] landform C.
ようは 要は (簡単に言えば) in short; (一言で言えば) in a word; (要点は) the point is (that) …; (基本的に) basically. 《☞ようするに》.
ようはい 遙拝 ―動 (…の方向に向かってお辞儀をする) *bow* in the direction of … 《☞おじぎ》.
ようばい 溶媒 〘化〙solvent C.
ようび 曜日 day of the week C 《☞時刻・日付・曜日 (囲み)》. ¶「きょうは何*曜日ですか」「水*曜日です」"What *day* (*of the week*) is it today?" "It's Wednesday." [日英比較] 英語で What day? と聞かれたら普通は曜日を答えるべきである. また "Which day?" と聞くこともある. この曜日が先行する習慣は日本と違っているので注意.
ようひし 羊皮紙 parchment U.
ようひん 用品 (必要品) supplies; (もの) things ★意味の広い語. この意味ではいずれも複数形で; (品物) goods ★複数形で; (用具) utensil C. 《☞ようぐ》. ¶事務[学]*用品 office [school] *supplies* // 家庭*用品 house*wares* [《英》household *goods*] ★複数形で. // 台所*用品 a kitchen *utensil* / kitchen*ware* [語法] ware は「場所」の名詞と結びついて「…用品」となることが多い.
ようひんてん 洋品店 (衣料品店) clothes store C; (ブティック) boutique /bu:tí:k/ C; (紳士用装身具店) 《米》haberdashery /hǽbədæ̀ʃ(ə)ri/ C.
ようふ[1] 養父 foster [adoptive] father C [語法] foster は単なる養い親を指し, 法律的に養父の場合は adoptive を用いる. 《☞ぎふ》.
ようふ[2] 妖婦 (性的魅力で男を惑わすような女) seductive woman C; (魔性の女) femme fatale /fémfətǽl/ C ★フランス語から. 《複 femmes fatales /〜(z)/》.
ようぶ[1] 洋舞 Western-style dance C.
ようぶ[2] 腰部 ☞こし[1]
ようふう 洋風 ―名 Western [European] style U. ―形 Western, Western-style. ¶彼は*洋風の生活には慣れていない He is not accustomed to *Western* ⌈*ways* of life [*lifestyles*]. // 彼は*洋風の物が好きだ He likes ⌈*Western* things [things *Western*]. **洋風建築** Western-style building C.
ようふく 洋服 Western-style clothes ★複数形で. なお和服と対比させなければ普通は単に clothes でよい; Western dress U; (通常三つぞろいの) suit C; (婦人服) dress C. 《☞ふく[2]》. **洋服掛け** (coat [clothes]) hanger C **洋服地** material U, fabric U, cloth U. 《☞きじ[2]》 **洋服だんす** wárdròbe C 《☞たんす》 **洋服屋** (人) tailor C; (婦人服の) dressmaker C; (店) tailor shop C, tailor's shop C, tailor's; (婦人服の) dressmaker's.
ようぶつけいやく 要物契約 〘法〙real [substantial] contract C.
ようふぼ 養父母 (養子縁組を結んだ親) adoptive parents; (育ての親) foster parents.
ようふようせつ 用不用説 〘生〙the theory of use and disuse ★Lamarck's theory ともいう.
ようぶん 養分 ―名 nourishment /nə́:rɪʃmənt/ U, 《格式》nutriment U. 《☞えいよう》. ¶植物は根で土中の*養分を吸収する Plants take ⌈*nourishment* [*nutriment*] from the soil through their roots.
ようへい[1] 葉柄 〘植〙leafstalk C, petiole /pétiòul/ C ★後者は専門用語. 《☞は[2] (挿絵)》.
ようへい[2] 用兵 〘軍〙(戦術) tactics ★複数形で, 単数又は複数扱い; (全体的戦略) strategy U.
ようへい[3] 傭兵 (外国人の雇われ兵) mercenary /mə́:sənèri/ C; (一般に雇われ兵) hired soldier C.
ようへき 擁壁 breast [retaining] wall C, revetment C.
ようへん 窯変 (陶磁器の) unexpected change (of clay objects) in the kiln C.
ようべん 用便 (尿意などを催すこと) the call of nature; (小便) 《卑》pee U; (便通) stools ★通例複数形で; (排泄) 《格式》excretion /ɪkskrí:ʃən/ U. 《☞べん[2]》. ¶*用便を足す answer *the call of nature* // *用便をする pass *stools*
ようへんせい 揺変性 〘化〙 ―名 thixotropy /θɪksátrəpi/ U. ―形 thixotrópic.
ようぼ 養母 foster [adoptive] mother C [語法] foster は単に養い親を指し, 法律的に養母の場合は adoptive を用いる. 《☞ぎぼ》.
ようほう[1] 用法 (使い方) how to use …; (使い方の指示) directions (for use) ★複数形で; (使用法) use C. 《☞ようと; つかいかた》. ¶この前置詞の*用法は間違っている This is a wrong *use* of the preposition.
ようほう[2] 養蜂 (一般的に) beekeeping U; (特に大規模なもの) apiculture /éɪpəkʌ̀ltʃə/ U. 《☞はち[1]》. **養蜂家** beekeeper C, apiarist /éɪpiərɪst/ C ★後者は専門語. **養蜂場** apiary C.
ようぼう[1] 要望 ―名 (希望) desire U; (要請) request C ★前者より調子を和らげた言葉; (形式の整った嘆願など) appeal C; (願望) wish C. ―動 (頼む) ask for …; request ㊀ ★後者のほうが格式ばった語. 《☞きぼう[1]; ようせい[1]》. ¶彼女の*要望でパーティーは延期になった The party has been postponed at her *request.* // だれかが彼の*要望に応えなければならない Somebody's got to ⌈answer [meet] his *request.* // 政府は国民の*要望に耳を傾けるべきだ The government should listen to the people's ⌈*wishes* [*appeal*].
ようぼう[2] 容貌 (一般的に, 外見) appearance U; (顔全体の様子) looks ★普通は複数形で; (顔だ

よ

ち・目鼻だち) features ★ 複数形で. 単数形では目や鼻など1つ1つの作りを指す; (顔) face Ⓒ. (☞ かおだち). ¶ 彼女は彼の*容貌に引かれた She was attracted by his ⌈(good) *appearance* [*looks*].

ようぼく[1] 用木 timber Ⓤ; (説明的には) wood as a construction material Ⓤ.

ようぼく[2] 幼木 young tree Ⓒ; (苗木) sapling Ⓒ.

ようま 洋間 ☞ ようしつ[2]

ようまく 羊膜 〖解〗 amnion /ǽmniɑ̀n/ Ⓒ 《複 -nia, ～s》. **羊膜類** 〖生〗 Amniota /æ̀mnióutə/ ★ 複数形.

ようまん 養鰻 eel ⌈breeding [farming culture] Ⓤ. **養鰻家** eel ⌈breeder [farmer] Ⓒ **養鰻業** eel-farming business Ⓒ **養鰻場** éel fàrm Ⓒ.

ようみゃく 葉脈 〖植〗 vein Ⓒ (☞ は[2] (挿絵)).

ようみょう 幼名 ☞ ようめい[2]

ようむいん 用務員 jánitor Ⓒ, 《英》 caretaker Ⓒ.

ようむき 用向き ¶ どんなご*用向きでしょうか May I help you? / What can I do for you? ★ 第2文のほうが少しぞんざい. (☞ ようじ[1])

ようめい[1] 用命 order Ⓒ (☞ ちゅうもん). ¶ 和服のご*用命は当店へ Please place your *orders* for kimonos with us. // 何なりとご*用命ください (⇒ いつでもあなたの役に立ちます) I am [We are] always at your *service*.

ようめい[2] 幼名 *one's* childhood name Ⓒ.

ようめいがく 陽明学 the ⌈doctrines [teachings] of Wang Yang-ming /wɑ́ːŋ jɑ̀ːŋ míŋ/. **陽明学派** the Wang Yang-ming school (of learning).

ようめいもん 陽明門 *Yomei-mon*; (説明的には) *Yomei* Gate (the Gate of Sunlight), the main gate at the Toshogu Shrine at Nikko. (☞ とうしょうぐう).

ようもう 羊毛 ―[名] wool Ⓤ. ―[形] woolen, 《英》 woollen. (☞ けいと).

ようもうざい 養毛剤 (hair) tonic Ⓒ.

ようもく 要目 (重要な項目) important [principal] item Ⓒ; (重要な事柄) important [principal] matter Ⓒ. (☞ こうもく).

ようやく[1] 漸く (ついに) at (long) last [語法] (1) long が入るのは主に文語. 会話ではあまり使われない; (やっと) finally [語法] (2) 以上2つはともに順番として遅いことを表すが, 特にそのことが重要な締めくくりとなる場合が finally; (辛うじて) just, barely ★ 前者のほうが口語的; (だんだん) gradually. (☞ ついに; やっと). ¶ *ようやく彼に連絡がついた I got hold of him *at last*. // 救助隊が*ようやく島に着いた The rescue party *finally* arrived at the island. // 彼は*ようやくのことで電車に間に合った He was ⌈*just* [*barely*] in time for the train.

ようやく[2] 要約 ―[動] (要点を短くまとめる) summarize (他); (概要を述べる) súm úp (他) ★ 前者のほうが一般的. ―[名] (要約すること) súmming-úp Ⓒ 《複 summings-up》; (要約したもの) summary Ⓒ ★ 一般的な語; (概要) óutline Ⓒ [語法] (1) 大まかな説明であるが, かなりの長さを感じさせる; (見出し別に分けてまとめたもの) sýllabus Ⓒ; (論文などの) ábstract Ⓒ; (内容の特徴を簡単にまとめたもの) synópsis Ⓒ 《複 -ses》, résumé /rézəmèɪ/ Ⓒ [語法] (2) 後者のほうがより簡単なもので, フランス語からの借用語. 次の précis も同じ; (原文の内容を $^1/_2$, $^1/_3$ などに圧縮したもの) précis /preɪsíː/ Ⓒ 《複 ～ /～z/》. ★ résumé, précis の ´ はいずれも綴り本来のもの. (☞ たいい[1]; がいりゃく). ¶ 次の話を200語以内で*要約しなさい *Summarize* [Give a *summary* of] the following story in less than two hundred words. [日英比較] 日本語では「字」(letter) が基準となるが, 英語では word (語) が基準となる.

ようやくしゃ 要約者 〖法〗 brief writer Ⓒ.

ようゆう 溶融 ―[動] (溶解する) melt (自)(他); (液体に浸して溶ける) dissolve (自); (金属を溶かす) melt down (他). ―[名] (金属・原子炉の炉心の) méltdòwn Ⓤ. **溶融電解** melting [fusing] electrolysis /ɪlèktrɑ́ləsɪs/ Ⓤ.

ようよう[1] 洋洋 ¶ *洋々たる (⇒ 果てしない広がりをもつ) 大海 a *boundless* [an *infinite*] stretch of ocean // 彼は*前途洋々だ (⇒ 前途有望な[明るい, バラ色の]未来を持っている) He has a ⌈*promising* [*bright; rosy*] future (ahead of him).

ようよう[2] 要用 (重要な事柄) important matter Ⓒ; (必要) necessity Ⓒ, need Ⓒ. ¶ *要用の品 things that ⌈*one needs* [are *necessary*] / *necessary* ⌈items [things] // 以上*要用のみ申し上げました Here I have ⌈mentioned [written about] only *important matters*.

ようよう[3] 揚揚 ☞ いき[4] (意気揚揚)

ようよう[4] 杳杳 ―[形] (ほのかな) faint; (ほの暗い) dusky, dim; (はるかな) faraway, far-off.

ようらく 瓔珞 **1** 《装身具》: jewel strings (used on Buddhist images) ★ 複数形で; (首飾り) bead-necklace Ⓒ.
2 《仏殿の飾り》: ornamental object (used to decorate canopies or pedestals in a Buddhist sanctum) Ⓒ.

ようらん[1] 要覧 (手引き) handbook Ⓒ, manual Ⓒ ★ ほぼ同意だが, 前者のほうがやや詳しい感じを持つ. (☞ べんらん; ようこう[1]). ¶ 大学*要覧 《米》 a college *catalog*(*ue*) / 《英》 a university *prospectus* Ⓒ ★ どちらも大学進学希望の学生に送られる.

ようらん[2] 洋蘭 〖植〗 tropical orchid Ⓒ.

ようらん[3] 揺籃 cradle Ⓒ ★ 普通単数形で. (☞ ゆりかご). ¶ 西洋文明*揺籃の地 the *cradle* of Western civilization **揺籃期(に)** (in) the ⌈cradle [infancy].

ようり 養鯉 carp ⌈breeding [farming; culture] Ⓤ. **養鯉家** carp ⌈breeder [farmer] Ⓒ **養鯉業** carp-farming business Ⓒ **養鯉場** cárp fàrm Ⓒ.

ようりく 揚陸 ―[動] land (他); (積荷を降ろす) unload (他). (☞ じょうりく; りくあげ). **揚陸艦** 〖軍〗 landing ship Ⓒ.

ようりつ 擁立 (人を…に立候補させる) put *a person's* name forward as a candidate (for ...); (支持する) support (他).

ようりゃく 要略 ☞ ようやく[2]

ようりゅう 楊柳 willow (tree) Ⓒ.

ようりょう[1] 要領 (重要な点) point Ⓒ, essentials ★ 通例複数形で; (こつ) 《略式》 knack ★ 通例単数形で. (☞ ようてん[1]; こつ[1]). ¶ 彼女の答えは*要領を得ていた Her answers were *to the point*. // 彼は*要領のいい男だ (⇒ どうやって暮らしたらよいか[どうしたら時流に乗れるか]を知っている) He knows how to ⌈get along in the world [swim with the tide]. // 彼は*要領の悪い (⇒ へまな) 男だ He is a *clumsy* person. // 彼女は何事も*要領よく (⇒ 能率的に) やる She is *efficient* in everything she does.
要領を得ない ¶ 彼女の説明では*要領を得ない (⇒ ポイントがずれている[意味をなさない]) Her explanation ⌈*is off the point* [*does not make sense*].

ようりょう[2] 容量 (容積) capacity Ⓤ; (体積) volume Ⓤ; (かさ・大きさ) bulk Ⓤ. (☞ ようせき; りょう[1]). **容量測定** volumetry /vəlúːmətri/ Ⓤ **容量分析** volumetric /vɑ̀ljumétrik/ análysis Ⓤ.

ようりょう[3] 用量 (薬の1回分の服用量) dose Ⓒ (☞ りょう[1]).

ようりょく 揚力 lift Ⓤ, lifting ⌈power [force] Ⓤ.

ようりょくそ 葉緑素 〘植・生化〙 chlorophyl(l) /klɔ́:rəfìl/ Ⓤ.

ようりょくたい 葉緑体 〘植〙 chloroplast /klɔ́:rəplæ̀st/ Ⓒ.

ようれい 用例 (典型的な例) example Ⓒ; (説明のための実例) illustration Ⓒ. ⦅☞ れい¹ (類義語); れいぶん⦆.

ようろ 要路 (重要な道路) main [arterial] road Ⓒ ⦅☞ ようしょう²⦆. ¶交通の*要路にあたる町 a town which lies on the ⌈*main roads* [(*traffic*) *arteries*]

ようろう 養老 **養老院** (老人ホーム) nursing home Ⓒ ★ 看護付きのもの; (一般的に) old people's home Ⓒ, home [institution] for the aged Ⓒ **養老[老齢]年金** old age pension Ⓒ **養老保険** endówment insùrance Ⓤ. ⦅☞ ろうじん; ろうれい⦆.

ようろん 要論 (本質的な要素) the essentials; (学問の原理) the elements. ★ いずれも複数形で. ¶心理学*要論 *the essentials* of psychology

ようわ 溶和 — 動 melt and mix metals ㊀.

ヨーガ yoga Ⓤ.

ヨーク¹ — 名 固 York ★ 英国イングランド北部の都市.

ヨーク² 〘服〙 yoke Ⓒ.

ヨークシャー — 名 固 Yorkshire ★ 英国イングランド北東部の地方. **ヨークシャーテリア(犬)** Yorkshire terrier Ⓒ **ヨークシャープディング** 〘料理〙 Yorkshire pudding Ⓤ.

ヨーグルト yog(h)urt /jóugərt/ Ⓤ.

ヨーデル 〘楽〙 yodel Ⓒ.

ヨード 〘化〙 iodine /áɪədàɪn/ Ⓤ ⦅元素記号 I⦆. **ヨードチンキ** iodine tincture Ⓤ **ヨード卵** iodine-enriched egg Ⓒ.

ヨーヨー yó-yò Ⓒ ⦅複 ~s⦆.

ヨーロッパ — 名 固 Éurope. — 形 European /jù(ə)rəpí:ən/. ⦅☞ おうしゅう³⦆. **ヨーロッパ議会** the Éuropèan Párliament Ⓤ **ヨーロッパ共同体** the Européan Commúnity Ⓤ ⦅略 EC⦆ **ヨーロッパ経済共同体** the European Economic Community ⦅略 EEC⦆ **ヨーロッパ人** European Ⓒ **ヨーロッパ審議会** the Council of Europe **ヨーロッパ人権条約** the Convention for the Protection of Human Rights and Fundamental Freedoms ★ 通称 the European Convention on Human Rights ⦅略 ECHR⦆ **ヨーロッパ大陸** the Éuropèan Cóntinent **ヨーロッパ中央銀行** the European Central Bank ⦅略 ECB⦆ **ヨーロッパの火薬庫** 〘ヨーロッパ史〙 the Powder Keg of Europe **ヨーロッパ[欧州]連合** the Éuropèan Únion ⦅略 EU⦆ **ヨーロッパ連合拡大** the ⌈expansion [enlargement] of the European Union.

ヨーロピアンプラン (ホテルの) the Éuropèan plán (↔ the American plan).

よか¹ 余暇 leisure /lí:ʒə/ time Ⓤ, free time Ⓤ, spare time Ⓤ. ⦅☞ レジャー 日英比較⦆. ¶*余暇をどう過ごしますか How do you spend your *leisure time*? // 彼は*余暇に釣りを楽しむ He enjoys fishing in his *free time*.

よか² 予科 prepáratòry cóurse Ⓒ; (医学部の) premedical course Ⓒ ⦅略 preméd⦆.

よか³ 予価 (予定された[仮の]) anticipated [tentative] price Ⓒ.

ヨガ yoga /jóugə/ Ⓤ. **ヨガ行者** yogi /jóugi/ Ⓒ.

よかく¹ 余角 〘数〙 complementary angle Ⓒ.

よかく² 与格 〘文法〙 dative (case) Ⓒ.

よかぜ 夜風 (心地よく吹く) night breeze Ⓒ; (かなり強く吹く) night wind Ⓒ. ⦅☞ かぜ¹⦆.

よかつ 余割 〘数〙 cosecant /kousí:kænt/ Ⓒ ⦅略 cosec⦆.

よからぬ 良からぬ ¶*よからぬ (⇒ 恥になる) 噂 a disgraceful rumor / (⇒ 人を傷つけるような) a ⌈*scandalous* [*derogatory*] rumor // *よからぬ (⇒ 正道をはずれた [不正な]) ことを企む hatch a ⌈*devious* [*dishonest*] scheme ⦅☞ わるい; まがった⦆

よがりごえ 善がり声 voice uttered in a (sexual) ⌈trance [ecstasy] Ⓒ.

よがる 善がる (うれしがる) feel pleased ⌈at [with] ...; (うっとりする) be in rapture(s); (快感を表現する) express *one's* (corporeal) pleasure.

よかれ 善かれ ¶*よかれと思ってしたのに結果はまったく思わしくなかった We *meant well* but the result didn't come up to our expectations. **善かれ悪しかれ** ☞ 見出し

よかれあしかれ 善かれ悪しかれ (正しかろうが間違っていようが) right or wrong; (とにかく) anyway. ⦅☞ とにかく⦆. ¶*よかれあしかれ私は信念に従って行動する *Right or wrong* I'll act according to my beliefs.

よかれん 予科練 (旧日本海軍の予科練習生) young naval aviator (in training before and during World War II) Ⓒ.

よかん¹ 予感 a feeling, ⦅略式⦆ a hunch 語法 以上いずれも a を付けて. よいことにも悪いことにも用いる. hunch は「こぶ」の意だが, らくだのこぶにさわると幸運がくるという迷信から出た語; (よくない虫の知らせ) premonition Ⓒ ★ やや格式ばった語. ⦅☞ かん²⦆. ¶彼女は自分たちのチームが負ける*予感がした She had *a* ⌈*feeling* [*hunch*] that her team would lose.

よかん² 余寒 lingering [remaining] cold Ⓤ.

よき 予期 — 動 (前もって期待する) antícipàte ㊀; (かなり確信を持って期待する) expect ㊀ ★ いずれもよいことにも悪いことにも使う. — 名 anticipátion Ⓤ; expectation Ⓤ. ⦅☞ きたい¹ (類義語); よそう¹⦆. ¶彼が来るとはだれも*予期していなかった Nobody ⌈*anticipated* [*expected*] that he would come. // *予期しなかったことが次々と起こった *Unexpected* things happened one after another. // その結果は*予期に反していた The outcome ⌈was contrary to [went against] (all) *expectation(s)*. // *予期に反して売り上げは目標に達しなかった Contrary to *expectation(s)*, the sales target has not been attained. ⦅☞ おもいがけない; よそうがい⦆

よぎ¹ 余技 (趣味) hobby Ⓒ; (暇つぶし) pástìme Ⓒ. ⦅☞ しゅみ⦆.

よぎ² 夜着 (寝具) bedclothes ★ 複数形で.

よぎしゃ 夜汽車 ☞ やこう¹

よぎない 余儀ない (不可避の) unavoidable; (有無を言わせないような) compelling. ¶*余儀ない事情 circumstances *beyond one's control* / *unavoidable* circumstances // 彼らはその地震で離島を*余儀なくされた They *were forced to* leave the island because of the earthquake. ⦅☞ しかたがない; やむをえない⦆

よきょう 余興 èntertáinment Ⓒ ★ 客を楽しませるための演技や準備された趣向をいう. ¶*余興に歌を歌います (⇒ 私の歌を楽しむことを期待します) I hope you *enjoy* my singing. // その晩の*余興にはトランプの手品があった The evening's *entertainment* included card tricks.

よぎり 夜霧 ☞ きり¹

よぎる 過ぎる (横切る) cross ㊀; (通り過ぎる) pass ㊀. ⦅☞ よこぎる⦆. ¶彼の脳裏に一抹の不安が*よぎった A touch of uneasiness *crossed* his mind.

よきん 預金 ―名(預けること) depósit Ⓒ; (銀行預金) bank account Ⓒ. ―動 deposit ⑪. ((☞こうざ'; ちょきん; あずける)).
¶そのお金は全部*預金した I put all the money in my *account*. / I *deposited* all the money. // 私は*預金が 50 万円ある I have five hundred thousand yen in my *bank account*. // 彼女は*預金を 3 万円引き出した She withdrew thirty thousand yen from her *bank* (*account*).
預金金利 ☞ **預金利息[子]** **預金口座** *one's* bank account Ⓒ **預金小切手** bank 「check [((英)) cheque] Ⓒ **預金コスト** cost of deposit Ⓤ **預金者** depósitor Ⓒ **預金準備率** deposit reserve rate Ⓒ **預金証書** certificate of deposit Ⓒ **預金通帳** bankbook Ⓒ, passbook Ⓒ **預金保険** deposit insurance Ⓒ **預金保険機構** bank deposit insurance system Ⓒ **預金保険制度** deposit insurance system Ⓒ **預金利息[子]** interest on 「the [*one's*] deposit Ⓤ.

よく[1] **1** ((程度の高さ)): well ★ 最も一般的で, 平易な語; (完全には…でない) quite ★ 否定文で; (十分に) fully; (完全に) perfectly, thoroughly, ((略式)) all right; (正しく) rightly, correctly; (巧みに) skillfully ((英)) skilfully); (注意深く) carefully.
¶「山本さんをご存知ですか」「ええ, 彼なら*よく知っています」"Do you know Mr. Yamamoto?" "Yes, I know him very *well.*" // *よくやったね[頑張ったね] *Good* for you! ★ 仲間か目下の者に対して. // *よくできました *Well* done! // 私はあまり*よく泳げません I can't swim very *well*. 語法 (1) not very … は「あまりよく…できない」, つまり「…できない」と内容的には同じで, それを少し和らげた表現. / (⇒上手な泳者ではない) I'm not a very *good* swimmer. 語法 (2) 前者よりこのほうが英語的な表現. // *よくわかりませんでした. もう 1 度おっしゃって下さい I didn't *quite* get it. Please say it again. // 今度は*よくわかりました I got it *all right* this time. // *よくわかるまで何度も読みなさい Read it again and again until you understand it 「*perfectly* [*fully*; *thoroughly*]. // *よくこの写真を見てごらんなさい Look at this picture 「*carefully* [*closely*]. / Have [Take] a *good* look at this picture. 語法 (3) 後者のほうがより一般的. // 彼はクラスの中で一番*よく勉強する He is *the most* hardworking student in his class.
2 ((しばしば)): often, frequently ★ 前者が口語的. 後者は強調的でしかもやや格式ばった語; (習慣として) habítually. ((☞副詞の位置 (巻末))).
¶彼は*よく欠席する He is *often* absent. // 今月は雨が*よく (⇒たくさん) 降った We have had *a lot of* rain this month. / It has rained *very often* this month. ★ 前者のほうが口語的. // 子供のころ*よく泳ぎに行きました I *used to* go swimming when I was a child. 語法 used to … は「いまはしないが, 昔はよく…した」という意味. // これは*よくある (⇒ありふれた) つづりの間違いだ This is a *common* spelling mistake. // それは昔から*よくある話だ That's an *old* story. // …に*よくあることだが as is *often* the case with …
3 ((健康状態がよい)): well ((☞けんこう')).
¶早く*よくなるといいですね (⇒回復を望みます) I hope you 「*get well* [*recover*] soon. / (⇒早くよくなってね) Get *well* soon.
4 ((感嘆を表す語として)) ¶*よく来て下さいました It's *very* 「*nice* [*good*] of you to (have) come. // テレビを見ながら*よく本が読めますね (⇒どうしてできるのか不思議だ) I *wonder* how you manage to read while watching television at the same time. // *よく平気でいられるね *How* can you be so 「calm [cool; indifferent; nonchalant]?

よく[2] 欲 ―名(貪欲) greed Ⓤ; ((格式)) ávarice Ⓤ; (欲望) desire Ⓤ; (色欲) lust Ⓤ; (食欲・性欲) áppetite Ⓤ; (渇望) thirst Ⓤ; (熱望) hunger Ⓤ ★ 以上 3 語はしばしば不定冠詞を付けて; (切望) craving Ⓒ; (野心) ambition Ⓤ. ―形 greedy; ((格式)) avarícious; ambitious; hungry Ⓟ, thirsty Ⓟ.
【類義語】最も一般的な語が ***greed*** で, お金や物・権力などをむやみと欲しがって卑しい感じを表す. これより強調的でしかも格式ばった語が ***avarice***. 精神的, あるいは肉体的な欲望を表す語が ***desire*** で, これは一般的な語であるが, ときに性欲 (sexual desire) の意味で用いることがあるので注意を要する. 好ましくないことに対する強い欲望が ***lust***. この語は不倫な色欲という悪い意味で使われることが多い. 食欲・性欲などの肉体的な欲望を満たそうとする気持ちが ***appetite*** で, 比喩的に用いられることもある. 元来はそれぞれ空腹・渇きを表す語であるが, 懸命に切望する意味を表すのが ***hunger*** および ***thirst*** で, 両者は互いに入れ替え可能のことが多い. 非常に激しい欲望は ***craving***. 野心的な欲を表すのは ***ambition***.
¶彼は*欲の深いやつだ He is a *greedy* man. // 彼は*欲に目がくらんだようだ He seems to be blinded by *avarice*. // 彼は名誉[権力]*欲が強かった He had a 「*lust* [strong *desire*] for 「fame [power]. // 彼女は知識*欲が旺盛だ She has a great 「*appetite* [*desire*] for knowledge. / (⇒知識欲に燃えている) She is very 「*hungry* [*thirsty*] for knowledge. // 人間, *欲を言えばきりがない There's no limit to human *desire*. / The more one has, the more 「one [((米)) he] wants. ((ことわざ: 持てば持つほど欲しくなる)) // 彼は*欲がない (⇒金もうけに関心がない) He*'s* not *interested in* making money. // 新社長は海外進出には*欲を出さなかった The new president 「had no *ambition* to go [*was* not *interested in* going] into foreign markets.

よく[3] 翼 (飛行機・鳥・建物などの) wing Ⓒ ((☞ひこうき (挿絵); つばさ; はね')). ¶一*翼を担う play a 「*part* [*role*] // 右[左]*翼手 ((野球の)) a 「right [left] *fielder* **翼長** span Ⓒ, wing span Ⓒ.

> 翼のいろいろ
> 主翼 wing, 補助翼 aileron /éɪlərὰn/, 尾翼 tail wing, 垂直尾翼 vertical tail, 水平尾翼 hórizòntal táil, 三角翼 delta wing, 後退翼 sweepback wing

よく- 翌… ―形 next; following 語法 近さが念頭にあるのが next で, 順序として後であることを表すのが following. ((☞つぎ' (類義語))). ¶*翌 4 月 16 日は雨降りだった The 「*next* [*following*] day, April 16, turned out to be rainy.

よくあさ 翌朝 the 「next [following] morning ★ the を付けて. ((☞よく-; つぎ')).

よくあつ 抑圧 ―動(反対や反乱などを力で抑える) suppress ⑪; (人を権力などで強引に抑えつける) oppress ⑪ ★ 後者は意味が強く, しかも政治的圧力などによく使われる. ―名 suppression Ⓤ; oppression Ⓤ. ((☞よくせい; おさえる; だんあつ)). ¶その時代には信仰の自由が*抑圧されていた Freedom of religion *was suppressed* in those days.

よくうつ 抑鬱 depression Ⓤ. **抑うつ症** ☞うつびょう

よくか 翼下 ☞さんか[2]

よくけ 欲気 greed Ⓤ ((☞よく[2])). ¶*欲気を出す *be tempted to* … / *have* 「*an* [*the*] *ambition to* …

よくげつ 翌月 the 「next [following] month ★ the を付けて. ((☞よく-; らいげつ)).

よくさん 翼賛 ―動(無批判に賛美・支持する) praise [support] blindly [unquestioningly] ⑪.

— [形] ((全体主義的政府を)支援する) supportive (of a totalitarian government). — [名] (日本の戦前の) *yokusan* [U]; (説明的には) a pre-war totalitarian thought which professes the unity of Japanese people 《☞ たいせいよくさんかい》; (一般的に) blind ˹support [praise] [U].

よくし 抑止 — [動] (阻止する) detér [他]. — [名] deterrent /dɪtə́ːrənt/ [C]. 《☞ おさえる; そし[1]; よくせい》. ¶ 核*抑止力 the nuclear *deterrent*

よくしつ 浴室 bathroom [C] [語法] 単に bath [C] ともいう. この語は個人の家の場合はトイレの意味にも用いられる. 《☞ ふろ (挿絵)》.

よくじつ 翌日 the ˹next [following] day ★ the を付けて. 《☞ よく-; つぎ[1]》.

よくしゅう 翌週 the ˹next [following] week ★ the を付けて. 《☞ らいしゅう[1]; 時刻・日付・曜日 (囲み)》.

よくしゅるい 翼手類 〔動〕 Chiroptera /kaɪrɑ́ptərə/ ★ 複数扱い.

よくしゅん 翌春 the ˹next [coming; following] spring ★ the を付けて.

よくじょう[1] 欲情 (性欲) sexual ˹desire [appetite] [U] ★ 一般的; (色欲) lust [U] ★ 不倫な性欲のニュアンスがある. 《☞ よくぼう》.

よくじょう[2] 浴場 public bath [C] [日英比較] 英米にはないものなので説明を要する場合もある.

よくじょう[3] 翼状 — [形] wing-shaped, winglike; 〔解〕 pterygoid /térəgɔ̀ɪd/; 〔昆〕 alar, alary /éɪləri/. **翼状突起** pterygoid [C], pterygoid process [C] **翼状突起筋** pterygoid muscle [C]; 〔昆〕 álary múscle [C] **翼状板** pterygoid plate [C].

よくする[1] 善くする, 能くする be good at …, be skil(l)ful at … ¶ 彼は子供の頃から*詩をよくした He *has been good at* writing poems since he was a child. // それは凡人の*よくするところではない (⇒ 凡人にはできない) It *cannot be done* by an ordinary man.

よくする[2] 浴する ¶ 恩恵に*浴する *enjoy* the benefit of … // 国王に拝謁を賜わる光栄に*浴する *have* the honor ˹of being granted [to be granted] an audience by the king 《☞ にゅうよく; あびる; こうむる; うける[1]》

よくせい 抑制 — [動] (権威をもって制御する) contról [他]; (抑えて…しないようにする) 《格式》 restrain [他]. — [名] contról [U]; restraint [U]. 《☞ おさえる; こらえる; よくあつ》. ¶ インフレを*抑制する手だてはない There is no way to *control* inflation. // 彼は自分の感情を*抑制できない He can't ˹*control* himself [*restrain* his emotions].
抑制栽培 late raising (of plants) [U].

よくせき ☞ よほど 2

よくぞ ¶ *よくぞこらえてくれた *Thank you very much for* [*I appreciate*] your great patience.

よくそう 浴槽 bathtub [C] ★ 単に tub [C] ともいう; 《英略式》 bath [C]. 《☞ ふろ (挿絵)》.

よくたん 翼端 (wing) tip [C]. **翼端失速** tip stalling [U].

よくち 沃地 ☞ よくど

よくちょう[1] 翌朝 the ˹next [following] morning ★ the を付けて. 《☞ よくあさ》.

よくちょう[2] 翼長 (wing) span [C].

よくど 沃土 (肥沃な土地) fertile /fə́ːtl/ land [U]; (肥えた土壌) rich soil [U]. 《☞ ひよく[1]》.

よくとく 欲得 self-interest [U]. ¶ *欲得なしで (⇒ 利己的な動機[打算]なしで) 世のために行動する act *without* ˹*selfish motives* [*calculations*] to do good in the world.
欲得ずく — [形] (利己的な) self-interested; (報酬や利得目当ての) mércenàry ★ 軽蔑的. 《☞ ださんてき; そんとく; -ずく》. ¶ 彼は*欲得ずくでその仕事を引き受けた He took on the job ˹from a *mercenary* motive [out of *self-interest*].

よくとし 翌年 ☞ よくねん

よくねん 翌年 the ˹next [following] year ★ the を付けて. 《☞ よく-; らいねん》.

よくばり 欲張り — [形] (貪欲な) greedy; (強欲な) 《格式》 avarícious ★ 前者が一般的. — [名] (人) greedy [avaricious] person [C]; (欲を張ってけちけちした暮らしぶりをする人・守銭奴) miser [C]; (強欲) greediness [U], 《格式》 ávarice [U], avariciousness [U], greed [U]. 《☞ どんよく; よく[2] (類義語)》.
¶ 彼はなんて*欲張りなんだろう What a *greedy* ˹*person* [*pig*] he is! ★ [ ]内のほうが軽蔑的.

よくばる 欲張る (貪欲である) be greedy, be avarícious ★ 前者が一般的. 後者は格式ばった表現. 《☞ よく[2] (類義語)》.
¶ そんなに*欲張るな Don't *be* so *greedy*.

よくばん 翌晩 the ˹next [following] evening ★ the を付けて.

よくふか 欲深 — [名] (貪欲) greed [U]; (強欲) 《格式》 ávarice [U]. — [形] (欲の深い) greedy; avaricious. 《☞ よくばり; よく[2]》.

よくぼう 欲望 desire [U] [語法] 一般的な語. ただし前後関係によって性欲 (sexual desire) の意味にも使われる. 具体的な欲望の対象を示すときは [C]; (強い欲望・色欲) lust [U] ★ 特に不倫な色欲という悪いニュアンスがある; (食欲・性欲など) áppetite [U]. 《☞ よく[2] (類義語)》. ¶ 彼は*欲望を満たすためには何でもする He'll do anything [He resorts to any means] to satisfy his *desires*. ★ [ ] 内のほうが格式ばった言い方. // 彼は権力に対して強い*欲望を持っていた He had a *lust* for power. / He was ˹power-*crazy* [power-*mad*]. // 彼の目は*欲望に燃えていた His eyes were full of *lust*.

―コロケーション―
欲望を抑える stifle [suppress] a *desire* / 欲望を感じる feel a *desire* / 欲望を刺激する arouse (a) *desire* / 欲望をそそる whet (a) *desire* / 飽くことのない欲望 (an) insatiable *desire* / 抑えきれない欲望 (an) ˹irresistible [overwhelming] *desire* / 健全な欲望 (a) healthy *desire* / 性的な欲望 sexual *desire* / 強い欲望 (a) strong *desire* / 激しい欲望 (an) intense *desire* / 満たされぬ欲望 (an) unfulfilled *desire* / 無限の欲望 (a) boundless *desire*

よくめ 欲目 — [名] (偏見・先入観) préjudice [C]; (えこひいき) partiality /pɑ̀ɚʃiǽləti/ (for …) [U]. — [形] (偏見のある) préjudiced. 《☞ えこひいき》.
¶ 私の*欲目 (⇒ 私は偏見をもっている) かもしれないが, 彼はナンバーワンだ I may be *prejudiced*, but I think he is number one. // 彼は親の*欲目で, 息子を秀才だと思っている With a father's *partiality*, he believes his son talented. 《☞ おや[1] 成句》

よくも [日英比較] この日本語は単独で英語に訳そうとせず, 文全体の意味を考えて意訳する必要がある. 《☞ 翻訳 (巻末)》. ¶ 彼は君に向かって*よくもそんなことが言えるものだ (⇒ 何という神経の持ち主だ) What a nerve he has to say that to you! / How *dare* he say that to you? ★ dare は助動詞. // *よくもだましたな (⇒ 何て汚ないごまかし方だ) What a dirty trick (you played on me)!

よくや[1] 沃野 fertile /fə́ːtl/ plains ★ しばしば複数形で, 単数扱い.

よくや[2] 翌夜 ☞ よくばん

よくよう[1] 抑揚 ìntonátion [U].

よくよう[2] 浴用 ¶ *浴用石鹸 *bath* [*toilet*] soap

よくよく[1] — [副] (たいへん) very; (はなはだしく) extremely. (☞ ひじょうに; よほど).

¶ 彼女は*よくよく運が悪かったに違いない She must have been ˹very [*extremely*] unlucky. // あんなおとなしい男がそんなに怒るなんて, *よくよくのことだったと思う It must have been something *extraordinary* to have made such a nice person as him so ˹angry [mad]. // *よくよく考えれば if we consider (a matter) *well* / if we think (a matter) *over*

よくよく[2] **翼翼** ¶ あんな小心*翼々とした奴は嫌いだ I don't like such a ˹*timid* [*chicken-hearted*] man.

よくよくげつ 翌翌月 two months later.

よくよくじつ 翌翌日 (あさって) the day after tomorrow; (2 日後) two days later; (…の 2 日後) two days after … [語法] after の場合はその後に名詞か代名詞がくる. (☞ あさって).

よくよくねん 翌翌年 two years later.

よくりゅう[1] **抑留** ── 動 (捕虜などを一定の区域内に拘禁する) intérn (他); (強制収容所などに) detain (他). ── 名 internment Ⓤ; detention Ⓤ. (☞ こうりゅう[2]). **抑留者** detained person Ⓒ; (捕虜などの) internee /ɪntə̀ːníː/ Ⓒ; (政治的理由による) detainee /dɪtèɪníː/ Ⓒ **抑留所** detention camp Ⓒ.

よくりゅう[2] **翼竜** 〔古生〕 pterosaur /térəsɔ̀ə/ Ⓒ.

よくろう 翼廊 transept Ⓒ.

よくん 余薫 lingering ˹scent [fragrance] Ⓤ; (余徳) the influence of great virtue Ⓤ.

よけい[1] **余計** ── 形 (たくさんあり過ぎる) too ˹much [many] [語法] (1) 一般的な表現. much は不可算名詞に, many は可算名詞に用いる; (不必要な) unnecessary; (特別の・枠外の) extra Ⓐ; (加算された) additional; (余剰な) redundant.

¶ 1 つだけ*余計だ There's one *too many*. // あなたの最後の一言は*余計だった Your last remark [The last thing you said] was *unnecessary*. // *余計な料金を払わされた (⇒ 彼らは特別料金を要求した) They charged me an ˹*extra* [*additional*] fare. [語法] (2) fare は乗り物の料金. 手数料などなら fare の代わりに fee. // *余計なお世話だ (⇒ 自分のことに専心しろ) Mind your own business. / (⇒ おまえの知ったことではない) (It's) none of your business. ★ かなりきつい調子の表現. // その患者は手術後*余計悪くなった The patient's condition grew *worse* after the operation. // 見るなと言われると*余計見たくなるものだ When we are told not to look at something, we are *all the more* tempted to do so. **余計物** unnecessary [needless] ˹thing [item] Ⓒ **余計者** (招待されていない客) uninvited guest Ⓒ; (歓迎されない客[人]) unwelcome ˹guest [visitor; person] Ⓒ.

よけい[2] **余慶** **1** «吉事»: (祖先の善行によって得る幸福) happy consequences of good karma accruing to descendants Ⓤ.

2 «おかげ»: favor ((英) favour) Ⓒ.

よけい[3] **余恵** (期待しなかったおこぼれ[恵み]) unexpected ˹windfall [blessing] Ⓒ.

よけつ 預血 ── 名 pre-deposit of *one's* own blood Ⓤ, autologous blood donation Ⓤ ★ 予定手術前に自分の血を輸血用に保存しておくこと. 前者のほうが口語的. ── 動 deposit *one's* own blood for *one's* own use later.

よける (避ける) avoid (他); (車などが方向を急に変える) swerve (自); (ひらりと身をかわす) dodge (他) (自). (☞ さける[1]; かわす[2]).

¶ 横道から出てきた自転車を*よけようと, 車はハンドルを右に切った To *avoid* hitting the bicycle which came out of the side alley, the car ˹swerved [turned suddenly] to the right. // あまり急だったので*よけきれなかった (車で) It was ˹so sudden that we couldn't *swerve* [too sudden for us to *swerve*]. // 私は身をかわしてその一撃[ボール]を*よけた I *dodged* the ˹blow [ball].

よけん[1] **予見** ── 動 (予知する) foresee (他).

よけん[2] **与件** 〔哲〕(所与) datum Ⓒ (複 data); (前提条件) given condition Ⓒ, (格式) postulate Ⓒ.

よけん[3] **予研** ☞ こくりつ (国立予防衛生研究所)

よげん[1] **予言, 預言** ── 動 (事実・証拠などに基づいて) predíct (他); (宗教的に) prophesy /prάfəsàɪ/ (他) (自); (一般に未来のことを予想して述べる) fòretéll (他). ── 名 prediction Ⓤ; prophecy /prάfəsi/ Ⓤ.

¶ 彼はその市に大地震が起ると*予言した He *predicted* that a great earthquake would strike the city. // 彼女の*予言は当たった Her *prophecy* came true.

預言者 (男) prophet Ⓒ; (女) prophetess Ⓒ.

よげん[2] **余弦** 〔数〕 cosine /kóusaɪn/ Ⓒ (略 cos). **余弦曲線** cosine curve Ⓒ.

よこ 横 **1** «縦に対する横の幅» ── 名 (短い幅) width Ⓤ, breadth Ⓤ; (長い幅) length Ⓤ [日英比較] 日本語の「縦」は上下の方向,「横」は左右の方向を表し, それぞれ位置関係が明確に決まっているが, 英語の場合は長さの大小を考え, 長いほうが length, 短いほうが width となり, これらの語は必ずしも日本語の縦横にあてはまらない. ── 形 (横が…) … wide; … long [語法] (1) 2 つとも Ⓟ で, 長さを表す語の後に付ける; (水平の) hòrizóntal. ── 副 (水平に) horizontally; (縦に対して横に) across, crosswise, crossways [語法] (2) いずれも口語的な語で, 水平というのではなくて, 縦方向の線との対照において横の線をいう言葉. 斜めのこともあり, 第 2, 第 3 の語は「十文字に」の意味にもなる; (斜めに・ゆがんで) askew. (☞ はば; たかさ).

¶ その絵は*横 2 メートルある The picture is two meters ˹*wide* [*in width*]. ★ [ ] 内はやや格式ばった言い方. // 標準的な便せんの大きさは*横 18 センチ, 縦 23 センチです A standard letter sheet is ˹18 centimeters *wide* by 23 centimeters long [18 by 23 centimeters]. // 私は*横 50 cm, 縦 30 cm の板を探している I am looking for a board ˹fifty by thirty centimeters [50 cm *long* and 30 cm wide]. // *横 5 cm, 縦 3 cm の長方形をかきなさい Draw a rectangle 5 cm *wide* and 3 cm high. // *横に 10 cm の線を引きなさい Draw a 10 centimeter *horizontal* line. / Draw a *horizontal* line 10 centimeters long. / Draw a 10 centimeter line *horizontally*. // 次の数字を最初は縦に, 次に*横に読んで下さい Read the following digits first down and then *across*. // 彼はベレー帽を*横にしてかぶっていた He was wearing his beret ˹*askew* [*at an angle*]. // 彼は*横のものを縦にもしない (⇒ まったくの怠け者だ) He is a complete lazybones. / He is too lazy to do anything. / He won't lift a finger (to help).

2 «わき・側» ── 名 (側面) side Ⓒ ★ 形容詞的 (限定用法) にも使う. [日英比較] 日本語の「横」には (1)「家の横のドア」のように「側面」という意味と, (2)「学校の横の店」のように「側方の位置」という 2 つの意味があるが, 英語の side には (1) の「側面」という意味しかない. 従って「…の横に」という場合には at [by] the side of … という句を用いなくてはならない. (☞ まえ; うしろ). ── 前 (…の横の; …の側方の) beside …; (…のそばの) by … [語法] 以上 2 つはほぼ同じ意味になることもあるが, 前者のほうが正確に横の位置を示すのに対して, 後者は必ずしも真横とは限らず, 漠然と近くにあればよい. ── 副 (…の横に; …の側方に) at [by] the side of …, at [by] …'s side;

(わきの位置に) aside; (一方に) to one side; (わきの方へ・横にして) sideways; (横に寝かせて) on …'s side. ―[動] (横になる) líe dówn (自) 《過去 lay; 過分 lain》; (大の字になって寝る) strétch (*onesèlf*) óut; (顔を横に向ける) tùrn awáy (他). 《☞ そば[1] (類義語); わき; かたわら》.

¶ 私は彼女の*横に座った I sat 「*at* her *side* [*by* her (*side*)]. // 新聞は君のすぐ*横にある The newspaper is just *beside* you. // その建物の*横の入口はふさがれていた The *side* entrance of the building was blocked up. // このスケッチはその家を*横から見たものです This is a sketch of the house viewed from the *side*. // 彼らは*横に並んで走った They ran *side by side*. // 彼女は読書をやめて本を*横に置いた She stopped reading and put the book *aside*. // その塔は*横に傾いている The tower is leaning *to one side*. // 彼は首を*横に振った He *shook* his head. [参考] 縦に振るのは nod (自) (他). / (⇒ だめと言った) He said no. // 顔を*横に向ける *turn one's* face *away* (from …) // 彼はソファーに*横になって休んだ He 「*lay down* [*stretched* (*himself*) *out*] on the sofa to rest. // 魔法びんを*横にして置いてはいけません Don't lay the thermos *on its side*. // 話を*横にそらさないで下さい Don't switch the conversation to *another* topic. / Don't 「change [stray from; digress from] the main 「subject [topic (of conversation)]. // 私たちは食器棚をドアの所で*横にして運んだ We carried the cupboard *sideways* through the door. // 彼のことには*横から口をはさまないほうがよい (⇒ 干渉しないほうがよい) You'd better not 「*meddle* [*interfere*] *in* his affairs. // *横の人間関係 human relations on *the same* (*social*) *level* / (同輩との関係) human relations with *one's* 「*equals* [*colleagues*]

横糸 woof Ⓒ (↔ warp), weft Ⓒ **横線** horizontal line Ⓒ **横波** side wave Ⓒ **横幅** ―[名] width Ⓤ, breadth Ⓤ ★ 特に寸法をいうときには前者をよく用いる. ―[形] wide. ¶ *横幅 30 センチの布 a piece of cloth thirty centimeters *wide* **横向き** ―[副] sideways. ¶ 彼は*横向きに座った He sat *sideways*. // 私は疲れるとよく*横向きに寝る I often sleep *on my side* when I'm tired.

よご 予後 (病気の経過の見通し) prognósis Ⓒ 《複 -ses /sì:z/》. ¶ *予後は不良 The *prognosis* is 「bad [poor].

よこあい 横合い ¶ *横合いから口を出すな (⇒ 他人の会話に割込むな) Don't 「*barge* [*break*] *into* others' conversations.

よこあな 横穴 cave Ⓒ; (大きな横穴) cavern Ⓒ.
横穴式石室 stone chamber in a tunnel tomb Ⓒ
横穴墓 tunnel tomb Ⓒ, burial cavern Ⓒ.

よこあるき 横歩き ―[動] walk sideways (自).
¶ かには*横歩きする Crabs *move sideways*.

よこいじ 横意地 (がんこな性格) stubbornness Ⓤ; (意地を通すこと) obstinacy Ⓤ; (つむじまがり) perversity Ⓤ. ¶ *横意地を張るんじゃないよ Don't be so *obstinate*.

よこいっせん 横一線 ¶ *横一線に並ぶ stand [line up] *in a* (*straight*) *row* // 走者は最後の直線で*横一線に並んだ The runners were *neck and neck* as they came up to the home stretch.

よこう 予行 preliminary [trial] performance (of a play) Ⓒ; (稽古) rehearsal Ⓒ. ¶ 卒業式の*予行をする have [go through] a *rehearsal* of the 「graduation ceremony [commencement]

よこうえんしゅう 予行演習 (演劇・儀式の) rehearsal Ⓒ; (衣装を着て行う舞台稽古) dréss rehéarsal Ⓒ; (練習) practice drill Ⓒ, dry run Ⓒ.
¶ 劇の*予行演習をする *rehearse* a play / 船外活動[宇宙遊泳]の*予行演習をする have a *dry run* of a spacewalk

よこおよぎ 横泳ぎ ―[名] sidestroke Ⓤ ★ しばしば the を付けて. ―[動] do [swim] sidestroke (自).

よこがお 横顔 profile /próufaɪl/ Ⓒ, face in profile Ⓒ.

よこがき 横書き ―[動] write 「horizontally [across the page].

よこかぜ 横風 side wind Ⓒ.

よこがみやぶり 横紙破り ¶ 彼はとんでもない*横紙破りだ (⇒ どんなに不合理でも我を通そうとする) He always tries to *have his own way* no matter how unreasonable.

よこぎ 横木 bar Ⓒ, crossbar Ⓒ. 《☞ バー[2]》.

よこぎる 横切る ―[動] (一般的に) cross (他) (自), go across …; (海[空]の場合) sail [fly] across …; (真っすぐ, または斜めに渡る) 《格式》 traverse /trəvə́:s/ (他) (自); (交差する) intersect (他). ―[前] (…を横切って) across … ―[副] (横切って) across. 《☞ おうだん[1]; わたる[1]; つっきる》.
¶ 一行は川を*横切ってジャングルへ入っていった They 「*crossed* [*went across*] the river and went into the jungle.

よこく[1] 予告 (公の) preliminary announcement Ⓤ; (一般的に, 通知) (advance) notice Ⓤ; (テレビ・映画の予告編で断片的なもの) préview Ⓒ; (ポスターやプラカードによる宣伝) advance billing Ⓤ; (警告) warning Ⓤ. ¶ 彼は*予告もなしに解雇された He was dismissed without any (*advance*) *notice*. // 彼は次週の*予告を見ないことにはテレビを消さない He never turns off the television until he sees a 「*preview* [*trailer*] for the following week.
予告解散 the dissolution (of the Diet) with notice **予告先発** 〖野〗 the announcement of the starting lineup **予告手当** allowance paid to an employee who is to be dismissed without prior notice Ⓒ **予告登記** 〖法〗 (登記変動の) caution Ⓒ, notice served to a third person of a proceeding to expunge or restore an invalidated or cancelled item recorded in a register Ⓒ **予告編** (映画の) preview /prí:vjù:/ Ⓒ, trailer Ⓒ.

よこく[2] 与国 (同盟国) ally Ⓒ, allied nation Ⓒ; (友好国) friendly nation Ⓒ.

よこぐみ 横組 ―[名] 〖印〗 hórizòntal týpesètting Ⓤ. ―[動] sèt týpe hòrizóntally.

よこぐるま 横車 **横車を押す** (不合理なことをする) do unreasonable things, act unreasonably; (自分の思いどおりにする) have [get] *one's* own way.

よここう 横坑 horizontal 「underground passage [passage (with)in a mine] Ⓒ.

よこじく 横軸 (グラフの) hórizòntal áxis Ⓒ, X-axis Ⓒ ★ どちらも複数形は ― axes.

よこしま ―[形] bad, wicked, evil [語法] bad は最も一般的で広い意味の語. 後はこの順に意味が強くなる. 《☞ わるい; じゃあく》.

よこじま 横縞 hórizòntal strípes

よこしゃかい 横社会 (連帯社会) solidarity society Ⓤ.

よこす (送る) send (他); (手渡す) hánd óver (他); (与える) give (他); (配達する) delíver (他); (手紙を) write (to …) (自) ★ (他) の用法もある. ¶ 市長は式典に代理を*よこした The mayor *sent* a deputy to the ceremony. // あり金を全部*よこせ *Give* me [*Hand over*] all the money you have. // 彼はめったに手紙を*よこさない He seldom *writes to* me.

よごす 汚す make … 「dirty [filthy] ★ 最も一般的な表現; (染み・汚点などをつける) stain (他); (泥・排泄物などで汚す) soil (他); (染み・汚れなどを点々とつけ

る) spot ⑭; (有毒物・細菌などで汚染する) contáminàte ⑭; (広い範囲にわたって汚染する) pollúte ⑭. 《☞ きたない》. ¶子供たちが泥んこ遊びをして服を*汚した The children played in the mud and *made* their clothes *dirty*. // 車の排ガスが空気を*汚している Exhaust from cars *is polluting* the air. // 手を*汚す *soil* [*dirty*] *one's* hands

よこずき 横好き ☞ へた¹

よこすじ 横筋 (わき道) side [branch] road Ⓒ, byway Ⓒ. ¶話が*横筋にそれてしまった We *have gotten off* the subject. / We *have* ⌈*strayed* [*wandered*; *digressed*] *from* the main subject.

よこすべり 横滑り ―動 (車が) skid ⓐ, sideslip ⓐ ★前者のほうが普通. 後者は比喩的に人事異動などでも用いられる. ―名 skid Ⓒ, skidding Ⓤ, sideslip Ⓒ. 《☞ すべる¹》.

よこずれだんそう 横ずれ断層 horizontal ⌈dislocation [fault] Ⓒ.

よこずわり 横座り ―動 sit sideways ⓐ
日英比較 この表現だけではいすに横向きに座る意味にしかならないので, 例えば a relaxed kneeling position in which the legs are to one side of the body (instead of underneath) のような説明が必要である.

よこたえる 横たえる (一般的に) lay ⑭ 《過去・過分 laid》; (自分の体を) lie (dówn) ⓐ 《過去 lay; 過分 lain》. ¶彼は疲れた体を (⇒疲れて体を) ベッドに*横たえた He ⌈*lay* [*laid himself*] *down* on the bed exhausted.

よこだおし 横倒し ―動 (横に倒れる) fall ⌈sidelong [sideways] ⓐ 《☞ たおれる¹》. ¶看板が強い風で*横倒しになった The signboard ⌈*fell sideways* in [was blown *sideways* by] a strong wind.

よこだき 横抱き ―動 (小脇に抱える) hold ... under *one's* arm 《☞ かかえる》.

よこたわる 横たわる (横になる) lie (dówn) ⓐ 《過去 lay; 過分 lain》; (大の字に寝る) strétch *onesèlf* óut. 《☞ よこたえる; よこ; ねそべる》.

よこちょう 横町 (本通りを離れたわき道) side street Ⓒ; (路地) alley Ⓒ.

よこづけ 横付け ―動 (船を横付けにする) bring the boat alongside ... ¶彼は正門に車を*横付けにした (⇒正門の前に持ってきた) He *brought* his car ⌈*in front* [*to the front*] *of* the main entrance.

よこっちょ 横っちょ ¶帽子を*横っちょにかぶる *cock one's* hat / wear *one's* hat *to one side*

よこっつら 横っ面 (ほお) cheek Ⓒ. ¶*横っ面を張りとばす give *a person* a slap [slap *a person*] on the *cheek*

よこっとび 横っ飛び ―動 (飛び上がってわきに寄る) júmp asíde ⓐ.

よこづな 横綱 (人) *yokozuna* Ⓒ, grand champion sumo wrestler Ⓒ; (位) grand championship in sumo Ⓤ. **横綱審議委員会** the Yokozuna Promotion Council.

よこっぱら 横っ腹 ☞ わきばら

よこて 横手 ―前 (…の横に) at the side of ..., by ...; (…の隣に) next to ... **横手投げ** 〘野〙 sidearm delivery Ⓤ.

よごと 夜毎 every night, night after night ★後者のほうが口語的.

よことじ 横綴じ ¶これらの紙を*横綴じにして(⇒短いほうの側で綴じて)下さい *Bind* these sheets of paper *at the shorter side*.

よことび 横跳び ☞ よこっとび

よこどり 横取り ―動 (ひったくって取る) snatch (away) ⑭; (つかみ取る) seize /síːz/ ⑭; (盗む) steal ⑭.

よこなが 横長 ―形 (長方形の) óblong. **横長テレビ** widescreen TV Ⓒ.

よこながし 横流し ―動 (やみ市場で[に]売る) sell ... ⌈in [on] the black market; (違法に売る) sell ... ⌈illegally [through illegal channels]. ¶彼は多量の輸入物資を*横流しした He *channeled* a great quantity of imported goods *into the black market*.

よこなぐり 横殴り ―形 (吹き降りの) driving; (斜めに降りつける) slanting. ¶*横なぐりの雨 a ⌈*driving* [*slanting*] rain

よこなみ 横波 ☞ よこ

よこにらみ 横睨み (sharp) sidelong glance Ⓒ. ¶彼女は私たちを*横にらみにらんだ She gave us a *sharp sidelong glance*.

よこね 横根 〘医〙 bubo /b(j)úːboʊ/ Ⓒ 《複 ~es》.

よこのり 横乗り ―動 ride ... with both legs on the same side. ¶彼女は馬に*横乗りしていた She *rode sidesaddle*.

よこばい 横這い ¶いまのところ物価は*横這い状態だ (⇒安定している) Prices ⌈*are* now *stable* [*have* now *stabilized*]. // かにのように*横這いする move [walk] *crabwise*

よこはちまき 横鉢巻き headband tied ⌈askew [at an angle] Ⓒ 《☞ はちまき》.

よこはば 横幅 ☞ よこ

よこばら 横腹 side Ⓒ 《☞ わきばら》.

よこびき 横挽き ―動 cut crosswise ⓐ. ―形 crosscut.

よこびきのこぎり 横挽き鋸 crosscut saw Ⓒ.

よこぶえ 横笛 flute Ⓒ; (主として軍楽隊などの) fife Ⓒ. ¶*横笛を吹く play (on) the *flute*

よこぶり 横降り ¶*横降りの雨でズボンがびしょぬれだ My pants are dripping wet from the ⌈*slanting* [*driving*] *rain*. 《☞ よこなぐり》

よこみち 横道 ―名 (誤った方向) wrong way Ⓒ. ―動 (正しい方向からそれる) deviate /díːvièɪt/ from the right way; (話が主題からそれる) digréss ⓐ. 《☞ わきみち; それる》.

よこみつ 横褌 (相撲の) side of the belt (of a sumo wrestler) Ⓒ.

よこむき 横向き ☞ よこ

よこめ 横目 ―名 side glance Ⓒ. ―動 (横目にちらっと見る) cast a side(long) glance at ..., glance [look] (at ...) sideways; (盗み見る) look (at ...) out of the corner of *one's* eye.

よこメルカトルずほう 横メルカトル図法 〘地図〙 the Universal Transverse Mercator's projection, the UTM projection.

よこもじ 横文字 (ヨーロッパ語) Western [Éuropèan] lánguage Ⓒ; (ローマ字) Roman letters. ¶彼は*横文字の雑誌を数冊購読している He subscribes to several magazines in *Western languages*. // 副題は*横文字で印刷してある The subtitle is printed in *Roman letters*.

よこやり 横槍 ―動 (話などに割り込む) cùt in (on ...) ⓐ; (干渉する) interfére (with ...) ⓐ; (話などを中断させる [する]) ìnterrúpt ⑭ ⓐ. 《☞ じゃま》. ¶彼女はよく私たちの話に*横槍を入れる She often ⌈*cuts in on* [*interrupts*] our conversation.

よこゆれ 横揺れ ―名 (船などの) roll Ⓤ; (地震の) hórizòntal sháke Ⓒ (↔ vertical shake). ―動 roll ⓐ. 《☞ ゆれる (挿絵); ゆれ》.

よごれ 汚れ dirt Ⓤ ★一般的な語. 普通は洗えば落とせる汚れをいう; (染み) stain Ⓒ ★洗ってもなかなか落ちないものをいう; (泥などの) soil Ⓒ; (点々とついた染み) spot Ⓒ. 《☞ よごす; しみ¹》. ¶ネクタイの*汚れがとれない I cannot remove the *stains* from my tie. / The *stains* on my tie won't come out. / I can't get the *stains* out of my tie.

汚れ物（汚れた衣服）dirty clothes ★ 通例複数形で；（洗たく物）the ⌈laundry [washing]；（汚れた物）soiled [dirty] things ★ 通例複数形で． ¶ *汚れ物（⇒ 洗たく物）を洗濯機に入れなさい Put *the* ⌈*wash*(*-ing*) [*laundry*] ⌈in [into] the washing machine. / Put your ⌈*soiled* [*dirty*] *clothes* ⌈in [into] the washing machine.

汚れ役（魅力のない役）unglamorous role Ⓒ；（悪役）role of a villain Ⓒ；（社会的に見て好ましくない人の役）role of a socially undesirable character Ⓒ. ¶ 彼女は初めて*汚れ役を割り当てられた She was cast in *the* ⌈*role* [*part*] *of a socially undesirable character* for the first time.

よごれる 汚れる（汚なくなる）become dirty；（染みがつく）be stained；（泥などがつく）be soiled.《☞ よごれ；よごす》. ¶ 彼女は手が*汚れてしまった Her hands *became dirty*.

よこれんぼ 横恋慕 ━ 動 love *a person's* ⌈wife [husband; sweetheart].

よこわり 横割り（横断的な組織）intersectional organization Ⓤ.

よさ 良さ（よい点）good point Ⓒ ★ 最も口語的．以下の語の代わりにも使える；（欠点に対する長所・ほめるべきよい性質や特徴）merit Ⓒ；（質のよさ）good quality Ⓒ；（価値）value Ⓤ.《☞ ちょうしょ¹》.
¶ この案の*よさはどこにあるのか What are the ⌈*good points* [*merits*] of this plan? // 私には骨董品の*よさはわからない（⇒ 真価を認められない）I can't appreciate ⌈*the real worth* of [*what's good* about] antiques. // 彼女の性格の*よさ（⇒ 素朴さ）は長所でもあり短所でもある Her ⌈naïveté [naivete;《英》naivety] is both a strength and a weakness. ★ 英語の「ナイーブ（なこと）」は素朴・純真ながら世間知らずなことを表す．また，この例文では naïveté の代わりに good-naturedness を使うこともできる．

よざ 四座 four schools of Noh in the Edo period《☞ のう³》.

よざい 余罪 additional [other] ⌈crimes [offenses;《英》offences]；（追及する側から見ていう場合）additional charges.《☞ はんざい；つみ¹》.
¶ その男には強盗事件のほかに*余罪があると見られる The man is suspected of *several crimes in addition to* burglary.

よざくら 夜桜 ¶ 今夜*夜桜を見物に行こう Let's go and enjoy the *night view of cherry blossoms* tonight.

よさむ 夜寒（夜の寒さ）the night cold, the chill of night.

よさん 予算 budget /bʌ́dʒɪt/ Ⓒ；（見積もり）éstimate Ⓒ.《☞ みつもり》. ¶ 政府は来年度の*予算を立てている The government is compiling the *budget* for next year. // あなたのご*予算（⇒ 考えている価格の範囲）は What *price range* are you thinking of? **予算案** budget Ⓒ **予算委員** member of the budget committee Ⓒ **予算委員会** the budget committee **予算教書**（米国の）the Budget Message《☞ きょうしょ；ねんとう²》 **予算繰り入れ** ━ 動 carry over ... to the budget ㊎ **予算循環** budget cycle Ⓒ **予算審議** budgetary discussion Ⓤ **予算折衝** negotiation for budget requests Ⓒ, budget negotiation Ⓒ ★ 共にしばしば複数形で． **予算先議権** priority in budgetary discussion Ⓤ **予算の空白** budgetary vacuum Ⓒ **予算の自然成立** automatic approval of the budget bill Ⓤ **予算の重層構造** multi-layered budget structure Ⓤ **予算編成** drawing up of the budget Ⓤ.

コロケーション
予算を組む draw up a *budget* / 予算を超える exceed a *budget* / 予算を削減する cut [trim] a *budget* / 予算を提出する submit a *budget* / 予算を守る keep [maintain] within a *budget* / 緊縮予算 a tight *budget* / 国家予算 a national *budget* / 政府予算 the government's *budget* / 乏しい予算 a slim *budget* / 年間予算 an annual *budget* / 莫大な予算 a huge *budget*

よし¹（称賛・納得）good；（納得・承知）all right,《略式》O. K.；（では・さて）well. ¶ *よし，これで決まった *Good* [*All right*; *Then*], it's been settled. // *よし，行こう *Well*, let's go.

よし² 由 **1**《理由》: reason Ⓒ《☞ りゆう》.
2《方法》: way Ⓒ；（手段）means Ⓒ. ¶ 真相を知る*由もない There is no *means* to learn the truth.
3《趣旨》 ¶ 彼らにこの*由をお伝え下さい Please relay ⌈*what I've said* [*my message*] to them. // お元気の*由何よりと存じます I am very glad to *hear* (*that*) you're all right.

よし³ 葦〘植〙reed Ⓒ. **葦の髄から天井を覗く**（木を見て森を見ない）cannot see the ⌈forest [《英》wood] for the trees；（狭い視野を持つ）have a narrow view of things.《☞ かんけん²》.

よし⁴ 止し ━ 名（やめ）stop Ⓒ. ━ 動（やめにする）stop, put ⌈an end [a stop] to ...《☞ やめ；やめる¹；ちゅうし¹》. ¶ こんなつまらない討論はここいらで*よしにした方がいい We had better *stop* this meaningless discussion ⌈here [now; here and now].

よしあし 善し悪し（善か悪）good ⌈or [and] bad Ⓤ；（正しいか間違っているか）right ⌈or [and] wrong Ⓤ；（長所と短所）merits ⌈or [and] dèmerits ★ いずれも複数形で；（都合のよい点も悪い点もあること）mixed blessing ★ 通例 a を付けて．《☞ こうざい¹ 語法》. ¶ 彼には事の*善し悪しがわからない He can't tell the *good* from the *bad*. // 彼は*善し悪しにかかわらず，やりたいことをやる He will ⌈get [have] his own way whether it is ⌈*good or bad* [*right or wrong*]. // 正直すぎるのも*善し悪しだ（⇒ 常に長所であるとは限らない）Being too honest is not always a *merit*. // 偉くなるのも*善し悪しだ Being an important person is *a mixed blessing*.

よしきり 葦切〘鳥〙reed warbler Ⓒ.

よしきりざめ 葦切鮫〘魚〙blue shark Ⓒ.

よじげん 四次元 ━ 名（第 4 の次元）the fourth dimension；（4 つの次元）four dimensions. ━ 形 fourth-dimensional; four-dimensional.《☞ じげん¹》. **四次元空間** four-dimensional space Ⓒ.

よじじゅくご 四字熟語 four-character idiomatic compound word Ⓒ.

よしず 葦簀 reed ⌈blind [screen] Ⓒ. ¶ *葦簀張りの小屋 a shed walled with *reed screens*

よしない 由無い ━ 形（止むを得ない）unavoidable；（つまらない）trivial. ━ 副（理由なく）without reason.《☞ よし²》.

よしなに（よいと思うように）as you think fit；（適切に）suitably；（正しく）properly.《☞ よろしく》.
¶ どうぞ*よしなにお取り計らい下さい（⇒ あなたの援助を期待しています）I look forward to your support. / I would appreciate your support. /（⇒ 一番いいと思われるようにして下さい）Please do *what you think best*. /（⇒ よいと思うように）Please do *as you see fit*. // 加藤さんに*よしなに（⇒ よろしく）お伝え下さい Please *give my best regards* to Mr. Kato. / Please *remember me* to Mr. Kato.

よしのがりいせき 吉野ケ里遺跡〘考古〙━ 名 ㊀ the Yoshinogari ruins；（説明的には）an archaeological site of a ringed-dugout settlement located in Saga, Kyushu.

よじのぼる よじ登る climb (他), clímb úp… ★ climb は最も一般的な語; (はしごなどを) scale (他); (急いでよじ登る) scrámble (úp…) (自). (☞ のぼる). ¶ 私たちはその険しい崖を*よじ登った We *climbed* the steep cliff.

よしぶえ 葦笛 (葦で作った笛) reed ˹flute [pipe] Ⓒ.

よしみ (好意) goodwill Ⓤ; (親しい関係) friendly relations. ¶ 彼は旧友の*よしみで僕に金を貸してくれた As an old friend of mine, he showed *goodwill* and lent me the money. / He lent me the money *for our old friendship's sake*.

よしや (たとえ) even ˹if [though] …; (…ということを考慮しても) granted [granting] (that) … (☞ たとえ[1]; かりに). ¶ *よしや夢が実現せずとも私は努力を続けるつもりだ *Even* ˹*if* [*though*] my ˹dream [wish] does not come true, I will continue making efforts.

よしゅう 予習 ― 動 (家で自習する) do *one's* homework; (授業の準備をする) prepare *one's* lesson(s) ★ 前者が普通. homework は Ⓤ. ― 名 preparation (of *one's* lesson(s)) Ⓤ. (☞ ふくしゅう[1]). ¶ *予習は夕食後にしよう I'll *do my homework* after dinner.

よしゅくぎょうじ 予祝行事 event [function] (being) celebrated in advance Ⓒ; (小正月の行事) annual traditional ˹event [function] held in January to pray for the year's rich harvest Ⓒ.

よじゅみょう 余寿命 (構造材料の) (remaining) life Ⓤ, residual life Ⓤ ★ 前者のほうが口語的; (建物の) remaining durable years ★ 複数形で.

よじょう[1] 余剰 ― 形 (限度を超えて多すぎる) excéssive; (必要な分を引いて余った) súrplus Ⓐ. ― 名 excéss Ⓒ; surplus Ⓒ. (☞ あまり[1]; よけい[1]; よぶん[1]). ¶ 農家では*余剰農産物の処理に困っている Farmers don't know what to do with ˹the *excess* [the *surplus*] of produce. // *余剰人員 *surplus* workers // *余剰価値 *surplus* value

余剰金 surplus Ⓒ **余剰資金** surplus fund Ⓤ **余剰電力** surplus ˹electric power [electricity] Ⓤ **余剰物資** surplus materials /mətí(ə)riəlz/ ★ 複数形で. **余剰プルトニウム** surplus plutonium Ⓤ **余剰米** surplus rice Ⓤ.

よじょう[2] 余情 (emotional) overtone Ⓒ, suggestiveness Ⓤ. (☞ よいん).

よじょうはん 四畳半 ¶ *四畳半の部屋 a *four-and-a-half-tatami(-mat)* room

よしょうりつ 預証率 deposit-securities ratio Ⓒ.

よじる 捩る twist (他) (☞ ねじる; ねじれる).

よじれ 捩れ (ねじれ) twist Ⓒ; (渦巻き状態) convolution Ⓒ ★ 普通は複数形で.

よじれる 捩れる be twisted. ¶ 腹の皮が*よじれるほど笑う laugh *one's* head off

よしわら 吉原 ― 名 固 Yoshiwara; (説明的には) one of the licensed pleasure quarters (with brothels) in Edo.

よしん[1] 余震 áftershòck Ⓒ (☞ じしん[2]). ¶ きのうの地震は*余震が長かった The earthquake yesterday was followed by a long *aftershock*. **余震域** the area of aftershocks.

よしん[2] 予診 preliminary /prɪlímənèri/ (medical) examination Ⓒ.

よしん[3] 予審 (事前審理) pretrial /príːtràɪəl/ [preliminary /prɪlímənèri/] héaring Ⓒ; (予備尋問) pretrial [preliminary] examination Ⓒ.

よしん[4] 与信 credit Ⓤ. **与信業務** credit business Ⓤ (☞ しんよう).

よじん[1] 余人 (他の人) another person Ⓒ (複 other people). ¶ 彼は*余人をもって替えがたい人物だ He is an irreplaceable person. / No one can replace him.

よじん[2] 余燼 (燃えさし) ember Ⓒ ★ しばしば複数形で; (くすぶるもの) smolder Ⓤ ★ 以上 2 語とも比喩的な意味にも用いる. ¶ 敵に対する憎しみの*余燼がまだ彼の心の中でくすぶっている His hatred ˹for [of] the enemy is still *smoldering* inside him.

よしんば (たとえ) even ˹if [though]. ¶ *よしんば計算の誤りとしてもそれは許されることではない *Even* ˹*if* [*though*] it is a simple error in calculation, it won't be tolerated. // *よしんば雨が降ろうとも (⇒ 降っても照っても) 私はピクニックに行きます Rain or shine, I'll go on a picnic.

よす 止す (止める) stop (他); (あきらめる) gìve úp (他); (去る) leave (他); (仕事・習慣などを意図的にやめる) (略式) quit (他). (☞ やめる[1]).

¶ たばこは*よしなさい *Quit* [*Give up*] smoking. // 無理は*よしなさい (⇒ 働きすぎるな) *Don't* overwork. // そんなことは*よせ *Don't* do that! / Cut it out! ★ 第 2 文は口語的表現.

よすいろ 余水路 〘土木〙 spillway Ⓒ.

よすう 余数 (余った数) remaining [residual] number Ⓒ.

よすが 縁 (思い出させる物・事) reminder Ⓒ; (助け) help Ⓤ; (手段) means Ⓒ (複 ～). ¶ 亡き友が*よすがにと残した詩集 a collection of poems my dead friend left as a *reminder* of ˹him [her] // 身を寄せる*よすがもない I have nowhere to go for ˹*help* [*comfort*].

よすてびと 世捨て人 (隠者) (格式) recluse /réklu:s/ Ⓒ, hérmit Ⓒ 語法 前者のほうが意味が広い. 特に宗教的理由などにより人里離れた場所で隠遁生活をするのが hermit.

よすみ 四隅 (四方のかど) the four corners.

よすみとっしゅつがたふん 四隅突出型墳 〘考古〙 burial mound with four projecting corners Ⓒ.

よせ[1] 寄席 (米) váudeville thèater Ⓒ, (英) music hall Ⓒ. **寄席芸人** (米) vaudevillian /vɔ̀ːd(ə)víljən/ Ⓒ, (英) variety show entertainer Ⓒ **寄席文字** (書体) *yose* character Ⓒ; (説明的には) a calligraphic style of writing with characters which are of thick and rounded strokes with no openings, often used in sumo and *yose* (Japanese variety shows).

よせ[2] 寄せ (囲碁・将棋の終盤戦) the ˹final [last] stage(s) of a game; (チェスなどの終盤) endgame Ⓒ; (ゴルフのアプローチ) approach Ⓒ.

よせあつめ 寄せ集め ― 名 (ごった混ぜ) medley Ⓒ; (半端物) odds and ends ★ 複数形で. ― 形 (混合の) mixed; (有り合わせの) scratch Ⓐ. ¶ *寄せ集めチーム a *scratch* team

よせあつめる 寄せ集める (1 か所に集める) gather (他), gáther úp (他); (ある目的をもって組織的に集める) collect (他); (合わせて一緒にする) brìng [pùt] togéther (他). (☞ かきあつめる; あつめる (類義語)).

よせあわせる 寄せ合わせる (一つに寄せ集める) put together (他); (かき集める) gather (他). ¶ 彼女は私たちみんなを*寄せ合わせたよりもたくさんのお金を持っている She's got more money than all of us *put together*.

よせい[1] 余生 (残りの人生) the rest of *one's* life ★ the を付けて; (残りの年月) *one's* remaining years; (晩年) *one's* ˹latter [later; last] ˹years [days]. (☞ ろうご; ばんねん). ¶ 彼は田舎で*余生を送った He spent *the rest of his life* in the country.

よ

よせい[2] **余勢** ¶チームのメンバーは逆転勝ちの*余勢を駆って(⇒逆転勝ちしたことで勇気づけられて)連勝をねらった *Encouraged by* having won a game in which they came up from behind, the team members hoped for a string of wins.

よせうえ 寄せ植え (寄せ集めて植えられた草花) flowers [plants] planted together ★複数形で; (草花を植木鉢に寄せ集めて植えること) planting ˹various kinds of [assorted] flowers in a flower-pot Ⓤ.

よせえ 寄せ餌 ground bait Ⓤ (☞えさ).

よせがき 寄せ書き collection of *a person's* friends' and relatives' (words of) best wishes on a card Ⓒ. ¶結婚披露宴で招待客たちは新婚夫婦のために色紙に*寄せ書きするよう頼まれた At the wedding reception the guests were asked to ˹*write* [*contribute*] *their best wishes* for the newly married couple on a commemorative /kəmém(ə)rətɪv/ card.

よせかける 寄せ掛ける (他の物に立て掛ける) lean [rest; place] ... against .... ¶はしごを木に*寄せ掛けたほうがいいよ You'd better ˹*lean* [*rest*] the ladder *against* the tree.

よせぎざいく 寄せ木細工 (wooden) mosaic /mouzéɪɪk/ Ⓤ; (床の) parquet /pɑ́ːəkeɪ/ Ⓒ; (技術) parquetry Ⓤ.

よせぎづくり 寄せ木造り (木彫り技術) wooden sculpture technique of assembling interlocking wood blocks to make statues Ⓒ.

よせぎばり 寄せ木張り (床の寄せ木張り) parquetry Ⓤ; (寄せ木張りの床) parquet flooring Ⓤ.

よせぎれ 寄せ切れ (布の切れ端) scraps of cloth ★複数形で; (継ぎはぎ細工) patchwork Ⓒ.

よせくる 寄せ来る ── 形 (大波となって押し寄せる) surging; (前進してくる) advancing.
¶私たちの船は*寄せ来る大波のためもみくちゃに揺れた Our ship was tossed up and down by the *surging* waves. // 彼らは船を*寄せ来る波のなすがままにまかせた They left the ship to the mercy of the *surging* waves. // 彼らは*寄せ来る敵軍から城を守ろうとした They tried to defend the castle against the ˹*surging* [*oncoming*] enemy troops.

よせだいこ 寄せ太鼓 (攻め寄せの合図に打つ太鼓) battle drum ˹beaten [used] to signal ˹an attack [a charge] Ⓒ; (客寄せの太鼓) drum beaten to attract visitors Ⓒ.

よせつ 余接 〔数〕 cotangent Ⓒ (略 cot).

よせつける 寄せ付ける ¶あんな利己的なやつは*寄せ付けるな (⇒離れていろ) *Keep away from* such a selfish person. // 人を*寄せ付けない険しい山 a *forbiddingly* steep mountain (☞とおざける)

よせて 寄せ手 (攻め寄せの軍) attacking ˹force [army] Ⓒ; (敵) the (attacking) enemy Ⓒ.

よせなべ 寄せ鍋 Japanese ˹hotchpotch [hodgepodge](-style) stew cooked at the table Ⓒ ★説明的な訳.

ヨセフ ── 名 固 〔聖〕 Joseph ★イエスの母の夫.

ヨセフス ── 名 固 Josephus Flavius, 37?–?100. ★ユダヤの歴史家. Flavius Josephus ともいう.

ヨセミテ ── 名 固 (地名) Yosemite /jousémәti/ ★米国カリフォルニア州にある国立公園.

よせむねづくり 寄せ棟造り 〔建〕 hip roof style Ⓤ; (屋根) hip roof Ⓒ.

よせる 寄せる **1** «近づける»: (物を) brìng [dràw] (úp) ... ˹close [near] (to ...) (☞ちかづける). ¶彼はいすをストーブの近くに*寄せた He *drew up* his chair *close to* the heater. // もっと机のそばに明かりを*寄せなさい *Move* the light ˹*closer* [*nearer*] *to* your desk.

2 «わきへ寄せる»: pùt [púsh] ... asíde. ¶このボール箱をわきへ*寄せなさい *Put* this carton *aside.* // 彼は自転車をわきへ*寄せた He *moved* his bicycle *out of the way.*

3 «身を寄せる»: (助けを求める) go [come] for help to ...; (一緒に住むために行く) go to live with ... ¶子供たちは祖父母の所に身を*寄せた The children *went to live with* their grandparents.

4 «心を寄せる» ¶彼は級友の一人に思いを*寄せている (⇒恋している) He *is in love with* one of his classmates. // 私たちは哀れな難民に深い同情を*寄せた (⇒感じた) We *felt* deep sympathy for the poor refugees.

5 «波が打ち寄せる»: surge (against ...; on ...) 自 (☞うちよせる). ¶白い波が岸に*寄せては返していた The white waves *were surging* back and forth ˹*against* [*on*] the shore.

6 «寄稿する» ¶新聞に意見を*寄せる (⇒寄稿する) 人が多い There are many people who ˹*contribute to* [*write for*] the newspaper.

7 «訪問する»: (人を) call on *a person*; (場所を) drop ˹by [in at] ... ¶そのうちに*寄せて (⇒立ち寄らせて) もらいます Let me ˹*drop by* [*call on* you] one of these days. / I will *visit* you someday. 語法 drop ˹by [in at] ... は略式. call on ... は格式ばった表現. 人を目的にして略式で言うときは call in on ... となる.

よせん 予選 (競技の) preliminary /prɪlímənèri/ ˹tríal [héat] Ⓒ 語法 (1) preliminary だけでもよく, また heat だけでもよい. また, 競技の内容によって contest, match などが用いられることもある.
¶第1次*予選 the first round of the *preliminary* // 100メートル*予選 the 100-meter *preliminary* // 彼は*予選を通過した He qualified in the *heats.* / He passed the *preliminary heats.* 語法 (2) heat は予選の1回を指すので, この場合は複数形で. // 我々のチームは*予選で落ちた Our team *was eliminated from the tournament* /tʊ́ənəmənt/. / Our team failed to qualify in the heats.
予選通過者 quálifier Ⓒ.

よぜん 余喘 余喘を保つ (かろうじて生きている) barely maintain a feeble existence 自.

よそ ── 副 (どこかほかの所で[に]) somewhere else, elsewhere, at [in] ˹another [some other] place ★elsewhere はやや格式ばった語. ── 形 (どこか他の) (some) other; (よその人の) someone else's. (☞ほか; べつ).
¶どこか*よそへ行こう Let's go ˹*somewhere else* [to *another place*]. // このホテルは満員だ. どこか*よそで部屋を探さなければならない This hotel is full. We must look for rooms *elsewhere.* // *よその家では行儀よくしなさい You must behave yourself at *someone else's* house. // うちにはありません. *よその店できいてみて下さい I'm sorry we don't stock it. Please try *some other* shop. // *よその国 (⇒外国) a *foreign* country
よそにして ¶彼は仕事を*よそにして遊んでばかりいる He is leading a dissipated life, *neglecting* his work. / (⇒遊んで暮らしている) He is ˹taking life easy [idling his days away], *ignoring* his work.

よそいき よそ行き ☞よそゆき

よそう[1] **予想** ── 動 (予期する) expect 他 ★最も一般的な語. よいことにも悪いことにも使う; (当てずっぽうに推測する) guess 他 ★口語的な語; (多分そうだろうと思う) suppose 他; (考える) think 他 ★以上2つの語は普通は日本語の「思う」「考える」に相当することが多いが,「予想」に当たることもある; (見積もって考える) éstimàte 他; (不安または喜びなどの感情を伴って予想する) antícipàte 他. ── 名 expectation Ⓤ ★具体的な事柄を念頭においた場合は複数形を用いることもある; guess Ⓒ; supposition Ⓤ; estimation Ⓤ; anticipation Ⓤ. 《☞ よき; よそく; すいそく》.

¶だれもこんな結果を*予想できなかった Nobody could *expect* such a result. / (⇒ だれが予想できたろうか) Who could *expect* such a result? ★第2文のほうが格式ばった言い方. 《☞ 修辞疑問 (巻末)》 // *予想どおり (⇒ 我々が予想したとおり) その計画は大成功[大失敗]だった The plan was a ˹great success [complete failure], as we *had expected*. // わが校の野球チームは*予想に反して敗れた Contrary to [Against] our *expectations*, our baseball team was defeated. // 私の*予想では (⇒ 私が思うに) 彼はこの案に反対するだろう I ˹*suppose* [*guess*] he will be against this plan. // 僕の*予想では彼の計画はうまくいかないだろう In my *estimation* his plan will not work. // そこで彼女に会うなんて*予想もしてなかった I never *thought* to see her there. // 私たちは将来何が起こるか*予想できない We can never ˹*tell* [*know*] *in advance* what will happen in the future. **予想屋** (競馬などの) 《略式》 tipster Ⓒ; (選挙・スポーツなどの) 《略式》 dopester Ⓒ.

よそう[2] (他人に食べ物を分けて取ってやる) help *a person* to ...; (自分で) help *oneself* to ...; (盛り分ける) dish ˹out [up] ... ★[ ] 内は目的語を取らない場合もある. ¶みそ汁をもう一杯*よそいましょうか Can I *help* you to another bowl of miso soup? / (⇒ もう一杯いかがですか) Would you like another *helping* of miso soup?

よそうがい 予想外 — 形 (思いがけない) unexpected, unforeseen. — 副 (予想したよりも) than I expected ★比較級の構文と一緒に用いられる; (予想しなかったほどに) unexpectedly; (予想以上に) beyond expectation; (予想とは反対に) contrary to *one's* expectations. 《☞ いがい[1]》.

¶試験は*予想外に難しかった I found the examination much more difficult *than I had expected*. // 結果は*予想外だった The result was *different* ˹*from what* [*than the one*] *I had expected*. // *予想外の出来事 *unexpected* ˹accidents [incidents]

よそうや 予想屋 ☞ よそう[1] (予想屋)

よそおい 装い ¶どの店も*装いをこらして (⇒ いろいろな方法で) 美しくクリスマスの飾りつけをしてある All the stores are beautifully decorated *in various ways* for Christmas. // 当店は来月 10 日*装いも新たに開店いたします (⇒ 完全な改修の後, 再開店します) *After a complete remodeling* of our building, we will reopen on the tenth of next month. // 春の*装い *the look of* spring / spring *look*

よそおう 装う **1** 《着る》: dress *oneself* in ...; wear ㊀ ★wear は状態で,「身につけている」の意. ¶彼女は派手に [地味に] *装っていた She *was* ˹gorgeously [simply] *dressed*.

2 《振りをする》: (…の振りをする) pretend ㊀ ★最も一般的な語; (ある態度をとる) assume ㊀; (気取って…の振りをする) affect ㊀ ★最後の 2 つは格式ばった語. 《☞ ふり[2]》.

¶彼は病気を*装って午後の 2 クラスをさぼった He *pretended* to be sick and cut two classes in the afternoon. // 彼女は冷静を*装って仕事を続けた She went on working with an *assumed* calmness. // 彼は彼女のことを聞かれるといつも無関心を*装う He always ˹*affects* [*assumes*] indifference whenever (he is) asked about her.

よそぎ 余所着 (外出用の衣服) townwear Ⓤ; street clothes ★複数形で. 《☞ がいしゅつ; よそゆき》.

よそく 予測 — 動 (事実やデータに基づいて未来のことを予言する) predict ㊀; (一般に未来のことを予想して述べる) 《格式》 fòretéll ㊀; (1 つの判断を下す) éstimàte ㊀. — 名 prediction Ⓒ; estimate Ⓒ; (予測すること) estimation Ⓤ. 《☞ よそう[1]; よき》.

¶彼の*予測はそのとおりになった His *prediction* came true. // コンピューターは選挙の結果を*予測した Computers *made* some *predictions* about the outcome of the election. // 我々の*予測ははずれた We *made* an incorrect *estimate*. / Our *prediction* was wide of the mark. // 経済*予測 economic ˹*forecast(ing)* [*prediction*] // 人口*予測 population *forecast*

予測医療 predictive medicine Ⓤ.

> **コロケーション**
>
> **明るい予測** a rosy *prediction* / **誤った予測** a mistaken *prediction* / **暗い予測** a gloomy *prediction* / **根拠のない予測** an unfounded *prediction* / **正確な予測** an accurate *prediction* / **正しい予測** a correct *prediction* / **悲観的な予測** a pessimistic *prediction* / **楽観的な予測** an optimistic *prediction*

よそごと よそ事 (無関心なこと) matter of no concern Ⓒ 《☞ ひとごと》. ¶*よそ事じゃない (⇒ そのことは私[私たち]に大いに関心のあることだ) *The matter is of great concern to* ˹*me* [*us*]. / (⇒ あたかもわがことのように感じる) I *feel as if it were my own affair*. // 彼はまるで*よそ事 (⇒ 関係ないこと) のように思っているらしい He seems to think as if it were *none of his* ˹*concern* [*business*].

よそじ 四十路 forty (years of age) 《☞ -だい[2]》. ¶*四十路を越える be on the wrong side of *forty*

よそながら (遠くから) from a distance; (間接的に) indirectly; (さりげなく) casually. 《☞ かげ[2]》. ¶*よそながら (⇒ 遠くから) 道中のご無事を祈ります I am praying (*from afar*) that you will have a good trip. / (⇒ よいご旅行を) Have a nice trip. // *よそながらご無事をお祈りしておりました (⇒ 言葉には出さなかったが心配していました) I was anxious about you, *though I didn't tell you so*.

よそみ よそ見 — 動 (よそ見する) lóok ˹awáy [asíde] ㊁; (…から目をそらす) take *one's* eyes off ... 《☞ わきみ》.

よそめ よそ目 (他人の見る目) other people's eyes, the eyes of others; (人々の注目) public ˹notice [attention] Ⓤ. 《☞ はため; ひとめ[2]》. ¶彼は少しも*よそ目を気にしない He doesn't care a bit about *public* ˹*notice* [*attention*]. / (⇒ まったく無関心だ) He is completely indifferent to ˹*public attention* [*publicity*].

よそめにも よそ目にも ¶2 人の結婚生活は*よそ目にもうらやましいほどだった (⇒ 私たちすべての羨望(せんぼう)の的だった) Their happy married life was the envy of all of us. 《☞ はため》

よそもの よそ者 (部外者・局外者) òutsíder Ⓒ; (その土地に不慣れな人) stranger Ⓒ. 《☞ ぶがいしゃ; たにん》. ¶私はここでは*よそ者扱いです I'm treated ˹as an *outsider* [like a *stranger*] here. // あの男は*よそ者です He is *not a member of our group*.

よそゆき よそ行き — 名 (よそ行きの服) *one's* ˹best [Sunday] clothes 参考 Sunday clothes は日曜日に教会に着て行く服というのが元の意味. — 形 (改まった・正式の) formal.

¶彼女はパーティーに出席するため*よそ行きの服を着た She put on *her Sunday clothes* to attend the party. // *よそ行きの行儀 *company* manners ★目上の人などの前でのかしこまった礼儀作法をいう. // *よそ行きのあいさつ (⇒ 儀式ばったこと) は抜きにしましょ

う Let's dispense with (all) *formalities.* / Let's not stand on *ceremony*.

よそよそしい ― 形 (改まった) formal; (非友好的な) unfriendly; (冷ややかな) cold; (隔てのある) distant. 《☞ つんと》. ¶ 彼女はいつも私にとても*よそよそしい (⇒ 改まった態度だ) She is always very *formal* with me. // そう*よそよそしくしないで下さい Please don't *stand on ceremony*. // そのけんか以来, 彼らはお互いに*よそよそしくなった After the quarrel they grew *cold* to each other. / Since the quarrel they have grown *distant*.

よぞら 夜空 night [《格式》 nocturnal] sky Ⓒ 《☞ そら[1]》.

よそる ☞ よそう[2]

よた 与太 ¶ *与太を飛ばす (⇒ ばかなことを言う) say *silly things* **与太話** (ばか話) silly ˹talk [gossip] Ⓒ; (たわごと) nonsense Ⓤ **与太者** (暴力団員) gangster Ⓒ; (チンピラの暴れ者) hoodlum Ⓒ.

よたいりつ 預貸率 loan-deposit ratio Ⓒ.

よたか 夜鷹 (鳥) jungle nightjar Ⓒ; (売春婦) streetwalker (in the Edo period) Ⓒ.

よたく 預託 ― 動 deposit money in a bank. **預託金** deposit Ⓒ, money on deposit Ⓤ **預託金利** depositary interest Ⓒ **預託証券** depositary receipt Ⓒ 《略 DR》.

よだつ[1] ¶ 恐ろしさに身の毛が*よだった (⇒ 頭髪が逆立った) My hair *stood on end* with fright. // その話を聞けば身の毛が*よだつでしょう The story will make your hair *stand on end*. / (⇒ それはぞっとさせる恐ろしい話だ) It will be a ˹*hair-raising* [*blood-curdling*] story. / (⇒ 血も凍るような話だ) The story will make your blood *curdle*. 《☞ みのけがよだつ》

よだつ[2] 与奪 ☞ せいさつよだつ

よたよた ― 副 (足元がふらふらしてバランスがうまくとれない状態) staggeringly; (老人や赤ん坊など, 足元がふらふらしていまにも倒れそうな状態) totteringly; (一般的に不安定な状態) unsteadily. 《☞ 擬声・擬態語 (囲み)》. ¶ 老人は*よたよたと歩いていた The old ˹man [woman] was walking ˹*unsteadily* [*totteringly*].

よたる 与太る (不良じみた行動をする) play the gangster; (でたらめを言う) say silly things; (とても信じられない話をする) tell tall tales.

よだれ 涎 ― 名 (唾液) salíva Ⓤ. ― 動 (よだれをたらす) slaver ⓐ, slobber ⓐ ★ 比喩的な意味では前者は「羨望する」, 後者は「過度にほめそやす」という意味になる; (口の中でつばが出る) water ⓐ. ¶ 犬が食物に*よだれを流している The dog *is slavering* over ˹his [her] food. // それは*よだれの出そうなステーキだった It was a *mouth-watering* piece of steak. **よだれ掛け** bib Ⓒ; (小児のエプロン服) pínafòre Ⓒ ★ 首から胸の部分だけにかけるのは前者のほう. 《☞ エプロン (挿絵)》.

よたろう 与太郎 **1** 《人名》 ― 名 固 Yotaro; (説明的には) a foolish character in *rakugo* (comic storytelling). **2** 《愚か者》: (のろま) blockhead Ⓒ; (まぬけ) stupid fellow Ⓒ, fool Ⓒ; (なまけ者) lazy fellow Ⓒ.

よだん[1] 余談 ― 名 (脱線) 《格式》 digression Ⓒ. ― 動 digréss ⓐ.
¶ 彼の話には*余談が多すぎた He made too many *digressions* in his speech. // *余談になりますが (⇒ ついでですが[これに関連して]), 事件のあらましをお話ししたい *Incidentally* [*In this connection*] I'd like to tell you what happened. // *余談はこのくらいにして, 本題に戻りましょう So much for the *digression*. Now let me return to the main topic.

よだん[2] 予断 **予断を許さない** be unpredictable. ¶ 勝敗は*予断を許さない (⇒ 推測できない) We *can't guess* about the outcome of the game. // その国の政情は混沌として次に何が起こるか*予断を許さない The political situation of the country is chaotic and ˹*no one can safely predict* [*there is no knowing*] what will happen next.

よだんかつよう 四段活用 〖文法〗 the four-tier conjugation of a (Japanese) verb.

よち[1] 余地 (空間・行動・考え・場所などの) room Ⓤ; (活動の機会) scope Ⓤ; (空いている場所) space Ⓤ. 《☞ ところ》.
¶ この事業計画には大いに改善の*余地がある There is much *room* for improvement in this business project. // この倉庫には冷蔵庫を 100 台入れる*余地は十分にある There is enough *space* for a hundred refrigerators in this warehouse. // 彼の現在の立場では手腕をふるう*余地はない There is not much *scope* for using his abilities to the full(est) in his present position. // その問題はまだ議論の*余地がある The subject is still *debatable*. / The subject still leaves *room* for discussion. // そのことについては再検討の*余地がある (⇒ もう一度考慮する[調べてみる]十分な理由がある) There's *enough reason* to ˹reconsider [reexamine] the matter.

よち[2] 予知 ― 動 (天候・自然現象などを予報する) fórecàst ⓗ; (科学的方法などによって予言する) 《格式》 predict ⓗ. ― 名 fórecàst Ⓒ; prediction Ⓒ. 《☞ よそく; よげん[1]; よそう[1]》. ¶ 現在のところ地震の正確な*予知は難しい At present it is difficult to make an accurate ˹*forecast* [*prediction*] on the occurrence of earthquakes.

よちょう 予兆 (前兆) omen Ⓒ; (前触れ) sign Ⓒ; (予告) (previous) notice Ⓤ; (予期) foretaste Ⓒ ★ 将来の苦楽を前もって味わうこと. 《☞ まえぶれ; きざし; ぜんちょう[1]》.

よちょきん 預貯金 ☞ ちょきん

よちよち ― 動 (よちよち歩く) toddle ⓐ 《☞ 擬声・擬態語 (囲み)》.

よつ 四つ **四つに組む** (相撲) grip each other's belts with both hands; (問題などに正面から取り組む) tackle ... head-on, come [get] to grips with ... ¶ 両者*四つに組み, 動きが止まりました The bout has come to a standstill with both wrestlers *holding each other's belts*.

よつあし 四つ足 ― 名 (四つ足動物) quádrupèd Ⓒ. ― 形 four-footed.

よつあしもん 四脚門 four-post gate Ⓒ.

よつおり 四つ折り ¶ 彼女はその書類を*四つ折りにした (⇒ 4 分の 1 に折った) She folded the paper into *quarters* // *四つ折り版の本 a *quarto*

よっか 翼果 〖植〗 samara Ⓒ.

よっかい 欲界 〖仏教〗 the ˹realm [world] of desires.

よつかど 四つ角 crossroads ★ 単数扱い, crossing Ⓒ, intersection Ⓒ ★ 最後の語は改まった語. 《☞ じゅうじろ; こうさてん》. ¶ あの*四つ角を左に曲がりなさい Turn left at that ˹*crossroads* [*crossing*].

よつぎ 世継ぎ (後継者) successor Ⓒ; (相続人) heir /éə/ Ⓒ; (女性の) heiress /é(ə)rəs/ Ⓒ. 《☞ こうけいしゃ》.

よっきゃく 浴客 (温泉への入浴客) visitor at a ˹hot spring [spa] Ⓒ; (公衆浴場への) bather Ⓒ.

よっきゅう 欲求 (極めて強い欲望) desire Ⓒ 語法 一般的な語だが, 性的欲求 (sexual desire) の意味でもよく使われる; (切なる願い) craving Ⓒ ★ 文語的; (日常生活の必要) wants ★ 通例複数形で; (意志) will Ⓤ.
¶ 知的*欲求には限りがない There is no limit to our

よ

desire to learn. // 彼は生への*欲求を失ってしまった He has lost his「*will* [*desire*] to live. // 彼らの*欲求は現状ではちょっとかなえられない Their *wants* can hardly be satisfied under (the) present circumstances. 欲求不満 frustration Ⓤ.

よつぎり 四つ切り ── [名] (写真) quarter Ⓒ. ── [動] (4 つに [4 つの部分に] 切る) cut ...「in four [into four parts]; (4 等分する) quarter (他).

よつご 四つ子 (四つ子全員) quadruplets /kwɑdrúːplɪts/ ★ 複数形で; (四つ子の 1 人) quádruplet Ⓒ, one of the quadruplets.

よつずもう 四つ相撲 *yotsuzumo*, sumo hold in which each wrestler grips the other's belt with both hands in the same manner Ⓒ.

よつだけ 四つ竹 (竹片の楽器) bamboo castanets ★ 複数形で.

よっつ 四っつ ── [名] four. ── [形] (4 つの) four; (4 つめの) the fourth. ── [動] (4 等分する) quarter (他). (☞ 数字 (囲み)).

よつつじ 四つ辻 ☞ よつかど

よって 因って (それゆえに) accordingly; (その結果) consequently; (故に) therefore; (...に従って) according to ...; (...の理由で) owing [due] to ...; (...の手段によって) by (means of) ...; (...を通じて) through ...; (...の結果として) as a result of ..., in consequence of ... (☞ したがって[2]; よる[2]). ¶*よってくだんの如し (⇒ 前記記載の通りである) Such is the purpose of this document. ★ 証書の文句.

よつであみ 四つ手網 fishing net with rectangular frames Ⓒ ★ 説明的な訳.

ヨッティング (ヨットに乗ること) yachting Ⓤ.

よってたかって 寄ってたかって ¶級友は*寄ってたかって(⇒ みんなで)彼をいじめた His classmates bullied him *all together*.

ヨット yacht Ⓒ [語法] この語は小型の競走用やクルーズ用ヨットにも, また個人所有の大型で豪華なクルーズ用汽船にも用いるが, いずれにしろ甲板があり, 外洋航海が可能でなければ英語では yacht とは言えない; (小型で甲板のない, 通例 2 人乗りの帆走用ボート; ディンギー) dinghy Ⓒ [日英比較] (1) 日本語ではこれも通例ヨットと言っている; (帆船) sailboat Ⓒ, 《英》 sailing boat Ⓒ [日英比較] (2) やや漠然とした語だが, 日本語の「ヨット」はこれで表すとよい場合が多い. 外洋クルーズ用のものは cruising yacht Ⓒ または cruiser Ⓒ という.

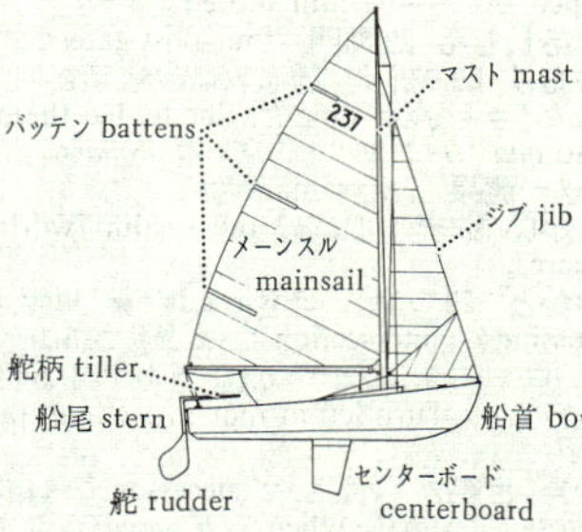

ヨットパーカ (フード付きジャケット) 《米》 parka Ⓒ; (ヨット用の服装) yachting「clothes [wear] ★ clothes は複数形で. wear は Ⓤ. ヨットハーバー yacht harbor Ⓒ; yácht basin /béɪsn/ Ⓒ ★ 後者はヨットハーバーとヨット用のドックのいずれをも意味する. ヨットレース yacht race Ⓒ.

よつば 四つ葉 (四枚の葉) four leaves. ¶*四つ葉のクローバー a「*four-leaf* [*four-leafed; four-leaved*] clover / (⇒ 幸運を呼ぶクローバー) a good-luck clover

よっぱらい 酔っ払い ── [名] (酔っ払った人) drunken「man [woman] Ⓒ, 《略式》 drunk Ⓒ ★ 後者は「酒飲み」という意味でも使う; (飲んだくれ) drunkard Ⓒ. ── [形] drunken Ⓐ, drunk.
酔っ払い運転 drunk [drunken] driving Ⓤ, driving under the influence (of alcohol) Ⓤ, driving while intoxicated Ⓤ ★ 後の 2 つは改まった言い方で最後のは DWI と略されることがある. ¶彼は*酔っ払い運転で警察につかまった He was arrested for「*drunk driving* [*drunken driving*; *driving while intoxicated*].

よっぱらう 酔っ払う ── [動] gèt「drúnk [intóxicàted] ★ [ ] 内は格式ばった語; (よろよろする) 《略式》 get tipsy. ── [名] (酔っ払うこと) intoxication Ⓤ. ¶彼はウイスキーでぐでんぐでんに*酔っ払った He *got*「dead [blind] *drunk* on whisky. // 彼は*酔っ払って意識を失った He *got* dead *drunk* and passed out.

よっぽど ☞ よほど

よづめ 夜爪 夜爪を切る cut *one's* nails at night ★ 日本では不吉として避けられていた.

よつめがき 四つ目垣 (格子の竹垣) lattice bamboo fence Ⓒ; (格子垣) trellis Ⓒ.

よつめごうし 四つ目格子 (格子造り) latticework Ⓤ, trelliswork Ⓤ; (格子窓) lattice window Ⓒ.

よつめむすび 四つ目結び ── [名] double bow knot Ⓒ. ── [動] tie four strings by crossing them diagonally.

よつゆ 夜露 evening [night] dew Ⓤ (☞ つゆ[1]). ¶生け垣に*夜露が降りた The「*evening* [*night*] *dew* has fallen on the hedgerows.

よづり 夜釣り night fishing Ⓤ. ¶彼は*夜釣りに出かけた He went *fishing at night*.

よつんばい 四つん這い ── [動] (はって行く) crawl on (*one's*) hands and knees; (四つんばいになる) get on all fours ★ 後者は慣用的. (☞ はう (類義語)). ¶彼らは彼を*四つんばいにさせた They made him *get down on his hands and knees*. // ほら穴に入るためには*四つんばいにならねばならなかった We had to *go on all fours* to enter the cave.

よてい 予定 1 《計画》 ── [名] plan Ⓒ ★ 最も一般的な語; (きちんと時間を割り当てた計画) schedule /skéʤuːl | ʃédjuːl/ Ⓒ; (事業や将来などの) prógram Ⓒ. ── [形] planned; scheduled ★ 2 つとも通例 Ⓐ. ── [動] plan (他); schedule (他); make a plan; (期待する) expect (他). (☞ けいかく (類義語); にってい; スケジュール).
¶「あすはお暇ですか」「いいえ*予定がぎっしりです」"Are you free tomorrow?" "No, I have a「tight [busy] *schedule* tomorrow. / No, I'm (all) *booked* up." // あしたは特に*予定はありません I have no special *plans* for tomorrow. / (⇒ 特にすることは何もない) I have nothing in particular to do tomorrow. // 飛行機は*予定より 2 時間遅れて到着した The plane arrived two hours behind *schedule*. // 飛行機は*予定どおり飛び立った The plane took off *on*「*schedule* [*time*]. // 今年の夏アメリカに行くご*予定ですか *Are* you *planning* to go to the United States this summer? [語法] (1) be planning to *do* ... で「...するつもり; ...する計画 [予定]」という意味. (☞ -つもり) // その試合は月曜の午後に*予定されている The match *is scheduled* for Monday afternoon. // 私たちは校門の所に集まる*予定だ We *are to* meet at the school gate. [語法] (2) be to *do* ... はかなりはっきりした予定を表すのに用いる. // 列車は午後 2 時に到着の*予定です The train *is*「*due* (to arrive) [*scheduled* to arrive]

at two in the afternoon. // 彼はあす東京着の*予定だ He *is expected* (to be) in Tokyo tomorrow. // 出産のご*予定はいつですか When is your baby *due*? / When is your *due* date? 《☞ 予定日》

2《準備・約束》 ―名 (前もっての準備・予定) previous arrangements ★ 複数形で; (会合・面会などの約束) appointment Ⓒ. ―形 previously arranged, prearranged; appointed. 《☞ やくそく》. ¶ 彼らは*予定を変更しなくてはならなかった They had to alter their *previous arrangements*. // 彼女は*予定の時間に来なかった She didn't come at the *appointed* time. // それは我々の*予定の行動では (⇒ 予定によってそのようにやったのでは) なかった We did not proceed (in) that manner *by* ⌈*prearrangement* [*calculation*].

予定どおり (計画されたように) as (previously) ⌈arranged [planned]; (計画に基づいて) according to ⌈plan [schedule]. ¶ 儀式は*予定どおりに運んだ The ceremony was carried out *as planned*. // 万事*予定どおりに運んだ Everything turned out *as* ⌈*arranged beforehand* [*previously arranged*].

予定説〘神学〙the theory of predestination **予定納税** (税金) prepaid tax Ⓤ; (行為) tax prepayment Ⓤ **予定日** (出産の) the expected date of *one's* confinement, due date ★ 普通は単数形で. **予定表** schedule Ⓒ; (手帳)《米》calendar [《英》diary] of events Ⓒ.

―コロケーション―

予定に従う follow a *schedule* / 予定を立てる draw up [plan; set up] a *schedule* / 予定を発表する issue a *schedule* / 予定を変更する change *one's schedule*

よてき 余滴 (筆先に残ったしずく) drippings ★ 通例複数形で. ¶ 文壇*余滴 (⇒ 文芸覚え書き) literary *jottings*

よとう 与党 the ruling party (↔ opposition (party)). **与党議員** Dietman [M. P.] ⌈from [who belongs to] the ruling party Ⓒ.

よとうむし 夜盗虫〘昆〙cutworm /kʌ́twə̀ːm/ Ⓒ.

よどおし 夜通し throughout the night, all night (long), all [the whole] night through. 《☞ しゅうや; てつや》. ¶ 彼は*夜どおし起きていた He stayed up *all night* (*long*).

よどぎみ 淀君 ―名 ㊐ Yodogimi, 1567–1615; (説明的には) Lady Yodo, concubine of Toyotomi Hideyoshi and mother of his heir, Hideyori. 《☞ とよとみひでよし》.

よとく 余得 extra profit Ⓤ ★ 具体的には Ⓒ; (役得) perquisites, perks ★ いずれも普通は複数形で. 後者は前者の省略形で, 口語的.

よどみ 淀み (停滞) stagnation Ⓤ; (流れのない所) (stagnant [standing]) pool Ⓒ.

よどみなく 淀みなく (なめらかに) smoothly; (流ちょうに) fluently; (雄弁に) éloquently. 《☞ とどこおりなく; りゅうちょう》.

よどむ 淀む (液体・気体が停滞する) stagnate ㊌, become stagnant; (沈殿する・させる) settle (at the bottom) ㊌ ㊉; (沈殿させる) depósit ㊉. 《☞ ちんでん》. ¶ 湿地に水が*よどんでいた The water *stagnated* in the swamp. // 手おけの底におりが*よどんでいた The dregs *were* ⌈*deposited* [*settled*] at the bottom of the pail. // 部屋の空気は*よどんでいた The air in the room was *stagnant*. // 彼女は言い*よどみながら意見を述べた She ⌈*faltered* [*stammered*] *out* her opinion.

ヨナ ―名 ㊐〘聖〙Jonah ★ イスラエルの預言者.

よなおし 世直し social reform Ⓤ ★ 複数形で用いられることもある. **世直し一揆** riot demanding social reform Ⓒ.

よなか 夜中 ―副 (夜に) at night; (夜のうちに) in the night; (真夜中ごろ) about midnight 〔語法〕(1) midnight は午前0時のこと; in the middle of the night 〔語法〕(2) 時刻には直接関係なく「夜中に」の意; (夜遅く) very late at night. ¶ *夜中の1, 2時ごろ in the small hours 〔語法〕(3) small hours はだいたい午前1時から4時ぐらいの間. // 私は*夜中に数回, 目を覚ました I awoke several times ⌈*in the night* [*during the night*].

よなが 夜長 (長い夜) long night Ⓒ.

よなき 夜泣き ―動 (幼児が) cry in the night. **夜鳴きうどん** (屋台のうどん屋) noodle (night) vendor Ⓒ; (うどん) noodles sold by a vendor at night ★ 複数形で. **夜鳴きそば** (屋台のそば屋) buckwheat noodle (night) vendor Ⓒ; (そば) buckwheat noodles sold by a vendor at night ★ 複数形で.

よなべ 夜鍋 ―動 (夜中に働く) work at night; (夜遅くまで働く) stay up late working.

よなよな 夜な夜な ―副 (毎晩毎晩) night after night, every night.

よなれた 世慣れた (世才のある) worldly-wise; (都会的な・すれた) sophísticàted 〔語法〕この語はむしろ「洗練された・しゃれた」というよい意味に多く使われる. 《☞ せさい; すれる¹》. ¶ 彼は若いのに*世慣れている He is rather *worldly-wise* for a young man. // 地方から都会に出てくる純真な若者も2, 3年たつと*世慣れてくる The naïve young people who come to large cities from (the) rural districts *get sophisticated* in a few years.

よにげ 夜逃げ ―動 run away [escape] by night. ―名 midnight run Ⓒ. ¶ 金貸しの催促から逃れるための*夜逃げ a *midnight run* to flee from loan sharks **夜逃げ屋** person who assists debt dodgers to disappear Ⓒ ★ 説明的な訳.

よねず 米酢 (米を原料とした酢) ríce vinegar /vínɪgə/ Ⓤ.

よねつ¹ 余熱 retained [remaining] heat Ⓤ; (廃棄熱) waste heat Ⓤ. 《☞ ぬくもり》.

よねつ² 予熱 preheating Ⓤ.

よねん 余念 **余念がない** ¶ 子供たちは遊びに*余念がなかった (⇒ 夢中だった) The children *were absorbed in* their play.

よねんしつ 予燃室〘機〙precombustion chamber Ⓒ.

よのう 予納 ―名 (前払い) prepayment Ⓤ; (前納) advance payment Ⓤ ★ 金銭を指すときは Ⓒ. ―動 (前納する) prepay ㊉; pay ... in advance. 《☞ ぜんのう²》. ¶ *予納金を納める make the *advance payment*

よのなか 世の中 (世間) the world ★ the を付けて; (人生) life Ⓤ; (時勢) times ★ 通例複数形で; (時代) age Ⓒ; (社会) society Ⓤ; (漠然と世の中の事情) things ★ 複数形で. 口語的. 《☞ よ¹; せけん; しゃかい》.

¶ 彼女は*世の中のことを知らない She ⌈knows nothing [is ignorant] of *the world*. // 彼は新聞記者として*世の中に出た He went out into *the world* as a (newspaper) reporter. / (⇒ 新聞記者として生活を始めた) He began his *life* as a (newspaper) reporter. // *世の中とはそういうものだ That's the way it is. // 戦争以後, *世の中がずいぶん変わった *Times* [*Things*] have changed greatly since the war. // いまは原子力の*世の中だ This is the *age* of atomic energy. // 彼は*世の中をよくするために努力している He is working hard to improve our *society*.

よは 余波 (事件などの) áftereffèct Ⓒ ★ 通例複

数形で，よくないことに用いられる；（影響）áftermàth Ⓒ；（暴風雨の）trail Ⓒ. ¶ 戦争の*余波 the *aftermath* of the war // 近くを通過した台風の*余波で（⇒ 台風による雨のため） 川の水かさが増した The river has risen because of the rain from the typhoon passing near by.

よばい 夜這い ―動（闇にまぎれて忍び込む）sneak into a woman's bedroom under (the) cover of darkness ⓐ.

よはく 余白 （ページなどの）margin Ⓒ；（空所）space Ⓒ. ¶ 彼はその語の意味についての注を*余白に書きとめた He wrote down a note on the meaning of the word in the *margin.*

ヨハネ ―名 固〘聖〙（洗礼者ヨハネ）John (the Baptist)；（十二使徒の一）(Saint) John. **ヨハネによる福音書**〘聖〙The Gospel according to St. John **ヨハネの黙示録**〘聖〙The Book of Revelations of St. John the Divine, the Revelation(s).

ヨハネスバーグ ―名 固 Johannesburg /ʤoʊhǽnəsbə̀ːg/ ★ 南アフリカ共和国北東部の都市.

ヨハネ パウロにせい ヨハネ パウロ二世 ―名 固 John Paul II, 1920–2005. ★ ポーランド出身の前ローマ教皇.

よはらい 預払い ―動（銀行で）deposit「or [and] withdraw ⓗ.

よばれる 呼ばれる （招待される）be invited；（言われる）be called；（名づけられる）be named；（召喚される）be summoned；（あだ名で呼ばれる）be dubbed.《☞ まねく；しょうたい¹》.

¶ 彼女はパーティーに*呼ばれた She *was invited* to the party. // 彼は祖父の名にちなんでパトリックと*呼ばれた He *was*「*called* [*named*] Patrick after his grandfather. // 彼は殺人容疑で法廷に*呼ばれた He *was summoned* to appear in court on a charge of murder. // 彼女は鉄の女と*呼ばれた She *was dubbed* "The Iron Lady."

よばわり 呼ばわり ―動（人を…と呼ぶ）call *a person* …；（汚名を着せる）brand ⓗ；（非難する）denounce ⓗ. ¶ 泥棒*呼ばわりする *denounce* [*brand*] *a person* as a thief

よばん 夜番 ―名 night watch Ⓤ；（人）night guard Ⓒ, watchman Ⓒ. ―動 guard … at night.

よび 予備 ―名（予備の物）spare Ⓒ；（蓄え）reserve Ⓒ. ―形 spare. ¶ *予備のタイヤ a *spare* tire // *予備の部品 *spare* parts // *予備の食糧 a *reserve* of food

よびあげる 呼び上げる càll óut ⓗ《☞ よぶ；よみあげる》. ¶ 彼は合格者の名前を*呼び上げた He *called out* the names of the successful candidates.

よびあつめる 呼び集める cáll togéther ⓗ《☞ よぶ；あつめる；よびよせる》. ¶ 父は家族全員を*呼び集めた Father *called together* all the members of the family.

よびいれる 呼び入れる call *a person*「in [into …]《☞ よびこむ》.

よびえき 予備役〘軍〙service in the first reserve Ⓤ. ¶ *予備役に回る go into *the first reserve* // *予備役の少佐 a major in the *reserve(s)*

よびおこす 呼び起こす （目を覚まさせる[覚ます]）wáke (úp) ⓗ ⓐ《過去 woke, waked；過分 waked, woken》, waken (up) ⓗ, awake ⓗ ⓐ《過去 awoke, awaked；過分 awaked, awoke》, awaken ⓗ 〔語法〕wake (up) が最も口語的. awake と awaken はやや格式ばった語で，比喩的に用いられることが多い；（記憶を）call … to mind；（人に…を思い出させる）remind *a person* of …《☞ おこす¹》. ¶ 私は真夜中にだれかの助けを求める声で*呼び起こされた I *was*「*woken up* [*wakened* (*up*); *awakened*] at midnight by someone's call for help. // そのカレンダーの絵は私にヨーロッパ旅行の思い出を*呼び起こした The picture on the calendar *reminded* me *of* my trip to Europe.

よびかえす 呼び返す ☞ よびもどす

よびかけ 呼び掛け （訴え）appeal Ⓒ；（会話で敬称・愛称を用いた話しかけ）(personal) address Ⓒ. ¶ その団体は世界の反核運動家と平和を愛する人々への*呼びかけを行っている The organization is making an *appeal* to antinuclear /æ̀ntɪn(j)ùːkliə/ activists and the peace-loving people of the world.

よびかける 呼び掛ける （…を声をかけて呼ぶ）càll (óut) to …；（注意を引くために声をかける）hail ⓗ；（…に訴える）appeal to …《☞ よぶ》.
¶ 通りで見知らぬ人が私に*呼びかけてきた A stranger「*hailed* [*called* (*out*) *to*] me on the street. // 市長は難民を助けるように全市に*呼びかけた The mayor *appealed to* the whole city to help the refugees. // 彼女は平和運動への参加を*呼びかけた（⇒ 参加することを訴えた）She *appealed* to take part in the peace movement.

よびかわす 呼び交わす （呼びあう）call to each other；（互いの名前を）call each other's names.

よびきん 予備金 （蓄えてある金）money in reserve Ⓤ；（積立基金）reserve (fund) Ⓒ.《☞ よび》.

よびぐん 予備軍 reserve Ⓒ ★ 通例複数形で. ¶ 暴走族*予備軍（⇒ 将来の暴走族）*prospective* motorcycle gangs

よびこ 呼び子 whistle Ⓒ.

よびこう 予備校 （詰め込み勉強のための）cram(-ming) school Ⓒ 〔日英比較〕preparatory school と訳すと，それは《米》では大学進学向けの私立高校を，《英》ではパブリックスクール入学前の子弟を収容する学校を指し，共に日本のものとは違うので注意を要する.《☞ じゅく；学校・教育（囲み）》.

よびこうしょう 予備交渉 （準備段階の交渉）prelíminary negotiátion Ⓒ ★ しばしば複数形で；（打診）《格式》overtures ★ 複数形で.《☞ よび；こうしょう¹》.

よびごえ 呼び声 （呼ぶ声）call Ⓒ；（叫び声）cry Ⓒ. **呼び声が高い**（評判である）be much talked of. ¶ 彼は目下次期総理の*呼び声が高い He *is* now「*widely talked of* [*strongly mentioned*] as the next prime minister.

よびこみ 呼び込み （見せ物などの呼び込みの人）barker Ⓒ.

よびこむ 呼び込む ¶ 客を*呼び込む *call* customers *in*

よびさます 呼び覚す （声をかけて目を覚まさせる）wake (up) ⓗ；（記憶を）call … to mind；（人に…を思い出させる）remind *a person* of …《☞ おこす¹；よびおこす》. ¶ この写真は私達の 30 年前のシアトル時代の記憶を*呼び覚ました This picture *has reminded* me *of* the time we spent in Seattle 30 years ago.

よびじえいかん 予備自衛官 Self-Defense Force Reservist Ⓒ.

よびじお 呼び塩 〘料理〙 ―動（塩抜きをする）desalt from salted food ⓐ.

よびしけん 予備試験 preliminary examìnátion Ⓒ, preliminary Ⓒ,《略式》pretest Ⓒ,《略式》prelim ★ 普通は複数形で.《☞ しけん¹》.

よびしつ 予備室 （来客用などの予備の部屋）spare room Ⓒ. ¶ 私の家には君が泊まれる*予備室がある We have a *spare room* for you to「sleep [stay] in.

よびしはらいにん 予備支払人 （手形の）referee in case of need Ⓒ.

よびすて 呼び捨て ―動 (名字だけで呼ぶ) call *a person* by ⌈*his* [*her*] last name only. ¶彼女は私を*呼び捨てにした She *called* me *by* my *last name only.* / (⇒"Mister"を付けずに呼んだ) She *addressed* me *without saying* "*Mister*."

よびせんきょ 予備選挙 preliminary election Ⓒ; (米国大統領候補の) primary (election) Ⓒ.

よびだし 呼び出し ―名 (召喚) 《格式》 summons Ⓒ 《複 ～es》; (相撲の呼び出し係) crier Ⓒ. ―動 call (他); 《格式》 summon (他); (ホテル・駅で呼び出す) page (他). (☞ しょうかん¹; しゅっとう). ¶彼は警察の*呼び出しに応じなかった He ⌈ignored [did not answer] the *summons* from the police. // 私は職員室に*呼び出しを食った (⇒呼ばれた) I *was summoned* to the teachers' room. // 《ホテルなどで》お*呼び出しを申し上げます. 横浜の鈴木太郎様, おいででしたらフロントまでお越し下さい *Paging* Mr. Taro Suzuki of Yokohama. Mr. Taro Suzuki of Yokohama, please come to the front desk.
呼び出し音 (電話の) ring Ⓒ **呼び出し状** (裁判所への出頭命令書) summons Ⓒ **呼び出しボタン** call button Ⓒ.

よびだす 呼び出す (呼び寄せる) call *a person* ⌈to [before] ...; (召喚する) 《格式》 summon (他); (ホテル・劇場などで人を呼び出す) page (他); (電話口へ) cáll [《英》 ríng] (úp) (他). (☞ よぶ; よびよせる; しょうかん¹).
¶彼らは再び裁判所に*呼び出された They *were summoned to* court again. // 彼女はホテルのロビーで夫を*呼び出してもらった She *had* her husband *paged* in the hotel lobby. // 私は彼に彼女を電話口に*呼び出してもらった I asked him to *call* her *to* the telephone. // 私は電話で事務所に*呼び出された I *was called to* the office by telephone.

よびたてる 呼び立てる (大声で呼ぶ) call out to ... ¶こんな所まで*お呼び立てして (⇒わざわざ呼び出して) すみません I am sorry to *have troubled* you *to come* all the way here.

よびちしき 予備知識 (初歩的な知識) elementary knowledge Ⓤ; (基本的な知識) basic knowledge Ⓤ; (背景についての知識) background knowledge Ⓤ; (準備のための知識) prelíminàry knówledge Ⓤ. ¶私はこの大学について何の*予備知識もなかった I had no *basic knowledge* about this university.

よびちょうさ 予備調査 (世論調査などの) preliminary ⌈survey [investigation] Ⓒ; (研究・実験の) pilot study Ⓒ. (☞ ちょうさ¹).

よびつける 呼び付ける (呼び出す) call *a person* ⌈to [before] ...; (召喚する) 《格式》 summon (他). (☞ よびだす). ¶彼は社長に*呼びつけられた He *was called* ⌈*to* [*before*] the president.

よびてき 予備的 (仮の) preliminary; (準備の) preparatory; (将来のためにとってある) reserve; (緊急の) emergency; (余分な) spare; (入門の) introductory. (☞ よび).

よびてきどうき 予備的動機 〔経〕 precautionary motive Ⓒ.

よびとうき 予備登記 preliminary registration Ⓤ; (仮の) temporary [provisional] registration Ⓤ.

よびとめる 呼び止める (呼んで止める) call to *a person* to stop; (タクシーに手を上げて) flag (down) (他); (誰何(すいか)する) challenge (他). (☞ よぶ; とめる¹). ¶私はその学生を*呼び止めた I *called to* the student *to stop*. // 我々は入口で警備員に*呼び止められた We *were* ⌈*challenged* [*called to halt*] at the entrance by a guard. // 彼女はタクシーを*呼び止めた She *flagged* (*down*) a taxi.

よびな 呼び名 (名前) name Ⓒ; (別称) alias /éɪliəs/ Ⓒ. (☞ なまえ¹; つうしょう²; べつめい). ¶その機関車の*呼び名はヘラクレスだった The locomotive *was commonly called* Hercules /hə́ːkjʊlìːz/.

よびね 呼び値 (競売の) bidding Ⓒ; (言い値) the price asked; (名目値段) nominal price Ⓒ.

よびひ 予備費 (予備金) reserve (fund) Ⓒ; (万一の場合に備えた資金) contingency fund Ⓒ; (非常事態用の経費) emergency expenses ★ 複数形で.

よびみず 呼び水 ¶彼女の参加が*呼び水となって多くの人々が援助の手を差し伸べた (⇒多くの人々を助けの手を差し伸べる気にさせた) Her participation led many others to give a helping hand.

よびもどし 呼び戻し (相撲の) backward push-down Ⓒ; (元に戻すこと) recall Ⓤ ★ a を付ける場合もある.

よびもどす 呼び戻す (呼び返す) cáll báck (他), recall (他) ★ 後者のほうが格式ばった語; (家に) call *a person* home. ¶部長は休暇中の彼を*呼び戻した The manager *called* him *back* from his holiday. // 政府はその大使を*呼び戻した The government *recalled* the ambassador.

よびもの 呼び物 (番組・記事などの) main feature Ⓒ; (人を引きつけるもの) attraction Ⓒ.
¶彼のパントマイムがそのプログラムの*呼び物だった His pantomime was the *main feature* of the program. // その日第一の*呼び物は彼の曲芸飛行だった The chief *attraction* of the day was his stunt flying.

よびや 呼び屋 (興行主) promoter Ⓒ.

よびょう 余病 complication Ⓒ. ¶*余病を併発する develop *complications*

よびよせる 呼び寄せる (呼ぶ) call (他); (呼び出す・召喚する) 《格式》 summon (他). (☞ よぶ; よびだす).
¶彼は電話で会員全部を*呼び寄せた He *summoned* all the members by telephone. // 彼は国から母を*呼び寄せた (⇒来てもらった) He *had* his mother *come to* town from home. // 彼は私を*呼び寄せて (⇒そばへ呼んで) そっと耳打ちした *Calling* me ⌈*near* [*to*] him, he whispered in my ear.

よびりん 呼び鈴 bell Ⓒ; (戸口の) doorbell Ⓒ. (☞ ベル¹). ¶*呼び鈴が鳴っている There's [That's] the *bell*.

ヨヒンビン 〔薬〕 yohimbine /joʊhímbiːn/ Ⓤ.

よぶ 呼ぶ **1** 《声を出して》: (呼びかける) call (他); (大声で呼ぶ) cáll [crý] óut (他)(自); (注意を引くために大声で) hail (他). (☞ よびかける).
¶外でだれかが君を*呼んでいるよ Somebody *is calling* you outside. // 彼女は大声で助けを*呼んだがだれにも聞こえなかった She ⌈*called* [*cried*] *out* for help, but no one heard her. // 名前を*呼んだのに, 彼は振り向きもしなかった I *called* him by name, but he took no notice of me. // 名前を*呼ばれたら手を上げて下さい Please raise your hand when your name *is called*.
2 《呼び寄せる》: (来るように頼む・命令する) call (他); (だれかを呼びにやる) send ... for ...; (呼び出す・召喚する) summon (他) ★ やや格式ばった語. (☞ よびよせる; よびだす). ¶医者を*呼んで下さい Please *call* ⌈me a doctor [a doctor for me]. // 彼を電話口へ*呼んで下さい Please *call* him to the phone. / *Get* him on the phone, please. ★ 第2文のほうが口語的. // 正夫に田中先生を*呼びにやらせました I *sent* Masao *for* Mr.Tanaka. // バスがなかったので, 私たちは車を*呼ばなければならなかった As there was no bus service, we had to *call* a taxi.
3 《招く》: (招待する) invite (他); (注意を引く) attract (他), draw (他). (☞ まねく).

¶今度の土曜日にあなたをわが家の夕食にお*呼びしたい We'd like to *invite* you to dinner at our home next Saturday. // その発明は一般の人の関心を呼んだ The invention ˹*attracted* [*drew*] general attention. // 高値を*呼ぶ *fetch* a high price

4 «称する»: call (他). ¶これからは私を「ひで」と*呼んで下さい <V (*call*)+O (人)+C (名前)> Please *call* me Hide from now on.

ヨブ **—[名]** (固) Job ★ 旧約聖書「ヨブ記」の主人公. **ヨブ記** 〘聖〙 The Book of Job (略 Job).

よふかし 夜更かし **—[動]** (夜遅くまで起きている) stay up (till) late (at night); (習慣的に夜更かしをする) keep late hours ★ 普通は朝寝坊も含む.

¶彼は時々読書で*夜更かしをする He sometimes *stays up late* ˹reading [over a book]. // *夜更かしは体に毒だ *Keeping late hours* is bad for the health.

よふけ 夜更け **—[副]** (夜遅く) late at night (☞ まよなか; しんや). ¶彼女は*夜更けまで起きていた She stayed up (*till*) *late*.

よぶすまそう 夜衾草 〘植〙 *yobusuma-so* [C]; (説明的には) perennial of the daisy family with batwing-shaped leaves [C].

よふん 余憤 lingering [residual] ˹anger [indignation] [U]; (うっ積した怒り) pent-up anger [C]. (☞ いかり[1]).

よぶん[1] 余分 **—[形]** (特別の・必要以上の) extra [A]; (予備の・割愛できる) spare; (追加の) additional. (☞ あまり[1]; よけい[1]; よじょう[1]).

¶*余分な金は持ち合わせていません I have no ˹*extra* [*spare*] money with me. / (⇒ 割愛できる金は) I have no money to *spare* with me. ★ 後者のほうが意味が強い. // 彼には*余分の収入がある He has an *additional* source of income. // 300 円*余分に払った (⇒ 払い過ぎた) I paid three hundred yen *too much*.

よぶん[2] 余聞 (逸話) anecdote [C]; (こぼれ話) tidbit [C]; (ゴシップ) gossip [C].

よへい 余弊 (残存の害) lingering [surviving] evil [C] ★ 前者のほうが格式ばった語; (別の弊害) related ˹bad effect [evil] [C].

よほう 予報 fórecàst [C] (☞ てんき[1]). **予報円** 〘気象〙 radius of influence of a typhoon [C].

よぼう 予防 **—[名]** (防止) prevention [U] ★ 具体的な防止策の意味では [C]; (予防措置・用心) precaution [C] ★ やや格式ばった語. **—[動]** prevent (他). (☞ ぼうし[2]; ふせぐ).

¶*予防は治療に勝る *Prevention* is better than cure. (ことわざ) // 病気の*予防に手をよく洗いなさい Wash your hands well as a *prevention* against disease. // 火災*予防週間 Fire *Prevention* Week // 彼らは伝染病に対してあらゆる*予防措置を講じた They have taken all the ˹*precautions* [*preventive measures*] they can against epidemics. // ビタミン C は風邪を*予防すると考えられている Vitamin C is supposed to *prevent* colds.

よぼういがく 予防医学 preventive medicine [U].

よぼうげんそく 予防原則 the precautionary principle.

よぼうこうきん 予防拘禁 preventive detention [U].

よぼうさく 予防策 (予防措置) preventive [precautionary] measures ★ 通例複数形で; (予防法) preventive [C]; (用心) precaution [C]. ¶インフルエンザの*予防策としてこの薬を飲みなさい Take this medicine as a ˹*precaution* [*preventive measure*] against influenza. // 交通事故の*予防策を講じなければならない We have to take *safety precautions* ˹to prevent [against] traffic accidents.

よぼうせっしゅ 予防接種 〘医〙 **—[名]** (ワクチン注射などをすること) vaccination [C]; (弱くした病原菌を注射すること) inoculation [C]; (注射をして免疫にすること) immunization [U]; (予防注射) preventive ˹shot [injection] [C]. **—[動]** inóculàte (他); váccinàte (他). (☞ ワクチン). ¶君はインフルエンザの*予防接種は受けましたか Did you get a ˹flu shot [*vaccination against* influenza]?

よぼうせん 予防線 ¶*予防線を張る (⇒ 予防策をとる) take ˹*precautions* [*precautionary measures*] (*against* ...) // 彼は後で非難されないように*予防線を張っている He is taking ˹*precautionary* [*preventive*] *measures* so as not to be criticized later.

よぼうせんそう 予防戦争 preventive war [C].

よぼうちゅうしゃ 予防注射 〘医〙 preventive ˹shot [injection] [C] ★ 前者のほうが口語的.

よほど 余程 **1** «相当に» **—[副]** (大いに) very; (たいへん) greatly; (非常に) much, a great deal; (かなり) considerably ★ やや格式ばった語; (相当な程度に) to a great extent. (☞ そうとう[1]; かなり).

¶彼女はその知らせに*よほど驚いたようだ She seems to have been *very* surprised at the news. // 彼の言葉が彼女を*よほど感動させたようだ It seems that his words *greatly* moved her. // あの男の子は君より*よほど速く本が読める That boy can read *much* faster than you.

2 «よくよく» ¶*よほど彼に言ってやろうかと思った (⇒ もう少しで言うところだった) I *came very near to* telling him. // 彼は*よほどの事 (⇒ ちゃんとした理由) でもない限り学校を休みません He never stays away from school unless there is a *very good reason*.

よぼよぼ **—[形]** (よろよろの) doddering; (体が弱っている) feeble. (☞ よわよわしい; 擬声・擬態語 (囲み)). ¶*よぼよぼのおじいさんが通りを歩いていた A ˹*doddering* [*feeble*] old man was shuffling along the street.

よまいごと 世迷い言 **—[名]** (ぶつぶつ言うこと) grumble [C]. **—[動]** grumble (about ...) (自).

よまつり 夜祭り night festival [C] (☞ まつり).

よまわり 夜回り **—[名]** night patrol [U]. **—[動]** patrol (...) at night.

よみ[1] 読み (判断力) judgment [U]; (予想) calculation [C]; (洞察力) insight [U]. (☞ はんだん).

¶彼の*読みはすばらしかった He showed excellent *judgment*. // 彼の*読みは当たった (⇒ 彼は正しく推測した) He *has guessed* right. / (⇒ 判断は結局正しかった) His *judgment* has proved to be good. ★ 第 1 文のほうが口語的. // 彼は*読みが深い[浅い] (⇒ 未来を見通すことができる[できない]) He is ˹able [unable] to *see far into the future*. / He has ˹deep [shallow] *insight*.

よみ[2] 黄泉 ☞ よみのくに

よみあげる 読み上げる (声を上げて読む) réad ˹óut [alóud] (他); (名前を読み上げる) cáll óut (他). (☞ よむ[1]). ¶先生は試験の結果を*読み上げた Our teacher *read out* the results of the test. // 彼は名簿の名前を*読み上げた He *called out* the names on the list.

よみあやまり 読み誤り (読み間違い) misreading [U]; (誤った発音) mispronunciation [U]; (誤った解釈) misinterpretation [U]; (判断の誤り) misjudgment [U] ★ 以上いずれも具体的には [C].

よみあやまる 読み誤る (読み間違う) misread (他); (発音を誤る) mispronounce (他); (解釈を誤る) misinterpret (他); (判断を誤る) misjudge (他).

よみあわせ 読み合わせ (読み合わせて校合(きょうごう)すること) collation [U]; 〘劇〙 read-through [C].

¶ 3 時からせりふの*読み合わせをしましょう Let's *read through* our「lines [parts] *together* at three o'clock. / (⇒ 下げいこをする) Let's *rehearse* our lines *together* at three.

よみあわせる 読み合わせる (照らし合わせる) collate (他) 《☞ てらしあわせる》. ¶ 私は初校を原稿と*読み合わせた I *collated* the first proof with my manuscript.

よみおとす 読み落とす ¶ 彼女はついうっかりせりふを 1 行*読み落としてしまった She inadvertently「*skipped* [*missed*; *left out*] one line *when reading*. // 私は雑誌に出たその書評を*読み落とした I *missed* the book「review [notice] in the magazine.

よみおわる 読み終わる (終わりまで読む) réad thróugh (他); (読了する) finish reading … 《☞ よむ[1]; よみとおす》. ¶ その本を*読み終わったら貸して下さい Would you lend me the book when「you *have read* it *through* [you'*re through with* it]? ★ be through with … は「…を終える」の意の成句.

よみかえす 読み返す (…をもう一度読む) read …「over [again], reread (他); (繰り返し読む) read … repeatedly. 《☞ よむ[1]》. ¶ この本は何度も*読み返す価値があります This book is worth *reading*「*repeatedly* [*over and over again*].

よみかえる 読み替える (漢字を) read … differently; (法律の条文の語句を) apply a different term.

よみがえる 蘇る, 甦る (息を吹き返す) come back to life; (復活する) revive (自) (他). 《☞ いきかえる》. ¶ 草木は春*よみがえる Plants *wake* in (the) spring. // 彼は奇跡的に死から*よみがえった He *came back to life* miraculously. // その写真を見て子供の頃の記憶が鮮明に*よみがえった The picture *awoke* childhood memories.

よみかき 読み書き ── [名] reading and writing Ⓤ ★ 複数扱い; (読み書きの能力) literacy Ⓤ (↔ illiteracy). ── [形] (読み書きのできる) literate (↔ illiterate).

¶ 世界中でかなりの人々が*読み書きができないといわれている It is said that a considerable number of the people in the world「can *neither read nor write* [are *illiterate*]. // その国では国民の 90% が*読み書きができる In that country 90 percent of the people「can *read and write* [are *literate*]. / The *literacy* rate in that country is 90 percent. ★ 第 2 文のほうが格式ばった表現. **読み書きそろばん** the three R's ★ *r*eading, w*r*iting, and a*r*ithmetic (算数) の 3 つの R をとったもので, 基礎教育を指す. 複数扱い. 《☞ アポストロフィ (巻末)》.

よみかけ 読み掛け ── [動] (読書を途中でやめる) leave a book「half-read [unfinished].

¶ いま*読みかけ (⇒ 読んでいる途中) の本が 3 冊ある I have three books I *am* now *reading*. // 私は本を*読みかけにして昼食を食べに出かけた I went out for lunch *leaving* my book「*half-read* [*unfinished*]. / (⇒ 読み終えずに) I went out for lunch *without finishing* my *book*.

よみかける 読み掛ける (読み始める) begin to read …; (途中まで読む) leave a book「half-read [unfinished].

よみかた 読み方 ── [動] (読む) read (他); (解釈する) intérpret (他); (発音する) pronounce (他). ── [名] reading Ⓒ; intèrpretátion Ⓒ; pronùnciátion Ⓒ. 《☞ かいしゃく[1]; はつおん[1]》.

¶ この一節はいろいろな*読み方ができる This passage may *be read* in several ways. / There are several「*readings* [*interpretations*] of this passage. // この単語の*読み方がわかりません I don't know *how to pronounce* this word.

よみきかせ 読み聞かせ ── [名] reading (to …) Ⓤ. ── [動] read to … (自).

よみきり 読み切り ── [形] (完結した) complete.

¶ *読み切り小説 a *complete* novel

よみきる 読み切る (読み通す) réad thróugh (他); (読み終わる) finish reading …; (読み尽くす) read all …. ¶ 私はその本を一気に*読み切った I「*read through* [*finished reading*] the book at one sitting.

よみくせ 読み癖 eccentric「reading [pronunciation] Ⓤ ★ 後者は発音の癖. 《☞ よむ[1]》.

よみくだし 読み下し (上から下へ読むこと) reading「down [through] Ⓤ; (漢文の訓読) reading classical Chinese writings using the Japanese pronunciation Ⓤ. **読み下し文** (漢文を日本語の語順で訓読した文) Chinese writings which are read in the Japanese word order.

よみくだす 読み下す (初めから終わりまで読む) read through; (漢文を訓読する) read classical Chinese writings using the Japanese「word order [pronunciation].

よみごたえ 読み応え ¶ この小説は*読み応えがある (⇒ 引きつけて離さない) This novel is「*absorbing* [(⇒ 十分に読む価値がある) *well worth reading*].

よみこなす 読みこなす (読んで理解する) read (他); (内容をこなして自分のものとする) digest (他); (内容をよく理解する) understand (他). 《☞ よむ[1]; りかい》.

¶ シェークスピアを*読みこなせる学生はほとんどいない Few students can really *read* Shakespeare. // この本を*読みこなすのにずいぶん長くかかった It took me a very long time to *read and digest* this book. // 彼はこの詩を*読みこなすのに十分な英語の知識がない His knowledge of English is「too poor [inadequate] to *understand* this poem.

よみこむ[1] 読み込む (綿密に読む) read … thoroughly 《☞ じゅくどく》.

¶ 彼女はその本をよく*読み込んでいる She *has read* the book *thoroughly*. // 将来の変化を*読み込む (⇒ 考慮に入れておく) *take* future changes *into consideration* // 《コンピューターなどで》ファイルを*読み込む *open* [*read*] a file / *import* a file ★ 後者は別のソフトウェアでつくったファイルを取り込むこと.

よみこむ[2] 詠み込む (詩に含める) include … in a poem (他).

よみさし 読み止し ── [動] (読書を途中でやめる) leave a book「half-read [unfinished]. ¶ *読みさし (⇒ 読みかけ) の本 the book *one is reading* // 本を*読みさしにしたまま眠る fall asleep *leaving* a book *unfinished*

よみじ 黄泉路 (あの世への道) the road to the「other world [《文》 netherworld]; 〘ギ神〙 the road to Hades /héɪdiːz/. 《☞ よみのくに》.

よみすごす 読み過ごす (…を読み落とす) miss reading …; (抜かす) skip (他). ¶ 私は一番重要な箇所を*読み過ごしてしまったに違いない I must *have missed* (out) (on *reading*) the most important「passage [part].

よみすて 読み捨て ── [動] (読んで捨てる) read … and throw it away, throw … away after reading (it); (読み流す) glance「through [at] …

¶ タブロイド新聞は*読み捨てにする人が多い Many people just *glance through* a tabloid and then *throw it away*.

よみせ 夜店 night「stall [booth] Ⓒ. ¶ お祭りにはこの通りに*夜店がたくさん出ます Many *night stalls* are「put [set] up along this street on festival days.

よみち 夜道 ¶ 女性の*夜道の一人歩きは危険だ

It's dangerous for a woman to *go out* alone *at night*.

よみちがい 読み違い (読み誤り) misreading Ⓤ; (誤った発音) mispronunciation Ⓤ; (誤った判断) misjudgment Ⓤ; (誤った解釈) misinterpretation Ⓤ ★ 以上いずれも具体的には Ⓒ. (☞ よみあやまり).

よみちがえる 読み違える (読み誤る) misread (他); (発音を) mispronounce (他); (解釈を) misinterpret (他); (判断を) misjudge (他). (☞ よみあやまる).
¶ あの人たちは彼女の名前をよく*読み違える They often ˹*mispronounce* [*misread*] her name. / Her name *is* often ˹*mispronounced* [*misread*]. // 私たちは相手チームの力を完全に*読み違えた We completely *misjudged* the ˹opposing team [opponents].

よみて 読み手 (読者) reader Ⓒ; (詩歌の作者) writer Ⓒ, composer Ⓒ; (朗読者) reciter Ⓒ.

よみで 読みで ¶ この本は*読みでがある (⇒ 読みがいがある) This book is *challenging*. / (⇒ 長い) This book is (*very*) ˹*lengthy* [*long*].

よみとおす 読み通す (終わりまで読む) réad ˹thróugh [óver] (他) [語法] over を使うとざっと読み通すというニュアンスが含まれる; (最初から最後まで読む) read ... from beginning to end; read ... from cover to cover ★ 後者は「本を表表紙から裏表紙まで読む」という意味の慣用表現. (☞ よむ[1]; よみおわる; よみきる).

よみとりき 読み取り機 〘コンピューター〙 reader Ⓒ.

よみとる 読み取る (人の心などを読み取る) read (他); (解釈する) intérpret (他); (言外の意味を読み取る) read between the lines ★「行間の(書いてない)意味を読み取る」という意味の慣用的表現. (☞ よむ[1]; かいしゃく[1]). ¶ 私は彼女の考えを*読み取った I *read* her thoughts. // 彼はその難解な文章を*読み取ることができなかった He could not *interpret* the difficult sentences.

よみながす 読み流す (要点をつかむためにざっと読む) skim (˹through [over ...]) (他); (ざっと読む・調べる) run through (他); (速読する) read quickly (自) (他); (すらすら読む) read ... ˹smoothly [without getting stuck].

よみなれる 読み慣れる (読むことに慣れる) get used to reading ...; become accustomed to reading ... ¶ 私は彼女の字は*読み慣れている I *am used to reading* her handwriting.

よみにくい 読みにくい (一般に) hard [difficult] to read; (内容的に) unreadable; (文字が) illegible.

よみのくに 黄泉の国 the land of the dead, the netherworld ★ 後者は文語的; 〘ギ神〙 Hades /héɪdiːz/.

よみびと 詠み人 (一般的に作者) writer Ⓒ; (詩歌の) composer Ⓒ. **詠み人知らず** Anonymous (略 Anon.).

よみふける 読み耽る (読書に熱中する) be ˹absorbed [lost] in reading (...); (熟読する) pore over ... (☞ ふける[1]). ¶ 小説に*読みふけっていたので玄関のベルが鳴るのが聞こえなかった Since I *was* ˹*absorbed* [*lost*] *in reading* the novel, I didn't hear the doorbell ring.

よみふだ 読み札 (かるた[百人一首]の) cards to be read out in the game of ˹*karuta* [*hyakunin-isshu*] (☞ イタリック体 (巻末); かるた; ひゃくにんいっしゅ).

よみもの 読み物 (本) book Ⓒ; (本と雑誌) books and magazines ★ 読み物一般を指すので複数形で; (読む物) reading Ⓤ. (☞ よむ[1]; ほん; きじ[1]).
¶ これは子供にはよい*読み物です This is a good *book* for children. // ちまたには教育的に好ましくない*読み物が多すぎて困る (⇒ 嘆かわしい) It is deplorable that there are too many educationally undesirable *books and magazines* on the market. // 彼の随筆は楽しい*読み物だ His essays make pleasant *reading*.

よみやすい 読みやすい (一般に) easy to read; (内容的に) readable; (文字が) legible.

よむ[1] 読む **1** 《文字などを》: (本などを) read (他) (自) (過去・過分 read /réd/) ★ 最も一般的な語; (飛ばし読みする) skip (他) (自); (新聞などをざっと見る・読む) scan (他); (むさぼり読む) devour /dɪváʊɚ/ (他); (経を読む) chant (他).
¶ 彼はその本を原書で*読んだ He *read* the book in the original. // 彼女は子供に本を*読んで聞かせた She *read* her child a book. / She *read* a book *to* her child. // 太郎はお母さんに本を*読んでもらった Taro *had* a book *read* /réd/ (to him) by his mother. // この本は高校生の間で広く*読まれている This book *is* widely *read* /réd/ by high school students. // この詩は*読んでみると散文のようだ This poem *reads* like prose. ★ この read は (自) で「読んでみると…である; …と読める」という意味. // このパラグラフを 2 回声を出して*読みなさい *Read* this paragraph *aloud* twice. ★ read だけでは黙読の意味になることが多いので, 声を出して読むことを明らかにするには aloud を付ける. // 私はその本を始めから終わりまで*読んだ I *read* the book from ˹beginning to end [cover to cover]. ★ read from cover to cover は「表表紙から裏表紙まで読む」, つまり「読み通す」という意味の慣用表現. // 彼は 2 行飛ばして*読んだ He *skipped* two lines. // 彼女は目ぼしいニュースはないかと新聞をざっと*読んだ She *scanned* the newspaper for the news highlights. // 《教室で》 皆さん, 私の後について*読んで下さい *Read* after me, everyone. // お坊さんたちはお経を*読んでいます The priests *are chanting* a sutra /súːtrə/. // 気圧計の*読み方を教えて下さい Would you teach me how to *read* a barometer? // 行間を*読む ☞ ぎょうかん // さばを*読む ☞ さば (さばを読む)
2 《理解する》: (人の心や顔色を読む) read (他); (推測する) guess (他). (☞ よみとる; よみ[1]).
¶ 私は彼の腹が*読める (⇒ 考えが) I can *read* his thoughts. / (⇒ 彼が意図していることを推測できる) I can *guess* what he means. // 彼の次の手を*読みそこなった I failed to *guess* his next move.

> **コロケーション**
> 大きな声で読む *read* loudly / 声に出さずに読む *read* ˹silently [in silence] / じっくり読む read diligently / 上手に読む *read* fluently / 貪欲に読む *read* ˹avidly [voraciously] / はっきりした声で読む *read* distinctly / 不明瞭な声で読む *read* indistinctly

よむ[2] 詠む ¶ 歌を*詠む *compose* [*write*] a poem // 様々な外国語で俳句を*詠む人がたくさんいる There are many ˹people [poets] who *compose* haiku in their native languages.

よめ[1] 嫁 **1** 《息子の妻》: daughter-in-law Ⓒ (☞ 親族関係 (囲み); はなよめ).
2 《(新婚の) 妻》: (花嫁) bride Ⓒ; (妻) wife Ⓒ. (☞ よめいり). ¶ 何て美しいお*嫁さんでしょう What a beautiful *bride* (she is)! // 彼は一人娘を*嫁にやった He *married off* his only daughter. [語法] marry off は父親の意志で娘を嫁がせる意味となり, 日本語の「嫁にやる」の元々のニュアンスに近いが, 英語の表現としては普通ではない. // あの娘は来週*嫁に行く That girl ˹*is getting married* [*will get married*] next week.

嫁をむかえる (嫁をとる) take a wife; (結婚する) get married. ¶ 彼は彼女を*嫁にむかえた He *took her for* (his) *wife*. / (⇒ 彼女と結婚した) He *got married* to her.

よめ[2] 夜目 ── 副 (暗い所で) in the dark 《☞ よめとおめ》. ¶ その塔は*夜目にもはっきり見えた The tower was clearly visible *in the dark*.

よめい 余命 ¶ 彼は*余命いくばくもない (⇒ あと幾日 [年] も生きられない) He has only a few ˹*days* [*years*] *to live*. / (⇒ 彼の (生きる) 日々は限られている) His *days* are numbered.

よめいびり 嫁いびり ── 動 (厳しくあたる) treat *one's* daughter-in-law harshly; (いじめる) 《略式》 pick on *one's* daughter-in-law.

よめいり 嫁入り (結婚) marriage Ⓤ; (結婚式) wedding Ⓒ, marriage Ⓒ. 《☞ けっこん[1]》.

嫁入り支度 (準備) preparations for marriage ★ 通例複数形で. 《☞ したく[1]》

嫁入り道具 trousseau /trúːsou/ Ⓒ.

よめとおめ 夜目遠目 ¶ *夜目遠目笠の内 (⇒ 背景のいかんで女性は実際以上に美しく目に映る) A woman looks much more beautiful when (she is) *seen in the dark, at a far distance*, or under a bamboo hat. / *The dim light, distance*, or a bamboo hat makes every woman look more beautiful.

よめとり 嫁取り ── 名 marriage (to a woman) Ⓒ; (結婚の儀式) wedding Ⓒ. ── 動 (結婚する) marry ㊀ ㊁, get married; (妻を迎える) take a wife. 《☞ けっこん[1]; よめ[1]》.

よめな 嫁菜 〔植〕 aster Ⓒ ★ キク科シオン属の植物の総称; (野菊の類) starwort /stáəwə̀ːt/ Ⓒ.

よめる 読める can read ... ★「心」や「顔色」についても用いられる; (理解する) see ㊀. 《☞ よむ[1]; よみやすい; よみにくい》. ¶ この本はなかなか楽しく*読める This book is quite *readable*. // 彼女の心が*読めない I *can't read* her mind.

よも 四方 ☞ しほう[1]

よもぎ 蓬 〔植〕 mugwort /mʌ́gwə̀ːt/ Ⓒ. **蓬餅** ☞ くさもち

よもすがら 夜もすがら (一晩中) throughout [all through] the night, all night long. 《☞ しゅうや; てつや》.

よもや ¶ 彼女が言ったことを*よもや本気で信じているのではないだろうね *You're not saying* (*that*) you believe what she said, are you? // *よもや本気ではあるまいね (⇒ 本気だなんて言わないでくれ) *Don't tell me* you're serious. 《☞ まさか》

よもやまばなし 四方山話 ── 動 (いろいろな話題について雑談する) chat about various topics; (…と世間話をする) have a chat with ... 《☞ せけん》.

よやく 予約 ── 名 (部屋・座席・切符などの) reservation Ⓒ ★ しばしば複数形で; 《英》 (advance) booking Ⓒ; (出版物の) subscription Ⓤ; (商品の) advance order Ⓒ; (診察などの) appointment Ⓒ. ── 動 make ˹reservations [《英》 bookings], reserve ㊀, 《英》 book ㊀; make an appointment; (雑誌などを予約購読する) subscribe to ... 語法 現在予約購読中の場合は現在形を用いる. 過去形にすると現在は購読していないことになる.

¶ 私はそのホテルに部屋を*予約した I ˹*reserved* [*booked*] a room at the hotel. / I *made* ˹*reservations* [*bookings*] for a room at the hotel. // そのレストランで 6 人分の食事の*予約をしました We *made reservations* for six people for dinner at the restaurant. // …の名で*予約する *make reservations* under the name of ... // 《旅行社などで》「大阪のホテルの*予約をお願いしたいのですが」「かしこまりました」"Will you arrange (for) my hotel *reservations* in Osaka?" "Certainly, ˹sir [ma'am]." ★ sir は男性, ma'am /mǽm/ は女性に対する場合. // 《ホテルで》「今夜 1 泊したいのですが」「ご*予約なさいましたか」「いいえ, してありません」"I'd like a room for tonight." "Do you have a *reservation*, sir?" "No, I don't." // 水曜日の午後 4 時に歯科医の*予約をした I *made an appointment* with my dentist for 4:00 P.M. on Wednesday. // 彼はホテルの*予約を取り消した He canceled his *reservation*(*s*) at the hotel. // 彼らはその機械の*予約注文を受けた They received an *advance order* for the machine. // これらの席は*予約済みです These seats *are reserved*. 参考 予約席には Reserved (予約済み) と書かれた掲示が出されている. // *予約を取る get a *reservation* // ビデオ録画を*予約する *program* a video recording

予約金 deposit Ⓒ. ¶ 彼はそのアパートを借りるために 10 万円の*予約金を支払った He paid a *deposit* of a hundred thousand yen to rent the apartment. **予約券** reservation voucher Ⓒ **予約購読** ── 名 subscription Ⓒ. ── 動 subscribe (to ...) ㊁ **予約購読者** subscriber Ⓒ **予約出版** publication by subscription Ⓒ **予約状況** booking conditions **予約診療** consultation by appointment Ⓤ **予約席** reserved seat Ⓒ **予約販売** advance sale Ⓒ. ¶ このゲームソフトは*予約販売で売られた This videogame software was sold by an *advance sale*.

> **コロケーション**
> 予約を受け付ける accept *reservations* / 予約を確認する confirm a *reservation* / 予約をしてある have [hold] a *reservation*

よゆう 余裕 ── 名 (経費・時間などの) margin Ⓒ; (空間・場所のゆとり) room Ⓤ. ── 動 (金・暇がある) afford ㊀ 語法 普通 can と共に用いる. 《☞ ゆとり; よち[1]; よりょく》.

¶ 車で家へ帰るのに 1 時間の*余裕をみておいた I allowed a *margin* of ˹one [an] hour for driving home. // 新しい車を買う*余裕などありません I *cannot afford* (to buy) a new car. // 時間の*余裕があれば博物館へ行きなさい Go to the museum if you have time *to spare*. **余裕しゃくしゃく** ¶ 彼は*余裕しゃくしゃくとしている (⇒ 落ち着き払っている) He *is calm and composed*. 《☞ ゆうゆう》

よよと ¶ 彼女は*よよと (⇒ 激しく) 泣き崩れた She broke down and cried *bitterly*. 《☞ おいおい[1]》

ヨランダ (女性名) Yolanda /jouláːndə/.

より[1] 縒り **よりを戻す** màke úp (with ...) ㊁ 《☞ なかなおり》. ¶ 彼は彼女と*よりを戻そうとしている He is trying to *make up with* her.

より[2] 寄り (相撲で) *yori* Ⓤ; (説明的には) pushing on by gripping the opponent's belt Ⓤ.

-より[1] 1 《比較》 ── 接 (比較級の形容詞・副詞・rather などの後に続いて) than ... ── 前 (superior, inferior などの後で) to ...; (より上位に) above ... ¶ 彼は君*より背が高い He is taller *than* you. // 私は彼*より勤勉な人を知りません I don't know anyone more diligent *than* he (is). // このあたりは前*よりも交通が頻繁に[少なく]なった The traffic has become ˹heavier [lighter] here *than* before. // 思った*よりも試験は易しかった I found the examination easier *than* I had expected. // 外出する*よりは家にいたほうがいい I would *rather* stay home *than* go out. // 引き受ける*よりほかはなかった I could do nothing other *than* accept it. / (⇒ 引き受けざるを得なかった) I could not help accepting it. // 彼は事業家という*よりはむしろ政治家です He is more of a politician *than* a businessman. // 私はスケート*よりスキーのほうが好きだ I prefer skiing *to* skating. / I like skiing better *than* skating. ★ 第2文のほうが口語的. // このカーテンは品質においてはあれ*よりもはるかにすぐれている This curtain is ⌈far [much] ⌈superior *to* [better *than*] that one (in quality). ★ better than を用いるほうが口語的. // 彼はほかの何*よりも健康を重んじる He values health *above* everything else.

2 《基準・手段》: (…のもとに) under …; (…に従って) according to …; (…によって) by …, by means of … ★ 後者のほうが格式ばった言い方. (☞ -で¹; よる²). ¶ 彼は軽犯罪法に*より罰金刑に処せられた He was fined *under* the Minor Offense Law. // 飲酒運転は法律に*より禁じられている Drunk(en) driving is prohibited *by* law. // 思想は言葉に*より表現される Thoughts are expressed ⌈*by* (*means of*) [*in*] words.

3 《場所・時間》: (…の地点から) from …; (…以来) since … (☞ -から).

-より² …寄り ¶ 南*寄りの風 a *southerly* wind // 左*寄りの政治家 a *left-leaning* politician // 道路の一番左*寄りの車線 *the leftmost* lane of the road // 車道*寄りの歩道 a sidewalk *near* the road(way)

よりあい 寄り合い (会合) meeting Ⓒ (☞ かい¹ (類義語)). **寄り合い所帯** ¶ 私たちのチームは*寄り合い所帯 (⇒ 寄せ集めの [合併した] チーム) だから負けるだろう Our team will be defeated because it's a ⌈*scratch* [*combined*] team.

よりあう 寄り合う ☞ よりあつまる

よりあつまり 寄り集まり (集まり) gathering Ⓒ, meeting Ⓒ; (集団) group Ⓒ; (群衆) crowd Ⓒ. (☞ あつまり).

よりあつまる 寄り集まる (集まる) gather together (自), get together (自) ★ 後者のほうが口語的; (ある目的をもって集合する) assemble (自); (群がる) crowd (自). (☞ あつまる; しゅうごう; むらがる).

よりあわせる 縒り合わせる twist … together (他) (☞ よる⁵).

よりいと 撚り糸, 縒り糸 twisted thread Ⓒ; (包装などに使う撚り糸・ひも) twine Ⓤ.

よりかかる 寄り掛かる (壁などにもたれる) lean ⌈against [on; over] … [語法] against は垂直面, on は水平面に対するとき, over は身を乗り出すようなとき; (頼る) lean [rely; depend] ⌈on [upon] … (☞ もたれる). ¶ 彼はドアに*寄り掛かっていた He *was leaning against* the door. // 彼女は彼の腕に*寄り掛かった She *leaned on* his arm. // 手すりに*寄り掛からないで Don't *lean over* the rail.

よりき 与力 (江戸時代の町奉行所の) *yoriki* Ⓒ; (説明的には) magistrate or commander of a city police force in the Edo period Ⓒ.

よりきり 寄り切り (相撲の技) *yorikiri* Ⓤ; (説明的には) frontal force out Ⓤ.

よりきる 寄り切る 〔相撲〕 force out (他); (説明的には) drive *one's* opponent backwards out of the ring. (☞ よりきり).

よりごのみ 選り好み ── [形] (好みがやかましい) particular (☞ えりごのみ).

よりしろ 依り代 (spiritualistic) medium Ⓒ (複 ～s), object as a medium Ⓒ. (☞ れいばい¹).

よりすがる 寄り縋る (すがりつく) cling to …; (もたれかかる) lean on …; (頼りにする) depend [rely] ⌈on [upon] … (☞ すがる; たよる).

よりすぐり ☞ えりすぐり

よりすぐる 選りすぐる ☞ えりすぐる; えらぶ

よりそう 寄り添う (近くに寄る) draw ⌈close [near] to …; (暖かさ・愛情・保護を求めて体を寄せる) snuggle [nestle] ⌈against [up to] … ¶ 彼女は夫のそばに*寄り添った She *drew* ⌈*close* [*near*] *to* her husband. // 子犬たちは母犬のそばに*寄り添っていた The puppies ⌈*snuggled* [*nestled*] ⌈*against* [*up to*] their mother.

よりたおし 寄り倒し (相撲の技) *yoritaoshi* Ⓤ; (説明的には) frontal crush out Ⓤ.

よりたおす 寄り倒す 〔相撲〕 crush out frontally (他); (説明的には) crush out the opposing sumo wrestler outside the ring. (☞ よりたおし).

よりだす 選り出す (えり分ける) sort out (他); (選び出す) pick out (他); (選ぶ) choose (他); (えりすぐる) select (他). (☞ えらぶ).

よりつき 寄り付き 〔株〕 (取り引きの) the opening (of the market). ¶ *寄り付き株価 the *opening* price of a stock

よりつく 寄り付く (交際・依頼などの目的で人に近づく) approach (他) (☞ ちかづく). ¶ 弱い者いじめをする者にはみんな*寄り付かない (⇒ 近寄らない) Everybody ⌈*keeps away from* [*avoids*] a bully.

よりどころ 拠り所 (特定の問題について信頼できる典拠) authórity Ⓒ; (根拠) foundation Ⓤ ★ やや格式ばった語; (出典・出所) source Ⓒ; (支え) support Ⓒ. (☞ こんきょ; うらづけ; ささえ).
¶ 私は確かな*よりどころがあってそう言ったのだ I said it *on* good *authority*. ★ on … authority は成句. // そのニュースには確かな*よりどころがある The news comes from a reliable *source*. // 生活の*よりどころ *one's* main *source* of income

よりどり 選り取り ── [動] (好きなものを選ぶ) have [take] *one's* pick. ── [名] (好みの物) choice Ⓒ. (☞ えらぶ). ¶ *より取り見取りです *Have* [*Take*] *your pick*. // これらの古雑誌はどれも100円で*より取り見取りです Take [Make] your *choice* of these old magazines for a hundred yen.

よりによって ¶ *よりによってそんな日に結婚式をするなんて (⇒ たくさんある中からそんな日に結婚式をあげるなんて驚きだ) *Fancy* having their wedding on such a day of all days! [語法] fancy は命令文で用いて「…を考えてごらん (驚きだ)」の意味.

よりぬき 選り抜き ── [形] (注意深く選ばれた) select Ⓐ; (最高の) best. (☞ つぶより). ¶ *より抜きの何人かがアメリカへ派遣された A few *select* people were sent to the United States. // 彼らは*より抜きの選手だ They are our *best* players.

よりぬく 選り抜く (慎重に選ぶ) select (他); (同類の中から特別に選び出す) single out (他).

よりまし 憑坐 (spiritualistic) medium Ⓒ (複 ～s). (☞ れいばい¹).

よりみち 寄り道 ── [動] (ちょっと立ち寄る) drόp ⌈ìn [bý] (on …; at …) (自) [語法] 「人の所へ」は on, 「家に」は at; (場所へ立ち寄る) dróp ìnto …; (途中でとどまる) stop on the way; (旅行の途中で) break *one's* journey; (列車・飛行機などを途中下車 [降機] する) stóp óver (at …) (自), make a stopover (at …).
¶ 太郎は学校からの途中, 僕のところに*寄り道をした Taro *dropped in* ⌈*at* my home [*on* me] on his way home from school. // 軽食を取るために道路沿いのレストランに*寄り道をした I ⌈*dropped into* [*stopped at*] a roadside restaurant for a snack. // 彼はどこで*寄り道をしているのだろうか I wonder where he *is stopping on the way*. // おじが住んでいる名古屋に*寄り道をしました I *broke my journey* at Nagoya, where my uncle lives. / I *made a stopover at* Nagoya, where my uncle lives.

よりめ 寄り目 ── [名] cross-eye Ⓤ. ── [形] cross-eyed.

よりょく 余力 (蓄え・保有物) reserve Ⓒ; (まだ割

よ

愛できるお金 [精力]) money [energy] to spare Ⓤ. 《☞ よゆう》. ¶ 彼は相当な*余力を蓄えている He has a great *reserve* of energy. // 彼は*余力を残してその仕事を仕上げた He finished the work with ⌈*energy* [*strength*] *to spare*.

よりわける 選り分ける (整理のために区分する) sórt óut ⊕; (分類する) clássifỳ ⊕. 《☞ えりわける》.

よる¹ 夜 (日の入りから日の出まで) night Ⓒ; (日の入りから就寝時まで) evening Ⓒ. 《☞ ばん¹ (類義語) 語法; しんや; よなか 語法》.

¶ *夜のとばりが降りはじめた *Night* began to draw in. 《☞ とばり》 // 彼は*夜働く He works *at night*. 語法 (1) at night は「昼でなく夜に」という意味で習慣的な事柄に用いられることが多い. in the night は「夜間に」「夜中に」の意味. // 兄は*夜遅くまで勉強します My brother studies till late *at night*. // 彼らは昼は休息し, *夜に旅をした They rested by day, and traveled *by night*. // *夜もだいぶ更けた The *night* is far advanced. 《☞ ふける³》 // *夜になったばかりだ The *night* is still young. // 土曜の*夜は楽しかった We had a good time (*on*) Saturday *night*. 語法 (2) 定まった日の夜には on を用いるが, 省略することもできる. 《☞ あさ¹ 語法 (3)》 // 私はきのうの*夜彼の所へ行った I ⌈called on [visited] him *last night*. 語法 (3) next, last などが付く場合は前置詞は付けない. // 彼は*夜も昼も彼女のことを考えている He thinks of her ⌈*night* and day [day and *night*]. // あしたの*夜会合があります There will be a meeting tomorrow *evening*.

コロケーション

嵐の夜 a stormy *night* / 凍てつく夜 a freezing *night* / 風の強い夜 a windy *night* / 雲りの夜 an overcast *night* / 暗い夜 a dark *night* / 静かな夜 a ⌈quiet [silent] *night* / 眠れない夜 a ⌈restless [sleepless] *night* / 肌寒い夜 a chilly *night* / 晴れた夜 a clear *night* / 星の輝く夜 a starry *night* / 星の出ていない夜 a starless *night*

【参考語】(祭日や宗教上の特別な日の前夜) eve Ⓒ; (たそがれ時) twilight Ⓤ; (夕やみ) dusk Ⓤ; (真夜中・12時) midnight Ⓤ; (漠然と夜中) the middle of the night; (夜中の12時から3時ごろまでの間) small hours ★ 複数形で; (夜更かしする人・宵っ張り) night owl /ául/ Ⓒ.

よる² 因る, 依る, 由る 1 《依存》: (…次第である) depend ⌈on [upon] … 《☞ しだい¹》.

¶ 成功するかどうかは君たちの努力に*よる Your success *depends* ⌈*on* [*upon*] your efforts. // その仕事を引き受けるかもしれないが, 場合に*よる I may undertake the job, but *it depends*. ★ it depends は慣用的な口語表現.

2 《根拠》 — 動 (基づく) be ⌈based [founded; grounded] ⌈on [upon] … — 前 (言葉・引用などによると) according to …; (命令・基準・判断に従って) by …; (法令・規則に従って) under … 《☞ もとづく》. ¶ 彼の意見は彼の経験に*よるものだ His opinion *is* ⌈*based* [*founded*; *grounded*] *on* his experience. // 彼の話に*よると, 彼はアメリカへ行くらしい *According to* his account, he is going to America. // 人を外見に*よって判断してはいけません Don't judge a person *by* ⌈appearance [looks].

3 《原因・理由》 — 動 (…が原因である) be caused by … — 前 (…のために) due to …, owing to … 語法 いずれも同じように用いられるが, due は本来形容詞であるため, 副詞句には用いず述語的に用いたほうがよいとされる. しかし実際の用法ではそのような区別はなされないことが多い; (特によくない理由で) through … ★ 強調的; (…の理由で) because of …, on account of … ★ 後者のほうが格式ばっている. 前者は最もはっきりと理由を表す言葉. 《☞ -より³》.

¶ 火事は漏電に*よるものだった The fire *was caused by* a short circuit. // その事故は彼らが自転車を2人乗りしていたことに*よるものだった The accident was *due to* their riding double on a bicycle. // 濃霧に*より, すべての飛行機は離陸が不可能になっている *Owing to* [*Due to*] (a) dense fog, all ⌈planes [flights] have been grounded. ★ 上の 語法 にあるように, due to のこのような用い方はよくないという意見もある. // すべては彼の不品行に*よるものだった It all happened *through* his bad behavior. // 雨に*より試合は延期になった The game was postponed ⌈*because of* [*on account of*] rain.

4 《手段・方法》: (手段によって) by …, by means of … ★ 後者のほうが格式ばった言い方. 《☞ -で¹ (類義語)》. ¶ 思想は言葉に*よって表現される Thoughts are expressed ⌈*by* (*means of*) [*in*; *through*] words.

5 《行為者》: by …. ¶ 引力の法則はニュートンに*よって発見された The law of gravitation was discovered *by* Newton.

由らしむべし, 知らしむべからず (人民を従わせることはできるが, 皆に自分の意図を理解させることはできない) You can make the people obey you, but you cannot make your intentions understood.

よる³ 寄る 1 《接近する》: (近くに来る[移動する, 行く, 引かれる]ように寄る) come [move; go; draw] ⌈close [near] ⊜ 《☞ ちかづく》. ¶ もっとこっちのほうに*寄りなさい *Come* ⌈*closer* [*nearer*] over here. // 崖の縁に*寄りすぎてはいけません Don't *go* too ⌈*close to* [*near*] the edge of the cliff.

2 《立ち寄る》: (ぶらりと来てちょっと立ち寄る) drop in ⊜; (ちょっと訪問する) drop by ⊜; (場所に立ち寄る) drop into …; (乗り物を途中で降りる) stóp óver (in …; at …) ⊜. ¶ お近くにお出かけの際はどうぞお*寄り下さい Please *drop in* and see us if you happen to ⌈come around here [be in the neighborhood]. // 夕方になると彼はよくバーに*寄る In the evening he often *drops in at* a bar.

3 《集まる》 ¶ *寄るとさわると (⇒ 人がお互いに会うといつでも) うわさの花盛りになる Whenever they ⌈*see one another* [*come together*], the air is filled with rumors. // 3人*寄れば文殊の知恵 Two heads are better than one. 《ことわざ: 頭2つのほうが1つよりよい》 // 彼らは*寄ってたかってその少年をいじめた (⇒ 少年をいじめるのにみんな加わった) They *joined* in bullying the boy.

寄らば大樹の陰 ☞ たいじゅ

よる⁴ 選る (ある条件を満たすものを選ぶ) choose ⊕; (慎重に吟味して選ぶ) select ⊕; (類似の中から選ぶ) pìck óut ⊕. 《☞ えらぶ》.

よる⁵ 縒る twist ⊕. ¶ こよりが*よれますか Can you *twist* paper into a string?

よるがお 夜顔 【植】 moonflower Ⓒ.

よるせき 夜席 (夜の部) the evening ⌈performance [program]; 《格式》 soiree /swɑːréɪ/.

ヨルダン — 名 固 Jordan /ʤɔ́ɚdn/; (正式名) the Hashemite /hǽʃəmàɪt/ Kingdom of Jordan. — 形 Jordanian /ʤɔɚdéɪniən/. **ヨルダン川西岸** — 名 固 the West Bank of the Jordan River **ヨルダン人** Jordanian Ⓒ ★ 全体を指す場合は the Jordanians.

よるとしなみ 寄る年波 ☞ としなみ

よるのおんな 夜の女 (街頭に立つ売春婦) streetwalker Ⓒ; (売春婦) prostitute Ⓒ.

よるのちょう 夜の蝶 nightclub [bar] hostess Ⓒ 《☞ ホステス 日英比較》.

よるひる 夜昼 ☞ にちや; あけくれ

よるべのない 寄る辺のない ― 形 (頼る者のない) helpless; (孤独な) friendless; (家のない) homeless. ― 動 (頼る人がいない) have no person to depend ⌐upon [on].

よるよなか 夜夜中 ☞ よふけ

よれい 予鈴 the first bell. ¶ 生徒たちは*予鈴と共に教室に入った The pupils entered the classroom at *the first bell*.

よれよれ ― 形 (使い古した) wórn óut Ⓟ ★ Ⓐ では worn-out. (☞ 形容詞の2用法 (巻末)); (すり切れてみすぼらしい) shabby. ― 動 (よれよれになる) wéar óut ⓐ (過去 wore; 過分 worn). (☞ ぼろ; 擬声・擬態語 (囲み)). ¶ 私のセーターは*よれよれです My sweater is *worn out*. // *よれよれのレインコート a ⌐*worn-out* [*shabby*] raincoat

よれる 縒れる ☞ よじれる

よろい 鎧 armor (《英》 armour) Ⓤ 語法 「かぶと」も含まれる. 数えるときは a ⌐suit [piece] of ... とする. ¶ その武士は*よろいかぶとに身を固めていた The ⌐samurai [feudal warrior] was completely clad in *armor*. **鎧直垂** silk robe worn under ⌐armor [《英》 armour] Ⓒ **鎧櫃**(よろいびつ) armor [《英》 armour] ⌐case [chest] Ⓒ.

よろいいた 鎧板 (採光・通風のための羽板) louver (《英》 louvre) Ⓒ; (細長い薄板) slat Ⓒ.

よろいど よろい戸 shutter Ⓒ.

よろいどおし 鎧通し stiletto [dagger] used in close combat Ⓒ.

よろいばり 鎧張り ― 名 the clinker system. ― 形 (船が) clinker-built.

よろく[1] 余禄 (余分な収入) extra income Ⓒ.

よろく[2] 余録 addenda ★ 単数または複数扱いで. (☞ よわ[2]).

よろける (疲労や酒などでよろよろ歩く) stagger ⓐ, reel ⓐ; (転びそうになってよろめく) totter ⓐ; (物につまずいてよろける) stumble ⓐ. (☞ よろよろ; よろめく). ¶ その酔っ払いは道路を*よろけながら歩いて行った The drunk *staggered* along the road. // 彼は石につまずいて*よろけた He *stumbled* ⌐on [over] a stone.

よろこばしい 喜ばしい (願いがかなえられ満足な気分の) happy ★ 一時的なことにも永続的なことにも用いられる; (人に喜びを与える) joyful; (人を非常に喜ばすような) delightful; (うれしく思う) glad ★ 一時的な強い喜びを表す. (☞ うれしい). ¶ 彼が志望の大学に入れたことは*喜ばしい I *am* ⌐*happy* [*glad*] that he was admitted to the college of his choice.

よろこばす 喜ばす (喜びや満足を与える) please ⓣ; (大喜びさせる) delight ⓣ; (幸福にする・満足させる) make ... happy; (満足や楽しみを与える) give pleasure to ...
¶ 彼を*喜ばせるのはなかなか難しい He is very hard to *please*. / It's very hard to *please* him. // 私たちの贈り物は彼女を*喜ばせた Our present ⌐*delighted* her [*made* her *happy*]. // その観光旅行は年取った両親を*喜ばせた The sightseeing tour *gave pleasure to* my old parents.

よろこび 喜び (強烈で深い喜び) joy Ⓤ; (喜び一般, 満足感から興奮を伴う喜びまで) pleasure Ⓤ; (突然の大きな喜びや長く続く強い喜び) delight Ⓤ; (我を忘れるような喜び) 《格式》 rapture Ⓤ. 語法 (1) 以上の語はいずれも具体的には Ⓒ.
¶ 彼女の顔は*喜びにあふれていた Her face [She] beamed with ⌐*joy* [*delight*]. // 彼女は息子の生還の知らせを聞いて*喜びのあまり泣いた She cried for *joy* when she heard the news that her son had returned home alive. 語法 (2) for は原因・理由を表す. // *喜びを分かち合う share ⌐*one's* [*a person's*] ⌐*pleasure* [*delight*; *joy*] // このお祝いの場で皆様にお話できるのは私の*喜びとするところであります It's my *pleasure* to deliver a speech on this happy occasion. // 子供たちはプレゼントに大*喜びだった The children were in *rapture(s)* ⌐about [over] their presents.
喜び事 ☞ けいじ[5]

コロケーション
喜びを与える give [provide] ⌐*pleasure* [*delight*] / 喜びを表す express ⌐*joy* [*delight*] / 喜びを得る get [derive] *pleasure* (from ...) / 喜びを隠す hide *joy* / 喜びを感じる feel ⌐*joy* [*pleasure*; *delight*] / 喜びを見出す find ⌐*joy* [*pleasure*] (*in* ...) / 大きな喜び great [tremendous] ⌐*pleasure* [*joy*; *delight*] / 思いがけない喜び an unexpected *pleasure* / 言葉にならない喜び indescribable [ineffable] *joy* / つかの間の喜び a passing *joy* / 無限の喜び boundless *joy*

よろこびいさむ 喜び勇む ― 副 with great delight and excitement. ¶ その子は*喜び勇んでレースに参加した The child ⌐took part [participated] in the race *with great delight and excitement*.

よろこぶ 喜ぶ (一時的な強い喜びや満足感を表して) be glad ⌐at [about; of] ...; (気に入って喜ぶ) be pleased ⌐at [with] ... ★ 意味が広く, あまり強い意味ではない; (大いに喜ぶ) be delighted ⌐at [with] ... ★ delighted は pleased より意味が強い; (大きな喜びを表して) 《格式》 rejoice ⌐at [over] ... 語法 (1) 以上の表現はどれも that 節を従えることもできる; (喜んで…する) be delighted to *do* ... (☞ うれしい).
¶ 彼らはその知らせを聞いて*喜んだ They *were* ⌐*glad* [*pleased*; *delighted*] ⌐*at* [*by*] the news. 語法 (2) at は「…を聞いて; …に接して」という意味のとき. // 彼女は私の贈り物をたいへん*喜んだ She *was* very ⌐*pleased* [*delighted*] *with* my gift. 語法 (3) with は「気に入って, 満足して喜ぶ」という意味のとき. 修飾語は much よりも very のほうが普通. // 彼女は息子の成功を*喜んだ She *was glad* ⌐*of* her son's success [that her son succeeded]. // あなたのためになら*喜んで何でもいたしましょう I'll *be delighted to* do anything I can for you. // 「もしお暇なら将棋を一局いかがですか」「ええ, *喜んでお相手しましょう」 "If you have time, will you play ⌐Japanese chess [*shogi*] with me?" "Yes, *with pleasure*. / Yes, I'll *be happy to*. / Yes, I'll *be delighted to*." 語法 (4) 答えはこの順に意味が強くなる.

よろしい 宜しい **1** 《適当》: (よい・承知した) O.K., OK, all right ★ 最初の2つのほうがより口語的; (よい・結構な) fine, good; (承知しました・結構です) very well ★ かなり格式ばった答え; (役に立つ・間に合う) ... will do ★ do は ⓐ. (☞ よい[1]; けっこう[1]; オーケー).
¶ それで*よろしい *O.K.* / *OK.* / *All right.* / That's ⌐*fine* [*good*]. // 「あなたにすぐにそれをやっていただきたいのですが」「*よろしゅうございます」 "I'd like you to do it right away." "*Very well*, sir." // 「えんぴつを貸してくれませんか」「ボールペンで*よろしいですか」「ええ, 結構です」 "May I borrow a pencil?" "*Will* a ball-point pen *do*?" "Yes (, it will)."
2 《許可》: (…してもよい) may, can 語法 You may ... よりは You can ...のほうが調子が柔らかく, 質問の場合は May I ...? が Can I ...? より丁寧とされる. ¶ もう家に帰っても*よろしい You ⌐*may* [*can*] go home. // 「窓を開けても*よろしいですか」「いいですとも」 "*May* I open the window?" "Certainly. / Of course. / Yes, please do." / (⇒ かまいませんか) "Do you *mind* ⌐if I open the window [my opening the window]?" "Nó, nòt at áll. / Of cóurse

nòt."

よろしき 宜しき ¶指導の*よろしきを得て (⇒ 適切な指導を与えられて) 彼は見事に事業に成功した He was ˹given [offered] *proper* guidance to achieve great success in business.

よろしく 1 《適当に・よいように》 日英比較 (1) 日本語の「よろしく」はその意味・用法・発想において非常に日本語的で, 独特のものを持っている. 従って, この語をそのまま英訳しようとすると, かえって不自然でわかりにくい英語になってしまうことが多い. この点に注意し, 以下の用例中の 語法 の注意も参考にして, 前後関係を考えて意訳するなり, または省略するなりしなくてはならない. 《☞ 翻訳 (巻末)》.

¶「私が青木一郎です」「私は山田三郎です」「はじめまして」「どうか*よろしくお願いします」「こちらこそ」"I'm Ichiro Aoki." "I'm Saburo Yamada." "How do you do?" "*Very glad to meet you.*" "I'm very glad [Very glad] to meet you, too." 語法 初対面の人に向かって言う「どうぞよろしく」は上のように「お会いできてうれしい」(Very glad to meet you.) に当たると考えてよい. //「よろしい. 引き受けましょう」「ありがとうございます. ではどうか*よろしくお願いします」"OK. I'll do that." "Thank you very much." 日英比較 (2) こういう場合の「どうかよろしく」は英語にはぴったりの表現がないので, 英訳では無視して省略するほうがよい. よく, I hope you will do your best. (あなたは最善を尽くして下さると思います) とか, Please do as you think fit. (あなたがよいと思うようにして下さい), あるいは I leave it to your good judgment. (それをあなたの良識ある判断にゆだねる) などと訳してあるものを見かけるが, このような表現は英語としては蛇足であるだけでなく, 相手に対してだめ押しをしているような失礼な響きがあることに注意. もし感謝の言葉に続けて何か言うとすれば,「引き受けていただいて本当にうれしい」"I'm very ˹glad [happy] that ˹you have [you've] accepted our request." のような表現にすべきである. // これは息子の正一ですが, *よろしくご指導をお願いします This is my son Shoichi. I hope he will work hard. 日英比較 (3) 息子が実際に勤勉であると信じていればこのように言うことができるし, 実際に忠告や指導が必要と感じていれば I think he needs a lot of guidance and advice from you. のように言ってもよい. 英語では, 自分や自分の身内のことを謙遜(けんそん)して言うことももちろんあるが, どちらかというと自己宣伝をする場合のほうが多い. 従って, 必要以上に卑下して言わないほうがよい. またこの例文では「どうかよろしくご指導下さい」を直訳して Please guide him in a proper way. などとしてはならない. これは命令調で, しかも指導法のあり方まで指示することになり, 相手に失礼な表現となるからである. // *よろしくご支援のほどお願いします (⇒ あなたの支援を待ち望んでいます) We *look forward to* your support. // この会の入会を*よろしくお取り計らい下さい (⇒ 入会させていただければ感謝します) I would *appreciate* it if I could be enrolled as a member of the ˹society [Society]. // 《話の終わりなどで》では, 万事*よろしくお願いします Thank you very much.

2 《伝言》 ¶ケンちゃんに*よろしくね Please *say hello to* Ken. // 奥さんに*よろしくお伝え下さい Please *give my best* ˹*wishes* [*regards*] *to* Mrs. White. 語法 これは Mr. White に対して言う場合. 一般に「奥さん」という場合はこのようにするのが your wife と言うよりも丁寧.

よろず 万 ¶八百*よろずの神 *all* the gods and goddesses // *よろず相談に応じます Counseling is ˹given [provided] to anyone in trouble.

よろず屋 (雑貨店) general store Ⓒ; (なんでも屋) jack-of-all-trades Ⓒ; (万能な人) all-rounder Ⓒ.

よろめき ☞ うわき; ゆうわく

よろめく 踉跟く 1 《歩行》: (よろよろ歩く) stagger ㊀; (転びそうになって歩く) totter ㊀; (つまずく) stumble ㊀; (打撃などを受けて) reel ㊀. 《☞ よろける; ふらつく; よろよろ》. ¶病人は*よろめいて倒れた The sick man *staggered* and fell down. // 体にボールが当たって彼は*よろめいた He *reeled* when the ball struck him.

2 《異性に》: (不倫の恋愛関係をもつ) have an affair with ... 《☞ うわき》.

よろよろ ―動 (疲労などでよろめく) stagger ㊀; reel ㊀; (よろよろと転びそうになる) totter ㊀. ―副 staggeringly; totteringly. 《☞ よろめく; よろける; 擬声・擬態語 (囲み)》.

¶彼は酔っているように*よろよろと歩いていた He *was* ˹*staggering* [*reeling*] along as if (he were) drunk. // 彼女は*よろよろと立ち上がった She ˹*staggered* [*tottered*] to her feet.

よろん 世論, 輿論 public opinion Ⓤ.

¶*世論はその計画に反対だ *Public opinion* is against the plan. // 彼らは*世論の支持を訴えた They appealed to ˹*public opinion* [*the public*] for support. // 彼らの行動は*世論の強い批判を受けた Their behavior was strongly criticized ˹by *public opinion* [in *public opinion*; by *the public*].

世論調査 public opinion poll Ⓒ.

―コロケーション―

世論が動く *public opinion* moves / **世論が分かれる[二分される]** *public opinion* is ˹divided [polarized] (on the issue) / **世論におもねる** play to *public opinion* / **世論の調査をする** poll [probe] *public opinion* / **世論を形成する** form [mold] *public opinion* / **世論を左右する** influence *public opinion* / **世論を操作する** manipulate *public opinion* / **世論を反映する** reflect *public opinion* / **世論を無視する** defy [ignore] *public opinion*

よわ[1] 夜半 ¶*夜半の嵐の音で目がさめた I awoke in the *night* to the sound of a storm. 《☞ よなか》

よわ[2] 余話 (おもしろい小話) ánecdòte Ⓒ; (話) story Ⓒ ★ 余話がおもしろいものならば an amusing story, 知られていないものならば an unknown story, 悲しいものならば a sad story などと表せばよい. ¶彼は維新*余話を語った He told ˹*anecdotes* [*amusing stories*] about the (Meiji) Restoration.

よわい[1] 弱い (力がない) weak (↔ strong) ★ 体力・意志・能力など, 比喩的な意味でも用いられる最も一般的な語; (色・音・光などが弱い) faint; (身体の機能や能力が劣った) poor.

¶彼は体が*弱い He is physically *weak*. / (⇒ 健康がすぐれない) He is in *poor* health. // 彼女は足が*弱い She is *weak* in the legs. // 私は胃が*弱い I have a ˹*weak* stomach [*poor* digestion]. // 彼は意志が*弱い He has a *weak* will. 《☞ はくじゃく》 // この眼鏡は度が*弱い These ˹glasses [spectacles] are *weak*. // そんな気が*弱いこと (⇒ 内気) ではだめだ Don't be so *timid*. // 僕は数学が*弱い I'm ˹*weak* [*poor*] ˹*in* [*at*] math. 語法 (1) 前置詞は in のほうが普通. // 私は碁が*弱い (⇒ 下手な碁打ちだ) I'm a *poor* go player. / I'm a *poor* player of go. 語法 (2)「…するのが下手 […が弱い]」というときは,「…する者」の意味を持つ名詞の前に *poor* を付けて表すことが多い. 《☞ へた[1]》 // 彼はアルコールに*弱い (⇒ 簡単に酔う) He *easily gets drunk*. // この鉢植えの木は寒さに*弱い (⇒ 簡単に影響を受ける) This pot plant *is easily affected by* the cold. // この建物は地震に*弱い (⇒ 害を被りやすい) This building is *vulnerable to* earthquakes. // 私の母は乗り物に*弱い (⇒ 乗り物酔いする) My mother *suffers from* motion sickness. // 彼は船に*弱い He is a ˹*poor* [*bad*] sailor. / He *often becomes sick* when he travels by boat. // ぼくは誘惑に*弱い (⇒ しばしば負ける) I *often* ⌈*give way* [*yield*; *succumb*] to temptation. // 彼女は数字に*弱い She is ⌈*poor* [*no good*] at figures. / She *has no head* for figures. ★ 第 2 文は英国で使われる表現. // 彼はお世辞に*弱い (⇒ だまされやすい人である) He is a *sucker* for flattering. // トムはジェーンに*弱い (⇒ 大好きでどうしようもない) Tom *has a weakness for* Jane. // そういわれると*弱いなあ (⇒ 何と言っていいかわからない) I don't know what to say. 《☞ よわる》

弱き者, 汝の名は女なり Frailty, thy name is woman. ★ シェークスピア作の悲劇の主人公ハムレットの台詞. **弱きを助け, 強きをくじく** help [side with] the weak and break the strong.

よわい² 齢 ☞ ねんれい; とし¹

よわいものいじめ 弱い者いじめ ― [名] bully /búli/ Ⓒ. ― [動] bully (他) (自). ¶*弱い者いじめをするな Don't *bully* (⌈*the weak* [*weaker people*]). // あの子は*弱い者いじめだ That boy is a *bully*. 《☞ いじめる》

よわき 弱気 ― [形] (精神力の弱い) weak; (勇気のない・気の弱い) weakhearted. 《☞ よわい¹; よわね; よわごし; おくびょう》. ¶彼は*弱気な性格だ He has a *weak* character. // *弱気になるな Don't be so *weakhearted*. / (⇒ 勇気をなくすな) Don't *lose courage*. / (⇒ 落胆するな) Don't *be discouraged*. 弱気筋 〚株〛 bear Ⓒ (↔ bull).

よわくなる 弱くなる weaken (自) 《☞ よわる; おとろえる》.

よわごし 弱腰 ― [形] (気の弱い) weak; (優柔不断の) weak-kneed Ⓐ, weak kneed Ⓟ; (神経質で臆病な) timid. 《☞ よわい¹; よわき; にげごし》. ¶執行部の連中は*弱腰だ The members of the executive committee are *weak kneed*.

よわさ 弱さ (力の乏しさ・虚弱・薄弱) weakness Ⓤ; (もろさ・心弱さ) frailty Ⓤ. 《☞ よわみ; じゃくてん; はくじゃく》. ¶彼らはその失敗を彼の性格の*弱さからくるものだと決めつけた They attributed his failure to the *weakness* of his character. // 人間の*弱さがその小説のテーマだ Human *frailty* is the theme of the novel.

よわたり 世渡り ― [動] (世の中で暮らしていく) make *one's* way in the world 《☞ しょせいじゅつ》. ¶彼は*世渡りの術(すべ)を心得ている He knows how to *make his way in the world*. // 彼はどんな仕事についても*世渡りが上手だ (⇒ 成功の道を知っている) He knows how to ⌈*succeed in life* [*get ahead*] in any business he goes into. ★ [ ] 内のほうが口語的.

よわね 弱音 ― [動] (もうだめだと言う) say die ★ 通例 never say die の言い方で. 《☞ よわき》. ¶*弱音を吐くな Never *say die*! / (⇒ 元気を出せ) Cheer up!

よわび 弱火 (ガスレンジなどの) low flame Ⓒ (↔ high flame); (電気レンジなどの) low heat Ⓤ. 《☞ とろび; 料理の用語 (囲み)》. ¶材料を深なべに入れて*弱火にかけます Put the ingredients in a saucepan over (a) *low heat*. // 強火の上でかきまぜ, それから*弱火にし (⇒ 火を弱め), とろ火で 30 分煮ます Cook at a high temperature, stirring, then *reduce the heat* and simmer for 30 minutes.

よわふくみ 弱含み ― [形] 〚株〛 bearish /bé(ə)rɪʃ/.

よわまる 弱まる (体力などが) grow [become] weak, weaken (自); (火・風・音などが) die down (自). 《☞ おさまる; よわる; おとろえる》. ¶風は次第に*弱まった The wind gradually ⌈*grew weak* [*died down*].

よわみ 弱み (性格上の) weakness Ⓒ; (欠点) weak point Ⓒ; (弱い立場) weak position Ⓒ. 《☞ じゃくてん; けってん (類義語)》. ¶我々はだれでも*弱みを持っている We all have some ⌈*weaknesses* [*weak points*]. // 彼は私の*弱みにつけ込もうとした He tried to take advantage of my *weak position*. // 彼女は絶対に*弱みを見せない (⇒ うっかり表さない) She never betrays her *weakness*. / (⇒ 弱腰な態度を示さない) She never shows a *weak attitude*. // 私は彼の*弱みを握っている I know his *weak point(s)*. / I have *something on* him.

よわむし 弱虫 (意気地なし) 《略式》 chicken Ⓒ; (腰抜け) weakling Ⓒ; (泣き虫) crýbàby Ⓒ; (めめしい男) sissy Ⓒ; (臆病者) coward Ⓒ ★ 最後の語はやや格式ばった語. 《☞ おくびょう; いくじ²》.

¶この*弱虫め You're (a) *chicken*! // あの子は*弱虫だ That boy is a *sissy*. // 彼は*弱虫だから一人では行けない He is such a *coward* that he cannot go alone.

よわめる 弱める (体力などを) weaken (他); (火力などを) tùrn dówn (他). 《☞ よわる》.

¶小さな活字は視力を*弱める Small print *weakens* your eyesight. // ガスの火を (⇒ ガスを) もう少し*弱めなさい *Turn down* the gas a little (bit).

よわよわしい 弱弱しい ― [形] (力のない・虚弱な) weak; (特に老人などが体力の劣った) feeble; (もろい・かよわい) frail; (色・音などの弱い) faint. 《☞ よわい¹; かすか; かぼそい》. ¶病人は*弱々しかった The sick person looked ⌈*weak* [*feeble*]. // 裏庭で*弱々しい子猫の泣き声が聞こえた I heard the *faint* cry of a kitten from the backyard.

よわらせる 弱らせる (体力などを) weaken (他); (気まずい思いをさせる) embarrass (他); (とまどわせる) perplex (他). 《☞ よわる; こまる; へいこう³》.

よわりきる 弱り切る ☞ よわりはてる

よわりはてる 弱り果てる (すっかり衰弱する) be completely weakened; (ひどく悩まされる) be terribly bothered; (途方に暮れる) be quite at a loss. 《☞ へいこう³; こまる; よわる》.

¶彼女は長患いで*弱り果てている She *has been completely weakened* after a long illness. // 次に何をすればよいかわからずに*弱り果てている I *am quite at a loss* what to do next.

よわりめ 弱り目 **弱り目にたたり目** Misfortunes [Hardships] ⌈never [seldom] come singly. 《ことわざ: 不幸は単独ではやってこない》. ¶私には*弱り目にたたり目だった (⇒ 私にとって事態が悪いところからさらに悪くなった) *Things went from bad to worse* for me.

よわる 弱る **1** 《弱くなる》 ― [動] (体力などが弱まる) become [grow] weak, weaken (自) ★ (他) の用法もある. ― [形] weak. 《☞ よわい¹; おとろえる》.

¶栄養不足で彼の体力は*弱った His strength *has ebbed* because of poor nutrition. / Poor nutrition *has sapped* his strength. ★ 第 2 文のほうが格式ばった言い方. // 彼の足は年のせいで*弱ってきた His legs *have become weak* because of old age.

2 《困る》 ¶*弱ったなあ (⇒ どうしたらよいだろうか) *What shall I do?* / (⇒ どうしたらよいかわからない) I *don't know what to do*. // その子供の質問には*弱りました (⇒ どう答えてよいかわからなかった) I *didn't know how to answer* the little child's question. / (⇒ 当惑させるような質問だった) The little child's question was ⌈very [highly] *embarrassing*. 《☞ こまる》

よん 四, 4 ― [名] [形] four [語法] 「第 4 (番目) の」, あるいは 「第 4 (番目) のもの」 の場合は the fourth. 《☞ 数字 (囲み)》.

よんかいてんジャンプ 4 回転ジャンプ 〚スケー

ト〗quadruple axel Ⓒ.

よんこままんが 4コマ漫画 four-frame comic strip Ⓒ《☞ まんが; こま²》.

よんサイクル 4サイクル ━形 four-cycle, four-stroke. 4サイクルエンジン four-cycle [four-stroke] engine Ⓒ.

よんじゅう 四十, 40 ━名形 forty 語法「第40(番目)の」, あるいは「第40(番目)のもの」の場合は the fortieth.《☞ 数字 (囲み)》.

よんだい 四大 (四年制大学) four-year「university [college] Ⓒ.

よんだいぶんめい 四大文明 the four great ancient civilizations of the world ★ 複数形で.

よんだいメジャートーナメント 四大メジャートーナメント 〘ゴルフ〙the four major men's golf tournaments ★ 複数形で.

よんダブリューディー 4WD ☞ よんりん (四輪駆動)

よんどころない ━形 (避けられない) unavoidable; (緊急の) urgent.《☞ やむをえない; のっぴきならない》. ¶*よんどころない事情で出荷が遅れた The shipment was delayed「due to [owing to] *unavoidable* circumstances. // *よんどころない用事で on *urgent* business《☞ きゅうよう²》

よんびょうし 四拍子 〘楽〙four time, common time, quadruple /kwɑdrúːpl/ time Ⓤ.

よんまるいちケープラン 401(k) プラン (米国の企業年金の一タイプ) 401(k) plan /fɔ́əòuwʌ̀n-kéɪplæ̀n/ Ⓒ.

よんもじご 四文字語 four-letter word Ⓒ ★ 卑わい語.

よんりん 四輪 ━形 four-wheeled. **四輪駆動** four-wheel drive Ⓤ. ¶*四輪駆動の車 a *four-wheel-drive* car / a car with *four-wheel drive* **四輪車** four-wheel(ed) vehicle Ⓒ, four-wheeler Ⓒ.

ら, ラ

ラ 〘楽〙 la /lɑ́ː/ Ⓤ; (イ音) A /éɪ/.
ラー ── 名 固 (古代エジプトの太陽神) Ra /rɑ́ː/.
ラーゲ (性交時の男女の体位) position Ⓒ, love-making positioning Ⓤ ★「ラーゲ」はドイツ語 Lage (＝position) から.
ラージヒル 〘スキー〙(競技種目) the large hill, large hill jumping Ⓤ. ¶ 彼は*ラージヒルで金メダルをとった He won gold on *the large hill*.
ラージャ (昔のインドの王侯) raja, -jah /rɑ́ːdʒə/ Ⓒ.
ラード (豚脂) lard Ⓤ.
ラーマーヤナ ── 名 固 (古代インドの叙事詩) the Ramayana /rɑːmɑ́ːjənə/.
ラーメン ramen /rɑ́ːmən/ ★ 複数扱い; Chinese(-style) ⌈soup noodles [noodles in soup] ★ 説明的な訳. 複数形で.
ラーメンきょう ラーメン橋 rigid-frame bridge Ⓒ ★ 元はドイツ語の Rahmen (枠)から.
ラーメンこうぞう ラーメン構造 〘建〙(鉄筋コンクリートなどの) rigid-frame structure Ⓤ ★ 元はドイツ語の Rahmen (枠) から.
ラーゆ 辣油 sesame oil with chili peppers Ⓤ.
らい 癩 ☞ ハンセンびょう
ライ[1] ☞ ライむぎ
ライ[2] 〘ゴルフ〙(打球の止まった位置) lie Ⓒ. ¶ 良い*ライ a good *lie* **ライ角度** lie(angle) Ⓒ.
らい- 来… (次の) next; (きたるべき) coming Ⓐ. (☞ つぎ[1]). ¶ *来年[週] *next* ⌈year [week] / the *coming* ⌈year [week]
-らい …来 ── 前 (…から後) since …; (…の間) for …; (…時間のうちに) in … ¶ 先月*来彼女に会っていない I have not met her *since* last month. // 彼から 3 年*来音沙汰がない I have [I've] heard nothing from him *for* the past three years. // 10 年*来の大雪だ This is the heaviest snowfall (⌈we have had [we've had]) *in* ten years.
ライアビリティー (責任・義務) liability Ⓤ.
ライアン (男性名) Ryan /ráɪən/.
らいい 来意 the purpose of *one's* visit. ¶ 受付に*来意を告げる tell the receptionist *the reason* ⌈*for one's visit* [(*why*) *one has come*]
らいいん 来院 ¶ 朝食ぬきでご*来院ください Please come to the hospital without having breakfast.
らいう 雷雨 thúndershòwer Ⓒ; (雷を伴うあらし) thúnderstòrm Ⓒ. ¶ ひどい*雷雨だった We had a ⌈*thunderstorm* [violent *thundershower*].
らいうん 雷雲 thúndercloud Ⓒ (☞ くも[1]).
らいえん 来演 ¶ 市のホールのこけら落としに有名女優が*来演した A famous actress *came to perform* for the opening of the new city hall.
ライオネル (男性名) Lionel /láɪənl/.
ライオン 〘動〙(雄) lion Ⓒ; (雌) lioness Ⓒ; (子) (lion) cub Ⓒ. (☞ めす[1] 語法; 動物の鳴き声 (囲み)).
ライオンズクラブ the Lions Club ★ 社会奉仕団体.
ライカ (ドイツ製カメラの商品名) 《商標》 Leica /láɪkə/ Ⓒ.
らいが 来駕 ¶ ご*来駕 (⇒ あなたの訪問) をお待ちいたします I am looking forward to your *visit*.
ライガー 〘動〙 liger Ⓒ ★ 雄のライオンと雌のトラの雑種.
らいかい 来会 ¶ *来会者は多かった There was a large *attendance at the meeting*. / A lot of people *attended the meeting*.
らいがい 雷害 lightning damage Ⓤ.
らいかん[1] **雷管** (起爆点火装置) percussion cap Ⓒ, detonator Ⓒ.
らいかん[2] **来館** ── 動 (図書館に) use; (博物館に) visit. **来館者** (図書館の) (library) user Ⓒ; (博物館の) visitor Ⓒ.
らいき[1] **来期** (来年) the next year; (来学期) the next term; (来シーズン) the next season.
らいき[2] **礼記** the *Book of Rites*; the *Li* ⌈*Chi* [*Ji*]. ★ 五経の一. (☞ ししょごきょう).
らいきゃく 来客 (訪問者) visitor Ⓒ, caller Ⓒ; (招待客) guest Ⓒ; (集合的) company Ⓤ. (☞ きゃく[1] (類義語)). ¶ 夕食を食べていたとき*来客があった I had a *visitor* during dinner. // 今夜は*来客がある We are having ⌈*guests* [*company*] tonight.
らいぎょ 雷魚 〘魚〙 snakehead Ⓒ.
らいきん 癩菌 leprosy bacillus Ⓒ (複 bacilli).
らいげき 雷撃 (魚雷攻撃) torpedo /tɔəpíːdou/ attack Ⓒ. ¶ 船を*雷撃する *attack* a ship with a *torpedo*
らいげつ 来月 next month (☞ こんげつ; せんげつ; 時刻・日付・曜日 (囲み)). ¶ *来月は忙しい I'll be busy *next month*. // *来月 3 日に on the third of *next month* **来月号** next month's issue.
らいこう[1] **来航** ¶ 1853 年にペリーが*来航した (⇒ ペリーの艦隊が日本へ来た) Perry's fleet ⌈*came to* [*visited*] Japan in 1853.
らいこう[2] **来光** ☞ ごらいこう
らいこう[3] **来校** ¶ 本校への*来校者 a person ⌈*coming to* [*visiting*] our *school*
らいこう[4] **来寇** (敵軍の侵攻) invasion Ⓤ; (来襲) attack Ⓒ. (☞ しんりゃく).
ライザ (女性名) Liza /láɪzə/ ★ Eliza /ɪláɪzə/ の愛称.
らいさん 礼賛 ── 動 (誉める) praise ㊀; (称賛する) admire ㊀; (賛美する) glorify ㊀; (崇拝する) worship ㊀. ── 名 praise Ⓤ ★ 具体的には Ⓒ; admiration Ⓤ; glorification Ⓤ; worship Ⓤ. (☞ しょうさん[1]). ¶ …の勇気を*礼賛する *praise* [*admire*] *a person's* courage // 神を*礼賛する *glorify* God
らいし 礼紙 (書状などを包む白紙) paper for wrapping a letter Ⓤ; (書状の余白) margin of a letter Ⓒ.
らいしゃ 来社 visit to ⌈an office [a company] Ⓒ (☞ かいしゃ[1] (類義語)).
ライシャワー ── 名 固 Edwin O(ldfather) Reischauer, 1910–90. ★ 米国の歴史学者・外交官; 元駐日大使.
らいしゅう[1] **来週** next week, the coming week. (☞ せんしゅう[1]; こんしゅう[1]; 時刻・日付・曜日 (囲み)). ¶ *来週は何の予定もありません (⇒ 特に計画はない) I have no particular plans for *next week*. / (⇒ 来週中ずっとひまです) I'll be free all *next week*. // *来週のきょう *a week from* today / 《英》 *a week* today // *来週の土曜日にここでお会いしましょう Let's meet here ⌈*next* Saturday [on Saturday

next (*week*)]. ★ next Saturday は「次の土曜日」. (☞ こんしゅう¹ 語法)

らいしゅう² 来襲 ━動 (襲撃する) attack ⊕; (急襲する) raid ⊕; (侵略する) invade ⊕. ━名 attack Ⓒ; raid Ⓒ; invasion Ⓤ ★ 具体的には Ⓒ. (☞ しゅうげき; しゅうらい). ¶ 敵の*来襲に備える guard against an enemy *attack*

らいしゅう³ 来秋 (来年の秋) the ˹fall [autumn] of next year, fall [autumn] next year ★ 現在がその年の秋より前の場合に使う; (今度の秋) next ˹fall [autumn], the coming ˹fall [autumn] ★ 現在がその年の秋以降の場合に使う.

らいしゅん 来春 next spring, the coming spring. (☞ らいしゅう³).

らいじょう 来場 (参列) attendance (at …) Ⓤ ★ 具体的には Ⓒ. (☞ しゅっせき). ¶ ご*来場ありがとうございます Thank you for your *attendance*. // 車でのご*来場はご遠慮ください (⇒ 車で来ないでください) We must ask you not to *come* by car. **来場者** attendance Ⓒ ★ 単数形で.

ライしょうこうぐん ライ症候群 〚医〛 Reye('s) syndrome Ⓤ.

らいしん 来診 (doctor's) house call Ⓒ. ¶ *来診を求める send [call] for a doctor (☞ おうしん¹)

らいじん 雷神 the god of thunder.

らいしんし 頼信紙 telegram ˹form [blank] Ⓒ.

ライス (米飯) (cooked [steamed]) rice Ⓤ ★ cooked [steamed] は付けないのが普通. (☞ ごはん; こめ 日英比較).

ライスカレー curry /kə́ːri/ and rice Ⓤ (☞ カレー¹).

ライスセンター (米精製共同施設) rice processing center Ⓒ.

ライスペーパー (薄葉紙・食材) rice paper Ⓤ.

ライスボウル Rice Bowl ★ アメリカンフットボールの日本選手権.

らいせ 来世 (死後の世界) life after death Ⓒ; (別の世界) the ˹other [next] world.

ライセンス license (《英》 licence) Ⓒ (☞ めんきょ). **ライセンス契約** license agreement Ⓒ **ライセンス生産** licensed production Ⓤ **ライセンスプレート** (自動車のナンバープレート) license plate Ⓒ, 《英》 number plate Ⓒ.

ライター¹ (たばこの) (cigarette) lighter Ⓒ. ¶ 彼は*ライターでたばこに火をつけた He lit his cigarette with a *lighter*. **ライターオイル** lighter ˹fluid [《英》 oil] Ⓤ **ライターストーン** (lighter) flint Ⓒ.

ライター² writer Ⓒ (☞ さっか¹). ¶ フリーの*ライター a freelance *writer*

ライダー rider Ⓒ; (オートバイの) mótorcỳcle rìder Ⓒ, mótorcỳclist Ⓒ.

らいたく 来宅 ¶ ご*来宅をお待ち申し上げます We are eager for you to *come and visit our house*.

ライチー ☞ れいし¹

らいちょう¹ 雷鳥 〚鳥〛 grouse Ⓒ ★ 単複同形.

らいちょう² 来朝 ☞ らいにち

ライティング¹ lighting Ⓤ (しょうめい²). ¶ 彼はデパートの*ライティングをデザインしている He designs the *lighting* for department stores.

ライティング² writing Ⓤ. ¶ 入試で志願者のリーディングと*ライティングの力がテストされる The entrance exam tests applicants' reading and *writing* ˹skills [abilities]. / Applicants' reading and *writing* ˹skills [abilities] are tested on the entrance exam. // 彼女は*ライティングの試験に合格した She passed the *writing* test.
ライティングデスク (書き物机) writing desk Ⓒ **ライティングビューロー** 《英》 bureau /bjʊ́(ə)roʊ/ Ⓒ.

らいてん 来店 ━動 come to a ˹store [shop]; (店をひいきにする) 《格式》 pátronìze ⊕. ¶ ご*来店いただきましてありがとうございます Thank you very much for ˹*coming to* [*patronizing*] *our store*. // あすのご*来店をお待ちいたしております (⇒ あすもあなたを予期しています) We *are expecting* you again tomorrow.

らいでん¹ 来電 (電報) telegram Ⓒ; (至急報) dispatch Ⓒ ★ 後者は公用・社用などの電報. (☞ でんぽう). ¶ ロンドンからの*来電 a ˹*telegram* [*dispatch*] from London

らいでん² 雷電 thunder and lightning Ⓤ, thunderbolt Ⓒ. (☞ かみなり).

ライデン ━名 固 Leiden /láɪdn/ ★ オランダ西部の都市.

ライト¹ **1** 《照明》: light Ⓒ (☞ あかり; しょうめい²). ¶ *ライトをつけて[消して]下さい Switch [Turn] ˹on [off] the *light*, please. // いけない, *ライトがつけっぱなしだ Gosh! My *lights* are on! // ヘッド*ライト a *headlight* // スポット*ライト a *spotlight*
2 《色が明るいこと》 ━形 light.

ライト² 〚野〛 (野球の右翼) right field Ⓤ; (右翼手) right fielder Ⓒ. **ライトスタンド** the right-field stands.

ライト³ (軽い) light. **ライトウェア** casual wear Ⓤ ★ 「ライトウェア」は和製英語. **ライトカクテル** (アルコール分の少ないカクテル) light cocktail Ⓒ.

ライト⁴ ━名 固 Frank Lloyd Wright, 1867–1959. ★ 米国の建築家. 旧帝国ホテルなどの設計者.

ライド (乗り物に乗ること) ride Ⓒ (☞ のる¹).

ライトアップ ━動 (明るく照らす) light úp ⊕ (過去・過分 lighted, lit). ¶ 塔を*ライトアップする *light up* the tower

らいとう 来島 ━動 come to an island.

らいどう 雷同 ☞ ふわらいどう

ライトきゅう ライト級 〚ボク〛 the lightweight class. **ライト級の選手** lightweight Ⓒ.

ライトきょうだい ライト兄弟 the Wright brothers ★ 兄 Wilbur /wílbɚ/, 弟 Orville /ɔ́ɚvɪl/ の米国人兄弟. 1903 年にノースカロライナ州キティホーク (Kitty Hawk) で人類初の動力飛行に成功した.

ライトバン 《米》 station wagon Ⓒ, 《英》 estate car Ⓒ 語法 以上は乗用車兼用のもの. 屋根の高い商用のものは delivery ˹van [《米》 truck] Ⓒ という. (☞ ワゴン).

ライトブルー (淡青色) light blue Ⓤ.

ライトヘビーきゅう ライトヘビー級 〚ボク〛 the light heavyweight class. **ライトヘビー級の選手** light heavyweight Ⓒ.

ライトペン 〚コンピューター〛 light ˹pen [pencil] Ⓒ.

ライトモチーフ 〚楽〛 (示導動機) leitmotiv Ⓒ, leitmotif Ⓒ ★ ドイツ語の Leitmotiv から; (文学作品などの中心思想) the main theme.

ライナー **1** 《野球》: liner Ⓒ, line drive Ⓒ. ¶ 彼はライトにすごい*ライナーを打った He hit a *line drive* into right field. **2** 《コート裏》: liner Ⓒ.

らいにち 来日 ━動 visit [come to] Japan; (到着する) arrive in ˹this country [Japan]. ¶ カナダの首相がきょう*来日した The Prime Minister of Canada *arrived in Japan* today. // 目下*来日中のブラック氏 Mr. Black, now *visiting* ˹*Japan* [*this country*]

らいねん 来年 next year 語法 しばしば前置詞を伴わずに副詞句を作る; the coming year. (☞ ことし; きょねん). ¶ この道路は*来年のいまごろ[8 月に]完成する This road will be completed ˹about this time *next year* [*next* August]. // *来年度の計画はもうできている Our plans for ˹*next year* [*the*

coming year] have already been made.

らいはい 礼拝 ☞ れいはい[1]

らいはく 来泊 ― [動] come to stay (at …; in …; with …).

らいはる 来春 ☞ らいしゅん

ライバル (競争相手) rival Ⓒ (☞ てき (類義語); かたき). ¶ 彼はテニス選手権をめざしての私の*ライバルだった He was my *rival* for the tennis championship. // 彼らはその賞をめぐって激しい*ライバル関係にあった There was (a) keen *rivalry* between them for the award. // 仕事上の*ライバル a business *rival* // よき*ライバル (⇒ 友情深く励まし合うライバル) a friendly *rival* **ライバル意識** the spirit of rivalry **ライバル会社** rival company Ⓒ.

らいびょう 癩病 ☞ ハンセンびょう

らいひん 来賓 (招待客) guest Ⓒ; (訪問者) visitor Ⓒ; (著名な客) distinguished guest Ⓒ. (☞ きゃく[1] (類義語)). **来賓室** guest room Ⓒ **来賓席** guests' [visitors'] seats; (掲示) For Guests

ライフ (命・生活) life Ⓤ ★ 個々にいう時には Ⓒ.

ライブ ― [形][副] live /láɪv/. ¶ *ライブ録音 a *live* recording **ライブアルバム** live album Ⓒ **ライブショー** live show Ⓒ **ライブハウス** place where live performances are given by a jazz or rock band Ⓒ ★「ライブハウス」は和製英語. **ライブレコーディング** live recording Ⓒ.

ライフガード (水泳監視員) lifeguard Ⓒ.

ライフケアビジネス life-care business Ⓤ.

ライフサイクル 〘生〙(生活環) life cycle Ⓒ. **ライフサイクルアセスメント** life-cycle assessment Ⓤ (略 LCA).

ライフジャケット (救命胴衣) life jacket Ⓒ.

ライフスタイル (生活様式) lifestyle Ⓒ.

ライフステージ (人生の各時期) stage of life Ⓒ, stage in 「the [*a person's*] life Ⓒ ★「ライフステージ」は和製英語.

ライフセーバー (人命救助者) lifesaver Ⓒ.

ライフセービング (人命救助) lifesaving Ⓤ.

ライプチヒ ― [名] ㊒ Leipzig /láɪpsɪg/ ★ ドイツ中東部の商工業都市.

ライフデザイン (生活設計) life design Ⓤ (☞ せっけい[1]).

ライプニッツ ― [名] ㊒ Gottfried Wilhelm Leibniz /láɪbnɪts/, 1646–1716. ★ ドイツの哲学者・数学者. **ライプニッツ式計算法** 〘数〙 Leibniz's formula Ⓤ ★ 損害賠償などで将来得られる利益を計算する方法.

ライフプラン (生活設計) life plan Ⓒ (☞ せっけい[1]).

ライフボート (救命艇) lifeboat Ⓒ.

ライフマネジメント (生活管理) life management Ⓤ.

ライフライン (生命線・物資補給路) lifeline Ⓒ. ¶ 大地震が外部への彼らの*ライフラインを断ってしまった The major earthquake cut their *lifeline* to the outside world.

ライフラフト (救命いかだ) life raft Ⓒ.

ライブラリー (図書館・書庫) library Ⓒ. ¶ フィルム*ライブラリー a film *library*

ライフル (ライフル銃) rifle Ⓒ. **ライフル射撃** riflery Ⓤ, rifle target shooting Ⓤ.

ライフワーク (一生の仕事) *one's* lifework Ⓤ.

らいほう 来訪 ― [名] visit Ⓒ, call Ⓒ ★ 後者のほうがより短い訪問を意味することが多い. ― [動] visit ㊀, call on *a person*, call at *a person's* house. (☞ ほうもん[1] (類義語)). ¶ あすのご*来訪をお待ちしております I *am* [I'*m*] *expecting* you tomorrow. **来訪者** (訪問者) visitor Ⓒ; (招待客) guest Ⓒ. (☞ きゃく[1] (類義語)) **来訪者名簿** visitors' book Ⓒ, guest book Ⓒ.

ライマビーン 〘植〙 lima bean Ⓒ.

ライム[1] 〘植〙 lime Ⓒ. **ライムジュース** lime juice Ⓤ.

ライム[2] (韻) rhyme Ⓒ (☞ いん[2]).

ライむぎ ライ麦 〘植〙 rye Ⓤ.

ライムライト (劇場のステージの) limelight Ⓤ ★ 照明装置の意味では Ⓒ.

らいめい[1] 雷鳴 thunder Ⓤ (☞ かみなり).

らいめい[2] 雷名 (名声) fame Ⓤ; (評判) reputation Ⓤ. ¶ 彼の*雷名は国中にとどろいた His 「*fame* [*reputation*] spread throughout the country. // 彼は労働運動で*雷名をとどろかせた (⇒ 名をなした) He made 「his *name* [a *name* for himself] in the labor movement.

らいもん 雷文 fret Ⓒ, thunder fret Ⓒ ★ 陶器類などに使われる中国の文様.

らいゆう 来遊 visit Ⓒ (☞ ほうもん[1]; たずねる[2]).

らいらく 磊落 ― [形] (物事にこだわらない) free and easy; (心が広い) openhearted. ¶ *らい落な性質 a *free and easy* disposition

ライラック 〘植〙(木) lilac /láɪlək/ Ⓒ; (花) lilac Ⓤ.

らいりん 来臨 ¶ その式典は天皇皇后両陛下のご*来臨をいただいて (⇒ 出席されて) 挙行された The ceremony was held in the *presence* of Their Majesties the Emperor and Empress.

らいれき 来歴 (由来・経歴) history Ⓒ; (起源) origin Ⓒ. (☞ けいれき; こじ[2]). ¶ その神社の*来歴 the *origin and history* of the shrine

ライン (線・列) line Ⓒ; (水準) standard Ⓒ; (評点) mark Ⓒ. ¶ *ラインを引く draw a *line* // 彼はかろうじて合格*ラインに達した He barely 「passed [received a passing *grade*]. **ラインダンス** revue /rɪvjúː/ dance performed in a line Ⓒ.

ラインアウト ― [名] 〘ラグ〙 line-out Ⓒ; (オーディオの出力端子) line-out Ⓒ. ― [動] 〘野〙 be declared out for going outside the baseline ㊂.

ラインがわ ライン川 ― [名] ㊒ the Rhine /ráɪn/ ★ スイスアルプスから独仏国境沿いに北海まで流れる大河.

ラインズマン 〘球〙(線審) linesman Ⓒ.

ラインドライブ 〘野〙 line drive Ⓒ, liner Ⓒ.

ラインナップ (選手の陣容・顔ぶれ) lineup Ⓒ. ¶ スターティング*ラインナップを発表する announce the starting *lineup*

ラインプリンター 〘コンピューター〙 line printer Ⓒ ★ 行単位で印刷を行うプリンター.

ラヴェル ― [名] ㊒ (Joseph-)Maurice Ravel /rəvél/, 1875–1937. ★ フランスの作曲家.

ラウドスピーカー loudspeaker Ⓒ ★ 単に speaker ともいう; (拡声装置) public address system Ⓒ ★ PA (system) とも略され, 公共の場などの拡声装置を意味する.

ラウンジ (休憩室) lounge Ⓒ. **ラウンジウェア** loungewear Ⓤ.

ラウンド (ゴルフ・ボクシングの) round Ⓒ. ¶ ゴルフでワン*ラウンドプレーする play a *round* of golf // 挑戦者は第 10*ラウンドでノックアウトされた The challenger was knocked out in the tenth *round*.

ラウンドステーキ (牛のもも肉のステーキ) round steak Ⓒ.

ラウンドテーブル ☞ えんたく

ラウンドトリップ (往復[周遊]旅行) round trip Ⓒ.

ラオコーン ― [名] ㊒ 〘ギ神〙 Laocoön, Laokoön /leɪάkoʊὰn/ ★ トロイの神官; 木馬を城内に入れるのに反対し海蛇に殺された.

ラオス ― [名] ㊒ Laos /láʊs/; (正式名) the Lao

People's Democratic Republic ★ インドシナ半島の共和国. ―形 Laotian /leɪóʊʃən/. ラオス語 Laotian Ⓤ ラオス人 Laotian Ⓒ.

ラオチュー 老酒 (中国産の紹興酒などの酒) *lǎo jiú* Ⓤ.

ラガー (ラグビー選手) rugby [Rugby] player Ⓒ 日英比較 rugger は選手ではなく, ラグビーそのものを指す英国の口語. (☞ ラグビー).

ラガービール lager /lɑ́ːgə/ (beer) Ⓤ.

らかん 羅漢 Arhat /ɑ́əhʌt/ Ⓒ, Buddhist /búːdɪst/ who has attained Nirvana /nɪəvɑ́ːnə/ Ⓒ ★ 後者は説明的な訳. (☞ ごひゃくらかん).

らがん 裸眼 the naked eye (☞ にくがん).
¶ 私の*裸眼 (⇒ 眼鏡なし) の視力は 1.0 だ *Without glasses* I have 20/20 vision. (☞ しりょく[1])

らぎょう ら行 the *ra* column; (説明的には) the *ra* column of the Japanese syllabary.

ラぎょうへんかくかつよう ラ行変格活用 〖文法〗 irregular conjugation on the *ra* column of the *kana* syllabary Ⓒ.

らく 楽 1 《安楽》 ―名 (心地のよいこと) cómfort Ⓤ, ease Ⓤ; (苦痛などの軽減) relief Ⓤ. ―形 comfortable /kʌ́mfətəbl/, easy. ―副 comfortably, in comfort, at *one's* ease. ―動 (楽にする) èase (óff) ㊤; relieve ㊤; (くつろがせる) relax ㊤.
【類義語】 苦しみ・悩みなどから解放されて, くつろいだ状態を表すのが ***ease***. ***ease*** の気持ちに加えて, 快適で満足している状態を表すのが ***comfort***. 苦痛や緊張などが和らぐのは ***relief***.
¶ どうぞお*楽にして下さい Please make yourself ˹*at home* [*comfortable*]. ★ at home は「くつろいで・気楽に」という意味の慣用句. // 気を*楽にしなさい (⇒ のんきに構えなさい) Take it *easy*. 語法 何か困ったこと, 難しいことなどに直面している人に向かって言う. // その老夫婦はかなりの収入があって*楽に暮らしている The old couple ˹live an *easy* life [lead a *comfortable* life; live *in comfort*] on a good income. // 暮らしはちっとも*楽にならない (⇒ 私たちは前よりちっとも裕福でない) We are no *better off* (than before). // 「ご気分はいかがですか」「とても*楽になりました」" How do you feel now? " " I *feel* much *better*. " // 湿布をしたら*楽になった The compress ˹gave [brought] me some *relief*. // 医者は彼が*楽になるように注射をしてくれた The doctor gave him an injection to ˹*ease* [*relieve*] his pain. // その知らせを聞いたら気が*楽になった I ˹*was* [*felt*] very *relieved* ˹when I heard [to hear] the news. // *楽あれば苦あり After *pleasure* comes pain. (ことわざ: 楽しみの後には苦痛がくる) / No pain, no *gain*. (ことわざ: 苦しみがなければもうけなし)
2 《容易》 ―形 (容易な) easy; (単純な) simple; (軽い) light. ―副 (楽に) easily, with ease; (苦労なしに) without difficulty; (努力なしに) effortlessly. (☞ かんたん[1]).
¶ この仕事は*楽だ This is an *easy* job. // この荷物は*楽に運べる (⇒ 運ぶのに容易だ) This baggage is *easy* to carry. // こんな問題は*楽に解ける I can solve ˹such a [that kind of] problem ˹*easily* [*without difficulty*]. // 安月給で暮らすのは*楽じゃない Living on my low salary is no *easy* matter. // この教室は*楽に 80 人の学生が入る (⇒ 80 人の学生に対して十分な場所がある) This classroom has *enough* ˹space [seats] for eighty students.

ラグ (遅れ) lag Ⓒ (☞ じさ (時差ぼけ)).

らくいん[1] 烙印 ―名 brand (mark) Ⓒ. ―動 (らく印を押す) brand ㊤.
烙印を押される ¶ 彼は裏切り者の*らく印を押された He *was branded* (as) a traitor.

らくいん[2] 落胤 (身分の高い男の落とし種) nobleman's ˹illegitimate [bastard] child Ⓒ.

らくいんきょ 楽隠居 comfortable [easy] retirement Ⓤ ★ 具体的には Ⓒ. (☞ いんきょ[1]).
¶ *楽隠居する go into (a) *comfortable retirement*

ラクーン 〖動〗 (アライグマ) raccoon, racoon Ⓒ, (米略式) coon Ⓒ.

らくえん 楽園 paradise Ⓒ (☞ ごくらく; てんごく). ¶ 地上の*楽園 a *paradise* on earth / an earthly *paradise*

らくがい 洛外 (京都の市外) the suburbs of Kyoto.

らくがき 落書き ―名 (なぐり書き) scribble Ⓒ, scrawl Ⓒ; (特に公共施設の壁などの) graffiti /grəfíːti/ Ⓤ. ―動 scribble ㊀, scrawl ㊀.
¶ 黒板に*落書きをするな Don't *scribble* on the blackboard. // この場所に*落書きを禁ず (掲示) No *Graffiti*

らくがん 落雁 (和菓子の一) *rakugan* Ⓤ; (説明的には) a pressed mixture of sugar and flour.

らくご[1] 落後, 落伍 ―動 (落後する) dróp óut (of ...) ㊀ (☞ だつらく). ¶ 彼は競争から*落後した He *dropped out of* the competition. // 彼は人生の*落後者だ He is a *dropout*.

らくご[2] 落語 (総称として) comic storytelling Ⓤ; (個々の) comic story Ⓒ.
落語家 (professional) comic storyteller Ⓒ.

らくさ 落差 (高さ) height Ⓤ; (相違) difference Ⓤ. ¶ 華厳の滝は*落差 (⇒ 高さ) が約 100 メートルある (The) Kegon Falls is about 100 meters in *height*.

らくさん 酪酸 〖化〗 butýric /bjuːtírɪk/ ácid Ⓤ.

らくさつ 落札 ―動 (…に入札してうまく行く) make a successful bid (for ...) ★ 人が主語になる; (競売で…にせり落とされる) be knocked down to ... ★ 物が主語になる. 値段が決まると競売人が木づちをトンと打つことからこのように言う. ―名 successful bid Ⓒ. (☞ にゅうさつ).
¶ その契約はわが社が*落札した We *made a successful bid for* the contract. / (⇒ わが社に与えられた) The contract *was awarded to* us. // その絵は彼に 100 万円で*落札された The picture *was* ˹*knocked down* [*auctioned off*] *to* him for ˹one [a] million yen.
落札人 successful bidder Ⓒ
落札値 (契約値) contract price Ⓒ; (最も高い入札値) the highest bid (price).

らくじつ 落日 the setting sun (☞ ゆうひ[1]).

らくしゃ 絡車 ☞ いと[1] (糸繰り車)

らくしゅ[1] 落首 (風刺文) lampóon Ⓒ; (風刺詩) satirical poem Ⓒ. (☞ ふうし[1]).

らくしゅ[2] 落手 ☞ うけとる

らくしゅ[3] 落手 (将棋や碁の悪い手) bad move Ⓒ.

らくしょう 楽勝 ―名 easy win Ⓒ, wálkòver Ⓒ, wálkawày Ⓒ ★ 後の 2 つは口語. ―動 win easily ㊀. (☞ かつ[1]; らく). ¶ わがチームは*楽勝した Our team ˹had an *easy win* [*won easily*; (略式) *won hands down*].
楽勝科目 easy ˹course [subject] Ⓒ; (米略式) gut [snap] course Ⓒ.

らくじょう 落城 ―動 fall ㊀. ―名 the fall (of a castle). ¶ ついにその城は*落城した At last the castle *fell* to the enemy.

らくしょく 落飾 ☞ ていはつ

らくせい[1] 落成 ―名 completion Ⓤ. ―動 complete ㊤, finish ㊤. (☞ かんせい[1]). ¶ 新体育館が*落成した The new gymnasium *has been* ˹*completed* [*finished*].
落成式 the ˹completion [(⇒ 開業・開所の) inauguration] ceremony (for ...).

らくせい[2] **洛西** western suburb of Kyoto Ⓒ.
らくせき[1] **落石** falling「rocks [stones] ★ 通例複数形で. ¶*落石注意《掲示》Watch (Out) for *Falling Rock(s)* ★ rock は単数形の場合は Ⓤ.

らくせき[2] **落籍** **1**《記載漏れ》: omission from the family register Ⓤ.
2《芸者の身請け》: redemption (of a geisha) Ⓤ《☞ みうけ》.
らくせつ **落雪** (なだれ) snowslide Ⓒ《☞ なだれ》.
らくせん **落選** ―動 (選挙で) be defeated [fail] in an election, be not elected, be unsuccessful in an election; (選挙に負ける) lose an election (↔ win an election); (作品が) be rejected.
¶彼は今度の選挙で*落選した He「*was defeated* [*failed*] *in* the recent *election.* // 彼女の小説は*落選した Her novel *was*「*rejected* [(⇒ 受理されなかった) *not accepted*].
落選者 (敗れた[不成功に終わった]候補者) defeated [unsuccessful] candidate /kǽndɪdèɪt/ Ⓒ.
らくだ **駱駝**〚動〛camel Ⓒ. ¶ひとこぶ*らくだ an Arábian *camel* // ふたこぶ*らくだ a Báctrian *camel* // *らくだのこぶ a hump // *らくだのシャツ a *camel-hair* undershirt **らくだ色** camel Ⓤ, light「yellowish [sandy] brown Ⓤ.
らくたい **落体** falling body Ⓒ.
らくだい **落第** ―動 (同じコース[学年]を繰り返す) repeat the「course [grade; year] 語法 grade, year を使うと「もとの学年にとどまる」の意味になる. なお, grade は高等学校以下の学校に用い, 大学には用いられない; (試験で落第点をとる) fail ㊀, 《略式》flunk ㊀; (教師が落第点をつける) fail ㊀, 《略式》flunk ㊀.《☞ りゅうねん; ふごうかく; おとす》.
¶彼は必修科目に*落第した He had to *repeat the* required *course.* // 彼は(大学) 2 年の時に*落第した He「*failed* [had to *repeat*] his second year (at college). // スミス先生はこの前の試験で学生の 3 分の 1 を*落第させた Mr. Smith「*failed* [*flunked*] a third of the students on the last examination. // 彼は行政官としては*落第だ He is a *failure* as an administrator. **落第生** (落第した教科をもう一度やり直す学生) repeater Ⓒ; (試験に落ちた落第生) failing student Ⓒ; (落第して学校をやめた学生) drópòut Ⓒ **落第点** failing「grade [《英》mark] Ⓒ, failure Ⓒ. ¶彼女は 3 科目*落第点をとった She *failed* three courses.
ラグタイム〚楽〛ragtime Ⓤ ★ 曲の意味では Ⓒ.
らくたん **落胆** ―動 (失望する) be disappointed; (気力を失う) be discouraged. ―名 disappóintment Ⓤ; discóuragement Ⓤ.《☞ しつぼう; がっかり》. ¶彼はその知らせにすっかり*落胆した He *was* deeply「*disappointed* [*discouraged*] by the news.
らくちゃく **落着** ―動 (解決する) be settled《☞ かいけつ[1] (類義語)》. ¶その件は*落着した The matter *is* now *settled.*
らくちゅう **洛中** ―副形名 (in [within]) the city of Kyoto.
らくちょう **落丁** (抜けているページ) missing「page [leaf] Ⓒ 語法 leaf は「(本の) 1 枚」で表と裏で 2 ページ分になる.
らくてん(てき) **楽天(的)** ―形 òptimístic (↔ pèssimístic)《☞ らっかん[1]; のんき》. ¶彼女はその事件について*楽天的な見方をしている She has an *optimistic* view of the case. **楽天主義** óptimìsm Ⓤ (↔ péssimìsm).
らくてんか **楽天家** óptimist Ⓒ. ¶彼は*楽天家だ He is an *optimist.* / He is *optimistic.*
らくど **楽土** ☞ らくえん
ラクトアイス (説明的に) ice cream made with vegetable fats and 3% or more milk solids Ⓤ ★「ラクトアイス」は和製英語.
らくとう **洛東** eastern suburb of Kyoto Ⓒ.
ラクトフェリン〚生化〛lactoferrin Ⓤ.
らくない **洛内** ☞ らくちゅう
らくなん **洛南** southern suburb of Kyoto Ⓒ.
らくのう **酪農** dairy /dé(ə)ri/ (fàrming) Ⓤ.
酪農家 dáiry fàrmer Ⓒ **酪農場** dairy farm Ⓒ **酪農製品** dairy products ★ 複数形で.
らくば **落馬** ―名 fall from「*one's* [a] horse Ⓒ. ―動 fall from「*one's* [a] horse, fall off「*one's* [a] horse.
らくはく[1] **落剝** ☞ はげる[1]
らくはく[2] **落魄** ☞ おちぶれる
らくばん **落盤** cáve-ìn Ⓒ《☞ かんぼつ》.
らくび **楽日** ☞ せんしゅうらく
ラグビー rugby Ⓤ, Rugby Ⓤ, rugby [Rugby] football Ⓤ 語法 最後は格式ばった言い方.《英》では単に football Ⓤ とも言い, また口語的には rugger Ⓤ ともいう. ¶彼は冬には*ラグビーをする He plays *rugby* in winter. // 私はテレビで早稲田対明治の*ラグビーの試合を見た I watched a *rugby* match between Waseda and Meiji on television. **ラグビー選手** ☞ ラガー

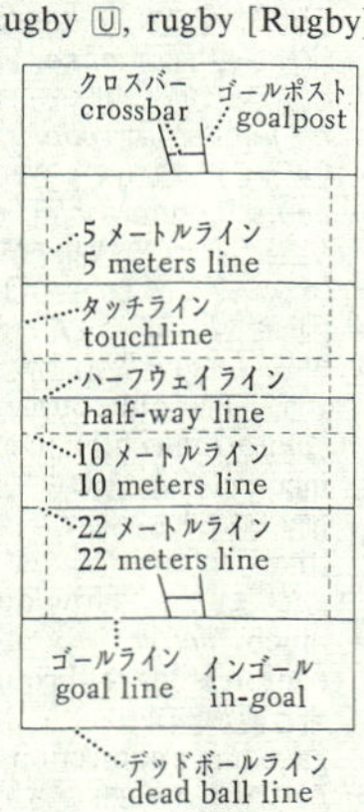

Rugby field

らくほく **洛北** northern suburb of Kyoto Ⓒ.
らくめい **落命** ☞ いのち (命を落とす)
らくやき **楽焼き** hand-molded earthenware Ⓤ.
らくよう[1] **落葉** ―動 (葉を落とす) shed leaves《☞ おちば》. ¶樫の木は冬には*落葉する Oaks *shed their leaves* in winter. **落葉広葉樹林** deciduous /dɪsídʒuəs/ broad-leaved forest Ⓒ **落葉剤** (枯れ葉剤) defoliant Ⓒ ★ 物質名詞としては Ⓤ. **落葉樹** decíduous trée Ⓒ.
らくよう[2] **洛陽** ―名 固 (都市名) Lo-yang /lòujáːŋ/, Loyang ★ 中国河南省北部の都市.
¶その本は*洛陽の紙価を高めた (⇒ すばらしく売れた) The book sold spectacularly well.
らくらい **落雷** ―動 (落雷にあう) be struck by lightning《☞ かみなり》.
らくらく **楽楽** (簡単に) easily, with ease.《☞ らく》. ¶*楽々と試合に勝つ win the game「*easily* [*with ease*]
ラグラン (ラグランコート) raglan (coat) Ⓒ ★「ラグラン」は 19 世紀の英国の将軍 F.J.H.S. Raglan から. **ラグラン袖** raglan sleeves.
らくるい **落涙** ―動 (涙を流す) shed tears《☞

なく」).

ラクロス 〘スポ〙 lacrosse /ləkrɔ́:s/ Ⓤ.

ラゲージ (荷物) luggage Ⓤ. ラゲージスペース luggage space Ⓤ.

ラケット (一般に) rácket Ⓒ ★ racquet ともつづる; (卓球の) paddle Ⓒ, bat Ⓒ.

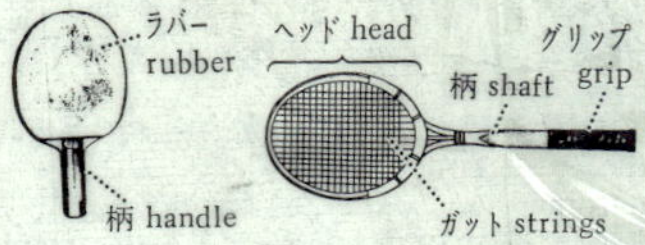

ラケットボール racquetball Ⓤ.

ラサ ―名 固 Lhasa /lɑ́:sə/ ★ 中国, チベット自治区の首都.

ラザニア (薄い板状のパスタ(を使った料理)) lasagna, -gne /ləzɑ́:njə/ Ⓤ ★ 料理名としては Ⓒ にもなる.

ラジアルタイヤ radial /réɪdiəl/ tire Ⓒ.

ラジアン 〘数〙(角度の単位) radian Ⓒ《略 rad》.

-らしい **1** «...(の)ようだ» ―動 (...と思われる) seem 自 [語法] (1) It seems that ..., または seem to ... の形で用いるが, 後者のほうが口語的; (様子が...のようだ) appear 自, look 自; (...しそうである) be likely to ... ―副 (見たところ·どうやら) appárently; (多分) probably. 《☞ -そうだ》.

¶ 彼は病気*らしい *It seems that* he is sick. / He *seems to* be sick. / *Apparently* he is sick. // 彼は病気だった*らしい *It seems that* he was sick. / He *seems to* have been sick. [語法] (2) 上の例と合わせて時制に注意すること. // あしたは雪*らしい It *looks like* it will snow tomorrow. / It *is likely* ⌈that it will snow [*to* snow] tomorrow. // あの人は昔は美しかった*らしい (⇒ 若いころは美しかったといううわさだ) *People say* [*It is said*] (that) she was beautiful when she was young.

2 «...にふさわしい»: (...に似合う) be becoming to ... ★ 格式ばった表現; (...に値する) be worthy of ... ¶ 男*らしくしなさい Try to be a man! // 彼は本当に学者*らしい学者だ He *is* truly *worthy of* being called a scholar. // 彼は男*らしい人だ He is a masculine type. // そこにはホテル*らしい (⇒ とりたてて言うに値する) ホテルはない There are no hotels there *worth mentioning*. // うそをつくなんて君*らしくない It isn't *like* you to tell a lie.

ラジウム 〘化〙 radium /réɪdiəm/ Ⓤ《元素記号 Ra》. ラジウム鉱泉 radium spring Ⓒ ラジウム療法 radium therapy Ⓤ.

ラジエーション (放射) radiation Ⓤ《☞ ほうしゃせん》.

ラジエーター radiator /réɪdièɪtə/ Ⓒ.

ラジオ radio /réɪdiòu/ Ⓤ; (機械) radio (set) Ⓒ; (放送) radio broadcasting Ⓤ; (一回の放送·放送番組) radio broadcast Ⓒ. 《☞ ほうそう¹》.

¶ 彼は*ラジオをつけた[消した] He turned ⌈on [off] the *radio*. // *ラジオの音を大きく[小さく]して下さい Turn ⌈up [down] the *radio*, please. // ここで*ラジオをかけてはいけません《掲示》 No *Radios* ⌈Permitted [Allowed] // *ラジオを聴く listen to the *radio* // けさ首相の演説を*ラジオでやっていた (⇒ 演説が放送された) The premier's /prɪmíəz/ speech *was* ⌈*broadcast* [*on the air*] this morning. ★ [ ] 内のほうが口語的. // *ラジオで天気予報を聴きましたか Did you listen to the weather forecast ⌈on [that came over] the *radio*?

ラジオ英語講座 radio English ⌈programs [course] ★ program は複数形で. ラジオカセット ☞ ラジカセ ラジオ体操 radio calisthenics /kæ̀ləsθénɪks/ ★ 複数形で単数または複数扱い. ラジオ聴取者 radio listener Ⓒ; (全体) the radio audience ラジオドラマ radio play Ⓒ ラジオニュース radio news Ⓤ ラジオ番組 radio program Ⓒ ラジオ放送 radio broadcasting Ⓤ ラジオ放送局 radio station Ⓒ.

ラジオアイソトープ radioisotope /rèɪdioáɪsətòup/ Ⓒ.

ラジオカーボン 〘化〙(放射線炭素) radiocarbon Ⓤ.

ラジオコントロール (無線操縦) radio control Ⓤ.

ラジオゾンデ 〘気象〙 radiosonde /réɪdiousɑ̀nd/ Ⓒ.

ラジカセ radio (and) cassette player Ⓒ, radio-cassette player Ⓒ ★「ラジカセ」は和製英語.

ラジカリスト (急進論者) radical Ⓒ ★「ラジカリスト」は和製英語.

ラジカル ―形 radical. ¶*ラジカルな意見 *radical* opinions // *ラジカルな人 a *radical*

ラジコン ☞ ラジオコントロール

らししょくぶつ 裸子植物 gymnosperm Ⓒ.

らしゃ 羅紗 thick woolen cloth Ⓤ. らしゃ紙 flock paper Ⓤ.

ラジャー ―感 〘通〙(了解) roger.

らしゅつ 裸出 ☞ ろしゅつ

ラシュディ ―名 固 (Ahmed) Salman Rushdie, 1947- . ★ インド生まれの英国の小説家.

ラショナリスト (合理主義者) rationalist Ⓒ.

ラショナリズム (合理主義) rationalism Ⓤ.

らしん 裸身 ☞ はだか

らしんばん 羅針盤 (mariner's) compass /kʌ́mpəs/ Ⓒ《☞ コンパス [語法]》.

ラス¹ (男性名) Russ ★ Russell /rʌ́sl/ の愛称.

ラス² 〘建〙(塗り壁の下地にする薄い小板) lath Ⓒ. ラスボード lath board Ⓒ.

ラスク (パン菓子) rusk Ⓒ.

ラスコーどうくつ ラスコー洞窟 ―名 固 the Lascaux /læskóu/ Cave(s) ★ フランス南西部にある洞窟. 旧石器時代の壁画で有名.

ラスター (光沢) luster (《英》 lustre) Ⓤ.

ラスト ―形 last. ラストシーン the last scene Ⓒ ラストスパート last [final] spurt Ⓒ《☞ おいこみ》. ¶*ラストスパートをかける put on a ⌈*last* [*final*] *spurt* ラストネーム last name Ⓒ.

ラスパイレスしすう ラスパイレス指数 〘経〙 the Laspeyres index ★ 物価[賃金]の算出に用いる指数.

ラスプーチン ―名 固 Grigory Yefimovich Rasputin /ræspjú:t(ə)n/. 1872?-1916. ★ ロシアの修道僧; 政治に介入し後に暗殺された.

ラスベガス ―名 固 (都市名) Las Vegas.

ラズベリー 〘植〙 raspberry /rǽzbèri/ Ⓒ. ラズベリーゼリー[ジャム] raspberry ⌈jelly [jam] Ⓤ.

ラセミたい ラセミ体 〘化〙 racemic modification Ⓒ.

らせん 螺旋 ―形 (らせん形[状]の) spiral, screw-shaped. ―名 (らせん形·らせん形のもの) spiral Ⓒ; (除雪車やひき肉機などのらせん状部) auger Ⓒ. **螺旋階段** (ゆるやかな) winding staircase Ⓒ; (急な) spiral stairs ★ 複数形で.

らぞう 裸像 nude ⌈figure [statue] Ⓒ ★ figure は絵画·彫刻などの. statue は彫刻の.

らたい 裸体 nude Ⓒ, nude body Ⓒ [語法] nude は芸術作品の対象となりうるような裸体をいう上品な語. 単に「裸の」という意味なら naked /néɪkɪd/ body という. 《☞ ヌード; はだか》. ¶ 彼は彼女の*裸体の写真をとった He photographed her *in the nude*. **裸体画** nude Ⓒ. nude picture Ⓒ 裸

体主義 nudism Ⓤ 裸体主義者 nudist Ⓒ.

ラタン (籐) rattan Ⓒ. ラタン家具 rattan furniture Ⓤ.

らち[1] 埒 らちがあかない ¶あいつに任せておいたのでは*らちがあかない (⇒どこへも達しない) We'll *get nowhere* if we leave the matter to him. らちもない ¶*らちもない (⇒ばかげた) ことを言う talk *nonsense*

らち[2] 拉致 ― 動 (特に身代金・脅迫目的で誘拐する) kidnap ⊕; (暴力・策略で) abduct ⊕; (連れ去る) take *a person* away; (人さらいが) carry *a person* off. ― 名 kidnapping Ⓤ; abduction Ⓤ. (☞つれさる; ゆうかい[1]). ¶彼女は日本から*拉致された She *was abducted* from Japan.

拉致事件 abduction case Ⓒ 拉致被害者 abductee Ⓒ 拉致問題 abduction issue Ⓒ.

らちがい 埒外 ― 形 副 beyond (the) bounds. ¶彼らは優勝の*らち外にある (⇒可能性の限界を越えている) It is *beyond the bounds* of possibility that they will win the championship.

ラチチュード (緯度) latitude Ⓒ (☞いど[2]).

らちない 埒内 ― 形 副 within (the) bounds. ¶すべての経費は予算の*らち内 (⇒範囲内) に収まっている All the expenditures are *within the bounds* of the budget.

らっか[1] 落下 ― 動 fáll (dówn) ⓐ, dróp (dówn) ⓐ ★後者のほうがより口語的. ― 名 fall Ⓒ, drop Ⓒ. (☞おちる).

らっか[2] 落花 ¶*落花の吹雪 cherry-blossom petals whirling around like a snowstorm

らっか[3] 落果 (果実の落下) the falling of fruit; (落ちた果実) fallen fruit Ⓤ ★種類を指すときは Ⓒ.

ラッカー lacquer Ⓒ.

らっかさん 落下傘 párachùte Ⓒ. 落下傘部隊 paratroops ★複数形で.

らっかせい 落花生 〚植〛peanut Ⓒ. 落花生油 peanut oil Ⓤ.

らっかろうぜき 落花狼藉 ¶パーティの後の部屋はまさに*落花狼藉だった (⇒ひどく取り散らかっていた) The room was an *awful mess* after the party.

らっかん[1] 楽観 ― 形 (楽観的) òptimístic (↔ pèssimístic). ― 動 (楽観する) be optimistic (about ...), have optimistic views (on ...); (物事の明るい面のみを見る) look on the bright side. (☞らくてん(てき)). ¶この困難な状況の成り行きについては*楽観している I ｢*am optimistic about* [*have optimistic views on*] the outcome of this ｢difficult [problematical] situation. ★problematical は格式ばった語. // 彼の病状は*楽観を許さない We can't *be optimistic* ｢*about* [*regarding*] his condition. ★regarding は格式ばった語.

楽観主義 óptimìsm Ⓤ (↔ péssimìsm) 楽観主義者 óptimist Ⓒ (↔ péssimist) 楽観論 optimistic ｢opinion [view] Ⓒ.

らっかん[2] 落款 artist's signature and seal Ⓒ. ¶*落款を入れる *sign and seal* // *落款のない絵 an *unsigned* painting

ラッキー lucky (☞こううん[1]). ¶彼に会えたのは*ラッキーだった I was *lucky* to meet him. ラッキーセブン (点が入りやすいとされる野球の7回) the lucky seventh ★元は《米》から日本に入った表現だが現在は《米》では用いられない. ラッキーゾーン〚野〛the lucky zone; (説明的には) area of the outfield adjacent to the bleachers that is fenced off to form a "lucky zone" for home-run balls Ⓒ ★米国の球場にはない. ラッキーボーイ[ガール] lucky ｢boy [girl] Ⓒ.

らっきゅう 落球 ¶彼はフライを*落球した He *bobbled and failed to catch* the fly ball.

らっきょう (漬けた) pickled shallot Ⓒ.

ラック[1] rack Ⓒ. ¶CD [マガジン]*ラック a ｢CD [magazine] *rack*

ラック[2] 〘ラグ〙ruck Ⓒ.

らっけい 落慶 ― 動 celebrate the completion of a ｢temple [shrine].

らっこ 猟虎 〚動〛séa òtter Ⓒ.

ラッサねつ ラッサ熱 〚医〛Lassa fever Ⓤ.

ラッシー (インドの飲み物) lassi Ⓤ ★発酵させたバターミルク.

ラッシュ(アワー) (出勤・退出時の混雑時間) (the) rush hour Ⓒ. ¶朝の*ラッシュ(アワー) *the* morning *rush hour* // 買い物に行くときは*ラッシュ(アワー)は避けたほうがよい We had better avoid *the rush hour* when we go shopping.

ラッセル (男性名) Russell /rʌ́sl/ ★愛称は Russ.

ラッセルしゃ ラッセル車 snowplow Ⓒ (☞じょせつ[1] (除雪車)).

ラッテ ☞ラテ

ラット ☞ねずみ

らっぱ (トランペット) trumpet Ⓒ; (軍隊の) bugle Ⓒ. らっぱを吹く blow a ｢trumpet [bugle]; (ほらを吹く) brag ⓐ ⊕, blow *one's* own trumpet; (大言壮語する) talk big, enlarge on ...

らっぱ水仙 〚植〛dáffodil Ⓒ らっぱズボン bell-bottoms ★複数形で. 数えるときは a pair [two pairs] of ... らっぱ飲み ¶彼はビールを*らっぱ飲みした He drank beer (straight) from the bottle.

ラッパー (ラップミュージシャン) rapper Ⓒ.

ラッピング[1] (包装) wrapping Ⓤ. ラッピング広告 (全面車体広告) vehicle wrapping advertising Ⓤ.

ラッピング[2] 〚機〛(ラップ仕上げ) lapping Ⓤ.

ラップ[1] (食品を包むこと) clear(-)plastic ｢wrap [wrapping] Ⓤ; (包むもの) clear(-)plastic wrapper Ⓒ.

ラップ[2] (ラップミュージック) rap (music) Ⓤ.

ラップ[3] 〚スポ〛lap Ⓒ. ラップタイム lap time Ⓤ.

ラッファーきょくせん ラッファー曲線 〚経〛(税率と税収の関係を示すグラフ) the Laffer curve.

ラップコート 〚服〛(留め具やボタンなどを使わない) wrap coat Ⓒ.

ラップスカート wrap [wraparound] skirt Ⓒ.

ラップトップコンピューター laptop (computer) Ⓒ (☞コンピューター (囲み)).

らつわん 辣腕 ― 形 (やり手の) shrewd; (有能な) competent; (抜け目のない) astute. ― 名 shrewdness Ⓤ; competence Ⓤ; astuteness Ⓤ. ¶*らつ腕を振るう display *uncommon shrewdness* 辣腕家 shrewd ｢individual [person] Ⓒ, (pretty) sharp individual Ⓒ.

ラテ (飲み物) latte Ⓤ ★ホットミルクを入れたエスプレッソ. (☞カフェラテ).

ラディカル ☞ラジカル

ラディッシュ 〚植〛radish Ⓒ (☞だいこん).

ラテックス (合成ゴム乳液) latex Ⓤ.

ラテン ― 形 (ラテン語の・ラテン民族の・ラテン系の) Latin.

らでん 螺鈿 mother-of-pearl Ⓤ. 螺鈿細工 mother-of-pearl work Ⓤ.

ラテンアメリカ ― 名 固 Latin America. ― 形 Latin-American. (☞なんべい). ラテンアメリカ人 Latin American Ⓒ.

ラテンおんがく ラテン音楽 Latin (American) music Ⓤ.

ラテンご ラテン語 Latin Ⓤ. ラテン語学者 Latinist Ⓒ, Latin scholar Ⓒ, scholar of Latin Ⓒ.

ラテンぶんがく ラテン文学 Latin literature Ⓤ.

ラテンみんぞく ラテン民族 the Latin people.

ラド 〚物理〛(吸収線量の単位) rad Ⓒ.

ラトビア ― 名 固 (the Republic of) Látvia.

— [形] Latvian. ラトビア語 Latvian [U] ラトビア人 Latvian [C].

ラドン 〘化〙 radon /réɪdɑn/ [U] 《元素記号 Rn》.

ラニーニャ 〘気象〙 La Niña /lɑːníːnjə/ [U] ★ 元来はスペイン語.

らぬきことば ら抜き言葉 word in which there is (non-standard) ellipsis of "ra" from the Japanese potential auxiliary verb "rareru," e.g. taberareru → tabereru [C].

ラノリン 〘化〙 lanolin(e) [U].

らば 騾馬 〘動〙 mule [C].

ラバー[1] rubber [U] 《☞ ゴム》. ラバーシューズ rubber shoes ラバーソール (ゴム底の靴) rubber-soled shoes.

ラバー[2] (愛人・恋人) lover [C].

ラバウル — [名] [固] Rabaul ★ パプアニューギニア, ニューブリテン島北東端の港湾都市.

ラバト — [名] [固] Rabat ★ モロッコの首都.

ラバトリー (洗面所) lavatory [C].

ラビオリ ravioli /rævióʊli/ [U] ★ ひき肉などをパスタ生地に詰めたイタリア料理.

ラビット (うさぎ) rabbit [C]; (マラソンなどの) rabbit [C], pacemaker [C]. 《☞ うさぎ》.

ラビリンス (迷宮) labyrinth [C] 《☞ めいろ》.

ラビン — [名] [固] Yitzhak Rabin /rɑːbíːn/, 1922–95. ★ イスラエルの軍人で元首相, 1994 年ノーベル平和賞受賞.

らふ 裸婦 woman in the nude [C]; (裸の人) nude [C]. 《☞ らたい》.

ラフ[1] — [名] 〘ゴルフ〙 the rough. — [形] rough; (服装などが) casual. ラフプレー ☞ 見出し

ラフ[2] (ひだ襟) ruff [C].

ラブ[1] (愛) love [U].

ラブ[2] 〘テニス〙 (無得点) love [U]. ラブゲーム love game [C].

ラファエル[1] — [名] [固] 〘聖〙 (大天使) Raphael /rǽfiəl/.

ラファエル[2] (男性名) Raphael /rǽfiəl/.

ラファエロ — [名] [固] Raphael /rǽfiəl/, 1483–1520. ★ イタリアの画家・彫刻家・建築家. 本名 Raffaello Santi /sɑ́ːnti/.

ラブアフェア (情事) love affair [C].

ラフカディオハーン ☞ ハーン

ラブコール **1** 《好きな人への電話》 — [名] phone call to a person *one* loves [C]. — [動] make a phone call to a person *one* loves **2** 《勧誘》: earnest request [C] ★ love call は動物などの求愛の呼びかけ. 《☞ かんゆう[1]》.

ラブシーン love scene [C].

ラブストーリー love story [C].

ラプソディー 〘楽〙 rhapsody [C].

ラブソング love song [C].

ラフティング 〘スポ〙 (いかだ乗り) rafting [U].

ラブは ラブ波 〘物理〙 Love wave [C] ★ 水平面内で振動する地震の横波の表面波.

ラフプレー 〘スポ〙 rough play [C].

ラブホテル love [sex] hotel [C].

ラフマニノフ — [名] [固] Sergey Vasilyevich Rachmaninoff /rɑːkmɑ́ːnənɔ̀ːf/, 1873–1943. ★ ロシアの作曲家・ピアニスト.

ラプラタ — [名] [固] La Plata ★ アルゼンチン中東部の都市; (川) the (River) Plate. ★ アルゼンチンとウルグアイの間にある川. スペイン語名のまま (the) Río de la Plata とも呼ぶ.

ラブラドル — [名] [固] Labrador ★ カナダ東部のハドソン湾と大西洋の間の半島及び半島東部の地域. ラブラドル海 — [名] [固] the Labrador Sea ラブラドル海流 — [名] [固] the Labrador Current ★ グリーンランドからカナダに沿って流れる寒流. ラブラドルレトリーバー 〘動〙 (犬) Labrador (retriever) [C], 《略式》 Lab [C].

ラブラブ ☞ あつあつ

ラフランス (洋梨) "La France" pear [C]; (説明的には) a kind of French pear grown in Japan [C] ★ La France は和製英語.

ラブレー — [名] [固] François Rabelais, 1494?–1553?. ★ フランスルネサンスを代表する作家.

ラフレシア 〘植〙 rafflesia [C], monster flower [C].

ラブレター love letter [C].

ラブロマンス (恋愛物語) love story [C], romance [C]; (恋愛関係) romantic connection [C]. [日英比較] 「ラブロマンス」は和製英語.

ラベリング (ラベル・標識を付けること) labeling /léɪb(ə)lɪŋ/ [U].

ラベル — [名] label /léɪb(ə)l/ [C]. — [動] (ラベルを張る) label [他]. 《☞ レッテル》.

ラペル (襟の折り返し) lapel [C].

ラベンダー 〘植〙 lávender [U].

ラボ (ランゲージラボラトリー) language laboratory [C], 《略式》 language lab [C] [日英比較] LL は日本式の略語; (研究室・実験室) laboratory [C], 《略式》 lab [C].

ラポール 〘心〙 (信頼関係) rapport [C].

ラボラトリー laboratory [C], 《略式》 lab [C].

ラマ[1] 〘動〙 (ラクダ科のほ乳類) llama /lɑ́ːmə/ [C].

ラマ[2] (ラマ僧) lama [C]. ラマ教 Lamaism [U]; (正式名; チベット仏教) Tibetan Buddhism [U] ラマ教徒 Lamaist [C] ラマ寺 lamasery [C].

ラマーズほう ラマーズ法 〘医〙 (自然無痛分娩法) the Lamaze /ləmɑ́ːz/ method.

ラマダン (断食月) Ramadan /rɑ́ːmədɑ̀ːn/ ★ イスラム暦の第 9 の月.

ラマルセイエーズ La Marseillaise /lɑːmɑ̀əsəléɪz/ ★ フランスの国歌.

ラマンこうか ラマン効果 〘物理〙 the Raman effect.

ラマンチャ — [名] [固] La Mancha ★ スペイン中南部の平原地帯で,『ドンキホーテ』の舞台.

ラミネート — [動] (ラミネート加工する) láminàte [他]. — [名] (積層フィルム) laminate [U] ★ 個々にいう時には [C]. ラミネート加工 lamination [U] ラミネートコート laminate coating [U].

ラム[1] 〘コンピューター〙 (ランダムアクセスメモリー) RAM /rǽm/ [U] ★ *r*andom-*a*ccess *m*emory の略. ¶ このコンピューターは 16 メガバイトの*ラムを搭載している This computer has a sixteen-megabyte *RAM*.

ラム[2] (子羊) lamb [C]; (子羊の肉) lamb [U]. ラムウール lamb's wool [U] ラムスキン lambskin [U] ラムチョップ lamb chop [C].

ラム[3] (ラム酒) rum [U].

ラム[4] 〘化〙 rhm /rʌ́m/ [C] ★ 放射線源の強さを表す単位. *r*oentgen per *h*our at one *m*eter の略.

ラムサールじょうやく ラムサール条約 (国際湿地条約) the Ramsar /rǽmsɑə/ Convéntion (on Wetlands).

ラムジェット 〘空〙 ramjet [C].

ラムダ (ギリシャ語アルファベットの第 11 字) lambda /lǽmdə/ [C] ★ ギリシャ文字は Λ, λ.

ラムダファージ λ ファージ 〘遺〙 lambda phage [C].

ラムダりゅうし λ 粒子 〘物理〙 lambda particle [C].

ラムネ lemon pop [C].

ラメ (金糸・銀糸を織り込んだ織物) lamé /lɑːméɪ/ [U] ★ lamé の ´ は綴り本来のもの.

ラモス — [名] [固] Fidel V(aldez) Ramos, 1928– . ★ フィリピン元大統領 (1992–98).

ララバイ (子守唄) lullaby [C].

ラリー[1] **1**《テニス・卓球などの》: rally Ⓒ. ¶長い*ラリー a long *rally*
2《自動車競技》: (一般公道で行なう) rally Ⓒ.
ラリーポイント制〘バレーボール〙the rally point system ★サーブ権にかかわらずラリーを制したチームが得点する.
ラリー[2] (男性名) Larry /lǽri/ ★Laurence /lɔ́ːrəns/, Lawrence /lɔ́ːrəns/ の愛称.
らりる (麻薬などで幻覚状態になる) be high (on drugs); (幻覚体験をする) trip ㊐.
ラルゴ〘楽〙largo ★イタリア語で「非常にゆっくり」という意味.
ラルフ (男性名) Ralph /rǽlf/.
られつ 羅列 ―㊍ marshal ㊥. ¶彼の講義は数字の*羅列でおもしろくない His lectures are simply ⌈a boring [an uninteresting] *marshal(l)ing* of figures.
ラワルピンジ ―㊔㊎ Rawalpindi ★パキスタン北東部の都市.
ラワン (木材) lauan /lúːɑːn/ Ⓤ.
らん[1] **欄** (新聞などの) column Ⓒ; (記入のための) space Ⓤ. ¶所定の*欄に名前を書き込んで下さい Please write your name in the allotted *space*. // 解答*欄 the ⌈*space* [*columns*] provided for answers // 投書*欄 the letters-to-the-editor *column* // 広告*欄 (the) advertising ⌈*columns* [*section*]
らん[2] **蘭**〘植〙orchid /ɔ́ːkɪd/ Ⓒ. 蘭科 the orchid family, Orchidaceae Ⓤ.
らん[3] **乱** (戦乱) war Ⓒ; (反乱) revolt Ⓒ; (騒乱) riot Ⓒ. (☞ はんらん[1]). ¶*乱を起こす start a *war* / stir up a ⌈*revolt* [*riot*] // 応仁の*乱 the *War* of Onin // 島原の*乱 the Shimabara *Revolt*
ラン[1] 〘コンピューター〙LAN Ⓒ ★*l*ocal *a*rea *n*etwork の略.
ラン[2] **1**《コンピューター》: (プログラムの実行) run Ⓒ. ¶テスト*ラン a trial *run*
2《野球》: (得点) run Ⓒ. ¶スリー*ランを打つ hit a three-*run* homer
3《連続公演》: run Ⓒ. ¶ロング*ラン a long *run*
らんい 蘭医 ☞ らんぽう (蘭方医)
らんうち 乱打ち (めった打ちにすること) raining blows (on *a person*) Ⓤ, wild beating Ⓤ; (剣道の練習) free practice swordplay with singlesticks Ⓤ.
らんうん 乱雲 nimbus Ⓒ《複 nimbi, ～es》(☞ らんそううん).
らんえんこう 卵円孔〘解〙(胎児の心房の穴) foramen ovale cordis Ⓒ.
らんおう 卵黄 the yellow (of an egg), yolk /jóʊk/ Ⓤ ★個々にいうときは Ⓒ. (☞ きみ[3]).
らんかい 卵塊 (魚・昆虫などの) egg mass Ⓒ.
らんがい 欄外 margin Ⓒ (☞ よはく). ¶彼は*欄外にメモをした He ⌈jotted [wrote] (down) (some) notes in the *margin*.
らんかいはつ 乱開発 ―㊔ wanton development Ⓤ. ―㊍ develop ... ⌈haphazardly [in a haphazard way]. ¶*乱開発を許せば失われた自然は絶対に元に戻せないだろう If we allow *wanton development*, we will never be able to bring back nature.
らんかく[1] **乱獲** (狩猟で) indiscríminate húnting Ⓤ; (漁業で) indiscriminate fishing Ⓤ; (一般的に) indiscriminate taking Ⓤ.
らんかく[2] **卵核**〘生〙(卵細胞の核) egg nucleus /n(j)úːkliəs/ Ⓒ; (人間の卵子の核) ovum nucleus Ⓒ.
らんかく[3] **卵殻** eggshell Ⓒ. 卵殻膜[包] ephippium /ɪfípiəm/ Ⓒ《複 -pia /-piə/》.
らんがく 蘭学 Dutch studies ★複数形で.
蘭学者 Dútch schòlar Ⓒ.
ランカシャー ―㊔㊎ Lancashire ★英国, イングランド北西部の州.
ランカスター ―㊔㊎ Lancaster ★英国, イングランド北西部の都市.
らんかつ 卵割〘生〙cleavage Ⓒ.
らんかん[1] **欄干** bálustràde Ⓒ; (手すり) hándràil Ⓒ.
らんかん[2] **卵管**〘解〙oviduct /óʊvədʌ̀kt/ Ⓒ, Fallópian /fəlóʊpiən/ tùbe Ⓒ. (☞ ゆらんかん). 卵管炎〘医〙salpingitis /sæ̀lpɪndʒáɪtɪs/ Ⓤ 卵管妊娠〘医〙tubal pregnancy Ⓤ.
らんぎょう 乱行 (乱暴な行為) violent behavior Ⓤ; (不行跡) misconduct Ⓤ; (放とう生活) dissipàted life Ⓒ; (性的に乱れた行為) sexual misconduct Ⓤ. (☞ ふひんこう; ほうとう[1]).
¶*乱行に及ぶ (⇒乱暴な行為を行う) commit an *act of violence*
らんぎり 乱切り ¶*乱切りにした玉ねぎとにんじんを煮込みなさい Cook [Boil] the *chopped-up* onions and carrots.
らんきりゅう 乱気流 turbulent air Ⓤ, (air) turbulence Ⓤ. ¶*乱気流がありますので, シートベルトをお締め下さい Please fasten your seat belts, as we will be experiencing /ɪkspí(ə)riənsɪŋ/ some *turbulence*.
ランキング ―㊔ (位置づけ) ranking Ⓤ.
―㊍ (位置づける・位置する) rank ㊥ ㊐. (☞ じゅんい).
ランク (等級) rank Ⓒ (☞ とうきゅう[1]). ¶彼の作家としての*ランクはかなり高い (⇒作家として高く位置する) He *ranks* ⌈pretty [rather; quite] high as a writer. ランクイン ¶世界のトップテン選手に*ランクインする *be ranked* among the world's top ten players // 彼女の歌はヒットチャートに*ランクインした Her song *made the charts*. 日英比較「ランクイン」は和製英語.
ラング〘言〙langue Ⓤ.
らんぐい 乱杭 pickets hammered into the ground or underwater at irregular intervals (to obstruct an enemy advance) ★複数形で.
らんぐいば 乱杭歯 (歯) snágglètooth《複 -teeth》; (歯並び) irregular set of teeth Ⓒ.
ラングーン ―㊔㊎ (都市名) Rangoon /ræŋgúːn/ ★Yangon の旧称 (☞ ヤンゴン).
らんくつ 乱掘 reckless mining Ⓤ.
らんけいのう 卵形嚢〘解〙(内耳の) utricle Ⓒ.
ランゲージ (ことば・言語) language Ⓒ.
ランゲージラボラトリー (語学練習室) language laboratory Ⓒ (☞ ラボ).
ランゲルハンスとう ランゲルハンス島〘解〙(膵臓の) islets of Langerhans ★複数形で.
らんこう 乱交 (集団でのセックス) group sex Ⓤ; (性交の相手を選ばないこと)《格式》sexual promiscuity /prɑ̀məskjúːəti/ Ⓤ; (めちゃくちゃな性生活) promiscuous /prəmískjuəs/ sex life Ⓒ. 乱交パーティ (sexual) orgy /ɔ́ədʒi/ Ⓒ.
らんこうげ 乱高下 erratic [violent] fluctuation Ⓒ, violent [wild] ups and downs. ¶株価の*乱高下 *erratic* [*violent*] *fluctuations* in the share prices / *violent* [*wild*] *ups and downs* of the share prices
らんさいぼう 卵細胞〘動・植〙egg cell Ⓒ.
らんさく 乱作, 濫作 ―㊔ overproduction Ⓤ; (乱作したもの) large body of mechanically produced work Ⓒ. ―㊍ (過剰に作る) overproduce ㊥. ¶つまらない作品を*乱作する *churn out* uninteresting books
らんざつ 乱雑 ―㊏ untidy; (雑然とした) dis-

orderly, messy ★ 後者のほうが口語的. —[副] (混乱した) in ⌐disorder [confusion]. 《☞ ざつぜん》. ¶ 彼の部屋は*乱雑を極めていた We found his room very *untidy*. // 書類は*乱雑に積み上げてあった The papers were piled up *in* ⌐*confusion* [*disorder*].

らんし[1] 乱視 —[名] astigmatism /əstígmətìzm/ [U]. —[形] àstigmátic.

らんし[2] 卵子 〘生〙 ovum /óʊvəm/ [C] 《複 ova》.

ランジェリー (女性用肌着) lingerie /lὰ:ndʒəréɪ/ [U] ★ フランス語から.

らんしゃ 乱射 —[動] fire (shots) [shoot] at random. —[名] random [wild] ⌐shooting [firing] [U].

らんじゅくき 爛熟期 ¶ ローマ文明はそのとき*爛熟期にあった Roman civilization had by then attained its *fullest* ⌐*maturity* [*flowering*].

らんじゅほうしょう 藍綬褒章 Blue Ribbon Medal [C].

らんしん 乱心 —[名] (正気でないこと) insanity [U]; (狂気) madness [U]. —[動] (乱心する) go mad; become insane. 《☞ きょうき[2]; くるう》.

ランス (男性名) Lance.

らんすう 乱数 random numbers ★ 複数形で. 乱数表 table of random numbers [C].

ランスルー (通しげいこ) run-through [C].

らんせい[1] 卵生 —[形] oviparous /oʊvípərəs/. 卵生動物 oviparous animal [C].

らんせい[2] 乱世 (荒れ狂った時代) turbulent period /tə́:bjʊlənt pí(ə)riəd/ [C]; (騒然とした時代) troubled times ★ 複数形で. ¶ *乱世の英雄 a hero in a *turbulent age* // *乱世を生き抜く live through *troubled times*

らんせん 乱戦 (入り乱れての戦い) free-for-all [C]; (乱闘) dogfight [C]. ¶ *乱戦になってしまった It turned out to be a *dogfight*. / They ⌐started [got into] a *free-for-all*.

らんそう 卵巣 〘解〙 óvary [C]. 卵巣炎 〘医〙 ovaritis /òʊvəráɪtɪs/ [U], oophoritis /òʊəfəráɪtɪs/ [U] 卵巣癌 〘医〙 ovarian /oʊvé(ə)riən/ cancer [U] 卵巣妊娠 〘医〙 ovarian pregnancy [U] 卵巣嚢腫 〘医〙 ovarian cystoma [U] 卵巣ホルモン ovarian hormone [C].

らんぞう 乱造 —[動] (必要以上に生産する) overproduce (他). —[名] overproduction [U]; (過剰生産) excess(ive) production [U]. 《☞ そせいらんぞう》. ¶ 粗悪品を*乱造する *overproduce* inferior goods // ゴルフ場が*乱造されている Golf courses *have been constructed to excess*.

らんそううん 乱層雲 〘気象〙 nimbostratus /nìmboʊstréɪtəs/ [C] 《複 -strati /-stréɪtaɪ/》 《☞ くも[1] (挿絵)》.

らんそうるい 藍藻類 〘植〙 the blue-green algae ★ 複数形で.

らんだ 乱打 ¶ 半鐘を*乱打する (⇒ 激しく打つ) *strike* a fire (alarm) bell *wildly* // *乱打を浴びせる (⇒ 雨あられと殴る) deliver *a shower of blows* 乱打戦 ¶ 昨夜の野球の試合は*乱打戦になった Last night's baseball game turned into a *slugfest*.

らんたいせい 卵胎生 ovoviviparity /òʊvoʊvɪvəpǽrəti/ [U]. 卵胎生動物 ovoviviparous /òʊvoʊvaɪvíp(ə)rəs/ animal [C].

ランダウン 〘野〙 (狭殺) rundown [C] 《☞ きょうさつ》.

ランタニド 〘化〙 (ランタン系列元素) lanthanide [C] 《記号 Ln》; (ランタン系列) the lanthanide series.

ランタノイド ☞ ランタニド

ランダム —[形] (無作為の) random. ランダムアクセス 〘コンピューター〙 random access [U] ランダムアクセスメモリー 〘コンピューター〙 random-access memory [C] 《略 RAM /rǽm/》 ランダムウォーク理論 〘経〙 random walk theory [U] ランダムサンプリング random sampling [U] ★ 具体的には [C].

ランタン[1] lantern [C].

ランタン[2] 〘化〙 lanthanum /lǽnθənəm/ [U] 《元素記号 La》.

ランチ[1] lunch [U] 《☞ ちゅうしょく》. ¶ *ランチタイム *lunchtime*

ランチ[2] (小型の船) launch /lɔ́:ntʃ/ [C].

ランチ[3] (大農場·牧場) ranch [C].

らんちきさわぎ 乱痴気騒ぎ —[名] (ばか騒ぎ) spree [C]; (どんちゃん騒ぎ) wild party [C]; (飲めや歌えの) orgy [C] ★ 乱交パーティーの意味もあるので注意. —[動] (ばか騒ぎをする) have a spree. 《☞ どんちゃんさわぎ》.

ランチャー (発射装置) launcher [C].

らんちゅう 蘭鋳 (金魚の一種) *ranchu* [C] ★ 単複同形; (説明的には) a kind of goldfish that has a round body and small swellings on the head.

らんちょう 乱丁 incorrect [imperfect] collating /kəléɪtɪŋ/ [U].

らんちょう(し) 乱調(子) (無秩序) disorder [U]; (混乱) confusion [U]; (相場の変動) violent fluctuations ★ 複数形で; (日本の詩歌の) irregular syllable scheme [C]. ¶ ピッチャーは突然*乱調になった (⇒ コントロールを失った) The pitcher suddenly *lost his control*. // 株価は*乱調子だ Stock prices *are fluctuating violently*.

ランチョン (午餐会) luncheon [C]. ランチョンマット (食卓用敷物) place mat [C] ランチョンミート luncheon meat [U].

らんて 乱手 (取引所の) wild hand signals to buy or sell.

ランディー (男性名) Randy ★ Randolf, Randolph の愛称.

らんでいりゅう 乱泥流 turbidity current [C].

ランディング (着陸) landing [C].

ランデブー (あいびき) rendezvous /rά:ndɪvù:/ [C]; (宇宙船同士などの超接近) close encounter [C]. ¶ 2つの宇宙船は*ランデブーに成功した The two spacecraft have succeeded in ⌐making [effecting] a *rendezvous*.

ランド (土地·陸) land [U] 《☞ レジャー (レジャーランド)》.

ランドアート 〘芸〙 land [earth] art [U].

らんとう 乱闘 (取っ組み合いの) scuffle [C]. ¶ 路上の*乱闘 a *scuffle* in the street

らんどく 乱読 —[動] read everything *one* can get *one's* hands on.

ランドクルーザー (四輪駆動車の商標名) Land Cruiser [C].

ランドサットえいせい ランドサット衛星 Landsat (satellite) [C].

ランドスケープアーキテクチャー (景観設計) landscape architecture [U].

ランドセル school satchel [C] ★ 日本語はオランダ語の ransel から.

ランドマーク (境界標識·陸標) landmark [C].

らんどり 乱取り (柔道の) free practice [U]. ¶ 柔道の*乱取りをする do *free practice* in judo

ランドリー laundry /lɔ́:ndri/ [C] 《☞ せんたく[1]》.

ランドルフ (男性名) Randolf, Randolph ★ 愛称はともに Randy.

ランナー runner [C] 《☞ そうしゃ[1]》.

ランナーズハイ 〘スポ〙 runner's high [C].

らんない 欄内 ¶ 所定の*欄内に (⇒ 空所に) 記入しなさい Fill in the allotted ⌐*blanks* [*spaces*]. 《☞ らん[1]》

らんにゅう 乱入 ―動 (どっと押し入る) burst [break] into ...; (力ずくで入る) force *one's* way into ... (☞ おしいる). ¶武装した一団の兵士が会議場に*乱入してきた A group of armed soldiers ˹*burst* [*forced their way*] *into* the conference room.

ランニング running Ⓤ; (ジョギング) jogging Ⓤ. (☞ はしる (類義語)). **ランニングキャッチ** 〖野〗 running catch Ⓒ **ランニングコスト** (維持管理費) running costs ★ 通例複数形で. **ランニングシャツ** (下着) (米) sleeveless undershirt Ⓒ, (英) vest Ⓒ; (競技用) singlet Ⓒ. (☞ したぎ (挿絵)) **ランニングシューズ** running shoes **ランニングシュート** 〖バスケ〗 running shot Ⓒ **ランニングショット** 〖ゴルフ・テニス〗 running shot Ⓒ **ランニングパンツ** running shorts **ランニングホーマー** inside-the-park ˹homer [home run] Ⓒ (☞ ホームラン) **ランニングマシン** (健康器具) running machine Ⓒ.

らんのう 卵囊 〖動〗 ovisac /óʊvəsæ̀k/ Ⓒ.

らんばい 乱売 (投げ売り) sacrifice (sale) Ⓒ (☞ なげうり). ¶在庫品を*乱売 (⇒ 捨て売り) する *sell* ˹an [the; *one's*] entire ˹inventory [stock] (of goods) *at a* ˹*loss* [*sacrifice*]

らんぱく 卵白 the white (of an egg), albumen /ælbjúːmən/ Ⓤ ★ 前者のほうが口語的. (☞ しろみ).

ランバダ lambada Ⓤ ★ ブラジル生まれのセクシーなダンス.

らんばつ 乱伐 ―動 (無差別に木を切り倒す) fell [cut down] trees indiscriminately; (山林を伐採する) dèfórest ⑯ ★ 後者のほうが格式ばった表現. ―名 deforestation /dìːfɔ̀ːrɪstéɪʃən/ Ⓤ. ¶この鉄砲水は山林の*乱伐の結果です (⇒ 山林の伐採が鉄砲水を引き起こした) *Deforestation* has caused this flash flood.

らんぱつ 乱発 ―動 (発行しすぎる) issue ... ˹to excess [excessively], òverissue ⑯. ¶当時は紙幣が*乱発された Paper money *was* ˹*issued* [*printed up*] ˹*to excess* [*excessively*] ˹then [at that time]. ★ [ ] 内はくだけた言い方. / (⇒ 多すぎるほどの紙幣が発行された) *Too much* paper money *was issued* ˹then [at that time].

ランパル ―名 固 Jean-Pierre Rampal, 1922–2000. ★ フランスのフルート奏者.

らんはんしゃ 乱反射 〖物理〗 diffused reflection Ⓤ.

らんぴ 乱費 ―動 (むだに使う) waste ⑯, squander ⑯ ★ 前者のほうが口語的. ―名 (むだ遣い) waste Ⓤ. (☞ ろうひ).

らんぴつ 乱筆 (悪筆) poor [bad] (hand)writing Ⓤ; (急ぎ書き) hasty (hand)writing Ⓤ. (☞ あくひつ). ¶*乱筆お許し下さい Please excuse my ˹*hasty* [*bad*] *writing*. // *乱筆乱文お許し下さい Please excuse my rambling letter in *bad writing*.

らんぶ 乱舞 ―動 dance wildly; (狂喜して) dance for joy.

ランプ[1] (照明) lamp Ⓒ.

ランプ[2] (高速道路のインターなどにある傾斜・旋回式の出入口) ramp Ⓒ. **ランプウェー** ramp Ⓒ.

ランプ[3] (牛肉の) rump Ⓤ. **ランプステーキ** rump steak Ⓒ.

ランブータン 〖植〗 *rambutan* Ⓒ.

ランプシェード (スタンドのかさ) lampshade Ⓒ.

らんぶん 乱文 poor [bad] writing Ⓤ, rambling prose Ⓤ. (☞ らんぴつ).

らんほう 卵胞 〖動〗 (ovarian) follicle Ⓒ. **卵胞刺激ホルモン** 〖生化〗 follicle-stimulating hormone Ⓒ (略 FSH).

らんぼう 乱暴 ―形 (暴力的な) violent; (荒っぽい) rough; (粗野な・不作法な) rude; (不法な) lawless; (不当な) unreasonable; (無謀な) reckless. ―名 violence Ⓤ; rudeness Ⓤ; lawlessness Ⓤ. ¶ *乱暴なことをしてはいけない (⇒ 暴力を使うな) Don't ˹use [do] *violence*. // どうも*乱暴なことを言ってしまったようです I'm afraid I've ˹made some *rude* remarks [said some *harsh* words]. // あの人たちの*乱暴なやり方を見過ごすのですか Are you going to overlook the *unlawfulness* of their act? // そんな*乱暴な提案をしては困る Don't make such an *unreasonable* proposal. // 彼の運転は*乱暴だ (⇒ 乱暴な運転手だ) He is a *reckless* driver. / He drives *recklessly*. // これは*乱暴に扱わないで下さい Please don't be *rough* with this. / (⇒ 丁寧に扱って下さい) Please handle this ˹*carefully* [*with care*]. **乱暴者** rough person Ⓒ, rowdy Ⓒ.

らんぽう 蘭方 Dutch medicine Ⓤ. **蘭方医** doctor [physician] who practices Dutch medicine Ⓒ.

らんま[1] **欄間** ((ドアの上の)明かり取り窓) transom Ⓒ, fanlight Ⓒ ★ 後者は扇形のもの.

らんま[2] **乱麻** ☞ かいとう[5]

らんまく 卵膜 〖動〗 egg membrane Ⓒ; (魚・昆虫などの) chorion Ⓒ.

らんまん 爛漫 ¶*爛漫と咲き乱れる花 flowers *in full bloom* (☞ まんかい) // 春*爛漫だ Spring *is at its height*.

らんみゃく 乱脈 ―形 (混乱した) disorderly, in ˹disorder [confusion]; (無秩序な) chaotic /keɪάtɪk/. ―名 confusion Ⓤ, disorder Ⓤ; chaos /kéɪɑs/ Ⓤ. (☞ むちつじょ). ¶市の財政状態は*乱脈をきわめていた The city's finances were ˹simply *chaotic* [in a *chaotic* state].

らんよう 乱用 ―名 (適切でない使用法) improper use Ⓤ; (誤用・悪用) misuse /mìsjúːs/ Ⓤ; (悪用) abuse /əbjúːs/ Ⓤ ★ 前者のほうが口語的; (使いすぎ) overuse /òʊvəjúːs/ Ⓤ. ―動 misuse /mìsjúːz/ ⑯; abuse /əbjúːz/ ⑯; overuse /òʊvəjúːz/ ⑯. ¶薬の*乱用はきわめて危険です (⇒ 非常に危険なことがある) *Improper use* [*Misuse*] of medicine can be quite dangerous. // 市長は職権を*乱用した The mayor *abused* his official authority.

らんらん ―形 (ぎらぎら輝く) glaring; (火のような) fiery; (燃えるような) flaming. (☞ 擬声・擬態語 (囲み)). ¶虎は*らんらんたる眼で私たちを見た The tiger watched us with its ˹*glaring* [*fiery*; *flaming*] eyes.

らんりつ 乱立 ¶この辺では塾が*乱立して競争が激しい (⇒ 多すぎるほどの塾が互いに競争している) *Too many* cram schools are competing with one another around here.

らんりゅう 乱流 turbulent flow Ⓒ, turbulence Ⓤ.

り，リ

り[1] **利** **1** «勝る点»: advántage Ⓒ (☞ ゆうり[1]). ¶その城は地の*利を得ていた The castle had a geographical *advantage*.
2 «利益»: (もうけ) profit Ⓤ (☞ りえき). **利に走る** (自分の利得を求める) pursue [seek] *one's* own interests; (利潤を求める) pursue [seek] a profit.

り[2] **理** (理屈) reason Ⓤ. ¶彼の説明は*理にかなっていた His explanation was perfectly *reasonable*. **理に落ちる** ― [形] (理屈っぽい) argumentative; (論理的すぎる) overlogical, overly logical.
― [動] be given to too much logical reasoning. **理の当然** ¶彼が成功したのは*理の当然だ It stands to *reason* [(⇒ 当たり前だ) It is *natural*] that he has succeeded. ★[ ] 内のほうが口語的.

り[3] **里** (昔の距離の単位) *ri* Ⓒ ★単複同形; (説明的には) old unit of distance equal to about 4km.

-り **…裏, …裡** ¶パーティーは成功*裏に終わった (⇒ 成功であった) The party was very *successful*. // 暗々*裏に (⇒ 他人に知られずに) 首脳交渉が進められた *Unknown to others*, top-level negotiations ⌜went on [were conducted].

リアーゼ 〘生化〙 lyase /láɪeɪs/ Ⓤ.

リアール (イランの通貨単位) rial Ⓒ.

リアウインドー (自動車などの) rear window Ⓒ.

リアエンジンカー rear-engine [rear-engined] car Ⓒ.

リアおう **リア王** ― [名] (固) King Lear ★シェークスピアの四大悲劇の1つ『リア王 (King Lear)』の主人公.

リアクション (反応・反動) reaction Ⓒ. **リアクションタイム** reaction time Ⓤ.

リアクター (原子炉) (nuclear) reactor Ⓒ.

りあげ **利上げ** ― [名] increase in interest rates Ⓒ. ― [動] increase the rate of interest, increase interest rates. (☞ りさげ).

リアシート (自動車などの) back seat Ⓒ.

リアスしきかいがん **リアス式海岸** 〘地理〙 saw-toothed coastline Ⓒ, rias /rí:əz/ ★元来「深い入江」の意のスペイン語 ria の複数形.

リアドライブ (後輪駆動) rear-wheel drive Ⓤ (↔ front-wheel drive).

リアライズ ― [動] (実現する) realize (他).

リアリスティック (現実的・写実的な) realistic.

リアリスト (現実主義者) realist Ⓒ.

リアリズム (現実主義・写実主義) realism Ⓤ.

リアリティー (現実) reality Ⓤ ★この意味ではしばしば複数形で.

リアル[1] ― [形] (写実的な) rèalístic; (現実の) real ★日本語の「リアルな」にあたる英語は realistic が普通.

リアル[2] ☞ リアール

リアルタイム 〘コンピューター〙 (即時・同時) ― [形] real-time, realtime. ― [名] real time Ⓤ. ¶*リアルタイムで情報を得る get *real-time* information, get information in *real time* **リアルタイム出力** realtime output Ⓤ **リアルタイム処理** realtime processing Ⓤ **リアルタイム入力** realtime input Ⓤ **リアルタイム呼び出し** realtime access Ⓤ.

リー (男性名) Lee.

リーアム (男性名) Liam /lí:əm/.

リーガル ― [形] (合法的な・法律の) legal (↔illegal).

リーキ 〘植〙 leek Ⓒ.

リーク ― [名] (機密の漏洩) leak Ⓒ. ― [動] (機密を漏らす) leak (他). ¶だれが国家機密を新聞に*リークしたのか Who *leaked* state secrets to the ⌜newspapers [press]?

リーグ league Ⓒ. **リーグ戦** league game Ⓒ; (全体) the league series; (総当たりリーグ戦) 《米》 round robin Ⓒ.

リークアンユー ― [名] (固) Lee Kuan Yew, 1923– . ★シンガポールの政治家.

リージェントどおり **リージェント通り** ― [名] (固) Regent Street ★ロンドンにあるショッピング街.

リージョナリズム (地方分権主義) regionalism Ⓤ.

リース ― [名] (不動産などの借用契約(期間)) lease Ⓒ. ― [動] (土地・家屋などを) lease (他) (自) (☞ かりる 日英比較). **リース会社** leasing company Ⓒ **リース産業** leasing industry Ⓒ.

リーズナブル ― [形] (妥当な) reasonable.

リーゼント (髪型の一) ducktail Ⓒ. ¶彼は髪を*リーゼント(スタイル)にしていた He had his hair in a *ducktail*. / He wore a *ducktail*.

リーゼントどおり **リーゼント通り** ☞ リージェントどおり

リーダー[1] (指導者) leader Ⓒ (☞ ちょう[3] (類義語)). ¶このグループの*リーダーはだれですか Who is the *leader* of this group?
リーダーシップ leadership Ⓤ. ¶いまこそ君が*リーダーシップを発揮すべきときだ Now is the time for you to take the *initiative* /ɪníʃətɪv/ *as a leader*.

リーダー[2] (読本) reader Ⓒ.

リーダーズダイジェスト ― [名] (固) *Reader's Digest* ★アメリカの月刊誌.

リーダビリティ (おもしろく読めること) readability Ⓤ.

リーチ[1] (腕の長さ) reach Ⓒ.
¶*リーチが長い have a long *reach*

リーチ[2] **立直** 〘麻雀〙 standing hand Ⓒ. **リーチがかかる** ¶*リーチがかかった A *standing hand* has been declared. / One of the players has declared in the course of a game that ⌜he [she] only needs one specific tile to win. // 勝利へ*リーチがかかっている be just a step away from victory

リーディング (読むこと) reading Ⓤ.

リーディングカンパニー (一流会社) leading company Ⓒ.

リーディングヒッター 〘野〙 leading ⌜hitter [batter] Ⓒ.

リート 〘楽〙 (ドイツ歌曲) lied /lí:d/ Ⓒ (複 lieder).

リード[1] ― [動] (優位に立つ) lead (他) (自), have a lead (of …; over …) 語法 of の後にはリードしている「差」, over の後には「相手」が続く; (先頭に立つ) take the lead (in …; of …). ― [名] lead ★a または the を付けて; 〘野〙 lead Ⓒ.
¶私たちのチームは3点の*リードをしている Our team *is* now *leading* by 3 points. // 先頭の走者は第2位の走者を少差で*リードしている The top runner *has a* ⌜slight [narrow] *lead over* the second runner. // 《野球》*リードをとる take a *lead* (☞ りるい) // 彼は*リードの仕方がうまい He is a good

leader. ‖ *リードを縮める narrow a *lead* ‖ *リードしている be on the *lead*

コロケーション

リードを失う lose the *lead* / リードを奪う[する] take [gain] a *lead* / リードを広げる build up [increase] *one's lead* / リードを守る[保つ] hold [maintain] the *lead* / リードを許す give up [relinquish] the *lead* ‖ 圧倒的なリード a commanding [an overwhelming] *lead* / 大きなリード a ⌐big [long] *lead* / かなりのリード a substantial *lead* / わずかなリード a ⌐narrow [slim] *lead*

リード[2] (木管楽器の) reed Ⓒ. **リードオルガン** reed organ Ⓒ, harmonium Ⓒ **リード楽器** reed instrument Ⓒ.

リードオフマン 〘野〙 leadoff ⌐hitter [batter] Ⓒ, leadoff man Ⓒ.

リードオンリーメモリー 〘コンピューター〙 read-only memory Ⓤ《略 ROM》.

リードギター (楽器) lead guitar Ⓒ; (人) lead guitarist Ⓒ.

リードボーカル 〘楽〙 ━名 (歌手) lead vocalist Ⓒ. ━形 lead vocal.

リービッヒのさいしょうりつ リービッヒの最小律 〘植〙 Liebig's Law of the Minimum.

リービッヒれいきゃくき リービッヒ冷却器 〘化〙 Liebig condenser Ⓒ.

リーフ[1] (葉(よう)・裏表 2 ページ) leaf Ⓒ《複 leaves》.

リーフ[2] (暗礁) reef Ⓒ.

リーフレット leaflet Ⓒ.

リーマン ━名 固 Georg Friedrich Bernhard Riemann, 1826–1866. ★ドイツの数学者.

リール reel Ⓒ. ¶ 魚釣りの*リール a fishing *reel* 《☞ つり[1] (挿絵)》

りいん 吏員 ☞ こうむいん

リーンバーンエンジン 〘機〙 (自動車の) lean-burn engine Ⓒ.

りえき 利益 **1** 《もうけ》 ━名 profit Ⓤ ★具体的には Ⓒ; gains ★ 複数形で. 語法 (1) 前者が普通. なお, 後者は賭博などよくない手段で得たものを指すことが多い. ━動 profit (from ...) 自, gain 他 自. ━形 profitable. 《☞ もうけ; りじゅん; あがり; えいり[1]》.

¶ その株で[土地を売って] 500 万円の*利益を上げた I made *a profit* of five million yen on ⌐those shares [the sale of the lot]. 語法 (2) 後に具体的数字が続くときは a を付ける. ‖ 不当な*利益 ill-gotten *gains* ‖ その商売は*利益にならない That's ⌐an *unprofitable* [not a *paying*] business. ‖ *利益配当 distribution of ⌐*profit* [*gains*]

2 《得》: profit Ⓤ; (有用性) good Ⓤ, use Ⓤ; (利権) interest Ⓒ ★ しばしば複数形で. 《☞ とく[2]》.

¶ そんなことをしても何の*利益にもならない There is no *profit* in doing that. ‖ 彼と議論しても何の*利益にもなるものか What's the ⌐*good* [*use*] of arguing with him? 《☞ 修辞疑問 (巻末)》 ‖ 彼は自分の*利益だけを考えている He only ⌐considers [looks after] his own *interests*.

利益衡量 〘法〙 (interest) balancing Ⓤ **利益集団** interest group Ⓒ **利益相反行為** 〘経〙 act of conflict of interests Ⓒ **利益代表** (人) person *representing the interests of a group* Ⓒ; (利益代表部) interests section Ⓒ **利益誘導** 〘政〙 patronage Ⓤ; 《略式》 (地元への政府助成金) pork barrel Ⓤ.

コロケーション

大きな利益 a large *profit* / 税込みの利益 a pre-tax *profit* / 税引き後の利益 an after-tax *profit* / 相当な利益 a handsome *profit* / 小さい利益 a small *profit* / 莫大な利益 an enormous *profit* / 不当な利益 a filthy [an illegal] *profit* / まっとうな利益 an honest [a legitimate] *profit* / わずかな利益 a marginal *profit* ‖ (物が)利益を生み出す yield [derive] a *profit* / (人が)利益を得る earn [make] a *profit* / (人が)利益を還元する return the *profit* (to ...) / (人が)利益を追求する seek a *profit* / (人が)利益を分配する distribute [divide] a *profit* / (物が)利益をもたらす bring (in) a *profit*

リエゾン 〘音声〙 (連結) liaison /líːəzὰn/ Ⓤ.

りえん[1] **離縁** ━名 (離婚) divorce Ⓒ. ━動 divorce 他. 《☞ りこん[1]》. **離縁状** letter of divorce Ⓒ.

りえん[2] **梨園** (歌舞伎役者の世界) the kabuki ⌐world [circles]; the ⌐world [circles] of kabuki actors ★[ ] 内は複数形で.

リオ (男性名) Leo /líːoʊ/.

リオせんげん リオ宣言 the Rio Declaration (on Environment and Development) ★1992 年の地球環境保全宣言.

りおち 利落ち 〘経〙 (利息落ち) ex interest Ⓒ; (利札落ち) ex coupon Ⓒ, coupon off Ⓤ.

リオデジャネイロ ━名 固 Rio de Janeiro /ríːoʊdèɪʒənéɪ(ə)roʊ/ ★ブラジル南東部の港市.

りか[1] **理科** (中・高校の科目としての) science Ⓤ; (理科系の学問) natural sciences ★ 複数形で. 《☞ 学校・教育 (囲み); ぶんか[6]》.

りか[2] **李下** 李下に冠を正さず (⇒ 疑惑をいだかれないよう理にかなった行動をせよ) You should behave reasonably(,) so that no suspicions are aroused.

りか[3] **俚歌** ☞ りゅうこう (流行歌)

りか[4] **梨花** Japanese pear blossom Ⓒ.

りか[5] **梨果** Japanese pear Ⓒ; (梨状の果物) pome Ⓒ.

りか[6] **離歌** (歌) farewell [parting] song Ⓒ; (詩) farewell poem Ⓒ.

リカー (蒸留酒) liquor /líkə/ Ⓤ ★ 種類をいうときは Ⓒ. ¶ ホワイト*リカー *shochu* / Japanese distilled *liquor* made from grain 日英比較 「ホワイトリカー」は和製英語.

リカードのとうかていり リカードの等価定理 〘経〙 the Ricardian /rɪkάədiən/ Equivalence Theorem.

りかい 理解 ━動 understand 他 自《過去・過分 understood》, màke óut 他 ★ いずれも平易な日常語だが, 前者が一般的で後者はより口語的; (価値を認める) appréciàte 他; (よく認識する) realize 他. ━名 understanding Ⓤ; appreciation Ⓤ. 《☞ わかる; ものわかり》.

¶ 福田さんは私の言うことをよく*理解してくれた Mr. Fukuda *understood* me quite well. ‖ 彼は*理解が速い[遅い] He is ⌐quick [slow] to *understand*. ‖ だれも彼女の業績を*理解しなかった Nobody *appreciated* her work. ‖ その時は彼の意図を*理解できなかった I could not *make out* his intentions at that time. ‖ 彼女がなぜこの案に同意しなかったのか*理解に苦しむ I can hardly *understand* why she hasn't agreed to this proposal. ‖ 私の両親はとても*理解がある My parents are very *understanding*. / I have *understanding* parents.

コロケーション

理解を越える pass [be beyond] *a person's understanding* / 理解を示す show [display] *understanding* / 理解を促進する promote [increase] *understanding* / 理解を深める deepen *one's understanding* / 理解を容易にする facilitate the *understanding* ‖ 完全に理解する *un-*

derstand thoroughly / 簡単に理解する *understand* easily / 十分に理解する *understand* fully / 瞬時に理解する *understand* instantly / 真に理解する *understand* really / 素早く理解する *understand* quickly / 正しく理解する *understand* exactly / 直観的に理解する *understand* intuitively / はっきりと理解する *understand* clearly / 深く理解する *understand* deeply / ゆっくりと理解する *understand* slowly

りがい 利害 （利害関係）interest Ⓒ ★「利益」の意味では，しばしば複数形で；（かかわり合い）concern Ⓒ. (☞ そんとく；りえき).
¶ 数人の地主が新駅の位置をめぐって*利害関係にある Several landowners have an *interest* in the location of the new train station. // この件については私は隣人たちと*利害が一致している（⇒ 共通の利害を持っている）I share common *interests* with my neighbors in this matter. // *利害関係の衝突 a ˹clash [conflict] of *interest* // *利害関係者 the persons *concerned* 語法 concerned は「関係している」の意味では名詞の後に置く.

リカオン 〚動〛 African ˹hunting [wild] dog Ⓒ, (Cape) hunting dog Ⓒ ★ lycaon /laɪkéɪɑn/ は元来学名で，英語ではあまり一般的ではない.

りかがく 理化学 ― 名 physics and chemistry Ⓤ. ― 形 physical and chemical, physicochemical.

りかがくけんきゅうじょ 理化学研究所 ― 名 固 the Institute of Physical and Chemical Research ★ 略称「理研」のまま RIKEN とも称する.

りかく 離角 〚天〛 elongation Ⓒ.

りがく 理学 **理学士[修士，博士]**（称号）Bachelor [Master; Doctor] of Science Ⓤ (略 B.Sc. [M.Sc.; D.Sc.])；（人）bachelor [master, doctor] of science Ⓒ **理学部** college [school; department; faculty] of science Ⓒ. (☞ がくぶ（類義語）；学校・教育（囲み）) **理学療法** physiotherapy /fìzioʊθérəpi/ Ⓤ, physical therapy Ⓤ **理学療法士** physiotherapist Ⓒ, physical therapist Ⓒ.

りかくはん 離隔犯 （説明的に）crime in which the criminal conduct and its effect are separated in time and/or space Ⓒ.

リカバー ― 動（回復する）recover 他 自.

リカバリー ― 名（回復）recovery Ⓤ. ― 動 recover 他 自.

リカレントきょういく リカレント教育 recurrent /rɪkə́ːrənt/ educátion Ⓤ.

りかん[1] 罹患 contraction Ⓤ (☞ りびょう). **罹患率** the incidence (rate).

りかん[2] 離間 alienation Ⓤ. ¶ その問題は 2 国を*離間させた（⇒ 関係をまずくした[くさびを打ち込んだ]）The issue ˹*soured relations* [*drove a wedge*] *between the two* countries. / That problem *alienated* the two countries. // *離間策を練る devise a strategy to *alienate* ...

りがん 離岸 ― 動 leave the pier；（出帆する）sail (for ...) 自. **離岸堤** offshore [detached] breakwater Ⓒ.

りき 利器 ¶ 自動車は文明の*利器である Cars [Automobiles] are a *blessing* of modern civilization.

りきえい 力泳 ― 動 swim with ˹powerful strokes [all *one's* strength]. ¶ 少女は*力泳した The girl *swam with* ˹*all her strength* [*powerful strokes*].

りきえん 力演 ¶ 彼女は*力演した（⇒ 力強い演技[演奏]を与えた[披露した]）She ˹*gave* [*delivered*] *a powerful performance*.

りきか 力価 （医薬品の）potency Ⓤ；〚化〛 titer (《英》 titre) /táɪtə/ Ⓒ.

りきがく 力学 mechanics Ⓤ；（動力学）dynámics Ⓤ ★ 比喩的な意味では複数扱い；（静力学）statics Ⓤ. ¶ 政治の世界には複雑な*力学が働いている Complex *dynamics* are operating in political circles. **力学的エネルギー** mechanical energy Ⓤ **力学的心理学** dynamic psychology Ⓤ.

りきかん 力感 ☞ りきどう（力動感）

りきさく 力作 （苦心の結果の作品）work of great labor Ⓒ；（芸術上の力作）tour de force /tʊ́ədəfɔ́əs/ Ⓒ (複 tours de force /～/) ★ 元はフランス語；（傑作）great work Ⓒ, masterpiece Ⓒ. (☞ ろうさく；けっさく). ¶ それは木村氏の*力作です（⇒ 木村氏はその作品に非常な努力を注いだ）Mr. Kimura *devoted great efforts to that work*.

りきし 力士 (sumo) wrestler Ⓒ.

りきせき 力積 〚物理〛 impulse Ⓒ.

りきせつ 力説 ― 動（強調する）émphasìze 他；（重きを置く）stress 他. (☞ きょうちょう[2]). ¶ 私は健康の重要さを*力説したい I would like to ˹*emphasize* [*stress*] the importance of good health.

りきせん 力線 〚物理〛 field line Ⓒ, line of force Ⓒ.

りきそう[1] 力走 ― 動 run ˹hard [as hard as *one* can] (☞ はしる（類義語）).

りきそう[2] 力漕 ¶ 彼らは最後まで*力漕した（⇒ 全力で漕いだ）They *rowed with all their might* to the very end.

リキッド （液体）liquid Ⓤ；（整髪料）hairdressing Ⓤ, hair liquid Ⓤ ★ 前者のほうが一般的. どちらも種類をいうときは Ⓒ.

りきてん 力点 （重点）émphasis Ⓤ, stress Ⓤ. (☞ じゅうてん[1]；きょうちょう[2]；りきせつ).

りきとう 力投 ― 動 pitch ˹hard [with all *one's* might]. ¶ ピッチャーは*力投し，3 人の打者を立て続けに三振させた The pitcher *pitched* ˹*hard* [*with all his might*] and struck out three batters in succession.

りきどう 力動 ― 形（生き生きした）lively, full of life；（活力にあふれた）full of dynamism, dynamic；（精力的な）energetic. **力動感** sense of dynamism Ⓒ. ¶ *力動感あふれる演奏[演技] a *lively* [an *energetic*; a *dynamic*] performance, a performance full of *dynamism* **力動説** dynamism Ⓤ.

りきみ 力み （張り詰めること）strain Ⓒ；（気負い）overeagerness Ⓤ；（負けん気）unyielding spirit Ⓒ.

りきみかえる 力み返る （力んで見せる）put on [show] a bold front 他 (☞ りきむ). ¶ 今に見てみろと彼は*力み返った "I'll show him what I can do," he said, *putting on a bold front*.

りきむ 力む （力を入れる）strain *oneself*；（頑張る）《格式》 exért *onesèlf*. ¶ あんまり*力まないほうがいいですよ You should not ˹*exert* [*strain*] *yourself* too much. / (⇒ 気楽にやりなさい) Take it easy. ★ 第 2 文のほうが口語的.

りきゅう 離宮 detached palace Ⓒ. ¶ 浜[桂]*離宮 Hama [Katsura] *Detached Palace*

りきゅうねずみ 利休鼠 （色）grayish [《英》 greyish] dark green Ⓤ.

リキュール liqueur /lɪkə́ː/ Ⓒ.

りきょう 離郷 ― 動 leave (*one's*) ˹home [hometown; birthplace].

りきりつ 力率 〚電〛 power factor Ⓒ (略 PF).

りきりょう 力量 （能力）ability Ⓤ, càpabílity Ⓤ；（才能・適性）capácity Ⓤ, talent Ⓤ. (☞ のうりょく（類義語）).

りきんファンド 利金ファンド interest-bearing fund Ⓒ.

りく 陸 land Ⓤ (↔ the sea); (海岸) shore Ⓒ.
¶3 日の船旅の後，やっと*陸が見えた After three days' voyage, ⌈we came in sight of *land* [*land* came into sight]. // 彼らは*陸に上がって探険を始めた They ⌈went *ashore* [*landed*] and began exploring. // 船は間もなく*陸を離れた（⇒ 海へ出た）The ship soon *set out to sea*.
陸の孤島（へんぴな場所）out-of-the-way place Ⓒ; (孤立した場所) isolated place Ⓒ. 《☞ ことう¹》.

リグ （油田掘削装置・帆装用具）rig Ⓒ.

りくあげ 陸上げ ― [名]（荷物の）unloading Ⓤ. ― [動] unload ㊀ ㊉. 《☞ にあげ》.

りくい 陸尉 ¶一等*陸尉 captain // 二等*陸尉 first lieutenant /luːténənt/ // 三等*陸尉 second lieutenant

りぐい 利食い ¶*利食いする（⇒ 利益を得て株を売る）*sell one's* stocks *at a profit* / （⇒ 株を売って利益を得る）*make* [*earn*] *a profit by selling* stocks **利食い売り** profit-taking selling Ⓤ.

リクード ― [名] ㊄ Likud ★ イスラエルの右翼連合政党.

りくうん 陸運 land ⌈transportation [transport] Ⓤ. **陸運局** Dístrict Lánd Trànsport Bureau /bjù(ə)rou/ Ⓒ.

リクエスト ― [名]（注文）request Ⓒ. ― [動] request ㊉, make a request (for ...).
¶これは多くの人から*リクエストのあった歌です This is a song *requested* by many people. // たくさんの*リクエストをいただきありがとうございます Thank you for the many *requests* you've sent in.
リクエスト曲 request ⌈tune [song] Ⓒ [語法] 前後関係で明らかなときは request Ⓒ. **リクエスト番組** request ⌈program [《英》programme] Ⓒ.

りくかいくう 陸海空 land, sea and air.
¶*陸海空三軍 the *land, sea and air* forces

りくきょう 陸橋 ☞ りっきょう

りくぐん 陸軍 ― [名] the army. ― [形] military (↔ naval). 《☞ ぐんたい¹ [語法]》.
¶彼は 18 歳で*陸軍に入隊した He ⌈entered [joined; went into] *the army* at the age of eighteen. [語法] enter, go into は徴兵・志願の別にはふれないが，join には志願して入るニュアンスがある. // *陸軍軍人 a *soldier* // *陸軍士官 an *army* officer
陸軍士官学校 the Military Academy **陸軍省** the Department of War **陸軍大学校** the ⌈Military Staff [War] College **陸軍大臣** the Minister of War **陸軍幼年学校** military preparatory school Ⓒ.

りくけいとう 陸繋島 land-tied island Ⓒ.

りくけん 陸圏 land Ⓒ; (説明的には) the land area of the earth.

りくさ 陸佐 ¶一等*陸佐 colonel /kɚ́ːnl/ // 二等*陸佐 lieutenant /luːténənt/ cólonel // 三等*陸佐 major

りくし 陸士 ¶一等*陸士 private first class // 二等*陸士 private second class // 三等*陸士 recruit
陸士長 leading private Ⓒ.

りくしょ 六書 （漢字の 6 種の分類）the six ⌈categories [classes] of Chinese characters; (6 種の書体) *the six styles of handwriting*.

りくしょう¹ 陸将 lieutenant /luːténənt/ géneral Ⓒ. **陸将補** major general Ⓒ.

りくしょう² 陸相 ☞ りくぐん (陸軍大臣)

りくじょう 陸上 ― [名]（陸）land Ⓤ; (海・川に対して) shore Ⓤ. ― [副]（陸上から・陸路で）by land. 《☞ りく; ちじょう¹》. ¶その地点へは*陸上から行けますか Can we reach the spot *by land*?
陸上競技 《米》track and field Ⓤ, 《英》athletics Ⓤ **陸上勤務**（海上に対しての）shore duty Ⓤ; (飛行機上に対しての) ground duty Ⓤ. ¶彼は*陸上勤務についている He is on ⌈*shore* [*ground*] *duty*. **陸上自衛隊** the Ground Self-Defense Force 《略 GSDF》 **陸上輸送** land transportation Ⓤ.

りくすい 陸水 inland water Ⓤ. **陸水学** limnology Ⓤ.

りくせい 陸生 ― [形] terréstrial, land ★ 後者のほうが口語的. **陸生植物[動物]** terrestrial [land] ⌈plant [animal] Ⓒ

りくせいそう 陸成層 continental sediments ★ 複数形で.

りくせん 陸戦 land battle Ⓒ.
陸戦隊 landing forces.

りくそう¹ 陸送 land transportation Ⓤ. ¶野菜を*陸送する *transport* vegetables *by land*
陸送貨物 overland freight Ⓤ.

りくそう² 陸曹 ¶一等*陸曹 master sergeant // 二等*陸曹 sergeant first class // 三等*陸曹 sergeant second class

りくぞく 陸続 ― [形]（休みない）incessant; (終わりない) endless. 《☞ たえず》.

りくち 陸地 land Ⓤ 《☞ りく》.
¶*陸地に囲まれた国 a *landlocked* country
陸地測量 land survey Ⓒ.

りくちょう 六朝 （3–6 世紀中国の 6 王朝）the Six Dynasties.

りくつ 理屈 （もっともな理由）reason Ⓒ; (論理・条理) logic Ⓤ; (論点・論拠) argument Ⓒ; (理論) theory Ⓒ; (へ理屈) quibble Ⓒ. 《☞ どうり》.
¶あなたの主張はまったく*理屈に合っている[いない] Your claim is quite ⌈*reasonable* [*unreasonable*]. // *理屈は抜きにして，あなたにはこの話を進めるつもりがあるのですか Putting *logic* aside, are you interested in this scheme? // 彼らは*理屈が大好きだ（⇒ 理屈っぽい）They are very ⌈*argumentative* [(⇒ 議論好きだ) fond of *arguing*]. // 子供たちはあれこれと*理屈を言って（⇒ 何かと理由をつけて）帰っては来なかった The children didn't come back for one *reason* or another. // あなたの述べたのは*理屈ではなくへ理屈だ What you have just given is not a *reason* but a *quibble*. // 物事は*理屈どおりには行かない（⇒ 理屈だけでは進まない）Things do not go by *theory* alone.

りくつづき 陸続き ¶ドイツとポーランドは*陸続きだ（⇒ ドイツはポーランドに接している）Germany *borders on* Poland.

りくつっぽい 理屈っぽい （論争好きな）argumentative ★ 悪い意味で; 《格式》disputatious /dìspjutéɪʃəs/. ¶彼は会議に出ると*理屈っぽくなる When (he is) at a meeting, he becomes *argumentative*.

りくとう¹ 陸稲 ☞ おかぼ

りくとう² 陸島 continental island Ⓒ.

りくどり 陸鳥 land bird Ⓒ.

リグニン （植物体の主成分）lignin Ⓤ.

りくはんきゅう 陸半球 the land hemisphere.

りくふう¹ 陸風 land ⌈wind [breeze] Ⓒ.

りくふう² 陸封 landlock Ⓒ. ¶*陸封の魚 *landlocked* fish

リクライニングシート （乗り物の）reclining seat Ⓒ.

リクリエーション ☞ レクリエーション

リクルーター （新人募集係）recruiter Ⓒ.

リクルート （新人募集）recruitment Ⓤ; (雇用) employment Ⓤ ★ 英語の recruit [名] は「新入社員・新人・新兵」という意味.
リクルートカット haircut suitable for job hunters Ⓒ

リクルートスーツ (dark) suit for job interviews [C] リクルートスタイル clothing and appearance suitable for job interviews [U].

りくれん 陸連 ☞にほん(日本陸上競技連盟)

りくろ 陸路 —[副] by land 《☞かいろ[1]; くうろ》.

リグロイン 〔化〕ligroin [U].

りけい 理系 (理科系) science course [C].
¶*理系に進む take a *science course* // *理系の大学 a university of *science and technology*

りけいざい 離型剤 mold release [U], release [parting] agent [C] ★鋳型から鋳物を取り出しやすくする潤滑剤.

リケッチア (微生物) rickettsia /rɪkétsiə/ [C] 《複 -siae /-tsiìː/, ~s》.

リゲル —[名](固)〔天〕Rigel /ráɪʤ(ə)l/ ★オリオン座の β 星.

りけん[1] 利権 (採掘・使用などの権利) concession [C]. ¶石油の*利権を売る sell an oil *concession*
利権屋 concession hunter [C] 利権料 concession ˹charge [fee] [C].

りけん[2] 利剣 sharp sword /sɔ́əd/ [C].

りげん[1] 俚諺 saying [C]; (諺) próverb [C]. 《☞ことわざ》.

りげん[2] 俚言 (庶民語) folk speech [U]; (方言) dialect [C]; (俗間で用いる言葉) the language of the (common) people.

りこ 利己 —[名](私欲) self-interest [U]; (自分本位・わがまま) selfishness [U]. —[形] selfish, self-centered, egocentric, ègoístic. ★3・4番目はその前の2語より格式ばった語. 《☞しり[2]》.
¶彼はいつも*利己的だ (⇒自己を第1に出す) He always *puts* ˹*self* [*himself*] *first*. / He is always ˹*self-centered* [*selfish*; *egoistic*]. // 彼女は*利己心(⇒私欲)からそれをしたのではない She hasn't done that out of *self-interest*. // *利己心のない (⇒公平な) 人 a *disinterested* person
利己主義 égotism [U], égoism [U] ★ほぼ同じ意味. 後者は特に哲学用語として用いられる.
利己主義者 égotist [C], égoist [C].

りこう[1] 利口 —[形](頭のよい) clever, bright
[語法] 後者は子供について用いることが多い. また前者は「小才がきく」という悪い意味になることもある;
(思考・行為が敏活な) smart ★「抜け目がない」という悪い意味になることもある; (判断が賢明な) wise; (知力のすぐれた) intélligent. 《☞かしこい(類義語); けんめい[1]》.
¶何て*利口な少女だろう What a ˹*clever* [*bright*] girl she is! // 犬は*利口な動物だ Dogs are *intelligent* animals. // 君がストに参加しなかったのは*利口だった It was *wise* of you not to join the strike. // *利口ぶった (⇒知った風な) 口をきくな Don't be such a ˹*know-it-all* [《英》*know-all*]!

りこう[2] 履行 —[動](行う・果たす) cárry óut (他), perform (他), fulfill (他) ★後の語ほど格式ばった語; (約束を) *keep* (他). —[名] fulfillment (《英》fulfilment) [U]. ¶彼は私に契約の*履行を迫った He urged me to *carry out* the contract. 履行遅滞 procrastination in execution [U] 履行不能 impossibility of performance [U].

りこう[3] 犂耕 plowing [U].

りこうがくぶ 理工学部 college [school; department; 《英》faculty] of science and engineering [C]. 《☞がくぶ(類義語)》.
¶私は東西大学*理工学部の1年生です I am a freshman in the *college of science and engineering* at Tozai University.

りごうしゅうさん 離合集散 (出会いと別離) meeting and parting; (同盟と決裂) alliance and rupture. ¶派閥の*離合集散 *changes* in factional *alignment* // 選挙前に政党の大きな*離合集散があった There were drastic *realignments* in political parties before the election.

りこうしょう 李鴻章 —[名](固) Li Hongzhang, 1823–1901. ★中国, 清朝末の政治家.

リコーダー 〔楽器〕recorder [C].
¶*リコーダーを吹く play the *recorder*

リコール —[名](公職者の解職要求・欠陥商品の回収) recall [C]. —[動] recall (他). ¶私たちは知事の*リコールをめざして署名運動を始めた We've started collecting signatures to *recall* the governor.

リコッタ (イタリア産チーズ) ricotta [U].

りこてきいでんしせつ 利己的遺伝子説 〔遺〕selfish gene theory [C].

リコメンデーション (推薦) recommendation [U] ★推薦状の意味では [C].

リコメンド (推薦する) recommend (他).

りこん[1] 離婚 —[名] divorce [C]. —[動] divorce (他). ¶2人は*離婚してしまった They *have been divorced*. // テイラー夫人は夫と*離婚した Mrs. Taylor *divorced* her husband. / Mrs. Taylor *got a divorce* from her husband.
離婚訴訟 divorce suit [C]. ¶*離婚訴訟を起こす file a *suit* [*sue*] *for divorce* 離婚手続き divorce procedure [C] 離婚届け notice of divorce [C] 離婚率 divorce rate [C].

りこん[2] 利根 (利口) cleverness [U]; (生まれつきの利発) native intelligence [U].

リコンストラクション (再建) reconstruction [U].

リコンファーム ¶私は予約を*リコンファームした I *reconfirmed* my reservation.

リサ (女性名) Lisa /líːsə/ ★Eliza /ɪláɪzə/ の愛称.

リサーチ (調査研究) research /ríːsəːtʃ, rɪsə́ːtʃ/ [U]. ¶マーケット*リサーチをする do [conduct] market *research*

リサーチャー (研究員) researcher [C].

リザーブ —[動](予約する) reserve (他). —[名](予約) reservation [C]; (予備品) reserve [C] ★しばしば複数形で; (控え選手) reserve [C].

りさい 罹災 —[動](人が) suffer (from ...) (自).
¶昨年夏の洪水で私の家(⇒我々)も*罹災した We also *suffered from* a flood last summer. 罹災者 victim [C], sufferer [C] [日英比較] 前者はよく「犠牲者」と訳されるが, 日本語の「死者」というニュアンスは必ずしも含まず「災難に会った人」という意味で使われる. 罹災地 stricken area [C].

りざい 理財 (資金調達) finance [U]; (投資) investment [U]; (経済) economy [U]. ¶彼は*理財にたけている (⇒金もうけがうまい) He's *good at making money*.

リサイクル —[名](廃品の再生) recycling /rìːsáɪklɪŋ/ [U]. —[動] recycle (自)(他).
リサイクル運動 recycling campaign [C] リサイクルショップ (使用済みの物品を委託販売する店) shop that sells used goods on consignment [C] リサイクルセンター recycling ˹facility [center] [C] リサイクル法 recycling law [C] 《☞ようき[3] (容器(包装)リサイクル法)》. ¶家電*リサイクル法 the (Specified) Household Appliance *Recycling Law*

リサイタル (独奏[唱]会) recital [C].
¶ピアノ*リサイタルを開く give a piano *recital*

りさえき 利差益 interest ˹gain [surplus] [U].

りさげ 利下げ —[名] lowering [reduction] of interest rates [U]. —[動] lower [reduce; cut] interest rates. 《☞りあげ》.

リサジュー(の)ずけい リサジュー(の)図形 〔物

り

理〗Lissajous /líːsəʒùː/ figure [C] ★ 互いに直交する単振動が合成する図形.

りさつ 利札 ☞ りふだ

リザベーション (予約) reservation [C].

りざや 利鞘 (profit) margin [C] 《☞ もうけ》.

りさん 離散 —[動] (散り散りになる) scatter (自); (分散する) disperse (自); (分かれる·解散する) break up (自) ★ 以上はそれぞれ (他) もあり受身形でも用いられる. —[名] scattering [U]; dispersion [U]; breakup [U]. 《☞ はなればなれ; ばらばら》. —[形] 〔数〕(離散的な) discrete.
離散解析 〔数〕discrete analysis [U] **離散数学** discrete mathematics [U].

りし 利子 interest [U] 《☞ きんり¹; りりつ》.
¶ 私は 8 パーセントの*利子で彼に 100 万円を貸した I've loaned him a million yen at 8 percent *interest*. // その借金の*利子は比較的低い[高い] The *interest* on the loan is rather ˹low [high]. **利子課税** interest taxation [U] **利子収入** interest receipts /rɪsíːts/ **利子所得** the income from interest **利子配当** interest dividend [C] **利子補給** interest subsidy [C].

りじ 理事 director [C]; (学校法人などの) trustee /trʌstíː/ [C]. **理事会** board of ˹directors [trustees] [C] **理事長** the chair(person) of the board of ˹directors [trustees].

リジー (女性名) Lizzie, Lizzy ★ Elizabeth の愛称.

りしちょうせん 李氏朝鮮 ☞ りちょう

リシャッフル (内閣などの入れ替え) reshuffle [C].

りしゅう 履修 —[動] (学科·科目を) study (他); (科目·コースを取る) take (他). ¶ どの学科を*履修していますか Which subjects *are* you ˹*studying* [*taking*]? **履修単位** credit [C] ★ 履修して取得した単位. 《☞ たんい》.

リシュリュー —[名] (固) (Cardinal [Duc de]) Richelieu, 1585–1642. ★ フランスの政治家·枢機卿. 本来の名は Armand-Jean du Plessis.

りじゅん 利潤 profit [U] ★ 具体的には [C]. 《☞ りえき》. ¶ 金は速く回転させなければ*利潤は生まれない Money needs to be turned over quickly if it is to produce a *profit*. // *利潤を追求する seek a *profit* **利潤最大化仮説** profit maximization hypothesis [C] 《複 -ses》 **利潤率** profit rate [C].

りしょう¹ 離礁 —[動] refloat (他) (自).

りしょう² 利生 (仏のご利益) Buddha's ˹blessing [C] [grace [U]].

りしょうばん 李承晩 —[名] (固) Rhee Syngman; (韓国語名) Yi Sŭng-man, 1875–1965. ★ 韓国の政治家; 初代大統領 (1948–60).

りしょく¹ 利殖 —[名] moneymaking [U]. —[動] make money. ¶ 彼は*利殖の才がある He has a talent for *moneymaking*.

りしょく² 離職 —[動] leave [quit] *one's* job. —[名] unemployment [U]. 《☞ しつぎょう》. **離職率** the unemployment rate

リシン¹ 〔生化〕(アミノ酸) lysine /láɪsiːn/ [U].

リシン² 〔生化〕(植物毒の一種) ricin /ráɪs(ə)n/ [U].

りじんしょう 離人症 〔医〕depersonalization [U].

りしんりつ 離心率 〔数〕eccentricity [U].

りしんろん 理神論 〔哲·宗〕*deism /díːìzm/* [U]. **理神論者** deist [C].

りす 栗鼠 〔動〕squirrel /skwə́ːrəl/ [C].

リズ (女性名) Liz ★ Elizabeth の愛称.

りすい¹ 利水 irrigation [U]. **利水工事** irrigation works.

りすい² 離水 —[動] (鳥·水上飛行機などが) take off from the water (自). **離水海岸** emerged shoreline [C].

りすう 理数 science and mathematics. **理数系** science and mathematics course [C]. ¶ 彼女は*理数系の頭をしている She has a *mathematical* mind.

リスキー —[形] (危険な) risky.

リスク (危険) risk [C] 《☞ きけん¹》. ¶ *リスクを冒す run a *risk* **リスクアセスメント** risk assessment [U] 《略 RA》 **リスクファクター** risk factor [C] **リスクプレミアム** 〔金融〕risk premium [C] **リスクマネジメント** risk management [U].

リスト¹ list [C] 《☞ めいぼ; ひょう¹》. ¶ 彼の名前は*リストになかった His name was not on the *list*. **リストアップ** —[動] list (他) 日英比較 「リストアップ」は和製英語. ¶ 名前を全部*リストアップする *list* all the names

リスト² (手首) wrist [C]. **リスト·カット症候群** 〔医〕(手首自傷症候群) wrist-cutting syndrome [C] **リストバンド** wristband [C].

リスト³ —[名] (固) Franz Liszt, 1811–1886. ★ ハンガリーの作曲家.

リストラ(クチャリング) (企業再構築) restructuring /rìːstrʌ́ktʃ(ə)rɪŋ/ [U]. ¶ 我が社は*リストラの一環として 3 千人を一時解雇する計画だ Our company plans to lay off 3,000 workers as part of its *restructuring*. // 彼は先月*リストラされた (⇒ 解雇された) He *was fired* last month.

リストランテ (イタリア料理店) Italian restaurant [C], ristorante /rìstərɑ́ːnteɪ/ [C].

リスナー (聴く人) listener [C].

リスニング (聴くこと) listening [U]. **リスニングテスト** listening (comprehension) test [C] **リスニングルーム** (試聴室) audition [listening] room [C].

リスペクト —[名] (尊敬) respect [U]. —[動] respect (他).

リスボン —[名] (固) Lisbon /lízbən/ ★ ポルトガルの首都.

リズミカル rhythmic, rhythmical.

リズム (一般的に) rhythm /ríðm/ [U]; (太鼓などの規則的な音) the beat.
¶ ドラムの*リズムにのって皆踊った They all danced to the ˹*beat* [*rhythm*] of the drums. // あの歌手は*リズム感がいい That singer has a good sense of *rhythm*. // 独奏者はオーケストラとよく*リズムが合っている The soloist is playing exactly in *rhythm* with the orchestra. // 生活の*リズムを乱す disturb the *rhythm* of (daily) life **リズムギター** rhythm guitar [C] **リズムセクション** rhythm section [C].

コロケーション

一定のリズム a steady *rhythm* / 規則的なリズム a regular *rhythm* / 軽快なリズム a quick *rhythm* / 単調なリズム a monotonous *rhythm* / 力強いリズム a powerful *rhythm* / 眠くなるようなリズム a hypnotic *rhythm* / 激しいリズム a wild *rhythm* / 複雑なリズム a complicated *rhythm* / やさしいリズム a gentle *rhythm* / ゆったりとしたリズム a leisurely *rhythm*

リズムアンドブルース 〔楽〕rhythm and blues [U], R & B [U].

りする 利する (ためになる) benefit (自); (得がある) gain (他); (利益を得る) profit (自). 《☞ りえき》. ¶ そんなことをしても*利するところはないだろう You won't ˹*benefit* [*gain anything*] ˹from [by] doing it. / (⇒ 無益だ) There's [It's] no *use* doing it.

リセ lycée /liːséɪ/ [C] ★ フランスの国立高等中学校. lycée の ´ は綴り本来のもの.

りせい 理性 —[名] reason [U]; (理性をもって考える力) the ability to use reason. —[形] rational

り

/rǽʃnəl/. ―【動】(理性をもって考える) reason (自).
¶*理性 (⇒ 分別) を欠く have no *sense* // *理性を失う lose *one's reason* // *理性に訴える appeal to *reason* // 彼は*理性に従って行動した He acted according to *reason.* // 人間は*理性ある動物だ Human beings are ˹*rational* animals [*rational*]. / Human beings possess *the ability to* ˹*reason* [*use reason*].

リセッション (景気後退) recession Ⓒ.

リセット ―【動】(セットし直す) reset (他). リセットボタン reset button Ⓒ.

りせん 離船 ―【動】 abandon a ˹ship [vessel, boat] (☞ げせん).

りそう[1] 理想 ―【名】 ìdéal Ⓒ. ―【形】(理想的) ideal. ¶彼女は*理想が高い[低い] She has ˹high [low] *ideals.* // 若者は*理想に向かって進むべきだ (⇒ 努力すべきだ) Young people should strive towards their *ideals.* // 彼が私の*理想の人です He is ˹my *ideal* man [the man of *my dreams*]. // *理想と現実は一致しない *The ideal* does not coincide with the reality.

理想化 ―【動】 idéalìze (他). ¶君はとかく物事を*理想化する You are apt to *idealize* things. 理想気体 〔化・物理〕 ideal gas Ⓒ 理想郷 utópia Ⓒ, Utópia Ⓒ 理想主義 idealism Ⓤ 理想主義者 idealist Ⓒ 理想像 ideal image Ⓒ 理想溶液 〔化・物理〕 ideal solution Ⓒ 理想論 idealistic ˹way of thinking [thought] Ⓒ.

> **コロケーション**
> 理想に叶う meet *one's ideal* / 理想を抱く entertain an *ideal* / 理想を掲げる set up an *ideal* / 理想を実現する realize an *ideal* / 理想を達成する attain an *ideal* / 理想を追求する pursue an *ideal*

りそう[2] 離層 〔植〕 separation [abscission] layer Ⓒ; 〔地質〕 outlier /áʊtlàɪə/ Ⓒ.

りそうせい 離巣性 ―【形】〔鳥〕 nidifugous /naɪdífjʊgəs/.

リソース (資源・資金) resource Ⓒ.

リゾート (行楽地) resort Ⓒ. ¶夏[冬]の*リゾート a ˹summer [winter] *resort* リゾートウェア resort ˹wear [clothing] Ⓤ リゾート法 the Resort Law ★ the Law for the Development of Comprehensive Resort Areas (総合保養地域整備法) の通称. リゾートホテル resort hotel Ⓒ リゾートマンション resort còndomínium Ⓒ (☞ マンション).

りそく 利息 ínterest Ⓤ (☞ りし). 利息制限法 〔法〕 the Interest (Rate) Restriction Law, the Usury Law.

りぞく[1] 俚俗 ―【形】(素朴な) rustic; (田舎びている) countrified ★ やや軽蔑的.

りぞく[2] 離俗 ―【動】(俗事を離れる) seclude *oneself* from worldly affairs; (世間から離れて暮らす) *live in seclusion.* ―【名】 seclusion Ⓤ.

リソグラフィー 〔印〕 lithography /lɪθágrəfi/ Ⓤ.

リソスフェア 〔地質〕 (岩石圏) the lithosphere /líθəsfɪə/.

リソソーム 〔生化〕 lysosome /láɪsəsòʊm/ Ⓒ.

リゾチーム 〔生化〕 lysozyme /láɪsəzàɪm/ Ⓤ.

リゾット 〔料理〕 risotto /rɪsɔ́:toʊ/ Ⓒ.

リソルジメント the Risorgimento ★ 19 世紀イタリアの国家統一運動. イタリア語で「復興」の意.

りそん 離村 ―【動】 leave *one's* village. ―【名】 leaving *one's* village Ⓤ; (集団での移動) rural exodus Ⓒ; (都市への流出) cityward migration Ⓤ.

リタ (女性名) Rita /rí:tə/.

リターナブル ―【形】(返却・回収の) returnable. リターナブル瓶 returnable bottle Ⓒ.

リターン (復帰・返球) return Ⓒ (☞ へんきゅう).

リターンエース 〔テニス〕 return ace Ⓒ.

リターンキー 〔コンピューター〕 return key Ⓒ.

リターンマッチ (タイトル奪還試合) return match Ⓒ.

リタイア ―【動】(定年退職する・退く) retire (自). ―【名】 retirement Ⓤ.

リダイヤル ―【動】(電話番号を) redial (他) (自).

リダクション (縮少・削減) reduction Ⓤ.

りたこうどう 利他行動 altruistic ˹behavior [《英》 behaviour] Ⓤ.

りだつ 離脱 ―【動】(離れる・去る) leave (他); (たもとを分かつ) brèak awáy from ...; (特に抗議の意味で職場を離れる) wálk óut (自). ¶彼は党から*離脱した He ˹*left* [*broke away from*] the party. // 労働者たちは午前中職場を*離脱した The workers *walked out* for the morning.

リタッチ ―【名】(修正) retouch Ⓤ. ―【動】 retouch (他).

リタルダンド 〔楽〕 ritardando /rɪtɑədá:ndoʊ/ Ⓒ.

リダンダンシー (冗長・余分) redundancy Ⓤ.

りたんやく 利胆薬 〔薬〕 choleretic (agent) Ⓒ, cholagogue /káləgàg/ Ⓒ.

りち 理知 ―【名】 íntellèct Ⓤ. ―【形】(理知的) intelléctual ★ 感情的・行動的な性質に対して, 理詰めでものを考える性向をいう. (☞ ちてき). ¶*理知的な人 an *intellectual* 理知主義 intellectualism Ⓤ.

リチウム 〔化〕 lithium /líθiəm/ Ⓤ (元素記号 Li). リチウム電池 lithium battery Ⓒ.

りちぎ 律儀 ―【形】(真心のある) sincere /sɪnsíə/; (良心的な) conscientious /kànʃiénʃəs/. ―【副】 sincerely; conscientiously. (☞ きまじめ).

りちぎもの 律儀者 律儀者の子沢山 (⇒ 正直できちょうめんな夫は多くの子供に恵まれる) An honest and sincere husband is blessed with many children.

リチャード (男性名) Richard /rítʃəd/ ★ 愛称は Dick, Dickie, Dicky, Rick, Ricky, Richie /rítʃi/, Ritchie /rítʃi/.

りちゃくりく 離着陸 takeoff and landing Ⓒ (☞ りりく; ちゃくりく). ¶成田では 2 分間隔で飛行機が*離着陸している Airplanes ˹*come and go* [*take off and land*] every two minutes at Narita.

りちょう 李朝 the Yi dynasty /jí: dàɪnəsti/ ★ 朝鮮の王朝 (1392–1910).

りつ[1] 率 (比率) rate Ⓒ; (全体に対する割合) proportion Ⓒ; (百分率) percéntage Ⓒ. (☞ ひりつ; わりあい). ¶今年度の物価の上昇*率は低い[高い] The *rate* of increase of commodity prices is rather ˹low [high] for the current fiscal year. // 今年の卒業生の就職*率 (⇒ 今年就職できた卒業生の率) はよい[悪い] The ˹*percentage* [*proportion*] of graduates who have obtained jobs this year is ˹high [low]. // *率のいい仕事 a *well-paid* job

> **コロケーション**
> 率を上げる raise [increase] a *rate* / 率を維持する keep a *rate* / 率を下げる lower [reduce] a *rate* / 率を定める fix [set] a *rate*

りつ[2] 律 **1** 《史》: (刑法) the penal ˹law [code]. **2** 《おきて》: code Ⓒ. **3** 《楽》: rhythm Ⓤ. **4** ☞ りつおんかい

りつあん 立案 ―【動】(案を作る) plan (他), make a plan; (案を作って書く) draw up a plan. (☞ あん). ¶この計画はだれが*立案したのですか Who *planned* this? / Who ˹*made* [*drew up*] this *plan*?

立案者 planner Ⓒ.

りつおんかい 律音階 〔楽〕*ritsu* scale Ⓒ; (説明的には) a Japanese pentatonic scale which does not have two half tones.

りっか 立夏 the first day of summer (by the lunar calendar).

りつがめん 立画面 vertical plane Ⓒ.

りつき 利付き ― 【形】(利付きの) active, interest-bearing. 《☞ りし》. ¶この債券は何分の*利付きですか (⇒どのくらい利子を生みますか) How much *interest* will these bonds *bear*?

利付き為替手形 interest bill Ⓒ **利付き国債** interest-bearing government bond Ⓒ **利付き債券** active [interest-bearing] bond Ⓒ **利付き手形** interest-bearing bill Ⓒ.

リッキー (男性名) Ricky ★ Richard /rítʃəd/ の愛称.

りっきゃく 立脚 ― 【動】(…に基礎を置く) be based on … ¶現実に*立脚して物事を決定すべきだ (⇒あなたの決定は現実に立脚すべきだ) Your decision should *be based on* reality.

りっきょう 陸橋 《米》óverpàss Ⓒ, 《英》flýòver Ⓒ ★いずれも歩道橋も, 車道・鉄道などの陸橋も指す.

リック (男性名) Rick ★ Richard /rítʃəd/ の愛称.

りっけん[1] 立憲 ― 【形】(立憲的) cònstitútional. **立憲君主政体[国]** cónstitùtional mónarchy Ⓒ **立憲制(度)[政治]** constitutionalism Ⓤ, constitutional government Ⓤ. 《☞ けんぽう[1]》.

りっけん[2] 立件 ― 【動】〔法〕file an information ★ information は告発状の意味で Ⓒ.

りつげん 立言 ― 【動】(意見を述べる) state [express] *one's* opinion. ― 【名】(陳述) statement Ⓒ; (提言) proposition Ⓒ.

りっこう[1] 立項 ― 【動】(項目を立てる) have [give; include] an ⌈item [entry].

りっこう[2] 陸行 ― 【動】travel by land.

りっこう[3] 立后 the official investiture of the empress.

りっこう[4] 力行 ― 【動】make great efforts to ….

りっこうほ 立候補 ― 【動】(…の候補者になる) be a cándidate for …; (…の選挙に出る) 《米》run for …, 《英》stand for …. 《☞ しゅつば; こうほ》. ¶彼は知事選に*立候補するつもりだ He intends to ⌈*run* [*stand*] *for* governor. // この秋の大統領選挙にはだれが*立候補するのか Who is going to *be a candidate for* President in the election this fall? // 彼は共産党から*立候補している (⇒共産党の立候補者だ) He is a Communist *candidate*.

立候補者 candidate (for …) Ⓒ **立候補届け出** ― 【動】file *one's* candidacy, make an application for *one's* candidacy, apply for candidacy. ― 【名】application for candidacy Ⓒ.

りっこく 立国 ¶日本は貿易*立国 (⇒貿易によって生きる) 政策を取っている Japan follows a (national) policy *surviving* ⌈*through* [*from*] trade.

リッジ (山の背) ridge Ⓒ.

りっしでん 立志伝 (出世物語) success story Ⓒ; (自分の腕一本で出世した人の物語) story of a self-made man Ⓒ. ¶彼は*立志伝中の人だ He is *a self-made man*.

りっしゅう 立秋 the first day of ⌈fall [《英》autumn] (by the lunar calendar).

りっしゅん 立春 the first day of spring (by the lunar calendar).

りっしょう 立証 ― 【動】prove (他) 《☞ しょうめい[1]》. ¶彼の無罪[有罪]が*立証された <S (人) + V (*prove*) + O (人) + C (形) の受身> He *was proved* ⌈innocent [guilty].

りっしょく 立食 ¶*立食パーティー a *buffet* /bʌféɪ/ ⌈party [luncheon; supper]

りっしんしゅっせ 立身出世 ― 【動】succeed in life (自). ― 【名】success in life Ⓤ. 《☞ しゅっせ》. ¶彼の息子はたいへんな*立身出世をしたそうだ They say that his son *has succeeded* very well *in life*.

立身出世主義 the cult of success.

りっしんべん 立心偏 (漢字の) heart radical on the left of kanji Ⓒ.

りっすい 立錐 **立錐の余地もない** ¶会場は*立錐の余地もなかった (⇒収容力の限度まで一杯だった) The hall *was filled to capacity*. / (⇒ねずみ一匹も入れないほど混んでいた) The hall *was so crowded that not even a mouse could have got in*.

りっする 律する (判断する) judge (他); (測る) measure (他). ¶自分の基準で人を*律するべきではない You shouldn't ⌈*measure* [*judge*] others by your own standards. // 彼は自己を*律することに厳しい人だった (⇒厳しい自律心をもっていた) He had strict self-*discipline*.

りつぜん 慄然 ― 【動】(ぞっとする) be ⌈hórrified [térrified]; (ぞっとさせる) horrify (他), terrify (他); (鳥肌を立たせる) make *a person's* flesh creep. 《☞ ぞっと》. ¶いまの傾向がこのまま進むことを考えると*慄然とする It ⌈*makes my flesh creep* [*terrifies* me] to think that this tendency may continue. // 自分のしたことの結果を考えて私は*慄然とした I *was horrified* when I thought of the consequences of my action.

りつぞう 立像 státue Ⓒ 《☞ ぞう[2]》.

りっそくだんかい 律速段階 〔化〕rate-determining step Ⓒ.

リッターカー one-liter car Ⓒ.

りったい 立体 ― 【形】(立体の) 〔数〕solid; (立体的な) three-dimensional. ― 【名】solid Ⓒ.

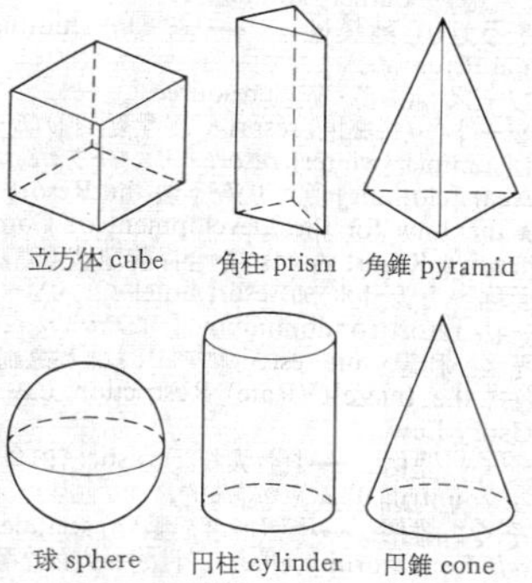

¶彼の絵は*立体的だ His pictures look *three-dimensional*.

立体異性 〔化〕stereoisomerism /stèrioʊaɪsάmərìzm/ Ⓤ **立体映画** three-dimensional [3-D] movies Ⓒ **立体音響** stereophonic /stériəfànɪk/ sóund Ⓤ **立体化学** stereochemistry Ⓤ **立体角** 〔数〕solid angle Ⓒ **立体画法** stereography /stèriάgrəfi/ Ⓤ **立体感** a three-dimensional effect ★通例 a を付けて. **立体幾何学** solid geometry Ⓤ **立体交差** (2 重の) two-level crossing Ⓒ; (2 重以上の) múltilèvel cróssing Ⓒ **立体裁断** 〔洋裁〕 ― 【名】draping Ⓤ. ― 【動】drape (他) **立体視** 〔生理〕(視覚) stereoscopic vision Ⓤ; (映像の認知) stereopsis Ⓤ

立体写真 stereo picture Ⓒ, stereograph Ⓒ ★ 前者のほうが口語的. 立体駐車場 multilevel [multistory] parking garage Ⓒ; (簡便な棚型の) rack-type parking garage Ⓒ 立体放送 stereophonic broadcast Ⓒ.

りったいし 立太子 the official invéstiture of the crown prince. 立太子式 the investiture ceremony of the crown prince.

りっち 立地 location Ⓒ.
立地条件 geographical conditions ★ 通例複数形で. ¶ この店は*立地条件がよい[悪い] (⇒ 便利に[不便に]位置している) This store *is* ⌈conveniently [inconveniently] *located*.

リッチ ── 形 (金持ちの) rich.

リッチー (男性名) Richie /rítʃi/, Ritchie /rítʃi/ ★ ともに Richard /rítʃəd/ の愛称.

リッチモンド ── 名 固 Richmond ★ 米国, バージニア州の州都.

りっとう¹ 立冬 the first day of winter (by the lunar calendar).

りっとう² 立刀 (漢字の) sword radical on the right of kanji Ⓒ.

りっとう³ 立党 the ⌈formation [foundation] of a party Ⓤ.

りつどう 律動 ── 名 (リズム) rhythm Ⓤ; (リズミカルな動き) rhythmic movement Ⓤ ★ いずれも具体的には Ⓒ. ── 形 rhýthmic(al). 《☞ リズム》.
¶ *律動的な美 *rhythmical* beauty

リットル liter (《英》 litre) /líːtə/ Ⓒ 《☞ 度量衡 (囲み)》.

りっぱ 立派 **1** «すばらしい» ── 形 (すばらしい) wonderful; (壮大な) magnificent; (よい・結構な) fine ★ 前の 2 語よりやや意味が弱い; (特に上等な) superb /supə́ːb/; (見事な) splendid; (すてきな) beautiful; (すぐれた) éxcellent ★ 以上, ほめる言葉としては, 特に区別なしに交換してどれでも用いることができる. ── 副 wonderfully; magnificently; superbly; splendidly; beautifully; excellently; nicely. 《☞ すばらしい (類義語); みごと; あっぱれ; どうどう¹》. ¶ 彼は*立派な成績を上げた He got ⌈*wonderful* [*excellent*; *fine*] results. // 彼は*立派な演技を見せた He gave a *superb* performance. // 彼は*立派なドイツ語を話す He speaks *excellent* German. / (⇒ 彼はドイツ語を非常に上手に話す) He speaks German *remarkably well*. // 彼は*立派に大役を果たした He carried out his responsibilities ⌈*splendidly* [*superbly*; *beautifully*].
2 «価値が高い・尊敬できるような» ── 形 (価値のある) worthy; (称賛すべき) praiseworthy; (尊敬すべき・恥を知る) hónorable; (ちゃんとした・一応の) respectable 語法 (1) この語は「まともで悪くはない」ことを意味し, 積極的なほめ言葉ではない.
¶ 彼は貧しかったが*立派な一生を送った He was poor but lived ⌈an *honorable* [a *praiseworthy*] life. // 彼は*立派な家柄の出だ He is from a *good* family. / (⇒ 裕福な家庭の出だ) He comes from a *wealthy* family. 語法 (2) a *respectable* family とすると一応ちゃんとした家庭ということで, 場合によっては失礼になることもある. // *立派なことばかり言っても実行しなければだめじゃないか You talk of ⌈*high* [*lofty*] things but unless you practice them, they are of no value.

リッパー ripper Ⓒ ★ 縫い目をほどくための用具.

リップ (くちびる) lip Ⓒ. リップクリーム lip cream Ⓤ, 《米》 lip balm, 《英》 lip salve リップサービス lip service Ⓤ リップスティック lipstick Ⓒ リップリーディング (読唇術) lipreading Ⓤ.

りっぷく 立腹 ── 動 (怒る) get angry ★ 平易な日常語; lose *one's* temper 日英比較 やや格式ばった語だが, 日本語の「立腹」というニュアンスには近い. 《☞ おこる¹》. ¶ 彼はご*立腹らしい He seems to *have lost his temper*. // ご*立腹はもっともです You have good reason to *be angry*.

リップバンウィンクル ── 名 固 Ríp van Wínkle ★ ワシントン アービング (Washington Irving) 作『スケッチブック』(*The Sketch Book*) の中の物語とその主人公の名.

リップル 〖織〗 rippled fabric Ⓤ; 〖建〗 ripple Ⓒ, ripple mark Ⓒ.

りっぽう¹ 立方 ── 名 cube Ⓒ. ── 形 cubic.
¶ この箱の体積は 5 *立方センチだ This box is five *cubic* centimeters in volume. 《☞ 度量衡 (囲み)》
立方根 cube root Ⓒ. ¶ 27 の*立方根は 3 だ The *cube root* of 27 is 3. 立方晶系 〖化〗 cubic system Ⓒ 立方体 ── 名 cube Ⓒ. ── 形 cubic, cubical. 《☞ りったい (挿絵)》.

りっぽう² 立法 ── 名 law making Ⓤ, legislation Ⓤ ★ 後者のほうが格式ばった語. ── 形 législàtive. 《☞ ほうりつ; ごうほう¹》. ¶ この決定は*立法の精神に反する This decision goes against the spirit of the *law*.
立法機関 legislative organ Ⓒ 立法権 legislative power Ⓤ 立法事務費 (活動経費) expense for legislative activities Ⓒ; (事務処理費) legislative office expense Ⓒ. ★ いずれも通例複数形で. 立法府 the legislature /lédʒɪslèɪtʃə/.

りっぽう³ 律法 〖法〗 law Ⓒ, statute Ⓒ; 〖宗〗 ☞ かいりつ; トーラー. 《☞ ほうれい¹》.

りづめ 理詰め ── 動 (理詰めで説き伏せる) árgue [tálk] … dówn; (説得する) persuáde [reason] … into …; (説得してやめさせる) dissuade /dɪswéɪd/ … from … 《☞ せっとく》.

りつめんず 立面図 elevation Ⓒ.

りつりょう 律令 the ⌈statutes /stǽtʃuːts/ [laws] of the Nára and Héian periods /pí(ə)riədʒ/ (in old Japan) ★ 説明的な訳. 律令国家 the *ritsuryo* state 律令制度 the *ritsuryo* system; (説明的には) the system of old Japanese administration under elaborate legislation.

りつろん 立論 argument Ⓒ 《☞ ぎろん》.
¶ 事実にもとづいて*立論する *build up an argument* [*argue*] on the basis of facts // 彼の*立論は反論の余地がない His *argument* is unassailable.

りつれい 立礼 ── 名 standing bow Ⓒ. ── 動 stand up and make a bow. 《☞ れい² 1》.

りてい 里程 mileage /máɪlɪdʒ/ Ⓤ; (距離) distance Ⓤ ★ 具体的には Ⓒ. 里程標 milepost Ⓒ; (標石) milestone Ⓒ. 《☞ みちのり》.

リディア¹ ── 名 固 Lydia ★ 紀元前 7 世紀から 6 世紀に小アジア西部に栄えた王国.

リディア² (女性名) Lydia /lídiə/.

リテイク 〖映〗 (再撮影) retake Ⓒ.

リテーラー (小売業者) retailer /ríːteɪlə/ Ⓒ.

リテール (小売) retail Ⓤ. リテールバンキング retail banking Ⓤ.

りてきこうい 利敵行為 ¶ 我々の弱点を公表するのは*利敵行為だ Publicizing our weakness will just ⌈*profit* [*help*] *the enemy*.

リデュース ── 動 (縮小する) reduce ⊕.

リテラシー (読み書き能力) literacy Ⓤ 《☞ コンピューター (コンピューターリテラシー); メディア (メディアリテラシー)》.

リテラチャー (文学) literature /lítərətʃùə/ Ⓤ.

りてん 利点 (有利な点) advantage Ⓒ (↔ disadvantage); (よい点・長所) good point Ⓒ (↔ bad point). 《☞ ちょうしょ¹》.
¶ この機械の*利点はその使いやすさにある (⇒ この機械は使いやすいという利点を持つ) This machine has

the *advantage* of easy handling. // この仕事の*利点は時間が自由だ (⇒ 勤務時間を調節できる) ということだ The *good point* of this job is that I can adjust my working hours to suit myself.

リトアニア ―名 固 Lithuania /lìθ(j)uéɪniə/; (正式名) the Republic of Lithuania. ―形 Lithuanian. リトアニア語 Lithuanian U リトアニア人 Lithuanian C.

りとう[1] 離島 **1** «孤島»: (distant [isolated]) island C 日英比較 日本語の離島は元来「遠く離れた島」,「孤立した島」という意味だが, 単に「島」と同意で用いることもあり, その場合は island でよい. (☞ しま[1]; ことう[1]).
2 «島を離れる» ―動 leave an island.

りとう[2] 離党 ―動 (党を離れる) leave a party ★ 一般的な言い方; (脱党する) secede (from …) 自 ★ 格式ばった言い方. ―名 secession U. (☞ りだつ).

りとうき 李登輝 ―名 固 Li Denghui, Lee Tenghui, 1923– . ★ 台湾の政治家.

りとく 利得 profit U ★ 具体的には C; gains. (☞ りえき). ¶ 不当な*利得 an undue *profit* (☞ ぼうり)

リトグラフ 〖印〗(石版画) líthogràph C; (石版印刷) lithógraphy U.

リトマスしけんし リトマス試験紙 〖化〗 litmus paper U.

リトラクタブル ―形 (引き込み式の) retractable.

リトルリーグ (少年野球リーグ) the Little League. ¶ *リトルリーグのメンバー a *Little Leaguer*

リナックス ―名 固 〖コンピューター〗 Linux /línəks/.

リナロール 〖化〗 linalool U, linalol U.

リニア ―形 (直線の・線状の) linear /líniə/.

リニアモーター linear motor C. リニアモーターカー linear motor train C; (磁気浮上式列車) magnetic levitation train C.

りにち 離日 ―名 *one's* departure from Japan. ―動 leave Japan.

りにゅう 離乳 ―名 weaning U. ―動 (離乳させる) wean … (from the breast). (☞ ちちばなれ). 離乳期 weaning U, the weaning period. ¶ 赤ちゃんはいま*離乳期です The baby *is being weaned.* / The baby is going through ⌈*weaning* [*the weaning period*]. 離乳食 weaning food U; (赤ん坊用食物一般) baby food U.

リニューアル (改装・更新) renewal U.

りにょう 利尿 ―名 (尿分泌の増加) diuresis /dàɪjʊríːsɪs/ U. ―形 diuretic /dàɪjʊrétɪk/; (尿の) uretic /jʊrétɪk/. ¶ *利尿作用のある食品 *diuretic* [*uretic*] food 利尿剤 diuretic C.

りにん 離任 ―動 (離任する) leave *one's* ⌈position [post].

りねん 理念 (考え) idea C ★ 一般的な日常語; (はっきりした考え方) philósophy C; (法などの精神・趣旨) the spirit; (イデオロギー) ideology /àɪdiálədʒi/ C. (☞ てつがく).
¶ 彼は自分の教育*理念に基づいて子供を育てている He is bringing up his children in accordance with his own educational ⌈*ideas* [*philosophy*]. // これは憲法の*理念に反する This ⌈is [goes] against *the spirit* of the Constitution.

リネン ―名 (リネン製品) linen goods ★ シーツ・テーブル掛けなど. ―形 linen. リネン室 linen closet C.

りのう 離農 ―動 (農業をやめる) give up farming; (農地を離れる) leave the land.

リノールさん リノール酸 〖化〗 linoleic /línəlìːɪk/ ácid U.

リノベーション (刷新・改築・修理) renovation U.

リノリウム (床の敷き材) linoleum /lɪnóʊliəm/ U.

リバーサイド (川のほとり) the riverside. ¶ そのレストランは*リバーサイドにある The restaurant is located at *the riverside.*

リハーサル ―名 (予行演習) rehearsal C; (衣装をつけての舞台稽古) dress rehearsal C. ―動 rehearse 他 自. (☞ けいこ).

リバーシブル ―形 (両面が使える) reversible. ¶ 彼は*リバーシブルのジャンパーを買った He bought a *reversible* jacket.

リバース ―名 (逆・裏) the reverse. ―形 reverse. リバース噴射 reverse thrust U.

リパーゼ 〖生化〗 lipase /láɪpeɪs/ U.

リバイアサン **1** «書名» ―名 固 *Leviathan* ★ ホッブス著の政治思想書 (1651). **2** 〖聖〗: leviathan C, Leviathan C ★ 巨大な海獣.

リバイバル (復活・再生) revival C.

リバウンド (はね返り(のボール)・肥満や病気のぶり返し) rebound C. ¶ ダイエットしたんだけど*リバウンドしちゃった I'm on the *rebound* from a diet.

りはく[1] 李白 ―名 固 Li Po, 701–762. ★ 中国唐代の詩人.

りはく[2] 理博 ☞ りがく (理学博士)

リバタリアニズム (自由意志論主義) libertarianism U.

りはつ 利発 ☞ りこう[1]

りはつし 理髪師 barber C; (特に女性相手の) hairdresser C.

りはつてん 理髪店 barbershop C, 《英》 barber's (shop), hairdressing salon C ★ 後者のほうが格式ばった言い方. (☞ とこや).

リバティー (自由・解放) liberty U.

リバティプリント (生地の) Liberty print C.

りはば 利幅 profit margin C (☞ もうけ).
¶ この商売は*利幅が大きい[少ない] This business allows a ⌈large [narrow] *margin of profit.*

リハビリ ☞ リハビリテーション

リハビリテーション (社会復帰訓練) rehabilitation /rìː(h)əbìlətéɪʃən/ U.

リバプール ―名 固 Líverpòol ★ イングランド北西部の港湾都市.

リパブリカン (共和党員) Republican C (略 R., R, Rep., Repub.).

リパブリック (共和国) republic C.

りばらい 利払い payment of interest U ★ 具体的には C. ¶ 彼は*利払いに四苦八苦している He is struggling with *interest payments.*

りはん 離反 ¶ 部下は次第に彼から*離反していった (⇒ 彼の部下は次々と彼を見捨てた) His men ⌈*deserted* him [*defected*] one after another. ★ desért 他 は「見捨てる」, defect 自 は「離反して敵側につく」という意.

リビア[1] ―名 固 Libya; (正式名) the Socialist People's Libyan Arab Jamahiriya. ―形 Libyan. リビア人 Libyan C.

リビア[2] (女性名) Lívia.

リビー (女性名) Libby ★ Elizabeth の愛称.

リピーター (繰り返す人) repeater C.

リピート ―動 (繰り返す) repeat 他 自. ―名 repeat C.

リビエラ ―名 固 the Riviera ★ 地中海沿岸地方の避寒地で, イタリアとフランスにまたがる.

リビジョニスト (修正主義者) revisionist C.

リビジョニズム (修正主義) revisionism U.

リヒテンシュタイン ―名 固 Liechtenstein

/líktənʃtàɪn/; (正式名) the Principality of Liechtenstein.

リビドー 〘心〙 libido /lɪbíːdoʊ/ Ⓤ.

りびょう 罹病 ― 動 (病気にかかる) catch [contract] a disease ★ 前者のほうが口語的; (感染する) be infected (with ...). ― 名 contraction Ⓤ; infection Ⓤ. (☞ びょうき).
¶ エイズの*り病者 a 「*sufferer* from [*case* of] AIDS // 肺がんの*り病率 (⇒ 発生率) を減らす decrease [lower] the *incidence* of lung cancer

リビング ☞ リビングルーム

リビングキッチン living room with a kitchenet(te) Ⓒ ★「リビングキッチン」は和製英語.

リビングダイニング living room with a dining area Ⓒ, living-cum-dining room Ⓒ ★「リビングダイニング」は和製英語.

リビングダイニングキッチン living room with a dining area and a kitchen Ⓒ, living room, dining room and kitchen combined into one Ⓒ ★「リビングダイニングキッチン」は和製英語.

リビングルーム living room Ⓒ.

リブ[1] (骨つきのあばら肉) rib Ⓒ.

リブ[2] lib Ⓤ ★ *lib*eration (＝解放) の略. ¶ 彼女はウーマン*リブ運動で積極的に活動している She is very active in the women's 「*lib* [*liberation*] movement.

リファイン ― 動 (洗練する) refine ㊐. ¶ *リファインされた物腰 *refined* manners

リファレンスレンジ (基準範囲) reference range Ⓒ.

リファンド ― 動 (払い戻す) refund ㊐. ― 名 (払い戻し金) refund Ⓒ.

リフォーム ― 動 (仕立て直す) make over ㊐; (改造する) alter ㊐; (改装する) renovate ㊐, remodel ㊐. ― 名 renovation Ⓤ; alteration Ⓤ ★ 具体的には Ⓒ. 日英比較 英語の reform は社会制度の改善や法律の改正などを意味する. 家の改築は renovation Ⓤ, remodeling Ⓤ (☞ かいぞう[1]).
¶ コートを*リフォームして子供服にする *make over* a coat into a child's clothing // 台所の*リフォームをしたい I want to *remodel* the kitchen.

りふじん 理不尽 ― 形 (道理に合わない) unreasonable; (不公正な) unjust; (不公平な) unfair; (まさにけしからぬ) òutrágeous; (ばかげた) absurd. (☞ ふごうり; むちゃ).
¶ そんな*理不尽な振舞いは許しておけない Such 「*outrageous* [*unreasonable*; *absurd*] conduct cannot be 「overlooked [forgiven]. // 彼の決定は*理不尽だ His decision is 「*unjust* [*unfair*; *unreasonable*].

りふだ 利札 coupon Ⓒ. ¶ *利札付き債券 a bond with *coupons*

リフティング 〘サッカー〙 ― 動 keep 「kicking and lifting [controlling] a (soccer) ball without dropping it.

リフト (スキー場の) ski lift Ⓒ, chair lift Ⓒ ★ 単に lift ともいう.

リフトアップこうほう リフトアップ工法 〘建〙 lift-up construction method Ⓒ.

リプリント ― 動 (再版する) reprint /rìːprínt/ ㊐; (複製を作る) copy ㊐. ― 名 reprint /ríːprìnt/ Ⓒ; copy Ⓒ. ¶ その本は*リプリント中です The book *is being reprinted.*

リフレイン 〘楽〙 refrain Ⓒ.

リプレー ― 名 (再生) replay /ríːpleɪ/ Ⓒ. ― 動 replay /rìːpléɪ/ ㊐.

リフレクション (反射) reflection Ⓤ ★ 反射した影の意味では Ⓒ.

リフレクソロジー 〘医〙 (反射学・足つぼマッサージ) reflexology Ⓤ.

リプレゼンタティブ (代表者・代理人・国会議員) representative Ⓒ.

リプレッサー 〘医〙 (抑制因子) repressor Ⓒ.

リフレッシュ ― 動 (元気を回復させる) refresh ㊐. ― 名 refreshment Ⓤ. ¶ 私は気分を*リフレッシュするために旅に出た I went on a trip to *refresh* myself. リフレッシュ休暇 special vacation given in reward for long service (to recharge *one's* batteries) Ⓒ

リフレッシュメント (元気回復・休養) refreshment Ⓤ.

リブロース (牛肉の) rib roast Ⓤ.

リプロダクション (複製・再生産) reproduction Ⓤ.

リベート (割り戻し) rebate /ríːbeɪt/ Ⓤ; (悪い意味で) (俗) kickback Ⓒ. ¶ 彼は支払い総額の 5 % の*リベートをもらった He got a *kickback* of 5 percent 「on [of] all the money paid.

りべつ 離別 ― 動 (人と別れる) part [sèparàte] from ...; (離れ離れになる) be separated from ...; (離婚する) divorce ㊐. (☞ わかれる[1]; りこん[1]).

リベット (鋲) rivet Ⓒ. リベットガン rivet gun Ⓒ.

リベラリスト (自由主義者) liberal Ⓒ 日英比較 liberalist Ⓒ という語もあるが, あまり使われない.

リベラリズム (自由主義) liberalism Ⓤ.

リベラル ― 形 (自由主義的な) liberal. ¶ *リベラルな考え a *liberal* view

リベラルアーツ (教養科目) the liberal arts ★ 複数形で. (☞ きょうよう[1]).

リベリア ― 名 固 (the Republic of) Liberia /laɪbí(ə)riə/. ― 形 Liberian. リベリア人 Liberian Ⓒ.

リベロ 〘サッカー・バレーボール〙 libero Ⓒ.

りべん 利便 ☞ べんり; かんべん[2]

リベンジ (復讐・スポーツの雪辱) revenge Ⓤ.

りほう[1] **理法** ¶ 自然の*理法にかなう follow Nature's *law*

りほう[2] **李鵬** ― 名 固 Li Peng, 1928– . ★ 中国の政治家.

リボース 〘化〙 ribose /ráɪbous/ Ⓤ.

リポーター (報告者・取材記者) reporter Ⓒ.

リポート ☞ レポート

リボかくさん リボ核酸 〘化〙 ribonucleic /ràɪboun(j)uːklíːɪk/ acid Ⓤ (略 RNA).

リボザイム 〘生化〙 ribozyme /ráɪbəzàɪm/ Ⓒ.

リポさん リポ酸 〘化〙 lipoic acid Ⓤ.

リボソーム 〘生化〙 ribosome Ⓒ.

リボルバー (回転弾倉式ピストル) revolver Ⓒ.

リボルビング ― 名 (回転) revolving Ⓤ; (リボルビングクレジット) revolving credit Ⓤ; (定額分割払い) revolving repayment Ⓤ. ― 形 (回転する) revolving.

リボン ribbon Ⓒ; (帽子の周りの) band Ⓒ; (細長い飾り用リボン) streamer Ⓒ; (印字用のテープ) printer [typewriter] ribbon Ⓒ. リボン結び ☞ ちょうむすび

リボングラス 〘植〙 (大蟹釣の一種) tuber oat grass Ⓤ; (縞葦(しま)) ribbongrass Ⓤ.

リマ ― 名 固 Lima /líːmə/ ★ ペルーの首都.

リマスタリング 〘楽〙 remastering Ⓒ.

りまわり 利回り (利益) profit Ⓤ; (利息) interest Ⓤ. (☞ りりつ). ¶ この株は*利回りがよい These shares show a good *profit*. 利回り格差 the yield spread.

リマンかいりゅう リマン海流 the Liman Current ★ 日本近海の寒流.

リミックス 〘楽〙 ― 名 remix Ⓒ. ― 動 remix ㊐.

リミッター 〘電〙 limiter Ⓒ.

リミット （限界）limit Ⓒ ★しばしば複数形で.《☞ せいげん[1]; げんかい[1]》. ¶タイム*リミット a time *limit* // もうこの辺が私の能力の*リミットです（⇒能力の限界に達したと思う）I think I have reached the *limit(s)* of my ability.

リム （へり・車輪の外枠）rim Ⓒ.

リムーバー （除去剤）remover Ⓒ [語法] paint *remover*（＝ペンキ落とし）, nail ⌜polish [varnish] *remover*（＝除光液）, stain *remover*（＝さび落とし）などのように，普通は合成語で用いる.

リムジン limousine /límәzìːn/ Ⓒ. ¶空港送迎用*リムジン an airport *limousine* / an airport (express) *bus*

リムスキーコルサコフ ━ 名 (固) Nikolai Andreevich Rimsky-Korsakov, 1844–1908. ★ロシアの作曲家.

リムパック （環太平洋諸国海軍合同演習）RIMPAC /rímpæk/ ★Rim of the Pacific から.

リメーク ━ 動（映画などを作り直す）remake (他). ━ 名（リメーク版）remake Ⓒ.

りめん 裏面 **1**《裏側》: （裏）the back; （反対側）the other side; （背面）the reverse (side).《☞ うら（類義語）》. ¶本の*裏面に作者の略歴が書いてある A brief outline of the author's life is given on *the back* (*cover*) of the book. // レコードの*裏面 *the reverse side* of a record
2《暗い側》: the ⌜dark [seamy] side (↔ the bright side)《☞ うら》. ¶人生の*裏面 *the* ⌜*dark* [*seamy*] *side* of life // *裏面で多額の金が動いたらしい Large sums of money seem to have been manipulated ⌜*behind the scenes* [*beneath the surface*].
裏面工作 backstage ⌜maneuvering [《英》manoeuvring] /mәnúːv(ә)rɪŋ/ Ⓤ **裏面史**（内幕の）inside history Ⓒ; （非公式の）informal history Ⓒ.

リモコン ━ 名 remóte contról Ⓤ. ━ 形（リモコンの付いた）remote control Ⓐ; （リモコンによって操作される）operated by remote control. ¶この模型自動車は*リモコン付きだ This is a *remote control* model car. / This model car is operated by *remote control*.

リヤール （サウジアラビアなどアラブ諸国の通貨単位）riyal Ⓒ.

リヤカー two-wheeled cart (attached to the rear of a bicycle) Ⓒ [日英比較] 英米にはリヤカーに当たるものはない.

りやく 利益 ☞ ごりやく

りゃく 略 **1**《短くする》 ━ 名（短くしたもの）abbrèviátion Ⓒ ★「短くすること」の意では Ⓤ. ━ 動 abbréviàte (他); （短くする）make ... short, shorten (他) ★abbreviate より口語的.《☞ しょうりゃく（類義語）》. ¶Apr. は April の*略です Apr. is the ⌜*abbreviation* [*shortened form*] of April.
2《省略》 ━ 名 omission Ⓤ. ━ 動 omít (他).《☞ はぶく; しょうりゃく（類義語）》.
¶会計報告は*略して議題に入ろう Let's *omit* the financial report and start on the agenda. // 以下*略 The rest *is omitted*.

りゃくが 略画 sketch Ⓒ《☞ スケッチ; デッサン》.

りゃくぎ 略儀 ¶*略儀ながらお礼まで Once again, thank you for ... [日英比較] 英米の手紙で感謝の気持ちを表わす場合は，最初に Thank you for ... と始め，何に対する感謝であるかを具体的に述べるのが普通である．手紙のしめくくりとして，もう一度感謝の気持ちを表わしたいときは，例文のように書けばよい．

りゃくげん 略言 ━ 動（概要を述べる）summarize (他); （短く述べる）state ... briefly (他). ━ 名 summary Ⓒ; brief statement Ⓒ.

りゃくご 略語 abbreviation /әbrìːviéɪʃәn/ Ⓒ, abbréviàted ⌜wórd [fórm] Ⓒ; （頭字語）ácronỳm Ⓒ ★AIDS /éɪdz/ のように1語の単語として発音する.《☞ どうじご; 略語（巻末）》.
¶アメリカ合衆国の*略語は U.S.A. です U.S.A. [USA] is the ⌜*abbreviation* [*abbreviated form*] for the United States of America. / The United States of America *is abbreviated as* U.S.A. // 「ASEAN は何の*略語ですか」「東南アジア諸国連合の*略語です」 "What does ASEAN /ǽsiәn/ *stand for*?" "It *stands for* the Association of Southeast Asian Nations." ★stand for ... は「...の代わり[略語]である」の意味.

りゃくごう 略号 （電信用の）code [cable] address Ⓒ, code Ⓒ; （符号）mark Ⓒ, symbol Ⓒ.《☞ きごう[1]（類義語）》.

りゃくじ 略字 （漢字の）simplified form of a (Chinese) character Ⓒ. ¶君，勝手な*略字を使ってはだめだよ Don't use *simplified forms* (*of characters*) of your own invention.

りゃくしき 略式 ━ 形（非公式の・くだけた）informal (↔ formal)《☞ ひこうしき; くだけた》. ¶式は*略式でやります The ceremony will be *informal*.
略式起訴(状) information Ⓒ **略式裁判** summary trial Ⓒ **略式処分** summary disposition Ⓤ **略式手続き** summary proceedings ★複数形で. **略式命令** summary order Ⓒ.

りゃくしゅ 略取 ━ 動（力ずくで奪う）rob (他); （集団で）plunder (他); （誘拐）abduct (他) ★やや格式ばった表現. ━ 名（誘拐）abduction Ⓤ.《☞ ゆうかい[1]》. **略取誘拐** kidnapping Ⓤ, kidnaping Ⓤ.

りゃくじゅつ 略述 ━ 動 outline (他); （要約する）sum up (他).《☞ りゃくせつ; がいりゃく》.

りゃくしょう 略称 abbreviation Ⓒ《☞ りゃく; りゃくご; 略語（巻末）》.

りゃくず 略図 （概略を描いたもの）sketch Ⓒ ★最も一般的; （大まかな設計図）rough plan Ⓒ; （略地図）rough map Ⓒ. ¶あなたの近所の*略図をかいて下さい Please draw a *rough map* of your neighborhood.

りゃくせつ 略説 ━ 動 óutline (他), give an outline of ...《☞ がいりゃく》.

りゃくそう 略装 ☞ りゃくふく

りゃくだつ 略奪 ━ 動（略奪して荒らす）loot (他); （戦争・動乱などで，場所・人から）plunder (他) [語法] 後者は格式ばった語で，特に軍隊によるものに使い，災害時などの暴徒によるものを含めて一般的には前者を使う. ━ 名 loot Ⓤ; plunder Ⓤ.《☞ ごうだつ》. ¶兵士たちは町を*略奪した The soldiers ⌜*looted* [*plundered*] the town.
略奪価格〔商〕（価格）predatory price Ⓒ; （価格設定）predatory pricing Ⓤ **略奪者** looter Ⓒ; plunderer Ⓒ **略奪品** loot Ⓤ; 《格式》plunder Ⓤ.

りゃくでん 略伝 short biography Ⓒ, biògraphical skétch Ⓒ.《☞ でんき[2]》.

りゃくふく 略服 ━ 副（略服で）in ⌜informal [ordinary; everyday] dress.

りゃくぶん 略文 ☞ がいりゃく; ようやく[2]

りゃくれいふく 略礼服 semiformal dress Ⓤ.

りゃくれき 略歴 （簡略にした履歴）simplified ⌜personal history [curriculum vitae /kәríkjulәm víːtaɪ/] Ⓒ ★書いて提出したりするもの. [ ] 内のほうが格式ばった言い方. C.V. と略して用いることが多い.《☞ りれき; けいれき》.

りゃっかい 略解 ━ 名 brief [simple] explanation Ⓒ. ━ 動 explain ⌜briefly [simply] (他) (自), give [offer] a ⌜brief [simple] explanation.

りゃっき 略記 ━ 動 give ⌜a brief account [an

outline; a rough sketch] of …; (概略を述べる) outline ⑩, summarize ⑩. ((☞ がいりゃく)).

リヤド ―名 固 Riyadh /rijáːd/ ★ サウジアラビアの首都.

りゆう 理由 reason Ⓒ; (根拠) ground Ⓤ ★ または複数形で; (動機) motive Ⓒ; (言い訳) excuse /ɪkskjúːs/ Ⓒ, prétext Ⓒ.

【類義語】最も意味が広く一般的で, 以下の語の代わりにも使えるのが ***reason***. 本人が正当性を信じて主張する場合に用いるのが ***ground(s)***. ((例) このことが彼女の離婚の*理由となった This gave her *grounds* for divorce.) ある行為のもとになった動機が ***motive***. 言い訳・口実という意味の語が ***excuse***, ***pretext*** で, 前者のほうが口語的.

¶ 遅刻した*理由を説明しなさい (⇒ なぜ遅刻したか言いなさい) Tell me *why* you were late. 日英比較 このように日本語に「理由」とあっても, 英語では必ずしも reason などの語を用いない場合もある. / Give the *reason* (*why*) you were late. 語法 the reason why は同じ意味を持った語を重ねて使うことになるので避けるべきであるという文法家の意見もあるが, 実際にはよく使われる. // *理由は何であろうと許しません Whatever the *reason* (may be), you will not be forgiven. // これが本当だと信じるべき十分な*理由がある There is every *reason* to believe this to be true. // どういう*理由で (⇒ なぜ[何の目的で]) 外国へ行くのですか *Why* [*For what purpose*] are you going abroad? ★ [ ] 内のほうが格式ばった言い方. // 病気が*理由で (⇒ 病気のために) 彼は欠席した He was absent ˹*because of* [*on account of*; *owing to*; *due to*] illness. ★ because of が最も一般的. // 彼の間違いは*理由あってのことだ (⇒ 正当化できる[理由がないわけではない]) His mistake is ˹*justifiable* [not without *reason*]. // そんなことは*理由 (⇒ 言い訳) にはならない That is no *excuse*.

――コロケーション――

表向きの理由 an ostensible *reason* / **家庭の理由** family *reasons* / **技術的な理由** technical *reasons* / **経済的な理由** economic *reasons* / **健康上の理由** health *reasons* / **個人的な理由** personal *reasons* / **重要な理由** an important *reason* / **正当な理由** a valid *reason* / **説得力のある理由** a ˹cogent [convincing] *reason* / **単純な理由** a simple *reason* / **特別の理由** a ˹particular [special] *reason* / **法律的な理由** legal *reasons* / **本当の理由** a real *reason* / **もっともらしい理由** a plausible *reason* / **理由にもならない理由** a feeble *reason* // **理由を挙げる** cite [adduce] a *reason* / **理由を説明する** explain the *reason* / **理由を尋ねる** ask the *reason* / **理由を提示する** bring forward [advance] a *reason* / **理由をでっち上げる** invent a *reason* / **理由を述べる** give [tell] a *reason*

りゅう 竜, 龍 drágon Ⓒ.

-りゅう …流 **1** ((学派・系統)): (やり方) way Ⓒ ★ 意味の広い日常的な語; (独特なやり方) manner Ⓒ ★ way と manner は交換可能なことも多い; (様式) style Ⓒ; (一定の型) type Ⓒ; (外面上のやり方) fashion Ⓒ; (方法) mode Ⓒ; (学派) school Ⓒ. ((☞ -しき; りゅうぎ; りゅうは; は[4]; ふう[1])).

¶ 彼は何でもフランス*流にやる He does everything in the French ˹*style* [*way*; *manner*; *fashion*]. // 彼の生け花は池坊*流だ He belongs to the Ikenobo *school* of flower arrangement. // 日本人*流の考え方によればそれでよいのです According to the Japanese *way* of thinking, that is perfectly correct.

2 ((社会階層)): class Ⓒ; (等級) rate Ⓒ; (身分・地位) rank Ⓒ, order Ⓒ. ¶ 彼は一*流の音楽家です He is a first-*rate* musician. // たいがいの日本人は中*流意識を持っている Most Japanese feel that they belong to the middle *class*. // 彼女は上*流階級の女性です She is a lady of high *rank*.

3 ((流れ)): (一般的に流れ) flow ★ 単数形で; stream Ⓒ; (空気・水・電気の流れ) current Ⓒ. ((☞ ながれ)). ¶ 水*流 the *flow* of water // 本*流 the main *stream*

りゅうあん 硫安 〖化〗(硫酸アンモニウム) ammónium súlfate Ⓤ.

りゅうい 留意 ―動 (注意する) note ⑩ ★ 最も一般的; (…に注意を払う) pay attention to … ((☞ ちゅうい[1]; こころがける)). ¶ 次の点に*留意されたい Please ˹*note* [*pay attention to*] the following points.

りゅういき 流域 ―名 (川の) (river) basin /béɪsn/ Ⓒ. ―前 (…の沿岸に) on … ((☞ えんがん)). ¶ 利根川*流域は穀倉地帯である The *basin* of the Tone River is a rice-producing area. // それらの町は皆筑後川*流域にある All those towns are (located) *on* the Chikugo River.

りゅういん 溜飲 **溜飲が下がる** ¶ あいつを殴ってやった. これでやっと*溜飲が下がったよ (⇒ 復讐をして気がすんだ) I gave him a punch. Now I *feel avenged and satisfied*. **溜飲を下げる** (…で償いをつけて満足する) find compensation and satisfaction in … ¶ 彼らはその男に謝罪させることで*溜飲を下げた They *found compensation and satisfaction in* making the man apologize.

りゅううん 隆運 prosperity Ⓤ.

りゅうおう 竜王 〖将棋〗(竜王戦のタイトル保持者) the *Ryuo* Professional *Shogi* Tournament Champion; (成った飛車) dragon king Ⓒ, promoted rook Ⓒ; (説明的には) rook further enabled to move one square in any diagonal direction Ⓒ. ((☞ りゅうじん)). **竜王戦** *Ryuo* ˹contest [tournament] Ⓒ.

りゅうか[1] 硫化 〖化〗 ―名 sulfuration Ⓤ, sulfurization Ⓤ. ―動 sulfurate ⑩, sulfurize ⑩. **硫化亜鉛** zinc sulfide Ⓤ **硫化アンモニウム** ammonium sulfide Ⓤ **硫化カドミウム** cadmium sulfide Ⓤ **硫化銀** silver sulfide Ⓤ **硫化水銀** mercury [mercuric] sulfide Ⓤ; (鉱物) ☞ しんしゃ[3] **硫化水素** hydrogen sulfide Ⓤ **硫化鉄** iron sulfide Ⓤ **硫化ナトリウム** sodium sulfide Ⓤ **硫化物** sulfide, (英) sulphide /sʌ́lfaɪd/ Ⓒ.

りゅうか[2] 琉歌 Ryukyu poetry Ⓤ; (説明的には) traditional poems of the Ryukyu Islands.

りゅうかい[1] 流会 ―名 cancellation of a meeting Ⓤ. ―動 cancel a meeting. ((☞ ちゅうし[1])). ¶ 議長欠席のため*流会となった The *meeting was canceled* due to the absence of the chairperson.

りゅうかい[2] 粒界 〖化〗 grain boundary Ⓒ.

りゅうがく 留学 ―動 (外国で勉強する) study abroad ⓐ; (勉強のため外国へ行く) go abroad for study ⓐ.

¶ 私は来年*留学するつもりだ I'm planning to *go abroad for study* next year. // あなたは*留学経験がありますか *Have* you ever *studied abroad*? // 彼は私費[官費]で*留学した He *studied abroad* ˹using private means [at government expense].

留学生 (海外へ行っている留学生) student studying abroad Ⓒ, student overseas Ⓒ; (海外から来た留学生) foreign student Ⓒ, overseas student Ⓒ. ¶ アメリカにいる日本人*留学生の数は 10 万と言われている Some say the number of Japanese *students studying in* the United States is about a

り

hundred thousand. // 日本にいる東南アジアの*留学生は多くの問題に直面する Southeast Asian students in Japan face many problems. // この大学には大勢の*留学生がいる There are many *foreign students* in this university.

りゅうかん 流感 ìnfluénza Ⓤ,《略式》flu Ⓤ ★ 通例 the を付けて.(☞ インフルエンザ; かぜ²). ¶ 彼は*流感で寝ている He is in bed with *(the) flu*. // うちの近所で*流感がはやっている There is an epidemic of *influenza* in my neighborhood. ★ epidemic Ⓒ は伝染症の流行.

りゅうがん 竜眼 〔植〕lóngan Ⓒ.

りゅうき¹ 隆起 ― 動(土地が) hèave (úp) 自, ùphéave 自 ★ 後者のほうが格式ばった語. ― 名 upheaval Ⓤ. **隆起海岸** élevàted cóast Ⓒ, coast of elevation Ⓒ.

りゅうき² 瘤起 (盛り上がり) bulge Ⓒ; (はれもの) swelling Ⓒ; (こぶ) lump Ⓒ. (☞ こぶ).

りゅうぎ 流儀 **1**《派》: school Ⓒ (☞ -りゅう; りゅうは; は⁴). ¶ お茶のお*流儀はどちらですか Which *school* of tea ceremony do you follow? **2**《やり方》: (やり方・方法) way Ⓒ ★ 最も一般的で, 以下の語の代わりにも使える; (組織的な方法) method Ⓒ; (独特のやり方) manner Ⓒ. (☞ -りゅう; やりかた; ほうほう¹ (類義語)). ¶ この料理は母の*流儀で作りました I cooked this following my mother's ⌈*way* [*method*]. // 私は私の*流儀でやります I'll do it my own *way*.

りゅうきがん 榴輝岩 〔鉱物〕éclogìte Ⓤ.

りゅうきせんもん 隆起線文 (縄文土器の文様) straw rope pattern (of *Jomon* pottery) Ⓒ.

りゅうきへい 竜騎兵 dragoon Ⓒ.

りゅうきゅう 琉球 ― 名 固 Ryukyu /riúːkjuː/; (琉球列島) the Ryukyus. ― 形 Ryukyuan. **琉球王** the king of the Ryukyus **琉球王国** the Ryukyu kingdom **琉球王朝** the Ryukyu dynasty **琉球語** Ryukyu dialect Ⓒ **琉球人** Ryukyuan /riúːkjuːən/ Ⓒ **琉球文化** Ryukyuan culture Ⓤ, the culture of the Ryukyus Ⓤ.

りゅうきん 琉金 (金魚の種類) fríngetàil Ⓒ.

りゅうぐう(じょう) 竜宮(城) *Ryugu*; (説明的には) the Palace of the Dragon King, which is supposed to be at the bottom of the ocean.

りゅうけい¹ 流刑 ― 名 exile /égzaɪl/ Ⓤ. ― 動 exile 他. (☞ るけい). ¶ セントヘレナ島はナポレオンが*流刑にされた島として知られる Saint Helena Island is known as ⌈the place to which Napoleon *was exiled* [the place of Napoleon's *exile*].

りゅうけい² 粒径 particle [grain] size Ⓒ ★ 前者のほうがより微細な粒子.

りゅうけつ 流血 bloodshed Ⓤ (☞ ち¹). ¶ 内紛は*流血の惨事に至った The internal strife led to *bloodshed*.

りゅうげんひご 流言蜚語 (根も葉もないうわさ) groundless rumor Ⓒ; (デマ) false rumor Ⓒ; (見当違いのうわさ) wild rumor Ⓒ. (☞ デマ; うわさ). ¶ 地震の後, *流言蜚語が乱れ飛んだ *Groundless* [*False*; *Wild*] *rumors* were ⌈widespread [rife] after the earthquake. ★ rife は格式ばった語.

りゅうこ 龍虎 ¶ *龍虎相打つような壮絶な戦い a *fierce battle like a fight between (the) two great rivals — the dragon and the tiger*

りゅうこう 流行 **1**《風俗の》 ― 名(特に服装などの) fashion Ⓒ ★ 最も一般的な語で, 主として女性の衣服について用いられ, 以下の語の代わりに使えることが多い; (かなり広く普及した流行) vogue Ⓒ ★ 以上 2 語はほぼ同意で用いられることもある; (独特な型に注目した場合の流行) style Ⓒ; (一時的な大流行) craze Ⓒ, fad Ⓒ ★ 以上 2 語は軽蔑的なニュアンスがある. ― 形 fashionable; (人気のある) popular; (服装などが流行の)《略式》in. ― 動 be in ⌈fashion [vogue], be fashionable; be a ⌈craze [fad]; be the rage; be popular; (服装などが流行するようになる) come into ⌈fashion [vogue], become fashionable; become a ⌈craze [fad]. ¶ いまはだぶだぶのズボンが*流行だそうだ Baggy trousers are said to *be* ⌈*in fashion* [*in vogue*; *fashionable*; *the craze*; *the fad*] these days. // 短いスカートが*流行している Short skirts are *in*. // 帽子(をかぶること) がまた*流行している Wearing hats ⌈*has come into fashion* [*is popular*; *has gained popularity*] again. // *流行をいちいち追っていたらお金が続かない (⇒ 私の財布はすぐ変化する流行について行けない) My wallet cannot keep up with the fleeting *fashions*. // 彼女は最新*流行のドレスでパーティーにやって来た She came to the party in a dress in the latest ⌈*style* [*fashion*]. / She came to the party with a *fashionable* dress on. ★ 第 1 文のほうが格式ばった言い方. // 彼はいつも*流行遅れの服を着ている (⇒ 彼の服はいつも流行遅れだ) His clothes are always out of *fashion*. // レゲエがいま*流行だ Reggae *is the* ⌈*craze* [*fad*] now. // かつて新婚旅行にハワイへ行くのが*流行していた It once was *fashionable* to go to Hawaii for one's honeymoon. // ジーパンは一時の*流行ではないようだ (⇒ 定着したようだ) Jeans seem to *have come to stay*. // 彼女は*流行の先端を行く人だった She was a ⌈creator [leader] of *fashion*.
2《病気の》 ― 形(はやりの) widespread; (荒れ狂う) raging; (手がつけられないほど) rampant ★ この順に意味も強まり, 格式ばった語となる; (伝染する) epidemic. ― 動(はやる) spread quickly 自, rage 自 ★ 以上は「動作」; (はやっている) be ⌈widespread [rife; raging; rampant] ★ 以上は「状態」. ¶ いまインフルエンザが*流行している Influenza *is* ⌈*spreading quickly* [*raging*; *rife*; *rampant*].
流行歌 popular song Ⓒ **流行歌手** popular singer Ⓒ **流行語** word in ⌈fashion [vogue] Ⓒ; (よく使われる語 [表現]) popular ⌈word [expression] Ⓒ; (特定の業界から広まった) buzzword Ⓒ **流行語大賞** the grand prize for the most popular word of the year **流行作家** popular writer Ⓒ **流行色** fashionable [popular; in] color Ⓒ **流行性肝炎** infectious [epidemic] hepatitis Ⓤ **流行性感冒** (インフルエンザ) influenza Ⓤ,《略式》flu Ⓤ ★ しばしば the を付けて. **流行性結膜炎** èpidémic conjunctivitis /kəndʒʌ̀ŋ(k)tɪváɪtɪs/ Ⓤ **流行性脳炎** èpidémic encephalitis /ɪnsèfəláɪtɪs/ Ⓤ **流行病** epidemic Ⓒ.

> **コロケーション**
> 流行に乗り遅れる fall [be] behind the *fashion* / 流行の先端をゆく lead the *fashion* / 流行を追いかける follow the *fashion* / 流行を作り出す set the *fashion*

りゅうこつ 竜骨 (船の) keel Ⓒ.

りゅうさ 流砂 ☞ りゅうしゃ

りゅうざい 粒剤 〔薬〕granulated [granular] medicine Ⓒ.

りゅうさん 硫酸 〔化〕sulfúric /sʌlfjú(ə)rɪk/ ácid Ⓤ. **硫酸亜鉛** zinc sulfate Ⓤ **硫酸アルミニウム** aluminum sulfate Ⓤ **硫酸アンモニウム** ammónium súlfate Ⓤ **硫酸塩** sulfate Ⓤ **硫酸カリウム** potassium sulfate Ⓤ ★ 緩下薬. **硫酸カルシウム** cálcium súlfate Ⓤ **硫酸紙** parchment (sulfate) paper Ⓤ **硫酸銅[鉄]** copper [iron] sulfate Ⓤ **硫酸ナトリウム** sódium súlfate Ⓤ 硫

り

酸ミスト (大気汚染の) sulfuric acid mist [U].

りゅうざん 流産 ― [名] mìscárriage [C]. ― [動] have a miscarriage, mìscárry (自), abort (自)(他) ★ abort は「中絶する」の意にもなる; (計画などが失敗する) fail (自); (計画などが流れる) be abórted.

りゅうさんだん 榴散弾 shrapnel [C].

りゅうし 粒子 particle [C]. **粒子状** ― [形] particulate **粒子状汚染物質** particulate pollutant [C] **粒子状物質** particulate matter [U] **粒子説** (光に関する) corpuscular theory [C] **粒子線** particle beam [C] **粒子崩壊** particle decay [U].

りゅうしち 流質 〘法〙(処分) foreclosure [U]; (質流れ品) forfeited pledge [C], forfeited pawned article [C]. 《☞ しちながれ》.

りゅうしつ 流失 ― [動] be ˹washed [swept] away 《☞ ながれる; おしながす [語法]》. ¶ 台風のため, 多数の家屋が*流失した Many houses *were* ˹*washed* [*swept*] *away* by the typhoon.

りゅうしゃ 流砂 quicksand [U] ★ しばしば複数形でも用いる.

リュージュ ― [名] (競技用小型そり) luge /lúːʒ/ [C]. ― [動] luge (自), ride on a luge.

りゅうしゅつ 流出 ― [動] (液体などが…から流れ出る) flów [rùn] óut (of …) (自); (あふれ出る) òverflów (自)(他). ― [名] óverflòw [U], óutflòw [C]; (財貨などの流出) drain [C]. 《☞ ながれる》.
¶ 火口から*流出した溶岩流がふもとの町に迫っている The mass of lava which ˹*flowed out of* [*ran out of*; *overflowed*] the crater is now approaching the town at the foot of the volcano. // 頭脳*流出 a brain *drain* // 美術品の海外*流出 the *drain* of works of fine art ˹to [into] foreign countries
流出物 effluent [U] **流出油** discharged oil [U]; (水面のオイル) oil slick [C]. ¶ *流出油がかきの養殖場に被害を与えた The *discharged oil* [*The oil that was discharged into the sea*] damaged the oyster farms. // *流出油が浜辺に打ち寄せた *Oil slicks* washed up on the beach. **流出量** the volume of (the) ˹effluent [liquid flowing out (of …)].

りゅうじょう 粒状 ― [形] granular /grǽnjulɚ/.

りゅうじん 竜神 the Dragon King, who has the power to cause heavy rainstorms ★ 説明的な訳.

りゅうず 竜頭 (winding) crown (of a watch) [C] 《☞ とけい》. ¶ *りゅうず巻きの時計 a *stem*-winding watch ★ stem はりゅうずの軸. / 《略式》a *stem*-winder

りゅうすい 流水 running [flowing] water [U]; (川などの流れ) stream [C]; (広い意味で) flow [C]; (急な流れ) current [C]. 《☞ ながれ》. **流水紋** (弥生土器の文様) flowing-water pattern (of *Yayoi* pottery) [C].

りゅうせい[1] 流星 ― [名] 《略式》shooting star [C], meteor /míːtiɚ/ [C]. ― [形] (流星の(ような)) meteoric /mìːtiɔ́ːrɪk/. 《☞ ほし》. ¶ ほら, *流星だ Look! There goes a *shooting star*!
流星雨 meteor shower [C] **流星群** swarm of meteors [C].

りゅうせい[2] 隆盛 ― [形] (企業などが) prósperous, flourishing /flɚ́ːrɪʃɪŋ/, thriving [語法] 以上 3 語はしばしば入れ替え可能であるが, 1 番目が最も普通. prosperous には永続的な繁盛, flourishing には繁栄の絶頂にある感じ, thriving にはある種の状況・条件のもとでの繁栄というニュアンスがある.
― [名] prospérity [U]. 《☞ さかえる; はんじょう[1]》.

りゅうせつ 流説 ☞ りゅうげんひご

りゅうせつこう 流雪溝 gutter for dumping snow [C].

りゅうぜつらん 竜舌蘭 〘植〙 agave /əgáːvi/ [C], century plant [C].

りゅうせんけい 流線型 ― [形] streamlined. ― [名] streamline [U]. ¶ *流線型の車 a *streamlined* car

りゅうそうせい 留巣性 〘鳥〙 ― [名] nidicolocity /naɪdɪ̀kəlɑ́səti/ [U]. ― [形] nidicolous /naɪdíkələs/.

りゅうそく 流速 speed [velocity] (of a moving fluid) [U]; (潮の) current [U]. **流速計** current meter [C]; (血流・水流などの回転速度計) tachometer [C] /tækɑ́mətɚ/.

りゅうたい 流体 (流動体) fluid [U]; (液体) liquid [U]. 《☞ えきたい》. **流体圧力** 〘物理〙 fluid pressure [U] **流体力学** hydrodynamics [U].

りゅうだん 流弾 ☞ ながれだま

りゅうち 留置 ― [動] hold [keep] (*a person*) in custody, detain (他) [語法] ほぼ同意で用いられることもあるが, 前者は「保護のもとに置く」という元来の意味から日本語の「留置」よりも広い意味で用いられ, 例えば「警察に保護された」などの表現にも相当する. ― [名] custody [U]; detention [U]. 《☞ こうりゅう[2]》. ¶ 男は盗みの疑いで警察に*留置された The man *was detained* at the police station on suspicion of theft.
留置場 detention cell [C], police cell [C], lockup [C] ★ 3 番目が最も口語的. 《☞ けいむしょ》.

りゅうちょう 流暢 ― [形] fluent. ― [副] fluently; (楽々と) with ease. ― [名] fluency [U]. 《☞ ゆうべん》. ¶ この仕事には英語を*流暢に話せることが要求される *Fluency* in English is required for this job. // 彼の英語はとても*流暢だ He speaks English ˹*fluently* [*with ease*].

りゅうつう 流通 ― [名] (貨幣の) circulation [U]; (商品の) distribution [U]; (手形の) negotiation [U]. ― [動] circulate (自)(他). ¶ 偽札が*流通している Counterfeit notes *are being circulated.* **流通外資** circulating [floating] foreign capital [U] **流通革命** distribution revolution [C] **流通機構** distribution system [C] **流通経済** circulation economics [U] **流通系列化** distributive integration [U] **流通コスト** distribution cost [C] **流通市場** circulation market [C] **流通資本** circulating [floating] capital [U] **流通証券** negotiable ˹instrument [document] [C] **流通センター** (wholesale) distribution center [C].

りゅうていとう 流抵当 ☞ ていとう (抵当流れ)

りゅうと 隆と ☞ りゅうとした

リュート 〘楽器〙 lute /lúːt/ [C].

りゅうど 粒度 〘化・物理〙 particle size [C].

りゅうどう 流動 ― [形] (浮動の) floating; (液状の) liquid; (気体・液体の) fluid; (現在流れている) flowing, running; (継続中の) current. 《☞ ながれる; りゅうどうてき; りゅうたい》. **流動資金** 〘経〙 floating [liquid] fund [C] **流動資産** current [floating, liquid] assets ★ 複数形で. **流動資本** floating [circulating] capital [U] **流動食** (食べ物) liquid food [U], liquid [C] **流動点** 〘化〙 pour point [C] **流動パラフィン** 〘化〙 liquid paraffin [U] **流動比率** 〘経〙 current ratio [C] **流動負債** floating [current] liabilities ★ 複数形で. **流動物** (流動体) fluid [U] ★ 種類をいうときは [C].

りゅうどうせい 流動性 (動きやすいこと・移動性) mobility [U]; (変わりやすさ) fluidity [U]. 《☞ りゅうどうてき》. **流動性選好説** 〘経〙 the liquidity-preference theory **流動性のわな** 〘経〙 liquidity trap [C] **流動性比率** liquidity ratio [C].

りゅうとうだび 龍頭蛇尾 ¶ それは大騒ぎで始まったにしては*龍頭蛇尾に終わった It started with

り

great fanfare but ⌈*had a tame ending* [*the ending was an ànticlímax*]. [語法] with fanfare は「鳴り物入りで」, tame ending は「平凡な終結」, anticlimax は元来修辞用語で「しりすぼみの結末」.

りゅうどうてき 流動的 ―[形] (動きやすい) mobile; (変わりやすい) fluid; (確定的でない) not fixed. ¶人口[事態]は*流動的だ The ⌈population [situation] is *fluid*.

りゅうとした ―[形] (いきな・スマートな) stylish; (特に女性の服装などがシックな) chic /ʃíːk/.

りゅうどすい 竜吐水 (消防ポンプ) hand-powered fire pump Ⓒ.

りゅうにゅう 流入 ―[名] (流れ込むこと) ínflòw Ⓤ; (一度にどっと入ること) ínflux Ⓤ. ―[動] còme ín (自), come into ..., flów ín (自), flow into ... (☞ はいる). ¶難民の*流入はいまや社会問題だ The ⌈*inflow* [*influx*] of refugees is a social problem at present.

りゅうにん 留任 ―[動] remain in office (☞ いすわる). ¶彼はもう1期, 会長の席に*留任する He will *remain in office* as chairman for another term.

りゅうねん 留年 ―[動] remain [stay] in the same ⌈class [grade; year] ★ grade は高等学校以下に用いる, repeat a year ⌈of [in] school. (☞ らくだい). ¶これで彼は2回*留年だ This is the second time that he is to *remain in the same* ⌈*class* [*grade; year*].

りゅうのう 竜脳 〔化〕 bórneòl Ⓤ.

りゅうのうぎく 竜脳菊 〔植〕 *ryunogiku* Ⓒ; (説明的には) a perennial herb like a daisy with densely packed petals and leaves with the scent of camphor.

りゅうのうじゅ 竜脳樹 〔植〕 Borneo camphor Ⓒ.

りゅうは 流派 school Ⓒ (☞ -りゅう; りゅうぎ; は[4]). ¶生け花の*流派 a *school* of flower arrangement

りゅうばんるい 竜盤類 lizard-hipped dinosaur Ⓒ.

りゅうび 柳眉 **柳眉を逆立てる** (怒りで眉をつり上げる) raise *one's* eyebrows in anger; (怒ってにらみつける) glare at *a person* ⌈angrily [with indignation; in anger].

りゅうびじゅつ 隆鼻術 plastic surgery of the nose Ⓤ.

りゅうひょう 流氷 pack [drift] ice Ⓤ; (海上に浮いている氷原・浮氷) (ice) floe Ⓒ. **流氷原** ice ⌈pack [drift] Ⓤ.

りゅうぶん 留分 〔化〕 (蒸留した成分) distillate Ⓒ; (分留した成分) fraction Ⓒ, cut Ⓒ.

りゅうべつ 留別 ¶*留別の辞を述べる (⇒ 後に残る人たちへ別れのことばを述べる) make a *farewell* speech to those staying on

りゅうほ 留保 ―[動] (ある期間止めたり延期したりする) suspend (他); (後に備えて差し控える) reserve (他). (☞ ほりゅう[1]). **留保金** 〔経〕 (予備金) reserve fund Ⓒ; (資金) reserved capital Ⓤ.

りゅうぼく 流木 driftwood Ⓤ.

リューマチ rheumatism /rúːmətìzm/ Ⓤ. ¶私はひざの関節が*リューマチだ I have *rheumatism* in my knee joints. **リューマチ患者** rheumatic /ruːmǽtɪk/ (patient) Ⓒ **リューマチ熱** rheumátic féver Ⓤ.

りゅうみん 流民 displaced person Ⓒ; (集団の) displaced people (略 DP). (☞ なんみん).

りゅうめ 竜馬 (駿馬) fine [good] horse Ⓒ; (将棋の) dragon horse Ⓒ; (成り角) promoted bishop Ⓒ.

りゅうもんがん 流紋岩 〔鉱物〕 rhyolite /ráɪəlàɪt/ Ⓤ.

りゅうよう 流用 ―[動] (資金・予算などを悪用する) appròpriàte (他), misappròpriàte (他) [語法] appropriate は元来予算などを特別の目的に割り当てるという意味で, よい意味でも使われる言葉だが, 特定の前後関係では婉曲に「私利・私欲のために悪用あるいは盗用する」という意味に使われる. misappropriate はそれを明らかに表す語. いずれも格式ばった語; (適用する) apply (他). ―[名] appropriation Ⓤ, misappropriation Ⓤ; application Ⓤ.
¶市長がかなりの公金を自分のために*流用していた The Mayor ⌈*appropriated* [*misappropriated*] quite a sum of ⌈government [public] funds for his own use.

りゅうりこうぞう 流理構造 〔地質〕 flow structure Ⓒ.

りゅうりゅう[1] 隆隆 ¶彼は筋肉*隆々だ He is *quite* muscular. (☞ きんにく)

りゅうりゅう[2] 流流 ¶細工は*流々仕上げをごろうじろ (⇒ どうなるか[その成果]を期待して見ていて下さい) Wait and see ⌈how it will turn out [the result].

りゅうりゅうしんく 粒粒辛苦 ―[副] (by) working hard. ¶A 氏は*粒々辛苦して財産を築いた Mr. A made a fortune *by working hard*.

りゅうりょう 流量 (流れる水の量) the ⌈volume [amount] of flowing water, flow Ⓤ.

りゅうるいしょう 流涙症 〔医〕 lacrimation Ⓤ, epiphora /ɪpífərə/ Ⓤ.

りゅうれい 流麗 ―[形] (流れるような) flowing, fluent; (美しい) refined; (優雅な) elegant. ¶彼は*流麗な文章を書く He writes in a *flowing and elegant* style.

りゅうろ 流露 (感情などの表出) outflow Ⓒ; (表現・表情) expression Ⓒ.

リュックサック rucksack /rʌ́ksæ̀k/ Ⓒ.

りよう[1] 利用 ―[動] (使用する) use /júːz/ (他) ★「使う・用いる」という広い意味の日常語; (活用する) 《格式》 útilize (他); (役立たせる) make (good) use /júːs/ of ... [語法] (1) 口語的. なおこの表現は「…をよりよく用いる」make better use of ...,「…を最大限に役立たせる」make the ⌈best use [most] of ... のように, 比較級・最上級の用法で用いる; (…から利益を得るような方法で用いる) take advantage of ... [語法] (2) この表現はよい意味にも悪い意味にも用い,「人を利用して自分の利益をはかる, 人の弱味などにつけ込む」というような意味にもなる; (…を役立つように使う) put ... to good use /júːs/; (金・時・暇・知識などをよい目的[有効]に使う) 《格式》 turn ... to good account; (天然資源・風力・水力を開発して利用する) explóit (他), hárness (他) [語法] (3) 前者はやや格式ばった語で「人を利己的に利用する」という悪い意味になることもある. 後者は元来「馬に車を引くための馬具をつける」という意味で, 比喩的にエネルギー源として自然を利用することを意味する.
―[形] (利用できる) available.
¶個人的な用事には公衆電話を*利用して下さい Please *use* a public telephone for personal calls. // 日本の学生はもっと図書館を*利用すべきだ Japanese students should ⌈*make better use* [*take full advantage*] *of* their libraries. // あの男はあなたを*利用しようとしている That man is going to *take advantage of* you. // 我々はわが国の資源を十分に*利用しなくてはならない We must fully *exploit* our country's natural resources. // 彼らはその川を*利用して発電所を作る (⇒ 発電する) ことを計画している They are planning to *harness* the river to generate electricity. // 原子力の平和*利用 the peaceful *use* /júːs/ of atomic energy / the *use* of

atomic energy for peaceful purposes // 国土*利用計画法 the National Land Use Planning Law **利用価値** utility value Ⓤ **利用券** (切符) ticket Ⓒ; (クーポン券・割引券・優待券) coupon Ⓒ **利用者** user Ⓒ **利用法** how to use … 《☞ ようほう[1]》.

りょう[2] 理容 (散髪) háircùt Ⓒ; (整髪・調髪) háirdrèssing Ⓤ. 《☞ りようし》.

りょう[1] 量 (液体や物質などの量) quantity /kwántəti/ Ⓤ; (全体を総計した量) amount Ⓒ 日英比較 quantity は元来 Ⓤ であるが, large, small などの形容詞を伴うと a を付ける. また複数形でも用いる. amount は金額も表すので,「額」という日本語に当たる場合もある. 日本文に「量」という言葉があっても, 英語では必ずしも上の訳語を用いない場合もあることに注意; (計量の単位としての) measure Ⓤ. 《☞ ぶんりょう; りょうてき》.

¶「灯油はどのくらいの*量がいりますか」「18 リットル下さい」"*How much* kerosene would you like?" "Give me eighteen liters /líːtəz/, please." / "What *quantity* of kerosene would you like?" "I'd like eighteen liters." // 日本は毎年大*量の石油を輸入する Japan imports a large ⌈*amount* [*quantity*] of oil every year. 《☞ たいりょう[1]》 // *量が多い[少ない] be ⌈large [small] in *quantity* // 一定*量 a fixed *amount* // ほんの少*量の水銀でも人体には危険だ Even a small *quantity* of mercury is dangerous to the human body. 《☞ しょうりょう[1]》 // 毎年この時期にはかなりの*量の雨が降る We have a ⌈considerable [fair] *amount* of rain at this time of the year. // 私たちは*量よりも質を重んじる We prefer quality /kwáləti/ to *quantity*. // 彼らは多*量に米を買い込んだ They bought rice in ⌈great [large] *quantities*. // *量に関して言えば私たちは十分に持っている *Quantitatively* (speaking), we have enough. // 乾*量 dry *measure* ★ 穀物などを量る計量法. // 液*量 liquid *measure* ★ 液体を量る計量法.

りょう[2] 猟 ― 名 (銃猟) shooting Ⓤ; (狩り一般) hunting Ⓤ. ― 動 shoot ⑩ ⓐ; hunt ⑩ ⓐ. 《☞ かり[3] 語法; しゅりょう[1]》.

¶彼は山へ*猟に出かけた He went ⌈*shooting* [*hunting*] in the mountains. // かも*猟 duck *shooting* **猟期** hunting [shooting; open] season Ⓒ **猟場** hunting ground Ⓒ.

りょう[3] 漁 ― 名 (魚をとること) fishing Ⓤ; (漁業) fishery Ⓤ; (漁獲高) catch Ⓒ. 《☞ ぎょぎょう》.

¶たら*漁に出る go cod *fishing* // きょうはますの大*漁だった We had a big *catch* of trout today. 《☞ たいりょう[2]》

りょう[4] 寮 dórmitòry Ⓒ, 《略式》 dorm Ⓒ. ¶*寮で生活する live in a *dormitory* // 独身*寮 an *apartment house* for single people 語法 建物全体ならば apartment house, 個々の部屋は apartment. 《☞ アパート》 **寮歌** dormitory song Ⓒ **寮生** *boarder* Ⓒ **寮長** *dormitory* ⌈leader [superintendent] Ⓒ **寮費** room and board (charge) Ⓤ **寮母** house mother Ⓒ, matron [lady superintendent] of a dormitory Ⓒ.

りょう[5] 良 (成績の) B Ⓒ, C Ⓒ ★ A, B, C, D, F のうち. 《☞ ゆう[1] 日英比較》.

りょう[6] 領 térritòry Ⓒ 《☞ りょうど》.

りょう[7] 涼 (涼しさ) coolness Ⓤ. ¶人々は*涼を求めて川岸にやって来た People came to the ⌈riverside [riverbank] to enjoy *the cool breeze*.

りょう[8] 陵 mausoleum /mɔ̀ːsəlíːəm/ Ⓒ 《複 ~s》 《☞ ごりょう》. ¶仁徳天皇*陵は日本最大の古墳と言われている The Nintoku *Mausoleum* is said to be the largest tumulus in Japan.

りょう[9] 両 (貨幣単位) *ryo* Ⓒ ★ 単複同形.

りょう- 両… ― 形 both, two. ¶*両人 *both of* them / the *two of* them // *両手[足] 《☞ りょうて[あし]》 // *両側 *both* sides / *either* side

-りょう …**料** (サービス・労働などの料金) charge Ⓒ ★ 最も一般的な語; (専門的な仕事の報酬や許可料・免許料など) fee Ⓒ; (単位当たりの基準によって決まる料金) rate Ⓒ; (学校の授業料) tuítion Ⓤ. 《☞ りょうきん (類義語); -だい[1]》.

¶電話*料 a telephone *charge* // 授業*料 *tuition* / the school *fees* 語法 前者は授業料のみ. 後者は諸費用合わせての納入費として区別することがある. // 駐車*料 a parking *fee* // 入場*料 *admission* / an admission *fee*

りょうあし 両足[脚] both ⌈feet [legs] ★ いずれも複数形で. 《☞ あし[1]》.

りょういき 領域 (知識・活動などの特定の範囲) area Ⓒ, field Ⓒ 語法 以上は最も一般的で入れ替え可能な場合も多いが, 後者は主観的に自由に選んで区切った範囲にも用いられる; (職業・仕事などの) line Ⓒ ★ 口語的; (主として学問・研究などの) domain Ⓒ, territory Ⓒ ★ 以上 2 語はやや格式ばった語; (興味・活動などの範囲) realm /rélm/ Ⓒ ★ 元来「王国」という意味で, やや文語的; (個人の責任などの範囲) 《格式》 province Ⓒ. 《☞ りょうぶん; ぶんや; はんい[1]》. ¶私はこの*領域については未経験です I have no experience in this ⌈*area* [*field*]. // 会計のことは私の*領域ではない Accounting is not in my *line*. // 社会学は私の*領域外だ Sociology is outside my ⌈*domain* [*territory*]. // 彼女は児童文学の*領域では有名である She is well-known in the *realm* of children's literature.

りょういく 療育 medical treatment and care of disabled children Ⓤ. **療育手帳** (知的障害者の) mental disability certificate Ⓒ 《☞ しんたいしょうがい (身体障害者手帳)》.

りょういん 両院 the (two) Houses (of the Diet), the Upper and Lower Houses. 《☞ ぎかい》. **両院協議会** a joint ⌈conference [committee] of the two Houses

りょううで 両腕 both arms ★ 複数形で. 《☞ りょうて》.

りょうえん[1] 良縁 (よい結婚相手) a ⌈good [suitable; desirable] match ★ 男性にも女性にも用いる; (よい妻[夫]) a good, suitable ⌈wife [husband] ★ いずれも a を付けて. ¶両親は私のために*良縁を探すのに一生懸命だ My parents are ⌈eager [anxious] to find *a suitable* ⌈*match* [*husband*; *wife*] for me.

りょうえん[2] 遼遠 ¶この計画は実現まで前途*遼遠たる感じがする (⇒ 実現されるまでまだ程遠い感じがする) We feel that we *are still a long way* from realizing this plan. / This plan seems (to *be*) *still a long way off* from being realized.

りょうおうレンズ 両凹レンズ biconcave lens Ⓒ.

りょうおち 両落ち 〔経〕 interest exclusive at both ends Ⓤ; (説明的には) attaching interest neither to the day a deposit or loan is made nor to the day the deposit is withdrawn or the loan paid Ⓤ.

りょうか 良貨 good money Ⓤ.
¶悪貨は*良貨を駆逐する Bad money drives out *good money*. 《ことわざ》

りょうが 凌駕 ― 動 (…をしのぐ) 《格式》 surpáss ⑩; (上に位置する) stand above …; (先んじる) go [get; run] ahead of … 《☞ しのぐ; まさる》.

りょうかい[1] 了解 ― 動 (理解する) understand ⑩ ★ 一般的な語; (同意・承諾する) agree (to …; with …) ⓐ, consent (to …) ⓐ ★ 前者のほうがよ

り口語的. ―名 understanding U ★ 意見・見解の一致の意味では an が付くこともある; (同意) agreement U, consent U. ―副 (よし・わかった) 《略式》 OK. ―感 (無線通信などで相手のメッセージを解したことを表して) roger /rάdʒɚ/. 《☞ しょうだく; なっとく; りょうしょう》.

¶ まず, グループの人たちの*了解を求めなければならない I have to ask for the *consent* of the group members first of all. // 「すぐ事務所に来てください」「*了解」"Come to the office right away!" "*OK* [*All right*]!" ★ 前者のほうがより口語的. // 《無線通信で》*了解! *Roger*! // その件はみんなの*了解済みです The matter *has been* ˹*approved* [*okayed; OK'd*] by everyone. ★ [ ] 内のほうが口語的.

了解事項 agreed-upon item C **了解心理学** 〘心〙 comprehensive psychology U.

りょうかい² 領海 térritòrial wáters ★ 複数形で. 《☞ りょうど》. ¶ その漁船は日本の*領海を侵犯した The fishing boat ˹intruded [violated] ˹Japanese *territorial waters* [the *territorial waters* of Japan].

りょうがい 領外 ―副 (外側に) outside the ˹territory [domain] (of …); (境を越えて) beyond the ˹territory [domain] (of …). 《☞ りょうち¹》.

りょうがえ 両替 ―動 exchánge 他, change 他. ―名 exchange of money U, money exchange U. 《☞ かえる³ 語法》.

¶ 空港で日本円をドルに*両替しておいたほうがよい You should ˹*exchange* [*change*] some Japanese money ˹*to* [*into*] U.S. dollars at the airport. **両替機** money changer C **両替所[店]** exchánge ˹bureau /bjʊ̀(ə)roʊ/ [shòp] C **両替商** money changer of the Edo period C **両替屋[人]** money changer C; (authorized) exchanger C **両替料** charge [commission] for exchanging money C, exchange commission C.

りょうがわ 両側 both sides.

¶ 道の*両側には木が植えてあった The street was lined with trees on ˹*both sides* [*either side*].

りょうかん¹ 量感 ―形 (どっしりした) massive; (かさの大きい) 《格式》 volúminous. 《☞ どっしり》.

りょうかん² 涼感 (涼しさ) coolness U, the cool. ¶ 夏風にそよぐ風鈴は*涼感を与えてくれる A small hanging bell tinkling in the summer breeze gives one *a cool feeling*.

りょうかん³ 猟官 office-seeking U. **猟官制** 《米》 spoils system C.

りょうかん⁴ 寮監 housemaster C; (特に米国の寮の学生委員) resident ˹advisor [assistant] C 《略 RA》.

りょうかん⁵ 良寛 ―名 固 Ryokan, 1758–1851; (説明的には) a Zen-monk poet of the latter part of the Edo period.

りょうがん¹ 両岸 both ˹banks [sides].

¶ 水は*両岸を越えて大洪水となった The water overflowed *both banks* (*of the river*), causing a big flood.

りょうがん² 両眼 both eyes. ¶ 私は*両眼とも視力は1.0です I have ˹20/20 [twenty-twenty] vision in *both eyes*. 《☞ しりょく¹ 日英比較》.

りょうき¹ 猟奇 ―形 (猟奇的な) bizarre /bɪzάɚ/; (ぞっとするような) weird /wíɚd/.

りょうき² 猟期 hunting season C.

りょうき³ 漁期 fishing season C.

りょうき⁴ 涼気 (涼しい空気) cool air U; (涼しさ) the cool. 《☞ すずしい; りょう⁷》. ¶ 朝の*涼気の中を散歩するのは心地よい It is comfortable to take a walk in the *cool* (*air*) of the early morning.

りょうぎ 両義 ―形 (両義の) ambiguous /æmbígjuəs/. ―副 (両義に) ambiguously. 《☞ あいまい》. ¶ 彼は私たちの質問に「はい」とも「いいえ」とも*両義にとれる答えをした He made an *ambiguous* reply that could mean either yes or no to our question. **両義性** ambiguity /æ̀mbəgjúːəti/ U 《☞ あいまい》.

りょうぎし 両岸 ☞ りょうがん¹

りょうきょく 両極 ―名 (両極端) both extremities; (南北の両極) the two poles; (北極と南極) the North and South Poles; (陽と陰の両極) the positive and negative poles ★ 以上はいずれも複数形で. ―形 bipolar /bàɪpóʊlɚ/. 《☞ きょくたん》. **両極性** bìpolárity U.

りょうきょくたん 両極端 ¶ 彼らの考え[意見]はこの件に関しては*両極端だ Their ˹ideas [opinions] are *poles apart* in this matter.

りょうぎり 両切り (たばこ) cìgarét(te) with no filter tip C.

りょうきん 料金 charge C; rate C; fare C; fee C; price C; toll C.

【類義語】 主として (公共) サービスに支払う料金が **charge**. ホテル・郵便・駐車料金などのように一定の基準に基づいて決められた料金が **rate**. ただし以上2語は入れ替え可能な場合も多い. 乗り物の料金は **fare**. 専門職や学校・クラブなどの (公共) 団体に払う料金・入場料・免許料・許可料などが **fee**. 物やサービスにつける値段が **price**. 道路通行料・渡船料などが **toll**. ¶ *料金はもう払いました I've already ˹paid the *charge* [settled the *bill*]. // 来月からバス[郵便]*料金が値上げになる Bus *fares* [Postal *rates*] will ˹go up [be increased; be raised] next month. ★ 動詞はこの順に格式ばる. // シングルの部屋の*料金はいくらですか What's the rate for a single room? / How much do they *charge* for a single room? // 部屋の*料金にサービス*料金は入っていますか Does the *price* of the room include the service *charge*(*s*)? // 小田原までの*料金はいくらになるでしょうか How much will the *fare* be to Odawara? // あの店の散髪*料金はいくらですか What is the *price* of a haircut there? / What are the hairdresser's *charges* there? // その修繕には*料金はいりません We'll repair it free of *charge*. // 4500円の*料金を請求された They *charged* ¥4,500. / They *made a charge of* ¥4,500. // 大人[子供]*料金 the *rates* for ˹adults [children] // 公共*料金 public utility *charges* // 水道*料金 a water *charge* 参考 家庭で払うものは a water *bill* / 《英》 a water *rate* // 電気[ガス]*料金 an electricity [a gas] *bill*

料金受取人払い (郵便の) 《英》 freepost U; business reply mail U. 《☞ ちゃくばらい》 **料金後納郵便** póstage deferred /dɪfɚ́ːd/ U **料金所** toll gate C **料金箱** (バスなどの) fare box C **料金表** price list C, list of charges C, tariff C **料金プール制** the pool system of tolls **料金別納** charges paid separately; (封筒の表示) Postage Paid **料金別納郵便** 《米》 postpaid [《英》 post-free] mail U.

コロケーション

料金を集める collect ˹*fees* [*rates; charges*] / 料金を決める set [fix] the *price* / (乗り物の)料金を清算する adjust the *fare* / 料金をとる charge a ˹*fee* [*fare*] / 料金を値上げする raise the ˹*charge* [*rate*; *price*] / 料金を値下げする lower the ˹*charge* [*rate*; *price*] / 料金を免除する waive a *fee* / 料金を割り引きする reduce a ˹*rate* [*fee*; *charge*; *fare*]

りょうく 猟区 hunting ˹area [zone] C.

りょうぐ¹ 漁具 fishing gear U ★ 集合的に.

りょうぐ[2] 猟具 hunting gear Ⓤ ★集合的に.

りょうくう 領空 térritòrial áirspàce Ⓤ, (sovereign) airspace Ⓤ. (☞ りょうど).
¶ロシアの航空機が日本の*領空を侵犯した A Russian aircraft violated ⌈Japanese *airspace* [*the territorial airspace* of Japan].
領空権 sovereignty over ⌈a country's [territorial] airspace Ⓤ **領空侵犯** violation of ⌈airspace [territorial air] Ⓤ.

りょうけ[1] 良家 good family Ⓒ. ¶*良家の子女 boys and girls [children] of *good families* // 彼は*良家の出である He comes ⌈of [from] a *good family*.

りょうけ[2] 両家 both families. ¶ランカスターとヨークシャー*両家の争いはバラ戦争と呼ばれる The civil wars *between* ⌈the House of Lancaster *and* the House of York [the houses of Lancaster *and* York] is called the Wars of the Roses.

りょうけい[1] 量刑 (刑の評定) assessment of a case Ⓤ. ¶妥当な*量刑 a reasonable *sentence*

りょうけい[2] 菱形 ☞ ひしがた

りょうげさく 両毛作 ☞ にもうさく

りょうけん[1] 猟犬 hunting dog Ⓒ, sporting dog Ⓒ, hound Ⓒ.

りょうけん[2] 了見, 料簡 (考え) idea Ⓒ; (意図) intention Ⓒ. (☞ かんがえ). ¶いったいどういう*了見なんだ What *are* you really ⌈*thinking of* [*intending to do*]? // そんな*了見の狭い奴とはつきあうな Keep away from such a *narrow-minded* person.
料簡違い ¶君は完全に*料簡違いをしている (⇒ 考え違いをしている) You are completely *mistaken*. (☞ かんがえちがい; こころえちがい)

りょうげん 燎原 ¶疫病は*燎原の火のごとく国中に広まり多くの者の命を奪った The plague spread like *wildfire* through the country and killed a great number of people.

りょうこ 両虎 ¶*両虎相闘う Two great men fight like *two great tigers*. // *両虎相闘えば勢い倶(とも)に生きず When two great men fight, both or one of them will fall.

りょうこう[1] 良好 ―形 good ★最も一般的で, 広い意味の語; (非常によい) éxcellent; (申し分のないほどよい) sàtisfáctory. (☞ よい[1]). ¶その学生の出席状況は*良好だ (⇒ よい出席の記録を持っている) The student has a *good* ⌈record of attendance [attendance record].

りょうこう[2] 良港 good harbor Ⓒ.

りょうこう[3] 良工 skilled ⌈craftsperson [artisan] Ⓒ. ¶良工は材を選ばず A *skilled craftsperson* can work with any material.

りょうこく 両国 (二つの国) the two countries; (両方の国) both countries. ¶日米*両国首脳会議 a summit conference *between* Japan *and* the United States

りょうさい 良妻 good wife Ⓒ.

りょうざい[1] 良材 good material Ⓤ; (才能のある人) able person Ⓒ. ¶あの部は*良材揃いだ That section has a lot of *able* ⌈*persons* [*workers*].

りょうざい[2] 梁材 〔海〕 beam Ⓒ.

りょうさいけんぼ 良妻賢母 good wife and wise mother Ⓒ ★説明的な訳.

りょうさく 良策 good ⌈policy [plan; idea] Ⓒ (☞ さく[4]).

りょうさん 量産 ―名 mass production Ⓤ. ―動 mass-produce ⑩. ¶新製品は来月から*量産態勢に入る (⇒ 量産を始める) 予定だ We will start *mass-producing* the new product from next month.

りょうざんぱく 梁山泊 gathering place of ambitious and adventurous men Ⓒ ★説明的な訳.

りようし 理容師 barber Ⓒ, hairdresser Ⓒ ★後者のほうが格式ばった語. (☞ とこや).

りょうし[1] 猟師 hunter Ⓒ.

りょうし[2] 漁師 fisherman Ⓒ.

りょうし[3] 量子 〔理〕 quantum /kwάntəm/ Ⓒ.
量子暗号法 〖コンピューター〗 quantum cryptography Ⓤ **量子井戸** quantum well Ⓒ **量子色力学** 〖物理〗 quantum chromodynamics Ⓤ **量子宇宙論** quantum cosmology Ⓤ **量子エレクトロニクス** quantum electronics Ⓤ **量子化** quantization Ⓤ **量子化学** quantum chemistry Ⓤ **量子コンピューター** quantum computer Ⓒ **量子細線** quantum wire Ⓒ **量子点** quantum dot Ⓒ **量子電磁力学** quantum electrodynamics Ⓤ (略 QED) **量子波** quantum wave Ⓒ **量子標準** quantum standard Ⓒ **量子物理学** quantum physics Ⓤ **量子ホール効果** quantum Hall effect Ⓒ **量子力学** quantum mechanics Ⓤ **量子論** quantum theory.

りょうじ[1] 領事 cónsul Ⓒ. ¶総*領事 a *consul* general // 副*領事 a vice-*consul* **領事館** consulate /kάns(ə)lət/ Ⓒ.

りょうじ[2] 療治 medical ⌈treatment [care] (☞ ちりょう).

りょうしき 良識 good sense Ⓤ; (普通の人が身につけている思慮分別) (good) common sense Ⓤ; (堅実な判断力) sound judgment Ⓤ; (堅実な考え方) sound thinking Ⓤ. (☞ しりょ; ふんべつ).
¶彼は*良識に欠けている He lacks *good sense*. // 彼女は*良識豊かな人だ She has *sound judgment*.
良識の府 (参議院の通称) "the House of Good Sense"; (説明的には) a nickname for the House of Councilors, considered free from factionalism. (☞ さんぎいん).

りょうしつ 良質 ―形 good [fine; superior] quality Ⓐ ★この順にすぐれている度合いが強くなる; (上等の) quality Ⓐ. ¶木版には*良質の紙が要る You need (*good*) *quality* paper for wood block printing.

りょうじつ 両日 ¶日本応用物理学会は先週土日の*両日にわたって東京で開かれた The Applied Physics Society of Japan ⌈met [(格式) convened] in Tokyo for *two days*, last Saturday and Sunday.

りょうしゃ 両者 ¶組合側と経営側*両者が交渉の席についた *Both sides*, the (labor) union and the management, [*Both* the (labor) union *and* the management] came to the negotiating table. // *両者どちらも譲らず交渉は続行している *Neither side* has yielded (anything), and the negotiations are ⌈progressing [moving].

りょうしゅ 領主 (feudal) lord Ⓒ.

りょうしゅう[1] 領収 ―動 receive ⑩.
¶確かに5千円*領収しました I certainly *received* (the sum of) five thousand yen. // *領収済み (ゴム印など) *Paid*

りょうしゅう[2] 領袖 (リーダー) leader Ⓒ; (長・主任) chief Ⓒ. ¶政党の*領袖 the *leader* of a political party

りょうじゅう 猟銃 (ライフル銃) hunting [sporting] rifle Ⓒ; (散弾銃) shotgun Ⓒ; (鳥射ち用) fowling piece Ⓒ.

りょうしゅうしょ 領収書 receipt /rɪsíːt/ Ⓒ (☞ うけとり).

―コロケーション―
領収書にサインする sign a *receipt* / 領収書を書く make out [write (out)] a *receipt* / 領収書を請求する ask for a *receipt* / 領収書を出す give

り

[issue] a *receipt* / 領収書を取っておく keep a *receipt* / 領収書をもらう get a *receipt*

りょうしょ 良書 good book Ⓒ.

りょうじょ 諒恕 (思いやり) consideration Ⓤ. ¶ *諒恕を乞う (⇒ 許しを請う) beg *a person's pardon* / (⇒ 慈悲を請う) beg for *mercy* (☞ ゆるし; ゆるす 2)

りょうしょう 了承 ―名 (是認) approval Ⓤ; (承諾) consént Ⓤ. ―動 approve ㊀; consént (to …) ㊁. (☞ しょうにん[1]).
¶この案は委員会の*了承を得ています (⇒ 委員会により承認されている) This plan has 「been approved by [received the *approval* of] the committee. // 彼らはあなたの*了承を求めている They are asking for your 「*approval* [*consent*].

りょうしょく 糧食 food Ⓤ; (食料その他の備え) provisions ★ 複数形で. (☞ しょくりょう[2]).

りょうじょく 陵辱 ―名 (侮辱) insult Ⓒ, indignity Ⓤ ★ 後者は個々の行動・言動を表すときはⒸ; (強姦) rape Ⓤ. ―動 insúlt ㊀; rape ㊀. (☞ ごうかん[1]; ぼうこう[1]).

りょうしん[1] 両親 parents 語法 両親を意味する場合は常に複数形. parent は片親の意味になる; (父と母) father and mother. (☞ ふぼ; おや[1]; 親族関係 (囲み)).

りょうしん[2] 良心 ―名 conscience /kánʃəns/ Ⓤ. ―形 (良心的な) conscientious /kànʃiénʃəs/. ―副 conscientiously.
¶*良心に従って行動すべきだ You should 「act according to [follow] your *conscience*. // あなたは*良心にやましいことがない[ある] (⇒ やましくない[やましい]良心をもっている) からそう言うのです You talk that way because you have a 「clear [guilty] *conscience*. // うそをついたとき, 私は*良心のかしゃくを感じた I felt a 「pang [twinge] of *conscience* when I told a lie. // 彼女はとても*良心的な人です She is very *conscientious*.
良心的兵役拒否 conscientious objection Ⓤ **良心的兵役拒否者** conscientious objector Ⓒ (略 CO) **良心の自由** freedom of conscience Ⓤ **良心の囚人** prisoner of conscience Ⓒ.

りょうしんおん 両唇音 〘音声〙 ―名 bilabial /bàiléibiəl/ Ⓒ. ―形 bilabial.

りょうすいき 量水器 wáter mèter Ⓒ.

りょうせい[1] 両生, 両棲 ―形 amphibious /æmfíbiəs/. **両生動物[類]** amphibian Ⓒ.

りょうせい[2] 両性 ―名 both sexes. ―形 (男女両性の) bisexual. ¶*両性の機会均等 equal opportunity for (people of) *both sexes*
両性花 〘植〙 bisexual [hermaphrodite] flower Ⓒ **両性化合物** 〘化〙 amphoteric compound Ⓒ **両性具有** (動植物の雌雄同体現象) hermaphroditism /həmǽfrədàitizm/ Ⓤ; 〘生〙 androgyny /ændrádʒəni/ Ⓤ; (両性具有者・個体) hermaphrodite Ⓒ; (間性個体) intersex Ⓒ **両性元素** 〘化〙 amphoteric element Ⓒ **両性雑種** 〘生〙 dihybrid /dàiháibrid/ Ⓒ **両性生殖** 〘生〙 gàmogénesis Ⓤ, bisexual reproduction Ⓤ.

りょうせい[3] 良性 ―形 〘医〙 benign /bináin/ (↔ malignant). **良性腫瘍** benígn tumor /t(j)úːmə/ Ⓒ.

りょうせいばい 両成敗 ¶けんか*両成敗だ (⇒ 両方とも責めを負う) *Both* (the) parties in the quarrel are to *be* 「*blamed* [(⇒ 罰せられる) *punished*]. (☞ けんか[1])

りょうせん[1] 稜線 the (line of a) mountain ridge.

りょうせん[2] 僚船 consort (ship) Ⓒ.

りょうぜん 瞭然 ―形 (はっきりした) clear; (証拠がある) evident. (☞ いちもくりょうぜん).

りょうぞく 良俗 (公徳) social morals; (適切な徳性) proper morality Ⓤ ★ 前者は複数形で. ¶ 彼らの行動は*良俗 (⇒ 社会的なしきたり) に反する They are acting against *social* 「*precepts* /príːsepts/ [*mores* /mɔ́ːreɪz/].

りょうそでづくえ 両袖机 dóuble-pédestal dèsk Ⓒ.

りょうぞん 両損 ¶この事業をしたら*両損になりますよ (⇒ 我々の会社とあなたの会社両方が損をすることになるだろう) This project would mean *losses* 「*to* [*for*; *on*] *both sides*, our company and yours.

りょうたん 両端 both ends (☞ はし[2]).

りょうだん 両断 ☞ いっとうりょうだん

りょうち[1] 領地 ―名 (国家などの領土) térritòry Ⓒ; (政府・王・領主などの所有地) domain Ⓒ. ―形 tèrritórial. (☞ りょうど).

りょうち[2] 療治 ☞ ちりょう

りょうちょう 猟鳥 game bird Ⓒ.

りょうて 両手 both hands; (両腕) both arms ★ いずれも複数形で. (☞ て).
¶少女は父親の首に*両手で抱きついた The girl threw (*both*) her *arms* around her father's neck.
両手に花 ¶*両手に花だ (⇒ 2人の美人の間にいる[座る]とは私は[あなたは]何と運のいいことか) How lucky 「I am [you are] to 「be [sit] between these two beauties! **両手打ち** 〘テニス〙 ―形 (選手・ストロークが) two-handed, double「-handed[-fisted].

りょうてい 料亭 Japanese-style restaurant /rést(ə)rənt/ Ⓒ.

りょうてき 量的 ―形 (量的な) quantitative /kwántətèitiv/ Ⓐ. ―副 (量的に(は)) quantitatively. ¶私たちはこの地域の渡り鳥の*量的, 質的調査をしなければならない We must do *quantitative* and qualitative research 「on [about] the migratory birds in this region. **量的緩和** 〘経〙 quantitative 「easing [relaxation] Ⓤ.

りょうてんびん 両天秤 ¶彼は*両天秤にかけた He *was playing a double game*. ★ play a double game は「裏表のあるやり方をする」という意味の決まり文句. // *両天秤にかけると失敗するかもしれない You may *fall between two stools*. ★ fall between two stools は「あぶはち取らずになる」の意味の慣用句.

りょうど 領土 ―名 (国家の) térritòry Ⓒ ★ 一般的な語; (政府・王・領主などの所有地) domain Ⓒ; (他国の支配を受けている土地) possession Ⓒ. ―形 tèrritórial.
¶それらの4島は昔から (⇒ 歴史的に) 日本の*領土である Those four islands are historically Japanese *territory*. // 戦争はしばしば正義のためではなく*領土を拡張するために行われてきた War has often been waged not for justice but for the expansion of *territory*. // *領土の保全 *territorial* integrity // 日本の北方*領土 (⇒ ロシアに占領されている日本の北方領土) the Russian-held northern *territories* of Japan **領土争い** tèrritórial dispúte Ⓒ **領土拡張主義** expánsionism Ⓤ **領土権** (territorial) sovereignty Ⓤ, sovereignty over territory Ⓤ **領土問題** territorial issue Ⓒ.

―コロケーション―
領土を失う lose the *territory* 領土を拡張する expand the *territory* / 領土を獲得する acquire a *territory* / 領土を割譲する cede the *territory* / 領土を侵略する invade the *territory* / 領土を占領する occupy the *territory* / 領土を奪還する recapture the *territory* / 領土を併合する annex the *territory* / 領土を返還する return the *terri-*

tory

りょうどう 糧道 supply line Ⓒ. ¶我々の*糧道が断たれた Our *supply line* has been cut off.

りょうどうたい 良導体 (熱·電気などの) good conductor Ⓒ.

りょうとうづかい 両刀使い —图 (2つの刀を同時に使える人) two-sword fencer Ⓒ, fencer with two swords Ⓒ; (酒も甘いものも好む人) person who likes alcohol as well as sweet things Ⓒ.

りょうとうはんとう 遼東半島 —图 ㊀ the Liaodong /liàʊdúŋ/ Peninsula ★中国の渤海と黄海の間にある半島.

りょうとく 両得 a double gain ★ a を付けて. 《☞ いっきょりょうとく》.

りょうとつレンズ 両凸レンズ biconvex lens Ⓒ.

りょうどなり 両隣 ¶私の席の*両隣とも空いていた The seats *on* ˹*both sides* [*either side*] of my own were empty. / (⇒ 私の席の左右とも空いていた) *The seats left and right of* my own were (both) empty. // 昨夜ホテルで*両隣の部屋ともすごく騒がしかった At the hotel last night there was a great deal of noise (coming) from the ˹rooms next door [next rooms] *on both sides*. 《☞ となり》.

りょうない 領内 ¶日本*領内で[に] *within* [*in*] the ˹*territory* [*domain*] of Japan // その賢明な王の*領内は平和そのものであった The wise king's *domain* was quietly peaceful.

りょうば[1] 両刃 —形 two-[double-]edged. ¶辛らつな批評は*両刃の剣だ Sharp criticism is a *double-edged* sword.

りょうば[2] 猟場 hunting ground Ⓒ.

りょうば[3] 漁場 fishing ground Ⓒ, fishery Ⓒ.

りょうはいれ 両端入れ 〘経〙 interest inclusive at both ends Ⓤ.

りょうはし 両端 ☞ りょうたん

りょうばつきてい 両罰規定 joint punishment provision Ⓒ.

りょうばのこぎり 両刃鋸 double-edged saw Ⓒ.

りょうはん 量販 mass sales. ¶コンピューターゲームの*量販をする *sell large quantities* of computer games 量販店 mass-retail outlet Ⓒ, emporium Ⓒ.

りょうひ 良否 —形 good or not. ¶まずサンプルを使って, この洗剤の*良否を(⇒ 品質 [洗剤が十分よいかどうか]を)試してください Try the sample to find out ˹about *the quality* of this detergent [whether this detergent *is good enough* (*or not*)].

りょうびらき 両開き (両開きのドア) double door Ⓒ.

りょうふう[1] 涼風 cool [refreshing] breeze Ⓒ.

りょうふう[2] 良風 (慣習) good custom Ⓒ; (風俗習慣) good manners and customs ★複数形で.

りょうぶどりい 両部鳥居 *ryobu-dorii*; (説明的には) a torii which has four supporting pillars.

りょうぶん 領分 (仕事·活動などの範囲) tèrritòry Ⓤ, domain Ⓒ ★いずれも元来「領土」あるいは「領地」という意味で, 比喩的な用法. 《☞ りょういき》. ¶私は他人の*領分を侵すつもりはない I don't want to infringe on other people's ˹*territory* [*domains*].

りょうぼ 陵墓 imperial ˹mausoleum /mɔ̀ːsəlíːəm/ [tomb /túːm/] Ⓒ 《☞ りょう[6]》.

りょうほう[1] 両方 —代 both ★常に複数として扱う; (両方とも…でない) not … either, neither. —图 (両者) both parties, both sides. —形 both. ¶*両方とも差し上げます Please take *both*. / You can have *both*. 〔語法〕(1) I'll give you *both*. とも言えるが, ややぞんざいな言い方で, 日本語の「差し上げる」には当たらない. // 私の姉は*両方とも大学生です *Both* my sisters are university students. / My sisters are *both* university students. // その*両方とも好きではありません I do*n't* like *either* of them. / I like *neither* of them. ★全部否定. // その*両方とも好きというわけではありません I don't like *both* of them. 〔語法〕(2) both を否定語と一緒に用いると部分否定になることに注意. // *両方を立てるのは難しい (⇒ 満足させる[喜ばす]のは) It is difficult to ˹satisfy [please] *both sides*. / (⇒ 支援するのは) It is difficult to ˹support [back up] *both sides*.

りょうほう[2] 療法 remedy Ⓒ, cure Ⓒ, therapy Ⓤ 〔語法〕最も一般的な語は remedy で, 病気·けが両方に用いられる. またこの語は欠点などの「矯正法」「救済法」の意味でも用いられる. cure は主として病気の根治に用いられる. therapy は専門用語. 《☞ ちりょう》.

¶この病気には*療法がない We have [There is] no ˹*remedy* [*cure*] for this disease. // 民間*療法の中には治療効果のあるものもある Some folk *remedies* have therapeutic value. // 私はインシュリン*療法を受けている I am *on insulin*. // 私は食餌*療法をやっている I am *on a diet*. // 化学*療法 *chemotherapy*

りょうまい 糧米 (糧食としての米) rice supplies; (糧食) food supplies ★いずれも複数形で. 《☞ しょくりょう[2]》.

りょうまえ 両前 —形 double-breasted. 《☞ ダブル》. ¶*両前のスーツ a *double-breasted* suit

りょうまつ 糧秣 (食料と家畜の飼料) stock of food and fodder Ⓒ; (食糧) food Ⓤ.

りょうみ 涼味 (涼しさ) the cool, coolness Ⓤ. ¶せいぜいこの地の*涼味を楽しみましょう Let's enjoy ˹*the cool* while we are here [*the cool air* of this place].

りょうみん 良民 1 《善良な民》: good citizen Ⓒ, good people ★後者は集合的. 2 《古代日本の》: free people of ancient Japan ★説明的な訳.

りょうむかい 両向かい ¶丘の上に*両向かいの家がある (⇒ 向かいあっている2軒の家がある) Two houses stand *opposite each other* on the hill.

りょうめ 量目 weight Ⓤ 《☞ おもさ》.

りょうめん 両面 —图 both ˹sides [faces] ★複数形で. —形 double-sided. ¶物事は*両面を見なければいけない We must see *both* ˹*sides* [*faces*] of an issue.

両面作戦 ¶我々は北と南から敵を攻める*両面作戦をとるべきだ (⇒ 南北2つの方角から攻めるべきだ) We should attack the enemy from *both* directions, (the) north and (the) south. // 彼は物心の*両面作戦で彼女の心をとらえた (⇒ 精神的·物質的に尽くすことで) He won her heart by doing everything he could(, *both*) spiritually and materially. 両面テープ double-sided (adhesive) tape Ⓒ.

りょうめんたい 菱面体 —图 rhombohedron /rɑ̀mboʊhíːdrən/ Ⓒ. —形 rhòmbohédral /-drəl/.

りょうやく 良薬 良薬は口に苦し A good medicine tastes bitter. 《ことわざ》; (⇒ よい忠告は受けつけにくい) Good advice is hard to swallow.

りょうゆう[1] 両雄 two great men. 両雄並び立たず Two ˹great [strong] men can't coexist.

りょうゆう[2] 領有 —图 possession Ⓤ. —動 possess ㊀; (領有するようになる) take [get]

possession of … ¶彼らはその島の*領有を宣言した They declared they *had taken possession of* the island.

りょうゆう³ 良友 good friend Ⓒ.

りょうゆう⁴ 僚友 (同僚) colleague Ⓒ, coworker Ⓒ.

りょうよう¹ 療養 ━名 (治療) medical treatment Ⓤ; (病気の回復) 《格式》 recùperátion Ⓤ. ━動 receive medical treatment; 《格式》 recúperàte ⓐ.

¶彼はいま田舎で*療養中です He *is recuperating* in the country. // 彼女は草津で*療養生活を送っている (⇒入院している) She is in ⌜the *hospital* [《英》 *hospital*] in Kusatsu. / (⇒治療中である) She is under *medical* ⌜*treatment* [*care*] in Kusatsu.

療養型病床群 (慢性期の入院患者用の施設) medical establishment with facilities [recuperation ward] for chronic inpatients Ⓒ **療養所** 《米》 sanitarium /sæ̀nətéˈ(ə)riəm/ Ⓒ 《複 ~s, -ria》, 《英》 sànatórium Ⓒ 《複 ~s, -ria》 **療養費** medical expenses **療養補償** medical compensation Ⓤ; (補償費) compensation (money) for medical treatment Ⓤ.

りょうよう² 両用 ━形 (変換して両用になる) convertible; (裏と表が両用の) reversible. ━副 (両方のやり方で) in ⌜both [two] ways. 《☞けんよう》. ¶この傘は晴雨*両用です This umbrella serves as a sunshade *as well*. // 裏表*両用のチョッキ a *reversible* vest // ベッドと*両用になるソファー a sofa *convertible* into a bed

りょうよう³ 両様 ━副 in both ways.

¶この表現は*両様に (⇒2つの仕方で) 解釈できます This phrase can be interpreted *in two ways*.

りょうよく 両翼 both wings; 〘野〙 left and right fields. 《☞つばさ; はね¹》. ¶戦闘機が*両翼を広げる[たたむ] The fighter plane ⌜spreads [folds] (*both*) *its wings*. // 球場の*両翼は100メートル以上ある It's more than 100 meters from home plate to the left- and right-field fences in this ballpark.

りょうらん 繚乱, 撩乱 ☞ひゃっかりょうらん

りょうり 料理 **1** 《料理》 ━名 (調理) cooking Ⓤ; (料理法一般) cookery Ⓤ; (フランス料理・中国料理などの特定の料理法) cuisine /kwɪzíːn/ Ⓤ; (1皿に盛った料理) dish Ⓒ; (食物) food Ⓤ. ━動 (火を使って料理する) cook ⓗ ⓐ; (火を使うか使わないかに関係なく) prepare ⓗ, make ⓗ ★ 後者は料理だけとは限らず広く「作る」ことを意味する語. 《☞料理の用語 (囲み)》.

¶私は*料理が好きです I like ⌜to *cook* [*cooking*]. // 私は学校で*料理を習いました I ⌜learned [studied] *cookery* at school. // あなたは*料理がお上手ですね (⇒あなたはとても上手な料理人です) You are a very good *cook*. // 「あなたは何*料理が好きですか」「私は中華[フランス]*料理が大好きです」"What *cuisine* is your favorite?" "I'm very fond of ⌜Chinese [French] *cuisine*." // 彼女は魚を*料理しています She *is cooking* fish. 〔語法〕 この表現は刺身などの火を使わない料理には用いない. 刺身を作っているような場合ははっきり She is ⌜making [preparing] sashimi. とするほうがよい. // 今晩はどんなお*料理にしましょうか *What (dishes) shall I* ⌜serve [prepare] this evening? // *料理はもうテーブルの上に並べられていた The *dishes* have already been ⌜put [set] on the table. // 魚[野菜]*料理 a ⌜fish [vegetable] *dish*

2 《処理》 ━動 (処理する) handle ⓗ, deal with …; (片づける) dispose of … ¶あの男は簡単には*料理できない He is hard to *deal with*. // 強打者を三球で*料理する *dispose of* a slugger in three pitches

料理学校 cooking school Ⓒ **料理教室** cooking class Ⓒ **料理研究家** (学術的な) researcher on cookery Ⓒ; (実践的な) food [cooking] ⌜writer [critic] Ⓒ **料理人** cook Ⓒ **料理場** kitchen Ⓒ **料理番組** TV cooking program Ⓒ **料理法** (一般) cooking Ⓤ, cookery Ⓤ; (個々の料理の調理法) recipe /résəpìː/ (for …) Ⓒ; (…の料理法) how to cook (…). ¶タンシチューの*料理法を教えて下さい Would you tell me ⌜the *recipe for* [*how to cook*] tongue stew? **料理屋** restaurant Ⓒ.

りょうりつ¹ 両立 ━動 (…と共存する) coexist (with …) ⓐ; (矛盾のない) be compátible (with …), be consistent (with …). ¶学業とアルバイトを*両立させる (⇒アルバイトをしながら勉強をする) ことは容易なことではない It is not easy to *study while working part-time*.

りょうりつ² 料率 (保険の) premium rate Ⓒ; (料率表) tariff Ⓒ.

りょうりょう¹ 両両 ¶才能と努力*両々相俟って彼は成功した The *combination of* his ability *and* his effort brought him success. / He succeeded with ability and effort *going hand in hand*. // 彼ら*両々相譲らず (⇒互角で) 勝負はなかなかつかなかった They were *evenly* matched and the bout did not end quickly.

りょうりょう² 寥寥 ¶その老王は*寥々たる荒野をさまよっていた The old king was wandering around in a *desert* wilderness. // 会議の出席者は*寥々たるものだった *Only a few* ⌜people [persons] attended the meeting.

りょうりょう³ 喨喨 ¶*喨々たる鐘の音 the *pellucid* tones of a bell

りょうりょう⁴ 稜稜 ━形 (角立つ) rugged /rʌ́gɪd/; (すさまじい) intense, severe. ¶*稜々たる山々 *rugged* mountains

りょうりん 両輪 two [both] wheels 《☞くるま (車の両輪)》.

りょうろん 両論 both sides of an argument; (賛否の) the pros and the cons.

¶報告書は提案に対して賛否*両論併記だった The report stated *both sides of the argument* — ⌜those in favor of and those against [the pros and the cons of] the proposal.

りょうわき 両脇 ━副 (両脇に) on both sides; (かかえて) under *one's* arms. ¶私は辞書を*両脇に勉強しています I am studying with dictionaries ⌜*at both my left and my right* [(⇒私の回り中に並べて) *all around me*]. // 二人して*両脇から支えてやれば彼も立ち直るだろう With support from *both* of us, he'll find his feet again.

りょかく 旅客 passenger Ⓒ 《☞じょうきゃく²; りょこう》. **旅客案内所** information ⌜office [desk] for passengers Ⓒ **旅客運賃** passenger fare Ⓒ 《☞うんちん》 **旅客機** passenger plane Ⓒ **旅客名簿** passenger list Ⓒ, list of passengers Ⓒ **旅客列車** passenger train Ⓒ.

りょかん 旅館 Japanese-style inn Ⓒ, *ryokan* Ⓒ ★ 単複同形. 〔語法〕 後者の場合は a *ryokan*, a Japanese-style inn と説明をつけたほうがよい場合が多い. 《☞ホテル》. ¶*旅館の主人 the proprietor of an *inn* / an *innkeeper* // *旅館の番頭 an *inn* manager // 「菊屋*旅館」に泊まることにしました I've arranged to stay at the Kikuya *Ryokan*. // 私のおじは奈良で*旅館を経営している My uncle ⌜runs [keeps] an *inn* in Nara.

りょきゃく 旅客 ☞りょかく

りよく 利欲 greed Ⓤ 《☞よく²》.

料 理 の 用 語

日本語では「煮る」「焼く」「揚げる」「いためる」など，基本的な用語はある程度限られているが，英語は料理用具・加熱方法・材料の違いによってそれぞれ多数の決まった用語があるので，いちいち使い分けねばならない.

1 加熱調理

(1) 揚げる

揚げ物には衣をつけて揚げるものと，から揚げがあるが，いずれもたっぷりした油の中で揚げるのは ***deep-fat fry*** または ***deep-fry*** という. ただし前後関係でわかるようなときには単に ***fry*** ということもある. 天ぷらは英語でも tempura というが，「えびの天ぷら」を説明的に訳せば a shrimp ˹dipped in [coated with]˺ batter and *deep-fried* となる. トンカツはパン粉をつけるので a pork cutlet coated with egg and breadcrumbs and *deep-fried*. 粉をまぶしたり，または粉をつけずにから揚げするのは *deep-fry* without batter で，じゃがいものから揚げは ***French-fry*** という.

deep-fry

¶じゃがいもを*から揚げする *French-fry* potatoes

(2) いためる

deep-fry と区別して ***shallow-fry*** または ***pan-fry*** というが，単に ***fry*** ということが多い. フランス語系の用語を使えば ***sauté*** /soutéɪ/ である. 材料をかきまぜながらいためるのは ***stir-fry***. きつね色になるまでいためるのは ***brown*** という.

pan-fry

¶たまねぎを 3 分間*いためる *panfry* [*sauté*] the onions for three minutes

(3) 煮る

火を使い熱を加えて調理する最も一般的な語は ***cook*** で，あらゆる場合に使える. 温度で分ければ，水または煮汁を沸騰させて煮るのは ***boil*** で，煮つめるは ***boil down***. 沸騰点を越えない温度でぐつぐつ煮るのは ***simmer***. ただし，実際は *simmer* でありながら *boil* という場合も多い. 下ごしらえなどで湯通しするのは ***parboil*** という. いろいろな材料を弱火で時間をかけて煮るのは ***stew***. 肉・野菜などを一度油でいためてから密閉した容器でとろ火で煮るのは ***braise***.

stew

¶いったん*煮たててからふたをし，火を弱めて約 3 時間とろとろ*煮ます Bring to ˹a [《英》 the]˺ *boil*, put on the lid, turn down the heat, and *cook* slowly for about 3 hours.

(4) 蒸す

蒸気で蒸すのは ***steam***. 日本語の「ふかす」もこれに当たる.

¶そのプディングを作るのに 30 分*蒸した I *steamed* the pudding for thirty minutes. ‖ 彼女は*ふかしたてのじゃがいもを*蒸し器から取り出して，皮をむいた She took the hot *steamed* potatoes out of the *steamer*, and peeled them.

(5) 焼く

天火で蒸し焼きにするのは ***bake*** である. 魚・野菜・果物・パン・ケーキなど，いずれも *bake* というが，肉の場合は ***roast*** という. ただしハムは *bake*. 焼き網に載せて直火で焼くのは ***broil*** で，《英》では ***grill***. 材料にたれをつけ，直火で焼きながら食べるのは ***barbecue*** /báəbɪkjùː/. スライスしたパンをきつね色に焼くのは ***toast***. 日本ののりなどを焼くのも *toast* という. 卵の目玉焼きは ***fry*** を使う.

bake

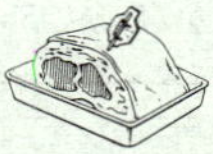
roast

grill, 《米》 broil

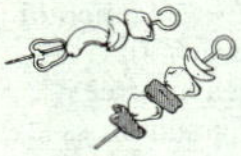
barbecue

fry

¶彼女は炭火用のグリルで鶏肉を*焼いた She *broiled* chicken on a charcoal grill.

(6) ゆでる

卵・じゃがいもなどをゆでるのは ***boil*** だが，特に ***cook*** が使われることも多い. 卵をゆでる場合，かたゆでの卵は ***hard-boiled*** egg，半熟の卵は ***soft-boiled*** egg という. 半熟を作るために沸騰しない程度の湯で卵をゆでることを ***coddle*** という. 割った卵を熱湯に落としてゆでるのは ***poach***.

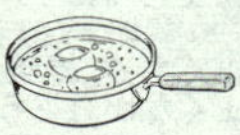
boil

★ 動詞用法としては boil, fry, roast, bake はいずれも自動詞にも他動詞にも用いられるが，steam, sauté, grill は他動詞用法のみである. ((例) じゃがいもが煮えている The potatoes are *boiling*. / パンが焼けてきている The bread is *baking*.)

2 下ごしらえ

(1) 切る

材料を切る動作を表す最も一般的な語は ***cut***. 細かく切るときは ***cut up*** という. ハムやパンを切るときのように薄く切るのは ***slice***. キャベツなどを細長く刻むのは ***shred***. 料理はさみや包丁で切り刻むのは ***chop*** で，*chop* よりもさらに細かくみじん切りにするのは ***mince***. さいの目に切るのは ***dice*** で，それより大きい立方体に切るのは ***cube***. いわゆる千切りは ***julienne*** という. 魚・肉を切り身にするのは ***fillet***.

¶たまねぎを*薄く切ります *Cut* the onion into thin slices. ‖ セロリを洗ってから*さいの目に切ります Wash and *dice* the celery. ‖ キャベツを*千切りにします *Cut* the cabbage *into shreds*. / *Julienne* the cabbage.

(2) つぶす・おろす

ゆでたじゃがいもなどをつぶすのは ***mash***. 野菜やチーズなどをおろすのは ***grate***. こし器で裏ごしにする

のは *sieve* /sív/, 野菜などを裏ごしするのは *purée* /pjʊréɪ/ という.
¶ 卵の黄身をフォークで*つぶして裏ごしします *Mash* the yolk with a fork, and force it through a sieve.

(3) むく
じゃがいもの皮のようにナイフなどを使ってむくのは *pare* で, 果物の薄い皮を手でむくような場合は *peel*. ただし区別なく用いられることも多い. また *skin* も動詞で使われる. ((例) *pare* [*peel*; *skin*] an apple)
¶ にんじんを*むいて洗ってからさいの目に切ります *Peel*, wash, and dice the carrots. // 彼女はナイフでじゃがいもの皮をむいた She *pared* the potato with her knife.

(4) 混ぜる
スープやシチューなどを作るとき, 手を動かしてかき混ぜるのは *stir*. 野菜サラダのように単に材料を混ぜ合わせるのは *mix* で, 軽く混ぜるのは *toss*. 混ぜたものが均一になるように混ぜるのは *blend*. 卵を泡立て器などで手早くかき混ぜるのは *beat*. 白身やクリームをふんわりと泡立つようにかき混ぜるのは *whip*. へらなどでゆっくり混ぜ合わせるのは *fold* という.
¶ 小麦粉と牛乳と卵を*混ぜてホットケーキの種を作ります *Blend* flour, milk, and eggs to make the pancake batter.

りょくいん 緑陰 (木の陰) the shade of a tree (☞ こかげ).
りょくおう 緑黄 (緑黄色) green(ish) yellow Ⓤ; (緑と黄色) green and yellow Ⓤ. **緑黄色野菜** green and yellow vegetables ★ 通例複数形で.
りょくか 緑化 ☞ りょっか
りょくぎょく 緑玉 (エメラルド) emerald Ⓒ; 〘鉱物〙 alexandrite /æ̀lɪgzǽndraɪt/ Ⓤ.
りょくじゅ 緑樹 green-leaved tree Ⓒ.
りょくじゅうじ 緑十字 green cross Ⓒ.
りょくじゅほうしょう 緑綬褒章 Green Ribbon Medal Ⓒ.
りょくしょくしょくぶつ 緑色植物 green plant Ⓒ.
りょくそうしょくぶつ 緑藻植物 green algae /ǽldʒiː/ ★ 単数形は alga /ǽlgə/ だが通例複数形で.
りょくち 緑地 (木の生えた地域) wooded area Ⓒ. **緑地帯** (都市周辺の) greenbelt Ⓒ.
りょくちゃ 緑茶 green tea Ⓤ (☞ ちゃ).
りょくないしょう 緑内障 〘医〙 glaucoma /glɔːkóʊmə/ Ⓤ.
りょくのうきん 緑膿菌 ―― 名 *Pseudomonas aeruginosa* /sùːdəmóʊnəs ìːrùːdʒɪnóʊsə/ Ⓤ. ―― 形 (緑膿菌の) pyocyanic /pàɪoʊsaɪǽnɪk/.
りょくひ 緑肥 green manure Ⓤ. **緑肥作物** green manure crop Ⓒ.
りょくひりつ 緑比率 ratio of green coverage Ⓒ.
りょくふう 緑風 (初夏の風) early summer breeze Ⓒ; (五月の風) May breeze Ⓒ. (☞ かぜ¹).
りょくべん 緑便 green stool Ⓒ; (緑色がかった) greenish stool Ⓒ ★ stool はしばしば複数形で.
りょけん 旅券 passport Ⓒ. ¶ この*旅券は発行の日から 5 年間有効です This *passport* is valid for five years from the date of issue. // この*旅券は今年の 9 月 10 日に期限が切れる This *passport* expires on September 10. // 私はきのう*旅券を申請しました I applied for a *passport* yesterday.
りょこう 旅行 ―― 名 trip Ⓒ; journey Ⓒ; tour Ⓒ; travel Ⓤ ★ travel は「長い旅行」の意では通例複数形で; excursion Ⓒ; voyage Ⓒ. ―― 動 travel 自 他; (旅行に行く) go on ˹a trip [a journey; a tour; an excursion; a voyage] ★ *go on a travel* とはいわない; (旅行をする) take ˹a trip [a tour], make ˹a journey [an excursion; a voyage] (to ...) ★ make a travel とはいわない.
【類義語】 元来は短期・短距離の旅行を意味したが, 現在では最も一般的なのが *trip*. 行き先の決まった, 帰路を考えない比較的長い, 時として骨の折れる旅行は *journey*. 周遊して出発点に戻る旅行で, 観光・視察を主目的にする旅行は *tour* (☞ しゅうゆう 語法). この語は日本語には「ツアー」として入っているが, 日本語のように団体での旅行 (organized [group] *tour*) は必ずしも意味しないことに注意 (☞ ツアー 日英比較). 行き先とか帰路などには重点を置かず, 移動に重点を置く言葉が *travel*. この語は動詞としては一般的な語だが, 名詞としては *travel* by air (空の旅) のように修飾語句を伴ったり, space [air] *travel* (宇宙[飛行機]旅行) のように複合語として用いるのが普通. また *travels* という複数形ではかなりの長い旅行を意味する. 集団で行くレクリエーションなどのための短い旅行は *excursion*. 船旅は *voyage* である. (☞ たび¹) ¶「北海道への*旅行はいかがでしたか」「とても楽しかったです」 "How was your *trip* to Hokkaido?" "I enjoyed it very much." // 彼は日本中を*旅行している He *has traveled* ˹throughout [all over] Japan. // 私は海外*旅行をしたことがない I *have* never *traveled* ˹abroad [overseas; out of Japan]. // どこか日本国内を*旅行しましたか *Have* you *traveled* anywhere in Japan? // 飛行機*旅行でしたか, それとも列車かバスでしたか Did you *travel* by air or by land? // 私はハワイへの団体*旅行に加わった I joined an ˹organized [group] *tour* to Hawaii. // フランスを*旅行中に私は大勢の人と友達になりました During my *travels* in France I made friends with many people. // 身軽に*旅行するのがいいね I advise you to *travel* light. // 彼はシベリアを横断する長い*旅行をした He made a long *journey* ˹through [across] Siberia /saɪbí(ə)riə/. // 彼はロンドンへの*旅行で留守です He is away on a *trip* to London. // よいご*旅行を (見送りの言葉) Have a nice *trip*. / Bon *voyage* /bɔ̀ːnvwaɪɑ́ːʒ/. ★ 両方とも「行ってらっしゃい」に当たる. 後者はフランス語から. //「私は来週*旅行に出かけます」「観光ですか, それともお仕事ですか (⇒ 楽しむためですか, 仕事のためですか)」 "I'll *go on a trip* next week." "For pleasure or on business?" // 中学の修学*旅行で京都と奈良に行った I visited Kyoto and Nara on the junior-high-school *excursion*. // 少年たちは来週キャンプ*旅行に出かける The boys *are going on a* camping *trip* next week. // この前の火曜日に私たちのクラスは見学*旅行に行った Our class *went on a* field *trip* last Tuesday. // 観光*旅行のためにここを訪れる人が多い Many people visit here on sightseeing ˹*trips* [*tours*]. // 視察*旅行 an inspection *tour* // 宇宙*旅行 space *travel* // パッケージ*旅行 a package(d) *tour*
旅行案内 guide Ⓒ, guidebook Ⓒ **旅行案内所** tourist information office Ⓒ **旅行かばん** (スーツケース) suitcase Ⓒ, traveling bag Ⓒ; (短期間用の) overnight bag Ⓒ. (☞ かばん (挿絵)) **旅行記** (旅

の記録) travel record [C]; (エッセーなどの書名で) travels ★ 複数形で. ¶ ガリヴァー*旅行記 *Gulliver's Travels* **旅行業者** travel [tour] agent [C] **旅行小切手** ☞ トラベラーズチェック **旅行先** (行く先) destination [C] **旅行者** 《格式》 traveler (《英》 traveller) [C]; (観光旅行などの) tourist [C]; (休日・休暇を楽しむ) vacationist [C], 《英》 holidaymaker [C] **旅行者感染症** 〖医〗 traveler's ˹contagious [infectious] disease [C] ★ 前者は特に接触による感染, 後者は特に空気・水による感染. **旅行者下痢** traveler's diarrhea /dàɪəríːə/ [U] **旅行代理店** travel agency [C].

—コロケーション—
アフリカ横断旅行をする *travel* across Africa / 家族と旅行する *travel* with *one's* family / カナダを旅行する *travel* in Canada / 仕事で旅行する *travel* on business / 世界一周旅行をする *travel* around the world / 東京からパリまで旅行する *travel* from Tokyo to Paris

りょしゅう[1] 旅愁 loneliness on a journey [U] [日英比較] 旅での淋しさという意味だが, 日本語の「そぞろに感じる旅の思い」という意味にぴったりの英語はない.

りょしゅう[2] 虜囚 prisoner [C] (☞ ほりょ).

りょじゅん 旅順 — [名] (固) Lushun /lúːʃún/ ★ 中国, 遼東半島の南端.

りょじょう 旅情 traveler's [《英》 traveller's] sentiment [C] [日英比較] traveler (旅人) は格式語. なお, 日本語の「しみじみ感じる旅の思い」というニュアンスをぴったり表す語はない. ¶ その美しい景色は人々の*旅情をそそった The beautiful scene appealed to the *travelers' sentiments*.

りょそう 旅装 (旅行の服装) traveling outfit [C] (☞ たび).

りょだん 旅団 brigade /brɪgéɪd/ [C].

りょっか 緑化 — [動] plant trees. ¶ 私たちはこの地域をできるだけ*緑化したいと思っている We want to *plant* ˹as many *trees* as possible in this area [this area with as many *trees* as possible]. ∥ *緑化運動 a *tree-planting* campaign

りょっこう 緑光 (太陽が出没する瞬間の) green flash [C].

りょてい 旅程 (旅行の予定) the ˹plan [schedule] of *one's* trip [C], *one's* travel plans; (旅行日程) 《格式》 itineràry [C]; (旅の一区切り) lap [C]. **旅程保証** guarantee of the itinerary [U].

りょひ 旅費 traveling [《英》 travelling] expenses ★ 通例複数形で; (運賃) fare [C]. (☞ ひよう; りょうきん (類義語)). ¶ 私の*旅費は父が出してくれます My father will take care of my *traveling expenses*. ∥ 大阪までの往復の*旅費を尋ねた I asked for the ˹round-trip *fare* [*price* of a round-trip ticket] to Osaka. / I asked for the *fare* to Osaka and back. ★ 第 2 文のほうが口語的.

リヨン — [名] (固) *Lyons* /lɪɔ́ːŋ/ ★ フランス東部の都市. フランス語では Lyon /ljɔ̃/.

リラ[1] (イタリアの旧通貨単位; ☞ ユーロ) lira /lí(ə)rə/ [C] (複 lire /lí(ə)reɪ/, ~s).

リラ[2] (花) lilac /láɪlək/ [C].

リライアビリティー (信頼性) reliability [U].

リライト — [動] (書き直す・書き改める) rewrite (他). ¶ 子供向けに*リライトした物語 a story *rewritten* for children

リラクゼーション (休養・骨休め) relaxation /rìːlækséɪʃən/ [U] ★ 発音に注意. **リラクゼーション効果** relaxation effect [C].

リラックス — [動] (くつろがせる・くつろぐ) relax (他) (自) (☞ くつろぐ). ¶ どうぞ*リラックスして下さい Please ˹*relax* [*make yourself at home*; *feel at home*; *be at home*]. ∥ 彼女は*リラックスした状態でベッドの上に横になった She lay on the bed looking very *relaxed*.

リリアン (女性名) Lílian, Líllian.

リリー[1] 〖植〗 (百合) lily [C].

リリー[2] (女性名) Lily.

リリース (解放・封切り・発売) release [U].

リリーフ 〖野〗 — [名] (人) relief pitcher [C], reliever [C]. — [動] relieve (他). ¶ だれが*リリーフのピッチャーですか Who is going to ˹be the *relief pitcher* [*relieve* the pitcher]?

リリカル — [形] (叙情的) lyric(al).

りりく 離陸 — [動] tàke óff (自). — [名] tákeòff [C]. ¶ 彼の飛行機は予定どおり 3 時 20 分に*離陸した His plane *took off* on ˹time [schedule] at 3:20.

りりしい 凛凛しい (勇ましい) gállant; (雄々しい) 《文》 valiant; (男らしい) manly. ¶ 少年は馬上で*りりしく見えた The boy looked ˹*gallant* [*valiant*] on horseback.

リリシズム (叙情(詩体)) lýricìsm [U].

りりつ 利率 interest ràte [C], rate of interest [C] ★ 前者のほうが口語的. (☞ きんり[1]; りまわり). ¶ 貯金の*利率が上がった[下がった] The *interest rate* on savings was ˹raised [lowered]. ∥ その融資の*利率はだいぶ高い[低い] The *rate of interest* on the loan is pretty ˹high [low].

リリック — [名] (叙情詩・歌詞) lyric [C].

りるい 離塁 〖野〗 — [動] take a lead (off the base), leave the base.

リレー rélay (ràce) [C]. ¶ 400 メートル*リレー a four hundred meter *relay* ∥ 山田君はメドレー*リレーの最終泳者です Yamada is the anchor swimmer in the medley *relay*.

りれき 履歴 *one's* personal history [C]; (経歴) *one's* background [C]; (特に職業上の経歴など) *one's* caréer [C]; (特にいかがわしい経歴など) *one's* past; 〖コンピューター〗 log [C], history [C]. (☞ けいれき). ¶ 候補者の*履歴を手短に話して下さい Please state briefly the candidate's ˹*personal history* [*background*]. ∥ 検索*履歴 a *history* of past searches **履歴書** résumé [C] ★ é の ´ は綴り本来のもの; curriculum vitae /kəríkjʊləm váɪtiː/ [C] (複 curricula vitae /kəríkjʊlə-/) [語法] 後者は格式ばった言い方. C.V. と略す. 単に vita /víːtə/ (複 vitae /-taɪ/) ともいう. **履歴表示** (肉などの食品の) label (on food products) which indicates their ˹place [country] of origin [C].

リレハンメル — [名] (固) Lillehammer /líləhàːmə/ ★ ノルウェーの都市で, 1994 年冬季オリンピックの開催地.

リロケーション — [名] (移転・異動) relocation [U]. — [動] relocate (他).

りろせいぜん 理路整然 — [形] (論理的) logical; (筋が通って首尾一貫している) logically consistent. (☞ ろんり, せいぜん[1]). ¶ 彼女の議論は*理路整然たるものだった Her argument was ˹*logical* [*logically consistent*].

りろん 理論 — [名] theory [U] ★ 具体的に個々の理論をいうときは [C]. — [形] (理論(上)の・理論的な) theoretical. — [副] theoretically. (☞ ろんり; がくせつ[1]). ¶ *理論と実際は必ずしも一致しない *Theory* does not always coincide with practice. ∥ 彼は自分の専門分野で多くの*理論を作り上げた He has formulated a lot of *theories* in his field. **理論家** theorist [C] **理論上** — [副] in theory, theoretically **理論体系** body of theory [C], theory [U] 理論闘争 theoretical [ideological] dispute [C] 理論武装 ── [動] be armed with ⌈ideology [theoretical backing] 理論物理学 theoretical physics [U].

りん[1] 燐 〘化〙 phosphorus /fάsf(ə)rəs/ [U] 《元素記号 P》.

りん[2] 厘 (通貨・歩合の単位) *rin* [C] ★ 単複同形. ¶利率は 2 分 2 *厘 (⇒ 2.2%) まで下がっている The rate of interest has fallen to 2.2 *percent*. // 4 番打者の打率は 3 割 8 分 5 *厘だった The fourth batter hit .385. ★ three eighty-five と読む.

りん[3] 鈴 bell [C] 《☞ すず[1]; ベル[1]》.

りん[4] 凜 ☞ りんとした

-りん …輪 (車輪) wheel [C]; (花) blossom [C]. 《☞ 数の数え方 (囲み)》. ¶四*輪駆動 four-*wheel* drive // 一*輪の梅 a plum *blossom*

リン (女性名) Lynn ★ Caroline /kǽrəlɪn/, Carolyn /kǽrəlɪn/ の愛称.

りんう 霖雨 ☞ ながあめ

りんか[1] 輪禍 traffic accident [C] 《☞ じこ[1]》.

りんか[2] 隣家 (隣の家) the house next door; (隣の家の人) next-door neighbor [C]. 《☞ となり》.

りんか[3] 燐火 phósphorèscent [phósphorous] light [U]; (狐火) will-o'-the-wisp [C].

リンカーン ── [名] (固) Abraham Lincoln /éɪbrəhæ̀m líŋkən/, 1809–65. ★ 米国第 16 代大統領.

りんかい[1] 臨海 ── [形] (海辺の) seaside; (沿岸の) coastal. 臨海学校 seaside summer school [C]; (説明的には) school-sponsored summer camp by the seaside [C] ★ 英米にないので説明が必要. 臨海工業地帯 coastal industrial ⌈zone [area] [C] 臨海実験所 marine (biological) laboratory [C] 臨海鉄道 railroad in a coastal industrial zone [C], coastal railroad [C] 臨海副都心 seaside metropolitan subcenter [C].

りんかい[2] 臨界 ── [形] 〘物理〙 critical. ¶*臨界に達する《原子炉が》go *critical* / reach the *critical* state 臨界温度 the critical temperature /témp(ə)rətʃʊ̀ə/ 臨界角 〘化・光・空〙 critical angle [C] 臨界期 〘心〙 critical period [C] 臨界事故 criticality accident [C] 臨界実験 critical ⌈test [experiment] [C] 臨界質量 〘物理〙 critical mass [U] 臨界状態 critical state [C] 臨界点 critical point [C] 臨界プラズマ条件 〘物理〙 break-even plasma condition [C] 臨界前核実験 subcritical ⌈test [experiment] [C] 臨界密度 〘天〙 critical (current) density [U].

りんかいせき 燐灰石 〘鉱物〙 apatite /ǽpətàɪt/ [U].

りんかく 輪郭 (外形) outline [C]; (大ざっぱな考え) rough [general] idea [C]. 《☞ がいりゃく》. ¶あの俳優は*輪郭のはっきりした顔をしている That actor has ⌈*clear-cut* [*well-defined*] features. // 彼の説明で事件の*輪郭がわかった From his explanation I was able to get the *general idea* of the case.

りんがく 林学 forestry [U].

りんかすいそ 燐化水素 〘化〙 phosphoret(t)ed hydrogen /fάsfərètɪd háɪdrədʒən/ [U].

リンガ・フランカ 〘言〙 lingua /líŋɡwə/ franca [C] ★ 異なる言語話者の間で使われる共通言語.

りんかん[1] 林間 ── [形] [副] (林に[で]) in a forest; (林を通って) through a forest. ¶*林間の道 a path through a forest 林間学校 open-air summer school [C]; (説明的には) school-sponsored summer camp in the wooded highland [C].

りんかん[2] 輪姦 ── [名] gang rape [C]; 《俗》 gang-bang [C]. ── [動] rape ⌈in turn [by turns] (他) (自), gang-rape (他) (自); 《俗》 gang-bang (他) (自).

りんかん[3] 臨監 ── [動] (監視[監督]する) exercise close ⌈surveillance [supervision], keep … under close ⌈surveillance [supervision].

りんき 悋気 jealousy [U] 《☞ しっと; やきもち》.

りんぎ 稟議 ¶*稟議によって by a *round robin* ★ round robin は持ち回りで署名・承認する書類. 稟議書 ròund róbin [C].

りんきおうへん 臨機応変 ¶それは*臨機応変の (⇒ 状況に適応する) 処置だった They were the *proper* ⌈steps [measures] to *meet the situation*. / It was an *ad hoc* measure. 《☞ きてん[1] (類義語)》

りんぎょう 林業 forestry [U]. 林業試験場 Forestry Experiment Station [C]; (森林総合研究所) the Forestry and Forest Products Research Institute.

りんきん 淋菌 gonococcus /gὰnoʊkάkəs/ [C] 《複 gonococci /-kάksaɪ/》.

リンク[1] (スケートリンク) (skating) rink [C].

リンク[2] ── [動] (つなぐ) link (他) (自). ── [名] (環) link [C]; 〘コンピューター〙 (クリックすると別の個所へジャンプできる個所) (hyper)link (to …) [C]. 《☞ インターネットと E メール (囲み)》. ¶ウェブサイトへの*リンクを張る[へ*リンクする] link to a Web site

リング (指輪) ring [C]; (ボクシングの) (boxing) ring [C]. 《☞ ゆびわ; ボクシング (挿絵)》. ¶エンゲージ*リング an engagement *ring* リングサイド ringside [C]. ¶*リングサイドの席 the *ringside* ⌈seats [section]

りんくう 臨空 臨空都市 city adjacent to an airport [C].

リンクス (ゴルフ場) (golf) links ★ 単数または複数扱い.

リングブック ring-bound notebook [C] ★「リングブック」は和製英語.

リングワンデルング 〘登山〙 ringing (in the mountains) [U] ★ ドイツ語の Ringwanderung (英語直訳 ring wandering) より.

りんけい 輪形 ☞ えんけい[1] 輪形動物 trochelminth /trάkəlmɪ̀nθ/ [C].

りんげつ 臨月 (出産期) (her) time; (妊娠の最後の月) the last month of pregnancy. ¶*臨月の女性 a woman near *her time*

リンゲルちゅうしゃ リンゲル注射 injection of Ringer's ⌈solution [fluid] [C].

りんけん 臨検 ── [名] (立ち入り検査) inspection [C]; (捜査) search [C]; (手入れ) raid [C]; (船舶の) visitation [C]. ── [動] inspect (他); search (他); raid (他); visit (他). 《☞ けんさ; そうさく[2]》.

りんげん 綸言 綸言汗の如し (君主が一度発した言葉は汗と同様に取り消しがたい) The Emperor's words, like perspiration, can never be ⌈taken back [withdrawn].

りんこ 凜呼 ☞ りんぜん

りんご 〘植〙 (実・木) apple [C]. ¶*りんごの皮 the skin of an *apple* / *apple* peel // *りんごの花 *apple* blossoms りんご酸 malic acid [U] りんご酒 apple wine [U], 《英》 cider [U]. 《☞ サイダー》 りんご酢 cider vinegar [U].

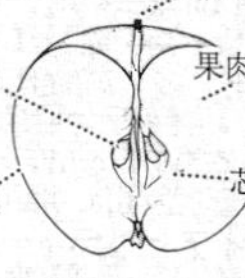

りんこう[1] 燐光 ── [名] phosphorescence /fὰsfərés(ə)ns/ [U]. ── [形] (燐光を発する) phòsphoréscent. 燐光体 phosphorescent /fάsfərès(ə)nt/ bódy [C], phósphor [C].

りんこう[2] 燐鉱 〘鉱物〙 rock [mineral] phosphate /fάsfeɪt/ [U].

りんこう[3] **臨港** ―形 (港(へ)の) harbor (《英》 harbour). 《☞ みなと》. **臨港線** harbor railroad Ⓒ, 《英》 harbour railway Ⓒ **臨港列車** boat train Ⓒ.
りんこう[4] **臨幸** ☞ ぎょうこう[2]
りんごく **隣国** neighboring [adjacent] country Ⓒ ★[ ] 内は格式ばった語.
りんざいしゅう **臨済宗** the *Rinzai* sect (of Zen Buddhism).
りんさく **輪作** crop rotation Ⓤ, rotation of crops Ⓤ. ¶作物を*輪作することによって土質を維持しています We maintain soil quality by *rotating (different) crops*.
りんさん **燐酸** 〘化〙 phòsphóric ácid Ⓤ. **燐酸カルシウム** phósphate /fάsfeɪt/ of cálcium Ⓤ, cálcium phósphate Ⓤ **燐酸肥料** phosphate fertilizer Ⓤ, phosphates.
りんさんぶつ **林産物** forest products ★通例複数形で.
りんじ[1] **臨時** ―形 (定例以外の) extraordinary /ɪkstrɔ́ədənèri/; (余分の) extra Ⓐ; (特別の) special; (偶然の) incidental; (予算化してない) unbudgeted Ⓐ; (パートの) part-time Ⓐ; (仮の) temporary. ―名 emergency Ⓤ. 《☞ かり[1]; まにあわせ》. ¶*臨時の仕事 an *odd* job // *臨時収入 *extra* income // このところ*臨時支出が多くて困っている We are in trouble with so many *incidental* expenses these days. // テレビ[ラジオ]の*臨時ニュース a news *flash* on ˹TV [the radio]
臨時閣議 extraordinary cabinet meeting Ⓒ **臨時休業** extra [special] holiday Ⓒ **臨時休校** temporary /témpərèri/ closing of school Ⓤ, cancellation of classes Ⓤ **臨時教育審議会** the Provisional Council on Education **臨時行政改革推進審議会** the Provisional Council for the Promotion of Administrative Reform **臨時行政調査会** the Provisional Commission for Administrative Reform **臨時国会** extraordinary session of the Diet Ⓒ **臨時試験** special examination Ⓒ **臨時政府** provisional government Ⓒ **臨時総会** extraordinary general meeting Ⓒ **臨時増刊** extra ˹edition [number] Ⓒ **臨時費** extraordinary [incidental] expenses; (予算化されてない) unbudgeted expenses. ★いずれも複数形で. ¶その出費は*臨時費でまかなわれた The expenses were covered by *unbudgeted expenses*. **臨時法** temporary law Ⓒ **臨時雇い** part-time worker Ⓒ, part-timer Ⓒ **臨時列車** extra [special] train Ⓒ 《☞ そうはつ》.
りんじ[2] **綸旨** (天子の命令) imperial command Ⓒ.
リンジー (女性名) Lindsay, Lynsey /líndzi/.
りんじく **輪軸** the wheel and axle.
りんししつ **燐脂質** 〘生化〙 phospholipid(e) /fὰsfoulípɪd/ Ⓤ, phósphatide Ⓤ.
りんしたいけん **臨死体験** near-death experience /ɪkspí(ə)riəns/ Ⓒ.
りんしつ[1] **隣室** next room Ⓒ.
りんしつ[2] **淋疾** ☞ りんびょう.
りんしもく **鱗翅目** ☞ りんしるい
りんじゃく **輪尺** (立ち木の直径を測る器具) tree calipers ★複数形で.
りんじゅう **臨終** (最期) end Ⓒ; (死の床) deathbed Ⓒ; (死ぬ間際の時) *one's* last moments; (死) death Ⓤ. 《☞ し[2]; しぬ; まつご》.
¶彼は*臨終の際, 何か言いませんでしたか Didn't he say anything *on his deathbed*? // 彼は父の*臨終に間に合わなかった He was too late to witness his father's *last moments*. // 「ご*臨終です」と医師は言った "I am sorry, but ˹*he is dead* [*it's all over*]," said the doctor.
りんしょ **臨書** ―動 (手本に従って書く) write ˹after [on] a model ㊀ ㊁.
りんしょう[1] **臨床** ―形 clínical. ―副 clinically. **臨床医** clinícian Ⓒ **臨床医学** clinical medicine Ⓤ **臨床検査** clinical test Ⓒ **臨床検査技師** clinical examiner Ⓒ; (医療補助者) paramedic Ⓒ ★看護師・救助医療士などを含む. **臨床研修** clinical training Ⓤ **臨床工学技師** clinical engineer Ⓒ **臨床実験** clinical ˹trial [test] Ⓒ **臨床尋問** bedside query Ⓒ **臨床心理学[病理学]** clinical ˹psychology [pathology] Ⓤ **臨床心理士** clinical psychologist Ⓒ.
りんしょう[2] **輪唱** troll Ⓒ, round Ⓒ 語法 一部を次々に受けて歌うものは troll. 何人かがある間をおいて追いかけながら同じ旋律を歌うのは round で, 比較的短いものが多い.
りんしょう[3] **林床** ground [land] surface (of a forest) Ⓒ.
りんじょうかん **臨場感** (その場に居合わせている感じ) presence Ⓤ. ¶このステレオは実際にコンサートホールにいるような*臨場感がある This stereo gives us such a sense of *presence* that we feel as if we were really in the concert hall.
りんしょく **吝嗇** ―形 (極度に倹約の) 《格式》 pàrsimónious. ―名 pársimòny Ⓤ. 《☞ けち (類義語)》.
りんしるい **鱗翅類** 〘昆〙 lepidopteran /lèpədάptərən/ Ⓒ 《複 ~s, -tera》.
りんじん **隣人** neighbor Ⓒ; (総称して) (people in) the neighborhood. 《☞ となり》. ¶聖書は*隣人を自分のように愛せという The Scriptures say that we should love our *neighbors* just as we love ourselves. **隣人愛** love of *one's* neighbors Ⓤ.
リンス ―名 rinse Ⓒ ★「リンス液」の意では Ⓤ. ただし英語の rinse はしばしば「毛染め液」を指す.「リンス」はむしろ conditioner に当たる事が多い.
―動 use ˹rinse [conditioner] on *one's* hair, rinse [condition] *one's* hair. 《☞ ゆすぐ》.
りんず **綸子** figured satin Ⓤ.
りんせい **輪生** 〘植〙 ―名 verticillated /və(ː)tísəlèɪtɪd/ leaf arrangement ★Ⓤ または a を付けて. 専門語では verticillate(d) phyllotaxis /fɪlətǽksɪs/ Ⓤ. ―形 (輪生の) verticillate(d).
リンゼイ ☞ リンジー
りんせいどう **燐青銅** 〘化〙 phosphor bronze Ⓤ.
りんせき[1] **臨席** ―名 (居合わせること) presence Ⓤ; (参列すること) attendance Ⓤ; (同席すること) company Ⓤ. ―動 be present; attend ㊀. 《☞ しゅっせき》. ¶陛下のご*臨席のもとに in the *presence* of His Majesty the Emperor // 私たちの晩さん会にご*臨席いただけると光栄に存じます We request the honor of your *company* at the dinner.
りんせき[2] **隣席** *one's* next seat 《☞ せき[1]; ざせき》. ¶昨日のディナーパーティーで*隣席は著名な科学者でした (⇒ 著名な科学者が隣に座った) A prominent scientist *sat (down) next to* me at the dinner party last night.
りんせつ **隣接** ―形 (近くの) neighbo(u)ring Ⓐ, 《格式》 adjacent. 《☞ ちかく[1]》. ¶*隣接市町村 *neighboring* cities, towns and villages
りんぜん **凛然** ¶*凛然と in a *crisp and dignified* manner
りんせんたいせい **臨戦態勢** ―形 ready [prepared] for ˹fighting [action].
りんそん **隣村** (近隣の) nearby [neighboring;

《格式》adjacent] village Ⓒ; (隣の) the next village.

リンダ (女性名) Linda.

りんだい 輪台 (菊花を支える針金の台) wire ˹stand [frame] Ⓒ.

りんタク 輪タク (東南アジアなどの) pedicab Ⓒ. ¶ *輪タクを運転する pedal [cycle] a *pedicab* **輪タク屋** pedicab man Ⓒ.

りんち 隣地 adjacent land Ⓒ **隣地斜線制限** 〔建〕(隣地の日照環境を守るための高さ制限) height (and setback) regulations from the boundary ★ 複数形で.

リンチ (仲間による不法な制裁) illegal punishment (of a member of the group) by other members Ⓤ, physical punishment by kangaroo court decision Ⓤ 参考 kangaroo court は不法な裁判で, 審議がぴょんぴょん飛躍することから付けられた名. 日英比較 英語の lynch law Ⓤ は群衆が法律による裁判をせずに (特に首つりで) 死刑にすることで, 日本語の「リンチ」とは意味内容が異なる. ¶ *リンチはいかなる場合にも許されるべきではない *Illegal punishment by the group members* should not be allowed under any circumstances.

りんちゅうるい 輪虫類 〔動〕rotifer /róutəfə/ Ⓒ, wheel ˹animal [bearer] Ⓒ.

りんてんき 輪転機 rotary press Ⓒ.

リンデンバウム 〔植〕(シナノキ) linden Ⓒ ★ ドイツ語 Lindenbaum /líndnbàum/ より.

りんどう[1] 林道 path in a ˹forest [wood] Ⓒ.

りんどう[2] 竜胆 〔植〕gentian /dʒénʃən/ Ⓒ.

りんどく 輪読 **輪読会** (団体) reading group Ⓒ, reading circle Ⓒ; (実際の会合) meeting of a reading circle Ⓒ.

りんとした 凛とした ¶ *凛とした声で in a *crisp and commanding* voice (☞ りんぜん).

リンドバーグ ― 名 固 Chárles Augústus Lindbergh /lín(d)bəːg/, 1902–74. ★ 米国の飛行家.

りんね 輪廻 transmigration Ⓤ, cycles of life, rebirth by karma Ⓤ 参考 以上いずれも仏教およびヒンズー教の概念を英語にしたもの. karma は次の世の生まれ変わりの状態を決めるもとになるこの世の行いのすべて. **輪廻説** doctrine of transmigration of souls Ⓒ.

リンネ ― 名 固 Carolus Linnaeus /líníːəs/, (本名) Carl von Linné, 1707–1778. ★ スウェーデンの植物学者. **リンネ式命名法** 〔生〕the Linnaean system of classification.

リンネル ☞ リネン

リンパ 〔生理〕lymph Ⓤ. **リンパ液** lymph Ⓤ **リンパ管** lymph duct Ⓒ, lymphatic vessel Ⓒ **リンパ球** lymphocyte Ⓒ **リンパ腫** lymphoma Ⓒ《複 ~s, -mata》 **リンパ節[腺]** lymph ˹node [gland] Ⓒ. ¶ 首の*リンパ腺がはれた I've developed swollen *lymph glands* in my neck.

りんばん 輪番 ― 副 (交替で) by turns; (順々に) in turn; (ぐるっと順番を回して) by [in] rotation. (☞ まわりもち). ¶ 私達は*輪番制で当番をします We carry out our duty *in rotation*.

りんぴ 燐肥 phosphatic [phosphate] fertilizer Ⓤ.

りんびょう 淋病 gonorrhea (《英》gonorrhoea) /gànəríːə/ Ⓤ.

りんぴょう 林彪 ― 名 固 Lin ˹Piao [Biao] /lìnpiáu [-biáu]/, 1908–1971. ★ 中国の軍人・政治家.

りんぶ 輪舞 round dance Ⓒ. **輪舞曲** rondo Ⓒ《複 ~s》.

りんぷん 鱗粉 (蝶などの) scales ★ 複数形で.

リンボーダンス limbo Ⓒ ★ 西インド諸島起源のダンス.

リンホカイン 〔免疫〕lymphokine Ⓒ.

りんもう 燐毛 〔植・昆〕thin brownish chaffy scales ★ 複数形で; scaly hair Ⓒ.

りんや 林野 forests and fields ★ 複数形で. **林野庁** the Forestry Agency.

りんり 倫理 ― 名 ethics; (道徳) morals ★ 以上いずれも複数形で. ― 形 ethical. (☞ どうとく). ¶ 商業*倫理の退廃 a decline in ˹business [commercial] *ethics* // それは医者の*倫理に反することではないか Isn't it an offense against medical *ethics*? // 弁護士が依頼人に関する情報をもらすのは*倫理に反する It is not *ethical* for a lawyer to reveal information about his clients. // 政治*倫理 political *ethics*

倫理学 ethics Ⓤ, moral philosophy Ⓤ **倫理学者** ethicist Ⓒ, moral philosopher Ⓒ.

りんりつ 林立 ― 動 (…でいっぱいである) bristle with … ¶ 町の工業地区には煙突が*林立している The industrial section of the town *bristles with* chimneys.

りんりん[1] ― 動 (りんりんと鳴る・鳴らす) ring 自 他; (小さいベルなどが) jingle 自 他, tinkle 自 他. ― 名 tinkling Ⓤ, jingling Ⓤ. (☞ なる[2]; ならす[1] (類義語); 擬声・擬態語 (囲み)).

りんりん[2] 凛凛 ― 形 (りりしい) high-spirited; (女性が) vivacious; (寒さなどがきびしく) severe, intense. ¶ 少女は*りんりんたる気迫を見せていた The girl looked quite ˹*high-spirited* [*vivacious*].

りんれい 林齢 age of a forest (stand) Ⓒ.

りんれつ 凛冽 ― 形 (寒さが厳しい) intensely [severely] cold, freezing.

る, ル

ルアー (擬似餌) lure /lúə/ Ⓒ, ártificial báit Ⓤ. ルアーフィッシング lure fishing Ⓤ.

ルアンダ ―名 固 Luánda ★アンゴラの首都.

るい[1] 類 (種類) sort Ⓒ, kind Ⓒ ★前者のほうが口語的; (型) type Ⓒ; (クラス) class Ⓒ ★生物学の用語としては「綱」; (分類上の属) genus /dʒí:nəs/ Ⓒ《複 genera /dʒénərə/》.《☞しゅるい(類義語)》. ¶これらの骨とう品はほかと*類を異にする These antiques are ⌈a different *type* [different in *kind*] from the others. 語法 [ ]内は格式ばった言い方. in kind は「本質的に」という意味の慣用句で冠詞は付けない. // 猫とピューマは同じ*類(⇒属)に属する Cats and pumas belong to the same *genus*. // それは*類を見ないほどの美しさだ(⇒特別に美しい) It is ⌈*exceptionally* [*extraordinarily*] beautiful.
類は友を呼ぶ Birds of a feather flock together.《ことわざ: 同じ羽の鳥は集まる》

るい[2] 累 (連座・掛かり合い) implication Ⓒ. ¶この事件が君に*累を及ぼすかもしれない This incident may ⌈(⇒面倒に巻き込む) get you *involved* in trouble [(⇒悪い影響を及ぼす) have a bad *effect* on you].

-るい …塁 〘野〙 base Ⓤ ★具体的には Ⓒ.《☞ベース[1]》. ¶1 [2, 3] *塁 first [second; third] *base*
参考 「本塁」は home (plate).

ルイ ―名 固 Louis /lú:ɪs, lú:i/. ¶*ルイ14世 *Louis* XIV ★Louis the Fourteenth と読む.

ルイーザ (女性名) Louisa /luí:zə/.

ルイーズ (女性名) Louise /luí:z/.

ルイヴィトン 〘商標〙 Louis Vuitton /lú:i-vjú:ətɑ̀n/ ★フランスのバッグ・革小物などのブランド名.

るいえん 類縁 (親類) relative Ⓒ; 〘生〙(系統発生上の近縁) affinity Ⓤ.《☞しんるい[1]; 親族関係(囲み)》.

るいおん 類音 〘言〙 diaphone Ⓒ; 〘詩学〙 assonance Ⓤ ★同音の母音のみが韻をふむこと. 類音語 assonant Ⓒ.

るいか 累加 ―名 (次々と加算されて増えること) cumulation Ⓤ; (時間が経つうちに集まって増えること) accumulation Ⓤ. ―動 cumulate ⓐ ⓗ; accumulate ⓐ ⓗ. ¶犯罪数が*累加した The number of crimes *has increased cumulatively*.

るいがいねん 類概念 〘論〙 genus Ⓒ《複 genera》《☞るい[1]》.

るいかん 涙管 〘解〙 lachrymal /lǽkrəm(ə)l/ (*dùct*) Ⓒ.

るいぎご 類義語 sýnonỳm Ⓒ《☞類義語(巻末); るいご》. ¶"large"は"big"の*類義語です "Large" is ⌈a *synonym* of [*synónymous* with] "big." / The words "large" and "big" are *synonymous*.

るいく 類句 (類似の語句) similar phrase Ⓒ; (似通った俳句) similar haiku Ⓒ.

るいけい[1] 累計 ―名 total Ⓒ. ―動 (累計する) total ⓗ, súm [ádd] úp ⓗ.《☞そうけい[1]》.

るいけい[2] 類型 ―名 type Ⓒ. ―動 (類型化する) typify ⓗ. ―形 (類型的) typical.《☞かた[2]》. 類型学 typology Ⓤ.

るいげん 累減 degression Ⓤ. 累減課税 degressive taxation Ⓤ.

るいご 類語 sýnonỳm Ⓒ《☞るいぎご》.

ルイサイト 〘化〙(びらん性毒ガス) lewisite Ⓤ.

るいさん 類纂 ―名 classified collection in book form Ⓒ. ―動 collect and edit writings on the same subjects.

るいじ[1] 類似 ―形 (似た) similar, like, alike Ⓟ
語法 (1) similar は非常によく似ていること. like は口語的で性質・形などが似ていること. 後に目的語を従えることもある. alike は意味は like とほぼ同じだが, Ⓟ のみに用いる.《☞形容詞の2用法(巻末)》; (性質・機能などが) análogous ★ほかの語より格式ばった語. ―名 similarity Ⓒ, likeness Ⓒ, resemblance Ⓒ 語法 (2) 以上はほぼ同じ意味で用いられることもあるが, 似ている度合いが一番強いのは similarity. resemblance は漠然と似ていることで, やや格式ばった語.《☞にる[1]; こくじ[2]》.
¶あの絵はこれにとても*類似している That painting has a strong *resemblance* to this (one). // 動物の器官の多くは人間のそれと*類似している Many animal organs are ⌈*analogous* [*homologous*] to those of human beings. ★analogous は機能が, homologous は構造が類似していること.
類似点 point of ⌈similarity [resemblance] Ⓒ 類似品 imitation Ⓒ. ¶*類似品にご注意下さい Beware of *imitations*.

るいじ[2] 類字 Chinese characters ⌈very (much) alike [similar] in ⌈form [shape].

ルイジアナ ―名 固 (米国の州) Louisiana /luì:ziǽnə/《☞アメリカ(表)》.

るいしょ 類書 similar books, books of the same kind.

るいしょう 類焼 ¶気の毒にも彼の家は*類焼した(⇒他の所から燃え広がった火に焼かれた) It is unfortunate that he *had* his house ⌈*burned* [*burnt*] *down by a fire that spread from elsewhere*.

るいじょう[1] 塁上 ¶*塁上の走者 a runner *on base*

るいじょう[2] 累乗 〘数〙 power Ⓒ《☞-じょう[4]》. 累乗根〘数〙(power) root Ⓒ.

るいしょうかん 涙小管 〘解〙 lachrymal ⌈canal [duct] Ⓒ.

るいしん[1] 塁審 〘野〙 báse [field] ùmpire Ⓒ《☞しんぱん[1]》. ¶1塁の*塁審 the first-base *umpire*

るいしん[2] 累進 ―名 (連続昇進) successive [consecutive] promotion Ⓤ ★successive は連続的に, consecutive は順を追っての意. ―動 rise step by step ⓐ.《☞しょうかく》. ¶政府は*累進的に所得税を課している The government has imposed income taxes *on a* ⌈*graduated* [*sliding*; *progressive*] *scale*. / The government has ⌈set [fixed] the income tax rate *progressively*.
累進課税 progressive [graduated] taxation Ⓤ 累進処遇制〘法〙 the system of progressive-stage treatment of prisoners 累進所得税 progressive income tax Ⓒ 累進税率 progressive tax rate Ⓒ.

るいじんえん 類人猿 ánthropòid (ápe) Ⓒ; (類人猿科) Ànthropóidea Ⓤ.

ルイス (男性名) Lewis /lú:ɪs/ ★愛称は Lew /lú:/; Louis /lú:ɪs/ ★愛称は Lou /lú:/.

るいすい 類推 ―名 análogy Ⓤ. ―動 reason by analogy; (推測する) guess ⓗ ★前者は格

式ばった言い方だが, 日本語の「類推」には後者より近い. 《☞すいそく(類義語)》. **類推解釈** analogical interpretation Ⓤ.

るいする 類する (共通点がある) be ˹similar [akin] to …; (似ている) resemble ⊕. ¶先月これに*類する事件が起きた An incident ˹*similar to* [*like*] this occurred last month. // 我々は実生活においても彼に*類する人物をよく見かける We often find his *cóunterpàrts* in real life.

るいせき 累積 ── 動 (少しずつたまる・ためる) accúmulàte ⊜ ⊕. ── 名 accùmulátion Ⓤ. ── 形 (次第に増大する) cúmulative. **累積赤字** cumulative deficit Ⓒ **累積債務** accumulated debt Ⓒ **累積投票** cumulative voting Ⓤ **累積度数** 〖統〗 cumulative frequency Ⓤ.

るいせん 涙腺 〖解〗 láchrymal glànd Ⓒ.

るいぞう 累増 cumulative increase Ⓤ 《☞るいか》.

るいだい¹ 累代 (何世代にもわたる…) generations of … ¶彼は先祖*累代の墓に眠っている He rests in peace in his *family* tomb.

るいだい² 類題 (類似の問題) similar ˹question [problem] Ⓒ; (和歌・俳句などを同類で集めたもの) group of ˹*tanka* [haiku] classified according to theme Ⓒ.

るいだすう 塁打数 〖野〗 total bases.

るいねん 累年 ── 副 every [each] year, year after year. 《☞まいねん》.

るいはん 累犯 repeat ˹offense [《英》 offence] Ⓒ. **累犯者** repeater Ⓒ, habitual offender Ⓒ.

るいひ 類比 comparison Ⓤ 《☞ひかく¹》.

ルイベ slice of frozen ˹fish [salmon] Ⓒ ★アイヌ語.

るいべつ 類別 classification Ⓤ 《☞ぶんるい》. ¶著者によって本を*類別する *classify* (the) books according to authors

るいらん 累卵 **累卵の危うきにある** ── 動 (極めて危険な状態にある) be in a ˹most [highly] perilous situation; (危急の状態にある) be in impending disaster. ¶いまや彼の政権は*累卵の危うきにある His administration *is* now *in a great crisis*.

るいるいと 累累と ── 副 (山をなして) in ˹heaps [piles]. ¶死体は*累々と横たわっていた Bodies [Corpses] lay *in piles* (*upon piles*).

るいれい 類例 similar ˹example [instance; case] Ⓒ ★example, instance は「例」, case は「事例・症例」など; (方向・性質・傾向の似ている場合) párallèl cáse Ⓒ. 《☞れい¹; るい¹》.

るいれき 瘰癧 〖医〗 ── 名 scrófula Ⓤ, the king's evil ★かつて王が触れると治るとされたことから. ── 形 scrófulous.

ルー¹ 〖料理〗 roux /rúː/ Ⓤ 《☞料理の用語 (囲み)》.

ルー² (男性名) Lew /lúː/ ★Lewis /lúːɪs/ の愛称; Lou /lúː/ ★Louis /lúːɪs, lúːi/ の愛称.

ルーイ (男性名) Louis /lúːi/ ★愛称は Lou /lúː/.

ルーイス ☞ルイス

ルーキー (プロスポーツの新人選手) rookie /rúki/ Ⓒ ★本来は「新兵」の意.

ルーク¹ (男性名) Luke /lúːk/.

ルーク² *〖チェス〗 rook* Ⓒ.

ルーシー (女性名) Lucy /lúːsi/.

ルージュ (口紅・ほお紅) rouge /rúːʒ/ Ⓤ; (棒状の口紅) lipstick Ⓤ.

ルース (女性名) Ruth /rúːθ/.

ルーズ ── 形 (だらしのない・いいかげんな) sloppy; (不注意な) careless; (締まりのない) loose /lúːs/ 日英比較 日本語の「ルーズ」は生活態度などがだらしがないことに用いるが, 英語の loose を人に対して用いると道徳的に不品行なことを意味するのが普通. なお発音に注意. 《☞だらしない》. ¶彼は作文をひどく*ルーズなやり方で書いてきた He wrote a composition in a very ˹*careless* [*sloppy*] manner. // 彼女は*ルーズな人だ She is a *careless* person. ★a loose /lúːs/ woman と言うと「ふしだらな女」という意味になる. // 彼はいつも時間に*ルーズだ (⇒時間を守らない) He is *never* ˹*punctual* [*on time*].

ルーズソックス baggy socks; (説明的には) outsize knee-length white socks worn by schoolgirls.

ルーズベルト ── 名 ㊞ (フランクリン D. ～) Franklin Delano Roosevelt /róuzəvəlt/, 1882–1945 ★米国第 32 代大統領; (シオドア～) Theodore Roosevelt, 1858–1919 ★米国第 26 代大統領.

ルーズリーフ ── 形 (ルーズリーフ式の) loose-leaf /lúːslíːf/ Ⓐ. ── 名 (紙) loose-leaf paper Ⓤ; (ノート) loose-leaf notebook Ⓒ.

ルーチン (決まりきった仕事) routine /ruːtíːn/ Ⓤ.

ルーツ (祖先・始祖) root Ⓒ 日英比較 英語の roots (★複数形) は「心のふるさと」「生まれ育った環境」の意で用いられる. ((例) 彼のふるさとはアフリカだ His *roots* are in Africa.) また root には「始祖」(origin) の意もあり, 日本語ではルーツをこの意味で用いることが多い. 《☞そせん》. ¶彼らは家系の*ルーツを求めてアフリカへ行った They went to Africa to trace their family('s) *roots*.

ルーティン ☞ルーチン **ルーティン競技** 〖シンクロナイズドスイミング〗 (規定の) technical routines; (自由演技の) free routines ★いずれも複数形で.

ルーテル ── 名 ㊞ Martin Luther /lúːθɚ/, 1483–1546. ★ドイツの宗教改革者. **ルーテル教会** (組織) Lutheran /lúːθərən/ Chúrch 語法 個々の教会や建物は Ⓒ で church は小文字.

ルート¹ (ある場所から別の場所へ行く決まった道) route Ⓒ; (道順) course Ⓒ; (行き方・方法) way Ⓒ. 《☞けいろ¹; みち¹ (類義語)》. ¶警察はその覚せい剤密輸の*ルートを (⇒どのようにして[どの経路で]密輸されたか) 捜査中である The police are investigating ˹*how* [by what *route*] the stimulant drugs were smuggled in. // 大阪へ行くにはこの*ルートで行くのが一番速い (⇒これが大阪への一番の近道だ) This is the ˹shortest [fastest] *way* to Osaka.

ルート² 〖数〗 root Ⓒ 《☞数字 (囲み)》.

ルーバー (よろい戸状の採光・通風窓) louver /lúːvɚ/ Ⓒ, 《英》 louvre Ⓒ.

ルービックキューブ 〖商標〗 Rubik('s) Cube ★正六面体の色組み合わせのパズル.

ルーフ (屋根) roof Ⓒ.

ループ (一般に, 輪) loop Ⓒ. **ループアンテナ** loop ˹antenna [aerial /é(ə)riəl/] Ⓒ **ループかがり** loop stitch Ⓒ **ループ線** 〖鉄〗 loop (line) Ⓒ **ループタイ** loop tie Ⓒ **ループ結び** loop knot Ⓒ.

ルーファス (男性名) Rufus /rúːfəs/.

ルーフィング roofing Ⓤ. ¶*ルーフィングの素材 *róofing* materials /mətí(ə)riəlz/

ルーフウインドー roof window Ⓒ; (天窓) skylight Ⓒ.

ルーフガーデン (屋上庭園) róof gàrden Ⓒ.

ルーフキャリア (車の屋根の荷台) roof rack Ⓒ, 《英》 luggage rack Ⓒ.

ルーフバルコニー roof balcony Ⓒ.

ルーブル (ロシアの貨幣単位) ruble /rúːbl/ Ⓒ, rouble Ⓒ.

ルーブルびじゅつかん ルーブル美術館 ── 名 ㊞ the Louvre /lúːvr(ə)/.

ルーペ (拡大鏡) smáll mágnifier Ⓒ, loupe /lúːp/

C ★「ルーペ」はドイツ語 Lupe より.

ルーベンス ―名 固 Peter Paul Rubens /rúːbənz/, 1577-1640. ★ フランドルの画家.

ルーマニア ―名 固 Romania /ruːméɪniə/ ★ バルカン半島の共和国. ―形 Romanian. ルーマニア語 Romanian U ルーマニア人 Romanian C.

ルーム (部屋) room C《☞ へや》. ルームクーラー air conditioner C《☞ クーラー》 ルームサービス (ホテルの) room service U ルームチャージ (ホテルの) room rate C ルームナンバー room number C ルームメート (寮などの同室者) roommate C ルームライト (室内灯) room light C.

ルーメン 〘光〙(光束の単位) lumen C《記号 lm》.

ルーラー (支配者; 定規・目盛り) ruler C.

ルーラル ―形 (田舎の) rural《☞ いなか》.

ルール[1] (一般的な規則) rule C; (法的な) regulation C 日英比較 日本語の「ルール」が必ずしも英語の rule とはならないこともある. また複数形になることが多いことに注意.《☞ きそく》. ¶ 野球の*ルール the *rules* of baseball // それは*ルール違反です It's against the *rules*. / It's a violation of the *rules*. // *ルールは*ルールだ *Rule* are *rules*.
ルールブック (スポーツの規則集) rulebook C.

コロケーション
ルールに従う obey ʳa *rule* [the *rules*] / ルールを採用する adopt a *rule* / ルールを定める set down [establish] a *rule* / ルールを作る make (the) *rules* / ルールを適用する apply ʳa *rule* [the *rules*] / ルールを曲げる bend ʳa *rule* [the *rules*] / ルールを守る observe ʳa *rule* [the *rules*] / ルールを破る break ʳa *rule* [the *rules*] / ルールを緩める relax a *rule* / 暗黙のルール an unwritten *rule* / 大まかなルール a general *rule* / 厳格なルール a strict *rule* / 厳重なルール a hard-and-fast *rule* / 公平なルール a fair *rule* / 不公平なルール an unfair *rule*

ルール[2] ―名 固 (川) the Ruhr /rúə/; (地名) the Ruhr (Basin) ★ ドイツ北西部の鉱・工業地帯.

ルーレット (ルーレットとばく) roulétte U; (用具) roulette wheel C.

ルーンもじ ルーン文字 rune C ★ 古代ゲルマン民族の文字.

ルカ ―名 固 St. Luke /seɪntlúːk/. ルカ福音書 the Gospel according to St. Luke.

ルクス, ルックス (照度の単位) lux /lʌ́ks/ C《複 lux, luces /lúːsiːz/》. ルクス計 luxmeter C.

ルクセンブルク ―名 固 Luxemb(o)urg /lʌ́ksəmbə̀ːg/; (正式名) the Grand Duchy of Luxemb(o)urg ★ ドイツ, フランス, ベルギーに囲まれた地域にある国. ―形 Luxemb(o)urgian. ルクセンブルク人 Luxemb(o)urger C.

ルクソル ―名 固 Luxor /lʌ́ksɔə/. ★ エジプト東南部のナイル川に臨む観光都市. ルクソル神殿 ―名 固 the Luxor Temple.

るけい 流刑 ―名 exile /égzaɪl/ U. ―動 (自国から追放する) exile 他; (自国やそれ以外の国から追放する) banish 他. ¶ 彼は多くの政敵をシベリアに*流刑にした He ʳ*exiled* [*banished*] many of his political rivals to Siberia. 流刑者 exile C 流刑地 place of exile C; (犯罪者植民地) penal ʳcolony [settlement] C.

ルゴールえき ルゴール液 〘薬〙 Lúgol's /lúːgɔːlz/ solùtion U.

るざい 流罪 exile /égzaɪl/ U; banishment U. 《☞ るけい》. ¶ 反逆者を*流罪に処する condemn the traitor to *exile* / send the traitor into *exile*

ルサカ ―名 固 Lusáka ★ ザンビア共和国の首都.

ルシア (女性名) Lucia /lúːʃ(i)ə/.

ルシフェラーゼ 〘生化〙(発光酵素) luciferase U.

ルシフェリン 〘生化〙(発光素) luciferin U.

ルシャトリエのほうそく ルシャトリエの法則 〘物理〙(平衡移動の法則) Le Châtelier's /ləʃáːtəlìeɪ/ principle U.

ルシンダ (女性名) Lucinda /luːsíndə/ ★ 愛称は Cindy.

るす 留守 ―動 (不在である) be ʳout [away] 語法 ちょっと外出したようなときは out, 遠くへ長期間出かけているようなときは away; (家にいない) be not ʳ(at) home [in]. ―名 (不在) absence U ★ 具体的な場合・期間を指すときは C. 《☞ 可算・不可算名詞 (巻末); ふざい》. ¶ あしたは一日中家を*留守にします I'll *be* ʳ*out* [*away*] all day tomorrow. // 彼を訪ねたが*留守だった I called on him but he *was not* ʳ*(at) home* [*in*]. // お*留守の間に中山さんという方が見えました A Mr. Nakayama came to see you ʳwhile you *were away* [during your *absence*]. ★[ ] 内のほうが格式ばった言い方. // 昨年はすっかり勉強がお*留守だった (⇒ 怠けた) I thoroughly *neglected* my studies last year.
留守居 ☞ 留守番 留守宅 ¶ アメリカ出張中の A さんの*留守宅の住所を知っていますか Do you know Mr. A's *address* in Japan *while he's away* in the U.S.? 留守番 ―名 house-sitting U; looking after the house (during *a person's* absence) U; (人) house-sitter C. ―動 take care of [look after] the house (while *a person* is away). 留守番電話 answering machine C 留守録 ¶ *留守録 (⇒ 留守番電話) にメッセージが 3 つ入っていた There were three messages on the *answering machine*.

るせつ 流説 (根拠のないうわさ) groundless rumor C; (世間に広まった説) widely circulated theory C.

ルソー ―名 固 Jean-Jacques Rousseau /ʒáːŋʒáːk ruːsóʊ/, 1712-78. ★ フランスの思想家・文学者.

ルソン ―名 固 Luzon /luːzán/ ★ フィリピン諸島最大の島.

ルター ☞ ルーテル

ルチン 〘薬〙 rútin U.

ルック (服装・外観) look C. ¶ ミリタリー*ルック the military *look*

ルックス (容姿・風采) looks ★ 通例複数形で; (外見) appearance C. ¶ *ルックスも頭もよい have (good) *looks* and intelligence // 彼は*ルックスを気にしすぎる He cares too much about his *appearance*.

ルッツジャンプ 〘フィギュアスケート〙 Lutz C.

るつぼ 坩堝 crucible C, melting pot C ★ 後者はしばしば比喩的に用いられる.《☞ じっけん[1] (挿絵)》. ¶ アメリカ合衆国は人種の*るつぼといわれる The U.S.A. is said to be a *melting pot* of (different) ethnic groups. // 会場は興奮の*るつぼと化した (⇒ 聴衆は熱っぽい[狂ったような]興奮に陥った) The audience was thrown into a state of ʳfeverish [wild] excitement.

ルテチウム 〘化〙 lutetium /luːtíːʃ(i)əm/ U《元素記号 Lu》.

ルテニウム 〘化〙 ruthenium /ruːθíːniəm/ U《元素記号 Ru》.

るてん 流転 ¶ 万物は*流転する (⇒ 絶え間なく変化する) All things are *in* (*a state of*) *flux*. // *流転の (⇒ さすらいの) 生涯 a *wandering* life

ルドルフ (男性名) Rudolf, Rudolph /rúːdɑlf/.

ルナ ―名 固 〘ロ神〙(月の女神) Luna ★ ギリシャ神話では Selene.

るにん 流人 exile /égzaɪl/ Ⓒ. ¶*流人はだれ一人として本土に帰ることを許されなかった No *exiles* were allowed to return to their native land.

ルネ (女性名) Renée /rənéɪ/; (男性名) René /rənéɪ/ ★ Renée, René の ´ は綴りの一部.

ルネッサンス the Renaissance /rènəsáːns/.

ルノアール —名 固 Pierre Auguste Renoir /pjéə ɔːgúst rénwɑə/, 1841–1919. ★ フランスの画家.

ルパート (男性名) Rupert.

ルバーブ ☞ だいおう[2]

ルバシカ 〔服〕 Russian shirt Ⓒ.

ルパン —名 固 Arsène Lupin /ɑəsén luːpǽŋ/ ★ フランスのルブラン (Maurice Leblanc) の小説に登場する怪盗・名探偵. Arsène の ` は綴りの一部.

ルビ ¶*ルビをふる put *kana* beside a「kanji [Chinese character] to show its reading 参考「ルビ」という語は 5½ポイントの ruby と呼ばれる小活字がもとだが, 説明的に訳せばこのようになる.

ルピア rupiah /ruːpíːə/ ★ インドネシアの通貨単位.

ルビー (宝石) ruby /rúːbi/ Ⓒ 《☞ たんじょうせき (表)》.

ルピー (インドなどの貨幣単位) rupee Ⓒ.

ルビコンがわ ルビコン川 —名 固 the Rubicon ★ イタリア中部の川. シーザー (Caesar) が「さいは投げられた」と言って進軍の決意をした地. ¶*ルビコン川を渡る cross *the Rubicon* / (⇒ 決定的で取り消しのできない一歩を踏み出す[決断をする]) take a decisive, irrevocable step [make a fateful, irrevocable decision]

ルビジウム 〔化〕 rubidium Ⓤ 《元素記号 Rb》.

ルピナス 〔植〕 lupin(e) /lúːpɪn/ Ⓒ.

ルビンシテイン —名 固 Anton (Grigoryevich) Rubinstein, 1829–94. ★ ロシアのピアニスト・作曲家.

ルビンシュタイン —名 固 Arthur Rubinstein, 1887–1982. ★ ポーランド生まれの米国のピアニスト.

るふ 流布 —動 (広まる) spread 自, circulate 自 ★ 後者のほうがやや格式ばった語で, より広く広まる感じ; 《略式》 gèt「aróund [《英》 abóut] 自. —名 circulation Ⓤ. 《☞ ひろまる》. **流布本** popular edition (of a book) Ⓒ.

ルブリケーション (潤滑・注油) lùbricátion Ⓤ.

ルポ (報告・報道) report Ⓒ 《☞ ルポルタージュ》.

ルポライター journalist Ⓒ, reporter Ⓒ.

ルポルタージュ (報告・報道) report Ⓒ, reportage /rèpɚtáːʒ/ Ⓤ 語法 reportage はフランス語より. 英語では report のほうが一般的; (記録映画) dòcuméntary Ⓒ. 《☞ ほうどう》. ¶レバノンからの*ルポルタージュは非常に印象的だった The *report* from Lebanon was very impressive.

るまた ル又 ☞ ほこづくり

ルマン —名 固 Le Mans /ləmáːŋ/ ★ フランス中西部の都市. 24 時間耐久自動車レースの開催地. **ルマン 24 時間レース** the Le Mans 24-Hour Race ★ the Le Mans (24-hour) Grand Prix d'Endurance ともいう.

ルミナリア luminaria /lùːmənáːriə/ Ⓒ ★ メキシコの伝統的な飾りちょうちん.

ルミノール 〔化〕 luminol /lúːmənɔ̀ːl/ Ⓤ. **ルミノールテスト** luminol test Ⓒ **ルミノール反応** luminol reaction Ⓒ.

るみん 流民 wandering people; (遊牧民) nomad Ⓒ ★ しばしば複数形で; (難民) refugees.

ルモンド —名 固 *Le Monde* /ləmɔ́nd/ ★ フランスの代表的な新聞.

るり 瑠璃 〔鉱〕 lapis lazuli /lǽpɪs lǽzəli/ Ⓤ. **瑠璃色** lapis lazuli (blue) Ⓤ, ázure /ǽʒɚ/ (blúe) Ⓤ.

るりかけす 瑠璃懸巣 〔鳥〕 Lidth's jay Ⓒ.

るりびたき 瑠璃鶲 〔鳥〕 Siberian bluechat Ⓒ.

るる(と) 縷縷(と) —副 (続くさま) unceasingly, continuously; (詳しく) minutely, in detail. 《☞ れんぞく; くわしい》. ¶計画について*るる説明する give a「*detailed* [*full*] explanation of the plan / explain the plan「*in detail* [*minutely*]

るろう 流浪 —動 (さまよう) wander 自, roam 自 ★ 後者には楽しみながらというニュアンスがある. **流浪の民** wandering people Ⓒ; (遊牧民) nomadic tribe Ⓒ.

ルワンダ —名 固 (the Republic of) Rwanda /ruáːndə/ ★ 東アフリカの共和国. —形 Rwandan. **ルワンダ語** Rwanda Ⓤ **ルワンダ人** Rwandan Ⓒ **ルワンダ内戦** Rwanda's civil war Ⓒ.

ルンバ 〔楽〕 rumba /rʌ́mbə/ Ⓒ.

ルンペン (浮浪者) tramp Ⓒ ★ ドイツ語 Lumpen (ぼろ(服))から.

るんるん ¶私は*るんるん気分だった I *was*「*walking* [《英》 *treading*] *on air*. ★ walk [tread] on air は「うきうきしている」という意味の成句. 《☞ うきうき》

れ,レ

レ 〘楽〙re /réɪ/ Ⓤ, D /díː/.
レア[1] ―形 (ステーキなどが) rare. ¶ステーキはどんな風に焼きますか,*レアですか,ミディアムですか,それともウェルダンにしますか How would you like your steak ― *rare*, medium, or well-done?
レア[2] ―形 (まれな) rare. レアグッズ rare article Ⓒ, rare goods ★複数形で. 《☞ しょうひん[1]; ちんぴん》 レアケース rare case Ⓒ レアメタル rare metal Ⓒ.
レア[3] ―名 固 〘ギ神〙 Rhea /ríːə/ ★ゼウス,ヘラの母親の女神.
レアール (ブラジルの通貨) real /reɪάːl/ Ⓒ 《複 ~s, reales /reiάːleɪs/》.
レアチーズケーキ unbaked cheesecake Ⓒ.
れい[1] 例 1 《実例》: example Ⓒ; instance Ⓒ; illustration Ⓒ.
【類義語】一般的な原則などを具体的に示す代表的な実例が **example** で,この語は「手本・模範」という意味でも用いられる.具体的に示すのは **example** とほぼ同意だが,代表的な例としてではなく,単に個別的な事例としてあげるのが **instance**. 説明などの助けとして,辞書の用例とか図表などによる「実例」の場合に用いられるのが **illustration**. 《☞ じつれい; れいしょう[2]》
¶子供は親の*例 (⇒ 手本) にならうものだ Children are likely to follow the *example* of their parents. // 彼は歴史上の*例を1つあげた He ⌈gave [cited] a historical *instance*. // *例として彼はその本のことを述べた By way of *illustration*, he referred to the book. // 僕はチーム競技,*例をあげれば野球,サッカー,バスケットボールなどが好きです I enjoy team sports, ⌈*for example* [*for instance*; *such as*] baseball, soccer, and basketball. 《☞ たとえば》
2 《事例》: case Ⓒ 《☞ ばあい》. ¶同様の*例はほかにもあるかも知れない Similar *cases* may be found elsewhere.
3 《慣例》: (個人的な癖・習慣) habit Ⓒ; (社会的に伝統となっている習慣) custom Ⓒ ★個人的な行為に用いられることもある; (規則) rule Ⓒ. 《☞ くせ; しゅうかん[1]》.
¶彼は朝食前に新聞を読むのが*例になっている It is his ⌈*habit* [*custom*] to read the newspaper before breakfast. // 彼女は*例の (⇒ いつもの) 所で待っていた She was waiting for me at the *usual* place. // 彼は*例によって学校に遅刻した As is *usual* with him [As *usual*], he was late for school.
4 《先例》: (前例) precedent /présədnt/ Ⓒ; (匹敵するもの) parallel Ⓒ. 《☞ せんれい[1]; ためし[2]》.
¶こんな事件は*例がない There is no ⌈*precedent for* [*parallel to*] such a case.
5 《問題の》: in question. ¶*例の一件はまだ未解決です The matter *in question* still remains unsettled. // *例の (⇒ あの) 件はどうなりましたか What has become of *that* matter?

―コロケーション―
極端な例 an extreme *example* / 具体的な例 a concrete *example* / 適切な例 an appropriate *example* / 典型的な例 a ⌈typical [classic] *example* / 珍しい例 a rare *example* / 唯一の例 a sole *example*

れい[2] 礼 1 《会釈》 ―動 (おじぎをする) bow /báʊ/ 自; (あいさつする) greet 他, salute 他 ★後者は敬礼やていねいな言葉などによるあいさつを意味する文語的なことば. ―名 bow Ⓒ; salute Ⓒ. 《☞ えしゃく 日英比較》. ¶私たちは先生に*礼をした We ⌈*bowed* to [*greeted*] our teacher.
2 《礼儀》 ―名 courtesy Ⓤ. ―形 (礼儀正しい) polite. 《☞ れいぎ》.
¶私たちは*礼を尽くして彼を待遇した We treated him with great *courtesy*. // 彼は年長者に対する*礼をわきまえている [いない] He is ⌈*polite* [*impolite*] to his elders. // 目上の人に対して*礼を失しては (⇒ 失礼な態度を示しては) いけない You must not *show disrespect to* your ⌈elders [superiors].
3 《感謝・謝辞》 ―名 thanks ★通例複数形で感謝の気持ちを表す. ―動 (礼を言う) thank 他. 《☞ かんしゃ[1]》.
¶お*礼の申し上げようもありません I don't know how to *thank* you. // ご厚情に対して厚く御*礼申し上げます *Thank you very much* for your kindness. // お*礼には及びません *Don't mention it.* / *You're welcome.* // お*礼 (⇒ 感謝) のしるしまでにこのライターをお納め下さい Please accept this (cigarette) lighter as a (small) *token of my gratitude*.
4 《謝礼》: (謝礼金) reward Ⓒ; (主に専門的職業の人に対する) fee Ⓒ; (講演などの) honorarium /ὰnəré(ə)riəm/ Ⓒ. 《☞ しゃれい》. ¶このようなお*礼をいただく覚えはありません (⇒ 謝礼に値することは何もしていない) I have done nothing to deserve such a *reward*. // 私はまだ弁護士への*礼を払っていない I have not yet paid the lawyer's *fee*.
礼返し ☞ へんれい[1]
れい[3] 霊 (魂) spirit Ⓒ; (霊魂) soul Ⓒ. 《☞ れいこん》. ¶私たちは先祖の*霊を祭るために法会 (ほうえ) を催した We observed a (Buddhist /búːdɪst/) memorial service to honor the *spirits* of our ancestors.
れい[4] 零, 0 ―名 zero /zí(ə)roʊ/ Ⓒ 《複 ~(e)s》 ★「零度・零点」という意味では Ⓤ; 《英》 nought Ⓒ ★0 を nought と読む; (競技の点数などで) nothing Ⓤ. ―形 zero. 《☞ ゼロ; 数字 (囲み)》.
¶彼は試験で*0 点を取った He got ⌈*zero* [*no points*] on the examination. // タイガースは 3 対*0 で試合に勝った The Tigers won the game ⌈3-*0* [three to *nothing*].
れい[5] 令 (命令) command Ⓒ; (法律) law Ⓒ. ¶生類憐れみの*令 ☞ しょうるいあわれみのれい
レイ[1] (ハワイの花輪) lei Ⓒ.
レイ[2] (男性名) Ray ★Raymond の愛称.
レイアウト ―名 láyòut Ⓤ. ―動 lày óut 他. 《☞ わりつけ》.
れいあんしつ 霊安室 mortuary Ⓒ.
れいあんしょ 冷暗所 cool dark place Ⓒ.
れいあんぽう 冷罨法 ¶けがをした所に*冷罨法を施す apply a *cold compress* to the injury
れいい 零位 zero Ⓒ. 零位法 〘物理〙 the ⌈zero [null] method.
れいいき 霊域 sacred ⌈grounds [precincts] ★いずれも複数形で; (聖地) holy place Ⓒ.
れいう[1] 冷雨 (冷たい雨) cold rain Ⓤ ★時に a を付けて. 《☞ ひさめ》.
れいう[2] 零雨 (こぬか雨) drizzle Ⓤ 《☞ こさめ》.

れいえん 霊園 （共同墓地）cémetèry Ⓒ ★ graveyard（墓地）よりも大きく，整備されているのが普通．《☞ぼち 日英比較》．

レイオフ ―名（一時解雇）láyòff Ⓒ. ―動 lay off ⑩. ¶その自動車会社は先週，新たに 500 人の*レイオフを発表した The automobile manufacturer announced 500 fresh *layoffs* last week.

れいおん 冷温 low temperature Ⓤ.

れいか[1] **零下** below zero /zí(ə)roʊ/. ¶温度計は*零下 10 度を示している The thermometer reads ten degrees *below zero*.《☞度量衡(囲み)》// この地方では温度が*零下になることがたびたびある The temperature often「falls [drops] *below zero* in this district.

れいか[2] **冷夏** cool summer Ⓒ. ¶北海道の稲作は*冷夏で甚大な被害を受けている The rice crop in Hokkaido「has suffered serious damage from [has been seriously damaged by] the *cool summer*.

れいか[3] **冷菓** frozen「dessert [sweet] Ⓒ;（氷菓子）ice Ⓒ.《☞アイスクリーム; シャーベット》.

れいかい[1] **例会** regular meeting Ⓒ《☞かい[1]（類義語）》.

れいかい[2] **霊界** （霊魂の世界）the world of「spirits [souls];（死者の住む世界）the land of the「dead [departed].

れいかい[3] **例解** （例による説明）explanation using examples Ⓒ;（実例による説明）illustration Ⓒ.

れいがい[1] **例外** ―名 exception Ⓒ. ―形 exceptional;（異常な）unusual. ―副 exceptionally; unusually.

¶この規則には*例外を認めない We won't admit any *exceptions* to this rule. /（⇒この規則は例外を許さない）This rule admits of no *exceptions*. // 彼女の子供たちは*例外なくすぐれた学者となった Without *exception*, all her children became prominent scholars. ★ without exception は決まった表現で，無冠詞. // この寒さは 10 月にしては*例外的だ This cold weather is *unusual* for October. /（⇒私たちは例外的に寒い 10 月を持っている）We are having an *unusually* cold October. // *例外のない規則はない（⇒あらゆる規則には例外がある）There's an *exception* to every rule. / There is no law without *exceptions*.

例外法 law of exception Ⓒ.

れいがい[2] **冷害** cold-weather damage Ⓤ.

¶東北地方の稲作はひどい*冷害に見舞われた The Tohoku rice crop *was* badly *damaged by cold weather*.

れいかん[1] **霊感** ―名 inspiration Ⓤ. ―動（霊感を与える）inspire ⑩. ¶その詩人は燃えるような日没から*霊感を受けた The poet「*was inspired* by [*drew his inspiration* from] a flaming sunset. // *霊感商法 fraudulent sales of spurious charms

れいかん[2] **冷汗** ¶*冷汗三斗の思いをする break out in a *cold sweat*《☞ひやあせ》

れいかん[3] **冷寒** （冷気）chill Ⓤ;（寒さ）the cold Ⓤ, coldness Ⓤ.《☞かんれい[2]》.

れいかん[4] **冷感** cold feeling Ⓤ. **冷感症** ☞ふかんしょう[1]

れいき[1] **冷気** （冷たさ）chill Ⓤ《☞さむさ》.

れいき[2] *励起* 〘物理〙*excitation* Ⓤ. *励起状態* 〘物理〙excited state Ⓒ.

れいき[3] **霊気** （spiritual）presence Ⓒ ★通例単数形で．

れいき[4] **霊鬼** （死者の霊）the spirit of the「dead [departed]《☞あくりょう; しりょう[4]》.

れいぎ 礼儀 ―形（思いやりがあって礼儀正しい）courteous;（洗練された物腰で礼儀正しい）polite（↔ impolite） 語法 前者のほうがより積極的な意味の語だが，後者は「礼儀正しい」を意味する最も一般的な語;（無礼でなく丁重な）civil（↔ uncivil）★ polite より意味が弱い. ―名 courtesy Ⓤ; politeness Ⓤ; civility Ⓤ;（作法）manners ★通例複数形で;（エチケット）étiquette Ⓤ;（礼儀作法）《格式》the proprieties.《☞れい[2]》.

¶彼はたいへん*礼儀正しい人だ He is a very「*courteous* [*polite*] person. // あの男は*礼儀をわきまえないやつだ That man is an「*impolite* [*ill-mannered*] person. /（⇒まったく作法を知らない）That man has no *manners* at all. // そうするのが*礼儀だ It is *etiquette* to do so. // 親しき仲にも*礼儀あり There should be *courtesy* even between close friends. / A hedge between keeps friendship green.《ことわざ: 間に垣根があれば友情はいつまでも枯れない》

コロケーション

礼儀にかなう conform to *etiquette* / 礼儀に気をつける mind *one's manners* / 礼儀に反する go against *etiquette* / 礼儀を教える teach *manners* / 礼儀を欠く lack *courtesy* / 礼儀を習う learn good *manners* / 礼儀を守る observe good *manners* / 礼儀を無視する disregard [ignore] *etiquette* / 礼儀をわきまえている have good *manners*

れいきゃく 冷却 ―動（冷やす）cool ⑩;（食べ物などを冷蔵する）refrígeràte ⑩ ★前者より格式ばった語. ―名 refrìgerátion Ⓤ.《☞ひやす; ひえる; れいぞう》.

冷却液 coolant Ⓤ **冷却器** cooler Ⓒ《☞クーラー》 **冷却期間** cooling-off period Ⓒ. ¶長い*冷却期間ののち彼は妻と和解した After a long *cooling-off period* he was reconciled with his wife. **冷却材**（原子炉の）coolant Ⓤ **冷却剤** refrígerant Ⓒ **冷却水** cooling water Ⓒ **冷却装置** cooling「device [apparatus] Ⓒ **冷却の法則** 〘物理〙the law of cooling.

レイキャビク ―名 ⓖ Reykjavik /réikjəvìːk/ ★アイスランド共和国の首都.

れいきゅうしゃ 霊柩車 hearse Ⓒ.

れいきりゅう 冷気流 current of cold air Ⓒ.

れいきん 礼金 （報酬）reward Ⓒ;（主として専門的職業の人に払う）fee Ⓒ;（賃貸アパートなどの）key money Ⓤ.《☞しゃれい; れい[2]》.

れいく 麗句 ☞びじれいく

れいぐう[1] **冷遇** （冷たい取り扱い）cold treatment Ⓤ;（来客に対する）cold reception Ⓒ.《☞つめたい》. ¶私は叔父の家で*冷遇された I received a *cold reception* at my uncle's. // 新任の課長は彼を*冷遇した（⇒冷たく扱った）The newly-appointed section chief *treated* him *coldly*.

れいぐう[2] **礼遇** cordial [courteous] reception Ⓒ. ¶彼は特使として*礼遇された He *was cordially received* as a special envoy.

れいくん 冷燻 cold smoking Ⓤ.

れいけい[1] **令兄** your [his; her] brother Ⓒ.

れいけい[2] **令閨** ☞れいしつ

れいけつ 冷血 ―形（体温が外気と同温度の）cold-blooded（↔ warm-blooded）★「血も涙もない」という比喩的な意味でも用いられる;（冷淡な）coldhearted（↔ warmhearted）.

冷血漢 coldhearted [heartless]「person [beast] Ⓒ 語法 beast を用いたほうが軽蔑の度合が強い. **冷血動物** cold-blooded animal Ⓒ.

れいげん[1] **霊験** **霊験あらたか** ¶このお守りは*霊験あらたかだ（⇒不思議な効力を持っている）This talisman *has miraculous virtue*.

れいげん[2] **冷厳** ―形（厳しくゆるぎのない）grim,

stern; (おごそかで落ち着いた) solemn. ¶*冷厳な事実 *stern* reality

れいげん[3] **例言** (例となる語) example (word) [C]; (説明の語) explanatory word [C]; (説明の注) explanatory note [C].

れいこう[1] **励行** ¶就寝前の歯磨きを*励行しましょう (⇒習慣を作りましょう) Let's *make a habit of* brushing our teeth before going to bed. // 「止まれ」の標識では一時停止*励行のこと (⇒一時停止することを忘れるな) *Never forget to* stop at 'stop' signs.

れいこう[2] **冷光** 〔物理〕 cold light [U], luminescence /lù:mənés(ə)ns/ [U].

れいこく **冷酷** ── [形] (残酷な) cruel; (思いやりがなく冷たい) heartless; (無情な) coldhearted. (☞ ざんこく; むごい). ¶彼は*冷酷な男だ He is a 「*cruel* [*coldhearted*] man.

れいこん **霊魂** (死後も滅びない宗教的な意味での魂) soul [C]; (肉体に対する魂) spirit [C]. (☞ れい[3]). ¶*霊魂の不滅 the immortality of the *soul* **霊魂信仰** belief in the soul [C]; (死者の霊をまつること) worship [deification] of the (spirit of the) dead [U].

れいさい[1] **零細** ── [形] (小さい) small; (小規模の) small-scale. ¶*零細な企業は大企業に太刀打ちできない A *small* business cannot compete with a big business. // *零細な農家 *small*(*-scale*) farmers

れいさい[2] **例祭** (例年の[定例の]祭) annual [regular] festival [C]. ¶春日大社の*例祭 the *annual festival* of the Kasuga Shrine

れいさい[3] **冷菜** (中国料理の) cold vegetables served as hors d'oeuvres /ɔ̀ədə́:v/ with Chinese cuisine /kwəzí:n/ [C].

れいざん **霊山** sacred [holy] mountain [C].

れいし[1] **茘枝** 〔植〕 litchi /lí:tʃi:/ [C], lichi /lí:tʃi:/ [C]; (果実) litchi (nut) [C].

れいし[2] **令姉** your [his; her] sister [C].

れいし[3] **霊芝** *reishi* mushroom [C].

れいじ[1] **零時** (午前零時) twelve o'clock midnight; (正午) noon.

れいじ[2] **例示** (説明の助けとなるもの) illustration [C]; (典型) example. ¶この図表が私の言わんとするところを*例示しています This diagram *illustrates* my point.

レイジー (怠惰な) lazy.

れいしき **礼式** (礼儀作法) etiquette [U], manners.

レイシスト (人種差別主義者) racist [C].

レイシズム (人種差別) racism [U].

れいしつ **令室** your [his; her] wife, Mrs. … (☞ れいふじん). ¶ご*令室様によろしく Please give my best regards to *Mrs.* Jones. ★ ジョーンズ氏に対して言う場合. … to your wife. よりも格式ばった言い方.

れいしゅ **冷酒** (燗(かん)をしない酒) unwarmed sake [U]; (冷用酒) cold [chilled] sake [U].

れいじゅう[1] **隷従** ── [動] (…に奴隷のように従う) obey … slavishly.

れいじゅう[2] **霊獣** sacred [holy] 「beast [animal] [C].

れいしょ **令書** warrant [C].

れいしょう[1] **冷笑** ── [動] (あざ笑う) sneer (at …) (自); (ばかにする) mock (自) (他). ── [名] sneer [C]. (☞ ちょうしょう[1]; あざわらう; わらう (類義語)). ¶彼は私の試みを*冷笑した He *sneered at* my attempt.

れいしょう[2] **例証** ── [名] (証拠となる例) evidence [U] ★ 数える場合は piece を用いる; (説明の助けとなる例) illustration [U]; (代表的な例) example [C]. ── [動] (証拠をあげる; …が証拠となる) give evidence; (例証する) exemplify /ɪgzémpləfàɪ/ (他). (☞ れい[1]; しょうこ; つれい). ¶このことについては十分な*例証がある I 「have [can give] enough *evidence* for this. // 彼は自分の理論の*例証として幾つかの実例を示した He 「gave [cited] several instances in *illustration* of his theory.

れいじょう[1] **令状** (逮捕・差し押さえなどの) warrant [C]. ¶*令状なしで家宅捜索はできない You can't search my house without a *warrant*. // 逮捕*令状 an arrest *warrant*

れいじょう[2] **礼状** letter of thanks [C], thank-you 「letter [note] [C] ★ 後者はくだけた表現.

れいじょう[3] **令嬢** your [his; her; their] daughter [C] (☞ むすめ; おじょうさん). ¶あれがブラウン氏の御*令嬢です That's Mr. Brown's *daughter*. / That's *Miss* Brown.

れいじょう[4] **霊場** holy [sacred] place [C]; (聖地) holy 「land [ground] [C]. **霊場めぐり** the pilgrimage circuit of holy Buddhist temples; (四国の) the pilgrimage circuit of eighty-eight holy temples in Shikoku.

れいしょく[1] **令色** ☞ こうげん[6] (巧言令色)

れいしょく[2] **冷色** ☞ かんしょく[5]

れいしょく[3] **冷食** ── [動] eat uncooked food.

れいじん **麗人** beautiful woman [C], beauty [C].

れいじんそう **伶人草** 〔植〕 *reijin-so* [C]; (説明的には) a poisonous perennial of the buttercup family; it puts out showy pale-purple hooded flowers in summer.

れいすい[1] **冷水** cold water [U]. **冷水域** cold water masses ★ 複数形で. **冷水塊** cold water mass [C] **冷水摩擦** ¶私は毎日*冷水摩擦をする I *rub myself with a cold wet towel* every day. **冷水浴** cold bath [C]

れいすい[2] **霊水** (不思議な作用を持つ水) miracle water [U]; (説明的には) water with miraculous healing powers [U].

れいせい[1] **冷静** ── [形] (落ち着いて平静な) calm; (激したりしないで冷静な) cool, cool-headed.

── [名] calmness [U]; coolness [U]. (☞ へいせい[1]; ちんちゃく; おちつき (類義語)).

¶*冷静を保つ [失う] keep [lose] *one's cool* ★ この cool は名詞. 口語的な表現 // 私たちはその問題に*冷静な判断を下さねばならない We must form a 「*calm* [*cool*] judgment on the problem. // そう興奮せず, *冷静になりなさい Don't get so excited; 「*calm down* [keep *cool*].

れいせい[2] **令婿** your [his; her; their] son-in-law [C] ★ 複数形は sons-in-law. (☞ むこ[1]).

れいせい[3] **冷製** 〔料理〕 ── [形] cold. ── [名] cold dish [C]. ¶*冷製スープ *cold* [*chilled*] soup

れいせつ **礼節** (礼儀にかなっていること) 《格式》 propriety [U], 《格式》 decorum /dɪkɔ́:rəm/ [U]; (礼儀作法) 《格式》 the proprieties ★ the を付けて複数形で. (☞ れいぎ; いはく[3]). ¶*礼節を守る observe *the proprieties*

れいせん[1] **冷戦** cold war [C]; (第2次大戦後の米ソの) the Cold War.

れいせん[2] **冷泉** cold (mineral) spring [C].

れいせん[3] **霊泉** (奇跡的な効き目のある泉[温泉]) miracle 「spring [hot spring] [C]; (説明的には) spring [hot spring] with miraculous healing powers [C].

れいぜん **霊前** ── [副] (個人の霊の前に) before the spirit of the 「departed [deceased]. ¶私は父の*霊前に花輪をささげた I offered a wreath *to the spirit* of my dead father.

れいそう[1] **礼装** (儀式用の服) céremònial dréss

[C]; (正装) full [formal] dress [U]. 《☞ れいふく; せいそう[1]》.

れいそう[2] **霊草** (神聖な草) sacred herb [C]; (奇跡的な効きめをもつ草) herb of miraculous efficacy [C].

れいぞう 冷蔵 ― [名] (食物などの) cold storage [U]; (冷凍・冷蔵) refrigerátion [U]. ― [動] (食料品を冷蔵する) refrígeràte [他]. 《☞ れいとう[1]》. ¶ 要*冷蔵 《食品の表示》 Keep *Refrigerated* // 生肉は*冷蔵しておかなくてはならない Raw meat should be kept ˹in *cold storage* [*refrigerated*].
冷蔵肉 chilled meat [U].

れいぞうこ 冷蔵庫 refrígeràtor [C], 《略式》 fridge [C]; (冷凍用) freezer [C]; (氷で冷やす) icebox [C] 【語法】 《米》 ではかつて電気冷蔵庫の意味でも使われた. ¶ 腐りやすい食物を*冷蔵庫に入れるのを忘れないように Don't forget to put the perishables in the *refrigerator*.

れいそく 令息 your [his; her; their] son [C] 《☞ むすこ》.

れいぞく 隷属 ― [形] (…の支配下にある) subórdinate (to …); (他の権力に支配を受ける) súbject (to …). ― [名] subordination [U]; subjugation [U]. 《☞ じゅうぞく》.

れいそん 令孫 your [his; her] grandchild [C], your [his; her] ˹grandson [granddaughter] [C].

れいだい 例題 (練習問題) éxercise [C].

れいたん 冷淡 ― [形] (薄情で冷たい) cold (↔ warm); (無関心な) indifferent (to …) [P]; (冷たい心の) coldhearted. ― [名] coldness [U]; indifference [U]; coldheartedness [U]. 《☞ はくじょう[1]; そっけない; つめたい》.
¶ 私は*冷淡に迎えられた I received a *cold* reception. // 彼は利己的で他人の難儀にはまったく*冷淡だ He is selfish and quite *indifferent to* other people's troubles. // 君は何て*冷淡な人間なんだ What a *coldhearted* person you are!

れいだんぼう 冷暖房 (室内などの空気調節) air conditioning [C]; (その装置) air conditioner [C]. 《☞ エアコン; くうちょう[1] (空調設備)》. **冷暖房完備** ¶ 各室とも*冷暖房完備です Every room *is fully equipped with air conditioning and heating*. **冷暖房装置** air-conditioning and heating system [C].

レイチェル (女性名) Rachel /réɪtʃəl/.

れいちょう 霊鳥 sacred [holy] bird [C].

れいちょうるい 霊長類 primates /práɪmeɪts/ ★ primate [C] は「霊長類の動物」. 《☞ ばんぶつ》.

レイテ ― [名] [固] (フィリピンの島) Leyte /léɪti/.

れいてい 令弟 your [his; her] (younger) brother [C] 《☞ おとうと》.

れいてき 霊的 spiritual. ¶ *霊的世界 the *spiritual* world

れいてつ 冷徹 ― [形] (判断力や理解力のある) discerning; (本質を見抜く) pénetràting. ¶ *冷徹な頭 a *penetrating* mind

れいてん[1] **零点** zero /zí(ə)rou/ [C]. ¶ 彼は試験で*零点を取った He got ˹a *zero* [*no points*; 《英》 a *nought*] on the examination.

れいてん[2] **礼典** **1** 《礼儀作法の定まり》: the rules of ˹etiquette [manners]; (礼儀作法の書) book of ˹etiquette [manners] [C].
2 《儀式》: ceremony [C]; (宗教上の儀式) ritual [C].

れいてん[3] **冷点** 〘生理〙 cold spot [C].

れいど 零度 zero /zí(ə)rou/ (degrées) 【語法】 zero が可算名詞を修飾すると名詞はしばしば複数形となる; (氷点) the freezing point. ¶ 明朝気温は*零度以下に下がるだろう The temperature will fall below ˹*zero* [*zero degrees; the freezing point*] tomorrow morning. // 絶対*零度 absolute *zero*

れいとう[1] **冷凍** ― [動] (冷凍する) freeze [他] (↔ thaw); (冷蔵する) refrígeràte [他]. ― [名] freezing [U]; refrìgerátion [U]. 《☞ れいぞう》.
¶ その魚は*冷凍されてここへ運ばれる The fish *is* ˹*frozen* [*refrigerated*] and brought here. **冷凍乾燥** ― [名] freeze drying [U]. ― [動] freeze-dry [他] **冷凍魚** frozen fish ★ 集合的に用いられ単複同形. **冷凍庫[室]** freezer [C] 《☞ れいぞうこ》 **冷凍車** refrigerator truck [C] **冷凍食品** frozen food [U] **冷凍船** refrigerator ˹ship [boat] [C] **冷凍肉[野菜]** frozen ˹meat [U] [vegetable [C]].

れいとう[2] **霊湯** ☞ れいせん[3]

レイトレーシング 〘コンピューター〙 ray tracing [U] ★ 画像の描画手法の一種.

れいねつ 冷熱 coldness and hotness [U]; (冷淡と熱意) indifference and zeal [U]; (盛衰) prosperity and decline [U].

れいねん 例年 ¶ 体育祭は*例年の (⇒ 毎年 1 回の) 行事だ Our field day is an *annual* event. // *例年の (⇒ いつもの) とおり文化祭が開かれた Our school festival was held *as usual*. // 大学の門は今年は*例年になく (⇒ いつもと違って) 狭い The competition for entering universities is ˹*unusually* stiff [stiffer than *usual*] this year. // 今年の収穫は*例年並だ (⇒ 並の収穫だ) We have had an *average* crop this year.

れいのうしゃ 霊能者 (シャーマン) shaman [C]; (霊媒) medium [C] 《複 ～s》; (超能力者) psychic [C].

レイノーしょう レイノー症 〘医〙 Raynaud's ˹disease [syndrome] [U].

レイノルズすう レイノルズ数 〘物理〙 Reynolds number [C].

れいば 冷罵 ― [動] abuse /əbjúːz/ [他]. ― [名] abuse /əbjúːs/ [U].

れいはい[1] **礼拝** (一般的に) worship /wə́ːʃɪp/ [U]; (教会の礼拝式) (church) service [C]. ¶ 彼女は毎週日曜日に*礼拝に出席する She attends ˹(*public*) *worship* [*a church service*] every Sunday. **礼拝者** worshipper [C] **礼拝堂** (教会・学校・病院などの付属の) chapel [C] 《☞ きょうかい[1]》.

れいはい[2] **零敗** ― [動] (無得点で敗れる) lose without scoring [自] [他]; be shut out. ― [形] (無敗の) undefeated. ¶ 若乃花は 10 勝*零敗で優勝街道を進んでいた Wakanohana with ˹ten consecutive victories [a 10–0 record] was heading down the championship trail.

れいばい[1] **霊媒** (spíritualistic) medium /míːdiəm/ [C] 《複 ～s》.

れいばい[2] **冷媒** cooling medium [C] 《複 -dia, ～s》, coolant [C], refrigerant [C].

れいひょう 冷評 unkind [unfavorable] ˹remark [criticism] [C] 《☞ こくひょう》. ¶ 多くの批評家が彼の最新作を*冷評した Many critics ˹*sneered at* [*made unkind comments on*] his latest work.

れいびょう 霊廟 mausoleum /mɔ̀ːsəlíːəm/ [C].

レイプ ― [名] rape [U] ★ 事例は [C]. ― [動] rape [他]. 《☞ ぼうこう》.

れいふく 礼服 (儀式用の式服) céremònial clóthes ★ 複数形で; (モーニング) morning dress [U]; (正装) formal dress [U].

れいふじん 令夫人 your [his; her] wife, Mrs. … ¶ 《手紙の宛名で》 山田太郎殿同*令夫人殿 Mr. and *Mrs.* Taro Yamada

れいぶん 例文 (辞書などの実例となる文) illústrative séntence [C]; (一般に例としての文) example (sentence) [C]. 《☞ れい[1]》. ¶ この辞書には*例文が

多い This dictionary has a lot of ⌈*illustrative sentences* [*examples*]. // 先生はその語の用法について*例文を 1 つ示してくれた The teacher gave us an *example* of how the word is used.

れいほう[1] **礼砲** ―［名］(敬意を表す空砲) salute Ⓒ. ―［動］(礼砲を放つ) salute (自). ¶ 彼らは 21 発の*礼砲を放った They fired a 21-gun *salute*.

れいほう[2] **霊峰** sacred mountain Ⓒ. **霊峰富士** Sacred Mt. Fuji.

れいほう[3] **礼法** (社交上の礼儀作法) etiquette Ⓤ; (社会慣習上の作法) manners. ★ 複数形で.

れいぼう **冷房** ―［名］ air conditioning Ⓤ. ―［形］ air-conditioned. (☞ クーラー［日英比較］).
¶ *冷房完備 *Air-conditioned* (掲示) // この部屋は*冷房がきき過ぎている The *air conditioning* in this room is too ⌈low [strong; cold].
冷房車 air-conditioned car Ⓒ **冷房装置** (エアコン) air-conditioner Ⓒ **冷房病** áir-condìtion-ingítis /-kəndìʃ(ə)nɪŋáɪtɪs/ Ⓤ, illness induced by air-conditioning Ⓤ.

れいまい **令妹** your [his; her] sister Ⓒ.

れいみょう **霊妙** ―［形］(妙なる) ethereal /ɪθí-(ə)riəl/; (絶妙な) exquisite.

れいむ **霊夢** inspired dream Ⓒ; (説明的には) dream in which a person receives a divine message Ⓒ.

れいめい[1] **黎明** dawn Ⓤ. ¶ この出来事は新時代の*黎明を記した This incident marked the *dawn* of a new era.

れいめい[2] **令名** ―［形］(有名な) renowned, celebrated. ―［名］(名声) fame Ⓤ. (☞ ゆうめい[1]).
¶ 彼は詩人として*令名をはせている He's a *celebrated* poet.

れいめい[3] **霊名** (洗礼名) Christian [baptismal] name Ⓒ (☞ なまえ[1]［日英比較］).

れいめん **冷麺** cold noodles; (冷肉汁入りの) noodles in cold broth. ★ 複数形で.

レイモンド (男性名) Raymond ★ 愛称は Ray.

レイヤー (層) layer Ⓒ.

レイヤードカット layered haircut Ⓒ.

れいやく **霊薬** wonder [miracle] ⌈drug Ⓒ [medicine Ⓤ]; (不老不死の霊薬) the elixir /ɪlíksə/ of life.

れいやさい **冷野菜** cold vegetable Ⓒ. ¶ *冷野菜のスープ *cold vegetable* soup

れいよう[1] **羚羊** 〔動〕 antelope Ⓒ.

れいよう[2] **麗容** beautiful ⌈shape [form] Ⓒ.

れいようしゅ **冷用酒** cold sake Ⓤ, sake drunk chilled Ⓤ.

レイヨン ☞ レーヨン

れいらく **零落** ―［動］(落ちぶれる) còme dówn (自) ★ くだけた表現. ―［名］ cómedòwn Ⓤ; (没落) dównfàll Ⓒ ★ 普通は単数形で, ruin Ⓤ ★ 後者のほうが格式ばった語. (☞ おちぶれる; ぼつらく).

れいり **怜悧** ―［形］(聡明な) sharp; (子供などが頭のよい) bright.

レイリーは **レイリー波** 〔物理〕 Rayleigh wave Ⓒ.

れいりょく **霊力** the power of the soul.

れいれいしい **麗麗しい** ―［形］(見えを張った) pretentious; (これ見よがしの) òstentátious; (派手な) showy. ―［副］(麗々しく) pretentiously; ostentatiously; showily.

れいろう **玲瓏** ¶ この鐘は*れいろうたる響き (⇒ 明るく澄んだ音) がする This bell has a *clear and bright* sound. // *れいろうたる (⇒ 澄んだ美しい) 朝空に陽が昇りつつあった The sun was ⌈coming up [rising] in the *serene* /sərí:n/ *and beautiful* morning sky.

レイン (雨) rain Ⓤ.

レインアウト 〔気象〕 rainout Ⓤ.

レインコート raincoat Ⓒ (☞ コート[1]).

レインジャー ☞ レーンジャー

レインシューズ (一般的に) overshoes; (ゴムのオーバーシューズ) galoshes ★ いずれも複数形で用いる. 普通は靴の上にはくもの; (足首またはそれ以上まで入る深靴) boots; (ゴム長靴) rubber [(英) gum] boots, (英) wellingtons ★ 以上いずれも複数形で.

レインボー (虹) rainbow Ⓒ.

レーガノミックス 〔経〕 Reaganomics Ⓤ ★ 米国大統領レーガン (Reagan) と経済 (economics) の合成語.

レーガン ―［名］(固) Ronald (Wilson) Reagan /réɪg(ə)n/, 1911–2004. ★ 米国の第 40 代大統領.

レーク (湖) lake Ⓒ.

レークサイド ―［名］(湖畔) the lakeside. ―［形］(湖畔の) lakeside.

レークプラシッド ―［名］(固) Lake Placid ★ 米国ニューヨーク州にある保養地.

レーサー (競走用自動車の運転手) racing driver Ⓒ ★ racer Ⓒ は一般にレースに参加する人・動物を表す.

レーザー laser Ⓒ /léɪzə/ ★ *l*ight *a*mplification by *s*timulated *e*mission of *r*adiation の頭文字からできた語. (☞ 略語 (巻末)). **レーザー光線** laser beam Ⓒ **レーザージャイロ** 〔物理〕 laser gyro Ⓒ **レーザー通信** laser communication Ⓤ **レーザーディスク** laser disc Ⓒ **レーザープリンター** 〔コンピューター〕 laser printer Ⓒ **レーザーメス** laser ⌈knife [scalpel] Ⓒ.

レーシングカー racing car Ⓒ.

レース[1] (競争) race Ⓒ (☞ きょうそう[2]). ¶ 彼はその*レースに勝った[負けた] He ⌈won [lost] the *race*.
レースクイーン (自動車レースなどの) spokesgirl (for the sponsors of a car race) Ⓒ; (説明的には) pretty young woman (often alluringly dressed) who promotes sponsor products and awards the prize to the winner at an auto race Ⓒ.

レース[2] (テーブル掛けやカーテンなどの) lace Ⓤ; (レース細工) lacework Ⓤ. ¶ 彼女のドレスには*レース (の縁飾り) がついている Her dress is trimmed with *lace*. **レース編み** lacework Ⓤ **レース糸** cotton thread Ⓒ.

レーズン (干しぶどう) raisin /réɪzn/ Ⓒ.

レーゾンデートル (存在理由) raison d'être /réɪzɔ:ndétr(ə)/ Ⓒ ★ フランス語から.

レーダー radar /réɪdɑə/ Ⓤ ★ *ra*dio *d*etecting *a*nd *r*anging の略. (☞ 略語 (巻末)).
¶ 彼らは*レーダーでそのロケットを追跡した They ⌈tracked [followed] the rocket ⌈on [by] *radar*.
レーダー技師 radarman Ⓒ **レーダー基地** radar base Ⓒ **レーダーサイト** radar site Ⓒ **レーダースクリーン** radar screen Ⓒ. ¶ 飛行機は 10 分後に*レーダースクリーンから消えた The plane disappeared from (the) *radar screens* ten minutes later. **レーダー装置** radar system Ⓒ **レーダー網** radar system Ⓒ.

レーティング (格付け) rating Ⓒ.

レート (率) rate Ⓒ (☞ りつ[1]; そうば). ¶ きょうの外国為替*レートは 1 ドル 100 円です Today's foreign exchange *rate* is a hundred yen to the dollar.

レーニン ―［名］(固) Vladimir Ilyich Lenin /vlædɪmiə íljɪtʃ lénɪn/, 1870–1924. ★ ロシアの革命家. **レーニン主義** Léninìsm Ⓤ **レーニン主義者** Léninist Ⓒ **レーニン廟** ―［名］(固) the Lenin Mausoleum.

レーベル label Ⓒ.

レーマンふれんぞくめん **レーマン不連続面**

〖地震〗the Lehmann discontinuity.

レーヨン (人絹) rayon Ⓤ.

レール (鉄道などの) rail Ⓒ; (鉄道線路) track Ⓒ; (カーテンの) curtain 「rail [rod] Ⓒ ★ rod は円柱状のもの. レールバス railbus Ⓒ レールロード railroad Ⓒ, 《英》 railway Ⓒ.

レーン (車線・ボーリングの) lane Ⓒ.

レーンコート ☞ レインコート

レーンジャー (特殊攻撃部隊)《米》 ranger Ⓒ, 《英》 commándo Ⓒ; (森林警備隊員) (forest) ranger Ⓒ.

レーンシューズ ☞ レインシューズ

レオ ☞ リオ

レオタード leotard /líːətὰəd/ Ⓒ.

レオナルドダビンチ ―名 固 Leonardo da Vinci /lìːənáədou də víntʃi/, 1452–1519. ★ イタリアの画家・彫刻家・建築家・科学者.

レオポン 〖動〗 leopon /lépən/ Ⓒ ★ 雄ひょう (leopard) と雌ライオン (lion) の種間雑種.

レオロジー 〖物理〗 rheology /riάləʤi/ Ⓤ.

レガーズ (すね当て) leg guards ★ 通例複数形で.

レガート 〖楽〗 legáto Ⓒ ★「結びつける」の意のイタリア語から.

レガシー (遺産) legacy Ⓒ.

レガッタ (ボートレース) regatta /rɪgǽtə/ Ⓒ.

-れき …歴 ¶ 彼は運転*歴 30 年のベテランである (⇒ 30 年の運転経験をもったすぐれた運転手である) He is an excellent driver with thirty years of driving *experience.* // 彼の教職*歴は 20 年である (⇒ 彼は 20 年の教職の経験がある) He has twenty years of *experience* in teaching. // 病*歴 a 「case [clinical] *history*

れきがく 暦学 calendar studies ★ 複数形で; the study of calendars, almanac-making using astronomy.

れきがん 礫岩 ―名 conglómerate Ⓤ. ―形 conglòmerític.

れきさつ 轢殺 ―動 (ひき殺す) run over and kill 他.

れきし[1] 歴史 ―名 hístory Ⓤ ★ 歴史の本・物事の由来の意味では Ⓒ. ―形 (歴史的に有名な) históric; (歴史(上)の) historical 〔語法〕 歴史的に名高く, 歴史に残る価値があることを強調するのが historic. 単に「歴史上の」とか「歴史に関係がある」ことを示すのが historical.
¶ *歴史を作る make *history* // *歴史は繰り返す *History* repeats itself. 《ことわざ》 // その事件は世界の*歴史を変えた The event changed the *history* of the world. // 我々の大学は 100 年の*歴史がある Our university has a *history* of a hundred years. // 私は*歴史上名高い所を幾つか訪れた I visited some *historic* sites. / *歴史的映像 *historic* (film) footage // それは*歴史的事実だ It is a *historical* fact. // *歴史に残る大事件 a *historic* event / an important incident that will go down in *history*
歴史家 histórian Ⓒ 歴史学 history Ⓤ 歴史観 historical view Ⓒ 歴史劇 historical 「drama [play] Ⓒ 歴史言語学 historical linguistics Ⓤ 歴史時代 historic times ★ 複数形で. 歴史小説 [物語] historical 「novel [story] Ⓒ 歴史的仮名遣い traditional *kana* orthography (taught until 1946) Ⓤ *歴史的現在〖修辞法〗the historic(al)* present 歴史哲学 philosophy of history Ⓤ 歴史認識 (理解) historical understanding Ⓤ, historical recognition Ⓤ; (観点) historical perspective Ⓒ. ¶ *歴史認識が甘い do not fully *understand the past* (*history*) 歴史年表 history chart Ⓒ 歴史法則 (歴史に見られる法則) law of history Ⓒ; (ある時代に限定された法則) law valid for a particular period Ⓒ.

コロケーション

> 歴史に名を残す leave *one's* name in *history* / 歴史を書き換える rewrite [revise] *history* / 歴史を辿る trace the *history* (of ...) / 歴史を歪曲する distort *history*

れきし[2] 轢死 ―動 (車や電車にひかれて死ぬ) be run over and killed, be killed by a 「car [train]. (☞ ひきころす; ひく[3]).

レキシコン (語彙集・辞書) lexicon /léksəkὰn/ Ⓒ.

れきじゅつ 暦術 almanac-making 「technique [method] Ⓒ.

レキシントン ―名 固 Lexington ★ 米国マサチューセッツ州ボストン市の郊外の町で, 米独立戦争の最初の戦闘地; 米国ケンタッキー州の都市.

れきせい 瀝青 〖地質〗 bitumen /bɪt(j)úːmɪn/ Ⓤ.

れきせっき 礫石器 〖考古学〗 (刃物として使った片刃の) chopper Ⓒ; (両面に刃のあるもの); chopping tool Ⓒ. (☞ せっき[2]).

れきせん 歴戦 歴戦の勇士 veteran /vét(ə)rən/ Ⓒ, old [experienced /ɪkspí(ə)riənst/] soldier Ⓒ.

れきぜん 歴然 ―形 (見てすぐわかるほど明らかな) óbvious; (疑いなどを起こさせる要素がないほどはっきりしている) clear; (周囲の状況などから明白な) evident; (反論できないほど明らかな) irrefútable ★ やや格式ばった語; (決定的な) conclusive; (間違いようがないほど) unmistakable. (☞ あきらか; めいはく). ¶ 彼が市長に選ばれることはだれの目にも*歴然としている It is 「*obvious* [*clear*] to anyone that he will be elected mayor. // 彼が有罪だという*歴然とした証拠がある There is 「*unmistakable* [*irrefutable*; *conclusive*] evidence that he is guilty.

れきだい 歴代 ¶ *歴代の (⇒ 過去の) 大統領 all the *past* presidents // 彼は*歴代の総理大臣 (⇒ 日本のいままでの総理大臣) の中で一番若い He is the youngest Prime Minister (that) Japan has ever had.

れきちゅう 暦注 note on the lunar calendar Ⓒ.

れきにん 歴任 ¶ 彼は要職を*歴任した He *has held* various important posts.

れきねん[1] 暦年 calendar year Ⓒ.

れきねん[2] 歴年 ―形 (長年の) long-standing. ―名 (長年) years. (☞ せきねん). ¶ *歴年の確執 a *long-standing* feud // *歴年の研究 *years* of research

れきねんれい 暦年齢 〖心〗 chronological age Ⓒ (略 CA).

れきほう 歴訪 ¶ 首相はヨーロッパ 5 か国を*歴訪した The prime minister *visited* five European countries.

レギュラー (正規の選手・常時の出演者) regular Ⓒ; (正会員) regular member Ⓒ.
¶ 彼は学校の野球部の*レギュラーだ He is a *regular* on the school baseball team.
レギュラーガソリン regular (gasoline) Ⓤ レギュラーコーヒー coffee Ⓤ ★ 英語では instant coffee と言わなければレギュラーコーヒーの意味になる. 特に強調したい場合は real coffee と言えばよい. レギュラーポジション〖スポ〗regular position Ⓒ レギュラーメンバー (正選手) regular (player) Ⓒ. ¶ 彼はその番組の*レギュラーメンバー (⇒ 常連) だ He is a *regular* on the program.

レギュレーター 〖機〗 regulator Ⓒ.

れきれき 歴歴 ―名 (名士) notables, distinguished persons; (高位の人) dígnitàries. ―形 (名だたる) notable, distinguished; (明らかな) obvious. ¶実業界のお*歴々 *eminent* [*prominent; distinguished*] *figures* in the business world / *top people* [*VIPs*] in the business world // *歴々たる事実 an *obvious* truth

レクイエム 〘カトリック・楽〙(死者のためのミサ曲) requiem /rékwiəm/ [C], mass for the dead [C].

レクチャー ── [名] (講義) lecture [C]. ── [動] lecture (on ...) (自), give [deliver] a lecture (on ...).

レクチン 〘化〙 lectin [U].

レグホーン 〘鳥〙(鶏の品種) leghorn /lég(h)ɔən/ [C]. ¶白色*レグホーン a white *leghorn*

レグミン 〘生化〙 legumin(e) /lɪgjúːmɪn/ [U].

レクリエーション ── [名] (気晴らし) rècreátion [U]. ── [形] rècreátional. 《☞ ごらく (類義語); きばらし; たのしみ》. ¶私は*レクリエーションにテニスをやっている I play tennis for *recreation*.
レクリエーション活動 recreational activity [C] **レクリエーション施設** recreational facilities ★ 通例複数形で; (備品・設備) recreational equipment [U] **レクリエーションスポーツ** récreàtional spórt [C].

レゲエ 〘楽〙 reggae /régeɪ/ [U].

レコーダー (記録係・記録する機械) recorder [C]. ¶カセット*レコーダー a cassette *recorder*

レコーディング (録音) recording [U] 《☞ ろくおん》.

レコード[1] (レコード盤) récord [C], disk [C], disc [C] ★ 後の 2 語はくだけた表現. ¶彼女はベートーベンの『田園』の*レコードをかけた She played a *record* of Beethoven's *Pástoral Sýmphony*.
レコード音楽 recórded músic [U] **レコードコンサート** record concert [C] **レコード大賞** the (Japan) Record Award **レコードプレーヤー** récord plàyer [C] **レコード屋** récord shòp [C].

レコード[2] (競技などの記録) récord [C] 《☞ きろく; しんきろく》. **レコードホルダー** (競技などの最高記録保持者) récord hòlder [C].

レコパン ── [名] (商) (洋服・香水などの商標名) Les Copains.

レコンキスタ 〘史〙 the Reconquista /reɪkɔːŋkíːstə/ ★ 中世のキリスト教徒によるイベリア半島奪回運動. スペイン語・ポルトガル語で「奪回」の意.

レザー[1] (革) leather [U]; (模造革) imitation leather [U], lèatherétte [U]. **レザークラフト** (皮革工芸) leathercraft [U] **レザークロス** (革に似せた布) leathercloth [U].

レザー[2] (かみそり) razor [C]. ¶*レザーカットにしてもらう have a *razor* haircut

レジ[1] (金銭登録器) (cásh) règister [C] ★「レジ」はレジスターの略; (レジ係) cashier /kæʃíə/ [C]; (スーパーなどの勘定台) checkout counter [C]. ¶*レジはどこですか Where is the ˹*cashier* [*checkout counter*]? // *レジで払って下さい Please pay the *cashier*. **レジ袋** (supermarket) checkout bag [C].

レジ[2] (男性名) Reg /rédʒ/ ★ Reginald /rédʒənld/ の愛称.

レジー (男性名) Reggie /rédʒi/ ★ Reginald /rédʒənld/ の愛称.

レシート (領収書) receipt /rɪsíːt/ [C] 《☞ うけとり》.

レシーバー **1** 《スポーツでレシーブする人》: receiver [C]. ¶*レシーバー側の得点(です) Advantage (to) *receiver*. ★ テニスでジュース (deuce) 後の 1 点の得点. 人の名前を使って Advantage (to) Miss Brown. のように言うこともある.
2 《耳に当てて聞く受信機》: receiver [C].
¶彼女は*レシーバーを耳に当てた She put the *receiver* to her ear.

レシーブ ── [動] (球技の) receive /rɪsíːv/ (他). ── [名] receiving [U].

レジーム (政権・体制) regime [C].

レジェンド (伝説) legend [C].

レシオ (比・比率) ratio [C].

レジオネラきん **レジオネラ菌** 〘医〙 Legionella /lìːdʒənélə/ [U].

レジオネラしょう **レジオネラ症** 〘医〙 Legionnaires' [Legionnaire's] disease [U] ★ 1976 年の米国在郷軍人会大会 (The American Legionnaires' Convention) で最初に患者が確認されたのでこの名がある.

レジオンドヌール (勲章) the Legion /líːdʒən/ of Honor ★ フランス語の la Légion d'honneur から.

レジスター ☞ レジ

レジスタンス (抵抗) resistance [U]; (地下抵抗運動(組織)) the Resistance. 《☞ ていこう[1]》. **レジスタンス文学** resistance literature [U].

レシタティーブ 〘楽〙 recitative [C].

レシチン 〘生化〙 lecithin /lésəθ(ə)n/ [U].

レシテーション (朗誦) recitation [U].

レジデンス (邸宅) residence [C].

レジデント (居住者) resident [C].

レジナルド (男性名) Reginald /rédʒənld/ ★ 愛称は Reg /rédʒ/, Reggie /rédʒi/.

レシピ (調理法) recipe /résəpìː/ [C]. ¶*レシピどおりに調理する follow the *recipe*

レシピエント (受血者・臓器の被移植者) recipient [C] (↔ donor).

レシプロエンジン 〘機〙 reciprocating engine [C].

レジメ ☞ レジュメ

レジメンタルタイ (斜め縞のネクタイ) regimental tie [C].

レジャー (余暇を利用したレクリエーション) recreation [U]; (余暇を利用した活動) leisure activity [C]; (余暇) leisure /líːʒə/ [U] [日英比較] leisure という英語は「余暇」という意味であるが, 日本語のレジャーはレクリエーションという意味で用いられることが多い. この点の日英の食い違いに注意.
¶私は日曜日はたいてい*レジャーに使っています I usually spend my Sundays on ˹*recreation* [*leisure activities*]. // *レジャーブーム (⇒ 観光旅行などレクリエーションをする人たちのブーム) the [a] *tourist and recreational* boom
レジャーウェア leisurewear [U], leisure clothes [語法] 複数形で. -wear の付く語は商業的な用語で, 後者のほうが一般的. **レジャー産業** the leisure industry **レジャー施設** leisure facilities ★ 複数形で. **レジャースポーツ** recreational sport [C] **レジャービークル** (レジャー用車) recreational vehicle [C] **レジャーホテル** hotel with recreational facilities [C] **レジャー用品** recreational [leisure] equipment [U], sporting goods ★ 後者は複数形で, スポーツ用品. **レジャーランド** rècréation [amúsement] pàrk [C].

レジュメ (概要・要約) résumé /rézəmèɪ/ [C] ★ フランス語から. résumé の ´ は綴り本来のもの; summary [C]. 《☞ ようやく[2]》.

レス[1] (男性名) Les /lés/ ★ Leslie /lésli/ の愛称.

レス[2] (電子メールなどの返信) response [C].

レズ ☞ レスビアン

レスキュー ☞ きゅうじょ **レスキュー隊** réscue pàrty [C] **レスキューボード** (ライフセービング用の) rescue board [C] **レスキューロボット** rescue robot [C].

レスター[1] (男性名) Lester /léstə/.

レスター[2] (チーズ) Leicester (cheese) [U].

レスト (休息・休憩) rest [U].

レストルーム (トイレ) rest room [C].

レストハウス (旅行者用宿泊所) rest house [C].

レストラン restaurant /rést(ə)rənt/ Ⓒ《☞ しょくどう¹》. **レストランシアター** (食事をしながら舞台が見られる所) theater restaurant Ⓒ [日英比較]「レストランシアター」は和製英語.

レスビアン (同性愛の女性) lesbian /lézbiən/ Ⓒ; (女性の同性愛) lesbianism Ⓤ.

レスピレーター (人工呼吸装置) respirator Ⓒ.

レスポンス (応答) respónse Ⓒ.

レスラー (レスリング選手) wrestler Ⓒ《☞ レスリング》.

レスリー (男性名) Leslie /lésli/ ★ 愛称は Les /lés/; (女性名) Lesley /lésli/.

レスリング wrestling Ⓤ. ¶*レスリングの試合 a *wrestling* match

レセプション (正式な歓迎会) reception Ⓒ《☞ かんげい》. ¶*レセプションを開く give [hold] a *reception*

レセプター 〘生化〙 receptor Ⓒ.

レセプト (診療報酬明細書) itemized billing statement of medical expenses (submitted by medical providers for insurance purposes) Ⓒ ★ ドイツ語の Rezept (英語の recipe, receipt に相当) から.

レセルピン 〘化・薬〙 reserpine /résəpìːn/ Ⓤ.

レソト ―[名] (固) Lesotho /ləsóutou/; (正式名) the Kingdom of Lesotho ★ 南アフリカ共和国に囲まれた内陸国.

レゾルシン 〘化・薬〙 resorcin /rɪzɔ́ːsɪn/ Ⓤ.

レダ ―[名] (固) 〘ギ神〙 Leda /líːdə/ ★ 白鳥に姿を変えたゼウスとの間でヘレネを産んだという女.

レター (手紙) letter Ⓒ. **レターヘッド** letterhead Ⓒ.

レターペーパー ☞ びんせん¹

レタス 〘植〙 lettuce Ⓒ [語法] 植物としてのレタスは a lettuce, two lettuces となるが, 食用としての葉は Ⓤ で, 結球は普通 a head of lettuce, two heads of lettuce のように数える.

レタッチ ☞ リタッチ

レタリング (デザイン化された文字を書いたり刻んだりする技術) lettering Ⓤ.

レチタティーボ ☞ レシタティーブ

れつ 列 (横に直線的に並んだ人や物の列) row Ⓒ ★ 劇場などの「座席の(横の)列」の意にもなる; (縦の列) line Ⓒ; (順番を待つ列) 《米》 line Ⓒ, 《英》 queue /kjúː/ Ⓒ; (兵隊・タクシーの列) rank Ⓒ ★ 兵隊の場合は横列で, 縦の場合は file Ⓒ; (行列) procession Ⓒ. 《☞ せいれつ; ならぶ; ぎょうれつ》.

row

line

¶私は(前から) 5 *列目に座った I sat in the fifth *row*. // 私たちは*列を作った We formed a ⌈*line* [*queue*]. ★ 順番を待つため. // 机を横に 7 *列に並べなさい Arrange the desks in seven *rows*. [語法] 「縦に」なら line を用いる. // この*列に並んで下さい Please ⌈stand [take your place] in this ⌈*line* [*queue*]. ★ stand のほうがより口語的. // 彼は*列に割り込もうとした He tried to break into the *line*. // タクシーが*列を作って並んでいる Taxis are standing in a *rank*. // 彼は(途中で) *列から離れた (⇒ 落後した) He dropped out of the ⌈*line* [*ranks*]. // 縦に 1 [2] *列に並びなさい Form a ⌈single [double] ⌈*file* [*line*]. / Line up in ⌈(a) single *file* [two *files*]. // 閣僚の*列に加わる become a member of the cabinet ★ 特定の内閣を指すときは cabinet の c を大文字で.

れつあく 劣悪 ―[形] (劣等の) inferior /ɪnfí(ə)riə/; (粗雑な) coarse; (質の悪い) poor. ¶*劣悪な商品 *inferior* goods / goods of *poor* quality

れつい 劣位 ―[形] (…より劣った) inferior (to …); (…よりレベルが低い) on a lower level (than …). 《☞ おとる》.

れっか¹ 烈火 **烈火のごとく怒る** ¶彼はその返事を聞いて*烈火のごとく怒った (⇒ 激怒した) He *was* ⌈*infuriated* [*enraged*] *at* the reply. / He *flew into a rage* when he heard the reply. 《☞ げきど; おこる¹》

れっか² 劣化 deterioration Ⓤ.

れっか³ 列火 (漢字の) fire radical at the bottom of kanji Ⓒ.

レッカーいどう レッカー移動 ―[動] tow away (他). ―[名] towaway Ⓤ.

レッカーしゃ レッカー車 (事故車などを牽引していく大型のもの) wrecker Ⓒ ★ 主に《米》/ (特に故障車・不法駐車の車などを引いていく牽引車) tow truck Ⓒ. ¶*レッカー車が君の車をどこかへ引っ張っていった A *tow truck* towed your car away.

れっかウラン 劣化ウラン 〘化〙 depleted uranium /dɪplíːtɪd juréɪniəm/ Ⓤ. **劣化ウラン弾** depleted-uranium shell Ⓒ.

れっかく 劣角 〘数〙 minor angle Ⓒ.

れっき 列記 ―[動] list (他), make a list of …, 《格式》 enumerate (他). ¶適当と思われる方を全員*列記して頂けませんか Could you *list* all the people who you consider to be suitable?

れっきとした (世間的にちゃんとした) respéctable [語法] この語は世間並みということを言うだけで必ずしも褒め言葉にはならないので,「非常に」(very) という言葉を添えるほうがよい場合がある; (十分に認められた) wéll-récognized; (立派な) hónorable (《英》 honourable); (明らかな) óbvious; (はっきりした) clear. 《☞ りっぱ; れきぜん》.
¶彼女は*れっきとした家柄の出だ She comes from a ⌈very *respectable* [(⇒ 世間に認められている) *well-recognized*] family. // それは*れっきとした事実だ It is an *obvious* fact. // *れっきとした (⇒ 論ばくできない [疑問の余地のない]) 証拠を提示する provide *irrefutable* [*unquestionable*] evidence

れっきょ 列挙 ―[動] (1つ1つ数え上げる) enúmeràte (他) ★ 格式ばった語; (表に載せる) list (他). ―[名] enumeration Ⓤ. 《☞ かぞえあげる; かぞえる》. ¶彼は失敗の原因を*列挙した He *enumerated* the causes of the failure.

れっきょう 列強 (世界の) the Great Powers. ¶西欧の*列強 the Western *powers*

レッグ (脚) leg Ⓒ 《☞ あし¹》. **レッグウォーマー** leg warmer Ⓒ ★ 片方を指すとき以外は複数形で.

レックス (男性名) Rex.

れっこ 劣弧 〘数〙 minor arc Ⓒ.

れっこう 裂肛 ☞ きれじ²

れっこく 列国 (多くの国々) nations ★ 複数形で. 《☞ しょこく》.

れつごさい 劣後債 〘経〙 subordinated debt Ⓒ.

れつごローン 劣後ローン 〘経〙 subordinated loan [C].

レッサーパンダ 〘動〙 lesser panda [C].

れっしゃ 列車 train [C] ★ 一般的な語, 《米》 railroad train [C], 《英》 railway train [C]. 《☞ てつどう; きしゃ[2]; でんしゃ[1]; えき[1] (挿絵)》.

> 列車のいろいろ
> 貨物列車 《米》 freight train, 《英》 goods train, 急行列車 express (train), 始発[最終]列車 the ⌈first [last] train, 準急列車 《米》 local express (train), 超特急列車 (新幹線などの) superexpress (train), 直通列車 through train, 通勤列車 commuter train, 特急列車 limited express (train), 上り[下り]列車 up [down] train, 普通[鈍行]列車 local train, 夜行列車 night train, 郵便列車 mail train, 旅客列車 passenger train, 臨時列車 special train

¶ 私は*列車で九州へ行った I went to Kyushu by *train*. / I took a *train* to Kyushu. // 「あす広島へ行かなくてはならないんだ」「飛行機で行くの, それとも*列車で行くの」 "I have to go to Hiroshima tomorrow." "Are you going by plane or by *train*?" // 私たちは午後 3 時 15 分発の*列車で上野を発ちます We leave Ueno on the 3:15 ⌈P.M. [p.m.] *train*. // 「金沢行きの次の*列車はいつ発車しますか」「11 時 20 分です」 "When does the next *train* ⌈for [to] Kanazawa leave?" "It leaves at 11:20." 語法 (1) for を用いることが多い. // 大阪行きの*列車の時間が知りたいのです I'd like to get the *train* schedule for Osaka. // 私たちは仙台で*列車に乗った[*列車から降りた] We got ⌈on [off] the *train* at Sendai. // 私は彼の後から*列車に乗り込んだ I ⌈got onto [boarded] the *train* after him. ★ get onto を用いるほうが平易な言い方. // その*列車は 9 時 30 分に到着します The *train* ⌈comes in [(⇒ 着く予定だ) is due] at 9:30. // 私たちの乗る*列車が間もなくホームに入ってくる Our *train* is ⌈coming [pulling] in soon. // 6 番線に入っているのがあなたの乗る*列車です That's your *train* standing at ⌈track [platform] No. 6. ★ track は元来軌道を指す. [ ] 内は主に《英》. // *列車が駅を出て行くところだ The *train* is ⌈leaving [pulling out of] the station. // 私は最終*列車に乗り遅れた[間に合った] I ⌈missed [caught] the last *train*. 語法 (2) catch の代わりに be in time for ... でもよいが, catch には「追いかけて[急いで]間に合う」というニュアンスがある. // その*列車は 12 両編成です The *train* is twelve ⌈cars [《英》 carriages] long. / The *train* is made up of twelve ⌈cars [《英》 carriages]. ★ 第 1 文のほうが口語的. // 大雪のため*列車が大幅に遅れている *Trains* have been delayed several hours ⌈because of [due to] heavy snowfall. 語法 (3) この場合の be delayed は現在完了形が普通. due to のほうがやや口語的. // この*列車は 15 分遅れている This *train* is fifteen minutes ⌈late [behind schedule]. 語法 (4) be delayed でもよいが, be late, be behind schedule のほうが口語的. // JR の半日ストのため*列車のダイヤが乱れている (⇒ 時刻表どおりではない) Because of the half-day strike staged by the JR unions, ⌈*train* services are not on schedule [(⇒ 運行が乱れている) *train* runs have been disrupted]. 語法 (5) [ ] 内のほうが格式ばった言い方. なおダイヤの乱れは遅延だけでなく, 間引き運転なども含まれるので be delayed は用いない.

列車事故 rail accident [C] 《☞ じこ[1]》 **列車時刻表** timetable [C], tráin schedule /skédʒuːl | skédjuːl/ [C] **列車自動運転装置** the áutomàtic tráin operàtion 《略 ATO》 **列車自動停止装置** the áutomàtic tráin stòp devìce 《略 ATS》 **列車集中制御装置** the central train control 《略 CTC》 **列車ダイヤ** (運行計画) train schedule [C]; (時刻表) timetable [C] **列車妨害** railroad obstruction; (労働争議による) sabotage by ⌈railroad [railway] workers [U].

れつじょ 烈女 (貞節で豪胆な女性) chaste woman of dauntless spirit [C].

れっしょう 裂傷 lacerated wound /lǽsərèɪtɪd wùːnd/ [C], laceration [U] ★ 個々の傷は [C]. 《☞ きず (類義語); けが 日英比較》.

れつじょう 劣情 (肉欲) carnal desires ★ 通例複数形で, lust [U]. 《☞ よくぼう》.

れっしん 烈震 violent earthquake [C] 《☞ じしん[2]》.

れっする 列する (会合などに出席する) attend (他); (ある場所に居合わせている) be present at ... 《☞ れっせき; しゅっせき》.

レッスン (けいこ) lesson [C] 《☞ けいこ; きょうじゅ[1]》. ¶ きのうはピアノの*レッスンがあった I had a piano *lesson* yesterday. // 今年はスキーの*レッスンを受けたい I want to take skiing *lessons* this year. **レッスンプロ** (ゴルフなどのプロ指導者) teaching ⌈pro [professional] [C].

れっせい[1] 劣勢 ── 名 (ほかより劣っていること) inferiority /ɪnfì(ə)riɔ́ːrəti/ [U] (↔ superiority). ── 形 inferior /ɪnfí(ə)riə/ (to ...) (↔ superior (to ...)). 《☞ おとる; ゆうせい[1]》. ¶ 最初は源氏のほうが平家より数の上ではるかに*劣勢だった At first the Genji were far *inferior to* the Heike in number.

れっせい[2] 劣性 〘生〙 ── 形 recéssive (↔ dominant) 《☞ ゆうせい[3]》. **劣性遺伝** recéssive herédity [U] **劣性遺伝子** recessive gene [C] **劣性形質** recessive (trait) [U].

れっせき 列席 ── 名 (出席) attendance [U]. ── 動 (…に出席する) attend (他), be present at ... (↔ be absent from ...) ★ 後者のほうが口語的. 《☞ しゅっせき 日英比較》. ¶ 多くの友人が彼の結婚式に*列席した A lot of friends ⌈*attended* [*were present at*] his wedding. // アドバイザーとしてこの会議にご*列席願いたいのですが I'd like to ask ⌈for your *presence* [you to *be present*] *at* this meeting as an adviser. **列席者** (出席者) attendance [C] 語法 常に単数形で集合的に用い, 修飾語を伴う; those present ★ 複数形で. 前者に比べて口語的. なお, 儀式などの列席者の 1 人をいう語はない. ¶ 葬儀には*列席者が多かった[少なかった] There was a ⌈large [poor; small] *attendance* at the funeral.

れっちゅう 列柱 row of pillars [C] 《☞ はしら》.

レッテル ── 名 (ラベル) label /léɪb(ə)l/ [C]; (のり付きの) sticker [C]. ── 動 (レッテルを付ける) label (他) 《過去・過分 《米》 labeled, 《英》 labelled》, put a label on ..., attach a label to ... ★ put を使うほうが平易な言い方. 《☞ ふだ》. ¶ *レッテルにだまされてはいけない Don't be fooled by *labels*. // 彼は日和見主義者という*レッテルをはられた He *was labeled* (as) an opportunist.

れつでん 列伝 ¶ ビクトリア朝小説家*列伝 (the) ⌈*biographies* [*lives*] of (the) Victorian novelists // 英雄*列伝 (the) *lives* of heroes and heroines

レット 〘テニス・卓球〙 let [C].

レッド ── 形 名 (赤色(の)) red ★ 名 は [U].

れっとう[1] 劣等 ── 名 inferiority /ɪnfì(ə)riɔ́ːrəti/ [U] (↔ superiority). ── 形 (より劣った) inférior (↔ superior). 《☞ おとる》. **劣等生** ☞ 見出し

れっとう[2] **列島** (群島) archipelago /ὰəkəpéləgòʊ/ Ⓒ《複 ~(e)s》; (一続きの島) chain of islands Ⓒ 語法 前者のほうが格式ばった言い方だが, 地名と共に使うときはより一般的. 《☞ ぐんとう》. ¶ 日本*列島 the Japanese ｢*Islands* [*Archipelago*]

れっとうかん 劣等感 sense of inferiority /ɪnfì(ə)rió:rəti/ (to ...) ★ 通例 a または the を付けて; inferiórity cómplex Ⓒ (↔ superiority complex) ★ 後者のほうが格式ばった言い方. 《☞ コンプレックス》. ¶ 彼は*劣等感を持っている He ｢has [is suffering from] an *inferiority complex*.

れっとうせい 劣等生 very poor student Ⓒ.

レッドカード 〖サッカー〗 red card Ⓒ.

レッドキャベツ red cabbage Ⓒ ★ 食卓に出る「レッドキャベツの葉」は Ⓤ.

レッドクロス (赤十字) the Red Cross.

レッドゾーン (危険区域) red zone Ⓒ.

レッドツェッペリン ── 名 固 Led Zeppelin ★ 英国のロックバンド (1968–80).

レッドデータブック the Red Data Book ★ 絶滅の危機にある野生生物の資料集.

レッドパージ (左翼者追放) red purge Ⓒ.

レッドパワー Red Power ★ 米国先住民のスローガン.

れっぱい 劣敗 ☞ ゆうしょうれっぱい

れっぷう 烈風 (非常に強い風) violent wind Ⓒ, gale Ⓒ ★ 後者は「強風」にあたる気象用語で, 雄風 (strong breeze) と暴風 (storm) の中間の風をいう. 《☞ かぜ》.

れつれつ 烈烈 (ひるむことのない) dauntless, unyielding; (熱情的な) passionate. ¶ 彼は*烈々たる闘志に燃えている He is full of *dauntless* ｢fighting spirit [courage].

レディー lady /léɪdi/ Ⓒ 語法 (1) この語はかつての「貴婦人」という意味は消え, 社交の場における婦人, あるいは商業上の女性客に対する呼称などとして用いられる; (女性) woman Ⓒ《複 women /wímɪn/》 語法 (2) この語は成人した女性に対する最も一般的な呼称. 日本語で「レディー」とあっても, 状況によっては woman と訳したほうがよい場合もある. 《☞ じょせい[1]; ふじん[1]》.
¶ オフィス*レディー a *female* office worker 日英比較 OL (office lady) は和製英語. 英語では必要なとき以外は単に office worker として男女の区別は言わない. // ファースト*レディー the First *Lady* ★ 大統領夫人のこと.
レディーファースト Ladies first. ¶ ここでは*レディーファーストですよ *Ladies first* here.

レディースコミック women's comic Ⓒ 日英比較「レディースコミック」は和製英語.

レディーメード ── 形 (出来合いの) réady-máde; (特に洋服について) ready-to-wear Ⓐ; (洋服が吊るしの)《米略式》off-the-rack. 《☞ きせい[3]》.
¶ *レディーメードの服 *ready-made* [*ready-to-wear*] clothes

れてん レ点 (漢文の) *re-ten* Ⓒ; (説明的には) a Japanese reading mark that serves as a guide to reverse the order of two consecutive characters in Chinese-style texts. 《☞ かえりてん》.

レト 〖ギ神〗 Leto /lí:toʊ/ ★ ゼウスに愛されてアポロンとアルテミスを産んだ女神.

レトリーバー (犬の) retriever /rɪtrí:və/ Ⓒ.

レトリック (修辞学) rhétoric Ⓤ.

レトルト 〖化〗 retort Ⓒ. **レトルト食品** retort-pouched /rɪtɔ́ətpàʊtʃt/ food Ⓤ.

レトロ ── 形 (ファッション・音楽などで) rétro; (懐古の・懐旧の) rètrospéctive. ¶ *レトロなファッション *retro* fashion // *レトロ趣味 (⇒ 懐古趣味) の人 a *nostalgist*

レトロウイルス 〖医〗 retrovirus /rètroʊváɪrəs/ Ⓒ.

レナード (男性名) Leonard /lénəd/ ★ 愛称は Len, Lenny /léni/.

レナードこうか レナード効果 〖物理〗 the Lenard effect; spray electrification Ⓤ; waterfall effect Ⓤ.

レニー (男性名) Lenny /léni/ ★ Leonard /lénəd/ の愛称.

レニウム 〖化〗 rhenium /rí:niəm/ Ⓤ《元素記号 Re》.

レニングラード ── 名 固 Leningrad ★ サンクトペテルブルグの旧称.

レネ (女性名) Renée /rənéɪ/ ★ Renée の ´ は綴り本来のもの.

レノックス-ガストーしょうこうぐん レノックス-ガストー症候群 〖医〗 the Lennox-Gastaut /lénəksgæstóʊ/ syndrome.

レノン ── 名 固 John Lennon, 1940–80. ★ 英国の歌手で, ビートルズの中心メンバー.

レバー[1] (機械などの) lever /lévə/ Ⓒ.

レバー[2] (食品としての肝臓) liver Ⓤ ★ 器官としては Ⓒ. **レバーペースト** liver paste Ⓤ.

レパートリー repertoire /répətwὰə/ Ⓒ.

レバノン ── 名 固 (the Republic of) Lébanon ★ 地中海東岸の共和国. ── 形 Lèbanése. **レバノン山脈** the Lebanon Mountains **レバノン人** Lebanese ★ 単複同形.

レパントのかいせん レパントの海戦 〖史〗 the Battle of Lepanto ★ ギリシャで 1571 年神聖同盟艦隊がトルコ艦隊を破った戦い.

レビュー[1] (歌と踊りのショー) revue /rɪvjú:/ Ⓒ, short dramatic (musical) performance Ⓒ ★ 後者は説明的な訳.

レビュー[2] (評論) review Ⓒ.

レフ (レフレックス型カメラ) reflex /rí:fleks/ (camera) Ⓒ; (反射鏡) reflector Ⓒ. 《☞ いちがんレフ》.

レファレンス (参照・参考) réference Ⓤ ★ 具体的なものは Ⓒ. **レファレンスサービス** (図書館などの) reference service Ⓤ **レファレンスブック** (参照文献・辞書・事典類) reference book Ⓒ ★ 地図書なども含む.

レファレンダム (国民投票・住民投票) referendum Ⓒ《複 ~s, -da》.

レフェリー (レスリング・ボクシング・バスケットボール・フットボール・ラグビー・ホッケーなどの審判員) referee /rèfərí:/ Ⓒ 《☞ しんぱん[1]》.

レフェリーストップ 〖ボク〗 ¶ 試合は第 3 ラウンドで*レフェリーストップになった (⇒ レフェリーが試合を中止した) The *referee stopped the contest* in the third round. // 彼は最終ラウンドに*レフェリーストップ (⇒ TKO) で勝った He won the bout by ｢*TKO* [*technical knockout*] in the last round.

レプチン 〖生化〗 leptin Ⓤ.

レフティー (左利き) lefty Ⓒ; 〖ゴルフ〗 lefty golf club Ⓒ.

レフト (野球の左翼) left field Ⓤ; (左翼手) left fielder Ⓒ.

レプトン 〖物理〗 (軽粒子) lepton Ⓒ.

レプリカ (複製品) replica Ⓒ.

レフレックスカメラ 〖写〗 reflex /rí:fleks/ càmera Ⓒ.

レベッカ (女性名) Rebecca /rɪbékə/ ★ 愛称は Becky.

レベル (水準) level Ⓒ 《☞ ていど; すいじゅん》.
¶ 本校の学力の*レベルは高い The academic *level* of this school is high. // わが校の学力の*レベルアップをはからなくてはならない We must raise the *level* of academic achievement of our school. // わが社

の生産は*レベルダウンしてしまった Our production *levels* have decreased. [日英比較] 英語の level 「up [down] は高さを上げ[下げ]て他にそろえること.

レポ (レポーター) reporter Ⓒ; (報道) report Ⓒ; (組織の連絡係) liaison /lí:əzàn/ Ⓒ.

レポーター (新聞記者・取材記者・報告者) reporter Ⓒ《☞ ほうどう》.

レポート (学生の提出物) (research) paper Ⓒ; (公式の報告) report Ⓒ [日英比較] 英語の report は公的な報告・報道などの意味. 日英の食い違いに注意. ¶ 来週月曜日までに*レポートを提出しなさい Your *papers* must be handed in by next Monday. // 私は明治維新についての*レポートを書かなくてはならない I have to write a *paper* on the Meiji Restoration.

レポとりひき レポ取り引き 〘経〙 repurchase agreement Ⓤ.

レボリューション (革命) revolution Ⓒ.

レマンこ レマン湖 ― 名 固 Lake Leman /lí:mən/ ★ スイスとフランスの国境にある湖.

レミゼラブル *Les Misérables* /leɪmìzərá:bl/ ★ é の ´ は綴り本来のもの. ヴィクトル ユゴー (Victor Hugo) の長篇小説 (1862).

レミング 〘動〙 lemming Ⓒ ★ ネズミ科の小動物.

レム (放射線の単位) rem Ⓒ.

レムすいみん レム睡眠 REM /rém/ (slèep) Ⓤ ★ REM は *R*apid *E*ye *M*ovement (急速眼球運動) の略.

レモネード (飲み物の) lèmonáde Ⓤ.

レモン 〘植〙 lémon Ⓒ. **レモン色** lemon yellow Ⓤ **レモン絞り器** lemon squeezer Ⓒ, lemon juicer Ⓒ **レモン水** lèmonáde Ⓤ **レモンスカッシュ** (飲み物の) 《英》 lemon squash with soda water Ⓤ [日英比較] 《英》の lemon squash には普通炭酸が入っていないので, このように言うほうがよい. **レモンティー** tea with (a slice of) lemon Ⓤ **レモンパイ** lemon pie Ⓒ.

レリーフ (浮き彫り) relief Ⓤ ★ 浮き彫りの彫刻・絵は Ⓒ.
レリーフマップ 〘地理〙 (起伏量図) relief map Ⓒ.

れん 連 (紙の) ream (of paper) Ⓒ; (詩の) stanza Ⓒ; (ネックレスなどの) string Ⓒ. ¶ *連は 2 行かそれ以上で作られる A *stanza* is made up of two or more lines. // 2 *連の真珠のネックレス a double-*string* pearl necklace

-れん 連 group Ⓒ《☞ -たち [日英比較]; れんごう[1]; れんちゅう》. ¶ 勝手*連 (⇒ 市民ボランティアの支持グループ) a civic volunteers' support *group* / (⇒ 草の根運動グループ) a grassroots *group*

レン (男性名) Len ★ Leonard /lénəd/ の愛称.

れんあい 恋愛 love Ⓤ; (小説的な恋愛事件) romance /roumǽns/ Ⓒ; (情事) (love) affair Ⓒ. 《☞ こい[2]; あい[1]; ロマンス》.
¶ 彼女は(彼と)*恋愛中だ She is in *love* (*with* him). // 外国での*恋愛には危険がつきものだ *Romances abroad* are apt to be dangerous. // 青年は精神的な*恋愛にあこがれるものだ The young often yearn for 「platonic [pure; spiritual] *love*.
恋愛結婚 love 「match [marriage] Ⓒ ★ 前者のほうが一般的. ¶ 彼らは*恋愛結婚をした They made a *love match*. **恋愛事件** love affair Ⓒ; (小説的な) romance Ⓒ **恋愛至上主義** love for love's sake Ⓤ **恋愛小説** love story Ⓒ, romance Ⓒ ★ 前者のほうが一般的.

れんおん 連音 〘音〙 liaison /lí:əzàn/ Ⓤ.

れんおんぷ 連音符 〘楽〙 ¶ 三*連音符 a *triplet* // 四*連音符 a *quadruplet* /kwadrú:plət/ // 五*連音符 a *quintuplet* // 六*連音符 a *sextuplet*

れんか 廉価 ― 形 cheap, ìnexpénsive, low-priced [語法] cheap は最も口語的だが, 「安っぽい」という悪い意味もある. 《☞ やすい (類義語)》.
¶ 中古車*廉価販売 《広告》 used [secondhand] cars sold *cheap* **廉価版** popular edition Ⓒ.

れんが[1] 煉瓦 brick Ⓒ. ¶ *れんがを焼く make [bake] *bricks* // *れんがを積む lay *bricks* // 赤*れんが a red *brick* // 耐火*れんが a 「fire [refractory] *brick*
れんが工場 brickyard Ⓒ, brick works **れんが職人** bricklayer Ⓒ **れんが造り** ¶ *れんが造りの時計台 a *brick* clock tower / a clock tower *made of brick* **れんが塀** brick wall Ⓒ.

れんが[2] 連歌 *renga* Ⓒ ★ 単数同形; (説明的には) linked poem Ⓒ. 《☞ はいく》.

れんかん 連関 ☞ かんれん

れんき 連記 (投票の) plural entry Ⓤ 《☞ とうひょう[1] (類義語); たんき[3]》. **連記制** (投票の) plural 「vote [ballot] system Ⓒ ★ ballot は特に無記名投票を指す. **連記無記名投票** secret vote with plural entry Ⓒ.

れんきゅう 連休 consécutive hólidays, holidays in a row ★ 後者のほうがくだけた言い方. いずれも複数形で. 《☞ ゴールデンウィーク》.

れんぎょ 鰱魚 〘魚〙 (ハクレン) silver carp Ⓒ; (コクレン) bighead carp Ⓒ.

れんぎょう 連翹 〘植〙 weeping forsythia /fɔə-síθiə/ Ⓒ, weeping golden bell Ⓒ.

れんきんじゅつ 錬金術 alchemy /ǽlkəmi/ Ⓤ. **錬金術師** álchemist Ⓒ.

れんげ 蓮華 (はすの花) lotus flower Ⓒ; (さじ) porcelain spoon Ⓒ. **蓮華座** (仏像の台座) lotus 「seat [platform] Ⓒ.

れんけい 連携 ― 名 (協力) coòperátion Ⓤ; (同盟) league /lí:g/ Ⓒ. ― 動 coóperàte (with ...) 自; be in league with ...; (...と力を合わせる) join hands with ... ★ 最後のはくだけた言い方. 《☞ きょうりょく[1]; れんたい[1]》.
¶ 我々は他の国々の反核運動団体と*連携すべきである We should *be in league with* the antinuclear organizations in other countries.

れんけいプレー 連係プレー ¶ 彼らは見事な*連係プレーで試合に勝った They won the game because of their 「*teamwork* [*team play*].

れんげそう 蓮華草 〘植〙 milk vetch Ⓒ.

れんけつ[1] 連結 ― 動 (車両と車両を) couple 他 《☞ ぞうけつ[1]》. ¶ この列車は 8 両*連結だ (⇒ 8 両の長さだ) This train is eight 「《米》 cars [《英》 carriages] long. / This train is made up of eight 「cars [《英》 carriages]. ★ 第 1 文のほうが口語的. // この駅で列車の後部に空の車両を 3 両*連結します At this station three empty 「cars [《英》 carriages] will *be coupled* to the 「back [rear] of the train. ★ back のほうが一般的. **連結器** coupling Ⓒ.

れんけつ[2] 廉潔 ☞ せいれんけっぱく

れんけつけいえい 連結経営 consolidated management Ⓤ.

れんけつけっさん 連結決算 consolidated accounts ★ 複数形で.

れんけつざいむしょひょう 連結財務諸表 consolidated financial statements ★ 複数形で.

れんげつつじ 蓮華つつじ 〘植〙 *rénge* azalea /əzéɪliə/ Ⓒ.

れんけつのうぜい 連結納税 consolidated taxation Ⓤ, consolidated tax return system Ⓒ.

れんけつベース 連結ベース 〘経〙 consolidated basis Ⓒ (複 ― bases).

れんこ 連呼 ― 名 repeated calls ★ 複数形で. ― 動 call ... repeatedly. ¶ 候補者名の*連呼は禁じられている It is prohibited to *call* the name of a candidate *repeatedly*.

れんご 連語 (語の結びつき) collocation Ⓤ; (複合

語) compound word Ⓒ.
れんこう 連行 ―動 take … to (the police station). ¶その男は殺人容疑で警察に*連行された The man *was taken to the police station* on suspicion of murder.
れんごう[1] 連合 ―名 (共通の利益を持つ団体の連合) alliance /əláɪəns/ Ⓤ; (一般的に各種団体が連合すること) union Ⓤ; (同盟) confederation Ⓤ ★具体的には Ⓒ. ―動 (団結する・させる) unite 自 他; (同盟する・させる) confederate 自 他; (…の味方となる) ally *oneself* with … ―副 in alliance (with …). ―形 allied; confederate.
連合艦隊 combined fleet Ⓒ **連合軍** allied forces ★複数形で. **連合国** allied powers ★複数形で. **連合政権** coalition government Ⓒ **連合野**〔解〕the association area.
れんごう[2] 連合 (日本労働組合総連合会) the Japan Trade Union Confederation.
れんごく 煉獄〔カトリック〕―名 púrgatòry Ⓤ. ―形 pùrgatórial.
れんこん 蓮根 lotus ⌈root [rhizome /ráɪzoum/] Ⓒ ★前者のほうが一般的. 英米では食用としない.
れんさ 連鎖 chain Ⓒ. ¶負の*連鎖を断ち切る cut off the negative *chain reaction* (☞ あくじゅんかん; れんさはんのう)
れんざ 連座 ―動 (掛かり合いになる) be ⌈invólved [ímplicàted] ★implicated のほうが格式ばった語. ¶彼はその事件に*連座して刑に服した He *was implicated* in the case and served a sentence. **連座制** the guilt-by-association system Ⓤ.
れんさい 連載 ―名 series /sí(ə)riːz/ Ⓒ ★単複同形. ―動 appear ⌈in a series [serially /sí(ə)riəli/], be serialized. (☞ けいさい[1]; てんさい[3]; のせる[2]).
¶この*連載は今回で終わります This *series* will be brought to an end with this issue. // この小説はかつて雑誌『日本文学』に*連載された This novel *was* once *serialized* in the magazine *Japanese Literature*. (☞ イタリック体 (巻末)) // その小説は8回に分けて*連載される The story will *appear* (*serially*) in eight installments.
連載小説 serial /sí(ə)riəl/ Ⓒ, serial novel Ⓒ ★前者のほうが一般的.
れんさきゅうきん 連鎖球菌 ―名〔医〕strèptocóccus /strèptəkákəs/ Ⓒ (複 -cocci /-kák(s)aɪ/). ―形 strèptocóccal /-kəl/.
れんさく 連作 (作物の) repeated cultivation (of the same crop on the same ground) Ⓤ; (作品の) work written by several writers in collaboration Ⓒ; (単独の作家による) sequence Ⓒ. ¶彼はソネットの*連作を完成した He completed a sonnet *sequence*.
れんさぐん 連鎖群〔遺〕(染色体の) linkage group Ⓒ.
れんさてき 連鎖的 (鎖のようにつながった) a chain of …, chained ★前者のほうが一般的; (一連の・ひと続きの) a series of …, serial ★前者のほうが一般的. ¶さまざまな事件が*連鎖的に起こった (⇒ひと続きの事件があった) There was *a series of incidents*.
れんさとうさん 連鎖倒産 chain(-reaction) bankruptcy Ⓒ.
れんさはんのう 連鎖反応 chain reaction Ⓒ.
れんざん 連山 (mountain) range Ⓒ (☞ れんぽう[2]; やま). ¶秩父の*連山 the Chichibu ⌈*Mountains* [*Range*]
れんし 錬士 (剣道の) fencing master (of the third rank) Ⓒ.
れんじ 連子, 櫺子〔建〕latticework Ⓒ, lattice Ⓒ. **連子窓** lattice window Ⓒ; (細長い薄板の) slatted window Ⓒ.
レンジ[1] (kitchen) range Ⓒ; (料理用コンロ)《米》(cooking) stove Ⓒ 日英比較 range はコンロとオーブン及びしばしばグリルから成る大型の料理器具をいうが一般には《米》stove,《英》cooker が用いられる; (オーブン) oven /ʌ́v(ə)n/ Ⓒ. ¶ガス*レンジ a gas *range* // 電子*レンジ a microwave /máɪkrəwèɪv/ (*óven*) (☞ チン[2])
レンジ[2] (範囲) range Ⓒ.
れんじつ 連日 ―副 (毎日) every day; (来る日も来る日も) day after day. (☞ まいにち). **連日連夜** ―副 day and night, night and day, every day and night.
レンジファインダー (距離計) rángefinder Ⓒ; (連動距離計式カメラ) (coupled) rangefinder camera Ⓒ.
れんしゃ 連射 ―動 fire continuously 自 他. ―名 continuous firing Ⓤ.
れんじゃく 連雀〔鳥〕waxwing Ⓒ.
レンジャー (武装パトロール隊員・森林監視隊員) ranger Ⓒ.
れんしゅ 連取 ―動 score in ⌈a row [succession] 他 自. ¶2セット*連取する *take* two sets *in* ⌈*a row* [*succession*]
れんしゅう 練習 ―名 (習慣となるほどに日常絶えず行う練習) practice Ⓤ ★個々の練習は Ⓒ; (命令・指示に従って団体で行う反復練習) drill Ⓒ; (体や頭を使ってそれらを発達させる練習) éxercise Ⓒ
語法 以上3つは入れ替え可能なこともあるが, それぞれのニュアンスが異なるので使い分けられる場合も多い. 例えば, 語学の練習で「発音練習・読み方練習・言い替え練習」などは, 日常的な練習の意味では practice, 教師の指導のもとで団体で集中的に行う練習の意味では drill, 文法の「練習問題」などは exercise という場合が多い; (運動・技術など) training Ⓤ; (劇・音楽などの総合練習) rehearsal Ⓤ. ―動 practice 他 自; drill 他; (…の練習をする) exercise (*oneself*) in …; train 他, rehearse 他 自.
¶私は英会話の (⇒英語を話す) *練習をしている I *practice* speaking English. // *練習すれば何でも上手になる *Practice* makes perfect. (ことわざ: 練習は完全を作り出す) // きょうは不調ですね. *練習不足ですか You didn't do well today. Are you out of *practice*? // きょうの勝利は厳しい*練習の成果です Today's victory is the result of hard *training*. // 劇の*練習は講堂で行われます *Rehearsal* of the play will take place in the auditorium.
練習機 (飛行機) training plane Ⓒ; (機械) trainer Ⓒ **練習曲** étude /éɪt(j)uːd/ Ⓒ ★étude の ´ は綴り本来のもの. 参考 元来練習のために作られた曲という意味であるが, 芸術作品として演奏されるものも多い; (練習のための曲) practice piece Ⓒ **練習試合** practice game Ⓒ, training match Ⓒ. (☞ しあい) **練習所** training school Ⓒ **練習生** trainée Ⓒ ★格式ばった言い方; (学生) student Ⓒ **練習船** school ship Ⓒ, training ship Ⓒ **練習帳** workbook Ⓒ, drill book Ⓒ **練習飛行** practice [training] flight Ⓒ **練習問題** exercise Ⓒ.
れんじゅう 連中 ☞ れんちゅう
れんしょ 連署 ―名 jóint sígnature Ⓒ. ―動 sign jointly 自 他. (☞ れんめい[2]).
れんしょう 連勝 ―名 successive [a series of] victories 語法 前者は「立て続けに勝つ」という意味が強く, やや格式ばった語. ―動 (続けて…試合勝つ) win … games in ⌈a row [succession] ★in a row のほうが口語的. (☞ たてつづけ; れんせん). ¶これで5試合*連勝だ We *have won* five *games in* 「*a row* [*succession*]. **連勝式**〘競馬〙(単式の) perfecta /pəféktə/ Ⓒ; (複式の) quinella /kwɪnélə/, quiniela /kwinjélə/ Ⓒ.

れんじょう[1] 憐情 pity Ⓤ, compassion Ⓤ. (☞ あわれ).

れんじょう[2] 連乗 〘数〙 ── 名 continual multiplication Ⓤ. ── 動 multiply continually ⑭. **連乗積** continued product Ⓒ (☞ かいじょう[6]).

れんじょう[3] 連城 a chain of castles, a great many castles. **連城の璧** (宝石) jewel Ⓒ, gem Ⓒ; (貴重な宝) treasure Ⓒ. (☞ たから; しほう[3]).

レンズ lens Ⓒ. ¶凸[凹]*レンズ a 「cónvex [cóncave] *léns* // 倍率が高い*レンズ a powerful *lens* // 眼鏡の*レンズにかき傷ができてしまった The *lenses* of my glasses got scratched. // コンタクト*レンズ a cóntact *léns* // 魚眼*レンズ a fish-eye *lens* // 交換*レンズ interchangeable *lenses*
レンズ雲 lenticular cloud Ⓒ **レンズシャッター** leaf shutter Ⓒ **レンズ付きフィルム** single use camera Ⓒ; (使い捨てカメラ) disposable camera Ⓒ **レンズフード** (カメラのレンズの) lens hood Ⓒ.

レンズまめ レンズ豆 lentil Ⓒ.

れんせい 連星 〘天〙 binary /báɪnəri/ stár Ⓒ.

れんせいどうじょう 錬成道場 training 「*dojo* [school] Ⓒ.

れんせつ 連接 ── 形 connecting, connective; 〘言〙 junctural. (☞ せつぞく). ¶*連接棒 a *connecting* rod

れんせん 連戦 ── 動 fight [battle; play (games [matches])] in a row (☞ れんぞく). ¶三*連戦に勝ち越す win two of the 「three *consecutive games* [three-*game series*] **連戦連勝** (勝ち続けること) winning streak Ⓒ (☞ れんしょう; れんぱい).
¶わがチームは*連戦連勝だった Our team was on a *winning streak*. / Our team *won* 「*game after game* [*many consecutive victories*].

れんそう 連想 ── 名 association of ideas Ⓒ. ── 動 (人に…を思い出させる) remind *a person* of … ★ remind は平易な日常語; (人が…を思い出す) be reminded of …; (心に…を思い浮かばせる) bring … to mind; (人にあることを暗示的に示す) suggest something to …; (…と…を結び付けて考える) associate … with … ★ やや格式ばった語. (☞ おもいだす). ¶その絵はその町の過去の栄光を*連想させた The picture *reminded me of* the city's past glory. // この花は何を*連想させますか What does this flower *remind* you *of*? / What does this flower 「*bring to mind* [*suggest*]? // ベルの名は電話を*連想させる The name "Bell" *is associated* in my mind *with* the telephone.

れんぞく 連続 ── 動 (連続する) contínue ⓐ. ── 形 (途切れずに続く) contínuous ★ 通例 Ⓐ で; (繰り返し長く続く) contínual ★ 通例 Ⓐ で; (次々に続く) succéssive Ⓐ ★ やや格式ばった語; (間を置かずに続く) consecutive. 語法 successive は例えば2日おき, 3日おきでも連続していればよいが, consecutive は連日という意味になる. ── 名 continuation Ⓤ; succession Ⓤ; (一連の続き) series /sí(ə)riːz/ Ⓒ ★ 単複同形. ── 副 (連続的に) continuously; continually; successively; consecutively; (次から次へと) one after another ★ 以上の中では最も口語的. (☞ つづく; つづけざま; -つづき).
¶雨天の*連続にはうんざりしている I'm 「disgusted by [sick and tired of] the *continuous* rain. ★ sick and tired of は口語的な言い方. // これで*連続5日も猛暑が続いた We've had very hot weather for five *consecutive* days. // 今度の*連続テレビドラマを見たかい Have you seen the recent TV drama *series*? // 事件は*連続して (⇒ 次々に) 起こった Accidents occurred *one after another*. // *連続殺人(事件) a *series* of murders / *serial* /sí(ə)riəl/ murders
連続関数〘数〙continuous function Ⓒ **連続小説** serial 「novel [story] Ⓒ **連続スペクトル**〘物理〙continuous spectrum Ⓒ (複 ― spectra) **連続性** continuity Ⓤ **連続ドラマ** serial 「drama [play] Ⓒ.

れんだ 連打 (野球) continuous hits ★ 複数形で; (ボクシングの) continuous beating Ⓒ, continuous punches ★ 複数形で. ¶ピッチャーは*連打されて3回で交代した The pitcher was taken out after three innings of *continuous hits*.

れんたい[1] 連帯 ── 名 sòlidárity Ⓤ. ── 形 (共同の) joint Ⓐ; (集団の) collective ★ 通例 Ⓐ. やや格式ばった語. ── 副 jointly; collectively. (☞ れんけい). ¶最近組合員の*連帯が弱まっているようだ *Solidarity* among the members of our union seems to have weakened recently.
連帯感 (仲間であるという感じ) fellowship Ⓤ; (一体感) togetherness Ⓤ; (一団となって結束しているという感じ) the feeling of solidarity **連帯債務** joint 「debt [liability] Ⓒ **連帯責任** joint [collective] responsibility Ⓤ **連帯保証** joint liability on guarantee Ⓤ **連帯保証人** joint surety Ⓒ.

れんたい[2] 連隊 régiment Ⓒ. **連隊旗** regiméntal cólors ★ 通例複数形で. **連隊長** regimental commander Ⓒ.

れんだい[1] 蓮台 lotus 「seat [platform] Ⓒ.

れんだい[2] 輦台 (川越えの) litter used to carry a traveler across a river Ⓒ.

れんたいけい 連体形 〘文法〙 attributive form of the verb conjugation Ⓒ.

れんたいし 連体詞 〘文法〙 adnoun Ⓒ, noun adjunct Ⓒ.

れんたいしゅうしょくご 連体修飾語 〘文法〙 noun modifier Ⓒ.

レンタカー rént-a-càr Ⓒ, rental car Ⓒ; rented car Ⓒ 語法 (1) 貸し出された車の意味では最後のものを使う. (2) 第1番目は貸し自動車業界で使われていた語が一般化したもの; (レンタカー業) car rental Ⓒ.
¶私は*レンタカーを借りた I *rented a car*. 日英比較 借りるという表現について, 日本語では有料で借りる場合と無料で借りる場合を普通は区別しないが, 英語の rent は有料で借りるの意味で,「レンタカーを借りる」はこのように言うのが普通. 無料で借りるのを borrow と言うので, borrow a rent-a-car とは言わないことに注意. (☞ かりる 日英比較).

れんだく 連濁 (日本語の) sequential /sɪkwénʃəl/ vóicing Ⓤ.

レンタサイクル rent-a-bike Ⓒ (☞ バイク).

れんたつ 練達 (熟練) skill Ⓤ; (器用) dextérity Ⓤ. (☞ じゅくれん).

レンダリング (建物の完成予想図) rendering Ⓒ.

レンタル ── 名 (賃貸しの家・物品) rental Ⓒ. ── 形 rental. (☞ かりる 日英比較).
レンタル移籍〘サッカー〙── 名 term-limited [temporary] loan transfer Ⓒ. ── 動 send a reserve player on loan, transfer for a specified 「term [period] ⓐ ⑭. **レンタル業** rental business Ⓤ **レンタルビデオ** rental 「video [videotape] Ⓤ ★ 個々のビデオテープを指すときは Ⓒ. **レンタルルーム** ((時間決めの)貸し間) (by-the-hour) rental room Ⓒ, room for rent Ⓒ, (英) room to let Ⓒ; (部屋の賃貸) room rental Ⓤ.

れんたん 煉炭 briquét(te) Ⓒ.

れんだん 連弾 four-hand performance (on the

piano) Ⓒ.

レンチ (スパナ) wrench Ⓒ《☞ スパナ; だいく[1] (挿絵)》.

れんチャン 連荘 —[名] (麻雀で親の勝ちが続くこと) dealer's consecutive wins ★ 複数形で. —[副] (続けて) consecutively 《☞ れんぞく》.

れんちゅう 連中 lot Ⓒ《☞ やつ 日英比較》.
¶ あの*連中はなんて薄情なやつらだろう What a heartless *lot* they are! // ほかの*連中 (⇒ 他の人々) はどこへ行ったの Where have the *others* gone to?

レンツのほうそく レンツの法則 〔物理〕 Lenz's /léntsɪz/ law.

れんてつ 錬鉄, 練鉄 wrought /rɔ́ːt/ iron Ⓤ.
錬鉄法 puddling Ⓤ **錬鉄炉** puddling furnace Ⓒ.

レント 〔楽〕 —[副][形] lento.

れんとう[1] 連投 ¶ 2*連投する *throw in* two *successive games*

れんとう[2] 連騰 —[動] rise ⌈successively [in rapid succession] (自).

れんどう 連動 —[動] (連結されている) be interlócked; (一緒に動く) move together (自).
¶ *連動装置 an *interlocking* device

レントゲン —[名] (エックス線(写真)) X ray /éksrèɪ/ Ⓒ ★ 通例複数形で. 日英比較 レントゲン (Roentgen /réntg(ə)n/) はエックス線発見者の名だが, 英語では普通は使われない. —[動] X-ray (他). 《☞ エックスせん》.
¶ 腹部の*レントゲンをとった I *had* my abdomen *X-rayed*. / I had an *X-ray examination* of the abdomen. ★ 第 1 文のほうが一般的な表現. // 胃の中のビタミン錠は*レントゲンに出る Vitamin tablets in the stomach ⌈show up [can be seen] on *X rays*.
レントゲン技師 X-ray technícian Ⓒ, 《英》 radiógrapher Ⓒ **レントゲン検査** X-ray examination Ⓒ **レントゲン写真** X ray Ⓒ **レントゲン療法** X-ray treatment Ⓤ, X-ray therapy Ⓤ.

れんにゅう 練乳 condensed milk Ⓤ.

れんにょ 蓮如 —[名] (固) Rennyo, 1415–99; (説明的には) a Buddhist priest known as the restorer of the Jodo-Shinshu sect of Buddhism.

レンネット 〔生化〕 rennet Ⓤ.

れんぱ[1] 連破 —[動] (連続して勝つ) win successively; (連続して勝利を手にする) gain a series of victories. 《☞ れんせん; れんしょう》.

れんぱ[2] 連覇 ¶ 日本シリーズで 2*連覇する *win* two *consecutive championships* in the Japan Series

れんばい 廉売 bargain sale Ⓒ, sale Ⓒ. 《☞ バーゲン; やすうり》. **廉売価格** bargain price Ⓒ **廉売競争** price ⌈war [competition] Ⓒ **廉売店** discount ⌈house [store] Ⓒ **廉売日** bargain day Ⓒ **廉売品** bargain-[low-]priced goods.

れんぱい 連敗 —[名] (一連の敗戦) series of defeats Ⓒ ★ 単複同形; losing streak Ⓒ ★ 前者より口語的; (連続した負け) consécutive [succéssive] deféats ★ 複数形で. —[動] (次々と負ける) lose game after game, be on a losing streak, suffer ⌈a series of [consecutive] defeats ★ 前 2 つの言い方のほうが口語的.

***れんぱつ 連発* —*[動] (連続して発射する)* fire ... ⌈successively [in rapid succession] ★ 質問などについて比喩的にも用いる. [ ] 内のほうがやや格式ばった言い方; (一斉[連続]射撃をする) fire a volley of shots.
¶ 警官は逃げる強盗に向かってピストルを*連発した The policeman *fired a volley of shots* at the fleeing burglar. // この子は次々と質問を*連発するので, 私は時々どう答えてよいか困ってしまう This child *fires* questions at me *in* such *rapid succession* that sometimes I don't know how to answer.
連発銃 (自動拳銃など) automatic Ⓒ; (自動火器) automatic weapon Ⓒ, repeating firearm Ⓒ.

れんばん 連番 —[名] consecutive number Ⓒ. —[形] consecutive.

れんぱん 連判 —[名] (連名の署名[押印]) joint ⌈signature /sígnətʃʊ̀ə/ [seal] Ⓒ. —[動] sign [seal] jointly ★ sign は (自) (他), seal は (他). **連判状** covenant /kʌ́v(ə)nənt/ under joint signature Ⓒ.

れんびん 憐憫 (目下の者へのあわれみ) pity Ⓤ; (同情) sympathy Ⓤ. 《☞ どうじょう[1] (類義語)》. **憐憫の情** pity Ⓤ, compassion Ⓤ. 《☞ あわれ》.

れんぷくそう 連福草 〔植〕 moschatel /màskətél/ Ⓒ.

レンブラント —[名] (固) Rembrandt /rémbrænt/ (Harmensz van Rijn), 1609–69. ★ オランダの画家.

れんぺいじょう 練兵場 (military) drill ground Ⓒ.

れんぼ 恋慕 —[名] love Ⓒ. —[動] fall in love (with ...).

れんぽう[1] 連邦 federation Ⓒ; commonwealth Ⓒ. 語法 federation は現在のアメリカの連邦で, 「連邦政府」(the Federal Government), のように使う. commonwealth は「英連邦」(the Commonwealth of Nations) に使われる.
連邦国家 federation Ⓒ **連邦最高裁判所** 《米》 the Supreme Court of the United States **連邦制度** federal system Ⓒ **連邦政府** the federal government **連邦準備銀行** 《米》 the Federal Reserve Bank **連邦準備制度理事会** 《米》 the Federal Reserve Board 《略 FRB》; (公式名) the Board of Governors of the Federal Reserve System **連邦捜査局** 《米》 the Federal Bureau of Investigation 《略 FBI》 **連邦取引委員会** 《米》 the Federal Trade Commission 《略 FTC》 **連邦保安官** 《米》 marshal Ⓒ.

れんぽう[2] 連峰 mountain range Ⓒ; (山頂のとがった山々) the peaks (of ...) ★ 複数形で. 《☞ さんみゃく; れんざん》. ¶ 日本アルプス*連峰 *the peaks of* the Japanese Alps

れんま 練磨 ¶ 彼は百戦*練磨だ (⇒ 豊富な経験を通じてよく訓練されている) He ⌈*is well trained* [*has gained much training*] through extensive experience. 《☞ くんれん; れんしゅう》

レンマ (補助定理) lemma Ⓒ《複 ~s, -mata》.

れんめい[1] 連盟 league Ⓒ, federation Ⓒ. ¶ 国際バレーボール*連盟 the International Volleyball *Federation*

れんめい[2] 連名 —[名] jóint signature /sígnətʃʊ̀ə/ Ⓒ. —[副] (連名で) in [under] joint signature. ¶ 私たちはその議員に*連名で陳情書を出した We sent a *joint* petition to the Diet member.

れんめん 連綿 —[形] (ずっと続く) contínuous ★ 通例 Ⓐ; (途切れない) unbroken ★ 通例 Ⓐ. —[副] contínuously; in an unbroken line. 《☞ つづく; みゃくみゃく》.

れんや 連夜 —[副] every night, night after night. 《☞ れんじつ; まいにち》.

れんよう 連用 —[動] use ... continuously.
¶ 眠り薬を*連用する *continue taking* (the) sleeping pills

れんようけい 連用形 〔文法〕 adverbial form of the verb conjugation Ⓒ.

れんようしゅうしょくご 連用修飾語 〔文法〕 modifier of a verbal, adjectival, or adverbial element Ⓒ.

れんらく 連絡 ― 動 (接続する) connect (with ...) ㊀ ★ ㊀ の用法もある; (...と連絡をとる) get in touch with ..., cóntact ㊀ [語法] 前者のほうが普通. contact を 動 に使うのは望ましくない用法という意見もある; (...と定期的に) be [keep] in touch with ...; (...を人に知らせる) let *a person* know ...; (情報を知らせる) inform ㊀; (主に電話で) reach ㊀. ― 名 connection Ⓒ; cóntact Ⓤ; information Ⓤ; (通信) communication Ⓤ. (☞ せつぞく). ¶ このバスはあの列車に*連絡する This bus ⌈has a *connection* [*connects*; (英) *is connected*] *with* that train. // 彼に*連絡をとろうとしているのだが, なかなかうまくいかない I'm trying to *get in touch with* him, but I haven't succeeded yet. // 東京駅に着き次第すぐ*連絡して下さい Please *let* me *know* as soon as you arrive at Tokyo Station. // 彼は 1 週間以内に帰国すると*連絡してきた He *informed* me that he would return home within a week. // どこであなたと*連絡がとれますか Where can I ⌈*reach* [*get hold of*] you? // 彼らが*連絡を絶ってからもう 3 日たつ It is already three days since they lost *contact* with us.

連絡駅 junction Ⓒ **連絡係** (通信伝達者) messenger Ⓒ; (仲介人) intermediary Ⓒ **連絡切符** transfer ticket Ⓒ ★ 単に transfer とも言う. **連絡先** address Ⓒ **連絡船** ferryboat Ⓒ; (鉄道との) railroad [(英) railway] ferry Ⓒ. (☞ わたし[2]) **連絡帳** correspondence notebook (between a homeroom teacher and parents) Ⓒ **連絡網** net Ⓒ.

れんりつ 連立 coalition /kòʊəlíʃən/ Ⓒ. **連立政権** coalition government Ⓒ **連立内閣** coalition cabinet Ⓒ **連立(1[2] 次)方程式** simultaneous /sàɪm(ə)ltéɪniəs/ (⌈linear [quadratic]) equation /ɪkwéɪʒən/ Ⓒ.

れんれん 恋恋 ¶ 現在の地位に*恋々としがみつく *keep clinging to one's* present position // *恋々の情をいだく have a *lingering* ⌈feeling [attachment] to ...

ろ，ロ

ろ[1] 炉 (工場などの) furnace /fə́ːnɪs/ Ⓒ; (暖炉) fireplace Ⓒ; (炉の火) the fire; (炉辺) the fireside, hearth Ⓒ ★ 後者はやや古風な語. (☞ だんろ).
¶ 原子*炉 a (núclear /n(j)úːkliə/) *reáctor* // 溶鉱*炉 a blast *furnace*

ろ[2] 櫓 scull Ⓒ ★ 船尾の 1 本でこぐ「ろ」と両手で 1 本ずつ持つ「かい」の両方を指す. (☞ かい[3]).
¶ *ろをこぐ work a *scull*

ろ[3] 絽 silk gauze /gɔ́ːz/ (mainly used for summer kimonos) Ⓤ. ¶ *絽の着物 a kimono of *silk gauze*

ロ 〘楽〙(音名) B Ⓤ.
¶ *ロ長[短]調 *B* ⌈major [minor]

ろあく 露悪 ¶ 彼女は*露悪趣味がある She *likes to make a show of her weakness.*

ロイ (男性名) Roy.

ロイズ ―〔名〕固 Lloyd's ★ ロンドンにある保険業者の団体.

ロイターつうしんしゃ ロイター通信社 ―〔名〕固 Reuters /rɔ́ɪtəz/.

ロイドめがね ロイド眼鏡 round glasses with thick plastic frames Ⓒ.

ロイヤリティー (印税・特許権使用料) royalty Ⓒ ★ しばしば複数形で.

ロイヤル ―〔形〕(王の) royal. **ロイヤルボックス** (王室・天皇家の座席) the royal box; (貴賓席) V.I.P. balcony Ⓒ.

ロイヤルシェークスピアげきだん ロイヤルシェークスピア劇団 ―〔名〕固 the Royal Shakespeare Company ★ 英国の劇団. RSC と略す.

ロイヤルゼリー ☞ ローヤルゼリー

ろう[1] 蠟 ―〔名〕wax Ⓤ. ―〔動〕(…にろうを塗る) wax 他. (☞ ワックス). **ろう型** wax mold Ⓒ **ろう細工** waxwork /wǽkswə̀ːk/ Ⓒ **ろう人形** waxwork Ⓒ, wax figure Ⓒ.

ろう[2] 牢 prison Ⓒ, jail Ⓒ. (☞ けいむしょ (類義語)). ¶ 人を*牢に入れる send a person to *prison* / put a person in *prison*
牢名主 ☞ 見出し **牢番** prison guard Ⓒ **牢破り** ―〔動〕break out of ⌈prison [jail]. ―〔名〕prison escape Ⓒ, jailbreak Ⓒ; (人) príson escapèe Ⓒ, jailbreaker Ⓒ. (☞ だつごく).

ろう[3] 労 ¶ *労を報われる be well rewarded for ⌈*one's pains* [the *trouble one* took]. 〔語法〕 pains のほうが骨折りの度合いがやや強い. // 彼女は*労をいとわないが, 彼は*労を惜しむ She ⌈does not mind taking the *trouble* [is very *painstaking*] but he can't be bothered. ★ can't be bothered は「わざわざ…したがらない」という略式表現. / (⇒ 彼女は労を惜しまないが, 彼は努力するのをいやがる) She spares no *pains*, but he is reluctant to make an *effort*. ★ 第 2 文は文語的. // 彼はその会社に私を推薦する*労をとってくれた He took the *trouble* to recommend me to the company. (☞ ろうりょく; くろう; ほねおり) **労多くして功少なし** laborious but fruitless. **労を多とす** ☞ た[3]; ねぎらう

ろう[4] 隴 **隴を得て蜀を望む** Avarice knows no bounds.

ろう[5] 楼 (高い建物・高楼) tall building Ⓒ; (望楼) watchtower Ⓒ. (☞ とう[2]).

ろうあ 聾唖 ―〔形〕deaf /déf/ and mute 〔語法〕「口のきけない」という意味の dumb は人に使うと差別的になるので代わりに mute を用いる. *dumb animals* (物を言わない動物) のような場合には dumb を使う. ―〔名〕deafness and muteness Ⓤ. **ろうあ学校** school for the deaf and mute Ⓒ **ろうあ者** deaf and mute person Ⓒ; deaf-mute Ⓒ; (集合的) the deaf and mute.

ろうえい[1] 漏洩 (もれること) leak Ⓒ; (総称的に) leakage Ⓤ. (☞ もらす; もれる).

ろうえい[2] 朗詠 ―〔動〕(声高らかに読む) read aloud 他; (朗唱する) recite 他. ―〔名〕recitation Ⓤ.

ろうえき 労役 labor (《英》labour) Ⓤ (☞ ろうどう; はたらく (類義語)). ¶ *労役に服する serve a sentence of *labor* **労役場** workhouse Ⓒ.

ろうおく 陋屋 (狭くてむさくるしい家) squalid hut Ⓒ; (自分の家をへりくだって) my humble dwelling Ⓒ.

ろうか[1] 廊下 (ホテル・ビル・学校などの長い廊下) corridor Ⓒ; (通路) passage(way) Ⓒ; hall(way) Ⓒ 〔語法〕 hall は玄関を入ってすぐのところの廊下を指すが, 《米》では廊下一般にも用いる. ¶ 私たちの教室はこの*廊下の突き当たりです Our classroom is at the end of this *corridor*.

ろうか[2] 老化 ―〔名〕(老齢化) ag(e)ing Ⓤ; (ぼけること) senility /sɪníləti/ Ⓤ. ―〔形〕ag(e)ing; senile /síːnaɪl/. ―〔動〕(老化する) age 自. (☞ もうろく). **老化現象** phenomena of ag(e)ing; (症状) symptoms of ⌈senility [ag(e)ing] ★ 以上は複数形. **老化抑制遺伝子** anti-aging gene Ⓒ.

ろうかい 老獪 ―〔形〕(悪知恵が働いてずるい) cunning; (高度な策をろうしてずるい) crafty. (☞ わるがしこい; ろうれん[1]).

ろうがい 老害 (老人支配の害) problem [harm] of gerontocracy Ⓒ, problem [harm] caused by an elderly person's persistent control over younger people Ⓒ ★ harm のほうが意味が強い.

ろうかく 楼閣 tall building Ⓒ (☞ さじょう).

ろうがっこう 聾学校 school for the deaf Ⓒ (☞ ろうあ).

ろうがん 老眼 〘医〙 presbyopia /prèzbióʊpiə/ Ⓤ, farsightedness [《英》longsightedness] due to old age Ⓤ ★ 前者は専門用語. 後者は説明的な訳. ¶ 目が*老眼でかすんできた My *eyesight has weakened with age.*
老眼鏡 (読書用めがね) reading glasses; (説明的には) glasses [spectacles] for the aged ★ 以上はいずれも複数形で. 数えるときは a pair of … として.

ろうきゅう 老朽 ―〔形〕(使い古した) worn-out; (古くて朽ちた) old and rotten; (旧式な) old and outmoded; (朽ちかけた) decaying; (崩れかかった) dilapidated. ¶ *老朽化した建物 an *old and outmoded* [a *decaying*; a *dilapidated*] building

ろうきょう 老境 old age Ⓤ. ¶ 祖父は 70 歳だが*老境に入った (⇒ 年をとった) などとは考えていない My grandfather is seventy but he doesn't consider himself *old.*

ろうきょく 浪曲 ☞ なにわぶし

ろうきん 労金 ☞ ろうどう (労働金庫)

ろうぎん 朗吟 ☞ ろうえい[2]

ろうく[1] 労苦 labor (《英》labour) Ⓤ (☞ ろう[3]; く

ろう》.

ろうく² 老躯 (老いて弱った体) old and weak body Ⓒ, *one's* old bones ★ 複数形で. 《☞ ろうこつ; ろうじん》.

ろうくみ 労組 ☞ ろうそ

ろうげつ 臘月 (12 月) December 《☞ しわす》.

ろうけつぞめ ろうけつ染め ―图 batik /bətí:k/ Ⓤ. ―形 (ろうけつ染めの) batik.

ろうけん 老犬 old dog Ⓒ.

ろうこ 牢乎, 牢固 ―形 (堅固な) firm; (揺るぎない) unshakable; (がっしりした) solid. ¶*牢乎として抜き難い偏見 a prejudice *firmly* implanted in *a person's* mind

ろうご 老後 *one's* old age, *one's* declining years ★ 後者のほうが格式ばった言い方; (余生) *one's* remaining years. 《☞ よせい¹; おいさき》.
¶ 若いうちに*老後に備えなければならない We have to ⌈prepare [provide] for *our old age* while young. ★ prepare のほうが一般的.

ろうこう¹ 老公 ¶ 水戸のご*老公 the *old honorable* Lord of Mito.

ろうこう² 老巧 ―形 experienced.

ろうこく 漏刻 (中国伝来の水時計) water clock (introduced from China) Ⓒ.

ろうごく 牢獄 prison Ⓒ, jail Ⓒ. 《☞ けいむしょ; ろう²》.

ろうこつ 老骨 (老人) elderly person Ⓒ 《☞ ろうじん》. ¶*老骨にむち打って (⇒ 老年であるにも関らず) in spite of *one's old age* ...

ろうさい¹ 労災 ☞ ろうどう (労働災害) **労災保険** ☞ ろうどう (労働者災害補償保険) **労災補償** ☞ ろうどう (労働災害補償)

ろうさい² 老妻 my old wife.

ろうさく 労作 (多年の作業の成果[産物]) fruit [product] of many years' work Ⓒ; (力作) tour de force /tʊ́ədəfɔ́əs/ Ⓒ 《複 tours de force》 ★ a feat of strength (力作) の意のフランス語から; (骨を折った作品) piece of laborious work Ⓒ [語法] 「力不足で骨が折れた」という意味の軽蔑表現になることが多い. 《☞ りきさく》.

ろうし¹ 労使 lábor [《英》 labour] and mánagement Ⓤ ★ labor は労働者側, management は経営者側を集合的に表す.
¶*労使双方は賃上げについて昨夜合意に達した (⇒ 合意が得られた) An agreement was reached last night between *labor and management* over the ⌈pay increase [wage hike].
労使関係 labor(-management) relations ★ 複数形で. **労使慣行** customary agreement (on issues) between labor and management Ⓤ **労使協議制** the joint labor-management consultation system **労使協調** labor-management cooperation Ⓤ **労使協定** labor-management agreement Ⓒ **労使交渉** labor-management ⌈*talks [negotiations]* ★ 複数形で. [ ] 内のほうが格式ばった言い方. **労使調停** (the) arbitration of a labor dispute Ⓤ **労使紛争** labor dispute Ⓒ ★ いずれも《英》では labour.

ろうし² 老子 ―图 固 Lao-tzu /làʊtsə́:/ ★ 中国の春秋戦国時代の思想家. **老子の教え** (道教) Taoism Ⓤ.

ろうし³ 浪士 masterless samurai Ⓒ. ¶ 赤穂*浪士 forty-seven *masterless samurai* in Ako 《☞ ちゅうしんぐら》

ろうし⁴ 老師 (老教師) old teacher Ⓒ; (老僧) old priest Ⓒ.

ろうし⁵ 牢死 ☞ ごくし

ろうしゅう¹ 陋習 bad custom Ⓒ. ¶ 旧来の*陋習を破る do away with the old and *evil custom*

ろうしゅう² 老醜 ―形 old and ugly. ―图 ugliness of old age Ⓤ. ¶*老醜をさらす expose *the ugliness of old age*

ろうじゅう 老中 member of the Shogun's Council of Elders Ⓒ.

ろうじゅく 老熟 ―形 (十分に熟した) fully matured; (老いて経験のある) old and experienced. ―图 full maturity Ⓤ. ¶*老熟の域に達する reach *full maturity* 《☞ えんじゅく; ろうせい; ろうれん¹》

ろうしゅつ 漏出 ―動 (漏る) leak (from ...; out of ...) 自. ―图 leak Ⓒ, leakage Ⓤ ★ 後者は a～ として用いることもある. 後者のほうが格式ばった語. 《☞ もれる; ろうえい¹》. ¶ ガス [放射能] の*漏出 a ⌈gas [radiation] *leak* / (a) *leakage* of ⌈gas [radiation]

ろうじょ 老女 elderly woman Ⓒ.

ろうしょう¹ 朗唱 ―動 recite 他 《☞ ろうえい²》.

ろうしょう² 労相 ☞ ろうどう (労働大臣)

ろうじょう 籠城 ―動 (城を守る) hold a ⌈castle [fort]; (包囲されている) be besieged.
¶*籠城軍 the *besieged* army

ろうじん 老人 old ⌈man [woman] Ⓒ, elderly ⌈man [woman] Ⓒ ★ 後者のほうが丁寧な言い方; (総称) old people, the old, the elderly, the aged ★ この順に格式ばる; (婉曲的な表現として) senior citizen Ⓒ. 《☞ としより; 婉曲語法 (巻末)》.
老人医学 geriatrics /ʤèriǽtrɪks/ Ⓤ **老人医療** gériàtric médicine Ⓤ **老人医療保険** medical insurance for the aged Ⓤ; 《米》 medicare Ⓤ ★ ときに大文字で. **老人学** gèrontólogy Ⓤ **老人学級** lecture for ⌈senior citizens [elderly people] Ⓒ **老人クラブ** club for ⌈senior citizens [elderly people] Ⓒ, golden agers' club Ⓒ **老人結核** senile tuberculosis Ⓤ **老人差別** ag(e)ism /éɪʤìzm/ Ⓤ **老人性色素斑** 〘医〙 senile pigment freckle Ⓒ 《☞ ろうはん》 **老人性痴呆[認知]症** senile dementia /sí:naɪl dɪménʃ(i)ə/ Ⓤ 《☞ ちほう²》 **老人パワー** gray power Ⓤ **老人病** disease common among ⌈old age [aging people] Ⓒ **老人病院** geriatric hospital Ⓒ **老人病学** gèriátrics Ⓤ **老人福祉センター** welfare center for the aged Ⓒ **老人福祉法** the Welfare Law for the Aged **老人訪問看護制度** the home-visit nursing care system for the aged **老人ホーム** (一般に) old people's home Ⓒ; (看護つきの) nursing home Ⓒ **老人ぼけ** ☞ 老人性痴呆症 **老人保健施設** health facilities for the aged **老人保健法** the Law of Health and Medical Service System for the Aged.

ろうすい¹ 老衰 ―图 (老化による精神・身体の弱まり) senility Ⓤ, the infirmities of old age ★ 格式ばった言い方. ―形 (老年で体が弱っている) (old and) feeble ★ 口語的な言い方. feeble だけでもよい, senile, infirm. 《☞ もうろく; ぼける¹》.
¶ 私の祖父は*老衰で亡くなった My grandfather died of ⌈*old age* [(⇒ 自然死だった) *natural causes*]. // 彼は年の割にはすっかり*老衰している He is very ⌈*feeble* [*senile*; *infirm*] for his age. ★ feeble のほうが口語的.

ろうすい² 漏水 ―图 leakage of water Ⓤ. ―動 leak 自. 《☞ もれる》.

ろうする¹ 労する (一生懸命働く) work hard 自; (努力する) exert *oneself* 自 ★ 格式ばった言い方.
¶*労せずして得たものは失いやすい What you've gained without *working hard* is easily lost. / Easy come, easy go. 《ことわざ》

ろうする² 弄する ¶ 詭弁を*弄する (⇒ 使う) *use* sophistry // 彼は策を*弄して (⇒ 汚ない策略によっ

て) その地位を手に入れた He got the position *through* dirty tricks.

ろうせい 老成 ―― 形 (老練な) well seasoned, experienced; (ませた) precocious /prɪkóʊʃəs/. ¶ 30歳で彼は*老成の域に達した (⇒ 経験による知恵を得た) He had the wisdom of experience at the age of thirty. // あの少年はどこか*老成したようなところがある That boy has something *precocious* about him.

ろうせき 蠟石 soapstone Ⓤ.

ろうぜき 狼藉 ¶ *狼藉を働く (⇒ 暴力を用いる) use *violence* (to …) 狼藉者 roughneck Ⓒ.

ろうそ 労組 《米》(lábor) ùnion Ⓒ, 《英》(tráde) únion Ⓒ. 《☞ くみあい》.

ろうそう¹ 老荘 ☞ ろうし; そうし³ 老荘思想 the ˹thoughts [philosophies] of Lao-tzu and Chuang-tzu ★ 複数形で.

ろうそう² 老僧 old priest Ⓒ.

ろうそく 蠟燭 candle Ⓒ. ¶ *ろうそくをつける [消す] light [put out] a *candle* // *ろうそくを吹き消す blow out a *candle* // *ろうそくの芯 a (*candle*)*wick* ろうそく立て candlestick Ⓒ.

ろうぞめ 蠟染め batik Ⓤ ★ 作品は Ⓒ.

ろうたい 老体 (年) old age Ⓤ; (人) old [elderly] person Ⓒ ★ elderly のほうが婉曲的. 《☞ ろうじん》. ¶ 彼は*老体にむち打って (⇒ 老年にもかかわらず) 働いている In spite of his *old age* he is working hard. // とても元気なご*老体なのでびっくりした I was surprised to see such ˹an energetic [a sprightly] *old person*.

ろうたいか 老大家 (学問などの) august authority Ⓒ; (芸術・技術などの) old master Ⓒ, true master Ⓒ ★ 後者は old の意味を含まないが, 前後関係でわかればこれでよい. 《☞ たいか¹》.

ろうたいこく 老大国 great nation on the decline Ⓒ.

ろうたく 陋宅 (狭く, みすぼらしい家) small and shabby house Ⓒ; (自分の家) my house 日英比較 英米では通例へりくだった言い方はしない. 《☞ ろうおく》.

ろうちん 労賃 wages ★ 複数形で.

ろうでん 漏電 (短絡) short circuit /sə́ːkɪt/ Ⓒ ★ 単に short Ⓒ ともいう; (少しずつ漏れること) leakage of electricity Ⓤ. ¶ *漏電してヒューズがとんだ The fuse has blown because of a *short circuit*. // *漏電している *Electricity is leaking*. / There's an *electrical leak*.

ろうと 漏斗 ☞ じょうご¹

ろうとう 郎党 vassals ★ 複数形で.

ろうどう 労働 ―― 名 labor (《英》labour) Ⓤ; work Ⓤ 語法 前者は主として肉体労働を指し, 後者は広く一般的な労働を指す. ―― 動 work (自); labor (《英》labour) (自) ★ work のほうが一般的. 《☞ はたらく (類義語); しごと (類義語)》.

> 労働のいろいろ
> 肉体労働 physical labor, 精神労働 mental labor, 頭脳労働 brainwork, 筋肉労働 manual labor, 強制労働 compulsory labor, 重労働 hard labor, 日雇い労働 day labor, 季節労働 seasonal work

¶ 8時間*労働 an eight-hour *workday* / eight hours of *work* ★ 前者のほうが一般的. // 現在私たちは1日8時間*労働だ (⇒ 8時間働く) We *work* eight hours a day.

労働安全衛生法 the Industrial Safety and Health Law 労働委員会 labor relations commission Ⓒ 労働意欲 (the) ˹will [motivation] to work Ⓤ 労働運動 lábor mòvement Ⓒ 労働歌 work song Ⓒ 労働科学 science of labor Ⓤ, labor science Ⓤ 労働関係調整法 the Labor Relations Adjustment Law 労働管理 lábor mànagement Ⓤ 労働基準監督署 the Labor Standards Inspection Office Ⓒ 労働基準監督官 inspector of the Labor Standards Law Ⓒ 労働基準局 the Labor Standards Bureau 労働基準法 the Labor Standards Law 労働貴族 union elite member Ⓒ 労働基本権 basic legal rights of labor Ⓒ 労働行政 labor administration Ⓤ 労働協約 labor ˹agreement [contract] Ⓒ 労働金庫 workers' credit union Ⓒ 労働組合 (labor [trade]) union Ⓒ 《☞ ろうそ; くみあい》 労働組合員 union member Ⓒ, member of a ˹(labor) union [(《英》(trade) union] Ⓒ, unionist Ⓒ 労働組合法 the ˹Labor [(《英》Trade] Union Law 労働権 right to work Ⓤ 労働災害 industrial [work-related] accident Ⓒ 労働災害補償 workmen's compensation Ⓤ, work-related accident compensation Ⓤ 労働参加率 ☞ 労働力率 労働三権 labor's three major rights Ⓒ 労働時間 working hours ★ 複数形で. 労働市場 the labor market 労働者 working ˹man [woman] Ⓒ; (労働問題の用語としての) worker Ⓒ 労働者階級 the working class 労働者災害補償保険 workers' (accident) compensation insurance Ⓤ 労働者派遣事業 temporary ˹staffing [personnel placement] business Ⓤ, manpower dispatching business Ⓤ. 《☞ じんざい (人材派遣業)》 労働者派遣法 the Labor Services Temporary Assignment Law, the Worker Dispatching Law 労働集約型産業 labor-intensive industry Ⓒ 労働手段 work tools 労働省 the Ministry of Labor ★ 現在は厚生労働省. 《☞ こうせい⁴》 労働条件 working [labor] conditions ★ 複数形で. 前者のほうが一般的. 労働人口 the workforce 労働生産性 labor productivity Ⓤ 労働戦線 labor front Ⓒ 労働争議 labor dispute Ⓒ; (スト) strike Ⓒ, 《英》industrial action Ⓤ; (争議全体) lábor dispùtes ★ 複数形で. 労働争議調停法 the Labor Dispute Mediation Law 労働大臣 the Minister of Labor, the Labor Minister ★ 現在は厚生労働大臣. 《☞ こうせい⁴》 労働党 (英国の) the Labour Party 労働日 working day Ⓒ, workday Ⓒ 労働分配率 labor share Ⓒ 労働法 labor law Ⓒ, 《英》industrial law Ⓒ 労働問題 labor problem Ⓒ 労働力 manpower Ⓤ, labor force Ⓒ; (一国, 一地域, 一産業の総労働力) workforce Ⓒ ★ 普通単数形で. ¶ *労働力不足 *labor* shortage / shortage of *labor* 労働力人口 the workforce, the labor force 労働力率 labor force participation rate Ⓒ.

ろうときょう 漏斗胸 〘医〙 funnel ˹chest [breast] Ⓒ.

ろうどく 朗読 ―― 動 read (他), give a (dramatic) reading of …; (特に詩などを) recite (他). ―― 名 reading Ⓒ; recitation Ⓤ. ¶ 彼女は近代詩を*朗読した She *recited* modern poems.

ろうとぐも 漏斗雲 〘気象〙 funnel cloud Ⓒ.

ろうなぬし 牢名主 the ˹chief [boss] of prison inmates (in the Edo period) Ⓒ.

ろうにゃくなんにょ 老若男女 men and women of all ages; (男女・老若を問わず) men and women, both young and old. ¶ *老若男女が大勢公園に集まっていた There were crowds of people ˹*of all ages, both men and women* [, *men and women, both young and old*], in the park.

ろうにん 浪人 (大学入試で次の機会を待っている高校卒業生) high school graduate who is waiting for another chance to enter a college Ⓒ; (侍) masterless [lordless] samurai Ⓒ ★ 単複同形. 以上いずれも説明的訳; (失業者) unemployed man Ⓒ.

¶ 彼はいま*浪人している (⇒ 今年の大学入試に失敗して次の機会に備えている) He failed this year's college entrance exams and is preparing for the next chance. / (⇒ 失業中である) He is ⌈*unemployed* [*out of a job*; 《英》 *between jobs*] now. ★ between jobs は婉曲表現. // 私は今年で*浪人 2 年目です (⇒ 私は大学入試に 2 回失敗して, 入試準備をするのはこれで 3 年めです) I failed the college entrance exams twice, and this is my third year of studying for them.

ろうねん 老年 old [advanced] age Ⓤ ★ [ ] 内のほうが格式ばった語. 《☞ ろうじん》. **老年医学** geriatrics Ⓤ **老年学** gerontology Ⓤ **老年化指数** aging index Ⓒ **老年期** old age Ⓤ; 《格式》 senescence /sɪnés(ə)ns/ Ⓤ **老年期地形** 〘地学〙 stage of old age (in the geographical cycle) Ⓒ **老年人口** (the) elderly (segment of the) population Ⓤ **老年心理学** gerontological psychology Ⓤ **老年痴呆** ☞ ろうじん (老人性痴呆症).

ろうば 老婆 old woman Ⓒ.

ろうばい¹ 狼狽 ― 動 (混乱させる) confuse (他) ★ 最も一般的な語; throw *a person* ⌈into confusion [off balance]; (気を転倒させる) upsét (他) ★ 前 2 者より口語的; (うろたえさせる) bewilder (他), fluster (他); (びっくり仰天させる) take ... aback ★ しばしば be taken aback の形で; (うろたえる) pánic (自). ― 名 confusion Ⓤ; úpsèt Ⓤ; bewilderment Ⓤ; 《格式》 consternation Ⓤ; panic Ⓒ. ― 副 (ろうばいして) in confusion; in a panic; in bewilderment. 《☞ とうわく (類義語); うろたえる; たじろぐ》.

¶ 彼女は*ろうばいのあまり口がきけなかった She was so ⌈*confused* [*flustered*; *panic-stricken*] she was unable to speak. / She was too ⌈*confused* [*flustered*; *panic-stricken*] to speak. // 彼女の顔に*ろうばいの色が浮かぶのが見えた I saw a ⌈*confused* [(⇒ 困惑の) *puzzled*] look on her face.

ろうばい² 蠟梅 〘植〙 Japán allspice /ɔ́:lspàɪs/ Ⓒ.

ろうはいぶつ 老廃物 (くず・廃物) waste Ⓤ.

ろうばしん 老婆心 ((過度の) 親切) (excessive) kindness Ⓤ; (気づかい) 《格式》 solicitude Ⓤ; (思いやり) consideration Ⓤ. ¶ 私は*老婆心から言っているのです I'm telling you all this ⌈out of *kindness* [(⇒ あなたのために) *for your own good*].

ろうはん 老斑 (皮膚のしみ) spot [blotch] due to old age Ⓒ, age spots ★ 複数形で. 《☞ ろうじん (老人性色素斑)》.

ろうひ 浪費 ― 名 (むだ遣い) waste Ⓤ ★ しばしば a waste of ... として; (ぜいたく) extrávagance Ⓤ. ― 動 (むだに使う) waste (他); (投げ捨てる) thrów awáy (他). 《☞ むだ》.

¶ そこに行くのは時間[金]の*浪費だ It is *a waste of* ⌈time [money] to go there. // *浪費がたたって今年は 100 万円の赤字だ I have gone one million yen into the red due to my *extravagance* this year. // そんなことで金を*浪費してはいけない Don't *waste* your money on (doing) such things. // 彼はアルバイトで得た金を*浪費している (⇒ ばらまいている) He *is throwing away* the money which he earned by working at his part-time job.

浪費家 waster Ⓒ; (金遣いの荒い人) spéndthrìft Ⓒ **浪費癖** wasteful habits, extrávagant wáys ★ 以上は通例複数形で.

ろうびき 蠟引き ― 動 wax /wǽks/ (他). ¶ *蠟引きした紙 *waxed* paper

ろうふ 老父 my old father; (他人の父をいうとき) *a person's* elderly father.

ろうふうふ 老夫婦 old [elderly] couple Ⓒ.

ろうへい¹ 老兵 old soldier Ⓒ; (古つわもの) veteran Ⓒ.

ろうへい² 陋弊 evil custom Ⓒ.

ろうほ 老舗 long-established ⌈store [《英》 shop] Ⓒ 《☞ みせ》.

ろうぼ 老母 my old mother; (他人の母をいうとき) *a person's* elderly mother.

ろうほう 朗報 good [happy] news Ⓤ 語法 前者のほうが一般的. 後者には喜びの気持ちが含まれる. 《☞ しらせ; ニュース》.

ろうぼく¹ 老木 old tree Ⓒ.

ろうぼく² 老僕 old manservant Ⓒ.

ろうまく 蠟膜 〘鳥〙 (くちばしの) cere /síə/ Ⓒ.

ろうむ 労務 labor (《英》 labour) Ⓤ; (仕事) work Ⓤ ★ 意味の広い日常的な語. 《☞ しごと (類義語)》. ¶ *労務課 the *labor* section // *労務管理 (⇒ 職員一同の) *personnel* /pə̀:sənél/ [*lábor*] mànagement // *労務政策 a *personnel* policy **労務者** (労働者) laborer (《英》 labourer) Ⓒ, worker Ⓒ ★ 前者は肉体労働者. 後者はより意味の広い一般的な語; (日雇いの) day ⌈laborer [《英》 labourer] Ⓒ **労務出資** labor investment Ⓤ, service contribution Ⓒ **労務倒産** bankruptcy triggered by labor problems Ⓒ **労務部** the ⌈labor [industrial] relations ⌈division [department] 《☞ 会社の組織と役職名 (囲み)》.

ろうもう 聾盲 ― 形 deaf and blind, deaf-blind. ― 名 deafness and blindness Ⓤ, deaf-blindness Ⓤ; (人) deaf and blind person Ⓒ, deaf-blind Ⓒ; (集合的) the deaf and blind.

ろうもん 楼門 (2 階造りの) two-storied gate Ⓒ; (塔の) tower gate Ⓒ.

ろうや 牢屋 prison Ⓒ, jail Ⓒ ★ 後者のほうが口語的. 《☞ けいむしょ (類義語); ろう²》.

ろうやし 蠟椰子 〘植〙 carnauba /kɑənɔ́:bə/ Ⓒ.

ろうゆう 老雄 old hero Ⓒ 《複 ~es》.

ろうらく 籠絡 ― 動 (うまい言葉でだます) inveigle (他); (取り込み詐欺を働く) 《略式》 con /kán/ (他) ★ confidence ⌈game [《英》 trick] から. ¶ 彼女はその女性を*籠絡して金をつくらせた She ⌈*inveigled* [*conned*] the woman into putting up the money.

ろうらん 楼蘭 ― 名 (固) Loulan /loulá:n/ ★ 紀元前 2–4 世紀, 中央アジア西域に栄えた商業都市.

ろうりょく 労力 (労働) labor (《英》 labour) Ⓒ; (労働力) manpower Ⓤ; (働き手) hand Ⓒ; (骨折り・努力) éffort Ⓒ ★ しばしば複数形で; (尽力・世話) service Ⓒ ★ しばしば複数形で. 《☞ ろう³; ほねおり; ろうどう (労働力)》.

¶ 彼女は*労力を惜しまずに働く She works unstintingly. ★ unstintingly は「物惜しみしないで」の意. // *労力を提供する offer *one's services* // *労力のいる仕事はしたくない I don't want to do any *laborious* work. // それは*労力を省くうまい方法だ It is a clever *labor*-saving device.

ろうれい 老齢 ― 名 old age Ⓤ. ― 形 old, elderly, aged ★ old が最も一般的. 《☞ ろうじん; こうれい²》. **老齢基礎年金** basic old age pension Ⓒ **老齢厚生年金** employees old age pension Ⓒ **老齢(化)社会** ageing society Ⓒ **老齢人口** (the) elderly (segment of the) population Ⓤ **老齢年金** old age [retirement] pension Ⓒ; 《米》 social security ⌈benefit [payment] Ⓒ ★ 失業者や障害者手当も含む米国の社会保障. **老齢年金受給者** old age pensioner Ⓒ 《略 OAP》 **老齢福祉年金**

noncontributory old age pension Ⓒ.

ろうれん[1] **老練** — [形] (経験のある) experienced /ɪkspí(ə)riənst/, well seasoned; (熟練した) skilled; (専門家の) éxpert. (☞ けいけん[1]; じゅくれん; ろうかい).

ろうれん[2] **労連** federation of labor union Ⓒ. ¶ 生協*労連 (Japanese) *Federation of* Co-op *Labor Unions* // 国際運輸*労連 International Transport Workers' *Federation* (略 ITF)

ろうろう 浪浪 — [形] (放浪の) wandering; (定職がない) unemployed, out of work. **浪々の身** (放浪者) wanderer Ⓒ.

ろうろうかいご 老老介護 (高齢介護者[高齢家族]による高齢者の介護) nursing care for elderly people by elderly ˹caregivers [family members] ★ 説明的な訳.

ろうろうと 朗朗と ¶ 彼は*朗々とした声で (⇒ 澄んで響き渡る声で) 漢詩を吟じた He recited Chinese poems *in a clear*, ˹*resonant* [*sonorous*; *ringing*] *voice*.

ろえい 露営 — [動] camp out (自); bivouac /bívwæk/ (自) ★ 後者は特にテントを張らないもの. (☞ やえい).

ロー — [名] (自動車の) low gear Ⓒ. — [形] (高さや位置が低い) low. (☞ ローギア).

ローアングル 〚写〛 — [名] low angle Ⓒ. — [副] at a low angle.

ローカライズ 〚コンピューター〛 — [動] localize (他).

ローカル — [形] local 日英比較 英語の local は「ある地方の·地元の」という意味で,「田舎の」という意味は含まないことに注意; (地域の) regional; (田舎の) rural. (☞ ちほう[1]; いなか).

¶ 朝日新聞の*ローカル版 a *local* edition of the *Asahi* // *ローカル放送 a *local* broadcast

ローカルカラー local ˹color [(英) colour] Ⓤ; localism Ⓤ **ローカルコンテント** local content Ⓒ **ローカル線** (地方の[田舎の]鉄道) regional [rural] railway line Ⓒ **ローカルニュース** local news Ⓤ.

ローギア (自動車の) low gear Ⓒ.

ローコスト (安い原価) low cost Ⓤ.

ローザンヌ — [名] (固) Lausanne /louzǽn/ ★ スイス西部の観光都市.

ロージー (女性名) Rosie ★ Rose, Rosemary /róuzmèri/ の愛称.

ローション (化粧水) lotion Ⓤ ★ 種類をいうときは Ⓒ. ¶ アフターシェーブ*ローション after-shave *lotion* // スキン*ローション skin *lotion*

ロース (牛肉の) sírloin Ⓤ.

ローズ[1] 〚植〛 (ばら) rose Ⓒ. **ローズ色** rose Ⓤ.

ローズ[2] (女性名) Rose ★ 愛称は Rosie.

ロースクール (法科大学院) law school Ⓒ.

ロースター (肉をあぶり焼きする器具) roaster Ⓒ.

ロースト — [動] (あぶり焼きする) roast (他).

ローストチキン (あぶり焼きの鶏肉) róast chícken Ⓤ.

ローストビーフ (あぶり焼きの牛肉) róast béef Ⓤ.

ロースハム (保存処理をした豚の肩肉) cured pork shoulder Ⓤ 日英比較 英語で ham といえば豚のもも肉 (のハム) の意味なので, 他の部位からつくられる「ハム」はこのようにいう.

ローズボウル — [名] (固) 〚アメフト〛 the Rose Bowl ★ *元日に行われる中西部リーグと西海岸リーグの覇*者同士の大学フットボール優勝決定戦.

ローズマリー (女性名) Rosemary /róuzmèri/ ★ 愛称は Rosie.

ローダ (女性名) Rhoda /róudə/.

ローター (ヘリコプターの回転翼) rotor Ⓒ.

ロータリー (円形の交差点) (米) rotary Ⓒ, traffic circle Ⓒ, (英) roundabout Ⓒ.

ロータリーエンジン rotary engine Ⓒ, Wankel /wɑ́:ŋk(ə)l/ (engine) Ⓒ **ロータリークラブ** the Rótary Clùb **ロータリークラブ会員** Rotarian /routé(ə)riən/ Ⓒ **ロータリー車** (回転耕作機·除雪車) rotary plow Ⓒ.

ローティーン — [形] in *one's* early teens ★ 13～15 歳くらいまでを指す. (☞ ティーンエージャー). 日英比較「ローティーン」「ハイティーン」は和製英語.

ローテーション (輪番交替) rotation Ⓤ. ¶ 4 人の投手が*ローテーションを組んだ Four pitchers are to take the mound *in rotation*.

ローデシア — [名] (固) Rhodesia /roudí:ʒə/ ★ アフリカ南部の旧英国植民地, 現ザンビアとジンバブウェ.

ロード[1] (重荷) load Ⓒ (☞ おもに[2]).

ロード[2] (道) road Ⓒ.

ロードアイランド — [名] (固) (米国の州) Rhode Island (☞ アメリカ (表)).

ロードオブザリング — [名] (固) *The Lord of the Rings* ★ トールキン (J. R. R. Tolkien) 著のファンタジー小説『指輪物語』.

ロードゲーム 〚野〛 road game Ⓒ (☞ えんせい[1]).

ロードショー róad shòw Ⓒ ★ この語は (米) で高い料金で特定の劇場での上映という意味で用いられる; (最初の特別上映) special first-run showing Ⓒ.

ロードス — [名] (固) Rhodes /róudz/ ★ エーゲ海南東部にあるギリシャの島.

ロードスター (オープンカーの一種) roadster Ⓒ.

ロードプライシング road pricing Ⓤ.

ロードマップ road map Ⓒ.

ロードレース róad ràce Ⓒ.

ロートレック — [名] (固) Henri (Marie Raymond) de Toulouse-Lautrec /tulú:zloutrék/, 1864-1901. ★ フランスの画家.

ロードローラー (道路工事用の) road roller Ⓒ.

ロードワーク 〚スポ〛 (ランニング訓練など) roadwork Ⓤ.

ローナ (女性名) Lorna /lɔ́ənə/.

ローヌがわ ローヌ川 — [名] (固) the Rhone /róun/ ★ アルプスからフランスを経て地中海に注ぐ川.

ローネック 〚服〛 (襟ぐりのラインの低い) — [形] low-neck(ed), low-cut. — [名] (服) low-neck Ⓒ.

ローヒール ¶ *ローヒールの靴 *low-heeled* shoes

ローブ (長いゆるやかな外衣) robe Ⓒ.

ロープ rope Ⓒ (☞ つな; なわ; ひも).

ローファー 〚商標〛 (スリッポン式の靴) Loafers, loafers. ★ 複数形で. (☞ くつ).

ローファットミルク (低脂肪乳) lów-fàt mílk Ⓤ.

ロープウェイ (aerial) rópewày Ⓒ, aerial tramway Ⓒ, aerial railway Ⓒ, (aerial) cableway Ⓒ.

ロープダウン — [名] 〚ボク〛 standing down Ⓒ ★ ロープにもたれ, ダウン寸前の状態で, on the ropes ともいう. 日英比較「ロープダウン」は和製英語.

— [動] rope down (他) (自) ★ ロープを体に巻きつけて絶壁を下降すること.

ローブデコルテ (婦人用夜会服) robe décolletée /róubdeɪkɑ̀lətéɪ/ Ⓒ ★ フランス語. décolletée の ´ は綴り本来のもの.

ローブロー 〚ボク〛 low blow Ⓒ.

ローボレー 〚テニス〛 low volley Ⓒ.

ローマ — [名] (固) Rome. — [形] Roman.

¶ *ローマは 1 日にして成らず *Rome* was not built in a day. (ことわざ) // すべての道は*ローマに通ず All roads lead to *Rome*. (ことわざ) **ローマカトリック教会** (組織として) the Roman Catholic Church

ローマカトリック教徒 Roman Catholic Ⓒ　ローマ教皇 pope Ⓒ ★しばしば the Pope として．　ローマ教皇庁 the Vátican　ローマ建築 Roman architecture Ⓤ　ローマ人 Roman Ⓒ　ローマ神話 (1つの) Roman myth Ⓒ; (全体) Roman mythology Ⓤ　ローマ数字 Roman numeral Ⓒ《☞すうじ¹ (類義語); 数字 (囲み)》　ローマ帝国 the Róman Émpire　ローマ法 Roman law Ⓤ.

ローマじ ローマ字　Roman letters ★複数形で; (アルファベット) the Róman álphabet.
¶*ローマ字で書いて下さい Please write in「*Roman letters* [*the Roman alphabet*].

ローマナイズ　— 動 (ローマ字化する) rómanize ⓗ.

ローマン　— 形 〖印〗 (ローマン体の) roman. — 名 (ローマン体) roman Ⓤ ★普通の直立した書体.《☞イタリック》.

ロームそう ローム層　loam /lóʊm/ làyer Ⓒ.
¶関東*ローム層 the Kanto *loam layer*

ローヤルゼリー　royal jelly Ⓤ.

ローラ (女性名) Laura /lɔ́:rə/.

ローラー　roller Ⓒ.　ローラー作戦 (警察が行う) door-to-door check Ⓒ, house-to-house search Ⓒ.

ローラーカナリア 〖鳥〗 róller canary /kənέ(ə)ri/ Ⓒ.

ローラーコースター　(ジェットコースター) róller còaster Ⓒ 日英比較 ジェットコースターは和製英語.

ローラーゲーム　roller game Ⓒ.

ローラースケート　— 名 (靴1足) a pair of roller skates.　— 動 roller-skate ⓐ.

ローラーブレード 〘商標〙 (インラインスケート靴) Rollerblade Ⓒ ★通例複数形で.

ローライズパンツ　(股上の浅いズボン[ジーンズ]) low-rise「pants [jeans] ★複数形で.

ローリー¹ (男性名) Rory /rɔ́:ri/; Laurie /lɔ́:ri/ ★Laurence, Lawrence /lɔ́:rəns/ の愛称.

ローリー² (女性名) Lori /lɔ́:ri/.

ローリング　— 名 (船の横揺れ) rolling Ⓤ. — 動 roll ⓐ. ¶船の*ローリングが激しい The ship *is rolling* badly.

ローリングストーンズ　— 名 固 the Rolling Stones ★英国のロックグループ (1962–).

ロール (巻いてあるもの) roll Ⓒ.

ロールキャベツ　(詰め物をしたキャベツ) stuffed cabbage Ⓤ.

ロールし ロール紙 (包装用の) calendered paper Ⓤ.

ロールシャッハテスト 〖心〗 Rorschach /rɔ́əʃɑ:k/ tèst Ⓒ.

ロールスクリーン (巻き上げ式スクリーン) roll-up「shade [screen] Ⓒ.

ロールスロイス 《商標》 (英国製の高級乗用車) Rolls-Royce /róʊlzrɔ́ɪs/ Ⓒ.

ロールパン roll Ⓒ《☞パン¹》.

ロールフィルム 〖写〗 roll film Ⓤ.

ロールプレイング (役割演技) role-playing Ⓤ.　ロールプレイングゲーム role-playing game Ⓒ.

ローレライ — 名 固 Lorelei /lɔ́:rəlaɪ/ ★ドイツのライン川中流部にある巨岩・同所に出没した魔女.

ローレン (女性名) Lauren /lɔ́:rən/.

ローレンシウム 〖化〗 lawrencium /lɔ:rénsiəm/ Ⓤ《元素記号 Lr》.

ローレンス (男性名) Laurence /lɔ́:rəns/, Lawrence /lɔ́:rəns/ ★愛称はともに Larry /lǽri/, Laurie /lɔ́:ri/.

ローン¹ loan Ⓒ《☞かす¹; かしつけ》. ¶銀行*ローン a bank *loan* ∥ ホーム*ローン a「home [housing] *loan* ∥ 20年*ローン the twenty-year *loan*

ローン² (織物) lawn Ⓤ.

ローンテニス 〖スポ〗 lawn tennis Ⓤ.

ローンワード 〖文法〗 (借用語・外来語) loanword Ⓒ《☞借用語 (巻末)》.

ろか 濾過　— 動 (こす) filter ⓗ.　— 名 filtration Ⓤ.《☞こす²》.　¶*濾過して沈殿物を取り除きなさい *Filter off* the precipitate /prɪsípətət/. / Remove the precipitate by *filtration*.
濾過液 filtrate Ⓤ　濾過器[装置] filter Ⓒ　濾過性病原体 filterable virus /váɪ(ə)rəs/ Ⓒ　濾過池 filter basin Ⓒ, filter bed Ⓒ.

ろかた 路肩　the「shoulder [edge] of a road.　路肩注意《掲示》(路肩弱し) Soft Shoulders.

ロカビリー 〖楽〗 róckabilly Ⓤ.

ロガリズム ☞たいすう

ろがん 露岩　exposed rock Ⓒ.

ろく¹ 六, 6　— 名 形 six 語法「第6 (番目) の」, あるいは「第6 (番目) のもの」の場合は the sixth.《☞数字 (囲み)》.

ろく² 禄　(samurai's) allowance (of rice) Ⓒ.
¶*禄を食(は)む receive an *allowance*

ログ¹ 〖コンピューター〗 log Ⓒ ★システム運用状況などの記録.

ログ² ☞たいすう

ログアウト 〖コンピューター〗　— 名 lógòut Ⓤ. — 動 log out of ...

ログイン 〖コンピューター〗 — 名 lógìn Ⓤ.　— 動 log in to ...

ろくおん 録音　— 動 (録音する) recórd ⓗ ★一般的な語; (テープに) tape ⓗ.　— 名 recording Ⓤ ★「録音したもの」の意では Ⓒ.
¶彼のスピーチをテープに*録音した I「made a tape *recording* of [*taped*] his speech. / I *recorded* his speech *on* (a) tape. ∥ 彼は*録音技師だ He is a「*recording* engineer [(⇒調整装置担当者・ミキサー) *sound mixer*; (⇒映画のフィルムに音を入れる人) *recordist*].
録音係 recordist Ⓒ　録音機[者] recorder Ⓒ　録音室 recording room Ⓒ, studio /st(j)ú:diòʊ/ Ⓒ ★後者は「放送室」を指す意味の広い語.　録音装置 recording equipment Ⓤ　録音テープ magnetic [recording] tape Ⓒ.

ろくが 録画　— 動 (ビデオテープで) record ... on videotape, videotape ⓗ.　— 名 video tape recording Ⓤ ★「録画したもの」の意では Ⓒ.
¶その会の様子を*録画しておこう I will「make a *video tape recording* of [*videotape*] the meeting. ∥ 東京の街頭風景を*録画した I *have recorded* a street scene in Tokyo *on videotape*. ∥ 男子の決勝戦は*録画放送で見た I saw a *videotaped* broadcast of the men's finals.

ろくがつ 六月　June ★語頭は必ず大文字.《☞いちがつ 語法; 時刻・日付・曜日 (囲み); 略語 (巻末)》.

ろくさんさんせい 六三三制　the 6-3-3 educational system; the Japanese educational system of six years of elementary school, three years of middle school, and three years of high school ★後者は説明的な訳.

ろくじぞう 六地蔵 〖仏教〗 six guardian deities.

ろくじっしんほう 六十進法 〖数〗 the sexagésimal /sèksədʒésəm(ə)l/ sỳstem.

ろくしゃくぼう 六尺棒　*rokushakubo* Ⓒ; (説明的には) a six-foot-long「staff [pole], used to capture highwaymen, robbers, etc. in old times.

ろくじゅう 六十, 60 — 名 形 sixty 語法「第60 (番目) の」, あるいは「第60 (番目) のもの」の場合は the sixtieth.《☞数字 (囲み)》.　六十の手習い ☞てならい

ろくじゅうそう[しょう] 六重奏[唱] 〘楽〙 sextet(te) Ⓒ.

ろくしょう 緑青 verdigris /vɚ́ːdɪgrìːs/ Ⓤ, copper [green] rust Ⓤ ★ 1 番目が正式名.
¶スプーンに*緑青が出た The spoons ⌜are [have] *tarnished.* ★ tarnish は金属の表面が「さびる [さびさせる]」,「変色する [させる]」の意.

ろくしんごぎょう 六信五行 〘イスラム教〙 six articles of faith and five disciplines ★ 複数形で.

ろくすっぽ ☞ろくに

ろくだいがくやきゅう 六大学野球 Big Six University Baseball. ¶東京*六大学野球(連盟) ☞とうきょう

ろくだいしゅう 六大州 the six continents.

ろくだか 禄高 amount of the fief Ⓤ.

ろくでなし (役に立たない人) góod-for-nòthing Ⓒ; (価値のない人) worthless person Ⓒ; (いざこざを起こす人) troublemaker Ⓒ.
¶あいつはまったく*ろくでなしだ He is a *good-for-nothing.* / (⇒ 給料だけの働きがない) He *is not worth his salt.* 参考 古風な表現. salt はローマの兵士が給料の一部として塩をもらったことから.

ろくでもない ¶*ろくでもない (⇒ 役に立たない) 本は処分しなさい Throw away ⌜*useless* [*worthless*] books. // *ろくでもないことを言うな (⇒ たわごとを言うな) Don't talk *nonsense*!

ろくどう 六道 〘仏教〙 the six worlds of spiritual darkness.

ろくな ¶けさは*ろくなことがない (⇒ すべてが悪く行く) Everything *has gone wrong* for me this morning. // 義務をおろそかにしたら*ろくなことはないよ If you neglect your duty, things will *turn out badly*. // 彼は*ろくな人間にはなるまい (⇒ 我々は彼に大したことは期待できない) We *can't expect anything out of* him. / (⇒ 大した人にはならないだろう) He *won't amount to anything.* ★ 第 1 文のほうが一般的. // この町には*ろくな (⇒ 世間並の) 劇場もない There are no *decent* theaters in this city. / (⇒ 名をあげるほどの劇場はない) There are no theaters *worth mentioning* in this city. // 会議は*ろくな (⇒ 満足のいく) 成果を収めずに終わった The meeting ended without any *satisfactory* result. // この 1 か月は*ろくなものを食べていない (⇒ 貧しい食事をしている) I have eaten *badly* this last month.

ろくに ¶昨夜は*ろくに (⇒ よく) 眠れなかった I didn't sleep *well* last night. // 彼は*ろくに考えもせずに (⇒ 前もって十分に考えることをせずに) 過激な行動をとることがよくある He often acts ⌜rashly [impulsively] without ⌜giving the matter *enough* thought [giving *good* thought to the matter]. // あの男はあいさつの仕方も*ろくに知らない(⇒ 礼儀作法をまったく知らない) That man has *no* manners *at all*.

ログハウス log house Ⓒ.

ろくはらたんだい 六波羅探題 Rokuhara commissioner Ⓒ; (説明的には) commissioner stationed at Rokuhara in Kyoto by the Kamakura shogunate between the 12th and 14th centuries Ⓒ.

ろくぶんぎ 六分儀 sextant Ⓒ.

ろくぼく 肋木 (体操用) wall bars ★ 複数形で.

ろくまく 肋膜 〘解〙 pleura /plʊ́(ə)rə/ Ⓒ 《複 pleurae /-riː/》. 肋膜炎 pleurisy /plʊ́(ə)rəsi/ Ⓤ.

ろくめいかん 鹿鳴館 ― 图 固 the *Rokumeikan*; (説明的には) a Western-style building constructed in 1883, where grand balls were held to entertain foreign dignitaries.

ろくめんたい 六面体 hexahedron /hèksəhíːdrən/ Ⓒ 《複 ~s, -dra》.

ろくよう 六曜 *rokuyo*; (説明的には) the cyclic six days incorporated into the Japanese lunar calendar that determine lucky and unlucky days and times. 《☞ たいあん[1]; ともびき; ぶつめつ》.

ろくろ 轆轤 (旋盤) lathe /léɪð/ Ⓒ; (陶工用) potter's wheel Ⓒ; (滑車) pulley Ⓒ.

ろくろく ☞ろくに

ろくろくび 轆轤首 long-necked monster Ⓒ.

ロケ(ーション) (屋外撮影) location shooting Ⓤ
日英比較 日本語のロケ(ーション) は屋外撮影のことを意味するが, 英語の location は屋外撮影の場所やセットの意で,「ロケをしている・ロケ中である」は be on location となる.

ロケット[1] rócket Ⓒ 語法 rocket engine Ⓒ (ロケットエンジン) のように形容詞的にも用いる. また, 集合的には rocketry Ⓤ という. ¶大勢の人が*ロケットが発射台から打ち上げられるのを見に行った Many people went to see the *rocket* lift off from the launching pad. // 三[多]段式*ロケット a ⌜three-stage [multistage] *rocket*
ロケット技師 rocket ⌜scientist [engineer] Ⓒ **ロケット工学** rocketry Ⓤ **ロケット弾** rocket Ⓒ **ロケット燃料** rocket fuel Ⓤ **ロケット発射場** láunch [láunching] sìte Ⓒ **ロケット兵器** rocket weapon Ⓒ **ロケット砲** rocket launcher Ⓒ.

ロケット[2] (装身具) locket Ⓒ.

ロケハン location hunting Ⓤ.

ろけん[1] 露見 ― 图 (秘密・悪事などの発覚) exposure Ⓤ; (見破られること) detection Ⓤ. ― 動 be exposed; (正体などを見抜かれる) be fòund óut; (暴露される) be revealed ★ やや格式ばった言い方; (発見される) be discovered. 《☞ ばれる; はっかく[1]; みつける》.
¶*露見を恐れて彼は証拠隠滅にあらゆる手段を使った Fearing ⌜*exposure* [*detection*], he took every possible means to destroy the evidence. // 悪事は必ず*露見する Evil deeds ⌜*are* always *found out* [never escape *detection*]. // 彼の嘘がとうとう*露見した His lie *was* finally *exposed.*

ろけん[2] 路肩 ☞ろかた

ロゴ[1] (社名などのマーク) logo /lóʊgoʊ/ Ⓒ.

ロゴ[2] 〘コンピューター〙 (コンピューター言語) LOGO /lóʊgoʊ/, Logo Ⓤ. 《☞ コンピューター (囲み)》.

ろこうきょう 盧溝橋 ― 图 固 Lukouch'iao /lúːgòʊtʃiáʊ/ ★ 北京市中部の橋. 日中戦争の発端となった場所.

ロココ ― 形 rococo /rəkóʊkoʊ/. ― 图 rococo Ⓤ. ¶*ロココ式家具[建築] *rococo* ⌜furniture [architecture]

ロゴス (ことば・理性) logos /lóʊgɑs/ Ⓤ.

ロゴタイプ (連字活字・デザイン化した社名などの文字) lógotỳpe Ⓒ 《☞ ロゴ[1]》.

ろこつ 露骨 ― 形 (率直な) frank; (言い逃れやごまかしのない) candid; (ずけずけ物を言う) outspoken; (性的に露骨な) explicit; (ありのままの) plain; (隠し立てのない) open. ― 副 frankly; candidly; explicitly; plainly; openly. 《☞ あからさま》.
¶*露骨な言い方を許してもらえば… If you'll permit me to speak *frankly* … / *Frankly* speaking … // 彼は*露骨にいやな顔をした His disgust was *plain.* / He showed his disgust ⌜*plainly* [*openly*]. // 各党間の対立は*露骨になっている (⇒ 目立つ) The antagonism between the parties has become *conspicuous.* // *露骨なセックスシーン (sexually) *explicit* scenes

ロゴマーク (社名などのマーク) logo 《☞ ロゴ[1]》.

ろざ 露座 ¶*露座の大仏 an *outdoor seated* statue of (the) Buddha

ロザリー (女性名) Rosalie /róʊzəli/.

ロザリオ 〘カトリック〙(数珠) rosary /róuz(ə)ri/ [C].
ロザリン (女性名) Rósalyn ★ Rósalind の愛称.
ロザリンド (女性名) Rosalind ★ 愛称は Rosalyn.
ロサンゼルス ―[名] 固 Los Angeles /lɔːsǽndʒələs/ ((略 LA)) ★「ロス」という略称は英語では用いない. ((☞ アメリカ(表))).
ろし 濾紙 filter paper [U] ((☞ ろか; こす²)).
ろじ¹ 路地 ((狭い) 裏通り・横町) alley [C]; (小道) path [C]. ((☞ みち¹)). **路地裏** back alley [C].
ろじ² 露地 (茶室の庭) garden outside a tea-ceremony house [C].
ロシア ―[名] 固 Russia; (正式名) Russian Federation; (旧ソ連) the Soviet Union. ―[形] Russian; (旧ソ連の) Soviet.
ロシア遠征 〘史〙(ナポレオンの) (Napoleon's) Russian Campaign **ロシア革命** the Russian Revolution **ロシア語** Russian [U] **ロシア皇帝** czar /záə/ [C], tsar [C] **ロシア人** Russian [C]; (全体) the Russians **ロシア正教会** the Russian Orthodox Church **ロシア文学** Russian literature [U].
ロシアンルーレット Russian roulette [U].
ロジウム 〘化〙 rhodium /róudiəm/ [U] ((元素記号 Rh)).
ロジカル (論理的な) logical.
ろじさいばい 露地栽培 ―[動] (野外で育てる) grow [((米)) raise] ... outdoors 他. ¶ このいちごは*露地栽培です These strawberries *were grown* ⌈*outdoors* [(⇒ 温室ではなく畑で) *not in a greenhouse but in the fields*].
ロジスティックきょくせん ロジスティック曲線 〘数・統〙 logistic curve [C].
ロジスティックス (物品の輸送・補給・物流管理) logistics [U].
ロジック (論理) logic [U].
ロジャー (男性名) Roger /rádʒə/ ★ 愛称は Rodge /rádʒ/.
ろしゅつ 露出 1 «むき出しにする» ―[動] (日光などにさらす) expose 他; (むき出しにする) bare 他; (鉱床などが現れる) cróp óut 自.
¶ 女の子があまり肌を*露出するのは好ましいことではない It is not decent for young girls to *expose* too much of their bodies.
2 «写真»: exposure [U]. ¶ *露出時間は 15 分の 1 秒にしよう Let's make the *exposure* time one-fifteenth of a second. // この写真は*露出不足[オーバー]だ This picture is ⌈under*exposed* [over*exposed*].
露出寛容度 exposure latitude [C] **露出狂** (人) exhibitionist /èksəbíʃ(ə)nɪst/ [C] **露出計** exposure meter [C] **露出症** èxhibítionìsm [U].
ろしゅつえき 濾出液 transudate [C].
ろしょう 路床 (道路の) roadbed [U].
ろじょう 路上 ―[副] (市街地の) on [((英)) in] the street(s); (車道で) on the road. ((☞ みち¹; とおり; どうろ)). ¶ *路上は駐車禁止です Parking ⌈*on* [*in*] *the* ⌈*street* [*road*] is prohibited. **路上試験** (運転免許を取るための) driving test [C]; (車の性能試験) road test [C]. **路上生活者** (ホームレス) homeless [street] person [C]; (集合的に) the homeless, street people; (浮浪者) tramp [C].
ろしん 炉心 (原子炉の) (nuclear /n(j)úːkliə/) reactor /riǽktə/ [C], còre [C]. **炉心溶融** meltdown [U] **炉心冷却装置** (原子炉の) emergency core cooling system [C] ((略 ECCS)), nuclear core emergency cooling system [C].
ろじん 魯迅 ―[名] 固 Lu Xun /lúː ʃúːn/, 1881–1936. ★ 中国の文学者.
ロジン rosin [U] ★ 松やにからテレピン油を蒸留したあとの残留樹脂. **ロジンバッグ** (すべり止め用のロジンを入れた袋) rosin bag [C].
ロス¹ (損失) loss [U] ¶ この時間の*ロスを取り戻さなくてはならない We have to make up (for) this ⌈*loss* of [*lost*] time. **ロスタイム** 〘スポ〙 injury time [U], stoppage time [U], additional time [U].
ロス² ―[名] 固 (ロサンゼルス) Los Angeles /lɔːsǽndʒələs/ ((略 LA)) ★「ロス」という略称は英語では用いない.
ロスチャイルドけ ロスチャイルド家 ―[名] 固 the Rothschild /rɔ́ːθ(s)tʃaɪld/ family, the Rothschilds ★ 複数形で. 国際金融業で活躍した一族.
ロストボール (ゴルフの) lost ball [C].
ロゼ (ピンク色のぶどう酒) rosé /rouzéɪ/ [U] ★ rosé の ´ は綴り本来のもの.
ロゼッタいし ロゼッタ石 the Rosetta /rouzétə/ stòne ★ 古代エジプト文字解読のもとになった石碑.
ロゼット 〘服〙 rosette [C] ★ バラの形をしたリボン飾り; 〘植〙(根出葉) rosette [C].
ろせん 路線 route [C] ((☞ ルート¹)). ¶ 鉄道会社はこれらの赤字*路線を廃止するだろう The railway will close down these loss-making ⌈*routes* [*lines*]. // バス*路線 a bus ⌈*route* [*line*] // …に対して平和*路線を打ち出す take a friendly *attitude* toward … / work out a concíliatòry *pólicy* toward … ★ conciliatory は「懐柔的な」.
路線価 appraised land value by route [C] **路線バス** (決まったコースのバス) regular bus with a fixed route [C].
ろそくたい 路側帯 pedestrian ⌈side strip [walkway] along a road (where no sidewalk is provided) [C].
ろだい 露台 balcony [C].
ろだな 炉棚 mantelpiece [C] ((☞ だんろ(挿絵))).
ロダン ―[名] 固 (François) Auguste (René) Rodin /róudæŋ/, 1840–1917. ★ フランスの彫刻家. René の ´ は綴り本来のもの.
ロチェスター ―[名] 固 Rochester ★ 米国ニューヨーク州の都市; 米国ミネソタ州の都市; 英国南東部の都市.
ロッカー locker [C]. ¶ *ロッカーの鍵をなくした I've lost my *locker* key. // コイン*ロッカー a coin(-operated) *locker* / (⇒ 有料のロッカー) a pay *locker* **ロッカー室[ルーム]** locker room [C], ((英)) changing room [C].
ろっかく 六角 ―[名] (六角形) héxagon [C]. ―[形] (六角の) hexágonal.
ろっかクロム 六価クロム 〘化〙 hexavalent /héksəvèɪlənt/ chrómium [U].
ろっかせん 六歌仙 〘和歌〙 *Rokkasen*; (説明的には) the six immortal *waka* poets of the early Heian period.
ろっかん 六感 ☞ だいろっかん
ろっかんしんけいつう 肋間神経痛 〘医〙 intercóstal neuralgia /n(j)ʊrǽldʒə/ [U].
ロッキーさんみゃく ロッキー山脈 the Rocky Mountains, the Rockies ★ 北米西部の山脈.
ロッキードじけん ロッキード事件 the Lockheed /lákhiːd/ Scándal.
ロッキングチェアー rocking chair [C].
ロック¹ (音楽) rock (music) [U], róck'n'róll [U]. ¶ *ロック歌手 a *rock'n'roll* singer
ロック² ―[名] (錠) lock [C]. ―[動] (錠をおろす) lock 他.
ロック³ ―[名] 固 John Locke, 1632–1704. ★ 英国の哲学者.
ロック⁴ rock [C] ((☞ いわ)).
ロックアウト ―[名] (労働争議の) lóckòut [C].

── 動 lóck óut 他. (☞ しめだす; へいさ). ¶経営者側は*ロックアウトに出た The management imposed a *lockout*.

ロックインこうか ロックイン効果 〔金融〕 lock-in effect Ⓒ.

ロッククライミング (岩登り) róck-clìmbing Ⓤ.

ロックフェラー ── 名 固 John D(avison) Rockefeller /rákɪfèlə/, 1839–1937. ★ 米国の実業家.

ロックンロール 〔楽〕 róck'n'róll Ⓤ (☞ ロック¹).

ろっこうおろし 六甲おろし (風) *Rokko oroshi* Ⓒ; (説明的には) wind which blows down the Rokko mountain range Ⓒ.

ろっこつ 肋骨 rib Ⓒ (☞ ほね).

ろっこん 六根 〔仏教〕 *rokkon*; (説明的には) the six root faculties or organs: sight (the eyes); hearing (the ears); smell (the nose); taste (the tongue); touch (the flesh); perception (the mind). 六根清浄 *Rokkon shojo*; (説明的には) words which ascetic believers of Shintoism and Buddhism chant while climbing holy mountains.

ロッジ¹ (山荘) (mountain) lodge Ⓒ.

ロッジ² (男性名) Rodge /rádʒ/ ★ Roger /rádʒə/ の愛称.

ロッシーニ ── 名 固 Gioacchino Rossini /rousí:ni/, 1792–1868. ★ イタリアの作曲家.

ロッシェルえん ロッシェル塩 〔化・薬〕 Rochelle salt Ⓤ.

ロッテルダム ── 名 固 Rotterdam /rátədæm/ ★ オランダ南西部の港湾都市.

ロット (数量の単位) lot Ⓒ. ロット生産 lot production Ⓤ ロットナンバー (製造番号) lot number Ⓒ.

ロッド¹ (細くて真っすぐな木・金属などの棒) rod Ⓒ (☞ ぼう¹). ¶カーテン*ロッド a curtain *rod* ∥ *ロッドアンテナ a *rod* ⌈antenna [aerial]

ロッド² (男性名) Rod ★ Roderick /rád(ə)rɪk/, Rodney /rádni/ の愛称.

ロットワイラー (ドイツ原産の大型犬) Rottweiler /rátwaɪlə/ Ⓒ.

ろっぷ 六腑 ☞ ごぞうろっぷ

ろっぽうかいめん 六放海綿 〔動〕 glass sponge Ⓒ.

ろっぽうさいみつじゅうてん 六方最密充填 〔化〕 hexagonal closest packing Ⓤ.

ろっぽうしょうけい 六方晶系 〔化〕 hexagonal crystal system Ⓒ.

ろっぽうぜんしょ 六法全書 compéndium of láws Ⓒ.

ろてい¹ 露呈 ── 動 (さらす) expose 他; (あばく) reveal 他; (表面に現れる) còme óut 自 語法 come out は一番口語的だが,「露呈」の格式ばったニュアンスとは少しずれる. (☞ さらす). ¶危機に立つと人の弱点が*露呈される In an emergency, one's weaknesses ⌈*are revealed* [*are exposed*; *come out*].

ろてい² 路程 distance Ⓒ.

ロティ (女性名) Lottie, Lotty ★ Charlotte /ʃáələt/ の愛称.

ロデオ (カウボーイの競技会) rodeo /róudiòu/ Ⓒ.

ロデリック (男性名) Roderick /rád(ə)rɪk/ ★ 愛称は Rod.

ろてん¹ 露天 ── 名 (野外) the open air. ── 形 open-air Ⓐ; outdoor Ⓐ 語法 前者のほうが野外で広々としている感じ. ── 副 out in the open. (☞ やがい; おくがい; こがい¹). 露天風呂 open-air [outdoor] bath Ⓒ 露天掘り strip mining Ⓤ, (英) opencast Ⓤ.

ろてん² 露店 street [roadside] ⌈stall [(米) booth] Ⓒ. ¶祭りの日には*露店が数多く出る Many (*street*) *stalls* are ⌈put [set] up on festival days. 露店商 (人) (street) vendor Ⓒ, stall keeper Ⓒ.

ろてん³ 露点 the dew point. 露点計 dewpoint ⌈meter [hygrometer] Ⓒ.

ろとう 路頭 the roadside (☞ ろじょう; みちばた). 路頭に迷う ¶父が首になったら一家*路頭に迷うことになる If my father is fired, we will ⌈*be left without support* [*end up on the streets*].

ろとせんそう 露土戦争 〔史〕 the Russo-Turkish Wars.

ロドニー (男性名) Rodney /rádni/ ★ 愛称は Rod.

ろない 炉内 ── 形 in-furnace. ── 副 in the furnace. ¶*炉内温度 *in-furnace* temperature

ロナルド (男性名) Ronald /ránld/ ★ 愛称は Ron, Ronnie /ráni/.

ロニー (男性名) Ronnie /ráni/ ★ Ronald /ránld/ の愛称.

ろは ── 形 (ただの) free. ── 副 free. ¶これは*ろはだった I got this (*for*) *free*.

ろば 驢馬 〔動〕 donkey Ⓒ, ass Ⓒ ★ 日常語としては donkey が普通.

ロバータ (女性名) Robérta.

ロバート (男性名) Robert /rábət/ ★ 愛称は Rob, Robbie, Bob, Bobby.

ろばた 炉端 ── 名 (炉辺) the fireside, hearth Ⓒ ★ 前者のほうが一般的. ── 副 (炉端で) by the fire(side). (☞ だんろ (挿絵)). 炉端焼き ── 動 grill meat, fish and vegetables on the sunken hearth.

ろばん 路盤 (鉄道・道路の) roadbed Ⓒ. ¶その豪雨で*路盤が押し流された The *roadbed* has been washed away by the heavy rains.

ロビー¹ (ホテル・劇場などの待合室) lobby Ⓒ; (休憩室) lounge Ⓒ. ロビー活動 lobbying Ⓤ.

ロビー² (男性名) Robbie ★ Robert /rábət/ の愛称.

ロビイスト (議会工作者) lobbyist Ⓒ.

ろびらき 炉開き 〔茶道〕 the opening of the winter hearth.

ロビン (男性名・女性名) Robin.

ロビング 〔スポ〕 (テニスなどで) lobbing Ⓤ.

ロビンソンクルーソー ── 名 固 Robinson Crusoe ★ ダニエル デフォーの小説およびその主人公.

ロビンフッド ── 名 固 Robin Hood ★ 英国の伝説上の英雄.

ロブ¹ ── 名 〔スポ〕 (テニスなどで) lob Ⓒ. ── 動 lob 自 他. ¶*ロブを上げる *lob* a ball

ロブ² (男性名) Rob ★ Robert /rábət/ の愛称.

ろふさぎ 炉塞ぎ 〔茶道〕 the closing of the winter hearth.

ロブスター 〔動〕 lobster Ⓒ ★ 肉の意味では Ⓤ.

ろふつどうめい 露仏同盟 〔史〕 the ⌈Dual [Franco-Russian] Alliance ★ 1891 年の政治協定.

ロフト (倉庫などの上階・屋根裏) loft Ⓒ; 〔ゴルフ〕 (クラブフェースの角度) loft Ⓤ. ロフトジャズ 〔楽〕 loft jazz Ⓤ ★ ロフトを改装したホールで行う演奏.

ロベスピエール ── 名 固 Maximilien François Marie Isidore de Robespierre /róubzpɪə/, 1758–94. ★ 恐怖政治を行ったフランスの革命家.

ろぼう 路傍 the roadside. 路傍の人 (知らない人) stranger Ⓒ.

ロボット robot /róubat/ Ⓒ. ¶産業用*ロボット an industrial *robot* ロボットアーム robot arm Ⓒ ロボット観測 〔気象〕 automatic meteorological observation Ⓒ ロボット工学 robótics Ⓤ ロボット手術 robotic-assisted surgery Ⓤ.

ロボティクス (ロボット工学) robotics /roubátɪks/ Ⓤ.

ロボトミー 〖医〗lobotomy Ⓒ ★ 精神病患者の前頭葉白質切除手術で, 現在は廃止.

ロマネコンティ 〖商標〗(フランスの高級赤ワイン) Romanée Conti ★ é の ´ は綴り本来のもの.

ロマネスク — 名 Ròmanésque Ⓤ. — 形 Romanesque. ¶ *ロマネスク建築 *Romanesque* architecture

ロマノフちょう ロマノフ朝 〖史〗the Romanov dynasty. ★ 帝政ロシアの王朝 (1613–1917).

ロマン ¶ この絵は*ロマンがある This picture gives us a *romantic* impression.

ロマンしゅぎ ロマン主義 〖芸〗 — 名 románticism Ⓤ. — 形 (ロマン主義[派]の) romántic. ロマン主義者 románticist Ⓒ ★ 以上いずれもしばしば R– として.

ロマンシュご ロマンシュ語 Romansh Ⓤ ★ スイスで使われている言語の1つ.

ロマンス (小説的な恋愛事件) romance /roumǽns/ Ⓒ; (情事) (love) affair Ⓒ 日英比較 日本語のロマンスが必ずしも英語の romance に当たらないことに注意. (☞ れんあい). ¶ あの2人の間に*ロマンスが芽生えつつある A *romance* is budding between those two.

ロマンスカー (列車の) deluxe train Ⓒ.

ロマンスグレー — 名 (白髪の中年男性) silver [gray]-haired man in his middle years Ⓒ. — 形 (銀白色の) (fine) silver-gray; (銀髪の) silver-haired. ★「ロマンスグレー」は和製英語.

ロマンスご ロマンス語 Romance language Ⓒ.

ロマンスシート (二人がけのいす) love seat Ⓒ.

ロマンチシズム romanticism /roumǽntəsìzm/ Ⓤ.

ロマンチスト románticist Ⓒ.

ロマンチック — 形 (物語に出てくるような) romántic; (空想的な) fanciful. ¶ この店には*ロマンチックな雰囲気がある This shop has a *romantic* atmosphere.

ロマンチックかいどう ロマンチック街道 the Romantic Road ★ ドイツのビュルツブルクとフュッセンを結ぶ道路の通称. ドイツ語では Romantische Strasse.

ロマンは ロマン派 〖芸〗 the romantic school (☞ ロマンしゅぎ).

ロマン ロラン — 名 固 Romain Rolland /roumǽŋ roulá:ŋ/, 1866–1944. ★ フランスの小説家.

ロミオとジュリエット — 名 固 (シェークスピアの悲劇) *Romeo and Juliet*.

ロム 〖コンピューター〗ROM /rám/ Ⓤ ★ *r*ead-*o*nly *m*emory の略. (☞ コンピューター (囲み)).

ろめい 露命 露命をつなぐ (細々と暮らしていく) live [(格式) subsist] on a small income.

ろめん 路面 road surface Ⓒ. ¶ いま*路面改修工事があちこちで行われている *Resurfacing* work is being carried out here and there at present.

路面電車 (米) streetcar Ⓒ, (米) trolley (car) Ⓒ, (英) tram Ⓒ 日英比較 トロリーというと日本で一時多く使われた電力によりタイヤで走るトロリーバス (trolley bus) を考えるが, (米) の trolley (car) は市内の軌道のある路面電車のこと. 路面凍結 (掲示) Icy [Ice on] Road ★ 前者のほうが一般的.

ロラン ☞ ロマン ロラン

ロリータ — 名 固 (女性名) Lolita ★ ナボコフ (V. Nabokov) の同名の小説に登場する性的に早熟な少女. (☞ ロリコン).

ロリコン Lolita /loulí:tə/ complex Ⓒ.

ロレイン (女性名) Lorraine /ləréɪn/.

ロレーヌ — 名 固 Lorraine ★ フランス北東部の地域.

ろれつ 呂律 ろれつが回らない ¶ 彼は酒に酔って*ろれつが回らない (⇒ 正しくしゃべれない) He is so drunk ˹he *cannot speak properly* [his *speech is slurred*].

ロレッタ (女性名) Lauretta /lɔ:rétə/, Loretta /ləretə/.

ロレンチーニきかん ロレンチーニ器官 (サメの) Lorenzini sensory organ Ⓒ.

ろわじてん 露和辞典 Russian-Japanese dictionary Ⓒ.

ろん 論 **1** «議論»: argument Ⓒ (☞ ろんじる; ぎろん (類義語)).

2 «理論»: theory Ⓒ; (小論文) essay Ⓒ; (学術的な論文) treatise /trí:tɪs/ Ⓒ, paper Ⓒ; (評論) criticism Ⓒ, critique Ⓒ. (☞ りろん; ろんぶん).

¶ 彼の教育*論は一読に値する His ˹*essay* [*treatise*; *critique*] on education is worth reading. // 彼は夏目漱石*論を書いた He has written a ˹*critique* of [*critical essay* on] Natsume Soseki. // 文学*論 literary *criticism* / (⇒ 文学[文学作品]の論評・解説) *critiques* ˹on [of] ˹literature [literary works] // 抽象*論 an abstract *idea* / (⇒ 抽象的に論じること) *arguing* in the abstract

論より証拠 Proof wins over argument. / The proof of the pudding is in the eating. (ことわざ: プディングの味は食べてみなければわからない)

論を俟(ま)たない It goes without saying [There is no doubt] that ...

ロン (男性名) Ron ★ Ronald の愛称.

ろんがい 論外 (問題にならない) out of the question; (問題からはずれている) beside the point, irrelevant; (疑いもない) beyond question. (☞ もってのほか). ¶ その問題をここで言い立てるのは*論外だ It is *beside the point* to bring up that matter now.

ろんかく 論客 ☞ ろんきゃく

ろんぎ 論議 (討論) discussion Ⓤ; (自分の意見を主張し合う議論) argument Ⓒ; (公開の席での賛否に分かれた討議) debate Ⓒ. (☞ ろん; ぎろん (類義語); とうろん 日英比較). ¶ これは会議で*論議の対象になるでしょう This will become an object of *discussion* at the meeting.

ろんきゃく 論客 (議論好きな人) còntrovérsialist Ⓒ, polémicist Ⓒ, pólemist Ⓒ; (世論の先導者) advocate /ǽdvəkət/ Ⓒ.

ろんきゅう 論及 — 動 (...に言及する) refér to ...; (...に軽く触れる) touch upon ... (☞ げんきゅう[1]).

ろんきょ 論拠 (根拠) grounds ★ 複数形で; (理論などの基礎) basis /béɪsɪs/ Ⓒ (複 bases /-si:z/). (☞ こんきょ).

ロング long. ロングアイアン 〖ゴルフ〗long iron Ⓒ ロングシュート 〖スポ〗long shot Ⓒ (☞ シュート) ロングショット 〖映・テレビ〗long shot Ⓒ (↔ close-up) ロングスカート lóng skírt Ⓒ ロングストライド long stride Ⓒ ロングセラー ¶ この本は*ロングセラーです (⇒ 長い間堅実に売れている) This book *has been selling steadily for a long time* now. ロングパス 〖球〗long pass Ⓒ ロングヘア ☞ ちょうはつ[2] ロングホール 〖ゴルフ〗long hole Ⓒ ロングラン — 形 (長期継続(出演)の) long-run(ning) 日英比較 この意味では英語では 形 として用いるのが普通. ¶ 大当たりで*ロングランのミュージカル a *long-run(ning)* hit musical ロングリリーフ 〖野〗long relief Ⓒ; (投手) long relief pitcher Ⓒ ロングレンジ — 形 (長距離

の) long-range.

ロングアイランド ―名 固 Long Island ★米国ニューヨーク州南東部の島.

ロングライフ ―名 long life Ⓒ. ―形 long-life, longlife; (長持ちする) long-lasting. **ロングライフ住宅** (長期耐用する住宅) house which ˹has a long life span [lasts for a long time] Ⓒ **ロングライフミルク** long-life milk Ⓤ, longlife milk Ⓤ.

ろんご 論語 the Ánalects (of Confucius /kənfjúːʃəs/). **論語読みの論語知らず** learned fool Ⓒ.

ろんこう 論考 (論文などの考察) discussion Ⓒ; (研究) study Ⓒ.

ろんこうこうしょう 論功行賞 (the) ˹distribution of honors [granting of rewards] in recognition of services rendered Ⓤ.

ろんこく 論告 the prosecutor's /prásɪkjùːtəz/ ˹concluding [final] speech, the prosecutor's summing-up. **論告求刑** (検察官の) the prosecutor's concluding speech and sentencing recommendation.

ろんし 論旨 (要点) point Ⓒ; (趣旨) drift Ⓤ. (☞ろんてん; ようてん¹). ¶*論旨を明らかにしなさい Make your *point* clear. // 彼のスピーチの*論旨がわからなかった (⇒何を言おうとしているのかその趣旨がつかめなかった) I could not ˹get [catch] the *drift* of his speech.

ろんじゃ 論者 (論争者) disputant Ⓒ; (シンポジウムなどの討論者) discussant Ⓒ; (パネリスト) panelist Ⓒ; (主義・主張の唱道者) advocate Ⓒ.

ろんしゅう 論集 collection of ˹papers [essays] Ⓒ (☞ろんぶん).

ろんじゅつ 論述 (陳述) statement Ⓒ. **論述テスト** essay-type ˹test [exam] Ⓒ (↔ objective [multiple-choice] test).

ろんしょう 論証 ―動 (証明する) prove ㊀; (理論や実物で説明する) démonstràte ㊀. ―名 proof Ⓒ; demonstration Ⓒ. ―形 (論証的な) dianoetic /dàɪənoʊétɪk/. (☞しょうめい¹; りっしょう). **論証幾何** demonstrative geometry Ⓤ.

ろんじる 論じる (討論する) discuss ㊀; (主張する) argue (*one's* case) ㊀; (論題として扱う) treat ㊀. (☞ろん; ぎろん (類義語)). ¶彼らは夜遅くまで政治を*論じた They stayed up (until) late *discussing* politics. // この論文は公害問題を*論じている (⇒扱っている) This paper *treats* the problem of pollution.

ろんじん 論陣 **論陣を張る** make [present] a powerful argument ★[ ]内は格式ばった語.

ろんせつ 論説 (新聞・テレビなどの) èditórial Ⓒ; (社説) 《英》 léading árticle Ⓒ, leader Ⓒ. **論説委員** editorial writer Ⓒ **論説広告** editorial advertisement Ⓒ.

ろんせん 論戦 ―名 argument Ⓒ. ―動 argue ㊁. (☞ろんそう¹; ぎろん (類義語)). ¶彼らはその問題について激しい*論戦を交わした They ˹had a heated *argument* [(⇒激しく議論した) *argued* heatedly] about the problem.

ろんそう¹ 論争 ―名 dispúte Ⓒ; (長期にわたる重要な論争) cóntrovèrsy Ⓒ ★格式ばった語; (言い争い) argument Ⓒ. ―動 dispúte ㊀ ㊁ ★やや格式ばった語; argue ㊀ ㊁. (☞ぎろん (類義語); とうろん 日英比較).
¶選挙制度改革に関し2派の間で*論争の絶えることがなかった There was no end to the *controversy* between the two factions over electoral reform. // この事実については*論争の余地がない This fact is ˹*indisputable* [*incontestable*].

―コロケーション―
活発な論争 a lively *controversy* / 政治的論争 a political *controversy* / 大論争 an enormous *controversy* / 長期にわたる論争 an enduring *controversy* / 激しい論争 a heated *controversy* / 不毛な論争 an unfruitful [a barren] *controversy* / 昔からある論争 an old *controversy* / 論争が再燃する a *controversy* revives / 論争が下火になる a *controversy* dies down / 論争の火が燃え上がる a *controversy* flares up / 論争に油を注ぐ fuel a *controversy* / 論争に決着をつける settle a *controversy* / 論争を巻き起こす arouse [stir up] a *controversy*

ろんそう² 論叢 collection of treatises Ⓒ.

ロンダ (女性名) Rhonda /rándə/.

ろんだい 論題 subject [theme; topic] for discussion Ⓤ (☞だい¹ (類義語)).

ろんだん 論壇 (言論界) the world of criticism, critical circles ★後者は複数形で. ¶彼は*論壇の代表的人物だ He is a ˹leader [representative] of *the world of criticism.*

ろんちょう 論調 tone (of argument) Ⓒ (☞ろんぴょう). ¶彼の作品に対する批評家の*論調はおおむね好意的だ The *tone* of the criticism of his work is generally warm.

ろんてき 論敵 oppónent in an árgument Ⓒ.

ろんてん 論点 (主張の要点) point of an argument Ⓒ; (問題となっている点) point at issue Ⓒ, 《格式》 contention Ⓒ. (☞ろんし). ¶彼の*論点はつかみにくい It is hard to grasp the *point of* his *argument.* // 彼の話はいつも*論点をはずれている What he says is always ˹beside the *point* [wide of the *mark*].

ロンド 〘楽〙 rondo Ⓒ.

ロンドン London /lʌ́ndən/. **ロンドン子** Londoner Ⓒ, cóckney Ⓒ 語法 前者は一般的にロンドン市民, 後者は East End 地区に住み, ロンドン下町なまりの英語を話す人達を指す. **ロンドン市民** Londoner Ⓒ **ロンドン大学** ―名 固 the University of London **ロンドン塔** the Tower of London ★《英》では単に the Tower ともいう. **ロンドンなまり** cockney Ⓤ, cockney accent Ⓒ **ロンドン橋** London Bridge **ロンドンブーツ** London boots ★複数形で. 1970年代にロンドンで流行したヒールの極端に高いブーツ.

ロンドンデリー ―名 固 Londonderry /lʌ́ndəndèri/ ★北アイルランドの行政区, またその中心の町.

ろんなん 論難 ―動 (批判する) criticize ㊀; (非難する) condemn ㊀. (☞ひはん).

ろんぱ 論破 ―動 (議論してやっつける) árgue dówn ㊀, defeat ... by argument; (相手の言ったことが誤りであると証明する) refute ㊀.
¶彼は相手を*論破した (議論に勝った) He *won the argument.* / (⇒相手を議論でやっつけた) He ˹*argued down* [*refuted*] his opponents.

ロンパース (幼児の遊び着) rompers ★複数形で.

ロンバードがい ロンバード街 ―名 固 Lombard Street ★ロンドンの金融中心地.

ろんばく 論駁 ―動 (人の言ったことに反論する) argue against ..., counter ㊀ (☞はんろん¹). ¶彼は佐藤氏の意見を*論駁した He ˹*argued against* [*countered*] Mr. Sato's statement.

ロンバルディア ―名 固 Lombardy ★イタリア北部の州. イタリア語では Lombardia.

ろんぴょう 論評 ―名 (批評) criticism Ⓒ ★欠点や誤りを指摘するような批判的な批評というニュアンスがある; (軽い意見・解説) cómment Ⓒ; (特に作品などの批評・書評) review Ⓒ, critíque Ⓒ. ―動 criticize ㊀; comment (on ...) ㊁; review

ろ

㊕ ★ 批判的というニュアンスはない. 《☞ ひひょう(類義語); ろんちょう》. ¶ この件について彼は*論評(⇒ 自分の意見を述べること) を避けた He avoided *giving his views on* this subject. // この作品に対する*論評はおおむねよい The *reviews* of this work are on the whole favorable.

ろんぶん 論文 (一般的に) paper Ⓒ ★ 最も口語的で日常的な語; (学位・卒業論文) thesis /θíːsɪs/ Ⓒ《複 theses /θíːsiːz/》★ 修士・博士論文の両方に使う; (特に博士などの学位論文) dissertation Ⓒ; (学術論文)《格式》treatise /tríːtɪs/ Ⓒ; (評論) essay Ⓒ.

¶ 博士*論文 a dóctoral *dissertation* // 修士*論文 a master's *thesis* // 卒業*論文 a graduation *thesis* // …に関する*論文 a *paper* ⌈about [on] …

論文引用ランキング citation ranking Ⓤ **論文博士** Ph. D. who took his or her degree by dissertation Ⓒ.

コロケーション
論文の指導をする supervise a *dissertation* / 論文の審査をする examine a *dissertation* / 論文を書く write a ⌈*paper* [*thesis*; *dissertation*] / 論文を出版する publish a *paper* / 論文を提出する submit [present] a *paper* / 論文を発表する read [present] a *paper* (at a conference)

ろんぽう 論法 (議論・主張) argument Ⓤ; (議論の手法) line of ⌈argument [(合理的な) reasoning] Ⓒ; (論理の進め方) logic Ⓤ.

¶ 彼のいつもの*論法で押しまくられた I was overpowered by his normal *line of argument*. // 彼は彼一流の*論法で相手をなんとか言いくるめた He has managed to convince the other party through his characteristic *line of reasoning*. // 君の*論法はめちゃくちゃだ (⇒ 非論理的だ) Your *argument* is illogical. // 三段*論法 a syllogism

ろんり 論理 — 名 logic Ⓤ ★「考え方などの筋道」と「論理学」の両方の意味に用いる. — 形 (論理的な) logical (↔ illogical); (思慮のある) sensible; (筋の通った) reasonable.

¶ 人を納得させるには*論理的な話し方をすべきだ To convince people, you need to speak *logically*. // 彼らはややもすると無理な*論理を振り回す Too often they [They are liable to] use *choplogic*. ★ choplogic は「へ理屈」. // 彼はたいへん*論理的な主張をした He produced a very *logical* argument. // それでは*論理が通らない That is ⌈not *logic* [not *logical*; *illogical*].

論理演算 〖コンピューター〗 logical operation Ⓒ **論理演算素子** 〖コンピューター〗 logical operator Ⓒ **論理回路** 〖コンピューター〗 logic circuit Ⓒ **論理学** logic Ⓤ **論理学者** logícian Ⓒ **論理記号** logical symbol Ⓒ **論理計算** ☞ 論理演算 **論理式** 〖数〗 logical expression Ⓒ **論理主義** 〖数〗 logicism Ⓤ.

わ, ワ

わ[1] **輪, 環** (円形・円形のもの) circle Ⓒ, ring Ⓒ 語法 以上2語は入れ替え可能な場合もあるが, 前者は図形としての円というのが元の意味で, 後者は例えば指輪などのように物を曲げて円形にしたものを指す語; (鎖の輪) link Ⓒ; (糸・ひも状の輪) loop Ⓒ; (惑星の) (planetary) ring Ⓒ. (☞ まる[1]; えん[3]).
¶ 子供たちは*輪になって座った The children sat in a ⌜*circle* [*ring*]. // 私はそのロープで*輪を作った I ⌜tied [made] the rope into a *loop*. // 海外旅行で友情の*輪を広げるべきだ We should make friends with many (kinds of) people when we go abroad. **輪をかけた[て]** ¶ あの男はいやなやつだが, 兄のほうはそれに*輪をかけたような (⇒ さらに悪い[いやな]) やつだ He is nasty, but his brother is *even* ⌜*worse* [*nastier*].

わ[2] **和** **1** «和合»: (まとまり) unity Ⓤ; (調和) harmony Ⓤ. (☞ きょうちょう[1]; わする). ¶ 彼ら (⇒ あのグループ) には*和 (⇒ 団結) が欠けている There is no *unity* in that group. // この仕事では人の*和が最も大切である Good [Smooth] *teamwork* is the most important factor in this business.
2 «合計»: sum Ⓒ, total Ⓒ 語法 ほぼ同意のことも多いが, 後者は「全体の」「すべての」という意味があり, かなり多くの数量を加算した結果をいう. (☞ ごうけい). ¶ 次の数の*和を求めなさい Work [Figure] out the ⌜*sum* [*total*] of the following (numbers).

-わ[1] …**把** (大きな束) bundle Ⓒ; (穀物・書類などの) sheaf Ⓒ (複 sheaves). (☞ たば; 数の数え方 (囲み)). ¶ まき1*把 a *bundle* of firewood

-わ[2] …**羽** ☞ 数の数え方 (囲み)

わあ — 感 (喜びの歓声) Hurray /hʊréɪ/!, Hurrah /hʊrɔ́ː/!; (まあ・すごい) (米) Gee /ʤíː/!; (驚き・感嘆の声) Wow /wáʊ/! (☞ あっ).
¶ *わあ, 勝ったぞ *Hurray* [*Hurrah*]! We've won. // 「今度の日曜日に東京ディズニーランドへ行こうか」「*わあ, すてき」 "How about going to Tokyo Disneyland next Sunday?" "*Gee* [*Wow*]! That'd be ⌜nice [wonderful; marvel(l)ous]!"

ワーカー (労働者) worker Ⓒ, laborer ((英) labourer) Ⓒ.

ワーカホリック — 名 (仕事中毒の人) wòrkahólic Ⓒ; (仕事中毒) wórkahòlism Ⓤ. — 形 workaholic. ★ どれも略式表現.

ワーキング **ワーキンググループ** (作業部会) working group Ⓒ **ワーキングディナー** (仕事を話題にして行う夕食会) working dinner Ⓒ **ワーキングホリデー** (就労許可付き海外旅行) working holiday Ⓒ ★ オーストラリア, カナダなどの各国と我が国との間で青年向けに設けられた制度. **ワーキングランチ** (仕事を話題にして行う昼食会) working lunch Ⓒ.

ワーク — 名 (作品・仕事) work Ⓒ. — 動 (働く) work ⓐ.

ワークエリア 〖コンピューター〗 work area Ⓒ.

ワークシート 〖コンピューター〗 *spreadsheet* Ⓒ; (作業計画書・進行表) work sheet Ⓒ.

ワークシェアリング (雇用の分かち合い) work sharing Ⓤ.

ワークショップ (研究会・グループ) workshop Ⓒ.

ワークステーション 〖コンピューター〗 workstation Ⓒ (☞ コンピューター (囲み)).

ワーグナー — 名 固 (Wilhelm) Richard Wagner /(vílhelm) ríkaəd vάːgnə/, 1813–83. ★ ドイツの作曲家.

ワークファイル 〖コンピューター〗 work file Ⓒ.

ワークブック (学習練習帳) workbook Ⓒ.

ワースト — 形 副 (最悪の・最低の) worst ★ 形 は Ⓐ. **ワースト記録** the worst record **ワーストテン** the worst ten. ¶ *ワーストテン打者 the *ten worst* hitters 日英比較 英語ではこのように名詞が後に置かれると語順が変わることに注意. **ワースト番組** the worst program.

ワーズワース — 名 固 William Wordsworth, 1770–1850. ★ 英国の詩人.

ワーテルロー — 名 固 Waterloo /wɔ́ːtəlùː/ ★ ベルギー中部の町. **ワーテルローの戦い** 〖史〗 the Battle of Waterloo ★ 1815年ナポレオンが英普連合軍に大敗した戦い.

ワード (語・単語) word Ⓒ.

ワードプロセッサー ☞ ワープロ

ワードラップ 〖コンピューター〗 (単語の自動改行) wordwrap Ⓤ, word wrap Ⓤ.

ワードローブ (洋服だんす) wardrobe Ⓒ; (個人の持ち衣装) wardrobe Ⓒ ★ 普通は単数形で.

ワープ — 名 (ひずみ・ゆがみ) warp ★ a を付けて; (SF の空間歪曲) (space) warp Ⓒ. — 動 (ワープする) warp ⓐ.

ワープロ (ワープロ専用機) dedicated word processor Ⓒ; (ワープロソフト) word processor (program) Ⓒ. (☞ コンピューター (囲み)). ¶ *ワープロで手紙を書く write [type] a letter ⌜on [with] a *word processor*

ワーム (ルアーの一種) plastic worm Ⓒ; (説明的には) worm-shaped [worm-like] lure Ⓒ; 〖コンピューター〗 worm Ⓒ.

ワールド (世界) the world. (☞ せかい).

ワールドウォッチけんきゅうじょ ワールドウォッチ研究所 (地球環境問題の) the Worldwatch Institute.

ワールドカップ 〖スポ〗 the World Cup. **ワールドカップサッカー** World Cup Soccer Ⓤ **ワールドカップスキー** World Cup Skiing Ⓤ.

ワールドシリーズ 〖野〗 (全米プロ野球選手権試合) the World Series.

ワールドトレードセンター — 名 固 (世界貿易センター) the World Trade Center ★ ニューヨーク市にあった Twin Towers を中心とする高層ビル群. 2001年9月11日, 同時多発テロによりほとんどのビルが崩壊.

ワールドバンク (世界銀行) the World Bank ★ the International Bank for Reconstruction and Development (略 IBRD) の通称.

ワールドミュージック 〖楽〗 (民族的な色彩の濃いポピュラー音楽) world music Ⓤ; (その原型の民族音楽など) roots music Ⓤ.

ワールドワイド — 形 副 (世界的な[に]) worldwide.

ワールドワイドウェッブ 〖インターネット〗 the World Wide Web (略 WWW), the Web.

わあわあ ¶ *わあわあ泣く cry *loudly* // そんなに*わあわあ騒ぐ (⇒ やかましい騒音をたてる) のはやめなさい Don't *make* such *a loud noise*! (☞ 擬声・擬態語 (囲み))

ワイ　（アルファベットの第 25 字）Y Ⓒ, y Ⓒ.

ワイエムシーエー　the YMCA ★ *Y*oung *M*en's *C*hristian *A*ssociation（＝キリスト教青年会）の略.

ワイオミング　— [名] [固]（米国の州）Wyóming 《☞アメリカ（表）》.

わいか　矮化　〔園〕dwarfing Ⓤ.　**矮化剤** growth retardant Ⓒ.

ワイキキ　— [名] [固] Wàikikí ★ ハワイ諸島のオアフ島ホノルル市の海岸.

わいきょく　歪曲　— [動]（事実などを曲げる）distort [他];（誤って伝える）mìsrepresént [他].　— [名] distortion Ⓤ; misrepresentation Ⓤ.《☞まげる; きょっかい》.　¶ このレポートは真実を*わい曲している（⇒このレポートでは真実が誤って[曲げて]伝えられている）The truth *is* ˹*misrepresented* [*distorted*] in this report.

わいざつ　猥雑　— [形]（むさ苦しくて不快感を与える）sordid;（汚くて下品な）dirty and indecent.　¶ *猥雑な街路 a *sordid* street

ワイじく　Y 軸　〔数〕the y-axis.

ワイシャツ　shirt Ⓒ, dress shirt Ⓒ　[語 法] 普通は shirt でよいが, 特に他のシャツと区別する場合には dress shirt という.　[日英比較] ワイシャツは white shirt がなまって明治時代に日本語に入ったもので, Y シャツのように Y を書くのは当て字. 英語では通用しない. なお日本語で下着も「シャツ」ということがあるが, 英語では undershirt という.《☞シャツ》.
¶ 事務所の人たちは全員*ワイシャツ姿で働いていた All the office people were working *in their shirt-sleeves*.

わいしょう　矮小　— [形]（小さい）small;（動植物が発育不良の）stunted;（異常に小さい）dwarfish.《☞ちいさい》.　**矮小化**　— [名] trivialization Ⓤ.　— [動] trivialize [他];（軽く扱う）play down [他].　¶ 彼らはその問題の重大さを*矮小化した They ˹*trivialized* [*played down*] the seriousness of the problem.

ワイズ　— [形]（賢明な）wise.

わいせい[1]　矮性　— [形]（標準より小さい）dimínutive, úndersized, stunted.

わいせい[2]　矮星　〔天〕dwarf star Ⓒ.

わいせつ　猥褻　— [形] obscene /əbsíːn/ ★ 最も一般的で客観的な語;（エッチな）dirty ★ 前者より口語的;（下品な・みだらな）indécent.　— [名] obscenity /ɑbsénəti/ Ⓤ ★「わいせつ行為」という意味では Ⓒ; indecency Ⓤ.　¶ その映画は*わいせつな部分をカットしてから上映が許可された The film was permitted to be shown after the *obscene* parts ˹had been [were] ˹cut [censored] (out).
わいせつ行為 indecent ˹behavior Ⓤ [act Ⓒ], pornographic act Ⓒ　**わいせつ罪** public indecency Ⓒ　**わいせつ文書** obscene literature /lít(ə)rətʃùə/ Ⓤ　**わいせつ本** obscene book Ⓒ.

ワイせんしょくたい　Y 染色体　〔生〕Ý chròmosome Ⓒ.

ワイダブリューシーエー　the YWCA ★ *Y*oung *W*omen's *C*hristian *A*ssociation（＝キリスト教女子青年会）の略.

わいだん　猥談　obscéne [dírty; indécent] ˹tálk [jóke] Ⓒ　[語 法] obscene は直接的, 客観的にわいせつなことを意味し, dirty は口語的で「エッチな」というような意味. indecent は社会道徳に反するという意味で, 間接的にわいせつなことを指す.《☞わいせつ; ひわい》.　¶ 彼らは*わい談をしていた They were telling ˹*obscene* [*dirty*; *indecent*] *jokes*.

ワイド　（幅の広い）wide;（長い）long.《☞よこ 1 [日英比較]》.　¶ これは 3 時間の*ワイド番組です This is a *long* show of three hours.　**ワイドショー** TV show ˹covering [featuring] a variety of topics Ⓒ ★ 説明的な訳.「ワイドショー」は和製英語. 昼のワイドショー的番組は daytime talk show のように呼ぶこともある.　**ワイドスクリーン** wide screen Ⓒ ★ [形] は wide-screen.　**ワイドテレビ** wide-screen TV Ⓒ　**ワイドレンズ** wide-angle lens Ⓒ.

ワイナリー　（ぶどう酒醸造所）winery Ⓒ.

ワイパー　（自動車の）(windshield [《英》windscreen]) wiper Ⓒ.

ワイフ　（妻）wife Ⓒ.

ワイプ　（映画・テレビの場面転換技術）wipe Ⓒ, wipe-off Ⓒ.

わいほん　猥本　obscene book Ⓒ;（ポルノ本）pórnogràphic [《略式》pórn] bóok Ⓒ;（総称）pornógraphy Ⓤ,《略式》pórno Ⓤ.

ワイマール　— [名] [固] Weimar ★ ドイツ中東部の都市.　**ワイマール共和国**〔史〕the Weimar Republic　**ワイマール憲法**〔史〕the Weimar Constitution.

ワイヤ(ー)　wire Ⓤ ★ 種類をいうときは Ⓒ.《☞はりがね》.　**ワイヤブラシ** wire brush Ⓒ　**ワイヤロープ** wire rope Ⓒ.

ワイヤレスマイク　wíreless mícrophone Ⓒ《☞マイク》.

ワイルド　— [名] [固] Oscar Wilde, 1854–1900. ★ 19 世紀末英国の小説家・劇作家.

ワイルドカード　〘コンピューター〙（総称文字）wild card Ⓒ, wild-card character Ⓒ;〘スポ〙（特別枠のチーム・選手）wild card Ⓒ.

ワイルドピッチ　wild ˹pitch [throw] Ⓒ《☞ぼうとう[3]》.

ワイルびょう　ワイル病　〔医〕Weil's disease Ⓤ.

わいろ　賄賂　— [名] bribe Ⓒ,《略式》páyòff Ⓤ ★ 個々の事例は Ⓒ;（わいろを使ったり, もらったりすること）bribery Ⓤ.　— [動]（…にわいろを使う）bribe [他].《☞ばいしゅう》.　¶ 彼らはその役人に*わいろを贈った They ˹offered [gave] a *bribe* to the official. // *わいろを受け取る accept a *bribe* // 彼は私に*わいろをつかませようとした He tried to *bribe* me.

わいわい　— [動]（やかましく騒ぐ）make a lot of noise《☞がやがや; 擬声・擬態語（囲み）》.　¶ 子供たちは部屋の中で*わいわい騒いでいた The children *were making a lot of noise* in the room.

ワイン　wine Ⓤ ★ 種類をいうときは Ⓒ.　¶ *ワイン 1 瓶[1 杯] a ˹bottle [glass] of *wine*《☞数の数え方（囲み）》// 赤[白]*ワイン red [white] *wine* // *ワインを作る make [produce] *wine*　[語 法] wine には brew は用いられない.　**ワインカラー** wine color Ⓤ　**ワインクーラー**（ワイン冷却容器）wine cooler Ⓒ ★ 果汁を含んだワインの飲み物の意味もある.　**ワイングラス** wíneglàss Ⓒ《☞グラス（挿絵）》　**ワインセラー**（ワイン貯蔵室）wine cellar Ⓒ　**ワインビネガー**（ぶどう酢）wine vinegar Ⓤ　**ワインレッド** wine red Ⓤ.

ワインドアップ　〔野〕　— [名] windup Ⓒ.　— [動] wind up [自].

わえいじてん　和英辞典　Japanese-English dictionary Ⓒ《☞じしょ[2]》.

わおん　和音　〔楽〕chord Ⓒ.　**和音記号** chord symbol Ⓒ.

わか　和歌　*waka* (poem) Ⓒ;（説明的には）classical Japanese poem of thirty-one syllables Ⓒ.《☞たんか[3]; はいく》.

わが　我が　— [代]（私たちの）our;（私の）my.　¶ *わが家ほどよいところはない There's no place like home.

わかあゆ　若鮎　young ˹*ayu* [sweetfish] Ⓒ.　¶ 彼は*若鮎のように元気がいい He is as ˹sprightly [spirited; lively] (as a *young fish* in its element).

わかい[1]　若い　**1**《年が》: young (↔ old);（若々しい・はつらつとした）youthful;（未熟な）immature,

《略式》green. (☞ わかさ; わかもの; わかわかしい).
¶*若い人々 *young* ⌈people [men and women] // あなたは年よりもずっと*若いですね (⇒ 若く見える) You ⌈look [appear to be] much *younger* (than your age). // 彼女は年の割には*若く見える She looks *young for* her age. // 私の母はあなたのお母さんより3歳*若い My mother is three years *younger* than yours. // 彼女はもう40代だけれど, *若いときの姿そのままだ She has kept her *youthful* figure, though she is already in her forties. // *若いときには少しぐらい無理をして働いても大丈夫だ You can work hard ⌈when (you are) *young* [in your *youth*]. ★ [ ] 内のほうが格式ばった言い方. // 彼は気が*若い (⇒ 若者の気持ちを持っている) He has a *youthful* spirit. // 彼の考えはまだ*若い His way of thinking is still ⌈*immature* [*green*].
2 《数が》: low. ¶彼は*若い背番号を望んだ He wanted a *low* uniform number. // 私たちは番号の*若い順に並んだ We lined up ⌈*starting with the lower numbers* [(⇒ 番号順に) *in numerical order*].

わかい[2] **和解** ―動 (けんかを治め仲直りさせる) reconcile /rékənsàɪl/ 他 [語法] 和解する当事者が主語の場合は be reconciled と受身構文になる. 格式ばった言い方; (紛争・問題などを解決する) settle 他; (…と話がつく) come to terms (with …); (妥協する) cómpromise (with …) 自. ―名 rèconciliátion U; settlement U; compromise C.
¶我々は*和解した We *have* ⌈*been reconciled* [*come to terms*] *with* each other. / (⇒ 意見の相違を解決した) We *have settled our differences.* // 彼らの紛争をどうしたら*和解させられるかわからない I don't know how to *settle* their dispute. // こんな条件では私は彼と*和解できない I can't *compromise with* him under such conditions.

わがい 我が意 ¶君の意見を聞いてまさに*我が意を得た思いがした (⇒ 君の意見が私のと同じであるのを知ってとてもうれしかった) When I heard your opinion, *I was very pleased to know that it was the same as mine.*

わかいしゅ 若い衆 young men, youths.

わかがえり 若返り 《格式》rejuvenation U.
¶*若返り法 (⇒ 若返りの秘訣) the secret of *rejuvenation* // わが社は経営陣の*若返りをはかる必要がある (⇒ より若い経営陣によって取って代わられるべきである) The managerial /mæ̀nədʒí(ə)riəl/ staff of our company should *be replaced by a younger group.*

わかがえる 若返る 《格式》rejuvenate /rɪdʒúːvənèɪt/ 自 他.
¶新しいスーツを着て彼は*若返ったみたいだ (⇒ 若く見える) He *looks younger* in his new suit. // 新しい仕事で彼は*若返った (⇒ 新しい仕事が彼を若返らせた) His new job *has* ⌈*rejuvenated* him [*given* him a new lease on life]. ★ a new lease ⌈on [《英》of] life は「人・物の寿命が延びること」の意.

わかがしら 若頭 (暴力団の) the ⌈leader [chief] of a gangster's henchmen.

わかぎ 若木 young tree C; (苗木) sapling C.

わかぎみ 若君 young lord C.

わかくさ 若草 new [freshly planted] grass U.

わがくに 我が国 (私の国) *my country*; (我々の国) our country.

わかげ 若気 若気の至り ¶いまから思えば*若気の至りでお恥ずかしいことです (⇒ 当時は若く, 未熟だった) I'm [I feel] ashamed of it now, but I was *young and inexperienced.* // 彼は*若気の至りでそうしてしまったのだろう (⇒ それは単に彼の若い活力の表れであったのかもしれない) It may simply have been an expression of his *youthful* ⌈*vitality* [(⇒ 情熱) *passion*].

わがこと 我が事 ¶みんなは私の幸せを*我がことのように (⇒ まるでそれが自分自身のものであるかのように) 喜んでくれた They were all delighted with my happiness *as if it were their own.*

わかさ 若さ (若々しさ) youthfulness U; (若いこと) youth U. (☞ わかい[1]). ¶彼はまだ*若さを失っていない (⇒ 保っている) He still ⌈keeps [retains] his ⌈*youthfulness* [*youth*]. ★ keep のほうが口語的. // 彼があの*若さで (⇒ 年で) 亡くなったとは気の毒だ I'm sorry to hear that he died at that *age.*

わかさぎ 公魚, 若鷺 〖魚〗(pond) smelt C 《複 ～(s)》 ★ わかさぎの近縁種.

わかさま 若様 young master C.

わかざり 輪飾り a New Year decoration made of a loop of straw with several straw strands hanging down ★ 説明的な訳.

わがし 和菓子 (個々の) (traditional) Japanese confection C; (総称) (traditional) Japanese confectionery U.

わかじに 若死に ―動 (若くして死ぬ) die young. ―名 early death U. ¶彼は*若死にした He *died young.*

わかしゆ 沸かし湯 (自然の温泉でなく沸かした鉱泉) heated mineral bath C; (一般に) heated water U.

わかしらが 若白髪 premature(ly) /prìːmət(j)ʊ̀ə(li)/ gray hair U (☞ しらが). ¶父は30代で*若白髪になってしまったそうです I hear my father's *hair turned gray* (when he was) in his thirties. [語法] 「30代」という表現があるので, 特に prematurely という必要はない.

わかす 沸かす **1** 《水などを》: (沸騰させる) boil 他; (熱を加える) heat 他. (☞ わく[1]; ふっとう; にたてる). ¶いまお湯を*沸かしているところです I'*m* ⌈*boiling* [*heating*] the water.
2 《熱狂させる》: excite 他, rouse 他 ★ 後者はやや文語的. ¶彼の演説は聴衆を大いに*沸かせた His speech ⌈was very *rousing* [*stirred* the audience].

わかぞう 若造 greenhorn C (☞ あおにさい).
¶おれはあんな*若造の言うことなんか信じない I don't trust the pronouncements of a *greenhorn* like him.

わがた 輪形 ―名 circle C. ―形 circle-[ring-]shaped.

わかだいしょう 若大将 young master C, young leader C.

わかだんな 若旦那 (資産・事業所などの持ち主の息子) owner's son C; (社長の息子) president's son C.

わかちあう 分かち合う share 他. ¶喜びを*分かち合う be happy *together* / *share one's* joy

わかちがき 分かち書き ―動 (単語と単語の間に空白を入れて書く) write with a space between words (in Japanese) 自 他 ★ 英語では単語間をあけるのは当たり前なので, 文脈から日本語の話であることが不明瞭な場合は in Japanese を付け加える.

わかつ 分かつ ―動 separate 他, divide 他, distinguish 他. ¶黒白を*分かつ *make a distinction* between … and …

わかづくり 若作り ¶彼女はいつも*若作りだ (⇒ 若く見えるように化粧している) She always *makes* herself *up to look* ⌈*young* [*younger than she* (*really*) *is*].

わかて 若手 ―形 young (☞ わかい[1]). ¶この会社では*若手の社員が大いに活躍をしている The *younger* workers are very active in our company.

わかどしより 若年寄 1《江戸幕府の職名》: *wakadoshiyori* Ⓒ; (説明的には) official second in rank in the Edo shogunate government Ⓒ. 2《年寄りじみた若者》: young person with an old heart Ⓒ.

わかとの 若殿 young lord Ⓒ.

わかどり 若鶏 (ひな鶏) chicken Ⓒ.

わかな 若菜 young ｢greens [herbs] ★ 複数形で.

わかば 若葉 (若い[生き生きした]葉) young [fresh] leaves ★ 複数形で. 《☞ しんりょく[1]; あおば》. 若葉マーク young leaf sticker Ⓒ; (説明的には) automobile sticker to show that the driver has acquired ｢his [her] driver's license only within the past year Ⓒ.

わかはげ 若禿げ ― 名 premature /prí:mət(j)ùə/ báldness Ⓤ. ― 形 prematurely bald. 《☞ はげ》.

わかふうふ 若夫婦 young couple Ⓒ.

わがまま 我儘 ― 形 (自分本位の) selfish; (利己的な) egoístic ★ やや格式ばった語; (甘やかされてわがままな) spoiled (《英》 spoilt); (身勝手な) self-centered. ― 名 selfishness Ⓤ; égoism Ⓤ, egotism Ⓤ; self-centeredness Ⓤ.
¶ 彼は*わがままだからよい友達ができない He is too ｢*selfish* [*egoistic*; *self-centered*] to have a good friend. // あの*わがままな子はまだ泣いている That *spoiled* child is still crying. // 彼は自分の*わがままを通さないと気がすまない (⇒ 思いどおりにしようと我を張る) He insists on *having his own way*.

わがみ 我が身 (自分自身) *oneself*.
¶ *我が身を省みる reflect on *oneself* // *我が身かわいさに (⇒ 自分自身を危険な状態に置きたくないので) because *one* doesn't want to put *oneself* in danger **我が身をつねって人の痛さを知れ** (⇒ 自分の気持ちで他人の気持ちを判断しなさい) Judge others' feelings by your own.

わかみず 若水 water drawn on New Year's Day (and used for offerings to the gods and the family cooking) ★ 説明的な訳.

わかみどり 若緑 fresh ｢green [《詩》 verdure /vɚ́:dʒɚ/] Ⓤ.

わかみや 若宮 (幼い皇子) young (imperial) prince Ⓒ; (新宮) new shrine Ⓒ; (本宮の祭神の子をまつった神社) shrine dedicated to the son of the gods Ⓒ.

わかむき 若向き ¶ *若向きである be *suitable for young people*

わかむしゃ 若武者 (若い武士) young ｢samurai [warrior] Ⓒ.

わかむらさき 若紫 (色) light purple.

わかめ[1] 若布 〖植〗 *wakame* Ⓤ; (一般に海草という意味で) seaweed Ⓤ.

わかめ[2] 若芽 young ｢leaf [bud] Ⓒ 語法 leaf は「葉」, bud は「芽」. 《☞ は[2]; め[2]》.

わかもの 若者 (若い人) young ｢man [woman] Ⓒ; (若い人々) young people ★ 複数扱い; (年寄りに対して) youngster Ⓒ 語法 若者のうちでも特に年若い者・少年たちなどに使うのが普通; (若者一般) the youth ★ 単複両扱い. 前にあげた他の表現より格式ばった言い方. 《☞ わかい[1]; せいねん[1] 語法》.
¶ *若者は勇気がなくてはいけない *Young* ｢*men and women* [*people*] should be courageous. 《☞ 総称用法 (巻末)》 // *若者の夢 (⇒ 若者らしい理想・夢) a *youthful* dream

わがものがお 我が物顔 ¶ 彼は弟の家でいつも*我が物顔に振舞っていた (⇒ 好きなように行動していた) He used to *act as he liked* in his brother's house. / (⇒ 弟の家を所有しているかのように行動した) Even in his brother's house he acted *as if he had owned the place*. 《☞ おうへい》

わがや 我が家 (家庭) *one's* home Ⓒ; (家屋) *one's* house Ⓒ. 《☞ いえ (類義語)》. ¶ *我が家ほどよい所はない There is no place like *home*. ★ イギリス民謡 *Home, Sweet Home* の一節から.

わかやぐ 若やぐ feel [look] ｢younger [young again] ★ 人が主語の場合; make *a person* ｢feel [look] ｢younger [young again] ★ 事が主語の場合. 《☞ わかがえる; わかわかしい》. ¶ 新調のドレスを着た彼女は*若やいで見える She *looks younger* in her new dress. // 旅に出ると気持ちが*若やぐ I *feel young again* when I go on a trip. / (⇒ 旅は私を若々しい気分にする) Traveling *makes me feel younger*. // *若やいだ声で in a *youthful* voice

わがよのはる 我が世の春 ¶ *わが世の春を謳歌する be at the *summit of one's success* / enjoy the *highest level of prosperity*

わからずや 分からず屋 ― 名 (強情な人) óbstinate pérson Ⓒ; (非常識な人) senseless person Ⓒ. ― 形 obstinate; senseless. 《☞ がんこ; ごうじょう》.

わかり 分かり ¶ あの子は*分かりが速い[遅い] That child is a ｢*quick* [*slow*] *learner*. 《☞ ものわかり; りかい》

わかりきった 分かり切った ― 形 (明白な) plain, obvious ★ 前者がより平易な語; (疑問の余地のない) unquestionable. 《☞ あたりまえ; とうぜん[1]》. ¶ *わかりきったこと a *plain* fact / (⇒ 当たりまえのこと) a matter *of course* // 初めから*わかりきったこと (⇒ 既定の結論) a foregone conclusion

わかりにくい 分かりにくい ¶ 彼の話はどうも*わかりにくい His speech is ｢hard to *understand* [*unintelligible*]. ★ [　] 内のほうが格式ばった言い方. // 私の字は*わかりにくくて (⇒ 読みにくくて) すみません I'm sorry my writing is ｢*not légible* [*illégible*]. 《☞ -にくい》

わかりやすい 分かり易い ¶ もう少し*わかりやすい (⇒ 易しい) 言葉で説明して下さい Would you explain it to us in *easier* terms? // *わかりやすく (⇒ 明白な言葉で) 言えば, 彼は採用されなかったのです In *plain* language, he wasn't accepted. / To put it ｢*plainly* [*simply*; (⇒ 遠慮なく) *bluntly*], he wasn't accepted. ★ to put it ... は「…に言えば」の意味の決まった言い方. // 使用者に*わかりやすいコンピューターの説明書 a user-*friendly* computer manual 《☞ へいい; やさしい[2]》

わかりよい 分かり良い ☞ わかりやすい

わかる 分かる (理解する) understand ⑪ ⓐ 《過去・過分 understood》, 《略式》 get ⑪; (意味をつかむ) catch ⑪; (要点などがわかる) see ⑪ ⓐ ★ 目で見てわかることから, 頭の中に印象を描いて理解する意味にもなる. 口語的な語; (知っている) know ⑪ ⓐ; (区別する) tell ⑪ ⓐ; (認知できる) récognize ⑪; (経験・状況から) find ⑪; (結果が…とわかる) tùrn óut [próve] to be ... ★「物・事」が主語. 日英比較 日本語の「わかる」は元来「分かれる」と同源語で, 区別や差異がはっきりするということから「理解する」という意味になった. しかし, その意味の中には「区別する・判断する」という意味も含まれる. これに対して, 英語の understand は「…の下に [間に] 立つ」という意味が元で, 「…の内容をつかむ」, 「理解する」という意味となった. 従って, 「意味がわかる」, 「相手の言うことがわかる」という場合の「わかる」と英語の understand はほぼ同じであるとみてよい. しかし, 「雨が降るかどうかわからない」というような場合, 英語では I don't understand. とは言えない. understand には区別・判断するという意味がないからである. このようなとき英語では, 「私はそのような情報・知識は持ち合わせていない」

という発想から, I don't know. と言うのが普通である. 場合によっては日本語と同じ発想で,「区別する」という意味の tell を用いて I can't *tell* ⌈if [whether] … のような表現を用いることもできる. (☞ しる^{1}; りかい).

¶「私の言うことが*わかりますか」「ええ, *わかります[いいえ, *わかりません]」"Do you *understand* me?" "Yes, I do [No, I don't]." //「あなたは英語が*わかりますか」「いいえ」"Do you *understand* English?" "No, I don't." //「私の言う意味が*わかりますか」「ええ, *わかりますとも」"Do you *see* what I mean?" "Sure." 語法 (1) 要点がわかるかどうかを聞く質問. この場合に understand を用いると相手の理解能力を確かめるような言い方となる. // ああ, *わかりました Oh, I *see*. / I *got* ⌈it [you]. ★ 口語的な言い方. //「地下鉄と山の手線ではどちらが早く着くでしょうか」「さあ, *わかりませんね」"Which is quicker, the subway or the Yamanote Line?" "I don't *know*." // 彼女の気持ちは*わかりすぎるほど (⇒ 非常によく) *わかっています I *know* only too well how she feels. // あそこにいる男の人はだれだか*わかりますか (⇒ 知っていますか) Do you *know* that man over there? / (⇒ ある特定の人だと認知できますか) Do you *recognize* that man over there? 語法 (2) 山田さんとか, 昔の友人とか, その人がだれであるかわかるのが recognize. // 私はどうしてよいか*わからなかった I didn't *know* what to do. // 真犯人が*わかった The culprit *was found*. // その本はとても易しいことが*わかった ＜S (人)＋V (*find*)＋O (物)(＋to be)＋C (形)＞ I *found* the book (to be) very easy. // 試験の結果は*わかりましたか (⇒ どのような結果が出ましたか) How did the exam *turn out*? // うわさはやがて本当だと*わかった The rumor soon *proved* (*to be*) true. // すみませんが, おっしゃることが*わかりません I beg your pardon? 語法 (3) 相手にもう一度言ってもらいたいときに言う決まり文句. 上がり調子で言う. 簡単に Pardon? とだけ言うことも多い. / I'm sorry, but I didn't *understand* what you said. 語法 (4) これだけだと聞き取れなかったのか, 聞き取れても内容がわからなかったのか不明である. 特に後者の場合には相手の言い方に対する非難のようにもとれるので,「もう一度言って下さい」Please ⌈say that again [repeat that]. のような言葉を加えるほうがよい. // 私は日本の古典音楽は*わかりません (⇒ …を聞く耳を持っていない[味わえない]) I don't ⌈*have an ear for* [*appreciate*] classical Japanese music. // 彼は物の*わかった人です He is a *sensible* person. / He has good *sense*. // 話が*わかる人 an *understanding* person

わかれ^{1} 別れ (別離) parting Ⓤ; (別れの言葉) good-by(e) Ⓒ, farewell Ⓒ ★ 後者は文語的. (☞ わかれる^{1}; そうべつ^{1}; べつり).

¶ お*別れにあたって一言申し上げたい I would like to say a few ⌈words on *parting* [*parting* words]. // 家族との*別れは (⇒ 別れるのは) 悲しいものだ It's a sad thing to *part from* your folks. // もうお*別れしなくてはなりません (⇒ さようならを言わなくてはならない) I must *say good-by*(*e*) now. ★ この場合は決まった表現で無冠詞. // 彼は*別れのあいさつ (⇒ 演説) をした He made a *farewell* speech.

わかれ^{2} 分かれ (分派) branch Ⓒ, offshoot Ⓒ.

¶ *生田流の*分かれ a branch school* of the Ikuta school of koto playing

わかればなし 別れ話 ¶ 彼らは去年結婚したばかりなのにもう*別れ話が出ているらしい (⇒ すでに離婚について考えているそうだ) They got married only last year, but I hear they *are* already *thinking of divorce*. (☞ りこん^{1})

わかれみち 分かれ道 (分かれ出た道) branch Ⓒ; (道全体) forked road Ⓒ. (☞ ふたまた). ¶ 人生の*分かれ道 the *crossroads* of life

わかれめ 分かれ目 (転機) túrning pòint Ⓒ; (道・川の分岐点) fork Ⓒ. (☞ てんき^{2}; きろ^{1}).

¶ いま我々は運命の*分かれ目に直面している We are now facing a *turning point* in our ⌈life [lives]. // 勝敗の*分かれ目 the *decisive point* of the issue

わかれる^{1} 別れる (人と) part (from …) (自); (別れを告げる) say good-by(e) to … ★ 冠詞は付けない; (離れ離れになる) séparàte (自) ★ 別居するという意味でも用いられる; (離婚する) divórce (他). (☞ わかれ^{1}; りこん^{1}; りべつ). ¶ 私は彼と駅で*別れた I *parted from* him at the station. / I *said good-bye to* him at the station. ★ 第 2 文のほうが口語的. // ジョンとメアリーは昨年*別れた John and Mary ⌈*were divorced* [*separated*] last year. // 彼は今は両親と*別れて (⇒ 離れて) 暮らしている He is now living *apart from* his parents.

わかれる^{2} 分かれる (枝分かれする) bránch (óff) (自); (分岐する) fork (自); (分裂する) split (into …) (他)(自); (分割する) divide (into …) (他)(自). (☞ ぶんれつ^{1} 語法). ¶ 道は私たちの前で 2 つに*分かれていた The road ⌈*branched* (*off*) [*forked*] in front of us. // その点で私たちの意見は*分かれた Our opinions *were* ⌈*divided* [*split*] on that point.

わかれわかれ 別れ別れ ― 形 (別々の) séparate. ― 動 (ばらばらになる) brèak úp (自). ― 副 separately. (☞ はなればなれ; べつべつ; ばらばら; わかれる^{1}).

¶ 彼は両親と*別れ別れに暮らしている He lives *separately* from his parents. // 私は道に迷い仲間と*別れ別れになってしまった (⇒ はぐれてしまった) I lost my way and *strayed from* my companions. // その一家は戦争中に*別れ別れになってしまった (⇒ ばらばらになった) The family *broke up* during the war.

わかわかしい 若若しい (若い) young; (元気はつらつとした) youthful; (生き生きした) fresh. (☞ わかい^{1}; ぴちぴち; みずみずしい).

¶ 彼らの*若々しい姿はサッカーフィールドを機敏に動き回った Their *youthful* figures moved quickly about on the soccer field.

わかん 和姦 (特に未婚者間の) fornication Ⓤ; (特に既婚者の) adultery Ⓤ. (☞ かんつう^{2}; みっつう).

わかんこんこうぶん 和漢混交文 mixed writing style of Japanese and Chinese loanwords or passages, typically used in medieval chronicles Ⓒ.

わかんやく 和漢薬 (mainly galenical /gəlénɪk(ə)l/) Japanese and Chinese medicine Ⓤ.

わかんむり ワ冠 (漢字の) cover radical at the top of kanji Ⓒ.

わき 脇 ― 名 (横) side Ⓒ (☞ わきのした). ― 形 (横の) side Ⓐ; (近くの) near. ― 前 (…のそばの[に]) by …; (…の横の[に]) beside … 語法 by と beside は入れ替え可能な場合もあるが, 前者は必ずしも横とは限らず,「近く」とか「ほとり」という位置を示すのに対し, 後者は横の位置を示し, すぐ近く, あるいは隣という意味を持つ. ― 副 (わきへ) aside. (☞ そば^{1} (類義語)).

¶ 彼はその箱を*わきへのけた He put the box on one *side*. // あの大きなビルの*わきにある小さな家が見えますか Do you see the little house ⌈*by* [*beside*] that big building? // いま*わきを通っていった (⇒ そばを素通りした) のはだれですか Who was that person who just *passed by*? // 彼の話はよく*わきへそれる (⇒ 彼は主題からよく脱線する) He often ⌈*digresses* /daɪgrés/ [*strays*; *departs*] from the subject. ★ digress はやや格式ばった語. // *わきを見ている間に, 何

かしましたか Did you do anything while I was looking「*away* [*aside*]? ★ look away は「目をそらす」の意. / Did you do anything *while I wasn't looking*? // *わきへどいて下さい Please「step *aside* [move *to the side*].

脇が甘い ―動〘相撲〙(tend to) be seized by the belt too easily when clinching (because of weak underarm squeezing ability) ★ 説明的な訳.
―形 (無防備な) vulnerable; (不注意な) careless, off guard (☞ すき²)

ワキ (能の) *waki* Ⓒ; (説明的には) main support of a Noh play Ⓒ. (☞ わきやく).

わぎ 和議 (仲直りの話し合い) peace「talks [negotiations] ★ 通例複数形で. talks のほうが口語的. (☞ わぼく; こうわ¹; わへい). ¶ 当事者間に*和議が成立した The *peace talks* have successfully settled the conflict between the two parties.

わきあいあい 和気藹藹 ―形 (楽しい) happy; (仲むつまじい) harmónious; (友好的な) friendly. ―副 harmoniously. (☞ むつまじい). ¶ その部屋には*和気あいあいとした雰囲気があった There was a「*harmonious* [*friendly*] atmosphere in the room.

わきあがる 沸き上がる ¶ 彼が舞台に登場すると観客から歓声が*沸き上がった A cheer *went up* from the audience when he appeared on (the) stage. (☞ わく¹) // 煙が*沸き上がっていた Smoke *was blowing up*.

わきあけ 脇明け 〘衣服〙 placket Ⓒ.

わきおこる 沸き起こる ¶ 山のかなたから大きな雲が*わき起こってきた A huge cloud *rose* from behind the mountain. (☞ わく¹)

わきが 腋臭 body odor (〘英〙 odour) /óudə/ Ⓤ ★ 体臭・わきがを遠回しに言う言葉. しばしば B.O. と略す. ¶ あの人はひどい*わきがだ He [She] has a「strong [heavy]「*body odor* [*B.O.*].

わきかえる 沸き返る **1** 《熱狂する》: be excited (over …; at …) (☞ わきたつ; ねっきょう 語法).
¶ 観衆は接戦に*沸き返った The spectators *were excited*「*over* [*at*] the close game.
2 《湯などが》: (沸騰する) boil 自 (☞ わく¹; ふっとう; にたつ).

わきかた 脇方 (能の) supporting Noh actor Ⓒ.

わぎかんざいにん 和議管財人 receiver in charge of composition Ⓒ.

わきげ 腋毛 hair of the armpit Ⓤ, underarm hair Ⓤ ★ 後者のほうが一般的.

わきざし 脇差 short Jápanèse sword /sɔ̀əd/ Ⓒ.

わきたけ 脇丈 the length of a skirt from the waist to the hem.

わきだす 湧き出す flow [stream] out 自, well「up [out] 自. ¶ 足元に温泉が*湧き出した Hot springs *welled up* at our feet.

わきたつ 沸き立つ (興奮状態になる) be [get] excited (over …; at …) 語法 be は「状態」, get は「動作」を表す; (沸き返るように騒ぐ) seethe /síːð/ 自 ★ 文語的. (☞ わきかえる; わく¹; ねっきょう 語法). ¶ その知らせに出席者たちは*沸き立った Those [All] present「*were* [*got*] *excited at* the news. // 町中が興奮で*沸き立っていた The town *was seething* with excitement.

わきづくえ 脇机 side table Ⓒ.

わきづけ 脇付 (手紙の) honorific term added to the name of the addressee Ⓒ 日英比較 英語の手紙では脇付を用いることはない. (☞ 手紙の書き方 (囲み)).

ワキヅレ 脇連 (能の) second supporting actor (in a Noh play) Ⓒ.

わきでる 湧き出る (吹き出すように) spríng [gúsh] óut 自; (流れ出る) flów óut 自; (あふれ出る) wéll úp 自. (☞ わく²).

ワギナ 〘解〙 vagina /vədʒáinə/ Ⓒ.

わきのう 脇能 (能の) god play Ⓒ; (説明的には) the first part of the five traditional Noh programs.

わきのした 腋の下 ármpìt Ⓒ (☞ うで (挿絵)).
¶ 彼は本を 1 冊*わき (⇒ 腕) の下に抱えて歩いていた He was walking with a book *under his arm*. (☞ かかえる (挿絵))

わきばしら 脇柱 (能舞台の) the right-side pillar on the Noh stage.

わきばら 脇腹 *one's* side Ⓒ; (主として動物の) flank Ⓒ. (☞ はら¹; からだ (挿絵)). ¶ *わき腹が痛い I「feel [have] a pain in「*my* [*the*] *side*.

わきまえ 弁え ¶ そのくらいの*わきまえはある (⇒ その程度のことは知っている) I *know*「that much [(⇒ もっと分別がある) better]. // 前後の*わきまえもなく (⇒ 完全に) 酔う be「*completely* [*blind; dead*] drunk ★ [ ] 内は英語の熟語的表現.

わきまえる 弁える (道理などを知っている) know 他 自; (理解している) understand 他 自. (☞ しる¹; わかる; こころえる; しょうち¹).
¶ そんなことは*わきまえている (⇒ 私はもっと分別がある) I *know* better. // 彼は商売のやり方を*わきまえている He「*knows* [*understands*] how to manage his business. // この会社で働くのなら, 次のことをよく*わきまえておきなさい *Bear* the following *in mind* as long as you work for this company. // 彼女は身の程をよく*わきまえている She *knows* herself well. // 彼はかっとして前後も*わきまえず (⇒ 無謀にも) 家出した He「recklessly [(⇒ 衝動的に) impulsively] ran away from home in anger. // 善悪を*わきまえる *know between* right and wrong // 礼儀を*わきまえる *know one's* manners

わきみ 脇見 ―動 (よそを見る) look away (from …) 自; (ちらりと横を見る) glance aside. (☞ よそみ). ¶ *わき見運転 (⇒ 運転中よそ見すること) は危険です It's dangerous for a driver to *take*「his [her] *eyes off* the road. / (⇒ 道路を注視しないで運転すること) It's dangerous to drive a car *without keeping an eye on* the road.

わきみず 湧き水 springwater Ⓤ.

わきみち 脇道 (間道) byroad Ⓒ, bypath Ⓒ, byway Ⓒ ★ 1 番目が一般的. ¶ 私たちは*わき道を通って行った We followed the「*byroad* [*bypath*]. // 彼の話はすぐ*わき道にそれてしまう (⇒ 脱線する) He soon「*strays* (*away*) [*digresses*] from the subject. ★ digress はやや格式ばった語.

わきめ 脇目 わき目もふらずに ¶ 彼は 1 年間*わき目もふらずに働いた (⇒ 仕事に専念した) He *devoted himself to* his work for a year. // 彼は*わき目もふらずに (⇒ 必死になって) 逃げた He ran *for his life*.
わき目遣い ―動 (わき目づかいで見る) give a sideways glance at …; (人目をしのんでこそこそと見る) look furtively at …

わきやく 脇役 ―名 (人) supporting「actor [actress; cast; player] Ⓒ ★ cast は集合的; (役) supporting「part [role]. ―動 (脇役を演じる) play second fiddle (to …).
¶ 私は中田さんの*脇役で満足しています I'm happy to *play second fiddle to*「Mr. [Ms.] Nakada.

わぎゅう 和牛 (総称) Japanese cattle ★ 集合名詞で複数扱い. (☞ うし¹). ¶ 食用*和牛 *Japanese* beef *cattle*

わぎょう わ行 the *wa* column; (説明的には) the *wa* column of the Japanese syllabary.

わぎり 輪切り ―動 cut … in round slices (☞ 料理の用語 (囲み)). ¶ 大根は*輪切りにします *Cut*

わ

the daikon *in round slices*.

わきん 和金 (金魚の種類) *wakin* goldfish Ⓒ《複 ～, ～es》.

わく¹ 沸く (沸騰する) boil ⓐ《☞ にたつ; わかす》; (熱狂する) be excited. ¶お湯が*沸いている The water *is boiling*. 《☞ ゆ》// 風呂が*沸きました (⇒用意ができている) The bath *is ready*. // 彼の演説で聴衆が*沸いた The audience *was excited* by his speech.

わく² 湧く, 涌く **1** «水などが»: (わき出る) spríng (óut) ⓐ; (流れ出る) flów (óut) ⓐ.
¶ここでは川床から温泉が*わいている Hot water *springs out* from the riverbed here. // 新しい希望が胸に*わいてきた I felt new hope *swelling* ˹within me [in my breast]. // 私は文学に対する興味が*わいてきた I'*m getting* interested in literature /lít(ə)rətʃʊ̀ɚ/. // アイディアが*わく (⇒思いつく) *hit upon* an idea
2 «雲が»: (現れる) appear ⓐ; (生じる) rise ⓐ; (群がる) gather ⓐ. 《☞ くも¹》. ¶黒雲が西の空に*わいてきた Black clouds began to ˹*appear* [*rise*; *gather*] in the western sky.
3 «うじなどが»: (成長する) grow ⓐ; (繁殖する) breed ⓐ.

わく³ 枠 **1** «窓・眼鏡などの»: frame Ⓒ《☞ ふち¹; まど (挿絵); めがね (挿絵)》.
2 «制約, その範囲»: (制限) limit Ⓒ; (枠組み) framework Ⓒ. 《☞ せいやく¹; はんい¹》.
¶これは予算の*枠内で処理できます We can manage this within the ˹*limits* [*framework*] of the current budget.

わくがい 枠外 outside the limit(s).

わくぐみ 枠組み (枠) framework Ⓒ; (構造) structure Ⓤ. 《☞ ほねぐみ》. ¶(…の)*枠組みの中で within the *framework* (of …)

わくぐみかべこうほう 枠組壁工法 ☞ ツーバイフォー (ツーバイフォー工法)

わくじゅん 枠順 (競馬の) post position at the starting gate Ⓒ.

わくせい 惑星 〘天〙 planet Ⓒ《☞ ほし (挿絵)》.
惑星運動 (惑星の運行) planetary motion Ⓤ **惑星間物質** interplanetary medium Ⓤ **惑星軌道** planetary orbit Ⓒ **惑星現象** planetary phenomenon Ⓒ《複 phenomena》 **惑星状星雲** planetary nebula Ⓒ《複 ～s, nebulae》 **惑星探査** planetary exploration Ⓤ **惑星探査機** planetary probe Ⓒ **惑星旅行** interplánetàry trável Ⓤ.

ワクチン 〘医〙 vaccine /væksíːn/ Ⓤ ★種類をいうときは Ⓒ. **ワクチンソフト** 〘コンピューター〙 (コンピューターウイルスに対する) vaccine software Ⓤ; (個々の) vaccine program Ⓒ. **ワクチン注射** ―名 vaccination /vàeksənéɪʃən/ Ⓒ. ―動 vaccinate /vǽksənèɪt/ ⓗ. ¶うちの息子は小児麻痺の*ワクチン注射をした My son *was vaccinated* against polio.

ワグナー ☞ ワーグナー

わくない 枠内 within the limit(s) 《☞ わく³》.

わくばんれんしょうしき 枠番連勝式 (競馬の) bracket quinella /kwɪnélə/ Ⓒ.

わくわく ―動 (興奮する) be [get] excited (over …; at …) 〔語法〕 be は「状態」, get は「動作」を表す: (ぞくぞくする・させる) *thrill* ⓐ ⓗ. 《☞ どきどき; 擬声・擬態語 (囲み)》. ¶私たちは胸を*わくわくさせて (⇒震えて) 結果を待った We *trembled in anticipation of* the result(s). // そのニュースは私たちを*わくわくさせた The news *thrilled* us. / We *were* ˹*excited at* [*thrilled by*] the news.

わくん 和訓 the Japanese reading of a Chinese character.

わけ¹ 訳 **1** «理由・原因»: (理由) reason Ⓤ; (原因) cause Ⓒ. 《☞ りゆう (類義語) 〔語法〕》.
¶あなたがあの先生を嫌うのはどういう*訳ですか What is the *reason* for your hating that teacher? / (⇒何があなたにあの先生を嫌わせるのか) *What* makes you hate that teacher? / (⇒なぜ嫌うのか) *Why* do you hate that teacher? 〔語法〕 第3番目は最も単刀直入な聞き方だが, やや詰問調に響くことが多い. 第1, 第2文のほうが柔らかい聞き方. // 彼女が怒る*訳だ (⇒彼女には怒る十分な理由がある) She has good *reason* to be angry. / (⇒彼女が怒るのももっともだ) It is natural for her to be angry. // 彼がそれを知らない*訳はない There is no *reason* that he doesn't know about it. / (⇒彼は確かに知っている) I'm quite sure that he knows about it. // 招待は断ったけど, 行きたくなかった*訳ではない I declined the invitation, but *it is not that* I didn't feel like going. ★ not that … は「とはいっても…という訳ではない」の意味を表す. // 君が嫌いだと言っている*訳ではない (⇒…というつもりで言っているのではない) I don't *mean* that I dislike you. // そういう*訳で彼女は昨日欠席した That's *why* she was absent yesterday. 《☞ そういう》
2 «意味»: meaning Ⓒ 《☞ いみ¹》. ¶この英文は*訳がわからない (⇒意味を成さない) This English sentence doesn't *make* any *sense*. ★ make sense で「意味を成す」. / (⇒意味が理解できない) I can't understand the *meaning* of this English sentence. // これでオーケーという*訳だ This *means* it's OK.
3 «道理»: (分別) sense Ⓤ; (理性) reason Ⓤ.
¶彼は*訳のわかった人です He is a *sensible* man. // 彼は時々*訳がわからなくなる (⇒人の言うことを聞き分けない[理性を欠くようになる]) Sometimes he ˹refuses to listen to *reason* [becomes *unreasonable*].
4 «事情» ¶そういう*訳なら (⇒もしそれが事実なら) お手伝いしましょう If that is *the case* [(⇒もしそうなら) If *so*], let me help you. ★[ ] 内のほうがくだけた言い方. 《☞ そういう》// いくら遅くなっても夜は家へ帰らない*訳にはいかない (⇒帰らなければならない) However late at night it is, I *must* go home. // それとこれとは*訳が違う (⇒これとそれとは全く異なる事柄である) This and that are completely *different* matters.
訳有り ¶*訳ありの二人 a pair *with a* (*special*) *relationship*

わけ² 分け ☞ ひきわけ

わけあう 分け合う (共にする) share ⓗ; (分配する) divide … ˹between [among] … 〔語法〕 between は2人の間, among は3人以上の間に用いるとされるが, この区別は厳密なものではない. 《☞ わける; やまわけ; ぶんぱい》.

わげい 話芸 talk arts.

わけいる 分け入る ¶私たちは山深く*分け入った We *pushed our way* deep into the mountains.

わけぎ 分葱 〘植〙 Welsh onion Ⓒ.

わけしり 訳知り (世事に通じていること) knowing a great deal about the world Ⓤ; (世事に通じた人) person [man, woman] of the world Ⓒ. 《☞ つうじん》. ¶*訳知り顔に話す talk as if *one knows everything about it*

わけても 別けても ¶私は京都が好きだが, *わけても春がいい I like Kyoto, *especially* in spring. 《☞ とりわけ; とくに》

わけない 訳ない ―形 (易しい) easy; (簡単な) simple. 《☞ やさしい²; かんたん¹》. ¶そんなことは*訳ない That's very ˹*easy* [*simple*].

わけへだて 分け隔て, 別け隔て (差別) discrimination Ⓤ; (えこひいき) partiality /pɑ̀ːʃiǽləti/ Ⓤ. (☞ さべつ; えこひいき). ¶だれにも*分け隔てなくする (⇒ 公平である) ことはなかなか難しい It is pretty difficult to be *impartial*.

わけまえ 分け前 (取り分) share Ⓒ; (割り当てられた部分) portion Ⓒ, 《略式》 cut Ⓒ. (☞ ぶん[1]).
¶私は利益の*分け前をもらった I ˹got [received; had] my ˹*share* [*portion*] of the profit(s). // 彼は1割の*分け前を要求した He demanded a ten percent *cut*.

わけめ 分け目 ── [名] (髪の毛の) 《米》 part Ⓒ, 《英》 parting Ⓒ (☞ しちさん; かみ[3] 用例); (分け目の線) dividing line Ⓒ. ── [形] (運命を決する) fatal; (決定的で重要な) crucial ★ やや格式ばった語. ¶天下*分け目の戦いがこの関が原であった A ˹*crucial* [*fatal*] battle was fought here at Sekigahara.

わける 分ける **1** «分割する»: (1つのものを幾つかに) divide (他) (☞ ぶんぱい).
¶彼女はケーキを4つに*分けた ＜S (人)＋V (*divide*)＋O (物)＋*into*＋名 (個数)＞ She *divided* the cake *into* four pieces. // 彼らは父親の財産を自分たちで*分けた ＜S (人)＋V (*divide*)＋O (物)＋*among*＋名 (人)＞ They *divided* their father's property *among* them.
2 «分離する»: séparàte (他) (☞ はなす[2]). ¶彼女は小麦とからを*分けた She *separated* the wheat from the chaff. // けんかを*分ける *break up* a fight
3 «分類する»: classify (他) (☞ ぶんるい). ¶彼は本を項目別に*分けた He *classified* the books according to subject. // 事を*分けて話す talk to [persuade] … giving clear reasons
4 «分配する»: (配る) distríbute, déal óut (他) ★ 後者のほうが口語的; (互いに分かち合う) share (他). (☞ ぶんぱい; くばる). ¶彼女は子供たちにプレゼントを*分けた She ˹*distributed* [*dealt out*] the presents to the children. // 私は彼に食べ物を*分けてやった ＜S (人)＋V (*share*)＋O (物)＋*with*＋名 (人)＞ I *shared* my food *with* him. // 安く*分ける (⇒ 売る) sell cheaply

わこ 和子 (貴人・良家の息子) son of a ˹nobleman [man from a good family] Ⓒ.

わご 和語 (日本固有の [純粋な] 日本語の単語) indigenous [pure] Japanese word Ⓒ; (大和言葉) the *Yamato* language.

わこう 倭寇 *Wako* (pirate) Ⓤ ★ pirate をつける時は Ⓒ; (説明的には) Japanese pirate during the 13th through 16th centuries (who invaded coastal cities and villages in China, Korea and Southeast Asia) Ⓒ.

わごう 和合 (意見・利害などの一致) harmony Ⓤ; (平和) peace Ⓤ. (☞ ちょうわ).

わこうど 若人 (青年) youth Ⓒ ★ the youth として若者一般を指し, 単複両扱い; (若い男性[女性]) young ˹man [woman] Ⓒ. (☞ わかもの; せいねん[1] [語法]).

わこうどうじん 和光同塵 (才徳を隠して俗世間の人と交わること) mingling with the world by concealing *one's* wisdom and virtue Ⓤ ★ 老子のことば.

わこく 倭国 Japan.

わゴム 輪ゴム rubber band Ⓒ.

わこん 和魂 Japanese spirit Ⓤ. **和魂洋才** Japanese spirit and Western knowledge Ⓤ.

わごん 和琴 〔楽〕 *wagon* Ⓒ; (説明的には) a Japanese string instrument consisting of a flat shallow sound box with six strings. (☞ こと[2]).

ワゴン (スーパーマーケットなどのカート) (shopping) cart Ⓒ; (お茶の道具や料理を運ぶための) tea ˹cart [wagon] Ⓒ, serving cart Ⓒ, 《英》 trolley Ⓒ.
ワゴンサービス ¶ローストビーフは*ワゴンサービスです Roast beef *is served from the* ˹*wagon* [《英》 *trolley*]. ★「ワゴンサービス」は和製英語. **ワゴン車** 《米》 station wagon Ⓒ, 《英》 estate car Ⓒ [語法] 日本でワゴン車というとルーフの高いものだけをいい, 乗用車スタイルのものは「バン」「エステートバン」「ライトバン」などということが多い. 以上はいずれも乗用が主なら 《米》 station wagon, 《英》 estate car と訳してよい. また, 商用で荷物を運ぶのが主目的のものは delivery ˹van [《米》 truck] に当たる. なお, 《米》《英》ともにこれら配達用のものはルーフの高いものが普通で, 日本でいうワゴン車のスタイルに近い. **ワゴンセール** the sale of goods on a serving cart Ⓤ ★「ワゴンセール」は和製英語.

わざ 業, 技 **1** «行為»: (仕業) act Ⓒ; (仕事) task Ⓒ. (☞ かみわざ). ¶…するのは人間*わざではできない (⇒ 超人間的な力がいる) It will require *superhuman strength* to do …. // これは容易な*わざではない This is no ˹easy [simple] *task*. // 悪霊のなせる*わざ an *act* of the evil spirits
2 «技術»: (技能) skill Ⓤ ★ 具体的な意味では Ⓒ; (離れわざ) feat Ⓒ ★ やや格式ばった語; (芸当) trick Ⓒ. (☞ ぎじゅつ).
¶この*技を覚えれば一人前だ You'll be on your own when you have mastered this ˹*skill* [*trick*]. // 彼は鉄棒ですばらしい*技を見せた He performed quite a *feat* on the horizontal bar. // 何てすばらしい*技だ What a *feat*! // *技あり 〔柔道〕 *Waza-ari*! / A half point [Half a point]!
技をかける (柔道の) try a (judo) trick.
技をみがく polish *one's* skill.

> **コロケーション**
> 高度な技 advanced [high-level] *skill* / さびついた技 rusty *skill* / 素晴しい技 great [magnificent] *skill* / 洗練された技 sophisticated *skill* / 確かな技 unfailing *skill* // 技を披露する display [show; demonstrate] a *skill* / 技を身につける acquire [learn] a *skill*

わさい 和裁 Japanese dressmaking Ⓤ, kimono making Ⓤ.

わざし 業師 (技にすぐれた人) skillful person Ⓒ; (狡猾な人) cunning [wily] person Ⓒ; (うまく目的をとげる人) smart [good] operator Ⓒ ★ 略式, しばしば「悪い手段で」という含みをもつ.

わざと (故意に) on purpose, purposely ★ 前者のほうが普通; (はっきりした意図をもって) intentionally, by intention; (もくろみを持って) 《格式》 delíberately. (☞ こい[3]).
¶彼は*わざと答えを間違えた He gave the wrong answer *on purpose*. // あの人は*わざと私をわなにかけた That man *deliberately* set a trap for me.
わざとらしい (作為的な) artificial; (見えすいた) obvious. ¶「おやおや, 誰がやったのかなあ」と彼は*わざとらしく (⇒ 知っているくせに) 尋ねた "Well, well, who in the world has done this?" he asked ˹as if he didn't know [(⇒ あてつけがましく) sarcastically]. // 彼女の笑いは*わざとらしい (⇒ 不自然な[気取った]) ものだった Her smile was ˹*unnatural* [*affected*]. / (⇒ 無理に作った笑い) There was a *forced* smile on her face.

わさび 山葵 〔植〕 *wasabi* Ⓒ, Japanese horseradish Ⓒ; (おろしたもの) grated Japanese horseradish Ⓤ ★ horseradish は西洋わさび. ¶この*わさびは利く This *wasabi* is ˹strong [sharp]. / The *wasabi* comes to my nose. **わさびおろし** (おろし金) grater Ⓒ **わさび漬** preserved *wasabi* Ⓤ.

わさびだいこん 山葵大根 〔植〕 horseradish Ⓒ.

わさびのき 山葵の木 〔植〕 horseradish tree Ⓒ.

わざもの 業物 (名刀) fine sword Ⓒ.

わざわい 災い (不運) misfortune Ⓒ; (ちょっとした不幸な出来事) míshap Ⓒ; (不道徳な行いが元で起こる不幸・災難) evil Ⓤ.

¶ 口は*災いのもと Out of the mouth comes *evil.* 《ことわざ》// 悪天候が*災いして (⇒ 天気が悪いために) 欠席者が多かった There were many absentees ˹*because of* [*owing to*] the bad weather. [語法] because of のほうが一般的. // 軽率さが*災いして大混乱となってしまった (⇒ 軽率さが大混乱を引き起こした[軽率さの結果大混乱になった]) My carelessness ˹*caused* [*resulted in*] total confusion.

災いを転じて福となす ¶ この*災いを転じて福となすことができるかもしれない We may be able to *turn* this *misfortune into a blessing.*

わざわざ (特に…という目的で) specially, especially. 《☞ とくに (類義語); わざと》.

¶ 彼女は君のために*わざわざこのケーキを作ったのだ She made this cake (*e*)*specially* for you. // *わざわざ紹介状を書いていただきありがとうございました Thank you very much for writing a letter of introduction for me. [語法] このような場合の「わざわざ」は特定の語句で訳さなくても文意全体に含まれると見てよい.

わさん 和算 Japanese mathematics Ⓤ, the Japanese method of calculation.

わし¹ 鷲 〔鳥〕 eagle Ⓒ; (子) eaglet Ⓒ. **わし座** the Eagle, Aquila /ǽkwələ/ ★ 後者はラテン名. 《☞ せいざ¹ (表)》 **わし鼻** aquiline /ǽkwəlàɪn/ nóse Ⓒ; (かぎ鼻) hooknose Ⓒ.

わし² 和紙 traditional Japanese paper Ⓤ.

わし³ (私) ☞ わたし¹

わしき 和式 ―[名] Japanese style. ―[形] Japanese-style.

わしたか 鷲鷹 〔鳥〕 (総称) falconine.

わしつ 和室 Japanese-style room Ⓒ.

わしづかみ 鷲掴み ―[動] (急につかむ) grab ㊀; (しっかりとつかむ) clutch ㊀. ―[名] grab Ⓒ; clutch Ⓒ. 《☞ つかむ》. ¶ その男は震える手で札束を*わしづかみにして走って逃げた The man *clutched* the bank notes in his shaking hand and ran.

わしゃ 話者 speaker Ⓒ.

わじゅつ 話術 (話の仕方) nárrative Ⓤ; (雄弁術) elocution Ⓤ. 《☞ はなし》.

わしょ 和書 (日本の本) Japanese book Ⓒ; (和とじの本) book bound in Japanese style Ⓒ. 《☞ わとじ》.

わじょう 和尚 high ranking Buddhist priest (entitled to ordain a novice to priesthood) Ⓒ.

わしょく 和食 (日本風の食べ物) Japanese food Ⓤ; (日本料理) Japanese ˹dish Ⓒ [cuisine Ⓤ; cooking Ⓤ] [語法] dish は作られた料理. cuisine /kwəzíːn/ は中国料理・フランス料理など特定の料理法. cooking は料理法一般. 《☞ りょうり; ようしょく³》.

わしんじょうやく 和親条約 peace treaty Ⓒ, treaty of peace and amity Ⓒ.

ワシントン¹ (州) Wáshington; (首都) Washington, ˹D.C. [DC] [参考] D.C. は District of Columbia /kəlʌ́mbiə/ の略. 《☞ アメリカ (表)》.

ワシントン² ―[名] ㊞ George Washington, *1732–99.* ★ *米国の初代大統領.*

ワシントンじょうやく ワシントン条約 the Washington Convention ★ 正式名は「絶滅のおそれのある野生動植物の種の国際取引に関する条約」(Convention on International Trade in Endangered Species of Wild Fauna /fɔ́ːnə/ and Flora /flɔ́ːrə/) 《略 CITES》.

ワシントンポスト The Washington Post ★ Washington, D.C. で発行されている米国の日刊紙.

わすうじ 和数字 ☞ かんすうじ

わずか 僅か ―[形] (数の少ない) few; (量の少ない) little; (時間の短い) short; (取るに足らない) slight. ―[副] (わずかに) slightly, minutely. 《☞ すこし; すくない; ほんの》.

¶ 出席したのはごく*わずかな人たちだけだった Only a *few* people were present. // 金はごく*わずかしか持っていない I've got only a ˹*little* [*small* amount of] money. // あなたはこんな*わずかな時間にずい分たくさんの仕事をしたのですね You have done so much work in such a *short* time? // 2人の意見にはごく*わずかな違いがあるだけだ There is only a *slight* difference between the two opinions. // 私たちは*わずかに (⇒ かろうじて) 生命を保つだけの食料を与えられていた We were given *barely* enough food to keep ourselves alive.

ワスプ WASP /wάsp/ Ⓒ ★ *W*hite *A*nglo-*S*axon *P*rotestant の略. 米国社会で支配的階級をなすとされるアングロサクソン系でプロテスタントの白人.

わずらい 煩い, 患い (悩み) worry Ⓤ ★ 具体的なことを指すときは Ⓒ; (心配事) trouble Ⓒ; (病気) illness Ⓤ. 《☞ なやみ》.

わずらう 煩う, 患う (悩む) worry (about …) ㊁; (病気になる・病気をする) get [fall; become] ill ★ get のほうがくだけた言い方. 《☞ しんぱい¹ (類義語); なやむ; びょうき》.

¶ 我々は思い*煩うことは何もない We have nothing to ˹*worry* [*be anxious*] *about*. // 彼は胸を*患っていた (⇒ 結核だった) He ˹had [*was suffering from*] tuberculosis /t(j)ʊbə̀ːkjʊlóʊsɪs/. [語法] [ ] 内には「病気が原因で苦しんでいる」という意味もある.

わずらわしい 煩わしい (面倒な) troublesome; (やっかいな) annóying; (複雑な) cómplicàted. 《☞ めんどう; やっかい; はんざつ》.

¶ 手続きをするのが*煩わしい It is ˹*troublesome* [*annoying*] to go through the formalities. // この内規は*煩わしいばかりでよくわからない These bylaws are too *complicated* to understand.

わずらわす 煩わす (手数をかける) trouble ㊀; (うるさいことを言って迷惑をかける) bother ㊀. 《☞ てすう; めいわく》. ¶ そんなつまらないことで彼を*煩わせるのはよしなさい Don't ˹*trouble* [*bother*] him with such a trivial matter. // 心を*煩わす *worry* / *trouble oneself* // 人手を*煩わす *trouble a person* / (助力をたのむ) *ask for the help* of *a person*

わする 和する (調和する) harmonize ㊁; (協調する) act harmoniously with …; (仲良くなる) make friends with … **和して同ぜず** (協調するが, 盲目的に従う[自説を曲げる]べきではない) Even though we strive for harmony with others, we should not ˹follow them blindly [relinquish our opinions].

わすれがい 忘れ貝 *wasuregai* Ⓤ; (説明的には) edible bivalve with a thin oval-shaped (two-part) shell Ⓒ.

わすれがたい 忘れ難い ―[形] unforgettable.

わすれがたみ 忘れ形見 (遺児) child of the late … Ⓒ 《☞ かたみ¹; いじ⁵》. ¶ あの2人が前田さんの*忘れ形見です Those two are the *children* ˹*of the late* [*left by*] Mr. Maeda.

わすれがち 忘れがち ―[形] forgetful, apt to forget.

わすれさる 忘れ去る forget completely ㊀ ㊁; (記憶を払いのける) banish … from *one's* memory.

わすれっぽい 忘れっぽい forgetful 《☞ わすれる》. ¶ 老人は*忘れっぽいものだ Old people are *forgetful.* // 近ごろだいぶ*忘れっぽくなってきた Nowadays I have become rather *forgetful*. / (⇒ 記憶がだんだん悪くなっている) My memory has been failing these days.

わすれなぐさ 勿忘草 〔植〕 forgét-me-nòt Ⓒ 《☞ ハイフン (巻末)》.

わすれもの 忘れ物 ―名 thing left behind Ⓒ. ―動 leave *one's* things 語法 (1) 後に「場所」を表す語句が続く. 《☞ わすれる》.
¶ 列車の中に*忘れ物をしないように Don't *leave your things* on the train. // *忘れ物をしないように (⇒ 持ち物を忘れないように) Don't *forget your things*. 語法 (2)「場所」の語句がない場合は forget が使える.

わすれる 忘れる (うっかりして忘れる·持って行く[来る]のを忘れる) forget ㊀ 《過去 forgot; 過分 forgotten, forgot》 (↔ remember); (物をある場所に置き忘れる) leave ㊀ 《過去·過分 left》 語法 (1) 後に「場所」を表す語句が続く; (…について思い出せない; 気になること, 困ったことを気に病まずに忘れる) forget about … 《☞ おきわすれる; わすれもの; ものわすれ》.
¶ 手紙を投函するのを*忘れないように Don't *forget* to mail the letter. 語法 (2) これからすることを忘れる, あるいは次例のように既にしていなければならないことをし忘れるという意味のときは to 不定詞を伴う. // 私は明かりを消し*忘れた I ｢*forgot* [*have forgotten*] to turn out the light. 語法 (3) have forgotten の代わりにしばしば forgot を用いる. // 私はここであなたと会ったことを決して*忘れません I'll never *forget meeting* you here. 語法 (4) 過去にあったことを忘れるという意味ではこのように動名詞を伴う. // 彼がきょう私に会いに来るのを*忘れていた I *forgot* that he was coming to see me today. // カメラを*忘れないように Don't *forget* your camera. // 傘を電車の中に*忘れた I *left* my umbrella on the train. 語法 (5) このように場所を言うときは forget は使えない. // 宿題を*忘れる *forget* to do *one's* homework //「ご迷惑をかけてすみませんでした」「いいんですよ. もう*忘れてしまって下さい」"I'm sorry to have troubled you so much." "It was nothing. *Forget* (*about*) it." // 時は金なりということを*忘れてはならない *Remember* that time is money. 日英比較 日本語では「忘れるな」と否定になっていても英語では肯定文にして言う場合があることに注意. 特に, 単に忘れないというだけでなく,「心に刻んでおく」という積極的な意味のときはそうである. // 彼は寝食を*忘れて研究に没頭した He *devoted himself* to his ｢research [studies]. ★ devote *oneself* は「専念する」という意味.

わすれんぼう 忘れん坊 forgetful person Ⓒ.

わせ 早稲, 早生 〔植〕 ―名 (稲) early rice Ⓤ; (一般的に) early plants ★ 複数形で. ―形 early Ⓐ.

わせい¹ 和声 〔楽〕 harmony Ⓤ. **和声法** the law of harmony.

わせい² 和製 ―形 made in Japan, Japanese-*made*, of Japanese make ★ 最初のが最も普通. ¶ 彼は*和製プレスリーだ He is a *Japanese* Presley.

わせいえいご 和製英語 (日本語的英語) Japanese English Ⓤ; (日本で作られた英語の単語) English word coined in Japan Ⓒ.

ワセリン Vaseline /vǽsəliːn/ Ⓤ ★ 商標名.

わせん¹ 和戦 war and peace Ⓤ ★ 日本語と語順が逆になることに注意. ¶ *和戦両様の構えをする prepare *oneself* both for *war and* (for) *peace*

わせん² 和船 Japanese-style ｢ship [boat] Ⓒ.

わそう 和装 ―動 (和服を着ている) be dressed (in) Japanese style; (着物を着る) wear ｢a kimono [Japanese clothes]. 《☞ わふく》.
¶ 私はそのパーティーへ*和装で出席した I attended the party (*dressed*) *in* (*a*) *kimono*.
和装小物 kimono accessories ★ 複数形で. **和装本** book in Japanese binding Ⓒ.

わた¹ 綿 (綿花) cotton Ⓤ; (原綿) cotton wool Ⓤ ★《英》では「脱脂綿」を指す; (綿の木) cotton Ⓤ, cotton plant Ⓒ; (詰め綿) wadding Ⓤ. ¶ クッションに*綿を詰めた I've stuffed the cushion with *cotton*. **綿のように疲れる** ☞ くたくた ¶ *綿のように疲れた I *am completely worn out*.

わた² 腸 entrails, guts ★ ともに複数形で. ¶ 魚の*わたをとる *gut* [*clean*] a fish

わたあめ 綿飴 ☞ わたがし

わだい 話題 (話の主題) topic Ⓒ, subject (of conversation) Ⓒ ★ ほぼ同意だが, 前者のほうがやや口語的; (話の種) the talk. 《☞ はなし; テーマ; トピック》. ¶ *話題を変えましょう Let's change the ｢*topic* [*subject*]. // その地震のことはすでに*話題にのぼった (⇒ 話に出た) The earthquake *has* already *been* ｢*talked about* [*mentioned*; *discussed*]. // 彼が*話題の (⇒ ニュースで評判の) 男だ He is the man *in the news*. // *話題に事欠く have nothing *to talk about* // 彼は*話題の豊富な人だ He has a large stock of *topics*.

> **コロケーション**
> いつもの話題 a usual *topic* / お決まりの話題 a stock *topic* / 重苦しい話題 a heavy *topic* / 取るに足りない話題 a marginal *topic* / 日常的な話題 an everyday *topic* / 微妙な話題 a ｢delicate [sensitive] *topic*

わたいれ 綿入れ (衣類) padded [wadded] garment Ⓒ ★ padded のほうが一般的; (綿入れの布団) wadded quilt Ⓒ.

わたうち 綿打ち cotton beating Ⓤ.

わたうちき 綿打ち機 cotton scutcher Ⓒ.

わたか 腸香 〔魚〕 *wataka* Ⓒ; (説明的には) freshwater fish of the carp family Ⓒ.

わたがし 綿菓子 cotton candy Ⓤ, 《英》 candyfloss Ⓤ.

わだかまり 蟠り (悪感情) bad feelings 語法 理性に対する感情の意味では feeling は複数形で用いられることが多い; (恨み) grudge Ⓒ. 《☞ しこり; うらみ》. ¶ 彼に対して, 私は何の*わだかまりも持っていない I have no ｢*bad feelings* [*grudge*] against him. / (⇒ 個人的な反感は何も持っていない) I *have nothing personal against* him. // 心に*わだかまりがある (⇒ 感情を自分の中に無理に抑え込んでおく) のはよくない. 話してしまいなさい It's no good (for you) to *keep your feelings bottled up* inside (｢yourself [you]). Let them out. ★ bottle up は感情などを「無理に抑える」, びんに封じ込めることから. // 私たちは*わだかまりなく (⇒ 率直に) 話し合える We can talk with each other *frankly*.

わだかまる 蟠る (心の中でくすぶる) smolder (with …) ㊁; (ある感情が根付いている) be rooted. 《☞ くすぶる; わだかまり》. ¶ 彼の心には彼女に対する腹立たしい気持ちが*わだかまっていた He *was smoldering with* anger toward her. / Anger toward her *was smoldering* inside him.

わたくし 私 ―代 I 《☞ わたし¹》. **私儀** ☞ ぎ¹ **私小説** ☞ ししょうせつ

わたくしごころ 私心 (個人的な感情) personal feeling Ⓒ; (私的な思い) private thought Ⓒ. 《☞ ししん³》.
¶ *私心のない人 a *selfless* person // 彼は*私心を去って (⇒ 無私無欲の動機から) その仕事に取り組んだ He took on the job from *unselfish motives*.

わたくしごと 私事 private affairs ★ 複数形で. 《☞ しよう³; しじょう³》.

わたくしする 私する (横領する) embezzle ㊀

わ

(☞ おうりょう). ¶ギャンブルの資金に当てるため彼は大金を*私していた He *had been embezzling* large amounts of money to finance his gambling.

わたくしりつ 私立 ―[形] private [A] (☞ しりつ[2]).

わたぐも 綿雲 fleecy clouds ★ 複数形で.

わたくりき 綿繰り機 cotton gin [C].

わたげ 綿毛 (鳥などの) down [U]; (ラシャなどのけば) fluff [U]. (☞ けば).

わたし[1] 私 ―[代] (私は) I ★ 常に大文字で書く; (私の) my; (私を・私に) me; (私のもの) mine; (私自身) myself [語法] (1) I は人称代名詞の 1 つで, 1 人称単数.「私たち」「我々」という 1 人称複数形は we. [日英比較] 英語では日本語のように,「私」「僕」「おれ」などの区別はなく, これらはすべて I と訳す. (☞ 代名詞 (巻末); じぶん[1]; われわれ).

¶*私は学生です *I* am a student. // *私の母です (紹介するときなど) This is *my* mother. // *私は田中と申します *My name* is Tanaka. / *I* am Tanaka. ★ 前者のほうが改まった言い方. // きょうは*私の当番だ *I*'m on duty today. ★「私の」とあっても必ずしも my を用いない. // 彼は*私をよく知っている He knows *me* well. // 彼女のスカートは*私のより長い Her skirt is longer than *mine*. // 宿題は*私自身でやった I did the homework *myself*. // それは*私です It's *me*. [語法] (2) It's の後には主格補語として I がくるのが文法上正しいとされるが, 一般には広く me が用いられる. (☞ イディオム (巻末); 語法 (巻末)) //「ぼくは紅茶にします」「*私も」"I'll have tea." "*Me*, too." //「そんなの要らないね」「*私も」"I don't need it." "*Me*, neither." ★ 否定文に対する場合. // 誤りを犯したのは*私です It is *I* who made the mistake. [語法] (3) この場合は me より主格の I を用いるほうが普通である. // *私としてはその結論には賛成しかねる *For my part* [*As for me*] I disagree with the conclusion.

わたし[2] 渡し (渡し場) ferry [C].

渡し船[舟] ferry (boat) [C]. ¶*渡し船でその川を渡った I crossed the river ⌐*by ferry* [*on a ferry*]. [語法] by の後には a を付けないことに注意. **渡し守** ferryman [C]; (船頭) boatman [C].

わたしこみ 渡し込み (相撲の技) *watashikomi* [U]; (説明的には) thigh grabbing push down [U].

わたしたち 私たち ―[代] we (☞ われわれ; わたし[1]; 代名詞 (巻末)).

わたしば 渡し場 ☞ わたし[2]

わたす 渡す **1** «手渡す・引き渡す»: (与える) give (他) ★ 平易な日常語で意味が広く, 以下の語の代わりに使える場合もあるが, 渡し方を明らかにするには以下の語を用いる; (手渡す) hand (他), hánd óver (他); (書類などを提出する) hánd in (他); (回す) pass (他); (そっと渡す) slip (他); (届ける) delíver (他). (☞ あたえる; てわたす).

¶それをこちらに*渡しなさい *Give* it to me. // 私は確かにその金を彼に*渡した I certainly *handed over* the money to him. // 書類を*渡す前によくチェックしなさい Before you ⌐*hand in* [(⇒ 提出する) *submit*] your papers, you should check them (over) carefully. ★ hand in のほうが平易な言い方. // 代金と引き換えに品物をお*渡しいたします We will *deliver the goods in exchange for cash*. // 彼女は彼にこっそりメモを*渡した She ⌐*slipped* [stealthily *passed*] a note to him. ★ slip を使うほうが平易な言い方.

2 «譲る»: (権利などを) màke óver (他), transfér (他) ★ 前者のほうが口語的; (後に残す) leave (他). (☞ ゆずりわたす; ゆずる). ¶私は全財産を妻に*渡すつもりだ I'm going to ⌐*make over* [*transfer*; *leave*] all the property to my wife.

3 «免状などを授ける»: (与える) give (他); (授与する) grant (他) ★ 前者より格式ばった語; (発行する) issue (他). (☞ あたえる; じゅよ).

¶試験をパスした学生に修了証書が*渡される A certificate will *be* ⌐*given* [*issued*] to those students who have successfully passed the examination.

4 «向こう側に届かせる»: (置く) lay (他) (過去・過分 laid); (橋などをかける) build (他), pùt úp (他); (…の両岸をつなぐ) span (他); (ロープを) stretch (他). (☞ かける[1]). ¶私は水たまりに板を*渡した (⇒ 置いた) I *laid* a plank across the puddle.

わたすげ 綿菅 〖植〗cotton grass [U].

わだち 轍 (車輪の跡) rut [C], wheel track [C].

わたつみ 綿摘み cotton picking [U]. **綿摘み機** cotton picker [C].

わだつみ 海神, 綿津見 (海の神) the god of the sea; (ギリシャ神話の) Poseidon /pəsáɪdn/; (ローマ神話の) Neptune /népt(j)uːn/; (大洋) the ocean [C]; (海) the sea [C].

わたぬき 腸抜き ―[動] gut a fish.

わたばね 綿羽 down (feather) [U].

わたぼうし 綿帽子 (婚礼で新婦がかぶるもの) bride's headdress (of floss silk) [C]; (雪冠) snowcap [C]. ¶木々が綿帽子をかぶっている The trees are covered in snow as if they are wearing bowler hats.

わたぼこり 綿埃 (綿くずのほこり) cotton dust [U]; (ほこりのかたまり) dust thick as cotton wool [U], ball of dust [C].

わたむし 綿虫 〖昆〗wóolly áphid /éɪfɪd/ [C].

わたゆき 綿雪 fluffy snow [U].

わたり 渡り **渡りを付ける** ¶私が先方に*渡りをつけましょう (⇒ 先方と連絡しよう) I will ⌐*get in touch with* [*contact*] the other party. [語法] get in touch with … も contact も「連絡をつける」の意だが, 前者のほうが普通. (☞ れんらく) **渡りに船** ¶彼の提案はまったく*渡りに船だった (⇒ 時宜を得ていたものだ) His proposal was quite *timely*.

わたりあう 渡り合う (議論する) argue (with …) (自); (激論する) have heated discussions (with …); (口争いする) quarrel (with …) (自); (戦う) fight (against …) (自). (☞ あらそう). ¶彼はそのことで同僚と*渡り合った He ⌐*argued* [*had heated discussions*; *quarreled* (〖英〗 *quarrelled*)] *with* his fellow workers about the matter.

わたりあるく 渡り歩く wander from place to place (☞ ほうろう[1]). ¶彼は会社を*渡り歩いた (⇒ いろいろたくさんの会社に勤めた) He worked for many different firms.

わたりいた 渡り板 gangplank [C]; (大きめの) gangway [C].

わたりがに 渡蟹 swimming [blue] crab [C].

わたりぞめ 渡り初め ¶*渡り初めの式 a formal opening of a bridge

わたりどり 渡り鳥 migratory /máɪgrətɔ̀ːri/ [migrant /máɪgrənt/] bírd [C], migrant [C]. **渡り鳥条約** migratory bird protection treaty [C].

わたりもの 渡り者 (仕事のため転々と移動する人) migrant worker [C]; (よそ者) stranger [C]; (放浪者) tramp [C].

わたりろうか 渡り廊下 (屋根と柱だけの) breezeway [C].

わたる[1] 渡る **1** «向こう側へ行く»: (横断する) cross (他), gò óver …; (歩いて) walk across …; (走って) run across …; (船で) sail across …; (飛行機で) fly over …; (歩いて川を渡る) wade across …; (車で) drive across …

¶道路を*渡るときには左右をよく注意しなさい When

you *cross* ˹the [a] street, be careful to look both ways. // 彼らは太平洋を飛行機[船]で*渡った They ˹*flew over* [*sailed across*] the Pacific. / They *crossed* the Pacific by ˹plane [boat; ship]. // 私は幾分危い橋を*渡った (⇒ 危険を冒した) I ran some risks.

2 《隔った所に行く[から来る]》: (渡り鳥が) mígrate ⓐ; (導入される) be introduced, be brought over. 《☞ とらい; でんらい》.

¶ 白鳥が家のすぐ近くの湖に*渡ってきた Swans *have migrated* to a lake quite close to my house.

3 《移る》: (人の手に渡る) pass [fall] into *a person's* hands 語法 fall を用いると「急に人手に渡る」 というニュアンスが出る; (他人の所有物となる) pass into the possession of …

¶ その店は結局彼の手に[人手に]*渡った The store *has passed into* ˹his [other] *hands* after all.

4 《与えられる》 ¶ 切符が*渡っていない人 (⇒ 受け取っていない人) はいませんか Is there anyone who *hasn't received* a ticket yet?

5 《過ごす・生きてゆく》: (世の中で暮らす) gèt alóng (in the wórld) ⓐ; (生計を立てる) earn *one's* ˹living [livelihood].

¶ どうしたらこの世をうまく*渡ってゆけるだろうか How can I manage to *get along* (well) *in this world*? **渡る世間に鬼はいない** (⇒ どこにも親切がある) There is kindness to be found everywhere.

わたる² 亙る, 亘る **1** 《範囲・延長などが及ぶ》: extend (for …) ⓐ; (広がって続く) stretch (for …) ⓐ; (包含する) cover ⓗ. 《☞ およぶ》.

¶ この砂漠はここから南へ約 1000 キロに*わたって続いている This desert *extends for* about a thousand kilometers from here to the south. // 彼は 3 千年あまりに*わたる歴史の本を書いた He wrote a history (book) *covering* more than three thousand years. // 私事に*わたって恐縮ですが, … Excuse me for ˹*talking about* [*referring to*] a personal matter, but …. ★ [ ] 内のほうが格式ばった言い方.

2 《継続する》 ― 動 (続く) contínue ⓐ, last ⓐ 語法 continue は状態が間断なく続くことを表し, last は特定の期間続くというニュアンスがある.

― 前 (ある決まった期間) for …; (…の間) over …; (…後に) after …

¶ その交渉は数年間に*わたった The negotiations *continued for* several years. // 彼らは 5 時間に*わたってその問題を話し合った They argued about the matter *for* five hours. // 親子 2 代に*わたってその仕事をやる予定だ We are to work for the project *over* two generations. // 長年に*わたる実験の結果, その薬の効果が確かめられた *After* a long period of testing, the medicine was ˹proved [proven] (to be) effective.

わだん 〘植〙 *wadan* Ⓒ; (説明的には) a perennial plant of the composite family, which grows wild on the shore.

わちがいそう 輪違草 〘植〙 *wachigaiso* Ⓒ; (説明的には) a perennial plant of the pink family, found in grassy places in forests.

わづくえ 和机 Japanese desk Ⓒ.

ワックス ― 名 wax Ⓤ. ― 動 (ワックスを塗る) wax ⓗ. ¶ 床[スキー]に*ワックスをかけなさい *Wax* the ˹floor [skis].

ワッシャー (座金) washer Ⓒ.

ワッシャーかこう ワッシャー加工 (衣服にしわをつける加工法) washer-processing Ⓤ.

わっしょい 日英比較 英語には日本語の「わっしょい」に相当する決まったかけ声はないが, 重い物を持ち上げたりする場合は Heave ho! と言う. 「わっしょいというかけ声をかけながら」 は一応 with cries of "*Wasshoi*" と訳せる.

ワッセナーきょうやく ワッセナー協約 (武器などの国際輸出管理協約) the Wassenaar /wάsənὰə/ Arrangement (on Export Controls for Conventional Arms and Dual-Use Goods and Technologies).

ワッセルマンはんのう ワッセルマン反応 〘医〙 the Wassermann /wά:sə̀mən/ reaction.

わっと ¶ 女の子の 1 人が*わっと泣き[笑い]出した One of the girls *burst into* ˹*tears* [*laughter*]. // 観客はその光景を見て*わっと歓声を上げた The spectators ˹*sent up* [*raised*; *let out*] *cheers* at the sight. ★ send up が一番口語的.

ワット 〘電〙 watt /wάt/ Ⓒ 《略 w, W》. ¶ 100 *ワットの電球 a hundred-*watt* bulb **ワット計** wattmeter Ⓒ **ワット時** watt-hour Ⓒ **ワット数** wattage Ⓤ.

ワット タイラーのらん ワット タイラーの乱 〘英史〙 Wat Tyler's Rebellion ★ 1381 年イングランドに起こった農民一揆.

ワッフル waffle Ⓒ.

ワッペン (記章) emblem Ⓒ, badge Ⓒ; (紙製で簡単にくっつけられる) sticker Ⓒ 参考 「ワッペン」は ドイツ語 Wappen (紋章) より.

わづみほう 輪積み法 (縄文土器などの) the coil-assembling method.

わどうかいちん 和同開珎 *wadokaichin* Ⓒ; (説明的には) one of Japan's oldest coins of early 8th century, which is round with a square hole in the center.

わどくじてん 和独辞典 Japanese-German dictionary Ⓒ 《☞ じしょ²》.

わとじ 和綴じ Japanese-style (book) binding Ⓤ 《☞ せいほん¹》. ¶ *和とじの本 a book *bound in Japanese style*

ワトソン-クリック・モデル 〘生化〙 (DNA の二重らせん分子模型) the Watson-Crick model.

わな 罠 trap Ⓒ; snare Ⓒ 語法 (1) ばね仕掛けによるものが trap で, 針金やロープの輪を使うのが snare. 《☞ おとしあな; おとしいれる》.

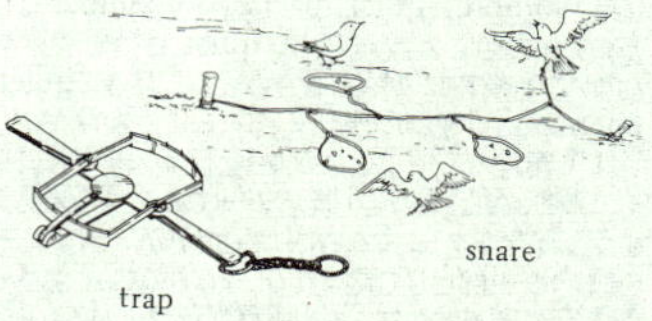

¶ キツネをとるために*わなをしかけた We ˹set [laid] a ˹*trap* [*snare*] for a fox. // いたちが*わなにかかった (⇒ つかまった [落ちた]) The weasel ˹was caught in [fell into] a *trap*. // 私は*わなにはまった I fell into a *trap*. 語法 (2) 比喩的な意味では trap のほうが普通.

わなげ 輪投げ ― 名 quoits /k(w)ɔ́ɪts/ ★ 複数形で; (輪投げ用の輪) quoit Ⓒ. ― 動 (輪投げをする) play quoits.

わななく (震える) shake ⓐ 《☞ ふるえる (類義語)》.

わなむすび 輪奈結び noose Ⓒ.

わなわな ¶ 彼女はその知らせを聞いて*わなわなと震えた She ˹*trembled all over* [《略式》 *was all of a tremble*] at the news. 《☞ ぶるぶる; 擬声・擬態語 (囲み)》

わに 鰐 〘動〙 (アフリカ・南アジア産の鼻先の細い) crocodile /krάkədàɪl/ Ⓒ; (米国南部の鼻先の広い) alligator /ǽləgèɪtə/ Ⓒ. 《☞ 次ページ挿絵》.

わに皮 crocodile [alligator] skin Ⓤ. ¶ *わに皮のベルト a *crocodile* [an *alligator*] belt

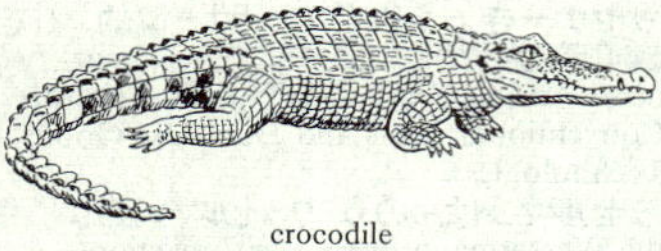
crocodile

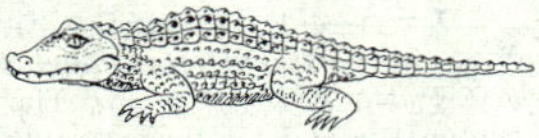
alligator

わにぐち 鰐口 (大きい口) wide [large] mouth Ⓒ; (神社・寺の鈴) round flat bell that hangs at the entrance of a shrine or temple Ⓒ; 〖機〗 alligator Ⓒ.

ワニス várnish Ⓤ (☞ ニス).

わのごおう 倭の五王 the Five Kings of *Wa* /wá:/ of 5th century Japan.

わばさみ 和鋏 ☞ にぎり (握りばさみ)

わび[1] 詫び ―[名] apólogy Ⓒ. ―[動] (おわびをする・わびる) apólogìze (for ...; to ...) (自), make [offer] an apology (for ...; to ...) [語法] (1) 両者とも for はわびる「内容」, to は「人」. 後者では offer のほうが格式ばった言い方. (☞ あやまる[1]).
¶ お*わびの手紙はすぐに書きなさい You must write a letter of *apology* promptly. [語法] (2) この場合は 1 つの決まった表現で, apology は無冠詞. // ごぶさたのお*わびを申し上げます I wish to ˹*apologize* [*offer* my (sincere) *apologies*] *for* my long silence. [日英比較] 日本の手紙ではあいさつ代わりによくこの文句が使われるが, 英語の手紙では特別に必要な時以外は使われない. // 彼は私に失言を*わびた He *apologized to* me *for* ˹his [a] slip of the tongue. // これはほんのお*わびのしるしです This is just a token of *apology*.
わび言 words of apology ★ 複数形で. **わび状** written [letter of] apology Ⓒ.

わび[2] 侘び taste for the simple and ˹somber (《英》 sombre) [quiet] Ⓤ [語法] somber は色などがくすんで地味なことを指し, quiet は落ち着いて目立たないことを指す; (落ち着きのある上品さ) quiet ˹refinement [elegance] Ⓤ [日英比較] 「わび・さび」あるいは「義理・人情」というような言葉は非常に日本的で, 英訳の最も困難な概念の例である. 英米人にそのような概念がまったくないわけではないが, それはもっと別の概念の一部として含まれてしまうもので, 「わび」という特定の領域につけるべき呼称が英語には存在しない. 以上の訳は説明にすぎないが, 日本文化についての予備知識のない人にこれだけで理解してもらうのは不可能で, さらに多くの説明を必要とするであろう.

わびしい 侘しい (みじめな) miserable; (哀れな) wretched /rétʃɪd/ [語法] みじめさの度合いが強いことを表すやや格式ばった語; (寂しい) lonely. (☞ みじめ; さびしい (類義語)).
¶ 私はそのとき*わびしい思いをした I felt ˹*miserable* [*lonely*] at that time. // 私たちはお年寄りの*わびしい気持ちを (⇒ 孤独を) 理解してあげなければならない We must try to understand the *loneliness* of ˹elderly people [the elderly].

わびすけ 侘助 〖植〗 *wabisuke camellia* Ⓒ.

わびずまい 侘び住まい (世間から離れた生活) secluded life Ⓒ; (質素な生活) simple [plain] life Ⓒ; (寂しい生活) lonely life Ⓒ; (質素な家) humble house Ⓒ. ¶ 田舎で*わび住まいをする live [lead] a ˹*secluded* [*lonely*] *life* in the country

わびちゃ 侘び茶 (茶の湯の一様式) simple and rustic tea ceremony Ⓤ (☞ わび[2]).

わびる 詫びる apologize (for ...; to ...) (自), make [offer] an apology (for ...; to ...) [語法] 両者とも for はわびる「内容」, to は「人」. 後者では offer のほうが格式ばった言い方. (☞ わび[1]; あやまる[1]).

わふう 和風 ―[名] Japanese style Ⓤ. ―[形] Japanese-style (↔ foreign-[European-; Western-]style). ¶ *和風の家 a *Japanese-style* house / a house *in the Japanese style* ★ 前者のほうが口語的.

わふく 和服 Japanese clothes ★ 複数形で; kimono Ⓒ.

わふつじてん 和仏辞典 Japanese-French dictionary Ⓒ (☞ じしょ[2]).

わぶん 和文 (日本語) Japanese Ⓤ; (日本語で書いたもの) Japanese writing Ⓤ. **和文英訳** translation from Japanese into English Ⓤ **和文ワープロ** Japanese-language word processor Ⓒ [語法] Japanese word processor とすると「日本製のワープロ」ととられるおそれがある.

わぶんたい 和文体 the classical Japanese (writing) style (in *hiragana*).

わへい 和平 peace Ⓤ (☞ へいわ; こうわ[1]).
¶ *和平会談 a *peace* conference // *和平工作 *peace* moves ★ 複数形で. **和平交渉** peace negotiations ★ 通例複数形で.

わほう 話法 〖文法〗 narration Ⓤ, speech Ⓤ. (☞ 話法 (巻末)). ¶ 直接[間接]*話法 direct [indirect] ˹*narration* [*speech*]

わぼく 和睦 ―[名] (和解) rèconciliátion Ⓤ ★ 格式ばった語; (講和) peace Ⓤ. ―[動] 《格式》 be réconciled (with ...), make [conclude] peace (with ...) ★ conclude のほうが格式ばった語. (☞ わかい[2]; こうわ[1]).
¶ A 氏はついに B 氏と*和睦した At last Mr. A ˹*became reconciled* [*made peace*] *with* Mr. B.

わほん 和本 book bound in Japanese style Ⓒ (☞ わしょ; わとじ).

わむし 輪虫 〖動〗 rotifer Ⓒ, wheel animal Ⓒ.

わめい 和名 Japanese name Ⓒ.

わめきごえ 喚き声 (大きな叫び声) shout Ⓒ; (絶叫) yell Ⓒ; (金切り声) scream Ⓒ. (☞ さけび (ごえ); わめく). ¶ *わめき声をあげる give [let out] a ˹*shout* [*yell*]

わめきたてる 喚き立てる (大声でわめく) bawl out (他) (自); (騒ぎ立てる) clamor (《英》 clamour) (自); (絶叫する) yell (自) (他); (大声を出す) shout (自) (他). (☞ わめく; さけぶ).

わめく 喚く (大声を上げる) shout (自) (他); (大声で叫ぶ) yell (自) ★ 前者が最も一般的な語; (甲高い声で叫ぶ) scream (自). (☞ さけぶ (類義語)). ¶ 彼らは一方的に自分たちの要求 (⇒ 望むこと) を*わめいた They one-sidedly *shouted* (*out*) what they wanted. // 泣いても*わめいてももう手遅れだ (⇒ 後悔するには遅すぎる) It is too late now for you *to be sorry*.

わもんあざらし 輪紋海豹 〖動〗 ringed seal Ⓒ.

わやく 和訳 ―[名] (和訳した文) Japanese translation Ⓒ; (訳すこと) translation into Japanese Ⓤ. ―[動] translate [put] ... into Japanese ★ put を用いるほうが口語的. (☞ ほんやく; やく[4]).
¶ 英文*和訳 *translation* from English *into Japanese* // このパラグラフを*和訳しなさい *Put* [*Translate*] this paragraph *into Japanese*.

わようせっちゅう 和洋折衷 (半ばヨーロッパ風) sémi-Européan stýle Ⓤ; (半ば西洋式, 半ば和式) partly Western- and partly Japanese-style Ⓤ; (組み合わせ) combination of Japanese and European styles Ⓒ. ¶ 彼女は*和洋折衷の家に住んでい

る She lives in ⌈a *semi-European-style* house [a house of *semi-European style*].

わら 藁 straw Ⓤ ★ 1 本のわらを表すときには a を付けて. ¶ *わらを束ねる tie up [bind] *straw* into a bundle // うまやに*わらを敷く spread *straw* in the stable // *わらで屋根をふく thatch a roof with *straw* // おぼれる者は*わらをもつかむ A drowning man will clutch at a *straw*. 《ことわざ》 // *わらにもすがりたい気持ちです I'm ⌈clutching [grasping] at *straws*. ★ 成句として複数形で用いる.

わらい 笑い ━ 名 (笑うことまたはその声) laughter Ⓤ, laughing Ⓤ, laugh Ⓒ 語法 laughter と laughing は笑うこと, laugh は笑い声に重点がある; (にこにこと) smile Ⓒ ★ 声は立てない; (独りで悦に入ってくすくすと笑う笑い) chuckle Ⓒ; (少女などのきゃっきゃっという笑い) giggle Ⓒ; (あざけりのにやにや笑い) sneer Ⓒ; (歯を見せるにやにや笑い) grin Ⓒ; (突然の高笑い) guffaw /gʌfɔ́ː/ Ⓒ. ━ 動 laugh ⓐ; smile ⓐ; chuckle ⓐ. 《☞ わらう》.

¶ *笑いは緊張を解く *Laughter* relaxes tension. // 彼のしぐさがおかしくて*笑いが止まらない I just can't stop *laughing* at his (comic) behavior. // 英語の試験で満点を取って*笑いが止まらなかった (⇒ にやにやしてしまった) I couldn't stop *chuckling over* the full marks I got in English. // ひとりでに*笑いが込み上げてきた (⇒ 自分で気付く前にわき起こった) *Laughter* rose within me before I was aware of it. // 私はやっとの思いで*笑いをかみ殺した (⇒ 抑えた [飲み込んだ]) I ⌈suppressed [swallowed] my *laughter* with difficulty. / (⇒ 吹き出さずに済んだ) I barely managed to keep myself from *bursting into laughter*. // 観客は大*笑いした The audience had a ⌈good [hearty] *laugh*. ★ hearty は「心からの」を表す. / (⇒ 笑い出した) The audience ⌈burst into (a roar of) *laughter* [(⇒ とどろくように大きな声を出した) roared with *laughter*]. // 彼は作り*笑いをした (⇒ 無理にほほえんでみせた) He forced a *smile*. / (⇒ 笑っているふりをした) He affected a *laugh*. // 彼女は失敗に苦*笑いした She *smiled* ⌈bitterly [grimly] at her own failure. // 含み*笑い (⇒ こらえた笑い) a suppressed *laugh* / (⇒ くすくす笑い) a *chuckle*

笑い顔 smile Ⓒ 《☞ えがお》. ¶ *笑い顔をして with a *smile* (on *one's* face) **笑い種**(ぐさ), **笑い者**, **笑い物** laughingstock Ⓒ; (冷笑の的) butt ⌈for [of] ridicule Ⓒ. ¶ とんだお*笑い種だ (⇒ 茶番狂言だ) It's really a *farce*. // 私はへまをしてみんなの*笑い者になった I made a mistake, and I have made ⌈a *fool* of myself [myself a *laughingstock*]. / (⇒ みんなから笑われた) I made a mistake, and I *was laughed at by* everybody. **笑い声** laughing voice Ⓒ, laughter Ⓤ **笑い事** laughing matter Ⓒ. ¶ それは*笑い事ではなかった It was no ⌈*laughing* [(⇒ 冗談の) *joking*] *matter* at all. **笑い上戸** (酒の上での) *happy drinker* Ⓒ; (よく[すぐ]笑う人) good [easy] laugher Ⓒ **笑い話** (冗談) joke Ⓒ; (おもしろい話) funny story Ⓒ.

> **コロケーション**
> うつろな笑い an empty *laugh*; a vacuous *smile* / 勝ち誇ったような笑い a triumphant ⌈*laugh* [smile] / こらえきれない笑い an uncontrollable *laugh* / 伝染する笑い infectious ⌈*laugh* [*smile*] / ばか笑い a horse *laugh* / ばかにしたような笑い a contemptuous ⌈*laugh* [*smile*] / 引きつった笑い a nervous ⌈*laugh* [*smile*] / ヒステリックな笑い a hysterical *laugh*

わらいかわせみ 笑い翡翠 〖鳥〗 (laughing) kookaburra /kúːkəbə̀ːrə/ Ⓒ, laughing jackass Ⓒ.

わらいこける 笑いこける (身を震わせて笑う) be convulsed with laughter; (体を曲げて) bend over with laughter. 《☞ わらう》. ¶ 彼らは*笑いこけた (⇒ 腹がよじれるほど笑った) They ⌈*burst* [*split*] *their sides* ⌈*with laughter* [*laughing*].

わらいたけ 笑茸 hallucinogenic mushroom /həlùːsənoudʒènɪk mʌ́ʃruːm/ Ⓒ ★「幻覚作用のあるキノコ」という意味の説明的な訳.

わらいとばす 笑い飛ばす (一笑に付す) laugh ... away 《☞ わらう》.

わらう 笑う (声を立てて) laugh (at ...) ⓐ; (にこにこと) smile (at ...) ⓐ; (くすくすと) chuckle ⓐ; (女性や子供が) giggle ⓐ; (歯を見せて) grin ⓐ; (にたにた笑う) smirk ⓐ; (あざ笑う) sneer (at ...) ⓐ; (ばかにして笑う) rídicule ⓗ ★ やや格式ばった語; (からかう) make fun of ... 《☞ わらい》.

【類義語】 最も一般的な語で, 声を立てて笑うのが **laugh**. 声を立てないで, 顔だけがにこにこと笑った表情になるのが **smile**. 低い声で独りで悦に入って笑ったり, 思い出し笑いをしたりするのが **chuckle**. 子供などがくすくすと笑うのが **giggle**. 口を大きく開けて歯を見せ, 声を立てないで顔だけで笑うのが **grin** で, 友好的な気持ちや機嫌のよさを表す笑いのことも多いが, 敵意や苦痛を表す表情を意味することもある. 自己満足したように気取って, にたにた笑うのが **smirk**. 上唇を上げて歯を見せ, 軽蔑とあざけりの意味で笑うのが **sneer**. 笑い方の表情よりも, あざ笑ったり, 相手をばかにするようなことを言って笑いものにすることに意味の重点があるのが **ridicule**. からかって笑いものにするという口語的表現が **make fun of ...**

¶ 君は何を*笑っているの What *are* you ⌈*laughing* ⌈*at* [*about*] [(⇒ 声を出さずに, にこにこと) *smiling* ⌈*at* [*about*]]? // 私は*笑わずにはいられなかった I couldn't help *laughing*. // その知らせを聞いて我々は腹を抱えて*笑った We ⌈*roared with laughter* [(⇒ 大いに笑った) *had a hearty laugh*; (⇒ 横腹が裂けるほど) *split our sides* (*with laughter*; *laughing*)] at the news. // 観客はどっと*笑った The spectators *burst* ⌈*out laughing* [*into a roar of laughter*]. 語法 (1) burst out ... ing, burst into ... は「突然...しだす」という決まった言い方. ★ 前者のほうが口語的. // 私は涙が出るほど*笑った I *laughed* (*myself*) *to* (the point of) tears. / I *laughed* till the tears streamed from my eyes. // 腹の皮がよじれるほど*笑った (⇒ 身を震わせて笑った) I was convulsed with *laughter*. 《☞ わらいこける》 // 彼はよく*笑ってことをごまかす He often ⌈lets things pass with a *smile* [(⇒ 笑い飛ばす) *laughs* things *off*]. // 彼女は*笑って承知してくれた She *smiled* her approval. // 《写真を撮るとき》さあ, *笑って (⇒ チーズと言いなさい) Say cheese! // *笑う門には福来たる *Laugh* and ⌈grow [be] fat. 《ことわざ: 笑って太れ》 / (⇒ 幸運は楽しい門から入ってくる) Fortune ⌈comes in [enters] ⌈by [through] a merry gate. ★ 直訳的. // 来年のことを言えば鬼が*笑う Talk about next year, and the devil will *laugh*. // 彼女は多分腹の中で*笑っているだろう She *is* probably *laughing up her sleeve* at me. 語法 (2) laugh up *one's* sleeve は「ひそかに笑う」という意味の慣用句. // 子供たちは私のミスを*笑った (⇒ からかった) The children *made fun of* my mistakes. // 彼がひっくり返るのを見たが*笑うに笑えなかった When I saw him fall over, I wanted to *laugh*, but I couldn't. // 歩き疲れてひざが*笑っている (⇒ がくがくしている) My knees *are* ⌈*knocking* [*trembling*] as I am very tired from walking a long way. // 花が*笑い鳥が鳴く The flowers *are blooming* beautifully and birds are singing merrily. 《☞ 次頁コロケーション (囲み)》

コロケーション
大声で笑う *laugh* ˹loudly [loud] / 軽蔑して笑う *laugh* ˹scornfully [contemptuously] / げらげら笑う *laugh* uproariously / 小声で笑う *laugh* under *one's* breath / 馬鹿にして笑う *laugh* derisively / 腹の底から笑う *laugh* heartily

わらうち 藁打ち straw beating Ⓤ.
わらがこい 藁囲い ── 動 wrap straw around … (to protect it from the cold).
わらくず 藁屑 (わらの切れ端) scrap [shred] of straw Ⓒ.
わらぐつ 藁沓 straw boots ★ 複数形で. 数えるときは a pair [two pairs] of …
わらざいく 藁細工 straw work Ⓤ 《☞ さいく》.
わらじ 草鞋 ancient Japanese straw sandals ★ 複数形で.
¶ 2 足の*わらじをはいてはいけない (⇒ 同時に 2 つの仕事をしようとしてはいけない) You should not try to do two jobs at the same time. **草鞋をぬぐ** (旅を終える) complete *one's* journey. **草鞋を穿く** (旅に出る) go [start; set out] on a journey ⓐ.
わらしべ 藁稭 (稲の穂の芯) the central stalk of rice straw. **藁稭長者** The Straw Millionaire; (説明的には) a folktale whose hero, through a series of profitable exchanges, turns a piece of straw into a vast estate.
わらじむし 草履虫 〔動〕 wood louse Ⓒ 《複 wood lice》.
わらすぼ 藁素坊 〔魚〕 *warasubo* Ⓒ; (説明的には) green eel-like marine fish of the goby family Ⓒ.
わらぞうり 藁草履 straw sandals ★ 複数形で. 数えるときは a pair [two pairs] of …
わらづか 藁塚 stack of rice straw Ⓒ.
わらづと 藁苞 straw wrapper Ⓒ. ¶ *わらづと入りの納豆 fermented soybeans *wrapped in straw*
わらにんぎょう 藁人形 straw ˹doll [figure] Ⓒ.
わらばい 藁灰 straw ashes ★ 複数形で. 《☞ はい²》.
わらばんし 藁半紙 (書くための粗末な紙) coarse writing paper Ⓤ 《☞ はんし¹; ざらがみ》.
わらび 蕨 〔植〕 bracken Ⓒ.
ワラビー 〔動〕 (小形カンガルー) wallaby Ⓒ.
わらびもち 蕨餅 bracken-starch ˹cake [dumpling] Ⓒ.
わらぶき 藁葺き ── 形 (straw-)thatched.
¶ *わらぶきの家 (⇒ 小屋) a (*straw-*)*thatched* cottage // *わらぶきの屋根 a *thatched* roof
わらべ 童 child Ⓒ 《☞ こども》. **童歌** (伝統的な子供の歌) traditional children's song Ⓒ 《☞ どうよう³》. **童言葉** (赤ちゃん言葉) baby talk Ⓤ; (子供の使う[唱える]言葉) children's speech Ⓤ.
わらやね 藁屋根 (straw-)thatched roof Ⓒ.
ワラルー 〔動〕 (大型のカンガルー) wallaroo Ⓒ.
わらわせる 笑わせる make *a person* laugh; (おもしろがらせる) amuse ⓗ. 《☞ わらう》.
¶ 彼は冗談を言って皆を*笑わせる He *makes* everyone *laugh* with his funny remarks. // 彼女は観客をどっと*笑わせた She *set* the audience *roaring with laughter*. 語法 roar は「わあっと大声を出すこと」の意. // 彼があの会議で日本の代表だって. *笑わせるなよ He'll represent Japan at the conference? ˹Don't *make* me *laugh*! [(⇒ 何という冗談だ) *What a joke*!]
わらわれもの 笑われ者 laughingstock Ⓒ 《☞ わらい (笑い者)》.
ワラントさい ワラント債 bond with warrant /wɔ́ːrənt/ Ⓒ.

わり 割(り) **1** 《割合》 ── 名 (率) rate Ⓒ; (比率) ratio /réɪʃou/ Ⓒ. ── 副 (…の割で) at ˹the [a] rate of …; (…の比率で) at ˹the [a] ratio of … ── 前 (…に対しては) for …; (…としては) as … 《☞ わりあい 語法》.
¶ お 1 人様 100 円ずつの*割で値引きいたします We will make a discount *at the rate of* a hundred yen per ˹person [head]. // 賛成 4 に反対 1 の*割で賛成者が多かった The supporters outnumbered the opponents *at a ratio of* four in favor to (every) one opposed. // 父は年の*割には若く見える My father looks young *for* his age. 《☞ -しては》
2 《百分率》: percéntage Ⓤ; (パーセント) percént Ⓒ, per cént Ⓒ 《記号 %》 ★ いずれも単複同形. p.c., pc と略してもよい. 語法 … percent of … の形のとき, 後に続く名詞が複数なら複数扱い, 単数なら単数扱い. 《☞ パーセント》.
¶ 日本では何*割の子供が高校へ行きますか What *percentage* of boys and girls attend senior high school in Japan? // 来年 1 月からたばこは 3 *割値上げになる Tobacco prices will go up 30 *percent* from next January. // 定価の 1 *割引きでこのノートを買った I bought this notebook at a 10 *percent* discount. // (野球の) 3 *割バッター a *three-hundred* hitter
3 《損得の関係》 ¶ 彼は*割りのいい (⇒ もうけになる) 仕事を引き受けた He took a ˹*well-paid* [*profitable*] job. ★ well-paid のほうがより口語的.
割が[に]合う (引き合う) pay ⓐ. ¶ この仕事は*割が合わない This job doesn't *pay*. // そんなに安くしては*割りに合わない (⇒ もうからない) It ˹*doesn't* [*won't*] *pay* if I have to sell it so cheap(ly). // こんなに一生懸命やってばかにされるとは*割りに合わない (⇒ あんまりだ) It is *too much* to be made a fool of after all my effort(s).
割が悪い ¶ それは*割りの悪い商売だ It is an *unprofitable* business. / This business *doesn't pay*.
割を食う (不利な条件下に置かれる) be put at a disadvantage; (好ましくない立場に置かれる) be put in an unfavorable position. 《☞ そん; ふり¹》.

わりあい 割合 **1** 《比率》 ── 名 (率) rate Ⓒ; (比率) ratio /réɪʃou/ Ⓒ 語法 (1) 算定基準や尺度となる率を表すときには rate, 2 つのものの関係を比べてその比率を表すときには ratio を用いる; (百分率) percéntage Ⓤ. ── 副 (…の割合で) at ˹the [a] rate of …, at [in] ˹the [a] ratio of … 《☞ ひりつ》.
¶ 2 対 1 の*割合で水をスープに加えて下さい Add water to the soup *at a rate of* two to one, please. // 「あなたのクラスの男子と女子の*割合はどうですか」「5 対 3 の*割合です」 "What is the *ratio* of boys and girls in your class?" "They are in the *ratio* of five to three." 語法 (2) They are in the ratio 5:3. とも書き, the ratio of five to three と読む. // この会社の大学卒の*割合 (⇒ 率) はどのくらいですか What is the *percentage* of college graduates working for this company? // 高校卒業者は 3 人に 1 人の*割合で (⇒ 3 人のうち 1 人は) 大学に進む *One out of* (*every*) *three* high school graduates goes on to college.
2 《比較的》: (比較的に) compáratively; (相対的に) rélatively; (かなり) fairly; (どちらかというと) rather ★ かなりの程度であることを遠回しにいう言い方. 《☞ わりに; あんがい》.
¶ この本は*割合読みやすい This book is *comparatively* easy to read. // 英語の成績は*割合よかったが, 国語は悪かった I got a ˹*relatively* [*fairly*] good mark in English, but a bad one in Japanese. // 近ごろ*割合忙しい I have been *rather* busy these days.

わりあて 割り当て (仕事や義務などの強制的な) assignment /əsáınmənt/ Ⓤ; (仕事・金・時間などの各人各様の割り当て) allotment Ⓤ; (一定量・一定額の) allocation Ⓤ ★ 以上は割り当てられた仕事・量・額などの意では Ⓒ. 3 語ともやや格式ばった語; (輸出入量などの) quota Ⓒ. 《☞ わりあてる (類義語); ぶんたん¹》. ¶我々は輸入*割り当て量を増やすよう努力しなければならない We must try to increase our import *quotas*.

わりあてる 割り当てる assign /əsáın/ (他); allót (他); állocàte (他).

【類義語】権威をもって強制的に仕事・義務などを割り当てるのは *assign* で, 宿題や研究課題などの割り当てにはこの語を使う. *assign* ほどしっかりした方法ではなく, 仕事・金・時間などを適当に分けて割り当てるのは *allot*. ある特別な使用目的のために, 予算などを一定量に分けるのは *allocate* で, やや格式ばった語. 《☞ ふりわける》

¶先生はクラス全員にそれぞれ 20 ページ勉強するように*割り当てた ＜S (人)＋V (*assign*)＋O (人)＋O (物)＞ The teacher *assigned* each student in the class twenty pages (to read). // 昼休みに約 1 時間*割り当てた We *allotted* about an hour for a lunch recess. // 今年の予算では (⇒ から) 会報の出版費に 50 万円が*割り当てられた Five hundred thousand [Half a million] yen *has been allotted* from this year's budget for the publication of the bulletin.

わりいん 割り印 tally seal Ⓒ ★ tally は「符合一致のための割り符」という意味; (押してあるもの) tally impression Ⓒ. 《☞ いんかん¹ [日英比較]》. ¶その書類に*割り印を押して下さい (⇒ 書類を横に並べて同時に端に印を押しなさい) Please put the two papers side by side and affix your *seal* simultaneously over the edges. // *割り印の押してある書類 documents with a *tally impression*

わりがき 割り書き interlinear annotation Ⓒ; (説明的には) two-line gloss in half-size lettering inserted between lines of a text Ⓒ.

わりかた 割り方 ☞ わりあい; わりに

わりかん 割り勘 ── [名] (食事などで各自食べただけの分を払うこと) Dutch ⌈treat [party; supper] Ⓤ. ── [動] split a ⌈bill [《米》 check], go Dutch ★ 後者のほうが口語的; (共同で分担する) share (他).

¶きょうは*割り勘にしようか Shall we ⌈*go Dutch* [make it *Dutch treat*] today? //「私が払います」「いや, *割り勘にしましょう」"Let me ⌈pay the bill [take (care of) the check]." "No, let's *split* it."

わりきる 割り切る ── [動] (物事をはっきりと[論理的に]決める) give a ⌈clear-cut [logical] solution (to …); (事務的になる) be businesslike; (現実的になる) be practical. ── [形] (明晰な) clear-cut; (論理的な) logical.

¶そのようにこんがらがった恋愛問題に*割り切った答えは出せない *I can't* give you a ⌈*clear-cut* [*logical*] ⌈solution [answer] to such a complicated love problem. ★ solution は「解決法」の意. // 個人的な感情は別にして*割り切って考えましょう Let's set aside personal ⌈sentiment [feelings] and *be* ⌈*businesslike* [*practical*].

わりきれない 割り切れない ¶いまでも何となく*割り切れない気持ちだ (⇒ 満足していない) I'm not quite happy yet. / (⇒ 疑いをもっている) I'm still doubtful about it.

わりきれる 割り切れる (…で剰余なく割れる) can be divided by …, be divisible by … ★ 前者のほうが口語的. ¶9 は 3 で*割り切れる Nine *can be divided by* three (*without a remainder*). / Nine *is divisible by* three.

わりぐり(いし) 割り栗(石) (基礎工事などに使う) rubble Ⓤ, broken stones ★ 複数形で; (道路などに敷く砕石) macadam Ⓤ.

わりご 破り子 partitioned wooden lunchbox Ⓒ.

わりごそば 破り子蕎麦 *warigo-soba* Ⓤ; (説明的には) buckwheat noodles served in stacked layers of wooden bowls.

わりこみ 割り込み (列への) cutting in line Ⓤ, jumping in line Ⓤ, 《英》 jumping the queue Ⓤ, 《英略式》 queue-jumping Ⓤ; (話への) cutting in (on …) Ⓤ; (満員電車などへの) squeezing *oneself* (into …) Ⓤ; 〘コンピューター〙 interrupt Ⓒ. 《☞ わりこむ》. ¶*割り込みをする人 《英略式》 a queue-jumper **割り込み電話** (キャッチホン) call-waiting telephone Ⓒ.

わりこむ 割り込む (体で押し分けて) squeeze (*oneself*) ⌈into [in] …; (人や車の列に) cút ín (自) (他), break [jump] the ⌈line [《英》 queue]; (人の話に口をはさむ) cut [break] in (自); (一定の値段を下回る) fall [drop; sink] below …

¶ラッシュアワーには混んだ電車に*割り込んで乗らなければならない We have to *squeeze ourselves into* crowded trains in (the) rush hours. // その車は私の前に*割り込んで来た The car *cut in* (ahead of me). ★「私の前に」に当たる部分はわかっているので言わないことが多い. // 列に*割り込むな Don't *cut* ⌈*in* [*into*] line. / Don't ⌈*break* [*jump*] *the* ⌈*line* [《英》 *queue*]. // どうか私たちの話に*割り込まないで下さい Please don't *interrupt* (us while we are talking). // ドルが 100 円の大台を*割り込んだ The dollar ⌈*fell* [*dropped*; *sank*] *below* the 100 yen mark.

わりざん 割り算 ── [名] division Ⓤ (↔ multiplication). ── [動] divide (他). 《☞ わる; 数字 (囲み)》. ¶この 10 題の*割り算をしてごらんなさい Work out these ten *division* problems. // 12÷6 の*割り算をしなさい *Divide* twelve by six. / *Divide* six into twelve.

わりした 割り下 (なべ料理用の煮汁) stock for one-pot dishes Ⓤ.

わりじょうゆ 割り醤油 soy sauce diluted with stock, vinegar or citrus fruit juice Ⓤ.

わりす 割り酢 vinegar mixed with water, sugar, and sweet rice wine Ⓤ.

わりだか 割高 ¶わが国の郵便料金は外国と比べて*割高だ Our ⌈postage [postal] rates are rather *high compared with* the corresponding charges in other countries. // その品質にしては (値が) *割高だ The price is *high* ⌈for [considering] the quality. 《☞ わりやす》

わりだし 割り出し (住所・犯人などの) identification Ⓤ; (算出) calculation Ⓤ; 〘相撲〙 upper-arm force out Ⓒ.

わりだす 割り出す (算出する) cálculàte (他); (事実から推論して答えを出す) deduce … from … ★ やや格式ばった語; (見分ける, 身元などを確認する) identify (他); (基礎を置いている) be ⌈based [founded] on … ¶彼らは指紋から犯人を*割り出した (⇒ 見分けた) They *identified* the criminal *from* ⌈the [his] fingerprints. // この数字は 10 万人に及ぶ人々のアンケートから*割り出したものである This figure *is based on* questionnaires gathered from (as many as) a hundred thousand people.

わりちゅう 割り注 ☞ わりがき

わりつぎ 割り接ぎ 〘園〙 crown [cleft] graft Ⓒ.

わりつけ 割り付け ── [名] (印刷の) láyòut Ⓤ ★ 割り付けられたものは Ⓒ. ── [動] láy óut (他), make [do; design] a layout of … ★ make, do のほうが平易な言い方. ¶彼がこの新聞の第 1 面の*割り付け

わ

をした He ｢*made* [*did*] *the layout of* the front page of this paper.

わりつける 割り付ける (割り当てる) assign ㊉; (当てがう) allot ㊉; 〖印〗lay out ㊉. 《☞ わりあてる; わりつけ》.

わりと 割と ☞ わりに; わりあい

わりない 理無い ¶彼らは*わりない仲だ (⇒ 深い仲) They are on (*very*) *intimate* terms.

わりに 割に ― 副 (だいぶ) rather; (かなり) pretty ★ 後者のほうが意味が強い; (比較的) compárativelу; (相対的に) rélatively ★ 以上 2 語はやや格式ばった語. 《☞ わりあい; あんがい》. ¶きょうは*割に涼しい It's *rather* cool today. // この本は*割に難しい This book is ｢*pretty* [*comparatively*] difficult.

わりばし 割り箸 (使い捨て式の) thrówawày [dispósable] chópsticks ★ 複数形で.

わりびき 割引き ― 動 (割り引く) discount /dískaunt/ ㊉; (値を下げる) reduce ㊉ ★ 前者より格式ばった語. ― 名 discount /dískaunt/ Ⓒ; reduction Ⓒ. 《☞ ねびき[1]》.

¶この品は 1 *割引きです We'll *discount* the price (by) 10 percent. / We'll ｢give [make] a 10 percent *discount* on this article. // 私はそれを 2 *割引きで買った I bought it at a 20 percent *discount*. // 全品 2 *割引き《掲示》20% *Off* (on) All Merchandise

割引運賃 discount [cheap] fare Ⓒ **割引価格** reduced [bargain] price Ⓒ, cut ｢rate [price] Ⓒ ★ 後者のほうが口語的. **割引金融債** discount bank debenture Ⓒ **割引券** discount ｢ticket [coupon] Ⓒ 語法 coupon は「切り取り式の切符」を指す. **割引国債** discount government bond Ⓒ **割引債(券)** discount ｢bond [debenture] Ⓒ **割引市場** discount market Ⓒ **割引手形** discounted bill Ⓒ **割引発行** discount issue Ⓤ **割引募集** discount offering Ⓤ **割引料** discount charge Ⓒ **割引率[料金]** reduced [discount] rate Ⓒ. ¶団体だと*割引料金になる You can get ｢*reduced rates* [*cut rates*] for a group. ★ cut のほうが口語的.

わりびく 割り引く discount /dískaunt/ ㊉, give [make] a discount. ¶彼の話は*割り引いて聞いたほうがいい (⇒ 額面どおりとらないほうがいい) We'd better not take his story at face value.

わりひざ 割り膝 (膝を少し開いて座ること) sitting with *one's* knees slightly apart Ⓤ.

わりピン 割りピン split [cotter] pin Ⓒ.

わりふ 割符 (割り札) tally Ⓒ; (合い札) check Ⓒ.

わりぶた 割り蓋 separated cover Ⓒ.

わりふり 割り振り assignment /əsáinmənt/ Ⓤ 《☞ わりあて; ぶんぱい》.

わりふる 割り振る assign ㊉ 《☞ わりあてる》.

わりぼしだいこん 割り干し大根 daikon radish split and dried Ⓒ.

わりまえ 割り前 share Ⓒ 《☞ わけまえ》.

わりまし 割り増し ― 形 (料金・賃金など余分の) extra (｢fare [charge; pay]). ― 名 (割り増し金) premium /príːmiəm/ Ⓒ; (超過勤務の) overtime pay Ⓤ. 《☞ りょうきん (類義語)》. **割り増し発行** (債券の) issue of bonds at a premium Ⓤ.

わりもどし 割り戻し (払い過ぎ分の払い戻し金) *rebate* Ⓒ 日英比較 *日本語の「リベート」と異なって悪い意味でなく合法的なもの.* 《☞ はらいもどし》.

¶12 月には所得税の*割り戻しがくる I will get an income tax *rebate* in December.

わりもどす 割り戻す (払った金の一部を払い戻す) rebate ㊉ 《☞ わりもどし; はらいもどす》.

わりやす 割安 ― 形 relatively [reasonably] cheap 語法 前者は「他の店と比べて安い」, 後者は「値段が高すぎず手ごろだ」ということを指す. 《☞ やすい (類義語)》. ¶この店は*割安だ This store is ｢*relatively* [*reasonably*] *cheap*. // 電池は 1 ダースで買うと*割安になる (⇒ 安く買える [割引きになる]) If you buy batteries by the dozen, you can *get* ｢*them cheaper* [*a discount*; *a reduction*]. ★ reduction のほうが格式ばった語. **割安感** ¶この店の家具は*割安感がある (⇒ 比較的安い値段で売っているようだ) This store seems to sell furniture *at relatively low prices*. // 株価に*割安感が出始めた Stock prices began to be *rather low*.

わる[1] 割る **1** «壊す»: break ㊉ (過去 broke; 過分 broken) ★ 一般的な語; (強打・衝撃などで粉々に割る) smash ㊉. 《☞ こわす (類義語); われる》.

¶「この皿を*割ったのはだれだ」「私です. すみません」"Who *broke* this plate?" "I did. I'm sorry." // ゴルフボールが窓ガラスを*割った A golf ball ｢*broke* [(⇒ 粉々に割る) *smashed*] the windowpane.

2 «裂く»: (縦に割る) split ㊉; (ぶった切って割る) chop ㊉. ¶子供のころ父がまきを*割るのをよく手伝ったものでした When I was a boy, I used to help my father *chop* wood.

3 «分割する»: divide ㊉; (費用などを割り勘にする) split ㊉. 《☞ わりざん; 数字 (囲み)》.

¶チョコレートを 4 つに*割りなさい *Divide* the bar of chocolate into four. // 10 は 3 では*割れない (⇒ 余りなしには割り切れない) Ten is not (exactly) *divisible* by three. // その勘定は皆で*割りましょう Let's *split* the ｢check [cost] among us. // 12 *割る 4 は 3 Twelve *divided* by four ｢is [makes] three. // 10 を 4 で*割ると 2.5 になる If you *divide* 4 into 10, the answer is 2.5.

4 «水を加える»: (…に水を混ぜる) mix … with water; (酒・飲み物などに水を混ぜる) wáter dówn ㊉; (薄める) dilute ㊉. 《☞ うすめる》. ¶このブランデーを少し水で*割って下さい Would you ｢*water down* [*dilute*] this brandy a little?

5 «中から外へ出る» ¶ビデオで彼が土俵を*割ったのがはっきりわかる (⇒ ビデオは彼が土俵の端から足を踏み出したのを示している[証明している]) The video ｢shows [proves] that he *stepped over* the edge of the ring.

6 «基準以下になる»: (価格などが下がる) fall [drop] below … ¶ドルは 100 円を*割った The U.S. dollar ｢*fell* [*dropped*] *below* 100 yen. // 入学手続きをした数は新 1 年生の定員を大幅に*割っている The number of those who have completed the entrance procedures ｢*is* [*falls*] *far short of* the full ｢enrollment [(英) enrolment] of ｢the [our] freshman class.

わる[2] 悪 (ならず者) 《略式》 scamp Ⓒ; (悪いやつ) bad [wicked] person Ⓒ; (卑劣な奴) 《俗》 rat Ⓒ. 《☞ わるもの》.

わるあがき 悪足掻き (むだな抵抗) useless resistance Ⓤ; (むだな努力) useless effort(s) ★ 単数形または複数形で. ¶*悪あがきはやめろ Don't make ｢*useless resistance* [*a useless effort*; *useless efforts*]. // もう勝つ見込みはないから*悪あがきはやめたほうがいい (⇒ あきらめたほうがいい) Now you have no chance of winning. *You'd better give up*.

わるい 悪い **1** «道徳的に»: bad (↔ good) ★ 最も一般的な語; (よこしまな) evil; (あくどい) wicked /wíkɪd/ 語法 wicked は bad より意味が強く, evil はさらに強い; (ある規準に照らして誤っている) wrong (↔ right).

¶何て*悪い子なんでしょう What a *bad* boy you are! // 彼らの*悪い行いは見逃せない We can't overlook their ｢*evil* [*wicked*] behavior. // この提案のどこが*悪いのか What's *wrong* with this proposal?

2《品質・作柄・天候などが》: bad ★ 最も一般的な語;(貧弱な・粗末な) poor;(粗悪な) coarse;(他と比べて質の劣った) inferior;(新鮮ではない) stale;(腐った) bad, spoiled, rotten ★ bad が最も一般的.《☞ そあく》.
¶ 当店ではこのような*悪い品は売っておりません We don't sell ˹goods of such *poor* quality [such *inferior* articles]. // 昨年は米の出来が*悪かった We had a *poor* crop of rice last year. // *悪くなった食べ物は捨てなさい Throw away ˹*stale* food [*spoiled* food; food which has gone *bad*].
3《具合・状態・身体の具合が悪い》: (時機が) ill-timed, untimely;(姿勢などが) poor, bad;(健康状態が) sick, ill, unwell Ⓟ 【語法】(1) sick は最も一般的な語だが, 文脈によっては「むかついた」の意にもなることに注意. unwell は「一時的に具合が悪い」の意;(健康に有害な) bad for ..., injurious to ... ★ 後者のほうが格式ばった語.
¶ 私の発言はまさに時機が*悪かった My remark was just *ill-timed*. // その子は姿勢が*悪い The child has ˹*poor* [*bad*] posture. // 具合が悪そうですね. どうかなさいましたか You look ˹*unwell* [*sick*; *ill*]. What's the matter with you? // 「どこかお*悪いのですか (⇒ 何があなたを悩ませているのか)」「どうも胃の調子が*悪いのです」 "What's *troubling* you?" "Something is *wrong* with my stomach." // 病人は容体が*悪くなった The patient's condition has ˹become [taken a turn for the] *worse*. 【語法】(2) [ ] 内は「急に悪い方向に向かった」の意.《☞ あっか》// *悪い風邪にかかった I have had a ˹*bad* [*nasty*] cold. ★ nasty には「いやな」という意がある. // 食品添加物には健康に*悪いものもある Some food additives are ˹*bad for* [*injurious to*] the health. ★ bad のほうが口語的. // *悪くはしないから (⇒ あなたが後悔するようなことにはならないから), ここは私に任せなさい Leave everything to me. You won't be *sorry* (for it). // 彼では相手が*悪い (⇒ あいつはよくないやつだ) He's ˹a *nasty* [an *ugly*] ˹person [customer]. // 私のほうが分が*悪い I have *small chance* of success. / The odds are *against* me. // 人にほめられて*悪い気はしない We don't feel so *bad* when someone flatters us.
4《不吉な・不運な》 ── 形 bad;(ついていない) unlucky;(不運な) unfortunate ★ 前者のほうがより偶発的なニュアンス. ── 副 unluckily, unfortunately.《☞ ふうん》.
¶ *悪いことには (⇒ 運悪く) 大雨が降った *As luck would have it* [*Unfortunately*], we had a heavy rain. // それは*悪い前兆かもしれない It may be ˹a *bad* [an *ill*] omen. // *悪くすると雨だ (⇒ 心配なことには) *I fear* it may rain.
5《悪口・悪意》 ¶ 人のことを*悪く言わないほうがよい You shouldn't ˹*bad-mouth* [*criticize*] others. // あの人のことを*悪く思っているのではない (⇒ あの人に対して悪意はない) I have nothing *against* him. // 君も人が*悪いな (⇒ からかっているんでしょう) You're ˹joking [kidding me], aren't you? // *悪いことは言わない. すぐに医者へ行きなさい You should see a doctor right now, *I can tell you*. ★ I can tell you は「確かに」「本当に」の意味.
6《申し訳ない》: (申し訳なく思って) sorry Ⓟ《☞ もうしわけ》. ¶ いつも迷惑ばかりかけて*悪いね I'm *sorry* to always trouble you. // いつも*悪いと思っているよ (⇒ 感謝するのはいつも私のほうだと認めるよ) I admit I am the one who always *has to thank you*. // *悪いんだけど金曜日までにそれをやってくれないか (⇒ やってくれればありがたい) I'll *thank you* to do it by Friday. // *悪いけど食事の後片付け手伝ってくれない *Sorry* to trouble you, but will you help me clear the table?

わるえんりょ 悪遠慮 (過度の遠慮) excessive reserve Ⓤ. ¶ 彼女は*悪遠慮がすぎる She *is extremely reserved*.

わるがしこい 悪賢い (悪知恵が働いてずるい) cunning;(こっそり人をだましたりする) sly;(高度な策をろうしてずるい) crafty.

わるぎ 悪気 (悪い意図) évil ˹intént Ⓤ [intention Ⓒ];(悪意) ill will Ⓤ, málice Ⓤ ★ 後者のほうが格式ばった語;(害意) harm Ⓤ. ¶ それは彼が*悪気があってしたことではない He did it without ˹*malice* [*evil intent*]. // 私は別に*悪気があってそう言ったのではない I meant no *harm* ˹by [in] saying that.

わるくち 悪口 ── 動 (人の悪口を言う)《米略式》bad-mouth ㊀, speak critically of ...《☞ かげぐち; ちゅうしょう²》. ¶ 彼は私の*悪口をよく言っているらしい He often seems to *speak critically of* me. // 彼女はよく人の*悪口を言いふらす She is a *scandalmonger*. ★ scandalmonger は「悪口を言いふらす人」.

わるさ 悪さ (多少害のあるいたずら) mischief /mɪ́stʃɪf/ Ⓤ;(悪ふざけ) trick Ⓒ;(悪意のないいたずら) prank Ⓒ.《☞ いたずら; わるふざけ》. ¶ 人に*悪さをする play *pranks* on *a person* // そんな*悪さをしてはいけません (⇒ よい子でありなさい) Be a good ˹boy [girl].

ワルシャワ ── 名 固 Warsaw /wɔ́ːəsɔː/ ★ ポーランドの首都. **ワルシャワ条約機構** the Wársaw Tréaty Organizàtion ★ 1991 年に解体した東欧諸国の軍事機構.

わるずれ 悪ずれ ── 形 (世慣れしすぎた) oversophisticated.

わるだくみ 悪巧み (たくらみ・いたずら) trick Ⓒ ★ 一般的な語;(悪計) evil [wicked] design Ⓒ ★ trick よりも意味が強い;(陰謀) nasty [evil] scheme Ⓒ, plot Ⓒ 【語法】 evil は nasty より意味が強い. plot は一般的な語.《☞ たくらみ; いんぼう; いたずら》.

わるぢえ 悪知恵 ── 形 (悪賢い) sly;(悪知恵が働いてずるい) cunning;(高度な策をろうしてずるい) crafty. ── 名 slyness Ⓤ; cunning Ⓤ; craftiness Ⓤ.《☞ わるがしこい》. ¶ あの男は*悪知恵が働く That man is ˹*sly* [*cunning*; *crafty*]. // *悪知恵のあるやつにはかなわない (⇒ よくだまされる) We are often fooled by *crafty* ˹fellows [individuals].

ワルツ 〘楽〙 waltz /wɔ́ːl(t)s/ Ⓒ.

わるのり 悪乗り (やりすぎる) òverdó ㊀, òveráct ㊁ ★ 後者は「大げさな演技をする」の意;(我を忘れて夢中になる・調子にのる) get carried away (with ...). ¶ 友達をからかうのもいいが*悪乗りしてはいけない You can tease your friends, but you shouldn't *overdo* it.

わるば 悪場 (登山などの) dangerous spot Ⓒ.

わるびれずに 悪びれずに ¶ 彼女は*悪びれずに (⇒ やましいことはしていないという顔つきで) 先生にほほえみかけた She smiled at her teacher *without a guilty look*.

わるふざけ 悪ふざけ trick Ⓒ;(罪のない人を困らせるようないたずら) practical joke Ⓒ;(悪意のないいたずら) prank Ⓒ ★ やや古い言い方. ¶ もう*悪ふざけはよしなさい No more of your *practical jokes*!

わるもの 悪者 (悪い男[女]) bad ˹man [woman] Ⓒ, wicked /wɪ́kɪd/ ˹man [woman] Ⓒ 【語法】 前者は最も一般的で意味も広く, 以下の語の代わりにも使える. wicked は bad より意味が強く特に道徳にはずれていることを指す;(利己的で大それたことをする悪党) scoundrel Ⓒ;(悪漢) villain Ⓒ ★ 特に劇中の悪役. ¶ 彼のような*悪者は見たことがない I have never seen such a ˹*bad* [*wicked*] *man* as he. // 劇の中の*悪者はいつも最後にはやっつけられる (⇒ 悪い結末になる) *Villains* in plays always come to a bad end finally. // 彼は党のために*悪者 (⇒ 犠牲) にされた He was made a *scapegoat* for the party.

わるよい 悪酔い ── [動] (気分が悪くなるほど飲む) drink *oneself* 「sick [ill] ★ sick のほうが一般的. ── [形] (酒が頭にくる) heady.

¶ 私は飲みすぎて*悪酔いしてしまった (⇒ 気分が悪くなった) I *felt sick from* too much *drink*(*ing*). // 安酒は*悪酔いをする (⇒ ひどい後遺症を残す) Cheap liquor 「leaves [gives; has] *nasty aftereffects*. / Cheap liquor 「is often *heady* [often gives one a *bad hangover*]. ★ hangover は「二日酔い」.

われ 我 **我思う, ゆえに我あり** I think, therefore I am. ★ デカルトの言葉. **我と思わん者** ¶ *我と思わん者 (⇒ 自信のある人) は私に競走を挑みなさい *Those of you who are confident* (*of yourselves*) can challenge me to a race. **我に返る** ¶ 私は窓を打つ雨の音にふと*我に返った (⇒ 意識を取り戻した) I suddenly *came to myself* at the sound of the rain beating against the windowpanes. 《☞ しょうき[1]》 **我を忘れる** ¶ 私は怒りで*我を忘れた (⇒ 逆上した) I *got carried away* in anger. // 私は*我を忘れて (⇒ 熱中して) その小説を読みふけった I *was absorbed in* (reading) the novel.

われかえる 割れ返る ¶ 人々はその英雄を*割れ返るような歓声 (⇒ 大歓声) を上げて歓迎した People welcomed the hero with *great* shouts of joy. // *割れ返るようなかっさい (⇒ かっさいのあらし) *a storm of* applause / (⇒ 熱狂的なかっさい) *enthusiastic* cheers 《☞ われる》

われがちに 我勝ちに ¶ 彼らは皆*我勝ちに外へ出ようとした (⇒ 皆が一番先に出ようとした) They all tried to *be the first* to get out. / (⇒ 同時にどっと出口に押しかけた) They all *made a rush* for the exit at the same time.

われがね 割れ鐘 cracked bell Ⓒ. ¶ 彼は*割れ鐘のような声 (⇒ 轟くような声) でどなった He bellowed in a *thunderous* voice.

われから 割殻 〔動〕(ワレカラ科の海産甲殻動物) skeleton [specter] shrimp Ⓒ.

われかんせず 我関せず ¶ 彼はその議論には*我関せずと黙っていた (⇒ 議論が自分には無関係であるかのように) He said nothing as if the argument 「*was* [*were*] *none of his business*. / (⇒ 議論に関心を示さずに) He kept silent *without showing any interest in* the argument. // 彼は政治には*我関せずだ (⇒ 無関心だ) He *is indifferent* to politics. 《☞ むかんしん; むかんけい》

われき 和暦 (日本の暦) the Japanese calendar; (日本の年号) the name of an era in Japan.

ワレサ ── [名] [固] Lech Wałęsa, 1943– . ★ ポーランドの労働運動「連帯」の委員長, 元大統領.

われさきに 我先に (…に押しかける) make a rush for … 《☞ われがちに》.

われしらず 我知らず (無意識に) ùncónsciously; (思わず) involuntarily /ìnvɑ̀ləntérəli/. ¶ 彼女は*我知らず (⇒ 知らず知らずの) 叫び声を上げた She let out an *involuntary* /ìnvɑ́ləntèri/ cry. / *In spite of herself* she let out a cry.

われながら 我ながら ¶ *我ながらよくやった *I admit that* I did well. / *I flatter myself* 「on [for] having *done it well*. [語法] *flatter oneself* (on …; that …) は「うぬぼれて…と思う」. // *我ながら恥ずかしい I am ashamed *of myself*. // *我ながらあきれる (⇒ 自分に愛想が尽きる) I am disgusted *with myself*.

われなべ 割れ鍋 (ひびの入ったなべ) cracked pot Ⓒ. **割れなべにとじ蓋** Every Jack has his Jill. 《ことわざ: どんな男性にもその人にふさわしい女性がいる》

われめ 割れ目 (陶器・ガラス・氷など堅いものの線状の割れ目) crack Ⓒ; (木製のものなどの縦長の一直線の割れ目) split Ⓒ; (細長い穴状の割れ目) slit Ⓒ; (地面・岩石・氷河などの割れ目) chasm /kǽzm/ Ⓒ, crévice Ⓒ [語法] 前者は特に深い割れ目. 後者は狭い割れ目. 前者は比喩的に「意見などの隔たり」の意味で使われることも多い; (特に氷河の深い割れ目) crevásse Ⓒ. 《☞ ひび[1]; さけめ》.

割れ目噴火 fissure eruption Ⓤ.

われもこう 吾木香 〔植〕 burnet Ⓒ.

われもの 割れ物 ¶ *割れ物. 取り扱い注意 *Fragile* /frǽdʒəl/. Handle With Care.

われら 我等 ── [代] we 《☞ われわれ; わたし[1]; 代名詞 (巻末)》.

われる 割れる (裂ける) split [自] 《過去・過分 split》; (ひびが入る) crack [自]; (壊れる) break [自], be broken; (粉々に壊れる) smash [自], be smashed; (意見・票・党・グループなどが分裂する) be divided, split [自]; (地面が大きく割れる) gape [自]; (犯人が明らかになる) be [become] identified. 《☞ わる; こわれる》.

¶ このガラスの器は*割れやすい This glass 「is *fragile* [*breaks* easily]. ★ [ ] 内のほうが平易な言い方. // そのグループはたちまち 2 つに*割れた The group 「*was divided* [*was broken*; *split*] 「in [into] two in no time. 《☞ ぶんれつ[1]》 // 突如として*割れるような (⇒ あらしのような) かっさいが会場に起こった Suddenly there was a *storm of* applause in the hall. // 頭が*割れるように痛い I have a *splitting* headache.

われわれ 我我 ── [代] (我々は) we; (我々の) our; (我々を・我々に) us; (我々のもの) ours; (我々自身) ourselves. 《☞ わたし[1]》.

わろじてん 和露辞典 Japanese-Russian dictionary Ⓒ 《☞ じしょ[2]》.

わん[1] 湾 (小さい湾) bay Ⓒ; (大きな湾) gulf Ⓒ. ¶ 東京*湾 Tokyo *Bay* 《☞ 冠詞 (巻末)》 // メキシコ*湾 the *Gulf* of Mexico

わん[2] 椀, 碗 bowl Ⓒ.

ワン[1] (一つ(の)) one ★ 数詞.

ワン[2] (広域ネットワーク) WAN /wǽn/ Ⓒ ★ *w*ide *a*rea *n*etwork の頭字語.

ワンイヤールール 〔経〕(1 年基準) one-year rule Ⓒ.

ワンウェー ── [形] (一方向の・一方通行の) one-way Ⓐ; (一方的な・一方だけの) 《格式》 unilateral Ⓐ.

わんおう 湾奥 the innermost 「part [area] of a 「bay [gulf].

ワンオブゼム (多数の中の 1 つ[1 人]) (just) one of many (others) 《☞ そのた (その他大勢)》 ★ one of them は単に「そのうちの 1 つ[1 人]」の意.

わんがけ 椀掛け (選鉱法) panning Ⓤ.

ワンカット (挿絵などの) one cut; (映画などの一場面) one 「scene [shot] [語法] cut, scene, shot はいずれも Ⓒ で「ツーカット」なら two 「cuts [scenes; shots] となる. 《☞ こま[2]; カット[2]》.

わんがん 湾岸 bay [gulf] coast Ⓒ 《☞ わん[1]; かいがん》. **湾岸協力会議** the Gulf Cooperation Council 《略 GCC》 **湾岸戦争** the Gulf War.

わんきょく 湾曲 ── [動] (曲線を描いて曲がる) curve [自]; (たわんで曲がる) bend [自]. 《☞ まがる (類義語); まがった》. ¶ *湾曲した海岸線 a *curving* coastline

ワンぎり ワン切り (携帯電話の) one ring and cut, one-ring hang-up Ⓒ, single-ring(-and-hang-up) solicitation 「call [scam] Ⓒ ★ scam は「詐欺」を意味する俗語.

ワンクッション ¶ 彼女に結果を知らせるには*ワンクッション置いたほうがよい (⇒ 間接的に [しばらくしてから] 知らせる) It might be better to inform her of the result 「*indirectly* [*after some time*].

ワンゲル ☞ワンダーフォーゲル
わんこう 湾口 mouth [entrance] of a ˹bay [gulf] Ⓒ.
わんこそば 椀子蕎麦 *wanko-soba* Ⓤ; (説明的には) buckwheat noodles served in small bowls continuously.
ワンサイドゲーム one-sided game Ⓒ.
わんさと ── 副 (人などが大勢) in ˹great [huge] numbers ★[ ] 内のほうが意味が強い; (群がって) in crowds. ── 動 (群がる・押し寄せる) swarm ⓐ, throng ⓐ 語法 swarm は虫など小さいものがうようよたかるニュアンス. throng は人が押し合いへし合いの感じ. 《☞ たくさん; おしかける; おしよせる》.
¶ 志願者が*わんさと来た Applicants came *in huge numbers*. // 週末には子供たちが*わんさと海へ押しかけてくる Children ˹*swarm* [*throng*] to the beach on weekends.
わんしょう 腕章 arm band Ⓒ.
ワンススルーほうしき ワンススルー方式 (使用済み核燃料をそのまま廃棄する) once-through system Ⓒ.
ワンステップ (社交ダンスの一種) one-step Ⓒ; (一歩・一段階) one step ★ step 自体は Ⓒ.
ワンストップショッピング (1 つの店で済ませる買い物) one-stop shopping Ⓤ.
ワンスモア (もう 1 度) once more 《☞ もう[1] 2》.
ワンセット (同種のものの一組) one set; (異種のものの組合せからなる一そろい) one suite; (球技の) one set. 《☞ セット; くみ; そろい》. ¶ 食べ過ぎと糖尿病はしばしば*ワンセットになっている (⇒ 相伴っている) Overeating and diabetes often *go hand in hand*. / (⇒ 密接に関連している) Overeating *is* often *closely related to* diabetes.
わんそくるい 腕足類 〖動〗 brachiopod Ⓒ.
ワンダーフォーゲル (ハイキングのクラブ) hiking club Ⓒ 日英比較 英語の hiking には「長距離歩行訓練」の意味がある. ★「ワンダーフォーゲル」はドイツ語の Wandervogel から.
ワンダーブック ── 名 ⓐ *A Wonder-Book for Girls and Boys* ★ 米国の作家ホーソーンの子供向けギリシャ神話集 (1852).
ワンダーランド (おとぎ・不思議の国) wonderland Ⓤ ★ Ⓒ として「すばらしい所」の意でも用いる.
ワンタッチ ¶ このドアは*ワンタッチで開く The door opens *at the touch* of a button. **ワンタッチダイヤル** one-touch dial Ⓒ; (自動ダイヤル) auto-dial Ⓒ; (自動ダイヤル装置) auto-dialer Ⓒ, automatic dialer Ⓒ ★ 後者のほうが格式ばった語.
ワンダフル ── 形 wonderful 《☞ すてき; すばらしい (類義語)》.
ワンタン 餛飩, 雲呑 wonton /wάntɑn/ Ⓤ.
ワンタンめん 餛飩麺 Chinese noodles and wonton in soup ★ 数えるときは a bowl [two bowls] of ...
ワンツーパンチ one-two (punch) Ⓒ.
わんとう 湾頭 the shore of a ˹bay [gulf].
わんない 湾内 ── 名 the inner part of a ˹bay [gulf], the inner ˹bay [gulf]. ── 副 (湾内に[で]) inside the ˹bay [gulf].
ワンバウンド ☞ バウンド
わんぱく 腕白 ── 形 (言うことを聞かない) naughty; (いたずらな) mischievous /místʃɪvəs/; (手に負えない) unruly /ʌnrúːli/. 《☞ いたずら》.
腕白小僧 naughty boy Ⓒ.
ワンパターン ── 形 (一つのことしか考えていない) one-track-minded ★ この語はしばしば「sex のことしか考えていない」という意味を持つことがあり, 用法に注意を要する. ── 名 one-track mind Ⓒ. ¶ 彼女は*ワンパターンだ (⇒ 考えに柔軟性がない) She is *not flexible* in her opinions. / (⇒ いつも 1 つのことを考えている) She *always thinks about one particular thing*.
わんぴ 黄皮木・黄枇 〖植〗 wampee Ⓒ.
ワンピース dress Ⓒ 語法 a one-piece garment のような言い方もあるが, 通常は単に dress という. one-piece は形容詞で, 水着などの場合に one-piece bathing suit のように使う. 《☞ ツーピース》.
ワンプライスショップ (均一価格の店) one price ˹shop [store] Ⓒ.
ワンポイント (球技などの一得点) one point; (衣服などの) embroidered [printed] design in one spot (on ...) Ⓒ. **ワンポイントリリーフ** 〖野〗 relief pitcher brought in to face one batter Ⓒ ★「ワンポイントリリーフ」は和製英語. **ワンポイントレッスン** short lesson on one point (in ...) Ⓒ.
わんぽう 腕法 (書道の腕のかまえ方) the way to hold a brush.
ワンボックスカー van Ⓒ 《☞ じどうしゃ》.
ワンマン **1** 《独裁者》: dictator Ⓒ.
¶ *ワンマン政治 (⇒ 支配 [政府]) は民主主義に反する *One-man* ˹rule [government] is against the rule of democracy. // *ワンマン社長 a *dictatorial* company president
2 《普通 2 人以上ですることを 1 人でやる状態》
── 形 one-man Ⓐ. ¶ *ワンマン会社 [経営] a *one-man* ˹office [business]
ワンマンカー[バス] óne-màn bús Ⓒ; (車掌のいないバス) bus without a conductor Ⓒ 日英比較 英語ではバスは car とは言わない. **ワンマンコントロール** one-man control Ⓤ **ワンマンショー** solo [one-man] show Ⓒ **ワンマンチーム** one-man team Ⓒ.
わんりゅう 湾流 (メキシコ湾流) the Gulf Stream.
わんりょく 腕力 (肉体の力) physical [muscular] strength Ⓤ; (力ずく) force Ⓤ; (暴力) violence Ⓤ; (筋力) muscle /mʌ́sl/ Ⓤ. 《☞ ちから (類義語); ぼうりょく》. ¶ 彼は*腕力が強い He is a ˹*physically strong* man [*muscular* man]. // *腕力に訴えるな (⇒ 暴力を用いるな) Don't use ˹*force* [*muscle*]. // *腕力では彼にとてもかなわない I am no match for him when it comes to ˹*muscle* [*physical strength*]. **腕力ざた** (殴り合いのけんか) fight Ⓒ; (殴打の応酬) exchange of blows Ⓒ. 《☞ けんか》
腕力相場 〖経〗 forced ˹market [quotation] Ⓒ.
ワンルーム ── 形 one-room. **ワンルームマンション** one-room apartment Ⓒ, 《米》 efficiency [studio] apartment Ⓒ, 《英》 bed-sitter Ⓒ. 《☞ マンション》.
ワンレングス (同じ長さに切りそろえた女性の髪型) one-length ˹cut [haircut] Ⓒ.
ワンワン ── 名 (犬のほえ声) bowwow /báʊwáʊ/ Ⓒ; arf, arf; (小児語で犬) doggie Ⓒ, bowwow Ⓒ; (犬) dog Ⓒ. ── 動 (ワンワン吠える) bark ⓐ. 《☞ いぬ[1]; 動物の鳴き声 (囲み); 擬声・擬態語 (囲み)》.

を，ヲ

-を 日英比較 日本語の「-を」は格助詞の1つで，目的語を示すのに用いられるが，英語では他動詞の場合はその後の位置が目的語を示す印となるだけで，日本語の「-を」に当たるようなものや，あるいは目的格を表す語形変化などは人称代名詞を除いていっさい用いられない．((注) 日本語でも必ず「-を」が付くとは限らず，特に口語の場合は「その映画見たかい」のように「-を」抜きの表現がよく用いられる).

ところが，英語では自動詞の場合やその他の場合に，日本語なら「-を」で表される文法関係を種々の前置詞で表すことが多い．それらについて検討してみると，大きく分けて次の2種類の場合がある．

(1)「自動詞＋前置詞」で他動詞と同じ働きをする場合．この場合は，動詞によって前置詞が決まってくることが多く，その結びつきが密接なものは2語動詞 (two-word verb) と呼ばれることもあり，1語の他動詞と同じような働きをする．この種の動詞が多いのは英語の特徴と言われている．

((例) 黒板*をご覧なさい Look *at* the blackboard. // 私はかばん*を捜しているのです I'm looking *for* my bag.)

(2) 日本語では「-を」が付くが，英語では文の発想が違っていて(1)とは異なる種々の関係を表す場合．この場合には，意訳が必要なこともしばしばあるので，注意を要する．《☞ 発想 (巻末); 翻訳 (巻末)》

((例) 私たちはその通り*を一緒に歩いた (⇒ 通りに沿って歩いた) We walked *along* the street together. // 彼女は黒い服*を着ている She is (dressed) *in* black. ★ be in ... で「...色の服を着ている」という言い方. // 彼は私の腕*をつかまえた (⇒ 私を腕の部分でつかまえた) He caught me *by* the arm. 語法 (1) この表現は「私をつかまえた」ことに重点があり，次に体のどの部分かを述べる言い方． / He caught my arm. 語法 (2) この表現は日本語と似ていて，単に「私の腕をつかまえた」ことを表す．結果的には同じだが，ニュアンスが違う. // 人の悪口*を言ってはいけない (⇒ 他人についてあしざまに言うな) Don't speak critically *of* others. // バケツに水*を入れなさい (⇒ バケツを水でいっぱいにせよ) Fill the bucket *with* water. 語法 (3) このほかに Put water into this bucket. のように日本語と同じような言い方も可能だが，「いっぱい」という意味なら，さらに to the brim (縁まで なみなみと)などを付け加えねばならず回りくどい．それより前者のほうが好まれる.)

アクセントの移動 (shift of accent) Japanese や economic などは単独に発音すると Jàpanése, èconómic のように第一アクセントが後ろにあるが，直後に語頭に第一アクセントを持つ語が続くと Jàpanése góvernment, èconómic grówth のように第一アクセント同士が接近する．すると英語のリズムの特徴として第一アクセントの間隔をなるべく遠ざけようとする力が働き，Jápanèse góvernment, éconòmic grówth のように第一アクセントと第二アクセントとが入れ替わることが多く，このほうが自然な発音となる．

アポストロフィ (apostrophe) (') の記号で，省略記号とも呼ばれる．次のような用法がある．

(1) -'s で名詞の所有格を作る．

¶私の妹の猫 my sister'*s* cat // その猫のしっぽ the cat'*s* tail

原則として人・動物などの生物に使うが，時間・距離，およびその他の慣用的表現にも使われ，また無生物に使われることもある．

¶1日の日帰り旅行 a day'*s* journey // 石を投げても届く距離に at a stone'*s* throw

名詞に -s を付けた複数形の所有格にはアポストロフィのみを付ける．

¶女学校 a girls' school // 少年たちの犬 the boy*s*' dogs [語法] ただし子供たちのおもちゃ the children'*s* toys のように -s で終わらない複数形には -'s を付ける．

(2) -'s として，文字・数字・略字・記号などの複数形を作る．

¶この単語には i の字が4つある There are four i'*s* in this word. // 3つの "that" three that'*s* // 1990年代 1990'*s* [語法] ただし「彼女は20代だ」She is in her *twenties*. のような場合はアポストロフィはいらない．

(3) 短縮形 (contraction) を示す．

¶私は青木です I'*m* Aoki. [参考] ほかに he's (=he is / he has), I've (=I have), I'd (=I had / I would), can't (=cannot), isn't (=is not) など．《☞短縮形 (巻末)》

(4) 文字・数字などが一部省略されたことを示す．

¶'93 ★1993年の意. // 'phone ★telephone の tele を略したことを示す．ただしアポストロフィを付けないで phone とするのが普通. // thro' (=through)

アンダーライン (underline) 手書きで英語を書くときに，次の場合には下線 (underline) を一本引くのが習慣となっている．下線を引いてある語句は活字やパソコンで印刷するときはイタリック体にすることになっている．《☞イタリック体 (巻末)》．従って以下のように，印刷される場合にはすでに下線は消えてイタリック体になっているはずであるが，ここでは下線の例を示すために，仮に手書きの場合と想定して下線を残す．

(1) 書名．

¶私は最近ヘミングウェイの『老人と海』(という小説) を読んだ I read Hemingway's <u>The Old Man and the Sea</u> recently. // あなたは『タイム』という週刊誌を知っていますか Do you know a weekly magazine called <u>Time</u>?

(2) 文中で特に強調して発音される語．

¶ここここそニューヨークで住むべき随一の場所だ This is <u>the</u> /ðíː/ place to live in New York.

(3) 英語の文中で，用例などを示すとき．

¶「おじがこのカメラを私にくれました」という文を受身に変えなさい Change the sentence "<u>My uncle gave me this camera</u>" into the passive.

(4) 英語から見た外国語を示すとき．

¶アフガニスタンのアラブのムジャヒディンの闘士たち the Arab <u>mujahedin</u> fighters in Afghanistan // "mañana (=tomorrow)" はスペイン語である <u>Mañana</u> is a Spanish word.

イタリック体 (italics) イタリック体または斜字体 (italics) というのは，活字やパソコンで印刷するときに用いる，*italics* のように斜めに傾斜した活字のことである．

これは (1) 書名．(2) 文中で特に強調して発音される語．(3) 文中で用例などを示すとき．(4) 英語から見た外国語を示すとき，などに用いられる．

手書きの場合は下線を1本引くと，印刷のときに自動的にイタリック体に印刷されるという決まりがある．《☞アンダーライン (巻末)》

イディオム (idiom) 慣用語法または慣用句，(1) の場合には熟語，成句などともいう．また，ある言語に特有な言い回しのことも言う．普通は次のようなものをイディオムという．

(1) 句中の各語の意味を総合しても句全体の意味にならないもの．

例えば give up (あきらめる), put on (身につける), put up with (我慢する), kick the bucket (死ぬ)など．

(2) ある言語に特有な言い回し．

例えば step on the gas (アクセルを踏んでスピードを上げる，調子を上げる), die like a dog (みじめな死に方をする), die with *one's* boots on (仕事中に死ぬ，殉職する), keep *one's* nose clean (面倒なことに巻き込まれない，手を汚さない) など．

(3) 文法の規則に当てはまらないが，多くの人が用いているために，一般に認められている言い方．

例えば，It's *me*. (それは私です) は主格補語には主格がくる (この場合は I) という規則には反しているが，一般に用いられている．また *Everybody* brought *their* own lunch. (みんながめいめいの昼食を持参した) では，文法的には単数の his or her (his / her とも書く) で呼応すべきところに their という複数形が用いられることが多い．これも慣用語法である．

引用符(号) (quotation marks) 人の言葉を引用するのに用いる記号．シングル (single quotes) (' ') とダブル (double quotes) (" ") の二種類があり，《英》では前者が，《米》では後者が一般的である．用法は次のとおりである．

(1) 文を直接引用する場合．

(i) 引用文の前にコンマを置き，引用文を引用符(号)で囲む．

¶彼は「おなかがすいた」と言った He said, "I'm hungry." // 彼は「あなたは私と一緒に来ますか」と言った He said, "Are you coming with me?" //

彼は「いい天気ですね」と言った He exclaimed, "What a nice day!"
(ii) 引用文が非常に短い場合にはコンマはいらない.
¶彼は「火事だ」と叫んだ He shouted "Fire!" // 彼女は「はい」と言った She said "Yes."
(iii) 引用文が文頭にくる時は, 次のようになる.
¶「君はきれいだ」と彼は言った "You're pretty," he said. //「あなたは泳げますか」と彼女はきいた "Can you swim?" she asked.
(iv) 英語では, しばしば「…と言った」という伝達部をはさんで, 引用文が前後に分けられる場合があるが, その場合は次のようになる.
¶「ある意味では, 彼女はチャーミングだよ」と彼は言った "In a way," he said, "she's charming."
(v) コンマやピリオドは, それが引用文のものであろうと, 文全体のものであろうと, 引用符の中に入れるのが普通である. また平叙文の引用文で文全体が終わる場合には, 引用文のピリオドが文全体のピリオドを兼ねるのが普通.
¶彼女は「あすヨーロッパに出発します」と言った She said, "I'll leave for Europe tomorrow."
(vi) 疑問符や感嘆符が, 引用文を含んだ文全体に属する時は, 引用符(号)の後に置く.
¶彼は「おなかがすいた」と言いましたか Did he say, "I'm hungry"?
(vii) 引用文が疑問文の時は, 疑問符を2度書く必要はない.
¶「僕と一緒に来ますか」と彼は言ったのですか Did he say, "Are you coming with me?" 《☞疑問符(号)(巻末)》
(viii) 引用文の中にさらに引用文がある時は, 前者にダブルを, 後者にシングルを使う. さらに, その中にまた引用文がある場合は, ダブル, シングルを順に繰り返すが, あまり複雑になるとわかりにくいので, そのような場合は文の書き方を工夫する必要がある.
¶彼は「『人間は考えるあしである』と言ったのはだれですか」ときいた He said, "Who was it that said 'Man is a thinking reed'?"
(2) 耳慣れない語(句), 新造語(句), 特に際立たせたい語(句)など.
¶スーパーにはそれぞれいわゆる 「目玉商品」 がある Each supermarket has its own 'loss leaders.'

エトセトラ (etc., et cetera) 幾つかの項目を並べた後で, コンマ (comma) で区切ってつけ,「…など」という意味を表す. 《☞コンマ (巻末)》

元はラテン語で, /et-sétərə, -trə/ と発音するが, 英語読みにして, and só fòrth とか, and só òn あるいは and the like と読むこともある.

etc. と省略した形を使うのが普通で, その際はピリオド (period) を打つ. 《☞ピリオド (巻末)》

このピリオドは文尾にあるときは, 文のピリオドも兼ねるので, 2つピリオドを打つ必要はない.
¶私は本, ペン, ノートなどを買った I bought a book, a pen, a notebook, etc.

この記号は, 作文上からいうと, あげるリストが不完全で網羅的でない印象を与えるので, 精確を期すときには使わないほうがよい.

また, such as を用いて, I bought several things *such as* a book, a pen, and a notebook. のようにするほうが, etc. を用いる文よりも格式ばった表現になる. また「等々」の意で etc. & etc. または etc., etc. も使われるが, 非標準的とされるので使わないほうがよい.

《☞略語 (巻末)》

婉曲語法 (euphemism) 修辞法の1つ. 相手の感情を害したり, 不快感を抱かせないために, 露骨な表現を避け, 穏やかで遠回しな言い方をすること. 人々が嫌悪・恐怖・羞恥などの感情を抱きがちな場合に多く用いられる. 例えば, 日本語で「便所」を「トイレ」という借用語に置き替えたり, さらに「トイレに行く」を「用を足す」と言ったりするのは婉曲語法である.

英語にも多くの婉曲表現があり, 日本語と類似したものもあるが, 多くは異なっているので, その点に注意が必要である.

英語では, die (死ぬ) のような直接的な表現を避けて, pass away とか breathe *one's* last などと表現したり, cancer (がん) の代わりに tumor (はれもの) と言ったりする.

婉曲語法の特徴は, ある語句を別の語句に言い換えても, すぐにそれが穏やかさや上品さを失って, また別の表現が必要になるというように, 時代とともに変遷が激しいことである.
(i) 婉曲語法にはセックスに関するものも多いが, これらは従来からいずれの国においても公共の場では言ってはならない語 (taboo (word)) とされているものを言い換えたものなので, たとえどう言い換えたところで, そういう話題を持ち出すこと自体が適当ではないという場面が多い.

例えば cunt (女性性器) には pussy という婉曲表現があるが, これも taboo とされる. 正式に, 解剖学的に言えば woman's [female] sex organ であるが, これは婉曲表現ではない.

しかし, もしもこのような話題が必要なときは, 婉曲表現を使うよりも解剖学的, 科学的用語のほうが好まれるということは心得ておくべきである.

なお, 最近の傾向として, この面における婉曲表現を嫌い, かなり積極的にそのものずばりの表現を使うことが多くなったと言える.

しかし, いまだに英米の辞書でも fuck (性交する) は taboo とされており, 代わりに have sex, have sexual intercourse という表現のほうがよいとされているので, 外国人である我々はその点を心得ておかなくてはならない.
(ii) 日本語でも同様であるが, 英米でも社会的差別を示す語にはきわめて敏感になってきており, この分野での婉曲語法は盛んに用いられている.

night watchman (夜警) → security officer (警備員) // garbage collector (ゴミ収集人) → sanitation engineer (衛生管理員) などがその例である.

しかし, 例えばかつて黒人に対して用いられた colored people という婉曲語法がかえって差別語となり, 代わりに black というそのものずばりの言い方が, 黒人の民族意識の高揚とともに正式に用いられるようになったのと同じように, 婉曲語法がかえって差別意識につながる場合もしばしばある.
(iii) 差別感を抱かせまいとするための婉曲表現は, 最近では特に政治の分野でいちじるしい. そして, 政治的, 社会的差別を含まない表現を「政治的に正しい (politically correct《略 PC》)」表現と呼ぶ.

the poor (貧民) → lower income brackets (低所得者層), the underprivileged (恵まれない人々) と表現されたり, underdeveloped countries (低開発国) がそれらの国民に与える心理的影響を考慮して the less-developed countries から, さらには developing countries (開発途上国) と言い換えられたり,

さらに natives (土着の人)を indigenous people (その土地固有の人)と言い換えたりするのはその例である.

婉曲表現は元来社交上の必要から生じたものであるが, 今日では, 社会・政治関係の用語が中心になりつつあると言える.

なお, 英語の婉曲表現には, 以上のほかに宗教, 迷信関係のものもかなりあるが, 和英辞典の立場からは必要性が少ないと考えたので省略した.

大文字 (capital letter)

大文字は次の場合に用いられる.

(1) 文の最初の文字. 引用文の場合も同様.

¶たいていの人はそう考える Most people think so. // 彼は「あしたは忙しい」と言った He said, "We will be busy tomorrow."

(2) 人称代名詞の I と感嘆詞の O は常に大文字.

(3) 固有名詞, およびそれに準ずるもの. さらにそれから派生した語.

(i) 人名: エリザベス Elizabeth (Elizabethan [名] [形]) // マルクス Marx (Marxian [形] [名], Marxist [名], Marxism [名])

(ii) 地名: 日本 Japan (Japanese [形] [名]) // アメリカ America (American [形] [名], Americanize [動])

(iii) 月・曜日・祝祭日: 9月 September // 月曜日 Monday // クリスマス Christmas // 元旦 New Year's Day

(iv) 敬称・称号: 山田教授 Professor Yamada // エリザベス女王 Queen Elizabeth

(v) 宗教関係: (キリスト教の)神 God ★ 代名詞では常に大文字で He, Him などとする. [語法] 日本の神道のように多神教の場合は god と小文字で普通名詞扱いとなる. // 天なる父 the Father // 神の子 the Son of God // 聖書 the Bible

(vi) 時代・史実: 中世期 the Middle Ages // 第一次世界大戦 the First World War / World War I

(vii) 海・川・湖: 太平洋 the Pacific Ocean // テムズ川 the river Thames / the Thames // びわ湖 Lake Biwa

(viii) 親族: 母 Mother // 父 Father // よし子おばさん Aunt Yoshiko [語法] 冠詞・所有代名詞のついた時は小文字. ((例) the mother, my father). なお, 家庭内で父母を Father, Mother のように呼ぶ習慣は消えつつある.

(4) 書名・雑誌名・論文名・新聞名など.

冠詞・接続詞・前置詞は普通, 名称の最初の語でない場合は大文字にしない. ただし文字数の多い前置詞 (普通6字以上) は大文字にする. 《☞ アンダーライン (巻末)》

(i) 書名: 『風と共に去りぬ』 *Gone with the Wind*

(ii) 雑誌名: 『ニューヨーカー』 *The New Yorker*

(iii) 新聞名: 『タイムズ』 *The Times*

(5) 詩の各行の初めは大文字にする.

可算・不可算名詞 (countable and uncountable nouns)

英語の名詞には, one, two, three などの数詞を付けて数を数えることができ, 2つ以上の場合は複数形になり, 1つの場合, すなわち単数の場合は単数形に不定冠詞 a, an が付くものと, 1つ2つと数えることができず, 従って複数形が用いられず, 単数形に不定冠詞が付かないものとの2種類がある. 前者を可算名詞, または数えられる名詞 (countable noun), 後者を不可算名詞, または数えられない名詞 (uncountable noun) という. この辞書では訳語欄で可算名詞を [C], 不可算名詞を [U] として示してある.

(1) 可算名詞と不可算名詞の区別について.

普通名詞, および集合体を1つのものとしてまとめて考える場合の集合名詞は可算名詞で, 物質名詞と抽象名詞は不可算名詞であるが, 同一の語でも意味によって可算名詞となったり不可算名詞となったりして両用に使われることがあることに注意しなくてはならない.

例えば beauty (美) は元来抽象名詞であるが, 「美しい人・美人」という意味では普通名詞となり, 可算名詞となる. 一般に物質名詞が種類を表したり, 製品の意味になったりする場合, また, 抽象名詞が具体的な事物を指したりするときは可算名詞となると考えてよい.

また silence (静けさ・沈黙) のような抽象名詞に形容詞が付くと a long silence (長い沈黙) のように不定冠詞が付くが, 複数形が用いられることはない. 不定冠詞は付くが, 複数形にはならないということであれば, この silence は [C] と [U] の中間的存在ということもできるが, このような場合は学習上は抽象名詞に形容詞が付くと原則として不定冠詞が付くという語法上の決まりとして覚えたほうがよい.

この辞書では簡潔な記述をするために, silence のような抽象名詞には [U] とのみ表示し, 特に必要のないかぎり, a long silence のように形容詞を伴う場合に不定冠詞が付くことについては, 語義の欄では触れないことにした. ただし用例にはこのような表現がしばしば含まれている.

以上のほかにも, 実は [C] と [U] とに明確に割り切れない場合がいろいろある. 例えば trousers (ズボン) は普通は複数形で用いられ, 単数形では用いられない. また, smoke は「煙」という物質名詞で不可算名詞であるが, have a smoke (たばこを吸う・一服する) という言い方では不定冠詞が付くが, 複数形にはならない. このような場合, この辞書では「★ 複数形で」とか「a を付けて」のような説明を付け, 特に [C] [U] の区別はしていない. このようなものに [C] [U] の区別をしても学習上の意味がないからである.

しかし, 以上のほかにも [C] とも [U] ともとれるような名詞があり, それらについては学習という観点から思い切って割り切ることにし, 主として [U] だがときに [C] のものは [U], 主として [C] で場合によっては [U] のものは [C] として記述してある. これをそれぞれ [U,C], [C,U] のように記述することも可能であるが, 和英辞典の立場からは割り切るほうが学習者の便宜に適するであろうと考えたからである. 《☞ 冠詞 (巻末)》

(2) 不可算名詞の数え方.

不可算名詞を何らかの単位で数える場合には次のような語句を用いる.

¶コップ1杯の水 *a glass of* water // コップ2[3]杯の水 *two* [*three*] *glasses of* water // 1杯のコーヒー *a cup of* coffee // 2[3]杯のコーヒー *two* [*three*] *cups of* coffee [参考] ただし, 喫茶店などの用語として *a* coffee, *two* coffees のように coffee を [C] として用いることがある. // パン1切れ *a slice of* bread // 2[3]切れのパン *two* [*three*] *slices of* bread [語法] ただしパン1斤 [1かたまり]は *a loaf of* bread, 2[3]斤 [2[3]つのかたまり]は *two* [*three*] *loaves of* bread // 1つの忠告 *a piece of* advice // 2[3]つの忠告 *two* [*three*] *pieces of* advice

以上のほか, 多くの単位があり, 具体的には各項目,および「数の数え方（囲み）」を参照のこと．

かっこ (parentheses) 日本語で「かっこ」という場合には，表題にあげた parentheses（丸かっこ，すなわち ( )）のほかに，brackets（角がっこ，すなわち [ ]）も含むが，英文の中で用いられることが多いのは丸かっこであるので，主として丸かっこの用法について述べることにする．なお，かっこは始めと終わりの 1 対で 1 つの単位なので，普通は複数形の parentheses という名称で呼ばれる．

次のような用法がある．

(1) 本文中に含む必要はないが，それがあれば意味がより明確になるような言葉を付け加える場合．

¶彼はオックスフォード大学(英国)の出身だ He graduated from Oxford University (*Britain*). // 感嘆符は書く場合に驚きや強い感情を表すのに用いられる Exclamation marks (*or points*) are used in writing to express surprise or strong emotion. / An exclamation mark (*also called an exclamation point*) is used in writing to express surprise or strong emotion. // この市には多くのいろいろな公園があります（正確には，現在 48）There are many different parks in this city (there are exactly 48 now).

(2) 箇条書きにするときの番号に用いる（ちょうどこの項目の (1), (2) のように）．ただし，( ) を付けないことも多いが，その場合は番号の後にピリオド（.）を打つ．

なお，( ) に文が入る場合には，その文のピリオドは付けないで，文全体のピリオドのみ付けるのが普通．

また，この辞典での説明・記述の中での ( ), [ ] は英語の文での通常用法とは異なり，記述上の約束ごととして用いているので，それについては巻頭の「この辞書の使い方」を参照されたい．

巻末

冠詞 (article) 冠詞は名詞および名詞相当語句の前に置かれるが，定冠詞 (the)，不定冠詞 (a(n)) の 2 つがある．定冠詞は文脈，または状況によって限定された名詞，すなわち 1 度話題にのぼったり，話題にのぼらなくても，すぐそれとわかるようなものに付けるのが最も基本的な用法で，定冠詞の付いた名詞は代名詞に似た働きがあると考えればよい．しかし，そのほかに，太陽 (the sun)，月 (the moon) のように唯一無二と考えられる名詞に付けたり，最上級や序数詞，数量の単位など限定の意味の強い名詞にも付く．不定冠詞は単数の可算名詞《☞ 可算・不可算名詞（巻末）》に付けて用い，不特定の 1 つであることを表す．

無冠詞，すなわち定冠詞も不定冠詞も付けない名詞は物質名詞や抽象名詞であるが，物質名詞及び複数の名詞には冠詞の代わりにしばしば some などの漠然とした冠詞類(これを決定辞と呼ぶことがある)が付く．無冠詞であるということは抽象名詞化するということで，普通名詞が抽象化されて無冠詞になることもよくある．

ここでは作文上特に必要と思われる固有名詞と冠詞の関係，及び無冠詞の具体的な場合について述べる．

1 固有名詞と定冠詞 (definite article)

次の場合は冠詞が付く．

(1) 国名で，複数形をとるもの，および Kingdom, Republic などが付くもの．

¶アメリカ合衆国 *the* United States of America // 英国 *the* United Kingdom // 南アフリカ共和国 *the* Republic of South Africa

(2) 国民を総称的に表す場合．

¶フランス人 *the* French // 英国人 *the* English // スペイン人 *the* Spanish

(3) 山脈・群島．

¶アンデス山脈 *the* Andes Mountains // カナリア諸島 *the* Canary Islands

(4) 河川・大洋・運河・砂漠．

¶テムズ河 *the* Thames // 大西洋 *the* Atlantic Ocean // スエズ運河 *the* Suez Canal // サハラ砂漠 *the* Sahara Desert

(5) 建物のうち，図書館・美術館・博物館・官庁・銀行・店舗など，個人名の付かない場合．

¶メトロポリタン美術館 *the* Metropolitan Museum // ウエストミンスター銀行 *the* Westminster Bank // 文部科学省 *the* Ministry of Education // スタトラーホテル *the* Statler Hotel [参考] ただし，アンバサダーホテル Hotel Ambassador など，Hotel が最初に置かれる場合のように，冠詞の付かないものもある． // エンパイアステートビル *the* Empire State Building

(6) 船名・列車名．

¶クイーンエリザベス号 *the* Queen Elizabeth // ゴールデンアロー号 *the* Golden Arrow

(7) 学校名で，University などが先に来る場合．

¶ハワイ大学 *the* University of Hawaii

(8) 委員会・クラブ名など．

¶ロータリークラブ *the* Rotary Club // 外務委員会 *the* Foreign Relations Committee

(9) 新聞・雑誌・聖書など．

¶タイムズ紙 *the* Times // デイリーメール紙 *the* Daily Mail [語法] 例えばアメリカの週刊誌 *Time* のように原題に the の付いていないものも，引用するときは the を付ける．ただしこの the はイタリック体にせず(手書きでは下線を引かず)，the *Time* のようにする．《☞ イタリック体（巻末）; アンダーライン（巻末）》 // 聖書 *the* Bible

(10) 家族の総称．

¶ブラウン家[ブラウン兄弟] *the* Browns

(11) 官庁名・官職名などが固有名詞化された場合．

官庁名や官職名は，普通名詞として扱われることもあるが，特定の国の特定のものを指すときは大文字で書き，固有名詞扱いされる．その場合は the が付く．

¶外務省 *the* Foreign Office / *the* Ministry of Foreign Affairs // (アメリカの) 国務省 *the* ˈState Department [Department of State] // 総理大臣 *the* Prime Minister ★ただし，*Prime Minister* Junichiro Koizumi のように，称号となる場合は無冠詞． // (アメリカの)国務長官 *the* Secretary of State

2 不定冠詞 (indefinite article)

(1) 単数の可算名詞とともに．《☞ 可算・不可算名詞（巻末）》

¶ロンドンは大きな都市だ London is *a* big city.

(2) 特に，(i) 総称的に用いる場合．(ii) 数詞 one の意味で用いる場合がある．《☞ 総称用法（巻末）》

(i) ライオンは危険な動物だ *A* lion is *a* dangerous animal.

(ii) 彼は 1 日か 2 日で帰ってきます He will be back in *a* day or two.

(3) 抽象名詞とともに用いて抽象名詞を普通名詞化する場合．

¶まだ負ける場合もあり得る Defeat is still *a* possi-

bility. ★ possibility は元来 Ⓤ で「可能性」であるが，上の文では「起こりうること」という普通名詞．
(4) 物質名詞とともに用いて種類・分量などを表す．
¶これはほんとうによいワインですね This is certainly *a* good wine.

3 固有名詞と不定冠詞

次の場合は不定冠詞が付く．
(1) 作品などを表す場合．
¶レンブラントの作品 *a* Rembrandt // 本物のモネの作品 *a* genuine Monet
(2) …という人．
¶私はテーラーという人にそこで会った I met *a* Mr. Taylor there.

4 無冠詞

(1) 物質名詞・抽象名詞には冠詞が付かない．
¶コーヒーにしますかそれともお茶にしますか Would you like coffee or tea? // 正直は最良の策 Honesty is the best policy.《ことわざ》 ★ ただし，「砂糖を下さい」Give me *some* sugar. のように，量を特定しない場合には物質名詞にしばしば some が付く．
(2) 次の名詞は無冠詞．
(i) 食事名．
¶朝食ができました Breakfast is ready.
(ii) 病名．
¶盲腸炎 appendicitis // ぜんそく asthma /ǽzmə/ // がん cancer
(iii) スポーツ名・遊戯名．
¶私たちは野球[テニス，ブリッジ]をした We played ˹baseball [tennis; bridge].
(iv) 学科名．
¶歴史学 history // 言語学 linguistics // 地理学 geography
(v) 建物名がその本来の目的を表す場合．
¶私はきのう教会[学校，病院]へ行った I went to ˹*church* [*school*; 《米》 *the hospital*, 《英》 *hospital*] yesterday. // 食事中はお行儀よくしなさい Be polite at ˹*the table* [《英》 *table*]. 語法 以上の例でもわかるように church, school などを除き，《米》では the を付ける傾向が強い．
(vi) 補語として用いられる官職・身分を表す名詞．
¶彼は翌年大統領に選ばれた The following year he was elected president.
(3) 固有名詞の場合．
1, 2 で述べた固有名詞以外のものは普通は無冠詞である．
(4) 慣用用法．《☞ イディオム (巻末)》
(i) 対句のとき．
¶彼らは夫婦になった They became husband and wife. // 2 人は腕を組んで歩いた They walked arm in arm.
(ii) そのほか動詞句あるいは副詞句の中で．
¶起こる take place // 参加する take part // 握手する shake hands // 床につく go to bed // 夜中[夜，昼]に at ˹midnight [night; noon]

感嘆符(号)

(exclamation point; 《英》 exclamation mark) 句読点の 1 つ．
次の場合に用いる．
(1) 感嘆文の終わりに．
¶何て美しい朝なのだろう What a beautiful morning (it is)! // そうおっしゃって下さるなんて，何とご親切なのでしょう How kind of you to say so!
(2) 強い感情を表す語や語群，および注意を引くための語や語群の終わりに．
¶助けて Help! // 火事だ Fire! // 気をつけろ Be careful! / Watch out! // 何て悲しいことだ How sad! ★ 感嘆符は必要以上に多用すべきではないとされる．

擬人化

(personification) 無生物や抽象概念などを人間にたとえて，代名詞も he, she で受ける作文上の方法を擬人法という．
擬人法は詩や韻文で好まれるが，ここでは動物も合わせて，口語における英語特有の擬人化の例を幾つか取り上げる．
(1) 動物．
犬・猫・馬・牛など，大きな哺乳類の動物は多くの場合，人間と同じように性別に合わせて he, she で呼応する．
¶「あなたの犬はおとなしいですか」「いいえ，知らない人を見るといつもすごく吠えるんです」 "Is your dog quiet?" "No. *He* barks furiously every time *he* sees a stranger." 参考 小鳥，その他の小動物は it で受けることも多いが，それらをペットとしている飼い主はやはり擬人化するのが普通．
(2) 車・機械類など．
車の持ち主などは自分の車を擬人化する習慣がある．
¶この車はもう 5 年も使ったが，1 度もエンジン故障がない I have been driving this car for five years, but *she* has never had any engine trouble. // 満タンにして下さい Fill ˹*her* [it] up, please. 語法 ガソリンスタンドでの言葉．it を用いるほうが上品とされる．

疑問符(号)

(question [interrogation] mark) 句読点の 1 つで，クエスチョンマークともいう．
次の場合に用いられる．
(1) 疑問文の終わりに．
¶彼女はそこにいますか Is she there? // だれがそんな質問をしたのですか Who asked such a question? // だれに図書館で会ったとおっしゃいましたか Who did you say you met in the library?
間接疑問の場合には，次の例のように，疑問符は付けない．
¶彼女は私たちが映画に行ったかどうか私に尋ねた She asked me whether we went to the movie.
(2) 疑問の意味を持つ語，あるいは語群の終わりに．
¶私ですって Me? // 左側の 2 番目の家ですか The second house on the left?
(3) 付加疑問の終わりに．
¶あなたは A さんですね You are Mr. A, aren't you? // あなたは来ないのでしょう You aren't coming, are you?
(4) 引用された疑問文，疑問の語句の終わりに．
¶彼は私に「あすはどういう予定ですか」と言った He said to me, "What are your plans for tomorrow?" ★引用符と疑問符の位置に注意．引用されたものが疑問文の場合には疑問符は終わりの引用符の前に置く．また次の例のように引用部分が全体としての疑問文の一節にすぎない時には，疑問符は引用符の後に置く．((例)「いいえ」と言ったのですか Did you say "No"?)《☞ 引用符(号) (巻末)》

くだけた英語と堅苦しい英語

(formal and informal English) 日本語の場合と同様に，英語で

は単語に類義語があり，また句や文には意味の似た表現が幾つもあって，ほぼ同じ内容のことが幾つもの違った言葉や表現を使って言い表せる.

なぜかというと，1つには大まかな意味は同じでも，本来持っている意味のニュアンスが少しずつ違う語句や表現が幾つもあるためであり，いま1つにはくだけた言い方と堅苦しい言い方とではおのずと使う単語も違い，また文の表現も異なるためである.

前者は obtain (努力して手に入れる), acquire (時間をかけて手に入れる) のような類義語や類義表現の場合である.《☞ 類義語 (巻末)》

後者は例えば，単語の場合だと，poor に対して impecúnious (金がない) とか hard up (金に困っている), flat broke (一文なしの) などという言葉の持つ関係を見るとわかる. poor はごく普通の日常的な言葉であるのに対して，impecunious はたいへん堅苦しい改まった言葉であり，また hard up, flat broke はよく会話で使われるくだけた表現である.

また，文の例をあげると，「彼はどこに行くのですか」は Where is he going? と言えばごく普通の言い方だが，What is his destination? (彼の目的地はどこか) と言えば格式ばって堅苦しくなる.

このような違いは言葉を使う環境・状況の違いによって起こる. 学術論文とか改まった演説をする場合は自然に堅苦しくなるし，親しい友人と話したり，親しい人に手紙を書いたりするときはくだけた表現となるのである. この点は日本語でも状況が似ているから理解は難しくないであろう.

そこで，これらの区別を，

(i) 堅苦しい表現 (または「格式ばった表現」「改まった表現」).

(ii) 普通の表現.

(iii) くだけた表現.

の3段階に分けて考えるのが都合がよい.

英語を学習する際にはこれらの段階の区別に常に注意しなくてはならない. なぜならば，例えば遠慮を置く間柄の人にぞんざいなくだけた表現を使って無用な誤解や摩擦を起こしたり，あるいは3つの段階をめちゃくちゃに使って「ごめんあそばせやがれ」式のこっけいな表現になったり，ひいては自分の意思が誤って伝わったり，意味が不明になったりすることがあるからである.

日本人に多い例は，3つの段階の混同のために意味不明になるケースである.

本辞典では，この3段階に関する情報をできるだけ正確に示すように努めた. しかも単なる3つの段階の区別のほかに，「やや…」という表現で中間的な区別も示すようにした.

使われている用語は堅苦しい表現には「格式ばった表現」「改まった表現」などとなっており，続いて「やや格式ばった表現」「やや改まった表現」という区別があり，普通の表現については訳語が複数ある場合は普通の表現として最も多く使われるものに「最も一般的」という説明がついている.

また語の本来持つニュアンスの違いのために幾つもの訳語があり，そのほとんどが普通の表現の場合には，それ以外のものに (★) を使って「格式ばった語」「専門的な語」などの説明を付けるようにした.

くだけた表現については「くだけた表現」,「略式語」また主として話し言葉，日常会話に使われるものには《略式》という印が付いている.

また，大切なことは，1つの日本語に対して幾つかの訳語がある場合には，そのいずれが他と比べてよりくだけているか，あるいはより格式ばっているかということであり，その区別を示すことにも本辞典の全体を通じて配慮がなされてある. その場合には「前者のほうが(より)口語的」「後者はより格式ばった語」などと比較の形式で示されている.

以上のような，堅苦しさやくだけた感じによる言葉の区別は類義語を作る大きな要因の1つであり，類義語・類義表現には語の本来持つ意味の違いだけでなく，堅苦しさとか，くだけている感じなどの違いが絡んでいることが多いという認識は重要である.《☞ 文体 (巻末)》

句読点 (punctuation mark) 日本語の句読点は普通，丸，点，かぎかっこ，丸かっこなどであり，? (疑問符), ! (感嘆符), — (ダッシュ) などは一貫して使われているというわけではない. しかし，英語では次の記号が使われることはほぼ定着しており，この用法を正しく覚えることは英作文上たいへん重要なことである. というのは，これらの記号はそれぞれ特定の意味を持っており，それを間違えると意味があいまいになったり，あるいはまったく違った意味になってしまうことがあるからである.

英語の句読点には次のものがある. (以下のうち*のあるものは各項参照)

*(’) アポストロフィ (apóstrophe), (*) アステリスク (ásterisk), ({ }) 大がっこ (braces), ([ ]) 角がっこ (brackets), *(( )) かっこ，丸かっこ (paréntheses), *(∧) 脱字記号 (caret), *(:) コロン (colon), *(;) セミコロン (semicolon), *(,) コンマ (comma), *(—) ダッシュ (dash), (…) 省略符号 (ellipsis) ★文の一部を省略するときに使う; *(!) 感嘆符(号) (exclamation 「point [《英》 mark]), *(-) ハイフン (hyphen), (….) リーダー，引出線 (leaders) ★ 目次などに使う; *(.) ピリオド (period), *(?) 疑問符(号) (question mark), *(“ ”) 引用符(号) (quotation marks), *(__) アンダーライン (underline, underlining).

形容詞の2用法 (attributive and predicative uses of adjectives) 形容詞には限定用法，述語 [叙述] 用法と呼ばれる2つの使い方がある.

1 2用法の区別

(1) 限定用法

名詞について直接これを修飾する.

¶ 幸福な王子 the *happy* prince // 赤いバラ *red* roses

普通，限定用法の形容詞は修飾される語の前に置くが，中には後に置く場合もある.

¶「きょうの新聞に何か新しいことが載っていますか」「いや，別に」“Is there anything *new* in today’s paper?” “No, nothing (*new*).” 語法 一般に -thing の付く不定代名詞は形容詞が後に置かれる. // 利用しうる最も新しい技術 the most advanced technology *available*

(2) 述語用法.

補語として，主語・目的語に関する叙述を行う.

¶ 王子は幸福だった <S (人)+V (be)+C (形)> The prince was *happy*. 《主格補語》 // 彼らは王子を幸福にした <S (人)+V (make)+O (人)+C (形)> They made the prince *happy*. 《目的格補語》

大部分の形容詞は限定用法・述語用法のいずれにも用いられるが，中にはどちらか一方にしか使わないもの，どちらにも用いるがそれぞれ意味の異なるものもある.

2 2用法に関する注意

(1) 限定用法のみに用いるもの. 本辞典では Ⓐ で示す.
¶私の姉 my *elder* sister《英》★《米》ではこのような場合 older を使うことが多い. // まったく見ず知らずの人 an *utter* stranger // 当クラブの前会員 the *former* member of our club // 上部右隅 the *upper* right-hand corner // 総計 the *sum* total // ほんの子供 a *mere* child // まったくの幸運 *sheer* luck // 内側[外側]の表面 the ˹*inner* [*outer*] surface // 時折りのにわか雨 *occasional* rain showers // 酔っ払った男 a *drunken* man [語法] drunk は叙述的に用いる. ((例) 彼は酔っ払っている He is *drunk*.)
(2) 述語用法のみに用いるもの. 本辞典では Ⓟ で示す. 性質よりも, 一時的な状態を表すものが多い.
¶彼女はその犬を怖がっている She is *afraid* of the dog. [語法] (1)「怖がっている女の子」の場合は the *frightened* girl のように言う. // 彼らは二人とも似ている They are *alike*. [語法] (2) alike に対する限定用法の形容詞には like があるが, 例えば *like* value (同じくらいの値打ち) のような場合に用い,「あなたによく似ている人」のような場合は a man who is just *like* you のような言い方になるのが普通. // 彼女は独りぼっちでした She was all *alone*. // 赤ん坊は眠っています The baby is *asleep*. [語法] (3)「眠っている赤ん坊」の場合は the *sleeping* baby のように言う. // お母さんは元気です My mother is *well*. [語法] (4) 限定用法の「元気な (⇒健康な)」は healthy. ただし主として《米》では a *well* man (健康な人) のような用法もある. // この魚は生きていますか Is this fish *alive*? [語法] (5) 限定用法の形容詞は living または live /láɪv/. // 彼はぱっちり目が覚めていた He was wide *awake*. // 油は火がつきやすい Oil is *liable* to catch fire. // 計画は変更される場合もある The schedule is *subject* to change. // あなたはそれで満足ですか Are you *content* with it? [語法] (6)「満足した顔つき」は a *contented* look のように言う.
(3) 限定用法と述語用法で意味が違うもの.
¶彼女は有能な教師だ She is an *able* teacher. // 彼女は泳ぐことができる She is *able* to swim. // 不幸 *ill* luck // 彼女は病気で寝ています She is *ill* in bed. [語法]《米》では sick を用いるのが普通. // あなたは彼の成功を確信していますか Are you *certain* of his success? // 私はある場所で彼に会いました I met him at a *certain* place. // いまの市長 the *present* mayor // 私たちの中にはそのパーティーに出席していた人もいました Some of us were *present* at the party.

語順 (word order) 語や句が文中で占める位置を語順という. 日本語でも英語でも主語が普通文頭に置かれるという点では同じであるが, 日英の最も際立った違いは, 日本語では動詞 (または英語の動詞に相当する語句) が文の終わりにくるのに対して, 英語では動詞は主語の次の位置にくることである.

従って主語と動詞のみの文 <S+V> では「戸が開いた」The door opened. のように日英の語順は変わらないが, それ以外の文では, 英語では目的語 (O), 補語 (C) などは動詞の後に置かなくてはならない. この日英の違いを端的に表現して, 英語は <VO 構文>, 日本語は <OV 構文> という言い方をする場合がある.

次に日英で語順が食い違う場合の例を 1, 2 あげる.

(1)「…は…が…だ」

この日本語の構文にそのままの語順で対応する英語はない.

例えば,「象は鼻が長い」という日本語はどう英語に直したらよいであろうか. この文は「象の鼻は長い」という別の日本語に言い換えができるが, これをそのまま An elephant's trunk is long. のような英語に直すと原文と少し意味がずれる. なぜなら, 原文は象の鼻の長さを話題にしているのではなく,「象というものは, 鼻の長い動物だ」 のように象そのものを話題にしているからである.

このような場合, 英語では have を使って, An elephant *has* a long trunk. のように言うのがよい. 一般に人や物の特徴や性質を言う「…は…が…だ」は, 英語では have を用い, <S+V+O> の文型にして訳すのがよい.

¶彼女は目が青い She *has* blue eyes. // 東京は人口が多い Tokyo *has* a large population. [日英比較] ただし「彼は背が高い」He is tall. のように,「…が…だ」の部分が英語では 1 語の形容詞で置き換えられる場合もかなりあることに注意.

(2)「…に…がある」,《英》There ˹is [are] …

「机の上に本がある」のように不特定のものがあることを表すには, 英語では There ˹is [are] で文を始める.「…に」と場所を表す語句は文尾に置く.

ただし, There ˹is [are] の構文は,「私の」「父の」などや定冠詞が付いた特定の名詞については使えない. 例えば「私のかばんがテーブルの上にある」は My bag is on the table. と <S+V> の構文になる.

(3) 発想上, または習慣上語順が異なる場合.

例えば 「儀式の後で夕食会があった」 は英語では Dinner followed the ceremony. のように, 日本語と語順が逆になる. これは英文の発想が「夕食会が儀式の後に続いた」となるからである.

また, 日本語では「あなたと私」「彼女と私」は「私とあなた」「私と彼女」 のように語順を逆にしても特に違いはないが, 英語では習慣上 I は常に最後に置き, you and I, she and I としなくてはならない. このような発想上, 習慣上の語順の違いもかなりあることに注意. (☞ 発想 (巻末))

(4) 疑問文.

(i) 疑問詞のない疑問文.

日本語では「か」を文尾に付けると疑問文になるが, 英語では動詞 (あるいは助動詞) と主語の語順を逆にすることで疑問文を作る.

be 動詞の時は be を文頭に出し, その他の動詞の場合は do [does; did] を文頭に出す. [語法]《英》および一部の《米》では have 動詞は所有の意味の場合には be 動詞に準じて do [does; did] を用いずに, 主語の前に出して疑問文を作る.

なお話し言葉では文尾が上がり調子で言われる.

¶あなたはアメリカ人ですか *Are you* (an) American? // 彼は大学生ですか *Does he go* to college? // 入ってもいいですか *May I come in*?

(ii) 疑問詞のある疑問文.

日本語では「何」「どこ」のような疑問を表す語は文中でその答えになる語を置く位置にそのまま置いてかまわないが, 英語では普通は文頭に出さなくてはならない.「普通は」と言う理由は, 1 つには文頭に副詞句 [節] が置かれる場合があること, そしてまた 1 つには特に口語において,「あなたが何を買ったんですって」と相手の言ったことに対しておうむ返しの質問をするときに "You bought *what*?" のような語順をとることがあるからである.
¶あなたはどこの学校に通っていますか *What* school do you go to? // 結婚式はいつですか *When* will the wedding ceremony be? // 何が起こったのですか *What* happened? ★ このように疑問詞が主語の場合のみ日本語と語順が一致する.
(5) 祈願文.
「…でありますように」という願いや祈りを表す文は, 英語では may を文頭に出して言う形が一般的である.
¶あなたのコンサートが成功しますように *May* your concert be successful!

誇張 (overstatement, hyperbole) 実際より大げさな表現を使って, 読者や聞き手に強い印象を与えようとする表現法.「…のように」などの比喩を使う言い方が多い.《☞ 比喩 (巻末)》

効果的に用いられれば, 格調の高い威厳のある文体を作り出したり, 場合によってはユーモラスな表現となったりする. しかし, 乱用すると仰々しく空疎な印象を与えることになる.

英語と日本語では誇張の仕方に違いがあり, 日本語でごく普通に用いられる誇張表現も, 英語にそのまま直すと意味が正確に伝わらないことがある点に注意.《☞ 発想 (巻末)》
¶ずいぶん長い間 (⇒ 幾時代も) 会わなかったね I haven't seen you for *ages.* // 波は山のように高くなった The waves rose *mountain high.* // 汗が滝のように (⇒川となって) 顔を流れた The sweat ran down my face *in rivers.* // 地下鉄ですし詰めにされた (⇒ 缶詰のいわしのように詰め込まれた) We were packed in the subway *like sardines.* // 目から火が出た (⇒ 星が見えた) I saw *stars.* // 猫の額ほどの土地 a small strip of land [参考]「猫の額」という比喩は英語では使われない.

語法 (usage) 語い・語形・連語関係・慣用などの各面における実際的な用法のことをいう.

(i)「語い」の面でいえば, 新語や古語などの使われ方などは語法の問題となる. 例えば「郊外」という意味で exurb が使われ出したのは 1955 年以後のことであり, また日本語のベッドタウンに相当する英語は bedroom suburb(s) [town] であって, bed town という英語はない. 以上のことなどは日本人の英語学習という観点からの語法上の問題である.

(ii)「語形」の面から見た語法の問題としては, 例えば「君はきのうだれに会ったか」という英語では *Who* did you meet yesterday? のほうが口語的で, Whom を用いるのは, 文法的には正しいとされながらも普通ではない, などの問題が 1 例にあげられる.

(iii)「連語」の面では「スープを飲む」は *eat* soup のように動詞は eat を用いること, あるいは「…て死ぬ」という表現では die *with* …, die *from* …, または die *of* … のように, 動詞と前置詞の結び方で意味上の区別が起こるかどうか, また die に続く with, from, of はどのようなパーセンテージで用いられているか, などは語法研究の課題である.《☞ コロケーション (巻末)》

(iv)「慣用」については, 前述した語形の問題と重なるところもあるが, It's *me.* と It's *I.* では, 文法的には後者が正しいとされるが, It's *me.* が口語においては慣用語法として確立されている, ということを調べるのも語法研究の問題である.

このように語法とは必ずしも文法にとらわれない実際の言葉の用法のことで, これを調べるには実地作業 (fieldwork) をして多くのデータを集めなくてはならない. また学習上から見ると, 常に英文の語法的な面に気を配って聞き・読むこと, 辞書の語法的な注意にも注目すること, 語法関係の書物もできるだけ読むことなどが必要である.

本辞書では学習上必要な語法についての注意を [語法] または ★ の印を付けて, できるだけ多く載せるように努力したので, 参照されたい.

コミュニケーション (communication) コミュニケーションとは言語などによる意志・感情・情報の伝達のことである. しかし, 内容を正確に相手に伝えることはなかなか難しい. というのは, コミュニケーションで伝達されるのは言葉の文面の意味だけではなく, 文面の奥に隠された含意 (implication) も含まれるからである. 例えば Do you have a map? という疑問文は単に「地図を持っていますか」という字づらの意味だけでなく, 場合によっては「地図を見せて欲しい」, あるいはガソリンスタンドなどで「(無料の)道路地図をもらいたい」などの含意が含まれることが多い.

コミュニケーションには 3 つの重要な要素がある. それらは話者の意図, 聴者の解釈, そして 2 人に共通のシチュエーション [あるいは文脈 (context)] である. 会話というのは自分の思っていることをすべて言葉にしなくてはならないとするとずい分煩わしいものになる. 当然相手にわかるだろうということは省略することが多い. だから, 話者はシチュエーションから多分相手が汲みとってくれるであろうと期待して文面の意味に託して含意をこめて発話するのである. それを受ける聴者はシチュエーションをもとにして相手の意図を解釈 (interpret) しなくてはならない. その際互いに持っている, 共通の会話の原則ともいうべき認識は, 人は十分必要な量の情報を, しかもできるだけ誠実に, しかも話題に関係することだけを, できるだけわかり易い方法で相手に話すものであるということである.

これにもとづいて聴者の解釈が行われるのであるが, その解釈は常に相手の意図を正しく汲みとるものとなるとは限らない. そこに, 誤解や曲解の生まれる原因がある. 話し手は善意のつもりで言ったことが, 聴者には皮肉やいや味に聞こえたり, 冗談が通じなかったり, 話者が考えてもみなかったような解釈を聴者がすることも起こる. ましてや異言語間のコミュニケーションとなるとその難しさは一層大きくなる.

個人どうしの誤解ならまだよいが, 国と国との間の誤解となると事は重大である. 戦争などというものは往々にしてこのようなコミュニケーションの不成立から起こるものである. 異言語, 異文化間のコミュニケーションの重要性が叫ばれる所以はここにある.

コミュニケーションは話し言葉のみでなく, 書き言葉についても全く同様に考えなくてはならない. この場合は話者を筆者 (writer), 聴者を読者 (reader) と置き換えればよい. 書かれた文面の奥に隠された筆者の意図を解釈するためには文脈というシチュエーションをよく理解して筆者の意図を見抜くように慎重に読まなくてはならない. 特に外国語の場合, 文面を日本語に訳したとしても, 筆者の含意がつかめなければ意味がわかったことにはならない. このような慎重な読み方をすることを read between the lines (行間を読む) という.

また, 話者[筆者]は相手に誤解をさせないように, 自分の意図が正しく伝わるような話し方, 書き方をすることが必要である. このように話者[筆者], 聴者[読者]両方の側からの努力によってコミュニケーションの成立度は向上するのである.

コロケーション (collocation) 語と語の結びつき方, すなわち「連語法」をいう.

例えば, 日本語では「ピアノを弾く」「笛を吹く」「太鼓をたたく」というように楽器によって動詞が違うが, 英語では *play* the piano, *play* the flute, *play* the drum のように, 「演奏する」 という意味ではすべて play という動詞を使う. ただし, play だけが唯一の動詞ではない. 例えば「たたく」という動作に重点を置けば *beat* the drum (太鼓をたたく) という言い方もある.

このような結びつき方は動詞と名詞のコロケーションである. これらは各国語によって異なっているので, ちょうど単語を覚えるのと同じように, このコロケーションも覚えておかなくてはならない. そうしないと単語を幾ら知っていても, 実際には使えないことが多い. 日本語で「床を敷く」というが, 英語では make the bed というし, 「茶を入れる」は make tea である.

英語のコロケーションでは, 以上のような組み合わせのほかに次のようなものがある.

(i) 動詞や形容詞と前置詞のコロケーション: die ˹*of* [*from*] …; be interested *in* …; be good *at* … ing

(ii) 主語と動詞のコロケーション: 猫が鳴いている A *cat* is *mewing*. // 虫が鳴いている *Insects* are *chirping*. // 戦争が起こった *War broke out*. // 2 国間に条約が結ばれた A *treaty was* ˹*concluded* [*signed*] between the two countries. ★ 以上のように, 意味に従って主語に対する動詞が決まっている場合が多い.

(iii) 形容詞と名詞のコロケーション: a *pretty girl* とは言っても a *pretty boy* とは言わない, などが重要である.

本辞典ではコロケーションの重要さを考え, できるだけ多くのコロケーションを用例に入れるように努めた. また, それを補うために囲みで所々にコロケーションを示している. 囲みには特に, 「形容詞＋名詞」「動詞＋名詞」「名詞＋動詞(主語と述語動詞の場合など)」を中心に載せている. しかもそれらを名詞の項に載せるようにした. それは, 名詞をコロケーションの基語として扱うのが検索に便利だからである.

コロン (colon) 句読点の 1 つで (:) の印. 次に内容の敷衍(ふえん)的または付加的説明, 言い換えなどが続くことを示す記号.

よくセミコロン (;) と間違えられるが, セミコロンは区切りを表し, コンマとピリオドの中間的終止の記号であるから, まったく性格が異なる. コロンはいわば (→) 的な性格を持ち, 次に続くことを表す点が大きな特徴である. ⦅☞ セミコロン (巻末)⦆

コロンには次のような用法がある.

(1) 文中での本来の用法.

(i) 次に敷衍的・付加的説明が続くことを表す.

¶ *この調査の目的は次のとおりである. すなわち*… The aims of this survey are (as follows): ….

(ii) やや格式ばった, 長めの引用文の前に使われることがある.

¶ 首相は記者会見で次のように語った. 「我々は国会の解散は考えていない. しかし…」 The prime minister told the news conference: " We are not considering the dissolution of the Diet. However, …. "

(2) 慣用的な記号として.

(i) ⦅米⦆ で時刻を数字で示すとき.

¶ 10:25 a.m. [参考] ⦅英⦆ では 10.25 a.m. のようにピリオドを用いる.

(ii) 著者名に続いて書名をあげるとき.

¶ Thornton Wilder: *Our Town*, 1938 [語法] コロンの代わりにセミコロン, またはコンマも用いられる.

コンマ (comma) 句読点の 1 つで (,) の記号. 文の途中にあって, 短い休止・段落を示す.

次のような用法がある.

(1) 2 つ以上の形容詞・名詞・副詞などを並べる場合.

¶ すてきで, 清潔で, 住み心地のよい部屋 a *nice*, *clean*, (*and*) *comfortable* room // 「あなたは朝食に何を食べますか」「たいていトースト, コーヒー, フルーツジュース, 卵などです」 " What do you have for breakfast? " " I usually have *toast*, *coffee*, *fruit juice*, (*and*) *eggs*. " [語法] 幾つか並べられたうちの最後の形容詞(または名詞など)の前には, and を入れても入れなくてもよい. また, and を入れた場合, その前のコンマはあってもなくてもよいが, どちらかと言えばコンマを打つほうが格式ばった言い方.

(2) 主節の前に置かれたり, 長めであったり, あるいは主節とあまり密接に結びついていない副詞句・副詞節の前後に用いる.

¶ もし私がその飛行機に乗っていたら事故にあっていたでしょう *If I had taken that plane*, I would have been involved in the accident. // そのうちに彼の健康は衰え始めた *In course of time*, his health began to fail.

(3) 挿入語句の前後に用いる.

¶ 彼はいわば生き字引きみたいなものだ He is, *as it were*, a walking ˹encyclopedia [dictionary].

(4) 呼びかけの語句の前後に用いる.

¶ よし子さん, こんにちは Hello, *Yoshiko*.

(5) yes, no の次に用いる.

¶ 「これはあなたのかばんですか」 「はい, そうです」 " Is this your bag? " " *Yes*, it is. " [参考] Yes. または No. のみで終わるときはピリオドを付ける.

(6) 同格であることを示す場合.

¶ こちらは私の親友の田中君です This is *Tanaka*, a very good friend of mine. [語法] ただし, my friend Tanaka のような場合はコンマは用いない. つまり, Tanaka, who is a very good friend of mine, …のように, 非制限用法の関係詞節に言い換えられるような場合のみコンマが必要である.

(7) 非制限用法の関係代名詞・関係副詞の前に用いる.

¶ 私はその書類を鈴木氏に送り, 彼はそれを渡辺氏に回した I sent the papers to Mr. Suzuki, *who passed them on to Mr. Watanabe*.

(8) 直接話法で伝達部と被伝達部との間に用いる.

¶ 彼は 「もうおなかがぺこぺこだ」 と言った He said, " I'm starving. "

(9) その他の慣用的用法.

(i) 住所を示すとき.

¶ 1-6-2 Sakura-machi, Chiyoda-ku, Tokyo 100 Japan [語法] 数字の次には用いない. また改行するときは, 行末にはコンマを打たない.

(ii) 手紙の書き出しの後に.

¶ Dear Tom, …

(iii) 数字で, 桁を示すとき.

¶ 3,561,234 ★ three million, five hundred sixty-one thousand, two hundred (and) thirty-four と読む.

(iv) 感嘆詞 oh の後に.

¶ああ, わかりました *Oh*, I see. 語法 O には付けないのがよいとされているが, この区別は英米でも実際には必ずしも守られていない.

字さがり (indention, indentation) 文章の書き始めやパラグラフの始めを, 左端を少しあけて書き始めること. 《☞ パラグラフ (巻末)》

普通, 手書き (handwriting) のときは約 3 センチ, パソコンのときは 5 ストロークぐらいあける.

ビジネスレターなどでは, パラグラフとパラグラフの間を 1 行あけ, 字さがりをしない場合が多いが, 個人の手紙や小説などでは, 字さがりはパラグラフの切れ目を示す大切な役目を果たす. 《☞ 手紙の書き方 (囲み)》

なお, 字さがりは以上のほかに, 物語・小説などで人の言葉を引用するとき, 詩などで原詩の 1 行を 2 行に分けるときの 2 行目の書き始めなどに用いられる. 《☞ 引用符(号) (巻末)》

借用語 (loanword) ある言語に他の言語から入って用いられるようになった語をいう.

(1) 英語における借用語.

英語はその歴史の中で数多くの借用語をとり入れた言語である.

まず第一に多いのがフランス語である. これはイギリスでは 1066 年のノルマン人の侵入以来 300 年にわたって公用語がフランス語となり, しかもフランスのほうが文明が進んでいたために, court, judge, administer, govern などの法廷・政治用語, army, navy などの軍隊用語, beef, dinner, fruit, pork などの料理用語, art. color, harmony, literature, science などの美術・学術用語をはじめ, 多くの文化的な用語が英語に入ったことによるものである.

ところで, フランス語はラテン語 (Latin) を祖先とする言語であるから, 上にあげた語もほとんどのものはラテン語を起源とする語であるが, フランス語を介さずに直接ラテン語から英語に入った語も多い. もともと, イギリス人は現在のドイツ人と同じゲルマン人で, アングル (Angles)・サクソン (Saxons)・ジュート (Jutes) の 3 種族からなり, ヨーロッパ大陸から 5-7 世紀の間に移住してきた. その際すでに大陸で butter, candle, cheap, cheese, dish, wall, wine など, かなりの数のラテン語を借用語としてとり入れていた. その後長い間に宗教・学問に関するような語いを多量にラテン語から借用したのである.

またギリシャ語 (Greek) は, はじめラテン語・フランス語を通して, 後に 17-18 世紀ごろからは直接に, 主として学術用語として英語にとり入れられた.

さらに特徴のあるのはスカンジナビア半島のノルウェー語の祖先古代北欧語で, これはヴァイキングという海賊たちに 9-10 世紀にわたってかなりの地域を占領されていた時代に英語に入ってきた(実際に広まったのは少し後であるが). 例えば want, take, sky, skirt, law など, さらには 3 人称複数代名詞の they という重要な語まで借用したのである.

以上のほかに, ロシア語, ペルシャ語, 中国語, 日本語など, 英語は世界の言語にもあまり例を見ないほど多くの借用語を抱えている言語である. しかし, それがまたかえって英語に国際語としての有利な地位を与える原因の 1 つになっているともいえる.

(2) 日本語における借用語と英作文上の注意.

日本語もある意味では英語と同じように借用語の多い言語である. まず中国語から多量に語いを借りたのはいまさら言うまでもないが, 明治以後は英語を中心として, 多くのヨーロッパ系借用語が入り, この傾向はいまも続いている.

ところで, これらの借用語について英作文上注意しなくてはならないことがある. それは, 借用語というものは, 学問上の, 定義をして用いる用語などを除けば, 普通はもとの言語で持っていた意味と違う意味になるか, あるいはもとの意味のある一部しか残らないような使い方をされるということである.

例えば日本語では「セックス」は「性別」は意味しないし,「デート」も日付の意味では用いない. さらに「デパート」というのはそのまま英語に直すと depart で,「出発する」の意味であり,「百貨店」department store とは似ても似つかない語になってしまう.

さらにバックミラー, ナイター, ベースアップなどのように, 外国語に似ていて実はそうではない和製外来語がたくさんある.

従って借用語を英文の中で用いようとするときには, この点をよく確かめてから用いないと, 誤りを犯すことになりがちである.

修辞疑問 (rhetorical question) 強意表現の 1 つで, 形は疑問文であるが, 相手の答えを求めているのではなく, 反語的に話者の考えを納得させようとする表現.

Who knows? (=No one knows.) あるいは Who doesn't know that? (=Everyone knows that.) のように, 肯定の疑問文は否定の平叙文に, 否定の疑問文は肯定の平叙文に相当するが, 修辞疑問文を用いると平叙文を用いた場合よりはるかに感情的であって, 文意は強められる.

従って説得の折とか, 演説などでは好んで用いられるが, 余り多用すると作為的で不自然な文体となるおそれがある.

なお修辞疑問には, 疑問詞を伴う特殊疑問 (special question) だけでなく, 一般疑問 (general question) も用いられる.

¶おかしいだろう Isn't it funny? (=It's very funny.) // 私がそんなところへ行きたがっているものか Would I go to a place like that? (=I would not go to a place like that.)

省略 (ellipsis) 日本語でも英語でも一度述べられたこと, あるいは述べられていなくても前後関係から相手に当然わかっていると思われることを言わないですませたいという気持ちが働くのは当然のことである.

例えば駅で切符を買うために窓口に行き,

「私に大阪行きの切符を 1 枚ください」

などと言う人はまずいないだろう. 忙しい窓口のことだから,

「大阪, 1 枚」

で用は足りるし, そうするのが自然である.

つまり,「私に」も「行きの」も「切符」も「ください」もみなわかっていることで,「私」以外の人に切符を売ってくれと頼むことはあり得ないし, 窓口で買うのは「切符」に決まっている.

こういう状況は英語でも似ていて, 窓口では,

"A ticket for Osaka."

と言えばよい. 丁寧にするなら, please を付けて,

"A ticket for Osaka, please."

と言う. 日本語の「大阪 1 枚お願いします」に当たる.

この英語のもとになる文は,

Please give me a ticket for Osaka.

で, "Please give me" が省略されていることになる.

では日本語と英語で言葉のむだを省くための規則はどうなっているのであろうか. まず, 同じこと, わかっていることを繰り返さないためには次の 2 つの方法がとられる.

(a) 代名詞またはその他の代用形 (here, there とか so, such など) に換える.

(b) 省略する.

ここでは (b) のみを扱い, (a) については「代名詞」の項で扱う. なお, 省略の 1 つである「略語」についてはその項参照.

省略する際, 省略しないとおかしな文になる場合, 省略してもしなくてもよい場合の, 2 つの場合が考えられる.

(1) 省略しないとおかしな文になる場合.

英語を中心に考えると次のような規則をあげることができる.

(i) 同一文の中で同じ動詞句が繰り返される可能性のある場合は, 2 番目以降を省略する.

¶ その本を家に持って行きたければ持っていっていいよ You can take the book home if you want to. 語法 (1) 後に "take it home" が省略されている. なお, これは省略ではなく, 文の最後の "to" を動詞句全体の代用形と考えて,「代不定詞」と呼ぶ場合もある. // 太郎は自分の部屋を, 二郎は居間を, 花子は食堂を掃除した Taro cleaned his room, Jiro the living room, and Hanako the dining room. 語法 (2) Jiro と Hanako の後に cleaned が省略されている. この文は cleaned を繰り返しても文法的に間違った文とはならないかもしれないが, 冗長で幼稚な文となる.

なお, 日本語では第 1 文の場合「そうする」を使って,「持って帰りたければそうしてもいいよ」と言うこともあるが, 英語と違って動詞句を繰り返す (ただし目的語ぬきで) のはごく自然である. また, 第 2 文のように, 日本語では省略する場合は, 最後の動詞のみ残し, 前の動詞を省略する.

(ii) 比較表現での省略.

¶ 彼はあなたより背が高い He is taller than you (are). 語法 (3) 最後に tall が省略されており, これは用いてはならない. are のような be 動詞は口語ではしばしば省略しないで用いる. そのほうが文意がはっきりするからである. なお He studies much harder than I (do). (彼は私よりずっと勉強家だ) のような場合, do まで言うと省略ではなく, study の代わりに代動詞 do を用いた表現となる. なお, 口語では than I の代わりに than me もしばしば用いられる. // 花子は二郎よりもあなたをもっと愛しています Hanako loves you much more [better] than Jiro. 語法 (4) than の後に "she loves" が省略されている. この文は多少あいまいで, than 以下では Jiro は文法的には主語にもなり得るが, 前後関係から明らかであればこれでよい. もし必要なら she loves を繰り返すことは許される. この規則は日本語と似ていると言ってよいが, 英語では日本語よりもっと厳しく繰り返しを排除する.

(iii) 間接疑問文での省略.

¶ 彼は会議に出席しないと言ったが, なぜだかわからない He said he wouldn't attend the meeting, but I don't know why. 語法 (5) why の後に he wouldn't attend the meeting が省略されている. 一般に間接疑問文が前に述べられたことの繰り返しの場合は, このように疑問詞のみで代用する. なお, 日本語では「来ないと言ったがなぜ来ないかわからない」とも言えるが, 英語では繰り返しをするとかなりおかしな文になる.

(iv) 前置詞の省略.

¶ 私は何か大変なことが起こるのではないかと心配している I'm afraid that something terrible might happen. 語法 (6) be afraid of の of のような前置詞は that 節などの従属節の前では省略される.

(v) and, or の省略.

¶私は朝食にトースト, コーヒー, ジュース, 卵を食べる I have toast, coffee, fruit juice, and eggs for breakfast. 語法 (7) このように名詞などが羅列されるときは A, B, C, D, and E のように, 最後の名詞の前にのみ and を付ける. and の前のコンマはあってもなくてもよい. 《☞ コンマ (巻末)》

なお, A and B and C ... のように and を繰り返すのは一つ一つに特別な強調を置く場合か, さもなければ幼稚な文となる. or の場合も同様.

(vi) 慣用的な省略.

¶ 私はおじの家に泊まっている I'm staying at my uncle's. 語法 (8) uncle's の後に home または house が略されている. このように前後関係から明らかな名詞が慣用的に省略されるのは, ほかに St. Paul's (Cathedral), 《英》 barber's (shop) (《米》 barbershop) などがある.

(2) 省略してもしなくてもよい場合.

この場合は, 文体(すなわち, 口語的・文語的など), 個人の好み, 前後関係などが絡むため, 精密な規則は立てにくいが, ごく大まかに言って, 特に会話では相手のわかっていることは文法規則の許すかぎり省略されることが多いということである. この項目の冒頭にあげた例もその 1 つである.

¶「どうだい」「元気だよ」"How are you?" "Fine. / OK. / Pretty good." ★ かなりくだけた対話. //「あなたは高校生ですか」「ええ」"Do you go to high school?" "Yes." 語法 (9) この場合 Yes. のみでは失礼な答え方で, Yes, I do. のように代動詞 do を用いて答えるほうがよい. // それはおもしろい Very interesting.

以上のように会話では, しばしば代名詞の主語, be 動詞, 繰り返しになる修飾語句などを省略して言うことが多い.

(3) 最後に以上の文法的な省略とは別に, 発言を途中でやめたり, あるいは, 引用する場合に必要な部分だけ引用して途中や後を省略したりする場合に用いる記号について述べておこう.

それは (...) という 3 つの点から成る記号で, 文の後半を省略する場合はピリオドを含めるので, (....) と点が 4 つになる. 印刷はもちろん手書きのときも点の数は慣習によって決まっているので間違えないようにしなくてはならない.

接頭辞 (prefix) 1 文字, または数個の文字からなり, 語の前に付いてその語の意味を(時には機能をも)変えるものである. 接頭辞はそれ自体独立して用いられることはない.

(1) 英語でよく用いられる接頭辞には, 次のようなものがある.

happy (幸せな) → *un*happy (不幸な)
honest (正直な) → *dis*honest (不正直な)
social (社会的な) → *anti*social (反社会的な)
build (建てる) → *re*build (再建する)
war 名 (戦争) → *pre*war 形 (戦前の)
complete (完全な) → *in*complete (不完全な)
regular (規則的な) → *ir*regular (不規則な)
legal (合法的な) → *il*legal (不法な)

[語法] 以上3つのin-, ir-, il- は否定語を作る接頭辞であるが，*in*-, *ir*-, *il*- の2番目の音はその後にくる元の形(complete, regular など)の最初の音によって決定される．また，これらのほかに im- もある．
sonic (音(速)の) → *super*sonic (超音速の)
(2) 意味が似通った接頭辞でも，どの語にどの接頭辞を用いるかは，おおむね慣用的に決まっている．
comfort (安楽) → *dis*comfort (不快)
comfortable (快い) → *un*comfortable (不快な)
capable (できる) → *in*capable (できない)
able (できる) → *un*able (できない)
しかし，接頭辞によって意味の差が生じる場合もある: moral (道徳的な) → *im*moral (ふしだらな); *un*-moral, *a*moral, *non*moral (以上3つは「道徳に関係ない」の意)
(3) 接頭辞の後には，ハイフンを置かないのが普通だが，次の場合にはハイフンを用いる．
(i)「前の」という意味の ex-, および「副・代理」の意味の vice-: *ex*-president (前大統領 [学長，会長]), *ex*-wife (先妻), *vice*-chairman (副議長)
(ii) 大文字で始まる語の前に付く場合: *anti*-American (反米の), *Pan*-American (全米の)
(iii) つづりが同じでも意味や発音が違う語を区別するため: *re*-creation /rìːkriéɪʃən/ (改造)—recreation /rèkrɪéɪʃən/ (休養，娯楽), *re*-sign /rìːsáɪn/ (再び署名する)—resign /rɪzáɪn/ (辞任する)

接尾辞 (suffix) 1文字，または数個の文字からなり，語の後に付いてその語の意味や機能を変えるものである．接尾辞はそれ自体独立して用いられることはない．
(1) 英語でよく用いられる接尾辞には，次のようなものがある．
(i) 抽象名詞を作る．
kind (親切な) → kind*ness* (親切)
free (自由な) → free*dom* (自由)
express (表現する) → express*ion* (表現)
judge (判断する) → judg(e)*ment* (判断)
honest (正直な) → honest*y* (正直)
capital (資本) → capital*ism* (資本主義)
(ii) 形容詞を作る．
nation (国家) → nation*al* (国家の)
eat (食べる) → eat*able* (食べられる; 食べておいしい)
beauty (美) → beauti*ful* (美しい)
atom (原子) → atom*ic* (原子の)
irony (皮肉) → iron*ic*(*al*) (皮肉な)
[語法] (1) 次の場合の意味の相違に注意: history (歴史) → histor*ic* (歴史的に有名な・由緒ある), histor*ical* (歴史上の・歴史的な) / economy (経済・節約) → econom*ic* (経済上の・経済学の), econom*ical* (経済的な・徳用な)
mercy (慈悲) → merci*less* (無慈悲な)
passion (情熱) → passion*ate* (情熱的な)
man (男) → man*ly* (男らしい)
business (事務) → business*like* (事務的な)
fool (ばか者) → fool*ish* (ばかな)
[語法] (2) 次の意味の違いに注意: woman (女) → woman*ly*, woman*like* (女らしい), woman*ish* ((男が) 女みたいな，めめしい)
(iii) 動詞を作る．
strength (力) → strength*en* (強める)
modern (近代の) → modern*ize* (近代化する)
[語法] (3) -ize はしばしば英国では -ise となる．((例) real*ise* (《米》 realize), civil*ise* (《米》 civilize), Angl*icise* (《米》 Anglicize))
glory (栄光) → glori*fy* (栄光を与える)
(iv) 副詞を作る．
easy (容易な) → easi*ly* (容易に)
west (西) → west*ward*(*s*) (西へ)
(v) 人を表す．
write (書く) → writ*er* (作家)
novel (小説) → novel*ist* (小説家)
god (神) → godd*ess* (女神)
employ (雇う) → employ*ee* (従業員)
(2) 接尾辞は普通，ハイフンを付けないが，読みにくさを避けるために用いることがある: bell-*like*, skill-*less*
(3) 接尾辞には普通，強勢はないが，次のものは強勢がある: refer*ée*, engin*éer*, Japan*ése*, pictur*ésque* など．

セミコロン (semicolon) 句読点の1つで(;)の記号．コンマ(,)より大きく，ピリオド(.)より小さな区切りを示す．形はコロン(:)と似ているが，用法はまったく違うので間違えないようにしなくてはならない．(☞コロン (巻末); コンマ (巻末); ピリオド (巻末))
セミコロンには次のような用法がある．
(1) 対照的な内容の節を接続詞を用いずに並列する場合．
¶強者は常に正しく，弱者は常に悪者にされる The powerful are always right; the weak always wrong.
(2) 中にコンマを含む句を区切る場合．
¶私の好きな花は次のようなものだ．すなわち，色のよさから言えばばらの花，そしてその明るさから言えばきんぽうげ These are my favorite flowers: roses, for their color; and buttercups, for their cheerfulness.

総称用法 (generic use) この用法には，(1) 人称代名詞の we, you, they および不定代名詞の one が，人称・数の区別をこえて，不特定の一般の人々を指す場合と，(2) 名詞が同種類のもの全体を指す場合とがある．
(1) 代名詞の場合．
「車を運転するときは慎重でなければならない」という日本語の英訳としては *We* [*You*; *One*] must be careful when driving a car. のように1人称，2人称の複数代名詞や one を用いて言い表すことができる．また，「社長が近く辞めるそうだ」は *They* say that our president will resign soon. のように，世の中の人々を漠然と指す they を用いて訳すことができる．もちろんこのほかにも訳し方はあるが，一般に「私たちは」とか「人は」というように，不特定の人々一般を指していう場合にしばしば we, you, they が用いられる．これらの用法を総称用法という．ところで，以上4つの代名詞はいずれもまったく同じに用いられるのではなく，それぞれに多少意味合いの違いがある．
we は自分を含めた言い方で多少謙遜した感じ，you は聞き手に訴える言い方なので親しみはあるが，多少尊大な感じに聞こえる場合もある．one は改まった感じで，暗に著者自身を指す場合が多い．they は1人称，2人称が除外された言い方なので，うわさとか場所的に限定された場合に用いられる．
(2) 名詞の場合．
(i) Ⓤ の付いた不可算名詞は無冠詞でそのまま用いればよい．
¶鉄 (⇒鉄というもの) は金属である *Iron* is a metal.

// 我々は紙（⇒紙というもの）にものを書く We write on *paper*.

（ii）Ⓒ の付いた可算名詞の場合は，例えば「ふくろう（⇒ふくろうというもの）は昼間はよく見えない」という日本語に対して *Owls* [An *owl*; The *owl*] cannot see well in the daytime. の 3 通りの英訳が可能である.

しかし，この場合もそれぞれに意味合いの違いがあって，無冠詞の複数形と不定冠詞つきの単数形はいずれも口語体であるが，前者のほうが普通. 定冠詞つきの単数形は格式ばった言い方である.

従って可算名詞の場合は，無冠詞複数形を用いた言い方が会話や普通の文章では最も適当な訳し方ということになる.《☞ 冠詞（巻末）; 可算・不可算名詞（巻末）》

代名詞（pronoun）代名詞とは名詞・名詞句[節]または文の代わりに用いられる語のことで，英語では人称代名詞（I, you, he, she, it, we, they），指示代名詞（this, that, these, those），疑問代名詞（who, what, which），不定代名詞（one, some, any, something, nothing, etc.），再帰代名詞（myself, yourself, himself, etc.），関係代名詞（that, which, who, etc.）がある. それ以外にも代名詞ではないが，代名詞と同じような働きをする言葉，すなわち，here, there, so, where, when, etc., それに定冠詞を付けて my car の代わりに the car のように言い換える言い方などがある. これらは代名詞を含めて代用形（pro-form）と呼ばれる.

英語は日本語よりずっと多く代用形を用いる傾向があるので，日本語と英語の代用形の使い方の違いに注意する必要がある. ここでは主として日本語と英語の代名詞の使い方の違いを中心に，代用形全体を含めた広い範囲について述べる.

（1）人称代名詞.

英語では同一文または同じ話題について話す連続した文では，一度話題に出た名詞は原則として人称代名詞に置き換えなくてはならない.

日本語では「この本はだれの本ですか」と名詞を繰り返しても，また「この本はだれのですか」と 2 回目には「の」を使ってもよいが，英語では Whose *book* is this *book*? は誤りであるので，代名詞を使うということは日本語よりもっと厳しい規則である.

次の日本語の対話と，それに対する英語の訳とを比べてみよう.

「この傘はあなたの傘ですか」
「いいえ，私の傘ではありませんよ」
「ではだれの傘でしょう」
"Is this umbrella *yours*?"
"No, it's not *mine*."
"*Whose* is it, then?"

上の対話では，日本語の場合「傘」が 4 回も繰り返されている. 少しくどい気はしても決して間違いではなく，このほうが「の」を使うより丁寧な言い方とされることが多い. ところが英語の場合は yours, mine, whose などの所有代名詞を用いないと文法的におかしな文となる.

また，日本語では「今度の日曜日はご在宅ですか」のように主語を省略して言う場合が多いが，英語ではこのような場合に Will *you* be at home next Sunday? のように you という主語を入れなくてはならないことにも注意がいる.《☞ 省略（巻末）》

（2）指示代名詞.

英語では話し手に近い範囲のものを指す this, these と，話し手から遠くにあるものを指す that, those の 2 種類しかないが，日本語では話し手に近いものを指す「これ」，相手に近いものを指す「それ」，話し手からも相手からも離れたところにあるものを指す「あれ」の 3 種類があり，これを近称・中称・遠称と呼ぶ. またこれらに「どれ」を加えて「こそあど」と呼んだりする.

そこで，日本語と英語では当然指示する範囲が食い違うことになる.

すなわち，「これ」と this はだいたい同じだが，「それ」と「あれ」はいずれも英語では that となる.《☞ それ[1] 日英比較 表》

なお，it は人称代名詞で，指示する働きはまったくない点に注意しなくてはならない.

¶「それは何ですか」「計算機ですよ」"What's *that*?" "It's a calculator." 語法 英語の質問は状況によっては「あれは何ですか」にも当たる. いずれの場合にも答えの文の 'it' は「それ」とは訳せないことに注意.《☞ それ[1]》

（3）one について.

特定のものを受ける代名詞が it であるのに対して，同じ種類の不特定のものを受けるのが one である.

one は複数形（ones）にもなるし，形容詞・冠詞を伴うこともあるが，this, that などとともに用いられることも多い.

one は Ⓒ の名詞の代わりに使うもので，Ⓤ の名詞の代わりには that を用いる.

日本語では「の」または「もの」という言葉が one または that に当たることが多いが，ぴったり当てはまる言葉がないこともある.

¶このシャツは少し小さすぎます. もっと大きいのはありませんか This shirt is a little too small. Do you have a larger *one*? 語法 (1) 同じシャツではないから it では受けられない. //「あのネクタイを見せてもらえますか」「こちら(の)でございますか」"May I have a look at that tie?" "This *one*, sir?" 語法 (2) 日本語では「の」は言わないほうが多いが，英語では one を付けるのが普通. // ライターをなくした. また買わなくてはならない I lost my lighter. I must buy *one*. 語法 (3) この one は日本文の「また」に相当している.

（4）some と any.

some は普通肯定文，any は否定文と疑問文で用いられるが，some を疑問文に用いることも多い.

¶瓶には牛乳がまだ少し残っている There's *some* milk left in the bottle. 語法 (1) some はこのように Ⓤ の名詞に付くときは，漠然とした「量」を表す. // 机の上に(何冊かの)本があります There are *some* books on the desk. 語法 (2) some は Ⓒ の名詞の複数形に付いて漠然とした「数」を表す. 日本語ではこのような場合には何も言わないことが多い. // 彼女は何かの理由でそこに行けなかった She could not be there for *some* reason. 語法 (3) some は単数名詞に付いて「何らかの」の意味を表す. //「あなたはアメリカ人の友人がいますか」「いいえ 1 人もいません」"Do you have *any* American friends?" "No, I do*n't* have *any*." 語法 (4) 有無をきく文では any を用いる. // クッキーをいかがですか Would you like [How about] *some* cookies? 語法 (5) この場合は欲しいか欲しくないかを聞いているのではないから some を用いる.

（5）代名詞以外の代用形についての注意.

日本語では同じ名詞を繰り返すような場合でも，英語ではなるべく代用形を用いるほうがよい.

例えば「あなたはいつ日本に来ましたか」When did you come to Japan? という質問をした後, 日本語ならば「いつまで日本に滞在されますか」とか「日本はいかがですか」のように「日本」を繰り返してもおかしくないが, 英語では, それぞれ "How long will you be *here*?" "How do you like *this country*?" のように代用形を用いるのが普通である.

また何らかの理由で人称代名詞を使わない場合は, *the* man, *the* dog のように定冠詞つきの名詞を用いるが, これも英語では頻繁に用いられる代用形である.

さらに,「僕はきのう野球を見に行ったんだ」「僕も見に行ったよ」という対話を英語に直す場合を考えてみよう. 日本語では2回目には「野球を」を省略してしまうが, 英語ではこのような省略はできない. その代わり, 述語全体を do または so に代えて, "I went to the baseball game yesterday." の答えは "I *did*, too." とか "*So* did I." とする. このような do や so は頻繁に用いられる.「私もそう思う」I think *so*, too. の so も同じだが, この場合は日本語と一致する.

否定の場合は neither または nor を使って「私もそうしなかった」*Neither* did I. のように言う. また,「そうしたければしていいよ」You can do it if you want *to*. のように to で不定詞全体を表す言い方もある.《☞ 省略 (巻末)》

脱字記号

脱字記号 (caret) (∧) の記号を用い, caret /kǽrɪt/ と呼ぶ. 文中に脱落している語句を加える場合に,

nice
He has a ∧ bicycle.

のように (∧) を行の下に入れて, 挿入する語句を行の上に書くのが習慣である.《☞ 訂正 (巻末)》

ダッシュ

ダッシュ (dash) 句読点の1つで (—) という横線の記号.

手書きではハイフンより長めの線を引けばよい.

ダッシュの本質はコンマと似ていて, 文中のある要素を他の部分と切り離すために用いられる.《☞ コンマ (巻末)》

多くの場合コンマで代用できるが, その特別の用法は次のとおりである.

(1) 挿入語句を示すとき.

¶ 彼女は子供のとき, 私たちもそうだったが, とても恥ずかしがりやだった She was—as many of us were—very shy in (her) childhood.

(2) ためらい・口ごもりを示す.

¶ ありがとうございました, ええと, すみませんがお名前を忘れました Thank you, Mr. —excuse me, but I have forgotten your name.

(3) 前に述べたことをまとめるとき.

¶ りんご, オレンジ, バナナ, いちご, これらはみんな私の大好きな果物です Apples, oranges, bananas, strawberries—all these are fruits I like very much.

(4) 突然話が中断したことを表す.

¶ あなたはすぐあの娘に会ってやらなければ. あの子は— You should see her right away. She's—

(5) 数字・人・場所などが不明なことを表す.

¶ *1900* 何年かに in *19*— // 某氏 Mr.—

短縮形

短縮形 (contracted form) 英語の口語では be 動詞あるいは助動詞と, not を縮めた n't とを結びつけて, isn't, aren't, wasn't, don't, doesn't, won't /wóʊnt/ (=will not), mustn't /mʌ́snt/ (=must not) のようにしたり, あるいは主語と be 動詞または助動詞を結びつけて I'm (=I am), John's (=John is), she'll (=she will), you've (=you have), I'd (=I would, I had) のようにして1語のように発音することがある. これを短縮形という. 短縮形は本来話し言葉のためのものであるが, 書くときには省略した印としてアポストロフィ (apostrophe) を付ける. 短縮形は, 例えば It'sn't のように2つを続けて用いることはできず, It's not ... か It isn't .... のいずれかにしなくてはならない. 本辞典では口語的表現の用例ではできるだけ短縮形を用いるようにした.

つづり字の切れ目

つづり字の切れ目 (division of words) 英語の語には音節ごとに切れ目を作ることが可能で, 行の終わりなどで語を途中で切らなくてはならない場合にはハイフン (-) を使って, その切れ目で切ることになっている.

どこに切れ目を置くかは英和・英英などの辞典の見出し語に示されており, それ以外の箇所で勝手に切ってはならないことになっている. 従って, その度ごとに辞典を参照するのが一番確かな方法であるが, 切れ目の作り方についての基本的なことを覚えておくと便利なので, その幾つかを述べてみよう.

(1) 語はなるべく途中で切らないように努力すること.

英語を書く場合, 行の左端はそろえなくてはならないが, 右端は凸凹になってもかまわないことになっている. 従って, 非常に長い単語などで, どうしてもやむを得ない場合以外は切らないで, 少し余白があきすぎても次の行に送るのがよい.

(2) 単音節語は切れない.

音節は母音を中心とするから, 母音が1つしか含まれていない語, 例えば, the, ship, desk, splash, caught などは切ることができない.

なお, つづり字の切れ目は必ずしも発音上の音節の切れ目と一致しているわけではないが, 大体において発音を基本にしていると言ってよい. 従って, 発音されない母音字は勘定に入れないから, 例えば, take, line, matched などは母音字が2つ含まれているけれども切ることができない.

(3) 語の初め, または終わりの1字のみを切り離すことはできない. 2字を切り離すことも好ましくない.

例えば enough, many のように2音節語で, 辞書によっては e·nough, man·y のように切れ目を示してあっても, このような語は切らないのが望ましい.

(4) 同じ子音字が重ねてある語はその真ん中で切る.

例えば committee, difference, runner のような語の切れ目は com·mit·tee, dif·fer·ence, run·ner となる. ただし, pass·port, class·mate のような複合語は各要素ごとに切る.

(5) もともとハイフンでつながれた語は, ハイフンの箇所以外では切らないのが望ましい.

例えば half-witted や leave-taking はそれぞれハイフン以外にも切れ目があるが, なるべく切らないこと. 1語に2つのハイフンがつくと読みにくくなるからである.

(6) つづり字の切れ目はつづり字のように一定しておらず, 辞書によって多少の相違がある. それは主として語源を重視した伝統的な切り方によるか, それとも発音を重視した切り方にするかの違いである. 例えば, England は伝統的には Eng·land という切り方であった. これは Eng は「アングル人 (Angles) の」の意の Engla- に由来する Enge が元になっていて England で「アングル人の国」の意だからである.

しかし, England の発音は /íŋglənd/ で, Eng で切ると発音上は /íŋ-/ で切れることになる. しかし英語で

は /-ŋ/ で終わる語はあっても /-ŋg/ で終わる語はない．そこで発音を重視する切り方では En·gland と切ることになる．これは English でも同様で発音を重視すれば En·glish という切り方になる．

最近では英米の多くの辞書が発音重視の切り方になってきており，『ルミナス和英辞典』でもほぼその方式によっている．

訂正 (correction) スペリングの間違いを訂正したり，書き落とした語句などを付け加えたりするときには次の注意がいる．

(1) 訂正は語全体を横線で消し，行の上に正しいものを書く．

(2) 語句を挿入するときは ∧ という記号 (これを caret (脱字記号) と呼ぶ) を用い，挿入する語を行の上に入れる．

senior
(例) a ∧ high school student

(3) あまり訂正の多いものは，もう一度清書し直す．

丁寧な表現 (polite expression) 英語には敬語はないとよく言われるが，丁寧な表現とぞんざいな言い方の区別はある．ただし日本語と違い，「私」「おれ」「あなた」「おまえ」などの代名詞の区別や，「聞く」に対して「承る」，「行く」に対して「参る」「伺う」などの動詞の区別のように丁寧さの度合による類義語が存在することはないし，また，「お手紙」「ご出発」などの「お-」「ご-」のような接辞を使った丁寧な表現も存在しない．

それに，日本のタテ関係の社会と違い，英米では職務上の地位の違いがそのまま私的な対人関係での身分の違いに結びつくようなことがないため，日本の社会と比べると日常生活では相手をうやまったり，自己を卑下したりする必要が少ない．従って，英語における丁寧な表現は相手をうやまって使う敬語 (honorific expression) というよりも，むしろ改まった言い方あるいは行儀のよい言い方 (polite expression) と考えるべきである．

ところで，以上は日本語と英語との言葉づかいの上での丁寧さの違いであるが，真の意味での丁寧さとは何であろうか．日本語とか英語とかの区別なく，いくら丁寧な言葉づかいをしても内容が失礼になることはいくらでもある．例えば「そのじゃがいもの皮をむいていただけませんでしょうか」というような相手に負担をかけるようなことをいくら丁寧な言葉で言っても相手の負担には変わりはない．逆に満員電車の中で老人に席を譲るときなどは，たとえ「おかけなさい」と半ば命令調で言っても決して失礼とは言えない．このように内容から見ると，相手の負担が大きいほど失礼で，逆に相手の利益が大きいほど丁寧である．

(1) 相手への要請の丁寧な表現．

相手に負担をかけるような要請をする必要があるときはせめて言葉の表現の仕方で丁寧になるように努めるのが普通である．その方法はできるかぎり強制的，命令的にならないように，間接的に表現することである．それは言い換えれば相手が "No." と言える余地を残すような表現をすることである．最も間接的な方法は何気ない話の中に含意として要請を含めて相手に悟らせ，あたかも相手が自発的に話者が要請する行為を行うように仕向けることである．

しかし，ここでは話者の言葉に要請を入れる場合の丁寧さについて考えてみよう．以下は下にゆくほど間接的で丁寧な表現となる．

(a) Please answer the phone.
(b) Can you answer the phone?
(c) Could you answer the Phone?
(d) I wonder if you could answer the phone.
(e) Would you mind answering the phone?

(a) は例え please が付いていても相手の負担になる命令であることは変わらない．過去形の助動詞は仮定法の意味が含まれるのでより間接的である．また Could you *possibly* answer the phone? のように possibly を入れると丁寧さが増す．

(2) 語彙による丁寧な表現．

日本語の「行く」と「参る」，「言う」と「申し上げる」のような類義語による丁寧さの区別とは違うが，特定の言葉を使って丁寧さを表すものに次のようなものがある．

(i) please: 依頼・要請の文では please を付けるとすべて丁寧な表現になると一般に考えられているが please が付くと表現上多少は丁寧ではあっても命令あるいは要請となるので，使わないほうがよい場合，または使うとおかしな表現になる場合があることに注意すべきである．

日本語では相手の利益になることを申し出る (offer) 場合にも「どうぞ」を使うのはごく普通である．例えば車内で席を譲って「どうぞお掛け下さい」，あるいは食べ物を勧めるときに「サンドイッチをどうぞもう一つ召し上がって下さい」などと言う．ところが英語ではこのような場合に please を使うと命令的に聞こえるので普通は please を付けず，Sit down. / Won't you sit down? // Have another sandwich. / How about having another sandwich? などのように言う．このような場合は相手の利益になることなので単なる命令形でも失礼にはならないのである．

さらに Have a nice trip. // Enjoy your holiday. などの別れの挨拶に日本語なら「どうぞ」「どうか」が付いてもおかしくないが，英語では please は付けない．

¶どうぞお座り下さい *Please* ˈsit down [take a seat]. ★[ ] 内のほうがより格式ばった言い方．命令・指示的表現．/ Sit down, *please*. [語法] (1) please はこのように文頭にも文尾にも置くことができる．文尾では上がり調子で言われることが多く，文頭の場合よりくだけた感じになる．// コーヒーを下さい Coffee, *please*. [語法] (2) 物を注文するときはこのように bring, get などの動詞を使わず注文する物に please を付けて言うことが多い．// この手紙を投函してくれませんか Will you *please* mail this letter for me? [語法] (3) 相手の意志を尋ねる形なので単なる命令よりは丁寧であるが，命令，要請に近い言い方．友人同士などでは使われる．Will you ...? の代わりに Would you ...? とすればもう少し丁寧な言い方となる．

(ii) may: May I ...? の形の疑問文は常に相手の許可を求める丁寧な表現である．

¶「入ってもよいですか」「どうぞ」"*May I* come in?" "Certainly." //「このケーキを食べてもいいですか」「いいとも」"*May I* have this cake?" "Sure." [語法] (4) Can I ...? という言い方もこれと並行して用いられるが，丁寧さは May I ...? のほうが強い．

(iii) May I ...?, Can I ...? に対する肯定の答え方: 丁寧さの度合いは OK., All right., Sure., Of course., Certainly. の順に強くなる．はじめの 3 つはくだけた調子．

(iv) kindly: please とほぼ同意で，丁寧な依頼・要請を表す文に用いられることがあるが，現在では少し古風で，場合によっては皮肉めいて受けとられることがある.

¶私の質問に答えていただけませんか Would you *kindly* answer my question?

(v) excuse:「許す」という意味の動詞で，口語的な丁寧表現に使われる.

¶「失礼します」「どうぞ」"*Excuse* me." "Certainly." 語法 (5) 中座したり，人の前を横切ったりするときの言葉.「ごめんなさい」と謝るときにも用いる. // こんなに夜遅く電話してすみません Please *excuse* me for calling you so late. // オーバーを着たままで失礼します Please *excuse* my overcoat.

(vi) would like: 1, 2 人称の主語とともに用いて希望，願い，勧誘などを表す丁寧な表現.

¶ビールが1杯飲みたいのですが I'*d* like a glass of beer. 語法 (6) I'd は I would の短縮形. 話し言葉では普通この形が用いられる. I want …，あるいは Give me … でも内容はほぼ同じであるが，I'd like … のほうが丁寧. // 今夜外出したいのですが I'*d* like to go out tonight. 語法 (7) would like to *do* … は「…したい」という want to *do* … よりも丁寧な表現. //「何を召し上がりますか」「コーヒーを下さい」"What *would* you like, sir?" "Coffee, please." 語法 (8) What will you have? も可能だが，それより丁寧.

日本語の消極的表現 (pseudonegative expressions in Japanese)

日本語では

(1)「お茶でも飲みませんか」

(2)「この電話をちょっと貸していただけますか」

(3)「これなどいかがでしょう」

(4)「はがきを2枚ほど下さい」

などの表現に見られるように，「でも」「ちょっと」「など」「ほど」などのような，調子を和らげる目的の助詞・副詞(類)が頻繁に使われる. これらは日本語独特の何となくぼかした表現，すなわち消極的表現にするための語句で，前後関係にもよるが，語のレベルでは英語に直接置き換えられないことがしばしばある.

例えば (1) の場合は，一緒に飲むことを勧誘している場合と解すれば，"How about some *refreshments*?" / "Let's have a cup of tea, *shall we*?" のように，「お茶でも」を some refreshments (何か飲物) とするか，あるいは調子を和らげる "shall we?" を文末に添えるなどして意訳するしかない.

また (2) は "May I use this telephone?" でよいのであって，日本語に「ちょっと」とあるからといって for a while などの語句を入れる必要はない.

(3) は相手に見本などを見せる場合と解すれば，"How about this?" のように「など」は無視するしかない.

(4) も「2枚ほど」を about two と訳すことはできないので，"Give me two postal cards, please." とするしかないであろう.

日本語にはこれらのほかにも，「ばかり」「そろそろ」「ぼつぼつ」「…ごろ」など，類似の語句がいろいろある. さらに日本語には，

(5)「この薬を飲めば風邪はすぐ治りますよ」

(6)「屋上に上がると富士山が見えます」

のように仮定の表現が多い. 仮定表現というのは現実から一歩下がった言い方で，やはり消極的表現である. これらを If … や When … で訳すよりも，単刀直入に (5) (⇒ この薬があなたの風邪をすぐに治すでしょう) "This medicine will cure your cold quickly." (6) (⇒ あなたはこの建物の屋上から富士山を見ることができる) "You can see Mount Fuji from the roof of this building." のように訳すほうがよい場合が多い.

以上のほかにも，日本語には否定語を用いる表現が英語より多いとか，動作主を特定しないで漠然とした表現をするなど，消極的な表現をする傾向が強いことに注意すべきである.

ハイフン (hyphen) 句読点の1つで (-) の記号. 次のような用法がある.

(1) 行の終わりで1語を2行にわたって書くとき. ただし，切れ目はつづり字の切れ目でなくてはならない. 《☞ つづり字の切れ目 (巻末)》

(2) 2つ以上の語を結合して複合語を作るとき.

¶忘れな草 a forget-me-not // 義理の兄弟 a brother-in-law // 見物人 a looker-on 語法 特に複合名詞の場合にはハイフンはだんだん使われなくなる傾向にある. 例えばかつては street-car (路面電車) のようにハイフンでつながれたものが，現在では英米ともに streetcar のようにハイフンなしで結ばれる.

(3) 21 から 99 までの数に使われる.

¶21 twenty-one // 99 ninety-nine 語法 序数の場合もこれに準ずる.

(4) self の付いた複合語はほとんどハイフンが付く.

¶うぬぼれ self-conceit // 自制心 self-control

(5) 紛らわしさを避けるために用いられる.

(i) 同じスペリングで意味の違う語を区別するため.

¶再び集める re-collect ★ recollect (思い起こす) と区別するため. // 覆い直す re-cover ★ recover (回復する) と区別するため.

(ii) その他.

¶鈴の形に似た bell-like ★ l が続くため.

(6) 2語以上の語をつなげて名詞の前に置き，修飾語とするとき.

¶郵便局の局員 a *post-office* clerk // 50分の授業 a *fifty-minute* period ★ minute が単数形となることに注意. 次の用例も同様. // 5歳の少年 a *five-year-old* boy // 18世紀の文学 *eighteenth-century* literature ★ この場合はハイフンを使わないこともある. // それはここから歩いて5, 6分です It's a *five-* or *six-minute* walk from here.

(7) スペリングを示すとき.

¶l-i-s-t-e-n

(8) 音節を示すとき.

¶hy-phen-at-ing

発想 (ways of expression) 発想とは一般にはあることを「思いつく」ことをいうが，ここでは特に考えをいかに言葉に表すかという手順を指して言うことにする.

日本語と英語では発想が似ているものもあり，また非常に違っているものもある. 違っているものは英語学習上からみると重要なポイントになる. 例えば相手の笑った理由がわからない場合，日本語では「何がおかしいの」「どうして笑うの」「何を笑っているの」などと言う. 英語では，(1) What's funny? (2) What are you laughing at? (3) What made you laugh? (4) Why are you laughing? のような表現をする. (1) (2) (4) は日本語と発想が似ているが，(3) は直訳すると「何があなたを笑わせたのか」となり，このような発想は普通の日本語にはない. 実はこの (3) のように無生物を主語にする表現が英語には多くあり，日本語との

大きな相違点の1つになっている.

以下いくつかの例によって, 発想の違いについて述べてみよう.

(1) 無生物を主語にする表現.

上例 (3) に類する発想のもの.

¶君はなぜ泣いたのか (⇒ 何があなたを泣かせたのか) What made you cry? // 彼の言葉を聞いてびっくりした (⇒ 彼が言ったことが私をびっくりさせた) What he said surprised me. // その質問を聞いて彼は怒った (⇒ その質問が彼を怒らせた) The question made him angry. // このバスに乗ると駅に行きます (⇒ このバスはあなたを駅に連れて行くでしょう) This bus will take you to the station. // その飛行機には200人の乗客が乗っていた (⇒ その飛行機は200人の乗客を運んでいた) The plane was carrying two hundred passengers. // 雨のために彼らはピクニックに行けなかった (⇒ 雨が彼らがピクニックに行くことを妨げた) Rain prevented them from going on a picnic.

これらの多くは, 例えば The question made him angry. = He got angry when he heard the question. のようにほかの表現, 特に日本語と同じような発想の文に置き換えることが可能である. しかしながら, 無生物を主語とする文にはそれなりのニュアンスがあって, ほかの類義表現とまったく同じ意味ではない. 例えば The question made him angry. という文は主語の question に重点があり, その質問が彼の怒った原因であることを強調する言い方である. また, Why are you laughing? や What are you laughing at? が言い方によっては「なぜ笑うのか」「何を笑っているのか」という詰問調であるのに対して, What made you laugh? は「何が原因で笑ったのか」と相手の責任を追求しない, いわば客観的なきき方である. このようなニュアンスのために,「なぜ」を what を主語にした構文を用いて表すと, やや格式ばってはいるが, 丁寧なきき方になる場合が多い. このように, 無生物を主語にする表現は, 特有のニュアンスを持つ英語らしい表現であるから, これに慣れることが大切である.

(2) 打消しを含む文の発想.

英語では否定語を主語にすることがしばしばある.

¶だれも部屋にいない *Nobody* [*No one*] is in the room. // 何も起こらなかった *Nothing* happened. // それを1日でできる人はだれもいない *No one* can do it in a day.

また日本語では「あした雨は降らないと思う」というのに対して, 英語では (⇒ あした雨が降るとは思わない) I do*n't* think it will rain tomorrow. のように否定語を主節に置く習慣がある.

¶「メアリーに会ったことがありますか」「ないと思う」 "Have you met Mary?" "No, I do*n't* think I have."

さらに, 日本語では打消しの言葉を用いるのに, 英語では打消しにしない場合もある.

¶忘れないうちに (⇒ 忘れる前に) それを書いておきなさい Write it down *before* you forget it.

この種の否定表現が日本語にはかなりあり, それらが英語では肯定表現になるということに注意する必要がある. 以上のほかにも「知らないうちに」before we are aware of it,「暗くならないうちに」before it gets dark などの例をあげることができる. 《☞ 日本語の消極的表現 (巻末)》

(3)「は」「が」を含む日本語の表現とそれに対する英語の表現との発想の相違.

日本語の「は」「が」という助詞は必ずしも英語における主語を示すわけではない.

¶きのう*は雨だった It rained yesterday. // 外*は寒い It's cold outside. // 金*が欲しい I want money. // 象は鼻*が長い An elephant has a long trunk.

これらの例にも見られるように, 日本語では「…は…が…である」という言い方が1つの基本的な文型となっているが, 英語にはそれに直接対応するものがない.

(4)「人」を主語にする表現.

日本語では「人」を表す主語が用いられていない場合でも, 英語では「人」を主語にした表現を用いなくてはならない場合がある.

¶今年は雨が多かった *We* have had a lot of rain this year. // きのうはとてもおもしろかった *I* had a very good time yesterday. // カナダでは英語を話す *They* speak English in Canada.

以上のような日英の発想の違いについて, 本辞書では用例の欄の全体を通じて, 日本文と英文の間に (⇒) という記号を使って示してある. 英語で表現する場合, 翻訳を通さず, 初めから英語で考えて表現するよう努力することが大切であるが, すでに日本語という母語を身につけているので, 英語で考えようとしても, 発想法は日本語に引っぱられてしまうのが普通である. そこで本辞書の (⇒) に示されているように, 日本語をいったん日本語のまま英語の発想に置き換えてから英語に直す練習を積み, 最後には英語の発想法に慣れて, そのような過程を経ないでも自然に英語の発想が浮かんでくるようになることが望ましい.

パラグラフ (paragraph)

1 パラグラフとは何か

パラグラフとは日本語の文章で言えば段落に当たるが, 日本語の段落よりもっとはっきりとした特徴と機能が与えられており, その点で日本人にはなじみの薄いものなので注意が必要である.

パラグラフは, 形の上から言えば, 最初の行が少し右寄りに空けて引っ込ませてあるか (これを indention [indentation] という), あるいは次のパラグラフとの間に1行空白が置いてあることで見分けられる. 《☞ 字さがり (巻末)》

最初の行の空け方は, 印刷のときは大文字の M の字のスペース, パソコンのときは5ストロークぐらい, 手書きのときは3センチぐらいが普通である. ビジネスレターなどでは空けないで, パラグラフ間に空白を置く方式が一般的である. 《☞ 手紙の書き方 (囲み)》

パラグラフは, 内容面から言えば, 関連した文が連続したものであり, 文章の主題の1つの局面が論じられている段落で, 文章全体を構成する重要な要素である. パラグラフ内ではすべての文が1つの考えを中心にして互いに連続していなくてはならない. 1つのパラグラフから次のパラグラフへ移るということは, 話題の局面が変わるということになるが, その変わり方は, ちょうど劇映画の場面がパッと別の場所へ変わるようにかなり急激に変わることもあるが, 多くの場合は徐々に変わるようにするのがよい. いずれにしても, 前のパラグラフとの関連性が何らかの方法で保たれないと読者は混乱する.

よいパラグラフとは, 1つのポイントを中心にしてそれについて十分に述べ, しかもパラグラフ全体がほかのパラグラフと密接に連絡を保ちながら文章全体の記述を作り上げていくものである.

2 パラグラフの構造

(1) 内容の展開法.

パラグラフは一般化 (generalization) と, 細かい記述 (detail) から成る. 例えば,

There are no peoples, however primitive, without religion and magic.（どんなに原始的でも宗教と魔術を持たない民族はない）
というような一般化した文が冒頭に来て，次にそれについて証明のための事実を述べたり，分析したり，比較したりする文が続くなどは典型的なパラグラフの構成であるが，必ずしもいつもこのようになるとは限らない．ごく大ざっぱに言って次のような場合がある．

（i）一般化が最初にあって，後に詳細が続く場合．

議論・主張・説得などの文に見られるパラグラフで，上にあげた例がこれである．

（ii）詳細が先に来て，一般化が最後に来る場合．

これは読者の共感と興味を次第に高めていき，最後に結論を述べる方式で，このようなパラグラフをクライマックス・パラグラフ（climax paragraph）と呼ぶことがある．

（iii）特に一般化に当たるような表現のない場合．

これは説明文・物語文などで，説明や事実を順序に従って述べていき，ある局面の終わりに達したところでパラグラフを終わる場合である．

細かい記述の部分の書き方はいろいろある．ある主張のための証明（support）となるような事実をあげたり，ほかの事実と比較したり，分析したり，理由や原因を述べたりする場合もある．物語文などでは起こった事実とともに著者の推察や判断も述べられる．

（2）話題文と指示文．

パラグラフの中心になる考えを一般化して述べる文を話題文（topic sentence）と呼ぶ．例えば2（1）にあげた例文は話題文である．

また，話題文の1種であるが，例えば，パラグラフの最初に
Let us look at another aspect of the problem.（この問題の別の面を見てみよう）
とか，
The reason for this is very simple.（その理由はきわめて単純である）
などと述べ，それに続いてパラグラフが展開するような場合，このような文を，これから述べる内容へ読者の注意を向けさせる文という意味で指示文（pointer sentence）と呼ぶことがある．

話題文はパラグラフの最初に置かれることが多いが，パラグラフの最後に来ることもあり（例えばクライマックス・パラグラフなど），またパラグラフの真ん中に置かれることもある．

指示文は必ずパラグラフの最初に置かれる．これらの文はそのパラグラフの内容を簡潔に表現するとともに前後のパラグラフとの連結器の働きもするように作られなければならない．

3 文章全体とパラグラフとの関係

各パラグラフは互いに関連し，一貫して文章全体を構成していなくてはならない．このようなパラグラフ間のつながり方について，例えば説明されないものがいきなり出てきたり，先行のパラグラフのどの記述と関連しているのかはっきりしなかったりすることのないよう結束性（cohesion）に注意すること，そして，全体の脈絡が不明であったり，初めと終わりで違う主張を述べたり，わき道へそれたりすることのないよう統合性[一貫性]（coherence）に注意することが，昔から英米の作文で学ばねばならないこととされている．

また，文章の最初のパラグラフ（opening paragraph）と最後のパラグラフ（concluding paragraph）は重要であると言われる．最初のパラグラフは全体のテーマをしっかりと読者につかませ，しかもこれから展開する話に興味を起こさせるものでなくてはならないし，最後のパラグラフは全体のまとめをするとともに，読者に完結したという満足感と記憶に残るような印象を与えなくてはならないからである．

パラフレーズ（paraphrase）パラフレーズとはある表現の意味を変えないで別の表現に言い替えることをいう．また原文とそれを言い換えた表現とは相互にパラフレーズであるという．

しかし，意味を変えないといっても完全に同じ意味の表現はあり得ないから，意味がだいたい同じであればよい．だいたい同じということは程度問題となるので，パラフレーズする場合には，原文にどのくらい意味が近いかが問題となる．例えば，
Could you please tell me the way to the station?（駅へ行く道を教えて下さい）
という文と，tell を show と言い換えただけの文，あるいは
Could you please direct me to the station?
とはほぼ同じ意味であることは，だれが見ても異論はないであろう．ところが，
How can I get to the station?（駅にはどう行ったらよいでしょうか）
となると，少し食い違いがあるように感じられ，さらに
Where is the station?（駅はどこですか）
となるといっそう食い違いが大きくなる．というのは，これを尋ねている人は駅のあり場所を知らないというだけで，果たして駅に行く目的でこの質問を発したのかどうかはわからないからである．また
I want to go to the station.（私は駅に行きたい）
という文も，この人が駅へ行く道を知らないからこう言っているのか，それとも単に駅へ行きたいということを表現したのかはこの文からだけでは明らかでない．また，
I'm lost.（私は道に迷いました）
はもっと漠然としていて，この文には「駅へ行きたい」とか「駅へ行く道を教えてくれ」とかいうことは，文の表面上の意味にはまったく含まれていない．

以上のような言い換えが，すべてパラフレーズとして成り立つかどうかは，話者・聴者の置かれた環境も含めた前後関係によって決まってくる．従って文の構造を中心に考える場合と，前後関係を含めて考える場合とでは当然パラフレーズできる範囲が異なってくる．

またパラフレーズについてもう1つ注意しなくてはならないのは文体である．例えば，
Where are you going?（君はどこに行くの）
を
What is your destination?（君の目的地はどこか）
とパラフレーズすると，少し堅苦しく難しい言い方になってしまい，場合によっては元の文と置き換えることができなくなる．語句や文を大体同じ意味だからといって，パラフレーズしたものがいつも元の文と置き換え可能だと考えることはできない．《☞ 文体（巻末）》

普通は学習上から見て，主として難しい言い方をやさしい言い方に換えるときにパラフレーズが用いられる．パラフレーズの練習は学習上有効なものであるから，大いに活用すべきである．《☞ 類義語（巻末）》

反意語（antonym）意味が反対の語をいう．例えばhappy（幸せな）と unhappy（不幸な），あるいは high（高い）と low（低い）のような組み合わせはそれぞれが互いに反意語であり，このような関係を反意（antonymy）と呼ぶ．

反意語を語の形の上から見ると，happy: *unhappy* のように，ある語に否定の接頭辞を付けて反意語を作る場合と，high: low のようにそうでない場合とがある.《☞ 接頭辞（巻末）》

ひとくちに「意味が反対」といっても，実は次のようにいろいろな場合がある.

（1）互いに正反対で，中間的な状態のあり得ないもの.

male（男性）: female（女性）
single（未婚の）: married（既婚の）
correct（正しい）: incorrect（誤った）, etc.

（2）互いに対照的であるもの.

good（よい）: bad（悪い）
white（白）: black（黒）
wide（幅が広い）: narrow（幅が狭い）
old（年とった）: young（若い）
rich（金持ちの）: poor（貧乏な）, etc.

これらの反意語は，(1) と違って，二者択一ということはなく

A is better than B.（A は B よりよい）
B is worse than A.（B は A より悪い）

のように比較構文をとり得るし，

very good（たいへんよい）—*fairly* good（かなりよい）—good（よい）—*rather* bad（かなり悪い）—*very* bad（たいへん悪い）

のように程度をはかることができる．言い換えれば中間的な状態の可能な反意語である.

（3）意味が逆になるが，必ずしも反対とまでは言い切れないもの（逆意語）.

go（行く）: come（来る）
sell（売る）: buy（買う）
lend（貸す）: borrow（借りる）
accept（受け入れる）: refuse（断る）, etc.

（4）反対というよりも，むしろ対になっている語.

father（父）: mother（母）
son（息子）: daughter（娘）
parent（親）: child（子供）
king（王）: queen（女王）
husband（夫）: wife（妻）
question（質問）: answer（答）

また反意語は必ずしも 2 つから成っているとは限らない．例えば，poor に対しては rich のほかに，wealthy, prosperous などがある．また good のように「よい」「上手な」「親切な」などと多くの意味がある場合，それぞれの意味に対して，bad, poor, unkind など別々の反意語があることになる．本辞書では反意語は（↔）の記号で示してある.《☞ 類義語（巻末）》

比喩（figures of speech）あることを説明するのに，たとえを用いたり，あるいはほかのことを用いたりすることをいう．例えば音楽の説明をするのに色彩の語を用いたり，仕事の話をゲームにたとえたりするようなことはすべて比喩である．従って，寓話（動物を擬人化したものを fable, そうでないものを parable という）は全体が比喩であるということができる.

しかし，比喩は 1 つの文や 1 つの語句の中でも日常よく用いられる．これらの比喩に関する表現法を古代ギリシャの文人たちは非常に細かく分類し，数百におよぶ種類があげられ，そのうちでよく用いられる幾つかは今日でもギリシア語の名称のままで呼ばれている．すなわち，次のようなものである.

（1）明喩（simile /símәli/）.

「…のような［に］」(like …; as …) という言葉を付けて，はっきり類似のものをたとえる方法.

¶ あなたは太陽のような人だ You are *like* the sunshine. ∥ 人生は歩いている影のようなものだ Life is *like* a walking shadow.

（2）暗喩（metaphor /métәfɔә/）.

「…のような［に］」という言葉を用いずに，比べようとしている言葉をそのまま用いる方法.

¶ 君は私の太陽だ You're *my sunshine.* ∥ 人生は歩く影だ Life is (but) *a walking shadow.*

暗喩は上手に使うとしばしば，最も簡潔でしかも非常に印象的な比喩となる．例えば Shakespeare はこの暗喩の名人として有名だが，文学作品だけでなく日常の会話でも気をつけてみると，ずいぶんいろいろな暗喩が用いられていることに気付く.

（3）誇張（overstatement, exaggeration, hyperbole /haɪpә́:bәlì:/）.

小さなことでも大げさに言って印象づけること．例えば「たいへん残念です」を I'm very sorry. などと言わないで，It's *a thousand pities.* のように言ったり，「しばらく会わなかったね」を I haven't seen you for a long time. としないで，I haven't seen you *for ages.* としたりすること.《☞ 誇張（巻末）》

（4）緩徐法（meiosis /maɪóʊsɪs/, understatement）.

（3）の誇張とは反対に，控えめに言う表現．例えば，「ちょっと寒いね」と言いながら実は「たいへん寒い」ということを意味するような場合で，It's *rather* cold today. のように rather を用いたり，「悪くはないね」It's *not bad.* と言って実はたいへんよいことを表すような場合である.

（5）提喩（synecdoche /sɪnékdәki/）.

人・物の一部で全体を，あるいは全体で一部を表す比喩の方法．例えば，「彼は養うべき口数が多い」He has many *mouths* to feed. のように mouth で人を，または「暮らしを立てる」earn one's *bread* のように bread で食物全体や生計を表したり，あるいは「哀れな人」というときに a poor *creature* と言って creature（生物）で人を表したりするのは提喩である.

ほかに a sail＝a ship, a roof＝a house など.

（6）換喩［代喩］（metonymy /mɪtánәmi/）.

直接的に対象の名称を用いるのでなく，それと関連するほかの違うものを使って対象の物を表す表現法．例えば，「彼は酒が好きだ」という場合に He is fond of *the bottle.*（瓶が好きだ）のように bottle で wine を表したり，I'm reading *a Shakespeare.* といってシェークスピアの作品を意味したりするのは換喩である.

以上のほかにも擬人法（personification），擬音（onomatopoeia /ɑ̀nәmæ̀tәpí:ә/）《☞ 擬声・擬態語（囲み）》，皮肉・諷刺（irony, sarcasm, satire）などもよく用いられる比喩である.

比喩を上手に用いることは，英作文の技術としてはかなり高度ではあるけれども重要なものである．その用い方について 1 つ注意すべきことは，日本語と英語では比喩の仕方が違うことである．一例をあげるならば，「泥のように眠る」は英語では sleep like a ˈlog [top]，つまり「丸太」または「こま」のように眠ると言い，決して sleep like mud とは言わない．このような点には十分注意しなくてはならない.

ピリオド（period,《英》full stop）句読点の 1 つで，終止符ともいい，(.) の記号で表す．次の場合に用いる.

（1）文の終わりに.

平叙文の終わりには必ずピリオドを付ける.

¶きょうは学校は休みです There is no school today. // ビル君, おはよう Good morning, Bill.

また感嘆文や疑問文の形式を備えている文でも, 感嘆や疑問の気持ちがそれほど強くない場合, あるいは著者がその気持ちを抑えた表現にしようとする場合にはピリオドを付けることがある.

¶思いやりのない人だ How thoughtless of him.

(2) 略語の後に. 《☞ 略語 (巻末)》

(i) 10月 Oct. (=October); …氏 Mr. (=Mister) ★《英》では Mr にはピリオドを付けない.

(ii) 国連 U.N. (=the United Nations); 英国 U.K. (=the United Kingdom)

[語法] ピリオドを付けた略語が文尾にある場合には, 終わりの終止符は省略する.

(3) その他.

(i) 小数点として: 3.5% ★three-point-five percent と読む.

(ii) 金額を表す場合, ドルとセント, ポンドとペンスを表す数字の間に付ける.

¶5ドル25セント $5.25 ★ five dollars and twenty-five cents と読む.

(iii) 時刻を表す場合, 時と分を表す数字の間に. 《☞ 時刻・日付・曜日 (囲み)》

¶2.45 p.m. ★ two forty-five p.m. と読む. ただし, これは英国式で, 米国では代わりにコロン (:) を用いて 2:45 ˹p.m. [P.M.] のように書くのが普通である.

★ 引用符号がある場合には, ピリオドは普通, 引用符号の中に入れる. 《☞ 引用符(号) (巻末); 疑問符(号) (巻末)》

¶「きょうは英語のテストがある」と彼は言った He said, "We'll have an English test today."

副詞の位置

副詞の位置 (word order of adverbs) 日本語では「早くそれをしなさい」と言うことも, 「それを早くしなさい」と言うこともできるが, 英語では Do it quickly. としか言えない. 日本語は副詞を含め, 語順がかなり自由であるが, 英語では副詞の位置がある程度限定されている.

(1) 動詞を修飾する場合.

文の最後に置かれることが多いが, 動詞の前に置かれることもある.

¶雨がざあざあ降っている It's raining ˹*hard* [*heavily*]. // 警官はその車を入念に調べた The policeman examined the car *carefully*. / The policeman *carefully* examined the car.

副詞を動詞の前に置くのはどのような場合にも可能とは限らないので, 特に理由のない限り, 副詞は一般に文の最後に置くのが無難である.

(2) 回数・度数を表す副詞.

動詞の前に置く. ただし, be 動詞の場合は be 動詞の次, 助動詞がある場合は助動詞の次に置く. 回数・度数を表す副詞とは how often (何回・何度) に対して答えとなるような副詞で, 次のようなものが代表的: often (しばしば), sometimes (ときどき), always (常に), usually (普通), ever (かつて・一度も) ★ ever は疑問・否定に使う; never (一度も…でない), seldom (めったに…しない), hardly (ほとんど…しない), scarcely (ほとんど…しない) ★ 以上4語は否定文で用いる.

¶私はよく自分の誕生日を忘れる I *often* forget my birthday. // 彼はいつも忙しくしている He is *always* busy. // 私はまだ外国に行ったことはありません I have *never* been abroad.

(3) 形容詞・副詞を修飾する場合.

その前に置く. ただし, enough は修飾する語の後に置く.

¶まさにあなたの言うとおり You are *exactly* right. // 彼女は車をとても注意して運転した She drove the car *very* carefully. // この部屋は十分な広さがある This room is large *enough*.

形容詞・副詞を修飾する副詞としては次のものが代表的: very (とても), quite (まったく), rather (どちらかというと), too (あまりにも…), awfully (たいへん), fairly (かなり), really (ほんとうに), terribly (ひどく).

(4) 名詞を修飾する場合.

その前に置く. ただし, 冠詞がある場合は冠詞の前.

¶彼女はほんの子供です She is *only* a child. // 子供でもそんな質問には答えられる *Even* a child can answer such a question.

(5) 文全体を修飾する場合.

文頭に置くことが多いが, 動詞の前に置かれることもある.

¶幸いにも彼は死ななかった *Happily*, he did not die. [参考] He did not die *happily*. というと「彼は幸福な死に方をしなかった」の意となる. // 率直に言って, 私は失望している *Frankly*, I feel disappointed.

(6) 副詞(句)を並べる順序.

(i)「場所+時」の順に並べるのが一般的.

¶きのうここで交通事故があった There was a traffic accident *here yesterday*. // 私は先週, 電車の中でかばんをなくした I lost my bag *on the train last week*.

(ii) 時の副詞句の中には, 期間を表すもの, 頻度を表すもの, 時点を表すものがあるが, この順序に並べるのが普通.

¶彼は子供のころ毎年1日かそこらはそこにいた He was there *for a day or so every year during his childhood*.

(iii) 小さな単位から大きな単位に並べる.

¶私はけさ6時に起きた I got up *at six this morning*. // 私は東京の神田で生まれた I was born *in Kanda in Tokyo*.

(iv) 大きな単位を文頭に置くことはできるが, その逆はできない.

¶毎日彼は6時に起きる *Every day* he gets up *at six*. // アメリカではカフェテリアで昼食をとる人が多い *In the United States* many people ˹have [eat; take] (their) lunch *in a cafeteria*.

文型

文型 (sentence pattern) 文型とは, 文の構造を主語・述語動詞・目的語などの要素や, 名詞・形容詞などの品詞名などを用いて表したものをいう. いわば文の枠組みともいえる.

英語の文型を分類したもので, 最も広く親しまれているのは, いわゆる基本五文型といわれるものである. いま, 主語を S, 述語動詞を V, 目的語を O, 補語を C で表すとして, 基本五文型を書いてみると,

(1) S+V
(2) S+V+C
(3) S+V+O
(4) S+V+O+O
(5) S+V+O+C

となる. これらの文型は英語の文型を簡潔に表したものとしてすぐれているが, あまりに簡単すぎて, 例えば O の

場所に … ing 形がくるのか，to 不定詞がくるのか，あるいは名詞しかこないのかなどの区別がわからないため，英作文などの助けになるには足りないところが多い．そこで，本辞典では英作文に利用することを第一の目標と考えて，独特の文型を表示することにした．詳しくは ☞ 巻頭「この辞書の使い方」

文体 (style) 文体とは元来修辞学上の用語で，文の表現上の特徴をいう言葉であるが，普通は 2 つに大きく分けて用いられる．1 つは，例えば Ernest Hemingway の文体などというように，個々の作家特有の表現法の特徴についていう場合で，もう 1 つは書き言葉の文体とか，口語的文体とかいうように，言葉の用法上の段階 (これを levels of speech ということもある) をいう場合である．ここでは後者の場合について述べる．

我々は言葉を使う状況によって文体を変える．例えば遠慮を置く間柄の人への手紙とか，何かの報告書を書いたりするときは格式ばった，改まった文体を使うが，友人と話をするときはくだけた言い方をする．一般に書き言葉は格式ばった文体が多く，話し言葉はくだけた文体が多いが，そうでない場合もある．書き言葉でも，例えば親しい友人に出す手紙などではかなりくだけた言葉を使うし，話し言葉でも公式な場での演説などでは格式ばった言い方をする．そこで，文体を書き言葉と話し言葉の区別によって分類するよりも，次のように 3 つに分けたほうが実際に即している．

(1) 格式ばった[堅苦しい，改まった]言い方．(Formal Style)

(2) 普通の言い方．(General Style)

(3) くだけた言い方．(Informal Style)

以上はごく大ざっぱな分け方で，相互の間の境界線は明確ではない．もっと細かく分ければ，さらに各段階を幾つかに下位区分できるかもしれない．しかし，実際に英語を使う立場からはこれで十分であろう．

(1) は学術論文や法律関係の文書，あるいは荘重な儀式的演説などで用いられる．また特に美文調の文学などで用いられるものは「文学的文体」(Literary Style) と言ってもよい．本辞典では通常主として格式ばった文体に使われる語には《格式》，また，主として文学的文体に使われる語には《文》という印を付けた．

(2) は書き言葉なら，新聞やあまり堅苦しくない雑誌記事などでごく一般的に使われている文体であり，話し言葉なら学校の授業で使われる英語や，ラジオやテレビの解説番組などで話される英語である．

(3) は親しい間柄での日常の会話などがこれに当たり，主として話し言葉によるので，これを「口語的文体」(Colloquial Style) と呼ぶ場合もある．can't, don't などの短縮形が使われたり，I've got … や OK. などの会話的な表現が使われたりする．《☞ 短縮形 (巻末)》

以上の文体上の区別と混同されやすいものに，標準英語 (Standard English)，非標準英語 (Nonstandard English)，無教育英語 (Substandard English) という区別がある．(substandard は差別的な用語として一般には使われなくなりつつある)．これらは地域または社会階級による方言で，社会的なグループによる区別であるのに対して，文体は同じ方言の中で，一人の個人がその置かれた状況により使い分けるものである．標準語にも非標準語にもそれぞれの格式ばった言い方やくだけた言い方などの文体の区別が存在する．

文体上の区別は，特に外国語として英語を学習する人々とって重要である．例えばコーヒーを一杯飲むことを提案するときに，普通の会話なら How about having a cup of coffee? のようにくだけた調子で言うが，それを I propose that we have a cup of coffee. のように言えば，内容は同じでも，ずいぶん堅苦しい格式ばった言い方で，その場にそぐわないであろう．

このように文体の違いによる類義語や類義表現が多数あり，その違いを無視して用いると，文体の混合した奇妙な言い方になったり，その場にそぐわない文体の文になったりしてしまう．

このように文体の相違はたいへん重要であるので，本辞典では，全体を通じて，できるだけ詳しく文体上の特徴を記述するように努めた．なお，ある意味を表す複数の訳語または複数の例文を示す場合には，絶対的な文体のレベルよりも相互間の相対的なレベルを示すことが重要である．例えば同じように格式ばった語や表現でも，その中ではどちらのほうがより格式ばっているかというようなことである．本辞典では特にこの文体の差の相対的な表示を「★ 後者のほうが(より)格式ばった語」とか，「★ 第 2 文のほうがより口語的」などの注を付けて示してある．《☞ くだけた英語と堅苦しい英語 (巻末)；翻訳 (巻末)》

翻訳 (translation) ある言葉で表現された内容をほかの言葉へ移しかえること．これには大きく分けて，逐語(ちく)訳と意訳の 2 種類がある．逐語訳とは対応する単語同士を置き換えていく方法で，意訳とは内容に重点を置き，構文や発想にとらわれない訳し方をいう．完全な逐語訳が不可能なことは，各言語によって語彙・文法が異なっていることを考えればすぐわかる．従って逐語訳といってもある程度は意訳にならざるを得ない．《☞ 発想 (巻末)》

翻訳は逐語訳であるべきか意訳であるべきかはその目的によって決まるので，必ずしも決定的なことは言えない．例えば，原文の構文や構造をできるだけ伝えたいときなどは逐語訳が望ましいといえる．しかし，忠実な逐語訳になればなるほど，内容が曲がって伝えられたり，理解が困難になったりする場合が多い．従って，内容をできるだけ正確に伝えようと思ったらどうしても意訳にならざるを得ない．

意訳の仕方は実にさまざまである．逐語訳が明らかに不可能な場合は「おはよう」Good morning.「こんばんは」Good evening. というような慣用表現の場合である．《☞ イディオム (巻末)》．このようなものは，ほとんど語彙と同じような項目と考えてもよいから，表現の食い違いそのものにはかえって翻訳上の大きな困難は感じられない．

意訳で一番問題になるのは文の構造や発想に関してである．例えば「このバスに乗れば駅に行きます」を This bus will take you to the station. と訳すような場合である．また，「彼女は髪が長い」は She has long hair. か，あるいは She wears her hair long. という英語に当たるが，この場合には日本語と英語の表面上の構造が大きく食い違う．

さらに，「こんなおもしろい本は読んだことがない」は This is the most interesting book I've ever read. あるいは I have never read such an interesting book. のいずれの訳も可能であるけれども，後者はどちらかというと悪い意味のときに多く用いられる構文で，「こんなばかばかしい本は読んだことがない」というような感じにはピタリだが，素直な称賛というニュアンスを出すには前者のほうがよい．

一般に原文に完全に等しい内容の翻訳をすることは不可能で要はどれだけ近い内容が翻訳によって言い表せるかということになる．通常，1 つの原文に対して複数の翻訳が可能であり，そのどれが最も適当であるかは，前後関係や全体の状況によって決まるのである．

略語 (abbreviation) 略語には日常よく使われるものから，俗語的なものまでいろいろな種類があるが，次に幾つかに分類して例をあげる．なお，略語には略した印にピリオドを打つのが普通である．

(1) 日常的な略語．

(i) 敬称．

(男性に対して用い，「…氏」「…さん」) Mr.; (既婚の女性に対して「…さん」) Mrs. ★ 以上 2 つは《英》ではピリオドを打たない; (未婚の女性に対して) Miss; (既婚・未婚の区別をせずに女性に対して) Ms. /mìz/ ★《英》ではピリオドを打たない; (教授) Prof. ★正式な場合は略さず Professor とするのがよいとされる; (特に連名の会社名などで Mr. の複数形として) Messrs. /mésəz/ ★《英》ではピリオドを打たない．

¶ 渡辺一郎氏 *Mr.* Ichiro Watanabe ★姓のみに付けて *Mr.* Watanabe としてもよい．// エドワードスミス夫人 *Mrs.* Edward Smith ★このように夫の名に Mrs. をつけるのが正式．姓につけて *Mrs.* Smith としてもよい．// ((女性の)ブラウンさん) *Ms.* Brown // 島田教授 *Prof.* Shimada // ブラウン・アンド・モリス商会様 *Messrs.* Brown & Morris ★ビジネスレターの書き出し (salutation) などで．

(ii) 時刻・曜日・月の名など．

(午前) a.m., A.M.; (午後) p.m., P.M. ★ 大文字を用いるのは《米》．小文字は《米》《英》ともに用いられる．いずれも時刻の後に付ける; (月曜日) Mon.; (火曜日) Tue.; (水曜日) Wed.; (木曜日) Thu.; (金曜日) Fri.; (土曜日) Sat.; (日曜日) Sun.; (1 月) Jan.; (2 月) Feb.; (3 月) Mar.; (4 月) Apr.; (6 月) Jun.; (7 月) Jul.; (8 月) Aug.; (9 月) Sep.; (10 月) Oct.; (11 月) Nov.; (12 月) Dec. ★ 5 月は May なので略語はない; (紀元前) B.C. /bí:sí:/ ★ before Christ の略で年号の後に付ける; (紀元後) A.D. /èɪdí:/ ★ ラテン語の anno Domini の略で，年号の後または前に付ける．

¶ 午前 11 時 20 分 11:20 *a.m.* [A.M.] // 2004 年 9 月 12 日，日曜日 *Sun., Sep.* 12, 2004 // 紀元前 3000 年 3000 *B.C.*

(iii) その他．

(…等) etc. ★ 名詞の後に付ける．/etsét(ə)rə/ または and so forth と読む; (例えば) e.g. ★ ラテン語 exempli gratia の略で，for example と読む; (すなわち) i.e. ★ ラテン語 id est の略で，that is と読む; (参照せよ) cf. ★ ラテン語の confer の略で，compare と読む．代わりに See … とすることもある．

(2) 頭文字略語 (acronym).

これは U.N. (the United Nations の略で「国連」), NATO (the North Atlantic Treaty Organization の略で「北大西洋条約機構」), EU (the European Union の略で「欧州連合」) のように名称の構成要素の頭文字のみを連ねて作られた略語である．これらは政府機関名，条約名，会社名，製品名などに多く，元来，上にあげた NATO /néɪtoʊ/ のように続けて 1 語のように発音できるように意識的に作られたものと，*FBI* /éfbì:áɪ/ (the Federal Bureau of Investigation の略「連邦捜査局」) のように文字をそのまま読むものとの 2 種類ある．

なお，JAL (Japan Airlines の略で「日本航空」) のように日本人の間では「ジャル」のように 1 語として発音されている場合でも，英語としては /ʤéɪèɪél/ と文字を 1 つずつ発音する方式の略語としてしか扱われないものも多いことに注意する必要がある．

次に頭文字略語でよく用いられるものの幾つかをあげてみよう．なお，頭文字略語には略した印のピリオドを付けない場合が多い．( ) 内はフルネーム．

(i) 政府機関名．

国土交通省 MLIT (the Ministry of Land, Infrastructure and Transport); 公正取引委員会 FTC (the Fair Trade Commission); 警察庁 NPA (the National Police Agency); 航空自衛隊 ASDF (the Air Self-Defense Force); 陸上自衛隊 GSDF (the Ground Self-Defense Force); 海上自衛隊 MSDF (the Maritime Self-Defense Force)

(ii) 政党名．

自由民主党 LDP (the Liberal Democratic Party); 民主党 DPJ (the Democratic Party of Japan); 社会民主党 SDPJ (the Social Democratic Party of Japan); 日本共産党 JCP (the Japanese Communist Party).

(iii) 国名．

アメリカ合衆国 U.S.A., USA (the United States of America); イギリス連合王国 U.K., UK (the United Kingdom); 韓国 ROK (the Republic of Korea); フィリピン共和国 RP (the Republic of Philippines).

(iv) 国際的機関．

国連 U.N., UN (the United Nations); ユネスコ (国連教育科学文化機関) UNESCO /ju:néskoʊ/ (the United Nations Educational, Scientific, and Cultural Organization); 国連総会 UNGA (the United Nations General Assembly); 東南アジア諸国連合 ASEAN /ǽsɪən/ (the Association of Southeast Asian Nations); 米州機構 OAS (the Organization of American States); パレスチナ解放機構 PLO (the Palestine Liberation Organization); 石油輸出国機構 OPEC (the Organization of Petroleum Exporting Countries); 欧州連合 EU (the European Union); 経済協力開発機構 OECD (the Organization for Economic Cooperation and Development)

(v) 条約関係．

戦略兵器削減交渉 START (the Strategic Arms Reduction Talks); 世界貿易機関 WTO (the World Trade Organization)

(vi) その他．

重要人物 VIP /ví:àɪpí:/ (very important person) ★ /víp/ は軽蔑的; 借用証書 IOU /áɪòʊjú:/ (=I owe you.); 代金引き換え払い C.O.D. (cash on delivery); ページをめくって下さい P.T.O. (Please turn over (the page).); ご返事をお願いします R.S.V.P. (Répondez s'il vous plaît.) ★ フランス語; 渉外事務，広報活動 P.R., PR (public relations); 国民総生産 GNP (gross national product); 国内総生産 GDP (gross domestic product)

(3) 略語の作り方による分類．

略語は作り方によって次の種類に分けられる．

(i) 語の途中で省略する場合: (月曜日) Mon., (火曜日) Tue., (4 月) Apr. のような場合．この場合はピリオドを打つのが普通．

(ii) 語の始めと終わりの文字(音)，ときに中間の文字(音) を残してその他の部分を省略する場合; (男性について…氏，…さん) Mr.; (既婚女性について…さん) Mrs.; (アパート) apt. (apartment の略) ★この場合《英》ではピリオドを打たないのが普通.
(iii) 頭文字略語: アメリカ合衆国 U.S.A.; 北大西洋条約機構 NATO; 東南アジア諸国連合 ASEAN ★この場合はピリオドを省略することが多い.

類義語 (synonym) 互いに意味の似ている語のこと. 例えば fast, quick, rapid, swift は互いに類義語であり, またこのような関係を類義 (synonymy) と呼ぶ.

意味が似ているといっても, まったく同じであることはほとんどなく, どこか違っているのが普通である. 例えば上例の 4 語についていうと, fast は a *fast* runner (速い走者) のように, スピードが速いことに意味の重点があり, quick は a *quick* answer (すばやい答え) のように動作が機敏ですばやいことを意味する. rapid もスピードの速いことを意味するが, fast が動いている「人・もの」についていうことが多いのに対して, *rapid* work のように動作そのものについて述べることが多い. もちろん a *fast* train, a *rapid* train のように互いに入れ換えて用いることのできる場合も多いが, いつでも入れ換えて用いることができるとは限らないということが英作文上から考えても非常に大切である.

類義語のことを同意語と呼ぶ場合もあるが, 以上述べたように, まったく同じ意味ではないので「類義語」と呼ぶほうが望ましい.

類義語の中には, 次のように幾つかの種類がある.

(1) 一方が口語的で, 他方が文語的, あるいは一方よりも他方が格式ばった言い方であるというように, 文体上の違いがあるもの.

a nasty smell (いやなにおい): an obnoxious effluvium (悪臭) ★前者が口語的; an eye doctor (目医者): an ophthalmologist (眼科医) ★前者が口語的.

(2) 方言によって異なるもの.

subway (地下鉄)《米》: underground (地下鉄)《英》; a bucket (バケツ)《米国南部》: a pail (バケツ)《米国北部》

(3) 意味内容が少し食い違うもの.

large (形状・数などが大きい): big (かさ・量が多い); study (研究する・学校で勉強する): learn (学習して身につける)

類義語ではこの (3) の種類の相違が一番学習上の問題が多い. はじめに例にあげた fast, quick, rapid などもこの種類である.

以上のような類義語間の相違を知るには, いろいろの類義語辞典を見ればよいが, 本辞典では英作文上に必要と思われる意味の相違を ( ),《 》, ★, [語法] などで付記するとともに, 特に重要な意味の相違は【類義語】欄を設けて解説した. 《☞ 反意語 (巻末)》

話法 (narration) 他人や自分が言ったことを人に伝達する方法を話法という. 話法には, (a) 言われた言葉をそのまま伝達する「直接話法」(direct narration), (b) 発言の内容をとらえ, その趣旨を話者自身の言葉に直して伝える「間接話法」(indirect narration) がある.

話法は引用される言葉, すなわち被伝達部と, だれが述べているかを明示する部分, すなわち伝達部から成る. なお伝達部中の動詞を伝達動詞 (reporting verb) という.

1 直接話法

直接話法では伝達動詞の後にコンマが置かれ, 被伝達部は大文字で書き始められ, この部分は引用符 (quotation marks) で囲まれる. 《☞ コンマ (巻末); 引用符(号) (巻末)》

¶ 彼は私に「きのう京都に行ってきた」と言った He said to me, "I went to Kyoto yesterday." // 彼女は私に「あなたは高校生ですか」と聞いた She ⌈said to [asked] me, "Are you a high school student?" // 私はその女の子に「あなたはどこに住んでいるの」と聞いた I ⌈said to [asked] the girl, "Where do you live?" // 先生は私たちに「教科書を閉じなさい」と言った Our teacher said to us, "Close your textbooks." // 彼女はその子犬を見て「まあかわいい」と言った When she saw the puppy, she said, "How cute!"

2 間接話法

ここでは直接話法を基準にして間接話法を考えてみる. 間接話法では, 直接話法の引用符と, 伝達動詞の後のコンマを取り, 伝達動詞を被伝達部の内容に合わせて変え, 適当な接続詞を補って, 以下に述べるような代名詞, 副詞, 動詞の時制, 語順などの必要な変化を加える. すなわち,

(1) 被伝達部が平叙文の場合: 伝達動詞を普通は tell とし, that を接続詞とする. ただし, この that は省略可能である. 被伝達部の動詞は伝達動詞, すなわち主節の動詞の時制と一致させる. また, 被伝達部の代名詞・副詞を適当に変化させる.

(2) 被伝達部が疑問文の場合: 伝達動詞を ask, inquire などに変え, 被伝達部が一般疑問, すなわち疑問詞のない疑問文の場合は if または whether を接続詞として用い, 特殊疑問, すなわち疑問詞のある疑問文の場合はその疑問詞をそのまま接続詞として用いる. いずれの場合も被伝達部の主語と動詞の語順は平叙文のそれと同じにする. 文末の疑問符は終止符に変え, 代名詞・副詞などの変更や時制の一致については (1) の場合に準じる.

(3) 被伝達部が命令文の場合: 伝達動詞を被伝達部の内容に応じて tell, ask, order, request, advise などに変え, 命令形の動詞を to 不定詞として伝達動詞につなぐ. その他の変化は (1) に準じる.

(4) 被伝達部が感嘆文の場合: この場合は明確な規則はなく, 被伝達部の内容に応じてその内容を表す説明的平叙文にすればよい.

以上のように, 直接・間接の両話法を互いに入れ換えることを「話法の転換」という. なお, 以下に上の直接話法の項の用例をそのまま間接話法にしたものを示す.

¶ 彼は私にその前日に京都に行ったと言った He told me that he had been to Kyoto the ⌈previous day [day before]. // 彼女は私に高校生かと聞いた She asked me if I was a high school student. // 私はその女の子にどこに住んでいるかと聞いた I asked the girl where she lived. // 先生は私たちに教科書を閉じるようにと言った Our teacher told us to close our textbooks. // 彼女はその子犬を見てとてもかわいいと言った When she saw the puppy, she ⌈said [exclaimed] that it was very cute. / When she saw the puppy, she exclaimed how cute it was.

調査校正協力者
麻生夕子　宇留賀佳代子　武藤まや　望月羔子　吉永景子　（アイウエオ順）

写真提供
赤木真二　赤須 薫　石塚浩司　伊藤 肇　改田 宏　川澄英男　定松 正　篠田達美
篠田義明　Stuart Atkin　虎岩正純　永田正男　船戸英夫　吉川健夫　吉田勝知
（アイウエオ順）

挿　絵
東江正輝　上原朝光　改田昌直　木村久美子　黒沢充夫　小梨貞文　中嶋英敏
(株)らくがき舎　和田慧子　（アイウエオ順）

組　版
小酒井英一郎　橋本一郎　宮原直也　米川由理

制　作
小田桐敬夫　鈴木隆志

デザイン / 装丁
小嶋一也・株式会社アドプロジェクト

Luminous
JAPANESE-ENGLISH
DICTIONARY

2001年　初 版
2005年　第2版 第1刷
2006年12月　第3刷

ルミナス和英辞典

こじまよしろう たけばやししげる なかおけいすけ ますだひでお
編　者　小島義郎・竹林 滋・中尾啓介・増田秀夫
発行者　関戸雅男
発行所　株式会社 研究社
〒102-8152 東京都千代田区富士見2-11-3
電話 編集 03(3288)7711
営業 03(3288)7777
振替 00150-9-26710
http://www.kenkyusha.co.jp/
組版・印刷　研究社印刷株式会社
製　本　合資会社 黒田製本所

ISBN4-7674-2229-9 C7582
PRINTED IN JAPAN

専門語表示とその他略語一覧

〔アメフト〕	アメリカンフットボール	〔獣医〕	獣医学
〔医〕	医学, 外科	〔商〕	商業
〔遺〕	遺伝学	〔植〕	植物(学)
〔印〕	印刷	〔心〕	心理学, 精神分析
〔映〕	映画	〔数〕	数学
〔泳〕	水泳	〔スポ〕	競技, スポーツ
〔英史〕	英国史	〔政〕	政治(学)
〔園〕	園芸	〔聖〕	聖書
〔化〕	化学	〔生〕	生物学
〔絵〕	絵画	〔生化〕	生化学
〔解〕	解剖学	〔生理〕	生理学
〔海〕	海洋学, 航海, 船舶	〔地〕	地(質)学
〔楽〕	音楽	〔畜〕	畜産
〔株〕	株式	〔鳥〕	鳥類(学)
〔機〕	機械	〔通〕	通信
〔幾〕	幾何学	〔哲〕	哲学, 倫理学
〔キ教〕	キリスト教	〔鉄〕	鉄道
〔ギ神〕	ギリシャ神話	〔電〕	電気
〔球〕	球技	〔天〕	天文学
〔旧約〕	旧約聖書	〔電工〕	電子工学
〔魚〕	魚類(学)	〔土〕	土木
〔空〕	航空	〔統〕	統計学
〔軍〕	軍事, 軍隊	〔動〕	動物(学)
〔経〕	経済(学), 金融	〔トラ〕	トランプ
〔芸〕	芸術	〔農〕	農業
〔劇〕	演劇	〔バスケ〕	バスケットボール
〔言〕	言語学	〔美〕	美術
〔建〕	建築	〔服〕	服飾
〔鉱〕	鉱物(学)	〔米史〕	米国史
〔光〕	光学	〔米法〕	米国法
〔工〕	工学	〔保〕	保険, 生命保険
〔古生〕	古生物	〔簿〕	簿記
〔昆〕	昆虫(学)	〔法〕	法律
〔財〕	財政(学)	〔ボク〕	ボクシング
〔歯〕	歯学, 歯科	〔野〕	野球
〔史〕	歴史	〔薬〕	薬学
〔社〕	社会学	〔郵〕	郵便
〔写〕	写真	〔ラグ〕	ラグビー
〔車〕	自動車	〔レス〕	レスリング
〔狩〕	狩猟	〔ロ神〕	ローマ神話
〔宗〕	宗教	〔論〕	論理学